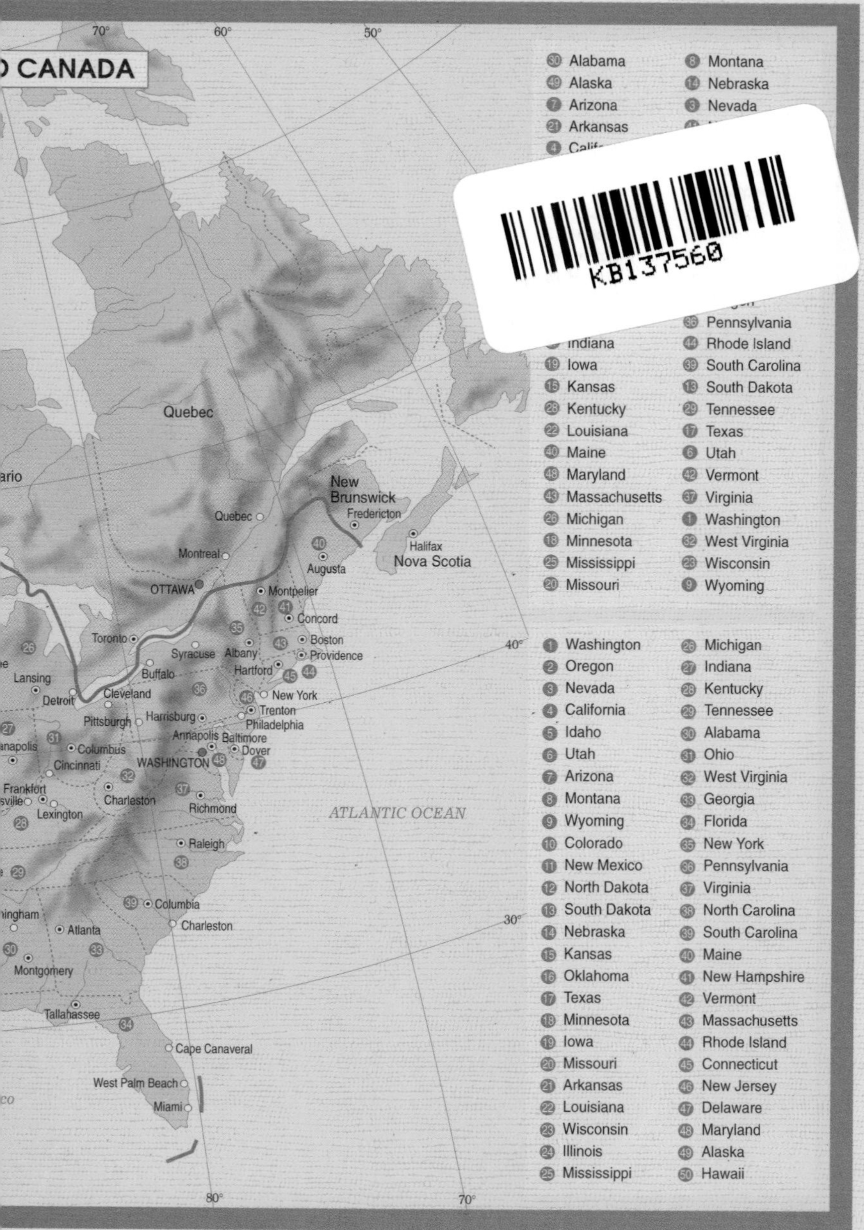

O CANADA
70°
60°
50°
40°
30°
80°
70°
Quebec
ario
New Brunswick
Fredericton
Halifax
Nova Scotia
Quebec
Montreal
OTTAWA
Augusta
Montpelier
Concord
Toronto
Boston
Providence
Syracuse
Albany
Hartford
Buffalo
New York
Lansing
Detroit
Cleveland
Trenton
Philadelphia
Pittsburgh
Harrisburg
Annapolis
Baltimore
Dover
Columbus
WASHINGTON
anapolis
Cincinnati
Frankfort
sville
Lexington
Charleston
Richmond
ATLANTIC OCEAN
Raleigh
Columbia
ingham
Charleston
Atlanta
Montgomery
Tallahassee
Cape Canaveral
West Palm Beach
Miami
co
30 Alabama
49 Alaska
7 Arizona
21 Arkansas
4 Calif
8 Montana
14 Nebraska
3 Nevada
36 Pennsylvania
44 Rhode Island
39 South Carolina
13 South Dakota
29 Tennessee
17 Texas
6 Utah
42 Vermont
37 Virginia
1 Washington
32 West Virginia
23 Wisconsin
9 Wyoming
Indiana
19 Iowa
15 Kansas
28 Kentucky
22 Louisiana
40 Maine
48 Maryland
43 Massachusetts
26 Michigan
18 Minnesota
25 Mississippi
20 Missouri
1 Washington
2 Oregon
3 Nevada
4 California
5 Idaho
6 Utah
7 Arizona
8 Montana
9 Wyoming
10 Colorado
11 New Mexico
12 North Dakota
13 South Dakota
14 Nebraska
15 Kansas
16 Oklahoma
17 Texas
18 Minnesota
19 Iowa
20 Missouri
21 Arkansas
22 Louisiana
23 Wisconsin
24 Illinois
25 Mississippi
26 Michigan
27 Indiana
28 Kentucky
29 Tennessee
30 Alabama
31 Ohio
32 West Virginia
33 Georgia
34 Florida
35 New York
36 Pennsylvania
37 Virginia
38 North Carolina
39 South Carolina
40 Maine
41 New Hampshire
42 Vermont
43 Massachusetts
44 Rhode Island
45 Connecticut
46 New Jersey
47 Delaware
48 Maryland
49 Alaska
50 Hawaii

KYOHAKSA'S

Hyŏndae ENGLISH-KOREAN DICTIONARY

敎學社

現代英韓辭典

改訂版

監修 : 서울大學校 人文大學 敎授
文學博士 張 敬 烈

KYOHAKSA

머 리 말

—— 개정판을 내면서

평소에 영어를 가까이하는 일반 독자를 주대상으로 하되, 대학생이나 고등학생도 학습에 능률적으로 활용할 수 있는 영한 사전을 만든다는 기본 방침 아래 편찬된 이 사전의 초판은, 간행되면서부터 예상 밖의 호평 속에 독자들의 많은 성원에 힘입어 숱한 중쇄를 거듭해 왔다. 그런데 초판을 발행한지 5년의 세월이 지났을 뿐이지만, 그 동안에 우리 지구촌에는 많은 변화가 일어났고, 언어 생활에도 적지 않은 영향을 끼쳤다. 경제 활동의 글로벌리제이션이 진행되면서 낯선 비즈니스 용어들이 신문 지상에 자주 오르내리고, PC 통신이나 인터넷의 비약적인 보급·진보에 따라 수많은 정보 통신 관련 신어들이 생겨났다.

이와 같은 사회의 변동에 부응하여, 한층 더 새롭고 실용적인 사전의 필요성이 높아짐에 따라 이 개정판을 출간하게 되었다. 편찬의 기본 방침은 초판 때의 방향과 시스템을 그대로 유지하면서, 보다 더 충실하고 참신한 사전을 만들기 위해 정성을 다했다. 이 개정판의 주요한 특색을 들면 다음과 같다.

(1) 수록 항목을 대폭 증보하였다. 초판에 비하여 1만여에 이르는 항목을 더 추가함으로써 표제어, 파생어, 숙어를 합쳐 수록 항목이 27만을 헤아리게 되었다. 이는 일반 대사전과 맞먹는 어휘수로, 어떤 말이든지 찾아내어 이해할 수 있는, 그런 신뢰성과 편리성을 갖춘 사전임을 의미한다.

(2) 영어 해독과 학습의 효율성을 높이는 입체적인 편집을 도입하였다. 어의 해석과 이해에 가장 적합한 예문의 엄선에 각별히 힘썼다. 또 생활 영어를 중시하는 최근의 교육 과정 추세에 맞추어, 일상 대화에 자주 쓰이거나 주의를 요하는 항목에 따로 박스 기사로 「회화」 난을 게재함으로써 실용 영어 학습의 상승 효과를 거둘 수 있게 하였다.

(3) 삽화의 충실을 기하였다. 문화의 차이로 인해 역어만으로는 얼른 이해하기 어려운 사물에 적확한 개별 삽화 420여 컷을 곁들였고, 또 상호 연관성이 깊은 사물의 전단 삽화 120여 컷을 게재하여 실용적인 지식을 시각적으로 익힐 수 있게 하였다.

(4) 2색 인쇄로 검색의 편리성을 도모하였다. 본문 중에 박스 기사의 테두리선 및 타이틀을 별색으로 인쇄하여 얼른 눈에 띄게 하였고, 더욱이 시각적인 청신함을 주어서 눈의 피로도 완화시켰다.

이 사전이 독자 여러분의 좋은 반려가 되고, 영어를 가까이하는 생활에 도움을 주는 도구가 되기를 염원하면서, 아울러 이 사전이 보다 더 완벽한 것이 될 수 있도록, 여러분의 아낌없는 비판과 조언이 있기를 바랍니다.

1999년

교학사 사서부

감수자의 말(초판)

책을 집필하고 제작하는 일처럼 지대한 정성을 들여야 하는 일은 드물다. 특히 언어에 관련된 사전은 더 말할 것도 없다. 이러한 작업을 교학사 사서부는 해냈다. 4년여에 걸친 각고의 노력 끝에 유례없는 영한 사전을 출간하게 된 것이다. 감수자는 그간에 이들이 집필한 원고를 한장 한장 검토하면서 스스로 사전에 대한 많은 것을 느꼈다. 특히 사전은 우리의 현 실정에 부응하는 쓸모있는 사전이 되어야 하고 그러한 사전을 제작한다는 일이 얼마나 어려운 일인가를 절감했다. 다시 말해서 영미 문화권의 한 사전류의 체제를 답습한다든가 기존의 국내 사전류처럼 단순히 어휘수만을 늘린다든가 하는 일만으로는 우리가 필요로 하는 사전이 될 수 없다는 것을 알게 된 것이다. 그 이유는 간단하다. 우리에게 요구되는 영한 사전은 우선적으로 영어를 습득하기 위해 활용할 수 있는 영어 학습상의 필요 사항이 기술되어 있어야 하기 때문이다.

감수자는 그러한 점을 착안하여 감수에 임했다. 제시된 어휘의 정확한 뜻과 그를 활용하도록 열거한 예문의 타당성, 그리고 그 예문의 번역이 오역이나 아닌가 하는 점에 주의를 기울였다. 또한 어휘마다 그 뜻이 근자에 보편적으로 쓰이지 않는 뜻은 과감히 삭제하는 한편, 시사잡지나 신문 등에 나오는 시사 용어를 수록하는 데 신경을 썼다. 이렇게 수천장의 원고를 감수하면서 또 하나 느낀 것은 독창적인 사전을 만든다는 일은 불가능하다는 점이었다. 생각건대 우리의 모든 문화적 활동은 우리에게 전수된 문화 유산을 바탕으로 이루어지고 있으나, 영한 사전을 제작하는 경우에는 아무런 유산이 없는 것이 사실이다. 그렇다고 해서 현실적으로 국제어화한 「영어」라는 당면한 과제 앞에서 머뭇거릴 수 만은 없으며, 비록 편법일지는 몰라도 외국 사전들을 참조 인용하여 제작할 수 밖에 없는 실정임은 누구나 시인할 것이다. 그러나 무분별한 참조나 인용이 아니고 우리가 활용할 수 있는 영한 사전이 되도록 필요 사항을 가한 것이 바로 이 사전이다.

이제 오랜 기간의 작업이 결실을 보게 되었다. 편집자의 계획과 목표에 따라 작업이 진행되는 과정에서 감수자의 역할이란 실로 미미한 것이었고 스스로 능력에 한계가 있었음을 고백하지 않을 수 없으나, 그러한 어려움은 교학사 사서부 직원들의 끈질긴 저력에 의해 극복할 수 있었음을 밝혀두고 싶다.

끝으로 이 사전이 판을 거듭하면서 완벽한 사전이 되도록 이용자들의 끊임없는 충고를 바랍니다.

1994 년

장 경 렬

일 러 두 기

이 사전에서는 영어의 일반 어휘·고유명사·접두사·접미사·연결형·약어·기호·외래어 및 외국어 어구와 인용구 따위를 폭넓게 수록했다.

I 표 제 어

1. 1) 배열은 원칙적으로 알파벳순으로 했으나 철자가 다른 어휘·파생어·같은 뜻의 복합어는 비교적 가까이에 배열되는 경우 반드시 이 원칙에 의하지 않고 한 곳에 수록하였으므로 주의하기 바란다.

2) 숫자를 포함하는 표제어의 순서는 그것을 수사로 썼을 때의 순서로 한다.

보기 : **1-A**는 one-A, **factor V**는 factor five

2. 철자가 미국과 영국이 다른 경우에는 미국식 철자를 우선하고 다음에 영국식 철자를 표기했으며 이를 종선(|)으로 구분했다. 그러나 미국식 철자와 영국식 철자가 다르지 않을 때의 표제어 배열은 콤마(,)로 구별했다.

보기 : **can·dor | -dour** 《미국에서는 대체로 candor로, 영국에서는 candour로 쓴다》

gai·ety, gay·ety 《미국과 영국이 두가지를 모두 쓴다》

ped·a·gogue, 《美》 **-gog** 《일반적으로 미국과 영국이 모두 pedagogue로 쓰지만 미국에서는 pedagog로도 쓴다》

㊟ 파생어·복합어에 대해서는 일일이 영국식 철자를 쓰지 않았고 또 -ize와 -ise는 거의 -ize 쪽만을 표시했다.

3. 철자가 같은 어휘라도 어원이 다를 때에는 별개의 표제어로 수록하고 우측 어깨에 소문자로 번호를 매겨 구별했다.

보기 : **bit**^{1} [bít] *n.* **1** 작은 부분….

bit^{2} *v.* BITE의 과거·과거분사.

bit^{3} *n.* (말의) 재갈….

4. 수록된 어휘 중 중학교 기본 어휘 1,500어에는 ◇표를, 고등 학교 기본 어휘 4,500어에는 ‡표, 대학 교양 정도의 어휘 6,000어에는 *표를 붙였다.

보기 : ◇**date**^{1} [déit] *n.* / ‡**earn** [ə́:rn] *vt.* / ***faint** [féint] *a.*

5. 분철은 중점(·)으로 표시했으나 발음의 차이로 분철이 다른 어휘는 첫번째로 표시한 발음에 의해 분철했다. 어두나 어미의 한 음절을 이루는 한 자는 분철하지 않기로 하고 표시하지 않았다.

보기 : **aphis** [éifəs, ǽfəs] 《첫번째로 표시한 발음에 의해 a·phis지만 어두의 한 자인 a를 분철하지 않는다》

6. 생략할 수 있는 부분은 ( )괄호를 쓰고 대체할 수 있는 부분은 [ ]괄호를 써서 표시했다.

보기 : **júnior hígh (schòol)** 《junior high 또는 junior high school》

hóney sàc[stòmach] 《honey sac 또는 honey stomach》

7. 물결 모양의 대시(~)는 표제어와 동일한 철자의 부분을 생략하는 데 썼다.

8. 표제어 위에 붙인 악센트 부호는 철자 본래의 것인 **dé·but**나 단순히 발음의 강세(強勢)를 표시한 **lífe·lìne**이나 동일하게 표시했다.

II 발 음

국제 음성 기호를 [ ]괄호 안에 넣어 표시했다. 음성 기호의 음가에 관해서는 「발음 기호표」를 참조하기 바란다.

1. 모음 위에 악센트 부호 [´]를 붙여 제1 악센트를 표시하고 [`]를 붙여 제2 악센트를 표시했다.

보기 : **lift** [líft] / **main·tain** [meintéin, mən-] / **ne·go·ti·ate** [nigóuʃièit]

2. 발음이 같고 악센트만 다른 경우에는 각 음절을 짧은 대시로 표시하고 악센트의 위치가 다름을 표시했다.

보기 : **OK** [òukéi, ⌐⌐] 《[⌐⌐]=[óukèi]》

3. 사람이나 경우에 따라서 발음되지 않는 음은 이탤릭체를 써서 표시했다.

보기 : **open** [óupən] 《=[óupən, óupn]》

4. 강세형도 있으나 일상적으로 약세형을 쓰는 것은 다음처럼 약세형을 먼저 표시했다.

보기 : **ought**[1] [ɔ:t, ɔ́:t]

5. 미국식 발음과 영국식 발음이 다른 경우에는 다음과 같이 표시했다.

보기 : **palm**[1] [pá:*l*m ; pá:m] 《=[美에서는 pá:*l*m ; 英에서는 pá:m]》

6. 1) 장음과 단음 양쪽이 있을 때에는 장음 부호를 ( )괄호 안에 넣어 표시했다.

보기 : **quaff** [kwá(:)f] 《[kwáf], [kwá:f]》

2) 다음과 같은 경우에는 반복을 피해서 일괄하여 표시했다.

보기 : **re·ful·gence, -cy** [rifʌ́ldʒəns(i)] 《**refulgence** [rifʌ́ldʒəns], **-cy** [-si]》

7. 공통 부분은 하이픈을 써서 생략했다.

보기 : **sin·u·ate** [sínjuət, -èit] 《[-]은 공통 부분 [sínju]를 나타낸다》

동일 표제어 내에서 나란히 배열한 표제어·변화형·다른 품사 따위는 보통 다른 부분만을 표기하고 같은 부분은 [-]으로 생략했다.

보기 : **jam·beau** [dʒǽmbou], **-bart** [-bɑ:*r*t], **-ber** [-bə*r*] *n.*
tes·ta [téstə] *n.* (*pl.* **-tae** [-ti:, -tai])
un·du·late *v.* [ʌ́ndʒəlèit] *vi.* …. —— [-lət, -lèit] *a.*

8. 복합어의 악센트를 표시하기 위해 그 구성 요소의 하나인 어휘 전체를 대시로 표시했다.

보기 : **V neck** [ví: ⌐] 《=[ví: nèk]》

9. 1) 외래어의 발음은 가장 비슷한 영어음으로 표시했다. 단, 프랑스어와 독일어에서 유래된 것에는 원음을 표시한 경우도 있다. 그 경우에는 *F* 또는 *G*로 각기 프랑스어와 독일어의 원음임을 표시했다.

보기 : **Bay·ern** [*G* báiərn] / **en·fant ché·ri** [*F* ɑ̃fɑ̃ ʃeri]
voy·a·geur [vwɑ̀:jɑ:ʒə́:*r*, vɔ̀iə- ; *F* vwajaʒœ:r] 《=[영어음 vwɑ̀:jɑ:ʒə́:*r*, vɔ̀iə- ; 프랑스어 원음 vwajaʒœ:r]》

2) 프랑스어의 복수형처럼 발음이 주 표제어 발음과 동일한 경우에는 [—]로 표시했다.

보기 : **ami** [*F* ami] *n.* (*pl.* **~s** [—])

10. 바로 앞의 표제어와 발음·철자 및 분철이 같을 경우에는 발음·악센트 및 분철을 생략했다. 더구나 대문자와 소문자의 차이는 여기서 철자의 차이로는 보지 않는다.

보기 : **yard**[1] [já:*r*d] **yard**[2] / **war·ble**[1] [wɔ́:*r*bəl] **warble**[2] / **bat·tery** [bǽtəri] **Battery**

바로 앞의 표제어와 분철만이 다른 경우에는 분철만을 표시하고 발음 기호를 생략했다.

보기 : **ta·per**[1] [téipə*r*] **tap·er**[2]

11. 다음에 열거하는 종류의 표제어에는 철자 위에 악센트 만을 표시했으나, 구성 요소 각기의 발음이 독립 표제어에 표시되어 있으므로 그 발음을 합쳐서 표시된 악센트형으로 발음한다.

1) 두 어휘 (이상의) 표제어

보기 : **fíre insùrance** 《독립 표제어로서의 fire, insurance의 발음은 [fáiə*r*], [inʃúərəns]인데 이를 합쳐 [fáiə*r* inʃùərəns]가 된다》

독립 표제어로 수록되지 않은 어휘에 대해서는 그 부분만의 발음을 표시했다.

보기 : **dóum** (**pàlm**) [dú:m(-)]

2) 복합어

보기 : **frónt-lòad** / **gréen·gròcer**

복합어 구성 요소의 일부 발음이 독립 표제어의 발음과 다른 경우에는 그 요소의 발음을 표시했다.

보기 : **hóuse·man** [-mən, -mæ̀n] 《=[háusmən, háusmæ̀n]》

복합어 발음의 일부를 표시할 때에는 그 요소에 제1 악센트가 있으면 표제어 위에 이를 표시하고 그 외는 표시하지 않았다.

보기 : **ùp·téar** [-téər, -tǽər] / **cúckoo·pint** [-pìnt, -pàint]

Ⅲ 품 사

1. 품사 표시의 약어에 대해서는 일러두기의 「약어표」를 참조하시오.

2. 한 표제어에 둘 이상의 품사가 있는 경우 ━━를 써서 품사의 구별을 표시했다.

Ⅳ 어형 변화

불규칙한 변화형의 철자・발음은 ( )괄호 안에 다음처럼 표시했다. 단, 복합어・파생어에 대해서는 반드시 그렇지는 않다.

1. 명사의 복수형

보기 : **foot** [fút] *n.* (*pl.* **feet** [fíːt]) / **ra·dio** [réidiòu] *n.* (*pl.* **-di·òs**)

2. 1) 불규칙 동사의 과거 ; 과거 분사 ; -ing형

보기 : **go** [góu] *v.* (**went** [wént] ; **gone** [gɔ́(ː)n, gán] ; **gó·ing**)

2) 어간의 자음자를 겹칠 경우에는 다음처럼 표시했다.

보기 : **nap**[1] [nǽp] *vi.* (**-pp-**) 《**-pp-**＝**nápped** ; **náp·ping**》
pic·nic [píknik] *vi.* (**-nick-**) 《**-nick-**＝**píc·nicked** ; **píc·nick·ing**》
trav·el [trǽvəl] *v.* (**-l-** | **-ll-**) *vt.* 《**-l-** | **-ll-**＝美에서는 **tráv·eled** ; **tráv·el·ing**, 英에서는 **tráv·elled** ; **tráv·el·ling**》

3. 형용사・부사의 비교급 ; 최상급

단음절 어휘에는 -er ; -est를 붙이고, 두 음절 이상에는 more ; most를 붙이는 것을 원칙으로 하므로 원칙에 따르는 변화는 표시하지 않고 이에 반한 것 또는 철자・발음에서 주의해야 할 것은 다음처럼 표시했다.

보기 : **hot** [hát] *a.* (**hót·ter** ; **hót·test**)
well[1] *adv.* (**bet·ter** [bétər] ; **best** [bést])
long[1] [lɔ́(ː)ŋ, láŋ] *a.* (**~·er** [-ŋg-] ; **~·est** [-ŋg-])

Ⅴ 어의와 어법

1. 다의어・중요어는 볼드체의 아라비아 숫자 **1 2 3**으로 어의를 분류했고 그 상위 구분으로 **ABC**를 쓰고 하위 구분으로 **a) b) c)**를 썼다.

2. 어의 앞에 [ ]괄호를 써서 문법・어법상의 지시・설명을 첨가했다.

3. 소형 대문자(SMALL CAPITALS)는 참조할 표제어를 나타낸다. 단, 용례에서 쓴 것은 표제어의 존재를 나타내는 색인에 불과하다.

4. 용법 지시에는 《 》를 썼다. 《古》《稀》《口》《俗》 따위의 용법 지시는 절대적인 것이 아니라 모두 대체적인 경향을 나타내는 데 그친다.

5. 학술 용어 따위의 분야 지시에는 〖 〗를 썼다. 〖醫〗〖昆〗〖哲〗 따위의 표시가 반드시 전문 용어임을 나타내는 것은 아니다. 예컨대 〖植〗은 식물학의 학술 용어를 나타내기도 하지만 단지 어의가 식물임을 나타내기도 한다.

6. 역어에서는 역어 앞에 ( )괄호를 써서 동사의 주어・목적어나 형용사, 명사의 연결 따위를 표시했다.

7. 표제어와 연결되는 전치사・부사・접속사를 역어 뒤에 〈*in*〉〈*at*〉〈*on*〉〈*that*〉처럼 표시했다.

8. 동의어는 역어 뒤에 ( )괄호로, 반의어는 (↔)의 형식으로, 설명 어구는 《 》괄호를 썼다.

9. 어의・역어에서 쓰인 ( )괄호는 ( )안을 생략할 수 있음을, [ ]괄호는 앞의 어(구)와 대체할

수 있음을 나타낸다.

10. 필요에 따라 [注]와 [活用] 란을 두어 발음 · 철자 · 어법 · 문법 · 관용 따위에 관한 보충적인 주의 · 설명 · 참고 사항을 기술했다. 특히 [類義語] 란에서는 유의어를 한 곳에 나열하여 각 어휘간의 관련을 명확히 했다.

Ⅵ 용례와 숙어

1. 1) 용례는 어의 끝을 콜론(:)으로 맺고 실었으며 용례와 용례 사이는 사선으로 표시했다.
2) 용례는 반드시 번역하지는 않고 필요한 부분만하거나 또는 그 뜻이 분명한 때에는 번역하지 않은 경우도 있다.

2. 1) 숙어는 숙어 속의 표제어 부분의 품사에 따라 그 품사의 어의를 서술한 끝에 일괄하여 수록했다. 단, 품사의 분류가 번잡한 어휘에 대해서는 품사의 구별을 무시하고 몇몇 품사의 숙어를 일괄하여 수록한 것도 있다.
2) 숙어는 알파벳순을 원칙으로 했으나 서로 관계가 있는 숙어 따위는 한 곳에 일괄하여 수록한 것도 있으므로 주의하기 바란다.
3) 숙어의 의미상의 분류는 대체로 세미콜론(;)으로 끊었으나 이로 인하여 혼돈이 되거나 또는 상호 참조에 편리하도록 할 경우에는 (1) (2) (3)으로 분류했고 때로는 숙어의 품사를 표시한 것도 있다.

3. 1) 용례 및 숙어 속에 쓰인 one, one's, oneself는 그 위치에 문장의 주어와 동일한 인물을 나타내는 명사 또는 대명사가 대치됨을 나타낸다.
2) 용례 및 숙어 속에 쓰인 a person은 그 위치에 문장의 주어와 다른 인물을 나타내는 명사 또는 대명사가 대치됨을 나타낸다.

Ⅶ 어 원

각기 표제어를 서술한 끝행에 필요한 어원을 〚 〛 안에 넣어 표시했다.

1. 어원은 현재의 어의 · 어형의 이해에 도움이 되도록 했고 필요에 따라서는 세미콜론(;) 뒤에 설명을 가했다. 어의상 특별히 설명할 것이 없을 경우에는 언어명의 표시로 그쳤다.

2. 〚<〛는 derivation을 나타낸다. 어원란의 최초의 (언)어는 직접적인 근원을 나타내지만 최후의 것은 최종 어원이라고는 하지 않는다. 차입 경로를 생략한 경우에는 콤마를 찍고 〚…, <…〛로 표시했다.

보기 : **pro·drome** 〚F, <Gk. = forerunner〛

3. 소형 대문자는 관련어의 어원란 · 숙어 참조를 뜻한다. 바로 앞 · 바로 뒤의 어휘의 참조는 〚↑〛〚↓〛로 표시했다.

보기 : **dry·as·dust** 〚dry as DUST〛/ **sys·tem·at·ic** 〚L<Gk. (↑)〛

4. 〚?〛는 어원이 불확실하거나 불분명한 어휘를 말하고 필요에 따라서는 처음 나온 세기나 관련어 따위를 가리키기도 한다. 또한 특정 언어로 확정지을 수 없는 경우에는 지역명을 ( )괄호 안에 넣어 표시했다.

보기 : **twig**² 〚C 18< ? Sc. Gael. *tuig* I understand〛
yam 〚Port. or Sp.< (W. Afr.)〛

Ⅷ 문 형

중요한 동사에 대하여 동사형을 각기 어의 앞에 [ ]로 표시하였고 또 명사와 형용사에 대해서도 관계있는 것에 한하여 명사형, 형용사형을 표시하였다.

약 어 표

《古》 …… 고어체
《口》 …… 구어(colloquial)
《軍俗》 …… 군대속어
《南아》 …… 남아프리카
《蔑》 …… 경멸
《美》 …… 미국용법
《美口》 …… 미국구어
《美方》 …… 미국방언
《美俗》 …… 미국속어
《方》 …… 방언(dialect)
《卑》 …… 비어(vulgar)
《俗》 …… 속어(slang)
《스코》 …… 스코틀랜드방언
《詩》 …… 시어(poetical)
《兒》 …… 소아어
《아일》 …… 아일랜드방언
《英》 …… 영국용법
《옛투》 …… 고풍, 약간 고어
《婉》 …… 완곡
《카리브》 …… Carib
《廢》 …… 폐어
《學》 …… 학생어
《學俗》 …… 학교속어 (school slang)
《濠》 …… 오스트레일리아
《稀》 …… 희용어(rare)
《戲》 …… 희담(戲談)

〔建〕 …… 건축(학)
〔競〕 …… 경기
〔經〕 …… 경제(학)
〔考古〕 …… 고고학
〔古그〕 …… 고대그리스
〔古로〕 …… 고대로마
〔古史〕 …… 고대사
〔古生〕 …… 고대생물
〔昆〕 …… 곤충
〔工〕 …… 공학
〔空〕 …… 항공
〔鑛〕 …… 광물(학)
〔光〕 …… 광학
〔教〕 …… 교육
〔軍〕 …… 군사
〔拳〕 …… 권투
〔菌〕 …… 세균학
〔그史〕 …… 그리스史
〔그神〕 …… 그리스신화
〔劇〕 …… 연극
〔氣〕 …… 기상
〔基〕 …… 기독교
〔幾〕 …… 기하학
〔機〕 …… 기계
〔論〕 …… 논리학
〔籠〕 …… 농구
〔農〕 …… 농업
〔代〕 …… 대수학
〔動〕 …… 동물(학)
〔로法〕 …… 로마法
〔로神〕 …… 로마신화
〔로켓〕 …… 로켓공학
〔馬〕 …… 마술, 승마
〔文〕 …… 문학
〔紋〕 …… 문장(학)
〔理〕 …… 물리학
〔美史〕 …… 미국史
〔美蹴〕 …… 미식축구
〔博〕 …… 박물
〔紡〕 …… 방적
〔法〕 …… 법률, 법학
〔服〕 …… 복식
〔簿〕 …… 부기
〔史〕 …… 역사, 사학
〔寫〕 …… 사진
〔社〕 …… 사회학
〔商〕 …… 상업
〔生〕 …… 생물(학)
〔生化〕 …… 생화학
〔船〕 …… 조선, 선박
〔聖〕 …… 성서
〔修〕 …… 수사학
〔數〕 …… 수학
〔植〕 …… 식물(학)
〔神〕 …… 신화
〔心〕 …… 심리학
〔樂〕 …… 음악
〔冶〕 …… 야금
〔野〕 …… 야구
〔藥〕 …… 약학
〔魚〕 …… 어류(학)
〔言〕 …… 언어학
〔染〕 …… 염색, 염료
〔泳〕 …… 수영
〔映〕 …… 영화
〔藝〕 …… 예술
〔英史〕 …… 영국史
〔窯〕 …… 요업
〔料〕 …… 요리
〔郵〕 …… 우편
〔韻〕 …… 운율학
〔遺〕 …… 유전학
〔倫〕 …… 윤리학
〔醫〕 …… 의학
〔印〕 …… 인쇄
〔電〕 …… 전기
〔電子〕 …… 전자공학
〔占星〕 …… 점성술
〔政〕 …… 정치(학)
〔彫〕 …… 조각
〔鳥〕 …… 조류(학)
〔宗〕 …… 종교
〔宗史〕 …… 종교史
〔證〕 …… 증권, 주식
〔地〕 …… 지리
〔地球理〕 …… 지구물리학
〔織〕 …… 직물
〔天〕 …… 천문(학)
〔哲〕 …… 철학
〔鐵〕 …… 철도
〔蹴〕 …… 축구
〔測〕 …… 측량
〔齒〕 …… 치과(학)
〔컴퓨〕 …… 컴퓨터
〔土〕 …… 토목
〔統〕 …… 통계학
〔TV〕 …… 텔레비전
〔貝〕 …… 패류
〔砲〕 …… 포(술)
〔프史〕 …… 프랑스史
〔海〕 …… 항해, 해어
〔解〕 …… 해부(학)
〔化〕 …… 화학
〔環境〕 …… 환경공학
〔畫〕 …… 회화

a.	adjective	*imit.*	imitative	*pref.*	prefix
adv.	adverb	*int.*	interjection	*prep.*	preposition
attrib.	attributive	*masc.*	masculine	*pres.p.*	present participle
auxil. v.	auxiliary verb	*n.*	noun		
comb. form	combining form	*n. pl.*	plural noun	*pron.*	pronoun
conj.	conjunction	*p.*	past	*sg.*	singular
dial.	dialect	*pl.*	plural	*suf.*	suffix
dim.	diminutive	*poss.*	possessive	*v.*	verb
fem.	feminine	*p.p.*	past participle	*vi.*	intransitive verb
freq.	frequentative	*pred.*	predicative	*vt.*	transitive verb

언어명의 생략형

AF	Anglo-French	Gael.	Gaelic	Norw.	Norwegian
(Afr.)	Africa	Gk.	Greek	O...	Old
Afrik.	Afrikaans	Gmc.	Germanic	ODu.	Old Dutch
Alb.	Albanian	Goth.	Gothic	OE	Old English
Amh.	Amharic	Haw.	Hawaiian	OF	Old French
Am. Ind.	American Indian	Heb.	Hebrew	OHG	Old High German
Am. Sp.	American Spanish	Hind.	Hindustani		
		Hung.	Hungarian	ON	Old Norse
Arab.	Arabic	Icel.	Icelandic	OS	Old Saxon
Aram.	Aramaic	IE	Indo-European	Pers.	Persian
Assyr.	Assyrian	Ir.	Irish	Pol.	Polish
(Austral.)	Australia	It.	Italian	Port.	Portuguese
Bulg.	Bulgarian	Jap.	Japanese	Prov.	Provençal
Can. F	Canadian French	Jav.	Javanese	Rom.	Romanic
Cat.	Catalan	L	Latin	Rum.	Rumanian
Celt.	Celtic	Latv.	Latvian	Russ.	Russian
Chin.	Chinese	LG	Low German	Sc.	Scottish
Copt.	Coptic	Lith.	Lithuanian	Scand.	Scandinavian
Corn.	Cornish	M...	Middle/Medieval	Sem.	Semitic
Dan.	Danish			Serb.	Serbian
Du.	Dutch	MDu.	Middle Dutch	Serbo-Croat	Serbo-Croatian
E	English	ME	Middle English	Skt.	Sanskrit
Egypt.	Egyptian	MHG	Middle High German	Slav.	Slavonic
F	French			Sp.	Spanish
Finn.	Finnish	MLG	Middle Low German	Swed.	Swedish
Flem.	Flemish			Syr.	Syriac
Frank.	Frankish	Mod. Gk.	Modern Greek	Turk.	Turkish
Fris.	Frisian	Mod. Heb.	Modern Hebrew	W. Ind.	West Indies
G	German	NL	Neo-Latin	Yid.	Yiddish

발음 기호표

기 호	보 기	기 호	보 기	기 호	보 기
[ai]	ice, mine, sky	[əːr,	courage, hurry,	[p]	pay, upper, cup
[au]	out, bound, cow	ʌ ; ʌ]	nourish	[r]	rain, sorry
[ɑ ; ɔ]	ox, cotton	[f]	fox, offer, if	[s]	cent, fussy, kiss
[ɑː]	alms, father, ah	[g]	gum, beggar, big	[ʃ]	ship, station, fish
[ɑː*r*]	art, card, star	[h]	house, behind	[t]	top, better, tent
[æ]	attic, hat	[i]	ink, sit, city	[tʃ]	chair, pitcher,
[æ(ː) ; ɑː]	ask, branch	[iː]	eat, seat, see		match
[b]	bed, rubber, cab	[iə*r*]	ear, beard, hear	[θ]	think, pithy, both
[d]	desk, rudder, good	[j]	yes	[u]	good
[dʒ]	gem, adjective, judge	[k]	call, lucky, desk	[uː]	ooze, food, too
[ð]	this, other, bathe	[l]	leg, melon, call	[uə*r*]	poor, tour
[e]	end, bell	[m]	man, summer, aim	[v]	vine, cover, love
[ei]	aim, name, may	[n]	note, dinner, moon	[ʌ]	up, blood
[eə*r*,	air, care, heir, prayer,	[ŋ]	ink, sing	[w]	way
æə*r*]	there	[ou ; əu]	open, most, show	[z]	zoo, busy, lose
[ə]	ability, silent, lemon,	[ɔ(ː), ɑ]	dog, orange, soft	[ʒ]	measure, rouge
	upon, banana	[ɔː]	all, fall, saw		
[ə*r*]	butter, actor	[ɔː*r*]	order, cord, more	[´]	제1 악센트
[əː*r*]	earn, bird, stir	[ɔi]	oil, coin, boy	[`]	제2 악센트

주 **1.** [이탤릭체 기호]

1) 생략할 수 있는 음.

보기 : [stéiʃ*ə*n]=[stéiʃən, stéiʃn]

2) ([*ə*]의 경우) 다음의 자음이 음절 주음임을 가리킨다.

보기 : [kɑ́nt*ə*nənt]=[kɑ́ntnənt]

2. [æ(ː) ; ɑː] 따위에서 세미콜론(;)의 왼쪽은 미국식 발음을 가리키고 오른쪽은 영국식 발음을 가리킨다.

3. [(ː)]는 일반적으로 장모음과 단모음의 두 발음이 있음을 가리키는데 [ɔ(ː)]는 미국식 발음 [ɔː], 영국식 발음 [ɔ]의 뜻이다.

4. [ɑː*r*] [eə*r*, æə*r*] [əː*r*] [ə*r*] [iə*r*] [ɔː*r*] [uə*r*]의 [*r*]은 영국식 발음에서는 모음이 이어지는 경우에만 발음되는 [r]을 나타낸다. 즉 자음 앞과 어휘 앞에서 뒤에 모음이 바로 이어지지 않을 때에는 발음되지 않는다.

미국식 발음에서는 선행하는 [ə]에 영향을 끼쳐 그와 함께 [ɚ]로 표시되는 「r음색이 붙은 모음(*r*-colored vowel)」이 된다. 또 미국식 발음에서는 [ɑː*r*]는 [ɑɚ], [ɔː*r*]는 [ɔɚ]로 발음된다. [eə*r*]의 [e]는 다른 위치의 [e]보다도 입을 크게 벌리며 정밀한 표기에서는 [ɛ]로 표시된다.

비영어음 및 기타의 기호

[y]	D**ü**sseldorf, Z**ü**rich	(입술을 둥글게 하고 [i]를 발음한다.)
[ø]	**feu** de joie, N**eu**fchâtel	(입술을 둥글게 하고 [e]를 발음한다.)
[œ]	j**eu**nesse dorée, **oe**il-de-b**oeuf**	(입술을 둥글게 하고 [ɛ]를 발음한다.)
[ɑ̃]	p**en**sée, s**ans**	(비음화한 [ɑ])
[ɛ̃]	v**in**	(비음화한 [ɛ])
[ɔ̃]	b**on**soir, garç**on**	(비음화한 [ɔ])
[œ̃]	vingt-et-**un**, vingt-**un**	(비음화한 [œ])
[ç]	Rei**ch**	(혀의 가운데를 경구개에 가까이 대며 발음하는 무성마찰음)
[x]	Ba**ch**, lo**ch**	(혀의 안쪽을 경구개에 가까이 대며 발음하는 무성마찰음)
[ɥ]	enn**u**i	([y]에 대응하는 반모음)
[ɲ]	Montai**gne**	(구개화한 [n])
[ɯ]	**u**gh	(입술을 둥글게 하지 않는 [u])
[Φ]	**ph**ew	(두 입술을 좁혀서 발음하는 무성마찰음)
[̥]	hem² [m̥m]	(무성화 기호)

발음 생략 어미 일람

A **-abil·i·ty** [əbíləti] **-able** [əbəl] **-ably** [əbli] **-adel·phous** [ədélfəs] **-age** [idʒ] **-al** [əl] **-an** [ən] **-ance** [əns, əns] **-an·cy** [ənsi, ənsi] **-an·drous** [ǽndrəs] **-ant** [ənt, ənt] **-arch** [ɑ̀:rk] **-ar·chy** [ɑ̀:rki] **-ard** [ərd] **-ary** [ˊ-èri, ˊəri; ˊ(-)əri] **-as·ter** [ǽstər, ǽs-] **-ate** [ət, èit] **-a·tion** [éiʃən]

B **-bi·ont** [báiɑnt] **-bi·o·sis** [baióusəs, bi-] (*pl.* **-ses** [-si:z]) **-blast** [blæ̀(:)st; blɑ̀:st] **-blas·tic** [blǽstik]

C **-carp** [kɑ̀:rp] **-car·pic** [kɑ́:rpik] **-car·pous** [kɑ́:rpəs] **-car·py** [kɑ̀:rpi] **-cene** [sì:n] **-cen·tric** [séntrik] **-ce·phal·ic** [səfǽlik; ke-] **-ceph·a·lous** [séfələs] **-ceph·a·ly** [séfəli] **-cer·cal** [sə́:rkəl] **-chore** [kɔ̀:r] **-chrome** [kròum] **-ci·dal** [sáidl] **-cide** [sàid] **-cli·nal** [kláinl] **-cline** [klàin] **-cli·nous** [kláinəs] **-coc·cus** [kɑ́kəs] **-coele, -coel** [sì:l] **-cot·yl** [kɑ́tl] **-crat** [krǽt] **-crat·ic** [krǽtik] **-cy** [si] **-cyst** [sìst] **-cyte** [sàit]

D **-dac·ty·lous** [dǽktələs] **-dac·ty·ly** [dǽktəli] **-den·dron** [déndrən] **-derm** [də̀:rm] **-der·ma** [də́:rmə] **-der·mic** [də́:rmik] **-der·mis** [də́:rməs] **-dom** [dəm] **-drome** [dròum]

E **-ean** [iən] **-ec·to·my** [éktəmi] **-ed** [əd, d, t] **-ee** [í:] **-eer** [íər] **-en** [ən] **-ence** [əns] **-en·cy** [ənsi] **-ent** [ənt] **-er** [ər] **-ern** [ərn] **-ery** [əri] **-es, -s** [əz, iz; z; s] **-ese** [í:z, í:s] **-ess** [əs, is, ès] **-est** [əst, ist] **-eth** [əθ, iθ]

F **-fa·cient** [féiʃənt] **-fac·tion** [fǽkʃən] **-fac·tive** [fǽktiv] **-fest** [fèst] **-flo·rous** [flɔ́:rəs] **-fold** [fòuld] **-form** [fɔ̀:rm] **-fuge** [ˊ-fjù:dʒ] **-ful** [ful, fəl, fl] **-ful·ly** [fəli]

G **-gam·ic** [gǽmik] **-ge·net·ic** [dʒənétik] **-gen·ic** [dʒénik, dʒí:nik] **-glot** [glɑ̀t] **-gon** [ˊ-gɑ̀n, gən; gən] **-grade** [grèid] **-gram** [græ̀(:)m] **-graph** [græ̀(:)f; grɑ̀:f] **-graph·ic, -i·cal** [grǽfik(əl)]

H **-he·dral** [hí:drəl, 英+héd-] **-he·dron** [hí:drən, 英+héd-] (*pl.* **~s, -dra** [-drə]) **-hip·pus** [hípəs] **-hood** [ˊhud, ˊ-hùd]

I **-ian** [iən] **-ibil·i·ty** [əbíləti] **-ible** [əbəl] **-ibly** [əbli] **-ic** [ˊik] **-i·cal** [ˊikəl] **-ing** [iŋ] **-ish** [iʃ] **-ism** [-ìzəm, ˊizəm] **-ist** [əst, ist] **-ite** [àit] **-ive** [ˊiv] **-iza·tion** [əzéiʃən; ai-] **-ize** [àiz]

L **-less** [ləs] **-let** [lət] **-like** [làik] **-li·ness** [linəs] **-ling** [liŋ] **-lite** [làit] **-lith** [lìθ] **-lith·ic** [líθik] **-ly** [li, i] **-lyte** [làit]

M **-ma·nia** [méiniə] **-ment** [mənt] **-mer** [mər] **-mere** [mìər] **-m·er·ism** [mərìzəm] **-met·ric, -met·ri·cal** [métrik(əl)] **-m·e·try** [ˊmətri] **-mo·bile** [moubì:l, mə-] **-morph** [ˊ-mɔ̀:rf] **-mor·phic** [mɔ́:rfik] **-mor·phism** [mɔ́:rfizəm] **-mor·pho·sis** [mɔ́:rfəsəs] (*pl.* **-ses** [-sì:z]) **-mor·phous** [mɔ́:rfəs] **-mor·phy** [mɔ̀:rfi] **-most** [mòust, 英+məst] **-my·cete** [maisí:t, ˊ-] **-my·cin** [máisən]

N **-ness** [nəs]

O **-o·dont** [ədɑ̀nt] **-oid** [ɔ̀id] **-or** [ər] **-os·to·sis** [ɑstóusəs] (*pl.* **-ses** [-si:z], **~·es**) **-ous** [əs]

P **-path** [pæ̀(:)θ] **-path·ic** [pǽθik] **-ped** [pèd] **-pede** [pì:d] **-phage** [fèidʒ, fɑ̀:ʒ] **-pha·gia** [fèidʒiə] **-phane** [fèin] **-phil** [fìl] **-phile** [fàil] **-phil·ia** [fíliə] **-phil·ic** [fílik] **-phobe** [fòub] **-pho·bia** [fóubiə] **-pho·bic** [fóubik] **-phone** [fòun] **-phore** [fɔ̀:r] **-pho·re·sis** [fərí:səs] (*pl.* **-ses** [-si:z]) **-phyll** [fìl] **-phyl·lous** [fíləs] **-phyte** [fàit] **-phyt·ic**

[fítik] **-pla·sia** [pléiʒiə ; plǽziə] **-pla·sy** [plèisi, plæ̀si] **-plasm** [plæ̀zəm] **-plast** [plǽ(:)st] **-plas·tic** [plǽstik] **-plas·ty** [plæ̀sti] **-ple·gia** [plí:dʒiə] **-ple·gy** [plí:dʒi] **-ploid** [plɔ̀id] **-pod** [pɑ̀d] **-poi·e·sis** [pɔií:səs] (*pl.* **-ses** [-si:z]) **-poi·et·ic** [pɔiétik]

R **-ress** [rəs] **-ry** [ri]

S **-s** [s, z] **-saur** [sɔ̀:r] **-sau·rus** [sɔ́:rəs] **-scape** [skèip] **-scope** [skòup] **-sep·al·ous** [sépələs] **-ship** [ˊʃip, ˊ-ʃìp] **-some** [səm, sòum] **-so·mic** [sóumik] **-spore** [spɔ̀:r] **-spor·ous** [-spɔ́:rəs, ˊspərəs] **-sta·sis** [stéisəs, stǽs-, ˊstəsəs] (*pl.* **-ses** [stéisi:z, stǽs-, stəsi:z]) **-stat** [stæ̀t] **-stat·ic** [stǽtik] **-ster** [stər] **-stome** [stòum] **-style** [stàil]

T **-tax·is** [tǽksəs] (*pl.* **-tax·es** [-si:z]) **-th** [θ] **-the·ci·um** [θí:ʃiəm, -siəm] **-the·ism** [ˊ-θì:izəm, ˊθi(:)ìzəm] **-the·ist** [ˊ-θi:əst, ˊθi:-] **-therm** [θə̀:rm] **-ther·my** [θə̀:rmi] **-tome** [tòum] **-to·nia** [tóuniə] **-tron** [trɑn] **-trope** [tròup] **-troph·ic** [tráfik, tróu-] **-tro·phy** [ˊtrəfi] **-trop·ic** [trápik, tróu-] **-tro·pism** [trəpìzəm, tróupizəm] **-tro·pous** [trəpəs] **-tro·py** [ˊtrəpi] **-ty** [ti]

W **-ward** [wərd] **-wards** [wərdz]

Y **-y** [i]

Z **-zoa** [zóuə] **-zo·ic** [zóuik] **-zoon** [zóuɑn] **-zy·gous** [záigəs, zíg-] **-zyme** [ˊ-zàim, ˊzaim]

a¹, **A** [éi] *n.* (*pl.* **a's, as, A's, As** [-z]) **1** 에이《영어 알파벳의 첫번째 글자》. **2** A자 형(의 것). **3** 가정(假定)의 첫째[제 1], 갑(甲) ;〖數〗제1 기지수(既知數) (cf. B, C, X, Y, Z) ; (5단계 평가에서) 수(秀), 에이 : all *A*'s=straight *A*'s 전과목 수. **4** (ABO식 혈액형의) A형. **5**〖樂〗가 음[조] : *A* flat[sharp] 내림[올림] 가음.
from A to Z 처음부터 끝까지, 모조리, 완전히.
not know A from B A와 B의 구별도 못하다, 낫 놓고 기역자도 모르다, 일자 무식이다.
── *a.* (등급이) 일류의, 최상의 : ☞ A ONE.

◇**a**² [ə, èi, éi], **an** [ən, æ̀n, ǽn] *a.* [특히 indefinite article(부정관사)라고 함]

(1) 기본 뜻 :「(어떤) 한…」
(2) 철자와 관계없이 발음이 자음으로 시작되는 말 앞에서는 a, 모음으로 시작되는 말 앞에서는 an을 쓴다(⇨ AN 주) : *a* cow, *an* ox ; *a* horse, *an* hour [áuər] ; *an* uncle, *a* unit [jú:nət] ; *an* office girl, *a* òne-act [wʌ́nӕkt] play ; *a* u [jú:], *an* s [és].
(3) ① 단수 가산명사에 형용사가 붙었을 경우는 보통「a(n) (+ 부사)+형용사+명사」의 어순이 된다 : *a* fine day / *an* extremely fine day. ②《文語》many, such와 감탄사 what, 그리고 half, quite, rather의 경우에는 a(n)은 이 말들 뒤에 온다 : many *a* girl / such *a* thing / What *a* pity! / half *an* hour / quite *a* pretty lady / rather *an* idle man.
③ as, so, too 뒤에 형용사가 이어질 때는「as [so, too]+형용사+a(n)+명사」의 어순이 된다 : as [so, too] heavy *a* rock.
(4) this, that, some 따위의 한정사 및 my, your, his 따위의 소유격과 a(n)을 나란히 쓸 수는 없다 : *a this* book / *this a* book / *a my*[*my a*] father는 잘못이다.
(5)「no such [형용사의 비교급]+명사」의 형태일 경우에는 보통 a(n)을 쓰지 않는다 : *no such an* disaster는 잘못이다.
(6) 호칭에는 관사를 쓰지 않는다 : Hello, friend!
(7) 보어가 되는 명사가 관직·직함·지위 따위를 나타낼 때 관사를 안쓴다 : She was elected president. (그녀는 회장으로 뽑혔다.)

1 한…, 하나의(one) : Rome was not built in *a* day.《속담》로마는 하루아침에 이루어진 것이 아니다 / at *a* word 한 마디로 / in *a* word 한 마디로 말하면 / to *a* man 한 사람도 남김없이 / to *an* hour ☞ HOUR 숙어 / I never said *a* word ─ never one word. 한 마디도 하지 않았다 ─ 단 한 마디도 / [복수와 대조적으로] *a* day or two 하루 이틀(cf. ONE or two days).
2 동일한, 같은(the same) : They are all of *a* mind[*a* size]. 전부 같은 마음[크기]이다 / be of *an* age (두 사람은) 동갑이다.
3 (막연하게 어떤) 하나의, 한 사람의《one의 약한 뜻으로 보통 번역하지 않음》; 어떤(a certain) : There is *a* book on the desk. 책상 위에 책이 (한 권) 있다 / I want *a* book. 책이 (한권) 필요해 / *A* student came to see me. (어떤) 학생이 나를 만나러 왔다 / in *a* sense 어떤 의미로는 / It's not a good job, but it's *a* [éi] job. 그다지 좋은 일은 못되지만 그런대로 할 만한 일이야 / She has *a* [éi](=such *a* wonderful) voice. 아주 훌륭한 목소리를 갖고 있다. 주 (1) 복수 구문에서는 보통 some, any를 씀 : There are *some* books.... / Are there *any* books...? (2) *a* poet and *a* novelist는「시인과 소설가 (두 사람)」의 뜻이지만, *a* poet and novelist는「시인이며 소설가 (한 사람)」의 뜻.
4 [집합적으로] …이라는 것, 모든…《any의 약한 뜻으로 보통 번역하지 않음》: *A* dog is faithful. 개는 충실하다. 주 복수 구문에서도 some, any를 쓰지 않음(cf. THE¹ B 1) : Dogs are faithful.
5 [고유명사에 붙여] …라고 하는 사람(☞ CERTAIN 活用) ; …과 같은 이름[가문, 특질]을 가진 사람[물건] ; …의 작품 : *a* Mr. Smith 스미스씨라고 하는 사람 / *a* Stuart 스튜어트가(家)의 사람 / *a* Newton 뉴턴과 같은 위대한 과학자 / *a* Rodin 로댕의 작품.
6 [보통 Ⓤ로 사용되는 명사에 붙여 Ⓒ로 취급] **a**) …의 한 조각(a piece of) ; …의 한 예(an instance of) ; …의 한 사람 몫, 일회분(a portion of) : *a* stone 돌멩이(cf. STONE Ⓤ 석재) / *a* fire 화재 / *a* murder 살인 사건 / *a* kindness (한 번의) 친절한 행위 / *a* beer[coffee, whiskey and soda] 맥주[커피, 위스키소다] 한 잔《음식점에서 주문할 때》/ *an* aspirin 아스피린 한 알 / have *a* swim[*a* sleep] 한바탕 헤엄치다[한잠 자다]. **b**) …한 종류(a kind of) : Asparagus is *a* grass. 아스파라거스는 풀의 일종이다 / There was *a* long silence. 오랜 침묵이 흘렀다(cf. SILENCE is golden.). **c**) …의 결과 (만들어지는 물건) : *an* invention 발명품(cf. INVENTION Ⓤ 발명) / *a* building 건축물(cf. BUILDING Ⓤ 건축술).
7 [단위를 나타내는 말에 붙여] …당《전치사(per)의 역할을 하며 번역하지 않는 경우가 많음 ; cf. THE¹ A 6》: once *a* day 하루에 한번 / 5 dollars *a* yard 야드당 5달러 / Only two trains *a* day stop there. 거기서는 하루에 두 번밖에 열차가 서지 않는다.
8 [수량을 나타내는 말에 붙는 관용법] ☞ *a* FEW, *a* LITTLE, *a* good[great] MANY.

〈회화〉
Lend me *a* knife please. ── Here you are.
「나이프 좀 빌려 주세요(아무거나 좋으니까)」
「네, 여기 있습니다」

〖OE *ān* one의 약형(弱形)〗

@ [ət]〖商〗단가(單價) …로(at). 〖L *ad*〗

à [ɑ:] *prep.* to, at, in, after 따위의 뜻 : ☞ À LA CARTE, À LA MODE, etc. 〖F〗

A ampere(s) ; 〖理〗 angstrom ; 〖化〗 argon.

a. about ; acre(s) ; acting ; adjective ; age(d) ; 〖樂〗 alto(-) ; *anno* 《L》(=in the year) ; *ante* 《L》(=before) ; ampere(s) ; answer ; 〖미터法〗 are(s) ; 〖野〗 assist(s) (보살(補殺)) ; at.

A. absolute (temperature) ; Academician ; Academy ; 〖映〗 (for) adults (only) ; Airplane ; America(n) ; 〖聖〗 Amos ; April ; Army ; Artillery ; *avancer* 《F》 (=accelerate).

a-[1] [ə] *pref.* on, to, in 의 뜻. **1** [명사에 붙여] : *a*foot 도보로 / *a*shore 해안에서 / *a*bed 《古》 =in bed. ㊟ 이 a-가 붙은 단어는 명사 앞에 오는 수식어(Attributive adj.)로는 쓰이지 않음. **2** 《古》 [동명사에 붙여] : fall (*a-*)cry*ing* 울기 시작하다 / go (*a-*)fish*ing* 낚시하러 가다 / The house is (*a-*)build*ing*. 집은 건축중이다《현재는 ...is being built. 라고 하는 것이 일반적임》/ set the bell (*a-*)ring*ing* 종을 치기 시작하다. ㊟ 현재 a-는 보통 생략되므로 -ing형은 현재분사로 봄. 〖OE *an, on* (prep.) =ON〗

a-[2] [ei, æ, ə], **an-** [æn] *pref.* 「비(非)…」「무(無)…(non-, without)」의 뜻 : *a*moral, *a*theist. 〖Gk.〗

a-[3] [ə] *pref.* **1** AB-[1](m, p, v의 앞) : *a*version. **2** AD-《gn, sc, sp, st의 앞》 : *a*scription.

a-[4] *comb. form* =ATTO-.

-a [ə] *n. suf.* 〖化〗「산화물(酸化物)」의 뜻 : ceri*a*, thori*a*. 〖L〗

-a- [ei] *comb. form* 「탄소(炭素)를 치환(置換)하는」의 뜻 : aza-. 〖L〗

aa [áːɑː] *n.* 아아용암《표면이 거칠고 도톨도톨한 현무암질 용암》. 〖Haw.〗

AA [éiéi] *n.* AA사이즈《구두·브래지어의 A보다 작은 치수》; 〖英映〗 15세 미만 관람 불가.

AA Afro-Asian ; Asian-African ; American Airlines ; author's alteration(저자(著者) 정정).

A.A. Alcoholics Anonymous ; antiaircraft (artillery) ; 《英》 Automobile Association.

AAA [èièiéi, trípəl éi] 《美》 Agricultural Adjustment Administration ; 《英》 Amateur Athletic Association ; American Automobile Association ; Anti-Aircraft Armament. **A.A.A.A.** Amateur Athletic Association of America ; American Association of Advertising Agencies. **A.A.A.L.** American Academy of Arts and Letters. **A.A.A.S.** American Academy of Arts and Sciences ; [trìpəl èiés] American Association for the Advancement of Science.

AACS, A.A.C.S. Army Air Communications System((미국) 육군 항공 통신망).

A.A.E.D. Academic American Encyclopedia Data base. **A.A.F.** Army Air Forces 《USAF에 흡수됨》. **A.A.G.** Assistant Adjutant General.

aah [áː, áːə] *n., vi., int.* 탄성(을 발하다), 앗(하고 소리지르다).

A.A.H. Advanced Attack Helicopter(신형 공격 헬리콥터). **A.A.M.** AIR-TO-AIR missile. **a & h** accident and health. **A & M** (Hymns) Ancient and Modern(고금(古今) 찬미가집(集)) ; Art and Mechanical《예술적 센스를 요하는 작업과 기계적 작업》. **A & P** Great Atlantic and Pacific Tea Company 《미국의 유명한 슈퍼마켓 회사》. **A. & R.** artists and repertory [recording] : an ~ man (레코드 회사의) 제작부원. **A.A.P.S.S.** American Academy of Political and Social Science.

aard·vark [áːrdvàːrk] *n.* 〖動〗 땅돼지《남아프리카산 개미핥기의 일종》. 〖Afrik. (↓, *vark* pig)〗

áard·wòlf [áːrd-] *n.* 〖動〗 땅늑대《하이에나와 비슷한 아프리카 남부·동부산의 동물》.

Aar·on [éərən, ǽər-] *n.* 〖聖〗 아론《모세의 형, 유태교 최초의 제사장 ; 출애굽기 4 : 14》.

Áaron's-béard *n.* 〖植〗 수술[가는 줄기]이 많은 식물《금선해당, 바위취 따위》.

Áaron's ród *n.* 〖植〗 긴 꽃줄기가 있는 식물 ; 〖建〗 막대에 뱀이 휘감긴 모양의 무늬 장식《몰딩의 일종》; 〖聖〗 아론의 지팡이.

A.A.S. *Academiae Americanae Socius* 《L》 (=Fellow of the American Academy of Arts and Sciences) ; American Academy of Sciences ; American Astronomical Society. **A'asia** [èiéiʒə, -ʃə] Australasia.

aas·vo·gel [áːsfòugəl] *n.* 《南아》 독수리과의 큰 맹금(猛禽) ; 《비유》 욕심 사나운 사람(vulture). 〖Afrik.〗

A.A.U., AAU Amateur Athletic Union.

A.A.U.P. American Association of University Professors. **AAUW** American Association of University Women. **AAW** antiair warfare.

ab [æb] *prep.* …에서(from). 〖L〗

Ab [ɑːb, ǽ(ː)b, áːv, ɔ́ːv], **Av** [áːv, ǽ(ː)v, ɔ́ːv] *n.* 유태력의 제11월《현(現) 태양력의 7-8월》.

ab-[1] [æb, əb] *pref.* away, from, away from의 뜻 (cf. ABS-) : *ab*normal, *ab*duct, *ab*use. 〖F or L〗

ab-[2] [æb] *pref.* (cgs 전자기 단위계에서) 「애브[절대]…」「10^x」의 뜻. 〖*ab*solute〗

ab-[3] [æb, əb] *pref.* AD-《b 앞에서》 : *ab*breviate.

AB [éibíː] *n.* Ⓤ (ABO식 혈액형의) AB형.

AB air base ; airborne. **A.B.** able(-bodied) seaman ; *Artium Baccalaureus* 《L》(=Bachelor of Arts). **Ab** 〖化〗 alabamine. **ab** abbreviation ; about ; absent ; 〖野〗 at bat.

aba, ab·ba [əbáː, ɑː-, áːbə, ǽbə] *n.* 아바《(1) (아랍인의) 소매 없는 느슨한 겉옷. (2) 낙타[염소] 털로 짠 직물》.

aba

A.B.A. American Bible Association ; American Bar Association ; American Banking[Bookseller's] Association.

ab·a·ca, -cá [æ̀bəkáː, àː-, ǽbəkə] *n.* **1** 〖植〗 마닐라삼 《필리핀 주산》 ; 그 섬유. **2** 〖紡〗 마닐라삼, 아바카.

abaci *n.* ABACUS의 복수형.

aback [əbǽk] *adv.* **1** 뒤로, 후방으로 ; 뜻밖에. **2** 〖海〗 바람을 돛 앞쪽으로 받아, 역범이 되어. ***be taken aback*** 뜻밖의 일을 당하다, 깜짝 놀라다〈*at, by*〉; 〖海〗 돛이 역풍을 받다, 역범이 되다.

abac·té·ri·al [èi-] *a.* 〖醫〗 비(非)세균성의.

abac·u·lus [æbǽkjələs] *n.* (*pl.* **-li** [-lài, -lìː]) 〖建〗 모자이크 타일 ; 작은 수판(數板).

ab·a·cus [ǽbəkəs, əbǽkəs] *n.* (*pl.* **-ci** [ǽbəsài, -kìː, əbǽkai], **~·es**) **1** 수판(數板). **2** 〖建〗 (원기둥 머리의) 관판(冠板). 〖L<Gk.=slab, table<Heb.=dust〗

Abad·don [əbǽdən] *n.* 〖聖〗 바닥 없는 지옥, 나락(奈落) ; 아바돈(☞ APOLLYON).

abaft [əbǽ(ː)ft ; əbáːft] *adv.* 고물로[에], (배의) 뒤로[에]. **——** [-ˊ, -ˊ] *prep.* …보다 고물에 가까이, …의 뒤에(back of). 〖*a-*[1], *by, aft*〗

ab·al·ien·ate [æbéiliənèit, -ljən-] *vt.* (재산 따위를) 양도하다.
ab·a·lo·ne [æbəlóuni] *n.* 〖貝〗 전복《캘리포니아산 ; 살은 식용, 조가비는 단추·장식품을 만듦》.
aban·don** [əbǽndən] *vt.* [+目/+目+前+名] **1** (습관 따위를) 버리다, 끊다(give up) ; (지위를) 버리다, (계획·희망 따위를) 단념하다 : ~ a ship 배를 버리다 / ~ law ***for art 법률 공부를 중단하고 미술 공부를 하다. **2** 〖法〗 (권리·재산을) 포기하다, (처자를) 버리다 ; 〖海上保險〗 (배·화물 따위 피보험물을) 위부(委付)하다 : ~ an affair ***to*** the control of a person 어떤 사건[일]을 …의 관리에 맡기다.
abandon one***self to*** …에 빠지다[잠기다] : He ~*ed* him*self to* pleasure(s)[grief]. 환락에 빠졌다[슬픔에 잠겼다].
── *n.* Ⓤ 자유분방, 방종 : with ~ 멋대로, 거침없이. 〖OF (*à bandon* under (another's) BAN[1])〗
類義語 ***abandon*** 할 수 없이 또는 책임을 면하려고 사람이나 사물을 버리다 : They *abandoned* their sinking ship. (침몰하는 배를 포기했다). ***desert*** 의무·서약 따위를 고의로 저버리다《비난의 뜻이 포함됨》 : He *deserted* his wife and children. (처자를 저버렸다). ***forsake*** 사람·신앙 따위에 대한 애착·관계를 끊다《반드시 비난을 나타내는 것은 아님》 : *forsake* one's love (애정을 끊다). ***quit*** 《美》=STOP. ***relinquish*** 보존하고 싶은 것을 부득이 포기하다《사람에게는 쓰지 않음 ; 격식차린 말》. ***give up*** abandon에 대한 일반적인 말.
abán·doned *a.* 버림받은 ; 자포자기한 ; 파렴치한 ; 자유분방한.
aban·don·ee [əbæ̀(:)ndəníː] *n.* 〖法〗 피유기자(被遺棄者) ; 〖海上保險〗 피위부자(被委付者).
abán·don·er *n.* 〖法〗 유기자(遺棄者) ; 〖海上保險〗 위부자(委付者).
abándon·ment *n.* **1** Ⓤ 버림(받음) ; 〖法〗 유기. **2** Ⓤ 자포자기.
à bas [ɑː bɑ́ː ; *F* a bɑ] *int.* (…을) 타도하라 (Down with…!).
abase [əbéis] *vt.* (지위·품격 따위를) 떨어뜨리다[낮추다] ; 창피를 주다 : ~ one*self* 비하하다, 자기를 낮추다. **~·ment** Ⓤ (품위 따위의) 실추 ; 굴욕. 〖OF (*ad-*, *baissier* to BASE[2])〗
abash [əbǽ(:)ʃ] *vt.* [+目/+目+前+名] [주로 수동태로] 낯을 붉히게 하다, 당혹하게 하다 : The girl was[felt] ~*ed* ***at*** the sight of the room filled with strangers. 소녀는 낯선 사람으로 가득찬 방을 보고 어쩔 줄 몰랐다.
~·ment *n.* Ⓤ 낯을 붉힘 ; 당혹.
〖OF (*es-* EX-[1], *baïr* to astound)〗
aba·sia [əbéiʒə] *n.* 〖醫〗 (뇌중추 장애 따위에 의한) 실보(失步), 보행 불능증.
abask [əbǽ(:)sk ; -bɑ́ːsk] *adv.* 알맞게[알맞은 정도로] 따뜻해져서.
***abate** [əbéit] *vt.* **1** 감하다(make less) ; (값을) 내리다, (세금을) 경감하다 ; (세력·고통 따위를) 덜다, 약하게 하다, 쇠(퇴)하다 : This medicine will ~ the pain. 이 약을 먹으면 통증이 가실 것이다. **2** 〖法〗 (불법 방해를) 배제하다, (소송을) 중지하다, (영장을) 무효로 하다. ── *vi.* **1** 감소하다 ; (세력 따위가) 줄다, 약해지다, 누그러지다, (열·값이) 내리다, (홍수가) 빠지다, (폭풍우가) 자다 : The storm has ~*d*. 폭풍이 가라앉았다. **2** 〖法〗 중지되다, 무효로 되다.
abát·able *a.* **abát·er** *n.* 경감자, 공제자.
〖OF *abatre* (L *battuo* to beat)〗

abáte·ment *n.* Ⓤ 감소 ; 감퇴 ; 감가, 감(세)액 ; 〖法〗 배제, 중지 ; 실효.
ab·a·tis [ǽbətiː, -təs, əbǽtiː, -təs] *n.* (*pl.* ~ [ǽbətiːz, əbǽtiːz], ~**·es** [-təsəz]) 〖軍〗 녹채(鹿砦) ; 철조망.
abá·tor *n.* 〖法〗 (소송 절차 따위의) 배제자 ; 유산 불법 점유자.
A battery [éi ⌐] *n.* 〖電〗 A 전지《진공관의 필라멘트 가열용 ; cf. B BATTERY》.
ab·at·toir [ǽbətwɑ̀ːr] *n.* 《F》 (공설) 도살장 ; 육체를 혹사[학대]하는 장소《권투의 링 따위》.
ab·áxial [æb-], **ab·ax·ile** [æbǽksəl, -sail] *a.* 〖動〗 축(軸)에서 떨어진 ; 〖植〗 배축(背軸)의.
abb [ǽ(:)b] *n.* (피륙의) 씨실(woof) (↔*warp*).
abb. abbess ; abbey ; abbot.
Ab·ba [ǽbə] *n.* 아버지, 아바《기독교에서 신을 부르는 말》 ; [a~] 사부(師父)《시리아 교회·콥트교회·이디오피아 교회의 주교의 칭호》.
ab·ba·cy [ǽbəsi] *n.* abbot [abbess]의 관구[직권, 임기].
ab·ba·te [ɑːbbɑ́ːtei] *n.* (*pl.* **-ti** [-ti]) (이탈리아의) 대수도원장, 성직자.
ab·ba·tial [əbéiʃəl] *a.* 대수도원의 ; (여자) 대수도원장의.
ab·bé [æbéi, ⌐⌐ ; ⌐⌐] *n.* (프랑스의) 대수도원장 (abbot) ; 성직자, 신부. 〖F ; ⇨ ABBOT〗
ab·bess [ǽbəs] *n.* 여자 대수도원장.
Abbe·vil·li·an, -e·an [æbəvíliən] *n., a.* 〖考古〗 아브빌리안 문화기(期)《구석기 문화 최고(最古)의 시기》(의). 〖*Abbeville* 프랑스 북부의 도시로 동문화(同文化) 유물의 출토지〗
ab·bey [ǽbi] *n.* **1** 대수도원《abbot 또는 abbess가 관할하는 ; cf. PRIORY》 ; 대수사회, 수녀회. **2** (원래 수도원이었던) 대사원, 대저택. **3** [the A~] =WESTMINSTER ABBEY.
〖OF<L=abbacy ; ⇨ ABBOT〗
ab·bot [ǽbət] *n.* 대수도원장.
~·cy, ~·shìp *n.* = ABBACY.
〖OE<L *abbat-* *abbas*<Gk.<Aram.=father〗
abbr(ev). abbreviated ; abbreviation.
ab·bre·vi·ate** [əbríːvièit] *vt.* **1** [+目/+目+*to*+名/+目+*as* 補] (어구를) 생략하여 쓰다, 축약하다 ; (말·방문을)단축하다 : ~ a novel for young readers 소설을 젊은 독자층을 위해 요약하다 / "United Nations" is commonly ~*d* ***to "UN." United Nations는 보통 UN이라 약하여 쓴다 / You are to ~ "Avenue" *as* "Ave." Avenue 는 Ave. 로 줄여 쓰시오. **2** 〖數〗 약분하다.
── *vi.* 생략하여 쓰다 ; 생략하다.
── [, -viət] *a.* 생략[단축]한.
〖L=to shorten (*ab-*[1] or *ad-*, BRIEF)〗
類義語 ⟹ SHORTEN.
ab·bre·vi·a·tion [əbrìːviéiʃən] *n.* **1** Ⓤ 생략 ; Ⓒ 생략형, 약어(cf. CONTRACTION 3) : "TV" is an ~ *for*[*of*] "television." TV는 television의 약자다. **2** 〖樂〗 Ⓤ 약기법(略記法), Ⓒ 생략 부호. **3** 〖數〗 약분. 주 단어의 생략은 (1) period[.]로 표시함 : Jan. (<January) / cf. (<confer). (2) 어미(語尾)를 남길 때도 보통 같은 방식이지만 첫 글자와 끝 글자로 만들 경우에는 [.]를 안 쓰기도 함 : Mr. *or* Mr (<Mister) / Ltd. *or* Ltd (<Limited) / Sgt. *or* Sgt (<Sergeant). (3) 자주 쓰는 술어·대문자어에서는 [.]를 쓰지 않을 때가 많음 : OE *or* O.E. (<Old English) / SE (<South East) / UNESCO (<United Nations Educational, Scientific, and Cultural Organization). (4) 생략에 의해 생긴 신어에는 [.]는 불필요 : bus

A

(<omnibus) / ad (<advertisement), Unesco.
ab·bré·vi·à·tor *n.* 생략자, 단축자.
ABC [èibìːsíː] *n.* (*pl.* ~'s [-z]) **1** [the ~('s)] 에이 비 시(the alphabet). **2** [the ~('s)] 초보 : an ~ book 입문서 / *the* ~ of economics 경제학 입문 / I don't know *the* ~ about …에 대해선 전연 모른다[완전히 백지다].
ABC, A.B.C. American Broadcasting Companies ; Argentina, Brazil, and Chile(☞ ABC POWERS) ; Advanced Booking Charter ; Aerated Bread Company('s Shop)《영국의 유명한 연쇄점식 간이 식당》; Audit Bureau of Circulation(신문 잡지 부수 공사 기구).
ABC análysis [èibìːsíː ⌐] *n.* 〖經營〗 ABC 분석, ABC 관리, 중점적 관리.
ABCC Atomic Bomb Casualty Commission (원폭 상해 조사 위원회).
ab·cóulomb [æb-] *n.* 〖電〗 애브쿨롬《cgs 전자기 단위 : 10쿨롬》.
ABC powers [èibìːsíː ⌐] *n.* [흔히 ABC P~] Argentina, Brazil, Chile의 세 나라.
ABCS automatic broadcast control system.
ABC[abc] weapons [èibìːsíː ⌐] *n.* 〖軍〗 에이 비 시 병기《원자·생물·화학 병기》.
ABD [èibìːdíː] *n.* 논문 미수(료)자《필수학점을 이수하고 예비시험도 통과하여 논문만이 남아있는 박사 과정의 학생》.
〚*a*ll *b*ut *d*issertation〛
abd. abdicated ; abdomen ; abdominal.
ab·dabs ☞ HAB-DABS.
ab·di·ca·ble [ǽbdikəbəl] *a.* 퇴위[사임]할 수 있는 ; 포기할 수 있는.
ab·di·cant [ǽbdikənt] *a.* (왕위·권리 따위를) 버리는. ── *n.* 퇴위[퇴관]자 ; 포기자.
ab·di·cate [ǽbdikèit] *vt.* (왕위·권리 따위를) 버리다, 포기하다, 퇴위[사직]하다 : ~ the crown [throne] 퇴위하다. ── *vi.* 퇴위하다 : the ~*d* queen 퇴위한 여왕.
àb·di·cá·tion *n.* U,C 퇴위 ; 퇴관(退官) ; (권력의) 포기, 기권. **áb·di·cà·tor** *n.* 포기자, 퇴위[퇴관]자.
〚L *ab-*¹(*dico* to declare)=to proclaim off〛
ab·do·men [ǽbdəmən, æbdóu-] *n.* (사람의) 복부, 배(belly), (곤충 따위의) 복부. 〚L〛
ab·dom·i·nal [æbdámənl] *a.* 복부의 : ~ breathing 복식(腹式) 호흡(법) / an ~ operation 개복수술(開腹手術) / ~ walls 복벽(腹壁). 〚↑〛
abdóminal lìft *n.* =ABDOMINOPLASTY.
ab·dom·i·no·plas·ty [æbdámənəplæ̀sti(ː)] *n.* 복부정형《배의 군살 제거 수술》.
ab·dóm·i·nous [-nəs] *a.* 올챙이 배의, 배불뚝이의, 배가 몹시 나온.
ab·duce [æbdjúːs] *vt.* 〖生理〗 =ABDUCT ; 떼어 놓다.
ab·du·cent [æbdjúːsənt] *a.* 〖生理〗 (근육 따위가) 외전(外轉)인 : ~ muscles 외전근.
ab·duct [æbdʌ́kt] *vt.* **1** 유괴(誘拐)하다, 납치하다. **2** [ˏ ǽbdʌkt] 〖生理〗 외전(外轉)시키다.
〚L (*duco* to draw)〛
ab·dúc·tion *n.* U,C 유괴 ; 〖法〗(강제결혼·강제매춘 따위를 목적으로 하는) 부녀 유괴 ; 〖生理〗 외전(外轉).
ab·dúc·tor *n.* 유괴자 ; 〖生理〗 외전근(外轉筋).
Ab·dy [ǽbdi] *n.* 〖電子〗 애브디《텔레비전 화면을 입체적으로 재현시키는 방식의 하나》.
Abe [éib] *n.* 남자 이름《Abraham의 애칭》.
abéam [ə-] *adv.* 〖海〗 정좌[정우]현(正左[正右]舷)으로, (배의) 용골(龍骨)과 직각으로 ; 뱃전 맞은편에〈*of*〉; 항공기의 동체와 직각으로.
abe·ce·dar·i·an [èibiːsiːdéəriən, -dǽər-] *a.* ABC순의 ; 초보의. ── *n.* 초보자, 초학자 ; 초보를 가르치는 교사.
abed [əbéd] *adv., pred. a.* 《美·英古》 잠자리에 (in bed) : sick[ill] ~ 병석에 누워 / lie ~ 자리에 눕다. 〚*a-*¹〛
abég·ging [ə-] *a., adv.* 냉대받는[받아서], 등한시된[되어].
Abel [éibəl] *n.* **1** 남자 이름. **2** 〖聖〗 아벨《Adam의 둘째 아들, 형 Cain에게 살해 당했음 ; 창세기 4》. 〚Heb. = ? vanity〛
abele [əbíːl, éibəl] *n.* 〖植〗 은백양(銀白楊)(white poplar).
Abé·lian gróup [əbíːliən-] *n.* 〖數〗 아벨군(群), 가환군(可換群).
abel·mosk [éibəlmɑ̀sk] *n.* 〖植〗 (열대 아시아 원산의) 아욱과(科) 수박풀속(屬)의 닥풀붙이.
ABEND [áːbend] *n.* 〖컴퓨〗 (작업) 이상종료(異常終了)《컴퓨터가 잘못된 프로그램을 검출하여 작업 도중 종료함》. 〚*ab*normal *end* (of task)〛
Ab·er·deen [æ̀bərdíːn, ⌐--] *n.* **1** 애버딘《스코틀랜드 북부의 Grampian 주의 주도 ; 어업의 중심지로서 전시(全市)가 화강암으로 되어 있으므로 Granite City 라고 함》. **2** 스코치 테리어(=∠ **tèrrier**)《스코틀랜드 원산인 테리어종(種)의 개》.
Áberdeen Ángus *n.* 〖畜〗 애버딘 앵거스종(種)(의 소)《스코틀랜드 원산의 식육용(用) 뿔 없는 검은 소》.
ab·er·de·vine [æ̀bərdəváin] *n.* 〖鳥〗 검은방울새《유럽산》.
Ab·er·do·ni·an [æ̀bərdóuniən] *a.* Aberdeen시(민)의. ── *n.* Aberdeen 사람.
Aber·glau·be [*G* áːbərglaubə] *n.* 미신.
ab·er·ne·thy [ǽbərnìːθi, -nèθi ; æbənéθi] *n.* caraway 열매가 든 딱딱하게 구운 비스킷(=∠ **bìscuit**).
〚Dr. John *Abernethy* (d. 1831) 영국의 외과의사〛
ab·er·rant [æbérənt] *a., n.* 정도를 벗어난 (것), 상도를 벗어난 (사람) ; 과실 ; 〖生〗 이상(異常)(의), 〖醫〗 이소(異所)(의). **-rance, -cy** *n.* U,C 악덕, 이상, 상규(常規) 일탈.
〚L *ab-*¹(ERR)〛
ab·er·ra·tion [æ̀bəréiʃən] *n.* U,C 정도[상규]를 벗어남, 탈선 (행위) ; 〖醫〗(일시적) 정신 이상 ; 〖生〗 변체, 이상(형) ; 〖光〗 수차(收差) ; 〖天〗 광행차(光行差). 〚L ; ⇨ ABERRANT〛
abet [əbét] *vt.* (**-tt-**) 부추기다, 선동하다 ; 〖法〗 교사(敎唆)하다, (현장에서) 방조하다.
aid and abet ☞ AID.
~·ment, abét·tal *n.* U 선동, 교사, 방조. **abét·ter,** 〖法〗 **abét·tor** *n.* 선동자, 교사자, 방조자.
〚OF (*à* to, *beter* to BAIT)〛
ab ex·tra [æb ékstrə] *adv.* 외부로부터(↔*ab intra*). 〚L〛
abey·ance [əbéiəns] *n.* U 〖法〗 중지, 정지 ; 미정 ; 〖法〗 (부동산의) 소유자 미정.
be in abeyance (권리 따위) 정지중이다.
fall into abeyance 일시 정지되다.
hold. . .in abeyance …을 보류해 두다, 미결로 두다.
abéy·ant *a.* 정지[중지]중의 ; 소유자 미정의.
〚OF (*à* to, *beer* to gape)〛
ab·fárad [æb-] *n.* 〖電〗 절대[애브] 패럿《정전(靜電) 용량의 cgs 전자기 단위 : =10^9 farads ; 기호

aF).

ab·hénry [æb-] *n.* 〖電〗 절대[애브] 헨리《인덕턴스의 cgs 전자기 단위 : $=10^{-9}$ henry ; 기호 aH》.

*__ab·hor__ [əbhɔ́:r, æb-] *vt.* (**-rr-**) [+目/+do*ing*] 몹시 싫어하다, 혐오하다 ; 거부하다, 멸시하다 : I ~ snakes. 뱀은 질색이다 / He ~*red* tell*ing* lies. 거짓말은 질색이었다.
〖L (*horreo* to shudder) ; ⇨HORROR〗
類義語 ⟹ HATE.

ab·hor·rence [əbhɔ́(:)rəns, -hɑ́r-] *n.* Ⓤ 증오, 혐오 ; Ⓒ 몹시 싫은 것.
hold. . . in abhorrence = ***have an abhorrence of*** …을 몹시 싫어하다.
類義語 ⟹ AVERSION.

ab·hór·rent *a.* **1** 몹시 싫은, 질색인 (hateful) : It is ~ *to* them. 그들은 그것이 아주 질색이다. **2** 상반되는, 상극인〈*from*〉; 서로 용납안되는 : Such an act is ~ *to* my sense of right. 그와 같은 행위는 나의 도덕관에 상반된다.

ab·hór·rer *n.* 꺼리는[싫은] 사람 ; [때때로 A~] 〖英史〗 의회 소집 반대자.

abid·ance [əbáidəns] *n.* 지속(持續) ; (규칙 따위의) 준수〈*by*〉; 거주, 체재〈*in, at*〉.

*__abide__ [əbáid] *v.* (**abode** [əbóud], **abíd·ed**) *vi.* **1** [動/+前+名] 머무르다, 남다 ; 영속하다 : ~ ***in*** the same place 같은 장소에 머무르다. **2** 《古·詩》 살다, 체류하다. **3** [+*by*+名] (규칙·법령·결정 따위를) 지키다, 따르다 (cf. LAW-ABIDING) : You must ~ ***by*** your promise. 약속은 지키지 않으면 안된다. —— *vt.* **1** 《古·詩》 기다리다, 대기하다. **2** (운명을) 감수하다 ; [+目/+*to* do] [부정구문으로] 참다, 견디다 (stand) : A good housekeeper can*not* ~ dirt. 훌륭한 주부는 집안을 불결하게 하고는 견디지 못한다 / He can*not* ~ to stay in one position for long. 그는 한 직장에 오랫동안 머물지 못하는 사람이다. 〖OE *ābīdan* (*a-* intensive, BIDE)〗
類義語 ⟹ STAY[1].

abíd·ing *a.* 지속하는, 영속하는 ; 변치 않는 : ~ friendship 변치 않는[한결같은] 우정.

Ab·i·djan [æbidʒɑ́:n] *n.* 아비장《코트디부아르의 수도》.

Ab·i·gail [ǽbəgèil] *n.* **1** 여자 이름. **2** [보통 a~] 시녀, 몸종. 〖Heb. =my father's joy〗

‡**abil·i·ty** [əbíləti] *n.* Ⓤ [+*to* do] **1** 할 수 있음 ; 능력 (↔*inability*) ; [때때로 *pl.*] 수완, 재능 : He has the ~ *to* make a big plan. 그에게는 거대한 계획을 세울 능력이 있다 / a man of ~[*abilities*] 수완가. **2** 〖法〗 유자격.
to the best of one's ***ability*** 힘이 닿는[미치는]한, 힘껏.
〖OF ; ⇨ ABLE〗

-abil·i·ty, -ibil·i·ty [əbíləti] *n. suf.* 「…할 수 있음」「…에 알맞음」의 뜻 (cf. -ABLE, -IBLE) : cap*ability*, accept*ability*, sens*ibility*.

ab init. ab initio.

ab in·i·tio [æb iníʃiòu] *adv.* 처음부터 (from the beginning). 〖L〗

ab in·tra [æb íntrə] *adv.* 안에서, 안으로부터 (↔ *ab extra*). 〖L〗

abio·chémistry [èibaiou-, æbi-] *n.* 무기 화학.

abio·génesis [èibaiou-, æbi-] *n.* 〖生〗 자연 발생 (spontaneous generation) ; 자생(自生), 우발.
abi·og·e·nist [èibaiɑ́dʒənəst, æbi-] *n.* 자연발생론자, 우발론자.
〖T. Huxley의 조어(造語) (1870)〗

abio·genétic [èibaiou-, æbi-] *a.* 자연 발생의.
-ical·ly *adv.* 자연 발생적으로.

abì·o·lóg·i·cal [ei-] *a.* 비생물(학)적인 ; 생명이 없는. **~·ly** *adv.*

abi·ó·sis [èi-] *n.* Ⓤ 무기력 상태 ; 생활력 결여.

abi·ót·ic [èi-] *a.* 생명이 없는, 무생물의, 비생물적인 ; 항생(작용)의 : ~ environment 비생물적 환경. **-i·cal·ly** *adv.*

ab·írritant [æb-] *n.* 〖藥〗 진정제. —— *a.* 자극[흥분] 완화성의.

ab·írritate [æb-] *vt.* 〖醫〗 …의 이상 흥분을 완화시키다.

ab·ject [ǽbdʒekt, -ˊ] *a.* (생활·상태 따위가) 비참한, 차마 볼 수 없는, 절망적인, 영락한 ; (사람·행위 따위가) 비열한, 비굴한, 야비한 : ~ poverty 적빈(赤貧) / make an ~ apology 코가 땅에 닿도록 빌다. —— *n.* 비천한 사람. **~·ly** *adv.* 비굴하게, 비참하게.
〖L (*ject- jacio* to throw)〗
類義語 ⟹ MEAN[2].

ab·jec·tion [æbdʒékʃən] *n.* Ⓤ 비굴[비열](한 행위) ; 비천(한 몸) ; 영락.

ab·ju·ra·tion [æbdʒəréiʃən] *n.* Ⓤ,Ⓒ 맹세코 버림 ; (고국·국적의) 포기 : oath of ~ 《美》 (귀화 희망자의) 국적 포기 서약.

ab·jure [əbdʒúər] *vt.* 맹세코 포기하다 ; (주의·신앙·나라 따위를) 공공연히 버리다, 부인하다 ; 피하다, 삼가다 : He ~*ed* his religion. 그는 맹세코 종교를 버렸다. **ab·júr·er** *n.*
〖L (*juro* to swear)〗

Ab·khaz Repúblic [æbkɑ́:z-] *n.* [the ~] 아브하즈 공화국《그루지야 공화국 내의 자치 공화국》.

abl. ablative.

ab·lac·tate [æblǽkteit] *vt.* 이유(離乳)시키다 (wean[1]).

àb·lac·tá·tion *n.* Ⓤ 이유(離乳), 젖떼기.

ab·late [æbléit] *vt., vi.* 제거[삭마, 용발(溶發), 융제(融除)]하다[되다]. **-lá·tor** *n.* 〖로켓〗 융제부재(融除部材), 애블레이터.
〖역성(逆成) ‹ ABLATION〗

ablát·ing matérial *n.* 〖로켓〗 =ABLATOR.

ab·la·tion [æbléiʃən] *n.* Ⓤ (일부의) 제거, 절개 ; 〖地質〗 삭마 작용 ; 〖로켓〗 용발(溶發), 융제《유도탄 따위가 대기권내로 재돌입할 때 두부 피복(頭部被覆) 물질이 서서히 녹아 증발하는 현상》.
〖F or L *ab*-[1] (*lat- fero* to carry)〗

ab·la·tive[1] [ǽblətiv] *a.* 〖文法〗 탈격(奪格)의. —— *n.* 탈격《「…에서」의 뜻으로 동작의 수단·원인을 나타내는 라틴어 명사의 격(格) ; 영어의 from, by, at, in 따위로 만드는 부사구에 해당함》.
〖OF or L (AB[1] *latus* taken away)〗

ab·la·tive[2] [æbléitiv] *a.* ablation의[을 일으키는] ; 〖로켓〗 융제(融除)용의[에 적합한].
~·ly *adv.*

áblative ábsolute *n.* 탈격(奪格) 독립 어구, 절대 탈격《영문법의 nominative absolute에 해당하고, 때·이유 따위를 가리키는 부사절에 해당 ; 보기 Deo volente》.

ab·laut [ǽblaut, ɑ́p- ; *G* áplaut] *n.* 〖言〗 모음전환, 아블라우트 (gradation)《보기 s*i*ng-s*a*ng-s*u*ng ; cf. UMLAUT》.

abláze [ə-] *adv., pred. a.* 타올라서 ; 빛나서 ; 흥분하여, 달아올라서 : ~ *with* light[anger] 불빛에 빛나서[몹시 화가 나서] / set... ~ …을 타오르게 하다. 〖*a*-[1]〗

◇**able** [éibəl] *a.* (**ábl·er** ; **-est**) **1** [*pred.* 로 써서] [+*to* do] …할 수 있는, 해낼 수 있는 : They are ~ *to* find their own food. 그들 자신의 먹이[음

식물]를 찾을 수 있다. ☞ 活用. **2** [*attrib.* 로 써서] 유능한, 훌륭한 ; 효과적인 : an ~ teacher 유능한 교사 / an ~ speech 훌륭한 연설. **3** 〖法〗 능력[자격]있는 ; 〖海〗 =ABLE-BODIED.

〈회화〉
Were you *able* to enter the school you wanted? — No, I failed the exam.
「지망하는 학교에 들어갔어요」「아니오, 시험에 떨어졌어요」

〖OF<L *habilis* handy (*habeo* to hold)〗

活用 *be able to* do로 CAN[1] do의 뜻이 되므로 생물이 주어일 때에는 can의 과거형·미래형·완료형을 *was*[*were*] *able to, will*[*shall*] *be able to, have*[*has, had*] *been able to*로 보충함. 특히 과거형인 *could*는 흔히 「조건」의 뜻을 내포하여 현재·미래를 나타내므로 과거의 사실을 말할 때에는 *was*[*were*] *able to*로 하는 것이 적절함 : I *was able to* help you. (너를 도울 수 있었다)《I *could* help you.는 「너를 도울 수도 있다」의 뜻이 됨》.

類義語 ***able*** 보통 필요로 하는 능력을 가진 : He is *able* to finish in time. (시간 내에 끝낼 수 있다). ***capable*** 일을 하는데 필요한 보통 능력이 있는 ; 사물에도 씀 : a *capable* workman (일을 잘 해낼 수 있는 노동자). ***competent*** 특정한 일을 훌륭하게 해낼 수 있는 능력이 있는 : a *competent* secretary (유능한 비서).

-able, -ible [əbəl] *a. suf.* **1** [수동의 의미로 타동사에 자유로이 붙여] 「…할 수 있는」「…하기에 알맞은」「…할 만한」「…하기 쉬운」의 뜻 : us*able*, eat*able*, lov*able*, impress*ible*, reduc*ible*, break*able*. **2** [명사에 붙여] 「…에 적합한」「…을 좋아하는」「…을 주는」의 뜻 : marriage*able*, peace*able*, comfort*able*. 주 (1) 명사는 -ABILITY, -IBILITY, -NESS. (2) terrible 따위의 -ible은 -able의 변형으로 기성어(既成語)에서 볼 수 있음. 〖F<L *-abilis* ; *able*과 혼동됨〗

áble-bódied *a.* 건장한 ; 경험이 많은, 숙련된 ; 〖海〗 A. B. 급의.

áble(-bòdied) séaman *n.* 〖海〗 A.B. 급의 선원《숙련 유자격 갑판원 ; 略 A.B.》.

Áble Dày *n.* 《美》 Bikini 섬의 원폭 실험일《1946년 6월 30일(한국에서는 7월 1일)》.

ab·le·gate [ǽbləgèit] *n.* 〖카톨릭〗 교황 특사.

áble ráting *n.* 〖英海軍〗 조함(操艦) 담당의 자격이 있는 수병(able(-bodied) seaman).

ablóom [ə-] *adv., pred. a.* 꽃이 피어[핀].

ab·lu·ent [ǽbluənt] *a.* 세척하는. —— *n.* 세제.

ablúsh [ə-] *adv., pred. a.* 얼굴을 붉혀[힌].

ab·lut·ed [əblúːtəd, æb-] *a.* 씻어서 깨끗해진.

ab·lu·tion [əblúːʃən, æb-] *n.* **1** Ⓤ 목욕, 때를 씻음. **2** [보통 *pl.*] 〖宗〗 (성찬식 전후의 몸·손·성기(聖器)의) 세정식(洗淨式) ; 세정식에 쓴 물 : perform[make] one's ~*s* 목욕 재계하다. 〖OF or L (*lut- luo* to wash)〗

ablútion·àry [; -əri] *a.* 세정의, 세정식의.

ably [éibli] *adv.* 유능하게, 잘, 교묘히, 훌륭히 (skillfully). 〖ABLE〗

ABM [èibiːém] antiballistic missile(탄도탄 요격 미사일).

abn(.) airborne.

ab·ne·gate [ǽbnigèit] *vt.* (쾌락 따위를) 끊다 ; (소신·권리를) 버리다, 포기하다. **-gà·tor** *n.* 〖L (*nego* to deny)〗

àb·ne·gá·tion *n.* Ⓤ (권리·욕망·자기주장 따위의) 포기, 기권 ; 자기 희생 ; 극기(self-denial).

***ab·nor·mal** [æbnɔ́ːrməl] *a.* 이상한, 예외적인 ; 변칙의 ; 보통과는 다른 ; 변태의, 병적인(↔*normal*) : It is ~ for a baby to have teeth at the age of two months. 갓난아기가 2개월 만에 이가 난다는 것은 예사가 아니다.
~·cy, ~·ìsm *n.* Ⓤ =ABNORMALITY. **~·ly** *adv.* 이상하게, 변태적으로.
〖F ; ⇒ ANOMALOUS ; 어형은 L *abnormis* (*norma* form)와의 혼동〗
類義語 ⟹ IRREGULAR.

ab·nor·mal·i·ty [æbnɔːrmǽləti] *n.* Ⓤ 이상, 변태 ; Ⓒ 이상한 것, 예사가 아닌 것, 기형.

abnórmal psychólogy *n.* 이상 심리(학).

abnórmal wéather *n.* 이상 기상.

ab·nor·mi·ty [æbnɔ́ːrməti] *n.* 《文語》 =ABNORMALITY.

***aboard** [əbɔ́ːrd] *adv.* **1** 배에[로], 배를 타고(on board) (↔*ashore*) ; 《원래 美》 열차[버스, 비행기]를 타고 : have... ~ …을 태우고[싣고] 있다 / take... ~ …을 태우다[싣다] / All ~! 여러분 승선[승차]해 주십시오, 떠납니다. **2** 《野俗》 출루하여. **3** 뱃전에. —— *prep.* (배·열차·비행기)를 타고.
close[***hard***] ***aboard*** 〖海〗 (다른 배의) 뱃전에 접하여, 해안에 접근하여.
come[***go***] ***aboard*** a ship 배에 (올라)타다, 승선하다.
fall aboard (***of***) (다른 배·사람과) 충돌하다.
lay an enemy's ship ***aboard*** (공격하기 위해) 배를 적의 배 옆에 대다.
〖*a*-[1]〗

***abode** [əbóud] *v.* ABIDE의 과거·과거분사.
—— *n.* 주소, 주거 ; Ⓤ 거처.
〖ABIDE ; cf. *ride* : *road*〗

ABO group [èibiːóu ⌐] *n.* =ABO SYSTEM.

ab·óhm [æb-] *n.* 〖電〗 절대[애브]옴《cgs 전자기 단위 : $=10^{-9}$ ohm ; 기호 aΩ》.

abóil [ə-] *adv., pred. a.* 끓어 올라, 비등(沸騰)하여(boiling) ; 노하여.

***abol·ish** [əbáliʃ] *vt.* (제도·법률·습관 따위를) 폐지[철폐]하다(do away with) ; 완전히 파괴하다. **~·able** *a.* 폐지할 수 있는. **~·er** *n.* **~·ment** *n.* Ⓤ 폐지. 〖F<L *aboleo* to destroy〗
類義語 ***abolish*** 법률·제도·풍속·제약 따위 대개 장기간 존재하던 것을 폐지하다. ***annul*** 법률·명령·풍속·의무 따위를 권력이나 정식 의결로 폐지하다. ***abrogate*** annul 보다 격식차린 말. ***cancel*** 원래 말소를 뜻하는 말이었으나 계약·서약·약속·증서 따위를 무효로 하다[소멸하다]. ***repeal*** 법률·명령·허가 따위를 정식으로 폐지하다. ***revoke*** 지배자가 독자적으로 폐지하다.

ab·o·li·tion [æbəlíʃən] *n.* Ⓤ 폐지, 전폐 ; (특히) 사형 폐지 ; [때때로 A~] 〖美史〗 노예 제도 폐지.
~·àry [; -əri] *a.* 폐지의, 전폐의. **~·ìsm** *n.* Ⓤ (노예 제도) 폐지론. **~·ist** *n.* (노예 제도) 폐지론자. 〖F or L (↑)〗

ab·o·ma·sum [æbəméisəm, -bou-], **-sus** [-səs] *n.* (*pl.* **-sa** [-sə], **-si** [-sai, -siː]) (반추동물의) 제4위(胃), 주름위.

A-bomb [éi⌐] *n.* 《口》 원자폭탄(atomic bomb) (cf. H-BOMB) ; 《美俗》 초스피드 개조 자동차 ; 《美俗》 배합 마약. —— *vt., vi.* 원자폭탄으로 공격하다.

abom·i·na·ble [əbámənəbəl] *a.* 몹시 싫은, 지긋지긋한, 언어도단의 ; 《口》 (날씨 따위가) 험악한, 지독한. **-bly** *adv.* 언어도단으로 ; 《口》 지독하게,

몹시.
〚OF＜L＝to be deprecated as an ill OMEN〛

abóminable snówman *n.* [흔히 A～ S～] (히말라야 산맥에 산다고 하는) 눈사람, 설인.

abom·i·nate [əbámənèit] *vt.* [＋目/＋do*ing*] 혐오[증오]하다 ; 《口》 몹시 싫어하다 : I ～ danc*ing*. 댄스는 질색이다. **-nà·tor** *n.*
〚L *ab*-¹(*ominor* to forebode)＝to depricate〛

abom·i·na·tion [əbàmənéiʃən] *n.* Ⓤ 증오, 혐오 ; Ⓒ 추행, 추악, 추태 ; 몹시 싫은 것〈*to*〉: hold...in ～ …을 몹시 싫어하다.

à bon chat, bon rat [*F* a bɔ̃ ʃa bɔ̃ ra] (동종(同種)의) 보복, 앙갚음.
〚F＝to a good cat, a good rat〛

A-bone [éi-̀] *n.* 《美俗》 A형 포드《자동차》.

à bon mar·ché [*F* a bɔ̃ marʃe] 유리한 값으로, 염가로, 싸게 ; 수월히.

aboon [əbúːn] *prep., adv., a., n.* 《스코》＝ABOVE.

ab·orig·i·nal [æbərídʒənl] *a.* **1** 원생(原生)의, 토착의, 원래부터의 : ～ races[fauna, flora] 토착 종족[동물, 식물]. **2** 원주민의, 토착민의 ; [A～] 오스트레일리아 원주민의 : ～ languages 토착민의 언어. —— *n.* 원주민, 토착민 (cf. COLONIAL). 주 복수로는 보통 aborigines를 씀.
～·ly *adv.* 원시적으로, 태고 적부터 ; 본래, 원래.
àb·orìg·i·nál·i·ty *n.* 원생 상태, 토착 ; 원시성.
〚↓〛

ab orig·i·ne [æb ərídʒəniː] *adv.* 처음부터.
〚L＝from the beginning〛

ab·orig·i·ne [æbərídʒəniː] *n.* (한 나라의) 원주민, 토착민 (cf. COLONIZER) ; [A～] 오스트레일리아 원주민 ; [*pl.*] 토착 동물[식물] ; 《美》 북미 인디언. 〚L (↑)〛

abórn·ing [ə-] *adv., pred. a.* 태어나고 있는, 태어나는 도중에 : A new world is ～. 신세계가 태동한다.

abort [əbɔ́ːrt] *vi., vt.* **1** 〖醫〗 유산[조산]하다[시키다], 낙태하다[시키다] ; 〖生〗 (동식물·기관 따위) 발육하지 않다 ; 퇴화하다. **2** (계획 따위) 실패하다[시키다]. **3** …을 초기에 진압하다, 진행을 저지하다. **4** 〖컴퓨〗 프로그램을 중지하다.
—— *n.* (로켓 따위) 발사 실패 ; 발사 실패한 로켓·미사일. **～·ed** *a.* 유산한, 미발달의 ; 〖生〗 발육 부전의.
〚L *ab*-¹(*ort*- *orior* to be born)＝to miscarry〛

abór·ti·cìde [əbɔ́ːrtə-] *n.* 낙태 ; 낙태약.

abor·ti·fa·cient [əbɔ̀ːrtəféiʃənt] *a.* 유산시키는[을 일으키는]. —— *n.* 낙태약.

abor·tion [əbɔ́ːrʃən] *n.* Ⓤ,Ⓒ 유산, 조산 ; 임신중절, 낙태 ; 조산아 ; 불구 ; 〖生〗 (동식물·기관의) 발육 정지[부전] ; (계획 따위의) 실패 : have an ～ 유산[조산]하다 / procure ～ 낙태시키다.
criminal abortion 낙태죄.

abórtion·ìsm *n.* (임신부의) 무조건 임신 중절권 지지[옹호].

abórtion·ist *n.* 인공 임신 중절의(醫), (특히) 낙태의 ; 임신 중절권 지지자.

abórtion-on-demánd *n.* (임신부의) 요청에 의한 낙태 ; (임신부가) 낙태시킬 권리.

abort·ive [əbɔ́ːrtiv] *a.* **1** 유산의, 조산의 ; 발육 부전의, 되다 만. **2** 실패의 : an ～ enterprise 실패로 끝난 사업 / His efforts proved ～. 그의 노력은 무위[실패]로 끝났다. **～·ly** *adv.*

abor·tus [əbɔ́ːrtəs] *n.* 〖醫〗 유산(아).

ABO system [èibìːóu -́] *n.* (혈액형의) ABO식 분류법.

aboulia, aboulic ☞ ABULIA.

abound** [əbáund] *vi.* [＋前＋名] 많이 있다 ; 풍부하다 : This river ～*s* ***in[***with***] fish. ＝Fish ～ *in* this river. 이 강에는 물고기가 많다 / He ～*s in* courage. 매우 용기가 있다.
〚OF＜L *ab*-¹(*undo*＜*unda* wave)＝to overflow〛

◇about [əbàut, -́]

> (1) 기본 뜻 : 「주위에, 근처에」
> (2) 주로 근접·주위·부착·종사·관계 따위를 나타낸다.
> (3) 《美》에서는 전치사 뜻의 상당 부분, 그리고 부사의 대부분에 대하여 around를 동의어로 쓰고 있는 것은 주목할 만하다. 부사 용법과 전치사 용법에서 about과 around는 본래 같이 쓰여서 오늘날에 있어서도 사용 구분이 어려운 때가 있다. 예컨대 That's *about* it. 이나 She is *about* my age.의 about은 전치사로서 「it [my age]의 가까이에 있다」라고도 생각할 수 있고, 또 이 경우 about을 생략한 That's it. 과 She is my age. 도 문장으로 성립되므로 about은 이 두 문장의 보어 it[my age]에 대하여 부사로서 「대략 it [my age]이다」라고도 생각해 볼 수 있다.

—— *prep.* **1** …에 대하여[관한] : a book ～ mining[gardening] 광산[원예]에 관한 책 / There was a quarrel ～ money[who should go]. 금전 관계[누가 가느냐]로 말다툼을 했다 / I know all ～ it. 그것에 관하여는 전부[소상히] 알고 있다 / I am[feel] sure[anxious] ～ it. 그것은 확실하다[걱정스럽다] / What is it all ～ ? 도대체 무슨 일이냐. **2** …의 둘레에[의], …의 근처에 (near) ; …의 주변을 : ～ here 이 근처에 / people ～ us 우리 주변의 사람들 / revolve[turn] ～ the sun 태양의 주위를 돌다 / stand ～ the door 문 옆에 서다. **3** 사방에, 여기저기에 (here and there) : There are trees dotted ～ the field. 들판 여기저기에 나무가 서 있다 / travel ～ the country 방방 곡곡을 여행하다 / walk ～ the room 방을 서성거리다. **4** …경(에) (around), …때쯤 (near) (☞ *adv.* 1 ; TOWARD 4) : ～ the end of May 5월 말경(에) / He came ～ four o'clock. 네 시쯤 왔다. **5** …의 신변에, 을 지니고 (cf. WITH 4 b)) : have... ～ a person …을 지니고 있다 / all he had ～ him 그의 소지품 전부 / There is something noble[vulgar] ～ him. 그에겐 어딘가 기품(氣品)[저속함]이 있다 (cf. IN *prep.* 11). **6** …에 종사하여 (doing) : while I am[you are] ～ it 그것을 하고 있을 때(에) / What is he ～ ? 그는 무엇을 하고 있느냐 / Be quick ～ it. ＝Don't be long ～ it. 빨리빨리 해라 / He knows what he is ～. 그의 일은 그가 안다.

go[***set***] ***about . . .*** ☞ GO *v.*, SET *v.*
How[***What***] ***about . . . ?*** ☞ HOW *adv.*, WHAT¹ *pron.*

〈회화〉
> What are you so angry *about* ? — Well, you always keep me waiting so long. 「뭘 그리 화를 내고 있니」「언제나 네가 오래 기다리게 하기 때문이야」

—— [əbáut] *adv.* **1** 대략, 약… (some) ; 거의 (nearly) (☞ *prep.* 4) : ～ a mile 약 1마일 / ～ five (o'clock) 5시쯤에 / ～ right[finished] 대체로 정확하게[끝나서] / It's ～ time to start. 거의 떠날 시간이다. 주 *at* ～ five o'clock의 형을 옳지 않다고 하는 사람도 있으나 실제에 있어선 때때로

쓰임. **2** 근처 (어딘가)에, 주위에[를] : There is nobody ~. 근처에는 아무도 없다 / look ~ 주위를 둘러보다. **3** 여기저기에, 사방에, (…하고) 돌아다니면서 : carry money ~ 이리저리 돈을 갖고 다니다 / follow a person ~ 남을 따라다니다 / go [move] ~ 배회하다[돌아다니다] / move things ~ 물건을 이리저리 움직이다. **4** 둘레[주위]에[를], 둘레를 빙 둘러 : The tools lay ~. 도구가 주위에 흩어져 있다 / drop things ~ 물건을 여기저기 떨어뜨리다 / all ~ 사방을 빙 둘러 / go a long way ~ 멀리 돌아가다 / The lake is a mile ~. 그 호수는 둘레가 1마일이다. **5** 빙 돌아서, 반대의 위치[방향]로 : face ~ 〖軍〗 뒤로 돌게 하다 / 《美》 *A*~ face[《英》 turn]! 뒤로 돌아! **6** 움직이고, 활동하고, 행해지고, 일하고 ; (병이) 유행해서 ; (소문 따위가) 퍼져서 : Rumors are ~. 소문이 일고 있다. **7** 차례로, 번갈아서 : Turn ~ is fair play. 차례로 하는 것이 공평하다.

about and about 《美》 오십보 백보, 거의 같아.

be about (1) 움직이고[활동하고] 있다 ; (자리에서) 일어나 있다 ; 일하고 있다 ; 시작되고 있다 : It will soon *be* ~. 곧 시작됩니다 / *be* up and ~ ☞ UP *adv.* 숙어. (2) 유행하고 있다 ; 퍼지고 있다 : Measles is ~. 홍역이 유행하고 있다.

be about to do 막 …하려고 하고 있다 : She *was* ~ *to* sing. 막 노래하려던 참이었다 / Something unusual *was* ~ *to* happen. 무엇인가 이상한 일이 일어날 것 같았다 / He looked like a man ~ *to* faint. 금방이라도 기절할 것 같은 사람처럼 보였다. 〔주〕 *be about to* do는 *be going to* do보다는 문어적이며 "be on the point of doing"의 뜻을 더욱 명백히 나타낸다.

be (***just***) ***about*** do***ing*** 《美口》 = *be* ABOUT *to* do.

be out and about = *be* ABOUT (1).

take turns about ☞ TURN *n.*

That's about (***the size of***) ***it.*** 대략 그 정도[쯤이]야.

the other[***wrong***] ***way about*** 반대로, 거꾸로, 역으로.

turn (***and turn***) ***about*** ☞ TURN *v., n.*

—— [əbáut] *vt.* 〖海〗 (배 따위의) 진로를 바꾸다, 방향을 돌리다 : *A*~ ship! 〖海〗 (뱃머리를) 바람 불어오는 쪽으로 돌려!

〚OE *onbūtan* (ON, BY[1], OUT)〛

abóut-fáce *n.* 뒤로 돌기 ; 역행 ; (주의·태도의) 180도 전향, 일변. —— [⌐⌐] *vi.* 뒤로 돌다 ; (주의·태도를) 전향하다〈*on*〉.

abòut-shíp *vi.* 〖海〗 바람 불어오는 쪽으로 고물을 돌리다.

abóut-tówn·er *n.* 나이트 클럽이나 극장에 자주 다니는 사람.

abòut-túrn *n., vi.* 《英》 = ABOUT-FACE.

◇**above** [əbʌ́v, ⌐⌐] (↔*below*) (cf. OVER) *prep.* **1** …보다 위쪽에[으로], …위에[로], …보다 높이[높은] : ~ the trees 나무 위에. **2** 상류에[로], …을 거슬러 올라가서 ; 북쪽에[으로] ; 앞[저쪽]에 (beyond) : a waterfall ~ the bridge 다리 상류의 폭포 / He lives five doors ~ the school. 학교에서 다섯번째 집에 산다. **3** …의 위로 (솟아나) : The peak rises ~ the clouds. 그 봉우리는 구름 위로 솟아 있다. **4** …이상으로, …보다 상위에[뛰어나게] : ~ a hundred 100 이상 / speeds ~ thirty miles an hour 시속 30마일 이상의 속도 / men ~ 20 (years old) 20세 이상의 사람들 / He is ~ me in rank. 나보다 상급자다 / I value honor ~ life. 목숨보다 명예를 중히 여긴다 / Don't live ~ your income. 수입 이상의 생활을 하지 말아라. **5** (능력 따위) 미치지 못하는 (곳에) (beyond) ; …을 초월하여 ; (사람이 고결하여 …하는 일은) 하지 않는, …을 수치로 여기는 : The book is ~ me[my understanding]. 그 책은 내게는 너무 어려워서 이해할 수 없다 / You are ~ selfishness. 이기심(利己心)을 초월하고 있다 / He is ~ telling lies. 그는 거짓말을 할 사람이 아니다 / I am not ~ asking questions. 질문하는 것을 수치스럽게[부끄럽게] 여기지 않는다.

above all = ***above all things*** 특히, 무엇보다도 먼저, 우선 첫째로, 그 중에서도.

above and beyond . . . = ***over and above. . .*** ☞ OVER *prep.*

be above one***self*** 《俗》 분수를 모르다, 잘난 체하다.

—— [əbʌ́v] *adv.* **1** 위로[에], 위쪽으로[에] ; 머리 위에[로], 층계 위로 ; (강의) 상류로[에] : the room ~ 위층의 방. **2** 하늘에[로] : in heaven ~ 하늘 높이 / the stars ~ 창공의 별 / soar ~ 하늘 높이 날아가다. **3** 상급에 (있는) : the court ~ 상급 법원. **4** 상부에 ; (책 따위) 전문(前文)에, (페이지의) 위쪽에 : as mentioned[stated] ~ 상술[상기]한 바와 같이. **5** …이상, 그 이상으로 : persons of sixty and ~ 60세 이상의 사람들.

above and beyond = ***over and above*** ☞ OVER *adv.*

—— [əbʌ́v] *a., n.* 위에서 말한 (일), 상기한 (일) (cf. ABOVE-MENTIONED) : the ~ instances [remarks] 위의 예, 상례(上例), 상기(上記), 전례(前例) / The ~ proves.... 상술한 것은 …을 증명한다, 위와 같이 증명함.

from above 위에서 ; 하늘로부터.

〚OE *a-*[1] on, *bufan* (*be* by, *ufan* up)〛

〔類義語〕 ⟹ OVER.

abòve-áverage *a.* 평균 이상의 ; 보통이 넘는.

abóve·bòard *adv., a.* 공명 정대하게[한], 사실대로[의], 솔직히[한] (↔*underhand*).

abóve-cìt·ed *a.* 상술한, 전기(前記)한.

abóve·dèck *adv.* 갑판 위에서 ; 공명 정대하게, 있는 그대로.

abóve·gròund *adv., a.* 지상에[의] ; 《美》 공공연히[한] ; 《비유》 아직 매장되지 않고[은].

abóve-méntioned *a.* 상술한, 앞서 말한, 전기(前記)한.

abóve·stàirs *adv., a.* 《英》 이층에[의] (upstairs) : sit ~ 이층에 앉아 있다 / a room ~ 이층방.

—— *n. pl.* 《英》 이층 : a cry from ~ 이층에서의 고함.

ab ovo [æb óuvou] *adv.* 처음부터 《장황하게 말하다》. 〚L〛

Abp., abp. archbishop.

abr. abridge(d) ; abridgment.

ab·ra·ca·dab·ra [æ̀brəkədǽbrə] *n.* **1** 세모꼴 모양으로 쓴 주문《옛날 학질이나 오한(ague)을 막기 위한 부적으로 썼음》. **2** 주문(呪文). **3** 《蔑》 영문 모를 말, 허튼 소리(gibberish). 〚L<Gk.〛

abrad·ant [əbréidnt] *a., n.* = ABRASIVE.

abrade [əbréid] *vt.* 문질러[비벼] 닳게 하다, 스쳐 벗기다 ; (바위 따위를) 침식하다 ; (…를) 몹시 신경 쓰게 하다, (…를) 신경질나게 하다.

—— *vi.* 닳다, 벗겨지다. **abrád·er** *n.* 연마기.

〚L (*ras- rado* to scrape)〛

Abra·ham [éibrəhæ̀m, -həm] *n.* **1** 남자 이름 《애칭 Abe》. **2** 〖聖〗 아브라함 《유태인의 조상 ; cf. SARAH, PATRIARCHS》.

in Abraham's bosom 천국에 잠들어.
sham Abraham 꾀병을 부리다, 미친 체하다.
〖Heb. =father of multitudes〗

Ábraham-màn *n.* 〔英史〕 미친 체하는 거지 《16-17세기에 영국을 방랑했음》.

Abram [éibrəm] *n.* 〔聖〕 아브라함의 옛 이름.
〖Heb. =exalted father〗

abrán·chi·ate [ei-, ə-] *a., n.* 〔動〕 아가미가 없는 (동물). **abrán·chi·al** [ei-, ə-] *a.*

abra·sion [əbréiʒən] *n.* Ⓤ (살갗이) 벗겨짐, 벗겨져 나감 ; (암석의) 삭마(削磨) 작용 ; (바닷물의) 침식 작용 ; (기계 따위의) 마멸, 마손 ; Ⓒ 찰과상(擦過傷) ; 마손된 곳. 〖L ; ⇨ ABRADE〗

abra·sive [əbréisiv, -ziv] *a.* 마멸시키는 (작용을 하는), 연마용의 ; 《비유》 귀에 거슬리는, 짜증나게 하는, 마찰을 일으키기 쉬운. —— *n.* 연마제 ; 금강사.

abra·zo [ɑːbrɑ́ːθou] *n.* (*pl.* ~**s**) (인사로서의) 포옹. 〖Sp.〗

ab·re·act [æ̀briǽkt] *vt.* 〔精神分析〕 (억압된 감정을) 해소[해방]시키다. 〖*ab*-[1]〗

ab·re·ac·tion [æ̀briǽkʃən] *n.* 〔精神分析〕 Ⓤ 해소[정화] 작용. 〖G *Abreagierung*의 부분역(譯)〗

abreast [əbrést] *adv., prep.* (…와) 나란히, (…와) 병행하여(side by side) : three ~ 셋이 나란히 / be ~ (*of* [*with*]) the times=keep ~ *of* the times 시대에 뒤떨어지지 않다《of[with]를 생략하면 abreast는 전치사》. 〖*a*-[1]〗

abridge [əbrídʒ] *vt.* **1** (책·이야기를) 요약[초록]하다 : an ~*d* edition 요약판. **2** 단축하다, 축소하다 ; 덜다, 감하다. **3** 《文語》 [+目+前+名] …로부터 빼앗다(deprive) : ~ a person ***of*** a right 남의 권리를 빼앗다. **abrídg·able, abrídge·able** *a.* **abrídg·er** *n.*
〖OF ; ⇨ ABBREVIATE〗
類義語 ⟹ SHORTEN.

abrídg·ment, abrídge- *n.* Ⓤ 요약, 단축, 축소, 삭감 ; Ⓒ 초록, 초본 ; Ⓤ 박탈.
類義語 ***abridgment*** 불필요한 부분을 삭제하여 줄임. ***abstract*** 서적·법정 기록 따위의 중요한 내용을 간단히 적은 것《흔히 원본의 색인으로 씀》. ***brief*** 기사·장(章)·서적·담화·제안 따위의 요점을 자기 말로 서술한 것. ***summary***= brief《특히 진술의 요점을 되풀이하는 뜻을 내포》. ***synopsis*** 소설·논문 따위의 대의·줄거리를 요약한 것. ***digest*** 중요하지 않은 세부는 생략하지만 원래의 순서·강조점·표현 따위를 그대로 살려서 기사를 요약한 것. ***epitome*** 되도록 간략하게 문제의 핵심을 진술한 것(↔ *expansion*).

abroach [əbróutʃ] *adv., pred. a.* (통 따위의) 마개를 따내어[낸].
set abroach (술통의) 마개를 따다 ; (감정을) 토로하다 ; (새로운 학설·소문을) 퍼뜨리다.

‡**abroad** [əbrɔ́ːd] *adv.* **1** 국외[해외]로[에] (↔*at home*) : at home and ~ 국내외에서 / live ~ 해외에서 살다 / send ~ 해외로 보내다[파견하다] / travel ~ 외유(外遊)하다. **2** 집밖에, 외출하여 : walk ~ 나돌아 다니다. **3** 널리, 사방팔방으로, 도처에 ; (소문 따위가) 퍼져서. **4** 《美·英古》 과녁[중심]에서 빗나가, 벗어나, 틀려서 : all ~ 얼토당토 않은.
from abroad 외국으로부터(의) : news *from* ~ 해외 통신[소식] / return *from* ~ 외국에서 돌아오다, 귀국하다.
get abroad (소문 따위가) 널리 퍼지다 ; 집 밖으로 나가다 : The news *got* ~. 그 정보가 널리 퍼졌다.
go abroad 외국에 나가다 ; 집 밖으로 나가다.
set abroad (소문 따위를) 퍼뜨리다.
〖*a*-[1]〗

ab·ro·gate [ǽbrəgèit, -rou-] *vt.* 취소하다 ; (법률·습관 따위를) 폐지[파기]하다.
ab·ro·ga·ble [ǽbrəgəbəl, -rou-] *a.* **-gà·tive** *a.* **àb·ro·gá·tion** *n.* Ⓤ 폐기. **-gà·tor** *n.*
〖L (*rogo* to propose law)〗

ABRS advanced ballistic re-entry system (신형 탄도 재돌입 시스템).

*__ab·rupt__ [əbrʌ́pt] *a.* **1** 뜻밖의, 돌연한, 갑작스러운 ; 험한, 가파른 : an ~ turn in the road 도로의 급커브. **2** (태도 따위) 무뚝뚝한, 퉁명스런 : in an ~ manner 무뚝뚝하게. **3** (문체 따위) 급전하는, 비약적인 ; 〔地質〕 단열(斷裂)의 ; 〔植〕 열상(裂狀)의. **~·ly** *adv.* 뜻밖에, 갑자기, 돌연히. **~·ness** *n.*
〖L ; ⇨ RUPTURE〗
類義語 ⟹ SUDDEN.

ab·rup·tion [əbrʌ́pʃən] *n.* 급격한 분리, 분열 ; 《古》 돌연한 중지.

abs. absence ; absent ; absolute (temperature) ; absolutely.

abs- [æbs, əbs] *pref.* =AB-[1]《c, q, t 앞에 올 때》: *abs*cess, *abs*tract.

A.B.S. American Bible Society (미국 성서 협회) ; American Bureau of Shopping. **ABS** antiskid brake system (미끄럼 방지 브레이크).

Ab·sa·lom [ǽbsələm] *n.* 〔聖〕 압살롬《유태왕 David의 셋째 아들 ; 부왕에게 거역하여 살해됨》.
〖Heb.=father of peace〗

ab·scess [ǽbses, -səs] *n., vi.* 〔醫〕 농양(膿瘍)(이 생기다), 종기(가 생기다). **~ed** *a.* 종기가 생긴. 〖L=a going away (*ab*-[1], CEDE)〗

ab·scind [æbsínd] *vt.* 잘라내다(cut off).

ab·scis·sa [æbsísə] *n.* (*pl.* **~s, -scis·sae** [-sísiː]) 〔數〕 가로[*x*]좌표(↔*ordinate*).
〖NL *ab*-[1](*sciss- scindo*) =to cut off〗

ab·scis·sion [æbsíʒən, -ʃən] *n.* Ⓤ 절단 ; 〔植〕 생리적 낙하, 이층(離層) 형성, 기관 탈리 ; 〔修〕 돈단법(頓斷法).

ab·scond [æbskɑ́nd] *vi.* [動 / +前+名] 도망치다, 자취를 감추다 ; 실종되다 : ~ ***from*** a place 어떤 곳에서 자취를 감추다 / ~ ***with*** the money 돈을 가지고 도망치다. **~·er** *n.* Ⓒ 도망[실종]자. **~·ence** *n.* Ⓤ 도망, 실종.
〖L *abs*-(*condo* to stow) =to secrete〗

ab·seil [ɑ́ːpzail ; ǽbseil, -sail] *n., vi.* 〔登山〕 현수 하강(懸垂下降)(하다), 급경사면을 자일을 타고 내려가기[가다].

‡**ab·sence** [ǽbsəns] *n.* **1** (↔*presence*) Ⓤ,Ⓒ 부재, 출타 ; 결석, 결근 ; 불참 ; 부재기간 : several ~*s* from school[class] 몇 번의 결석 / mark the ~ 출석을 부르다 / a long ~ 장기결근[결석] / an ~ of five days 5일간의 결근[결석] / after ten years' ~ 10년 만에 / His house was burned down during his ~. 그가 출타 중에 집이 타버렸다. **2** Ⓤ 결핍, (증거 따위의) 결여, 부족(lack) 〈*of*〉: the ~ *of* evidence 증거 없음. **3** Ⓤ 방심 : He has fits of ~. 가끔 멍하니 있다.
absence of mind 방심, 멍하니 있음, 얼빠짐 (cf. PRESENCE *of mind*).
absence without leave 무단 결근[외출] (cf. AWOL).
in** one**'s absence 부재중에, (아무도) 없는 곳에서 : A gentleman called *in* your ~, sir. 안 계실

A

때 어떤 신사분이 찾아오셨습니다 / Don't speak ill of a person *in* his ~. 없는 데서 남의 흉을 보지 마라.

in the absence of …이 없을 때에 ; …이 없으므로 : *In the* ~ *of* the principal, the assistant principal executes the business for him. 교장 부재중에는 교감이 직무를 대행한다 / *In the* ~ *of* definite evidence the prisoner was set free. 증거 불충분으로 피고는 석방되었다.
〚OF<L ; ⇨ ABSENT〛

‡**ab·sent** [ǽbsənt] *a.* **1** 부재의, 출타중인 ; 결석[결근]의(↔*present*) : be ~ *from* home[school, the office] 집에 없다[결석, 결근이다] / be ~ in Niagara 나이아가라 폭포에 가고 집에 없다 / ~ without[with] leave 무단 결석[결근]의[휴가중의] / Long ~, soon forgotten. 《속담》 오래 떠나 있으면 소원해진다. **2** 없는, 결여된(lacking) : Calcium is ~ *from* his diet. 그의 식사에는 칼슘이 결핍되어 있다. **3** 방심한, 멍한 : an ~ air 멍한 모양[태도] / in an ~ sort of way 멍하니, 방심한 듯이.

〈회화〉
Where's Min-ho ? — He's *absent* today. 「민호는 어디에 있지」「오늘 결석입니다」

—— [æbsént] *vt.* [＋目＋*from*＋名] [~ one*self* 로] 결석[결근]하다 : Tom often ~*s* him*self* ***from*** the meeting. 톰은 모임에 자주 불참한다.
〚OF<L *ab*-¹(*sum* to be) =to be away〛

ab·sen·tee [æbsəntíː] *n.* **1** 불참자, 결석자, 결근자 : an ~ without leave 무단 결석[결근]자, 무단 외출자. **2** 부재자 ; 부재 지주 ; 부재 투표자 (absent voter).

ábsentee bállot *n.* 부재자 투표(용지).

absentée·ism *n.* 부재 지주 제도 ; 계획적 결근 《노동 쟁의 전술의 하나》 ; 장기 결석[결근].

ábsentee lándlord *n.* 부재 지주.

ábsentee vóte *n.* 부재 투표.

ábsentee vóter *n.* =ABSENT VOTER.

ab·sen·te reo [æbsénti ríːou] *adv.* 〔法〕 피고 궐석으로[인 경우].
〚L=the defendant being absent〛

ábsent·ly *adv.* 멍하니, 방심하여.

ábsent·mínd·ed *a.* 멍하니 있는, 방심하고 있는, 얼빠진, 방심 상태의.
~**·ly** *adv.* ~**·ness** *n.* Ⓤ 방심, 건성.
類義語 ***absentminded*** (때때로 습관적으로) 방심 상태에 있는. ***abstracted*** 당면한 일에서 마음이 떠나 있는《딴 일에 강한 관심이 있음을 암시》. ***preoccupied*** 일에 부딪기 전부터 이미 몰두해 있는, 또는 다른 데 정신이 집중되어 있는. ***absorbed*** 주의력을 전면적으로 집중하고 있는. ***distrait*** 《文語》 정신을 집중할 수 없는《때때로 일시적 상태를 암시》. ***distraught*** 괴로움·슬픔 따위로 정신을 집중할 수 없는. ***inattentive*** 주의가 산만한(↔*wide-awake, attentive*).

ábsent vóter *n.* 부재 투표자.

ab·sinth(e) [ǽbsinθ] *n.* Ⓤ 압생트《양쑥으로 맛을 낸 술의 일종》 ; 〔植〕 양쑥(wormwood).

ab·sit in·vi·dia [áːbsit inwídiàː] 악의를 품지 마라, 나쁘게 생각지 마라.
〚L=let there be no ill will〛

ab·sit omen ! [ǽbsit óumen] *int.* 제발 그런 일이 없기를 !, (하느님) 맙소사 !
〚L=may this (evil) omen be absent〛

*****ab·so·lute** [ǽbsəlùːt, ⌐-⌐] *a.* **1** 절대의, 절대적인 (↔*relative, comparative*). **2** 무조건의, 제약을 받지 않는. **3** 전제[독재]의(↔*limited*). **4** 완전무결한 ; 순수한, 순전한 ; 전적인 : an ~ fool 바보 천치. **5** 단호한 ; 확실한 ; 실제의 : an ~ denial 단호한 부정[거절] / ~ proof (절대) 확실한 증거. **6** 〔文法〕 독립의 ; 단독의 : an ~ construction 독립 구문 / the ~ use of a transitive verb 타동사의 단독 용법《He neither *drinks* nor *smokes*.의 drinks, smokes 따위》. **7** 〔理〕 절대 온도의 ; 〔敎〕 절대 평가의 ; 〔數·哲〕 절대의. **8** 〔컴퓨〕 기계어(語)로 쓰인. **9** 〔空〕 절대의. —— *n.* [the ~] 절대적인 것[현상] ; [the A~] 〔哲〕 절대자, 우주, 신 ; [*pl.*] 절대 불변의 성질. ~**·ness** *n.*
〚L (p.p.)<ABSOLVE ; 어형은 OF *absolut*의 영향〛

ábsolute áddress *n.* 〔컴퓨〕 절대 번지《조립시 기억 장치내에 고정됨》.

ábsolute álcohol *n.* 〔化〕 무수(無水) 알코올.

ábsolute altímeter [ˌ -ǽltə-] *n.* 〔空〕 절대 고도계(高度計).

ábsolute áltitude *n.* 〔空〕 절대 고도《항공기에서 지면까지》.

ábsolute céiling *n.* 〔空〕 절대 상승 한도.

ábsolute deviátion *n.* 절대 편차《사격에서 조준점과 탄착점과의 직선 거리》.

ábsolute fígure *n.* 절대액(額).

ábsolute humídity *n.* 절대 습도.

ábsolute infínitive *n.* 〔文法〕 독립부정사《보기 *To begin with, …*》.

*****absolúte·ly** [ˌ ⌐-⌐-, 강조 ⌐-⌐-] *adv.* **1** 절대적으로, 무조건으로 ; 완전히 : It is ~ impossible. 그것은 절대 불가능하다. **2** 《口》 [부정구문으로] 전혀 (…없이), 단연 (…하지 않고) : I know ~ nothing about that. 그런 일은 전혀 모른다. **3** 《口》 [감탄사적으로] 정말 그렇다, 그렇고 말고 (yes). **4** 〔文法〕 독립적으로, 유리하여 ; 단독으로 : an adjective[a verb] used ~ 명사[목적어]를 생략한 용법의 형용사[동사]《보기 The *blind* cannot *see*.》.

ábsolute mágnitude *n.* 〔天〕 (천체 광도의) 절대 등급.

ábsolute majórity *n.* 절대 다수, 과반수.

ábsolute mónarchy *n.* 전제 군주 정체(cf. LIMITED MONARCHY) ; 전제 군주국.

ábsolute músic *n.* 〔樂〕 (표제음악에 대하여) 절대 음악(↔*program music*).

ábsolute párticiple *n.* 〔文法〕 독립분사《The sun *having set*, we went home.》.

ábsolute pítch *n.* 절대 음높이, 절대 음감.

ábsolute póverty *n.* 절대 빈곤.

ábsolute préssure *n.* 〔理〕 절대압(력).

ábsolute scále *n.* 〔理〕 (절대 온도 0도를 기점으로 하는) 절대 온도 눈금.

ábsolute spáce *n.* 〔理〕 절대 공간.

ábsolute supérlative *n.* 〔文法〕 절대 최상급 《다른 것과 비교하지 않고 막연히 최고임을 암시 ; 보기 My *dearest* mother》.

ábsolute sýstem (of únits) *n.* 〔理〕 절대 단위계(單位系).

ábsolute témperature *n.* 〔理〕 절대 온도.

ábsolute térm *n.* 〔論〕 절대 명사 ; 〔數〕 절대항.

ábsolute únit *n.* 〔理〕 절대 단위.

ábsolute válue *n.* 〔數〕 절대값.

ábsolute wéapon *n.* 절대 병기《흔히 핵무기를 가리킴》.

ábsolute zéro *n.* 〔理〕 절대 영도(零度)《약 −273.16℃》.

ab·so·lu·tion [æbsəlúːʃən] *n.* Ⓤ 〔法〕 면제, 방

면 ; 무죄의 언도 ; 〖宗〗 사면〈*from, of*〉, 사죄문, 죄상 소멸(의 선언)《사제가 그리스도를 대신하여 참회자에게 줌》. 〖ABSOLVE〗

ab·so·lut·ism [ǽbsəlu:tìzəm] *n.* Ⓤ 〖哲〗 절대론(絶對論) ; 전제 정치. **-ist** *n.* 절대론자 ; 전제 정치론자 ; 전제주의자.

ab·so·lut·ize [ǽbsəlu:tàiz] *vt.* 절대화하다.

ab·solve [əbzɔ́(:)lv, -sɔ́(:)lv, -sɑ́lv] *vt.* [+目+前+名] 용서하다, 방면[석방]하다, 면제하다, (…에게) 무죄를 언도하다 : ~ a person ***from*** an obligation 남의 책임을 면하게 하다 / ~ a person ***of*** a sin 남의 죄를 용서하다.
〖L ; ⇨ AB-¹, SOLVE〗
類義語 ***absolve*** 책임·의무 또는 그것을 이행하지 않은 죄로부터 해방시켜 주다. ***acquit*** 증거 불충분으로 판결에 의해 방면하다. ***excuse*** 그다지 중대하지 않은 과실을 눈감아 주다. ***exonerate*** 비행에 대한 비난으로부터 면제하다《격식을 차리는 말》. ***pardon*** 중대한 과실·범죄에 대하여 당연한 처벌을 면제해 주다《excuse보다 격식을 차린 말》. ***forgive*** 처벌·복수·분노 따위를 그만두다. ***vindicate*** 비난·비평 따위가 근거가 없음을 밝히다(↔*accuse, charge, blame, punish*).

ab·so·nant [ǽbsənənt] *a.* 조화되지 않는.

ab·sorb** [əbsɔ́:*r*b, -zɔ́:*r*b] *vt.* **1** 흡수하다, 빨아들이다 ; (동요·소리 따위를) 없애다, 완화하다 : A sponge ~*s* water. 해면(海綿)은 물을 흡수한다. **2** [+目/+目+前+名] (대도시가 읍·면을) 병합하다, 흡수하다 ; (사상·학문을) 동화하다 : Those small states were ~*ed* ***into the empire. 저 군소 국가들은 그 제국에 병합되었다. **3** [+目/+目+*in*+名] **a**) (시간·주의 따위를) 빼앗다. **b**) (사람·마음을) 열중하게 하다 : He was ~*ed* ***in*** deep thought. 깊은 사색에 잠기었다《주 때때로 *p.p.*로 형용사적으로 씀》. **4** 《비유》 (의미를) 이해하다. **5** (펀치를) 맞고 쓰러지지 않다, (공격에) 견디다. **6** (모든 비용을) 부담하다. **7** 《俗》 먹다, 마시다.
~·able *a.* 흡수되는. **~·abílity** *n.* 흡수됨, 피(被)흡수성. 〖F or L (*sorpt- sorbeo* to suck in)〗

ab·sórbed *a.* 마음을 빼앗긴, 여념이 없는.
be absorbed in …에 열중[몰두]하다.
with absorbed interest 열중하여, 골몰하여.
ab·sórb·ed·ly [-ədli] *adv.* 여념없이 열중하여, 골똘히.

absórbed dóse *n.* 흡수선량(吸收線量)《방사선이 물체에 흡수된 양》.

ab·sor·be·fa·cient [əbsɔ̀:*r*bəféiʃənt, -zɔ̀:*r*-] *a.* 흡수 (촉진)성의. —— *n.* 흡수 (촉진)제.

absórb·ency *n.* Ⓤ 흡수성 ; 〖理〗 흡광도.

absórb·ent *a.* 흡수성의, 흡수하는, 흡수력이 있는. —— *n.* 흡수제, 흡착제.

absórbent cótton *n.* 《美》 탈지면(=《英》 cotton wool).

absórbent glánd *n.* 림프관(管).

absórbent páper *n.* 압지(押紙).

absórb·er *n.* Ⓒ 흡수물, 흡수체 ; (학문 따위) 탐닉하는 사람 ; 흡수기, 흡수[완충]장치(shock absorber) ; 〖理〗 흡수체, 흡광체.

absórb·ing *a.* 흡수하는 ; 열중[탐닉]하게 하는, 흥미로운.

ab·sorp·tance [əbsɔ́:*r*ptəns, -zɔ́:*r*p-] *n.* 〖光〗 흡수비[율].

***ab·sorp·tion** [əbsɔ́:*r*pʃən, -zɔ́:*r*p-] *n.* Ⓤ 흡수(작용) ; 병합, 동화 ; 전념, 일심 불란, 열중 : ~ *of* water by the earth 땅속으로의 물의 흡수 / ~ *in* one's studies 연구에의 몰두.
〖L ; ⇨ ABSORB〗

absórption bànd *n.* 〖理〗 (흡수 스펙트럼의) 흡수대(帶).

absórption coefficient *n.* 〖光〗 흡수 계수.

absórption hygròmeter *n.* 흡수 습도계.

absórption lìne *n.* 〖光〗 (흡수 스펙트럼의) 흡수선(吸收線).

absórption spèctrum *n.* 〖光〗 흡수 스펙트럼.

ab·sorp·tive [əbsɔ́:*r*ptiv, -zɔ́:*r*p-] *a.* 흡수하는, 흡수력이 있는, 흡수성의 : ~ power 흡수력.

ab·sorp·tiv·i·ty [əbsɔ:*r*ptívəti, -zɔ:*r*p-] *n.* 흡수성 ; 〖理〗 흡수율 ; 〖化〗 (용액의) 흡광률.

ab·squat·u·late [æbskwɑ́tʃəlèit] *vi.* 《俗》 도망치다, 자취를 감추다.

ABS resin [èibì:és ㅅ] *n.* 〖化〗 아크릴로니트릴 부타디엔 스티렌 수지《충격에 대해 강하며 불투명》. 〖*a*crylonitrile *b*utadiene *s*tyrene〗

ab·stain [əbstéin, æb-] *vi.* [+*from*+名] 삼가다, 절제하다, 끊다, 그만두다 ; 금주하다 ; 기권하다 : Athletes usually ~ ***from*** smoking [wine]. 운동 선수는 보통 담배[술]를 삼간다 / ~ *from* food[flesh and fish] 단식하다[육식을 삼가다] / ~ *from* vot*ing* 기권하다. **~·er** *n.* 절제하는 사람, 금주가.
〖OF<L *abs-*(*tent- teneo* to hold)〗
類義語 ***abstain*** 심사숙고하여 자기에게 해로운 것을 강한 의지력으로 삼가다 : *abstain* from drink (금주하다). ***refrain*** 어떤 일을 행하고 싶거나 말하고 싶은 일시적인 충동을 참다 : He *refrained* from saying what he thought. (그는 생각한 바를 말하고 싶었지만 참았다). ***forbear*** 화·불평 따위를 참고 견디다 : *forbear* from complaining (불평을 그만두다).

ab·ste·mi·ous [æbstí:miəs, əb-] *a.* (음식을) 절제하는, 삼가는 ; (생활 따위) 절제한, 금욕적인 ; (식사 따위) 소박한 : an ~ diet 절식(節食) / an ~ life 절제하는 생활.
be abstemious in …을 절제하다.
~·ly *adv.* **~·ness** *n.*
〖L (*abs-* off, *temetum* strong drink)〗

ab·sten·tion [æbsténʃən, əb-] *n.* Ⓤ 자제, 절제 ; Ⓤ,Ⓒ (권리 행사의) 회피, 기권 : ~ *from* drink [vot*ing*] 금주[기권]. **-tious** [-ʃəs] *a.* 끊은, 자제[절제]하는. 〖F or L ; ⇨ ABSTAIN〗

ab·sterge [æbstə́:*r*dʒ, əb-] *vt.* 깨끗이 씻다, 세정[세척]하다 ; 〖醫〗 변(便)을 통하게 하다.

ab·ster·gent [æbstə́:*r*dʒənt, əb-] *a.* 씻어내는, 깨끗이 하는. —— *n.* 세제 ; 하제(下劑).

ab·ster·sion [æbstə́:*r*ʒən, əb-] *n.* 세정(洗淨), 정화(淨化) ; 설사하게 하기, 하제 사용.

ab·ster·sive [æbstə́:*r*siv, əb-] *a.* =ABSTERGENT.

ab·sti·nence [ǽbstənəns] *n.* Ⓤ 절제, 금욕, 삼가기 ; 금주 : ~ *from* food 절식 / ~ *from* pleasure 쾌락을 삼가기, 금욕 / total ~ 절대 금주.
áb·sti·nen·cy *n.*

ábstinence sỳndrome *n.* 〖醫〗 금단(禁斷) 증세[현상].

áb·sti·nent *a.* 절제하는, 금욕적인 ; 절대 금주의.
~·ly *adv.* 절제하여, 삼가서 ; 적당히.

abstr. abstract ; abstracted.

***ab·stract** [ǽbstrækt, -ㅅ] *a.* **1** 추상적인(↔*concrete*) ; 관념적인 ; 이론적인 ; 공상적인(↔*practical*). **2** 심오한, 난해한. **3** 〖美術〗 추상파의, 추상주의의(↔*representational*). **4** 《古》 멍한, 방심 상태의(absent).

── [ˊ-] *n.* **1** 추상(개념) ; 〘美術〙 추상주의의 작품 ; 〘文法〙 추상명사. **2** 적요, 발췌 : make an ~ of a book 책의 요점을 초록하다, 발췌하다.
in the abstract 추상[이론]적으로.
── [-ˊ] *vt.* [+目 / +目+前+名] **1** (개념 따위를) 추상화하다. **2** [ˊ-] 발췌[적요, 요약]하다. **3** 《婉》 빼내다, 훔치다(steal) : In the crowd a thief ~*ed* my purse ***from*** my pocket. 사람이 붐비는 가운데 소매치기가 내 호주머니에서 지갑을 훔쳤다. **4** 〘化〙 추출하다. **5** (사람의) 주의(注意)[관심]를 딴 데로 돌리다〈*from*〉.
ábstract·ly *adv.* 추상적[관념적, 이론적]으로.
ábstract·ness *n.* Ⓤ 추상성. **-strácter, -strác·tor** *n.* 추출하는 사람[물건].
〖OF or L ; ⇨ TRACT[1]〗

ábstract árt *n.* 추상 미술.

abstráct·ed [ˌ ˊ--] *a.* 추상화한 ; 〘化〙 추출한 ; 멍한, 얼빠진 : with an ~ air 멍하니, 얼이 빠져.
~·ly *adv.* 추상적으로 ; 멍하니.

ábstract expréssionism *n.* 〘美術〙 추상 표현주의.

ab·strac·tion [æbstrǽkʃən] *n.* **1** Ⓤ 추상(작용) ; Ⓒ 추상개념[명사] ; Ⓤ 〘化〙 추출. **2** Ⓤ 《婉》 절취, 훔쳐냄. **3** Ⓤ 방심, 얼빠짐 : with an air of ~ 멍하니, 넋을 잃고. **4** 〘美術〙 추상주의, 추상주의 작품[도안].

abstráction·ìsm *n.* 〘美術〙 추상주의.

abstráction·ist *n.* 〘美術〙 추상파 화가 ; 관념론자, 공상가. ── *a.* 〘美術〙 추상주의적인.

abstráction-mónger *n.* Ⓒ 얼빠진 사람, 공상가(空想家).

ab·strac·tive [æbstrǽktiv] *a.* 추상력이 있는, 추상적인 ; 요약[초록]의[적인].

ábstract nóun *n.* 〘文法〙 추상 명사.

ábstract númber *n.* 〘數〙 무명수(無名數) (cf. CONCRETE NUMBER).

ab·struse [əbstrúːs, æb-] *a.* 알기[파악하기] 어려운, 난해한, (사상 따위가) 심원한.
~·ly *adv.* **~·ness** *n.* 〖F or L *abs-*(*trus- trudo* to push)=to conceal〗

*__ab·surd__ [əbsə́ːrd, -zə́ːrd, æb-] *a.* **1** 불합리한 ; 어리석은(foolish), 우스꽝스런(laughable) : It is ~ to call him a fanatic. 그를 광신자(狂信者)라 부르는 것은 당치도 않다. **2** [the ~] 어리석음, 부조리한 것.

〈회화〉
He was nominated for the presidency. — Don't be *absurd* !「그가 대통령 후보로 지명됐어」「그런 터무니없는 일이」

~·ly *adv.* 불합리하게 ; 우스꽝스럽게, 어리석게.
~·ness *n.*
〖F or L ; ⇨ SURD〗
類義語 ***absurd*** 진실 · 이치 또는 합리적인 판단에 전혀 맞지 않는. ***foolish*** 판단력 · 상식이 없어 바보 같은. ***irrational*** 불합리한, 이성에 어긋나는 《그러나 상식에는 어긋나지 않음》. ***ludicrous*** 부조화(不調和) · 과장 때문에 우스운. ***preposterous*** 자연 · 상식 · 이성에 어긋나서 터무니없는《absurd보다 과장된 말》. ***ridiculous*** 바보스러워서 우스꽝스럽거나 비웃고 싶은. ***silly***=foolish, ridiculous《때때로 경멸의 뜻을 내포함》. ***stupid*** 태어날 때부터 지능이 낮은. ***unreasonable*** 비합리적인, 이성에 맞지 않는《터무니없거나 극단적인 뜻을 내포함》 (↔*sensible, reasonable, logical*).

absúrd·ism *n.* (연극 따위의) 부조리주의.

ab·surd·i·ty [əbsə́ːrdəti, -zə́ːr-, æb-] *n.* Ⓤ 불합리, 모순 ; Ⓒ 어리석은 짓[태도] : a reduction to ~ ☞ REDUCTION 숙어.

absúrd théater *n.* [the ~] =THEATER OF THE ABSURD.

abt. about.

Ábt sỳstem [áːpt-, ǽpt-] *n.* 아프트식(式) 철도. 〖Roman *Abt* (d. 1933) 스위스의 철도 기사로 고안자(考案者)〗

Abt system

ABU Asia-Pacific Broadcasting Union.

abúb·ble [ə-] *pred. a.* 거품이 일어 ; 끓어올라, 동요[흥분]하여.

Abu Dha·bi [áːbuː dǽbi, ǽbuː dáːbi] *n.* 아부다비《아랍에미리트 연방의 한 구성국 ; 그 연방의 수도 ; 대유전(大油田)이 있음》.

abuíld·ing [ə-] *pred. a.* 건축[건설, 건조]중인.

abu·lia, abou- [əbjúːliə] *n.* 〘心〙 Ⓤ 의지력의 상실. **-lic** *a.*

*__abun·dance__ [əbʌ́ndəns] *n.* **1** Ⓤ,Ⓒ 풍부, 다수, 다량 : a year of ~ 풍년 / (an) ~ of examples [waterpower] 풍부한 예[수력]. **2** Ⓤ 유복.
in abundance 많이, 풍부히 ; 유복하게.

*__abún·dant__ *a.* 남아 돌아갈 만한, 풍부한 : an ~ harvest 풍작 / The district is ~ *in* minerals. 그 지방에는 광물이 풍부하다.
~·ly *adv.* 풍부하게.
〖OF<L ; ⇨ ABOUND〗
類義語 ⟹ PLENTIFUL.

abúndant númber *n.* 〘數〙 (정수론(整數論)에서) 과잉수.

abúndant yéar *n.* =PERFECT YEAR.

ab uno dis·ce om·nes [ɑːb úːnou díske ɔ́ːmneis] 하나로부터 모든 것을 배워라, 하나를 듣고 열을 알라. 〖L=from one learn all〗

ab ur·be con·di·ta [ɑːb úrbe kɔ́ːndətɑ̀ː] 로마시(市) 건설 이래《원년은 753 B.C. ; 略 A.U.C.》. 〖L=from the founding of the city〗

abus·age [əbjúːsidʒ ; -zidʒ] *n.* Ⓤ,Ⓒ (말의) 오용(誤用), 남용.

*__abuse__[1] [əbjúːz] *vt.* **1** (재능 · 지위 · 남의 호의 따위를) 남용[악용]하다, 오용하다 : I cannot ~ the trust which they have put in me. 나에 대한 그들의 신뢰(信賴)를 저버릴 수 없다. **2** 학대[혹사]하다(treat badly) ; 〘法〙 능욕하다. **3** 욕설[폭행]하다, 비난하다. 〖OF<L ; ⇨ USE〗
類義語 ⟹ WRONG.

*__abuse__[2] [əbjúːs] *n.* **1** Ⓤ,Ⓒ 남용, 악용, 오용 : ~ *of* power 권력의 남용 / ~ *of* language[terms] 언어[어구]의 오용. **2** Ⓤ 학대, 혹사 ; 〘法〙 능욕. **3** Ⓤ 욕설, 욕지거리, 독설, 폭행 : personal ~ 인신 공격 / a term of ~ 악담(惡談) / shower ~ (up) on a person 남에게 악담을 퍼붓다. **4** [때때로 *pl.*] 악폐, 폐해, 악습 : election ~*s* 선거 폐습 / the ~*s* of the age 시대의 악폐. **abús·able** [-zə-] *a.* **abús·er** [-zər] *n.* 〖↑〗

abu·sive [əbjúːsiv, 美+-ziv] *a.* **1** 욕하는, 욕지거리의 : ~ language 욕설 / an ~ letter 매도하는 편지. **2** 남용[악용]하는 ; 학대하는.
~·ly *adv.* **~·ness** *n.*

abut [əbʌ́t] *vi.* (-tt-) [+前+名] **1** (나라 · 토지 따위가) 접경하다, 인접하다 : His land ~*s* (***up***) ***on*** mine. 그의 토지는 우리 토지와 인접해 있다《~*s* mine의 형으로 *vt.*로도 씀》/ The sidewalk ~*ted* ***on*** the river[park]. 보도는 강[공원]에서 끊겼다. **2** (건물 따위의 일부가 어떤 것에) 접촉하다, 기대다 : The stable ~*s* ***against*** the main house. 마구간은 본채에 붙어 있다. 〖OF, L ; *a*-³, BUTT²와 BUTT⁴의 혼성(混成)〗

abu·ti·lon [əbjúːtəlàn ; -lən] *n.* 〖植〗 아욱과(科) 어저귀속(屬)의 풀.

abút·ment *n.* Ⓤ 인접 ; Ⓒ 〖建〗 홍예받이, 선단석(扇單石) ; 교대(橋臺) ; 접합점.

abut·tals [əbʌ́tlz] *n. pl.* 경계 ; 인접지.

abút·ter *n.* 인접물 ; 〖法〗 인접지 (재산) 소유자.

abút·ting *a.* 인접하는 ; 〖建〗 받치고 있는.

abúzz [ə-] *pred. a.* 붕붕[왁자지껄]하는, 떠들썩한 ; 활기가 넘치는, 활발한.

aby, abye [əbái] *vt.* (**abought** [əbɔ́ːt]) 《古》 (죄를) 속죄하다 ; (괴로움을) 견디고 참다. ㊟ dearly를 수반함. 〖OE *ābycgan* ; ⇨ BUY〗

abysm [əbízəm] *n.* 《詩》 =ABYSS. 〖OF *abi(s)me*<L *abysmus* ; 어형은 L *abyssus* ABYSS에 동화〗

abys·mal [əbízməl] *a.* 심연(深淵)의, 나락(奈落)의 ; 끝없이 깊은(bottomless) : ~ ignorance 일자 무식. **~·ly** *adv.*

abyss [əbís] *n.* 심연(深淵), 끝없이 깊은 구덩이 ; 나락(奈落) ; 〖海〗 심해 ; (천지 창조 이전의) 혼돈(chaos) : an ~ of disgrace 말할 수 없는 치욕 / the ~ of time 영원, 무한한 시간. 〖L<Gk. *a*-²(*bussos* depth)=bottomless〗

abýss·al *a.* (해면 깊이 540m 이상의) 심해의 ; 한없이 깊은.

abýssal róck *n.* 〖地質〗 심성암(深成岩).

abýssal zòne *n.* [the ~] 〖生態〗 심해(저(底))대 《수심 3000-7000m 부분》.

Ab·ys·sin·ia [æ̀bəsíniə] *n.* 아비시니아 《Ethiopia의 옛 이름》.

Àb·ys·sín·i·an *a., n.* 아비시니아인(의) ; Ⓤ 아비시니아어(語).

ac- ☞ AD-.

-ac [æk, ik, ək] *a. suf., n. suf.* 「…와 같은」「…에 관한」「…에 홀린」「…병[증] 환자」의 뜻《흔히 지금은 이 어미는 명사로서 많이 쓰이며 형용사로는 거기에 -al을 붙임 ; cf. ACAL-》 : demoni*ac*, elegi*ac* ; cardi*ac*, ili*ac* ; mani*ac*. 〖F *-ague* or L *-acus* or Gk. *-akos*〗

AC, A. C. 《英》 Aero Club ; Air Corps ; 《英》 aircraft(s)man ; Alpine Club ; 〖電話〗 area code ; Army Corps ; Athletic Club ; Atlantic Charter ; Aviation Cadet. **AC, A.C., a.c.** 〖處方〗 *ante cibum* 《L》 (=before meals) ; author's correction. **Ac** 〖化〗 actinium ; 〖氣〗 altocumulus. **A. C.** *ante Christum* 《L》 (=before Christ). **A.C., a.c.** 〖電〗 alternating current. **A/C, a/c** account ; account current. **A.C.A.** 《英》 Associate of the Institute of Chartered Accountants(공인 회계사 협회 준회원). **ACAB** All Coppers Are Bastards《폭주족 등이 팔에 문신하는 글씨》.

aca·cia [əkéiʃə] *n.* **1** 〖植〗 아카시아《《英》에서는 이것이 일반적인 뜻이나 《美》에서는 locust tree라고 함》. **2** 아라비아고무(gum arabic). 〖L<Gk.=thorny tree〗

acad. academic ; academy.

ac·a·deme [ǽkədìːm] *n.* 《詩》 학원, 학구(academy). 〖Gk. ; ⇨ ACADEMY〗

aca·de·mese [əkæ̀dəmíːz, æ̀kə-, -s] *n.* 학자연한 문체, 아카데믹풍(의 문체).

ac·a·de·mia [æ̀kədíːmiə] *n.* (대학 따위의) 학구적인 세계[생활, 흥미] ; =ACADEME.

***ac·a·dem·ic** [æ̀kədémik] *a.* **1** 학원의 ; 대학의 : ~ costume 대학의 예복《가운과 모자》 / an ~ curriculum 대학 과정 / an ~ degree 학위 / ~ freedom 학문(연구)의 자유. **2** 학문의, 학구적인 ; 학자인 체하는. **3** 관학적(官學的)인, 격식[전통]을 중히 여기는. **4** 이론적인, 관념적인, 비실제적인. **5** 《美》 (대학의) 인문학과의, 문학부의, 일반 교양의(liberal) ; [A~] 아카데미학파의, 플라톤 학파의 : ~ subjects 인문학 과목.
—— *n.* 대학생, 대학강사, 대학인 ; 학구(적인 사람) ; [A~] 플라톤 학파의 학생.

ac·a·dém·i·cal *a.* 학원의 ; 대학의. ㊟ 그 외에는 흔히 academic과 같이 씀. —— *n.* [*pl.*] 대학의 예복[예모]. **~·ly** *adv.* 학술적으로 ; 이론적으로 ; 비실제적으로.

académic áptitude tést *n.* 진학 적성 검사.

académic árt *n.* (전통에 사로잡혀 독창성이 없는) 아카데미 예술.

acad·e·mi·cian [əkæ̀dəmíʃən, æ̀kədə-] *n.* 예술원[학술원, 미술원] 회원.

académic ínterests *n. pl.* 학교 경영 단체.

ac·a·dem·i·cism [æ̀kədéməsìzəm], **acad·e·mism** [əkǽdəmìzəm] *n.* 예술원[학술원]풍 ; 전통주의 ; 형식주의.

académic yéar *n.* 〖教〗 학년(school year).

***acad·e·my** [əkǽdəmi] *n.* **1** 학원《보통 university 보다 하급 학교》, (특히 사립) 중등학교. **2** 전문[특수] 학교 : an ~ of medicine[music] 의학[음악] 전문 학교 / the Military *A*~ 육군 사관 학교 / the Naval *A*~ 해군 사관 학교. **3** (학술 · 미술 · 문예 · 영화 따위의) 협회 ; 학회, 학술[예술]원. **4** [the A~] **a)** 《英》 왕립 미술원《the Royal Academy of Arts의 준말》 ; 왕립 미술원 전람회. **b)** 프랑스 학술원. **c)** 아카데미 동산《Plato가 철학을 강론하던 Athens 근교의 동산》 ; 아카데미학파《Plato학파의 별칭 ; cf. LYCEUM, PORCH》. 〖F or L<Gk. ; *Akadēmos* Plato가 가르친 gymnasium〗

Acádemy Awárd *n.* 〖映〗 아카데미상(賞) (cf. OSCAR).

acádemy blùe *n.* 녹청색.

acádemy bòard *n.* (유화용) 판지 캔버스.

acádemy figure *n.* 〖美術〗 반등신(半等身) 크기의 나체화.

Aca·dia [əkéidiə] *n.* 아카디아《캐나다의 남동부, 지금의 Nova Scotia 주(州)를 포함하는 지역의 옛 이름》. **Acá·di·an** *a., n.* Acadia의 (주민).

-a·cal [əkəl] *a. suf.* =-AC. ㊟ 흔히 -AC의 명사 용법과 구별하기 위해 씀 : demoni*acal* / demoni*ac*.

ac·a·leph(e) [ǽkəlèf] *n.* 〖動〗 분해파리류(類)의 강장동물.

acanth- [əkǽnθ], **acan·tho-** [əkǽnθou, -θə] *comb. form* 〖動 · 植〗 「극상 돌기」「가시(와 같은)」의 뜻. 〖Gk.〗

acan·thoid [əkǽnθɔid] *a.* 가시 모양의, 가시가 있는.

acan·thus [əkǽnθəs] *n.* (*pl.* **~·es, -thi** [-θai]) **1** 〖植〗 아칸서스속의 각종 다년생 초본. **2** 〖建〗 (Corinth식 원주두(圓柱頭)의) 아칸서스잎 모양의 장식. 〖L<Gk.=thorn〗

ACAP 〖美軍〗 advanced composite airframe program.

a cap·pel·la, a ca·pel·la [àː kəpélə] *adv., a.* 〖樂〗 반주없이 (하는), 아카펠라로[의] ; 교회 음악풍으로[의]. 〖It.=in chapel style〗

a ca·pric·cio [àː kəpríːtʃou] *adv.* 〖樂〗 (가락 · 형

식·발상을) 연주자 마음대로.
〚It.=capriciously〛

Aca·pul·co [àːkəpúːlkou, æ̀k-] *n.* 아카풀코(멕시코 남서부 태평양 연안의 항구 도시·피한지) : ~ gold 《俗》 아카풀코 금(멕시코산의 최상급 마리화나).

ac·a·ri·a·sis [æ̀kəráiəsəs] *n.* 〔病理〕 진드기 기생증(症)(진드기로 인한 피부병).

ac·a·rid [ǽkərəd] *n.* 〔動〕 진드기(mite, tick).

acár·pous [ei-, æ-] *a.* 〔植〕 열매가 열리지 않는.

ACAS [éikæs] 《英》 Advisory Conciliation and Arbitration Service(조언 화해 조정 서비스).

acat·a·lec·tic [eikæ̀təléktik, æ-] *a.* 《詩》 완전운각(韻脚)의, 행 끝의 시각이 완전한.
—— *n.* 완전구(完全句).

acàt·a·lép·tic [ei-, æ-] *a.* 〔哲〕 불가지론의.
—— *n.* 불가지론자.

A-C býpass [éisíː -] *n.* 〔醫〕 대동맥·간동맥 바이패스(심근 경색 따위 환자의 폐색 부동맥을 제거하고 하퇴의 정맥을 대신 이식하여 만드는 관).

ACC Area Control Center(항공로 관제 센터) ; Administrative Committee on Coordination(유엔의 행정 조정 위원회). **acc.** acceleration ; acceptance ; accepted ; account ; accountant ; accusative.

Accad, Accadian ☞ AKKAD, AKKADIAN.

ac·cede [æksíːd] *vi.* [+*to*+名] **1** (제안·요구 따위에) 동의하다, 따르다 : ~ ***to*** an offer 제의에 따르다. **2** (권력을) 쥐다, (관직에) 취임하다 ; 계승하다 ; 즉위하다 ; (조약·당에) 가입[가맹, 참가]하다 : ~ ***to*** an office 취임하다 / ~ *to* an estate 재산을 인계하다 / ~ *to* the throne 즉위하다 / ~ *to* a treaty 조약에 가맹하다.
〚L ; ⇨ CEDE〛
類義語 ⟹ CONSENT.

ac·céd·ence *n.* **1** 동의, 응낙. **2** 계승 ; 취임, 즉위. **3** 가입, 가맹.

accel. accelerando.

ac·ce·le·ran·do [ɑːtʃèlərɑ́ːndou, iksèl-, æk- ; -rǽn-] *adv., a.* 〔樂〕 아첼레란도로[의], 점점 빠르게[빠른]. —— *n.* (*pl.* **~s, -di** [-di]) 아첼레란도(의 악장), 점차로 빠르게 연주하기(略 accel.).
〚It. ; ⇨ ACCELERATE〛

ac·cel·er·ant [ikséləront, æk-] *n.* 〔化〕 촉진제(劑), 촉매(觸媒).

ac·cel·er·ate [iksélərèit, æk-] *vt.* 빠르게 하다, 가속(加速)하다(↔*decelerate, retard*) ; 촉진하다 : ~*d* motion 〔理〕 가속 운동. —— *vi.* 속력이 더해지다, 빨라지다. 〚L (*celero* to quicken) ; ⇨ CELERITY〛

ac·cèl·er·á·tion *n.* Ⓤ 가속 ; 촉진 ; 〔理〕 가속도(↔*deceleration, retardation*) : positive[negative] ~ 가[감]속도.

accelerátion làne *n.* (고속도로의) 가속 차선.

accelerátion prìnciple *n.* 〔經〕 가속도 원리.

accelerátion strìp *n.* 《英》 (차도의) 가속 차선.

ac·cél·er·à·tor *n.* 가속자(者) ; 가속물, 가속 장치 ; 촉진제(劑) ; (자동차의) 가속 페달, 액셀러레이터 : step on the ~ 액셀러레이터를 밟다, 속도를 내다.

accélerator glòbulin *n.* 〔生化〕 촉진성 글로불린(혈장(血漿)내 단백질의 일종).

ac·cel·er·om·e·ter [iksèlərɑ́mətər, æk-] *n.* 가속도계(加速度計) ; (우주선용) 가속도계.

‡**ac·cent** [ǽksent ; -sənt] *n.* **1 a)** Ⓤ,Ⓒ 〔音聲〕 악센트, 강세(stress) : the primary[secondary] ~ 제1[제2] 악센트 / Where does the ~ fall [Where is the ~] in "politics"? — It falls[is] on the first syllable. politics의 악센트는 어디에 있느냐 — 제1음절에 있다. **b)** 악센트 부호 : an acute ~ 양음(揚音) 부호(´) / a grave ~ 억음(抑音) 부호(`) / a circumflex ~ 곡절음(曲折音) 부호(˜, ˆ). **2** 강조(emphasis) 〈*on*〉 ; 두드러지게 하는 것 ; 특색, 특징. **3** [*pl.*] 《文語》 발음의 양식, 어조, 말투 ; (지방·외국의) 사투리 : speak English with an ~ [a foreign ~] 외국어 투의 영어를 하다. **4** [*pl.*] 《詩》 말, 어조, 시구, 음성 : in ~*s* of grief 슬픈 어조로. **5** Ⓤ,Ⓒ 〔韻〕 강음(ictus). **6** 〔樂〕 강세, 강세 부호.
—— [ǽksent, -´ ; -´] *vt.* **1** (말·음절에) 강세를 두다, 강하게 발음하다 ; …에 강세 부호를 붙이다 : an ~*ed* syllable 강세가 있는 음절. **2** = ACCENTUATE 1.
〚F or L (*cantus* song) ; Gk. *prosōidia* PROSODY에 연유〛

áccent màrk *n.* 〔音聲·樂〕 악센트 부호, 강세 부호[기호].

ac·cen·tu·al [ækséntʃuəl, ik-] *a.* 악센트의[가 있는] ; 〔韻〕 음의 강약을 리듬의 기초로 하는.

ac·cen·tu·ate [ækséntʃuèit, ik-] *vt.* **1** 강조[역설]하다 ; (빛깔 따위를) 두드러지게[뚜렷하게] 하다, (화장 따위) 남의 눈을 끌게 하다 ; (문제를) 한층 악화시키다. **2** = ACCENT *vt.* 1.

ac·cèn·tu·á·tion *n.* **1** Ⓤ 음의 억양법(抑揚法) ; 강세(부호)를 붙이는 법. **2** Ⓤ 강조, 역설, 두드러지게 함.

◇**ac·cept** [iksépt, æk-] *vt.* **1** (선물 따위를) 받아들이다, 받다, 수납하다 ; (초대·제의·임명 따위를) 수락하다, 응낙하다(↔*decline, reject*) ; (여자가 남자의) 구혼에 응하다(↔*refuse*) : I'll ~ your offer. 당신의 제의를 받아들이겠습니다. **2** (사태에) 순응하다, (싸움에) 응하다. **3** [+目 / +目+*as* 補] (설명·학설 따위를) 믿어주다, 용인하다 : No scientific theory has been ~*ed* without opposition. 과학적인 학설이 여지껏 반대론 없이 용인된 적은 한번도 없다 / a generally ~*ed* idea 널리 인정받는 생각(cf. ACCEPTED) / You may ~ the explanation *as* true[*as* a fact]. 그 설명을 진실[사실]로 믿어도 좋다. **4** (말의) 뜻을 이해[해석]하다(understand) : an ~*ed* meaning 널리 알려진 뜻(cf. ACCEPTED). **5** 〔商〕 (어음을) 인수하다(↔*dishonor*).

〈회화〉
Congratulations on being *accepted* by the college. — Thank you very much. 「대학 입학을 축하하네」「감사합니다」

~·er *n.* = ACCEPTOR.
〚OF or L *ac*-(*cept*- *cipio* = *capio* to take)〛
類義語 ⟹ RECEIVE.

accèpt·abílity *n.* Ⓤ 받아들일 수 있음, 응낙 ; 만족 ; 용인성 : The ~ of his theory is much to be doubted. 그의 학설의 용인성 여부는 대단히 의심스럽다.

***accépt·able** *a.* (제안·선물 따위) 받아들일 수 있는 ; 마음에 드는, 만족한. **-ably** *adv.*

accéptable lóss *n.* 〔軍〕 허용 피해.

***accépt·ance** *n.* **1** Ⓤ 받아들임, 수납, 가납(嘉納) ; 수락, 용인, 수리(↔*refusal*) : find[gain, win] general ~ 일반에게 받아들여지다. **2** Ⓤ 〔商〕 어음의 인수, Ⓒ 인수된 어음.
acceptance of persons 편파, 편애.

accéptance spèech *n.* (지명·수상 따위) 수락 연설.

accéptance tèst *n.* 〖宇宙〗 합격 판정 시험《제품의 품질·성능에 관한 것》.
accépt·ant *a.* 받아들이는, 수락하는.
—— *n.* 받아들이는 사람, 수락자.
ac·cep·ta·tion [æ̀kseptéiʃən] *n.* (말의) 의미, 말뜻 : formal ~ 제1의 뜻.
accépt·ed *a.* 널리 인정된, 용인된 ; 〖商〗 인수를 필한. **~·ly** *adv.*
accépted páiring *n.* 용인 광고《경쟁 회사 제품의 장점을 인정하면서 자사 상품이 더 우수함을 강조하는 광고》.
accépting hòuse *n.* 《英》 인수(引受) 상사《환어음의 인수·보증을 주업무로 하는 영국 특유의 금융 기관》.
ac·cép·tor *n.* **1** 〖商〗 어음 인수인 ; 〖通信〗 통파기(通波器) ; 〖化〗 수용체 ; 〖電子〗 억셉터《반도체 내부에 생기는 불순물》. **2** 수납자, 승낙자.
accéptor impùrity *n.* 〖電子〗 억셉터 불순물《반도체 내에서 억셉터로 작용하는 불순물 ; 게르마늄 속의 indium 따위》.
***ac·cess** [ǽkses] *n.* **1** Ⓤ 접근, 면접, 출입 (approach)〈*to*〉 ; 접근하는 방법[수단, 권리] ; 입구, 통로(doorway) ; 〖컴퓨〗 접근 ; 〖英放送〗 국[프로그램] 개방 : a man of difficult[easy] ~ 접근하기 어려운[쉬운] 사람, 만나기 힘든[쉬운] 사람 / easy[hard, difficult] of ~ 접근하기[만나기] 쉬운[어려운]. **2** 발작(fit) : an ~ *of* anger [fever] 갑작스런 화, 분노[발열]. **3** (재산 따위의) 증대.
gain*[*obtain*] *access to …에 접근[출입, 면회]하다.
give access to 에 접근[출입, 면회]을 허락하다.
have access to …에 접근[출입, 면회]할 수 있다, …이 수중에 들어오다 : I *have* ~ *to* his library. 그의 서재에 출입할 수 있다.
within easy access of …에서 쉽게 갈 수 있는 곳에.
—— *vt.* …에 접근하다, 들어가다 ; 〖컴퓨〗 접근하다. 〖OF or L ; ⇨ ACCEDE〗
Access *n.* 액세스《영국과 유럽의 크레디트 카드》.
áccess àrm *n.* 〖컴퓨〗 접근 막대.
accessary ☞ ACCESSORY.
áccess chàrge *n.* 액세스 차지《장거리 전화 사용자가 장거리 전화 회사에 내는 것 외에 지방 전화 회사에도 지불하는 접속료》.
áccess contròl *n.* 〖컴퓨〗 액세스 관리《컴퓨터 시스템에 수용되어 있는 정보에 대한 액세스를 정당하다고 시인된 사용자에게만 제한하는 것》.
áccess contróller *n.* 《美》 도어맨(doorman).
áccess contròl régister *n.* 〖컴퓨〗 접근 통제 레지스터.
ac·cès·si·bíl·i·ty *n.* Ⓤ 접근할 수 있음, 가까이하기 쉬움 ; 영향을 받기 쉬움.
***ac·ces·si·ble** [iksésəbəl, æk-] *a.* **1** (사람·장소 따위) 접근하기 쉬운, 가까이할 수 있는 ; 입수하기 쉬운, 얻기 쉬운 : His house is not ~ by car. 그의 집은 차로는 갈 수 없다《차가 닿지 않는다》/ He is not ~ *to* strangers. 그는 낯선 사람과는 좀처럼 만나지 않는다. **2** 감동되기 쉬운 ; 영향받기 쉬운 : ~ *to* pity 정에 끌리는, 인정 많은 / ~ *to* reason 도리를 아는 / ~ *to* bribery 뇌물이 통하는. **-bly** *adv.*
ac·ces·sion [ikséʃən, æk-] *n.* **1** Ⓤ 도달〈*to*〉 ; 즉위, 계승 ; 상속 ; 임관 ; 취직 ; (당·단체 따위에의) 가입[가맹] ; (권리·재산의) 취득. **2** 증가물, 획득물 ; (도서관의) 수납(受納) 도서 : new ~*s* *to* a library 도서관의 신착(新着) 도서. **3** Ⓤ (회원·종업원의) 신규 가입[채용]〈*to*〉. **4** 〖法〗 (재산 가치의) 자연 증가 ; 〖國際法〗 (조약의) 공식 승인. —— *vt.* 《美》 (새로 들어온 책 따위를) 수납 원부(原簿)에 기재하다. **~·al** *a.*
accéssion bòok *n.* (도서관의) 수납 대장, 신착 도서 목록.
accéssion nùmber *n.* (도서관에서의) 도서 수납 번호.
áccess méthod *n.* 〖컴퓨〗 접근법《주기억 장치와 입출력 장치 간의 데이터 전송을 다루는 데이터 관리 방법》.
ac·ces·so·ri·al [æ̀ksəsɔ́ːriəl] *a.* 보조의 ; 〖法〗 종범적(從犯的)인.
ac·cés·so·rìze [ik-, æk-] *vt., vi.* (…에) 액세서리[부속품]를 달다〈*with*〉.
***ac·ces·so·ry, -sa·ry** [iksésəri, æk-] *n.* **1** 부속물, 부대물 ; [보통 *pl.*] 부속품, 액세서리《장갑·귀고리·스카프 따위의 장신구》 : the *accessories* of a motorcar 자동차의 부속품. **2** 〖法〗 사전[사후] 공범, 종범자〈*to*〉 : an ~ after the fact 사후 종범자 / an ~ before the fact 사전 종범자, 교사범. —— *a.* **1** 보조적인, 부속의, 부대적인. **2** 〖法〗 사전[사후] 공범의, 종범의 : He was made ~ *to* the crime. 그 범죄의 종범자가 되었다.
-ri·ly *adv.* 〖L ; ⇨ ACCEDE〗
accéssory frúit *n.* 〖植〗 부과(副果).
accéssory glànd *n.* 〖動〗 부속선(附屬腺).
accéssory nèrve *n.* 〖解〗 부신경.
áccess pèrmit *n.* 《美》 기밀자료 열람 허가증.
áccess pòint *n.* 〖通信〗 VAN에 있어 네트워크측과 사용자측의 접속점.
áccess prògram *n.* 《美》 (지방 방송국의) 자체 제작 프로그램 ; (국[프로그램] 개방을 이용한) 자체[국외] 제작 프로그램.
áccess ròad *n.* (어떤 지역·고속도로 따위로의) 진입로.
áccess tèlevision *n.* 《英》 (국[프로그램] 개방을 이용한) 자체[국외] 제작 텔레비전(프로그램).
áccess tìme *n.* 〖컴퓨〗 접근 시간, 호출 시간《중앙 처리 장치의 제어 장치가 데이터의 전송 요구를 받는 순간부터 데이터의 주고 받음이 완료되는 순간까지의 시간》.
ac·ci·dence [ǽksədəns, -dèns] *n.* Ⓤ 〖文法〗 어형론(語形論), 형태론(形態論) (morphology) (cf. SYNTAX) ; 초보, 입문.
‡ac·ci·dent [ǽksədənt, -dènt] *n.* **1** 사고, 고장 ; 재난 ; 재해, 상해 ; 《美》 자동차 사고 ; 〖法〗 (작위·과실에 의하지 않은) 우발 사고 : a railroad [traffic] ~ 철도[교통] 사고 / an inevitable ~ 〖法〗 불가피한 사고, 불가항력 / *A*~*s* will happen. 《속담》 사고란 나게 마련. **2** 뜻밖의 사건, 우연한 일 : ~*s* of birth (부귀·빈천의 신분 따위로 태어나는) 생(生)의 우연, 우연히 어떤 환경에 태어남 / a chapter of ~*s* ☞ CHAPTER 2. **3** 〖論〗 우유성(偶有性) ; 〖地質〗 (토지의) 기복[표면이 울퉁불퉁함]. **4** 〖醫〗 우발증후.
by accident 우연히, 뜻밖에(↔*on purpose*).
have*[*meet with*] *an accident 뜻밖의 사고를 당하다, 부상을 입다.
without accident 무사히.

〈회화〉
I didn't do it on purpose. It was an *accident*. — Well, be more careful next time. 「일부러 한 짓이 아니야. 우연이었어」「다음부터는 좀 더 조심하라구」

〚OF<L (*cado* to fall)〛

類義語 ***accident*** 뜻하지 않은 사고로 사상(死傷)·손해를 입는 것. ***mischance*** 보통 개인에게 발생하는 불행한 사고. ***disaster*** 사람·기계, 어떤 구조상의 결함 및 자연의 결과로 생기는 예기치 않은 불행한 사고. ***catastrophe*** 인생의 큰 재난으로 발생 후 회복이 전혀 불가능한 것.

***ac·ci·den·tal** [æ̀ksədéntl] *a.* **1** 우연의(↔*voluntary*; cf. INTENTIONAL) : an ~ death 사고사(事故死), 횡사 / ~ fire 실화(失火) / ~ homicide 과실 치사. **2** 본질적이 아닌, 부수적인, 부속적인(nonessential) ; 〘樂〙 임시표의 ; 〘論〙 우유(偶有)의 : ~ notation 〘樂〙 임시표 ; 변화음.

accidental color 〘光〙 보색 잔상(補色殘像), 우생색(偶生色).

accidental error 〘數〙 우연 오차.

—— *n.* 우발[부수]적인 사물, 본질적이 아닌 사물 ; 〘樂〙 임시표.

accidéntal·ly *adv.* 우연히, 뜻밖에, 우발적으로(↔*designedly*).

accidéntal président *n.* 승격 대통령《대통령의 사망·사임으로 부통령에서 오름》.

ac·ci·dent·ed [æ̀ksədèntəd] *a.* 〘地質〙 기복이 있는 ; 표면이 울퉁불퉁한.

áccident insùrance *n.* 상해[재해] 보험.

áccident-pròne *a.* 보통 사람보다 사고를 일으키기 쉬운 ; 〘醫〙 재해[사고] 빈발성 소질을 지닌. **~·ness** *n.*

ac·ci·die [æ̀ksədi], **ac·cid·ia** [æksídiə] *n.* = ACEDIA.

ac·cip·i·ter [æksípətər, ik-] *n.* 〘鳥〙 새매 ; 맹금류(猛禽類). **-i·tral** [-trəl] *a.* 매의, 매 같은.

ACCK American Chamber of Commerce in Korea.

ac·claim [əkléim] *vt.* [+目 / +目+*as* 補 / +目+補] 갈채[환호]하다, 갈채하여 …라고 인정하다 : The newspapers ~*ed* her *as* a great actress. 신문은 그녀를 대스타라고 대서특필(大書特筆)했다 / The people ~*ed* him king. 백성들은 그를 환호하여 왕으로 맞았다. —— *vi.* 갈채하다, 환호하다. —— *n.* Ⓤ 갈채, 환호(acclamation) ; 칭찬, 환영 ; 절찬(絶讚) (loud praise) : win ~ 절찬을 받다.

〚L *acclamo* ; ⇨ CLAIM〛

ac·cla·ma·tion [æ̀kləméiʃən] *n.* Ⓤ (칭찬·찬성의) 대갈채 ; [때때로 *pl.*] 환호 : amidst the loud ~*s* 일대 환호속에서 / carry...*by* ~ (의안 따위를) 만장의 갈채[구두투표]로 통과시키다 / hail...*with* ~*s* …을 환호하여 맞이하다.

ac·clam·a·to·ry [əklǽmətɔ̀ːri ; -təri] *a.* 갈채의, 환호의 ; 만장 일치의.

ac·cli·mate [əkláimət, æ̀kləmèit] *vt., vi.* 《주로 美》 [+目 / +目+前+名] (동식물·사람 등) 새로운 풍토에 익히다[익다], 순화[순응]시키다[하다] ; 순치(馴致)하다 : ~ a plant ***to*** a new climate 식물을 새 풍토에 순화하게 하다 / ~ one*self* (*to* the new surroundings) (새 환경에) 순응하다[익히다].

ac·cli·mat·able [əkláimətəbəl] *a.* 풍토에 익숙해지게 할 수 있는.

〚F (*à* to, CLIMATE)〛

ac·cli·ma·tion [æ̀klaiméiʃən, -lə-] *n.* Ⓤ 《주로 英》 새 환경 순응 ; 〘生〙 새 풍토에 익힘, 순응, 순화, (특히) 기후 순화.

acclimátion fèver *n.* (주로 열대 지방에서 새 이주자나 가축이 걸리는) 순화열(順化熱).

ac·clì·ma·ti·zá·tion *n.* 《주로 英》 = ACCLIMATION.

ac·cli·ma·tize [əkláimətàiz] *vt., vi.* = ACCLIMATE.

ac·cliv·i·ty [əklívəti, æk-] *n.* 치받이 (경사), 오르막(↔*declivity*). **ac·clív·i·tous, ac·cli·vous** [əkláivəs] *a.* 오르막의, 치받이 경사의.

〚L (*clivus* slope)〛

ac·co·lade [ǽkəlèid, ⌐-⌐] *n.* **1** 나이트(knight) 작위 수여(식) (cf. KNIGHT, DUB[1]) ; 영예 ; 칭찬 : receive the ~ 나이트 작위를 받다. **2** 〘樂〙 (두 개 이상의 5선을 잇는) 연결 괄호.

〚F<Prov. (*ac*-, L *collum* neck)〛

ac·com·mo·date** [əkɑ́mədèit] *vt.* **1** [+目+前+名] 편의를 도모하다, (돈, 숙박시설 따위를) 융통[마련]해 주다 : ~ a person ***with a thing = ~ a thing ***to*** a person 남에게 어떤 물건을 융통해 주다. **2** 숙박시키다, 승객을 태우다, (환자 등을) 수용하다 ; [보통 수동태로] 설비가 있다 : The hotel is well ~*d.* 그 호텔은 시설이 좋다. **3** (상인이 손님의) 편의를 도모하다. **4** [+目+*to*+名] 적응시키다, 조절하다(adapt) : ~ facts ***to*** theory 사실을 이론에 적응시키다[맞추다]. **5** (분쟁 따위를) 화해시키다, 조정하다.

—— *vi.* 순응[적응]하다 ; 화해하다.

accommodate one***self to. . .*** (환경)에 순응하다 : The eye can ~ it*self to* see*ing* objects at different distances. 눈은 각기 다른 거리에 있는 물체를 볼 수 있도록 조절된다.

〚L ; ⇨ COMMODE〛

類義語 ⟹ ADAPT, CONTAIN.

ac·cóm·mo·dàt·ing *a.* 편의를 잘 보아주는 ; 친절한, 사람 좋은 ; (나쁜 뜻으로) 다루기 쉬운 ; 융통성 있는. **~·ly** *adv.* 친절히, 융통성 있게.

***ac·còm·mo·dá·tion** *n.* **1** Ⓤ 적응, 조화, 조절 〈*to*〉 ; 〘生理〙 (눈의) 조절 작용. **2** Ⓤ,Ⓒ 화해, 조정 : reach[come to] an ~ 타협이 되다〈*with*〉. **3** Ⓤ 〘商〙 융통, 변통 ; 대부(금). **4** (공중을 위한) 편의(의 제공) (convenience) ; 친절심 : for your ~ 당신의 편의를 위해. **5** [《美》 *pl.* ; 《英》 *sg.*] (여관·배·열차·비행기·병원 따위의) 숙박[수용] 시설 : wire the hotel *for* ~*s* 《美》 호텔로 숙박 예약 전보를 치다.

accommodátion addrèss *n.* 편의적인 주소《주소 부정자·주소 알리기를 꺼리는 사람들의 우편물 수신을 위함》.

accommodátion bìll[nòte, pàper] *n.* 〘商〙 융통 어음.

accommodátion còllar *n.* 《美俗》 건수[점수]를 올리기 위한 범인 체포.

accommodátion·ist *a., n.* 《英》 (특히 백인 체제에 대하여) 타협[융화]하려는 (흑인), 타협적인 (사람).

accommodátion làdder *n.* 〘海〙 현제(舷梯), 트랩.

accommodátion lìne *n.* 〘保險〙 영업 정책적인 계약 인수.

accommodátion pàyment *n.* 공모(共謀) 지불《실제보다 불려서 지불하고 나중에 뇌물로 몰래 받는 일종의 위장 뇌물》.

accommodátion ròad *n.* 특설 도로.

accommodátion tràin *n.* 《美》 (정거장마다 서는) 완행 열차(local train).

accommodátion ùnit *n.* [관청 용어로] 주택, 가옥, 주거.

ac·cóm·mo·dà·tive *a.* 조화[조절]적인 ; 친절한 ; 다루기 쉬운.

ac·cóm·mo·dà·tor *n.* 적응자 ; 조절자[기] ; 조정자 ; 융통자.

ac·com·pa·ni·ment [əkʌ́mpənimənt] *n.* **1** 부속물, 딸린 것 : Destruction is an ~ of war. 파괴는 전쟁의 부산물이다. **2** 〖樂〗 반주, 반주부 : a piano ~ 피아노 반주 / *to* the ~ *of*... (악기)의 반주로, …에 맞추어서.

ac·com·pa·nist [əkʌ́mpənəst] *n.* 동반자 ; 〖樂〗 반주자.

ac·com·pa·ny** [əkʌ́mpəni] *vt.* **1** [+目 / +目+前+名] …에 동반하다, 동행하다 : He was *accompanied* by his wife. 그는 부인을 동반했다 《注 His wife *accompanied* him. 에 대한 수동태 문장에서 전치사는 with를 쓰지 않음》/ She *accompanied* the guests ***to the door. 손님을 문까지 바래다 줬다. **2** [+目 / +目+前+名] 〖樂〗 반주하다 : ~ a song[singer] ***with*** a flute[***on*** [***at***] the piano] 플루트[피아노]로 노래[가수]의 반주를 하다. **3** [+目+*with*+名] …에 동반시키다, 첨가하다 : ~ a speech ***with*** gestures 몸짓을 하며 연설하다 / ~ one's angry words *with* a blow 후려 갈기며 호통치다. —— *vi.* 〖樂〗 반주하다. 〚F (*à* to, COMPANION) ; 어형은 *company* 에 동화〛

類義語 ***accompany*** (사람에 대해서는) 보통 대등한 사람과 동행하다《이 뜻으로 가장 흔히 쓰는 말》; (사물에 대해서는) 동시에 일어나다 : John *accompanied* Mary on a trip. (존은 여행에 메리를 동반했다). ***attend*** (사람에 대해서는) 윗사람을 따라가거나 시중을 들기 위해 동반[동석]하다 ; (사물에 대해서는) 어떤 일이 결과로 일어나다 : A nurse *attended* the patient. (한 간호사가 그 환자를 돌봤다). ***chaperon*** 미혼 여성을 나이 지긋한 부인 또는 기혼 여성이 시중들기 위해 동행하다(↔*leave, desert*). ***convoy*** 해상에서 호위[경호]하다 : Warships *convoyed* merchant ships during the time of war. (전쟁중에는 전함이 상선을 호송했다). ***escort*** 보호를 요하는 사람·사물을 호위하다 ; (특히 육상에서) 예의상 호위하다 : He *escorted* the girl to the station. (역까지 그 소녀를 바래다 주었다).

accómpany·ing *a.* (징후 따위) 수반하는 ; 동봉의, 첨부한 : the ~ prospectus 동봉[첨부]하는 취지서.

ac·com·plice [əkámpləs, -kʌ́m-] *n.* 공범자, 종범자, 연루자, 같은 무리 : an ~ *in* a crime 공범자 / the ~ *of* the burglar 그 강도의 무리. 〚F<L (*complic*- *complex* confederate) ; cf. COMPLEX, COMPLICATE〛

***ac·com·plish** [əkámpliʃ, -kʌ́m-] *vt.* **1** 성취하다, 완성하다, 이루다(carry out) : ~ a task [one's purpose] 일을[목적을] 완수[달성]하다. **2** [보통 *p.p.*로] 학문·기예를 가르치다(cf. ACCOMPLISHED 2). 〚OF<L ; ⇨ COMPLETE〛

類義語 ⟹ PERFORM, REACH.

ac·cóm·plished *a.* **1** 성취[완료, 완성]한 : an ~ fact 기정 사실 / an ~ villain 낙인 찍힌 악당. **2** (어떤 예능에) 능숙한, 익숙한〈*in*〉; 교양이 있는, 세련된 : be ~ in …에 익숙해 있다 / an ~ lady[gentleman] 교양 있는 훌륭한 숙녀[신사].

accómplish·ment *n.* **1** Ⓤ 성취, 완성. **2** Ⓒ **a**) 업적, 학력, 성적. **b**) [*pl.*] (사교상 필요한) 교양, 재주, 재예(才藝) : a man of many ~*s* 재주 많은 사람. **c**) 《蔑》 서투른 재주.

accómplishment quòtient *n.* 〖心〗 성취 지수 《교육 연령의 정신 연령에 대한 백분비》.

ac·cord** [əkɔ́:rd] *vi.* [+*with*+名] 일치[조화, 화합]하다(agree) : That does not ~ ***with what you said yesterday. 그 말은 당신이 어제 말한 것과는 일치하지 않아요. —— *vt.* **1** 일치시키다, 조화시키다. **2** [+目+目 / +目+*to*+名] 주다, 허락하다(grant) : *A*~ him praise for good work. 잘했다고 그를 칭찬해 주시오 / They ~*ed* a warm welcome ***to*** the traveler. 그 길손을 따뜻이 맞아 주었다. 注 아주 격식을 차린 말(cf. GIVE *vt.* 1) ; 수동태로는 : Many privileges *were* ~*ed to* the settlers. 개척자들에게는 많은 특권이 부여되었다 / 《주로 美》 The traveler *was* ~*ed* a warm welcome.

—— *n.* **1** Ⓤ 일치, 조화 ; Ⓒ 화해, 협정, 합의, 강화 〈*with, between*〉. **2** Ⓤ 임의(任意), 의향(意向). **3** Ⓤ,Ⓒ 〖樂〗 화음(和音) (↔*discord*).

in*[*out of*] *accord with …와 조화[일치]되어[되지 않아].

of* one's[*its*] *own accord 자발적으로, 스스로 ; 저절로.

with one accord 한결같이 ; 한마음으로, 일제히, 함께.

〚OF (L *cord*- *cor* heart)〛

類義語 ⟹ AGREE.

***accórd·ance** *n.* Ⓤ 일치, 조화.

in accordance with …에 따라서, …대로, …와 일치하여.

out of accordance with …와 일치하지 않고.

accórd·ant *a.* 일치하는, 조화된〈*with, to*〉.

◇**ac·cord·ing** [əkɔ́:rdiŋ] *adv.* **1** [as를 접속사로 하는 절을 수반하여] …에 따라서[응해서, 준하여], …에 의하면 : We see things differently ~ *as* we are rich or poor. 우리는 빈부(貧富)에 따라서 사물을 다르게 본다. **2** [전치사 to를 수반하여] **a**) …에 따라서, …에 의하여, …나름으로 : arrangement ~ *to* authors 저자에 의한 배열 / ~ *to* plan 계획대로[에 따라서] / ~ *to* circumstances 상황에 따라서. **b**) …(가 말한 바)에 의하면 : *A*~ *to* the Bible[papers].... 성서[신문]에 의하면…. —— *a.* 일치한, 조화를 이룬. 〚ACCORD〛

***accórding·ly** *adv.* **1** 따라서, 그러므로(therefore). **2** 그것에 따라서, 적절히, 적당히.

ac·cor·di·on [əkɔ́:rdiən] *n.* 아코디언, 손풍금. 〚G (It. *accordare* to tune)〛

accórdion dóor *n.* 아코디언 도어《신축 자재로 열었다 접었다하는 칸막이 문》.

accórdion·ist *n.* 아코디언 연주자.

accórdion-pléated fòld *n.* 아코디언 플리츠 폴드《표지를 펼치기 쉽도록 면지와 표지의 이음매 부분에 주름을 잡는 방법》.

accórdion pléats *n. pl.* (스커트의) 잔주름.

ac·cost [əkɔ́(:)st, əkást] *vt.* (남에게) 다가가서 말을 걸다 ; …에게 인사하다 ; (매춘부가 손님을) 끌다. 〚F (L *costa* rib) ; cf. COAST〛

ac·couche [əkú:ʃ] *vi.* 조산하다. —— *vt.* 《口》 《비유》 낳다. 〚F *accoucher* to act as midwife〛

ac·couche·ment [əkú:ʃmɑnt, -mənt, ækuːʃmɑ̃́: ; əkú:ʃmɑ̃:ŋ] *n.* 《F》 Ⓤ 분만, 해산(childbirth).

ac·cou·cheur [ækuːʃə́:r] *n.* 산부인과 의사《남자》. 〚F〛

ac·cou·cheuse [ækuːʃə́:z] *n.* 조산원, 산파. 〚F〛

‡**ac·count** [əkáunt] *n.* **1** 계산(서), 셈 : balance ~*s* (*with*...) (…와의 거래를) 청산하다 / cast ~*s* 계산하다 / send (in) an ~ (미불금의) 청산

A

[청구]서를 보내다. **2** 대차(貸借) 계정 ; 계좌(計座) ; 외상 ; 단골 : a current ~ 〖商〗 당좌 계정 / charge...to a person's ~ …을 남의 앞으로 달아놓다 / close an ~ *with* …와의 거래를 끊다, (은행의) 계좌를 폐지하다 / have an ~ *with* …와 거래가 있다, (은행에) 계좌가 있다 / open[start] an ~ *with* …와 거래를 시작하다, (은행에) 계좌를 트다 / Short ~*s* make long friends. 《속담》 셈이 빨라야 친분이 오래 간다. **3** (금전·책임의 처리에 관한) 보고서, 전말서 ; 답변, 변명, 설명. **4** 기술, 기사 ; 말, 이야기(narrative) : *A*~*s* differ. 사람에 따라 말이 다르다. **5** Ⓤ 근거, 이유. **6** Ⓤ 평가, 고려 ; 중요성 : *of* much[no] ~ 중요한[하찮은]. **7** Ⓤ 이익, 편의.

account of... 《美口》 = *on* ACCOUNT *of*....
ask*[*demand*] *an account 계산서를 청구하다 ; 설명[답변]을 요구하다.
bring*[*call*]** a person ***to account 남에게 책임을 묻다[해명을 요구하다] ; 문책하다, 꾸짖다.
by*[*from*] *all accounts 누구에게[어디에서] 들어도.
find one***'s*[*no*] *account in*** …은 수지가 맞다[맞지 않다].
for account of …을 위하여 (매각해야 할), …의 셈으로 (팔아야 할).
give an account of …을 설명[답변]하다, …을 분명히 하다 ; …의 이야기를 하다 : Please *give an* ~ *of* your trip. 여행담을 들려 주십시오.
give a bad*[*poor*] *account of …을 헐뜯다.
give a good account of... (상대·적을) 이겨내다, 죽이다, 해치우다 ; 《俗》 …을 칭찬하다.
give a good account of one***self*** 훌륭하게 행동하다 ; 《口》 (경기 따위에서) 당당히 이기다, 훌륭히 해치우다.
go to one***'s*** (***long***) ***account*** = 《美》 ***hand in*** one***'s accounts*** 저 세상으로 가다, 죽다.
hold...in great account 대단히 중요시하다.
hold...in no account …을 경시하다, 하찮게 보다.
in account with …와 거래하고.
keep accounts 치부하다 ; 회계를 맡아보다.
lay one***'s account with*** …을 예기하다, 기대하다, 바라다.
leave...out of account = *take no* ACCOUNT *of.*
make much*[*little, no*] *account of …을 중시하다[하지 않다].
money of account (통화로 발행치 않는) 계정(計定) 화폐《미국의 mill, 영국의 guinea 따위》.
on account 계약금으로, 선금으로, 지불금의 일부로, (분할불의) 일회분으로 ; 외상으로 : money paid *on* ~ 내입금(內入金).
on a person***'s account*** 남을 위하여, 남의 비용으로 : I did it *on your* ~. 너를 위하여[생각하여] 한 것이다.
on account of... (어떤 이유) 때문에, …한 이유로(because of) ; (남을) 위하여 : I was absent from school *on* ~ *of* illness. 병이 나서 학교를 쉬었다.

> **on account of의 문장 전환**
> *On account of* [*Owing to, Because of*] illness, he absented himself from the meeting. (아파서 그는 그 모임에 못나갔다.)
> → *As* [*Because, Since*] he was ill, he absented himself from the meeting.

on all accounts = ***on every account*** 모든 점에서, 어떤 일이 있어도, 기어이, 꼭(by all means).
on no account = ***not...on any account*** 결코 …(하지) 않다, 아무리 해도 …않다(by no means).
on one***'s own account*** 독립하여, 자력으로 ; 자기의 책임으로 ; 자기의 이익을 위하여.
on that*[*this*] *account 그것[이것] 때문에.
put...*(*down*) *to a person***'s account*** …을 남의 셈에 달다[치부하다].
put...out of account = *take no* ACCOUNT *of.*
render an account of …의 결산 보고를 하다 ; 개진(開陳)하다, 답변하다.
settle*[*square*] *an account with …와 청산하다 ; …에 대하여 원한을 풀다.
take account of …을 고려하다, …을 참작하다 ; …에 주의하다(note).
take... into account …을 고려[참작]하다.
take no account of …을 무시하다, …을 계산에 넣지 않다.
the great*[*last*] *account 〖宗〗 최후의 심판(의 날)(the Last Judgment).
turn*[*put*]*...to (***good*[*poor, bad*]**) ***account*** …을 이용하다[하지 않다] ; …에서 이익[불이익]을 얻다.

—— *vt.* [+目+補 / +目+*to* do] …라고 생각하다, 여기다, 간주하다(consider) : They ~*ed* themselves happy. 자신들이 행복하다고 여기고 있었다 / In law a man is ~*ed* (*to be*) innocent until he is proved guilty. 법률에서는 누구든지 유죄라고 입증되기전까지는 무죄인 것으로 간주하게 되어 있다.

—— *vi.* **1** [+前+名] (맡은 돈·물건의) 용도[처리]를 상세히 설명[보고]하다 : I am to ~ ***to*** my parents ***for*** the monthly allowance. 매월 용돈의 사용처는 부모에게 상세히 보고하도록 되어 있다. **2** [+*for*+名] …의 이유를 밝히다, 책임을 지다 : We ask you to ~ ***for*** your conduct. 당신의 행위에 대하여 해명해 주길 바라오. **3** [+*for*+名] 설명하다, (사실이) …의 설명이 되다 : That ~*s* ***for*** his absence. 그것으로 그의 결석[결근]의 이유를 알았다 / There is no ~*ing for* tastes. 《속담》 취미는 백인 백색(百人百色) / The alteration is quite easy to ~ *for.* 변경한 이유는 쉽사리 납득된다. **4** [+*for*+名] **a**) 〖사냥〗 (짐승을) 잡다, 죽이다(kill) : The terrier ~*ed* ***for*** two of them. 테리어가 그중 두 마리를 잡았다. **b**) 〖競〗 (몇점을) 따다, 득점하다. **5** [+*for*+名] (…의) 유일[주요]한 요인이 되다, (…의) 비율이 되다, 비율을 차지하다 : The region ~*s* ***for*** a large part of usable timber. 이 지방에서는 유용한 재목의 대부분이 생산된다.
be much*[*little*] *accounted of 중히[하찮게] 여겨지다.
〖OF ; ⇨ COUNT[1]〗

accóunt·able *pred. a.* **1** (사람·일에 대하여) 책임이 있는, 해명할 의무가 있는(responsible) : You are ~ (*to* me) *for* what you have done. 너는 자신의 행동에 대하여 (나에게) 해명할 의무가 있다[책임을 져야 한다]. **2** 변명[설명]할 수 있는<*for*>.
-ably *adv.* 개진(開陳)[설명, 해명]할 수 있도록.
accòunt·abílity *n.* Ⓤ 책임(이 있음), 책무(責務)(liability, responsibility).
類義語 ⟹ RESPONSIBLE.

accóunt·ancy *n.* Ⓤ 회계직(職)[사무].

accóunt·ant *n.* 회계계 ; 회계관, 회계사.
accóuntant géneral *n.* (*pl.* **accóuntants géneral**) 회계 과장 ; 경리 국장.
accóunt bòok *n.* 회계 장부, 출납부.
accóunt cúrrent *n.* (*pl.* **accóunts cúrrent**) 상호 계산《略 A/C, a/c》.
accóunt dày *n.* 결산일 ; 〔證〕 (런던 증권 거래소의) 상환 인도일.
accóunt exècutive *n.* (광고 · 서비스 회사의) 섭외 담당자, 고객 주임 ; AE제도《광고주의 광고 활동 일체를 전문대행업체가 맡아서 함》.
accóunt·ing *n.* Ⓤ 회계(학) ; 회계보고 ; 결산 ; 〔컴퓨〕 어카운팅《컴퓨터 시스템의 이용 시간 · 양 따위를 측정 · 기록하여 각자의 이용도에 따라 요금을 산출하는 기능》.
accóunting machìne *n.* 계산기, 회계기.
accóunting official *n.* 출납 관리.
accóunting pàckage *n.* 〔컴퓨〕 과금(課金) 패키지《컴퓨터의 가동시간을 계측 · 분석하는 프로그램[루틴]》.
accóunt páyable *n.* (*pl.* **accóunts páyable**) 지급 계정, 외상 매입금, 미불 계정.
accóunt recéivable *n.* (*pl.* **accóunts recéivable**) 수납 계정, 외상 매출금 계정, 미수금 계정.
accóunt réndered *n.* (*pl.* **accóunts rénder-ed**) 〔商〕 지불 청구서, 대차(貸借) 청산서.
accóunt sàles *n. pl.* (위탁판매) 매상계정(서).
ac·cou·tre, -ter [əkúːtər] *vt.* [주로 *p.p.* 로] …에게 (특수한) 복장을 하게 하다 ; 장구(裝具)를 달다 : be ~*ed with*[*in*] …을 입고 있다.
〚OF (*cousture* sewing) ; cf. SUTURE〛
ac·cou·tre·ment, -ter- [əkúːtrəmənt, -tər-] *n.* 복장, 옷차림 ; [*pl.*] 〔軍〕(무기 · 군복 이외의) 장비 ; [*pl.*] (직업 따위를 한눈에 알아보게 하는) 장신구, 장식 의상, 휴대품.
Ac·cra [əkráː, ǽkrə] *n.* 아크라《Ghana의 수도 · 항구 도시》.
ac·cred·it [əkrédət] *vt.* **1** [+目+前+名] (어떤 일을) …의 공적으로 돌리다, …의 행위로 간주하다(attribute) : We ~ the invention of the telephone ***to*** Bell. =We ~ Bell ***with*** the invention of the telephone. 전화의 발명을 Bell의 공적으로 여긴다 / We ~ him *with* kindness. 그를 친절하다고 생각한다. **2** [+目 / +目+*to*+名] 믿다, 신용[신임]하다 ; (대사 등에게) 신임장을 주어 파견하다 : He was ~*ed* ***to*** the Court of St. James's. 주영(駐英) 대사로 파견되었다. **3** 기준에 합격으로 인정하다, 인가[공인]하다 ; (우유 따위의) 품질을 인정하다 : an ~*ed* school 인가 학교《대학 진학의 자격이 인정된 고등학교 따위》/ the ~*ing* system (대학의) 학점 제도. 〚F ; ⇨ CREDIT〛
ac·crete [əkríːt] *vi., vt.* 공생(共生)하다, 부착하다[시키다]⟨*to*⟩. —— *a.* 공존하는.
〚L (*cret- cresco* to grow)〛
ac·cre·tion [əkríːʃən] *n.* Ⓤ (발육 · 부착 · 포함 따위에 의한) 증대 ; 부착 ; Ⓒ 증가[부착]물 ; 〔法〕 첨가《유수(流水)의 퇴적 작용 · 토지 융기 따위의 자연력에 의한 토지의 증가》.
ac·cru·al [əkrúːəl] *n.* Ⓤ (이자의) 증가, 증식 ; Ⓒ 증가액.
ac·crue [əkrúː] *vi.* [動 / +前+名] (자연적 결과로 이익이) 생기다 ; (이자가) 붙다 ; 〔法〕 (권리로서) 생기다, 발생하다 ; 축적하다 : Ability to think will ~ ***to*** you ***from*** good habits of study. 사고력(思考力)은 좋은 학습 습관의 결과에서 생긴다.
accrued interest (미지불의) 연체 이자.
—— *vt.* 모으다, 축적하다 ; 얻다.
〚AF (p.p.) ⟨ *acreistre* to increase ; ⇨ ACCRETE〛
acct. account ; accountant.
ac·cul·tur·ate [əkʌ́ltʃərèit] *vt., vi.* 〔社〕 이문화(異文化)와의 접촉으로 문화를 변용시키다[문화가 변용되다]. 〚역성(逆成) ⟨ ↓〛
ac·cul·tur·a·tion [əkʌ̀ltʃəréiʃən] *n.* 〔社〕 문화 섭취, 문화 변용. **~·al** *a.*
ac·cum·bent [əkʌ́mbənt] *a.* **1** 기댄. **2** 〔植〕 대위(對位)의, 측위(側位)의. **-ben·cy** *n.*
***ac·cu·mu·late** [əkjúːmjəlèit] *vt.* (조금씩) 모으다, 축적하다, 저축하다 : He ~*d* a fortune by hard work. 열심히 일하여 재산을 모았다.
—— *vi.* 쌓이다, 누적되다 ; (재산이) 모이다, 축재하다 : Dust had ~*d* during my absence. 내가 없는 사이에 먼지가 쌓여 있었다.
〚L ; ⇨ CUMULUS〛
ac·cù·mu·lá·tion *n.* Ⓤ 축적 ; 이식(利殖), 축재 ; Ⓒ 축적물, 적립금.
ac·cu·mu·la·tive [əkjúːmjəlèitiv, -lə- ; -lə-] *a.* 축적[축재]의 ; (돈 따위) 모으기 좋아하는 ; (증거 · 판결 따위) 누적적인.
ac·cú·mu·là·tor *n.* 축적자 ; 축재자 ; 〔機〕 축압기(蓄壓器), 축열기 ; 완충 장치 ; 《英》 축전지 (storage cell) ; 〔컴퓨〕 (연산(演算) 장치 속의) 누산기(累算器) ; 어큐뮬레이터.
***ac·cu·ra·cy** [ǽkjərəsi] *n.* Ⓤ 정확(성), 적확(성), 정밀도(↔*inaccuracy*) : with ~ 정확히.
áccuracy lìfe *n.* (총포의) 내용(耐用)기간.
***ac·cu·rate** [ǽkjərət] *a.* 정확[적확, 정밀]한, 빈틈없는, 엄밀한(exact) : ~ measure 정확한 치수[척도] / be ~ *in* what one says and does 언행(言行)이 일치하다.
to be accurate 정확히 말하면.

〈회화〉
Does your watch keep good time? — Yes, it's very *accurate.* 「네 시계는 (시간이) 잘 맞니」「응, 꽤 정확해」

~·ly *adv.* 정확하게, 정밀하게. **~·ness** *n.*
〚L=done carefully (p.p.) < *accuro* (*cura* care)〛
類義語 ⟹ CORRECT.
ac·cursed [əkə́ːrst, əkə́ːrsəd], **ac·curst** [əkə́ːrst] *a.* 저주받은, 불운한 ; 《口》 저주할, 지겨운, 진저리나는. **-curs·ed·ly** [-ədli] *adv.* **-ed·ness** [-ədnəs] *n.*
〚(p.p.) < *accurse* (*a-* intensive, CURSE)〛
accus. accusative.
ac·cus·able [əkjúːzəbəl] *a.* 고소[고발]해야 할 ; 책망해야 할, 비난할 만한.
ac·cu·sa·tion [ӕkjəzéiʃən] *n.* **1** Ⓤ 〔法〕 고발, 고소 ; Ⓒ 기소 이유, 죄(명), 죄과(charge) : false ~ 무고(誣告). **2** Ⓤ,Ⓒ 비난, 트집.
bring an accusation against …을 고발[기소]하다.
lay an accusation against …을 고발하다.
under an accusation of …의 죄로 기소되어 ; …을 비난받아.
ac·cu·sa·ti·val [əkjùːzətáivəl] *a.* 〔文法〕 목적격의, 직접목적격의.
ac·cu·sa·tive [əkjúːzətiv] *n., a.* 〔文法〕(그리스어 · 라틴어 · 독일어 따위) 목적격(의), (영어에서) 직접목적격(의) (cf. OBJECTIVE) : the ~ case 목적격. 〚OF or L (*casus*) *accusativus* ; L은 Gk. (*ptōsis*) *aitiatikē* 의 역(譯) ; cf. ACCUSE〛
ac·cus·a·to·ri·al [əkjùːzətɔ́ːriəl] *a.* 고발인의 ;

〔法〕 고발주의의.

ac·cus·a·to·ry [əkjúːzətɔ̀ːri; -təri, ӕkjuzéi-] *a.* 고소의, 죄가 있다고 하는; 비난의, 힐문하는.

ac·cuse** [əkjúːz] *vt.* [+目/+目+*of*+名/+目+*that* 節] 〔法〕 고발[고소]하다; 문책하다, 힐난[비난]하다(blame): ~ a person ***of theft 남을 절도죄로 고소하다/She ~*d* him *of* stealing her car[~*d* him *that* he had stolen her car]. 그녀는 그가 자기 자동차를 훔쳤다고 힐난했다/Joan of Arc was ~*d of* be*ing* a witch. 잔 다르크는 마녀라고 하여 피소되었다. —— *vi.* 고발[고소]하다. **ac·cús·er** *n.* (형사(刑事)) 고소[고발]인(↔*the accused*); 비난자.
〖OF<L (*ad*- to, CAUSE=lawsuit)〗
類義語 ***accuse*** 일반적으로 죄악을 비난하다(charge보다 뜻이 강하고 격식을 차리는 말). ***charge*** 규칙 위반 따위의 가벼운 과실을 책망하다; 범법 행위를 정식 절차에 따라 고발하다. ***indict*** 중대한 위법 행위 따위에 대하여 재판을 요구하다, 기소(起訴)하다. ***arraign*** 피고를 법정에 소환하여 소인(訴因)의 인부(認否)를 답변하게 하다. ***impeach*** 특히 관리의 비행을 탄핵하다; 비법률적 용어로는 남의 행위의 동기 따위를 책망하다.

ac·cúsed *a.* 고발된. —— *n.* (*pl.* ~) [the ~] (형사) 피고인. 主 민사 피고인은 DEFENDANT.

ac·cús·ing *a.* 죄로 돌리는; 비난하는, 힐난하는. **~·ly** *adv.* 탄핵[비난, 문책]하여.

ac·cus·tom** [əkʌ́stəm] *vt.* [+目+*to*+名] 습관들이다, 익숙하게 하다: ~ a hunting dog ***to the noise of a gun 사냥개를 총소리에 길들이다. 主 보통 수동태로 씀(cf. ACCUSTOMED); 수동태 다음에 *to* do*ing* 대신 *to* do도 씀: He *was* ~*ed to* sleep for an hour after his lunch. 점심식사 후에는 1시간 동안 자곤 했다/I *am* not ~*ed* ***to*** walk*ing* long distances. 먼길을 걷는 데는 익숙하지 못하다/He has *been* ~*ed to* the mountains from his earliest boyhood. 어려서부터 산과 친숙해왔다/The youth soon *became* ~*ed to* hard work. 그 청년은 곧 격무에 익숙해졌다.
accustom one***self to*** …에 습관들이다: *A*~ your*self to* getting up early. 아침 일찍 일어나도록 습관을 들여라.
〖OF; ⇨ CUSTOM〗

***ac·cús·tomed** *a.* 익숙한(habitual); 평소의, 늘 하는(usual): her ~ silence 그녀의 여느 때와 같은 침묵. 〖원뜻은 'made usual'의 뜻〗
類義語 ⟹ USUAL.

ACDA Arms Control and Disarmament Agency (군비 관리 군축국; 국무부 소속).

AC/DC [éisìːdíːsìː] *n., a.* 교류 직류[교직] 겸용(의); 《俗》 양성애(兩性愛)인 (사람); 《俗》 이도 저도 아닌, 어정쩡한.
〖*a*lternating *c*urrent/*d*irect *c*urrent〗

ace [éis] *n.* **1** (주사위의) 1; (카드놀이에서 최강의) 1의 패; (테니스·배드민턴 따위에서) 서브로 얻은 득점; 〔골프〕 에이스, 홀인 원(hole in one); 《美俗》 (학업 성적의) A. **2** 최고의 것, 가장 뛰어난 것; 최우수 선수, 명수; 〔軍〕 (다수의 적기를 격추한) 하늘의 용사: an ~ of ~*s* 가장 뛰어난 하늘의 용사.
an ace in the hole 〔카드놀이〕 상대가 모르게 엎어 놓은 으뜸패; 《美口》 비장의 술수(術數).
an ace up one***'s sleeve*** 《美口》 깜짝 놀라게 하는 것(surprise); =*an* ACE *in the hole*.
play one***'s ace well*** 임기 응변에 능하다, 약삭빠르게 앞뒤를 잘 재다.
within an ace of death[be*ing* killed] 하마터면 죽을 뻔하던 참에.
—— *a.* 가장 우수한, 일류의: an ~ pilot 일류 조종사.
—— *vt.* 〔테니스〕 (상대)에게 에이스로 꼼짝 못하게 하다; 공을 일타에 홀에 넣다; 《美俗》[흔히 ~ it] 완벽하게 끝내다, (시험)에서 A를 획득하다.
ace in 《美俗》 술책을 부리다; 《美俗》 알다.
〖OF<L *as* unity〗

ACE[1] [éis] 《英》 Advisory Centre for Education.

ACE[2] [éis] *n.* 유선 텔레비전 우수상(전미 네트워크 및 지방 유선 텔레비전국의 프로그램을 대상으로 우수한 연기 및 기술에 대하여 수여되는 상).
〖*A*wards for *C*able *E*xcellence〗

-a·cea [éiʃiə] *n. pl. suf.* 〔動〕 강(綱)·목(目)의 명(名)에 씀: Crust*acea*.

-a·ce·ae [éiʃiìː] *n. pl. suf.* 〔植〕 과명(科名)에 씀: Ros*aceae* 장미과. 〖L (fem. pl.) 〈-ACEOUS〗

-a·ce·an [éiʃiən] *a. suf.* =-ACEOUS.
—— *n. suf.* -ACEA, -ACEAE로 분류되는 동식물의 개체를 가리킴: crust*acean*.

áce bóon *n.* 《美俗》 가장 친한 친구.

áce búddy *n.* 《美黑人俗》 친구.

ace·dia [əsíːdiə] *n.* Ⓤ 게으름, 나태, 권태; 절망.
〖AF<L<Gk.=listlessness〗

áce-hígh *a.* 《美口》 매우 인기가 있는, 존경받는; 뛰어난.

Acel·da·ma [əséldəmə, əkél-] *n.* 〔聖〕 아겔다마 (가룟 유다(Judas)가 자살한 곳); [a~] (일반적으로) 유혈의 땅, 수라장.

acél·lu·lar [ei-, ӕ-] *a.* 〔生〕 무세포의.

acén·tric [ei-, ӕ-] *a.* 중심이 없는; 중심을 벗어난; 비(非)중심성의.

-a·ceous [éiʃəs] *a. suf.* (동식물 따위에서) 「…의」 「…같은」의 뜻: crust*aceous*. 〖L〗

aceph·a·lous [eiséfələs, ə-] *a.* 머리가 없는, 무두(無頭)의; 우두머리가 없는.

ace·quia [əséikjə] *n.* 《美南西部》 관개용 수로(水路). 〖Sp.〗

ac·er·ate [ǽsərèit, -rət] *a.* 〔植〕 바늘 모양의; 침(상)엽이 있는.

acerb [əsə́ːrb, ӕ-] *a.* (덜 익은 과일처럼) 신(sour), 쓴(bitter), 떫은; 심술궂고 모난, 신랄한(harsh, sharp). 〖L *acerbus* sour〗

ac·er·bate [ǽsərbèit] *vt.* 시게[쓰게]하다(make sour[bitter]); 떫게 하다; 화나게 하다, 초조하게 하다(exasperate).
—— [əsə́ːrbət] *a.* 기분이 상한, 심술궂은, 표독스러운, 짜증난, 신랄한, 가혹한.

acer·bic [əsə́ːrbik] *a.* =ACERB. **-bi·cal·ly** *adv.*

acer·bi·ty [əsə́ːrbəti] *n.* Ⓤ 쓴 맛, 떫은 맛, 신맛; (말·태도의) 신랄함, 가혹함(acrimony).

ac·er·ose [ǽsəròus] *a.* 〔植〕 (잎이) 침상인.

ac·es [éisəz] *a.* 《美俗》 멋진, 최고의(tops).

aces·cent [əsésənt] *a.* 신 듯한; 쉬 시어지는; 좀 언짢은[찌무룩한]. **-cence, -cen·cy** *n.*

acet. acetone.

ac·et- [ǽsət, əsíːt], **ac·e·to-** [ǽsətou, əsíːtou] *comb. form* 〔化〕「아세트산(의)」「식초산의」「식초산이 생기는」의 뜻. 〖L; ⇨ ACETIC〗

acet. a. acetic acid.

ac·e·tab·u·lum [ӕsətǽbjələm] *n.* (*pl.* **~s, -la** [-lə]) 〔動〕 빨판; 〔解〕 비구(髀臼), 관골구(臼).

ac·e·tal [ǽsətӕl] *n.* 아세탈(수면제); [*pl.*] 〔化〕 알데히드[케톤]와 알코올과의 화합물.

ac·et·áldehyde [ӕsət-] *n.* 〔化〕 아세트알데히드 (아세트산 제조용의 무색 액체).

ac·et·am·ide [əsétəmàid, æsətǽmaid] *n.* 〘化〙 아세트아미드《결정성 아세트산 아미드》.

ac·et·amin·o·phen [æsətəmínəfən, əsèt-] *n.* 〘藥〙 아세트아미노펜《진통·해열제》.

ac·et·an·i·lide [æsətǽnəlàid, -ləd], **-lid** [-ləd] *n.* 〘藥〙 아세트아닐리드《진통·해열제》.

ac·e·tar·i·ous [æsətéəriəs, -tǽər-] *a.* (야채 따위) 샐러드용의.

ac·e·tate [ǽsətèit] *n.* **1** Ⓤ 〘化〙 아세트산염. **2** Ⓤ 아세테이트《아세트산 인조 견사》.

ác·e·tàt·ed *a.* 아세트산으로 처리한. 〚ACETIC〛

ácetate fíber *n.* 아세테이트 섬유.

ácetate ráyon *n.* 아세테이트(acetate)《섬유·제품(製品)》.

ace·tic [əsí:tik, -sét-] *a.* 식초의, 식초 같은 ; 식초[아세트산]가 되는 ; (맛이) 신.
〚F (L *acetum* vinegar)〛

acétic ácid *n.* 〘化〙 아세트산.

acétic anhýdride *n.* 〘化〙 아세트산 무수물.

acet·i·fy [əsétəfài, -sí:t-] *vt., vi.* 식초가 되게 하다, 식초화하다 ; 시게 하다, 시어지다.
acét·i·fi·er *n.* 아세트화기, 아세트산 제조기.
acèt·i·fi·cá·tion *n.* 아세트화.

ac·e·tom·e·ter [æsətámətər] *n.* 〘化〙 아세트산 농도 측정기.

ac·e·tone [ǽsətòun] *n.* Ⓤ 〘化〙 아세톤《무색·휘발성의 가연(可燃) 액체》.
àc·e·tón·ic [-tán-] *a.* 아세톤의.

ácetone bòdy *n.* 〘生化〙 아세톤체(體).

ac·e·tose [ǽsətòus], **ac·e·tous** [ǽsətəs, əsí:-] *a.* 식초의, 식초와 같은 ; (맛이) 신 ; 짓궂은, 꾀까다로운, 신랄한.

ace·tyl [əsí:tl, ǽsə-, -tail] *n.* 〘化〙 아세틸 : ~ group[radical] 아세틸기(基).

acètyl·chóline *n.* 〘生化·藥〙 아세틸콜린《강력한 혈압 강하제》.

acetyl-coA [-kouéi] *n.* 〘生化〙 아세틸 보조 효소 A《대사(代謝) 중간체》.

acet·y·lene [əsétəlì:n, -lən] *n.* Ⓤ 〘化〙 아세틸렌《가스》: the ~ series 〘化〙 아세틸렌열(列).
〚ACETIC, *-yl, -ene*〛

acètyl·salicýlic ácid *n.* 〘藥〙 =ASPIRIN.

ac·ey-deucy, -deuc·ey [éisidjú:si] *n.* Ⓤ 서양 주사위(backgammon)의 일종.

A.C.F. 《英》 Army Cadet Force(육군 후보생 부대). **A.C.G.B.** Arts Council of Great Britain(영국 학술 회의). **ACH** 〘生化·藥〙 acetylcholine.

Achaea [əkí:ə], **Acha·ia** [əkáiə, əkéijə] *n.* 아카이아《옛 그리스의 한 지방》.

Achae·an [əkí:ən], **Achai·an** [əkéiən, əkáiən] *n., a.* 아카이아(의) ; 그리스(의) ; 아카이아인(문화) (의) ; 그리스인(의).

Acha·tes [əkéiti:z, -təz] *n.* 아카테스《Virgil작 *Aeneid*의 작중 인물인 Aeneas의 충실한 부하》.

*__ache__ [éik] *vi.* **1** (이·머리 따위가) 아프다, 쑤시다 : My head[heart] ~*s.* 머리[마음]가 아프다 / After the fall, I ~*d* all over. 넘어진 후부터 온몸이 쑤신다. **2** 《口》 [+*for*+名 / +*to* do] 간절하게 바라다 ; (…하고 싶어서) 못견디다(be eager) : Her heart ~*d* ***for*** him. 그녀는 그를 만나고 싶어 몹시 애가 탔다 / She ~*s* *to* see you. 당신을 몹시 만나고 싶어합니다.
── *n.* Ⓤ,Ⓒ 아픔, 동통(疼痛) : ~*s* and pains 쑤시고 아픔 / ☞ HEADACHE, HEARTACHE, TOOTHACHE / an ~ *in* one's knee 무릎의 통증.
〚OE *acan* (v.), *æce* (n.) ; 현재의 [-k]는 v.에서〛
類義語 ⟹ PAIN.

achene [əkí:n, ei-] *n.* 〘植〙 수과(瘦果).
aché·ni·al *a.*

Acher·nar [éikərnà:r] *n.* 〘天〙 아케르나르《에리다누스 별자리의 α성(星)》.

Ach·er·on [ǽkəràn, -rən] *n.* 〘그神〙 아케론《저승의 강》; 저승, 지옥.

Acheu·le·an, -li·an [əʃú:liən] *n., a.* 〘考古〙 (구석기 시대의 한 시기인) 아슬기(期)(의), 아슐 문화(의). 〚St. *Acheul* 프랑스 북부 Amiens에 가까운 유적〛

*__achieve__ [ətʃí:v] *vt.* 성취하다(accomplish) ; (공적을) 세우다, (명성을) 떨치다, (목적을) 달성하다(attain) : ~ one's purpose 목적을 이루다 / ~ distinction in mathematics 수학에 특출하다 / ~ greatness 위대해지다 / All this cannot be ~*d* in a day. 이 모든 것을 하루에 해치울 수는 없다.
── *vi.* **1** 목적을 이루다. **2** 《美》 (학업상) 일정한 표준에 달하다. **achíev·able** *a.*
〚OF *achever* (*à* to, CHIEF)〛
類義語 ⟹ PERFORM, REACH.

*__achíeve·ment__ *n.* **1** Ⓤ 달성, 성취, 성공. **2** Ⓒ 업적, 위업, 공적, 공로. **3** Ⓤ 학업 성적 ; 학력. **4** =HATCHMENT.
類義語 ⟹ EXPLOIT[1].

achíevement àge *n.* 〘心〙 학력 연령, 교육[성취] 연령(educational age).

achíevement mòtive *n.* 성취 동기.

achíevement quòtient *n.* =ACCOMPLISHMENT QUOTIENT ; 〘心〙 교육 지수《교육 연령의 역연령(曆年齡)에 대한 백분율 ; 略 A.Q.》.

achíevement tèst *n.* 〘心〙 학력 고사[테스트].

achi·la·ry [əkáiləri] *a.* 〘植〙 무순판(無脣瓣)의.

Ach·il·le·an [ækəlí:ən] *a.* Achilles의[같은] ; 불사신의, 무적의.

Achil·les [əkíli:z] *n.* 〘그神〙 아킬레스《Homer작 *Iliad*에 나오는 그리스의 영웅으로 유일한 약점인 발뒤꿈치에 화살을 맞고 죽었음 ; cf. ACHILLES(') TENDON》.

Achílles(') héel *n.* 유일한 약점, 급소(=the heel of Achilles).

Achílles(') téndon *n.* 〘解〙 아킬레스 힘줄(=the tendon of Achilles).

ach·ing [éikiŋ] *a.* 아픈, 쑤시는 ; 마음 아픈 : an ~ void 견잡을 수 없는 공허감.

achoo ☞ AHCHOO.

ach·ro·mat [ǽkrəmæ̀t] *n.* 색지움 렌즈.

ach·ro·mat·ic [ækrəmǽtik] *a.* 무색의 ; 〘光〙 색지움의 ; 〘生〙 비염색성의 ; 〘樂〙 온음계의.
-i·cal·ly *adv.* 무색으로 ; 색을 흡수하여.
ach·ro·ma·tic·i·ty [ækroumətísəti, əkròu-] *n.*
achró·ma·tìsm [ei-, æ-] *n.* Ⓤ 무색(無色) ; 〘理〙 색지움, 소색성(消色性).

achromátic cólor *n.* 〘心〙 무채색《백색·흑색·회색》.

achromátic léns *n.* 색지움 렌즈.

achromátic vísion *n.* 전색맹(全色盲).

achró·ma·tin [ei-, æ-] *n.* 〘生〙 (세포핵질의) 비염색질. **achrò·ma·tín·ic** *a.*

achro·ma·tize [eikróumətàiz, æ-] *vt.* …의 색을 없애다 ; (렌즈의) 색수차를 없애다.

achro·ma·top·sia [eikròumətápsiə, æ-] *n.* 〘醫〙 (전(全))색맹.

achro·mic [eikróumik, æ-] *a.* 무색의 ; (적혈구·피부가) 색소 결핍(증)의.

A chromosome [éi ⁻] *n.* 〘生〙 A 염색체《과잉 염색체 이외의 보통 염색체》.

Achro·my·cin [èikrəmáisən, æk-] *n.* 〖藥〗 아크로마이신《TETRACYCLINE의 상표명》.
achy [éiki] *a.* 통증이 나는, 아픈, 쑤시는.
ách·i·ness *n.* 〚ACHE〛
ACI automatic car identification(자동 차량 식별) ; acoustic comfort index(음향적 쾌감도).
acic·u·la [əsíkjələ] *n.* (*pl.* **-lae** [-lì:, -lài], **~s**) 〖生·鑛〗 바늘 모양의 것 ; 가시.
acíc·u·lar *a.* 바늘 모양의[처럼 뾰족한].
acic·u·late [əsíkjələt, -lèit] *a.* =ACICULAR.
***ac·id** [ǽsəd] *a.* **1** 신, 신맛이 나는(sour). **2** 〖化〗 산(酸)(성(性))의(↔*alkaline*) ; 〖地質〗 (토양이) 산성인 : an ~ reaction 산성 반응. **3** (성질·표정·말씨 따위가) 가혹한, 신랄한. —— *n.* 신 것 ; Ⓤ,Ⓒ 〖化〗 산 ; 《俗》 =LSD ; 신랄한 말[비평, 풍자 따위]. 〚F or L (*aceo* to be sour)〛
類義語 ⟹ SOUR.
ácid dròp *n.* 《英》 (타르타르산(酸) 따위로 신맛을 곁들인) 시큼한 캔디.
ácid dúst *n.* 산성 먼지.
ácid-fàst *a.* 산(酸)이 작용해도 염색이 바래지 않는, 항산(성)(抗酸(性))의.
ácid fíxing bàth *n.* 〖寫〗 산성 정착욕(定着浴).
ácid flúsh *n.* 산성 출수(出水)《대기 오염에 의해 산을 함유한 빗물·눈석임물 따위의 하천으로의 유출(流出)》.
ácid fóg *n.* 산성 안개.
ácid-fòrm·ing *a.* 〖化〗 산을 만드는(acidic) ; (식품 따위가) 산성인, 체내에서 주로 산성 물질을 생성하는.
ácid frèak *n.* 《俗》 =ACIDHEAD.
ácid-frèe páper *n.* 중성지(紙)《제지 과정에서 중성의 탄산 칼슘을 사용한 용지 ; 종이의 수명이 길어짐》.
ácid·hèad *n.* 《俗》 LSD 상습자(常習者).
acid·ic [əsídik, æ-] *a.* 산이 나오는, 산을 만드는.
acid·i·fy [əsídəfài] *vt., vi.* 시게 하다 ; 시어지다 ; 〖化〗 산성화하다, 산패(酸敗)하다.
acíd·i·fì·able *a.* 산성화할 수 있는, 산성화되는.
acìd·i·fi·cá·tion *n.* Ⓤ 산성화(化) ; 산패.
ac·i·dim·e·ter [æ̀sədímətər] *n.* 〖化〗 산적정기.
acid·i·ty [əsídəti] *n.* Ⓤ 신맛 ; 〖化〗 산도(酸度).
ácid·less tríp *n.* 《美俗》 LSD 없는 황홀함《감수성 훈련을 비꼬는 말》.
ácid míst *n.* 산성 안개《대기 오염에 의한》.
ácid nùmber *n.* 〖化〗 산가(酸價).
acid·o·phile [ǽsədoufàil, əsídəfàil], **-phil** [-fìl] *n.* 〖生〗 호산성 백혈구[세포, 조직, 미생물]. —— *a.* 호산성의.
ac·i·dóph·i·lus mílk [æ̀sədáfələs-] *n.* 젖산[유산]균 우유.
ac·i·do·sis [æ̀sədóusəs] *n.* (*pl.* **-ses** [-si:z]) Ⓤ 〖醫〗 아시도시스, 산증(酸症).
ácid pàd *n.* 《美俗》 마약을 주사하는 곳 ; 마약 주사 파티.
ácid precipitátion *n.* 산성 강수(降水)《대기 오염에 의한 산성비나 눈》.
ácid ráin *n.* 산성비.
ácid ráin phenòmenon *n.* 산성비 현상.
ácid ràpper *n.* 《美俗》 LSD 다량 복용자.
ácid ròck *n.* 《美》 애시드 록《LSD에 의한 황홀을 연상케 하는 듯한 환각적인 록 음악》.
ácid sóil *n.* 산성 토양.
ácid tést *n.* 질산에 의한 시금(試金) ; (진위·가치 따위의) 엄밀한 검사 ; 엄한 시련.
ácid-tóngued *a.* 말이 신랄한.
ácid trìp *n.* 《美俗》 LSD에 의한 환각 체험.
acid·u·late [əsídʒəlèit] *vt.* …에 신맛을 띠게 하다. **-làt·ed** *a.* 신맛을 띤 ; (성미 따위가) 까다로운. **acìd·u·lá·tion** *n.*
acid·u·lous [əsídʒələs], **acid·u·lent** [əsídʒələnt] *a.* (약간) 신, 신맛이 나는 ; 신랄한. **~·ly** *adv.* 〚L ; ⇨ ACID〛
ácid vàlue *n.* 〖化〗 산가(酸價) (acid number).
ác·i·fòrm [ǽsə-] *a.* 침상(針狀)의 ; 끝이 뾰족한.
ac·i·nous [ǽsənəs] *a.* 소핵(과)(小核(果))의 ; 〖解〗 포도상선(腺)의, 선포(腺胞)의.
ac·i·nus [ǽsənəs] *n.* (*pl.* **-ni** [-nài]) 〖植〗 소핵과(小核果)《포도 열매 따위》 ; 소핵(小核)《포도의 씨》 ; 〖解〗 포도상선(腺).
-acious *suf.* 「…한 경향이 있는」 「…이 많은」의 뜻의 형용사를 만듦 : aud*acious*.
-acity *suf.* -acious 로 끝나는 형용사에 대응하는 명사를 만듦 : pugn*acity*.
ack. acknowledge ; acknowledgment.
ACK acknowledge character.
ack-ack [ǽkæ̀k] *n.* 《口》 고사포(의 포화). —— *a.* 대공의, 방공의.
〚통신 용어 *A.A.* (=*a*nti*a*ircraft fire)의 전와(轉訛)〛
ack em·ma [ǽk émə] *n., adv.* 《英俗》 오전(에) : at 10 ~ 오전 10시에. 〚*A.M.*의 통신 용어〛
ackgt. acknowledgment.
***ac·knowl·edge** [iknálidʒ, æk-] *vt.* **1 a)** [+目/+目+*as* 補/+目+*to* do/+*that* 節] 인정[승인]하다(admit) : He ~*d* the truth of it[~*d* it *as* true, ~*d* it *to be* true, ~*d that* it was true]. 그것을 사실로 인정했다 / He is ~*d to be* the highest authority on the subject. 그 문제의 최고 권위자로 인정받고 있다. **b)** 〖法〗 (정식으로) 승인하다, 자인[자백]하다 : ~ one's fault 자기의 잘못을 인정하다 / Do you ~ this signature? 이 서명을 인정하십니까《확실히 당신의 서명입니까》. **2** (편지 따위의) 도착[접수]을 알리다[통지하다] : I beg to ~ (receipt of) your letter. 삼가 귀하의 서신을 잘 받았음을 알려드립니다 / *A*~ the gift at once. 즉시 선물에 대한 감사장을 내십시오. **3** …에 사의를 표하다, 감사하다 : ~ a favor 호의(好意)에 감사하다.
~·able *a.* **~d** *a.* 일반적으로 승인된, 정평있는. 〚*ac*-, KNOWLEDGE〛
類義語 ***acknowledge*** 밝히고 싶지 않은 것을 마지 못해 인정하다. ***admit*** 설득당해 남의 의견에 동의하다 ; 자기 양심의 판단에 따라 사실 따위를 인정하다. ***avow*** 주의·신념·의견·동기 따위를 솔직히 힘있게 언명하다《좋은 뜻으로 쓰이는 문어적인 말》. ***confess*** 부덕·범죄 따위에 대해 자기가 나빴다고 생각했던 일을 정식으로 인정하다. ***own*** 특히 죄악·약점·과실 따위에 대해 자기에게 불리한 사실을 비공식적으로 인정하다(↔*deny, hide, ignore*).
ac·knówl·edg·ment | **-edge-** *n.* **1** Ⓤ 승인, 용인 ; 자인, 자백. **2** Ⓒ 접수 통지[증명], 영수증 ; 감사장 : an ~ *of* one's letter 서신을 받았다는 통지. **3** Ⓤ,Ⓒ 감사, 사례, 인사 ; Ⓒ 감사의 표시, 답례품 〈*of*〉 : *in* thankful ~ 감사하여 / I would record here my warmest ~*s to* him *for* the permission. 그가 그것을 허가하여 준 데 대하여 여기에 충심으로 감사의 뜻을 표하고자 합니다.
bow* one's *acknowledgments of . . . (갈채 따위에) 감사하여 인사로 답하다.
in acknowledgment of …을 승인[감사]하여, …의 사례[답례]로.
ACL allowable cabin load(여객기의 객실 허용 적

재량).

aclín·ic [ei-, ə-] *a.* 〔理〕 무복각(無伏角)의.

aclínic líne *n.* 〔理〕 자기(磁氣) 적도(=magnetic equator).

ACLS American Council of Learned Societies.

ACLU American Civil Liberties Union.

aclút·ter [ə-] *pred. a.* 몹시 혼잡한[북적거리는]; 붐비는; (인파로) 뒤끓는.

ACM 〔軍〕 anti-armor cluster munitions; Association for Computing Machinery.

ac·me [ǽkmi] *n.* [the ~] 절정(絶頂), 극점(極點), 극치, 전성기⟨*of*⟩; 《古》 (병의) 고비, 위기. 〖Gk.=highest point〗

ac·ne [ǽkni] *n.* 〔醫〕 좌창(痤瘡), 여드름(pimple). 〖NL<Gk. *akmas* (acc. pl.)⟨*akmē* facial eruption; 어형(語形)은 L *aknas*가 잘못된 것〗

ac·nei·génic [æ̀kniə-] *a.* 〔醫〕 좌창 유발(痤瘡誘發)[형성]성(性)의.

ac·node [ǽknoud] *n.* 〔數〕 고립점(孤立點) (isolated point).

acock [əkάk] *adv., pred. a.* 쫑긋 세우고, 비스듬히 기울여서: set one's hat ~ 모자를 뒤로 젖혀 쓰다.

ac·o·lyte [ǽkəlàit] *n.* 〔카톨릭〕 (미사 때 신부를 돕는) 복사(服事) (altar boy); (일반적으로) 조수, 수행원; 신참자; 〔天〕 위성. 〖OF or L (Gk. *akolouthos* follower)〗

Acon·ca·gua [æ̀kənkά:gwə; æ̀kɔŋ-] *n.* 아콩카과산(山)《남미 Andes 산맥에 있는 최고봉》.

ac·o·nite [ǽkənàit] *n.* 〔植〕 민박꽃《독초》; Ⓤ 〔藥〕 아코닛《그 뿌리에서 뽑아낸 진통제》. 〖F or L *aconitum*<Gk.〗

acon·i·tine [əkάnəti:n, -tən] *n.* 〔藥〕 아코니틴《민박꽃의 잎과 뿌리에서 뽑아낸 맹독 성분의 알칼로이드; 진통제》.

Á-con·tròl *n.* Ⓤ 《美》 원자력 관리.

acop·ic [əkάpik] *a.* 피로 회복의.

acorn [éikɔ:rn, 美+-kərn] *n.* 도토리《OAK의 열매》: sweet ~ 모밀잣밤나무의 열매. 〖OE *æcern* nut; 후에 oak, corn과 관련지어짐〗

ácorn cùp *n.* 각두(殼斗), (도토리의) 깍정이; 《俗》 국자.

ácorn shèll *n.* 도토리 깍정이; 〔動〕 따개비.

ácorn squàsh *n.* 《美》 도토리 모양의 호박.

ácorn tùbe *n.* 〔電子〕 에이콘 관《도토리 모양의 고주파 전자관》.

acòt·y·lé·don [ei-, æ-] *n.* 〔植〕 무자엽(無子葉) 식물. **~·ous** *a.* 무자엽의.

acou·me·ter [əkú:mətər] *n.* 청력계.

acous·tic [əkú:stik] *a.* 청각의, 귀의; 가청음의, 음파의; 〔樂〕 (악기 따위) 전자 장치를 쓰지 않은; (건축 자재 따위) 방음의; 음향상의: ~ aids 보청기 / an ~ instrument 보청기, 어쿠스틱 악기 / an ~ mine 음향 기뢰(sonic mine) / ~ nerves 청신경. —— *n.* =ACOUSTICS 2. **-ti·cal** *a.* **-ti·cal·ly** *adv.* 청각상, 음향학상. 〖Gk. (*akouō* to hear)〗

acóustical clóud *n.* 〔建〕 음향 반사판《뮤직 홀 따위의 음향 효과를 높임》.

acóustical pérfume *n.* =ACOUSTIC PERFUME.

acóustical suspénsion *n.* 〔오디오〕 어쿠스틱 서스펜션《밀폐형 스피커의 일종》.

acóustic cóupler *n.* 음향 결합기《텔레타이프·컴퓨터의 신호 따위를 음파로 바꾸어 전화 회선에 연결하는 장치》.

acóustic educátion *n.* 음감 교육.

acóustic guitár *n.* (전기 기타 아닌) 보통 기타.

ac·ous·ti·cian [æ̀ku(:)stíʃən, əku:s-] *n.* 음향 학자[기사].

acóustic léns *n.* 음향 렌즈, 음의 확산기.

acóustic mícroscope *n.* 음파 현미경.

acous·ti·con [əkú:stikən] *n.* 보청기《원래는 상표명에서》.

acóustic pérfume *n.* 귀에 거슬리는 소음을 제거하는 정도의 적당한 배경음.

acóustic phonétics *n.* 음향 음성학.

acóustic piáno *n.* (전자 건반 따위가 없는) 재래식 음향 피아노.

acóus·tics *n.* **1** Ⓤ 음향학. **2** [복수취급] (강당·극장 따위의) 음향 효과[상태].

acóustic torpédo *n.* 음향 어뢰.

acous·to- [əkú:stou, -tə] *comb. form* 「음」 「음파」 「음향(학)」의 뜻. 〖Gk.〗

acòusto·eléctric *a.* 음향 전자 공학의.

acòusto·electrónics *n.* 음향 전자 공학.

ACP African, Caribbean, and Pacific (Associables)《아프리카·카리브해·태평양 제국 연합; 제3세계의 46개국으로 이루어진 경제 기구》.

A.C.P. American College of Physicians(미국 내과 의사회). **acpt.** acceptance.

ac·qua al·ta [ά:kwα: ά:ltα:] *n.* 고조, 만조. 〖It. =high water〗

ac·quaint** [əkwéint] *vt.* **1** [+目+*with*+名 / +目+*that* 節] …에게 알리다, …에게 통고하다: *A*~ him ***with your intention. 당신의 의도를 그에게 알리시오《㊟ 이 뜻으로는 *Tell* him[*Let* him *know*] your intention. 또는 *Inform* him *of* your intention.의 표현이 보통》/ He ~*ed* us *that* he would come up to town next spring. 그는 돌아오는 봄에 상경할 것이라고 알려왔다. **2** [+目+*with*+名] [수동태 또는 ~one*self*로] (남과) 알게 하다, 친분을 맺어주다; (일을) 자세히 알게 하다: She and I have *been* long ~*ed* (***with*** each other). 그녀와 나는 오랫동안 사귀어 왔다 / Let me ~ you *with* the facts of the case. 그 사건의 진상을 자세히 알려드리지요 / You must ~ your*self with* your new job. 새로운 직업[일]에 정통해야 한다.

get a person ***acquainted*** 《美》 (남을) 소개하다, 사귀게 하다.

make a person ***acquainted with*** a thing[person] 남에게 …을 (자세히) 알리다; (남을) …에게 소개하다.

〖OF<L; ⇨ AD-, COGNIZANCE〗

類義語 ⟹ INFORM.

***acquáint·ance** *n.* **1 a)** 아는 사람, 아는 사이: He is not a friend, only an ~. 그 사람은 친구가 아니고 다만 아는 사이다. **b)** [집합적으로] 《古》 지기, 교제 범위. **2** Ⓤ [또는 an ~] 알고 있음, 면식(面識), 안면; 지식, (사실을) 앎: have personal ~ *with* …을 친히[직접] 알고 있다 / have a slight[an intimate] ~ *with* …을 약간[잘] 알고 있다 / gain ~ *with* …을 알다 / cultivate a person's ~ 남을 알려고 애쓰다 / make[seek] the ~ of a person=make[seek] a person's ~ 남과 알게 되다; 남과 알려고 애쓰다, 알기를 바라다.

cut[***drop***] one***'s acquaintance with*** …와 절교하다.

have a bowing[***nodding***] ***acquaintance with*** …와 만나면 인사[목례]할 정도의 사이다; (사람·일 따위를) 좀 알고 있다.

have a wide circle of acquaintance(***s***)= 《古》 ***have a wide acquaintance*** 아는 사람이

많다, 교제 범위가 넓다.

〈회화〉
Do you know Mr. Williams? — Yes, he's an *acquaintance* of mine. 「윌리엄스씨를 아십니까」「네, 아는 사이입니다」

〖OF (↑)〗

acquáintance·shìp *n.* **1** U,C 아는 사이, 면식 〈*with*〉. **2** U [또는 an ~] 지식〈*with*〉.

acquáint·ed *a.* 안면이 있는, 잘 아는; 사귀게 된, 친한. **~·ness** *n.*

ac·quest [əkwést, æ-] *n.* 획득[취득]물; 〖法〗 (상속이 아닌) 취득 재산.

ac·qui·esce [ækwiés] *vi.* [+*in*+名/動] 묵인하다, 묵묵히 따르다: They ~*d* ***in*** our proposal. 우리의 제안에 묵묵히 따랐다 / He is so independent that he will never ~. 독립심이 강한 사람이기 때문에 동의하지 않을 것이다.
〖L; ⇨ QUIET〗

àc·qui·és·cence *n.* U 묵인, 묵종, 묵약.

àc·qui·és·cent *a.* 묵인의, 묵종하는, 순종하는. **~·ly** *adv.*

***ac·quire** [əkwáiər] *vt.* **1** (노력하여) 얻다, 배우다; (습관 따위를) 붙이다: ~ a foreign language 외국어를 익히다 / ~ a habit 버릇이 생기다 / He has ~*d* a taste for whiskey. 위스키의 맛을 알게 되었다. **2** (재산·권리 따위를) 취득[획득]하다: ~ land 토지를 취득하다. **3** (비평 따위를) 받다: His manners ~*d* him universal odium. 그의 태도는 일반의 반감을 샀다.
〖OF<L (*ad-, quisit- quaero* to seek)〗
類義語 ⟹ GET.

ac·quired *a.* (권리 따위) 취득[획득]한, 이미 얻은; 〖生〗 후천적인 (↔*hereditary, innate*): an ~ character[characteristic] 후천성[획득] 형질.

acquíred táste *n.* (몇번인가 해보고) 습관이 된 기호[취미]; [an ~] 습관이 되어 좋아지는 것《특히 음식물》.

acquíre·ment *n.* U 취득, 획득, 습득; C 예능, (몸에) 익힌 것; [*pl.*] 재예(才藝), 학식 (cf. GIFT, TALENT).

ac·qui·si·tion [ækwəzíʃən] *n.* U 획득, 습득; C 취득[획득]물, 횡재《좀처럼 얻기 힘든 것[사람]을 얻었을 때 씀》: recent ~*s to* the library 도서관의 새 구입 도서. —— *vt.* 취득하다, 입수하다.

acquisítion líght *n.* 〖로켓〗 포착등《랑데부 비행 때 상대가 자기를 잘 볼 수 있게 점등하는 등》.

acquisítion of sígnal *n.* 인공 위성의 신호를 수신할 수 있는 상태가 됨《略 AOS》.

ac·quis·i·tive [əkwízətiv] *a.* 탐내는; 욕심내는; 얻을 수 있는, 취득[습득]성의: be ~ *of* money 돈을 탐내다 / be ~ *of* knowledge 지식욕이 강하다 / an ~ mind 향학심, 욕심 / ~ instinct 취득 본능. **~·ly** *adv.* 탐을 내어. **~·ness** *n.* U 취득심, 욕심. 〖ACQUIRE〗

ac·quit [əkwít] *vt.* (-**tt**-) **1** [+目+*of*+名] 무죄로 하다, 방면하다; (…을 책임으로 부터) 면제해 주다: The jury ~*ted* her ***of*** the crime. 배심원은 그녀를 무죄로 하였다 / be ~*ted of* a charge 고소가 취하되다 / ~ a person *of* his duty 남의 임무를 해제하다. **2** [~ one*self* 로] 행동하다, 본분을 다하다.
acquit one***self well***[***ill***] 훌륭히 행동하다[못되게 굴다].
〖OF<L=to pay debt; ⇨ QUIT〗

ac·quít·tal *n.* **1** U,C 무죄 방면, 석방(↔*conviction*). **2** U,C (채무의) 면제, 변제, 책임 해제. **3** U,C (임무의) 수행, 이행.

ac·quít·tance *n.* **1** U 《古》 =ACQUITTAL 1. **2** C 영수증, 채무 소멸 증서.

acr-, akr- [ǽkr], **ac·ro-, ak·ro-** [ǽkrou, -rə] *comb. form* 「처음」「선단」「가지」「머리」「꼭대기」「(최)고소(高所)」「첨예」의 뜻. 〖Gk.〗

ac·ra·sin [ǽkrəsən] *n.* 〖生化〗 아크라신《세포 점균(粘菌)의 분비물의 일종》.

acráwl [ə-] *pred. a., adv.* …이 우글거려, 득실거려〈*with*〉.

***acre** [éikər] *n.* **1** 에이커《약 4046.8m²; 略 a.》. **2** 논밭, 토지(field); [*pl.*] 지면, 대지(lands): broad ~*s* 넓은 토지 / ☞ GOD'S ACRE. **3** [*pl.*] 대단히 많은 양 〈*of*〉. 〖OE *æcer* field〗

ácre·age *n.* U 에이커 수(數), 면적, 평수; 넓은 토지(acres): The ~ of a square mile is 640. 1제곱 마일은 640 에이커다.

ácred *a.* **1** 토지의; 토지를 소유한. **2** [복합어를 이루어] …에이커의《토지》.

ácre-fóot *n.* 에이커풋《관개 용수 따위의 양의 단위; 43,560 세제곱 피트, 1233.46 m³》.

ácre-ínch *n.* 에이커인치《관개 용수·토양 따위 양의 단위; 1/12 ACRE-FOOT, 3630 세제곱 피트》.

ac·rid [ǽkrəd] *a.* 매운, 쓴; 강하게 쏘는 듯한, 얼얼한; 지독한, 신랄한, 엄한, 냉혹한. **ac·rid·i·ty** [ækrídəti] *n.* U 매움, 씀; 신랄함.
〖L *acer* keen, pungent; 어미는 acid의 유추인가〗

ac·ri·dine [ǽkrədìːn, -dən] *n.* 〖化〗 아크리딘《콜타르에서 얻은 물감·의약품의 원료》: ~ dyes 아크리딘 염료.

ac·ri·flávine [ækrə-] *n.* 〖藥〗 아크리플라빈《방부·소독약》.

Ac·ri·lan [ǽkrəlæ̀n, -lən] *n.* 아크릴란《아크릴계 섬유; 상표명》.

ac·ri·mo·ni·ous [ækrəmóuniəs] *a.* 매서운, 신랄한, 지독한, 엄한, 통렬한. **~·ly** *adv.* 신랄하게, 지독하게. **~·ness** *n.*

ac·ri·mo·ny [ǽkrəmòuni; -məni] *n.* U (태도·말씨 따위의) 격렬함, 통렬함, 신랄함.
〖F or L=pungency; ⇨ ACRID〗

acro- [ǽkrou, -rə] ☞ ACR-.

ac·ro·bat [ǽkrəbæ̀t] *n.* 줄타기 곡예사, 곡예사; 《비유》 (정치·이론 따위의) 표변자, 변절자.
〖F<Gk. (*akron* summit, *bainō* to walk)〗

àc·ro·bát·ic *a.* 곡예 같은, 곡예적인: an ~ dance 곡예 댄스 / ~ feats 곡예. **-i·cal·ly** *adv.*

àc·ro·bát·ics *n.* **1** [단수취급] 곡예, 재주넘기; [단수·복수 취급] 곡예 비행: aerial ~ 곡예 비행. **2** [복수취급] 아슬아슬한 재주, 초인적인 행위: mental ~ 초인적인 두뇌 작용.
주 곡예 비행의 종류: ***falling leaf*** 낙엽식 강하 비행; ***inverted flight*** 배면(背面) 비행; ***loop*** 재주넘기; ***slow roll*** 완횡전(緩橫轉); ***snap roll*** 급횡전(急橫轉); ***spin*** 나선 강하; ***split turn*** 급반전(急反轉); ***vertical turn*** 수직 선회.

ácrobat·ism *n.* =ACROBATICS.

ac·ro·gen [ǽkrədʒən] *n.* 〖植〗 정생(頂生) 식물《고사리·이끼 따위》.
acrog·e·nous [əkrádʒənəs] *a.* 정생의.

ac·ro·lect [ǽkrəlèkt] *n.* (어떤 사회 안에서) 가장 격식 높은 방언 (cf. BASILECT).

acro·le·in [əkróuliən] *n.* 〖化〗 아크롤레인《자극성 냄새가 나는 불포화 알데히드; 최루 가스 따위에 쓰임》. 〖L *acer* pungent, *oleo* to smell, *-in*〗

ácro·lìth *n.* 〖古그〗 머리·손발은 돌이고 동체는 나무로 된 상(像).

ac·ro·meg·a·ly [ækrouméɡəli] *n.* 〖醫〗 선단 비대

증(先端肥大症)《머리와 손발이 비대해지는 병》. **-me·gal·ic** [-məgǽlik] *a.*, *n.* acromegaly에 걸린 (사람).
〚F<Gk. (*akron* extremity, *megal-* *megas* great)〛
ácro·nàme *vt.* …을 두문자(頭文字)화하다.
acron·i·cal, -y·c(h)al [əkránikəl] *a.* 〖天〗 일몰시에 일어나는[나타나는]. **~·ly** *adv.*
ac·ro·nym [ǽkrənìm] *n.* 두문자어(頭文字語) 《머리 글자를 맞추어 만든 말 : Unesco ; radar》.
àc·ro·ným·ic, acron·y·mous [əkránəməs] *a.*
〚Gk. *akron* end, *-onym* ; ⇨ NAME〛
acrón·y·mìze *vt.* 두문자어로 나타내다.
àcro·phóbia *n.* Ⓤ 〖心〗 고소(高所) 공포증.
acroph·o·ny [əkráfəni] *n.* 〖言〗 두음법.
acrop·o·lis [əkrápələs] *n.* 〖古그〗 (도시의) 성채 ; [the A~] 아크로폴리스《Athens의 성채 ; PARTHENON 신전이 있음》.
〚Gk. (*akron* summit, *polis* city)〛
ac·ro·sin [ǽkrəsən] *n.* 〖生化〗 아크로신《정자의 두부에서 난자 표면을 녹이는 효소》.
ácro·sòme *n.* 〖解〗 (정자의 두부에 있는) 선체(先體), 아크로솜. **àc·ro·só·mal** *a.*
◇**across** [əkrɔ́ːs, əkrás] *adv.* (cf. CROSS *v.*) **1** (저쪽으로) 건너서, 가로질러 ; 반대쪽에 : get[go] ~ 저쪽으로 건너가다, 넘다 / hurry ~ to[from] the other side of the street 황급히 한길 저쪽으로[으로부터] 건너가다[오다]. **2** 십자로, 교차하여 : with one's arms[legs] ~ 팔짱을 끼고[책상다리로]. **3** 지름으로, 직경으로(in diameter) : a lake 5 miles ~ 지름 5마일의 호수.
—— [-́] *prep.* …을 가로질러, …을 건너서, …의 저쪽에[으로] : a bridge (laid) ~ the river 강을 가로지른 다리 / go ~ the road 길을 건너다 / live ~ the river 강 저쪽 편에 살다 / ~ a horse's back 말을 타고 / with a rifle ~ one's shoulder 총을 메고.
across (...) from... 《美口》 …의 맞은 편에 : The store is ~ *from* the station. 그 점포는 정거장 맞은 편에 있다 / I sat ~ the table *from* him. 그와 식탁에 마주하고 앉았다.
across the country [***world***] 전국[전세계]에.
come across ☞ COME¹.
get across ☞ GET¹.
put across ☞ PUT¹.
〚OF *à* (or *en*) *croix* ; ⇨ CROSS〛
acróss(-)the(-)bóard *a.* 《美口》 **1** 모든 종류를 포함하는, 전면적인, 총괄적인 ; 〖競馬〗 복식 승마 투표의. **2** 〖放送〗 (프로그램이) 전주(全週)에 걸쳐 짜여진《보통 월요일부터 금요일에 걸쳐 같은 시간에 방송됨》.
acróss-the-táble *a.* 맞대면한, 직접의 《협상·협의》.
acros·tic [əkrɔ́(ː)stik, -rás-] *n.* 각 행의 첫 글자[첫 글자와 끝 글자]를 맞추면 어구가 되는 시(詩) ; 이렇게 만든 글자 수수께끼.
—— *a.* acrostic의.
〚F or Gk. (*akron* end, *stikhos* row)〛
ac·ro·te·ri·on [æ̀krətíəriàn, -ən], **-ri·um** [-riəm] *n.* (*pl.* **-ria** [-riə]) 〖建〗 조상대(彫像臺) 《pediment의 정상이나 양끝의 조상용 대좌》.
ac·ro·tism [ǽkrətìzəm] *n.* Ⓤ 〖醫〗 무맥증(無脈症), 약맥(弱脈) ; 정맥(停脈).
ACRS accelerated cost recovery system(가속상각 제도) ; Advisory Committee on Reactor Safeguards 《美》 (원자로 안전 자문 위원회).
ac·ryl [ǽkrəl] *n.* 〖化〗 아크릴.
ac·ryl·am·ide [æ̀krəlǽmaid, -əd ; əkrílə-] *n.* 〖化〗 아크릴아미드《유기합성·플라스틱·접착제의 원료》.
ac·ry·late [ǽkrəlèit, -lət] *n.* 〖化〗 아크릴레이트, 아크릴산염 ; =ACRYLIC RESIN : an ~ board 아크릴 투명판.
acryl·ic [əkrílik] *n.*, *a.* 〖化〗 아크릴(성(性)의).
〚ACROLEIN〛
acrýlic ácid *n.* 〖化〗 아크릴산(酸).
acrýlic fíber *n.* 아크릴 섬유.
acrýlic plástic *n.* 아크릴 합성 수지.
acrýlic résin *n.* 〖化〗 아크릴 수지.
ac·ry·lo·nítrile [æ̀krəlou-] *n.* Ⓤ 〖化〗 아크릴로니트릴《합성 고무·섬유의 원료》.
ACS antireticular cytotoxic serum(항세망 세포 독성 혈청). **A.C.S.** American Cancer Society ; American Chemical Society ; American College of Surgeons ; automatic control system (자동제어 장치). **A/cs pay., a/cs pay.** accounts payable. **A/cs rec., a/cs rec.** accounts receivable.
◇**act** [ǽkt] *n.* **1** [+前+do*ing*] **a**) 행위, 소행(a thing done) : a foolish[heroic] ~ 어리석은[영웅적인] 행위 / an ~ of kindness 친절한 행위. **b**) [the ~] 현행(現行)(doing) : He was caught *in the* (very) ~ ***of*** steal*ing*. 절도 현장에서 체포되었다. **2** (연극의) 막(幕)(cf. SCENE 2 a)) : a one-~ play 단막극(單幕劇) / *in A~* I, Scene ii 제1막 제2장에서. **3** (라디오·연예의) 한 프로그램(number). **4** 결의, 결의서 ; 법령, 조례(law). **5** 《口·비유》 연극조의 행동, 시늉(pretense). **6** 《英》 학위 논문 공개 구술 시험.
an act of God 〖法〗 천재(天災), 불가항력 : by *an ~ of God* 불가항력으로[에 의해].
an act[***Act***] ***of grace*** 은전 ; 〖法〗 특사령.
an act of providence 불가항력.
an act of war (선전 포고 없는) 전쟁 행위, 불법 침략 행위.
as my act and deed (후일의) 증거(물)로서《계약·서명시에 씀》.
put on an act 《口》 체하다, 연극을 해 보이다, 뽐내다, 잘난 체하다.
the Acts (***of the Apostles***) [단수취급] 〖聖〗 사도행전《신약성서 중의 한 편 ; 주로 Paul과 Peter의 전도 기사》.
—— *vt.* **1** (연극을) 상연하다, (배역을) 맡아 하다(perform) : ~ Hamlet 햄릿으로 분장하다 / ~ a part 한 역을 담당하다[맡아 행하다] ; 《비유》 연극을 하다 / ~ one's part 자기의 본분을 다하다 / ~ the part of …의 역을 맡아 하다 ; …을 흉내내다. **2** …처럼 행동하다, …인 체하다 : ~ the fool ☞ FOOL *n.* 숙어 / ~ the knave[the lord] 악한[주인]인 체하다.
—— *vi.* **1 a**) [動/+前+名] 행동하다, 행하다, 실행하다, 근무하다 ; 대리하다(cf. ACTING *a.*) : We are judged by how we ~. 사람은 행동 여하에 따라 판단된다 / She ~*ed* ***against*** my advice. 나의 충고에 거역해서 행동했다 / Dick ~*ed* ***for*** the teacher. 딕은 그 선생의 대리로 근무했다[대역을 했다]. **b**) 《美口》 [+補] …답게 행동하다 ; …체하다 : ~ old 노인같이 행동하다 / ~ tired 피로한 듯이 굴다. **c**) [+*as* 補] (…의) 역할을 하다 : ~ *as* guide[interpreter] 안내역[통역]으로 근무하다 / The beak of a bird ~*s as* a shovel. 새의 부리는 삽과 같은 역할을 한다. **2 a**) (기계가) 작동하다, (브레이크 따위가) 듣다[작용하다] : The machine is ~*ing* well. 그 기계는 잘 움직인다 / The brakes won't ~. 브레이크가 듣

지 않는다. **b**) [+*on*+名] 작용하다, (약이) 듣다 : This drug ~*s* ***on*** the stomach. 이 약은 위(胃)에 듣는다 / Yeast ~*s on* dough and makes it rise. 효모는 가루반죽에 작용하여 그것을 부풀게 한다. **3** 무대에 서다, 출연하다 : She ~*ed* well. 훌륭한 연기를 보였다 / He is only ~*ing* to get your sympathy. 그는 단지 당신의 동정을 사기 위하여 연극을 하고 있는 것이오《본심이 아니라는 뜻》. **4** (각본이) 상연에 적합하다 : This writer's plays won't ~. 이 작가의 희곡은 상연에 적합하지 않다 / This play ~*s* as well as reads. 이 희곡은 읽기에 적합할 뿐 아니라 무대 상연에도 적합하다. **5** 의결[판결]하다.

act out (이야기 따위를) 행동으로 옮기다, 실연(實演)하다, 몸짓을 섞어가며 이야기하다 ; (소신 따위를) 실행하다.

act up 《口》 장난치다, 까불다, 건방지게 굴다.

act* (*up*)*on . . . (1) …에 작용하다(☞ *vi.* 2 b)). (2) (주의·충고 따위에) 따라 행동하다. (3) (법안·사건·문제를) 의결[판결·해결]하다.

act up to . . . (주의·이상 따위를) 실천하다, (약속을) 지키다.

〈회화〉
Think before you *act*. — Next time I will. 「행동하기 전에 생각해라」「다음부터터는 그렇게 할께요」

àct·abílity *n.* **áct·able** *a.* 상연[실행] 가능한. 〖F and L (*act- ago* to do)〗

類義語 ***act*** 짧은 시간의 단 1회의 행위. ***action*** 어떤 기간 중 수차에 걸친 act ; act가 모인 복잡한 행동 전체 : mental *action* (정신적 활동). ***deed*** 보통 위대하거나 현저하게 사람에게 감명을 주는 act ; 나쁜 뜻으로도 쓰임 : a heroic *deed* (영웅적 행위).

ACT, A.C.T. American College Test(미국 대학 입학 학력 테스트) ; Australian Capital Territory ; automatically controlled transportation system ; active control technology(능동 제어 기술). **act.** active ; actor ; actual.

áct dròp *n.* 〖劇〗 중간 막《막간에 내리는 현수막》.

actg. acting.

ACTH, Acth [èisì:tì:éitʃ, ǽkθ] *n.* 부신 피질 자극 호르몬《관절염·류머티즘성 열의 치료용》. 〖*a*dreno*c*ortico*t*rophic *h*ormone〗

ac·tin [ǽktən] *n.* 〖生化〗 액틴《근육을 구성하며 myosin과 함께 그 수축에 필요한 단백질의 하나》.

ac·tin- [ǽktən], **ac·ti·ni-** [ǽktənə], **ac·ti·no-** [ǽktənou, -nə] *comb. form.* 〖理〗「방사선 상의」의 뜻 ; 〖動〗「말미잘의」「방사선 모양의」의 뜻. 〖Gk. *aktin- aktis* ray〗

áct·ing *a.* **1** 대리의 ; 서리의 : an *A*~ Minister 대리 공사 / the *A*~ Prime Minister 국무 총리[수상] 서리 / the *A*~ President 대통령 권한 대행. **2** 연출용의 : an ~ copy[script] 연출대본. —— *n.* **1** Ⓤ 공연, 연출(법). **2** Ⓤ 연기 : good[bad] ~ 훌륭한[서투른] 연기. **3** Ⓤ 《비유》 꾸민 연극, 겉치레.

ac·tin·ia [æktíniə] *n.* (*pl.* **-i·ae** [-iì:], **~s**) 〖動〗 해변말미잘 ; (널리) 말미잘.

ac·tin·ic [æktínik] *a.* 화학선의, 광화학 작용의 : ~ ray 화학선《광화학 작용이 강한 방사선》.

ac·ti·nide sèries [ǽktənàid-] *n.* 악티늄족 원소《악티늄에서 로렌슘까지의 원소의 총칭》.

ac·tín·i·fòrm [æktínə-] *a.* 〖動〗 방사형의.

ac·ti·nism [ǽktənìzəm] *n.* Ⓤ 화학선 작용.

ac·tin·i·um [æktíniəm] *n.* Ⓤ 〖化〗 악티늄《방사성 원소 ; 기호 Ac ; 번호 89》.

actínium sèries *n.* 〖化〗 악티늄 계열《악티노우라늄에서 악티늄 D까지의 총칭》.

ac·ti·noid [ǽktənɔ̀id] *a.* 방사선 모양의.

ac·tin·o·lite [æktínəlàit] *n.* 양기석(陽起石)《각섬석(角閃石)의 일종》.

ac·ti·nom·e·ter [æ̀ktənɑ́mətər] *n.* 〖理〗 화학 광량계(光量計) ; 〖寫〗 노출계(露出計).

ac·ti·nom·e·try [æ̀ktənɑ́mətri] *n.* 〖理〗 (화학) 광량 측정, 복사 에너지 측정.

ac·ti·no·my·ces [æ̀ktənoumáisi:z, æktìnou-] *n.* (*pl.* ~) 〖菌〗 악티노미세스속의 방선균. **-ce·tal** [-maisí:tl] *a.*

àctino·mycéte [, -máisi:t] *n.* 방선균. **-my·ce·tous** [-maisí:təs] *a.*

àctino·mýcin *n.* 〖生化〗 악티노마이신《땅 속에 사는 방선균에서 분리시킨 항생물질》.

àctino·mycósis *n.* 〖醫〗 방선상 균병(菌病).

ac·ti·non [ǽktənɑ̀n] *n.* 〖化〗 악티논(방사성 원소 ; 기호 An ; 번호 86》.

àctino·spéc·ta·cin [-spéktəsən] *n.* 〖生化〗 악티노스펙타신《항페니실린성 성병에 듣는 항생물질》.

àctino·thérapy *n.* Ⓤ 방사선요법.

àctino·uránium [, æktìnou-] *n.* 〖化〗 악티노우라늄《우라늄 235 ; 기호 AcU》.

ac·ti·no·zo·an [æ̀ktənəzóuən] *a., n.* 〖動〗 산호충류의 (동물).

‡**ac·tion** [ǽkʃən] *n.* **1** Ⓤ 행동, 활동, 실행 : ~ of the mind=mental ~ 정신적 활동 / men of ~ 활동가(活動家)《학자에 대한 정치가·군인·탐험가 등》. **2** Ⓤ 작용(↔*reaction*): chemical ~ 화학 작용. **3** Ⓒ 소행, 행위(deed) ; [*pl.*] (평소의) 행실 : a kind ~ 친절한 행동 / *A*~*s* speak louder than words. 《속담》 행위는 말보다 웅변(雄辯)적. **4 a**) Ⓤ (배우의) 연기 ; (운동가·말 따위의) 몸짓, 거동 : *A*~ ! 〖映〗 액션 !, 연기 시작 ! **b**) Ⓤ (기계의) 작동 ; (기계장치 따위의) 기능 ; Ⓒ (피아노의) 기계 장치[작용]. **5** Ⓤ 방책, 수단, 조치(steps). **6** Ⓤ 〖軍〗 교전(fighting) ; Ⓒ 전투(battle). **7** Ⓤ (각본의) 줄거리. **8** 〖法〗 소송(suit) : bring[file, have, take] an ~ *against* a person 남을 (상대로 하여) 소송을 제기하다. **9** 《美》 결정, 판결, 의결. **10** 〖宗〗 의식. **11** 〖美術〗 (인물상(像)의) 생명감, 약동감.

action of the bowels 〖醫〗 변통(便通).

bring [***come***] ***into action*** 활동시키다[하다] ; 발휘하다[시키다] ; 실시하다[하게 하다] ; 전투에 참가시키다[하다].

a line of action 작업 계통 ; 행동 방침 ; 〖理〗 작용선.

put. . .in [***into***] ***action*** …을 작동시키다 ; …을 실천에 옮기다, 실행하다.

put. . .out of action (기계를) 움직이지 않게 하다 ; (군함의) 전투력을 잃게 하다.

rouse. . .to action …을 분기시키다.

see action 전투에 참가하다 ; 실전 경험을 하다.

take action 작용하기 시작하다 ; 조치를 강구하다, 처치하다 ; 소송을 제기하다.

—— *vt.* 《英》《美古》 (남을) 고소하다.

〖OF<L ; ⇨ ACT〗

類義語 ⟹ ACT.

áction·able *a.* 기소할 수 있는.

áction commìttee[**gròup**] *n.* (정치 단체 따위의) 행동 위원회, 행동대.

áction film *n.* 〖映〗 활극.

áction gránt *n.* 《美》 시가지 재개발을 위한 연방 정부 보조금.

áction informátion cènter *n.* ＝COMBAT INFORMATION CENTER.
áction·ist *n.* 행동파인 사람[정치가].
áction·less *a.* 움직임이 없는(immobile).
áction lèvel *n.* 《美》 (정부가 판매 금지를 결정할 수 있는) 식품중의 유해 물질 함유량의 한계 수준.
áction pàinting *n.* [흔히 A~ P~] 〖美術〗 액션 페인팅《1940년대말에 미국에서 발생한 추상화의 한 양식》. **áction pàinter** *n.*
áction pàss *n.* 〖美蹴〗 액션 패스《러닝 플레이하는 척하며 하는 패스 플레이》.
áction potèntial *n.* 〖生理〗 (신경세포 내외간 따위의) 활동 전위(電位).
áction ràdius *n.* 〖軍〗 (항공기·선박 따위의) 행동 반경.
áction stàtion *n.* 〖軍〗 전투 배치.
ac·ti·vate [ǽktəvèit] *vt.* **1** 활동하게 하다, 기능을 발휘하게 하다. **2** 〖理〗 …에 방사능을 부여하다 ; (마이크로폰에) 전류를 통하게 하다. **3** 〖化〗 활성화(活性化)시키다, …의 반응을 촉진하다. **4** 〖美軍〗 (부대를) 전시 체제로 하다.
áctivat·ed *a.* 활성화 된.
activated cárbon[chárcoal] *n.* 활성탄.
activated slúdge *n.* 활성 슬러지[오니(汚泥)].
àc·ti·vá·tion *n.* Ⓤ 활동적으로 하기 ; 〖化〗 활성화(活性化), 방사화 ; 〖美軍〗 부대 편성[신설].
activátion anàlysis *n.* 〖理·化〗 방사화[활성화] 분석.
activátion ènergy *n.* 〖化〗 활성화 에너지.
ác·ti·và·tor *n.* 활동적으로 하는 사람 ; 〖化〗 활성제 ; 〖生〗 활성화체(活性化體).
activator RNA [⌐ ὰ:rènéi] *n.* 〖生化〗 활성화(活性化) RNA.
‡**ac·tive** [ǽktiv] *a.* **1** 활동적인, 활발한, 민활한 ; 적극적인(↔*passive, inactive*) : an ~ life 활동적인 생활(cf. CONTEMPLATIVE life) / take an ~ interest in …에 적극 참여하다, 투신하다. **2** 활기 있는(lively), (상거래 따위) 활발한(busy) : The market is ~. 시장은 활기를 띠고 있다. **3** 현재 활동중인(acting, working) (↔*dormant*) ; 실제상의, 현실의(actual) : an ~ volcano 활화산(cf. EXTINCT volcano). **4** 〖軍〗 현역의(cf. RETIRED). **5** 〖文法〗 능동의(↔*passive*) : the ~ voice 능동태.
take an active part in …에 적극 참여하다.
── *n.* [보통 the ~] 〖文法〗 능동태 ; 능동형.
~·ly *adv.* 적극적으로, 활발히. **~·ness** *n.* 활동성, 적극성. 〚OF or L ; ⇨ ACT〛
類義語 ***active*** 적극적으로 일을 하고 있는. ***energetic*** 정력[노력]을 집중하고 있는. ***vigorous*** 선천적으로 신체나 정신이 건강하여 활동력을 발휘할 수 있는. ***strenuous*** 노력·정력을 다하여 분투하는. ***brisk*** 동작이 경쾌하고 활발한.
áctive áircraft *n.* 취항중인 항공기.
áctive bírth *n.* 능동 분만.
áctive cápital *n.* 활동 자본.
áctive cárbon *n.* ＝ACTIVATED CARBON.
áctive communicátions sàtellite *n.* 〖로켓〗 능동형 통신 위성《송신과 수신의 양(兩)기능을 갖춘 통신 위성》.
áctive dúty[sérvice] *n.* 〖軍〗 현역 (근무) ; 전시[전지(戰地)] 근무.
on active duty[service] 〖軍〗 현역의, 복무중인.
áctive euthanásia *n.* 적극적 안락사《임종환자에게 죽음을 촉진시키는 일》.
áctive líst *n.* **1** 〖軍〗 현역 명부 : on the ~ 현역의《장교》, 취역중의《군함》. **2** 〖出版〗 ＝ACTIVE TITLE.
áctive óxygen *n.* 활성 산소.
áctive pártner *n.* (합명회사의) 업무 담당 사원.
áctive prógram *n.* 〖컴퓨〗 활동 프로그램.
áctive resístance *n.* 적극적인 방어.
áctive sátellite *n.* 능동 위성《적재한 무선기로 전파를 수신·증폭·재송신함 ; ↔*passive satellite*》.
áctive títle *n.* 〖出版〗 도서목록에 실린 전(全)도서《절판본 이외의》.
áctive tránsport *n.* 〖生理〗 능동(能動)수송.
ac·tiv·ism [ǽktivìzəm] *n.* Ⓤ 행동[실천]주의.
ác·tiv·ist *n., a.* 행동[실천]주의자(의), 운동가 ; 행동대원, 활동가(의).
‡**ac·tiv·i·ty** [æktívəti] *n.* **1** Ⓤ (심신의) 활발, 민활. **2** Ⓤ 활동, 활약 ; (상거래 따위의) 활기, 호경기 : The volcano is *in* ~. 그 화산은 활동 중이다. **3** [*pl.*] (여러 가지의) 활동《사교·스포츠·과외 활동 따위》 : classroom[outside, outdoor] *activities* 교내[과외] 활동 / social *activities* 사회 사업. **4** 작업 (능률) ; 활동성.
ac·tiv·ize [ǽktəvàiz] *vt.* ＝ACTIVATE.
áct of Cóngress *n.* 《美》 법률, 법령.
áct of Párliament *n.* 《英》 국회 제정법《국왕(·상원)·하원의 3[2]자 사이의 협력에 의한 최고의 법형식》.
ac·to·my·o·sin [æktəmáiəsən] *n.* 〖生化〗 액토미오신《근육의 수축에 관여하는 복합 단백질》.
ac·ton [ǽktən] *n.* 갑옷 속에 받쳐 입는 홑옷.
***ac·tor** [ǽktər] *n.* **1** 남자 배우, 배우 ; 사건의 인물 ; 관계자 : a film ~ 영화 배우. **2** 행동자, 행위자 : a bad ~ 믿을 수 없는 사람 ; 위험한[파렴치한] 사람 ; 범인. 〚L＝doer, actor ; ⇨ ACT〛
***ac·tress** [ǽktrəs] *n.* 여배우.
‡**ac·tu·al** [ǽktʃuəl] *a.* 현실의, 사실상의 ; 현재의, 현행의 : the ~ cost of goods 상품의 실비[원가] / the ~ state[locality] 현상황[현지].
in actual fact 사실상.
── *n.* 《口》 다큐멘터리(영화[프로그램]).
〚OF<L ; ⇨ ACT〛
類義語 ⟹ TRUE.
áctual capácity *n.* 실(實)능력 ; 실용량.
áctual cásh válue *n.* 〖保險〗 실제 (현금)가액, 시가(時價)《略 ACV》.
áctual cóst *n.* 〖會計〗 실제 원가.
áctual gráce *n.* 〖카톨릭〗 도움의 은총.
áctual·ìsm *n.* 〖哲〗 현실주의.
áctual·ist *n.* 현실주의자(realist) ; 〖哲〗 ACTUALISM의 신봉자.
***ac·tu·al·i·ty** [æktʃuǽləti] *n.* Ⓤ 현실(성), 현존 ; 실재 ; [*pl.*] 실정, 현상 : *in* ~ 실제로.
áctual·ìze *vt, vi.* 현실화하다 ; 실현하다[되다] ; 현실적[사실(寫實)적]으로 묘사하다.
àctual·izátion *n.* Ⓤ 현실화, 실현.
‡**áctual·ly** *adv.* 실제로, 현실로(in fact) ; (설마하고 생각하겠지만) 참말로(really) : the amount of money ~ paid out 실제로 지출한 금액 / He ~ refused! 참말로 거절했단 말이야.
áctual sín *n.* 〖宗〗 (자신의 의지에 의한) 현행죄《original sin에 대하여 실제로 범한 죄》.
ac·tu·ar·i·al [æktʃuéəriəl] *a.* 보험 통계의 ; 보험 계리인의.
ac·tu·ary [ǽktʃuèri ; -tʃuəri] *n.* 보험 계리인《보험 통계 전문가》 ; 《古》 공증인.
〚L *actuarius* bookkeeper ; ⇨ ACTUAL〛
ac·tu·ate [ǽktʃuèit] *vt.* **1** …에 작용하다(act

upon) ; (기계 따위를) 작동시키다. **2** (남을) 자극하여 …시키다 : He was ~*d* by love for his mother. 그의 행위는 자기 어머니를 생각하여 한 것이었다.
〖L=to incite to action ; ⇨ ACT〗

àc·tu·á·tion *n.* Ⓤ 발동[충격] 작용.

ACT-UP AIDS Coalition To Unleash Power《에이즈 해방 연합 ; 에이즈 환자나 감염자의 권리를 수호하기 위해서는 실력 행사도 불사하는 단체로 뉴욕과 샌프란시스코가 거점》.

AcU 〔化〕 actinouranium. **ACU** Asian Clearing Union (아시아 결제(決濟) 연맹).

acu·i·ty [əkjúːəti] *n.* Ⓤ (바늘 따위의) 예리함 ; (질병 따위의) 격렬함 ; (재능의) 예민함.
〖F or L ; ⇨ ACUTE〗

acu·le·ate [əkjúːliət, -èit] *a.* 끝이 뾰족한, 예리한 ; 〔植〕 가시있는 ; 〔動〕 독침이 있는, (나방이) 날개에 가시 모양의 작은 돌기가 있는 ; 《비유》 날카로운, 신랄한.

acu·le·us [əkjúːliəs] *n.* (*pl.* **-lei** [-liai]) (식물의) 가시 ; (곤충의) 독침.

acu·men [əkjúːmən, ǽkjəmən] *n.* Ⓤ 혜안, 예민, 안식(眼識) ; 총명 ; 날카로운 통찰력 : critical ~ 날카로운 비판력. 〖L=ACUTE thing〗

acu·mi·nate [əkjúːmənət] *a.* 〔植〕 끝이 뾰족한, 뾰족한 모양의. —— [-nèit] *vt.* 뾰족하게[날카롭게] 하다.

acù·mi·ná·tion *n.* **1** Ⓤ 첨예화. **2** 첨두, 예봉.

ac·u·na·tion [æ̀kjənéiʃən] *n.* 화폐 주조.

ácu·prèssure [ǽkjə-] *n.* 지압(요법).
-près·sur·ist *n.* 지압(요법)사.

acu·punc·tur·al [æ̀kjəpʌ́ŋktʃərəl] *a.* 침술(치료)에 의한 : ~ anaesthesia 침마취.

acu·punc·ture [ǽkjəpʌ̀ŋktʃər] *n.* 침 치료, 침술. —— *vt.* 침으로 치료[마취]하다.
〖L *acu* with needle, PUNCTURE〗

ácupuncture pòint *n.* 침을 놓는 자리.

***acute** [əkjúːt] *a.* **1** 날카로운, 뾰족한 ; 〔數〕 예각(鋭角)의 (↔*obtuse*) : an ~ angle 예각(鋭角). **2** 심한, 격렬한(intense) : ~ pain 심한 고통. **3** (감각·재능 따위) 날카로운, 예민한(keen) : an ~ critic 예리한 비평가. **4** 〔醫〕 급성의(↔*chronic*). **5** 〔音聲〕 예음(鋭音)의(↔*grave*) ; 양음 부호가 붙은. —— *n.* =ACUTE ACCENT.
~·ly *adv.* 날카롭게, 격심하게, 예민하게.
~·ness *n.* Ⓤ 날카로움, 예민, 격렬.
〖L *acutus* pointed (*acus* needle)〗
[類義語] (1) ***acute*** 고통·격정·사태 따위가 심한. ***critical*** 어떤 결과를 결정하는 중대한 전환점에 있는. ***crucial*** 행위의 방향을 결정짓는 의미를 내포.
(2) ⟹ SHARP.

acúte áccent *n.* 양음(揚音) 악센트 부호(´).

acúte-càre *a.* 《美》 급성병[급성 환자] 치료의.

ACV actual cash value ; air-cushion vehicle. **ACW** alternating continuous wave(s) (교류 연속 전파) **A.C.W.** air craftwoman((영국 공군의) 여자 항공 정비병).

-acy *n. suf.* 「성질」「상태」「직(職)」의 뜻 : accurate>accur*acy* ; celibate>celib*acy* ; magistrate>magistr*acy*.

acy·clo·vir [eisáiklouvìər, -klə-] *n.* 〔藥〕 아시클로비어《헤르페스(herpes)에 유효한 약》.

ac·yl [ǽsəl, éisail] *n.* 〔化〕 아실(기(基)) (=∠ **ràdical**[**gròup**]).

***ad**[1] [æ(ː)d] *n.* **1** [흔히 형용사적으로] 《美口》 광고 《<*ad*vertisement》 : *ad*-column (신문의) 광고란 / classified ~*s* (신문의) 안내 광고, 3행 광고 / *ad*-rate 광고료 / *ad*-agency[agent] 광고 대행업소[업자]. **2** 〔테니스〕 advantage의 단축형 《deuce 다음의 1점 ; server가 얻은 것을 ad in, receiver가 얻은 것을 ad out이라고 함》.

ad[2] [æd] *prep.* to, toward ; up to ; according to의 뜻. 〖L〗

ad-, ab-, ac-, af-, ag-, al-, ap-, ar-, as-, at-, a- *pref.* 「…으로」「…에」《이동·방향·변화·완성·근사·고착·부가·증가·개시의 뜻, 혹은 단순한 강조》. [注] b 앞에서는 ab-, c, k, q 앞에서는 ac-, f, g, l, p, r, s, t 앞에서는 각기 af-, ag-, al-, ap-, ar-, as-, at-, 또 sc, sp, st 앞에서는 a-가 됨. 〖F or L〗

-ad[1] [æ(ː)d, əd] *n. suf.* **1** 「…개 부분을[원자가를] 갖는 것」의 뜻 : hept*ad*, mon*ad*. **2** 「…의 기간」의 뜻 : chili*ad*, pent*ad*. **3** 「…찬가」의 뜻 : Ili*ad*. **4** 「…의 요정(妖精)」의 뜻 : dry*ad*, nai*ad*. **5** 「…류(類)의 식물」의 뜻 : cyc*ad*. 〖Gk.〗

-ad[2] [æ(ː)d, əd] *adv. suf.* 〔生〕 「…의 방향에」「…을 향하여」의 뜻 : caud*ad*, dors*ad*.

AD 〔軍〕 active duty ; agent discount (fare) ; assistant director (조연출자). **ad.** adapted ; adapter ; adverb ; advertisement.

***A.D., A.D.**[1] [éi díː, ǽnou dɑ́mənài, -nìː] 그리스도 기원 …년, 서기 …년 (cf. B.C.) (☞ ANNO DOMINI).
[活用] 연대 앞《주로 英》, 또는 뒤《주로 美》에 쓰며 보통 small capital로 씀 : A.D. 92 [92 A.D.] (서기 92년). B.C. (기원전)에 대응하여 세기에 쓰이는 수가 있음 : the 5th century A.D. 5세기.

A.D.[2] drug addict《D.A. (District Attorney)와의 혼동을 피하여 위치를 바꿨음》. **a.d.** 〔商〕 after date ; *ante diem* 《L》 (=before the day).
A/D analog-to-digital : *A/D* conversion (아날로그 디지털 변환).

Ada [éidə] *n.* **1** 여자 이름. **2** 〔컴퓨〕 에이다 《미국방성이 중심이 되어 개발한 고수준의 프로그램 언어》. 〖? ADELAIDE ; ADAH와의 혼동도 있음〗

ADA, A.D.A. Americans for Democratic Action ; Atomic Development Authority.

ADAD [éidæd] *n.* 자동 전화 연결 장치《전화기에 꽂으면 저절로 연결되는 번호 카드 따위》.

ad·age [ǽdidʒ] *n.* 금언, 격언 ; 속담.
〖F<L (*ad-*, *aio* to say)〗

ada·gio [ədɑ́ːdʒiòu, -dʒou, -ʒiòu, -ʒou] *a., adv.* 〔樂〕 매우 느린 ; 매우 느리게 (slowly) 《largo와 andante의 중간》.
—— *n.* (*pl.* **-gi·òs** [, -dʒou, -ʒou]) 〔樂〕 아다지오곡(조) ; (무용에서) 느리게 추는 발레 따위.
〖It.=at ease〗

Adah [éidə] *n.* 여자 이름. 〖Heb. =ornament〗

Ad·am[1] [ǽdəm] *n.* 〔聖〕 아담《하느님이 최초로 창조한 남자 ; 인간의 조상 ; cf. EVE》.
Adam's ale[***wine***] 《戱》 물.
(***as***) ***old as Adam*** 태고 때부터의 ; 낡아빠진.
not know a person ***from Adam*** 남을 전혀 모르다, 본 적도 없다.
the Adam's apple 결후(結喉)《후두 융기》.
the second[***new***] ***Adam*** 제2의[새로운] 아담 《즉 그리스도》.
〖Heb. =man〗

Adam[2] *a.* 아담 양식의《18세기 영국의 가구 설계사 형제의 이름에서》.

ad·a·man·cy, -mance [ǽdəməns(i)] *n.* 불굴.

ad·a·mant [ǽdəmənt, -mæ̀(ː)nt] *n.* Ⓤ 《古》 금강석(처럼 견고한 물질) ; 《비유》 비길 데 없이 단단

한 것 : a will of ~ (철석같이) 강한 의지.

(*as*) ***hard as adamant*** 견고무비의, 쉬이 굴하지 않는, 매우 견고한.

—— *a.* 견고무비한, 비길 데 없이 굳은, 철석 같은(firm) : be ~ *to* temptation (철석 같아) 어떤 유혹에도 굴하지 않다.

~·ly *adv.* 단호하게, 완강히. 〖OF<L<Gk. (*a-*^{2}, *damaō* to tame) = untamable〗

ad·a·man·tine [æ̀dəmǽntain, 美+-ti:n, -tən] *a.* 금강석 같은, 견고무비한, 철석 같은 ; 단호한, 불굴의 : ~ courage 굳센 용기.

Ádam·ìsm *n.* 〖醫〗 노출증.

Ádam·ìte *n.* 아담의 후손, 인간 ; 벌거숭이 ; 나체주의자(nudist).

ad·ams·ite [ǽdəmzàit] *n.* 애덤자이트《재채기를 일으키는 독가스의 일종》. 〖Roger *Adams* 미국의 화학자〗

Ádam's kìn *n.* 인류.

Ádam's proféssion *n.* 원예, 농업.

Ádam's sìn *n.* 아담의 죄, 원죄.

adapt** [ədǽpt] *vt.* [+目+前+名] **1** (언행·풍습 따위를) 적응시키다 ; (발명을) 응용하다 : The book is not ~*ed* ***to children. 그 책은 아이들에게는 적합하지 않다. **2** 개조하다, 개작[번안·각색]하다(modify) : They ~*ed* the barn ***for*** use as a garage. 헛간을 차고로 쓰기 위해 개조하였다 / The story was ~*ed for* the movies. 그 소설은 영화용으로 각색되었다 / The play was ~*ed* ***from*** a novel. 그 연극은 소설을 개작한 것이었다. —— *vi.* (…에) 순응하다 〈*to*〉.

adapt one***self to*** …에 순응하다 : ~ one*self to* circumstances 환경에 순응하다 / He quickly ~*ed* him*self to* his new life. 쉽사리 새로운 생활에 적응하였다.

adapt one***self to the company*** 동료와 보조를 맞추다.

〖F<L ; ⇨ APT〗

類義語 ***adapt*** 새로운 상태·환경에 적응하도록 적당히 조절하다 : *adapt* oneself to a new job (새로운 일에 적응하다). ***adjust*** 숙련된 기술 또는 판단에 따라 둘 사이의 관계를 조절하다 : *adjust* difference of opinion (견해 차이를 조절하다). ***accommodate*** 타협이나 양보에 의해 다른 것과의 관계를 조절하다 : *accommodate* one's desires to one's income (욕망을 수입에 알맞게 조절하다). ***conform*** 어떤 표준·전형·방침·풍속 따위에 조화시키거나 맞추어서 행동하다 : *conform* to the usual ways (일상적인 방법에 순응하다).

adápt·able *a.* 적응[개작]할 수 있는〈*to, for*〉; (사람이) 융통성 있는. **adàpt·abílity** *n.* Ⓤ 적응[적합]성, 순응성.

ad·ap·ta·tion [æ̀dəptéiʃən, æ̀dæp-] *n.* Ⓤ 적합, 적응(accommodation) ; U.C 개조(물), 개작[번안](물), 각색〈*to, for, from*〉.

adaptátion strátegy *n.* 적응 전략.

adápt·er, adáp·tor *n.* 개작자, 번안자 ; 〖電〗 가감 장치 ; 어댑터, 맞춤틀, 접합기 ; 유도관.

adap·tion [ədǽpʃən] *n.* 《美》 = ADAPTATION.

adápt·ive *a.* 적응할 수 있는, 적응성의.

~·ly *adv.* 적응하도록, 개작하여.

adáptive contról *n.* 적응 제어.

adáptive convérgence *n.* 〖進化〗 적응적 수렴《계통적으로 관계가 없는 종(種)이 특정 환경 적응에 의하여 비슷한 특징을 가짐》.

adáptive óptics *n.* 적응 제어 광학《발사한 레이저광이 대기의 영향을 받지 않도록 미리 보정(補正)된 레이저광을 사출하는 기술》.

adáptive radiátion *n.* 〖進化〗 적응 방산《환경에의 적응에 의하여 계통이 분리되는 것》.

ad·ap·tom·e·ter [æ̀dəptɑ́mətər] *n.* (안과의) 암순응(暗順應) 측정기, 순응계.

ADAPTS [ədǽpts] *n.* 어댑츠《해상의 석유 유출 사고 때 쓰는 공중 투하식의 기름 확산방지 또는 회수 설비》. 〖*a*ir *d*eliverable *a*nti*p*ollution *t*ransfer *s*ystem〗

Adar [ɑ:dɑ́:r, ə-] *n.* (유태력의) 제12월《태양력의 2-3월》. 〖Heb.〗

A-day [éi-̀] *n.* = ABLE DAY ; 개시[완료] 예정일.

adáz·zle [ə-] *adv., pred. a.* 눈부시게 ; 눈부신.

ADB Asian Development Bank(아시아 개발 은행(開發銀行)) ; African Development Bank(아프리카 개발은행). **ADC** 《美》 Aerospace Defense Command ; 《美》 Aid to Dependent Children(모자 가정 부조(扶助)제도) ; **A.D.C.** aid(e)-de-camp ; Amateur Dramatic Club (아마추어 연주 클럽).

ad cap·tan·dum (vul·gus) [æd kæptǽndəm (vʌ́lgəs)] *a., adv.* 인기를 얻기 위한[위해]. 〖L=for catching the crowd〗

Ád·cock antènna [ǽdkɑk-] *n.* 〖電子〗 애드콕 안테나《방향 탐지용 안테나》.

A/D convérter [éidí:-] *n.* 〖컴퓨〗 A/D 변환기, 연속이산 변환기.

Ád Cóuncil *n.* 《美》 광고 협의회.

◇**add** [æ(:)d] *vt.* **1** [+目/+目+*to*+名 /+目+副] 더하다, 보태다(↔ *subtract*) : Three ~*ed* ***to*** four makes seven. = *A*~ 4 and 3 and you have 7. 4더하기 3은 7 / *A*~ ***up***[*together*] these figures. 이 숫자를 합계하라. **2** [+*that* 節] 부언[부기]하다, 덧붙여 말하다 : He said good-bye and ~*ed that* he had had a pleasant visit. 작별을 고하면서 방문이 즐거웠노라고 말했다.

—— *vi.* **1** 덧셈을 하다, 더하다. **2** [+*to*+名] (…을) 증가하다(cf. DETRACT) : The fine day ~*ed* ***to*** our pleasure. 날씨가 좋아서 한층 더 즐거웠다.

add in 셈하여 넣다(include).

add up (1) 합계하다, 더하다(cf. *vt.* 1). (2) 《口》 이해가 가다, 납득이 가다(make sense) : This doesn't ~ *up*. 이것은 아무리 해도 알 수가 없다《전혀 납득이 안간다》.

add up to... (1) 합계[총계] …이 되다 : The figures ~ *up to* 594. 그 수는 합계 594가 된다. (2) 《口》 결국 …이 되는 셈이다 ; …을 뜻하다(mean) : That's all that this ~*s up to.* 요컨대 그러한 뜻이다.

to add to …에 더하여, 그 위에, 또.

〈회화〉

What is the total? — Just a minute. I'll *add* it up.「총액이 얼마죠」「잠깐만 기다리세요, 합계를 낼게요」

—— *n.* (신문의) 추가 원고[기사], 보충 원고[기사] ; 〖컴퓨〗 더하기.

~·able, ~·ible *a.* 증가[더]할 수 있는.

〖L *addo* (*ad-, do* to put)〗

add. addenda ; addendum ; addition(al) ; address.

ad·dax [ǽdæks] *n.* (*pl.* **~·es**) 〖動〗 애덕스《북아프리카·아라비아산의 뿔이 굽은 큰 영양》.

-ádd·ed *suf.* (경마 따위의 상금에 대해서) 상금총액 …의 : the $10,000-~ sweepstakes 상금총액 10,000달러의 레이스.

ádded líne *n.* 〖樂〗 덧줄(le(d)ger line).
ádded válue *n.* 〖經〗 부가가치.
ádded-válue tàx *n.* ＝VALUE-ADDED TAX.
ad·dend [ǽdend, ədénd] *n.* 〖數〗 가수(加數) (↔ *augend*). 〖*addend*um〗
ad·den·dum [ədéndəm] *n.* (*pl.* **-da** [-də]) 추가 ; 보유(補遺), 부록(appendix) ; (*pl.* **~s**) 〖機〗 (톱니바퀴의) 톱니 끝. 〖L (gerund.) 〈 ADD〗
add·er[1] [ǽdər] *n.* 더하는 것[사람] ; ＝ADDING MACHINE. 〖ADD〗
ad·der[2] [ǽdər] *n.* 〖動〗 애더《뱀의 일종 ; 유럽산은 유독, 북미산은 무독, 아프리카산은 크고 유독함》.
ádder's-tòngue *n.* 〖植〗 줄고사리삼속(屬)의 고사리 ; 얼레지[가재무릇].
ádd·fàre *vi.* (운임의) 정산을 하다.
── *n.* 운임 정산.
ad·dict [ədíkt] *vt.* [＋目＋*to*＋名] [보통 수동태 또는 ~ one*self* 로] 빠지게 하다, (심신을) 내맡기다(give up) : He *is* ~*ed* ***to*** drinking[smoking]. 술[담배]에 중독되어 있다 / Don't ~ your*self to* vice. 악습(惡習)에 젖어서는 안된다.
── [ǽdikt] *n.* (마약 따위의) 중독자, 상용자 : an opium ~ 아편 중독자. ㊟ 대개 나쁜 뜻.
〖L *ad-* (*dict- dico* to say)＝to assign〗
ad·dic·tion [ədíkʃən] *n.* Ⓤ 탐닉, 열중, 몰두, 전념(專念)〈*to*〉; 마약 상용벽(癖).
ad·dict·ive [ədíktiv] *a.* (약 따위) 습관이 되는, 습관성의.
Ad·die, Ad·dy [ǽdi] *n.* 여자 이름《Adelaide, Adeline의 애칭》.
ádd·ing *n.* 가산(加算).
ádding machìne *n.* 가산기, (금전용) 계산기.
ad·dio [ɑːdíːou] *int.* 안녕. 〖It.〗
Ad·dis Aba·ba [ǽdəs ǽbəbə] *n.* 아디스아바바《Ethiopia의 수도》.
〖Amh. ＝new flower〗
Ad·di·son [ǽdəsən] *n.* 애디슨. **1 Joseph** ~ (1672-1719) 영국의 평론가·시인. **2 Thomas** ~ (1793-1860) 영국의 의사.
Ad·di·so·ni·an [æ̀dəsóuniən] *a.* 애디슨체(體)의《세련된 문체를 뜻함》.
Áddison's disèase *n.* 애디슨병(病)《만성의 부신(副腎) 기능 부전(不全)》. 〖T. *Addison*〗
ad·dit·a·ment [ədítəmənt] *n.* 부가물(附加物).
***ad·di·tion** [ədíʃən] *n.* **1** Ⓤ 부가, 추가 ; Ⓤ.Ⓒ 〖數〗 덧셈(↔*subtraction*) : learn ~ 덧셈을 배우다 / easy ~*s* 쉬운 덧셈 / make an ~ (*to*) …에 더하다. **2** 부가[증가]물 ; 《美》 증축, 증가된 땅 : ~ *to* the house 증축(增築) / have an ~ *to* one's family 가족이 하나 늘다.
in addition (***to*...**) (…에) 더하여, 그 밖에 또 (besides).
〖F or L ; ⇨ ADD〗
***addítion·al** *a.* 부가적인, 추가의(added) ; 특별의, 그 밖의(extra) : an ~ charge 할증 요금 / an ~ tax 부가세 / ~ work[information] 부가적인 일[정보].

〈회화〉
I'd like to order an *additional* case of juice. — No problem at all. 「주스 한 상자를 추가로 주문합니다」「좋습니다」

~·ly *adv.* 그 위에, 게다가, 또〈*to*〉.
ad·di·tive [ǽdətiv] *a.* 부가적인 ; 〖數〗 덧셈의.
── *n.* (식품·가솔린 따위의) 첨가물.
〖L ; ⇨ ADD〗
ad·dle[1] [ǽdl] *vt.* (머리를) 혼란케 하다(confuse) ; (알을) 썩이다. ── *vi.* (머리가) 혼란하다 ; (알이) 썩다. ── *a.* (알이) 썩은 ; (머리가) 혼란한. 〖OE *adela* filth ; cf. G *Adel* mire〗
addle[2] *vt., vi.* 《北英》 벌다(earn).
〖ON＝to acquire as property〗
áddle·pàted, -bràined, -hèad(·ed) *a.* 우둔한, 어리석은, 머리가 나쁜.
addn. addition.
addnl. additional.
ádd-òn [, ⌐⌐] *n.* 첨가한 것, 추가액[량, 항목] ; (컴퓨터·스테레오 따위의) 부가물[장치].
── *a.* 부속[부가]의.
ádd-on fáre *n.* 부가운임《공시되지 않은 두 지점간의 항공료 가산 운임》.
ádd-on lóan *n.* 〖金融〗 애드온 방식《원금과 이자를 합산하여 분할 변제하는 방식》.
ádd-on secúrity *n.* 〖컴퓨〗 컴퓨터 시스템이 운용 가능후 컴퓨터 보호의 기능을 상승시키는 일.
◇**ad·dress**[1] [ədrés, 美＋ǽdres] *n.* **1** 인사말, 답사 ; 연설, 강연(speech) : give the opening[the closing] ~ 개회[폐회]사를 하다 / deliver an ~ of thanks 감사의 말을 하다 / a funeral ~ 조사, 추도사. **2** [美＋ǽdres] 수신인의 주소, 성명, 주소 ; (편지·소포 따위의) 겉봉 : What is your ~? 댁의 주소는 / one's name and ~ 주소·성명 / one's business[home, private] ~ 영업소[자택] 주소 / of no ~ 주소 불명의[으로]. **3** Ⓤ 응대하는 품, 말하는 태도 : a man of good[winning] ~ 응대를 잘 하는 사람. **4** Ⓤ (일을 처리하는) 수완, 재간 : with ~ 재간있게, 능란하게. **5** 청원 ; [the A~] 《英》 칙어봉답문(勅語奉答文) ; 《美》 대통령 교서. **6** [*pl.*] 구혼, 구애 행위 : pay one's ~*es to* a lady 여자에게 구혼을 하다. **7** 〖컴퓨〗 번지, 어드레스《(1) 기억 장치내의 특정 정보의 소재 위치 ; 그것을 나타내는 번호. (2) 명령의 어드레스 부분》. **8** 〖골프〗 타구 전의 발과 클럽의 자세, 어드레스.
〖OF ; ⇨ AD-, DIRECT〗
類義語 ⟹ SPEECH.
◇**ad·dress**[2] [ədrés] *vt.* **1** [＋目/＋目＋*as* 補/＋目＋副] (남에게) 말을 걸다 ; (정식 호칭으로) 부르다 ; 연설[인사]하다 : ~ an audience 청중에게 연설[강연·설교]을 하다 / We ~ the king *as* your Majesty. 임금을 부를 때는 폐하(陛下)라 칭한다 / How do you ~ the Mayor? 시장을 어떻게 부릅니까. **2** [＋目＋前＋名] (항의 따위를) 제출하다, 보내다 ; …에게 전하다 : ~ a warning ***to*** one's friend 친구에게 경고를 하다. **3** [＋目/＋目＋前＋名] (…의 앞으로) 겉봉을 쓰다 ; 〖컴퓨〗 (데이터를) 기억 장치의 특정 위치에 넣다 : ~ a letter ***to*** a person (편지를) 남 앞으로 내다. **4** 《美》 (입법부의 요청에 의해 행정관이 재판관을) 해임하다. **5** 〖골프〗 (공)을 칠 자세를 취하다 ; 〖弓〗 (과녁)을 향하여 쏠 자세를 취하다 ; 〖스퀘어댄스〗 춤추기 전에 (상대)에게 가볍게 인사하다, (상대)를 향해 자세를 취하다. **6** (문제)와 씨름하다, 다루다(deal with). **7** (여성)에게 구애하다.
address one***self to*...** (1) (남에게) 말을 걸다 : I ~*ed* my*self to* the chairman. 의장에게 발언권을 달라고 말을 걸었다. (2) (일 따위) 본격적으로 착수하다 : She ~*ed* her*self to* the task of doing her homework. 숙제를 본격적으로 하기 시작했다.
〖↑〗
addréss·able *a.* 〖컴퓨〗 어드레스로 호출(呼出)할 수 있는.

áddress bòok [; -⌐-] *n.* 주소록, 방명록.
áddress corréction requésted *n.* 〖美郵〗 주소정정 요청《우편공사가 우편물에 기입하는 글》.
ad·dress·ee [ædresíː, 美+ədresíː] *n.* 《美》 (우편물의) 수신인. 〖*-ee*〗
addréss·er, ad·drés·sor *n.* 발신인 ; 말을 거는 사람 ; 이야기하는 사람.
addréss·ing *n.* 〖컴퓨〗 번지 지정.
addréssing machìne *n.* 자동 주소 인쇄기.
Ad·drés·so·gràph [ədrésou-] *n.* ADDRESSING MACHINE의 상표명. 〖ADDRESS, *-o-*, *-graph*〗
ad·duce [ədjúːs] *vt.* (증거 또는 예증(例證)으로서) 제시하다, 끌어대다, 인증(引證)[인용]하다 (cite) : ~ reasons[proof] 이유[증거]를 제시하다. **ad·dúc·ible, -able** *a.* 예증할 수 있는, 인용할 수 있는. 〖L (*duco* to lead)〗
ad·du·cent [ədjúːsənt] *a.* 〖生理〗 내전(內轉)의 : ~ muscles 내전근(筋).
ad·duct[1] [ədʌ́kt, æ-] *vt.* 〖生理〗 내전시키다(↔ *abduct*). 〖ADDUCE〗
ad·duct[2] [ǽdʌkt] *n.* 〖化〗 첨가 생성물, 첨가물. 〖G (↑)〗
ad·duc·tion [ədʌ́kʃən, æ-] *n.* Ⓤ 예증, 인용 ; 〖生理〗 내전(內轉). 〖ADDUCE〗
ad·duc·tive [ədʌ́ktiv, æ-] *a.* 〖生理〗 내전(內轉)을 초래하는 ; 다른 것으로[쪽으로] 끌어당기는.
ad·dúc·tor *n.* 〖解〗 내전근(內轉筋) ; (조개의) 폐각근.
ádd-ùp *n.* 《美口》 결론, 요점, 요약.
Addy ☞ ADDIE.
-ade [éid] *n. suf.* 「동작·동작의 결과 또는 그 재료에서 생긴 것」의 뜻 : promen*ade*, lemon*ade*. 〖F〗
Ad·e·laide [ǽdəlèid] *n.* **1** 여자 이름《애칭 Addie, Addy》. **2** 애들레이드《오스트레일리아 남부의 도시》. 〖F<Gmc.=noble〗
Adele [ədél], **Ade·lia** [ədíːliə] *n.* 여자 이름. 〖Gmc. =noble〗
Adé·lie (penguin) [ədéili (⌐), ǽdəli(⌐)] *n.* 〖鳥〗 애들리펭귄. 〖↑〗
Ad·e·line [ǽdəlàin, -lìːn ; -lìːn] *n.* 여자 이름《애칭 Addie, Addy》. 〖(dim.) ; ⇨ ADELE〗
-adel·phous [ədélfəs] *a. comb. form* 「…한[…개의] 수술이 있는」의 뜻 : mon*adelphous*. 〖Gk.〗
ademp·tion [ədémpʃən] *n.* 〖法〗 (유증(遺贈)의) 취소, 철회.
Aden [áːdn, éi- ; éi-] *n.* 아덴《예멘의 홍해 입구의 항구 도시》.
ad·en- [ǽdən], **ad·e·no-** [ǽdənou, -nə] *comb. form* 〖解〗 「선(腺)」「샘」의 뜻. 〖Gk. *adēn* gland〗
Ade·nau·er [ǽdnauər ; *G* áːdənauər] *n.* 아데나워. **Konrad** ~ (1876-1967) 구서독의 정치가·수상(1949-63).
ad·e·nec·to·my [ædənéktəmi] *n.* Ⓤ,Ⓒ 〖外科〗 선 절제술(腺切除術).
ad·e·nine [ǽdənìːn, -nən, -nàin] *n.* 〖化〗 아데닌《이자 따위의 동물 조직 속에 있는 푸린 염기로 핵산의 구성 성분》.
ad·e·ni·tis [ædənáitəs] *n.* 〖醫〗 선염(腺炎).
àdeno·carcinóma *n.* (*pl.* **-mata, ~s**) 〖醫〗 악성 선종(腺腫), 선암(腺癌).
-carcinómatous *a.*
ad·e·noid [ǽdənɔ̀id] *n.* 〖解〗 인두(咽頭)편도 ; [*pl.*] 〖醫〗 아데노이드, 선양증식(증). —— *a.* 선양(腺樣)의 ; 아데노이드의 ; 선양증식증의. 〖Gk. (*aden-*)〗
ad·e·noi·dal [ædənɔ́idl] *a.* =ADENOID ; 아데노이드 증상 (특유)의《입 호흡·콧소리 따위》.
ad·e·noid·ec·to·my [ædənɔidéktəmi] *n.* Ⓤ,Ⓒ 〖外科〗 아데노이드 절제술, 선양증식 전적출.
ad·e·noi·di·tis [ædənɔidáitəs] *n.* 〖醫〗 아데노이드 인두[편도]염.
ad·e·no·ma [ædənóumə] *n.* (*pl.* **-ma·ta** [-tə], **~s**) 〖醫〗 아데노마, 선종(腺腫).
ad·e·nom·a·tous [ædənámətəs] *a.*
ad·e·nose [ǽdənòus], **ad·e·nous** [ǽdənəs] *a.* 선(腺)의, 선과 같은 ; [보통 adenose] 선(腺)이 있는.
aden·o·sine [ədénəsìːn, -sən, 英+ədinóusiːn] *n.* 〖生化〗 아데노신.
adénosine diphósphate *n.* 〖生化〗 아데노신 이인산(二燐酸)《略 ADP》.
adénosine mòno·phósphate *n.* 〖生化〗 아데노신 일인산《略 AMP》.
adénosine trì·phósphate *n.* 〖生化〗 아데노신 삼인산《생물의 에너지 전달체 ; 에너지의 획득과 이용에 중요한 작용을 하는 물질 ; 略 ATP》.
ad·e·no·sis [ædənóusəs] *n.* (*pl.* **-ses** [-siːz]) 〖醫〗 선질환, 선증(腺症).
àdeno·vírus *n.* 〖醫〗 아데노바이러스.
ad·e·nyl [ǽdənìl] *n.* 〖化〗 아데닐《아데닌에서 유도되는 1가의 기(基)》.
ad·e·nyl·ate cy·clase [ǽdənìleit sáikleis, -z, ədénələt-] *n.* 〖生化〗 아데닐 시클라아제《ATP에서 cyclic AMP를 생성(生成)하는 반응을 촉매하는 효소》.
ádenyl cýclase *n.* =ADENYLATE CYCLASE.
ad·e·nýl·ic ácid [ædənílik-] *n.* 〖生化〗 아데닐산《RNA 또는 ATP의 일부 가수분해로 얻어지는 뉴클레오티드》.
adept [ədépt] *a.* 숙달[정통]한, 노련한 : be ~ *in* [*at*] typewriting 타자에 능숙하다 / be ~ *in*[*at*] do*ing* …에 숙달되어 있다[을 잘하다].
—— [ǽdept] *n.* 숙련자, 명인, 명수(expert)〈*in*, *at*〉. 〖L *adept- adipiscor* to attain〗
ad·e·quate** [ǽdikwət] *a.* 적절한, 적당[타당]한 ; [+*to* do] (어떤 목적에) 적합한 ; 충분한 (just sufficient) : He is ~ ***to the post. 그 직에 적임자다 / an income ~ *to* one's needs 필요를 충족시킬 만한 수입 / a salary ~ *to* support a family 가족을 부양하기에 족한 급료 / Few of us had any ~ comprehension of the situation. 우리들 가운데 사태를 충분히 이해하고 있던 사람은 거의 없었다. **~·ly** *adv.* 적당히, 충분히. **~·ness** *n.*
ad·e·qua·cy [ǽdikwəsi] *n.* Ⓤ 적절함, 충분함. 〖L=made equal ; ⇨ EQUATE〗
類義語 ⟹ SUFFICIENT.
ad eun·dem (gra·dum) [æd iʌ́ndəm (gréidəm)] *adv., a.* 같은 정도로[의] ; 동학년에[의]. 〖L=to the same (standing)〗
à deux [*F* a dø] *a., adv.* 양자의[에], 두 사람용의[으로] ; 둘만의[으로] ; 친밀한[하게]. 〖F=for the two〗
ad ex·tre·mum [æd ikstríːməm] *adv.* 결국, 드디어. 〖L=to the extreme〗
ADF automatic direction finder(자동 방향 탐지기[측정기]) ; Asian Development Fund.
ad·fat [ǽdfæt] *a.* 광고가 많은 : an ~ newspaper 광고가 많은 신문.
ad fin ad finem.
ad fi·nem [æd fáinəm] *adv.* 최후까지, 최후에. 〖L=to[at] the end〗
ad·fréeze [æd-] *vt.* 얼어 붙게 하다, 동결(凍結)

시키다.

ADH 〖生化〗 antidiuretic hormone.

*__ad·here__ [ædhíər, əd-] *vi.* [+*to*+名] **1** 달라붙다, 부착하다 : Mud ~*d* ***to*** his shoes. 진흙이 그의 구두에 들러붙었다. **2** 집착[고집]하다 ; 지지[신봉]하다, 충실하다 : ~ ***to*** a plan 계획을 끝까지 고수하다 / Many people ~ *to* the church of their parents. 부모들과 같은 종교[종파(宗派)]를 믿는 사람이 많다. 注 명사는 adhesion, adherence.
〖F or L(*haes- haereo* to stick)〗
類義語 ⟹ STICK².

ad·her·ence [ædhíərəns, əd-] *n.* **1** Ⓤ 고수, 집착 ; 귀의(歸依) ; 가맹 ; 충실, 지지〈*to*〉. **2** Ⓤ 부착(력), 접착.

ad·her·ent [ædhíərənt, əd-] *a.* 접착성의, 달라붙는 ; (주의 따위를) 신봉하는〈*to*〉; 〖植〗 착생(着生)하는. ── *n.* 자기편, 지지자, 당원, 신자〈*of*〉; [*pl.*] 여당 : gain[win] ~*s* 지지자를 얻다. **~·ly** *adv.*
類義語 ⟹ FOLLOWER.

ad·he·sion [ædhí:ʒən, əd-] *n.* **1** Ⓤ 부착, 접착(력) (adherence)〈*to*〉; 〖植〗 착생. **2** Ⓤ,Ⓒ 〖醫〗 유착(癒着) ; Ⓤ 〖化〗 부착(력) (cf. COHESION). **3** =ADHERENCE 1.
give in one'***s adhesion to. . .*** (조약 따위에) 가맹[동의]을 통고하다.
〖F or L ; ⇨ ADHERE〗

ad·he·sive [ædhí:siv, əd-, -ziv] *a.* 접착성의 ; 들러붙어 떨어지지 않는 : an ~ envelope 풀 붙인 봉투 / ~ plaster[tape] 반창고, 접착 테이프.
── *n.* Ⓤ,Ⓒ 접착성의 것, 접착제 ; 《美》 반창고, 접착 테이프. **~·ly** *adv.* 끈적끈적하여.

ad·hib·it [ædhíbət, əd-] *vt.* (사람·물건을) 넣다(take in, admit) ; (레테르 따위를) 붙이다(affix) ; 《古》 (약을) 사용하다, (치료 따위를) 베풀다(apply).

ad·hi·bi·tion [æ̀dhəbíʃən, əd-] *n.* 붙여 씀, 사용, 적용.

ad hoc [æd hák, -hóuk] *adv., a.* 특별히 이 문제[목적](만)에 대해서[한] ; 특별한, 특정한 문제에 관한. 〖L=for this〗

ad·hoc·ra·cy [ædhákrəsi] *n.* Ⓤ,Ⓒ 《俗》 특별 위원회(주체의 정치(기구)).

ad ho·mi·nem [æd hámənèm] *a., adv.* 사람의 이성보다도 감정이나 편견에 호소하는[호소하여] ; (상대방의 논의[논거]에 대한 반론이 아니라) 인신 공격의[으로서].
〖L=to the man〗

ADI acceptable daily intake((유해 물질의) 하루 허용 섭취량) ; area of dominant influence《특정 TV[라디오] 프로그램이 잘 시청되는 지역》.

ad·i·a·bat [ǽdiəbæ̀t] *n.* 단열 곡선.
〖역성(逆成) < ↓〗

adi·a·bat·ic [æ̀diəbǽtik, ei-, 美+èidaiə-] *a.* 〖理〗 단열의, 열이 안 통하는. ── *n.* 단열 곡선. **-i·cal·ly** *adv.*

ad·i·an·tum [æ̀diǽntəm] *n.* 〖植〗 공작고사리속(屬)의 각종 고사리 ; (흔히) 암공작고사리, 자꼬리고사리.

adieu [ədjú:] *int.* 안녕 !, 잘가[있게] ! (Goodbye !). ── *n.* (*pl.* **~s**, **~x** [-z]) 이별, 작별, 고별(farewell).
bid adieu to. . . =***make***[***take***] one'***s adieu***(***s***) ***of*** …에게 작별[이별]을 고하다.
〖OF (*à* to, *Dieu* God)〗

ad. inf. ad infinitum.

ad in·fi·ni·tum [æd ìnfənáitəm] *adv., a.* 무한히[의], 영구히[의]. 〖L=to infinity〗

ad int. ad interim.

ad in·ter·im [æd íntərəm, -rìm] *adv., a.* 그 중간에[의] ; 임시로[의] : the Premier ~ 임시 수상 / an ~ report 중간 보고.
〖L=in the meantime〗

ad·i·os [æ̀dióus, ɑ̀:-, -ás] *int.* 안녕 ! (=adieu).
〖Sp. *a Dios* to God ; cf. ADIEU〗

ad·i·po- [ǽdəpou, -pə] *comb. form* 「지방(脂肪)」 「지방 조직」 「아디프산(酸)」의 뜻.
〖L ; ⇨ ADIPOSE〗

ádipo·cère [; ⌐-⌐] *n.* Ⓤ 시랍(屍蠟), 시체지방(屍體脂肪).

ad·i·pose [ǽdəpòus] *n.* Ⓤ (동물성) 지방(fat).
── *a.* 지방(질)의, 지방이 많은(fatty) : ~ tissue 지방 조직. 〖NL (*adip- adeps* fat)〗

ádipose fín *n.* (물고기의) 기름지느러미.

ad·i·pos·i·ty [æ̀dəpásəti] *n.* Ⓤ 지방 과다(증), 비만(肥滿)(증).

Ad·i·ron·dack [æ̀dərándæk] *n.* **1** (*pl.* **~**, **~s**) 애디론댁족(族)《원래 St. Lawrence 강 북안(北岸)에 살았던 북미 인디언의 일족》. **2** [the ~s] = ADIRONDACK MOUNTAINS.

Adiróndack Móuntains *n. pl.* [the ~] 애디론댁 산맥《미국 New York 주(州) 북동쪽에 있는 산맥》.

ad·it [ǽdət] *n.* 입구(entrance).

ADIZ [éidiz] air defense identification zone(방공 식별권(識別圈)). **adj.** adjacent ; adjective, adjourned ; adjunct ; adjustment ; adjutant.

ad·ja·cen·cy [ədʒéisənsi] *n.* Ⓤ 인접, 이웃〈*of*〉; [보통 *pl.*] 인접물, 인접지 ; 〖放送〗 (어떤 프로그램) 직전[직후]의 프로그램.

ad·já·cent *a.* 이웃의, 인접한, 부근의(lying near)〈*to*〉: ~ houses 이웃집들 / ~ angles 〖數〗 인접각(角). **~·ly** *adv.*
〖L (*jaceo* to lie)〗

ad·ject [ədʒékt] *vt.* 《古》 …을 더하다, 보태다.

ad·jec·ti·val [æ̀dʒiktáivəl] *a.* 〖文法〗 형용사의[같은] ; 형용사를 만드는 《접미사》.
── *n.* 형용사적 어구(語句)《형용사와 그 상당 어구》. **~·ly** *adv.* 형용사로서.

‡**ad·jec·tive** [ǽdʒiktiv] *n.* 〖文法〗 형용사《略 adj., a.》. ── *a.* **1** 〖文法〗 형용사의[적인] : an ~ phrase[clause] 형용사구[절] / an ~ infinitive 형용사적 부정사. **2** 〖法〗 부가의, 부속의 (additional) : ~ law 〖法〗 형식법, 절차법(cf. SUBSTANTIVE LAW).
~·ly *adv.* 형용사적으로[로서].
〖OF < L *ad-* (*ject- jacio* to throw)=to add to〗

ad·join [ədʒɔ́in] *vt., vi.* …에 인접[이웃]하다, 접하다 : Canada ~*s* the U. S. 캐나다는 미합중국에 인접해 있다 / The two countries ~. 양국은 서로 인접해 있다.
〖OF < L ; ⇨ JOIN〗

adjóin·ing *a.* 이웃의, 부근의.

adjóining ròom *n.* 잇닿은 방, 옆방 ; 호텔 내의 서로 인접해 있는 독립된 객실.

ad·journ [ədʒə́:rn] *vt.* [+目/+目+前+名] (회합·토의 따위를) 연기하다(put off) ; 휴회[산회]하다 ; …의 회의장을 옮기다 : The members of the club voted to ~ the meeting ***until*** the following day. 그 클럽 회원들은 다음날까지 회의를 연기하기로 표결했다 / The court will be ~*ed* ***for*** an hour. 법정은 1시간 동안 휴정한다 / ~ without day[sine die] 무기 연기하다.

— *vi.* **1** [動/+前+名] (일시) 회의가 연기되다, 휴회하다 : The court ~*ed* ***from*** Friday ***until*** Monday. 법정은 금요일부터 월요일까지 휴정했다. **2** [+前+名] 《口》 자리를 옮기다, 옮기다 : When the discussion was over, they ~*ed* ***to*** the dining room. 토의가 끝나자 그들은 식당으로 자리를 옮겼다.
〖OF<L (*ad-, diurnum* day)=to an (appointed) day ; cf. DIURNAL, JOURNAL〗

adjóurn·ment *n.* U,C (회의 따위의) 연기 ; 휴회(기간), 산회.

adjt. adjutant. **Adjt. Gen.** Adjutant General.

ad·judge [ədʒʌ́dʒ] *vt.* **1** [+目+補/+目+*to* do/+*that* 節/+目+*to*+名] 판결하다, 선고하다 : They ~*d* him (*to be*) guilty. =They ~*d that* he was guilty. 그를 유죄로 판결했다 / ~ a person ***to*** penalty[*to* die] 남에게 벌금형[사형]을 선고하다. **2** (사건을) 재판하다(judge). **3** [+目+*to*+名] (법률에 따라) 정당한 소유자에게 (재산 따위를) 주다 ; (상품 따위를) 심사하여 수여하다(award) : ~ a prize ***to*** a victor 승리자에게 상품을 수여하다.
〖OF<L ; ⇨ ADJUDICATE〗

ad·júdg(e)·ment *n.* 판결 ; 선고 ; 심판, 판정 ; (심사에 의한) 수상.

ad·ju·di·cate [ədʒú:dikèit] *vt.* [+目/+目+補/+目+*to* do] 판결[재결·선고]하다 : ~ a person (*to be*) bankrupt 남에게 파산 선고를 내리다. — *vi.* [動/+前+名] 판결을 내리다 : The court ~*d* ***(up)on*** the case. 법정은 그 사건을 판결하였다. **ad·jú·di·cà·tive** [, -kə-] *a.* 판결의. **-cà·tor** *n.* 재판관, 심판관.
〖L (*judico* to judge)〗

ad·ju·di·ca·tion [ədʒù:dikéiʃən] *n.* U,C 〖法〗 판결, 선고 ; 재결 ; 〖法〗 파산 선고.

ad·junct [ǽdʒʌŋkt] *n.* 첨가물, 부가물, 부속물, 종속물〈*to, of*〉 ; 〖文法〗 부가사(附加詞), 수식어(구) ; 〖論〗 첨성(添性) ; 조수, 보조자 ; 〖醫〗= ADJUVANT. — *a.* 부속[종속]된, 보조의.
〖L ; ⇨ ADJOIN〗

ad·junc·tion [ədʒʌ́ŋkʃən] *n.* 부가 ; 〖數〗 첨가.

ad·júnc·tive *a.* 부속[보조·부가]된 ; 〖醫〗 ADJUVANT를 사용한.

ádjunct proféssor *n.* 《美》 부교수《보통 associate professor라고 칭함》.

ad·ju·ra·tion [æ̀dʒuəréiʃən] *n.* U,C 서원(誓願), 간원 ; 엄명.

ad·jur·a·to·ry [ədʒúərətɔ̀:ri ; -təri] *a.* 서원의 ; 엄명의.

ad·jure [ədʒúər] *vt.* [+目+*to* do] …에게 간원[간청]하다(entreat) ; 엄명하다 : I ~ you *to* speak the truth. 제발 진실을 말하여 주시오.
〖L *adjuro* to put to oath ; ⇨ JURY〗

ad·just** [ədʒʌ́st] *vt.* [+目/+目+*to*+名] 조정하다(put in order) ; (분쟁을) 조정하다 ; 적합하게 하다(fit), 조절하다 : ~ one's clothes 옷차림을 고치다 / ~ a difference of opinions 의견의 차이를 조정하다 / ~ a radio dial 라디오의 다이얼을 맞추다 / ~ a telescope ***to one's eye 망원경을 눈에 맞추다 / She ~*ed* the seat *to* the height of her child. 그녀는 아이의 키에 맞도록 의자를 조절해 주었다. — *vi.* [+*to*+名] 순응하다, 적응하다 : He soon ~*ed* ***to*** army life. 곧 군대 생활에 적응했다.
***adjust** one**self** to...* (환경 따위에) 순응[적응]하다 : The body ~*s* it*self to* changes of temperature. 인체는 온도의 변화에 순응한다 / You must ~ your*self to* new conditions. 새로운 환경에 적응하지 않으면 안된다.
~·able *a.* 조정[조절]할 수 있는.
〖OF<L (*juxta* near)〗
類義語 ⟹ ADAPT.

adjústable spánner *n.* 《英》 자재(自在) 스패너(monkey wrench).

adjúst·ed *a.* 조정[조절]된, 조정[조절]이 끝난, 보정(補正)된 ; 적응[순응]한.

adjúst·er, ad·jús·tor *n.* 조정자(調整者) ; (손해의) 정산인(精算人) ; 조절기, 조절 장치.

***adjúst·ment** *n.* U,C 조정, 정리 ; 조절, 가감 ; 조정(調停) ; 정산(서) : make an ~ 조정하다, 조절하다.

adjústment cénter *n.* 《美》 교정(矯正) 센터《교도소 내의 사나운 자나 정신 이상자를 위한 독방》.

ad·ju·tage, aj·u·tage [ǽdʒətidʒ, ədʒú:-] *n.* (분수의) 방수관(放水管), 분사관(噴射管).

ad·ju·tant [ǽdʒətənt] *n.* **1** 〖軍〗 부관(cf. AIDE-DE-CAMP). **2** 조수(helper). **3** 〖鳥〗 대머리황새(=∠ **bìrd**)《인도·아프리카의 2종 ; 황새과》.
— *a.* 보조의.
〖L *adjuto* (freq.)〈*ad-* (*jut- juvo* to help)〗

ádjutant géneral *n.* (*pl.* **ádjutants géneral**) 고급부관, 부관감(監) ; [the A~ G~] 《美》 군무국장 ; 주(州)의 방위군 사령관.

ad·ju·vant [ǽdʒəvənt] *a.* 도움이 되는, 보조의.
— *n.* 보조자[물] ; 〖醫〗 보조적 수단[약제]《X선이나 항생 물질 따위》, (약제의 효과를 높이는) 좌약(佐藥).

ádjuvant chemothérapy *n.* 〖醫〗 보조 화학 요법(療法).

ád·lánd *n.* 광고업계.

ád·less *a.* 《口》 (잡지 따위) 광고가 없는.

ad lib [ædlíb, ∠-] *adv.* 《口》 임의로, 즉흥적으로.
— *n.* 즉흥적 연주[대사], 임시 변통의 일.
〖*ad lib*itum〗

ad-lib, ad·lib [ædlíb, ∠-] *v.* (**-bb-**) *vt.* 《口》 (대본에 없는 대사 따위를) 즉흥적으로 주워대다, (악보에 없는 곡조를) 즉흥적으로 노래[연주]하다.
— *vi.* 애들리브를 하다, 즉흥적인 대사나 연주를 하다, (특히) 애들리브로 사이를 메우다.
— *a.* 《口》 즉흥적인 ; 임의의, 무제한의.
— *adv.* 즉흥적으로 ; =AD LIB.
— *n.* =AD LIB.

ad lib. ad libitum.

ad lib·i·tum [æd líbətəm] *adv.* 임의로, 무제한으로 ; 〖樂〗 자유스럽게. — *a.* 〖樂〗 연주자 임의로 하는(↔*obbligato*)《略 ad lib.》.
〖L=at one's pleasure〗

ad lit·ter·am [æd lítərəm] *adv.* 글자[문자] 그대로, 정의(定義)대로 정확히, 엄밀히(exactly).
〖L=to the letter〗

ad loc. ad locum.

ad lo·cum [æd lóukəm] *adv.* 그 장소로[에서]《略 ad loc.》. 〖L=to[at] the place〗

ADM air-launched decoy missile(공중 발사 유인 미사일) ; atomic demolition munitions(폭파용 핵 자재). **Adm.** Admiral(ty). **adm.** administration ; administrative ; administrator ; admission ; admitted.

ád·màn [, -mən] *n.* 《口》 광고인《광고업자, 광고 제작자, 광고 전문 식자공 등》.

ad·mass [ǽ(:)dmæ̀(:)s] *n.* 애드매스《(1) 매스미디어를 이용한 광고 마케팅 방식. (2) 그 영향을 받기 쉬운 대중》. — *a.* 애드매스의, 애드매스의 영향을 받은. 〖*ad*vertising *mass*〗

ad·mea·sure [ædméʒər, -méi-] *vt.* 할당하다, (상벌 따위를) 재량하다; 측정하다, 계량하다 (measure).
adméasure·ment *n.* 할당, 배분; 측정, 계량; 크기, 치수.
Ad·me·tus [ædmí:təs] *n.* 〖그神〗 아드메투스 《Thessaly 왕으로 the Argonauts의 한 사람》.
ad·min [ǽdmin] *n.* 《英口》 =ADMINISTRATION.
admin. administration; administrator.
ad·min·i·cle [ædmínikəl] *n.* 보조; 보조자[물]; 〖法〗 부증(副證).
ad·mi·nic·u·lar [æ̀dmənikjələr] *a.* 보조의; 보조자[물]의.
*__ad·min·is·ter__ [ədmínəstər] *vt.* **1 a)** 경영[관리·처리]하다, 감독하다, 다스리다: The Secretary of State ~*s* foreign affairs. 국무장관은 외교상의 정무를 관장한다. **b)** 〖法〗 (유산 따위를) 관리[처리]하다. **2** [+目/+目+*to*+名] (법률·성찬식 따위를) 집행하다: ~ justice ***to*** a person 남을 재판하다. **3** [+目+*to*+名] (음식·약 따위를) 주다(give): A doctor ~*s* medicine ***to*** sick people. 의사는 환자에게 투약한다. **4** [+目+*to*+名/+目+目] (타격을) 가하다, (주먹으로) 치다: We ~*ed* a drubbing ***to*** the enemy. 아군은 적에게 일격을 가했다 / He ~*ed* me a box on the ear. 나의 따귀를 때렸다. **5** [+目+*to*+名] 선서시키다: The judge ~*ed* an oath ***to*** the witness. 재판관은 증인에게 선서시켰다. —— *vi.* **1** [+*to*+名] 공헌하다, 도움이 되다(minister): ~ ***to*** a person's comfort 남의 위안이 되어주다. **2** 〖法〗 유산을 관리하다.
〚OF<L; ⇨ MINISTER〛
類義語 ⟹ GOVERN.
admínistered príce *n.* 관리가격.
admínistered príce inflàtion *n.* 관리가격 인플레이션《관리가격이 인상 원인이 되어 일어나는 인플레이션》.
ad·min·is·tra·ble [ədmínəstrəbəl] *a.* 관리[처리]할 수 있는; 집행[시행]할 수 있는.
ad·min·is·trant [ədmínəstrənt] *a.* 사무 관리[집행]의. —— *n.* 관리자(administrator).
ad·min·is·trate [ədmínəstrèit] *vt., vi.* 《美》 = ADMINISTER.
*__ad·min·is·tra·tion__ [ədmìnəstréiʃən, æd-] *n.* **1** Ⓤ **a)** 경영, 관리, 감독, 지배(management); 〖法〗 유산[재산] 관리: letters of ~ 유산 관리장(狀). **b)** [the ~; 집합적으로] 관리 책임자들, 집행부, 경영진. **2** Ⓤ 정치, 통치, 행정; [the A~] 《美》 행정 당국, 정부, 정권(=《英》 the Government); 《美》 행정 기관《청(廳)·국(局) 따위》: mandatory ~ 위임 통치 / military ~ 군정 / *the* Clinton *A*~ 클린턴 정부[행정부] / an ~ senator 여당 상원의원. **3** Ⓤ (법률 따위의) 시행, 집행(execution): the ~ of justice 재판; 처벌. **4** Ⓤ,Ⓒ 공급, 투여; 투약(投藥).
Administrátion official *n.* 정부고관, 당국자.
*__ad·mín·is·trà·tive__ [, -strə-] *a.* **1** 관리[경영]상의. **2** 행정상의(executive): ~ ability 행정적 수완, 관리[경영]의 재능 / an ~ court 행정 재판소 / an ~ district 행정 구역 / ~ law 행정법 / ~ readjustment 행정 정리. **~·ly** *adv.*
admínistrative commíttee *n.* 행정 위원회.
admínistrative cóunty *n.* 《英》 행정상의 주《종래의 주와는 보통 다름》.
admínistrative disposítion *n.* 행정 처분.
admínistrative guídance *n.* 행정 지도.
admínistrative inspéction *n.* 행정 감찰.
admínistrative láw jùdge *n.* 《美》 행정법 판사《정부기관에서 임명되고 청문회 따위를 행하여 거기에서 얻은 사실이나 채택해야 할 방책을 답신하는 연방관》.
admínistrative refórm *n.* 행정(行政) 개혁.
admínistrative responsibílity *n.* 행정(行政) 책임.
ad·mín·is·trà·tor *n.* 행정관; 관리자, 집행자; 위정자; 〖法〗 재산 관리인, (특히) 유산 관리인; (경영·행정적인) 관리 재능이 풍부한 사람.
~·shìp *n.* Ⓤ administrator의 직.
ad·min·is·tra·trix [ædmìnəstréitriks] *n.* (*pl.* **-tri·ces** [-trəsì:z]) ADMINISTRATOR의 여성형.
ad·mi·ra·ble [ǽdmərəbəl] *a.* **1** 칭찬[감탄]할 만한(worth admiring): an ~ career 경탄할 만한 생애. **2** 훌륭한, 장한(excellent). **-bly** *adv.* 훌륭히, 장하게. 〚F<L; ⇨ ADMIRE〛
*__ad·mi·ral__ [ǽdmərəl] *n.* **1** 해군 대장, 제독(提督) (cf. GENERAL)《略 Adm., Adml.》: a Fleet *A*~ 《美》=《英》 an *A*~ of the Fleet 해군 참모 총장 / an[a Full] *A*~ 해군 대장 / a Vice *A*~ 해군 중장 / a Rear *A*~ 해군 소장. **2** 어선[상선] 대장(隊長). **3** 《古》 기함(flagship). **4** 화려한 빛깔을 지닌 나비의 속칭.
~·shìp *n.* Ⓤ 해군 대장의 직[지위].
〚OF<L<Arab.; ⇨ EMIR〛
ádmiral·ty *n.* **1** [the A~] 《英》 해군 본부《1964년 국방부에 흡수됨》. **2** 《古》 =ADMIRALSHIP. **3** Ⓤ 《文語》 제해권(制海權). **4** 해사법; 《美》 해사 재판소.
the Board of Admiralty 《英》 해군(海軍) 본부 위원회.
the Court of Admiralty 《英》 해사 재판소.
the First Lord of the Admiralty ☞ FIRST LORD.
Ádmiralty Íslands *n. pl.* [the ~] 애드미럴티 제도《뉴기니섬 북동부에 있는 군도》.
Ádmiralty mìle *n.* 《英》 =NAUTICAL MILE.
ádmiralty pórt *n.* 통제부.
*__ad·mi·ra·tion__ [æ̀dməréiʃən] *n.* **1** Ⓤ 감탄, 칭찬; [the ~] 칭찬의 대상〈*of*〉: feel[have] ~ *for* …에 감탄[탄복]하다. **2** 《古》 놀람(wonder).
in admiration of …을 칭찬하여.
a note of admiration 감탄 부호《!》.
to admiration 훌륭하게.
with admiration 감탄하여.
‡**ad·mire** [ədmáiər] *vt.* **1** 감탄[탄복]하다, 경복(敬服)하다; 감탄하여 바라보다; (여자를) 애모[사모]하다; 《古》 …에 놀라다: Visitors to Korea always ~ its fine weather. 한국에 오는 관광객은 한결같이 한국의 좋은 날씨에 감탄한다 / She was *admiring* the roses in the garden. 정원의 장미를 경탄하여 바라보고 있었다 / I ~ his impudence. 《反語》 그자의 뻔뻔스러움엔 감탄하지 않을 수 없다. **2** 겉치레로[아첨하여] 칭찬하다: ~ a person's dog 남의 개를 칭찬하다. **3** [+*to* do] 《美方》 …하고 싶어하다, 좋아하다(like): He would ~ *to* be a cowboy. 카우보이가 되고 싶어했다.
—— *vi.* 감탄하다; 《古》 놀라다.
〚F or L (*miror* to wonder at)〛
類義語 ⟹ RESPECT.
ad·mír·er *n.* 찬양자, 숭배자, 팬; (여자에 대한) 애모자, 구혼자(suitor).
ad·mír·ing *a.* 감탄하는, 온통 감탄하고 있는, 칭찬[찬양]하는: ~ glances 탄복하는 눈초리.
~·ly *adv.* 감탄[탄복]하여.

ad·mìs·si·bíl·i·ty *n.* Ⓤ 들어갈[취임할] 자격이 있음 ; 허용(성), 용인.

ad·mis·si·ble [ədmísəbəl] *a.* **1** 참가[입회·입장·입학]할 자격이 있는 ; (생각·행동·변명 따위가) 용인[허용]될 만한. **2** (지위에) 취임할 자격[권리]이 있는〈*to*〉. **3** 〖法〗 증거로서 인정되는. 〖F or L ; ⇨ ADMIT〗

***ad·mis·sion** [ədmíʃən] *n.* **1** Ⓤ **a**) 입장, 입학, 입회, 가입, 입국(따위의 권리·허가) : ~ by ticket 입장은 입장권 지참자에 한함 / ~ free 입장 무료 / ~ *to*[*into*] a society 입회 / ~ *to* a school 입학 / gain[obtain] ~ 입장이 허락되다 / give free ~ to …를 자유로 입장시키다, …에게 무료 입장을 허가하다. **b**) 입장료, 입회금《따위》 (cf. ADMISSION FEE) : charge ~ 입장료를 받다. **2** Ⓤ [+*that* 節] 승인, 용인 ; 시인 ; 고백, 자백 ; Ⓒ 승인된 일[사실] : make an ~ of the fact to a person 사실을 남에게 고백하다 / His ~ *that* he was to blame kept the others from being punished. 그가 자신이 나빴다고 고백하여 다른 사람들이 벌을 면하였다.

㊟ ADMITTANCE와는 달리 비유적·추상적으로 쓰임 ; No admittance.는 구체적인 「입장 금지」이고 No admission.은 입회·채용 따위 경우의 「출입 금지」를 뜻함.

Admíssion Dày *n.* 《美》 주(州) 가입 기념일《어떤 주(州)가 합중국에 편입된 기념일 ; 주에 따라 법정 공휴일》.

admíssion fèe *n.* 입장료, 입회[입학]금.

admíssion tìcket *n.* 입장권.

ad·mís·sive *a.* 입장[입학·입회] (허가)의 ; 허용의 ; 시인하는.

‡ad·mit [ədmít] *v.* (-tt-) 《㊟ 명사는 「입장 (허가)」의 뜻인 ADMITTANCE 외에는 대체로 ADMISSION》 *vt.* **1** [+目/+*that* 節/+目+*to* do/+do*ing*] 허락하다(permit, allow) ; (변명·증거 따위를) 받아들이다, 용인하다(acknowledge) : ~ the truth of the story 그 이야기가 진실임을 인정하다 / I ~ *that* it is true. =I ~ it *to be* true. 그것이 사실임을 인정한다 / He ~*ted* hav*ing* stolen the money. 그는 자기가 그 돈을 훔쳤다고 자백했다 / *Admitting that* the rumor is true, you need not be worried by it. 그 소문이 사실이라고 하더라도 하등 염려할 필요는 없다 / This, I ~, is true. 과연 이것이 진실이다(만…). **2** [+目/+目+前+名] (사람을) 들이다, 넣다(let in), …에 입장[입학]을 허가하다 : This ticket ~*s* two persons. 이 표로 두 사람이 입장할 수 있다 / ~ aliens ***into*** a country 외국인의 입국을 허가하다 / ~ a student ***to*** the third-year class 학생을 3학년에 편입시키다 / be ~*ted to* the bar ☞ BAR[1] 숙어. **3** (설비가) 수용할 수 있다 : The harbor ~*s* four ships. 그 항구는 배를 네 척 정박시킬 수 있다.

── *vi.* **1** [+*of*+名] (…할[의]) 여지가 있다, (…을) 허용하다(cf. ALLOW *vi.* 2) : This ~*s* ***of*** no doubt. 이것에는 의심의 여지가 없다. ☞ 活用 (1). **2** [+*to*+名] **a**) 입장[진입]을 가능하게 하다, (길이) 통하다 : This key ~*s* ***to*** the house. 이 열쇠로[만 있으면] 그 집에 들어갈 수 있다 / The door ~*ted to* a bystreet. 그 문은 옆 골목으로 통해 있다. **b**) (…을) 인정하다, 고백하다(confess) : He ~*ted* ***to*** his fears. 자기가 염려하고 있음을 시인했다 / I must ~ *to* feel*ing* ashamed. 나로서도 수치스럽다고 말하지 않을 수 없다. ☞ 活用 (2).

〖L (*miss*- *mitto* to send)〗

活用 (1) *vi.* 1의 형식은 주어가 사람을 나타내는 말일 경우에는 쓰이지 않음. 따라서 *I* cannot *admit of* your doing such a thing. 은 잘못이며 *I* cannot *allow* you to do such a thing. (네게 그런 일을 하도록 내버려 둘 수는 없다.) 라고 하는 것이 옳음. (2) *vi.* 2의 형식에서 「to+동명사」가 따르는 용법을 관용상 인정하지 않는 사람도 있음.

類義語 ***admit*** 설득당하여 상대의 의견을 인정하거나 사실 따위를 인정하다 : *admit* the fact(사실을 인정하다). ***acknowledge*** 남에게 알리고 싶지 않은 것을 털어놓다 : *acknowledge* the defeat (패배를 인정하다). ***own*** 자기에게 불리한 과오·죄·약점·채무 따위를 인정하다 : *own* one's fault (…의 과오를 인정하다). ***confess*** 자신이 나쁘다고 생각한 것을 정식으로 인정하다 ; 가장 뜻이 강함 : *confess* a sin (죄를 고백하다).

ad·mít·tance *n.* Ⓤ 입장[입학·입회]허가 : grant [refuse] a person ~ *to*... 남에게 …의 입장을 허가[거절]하다 / No ~ (except on business). 《게시》 (용무자 이외) 입장 금지.

ad·mít·ted *a.* 공인[시인·인정]된, 명백한 : an ~ fact 공인된[명백한] 사실. **~·ly** *adv.* 의심할 여지없이, 명백히, 확실히.

ad·mix [ædmíks, əd-] *vt.* 혼합하다, (뒤)섞다 (mix)〈*with*〉. ── *vi.* 섞이다.
〖역성(逆成) < *admixt* (obs.) ; ⇨ MIX〗

ad·mix·ture [ædmíkstʃər, əd-] *n.* Ⓤ 혼합 ; Ⓒ 혼합물, 첨가제.

Adml. Admiral ; Admiralty.

ad·mon·ish** [ædmániʃ, əd-] *vt.* **1** [+目/+目+*to* do/+目+前+名/+目+*that* 節] 훈계하다, 타이르다 ; 권고[충고]하다(advise) : The teacher ~*ed* the boys not *to* be late[~*ed* the boys ***against be*ing* late, ~*ed* the boys *that* they *should* not be late]. 선생님은 학생들에게 지각하지 않도록 타일렀다. **2** [+目+*of*+名/+目+*that* 節] 경고하다(warn) ; 주의시키다, (위험 따위를) 알리다 : I ~*ed* him ***of*** his duty. 그의 의무에 관해 주지시켰다 / We ~*ed* him *that* it was not wise. 그것은 현명치 못하다고 그에게 경고했다. ── *vi.* 훈계[경고]를 하다.
~·ment *n.* =ADMONITION. **~·ing·ly** *adv.*
〖OF<L (*monit*- *moneo* to warn)〗
類義語 ⟹ ADVISE.

ad·mo·ni·tion [æ̀dməníʃən] *n.* Ⓤ,Ⓒ 타이름, 훈계 ; 권고, 충고, 경고.

ad·mon·i·tor [ædmánətər, əd-] *n.* 타이르는 사람, 경고[충고]자.

ad·mon·i·to·ry [ədmánətɔ̀ːri ; -təri] *a.* 타이르는, 권고[경고]하는, 충고의.

admor. administrator.

admov. 〔處方〕 *admoveature* 《L》 (=apply).

ad·nate [ǽdneit] *a.* 〖動·植〗 착생한, 밀생한.

ad nau·se·am [æd nɔ́ːziəm, -si-, -æ̀m] *adv.* 싫증이 날 만큼, 지겹도록. 〖L=to sickness〗

ad·nexa [ædnéksə] *n. pl.* 〖解〗 부속기(器), (특히) 자궁 부속기. **ad·néx·al** *a.*

ad·nóminal [æd-] *a.* 〖文法〗 명사 용법으로 쓰는 형용사의. **~·ly** *adv.*

ad·noun [ǽdnaun] *n.* 〖文法〗 명사 용법으로 쓰는 형용사《보기 *The new* supersedes *the old.* (오래된 것은 새로운 것으로 교체된다) 에서의 new와 old 따위》.

ado [ədúː] *n.* (*pl.* **~s**) 법석, 소동(fuss) ; 수고, 고심(difficulty) : We need not make so much ~

about it. 그런 일로 그렇게 소란을 떨 필요는 없다 / We had much ~. 법석을 떨었다 / much ~ about nothing 공연한 법석 / with much ~ 야단법석을 하여, 고심하여, 간신히 / without more ~ 그 이상 별일없이, 그 다음은 순조롭게.
〚ME *at do* to do (ON *at*) ; 원래 *much ado*의 구(句)에서〛
ado. adagio.
ado·be [ədóubi] *n.* **1** Ⓤ 어도비 벽돌《굽지 않고 햇볕에 말린 것》; Ⓒ 그 벽돌로 지은 집《미국 남서부 및 멕시코에 많음 ; cf. PUEBLO》; 그 벽돌을 만드는 진흙. **2** [형용사적으로] 어도비 벽돌로 만든[만들어진]. 〚Sp.〛
ad·o·lesce [ӕdəlés] *vi.* 《美》 청년기[사춘기]에 이르다, 청년기를 보내다 ; 청년기 사람답게 행동하다.
*__ad·o·les·cence__ [ӕdəlésəns] *n.* Ⓤ 청년기《남자는 14-25세, 여자는 12-21세까지의 성장기》; 사춘기, 청춘기 ; 청춘(youth).
-lés·cen·cy *n.* 《古》 = ADOLESCENCE.
àd·o·lés·cent *a.* 청년[청춘]기의, 청춘의, 젊은 ; 미숙한, 불안정한. —— *n.* 청년, 젊은이(cf. CHILD, ADULT). 〚OF＜L ; ⇨ ADULT〛
Ad·olf [ǽdɑlf, éi-] *n.* 남자 이름.
〚G ; ⇨ ADOLPH〛
Ad·olph [ǽdɑlf, éi- ; ɑ́:dɔlf] *n.* 남자 이름.
〚Gmc. =noble wolf(=hero)〛
Adol·phus [ədɑ́lfəs] *n.* 남자 이름. 〚⇨ ADOLPH〛
Ado·nai [ɑ̀:dənɔ́i, -néiai, -nái] *n.* 주(主)하느님 (God). 〚Heb.=Lord〛
Adon·ic [ədɑ́nik, -dóu-] *a.* **1** 〔韻〕(고전시에서) 아도니스격(格)의《장단단격에 장장격 또는 장단격이 연속하는 시형》. **2** ADONIS의. —— *n.* 〔韻〕 아도니스격의 시[시행].
Adon·is [ədɑ́nəs, -dóu-] *n.* **1** 〔그神〕 아도니스《여신 Aphrodite에게 사랑을 받은 미소년》. **2** [때때로 a~] 미소년, 미남자. **3** 〔植〕 복수초속(屬)의 식물.

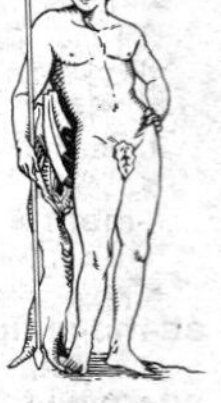
Adonis 1

ad·o·nize [ǽdənàiz] *vt., vi.* 모양내다, 미남인 체하다 : ~ one*self* (남자가) 모양내다.
*__adopt__ [ədɑ́pt] *vt.* [+目/+目+*as* 補] **1** (의견·방침 따위를) 채용[채택]하다(take) : ~ the customs of a country 어떤 나라의 관습을 받아들이다. **2** (외국어 따위를) 차용(借用)하다 : ~*ed* words 차용[외래]어. **3** 양자[양녀]로 삼다 : They ~*ed* the child *as* their heir. 그들은 상속자로서 그 아이를 양자[양녀]로 삼았다.
~·able *a.* **~·abílity** *n.* **~·er** *n.*
〚F or L (*opto* to choose)〛
adopt·ee [ədɑptí:] *n.* 양자 ; 채용[채택, 선정, 차용]된 것.
adop·tion [ədɑ́pʃən] *n.* Ⓤ,Ⓒ 채용, 채택 ; 《英》(후보) 공천 ; 외국어 차용 ; 입양.
adóption·ìsm *n.* 〔神學〕 양자론(養子論)《예수는 본래 보통 사람이었으나 성령에 의해 하느님의 아들이 되었다는 설》. **-ist** *n.*
adop·tive [ədɑ́ptiv] *a.* ADOPTION의 ; 양자 결연에 의한 : an ~ son[mother] 양자[양모].
adóptive párents *n. pl.* 수양 부모, 양부모.
ador·able [ədɔ́:rəbəl] *a.* **1** 존경[숭배]할 만한. **2** 《口》 반할 만한, 귀여운(charming) : What an ~ hat she is wearing! 그녀는 아주 멋진 모자를 쓰고 있군. **-ably** *adv.* 숭배할 만큼 ; 《口》 반할 만큼. **adòr·abíl·i·ty, ~·ness** *n.* 숭배할 만함 ; 《口》 반할 만함.
ad·o·ra·tion [ӕdəréiʃən] *n.* Ⓤ 존경, 숭배, 동경, 열렬한 경모, 애모(愛慕) ; 예배, 기도(prayer).
*__adore__ [ədɔ́:r] *vt.* **1** [+目/+目+*as* 補] (신을) 숭상하다, 숭배하다 ; 애모[경애]하다, 열렬히 사랑하다, 우러러 받들다 : They ~*d* her *as* a living goddess. 그녀를 살아있는 여신으로 숭배하였다. **2** 《口》 아주 좋아하다 : I ~ baseball. 야구를 아주 좋아한다.
—— *vi.* 숭배하다, 숭배의 마음으로 가득차다.
〚OF＜L *ad-* (*oro* to speak, pray)=to worship〛
[類義語] ⟹ WORSHIP.
adór·er *n.* 숭배자, 찬미자 ; 열애자.
adór·ing *a.* 숭배[애모]하는 ; 받들어 모실 만한 ; 반할 지경인.
~·ly *adv.* 숭배하여, 경모하여, 반하여.
*__adorn__ [ədɔ́:rn] *vt.* [+目/+目+前+名] 꾸미다, 장식하다 ; 돋보이게 하다 : She ~*ed* herself ***with*** pearls. 진주로 몸치장을 했다.
〚OF＜L (*orno* to deck)〛
[類義語] ⟹ DECORATE.
adórn·ment *n.* Ⓤ 꾸밈 ; Ⓒ 장식(품) : personal ~*s* 장신구.
adown *adv.* [ədáun], *prep.* [-ˌ, -ˊ] 《古·詩》 = DOWN¹.
ADP [èidì:pí:] adenosine diphosphate(아데노신이인산) ; automatic data processing.
ád·pèrson *n.* 광고인《광고업계에 종사하는 사람》.
ad quem [ӕd kwém] *adv.* 거기로, 거기에.
—— *n.* 목표, 종점. 〚L=to[at] which〛
ADR American Depository Receipt(미국 예탁(預託) 증권).
ad ref·er·en·dum [ӕd rèfəréndəm] *a., adv.* 좀더 고려해야 할, 재고해야 할, 잠정적인[으로], 가(假)… : an ~ contract 가계약(서).
〚L=for further consideration〛
ad rem [ӕd rém] *adv., a.* 문제의 핵심[본질]에 이르게[이른], 요령있게[있는], 적절히[한].
〚L=to the thing〛
ad·ren- [ədrí:n, -rén-], **ad·re·no-** [ədrí:nou, -rén-, -nə] *comb. form* 「부신(副腎)」「아드레날린」의 뜻. 〚*adrenal*〛
ad·re·nal [ədrí:nl] *a.* 〔解〕 신장 부근의, 부신의 : an ~ gland 부신(副腎). —— *n.* 부신. 〚RENAL〛
Adren·a·lin [ədrénələn] *n.* Ⓤ 아드레날린제(劑)《양 따위의 부신에서 얻는 지혈제·심장 맥관(脈管) 운동 자극제 ; 상표명》. 〚ADRENAL〛
adren·a·line [ədrénələn, -lì:n] *n.* Ⓤ 〔化〕 아드레날린(epinephrine)《부신에서 분비되는 호르몬》; 《비유》 흥분시키는 것, 자극제.
〚ADRENAL〛
adrénal insuffíciency *n.* =ADDISON'S DISEASE.
adrénal·ìze *vt.* …을 흥분시키다, 자극하다, 분기케 하다.
adrèno·córtical *a.* 부신피질(에서)의.
adrèno·còrtico·tróphic, -trópic *a.* 〔化〕 부신피질을 자극하는.
adrenocorticotróphic hórmone 〔化〕 부신피질 자극 호르몬《略 ACTH》.
adri·a·mýcin [èidriə-] *n.* 〔藥〕 아드리아마이신《항암제》.
Adri·at·ic [èidriǽtik, ӕd-] *a.* 아드리아 해의.
Adriátic Séa *n.* [the ~] 아드리아 해《이탈리아와 발칸 반도 사이에 있음》.

adríft [ə-] *adv., pred. a.* 떠돌아다니는, 표류하여 ; (배가) 닻줄이 풀리어 ; (사람이) 어찌할 바를 모르고 ; 실직하여 ; 목표를 잃어.
cut adrift (배를) 떠내려 보내다 ; 이별하다, …와 인연을 끊다.
get adrift (배가) 떠내려가다.
go adrift 표류하다 ; 《비유》 탈선하다〈*from*〉.
set adrift (배를) 떠내려 보내다, 표류시키다.
turn adrift (남을) 집에서 내쫓다, 거리에서 방황케 하다 ; 해고하다.
〖*a*-[1]〗

adroit [ədrɔ́it] *a.* [+前+do*ing*] 교묘한, 솜씨 좋은(dexterous) ; 기민한, 재치있는(clever) : He is ~ ***in*** mak*ing* excuses. 변명하는 데 아주 능하다. **~·ly** *adv.* 교묘히, 솜씨좋게, 빈틈없이, 기민하게. **~·ness** *n.*
〖F *à droit* according to right ; ⇨ DIRECT〗

adrý [ə-] *adv., a.* 말라서, 마른 ; 목말라, 목마른.

ADS atmospheric diving suit(대기압 잠수복). **A.D.S.** American Dialect Society(미국 방언 학회). **a.d.s.** 〖出版〗 autograph document, signed(사인있는 자필 문서).

ad·sci·ti·tious [æ̀dsətíʃəs] *a.* 보충의, 부가적인 ; 중요하지 않은, 외부에서 얻은, 외래의. **~·ly** *adv.* 보충하여, 부가적으로.

ad·script [ǽdskript] *a.* (문자·부호가) 뒤쪽[우측]에 쓰여진 ; (농노가) 토지에 예속된.

ad·scrip·tion [ædskrípʃən] *n.* 귀속, 부속, 부착 ; 구속(拘束).

ád·smìth *n.* 《美口》 광고 문안 작성자.

ad·sorb [ædsɔ́ːrb, -zɔ́ːrb] *vi., vt.* 〖化〗 흡착(吸着)하다[시키다]. **~·able** *a.* 〖*ad*-, ABSORB〗

ad·sorb·ate [ædsɔ́ːrbət, -zɔ́ːr-, -beit] *n.* 〖化〗 흡착된 물질.

adsórb·ent *a.* 〖化〗 흡착성의. —— *n.* U,C 〖化〗 흡착제(劑).

ad·sorp·tion [ædsɔ́ːrpʃən, -zɔ́ːrp-] *n.* U 〖化〗 흡착 (작용). 〖ADSORB〗

ad·sorp·tive [ædsɔ́ːrptiv, -zɔ́ːrp-] *a.* 흡착성[작용]의. —— *n.* 흡착 매체. **~·ly** *adv.*

ad·sum [ǽdsʌm] *int.* 네, 출석했습니다《점호 때의 대답》. 〖L=I am here〗

ad·u·late [ǽdʒəlèit] *vt.* …에게 알랑거리다, 아첨하다(flatter). **ád·u·là·tor** *n.*
〖L *adulor* to fawn on〗

àd·u·lá·tion *n.* U,C 아첨, 아양, 알랑거리는 말.

ad·u·la·to·ry [ǽdʒələtɔ̀ːri ; -lèitəri] *a.* 알랑거리는, 아첨하는.

Adul·la·mite [ədʌ́ləmàit] *n.* (정치 단체를 탈퇴한) 정치적으로 의견을 달리하는 신(新)그룹 결성 참가자 ; 분파(分派)한 멤버 ; 탈당파 의원.
〖*Adullam* ; 사무엘상 22 : 1-2〗

***adult** [ədʌ́lt, ǽdʌlt] *a.* 성숙한 ; 어른의, 성인이 된 ; 《美》 성인 전용의[을 위한], 포르노의.
—— *n.* 성인, 어른 ; 〖法〗 성년자 ; 〖生〗 성숙한 동식물, 성충(成蟲). **~·hood** *n.* U 성인임, 성숙함. 〖L *adult- adolesco* to grow up〗
類義語 ⟹ RIPE.

adúlt educátion *n.* 성인 교육《보통 야학 또는 통신 교육으로 제공됨》.

adul·ter·ant [ədʌ́ltərənt] *n.* 혼합물《우유에 탄 물 따위》. —— *a.* 혼화물[혼합물]의.

adul·ter·ate [ədʌ́ltərèit] *vt.* [+目/+目+前+名] 혼합하다, 섞음질 하다 ; (나쁜 것을 섞어서) 품질을 낮추다, 순도를 떨어뜨리다 : ~ milk ***with*** water 우유에 물을 타다.
——[-rət, -rèit] *a.* **1** 혼합한, 불순물의. **2** 간통의, 불의의(adulterous) : ~ offspring 사생아.
〖L=to corrupt, commit ADULTERY〗

adúl·ter·àt·ed *a.* 섞음질을 한 ; 순도[제법(製法), 레테르 표시 따위]가 법정 기준에 맞지 않는.

adúlterated drùg *n.* 〖藥〗 불량 의약품.

adùl·ter·á·tion *n.* U (조악품(粗惡品)의) 혼합 ; C 조악품.

adúl·ter·à·tor *n.* 불순품[저질품] 제조자 ; 〖法〗 통화 위조자.

adul·ter·er [ədʌ́ltərər] *n.* 간부(姦夫).

adul·ter·ess [ədʌ́ltərəs] *n.* 간부(姦婦).

adul·ter·ine [ədʌ́ltəràin, -rìːn, -rən] *a.* 간통의, 불의의 관계로 태어난 ; 가짜의, 모조의.

adul·ter·ous [ədʌ́ltərəs] *a.* 간통의, 부정한 ; 가짜의, 불순한 ; 불법의, 부정의.

adul·tery [ədʌ́ltəri] *n.* U,C 간통, 간음, 부정, 불의(不義).
commit adultery with …와 간통하다.
〖OF<L *adulter* adulterer〗

a·dul·ti·fy [ədʌ́ltifài] *vt.* (어린아이를) 어른화하다 : By looking at the content of television, one can readily see the rise of the *adultified* child. 텔레비전의 내용을 보면 애어른이 늘고 있다는 것을 곧 알 수 있다.

adúlt-órient·ed *a.* (팝음악이) 성인 취향인.

adúlt-ràt·ed *a.* 어른[성인]용의.

adult respiratory distress syndrome ☞ ARDS.

adúlt tòoth *n.* 영구치(齒) (=second tooth).

adúlt Wéstern *n.* 성인용 서부극.

adum·bral [ædʌ́mbrəl] *a.* 어두운, 그늘진.

ad·um·brate [ǽdəmbrèit, ædʌ́mbreit] *vt.* 《文語》 …의 윤곽을 그리다, 어렴풋이 나타내다, (미래를) 예시하다 ; …을 희미하게 하다, 그늘지게 하다(obscure). 〖L (*umbra* shade)〗

àd·um·brá·tion *n.* 윤곽 묘사(描寫), 약화(略畫)(sketch) ; 음영(陰影)을 띠게 하기, 투영(投影) ; 표상 ; 예시 ; 전조(前兆).

ad·úm·bra·tive [-brətiv, ǽdəmbrèit-] *a.* 예시하는 ; 어렴풋이 나타내는〈*of*〉. **~·ly** *adv.*

ad·u·rol [ǽdərɔ̀(ː)l, -ròul, -ràl] *n.* 〖寫〗 아듀롤《현상용 약품의 일종》.

adust [ədʌ́st] *a.* 바싹 마른 ; 볕에 탄(sunburnt) ; 우울한(melancholy).

adv. ad valorem ; advance ; advent ; adverb ; adverbial ; *adversus* 《L》 (=against); advertisement ; advocate. **ad val.** ad valorem.

ad va·lo·rem [æd vəlɔ́ːrəm] *a., adv.* 가격에 따른[따라] ; 종가 방식의[으로] 《略 ad val., a.v.》 : an ~ duty[tax] 종가세(從價稅)《과세 표준을 물품의 가격에 의하여 결정하는 관세》.
〖L=according to the value〗

ad·vance** [ədvǽ(ː)ns ; -vɑ́ːns] *vt.* **1** …을 앞으로 밀다(push forward) ; 전진시키다, 진보시키다 : The troops were ~*d*. 군대가 진군했다 / ~ the hour hand 시침을 앞으로 돌리다. **2** [+目/+目+前+名] 승진[승급]시키다 : He was ~*d* ***from lieutenant ***to*** captain. 중위에서 대위로 승진했다. **3** (일을) 추진[진척]시키다, 조장하다(help on). **4** (값 따위) 올리다(raise) : ~ the price of milk 우유값을 인상하다. **5** [+目/+目+前+名] (시간을) 앞당기다, 서두르다(↔ *postpone*) : ~ the time of the meeting ***from*** 3 o'clock ***to*** 1 o'clock 모임 시각을 3시에서 1시로 앞당기다. **6** [+目+*to*+名/+目+目] (돈 따위) 선불하다, 미리 빌려주다, (돈을) 꾸어주다 ; (남에게 돈을) 대출하다 : They seldom ~ wages *to* any of the workers. 회사에서는 좀처럼 종업원에게 가불해 주지 않는다 / Will you ~ me a month's salary? 1개월분 급료를 가불해 주시지 않겠습니까 / The farmers were ~*d* money for the purchase of cattle. 농가에서는 소를 구입하기 위해 돈을 대출받았다. **7** (의견·요구·이의 따위를) 제출하다, 내놓다(bring forward) : Allow me to ~ another reason for this choice. 이것을 택하는 또 다른 이유를 말씀드리겠습니다.

—— *vi.* **1** [動/+前+名] 나아가다, 전진하다, 진군하다(go forward) : The troops ~*d* ***against*** the enemy. 그 부대는 적을 향해 진격했다 / He ~*d* ***on*** me threateningly. 위협적인 태도로 나에게 다가왔다 / They were *advancing* ***in*** years. 나이를 먹어갔다[늙어갔다]. **2** [動/+*in*+名] 진보하다, 발달하다 : ~ ***in*** life[*in* the world] 입신[출세]하다 / ~ *in* knowledge. 지식이 향상하다. **3** (값이) 오르다(rise) : Prices are *advancing.* 값이 오르고 있다.

—— *n.* **1** U,C **a**) 전진, 진군. **b**) (때의) 진행 : the ~ *of* evening 밤이 깊어감 / the ~ *of* old age 노경에 접어들기, 늙어감. **c**) 진보, 발달, 향상 ; 진척 ; 증진 : make an ~ *in* one's studies 학업을 향상시키다 / an ~ *in* a task 일의 진척 / an ~ *in* health 건강의 증진 / the ~ *of*[*in*] science 과학의 진보 / Electronics has *made* remarkable ~*s* lately. 전자 공학은 최근 눈부실 만큼 진보했다. **2** U,C **a**) 승급, 승진, 출세<*in*>. **b**) (값의) 인상, 등귀. **3** 선불, 가불 ; 전도(금), 입체금 ; 대출금 : an ~ *on* royalties 인세(印稅)의 선불[전도]. **4** [보통 *pl.*] (화해·교섭의) 제의, 신청(approaches) ; (비위 맞추기 위한) 말붙임, (여자에게 하는) 구애 ; (일반적으로) 접근 : repel a person's ~*s* 남의 접근을 물리치다. **5** 선발대, 전위부대. **6** (신문의) 사전[예상] 기사.

in advance 미리, 전부터 ; 선금으로, 입체하여.
in advance of …보다 앞에, 앞서서(before) (↔*in arrear of*).
make advances 돈을 입체하다, 융통하다 ; 제의하다, 신청하다 ; 환심을 사려고 가까이 하다 ; (여자에게) 구애하다<*to*>.
on the advance 물가가 상승 중에 있는.

—— *a.* 미리 하는, 앞선 ; 전진하는.

〖C 13 *avauncen*<OF<L=in front (*ab*-[1], *ante* before) ; 어형은 16세기에 *ad*-라고 오해한 것〗

類義語 (1) ***advance*** 어떤 확실한 목표·목적(지)를 향하여 나아가다 : The army *advanced* against the enemy. (부대는 적을 향해 진격했다). ***proceed*** 어떤 정지한 곳 또는 일단 정지한 지점에서 목표를 향해 나아가다 : He then *proceeded* to the next town. (그리고 나서 다음 도시로 갔다). ***progress*** 착실히[확실히] 중단 않고 어떤 목표를 향해 계속 전진하다 : We *progress* in learning step by step. (우리 공부가 점차로 진전된다). ***move on*** 《口》 멈추었던 곳에서 앞으로 나아가다 ; 나아갈 목표를 암시하지는 않음 : When the car left, the crowd *moved on.* (차가 떠나자 군중들이 뒤따라 나아갔다).
(2) ⟹ PROMOTE.

advánce ágent *n.* (흥행단 따위의) 선발대원 ; 교섭자.
advánce báse *n.* 전진 기지.
advánce cópy *n.* (발매전 비평가에게 보내는) 신간 서적의 견본.
***ad·vánced** *a.* 전진한 ; (때가) 많이 경과한, 앞선 ; 진보한, 발달한, 고등의 ; 진보적인 : an ~ age 고령(高齡) / an ~ course 고급 과정 / ~ ideas 진보적인 사상 / ~ studies 고도의 연구 / The night was far ~. 밤이 매우 깊었다.
類義語 ⟹ PROGRESSIVE.
advánced compósite áirframe prògram *n.* 〖美軍〗 선진 복합 재료체 구조 계획.
advánced cóuntry *n.* 선진국.
advánced crédit *n.* 《美》 타 대학에서 취득한 학점에서 전입한 대학이 인정한 학점.
advánced degrée *n.* 학사(學士)보다 위의 학위 《석사·박사》.
advánced gás-còoled reáctor *n.* 〖原子〗 개량형 가스 냉각 원자로《略 AGR》.
advánced lével *n.* 〖英教〗 =A LEVEL.
advánced stánding *n.* (타 대학에서의 과목 이수를 인정 받은) (인정) 편입 학생의 신분 ; =ADVANCED CREDIT.
advánce guárd *n.* 전위(前衛)(부대).
advánce mán *n.* =ADVANCE AGENT.
advánce·ment *n.* **1** U 진보, 발달 ; 증진, 촉진, 진흥 : the ~ of learning[science] 학문[과학]의 진흥(cf. ADVANCE *n.* 1 c)). **2** U 전진, 진출. **3** U 향상, 승진, 승급 : personal ~=~ *in* life [one's career] 입신 출세, 영달. **4** U 입체(立替), 선불, 선대(先貸), 전도(금).
advánce párty *n.* 선발대, 전진 부대.
advánce póll *n.* 《Can.》 (투표일 이전에 하는) 부재(자) 투표.
advánce sále *n.* 선매(先賣).
advánce shéets *n. pl.* 견본쇄, 내용견본.
advánce tícket *n.* 예매권.
ad·vánc·ing *a.* 전진하는 ; 발달의 ; 나아가는.
‡**ad·van·tage** [ədvǽ(:)ntidʒ ; -vɑ́:n-] *n.* (↔*disadvantage*) **1** U 유리, 편리, 편의 ; 이익, 우월 : *of* great[no] ~ *to* …에 크게 유리한[조금도 유리하지 않은] / personal ~ 미모. **2** 유리한 점, 강점, 이점 : the ~*s* of birth, wealth, and good health 집안, 재산, 건강의 여러 이점. **3** U 〖테니스〗 어드밴티지《deuce 다음의 득점 ; server 쪽이 얻은 것을 advantage in, receiver 쪽이 얻은 것을 advantage out이라 함》.

gain[***win***] ***an advantage over*** a person 남을 능가하다, 남보다 낫다[유리하다].
have the advantage of …의 장점이 있다 ; 남보다 낫다[유리하다] : He *has the* ~ *of* good health. 그에겐 건강이라는 이점이 있다 / We *had the* ~ *of* know*ing* the place. 그 장소를 알고 있다는 점에서 유리했다 / I'm afraid you *have the* ~ *of* me. 댁은 제가 모르는 것을 아시는 군요 ; 저를 아시는 모양인데 댁은 누구시더라《상대의 접근을 막는 말》.
take advantage of . . . (좋은 기회·사실 따위를) 이용하다 ; (허점·무지 따위를) 이용하다 ; 속이다 ; (여자를) 유혹하다.
take a person ***at advantage*** 남의 허를 찌르다, (남)보다 한 수 더 뜨다.
to advantage 뛰어나게, 돋보이게 《보이다, 들리다 따위》 ; 유리하게, 형편좋게 : Korean dress sets you off *to* ~. 한복을 입으면 당신은 아주 돋보입니다.
to one***'s advantage***=***to the advantage of*** …에게 유리하게, 형편에 알맞게.
turn . . . ***to advantage*** …을 이용하다, 유리하게 이끌다.
with advantage 유리하게, 유효하게<*to*>.

—— *vt.* 이롭게 하다(benefit) ; …에 쓸모 있다.
—— *vi.* 이익을 얻다.

〖OF ; ⇨ ADVANCE〗
類義語 ***advantage*** 남보다 유리하거나 또는 우월한 입장·지위에 있으므로 해서 생기는 이익 : enjoy the *advantage* of city life (도시 생활의 이점을 즐기다). ***benefit*** advantage보다 구체적인 뜻《개인적 또는 사회적 이익을 나타냄》: a public *benefit* (사회적인 이익). ***profit*** 주로 물질적 또는 금전상의 이익 : the *profit* of the bargain (염가 판매의 이익).

***ad·van·ta·geous** [ӕdvəntéidʒəs, -vӕ(:)n-] *a.* 유리한, 형편이 좋은 : The trade agreements will be ~ *to* both countries. 그 무역 협정은 양국에 모두 유리할 것이다. **~·ly** *adv.* 유리하게 ; 형편이 좋게. **~·ness** *n.*

advántage rùle[**làw**] *n.* 〖럭비·蹴〗 어드밴티지 룰《반칙 플레이가 반칙한 팀에게 유리해지지 않거나 반칙 플레이에 의한 경기 중단이 반칙을 당한 팀에게 불리해질 경우에는 경기를 중단하지 않고 속행시키는 규칙》.

ad·vect [ædvékt, əd-] *vt.* (열을) 대기의 대류(對流)에 의해서 옮기다 ; (물 따위를) 수평 방향으로 이동시키다. 〖역성(逆成)〈↓〗

ad·vec·tion [ædvékʃən, əd-] *n.* 〖氣·理〗 이류(移流). **~·al** *a.* **ad·véc·tive** *a.*
〖L (*vect- veho* to carry)〗

Ad·vent [ǽdvent, -vənt] *n.* **1** [the ~] **a**) 그리스도의 강림 ; 〖카톨릭〗 강림절《크리스마스 전의 약 4주간》. **b**) 예수의 재림(=the Second Advent[Coming]). **2** [the a~] (중요한 인물·사건의) 출현, 도래(到來) : the *a~ of* television 텔레비전의 출현.
〖OE<OF<L=arrival (*vent- venio* to come)〗

Ádvent·ìsm *n.* Ⓤ 예수 재림론.

Ad·vent·ist [ədvéntəst, æd-, ǽdven-] *n.* 예수 재림론자. —— *a.* 예수 재림론의 ; 예수 재림파의.

ad·ven·ti·tious [ӕdvəntíʃəs, -ven-] *a.* 우연의(accidental) ; 외래의 ; 〖醫〗 우발적인 ; 〖植·動〗 이상한 위치에 난, 부정(不定)의, 우발적인 : an ~ disease 우발병《후천적 질병》. **~·ly** *adv.*
〖L ; ⇨ ADVENT〗

ad·ven·tive [ædvéntiv] *a.* 〖動·植〗 (자생(自生)하지만) 토착이 아닌, 원 태생이 아닌, 외래의. —— *n.* 외래 식물[동물]. **~·ly** *adv.*

Ádvent Súnday *n.* 강림절 중의 첫째 일요일.

‡**ad·ven·ture** [ədvéntʃər, æd-] *n.* **1** Ⓤ 모험 : a spirit of ~ 모험심 / stories of ~ 모험 소설 / He is fond of ~. 모험을 좋아한다. **2** [때때로 *pl.*] 모험담, 기담 : the *A~s* of Robinson Crusoe 로빈슨 크루소의 표류기. **3** (우연히 일어난) 진기한 [아슬아슬한] 사건 ; 진기한 경험 : a strange ~ 기묘한 사건 / have an ~ 모험을 겪다 / What an ~! 아주 멋진 일이다! **4** Ⓤ,Ⓒ 투기, 요행.
—— *vt.* 모험적으로 하다, 대담하게 하다 ; (생명 따위를) 걸다. —— *vi.* [動/+前+名] 모험하다 ; 감행하다, 위험을 무릅쓰다 : ~ ***on*** unknown seas 미지의 바다로 뛰어들다. 주 *v.*로는 VENTURE 가 보통.
〖OF=(thing) about to happen<L ; ⇨ ADVENT〗

advénture pláyground *n.* 《英》 어린이의 창의성을 살리기 위해 목공 도구·건축 자재·그림물감 따위를 비치해 둔 놀이터.

ad·vén·tur·er *n.* 모험가 ; 투기꾼, 협잡꾼 ; 부정한 수단으로 지위·돈을 노리는 사람.

advénture·some *a.* =ADVENTUROUS.

ad·vén·tur·ess *n.* ADVENTURER의 여성형.

ad·vén·tur·ìsm *n.* (특히 정치·외교에서의) 모험주의.

ad·vén·tur·ous *a.* **1** 모험을 즐기는 ; 대담한 : an ~ explorer 모험을 즐기는 탐험가 / an ~ spirit 모험심. **2** 모험적인, 위험한 : an ~ undertaking 위험한[모험적인] 기도. **~·ly** *adv.* 모험적으로, 대담하게. **~·ness** *n.*

‡**ad·verb** [ǽdvə:rb] *n.* 〖文法〗 부사《略 adv., ad.》. —— *a.* 부사의, 부사적인(adverbial) : an ~ clause[phrase] 부사절[구] / an ~ equivalent 부사 상당 어구 / an ~ infinitive 부사적 부정사.

ad·verb·i·al [ædvə́:rbiəl] *a.* 〖文法〗 부사의, 부사적인 ; 부사를 많이 쓰는. —— *n.* 부사류. **~·ly** *adv.* 부사적으로, 부사로서.

ad ver·bum [æd və́:rbəm] *adv., a.* 축어적으로[인]. 〖L=to a word〗

ad·ver·sar·ia [ӕdvərséəriə, -sǽər-] *n.* [단수·복수취급] 메모, 비망록, 초고(草稿) ; 발췌장, 수첩. 〖L〗

ad·ver·sar·i·al [ӕdvərséəriəl, -sǽər-] *a.* 반대자의 ; 〖法〗 =ADVERSARY.

ad·ver·sary [ǽdvərsèri ; -səri] *n.* 적, 반대자 ; (경기 따위의) 상대(opponent) ; [the A~] 악마, 마왕(Satan). —— *a.* 반대되는, 적의 ; 〖法〗 당사자주의의. 〖OF<L ; ⇨ ADVERSE〗
類義語 ⟹ OPPONENT.

ádversary sỳstem *n.* 〖法〗 대심 제도《미국 재판제도의 원칙으로 형사사건이나 민사사건에서 원고 또는 검찰측과 피고측이 대립하는 형태로 주장을 전개하고 재판관 또는 배심(jury)이 판단을 내리는 방식을 말함》.

ad·ver·sa·tive [ədvə́:rsətiv, æd-] *a.* 반대의 뜻을 나타내는, 반의(反意)의 : an ~ conjunction 반의 접속사《but, nevertheless, or, while 따위》. —— *n.* 반의 접속사[구].

***ad·verse** [ædvə́:rs, ˊ-] *a.* 역(逆)의, 반대의(opposed), 반하는 ; 불리한(unfavorable) ; 〖法〗 반대의, 적의있는 ; 〖植〗 대생(對生)의 : ~ circumstances 역경 / an ~ wind 역풍 / an ~ trade balance 수입 초과 / ~ *to* one's interests 이해에 반하는. **~·ly** *adv.* 역으로, 거꾸로, 불리하게. **~·ness** *n.*
〖OF<L (*vers- verto* to turn)〗

advérse posséssion *n.* 〖法〗 불법 점유.

advérse seléction *n.* 〖保險〗 역선택《사고가 발생할 확률이 큰 사람이 기꺼이 보험 가입을 하는 경향》.

ad·ver·si·ty** [ædvə́:rsəti, əd-] *n.* Ⓤ,Ⓒ 역경 ; 불행, 불운, 재난 ; [*pl.*] 불행한 일[사건, 상황]. ***in[***under***] ***adversity*** 역경에 처하여 : He has been a good friend to me *in* ~ or in prosperity. 그는 어려울 때나 번창할 때에도 나의 좋은 친구였다.
類義語 ⟹ MISFORTUNE.

ad·vert[1] [ædvə́:rt, əd-] *vi.* 《文語》 [+*to*+名] 주의를 돌리다, 언급하다(refer) : The speaker only *~ed* ***to*** the leading points of his arguments. 연사(演士)는 주요한 논점(論點)만을 언급했다. 〖ADVERSE〗

ad·vert[2] [ǽdvə:rt] *n.* 《英口》 광고.

ad·vert·ence [ædvə́:rtəns], **-cy** [-si] *n.* Ⓤ,Ⓒ 주의, 유의, 언급 ; 용의 주도함.

ad·vért·ent *a.* 주의하는, 유의하는. **~·ly** *adv.*

ad·ver·tise,** 《美》 **-tize** [ǽdvərtàiz, 美+ˊ-ˋ] *vt.* **1** [+目/+目+前+名] 광고하다, 선전하다 : ~ a house for sale 가옥매도 광고를 내다 / ~ oneself 자찬하다, 자기 선전을 하다 / It has been *~d* ***in the newspaper. 신문에 그 광고가 나 있다. **2** [+目+*of*+名/+目+*that* 節] …에게 알

리다, 통고하다(inform) : We have ~*d* our correspondents in South America ***of*** our new process. 당사는 남미의 거래처에 새로운 제조법을 통고했다 / She ~*d* her husband *that* she had arrived there safely. 남편에게 무사히 도착했음을 알렸다. —— *vi.* [動/+*for*+名] 광고하다 : It pays to ~. 광고는 수지가 맞는다 / ~ ***for*** a driver[a job] 기사모집[구직] 광고를 내다.
〚OF=to turn (one's attention to) ; ⇨ ADVERT[1]〛

***ad·ver·tise·ment** [ədvə́ːrtəsmənt, -təz-, 美+ æ̀dvərtáiz-] *n.* U,C **1** 광고, 선전 : an ~ *for* a situation 구직 광고 / put in[insert] an ~ in a newspaper 신문에 광고를 내다. **2** 통고, 공시.

advertísement cólumn *n.* 광고란.

advertísement máil *n.* 광고 우편.

ád·ver·tìs·er *n.* 광고자[주] ; [the A~] …신문《신문의 이름》.

ád·ver·tìs·ing *a.* 광고의, 광고에 관한 : an ~ agency 광고 대리업[점] / an ~ agent 광고 대행업자. —— *n.* U 광고업 ; 광고술(術) ; 광고.

ádvertising línage *n.* 광고 행수.

ádvertising média *n.* 광고 매체.

ad·ver·to·ri·al [æ̀dvərtɔ́ːriəl] *n.* U (잡지 따위의) 기사 형식 광고, PR 기사.
〚*adver*tisement+edi*torial*〛

advg. advertising.

‡**ad·vice** [ədváis, æd-] *n.* **1** U 충고, 조언, 권고(counsel) ; (의사의) 진찰[진단] ; (변호사의) 감정 : according to[against] a person's ~ 남의 충고에 따라서[반하여] / act on ~ 충고대로 하다 / ask ~ of …에게 조언을 구하다 / follow[take] a person's ~ 남의 권유에 따르다, 충고를 받아들이다. seek medical[the doctor's] ~ 의사의 진찰을 받다.

> **advice의 ○ ×**
> (×) She gave me *a* good *advice.*
> (○) She gave me good *advice.*
> (그녀는 내게 좋은 충고를 해주었다.)
> advice는 불가산명사므로 a는 붙일 수 없다. a를 쓸 경우에는 Let me give you *a piece*[*a bit, a word*] *of advice.* (한 마디 충고하겠네.) 처럼 표현한다. 마찬가지로 「많은 귀중한 충고」와 같은 경우에도 주의할 것.
> (×) *many* valuable *advices*
> (○) *a lot of* valuable *advice*

2 C 통지 ; [보통 *pl.*] (외교·정치상의) 보고(information) ;〘商〙(거래상의) 보고, 통지(서) : ~*s* from the battle front 전선에서 보낸 통보 / shipping ~*s* 선적[발송] 통지 / an ~ slip 통지 전표 / as per ~ 통지한 바와 같이[대로].

> 〈회화〉
> Can I give you some *advice* ? — I'm not really interested.「자네에게 충고를 해도 좋은가」「아무래도 좋습니다」

〚OF *avis*＜*a vis* according to one's view (L *ad-, vis- video* to see)〛

ad·vìs·abíl·i·ty *n.* U 권고할 만함 ; 상책 ; (계책의) 옳고 그름.

ad·vís·able *a.* 권고할 만한 ; 상책의, 현명한(wise) : It is ~ for you to start early in the morning. 아침 일찍 출발하는 것이 상책이다.

‡**ad·vise** [ədváiz, æd-] *vt.* **1** [+目/+do*ing*/+目+*to* do/+目+前+名/+目+*wh.*+*to* do/+目+*wh.* 節] 충고하다, 조언하다, 권하다(recommend) : The doctor ~*d* a change of air. 의사는 전지요양을 권했다 / There is no one to ~ me. 나에게 충고해 주는 사람은 아무도 없다 / I ~ read*ing* the letter carefully before answering it. 답장을 쓰기 전에 그 편지를 잘 읽어 보아야 한다 / *A*~ him *to* be cautious. 그에게 신중히 하도록 일러주시오 / He ~*d* his daughter not *to* marry in a hurry. 딸에게 서둘러서 결혼하지 말도록 충고했다 / Let me ~ you ***on*** technical matters. 전문적인 문제에 관하여 조언하고자 합니다 / Mother ~*d* me *what to* do. 어머니는 나에게 해야 할 일을 충고해 주셨다 / Please ~ me *whether* I should adopt the plan. 그 계획을 채택하여야 할지 여부를 가르쳐 주십시오. **2** [+目+*of*+名] …에게 통지하다[알리다](inform) : Please ~ us ***of*** the date. 날짜[기일]를 알려주십시오 / We were ~*d of* the danger. 그 위험에 대하여 통지를 받았다. 주 이 같은 용법은 특히 상용문(商用文)에 흔함. —— *vi.* **1** 충고하다 : I shall act as you ~. 충고해 주신대로 하겠습니다. **2**《稀》[+*with*+名] (남과) 의논하다(consult) : ~ ***with*** a person on a situation (어떤) 사태에 관하여 남과 의논하다 / ~ *with* one's pillow 하룻밤 자며 잘 생각하다.

> **advise를 쓰는 문장 전환**
> (1) 직접화법의 피전달문에 'You had better'를 쓴 문장은「…해야 한다」라는 강제·협박의 뜻을 나타내는 수가 있는데 이런 어구를 간접화법으로 만들 경우에는, 전달동사에 advise가 쓰인다.
> She said to me, "You *had better* stay here."
> (그녀는 내게 '여기 있어'라고 말했다.)
> → She *advised* me *to* stay there.
> → She *advised* me *that* I should stay there.
> (그녀는 내게 거기 있으라고 충고했다.)
> (2) 부드러운 명령을 나타내는 직접화법의 문장을 간접화법의 문장으로 전환할 경우에는 전달동사 say를 advise로 바꾼다.
> The doctor said to me, "Reduce your weight."
> → The doctor *advised* me to reduce my weight. (의사는 내게 체중을 줄일 것을 권했다.)

〚OF (L *viso* (freq.)〈*video* to see)〛

類義語 ***advise*** 지식·경험이 있는 사람이 남의 행동 방침에 대해 조언하다 ; 가장 보편적인 말 : I *advised* him to take a rest. (그에게 잠시 쉬도록 권했다). ***counsel*** 중요한 문제에 관해 신중히 고려하라고 advice하다 : The general *counseled* them to avoid rash actions. (장군은 그들에게 성급한 행동을 피하라고 충고했다). ***admonish*** 연장자·그럴만한 지위에 있는 사람이 실수 따위에 관하여 충고·훈계하다 : The teacher *admonished* the student for his carelessness. (선생님은 그 학생의 경솔함에 대해 훈계하셨다). ***caution*** 실패·위험 따위의 가능성이 있음을 경고하다 : I *cautioned* him against danger. (그에게 위험을 피하라고 경고했다). ***warn*** caution 보다 위험도가 강하며 따르지 않으면 벌·손해 따위를 받을 것을 암시하다 : The police *warned* the drivers to obey the order. (경찰은 운전자들에게 규칙에 따를 것을 경고(警告)했다).

ad·vísed *a.* 숙고한 후의, 곰곰이 생각한(deliberate) : ☞ ILL-[WELL-]ADVISED.

ad·vís·ed·ly [-ədli] *adv.* 심사숙고한 끝에 ; 고의

로, 일부러(deliberately).

ad·vis·ee [ədvaizíː, æd-] *n.* 충고를 받는 사람 ; 《美》 (지도 교수의) 지도를 받는 신입생.

advíse·ment *n.* Ⓤ 《文語》 숙고 ; 충고, 조언. ***take. . .under advisement*** …을 숙고하다, 잘 생각해 보다.

ad·vís·er, ad·ví·sor *n.* **1** 충고자 ; 의논 상대, 고문〈*to*〉 : a legal ~ 법률 고문. **2** 《美》 신입생 지도 교수. ㈜ adviser는 advise하는 행위를, advisor는 그 직책을 강조함 ; adviser가 보통.

ad·vis·o·ry [ədváizəri, æd-] *a.* 조언[충고]을 주는 ; 고문[자문]의 : an ~ committee 자문 위원회 / an ~ group 고문단. ── *n.* 《美》 상황 보고, (특히) 기상 보고[통보] 《태풍 정보 따위》 ; (전문가의) 권고, 보고.

advísory cìrcular *n.* 통고[주의] 사항《운수·항공·공항 관계 당국으로부터 제시됨》.

ad·vo·ca·cy [ǽdvəkəsi] *n.* Ⓤ 변호, 지지 ; 주창, 고취, 창도(唱導) ; [형용사적으로] (사적인) 견해를 주장[옹호]하는, 변호적인 : the ~ of peace 평화의 창도.

ádvocacy àdvertising *n.* (자기) 변호적 광고.

ádvocacy jòurnalism *n.* 특정 주의[견해]를 옹호하는 보도 (기관).

ádvocacy plànning *n.* 시민(市民)이 참여한 도시 계획.

***ad·vo·cate** [ǽdvəkət, -kèit] *n.* **1** 주창[창도]자 ; 옹호자 : an ~ *of* disarmament 군축론자(軍縮論者). **2** 변론자(pleader) ; 《스코》 변호사(barrister) : ☞ JUDGE ADVOCATE.
── [-kèit] *vt.* [+目/+do*ing*] 옹호[변호]하다(support) ; 고취[창도]하다 : Many people ~ build*ing* more schools. 학교의 증설을 주장하는 사람이 많다. 〖OF<L (*voco* to call)〗
類義語 ⟹ SUPPORT.

ád·vo·cà·tor *n.* 주창[창도]자 ; 옹호자.

ad·vol [ǽdvɑ̀l] *n.* 광고비. 〖*ad vol*ume〗

ad·vow·son [ədváuzən] *n.* 〖英法〗 성직 수여권(聖職授與權). 〖OF<L ; ⇨ ADVOCATE〗

advt. (*pl.* **advts.**) advertisement.

advtg. advantage ; advertising.

ady·na·mia [æ̀dənéimiə, èidainǽmiə] *n.* 〖醫〗 (병으로 인한) 허약, 쇠약.

ady·nam·ic [æ̀dənǽmik, èidai-] *a.* 쇠약한.

ad·y·tum [ǽdətəm] *n.* (*pl.* **-ta** [-tə]) (교회·성당 따위의) 안채, 성소(聖所) ; 사실, 밀실.

adz, adze [ǽdz] *n., vt.* 까뀌, 손도끼(로 다듬다). 〖OE *adesa* hatchet<?〗

Adzhár Repúblic [ædʒɑ́ːr-] *n.* [the ~] 아자르 공화국《그루지야 공화국의 흑해에 접한 자치 공화국》. **Adzhár·ian** *a., n.*

æ, ae, Æ, Ae [íː] 라틴어에서 볼 수 있는 a와 e의 합자 : Cæsar, Caesar / Æsop, Aesop. ㈜ 고유명사 이외에는 대개 e로 씀.

AE account executive. **AEA** Atomic Energy Agreement ; American Electronics Association. **A.E.A.** 《英》 Atomic Energy Authority ; 《美》 Actor's Equity Association(배우 조합).

Ae·a·cus [íːəkəs] *n.* 〖그神〗 아이아코스《Zeus의 아들 ; 사후에 명부(冥府) Hades에서 사자(死者)들의 재판관이 됨》.

A.E. and P. Ambassador Extraordinary and Plenipotentiary(특명 전권 대사). **AEC** African Economic Community(아프리카 경제공동체).

AE camera [èiíː-] *n.* 자동 노출 카메라. 〖*a*utomatic *e*xposure *camera*〗

AECB 〖美軍〗 Arms Export Control Board(무기 수출 통제 위원회).

aë·des, ae- [eiíːdiːz] *n.* (*pl.* ~) (황열병(黃熱病)을 매개하는) 줄무늬모기류의 속칭.

ae·dile, edile [íːdail] *n.* 〖史〗 조영관(造營官) 《옛 로마에서 공공 건물·도로의 관리나 후생·경찰 사무를 관장하던 관리》.

A.E.F. American Expeditionary Force(s)《제1차 대전 중의 미국 해외 파견군》.

A-effect [éi-] *n.* 〖劇〗 (Brecht의) 이화(異化) 효과(alienation effect).

Ae·ge·an [i(ː)dʒíːən] *a.* 에게 해(海)의.
the Aegean Islands 에게 해 제도.
the Aegean Sea 에게 해《소아시아와 그리스 사이에 있음》.

Aegéan civilizátion *n.* 에게 문명.

ae·ger [íːdʒər] *n.* 〖英大學〗 =AEGROTAT.

ae·gis, egis [íːdʒəs] *n.* **1** 〖그神〗 아이기스《Zeus가 Athena에게 주었다는 방패》. **2** Ⓤ 비호, 보호, 후원, 찬조, 주최 : under the ~ of …의 후원[보호]을 받아.
〖L<Gk. *aigis* shield of Zeus or Athena〗

Ae·gis·thus [i(ː)dʒísθəs] *n.* 〖그神〗 아이기스토스《Clytemnestra와 밀통하고 그녀의 남편 Agamemnon을 살해했으나 그의 아들 Orestes에게 살해되었음》.

ae·gro·tat [áigroutæ̀t, íː-, -´-] *n.* 〖英大學〗 (수험 불능을 증명하는) 질병 진단서.
〖L=he[she] is ill〗

AEI American Enterprise Institute (미국 국책 연구소).

AEIS 〖空〗 aeronautical en-route information service.

-aemia ☞ -EMIA.

Ae·ne·as [iníːəs] *n.* 〖그·로神〗 아이네아스《트로이 전쟁의 용사 ; 서사시 *Aeneid*의 주인공》.
〖Gk. =commended〗

Ae·ne·id [iníːəd] *n.* [The ~] Aeneas의 유랑담 《Vergil의 서사시》.

ae·ne·ous [eiíːniəs] *a.* (곤충 따위가) 청동색의.

Ae·o·li·an [i(ː)óuliən, -ljən] *a.* **1** [때로 a~] 바람의 신 AEOLUS의. **2** AEOLIS의 ; AEOLIS인(人)[방언]의. ── *n.* 아이올리스인 ; =AEOLIC.

aeólian hárp[**lýre**] *n.* 아이올로스금(琴), 풍명금(風鳴琴)《바람을 받으면 저절로 울림》.

aeolian harp

Ae·ol·ic [i(ː)ɑ́lik, i(ː)óu-] *a.* = AEOLIAN.
── *n.* (그리스어(語)의) 아이올리스(Aeolis)의 방언(方言).

ae·ol·i·pile, -pyle [iːɑ́ləpàil] *n.* 아이올리스의 공《둘레 위에 1개 이상의 굽은 노즐을 가진 공이 증기가 밖으로 분출하는 힘으로 움직이는 장치 ; 기원전 2세기에 발명된 증기기관의 원형》.

Ae·o·lis [íːələs] *n.* 아이올리스《소아시아의 북서부에 있던 고대 그리스의 식민지》.

ae·o·lo·trópic [ìːəlou-] *a.* 〖理〗 이방성(異方性)의. **ae·o·lot·ropy** [ìːəlɑ́trəpi] *n.* 〖理〗 이방성.

Ae·o·lus [íːələs, iːóu-] *n.* 〖그神〗 아이올로스《바람의 신》. 〖Gk.〗

ae·on, eon [íːən, -ɑn] *n.* 《文語》 영구, 영겁(eternity). 〖L<Gk. *aiōn* age〗

ae·o·ni·an, eo- [iːóuniən] *a.* 영구[영겁]의.

AEP Advanced Energy Projects《첨단 에너지 프로젝트 ; 미국 에너지성 에너지 조사국의 한 부문》.

ae·py·or·nis [ìːpiɔ́ːrnəs] *n.* 〖古生〗 융조(隆鳥)(elephant bird)《Madagascar에 서식하던 타조보다 큰 주금류》.

aeq. *aequales* 《L》 (=equal).

ae·quor·in [ikwɔ́(ː)rən, -kwɑ́r-] *n.* 〖生〗 에쿼린《해파리의 발광(發光) 단백질》.

aer- [éər, ǽər] ☞ AERO-《모음 앞에 올 때》.

AERA 〖空〗 automated en-route air traffic control(자동 항로 관제 시스템).

aer·ate [éəreit, ǽər-, éiərèit] *vt.* 공기에 쐬다 ; …에 공기를 통하게 하다 ; (혈액에) 호흡으로 산소를 공급하다 ; (액체에) 탄산가스를 함유시키다. 〖F *aérer* (L *aer* AIR)에 연유〗

áer·at·ed *a.* 《英俗》 화난, 흥분한.

áerated bréad *n.* 이산화탄소로 부풀린 무효모(無酵母) 빵.

áerated wáter *n.* 탄산수.

aer·a·tion [eəréiʃən, æər-, èiər-] *n.* Ⓤ 공기를 쐬기 ; 통기(通氣) ; 탄산가스 포화 ; 〖化〗 폭기(曝氣) ; (혈액의) 동맥혈화.

áer·a·tor *n.* Ⓒ 통풍기 ; 탄산수 제조기 ; 곡류 훈증(燻蒸) 살충기.

A.E.R.E. 《英》 Atomic Energy Research Establishment《A.E.A.의》.

aeri- [éərə, ǽərə] ☞ AERO-.

***aer·i·al** [éəriəl, ǽər-, eiíər-] *a.* **1** 공기의, 대기의 ; 기체의 : an ~ current 기류. **2** 공기와 같은, 가벼운 ; 희박한, 엷은 ; 가공의 ; 공상적인, 꿈같은(unreal). **3** 공중의 ; 항공(기)의 : an ~ attack 공습 / an ~ beacon 항공 표지 / an ~ cable 가공선 / an ~ chart 항공(지)도 / *A*~ Derby 비행 대회 / an ~ farming 항공 농업《비행기로 파종·농약 살포 따위를 함》/ an ~ fight 공중전 / an ~ flight 공중 비행 / ~ insurance 항공보험 / an ~ lighthouse 항공 등대 / an ~ liner 정기 항공기 / ~ navigation 항공술 / an ~ navigator 항공사 / an ~ performance 공중 곡예 / an ~ perspective (그림의) 공기 원근법(空氣遠近法) / an ~ propeller 항공 추진기 / an ~ railway[railroad] 《美》 가공 삭도 / an ~ route 항공로 / an ~ scout 공중 정찰(자) / an ~ sickness 항공병《멀미 따위》/ an ~ survey 항공 측량 / an ~ telegraphy 무선 전신술 / an ~ wire 〖通信〗 공중선(線), 안테나 / ~ observation [transport(ation)] 공중 관측[수송]. **4** 공중에 사는[생기는] ; 기생(氣生)의 : an ~ plant 기생식물. 㕔 aerial=air로 쓰이는 경우가 많으므로 air 및 그 복합어를 참조하시오《보기 ~ defense=AIR DEFENSE / an ~ fleet=an AIR FLEET / an ~ liner=an AIRLINER / ~ mail=AIRMAIL》.
—— [éəriəl, ǽər-] *n.* 공중선, 안테나(aerial wire). **~·ly** *adv.* 공중에, 공기처럼 ; 공상적으로. 〖L<Gk. ; ⇨ AIR〗

áerial blúe *n.* 청자(青磁)의 일종.

áerial bòmb *n.* 투하(投下) 폭탄.

áerial cábleway *n.* 공중 케이블 ; 가공삭도(架空索道).

áerial crímes *n. pl.* 항공 범죄.

áerial·ist *n.* 공중 곡예사(trapeze artist).

aer·i·al·i·ty [èəriǽləti, æər-, eiìəri-] *n.* 공기 같은 성질 ; 공허(空虛).

áerial làdder *n.* (소방용의) 공중 사닥다리.

áerial mìne *n.* (낙하산에 매단) 투하 폭탄.

áerial photógraphy *n.* =AEROPHOTOGRAPHY.

áerial refúeling *n.* 〖空〗 공중 급유.

áerial róot *n.* 〖植〗 기근(氣根).

áerial rópeway *n.* =AERIAL CABLEWAY.

áerial torpédo *n.* 공중 어뢰.

áerial trámway *n.* =AERIAL CABLEWAY.

ae·rie, aery [éəri, ǽəri, íəri, éiəri] *n.* (맹금(猛禽)의) 높은 곳에 있는 둥지 ; 맹금의 새끼(brood) ; 높은 곳에 있는 집[방·성·성채]. 〖? OF *aire* lair<L *agrum* piece of ground〗

aer·i·fi·ca·tion [èərəfəkéiʃən, æ̀ər-, eiìər-] *n.* 공기와의 화합, 기체화, 기화.

aer·i·form [éərəfɔ̀ːrm, ǽər-, eiíər-] *a.* 기체의 ; 공기 모양의 ; 공중의 ; 무형의, 실체 없는.

aer·i·fy [éərəfài, ǽər-, eiíər-] *vt.* 공기를 쐬다 ; 기체화하다.

aero [éərou, ǽər-] *a.* 항공(기)의 ; 항공학[술]의, 비행의 : an ~ society 항공 협회.

aero- [éərou, ǽərou, -rə], **aer-** [éər, ǽər], **aeri-** [éərə, ǽərə] *comb. form* 「공기」「대기」「기체」「항공(기)」의 뜻. 〖Gk. ; ⇨ AIR〗

àero·állergen *n.* 〖醫〗 공기 알레르겐《알레르기를 유발하는 공중의 미소립자》.

àero·ballístics *n.* 항공 탄도학(彈導學).

aer·o·bat·ics [èərəbǽtiks, æ̀ər-] *n.* Ⓤ 고등 비행(술), 곡예 비행. **-bát·ic** *a.* 고등[곡예] 비행(술)의 : an ~ flight 고등[곡예] 비행. 〖*aero*-+acro*batics*〗

aer·obe [éəroub, ǽər-] *n.* 〖生〗 호기성(好氣性) 생물[세균](↔*anaerobe*).

aero·bee [éərəbìː, ǽər-] *n.* (초고층 대기 연구용) 신형 로켓의 하나.

aer·o·bic [eəróubik, æər-] *a.* **1** 〖生〗 호기성의, 호기성 세균의 ; 산소의, 산소에 의한. **2** 에어로빅스의, 신체의 산소 소비[활용]의 : ~ dance 에어로빅 댄스.

aer·ó·bics *n.* [단수·복수취급] 에어로빅스《각종 운동을 통한 산소 소비량의 증대에 의해 순환·호흡 기능의 활발함을 꾀하는 건강법》.

àero·biólogy *n.* 공중 생물학.

àero·biósis *n.* (*pl.* **-ses**) 〖生〗 호기 생활.

aer·o·bi·um [eəróubiəm, æər-, eiə-] *n.* (*pl.* **-bia** [-biə]) =AEROBE.

àero·bódy *n.* 경비행기.

áero·bùs *n.* 《口》 =AIRBUS.

áero·càmera *n.* 항공 사진기.

áero·càr *n.* 호버 크라프트(hovercraft).

áero·clùb *n.* 항공 클럽.

áero·cràft *n.* =AIRCRAFT.

áero·cỳcle *n.* 〖美陸軍〗 소형 헬리콥터.

àero·do·nét·ics [-dənétiks] *n.* (글라이더 따위의) 활공 역학(滑空力學), 활공술(滑空術) ; 비행 안정 역학.

áero·dròme *n.* 《英》 비행장(=《美》 airdrome) ; 공항(airport) ; (비행기의) 격납고.

àero·dy·nám·i·cist [-dainǽməsəst] *n.* 공기 역학자, 기체 역학자.

àero·dynámics *n.* 기체[공기(空氣)] 역학, 항공 역학.
-dynámic, -ical *a.* 공력(空力)적인 : *aerodynamic* heating 〖로켓〗 공력 가열(加熱).
-ical·ly *adv.*

aero·dyne [éərədàin, ǽər-] *n.* 〖空〗 중(重)항공기(↔*aerostat*).

àero·émbolism *n.* 〖醫〗 항공 색전증(塞栓症).

àero·éngine *n.* 항공(기용) 엔진.

áero·fòil *n.* 〖英空〗 날개(=《美》 airfoil).

àero·générator *n.* 풍력 발전기.

áero·gràm, -grámme *n.* **1** 항공 우편, 항공 봉함 엽서. **2** 《英》 무선 전보(radiogram). **3** 기상

자기기의 기록.
áero·gràph *n.* 〖氣〗 (고층(高層) 기온·기압·습도 따위의) 자동 기록기, 기상 자기기(自記器), 에어로그래프.
aer·og·ra·phy [eərágrəfi, æər-] *n.* 기상 기록; (기술) 기상학. **-pher** *n.* 〖美海軍〗 기상 관측병.
àero·hýdro·plàne *n.* 수상 비행기, 비행정.
áero·lite, -lìth *n.* 운석(隕石) (meteorite).
aer·ol·o·gy [eərálədʒi, æər-] *n.* Ⓤ (고층) 기상학. **-gist** *n.* (고층) 기상학자, 기상 물리학자.
àero·magnétic *a.* 공중 자기(磁氣)의.
àero·maríne *a.* 《美》 해양 비행의.
àero·mechánic *a.* 항공[기체] 역학의. —— *n.* 항공 기술자; 항공 역학자.
àero·mechánics *n.* 항공 역학(力學). **-mechánical** *a.*
àero·médicine *n.* 항공 의학.
àero·meteórograph *n.* (항공기의) 자기 기상 기록계.
aer·om·e·ter [eərámətər, æər-] *n.* 기량(氣量)[기체]계.
aer·óm·e·try *n.* Ⓤ 기체 측정, 기량학(氣量學).
áero·mòdeller *n.* 《英》 항공 모형 제작자.
áero·mòtor *n.* 항공기용 (경)발동기.
aeron. aeronautics.
aero·naut [éərənɔ̀:t, ǽər-] *n.* 비행선[경기구] 조종사, 우주 비행사.
〖F (Gk. *nautēs* sailor)〗
aero·nau·tic, -ti·cal [èərənɔ́:tik(əl), æ̀ər-] *a.* 항공술의, 항공학의: an *aeronautical* station 항공 무선국, 지상 통신국. **-ti·cal·ly** *adv.*
aeronáutical chárt *n.* 항공도.
aeronáutical engineéring *n.* 항공 공학.
aeronáutical en-róute informátion sèrvice *n.* 항공로 정보 제공 업무《略 AEIS》.
àero·náu·tics *n.* Ⓤ 항공술; 항공학.
àero·neurósis *n.* 〖醫〗 항공 신경증.
aer·on·o·my [eəránəmi, æər-] *n.* (초(超))고층 대기 물리학. **-mer, -mist** *n.* **aer·o·nom·ic, -i·cal** [èərənámik(əl), æ̀ər-] *a.* **-nóm·ics** *n.* 대기학(大氣學).
àero-otítis média *n.* 〖醫〗 항공 중이염.
áero·pàuse *n.* 대기계면(大氣界面)《지상에서 약 20,000-23,000m의 공기층; 사람이 호흡 가능한 공기 밀도의 한계》.
àero·phóbe *n.* 비행 공포증이 있는 사람.
àero·phóbia *n.* 〖醫〗 혐기증(嫌氣症); 고소(高所) 공포증.
àero·phóbic *a.* 비행 공포증의.
〖aerophobia에서〗
áero·phòne *n.* 공중 무선 전화기; 〖樂〗 관악기, 취주 악기.
àero·photógraphy *n.* Ⓤ 항공 사진술, 기상(機上) 촬영술.
áero·phỳte *n.* 기생[착생](氣生[着生]) 식물.
◇**aero·plane** [éərəplèin, ǽər-] *n.* 《英》 비행기(=《美》 airplane): by ~ 비행기로 / take an ~ 비행기에 타다.
àero·plánkton *n.* Ⓤ 공중 부유 생물.
àero·pólitics *n.* Ⓤ 국제 항공 정책.
àero·pólice *n.* 공중 도시.
áero·scòpe *n.* (현미경 검사용의) 대기 중의 극미한 오염물 수집기.
aero·sol [éərəsɔ̀(:)l, ǽər-, -sòul, -sɑ̀l] *n.* 〖化〗 에어로졸, 연무질(煙霧質), 분무기: ~ bomb [container] (압축 가스를 이용하는) 분무기. —— *a.* 분무기의[로 분사하는].
áero·spàce *n.* 항공 우주(공간)《대기권 및 대기권 밖》; 항공 우주 과학[연구], 항공 우주 산업; (항공) 우주 의학. —— *a.* 항공 우주의; 항공 우주선[미사일] (제조(製造))의: ~ engineering 항공 우주 공학.
áerospace mèdicine *n.* 항공(우주) 의학.
áero·sphère *n.* 대기권(大氣圈).
aero·stat [éərəstæ̀t, ǽər-, -rou-] *n.* 경(輕)비행기《경기구, 비행선 따위; ↔*aerodyne*》.
àero·státic, -ical *a.* 기체 정역학(靜力學)의; 항공술(術)의.
àero·státics *n.* Ⓤ 기체 정역학(靜力學).
aero·sta·tion [èərəstéiʃən, æ̀ər-] *n.* 경기구 조종(법), 항공술.
àero·therapéutics *n.* Ⓤ 공기[대기] 요법.
àero·thérapy *n.* =AEROTHERAPEUTICS.
àero·thèrmo·dynámic *a.* 공기 열역학(熱力學)의: ~ border 〖로켓〗 공기 열역학적 한계《150-160km 이하의 고도》.
àero·thèrmo·dynámics *n.* Ⓤ [단수·복수취급] 공기 열역학(熱力學).
áero·tràin *n.* 에어로트레인《프랑스에서 개발한 단궤조(單軌條)를 달리는 프로펠러 추진식 공기 부상(浮上) 열차》. 〖F〗
àero·víew *n.* 공중 부감도.
aer·tex [éərteks, ǽər-] *n.* 《英》 에어텍스《내의 따위에 쓰이는 올이 거친 천; 상표명》.
ae·ru·gi·nous [iərú:dʒənəs, aiə-] *a.* 녹청(綠靑)의; 청록색의.
ae·ru·go [iərú:gou, aiə-] *n.* Ⓤ 녹, (특히) 녹청. 〖L〗
aery[1] [éəri, ǽəri, éiəri] *a.* 《詩》 =AERIAL. **áer·i·ly** *adv.*
aery[2] ☞ AERIE.
Aes·chy·lus [éskələs, í:s-] *n.* 아이스킬로스 (525-456 B.C.)《그리스의 비극(悲劇)시인》.
Aes·cu·la·pi·us [èskjəléipiəs, ì:skju-] *n.* **1** 〖로神〗 아이스쿨라피우스《의술의 신; Apollo의 아들; 〖그神〗의 Asclepius에 해당》. **2** Ⓒ 의사.
Ae·sir [éisiər, í:-, ǽs-; éi-] *n. pl.* 아서신족(神族)《Asgard에 살던 북유럽 신화의 신들》.
Ae·sop [í:sɑp, -səp] *n.* 이솝(619?-564 B.C.)《그리스의 우화 작가》: ~'s Fables 이솝 이야기.
Ae·so·pi·an [i(:)sóupiən] *a.* 이솝류(流)의; 이솝 이야기 같은; 우의적인.
aes·thete, es- [ésθi:t; í:s-] *n.* 유미(唯美)[탐미]주의자; 심미가.
〖Gk. *aisthētēs* one who perceives; *athlete*에 준해서 ↓에서〗
aes·thet·ic, es- [esθétik, is-; i:s-] *a.* 미(美)의; 예술적인; 미학(美學)의; 심미적인. —— *n.* 미학적 원리; 미의 철학, 미적 가치관; =AESTHETICS; =AESTHETE. **-i·cal** *a.* **-i·cal·ly** *adv.*
〖Gk. (*aisthanomai* to perceive)〗
aesthétic dístance *n.* 심미적 거리.
aes·the·ti·cian, es- [èsθətíʃən; ì:s-] *n.* Ⓒ 미학자(美學者).
aes·thet·i·cism, es- [esθétəsìzəm, is-; i:s-] *n.* Ⓤ 유미주의. **-cist** *n.*
aes·thet·i·cize, es- [esθétəsàiz, is-; i:s-] *vt.* 미적(美的)으로 하다, 아름답게 하다. **aes·thèt·i·ci·zá·tion, es-** *n.*
aes·thét·ics, es- *n.* Ⓤ 〖哲〗 미학(美學); 〖心〗 미적 정서의 연구.
aesthétic schóol *n.* 탐미파.
aes·tho-physiólogy [èsθou-; ì:s-] *n.* Ⓤ 감각

생리학. ㊟ 미국에서는 esthesiophysiology.
aes·ti·val, es- [éstəvəl, estáivəl, 英+iːstái-] *a.* 여름용(用)의.
aes·ti·vate, es- [éstəvèit, 英+íːs-] *vi.* 여름을 지내다[보내다]; 〔動〕 하면(夏眠)하다.
àes·ti·vá·tion *n.* Ⓤ 〔動〕 하면.
aet. [íːt], **aetat.** [íːtæt] aetatis.
ae·ta·tis [iːtéitəs] *a.* 당년 …살의: ~ 10 10살의. 〖L=aged, of age〗
aether, aethereal etc. ☞ ETHER, ETHEREAL etc.
aetiology ☞ ETIOLOGY.
A.E.U. 《英》 Amalgamated Engineering Union. **AEW** 〔軍〕 airborne early warning(공중 조기 경보(기)).
af- ☞ AD-.
A.F. Admiral of the Fleet; Air Force; Air France; Anglo-French; Army Form (육군 양식). **Af.** Africa(n). **A.F., a.f.** audio frequency (가청 주파수). **AFA** Amateur Football Association; 《美》 Associate in Fine Arts (초급대학 따위의 미술학과 수료자). **AFAK** Armed Forces Assistance to Korea(대한 군사 원조). **A.F.A.M.** Ancient Free and Accepted Masons.
afár [ə-] *adv.* 아득히, 멀리《far보다 문어적》: ~ off 아득히 (멀리 떨어져서).
—— *n.* [다음 숙어로]
from afar 먼데서.
〖*a*-[1]〗
A.F.A.S. Associate of the Faculty of Architects and Surveyors. **AFB** 《美》 Air Force Base(공군 기지). **A.F.B.S.** American and Foreign Bible Society. **AFC** automatic flight [frequency] control. **A.F.C.** Air Force Cross (영국 공군 십자 훈장).
AF camera [èiéf ⌐] *n.* 자동 초점 카메라. 〖*auto*f*ocus camera*〗
AFCS 〔空〕 automatic flight control system(자동 비행 제어 장치). **AfDB** African Development Bank. **AFDC** 《美》 Aid to Families with Dependent Children (아동 부양 세대(世帶) 보조).
afear(e)d [əfíərd] *a.* 《古·方》 =AFRAID.
afé·brile [ə-] *a.* 열없는, 무열(성)의(feverless).
aff. affirmative; affirming.
af·fa·bil·i·ty [æ̀fəbíləti] *n.* Ⓤ 붙임성 있음, 상냥함, 공손함.
af·fa·ble [ǽfəbəl] *a.* 붙임성 있는, 상냥한(sociable), 공손한(courteous).
-bly *adv.* 붙임성 있게, 상냥하게, 사근사근하게.
〖F<L=easy to talk to (*ad*-, *fari* to speak)〗
類義語 ⟹ GOOD-NATURED.
‡**af·fair** [əféər, əfǽər] *n.* **1** 일, 사건(event). **2** 할 일, 관심사, 볼 일; [*pl.*] 사무, 업무: He has many ~*s* to look after. 그에게는 해야 할 여러 가지 일이 있다 / family ~*s* 가사(家事) / human ~*s* 인간사(人間事) / private ~*s* 사사로운 [개인적인] 일 / public ~*s* 공무 / an ~ of honor 결투(duel) / an ~ of the heart 연애 사건, 정사(情事) / ~*s* of state 국사, 정무 / That's my [your] ~. 그것은 내[네] 일이다, 그것은 네[내]가 알 바[일이] 아니다. **3** 《口》 (막연히) 일, 사정; 것, 물건(thing): a laborious ~ 힘드는 일 / The new chair is a badly made ~. 그 새 의자는 아주 조잡하게[날림으로] 만들어졌다. **4** 〔軍〕 사건, 소규모의 전쟁. **5** (일시적인) 연애(사건), 정사(love affair): have an ~ with …와 연애를 하다.
a man of affairs 사무가; 실무가.
a state of affairs 사태(事態), 형세: *a* pretty *state of* ~*s* 아주 난처한 사태.
wind up one***'s affairs*** 업무의 뒤처리를 하다, 가게를 닫다.

〈회화〉
I'm afraid she's in trouble. — It's no *affair* of mine. 「그녀가 곤란한 것은 아닐까」 「내가 알 바 아니야」

〖OF (*à faire* to do); cf. ADO〗
af·faire d'a·mour [*F* afɛːr damuːr] *n.* 연애 사건, 정사(情事).
affaire de cœur [*F* -də kœːr] *n.* 연애 사건, 정사(affair of the heart).
affaire d'hon·neur [*F* -dɔnœːr] *n.* 결투(affair of honor, duel).
af·fect**[1] [əfékt] *vt.* **1** …에게 영향을 주다, 작용하다; (병·고통 따위가 사람을) 침범하다(attack): The climate has ~*ed* his health. 그 기후 때문에 그는 건강을 해쳤다 / Smoking ~*ed* his health. 담배가 그의 건강을 해쳤다. **2** [+目/+目+前+名] 감동시키다: He was much ~*ed* by her words[at*** the news]. 그녀의 말[그 뉴스]에 크게 감동되었다 / She was ~*ed* ***with*** compassion. 그녀는 측은한 마음이 들었다.
—— [ǽfekt, 英+əfékt] *n.* 〔心〕 정태(情態), 정서, 감정.
〖F or L *affecto* to influence (*facio* to do)〗
類義語 ***affect*** 반응을 일으킬 만큼 강한 자극을 주다《보통 나쁜 일에 씀》: Disease *affects* the heart. (병은 마음에 영향을 끼친다). ***influence*** 남의 행동·사상·성질 따위를 변하게 할 정도의 영향을 주다: They are *influenced* by new ideas. (그들은 새로운 사상에 영향을 받았다). ***impress*** 사람의 마음에 깊고도 영속적인 효과를 주다: We were *impressed* by the beauty of the scenery. (우리는 그 경치의 아름다움에 감명을 받았다). ***touch*** 동정 따위의 감정을 일으키게 하다: We were *touched* by his deed. (그의 행위에 감동되었다). ***move*** touch보다 마음의 변화를 크게 일으킬 만큼 강한 감정을 일으키게 하다: The sad story *moved* them to tears. (그 슬픈 이야기는 그들로 하여금 눈물을 흘리게 했다). ***sway*** 남의 마음을 좌우하여 진로를 바꾸게 할 만큼 강한 영향을 주다: Money will not *sway* us. (돈이 우리를 좌우하지는 못할 것이다).
af·fect[2] [əfékt, æ-] *vt.* **1** 즐겨 쓰다, 애용하다, 즐기다(fancy): My father ~*s* old furniture. 아버지는 옛날 가구를 애용하신다. **2** (물건 따위) 어떤 모양이 되기 쉽다, …을 취하다: Drops of fluid ~ a round figure. 물방울은 둥근 모양을 한다. **3** [+目/+*to* do] (…인) 체하다, …을 가장하다(pretend): He ~*s* a poet. 시인인 체한다 / She ~*ed* ignorance of the fight. 그 싸움을 모르는 체했다 / He ~*ed* not *to* hear me. 내 목소리를 못들은 체했다.
〖F or L *affecto* to aim at (↑)〗
類義語 ⟹ ASSUME.
af·fec·ta·tion [æ̀fektéiʃən] *n.* Ⓤ,Ⓒ …체하기, 꾸민 태도; 뽐냄, 허식: an ~ *of* kindness 친절한 체하기, 짐짓 꾸민 친절 / without ~ 체하지[꾸미지] 않고; 솔직히.
afféct·ed *a.* **1** 영향을 받은; (병 따위에) 걸린, 더위먹은: the ~ part 환부(患部) / the ~ areas 피

해 지역. **2** 감동된(touched). **3** (어떤) 감정을 품은(disposed) : How is he ~ toward us? 그 사람은 우리에게 어떤 감정을 품고 있느냐 / well-[ill-]~ 호의[악의]를 가진. **4** 체하는, 꾸민, 허식의, 뽐내는, 아니꼬운 : ~ manners 젠 체하는 태도. **~·ly** *adv.* 젠 체하여, 꾸며서.

afféct·ing *a.* 감동적인 ; 애처로운 ; 가슴아픈(touching) : an ~ sight 애처로운 광경.
~·ly *adv.* 감동적으로, 애처롭게.
類義語 ⟹ MOVING.

***af·fec·tion** [əfékʃən] *n.* **1** Ⓤ 애정, 사랑(love) ; [*pl.*] 애착, 연모 : his ~ *for*[*toward*] his wife 그의 처에 대한 애정 / the object of one's ~(*s*) 애정의 대상, 의중의 사람 / win[gain] a person's ~(*s*) 남의 사랑을 차지하다 / He set his ~*s* to the work. 그 일에 애정을 쏟았다. **2** Ⓤ [또는 *pl.*] 감정 ; Ⓤ 감동, 정의. **3 a)** Ⓤ,Ⓒ (신체에 대한) 영향 ; 장애. **b)** 병(disease). **~·al** *a.*
類義語 ⟹ LOVE.

af·fec·tion·ate [əfékʃənət] *a.* 애정이 깊은, 자애로운, 상냥한(tender) ; 애정이 넘치는(loving) : They are ~ to each other. 서로 사랑하고 있다.

af·féc·tioned *a.* 《古》 …한 감정(感情)을 품은(disposed).

afféctionate·ly *adv.* 애정을 가지고, 자애롭게. ***Yours affectionately*** = 《美》 ***Affectionately*** (***yours***) 친애하는 …로 부터《근친·애인 사이에 쓰는 편지를 맺는 말 ; cf. YOURS 4》.

afféction·less chàracter *n.* 〖心〗 애정(愛情) 상실 성격.

af·fec·tive [əféktiv, æ-] *a.* 감정의, 정서적인. **~·ly** *adv.*

afféctive stylístics *n.* 〖文〗 정동 문체론(情動文體論).

af·fec·tiv·i·ty [æfektívəti] *n.* 정서[정동]성 ; 감정 ; 〖心〗 감정[정동] 상태.

afféct·less *a.* 감정없는, 무정한, 냉혹한. **~·ness** *n.*

af·fen·pin·scher [ǽfənpìnʃər] *n.* 아펜핀셔《독일 원산의 털이 긴 애완견》.
〚G (*Affe* monkey, *Pinscher* 테리어의 하나)〛

af·fer·ent [ǽfərənt, ǽfe-] *a.* 〖解〗 (혈관 따위) 중심부로 향하는 ; (신경이) 구심성(求心性)의(↔ *efferent*). **~·ly** *adv.*

áfferent inféction diséase *n.* 수입 감염증.

af·fet·tu·o·so [æfètʃuóusou] *adv., a.* 〖樂〗 감정을 넣어서 ; 감정을 살려[살린].
〚It.=with feeling〛

af·fi·ance [əfáiəns] *n.* Ⓤ 서약, 약혼 ; 《古》 신용, 신뢰(faith)〈*in*〉. ── *vt.* [주로 *p.p.*로] [+目/+目+*to*+名] 약혼시키다 : one's ~*d* (husband [wife]) 약혼자 / the ~*d* couple 약혼한 남녀 / He is ~*d* ***to*** her. 그녀와 약혼한 사이다.
〚OF (L *fidus* trusty)〛

af·fí·ant *n.* 〖美法〗 선서 진술인, 증인.

af·fi·da·vit [æ̀fədéivət] *n.* 〖法〗 선서 진술서(陳述書) : swear[《口》 make, take] an ~ (증인이) 진술서에 거짓이 없음을 선서하다 / take an ~ (판사가) 진술서를 받다. 〚L=he has stated on oath (*affido*) ; cf. AFFIANCE〛

af·fil·i·ate [əfílièit] *vt.* [+目/+目+前+名] **1** 회원으로 받아들이다, 가입시키다 ; 관계를 맺다 ; 지부[분교]로 하다 ; 합병하다 : The two clubs are ~*d* ***with*** each other. 그들 두 클럽은 서로 밀접한 관계에 있다 / the primary school ~*d* ***to*** the University 대학 부속 초등학교. **2** 양자(養子)로 삼다 ; 〖法〗 (사생아의) 친자 관계를 정하다, 아버지를 확인하다 : ~ a child ***on***[***to***] a person 어떤 사람을 아이의 아버지로 확정하다. **3** …의 기원[유래]을 (…에서) 밝히다(ascribe) : ~ Greek art ***upon***[***to***] Egypt 그리스 예술의 근원은 이집트에 있다. ── *vi.* [+*with*+名] 제휴하다(associate) ; 가입하다, 가맹하다 : ~ ***with*** a political party 정당에 가입하다.
── [əfíliət, -èit] *n.* 《美》 관계[외곽] 단체, 가맹단체, 지부, 분회(分會)(branch), 계열 회사 ; 가입자, 회원 ; 방송망 가맹국.
〚L ; ⇨ FILIAL〛

af·fíl·i·àt·ed *a.* 가입[가맹]한, 관련이 있는, 제휴하고 있는, 지부의.

af·fil·i·a·tion [əfìliéiʃən] *n.* **1** Ⓤ,Ⓒ 입회, 가입 ; 가맹 ; 합병, 합동, 제휴 ; 《美》 (특히 정치적인) 관계 : a university ~ letter 대학의 입학 허가서. **2** Ⓤ,Ⓒ 양자 결연(結緣), 입양 ; 〖法〗 (사생아의) 친자 확인, 입적. **3** Ⓤ,Ⓒ 기원(起源)[유래]의 인정. **4** [*pl.*] 《美》 관계.

affiliátion mòtive *n.* 〖心〗 친화 동기《남과 협력·우정 관계를 유지하려는 욕구》.

affiliátion òrder *n.* 〖英法〗 (치안 판사가 부친에게 내리는) 비(非)적출자 부양료 지급 명령.

affiliátion procèedings *n. pl.* 〖法〗 친자 확인 수속《보통 미혼모가 특정 남성이 자기 자식의 아버지라는 법적 인지(認知)를 청구하는 강제 인지 소송(訴訟)》.

af·fined [əfáind, æ-] *a.* 인척의 ; 밀접한 ; 동맹한, 관계를 맺은.

af·fin·i·tive [əfínətiv] *a.* 밀접한 관계가 있는(closely related).

af·fin·i·ty [əfínəti] *n.* **1** Ⓤ (혈연 이외의) 인척 (관계) (cf. CONSANGUINITY). **2 a)** 유사성[점] 〈*between, with, of*〉 ; (양성(兩性)의) 친화성. **b)** 〖生〗 유연(類緣) ; 〖化〗 친화력. **3** 취미, 기호(liking) : She has an ~ *for* dancing. 그녀는 춤추는 것을 좋아한다. ☞ 活用.
〚OF<L (*affinis* bordering on, related<FINIS=border)〛

活用 미국에서는 affinity 뒤에는 전치사 *between, of, with*만 따르고 *for*는 뒤따를 수 없다는 학자도 있다. 따라서 3의 뜻이나 have an affinity for와 같은 숙어는 틀린다고 하는 견해도 있음.

affínity chàrter *n.* affinity group이 단체 여행을 위해 비행기를 전세냄.

affínity gròup *n.* 유연(類緣) 단체《여행 이외의 목적을 가진 단체 ; 운임의 특별 할인 대상이 됨》.

***af·firm** [əfə́ːrm] *vt.* [+目/+*that* 節] 단언하다, 확인하다(↔*deny*) ; 〖論〗 긍정하다 ; 〖法〗 확인하다, 증언하다 : ~ the innocence of the accused [*that* the accused is innocent] 피고가 결백하다고 증언하다.
── *vi.* 확언하다, 단언하다 ; 〖法〗 증언하다.
── *a., n.* 《美口》 긍정의[긍정적인] (대답).
~·able *a.* 확언[긍정]할 수 있는. **~·er** *n.* 확언자 ; 증언자.
〚OF<L ; ⇨ FIRM〛

類義語 ***affirm*** 자기의 진술에 자신이 있어 남이 부정할 수 없는 기분을 나타냄 : I *affirm* that he is honest. (그가 정직하다고 단언한다). ***assert*** 자신을 가지고 단언하다 ; 때때로 객관적인 증거가 없어도 강력히 주장하다 : He *asserted* that his plan was the best. (자기의 계획이 가장 좋다고 주장했다). ***warrant*** 화자의 확신을 나타내다《구어적 표현》 : I *warrant* he is an honest fellow. (그가 정직한 놈이란 것을 확신한다).

affírm·ance *n.* 단언 ; 확인.

affírm·ant *a., n.* 〖法〗 AFFIRM하는 (사람).
***af·fir·ma·tion** [æ̀fərméiʃən] *n.* U,C 단언, 확언 ; 〖論〗 긍정(↔*negation*) ; 〖法〗 증언, 확인.
***af·firm·a·tive** [əfə́ːrmətiv] *a.* 확언[단정]하는 ; 적극적인 ; 〖法〗 확인의 ; 〖論〗 긍정적인(↔*negative*) ; 〖數〗 정(正)의. ── *n.* 〖論〗 긍정(문), 긍정적 명제(命題), 긍정어(肯定語) : answer in the ~ 긍정하다, 그렇다고 대답하다(say yes).

> **affirmative**를 쓰는 문장 전환
> 직접화법의 yes를 간접화법으로 바꿀 때 쓴다.
> He said to me, "Will you go ?"에 대하여
> 직접화법 : I said, "*Yes*, I will."
> 간접화법 : I said that I would. I answered *in the affirmative*. (네라고 대답했다.)
> ☆ No에 대해서는 in the negative를 쓴다.

~·ly *adv.* 긍정[단정]적으로.
affírmative áction *n.* 《美》 차별 철폐 조치, 적극 행동《차별 받고 있는 측을 돕기 위해 적극적인 우대 정책을 펴는 것, 예컨대 기업에 일정수의 소수 민족, 장애자, 여성의 고용을 의무화하는 것 따위, 또 그런 조치를 취하도록 하는 법령》.
affírmative flág *n.* 〖海軍〗 yes를 뜻하는 신호기 《청·백·적·청의 가로 줄무늬》.
affírmative séntence *n.* 〖文法〗 긍정문.
af·firm·a·to·ry [əfə́ːrmətɔ̀ːri ; -təri] *a.* 단정적인, 긍정의(affirmative).
af·fix [əfíks, æ-] *vt.* [+目/+目+前+名] **1** 부착시키다, 첨부하다(fix), (우표 따위를) 붙이다(stick) : ~ a stamp ***to*** a letter 편지에 우표를 붙이다. **2** (서명 따위를) 써 넣다, (도장을) 찍다 : ~ one's signature ***to*** a contract 계약에 서명하다. **3** (죄·책임 따위를) 지우다(attach) : ~ blame ***to*** a person 남에게 죄를 씌우다.
── [ǽfiks] *n.* 부착[첨부](물) ; 〖文法〗 접사《접두사, 접미사》.
af·fix·a·tion [æ̀fikséiʃən] *n.* **1** 첨가(물). **2** 〖文法〗 접사 첨가(에 의한 말 형성). 〖F or L ; ⇨ FIX〗
af·fix·ture [əfíkstʃər, æ-] *n.* 부가[첨가](물).
af·flat·ed [əfléitəd, æ-] *a.* 영감을 받은 ; 고무된.
af·fla·tus [əfléitəs, æ-] *n.* U 한바탕 부는 바람 ; (시인·예언자 등의) 영감(inspiration).
af·flict [əflíkt] *vt.* [+目/+目+前+名] (정신적·육체적으로) 심하게 괴롭히다(distress), 성가시게 굴다 : He is ~*ed* ***with*** debts[*with* asthma]. 빚[천식]으로 시달리고 있다 / I felt much ~*ed* ***at***[***by***] the failure. 그 실패로 몹시 고민했다. 〖L (*flict- fligo* to strike down)〗
類義語 ⟹ TORTURE.
af·flic·tion [əflíkʃən] *n.* U,C (심신의) 고뇌, 고통(misery) ; [an ~] 고통[고뇌·한탄]의 원인, 수난, 불행, 재난.
eat the bread of affliction 비참한 생활을 하다(cf. BREAD).
類義語 ***affliction*** 병·손실·불행 따위로 인한 깊고도 영속적인 고통《그것을 견딜 힘의 필요성을 암시》. ***trial*** 인내력에 영향을 줄만한 고통 ; 약한 뜻으로는 속상하고 곤란한 일《일상 용어》. ***tribulation*** 장기간에 걸치는 심한 고통 ; trial 보다 덕성(德性)에 대한 시련을 강조함. ***adversity*** 뜻밖의 중대한 사건·곤란·고통 따위로 인한 영속적인 불행《뜻이 강함》. ***accident*** 뜻밖에 일어난 사고, 특히 죽음·손해·부상 따위가 따름(↔*solace, consolation, relief*).
af·flict·ive [əflíktiv] *a.* 괴롭히는, 고통스러운, 쓰라린.
af·flu·ence [ǽflu(ː)əns, æflúː-] *n.* **1** U 풍부(abundance) ; 부유(riches) : live in ~ 유복하게 살다. **2** U [an ~] 흘러들어옴(↔*effluence*) ; 쇄도, 운집 : an ~ of tourists 관광객의 쇄도.
áf·flu·ent *a.* 부유한 ; 유복한 ; 풍부한(abundant) 〈*in*〉 : in ~ circumstances 유복하게. ── *n.* 지류(支流)(tributary). **~·ly** *adv.* 풍부[유복]하게. 〖OF<L ; ⇨ FLUENT〗
áffluent socíety *n.* [the ~] 풍요한 사회《경제학자 Galbraith가 현대 사회에 관하여 동명(同名)의 저서(1958)에서 사용했음》.
af·flu·en·za [æ̀fluːénzə] *n.* 애플루엔자, 부자병《막대한 상속을 받은 여자가 무력감, 권태감, 자책감 따위를 갖는 병적 증상》.
af·flux [ǽflʌks] *n.* U 유입(流入), 도래 ; (사람 등의) 쇄도〈*of*〉; 〖醫〗 충혈 : the ~ of blood to the brain 뇌충혈, 상기(上氣).
‡af·ford [əfɔ́ːrd] *vt.* **1** [+目/+*to* do] [보통 can·be able to와 함께 써서] …의[할] 여유[돈·여가·힘 따위]가 있다, …할 수 있다 : I *can*'t ~ the time nor the money. 그럴 여가도 없고 돈도 없다 / *Can* you ~ $5? 5달러만 빌려줄 수 있겠니 / You won't *be able to* ~ a holiday. 휴가를 갈 여유가 없다 / We *can*'t ~ (*to* keep) a car. 자동차를 가질 여유가 없다. **2** [+目/+目+目/+目+*to*+名] (편의 따위를) 제공하다(give) ; (천연 자원 따위를) 공급하다, 산출하다(yield) : Some trees ~ resin. 수지(樹脂)를 채취할 수 있는 나무도 있다 / Reading ~*s* pleasure. 독서는 즐거움을 가져다 준다 / History ~*s* several examples of it. 역사에는 그러한 예가 몇 가지 있다 / Your presence will ~ us great pleasure[~ great pleasure ***to*** us]. 참석하여 주시면 우리들에겐 다시 없는 기쁨이 되겠습니다.
〖OE *geforthian* to promote (*y*- intensive, FORTH) ; 어형은 *af*-에 동화〗
affórd·able *a.* 주어지는 ; 입수 가능한, (값이) 적당한.
af·for·est [əfɔ́(ː)rəst, -fɑ́r-, æ-] *vt.* (토지를) 숲으로 만들다, 조림하다(↔*deforest*).
〖L ; ⇨ FOREST〗
af·fòr·es·tá·tion *n.* U 조림, 식림(植林).
af·fran·chise [əfrǽntʃaiz] *vt.* (노예를) 해방하다, 석방하다(enfranchise). **~·ment** *n.* U 해방.
af·fray [əfréi] *n.* (공공 장소에서의) 난투 ; 소동, 소요(騷擾) ; 소규모의 전투〈*between*〉. ── *vt.* 《古》 놀라게 하다. 〖AF (*ex*-[1], Gmc.=peace)〗
af·freight [əfréit] *vt.* (배를) 화물선으로 용선(傭船)하다. **~·er** *n.* **~·ment** *n.*
af·fri·cate [ǽfrikət] *n.* 〖音聲〗 파찰음(破擦音) 《[tʃ, dʒ, ts, dz] 따위》.
af·fric·a·tive [æfríkətiv, ə-, ǽfrəkèi-] *n., a.* 〖音聲〗 파찰음(의).
af·fright [əfráit] *vt.* 《古》 겁나게 하다(frighten), 놀라게 하다. ── *n.* U 공포, 놀람 ; 위협.
af·front [əfrʌ́nt] *vt.* **1** [+目/+目+前+名] (면전에서) 모욕하다, 공공연히 모욕하다, 욕보이다 : He felt much ~*ed* ***at*** having his presence disregarded. 자기의 존재를 무시당해 몹시 모욕을 느꼈다. **2** (죽음·위험 따위에) 과감하게 맞서다(face). ── *n.* (공공연한) 모욕 : put an ~ upon a person=offer an ~ to a person 남을 모욕하다 / suffer an ~ (at the hands of a person) (남으로부터) 모욕을 당하다. **~·er** *n.*
〖OF=to slap in the face (L FRONT), insult〗
類義語 ⟹ OFFEND.
affrónt·ive *a.* 《古》 모욕[치욕]적인, 무례한

(offensive).

afft. affidavit.

af·fu·sion [əfjú:ʒən, æ-] *n.* Ⓤ 〖宗〗 (세례의) 관수식(灌水式) ; 〖醫〗 관주(灌注) (요법).

Afg., Afgh. Afghanistan.

Af·ghan [ǽfgæ(:)n, -gən] *n.* 아프가니스탄인 ; Ⓤ 아프가니스탄어 ; Ⓒ [a~] 털실로 짠 담요.
—— *a.* 아프가니스탄의, 아프가니스탄인[어]의.

Áfghan hóund *n.* 아프간 하운드《길쭉한 머리와 명주 같은 긴 털을 가진 사냥개의 일종》.

af·ghani [æfgá:ni, -gǽni] *n.* 아프가니《아프가니스탄의 화폐 단위 ; =100 puls ; 기호 Af》.

Af·ghan·i·stan [æfgǽnəstæ̀(:)n, -stɑ̀:n] *n.* 아프가니스탄《서(西)아시아의 고원에 위치한 나라 ; 수도 Kabul》.

Afghánistan·ìsm *n.* 《美》 (신문 기자 등이) 자기 지역의 문제보다 먼 나라의 문제에 역점을 두는 일. 〖아프가니스탄이 미국에서 멀다는 데서〗

afi·cio·na·do, af·fi- [əfìʃiənɑ́:dou, -fisi-, -fi:si-] *n.* (*pl.* ~**s**) 열렬한 애호자 ; 열성가, 팬.
-na·da [-nɑ́:də, -dɑ:] *n. fem.* 〖Sp.〗

afíeld [ə-] *adv., pred. a.* **1** (농부가) 들에[로], (군인이) 전장으로[에]. **2** 멀리 떠나, 집 멀리에서(away from home) ; 상도(常道)를 벗어나서 : far ~ (…에서) 아주 멀리 떨어져서, (길을) 잘못 들어서. 〖OE (*a*-¹)〗

AFIPS American Federation of Information Processing Societies.

afíre [ə-] *adv., pred. a.* 불에 타서(on fire) ; (격정에) 불타서, 격(激)하여 : The house was ~. 집이 불타고 있었다.
set afire 타게[불붙게] 하다 ; 정열에 불붙이다.
with heart afire 가슴이 불타 올라.

AFKN American Forces Korea Network(주한 미군 방송망). **AFL, A.F.L.** American Federation of Labor; American Football League.

afláme [ə-] *adv., pred. a.* 불타 올라(in flames) ; 활활 타올라, 빛나서 ; (호기심·열의 따위에) 불타서.
set aflame 타오르게 하다 ; 《비유》 (피를) 끓게 하다.

af·la·tóxin [æ̀flə-] *n.* Ⓤ 〖生化〗 아플라톡신《독성이 강한 발암성 물질》.

AFL-CIO American Federation of Labor and Congress of Industrial Organizations(미국 노동 총연맹 산업별 회의).

aflóat [ə-] *adv., pred. a.* **1** 해상에(at sea), 선상[함상]에(on board ship) ; (물 위·공중에) 떠서(floating about) : life ~ 해상 생활(↔ *life ashore*) / service ~ 해상[함상] 근무 / the largest battleship ~ 세계 제1의 전함. **2** (갑판·논밭 따위가) 침수되어, 물에 잠겨. **3** 빚지지 않고, 파산하지 않고 ; 〖商〗 (어음이) 유통되어. **4** (소문 따위가) 퍼져서.
cargo afloat 〖商〗 해상의 화물.
keep afloat 가라앉지[빚지지] 않도록 하다.
set afloat (소문을) 퍼뜨리다 ; (계획·사업을 정식으로) 발족시키다 ; (신문·잡지를) 발간하다. 〖OE (*a*-¹)〗

aflút·ter [ə-] *adv., pred. a.* (날개·깃발 따위가) 펄럭이고 ; 흥분하여, 안절부절못하여.

A.F.M., AFM 《英》 Air Force Medal ; American Federation of Musicians. **AFN** American Forces Network ; Armed Forces Network.
A.F.O. Admiralty Fleet Order.

à fond [*F* a fɔ̃] *adv.* 충분[철저]히. 〖F=to bottom〗

afóot [ə-] *adv., pred. a.* **1** 도보로(on foot) : travel ~ 도보 여행을 하다. **2** 일어나서, 활동하여 ; 진행중(에)(going on) : A plot is ~. 음모가 꾸며지고 있다.
set afoot (계획을) 세우다 ; (일을) 착수하다. 〖ME (*a*-¹)〗

afore [əfɔ́:r] *adv., prep.* 《古·方》 (…보다) 앞쪽에 ; (…의) 전방에. 〖OE *onforan* (*a*-¹)〗

afóre·mèntioned *a.* 전술한, 앞서 말한.

afóre·nàmed *a.* 전술한.

afóre·sàid *a.* 《文語》 전술한, 앞서 말한.

afóre·thòught *a.* [후치] 미리 생각한 후의, 계획적인, 고의적인 : malice ~ 〖法〗 살의(殺意).
—— *n.* 사전의 고려, 사전숙고.

afóre·tìme *adv.* 이전에, 사전에(formerly).
—— *a.* 《稀》 이전의, 사전의(former).

a for·ti·o·ri [ɑ̀: fɔ̀:rtiɔ́:ri, -rai, èi-] *adv.* 한층 더 한 이유로, 더욱더, 더욱이나(all the more).
—— *a.* (증거 따위) 더욱 유력[확실]한.
〖L=with the stronger (reason)〗

afóul [ə-] *adv., pred. a.* 얽히어 ; 충돌하여.
run [***fall***] ***afoul of*** …와 얽히다, …에 말려들다 ; 충돌하다.

AFP Agence France-Presse(프랑스 통신사).

Afr- [ǽfr], **Af·ro-** [ǽfrou, -rə] *comb. form* 「아프리카」의 뜻. 〖L〗

Afr. Africa ; African.

A.-Fr. Anglo-French.

◇**afraid** [əfréid] *pred. a.* **1** [+*of* +do*ing*/+*to* do] 두려워[무서워]하여 ; 내키지 않은, 마지못한(unwilling) : I am ~ ***of*** snakes. 뱀이 무섭다《㊟ I FEAR snakes. 보다 구어적》/ Don't be ~ *of* me. 나를 무서워하지 마시오 / He was ~ *of* be*ing* scolded. 책망을 당하는 것이 두려웠다 / She was ~ *to* go through the wood. 숲속을 지나기가 무서웠다《무서워 지나가지 못했다》/ He is ~ *to* do even a little work. 아주 작은 일도 하기를 싫어한다. ㊟ ~ *of* do*ing*은 행동에 대한 공포·우려를 나타내는 데 비하여 ~ *to* do는 특정한 경우의 행동을 할 수 없다거나 하고 싶지 않다는 심정을 암시 : I was half ~ *of* bath*ing* there. 그곳에서 목욕하는 것이 좀 무서웠다 / He is ~ *to* die. 죽을까봐 겁내고 있다《죽기가 싫었다》. **2** [+*that* 節] 걱정[염려]하여, 우려하여 : I'm ~ (*that*) we shall be caught in a rain on the way. 도중에 비를 만날지도 모르겠다 / I was ~ *that* I might die. 죽지나 않을까 근심했다. **3** 《口》 [+*that* 節] (안됐지만, 유감스럽지만) …라 생각하여 (☞ HOPE 活用) : I'*m* ~ (=I'*m* sorry) I cannot help you. (안됐습니다만) 도와드릴 수 없군요 《㊟ 이 용법에선 보통 that이 생략됨》/ Is it true? — I'*m* ~ so[I'*m* ~ not]. 정말입니까 — 아무래도 그럴 것 같군요[같지 않군요] (cf. EXPECT 3, FEAR *vt.* 2, HOPE *vt.*). ㊟ afraid를 강조하는 부사로서 much는 너무 딱딱한 표현이므로 특히 《美口》에서는 very가 쓰임.

〈회화〉
She is *afraid* to fly in an airplane. — Lots of people are. 「그녀는 비행기 타기를 무서워 해」 「그런 사람은 많아」

〖(p.p.) <AFFRAY〗

類義語 ***afraid*** 일반적인 공포나 불안에 빠져 있는. ***frightened*** 일시적으로 갑작스런 공포 상태에 있는 : The baby was *frightened* by a sudden noise. (아기는 갑작스런 소리에 놀랐다). ***terrified*** 기겁을 할 정도의 무서운 공포 상

태에 있는 : The mother stood *terrified* as her child was attacked by the dog. (어머니는 개가 아이에게 덤비자 기겁하여 멈춰섰다). ***timid*** 용기・자신이 없어 겁내고 있는《지나친 소심・수줍음을 암시》: *timid* about jumping into the water (물속으로 뛰어드는 것을 무서워하는). ***fearful, timorous*** 공포・불안감이 심하여 몹시 걱정하고 있는 ; *fearful*이 *timorous*보다 보편적임.

A-frame [éi-] *n.* A자 모양의 것 ; A자 모양의 틀《무거운 물건 따위를 받치는 데 씀》. ㊟ 우리 나라의 「지게」도 이렇게 부름. ── *a.* A자 모양의.

af·reet, -rit(e) [ǽfri:t, əfrí:t] *n.* 〖아랍神〗 악마(惡魔).

afrésh [ə-] *adv.* 새로이(anew), 다시(again) : start ~ 다시 시작[착수]하다, 새로 고쳐 하다. 〚*a-*[1] *of*〛

Af·ric [ǽfrik] *a., n.* =AFRICAN.

‡Af·ri·ca [ǽfrikə] *n.* 아프리카(대륙).

***Áf·ri·can** *n., a.* 아프리카(의) ; 아프리카인(의), 아프리카 흑인(의) (Negro). 〚L〛

Af·ri·ca·na [æ̀frikɑ́:nə, -kǽnə, -kéinə] *n. pl.* 아프리카에 관한 문헌, 아프리카지(誌).

África̋n bláck *n.* 《美俗》 아프리카산 마리화나의 하나[한 등급].

Af·ri·can·der, -kan- [æ̀frikǽndər] *n.* = AFRIKANER.

África̋n Devélopment Fùnd *n.* 아프리카 개발 기금.

África̋n dóminoes *n. pl.* 《美俗》 주사위(도박)(dice).

África̋n·ìsm *n.* Ⓤ,Ⓒ 아프리카 말투 ; 아프리카의 특색 ; (범)아프리카주의. **África̋n·ist** *n.* 아프리카 언어[문화] 연구가 ; 범아프리카주의자.

África̋n·ìze *vt.* 아프리카화하다 ; 아프리카 흑인의 세력 아래에 두다. **Àfrican·izátion** *n.*

África̋n líly *n.* 〖植〗 =AGAPANTHUS.

África̋n mahógany *n.* 아프리칸 마호가니.

África̋n tóothache *n.* 《俗》 성병.

África̋n víolet *n.* 〖植〗 세인트폴리아, 아프리카제비꽃《탕가니카 고지 원산》.

Af·ri·kaans [æ̀frikɑ́:ns, -z, ∸-∸] *n.* Ⓤ 아프리칸스어《남아프리카 공화국의 공용어(語)》.
── *a.* 아프리칸스어의 ; AFRIKANER의. 〚Du.=African〛

Afrikander ☞ AFRICANDER.

Af·ri·ka·ner, -kaa-, -ca- [æ̀frikɑ́:nər] *n.* 아프리카너《남아프리카 공화국 태생인 유럽계, 특히 아프리칸스어(語)를 말하는 네덜란드계의 백인》.

Afrikáner·dom *n.* 아프리카너 세력[사회, 인구] ; 아프리카너 민족주의[의식].

Af·ro [ǽfrou] *n.* (*pl.* **~s**) 아프로《둥글고 곱슬곱슬한 흑인(黑人)의 헤어스타일》; 아프리카 흑인 ; = AFRO-AMERICAN ; (일반적으로) 흑인.
── *a.* 아프로 스타일의《헤어스타일・가발》; 아프리카의 ; =AFRO-AMERICAN ; 흑인의.
~ed *a.* 아프로 스타일로 머리를 한.
〚L *Afr-* *Afer* African, or *Afr*ican+*-o*〛

Afro- [ǽfrou, -rə] ☞ AFR-.

Áfro-Américan *n., a.* (아프리카계(系)의) 아메리카 흑인(의) (cf. NEGRO).

Áfro-Ásian *a.* 아시아・아프리카의 : the ~ bloc 아시아・아프리카 블록.

Áfro-Asiátic *n., a.* 〖言〗 아시아・아프리카어족(語族)(의).

Áfro-bèat *n.* 아프로비트《하이 라이프(high life)・칼립소・아메리카 재즈 따위의 요소를 도입한 음악의 한 형식》.

Áfro-Látin *a.* 〖樂〗 아프로라틴 음악의《아프리카와 라틴아메리카 음악을 도입한》.

af·ror·mo·sia [æ̀frɔ:rmóuziə] *n.* 아프리카산(産)의 가구 장식재용 목재.

Áfro-ròck *n.* 아프로록《전통적인 록 음악 스타일을 도입한 현대 아프리카 음악》.

Àfro-Sáxon *n., a.* 《蔑》 (서인도 제도에서) 백인 체제측의 흑인(의).

AFRTS Armed Forces Radio and Television Service(미군 라디오・텔레비전 서비스). **AFS** [èièfés] American Field Service《미국의 국제 고교생 교환 단체》.

AFSATCOM 《美》 Air Force Satellite Communications System(공군 위성 통신 시스템).

aft[1] [ǽ(:)ft ; ɑ́:ft] *adv.* 〖海〗 고물에[쪽으로] (↔ *fore, forward*) : right ~ (배의) 바로 뒤에, 고물 가까이 / fore and ~ ☞ FORE *adv.* 숙어.
── *a.* 고물(근처)의, 뒷 부분의 : the ~ decks 뒷갑판. 〚OE *æftan* ; cf. ABAFT〛

aft[2] *adv.* 《스코》 =OFT.

aft. afternoon. **AFTA** ASEAN Free Trade Area(동남아시아 국가 연합 자유무역 지역).

◇af·ter [ǽ(:)ftər ; ɑ́:f-]

> (1) 기본 뜻 : 「뒤에」
> (2) 주로 부사・전치사・접속사로 쓰인다.
> (3) after+(do)ing의 구문은 접속사와 거의 같은 뜻으로 빈번히 쓰이는 중요한 구문이다. after뒤에는 단순 동명사나, 완료 동명사가 쓰이는데 전자가 허물없는 표현이다.
> (4) 반의어 before와 용법이 대체로 병행한다.

── *adv.* (↔*before*) [순서] 뒤에 ; [시간] 후에 (later) : go ~ 나중에 가다 / follow ~ ☞ FOLLOW 숙어 / Jill came tumbling ~. 뒤따라 [그 뒤에] 질이 허둥지둥 달려 왔다 / three days ~ 3일 후에《㊟ ~ three days라고 하는 전치사 용법이 보통임》/ the day[week, year] ~ 그 다음 날[주・해] / long[soon] ~ 오랜 뒤에[곧, 얼마 안되어] / He was ill for months ~. 그뒤 몇 달 동안 병을 앓았다 / look before and ~ 앞뒤를 보다, 앞뒤를 생각하다 / (either) before or ~ 먼저이건 나중이건.

──[∸-, ∸-] *prep.* **1** [순서・시간] **a)** …의 뒤에 (following), …의 후[나중]에(later than) : ~ dinner 식후에 / ~ a month 한 달이 지나서[후에]《cf. *in* a month. ㊟ 보통 after는 과거의, in은 미래의 「…후」라는 뜻》/ follow ~ him 그의 뒤를 따르다, 그를 뒤따르다 / *A*~ you, sir [madam]. 자 먼저! / *A*~ you *with* the butter. 먼저 버터를 쓰시고 주십시오 / Shut the door ~ you. 들어오시면 문을 닫으시오 / day ~ day= one day ~ another 매일 / read page ~ page 몇 페이지고 계속해서 읽다. **b)** 《美》 (몇 분) 지나 (past) (cf. OF 12, BEFORE *prep.* 2 b)) : ten minutes ~ six 6시 10분. **c)** …의 다음에(next to), …에 뒤이어 ; …의 차위(次位)에 : come ~ ☞ COME 숙어 / the greatest poet ~ Shakespeare 셰익스피어에 다음가는 대시인.

2 [목적・추구] …의 뒤를 쫓아, …을 찾아서 : The police are ~ the murderer. 경찰은 살인범을 뒤쫓고 있다 / What is he ~? 그는 무엇을 노리고[바라고] 있는가 / Run ~ him! 그를 추격하라. ㊟ SEEK, SEARCH, YEARN, be EAGER 따위는 after 또는 for와 결합하여 「…을 추구하다」의 뜻 ; 이 뜻으로는 for보다 after가 더 강조적.

3 [관련] …의 일을, …에 관하여 : inquire[ask] ~ a friend 친구의 안부를 묻다 / He looked [saw] ~ the boys. 애들을 돌봤다.
4 [결과] (…했기) 때문에, …에 비추어 ; [all과 함께] (…함)에도 불구하고(in spite of) (cf. AFTER *all*) : *A*~ what you have said, I shall be careful. 말씀을 하시니 조심하겠습니다 / *A*~ *all* my advice, you took that measure. 그만큼 충고했는데도 불구하고 그런 짓을 했군.
5 [모방·순응] …에 따라서, …을 본떠서, …의 방식의, …에 연유하여 : a picture ~ Rembrandt 렘브란트풍(風)의 그림 / The mountain was named Everest ~[=《美》 for] Sir George Everest. 그 산은 조지 에베레스트 경의 이름을 따서 에베레스트산(山)이라고 명명됐다.
after a fashion 그럭저럭, 불완전하나마.
after all (여러 모로 생각해 봐도) 결국, 요컨대, 역시(cf. *prep.* 4) : You were right ~ *all.* 결국 네가 옳았다 / *A*~ *all,* we were friends. 무어라고 해도 우린 친구 사이였어.
after sight 〖商〗 (어음의) 일람후(一覽後).
from after …의 뒤에서.
on and after . . . (며칠) 이후 : *on and* ~ May 1 5월 1일 이후.
one after another 잇따라(☞ ONE *pron.*).
one after the other 번갈아(☞ ONE *pron.*).
till [***until***] ***after*** …후까지.

〈회화〉

After you. — Thank you. 「먼저 가세요[타세요]」「고마워요」

—— [´-, ˋ-] *conj.* …한 뒤[다음]에, 나중에 : *A*~ he comes, I shall start. 그가 온 다음에 출발할 예정이다. ☞ 活用.
after all is said and done 결국, 역시(=after all).
—— [´-] *a.* **1** 뒤의, 나중의(later) : ~ years 후년 / ~ ages 후세. **2** 〖海〗 고물[뒤쪽]의[에 가까운, 에 있는] : ~ cabins 뒤쪽 선실.
—— [´-] *n.* 《口》=AFTERNOON ; [*pl.*] =AFTERS. 〚OE *æfter* ; cf. OHG *aftar*, ON *aptr* back〛
活用 *conj.*의 after는 그 자체로도 "때"의 전후관계를 분명히 나타내므로 after 가 이끄는 절에는 완료형을 쓸 필요는 없지만 실제 문장에서는 때때로 눈에 띔 : I arrived there *after* she *had left*[*after* she *left*]. (그녀가 떠나고난 뒤에 그곳에 당도했다) / I will go with you *after* I *have finished* my breakfast[after I *finish* my breakfast]. (아침 식사[조반]를 마친 뒤에 당신과 함께 가겠습니다). ☞ TILL[1]의 活用 (2).

áfter·bìrth *n.* 후산(後産), 태, 포의(胞衣) ; 〖法〗 유복자(遺腹子).
áfter·bòdy *n.* 〖海〗 고물 ; (로켓 미사일의 NOSE CONE 배후의) 동체.
áfter·bràin *n.* 〖解〗 후뇌 ; 수뇌(髓腦).
áfter·bùrn·er *n.* 애프터버너《제트 엔진의 재연소 장치》.
áfter·bùrn·ing *n.* Ⓤ (제트 엔진의) 재연소(법).
áfter·càre *n.* **1** Ⓤ 병후[산후] 조리[요양]. **2** Ⓤ (졸업·형기 만료 후의) 직업 보도(補導) : ~ association 병후 요양 협회.
áfter·clàp *n.* 후환, 일단 끝났다고 생각한 것에서 발생하는 의외의[바라지 않은] 일.
áfter còst *n.* 〖會計〗 사후 비용《대금 회수비·제품 보증비 따위처럼 상품을 판매한 후에 발생하는 비용》.
áfter·cròp *n.* 〖農〗 그루갈이, 이모작.
áfter·dàmp *n.* Ⓤ (화약·가스 따위가 폭발한 뒤에 생기는) 후발(後發) 가스.
áfter-dárk *a.* 해진 뒤의, 밤의 : an ~ hangout 밤의 환락가.
áfter·dàys *n. pl.* 후일 ; 후년.
áfter·dèck *n.* 〖海〗 후갑판(甲板) (quarterdeck).
áfter-dínner *a.* 만찬 후의, 식후의 : an ~ speech (식후의) 탁상 연설.
áfter·effèct *n.* 여파, 잔존 효과 ; 〖醫〗 (약의) 후속작용[효과] ; (사고의) 후유증.
áfter-fìve *a.* 애프터파이브의《오후 5시 이후, 곧 근무시간 후의 모임에서 입는 옷에 관해 말함》 : an ~ ensemble 일과 후 입는 한 벌의 옷.
áfter·glòw *n.* Ⓤ 저녁놀, 석조(夕照) ; 〖理〗 잔광(殘光)《기체 방전이 소멸한 뒤에 남는 발광》 ; 즐거운 회상[추억].
áfter·gràss *n.* Ⓤ (목초의) 그루갈이, 두 번째 베는[베기 위한] 풀.
áfter·gròwth *n.* 두 번째 나는 것 ; 《비유》 2차 성장 ; 이차적 발생[전개].
áfter·guàrd *n.* 《海俗》 요트 소유자와 승객들 ; 후갑판 당직 장교.
áfter·hèat *n.* Ⓤ 〖核物理〗 여열(餘熱).
áfter-hóurs *a.* 폐점[영업 시간] 후의 ; 근무 시간 외의 : ~ work 잔업.
áfter·ìmage *n.* 잔상(殘像).
áfter·lìfe *n.* 내세 ; 사후의 생활 ; 후년, 여생.
áfter·lìght *n.* 저녁놀 ; =RETROSPECT.
áfter·màrket *n.* 《美》 수리용품[부속품] 시장.
áfter·math [-mæ̀(:)θ] *n.* 그루갈이, 두 번째 나는 [베는] 풀 ; (사고·재해 따위의) 여파 ; 영향, 결과 ; (전쟁 따위의) 직후의 시기 : the ~ of an earthquake 지진의 여파.
áfter-mèntioned *a.* 뒤에 말한, 후술[후기]한.
áfter·mòst [, 英+-məst] *a.* 맨뒤의 ; 〖海〗 최후부(最後部)의.
◇**af·ter·noon** [æ̀(:)ftərnúːn ; ɑ̀ːf-] *n.* 오후 ; (시대·인생 따위의) 후기 : *in*[*during*] the ~ 오후에 / *on* the ~ of the 3rd 3일 오후에 / *on* Monday ~ 월요일 오후에 / tomorrow[yesterday] ~ 내일[어제] 오후(에) / the ~ of life 《비유》 만년.
—— *a.* 오후의[에 쓰는] : an ~ nap 낮잠 / an ~ session 〖證〗 후장.
afternoon dréss *n.* 애프터눈 드레스《오후의 방문·다과회 따위에 입는 우아한 옷》.
afternoon dríve *n.* 《美放送俗》 (자동차 통근자가 카 라디오를 들으며 귀가하는) 저녁 러시 아워.
àfter·nóon·er *n.* 《美》 (신문의) 오후간(지) 《evening paper보다 이르게 오전 10시부터 오후 5시 사이에 나오는 신문》.
afternoon lády *n.* 분꽃.
afternoon páper *n.* =AFTERNOONER.
àfter·nóons *adv.* 《美》 오후에는 흔히[언제나] : He sleeps late and works ~. 늦잠 자고 오후면 일한다.
afternoon sléep *n.* 오수(午睡), 낮잠.
afternoon('s) mán *n.* 낮부터 술마시는 사람.
afternoon téa *n.* 《英》 오후의 차[간담회].
áfter·pàin *n.* (수술후 따위의) 시간이 지나고나서 나타나는 아픔 ; [*pl.*] 〖醫〗 후(後)진통, 훗배앓이《산욕초기의 자궁수축에 의한 아픔》.
áfter·pàrt *n.* 선미(船尾), 고물.
áfter·pìece *n.* 〖劇〗 (주된 연극 후의) 단막 희극 ; 맺음말 ; 〖野〗 더블헤더의 둘째 시합.
af·ters [ǽ(:)ftərz ; ɑ́ːftəz] *n. pl.* 《英》 =DESSERT.
áfter-sáles *a.* 《英》 판매 후의 : ~ service 판매후의 서비스.

áfter·sensàtion *n.* 〖心〗 잔류 감각《자극이 사라진 뒤에도 남아 있는 감각》.
áfter·shàve *a.* 면도한 뒤에 쓰는.
—— *n.* 애프터셰이브 로션(=∠ **lòtion**).
áfter·shòck *n.* 여진(餘震) ;《비유》 여파.
áfter-skì *a., adv., n.* =APRÈS-SKI.
áfter·tàste *n.* 뒷맛 ;《비유》 여운, 여정(餘情).
áfter·tàx *a.* 세금을 뺀[공제한] : an ~ profit 세금 공제한 이익, 순이익.
áfter·thòught *n.* 뒷생각, 뒷궁리 ; 뒤늦은 꾀 ; 〖文法〗 (일단 완결한 뒤의) 추가 표현.
áfter·tìme *n.* 금후, 장래, 미래(future).
áfter·wár *a.* 전후의(postwar).
‡**áfter·ward, -wards** *adv.* (cf. BEFOREHAND) 뒤에, 나중에(later) ; 그후, 이후. —— *n.* 내세(來世). 주 《英》에서는 현재 ~s를 씀.
〖OE ; ⇨ AFT[1], -WARD(s)〗
áfter·wìt *n.* Ⓤ 뒤늦은 꾀.
áfter·wòrd *n.* 발문(跋文) (cf. FOREWORD).
áfter·wòrld *n.* 후세, 내세.
áfter·yèars *n. pl.* 이후의 세월, 후년 ; 후세.
af·to [ǽ(:)ftou ; ɑ́:f-] *n.* (*pl.* ~**s**) 《濠俗》 = AFTERNOON.
AFTRA American Federation of Television and Radio Artists. **A.F.V.** 〖軍〗 armored fighting vehicle(장갑 전투차).
ag- ☞ AD-.
Ag 〖化〗 *argentum* 《L》 (=silver). **Ag.** agent ; agreement ; August. **ag.** agriculture. **A.G.** 《美》 Adjutant General ; Attorney General. **AG** *Aktiengesellschaft* 《G》(=joint-stock company) (주식회사). **A/G** air-to-ground.
aga, agha [ɑ́:gə] *n.* [때때로 A~] (터키 따위의) 장군, 고관(高官), 사령관《현재는 하층 계급에서 쓰는 존칭》.
〖Turk.〗
AGACS Automatic Ground-to-Air Communications System.
Aga·da [əgɑ́:də, əgɔ́:-] *n.* =HAGGADA(H).
◇**again** [əgén, əgéin, əgín] *adv.* **1** 다시, 또 : never ~ 두번 다시 …하지 않다 / once ~ 다시 한번 / Do it ~. 다시 한번 해라 / Try ~. 다시 한번 해봐라 / See you ~. 또 만납시다《작별 인사》. **2** 그만큼 더, 같은 분량만큼 더(more) : *as* large [many, much, old] ~ (as …) (…보다) 두배로 큰[많은, 나이든] / half *as* large[many, much, old] ~ (as …) (…보다) 한배반이나 큰[많은, 나이든] / His house is as big ~ as mine. 그의 집은 우리집보다 두배나 크다. **3** 제자리로, 본래의 상태로(back) : back ~ 제자리로, 본래대로 (회복)하여 / She will be back ~. 되돌아 올 것이다 / be[get] well ~ (병에서) 회복하다 ; 병이 낫다. **4** 응하여, 대답하여, (소리가) 반향하여 : answer a person ~ 남에게 대꾸하다 / echo ~ 반향하다 / He shouted till the valley rang ~. 골짜기가 메아리 치도록 소리쳤다. **5** 더욱 더, 그 위에 또, 그 밖에도(besides) : And, ~, it is not strictly legal. 게다가 엄격히 말해 합법적이 아니다. **6** 또 한편, 다른 한편, 그 반면에(on the other hand) : It might rain, and ~ it might not. 어쩌면 비가 올 것 같기도 하고 오지 않을 것 같기도 하다 / This is better, and[but] then ~ it costs more. 이것은 좋은 반면에 값이 비싸다.
again and again 몇 번이고, 재삼.
be oneself again (병이 나아서) 본래대로 되다, 회복하다 : He *is* now him*self* ~. 이제 그는 전처럼 회복되었다.
once and again 몇 번이고, 되풀이하여.
to and again 이리저리, 오락가락.

〈회화〉
Come and see us *again*. — Thank you. I will.
「또 오세요」「고맙습니다. 다시 오겠습니다」

〖OE *ongēan* straight (i. e. opposite) to〗
◇**against** [əgénst, əgìnst, -ˊ, əgéinst] *prep.* **1** …에 반대[반항]하여, 거슬러(↔*for, in favor of* ; cf. WITH 2) : fight ~ the enemy 적과 싸우다 / an argument ~ the use of atomic bombs 원폭(原爆) 사용 반대론 / ~ one's will[conscience] 자신의 뜻[양심]에 반하여, 마지 못하여 / Are you for it or ~ it? 그것에 찬성하느냐 반대하느냐 / There is nothing ~ him. 그에게 불리한 것은 아무 것도 없다 / vote ~ him 그에게 반대 투표를 하다. **2** …에 기대어, 의지하여 : lean ~ the door 문에 기대다 / with one's back ~ the pole 전주(電柱)에 (등을) 기대고. **3** …와 대조[대비]하여, …을 배경으로 : ~ the evening sky 저녁 하늘을 배경으로 / The white sail stands out ~ the dark sea. 캄캄한 바다에 흰돛이 두드러진다 / by a [the] majority of 70 ~ 40 70표대 40표의 다수로. **4** …에 대비하여 ; (병 따위)의 예방으로 : Passengers are warned ~ pickpockets. 《게시》 승객 여러분 소매치기에 조심하십시오, 소매치기 조심! / provide ~ a rainy day 만약의 경우에 대비하다.
as against …과 비교하여.
close against …에 접하여.
dead against …에 단호히[결사] 반대하여.
over against …의 바로 맞은 편에, …에 면(面)하여 ; …과 대조하여(☞ OVER *adv.*).
run against …과 부딪다 ; …와 우연히 만나다.

〈회화〉
The results went *against* our expectations. — That's too bad.「결과는 기대에 어긋났어」「그것 참 안됐군」

—— *conj.* 《古》 …까지에는(by the time that) : It will be ready ~ she comes. 그녀가 올 때까지는 준비되겠지.
〖AGAIN+-*st* ; -*st*는 유추에 의한 최상급 어미 ; cf. amid*st*, among*st*, betwi*xt*, whil*st*〗
ag·am- [ǽgəm, eigǽm], **ag·a·mo-** [ǽgəmou, eigǽmou, -mə] *comb. form* 〖生〗「무성(無性)의」「양성합체(兩性合體)가 아닌」의 뜻.
〖L<Gk. =unmarried〗
ag·a·ma [ǽgəmə, əgǽmə] *n.* 〖動〗 (아프리카·인도산) 아가마도마뱀.
〖NL<Sp.<Carib〗
Ag·a·mem·non [æ̀gəmémnɑn, -nən] *n.* 〖그神〗 아가멤논《Troy 전쟁 때 그리스군의 총지휘관 ; 그 후 처 Clytemnestra에게 살해당했음》.
agam·ic [eigǽmik, ə-] *a.* 〖生〗 단성 생식(單性生殖)의 ; 무성(無性)의 ; 〖植〗 은화(隱花)의(↔*gamic*). **-i·cal·ly** *adv.*
àgamo·génesis [, eigæ̀mə-] *n.* 〖生〗 무성 생식(無性生殖).
aga·mo·sper·my [ǽgəmouspə̀:rmi, eigǽmə-] *n.* 〖植〗 아가모스퍼미《화분·배낭의 이상 발달로 인하여 성결합이 불완전해진 단위 생식》.
ag·a·mous [ǽgəməs] *a.* =AGAMIC.
ag·a·my [ǽgəmi] *n.* =AGAMOGENESIS.
ag·a·pan·thus [æ̀gəpǽnθəs] *n.* 〖植〗 아프리카 튤립(=African tulip).
〖L (Gk. AGAPE[2]+*anthos* flower)〗

agape[1] [əgéip] *adv., pred. a.* 입을 벌리고 ; 기가 막혀, 어이없어 : set people all ~ 모두 깜짝 놀라게 하다. 〖*a-*[1]〗

aga·pe[2] [ǽgəpèi, -pi, ɑ́:-, ɑ:gɑ́:pei] *n.* [때때로 A~] 애찬(愛餐)《초기 기독교도의 회식》; 사랑, 아가페《비타산적인 사랑》.
aga·pe·ic [ɑ̀:gəpéiik] *a.* **-i·cal·ly** *adv.*
〖Gk. =brotherly love〗

ag·a·pem·o·ne [æ̀gəpéməni(:)] *n.* [때때로 A~] 사랑의 집《19세기 중엽 영국의 자유 연애주의자 집단》; 자유 연애장.

agar [éigər, ɑ́:gɑ:r] *n.* **1** 우뭇가사리류(類) ; 한천(寒天). **2** Ⓤ 〔生〕 한천 배양기(寒天培養基). 〖Malay〗

ágar-ágar *n.* =AGAR.

ag·a·ric [ǽgərik, əgǽr-] *n., a.* 〔植〕 주름버섯(속(屬))의).

ag·ate [ǽgət] *n.* **1** Ⓤ 〔鑛〕 마노(瑪瑙). **2** Ⓤ 《美》 〔印〕 아게이트 활자《5.5 포인트 ; =《英》 ruby ; ☞ TYPE 5 [注]》. 〖F<L<Gk.〗

ágate jàsper *n.* 〔鑛〕 마노벽옥(碧玉).

ágate lìne *n.* 《美》 아게이트 라인《광고면의 치수 : 1/14인치 높이로 한 난(欄)의 폭》.

ágate·wàre *n.* Ⓤ 마노처럼 보이도록 에나멜을 칠한 쇠그릇.

Ag·a·tha [ǽgəθə] *n.* 여자 이름《애칭 Aggie》. 〖Gk. =good〗

aga·ve [əgɑ́:vi, əgéi-, ǽgeiv] *n.* (열대 미국산) 용설란(龍舌蘭)속의 식물(cf. CENTURY PLANT). 〖Gk. *Agauē* Cadmus와 Harmonia의 딸(*agauos* illustrious)〗

agaze [əgéiz] *adv., pred. a.* 응시하여, 주시하여 ; 《美》 (놀라) 눈이 휘둥그래져.

AGB Audits of Great Britain, Ltd.(영국 시청률 조사 회사). **AGC** 〔電子〕 automatic gain control(자동 이득 조절). **agcy.** agency.

◇**age** [éidʒ] *n.* **1** Ⓤ,Ⓒ 나이, 연령 ; 〔心〕 발달 연령 : *at* the ~ of ten 열 살 때에 / He is ten years *of* ~. 열 살이다(He is ten years old.) / What's his ~? 그는 몇 살이냐 (How old is he?) / The ~*s* of the children are 7, 5, and 3. 아이들의 나이는 일곱 살과 다섯 살과 세 살이다 / the ~ of the old castle 그 고성(古城)이 축성된 햇수 / *A*~ before honesty. 정직보다도 나이가 우선《보통 연소자는 연장자에게 양보해야 한다(Children must give precedence to their elders.)라는 뜻으로 씀》/ the ~ of consent ☞ CONSENT 숙어. [注] [서술 형용사적 용법] She is just my ~. 나와 동갑이다 / when you are my ~ 너도 내 나이가 되면 / a girl your ~ (=*of* your ~) 네 나이 또래의 소녀. **2** Ⓤ **a)** 성년(成年), 정년(丁年)(=full age) : be[come] of ~ 성년이다[이 되다] / over [under] ~ 성년을 지난[미성년인] / the ~ of discretion ☞ DISCRETION 숙어. **b)** 노령(=old age)《보통 65살 이상》: His eyes are dim with ~. 그의 눈은 노령으로 침침하다. **c)** 노인들(↔ *youth*). **3** Ⓤ **a)** 수명, 일생(lifetime) : Three score and ten is the ~ of man. 《속담》 인생 수명 70. **b)** (인생의) 한 시기 : middle[old] ~ 중년[노년]. **4** 세대, 일대(generation) ; (역사상의) 한 시기, 시대(period, epoch) : the survivor of a critical ~ 어려운 때의 생존자 / the spirit of an ~ 시대 정신 / the Victorian *A*~ 빅토리아조(朝) (1837-1901) / the Dark *A*~ (중세 유럽의) 암흑 시대(500-1450) / ☞ GOLDEN[SILVER] AGE / ☞ ICE AGE / the Stone[Bronze, Iron] *A*~ 〔考古〕 석기[청동기, 철기] 시대《인류 진화의 단계를 그 용기(用器)로 표시》/ the atomic ~ 원자력 시대 / the ~ of discontinuity 단절의 시대. **5** [흔히 *pl.*] 《口》 장기간, 오랫 동안(long time) : for ~*s* eternal 영원히 / I haven't seen you for ~*s*[an ~]. =It is ~*s* since I saw you last. 참으로 오래간만입니다.
act*[*be*] one's *age 나잇값을 하다.
for* one's *age 나이에 비해서는 : He is young *for* his ~. 나이에 비해서는 젊다.
in all ages 만세에 ; 옛날이나 지금이나.
of all ages 모든 시대에, 모든 연령의.

> **for one's age**의 문장 전환
> 다음 문장은 같은 의미상의 관계를 나타낸다.
> He looks young for his age.
> (그는 나이에 비해 젊어 보인다.)
> → He looks younger than his age.
> (그는 나이 보다 젊어 보인다.)
> → He is not so young as he looks.
> (그는 겉보기 만큼 젊지 않다.)
> → He is older than he looks.
> (그는 겉보기 보다도 나이 많다.)

— *v.* (**ág·ing, ~·ing**) *vi.* 나이를 먹다, 해가 가다 ; 늙다 ; (물건이) 오래되다 ; (포도주·치즈 따위) 익다, 묵다 : He has ~*d* very much since then. 그 후 대단히 늙었다 / He is *ag*(*e*)*ing* rapidly. 그는 급격히 늙어간다. — *vt.* …를 나이 들게 하다, 늙게 하다 ; (물건 따위를) 낡게 하다 ; (술 따위를) 묵히다(make old) : Worry and illness ~ a man. 근심과 병은 사람을 늙게 한다. 〖OF<L *aetas* ; cf. AEON〗
[類義語] ⟹ PERIOD.

-age [idʒ] *n. suf.* 「집합」의 뜻(: leaf*age*) ; 「동작」의 뜻(: stopp*age*) ; 「결과」의 뜻(: us*age*) ; 「상태」의 뜻(: marri*age*) ; 「경우」의 뜻(: peon*age*) ; 「장소」의 뜻(: steer*age*) ; 주거의 뜻(: orphan*age*) ; 「수량」의 뜻(: acre*age*) ; 「요금」의 뜻(: post*age*) ; 「율(rate)」의 뜻(: dos*age*). 〖OF〗

áge bràcket *n.* (일정한) 연령층(의 사람들).

***aged**[1] [éidʒd] *a.* **1** …살의[인] : a man ~ 40 (years) 40살된 사람 / He died ~ 50. 50살에 죽었다. **2** (말이) 다 자란《7살 이상의 말》. **3** 여러해 묵은, 오래된 : ~ wine 묵은 술.

***aged**[2] [éidʒəd] *a.* **1** 노령의, 늙은(old) ; 노령 특유의 ; 〔地〕 노년기의 : an ~ woman 노파 / ~ wrinkles 주름살. **2** [명사적으로 ; the ~, 복수취급] 노인(들).
~·ness *n.* Ⓤ 늙음, 노령 ; 낡음.
[類義語] ⟹ OLD (1).

áge-dàte *vt., vi.* 〔考古·地〕 (발굴물·시료(試料)의) 연대를 과학적 수단으로 결정하다.
— *n.* 과학적으로 결정된 연대.

áge-gròup, áge-gràde *n.* 〔社〕 연령집단 ; 연령 계급.

áge hàrdening *n.* 〔化·冶〕 시효 경화(時效硬化)《강철·알루미늄 합금 따위가 시간이 경과함에 따라 굳어지는 현상》.

ageing ☞ AGING.

age·ism, ag·ism [éidʒizəm] *n.* Ⓤ 고령자 차별(주의), 연령 차별. **áge·ist, ág·ist** *n., a.*

áge·less *a.* 늙지 않는, 불로의 ; 영원의. **~·ly** *adv.*

áge lìmit *n.* 연령 제한, 정년 : retire under the ~ 정년 퇴직하다.

áge-lìmit sýstem *n.* 정년제.

áge·lòng *a.* 오랫 동안 지속하는.

áge-màte *n.* 같은 연령층의 사람.

agen·bite of in·wit [əgénbait əv ínwit] *n.* 《英》 양심의 가책, 자책(감).

***agen·cy** [éidʒənsi] *n.* **1** Ⓤ 대리권 ; 대리 행위, 대리직, 대리업 ; Ⓒ 대리점, 취급점, 특약점 : a general ~ 총대리점 / ☞ COMMERCIAL AGENCY / a detective ~ ☞ DETECTIVE / ☞ NEWS AGENCY. **2** Ⓤ 주선, 중개, 매개. **3** Ⓤ 발동력, 힘, 작용, 활동 ; 〖哲〗 작인(作因) : Creation is by divine ~. 창조는 신의 섭리다 / by an invisible ~ 보이지 않는 작용으로 / through human ~ 인력(人力)으로 / the ~ of Providence 신의 힘, 섭리. **4** Ⓒ 《美》 정부 기관, …청, 국, (당의) 기관 : a government ~ 정부 기관, 관청 / the Central Intelligence *A*~ 중앙 정보국.
by*[*through*] *the agency of …의 매개[작용·주선]로 : Snow was drifted *by the* ~ *of* the wind. 눈이 바람에 날려 쌓였다.
〖L ; ⇨ ACT〗

ágency commìssion *n.* (광고) 대리점 수수료(料).

Ágency for Internátional Devélopment *n.* [the ~] 《美》 국제 개발청《국무부의 한 기관 ; 略 AID》.

ágency shòp *n.* 《美》 에이전시 숍《조합이 비조합원에 대해서도 대리권을 가지고 조합비를 내게 하는 숍제(制) ; 그 제도가 적용되는 직장》.

agen·da [ədʒéndə] *n.* (*pl.* **~s**) 예정표, 계획표 ; 회의 사항, 의사 일정 ; 비망록 : the first item on the ~ 의사 일정의 제1항목.
〖L=things to be done (pl.) ‹ AGENDUM〗
活用 원래 agendum의 복수형이지만 단수구문에도 쓰임 : The *agenda has* not yet been drawn up. (의사 일정은 아직 마련되지 않고 있다).

Agenda 21 [-́ twéntiwʌ́n] *n.* 아젠다 21《1992년 6월, 브라질 리우데자네이루에서 열린 환경과 개발에 관한 유엔 회의에서 채택된 행동 계획》.

agen·dum [ədʒéndəm] *n.* (*pl.* **~s**, **-da** [-də]) 의사 일정.
〖L (gerund.) ‹ *ago* to do ; ⇨ ACT〗

ag·ene [éidʒi:n] *n.* 삼염화(三鹽化)질소《밀가루 표백용》. 〖*Agene* 상표〗

***agent** [éidʒənt] *n.* **1 a)** 대행자, 대리인 ; 취급자 (cf. PRINCIPAL 4) ; 지배인 ; 주선인 ; 《美》 정부 요원, 관리《경찰관·기관원》 ; 대리점[업자] : ☞ COMMISSION AGENT / ☞ ESTATE AGENT / a forwarding ~ 운송업자, 화물 취급인 / ☞ GENERAL AGENT / ☞ HOUSE[LAND] AGENT / a patent ~ 특허 변리사 / a sole ~ 총대리인 / a travel ~ 여행 대리업자(代理業者) / a diplomatic ~ 외교관 / a theater ~ 《英》 연예인 알선업자. **b)** 앞잡이, 스파이, 첩자, 비밀 탐정(secret agent). **c)** 《口》 (지점의) 영업 지배인, 외판원(traveling salesman). **2** 발동자, 행위자 ; 〖文法〗 동작의 주체, 동작주(動作主) : He was a mere instrument, not an ~. 단지 하수인에 불과하였지 주동자는 아니었다. **3** 작인, 요인, 동인(動因) ; (어떤 현상을 일으키는) 자연력 ; 약품, 작용제(劑) : chemical ~*s* 화학약품 / natural forces as a mechanical ~ 기계의 동인(動因)으로서의 자연력.
〖L ; ⇨ ACT〗
類義語 ***agent*** 보통 대리로 맡아보는 사람[것] ; 대행할 권한을 받은 사람. ***deputy*** 상급자로부터 어떤 종류의 권한을 위임받은 정부 관리 : a *deputy* chairman (의장[회장] 대리). ***factor*** 남을 위해 어떤 일을 봐주는 사람《보통 판매 대리인》 : a wool *factor* (모사[양모]중개인). ***proxy*** 어떤 공식·의식상의 일로 남의 대리를 할 권한을 위임받은 사람.

Ágent Blúe *n.* 에이전트 블루《미군이 월남전에서 사용한 고엽제》.

ágent cóupon *n.* 항공권의 대리점용 쿠폰. **1** (항공회사 고유의 항공권으로) 발행 영업소의 예비용 쿠폰. **2** (BSP(bank settlement plan 은행 집중 결제 방식) 항공권으로) 발행 여행 대리점의 예비용 쿠폰.

ágent díscount (fàre) *n.* 〖空〗 대리점용(用) 할인 운임.

ágent-géneral *n.* (*pl.* **ágents-**) (런던에 주재하는 캐나다·오스트레일리아의) 자치령[주] 대표.

agen·tial [eidʒénʃəl] *a.* 행위자의, 대리자의.

ágen·tive *a., n.* 〖文法〗 행위자를 나타내는 (접사(接辭)·어형).

ágent míddleman *n.* 대리상(商).

ágent nòun *n.* 〖文法〗 동작주 명사, 작위(作爲) 명사《보기 maker, actor》.

Ágent Órange *n.* 에이전트 오렌지, 오렌지제(劑)《미군이 월남전에서 사용한 고엽제》.

ágent pro·vo·ca·téur [-prouvɑ̀kətə́:r ; *F* aʒɑ̃ prɔvɔkatœ:r] *n.* (*pl.* **ágents pro·vo·ca·téurs** [-s- ; *F* —]) (노조·정당 따위에 잠입한) 공작원, (권력측의) 첩자, 앞잡이, 스파이.
〖F=provocative agent〗

ágent·ry *n.* agent의 직[의무, 행위].

áge of límits *n.* [the ~] 한계의 시대《절약과 한계 있는 생활이 요구되는》.

áge-óld *a.* 오래 된, 긴 세월이 지난 ; 예로부터 전해오는 ; 장년의.

áge pìgment *n.* 〖生化〗 연령 색소《성장함에 따라 세포 안에 축적되는》.

ag·er [éidʒər] *n.* 〖染〗 (염색물을) 발색(發色)[고착(固着)]시키는 기계[설비].

ag·er·a·tum [æ̀dʒəréitəm, ədʒérə-] *n.* (*pl.* **~s**) 엉거시과(科) 멕시코엉겅퀴속(屬)의 식물.

áge-specífic *a.* (기능·효과가) 특정 연령층에 고유한[한정된] : A lot of the programs on television are ~. 많은 텔레비전 프로그램이 특정 연령층을 대상으로 하고 있다.

AGF Asian Games Federation(아시아 경기 연맹(聯盟)).

ag·fay [ǽgfei] *n.* 《美俗》 호모, 비역.
〖pig Latin〗

ag·ger [ǽdʒər] *n.* **1** 이중 조수《일시적으로 작은 간만을 수반하는 썰물 또는 밀물》. **2** (고대 로마 따위의) 해자로 만든 토루(土壘), 방벽(防壁).

ag·gie [ǽgi] *n.* 《美》 마노(瑪瑙)(와 비슷한 유리) 구슬.

Aggie[1] *n.* 《美俗》 농업학교, 농대 ; [보통 *pl.*] 농업학교[농대] 학생[선수(단)].
〖*ag*ricultural, *-ie*〗

Aggie[2] *n.* 여자 이름《Agatha, Agnes의 애칭》.

ag·gior·na·men·to [ədʒɔ̀:rnəméntou] *n.* (*pl.* **~s**, **-ti** [-ti]) 〖카톨릭〗 (체제·교리 따위의) 현대화(정책).
〖It.=bringing up to date (*a-*[1] to, *giorno* day)〗

ag·glom·er·ate [əglɑ́mərèit] *vt., vi.* 덩어리로 만들다[되다] ; 뭉치(게 하)다. —— [-rət, -rèit] *a., n.* 덩어리의, 집적된 ; 덩어리, 집괴암(集塊岩).
〖L (*glomer-* *glomus* ball)〗

ag·glòm·er·á·tion *n.* Ⓤ 덩어리로 만들기[되기], 집적, 응집(작용) ; Ⓒ 덩어리.

ag·glóm·er·à·tive [; -rət-] *a.* 응집하는, 집괴성(集塊性)의.

ag·glu·ti·na·bi·li·ty [əglù:tənəbíləti] *n.* (적혈구 따위의) 응집력.
ag·glu·ti·nant [əglú:tənənt] *a.* 접합시키는 ; 교착성의. —— *n.* 접합제(劑).
ag·glu·ti·nate [əglú:tənèit] *vt., vi.* 교착[접합]시키다[하다] ; 〖言〗 교착시켜 복합어를 만들다 ; (혈구 따위를) 응집시키다[하다].
—— [-nət, -nèit] *a.* 교착한 ; 교착성의.
-nàt·ed *a.* 교착[접합]하는, 교착성의.
〚L ; ⇨ GLUTEN〛
ag·glù·ti·ná·tion *n.* Ⓤ 교착, 접합 ; 〖醫〗 (상처의) 유착(癒着) ; 〖言〗 교착법[성] ; Ⓒ 교착 어형 《보기 *pigsty, steamboat*》.
ag·glú·ti·nà·tive [, -nə- ; -nə-] *a.* 교착성의, 합착(合着)적인, 응집적인 : an ~ language 〖言〗 교착어《한국어·터키어 따위 ; cf. INFLECTIONAL language, ISOLATING LANGUAGE》.
ag·glu·ti·nin [əglú:tənən] *n.* (면역의) 응집소.
ag·glu·tin·o·gen [æglutínədʒən, əglú:tənə-] *n.* (면역의) (세포)응집원(凝集源).
ag·gra·da·tion [ægrədéiʃən] *n.* 〖地質〗 매적(埋積) 작용.
ag·grade [əgréid] *vt.* 매적(埋積)하다.
ag·gran·dize [əgrǽndaiz, ǽgrəndàiz] *vt.* 크게 하다, 확대하다, (사람·국가 따위의 지위·중요성 따위를) 강화하다 : The king sought to ~ himself. 국왕은 세력의 증강을 꾀했다.
ag·grán·diz·er [, ǽgrəndàizər] *n.*
〚F ; ⇨ GRAND〛
ag·gran·dize·ment [əgrǽndəzmənt, ægrəndáiz-] *n.* (부·지위 따위의) 증대, 강화 : personal ~ 영달(榮達), 출세.
ag·gra·vate [ǽgrəvèit] *vt.* **1** (병 따위를) 더욱 악화시키다(make worse), (부담·죄 따위를) 더욱 무겁게 하다, 가중시키다 : His disease was ~*d* by anxiety. 그의 병은 걱정으로 더욱 악화되었다. **2** 《口》 화나게 하다, 괴롭히다(annoy) : That ~*d* him beyond endurance. 그것 때문에 화가 나서 그는 참을 수가 없었다.
〚L=to make heavy (*gravis* heavy)〛
ág·gra·vàt·ed assáult *n.* 〖法〗 가중 폭행《보통의 폭행보다 형이 가중되는 폭행, 부녀자 폭행 따위》.
ág·gra·vàt·ing *a.* 더욱 악화하는 ; 《口》 화나는, 짜증나는. **~·ly** *adv.*
ag·gra·va·tion [ægrəvéiʃən] *n.* U,C 악화, 중대화, 가중 ; 《口》 격분, 짜증.
ág·gra·và·tor *n.* 더욱 악화시키는 것[사람] ; 약오르게 하는 것[사람].
ag·gre·gate [ǽgrigèit] *vt., vi.* **1** 집합하다 ; 모으다, 모이다. **2** [+補] 《稀》 총계 …이 되다 (amount to) : The money collected will ~ $ 2,000. 모금액은 총 2,000 달러가 된다. —— [-gət, -gèit] *a.* 집합적인(collective) ; 합계의, 총계의 (total) : ~ tonnage (선박의 적재량) 총톤수 / ~ power 총력. —— [-gət, -gèit] *n.* **1** 집합(체) ; 〖數〗 집합 ; 골재《콘크리트를 만들때 혼합하는 모래·자갈 따위》. **2** 총계, 총수, 총액 : *in the* ~ 전체로서, 총계하여. **~·ly** *adv.* 전체로 ; 총계로. **~·ness** *n.*
〚L=to herd together (*greg- grex* flock)〛
ag·gre·ga·tion [ægrəgéiʃən] *n.* U,C 집합, 집성 ; 집합체, 집단.
ág·gre·gà·tive *a.* 집합의, 집합체의 ; 사회성이 강한 ; 사교적인 ; 전체[총계](로서)의.
ag·gress [əgrés] *vi.* 공세로 나오다, 싸움을 걸다. —— *vt.* 공격하다. 〚F<L AGGRESSIVE〛
ag·gres·sion [əgréʃən] *n.* U,C (정당한 이유없는) 침략, 공세, 공격(unprovoked attack)〈*on*〉 ; (주권의) 침해 ; 공격성.
ag·gres·sive** [əgrésiv] *a.* **1** 침략[공격]적인, 공세의(offensive) (↔*defensive*) ; 싸우기 좋아하는, 호전적인 : an ~ war 침략 전쟁. **2** 적극적인, 활동적인(active). **3** [the ~ ; 명사적으로] 공세. ***assume*[*take*] *the aggressive 공세를 취하다 ; 싸움을 걸다.
〚F or L *ag-*(*gress- gradior* to walk)=to attack〛
類義語 ***aggressive*** 자기의 목적을 대담하고 강력하게 추구하는 ; 나쁜 뜻으로는 남을 억지로 휘어잡으려는 ; 좋은 뜻으로는 진취적이며 일을 솔선하여 하는. ***militant*** 주의·운동 따위를 강력하고 철저하게 지지하는. ***assertive*** 자기의 소신·의견을 끈덕지게 표명하려고 하는. ***pushing*** 좋은 뜻으로는 진취적이고 활동적인 ; 나쁜 뜻으로는 주제넘고 억척스러운(↔*resisting*).
ag·grés·sor *n.* 침략자, 침략국.
aggréssor nátion *n.* 침략국.
ag·grieve [əgrí:v] *vt.* [+目/+目+前+名] [보통 수동태로] 괴롭히다 ; 못살게 굴다 ; 학대하다, 감정을 상하게 하다, 부당하게 취급당하다 : They *were* ~*d* ***by*** oppression and extortion. 압박과 착취로 괴로움을 당했다 / He *was*[felt] ~*d* ***at*** the insult from his friend. 친구에게 모욕을 당하고 몹시 감정이 상했다.
〚OF=to make heavier ; ⇨ GRIEVE〛
aggríeved *a.* 기분이 상한, 상처 입은, 권리를 빼앗긴.
ag·gro, ag·ro [ǽgrou] *n.* (*pl.* **~s**) 《英俗》 화남, 노함 ; 항쟁, 분쟁 ; 도발.
〚*aggr*avation or *aggr*ession〛
Agh afghani(s).
aghast [əgǽ(:)st ; əgɑ́:st] *pred. a.* 어안이 벙벙해진, 깜짝 놀란〈*at*〉 : He stood ~ ***at*** the sight. 아연 실색하여 그 광경을 바라보고 있었다. 〚OE (p.p.) ‹ (*a*)*gast* (obs.) to terrify ; cf. GHASTLY〛
AGI adjusted gross income(수정 총소득).
ag·ile [ǽdʒəl ; ǽdʒail] *a.* 기민한, 날쌘, 재빠른 ; 예민한, 민활한. **~·ly** *adv.* 민첩하게, 기민하게.
〚F<L *agilis* ; ⇨ ACT〛
類義語 ***agile*** 손·발의 재주를 강조 : An acrobat has to be *agile*. (곡예사는 민첩하여야 한다). ***nimble*** 어떤 행위를 경쾌·민첩하게 하는. ***quick*** 특히 급속히 일어나는 일에 대해 씀《일반적인 말》. ***spry*** 특히 고령자가 원기 왕성한. ***sprightly*** 쾌활·경쾌함 따위를 암시.
agil·i·ty [ədʒíləti] *n.* Ⓤ 기민, 경쾌, 민첩 ; 예민함, 민활함.
agin [əgín] *adv.* 《口·方》 =AGAIN.
ág·ing, áge- *v.* AGE의 현재분사.
—— *n.* 나이를 먹음 ; 노화 ; (술 따위의) 숙성(熟成) : the ~ process 노화 작용.
agin·ner [əgínər] *n.* 《俗》 변경[개혁] 반대자.
agio [ǽdʒiòu] *n.* (*pl.* **ág·i·òs**) 〖商〗 환전 수수료 ; =AGIOTAGE. 〚It.〛
ag·io·tage [ǽdʒiətidʒ] *n.* 〖商〗 환전업 ; 증권 매매 ; (주식의) 투기 매매.
agism, agist[1] ☞ AGEISM, AGEIST.
agist[2] [ədʒíst] *vt.* 〖法〗 **1** (남의 가축을) 유상(有償)으로 맡아 사육하다. **2** (토지·토지 소유주에게) 과세하여 공비(公費)를 분담시키다. —— *vi.* (남의 가축을 일정 기간) 삯을 받고 사육하다.
***ag·i·tate** [ǽdʒətèit] *vt.* **1** (물건을) 흔들다 ; 뒤섞다 ; (바람이 파도를) 출렁이게 하다. **2** 선동하다, (마음·감정을) 동요시키다(excite) : She was

~*d by* the news of her son's illness. 아들이 아프다는 소식을 듣고 그녀의 마음은 몹시 동요됐다. **3** (문제를) 여론에 호소하여 떠들다, 격론하다 (discuss vigorously). —— *vi.* [+*for*+名] (문제를) 떠들어대다, 선동하다, 운동을 하다 : The workers were *agitating* ***for*** higher wages. 노동자들은 임금 인상을 외치고 있었다.
agitate one***self*** 초조해하다, 안절부절못하다.
〖L *agito* ; ⇨ ACT〗
類義語 ⟹ DISTURB.

ág·i·tàt·ed *a.* 흔들리고 있는 ; 마음이 동요하고 있는 ; 세상의 관심을 끌고 있는. **~·ly** *adv.*

***ag·i·ta·tion** [ӕ̀dʒətéiʃən] *n.* **1** Ⓤ 뒤섞기, 교반. **2** Ⓤ (민심의) 동요, 격동 ; 여론 비등, 흥분. **3** Ⓤ,Ⓒ 운동, 선동, 선동적 유세 ; 소동 ; 토론.

ág·i·tà·tive *a.* 선동적인.

agi·ta·to [ӕ̀dʒətáːtou] *adv., a.* 〖樂〗 격하게[한], 아지타토로[의]. 〖It. =agitated〗

ág·i·tà·tor *n.* 선동자, 정치 운동가 ; 교반기.

ag·it·prop [ǽdʒətprɑ̀p, ǽg-] *n., a.* (공산주의의) 선동과 선전(에 쓰이는[을 위한]) ; 애지테이션과 프로파간다(의[를 위한]).
〖*agit*ation+*prop*aganda〗

AGL 〖空〗 above ground level《지상 고도 ; 해면에서의 절대 고도가 아님》.

Aglaia [əgláiə, əgléijə] *n.* 〖그神〗 아글라이아《빛의 여신 ; cf. GRACE *n.* 10》. 〖Gk.〗

agláre [ə-] *adv., pred. a.* 반짝반짝 빛나서.

agléam [ə-] *adv., pred. a.* 번쩍여서, 빛나서 (gleaming).

ag·let [ǽglət] *n.* (레이스·끈 따위의 끝의) 장식 쇠붙이 ; 장식용 술.

agley [əgléi, əglíː, əgláí] *adv.* 《스코》 비스듬히, 빗나가서 ; 틀려서.
〖*a*-[1], Sc. *gley* squint〗

aglím·mer [ə-] *adv., pred. a.* 명멸(明滅)하여, 깜박여서.

aglít·ter [ə-] *adv., pred. a.* 반짝반짝 빛나서.

aglów [ə-] *adv., pred. a.* 타오올라, 달아서, 빨갛게 빛나서 ; 흥분하여〈*with*〉.

agly·con [ӕgláikɑn], **-cone** [-koun] *n.* 〖生化〗 아글리콘《배당체(配糖體)의 가수 분해에 의해 얻어지는 당 이외의 성분》.

AGM air-to-ground missile. **A.G.M.** annual general meeting(연차 (주주) 총회).

ag·ma [ǽgmə] *n.* 〖音聲〗 비음 기호 [ŋ] ; 비음.

ag·nail [ǽgnèil] *n.* 손거스러미 ; 〖醫〗 손톱 밑의 부스럼, 표저(瘭疽).
〖OE=tight (metal) nail, painful lump ; 지금의 의미는 「못」을 「손톱」으로 오해한 때문〗

ag·nate [ǽgneit] *a.* **1** 〖法〗 남계(男系)의, 부계의 (cf. COGNATE). **2** 동족의 ; 같은 종류의〈*to*〉. —— *n.* 남계 친족, 부계 친족.
〖L (*ad*-, *nascor* to be born)〗

ag·nat·ic [ӕgnǽtik] *a.* 남계 친족의.
-i·cal·ly *adv.*

ag·na·tion [ӕgnéiʃən] *n.* 남계의 친족 관계 ; 동족 관계.

Ag·nes [ǽgnəs] *n.* **1** 여자 이름《애칭 Aggie》. **2** [Saint ~] 성(聖) 아그네스.
〖L=lamb ; Gk. =chaste〗

ag·no·men [ӕgnóumən ; -men] *n.* (*pl.* **-nom·i·na** [-nɑ́mənə], **~s**) 〖古로〗 넷째로 덧붙이는 이름《공적을 나타내기 위해 surname에 붙임 ; Publius Cornelius Scipio *Africanus* 따위 ; cf. NOMEN》 ; 별명(nickname).

ag·no·sia [ӕgnóuʒiə] *n.* 〖醫〗 실인(증)(失認(症)), 인지(認知) 불능(증).

ag·nos·tic[1] [ӕgnóustik] *a.* 실인증(失認症)의.

ag·nos·tic[2] [ӕgnɑ́stik, ə-] *n.* 〖哲〗 불가지론자(不可知論者). —— *a.* 불가지론(자)의.
〖*a*-[2], *gnostic* ; T. H. Huxley의 조어(1869)〗

ag·nós·ti·cìsm *n.* Ⓤ 불가지론.

Ag·nus Dei [ǽgnus déii(ː), -déi, -díːai, ɑ́ːnju(ː)s-] *n.* 하느님의 어린양《그리스도 칭호의 하나》 ; 어린양의 상(像)《그리스도의 상징》 ; 이러한 구로 시작되는 기도[음악]. 〖L=lamb of God〗

◇**ago** [əgóu] *adv.* (지금부터) …전에, 이전에 : seven[a short time] years ~ 칠년[얼마]전에 / long[a long time] ~ 오래 전에, 먼 옛날에 / not long ~ 얼마전에 / two weeks ~ yesterday[last Monday] 두 주일 전 어제[지지난주 월요일에]. 注 명사 또는 부사와 함께 부사구를 만듦(cf. BEFORE).

> 직접화법을 간접화법으로 할 때
> He said, "I came here three days *ago*." (직접화법)
> → He said that he had come there three days *before*. (간접화법)
> (「사흘 전에 여기에 왔다」고 그는 말했다.)
> ☆단, 같은 날에 전달하는 경우면 ago는 그대로 둔다. 더구나 here가 there로 되는 것에도 주의.

〖*agone* gone away, past (p.p.) < *ago* (obs.)〗
活用 (1) 기간을 나타내는 명사(어군) 또는 부사 long과 함께 부사구를 만듦 ; 동사의 완료형과 함께 쓰이지 않음 : I saw him two months *ago*. 《cf. I *have seen* him somewhere *before*.》 ☞ BEFORE 活用.
(2) that, when은 뒤따를 수 있으나 since는 뒤따를 수 없음에 주의 : *It is* four years *ago that*[*when*] this journal was first published. (이 잡지가 최초로 출간(出刊)된 것은 4년 전이다)《cf. *It is* four years *since* this journal was first published.》.

agog [əgɑ́g] *adv., pred. a.* (기대·흥분으로) 들썩거려, 야단법석이 나서, 흥분하여(*highly excited*) : *The villagers were* ~ ***for***[~ *to* hear] the news. 마을 사람들은 그 소식을 듣고 싶어 안절부절 못하고 있었다 / The announcement set the whole town ~. 그 발표는 온 마을을 떠들썩하게 하였다.
〖F *en gogues* in merriment < ?〗

à go-go, a go-go, a-go-go [əgóugòu, ɑː-] *n.* (*pl.* **~s**) =DISCOTHEQUE ; 록 따위의 연주에 맞춰 춤추는 작은 나이트 클럽. —— *a.* 아고고의 ; 빠르고 열광적인 템포의 ; 최신의. —— *adv.* 《口》 충분히, 마음껏.
〖*Whisky à Gogo* Paris의 디스코테크〗

-a·gogue, -a·gog [əgɔ̀(ː)g, əgɑ̀g] *n. comb. form* 「이끄는 것」「분비·배출을 촉진하는 것」의 뜻 : dem*agogue*.
〖F or L<Gk. (*agō* to lead)〗

agó·ing [ə-] *adv., pred. a.* 움직여, 진행하여 : set something ~ (사업 따위를) 일으키다, 착수하다 ; (기계 따위를) 시동시키다.

agon [ɑ́ːgoun, -gɑn] *n.* (*pl.* **~s, ago·nes** [əgóuniːz]) **1** 〖古그〗 (운동·음악·문예 따위의) 현상(懸賞) 경기대회[경연대회]. **2** 〖文藝〗 (주요 인물간의) 갈등. 〖Gk. =contest〗

ag·o·nal [ǽgənl] *a.* 고민의 ; 임종(의 고통)의.

agon·ic [eigɑ́nik, ə-] *a.* 각(角)을 이루지 않는 ; 무

편각선(無偏角線)의.

agónic líne *n.* 〖理〗 (지구 자기(地球磁氣)의) 무편각선(無偏角線).

ag·o·nist [ǽgənəst] *n.* **1** 싸우는 사람, 경기자; 지적[정신적]인 갈등으로 고민하는 사람; (문학 작품의) 주요 인물. **2** 〖解〗 주동(主動)[작동]근(筋); 〖藥〗 작용[작동]약(藥)[물질] (↔*antagonist*).

ag·o·nis·tic, -ti·cal [æ̀gənístik(əl)] *a.* 경기의; 다투기 좋아하는; 효과를 노리는; 무리가 있는. **-ti·cal·ly** *adv.*

ag·o·nize [ǽgənàiz] *vt.* 고민[번민]하게 하다; 몹시 괴롭히다: ~ oneself 고민[번민]하다 / ~*d* shrieks 괴로운 비명. —— *vi.* 고민[번민]하다; 고투(苦鬪)하다.

ág·o·nìz·ing *a.* 괴롭히는, 고통스런. **~·ly** *adv.* 괴로워하여.

***ag·o·ny** [ǽgəni] *n.* **1** Ⓤ 괴로움, 고민(anguish): in ~ 괴로워하여, 번민하여(agonizingly) / pile up[on] the ~ 《口》 고통[괴로움]을 과장하여 말하다, 처량하게 말하다. **2** 격정(outburst), (슬픔·기쁨 따위 감정의) 극치(極致): in an ~ of joy 기쁜 나머지. **3** [때때로 *pl.*] 혹심한 고통: in *agonies*[an ~] of pain 고통으로 몸부림쳐, 아픈 나머지 / the death ~ 임종 때의 고통. **4** [흔히 A~] (Gethsemane에서의) 그리스도의 고민. 〚OF or L<Gk. AGON〛

類義語 ⟹ DISTRESS.

ágony àunt *n.* 《俗》 여성 인생 상담자.

ágony còlumn *n.* 《口》 (신문의) 사사(私事) 광고란《찾는 사람·유실물·이혼·탄원 따위》.

ag·o·ra[1] [ǽgərə] *n.* (*pl.* **~s, -rae** [-rìː, ràiː]) 〖古〗 집회, 인민 대회; 집회소, 시장, 광장. 〚Gk. =marketplace〛

ago·ra[2] [àːgəráː, æ̀g-] *n.* (*pl.* **-rot** [-róut]) 아고라 《이스라엘의 화폐 단위》. 〚Heb.〛

ag·o·ra·phóbia [æ̀gərə-] *n.* Ⓤ 〖精神醫〗 광장(廣場)공포증《혼잡한 광장이나 사람이 모인 곳에 가기를 꺼림; cf. CLAUSTROPHOBIA》. 〚Gk. AGORA[1], *-phobia*〛

agou·ti, -ty [əgúːti] *n.* 〖動〗 (남미·중미·서인도 제도산(産)) 아구티 《토끼만한 설치류(類)로 사탕수수에 많은 피해를 줌》. 〚F<Sp.<Guarani〛

agouti

AGR 《英》 advanced gas-cooled reactor.

agr. agricultural; agriculture.

agrafe, agraffe [əgrǽf] *n.* 작은 꺾쇠; (옷 따위의) 훅.

agrán·u·lo·cỳte [ei-, æ-] *n.* 〖解〗 무과립 백혈구 (cf. GRANULOCYTE).

ag·ra·pha [ǽgrəfə] *n. pl.* 성서 이외의 그리스도의 어록(語錄)[성언(聖言) 자료].

agraph·ia [eigrǽfiə, æ-] *n.* 〖醫〗 실서증(失書症), 서자(書字) 불능증《실어증의 일종》.

agrar·i·an [əgréəriən, -grǽər-] *a.* 토지의, 농지의, 경작지의; 토지 문제의; 농업(農業)의: ~ disputes 소작 쟁의(爭議) / an ~ reformer 농지 개혁자. —— *n.* 토지 균분론자, 농지 개혁론자. **~·ism** *n.* 토지 균분론[운동]. 〚L (*ager* field)〛

agrav·ic [eigrǽvik, ə-] *a.* 무중력의.

◇**agree** [əgríː] (↔*disagree*) *vi.* **1** [+前+名 / +*to* do / 動] (제의 따위에) 응하다, 동의하다 (consent); (…한다고) 약속[협정·협약]하다 (promise): They all ~*d* ***to*** the offer[a condition]. 그들은 전부 그 제의[조건]에 찬동했다 / I ~*d to* the proposal. 그 제안에 동의했다 / The terms have been ~*d to.* 그 조건은 수락되었다 / His father ~*d to* his becom*ing* an engineer. 그의 부친은 그가 기술자가 되는 것을 찬성해 주셨다 / They ~*d* ***on*** the terms of the surrender [*on* start*ing* the campaign]. 항복 조건에 합의하였다[운동 개시를 결정하였다] / I ~ not *to* expect anything from you. 당신에게 아무것[일]도 기대하지 않겠소 / I ~. 동감이오, 찬성. **2** [+前+名 / +*that* 節 / +*wh.* 節 / 動] (남과) 의견이 일치하다 (↔*differ*); 승인[화합·부합]하다; (일·음식·풍토 따위가) 성미에 맞다: I ~ ***with*** you in all your views. 당신의 의견에는 전부 찬성이오 / This food does not ~ *with* me. 이 음식은 나에게[내 체질에] 맞지 않는다 / He ~*d that* my plan was better. 내 계획이 더 좋다는 것을 인정했다 / I ~*d with* him *that* some active measure should be adopted. 무언가 적극적인 조치가 강구되어야 한다는 점에서 그와 의견이 일치하였다 / We could not ~ (***as to***) *where* we should go. 어디로 갈 것인가에 대해서는 타협을 보지 못했다 / The figures don't ~. 숫자가 안 맞는다[틀린다]. **3** [+*with*+名] 〖文法〗 (인칭·성·수·격이) 일치하다(cf. GOVERN 6): A verb ~*s* ***with*** its subject in number and person. 동사는 수(數)와 인칭(人稱)에서 주어와 일치한다.

〈회화〉
What's your opinion?—I *agree* with you.
「네 의견은 어때」「찬성이야」

—— *vt.* (회계 보고·제안 따위를) 승인하다(☞ AGREED 2), 인정하다, 시인하다; (계산 따위를) 일치시키다; 《英》 협의하여 결정하다.

agree like cats and dogs 몹시 사이가 나쁘다, 서로 앙숙이다.

***agree to differ*[*disagree*]** 서로의 의견 차이를 인정하고 싸우지 않기로 합의하다: Let's ~ *to disagree* and part friends. 서로의 의견 차이를 인정하고 의좋게 헤어집시다.

〚OF<L=to make agreeable (*ag-*, *gratus* pleasing)〛

活用 (1) *agree with*는 보통 「사람」 또는 「사물」에, *agree to*는 「사물」에 쓰이지만 《美》에서는 *agree to*를 잘 쓰지 않고 일률적으로 *agree with*만 쓰는 경향이 많음. 그러나 수동(受動) 구문에서는 *agree with*를 쓰지 않고 *agree to*만 씀. (2) disagree는 항상 *with*와 함께 쓰임. 따라서 You must *agree* or *disagree with* this plan sooner or later. (조만간 이 계획에 대하여 찬부를 밝혀야 한다)《이 경우 agree to라고 해서는 안됨》.

類義語 (1) ***agree*** 모순·불화·마찰 따위가 전혀 없이 모든 점에서 일치·조화하다《가장 일반적인 말》. ***conform*** 형식 또는 주요한 성격·성질 따위가 일치하다; 조화하여 행동하다: *conform* to manners (관습에 따르다). ***accord*** 합의되리라 예상한 것이 서로 일치·조화되다《상호간의 적합성을 강조》: My opinion *accords* with yours. (내 의견은 네 의견과 같다). (2) ⟹ CONSENT.

***agree·able** [əgríːəbəl, 英+əgríəbəl] *a.* **1** 유쾌한, 기분 좋은, 쾌적한, 마음에 드는(pleasing, pleasant): an ~ voice 상냥한 목소리 / ~ *to* the ear[taste] 듣기 좋은[맛이 좋은] / make

oneself ~ (*to*...) (…에게) 상냥하게 굴다, 장단을 맞추다. **2** 《口》 쾌히 응하는, 자진해서 하는 (willing) : I'm quite ~ *to* your suggestion. 당신의 제안에 전적으로 찬성이오. **3** 일치하는, 맞는 : music ~ *to* the occasion 격에 맞는 음악.
agreeable to . . . [부사구를 유도하여] (약속)에 따라, …대로.
do the agreeable 상냥하게 대하다.
— *n.* [보통 *pl.*] 기분 좋은 사람[일, 것].
agrèe·abílity [ˌ 英+əgrìə-] *n.* 기분 좋음, 유쾌함, 바람직함. **~·ness** *n.*
類義語 ⟹ PLEASANT.

agrée·ably *adv.* **1** 기분좋게, 유쾌하게 : I was ~ surprised. 깜짝 놀라면서 좋아했다 《일이 예상 밖으로 잘 되었을 때》. **2** (지시·약속 따위에) 따라서 : ~ *to* your instructions 분부하신 대로.

agréed *a.* **1** 일치한, 협정된 : an ~ rate 협정률(率). **2** [*pred.* 만으로 써서] [+*to* do] 의견이 일치하여, 동의하여 : We were ~ ***on*** that point. 그 점에서 의견이 일치했다 / I am ~ *to* accept the offer. 그 제의를 수락할 것을 동의한다 / (It is) ~ ! 좋다!, 알았다!

***agree·ment** [əgríːmənt] *n.* **1** [+*to* do] 협정, 협약, 합의; 계약 : a labor ~ 노동협약 / arrive at [come to] an ~ 협정이 성립하다, 합의를 보다 / make an ~ with …와 계약을 맺다. **2** Ⓤ 일치, 조화; 동의, 승낙(↔ *disagreement*) : by (mutual) ~ (쌍방) 합의로[에 따라]. **3** 《文法》 (수·격·인칭·성의) 일치, 호응.
in agreement (***with . . .***) (…과) 일치[동의]하여 : He nodded *in* ~. 그는 고개를 끄덕여 승낙했다.

agré·ment [àːgreimáːnt; əgréimaːŋ; *F* agremɑ̃] *n.* **1** 《外交》 아그레망《대사·공사 파견시 주재국(駐在國)에 구하는 승인》 : give[ask for] an ~ 아그레망을 주다[구하다]. **2** 《樂》 꾸밈음. **3** [*pl.*] =AMENITIES.

agres·tic [əgréstik] *a.* 시골(풍)의; 조잡한, 거친, 투박한.
〖L (*agri- ager* field)〗

ag·ri- [ǽgrə] *comb. form* 「농업의」의 뜻.
〖L (↑)〗

ágri·bùsiness *n.* Ⓤ 농업 관련 산업.
〖*agri*culture+*business*〗

agric. agricultural; agriculture; agriculturist.

ágri·chèmical *a.* 농약의; 농예 화학의.
— *n.* [*pl.*] 농약.

***ag·ri·cul·tur·al** [æ̀grikʌ́ltʃərəl] *a.* 농업[농사·농예]의, 농경의; 농학(상)의 : the *A*~ Age 농경시대 / ~ chemistry 농예 화학 / ~ products 농산물 / an ~ college 농과 대학 / an ~ show 농예 전람회 / an ~ station 농업 시험장.
~·ly *adv.* 농업상.

agricúltural chémical *n.* 《農》 농약.

agricúltural coóperative associátion *n.* 농업 협동 조합.

agricúltural·ist *n.* =AGRICULTURIST.

***ag·ri·cul·ture** [ǽgrikʌ̀ltʃər] *n.* Ⓤ 농업, 농경; 농예; 농학 : the Ministry of *A*~ and Forestry 농림부 / the Department of *A*~ 《美》 농무부.
〖F or L (*agri- ager* field, CULTURE)〗

ag·ri·cul·tur·ist [æ̀grikʌ́ltʃərəst] *n.* 농학자; 농사 전문가, 농부; [*pl.*] 농경민.

àgri·genétics *n.* 농업 유전학.

ag·ri·mo·ny [ǽgrəmòuni; -məni] *n.* 《植》 짚신나물과(科)의 식물.
〖OF<L<Gk. *argemōnē* poppy〗

ágri·mòtor *n.* 농경용 트랙터.

ag·ri·ol·o·gy [æ̀griálədʒi] *n.* 원시 풍습학《문자 언어가 없는 미개 민족의 관습에 대한 비교 연구》.

ag·ro- [ǽgrou, -rə] *comb. form* 「토지의」 「토양의」 「밭의」 「농작의」 「농업의」의 뜻.
〖Gk. *agros* field; cf. AGRI-〗

àgro·biólogy *n.* 농업 생물학《농업 관계의 식물 영양학》.
-biologic, -ical *a.* **-ical·ly** *adv.*

ágro·bùsiness *n.* 사업으로서의 농업.

àgro·chémical *a.* 농약의; 농예 화학의[에 관한]. — *n.* 농약.

àgro·ecológical *a.* 농업과 환경[생태학]에 관한.

àgro·éco·sỳstem *n.* 농업 생태계(系).

àgro-indústrial *a.* 농공업의, 농공용의; 농업 관련 산업의.

agrol·o·gy [əgrálədʒi] *n.* 농업 과학, 응용 토양학.

àgro·meteorológical *a.* 농업 기상의.

ag·ro·nom·ics [æ̀grənámiks] *n.* =AGRONOMY.

agron·o·my [əgránəmi] *n.* 농업 경제학, 작물(재배)학. 〖F (Gk. *agros* land, -*nomos* ‹ *nemō* to arrange)〗

àgro·polítics *n.* 농업 정책.

ag·ros·tol·o·gy [æ̀grəstálədʒi] *n.* 《植》 포아풀과학, 초본학.

àgro·technícian *n.* 농업 기술자[전문가].

àgro·technólogy *n.* (혁신적인) 농업 기술.
-gist *n.*

ágro·tỳpe *n.* 토양형(型); (농작물의) 재배품종.

agróund [ə-] *adv., pred. a.* 좌초하여[한], 땅위에[의] : go[run, strike] ~ (배가) 좌초(坐礁)하다; 《비유》 (계획이) 좌절되다 / run a ship ~ 배를 좌초시키다. 〖*a*-[1]〗

AGS 《로켓》 abort guidance system(보조 유도 장치). **agt.** against; agent; agreement.

aguar·dien·te [àːgwaːrdjéntei] *n.* 아과르디엔테 《스페인의 조제(粗製) 브랜디》. 〖Sp.〗

ague [éigjuː] *n.* Ⓤ 학질; 오한(惡寒) : fever and ~ 말라리아. **~d** *a.* 학질에 걸린.
〖OF<L (*febris*) *acuta*=ACUTE (fever)〗

águe càke *n.* 학질로 인해 비대해진 지라.

águ·ish *a.* 학질의[같은]; 학질에 걸린; 으슬으슬 오한이 나는. **~·ly** *adv.*

***ah**[1] [áː] *int.* 아아! 《만족·기쁨·슬픔·놀람·고통·연민 따위를 나타내는 소리》 : *Ah*, but.... …이지만 말야《따위》 / *Ah*, well, ... 뭐 하는 수 없지《따위》. — *n.* 아아 하는 소리.
〖OF *a* (imit.)〗

ah[2] *pron.* 《美南部》 나(I).

A.H. *anno Hegirae* 《L》 (=in the year of the Hegira). **AH, a.h., a-h** ampere-hour.

aha, ah ha [aːháː] *int.* 아하!, 흐흥 《놀람·기쁨·득의·조소·경멸 따위를 나타내는 소리》.
〖imit.; AH[1], HA〗

A.H.A. American Historical Association(미국 역사 학회); American Hospital Association(미국 병원 협회).

Ahab [éihæb] *n.* 《聖》 아합《이스라엘의 왕; ☞ NABOTH》.
〖Heb. =father's brother〗

ahá expèrience *n.* 《心》 아하 체험(cf. AHA REACTION).

ahá reàction *n.* 《心》 아하 반응《사고(思考) 도중 돌연히 과제에 대한 전망·해명을 얻는 일》.

ah·choo, achoo [aːtʃúː] *int., n.* 에취《재채기 소리》. 〖imit.〗

‡**ahead** [əhéd] *adv.* **1** 전방에[으로], 앞에, 앞길

에, 전도에 : We saw a boat right ~. 우리는 바로 앞에서 한 척의 보트를 보았다 / Breakers ~ ! 〖海〗 전방에 암초 있음 ; 《비유》 앞길에 위험 있음 / The thought of a danger ~ made him melancholy. 앞에 있을 위험을 생각하고 그는 우울해졌다. **2** 앞으로(forward). **3** 앞장서서 ; 앞서서(in advance) : ~ *of* time 시간 전에, 미리. **4** 《美》 이익을 보아, 이겨서 : I was ~ $ 5,000 in the deal. 그 거래에서 5,000 달러를 벌었다.

be*[*get*] *ahead of …보다 앞서 있다, …보다 뛰어나다, 빼어나다.

***get ahead* (*in the world*)** 《美口》 출세하다.

go ahead (1) 앞으로 나아가다, 진보하다 ; 추진하다. (2) [명령법으로] 시작 ! ; (이야기 · 일을) 계속[진행]하라 ! 〈*with*〉 ; (상대에게) 자, 하시오 ; 〖海〗 전진 ! (↔*go astern*) ; 《美》 (전화에서) 말씀하십시오.

look ahead (보트 젓는 사람이 나아갈 방향을) 돌아보다.

〈회화〉
Excuse me, do you know where the post office is? — Yes, it's just 50 meters *ahead* of you.
「미안합니다만 우체국이 어디 있는지 아십니까」
「네, 불과 50 미터 앞입니다」

A-head [éiː-] *n.* 《美俗》 암페타민[LSD] 상용자.

ahéap [ə-] *adv., pred. a.* 산더미를 이루어(in a heap).

ahem [əhém, mm̩m, m̩m, hm] *int.* 에헴 !, 으흠 ! 《남의 주의를 끌거나 의문을 나타내거나 말이 막혔을 때 내는 소리》. 〚imit. ; ⇨ HEM²〛

ahér·ma·tỳpe [eihə́ːrmə-] *n.* 비조초(非造礁) 산호. **ahèr·ma·týpic** *a.* 비조초형(型)의《산호》.

ahim·sa [əhímsɑː, ɑː-] *n.* [때때로 A~] (힌두교 · 불교 · 자이나교의) 비폭력, 불살생. 〚Skt.〛

ahis·tór·ic, -i·cal [èi-] *a.* 역사와 관계없는 ; 역사에 무관심한.

a.h.l. *ad hunc locum* 《L》 (=at this place).

ahóld [ə-], **aholt** [əhóult] *n.* 《口》 (붙)잡기 (hold).

-ahol·ic, -ohol·ic [əhɔ́(ː)lik, əhóul-, əhɑ̀l-] *n. comb. form* 《俗》 「…탐닉자」 「…중독자」의 뜻 : food*aholic*. 〚work*aholic*, alc*oholic*〛

A-horizon [éiː-] *n.* 〖地質〗 A층《토양의 최상층》.

ahórse [ə-] *adv.* 말을 타고.

ahoy [əhɔ́i] *int.* 〖海〗 어이 ! [다음 숙어로]

Ship ahoy ! 〖海〗 어어이 ! 《먼 곳에 있는 배를 부르는 소리》.

〚AH¹, HOY²〛

Ah·ri·man [ɑ́ːrimən, -mɑ̀ːn] *n.* 아리만《조로아스터교의 암흑과 악의 신》. 〚Pers.〛

AHRS 〖空〗 attitude / heading reference system (자세 방위 측정 표시 장치). **A.H.S.** *Anno Humanae Salutis* 《L》 (=in the year of human salvation).

à huis clos [*F* a ɥi klo] *adv.* 문을 닫고, 비밀리에, 방청을 금지하고. 〚F=with closed doors〛

ahull [əhʌ́l] *adv.* 〖海〗 돛을 걷고 키 자루를 바람 불어가는 쪽으로 잡아매어《폭풍우 대비책의 하나》.

Ahu·ra Maz·da [əhùərə mǽzdə, ɑː-] *n.* = ORMAZD.

a.h.v. *ad hanc vocem* 《L》 (=at this word).

ai¹ [ɑ́ːi, ái] *n.* 〖動〗 세발가락나무늘보《중남미산》.

ai² [ái] *int.* 아아 《고통 · 슬픔 · 연민의 정 따위를 나타내는 소리》. 〚ME (imit.)〛

AI Amnesty International(국제 사면 위원회) ; artificial intelligence.

A.I. artificial insemination. **A.I.A.** American Institute of Architects(미국 건축가 협회).

AIBA *Association Internationale de Boxe Amateur* 《F》 (=International Amateur Boxing Association) (국제 아마추어 복싱 연맹).

ai·blins [éiblənz] *adv.* 《스코》 아마도.

A.I.C. American Institute of Chemists.

A.I.Ch.E. American Institute of Chemical Engineers(미국 화학 공학 협회)

aich·mo·phóbia [àikmou-] *n.* 〖精神醫〗 첨예공포증《날카로운 것에 대하여 공포를 품는 정신병의 일종》.

aid** [éid] *vt.* **1** [+目 / +目+前+名 / +目+*to* do] 돕다, 거들다, 조력하다 : The Red Cross ~*ed* the flood victims. 적십자사가 수재민들을 도와주었다 / I ~*ed* him ***in the enterprise. 그의 사업을 도와주었다 / She ~*ed* her daughter *in* dress*ing*[~*ed* her daughter *to* dress]. 딸이 옷 입는 것을 거들어 주었다《㊟ She HELPed her daughter (to) dress. 가 일반적》 / He ~*ed* her ***with*** money and advice. 그녀에게 돈도 주고 또 조언도 해주었다. **2** 조성하다, 원조하다, 촉진하다(promote). —— *vi.* 돕다〈*in*〉.

aid and abet 〖法〗 범행을 방조하다.

—— *n.* **1** Ⓤ 도움, 조력 ; 원조, 구원 ; 부조 : first ~ 응급처치 / seek medical ~ 진료를 받고자 하다, 의사의 진찰을 받다 / What's (all) this in ~ of? 《英口》 도대체 뭘하려는 거냐(What's your object?). **2** 조력자, 보조자, 조수. **3** 《美》=AIDE. **4** 보조금 ; 〖英史〗 (국왕에게 바치는) 헌금《일종의 세금》. **5** [보통 *pl.*] 보조 기구 : audiovisual ~*s* 시청각 교재.

call in a person***'s aid*** 남의 원조를 청하다.

come*[*go*] *to a person***'s aid*** 남을 도우러 오다[가다].

~·er *n.*

〚OF<L ; ⇨ ADJUTANT〛

類義語 ⟹ HELP.

AID [éid] 《美》 Agency for International Development(국제 개발청) ; 〖空〗 airborne intelligence display(기내 정보 표시 장치). **A.I.D.** artificial insemination by donor(비배우자간(非配偶者間) 인공 수정).

AIDA [áidə] *n.* 〖마케팅〗 아이다《attention(주목), interest(흥미), desire(욕구), action(구매 행위)의 4단계를 거치는 소비자 구매 심리 작용》.

Aï·da [ɑːíːdə ; aiíːdə] *n.* 아이다《베르디(Verdi) 작의 오페라(1871) ; 그 여주인공》.

aid·ant [éidənt] *a.* 돕는, 거드는. —— *n.* 도와주는 사람, 원조자.

ÁIDA thèory *n.* 〖마케팅〗 아이다 이론《소비자가 구매 결정에 이르기까지의 4단계 심리 과정을 판매자가 이끌도록 강조한 판매 방법》.

AIDCA [áidkə] *n.* 〖마케팅〗 아이드카《attention (주목), interest(흥미), desire(욕구), conviction(확신), action(구매 행위)의 5단계를 거치는 소비자 구매 심리 작용》.

aide [éid] *n.* **1** =AIDE-DE-CAMP. **2** 보좌관, 조력자, 측근자. 〚F〛

aide-de-camp, aid- [éiddikǽmp, -kɑ́ːŋ] *n.* (*pl.* **~, aides-, aids-** [éidz-]) 〖軍〗 (왕족 · 장관의) 전속 부관, 고급 부관(cf. ADJUTANT) : the ~ *to* His Majesty 시종(侍從) 무관. 〚F〛

áid·ed schóol *n.* 《英》 공비 조성(公費助成) 학교 ; (특정 단체의) 원조 학교.

aide-mé·moire [éidmeimwɑ́ːr] *n.* (*pl.* **aides-**

[éidz-]) 비망록 ; (외교상의) 각서. 〖F〗

AIDMA [áidmə, éidmə] *n.* 〖마케팅〗 아이드마 《attention(주목), interest(흥미), desire(욕구), memory(기억), action(구매행위)의 5단계를 거치는 소비자 구매 심리 과정으로 광고 효과의 심리적 단계를 말함》.

áid·màn *n.* (야전 부대에 배속된) 위생병.

áid páckage *n.* 원조에 관한 일반 법안[정책].

áid pòst *n.* 《英》 =AID STATION.

AIDS [éidz] *n.* 〖醫〗 에이즈, 후천성 면역 결핍증 《사망률이 극히 높음》.
〖*a*cquired *i*mmuno*d*eficiency *s*yndrome〗

Áid Socìety *n.* 《美》 여성 자선 협회.

áid stàtion *n.* 〖美軍〗 전방의 응급 치료소.
〖(FIRST) AID〗

AIEE American Institute of Electrical Engineers (미국 전기 학회). **AIFV** 〖軍〗 armored infantry fighting vehicle(장갑 보병 전투차).

ai·glet [éiglət] *n.* =AGLET.

ai·gret(te) [eigrét, ⌐-] *n.* **1** 〖鳥〗 백로(egret). **2** (모자·투구 위의) 백로 깃털 장식, (앞에 꽂는) 장식 깃털.

aigret(te) 2

ai·guille [eigwí:l, ⌐-, -gwí:] *n.* (알프스 따위의) 뾰족뾰족한 봉우리 ; 천공기 ; 〖醫〗 침(針).
〖F=needle〗

ai·guil·lette [èigwilét] *n.* (군복의) 장식(띠) ; 장식 술.

AIH, A.I.H. artificial insemination by husband《배우자간 인공 수정 ; cf. A.I.D.》.

ail [éil] *vt.* (불명료한 일이 사람을) 괴롭히다, 번민하게 하다 (trouble) : What ~*s* you? 어찌된 일입니까 ; 어디 아픕니까(What's the matter with you?). —— *vi.* [보통 진행형으로] 앓다 : He is ~*ing.* 병을 앓고 있다. —— *n.* 괴로움, 번민, 병.
〖OE *eglan* (*egle* troublesome, Goth. *agls* disgraceful)〗

ai·lan·thus [eilǽnθəs] *n.* 〖植〗 소태나무과(科) 가죽나무속(屬)의 식물.

Ai·leen [ailí:n, ei- ; áili:n] *n.* 여자 이름.
〖Anglo-Ir. ; ⇨ HELEN〗

ai·le·ron [éilərɑ̀n] *n.* 〖空〗 보조 날개.
〖F (dim.)＜*aile* wing＜L *ala*〗

áil·ing *a.* 병든, 앓고 있는, 괴로워하는.

áil·ment *n.* (가벼운) 병, 불쾌 ; (정치 상황의) 불안정 : a slight ~ 가벼운 병, 경증.

ai·lur-, ae·lu·r- [ailúər, ei-], **ai·lu·ro-, ae·lu·ro-** [ailúərou, -rə] *comb. form* 「고양이」의 뜻. 〖Gk.〗

ailúro·phòbe *n.* 〖醫〗 고양이를 싫어하는 사람.

ailùro·phóbia *n.* 〖醫〗 고양이 공포증.

‡**aim** [éim] *vt.* [+目 / +目+*at*+名] (총·주의·말·노력 따위를 어떤 방향·목표물로) 향하게 하다, 돌리다(direct), 겨누다 : He ~*ed* a revolver ***at*** me. 권총을 나에게 들이댔다 / The President's speech was ~*ed at* men in his own party. 대통령의 연설은 여당 의원을 대상으로 한 것이었다. —— *vi.* **1** [動 / +*at*+名] 겨누다 ; (…을) 지목하여 말하다 : I fired without ~*ing.* 겨냥하지 않고 발사했다 / ~ high[low] 큰 뜻을 품다[뜻하는 바가 낮다] / He ~*ed* ***at*** the target. 표적을 겨누었다 / He was ~*ing at* me. 나에 관한 이야기를 하고 있었다, 내 말을 하고 있었다. **2** [+前+名 / 《美》+*to* do] 뜻하다, 목표로 삼다 : I ~ ***at*** be*ing*[《美》 ~ *to* be] friendly. 사이좋게 되기를 바라고 있다 / This book ~*s at* giv*ing* a general outline of the subject. 이 책은 그 주제의 대체적인 윤곽을 제시하는데 목적이 있다.

〈회화〉
What are you *aiming* for? — I want to win the 400-meter race. 「무엇을 목표로 하고 있니」 「4백 미터 경주에서 이기고 싶어」

—— *n.* **1** Ⓤ 겨냥, 조준, 가늠 : take (good) ~ (*at*...) (…을) (잘) 겨누다 / miss one's ~ 겨냥이 빗나가다. **2** Ⓤ,Ⓒ 목적, 의향, 계획 : the ~ and end[object] 궁극 목적 / achieve[attain] one's ~ 목적을 달성하다 / have a high ~ in life 인생에 큰 뜻을 품고 있다 / without ~ 목적없이, 막연히. 〖OF＜L ; ⇨ ESTIMATE〗
類義語 ⟹ INTENTION.

AIM Air Interceptor Missile(공대공 요격 미사일) ; American Indian Movement(아메리칸 인디언 공민권 운동).

áim·er *n.* 겨냥하는 사람[것], 조준기.

áim·ing *n., a.* 겨냥(의), 조준(의).

áiming pòint *n.* (무기·관측 기구에서) 조준점.

áim·less *a.* (이렇다 할) 목적[목표]이 없는, 정견 없는. **~·ly** *adv.* **~·ness** *n.*

ain [éin] *n., a.* 《스코》 =OWN.

aî·né [enéi ; *F* ɛne] *n., a.* (형제 중에서) 연장(의), 손위(의), 맏아들(의), 형(의) (↔*cadet*).

aî·née [enéi ; *F* ɛne] *n., a.* (자매 중에서) 연장(의), 손위(의), 장녀(의), 누님[언니](의).

Ai·no [áinou] *a., n.* (*pl.* ~**s**) =AINU.

A. Inst. P. 《英》 Associate of the Institute of Physics(물리학 협회 연합).

ain't [éint], **an't** [éint, ǽnt, ɑ́:nt ; ɑ́:nt] **1** 《口》 =AM not, ARE not, IS not : I ~ (=am not) ready. / You ~ (=are not) coming. / Things ~ what they used to be. 사정이 옛날과는 다르다. ☞ 活用. **2** 《卑》 =HAS not, HAVE not : I ~ (=haven't) done it.
活用 이 말은 무식한 사람의 말 또는 《方》으로 간주되지만 《口》에서는 교양있는 사람도 흔히 쓰며 특히 의문형 ain't I? 《美》, an't I? 《英》 (=am I not?)은 인정되고 있음 : I'm going too, *ain't*[*an't*] I? ☞ ARE[1] 活用.

Ai·nu [áinu:] *n.* (*pl.* ~, ~**s**) 아이누 사람[어].
—— *a.* 아이누(사람·어)의.

ai·o·li, aï- [aióuli, ei- ; *F* ajɔli] *n.* 〖料〗 아이올리 《마늘·노른자위·올리브유·레몬 주스로 만든 소스》. 〖Prov. (*ai* garlic, *oli* oil)〗

◇**air**[1] [ɛər, ǽər] *n.* **1** Ⓤ 공기 : a change of ~ 전지(轉地) / fresh[foul] ~ 신선한[탁한] 공기 / We should die without ~. 공기가 없다면 죽을 것이다. **2** [the ~] **a**) 대기, 옥외(屋外) ; 하늘, 공중 : birds of *the* ~ 하늘을 나는 새 / expose a wet coat to *the* ~ 젖은 웃옷을 밖에다 내걸다. **b**) (막연히) 우주. **3** 미풍, 산들바람 : a slight ~ 실바람. **4** 〖It. ARIA〗 Ⓒ 〖樂〗 멜로디(melody), 가락, 곡조(tune) ; (소프라노의) 영탄조(詠嘆調), 아리아(aria) : sing an ~ 한 곡 부르다. **5** 〖OF=place, disposition＜L *area*〗 Ⓒ **a**) 외양, 모양, 풍채, 태도(bearing) : with a sad ~ 풀이 죽어, 쓸쓸히 / with an ~ of triumph 득의양양하여. **b**) [*pl.*] 젠체하는 태도 : ~*s* and graces 점잔빼는 태도, 젠체함 / assume[put on] ~*s*=give oneself ~*s* 젠체하다, 으쓱대다. **6** 전파 송신 매체, 라디오 (방송), 텔레비전 (방송) ; (의견 따위의) 발표, 공표. **7** 항공 교통[수송] ; 공군.

beat the air 허공을 치다 ; 헛수고하다.
build a castle in the air ☞ CASTLE.
by air 비행기로 ; 무전으로.
clear the air 분위기[기분]를 새롭게 하다 ; 암운(暗雲)[의혹 따위]을 일소하다.
fan the air 《美》 허공을 치다, 헛치다.
give air to . . . (의견 따위를) 발표하다.
give [***get***] ***the air*** 《美俗》 해고하다[당하다] ; (애인 등을) 버리다[버림받다].
hit the air 방송하다[되다].
in the air (1) 공중에. (2) (소문 따위가) 퍼져. (3) (계획 따위가) 막연하여, 미정인.
in the open air 옥외에(서), 야외에(서).
live on air 아무것도 먹지 않고 있다.
melt into (***thin***) ***air*** 흔적도 없이 사라지다.
off the air 방송되지 않고, 방송이 중단되어 : go *off the* ~ 방송을 중단하다.
on the air 방송중에, 방송되어[으로] : go[be] *on the* ~ 방송하다[되고 있다] / send[put]...*on the* ~ …을 방송하다.
out of thin air 허공에서, 아무것도 없는 곳에서, 무(無)에서.
over the air 방송에 의해서.
rend the air 《文語》 큰소리를 내다.
riding the air 《美俗》 (건설 작업자가) 높은 곳에서 일하는.
take air (일이) 널리 알려지다, 유포되다 ; 《美俗》 도망치다.
take the air 바람을 쐬다, 산책[드라이브]하다 ; 이륙하다(take off) ; 《美》 방송을 시작하다 ; 《美俗》 도망치다, 떠나버리다.
take to the air 비행사가 되다.
tread [***walk, float***] ***on air*** 기뻐 날뛰다.
up in the air 《口》 (1) ＝*in the* AIR (2), (3). (2) 혼란하여, 흥분하여, 초조하여.
vanish [***disappear***] ***into thin air*** 완전히 자취를 감추다.
with an air 자신있게, 젠체하며.

〈회화〉
Why don't you like her? — She's always putting on *airs*. 「어째서 그녀가 싫으니」「언제나 젠체하니까」

—— *a.* 공기의 ; 하늘의, 공중의 ; 공군의 ; 항공(기)의 ; 방송의.
—— *vt.* **1** (옷 따위를) 바람에 쐬다, 말리다, 누기를 없애다 ; (방 따위에) 바람을 통하게 하다, 공기를 넣다 : You must ~ the mattress. 매트리스를 밖에 널어야 한다. **2** 자랑삼아 보이다, 과시하다, (의견·불평 따위를) 떠벌리다 : Don't ~ your troubles. 자기의 근심을 떠벌리지 마라. **3** 〖放送〗 방송하다(broadcast). **4** 《美俗》 (애인을) 버리다. —— *vi.* (의복 따위) 바깥 공기에 쐬다, 바람에 쐬어 말리다[식히다] ; 산책[드라이브]하다 ⟨*out*⟩ ; (프로그램 따위) 방송되다.
air one***self*** 바람을 쐬다, 산책하다.
〖OF<L<Gk. *aēr*〗

air² *a.* 《스코》 이른(early). —— *adv.* 《스코·古》 이전에(previously). 〖OE *ǣr* ERE〗

áir áge *n.* 항공 시대.
áir alèrt *n.* 공습 경계 체제(하의 시간) ; 공습경보 ; (공습에 대비한) 응전 태세.
áir àmbulance *n.* 상병자(傷病者) 수송기.
áir àrm *n.* 공군(air force).
áir attàck *n.* 공습.
áir bàg *n.* 에어 백, 공기 주머니《자동차 충돌시 순간적으로 부푸는 안전 장치》.
áir bàll[**ballòon**] *n.* 고무 풍선.
áir bàse *n.* 공군 기지, 항공 기지.
áir bàth *n.* **1** 공기욕. **2** 건조기.
áir bàttery *n.* 〖電〗 공기 전지《air cell 또는 그것을 여러 개 겹친 것》.
áir bèaring *n.* 〖機〗 공기 베어링《압축 공기로 축을 받치는 베어링》.
áir bèd *n.* 《英》 공기 침대.
áir bèll *n.* (유리 제조시에 생기는) 기포(氣泡) ; 〖寫〗 기포 얼룩《음화나 프린트 현상 처리 중에 붙은 기포로 생기는 얼룩》.
áir bènds *n. pl.* 〖醫〗 항공 색전(塞栓).
áir·bìll *n.* ＝AIRWAYBILL.
áir blàdder *n.* 부낭(浮囊)(float) ; 〖魚〗 부레 ; 기포(氣胞).
áir blàst *n.* 공기 블라스트 ; (공중 핵폭발 따위에 의한) 충격파.
áir blìtz *n.* 전격적 공습.
áir·bòat *n.* 수상기 ; 초계 비행정 ; 《美》 에어보트, 프로펠러 선(船).
áir bòmb *n.* 공중 폭탄.
áir·bòrne *a.* 공수(空輸)의[된](cf. SEABORNE) ; 비행중인, 이륙한 ; 공기로 운반되는 ; 풍매(風媒)의 : ~ troops 공수 부대.
áirborne éarly wàrning and contról *n.* 공중 조기 경계 관제.
áirborne láunch contról cènter *n.* 기상(機上) 미사일 발사 센터.
áirborne óptical ádjunct *n.* 기상(機上) 공학 부속 장치.
áirborne sóccer *n.* 《美》 공중 사커《공 대신 Frisbee를 사용하고 7명이 한 팀이 되어 겨룸》.
áir-bòund *a.* (파이프 따위) 공기가 꽉찬.
áir bràke *n.* 에어 브레이크, 공기 제동기.
air·bra·sive [éərbrèisiv, ǽər-] *n.* 〖齒〗 분기식 치아 천공기, 공기 연마기.
áir-brèathe *vi.* (엔진·미사일 따위가) 연료를 연소시키기 위해 공기를 흡입하다.
áir-brèather *n.* 〖空〗 공기 흡입 미사일《연료의 산화에 공중 산소를 이용하는 미사일》.
áir brìck *n.* 〖建〗 통풍 벽돌, 구멍 뚫린 벽돌.
áir brìdge *n.* 공중 가교(架橋)《공수에 의한 두 지점간의 연결》.
áir bròker *n.* 《英》 항공 운송 중개인.
áir·brùsh *n.* (칠·사진 수정용의) 에어브러시.
—— *vt.* …을 에어브러시로 뿜어 칠하다 ; (사진의 흠 따위를) 에어브러시로 지우다⟨*out*⟩ ; (무늬·사진의 세부 따위를) 에어브러시로 그리다.
áir bùbble *n.* 기포(氣泡).
áir bùmp *n.* 〖空〗 (에어 포켓의) 상승 기류.
áir·bùrst *n.* (폭탄·포탄의) 공중 폭발.
áir·bùs *n.* 에어버스《싼 운임으로 많은 인원을 태우는 근거리용 초대형 제트 여객기》.
áir càp *n.* (공항의) 포터, 짐꾼.
áir càrgo *n.* 항공 화물.
áir càrrier *n.* 항공 운송업자 ; 항공 회사 ; (항공사의) 항공기, 수송기.
áir càsing *n.* 〖機〗 공기 케이싱, (열 발산 방지를 위해 기관 따위의 둘레에 두르는) 공기벽 ; (배의 굴뚝 주위에 있는) 통풍구.
áir càstle *n.* 공중 누각 ; 공상, 백일몽.
áir càvalry, áir càv [-kæv] *n.* 〖美軍〗 공정 부대, 공수 부대.
áir cèll *n.* 〖解〗 기포(氣胞) ; 〖植〗 기강(氣腔) ; 〖電〗 공기 전지.
áir chàmber *n.* (펌프의) 공기실 ; 〖植〗 (세포 안의) 기강 ; (수초(水草)의) 세포 간극(間隙) ; 〖動〗

(새의 알·앵무 조개 따위의) 기실(氣室).
áir chèck *n.* 라디오 방송의 녹음《주로 FM 음악 프로그램의 녹음》.
áir chìef márshal *n.* 《英》 공군 대장.
áir clèaner *n.* 에어 클리너, 공기 청정기(空氣淸淨機).
áir còach *n.* (여객기의) 이등 ; 저요금 여객기.
áir còck *n.* 〔機〕 공기 마개[콕].
áir commànd *n.* 《美》 공군 총사령부《두개 이상의 air force로 구성됨》.
áir cómmodore *n.* 《英》 공군 준장.
áir comprèssor *n.* 에어 컴프레서, 공기 압축기(壓縮機).
áir condènser *n.* 〔機〕 공랭(空冷) 콘덴서, 공기(空氣) 냉각기 ; 〔電〕 공기 콘덴서《공기를 유전체로 사용함》.
áir-condítion *vt.* …에 공기 조절[냉난방] 장치를 하다 ; (공기)의 온도[습도]를 조절하다.
~ed *a.* 냉난방 장치를 설치한.
áir condìtioner *n.* 공기 조절 장치, 냉난방 장치, 에어 컨디셔너.
áir condìtioning *n.* 공기 조절《실내의 공기 정화, 온도·습도 조절》, 냉난방.
áir condùction *n.* 〔解〕 공기 전도《음파의 외이도(外耳道) 경유에 의한 내이에의 전도 작용》.
áir consígnment nòte *n.* 《英》 =AIRWAYBILL.
áir contaminátion *n.* 대기 오염.
áir contròl *n.* 〔軍〕 제공(권)(制空(權)) ; 항공(교통) 관제.
áir contròller *n.* 항공 (교통) 관제관 ; 〔軍〕 항공 통제관.
áir-cóol *vt.* 공기로 냉각시키다 ; (특히 내연 기관 따위를) 공랭식(空冷式)으로 하다 ; …에 냉방 장치를 하다.
~ed *a.* 공랭식의, 냉방 장치를 한.
áir-còoler *n.* 공기 냉각 장치.
áir còoling *n.* 공기 냉각, 공랭.
Áir Còrps *n.* 《美》 (제2차 세계 대전 전의) 육군 항공대.
áir còrridor *n.* 공중 회랑《국제 항공 협정에 의해 설립된 항공로》.
Áir Cóuncil *n.* [the ~] 《英》 공군 최고 회의《그 의장은 Air Minister》.
áir-cóupled *a.* (히트 펌프(heat pump) 따위가) 외기 접속의.
áir còver *n.* (항공기에 의한) 공중 엄호 ; 공중 엄호 비행대《air support[umbrella]라고도 함》.
***áir·cràft** *n.* (*pl.* ~) 항공기《비행기·비행선·기구 따위의 총칭》.
áircraft àccident investigátion *n.* 항공기 사고 조사.
áircraft càrrier *n.* 항공모함(airplane carrier).
áircraft clòth[fàbric] *n.* =AIRPLANE CLOTH.
áircraft equìpment *n.* 항공기 장비 물품《비행 중의 응급 조치용품·구명 기구 따위》.
áircraft gròup *n.* 〔軍〕 항공군(群)《2개 이상의 항공대로 편성된 공군 부대 조직》.
áircraft nòise *n.* 항공기 소음.
áircraft obsèrver *n.* (기상(機上)에서의) 감시·화기 발사병(兵).
áir·cràft(s)·man [-mən] *n.* (*pl.* **-men** [-mən]) 〔英空軍〕 항공 정비병.
-wòman *n. fem.*
áir·crèw *n.* [집합적으로] 항공기 승무원.
áir·crèw·man [-mən] *n.* (*pl.* **-men** [-mən]) (고급 승무원·조종사 이외의) 항공기 승무원.
áir-cùre *vt.* (담배 잎 따위를) 공기에 쐬다, 통기 처리[건조]하다.
áir cùrrent *n.* 기류.
áir cùrtain *n.* 에어 커튼《조절된 실내의 공기와 외기(外氣)를 차단함》.
áir cùshion *n.* **1** 공기 베개[요]. **2** 〔機〕 공기 쿠션《완충 장치》. **3** (호버크라프트를 부상(浮上)시키는) 분사 공기.
áir-cùshion(ed) *a.* 공기 부상식(浮上式)의, 에어쿠션(식)의.
áir-cùshion véhicle *n.* 공기 부양선(空氣浮揚船) (ground-effect machine) ; 호버크라프트《略 ACV》.
áir cỳlinder *n.* 〔機〕 공기 실린더《기통의 하나》; (포의 반동을 방지하는) 공기통[실린더].
áir dàm *n.* 에어 댐《자동차·비행기의 공기 저항을 감소시키고 안정도를 높이는 장치》.
áir·dàsh *vi.* 비행기로 급히 가다[달려가다].
áir·dàte *n.* 방송(예정)일.
áir defènse *n.* 방공(防空).

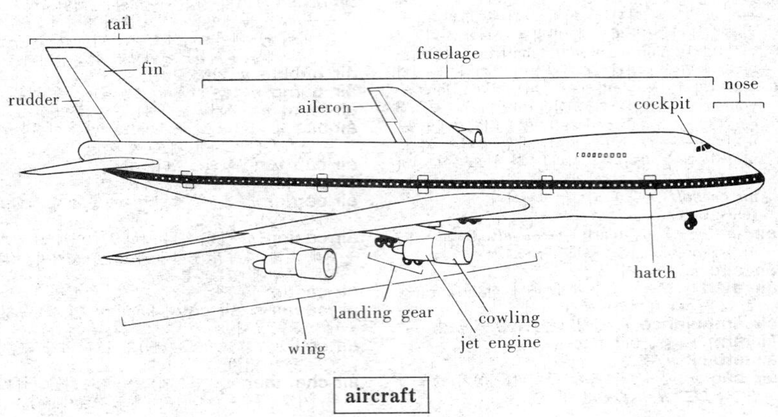

aircraft

áir dèpot *n.* 항공기 발착장.
áir divìsion *n.* 《美》 공군 사단《wing보다 크고 air force보다 작은 부대 단위》.
áir dòme *n.* 〔建〕 에어 돔, 공기막 구조.
áir dòor *n.* =AIR CURTAIN.
áir dràin *n.* 〔建〕 통기관(通氣管)《지하실 외벽을 따라 판 채광·통풍·습기 방지를 위한 공간》.
áir drìll *n.* 공기 송곳[착공기].
áir-drìven *a.* 압축 공기를 원동력으로 하는, 공기 … 《공구(工具)》.
áir·dròme *n.* 《美》 비행장, 공항(airport) (=《英》 aerodrome).
áir·dròp *n.* 공중 투하.
áir-dròp *vt.* (인원·식량 따위를) 낙하산으로 공중 투하하다.
áir-drỳ *a.* 공기로 (완전히) 말린. —— *vt.* 공기로 말리다.
áir dùct *n.* 통풍 덕트 ; 〔魚〕 기도관(氣道管).
Áire·dale (tèrrier) [έərdeil(-), ǽər-] *n.* 에어데일 테리어《테리어의 변종》; [a~] 《美俗》 이상한 사나이 ; 《美海軍俗》 항공 모함 승무원, 비행기 탑승원.
〖잉글랜드 North Yorkshire의 지명〗
áir èddy *n.* 기류의 소용돌이.
áir edìtion *n.* 라디오판(版)《항행중인 선박이 무전 뉴스를 받아 발행하는》; 공수판(空輸版).
áir èngine *n.* 〔機〕 공기 기관, 열공기 기관.
áir·er *n.* 건조대 ; 《英》 (의류의) 건조기[장치].
áir escàpe *n.* 〔機〕 배기(排氣) 장치.
áir exprèss *n.* 항공 수송업 ; [집합적으로] 항공 소화물 ; 항공 수송 요금.
áir·fàre *n.* 항공 운임.
áir fèrry *n.* 에어 페리, (수역(水域)을 건너서 차·사람·화물을 나르는) 항공 수송(의 항공기[항공망]).
áir·field *n.* (비행장의) 이착륙장 ; =AIRPORT.
áir fight *n.* 공중전.
áir filter *n.* 공기 정화(淨化) 필터[장치], 공기 여과기.
áir flèet *n.* 항공기 편대, (한 나라의) 공군기 ; 공군.
áir·flòw *n.* (항공기 따위가 일으키는) 기류.
—— *a.* 유선형의 ; 기류의[에 의한].
áir·flùe *n.* (보일러의 고온 가스를 배출하는) 연도(煙道).
áir·fòil *n.* 〔美空〕 날개(=《英》 aerofoil).
áir fòrce *n.* **1** 공군《略 A.F.》: the Royal *Air Force* 영국 공군 / the United States *Air Force* 미국 공군. **2** 〔美空軍〕 공군《air division보다는 크고 air command보다는 작은 부대 단위》.
㊟ 공군의 부대 단위는 다음과 같음. ***air command*** 통합 공군으로서 해당 지역 내외의 특수 임무를 맡으며 보통 수 개의 air force로 편성 : strategic *air command* 전략 공군 / tactical *air command* 전술 공군. ***air force*** 공군으로서 2개 이상의 air division과 보조 부대로 편성 : 5th *air force* 제5공군. (***air***) ***division*** 공군 사단, 2개 이상의 wing과 그 보조 부대로 편성. (***air***) ***wing*** 비행 전대, 비행단, 공군 준장이 지휘하며 1개의 전투 group과 그에 대한 지원 부대로 편성. (***air***) ***group*** 비행 대대, 2개 이상의 squadron으로 편성되며 공군의 행정 및 전술 단위, 《英》 비행 연대. (***air***) ***squadron*** 비행 중대, 2개 이상의 flight로 편성되나 행정 단위로서 항공기가 배속되지 않는 경우도 있음 : maintenance *squadron* 정비 중대. ***flight*** 비행 소대, 공군의 최소 단위로 4대 이상의 항공기로 편성.

Áir Fòrce Acàdemy *n.* 《美》 공군 사관 학교.
Áir Fòrce Óne *n.* 에어 포스 원 《미국 대통령 전용기》.
áir·fràme *n.* 〔空〕 (추진 동력 부분을 제외한) 기체(機體).
Áir Fránce [; *F* ɛːr frɑ̃ːs] *n.* 에어 프랑스《프랑스 국영 항공 회사》.
áir·frèight *n.* Ⓤ 항공화물 운송(업) ; [집합적으로] 항공 화물 ; 항공 화물 요금. —— *vt.* 항공 화물로 보내다. **~·er** *n.* 화물 수송기.
áir gàp *n.* 〔電〕 공기 갭《방전시 또는 자극간(磁極間)의 간극(間隙)》.
áir gàs *n.* 공기(空氣) 가스 ; 발생로(發生爐) 가스 (producer gas).
áir gàuge *n.* 기압계.
áir·glòw *n.* 대기광《중·저위도 지방 상공의 발광 현상》.
áir·gràph *n.* 《英》 항공 축사(縮寫) 우편(cf. V-MAIL).
—— *vt.* 항공 축사 우편으로 보내다.
áir gròup *n.* 비행 대대(☞ AIR FORCE).
áir gùn *n.* 공기총.
áir hàll *n.* 《英》 에어 홀《옥외 수영장·테니스 코트 따위에 설치하는 플라스틱 돔》.
áir hàmmer *n.* 〔機〕 공기 해머, 공기 망치.
áir hèad *n.* 《美俗》 바보, 멍청이.
áir·hèad *n.* 적전(敵前) 낙하 교두보《공수 부대가 확보한 적지내의 거점》.
áir hòist *n.* (압축 공기를 이용한) 승강기.
áir hòle *n.* 공깃 구멍, 바람 구멍, 통풍구 ; (강·호수 얼음판의) 공깃 구멍 ; =AIR POCKET.
áir·hòp *n., vi.* 《美俗》 비행기에 의한 단거리 여행(을 하다).
áir hòse *n.* 《美俗》 (맨발에 신는) 신형의 운동화.
áir hòstess *n.* (여객기의) 스튜어디스(stewardess), 에어 호스티스.
áir·hòuse *n.* 에어하우스《압축 공기로 세운 일시적인 공사용 비닐하우스》.
áir hùnger *n.* 〔醫〕 공기 기아[갈망]《아시도시스 (acidosis) 따위의 일종의 호흡 곤란》.
áir·i·ly *adv.* 경쾌하게 ; 쾌활하게, (마음이) 들떠서 ; 젠체하여.
áir·i·ness *n.* Ⓤ 바람이 잘 통함, 바람받이 ; 경쾌, 쾌활 ; 공허.
áir·ing *n.* **1** Ⓒ 공기[볕·바람]에 쐬어 말리기 : give the clothes an ~ 의복을 바람에 쐬어 말리다. **2** 야외 운동[산책·드라이브] : take an ~ 야외 운동[산책·드라이브]을 하다 / take the dogs *for* an ~ 개를 운동시키려고 데리고 나가다. **3** (의견 따위의) 개진(開陳), 과시. **4** (라디오·텔레비전의) 방송(broadcast).
áiring cùpboard *n.* (시트·의류의) 가열 건조용 벽장[선반].
áir injèction *n.* 배기 가스 오염 방지.
áir injéction méthod *n.* 배기 가스 오염 방지 방식《가솔린 자동차의 배출 가스 중의 오염 물질을 제거하는 장치》.
áir-ìntake *n.* 공기 흡입구 ; 공기 흡입량, 흡기량.
áir jàcket *n.* 《英》 구명 재킷[대](life jacket) ; 〔機〕 공기 재킷《열의 전도를 방지》.
áir jèep *n.* (민간용) 1인승 헬리콥터.
áir làne *n.* 항공로(airway).
áir-làunch *vt.* (비행기 따위에서) 공중 발사하다.
áir-làunched crúise mìssile *n.* 〔美軍〕 공중 발사 순항 미사일.
áir·less *a.* 공기가 없는 ; 통풍이 잘 되지 않는 ; 바람이 없는. **~·ness** *n.*

áir lètter *n.* **1** 항공 우편(airmail). **2** 〖郵〗 항공 우편용 편지지(aerogram).
áir·lìft *n.* 공중 보급로 ; (긴급) 공수용 항공기 ; (긴급) 공수. —— *vt.* 공수하다.
áir·lìke *a.* 공기 같은.
***áir·lìne, áir lìne** *n.* **1** 항공로 ; 정기 항공 노선[망]. **2** [보통 *pl.* ; 단수 취급] 항공 회사. **3** [보통 air line] 《美》 공중 최단[직선] 코스(beeline).
áir-lìne *a.* 최단의, 직선…《거리》 ; 직선의 ; 공로에 의한 : an ~ road 직선 도로 / the ~ distance between Seoul and Chicago 서울과 시카고간의 직선 거리.
áirline còde *n.* 항공 회사 코드《국제 항공 운송 협회가 정함 ; 두 자로 대한 항공은 KE》.
áirline códe nùmber *n.* 항공 회사 코드 번호.
áirline hòstess[stèwardess] *n.* 《美》 (정기 여객기의) 스튜어디스.
Áir Lìne of Communicátion *n.* 〖軍〗 항공 통상로《민간 항공 노선 ; 略 ALOC》.
áirline pássenger tàriff *n.* 국제 항공 운임표.
áir·lìner *n.* (대형) 정기 여객기.
áirline tìcket *n.* 항공권《항공회사 고유의 것과 전항공회사 공통인 BSP(bank settlement plan) 항공권이 있음》.
áir·lòad *n.* 항공기의 총적재 중량《승무원 · 연료를 포함함》.
áir lòck *n.* 〖土〗 에어 로크, 바람막이 ; (우주선의) 기밀식 출입구 ; 〖機〗 에어 로크, (유관계(流管系)의 공기를 넣고 흐름을 막는) 통로.
áir·lòck módule *n.* 〖로켓〗 (우주 정거장 안의) 기밀 구획(氣密區劃)《기압 · 온도 따위가 조절 가능 ; 略 AM》.
áir lòg *n.* 항공 일지 ; (항공기의) 비행 거리 기록 장치 ; (미사일의) 비행 항정 기록 장치 ; (유도 미사일의) 사정(射程) 조절 장치.
áir màil *n.* 《美學俗》 우편함에 우편물 없음.
***áir·màil** *n.* Ⓤ 항공 우편 ; Ⓒ 항공 우편용 우표. —— *a.* 항공 우편(용)의. —— *adv.* 항공편으로. —— *vt.* 항공 우편으로 보내다.
áir·man [-mən] *n.* 비행가, 비행사, 항공기 승무원 ; 항공병 : a civil(ian) ~ 민간 비행가. **~·shìp** *n.* 비행술.
áir màp *n.* 항공 지도.
áir·màrk *vt.* …에 대공(對空) 표지를 하다.
áir márshal *n.* 《英》 공군 중장.
áir màss *n.* 〖氣〗 기단(氣團) ; 기괴(氣塊).
áir màttress *n.* 에어 매트리스《침대나 구명용》.
áir mechànic *n.* 항공기 정비공, 항공 기사.
Áir Mèdal *n.* 《美》 항공 훈장.
áir mìle *n.* 항공 마일《약 1852m》.
áir-mínd·ed *a.* 항공 여행을 좋아하는, 항공 방면에 흥미를 가진[열심인]. **~·ness** *n.*
Áir Mìnister *n.* 《英》 항공 장관.
Áir Mìnistry *n.* [the ~] 《英》 항공부《1922년에 설립되어 군 · 민간 항공을 통할했음 ; 1964년에 Ministry of Defence(국방부)에 흡수됨》.
áir mìss *n.* 에어 미스《항공기의 니어미스(near-miss)에 대한 공식 용어》.
áir·mòbile *a.* 〖美軍〗 (헬리콥터 따위로) 공중 이동하는, 공중 기동의 ; 공수 부대의. —— *n.* 〖軍〗 공중 기동.
áir mònitor *n.* 방송 감시 장치[인] ; 〖原子理〗 대기 방사능 경보기.
áir mosàic *n.* (항공 사진을 연결해서 만든) 항공 지도.
áir mòtor *n.* =AIR ENGINE.
Áir Nátional Guárd *n.* 《美》 공군 주병(州兵).
áir obsèrver *n.* 〖美陸軍〗 (사탄(射彈)의) 공중[기상(機上)] 관측원 ; 공중[기상] 정찰원.
áir ófficer *n.* 《英》 공군 장성 ; 〖美海軍〗 (항공 모함의) 항공 사령(司令).
áir·pàrk *n.* (특히 공업지대 부근의) 작은 공항.
áir pàssage *n.* 통기로, 〖解〗 기도(氣道) ; 공기의 누출구 ; 항공 여행 ; 여객기의 좌석권 ; 〖植〗 세포 사이의 공동(空洞).
áir patròl *n.* 공중 정찰 ; 비행 정찰대.
áir pìllow *n.* 공기 베개.
áir pìpe *n.* 통기관.
áir pìracy *n.* 항공기 납치, 하이잭.
áir pìrate *n.* 항공기 납치범, 하이재커.
◇**áir·plàne** *n.* 《美》 비행기(=《英》 aeroplane) : by ~ 비행기로[를 타고] / take an ~ 비행기를 타다. —— *vi.* 비행기로 가다, 항공 여행을 하다 : ~ across the continent 대륙 횡단 비행을 하다.
㊟ 비행기의 종류 : (***commercial passenger***) ***airliner*** 여객기. ***bomber*** 폭격기. ***carrier, cargo plane*** 수송기. ***fighter*** 전투기. ***fighter-bomber*** 전폭기. ***observation plane*** 관측기《공중 감시용》. ***patrol plane*** 초계기. ***reconnaissance plane*** 정찰기. ***tanker*** (***plane***) 급유기. ***trainer*** 연습기.
áirplane càrrier *n.* =AIRCRAFT CARRIER.
áirplane clòth[fàbric] *n.* 기구(氣球)나 글라이더의 날개 · 동체 따위에 쓰이는 무명[리넨] ; (셔츠 · 파자마 따위에 쓰이는) 무명.
áirplane spìn *n.* 〖레슬링〗 공중 던지기.
áir plànt *n.* 〖植〗 기생(氣生) 식물, 착생 식물.
áir·plày *n.* 레코드 음악의 라디오 방송.
áir pòcket *n.* 에어 포켓《국부적인 난기류 상태 ; 비행기가 그곳에 들어가면 급강하함》.
áir polìce *n.* [흔히 A~ P~] 〖美軍〗 공군 헌병대《略 AP》.
áir pollùtion *n.* 대기 오염.
Áir Pollùtion Cóntrol Áct *n.* 《美》 대기 오염 방지법《1990년 4월에 공포된 것으로 이 법에는 자동차 배기 가스에 포함된 질소 산화물을 1995년까지 60% 삭감하는 것과 산성비를 촉발하는 산업 폐기물의 아황산가스를 2000년까지 1천톤 줄여 반감시킨다는 따위의 내용이 포함됨》.
◇**áir·pòrt** *n.* 공항(cf. AIRFIELD).

〈회화〉
How long will it take to get to the *airport* ? — About a half hour. 「공항까지 얼마나 걸립니까」「30분 정도입니다」

áirport còde *n.* 공항명 코드《석 자로 서울은 SEL》.
áirport sùrface detéction equìpment *n.* 공항면 탐지 장치《略 ASDE》.
áirport survéillance ràdar *n.* 공항 감시 레이더《略 ASR》.
áir·pòst *n.* =AIRMAIL.
áir pòwer *n.* 공군력 ; 제공권.
áir prèssure *n.* 〖氣〗 (대)기압(atmospheric pressure) ; 〖理〗 압축 공기의 압력 ; 공기 저항.
áir·pròof *a.* 공기가 통하지 않는, 내기성(耐氣性)의. —— *vt.* 내기성으로 하다, …을 공기가 통하지 않게 하다.
áir propèller *n.* (항공기 따위의) 프로펠러 ; (송풍용) 프로펠러.
áir pùmp *n.* 공기[배기] 펌프.
áir ràid *n.* 공습.
áir-ràid *a.* 공습의.
áir ràider *n.* 공습기(機)[병(兵)].

áir-raid shèlter *n.* 방공호.
áir-raid wàrden *n.* =AIR WARDEN.
áir rànk *n.* 《英》 (group captain 이상의) 공군 장성(將星)급.
áir recèiver *n.* 〔機〕 공기 탱크.
áir recònnaissance *n.* 공중 사찰(查察).
áir refùeling tánker *n.* 공중 급유기.
áir resìstance *n.* 공기 저항.
áir rìfle *n.* (강선식) 공기총.
áir rìght *n.* 〔法〕 공중권.
áir ròute *n.* 〔空〕 항공로(airway).
áir ròute survéillance ràdar *n.* 항공로 감시 레이더《略 ARSR》.
áir sàc *n.* 〔動〕 (새의) 기낭(氣囊) ; 〔植〕 기낭.
áir·scàpe *n.* (비행기·공중에서 내려다본) 경치 ; 공중 부감도(俯瞰圖), 항공 사진.
áir scòop *n.* 〔機〕 공기 흡입구.
áir scòut *n.* 항공 정찰병 ; 정찰기.
áir·scrèw *n.* 《英》 프로펠러.
áir-sèa réscue *n.* 항공 해상 구조 작업(대).
áir sèrvice *n.* 항공 근무 ; (군의 병과로서의) 항공병과 ; 항공 운송 (사업).
áir shàft *n.* =AIR WELL.
áir·shèd *n.* 한 지역의 대기(大氣) ; (지역별로 나눈) 대기 분수계(分水界).
〖*watershed*에 준한 것〗
áir·shìp *n.* 비행선 : a rigid[nonrigid] ~ 경식[연식] 비행선 / an ~ shed 비행선 격납고.
── *vt.* 《美》 항공기로 나르다.
áir shòt *n.* 〔골프〕 헛치기《일타(一打)로 간주됨》.
áir shòwer *n.* 〔理〕 공기 샤워《많은 우주선(線) 입자가 떼지어 지표(地表)에 이르는 현상》.
áir shùttle *n.* 《口》 에어 셔틀《특히 두 도시 간에 예약없이 탈 수 있는 통근용 근거리 왕복 항공 서비스》.
áir·shùttle *vi.*, *vt.* 에어 셔틀로 여행하다.
áir·sìck *a.* 항공병에 걸린, 비행기 멀미가 난.
~·ness *n.* 항공병, 비행기 멀미.
áir-slàke *vt.* (생석회를) 풍화(風化)시키다.
áir slèeve[sòck] *n.* =WIND SOCK.
áir·spàce *n.* (실내의) 공적(空積), 기적(氣積) 《호흡용 공기가 차지하는 공간》 ; (벽 내부의) 공기층《방습용》 ; 영공(領空).
áir·spèed *n.* U,C (비행기의) 대기(對氣) 속도, 비행 속도(cf. GROUND SPEED).
áirspeed ìndicator[mèter] *n.* (비행기의) 대기(對氣) 속도계.
áir sprày *n.* 분무제(가 든 분무기).
áir-sprày *a.* 분무식(噴霧式)의.
~ed *a.* 압축 공기로 분무한.
áir sprìng *n.* 〔機〕 공기 완충기.
áir squàdron *n.* 비행 중대, 항공대.
áir stàtion *n.* 〔空〕 (격납고·정비 시설이 있는) 비행장.
áir stèwardess *n.* (여객기의) 스튜어디스(air hostess).
áir stòp *n.* (항공기의) 기항지 ; 《英》 헬리콥터 발착장(cf. HELIPORT).
áir·strèam *n.* 기류(air current), (특히) 고층 기류 ; =AIRFLOW.
áir strìke *n.* 공습(air raid).
áir·strìp *n.* 〔空〕 (가설(假設)) 활주로(strip) (cf. FLYING FIELD).
áir suppòrt *n.* =AIR COVER.
áir-suppòrted dóme *n.* 에어 지지 구조 돔《박람회장 따위 대형 시설의 지붕으로 쓰임》.
áir-suppòrted strúcture *n.* =AIRHOUSE.
áir sùrvey *n.* 항공 측량.
áir sỳstem *n.* 공랭식(空冷式).
áir tàxi *n.* 《美》 에어 택시《부정기(不定期)적으로 근거리 영업을 하는 소형 비행기》.
áir-tàxi *vi.* 근거리 비행을 하다.
air·tel [éərtèl, ǽər-] *n.* 에어텔《공항 가까이에 있는 호텔》. 〖*air*+ho*tel*〗
áir tèrminal *n.* 에어 터미널《공항 여객의 출입구가 되는 건물·사무실 따위 ; 공항에서 떨어진 시내의 공항 연락 버스[철도] 발착소》.
áir thermòmeter *n.* 공기 온도계《공기를 사용한 기체 온도계》.
áir·tìght *a.* 밀폐된, 기밀(氣密)의 ; 《美》 공격할 틈이 없는.
~·ly *adv.* **~·ness** *n.*
áir tìme *n.* (라디오·텔레비전의) 방송 개시 시간 ; (특히 광고용의) 방송 시간.
áir-to-áir *adv.*, *a.* 항공기에서 항공기로(의) ; 공대공(空對空)의 : an ~ missile 공대공 미사일《略 AAM》 / refuel ~ 연료를 공중 보급하다.
áir-to-gróund, áir-to-súrface *adv.*, *a.* 항공기에서 지상으로(의) ; 공대지(空對地)의 : an ~ missile 공대지 미사일《略 ASM[AGM]》.
áir-to-únder·wàter *adv.*, *a.* 항공기에서 잠수함으로(의) ; 공대함(空對艦)의.
áir tràctor *n.* 농업용[농약 살포용] 항공기.
áir tràffic *n.* 항공 교통 ; 항공 교통[수송]량.
áir tràffic contròl *n.* 항공 교통 관제 (기관)《略 ATC》.
áir tràffic contròller *n.* 항공 교통 관제관[원].
áir tràin *n.* 공중 열차(sky train)《글라이더를 연결한 비행기》.
áir trànsport *n.* 공중 수송, 공수 ; 수송기, (특히) 군용 수송기.
áir trànsport agréement *n.* 항공협정.
áir tràp *n.* (배수구·하수관 따위의) 공기 트랩, 방취판(防臭瓣).
áir tràvel *n.* 비행기 여행.
áir tùrbine *n.* 공기 터빈.
áir tùrbulence *n.* 난기류(亂氣流).
áir twìst *n.* 공기 나선 형상《유리잔의 굽을 만들 때 공기를 넣어 나선 모양으로 틀어 만든 형상》.
Air UK [ˊ jù:kéi] *n.* UK 항공《영국의 항공 회사 ; 국제 약칭 UK》.
áir umbrèlla *n.* 〔軍〕 =AIR COVER.
áir vàlve *n.* 공기 밸브.
áir vèsicle *n.* 〔植〕 (수생 식물·해초 따위의) 기포(氣胞).
áir vìce-márshal *n.* 《英》 공군 소장.
áir·vìew *n.* 공감도(空瞰圖), 항공(航空) 사진 (airscape).
áir wàr *n.* 공중전(空中戰).
áir wàrden *n.* 《美》 (전시의) 공습 감시원(air-raid warden).
áir·wàve *n.* (소정 주파수의) 채널(airway) ; [*pl.*] (텔레비전·라디오의) 방송 전파, 방송파.
áir·wày *n.* 항공로(air lane) ; 〔鑛〕 통기로 ; 〔解〕 기도 ; (전파의) 통신로 ; (소정 주파수의) 채널 ; [*pl.*]=AIRWAVES ; [흔히 *pl.* ; 보통 단수 취급] 항공 회사(airlines) : British *A*~*s* 영국 항공.
áirway bèacon *n.* 항공로 등대.
áir·wày·bìll *n.* 항공 화물 운송장.
áirway lètter *n.* 《英》 항공 우편 《제1종 우편으로 500g 이내의 편지를 British Airways(영국 항공)에 의탁하고 추가 요금을 지불하면 다음 비행기편으로 발송되고 수신인이 공항 또는 우체국에서 수취함》.

áir wèll *n.* (빌딩 따위의) 통기(通氣) 공간 ; (광산·터널 따위의) 환기용 수직 갱도.
áir wìng *n.* 〖空軍〗 항공단(航空團).
áir-wìse *a.* 항공 지식[경험]이 풍부한.
áir·wòman *n.* 여류 비행사 ; 여자 승무원.
áir·wòrthy *a.* 내항성(耐航性)이 있는, 항공[비행]에 견디는.
-wòrthiness *n.* 내항성.
airy [έəri, ǽəri] *a.* **1** 공기와 같은 ; 덧없는, 공허한 ; 가공의, 상상의. **2** (태도 따위) 경쾌한, 우아한. **3** 유쾌한, 쾌활한 ; 들뜬, 경박한 ; 《口》 체하는. **4** 통풍이 잘 되는(breezy) : an ~ situation 통풍이 잘 되는 장소. **5** 하늘 높이 솟은. **6** 공기[대기]의 ; 항공의(aerial).
〖AIR〗
áiry-fáiry *a.* **1** 《口》 요정 같은. **2** 《蔑》 근거없는, 공상적인《생각·계획 따위》.
AIS accounting information system(회계 정보 시스템) ; Advanced Information Service(고도 정보 서비스).
*__aisle__ [áil] *n.* **1** (교회당의) 측면의 복도, 측랑(側廊) ; (교회 좌석 사이의) 통로. **2** 《美》 (극장·열차·상점 안의) 통로(cf. GANGWAY 1 a)).
knock [***lay***] (***the audience***) ***in the aisles*** (연극 따위가) 통로로 굴러 떨어질 정도로 (청중을) 자지러지게 웃기다, (청중을) 크게 웃기다.
~d *a.* aisle이 있는.
〖OF<L *ala* wing ; *-s-*는 *island*와 F *aile* wing의 혼동에서〗
áisle sèat *n.* 《美》 통로쪽의 좌석.
áisle sìtter *n.* 《口》 연극 평론가.
ait [éit] *n.* 《英》 강[호수] 가운데의 작은 섬.
〖OE (dim.) ‹ *ieg* ISLAND〗
aitch [éitʃ] *n.* (알파벳의) H[h].
drop one***'s aitches*** (무식한 사람이) h를 빼고 발음하다《hair [hέər]를 air [έər]로 하는 따위》.
áitch·bòne *n.* (소의) 볼기뼈 ; 소의 볼기살.
〖ME *nage-*, *nache-* (OF< L (pl.) ‹ *natis* buttock), BONE ; *n*-의 소실에 관해서는 cf. ADDER〗
AIU American International Underwriters《미국의 보험 회사》.
Ajan·ta [ədʒʌ́ntə] *n.* 아잔타《인도 중서부의 마을 ; 석굴과 벽화로 유명함》.
ajar[1] [ədʒɑ́ːr] *adv.*, *pred. a.* (문 따위가) 조금 열려 있어 ; 반쯤 열려 있어 : The door stood ~. 문이 조금 열려 있었다.
〖*a*-[1], CHAR[2] to turn〗
ajar[2] *adv.*, *pred. a.* (…와) 불화하여, 조화되지 못하고 : set nerves ~ 신경을 건드리다.
〖*a*-[1], JAR[2]〗
Ajax [éidʒæks] *n.* 〖그神〗 아이아스《Troy전쟁 때의 그리스 용사》.
A.J.C. Australian Jockey Club(오스트레일리아 경마 클럽). **AK** 〖宇宙〗 apogee kick ; 〖美郵〗 Alaska. **A.K., a.k.** 《美卑》 ass-kisser. **a.k.a., aka, AKA** 《美》 also known as《일명, 별명 ; cf. ALIAS》. **AKC, A.K.C.** American Kennel Club(미국 애견가 클럽).
ake·la [əkíːlə, -kéi-] *n.* (cub scouts의) 반장, 대장, 그룹의 지도자.
〖*Akela* : R. Kipling, *The Jungle Book*의 늑대의 리더 이름〗
akene [eikíːn, ə-] *n.* =ACHENE.
akim·bo [əkímbou] *adv.*, *pred. a.* 양손을 허리에 대고 팔꿈치는 펴고. 주 with one's arms ~로서 쓰임. 〖ME *in kenebowe*< ? ON 《美》 *i keng boginn* bent in a curve ; *a*-[1]에 동화〗
akin [əkín] *pred. a.* 혈족(血族)의(of kin) ; 동족의 ; 유사한(similar) : Pity is ~ *to* love. 《속담》 동정은 애정에 가까운 법. 〖*a*-[1]〗
aki·ne·sia [èikainíːʒiə, -kə-] *n.* 〖醫〗 무(無)운동《완전한 또는 부분적인 운동 마비》.
Ak·kad, Ac·cad [ǽkæd, ɑ́ːkɑːd] *n.* 아카드《2800-1100 B.C.에 번영하였던 고대 Babylonia의 북부 지방》.
Ak·ka·di·an, Ac·ca- [əkéidiən, əkɑ́ː-] *n.* Ⓤ 아카드어 ; Ⓒ 아카드인. ── *a.* 아카드의 ; 아카드인[어]의.
al- ☞ AD-.
-al[1] [əl] *a. suf.* 「…의 (성질의)」의 뜻 : post*al*, sensation*al*. 〖F or L〗
-al[2] [æ̀l, ɔ̀(ː)l, əl] *n. suf.* 「…의 알데히드」「…의 약제(藥劑)」의 뜻 : furfur*al*, barbit*al*.
〖*al*dehyde〗
-al[3] [əl] *n. suf.* [행위·과정] 「…하기」의 뜻 : arriv*al*. 〖F or L〗
AL 〖美郵〗 Alabama. **A.L.** 〖野〗 American League ; American Legion. **AL, A.L.** Anglo-Latin. **Al** 〖化〗 aluminum. **al.** alcohol(ic). **a.l.** autograph letter.
ala [éilə] *n.* (*pl.* **alae** [-liː]) 〖生〗 날개, 깃 ; 날개 모양의 부분 ; 겨드랑이.
〖L=wing〗
a la, à la [ɑ́ːlə, -lɑː, æ̀lə ; *F* a la] *prep.* … 식[풍]의[으로] ; 《口》 …을 흉내낸[내어] ; 〖料〗 …을 곁들인 : ☞ A LA CARTE, etc.
ALA, A.L.A. American Library Association (미국 도서관 협회). **Ala.** Alabama.
Al·a·bama [æ̀ləbǽmə] *n.* 앨라배마《미국 남동부의 주 ; 주도 Montgomery ; 略 Ala., AL》.
Al·a·bam·i·an [æ̀ləbǽmiən] *a.*, *n.* 앨라배마주의 (사람).
al·a·bam·ine [æ̀ləbǽmiːn, -mən] *n.* 〖化〗 알라바민《기호 Ab ; astatine의 옛 이름》.
al·a·bas·ter [ǽləbæ̀stər, -bɑ̀ːs-] *n.* Ⓤ 설화 석고(雪花石膏). ── *a.* 설화 석고로 만든 ; 설화 석고 같은, 새하얗고 매끄러운.
〖OF<L<Gk.〗
al·a·bas·trine [æ̀ləbǽstrən, -bɑ́ːs-] *a.* 설화 석고로 만든 (것 같은) ; 희고 매끄러운.
a la carte, à la carte [ɑ̀ːləkɑ́ːrt, æ̀lə-, *F* a la kart] *a.*, *adv.* 메뉴에 따른[따라] ; 정가표에 따른[따라] ; 좋아하는 요리의[를 택하여] (cf. TABLE D'HÔTE) : a dinner ~ =an ~ dinner 메뉴 중에서 골라시키는 만찬 / dine ~ 좋아하는 요리를 택하여 식사하다. 〖F=according to the card〗
alack(**·a·day**) [əlǽk(ədèi)] *int.* 《古》 (비탄·유감·놀람을 나타내어) 슬프도다!, 아아 (Alas!).
〖? *ah lack*〗
alac·ri·tous [əlǽkrətəs] *a.* 민활한.
alac·ri·ty [əlǽkrəti] *n.* Ⓤ 민활, 민첩 ; 기민 : with ~ 민활하게, 기민하게.
〖L (*alacer* brisk)〗
Alad·din [əlǽdən] *n.* 알라딘《*The Arabian Nights*에 나오는 인물 ; 마법의 램프를 손에 넣어 온갖 뜻을 이룸》.
Aláddin's cáve *n.* 막대한 보화가 있는 곳.
Aláddin's lámp *n.* 알라딘의 램프《사람의 소원을 무엇이든지 들어 주는 마술 램프》.
ALADI *Asociación Latino-Americana de Integración* 《Sp.》 (=Latin American Integration Association) (중남미 통합 연합).

alae *n.* ALA의 복수형.
à la fran·çaise [*F* a la frɑ̃sɛːz] *a., adv.* 프랑스식의[으로].
a la king, à la king [ɑ̀ːləkíŋ, æ̀lə-] *a.* 〖料〗 버섯·피망을 넣어 크림 소스로 끓인《고기·생선 요리에 씀》. ㈜ 명사 다음에 씀 : chicken ~ 치킨 아라킹《토스트 따위에 얹음》.
ala·lia [əléiliə] *n.* Ⓤ 〖醫〗 발어(發語) 불능증.
al·a·me·da [æ̀ləmíːdə, -méi-] *n.* 《美》 (특히 포플러 따위의 가로수가 있는) 산책길.
al·a·mo [ǽləmòu] *n.* (*pl.* **~s**) 《美》 〖植〗 (남서부의) 포플러(aspen).
Alamo *n.* [the ~] 앨러모《미국 Texas 주 San Antonio시에 있는 카톨릭교의 옛 전도소 ; 1836년 수많은 사람이 멕시코군에게 포위당해 전멸했음》.
ala·mode [æ̀ləmóud] *a., adv.* =A LA MODE.
—— *n.* Ⓤ 윤나는 얇은 명주의 일종.
a la mode, à la mode [ɑ̀ːləmóud, æ̀lə-; *F* a la mɔd] *a., adv.* **1** 유행의, 유행을 따른[따라], 시대풍의[으로]. **2** 〖料〗 (디저트·파이 따위) 아이스크림을 얹은[곁들인] : pie ~ 아이스크림을 곁들인 파이.
〖F=according to the fashion〗
à l'an·glaise [*F* a lɑ̃glɛːz] *a., adv.* 영국식의[으로].
al·a·nine [ǽlənìːn, -nàin] *n.* 〖生化〗 알라닌《단백질 속에 있는 아미노산의 일종》.
Al-Anon [ǽlənɑ̀n] *n.* 《美口》 알코올 중독자 갱생회. 〖*Al*coholics+*Anon*ymous〗
al·a·nyl [ǽlənil] *n.* 〖化〗 알라닐(기) (=∠ **ràdical** [**gròup**]).
à la page [*F* a la paːʒ] *pred. a.* 최신[유행]의.
alar [éilər] *a.* 〖動〗 날개의[같은] ; 겨드랑이 밑의 ; 〖植〗 액생(腋生)의. 〖ALA〗
alarm [əlɑ́ːrm] *n.* **1** Ⓤ 놀람, 경악, 공포 : in ~ 놀라서 (어쩔줄 모르고), 걱정하여. **2** 경보, 비상 신호 : give a false ~ 거짓 경보를 전(하여 놀라게) 하다 / give the ~=raise an ~ 경보를 발하다 / take (the) ~ 깜짝 놀라다, 경계하다. **3** 경보기, 경종 ; 경보 장치, 자명종 : sound[ring] the ~ 경적[경종·비상종]을 울리다, 위급함을 알리다 / set the ~ for five 자명종을 5시에 맞추다. **4** [*pl.*] 시끄러운 소리, 소음 ; 《廢》 비상 소집.
—— *vt.* [+目 / +目+前+名] …에 경보를 발하다, …에게 위급(함)을 알리다 ; 깜짝 놀라게 하다 : Don't ~ yourself. 놀라지 말게, 당황하지 말게, 걱정하지 말게 / He was ~*ed* ***at*** the news [***for*** her safety]. 그 소식을 듣고 깜짝 놀랐다[그녀의 안부를 염려했다] / They were ~*ed* by the sudden rumbling in the earth. 갑작스런 지진으로 깜짝 놀랐다.
〖OF<It. (*all' arme*! to arms!)〗
類義語 (1) ⟹ FEAR.
(2) ⟹ FRIGHTEN.
alárm bèll *n.* 경종, 비상 벨.
alárm càll *n.* 〖軍〗 비상 신호 (소리).
alárm clòck *n.* 자명종.
alárm gàuge *n.* (증기 기관의) 과압표시기.
alárm gùn *n.* 경포(警砲), 비상 신호포(砲).
alárm·ing *a.* 놀라운 ; 불안한, 염려되는 ; 위급한 : at an ~ rate 놀라운 비율로.
~·ly *adv.* 놀랄 만큼 ; 걱정될 만큼 ; 허겁지겁.
alárm·ism *n.* Ⓤ 기우 ; 법석을 떨게 함, 세상을 소란케 함.
alárm·ist *n.* 기우가 심한 사람, 군걱정하는 사람 ; 세상을 소란케 하는 사람.
—— *a.* alarmist의[같은].
alárm pòst *n.* 〖軍〗 비상 소집지[집합 장소].
alárm reàction *n.* 〖生理·生〗 경고반응(警告反應)《일반 적응 증후군의 제1단계》.
alárm sìgnal *n.* 경보, 비상 신호.
alárm sỳstem *n.* (범죄 방지를 위한) 경보 시스템《전자식 기계를 설치하여 경비 회사나 경찰에 침입을 알리는 비상 경보 장치》.
alárm wòrd *n.* 암호말, 군호.
alar·um [əlɑ́ːrəm, əlέər-, əlǽər-] *n.* 《文語·古》 =ALARM.
alárum clòck *n.* 《英》 =ALARM CLOCK.
alárums and excúrsions *n. pl.* 〖劇〗 전란의 술렁거림과 병사들의 어수선한 왕래《엘리자베스조(朝)의 희곡에서 배우의 동작 따위를 지시한 부분》 ; 대소동, 야단 법석.
ala·ry [éiləri, ǽl-] *a.* 날개[깃]의, 날개 모양의. 〖ALA〗
***alas** [əlǽ(ː)s, əlɑ́ːs] *int.* 아아!, 슬프도다!, 가엾도다《슬픔·우려 따위를 나타내는 소리》.
〖OF (AH[1], L *lassus* weary)〗
Alas. Alaska.
Alas·ka [əlǽskə] *n.* 알래스카《미국 북서부의 주 ; 주도 Juneau ; 略 Alas.》.
Aláska-Hawáii Stándard Tìme *n.* =ALASKA (STANDARD) TIME.
Aláska Híghway *n.* [the ~] 알래스카 하이웨이《알래스카의 Fairbanks와 캐나다의 Dawson Creek간의 군용 도로》.
Alás·kan *a., n.* 알래스카(인)의 ; 알래스카인.
Aláskan málamute *n.* 알래스카에서 썰매를 끄는 개의 일종.
Aláska (stándard) tìme *n.* 알래스카 표준시《GMT보다 10시간 늦음》.
Alas·tor [əlǽ(ː)stər] *n.* 〖그神〗 알라스토르(「복수」의 의인화 신).
alate [éileit], **alat·ed** [-leitəd] *a.* 날개가 있는 ; 날개 모양의.
alb [ǽ(ː)lb] *n.* 〖宗〗 장백의(長白衣)《미사(mass) 때 신부가 입는 흰 베로 만든 긴 옷 ; cf. CHASUBLE》.
〖OE<L *albus* white〗
Alb. Albania(n) ; Albany ; Albert ; Alberta.
Alba. Alberta.
al·ba·core [ǽlbəkɔ̀ːr] *n.* (*pl.* **~, ~s**) 〖魚〗 날개다랭이[알바코]《다랑어과》.
〖Port.<Arab. =the young camel〗
Al·ba·nia [ælbéiniə] *n.* 알바니아《발칸 반도의 공화국 ; 수도 Tirana》.
Al·bá·ni·an *a., n.* 알바니아의 ; 알바니아인 (의) ; Ⓤ 알바니아어 (의).
Al·ba·ny [ɔ́ːlbəni] *n.* 올버니《미국 New York 주의 주도》.
al·ba·ta [ælbéitə] *n.* Ⓤ 양은(洋銀).
al·ba·tross [ǽlbətrɔ̀(ː)s, -trɑ̀s] *n.* (*pl.* **~, ~·es**) **1** 〖鳥〗 앨버트로스《국제 보호조》. **2** 끊임없이 마음을 무겁게 누르는 것 ; 행동의 자유를 방해하는 것, 제약. **3** 〖골프〗 앨버트로스《한 홀에서 par 또는 bogey보다 3타 적은 스코어》. 〖Sp., Port. *alcatraz*<Arab.=the jug (펠리칸의 커다란 주머니에서) ; 어형은 L *albus* white와의 혼동〗
al·be·do [ælbíːdou] *n.* (*pl.* **~s**) 〖天·理〗 알베도, 반사 계수《태양 따위의 광선 반사 정도를 표시하는 말》.
al·be·it [ɔːlbíːət, æl-] *conj.* 《文語》 비록 …이라 하더라도, …에도 불구하고(even though, although) : Hitler was a genius, ~ (he was) an evil one. 히틀러는 천재였다, 악의 천재이긴 하였지만.
〖*all be it* although it be〗

Al·bert [ǽlbərt] *n.* **1** 남자 이름《애칭 Bertie》. **2** [Prince ~] 앨버트공(公) (1819-61)《Victoria 여왕의 남편; the Prince Consort라 불렸음》. **3** [a~] 《英》 회중시계의 줄.
〖F or L<Gmc. =nobly bright〗

Al·ber·ta [ælbə́:rtə] *n.* **1** 앨버타《캐나다 서부의 주; 주도 Edmonton》. **2** 여자 이름.
〖(fem.); ↑〗

álbert cháin *n.* 앨버트형 시계줄《Prince Albert가 애용했음》.

Álbert Háll *n.* [the ~] 앨버트 홀[기념 회관] 《영국 London의 Kensington에 있으며 음악회·시위운동 따위에 쓰이는 대공회당》.

al·bes·cent [ælbésənt] *a.* 희어지는; 희끔한. **-cence** *n.*

Al·bi [*F* albi] *n.* 알비《프랑스 남부 Tarn 주(州)의 주도; 알비파(派)의 본거지》.

Al·bi·gen·ses [æ̀lbədʒénsi:z] *n. pl.* 알비파 《11-13세기 남프랑스 Albi 지방에서 일어났던 일종의 크리스트교의 이단적 분파》.

Al·bin [ǽlbən] *n.* 남자 이름. 〖L=white〗

Al·bi·na [ælbáinə, -bí:-] *n.* 여자 이름.
〖(fem.); ↑〗

al·bin·ic [ælbínik] *a.* 알비노증에 걸린.

al·bi·nism [ǽlbənìzəm, ælbáinizəm] *n.* Ⓤ (사람·동물의) 색소 결핍증; 알비노증.

al·bi·no [ælbáinou; -bí:-] *n.* (*pl.* **~s**) 알비노증에 걸린 사람; 〖動·植〗 백자(白子)《색소가 현저히 결핍된 동·식물》. 〖Sp., Port.; ⇨ ALB; 원래 'white Negroes'의 뜻〗

Al·bi·on [ǽlbiən] *n.* 《詩》 앨비언《Great Britain, 후에는 England의 옛 이름; 남부 해안의 백악질(質)의 절벽에서 연유된 이름; cf. CALEDONIA, CAMBRIA, HIBERNIA》.

al·bite [ǽlbait] *n.* 〖鑛〗 소다 장석(長石), 조장석(曹長石).

ALBM air-launched ballistic missile(공중 발사 탄도 미사일).

◇**al·bum** [ǽlbəm] *n.* **1** 앨범《사진첩·우표첩·사인첩·악보철·음반[레코드]첩 따위》. **2** 문학[음악·명화] 선집. 〖L=blank tablet; ⇨ ALB〗

al·bu·men [ælbjú:mən; ǽlbju-] *n.* Ⓤ 알의 흰자위; 〖植〗 배젖; 〖生化〗 =ALBUMIN.
〖L=white of egg; ⇨ ALB〗

albumenize ☞ ALBUMINIZE.

al·bu·min [ælbjú:mən; ǽlbju-] *n.* Ⓤ 〖生化〗 알부민《단백질의 일종》. 〖F<L (↑)〗

al·bu·mi·nize, -me- [ælbjú:mənàiz] *vt.* (인화지에) 단백을 칠하다, 단백액으로 처리하다.

al·bu·mi·noid [ælbjú:mənɔ̀id] *a.* 단백성의.
—— *n.* 〖生化〗 알부미노이드.

al·bu·mi·nous [ælbjú:mənəs], **-nose** [-nòus] *a.* 단백성의, 단백질을 함유하는; 〖植〗 배젖이 있는.

albùmin·úria *n.* Ⓤ 〖醫〗 단백뇨증(蛋白尿症). **-úric** *a.*

al·bu·mose [ǽlbjəmòus, -z] *n.* 〖生化〗 알부모오스《소화 효소 따위의 작용에 의해 단백질이 약간 분해된 것》.

al·bur·nous [ælbə́:rnəs] *a.* 백목질(白木質)의.

al·bur·num [ælbə́:rnəm] *n.* 〖植〗 백재(白材); 변재(邊材); 백목질(白木質) (sapwood).

alc. alcohol(ic).

al·cade [ælkéid] *n.* =ALCALDE.

Al·cae·us [ælsí(:)əs] *n.* 알카이오스《600 B.C.경의 그리스의 서정시인》.

alcahest ☞ ALKAHEST.

Al·ca·ic [ælkéiik] *a.* 고대 그리스 시인 Alcaeus의; [때때로 a~] 《詩》 알카이오스격의. —— *n.* [때때로 a~; 보통 *pl.*] 알카이오스격(格)의 시행(詩行).

al·cai·de, -cay- [ælkáidi; -kéid] *n.* (스페인 따위의) 요새 사령관; 교도관. 〖Sp.<Arab.〗

al·cal·de [ælkά:ldi, -kǽl-] *n.* [때때로 A~] (스페인·포르투갈 따위의) 재판관을 겸한 시장; 교도소장. 〖Sp.<Arab.〗

Ál·can Híghway [ǽlkæn-] *n.* [the ~] = ALASKA HIGHWAY.
〖*Al*aska-*Can*adian〗

Al·ca·tel [ǽlkətəl] *n.* (프랑스의) 통신기기 제조 회사.

Al·ca·traz [ǽlkətræ̀z] *n.* 앨커트래즈《California 주 샌프란시스코 만의 작은 섬; 연방 교도소 (1934-63)가 있었음》.

Al·ca·zar [ælkά:zər, -kǽz-, ǽlkəzὰ:r, ⌐-⌐] *n.* [the ~] 알카사르 궁(宮)《스페인에 있는 무어인의 궁전》; [a~] 스페인풍(風)의 궁전[요새].
〖Sp.<Arab. =the castle〗

Al·ces·tis [ælséstəs] *n.* 〖그神〗 알케스티스《Thessaly왕 Admetus의 처; 남편 대신 죽은 열녀》.

al·chem·ic, -i·cal [ælkémik(əl)] *a.* 연금술의. **-i·cal·ly** *adv.*

al·che·mist [ǽlkəməst] *n.* 연금술사.

àl·che·mís·tic, -ti·cal *a.* 연금술사의. **-ti·cal·ly** *adv.*

al·che·mize [ǽlkəmàiz] *vt.* (연금술로) 변화시키다.

al·che·my [ǽlkəmi] *n.* Ⓤ 연금술《비(卑)금속을 황금으로 만들려던 중세의 연구; chemistry의 근원》; 《비유》 평범한 것을 가치있는 것으로 바꾸는 마술[힘].
〖OF<L<Arab. (*al* the, Gk. *khēmia* art of transmuting metals)〗

al·clad [ǽlklæ(:)d] *n.* 알루미늄 합판.

ALCM air-launched cruise missile.

Alc·me·ne [ælkmí:ni:] *n.* 〖그神〗 알크메네《Hercules의 어머니》.

‡**al·co·hol** [ǽlkəhɔ̀(:)l, -hὰl] *n.* Ⓤ 〖化〗 알코올, 주정(酒精); 주정 음료, 술. 〖F or L<Arab.=the staining powder (*al* the, KOHL)〗

al·co·hol·ic [æ̀lkəhɔ́(:)lik, -hάl-] *a.* 알코올(성)의, 알코올이 든; 알코올 중독의: ~ drinks [liquors] (각종의) 주정 음료 / ~ poisoning= ALCOHOLISM. —— *n.* 알코올 중독자; 술고래; [*pl.*] 알코올성 음료, 술.

al·co·hol·ic·i·ty [æ̀lkəhɔ(:)lísəti, -hɑl-] *n.* 알코올도[함유량].

Alcohólics Anónymous *n.* 알코올 중독자 갱생회《略 A.A.》.

álcohol·ìsm [ˌ-kəhə-, ǽlkəlìz-] *n.* Ⓤ 알코올 중독. **-ist** *n.* 알코올 중독자.

álcohol·ìze *vt.* 알코올화(化)하다; 알코올에 담그다; 알코올로 취하게 하다.

al·co·hol·om·e·ter [æ̀lkəhɔ(:)lάmətər, -hɑlάm-] *n.* 알코올 비중계, 주정계(酒精計).

al·co·hol·y·sis [æ̀lkəhɔ́(:)ləsəs, -hάl-] *n.* 알코올 분해.

al·com·e·ter [ælkάmətər] *n.* 《美》 취도계(醉度計)《호기(呼氣) 속에 함유된 알코올량을 측정하여 취도를 측정》.

Alcoran ☞ ALKORAN.

Al·cott [ɔ́:lkət] *n.* 올 커 트. **Louisa May ~** (1832-1888) 미국의 여류작가; *Little Women*의 저자.

al·cove [ǽlkouv] *n.* **1 a)** 벽의 우묵 들어간 곳《침대·서가용》, 반침; 벽감. **b)** 깊숙한 사실(私室). **2** (정원·숲 속의) 아늑한 빈터; 정자(亭子). 〖F<Sp.<Arab. =the vault〗

ALCS airborne launch control system(기상(機上) 미사일 발사 관제 시스템).

Ald., ald. alderman.

Al·deb·a·ran [ældébərən] *n.* 〖天〗 알데바란《황소자리 중의 일등성(星)》.

al·de·hyde [ǽldəhàid] *n.* 〖化〗 알데히드. **àl·de·hýd·ic** [-háid-; -híd-] *a.* 〖NL *al*cohol *de-hyd*rogenatum〗

Al·den [ɔ́:ldən] *n.* 남자 이름. 〖OE=old friend〗

al den·te [æl déntei, -ti] *a.* (마카로니 따위) 씹는 맛이 나도록 딱딱하게 요리한, 알덴테의. 〖It. =to the tooth〗

al·der [ɔ́:ldər] *n.* 〖植〗 오리나무. 〖OE *alor*, *aler*; -*d*-는 음편(音便)상의 삽입〗

al·der·man [ɔ́:ldərmən] *n.* (*pl.* **-men** [-mən]) **1** (미국·캐나다·호주의) 구장(區長), 시의회 의원. **2** (1974년까지의 잉글랜드·웨일스·아일랜드의) 시[읍] 참사회원, 부시장. **3** 〖英史〗 주(州) 장관, 총독.
~·cy *n.* alderman의 직[직위, 신분]. **~·ry** *n.* 그 직분[선거구]. **~·shìp** *n.* 그 직분[신분]. **àl·der·mán·ic** [-mǽn-] *a.* 〖OE (OLD, -*or* (n. suf.), MAN)〗

Al·der·ney [ɔ́:ldərni] *n.* 올더니《영국 해협의 섬》; 올더니종(種)의 젖소.

Al·dine [ɔ́:ldain, -di:n] *a.* 알두스판(版)의; 호화판의: an ~ edition 알두스판. ―― *n.* 알두스판《16세기 베니스의 인쇄가 Aldus가 발행한 호화판》; Ⓤ 알두스판 활자.

Al·dis [ɔ́:ldəs] *n.* 남자 이름. 〖Gmc. =old〗

Áldis lámp *n.* 올디스 램프《모스 신호를 보내는 휴대용 램프》. 〖상표〗

Aldm. Alderman.

al·do·hex·ose [ældouhéksous] *n.* 〖化〗 알도헥소오스.

al·do·ster·one [ældɑ́stəròun, ældoustəróun, ⌐--⌐] *n.* 〖生化〗 알도스테론《부신 피질 호르몬》.

Al·dous [ɔ́:ldəs, ǽl-] *n.* 남자 이름. 〖Gmc. =old〗

ale [éil] *n.* Ⓤ 에일《맥주의 일종; 6% 가량의 알코올을 함유; lager보다 독하고 porter보다 약함; cf. STOUT, HALFAND-HALF》; (일반적으로) 맥주: ☞ ADAM'S ALE. 〖OE *alu*〗

ale·a·to·ric [èiliətɔ́(:)rik, -tɑ́r-] *a.* **1** 〖樂〗 우연성의, 즉흥적인, 알레아토릭의: ~ music 우연성의 음악. **2** =ALEATORY.

ale·a·to·ry [éiliətɔ̀:ri; -təri] *a.* **1** 요행수를 노리는, 우연에 의한, 도박의. **2** 사행(射倖)적인: an ~ contract 〖法〗 사행(射倖) 계약. **3** 〖樂〗 = ALEATORIC. ―― *n.* 〖樂〗 우연성의 음악. 〖L (*aleator* dice player〈*alea* DIE[2])〗

ále·bènch *n.* ALEHOUSE의 긴 의자.

Al·ec(k) [ǽlik] *n.* Alexander의 애칭.

ale·con·ner [éilkɑ̀nər] *n.* 〖史〗 주류 검사관.

alee [əlí:] *adv., pred. a.* 〖海〗 바람 불어가는 쪽에[으로] (↔*aweather*).
Helm alee! 키자루를 아래로!

al·e·gar [ǽləgər, éilə-] *n.* 맥아초(醋), 맥주초.

ále·hòuse *n.* 맥주 홀, 술집.

Al·e·man·nic [æ̀ləmǽnik] *n., a.* 고지(高地) 독일어(의)《Alsace, Switzerland 및 남서부 독일지방에서 쓰는 말》.

alem·bic [əlémbik] *n.* (옛날의) 증류기; 《비유》 정화물(淨化物); 정화하는[변화시키는] 것. 〖OF<L<Arab.<Gk. *ambik- ambix* cap of still〗

aleph [ɑ́:ləf, -lef] *n.* 헤브라이어 알파벳의 첫째 글자. 〖Heb. (*eleph* ox)〗

áleph-núll, -zéro *n.* 〖數〗 알레프제로.

alert** [ələ́:rt] *a.* [+前+do*ing* / +*to* do] 빈틈없는(watchful); 기민한, 민첩한, 민활한(brisk): He was very ~ ***in answer*ing*. 아주 민첩하게 대답을 했다 / A good hunting dog is ~ ***to*** every sound and movement in the field. 훌륭한 사냥개는 사냥터에서의 소리나 움직임 하나 하나에도 온 신경을 집중한다 / The soldiers were ~ on the water *to* seize enemy ships. 병사들은 적선을 나포하려고 물 위에 온 정신을 쏟고 있었다.
on the alert 방심하지 않고 경계[대기]하여 〈*for*, *to* do〉.
―― *n.* 공습[경계] 경보; 경보 발령 기간; 경계 체제.
―― *vt.* …에게 경보를 발하다; 경계시키다, 경고하다. **~·ly** *adv.* 빈틈없이; 기민하게, 민첩하게. **~·ness** *n.*
〖F<It. *all' erta* to the watchtower〗
類義語 ⟹ WATCHFUL.

-a·les [éili(:)z] *n. pl. suf.* 〖植〗 「…으로 이루어지는[…에 관련이 있는] 식물」의 뜻의 목명(目名)을 만듦: Viol*ales* 제비꽃목. 〖L *-alis*〗

aleu·kia [əlú:kiə] *n.* 〖醫〗 무백증(無白症)《백혈구 감소[결여]》.

al·eu·rone [ǽljəròun, əlúərən, -roun], **-ron** [əlúərɑn, -rən] *n.* Ⓤ 〖植〗 호분(糊粉).

Aleut [əlú:t, ǽliù:t] *n.* (*pl.* **~, ~s**) 알류트[알류샨]족; 알류트[알류샨]어. 〖Russ.〗

Aleu·tian [əlú:ʃən] *a.* 알류샨 열도의. ―― *n.* = ALEUT; [the ~s] =the ALEUTIAN ISLANDS.

Aléutian Íslands *n. pl.* [the ~] 알류샨 열도, 알류샨 제도《Alaska 주 남서부의 화산 열도》.

ále vàt *n.* 에일(양조용)의 큰 술통.

A level [éi ⌐-] *n.* 〖英敎〗 상급(advanced level) (☞ GENERAL CERTIFICATE OF EDUCATION).

Á-lèvel *a.* 일급의, 가장 중요한: ~ subjects 가장 중요한 과제.

al·e·vin [ǽləvən] *n.* 치어(稚魚); (특히 갓 부화하여 아직 난황낭(卵黃囊)을 갖고 있는) 연어의 치어(稚魚).

ále·wìfe[1] *n.* (*pl.* **-wìves**) 맥주 홀[선술집]의 안주인, 주모.

alewife[2] *n.* (*pl.* **-wives**) 〖魚〗 대서양 연안산 청어과의 물고기.

Al·ex·an·der [æ̀ligzǽndər, -zɑ́:n-, èl-] *n.* **1** 남자 이름《애칭 Alec(k)》. **2** 알렉산더 대왕. ~ ***the Great*** (356-323 B.C.) 마케도니아의 왕. **3** [보통 a~] 알렉산더《칵테일의 일종》. 〖Gk. =helper of men〗

Al·ex·an·dra [æ̀ligzǽndrə, -zɑ́:n-, èl-] *n.* 여자 이름《애칭 Sandra》. 〖(fem.); ⇨ ALEXANDER〗

Al·ex·an·dria [æ̀ligzǽndriə, -zɑ́:n-, èl-] *n.* 알렉산드리아《이집트 Nile 강의 북부 삼각주에 있는 항구 도시, 고대 무역·학문의 중심지》.

Àl·ex·án·dri·an *a.* Alexandria의; 알렉산더 대왕의. ―― *n.* 알렉산드리아의 주민.

Al·ex·an·drine [æ̀ligzǽndrən, -zɑ́:n-, -drain, èl-] *a.* 《詩》 알렉산더격의. ―― *n.* 알렉산더격의 시행(詩行)《보통 약강(弱強)격(iambic) 6시각(詩脚)으로 구성된 시형》; 그 시. 〖OF; Alexander 대왕을 다룬 OF시(詩)의 시형에서〗

al·ex·an·drite [æ̀ligzǽndrait, -zɑ́:n-, èl-] *n.*

〖鑛〗 알렉산드라이트《짙은 녹색의 보석》.

alex·ia [əléksiə] *n.* Ⓤ 〖醫〗 독서 불능증, 실독증(失讀症).

alex·in [əléksən], **-ine** [-si:n] *n.* 알렉신, (체액 속의) 살균소.

alex·i·phar·mic [əlèksəfá:rmik] *a.* 독을 없애는, 해독성의. —— *n.* 해독제.

Alf [ǽlf] *n.* 남자 이름《Alfred의 애칭》.

Al·fa [ǽlfə] *n.* 문자 a를 나타내는 통신 용어.

al·fal·fa [ælfǽlfə] *n.* Ⓤ 〖植〗 자주개자리(=《英》 lucerne). 〚Sp.<Arab. =a green fodder〛

al fi·ne [æ̀l fí:nei] *adv.* 〖樂〗 알 피네, 끝표로. 〚It. =to the end〛

al·for·ja [ælfɔ́:rhɑ:, -dʒə] *n.* 《美西部》 안장 주머니, 안낭(鞍囊) (saddlebag). 〚Sp.<Arab.〛

Al·fred [ǽlfrəd] *n.* **1** 남자 이름《애칭 Alf》. **2** 〖英史〗 앨프레드 대왕. ~ **the Great** (849-899) 중세 영국의 Wessex의 현명한 왕. 〚Gmc. =elf (i.e. good) counsel(lor)〛

al·fres·co [ælfréskou] *adv., a.* 야외에서(의), 집 밖에[의] : an ~ dinner 야외에서의 식사, 들밥. 〚It.=in the fresh (air)〛

alg- [ǽlg, ǽldʒ], **al·go-** [ǽlgou, -gə] *comb. form* 「아픔」의 뜻. 〚Gk. *algos* pain〛

ALG antilymphocyte[antilymphocytic] globulin.

Alg. Algeria(n) ; Algiers. **alg.** algebra ; algebraic.

al·ga [ǽlgə] *n.* (*pl.* **-gae** [-dʒi:], **~s**) [보통 *pl.*] 〖植〗 말류, 조류(藻類). 〚L〛

ál·gal *a.* 조류의[같은].

***al·ge·bra** [ǽldʒəbrə] *n.* Ⓤ 대수(학) ; Ⓒ 대수 교과서. 〚It., Sp., L<Arab.=reunion of broken parts (*jabara* to reunite)〛

al·ge·bra·ic, -i·cal [æ̀ldʒəbréiik(əl)] *a.* 대수의, 대수학상의.

algebráic equátion *n.* 〖數〗 대수 방정식.

algebráic númber *n.* 〖數〗 대수적 수.

al·ge·bra·ist [ǽldʒəbrèiəst ; ╱-╲-] *n.* 대수학자.

Al·ge·ria [ældʒíəriə] *n.* 알제리《북(北)아프리카의 공화국 ; 1962년 프랑스에서 독립, 수도 Algiers》.

Al·gé·ri·an *a., n.* 알제리의 (사람).

-al·gia [ǽldʒiə] *n. comb. form* 「… 통(痛)」의 뜻 : neur*algia*. **-al·gic** [ǽldʒik] *a. comb. form* 〚Gk. ; ⇨ ALG-〛

ál·gi·cìde [ǽldʒə-] *n.* 살조제(殺藻劑)[약].

al·gid [ǽldʒəd] *a.* 으슬으슬한(chilly), 으슬으슬 추운. **al·gid·i·ty** [ældʒídəti] *n.* 오한.

Al·giers [ældʒíərz] *n.* **1** 알제《알제리의 수도》. **2** Algeria의 옛 이름.

al·gin [ǽldʒən] *n.* 〖化〗 알긴(산(酸)).

al·gín·ic ácid *n.* 〖化〗 알긴산《갈조(褐藻)에서 채취되는 겔상 물질》.

algo- [ǽlgou, -gə] ☞ ALG-.

al·goid [ǽlgɔid] *a.* 조류(藻類)의, 조류 비슷한.

ALGOL, Al·gol[1] [ǽlgɑl, -gɔ(:)l] *n.* Ⓤ 〖컴퓨〗 셈말, 알골, 산법(算法) 언어《대수 연산 방식을 응용한 프로그램 언어 ; 주로 과학 계산에 쓰임》. 〚*algo*rithmic *l*anguage〛

Algol[2] *n.* 〖天〗 알골《페르세우스자리의 변광성(變光星)》.

al·go·lag·nia [æ̀lgəlǽgniə] *n.* 동통성애(疼痛性愛)《sadism과 masochism을 포함》. **-nist** *n.*

al·gol·o·gist [ælgɑ́lədʒəst] *n.* 조류(藻類) 학자.

al·gol·o·gy [ælgɑ́lədʒi] *n.* Ⓤ 조류학(藻類學).

al·gom·e·ter [ælgɑ́mətər] *n.* 통각계(痛覺計).

Al·gon·ki·an [ælgɑ́ŋkiən], **-kin** [-kən], **-qui·an** [ælgɑ́nkwiən, -gɑ́ŋ-], **-quin** [-kwən] *n.* (*pl.* ~, **~s**) 알곤킨족(族)《캐나다의 Ottawa 강 유역 및 Quebec 지방에 사는 인디언》; Ⓤ [보통 -quin] 알곤킨어.

àlgo·phóbia *n.* 통각 공포증.

al·gor [ǽlgɔ:r] *n.* 〖醫〗 오한.

al·go·rism [ǽlgərìzəm] *n.* **1** Ⓤ (1,2,3… 0을 쓰는) 아라비아식 기수법(記數法) ; 아라비아 숫자 연산법(演算法). **2** =ALGORITHM : cipher in ~ 영(零), 제로 ; 유명무실한 사람, 멍청이. **àl·go·rís·mic** *a.*

al·go·rithm [ǽlgərìðəm] *n.* 〖數〗 알고리즘《일정한 종류[형]의 문제를 풀기 위한 특정한 조작[수법], 특히 호제법》; (일반적으로) 계산(법) ; 문제 해결[목적 달성]을 위한 단계적 수법. **àl·go·ríth·mic** *a.* 〚OF<L<Pers. ; 9세기 페르시아의 수학자 이름에서 ; 어형(語形)은 *-ism*과 F *algorithme*, Gk. *arithmos* number에 동화〛

al·gous [ǽlgəs] *a.* 조류(algae)에 관한[같은], 조류로 가득한.

al·gra·phy [ǽlgrəfi] *n.* 〖印〗 알루미늄 평판(平版) 인쇄법.

al·gua·cil [æ̀lgwəsí:l], **-zil** [-zí:l] *n.* (*pl.* **-cíls, -ci·les** [-sí:leis], **-zíls**) (스페인의) 경찰관.

al·gum [ǽlgəm] *n.* 〖聖〗 백단(白檀).

Al·ham·bra [ælhǽmbrə] *n.* [the ~] 알람브라 궁전《스페인의 Granada에 있는 13-14세기경 무어인이 지은 왕궁·고성》.

Al·ham·bresque [æ̀lhæmbrésk], **-bra·ic** [-bréiik] *a.* 알람브라 궁전풍의《건축·장식》.

ali- [éilə, ǽlə] *comb. form* 「날개」 「익부(翼部)」의 뜻. 〚L〛

ali·as [éiliəs, -ljəs] *adv.* 일명…, 별명으로 : Robert ~ Bob 로버트 일명 보브, 보브의 본명은 로버트. —— *n.* 별명, 가명 ; 통칭 : under an ~ 가명을 써서. 〚L=at another time〛

Ali Ba·ba [ǽli bɑ́:bə] *n.* 알리바바《*The Arabian Nights* 중 「알리바바와 40인의 도적」에 나오는 나무꾼 ; ☞ OPEN SESAME》.

al·i·bi [ǽləbài] *n.* **1** 〖法〗 현장 부재 증명, 알리바이 : set up[prove] an ~ 알리바이를 증명하다. **2** 《口》 변명, 구실(excuse). —— *vi., vt.* 《口》 변명하다 ; 알리바이를 증명하다. 〚L=elsewhere〛

al·i·ble [ǽləbəl] *a.* 영양분 있는.

Al·ice [ǽləs] *n.* 여자 이름《애칭 Elsie》. 〚OF<Gmc. =noble, kind〛

Álice blúe *n.* 담청색(light blue).

Álice-in-Wónderland *a., n.* 《口》 공상적인[도저히 믿을 수 없는] (일[것]).

ali·cýclic [æ̀lə-] *a.* 〖化〗 지방족 고리의 : ~ compounds 지방족 고리 화합물.

al·i·dade [ǽlədèid], **-dad** [-dæ̀d] *n.* 〖測〗 시준의(視準儀), 조준의(照準儀)《평판 위에 장치하여 방향을 지시함》.

***alien** [éiliən, -ljən] *a.* **1** 외국의(foreign) ; 외국사람의 : ~ enemies 〖法〗 (국내에 거류하는) 적성국 사람 / ~ friends 〖法〗 (국내에 거류하는) 우방인(友邦人) / ~ property 외국인 재산 / ~ subjects 외국 국민. **2** 성질을 달리하는, 다른(different) ; 서로 조화되지 않는, 맞지 않는(opposed) : It had an effect entirely ~ *from* the one intended. 의도했던 것과는 전혀 다른 결과가 되었다 / Luxury is quite ~ *to* my nature. 사치는 나의 성격에는 전혀 맞지 않는다. —— *n.* **1** 외국인(foreigner) ; 거류 외인. **2** 제외된 사람, 따돌림 받는 사람〈*from*〉, 부외(部外) 사람(outsider) ;

(지구인에 대하여) 우주인. —— *vt.* 〖法〗 양도하다 ; 《詩》 따돌리다.
〚OF<L=belonging to another (*alius* other)〛
類義語 ⟹ FOREIGNER.
àlien·abílity *n.* Ⓤ 양도 가능성.
álien·able *a.* 〖法〗 양도할 수 있는.
álien·age *n.* Ⓤ 외국인임[의 신분] ; 양도된 일.
álien·àte *vt.* **1** [+目/+目+前+名] (남을) 꺼리다, 멀리하다, 따돌리다, 소외시키다 : He was ~*d* ***from*** his brother by his foolish acts. 어리석은 짓을 하여 형과의 사이가 나빠졌다. **2** 〖法〗 양도하다 : ~ lands to another 토지를 타인에게 양도하다.
àlien·átion *n.* Ⓤ 소외(疎外), 이간 ; 〖法〗 양도 ; 전용(轉用) ; 〖醫〗 정신이상(insanity).
álien·à·tor *n.* 소외자(疎外者) ; 〖法〗 양도인.
àlien·ée *n.* 〖法〗 양수인.
álien·ìsm *n.* Ⓤ **1** =ALIENAGE. **2** 《古》 정신병 연구[치료].
álien·ist *n.* 《古》 (특히 법정 증언을 전문으로 하는) 정신과 의사.
alien·or [éiliənər, èiliənɔ́ːr, -ljə-] *n.* 〖法〗 양도인 (↔*alienee*).
áli·fòrm *a.* 날개 모양의.
alight[1] [əláit] *vi.* (**~ed**, 《稀》 **alit** [əlít]) **1** [動/+前+名] (말·수레에서) 내리다, 하차하다 (cf. DISMOUNT) ; (새가 나무에) 내려앉다 ; 〖空〗 착륙[착수(着水)]하다 : ~ ***from*** a horse 말에서 내리다 / The sparrow ~*ed* ***on*** the branch. 참새가 나뭇가지에 내려앉았다. **2** [+*on*+名] 《비유》 우연히 만나다, 발견하다 : He ~*ed* ***on*** a rare plant. 우연히 희귀한 식물을 발견했다.
alight on one***'s feet*** 뛰어 내려서다 ; 부상을 면하다 : He ~*ed on his feet.* 뛰어 내려섰다.
~·ment *n.*
〚OE (*a-*[3] away, LIGHT[3])〛
alight[2] *pred. a.* 불타고 있는(on fire) ; 불이 켜진 ; 불이 환한〈*with*〉 : set... ~ …에 불을 붙이다[켜다].
〚ME<? *on a light* (=lighted) *fire*〛
align, aline [əláin] *vt.* **1** 정렬시키다 ; (과녁과 가늠자를) 일직선으로 하다 : ~ the sights (총·포의) 조준선을 정렬시키다. **2** [+目+*with*+名] 제휴[단결]시키다 : ~ oneself ***with*** the liberals 자유주의자들과 제휴하다 / Korea was ~*ed with* the free nations. 한국은 자유 진영과 제휴했다.
—— *vi.* 한줄로 정렬하다 ; 제휴[단결]하다.
〚F (*à ligne* into line)〛
alígn·ment, alíne- *n.* Ⓤ,Ⓒ 일직선으로 하기[되기] ; 일렬 정렬[정돈], 정돈한 선 ; 제휴, 단결(체제) ; 〖工〗 노선 설정 : in ~ (*with*) (…와) 일직선으로 되어 ; (…와) 제휴하고.
‡**alike** [əláik] *pred. a.* 서로 같은, 꼭 닮은 : They are much ~ in character. 성격이 비슷하다 / They are somewhat ~. 어딘지 서로 닮았다.
—— *adv.* 동등하게, 똑같이 : treat all men ~ 모든 사람을 똑같이 대하다.
share and share alike 균등하게, 똑같이[무더기로] 나누어.
~·ness *n.* 〚*a-*[1]〛
al·i·ment [ǽləmənt] *n.* Ⓤ,Ⓒ 자양물 ; 음식 ; 부양, 부조 ; (마음의) 양식.
—— [-mènt] *vt.* 영양분을 주다 ; 부양하다.
〚F or L (*alo* to nourish)〛
al·i·men·tal [æ̀ləméntl] *a.* 영양의, 영양분 있는[많은].
al·i·men·ta·ry [æ̀ləméntəri] *a.* 영양의 ; 소화의 ; 부양을 하는 : the ~ canal[tract] 소화관《구강(口腔)에서 항문까지》.
al·i·men·ta·tion [æ̀ləməntéiʃən] *n.* Ⓤ 영양, 자양 ; 영양 흡수[섭취] ; 부양.
al·i·men·ta·tive [æ̀ləméntətiv] *a.* 자양이 되는.
al·i·mén·to·thèra·py [æ̀ləméntou-] *n.* 〖醫〗 식이 요법.
al·i·mo·ny [ǽləmòuni ; -məni] *n.* Ⓤ,Ⓒ 별거 수당《남편이 별거하는 아내에게 지불 ; cf. SEPARATE MAINTENANCE》 ; 이혼 수당 ; 부양비.
〚L=nutriment ; ⇨ ALIMENT〛
álimony dròne *n.* 《美蔑》 별거 수당으로 살아가기 위해 재혼할 의사가 없는 여자.
A-line [éi-] *a., n.* 위가 꼭 끼고 아래가 헐렁하게 퍼진 A라인의 (옷[스커트]).
aline(ment) ☞ ALIGN(MENT).
ali·ped [éiləpèd, ǽlə-] *a.* 〖動〗 (박쥐처럼) 익족이 있는, 익막(翼膜)이 있는.
—— *n.* 익족 동물.
al·i·phat·ic [æ̀ləfǽtik] *a.* 지방의 ; 지방에서 유도된 ; 〖化〗 지방족(族)의 : ~ compound 지방족 화합물. —— *n.* 지방족 화합물.
〚Gk. *aleiphat-* *aleiphar* fat〛
al·i·quant [ǽləkwənt] *a., n.* 〖數〗 나누어 떨어지지 않는 (수) : an ~ (part) 비약수(非約數).
al·i·quot [ǽləkwɑ̀t, -kwət] *a., n.* 〖數〗 나누어 떨어지는 (수) : an ~ (part) 약수(約數). —— *vt.* 등분하다.
〚F<L=some〛
alit [əlít] *v.* 《詩·稀》 ALIGHT[1]의 과거·과거 분사.
‡**alive** [əláiv] *pred. a.* **1** 살아 있는(living) (↔ *dead*) : be buried ~ 생매장되다 / catch... ~ …을 산채로 잡다 / any man ~ 누구나 / the greatest scoundrel ~ 이 세상에서 제일 가는 악당. **2** 활동적인, 활발한(active). **3** 군집한, 북적거리는, 와글거리는(swarming) : a pond ~ ***with*** fish 물고기가 득실거리는 연못 / The hive is ~ *with* bees. 벌집에는 벌들이 와글거린다. **4** (위험 따위에) 민감한, 알아차린(aware)〈*to*〉 : He is ~ ***to*** his own interests. 자기 이익에는 약삭 빠르다. **5** (전기·전화·라디오 따위) 전류가 통하고 있는.
alive and kicking 원기 왕성한.
(***as***) ***sure as I am alive*** 아주 확실히.
keep alive 살아 있다, 살려두다 ; (불·흥미 따위) 꺼지지[잃지] 않게 하다.
look alive 활발해 보이다 : *Look* ~ (there) ! (어이) 정신 차려, 꾸물대지 마라.
Man alive ! 어렵쇼!, 이것 봐라!
~·ness *n.*
〚OE *on life* ; ⇨ *a-*[1], LIFE〛
類義語 ⟹ LIVING[1].
aliz·a·rin(e) [əlízərən] *n.* Ⓤ 〖化〗 알리자린《붉은 색소》.
alk., alk alkali ; alkaline.
al·ka·hest, -ca- [ǽlkəhèst] *n.* (연금술의) 만물 융화액(融化液).
al·ka·les·cence, -cen·cy [æ̀lkəlésəns(i)] *n.* 약(弱)알칼리성.
àl·ka·lés·cent *a., n.* 약(弱)알칼리성의 (물질).
al·ka·li [ǽlkəlài] *n.* (*pl.* **~s, ~es**) 〖化〗 **1** 알칼리. **2** (토양 속의) 알칼리 염류 ; 《美西部》 알칼리성 토양지역. **3** =ALKALI METAL.
〚L<Arab.=the calcined ashes〛
al·kal·ic [ælkǽlik] *a.* 〖地〗 알칼리(성)의.
al·ka·li·fy [ælkǽləfài, ǽlkələ-] *vt., vi.* 알칼리화(化)하다[되다]. **-fi·able** *a.* 알칼리화할 수 있는.

álkali mètal *n.* 〖化〗 알칼리 금속《lithium, sodium, potassium, rubidium, cesium, francium 따위의 총칭》.

al·ka·lim·e·try [ӕlkəlímətri] *n.* Ⓤ 〖化〗 알칼리 적정(滴定).

al·ka·line [ǽlkəlàin, 美+-lən] *a.* 알칼리성의(↔ *acid*) ; 알칼리 금속의 : ~ earth 〖化〗 알칼리 토류(土類).

álkaline céll *n.* 알칼리 전지.

álkaline-éarth mètal *n.* 〖化〗 알칼리 토금속《calcium, strontium, barium, magnesium 따위의 총칭》.

al·ka·lin·i·ty [æ̀lkəlínəti] *n.* Ⓤ 알칼리성[도].

al·ka·lin·ize [ǽlkələnàiz] *vt.* 〖化〗 알칼리화하다.
 àl·ka·lin·i·zá·tion *n.*

álkali sòil *n.* 알칼리(성) 토양.

al·ka·lize [ǽlkəlàiz] *vt.* =ALKALINIZE.
 àl·ka·li·zá·tion *n.*

al·ka·loid [ǽlkəlɔ̀id] *n.* 〖化〗 알칼로이드《식물에 함유(含有)된 염기성 물질 ; nicotine, morphine, cocaine 따위》; [형용사적으로] 알칼로이드의, 알칼리성의[비슷한].
 àl·ka·lóid·al *a.*
 〖G ; ⇨ ALKALI, -OID〗

al·ka·lo·sis [æ̀lkəlóusəs] *n.* (*pl.* **-ses** [-si:z]) 〖醫〗 알칼로시스, 알칼리혈증(血症) (↔ *acidosis*).

al·kane [ǽlkein] *n.* 〖化〗 알칸《메탄계(系) 탄화수소》.

al·ka·net [ǽlkənèt] *n.* 〖植〗 알칸나 ; 알칸나 뿌리에서 채취하는 적색 염료.

al·kene [ǽlki:n] *n.* 〖化〗 알켄《에틸렌계(系) 탄화수소》.

alkine ☞ ALKYNE.

Al·ko·ran, -co- [æ̀lkourɑ́:n, -rǽn ; -kɔrɑ́:n] *n.* =KORAN.

al·ky, al·ki, alchy [ǽlki] *n.* Ⓤ 《美俗》 알코올(중독).

alky., alky alkalinity.

al·kyd [ǽlkəd] *n.* 〖化〗 알키드 수지(=∠ **rèsin**).

al·kyl [ǽlkəl] *n.* 〖化〗 알킬, 알킬기(基).

al·kyl·ate [ǽlkəlèit] *vt.* 〖化〗 알킬화하다.
 —— [, -lət] *n.* 알킬레이트《알킬화 반응의 생성물 ; 자동차의 배합 연료용》.
 àl·kyl·á·tion *n.*

ál·kyl·àt·ing àgent *n.* 〖藥〗 알킬화제(化劑)《항암제의 일종》.

álkyl gròup[ràdical] *n.* 〖化〗 알킬단(團)[기(基)], 염기성기(基).

al·kyne, -kine [ǽlkain] *n.* 〖化〗 알킨《아세틸렌계 탄화 수소》.

◇**all** [ɔ́:l]

> (1) 형용사·명사·대명사·부사로 쓰인다.
> (2) 구문은 any, each 따위와 같다.
> (3) all이 인칭대명사 앞에 올 경우에는 all of... 의 형태를 취한다 : *All* of them came to our party.《이것을 *All* they came to our party. 라고 함은 틀린 표현이지만 They *all* came to our party.는 무방함》.
> (4) some, any, no처럼 수와 양에 다 쓸 수 있으므로 복수도 단수도 된다는 점에서 수에만 쓰이는 many, few와도, 양에만 쓰이는 much, little과도 구별된다.
> (5) all은 정관사·지시형용사·소유격의 인칭대명사 따위의 앞에 놓는다 : ~ *the* world / ~ *these* children / ~ *my* life
> (6) all이 부정문에 쓰일 때 ① 부분부정 : *Not all* good men will prosper. (착한 사람이 반드시 잘되는 것은 아니다.) ② 전체부정 (하강조로) *All* my children do*n't* like candy. (나의 자녀는 모두 사탕을 좋아하지 않는다.) ③ 전체로도 …안된다 : *All* his fortune would not be enough. (그의 전재산을 주어도 모자란다.)

—— *a.* **A** [단수구문] **1** 전체의, 전부의, 모든 (the whole of) : ~ Korea 한국 전체 / ~ day [night] (long) 온종일[밤새] / ~ the morning=《美》 ~ morning 오전내내 / ~ yesterday 어제 종일 / ~ one's life 일생동안, 평생 / What have you been doing ~ this time? 지금까지 쭉 무엇을 하고 있었느냐 / *A*~ the world knows that. 그것은 온 세상 사람이 다 알고 있다 / *A*~ London wanted to see Colonel Lindberg. 런던의 모든 사람이 린드버그 대령의 모습을 보고 싶어했다. **2** 최대[최고]의 : with ~ speed 전속력으로, 최대 속도로 / make ~ haste 가능한 한 급히 서두르다. **3** [부정적 어구와 함께] 일체의, 아무런(any) : I deny ~ connection with the crime. 그 범행과는 아무런 관계도 없다 / beyond ~ doubt 아무런 의심도 없이. **4** [추상명사를 수식하여] 완전히 …그 자체인 상태로 : She is ~ anxiety[attention]. 아주 근심[경청]하고 있다.
B [복수구문] **1** 모든, 일체의, 모두 : ~ men 사람은 모두 / in ~ directions 사방 팔방으로 / in ~ respects 모든 점에서 / ~ the pupils of this school 이 학교의 전학생 / ~ our friends 우리의 모든 벗들. **2** [신체의 일부를 나타내는 명사를 수식하여] 온몸을 …으로 하여, 온몸이 …인 채로 : She was ~ ears[smiles]. 열심히 경청하고[방글거리고] 있었다.
C [단수·복수 양구문] …만(only) : *A*~ work and no play makes Jack a dull boy. 《속담》 공부만 하고 전혀 놀지 않는 아이는 바보가 된다 / ~ words and no thought 말 뿐이고 생각이 없는 / [관계사절(關係詞節)과 함께] This is ~ the money I have. 내가 가지고 있는 돈은 이것 뿐이다 / These are ~ the books I have. 내가 가지고 있는 책은 이것 뿐이다. ☞ 活用 (2).

〈회화〉
> This is *all* the money I have. — Well, that's more than I have.「가지고 있는 돈은 이것이 전부야」「어머, 나보다 많다, 얘」

—— *pron.* **1** [단수구문] 전부, 모두, 전체 ; 모든 것, 만사 : *A*~ is lost. 만사가 틀렸다, 이젠 끝장이다 / *A*~ was still. 만물이 고요했다, 세상이 잠잠했다 / *A*~ of the milk is spilt. 우유가 죄다 쏟아졌다 / He ate ~ of it. 다 먹어 치웠다 / one [sixteen] ~ 〖競〗 쌍방 1[16]점 / *A*~ is not gold that glitters. 《속담》 번쩍인다고 모두가 금은 아니다 / *A*~'s well. 만사 O.K. / *A*~'s well that ends well. 《속담》 끝이 좋으면 다 좋은 법 / *A*~ I said was this. 내가 한 말은 이것 뿐이다 / *A*~ you have to do is (to) send out the letters. 네가 해야 할 일은 편지를 내는 일이다 / That's ~ (there is to it). 그것으로 끝이다, 그것 뿐이다. **2** [복수구문] 모든 사람들, 모두 : *A*~ were happy. 모두 즐거워 했다《㊟ Everybody was happy. 라고 하는 것이 보다 구어적임》/ We ~ (=*A*~ of us[We ~ of us]) have to go. 우리들은 모두 가지 않으면 안된다 / They were ~ happy.=*A*~ of them were happy. 그들은 모두 행복했다 / They ~ came together. 모두 함께 왔

다 / Are you ~ ready? 다들 준비가 되셨습니까. ☞ 活用 (1).

〈회화〉
Are you *all* here? — No, Jim is missing. 「다들 모였습니까」「아니오, 짐이 빠졌습니다」

—— *adv.* 전혀, 전연, 아주, 완전히, 통틀어 (wholly, quite) ; 《競》 쌍방 모두 : The fields were ~ covered with green. 들판은 온통 초록색으로 덮여 있었다 / They are dressed ~ in white. 온통 흰 옷으로 차려 입었다.
—— *n.* Ⓤ 전부, 일체(의 소유물) : He lost his ~. 송두리째 다 잃어버렸다 / It was my little ~. 그것은 얼마 안되는 나의 전 재산이었다.
above all 특히, 무엇보다도.
after all ☞ AFTER *prep.*
all alone 홀로, 혼자서.
all along 그동안 쭉, 내내, 처음부터 : I knew ~ *along* that he was ill. 그가 앓고 있었다는 것은 이전부터 쭉 알고 있었다.
all anyhow 되는 대로, 아무렇게나.
all any more 《美俗》 아주 없어져(all gone).
all around[***round***] 골고루 ; 사방 팔방으로, 한바퀴 빙 둘러 ; 모든 점으로 보아 : taking it ~ *around* 모든 점에서 고려하여 / He shook hands ~ *around.* 모든 사람과 일일이 악수했다.
all at once 곧, 즉시 ; 갑자기(suddenly) ; 모두 한(꺼)번에.
all but ☞ BUT.
all in 《口》 전부를 포함하여 ; 기진맥진하여 (tired out) (cf. ALL-IN).
all in all 전부, 모두 ; 무엇보다도 소중하여 ; 전부해서 ; 대체로[대강] 말하면 : She wished to be ~ *in* ~ to him. 그녀는 그의 가장 사랑하는 대상이 되고 싶어 했다 / Trust me ~ *in* ~, or not at ~. 나를 믿으려면 전적으로 믿고, 안 믿으려면 아예 그만 두어라.
all of... (1) …의[중의] 전부, …가 모두. (2) 《주로 美》 =all : ~ *of* the boys[these books, the time]=all the boys[these books, the time]. (3) 온통 …의 상태로 : ~ *of* a muddle 온통 수라장이 되어, 엉망 진창이 되어 / ~ *of* a tremble 온몸을 덜덜 떨면서 ; 《俗》 몹시 겁내면서. (4) 《美》 아주, 충분히, 넉넉히(fully) : He is ~ *of* six feet tall. 그의 키는 족히 6피트는 된다.
all one 매한가지의 ; 결국 같은 : It's ~ *one* to me. 그것은 나에겐 아무래도 좋다.
all out (1) 《美》 여러분 갈아 타 주십시오 (=《英》 all change). (2) 전력을 다하여, 전속력으로(cf. ALL-OUT) ; 아주, 완전히. (3) 지쳐서, 기진 맥진하여. (4) 《口》 전혀 틀리는[어긋나는].
all over (1) 완전히[아주] 끝나 : The war is ~ *over.* 전쟁은 아주 끝났다 / The examinations are ~ *over.* 시험이 다 끝났다. (2) …의 도처에 : ~ *over* the world (= ~ the world *over*) 세계 도처에(서). (3) 각처에, 도처에(everywhere). (4) 온몸에. (5) 아주, 그대로, 어디로 보나 : That's Harris ~ *over.* 그것은 어디로 보나 해리스답다.
all over one***self*** 《俗》 아주 좋아서[기뻐서].
all over the shop 난잡하게, 혼란하게.
all over with …이 결판[끝장]이 나서, 가망이 없어 : It's ~ *over with* him. 그는 이제 틀렸다.
all set 준비가 다 된(ready) : Their plans for the new party are ~ *set.* 새로운 당(黨)을 만들려는 그들의 계획은 준비가 다 되었다.
all the (1) ☞ ALL *a.* C. (2) [비교급과 함께] 그만큼 더, 더욱 더, 오히려… : ~ *the better* 오히려 더 좋게 / ~ *the further* 《美俗》 힘껏, 극력.
all there 《口》 (1) [보통 부정구문으로] 제정신으로, 정신이 말짱하여 : He is *not* ~ *there.* 제정신이 아니다[돌았다]. (2) 빈틈없는, 눈치빠른.
all the same ☞ SAME.
all the way 도중 내내 ; 아득히 멀리서.
all this 이상은 전부[모두] : What's ~ *this* noise about? 대체 무엇 때문에 이 소란이니.
all together 모두 다 합쳐, 전부 : They are four ~ *together.* 모두 네명이다.
all told 통틀어, 합계 : There were seven of them, ~ *told.* 모두 7명이었다.
all too 정말, 너무나도.
all up (1) 만사가 끝나서, 틀어져서, 가망이 없어 : It's ~ *up* with him. 그 사람은 이젠 볼장 다 보았다. (2) 부속품 일체를 포함한 : an ~ *up* weight ☞ ALL-UP WEIGHT.
all very well[***fine***] (, ***but...***) [반어적으로] 참으로 좋다(마는) : *A* ~ *very fine, but* I will stand it no longer. 참으로 좋다마는 더 이상 참을 수 없다.
and all (1) 그 밖의 모두, 송두리째 ; 등등 : He ate it, bone *and* ~. 그것을 뼈다귀째 먹었다 / There he sat, pipe *and* ~. 파이프를 물고 앉아 있었다. (2) 《口》 게다가(besides) : Mother was sick with flu, *and* ~. 게다가 어머니는 유행성 감기로 누워 계시기까지 했다.
and all that 그 밖의 여러 가지, …따위, 등.
and all this 이런 것까지도 다, 이것도 다.
at all [부정·의문·조건에 쓰여] 조금(이라)도 ; (도)대체 ; 일단(…이면) : I do*n't* know him *at* ~. 전연 모르는 사람이다 / Do you believe it *at* ~? (도)대체 그걸 믿고 있는 거야 / I doubt whether it's true *at* ~. 도대체 그것이 사실인지 아닌지 모르겠다 / If you do it *at* ~, do it well (or don't do it *at* ~). 기왕 할 바에는 잘 해라 (그렇지 않으면 아예 하지 말아라) / There's very little, if *at* ~. 있다손 치더라도 아주 조금 밖에 없다.
at all events 좌우간, 하여튼.
for all …이 있어도, …이 있는데도 (불구하고).

for all의 문장 전환
For all his learning, he is not wise.
(그만큼의 학식이 있건만 그는 현명하지 않다.)
→ Though he is (very) learned, he is not wise.
(그는 (매우) 학식이 있지만 현명하지 않다.)

in all 모두 해서, 전부, 총계로.
little all 매우 적은[얼마 안되는] 것.
not all=***all...not*** [부분부정] 모두 …이라고는 할 수 없다 : *Not* ~ men are[*A* ~ men are *not*] wise. 모두가 다 현명하다고는 할 수 없다 / We do *not* ~ go. 전부 다 가는 것은 아니다.
not at all 조금도 …하지 않다 : He is *not at* ~ ill. 전혀 아프지 않다 / Thank you so much. — *Not at* ~. 대단히 감사합니다 — 천만에 말씀을.

not at all의 문장 전환
He is *not at all* satisfied.
→ He is *far from*[anything but, by no means, not in the least] satisfied.
(그는 전혀 만족하고 있지 않다.)

of all 많은 …가운데 : Why do you go to India, *of* ~ countries? 그 많은 나라 중에서 왜 하필 인

도에 가니.
once (***and***) ***for all*** ☞ ONCE.
one and all 누구나[어느 것이나] 다, 모두 다, 모조리 : Welcome, *one and* ~ ! 여러분들, 어서 오십시오 !
to[***by***] ***all appearance***(***s***) 아무리 보아도.
when all is said (***and done***) 결국.
with all. . . ☞ WITH 7.
〚OE *eall*<? ; cf. G *all*〛

all-[1] [æl], **al·lo-** [ǽlou, ǽlə] *comb. form* (1) 「타(他), 타자(他者)」 「이질(異質)」 ; 〖言〗「이(異) …」. (2) [보통 allo-] 〖化〗「이성질체(異性質體)」 「두개의 기하(幾何) 이성질체 가운데 안정도가 높은 쪽의 이성질체」「특정한 원자단이 분자가 상대하는 쪽에 있는 기하 이성질체(cf. TRANS-)」. (3) [보통 allo-] 〖生〗「이종(異種)의 게놈을 가진(↔ *aut-*)」의 뜻. 〚Gk. *alles* other〛

all-[2] [ɔ́:l] *comb. form* 「…만으로 이루어지는」「…만으로 된」「전부(의)」「전(全)…」「대단히」「더없이」의 뜻.

al·la bre·ve [ǽlə brév, á:lə brévei] *adv., a., n.* 〖樂〗 2/2박자[드물게는 2/4박자]의 악절 ; 그 기호 (¢) ; 알라 브레로[의]. 〚It.〛

Al·lah [ǽlə, 美+ɑ:lá:, 英+ǽlɑ:] *n.* 알라《이슬람교의 유일신》.
〚Arab. (*al* the, *ilāh* god)〛

al·la mar·cia [á:lə má:rtʃɑ:, ǽlə má*r*tʃə] *adv., a.* 〖樂〗 알라 마르치아, 행진곡풍으로[풍의].
〚It.〛

áll-Américan *a.* 전미국(대표)의 ; 전미국 사람의 ; (제품이) 순미국제의 ; 가장 미국적인.
—— *n.* 전미국 대표팀[선수].

al·lan·to·ic [æ̀ləntóuik, æ̀læn-] *a.* 〖解·動〗 요막[요낭(尿囊)]의.

al·lan·toid [əlǽntɔid] *a.* 〖解〗 요막의[에 관한].
—— *n.* 요막.

al·lan·to·in [əlǽntouin] *n.* 〖生化〗 알란토인《요산(尿酸)의 산화 생성물 ; 창상(創傷) 치료 촉진작용이 있음》.

al·lan·to·is [əlǽntouəs] *n.* (*pl.* **-to·i·des** [æ̀ləntóuədì:z]) 〖解〗 요막(尿膜).

al·lar·gan·do [à:lɑ:rgá:ndou] *a., adv.* 〖樂〗 알라르간도, 천천히, 점점 느리고 폭넓은[폭넓게].
〚It.=widening〛

áll-aróund, áll-róund *a.* 《美》 다재다능한 ; 다용도의 ; 포괄적인 ; 다방면에 걸친 ; (비용 따위) 일체를 포함한 ; (선수가) 만능인[의]. 注 《英》에서는 all-round. **~·ness** *n.*

áll-aróund·er, -róund·er *n.* all-around한 사람[것] ; 만능 선수[기술자·학자·심판].

áll-at-ónce-ness *n.* 많은 일이 한꺼번에 일어남.

al·lay [əléi] *vt.* 가라앉히다(calm) ; (근심·고통 따위) 완화시키다, 덜하게 하다, 약하게 하다 : Her fears were *~ed* by the news of her husband's safety. 남편이 무사하다는 통지를 접하자 그녀의 불안감도 가라앉았다.
—— *vi.* 《廢》 약해지다, 가라앉다.
〚OE〛

áll cléar *n.* 공습 경보 해제 (신호) : The ~ was sounded. 공습 경보 해제가 발령되었다.

áll-cóurt gàme *n.* 〖테니스〗 올코트 게임《코트 전체를 이용하여 하는 경기》.

áll-dáy *a.* 하루 걸리는, 하루 종일의 : an ~ sightseeing trip of the country 하루 종일 걸리는 그 지방 관광 여행.

al·lée [æléi] *n.* 산책길, 가로수길. 〚F〛

al·le·ga·tion [æ̀ligéiʃən] *n.* U.C (충분한 증거가 없는) 진술 ; 주장, 변증(辨證). 〚F or L ; ↓〛

***al·lege** [əlédʒ] *vt.* [+目 / +目+*as* 補 / +*that* 節 / +目+*to* do] (증거 없이) 단언하다 ; 강경히 주장하다(assert positively) ; 진술하다 : He *~d* illness *as* a reason for his absence. 그는 자기가 결석한 것은 병때문이었다고 우겼다 / She *~s that* her handbag has been stolen. 핸드백을 도둑맞았다고 주장하고 있다 / He is *~d* to have done it. 그가 한 짓이라고 주장되고 있다(注 이 [+目+*to* do]의 형태에서는 보통 수동태로 쓰임).
~·able *a.* 〚OF<L (*lit- lis* lawsuit)=to clear at law ; cf. LITIGATE〛

al·leged [əlédʒəd] *a.* (뚜렷한) 증거없이 주장된, 추정된 : the ~ murderer 살인범(犯)으로 지목된 사람.

al·lég·ed·ly [-ədli] *adv.* [흔히 경멸적으로] 주장(하는 바)에 의하면 ; 소문[알려진 바]에 의하면.

Al·le·ghé·ny Móuntains [æ̀ləgéini-, -gén-], **Àl·le·ghé·nies** *n. pl.* [the ~] 앨러게이니 산맥《미국 동부의 애팔래치아 산계의 일부》.

***al·le·giance** [əlí:dʒəns] *n.* U (봉건시대의) 신하의 도리 ; 충의, 충절 ; U.C (일반적인) 충성, 신의(loyalty), 헌신(devotion) : an oath of ~ 충성[복종]의 선서 / pledge[swear] ~ *to* the king 국왕에게 충성을 맹세하다.
〚OF ; ⇨ LIEGE ; *alliance*의 유추인가〛

al·lé·giant *a.* 충성스러운(loyal). —— *n.* 충성할 의무가 있는 사람, 신하.

al·le·gor·ic, -i·cal [æ̀ləgɔ́(:)rik(əl), -gár-] *a.* 풍유(風喩)의, 우화의, 우화적인. **-i·cal·ly** *adv.* 풍유적으로, 우화적으로. **-i·cal·ness** *n.*

al·le·go·rism [ǽləgɔ̀(:)rizəm, -gàr- ; -gə-] *n.* 풍유(를 씀) ; (성서의) 우의적(寓意的) 해석.

al·le·go·rist [ǽləgɔ̀(:)rəst, -gàr- ; -gə-] *n.* 풍유가, 우화작가. **àl·le·go·rís·tic** *a.*

al·le·go·rize [ǽləgɔ(:)ràiz ; -gə-] *vt.* 풍유적[비유적]으로 표현[설명]하다, 풍유적으로 해석하다, 우화로 만들다. —— *vi.* 풍유[우화]를 쓰다.
àl·le·go·ri·zá·tion *n.* 풍유적[비유적] 표현 ; 비유적 해석.

al·le·go·ry [ǽləgɔ̀:ri ; -gəri] *n.* U 풍유 ; C 우화, 비유담《예컨대 Bunyan 작의 *The Pilgrim's Progress* 따위》 ; 상징(emblem).
〚OF<L<Gk. (*allos* other, *-agoria* speaking)〛

al·le·gret·to [æ̀ləgrétou, ɑ:-] *a., adv.* 〖樂〗 조금 빠른[빠르게]《andante와 allegro의 중간》.
—— *n.* (*pl.* **~s**) 알레그레토(의 악장).
〚It. (↓, *-etto* dim.)〛

al·le·gro [əléigrou] *a., adv.* 〖樂〗 빠른 ; 빠르게 (briskly) 《allegretto 와 presto 의 중간 ; ↔ *lento*》. —— *n.* (*pl.* **~s**) 알레그로(의 악장).
〚It.=lively〛

al·lele [əlí:l] *n.* 〖遺〗 대립(對立) 유전자[형질].

áll-eléctric *a.* (난방·조명이) 모두 전력에 의한.

al·lél·ism *n.* 대립(성). **-lél·ic** *a.*

al·lé·lo·mòrph [əlélə-, əlí:lə-] *n.* 〖遺〗 =ALLELE.
al·lè·lo·mórph·ic *a.* **-mórph·ism** *n.*

al·le·lu·ia(**h**), **-ja** [æ̀ləlú:jə] *int., n.* =HALLELUJAH.

al·le·mande [ǽləmæ̀n*d*, -mən, -mà:nd ; *F* almɑ̃:d] *n.* 알망드《독일 춤의 일종 ; 그 곡》.
〚F *allemand* German〛

áll-embrácing *a.* 총망라한, 총괄[포괄]적인.

Al·len [ǽlən] *n.* 남자 이름.

Állen chàrge *n.* 〖美法〗 앨런 차지《배심원의 의견 불일치시 재판관이 소수 의견의 배심원에게 하는 지시의 일종》.

al·ler·gen [ǽlərdʒèn, -dʒən] *n.* 〖醫〗 알레르겐 《알레르기를 일으키는 물질》.

àl·ler·gén·ic *a.* 알레르기를 일으키는.

al·ler·gic [əlɔ́:rdʒik] *a.* **1** 알레르기(성)의⟨*to*⟩: an ~ disease 알레르기성 질환. **2** 《口》 신경과민의; 아주 질색인, 몹시 싫은: I am ~ *to* reading [drawing]. 읽기[그림 그리기]는 질색이다.

al·ler·gist [ǽlərdʒəst] *n.* 알레르기 전문의사.

al·ler·gol·o·gy [æ̀lərdʒɑ́lədʒi] *n.* 알레르기학.

al·ler·gy [ǽlərdʒi] *n.* **1** U,C 〖醫〗 알레르기, 이상 민감증《특정의 물질·음식물 따위에 대한 이상(異常) 반응; cf. IDIOSYNCRASY》. **2** 《口》 반감, 혐오: He has an ~ *to* books. 그는 책을 몹시 싫어한다.
〖G (Gk, *allos* other, ENERGY)〗

al·le·vi·ant [əlí:viənt] *n.* 경감[완화]하는 것; 완화제.

al·le·vi·ate [əlí:vièit] *vt.* (심신의 고통을) 덜어주다, 누그러뜨리다, 완화시키다, 경감시키다: Coolness often ~*s* pain. 차갑게 하면 흔히 아픔이 덜어진다.
〖L *al-*(*levo* to raise)=to lighten〗

al·lè·vi·á·tion *n.* U 경감, 완화; C 경감[완화]시키는 것.

al·lé·vi·à·tive [, -ətiv] *a.* 경감[완화]하는, 누그러뜨리는. —— *n.* =ALLEVIANT.

al·lé·vi·a·tò·ry [; -təri] *a.* 경감[완화]용의; 위안이 되는.

áll-expénse *a.* (여행 따위) 모든 비용을 포함하는, 일괄 지급의.

***al·ley**[1] [ǽli] *n.* **1** (정원·공원 따위의) 좁은 길, 오솔길(shady walk). **2** 골목(길); 《美》 좁은 뒷골목(backlane): a blind ~ 막다른 골목. **3** 론(lawn) 볼링장, 잔디로 된 스키틀(skittle) 경기장; 〖볼링〗 레인; 볼링장; 〖테니스〗 앨리.
〖OF=walking, passage (*aller* to go)〗

al·ley[2] | **al·ly** [ǽli] *n.* 《美》 (대리석으로 만든) 고급 구슬. 〖ALABASTER〗

álley àpple *n.* 《美俗》 말똥; 돌멩이.

álley càt *n.* 도둑 고양이; 《美俗》 매춘부.

álley fight *n.* 《俗》 (깡패들의) 싸움.

al·ley-oop [æ̀liúp] *int.* 영차, 이영차《물건을 들어 올리거나 일어설 때의 소리》. —— *n.* 〖美蹴·籠〗 높은 패스《점프해야만 받을 수 있는》.

álley·wày *n.* 《美》 샛길, 골목; (건물 사이의) 좁은 통로.

áll-fáith *a.* 모든 종파(용)의.

áll-fired *a., adv.* 《美俗》 심한, 지독한, 대단한; 몹시, 지독히.

Áll Fóols' Dày *n.* 만우절(April Fool's Day) 《4월 1일; 그날 속은 사람은 April fool; cf. PIGEON'S MILK》.

áll fóurs *n. pl.* **1** (짐승의) 네 발. **2** (사람의) 수족. **3** =SEVEN-UP.
on all fours 네발로, 포복으로; …와 꽉 들어맞게, 일치[부합]하여⟨*with*⟩: go *on* ~ 기어가다, 포복으로 가다.

áll háil *n.* 《古》 (인사·환영의 표시로) 어이!, 야아!, 만세!

All·hal·lows [ɔ̀:lhǽlouz], **All·hal·low·mas** [ɔ̀:lhǽlouməs] *n.* 《古》 =ALL SAINTS' DAY.

áll·hèal *n.* 〖植〗 쥐오줌풀(valerian); 꿀풀(self-heal); (일반적으로) 외상용 약초(藥草).

al·li·a·ceous [æ̀liéiʃəs] *a.* 〖植〗 달래속(屬)의; 파[마늘·부추] 냄새가 나는.
〖NL<L *allium* garlic〗

***al·li·ance** [əláiəns] *n.* **1** U,C 동맹, 연합; C 제휴, 협력, 협정; 결연; 동맹국: ☞ TRIPLE ALLIANCE / ☞ HOLY ALLIANCE. **2** (성질의) 비슷함, 공통점; (식물의) 군단.
form [***enter into***] ***an alliance with*** …와 동맹[제휴]하다; …와 인연을 맺다.
in alliance with …와 연합[결탁]하여.
offensive and defensive alliance 공수(攻守) 동맹.
〖OF; ⇨ ALLY[1]〗
類義語 ***alliance*** 상호의 이익 증진을 위하여 맺는 제휴·결연. ***league*** alliance와 같은 뜻, 때때로 조직의 형식성과 목적의 명확성을 강조. ***coalition*** 이해가 상반되는 조직체가 비상시 따위에 일시적으로 결합·제휴함: *coalition* cabinet (연립 내각). ***federation*** 각 주(州)[시·부]가 중앙 정부[지방 자치 기구]를 중심으로 보다 긴밀히 결합함. ***confederacy*** 관세 보호, 행정 기능의 공동 행사를 위한 독립 국가간의 일시적 제휴《나쁜 뜻으로 쓰임》. ***confederation*** 보통 대외적인 공동 활동을 목적으로 하는 주권 국가간의 영구적 결합·제휴. ***union*** 긴밀하고 영속적인 alliance《목적·이익이 완전히 조화됨을 암시》.

allíance of convénience *n.* (편의주의의) 일시적인 편의 협정.

al·li·cin [ǽləsən] *n.* 〖生化〗 알리신《마늘에서 추출되는 무색 유상 액체의 항균성 물질》.

al·lied [əláid, ǽlaid] *a.* **1** 동맹을 맺은, 동맹한; [A~] 연합국측의: the *A*~ Forces 연합군. **2** 결연(結緣)한; 동류의, 동속(同屬)의.
the Allied and Associated Powers (제1차 대전 때의) 연합국.

***Al·lies** [ǽlaiz; əláiz] *n. pl.* **1** [a~] 동맹국, 동맹자. **2** [the ~] ☞ ALLY[1] *n.* 2.

al·li·ga·tion [æ̀ləgéiʃən] *n.* 결합; 〖數〗 혼합법.

al·li·ga·tor [ǽləgèitər] *n.* **1** 〖動〗 (미국·중국산) 악어(cf. CROCODILE); U 악어 가죽. **2** 〖機〗 악어 입처럼 생긴 맞물리는 각종 기계; 수륙 양용 경(輕)전차; 재즈광. —— *a.* 악어의[처럼 생긴]; 악어 가죽 무늬의; 악어의 입처럼 생긴.
—— *vi.* 《美》 (도장(塗裝)이) 금이 가다, 기포가 생기다. 〖Sp. *el lagarto* the lizard〗

álligator àpple *n.* 〖植〗 (서인도 제도산의) 아노나 나무속 식물의 일종.

álligator clìp *n.* 〖電〗 악어입 클립.

álligator pèar *n.* 〖植〗 =AVOCADO.

álligator snápper [**túrtle, térrapin**] *n.* 〖動〗 (북미산의) 자라 비슷한 큰 거북의 일종.

álligator tórtoise *n.* =SNAPPING TURTLE.

áll-impórtant *a.* 매우 중요한; 꼭 필요한; 없어서는 안 되는.

áll-ín *a.* **1** 《주로 英》 모든 것을 포함한(all-inclusive): an ~ 5-day tour 모든 비용을 포함한 5일간의 여행. **2** 전면적인: ~ efforts 온갖 노력. **3** 《俗》 지친, 기진 맥진한, 무일푼이 된. **4** 〖레슬링〗 자유형의.

áll-inclúsive *a.* 모든 것을 포함한, 포괄적인(all-embracing).

áll-in-óne, áll in óne *n.* =CORSELET[2].

al·lit·er·ate [əlítərèit] *vi.* (운문의 글에서) 두운(頭韻)을 달다[쓰다]. —— *vt.* …에 두운을 달게 하다. 〖역성(逆成)<↓〗

al·lit·er·a·tion [əlìtəréiʃən] *n.* U 〖修〗 두운(법) 《보기 *C*are *k*illed the *c*at. / with *m*ight and *m*ain》. 〖NL; ⇨ LETTER〗

al·lit·er·a·tive [əlítərətiv, -rèit-] *a.* 두운체의; 두운을 맞춘. **~·ly** *adv.* **~·ness** *n.*

al·li·um [ǽliəm] *n.* 〖植〗 달래속(屬)의 식물《파·마늘·부추 따위로 냄새가 강한 알뿌리 식물》.
áll-knów·ing *a.* 전지(全知)의.
áll·ness *n.* 전체성, 보편성, 완벽, 완전.
áll-níght *a.* 철야의, 밤새도록 하는 : ~ service (of trains) (열차의) 철야 운행.
àll-níght·er *n.* 밤새껏 계속되는 것《회의·경기 따위》; 철야 영업소.
allo- [ǽlou, ǽlə] ☞ ALL-.
àllo·ántibody *n.* 〖醫〗 동종(이계(異系)) 항체.
àllo·ántigen *n.* 〖醫〗 동종(이계) 항원.
állo·bàr *n.* 〖氣〗 기압 변화역(域) ; 기압 등변화선(等變化線) (isallobar).
al·lo·cate [ǽləkèit] *vt.* [+目/+目+*to*+名] 할당하다, 배정하다(assign) ; 배치하다 : Bigger rations were ~*d* ***to*** those people. 그들에게는 비교적 많은 식량이 배당됐다.
-càt·able *a.* **-cà·tor** *n.*
〖L ; ⇨ LOCATE〗
類義語 ⟹ ALLOT.
àl·lo·ca·tée *n.* 수배자(手配者).
àl·lo·cá·tion *n.* U,C 할당, 배분, 배정, 배당 ; 배치 ; C 할당액, 배당제.
al·lo·cu·tion [æ̀ləkjúːʃən] *n.* (로마 교황·장군 등의) 훈시, 유시(諭示).
〖L (*alloquor* to exhort) ; cf. LOCUTION〗
allod, allodial, allodium ☞ ALOD, ALODIUM.
al·log·a·my [əlɑ́gəmi] *n.* 〖植〗 이화(異花)수정, 타화(他花)수정[수분], 타가(他家)수정 (cross-fertilization) (↔*autogamy*). **al·lóg·a·mous** *a.* 타화(他花)수정으로 번식하는.
àllo·ge·né·ic [-dʒəníːik], **-génic** *a.* 〖生〗 동종(이계)의, 이질 유전적인.
állo·gràft *n.* 〖醫〗 동종 이식(편) (同種移植(片)).
állo·gràph *n.* (서명 따위의) 대필 ; 대서(↔*autograph*).
àllo·immúne *a.* 동종(同種) 면역의.
al·lom·er·ism [əlɑ́mərìzəm] *n.* 〖化〗 알로 이성(異性)《형상에는 변화가 없고 성분만이 다른 것》; 〖鑛〗 이질 동형(異質同形). **al·lóm·er·ous** *a.* 알로 이성의 ; 이질 동형의.
al·lom·e·try [əlɑ́mətri] *n.* 〖生〗 상대 생장(相對生長) ; 상대 생장 측정[연구].
al·lo·met·ric [æ̀ləmétrik] *a.*
állo·mòrph *n.* 〖鑛〗 동질 이상 가상(同質異像假像) ; 〖言〗 이형태(異形態).
àllo·mórphic *a.*
állo·mòrphism *n.* =ALLOTROPY.
al·lo·nym [ǽlənìm] *n.* 필명《저작자의 가명》; 필명으로 발표된 저작(물).
al·lo·path [ǽləpæ̀θ], **al·lop·a·thist** [əlɑ́pəθəst] *n.* 〖醫〗 역증(逆症) 요법 의사.
al·lo·path·ic [æ̀ləpǽθik] *a.* 역증 요법의.
al·lop·a·thy [əlɑ́pəθi] *n.* 〖醫〗 역증(逆症) 요법《치료하려는 병과 반대되는 증세를 일으키는 약·방법을 이용하는 정규 요법 ; ↔*homeopathy*》.
al·lo·pat·ric [æ̀ləpǽtrik] *a.* 〖生〗 지역에 따라 다른, 이소(異所)[이역(異域)]성의.
al·lo·phane [ǽləfèin] *n.* 〖鑛〗 앨러페인《무정형(無定形)의 함수 알루미늄 규산염 겔로 이루어진 점토광물》.
állo·phòne *n.* 〖音聲〗 이음(異音)《같은 음소(phoneme)에 속하는 음 ; 예를들면 peak의 [p]와 speak의 [p] 따위는 같은 음소지만 전자는 [ㅍ]에 가깝고 후자는 [ㅃ]에 가깝다》.
àllo·phónic *a.* 이음(異音)의, 이음을 나타내는.
al·lo·phyl·i·an [æ̀ləfíliən] *a., n.* 다른 인종(의), 이족(의) ; (아시아·유럽 언어가) Aryan 및 Semitic 어느 어족에도 속하지 않는 (사람).
állo·plàsm *n.* 〖生〗 이형질.
áll-oríginals scène *n.* 《美俗》 흑인만의 회합.
áll-or-nóne *a.* 전부인가 아닌가의.
áll-or-nóthing *a.* 절대적인 ; 전부를 건, 운을 하늘에 맡긴 ; =ALL-OR-NONE.
állo·sàur, àllo·sáurus *n.* 〖古生〗 알로사우루스속(屬)의 공룡《육식 공룡》.
àllo·stéric *a.* 〖生化〗 (효소·단백질이) 알로스테릭한《효소의 활성부위 이외의 부위에 타물질이 결합하는 일에 의하여 효소의 활성이 변화하는 일에 관하여 말함》.
al·lo·stery [əlɑ́stəri] *n.* 〖生化〗 알로스테릭성(性) [효과].
al·lot [əlɑ́t] *v.* (-tt-) *vt.* **1** [+目/+目+*to*+名/+目+目] 할당하다, (추첨 따위로) 분배하다 : The teacher ~*ted* work ***to*** each pupil. 교사는 학생 개개인에게 과제를 할당해 주었다 / The Government ~*ted* each settler a stretch of land. 정부는 정착자 개개인에게 토지를 분배해 주었다 / I was ~*ted* three tickets. 나에게는 3장의 표가 할당되었다. **2** [+目+*for*+名] 충당하다, (용도에) 쓰다 : A plot of ground has been ~*ted* ***for*** the cemetery. 한 구획의 땅이 묘지용으로 충당되어 있다. —— *vi.* 《口》 신뢰하다, 기대하다 ; …할 작정이다 : ~ on[upon] …할 작정이다.
al·lót·ta·ble *a.* **al·lót·ter** *n.*
〖OF ; ⇨ AD-, LOT〗
類義語 ***allot*** 적당하게 한 몫씩 나누어 주다. ***assign*** 특히 계획·방침에 따라 나누어 주다 : *assign* two rooms to the group (그 단체에게 방 두개를 할당하다). ***apportion*** 일정량의 것을 규칙에 의해 균등하게 분배하다 : The father's property was *apportioned* among his children. (그 아버지의 재산은 자녀들에게 균등하게 분배되었다). ***allocate*** 어떤 특별한 목적을 위해 일정한 양을 할당하다 : *allocate* some space for parking (주차장으로 얼마간의 공지를 할당하다).
allotee ☞ ALLOTTEE.
allót·ment *n.* **1** U 할당, 분배 ; C 배당, 몫 ; 분담액 ; 〖美軍〗 특별 수당《가족 수당·보험 수당 따위》. **2** U 지정 ; 배치 ; C 《英》 (작게 구획된) 대여 경작 농지. **3** 운명, 운(lot) ; 천명.
àllo·transplánt *vt.* 〖生·醫〗 타가(他家)[이물(異物)] 이식하다. —— [ˊ-ˋ-] *n.* 타가[이물] 이식. **àllo·transplantátion** *n.*
al·lo·trope [ǽlətròup] *n.* 〖化·鑛〗 동소체(同素體). 〖역성(逆成) ‹ ↓〗
al·lot·ro·py [əlɑ́trəpi], **-pism** [-pìzəm] *n.* U 〖化·鑛〗 동질 이체(同質異體), 동소체, 동소(성). **al·lo·trop·ic, -i·cal** [æ̀lətrɑ́pik(əl)] *a.* 동소성의.
〖Gk. (*allos* other, *tropos* manner)〗
all' ot·ta·va [æ̀lətɑ́ːvə, ɑ̀ːlou-] *adv., a.* 〖樂〗 = OTTAVA.
al·lot·tee, -lot·ee [əlɑtíː] *n.* 할당을 받는 사람.
állo·tỳpe *n.* 〖生〗 (분류상의) 별모식(別模式) 표본 ; 〖醫〗 알로타이프《종족내(種族內) 항원》.
àl·lo·týp·ic [-típik] *a.* **-i·cal·ly** *adv.* **ál·lo·tỳpy** [-tàipi] *n.*
áll-óut *a.* 총력을 기울인, 전면적인(cf. ALL *out*) ; 철저한. **~·er** *n.* 극단론자.
〖⇨ ALL *out*〗
áll-óut wár *n.* 총력전, 전면 전쟁.

áll·óver *a.* 전면적인 ; 천 전체에 무늬[자수]가 있는. —— *n.* 전면에 무늬가 있는 천.
áll-óver·ish *a.* 어쩐지 불안한[기분이 나쁜].
áll-óver pàinting *n.* 〖畫〗 화면의 바탕과 형체의 구별을 없이 하는 표현 방법.
◇**al·low** [əláu] *vt.* **1** [+目/+目+*to* do/+目+目] 허락하다, (용납하여) 내버려두다(permit) : Smoking is not *~ed* here. 여기서는 금연으로 되어 있다 / I can't ~ you *to* behave like that. 그 따위로 구는 것을 그냥 둘 수는 없다 / *A*~ me *to* introduce to you Mr. White. 화이트씨(氏)를 소개하겠습니다 / The class was not *~ed to* leave until the bell rang. 누구든지 종이 울릴 때까지는 교실을 나가지 못하게 되어 있었다 / He *~ed* his imagination full play. 제멋대로 상상하였다. **2** [+目+目] (일정액을) 주다, 지급하다(grant) : His father *~s* him ₩50,000 a month for pocket money. 그의 아버지는 그에게 용돈으로 매달 50,000원을 준다 / I ~ him ₩700,000 a month. 그에게 월 700,000원 지급한다. **3** [+目/+*that* 節/+目+*to* do] (요구·주장 따위를) 인정하다, 승인하다(admit) : The judge *~ed* his claim. 판사는 그의 요구를 인정했다 / We must ~ it *to be* true[~ *that* it is true]. 그것이 사실임을 인정하지 않으면 안된다 / It isn't very good, I ~. 확실히 그것은 별로 좋은 것은 아니다. **4** [+目/+目+前+名] (셈을) 빼다 ; 할인하다 ; …의 여유를 참작해 두다 : ~ 5cents ***in*** the dollar 1달러당 5센트씩 할인하다 / ~ ₩50,000 ***for*** expenses 경비로 50,000원을 예상하다 / ~ an hour *for* lunch 점심 시간으로 1시간을 잡아 두다 / We must ~ half an hour *for* chang*ing* trains. 열차를 갈아타기 위해 30분간의 여유를 두지 않으면 안된다. **5** 《美方》 [+*that* 節] 이라고 생각하다, 여기다(think) ; 주장하다, 진술하다 : I ~ it is too late to start. 출발하기에는 너무 늦은 것 같다.
—— *vi.* **1** [+*for*+名] (사정 따위를) 참작하다, 고려하다 ; 예견하다, 준비하다 : The journey usually takes three weeks, but you should ~ ***for*** delays caused by bad weather. 그 여행은 보통 3주간이 걸리지만 악천후로 지체될 것도 고려해야 한다. **2** [+*of*+名] 허락하다, …의 여지가 있다 (cf. ADMIT *vi.* 1) : The regulations ~ ***of*** some alterations. 그 규칙은 다소 변경할 여지가 있다.
allow one***self in*** …에 열중하다, 몰두하다.
allow one***self to*** (do) 감히 …하다, 큰맘먹고 …하다.
〖ME=to praise<OF (*ad-*, L *laudo* to praise and *loco* to place)〗
類義語 ⟹ LET.
allów·able *a.* 허용할 수 있는 ; 승인될 수 있는 ; 지장이 없는(permissible) ; 정당한. —— *n.* 허가 사항 ; 《美》 허용 산유량. **-ably** *adv.*
***allów·ance** *n.* **1** (정기적으로 지급하는) 수당, 급여(액), …비(費) : a clothing[family] ~ 피복비[가족 수당] / an ~ for long service 연공 가봉(年功加俸). **2** 허용, 허가(permission). **3** 공제, 할인(deduction). **4** 여유 ; 참작, 고려.
㊟ 보통 다음과 같은 숙어로 쓰임.
at no allowance 조금도 참작하지 않고, 멋대로, 마음껏, 아낌없이.
make allowance*(*s*) *for …을 참작[고려]하다, 염두에 두다 : You must *make ~s for* youth. 젊다는 것을 염두에 두어야 한다.
—— *vt.* (돈·음식물 따위를) 일정량으로 공급[지급]하다 ; (남에게) 수당을 지급하다.

allówed *a.* 허용된 ; 인정받고 있는.
allów·ed·ly [-ədli] *adv.* 허용되어, 인정되어, 당연히 ; 명백히(admittedly).
al·loy [əlɔ́i, ǽlɔi] *vt.* [+目/+目+*with*+名] 합금하다(mix) ; (합금하여) 순도를 떨어뜨리다(debase) ; (즐거움·쾌감 따위를) 감쇄시키다, 해치다(impair) : ~ silver ***with*** copper 은에 구리를 섞다. —— *vi.* 합금이 되다.
—— [ǽlɔi, əlɔ́i] *n.* **1** 합금 ; (금·은의) 순도 ; 합금용 비(卑)금속 : Brass is an ~ of copper and zinc. 놋쇠는 구리와 아연의 합금이다. **2** U,C 《비유》 혼합물 : without ~ (취미 따위) 순수한. 〖OF ; ⇨ ALLY[1]〗
allóyed júnction *n.* (반도체 접합의) 합금(合金) 접합.
álloy stèel *n.* 합금강(合金鋼).
áll-plày-áll *n., a.* 《英》 리그전 방식(의) (=《美》 round robin).
áll-posséssed *a.* 《美口》 홀린, 귀신들린 듯한.
áll-pówer·ful *a.* 전능의.
áll-púrpose *a.* 다목적(용)의, 널리[두루] 쓰이는 ; 만능의.
Áll-Réd *a.* 《英》 British Commonwealth만을 경유하는《지도에서 영령(英領)을 적색으로 나타낸 데서》 : an ~ line[route] (영국 본토와 해외 영토를 잇는) 영령 연락 항로.
‡**àll ríght** *adv., pred. a.* **1** 더할 나위 없이 ; 지장없이 ; 확실히, 틀림없이 : It's ~ with me. 그것으로 좋습니다[괜찮습니다] / Thank you[I am sorry]. — That's ~. 고맙습니다[미안합니다] — 아니 뭘. **2** 무사히, 건강히 : Is he ~ ? 그 사람 여전합니까. **3** 《美俗》 신뢰할 수[믿을 수] 있는 : an ~ guy 믿을 수 있는 사람. **4** 좋아, 알았어 《승낙》 ; 《反語》 어디 두고 보자 : *A*~ ! You will be sorry for this. 어디 두고 보자, 나중에 후회할걸.
a* (*little*) *bit of all right 《口》 매력 있는 이성[여성] ; 멋진[꽤 좋은] 것 ; 《英俗》 성교, 정사.
All right already. 《美俗》 이제 됐어, 그쯤 해둬, 조용히 해줘.
All right for you! 너하고는 이제 끝장이다[절교다]《주로 어린이가 씀》.
àll·ríght·nik [-nik] *n.* 《俗》 중간 지위[중류]에 만족하는 사람.
áll ríghts resérved *n.* 판권[저작권] 소유.
all-round, all-rounder ☞ ALL-AROUND(ER).
Áll Sáints' Dày *n.* 모든 성인(聖人)의 축일 ; (일반적으로) 만성절(萬聖節)《11월 1일, 모든 성인들과 순교자들의 영혼을 제사지냄 ; cf. HALLOWEEN》.
áll·sèed *n.* 씨 많은 풀《마디풀·명아주 따위》.
áll-séeing *a.* 모든 것[만사]을 내다보는.
áll-sòrts *n. pl.* 《英》 여러 가지를 혼합한 것, (특히) 여러 가지 캔디를 섞어 담은 것.
Áll Sóuls' Dày *n.* 〖카톨릭〗 죽은 신도들의 영혼을 위해 미사드리는 날 ; (일반적으로) 만령절(萬靈節)《11월 2일》.
áll·spìce *n.* 〖植〗 올스파이스《(1) 서인도 제도산 도금양과(科)의 상록 교목 ; 그 열매. (2) 그 열매를 건조시켜 만든 향미료 ; cf. PAPRIKA》. 〖ALL, SPICE〗
áll-stàr *a.* 스타 총출연의 ; 인기 선수 총출전의 : an ~ cast 스타 총출연. —— *n.* [보통 *pl.*] 올스타팀 선수.
áll-stàr bánd *n.* =SUPERGROUP.
áll-stàr gáme *n.* (야구 따위의) 올스타전.
áll-tèmperature *a.* (세제 따위가) 전온도(全溫

度)용의.

áll-terràin *a.* (차량 따위가) 어떤 지형에도 적응할 수 있는, 전지형의.

áll-terràin véhicle *n.* 전지형차(全地形車)《略 ATV》.

áll-tìme *a.* **1** =FULL-TIME. **2** 《口》 전대 미문의, 전례없는, 공전(空前)의, (스포츠 따위) 기록적인, 사상 최고의 : an ~ high[low] 최고[최저] 기록 / an ~ baseball team 사상 최고의 야구팀.

al·lude** [əlúːd] *vi.* [+前+名] (…에게) (넌지시) 말하다, 암시하다, 언급하다 : You mustn't ~ ***to his wife's death when you meet him. 그 사람을 만나더라도 그의 부인이 죽었다는 것을 입 밖에 내서는 안된다.
〖L (*lus- ludo* to play)〗
類義語 ⟹ REFER.

áll-ùp wéight *n.* 〖空〗 (비행기의 공중에서의) 전비중량(全備重量).

al·lure** [əlúər] *vt., vi.* [+目 / +目+前+名 / +目+*to* do] (미끼로) 꾀다, 유혹[매혹]하다 ; 꾀어들이다(entice) : They ~*d* him ***into the place [party]. 그 사람을 그 곳[파티]으로 꾀어들였다 / The advertisement ~*d* people *to* buy the goods. 광고는 사람들이 그 상품을 사도록 유혹하였다.
—— *n.* U 《文語》 매력(charm).
al·lúr·er *n.*
〖OF=to attract ; ⇨ LURE〗
類義語 ⟹ ATTRACT, LURE.

al·lúre·ment *n.* U,C 유혹, 매혹 ; C 유혹하는 것 : the ~*s* of a big city 대도시의 유혹.

al·lúr·ing *a.* 꾀어내는 ; 매혹적인, 황홀케 하는 (fascinating) : Circuses are very ~ *to* children. 서커스는 아이들에게 아주 매력적이다. **~·ly** *adv.* 매혹적으로. **~·ness** *n.*

al·lu·sion [əlúːʒən] *n.* **1** U,C (간접적인) 언급, 암시, 풍자, 비꼼 : make a distant ~ 넌지시 시사(示唆)하다 / Don't make any personal ~*s*. 사적인 언급을 해서는 안된다 / She made an ~ *to* his misconduct. 그의 비행에 대해 언급하였다. **2** U,C 〖修〗 인유(引喩).
in allusion to . . . 암암리에 …을 가리켜.
〖F or L ; ⇨ ALLUDE〗

al·lu·sive [əlúːsiv] *a.* 넌지시 비치는, 암시적인, (…을) 언급하는〈*to*〉 : ~ arms 〖紋〗 가명(家名)을 암시하는 문장(紋章).
~·ly *adv.* **~·ness** *n.*

alluvia *n.* ALLUVIUM의 복수형.

al·lu·vi·al [əlúːviəl] *a.* 〖地〗 충적(沖積)의 ; 유사(流砂)의 : the ~ epoch 충적세 / an ~ formation 충적층 / ~ fan 〖地〗 선상지(扇狀地).
—— *n.* U 충적토(=∠ **sòil**).

allúvial góld *n.* 사금(砂金).

al·lu·vi·on [əlúːviən] *n.* (파도의) 들이침 ; 홍수, 범람 ; 충적지 ; 〖法〗 증지(增地)《수류(水流)의 작용으로 강기슭이나 바닷가에 새로이 생기는 토지》.

al·lu·vi·um [əlúːviəm] *n.* (*pl.* **-via** [-viə], **~s**) U,C 〖地〗 충적층(層), 충적토.
〖L (*luo* to wash)〗

áll wàve (recéiver) *n.* 〖通信〗 전(全) 파장 수신기.

áll-wèather *a.* 어떤 날씨에도 사용할 수 있는, 전천후(全天候)용의《비행기·도로 따위》 ; 내수성(耐水性)의 : an ~ aircraft[fighter] (탐색 레이더를 장비한) 전천후 비행기[전투기] / an ~ paint 내수 페인트.

áll-wèt *a.* 완전히 빗나간[틀린].

áll-whíte *a.* 완전히 백인만의.

al·ly**[1] [əlái, ǽlai] *vt.* **1** [+目 / +目+前+名] 동맹[결연]시키다 ; 제휴시키다 : Great Britain, France and Italy were *allied* during the First World War. 제1차 세계 대전 중에 영국·프랑스·이탈리아 3국이 동맹을 맺었다 / This newspaper is *allied* ***with three others. 이 신문은 다른 3개지(紙)와 같은 계열의 것이다《제휴하고 있다》. **2** [+目+*to*+名] [수동태로] …와 비슷하다, …와 연줄이 있다 ; …와 동류다 : Dogs *are allied* ***to*** wolves. 개는 늑대와 동류다. —— *vi.* 동맹[연합] 관계에 들어가다, 결연을 맺다.
—— [ǽlai, əlái ; *pl.* 보통 ǽl-] *n.* **1** 동맹국[자], 맹우(盟友), 자기편. **2** [the Allies] (1, 2차 세계대전 중의) 연합국. **3** (동식물의) 동류[동종](의 것). **al·lí·able** *a.*
〖OF<L *alligo* to blind ; cf. ALLOY〗

ally[2] ☞ ALLEY[2].

-al·ly [əli] *adv. suf.* -ICAL형(形)이 아닌 -IC 형용사에서 부사를 만듦. 〖*-al*[1]+*-ly*[1]〗

áll-yéar *a.* 일년 내내의, 일년 내내 사용할 수 있는[열려 있는].

al·lyl [ǽləl, -lail] *n.* 〖化〗 알릴기(基) : ~ resin [plastic] 알릴 수지(樹脂).

alm [áːm] *n.* (자선을) 베풂.
〖역성(逆成)〈*alms*〗

ALM 《美》 assets and liabilities management(자산 부채 관리).

Alma-Ata [æ̀lməətáː] *n.* 알마아타 《카자흐스탄 공화국의 옛 수도》.

Alma-Atá Declarátion *n.* 알마아타 선언 《1991년 12월 21일, 알마아타에서 옐친 러시아 대통령과 구소련의 11개 공화국 수뇌들이 채택(採擇)한 선언》.

Al·ma·gest [ǽlmədʒèst] *n.* 알마게스트《Ptolemy의 천문학서》; [a~] (중세 초기의) 점성학(占星學)[연금술]의 책.

al·ma(h) [ǽlmə] *n.* (이집트의) 무희(舞姬).
〖Arab.〗

al·ma ma·ter [ǽlmə máːtər, -méitər] *n.* 모교, 출신교 ; 모교의 교가. 〖L=bounteous mother〗

al·ma·nac [ɔ́ːlmənæ̀k, ǽl-] *n.* 달력 ; 연감(yearbook) (cf. CALENDAR). 〖L<Gk.〗

Al·ma·nach de Go·tha [ɔ́ːlmənæ̀k də góuθə] *n.* 고타 귀족 명감(名鑑)《유럽 왕가의 족보》; [집합적으로] 유럽의 귀족.

al·man·dite [ǽlməndàit], **al·man·dine** [-dì(ː)n, -dàin] *n.* 〖鑛〗 귀석류석(貴石榴石) ; 철반(鐵礬) 석류석. 〖변형(變形)〈*alabandine*, 또는 G *Almandin* ; *Alabanda* 소아시아의 산지〗

al·me(h) [ǽlme, -mi] *n.* =ALMA(H).

***al·mighty** [ɔːlmáiti] *a.* **1 a**) 전능의 ; 압도적인 권력[세력, 영향력 따위]을 가진 : *A*~ God=God *A*~ 전능한 신(神) / the ~ dollar[gold] 만능인 돈[금력(金力)]. **b**) [명사적으로 ; the A~] 전능자, 하느님, 신(God). **2** 《口》 대단한, 굉장한 (great) : an ~ nuisance 대단히 성가신 일.
—— *adv.* 《口》 매우, 대단히(very) : be ~ glad 대단히 기쁘다. **al·míght·i·ness** *n.* 전능.
〖OE *ælmihtig* ; ⇨ ALL, MIGHTY〗

al·mi·rah [ælmáiərə] *n.* 《인도》 옷장, 찬장.

al·mond [áːmənd, 美+ǽ*l*mənd] *n.* 편도(扁桃), 아몬드《복숭아 비슷한 낙엽 교목, 또는 그 씨 ; 과자 따위를 만드는데 씀》. —— *a.* 아몬드로 만든 ; 아몬드 맛이 나는 ; 아몬드 모양의 ; 아몬드색의.
〖OF<L<Gk. *amugdalē*〗

álmond èye *n.* 편도 모양의 눈《치켜 올라간 눈 ; 중국인·한국인 등의 특징으로서 그려짐》.

álmond-èyed *a.* 편도[아몬드] 모양의 눈을 한 (cf. SLANT-EYED).
álmond grèen *n.* 엷은 황록색.
álmond òil *n.* 아몬드유《약용·화장·향료용》.
al·mo·ner [ǽlmənər, ɑ́ːm-] *n.* (승원·왕가 따위의) 시물(施物) 분배 관리. 〖OF; ⇨ ALMS〗
al·mon·ry [ǽlmənri, ɑ́ːm-] *n.* 시물 분배소.
◇**al·most** [ɔ́ːlmoust, 美+-ˊ] *adv.* 거의, 대부분 : It's ~ three o'clock. 조금 있으면 3시다 / I'd ~ forgotten that. 거의 그것을 잊을 뻔했다 / He is ~ always out. 거의 언제나 나가고 없다.
***almost never**[**no, nothing**] 거의 …이 아니다[…이 없다]. ㊟ 보통 hardly[scarcely] ever[any, anything]로 문장 전환할 수 있음.

〈회화〉
Are you ready?—*Almost*. 「준비 됐니」「대체로」

〖OE; ⇨ ALL, MOST〗
活用 (1) almost는 「very nearly」란 뜻으로 nearly보다도 정도나 시간적 거리가 접근되어 있는 것을 나타냄 : He was *almost*[nearly] drowned. (하마터면[거의] 빠져 죽을 뻔했다).
(2) 《文語》에서는 드물게 명사 앞에 형용사적으로 쓰일 때도 있음 : his *almost* impudence(그의 건방진 행동) (cf. He is *almost* impudent.).
***alms** [ɑ́ːmz] *n.* (*pl.* ~) 시물, 의연금, 보시(布施) : ask for (an) ~ 시주를 청하다 / give ~ to the poor 빈민에게 구호금[물자]을 주다 / Your ~ are asked. 회사해 주시기 바랍니다.
〖OE *ælmysse, ælmesse*<Gmc. (G *Almosen*)<L<Gk. *eleēmosunē* compassion〗
álms bòx[**chèst**] *n.* 자선함.
álms·dèed *n.* 《古》 자선(행위).
álms·fòlk *n. pl.* 구호금으로 살아가는 사람들.
álms·gìver *n.* 구호를 베푸는 사람, 자선가.
álms·gìving *n.* Ⓤ 자선.
álms·hòuse *n.* 《古》 공립 구빈원(救貧院) (=《英》 workhouse) ; 《英》 사립(私立) 구빈원 ; 양로원.
álms·man [-mən] *n.* 자선[구호]을 받는 가난한 사람, 극빈자.
al·mug [ǽlməg, ɔ́ːl-] *n.* 〖植〗 =ALGUM.
al·ni·co [ǽlnikòu] *n.* 합금 자석강(磁石鋼).
ALOC 〔軍〕 air line of communication.
al·od, al·lod [ǽlɑd] *n.* =ALODIUM.
alo·di·um, al·lo- [əlóudiəm] *n.* (*pl.* **-dia** [-diə], ~**s**) 〔法〕 (봉건시대의) 자유 보유지, 완전 사유지. **-di·al** *a.*
al·oe [ǽlou] *n.* 〖植〗 **1** 노회(蘆薈), 앨로《남아프리카 원산의 백합과의 식물 ; 약용·관상용》; [*pl.* ; 단수취급] 노회즙《설사약》. **2** 침향(沈香) ; 용설란. 〖OE *al(e)we*<L<Gk.〗
áloes·wòod *n.* 〖植〗 (인도산의) 침향목(沈香木).
al·oet·ic [æ̀louétik] *a., n.* 앨로를 함유한 (하제(下劑)).
aloft [əlɔ́(ː)ft, əlɑ́ft] *adv., pred. a.* **1** 위로, 높이 ; 공중으로, 날아서. **2** 〖海〗 돛대머리[장두(檣頭)]에 (↔*alow*). —— *prep.* …의 위[윗부분]에. 〖ON *á lopt(i)* in the air〗
alóg·i·cal [ei-] *a.* 논리의 영역을 넘은, 비논리의.
alo·ha [əlóuhə, ɑː-, -hɑ́ː] *n.* 《하와이》 [감탄사적으로 ; 인사말] 어서 오십시오!, 안녕히! 〖Haw. =love〗
alo·ha·oe [ɑːlòuhɑːɔ́i, -óui] *int.* 안녕히 계십시오 ; 안녕히 가십시오. 〖Haw.〗
alóha shìrt *n.* 알로하 셔츠.
Alóha Státe *n.* [the ~] 미국 Hawaii 주(州)의 속칭.
al·o·in [ǽlouən] *n.* Ⓤ 〔藥〕 앨로인《앨로 잎의 즙을 달인 결정체 ; 하제로 쓰임》.
◇**alone** [əlóun] *pred. a.* [+*in*+do*ing*] 홀로의, 혼자의, 고독한 ; 오직 …뿐인 (only) : I was[We were] ~. 오직 나[우리]뿐이었다 / Man shall not live by bread ~. 〔聖〕 사람이 떡으로만 살 것이 아니요 / I am not ~ ***in*** this opinion[*in* thinking so]. 이 의견은[그렇게 생각하고 있는 것은] 나뿐만이 아니다.
all alone 완전히 혼자서 ; 혼자힘으로.
let alone …은 물론이고[말할 것 없이] (to say nothing of) : It takes too much time, *let* ~ money. 비용은 말할 것도 없이 시간이 너무 많이 걸린다 / He can't read, *let* ~ (=much less) write. 쓰는 것은 물론 읽을 줄도 모른다.
let[***leave***]***...alone*** (사람·물건을) 그냥[홀로] 놓아두다, 그대로 놔두다 ; 《口》 간섭하지 않다 : *Let* him ~ *to* do it. 그에게 위임해 두도록 하시오 / *Let*[*Leave*] well (enough) ~. 《속담》 긁어 부스럼을 만들지 마라.
stand alone 고립되어 있다, 다른 데 견줄 바가 없다, 달리 비할 바 없다〈*in*〉.
—— *adv.* 홀로, 단독으로 ; 《文語》 단순히 : He said that he could go ~ (=by himself). 그는 혼자서 갈 수 있다고 말했다 / Folk dances are not performed ~ (=solely) for recreation. 포크 댄스는 단순히 레크리에이션을 위해서 하는 것은 아니다.
go it alone ☞ GO *v.*
not alone...but (***also***) 《文語》 …뿐만 아니라 (…도 또한). ㊟ but (also)를 생략하거나 그대신 as well 따위를 쓰기도 함.
〖ME ; ⇨ ALL, ONE〗
類義語 ***alone*** 단순히 사람 또는 물건이 단독으로[홀로] 있다는 것을 나타낸 말 : He lives *alone*. (그는 혼자 산다). ***solitary*** 동아리·교제가 없는 것을 암시함. alone보다도 의미가 강함 : a *solitary* house on the hill (언덕 위에 있는 외딴 집). ***lonely*** 고독하고 음침한 느낌을 수반함 : a *lonely* old man (쓸쓸한 노인). ***lone***은 lonely에 대한 문어(文語). ***lonesome*** 적적한 기분, 한패 또는 특정한 사람을 구하는 마음을 나타내기도 함 : The girl is *lonesome* for her mother. (그 소녀는 어머니를 그리는 마음으로 쓸쓸하다).
◇**along** [əlɔ́(ː)ŋ, əlɑ́ŋ] *prep.* …을 따라(서), …을 끼고 ; 끝에서 끝으로 : go ~ the river[coast] 강변[해안]을 따라가다 / all ~ the line 모든 전선(戰線)에 (걸쳐서).
—— *adv.* **1** (…을) 따라서 ; 전진 방향으로 ; 훨씬 (㊟ 때로는 단순히 강조적으로 쓰임) : ~ by the hedge 산울타리를 따라서 / Come ~ here. 이리로 오십시오. **2** (…와) 함께 ; (…에) 더하여 ; 데리고, 동반하여, 가지고 : I took my sister ~. 여동생을 데리고 갔다 / He was not ~. 함께 있지 않았다. **3** [보통 about를 수반하여] 《美口》 (시간이) …경에 : ~ *about* 5 o'clock 5시경에.
all along 처음부터, 줄곧 : He knew it *all* ~. 그것을 처음부터 알고 있었다.
(***all***) ***along of...*** 《方·俗》 (모두) …의 탓으로, …때문에.
along back 《美口》 최근에.
along with …와 함께 ; …에 더하여 ; …이외에 (cf. *adv.* 2) : I sent the book ~ *with* the other things. 다른 것과 함께 그 책을 보냈다.
be along 오다 ; 가까워지다 ; 진행되다 ; (마침)

자리에 있다 : He'll *be* ~ in ten minutes. 10분 정도면 오겠지.

come along 오다, 지나가다 : *Come* ~ (*with* me). 자, (함께) 가자.

get along (1) 지내다, 해나가다 ; 살다 : How are you *getting* ~? 어떻게 지내십니까 / We cannot *get* ~ without money. 돈이 없으면 살아갈 수 없다. (2) 출세하다, 번영하다. (3) 나이를 먹다(grow old). (4) [명령형으로] 《口》 저리로 가라! ; 어리석은 소리!, 당치도 않은!

get along with (연구 따위를) 해나가다, 진척시키다 ; (동료들과) 절충해 나가다 : How is he *getting* ~ *with* his wife? 그는 부인과의 사이가 원만합니까.

well along (시간이) 상당히 지나서 : The afternoon is *well* ~. 오후도 상당히 지났다.

〖OE *andlang* facing against (*and* against, LONG[1])〗

alóng·shóre *adv., a.* 해안을 따라서[에 연한], 바닷가를 따라[에 연한].

alóng·sìde *adv.* **1** 〖海〗 (…에) 옆으로 대고, …의 뱃전에[을]. **2** (…의) 곁에[을], (…와) 나란히 ; …와 함께, …와 같이.

alongside of …와 나란히, …와 함께, …와 비교하여.

—— *prep.* …의 옆(쪽)으로, …와 나란히.

***aloof** [əlúːf] *adv.* 떨어져서, 멀어져서(away) ; 〖海〗 바람 불어오는 쪽으로.

keep*[*stand, hold*] *aloof 떨어져 있다 ; 초연해 있다, 고상한 체하고 있다〈*from*〉.

—— *a.* 떨어져 있는 ; 초연[냉정]해진.

〖*a*-[1], LUFF〗

al·o·pe·cia [æləpíːʃiə] *n.* Ⓤ 탈모증, 독두병(禿頭病). **-pe·cic** [-píːsik] *a.*

‡**aloud** [əláud] *adv.* **1** (목)소리를 내어 : read ~ 소리를 내어 읽다 / think ~ (저도 모르게) 혼자 말을 하다. **2** 《古》 큰소리로(loudly) : cry[shout] ~ 큰소리로 외치다. **3** 《口》 그것이라고 알 정도로, 명백히, 뚜렷하게 : reek ~ 냄새가 코를 찌르다. 〖*a*-[1]〗

alow [əlóu] *adv.* 〖海〗 낮은 쪽으로, (배의) 아래쪽으로(↔*aloft*).

alp [ǽlp] *n.* 높고 험한 산, 고산(高山).

alps on alps 연이어 있는 높은 봉우리 ; 연달아 닥치는 난관, 산 넘어 산.

〖F<L *Alpes* (pl.)〗

ALP, A.L.P. American[Australian] Labor Party.

al·paca [ælpǽkə] *n.* 《動》 알파카《남미 페루산의 가축》; Ⓤ 알파카의 털[나사] ; Ⓒ 알파카털[나사]로 만든 옷.

〖Sp.<Quechua (*pako* reddish brown)〗

alpaca

ál·pen·glòw [ǽlpən-] *n.* (높은 산꼭대기의) 아침[저녁]놀.

ál·pen·hòrn [ǽlpən-], **álp·hòrn** *n.* 알펜호른 《스위스의 목동이 부는 긴 나무 피리》.

al·pen·stock [ǽlpənstɑ̀k] *n.* 등산 지팡이.

〖G=Alps stick〗

al·pha [ǽlfə] *n.* **1** 알파《그리스어 알파벳의 첫번째 글자 *A*, *α* ; 영어글자 A, a에 해당》. **2** 시초, 처음, 제1위(의 것), 제1급(cf. BETA, GAMMA) : ~ plus 《주로 英》 (학업 성적의) 수(秀), A⁺.

the alpha and omega 처음[시작]과 나중[끝] ; 전체 ; 주요소〈*of*〉.

—— *a.* **1** 〖컴퓨〗 (키보드·디스플레이 따위가) 문자식의. **2** [*attrib.*로 써서] 알파벳순의.

〖L<Gk.〗

◇**al·pha·bet** [ǽlfəbèt, -bət] *n.* **1** 알파벳, 자모(字母) : the Roman ~ 로마자 / a phonetic ~ 음표(音表)문자. **2** 초보, 입문, 기초〈*of*〉.

—— *vt.* =ALPHABETIZE.

〖L<Gk. ; ⇨ ALPHA, BETA〗

***àl·pha·bét·ic, -i·cal** *a.* 알파벳[자모]의 ; ABC 순서의 : in *alphabetical* order 알파벳순으로[의].

-i·cal·ly *adv.* ABC 순으로.

álphabet·ìze *vt.* 알파벳순으로 하다[맞추다] ; 알파벳으로 나타내다.

álphabet sòup *n.* 로마자 모양의 파스타가 든 수프 ; 《美俗》 (특히 관청의) 약어《FBI 따위》.

Álpha Cen·táu·ri [-sentɔ́ːrai] *n.* 〖天〗 센타우루스자리의 알파성(星).

álpha decày *n.* 〖理〗 (원자핵의) 알파 붕괴.

àlpha·fèto·prótein *n.* 〖生化〗 알파페토프로테인 《양수(羊水) 속의 태아에 의해서만 생성되는 유일한 단백질 ; 略 AFP》.

álpha glòbulin *n.* 〖生化〗 알파 글로불린.

àlpha-hélix *n.* 〖生化〗 (단백질 중의 폴리펩티드 사슬의) 알파 나선, 알파헬릭스.

al·pha·mer·ic, -mer·i·cal [ælfəmérik(əl)] *a.* =ALPHANUMERIC.

al·pha·met·ic [ælfəmétik] *n.* 숫자 퍼즐《계산식의 숫자를 문자로 바꿔놓은 것을 원래의 숫자로 되돌리는 퍼즐》. 〖*alpha*bet+arith*metic*〗

àlpha·numéric, -numérical *a.* 〖컴퓨〗 수문자의, 문자 숫자식의《문자와 숫자를 구별없이 처리할 수 있음》. 〖*alpha*betic+*numerical*〗

álpha pàrticle *n.* 〖理〗 알파 입자(粒子)《헬륨의 원자핵》.

álpha rày *n.* 〖理〗 알파선(線).

álpha rhỳthm *n.* 〖生理〗 (뇌파의) 알파 리듬.

álpha·scòpe *n.* 알파스코프《컴퓨터의 브라운관의 표시(表示) 장치》.

álpha tèst *n.* 〖心〗 알파 지능 테스트.

álpha wàve *n.* 〖生理〗 (뇌파의) 알파파(波).

Al·phe·us [ælfíːəs] *n.* 〖그神〗 알페이오스《강(江)의 신 ; 연모하는 숲의 요정 Arethusa가 샘이 되었으므로 강이 되어 합쳤음》.

alphorn ☞ ALPENHORN.

al·phos [ǽlfəs] *n.* 〖醫〗 한센병 ; 건선(乾癬) ; 백반(白斑).

al·pho·sis [ælfóusəs] *n.* 〖醫〗 피부 색소 결핍증.

Al·pine [ǽlpain] *a.* **1** 알프스의 ; [때때로 a~] 높은 산의, 고산성(高山性)의 : an ~ club 산악회 / an ~ flora [집합적으로] 고산 식물 / an ~ plant 고산 식물. **2** 〖스키〗 알파인의 : ~ events 알파인 종목《활강·회전·대회전》. —— *n.* [a~] 고산 식물. 〖L ; ⇨ ALP〗

álpine gárden *n.* 암산(岩山) 식물원 ; 록가든.

álpine róse *n.* 〖植〗 **1** 만병초《석남과(科)에 속하는 고산 식물》. **2** 에델바이스.

al·pin·ism [ǽlpənìzəm] *n.* [때때로 A~] 알프스 등산 ; (고산(高山)의) 등산.

al·pin·ist [ǽlpənəst] *n.* 알프스 등산가, 알피니스트 ; 등산가.

***Alps** [ǽlps] *n. pl.* [the ~] 알프스 산맥《이탈리아 북쪽에 뻗어 있는 유럽 중부의 대산맥》.

◇**al·ready** [ɔːlrédi] *adv.* 이미, 벌써 ; 예전에, 전에 : I have ~ seen him[have seen him ~]. 예전에 그분을 만나뵈었습니다 / They are ~ there. 벌써 거기에 와 있다 / When I called, he had ~

started. 내가 방문했을 때는 그는 이미 출발한 후였다 / I have been there ~. 전에 가 본 일이 있다. ㊟ 의문·부정문에서는 YET를 써서 Is he back *yet*? (벌써 돌아왔습니까)라고 함; already를 쓰면 「이렇게 빨리(thus early)」의 뜻이 됨: Is he back ~? 이렇게 빨리 돌아왔느냐《뜻밖이다》. 〖ALL, READY〗
活用 ☞ YET (1), (2).

al·right [ɔ:lráit] *adv.*, *a.* =ALL RIGHT.

a.l.s., A.L.S. autograph letter signed(자필 서명의 편지).

ALS antilymphocyte serum; automatic landing system(자동 착륙 장치).

Al·sace [ælsǽs, ælséis, ǽlsæs] *n.* 알자스《프랑스 북동부의 한 지방; 옛 주; 포도주로 유명》.

Álsace-Lorráine *n.* 알자스로렌《프랑스 북동부의 지방명; 예로부터 독일과 영토 소유권을 다투던 지역》.

Al·sa·tia [ælséiʃiə] *n.* **1** 알사티아《Alsace의 옛 칭호》. **2** 앨세이시어《런던의 한 지구로 원래 Whitefriars라 하여 범죄자·채무자의 도피 장소》; 잠복지, 도피 장소, 무법 지대. 〖L〗

Al·sa·tian [ælséiʃən] *a.* 알자스(인)의; (런던의) Alsatia의.
—— *n.* 알자스인; 독일종 셰퍼드.

ál·sike (clóver) [ǽlsaik(-), -sik(-), -sæk(-), ɔ́:l-] *n.* 클로버의 일종《유럽산(產)으로 목초로 씀》. 〖*Alsike* 스웨덴의 지명〗

Al Si·rat [æl sirɑ́:t, -rǽt] *n.* 〖이슬람敎〗 코란(Koran)의 올바른 신앙; 천국으로 가는 다리《올바른 자만이 건널 수 있고 부정한 자는 밑의 지옥으로 떨어진다고 함》.

◇**al·so** [ɔ́:lsou] *adv.* 또한, 역시(too, besides): He ~ speaks[can ~ speak] German. 그는 또한 독일어도 말한다[말할 수 있다]. ☞ 活用. ㊟ not only... but (also)의 구문에 대해서는 NOT(숙어)을 참조. —— *conj.* 《口》 그리고 또한.
〖OE *alswā*; ⇨ ALL, SO[1]〗
活用 (1) *adv.*로서는 보통 문장 가운데 놓이나 문장 끝에 있을 때는 강조적(強調的): I will join the club, *also*. (나도 그 클럽에 가입하겠다). (2) 부정문에서는 either를 쓴다. ☞ EITHER *adv.* 2, TOO 活用.

álso-ràn *n.* 《俗》 (경마에서) 등외로 탈락한 말; 등외로 떨어진 사람; 낙선자; 출세를 못한 사람; 멍청이.

álso-rùnner *n.* (경기 따위의) 패자(敗者); 지지율이 낮은 후보자(↔*front-runner*).

alt [ælt] *a.* 〖樂〗 높은, 알토의.
—— *n.* [다음 숙어로]
in alt G선상의 옥타브의 음으로; 의기 양양해져, 뽐내어.
〖It.<L *altus* high〗

alt. alternate; altitude; 〖樂〗 alto.

ALT 〖宇宙〗 approach and landing test(활공 착륙 실험).

Alta. Alberta.

Al·tai [ǽltai, æltái; ɑ:ltái, æltéiai] *n.* **1** [the ~] =ALTAI MOUNTAINS. **2** 알타이《러시아 연방의 한 지방》.

Al·ta·ic [æltéiik] *a.* **1** 알타이 산맥(의 주민)의. **2** 알타이 어족(語族)의. —— *n.* Ⓤ 알타이어족; 알타이어를 사용하는 민족.

Áltai Móuntains *n. pl.* [the ~] 알타이 산맥《러시아 연방·몽고·중국에 걸친 대산맥》.

Al·tair [æltéər, -tǽər, -táiər, ⌐-] *n.* 〖天〗 견우성(牽牛星).

Al·ta·mi·ra [æltəmíərə] *n.* 알타미라《스페인 북부에 있는 동굴; 구석기 시대의 채색한 동물 벽화가 있음》.

‡**al·tar** [ɔ́:ltər] *n.* (교회의) 제단, 성찬대.
lead a woman ***to the altar*** (특히 교회에서) 여자와 결혼하다.
〖OE<Gmc.<L (*altus* high)〗

áltar·age *n.* 제물, 미사 예물.

áltar bòy *n.* (카톨릭 교회 미사 때의) 복사(服事)(acolyte).

áltar brèad *n.* 성찬용 빵.

áltar clòth *n.* 성체포(聖體布), 제단을 덮는 보.

áltar·pìece *n.* 제단 뒤쪽[상단]의 장식《그림·조각·칸막이》.

áltar ràil *n.* =COMMUNION RAIL.

áltar stòne *n.* 제단의 대석; 〖카톨릭〗 (원래 휴대용 제단으로 쓰이던) 성석(聖石).

alt·ázimuth [ælt-] *n.* 〖天〗 경위의(經緯儀).
〖*alt*itude〗

***al·ter** [ɔ́:ltər] *vt.* (모양·성질·위치 따위를) 바꾸다, 변경하다; (집을) 개조하다; (의복을) 다시 [고쳐] 만들다: I had the coat ~*ed* by a tailor to fit me. 내 몸에 맞게 양복점에서 상의를 고쳐 만들었다. —— *vi.* 바뀌다, 고쳐지다: The suburbs have ~*ed* almost out of recognition. 교외는 거의 알아볼 수 없을 정도로 변했다.
〖OF<L (*alter* other)〗
類義語 ⟹ CHANGE.

àlter·abílity *n.* 변경할 수 있음.

álter·able *a.* 변경할 수 있는.

al·ter·ant [ɔ́:ltərənt] *n.* 변화를 일으키는 것; 변질제; 변색제. —— *a.* 변화를 일으키는.

al·ter·a·tion [ɔ:ltəréiʃən] *n.* Ⓤ,Ⓒ 고침, 변경, 개변(改變), 수정; 개조; 변화, 변질; Ⓒ 고쳐진 곳: make an ~ to a building 개축하다.

al·ter·a·tive [ɔ́:ltərətiv, 美+-rèit-] *a.*, *n.* (체질 따위를) 바꾸는; 〖醫〗 변질제, 체질 개선 요법.

al·ter·cate [ɔ́:ltərkèit, 美+ǽl-] *vi.* 《稀》 말다툼[언쟁·논쟁]하다, 격론하다(quarrel)〈*with*〉.
〖L=to dispute with another; ⇨ ALTER〗

al·ter·ca·tion [ɔ:ltərkéiʃən, 美+æl-] *n.* Ⓤ,Ⓒ 말다툼, 논쟁, 격론.

ál·tered *n.* 《口》 (단거리) 자동차 경주(drag race)용 개조차, 고속을 낼 수 있게 모터만을 새로 갈아 낀 자동차(hot rod).

áltered chórd *n.* 〖樂〗 변화 화음.

áltered státe of cónsciousness *n.* (기도·단식 따위에 의한) 이상한 정신 상태.

al·ter ego [ɔ́:ltər í:gou, ǽl-, -ég-] *n.* 다른 나, 제2의 자아, 분신; 둘도 없는 벗.
〖L=other self〗

al·ter·nant [ɔ́:ltərnənt; ɔ:ltə́:n-] *a.* 교대의, 번갈아하는. —— *n.* 〖言〗 교대 형식《이음(異音) 또는 이형태(異形態)》.

***al·ter·nate**[1] [ɔ́:ltərnət, ǽl-; ɔ:ltə́:n-] *a.* **1** 번갈아하는, 서로의, 상호의, 교체의, 교대하는. **2** 하나 걸러 (서로) 엇갈린(cf. OPPOSITE); 〖植〗 어긋나기의: ~ leaves 어긋나기 잎 / on ~ days[lines] 하루[1행(行)]걸러, 격일[격행(隔行)]로. **3** 〖電〗 교류하는. **4** 《美》 부(副)의, 대리의. —— *n.* 교체물[자]; 《美》 대리인, 보결. **~·ly** *adv.* 번갈아, 교대로; 서로 엇갈리게, 하나 걸러. **~·ness** *n.* 교호(交互), 서로 엇갈림.
〖L *alterno* to do by turns; ⇨ ALTER〗

al·ter·nate**[2] [ɔ́:ltərnèit, 美+ǽl-] *vt.* [+目/+目+*with*+名] 교대로 하다, 교체하다; 서로 엇갈리게 하다: He ~*s* kindness and[with***] sever-

ity. 그는 번갈아가며 친절히 하거나 엄격하게 하거나 한다.
—— *vi.* **1** [動 / +*with*+名] 교대가 되다 ; 서로 엇갈리다 : Kate and her sister will ~ in setting the table. 케이트와 여동생이 교대로 식탁 준비를 할 것이다 / Day ~*s* ***with*** night. 낮과 밤이 번갈아 온다. **2** (전류가) 교류하다. 〖↑〗

álternate áirport *n.* 대체(代替) 공항《착륙 예정 공항이 어떤 사유로 착륙이 불가능할 때 미리 선정해 둔 다른 공항》.

álternate ángles *n. pl.* 〖數〗 엇각.

álternate delívery *n.* 우편 대신 민간 가정 배달업자를 이용한 잡지의 송부.

álternate sóurce *n.* 2차 공급자.

álternate úse *n.* (공장의) 딴 용도.

ál·ter·nàt·ing *a.* 교대의, 번갈아하는, 교체하는 ; 〖電〗 교류의.

álternating cúrrent *n.* 〖電〗 교류(交流) 《略 A.C., a.c. ; cf. DIRECT CURRENT》.

álternating gróup *n.* 〖數〗 교대군(群).

al·ter·na·tion [ɔ̀:ltərnéiʃən, 美+æl-] *n.* U,C 교호(交互), 교대, 교체 ; 하나 걸러서의 배열 ; 〖電〗 교번(交番).
類義語 ⟹ CHOICE[1].

alternátion of generátions *n.* 〖生〗 세대 교번(世代交番).

al·ter·na·tive** [ɔ:ltə́:rnətiv, 美+æl-] *a.* **1** (둘 중에서) 하나를 골라야 하는, 하나를 고르는 : ~ courses (죽음이냐 항복이냐 따위의) 두 갈래 길. **2** 대신의, 다른 : have no ~ course 달리 방법이 없다. —— *n.* **1** [+*of*+do*ing*] 양자간의 선택, 양자 택일 : You have the ~ ***of go*ing* with us *or* stay*ing* alone at home. 우리와 함께 가거나 혼자 집을 지키거나 아무래도 좋다. **2** (어느 하나를) 선택해야 할 둘[두 개] : The ~*s* are death and submission. 죽음이냐 항복이냐 둘 중의 하나다. 注 1, 2에서는 보통 양자에 대해 쓰지만 때때로는 삼자 이상의 사이에서도 쓰임 : the three ~*s* 하나를 선택해야 할 3가지. **3** 달리 취할 방도, 대안(代案) : The ~ *to* submission is death. 항복이 아니면 죽음뿐이다 / There is no (other) ~. 달리 방도가 없다 / I had no ~ but to accept the offer. 그 제의를 받아들일 수밖에 방도가 없었다 / That's the only ~. 그것이 채택할 수 있는 유일한 방도다. **~·ly** *adv.* 양자 택일적으로, 선택적으로 ; 대신으로. **~·ness** *n.*
〖F or L ; ⇨ ALTERNATE[1]〗
類義語 ⟹ CHOICE[1].

altérnative bírthing *n.* 또 하나의 출산법《기구나 약을 사용하지 않는 분만법》.

altérnative conjúnction *n.* 〖文法〗 선택 접속사《It is black *or* white.의 *or* ; Please *either* come in *or* go out.의 *either...or* 따위》.

altérnative defénse *n.* 대체 방위《위협이 아니고 신뢰에 의한 안전 보장 ; 우선 핵무기, 그리고 무기의 철폐》.

altérnative énergy *n.* 대체 에너지《태양·풍력·파력(波力) 따위 에너지의 총칭》.

altérnative músic *n.* 전자 악기의 기계적인 음·잡음을 강조하여 구성하는 록음악의 총칭.

altérnative púnishment *n.* 대체벌(代替罰) 《투옥대신 다른 수단으로 형벌을 줌》.

altérnative quéstion *n.* 〖文法〗 선택 의문문.

altérnative schóol *n.* 올터너티브 스쿨《전통적인 것에 대신하는 커리큘럼[교육 과정]에 의한 초등[중등] 학교》.

altérnative socíety *n.* [the ~] 또 하나의 사회, 별(別)사회, 신사회《현재의 사회와는 다른 가치 체계에 기초를 둔 이질적 사회》.

altérnative technólogy *n.* 대체 기술《대체 에너지를 사용하기 위한 기술 ; 또는 소규모로 단순한 재료를 쓰는 기술》.

ál·ter·nà·tor *n.* 〖電〗 교류(발전)기.

al·thaea, -thea [ælθí:ə] *n.* 〖植〗 접시꽃속(屬)의 식물. 〖L<Gk.〗

al·tho, al·tho' [ɔ:lðóu] *conj.* 《美》 =ALTHOUGH.

alt·horn [ǽlthɔ̀:rn] *n.* 〖樂〗 알토 호른(alto horn) 《고음(高音)의 금관 악기 ; cf. SAXHORN》.

◇**al·though** [ɔ:lðóu, -ˊ] *conj.* 비록 …일지라도, …라고는 하나, …이기는 하나(though) : *A*~ he was not handsome, there was something agreeable in his manner. 미남은 아니지만 그 태도에는 어딘지 모르게 마음에 드는 데가 있었다.
〖ME ; ⇨ ALL, THOUGH〗
活用 (1) though보다 어느 정도 문어적이며 가정보다는 사실을 말할 때 흔히 쓰임 ; 주절(主節)에 앞설 때에는 보통 although를 많이 쓰고 as *though*, even *though*, What *though*...?에서는 though 대신에 although를 쓸 수 없음 ; 또한 부사적으로 문장 끝에 둘 수도 없음.
(2) although가 이끄는 절과 주절과의 주어가 같을 때 그 주어와 be 동사를 *Although old*, he is quite strong. 과 같이 생략할 수도 있지만 though의 경우보다 흔하지 않음.
(3) although, though가 이끄는 절이 문장 첫머리에 올 때 그 뜻을 강조하기 위하여 주절에 yet를 쓸 경우도 있다 : *Although*[*Though*] she was prevented by illness from studying, *yet* she won good marks in the English examination. (그녀는 병때문에 충분히 공부할 수 없었지만 영어 시험에서 좋은 성적을 받았다) ; 이 yet는 《文語》로서 특히 문장이 길어졌을 경우에 쓰임.

al·ti- [ǽltə] *comb. form* 「높은」 「고도(高度)」의 뜻. 〖L ; ⇨ ALT〗

álti·gràph *n.* 자동 고도 기록기.

al·tim·e·ter [æltímətər, ǽltəmì:-] *n.* 〖空〗 고도계(高度計) ; 고도 측정기. 〖*alti-*〗

al·tim·e·try [æltímətri] *n.* 고도 측정법.

al·tis·si·mo [æltísəmou] *a.* 〖樂〗 (음조가) 가장 높은, 알티시모의. —— *n.* [다음 숙어로]
in altissimo 알티시모로.
〖It.〗

‡**al·ti·tude** [ǽltətjù:d] *n.* **1** U,C (산·천체 따위의) 높이, 고도 ; 해발, 표고(標高) ; 수위(水位) ; 《비유》 높은 지위[계급](high position) ; [보통 *pl.*] 높은 곳, 고지(高地). **2** U,C ; 〖數〗 수직거리, 높이.
at an*[*the*] *altitude of …의 고도로.
〖L (*altus* high)〗
類義語 ⟹ HEIGHT.

áltitude flìght *n.* 고도 비행.

áltitude rècord *n.* 고도 기록.

áltitude sìckness *n.* 고공병(高空病), 고산병.

àl·ti·tú·di·nal *a.* 고도[표고]의.

al·to [ǽltou] *n.* (*pl.* **~s**) U 〖樂〗 알토, 중고음(中高音), 여성(女聲) 최저음(cf. CONTRALTO), 남성(男聲) 최고음, 중고음부 ; C 알토 가수[악기]. ☞ BASS[1] *n.* 注. —— *a.* 알토의 : an ~ solo 알토 독창. 〖It. *alto* (*canto*) high (singing)〗

al·to- [ǽltou, -tə] *comb. form* 「높은·고도」의 뜻. 〖L ; ⇨ ALT〗

álto clèf *n.* 〖樂〗 알토 음자리표《제3선에 쓰여진 '다'음자리표(C clef)》.

àlto·cúmulus *n.* 〖氣〗 높쌘구름, 고적운.

***al·to·geth·er** [ɔ̀:ltəgéðər] *adv.* **1** 아주, 전혀, 전연, 오로지, 오직(entirely) : It was ~ pleasant. 아주 즐거웠다 / That is not ~ false. 그것이 전혀 거짓말은 아니다《부분 부정》. **2** 전체로, 총계하여. **3** 전체적으로 보아, 요컨대 : *A*~, it was a successful party. 대체로 성대한 연회였습니다. 注 비교 : They sang *all together.* 모두 함께 노래 불렀다.
taken altogether 전체적으로 보아, 대략, 대체로, 요컨대.
—— *n.* 전체 ; [the ~] 《口》 알몸.
in the altogether 《口》 알몸으로.
〖ME ; ⇨ ALL, TOGETHER〗

álto hórn *n.* =ALTHORN.

al·tom·e·ter [æltámətər] *n.* =ALTIMETER.

álto-relíevo *n.* (*pl.* **~s**) U,C 〖彫〗 두드러진 양각(陽刻), 높은 돋을새김(high relief) (cf. BASSO-RELIEVO, MEZZO-RELIEVO).

álto-rilíevo *n.* (*pl.* **-vi** [-vi]) =ALTO-RELIEVO. 〖It.〗

àlto·strátus *n.* (*pl.* **-ti**) 〖氣〗 높층구름, 고층운(高層雲).

al·tri·cial [æltríʃəl] *a., n.* 부화 직후에 잠시 어미새의 보살핌이 필요한 (새), 만성(晩成)의.

al·tru·ism [ǽltru(:)ìzəm] *n.* U 이타주의(利他主義) (↔*egoism*) ; C 이타적 행위.
〖F (It. *altrui* somebody else)〗

ál·tru·ist *n.* 이타[애타]주의자.

àl·tru·ís·tic *a.* 이타(주의)적인 (↔*egoistic, selfish*). **-ti·cal·ly** *adv.* 이타적으로.

altruístic behávior *n.* 이타 행동.

ALU 〖컴퓨〗 arithmetic and logic unit (산술(算術) 논리 장치).

al·u·la [ǽljələ] *n.* (*pl.* **-lae** [-lì:, -lài]) (새의) 작은 날개(깃).
〖L (dim.) ‹ *ala*〗

al·um[1] [ǽləm] *n.* U 〖化〗 백반(白礬).
〖OF<L *alumin- alumen*〗

alum[2] [əlʌ́m] *n.* 《美俗》 =ALUMNUS, ALUMNA.

alum. 《美》 aluminum, 《英》 aluminium.

alu·min- [əlú:mən], **alu·mi·no-** [əlú:mənou, -nə] *comb. form* 「백반(alum)」 「알루미늄」의 뜻. 〖L〗

alu·mi·na [əlú:mənə] *n.* U 〖化〗 알루미나, 산화알루미늄.
〖ALUM[1] ; 어미는 *soda* 따위에 준한 것〗

alu·mi·nate [əlú:mənèit, -nət] *n.* 알루민산염.

al·u·min·i·um [æ̀ljəmíniəm] *n.* 《英》 =ALUMINUM.

alu·mi·nize [əlú:mənàiz] *vt.* 알루미늄으로 처리하다 ; 알루미늄을 입히다.

alu·mi·nous [əlú:mənəs] *a.* **1** 백반(alum)의[을 함유한]. **2** 알루미늄의[을 함유한].

alu·mi·num [əlú:mənəm] *n.* U 〖化〗 알루미늄《금속원소 ; 기호 Al ; 번호 13》. 〖ALUM[1]〗

alúminum bràss *n.* 〖冶〗 알루미늄 황동.

alúminum brònze *n.* 알루미늄 청동《알루미늄과 구리의 합금》.

alúminum óxide *n.* =ALUMINA.

alum·na [əlʌ́mnə] *n.* (*pl.* **-nae** [-ni:, -nai]) 《美》 여자 졸업생 (cf. OLD GIRL).
〖ALUMNUS〗

alumni *n.* ALUMNUS의 복수형.

alúmni associàtion *n.* 《美》 동창회(old boys' [girls'] association).

alum·nus [əlʌ́mnəs] *n.* (*pl.* **-ni** [-nai]) 《英》 학생, 생도 ; 《美》 남자 졸업생, 동창생, 교우(校友), 동문(同門) (old boy) ; 《美》 (운동부의) 선배.
〖L=nursling, pupil (*alo* to nourish)〗
活用 (1) 「졸업생, 동창생」의 뜻으로 《英》에서는 보통 old boy[girl]를 쓰고 alumnus[alumna]를 쓰는 일은 드묾.
(2) 단수형 alumnus는 보통 남성의 경우에만 쓰이나 복수형 alumni는 남녀 공학인 학교의 경우에는 여성을 포함하여 쓰임.

álum·ròot *n.* 〖植〗 작은 종 모양의 꽃이 피는 범의귀과의 식물.

al·u·nite [ǽljənàit] *n.* U 〖鑛〗 명반석(明礬石).

al·ve·ol- [ælví:əl, æ̀lvióul, ǽlviəl], **al·ve·o·lo-** [ælví(:)əlou, -lə] *comb. form* alveolus의 뜻.

al·ve·o·lar [ælví(:)ələr, æ̀lvióu-] *a.* 〖解〗 (소와상(小窩狀)) 기포(氣胞)의, 폐포(肺胞)의 ; 치조(齒槽)의 : ~ consonants 〖音聲〗 치경음(齒莖音) 《[t, n, l, s] 따위》. —— *n.* [*pl.*] 〖解〗 치조 ; [*pl.*] 치조돌기.

al·ve·o·late [ælví(:)ələt, -lèit], **-lat·ed** [-lèitəd] *a.* 〖解〗 소와(小窩)[폐포, 소포(小胞)]가 있는 ; 포상(胞狀)의 ; 벌집 모양의, 작은 구멍이 많은 ; 기포가 있는. **al·vè·o·lá·tion** *n.* 봉와상[성](蜂窩狀[性]).

al·ve·o·lus [ælví(:)ələs] *n.* (*pl.* **-li** [-lài, -lì:]) 〖解〗 소와(小窩) ; 기포, 폐포 ; 치조.
〖L (dim.) ‹ *alveus* cavity〗

al·vine [ǽlvən, -vain] *a.* 복부의, 아랫배의, 장(腸)의, 창자의.

alw. allowance.

al·way [ɔ́:lwei] *adv.* 《古·詩》 =ALWAYS.

◇al·ways [ɔ́:lweiz, -wiz, -wəz] *adv.* 항상, 언제나, 시종(at all times) : nearly ~ 대개 (언제나) / He is ~ late. 언제나 늦는다 / He ~ comes late. 언제나 늦게 온다.
not always... 반드시 …이라고는 할 수 없다 《부분 부정 ; ☞ NOT 4》: The rich are *not* ~ happy. 부자라고 반드시 행복하지는 않다.
〖ME ; ⇨ ALL, WAY[1], -'s (? distrib. gen.)〗
活用 (1) 어순은 조동사 및 be동사 다음이며 다른 일반 동사 앞 ; 조동사 또는 be동사가 강조되면 그 앞으로 나옴 : He *always is* [íz] late. / He *always does* [dʌ́z] come late.
(2) 진행형과 함께 쓰여 동작의 반복을 강조하며 감정적인 색채를 포함하기도 함 : He is *always* grumbling. (언제나 불평만 한다).
類義語 ***always*** 언제나, 항상, 중단하는 일도 있지만 영속적으로. ***ever*** always 보다 뜻이 강하며 죽 계속하여 변화하지 않음을 나타냄 ; 일정한 표현 이외에는 《文語》. ***for ever***, 《美》 ***forever*** 때로는 「끊임없이」 「악착같이」라는 뜻을 나타냄 : These children are *forever* asking questions. (이 어린애들은 끊임없이 질문을 해온다).

al·yo [ǽljou] *n.* 《美俗》 **1** 늘 정해진 일. **2** 평온한 상태 ; 차분한 사람. **3** 매수, 증회(贈賄), 뇌물(fix).

alys·sum [əlísəm ; ǽlis-] *n.* 〖植〗 **1** 겨자과(科) 알리숨속(屬)의 각종 초본. **2** 양구슬갓냉이.
〖L<Gk.〗

Álz·hei·mer's disèase [á:ltshaimərz-] *n.* 알츠하이머병《노인성 치매 ; 뇌동맥 경화증·신경의 퇴화를 수반함》.
〖Alois *Alzheimer* (d. 1915) 독일의 정신과 의사〗

◇am [m, əm, ǽm] *vi.* BE의 1 인칭·단수·현재형·직설법(直說法) (cf. AIN'T, AN'T, ARE[1] 注). 注 발음 : I am [aiəm, ai ǽm], I'm [aim]; am not [æm nát, əm nát] : I *am* an American girl. 미국 소녀입니다.

Am 〔化〕 americium.

Am. America(n).

AM, A.M. 〔電〕 amplitude modulation.

A.M. *Artium Magister* 《L》 (=Master of Arts). ㈜ M.A.라고도 함.

‡a.m., A.M., A.M. [éi ém] 오전(의)《라틴어 *a*nte *m*eridiem (=before noon)의 단축형 ; ↔ *p.m.*》.

〈회화〉
I took the 8 : 30 *a.m.* train for Pusan. — What time did you arrive there?「오전 8시 30분에 출발하는 부산행 열차를 탔어요」「부산에 도착한 것은 몇 시였지」

活用 시각을 나타내는 숫자 뒤에 붙임 : at 7 *a.m.* (오전 7시에) / Business hours, 10 *a.m.*-5 p.m. (영업 시간 오전 10시부터 오후 5시까지) 《10 a.m. to 5 p.m.이라 읽음》.

A.M.A., AMA American Management Association ; American Medical Association (미국 의사회).

am·a·da·vat [æ̀mədəvǽt] *n.* (인도산) 방울새 비슷한 작은 새.

am·a·dou [ǽmədùː] *n.* Ⓤ 말굽버섯과(科)의 버섯에서 추출한 해면상(海綿狀) 물질 ; 아마두《부싯깃·지혈 따위에 씀》.

amah [áːmə, ǽmə] *n.* (동양에서의) 엄마, 유모 (wet nurse), 아기보는 여자, 식모, 가정부(maid). 〖Pidgin〗

amain [əméin] *adv.* 《詩》 힘껏, 심하게, 격렬히 ; 쏜살같이(at full speed) ; 황급히 ; 대단히. 〖*a*-¹, MAIN=force〗

Amal [əmáːl] *n.* 아말《레바논의 이슬람교 시아파 무장 조직》.

amal·gam [əmǽlgəm] *n.* **1** Ⓤ 〔冶〕 아말감《수은과 다른 금속과의 합금》 : gold[tin] ~ 금[주석] 아말감. **2** 합성물 ; 《비유》 (여러 가지 요소의) 혼합물 : an ~ *of* hope and fear 희망과 불안의 교착. 〖F or L< ? Gk. *malagma* an emollient〗

amal·ga·mate [əmǽlgəmèit] *vt.* (회사 따위를) 합병[합동]하다(combine) ; (이종족(異種族)·사상 따위를) 혼합[융합]하다(unite) ; 아말감화(化)하다 : Many different stocks are being ~*d* in the United States. 미합중국에는 많은 이민족들이 혼합되어 있다. —— *vi.* 아말감화하다 ; 수은과 화합하다 ; 융합하다.

-ga·ma·ble [-gəməbəl] *a.* 〖L (↑)〗

amal·ga·ma·tion [əmæ̀lgəméiʃən] *n.* Ⓤ,Ⓒ 아말감화(법) ; 합동, 합병 ; 융합 ; 인종간의 혼혈.

amál·ga·mà·tive *a.* 혼합[융합, 합병]하기 쉬운.

amál·ga·mà·tor *n.* 혼홍기(混汞器)(를 조작하는 사람) ; 혼합[합병, 융합]하는 사람[것].

am·a·ni·ta [æ̀mənáitə, -níː-] *n.* 〔植〕 광대버섯속의 각종 버섯.

aman·ta·dine [əmǽntədìːn] *n.* 〔藥〕 아만타딘《항(抗)바이러스 약》.

aman·u·en·sis [əmæ̀njuénsəs] *n.* (*pl.* **-ses** [-siːz]) 필기자, 필사생(筆寫生), 서기. 〖L ((*servus*) *a manu* slave at hand, secretary, -*ensis* belonging to)〗

am·a·ranth [ǽmərænθ] *n.* 〔傳說〕 영원히 시들지 않는 꽃 ; 〔植〕 아마란스《비름속(屬)의 각종 식물》 ; Ⓤ 아마란스 적색, 자줏빛. 〖F or L<Gk. *amarantos* unfading〗

am·a·ran·thine [æ̀mərǽnθain, 美+-θən] *a.* **1** 시들지 않는(unfading) ; 불사(不死)의, 불멸의. **2** 자줏빛의.

am·a·relle [ǽmərèl] *n.* 앵두나무의 일종《무색의 과즙을 냄》.

am·a·ret·to [æ̀mərétou] *n.* (*pl.* **~s**) 아마레토《아몬드 맛이 나는 리큐어》. 〖It. (dim.) ‹ *amaro* bitter〗

am·a·ryl·lis [æ̀məríləs] *n.* **1** [A~] 《詩》 아마릴리스《전원시의 양치기 소녀 이름》. **2** 〔植〕 아마릴리스《수선화과의 관상 식물》. 〖L<Gk. *Amarullis* 소녀의 이름〗

amass [əmǽs] *vt.* 쌓다(pile up) ; (재산을) 축적하다(accumulate) : The miser ~*ed* a fortune for himself. 그 구두쇠는 혼자 힘으로 재산을 모았다. **~·er** *n.* 축적자. **~·ment** *n.* Ⓤ,Ⓒ 축적. 〖F or L (*ad*-, MASS¹)〗

***am·a·teur** [ǽmətər, -tə̀ːr, -tʃùər, -tjùər, -tʃər, æ̀mətə́ːr] *n.* 아마추어《취미 삼아 문학·예술·스포츠 따위를 하는 사람》, 전문이 아닌 사람〈*in*〉(↔ *professional* ; cf. DILETTANTE) ; 애호가〈*of*〉; 미숙한 사람. —— *a.* 아마추어의, 비전문적인(↔ *professional*) ; 미숙한 : an ~ golfer / an ~ dramatic club 아마추어 연극 클럽 / ~ theatricals 아마추어 (연)극. 〖F<It.<L *amator* lover ; ⇨ AMATORY〗

àm·a·téur·ish [ˌ ⌐--] *a.* 아마추어다운, 비전문적인, 미숙한 티가 나는. **~·ly** *adv.* 아마추어답게. **~·ness** *n.*

ám·a·teur·ìsm *n.* Ⓤ 아마추어 연예[기질] (cf. PROFESSIONALISM) ; 도락 ; 아마추어의 자격.

ámateur níght *n.* 《美俗》 아마추어 연예의 밤 ; 프로답지 않은 실수 ; 어쩌다가 맺어진 관계.

amateur satellite ☞ AMSAT.

am·a·tive [ǽmətiv] *a.* 연애의 ; 호색적인.

am·a·tol [ǽmətɔ̀(ː)l, -tòul, -tàl] *n.* 강력한 폭약의 일종.

am·a·to·ri·al [æ̀mətɔ́ːriəl] *a.* =AMATORY.

am·a·to·ry [ǽmətɔ̀ːri ; -təri] *a.* 연애의 ; 색욕적(色慾的)인 : an ~ poem 연애시. 〖L (*amo* to love)〗

am·au·ro·sis [æ̀mɔːróusəs] *n.* (*pl.* **-ses** [-siːz]) Ⓤ 〔醫〕 흑내장(黑內障).

amaze** [əméiz] *vt.* 깜짝 놀라게 하다, 놀래다. ㈜ 때때로 *p.p.*로 형용사적으로도 쓰임[+*to* do] : He was ~*d* ***at the excellence of the boy's drawings. 소년의 뛰어난 그림 솜씨에 놀랐다 / She was ~*d to* find her husband seriously wounded. 그녀는 남편이 중상을 입은 것을 보고 놀랐다. —— *n.* 《詩》 =AMAZEMENT. 〖OE (p.p.) < *āmasian* to bewilder<? ; cf. MAZE〗 類義語 ⟹ SURPRISE.

amázed *a.* 깜짝 놀란. **amáz·ed·ly** [-ədli] *adv.* 깜짝 놀라.

amáze·ment *n.* **1** Ⓤ 깜짝 놀람, 대경실색, 경탄 : *in* ~ 대경실색하여 / *to* one's ~ 놀랍게도. **2** 놀라움의 대상[원인].

***amáz·ing** *a.* 놀랄만한, 기막힌. —— *adv.* 《方》 굉장히. **~·ly** *adv.* 놀랍게도, 기막히게, 굉장히.

Am·a·zon [ǽməzàn, -zən ; -zən] *n.* **1** [the ~] 아마존 강《남미에 있는 세계 최대의 강》. **2** 〔그神〕 아마존《용맹스러운 여전사(女戰士)》; [a~] 《비유》 여장부, 여걸 ; [a~] 표독스러운 여자 (virago). 〖L<Gk. ; 속설에 Gk. *a*- without+ *mazos* breast〗

Ámazon ánt *n.* 무사개미

Am·a·zo·ni·an [æ̀məzóuniən, -njən] *a.* **1** 아마존 강의. **2** 아마존족(族) 같이 용맹한, 남자 못지 않

은(cf. AMAZON 2).

am·a·zon·ite [ǽməzənàit], **ámazon·stòne** *n.* 〖鑛〗 천하석(天河石), 아마존석(石)《녹색 장석(長石)의 일종 ; 장식용의 준(準)보석》.

Amb. ambassador.

am·ba·ges [æmbéidʒi:z, ǽmbidʒəz] *n. pl.* (*sg.* **am·bage** [ǽmbidʒ]) 우회적인 길[방법·말]. 〖OF<L (*amb-* both ways)〗

am·ba·gious [æmbéidʒəs] *a.* 우회한, 우원(迂遠)한.

***am·bas·sa·dor** [æmbǽsədər, əm-] *n.* 대사, 사절(☞ EMBASSY, MINISTER) : the Korean *A*~ *to* Great Britain[to the Court of St. James's] 주영 한국 대사 / the British *A*~ *at* Seoul 서울 주재 영국 대사 / an ~ extraordinary and plenipotentiary 특명 전권 대사 / an ordinary[a resident] ~ 변리(辨理)[주재(駐在)] 대사 / a roving ~ 순회 대사.

~·shìp *n.* Ⓤ 대사의 직[신분·자격].

〖F<It.<Rom.<L<Gmc. (L *ambactus* servant)〗

ambássador-at-lárge *n.* (*pl.* **ambássadors-**) 《美》 무임소 대사, 특사.

am·bas·sa·do·ri·al [æmbæ̀sədɔ́:riəl] *a.* 대사의, 사절(使節)의.

am·bás·sa·dress *n.* **1** 여자 대사[사절]. **2** 대사 부인.

am·ber [ǽmbər] *n.* Ⓤ 호박(琥珀) ; (교통 신호의) 황색 신호 ; 호박 빛깔. —— *a.* 호박의[으로 만든] ; 호박 빛깔(의) (yellowish brown).

〖OF<Arab. =amber(gris)〗

am·ber·gris [ǽmbərgrì:s, -grìs] *n.* Ⓤ 용연향(龍涎香)《향유고래에서 채취하는 향료》.

〖OF *ambre gris* grey amber〗

am·ber·ite [ǽmbəràit] *n.* Ⓤ 앰버라이트《무연(無煙) 폭약》.

ámber·jàck *n.* 《美》 〖魚〗 방어·잿방어류(類)의 물고기.

am·ber·oid [ǽmbərɔ̀id] *n.* 인조 호박(琥珀).

am·bi- [ǽmbi] *pref.* 「양측」「양쪽」「둘레」의 뜻 (cf. AMPHI-) : *ambi*dextrous. 〖L〗

am·bi·dex·ter [æ̀mbədékstər] *a.* 양손잡이의 ; 매우 솜씨좋은 ; 두 마음을 품은. —— *n.* 양손잡이 ; 두 다리 걸치는 사람.

àm·bi·dex·tér·i·ty [-dekstérəti] *n.* Ⓤ 양손잡이 ; 매우 솜씨가 좋음 ; 두 마음(을 품음).

am·bi·dex·trous [æ̀mbidékstrəs] *a.* 양손을 쓰는, 양손잡이의 ; 두 마음을 품은(deceitful).

~·ly *adv.*

am·bi·ence, -ance [ǽmbiəns] *n.* 환경(environment) ; 분위기(atmosphere).

ám·bi·ent *a.* 포위한, 둘러싸는. —— *n.* 환경.

〖F or L (*ambit- ambio* to go round)〗

ámbient áir stàndard *n.* 대기오염 허용한도(치(値)).

ámbient músic *n.* 환경 음악.

am·bi·gu·i·ty [æ̀mbəgjú:əti] *n.* Ⓤ 애매함, 두 가지 뜻, 다의(多義) ; Ⓒ 애매한 표현.

***am·big·u·ous** [æmbígjuəs] *a.* 애매한, 분명치 않은, 불명료한, 두[여러] 가지 뜻으로 해석되는.

~·ly *adv.* **~·ness** *n.*

〖L=doubtful (*ambi-, ago* to drive)〗

[類義語] ⟹ OBSCURE.

àmbi·pólar *a.* 〖理〗 (동시) 2극성(二極性)의.

àmbi·séx·trous [-sékstrəs] *a.* 《美》 (복장 따위가) 남녀 공통의(unisex) ; 남녀 혼합의 ; 남녀의 구별이 안되는.

àmbi·syllábic *a.* 〖言〗 양(兩) 음절에 걸치는.

am·bit [ǽmbət] *n.* 《文語》 범위, 영역(sphere) ; 구내(構內), 구역. 〖L=circuit ; ⇨ AMBIENT〗

àmbi·téndency *n.* 〖心〗 서로 상반되는 경향의 공존(共存).

***am·bi·tion** [æmbíʃən] *n.* Ⓤ [+*to* do] 대망(大望), 야망, 공명심, 포부, 패기 ; 야심(野心) ; Ⓒ 야망의 목적 ; 원기, 정력 : He had the high ~ *to* be a great statesman. 그는 대정치가가 되려는 야망을 품었다 / Her ~ is to be a first-rate singer. 그녀의 포부는 일류 가수가 되는 것이다.

—— *vt.* 열망하다. **~·less** *a.* 야망이 없는.

〖OF<L=canvassing for votes ; ⇨ AMBIENT〗

‡am·bi·tious [æmbíʃəs] *a.* 대망[야망]을 품은, 패기에 가득찬 ; [+*to* do] 갈망[열망]하여 ; (작품·계획 따위가) 거창한, 의욕적인 : Boys, be ~ ! 소년들이여, 야망을 가져라! / He is ~ ***of*** power. 그에게는 권세를 잡으려는 야심이 있다 / Tom is ~ *to* get through high school in two years. 톰은 고등학교를 2년 안에 마치려는 생각으로 가득차 있다. **~·ly** *adv.* 야심적으로, 대대적으로. **~·ness** *n.* 〖OF<L (↑)〗

[類義語] ***ambitious*** 입신 출세·부귀·명성 따위를 열망하여 노력하는 ; 좋은 뜻으로나 나쁜 뜻으로나 두루 쓰임 : an *ambitious* politician (야심적인 정치가). ***aspiring*** 좀처럼 이루어질 것 같지 않은 큰 목적을 위하여 노력하는 ; 나쁜 의미는 내포하지 않음 : an *aspiring* youth (큰 뜻을 품은 젊은이). ***enterprising*** 성공하기 위해서는 모험·위험도 불사하겠다는 진취적인 기상을 가진 : an *enterprising* businessman (진취적인 사업가). ***emulous*** (남과 경쟁하여) 동등하게 혹은 그 이상이 되려고 하는.

am·biv·a·lence [æmbívələns] *n.* Ⓤ 〖心〗 반대 감정 병존, 양면(兩面) 가치《동시에 동일 대상에 대해 서로 모순되는 두가지 감정을[가치를] 가진 정신 상태》. 〖G ; ⇨ AMBI-, EQUIVALENCE〗

am·bív·a·lent *a.* 〖心〗 양면 가치의〈*about*〉.

am·bi·ver·sion [æ̀mbivə́:rʒən, -ʃən] *n.* 〖心〗 양향(兩向) 성격《내향성과 외향성 중간의》.

am·bi·vert [ǽmbivə̀:rt] *n.* 〖心〗 양향성 성격자 (cf. INTROVERT, EXTROVERT).

am·ble [ǽmbəl] *vi.* (말이) 측대보(側對步)로 걷다 ; (사람이) 한가로이 걷다, 어슬렁어슬렁 걷다, 천천히[느릿느릿] 걷다〈*along, about*〉. —— *n.* 측대보《말이 같은 쪽의 앞뒷발을 동시에 올려서 걷는 방법 ; cf. CANTER, PACE, TROT》 ; (일반적으로) 느린 걸음. 〖OF<L *ambulo* to walk〗

ám·bler *n.* 측대보로 걷는 말 ; 느리게 걷는 사람.

ám·bling *a.* amble하는.

am·bly·opia [æ̀mblióupiə] *n.* Ⓤ 〖醫〗 약시.

àm·bly·óp·ic [-ɑ́p-] *a.* 약시의.

am·bo [ǽmbou] *n.* (*pl.* **-bos, am·bo·nes** [æmbóuni:z]) (초기 기독교회의) 설교대.

am·broid [ǽmbrɔid] *n.* =AMBEROID.

am·bro·sia [æmbróuʒiə, -ziə] *n.* **1** Ⓤ 〖그·로神〗 신(神)의 음식, 신찬(神饌)《먹으면 불로불사(不老不死)한다고 함 ; cf. NECTAR》. **2** 시적 영감 ; 영적 음악 ; 맛좋은[향기로운] 음식[것].

〖L<Gk. =elixir of life (*ambrotos* immortal)〗

am·bro·type [ǽmbroutàip] *n.* 유리판 사진.

am·bry [ǽmbri] *n.* 찬장 ; 교회의 성물 안치소.

ambs·ace, ames·ace [éimzèis, ǽmz-] *n.* 두 개의 주사위가 동시에 1(ace)이 나오기《최하점》 ; 무가치 ; 불운(bad luck).

am·bu·cop·ter [æ̀mbjəkɑ́ptər, -bjukɔ́p-] *n.* Ⓒ 구급용 헬리콥터.

***am·bu·lance** [ǽmbjələns] *n.* **1** 구급차 : by ~

구급차로. **2** [원뜻] (이동식) 야전 병원(field hospital) ; 병상자 운반차 : ~ corps 야전 위생대 / ~ train 병원 열차.
〚F<L ; ⇨ AMBLE〛
ámbulance càr *n.* 구급차.
ámbulance chàser *n.* 《美俗》 교통 사고를 장사 밑천으로 삼는 변호사 ; 악덕 변호사.
ám·bu·lant *a.* **1** 보행(步行)[이동]하는. **2** 〔醫〕 외래[통원] 환자를 위한, 전이(轉移)[이동]성의 ; 이동하는, 순회하는. 〚L ; ⇨ AMBLE〛
am·bu·late [ǽmbjəlèit] *vi.* 걷다 ; 돌아다니다 (move about).
àm·bu·lá·tion *n.* Ⓤ 보행, 이동.
am·bu·la·to·ry [ǽmbjələtɔ̀:ri, -təri] *a.* 보행(용)의 ; 이동성(移動性)의 ; 순회의 ; 〔醫〕 보행할 수 있는(cf. BEDRIDDEN). —— *n.* (지붕이 달려 있는) 복도[유보장(遊步場)].
〚L ; ⇨ AMBLE〛
ámbulatory electrocardiógraphy *n.* 〔醫〕 보행형 심전계.
am·bus·cade [æ̀mbəskéid, ⌐-⌐] *n.*, *v.* = AMBUSH. **-cád·er** [, ⌐-⌐-] *n.*
〚F<It. or Sp. ; ↓〛
am·bush [ǽmbuʃ] *n.* Ⓤ 매복(埋伏) ; Ⓒ 매복하는 장소 ; [집합적으로] 복병.
fall into an ambush 복병을 만나다.
lay [***make***] ***an ambush*** 복병을 배치시키다 〈*for*〉.
lie [***hide***] ***in ambush*** 매복하다, 복병을 두다.
—— *vi.*, *vt.* 숨어서 기다리다 ; 매복하여 습격하다 ; [*p.p.*로만 사용하여] (복병을) 숨겨두다 : ~ the enemy 적을 숨어서 기다리다. **~·er** *n.* **~·ment** *n.* 〚OF ; ⇨ IN-², BUSH¹〛
AMDG, A.M.D.G. *ad majorem Dei gloriam.* 《L》 (=to the greater glory of God).
amdt. amendment. **AME** African Methodist Episcopal.
ameba, ameboid, etc. ☞ AMOEBA, AMOEBOID, etc.
am·e·bi·a·sis, am·oe- [æ̀mibáiəsəs] *n.* 〔醫〕 아메바증(症).
âme dam·née [à:m dɑ:néi ; *F* ɑ:m dɑne] *n.* (*pl.* **âmes dam·nées** [-*z* ; *F*—]) 남의 손발이 되어 일하는 사람, 추종자, 맹종자.
〚F=damned soul〛
ameer ☞ EMIR.
amel·ia [əméliə] *n.* 〔醫〕 무지증(無肢症)《손발의 선천적 결여》.
Ame·lia [əmí:ljə] *n.* 여자 이름.
〚Gmc. =industrious〛
ame·lio·ra·ble [əmí:ljərəbəl, -liə-] *a.* 개량[개선]할 수 있는.
ame·lio·rate [əmí:ljərèit, -liə-] *vt.* 개량[개선]하다(improve) (↔*deteriorate*) : The new housing has ~*d* living conditions in the slums. 새로운 주택계획에 의해 빈민가의 생활 환경이 개선되었다. —— *vi.* 개선되다, 좋아지다, 향상되다.
〚MELIORATE ; *a-*(〈*ad-*)는 F *améliorer*에서〛
類義語 ⟹ IMPROVE.
amè·lio·rá·tion *n.* Ⓤ,Ⓒ 개량, 개선, (어의의) 향상(melioration) (↔*deterioration*).
amé·lio·rà·tive [; -rə-], **-ra·to·ry** [-rətɔ̀:ri ; -rèitəri, -rə-] *a.* 개량하는, 개선적인.
amé·lio·rà·tor *n.* 개량[개선]하는 사람.
***amen** [èimén, ɑ̀:mén, (성가에서는) ɑ́:mén] *int.*, *n.* 아멘《기독교도가 기도가 끝난 직후에 일제히 외는 헤브라이어》, 그렇게 될 지어다(So be it !) ; 《口》 좋아 !
say amen 찬성하다(agree) 〈*to*〉.
sing the amen 아멘을 외치다.
—— *adv.* 《古》 확실히, 틀림없이.
—— *vt.* …에 찬성[동의]하다 ; 종결하다.
〚L<Gk.<Heb. =certainly〛
Amen [ɑ́:mən] *n.* 아멘《고대 테베의 다산(多産)과 생명의 상징인 양두신(羊頭神) ; 옛 이집트의 태양신(神)》.
ame·na·ble [əmí:nəbəl, 美+əmén-] *a.* **1** 순종하는, 쾌히 받아들이는, (도리에) 따르는〈*to*〉. **2** 따라야 할 의무가 있는, (법의) 제재를 받는〈*to*〉.
-bly *adv.* **amè·na·bíl·i·ty** *n.* 복종해야 할 일 ; 쾌히 받아들이기, 순종.
〚F=bring to (*ad-*, L *mino* to drive animals)〛
類義語 ⟹ OBEDIENT.
ámen còrner [éimen-] *n.* [the ~] 《美》 설교단에 가까운 좌석《열성적인 신자가 앉음》.
***amend** [əménd] *vt.* (행실 따위를) 고치다 ; (의안 따위를) 수정하다. : The constitution was ~*ed* so that women could vote. 여자의 참정권을 인정하도록 헌법이 개정되었다. —— *vi.* 고치다, 개심하다. **~·able** *a.* 〚OF<L ; ⇨ EMEND〛
amend·a·to·ry [əméndətɔ̀:ri ; -təri] *a.* 《美》 수정적인 ; 개정적인.
amende ho·no·ra·ble [*F* amɑ̃:d ɔnɔrabl] *n.* (*pl.* **amendes ho·no·rables** [*F* amɑ̃:dz-ɔnɔrabl]) 공식 배상[사과].
aménd·er *n.* 개정[수정]자.
***aménd·ment** *n.* Ⓤ,Ⓒ 개정, 수정(안) ; 개심 ; [the A~s] 미국 헌법의 보칙(補則)《수정 조항》.
the Eighteenth Amendment 《美》 금주법 《1920년 헌법 제 18조의 수정》.
the Twenty-first Amendment 《美》 (1933년의) 금주(법) 폐지법.
amends [əméndz] *n. pl.* [단수취급] 보상(reparation) : a full ~ 충분한 보상 / make ~ (*for*...) (…을) 보상하다, (…의) 보상을 해주다.
***ame·ni·ty** [əmí:nəti, -mén-] *n.* **1** [the ~] (장소·기후 따위의) 상쾌함, 쾌적함 ; (인품 따위의) 상냥함, 인상 좋음. **2** [*pl.*] 생활을 즐겁게 해주는 여러 가지 일[것], 즐거움, (문화적인) 설비. **3** [*pl.*] 예절 ; 친분, 우의 : exchange *amenities* 인사를 교환하다.
〚OF or L (*amoenus* pleasant)〛
aménity bèd *n.* 《英》 (병원의) 차액 베드《의료 보험에 의한 의료비와의 차액을 개인이 부담함》.
amen·or·rhea, -rhoea [eimènərí:ə, ɑ:-] *n.* Ⓤ 〔醫〕 월경 불순 ; 무월경.
Amen-Ra [ɑ̀:mənrɑ́:] *n.* 아멘라《이집트 신화의 태양신》.
a men·sa et tho·ro [ei ménsə et θɔ́:rou, -tɔ́:-], **-sa et to-** [-tɔ́:-] *adv.* 식탁과 잠자리를 따로 하여 ; (부부가) 별거하여. 〚L〛
am·ent¹ [ǽmənt, éimənt] *n.* 〔植〕 꼬리모양 꽃차례. 〚L=strap, thong〛
ament² [éiment] *n.* 〔醫〕 (선천성) 정신 박약자.
〚L *ament- amens* without mind〛
amen·tia [eiménʃiə, ə-] *n.* 〔精神醫〕 (선천성) 정신 박약, 저능. 〚L ; ⇨ AMENT²〛
Amer. America ; American.
Am·er·asian [æ̀məréiʒən, -ʃən] *n.* 미국인과 동양인 사이의 혼혈아.
amerce [əmə́:rs] *vt.* [+目/+目+前+名] (남에게) 벌금을 과하다(fine) ; 벌하다(punish) : The court ~*d* the criminal ***in*** the sum of $1000. 법정에서는 범인에게 1000달러의 벌금을 과했다.

~·**ment** *n.* Ⓤ 벌금형 ; Ⓒ 벌금, 처벌.

amer·ci·a·ble, -ce- [əmə́ːrsiəbəl, -ʃə-] *a.* 벌금을 부과해야 할.

Am·er·Eng·lish [æ̀məríŋgliʃ] *n.* 《英》 미국 영어 (American English).

◇**Amer·i·ca** [əmérəkə] *n.* 아메리카. ㊟ 전후 문맥에 따라서 다음 중의 하나를 나타냄. (1) 아메리카 합중국(the United States of America, the U.S.(A.), the States). (2) 북아메리카(North America). (3) 남아메리카(South America). (4) 남·북·중앙 아메리카(North, South, and Central America) ; [the ~s] 남·북·중앙 아메리카, 미주(美洲).
〖*Americus* Vespucius 아메리카의 최초의 탐험가라고 일컫는 Amerigo VESPUCCI의 라틴어 이름〗

***Amér·i·can** *a.* 아메리카의 ; 미합중국의, 미국의.
── *n.* 아메리카인, 미국인 ; Ⓤ 미어(美語), 아메리카 영어(American English) : an ~ 미국인 (한 사람) / ten ~*s* 열 명의 미국인 / the ~*s* 미국인 (전체) ; 미군.

Amer·i·cana [əmèrəkáːnə, 美+-kǽn-, 美+-kéi-] *n. pl.* 아메리카[미국]에 관한 문헌[사물], 아메리카의 풍물, 아메리카지(誌).

Américan áloe *n.* 〖植〗 =CENTURY PLANT.

Américan Bár Associàtion *n.* 미국 법률가 협회《略 ABA》.

Américan Béauty *n.* 〖植〗 (미국산(產)) 송이가 큰 붉은 장미.

Américan chèese *n.* =CHEDDAR (CHEESE).

Américan Cívil Wár *n.* [the ~] 〖美史〗 남북전쟁(1861-65).

Américan clòth *n.* 《英》 인조 에나멜 가죽.

Américan dréam *n.* [the ~] 《美》 아메리카의 꿈[이상]《민주주의·자유·평등이 지배하는 이상적인 나라로서의 미국 또는 미국의 문화·사회》.

Américan éagle *n.* 〖鳥〗 =BALD EAGLE.

Américan Énglish *n.* 아메리카 영어, 미어(美語) (cf. BRITISH ENGLISH).

Américan Fíeld Sèrvice *n.* 아메리칸 필드 서비스《고교생의 교환 유학을 알선하는 국제 문화 교류 재단 ; 본부는 미국 ; 略 AFS》.

Américan fóotball *n.* 미식 축구《11명이 하는 럭비 비슷한 경기 ; 《美》에서는 football이라 함》.

Américan Índian *n.* 아메리칸 인디언(Red Indian, redskin)《살갗이 구릿빛》.

Américan·ism *n.* **1** Ⓤ 친미주의 ; Ⓤ,Ⓒ 아메리카 기질[정신]. **2** Ⓤ,Ⓒ 아메리카의 특유한 말[어법], 미어(cf. BRITICISM).

Américan·ist *n.* 아메리카[미국]의 역사·지리 따위의 연구가 ; 아메리칸 인디언의 언어·문화의 연구가 ; 친미주의자.

Américan ívy *n.* 〖植〗 아메리카담쟁이덩굴.

Amèrican·izátion *n.* Ⓤ 미국 귀화 ; 미국화.

Américan·ìze *vt., vi.* 아메리카화하다 ; 아메리카식으로 하다[되다] ; 미국에 귀화시키다[하다].

Américan lánguage *n.* [the ~] 미국 영어.

Américan Léague *n.* [the ~] 아메리칸 리그《NATIONAL LEAGUE와 함께 미국의 2대 프로 야구 연맹 ; cf. MAJOR LEAGUE》.

Américan léather *n.* American cloth의 일종.

Américan Légion *n.* [the ~] 미국 재향 군인회《1919년 결성》.

Américan léopard *n.* 〖動〗 아메리카표범.

Amer·i·can·ol·o·gy [əmèrəkənɑ́lədʒi] *n.* 미국학《미국의 정치·(외교) 정책 따위의 연구》. **-gist** *n.* **Amèr·i·can·ológ·i·cal** *a.*

Amer·i·cano·phóbia [əmèrəkənə-, -kæn-] *n.* 미국을 싫어함[두려워함]. **Américano·phòbe** [, əmèrəkǽnə-] *n.*

Américan órgan *n.* 아메리칸 오르간《진공탱크

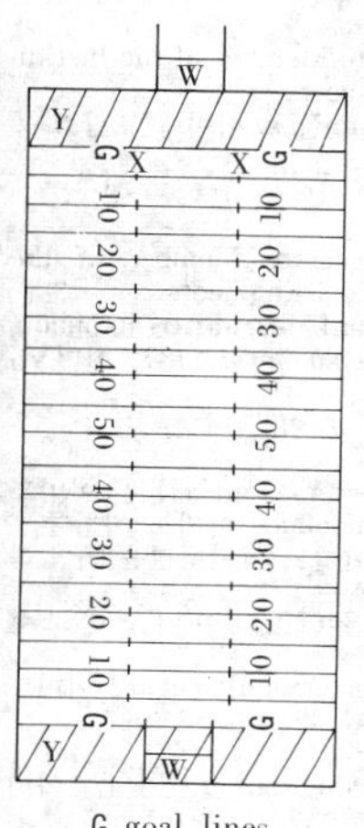

G goal lines

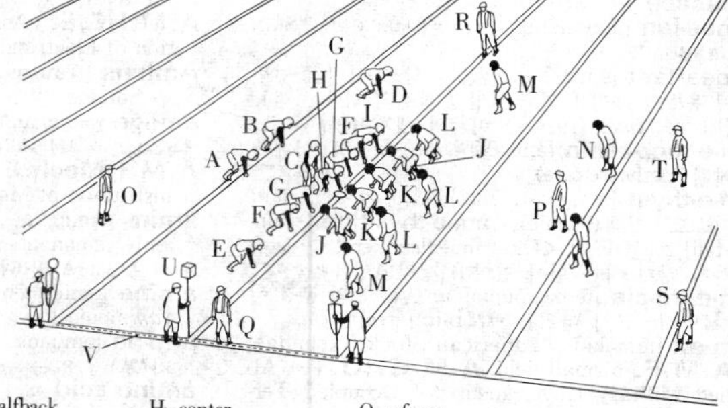

A halfback
B fullback
C quarterback
D wide receiver
E split end
F tackle
G guard
H center
I tight end
J defensive end
K defensive tackle
L linebacker
M cornerback
N safety
O referee
P umpire
Q head linesman
R line judge
S field judge
T back judge
U down box
V yardage chain
W goal
X inbounds lines
Y end zone

American football

를 만들어 공기의 흡입(吸入)으로 소리를 내는 오르간의 일종 ; cf. HARMONIUM》.

Américan plàn *n.* [the ~] 아메리카[미국]식《방값·식대·봉사료를 합산하는 호텔 요금 제도 ; cf. EUROPEAN PLAN》.

Américan Revísed Vérsion *n.* [the ~] 미국 개정역 성서《略 A.R.V.》.

Américan Revolútion *n.* [the ~] 〖美史〗 독립 전쟁(1775-83) (=《英》 the War of American Independence).

Américan Samóa *n.* 아메리칸 사모아《남태평양 Samoa 제도 동반(東半)의 군도 ; 중심도시 Pago Pago (Tutuila 섬)》.

Américan Sélling Prìce *n.* 미국내 판매 가격《수입품과의 차액이 관세 기준이 됨 ; 略 ASP》.

Américan Sígn Lànguage *n.* 미식 수화법(手話法) (Ameslan)《略 ASL》.

Américan Stándard Vérsion *n.* [the ~] 미국 표준역 성서《略 ASV, A.S.V.》.

Américan Stóck Exchànge *n.* 미국 증권거래소《뉴욕에 있음 ; 略 A.S.E., Amex ; cf. NEW YORK STOCK EXCHANGE》.

América's Cúp *n.* [the ~] 아메리카 컵 《1851년 창설된 국제 요트 경기의 우승컵》.

am·er·i·ci·um [æ̀mərí∫iəm, -siəm] *n.* Ⓤ 〖化〗 아메리슘《알파 방사성 원소 ; 기호 Am ; 번호 95》.

Ame·ri·go [æ̀mərí:gou, əmérigòu] *n.* 남자 이름. 〚It.〛

Amerigo Vespucci ☞ VESPUCCI.

Amer·i·ka [əmérəkə] *n.* 파시스트적(的) 미국, 인종 차별 사회의 미국. 〚G〛

Am·er·ind [ǽmərìnd] *n.* 아메리칸 인디언.
Àm·er·ín·di·an *n., a.* 아메리칸 인디언(의).
-ín·dic *a.* 〚*Amer*ican+*Ind*ian〛

Am·ero·Eng·lish [æ̀mərouíŋgli∫] *n.* =AMERENGLISH.

amesace ☞ AMBSACE.

Ames·lan [ǽməslæ̀n] *n.* =AMERICAN SIGN LANGUAGE.

Ámes tèst [éimz-] *n.* 〖醫〗 에임스 시험《돌연변이 유발성 측정에 의한 발암성 물질의 검출 시험》. 〚Bruce *Ames* (1928-) 미국의 생화학자〛

am·e·thop·ter·in [æ̀məθάptərən] *n.* 〖藥〗 아메톱테린(methotrexate).

am·e·thyst [ǽməθəst, -θist] *n.* Ⓤ 자수정, 애머디스트 ; 자색(purple). **àm·e·thýs·tine** [-tain, -tən] *a.* 〚OF<L<Gk. =not drunken ; 술이 취하지 않게 하는 힘이 있다고 생각되었음〛

am·e·tro·pia [æ̀mətróupiə] *n.* 〖醫〗 눈의 굴절 이상《난시·근시 따위》. **-tróp·ic** [-trάpik] *a.*

Am·ex [ǽməks] American Stock Exchange.

A.M.F. airmail field. **A.M.G.(O.T.)** Allied Military Government (of Occupied Territory).

Am·hara [æmhǽrə, -hά:-] *n.* 암하라《에티오피아 북서부의 지방[주] ; 원래 왕국》.
Am·hár·an *a., n.*

Am·har·ic [æmhǽrik] *n.* 암하라어 《셈계(系) ; 에티오피아의 공용어》. ── *a.* 암하라어의.

ami [*F* ami] *n.* (*pl.* ~**s** [─]) 남자 친구, 애인(cf. AMIE).

ami·a·ble [éimiəbəl] *a.* 귀염성 있는, 상냥한, 성미가 부드러운 ; 호의적인, 온화한 : one's ~ manners 상냥한 태도 / an ~ friend 호의적인 친구. **-bly** *adv.* 상냥하게, 부드럽게, 온화하게.
àmi·a·bíl·i·ty, ~·ness *n.*
〚OF<L AMICABLE ; 어형은 F *aimable* lovable과의 혼동〛
類義語 ⟹ GOOD-NATURED.

am·i·an·thus [æ̀miǽnθəs], **-tus** [-təs] *n.* 〖鑛〗 견사(絹絲) 모양의 석면(石綿)의 일종.

am·i·ca·ble [ǽmikəbəl] *a.* 우호적인(↔*hostile*) ; 평화적인, 타협적인, 화해적인 : ~ relations 우호 관계 / an ~ settlement 화해, 원만한 해결. **-bly** *adv.* 우호[평화]적으로, 사이좋게.
àm·i·ca·bíl·i·ty *n.* 우호, 친선, 친화(親和) ; 친선 행위. **~·ness** *n.* 〚L (*amicus* friend)〛

am·ice [ǽməs] *n.* (카톨릭교에서 미사 때) 사제(司祭)의 어깨걸이천《카톨릭교 사제가 어깨에 걸치는 길고 네모난 흰 삼베》. 〚L=cloak〛

ami·cus cu·ri·ae [əmí:kəs kjúərii:, -riài, əmái-] *n.* (*pl.* **ami·ci curiae** [əmí:kai-, əmái-]) 〖法〗 법정 조언자. 〚L=friend of the court〛

amid [əmìd] *prep.* …의 한가운데에, …이 한창 때에 : ~ shouts of dissent 불찬성의 고함 속에서 / ~ tears 눈물을 흘리며. 〚*a*-[1]〛

amid- [əmí:d, ǽməd], **ami·do-** [əmí:dou, ǽmədou, -də] *comb. form* 〖化〗 「아미드」의 뜻 ; =AMIN-. 〚AMIDE〛

Ami·da [ά:midə:] *n.* 〖佛敎〗 아미타.

am·ide [ǽmaid, 美+ǽməd] *n.* 〖化〗 아미드. 〚*am*monia+*-ide*〛

am·i·dine [ǽmədì:n, -dən] *n.* 〖化〗 아미딘《아미딘기(基)를 함유한 화합물》.

am·i·dol [ǽmədɔ̀(:)l, -dòul, -dὰl] *n.* 〖寫〗 아미돌《현상제(現像劑) ; 상표명》.

am·i·done [ǽmədòun] *n.* 〖藥〗 아미돈(methadone).

amíd·shìp(s) *adv., a.* 〖海〗 배 한가운데에[의] ; 《비유·口》 중앙에, 한가운데에.

amidst [əmìdst, əmìtst, -ˊ] *prep.* =AMID. 〚*-st*<*-s* (gen.)+*-t* ; cf. AGAINST〛

amie [*F* ami] *n.* (*pl.* ~**s** [─]) 여자 친구, 애인 (cf. AMI).

A.M.I.E.E. Associate Member of the Institution of Electrical Engineers.

Amiens [ǽmiənz ; *F* amjɛ̃] *n.* 아미앵《프랑스 북부 Somme 강에 면한 도시》.

ami·go [əmí:gou, α:-] *n.* (*pl.* ~**s**) 《美》 친구. 〚Sp. ; ⇨ AMICABLE〛

A.M.I.Mech.E. Associate Member of the Institution of Mechanical Engineers.

amin- [əmí:n, æ-, ǽmən], **am·i·no-** [əmí:nou, æm-, ǽmənou, -nə] *comb. form* 〖化〗 「아미노」의 뜻. 〚AMINE〛

amine [əmí:n, ǽmi(:)n] *n.* 〖化〗 아민. 〚*am*monia+*-ine*〛

ami·no [əmí:nou, -mái- ǽmənòu] *a.* 〖化〗 아미노기(基)가 있는 : ~ compounds 아미노 화합물.

amíno ácid *n.* 〖化〗 아미노산《단백질을 구성하는 유기 화합물》.

amìno·benzóic ácid *n.* 〖化〗 아미노벤조산(酸)《산성 염료》.

ami·noph·yl·line [æ̀mənάfələn] *n.* 〖藥〗 아미노필린《근육 이완제·혈관 확장제·이뇨제》. 〚*amin-*+theo*phylline*〛

am·i·nop·ter·in [æ̀mənάptərən] *n.* 〖生化〗 아미놉테린《백혈병 치료·쥐약용》.

amìno·pý·rine [-páiəri:n] *n.* 〖藥〗 아미노피린《해열·진통제》.

amìno·tránsferase *n.* 〖生化〗 아미노기(基) 전이 효소.

amìno·tríazole *n.* 〖化〗 아미노트리아졸《제초제(除草劑)》.

amir ☞ EMIR.
amir·ate [əmíərət] *n.* =EMIRATE.
Amish [áːmiʃ, ǽm-, éi-] *n.* [the ~] [복수취급] 아만파(의 사람들)《17세기 스위스의 목사 J. Ammann [áːmɑːn ; *G* áman] 이 창시한 Menno 파의 한 분파 ; Pennsylvania 에 이주하여 검소하게 삶 ; cf. MENNONITE》. —— *a.* 아만파의.
~**·man** [-mən] *n.*
amiss [əmís] *adv., pred. a.* **1** 잘못하여[되어 있어] ; 불합리하게 ; 계제가 나쁘게[나빠서], 고장나서 : judge a matter ~ 어떤 일을 잘못 판단하다 / What's ~ *with* it? 그것이 어쨌다는건가. **2** [주로 부정구문으로] 어울리지 않게[는], 부적당하게[한] : A word of advice may *not* be ~ here. 여기서 한마디 충고하는 것도 부적당한 일은 아닐 것이다.
amiss with …이 정상이 아닌, (형편이) 나쁜.
come amiss 달갑지 않다 : Nothing *comes* ~ to a hungry man. 《속담》「시장이 반찬」.
do amiss 잘못하다 ; 죄를 범하다.
go amiss (일이) 잘못되어 가다.
speak amiss 잘못 말하다, 서투르게 말하다.
take . . . amiss …을 나쁘게 보다 ; …에 마음이 상하다.
〖*a*-1〗
Am·i·ta·bha [ʌ̀mitáːbə] *n.* 〖佛教〗 아미타, 무량광불(無量光佛). 〖Skt. =infinite light〗
ami·to·sis [æ̀mətóusəs, èimai-] *n.* 〖生〗 (세포의) 무사(無絲) 분열, 직접 핵분열.
am·i·ty [ǽməti] *n.* Ⓤ 친목(親睦), 친선 (관계), 선린(善隣), 친교(親交) : a treaty of peace and ~ 친선[수호] 조약.
in amity (***with . . .***) (…와) 사이좋게.
〖OF<L (*amicus* friend) ; cf. AMICABLE〗
AMK 〖중〗 antimisting kerosene(증발 억제형 케로신). **A.M.M.** antimissile missile (미사일 요격용 미사일).
Am·man [æmáːn, -mǽn, əmáːn] *n.* 암만《요르단 왕국의 수도》.
am·meter [ǽmmìːtər] *n.* 전류계(電流計), 암페어계. 〖*am*pere+*meter*〗
am·mine [æmíːn, ǽmi(ː)n] *n.* 〖化〗 암민《(1) 암민 착염(錯鹽) (ammoniate). (2) 배위자(配位子)로서의 암모니아 분자》.
am·mi·no [ǽmənòu, əmíːnou] *a.* 〖化〗 암민(ammine)의. 〖↑ (*ammonia, -ine*)〗
am·mi·no- [æmíːnou, ǽmənòu] *comb. form* 〖化〗「암민」의 뜻. 〖↑〗
am·mo [ǽmou] *n.* 《口》 =AMMUNITION.
Am·mon [ǽmən], **Amon** [áːmən] *n.* 암몬, 아몬《고대 이집트의 태양신》.
am·mo·nal [ǽmənæ̀l] *n.* 폭약의 일종.
am·mo·nate [ǽmənèit] *n.* =AMMONIATE.
am·mo·nia [əmóunjə] *n.* Ⓤ 〖化〗 암모니아《기체》 ; 암모니아수(水) (=~ water).
〖L (SAL AMMONIAC) ; Lybia의 *Ammon* 신전 부근의 소금에서〗
am·mo·ni·ac [əmóuniæ̀k] *a., n.* 암모니아 고무성질의 ; Ⓤ 암모니아 고무.
am·mo·ni·a·cal [æ̀mənáiəkəl] *a.* =AMMONIAC.
ammónia màser *n.* 〖理〗 암모니아 메이저《암모니아 가스를 발광 매체로 함》.
am·mo·ni·ate [əmóunièit] *vt.* 암모니아와 화합시키다 ; 암모니아로 처리하다. —— *n.* 암모니아를 함유한 화합물. **-àt·ed** *a.*
ammónia wàter[**solùtion**] *n.* 〖化〗 암모니아수(水) (ammonia).
am·mo·nite1 [ǽmənàit] *n.* 〖古生〗 암몬조개, 암모나이트《두족류(頭足類)의 화석》.
〖L=horn of (Jupiter) Ammon〗
ammonite2 *n.* (동물의 노폐물로 만드는) 암모니아 비료. 〖*ammo*nium+*ni*tra*te*〗
am·mo·ni·um [əmóuniəm] *n.* Ⓤ 〖化〗 암모늄《암모니아 염기(鹽基)》 : ~ carbonate[chloride] 탄산[염화(鹽化)] 암모늄 / ~ hydroxide[nitrate] 수산화[질산] 암모늄 / ~ sulfate 황산 암모늄.
am·mo·no [əmóunou, ǽmənòu] *a.* 암모니아의, 암모니아를 함유한, 암모니아에서 유도된.
am·mo·no- [əmóunou, ǽmənou, -nə] *comb. form*「암모니아의」「암모니아를 함유한」「암모니아에서 유도된」의 뜻. 〖AMMONIA〗
am·mu·ni·tion [æ̀mjəníʃən] *n.* Ⓤ **1** 〖軍〗 탄약 ; 병기, 무기 ; 《古》 군수품(cf. MUNITION) : an ~ belt 탄띠 / an ~ box[chest] 탄약 상자. **2** 《비유》 (자기 쪽에 유리하게 작용하는) 사실[정보], 공격[방어] 수단[재료]. **3** [형용사적으로] 군용의 : ~ boots 군화 / ~ bread 군용 빵 / ~ industry 군수 산업 / ~ wagon 탄약차. 〖F *la* MUNITION을 *l'ammunition*으로 한 다른 분석〗
am·ne·sia [æmníːʒə, -ziə] *n.* Ⓤ 〖醫〗 기억상실, 건망증(症). **-ne·sic** [-níːsik, -zik], **-si·ac** [-ziæ̀k, -ʒi-] *a., n.* 건망증인 (사람). **-nes·tic** [-néstik] *a.* 〖L<Gk. =forgetfulness〗
am·nes·ty [ǽmnəsti] *n.* Ⓤ,Ⓒ 사면(赦免), 은사(恩赦), 대사(大赦), 특사(特赦) : under an ~ 은사[대사]를 받고[에 의하여] / grant[give] (an) ~ (to offenders) (죄수들에게) 특사를 하다. —— *vt.* …에 특사[대사]를 하다.
〖F or L<Gk. *amnēstia* oblivion〗
Ámnesty Internátional *n.* 국제 사면 위원회《사상·정치범의 석방 운동을 위한 국제 조직》.
am·nio·centésis [æ̀mniou-] *n.* (*pl.* **-ses**) 〖醫〗 양수 천자(羊水穿刺)《태아의 성별·염색체 이상을 조사함》.
am·ni·og·ra·phy [æ̀mniágrəfi] *n.* 〖醫〗 양수 조영(羊水造影) (술).
am·ni·on [ǽmniən, -àn] *n.* (*pl.* ~**s**, **-nia** [-niə]) 〖解·動〗 양막(羊膜)《태아를 감싸고 있음》; 〖昆〗 양막. 〖Gk. =caul (dim.) ‹ *amnos* lamb〗
am·ni·on·ic [æ̀mniánik] *a.* =AMNIOTIC.
ám·nio·scòpe [ǽmniə-] *n.* 〖醫〗 양수경(鏡).
am·ni·os·co·py [æ̀mniáskəpi] *n.* 〖醫〗 양수경 검사(법).
am·ni·ote [ǽmniòut] *a.* 〖動〗 (유)양막류(類)의. —— *n.* 양막(羊膜) 동물.
am·ni·ot·ic [æ̀mniátik] *a.* 〖解·動〗 양막의.
amniótic flúid *n.* 〖生理〗 양수(羊水).
amn't [ǽnt, ǽmənt] 《方》 am not의 단축형.
amoe·ba, ame- [əmíːbə] *n.* (*pl.* ~**s**, **-bae** [-biː]) 〖動〗 아메바. ~**·like** *a.* **-ban** *a.*
〖L<Gk. =change〗
am·oe·b(a)e·an [æ̀mibíːən] *a.* (시(詩) 따위가) 대화체의, 문답체의.
amoe·bic [əmíːbik] *a.* 아메바(성)의, 아메바에 의한 : ~ dysentery 아메바성 이질.
amóe·bo·cỳte, amé- [əmíːbə-] *n.* 〖生〗 변형[이동] 세포.
amoe·boid [əmíːbɔid] *a.* 〖生〗 아메바 비슷한.
amok ☞ AMUCK.
Amon ☞ AMMON.
◊**among** [əmʌ́ŋ, -́] *prep.* (여럿이 있는) 가운데서, 사이에서, …중에, …속으로[사이에] (섞이어) : *A*~ her chief works are *The Mill on the Floss* and *Silas Marner.* 그녀의 주요 작품에는「플로스

강의 물방앗간」과 「사일라스 마너」가 있다 / The traveler fell ~ the thieves. 나그네는 도둑들에게 잡혔다. ☞ 活用.
among others [***other things***] 많은 가운데, 속[사이]에 가담하여; 특히, 더구나: *A~ others* there was Mr. A. 그 가운데에 A씨도 있었다.
among ourselves 우리끼리, 은밀히.
among the missing 《美》 행방불명으로.
among themselves 자기들[패]끼리: They quarreled ~ *themselves*. 자기들끼리 싸웠다.
among the rest 그 중에서도, 특히; 그 중의 하나[한 사람]: Ten have passed, myself ~ *the rest*. 열 명 합격했는데 나도 그 중 한 사람이다.
from among …중에서, 가운데[속에]서: The chairman will be chosen *from* ~ the members. 의장은 회원들 중에서 선출될 것이다.
〖OE (*on* in, *gemang* assemblage)〗
活用 among은 세 개[세 사람] 이상에 대해서 쓰임; 두 개[두 사람]에는 보통 between을 쓴다: one *among* a thousand (1000에 하나) / Divide these *among* you three. (이것을 당신들 셋이서 나누시오). ☞ BETWEEN 活用.

amongst [əmʌ́ŋst, -ˊ] *prep.* =AMONG.
〖↑, -*s* (gen.)+-*t*; cf. AGAINST〗

amon·til·la·do [əmɑ̀ntəlɑ́:dou, -ljɑ́:ðou] *n.* (*pl.* ~**s**) 아몬틸라도《스페인산(産)의 셰리》.

amór·al [ei-, æ-] *a.* =NONMORAL. 〖*a*-²〗

amorce [əmɔ́:*r*s] *n.* 장난감 권총의 뇌관(雷管).

am·or·ist [ǽmərəst] *n.* 호색가, 바람둥이; 호색적인 작가. 〖L *amor* love, -*ist*〗

Am·o·rite [ǽmərὰit] *n.*, *a.* 아모리족(族)(의), 〔聖〕 아모리 족속(의)《시리아·팔레스타인 지방에 살던 셈계(系) 유목민; 창세기 10:16》.

am·o·rous [ǽmərəs] *a.* 호색적인, 다정한; 연애의; 요염한: ~ affairs 정사(情事) / ~ glances 추파(秋波) / be ~ *of* …을 연모하고 있다(be in love with). **~·ly** *adv.* 호색적으로; 요염하게. **~·ness** *n.* 〖OF<L (*amor* love)〗

amor pa·tri·ae [ɑ́:mɔ:r pɑ́:triὰi, ǽmɔ:*r* pǽtriì:, éimɔ:*r* péitriì:] *n.* 애국심. 〖L〗

amor·phism [əmɔ́:*r*fizəm] *n.* 형태가 일정치 않음, 무정형(無定形); (생물의) 무조직, 무결정(無結晶); 《廢》 허무주의.

amor·phous [əmɔ́:*r*fəs] *a.* 무정형(無定形)의 (formless); 조직이 없는; 〔鑛〕 비결정질의. **~·ly** *adv.* **~·ness** *n.*
〖NL<Gk. =shapeless (*a*-², *morphē* form)〗

amórphous sìlicon *n.* 〔電子〕 아모르퍼스 실리콘《비정질(非晶質) 상태의 실리콘》.

amort [əmɔ́:*r*t] *a.* 《古》 죽은 듯한; 원기[활기]가 없는, 의기 소침한; 망연한; 낙담한.

am·or·ti·za·tion, 《英》 **-sa-** [æ̀mə*r*təzéiʃən, əmɔ̀:*r*-; -tai-] *n.* 〔會計〕 (감채(減債) 적립금에 의한) 분할 상환(금); 〔法〕 (법인, 특히 교회로의) 부동산 양도.

am·or·tize, 《英》 **-tise** [əmɔ́:*r*taiz, ǽmə*r*tὰiz] *vt.* 〔會計〕 (부채를) 청산하다, 할부 상환[상각]하다; 〔法〕 (부동산을) 법인[특히 교회]에 양도하다. **~·ment** [əmɔ́:*r*tizmənt, æ̀mə*r*táiz-] *n.* = AMORTIZATION. **-tìz·able,** 《英》 **-tìs-** *a.*
〖OF (L *ad mortem* to death)〗

Amos [éiməs; -mɔs] *n.* **1** 남자 이름. **2 a)** 〔聖〕 아모스《헤브라이의 예언자》. **b)** 〔聖〕 아모스《구약 성서 중의 한 편》.
〖Heb. =burden(-bearer)〗

amo·tion [əmóuʃən] *n.* 박리(剝離), 분리; 〔法〕 파면, 박탈.

amò·ti·vá·tion·al [èi-] *a.* 무동기의; 동기가 없는 것이 특징인.

amotivátional sỳndrome *n.* 〔精神醫〕 일할 의욕을 잃고 허무적이 되는 증후군.

◇**amount** [əmáunt] *vi.* [+*to*+名] **1** 총계 (얼마)에 이르다[달하다], (금액이) …이 되다: The loss from the flood ~*s* ***to*** ten million dollars. 수해(水害)로 인한 손해는 1000만 달러에 달하고 있다. **2** 결국 …이 되다, …와 다를 바 없다: This answer ~*s* ***to*** a refusal. 이 회답은 거절이나 다름없다 / This does not ~ *to much*. 결국 이것도 대단한 것이 못된다 / What he has done ~*s to* very little. 그가 한 일은 거의 안 한 것이나 다름없다. —— *n.* **1** [the ~] 총액; (대부금의) 원리 합계(total); 요지(要旨)(substance). **2** 양(量) (quantity), 액수: a large[small] ~ of sugar [labor] 다[소]량의 설탕[많은[적은] 노력].
amount to …에 상당하다, 합계 …이 되다, 결국 …이 되다.
in amount 양은; 총계는; 요컨대.
to the amount of . . . 총계 …까지, …만.
〖OF<L (*ad montem* up the hill)〗
類義語 ⟹ SUM.

amour [əmúə*r*, ɑ:-, æ-; *F* amu:r] *n.* 연애 사건 (love affair), 정사; 애인《특히 여성》.
〖F=love<L; ⇨ AMOROUS〗

am·ou·rette [æ̀mərét] *n.* 잠시[잠깐] 동안의 정사; 바람난 당사자《여자》.

amour fou [*F* amu:r fu] *n.* 광기(狂氣)의 사랑.
〖F=insane love〗

amour pro·pre [*F* amu:r prɔpr] *n.* Ⓤ 자존심, 자부심.

amp [ǽmp] *n.* 《美俗》 **1** (전축 따위의) 앰프 (amplifier); 전기 기타(amplified guitar). **2** 마약 앰풀(ampul).

AMP [èièmpí:] 〔生化〕 adenosine monophosphate. **amp, amp.** amperage; ampere(s).

am·pe·lop·sis [æ̀mpəlɑ́psəs] *n.* 〔植〕 머루속(屬)의 식물; 담쟁이덩굴.
〖NL (Gk. *ampelos* vine, *opsis* appearance)〗

am·per·age [ǽmpəridʒ, -piə*r*-] *n.* 〔電〕 암페어수, 전류량(電流量).

am·pere [ǽmpeə*r*, -piə*r*] *n.* 〔電〕 암페어《전류 세기의 실용 단위; 略 amp., A》. 〖↓〗

Am·père [*F* ɑ̃pɛ:r] *n.* 앙페르. **André Marie** ~ (1775-1836) 프랑스의 물리학자.

ámpere-hóur *n.* 〔電〕 암페어시(時)《略 AH, amp.-hr.》.

ámpere·mèter *n.* =AMMETER.

ámpere-tùrn *n.* 〔電〕 암페어 횟수《略 At》.

am·per·sand [ǽmpə*r*sæ̀nd, ˊ-ˋ] *n.* &(=and)의 호칭. 注 주로 상업 통신문이나 참고 문헌 따위에 쓰임.

am·phet·amine [æmfétəmì:n, -mən] *n.* 〔藥〕 암페타민《중추 신경을 자극하는 각성제》.
〖*alpha-methyl-phenethylamine*〗

am·phi- [ǽmfi, -fə], **amph-** [ǽmf] *pref.* 「양(兩)…」 「두 가지의」 「주위에」의 뜻(cf. AMBI-).
〖Gk.〗

ámphi·àster *n.* 〔生〕 (세포 분열의) 양성, 쌍성《유사(有絲) 핵분열에서 비염색질의 방추체가 성상체를 가진 상태》.

Am·phib·ia [æmfíbiə] *n. pl.* 〔動〕 양서류(兩棲類)《개구리·도롱뇽 따위》.
〖Gk. (*amphi*-, *bios* life)〗

am·phíb·i·an *a.* 〔動〕 양서류의; 수륙 양용의: an ~ tank 수륙 양용 전차[탱크]. —— *n.* 양서류 동

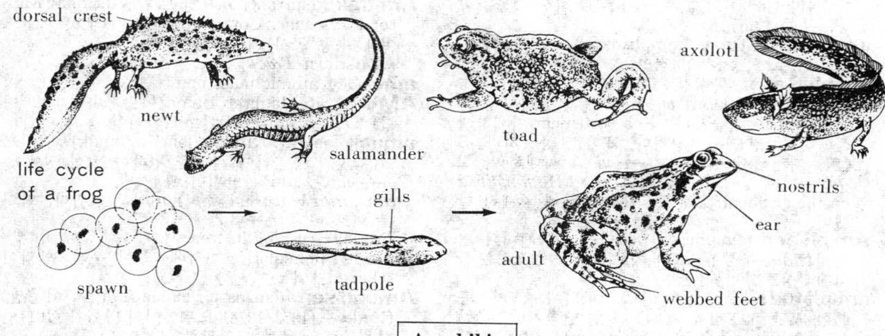

Amphibia

물 ; 수륙 양용 비행기[전차]. 〚↑〛
am·phib·i·ol·o·gy [æmfìbiɑ́lədʒi] *n.* Ⓤ 〖動〗 양서류학, 양서류론.
am·phib·i·ous [æmfíbiəs] *a.* 〖生〗 (수륙) 양생의 ; 육·해·공의 ; 《비유》 2중 성격[인격]의. **~·ly** *adv.* **~·ness** *n.*
amphíbious operátions *n.* 수륙 공동 작전.
am·phi·bole [ǽmfəbòul] *n.* 〖鑛〗 각섬석(石).
am·phi·bol·ic [æ̀mfəbɑ́lik] *a.* **1** 〖鑛〗 각섬석의. **2** 글의 뜻이 불분명한, 모호한 ; 〖醫〗 불안정한.
am·phi·bol·o·gy [æ̀mfəbɑ́lədʒi], **am·phib·o·ly** [æmfíbəli] *n.* 모호한 어구[문장] ; 뜻이 모호함.
am·phib·o·lous [æmfíbələs] *a.* 모호한, 의미가 명료치 않은.
am·phi·brach [ǽmfəbræ̀k] *n.* 〖韻〗 약강약격(弱強弱格), 단장단격(短長短格). **àm·phi·brách·ic** *a.*
am·phi·car [ǽmfəkɑ̀ːr] *n.* 수륙 양용 자동차.
am·phic·ty·on [æmfíktiən] *n.* 〖그史〗 인보(隣保) 동맹 회의의 대의원.
am·phic·ty·o·ny [æmfíktiəni] *n.* 〖그史〗 인보(隣保) 동맹 ; 〖政〗 (공동 이익을 위한) 근린(近隣) 제국 연합.
am·phìc·ty·ón·ic [-ɑ́n-] *a.*
am·phig·a·mous [æmfígəməs] *a.* 〖植〗 자웅 구별이 분명한 생식기관이 없는.
am·phi·go·ry [ǽmfəgɔ̀ːri ; -gəri], **-gou·ri** [-gùəri] *n.* 무의미한 문장[시] ; 패러디.
am·phi·mix·is [æ̀mfimíksəs] *n.* (*pl.* **-mix·es** [-míksiːz]) 〖生〗 양성(兩性) 혼합 ; 교배(交配).
Am·phi·on [æmfáiən] *n.* 〖그神〗 암피온《Zeus의 아들로 Niobe의 남편 ; 하프를 타서 돌을 움직여 Thebes의 성벽을 쌓았음》.
am·phi·ox·us [æ̀mfiɑ́ksəs] *n.* (*pl.* **-oxi** [-ɑ́ksai], **~·es**) 〖動〗 창고기[활유어(蛞蝓魚)].
àmphi·páthic, ámphi·pàth *a.* ＝AMPHIPHILIC.
ámphi·phìle *n.* 〖化〗 양친매성(親媒性) 화합물.
àmphi·phílic *a.* 〖化〗 양친매성의《수성·유성 용매에 공히 친화력이 있음》.
am·phi·pod [ǽmfəpɑ̀d] *a.*, *n.* 〖動〗 단각류(端脚類)의 (동물).
am·phi·pro·style [æ̀mfipróustail, æmfíprəstàil] *a.*, *n.* 〖建〗 양면 전주식(前柱式)의 (건물)《건물 앞뒷면에 기둥들이 줄지어 있고 양측면에는 없음》.
am·phis·bae·na [æ̀mfəsbíːnə] *n.* 〖그·로神〗 머리가 둘인 뱀《몸통 양 끝에 머리가 두개 달려 두 방향으로 갈 수 있었다고 함》; 〖動〗 (서인도·남미산) 발없는 도마뱀.
am·phi·sty·lar [æ̀mfistáilər] *a.* 〖建〗 양단[앞뒤, 양측]에 기둥이 있는, 2주(柱)[양주(兩柱)]식의.
am·phi·the·a·ter | -the·a·tre [ǽmfəθìːətər ; -θiətər] *n.* **1** 〖古로〗 원형 경기장(競技場)《중앙에 설치된 투기장(鬪技場)의 둘레에는 계단식 관람석이 있었음》. **2** (극장의) 계단식 관람석 ; 《美》 계단식 강의실[외과 수술 견학실]. **3** 〖地〗 (반) 원형의 분지. 〚L＜Gk. ; ⇨ AMPHI-〛
am·phi·the·at·ric, -ri·cal [æ̀mfəθiǽtrik(əl)] *a.* 원형 경기장(식)의.
Am·phi·tri·te [æ̀mfətráitiː ; ⌐-⌐-] *n.* 〖그神〗 암피트리테《해신(海神) Poseidon의 처로 바다의 여왕 ; Triton의 어머니》.
Am·phit·ry·on [æmfítriən] *n.* **1** 《戲》 (대접 잘하는) 주인역, 접대역《Molière의 극(劇)에서》. **2** 〖그神〗 암피트리온《ALCMENE의 남편》.
am·pho·ra [ǽmfərə] *n.* (*pl.* **-rae** [-rìː, -rài], **~s**) 암포라《고대 그리스·로마의 두 개의 손잡이가 달린 항아리》; 암포라 모양의 그릇. 〚L＜Gk. *amphoreus*〛
am·phor·ic [æmfɔ́(ː)rik, -fɑ́r-] *a.* 〖醫〗 공동음(空洞音)의.
am·pho·ter·ic [æ̀mfətérik] *a.* 다른 두 성질을 갖는 ; 〖化〗 산으로도 염기로도 반응하는, 양향성(兩向性)의 ; 양성의.

amphora

amp. hr., amp.-hr. 〖電〗 ampere-hour.
am·pi·cil·lin [æ̀mpəsílən] *n.* 〖藥〗 Ⓤ 암피실린《그람 음성균·그람 양성균에 효과가 있는 페니실린》.
***am·ple** [ǽmpəl] *a.* **1** 넓은, 광대한 : an ~ house 넓은 집. **2** 풍부한, 남을 만큼 충분한(more than enough) (↔*scanty*) : ~ means 풍부한 자산 / do ~ justice to a meal 음식을 남김없이 먹어 치우다 / an ~ supply of coal 충분한 석탄의 공급. **~·ness** *n.* 〚F＜L＝spacious〛
類義語 ⟹ PLENTIFUL.
am·plex·i·caul [æmpléksəkɔ̀ːl] *a.* 〖植〗 (잎이) 줄기를 감싸고 있는《옥수수 잎 따위》.
am·pli·dyne [ǽmplədàin] *n.* 〖電〗 앰플리다인《약간의 전력 변화를 증폭하는 직류 발전기》.
am·pli·fi·ca·tion [æ̀mpləfəkéiʃən] *n.* Ⓤ,Ⓒ 확

대 ; 배율(倍率) ; 〖電〗 증폭 ; 〖論〗 확충 ; 〖修〗 확충, 부연(敷衍).

am·pli·fi·ca·to·ry [æmplífəkətɔ̀:ri ; ǽmplifikèitəri] *a.* 확충[부연]적인.

ám·pli·fi·er *n.* 확대경 ; 〖電〗 증폭기, 앰프.

‡am·pli·fy [ǽmpləfài] *vt.* **1** 확대[확충]하다 ; (특히) 자세히 진술하다 : ~ a statement 자세하게 설명하다, 진술을 부연하다. **2** 〖電〗 증폭하다. **3** 《美》 과장해서 말하다. ── *vi.* **1** 확대하다. **2** 부연하다, 상세히 설명하다〈*on*〉: He *amplified on* the accident. 그는 그 사고에 대해 자세히 말했다. 〚F<L ; ⇨ AMPLE〛

Am·pli·gen [ǽmplidʒèn] *n.* 앰플리겐《체내의 면역계(系)를 자극함으로써 치료 효과를 얻으려는 항암제 ; 상표명》.

am·pli·tude [ǽmplət*j*ù:d] *n.* Ⓤ 넓이, 크기 ; 충분함 ; 〖理·電〗 진폭 ; 〖砲〗 사정, 탄착거리 ; 〖數〗 (도형의) 폭, (복소수의) 편각(偏角) ; 〖天〗 (천체의) 출몰 방위각. 〚F or L ; ⇨ AMPLE〛

ámplitude modulátion *n.* 〖電子〗 진폭 변조 《略 AM, A.M. ; cf. FREQUENCY MODULATION》.

am·ply [ǽmpli] *adv.* 충분하게 ; 넓게 ; 상세하게.

am·pul, -pule, -poule [ǽmp*j*u:l] *n.* 앰풀《주사약 따위 1회분이 든 작은 병》. 〚F (↓)〛

am·pul·la [æmpúlə, -pʌ́lə] *n.* (*pl.* **-lae** [-li:, -lai]) 〖古로〗 (배가 불룩하고 목이 잘록한) 병[단지]의 일종 ; 〖敎會〗 성유(聖油)·제주(祭酒)를 담는 그릇 ; 〖解〗 (내이(內耳)의) 팽대된 곳. 〚L=bottle〛

am·pul·la·ceous [æ̀mpəléiʃəs], **-la·ceal** [-léiʃəl] *a.* AMPULLA의 모양을 한, 플라스크[병] 모양의.

am·púl·lar *a.* 단지 (모양)의.

am·pu·tate [ǽmpjətèit] *vt.* (손·발 따위를) 절단하다 ; (문장 내용의 일부 따위를) 삭제[정리]하다 : The doctor ~*d* the soldier's wounded leg. 의사는 병사의 부상당한 다리를 절단했다. 〚L (*amb-* about, *puto* to prune)〛

àm·pu·tá·tion *n.* Ⓤ,Ⓒ 절단 (수술).

ám·pu·tà·tor *n.* 절단 수술자.

am·pu·tee [æ̀mpjətí:] *n.* 절단수술을 받은 사람.

AMRAAM [ǽmræ̀m] *n.* 〖軍〗 신형 중거리 공대공 미사일. 〚*a*dvanced *m*edium-*r*ange *a*ir-to-*a*ir *m*issile〛

am·rit [ǽmrət], **am·ri·ta, -ree-** [æmrí:tə] *n.* Ⓤ,Ⓒ 〖힌두神〗 불로 불사의 음료, 감로 ; (이 물에 의한) 불로 불사. 〚Skt.〛

A.M.S. Agricultural Marketing Service ; American Meteorological Society ; Army Map Service ; 《英》 Army Medical Service ; Army Medical Staff. **AMS** aggregate measurement of support(농업 보호의 종합 계량 수단). **AMSA** advanced manned strategic aircraft (차기(次期) 유인 전략항공기). **AMSAM** anti-missile surface-to-air missile (미사일 공격 지대공 미사일). **AMSAT** [ǽmsæ̀t] amateur satellite(아마추어 무선 통신용 위성). **a.ms.s.** autograph manuscript, signed(서명한 자필 원고(原稿)).

Amst. Amsterdam.

Am·ster·dam [ǽmstərdæ̀m ; ⌐-⌐] *n.* 암스테르담《네덜란드의 수도·해항(海港) ; 略 Amst.》.

AM stèreo [èiém-] *n.* 에이엠(AM) 스테레오《중파를 사용한 스테레오 방송》.

amt. amount.

am·trac, -track [ǽmtræk] *n.* 〖美軍〗 수륙 양용 (견인)차. 〚*am*phibious+*trac*tor〛

Am·trak [ǽmtræk] *n.* 암트락《National Railroad Passenger Corporation (전미(全美) 철도 여객 수송 공사)의 통칭》. 〚*Am*erican *Track*〛

amu 〖理〗 atomic mass unit.

AMU Arab Maghreb Union(아랍·마그레브 연합) ; Asian Monetary Unit(아시아 통화 단위).

amuck [əmʌ́k], **amok** [əmʌ́k, əmɑ́k] *n.* 아모크《갑자기 흥분하여 살인을 범하는 정신 장애》. ── *adv., a.* 미쳐 날뛰어[광란한].

run amuck (피에 굶주려) 미친듯 날뛰다, 닥치는 대로 때려 부수다. 〚Malay=rushing in frenzy〛

am·u·let [ǽmjələt] *n.* (목에 거는) 부적, 액막이 (charm). 〚L< ?〛

Amund·sen [ɑ́:mənsən ; ɑ́:mun*d*sən] *n.* 아문센. **Roald** ~ (1872-1928) 노르웨이의 탐험가, 1911년 처음으로 남극점에 도달함.

Amur [ɑ:múər ; ə-] *n.* [the ~] 아무르 강, 헤이룽 강《러시아 연방과 중국 북동 지방 사이를 흘러 Okhotsk 해에 이름》.

‡amuse [əmjú:z] *vt.* **1** [+目/+目+前+名] 재미나게 하다, 웃기다, 즐겁게 하다 ; 위로하다, (여가를) 무료하지 않게 보내다 : He often ~*d* the children ***with*** stories. 그는 이야기를 자주 해주어 어린이들을 즐겁게 했다 / They were ~*d* ***at*** [by] his jokes[*with* the tricks]. 그들은 그의 농담[그 요술]을 재미있어 했다. **2** 《古》 속이다 ; 《廢》 몰두시키다 ; 《廢》 혼란시키다.

amuse* one*self [+前+名/+do*ing*] 재미나게 놀다 : How do you ~ your*self* on a rainy day? 비오는 날에는 무엇을 하고 놉니까 / He ~*d* him*self* ***with*** a camera. 카메라를 가지고 놀았다 / While waiting, she ~*d* her*self* (***by***) count*ing* the cars that passed. 기다리는 동안 그녀는 지나가는 차를 세면서 심심치 않게 보냈다.

amús·able *a.* 재미있는. **amús·er** *n.* 〚OF=to cause to MUSE (*ad-* to)〛

活用 때때로 과거분사형으로 쓰여 형용사적이 됨 ; amused를 수식하는 부사는 《口》에서는 지금은 very 쪽이 보통 : She was *very*[much] *amused.* (그녀는 대단히 재미있어 했다).

類義語 ***amuse*** 재미있어서 유쾌한 기분이 되게 하다 : The play *amused* him. (그 연극은 그를 즐겁게 해주었다). ***divert*** 남의 마음을 심각한 일이나 걱정거리에서 즐거운 쪽으로 돌리게 하다 : She *diverted* herself in singing. (그녀는 노래를 하여 기분을 풀었다). ***entertain*** 미리 계획하여 상대방을 즐겁게 해주는 것으로 다소 지적인 일에 대하여 말함 : *entertain* the guest with music (음악으로 손님을 즐겁게 하다).

amúsed *a.* **1** (표정 따위가) 즐기는 ; 즐거워[재미있어]하는 ; 명랑한 ; 흥겨운 : ~ spectators 흥겨워하는 구경꾼들. **2** [서술적] (…을) 재미있어[즐거워]하는〈*at, with, by*〉: The audience was ~ by the comedian. 관객들은 그 코미디언을 재미있어 했다. **3** [서술적] (…하고) 재미있게 생각하는 〈*to* do〉: I was ~ *to* find that he and I were born on the same day. 그와 내가 같은 날에 태어났다는 것을 알고 재미있다고 생각했다.

amús·ed·ly [-ədli] *adv.* 재미있게.

***amúse·ment** *n.* Ⓤ 위안, 우스움, 웃음, 위로, 즐거움 ; 즐겁게 해주는 것 ; 오락, 여흥 : a place of ~ 오락장 / in ~ 우스운듯이, 웃으면서 / for ~ 재미삼아 / one's favorite ~*s* 좋아하는 오락.

amúsement arcàde *n.* 《英》 (슬롯 머신 따위가 있는) 게임 센터(=《美》 game arcade).

amúsement cènter *n.* 환락[오락] (중심)지.
amúsement pàrk *n.* 유원지(=《英》fun fair).
amúsement tàx *n.* 유흥세, 입장세.
amu·sia [eimjúːziə] *n.* 〖心〗 실(失)음악(증), 음치(音痴).
***amús·ing** *a.* 재미있는, 즐거운, 우스운 : His story was very ~ *to* me. 그의 이야기는 참으로 재미있었다. **~·ly** *adv.* 재미있게.
[類義語] ⟹ FUNNY.
amus·ive [əmjúːziv, -siv] *a.* 재미있는 ; 즐거운.
AMVETS [ǽmvèts] American Veterans (of World War Ⅱ) (제2차 대전 미국 출정 병사회).
AMX [èièméks] *n.* 에이에멕스《미국 American Motors 사제(社製)의 고급 중형 스포츠카형의 자동차 명칭》.
Amy [éimi] *n.* 여자 이름. 〖OF<L=beloved〗
amyg·da·la [əmígdələ] *n.* (*pl.* **-lae** [-lìː, -lài]) 〖植〗 편도(扁桃) ; 감복숭아류 ; 〖解〗 편도선.
amyg·da·late [əmígdələt, -lèit] *a.* 앵도의, 앵도 같은.
am·yg·dal·ic [æmigdǽlik] *a.* 앵도의 ; 〖生化〗 아미그달린의[에서 얻은].
amyg·da·lin [əmígdələn] *n.* Ⓤ 〖生化〗 아미그달린《살구 따위의 잎·씨에 있는 백색 결정의 배당체(配糖體)》.
amyg·da·loid [əmígdəlɔ̀id] *n.* Ⓤ 〖鑛〗 행인상(杏仁狀) 용암. —— *a.* 행인상 용암의 ; 편도의.
amyg·da·loi·dal [əmìgdəlɔ́idl] *a.* 행인상 용암의[같은] ; 편도 모양의.
am·yl [ǽməl] *n.* Ⓤ 〖化〗 아밀.
am·yl- [ǽməl], **am·y·lo-** [ǽməlou, -lə] *comb. form* 「녹말」「아밀」의 뜻. 〖Gk.〗
am·y·la·ceous [æməléiʃəs] *a.* 녹말의, 녹말질의, 전분의.
ámyl álcohol *n.* 아밀 알코올《용제(溶劑)》.
am·y·lase [ǽməlèis, -z] *n.* Ⓤ 〖生化〗 아밀라아제《녹말을 당화(糖化)하는 효소》.
ámyl nítrite *n.* 〖化〗 아질산 아밀《혈관 확장약·흥분제·최음제로 쓰임》.
am·y·loid [ǽməlɔ̀id] *n.* 〖化〗 녹말체. —— *a.* 녹말 비슷한.
àmylo·péctin *n.* 〖生化〗 아밀로펙틴《녹말 성분인 다당류의 하나》.
am·y·lop·sin [æməlάpsən] *n.* 아밀롭신《녹말 당화소(糖化素)》.
am·y·lose [ǽməlòus, -z] *n.* 〖生化〗 아밀로오스《녹말의 성분인 다당류의 하나》.
am·y·lum [ǽmələm] *n.* 〖化〗 녹말 ; (특히) 소맥 녹말.
amỳ·o·tróph·ic láteral selerósis [ei-] *n.* 〖醫〗 근위축성측색(筋萎縮性側索) 경화(증).
Am·y·tal [ǽmətɔ̀ːl] *n.* 아미탈《진정제 ; 상표명》.
◇**an**[1] [ən, ǽn] *a.* ☞ A[2]. [注] (1) 악센트가 없는 제1음절이 [h]음으로 시작하는 경우 a가 보통이지만 주로 《英》에서는 an도 쓴다 : *a*[*an*] historian.
(2) [ju(ː)] 라고 발음되는 u-, eu-, ew-앞에서는 때때로 an도 쓴다 : *a*[*an*] union[European].
[活用] ☞ A[2].
an[2], **an'** [ǽn, ən] *conj.* 《口·方》 =AND ; 《古·方》 =IF. 〖ME AND의 약형〗
an-[1] [æn] ☞ A-[2].
an-[2] [ǽn] ☞ ANA-.
-an[1] [ən], **-ian, -ean** [iən] *a. suf., n. suf.* 「…을 신봉하는 (사람)」「…에서 태어난 (사람)」「…에 살고 있는 (사람)」「…에 속하는 (사람[동물, 것])」「…의 전문가」「…한 성질의 (것)」「…과 비슷한 (것)」의 뜻 : Anglic*an*, Athen*ian*, phoneti*cian*, Europe*an*, crocodil*ian*. 〖F or L〗
-an[2] [ən] *n. suf.* 〖化〗「불포화(不飽和) 탄소 화합물」「무수물(無水物)」의 뜻 : fur*an* ; xyl*an*. 〖-ENE〗
an. *anno* 《L》 (=in the year) ; anonymous ; annum. **a.n.** arrival notice. **An** 〖化〗 actinon. **AN, A.N.** Anglo-Norman ; autograph note.
ana[1] [άːnə, éi-] *n.* [단수취급] (어떤 사람의) 담화집, 어록(語錄) ; [복수취급] 일화.
〖-ANA의 독립 용법〗
ana[2] [ǽnə, éi-, άː-] *adv.* 각각 같은 양으로《略 aa, AA, A̅A̅, A̅》 : wine and honey ~ two ounces 와인과 꿀을 각각 2온스씩.
〖Gk. =of everyone similarly〗
ana- [ǽnə, ənǽ], **an-** [ǽn] *pref.* 「상(上)…」 (↔ *cata-*) 「후(後)…」「재(再)…」「전면적…」「상사적(相似的)…」「유사적(類似的)…」의 뜻 : *ana*baptist. 〖Gk.〗
-ana [άːnə, ǽnə, éi-], **-i·ana** [i-] *n. pl. suf.* [인명·지명 따위에 붙여]「…에 관한 자료(집)」「…어록」「…일화집」「…풍물지(風物誌)」「…서지(書誌)」「…문헌」의 뜻 : America*na*.
〖F and L〗
A.N.A., ANA American Nurses Association ; American Newspaper Association ; Australian National Airways ; Association of National Advertisers.
an·a·bap·tism [ænəbǽptizəm] *n.* 재침례[재세례]론 ; [A~] 재침례교(의 교리).
〖L<Gk. ; ⇨ ANA-〗
àn·a·báp·tist *n.* 재침례[재세례]파의 신도.
an·a·bas [ǽnəbæ̀s] *n.* 〖魚〗 (인도산) 버들붕어과의 물고기《땅 위를 지느러미로 기기도 함》.
anab·a·sis [ənǽbəsəs] *n.* (*pl.* **-ses** [-sìːz]) 진군(進軍), 침입, 원정 ; [the A~] 소(小) 키루스(Cyrus)의 Persia 원정기(記)《Xenophon의 저서》; 〖醫〗 병세 악화.
〖Gk. =inland march〗
an·a·bat·ic [ænəbǽtik] *a.* 〖氣〗 상승 (기류)의 ; 상승 기류로 생기는(↔*katabatic*).
ana·bi·o·sis [ænəbaióusəs] *n.* (*pl.* **-ses** [-siːz]) 〖生〗 (습기를 주면 소생하는) 미생물의 가사 상태 ; 소생. **àna·bi·ót·ic** [-άt-] *a.*
an·a·bol·ic [ænəbάlik] *a.* 〖生化〗 동화 작용의 (↔*catabolic*). —— *n.* =ANABOLIC STEROID.
anabólic stéroid *n.* 〖生化〗 단백 동화 스테로이드《근육 증강제》.
anab·o·lism [ənǽbəlìzəm] *n.* Ⓤ 〖生化〗 동화 작용(cf. CATABOLLSM, METABOLISM).
〖Gk. *ana-*(*bolē*‹*ballō* to throw) =ascent〗
ána·brànch [ǽnə-, άːnə-] *n.* 〖地〗 주류[본류]에 재합류하는 분류(分流).
ana·can·thous [ænəkǽnθəs] *a.* 〖植〗 가시 없는.
ana·chron·ic, -i·cal [ænəkrάnik(əl)] *a.* = ANACHRONISTIC.
anach·ro·nism [ənǽkrənìzəm] *n.* Ⓤ,Ⓒ 시대 착오 ; Ⓒ 시대에 뒤진 사람[것].
anàch·ro·nís·tic, -ti·cal *a.* 시대 착오의.
〖F or Gk. (*ana-*, CHRONIC)〗
anach·ro·nous [ənǽkrənəs] *a.* =ANACHRONISTIC.
an·a·clas·tic [ænəklǽstik] *a.* 〖光〗 굴절(성)의.
an·a·co·lu·thon [ænəkəlúːθɑn] *n.* (*pl.* **-tha** [-θə], **~s**) 〖修〗 Ⓤ 파격구문(破格構文), Ⓒ 파격구문의 문장《예를 들면 Can I not make you understand *that* if you don't agree *what is to become of you*? 에서 서술을 이끄는 that 뒤에 의

문문이 와서 파격으로 되어 있음》.
-lú·thic *a.* **-thi·cal·ly** *adv.*

an·a·con·da [ænəkándə] *n.* 〖動〗 애너콘다《브라질·기아나 등지의 밀림에 서식하는 독이 없는 큰 구렁이의 일종》. 〖Sinhalese〗

àn·acóustic *a.* 음(音)이 통하지 않는[없는] : ~ zone 무음향대《고도 약 1600km 이상의 음파가 전파되지 않는 영역》.

Anac·re·on [ənǽkriən] *n.* 아나크레온(572 ?-? 488 B.C.)《그리스의 서정 시인》.

Anac·re·on·tic [ənæ̀kriántik] *a.* Anacreon풍의 ; 술과 사랑의, 쾌활한. —— *n.* [흔히 *pl.*] Anacreon풍의 시.

an·a·cru·sis [æ̀nəkrú:səs] *n.* (*pl.* **-ses** [-si:z]) 〖韻〗 강음절로 시작되는 시행(詩行)의 첫머리에 덧붙인 하나 또는 그 이상의 약음절 ; 〖樂〗 상박(上拍), 여린박.

an·a·cul·ture [ǽnəkʌ̀ltʃər] *n.* 〖菌〗 아나컬처《예방 접종용 백신에 사용되는 배양균(培養菌)》.

an·a·dem [ǽnədèm] *n.* 《古·詩》 (머리 장식용) 화관(花冠).

anad·ro·mous [ənǽdrəməs] *a.* 〖魚〗 소하회유(遡河回游)성의《연어 따위가 알을 낳기 위해 강을 거슬러 올라감》.

anaemia, anaemic ☞ ANEMIA, ANEMIC.

an·aer·obe [ǽnəròub, ænéəroub, ænǽər-] *n.* 〖生〗 혐기성(嫌氣性) (미)생물.

an·aer·o·bic [æ̀nəróubik, æ̀neər-, æ̀næər-] *a.* 〖生〗 공기 없이 사는, 혐기성의.

anaesthesia etc. ☞ ANESTHESIA etc.

an·a·glyph [ǽnəglìf] *n.* 얕은 돋을 새김 장식 ; 입체(立体) 사진.
àn·a·glýph·ic, -glyp·tic [-glíptik] *a.*

an·a·go·ge, -go·gy [ǽnəgòudʒi, ⌐-⌐-⌐- ; ǽnəgɔ̀dʒi] *n.* Ⓤ (성서 어구 따위의) 신비적[영적] 해석.

àn·a·góg·ic, -i·cal [-gádʒ-] *a.* 〖心〗 (무의식적인) 이상(理想)[덕성] 추구의. **-i·cal·ly** *adv.*

ana·gram [ǽnəgræ̀m] *n.* **1** (어구의) 철자 바꾸기 《live에서 *evil*을 만드는 따위》 ; 철자 바꾼 말. **2** [단수취급 ; ~s] 철자 바꾸기 놀이.
—— *vt.* =ANAGRAMMATIZE.
〖F or NL (Gk. *ana-*, *grammat- gramma* letter)〗

ana·gram·mat·ic, -i·cal [æ̀nəgrəmǽtik(əl)] *a.* 철자 바꾸기 (놀이)의. **-i·cal·ly** *adv.*

ana·gram·ma·tism [æ̀nəgrǽmətìzəm] *n.* 철자 바꾸기. **-tist** *n.*

ana·gram·ma·tize [æ̀nəgrǽmətàiz] *vt.* 철자를 바꾸어 새 뜻을 가지게[지니게] 하다.

anal [éinəl] *a.* 〖解〗 항문(肛門) (anus)의.
〖NL ; ⇨ ANUS〗

anal. analogous ; analogy ; analysis ; analytic(al) ; analyze ; analyzer.

an·a·lec·ta [æ̀nəléktə] *n. pl.* =ANALECTS.

an·a·lects [ǽnəlèkts] *n. pl.* 어록 : the *A*~ of Confucius 논어《공자의 어록》.
〖L<Gk.=things gathered (*legō* to pick)〗

an·a·lep·tic [æ̀nəléptik] *a.* 체력[기력, 의식] 회복의 ; 몸을 보하는. —— *n.* 강장[각성]제.

ánal eróticism[érotism] *n.* 〖精神醫〗 항문애(肛門愛), 항문성감(性感).

ánal fín *n.* 〖魚〗 뒷[꼬리]지느러미.

ánal fístula *n.* 치루(痔瘻).

an·al·ge·sia [æ̀nəldʒí:ziə, -siə, -ʒiə] *n.* Ⓤ 〖醫〗 무통각(증). 〖NL<Gk. (*a-*², *algos* pain)〗

an·al·ge·sic [æ̀nəldʒí:zik, -sik] *a.* 무통성의 ; 무감각의. —— *n.* 진통제.

an·al·get·ic [æ̀nəldʒétik] *a., n.* =ANALGESIC.

an·al·gia [ænǽldʒiə] *n.* =ANALGESIA.

ánal íntercourse *n.* 항문 성교.

anal·i·ty [einǽləti] *n.* 〖精神醫〗 (심리적 특징으로서의) 항문애.

analog ☞ ANALOGUE.

ánalog compùter *n.* 〖컴퓨〗 아날로그 컴퓨터, 연속형 전산기, 계수식[계량식] 컴퓨터.

an·a·log·ic, -i·cal [æ̀nəládʒik(əl)] *a.* 비슷한, 닮은, 유추의, 유추적인, 유비(類比)의.
-i·cal·ly *adv.* 유추적으로.

ánalog ímage pròcessing *n.* 〖電子〗 아날로그 화상(畫像) 처리.

ánalog íntegrated círcuit *n.* 아날로그 집적회로.

anal·o·gism [ənǽlədʒìzəm] *n.* 〖論〗 유추(類推) ; 〖醫〗 유추 진단.

anál·o·gist *n.* Ⓒ 유추론자.

anal·o·gize [ənǽlədʒàiz] *vt., vi.* 유추하다, 유추적으로 설명하다 ; 유사하다〈*with*〉.

anal·o·gous [ənǽləgəs] *a.* 유사한(similar), 비슷한 ; 〖生〗 상사(相似)의(cf. HOMOLOGOUS) : be ~ *to* …와 유사하다. **~·ly** *adv.* 유사하게.
〖L<Gk. *analogos* proportionate〗

an·a·logue, 《美》 **-log** [ǽnəlɔ̀(:)g, -làg] *n.* 유사물 ; 〖言〗 유사어 ; 〖生〗 상사기관(相似器官)[체] ; 〖化〗 유사 화합물, 유사체 ; 유사(합성)식품 ; 〖電子〗 아날로그 타입 ; 연속(형). —— *a.* 유사물의 ; 아날로그의. 〖F<Gk. (↑)〗

***anal·o·gy** [ənǽlədʒi] *n.* Ⓤ,Ⓒ 유사, 비슷함 ; 〖論〗 유추법 ; 〖數〗 유비(類比), 등비(等比) ; 〖生〗 상사(cf. HOMOLOGY) ; 〖言〗 유추 : (a) forced ~ 억지 유추 / an ~ *between* two things 두 물건 사이의 유사 / have[bear] some ~ *with*[*to*] …와 다소 비슷하다.
by analogy 유추에 의하여(analogically).
on the analogy of . . . (…에서) 유추하여.
〖F or L<Gk. *analogia* (*ana-*, *logos* proportion)〗
類義語 ⟹ LIKENESS.

análogy tèst *n.* 〖心〗 유추 검사《지능인자로서의 유추 능력을 측정》.

an·al·pha·bet [ænǽlfəbèt, -bət] *n.* 문맹(illiterate).

an·al·pha·bet·ic [æ̀nælfəbétik, ænæ̀l-] *a.* 알파벳순이 아닌 ; 무식한, 문맹의 ; 〖音聲〗 비자모식(非字母式)의. —— *n.* 문맹자.

anal·y·sand [ənǽləsæ̀nd] *n.* 정신 분석을 받고 있는 사람.

analyse ☞ ANALYZE.

***anal·y·sis** [ənǽləsəs] *n.* (*pl.* **-ses** [-sì:z]) Ⓤ,Ⓒ 분석 ; 분해(↔*synthesis*) ; 〖數〗 해석(학) ; 〖文法〗 분석 ; 정신 분석(psychoanalysis) ; 〖言·化〗 분석 : qualitative [quantitative] ~ 〖化〗 정성(定性)[정량] 분석.
in the last[***final***] ***analysis*** 결국.
〖L<Gk. *ana-*(*lusis*‹*luō* to set free)=a loosing up〗

an·a·lyst [ǽnələst] *n.* 분석자, 분해자, 애널리스트, 해부학자 ; 정신 분석(학)자(psychoanalyst).

an·a·lyt·ic, -i·cal [æ̀nəlítik(əl)] *a.* 분석적인, 분해의(↔*synthetic*) ; 해부적인 ; 정신 분석의 ; 〖言〗 분석적인 : an *analytic* language 〖言〗 분석(언)어(☞ SYNTHETIC 1).
-i·cal·ly *adv.* 분해[분석]적으로.
〖L<Gk. ; ⇨ ANALYSIS〗

analýtical chémistry *n.* 분석 화학.

analýtic[analýtical] geómetry *n.* 해석 기

하학.

an·al·y·tic·i·ty [æ̀nələtísəti] *n.* 〖言·論〗 (명제 따위의) 분석성.

analýtic psychólogy *n.* 분석 심리학.

àn·a·lýt·ics *n.* Ⓤ 〖數〗 해석학; 〖論〗 분석론.

*__an·a·lyze__ | **-lyse** [ǽnəlàiz] *vt.* [+目/+目+前+名] **1** 분해하다; 〖理·化〗 분석하다; 〖數〗 해석하다: Water can be ~*d* ***into*** oxygen and hydrogen. 물은 산소와 수소로 분해할 수 있다. **2** 〖文法〗 (문장을) 해부하다, 분석하다. **3** 분석적으로 검토하다, 분석하다: ~ the motives of a person's conduct 남의 행위의 동기를 분석하다. **4** …을 정신 분석하다(psychoanalyze).
án·a·lỳz·able *a.* 분해[분석·해석]할 수 있는.
-lỳz·er *n.* 분석기[장치].
〖F; ⇨ ANALYSIS〗

Anam [ənǽm; ǽnæm] *n.* =ANNAM.

an·am·ne·sis [æ̀næmníːsəs] *n.* (*pl.* **-ses** [-siːz]) 회상, 추억; 〖醫〗 기왕증(旣往症).

an·am·nes·tic [æ̀næmnéstik] *a.* 〖生理〗 기왕의, 2차 면역의: ~ response 기왕 반응.

àna·mórphic *a.* 〖光〗 일그러진 모양의, 왜상(歪像)의, 아나모르픽의.

ana·mor·pho·sis [æ̀nəmɔ́ːrfəsəs, -mɔːrfóu-] *n.* (*pl.* **-ses** [-sìːz]) 〖光〗 (인위적 조작에 의해) 일그러져 보이는 상(像); 〖植〗 기형, (꽃·잎 따위의) 변태; 〖生〗 점변진화(漸變進化).

ana·nas [ǽnənæ̀s, ənǽnəs; ənɑ́ːnəs] *n.* 〖植〗 아나나스속(屬)의 각종 식물《파인애플 따위》.

an·an·drous [ənǽndrəs, æ-] *a.* 〖植〗 수술이 없는.

An·a·ni·as [æ̀nənáiəs] *n.* **1** 〖聖〗 아나니아《하나님 앞에서 거짓말을 했기 때문에 죽었음; 사도행전 5: 1-10》. **2** Ⓒ (일반적으로) 거짓말쟁이(liar).

an·a·pest, **-paest** [ǽnəpèst, 英+-pìːst] *n.* 〖韻〗 단단장격(短短長格)《⏑⏑—》, 약약강격(弱弱強格)《××⊥》 (cf. FOOT *n.* 5): And the shéen | of their spéars | was like stárs | on the séa. (Byron). 〖L<Gk. =reversed (dactyl) (*ana*-, *paiō* to strike)〗

an·a·pes·tic, **-paes-** [æ̀nəpéstik, 英+-píːs-] *a.*, *n.* 단단장[약약강]격의 (시행).

ána·phàse *n.* 〖生〗 (핵분열의) 후기(後期) (cf. PROPHASE). **-phas·ic** [æ̀nəféizik] *a.*

anaph·o·ra [ənǽfərə] *n.* 〖修〗 첫말[구(句)]의 되풀이; 〖文法〗 대용《앞 말의 반복을 피해 it이나 do 따위를 대신 사용함》.

an·a·phor·ic [æ̀nəfɔ́(ː)rik, -fɑ́r-] *a.* 〖文法〗 앞에 나온 어구[말]를 가리키는[에 관한], 앞서 나온 낱말에 대응하는. **-i·cal·ly** *adv.*

an·aphrodísia [æn-] *n.* 〖醫〗 성감 결여, 냉감증.

an·aphrodísiac [æn-] *a.* 〖醫〗 성욕을 억제하는. —— *n.* 성욕 억제제.

an·a·phy·lac·tic [æ̀nəfəlǽktik] *a.* 〖醫〗 과민증[성]의, 아나필락시스의. **-ti·cal·ly** *adv.*

an·a·phy·lax·is [æ̀nəfəlǽksəs] *n.* Ⓤ (*pl.* **-lax·es** [-siːz]) 〖醫〗 과민증[성], 아나필락시스《혈청 주사를 맞은 뒤나 조개를 먹은 뒤 따위에 일어나는 이질 단백질에 대한 과민 증상》.

àna·plásia *n.* Ⓤ 〖生·醫〗 (세포의) 퇴생(退生), 퇴화, 무[퇴]형성(無[退]形成).

ana·plas·tic [æ̀nəplǽstik] *a.* 〖醫〗 재생[정형](수술)의; 역행 발육 (세포)의.

ana·plas·ty [ǽnəplæ̀sti] *n.* 정형(整形) 외과술.

an·ap·tyx·is [æ̀nəptíksəs] *n.* (*pl.* **-tyx·es** [-siːz]) 〖言·音聲〗 모음 삽입《두 자음 사이에 (약)모음이 생김; cf. EPENTHESIS》. **-tyc·tic** [-tíktik] *a.*

an·arch [ǽnɑːrk] *n.* **1** 무정부주의자; 모반(謀叛)의 장본인, 반란 주모자, 반역자. **2** 폭군, 독재자(tyrant).

an·ar·chic, **-chi·cal** [ænɑ́ːrkik(əl), ə-] *a.* 무정부 (상태)의. **-chi·cal·ly** *adv.*

an·ar·chism [ǽnərkìzəm, -ɑːr-] *n.* Ⓤ 무정부주의, 아나키즘《모든 형태의 정부 권력을 부정하고 개인의 자유를 구속하지 않는 사회의 실현을 주장》; 무정부 (상태).

án·ar·chist *n.* 무정부주의자; 폭력 혁명가.

àn·ar·chís·tic *a.* 무정부주의(자)의.

an·ar·cho- [ənɑ́ːrkou, -kə] *comb. form* 「무정부주의」「아나키스트」의 뜻. 〖ANARCHY〗

anàrcho-sýndicalism [, æ̀nərkou-] *n.* 아나르코생디칼리슴(syndicalism). **-ist** *n.*

*__an·ar·chy__ [ǽnərki, -ɑːr-] *n.* Ⓤ 무정부 상태, 난세(亂世)(lawlessness); 무질서(chaos), 혼란. 〖L<Gk. (*a*-², *arkhē* to rule)〗

an·ar·thria [ənɑ́ːrθriə] *n.* 〖醫〗 구어(構語) 장애, 실구어증(失構語症)《뇌장애로 인한 발어 불능(發語不能)》.

an·ar·throus [ænɑ́ːrθrəs] *a.* 〖動〗 관절이 없는; 무절족(無節足)의; 〖그文法〗 무관사(無冠詞)의.

an·a·sar·ca [æ̀nəsɑ́ːrkə] *n.* Ⓤ 〖醫〗 전신 부종(浮腫)[수종(水腫)]. **àn·a·sár·cous** *a.*

an·a·stat·ic [æ̀nəstǽtik] *a.* 〖印〗 철판(凸版)의: ~ printing 철판 인쇄.

an·as·tig·mat [ənǽstigmæ̀t, æ̀nəstígmæt] *n.* 〖光〗 수차 교정(收差矯正) 렌즈.

anas·to·mose [ənǽstəmòuz, -s] *vi.* 〖外科〗 (혈관 따위가) 접합[합류]하다.

anas·to·mo·sis [ənæ̀stəmóusəs] *n.* (*pl.* **-ses** [-siːz]) 〖外科〗 접합; 교차, 합류.

anas·tro·phe, **-phy** [ənǽstrəfi] *n.* Ⓤ 〖修〗 도치법(倒置法) 《보기 Loud and long were the cheers.》.

anat. anatomical; anatomist; anatomy.

anath·e·ma [ənǽθəmə] *n.* 저주, 증오; 〖카톨릭〗 파문(破門); 저주받은 사람[것]: Alcohol is an ~ to me. 알코올은 나에게 금물이다. 〖L<Gk. =devoted or accursed thing〗

anath·e·mat·ic, **-i·cal** [ənæ̀θəmǽtik(əl)] *a.* 저주스러운, 꺼림칙한.

anath·e·ma·tize [ənǽθəmətàiz] *vt.*, *vi.* 〖教會〗 저주하다(curse); 파문하다.
anàth·e·ma·ti·zá·tion *n.* 저주, 파문.

An·a·tole [ǽnətòul] *n.* 남자 이름. 〖F<Gk. =sunrise〗

An·a·to·lia [æ̀nətóuliə, -ljə] *n.* 아나톨리아《옛 소아시아, 지금은 아시아에 있는 터키령》.

an·a·tom·ic, **-i·cal** [æ̀nətɑ́mik(əl)] *a.* 해부의, 해부(학)상의. **-i·cal·ly** *adv.*

an·a·tom·i·co- [æ̀nətɑ́mikou, -kə] *comb. form* 「해부(학)적인」의 뜻. 〖*anatomy*〗

anat·o·mist [ənǽtəməst] *n.* 해부학자.

anat·o·mize [ənǽtəmàiz] *vt.* (동물체를) 해부하다(dissect); 《비유》 상세히 분석[분해]하여 조사하다.

anat·o·mo- [ənǽtəmou, -mə] *comb. form* = ANATOMICO-.

anat·o·my [ənǽtəmi] *n.* **1** Ⓤ 해부술; 해부학: special ~ 해부학 각론. **2** Ⓤ,Ⓒ 해부, 분해. **3** 해부체; 해부적 구조[조직]; 해부 모형. **4** 《俗》 해골(骸骨), 미라; 말라깽이. 〖F or L<Gk. (-*tomia* cutting)〗

àna·tóxin *n.* 〖免疫〗 아나톡신(toxoid).

an·bury [ǽnbəri] *n.* 〖獸醫〗 (마소의) 연종(軟

腫)；(양배추·순무 따위의) 근경(根莖) 비대증.

ANC African National Congress(아프리카 민족회의). **anc.** ancient(ly).

-ance [əns, əns] *n. suf.* 「행동·상태·성질」 따위의 뜻 : brilli*ance*, dist*ance*, assist*ance*. 〚OF<L〛

***an·ces·tor** [ǽnsestər] *n.* **1** 조상, 선조(forefather) (↔*descendant*) : You are derived from noble ~*s.* 너는 훌륭한 조상의 자손이다. **2** 〖法〗 피상속인(cf. HEIR). **3** 《비유》 선구자, 선각자, 선인(先人) (forerunner)；(사물의) 모체(母體), 원형(prototype). 〚OF<L；⇨ ANTECEDENT〛

áncestor wòrship *n.* 조상 숭배.

an·ces·tral [ænséstrəl] *a.* 선조[조상] (대대)의.

an·ces·try [ǽnsestri] *n.* **1** Ⓤ [집합적으로] 조상, 선조(ancestors) (↔*posterity*). **2** Ⓤ 가계(家系) (lineage)；(훌륭한) 집안[가문] : Hawaiians of Korean ~ 한국계 하와이인/(born) of good ~ 좋은 가문의. **3** Ⓤ [또는 an ~] (일반적으로) 계통, 계보. **4** 기원, 발단；생성 발달의 과정[역사]. 〚OF<L；⇨ ANCESTOR〛

An·chi·ses [ænkáisi:z, æŋ-] *n.* 〖그神〗 앙키세스 《Aphrodite와의 사이에서 아들 Aeneas를 낳았는데 이것을 자랑하다가 Zeus의 노여움을 삼；불타는 Troy에서 아들에게 구출됨》.

an·chi·there [ǽŋkəθìər] *n.* 〖古生〗 안키테륨속의 말《유라시아에서 출토(出土)된 절멸된 말》.

***an·chor** [ǽŋkər] *n.* **1** 닻(cf. FLUKE[1]) : a foul ~ 엉킨 닻/drag the ~ (선박이 폭풍우 따위로) 닻을 질질 끌고가다. **2** 《비유》 믿고 의지하는 것. **3** **a**) (줄다리기의) 맨 뒷사람. **b**) 〖競〗 (특히 릴레이에서) 팀의 최후 주자. **4** 고정 기구[장치]. **5** (뉴스 프로그램의) 앵커, 종합 사회자. **6** [*pl.*] 《俗》 (자동차의) 브레이크.

be*[*lie, ride*] *at anchor 정박해 있다.

cast*[*drop*] *anchor 닻을 내리다, (어떤 곳에) 머물다, 정착하다.

come to* (*an*) *anchor 정박하다.

let go the anchor 닻을 내리다；[명령] 닻을 내려라!

swallow the anchor 《海俗》 선원을 그만두다；《美俗》 해군에서 제대하다.

weigh anchor 닻을 올리다, 출항하다；(일반적으로) 떠나다, 출발하다, 가버리다.

—— *vt.* **1** (배 따위를) 닻으로 고정하다, (배를) 정박하다. **2** [+目+前+名] (일반적으로) 매다, 고정하다 : ~ a tent ***to*** the ground 텐트를 땅에 고정하다. **3** [~ oneself로] 주저앉다, 쉬다, 머물다. **4** 〖競〗 …의 최후 주자가 되다. **5** 〖放送〗 앵커[종합 사회자] 노릇을 하다.

—— *vi.* 닻을 내리다, (선박이) 정박하다；정착하다, 머물다, 정지하다.

anchor one***'s hope in*[*on*]** …에 희망을 걸다. 〚OE *anchor* and OF<L<Gk. *agkura* hook〛

ánchor·age[1] *n.* **1** Ⓤ 닻내림, 투묘, 정박. **2** Ⓒ 정박지, 닻을 내리는 곳；Ⓤ 정박세[료]. **3** 고정 용구. **4** 의지가[힘이] 되는 것.

anchorage[2] *n.* 은자(隱者)의 주거, 은둔 장소.

Anchorage *n.* 앵커리지《미국 알래스카 주 남부 최대의 항구·공항 도시》.

ánchor bòlt *n.* 〖建〗 앵커 볼트.

ánchor bùoy *n.* 〖海〗 (닻의 위치를 가리키는) 앵커 부이[부표].

án·chored *a.* 닻을 내린, 정박하고 있는；〖撞球〗 맞힐 공이 서로 가까이 모여 있는.

ánchor escàpement *n.* (시계의) 앵커 탈진기(脫進機).

an·cho·ress [ǽŋkərəs], **an·cress** [-krəs] *n.* ANCHORITE의 여성형.

an·cho·ret [ǽŋkərət, -rèt], **an·cho·rite** [ǽŋkəràit] *n.* 은자(隱者), 은둔자《종교적 이유로 세상을 등짐》. 〚L<Gk. =to retire (*ana-*, *khōreō* to go)〛

àn·cho·rét·ic [-rét-] *a.* 은자의, 은자 같은.

ánchor gròund *n.* 정박지《닻을 내리기에 알맞은 해저》.

ánchor-hòld *n.* 닻의 박힘[걸림]；《비유》 안전.

ánchor ìce *n.* 묘빙(錨氷), 저빙(底氷) (ground ice)《한랭 건조한 밤에 복사 냉열로 하천·호수 바닥에 생기는 얼음》.

ánchor lìght *n.* 정박등(停泊燈).

ánchor·màn *n.* **1** 〖競〗 =ANCHOR *n.* 3 b)；《美俗》 (야구 팀의) 최강타자；(릴레이·볼링 따위의) 최종 경기자. **2** 《美》 (단체 따위의) 중심인물, 믿을만한 사람, 중진(重鎭) (mainstay)；(졸업생 중의) 꼴찌 학생. **3** 〖美放送〗 종합 사회자, 앵커맨, 뉴스캐스터. **ánchor·wòman** *n. fem.*

ánchor·pèople *n. pl.* =ANCHORPERSON*s* 《남녀 공통어》.

ánchor·pèrson *n.* (뉴스 프로그램의) 종합 사회자(anchorman or anchorwoman).

ánchor ròpe *n.* 닻줄.

ánchor tàble *n.* 〖TV〗 텔레비전 방송 주임석.

an·cho·vy [ǽntʃəvi, ǽntʃouvi, æntʃóu-] *n.* (*pl.* ~, **-vies**) 〖魚〗 멸치 비슷한 작은 물고기《젓을 담그거나 소스를 만듦》. 〚Sp. and Port.<?〛

ánchovy pèar *n.* 〖植〗 서인도 제도산인 맛이 망고 열매와 비슷한 과일《절임으로 하여 오르되브르에 씀》；그 나무.

ánchovy sàuce *n.* 안초비 소스《anchovy로 만든 초간장 맛의 소스》.

ánchovy tòast *n.* 안초비 페이스트(paste)를 바른 토스트.

an·chu·sa [æŋkjú:sə] *n.* 〖植〗 앙큐사《지치과(科)의 약초》. 〚L<Gk.〛

anchyl- ☞ ANKYL-.

anchylose ☞ ANKYLOSE.

anchylosis ☞ ANKYLOSIS.

an·cienne no·blesse [*F* ɑ̃sjɛn nɔblɛs] *n.* 프랑스의 옛 귀족《특히 1789년 혁명 이전의》. 〚F=old nobility〛

an·cien ré·gime [*F* ɑ̃sjɛ̃ reʒim] *n.* (*pl.* **anciens ré·gimes** [—]) **1** [the ~] 옛 제도, 앙시앵 레짐, 구체제《특히 1789년 프랑스 혁명 이전의 정치·사회 조직》. **2** (일반적으로) 옛 제도, 구체제(old order). 〚F=old rule〛

‡an·cient[1] [éinʃənt] *a.* **1** 옛날의, 고대의(cf. CLASSICAL, MEDIEVAL, MODERN) : ~ civilization 고대 문명/the[an] ~ regime=the[an] ANCIEN RÉGIME/~ relics 고대의 유물. **2** 고래의, 예로부터의 : an ~ custom 고래의 관습. **3** 《戲》 구식의(old-fashioned), 아주 오랜(very old). **4** 《古》 노령의(old, hoary) : *The Rime of the A~ Mariner* 늙은 수부의 노래 《Coleridge의 초자연적인 낭만시의 제목》. **5** 《古》 오랜 인생 경험에서 온 지혜를 갖춘, 현명한. —— *n.* **1** 고대인；《古》 노인, 고로(古老). **2** [the ~s] 고대 문명인《특히 그리스·로마인》；고전 작가.

~·ly *adv.* 옛날에；고대에, 예로부터. 〚OF (L *ante* before)〛

類義語 ⟹ OLD (2).

ancient[2] *n.* 《古》 기(旗)；《廢》 기수. 〚ENSIGN〛

Áncient Gréek *n.* 고대 그리스어(語).
áncient hístory *n.* **1** 고대사《476년 서로마 제국 멸망까지》. **2** 《口》 (누구나 다 아는) 케케묵은 이야기, (최근에 일어난) 세상에 다 알려진 일.
áncient líghts *n. pl.* 〖英法〗 채광권(採光權) (소유) 《창문의 게시 문구 ; 20년 이상 채광을 방해받지 않은 창문은 채광권을 인정받음》.
áncient mónument *n.* (국가가 관리하는) 유적 《따위》.
Áncient of Dáys *n.* [the ~] 〖聖〗 옛적부터 항상 계신 이《다니엘 7 : 9》.
áncient·ry *n.* 《古》 고풍(古風) ; 구식 ; 고대 ; 구가(舊家).
an·cil·la [ænsílə] *n.* (*pl.* **-lae** [-li:]) 부속물 ; 도움이 되는 것(helper, aid) ; 《古》 시녀, 하녀. 〖L (↓)〗
an·cil·lary [ǽnsəlèri ; ænsíləri] *a.* 보조의, 보조[부수]적인〈*to*〉. —— *n.* 《英》 조력하는 사람 ; 부속물[품] ; 자회사 ; 조수《따위》. 〖L (*ancilla* handmaid)〗
an·cle [ǽŋkəl] *n.* =ANKLE.
an·con [ǽŋkɑn], **-cone** [-koun] *n.* (*pl.* **an·co·nes** [æŋkóuni:z]) 〖解〗 팔꿈치(elbow) ; 〖建〗 첨차(檐遮) ; 소용돌이꼴의 초엽(草葉).
an·co·nal [æŋkóunl], **-ne·al** [-niəl] *a.*
ancress ☞ ANCHORESS.
anct. ancient.
-an·cy [ənsi, ənsi] *n. suf.* =-ANCE. 〖*-ance, -cy*〗
ancyl- ☞ ANKYL-.
◇**and** [ənd, n, ænd, ǽnd]

> (1) and는 사용 범위가 가장 넓은 등위접속사의 하나다. and로 연결되는 앞뒤의 요소는 반드시 문법상 같은 성질의 것이어야 한다.
> (2) 아주 밀접한 관계가 있어서 합쳐서 하나라고 여겨지는 두 명사를 and로 연결할 때는 두번째 명사에, 때로는 양쪽 명사 모두에 관사, 인칭대명사의 소유격, 지시형용사 따위를 붙이지 않는다 : (a) knife *and* fork 나이프와 포크 (한 벌) / man *and* wife 부부
> (3) and로 연결된 명사가 동일한 사람[사물]을 가리킬 때는 보통 뒤에 오는 명사에는 관사를 붙이지 않는다.
> (4) and가 3개 이상의 단어[구·절]를 연결할 때는 마지막 단어[구·절]앞에만 and를 두고 나머지는 콤마로 끊어서 A, B(,) *and* C / A, B, C(,) *and* D와 같이 하는 것이 보통이다 : In that room there were a chair, a table(,) *and* a bed. (저 방에는 의자, 식탁 및 침대가 있었다.) 각각의 말[구·절]을 모두 and로 연결짓기도 하는데 이것은 각 요소를 강조하는 효과가 있다 : She set my plate at the kitchen table *and* helped me to bread *and* molasses *and* a little bacon. (그녀는 내 접시를 식탁 위에 놓고 빵과 당밀과 베이컨을 조금 담아주었다.)

1 a) 그리고, 또, 및, …과 … : you ~ I 당신과 나 / Two ~ two make four. 2 더하기 2는 4《2+2=4》 / He is a statesman ~ poet. 그는 정치가며 시인이다(cf. a statesman ~ a poet 정치가와 시인《2사람》) / We walked ~ talked. 우리는 걸으면서 이야기했다. ☞ 活用. **b**) [결과·이유를 나타내어] …하면, 하니까, 그러니까 : He spoke, ~ all was still. 그가 이야기를 하자 모두가 조용했다[해졌다]. **c**) 《美》 [2개 도로의 교차점을 나타내어] : Main Street ~ First Avenue 메인로(路)와 1번가의 교차점.
2 [명령문 뒤에 쓰여] 만약 그렇다면(If you…, then…) (cf. OR[1] 4) : Stir[Another step], ~ you are a dead man! 움직이면[한 발자국이라도 꼼짝하면] 죽는다!

> '명령문+**and**'의 문장 전환
> Hurry up, *and* you will be in time.
> → *If* you hurry up, you will be in time.
> (서두르면 시간에 댈 수 있다.)

3 a) [반복·강조] …이고 …이고, 더구나 (그것도) : again ~ again 몇 번이고, 되풀이해서 / ride two ~ two (=by twos) 두 사람씩 타다 / miles ~ miles 몇 마일씩이나 / more ~ more 더욱더, 점점더 / through ~ through 철저히 / She talked ~ talked. 그녀는 줄곧 지껄여댔다 / He did it, ~ did it well. 그가 그것을 했다, 그것도 훌륭하게 했다. **b**) [여러 가지 잡다한 것을 나타내어] 여러 가지, …에서 …까지 : There are books ~ books[women ~ women]. 온갖 책이[여자가] 다 있다.
4 [수의 접속] : one ~ twenty=21(twenty-one) 《[주] 같은 요령으로 22에서 99까지 ; 이 형태는 감정을 나타내는 강조형인데 큰 수에는 그다지 쓰이지 않음》 / one hundred ~ twenty-one=121 《[주] 같은 요령으로 백단위 뒤에 [ənd] ; 《美》에서는 때때로 생략됨》 / one thousand ~ one=1001 《[주] 같은 요령으로 백단위가 0일 때는 천단위 뒤에》 / two pounds ~ five pence 2파운드 5펜스 / a mile ~ a half 1마일 반.
5 [밀접한 관계를 나타내어] : whiskey ~ soda 위스키 소다 / bread ~ butter [brédnbʌ́tər] 버터 바른 빵(buttered bread) / a carriage ~ four 4필이 끄는 마차 / man ~ wife 부부 / with pen ~ ink 잉크 묻은 펜으로.
6 《口》 [형용사 nice, fine, good, rare 따위와 연결하여 부사적으로] : nice ~(=nicely) warm 기분좋게 따뜻이 / good[rare] ~ (=very) hungry 아주 배가 고파서.
7 《口》 [come, go, run, try, write 따위의 원형 뒤에 붙여서 ; 부정사 to 대신에] : Come ~ (=to) see me tomorrow. 내일 오도록 하게 / try ~ (=to) teach 가르쳐 보다.
8 《口》 [비난을 나타내어] 더욱이, …인데, …한데 : A sailor, ~ afraid of the sea! 뱃사람인데 바다를 겁내다니!
and so forth[***on***] [-⌐-, --⌐] 《略 etc., &c.》 =***and what not*** …따위.
〖OE *and*, *ond* ; cf. G *und*〗
and. andante.
AND [ǽnd] *n.* 〖電子〗 앤드《논리곱을 만드는 논리 연산자(演算子) ; cf. OR》.
And. Andorra.
An·da·lu·sia [ændəlú:ʒə, -ziə] *n.* 안달루시아《스페인 남부의 지방 ; 옛 Moor 문명의 중심지》.
Àn·da·lú·sian *a., n.* 안달루시아의 (사람·방언) : an ~ fowl (털이 검푸른) 안달루시아 닭.
Andalúsian wòol *n.* 안달루시아 양털.
an·da·lu·site [ændəlú:sait] *n.* Ⓤ 〖鑛〗 홍주석(紅柱石)《내화성이 높음》. 〖*Andalusia*〗
an·dan·te [ændǽnti, ɑ:ndɑ́:ntei] *a., adv.* 〖樂〗 안단테의[로], 느린[느리게]《adagio와 allegretto의 중간》. —— *n.* 안단테의 악장[악절]. 〖It. =going〗
an·dan·ti·no [ændæntí:nou, ɑ̀:ndɑ:n-] *a., adv.*

〔樂〕 안단티노의[로], 안단테보다 조금 빠른[빠르게]. —— *n.* (*pl.* ~**s**) 안단티노(의 악장). 〖It. (↑, *-ino* (dim.))〗

ÁND cìrcuit[gàte] *n.* 〔電子〕 논리곱 회로, AND 회로[게이트].

An·de·an [ǽndiən, ændíːən] *a.* 안데스 산맥(의 주민)의. —— *n.* 안데스 산지 사람.

Ándean Gróup *n.* 안데스 그룹《1969년 창설된 남미 태평양 연안 5개국의 자유 무역 연합》.

An·der·sen [ǽndərsən] *n.* 안데르센. **Hans Christian** ~ (1805-75) 덴마크의 동화 작가.

Ánderson shèlter *n.* 《英》 (철판으로 만든) 이동식 (가정) 소형 방공호. 〖Sir John *Anderson*; 그것을 채용했던 때의 내무장관(1939-40)〗

An·des [ǽndiːz] *n. pl.* [the ~] 안데스 산맥 《남미 서부를 세로로 뻗어 있는 대산맥》.

an·des·ite [ǽndizàit] *n.* 〔地質〕 안산암(安山岩). 〖*Andes*〗

and·iron [ǽndaiərn] *n.* (벽난로의) 장작 받침쇠 《2개 한 벌》: a pair of ~*s* 장작 받침쇠. 〖F *andier* < ?; 어형은 IRON에 동화〗

and/or [ǽndɔ́ːr] *conj.* …및 또는[혹은] (both or either)《양 쪽 모두, 또는 어느 한 쪽》: Money *and / or* clothes are welcome. 돈과 의류 또는 그 중 어느 것이라도 좋다.

andiron

An·dor·ra [ændɔ́(ː)rə, -dárə] *n.* 안도라 《프랑스와 스페인 사이의 공화국; 그 수도》. **An·dór·ran** *a.*, *n.*

andr- [ǽndr], **an·dro-** [ǽndrou, -drə] *comb. form* 「인간」「남성」「꽃밥」「수술」 따위의 뜻. 〖Gk. =man〗

an·dra·go·gy [ǽndrəgàdʒi, -gòu-, -gàgi] *n.* 성인 교육학[법].

An·drew [ǽndruː] *n.* **1** 남자 이름《애칭 Andy》. **2** [Saint ~] 성 안드레《예수의 12사도 중의 한 사람》. 〖Gk. =manly〗

Ándrew Wálker *n.* 《英口》 영국 해군(海軍) (the Royal Navy).

andro- [ǽndrou, -drə] ☞ ANDR-.

àndro·céntric *a.* 남성 중심의. **-cén·trism** *n.* 남성 중심주의.

An·dro·cles [ǽndrəklìːz] *n.* 안드로클루스《로마의 전설적인 노예》.

an·droe·ci·um [ændríːʃiəm, -siəm] *n.* (*pl.* **-cia** [-ʃiə, -siə]) 〔植〕 수술군(群).

an·dro·gen [ǽndrədʒən] *n.* 〔生化〕 남성 호르몬, 안드로겐. **àn·dro·gén·ic** [-dʒén-] *a.*

àndro·génesis *n.* 〔生〕 웅성(雄性)[웅핵(雄核)] 발생; 〔生〕 동정생식《단위 생식의 하나》. **an·drog·e·nous** [ændrádʒənəs] *a.*

an·drog·en·ize [ændrádʒənàiz] *vt.* (여성을) 남성화하다《남성 호르몬의 주사로》. **an·dròg·en·izá·tion** *n.*

an·dro·gyne [ǽndrədʒàin], **-gyn** [-dʒìn] *n.* **1** 《古》 여성적인 남자. **2** 〔植〕 양성화(兩性花).

an·drog·y·nous [ændrádʒənəs] *a.* 양성(兩性)의; (같은 꽃차례에) 암·수 두 가지 꽃이 있는.

an·drog·y·ny [ændrádʒəni] *n.* 〔醫〕 (남녀) 양성구유(兩性具有); 〔植〕 (같은 꽃차례내의) 자웅양화 구유.

an·droid [ǽndrɔid] *n.*, *a.* (SF에 나오는) 인조인간(의), 안드로이드(의). 〖Gk. =manlike (*andr-*, *-oid*)〗

an·drol·o·gy [ændrálədʒi] *n.* 남성병학(學).

An·drom·a·che [ændráməkìː] *n.* 〔그神〕 안드로마케《Hector의 정절이 곧은 아내》.

An·drom·e·da [ændrámədə] *n.* 〔그神〕 안드로메다《Perseus에게 구조된 미녀》; 〔天〕 안드로메다자리.

Andrómeda stràin *n.* 안드로메다 균주(菌株) 《생화학적으로 파악하지 못하여 통제가 어려운 위험한 세균·바이러스 따위 균주의 총칭》. 〖동명의 SF(1969)에서〗

An·dro·pov [ɑːndrɔ́ːpɔːf, -pɔːv, ændróupɑf] *n.* 안드로포프. **Yurii Vladimirovich** ~ (1914-84) 구소련의 정치가, 최고회의 간부회 의장.

ándro·sphìnx *n.* 머리가 남자 모양인 스핑크스《보통은 여자의 머리임》.

an·dros·te·rone [ændrástəròun] *n.* 〔生化〕 남성 호르몬의 일종《남성의 오줌 속에 있음》.

-an·drous [ǽndrəs] *a. comb. form* 「…한 남편[수컷, 수꽃술]을 가진」의 뜻(cf. -GYNOUS): mon*androus.* 〖NL<Gk.; ⇨ ANDR-〗

-an·dry [ǽndri] *n. comb. form* 「…한 남편[수컷, 수꽃술]의 보유」의 뜻: mon*andry*, poly*andry*. 〖Gk.; ⇨ ANDR-〗

An·dy [ǽndi] *n.* 남자 이름《Andrew의 애칭》.

-ane[1] [èin] *a. suf.* -AN[1]의 변형《-an[1]과는 약간 뜻이 다름: urb*ane*과 urban을 비교》.

-ane[2] *n. suf.* =-AN[2]; 「포화(飽和)탄소 화합물」의 뜻: meth*ane*, prop*ane*.

anéar [ə-] *adv.*, *prep.* 《詩·方》=NEAR.

an·ec·dot·age [ǽnikdòutidʒ] *n.* **1** 〖*-age*〗 Ⓤ [집합적으로] 일화류(逸話類) (anecdotes). **2** 〖*anecdote*+*dotage*〗 Ⓤ (늙어서 추억담을 즐기는) 노년 시절, 옛 이야기를 하고 싶어하는 나이(cf. DOTAGE).

àn·ec·dót·al [, -⌐-] *a.* 일화의, 일화가 많은.

***an·ec·dote** [ǽnikdòut] *n.* **1** 일화, 기담(奇譚). **2** (*pl.* ~**s**, **-do·ta** [æ̀nikdóutə]) 비사(秘史). 〖F or NL<Gk.=things unpublished (*an-*[2], *ekdidōmi* to publish)〗 類義語 ⟹ STORY.

an·ec·dot·ic, -i·cal [æ̀nikdátik(əl)] *a.* 일화의; 일화를 말하기 좋아하는. **-i·cal·ly** *adv.*

án·ec·dòt·ist *n.* 일화를 말하는 사람.

an·echóic [æ̀n-] *a.* (방 따위가) 울림이 없는.

anele [əníːl] *vt.* 《古》 (임종 때에) 종부(終傅)성사를 베풀다.

an·em- [ǽnəm], **an·e·mo-** [ǽnəmou, -mə] *comb. form* 「바람」「흡입」의 뜻. 〖Gk. *anemos* wind〗

ane·mia, anae- [əníːmiə] *n.* 〔醫〕 빈혈(증); 무기력, 생기가[활력·기운이] 없음. **ané·mic, anáe-** *a.* 무기력한, 기운이 없는. **-mi·cal·ly** *adv.* 〖NL<Gk. (*a-*[2], *haima* blood)〗

anemo·chore [ənéməkɔ̀ːr] *n.* 〔植〕 풍매분산식물.

anémo·gràph [ənémə-] *n.* 풍속(風速) 기록계, 자기(自記) 풍속계.

an·e·mom·e·ter [æ̀nəmámətər] *n.* 풍력계. 〖Gk. *anemos* wind〗

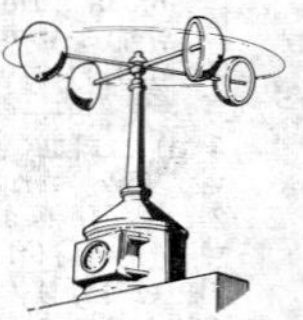
anemometer

an·e·mo·met·ric [æ̀nəmoumétrik] *a.* 풍력 측정(風力測定)의.

àn·e·mómˑe·try *n.* 풍력 측정(법).
anem·o·ne [ənémənìː, -ni] *n.* 〔植〕 아네모네 (windflower); 〔動〕 말미잘(sea anemone). 〚L<Gk. =wind flower (*anemos* wind)〛
an·e·moph·i·lous [æ̀nəmɑ́fələs] *a.* 〔植〕 (꽃이) 풍매(風媒)의 : ~ flower 풍매화.
anémo·scòpe [ənémə-] *n.* 풍향계(風向計).
an·en·ce·pha·lia [æ̀nənsəféiljə] *n.* 〔醫〕 무뇌증(無腦症)《뇌의 일부 또는 전부의 선천적 결여》.
anent [ənént] *prep.* 《古·스코·戲》 …에 관하여. 〚OE *on efen* on a level with〛
an·er·gy [ǽnərdʒi] *n.* 〔醫〕 면역성[정력] 결핍.
an·er·gic [ænə́ːrdʒik] *a.*
an·er·oid [ǽnərɔ̀id] *a.* 액체[수은]를 쓰지 않는. —— *n.* 아네로이드 기압[청우]계 (=∠ **baróme·ter**). 〚F (*a*-², Gk. *nēros* wet)〛
an·es·the·sia, -aes- [æ̀nəsθíːʒə, -ziə] *n.* Ⓤ 〔醫〕 마취(법), 무감각증; 지각 마취: local [general] ~ 국부[전신]마취. 〚L<Gk.; ⇨ A-², AESTHETIC〛
an·es·the·si·ol·o·gy, -aes- [æ̀nəsθìːziɑ́lədʒi] *n.* 마취학. **-gist** *n.* 《美》 마취의(醫).
an·es·thet·ic, -aes- [æ̀nəsθétik] *a.* 무감각한; 마취의. —— *n.* 마취제《chloroform 따위》.
-i·cal·ly *adv.*
anes·the·tist [ənésθətəst; æníːs-] *n.* 마취사, 마취의(醫).
anès·the·ti·zá·tion *n.* Ⓤ 마취(법), 마취상태.
anes·the·tize [ənésθətàiz; æníːs-] *vt.* 〔醫〕 …에게 마취를 시키다, 마비시키다.
an·es·trous, -oes- [ænéstrəs; -íːs-] *a.* 〔動〕 무발정(無發情)의; 발정 휴지기의.
an·es·trus, -oes- [ænéstrəs; -íːs-] *n.* 〔動〕 (포유 동물의) 발정 휴지기.
án·euplòid [ǽn-] *a.* 〔生〕 (염색체가) 이수성(異數性)의. —— *n.* 이수체(體).
-euplòidy *n.* 이수성(性).
an·eu·rin [ǽnjərən] *n.* 〔生化〕 =THIAMINE.
an·eu·rysm, -rism [ǽnjərìzəm] *n.* 〔醫〕 동맥류(動脈瘤). 〚*ana*-, Gk. *eurus* wide〛
àn·eu·rýs·mal, -rís- *a.* 동맥류의.
anew [ənjúː] *adv.* 새로, 신규로, 다시, 새롭게 (afresh). 〚ME (*a*-¹ of, *new*)〛
an·frac·tu·os·i·ty [ænfræ̀ktʃuɑ́səti; æ̀nfræk-] *n.* 우여곡절; 착잡한 상태; [보통 *pl.*] 꼬부랑길 [도로, 수로].
an·frac·tu·ous [ænfrǽktʃuəs] *a.* 꾸불꾸불한.
ANG Air National Guard (주(州) 공군).
A.N.G. American Newspaper Guild (미국 신문 협회).
an·ga [ʌ́ŋgə] *n.* (요가의) 행법(行法). 〚Skt.〛
an·ga·ry [ǽŋgəri] *n.* 〔國際法〕 전시 징용권《교전국이 중립국의 재산을 수용 또는 파괴하는 권리; 배상의 의무가 있음》.
***an·gel** [éindʒəl] *n.* **1** 천사《보통 남성으로 날개를 가짐; 특히 9계급 중 제9위의 천사; cf. HIERARCHY》; 수호신(=one's good[guardian] ~) : a fallen[an evil] ~ 타락한 천사, 악마 / *an* ~ *of a* child 천사같이 귀여운 아이 / Fools rush in where ~*s* fear to tread. 《속담》 하룻강아지 범 무서운 줄 모른다 / Talk of ~*s* and you will hear the flutter of their wings. 《속담》 호랑이도 제 말하면 온다. **2** 사자(messenger) : an ~ of death 죽음의 사자. **3** 천사 같은 사람 《마음이나 용모가 아름다운 사람; 귀여운 아이; 친절한 사람》: Be an ~ and sharpen my pencil. 자, 착하지, 연필좀 깎아다오. **4** (연극 따위의) 자금 후원자, 패트런. **5** 옛날의 영국 금화. **6** 《口》 레이더 화면에 나타난 정체 불명의 신호[흰 반점]. **7** 《美俗》 (항공모함 근처를 나는) 구조용 헬리콥터.
entertain an angel unawares 〔聖〕 고귀한 분인 줄 알지 못하고 접대하다《히브리서 13 : 2》.
like angel's*[*angel*] *visits 천사의 방문처럼, 드물게.
on the side of angels 천사편에 서서; 《비유》 선(善)의 편을 들어.
—— *vt.* 《美俗》 금전적으로 원조[후원]하다. 〚OF<L<Gk. *aggelos* messenger〛
An·ge·la [ǽndʒələ] *n.* 여자 이름. 〚Gk.; ↑〛
ángel bèd *n.* 네 기둥이 없고 닫집이 있는 침대.
ángel dùst *n.* 《美俗》 합성 헤로인, PCP.
An·ge·le·no, -li- [æ̀ndʒəlíːnou] *n.* (*pl.* **~s**) 《美口》 로스앤젤레스 주민.
ángel·fish *n.* 〔魚〕 전자리상어; 〔魚〕 에인젤피시 《관상용 열대어》.
ángel fòod (càke) *n.* 《美》 카스텔라의 일종.
ángel hàir *n.* 《俗》=PCP.
ángel·hòod *n.* 천사임, 천사성(性); [집합적으로] 천사(와 같은 존재).
an·gel·ic, -i·cal [ændʒélik(əl)] *a.* 천사의[같은] : an *angelic* smile 아름답고 순진한 미소.
-i·cal·ly *adv.* 천사처럼.
an·gel·i·ca [ændʒélikə] *n.* Ⓤ 〔植〕 안젤리카《미나리과(科) 강활속(屬)의 식물; 약용·요리용》; 그 줄기로 만든 설탕조림. 〚L (*herba*) *angelica* angelic (herb)〛
angélica trèe *n.* 《美》=HERCULES'-CLUB.
Angélic Dóctor *n.* [the ~] 천사 박사《St. Thomas AQUINAS의 별명》.
An·ge·li·na [æ̀ndʒəlíːnə, -láinə; -líːnə], **An·ge·line** [ǽndʒəlìːn, -làin] *n.* 여자 이름. 〚It. (dim.); ⇨ ANGELA〛
Angelino ☞ ANGELENO.
an·gel·ol·a·try [èindʒəlɑ́lətri] *n.* Ⓤ 천사 숭배.
an·gel·ol·o·gy [èindʒəlɑ́lədʒi] *n.* Ⓤ 천사론.
ángel shàrk *n.* 〔魚〕 전자리상어.
ángel('s) vísit *n.* 《英口》 진객(珍客).
An·ge·lus [ǽndʒələs] *n.* **1** 〔카톨릭〕 삼종(三鐘)기도《그리스도 강탄(降誕) 기념을 위해 아침·낮·저녁으로 행함》. **2** 안젤루스의 종(=∠ **bèll**) 《아침·낮·저녁에 울림》; [The ~] 「만종(晩鐘)」 《Millet의 그림》. 〚L *Angelus Domini* the ANGEL of the Lord; 이 기도의 처음의 말〛
‡an·ger [ǽŋgər] *n.* Ⓤ 노여움, 화, 분노 : be moved *to* ~ 화를 내다 / *in* (great) ~ (아주) 노하여. —— *vt.* 화나게 하다 : The boy's disobedience ~*ed* his father. 그 애가 말을 듣지 않으므로 아버지는 화를 내셨다. —— *vi.* 《稀》 화내다, 노하다 (become angry). 〚ON *angra* to vex (*angr* grief); cf. OE *enge* narrow〛
類義語 ***anger*** 「노여움」을 나타내는 뜻의 가장 넓고 일반적인 말. ***indignation*** 부정·비열·불합리에 대하여 품는, 사적인 것이 아닌 정당한 분노. ***rage*** 자제심을 상실한 격렬한 분노. ***fury*** 더욱 심하여 광기(狂氣)에 가까운 열화와 같은 격노. ***wrath*** 처벌·복수의 기분을 포함한 강한 indignation 으로 문학적인 말.
An·ge·vin, -vine [ǽndʒəvən] *a.* Anjou 의; Anjou 왕가의. —— *n.* Anjou 왕가의 사람, Plantagenet 왕가의 사람. 〚F=of Anjou〛
an·gi- [ǽndʒi], **an·gio-** [ǽndʒiou, -dʒiə] *comb. form* 「혈관」「림프관(管)」「혈관종(腫)」「과피(果皮)」의 뜻. 〚Gk. =vessel〛

an·gi·i·tis [ӕndʒiáitəs] *n.* (*pl.* **-gi·it·i·des** [-dʒi-áitədiːz]) 〖醫〗 맥관염(脈管炎).

an·gi·na [ӕndʒáinə, ǽndʒə-] *n.* 〖醫〗 Ⓤ 앙기나, 후두염(喉頭炎) ; =ANGINA PECTORIS. 〚L<Gk. *agkhonē* strangling〛

angína péc·to·ris [-péktərəs] *n.* 〖病理〗 협심증(狹心症).

ángio·gràm *n.* 〖醫〗 혈관 조영(造影)[촬영]도.

an·gi·og·ra·phy [ӕndʒiágrəfi] *n.* 〖醫〗 혈관 조영(법)《X선 특수 조영법의 일종》.

àn·gio·gráph·ic *a.*

an·gi·ol·o·gy [ӕndʒiálədʒi] *n.* Ⓤ 〖解〗 맥관학《혈관과 림프관을 취급하는 해부학》.

an·gi·o·ma [ӕndʒióumə] *n.* (*pl.* **~s**, **~·ma·ta** [-tə]) 〖醫〗 혈관종(血管腫).

-óm·a·tous [ǽndʒiámətəs] *a.*

ángio·plàsty *n.* 〖醫〗 혈관 성형술.

ángio·spèrm *n.* 속씨식물, 피자(被子)식물.

an·gio·ten·sin [ӕndʒiouténsən] *n.* 〖生化〗 안지오텐신《혈액 속에서 만들어지는 혈압 상승 물질》.

Ang·kor [ǽŋkɔːr, áːŋ-] *n.* 앙코르《캄보디아 북서부의 석조 유적 ; 크메르 왕조의 수도 ; 대왕성(大王城) ~ **Thóm** [-tɔ́(ː)m] (앙코르톰)과 신전 ~ **Vát**[**Wát**] [-wáːt] (앙코르와트)가 유명》.

Angl. Anglican.

***an·gle**[1] [ǽŋgəl] *n.* **1** 각도 ; 〖數〗 각 : an acute [obtuse] ~ 예각[둔각] / a right ~ 직각 / a straight ~ 평각 / at an ~ *with*[*to*] …와[에 대해] 어떤 각도를 이루고 / meet[cross]…at right ~*s* …와 직각을 이루다 / take the ~ 각도를 측정하다. **2** 모서리, 구석(corner). **3** 각도, 입장(standpoint) : from different ~*s* (여러 가지) 다른 각도에서 / get[use] a new ~ on …을 새로운 각도에서 보다. **4** (사물의) 양상(aspect). **5** 《美口》 불순한 동기, 교활한 계획, 음모. ── *vt.* **1** (보도 따위를) 왜곡하여 전하다. **2** (어떤 각도로) 굽히다 ; 비스듬하게 하다, 기울이다. ── *vi.* (어떤 각도에서) 굽다 ; 굽어지면서 나아가다. 〚OF or L *angulus* (dim.)〛
[類義語] ⟹ PHASE.

angle[2] *n.* 《古》 낚시 바늘 ; 《古》 낚시 도구 : a brother of the ~ 《文語》 낚시꾼. ── *vi.* **1** [動/+*for*+名] 낚시질을 하다《보통 fish 쪽을 씀 ; cf. ANGLER》 : ~ ***for*** trout 송어 낚시를 하다. **2** [+*for*+名] 낚아내다, 유인하다 ; 《비유》 (…을 얻으려고) 속임수를 쓰다 : ~ ***for*** an invitation to a ball 무도회의 초대장을 얻으려고 속임수를 쓰다. 〚OE *angul* (*anga* hook)〛

Angle *n.* 앵글인(人), [the ~s] 앵글족(族) 《5세기 이후 영국에 이주한 게르만 민족의 일파》. 〚L *Anglus*<Gmc. ; 북독일 Schleswig의 지명〛

ángle bàr *n.* **1** =ANGLE IRON. **2** 〖鐵〗 산형(山形) 이음판.

ángle blòck *n.* 〖美蹴〗 상대편 옆쪽에서의 블록.

ángle brácket *n.* 〖建〗 모서리용 까치발 ; 〖印〗 [보통 *pl.*] 꺾쇠 괄호《「, <, >》.

án·gled *a.* 모난, 각을 이룬.

ángled cár pàrk *n.* (주로 도로변에) 비스듬히 차를 세우도록 구획된 주차장.

An·gle·doz·er [ǽŋgəldòuzər] *n.* (땅을 고르는) 불도저의 일종. 〚*angle*+bull*dozer*〛

ángled párking bày[**slòt**] *n.* (도로변에) 비스듬히 차를 세우도록 한 주차장의 한 구획.

ángle ìron *n.* 앵글철(강)《L자형의 쇠붙이》.

ángle mèter *n.* 각도 측정기.

ángle of appróach lìght *n.* 〖空〗 진입각 지시등(燈).

ángle of depréssion *n.* 〖理〗 내려본각.

ángle of elevátion *n.* 〖理〗 올려본각.

ángle of íncidence *n.* 〖理·光〗 입사각.

ángle of refléction *n.* 〖光〗 반사각.

ángle of refráction *n.* 〖理·光〗 굴절각.

ángle-pàrk·ing *n.* (자동차의) 비스듬한 주차.

án·gler *n.* **1** 고기를 낚는 사람, 낚시꾼(cf. FISHERMAN). **2** 〖魚〗 아귀.

ángle shòt *n.* 〖寫〗 앵글 숏《극단적인 카메라 앵글에 의한 촬영》.

an·gle·site [ǽŋgəlsàit, -glə-] *n.* 〖鑛〗 황산연광(黃酸鉛鑛). 〚*Anglesey*+*-ite*〛

ángle stèel *n.* 〖機〗 산형강(山形鋼), L형강(鋼).

ángle stòne *n.* 모퉁잇돌, 귓돌.

ángle vòlley *n.* 〖테니스〗 앵글 발리《높은 위치에서 각도 있게 치는 발리》.

ángle·wìse *adv.* 각을 이루어, 각 모양으로.

ángle·wòrm *n.* 지렁이《낚싯밥》.

Án·glia [ǽŋgliə] *n.* England의 라틴어명.

Án·gli·an *a.*, *n.* 잉글랜드의 ; 앵글족(Angles)의 ; 앵글 인(人) ; Ⓤ 앵글 어(語).

An·glic [ǽŋglik] *n.* 앵글릭《스웨덴의 영어학자 R. E. Zachrisson [sǽkrisɔ̀ːn] (1880-1937)이 제창한 철자를 개량한 영어》. ── *a.* =ANGLIAN.

An·gli·can [ǽŋglikən] *a.* 영국 국교회[성공회]의. ── *n.* 영국 국교도. 〚L *Anglicanus* ; ⇨ ANGLE〛

Ánglican Chúrch *n.* [the ~] 영국 국교[성공]회(the Church of England).

Ánglican Commúnion *n.* [the ~] 영국 국교회파, 영국 성공회.

Ánglican·ìsm *n.* Ⓤ 영국 국교회주의.

An·gli·ce [ǽŋgləsìː, -si] *adv.* [때로 a~] 영어로 (말하면)《略 angl.》. 〚L=in English〛

An·gli·cism [ǽŋgləsìzəm] *n.* Ⓤ [때로 a~] 영국풍[식], 영국주의 ; 영국을 좋아하기 ; Ⓒ (다른 언어에 채택된) 영국풍[식]의 어법.

An·gli·cist [ǽŋgləsəst] *n.* 영어[영문]학자.

An·gli·cize | **-cise** [ǽŋgləsàiz] *vt.* 영국풍[식]으로 하다 ; (외국어를) 영어화(化)하다.

Àn·gli·ci·zá·tion *n.* 〚L *Anglicus* ; ANGLE〛

án·gling *n.* Ⓤ 낚시, 낚시질[술(術)].

An·glist [ǽŋgləst] *n.* =ANGLICIST.

An·glis·tics [ӕŋglístiks] *n.* 영어학[영문학]의 연구.

An·glo [ǽŋglou] *n.* (*pl.* **~s**) 《美南部》 영국계[백인계(系)] 미국인 ; 《Can.》 영국계 캐나다 인 ; 《英》 잉글랜드 인 ; 영어 사용자. ── *a.* 《Can.》 영어를 하는 ; 《英》 잉글랜드 인의.

An·glo- [ǽŋglou, -glə] *comb. form* 「영국(계)」의 「영국 국교회(파)의」 「영국과」의 뜻. 〚L ; ⇨ ANGLE〛

Ánglo-Áfrican *n.*, *a.* 영국계 아프리카인(의).

Ánglo-Américan *a.*, *n.* 영미(간)의 ; 영국계 미국인(의).

Ánglo-Cátholic *a.*, *n.* 영국[앵글로] 카톨릭의 (신자), 영국 국교회 고(高)교회파의 (사람) (cf. HIGH CHURCH).

Ánglo-Cathólicism *n.* 앵글로 카톨릭주의《영국 국교회 또는 성공회 내의 고교회주의》.

Ànglo·céntric *a.* 영국 중심의.

Ánglo-Frénch *a.* 영국과 프랑스(간)의 ; 앵글로 프랑스어의. ── *n.* Ⓤ 앵글로 프랑스어(Anglo-Norman)《노르만인의 영국 정복(1066)에서부터 중세 말까지 영국에서 사용되었던 프랑스어 방언》.

Ánglo-Índian *a.* 영국과 인도(간)의 ; 영국과 인도 혼혈아의, 인도에 사는 영국인의 ; 인도 영어의.

—— *n.* 영국과 인도 혼혈아, 인도에 사는 영국인 ; Ⓤ 인도 영어.

Ánglo-Írish *a.* 영국과 아일랜드의, 잉글랜드와 아일랜드의. —— *n.* 아일랜드에 사는 잉글랜드인 ; 잉글랜드인과 아일랜드인의 피를 이어받은 사람.

Ánglo-Látin *a., n.* 잉글랜드에서 사용된 중세 라틴어(語)(의), 영국 중세 라틴어(의)《略 AL》.

Ànglo·mánia *n.* Ⓤ (외국인의) 영국 심취[열(熱)](↔*Anglophobia*).

-mániac *n.* 영국 숭배자[심취자].

Ánglo-Nórman *a.* 노르만인의 영국 지배 시대(1066-1154)의 ; (영국 정복후) 영국에 정주한 노르만인의, 노르만계 영국인의 ; 앵글로 노르만 어의. —— *n.* (영국 정복후) 영국에 정주한 노르만인, 노르만계 영국인 ; Ⓤ 앵글로 노르만 어(語)(ANGLO-FRENCH).

Ánglo·phìle, -phìl *n.* 친영파(親英派)의 사람, 영국을 좋아함.

Ànglo·phília *n.* 영국 편애[숭배].

-phil·i·ac [-fíliæ̀k] *a.*

Ánglo·phòbe *n.* 영국을 싫어하는 사람.

Ànglo·phóbia *n.* Ⓤ 영국 공포증, 영국 혐오, 영국을 싫어함(↔*Anglomania*).

Ánglo·phòne *n.* (두 개 이상의 공용어를 쓰는 나라의) 영어 사용자[민]. —— *a.* 영어를 하는, 영어 사용자[민]의. **Àng·lo·phón·ic** [-fán-] *a.*

Ánglo-Sáxon *a.* 앵글로색슨인[어]의. —— *n.* 앵글로색슨인 ; [the ~s] 앵글로색슨족《5세기에 Britain섬으로 이주한 게르만 부족》; Ⓤ 앵글로색슨어(Old English) ; (외래어 따위를 섞지 않은) 고유한 영어 ; Ⓒ《美》현대 영어 ; 영국 국적[영국계]의 사람.

Ánglo-Sáxon·ìm *n.* 영국인 기질 ; 앵글로색슨계(系)의 언어 ; 앵글로색슨 우월설(優越說).

An·go·la [æŋgóulə, æn-] *n.* **1** =ANGORA 2, 3. **2** 앙골라《아프리카 남서부의 공화국 : 1975년 독립 ; 수도 Luanda》.

An·go·ra [æŋgɔ́:rə, æn-, ǽŋgərə] *n.* **1** = ANKARA. **2** [æŋgɔ́:rə, æn-] 앙고라 고양이(=∠ **cát**), 앙고라 염소(=∠ **góat**), 앙고라 토끼(=∠ **rábbit**). **3** [a~] Ⓤ=ANGORA WOOL.

angóra wóol *n.* 앙고라 염소털.

an·gos·tú·ra (bárk) [æ̀ŋgəstjúərə-] *n.* 앙고스투라 나무 (껍질)《남미산(產) ; 해열제·강장제》; [A~] 그 껍질로 만든 강장 음료.
〖*Angostura* 베네수엘라의 도시 Ciudad Bolívar의 옛 이름〗

Angostúra Bítters *n.* 앙고스투라 비터즈《칵테일에 쓰이는 쓴 맛을 내는 나무 껍질 ; 상표명》.

án·gri·ly *adv.* 화가 나서, 노하여.

◇**an·gry** [ǽŋgri] *a.* **1** [+前+do*ing*/+*to* do/+*that* 節] 화가 난, 성난 : an ~ look 화가 난 얼굴 / He looks ~. 그는 화난 얼굴을 하고 있다 / He was ~ ***with*** his son. 그는 아들에게 화를 내었다 / We were ~ ***at*** the boys ***for*** their tardiness. 애들이 꾸물거려서 화를 내고야 말았다 / Anybody will be ~ *at* be*ing* kept waiting so long. 누구든지 그렇게 오랫동안 기다리게 되면 화가 날거야 / She got ~ ***about*** the cheating. 그녀는 그 속임수에 화를 내었다 / She was ~ *to* hear it. 그녀는 그것을 듣고 화를 냈다 / I was ~ *that* the door was locked. 나는 문이 잠겨 있어서 부아가 났다. 注 angry에 계속되는 전치사는 대상이 사람일 경우에는 with, 물건일 때에는 at, about가 보통 ; 사람일 때라도 감정을 강조할 때에는 at을 씀. **2** 화난 듯한, 노한 듯한 ; (파도·바람 따위가) 험한, 험악한, 심한 : ~ words 화가 나서 한 말 / ~ waves 노도(怒濤). **3** (상처가) 염증을 일으킨.

〈회화〉
She was quite *angry*. — Of course she was.「그녀는 몹시 화가 나 있었어」「당연한 일이지」

—— *n.* [*pl.*]《口》(사회 따위에 항의하는) 성난 사람, =ANGRY YOUNG MEN. 〖ANGER〗

ángry yòung mén *n. pl.* [때로 A~ Y~ M~] 성난 젊은이들《제2차 대전후의 영국에서 기성 사회의 제도 및 권위, 특히 중산 계급의 가치관이나 생활 태도를 예리하게 비판한 일군(一群)의 젊은 작가들》; (일반적으로) 반체제의 젊은이들.

Ang.-Sax. Anglo-Saxon.

angst [á:ŋkst] *n.* (*pl.* **äng·ste** [éŋkstə]) 공포, 불안감, 걱정, 불안 ; 고뇌 ; 죄악감. 〖Dan., G〗

ang·strom, ång·ström [ǽŋstrəm, ɔ́:ŋ-] *n.* 〖理〗 옹스트롬(=∠ **unìt**)《1억분의 1센티미터 ; 빛 파장의 측정 단위 ; A.U., A, Å》. 〖↓〗

Angström *n.* 옹스트룀. Anders Jonas [jöns]~ (1814-74) 스웨덴의 물리학자.

an·guine [ǽŋgwain] *a.* 뱀의, 뱀같은.

***an·guish** [ǽŋgwiʃ] *n.* Ⓤ [또는 an ~] (심신의) 격통, 고민, 고뇌(苦惱) : *in* ~ 고민하여.
—— *vi.,vt.* 고민하다[시키다].
〖OF<L *angustia* tightness (*angustus* narrow)〗
類義語 ⟹ DISTRESS.

án·guished *a.* 고뇌[고민]에 가득찬.

an·gu·lar [ǽŋgjələr] *a.* **1** 모가 진, 모가 있는, 모난 ; 각(도)의 ; 각도로 잰 : an ~ distance 각(角)거리. **2** 뼈가 앙상한, 말라 빠진. **3** 딱딱한, 어색한, 고집 센, (성품에) 모가 난. **~·ly** *adv.* 〖L ; ⇨ ANGLE[1]〗

ángular displácement *n.* 〖理〗 각변위(角變位)《축(軸)둘레 물체의 회전시》;〖光〗(파장의 차이로 인한) 각분산(角分散).

an·gu·lar·i·ty [æ̀ŋgjəlǽrəti] *n.* **1** Ⓤ 모난, 모짐 ; (뼈 따위만) 앙상함 ; 딱딱함, 어색함. **2** [*pl.*] 모난 모양, 뾰족한 부분.

ángular léaf spòt *n.* 〖植〗 모무늬병, 각점병(角點病), 각반병.

ángular spéed[velócity] *n.* 〖理〗 각속도(角速度)《단위 시간당 방향의 변화량》.

an·gu·late [ǽŋgjələt, -lèit] *a.* (잎 따위) 모난.
—— *v.* [-lèit] *vt.* 모나게 하다.
—— *vi.* 각이 지다.

àn·gu·lá·tion *n.* 모나게[각지게] 하기.

An·gus [ǽŋgəs] *n.* 〖켈트神〗 사랑의 신.
〖Celt. = ? one choice〗

Ángus Óg [-óug] *n.* 〖아일神〗 앵거스오그《사랑과 미(美)의 신》.

an·gus·ti- [æŋgʌ́stə] *comb. form*「좁은」의 뜻.
〖L *angustus* narrow ; cf. ANGUISH〗

an·hédral [æn-] *n.* 〖空〗 상반각(上反角) ;〖空〗 하반각(下反角). —— *a.*〖空〗(날개가) 상반각[하반각]을 이루고 있는 ;〖鑛〗타형(他形)의.

an·he·la·tion [æ̀nhəléiʃən] *n.* 〖醫〗 호흡 촉박[단급(短急)].

an·hin·ga [ænhíŋgə] *n.* 〖鳥〗 긴목가마우지 (snakebird). 〖Tupi〗

An·hui [á:nhwí:], **An·hwei** [á:n*h*wéi] *n.* 안후이(安徽)《중국 동부의 성》.

anhyd. anhydrous.

an·hydr- [ænháidr], **an·hy·dro-** [ænháidrou, -drə] *comb. form*「무수(無水)의」「무수물」의 뜻. 〖Gk.〗

an·hy·dride [ænháidraid] *n.* 〖化〗 무수물.

an·hy·drite [ænháidrait] *n.* 〔鑛〕 경석고(硬石膏), 무수(無水)석고.

an·hy·drous [ænháidrəs] *a.* 〔化·鑛〕 무수(無水)의, 무수물의. 〖Gk. *anudros* lacking water (*ana-*, *hudōr* water)〗

ani [ɑːníː, ˊ-] *n.* 〔鳥〕 아니《뻐꾸기류(類); 열대 아메리카산》. 〖Tupi〗

an·icónic [æn-] *a.* 우상(偶像)이 없는, 우상 반대의; 상징[암시]적인.

ANICs Asian newly industrialized countries《아시아 신흥 공업[중진]국; 한국·대만·홍콩·싱가포르를 지칭》.

anigh [ənái] *adv.*, *prep.* 《古》 (…에) 가까이.

Anik [ɑ́ːnik] *n.* 아니크《1972년 발사된 캐나다의 통신 위성》. 〖Eskimo＝brother〗

an·il [ǽnəl] *n.* 〔植〕 낭아초속(屬)의 식물《서인도 제도산으로 물감의 원료》; Ⓤ 인디고(indigo)《남빛 물감》. 〖F＜Port.＜Arab.〗

an·ile [ǽnail, éi-] *a.* 노파 같은, 노쇠한(old-womanish) (cf. SENILE). 〖L (*anus* old woman)〗

an·i·line [ǽnələn, -làin, -lìːn], **-lin** [-lən] *n.* Ⓤ 〔化〕 아닐린《무색의 기름 형태의 액체》. —— *a.* 아닐린의[에서 채취한].
〖G (*anil* indigo)＜F or Port.＜Arab.〗

ániline dỳe *n.* 아닐린 염료.

ani·lin·gus [èinilíŋgəs], **-linc·tus** [-líŋktəs] *n.* 항문(肛門)키스(에 의한) 성감(性感)자극.
〖ANUS, cunni*lingus*, *-linctus*〗

anil·i·ty [əníləti, æ-] *n.* Ⓤ 노쇠해 있음, 노망.

anim. animato.

an·i·ma [ǽnəmə] *n.* 생명, (영)혼. 〖L〗

an·i·mad·ver·sion [æ̀nəmædvə́ːrʃən, -məd-, -ʒən] *n.* Ⓤ,Ⓒ 비평, 비난, 혹평〈*on*〉.

an·i·mad·vert [æ̀nəmædvə́ːrt] *vi.* [+前+名] 비평[혹평]하다, 비난하다 : ~ ***(up)on*** a person's conduct 남의 행위를 비난하다.
〖L (*animus* mind, ADVERT[1])〗

◇**an·i·mal** [ǽnəməl] *n.* **1** 동물(cf. MINERAL, PLANT); 짐승, 네발 짐승(cf. BIRD, REPTILE); 포유 동물 : a wild[domestic] ~ 야생 동물[가축]. **2** 야수 같은 인간, 짐승 같은 사람, 사람답지 않은 사람. **3** [the ~] (사람의) 수성(獸性)(animality). —— *a.* 동물의; 동물성[질]의, 짐승 같은(↔*human*); 육욕적인; 〔生〕 동물극(極)의 : ~ appetites[desires, passion] 수욕(獸慾), 육욕 / an ~ body 동물체 / ~ courage 만용 / ~ life 동물의 생태; [집합적으로] 동물 / ~ magnetism 동물 자기(磁氣); 성적 매력 / ~ matter 동물질 / an ~ painter 동물화가 / ~ protein 동물성 단백질. **~·ly** *adv.*
〖L＝having breath (*anima* breath)〗

ánimal bláck *n.* 애니멀 블랙《동물질을 탄화시켜 얻은 흑색 분말; 안료·탈색제》.

ánimal chárcoal *n.* 수탄(獸炭)《동물질을 탄화시킨 것》; (특히) 골탄(骨炭) (bone black).

ánimal cràcker *n.* 《美》 여러가지 동물 모양을 한 작은 크래커.

an·i·mal·cule [æ̀nəmǽlkjuːl] *n.* (*pl.* **~s**, **-cu·la** [-kjələ]) 극미(極微) 동물. **-cu·lar** [-kjələr] *a.* 극미 동물의. 〖NL; ⇨ ANIMAL〗

an·i·mal·cu·lism [æ̀nəmǽlkjəlìzəm] *n.* Ⓤ (병원(病原) 따위의) 극미 동물설.

ánimal experimentátion *n.* 동물 실험.

ánimal fòod *n.* 동물성 식품.

ánimal hèat *n.* 〔生理〕 동물의 체내열.

ánimal húsbandry *n.* 축산[가축]학; 축산.

an·i·mal·ier [æ̀nəməlíər] *n.* 동물화가[조각가].

ánimal·ìsm *n.* **1** Ⓤ 동물성; 수성(獸性); 수욕주의(sensualism). **2** Ⓤ 인간 동물설.

ánimal·ist *n.* 수욕주의자; 인간 동물설 지지자; 동물 화가[조각가].

àn·i·mal·ís·tic *a.* 동물성의; 수욕주의적인.

an·i·mal·i·ty [æ̀nəmǽləti] *n.* **1** Ⓤ 동물성, 수성. **2** Ⓤ 동물계.

ànimal·izátion *n.* 동물화, 수성화(獸性化); 동물질화.

ánimal·ìze *vt.* 동물의 모양으로 표현하다; 수욕에 빠지게 하다; 동물질로 바꾸다.

ánimal kìngdom *n.* [the ~] 동물계(cf. VEGETABLE[MINERAL] KINGDOM).

ánimal liberátion[**líb**] *n.* 동물 해방 운동《동물을 학대로부터 보호하려는 운동》.

ánimal párk *n.* 《美》 동물 공원, 자연 동물원.

ánimal pòle *n.* 〔動〕 동물극《신경 따위의 동물성 기관을 형성하는 난세포의 극; cf. VEGETAL POLE》.

ánimal ríghts *n.* 동물 보호; 동물권(權)《학대·착취로부터 보호받을 권리》.
ánimal ríght·er *n.*

ánimal spírits *n. pl.* 혈기, 생기, 활기.

an·i·ma mun·di [ǽnimə mʌ́ndai] *n.* (*pl.* **an·i·mae-** [-mìː-, -mài-]) 세계 영혼, 우주혼《물질계를 조직하고 지배한다고 생각되었던 힘》.
〖L＝soul of the world〗

an·i·mate** [ǽnəmèit] *vt.* [+目/+目+前+名] …에 생명을 불어 넣다(inspire); …에 활기를 띠게 하다; 활동하게 하다; 애니메이션[동화(動畫)]화하다 : The soldiers were ~*d* by their captain's brave speech. 대장의 용감한 말에 병사들의 사기는 크게 고무되었다 / The news ~*d* us ***to greater efforts. 그 보도에 우리는 힘이 나서 더욱 분발했다. —— [-mət] *a.* **1** 생명이 있는, 살아 있는(living, alive); 생물인(↔ *inanimate*) : ~ nature 생물계, 동식물계. **2** 생기 있는, 원기 있는, 기운찬(lively). **~·ly** *adv.* **~·ness** *n.*
〖L (*animo* to give life to); ⇨ ANIMAL〗
類義語 (1) ***animate*** 기운을 북돋우다, 또는 활동성을 부여하다. ***quicken*** 활기가 없는[활동하지 않는] 것에 활기를 부여하다[활동시키다] : The story *quickened* his imagination. (그 이야기는 그의 상상력에 불을 붙였다). ***stimulate*** 활발치 못한·무기력한 것에 자극을 주어 분기시키다 : *stimulate* the boy to work hard (소년이 열심히 공부하도록 자극하다). ***invigorate*** 육체적인 원기·정력을 부여하다 : *invigorating* drink (기운을 돋우는 음료). ***vitalize*** 정신적 활기·생기를 부여하다 : *vitalize* a dull life (따분한 삶에 활기를 불어넣다).
(2) ⟹ LIVING[1].

án·i·màt·ed *a.* 생기가 있는, 생생한, 싱싱한(lively); 활기에 찬, 왕성한 : an ~ discussion 활발한 토의. **~·ly** *adv.* 활발하게.
類義語 ⟹ LIVELY, LIVING[1].

ánimated cartóon[**dráwing**] *n.* 동화(動畫), 애니메이션(animation).

ánimated píctures *n.* 활동사진《영화 motion pictures의 옛 이름》.

ani·ma·teur [*F* animatœːr] *n.* 추진자, 주동자(prime mover); (계획 따위의) 발기인.

án·i·màt·ing *a.* 기운차게 하는; 고무하는.

an·i·ma·tion [æ̀nəméiʃən] *n.* **1** Ⓤ 생기, 활기, 활발 : with ~ 열심히, 활발히. **2** 〔映〕 동화(動畫), 애니메이션(animated cartoon); Ⓤ 동화 제작.

an·i·mat·ism [ǽnəmətìzəm] *n.* 무생물의 유의식

설(有意識說).

ani·ma·to [à:nəmá:tou] *a., adv.* 〖樂〗 생기 있게, 힘차게, 약동적[인]으로《略 anim.》. 〚It.〛

ànimáto·gràph *n.* (초기의) 영화 촬영기, 활동 사진 촬영기.

án·i·mà·tor, -màt·er *n.* 생기를 부여하는 사람[것]; 고무자; 〖映〗 애니메이션 제작자.

an·i·mé [ǽnəmèi, -mi] *n.* 아니메《수지(樹脂)의 일종; 바니시의 원료》. 〚F〛

an·i·mism [ǽnəmìzəm] *n.* 〖哲·心〗 **1** Ⓤ 물활론(物活論), 정령설(精靈說)《목석 따위에도 생물과 같이 영혼이 있다고 하는 설》. **2** Ⓤ 정령(精靈) 신앙《사람 및 물건의 활동은 모두 영의 힘에 의한 것이라는 설》; 정령 숭배. 〚L *anima* life, soul+*-ism*〛

án·i·mist *n.* 물활론자; 정령 숭배자.

àn·i·mís·tic *a.* 물활론적인; 정령 숭배적인.

an·i·mos·i·ty [æ̀nəmásəti] *n.* Ⓤ,Ⓒ 악의, 적의, 강한 증오심(hatred), 유한(遺恨), 원한〈*against, toward, between*〉: have (an) ~ *against* …에게 원한을 품다. 〚OF or L (↓)〛

an·i·mus [ǽnəməs] *n.* **1** =ANIMOSITY. **2** 의도, 의사(intention). 〚L=spirit, mind〛

an·ion [ǽnàiən, -ɑn] *n.* 〖化〗 음(陰)이온(↔*cation*). 〚*ana-*, ION〛

anis [æní:s] *n.* 아니스《아니스(anise) 열매로 맛을 낸 스페인의 독한 술》.

an·is- [ǽnais, ænáis], **an·i·so-** [ǽnaisou, ænáisou, -sə] *comb. form* 「부등(不等)」 「부동(不同)」의 뜻(↔*is-*). 〚Gk.〛

an·ise [ǽnəs] *n.* 〖植〗 아니스《미나리과에 속하는 노루참나물의 일종; 그 열매는 향미료》. 〚OF<L<Gk. *anison*〛

an·i·seed [ǽnəssì:d] *n.* Ⓤ 아니스 열매《향미료》.

an·is·ette [æ̀nəsét, -zét, ⌐-⌐] *n.* 아니스 열매로 맛을 첨가한 달콤한 리큐어. 〚F〛

an·isog·a·mous [æ̀naisɑ́gəməs], **-iso·gam·ic** [ænàisəgǽmik, æ̀nai-] *a.* 〖生〗 이형접합[배우(配偶)]의(heterogamous) (↔*isogamous*).
àn·isóg·a·my *n.*

an·iso·met·ric [ænàisəmétrik, æ̀nai-] *a.* 부등(不等)한; 〖結晶〗 비등방(非等方)의.

an·iso·me·tro·pia [ænàisəmətróupiə, æ̀nai-] *n.* 〖醫〗 (두 눈의) 굴절 부동(증), 부동시(不同視).
-me·trop·ic [-mətrɑ́pik, -tróu-] *a.*

an·isotrópic [æ̀n-, ænàisə-] *a.* 〖理〗 비등방성(非等方性)의, 이방성(異方性)의; 〖植〗 불균등의, 유방성(有方性)의.
-i·cal·ly *adv.* **an·isótropy** [æ̀n-], **an·isot·ro·pism** [æ̀naisɑ́trəpìzəm] *n.* 〖理〗 비등방성(非等方性), 이방성(異方性); 〖植〗 (자극에 대한) 불균등성, 유방성(有方性).

Ani·ta [əní:tə] *n.* 여자 이름《Anna의 애칭》. 〚Sp. (dim.); ⇨ ANN(A)〛

An·jou [ǽndʒu:; *F* ɑ̃ʒu] *n.* 앙주《프랑스 서부의 옛 공국; Plantagenet 왕가 이름으로 쓰였음》.

An·ka·ra [ǽŋkərə, ɑ́:ŋ-] *n.* 앙카라《터키 공화국의 수도; 옛 칭호 Angora》.

an·ker [ǽŋkər, ɑ́:ŋ-] *n.* 앵커《네덜란드·독일 따위의 술의 옛 액량 단위; 약 10갤런》; 1앵커들이 술통.

ankh [ǽŋk] *n.* 앵크《이집트 미술에서 볼 수 있는 위에 고리가 붙은 T자형 십자; 생식·장수의 상징》; 생명의 상징. 〚Egypt. =life, soul〛

***an·kle** [ǽŋkəl] *n.* 다리 관절, 복사뼈; (일반적으로) 발목[복사뼈] 근처의 부분. ── *vi.* 《美俗》 (몸을 뒤로 젖히고) 걷다. 〚ON; ⇨ ANGLE[1]; cf. G *Enkel*〛

ánkle bìter *n.* 《濠俗》 아이, 아동.

ánkle·bòne *n.* 〖解〗 거골(距骨), 복사뼈.

ánkle bòots *n. pl.* 발목까지 오는 짧은 부츠.

ánkle-déep *adv., a.* (깊이가) 발목까지(의).

ánkle sóck *n.* [보통 *pl.*] 발목까지 오는 짧은 양말(=《美》 anklet).

an·klet [ǽŋklət] *n.* 발목 장식 고리; 차꼬; 《美》 발목까지 오는 짧은 양말《여성·어린이용》; 가죽 구두 끈.

an·kyl-, an·chyl-, an·cyl- [ǽŋkəl], **an·ky·lo-, an·chy·lo-, an·cy·lo-** [ǽŋkəlou, -lə] *comb. form* 「갈고리 모양으로 굽은」 「교착한(듯한)」의 뜻. 〚Gk.; ⇨ ANKYLOSIS〛

an·ky·lose, -chy- [ǽŋkilòus, -z] *vi., vt.* (뼈와 뼈를) 교착하다, 교착시키다; (뼈·관절 따위) 강직하게 하다, 강직해지다. 〚역성(逆成)〈↓; *anastomose* 따위에 준한 것〛

an·ky·lo·sis, -chy- [æ̀ŋkilóusəs] *n.* (*pl.* **-ses** [-si:z]) Ⓤ 〖解〗 (뼈 따위의) 교착(膠着); 〖醫〗 관절 강직. 〚NL<Gk. (*agkulos* crooked)〛

an·lace [ǽnləs, -leis] *n.* (중세의) 양날의 단검.

an·la·ge [ɑ́:nlɑ:gə; ǽn-] *n.* (*pl.* **-gen** [-gən], ~**s**) **1** 〖生〗 원기(原基) (rudiment)《기관(器官)이 될 세포》. **2** 소질. 〚G〛

ann. annals; annual; annuity; *anni* 《L》 (=years).

Ann, Anne [ǽ(:)n], **An·na** [ǽnə] *n.* 여자 이름《애칭 Annie, Nan, Nana, Nance, Nancy, Nanna, Nannie, Nanny》. 〚Heb. =grace〛

an·na [ɑ́:nə, ǽnə] *n.* 아나《미얀마·인도·파키스탄 따위의 옛 화폐 단위; =1/16 rupee》. 〚Hindi〛

An·na·bel, -belle [ǽnəbèl], **-bel·la** [æ̀nəbélə] *n.* 여자 이름. 〚Sc.=? lovable, amiable〛

an·nal [ǽnl] *n.* 일년 간의 기록(의 한 항).

an·nal·ist [ǽnələst] *n.* 연대기 편자, 역사가.

an·nal·is·tic [æ̀nəlístik] *a.* 연대기의.

***an·nals** [ǽnlz] *n. pl.* **1** 연대기(記), 연보(年譜); 연사(年史)(history). **2** 사료(史料), 기록(historical records); [때때로 단수취급] (각종 단체·대학 따위의) 기요(記要), 회지(會誌). 〚F or L *annales* (*libri*) yearly (books)〛

An·nam [ənǽm, ə-, ǽnæm] *n.* 안남(安南)《지금은 VIETNAM의 일부》.

An·nam·ese [æ̀nəmí:z, -s] *a.* 안남의; 안남어의. ── *n.* (*pl.* ~) 안남 사람; Ⓤ 안남어.

An·nam·ite [ǽnəmàit] *a., n.* =ANNAMESE.

An·nap·o·lis [ənǽpələs] *n.* 아나폴리스《미국 Maryland 주(州)의 주도; 해군 사관 학교 소재지; cf. WEST POINT》.

An·na·pur·na, An·a- [æ̀nəpúərnə] *n.* **1** 〖힌두敎〗 시바(Siva)의 배우자인 여신. **2** 안나푸르나《히말라야 산맥 북부의 산군(山群); 최고봉 ~ I (8078 m)》.

an·nates [ǽneits, -nəts] *n. pl.* 〖카톨릭〗 (사제(司祭) 등의) 첫 수입세(稅)《원래 취임후 첫해의 수입을 교황에게 바쳤던 성직 취임세》.

Anne [ǽ(:)n] *n.* **1** =ANN. **2** 앤여왕. **Queen ~** (1665-1714)《영국의 여왕; 치세(治世) (1702-14) 중에 England와 Scotland가 합병》.

an·neal [əní:l] *vt.* (강철·유리 따위를) 달구었다가 천천히 식히다, 《古》 변색하지 않도록 불에 달구다; 벼리다; (정신을) 단련하다. **~·er** *n.* **~·ing** *n.* 가열 냉각; 벼리기. 〚OE *onǣlan* (*an-*[1], *ǣlan* to burn, bake)〛

an·ne·lid [ǽnələd] *n.* 〖動〗 환형(環形) 동물《지렁

이・거머리 따위》.
〚F or NL ((dim.) 〈 *anulus* ring)〛

An·nel·i·da [ənéləda] *n. pl.* 〚動〛 환형 동물문《분류명》.

an·nel·i·dan [ənélədən] *a.* 환형동물의.

an·nex [ənéks, æ-, éneks] *vt.* **1** [+目/+目+*to*+名] 부가하다, 첨부하다 : A protocol has been ~*ed* ***to*** the treaty. 조약에는 의정서(議定書)가 첨부되어 있다. **2** (영토 따위를) 합병[병합]하다 : The United States ~*ed* Texas in 1845. 미합중국은 텍사스를 1845년에 병합했다. **3** 《口》 훔치다, 착복하다(appropriate). ── [éneks, -iks] *n.* 부가물, 부속 서류 ; 별관(別館), 증축한 건물, 떨어져 있는 건물〈*to*〉.
〚OF＜L (*nex- necto* to bind)〛

an·nex·a·tion [ænekséiʃən] *n.* **1** Ⓤ 부가 ; 합병. **2** Ⓒ 부가물, 합병지. **~·ist** *n.* 합병론자. **~·al** *a.*

an·néx·ment *n.* 《古》 합병물, 합병된 영토 ; 《古》 부가[첨가]물.

Án·nie [éni] *n.* 여자 이름《Ann, Anne의 애칭》.

Ánnie Óak·ley [-óukli] *n.* (*pl.* ~**s**) 《美俗》 우대권 ; 무료 입장권, 무임 승차권.

an·ni·hi·late [ənáiəlèit] *vt.* 전멸[괴멸・멸절・멸종]시키다 ; 폐지하다(annul) ; (상대 따위를) 완패시키다 ; (야심 따위를) 꺾다, 좌절시키다 ; 〚理〛 소멸시키다 : ~ the enemy's army[fleet] 적군[함대]을 전멸시키다 / ~ a law 법률을 폐지하다 / ~ the visiting team 원정팀을 완패시키다. ── *vi.* 〚理〛 소멸하다.
〚L＝to reduce to nothing (*nihil* nothing)〛

an·nì·hi·lá·tion *n.* Ⓤ 전멸, 멸절, 멸종 ; 폐지 ; 〚理〛 소멸.

annihilátion dispòsal *n.* 소멸 처리.

an·ní·hi·là·tor *n.* 멸절[멸종]자.

***an·ni·ver·sa·ry** [ænəvə́:rsəri] *n.* (매년의) 기념일, 기념제, (몇) 주년 (기념)제, 연기(年忌)《略 anniv.》: the 60th ~ of one's birth 환갑. ── *a.* 예년(例年)의, 매년의, 연제(年祭)의, 기념일의, 기념제의. 〚L＝returning yearly (*annus* year, *vers- verto* to turn)〛

Annivérsary Dày *n.* 《濠》 AUSTRALIA DAY의 옛 칭호.

Ánn Lánders *n.* 앤 랜더즈 칼럼《미국 Ann Landers 여사가 담당한 인생 상담란 ; 세계의 1000 종이 넘는 신문에 게재됨》.

an·no ae·ta·tis su·ae [ǽnou i:téitis sú:i:] *adv.* (나이) …살 때에《略 aet., aetat.》. 〚L〛

an·no Dom·i·ni [ǽnou dámənài, -nì:, -ni, á:nou-] *adv.* 그리스도 기원(후) (cf. A.D.), 서력 : A.D. 1066 서력 1066년. 注 《美》에서는 1066 A.D.라고 쓰는 일이 많음(cf. B.C.). ☞ A.D. 活用. ── *n.* [보통 A~ D~] 《口》 늘그막, 노령(old age).
〚L＝in the year of the Lord〛

an·no mun·di [á:nou múndi:, ǽnou mʌ́ndai] *adv.* 천지 창조 이래, 세계 기원(紀元)(후) 《James Ussher는 4004 B.C.를, 유태인은 3761 B.C.를 원년으로 함 ; 略 a.m., A.M.》.
〚L＝in the year of the world〛

annot. annotated ; annotation ; annotator.

an·no·tate [ǽnətèit] *vt.* …에 주석을[주해를] 달다[붙이다] : an ~*d* edition 주석판(版). ── *vi.* 주석을[주해를] 달다. **án·no·tà·ta·ble** *a.* **án·no·tà·tive** *a.* 주석[주해] 같은, 주석적인. **àn·no·tá·tion** *n.* 주석, 주해. **án·no·tà·tor, -tàt·er** *n.* 주석자.
〚L ; ⇨ AN-², NOTE〛

an·nounce** [ənáuns] *vt.* **1** [+目/+目+*to*+名/+*that* 節/+目+*to* do/+目+*as* 補] 알리다, 통지[고지]하다, 발표[성명]하다, 피로(披露)하다 : They ~*d* the birth of their first baby. 첫 아이의 출생을 알렸다 / We have ~*d* her death ***to some friends only. 그녀의 죽음을 몇몇 친구들에게만 알렸다 / It has been ~*d that* the astronaut will visit this country in September. 그 우주 비행사가 9월에 이 나라를 방문한다고 발표되었다 / The publishers ~*d* the book *to be* forthcoming. 출판사에서는 그 책이 근간되리라고 발표했다 / Mr. Robert Brown was ~*d as* the sponsor. 로버트 브라운씨가 스폰서라고 발표되었다. **2** (손님의 도착・식사 따위를) 큰소리로 알리다[일러주다], 안내해 주다 : Dinner was ~*d*. 식사 준비가 되었음을 알렸다 / The servant ~*d* Mr. and Mrs. Jones. 하인은 존스 부처의 내방을 전했다. **3** …의 징조[알리는 것]가 되다 : A shot ~*d* the presence of the enemy. (한 발의) 총소리로 적이 있다는 것을 알았다. **4** 〚放送〛 (프로그램을) 방송하다. ── *vi.* **1** 아나운서로 근무하다. **2** 《美口》 입후보를 표명하다〈*for*〉; 《美》 지지 선언을 하다 : ~ *for* mayor 시장의 입후보를 표명하다.
announce* one*self as …이라고 내세우다 : She ~*d* her*self* to me *as* my mother. 그 여자는 자기가 나의 어머니라고 밝혔다.
~·able *a.*
〚OF＜L (*nuntius* messenger)〛
類義語 ⟹ DECLARE.

***annóunce·ment** *n.* **1** Ⓤ,Ⓒ [+*that* 節] 알림, 고지(告知), 고시(告示) ; 발표 ; 성명, 예고 : The ~ *that* taxes will be reduced at a certain rate is very welcome news. 일정한 비율로 세금이 삭감될 것이라는 발표는 매우 반가운 소식이다. **2** Ⓤ,Ⓒ 〚카드놀이〛 가진 패를 보이기. **3** 〚放送〛 방송 문구, (특히) 커머셜, 선전 문구, 광고.

annóuncement effect *n.* 광고 효과.

***an·nóunc·er** *n.* 고지하는[알리는] 사람 ; 방송자(者), 아나운서.

an·noy** [ənɔ́i] *vt.* **1** [+目/+目+前+名] 귀찮게 굴다, 성가시게 하다, 애타게 하다 : He was ~*ing* the bull ***with a red rag. 붉은 천조각으로 소를 성가시게 하고 있었다. 注 때때로 *p.p.*로 형용사적으로 쓰여 [+前+do*ing*/+*to* do] : She was ~*ed* ***about*** the whole thing. 모든 것에 귀찮아 하고 있었다 / I was ~*ed* ***at*** the interruption. 방해를 받아 화가 났다 / He was ~*ed* ***with*** the maid because the rooms were not properly swept. 방이 깨끗이 청소가 되어 있지 않다고 가정부에게 화를 냈다 / I felt ~*ed with* the girl ***for*** be*ing* so careless. 그 소녀가 너무 조심성이 없어서 불쾌하게 생각했다 / He was ~*ed to* find that dinner was not ready. 식사 준비가 되어 있지 않은 것을 알고 불쾌했다. **2** (적 등을) 괴롭히다(molest) : I was ~*ed* by hecklers during the last half of my speech. 강연의 후반에 야유꾼들의 등살에 괴로움을 겪었다. ── *vi.* 불쾌한 원인이다 ; 불쾌한 일을 하다[말하다]. ── *n.* 《古・詩》 불쾌감, 귀찮음.
〚OF (L *in odio* hateful)〛
類義語 ***annoy*** 일시적으로 남을 화나게 하거나 초조하게 하여 마음을 흩뜨리다 : The noise *annoyed* the patient. (그 환자는 소음 때문에 괴로웠다). ***vex*** annoy보다 더 심한 분노・고민・걱정 따위를 나타내다 : The teacher was much *vexed* by the answer. (선생은 그 대답에 매우 화가 났다). ***bother*** 상대방에게 약간의 성

가심이나 괴로움·당황함·걱정을 끼치다 : He often *bothers* me with silly questions. (때로 어리석은 질문을 하여 나를 난처하게 만든다). ***tease*** 집요한 언동으로 상대를 못살게 굴다 : The boy *teased* the dog till it bit him. (그 소년이 집요하게 개를 괴롭히자 그만 개는 소년을 물어 버렸다). ***worry*** 커다란 불안·염려·걱정을 끼치다 : The sick child *worried* the mother. (어머니는 아픈 아이가 염려스러웠다). ***harass*** 끊임없이 공격하거나 요구하거나 무거운 짐을 지우거나 하여 괴롭히다 : He is *harassed* by business troubles. (그는 사업상의 문제로 애를 먹는다).

***annóy·ance** *n.* Ⓤ 성가시게 하기(bother) ; 초조함 ; Ⓒ 곤란[난처]함, 누(累), 귀찮음, 두통거리 : with ~ 화를 내어, 성가셔서.
put. . .to annoyance …을 곤란[난처]하게 하다 ; …에 누를 끼치다.

annóy·ing *a.* 성가신, 귀찮은, 짜증나는 : How ~ ! 아이 귀찮아 ! **~·ly** *adv.* 성가시게, 귀찮게.

***an·nu·al** [ǽnjuəl] *a.* 일년의 ; 예년의 ; 연 1회의 (cf. BIENNIAL, TRIENNIAL) ; 〖植〗 1년생의(cf. BIENNIAL, PERENNIAL) : ~ growth rate 연간 성장률 / an ~ income 연수입 / ~ expenditure [revenue] 세출[세입] / an ~ report 연보(年報) / an ~ ring 〖植〗 나이테. —— *n.* 일년생 식물 ; 연보, 연감.
a hardy annual 내한성(耐寒性) 1년생 식물 ; 《戱》 해마다 치루는 성가신 일.
〖OF<L (*annus* year)〗

ánnual·ly *adv.* 해마다(yearly), 연년이, 연 1회 ; 1년분으로서.

ánnual páid hólidays *n.* 연차 유급 휴가.

an·nu·i·tant [ənjúːətənt] *n.* 연금 수령자.
〖*annuity*＋*-ant* ; *accountant* 따위의 유추〗

an·nu·it coep·tis [ɑ́ːnuit kɔ́iptiːs, ǽnjuit séptis] 하나님은 우리가 하는 일을 좋아하느니라《미국의 국새(國璽) 뒷면에 새겨진 표어》. 〖L〗

an·nu·i·ty [ənjúːəti] *n.* **1** 연금 ; 연간 배당금 : a life[terminable] ~ 종신[유기] 연금 / an ~ certain 〖保險〗 확정 연금. **2** 연금 불입금.
〖F<L *annuus* yearly ; ⇨ ANNUAL〗

an·nul [ənʌ́l] *vt.* (**-ll-**) 무효로 하다, (명령·결의를) 취소하다, 폐기하다(cancel) : The judge ~*led* the contract because one of the signers was too young. 재판관은 서명자의 한 사람이 너무 어리다는 이유로 그 계약을 무효로 했다.
〖OF<L ; ⇨ AN-², NULL〗

an·nu·lar [ǽnjələr] *a.* 고리 모양의, 환상(環狀)의. **~·ly** *adv.* 고리 모양으로, 환상으로.
〖F or L (*anulus* ring)〗
類義語 ⟹ ROUND.

ánnular eclípse *n.* 〖天〗 금환식(金環蝕).

an·nu·late [ǽnjələt, -lèit], **-lat·ed** [-lèitəd] *a.* 여러 고리로 된, 고리 무늬가 있는.

àn·nu·lá·tion *n.* 환상(環狀)(부) ; 환상 구조.

an·nu·let [ǽnjələt] *n.* 작은 고리, 소환(小環).

annúl·ment *n.* Ⓤ **1** 취소, 실효(失效), 폐지, 폐기. **2** 〖精神醫〗 (불쾌한 관념 따위의) 소멸. **3** (결혼) 무효 선언.

an·nu·loid [ǽnjəlɔ̀id] *a.* 고리 모양의, 환상의.

an·nu·lose [ǽnjəlòus, -z] *a.* 〖動〗 환절(環節)이 있는.

an·nu·lus [ǽnjələs] *n.* (*pl.* **-li** [-lài, -liː], **~·es**) 고리, 환(環), 둥근 테(ring) ; 〖數〗 환형(環形) ; 〖天〗 금환(金環) ; 〖動〗 체환(體環) ; 〖植〗 (고사리류 포자낭(胞子囊)의) 환대(環帶).

an·num [ǽnəm] *n.* 연(年), 해《略 an.》: per ~ 한 해에, 일년에. 〖L ; ⇨ ANNUAL〗

an·nun·ci·ate [ənʌ́nsièit, -ʃi-] *vt.* 고지(告知)하다(announce). 〖L ; ⇨ ANNOUNCE〗

an·nun·ci·a·tion [ənʌ̀nsiéiʃən, -ʃi-] *n.* **1** Ⓤ,Ⓒ 포고(布告), 예고. **2** [the A~] 〖宗〗 **a**) 수태 고지《천사 Gabriel이 성모 Maria에게 그리스도의 수태를 알린 일》. **b**) 성(聖)수태 고지제(告知祭)《Lady Day ; 3월 25일》.

an·nún·ci·à·tor *n.* 통고자, 예고자 ; 신호 표시기, (회사 교환대·엘리베이터 따위의) 호출하고 있는 방[층 따위]을 알려 주는 표시기.

an·nus mi·ra·bi·lis [ǽnəs mərɑ́ːbələs, ɑ́ː-] *n.* (*pl.* **an·ni mi·ra·bi·les** [ǽnai mərɑ́ːbəliːz, ɑ́ːni mərɑ́ːbəlèis]) [때로 A~ M~] 경이의 해, 사건이 많았던 해《특히 영국에서 대화재·페스트의 유행 따위 큰 사건이 많았던 1666년》.
〖L＝wonderful year〗

ano-¹ [ǽnou, éinou, -nə] *comb. form* 「항문(肛門)」의 뜻. 〖ANUS〗

ano-² [ǽnou, ǽnə] *pref.* 「위, 위쪽」의 뜻 : *ano*opsia. 〖Gk. *ana* up〗

ANOC Association of National Olympic Committees (국제 올림픽 위원회 연맹).

an·ode [ǽnoud] *n.* 〖電〗 양극(陽極)(↔*cathode*).
an·od·al [ænóudl], **an·od·ic** [ænɑ́dik] *a.*
〖Gk. ＝way up (*ana-*, *hodos* way)〗

ánode rày *n.* 〖電〗 양극선(陽極線).

an·od·ize [ǽnədàiz] *vt.* (금속을 양극으로 하여) 전해(電解)하다《얇은 보호막을 입히기 위함》.
〖ANODE〗

an·o·dyne [ǽnədàin] *a.* 진통의 ; (감정을) 누그러지게 하는. —— *n.* 진통제 ; 누그러지게 하는[위로가 되는] 것.
〖L<Gk. ＝painless (*a-*², *odunē* pain)〗

an·o·e·sis [æ̀nouíːsəs] *n.* (*pl.* **-ses** [-siːz]) 〖心〗 비(非)지적 의식, 감각적[감정적] 정신 상태.
àn·o·ét·ic [-ét-] *a.*

anoestrus ☞ ANESTRUS.

anoia [ənɔ́iə] *n.* 극도의 정신 박약, 백치.
〖*a-*², Gk. *noiēsis* understanding〗

anoint [ənɔ́int] *vt.* **1** (성식(聖式)에서) 머리에 기름을 붓고 신성[거룩]하게 하다, 성별(聖別)하다 : The archbishop ~*ed* the new king. 대주교는 새 왕에게 기름을 부었다. **2** (상처 따위에) 기름[연고]을 바르다, 기름을 붓다〈*with*〉.
the (***Lord's***) ***Anointed*** 하느님의 기름 부음을 받은 자, 성별된 자《그리스도》; 고대 이스라엘의 왕 ; 신권(神權)에 의한 왕.
~·er *n.* 기름을 붓는[바르는] 사람.
〖AF<L *inungo* ; ⇨ UNCTION〗

anóint·ment *n.* Ⓤ 기름을 바름 ; (연고 따위의) 도포, 문질러 바름〈*with*〉; 〖宗〗 도유식.

an·o·lyte [ǽnəlàit] *n.* 〖化·電〗 양극액(陽極液), 애노드(anode)액.

anom·a·lism [ənɑ́məlìzəm] *n.* 비정상, 변칙, 예외, 이례(異例).

anom·a·lis·tic, -ti·cal [ənɑ̀məlístik(əl)] *a.* 비정상적인, 변칙의, 예외의 ; 〖天〗 근점(近點)의, 근일점(近日點)의, 근지점(近地點)의 : ~ month [year] 〖天〗 근점월[년].

anomalístic mónth *n.* 〖天〗 근점월(近點月)《약 27일 반》.

anomalístic períod *n.* 〖宇宙〗 (인공 위성의) 근점(近點)주기《근점을 통과하는 주기》.

anom·a·lous [ənɑ́mələs] *a.* 변칙의, 이례적(異例的)인, 변태적인(abnormal).

~·ly *adv.* 변칙적으로. ~·**ness** *n.*
⟦L<Gk. (*a-*[2], *homalos* even)⟧
類義語 ⟹ IRREGULAR.

anómalous fínite *n.* 변칙 정형(be, have 및 조동사의 정형).

anómalous vérb *n.* 〘文法〙 변칙 동사(be, have, do, may, shall, can 따위 12어(語)).

anómalous wáter *n.* 〘化〙 중합수(重合水), 폴리워터(polywater).

anom·a·ly [ənáməli] *n.* U.C 변칙, 예외, 이례; 변태; 〘天〙 근점(近點)거리.

anom. fin. anomalous finite.

ano·mia [ənóumiə] *n.* U 〘醫〙 명칭 실어증; = ANOMIE.

anom·ic [ənámik] *a.* 〘社〙 사회적[도덕적]으로 무질서한.

an·o·mie, -my [ǽnəmi] *n.* 〘社〙 사회적[도덕적] 무질서. ⟦Gk. (*a-*[2], *nomos* law)⟧

anon [ənán] *adv.* 《古》 그 중(에), 다시(again); 곧(바로); 얼마 안가서(soon).
ever* (*now*) *and anon 때때로.
⟦OE=in(to) one; ⇨ ON, ONE⟧

anon. anonymous(ly).

an·o·nym [ǽnənìm] *n.* 익명자(匿名者), 무명씨; 변명(變名), 가명; 작가 미상의 저작.

an·o·nym·i·ty [æ̀nəníməti] *n.* U 익명; 무명.

anon·y·mous [ənánəməs] *a.* 익명의; (서적이) 작가 미상의, (노래가) 작자 미상의: remain ~ 이름을 밝히지 않다. ~·**ly** *adv.* ~·**ness** *n.*
⟦L<Gk.=nameless (*a-*[2], *onoma* name)⟧

ano·op·sia [æ̀nouápsiə], **anop·sia** [ənáp-] *n.* 〘醫〙 상사시(上斜視).

anoph·e·les [ənáfəlìːz] *n.* 〘昆〙 아노펠레스, 학질모기(말라리아를 매개함).
-line [-làin, -lən] *a., n.*

an·o·rak [ǽnəræ̀k] *n.* 두건 달린 방한복.
⟦Eskimo⟧

an·o·rec·tic [æ̀nəréktik], **-ret·ic** [-rétik] *a.* 식욕이 없는, 식욕을 감퇴시키는.
── *n.* =ANOREXIC.

an·orex·ia [æ̀nəréksiə] *n.* U 〘醫〙 **1** 식욕 부진. **2** =ANOREXIA NERVOSA. **àn·orèx·i·gén·ic** [-rèksədʒénik] *a.* 식욕을 없애는.
⟦L<Gk. (*a-*[2], *orexis* appetite)⟧

anoréxia nervósa [-nə(ː)rvóusə] *n.* 〘精神醫〙 (사춘기 (여성)의) 신경성 무식욕증(症)[식욕 감퇴증].

an·orex·ic [æ̀nəréksik] *a.* 〘醫〙 식욕 부진의; 식욕을 감퇴시키는. ── *n.* 신경성 무식욕증 환자.

an·or·gas·tic [æ̀nɔːrgǽstik] *a.* 오르가슴에 도달하지 못하는; (성)불감증의.

an·or·tho·site [ænɔ́ːrθəsàit] *n.* 〘岩石〙 사장암(斜長岩).

an·os·mia [ænázmiə, ænás-] *n.* U 〘醫〙 후각 상실, 무후각(증). **an·ós·mic** *a.*

◇**an·oth·er** [ənʌ́ðər] *a., pron.* 注 복수를 나타낼 경우는 OTHER를 씀.

> (1) 기본 뜻:「또 하나의 (an+other)」
> (2) 형용사적 용법과 대명사적 용법이 있다. 크게 「다른」(a different...)과 「또 하나의」(an additional...)의 뜻으로 대별된다.
> (3) another 앞에는 the, no, any, some 따위가 붙지 않는다.

1 또 하나의 (것), 다른 하나의 (사람·것); 그와 같은 (것), 그와 같은 (사람): Have[Try] ~ cup. 한 잔 더 드시지요 / I shall be back in ~ six weeks. (앞으로) 6주만 더 있으면 돌아가게 될 것입니다 / If I am a mad man, you are ~. 내가 미치광이라면 너도 미치광이야 / Liar!—You're ~! 거짓말쟁이! — (뭐라고) 너야말로 거짓말쟁이다! / in ~ moment 다음 순간에는 / You'll never see *such* ~. 저런 사람[것]은 다시 못 볼 것이다 / ~ Solomon 제2의 솔로몬[현자(賢者)].
2 a) 다른, 딴 (사람·것) (a different...): I don't like this one, show me ~. 이것은 마음에 안드니 다른 것을 보여 주시오 / I felt myself quite ~ man. 자신이 전혀 다른 사람처럼 느껴졌다 / But that is ~ story. 그러나 그것은 (이것과는) 별개의 문제다 / *A*~ book *than*[*from*] this will suit you. 이 책 말고 다른 책이 당신에게 알맞을 것입니다. **b**) [one과 대조적으로]: To know is *one* thing, and it's quite ~ (thing) to teach. 아는 것과 가르치는 것은 별개의 것이다; 많이 안다고 반드시 좋은 교사는 아니다 / *One* man's meat is ~ man's poison. 《속담》 갑의 약은 을의 독, 사람마다 기호는 다른 법. ☞ 活用.

> **one thing... another의 문장 전환**
> one thing... another는 「두 가지 것이 완전히 별개의 것」임을 나타낸다.
> Knowing is a quite different thing from doing. (=Knowing and doing are two quite different things.)
> → Knowing is *one thing* and doing quite *another.*
> (안다는 것과 한다는 것은 전혀 별개다.)

for another thing ☞ THING.
one after another ☞ ONE *pron.*
one another ☞ ONE *pron.*
one way and another 이일 저일로.
taking*[*taken*] *one with another 이것저것 생각해 보면, 이것저것 평균하면[따지면], 대체로 (cf. ONE *with another*).
⟦*an other*⟧
活用 one...another는 임의의 수 중에서 2개를 대조시키는 경우에 쓰임; 최초로부터 2개만의 경우에는 (the) one...the other를 씀. ☞ OTHER 活用 (3) ii).

A.N. Other [ənʌ́ðər] *n.* 《英》 선수 미정(출장선수의 명단 작성시 일부 선수가 결정되지 않았을 때 해당란에 기입); 익명씨(another를 인명처럼 표기한 것).

anóther-guèss *a.* 《古》 종류가[양식이] 다른, 딴 모양의.

anóther pláce *n.* 〘英〙 (영국 국회의) 타원(他院)(상원에서 보아 하원을, 하원에서 보아 상원을 가리킴).

anourous ☞ ANUROUS.

an·ovu·lant [ænávjələnt, -nóu-] *n.* 배란 억제제. ── *a.* 배란 억제(제)의.

an·ovulátion [æn-] *n.* 〘醫〙 배란(排卵) 정지, 무배란.

an·óvulatory [æn-] *a.* 배란이 수반되지 않는, 무배란(성)의; 배란을 억제하는.

an·ox·e·mia, -ae- [æ̀naksíːmiə] *n.* U 〘醫〙 (고지 따위에서의 혈액 속의) 산소 결핍(증), 무산소혈(증). **-mic** *a.*

an·ox·ia [ænáksiə] *n.* 〘醫〙 산소 결핍 (상태). **an·óx·ic** *a.*

ANPA American Newspaper Publishers Association(미국 신문 발행인 협회). **anr.** another.

ANS American Nuclear Society(미국 원자력 학회) ; 《美》 Army News Service(육군 보도부). **ans.** answer(ed). **A.N.S.** 《英》 Army Nursing Service(육군 간호 부대).

An·schluss [ɑ́:nʃlus] *n.* 결합, 합병《특히 1938년의 나치스 독일의 오스트리아 합병》. 〖G〗

ANSCII 〖컴퓨〗 American National Standard Code for Information Interchange《미국 규격 협회 정보 교환용 표준 부호 ; 원래 ASCII》.

an·ser·ine [ǽnsəràin, -rən], **an·ser·ous** [ǽnsərəs] *a.* 거위의[같은] ; 어리석은(stupid). —— *n.* Ⓤ 〖化〗 안세린《거위 근육 속에 있는 물질 ; 수산화바륨》. 〖L (*anser* goose)〗

ANSI American National Standards Institute(미국 규격 협회).

◇**an·swer** [ǽ(:)nsər ; ɑ́:n-] *vt.* **1** [+目/+*that* 節/+目+*to*+名/+目+目] (사람·질문에) 대답[회답]하다(reply) ; (노크·전화에) 응하다 : He ~*ed* me[my question]. 나에게[나의 물음에] 대답했다 / ~ a letter 편지에 답장을 내다 / ~ the door[the bell] 초인종 소리[종소리]에 (손님을) 맞이하러 나가다 / She ~*ed that* she would be happy to come. 기꺼이 오겠다고 회답을 했다 / He didn't ~ a word ***to*** us. 우리에게 한 마디도 대답을 안했다 / *A*~ me this question. 이 질문에 대답해 주시오 / I was ~*ed* nothing. 아무런 대답도 얻지 못했다. **2** [+目/+目+前+名] (공격에) 응수하다 ; 대꾸하다 : ~ blows ***with*** blows 주먹에 주먹으로 응수하다. **3** (희망·요구에) 부응하다, 따르다 ; (목적·요건에) 알맞다, 합치하다 : I hope this will ~ your purpose. 이것이 당신의 목적에 부합하면 좋겠습니다 / My wishes were ~*ed*. 나의 소원은 이루어졌다.

—— *vi.* **1** [動/+*to*+名] 대답하다, 회답하다 : I called, but no one ~*ed*. 불러보았으나 아무도 대답하는 사람이 없었다 / ***To*** this question he ~*ed* evasively. 이 질문에 대해 그는 애매한 대답을 했다. 注 이 경우 answer to...의 어순을 취하는 일은 드묾(cf. *vt.* 1, *vi.* 4). **2** [+*for*+名] 책임을 지다 ; 보증하다 ; 보상하다, 벌을 받다 : ~ ***for*** a crime 죄에 대해 속죄를 하다 / ~ *for* a person's honesty (남의) 정직함을 보증하다. **3** 알맞다, 일치하다 ; 효험[반응]이 있다 : Such a poor excuse will not ~. 그런 어설픈 변명으로는 안된다 / Our experiment has ~*ed*. 실험은 성공했다. **4** [+*to*+名] (…에) 부합하다 : The features ~ ***to*** the description. 용모가 인상서와 일치한다.

answer back 《口》 말 대꾸하다.

answer to the name of …이라 불리우다 : The dog ~*ed to the name of* Rover. 그 개는 로버라고 불리웠다.

—— *n.* 대답, 회답, 응답(reply) ; 해답(solution) (↔ *question*) ; 〖法〗 답변 ; 보복(retaliation) : give[make] an ~ (*to*...) (…에게) 대답하다, 회답하다.

in answer to …에 대답하여 ; (…에) 응하여 : A girl came to the door *in* ~ *to* my knock. 노크 소리를 듣고 한 소녀가 문간에 나왔다.

> **answer의 ○×**
> (×) I don't know the *answer of* this question.
> (○) I don't know the *answer to* this question.
> (나는 이 문제의 답을 모른다.)
> 다음 경우에도 of가 아니라 to를 쓴다.
> the *entrance to* the house 집의 입구
> the *key to* the front door 현관 열쇠
> 단 동사의 경우에는 to가 필요 없다.
> (×) He didn't *answer to* my question.
> (○) He didn't *anwer* my question.
> (그는 내 질문에 대답하지 않았다.)
> replay의 경우에는 to가 필요하다.
> (○) He didn't *reply to* my question.

〖OE *andswarian* swear against (charge)〗

類義語 ***answer*** 구두·문서 또는 행동으로 대답하다 ; 가장 일반적인 말. ***reply*** 질문에 대해서 자세한 데까지 만족할 수 있게 회답하다. ***respond*** 희망·호소·기대에 대해서 적절한 반응을 나타내다 : *respond* to an appeal (호소에 응하다). ***retort*** 감정적으로 즉각 응수하다.

ánswer·able *a.* **1** 대답할 수 있는 ; 책임이 있는 : He is ~ *to* me *for* his actions. 그는 자기 행동에 대해서 나에게 책임을 져야 한다. **2** 《古》 상응(相應)[일치]한〈*to*〉.
類義語 ⟹ RESPONSIBLE.

ánswer·bàck *n.* 〖컴퓨〗 응답. —— *a.* 응답의, 응답하는 : a computer with ~ capability 응답 능력이 있는 컴퓨터.

ánswer·er *n.* 회답[해답]자, 답변인.

ánswer·ing *a.* 응답[대답]의 ; 상응[일치]하는 (corresponding)〈*to*〉.

ánswering machìne *n.* (부재시의) 전화 자동 응답 장치.

ánswering sèrvice *n.* 《美》 (부재시의) 전화 응답 대행업.

ánswer prìnt *n.* 〖寫〗 첫회 프린트《점검용》.

***ant** [ǽnt] *n.* 〖昆〗 개미 (cf. TERMITE).
〖OE EMMET＜WGmc. (*ā* off, *mait-* to cut)〗

an't ☞ AIN'T.

ant- [ænt] ☞ ANTI-.

-ant [ənt, nt] **1** *a. suf.* 「…하는, …성(性)의」의 뜻 : defi*ant* ; malign*ant*. **2** *n. suf.* 「…하는 사람[것]」의 뜻 : occup*ant* ; serv*ant*.
〖F or L (pres. p.) ; cf. -ENT〗

Ant. Antarctica ; Anthony ; Antigua ; Antrim. **ant.** antenna ; antiquary ; antonym ; antarctic.

ANTA [, ǽntə] American National Theater and Academy(미국 연극 아카데미).

an·ta [ǽntə] *n.* (*pl.* **~s, -tae** [-ti:, -tai]) 〖建〗 벽모서리 기둥. 〖L〗

An·ta·buse [ǽntəbjù:s] *n.* 앤터뷰스《알코올 중독 치료제 ; 상표명》.

ant·ac·id [æntǽsəd] *a.* 산(酸)을 중화하는.
—— *n.* 산(酸)중화물, 제산제. 〖*anti-*〗

An·tae·an [æntí:ən] *a.* Antaeus의[같은] ; 초인적인 힘을 가진 ; 매우 거대한.

An·tae·us [æntí:əs] *n.* 〖그神〗 안타이오스 《Poseidon과 Gaea 사이에 태어난 거인》.

an·tag·o·nism [æntǽgənìzəm] *n.* Ⓤ 반대, 적대(관계), 적의(hostility), 반항심〈*to, against*〉; 〖解·藥·生〗 길항(拮抗)(작용) : the ~ *between* A and B 갑을[양자]간의 반목.

come into antagonism with …와 반목(反目)하게 되다.

in antagonism with …에 적대[대립]하여.
〖F ; ⇨ ANTAGONIZE〗

an·tag·o·nist [æntǽgənəst] *n.* 적대자, 경쟁자, 상대자 ; 〖生理〗 길항근(拮抗筋) ; 〖藥〗 길항약.
類義語 ⟹ OPPONENT.

an·tag·o·nis·tic [æntæ̀gənístik] *a.* 반대의, 상반하는, 모순하는 ; 대립하는, (서로) 용납 못하는

〈*to*〉. **-ti·cal·ly** *adv.* 반대[적대·반목]하여.

an·tag·o·nize [æntǽgənàiz] *vt.* **1** 적대하다, …의 반감을 사다 : His unkind remarks ~*d* people who had been his friends. 그의 불친절한 말은 이제까지 친구였던 사람들의 반감을 샀다. **2** 《美》 …에 반대[대항]하다(oppose). **3** …에 반대로 작용하다, 중화시키다. ── *vi.* 적대 행위를 하다. **-nìz·able** *a.*
〖Gk. =to contest against ; ⇨ AGONY〗

ant·álkali [ænt-] *n.* 〖化〗 알칼리 중화제.

ant·álkaline [ænt-] *n., a.* 알칼리 중화제(의).

An·ta·nan·a·ri·vo [æ̀ntənæ̀nərí:vou] *n.* 안타나나리보《마다가스카르의 수도 ; 별칭 Tananarive》.

ant·aphrodísiac [ænt-] *a.* 성욕을 억제하는. ── *n.* 성욕 억제제(劑).

An·ta·ra [ɑ:ntá:rɑ:] *n.* 안타라 통신《인도네시아의 국영 통신 ; 대통령의 직할》.

‡ant·arc·tic [æntá:*r*ktik] *a.* [흔히 A~] 남극의, 남극 지방의(↔*arctic*). ── *n.* [the A~] 남극 ; 남빙양(南氷洋), 남극해(海).
〖OF or L<Gk. ; ⇨ ANTI-, ARCTIC〗

Ant·arc·ti·ca [æntá:*rk*tikə] *n.* 남극 대륙(the Antarctic Continent).

Antárctic Archipélago *n.* [the ~] 남극 열도 《Palmer Archipelago의 별칭》.

Antárctic Círcle *n.* [the ~] 남극권《남극에서 23°27′의 선(線)》.

Antárctic Cóntinent *n.* [the ~] 남극 대륙.

Antárctic Ócean *n.* [the ~] 남빙양, 남극해.

Antárctic Península *n.* [the ~] 남극 반도.

Antárctic Póle *n.* [the ~] 남극.

Antárctic Tréaty *n.* [the ~] 남극 조약《남위 60° 이남의 대륙과 공해의 비군사화, 과학적 조사 연구의 자유를 협정》.

Antárctic Zòne *n.* [the ~] 남극대(帶), 남한대(the South Frigid Zone).

An·tar·es [æntέəri:z, -tǽər-] *n.* 〖天〗 안타레스 《전갈자리의 알파성 ; 지름이 태양의 약 230배》.

ánt bèar *n.* 〖動〗 (남미산) 큰개미핥기.

ánt·bìrd *n.* 〖鳥〗 (남미산) 개미잡이새.

ánt còw *n.* 〖昆〗 진딧물(aphid).

an·te [ǽnti] *n.* 〖카드놀이〗 (새로이) 패를 받기 전에 거는 돈 ; 《口》 출자금, 할당금, 분담금, 비용 : raise (up) the ~ 《口》 내기 돈[출자금, 분담금 따위]의 액수를 올리다. ── *vt.* (돈을) 내다, 걸다 ; 《美口》 (분담금(分擔金) 따위를) 치르다, 지불하다(pay)〈*up*〉. ── *vi.* 돈을 걸다〈*up*〉 ; 《美口》 지불을 끝내다〈*up*〉. 〖L=before〗

an·te- [ǽnti] *pref.* 「앞, 전(前)」의 뜻(↔*post-*). 〖↑〗

ánt·èat·er *n.* 〖動〗 (남미산) 개미핥기.

an·te·bel·lum [æ̀ntibéləm] *a.* 전전(戰前)의(↔*postbellum*). 주 문맥에 따라 세계(1, 2차) 대전, 《英》 보어 전쟁, 《美》 남북 전쟁 따위의 전(前)의 뜻. 〖L (*bellum* war)〗

an·te·bra·chi·al [æ̀ntibréikiəl] *a.* 〖解〗 전박(前膊)의.

an·te·bra·chi·um [æ̀ntibréikiəm] *n.* (*pl.* **-chia** [-kiə]) 〖解〗 전박(前膊).

an·te·cede [æ̀ntəsí:d] *vt.* (시간적·공간적·서열적으로) …에 앞서다, 선행하다.
〖L *ante-* (*cess- cedo* to go)〗

an·te·ced·ence [æ̀ntəsí:dəns] *n.* Ⓤ (시간적·공간적·서열적으로) 앞서기, 선행, 선재(先在) ; 〖天〗 (행성의) 역행.

***àn·te·céd·ent** *a.* 앞서는, 선행하는 ; (…보다) 앞의, 전(前)의〈*to*〉 ; 〖論〗 추정적인, 전제의, 가정의. ── *n.* **1** 선행자, 선재자(先在者) ; 전례. **2** 〖文法〗 (관계사의) 선행사 : In "This is the house that Jack built," *house* is the ~ of *that.* 《이 문장에서 *house*는 *that*의 선행사임》. **3** 〖論〗 전건(前件)(↔*consequent*) ; 〖數〗 (비례의) 전항(前項) ; 원형, 전신(前身). **4** [*pl.*] 경력, 내력, 신원, 이력(past history) : a woman of shady ~*s* 이력[신원]이 수상쩍은 여자.
~·ly *adv.* 앞서, 선행하여 ; 추정적으로.

an·te·ces·sor [æ̀ntisésə*r*] *n.* 《稀》 전임자.

an·te·cham·ber [ǽntitʃèimbə*r*] *n.* 대기실.
〖F ; ⇨ ANTE-〗

ánte·chàpel *n.* 예배당의 대기실.

ánte·chòir *n.* 교회 성가대석 앞의 공간.

an·te-Chris·tum [ǽntikrístəm] *a.* 기원전… 《略 A.C.》. 〖=before Christ〗

an·te·date [ǽntidèit, ⌐-⌐] *vt.* …보다 앞에 발생하다, …에 앞서다 ; (수표·증서 따위)에 실제보다 …의 날짜[시기]를 빨리하다[앞당기다] ; …보다 시일이 앞서다(predate)(↔*postdate*) ; 예상하다, 내다보다. ── [⌐-⌐] *n.* (수표·증서 따위의) 전일부(前日附). 〖ANTE-〗

an·te·di·lu·vi·an [æ̀ntidəlú:viən, -dai-] *a.* (Noah의) 대홍수 이전의 ; (아주) 먼 옛날의 ; 구식인, 시대에 뒤진. ── *n.* 대홍수 이전의 사람[동식물] ; 아주 늙은 노인 ; 시대에 뒤진 사람[것].
〖*ante-*, DELUGE〗

antedilúvian pátriarch *n.* 태조(太祖)《성경에서 Adam부터 Noah까지의 사람》.

ánte drùg *n.* 외용약(外用藥)의 일종《피부의 국소에만 유효(有效)》.

an·te·fix [ǽntifiks] *n.* 〖建〗 (처마 끝의) 장식기와, 막새.
〖L (FIX)〗

antefix

ànte·fléxion *n.* Ⓤ 〖醫〗 (특히 자궁의) 전굴(증).

ánt ègg *n.* 개미알 《실제는 개미의 번데기 ; 말린 것은 물고기·새 따위의 먹이로 씀》.

an·te·lope [ǽntəlòup] *n.* (*pl.* **~, ~s**) 〖動〗 영양(羚羊). 〖OF or L<Gk. *antholops*< ?〗

an·te·me·rid·i·an [æ̀ntimərídiən] *a.* 오전의.

an·te me·rid·i·em [ǽnti mərídiəm] *a.* 오전의 《略 a.m., A.M. ; ↔*post meridiem*》 : *at* 8 *a.m.* 오전 8시에. 〖L=before noon〗

an·te·met·ic [æ̀ntimétik] *a.* 오심(惡心)[구토] 억제의.

an·te·mor·tem [ǽntimɔ́:*r*təm] *a.* 죽기 전의, 생전의(↔*postmortem*).
〖L=before death〗

ànte·múndane *a.* 세계 창조 이전의.

ànte·nátal *a.* 출생전의 ; 태아의 ; 출산전의 ; 임신기간 전의. ── *n.* 《口》 임신 중의 검진.

***an·ten·na** [ænténə] *n.* **1** (*pl.* **-nae** [-ni:, -nai], **~s**) 〖動〗 (달팽이 따위의) 촉각, 더듬이. **2** (*pl.* **~s**) 《美》 안테나, 공중선(aerial).
〖L=sail yard〗

anténna arrày *n.* 안테나열(列), 지향성 안테나 (beam antenna).

anténna cìrcuit *n.* 〖通信〗 안테나 회로.

an·ten·nal [ænténl] *a.* 〖動〗 촉각의.

an·ten·na·ry [ænténəri] *a.* 〖動〗 촉각(모양)의 ; 촉각이 있는.

anténna shòp *n.* 안테나 숍《상품·고객·지역의 정보 수집을 위한 메이커 직영의 점포》.
an·ten·nate [ǽntənət, -nèit] *a.* 촉각이 있는.
an·tén·ni·fòrm [ænténə-] *a.* 촉각 모양의.
an·ten·nule [ænténju:l] *n.* 〖動〗 (새우 따위의) 작은 촉각.
ànte·núptial *a.* 결혼 전의.
ànte·órbit·al *a.* 〖解〗 안와(眼窩) 앞의 ; 눈앞의.
an·te·par·tum [æ̀ntəpá:rtəm] *a.* 〖醫〗 분만 전의.
an·te·pen·di·um [æ̀ntipéndiəm] *n.* (*pl.* **~s, -dia** [-diə]) 제단의 앞 장식(frontal), 앞에 드리운 막. 〖L〗
an·te·pe·nult [æ̀ntipí:nʌlt, -pinʌ́lt] *n.* 〖文法〗 어미(語尾)로부터 세번째 음절 《보기 il·lus·trate의 il-, an·te·pe·nult의 -te-》.
〖L (*ante*-, PENULT)〗
ànte·penúltimate *a., n.* 어미로부터 세번째 음절(의).
ànte·posítion *n.* Ⓤ 〖文法〗 정상 어순의 역(逆) 《보기 fiddlers three》.
ànte·póst *a.* 〖競馬〗 출전 말의 번호가 게시되기 전에 내기를 하는. 〖POST²〗
ànte·prándial *a.* 식사하기 전의.
an·te·ri·or [æntíəriər] *a.* [때·사건] 전의, 앞서의⟨*to*⟩ ; [장소] 전방의(↔*posterior*).
~·ly *adv.* 앞으로, 먼저. **an·te·ri·or·i·ty** [æntìəriɔ́(:)rəti, -ár-] *n.* 앞섬, 먼저임.
〖F or L (compar.) ‹ANTE〗
an·te·ro- [ǽntərou, -rə] *comb. form* 「앞의」「앞과」「앞에서」의 뜻. 〖NL<L (↑)〗
ánte·ròom *n.* 곁방, (주실(主室)로 통하는) 작은 방 ; 대기[대합]실.
àntero·postérior *a.* 전후 방향의, 복배(腹背)의.
ánte·tỳpe *n.* 원형(原型).
ànte·vérsion *n.* 〖醫〗 (기관(器官), 특히 자궁의) 전경(前傾).
an·te·vert [æ̀ntivə́:rt] *vt.* (자궁 따위의 기관을) 전경(前傾)시키다.
ánt flỳ *n.* 날개미《낚싯밥》.
anth-¹ [ǽnθ] ☞ ANTI-.
anth-² [ǽnθ], **an·tho-** [ǽnθou, -θə] *comb. form* 「꽃(과 같은)」의 뜻.
〖Gk. ; ⇨ ANTHER〗
An·thea [ǽnθiə, ænθí:ə] *n.* 여자 이름.
〖Gk.=flowery〗
ánt hèap *n.* =ANTHILL.
ant·he·li·on [ænthí:ljən, ænθí:-] *n.* (*pl.* **~s, -lia** [-liə]) 〖氣〗 반대 환일(幻日) 《태양의 반대쪽 구름이나 안개에 나타나는 광환(光環)》.
an·thel·min·tic [æ̀nθelmíntik], **-thic** [-θik] *a.* 기생충을 구제하는, 구충의. —— *n.* 구충제.
an·them [ǽnθəm] *n.* 성가(聖歌), 찬송가, 찬미가 ; (일반적으로) 축가, 송가. —— *vt.* 성가를 불러 축복하다 ; 찬양하다.
〖OE *antefn, antifne*<L ; ⇨ ANTIPHON〗
an·the·mi·on [ænθí:miən] *n.* (*pl.* **-mia** [-miə]) 〖裝飾〗 인동 무늬.
an·ther [ǽnθər] *n.* 〖植〗 꽃밥, 약(葯) (cf. STAMEN). 〖F or NL<Gk. (*anthos* flower)〗
ánther dùst *n.* 〖植〗 화분, 꽃가루(pollen).

anthemion

an·ther·id·i·um [æ̀nθərídiəm] *n.* (*pl.* **-id·ia** [-rídiə]) 〖植〗 (고사리, 이끼 따위의) 장정기(藏精器). **-id·i·al** [-rídiəl] *a.*
an·the·sis [ænθí:səs] *n.* (*pl.* **-ses** [-si:z]) Ⓤ 〖植〗 개화(기), (특히) 수술의 성숙.
ánt·hìll *n.* 개미총(塚), 개미탑(塔) ; 많은 사람이 끊임없이 바쁘게 움직이고 있는 도시[건물].
antho- [ǽnθou, -θə] ☞ ANTH-².
àntho·cárpous *a.* 〖植〗 위과(僞果)의 : ~ fruits 위과(僞果), 부과(副果).
anthol. anthology.
an·thol·o·gize [ænθálədʒàiz] *vi.* 명시집[문집]을 편찬하다. —— *vt.* 명시집[문집]에 수록하다.
an·thol·o·gy [ænθálədʒi] *n.* 명시(名詩)선집, 시선(詩選) ; 명문 선집 ; 명곡집, 명화집.
-gist *n.* 명시선(名詩選)[명문집] 편집자.
an·tho·log·i·cal [æ̀nθəládʒikəl] *a.*
〖F or L<Gk. (*anthos* flower, -*logia* collection ‹*lego* to gather)〗
An·tho·ny [ǽnθəni, -tə-] *n.* **1** 남자 이름《애칭 Tony》. **2** [Saint ~] 성 안토니우스《돼지 치는 사람의 수호 성인》. **3** 한 배에서 난 돼지 새끼 중 가장 작은 놈(=tantony (pig)). **4** 앤터니. **Susan B(rowell)** ~ (1820-1906) 미국의 여성 참정권·노예제 폐지 운동가.
〖L=inestimable〗
Ánthony Dóllar *n.* 앤터니 달러화《1979년 7월에 발행된 1달러짜리 동전 ; S. B. Anthony의 상(像)이 있음》.
ántho·phòre *n.* 〖植〗 화탁, 꽃받침.
ántho·taxy [-tæ̀ksi] *n.* 〖植〗 화서(花序), 꽃차례.
-an·thous [ǽnθəs] *a. comb. form* 「…한 꽃이 피는」의 뜻 : mon*anthous*.
〖NL ⇨ ANTH-²〗
An·tho·zoa [æ̀nθəzóuə] *n. pl.* [the ~] 〖動〗 산호류《산호, 말미잘 따위》.
an·thrac- [ǽnθrək], **an·thra·co-** [ǽnθrəkou, -kə] *comb. form* 「탄(炭)」「옹(癰)」의 뜻.
〖Gk. ; ⇨ ANTHRAX〗
an·thra·cene [ǽnθrəsì:n] *n.* 〖化〗 안트라센《alizarine 색소의 원료》.
an·thra·cite [ǽnθrəsàit] *n.* Ⓤ 무연탄(hard [stone] coal). **àn·thra·cít·ic** [-sít-] *a.* 무연탄의[같은]. 〖Gk. ; ⇨ ANTHRAX〗
an·thrac·nose [ænθrǽknous] *n.* 〖植〗 탄저병(炭疽病).
an·thra·coid [ǽnθrəkɔ̀id] *a.* **1** 탄저 모양의. **2** 숯[석탄, 탄소] 같은.
an·thra·níl·ic ácid [æ̀nθrənílik-] *n.* 〖化〗 안트라닐산《아조 염료 합성 원료·의약품·향료용》.
an·thra·qui·none [æ̀nθrəkwinóun, -kwínoun] *n.* 〖化〗 안트라퀴논《황색 결정》 : ~ dye 안트라퀴논 염료.
an·thrax [ǽnθræks] *n.* Ⓤ 〖醫〗 비탈저(脾脫疽) ; 탄저열(炭疽熱)《가축의 전염병》.
〖L<Gk. =coal, carbuncle〗
anthrop. anthropological ; anthropology.
an·throp- [ǽnθrəp], **an·thro·po-** [ǽnθrəpou, -pə] *comb. form* 「사람」「인류」의 뜻.
〖Gk.〗
an·thro·par·ea [æ̀nθrəpéəriə] *n.* 인간 거주지《특히 시가지》.
ànthro·phóbia *n.* 〖精神醫〗 대인(對人) 공포증.
an·throp·ic, -i·cal [ænθrápik(əl)] *a.* 인류의 ; 인류 시대의 ; =ANTHROPOGENIC.
ànthropo·céntric *a.* 인간 중심의.
-cén·tric·al·ly *adv.* **-cén·tric·ìsm, -cén·trism** *n.* 인간 중심주의.
ànthropo·cósmos *n.* 인간 우주, 인간활동권.
ànthropo·génesis, an·thro·pog·e·ny [æ̀nθrə-

pádʒəni] *n.* 인류 발생(론)《사람의 기원과 발생》. **-genétic** *a.*

ànthropo·génic *a.* ANTHROPOGENESIS 의 ; 〖生態〗 인위 개변(人爲改變)의.

ànthropo·geógraphy *n.* 인문 지리학.

an·thro·pog·ra·phy [ӕ̀nθrəpágrəfi] *n.* Ⓤ 기술(記述)적 인류학, 인류지(誌).

an·thro·poid [ǽnθrəpɔ̀id] *a.* 인간 비슷한 ; 유인원류(類人猿類)의 ; 《口》 (사람이) 원숭이를 닮은. —— *n.* 유인원(=∠ **ápe**). 〖Gk. ; ⇨ -OID〗

an·thro·poi·dal [ӕ̀nθrəpɔ́idl] *a.* 유인원의[같은].

anthropol. anthropology.

an·throp·o·lite [ӕnθrápəlàit], **-o·lith** [-lìθ] *n.* Ⓤ 인체 화석.

an·thro·po·log·ic, -i·cal [ӕ̀nθrəpəládʒik(əl)] *a.* 인류학(상)의. **-i·cal·ly** *adv.* 인류학상, 인류학적으로.

an·thro·pol·o·gy [ӕ̀nθrəpálədʒi] *n.* Ⓤ 인류학 : ☞ PHYSICAL[CULTURAL, SOCIAL] ANTHROPOLOGY. **-gist** *n.* 인류 학자.
〖*anthropo-*, *-logy*〗

an·thro·pom·e·try [ӕ̀nθrəpámətri] *n.* Ⓤ 인체 측정학[계측법]. **an·thro·po·met·ric, -ri·cal** [ӕ̀nθrəpəmétrik(əl)] *a.*

ànthropo·mórphic *a.* 의인화[인격화]된 ; 신인(神人) 동형 동성설(同性說)의. **-i·cal·ly** *adv.*
〖Gk. *morphē* form〗

ànthropo·mórphism *n.* 의인화, 인격화 ; 신인 동형 동성설. **-mórph·ist** *n.*

ànthropo·mór·phize [-mɔ́:rfaiz] *vt.* (신·동물 따위 인간 이외의 것을) 인격화[의인화]하다.

ànthropo·mórphosis *n.* 인간 모습으로의 변형, 인간화(人間化).

ànthropo·mórphous *a.* 인간의 모습과 닮은.

an·thro·poph·a·gi [ӕ̀nθrəpáfəgài, -dʒài, -gì:] *n. pl.* (*sg.* **-gus** [-gəs]) 식인종(食人種).

an·thro·poph·a·gous [ӕ̀nθrəpáfəgəs] *a.* 식인종의. **àn·thro·póph·a·gy** *n.* 식인(食人) (풍습).
〖Gk. *phagō* to eat〗

an·thro·pos·o·phy [ӕ̀nθrəpásəfi] *n.* 〖哲〗 인지학(人知學)《독일의 철학자·인지학자 R. Steiner (1861-1925)가 제창한 인식의 중심에 신(神)이 아니고 인간을 두는 정신 운동》.

an·thro·pot·o·my [ӕ̀nθrəpátəmi] *n.* 인체의 해부학적 구조.

ànthropo·zoólogy *n.* 인류[인간] 동물학《인간을 동물계의 한 종으로 보고 연구하는 학문》.

an·ti [ǽnti, 美+ǽntai] *n.* (*pl.* **~s**) 《口》 반대(론)자, 반대자 ; 《美》 여성 참정권 반대론자. —— *a.* 반대(의견)의. ——[∸-] *prep.* …에 반대하여 (against). 〖↓〗

an·ti- [ӕ̀nti, 美+ӕntai], **ant-** [ӕnt], **anth-** [ӕnθ] *pref.* 「반대」「적대」「대항」「배척」의 뜻(↔ *pro-*). 㑓 고유 명사[형용사]의 앞이나, i(때때로 다른 모음) 앞에서는 hyphen을 씀 : ~-British, ~-imperialistic.
〖Gk. =against〗

ànti·abórtion *a.* 임신 중절을 반대하는. **~ìsm** *n.* **~ist** *n.*

antiabórtion mòvement *n.* 《美》 임신 중절 반대 운동.

ànti·áir *a.* 《口》 =ANTIAIRCRAFT.

ànti·áir·cràft *a.* 방공[대공](용)의 : an ~ gun 고사포. —— *n.* 대공 화기 ; Ⓤ 대공 포화.

antiáircraft bàttery *n.* 〖軍〗 대공(전투)부대 ; (군함에서) 함상의 전(全) 대공 포화.

antiáir wàrfare *n.* 〖軍〗 대공 전투.

ànti·álcohol·ìsm *n.* 과음 반대, 절주 ; 금주.

ànti·allérgic *a.* 〖免疫〗 항(抗)알레르기(성)의. —— *n.* 항알레르기성 물질.

ànti-Américan *a.* 반미(反美)의. —— *n.* 미국(의 방침[정책])에 반대하는 사람, 반미 사상가. **~ìsm** *n.* 반미주의.

ànti-ántibody *n.* 〖免疫〗 항항체(抗抗體).

ànti·anxíety *a.* 〖藥〗 불안 방지[제거]의 효력이 있는, 항(抗)불안성의 : ~ drugs 항불안제[약].

ànti-ármor clúster munítions *n.* 〖軍〗 대장갑 클러스터탄《적의 장갑차량[특히 전차]을 한 발로 대량 파괴하는 항공 폭탄·야포탄 ; 略 ACM》.

ànti·arrhýthmic *a.* 〖藥〗 항(抗)부정맥(성)의.

ànti-árt *n.* 반(反)예술, (특히) (네오) 다다이즘.

ànti·authoritárian *a.* 반(反)권위주의의. **~ìsm** *n.*

ànti·authórity *a.* 반(反)권위의.

an·ti·bac·chi·us [ӕ̀ntibəkáiəs] *n.* 〖韻〗 역(逆)바커스격(格)《장장단격(長長短格) (——⏑) 또는 강강약격(強強弱格) (∸∸×)》.

ànti·bactérial *a.* 항균(성)의.

ànti·ballístic *a.* 대미사일의, 대(對)탄도탄의.

antiballístic míssile *n.* 탄도탄 요격(邀擊) 미사일《略 ABM》.

ànti·bílious *a.* 가슴앓이 치료의.

ànti·biósis *n.* (*pl.* **-ses**) 〖生〗 항생(抗生) 작용.

ànti·biótic *a.* 〖生〗 항생(작용)의 ; 항생 물질의. —— *n.* 항생 물질《penicillin, streptomycin 따위》. **-i·cal·ly** *adv.* 〖F〗

ànti·bláck *a.* 흑인에게 적대적인, 반(反)흑인의. **~ism** *n.*

ànti·blástic *a.* 세균 발육 억제성의 ; 항(抗)세균 발육성의.

an·ti·body [ǽntibàdi] *n.* 〖免疫〗 (혈청 중의) 항체, 항독소(抗毒素).
〖G *anti-*(*körper* body)에 준한 것〗

ànti·bús·ing *a.* 《美》 버스 통학을 반대하는《백인·흑인의 공학을 촉진하기 위한 버스 수송에 반대하는》.

antibúsing mòvement *n.* 《美》 강제 버스 통학 반대 운동.

an·tic [ǽntik] *a.* 별스러운, 괴상한, 괴기한 ; 익살맞은. —— *n.* **1** [보통 *pl.*] 익살맞은 거동 ; 별스러운 행동, 어리석은 행동 : play ~*s* 익살부리다, 광대노릇하다. **2** 《古》 광대.
—— *vi.* (**án·ticked** ; **án·tick·ing**) 익살 떨다.
〖It. *antico* ANTIQUE〗

ànti·cáncer *a.* 제암(制癌)[항암]의, 암에 효과가 있는 : ~ drugs 제암[항암]제(劑).

anticáncer antibiótic *n.* 항암 항생물질.

ànti·cátalyst *n.* 〖化〗 항촉매(抗觸媒).

ànti·cáthode *n.* 〖理〗 (X선관(線管) 따위의) 대음극(對陰極).

ànti-Cátholic *a., n.* 반(反)카톨릭의 (사람).

an·ti·chlor [ǽntiklɔ̀:r] *n.* 〖化〗 탈염소제.

ánti·chòice *n.* 임신 중절 반대파. —— *a.* 임신 중절 반대(파)의.

An·ti·christ [ǽntikràist] *n.* **1** 그리스도의 적, 그리스도 반대자. **2** [(the) A~] 〖聖〗 적(敵)그리스도《요한 1서 2 : 18》.
〖OF<L<Gk. *antikhristos* (*anti-*, CHRIST)〗

ànti·chrístian *a.* 그리스도 반대의, 기독교 반대의. —— *n.* 그리스도 반대자, 기독교 반대자.

an·tic·i·fla·tion [ӕntìsəfléiʃən] *n.* 〖經〗 앤티시플레이션《새로운 인플레이션 압력의 발생을 예상한 물가·임금·소비 지출의 상승》.

an·tic·i·pant [ӕntísəpənt] *a.* 앞서는, 예상하는 ;

기대하는〈*of*〉. —— *n.* = ANTICIPATOR.

***an·tic·i·pate** [æntísəpèit] *vt.* **1** [+目/+目+前+名/+do*ing*/+*that* 節] 낙으로 삼고 기다리다(look forward to); 예상[기대]하다(expect): I ~*d* a good vacation in the mountains. 산에서의 즐거운 휴가를 기대하고 있었다 / He ~*s* great pleasure *from* his visit to France. 프랑스 여행이 매우 즐거울 것으로 기대하고 있다 / I ~ pick*ing* up all the information while traveling. 여행 중에 여러 가지 견문을 얻게 되기를 고대하고 있다 / Nobody ~*d that* there would be anything wrong. 나쁜 일이 생기리라곤 아무도 생각하지 않았다. **2** 앞질러 하다[처리하다]; (내달의 급료를) 앞당겨[미리] 쓰다: The nurse ~*d* all his wishes. 간호사는 그의 요구를 (미리) 알아차리고 다 해주었다 / You should not ~ your income. 수입을 예상하여 미리 돈을 써서는 안된다. **3** (상대방에) 앞서다, 선수를 치다, (남을) 앞지르다(forestall): The enemy ~*d* our move. 적은 우군의 기선을 제압했다. **4** 빠르게 하다, 앞당기다, 촉진하다(hasten): ~ a person's ruin 남의 파멸을 재촉하다. —— *vi.* 장래를 내다보고 말하다[쓰다, 생각하다]; (증세 따위가) 예상보다 빨리 나타나다. **-pà·tor** *n.* 예상자, 예기자; 선수를 치는 사람.
〖L (*ante-*, *capio* to take)〗
活用 expect와는 달리 [+目+*to* do]의 형으로는 쓰이지 않음: Trouble *is anticipated*. (분규가 일어날 것이 예상된다)는 맞지만, Trouble *is anticipated to* occur. 는 틀림(cf. Trouble is *expected to* occur.).
類義語 ⟹ EXPECT.

an·tic·i·pa·tion [æntìsəpéiʃən] *n.* **1** U,C 예상, 예기, 예견. **2** U,C 선제 행동, 선수; 수입을 예상하여 돈을 쓰기; 〔法〕 (재산·수익·신탁금의) 기한전 처분. **3** 〔樂〕 앞선음, 예음(豫音); U,C 〔醫〕 전구(前驅)증상; 〔修〕 = PROLEPSIS.
in anticipation 앞서서, 미리: Thanking you *in* ~. 미리 감사드립니다《의뢰서의 맺음말》.
in anticipation of …을 예기[예견]하여.

an·tíc·i·pà·tive [ˌ -pə-] *a.* 예기한, 예상한, 앞지른. **~·ly** *adv.* 예기하여, 앞서서.

an·tic·i·pa·to·ry [æntísəpətɔ̀:ri; -pèitəri] *a.* **1** 예상[예기]한, 예견한. **2** 〔文法〕 선행의: an ~ subject 〔文法〕 선행 주어《예를 들면 *It* is wrong to tell lies. 의 it》.

ànti·clérical *a.*, *n.* (정치에 있어서의) 성직자의 개입[간섭]에 반대하는 (사람); 교권(敎權) 반대(자). **~·ism** *n.* 교권 반대 주의. **~·ist** *n.*

ànti·clímax *n.* U 〔修〕 점강법(漸降法), 문세점락(文勢漸落) (↔*climax*); C 《비유》 큰 기대뒤의 실망, 용두사미《예를 들면 Napoleon의 러시아 침입 따위》; 어처구니 없는 격조 저하.
-climáctic, -ti·cal *a.* 〔修〕 점강법의; 용두사미의. **-ti·cal·ly** *adv.*

an·ti·cli·nal [æ̀ntikláinl] *a.* 서로 반대 방향으로 경사진; 〔地質〕 배사(背斜)의(↔*synclinal*).
—— *n.* 〔地質〕 = ANTICLINE.

an·ti·cline [ǽntiklàin] *n.* 〔地質〕 배사.

ànti·clóck·wìse *adv.*, *a.* 시계바늘과 반대쪽으로(도는), 왼쪽으로 (도는).

ànti·coágulant *a.* 〔藥·生化〕 항응혈[응고]성의. —— *n.* 항응혈[응고] 약[물질].

ànti·coágulate *vt.* 〔醫〕 …의 혈액 응고를 저지하다. **ànti·coagulátion** *n.*

ànti·códon *n.* 〔遺〕 안티코돈《전령 RNA의 유전 암호를 식별하는 전이(轉移) RNA의 세 개 한 조의 염기》.

ànti·cómmunist *a.* 반공(反共)의, 반공주의의: an ~ policy 반공정책. —— *n.* 반공주의자.

ànti·convúlsant *a.* 〔藥〕 (간질 따위의) 경련을 방지[억제]하는. —— *n.* 항(抗)경련약, 진경제(鎭痙劑). **ànti·convúlsive** *a.*

ànti·corrósive *a.* 방식(防蝕)의, 내식(耐蝕)의. —— *n.* 방식제.

ánti·crìme *a.* 방범(防犯)의.

ánticrime ùnit *n.* 《美》 (뉴욕 시경(市警)의) 범죄 방지반.

ànti·cróp *a.* (화학무기 따위가) 농산물을 손상시키는, 곡류 고사(枯死)용의.

ànti·cýclone *n.* 역선풍(逆旋風); 고기압(의 세력권(圈)). **-cyclónic** *a.* 고기압성(性)의.

ànti·democrátic *a.* 반민주주의의.
-ti·cal·ly *adv.*

ànti·depréssant *a.* 〔藥〕 항울(抗鬱)의. —— *n.* 항울약. **ànti·depréssive** *a.*

ànti·diabétic *a.*, *n.* 〔藥〕 항(抗)당뇨병성의; (항)당뇨병약.

ànti·diphtherític *a.* 〔藥〕 항(抗)디프테리아성(性)의, 디프테리아 예방의. —— *n.* 항디프테리아제(劑), 디프테리아(예방) 주사(약).

ànti·discriminátion *n.* U 인종 차별 반대.

ànti·diurétic *a.*, *n.* 〔藥〕 항이뇨(抗利尿)(성)의; 항이뇨약.

antidiurétic hórmone *n.* 〔生化〕 항이뇨(抗利尿) 호르몬《略 ADH》.

an·ti·dot·al [æ̀ntidóutl] *a.* 해독제의; 해독성의, 해독의 (효험이 있는). **~·ly** *adv.*

an·ti·dote [ǽntidòut] *n.* 해독제; (해악 따위의) 교정 수단, 대책〈*for*, *against*, *to*〉.
〖F or L<Gk. = given against(*didōmi* to give)〗

ànti·dráft *a.* 《美》 징병 반대의. **~·er** *n.* 징병 반대자.

ànti·drúg *a.* 마약 사용을 반대하는, 반(反)마약의, 마약 방지의.

ànti·dúmp·ing *a.* (외국 제품의) 덤핑[투매] 방지의[를 위한].

antidúmping láw *n.* (외국 제품의) 덤핑[투매] 방지법.

ànti·eléctron *n.* 〔理〕 = POSITRON.

ànti·emétic *a.* 〔藥〕 구토 억제[진정] 작용의, 항(抗)구토 작용의.
—— *n.* 제토제(制吐劑), 진토약.

ànti·énzyme *n.* 〔生化〕 항효소.

ànti·epiléptic *a.* 〔藥〕 항(抗)간질성[작용]의.

antiepiléptic drúg *n.* 항간질약.

ànti·estáblish·ment *a.* 반(反)체제의.

ànti·establishmentárian *a.* 반체제의.
—— *n.* 반체제주의자.

ànti-Eùropéan *a.*, *n.* 반(反)유럽의; 서유럽 통합에 반대하는 (사람).

ànti·fáshion *n.* 〔服〕 앤티패션《종래의 패션관(觀)에서는 부정되고 있는 요소를 채용한 패션》.

ànti·fébrile *a.* 해열의, 해열 효과가 있는.
—— *n.* 〔藥〕 해열제.

ànti-Féderal·ist *n.* 반(反)연방주의자; [A~] 〔美史〕 반연방당원. —— *a.* [A~] 반연방당의.

ànti·fémale *a.* 여성을 적대시하는, 여성에게 적대적인.

ànti·féminist *a.* 반여권 확장주의의, 남성 상위의. —— *n.* 반여권 확장주의자, 남성 상위주의자.

ànti·fertílity *a.* 불임[피임(용)]의: ~ agents 피임약.

ànti·fóreignism *n.* U 배외(排外) 사상.

ànti·fórm *a.* 반(反)정형의, 전위적인.
ànti·fóul·ing *a., n.* 오염 방지용의 (도료) : ~ paint 오염 방지 도료《배 밑에 발라 동식물의 부착을 방지함》.
ánti·frèeze *n.* 부동액 ; 《美俗》 헤로인《마약》.
ànti·fríction *a.* 감마(減摩)[윤활]용의.
—— *n.* 감마(減摩) ; 감마 장치《볼베어링 따위》; 감마제, 윤활제.
ànti·fúngal *a.* 〖藥·生化〗 항진균성(抗眞菌性)의, 항균(성)의, 살균용의.
—— *n.* 항진균약[물질, 인자].
an·ti-g [æ̀ntidʒí:] *n.* =ANTI-G SUIT.
ànti·gálaxy *n.* 〖天〗 반우주(反宇宙) ; 반물질(antimatter)로 이루어진 가상상의 우주.
ànti·gás *a.* 독가스 방지용(用)의 : an ~ mask 방독면.
an·ti·gen [ǽntidʒən] *n.* 〖醫〗 항원(抗原).
〖G (*anti*-, Gk. -*genēs* of a kind)〗
an·ti·gen·ic [æ̀ntidʒénik] *a.* 〖醫〗 항원(성)의.
-i·cal·ly *adv.* **-ge·nic·i·ty** [-dʒənísəti] *n.*
An·tig·o·ne [æntígənì:, -ni] *n.* 〖그神〗 안티고네《Oedipus와 그의 모친 Jocasta 사이의 딸》.
ànti·góvernment *a.* 반정부의, 반정부 세력의.
ànti·grávity *n.* Ⓤ 반중력(反重力). —— *a.* 반중력의.
an·ti·grop·e·los [æ̀ntigrápələs, -làs, -lòus] *n.* (*pl.* ~ [, -lòuz]) 방수(防水) 각반.
anti-G suit [ˊ-dʒí: ˋ] *n.* 〖空〗 내중력복, 내(耐)가속도복(G suit).
An·ti·gua [æntí:gə] *n.* 앤티가《서인도 제도 동부 Leeward 제도의 작은 섬》.
Antígua and Barbúda *n.* 앤티가 바부다《카리브 해 동부의 나라 ; 수도 St. John's》.
ànti-hélicopter *a.* 〖軍〗 대(對)헬리콥터용의 : ~ weapon 대헬리콥터용 무기.
ànti·hélix *n.* 〖解〗 대(對)귓바퀴.
ànti·hèmo·phílic *a.* 〖生化〗 항(抗)혈우병성의.
antihemophílic fáctor *n.* 〖生化〗 항(抗)혈우병 인자, 제8인자(factor Ⅷ).
ánti·hèro *n.* 주인공답지 않은[자질이 없는] 주인공 ; 반영웅(反英雄). **ànti·heróic** *a.*
ànti·híjacking *a.* 하이재 방지의, (항공기의) 공중 납치 방지의.
ànti·hístamine *n.* 항(抗)히스타민제《알레르기·감기약》. **-histamínic** *a., n.*
ànti·húman *a.* 인간에게 반항하는 ; 〖生化·醫〗 항인(抗人)의 : ~ serum 항인 혈청.
ànti-íc·er [-áisər] *n.* 〖空〗 방빙(防氷)[얼음 막이] 장치.
ànti-impérial·ìsm *n.* Ⓤ 반(反)제국주의.
-ist *a., n.* 반제국주의의 ; 반제국주의자.
ànti-inféctive *a.* 〖藥〗 항(抗)감염(성)의.
—— *n.* 항감염약.
ànti-inflámmatory *a., n.* 〖藥〗 항(抗)염증(성)의 ; 항염증약, 소염제.
ànti-intelléctual·ìsm *n.* 반(反)지성주의, 지식인 불신.
ànti·knóck *n.* 앤티노크제(劑), 내폭제(耐爆劑)《내연기관의 노킹 방지》. —— *a.* 앤티노크[내폭]성의.
ànti·lépton *n.* 〖理〗 반(反)렙톤, 반(反)경입자.
ànti·leukémic *a.* 〖藥〗 항(抗)백혈병(성)의, 백혈구의 증가를 억제하는.
ànti·lífe *a.* 반(反)건전 생활의 ; 반생명의, 산아제한 찬성의.
ànti·lítter *a.* 쓰레기 투기(投棄) 금지의 ; 공공 장소의 폐기물 오염 방지[규제]를 위한.
An·til·les [æntíli:z] *n. pl.* [the ~] 앤틸리스 제도《서인도 제도 중의 열도》.
an·ti·log [ǽntilɔ̀g] *n.* =ANTILOGARITHM.
ànti·lógarithm *n.* 〖數〗 역(逆)로그, 진수(眞數).
an·til·o·gism [æntílədʒìzəm] *n.* 〖論〗 반(反)논리주의.
an·til·o·gous [æntíləgəs] *a.* 자기(自己)[전후(前後)] 모순의.
an·til·o·gy [æntílədʒi] *n.* U.C 자기[전후] 모순.
ànti·lýmpho·cỳte glóbulin, ànti·lympho·cýtic glóbulin *n.* 〖生化〗 항(抗)림프구(球) 글로불린.
antilýmphocyte sérum, antilymphocýtic sérum *n.* 〖免疫〗 (조직 이식할 때 쓰는) 항(抗)림프구(球) 혈청《略 ALS》.
an·ti·ma·cas·sar [æ̀ntiməkǽsər] *n.* 의자 등받이[팔걸이] 덮개. 〖*macassar* (*oil*)〗
ànti·magnétic *a.* (시계 따위) 항(抗)[내(耐)]자성의, 자기(磁氣) 불감의, 자화(磁化) 방지한.
ànti·malárial *a.* 〖藥〗 말라리아 예방의 ; 말라리아에 듣는. —— *n.* 항(抗)말라리아약, 말라리아 예방약.
ánti·màsque, -màsk *n.* (가면극의) 막간의 익살 촌극.
ànti·mátter *n.* 〖理〗 반물질(反物質).
ànti·metábolite *n.* 〖生化·藥〗 대사 길항[저지] 물질.
ànti·micróbial *a.* 〖生化·藥〗 항균성의. —— *n.* 항균약[물질].
ànti·mílitarism *n.* Ⓤ 반(反)군국주의.
-mílitarist *a., n.*
ànti·míssile *a.* 〖軍〗 미사일 방어[요격]용의.
—— *n.* 대(對)탄도 미사일 무기, (특히) 대미사일용 미사일.
antimíssile míssile *n.* 대(對)미사일용 미사일, 미사일 요격 미사일《略 AMM》.
ànti·mitótic *a., n.* 〖生化〗 세포분열 저지성(性)의 (물질), 항(抗)분열성의 (약).
ànti·monárchical *a.* 군주제[왕정] 반대의.
-mónarchist *n.*
an·ti·mo·ni·al [æ̀ntəmóuniəl] *a.* 안티몬(질)의, 안티몬을 함유한. —— *n.* 안티몬(을 함유한) 화합물[합금, 약제 따위].
an·ti·mo·nic [æ̀ntəmánik, 美+-móu-] *a.* 〖化〗 안티몬(질)의 : an ~ acid 안티몬산.
ànti·monópoly *a.* 독점에 반대하는 ; 독점 금지의 : the ~ law 독점 금지법.
ànti·monsóon *n.* 반대 계절풍(cf. MONSOON).
an·ti·mo·ny [ǽntəmòuni ; -mə-] *n.* 〖化〗 안티몬《금속 원소 ; 기호 Sb ; 번호 51》. 〖L< ?〗
ànti·mutagénic *a.* 〖生〗 항(抗)돌연 변이성의.
ànti·nátal·ìsm *n.* 인구 증가 억제주의. **-ist** *n., a.*
ànti·nátional *a.* 반(反)국가적인 ; 반국가주의의.
ànti-Négro *a.* 반흑인의.
ànti·nèo·plástic *a.* 〖藥〗 항(抗)종양성의, 내(耐)종양의. —— *n.* 항종양약.
ànti·neurálgic *a., n.* 〖藥〗 항(抗)신경통성의 (약).
ànti·neutríno *n.* 〖理〗 반중성미자(微子).
ànti·néutron *n.* 〖理〗 반중성자.
ànti·nóise *a.* 소음 방지의.
an·ti·no·mi·an [æ̀ntinóumiən] *a.* 〖神學〗 (기독교에서의) 무율법주의의 ; (일반적으로) 도덕률 폐기론의. —— *n.* [때로 A~] 무율법주의자, 신앙지상주의자. **~·ìsm** *n.*
〖L (*anti*-, Gk. *nomos* law)〗
an·ti·nom·ic [æ̀ntinámik] *a.* 모순된.
an·tin·o·my [æntínəmi] *n.* 모순 ; 〖哲〗 이율 배

반 ; 대립.
⟦L<Gk. =conflict of laws (*nomos*)⟧
ánti·nòvel *n.* 앙티로망, 반소설(anti-roman)《전통적인 수법에서 벗어난 소설》. **~·ist** *n.*
ànti·núclear *a.* 핵에너지 사용[원자력 발전]에 반대하는 ; 〖生〗 항핵(抗核) 의《세포핵에 대하여 반응함》. —— *n.* 핵에너지 사용[원자력 발전] 반대자.
antinúclear stánd *n.* 비핵 정책.
ànti·núcleon *n.* 〖理〗 반핵자(反核子).
ànti·núke *a., n.* 《口》 =ANTINUCLEAR.
ànti·obscénity *a.* 외설물 단속을 위한.
An·ti·ope [ǽntioup] *n.* 프랑스의 문자 다중 방송 시스템(cf. TELETEXT).
ànti·óxidant *n.* 〖化〗 산화 방지제 ; (휘발유·고무·비누 따위의) 방부제.
—— *a.* 산화를 억제하는.
ànti·parasític *a.* 〖藥〗 항(抗)기생충성의, 구충(성)의. —— *n.* 구충제.
ánti·pàrticle *n.* 〖理〗 반입자《반양성자·반중성자 따위》.
an·ti·pas·to [æ̀ntipɑ́:stou, -pǽs-] *n.* (*pl.* **~s, -ti** [-ti]) 전채(前菜), 오르 되브르. ⟦It.⟧
an·ti·pa·thet·ic, -i·cal [æ̀ntipəθétik(əl), æntìp-] *a.* 반감을[혐오를] 느끼게 하는, 까닭없이 싫은, 성미에 안맞는〈*to*〉; 본질[성격, 기질]적으로 상반되는. **-i·cal·ly** *adv.*
⟦*pathetic*의 유추로 ANTIPATHY에서⟧
an·ti·path·ic [æ̀ntipǽθik] *a.* 상극의, 반대의 ; 〖醫〗 반대의 징후를 보이는.
an·tip·a·thy [æntípəθi] *n.* Ⓤ 반감(反感), 넌더리(↔*sympathy*) ; Ⓒ 비위에 안 맞는 것[일] : I have an ~ *to*[*against*] snakes. 뱀은 딱 질색이다.
⟦F or L<Gk.=opposed in feeling ; ⇨ PATHOS⟧
類義語 ⟹ AVERSION.
ànti·personnél *a.* 〖軍〗 지상 병력(地上兵力)의 살상을 위한, 대인용(對人用)의 : ~ attacks [bombs] 대인공격[폭탄].
ànti·pér·spir·ant [-pə́:rspərənt] *n.* (피부에 바르는) 발한 억제제(劑)[화장품].
—— *a.* 발한 억제의.
ànti·phlogístic *a.* 〖藥〗 염증을 가시게 하는.
—— *n.* 소염제(消炎劑).
An·ti·phlo·gis·tine [æ̀ntiflədʒísti(:)n] *n.* 〖醫〗 소염고(消炎膏)《상표명》.
an·ti·phon [ǽntəfən, -fɑ̀n] *n.* (번갈아 부르는) 합창시가(詩歌) ; 〖敎會〗 교창(交唱)(성가), 후렴.
⟦L<Gk. (*anti-*, *phōnē* to sound)⟧
an·tiph·o·nal [æntífənl] *a.* 교창 성가의 ; 번갈아 부르는. —— *n.* 교창 (성가)집.
an·tiph·o·nary [æntífənèri ; -nəri] *n.* =ANTIPHONAL. —— *a.* =ANTIPHONAL.
an·tiph·o·ny [æntífəni] *n.* **1** Ⓤ 교창(cf. HOMOPHONY). **2** 〖宗〗 =ANTIPHON. **3** 반응, 응답, 반향(反響).
an·tiph·ra·sis [æntífrəsəs] *n.* (*pl.* **-ses** [-sì:z]) 〖修〗 어의 역용(語義逆用)《어구를 본뜻과 반대로 사용》. ⟦L<Gk. (*anti-*, PHRASE)⟧
ànti·plástic *a.* 〖醫〗 조직형성 억제성의.
an·tip·o·dal [æntípədl] *a.* 대척(對蹠)적인 ; 정반대의(directly opposite)〈*to*〉. —— *n.* 〖植〗 반족세포(反足細胞)(=∠ **céll**).
an·ti·pode [ǽntəpòud] *n.* 정반대의 것〈*of*, *to*〉.
⟦역성(逆成)(sg.)<ANTIPODES⟧
an·tip·o·de·an [æntìpədí:ən] *a.* 대척지(對蹠地)[인(人)]의 ; 정반대의 ; 《英》 [때로 A~] 오스트레일리아(인)의. —— *n.* 대척지인(人) ; 《英》 [때로 A~] 오스트레일리아인(人).
an·tip·o·des [æntípədì:z] *n. pl.* **1** [보통 the ~] 대척지《지구상의 정반대 쪽에 있는 두 지점》 ; [때로 A~] [단수취급] 대척지의 한 쪽《가령 한국에 대한 아르헨티나 ; 《英》에서는 통상 오스트레일리아·뉴질랜드를 일컬음》. **2** [보통 the ~] [단수 또는 복수취급] 정반대의 일[것].
⟦F or L<Gk. =having the feet opposite (*anti-*, *pod- pous* foot)⟧
ánti·pòle *n.* 반대의 극(極) ; 정반대의 것.
ànti·polítical *a.* 반정치적인 《전통적인 정책·정치 원리에 반대함》 : ~ era 반(反) 정치 시대, 정치 부재 시대.
ànti·pólitics *n.* 반정치《전통적인 정치 관습·자세에 대한 반발 또는 거부》.
ànti·pollútion *a., n.* 공해 방지(의), 오염 방지[경감, 제거]를 위한 (물질). **~·ist** *n.* 오염[공해] 방지론자.
anti·pope [ǽntipòup] *n.* (정통 로마 교황에 대립하는) 대립(對立) 교황. ⟦L⟧
ànti·póverty *a., n.* 빈곤 퇴치의 ; 《美》 빈곤 퇴치계획《특히 정부의 원조를 받는》.
ànti·prostitútion *a.* 매춘 금지의.
ánti·pròton *n.* 〖理〗 반양성자(反陽性子).
ànti·psychótic *a., n.* 〖藥〗 항(抗)정신병성(性)의, 정신병에 효과가 있는 ; 항정신병약, 정신병 치료약.
ànti·pyrétic *a., n.* 〖醫〗 =ANTIFEBRILE.
an·ti·py·rine [æ̀ntipáiəri:n, -rən], **-rin** [-rən] *n.* Ⓤ 〖藥〗 안티피린《해열·진통제》.
antiq. antiquarian ; antiquary ; antiquities.
an·ti·quar·i·an [æ̀ntəkwéəriən, -kwǽər-] *a.* 골동품[고물]을 연구[수집]하는, 골동품을 좋아하는. —— *n.* 골동품 애호가, 고물 수집가.
~·ìsm *n.* Ⓤ 골동품[고물]에 관한 관심[연구], 골동품 취미.
antiquárian·ìze *vi.* 《口》 골동품 수집을[연구를] 하다.
ànti·quárk *n.* 〖理〗 반(反)쿼크.
an·ti·quary [ǽntəkwèəri, -kwæ̀əri] *n.* 골동품 연구[수집]가 ; 골동품상(商).
⟦L ; ⇨ ANTIQUE⟧
an·ti·quate [ǽntəkwèit] *vt.* 낡(아빠지)게 하다.
án·ti·quàt·ed *a.* 낡아빠진, 안 쓰이는, 노후한 ; 오래된, 뿌리깊은 ; 구식의, 시대에 뒤진 ; 노구(老軀)의, 노령의.
***an·tique** [æntí:k] *a.* 고대(古代)의 ; 고풍스러운, 구식의(old-fashioned). —— *n.* **1** 고물, 골동품, 고미술품 ; [the ~] 고대 양식. **2** Ⓤ 〖印〗 앤티크체 활자. —— *vt.* 낡아 보이다, (가구 따위)의 외관을 시대에 맞게 꾸미다. —— *vi.* 옛것[고미술품]을 탐구하다. **~·ly** *adv.* **~·ness** *n.*
⟦F or L *antiquus* former, ancient ; ⇨ ANTE⟧
類義語 ⟹ OLD (2).
an·tiq·ui·ty [æntíkwəti] *n.* **1** Ⓤ 낡음, 고색(古色), 고아(古雅). **2** Ⓤ 먼 옛날, 고대, 상고(上古) : in ~ 고대에(는) / of great ~ 먼 옛날의. **3** [집합적으로] 고대인(人)(the ancients) ; 《戱》 시대에 뒤진 사람[물건]. **4** [보통 *pl.*] 고기물(古器物), (고대의) 유물[유적] ; [*pl.*] 고대 생활[문화]의 소산, 고대 문물[풍속, 습관 따위].
ànti·rábic [-rǽb-] *a.* 광견병 치료[예방]의.
ànti·rachític *a.* 〖藥〗 구루병(佝僂病) 치료[예방]의. —— *n.* 구루병(rickets) 치료[예방]약.
ànti·rácism *n.* 인종 차별 반대주의, 인종 차별 사회악론. **-rácist** *n., a.*
ànti·rheumátic 〖藥〗 *a.* 항(抗)류머티즘(성)의.
—— *n.* 항(抗)류머티즘약(藥).

ànti·ríot *a.* 폭동 진압[방지]의.
ànti·róll bàr *n.* **1** =ROLL BAR. **2** (자동차의) 좌우 요동 방지 바.
anti-roman [*F* ɑ̃tirɔmɑ̃] *n.* 반(反)소설, 앙티로망(antinovel).
an·tir·rhi·num [æ̀ntəráinəm] *n.* 〖植〗 금어초속(屬)의 각종 식물《현삼과(科)》.
〚L<Gk. (*rhin- rhis* nose) ; 동물의 코와 비슷한 데서〛
ànti·rúst *a.* 방수(防銹)의, 녹슬지 않는. —— *n.* 방수제(劑).
ànti-sabbatárian *a., n.* 안식일 지키는 것을 반대하는 (사람).
ànti·salóon *a.* 《美》 주류 판매 반대의.
ànti·sátellite *a.* 〖軍〗 군사 위성을 공격하는《略 ASAT》: ~ weapons 위성 공격 무기. —— *n.* 군사 위성 공격(용) 위성.
ànti·scíence *a.* 반과학(反科學)의. —— *n.* Ⓤ 반과학(주의), 과학 배격[무용론]. **-scientífic** *a.*
ànti·scorbútic *a.* 〖藥〗 괴혈병(scurvy) 치료의 : ~ acid 항(抗)괴혈병산(酸), 아스코르브산(酸) (vitamin C). —— *n.* 항(抗)괴혈병약[식품].
ànti-scríptural *a.* 성서(의 교리)에 반대하는.
ànti-Sémite *a., n.* 반(反)유태주의의 ; 반유태주의자.
ànti-Semític *a.* 반유태인의, 유태인 배척의.
ànti-Sémitism *n.* 반유태주의 (운동), 유태인 배척론[운동].
an·ti·sep·sis [æ̀ntəsépsəs] *n.* (*pl.* **-ses** [-si:z]) Ⓤ 방부(防腐) ; 방부법, 소독법.
an·ti·sep·tic [æ̀ntəséptik] *a.* **1** 살균된, 무균의 ; 살균력 있는, 소독하는 ; 방부제를 사용한, 방부성의. **2** 아주 청결한 ; 냉정하고 공정하고 객관적인, 비정하고 냉정한, 인간미가 없는.
—— *n.* 소독제, 방부제(劑).
-ti·cal·ly *adv.* 썩지 않게, 방부제로.
an·ti·sep·ti·cize [æ̀ntəséptəsàiz] *vt.* 방부(防腐) 처리하다.
ánti·sèrum *n.* 〖醫〗 항혈청(抗血淸).
ànti·séx, -séxual *a.* 성(性) 행동이나 성의 표현에 반대하는, 섹스를 적대시하는.
ànti·séx·ist *a.* 성(性)차별(sexism)에 반대하는.
ànti·skíd *a.* 미끄럼 방지의.
ànti·skýjàcking *a.* 비행기 납치 방지의.
ànti·slávery *n.* Ⓤ 노예제도 반대. —— *a.* 노예제도 반대의.
ànti·smóg *a.* 스모그 방지의.
ànti·smóking *a.* 흡연 억지(抑止)의.
ànti·smút *a.* 포르노 금지를 목적으로 하는.
ànti·sócial *a.* **1** 반(反)사회적인, 사회조직[제도] 반대의. **2** 비사교적인, 사교를 싫어하는(unsociable). **~·ist** *n.* **~·ly** *adv.*
ànti·sólar *a.* (천구에서) 태양의 정면에 있는.
ànti·spasmódic *a.* 〖醫〗 경련 방지의, 경련을 멈추게 하는. —— *n.* 진경제(鎭痙劑).
ànti·stát [-stǽt] *a.* =ANTISTATIC.
ànti·státic *a.* 공전(空電) 제거[방지]의 ; 정전기[대전] 방지의. —— *n.* 정전기 방지제.
an·tis·tro·phe [æntístrəfi] *n.* (고대 그리스 합창 무용단의) 오른쪽 방향으로의 회전, (그때 노래하는) 악장(樂章) (cf. STROPHE) ; 〖樂〗 대조[응답] 악절(樂節) ; 〖韻〗 역용논법(逆用論法).
an·ti·stroph·ic [æ̀ntəstráfik] *a.*
〚L<Gk. (*strophē* turning)〛
ànti·súbmarine *a.* 〖軍〗 대(對)잠수함의, 대잠(對潛) ….
antisúbmarine patról *n.* 〖軍〗 대잠 초계.
antisúbmarine rócket *n.* 〖軍〗 대잠(對潛) 로켓《略 ASROC》.
ànti·subvérsive *a.* 파괴 활동 방지의.
ánti·sùn *n.* =ANTHELION.
ánti·tàil *n.* 〖天〗 (혜성의) 반대꼬리《태양방향 쪽으로 돌출되어 보이는 돌기》.
ànti·tánk *a.* 〖軍〗 대전차(對戰車)용의 : an ~ gun 대전차포.
antitank guided missile ☞ ATGM.
ànti·technólogy *n.* 반(反)기술《인간성을 무시한 기술 개발에 대한 반대》.
-gist *n.* **-technológical** *a.*
ànti·térror·ist, -térror·ìsm *a.* 테러에 대항하는, 대(對)테러리즘용의.
ànti·théft *a.* 도난 방지의 : an ~ bell 도난 방지용(用) 벨.
ànti·théism *n.* Ⓤ 반(反)유신론, 무신론. **-ist** *n.* 반(反)유신론자.
an·tith·e·sis [æntíθəsəs] *n.* (*pl.* **-ses** [-sì:z]) **1** 대조(contrast) ; 정반대(의 사물), 대립물 ⟨*of, to*⟩. **2** Ⓤ,Ⓒ 〖論〗 반립(反立) (cf. THESIS) ; Ⓤ 〖修〗 대조법 ; Ⓒ 대구(對句).
〚L<Gk. (*anti-, tithēmi* to place)〛
an·ti·thet·ic, -i·cal [æ̀ntəθétik(əl)] *a.* 대조(법)의 ; (현저하게) 대조를 이루는 ; 정반대의 ; 반립(反立)의 ; 상반되는. **-i·cal·ly** *adv.* 대조적으로.
ànti·tóxic *a.* 항(抗)독성의 ; 항독소의[를 함유한]. —— *n.* 항독(소)제.
ànti·tóxin *n.* 항독소《혈액 속에서 독소를 중화시키는 물질》.
ánti·tràde *a.* 반대 무역풍의. —— *n.* [보통 *pl.*] 역항풍(逆恒風), 반대 무역풍(cf. TRADEWIND).
ànti·trinitárian *a.* 삼위 일체론 반대의. —— *n.* 삼위 일체론 반대자. **~·ìsm** *n.*
ànti·trúst *a.* 〖商〗 트러스트 반대의, 독점(獨占) 금지의.
antitrúst láw *n.* 독점 금지법.
ànti·túmor, -túmor·al *a.* 〖藥·醫〗 항(抗)종양성의, 제암(성)의.
ànti·tússive *a.* 〖藥〗 진해(鎭咳)(성)의.
—— *n.* 진해제(劑), 기침약.
antitússive and expéctorant *n.* 진해 거담제(祛痰劑).
an·ti·type [ǽntətàip] *n.* 대형(對型)《과거에 그 (상징적) 원형이 있는 것·인물·이야기 따위 ; 예를 들면 「성모」는 Eve의 antitype》. **-typ·ic, -i·cal** [æ̀ntitípik(əl)] *a.* **-i·cal·ly** *adv.* 〚Gk.〛
ànti·úlcer *a.* 〖藥〗 항(抗)궤양(성)의.
ànti·únion *a.* 《美》 노동 조합(주의)에 반대하는.
ànti-úniverse *n.* 〖理〗 반우주(反宇宙)《반(反)물질로 이루어지는 우주》.
ànti-utópia *n.* 반[역]유토피아, 암흑향(鄕) (dystopia) ; 반유토피아를 그린 작품.
ànti-utópian *a.* 반유토피아의[같은]. —— *n.* 반유토피아의 도래를 믿는[예언하는] 사람.
ànti·vénin, -ve·néne [-vəní:n, -ve-] *n.* 〖免疫〗 **1** 항사독소(抗蛇毒素)《뱀의 독을 동물체내에 반복해 주사하여 얻어짐》. **2** 사독(蛇毒) 혈청.
ànti·vérsity *n.* 《俗》 반대학(反大學).
ànti·více *a.* 매춘 반대의.
ànti·víral *a.* 항(抗)바이러스(성)의. —— *n.* 항바이러스 물질[약].
ánti·vìtamin *n.* 〖生化〗 항(抗)비타민, 비타민 파괴물.
ànti·vivisection *n.* 생체 해부 반대, 동물 실험 반대. **~·ìsm** *n.* **~·ist** *n., a.*
ànti·wár *a.* 전쟁 반대의, 반전(反戰)의 : an ~

pact 부전(不戰)조약 / an ~ movement 반전 운동(運動).

ànti·wéapon *a.* 흉기 휴대 금지의.

ànti·whíte *a.* 반백인(反白人)의, 백인에게 적대적인. **-whít·ism** *n.*

ánti·wòrld *n.* [때로 *pl.*] 〖理〗 반세계(反世界)《반물질로 이루어진 세계》.

ant·ler [ǽntlər] *n.* 〖動〗 (사슴의) 가지진 뿔. **~ed** *a.* 가지진 뿔이 있는, 가지진 뿔 비슷한. 〚OF< ?〛

ánt lìon *n.* 〖昆〗 명주잠자리 ; 개미귀신 (doodle bug)《특히 그 애벌레》.

An·toi·nette [æ̀ntwənét ; -twɑ:-] *n.* **1** 여자 이름. **2** ☞ MARIE ANTOINETTE. 〚F (dim.) ; ⇨ ANTONIA〛

An·to·nia [æntóuniə] *n.* 여자 이름. 〚It. (fem.) ; ⇨ ANTHONY〛

an·to·no·ma·sia [æ̀ntənəméiʒiə] *n.* 〖修〗 환칭(換稱)《a wise man을 a Solomon이라고 하는 따위》.

An·to·ny [ǽntəni] *n.* **1** =ANTHONY. **2** 안토니우스, 안토니. **Mark ~** (83?-30 B. C.) 로마의 장군·정치가(cf. TRIUMVIRATE). 〚⇨ ANTHONY〛

‡**an·to·nym** [ǽntənìm] *n.* 반의어(反意語), 반대말, 대어(對語) (↔*synonym*) : Hot is the ~ *of* cold . **ànt·oným·ic** *a.* **an·ton·y·mous** [æntɑ́nəməs] *a.* 〚F (*anti-, -onym*)〛

an·tre [ǽntər] *n.* 《詩》 동굴. 〚F<L ANTRUM〛

An·trim [ǽntrəm] *n.* 앤트림《북아일랜드 동부의 구주(舊州) ; 1973년에 몇 주로 나뉨》.

an·trum [ǽntrəm] *n.* (*pl.* **-tra** [-trə], **~s**) 〖解〗 (뼈의) 공동(空洞), 강(腔), (특히) 상악동(上顎洞). **án·tral** *a.* 〚L<Gk. *antron* cave〛

ant·sy [ǽntsi] *a.* 《美俗》 안절부절 못하는, 좀이 쑤시는 : get ~ 불안해지다, 안절부절 못하다.

ANTU [ǽntu:] *n.* 안투《회색빛 쥐약의 일종 ; 상표명》. 〚*a*lpha-*n*aphthyl*t*hio*u*rea〛

Ant·werp [ǽntwə:rp] *n.* 앤트워프, 앙베르《벨기에의 항구》.

A number 1[**one**] [éi ∸ wʌ́n] *a.* 《美口》 = A ONE.

An·u·ra [ənjúərə, æ-] *n. pl.* 〖動〗 무미류(無尾類)《개구리 따위》.

an·u·ran [ənjúərən, æ-] *a., n.* 〖動〗 무미류(의).

an·ure·sis [æ̀njuərí:səs] *n.* (*pl.* **-ses** [-si:z]) 〖醫〗 **1** 요폐(尿閉). **2** =ANURIA. **an·uret·ic** [æ̀njuərétik] *a.* 무뇨(증)의.

an·uria [ənjúəriə, æ-] *n.* 〖醫〗 무뇨(증). **-úric** *a.*

an·u·rous [ænjúərəs, ə-], **an·our·ous** [ənúərəs, æ-] *a.* 〖動〗 (개구리 따위) 꼬리가 없는, 무미(류)의.

anus [éinəs] *n.* (*pl.* **~·es, ani** [éinai]) 〖解〗 항문(肛門) (cf. ANAL). 〚L〛

an·vil [ǽnvəl] *n.* 〖冶〗 모루, 철침(鐵砧) ; 〖解〗 침골(砧骨).
on the anvil 준비중, 심의중.
〚OE *anfilt*(*e*) ; cf. Swed. (dial.) *filta* to beat〛

anx·i·e·ty** [æŋzáiəti] *n.* **1** Ⓤ 걱정, 근심(fear), 불안(misgiving) : her ~ ***about the child's health 아이의 건강에 대한 그녀의 염려 / be *in* (great) ~ (매우) 염려하고 있다 / wait *with* (great) ~ (매우) 염려하며[초조해하며] 기다리다 / She is all ~. 그녀는 매우 근심하고 있다. **2** Ⓤ [+*to* do/+*that* 節] 열망, 갈망(eagerness) : His ~ ***for*** knowledge is to be praised. 그의 지식욕은 칭찬받을 만하다 / I went over to Brazil in my ~ *to* succeed. 성공을 열망하여 브라질로 건너갔다 / He expressed ~ *that* funds *should* be sent at once. 그는 즉시 자금을 보내달라고 간청하였다. **3** 걱정거리, 근심의 원인. 〚F or L (ANXIOUS)〛
類義語 ⟹ CARE.

anx·io·lyt·ic [æ̀ŋzioulítik, æ̀ŋksi-] *a.* 〖藥〗 불안을 완화하는. —— *n.* 불안 완화제.

‡**anx·ious** [ǽŋkʃəs] *a.* **1** 걱정[근심]하는, 궁금히 여기는, 염려하는(uneasy) : I am ~ ***about*** his health. 그의 건강이 염려된다 / an ~ matter 걱정되는 일[사건]. **2** [+*to* do/+*that* 節] 절실히 바라는, 열심인(eager) : He is ~ ***for*** wealth. 부귀를 얻고 싶어한다 / She is ~ *to* know the result. 결과를 몹시 알고 싶어한다 / We were all ~ *that* you *should* return. 모두 당신이 돌아오기를 바라고 있었습니다. **~·ly** *adv.* 걱정하여 ; 간절히 바라서, 갈망하여 : She ~*ly* awaited his arrival. 그녀는 그의 도착을 학수 고대했다. **~·ness** *n.* 〚L *anxius* (*ango* to choke)〛
類義語 ⟹ EAGER.

ánxious bènch[**sèat**] *n.* 《美》 (부흥회 따위에서) 설교대에 가까운 좌석《특히 신앙을 돈독히 하려는 열성적인 사람의 좌석》; 《비유》 불안한 마음 : be on the ~ 매우 염려하고 있다.

◇**any** [éni] *a.* **1** [긍정문 중의 단수명사 Ⓒ 또는 Ⓤ 앞에서 강조하여] 어떤 사람[물건·것]이라도, 누구나, 어떤 것이나 ; 얼마라도 : *A*~ boy can do it. 어떤 아이라도 할 수 있다 / You can get it at ~ bookseller's. 어떤 책방에서라도 살 수 있다 / *A*~ book[time] will do. 어떤 책[시간]이라도 좋습니다 / *A*~ help is better than no help. 어떠한 도움이라도[무슨 도움이든] 없는 것보다 낫다. ☞ 活用 (1).
2 [단수명사 Ⓒ에 붙여] **a**) [부정문 중에서] 무엇이라도, 누구라도, 누구든지 : Friend? I *never* had ~(=a single) friend. 친구라고요? 친구라고는 한 사람도 없었습니다. **b**) [의문문·조건절 중에서] 무슨, 무엇이든, 누구든. ☞ 活用 (2) : Do you have ~(=a) friend in Kyŏngju? 경주에 친구라도 있습니까 / If you see ~(=an) interesting book, buy it for me. 어떤 재미있는 책이 눈에 띄거든 사다 주세요.
3 [èni, əni] [복수명사 또는 Ⓤ에 붙여 관사처럼 가볍게 쓰여] **a**) [부정문 중에서] 무엇이나, 누구나, 어느 것이나 ; 조금도(*not* ~=no) : I do*n't* have ~ books[money]. 책은[돈은] 조금도 없다 / *without* ~ difficulty 아무런 어려움도 없이.

> **any**를 이용한 문장 전환
> (1) not any...와 no...
> There are *not any* people here because of the earthquake.
> (지진 때문에 이곳에는 아무도 없다.)
> → There are *no* people here....
> 다만 주어를 부정할 때에는 any...not이 아니고, not any...라든가 no+명사를 쓴다 : *No* [*Not any*] student did such a foul deed as cheating then.
> (그 당시에는 훔쳐보기와 같은 부정 행위를 하는 학생은 없었다.)《*Any* student did not do such....는 불가》.
> (2) any를 첫머리에 두는 부정문은 없다.
> × Any student didn't cheat.
> ○ No student cheated.
> (훔쳐보기를 하는 학생은 없었다.)

b) [의문문·조건절 중에서] 무엇인가, 어떤 것인

가, 누군가 ; 얼마인가 ; 조금은, 조금이라도. ☞ 活用 (2) : Do you have ~ matches[money] with you? 성냥[돈] 좀 있습니까.

—— *pron.* 주 (1) 의의(意義)·용법의 관계는 형용사의 경우에 준함. (2) ☞ 活用 (3). **1** [이미 나온 명사의 생략, 또는 any *of*의 구문으로] **a)** [긍정(肯定)] 무엇이나, 누구나 ; 어느 것이나, 얼마라도 : Take ~ you please. 무엇이나 좋은 것을 드시오. **b)** [부정] 어떤 것도, 아무도 ; 조금도 : I do*n't* want ~ (*of* these). (이 중) 어느 것도 필요없다 / I'm *not* taking ~. ☞ TAKE *vt.* 17. **c)** [의문문·조건절 중에서] 무언가, 누군가, 얼마인가, 다소 : Do you want ~ *of* these books? 이 책들 중에서 무언가 원하는 것이 있습니까 / If there is ~ more *of* this stuff, I'll take some. 이 물건이 더 있으면 조금만 가지겠다. **2** [단독 용법] 조금도, 누구도 : It isn't known to ~. 그것은 누구에게도 알려져 있지 않다.

—— *adv.* **1** [비교급 또는 too와 함께 쓰여 ; cf. NO] **a)** [부정문에서] 조금도(at all) : He is *not* ~ better. 그는 조금도 좋아지지 않았다 / The language he used was *not* ~ too strong. 그의 말은 조금도 심하지 않았다. **b)** [의문문·조건절 중에서] 얼마간은, 조금은, 조금이라도 : Is he ~ better? 조금 차도가 있습니까 / If he is ~ better, ... 몸이 좀 좋아지면 …. **2** 《美》 [동사를 수식하여] : That won't help us ~. 그것은 조금도 도움이 안되겠다 / Did you sleep ~ last night? 어젯밤은 좀 주무셨습니까.

any and every 무엇이나 (모두), 하나도 남김 없이.

any longer [의문·부정] 이미, 이제는, 그[이] 이상 : Can you wait ~ *longer*? 좀 더 기다릴 수 있습니까 / I wo*n't* go there ~ *longer*. 이제 거기엔 안간다(《주 I will go there *no* LONGER. 보다도 구어적(口語的)》). 주 부정문에서는 보통 not... ~ longer처럼 not을 앞세운다.

any more ☞ MORE.

any one (1) [éni wʌ́n] 어느 것이건[아무것이나] 하나의, 누구든 한 사람의. (2) [éniwʌn] = ANYONE.

at any moment ☞ MOMENT.

at any price ☞ PRICE.

at any rate ☞ RATE.

(at) any time ☞ TIME *n.* 3.

if any ☞ IF.

scarcely[hardly] any ☞ SCARCELY, HARDLY.

〖OE *ǣnig* (⇨ ONE, -Y[4]) ; cf. G *einig*〗

活用 (1) i) Tom is taller than *any other* boy in his class. (톰은 그의 학급의 누구보다도 키가 크다)와 같은 경우를 단순히 Tom is taller than *any* boy in his class. 라고 하는 것은 비(非)표준적 용법. ii) He is the most famous of *all* living painters. (현존하는 모든 화가 중에서 가장 유명하다)와 같은 경우를 He is the most famous of *any* living painter. 라고 하는 것도 비표준적 용법.

(2) 의문문·조건절 중에서도 some을 쓰게 되는 수가 있음. ☞ SOME 活用 (2).

(3) *pron.*의 any는 단수·복수 양쪽으로 쓰이지만 「사람」을 나타내는 경우는 보통 복수 취급 : *Any of* these is[are] long enough. (이들 아무것이나 길이는 충분하다) / Do[Does] *any of* you know? (여러분 중에 알고 있는 사람이 있습니까).

‡any·body [énibàdi, -bədi, 美+-bʌ̀di] *pron.* ☞ 活用 (1), (2). **1** [긍정] 누구라도 : *A*~ knows what he likes. 누구라도 자기가 좋아하는 것은 안다 / *A*~ may go and see for himself[themselves]. 누구라도 가서 자신이 직접 보고 와도 좋다 / ~*'s* game[race] 승패를 예상할 수 없는 게임[경주] / ~*'s* guess ☞ GUESS *n.* **2** [부정] 아무도 : I have*n't* seen ~. 아무도 못만났다 / I do*n't* like wearing ~ else's clothes. 남의 옷을 입는 것은 싫다. ☞ 活用 (3). **3** [의문·조건] 누군가 : Does ~ know? 누구 아는 사람이 있느냐 / If you happen to meet ~ there, please take him along to me. 그곳에서 혹시 누군가 만나면 데려와 주십시오. ☞ 活用 (2).

—— *n.* **1** 다소 중요한 사람, 이름이 있는 인물(cf. SOMEBODY, NOBODY) : Is he ~? 그는 이름이 있는 사람인가 / If you wish to be ~, ... 유명 인사가 되려거든 … / Everybody who is ~ at all was there. 이렇다 할 만한 사람은 모두 있었다. **2** (*pl.* **-bod·ies**) [흔히 just ~, 긍정문에서] 이름 없는[시시한] 사람들, 어중이떠중이.

活用 (1) *pron.*의 anybody는 anyone 보다 좀 구어적(口語的)인 말임.

(2) anybody는 단수형으로 he[him, his]로 받는 것이 보통이지만, they[them, their, *etc.*]도 때때로 쓰임 : If *anybody* calls, tell *him*[*them*] I have gone out. (만일 누가 찾아오면 나갔다고 말해 주시오) ; anyone도 they[them, their, *etc.*]로 받는 수가 있지만 이 용법은 anybody의 경우만큼 흔하지는 않음.

(3) 부정 구문에서 anybody를 쓸 경우는 부정어를 선행시킴. 따라서 There was *nobody* there. (거기에는 아무도 없었다)를 There was *not anybody* there.라고 바꾸어 말할 수는 있으나, *Nobody* came.을 *Anybody* did *not* come. 이라고는 할 수 없음. ☞ ANYTHING 活用 (2).

***ány·hòw** *adv.* 어떻게 해서라도, 어떻게든, 꼭(by any means) ; 아무튼, 어쨌든(in any case) ; 이럭저럭 (적당히), 아무렇게나 : I couldn't get up ~. 아무래도 일어날 수가 없었다 / *A*~, let us begin. 아무튼 시작해 보자 / He does his work ~. 아무렇게나[되는 대로] 일을 한다. 주 *pred. a.* 같이 쓰이기도 함 : Things are *all* ~. 모두가 대강대강 되어 있다.

feel anyhow 《口》 어쩐지 기분이 좋지 않다.

àny·móre *adv.* 《美》 [부정적 구문에서 쓰여] 지금은, 이제는 (더 이상) (any longer) : He doesn't live here ~. 지금은 여기에 살지 않는다.

***ány·òne** [, -wən] *pron.* 누구든(지) ; 아무라도 ; 누군가(anybody) (cf. ANY *one*) : Does ~ feel sick? 누군가 몸이 불편합니까 / I don't think ~ could understand the meaning. 아무도 그 뜻을 이해하지 못했다고 생각한다.

活用 ☞ ANYBODY.

ány·plàce *adv.* 《美口》 =ANYWHERE : I can't find it ~. 그것은 아무데도 없다.

ány ròad *adv.* 《英俗》 =ANYWAY.

◇ány·thìng [, -θiŋ] *pron.* ☞ 活用 (1). **1** [긍정] 무엇이든지 : *A*~ will do. 무엇이든지 좋다 / You may take ~ you like. 무엇이든지 좋아하는 것을 가져도 좋다. **2** [부정] 아무것도 : I do*n't* know ~ about it. 그것에 대해서는 아무것도 모른다 / You need *not* be ~ in order to join our society. 우리 회에 입회하는 데는 따로 아무런 자격도 필요없다. ☞ 活用 (2). **3** [의문문·조건절 중에서] 무엇인가 : Do you see ~? 무엇인가 보입니까 / If you know ~ about it, ... 만일 그것에 대하여 무엇인가 알고 계시면 … . ☞ 活用 (3).

〈회화〉
Can I do *anything* for you? — Yes, please let me see those neckties. 「어서 오십시오」「저쪽에 있는 넥타이를 보여 주십시오」

anything but... (1) …이외에는 무엇이나 : I will do ~ *but* that. 그 일만 아니라면 무엇이나 하겠다, 그것만은 싫다. (2) 결코 …은 아니다, …이라고는 할 수 없다(far from) (cf. NOTHING *but*) : He is ~ *but* a scholar. 그는 결코 학자가 아니다.

anything but의 문장 전환
He is *anything but* a genius.
→ He is *far from*[*by no means, not at all*] a genius.
(그는 결코 천재는 아니다.)

anything like... ☞ LIKE[1] *a.*
anything of... [부정·의문] …은 조금도[조금은] : I have *not* seen ~ *of* Smith lately. 최근 스미스를 통 만나지 못했다 / Is he ~ *of* a scholar? 그가 조금은 학식이 있느냐《얼마쯤 학자다운 데가 있느냐》.
(as)...as anything 《口》 비길데 없을 만큼 아주[대단히] : He is *as* proud *as* ~. 그는 아주 뻐긴다.
for anything [부정] 무엇을 준대도, 결코 : I would not go *for* ~. 결코 가지 않겠다.
for anything I know[***care***] 잘은 모르지만, 내가 아는 바로는.
if anything ☞ IF.
like anything ☞ LIKE[1] *prep.*
— *n.* 임의의 것.
— *adv.* 아무래도, 적어도, 어느 정도(at all) : sales that are ~ above the average 어느 정도 평균을 상회하는 매상.
[活用] (1) *pron.*의 anything을 수식하는 형용사는 뒤에 놓임 : Is there *anything interesting* in today's paper? (오늘 신문에 무언가 재미있는 기사가 있느냐). ☞ EVERYTHING [注], NOTHING [活用] (2), SOMETHING [活用] (2).
(2) 부정 구문에서 *pron.*의 anything을 쓸 경우는 부정어를 선행시킴. 따라서 *Nothing* that a man does can be perfect. (인간이 하는 일로 완전한 것은 있을 수 없다)를 *Anything* that a man does can*not* be perfect. 라고는 할 수 없음. ☞ ANYBODY [活用] (3).
(3) 의문문·조건절 중에서도 something이 쓰이는 수가 있음. ☞ SOMETHING [活用] (1).

ànything·árian *n.* 일정한 신념[신조, 신앙]이 없는 사람.
ány·tìme *adv.* 언제든지, 언제나, 늘.
***ány·wày,** 《口·方》 **-wàys** *adv.* **1** 어쨌든, 하여튼, 어떻게 해서든(anyhow) ; 그럼에도 불구하고, 역시 : He objected, but she went ~. 그는 반대했으나 그래도 그 여자는 갔다. **2** 어떤 방법이라도, 어떻게 하거나 ; 아무렇게나(in any way) : You may do it ~[*any way*] you like. 어떻게 하거나 좋은 방법으로 하십시오.
[活用] (2)의 뜻으로서는 any way라고 두 마디로 써도 괜찮으나 (1)의 뜻으로서는 any way라고 할 수는 없음.
‡**ány·whère** [ˌ-*hwɛər*] *adv.* 어디에(라)도 ; 아무데도, 어디든지 ; 어딘가에 ; 조금이라도, 다소라도(to any extent) : Are you going ~ during the vacation? 휴가중에 어디에 가십니까 / In the afternoon, you may go ~ you like. 오후에 원하는 곳이면 어디든지 가도 좋다.
get anywhere ☞ GET[1].
not get anywhere 《口》 아무리 해도 안되다, 아무래도 끝이 안나다, 틀렸다.
not go anywhere 아무데도 안가다 ; 은퇴 생활을 하다.
— *n.* 임의의 장소.
anywhere between... 《口》 …사이라면 어디라도.
ány·whères [ˌ-*hwɛərz*] *adv.* 《口·方》 = ANYWHERE.
ány·wìse *adv.* 아무리 해도, 어떻게 해도, 조금이라도, 어쨌든, 결코.
An·zac [ǽnzæk] *n.* **1** [the ~s] 앤잭《제1차 세계대전 때 오스트레일리아 및 뉴질랜드 연합 군단》. **2** 그 군단의 대원. — *a.* 앤잭 군단의.
⟦*A*ustralian and *N*ew *Z*ealand *A*rmy *C*orps⟧
ANZUK [ǽnzʌk] *n.* 앤적《오스트레일리아·뉴질랜드·영국의 3국 연합국》. ⟦*A*ustralia, *N*ew *Z*ealand and *U*nited *K*ingdom⟧
An·zus [ǽnzəs] *n.* 앤저스《오스트레일리아·뉴질랜드·미국에 의한 태평양 공동 방위체 ; 1986년 뉴질랜드 탈퇴》. ⟦*A*ustralia, *N*ew *Z*ealand and the *U*nited *S*tates⟧
AO and others. **A.O.** Accountant Officer ; Army Order ; Officer of the Order of Australia. **a/o, A/o, A/O, AO** 〔簿〕 account of《손익표, 수지 계산서》. **a.o.b., A.O.B.** any other business. **A.O.C.(-in-C.)** Air Officer Commanding(-in-Chief). **A.O.D.** Army Ordnance Department ; Ancient Order of Druids.
ao dai [ɑ́:ou dài, ǽ-] *n.* 아오다이《베트남 여성의 민속 의상》.
⟦Vietnamese (*ao* jacket, *dai* long)⟧
AOF American Occupation Forces (미국 점령[주둔]군). **A.O.F.** Ancient Order of Foresters 《자선 공제 조합》. **A. of F.** Admiral of the Fleet. **A.O.H.** Ancient Order of Hibernians. **aΩ** 〔電〕 abohm.
A-OK, A-Okay [èioukéi] *a., adv.* 《口》 완벽한[하게], 훌륭한[하게], 더할 나위 없는[없게] : an ~ rocket launching 완벽한 로켓 발사.
AOL absent over leave(휴가 기간 초과 결근). **AONB, A.O.N.B.** 《英》 Area of Outstanding Natural Beauty(국가에서 보호하고 있는 경승지).
A one, A-1, A1 [éiwʌ́n] *a.* **1** 제1등급의 《Lloyd 선급 협회의 선박 검사 등급 부호》. **2** 건강[체격] 우량의 ; 《口》 일류의(first-class), 최상의, 우수한, 훌륭한 : The meals there are *A one*. 그곳의 식사는 일류다 / *A* (*No.*) *1* tea 최상급의 차 / an *A 1* musician 일류 음악가. [注] 《美》에서는 A number 1 이라고도 함.
Ao·nia [eióuniə] *n.* 이오니아《그리스 중동부의 Boeotia의 한 지방》. **Aó·ni·an** *a.* 이오니아 지방의 ; Muses 신의, 시적인.
AOR adult-oriented rock(성인을 위한 록).
aor. aorist.
ao·rist [éiərəst, ɛ́ər-] *n.* 〖그文法〗 부정(不定) 과거. — *a.* 부정 과거의.
⟦Gk. = indefinite (*a-*[2], *horizō* to define)⟧
ao·ris·tic [èiərístik, eərístik] *a.* 부정 과거의 ; 부정[불확정]의.
aort- [eiɔ́:rt], **aor·to-** [eiɔ́:rtou, -tə] *comb. form* 「대동맥」의 뜻. ⟦Gk. (↓)⟧
aor·ta [eiɔ́:rtə] *n.* (*pl.* **~s, -tae** [-ti:]) 〔解〕 대동

맥. **aór·tic, aór·tal** *a.*
〖Gk. (*aeirō* to raise)〗
aos [éiòués] *vt.* 《해커俗》 (어떤 수에) 1을 더하다 ; (수량 따위를) 불리다.
AOS acquisition of signal.
aou·dad [áudæ̀d, ɑ́:u-] *n.* 〔動〕 북아프리카산의 야생양. 〖F<Berber〗
à ou·trance [*F* a utrɑ̃:s] *adv.* 쓰러질 때까지, 끝까지 ; 극도로.
ap-[1] [æp] ☞ AD-.
ap-[2] [æp] ☞ APO-.
AP 《美》 Associated Press(연합 통신사). **A.P., AP** above proof ; 〔軍〕 airplane ; Air Police ; American plan ; antipersonnel ; arithmetic progression ; armor-piercing(철갑탄) ; author's proof. **Ap.** Apostle ; April. **A.P.A., APA** American Press Association ; American Philological Association ; American Philosophical Association ; American Psychiatric Association ; American Psychological Association.

aoudad

apace [əpéis] *adv.* 《文語》 빠르게(fast), 곧 : Ill news runs ~. 《속담》 나쁜 소문은 빨리 퍼진다. 〖OF=at PACE[1]〗
apache [əpɑ́:ʃ, əpǽʃ] *n.* [때로 A~] (Paris와 Brussels을 소란케 한 범죄 폭력 조직) 아파치단의 단원 ; (일반적으로) 깡패, 폭력단원. ── *a.* 아파치 댄스의. 〖↓〗
Apache [əpǽtʃi] *n.* (*pl.* ~, **Apách·es**) 아파치족 《북미 인디언》 ; 아파치족의 언어.
apáche dànce *n.* 일종의 난폭한 춤.
Apáche Státe *n.* [the ~] Arizona 주의 속칭.
APACL Asian People's Anti-Communist League(아시아 반공 연맹).
apanage ☞ APPANAGE.
apa·re·jo [æ̀pəréi*h*ou] *n.* (*pl.* ~**s**) (가죽 cushion을 댄) 멕시코식의 길마. 〖Am. Sp.〗
‡apart [əpɑ́:*r*t] *adv.* **1** 떨어져서, 별도로, 따로(따로) ; 이별하여 : live ~ 별거하다 / fall ~ from decay 썩어서 벗겨져 떨어지다. **2** 별개로, 개별적으로 ; 일단 제쳐놓고 ; 따로 보류하여 : viewed ~ 개별적으로[별개의 것으로] 보면 / prejudices ~ 편견은 별도로 치더라도.
apart from... (1) …에서 떨어져서 : He stood ~ *from* the others. (2) …은 별도로 하고(cf. ASIDE *from*).
jesting [***joking***] ***apart*** 농담은 그만두고 (seriously).
know...apart …을 식별하다.
lay apart 《古》 곁에 두다, 치우다, 물리다, 생략하다.
set [***put***] ***apart*** ☞ SET.
take...apart ☞ TAKE.
tell...apart (양자(兩者)를) 구별하다.
── *a.* 다른 ; 의견이 분열된 ; [후치] 별개의, 특이한. **~·ness** *n.* 〖OF *à part* to one side〗
apart·heid [əpɑ́:*r*theit, -hait] *n.* Ⓤ 《南아》 (흑인에 대한) 인종 차별 정책, 아파르트헤이트. 〖Afrik. =APARTness〗
apart·hotél [əpɑ̀:*r*t-] *n.* 《英》 아파트 호텔 《소유주가 사용하지 않을 때는 호텔 방으로 빌려주는 분양 맨션》.
***apart·ment** [əpɑ́:*r*tmənt] *n.* **1** 《美》 **a**) (공동 주택 안의) 한 세대가 사는 방, 아파트(=《英》 flat[2]) : a three-room ~ 방이 셋 있는 아파트 / *A*~*s* for Rent 〔廣告〕 셋방 있음(=《英》 Flats to Let). **b**) =APARTMENT HOUSE. **2** [*pl.*] 《英》 방 몇 개의[가 한 세대용으로 된] 아파트 셋방(set of rooms). **3** 《英》 건물안의 개개의 방.
apart·men·tal [əpɑ̀:*r*tméntl] *a.*
〖F<It. (*a parte* apart)〗
apártment còmplex *n.* (공공 시설을 같은 건물 내에 갖는) 종합 아파트, 아파트 대단지.
apártment hotél *n.* 《美》 (상주자용) 아파트식(式) 호텔.
apártment hòuse [**bùilding**] *n.* 《美》 공동 주택, 아파트(=《英》 block[building] of flats, mansions) (cf. TENEMENT HOUSE).
ap·a·tet·ic [æ̀pətétik] *a.* 〔動〕 보호색[보호 형태]을 가진.
ap·a·thet·ic, -i·cal [æ̀pəθétik(əl)] *a.* 냉담한 ; 무감동의 ; 무관심한. **-i·cal·ly** *adv.*
〖*pathetic*의 유추로 ↓에서〗
ap·a·thy [ǽpəθi] *n.* Ⓤ 냉담, 무관심, 무감동(한 신경)〈*to*〉. 〖F<L<Gk. (*a*-[2], PATHOS)〗
ap·a·tite [ǽpətàit] *n.* 인회석(燐灰石).
〖G (Gk. *apatē* deceit)〗
APB all points bulletin (전국 지명 수배).
APC (**tablet**) [èipì:sí: (-)] *n.* 〔藥〕 APC정(錠) 《해열제 · 두통약》.
〖*a*cetylsalicylic acid, *p*henacetin, and *c*affeine〗
ape[1] [éip] *n.* 〔動〕 원숭이, (특히) 꼬리없는 원숭이(cf. MONKEY) ; 《비유》 흉내를 내는 사람.
lead apes in hell (여자가) 평생 독신으로 살다.
play the ape 흉내를 내다, 장난을 하다.
say an ape's paternoster (위 · 공포 때문에) 벌벌 떨다.
── *a.* 《俗》 미친, 열중한.
go ape 《美俗》 발광하다 ; 열광하다, …에 열중하다〈*over, for*〉.
── *vt.* 흉내내다(mimic).
〖OE *apa* ; cf. G *Affe*〗
類義語 ⟹ IMITATE.
ape[2] *n.* 《美俗》 절정, 정점(apex).
apeak [əpí:k] *pred. a., adv.* 〔海〕 (노 · 닻줄 따위가) 수직으로 (되어), 곧추(세워).
APEC Asia-Pacific Economic Cooperation《아시아 태평양 경제 협력 기구 ; 한 · 일 · 미 · 동남아 제국 · 오세아니아 따위 12 개국》.
ápe hànger *n.* 《美俗》 (자전거 따위의) 위로 휘게 만든 핸들.
ápe-màn [, -mən] *n.* 원인(猿人).
Ap·en·nine [ǽpənàin] *a.* 아펜니노 산맥의.
── *n.* [the ~s] 아펜니노 산맥《이탈리아반도를 종주(縱走)》.
apep·sy [əpépsi] *n.* 〔醫〕 Ⓤ 소화 불량.
aper·çu [æ̀pə:*r*sú: ; *F* apɛrsy] *n.* (서적 · 논문 따위의) 줄거리, 대요(大要) ; 직감, (특히) 통찰.
〖F=perceived〗
ape·ri·ent [əpíəriənt] *a.* 〔醫〕 변비(便祕)에 효력이 있는. ── *n.* 하제(下劑) (laxative).
〖L *aperio* to open〗
apè·ri·ód·ic [ei-] *a.* 비주기적인, 불규칙적인 ; 〔理〕 비진동(非振動)의.
apér·i·tif, aper- [ɑ:pèrətí:f, əpérətì:f] *n.* 아페리티프《식욕 촉진을 위해 식전에 마시는 술》.
〖F<L (*aperio* to open)〗
aper·i·tive [əpérətiv] *a.* 식욕을 자극하는.
── *n.* =APÉRITIF.
ap·er·ture [ǽpərtʃər, -tʃùər, -tjùər] *n.* 구멍,

틈 ; (렌즈의) 구경(口徑). 〖L ; ⇨ APERIENT〗
áperture-priórity AE [-éii:] *n.* 〖寫〗 조리개 우선 자동 노출《조리개를 어느 수치에 맞춰 놓으면 카메라가 자동적으로 노출 촬영함》.
ap·ery [éipəri] *n.* 모방, 흉내 ; 쓸데없는 장난 ; (동물원의) 원숭이 우리.
ápe shìt *a.* 《卑》 열중하여, 미친, 홀린.
apét·al·ous [ei-] *a.* 〖植〗 화판[꽃잎](petal)이 없는, 무판(無瓣)의.
apex [éipeks] *n.* (*pl.* **~·es, api·ces** [éipəsì:z, ǽp-]) (산(山)·잎 따위의) 정점(頂點), (삼각형·원뿔형의) 꼭지점(summit) ; 절정, 극치(climax) ; 〖天〗 향점(向點) : the solar ~ 태양 향점. 〖L=peak, tip〗
類義語 ⟹ SUMMIT.
APEX, Apex [éipeks] *n.* 에이펙스《수주간의 외국 여행에 대한 항공 운임의 사전 구입 할인제》. 〖*A*dvance *p*urchase *ex*cursion〗
aph- [ǽf] ☞ APO-.
aph. aphetic.
aphaer·e·sis, apher- [əférəsəs, əfíər-] *n.* (*pl.* **-ses** [-sì:z]) 〖言〗 어두음 소실《보기 'tis, 'neath》.
aph·ae·ret·ic [æ̀fərétik] *a.* 〖L<Gk.〗
apha·sia [əféiʒiə, -ziə] *n.* Ⓤ 〖醫〗 실어증(失語症). **apha·si·ac** [əféiziæ̀k], **apha·sic** [əféizik] *a., n.* 실어증의 (환자).
〖L<Gk. (A² *phatos* speechless)〗
aph·e·li·on [æfí:ljən, æph-] *n.* (*pl.* **-lia** [-ljə]) 〖天〗 원일점(遠日點)《행성이나 혜성(慧星)이 태양에서 가장 멀리 떨어진 위치 ; ↔*perihelion*》.
〖L<Gk. (*apo* from, *hēlios* sun)〗
aphe·li·ot·ro·pism [æfì:liátrəpìzəm, æphì:-] *n.* 〖植〗 배광성(背光性) (cf. HELIOTROPISM).
aphè·lio·tróp·ic [-tráp-] *a.* 〖植〗 배광성의.
apheresis ☞ APHAERESIS.
aph·e·sis [ǽfəsəs] *n.* (*pl.* **-ses** [-sì:z]) 〖言〗 악센트 없는 첫 모음[음절]의 소실《esquire가 squire로 되는 따위》.
aphet·ic [əfétik] *a.* 〖言〗 어두모음 소실의.
aph·i·cide [ǽfəsàid] *n.* (진딧물의) 살충제.
aphid [éifəd, ǽf-] *n.* 〖昆〗 진딧물.
〖역성(逆成)〈*aphid*es ; ⇨ APHIS〗
aphis [éifəs, ǽfəs] *n.* (*pl.* **aphi·des** [éifədì:z, ǽf-]) 〖昆〗=APHID.
〖NL ; Linnaeus의 조어(造語)〗
aph·o·late [ǽfəlèit] *n.* 〖化〗 아폴레이트《집파리용의 화학 불임제》.
apho·nia [eifóuniə ; ə-], **-ny** [ǽfəni] *n.* Ⓤ 〖醫〗 실성(失聲)(증).
aphon·ic [eifánik, -fóu- ; ə-] *a.* **1** 무음의. **2** 〖音聲〗 무성화한, 무성의. **3** 〖醫〗 실성증의.
—— *n.* 〖醫〗 실성증 환자.
aph·o·rism [ǽfərìzəm] *n.* 경구(警句) ; 금언, 격언. **áph·o·rist** *n.* 경구가(家), 금언[격언] 작자. **àph·o·rís·tic** *a.* 금언조의, 격언체의, 경구적인. **-ti·cal·ly** *adv.*
〖F or L<Gk. *aphorismos* definition (*horos* boundary)〗
aph·o·rize [ǽfəràiz] *vi.* 경구[격언체]를 쓰다.
apho·tic [eifóutik ; əfɔ́t-] *a.* 빛이 없는, 무광의 ; (바다의) 무광층(無光層)의 ; 빛없이 생장하는 : an ~ plant 빛없이 자라는 식물.
aph·ox·ide [æfáksaid] *n.* =TEPA.
aph·ro·dis·i·ac [æ̀frədíziæ̀k] *a.* 최음(催淫)의.
—— *n.* 최음제, 미약(媚藥). 〖Gk. (↓)〗
Aph·ro·di·te [æ̀frədáiti] *n.* 〖그神〗 아프로디테《사랑과 미의 여신 ; 〖로神〗의 Venus에 해당 ; cf. URANIA》. 〖Gk.〗
aph·tha [ǽfθə] *n.* (*pl.* **-thae** [-θi:]) 〖醫〗 아구창(牙口瘡). **áph·thous** *a.*
〖L<Gk. =mouth sore〗
aphyl·lous [eifíləs, ə-] *a.* 〖植〗 잎이 없는, 무엽성(性)의.
API air pollution index(대기 오염 지수) ; 〖空〗 air position indicator(공중 위치 지시기) ; American Petroleum Institute(미국 석유협회).
Apia [əpí:ə, ǽpiə] *n.* 아피아《서사모아의 수도》.
api·an [éipiən] *a.* 꿀벌의.
api·ar·i·an [èipiéəriən, -ǽər-] *a.* 꿀벌의 ; 양봉의.
api·a·rist [éipiərəst, 美+-pièr-] *n.* 양봉가.
api·ary [éipièri ; -əri] *n.* 양봉장. 〖L (*apis* bee)〗
ap·i·cal [ǽpikəl, éi-] *a.* 정점(頂點)의, 정상의.
〖APEX〗
apices *n.* APEX의 복수형.
ápi·cùlture [éipə-] *n.* Ⓤ (대규모인) 양봉.
àpi·cúltural *a.* 양봉의. **àpi·cúlturist** *n.* 양봉가[업자].
〖*agriculture*에 준하여 L *apis* bee에서〗
apiece [əpí:s] *adv.* 하나씩, 따로따로, 각각, 각자에게 : give five dollars ~ 각자에게 5달러씩 주다. 〖a² PIECE〗
apik·o·ros [əpíkərous] *n.* **1** 쾌락주의자(hedonist). **2** 신앙이 없는 사람(unbeliever), 무신론자(atheist).
api·ol·o·gy [èipiálədʒi] *n.* 꿀벌 연구, 양봉학.
ap·ish [éipiʃ] *a.* 원숭이(ape) 같은 ; 흉내내고 싶어하는 ; 어리석은. **~·ly** *adv.* **~·ness** *n.*
apiv·o·rous [eipívərəs] *a.* 〖動〗 (새 따위가) 꿀벌을 잡아먹는.
APL [èipi:él] *n.* 〖컴퓨〗 APL《산술·논리 연산의 간결한 기술을 목적으로 고안된 프로그래밍 언어 ; 배열을 대상으로 하는 연산(演算)에 특히 적합함》.
〖*a p*rogramming *l*anguage〗
Apl. April.
ap·la·nat [ǽplənæ̀t] *n.* 〖光〗 구면수차(球面收差)를 없앤 렌즈.
ap·la·nat·ic [æ̀plənǽtik] *a.* 〖光〗 구면수차(球面收差)를 없앤.
aplén·ty [ə-] *adv.* 《美口》 많이, 풍부하게(in plenty) —— *a.* [후치] 많은 : I have troubles ~. 걱정거리가 많다. —— *n.* 풍부.
ap·lite [ǽplait] *n.* 반(半)화강암.
〖G (Gk. *haploos* simple)〗
aplomb [əplám, 美+-lʌ́m] *n.* **1** 냉정, 침착, 태연(자약), 안정 : with ~ 침착하게. **2** Ⓤ 연직(鉛直), 수직.
〖F *à plomb* (perpendicularity) by plummet〗
ap·nea, -noea [æpní(:)ə, ǽpniə] *n.* 〖醫〗 무(無)호흡《일시적인 호흡 정지》.
apo- [ǽpou, ǽpə], **ap-** [ǽp], **aph-** [ǽf] *pref.* 「…에서 떨어져서」「분리된」「〖化〗…에서 유도하여 얻은」의 뜻. 〖Gk. =from, away, un-, quite〗
APO, A.P.O. 《美》 Army Post Office(군사 우체국) ; Asian Productivity Organization(아시아 생산성 기구).
àpo·ápsis *n.* (*pl.* **-apsides**) 〖天〗 궤도 원점(遠點)《인력(引力)의 중심에서의 거리가 최대인 궤도 극점(極點)》.
Apoc. Apocalypse ; Apocrypha ; Apocryphal.
apoc·a·lypse [əpákəlìps] *n.* 묵시(默示), 계시(啓示)(revelation) ; [the A~] 〖聖〗 요한계시록(the Revelation)《略 Apoc.》.
〖OF<L<Gk. (*apokaluptō* to uncover)〗

apoc·a·lyp·tic, -ti·cal [əpɑ̀kəlíptik(əl)] *a.* 계시(록)의, 묵시록적인. **-ti·cal·ly** *adv.* 계시적으로.

apoc·a·lyp·ti·cism [əpɑ̀kəlíptəsìzəm], **-lyp·tism** [-tizəm] *n.* 계시록적 세계의 도래에 대한 기대 ;〖神學〗(요한계시록의) 지복 천년설.

apòc·a·lýp·ti·cist, apòc·a·lýp·ti·cian [-təʃən] *n.* 계시록적 세계의 도래를 예언하는 사람, 종말이 임박했다고 주장하는 사람.

ápo·càrp *n.*〖植〗이심피(離心皮)씨방, 이생 씨방.

àpo·cárpous *a.*〖植〗이생(심피)(離生(心皮))의.

apo·chro·mat [ǽpəkroumæ̀t, ⌐--⌐] *n.*〖光〗아포크로마트《색수차(色收差) 및 구면(球面)수차를 없앤 렌즈》.

àpo·chromátic *a.*〖光〗(렌즈 따위) 색수차 및 구면수차를 없앤.

apoc·o·pate [əpɑ́kəpèit] *vt.*〖言〗(단어)의 어미 문자[음절]를 삭제하다. **apòc·o·pá·tion** *n.*

apoc·o·pe [əpɑ́kəpi] *n.*〖言〗어미음(語尾音) 소실 (cf. APHAERESIS, SYNCOPE).
〖L<Gk. APO- (*kopē*‹*koptō* to cut)〗

apo·crine [ǽpəkrən, -kràin, -krìːn] *a.*〖醫〗아포크린선(腺)이 분비되는.

ápocrine glànd *n.*〖解〗이출 분비선(離出分泌腺), 아포크린선(腺).

Apoc·ry·pha [əpɑ́krəfə] *n.* **1** [the ~ ; 단수·복수취급] 경외성서(經外聖書), (경)외전(外典)《전거가 수상쩍다고 하여 신교도가 구약 성서에서 제외한 14편 ; 略 Apoc.》. **2** [a~] 출처[전거]가 미심쩍은 문서. 〖L *apocrypha* (*scripta*) hidden (writings) <Gk. (*kruptō* to hide)〗
[活用] 원래 복수형의 말이지만 때때로 다음과 같이 단수 구문에 쓰임 : The *apocrypha is* not included here. (여기에는 출처가 미심쩍다는 문서는 포함되지 않음).

Apóc·ry·phal *a.* 외전의, 정경(正經) 외의 ; [a~] 출처가 미심쩍은, 진짜가 아닌.

ap·od [ǽpəd] *n.*〖動〗무족(無足) 동물 ; 배지느러미가 없는 물고기. —— *a.* =APODAL.

ap·o·dal [ǽpədl], **-dous** [-dəs], **-dan** [-dən] *a.*〖動〗무족의, 무각(無脚)의, 뱀 모양의 ; 배지느러미가 없는 ; 무지형(無肢型)의《애벌레》.

apo·dic·tic [æ̀pədíktik], **-deic-** [-dáik-] *a.*〖論〗필연적인 ; 명백한.

apod·o·sis [əpɑ́dəsəs] *n.* (*pl.* **-ses** [-sìːz])〖文法〗조건문의 귀결, 결구(結句) (cf. PROTASIS)《보기 If I could, I would.의 *I would*》.

àpo·énzyme *n.*〖生化〗아포(芽胞) 효소《복합 효소의 단백질 부분》.

apog·a·mous [əpɑ́gəməs] *a.*〖植〗단위(單爲)[무성(無性)·무배(無配)] 생식의.

apog·a·my [əpɑ́gəmi] *n.*〖植〗단위 생식(單爲生殖), 무성(無性)생식, 무배(無胚)생식.

apo·gee [ǽpədʒìː] *n.*〖天〗원지점(遠地點)《달이나 인공 위성이 그 궤도상에서 지구로부터 가장 멀리 떨어져 있는 점 ; ↔*perigee*》;《비유》최고점, 극점. **àp·o·gé·an, -gé·al** *a.* 원지점의.
〖F or L<Gk. =away from earth (*gē* earth)〗

ápogee ѐngine *n.*〖로켓〗APOGEE KICK에 쓰이는 엔진.

ápogee kíck *n.*〖宇宙〗타원 궤도의 원지점에서 로켓을 분사하여 더 먼 지점의 궤도에 위성을 올리는 일《略 AK》.

apo·graph [ǽpəgræ̀(ː)f ; -grɑ̀ːf] *n.* (*pl.* **apo·gra·pha** [əpɑ́grəfə]) 사본, 등본. 〖L<Gk.〗

ap·o·laus·tic [æ̀pəlɔ́ːstik] *a.* 방종한.

apo·lít·i·cal [èi-] *a.* 정치에 무관심한.

Apol·li·nar·is [əpɑ̀linέəris, -nǽər-] *n.* 독일 광천(鑛泉) 음료수의 일종.
〖*Apollinarisburg* 독일 Bonn 근처의 지명〗

Apol·lo [əpɑ́lou] *n.* (*pl.* **~s**)〖그神·로神〗아폴로《태양의 신 ; 시가(詩歌)·음악·예언 따위를 관장함 ; cf. HELIOS, SOL》;《詩》태양 ; 미남자 ;《美》아폴로 우주선[계획] : ~ 11 아폴로 11호《최초로 달에 착륙한 유인 우주선》. 〖L<Gk.〗

Ap·ol·lo·ni·an [æ̀pəlóuniən] *a.* 아폴로의[같은] ; [보통 a~] 당당한, 고전미를 갖춘, 균형이 잡힌, 아폴로적인.

Apol·lyon [əpɑ́ljən, -liən] *n.*〖聖〗마왕, 악마.
〖L<Gk. =destroyer〗

apol·o·get·ic [əpɑ̀lədʒétik] *a.* 옹호의, 변명의, 사죄의〈*for*〉. —— *n.* 변명, 변증 ;〖神學〗= APOLOGETICS. **-i·cal·ly** *adv.* 변명적으로, 사죄하는 것 같이. 〖F<L<Gk. ; ⇨ APOLOGY〗

apòl·o·gét·ics *n. pl.* [흔히 단수취급] 조직적인 옹호론[변호론] ;〖神學〗(기독교의) 변증론, 호교학(護教學).

ap·o·lo·gia [æ̀pəlóudʒiə] *n.* (*pl.* **~s, -gi·ae** [-dʒiìː]) 변명서(書). 〖L<Gk. ; ⇨ APOLOGY〗

apol·o·gist [əpɑ́lədʒəst] *n.* 변명자 ; (기독교의) 변증[간증]자, 호교(護教)론자.

apol·o·gize** [əpɑ́lədʒàiz] *vi.* **1** [動/+前+名] 사과하다, 용서를 빌다, 사죄하다 : Harry *~d to* his teacher ***for com*ing* to school late. 해리는 선생님에게 지각한 것을 사과했다.

> **apologize의 ○×**
> (×) He *apologized* me for being late.
> (그는 지각한 것을 내게 사과했다.)
> (○) He *apologized to* me for being late.
> ▶ apologize는 자동사므로 목적어를 가질 수 없어서 to가 필요하다. explain 「설명하다」, suggest 「제안하다」 따위도 마찬가지다.

2 변명[해명·변호]하다(defend).

ap·o·logue [ǽpəlɔ̀(ː)g, -lɑ̀g] *n.* 교육적인 이야기, 교훈담 ; 우화(寓話).

apol·o·gy** [əpɑ́lədʒi] *n.* **1** [+*for*+do*ing*] 사과, 사죄, 용서를 빎 : a written ~ 사과문 / make [accept] an ~ 용서를 빌다[받아들이다] / With *apologies* ***for troubl*ing* you. (폐를 끼쳐) 죄송하지만 잘 부탁합니다.

> 〈회화〉
> Many *apologies* for being so late ! — Oh, that's OK. 「이렇게 늦어서 미안해」「아니야, 괜찮아」

2 변명, 해명, 구실, 핑계(excuse)〈*for*〉. **3** 임시변통적인 것, 명색뿐인 것 : an ~ *for* a dinner 명색뿐인 만찬.
in apology for …을 사과[변명]하여.
〖F or L<Gk. *apologia* (APO*logeomai* to speak in defense)〗

apo·lune [ǽpəlùːn] *n.*〖天〗원월점(遠月點)《달을 도는 우주선 따위가 궤도상에서 달에서 가장 멀리 떨어져 있는 점》.

apo·mix·is [æ̀pəmíksəs] *n.* (*pl.* **-mix·es** [-míksiːz]) [U,C]〖生〗아포믹시스《배우자(配偶者)의 결합에 의하지 않는 단위 생식·무포자 생식 단위》.

apophthegm ☞ APOTHEGM.

apoph·y·sis [əpɑ́fəsəs] *n.* (*pl.* **-ses** [-sìːz])〖植〗융기(隆起) ;〖解〗골단, 골돌기 ; 돌기(突起)《특히 추골(椎骨) 따위의》.

ap·o·plec·tic [æ̀pəpléktik] *a.* 졸중(성)의, 졸중에 걸리기 쉬운 : an ~ fit 졸중의 발작 / He was ~ *with* rage. 졸도할 정도로 화가 치밀었다.

—— *n.* 졸중에 걸려 있는 사람, 졸중에 걸리기 쉬운 사람. 〖F or L (↓)〗

ap·o·plexy [ǽpəplèksi] *n.* [U] 〔醫〕 졸중 : be seized with ~ = have a fit of ~ = have a stroke (of ~) 졸중에 걸리다[걸려 있다]. 〖OF<L<Gk. (*apo-* completely, *plēssō* to strike)〗

apórt [ə-] *adv.* 〔海〕 좌현(左舷)으로. ***Hard aport!*** 키를 좌현으로 (힘껏) 돌려!

àpo·semátic *a.* 〔動〕 (몸빛이) 경계색의. **-i·cal·ly** *adv.*

apo·si·o·pe·sis [æ̀pəsàiəpíːsəs] *n.* (*pl.* **-ses** [-siːz]) 〔修〕 돈절(頓絶)(법)《문장을 중도에서 갑자기 끊음 ; 보기 If we should fail —》. 〖L<Gk. (*siōpaō* to keep silent)〗

ápo·spòry *n.* 〔植〕 (세균류(細菌類)의) 무포자(無胞子) 생식.

apos·ta·sy [əpɑ́stəsi] *n.* [U,C] 배교(背教), 배신 ; 변절, 변설(變說) ; 탈당. 〖L<Gk. = defection (*stat-* to stand)〗

apos·tate [əpɑ́steit, -tət] *n.* 배교한 사람, 배신자 ; 변절자, 변설자 ; 탈당자. —— *a.* 배교의 ; 배신[변절]의. **ap·o·stat·ical** [æ̀pəstǽtikəl] *a.* 〖OF or L = deserter<Gk. (↑)〗

ap·o·stat·ic [æ̀pəstǽtik] *a.* = APOSTATE.

apos·ta·tize [əpɑ́stətàiz] *vi.* [動/+前+名] 신앙을 버리다, 배교자가 되다 ; 변절하다 ; 탈당하다 : ~ ***from*** a party ***to*** another 탈당하여 다른 당으로 옮기다.

a pos·ter·i·o·ri [ɑ̀ː poustìəriɔ́ːri, -tèr-, éi pɑstìəriɔ́ːrai] *adv., a.* 후천적으로[인] ; 귀납적으로[인] (↔*a priori*). 〖L = from what is after〗

apos·til(le) [əpɑ́stəl] *n.* 《古》 방주(旁註).

apos·tle [əpɑ́səl] *n.* **1** [A~] 사도《그리스도의 12제자 중의 한 사람》 ; [the A~s] 그리스도의 12사도. **2** (어떤 지방의) 최초의 기독교 전도자, 개조(開祖). **3** (주의 따위의) 주창자.
the Apostle of the English 잉글랜드의 전도자(傳道者) (= ST. AUGUSTINE).
the Apostle of Ireland 아일랜드의 전도자(傳道者) (= ST. PATRICK).
the Apostles' Creed 사도신경《기도서 중에 있는 기도의 이름》 (the Creed).
~·shìp *n.* [U] 사도의 직분[신분].
〖OE *apostol*<L<Gk. = messenger〗

apóstle pìtcher *n.* 사도상이 있는 주전자.

apóstle spòon *n.* 자루 끝에 사도상이 새겨져 있는 은숟가락.

apos·to·late [əpɑ́stəlèit, -lət] *n.* [U] 사도의 직[임무] ; 로마 교황의 직[지위].

ap·os·tol·ic, -i·cal [æ̀pəstɑ́lik(əl)] *a.* 사도의, 사도적인 ; [흔히 A~] 로마 교황의(papal).

apostólic délegate *n.* (바티칸과 정식 외교 관계가 없는 나라에 보내는) 교황 사절.

Apostólic Fáthers *n. pl.* 사도 교부(教父).

apostólic sée *n.* 사도가 창설한 관구 ; [A~ S~] 〔카톨릭〕 성좌(聖座) (Holy See) 《사도 St. Peter가 창설한 로마의 교황 관구》.

***apos·tro·phe** [əpɑ́strəfi(ː)] *n.* **1** 〔文法〕 아포스트로피(') ; 생략 부호《*can't, ne'er,* '99 [ninety-nine이라 읽음]》 ; 소유격의 부호 ; 복수 부호. **2** 〔修〕 돈호법(頓呼法)《문장·연설 도중에 불쑥 사람이나 물건 이름을 부르기》. 〖L<Gk. = turning away〗

apos·tro·phize [əpɑ́strəfàiz] *vt., vi.* (…에) 돈호하다, 갑자기 어조를 바꾸어 (…을) 부르다 ; 아포스트로피를 붙이다.

apóthecaries' mèasure *n.* 약용식 액량법.

apóthecaries' wèight *n.* 약제용(用) 형량법 (☞ GRAIN, SCRUPLE, DRAM, OUNCE, POUND[1]).

apoth·e·cary [əpɑ́θəkèri ; -kəri] *n.* **1** 《古》 약방, 약제사《옛날엔 치료도 했음》. **2** 《英·아일》 약제사《법률상의 명칭》. 〖OF<L (Gk. *apothēkē* storehouse)〗

apóthecary jàr *n.* 아가리가 넓은 약제용 그릇.

ap·o·thegm, ap·o·phthegm [ǽpəθèm] *n.* 경구, 격언. **-theg·mat·ic, -phtheg-** [æ̀pəθegmǽtik] *a.* 격언[경구]의, 격언적인. **-mát·i·cal** *a.* **-i·cal·ly** *adv.* 〖F or L<Gk. (APO*phtheggomai* to speak out)〗

ap·o·them [ǽpəθèm] *n.* 〔數〕 변심(邊心) 거리.

apoth·e·o·sis [əpɑ̀θióusəs, æ̀pəθíːə-] *n.* (*pl.* **-ses** [-óusiːz, -θíːəsìːz]) [U,C] (사람을) 신으로 모시기, 신격화 ; 신성시, 숭배 ; 승천 ; 신격화되는 것 ; [C] 극치〈*of*〉. 〖L<Gk. (*apotheoō* to make a god (*theos*) of)〗

apoth·e·o·size [əpɑ́θiəsàiz, æpəθíːə-] *vt.* 신으로 모시다, 신격화하다 ; 예찬하다.

ap·o·tro·pa·ic [æ̀pətroupéiik] *a.* 마귀[악·불행]를 쫓는 (힘이 있는). **-i·cal·ly** *adv.*

app. apparatus ; apparent(ly) ; appendix ; applied ; appointed ; apprentice ; approved.

Ap·pa·la·chia [æ̀pəléitʃiə, 美+-lǽtʃə, 美+-léiʃə] *n.* 애팔래치아(산맥) 지방.

Àp·pa·lá·chian *a.* 애팔래치아 산맥의. —— *n.* [the ~s] = the APPALACHIAN MOUNTAINS.

Appaláchian Móuntains *n. pl.* [the ~] 애팔래치아 산맥《북미 동해 연안을 따라 캐나다 Quebec 주 남서부에서 미국 Alabama 주 북부에 이름》.

ap·pall | -pal [əpɔ́ːl] *vt.* (**-ll-**) [+目/+目+前+名] 오싹하게 하다, 깜짝 놀라게 하다, (간담을) 서늘케 하다(terrify) : We were ~*ed* ***at*** the thought of another war. 또 전쟁이 일어나는가 하는 생각을 하니 오싹해졌다. 〖OF = to grow PALE[1] ; ⇨ AP-[1]〗 [類義語] ⟹ DISMAY.

appáll·ing *a.* **1** 오싹하게 하는, 소름끼치는, 무서운(dreadful) : an ~ war 처참한 전쟁. **2** 놀라운, 굉장한, 엄청난(excessive). **~·ly** *adv.* 소름이 끼치게 ; 엄청나게.

Ap·pa·loo·sa [æ̀pəlúːsə] *n.* 애팔루사종(種)의 승용마《북미 서부산》. 〖*Palouse* : 아메리칸 인디언의 부족명〗

ap·pa·nage, ap·a·nage [ǽpənidʒ] *n.* (대를 잇지 않는 왕자의) 속령(屬領), 속지 ; 부속물, 속성(屬性) ; (지위 따위에 따르는) 소득, 부수입. 〖F<OF *apaner* to dower (*ad-*, L *panis* bread)〗

ap·pa·rat [ǽpəræ̀t, ɑ̀ːpərɑ́ːt] *n.* (정부·정당의) 기관, (특히) 지하 조직. 〖Russ. = apparatus〗

ap·pa·ra·tchik [ɑ̀ːpərɑ́ːtʃik] *n.* (*pl.* **~s, -tchi·ki** [-tʃəkìː, -iki]) 기관원, 공산당 비밀 정보부원[스파이], 굳건한 신념의 정치국원. 〖Russ.〗

***ap·pa·rat·us** [æ̀pəréitəs, 美+-rǽtəs] *n.* (*pl.* **~, ~·es**) **1** [U,C] 한 벌의 기구[기기(器機)], 장치 : a piece of ~ 한 벌의 기계 / a chemical ~ 화학기구 / a heating ~ 난방 장치 / experimental ~ 실험 장치[용 기구]. **2** 〔生理〕 (일련의) 기관 : the digestive[respiratory] ~ 소화[호흡] 기관. **3** = APPARATUS CRITICUS. **4** (어떤 목적을 위한) 사전 준비 ; (정치 따위) 기구, 조직. 〖L (*paro* to prepare)〗

apparátus crít·i·cus [-krítikəs] *n.* 본문[문서] 비평의 연구 자료, (성서 사본의) 비판적 연구의 비교서(比較書) (critical apparatus)《이문(異文)

따위 ; 略 app. crit.》. 〖L〗

ap·par·el [əpǽrəl] *vt.* (**-l-** | **-ll-**) 《美·英古》 차려입다, 입히다(dress) : a person gorgeously ~*ed* 화려하게 차려입은 사람. —— *n.* Ⓤ 《文語》 의상, 복장. 〖OF=to prepare (L *par* equal)〗

appárel búsiness *n.* 의상업계.

appárel índustry *n.* 의상산업.

***ap·par·ent** [əpǽrənt, əpέər-] *a.* **1** (눈에) 명백한 (manifest) ; 뚜렷한(visible) : It is ~ (that) he is unwilling. 그가 마음이 내키지 않는 것은 명백하다 / That must be ~ *to* everybody. 그것은 누가 봐도 뻔한 사실이다 / ~ *to* the naked eye 육안으로도 보이는 / There was no ~ change. 뚜렷한 변화는 없었다 / ☞ HEIR APPARENT. **2** 겉보기의, 외견상의, 얼핏보아 …같은[다운](seeming) : His ~ meekness deceives everyone. 그는 얼핏 얌전해 보이므로 모두가 속는다《그렇게 생각한다》 / The contradiction was only ~. 외견상 단지 모순되게 보일 뿐이었다.
〖OF<L ; ⇨ APPEAR〗
類義語 ⟹ OBVIOUS.

appárent horízon *n.* [the ~] 〖天〗 시지평선(視地平線), 겉보기 지평선(=visible horizon).

***appárent·ly** *adv.* **1** 명백하게(clearly) : It is ~ true. 그것은 분명한 사실이다. **2** (실제는 어떻든) 겉보기로는 …(답게) : He has ~ forgotten it. 그것을 잊은 것 같다.

appárent mágnitude *n.* 〖天〗 (실)시((實)視) 등급《겉보기의 광도(光度)》.

appárent tíme, appárent sólar tíme *n.* 〖天〗 시(視)[진(眞)] 태양시.

ap·pa·ri·tion [æ̀pəríʃən] *n.* 환영(幻影)(phantom), 유령, 허깨비(specter) ; (유령 따위의) 출현(appearance)〈*of*〉; 별안간 나타나는[난] 것. **~·al** *a.* 허깨비의, 유령의, 유령 같은.
〖F or L=attendance ; ⇨ APPEAR〗
類義語 ⟹ GHOST.

ap·par·i·tor [əpǽrətər] *n.* (고대 로마 재판관에 종속된) 집행관 ; 정리(廷吏), 전령관 ; 《英大學》 총장의 권표(權標)를 받드는 사람.

ap·pas·sio·na·to [əpæ̀sjənáːtou] *adv., a.* 〖樂〗 열정적으로[인]. 〖It.〗

app. crit. apparatus criticus. **appd.** approved.

ap·peal** [əpíːl] *vi.* **1** [+前+名] 애원하다, 간청하다 : He ~*ed* ***to us ***for*** support. 우리에게 지지를 간청했다 / Let us ~ *to* the President *to* aid us. 대통령에게 간청하여 원조를 받읍시다. **2** [+*to*+名] (법률·세론·여론·무력 따위에) 호소하다 : ~ ***to*** the sword 무력에 호소하다 / ~ *to* the country ☞ COUNTRY 숙어. **3** [+前+名] 〖스포츠〗 (심판에게) 어필[항의]하다 ; 〖法〗 상소(上訴)하다, 상고[항소]하다, 항고(抗告)하다 : ~ ***to*** a higher court 상급 법원으로 상고[상소]하다 / ~ ***against*** the judge's decision 재판관의 판결에 불복하여 상소하다 / ~ ***from*** a judgment 재판에 대해 상소하다. **4** [+*to*+名] 마음에 들다, 호평받다 ; 흥미를 끌다 : Does this picture ~ ***to*** you? 이 그림이 마음에 드십니까. —— *vt.* 〖法〗 (사건을) 상소하다.
—— *n.* **1** 애원, 간청 : make an ~ *for* help 원조를 간청하다. **2** (여론·무력 따위에) 호소하기〈*to*〉: the final ~ 최후의 수단. **3** ⓊⒸ 〖法〗 항소(抗訴), 상고(上告), 상소(上訴), 항고(抗告) : a court of ~ 상소심 법원 / a direct ~ 직소(直訴) / lodge[enter] an ~ 상소하다. **4** Ⓤ 사람의 마음을 움직이는 힘, 매력 : sex ~ 성적 매력 / The plan has little ~ *for* me. 그 계획에는 조금도 마음이 안 내킨다. **5** 〖스포츠〗 (심판에의) 어필[항의].
make an appeal to …에 호소하다 ; …에게 호평받다 ; …을 매혹하다 : *make an* ~ *to* the country=appeal to the country ☞ COUNTRY 숙어 / *make an* ~ *to* force 무력에 호소하다 / This poem *makes an* ~ *to* emotion. 이 시는 정서에 호소하는 힘이 있다.
~·able *a.* 항소[상고, 상소]할 수 있는. **~·er** *n.* 〖OF<L AP[1] *pello* to address〗
類義語 ***appeal*** 어떤 일에 대해 열심히 또는 긴급한 청원을 하다 ; 법률적으로는 상소하다. ***plead*** 법정에서 신청이나 또는 고소에 관해 정식으로 답변하는 일인데 일반적으로는 설명·변명을 하여 탄원하다. ***sue*** 구호·호의 따위를 정식으로 또는 정중하게 부탁[탄원]하다. ***petition*** 인정된 권리를 바탕으로 하여 문서로 정식요청을 하다. ***pray, supplicate*** 신(神)이나 윗사람에게 대할 때처럼 겸손하게 탄원하다. *supplicate*는 무릎을 꿇고 탄원하는 일을 뜻하기도 한다.

appéal·ing *a.* 호소하는 듯한, 애원적인 ; 남의 심금을 울리는 ; 흥미를 돋우는.
~·ly *adv.* 애원하듯이.

appéal pláy *n.* 〖野〗 어필 플레이《주자가 베이스를 밟지 않고 주루했을 때 수비측이 볼로 베이스를 터치한 후 심판에게 어필하여 아웃시키는 일》.

‡ap·pear [əpíər] *vi.* **1** [動/+前+名] 나타나다, 출현하다, 나오다(↔*disappear*) ; 출두[출장·출연]하다 ; (사교계에) 나오다 ; (저서 따위가) 세상에 나오다, (신문에) 나다 : One by one the stars ~*ed*. 하나 둘 별들이 나타났다 / She ~*ed* at four o'clock. 4시에 모습을 나타냈다 / Has his new book ~*ed* yet? 그의 새 저서가 벌써 출판되었습니까 / ~ ***on*** the stage[***in*** a concert] 출연하다[연주회에 나오다] / The prisoner ~*ed in* court. 그 피고는 출정했다 / ~ ***before*** the judge 재판을 받다.

〈회화〉
All of my favorite TV stars are *appearing* on that quiz show. — I guess we have to watch it then. 「내가 좋아하는 텔레비전 스타가 모두 그 퀴즈쇼에 출연해」「꼭 봐야겠네」

2 a) [+補/+*to* do/+過分+*to*+名] …인 듯하다, (…이라) 생각되다, …같이 보이다(seem) : He ~*ed* (*to* be) rich. 부자인 듯하였다 / The rumor is true, strange as it may ~. 이상하게 생각되겠지만 그 소문은 사실이다 / The stars in the northern sky ~ *to* move around the North Star. 북쪽 하늘의 별들은 북극성을 돌고 있는 것같이 보인다 / There ~*s to* have been an accident. 무언가 사고가 있었던 것 같다 / The house ~*ed* desert*ed*. 그 집은 빈집인 듯싶었다 / It ~*s* ***to*** me quite wrong. 그것은 나에게 아주 잘못된 것처럼 생각된다. **b)** [It을 주어로 하여] [+*that* 節/+*to*+名] …같다, …인 듯하다 ; 분명해지다 : *It* ~*s* (***to*** me) *that* you are all mistaken. (내게는) 너희들 모두가 틀린 것같이 생각된다 / Gradually *it* ~*ed that* things were no worse than before. 사태가 전보다 나빠진 것이 없음이 점차 명백해졌다. 注 다음의 so, not은 *that* 節을 대표하는 것 : *So* it ~*s*. (어쩐지) 그럴 듯싶다 / It ~*s not*. 그런 것 같지 않다.
〖OF<L *apparit- appareo* to come in sight〗
類義語 ***appear***는 외관(外觀)이 그렇게 보인다는 뜻으로 때로는 「실제로는 그렇지 않을는지 모른

다」라는 속뜻을 가지기도 함. ***look***도 똑같이 외면적인 것을 나타내지만「실제로도 그렇다」라는 뜻이 담겨 있는 경우가 많음. ***seem*** 상대방이나 필자의 주관을 가리켜서「그럴 것이다」라는 기분을 나타냄.

***ap·pear·ance** [əpíərəns] *n.* **1** 출현 ; 출두, 출정(出廷) ; 출연 ; 출판, 발간. **2** [흔히 ~s] 외관(外觀), 겉보기, 체면, 외양(外樣) ; 체제 : judge by *~s* 외관으로 판단하다 / put on the ~ of innocence 순진한 체하다 / *A~s* are deceptive. 외관은 믿을 것이 못된다. **3** [*pl.*] 형세, 상황, 정세. **4** (사람의) 풍채, 용모(=personal ~). **5** (자연의) 현상 ; 허깨비, 유령.

by all appearances = *to all* APPEARANCE(S).

for appearance's sake = ***for the sake of appearance*** 체면상, 겉치레만, 체면 때문에.

keep up [***save***] ***appearances*** 체면을 차리다.

make a good [***fine***] ***appearance*** 풍채가 훌륭하다, 보기에 좋다.

make [***put in***] one***'s*** [***an***] ***appearance*** 얼굴을 내밀다, 출두하다.

make one***'s first appearance*** 첫 데뷔하다, (처음으로) 세상에 나오다[나가다].

to all appearance [《美》 ***appearances***] 어느 모로 보나 : The letter was *to all* ~ different from the original one. 그 편지는 아무리 보아도 원래의 것과는 달랐다.

[類義語] ***appearance, look*** 다 같이 사람이나 물건의 외면적인 인상을 나타내지만 *appearance*는 때때로 단순한 겉(보기)만을 뜻하며「실제로는 그렇지 않을는지 모른다」라거나 또는 허위·위선을 암시하기도 함 : an *appearance* of honesty (정직해 보이는 인상). 또 *look*은 물리적인 자세한 상태를 가리키기도 함 : the *look* of a ruined building (파괴된 건물의 모양). ***aspect*** look과 같지만 얼굴이나 외관상의 특징에 대하여 말할 때가 많음 : a woman of regular *aspect* (반듯한 용모의 여인). ***semblance***도 실제와는 다른 외관을 나타내는 수가 있지만 appearance와 같이 허위·위선을 암시하지 않음 : a manly *semblance* (사내다운 모습). ***guise*** 일부러 남을 속이기 위해 외양을 꾸미기 : under the *guise* of friendship (우정을 가장하여).

appéarance mòney *n.* 일류급 운동 선수에게 지불하는 경기 출전료.

appéar·ing *a.* 《美》 …인 듯한, …처럼 보이는.

ap·pease [əpí:z] *vt.* **1** (남을) 달래다 ; (싸움을) 말리다 ; (노여움·슬픔을) 가라앉게 하다, 진정시키다 : The sight *~d* his anger. 그 광경을 보고 그의 분노는 가라앉았다. **2** (갈증을) 풀다, (식욕·호기심 따위를) 채우다 : A good dinner will ~ your hunger. 저녁밥을 잘 먹으면 허기가 가실 것이다. **3** 지조를 굽혀 …에 양보하다.

ap·péas·able *a.* **~·ment** *n.* Ⓤ 위로, 진정(鎭靜), 완화 ; 양보, 유화 정책.

〖AF (*ap-*[1], *pais* PEACE)〗

[類義語] ***appease*** 노여워하거나 흥분하고 있는 사람의 희망·요구 따위를 만족시켜 가라앉히다[달래다] : *appease* the hungry people (배고픈 자들의 식욕을[허기를] 채워 주다). ***pacify*** 소란스러운 것 또는 난폭한 것, 특히 싸우고 있는 것 따위를 달래서 조용하게 하다 ; 소란[싸움]의 원인을 제거하는 뜻은 없음 : *pacify* a crying child (우는 어린이를 달래다).

ap·pel [əpél] *n.* 〖펜싱〗 아펠《공격 따위의 의사 표시로 발을 쾅 구르거나 상대방의 검을 툭 치는 일》.

ap·pel·lant [əpélənt] *a.* 〖法〗 상소의, 항소의, 상고의. —— *n.* 상소하는 사람 ; 상고인.

〖F ; ⇨ APPEAL〗

ap·pel·late [əpélət] *a.* 항소의, 상고[상소]의, 항소[상고]로 처리되는 ; 상소를 재심할 권한이 있는. 〖L ; ⇨ APPEAL〗

appéllate cóurt *n.* 상소[항소, 상고] 법원.

ap·pel·la·tion [æ̀pəléiʃən] *n.* 명칭, 이름.

〖OF＜L ; ⇨ APPEAL〗

ap·pel·la·tive [əpélətiv] *a.* 명칭적인, 호칭[칭호]의 ; 〖文法〗 총칭적인, 보통 명사의(common) (cf. PROPER 1). —— *n.* 명칭, 통칭(appellation) ; 〖文法〗 보통 명사. **~·ly** *adv.* 〖文法〗 총칭적으로.

ap·pel·lee [æ̀pəlí:] *n.* 〖法〗 피(被)상고[항소]인.

ap·pel·lor [əpélɔ:*r*, æ̀pəlɔ́:*r*] *n.* 〖英法〗 고소인, 고발인.

ap·pend [əpénd] *vt.* [＋目/＋目＋*to*＋名] (실 따위로) 걸다, 달아매다 ; (표찰 따위를) 붙이다 ; 덧붙이다, (서류 따위를) 첨부하다 ; 부록으로 넣다 ; 부가[추가]하다(affix) : The amendments to the Constitution of the United States are *~ed* ***to*** it. 미합중국 헌법 수정 조문은 본문에 부가되어 있다. 〖L *ap-*[1] (*pendo* to hang)〗

appénd·age *n.* 부가물, 부속물〈*to*〉; 〖生〗 부속기관《손·발 따위》.

ap·pend·ant, -ent [əpéndənt] *a.* 부수(附隨)하는 ; 부대적인 ; 〖法〗 (…에) 부대권리로서 종속하는〈*to*〉. —— *n.* 부수물 ; 〖法〗 부대권리.

ap·pen·dec·to·my [æ̀pəndéktəmi], 《英》 **ap·pen·di·cec·to·my** [əpèndəsèktəmi] *n.* 〖醫〗 충수 절제(술).

***appendices** *n.* APPENDIX의 복수형.

ap·pen·di·ci·tis [əpèndəsáitəs] *n.* Ⓤ 〖醫〗 충수염, 맹장염.

ap·pen·dic·u·lar [æ̀pəndíkjələ*r*] *a.* APPENDAGE의, (특히) 부속지(附屬肢)의 ; 〖解〗 충수(蟲垂)[충양돌기(蟲樣突起)]의.

***ap·pen·dix** [əpéndiks] *n.* (*pl.* **~·es**, **-di·ces** [-dəsì:z]) **1** 부가물, 부속물 ; 부록, 추가. **2** 〖解〗 충수[충양돌기].

〖L *apendic- apendix* ; ⇨ APPEND〗

[類義語] ⟹ SUPPLEMENT.

ap·per·ceive [æ̀pərsí:v] *vt.* 〖心〗 (새로운 지각 대상을) 과거 경험의 도움에 의해 이해하다, 통각(統覺)하다 ; 〖教〗 (신(新)관념을) 유화(類化)하다.

ap·per·cep·tion [æ̀pərsépʃən] *n.* Ⓤ 〖哲·心〗 통각(統覺) (작용) ; 〖教〗 유화(類化).

ap·per·cep·tive [æ̀pərséptiv] *a.* 통각적인.

ap·per·tain [æ̀pərtéin] *vi.* [＋前＋名] 속하다 (belong) ; 연관되다(relate) : The control of traffic *~s* ***to*** the police. 교통 정리는 경찰의 임무다 / the privileges *~ing to* one's position 지위에 속하는 특권. 〖OF＜L ; ⇨ PERTAIN〗

appertáin·ings *n. pl.* 소속물.

ap·pe·tency, -tence [ǽpətəns(i)] *n.* 욕망 ; 성욕 ; 본능, 자연적 성향 ; 〖哲〗 의욕 ; 〖化〗 친화력.

〖F or L ; ⇨ APPETITE〗

áp·pe·tent *a.* (본능적으로) 욕구하는, 열망하는 ; 〖哲〗 의욕의.

***ap·pe·tite** [ǽpətàit] *n.* Ⓤ,Ⓒ 식욕 ; 욕망(desire), (지식 따위의) 욕구 ; 흥미〈*for*〉 : have a good [poor] ~ 식욕이 있다[없다] / lose one's ~ 식욕을 잃다 / sharpen one's ~ 식욕을 자극하다 / loss of ~ 식욕부진 / with a good ~ 맛있게 / carnal ~ = ~ of sex 성욕(性慾) / A good ~ is

good sauce. 《속담》 시장이 반찬이다.
be to one*'s* ***appetite*** 입에 맞다.

〈회화〉
I don't have a good *appetite* these days.—That's too bad. Why don't you see a doctor? 「요즘 식욕이 통 없어」「그건 안 좋은데. 의사의 진찰을 받아 보는 게 어때」

〖OF＜L (*appeto* to seek after)〗

ap·pe·tiz·er [ǽpətàizər] *n.* 식욕을 돋구는[입맛 나게 하는] 것; 전채(前菜), 오르되브르(hors d'oeuvre).
〖역성(逆成)＜↓〗

ap·pe·tiz·ing [ǽpətàiziŋ] *a.* 식욕을 돋구는, 맛있어 보이는. **~·ly** *adv.* 맛있게.
〖F *appétissant*; ⇨ APPETITE〗

Áp·pi·an Wáy [ǽpiən-] *n.* 아피아 가도(街道) 《Rome에서 Brundisium에 이르는 고대 로마의 길 이름》.

appl. applied.

ap·plaud** [əplɔ́:d] *vi.* 박수 갈채하다: The audience ~*ed* frantically. 청중은 열광적으로 박수 갈채했다. —— *vt.* **1** …에게 박수 갈채하다, 성원하다(cheer): The singer was ~*ed* by the audience. 가수는 청중으로부터 박수를 받았다. **2** [+目/+目+前+名] 찬양하다, 칭찬하다: I ~ (you ***for) your decision. 참 잘 결심하셨습니다.
〖L; ⇨ PLAUDIT〗

***ap·plause** [əplɔ́:z] *n.* Ⓤ (성원의) 박수 갈채, 칭찬: win general ~ 세상의 칭찬을 받다.

ap·plaus·ive [əplɔ́:siv] *a.* 박수 갈채하는; 칭찬의. **~·ly** *adv.* 갈채[칭찬]하여.

◇**ap·ple** [ǽpəl] *n.* **1** 사과, 사과 나무(apple tree). **2** 사과 비슷한 과일《love apple 따위》. **3** 《野俗》 공. **4** 《美俗》 대도시, 번화가; [the A~] New York 시. **5** 《美口》 사람; 《美俗》 백인처럼 생각[행동]하는 인디언; 《CB俗》 (함부로 음량을 높이는) CB무선가.
the apple of discord 〔그神〕 불화의 사과《Eris가 혼례 좌석에 던져 넣어 여신들이 다툰 황금의 사과로 Trojan War의 원인이 되었음》; 싸움의 원인, 불화[분쟁]의 씨.
the apple of Sodom＝***the Dead Sea apple*** 소돔의 사과《외관은 아름다우나 한번 손이 닿으면 그 즉시 연기를 내면서 재가 된다고 함》; 아무런 실효가 없는 것.
the apple of the eye 눈동자; 매우 소중한 것.
〖OE *æppel*; cf. G *Apfel*〗

Apple *n.* 애플《미국 Apple Computer Inc. 제의 퍼스널 컴퓨터 시스템; 상표명》.

ápple àphid *n.* 사과 나무에 꾀는 진디.

ápple bèe *n.* 건(乾)사과 만드는데 거들기.

ápple blòssom *n.* 사과꽃《미국 Arkansas, Michigan 두 주의 주화(州花)》.

ápple brándy *n.* 사과 브랜디.

ápple bùtter *n.* 사과 버터.

ápple·càrt *n.* 사과 운반차.
upset the[a person*'s*] ***applecart*** (남의) 계획을 뒤집어 엎다.

ápple chèese *n.* 사과 치즈.

ápple dúmpling *n.* 사과를 넣고 찐 경단.

ápple gréen *n.* 맑은 황록색.

ápple hèad *n.* 장난감 개의 둥근 머리.

ápple·jàck *n.* 《美》 ＝APPLE BRANDY.

applejack càp *n.* 애플잭 모자《빛깔이 화려하고 위가 평평하며 술이 달린 남자용 테없는 모자; 흑인·푸에르토리코인들이 씀》.

ápple knòcker *n.* 《美俗》 사과[과일]파는 사람; 시골뜨기; 신출내기.

***ápple píe** *n.* 사과가 든 파이, 애플 파이.

ápple-pìe *a.* (도덕관 따위가) 미국적인; 완전한, 정연한.

ápple-píe bèd *n.* 발을 잘 뻗지 못하게 장난으로 요를 감아 놓은 침대.

ápple-pìe órder *n.* [다음 숙어로]
in apple-pie order 질서 정연하게.

ápple-pòlish *vi., vt.* 《美俗》 (…의) 비위를 맞추다, (…에게) 아첨하다.
~·er *n.* 《口》 아첨꾼. **~·ing** *n., a.*

ápple pòmace *n.* 즙을 짠 사과 찌끼.

ápple·sàuce *n.* Ⓤ **1** 애플 소스《사과를 저며서 곤 것》. **2** 《美俗》 객쩍은[시시한] 소리, 엉터리; 입에 발린 치사.

Ap·ple·ton [ǽpəltən] *n.* 애플턴. Sir **Edward** (**Victor**) ~ (1892-1965) 영국의 물리학자; Nobel 물리학상(1974).

Áppleton làyer *n.* 〔通信〕 (전리층의) 애플턴층(層) (F layer). 〖↑〗

ápple trèe *n.* 사과 나무.

ápple·wìfe *n.* 여자 사과장수.

ap·pli·ance [əpláiəns] *n.* **1** 기구; 장치, 설비; 《美》 (특히) 전기 제품[기구], (주로) 가전 제품; 소방차(fire engine): household[home] ~*s* 가정 용품 / medical ~*s* 의료 기구 / an ~ *for* cleaning bottles 병씻는 기구. **2** 《稀》 Ⓤ 사용, 응용.
〖APPLY〗
類義語 ⟹ IMPLEMENT.

ap·pli·ca·ble [ǽplikəbəl, əplík-] *a.* 적용[응용]할 수 있는, 들어맞는, 적당한, 적절한〈*to*〉.
-bly *adv.* **àp·pli·ca·bíl·i·ty** *n.* Ⓤ 적응성, 응용 가능성; 적당 여부; 적절함, 적당.
〖F or L; ⇨ APPLY〗

***ap·pli·cant** [ǽplikənt] *n.* 지원자, 출원자, 신청자, 응모자, 후보자: an ~ *for* admission *to* a school 입학 지원자. 〖*applic*ation＋-*ant*〗

***ap·pli·ca·tion** [æ̀pləkéiʃən] *n.* **1** Ⓤ,Ⓒ 적용, 응용(성); 실제적 교훈; 실용성: a rule of general ~ 통칙 / the ~ *of* a rule *to* a case 어떤 경우에 규칙을 적용하기. **2** Ⓤ,Ⓒ 신청; 출원, 지원(志願); Ⓒ 원서, 신청서(＝written ~): an ~ form[blank] 신청 용지 / make an ~ *for* …을 신청하다, …을 출원하다 / on ~ *to* …에 신청하는 대로 / send in a written ~ 원서를 제출하다. **3** Ⓤ (약을) 바름, 도포(塗布); 붙임; Ⓒ 외용약, 바르는 약: for external ~ 〔醫〕 외용(外用)의. **4** Ⓤ 마음을 기울이기; 전념, 근면(diligence): a man of close ~ 열심인[부지런한] 사람. **5** 〔컴퓨〕 응용.
〖F or L; ⇨ APPLY〗

applicátion pàckage *n.* 〔컴퓨〕 응용 꾸러미 《특정한 응용 분야의 프로그램을 모은 소프트웨어의 집합체》.

applicátion prògram *n.* 응용 프로그램.

applicátion-specífic *a.* 특수 용도의: ~ integrated circuits 특수 용도의 집적 회로.

applicátions sátellite *n.* 실용 위성.

ap·pli·ca·tive [əplíkətiv, ǽpləkèi-] *a.* ＝APPLICABLE; 응용된. **~·ly** *adv.*

áp·pli·cà·tor *n.* Ⓒ (약을 바르는) 작은 주걱, 도약기(塗藥器).

áp·pli·ca·tò·ry [; -təri] *a.* 적용[응용]할 수 있는, 실용적인.

ap·plíed *a.* (실지로) 적용된, 응용의(↔*pure, theoretical*): ~ chemistry 응용 화학 / ~ music

《美》 실용 음악(과목) / ~ psychology 응용 심리학 / ~ science 응용 과학.

ap·pli·qué [æ̀pləkéi ; æplí:kei] *a.* (재봉 따위에서 다른 재료에) 꿰매붙인, 박아(서 끼워) 넣은. —— *n.* Ⓤ 아플리케, 꿰매붙인 세공[장식]. —— *vt.* …에 아플리케를 하다. 〖F=applied〗

ap·ply** [əplái] *vt.* [+目/+目+*to*+名] **1** (물건을) 대다(put) ; (열을) 가하다 ; (성냥을) 켜다, (약 따위를) 바르다 : ~ a plaster ***to a wound 상처에 고약을 바르다. **2** (자금 따위를 어떤 목적에) 충당하다, 쓰다 ; (규칙을) 적용하다, (원리를) 응용하다 ; (사람·물건에 이름을) 붙이다 ; (마음을) 기울이다 : He does not know how to ~ the rule. 규칙의 적용법을 알지 못한다 / ~ a sum of money ***to*** charity 어떤 금액을 자선 사업에 충당하다 / ~ steam *to* navigation 증기를 항해에 응용하다 / *A*~ your mind *to* your studies. 공부에 전념하십시오.

—— *vi.* **1** [+前+名/+副] 적용되다, 적합하다, 알맞다 : This does not ~ ***to*** beginners. 이것은 초심자에게 적합하지 않다 / It *applies* very well ***in*** this case. 그것은 이 경우에 썩 잘 맞는다 / *When* does this rule ~? 이 규칙은 어떤 경우에 적용됩니까. **2** [+前+名/動] 출원(出願)[지원]하다, 신청하다 ; (남에게 물건을) 의뢰하다, 문의하다, 물어보다, 조회하다 : ***For*** particulars ~ ***to*** the office. 자세한 것은 사무실로 문의해 주십시오 / I *applied to* the Consul *for* a visa. 영사(領事)에게 비자를 신청했다 / He *applied for* a patent on the cleaner. 그 청소기의 특허를 신청했다 / *A*~ personally or by[in] letter. 직접 또는 문서로 신청하십시오 / *A*~ within. 안에 들어와서 접수하십시오.

〈회화〉

He is *applying* for admission to Seoul University. — Are there many applicants? 「그는 서울대학교에 원서를 내려고 합니다」「지원자가 많습니까」

apply oneself to …에게 열을 올리다, …에 경주(傾注)하다 : He *applied* him*self to* his new task[*to* learn*ing* French]. 새로운 일[프랑스어 학습]에 전념했다.
〖OF<L AP¹*plico* to fold, fasten to〗

appmt. appointment.

ap·pog·gia·tu·ra [əpɑ̀dʒətjúərə] *n.* 〖樂〗 앞꾸밈음(꾸밈음의 일종). 〖It.〗

ap·point [əpɔ́int] *vt.* **1** [+目+補/+目+*to* do/+目+*as* 補/+目+*to*+名/+目] 지명[임명]하다 : The Queen ~*ed* him (*to be*) Lord Chamberlain (of the Household). 여왕은 그를 궁내 대신에 임명했다 / He has been ~*ed* chairman. 의장에 임명되었다 / I ~*ed* White *as* my successor. 화이트를 후임으로 지명했다 / Mr. A was ~*ed* ***to*** a professorship in 1960. A 씨는 1960년에 교수로 임명되었다 / We must ~ a committee. 위원회를 임명하지 않으면 안된다. **2** [+目/+目+*for*+名] (시일·장소를) 정하다, 약속하다, 지정하다(fix) : We ~*ed* the place and time ***for*** the next meeting. 다음 회합의 장소와 시간을 정했다 / What's the time ~*ed for* the conference? 회의 시간은 언제입니까. **3** [+*that* 節] 정하다, 명하다(decree) : God ~*ed that* it should be done. 그것은 이루어져야 할 것이라고 신이 정하셨다. **4** [보통 수동태로] (집·방 따위에) 필요한 비품을[설비를] 갖추다. —— *vi.* 지명[임명]권을 행사하다, 지명[임명]하다.
〖OF (*à point* to a POINT)〗

appóint·ed *a.* **1** 정해진, 약속한, 지정의 : one's ~ task 자기의 정해진 일 / at the ~ time[hour] 정각(定刻)에, 약속된 시간에. **2** 임명된 ; (이사회·위원회 따위) 임명제의 : a newly ~ official 새로 부임한 공무원. **3** 설비된 : ☞ WELL-APPOINTED.

ap·poin·tee [əpɔintí:, æ̀p-] *n.* 피임명자 ; 피지정인 ; 〖法〗 (재산권의) 피지정인.

ap·póint·er *n.* 임명자.

ap·point·ive [əpɔ́intiv] *a.* 임명[지명]에 의한, 임명[지명]하는(↔*elective*).

***appóint·ment** *n.* **1** Ⓤ,Ⓒ 지정, 선정. **2 a)** Ⓤ,Ⓒ 임명. **b)** 관직, 지위(position). **3** 《古》 천명(天命), 운명. **4** (회합의) 약속 : keep[break] one's ~ (*with*...) (…와의) 약속을 지키다[어기다] / make an ~ (*with*...) (…와) 약속 시일[장소]을 정하다 / I have an ~ *with* my dentist at three. 3시에 치과에 갈 약속이 있다. **5** [보통 *pl.*] (호텔 따위의) 설비, 비품(equipment) ; (군인의) 장비(outfit).

by appointment (회합의) 때와 장소를 약속하여 : You have to meet him *by* ~. 그를 만나려면 약속을 해두지 않으면 안된다.

ap·póin·tor [, əpɔintɔ́:r] *n.* =APPOINTER ; 〖法〗 지정인, 지명권자.

ap·port [əpɔ́:rt] *n.* 〖心靈〗 환영.

ap·por·tion [əpɔ́:rʃən] *vt.* [+目+前+名/+目+目] 나누다, 분배[배분]하다, 할당하다 : I ~*ed* a fair amount ***to*** each of them. 그들 각자에게 응분의 몫을 분배했다 / The farmer's property was ~*ed* ***among*** his sons after his death. 그 농장주가 죽은 후 그의 재산은 자식들에게 배분되었다 / I'll ~ each of you a different task. 여러분에게 각기 다른 일을 할당할 것이다.
~·ment *n.* Ⓤ,Ⓒ 분배, 배당 ; 할당 ; (손해 배상액의) 분담 ; 《美》 (인구 비율에 의한) 의원수[연방세(稅)]의 할당. 〖F or L (*ap*-¹, PORTION)〗
類義語 ⟹ ALLOT.

ap·pose [əpóuz, æ-] *vt.* 나열하다, 나란히 놓다. 〖역성(逆成) ‹ *apposition*〗

ap·po·site [ǽpəzət] *a.* 적절한〈*to*〉. **~·ly** *adv.* 적절히. **~·ness** *n.* Ⓤ 적절함.
〖L (p.p.) ‹ *ap*-¹(*pono* to place)=to apply〗

ap·po·si·tion [æ̀pəzíʃən] *n.* Ⓤ 나란히 놓기, 병치(竝置) ; 〖文法〗 동격 : a noun in ~ 동격명사.

in apposition with[***to***] (…와) 동격으로 : In "Mr. Smith, our neighbor, has a new car," "our neighbor" is *in* ~ *to* "Mr. Smith." "Mr. Smith, our neighbor, has a new car." 에서 "our neighbor"는 "Mr. Smith"와 동격이다.
~·al *a.* 〖F or L (↑)〗

ap·pos·i·tive [əpɑ́zətiv, æ-] *a.* 〖文法〗 동격의. —— *n.* 동격어[구·절].

ap·prais·able [əpréizəbəl] *a.* 값을 매길 수 있는, 평가할 수 있는.

ap·prais·al [əpréizəl] *n.* Ⓤ,Ⓒ 값을 매김, 평가 ; 감정, 견적, 사정(査定).

ap·praise [əpréiz] *vt.* 값을 매기다, 견적하다, 평가[감정]하다(estimate) : An employer ~*s* the ability of his men. 고용주는 고용인들의 능력을 평가한다 / Property is ~*d* for taxation. 과세하기 위해 재산을 감정한다. **~·ment** *n.* = APPRAISAL. **ap·práis·er** *n.* 평가인 ; (세관·세무서의) 사정관, 감정인. **ap·práis·ing** *a.* 평가하는 (듯한). 〖APPRISE ; 어형은 *praise*에 동화〗
類義語 ⟹ ESTIMATE.

ap·pre·ci·a·ble [əpríːʃiəbəl] *a.* 평가[측정]할 수 있는, 감지할 수 있는, 얼마간의, 다소의. **-bly** *adv.* 평가할 수 있게, 감지할 수 있을 정도로, 얼마간, 다소.

***ap·pre·ci·ate** [əpríːʃièit] *vt.* **1** …의 진가[좋은 점]를 인정하다, 바르게 평가하다 ; (세밀한 차이를) 식별하다 : His genius was at last universally ~*d*. 그의 천재성은 드디어 일반에게 인정되기에 이르렀다 / A musician can ~ small differences in sounds. 음악가는 소리의 미세한 차이도 식별할 수 있다. ㊟ 다음과 같이 [+*that* 節] 에서 쓰이는 것은《美》: He ~*d that* a new era was beginning. 새로운 시대가 시작되고 있는 것을 깨달았다. **2** (문학작품 따위를) 감상하다, 음미(吟味)하다 : You cannot ~ English literature unless you understand the language. 영문학을 감상하는 일은 그 언어의 이해가 없으면 불가능하다. **3** [+目/+do*ing*] (남의 호의 따위를) 고맙게 여기다, 감사하다 : I greatly ~ your kindness. 친절에 매우 감사합니다 / I would very much ~ receiv*ing* a copy of the book. 그 책을 1부 보내 주시면 감사하겠습니다. **4** …의 시세[가격]를 올리다(↔*depreciate*). ── *vi.* 시세가[가격이] 오르다, 가격이 등귀하다.
〖L=to appraise (*pretium* price)〗
類義語 (1) ***appreciate*** 바르게 평가하다, 가치를 충분히 인정하여 감상하다 : *appreciate* Beethoven's music (베토벤의 음악을 감상하다). ***value*** 가치가 있는 것을 높이 평가하다 : I *value* your ability. (너의 능력을 높이 평가한다). ***prize*** 매우 높이 평가하고 만족하다 : He *prizes* his stamp collection. (자기의 우표 수집을 귀중히 여긴다). ***treasure*** 어떤 것을 귀중한 것으로 인정하다 ; 잃지 않도록 중요하게 다룬다는 뜻을 가짐 : I *treasure* your gift. (너의 선물을 소중히 여긴다). ***esteem*** 높이 평가하여 경의(敬意)를 가지다 : I *esteem* him for his honesty. (정직하기 때문에 그를 존경한다). ***cherish*** prize나 treasure와 같지만 더 한층 애정을 가지고 있음을 나타냄 : She *cherishes* her only child. (하나뿐인 아이를 애지중지한다).
(2) ⟹ UNDERSTAND.

***ap·pre·ci·a·tion** [əprìːʃiéiʃən] *n.* **1** Ⓤ 진가를 인정하기, 올바른 인식 ; 알아차림, 감지. **2** Ⓤ 감상, 음미, 이해, 감상력 : ~ of music 음악 감상[이해]. **3** Ⓤ 감사(의 표명), 사의(謝意) : a letter of ~ 감사장, 감사의 편지. **4** Ⓤ (가격의) 등귀, 상승 ; (수량의) 증가.
in appreciation of …을 인정받아[하여] ; …을 칭찬하여, …에 감사하여.

ap·pre·cia·tive [əpríːʃiətiv, -ʃièitiv] *a.* 감상적인, 감식력이 있는, 안목이 높은〈*of*〉; 감사하고 있는 : be ~ *of* …을 감상하다, …을 고맙게 생각하다. **~·ly** *adv.* 감상적으로 ; 감사하여.

ap·pré·ci·à·tor *n.* 진가를 이해하는 사람, 감상자 ; 감사의 뜻을 나타내는 사람.

ap·pré·cia·tò·ry [; -təri] *a.* =APPRECIATIVE.

***ap·pre·hend** [æ̀prihénd] *vt.* **1** [+目 / +*that* 節] 염려하다, 걱정하다(fear) : A guilty man ~*s* danger in every sound. 죄를 지은 자는 무슨 소리가 날 때마다 겁을 집어먹는다 / It is ~*ed that* there will be some danger. 위험이 생길 염려가 있다. **2** (뜻을) 파악하다, 이해하다, 감지하다 : I ~ the word but cannot use it. 그 말의 뜻은 알지만 사용할 줄은 모른다. **3** (사람을) 붙잡다, 체포하다《㊟ 이 뜻으로는 arrest가 보통》.
── *vi.* 이해하다.
〖F or L (*prehens- prehendo* to grasp)〗

àp·pre·hèn·si·bíl·i·ty *n.* 이해[납득]할 수 있음.

ap·pre·hen·si·ble [æ̀prihénsəbəl] *a.* 이해할 수 있는, 인지[감지]할 수 있는. **-bly** *adv.*

ap·pre·hen·sion** [æ̀prihénʃən] *n.* **1** Ⓤ [또는 *pl.*] [+*that* 節/+前+do*ing*] 우려, 염려, 걱정 (fear) : have some ~(*s*) ***of failure 실패를 우려하다 / a mother's ~ ***for*** her son's welfare 자식이 잘 되기를 바라는 어머니의 염려 / They are under the ~ *that* Russia will interfere. 러시아가 간섭하는 것이 아닌가 하고 염려하고 있다 / There is not the least ~ *of* her com*ing*. 그녀가 찾아올 걱정은 조금도 없다. **2** Ⓤ 이해, 이해력 ; 견해 : in my ~ 내가 보는 바로는 / be quick[dull] of ~ 이해가 빠르다[더디다], 눈치가 빠르다[없다] / The matter is above my ~. 그 일은 나로서는 이해가 안간다. **3** Ⓤ 체포, 포박(arrest).
〖F or L ; ⇨ APPREHEND〗

ap·pre·hen·sive [æ̀prihénsiv] *a.* **1** [+前+do*ing*/+*that* 節] 염려[우려]하는, 걱정하는(full of fears) : I am ~ ***for*** my sister's safety. 누이동생의 안부가 걱정된다 / I was a little ~ ***about*** this enterprise. 이 계획에 대해서는 다소 염려되었다 / He is ~ ***of*** danger. 위험을 두려워하고 있다 / They were ~ *of* the enemy attack*ing* them. 적이 공격해 오지나 않을까 하고 염려했다 / We were ~ *that* it might happen. 그런 일이 일어나지 않을까 걱정했다. **2** 직각적(直覺的)인(perceptive) ; 이해가 빠른(intelligent).
~·ly *adv.* 염려하여. **~·ness** *n.*

***ap·pren·tice** [əpréntəs] *n.* 도제(徒弟), 계시, 기한부 고용자(cf. JOURNEYMAN) ; 견습생 ; 초심자 (novice) : an ~*s'* school 도제(徒弟) 학교.
bind a person[***be bound***] ***apprentice to*** … 의 도제[계시]로 보내지다[가 되다].
── *vt.* [+目/+目+*to*+名] 기한부 고용자로 보내다, 도제[견습공]가 되게 하다 : He was ~*d* ***to*** a printer. 인쇄소의 견습공이 되었다. **~·shìp** *n.* Ⓤ 도제살이, 도제의 신분[기한] : serve[serve out] one's ~*ship* with a carpenter 목수에게서 도제살이를 하다[마치다].
〖OF (*apprendre* to learn, teach)〗

ap·pressed [əprést] *a.* 바싹[납작하게] 밀어붙여진 ; 착 들러붙은.

ap·prise[1], **ap·prize**[1] [əpráiz] *vt.* 《文語》 [+目+*of*+名 / +目+*that* 節] (남에게 일을) 알리다, 통고[통지]하다(inform) : He was ~*d* ***of*** the situation. 사정을 알고 있었다 / She came in to ~ me *that* I was wanted. 나를 찾고 있다는 것을 말하러 들어왔다.

apprize[2], **apprise**[2] *vt.* 존중하다 ; …의 진가를 인정하다 ;《古》평가하다(appraise).
〖F (*à* to, PRICE)〗

ap·pro [ǽprou] *n.* [다음 숙어로]
on appro =*on* APPROVAL.

ap·proach** [əpróutʃ] *vt.* **1 a)** …에 다가가다, 가까이 가다, 접근하다 : We ~*ed* the city. 우리는 그 도시에 접근했다 / ~ completion 완성되어 가다. **b)** [+目+*to*+名] (…에) 가까이 가게 하다 : *A*~ the magnet ***to this heap of filings. 자석을 이 줄밥 더미로 가까이 가져오시오. **2** …와 닮아 가다 : The wind was ~*ing* a gale. 바람이 차츰 강풍으로 되어갔다. **3** (남에게) 이야기를 걸다, …에 교섭을 시작하다 : When is the best time to ~ him? 그에게 이야기를 건네는 것은 언제가 가장 좋겠습니까.
── *vi.* **1** 근접하다 : Spring is ~*ing*. 봄이 다가

오고 있다. **2** [+*to*+名] (…와) 거의 같다 (amount) : This reply ~*es* ***to*** a denial. 이 대답은 거절이나 마찬가지다.
—— *n.* **1** Ⓤ 다가감, 접근 ; (성질·정도 따위의) 가까움, 근사 : the ~ *of* winter 겨울이 다가옴. **2 a**) 가까이 가는 길, 입구, 출입구(access) ; (학문 따위로의) 길잡이, 개론 : This book provides a good ~ *to* nuclear physics. 이 책은 핵 물리학의 좋은 길잡이다 / the best ~ *to* the learning of English 최선의 영어 학습법 / the oral ~ ☞ ORAL 1. **b**) Ⓤ,Ⓒ (연구 따위의) 방법, 단서, 어프로치, 태도 : a new line of ~ 새로운 방책 / take (up)[adopt, make] a new ~ to(ward) a problem 문제(해결)에 대해 새로운 수를 쓰다. **3** [때때로 *pl.*] 친근책, 교섭 개시의 계획 ; 신청, 어프로치 ; (여자에게) 치근덕거림(advances) 〈*to*〉 : make one's ~*es* 환심사려고 하다. **4 a**) 〖空〗 (활주로에의) 접근, 진입. **b**) [*pl.*] 〖軍〗 접근 수단. **5** 〖골프〗 어프로치《홀에 가깝게 공을 치기》; 〖볼링〗 (foul line까지의) 어프로치(법) ; 〖스키〗 점핑하기 위해 미끄러져 나가기.
easy [***difficult***] ***of approach*** 가까이하기 쉬운[어려운], 가기 쉬운[어려운].
〚OF＜L=to draw near (*prope* near)〛

appróach·able *a.* 접근할 수 있는, 가까이하기 [사귀기] 쉬운. **appròach·abílity** *n.* Ⓤ 가까이 접근할 수 있음, 가까이[접근]하기 쉬움.

appróach àids *n.* 〖空〗 (비행장의) 진입용 라디오 레이더 설비.

appróach-appróach cònflict *n.* 〖心〗 접근-접근 갈등《동시에 두 방향으로 끌리는 경우》.

appróach-avóid·ance cònflict *n.* 〖心〗 접근-회피 갈등《양면 가치(兩面價值)의 경우》.

appróach chéck lìst *n.* 〖空〗 (계기 착륙시의) 진입(進入) 점검 항목 리스트.

appróach lìght *n.* 〖空〗 (공항 활주로의) 진입등(進入燈).

appróach nòise *n.* 〖空〗 (착륙) 진입(進入) 소음(騷音).

appróach ròad *n.* (고속 도로 따위의) 진입로.

ap·pro·bate [ǽprəbèit] *vt.* 《美稀》 시인[찬성]하다(approve), 허가하다(license).

ap·pro·ba·tion [æ̀prəbéiʃən] *n.* Ⓤ 허가, 인가, 면허, 시인, 권장 ; 칭찬. **áp·pro·bà·tive** *a.* 시인하는, 인가하는. **ap·pro·ba·to·ry** [ǽprəbətɔ̀:ri, əpróu-; ǽprəbèitəri] *a.* 시인하는 ; 칭찬의.
〚L ; ⇨ APPROVE〛

ap·pro·pri·ate** [əpróupriət] *a.* **1** 적당[적절]한, 어울리는 : ~ *to* the occasion 그 경우에 어울리는 / be ~ *for* school wear 학생복으로 알맞다. **2** 특정한, 특유의〈*to*〉. —— [-èit] *vt.* **1** (공공물을) 점유(占有)하다 ; 사용(私用)하다, 착복하다(steal), 횡령하다 : You should not ~ other people's belongings without their permission. 허가도 없이 남의 소유물을 사사로이 써서는 안된다. **2** [+目+前+名] (특수한 목적에) 충당하다 : This room has been ~*d* ***to silent reading. 이 방은 조용히 책을 읽도록 마련되어 있다. **3** 《美》 (의회가 자금의) 지출을 승인하다〈*for*〉 : Parliament ~*d* two million pounds ***for*** flood control. 의회는 수해(水害) 대책비로서 200만 파운드의 지출을 승인했다.
ap·pro·pri·a·ble [əpróupriəbəl] *a.* 전용[사용(私用)]할 수 있는 ; 유용(流用)[충당]할 수 있는. **~·ly** *adv.* 적당하게, 어울리게. **~·ness** *n.*
〚L ; ⇨ PROPER〛
類義語 ⟹ FIT[1].

apprópriate technólogy *n.* 적합(適合) 기술《도입국 특유의 조건에 알맞은 기술》.

ap·pro·pri·a·tion [əpròupriéiʃən] *n.* **1** Ⓤ 전유(專有) ; 유용, 사용(私用), 도용(盜用). **2** Ⓤ,Ⓒ 충당, 충용(充用). **3** Ⓒ 《美》 (의회가 승인한) 정부 특별 지출금 ; …비(費)〈*for*〉 : an ~ bill 정부 특별 지출 예산안 / an ~ *for* defense 국방비 / make an ~ of ₩1,000,000 백만원을 지출하다.
ap·pró·pri·à·tive [, -ətiv] *a.* 전용의, 충당의 [할 수 있는] ; 《美》 정부 지출의.
ap·pró·pri·à·tor *n.* 전용자, 사용자 ; 유용자, 충당자, 충용자 ; 도용자.

***ap·prov·al** [əprúːvəl] *n.* Ⓤ 시인, 찬성, 승인, 허가, 인가 : for a person's ~ 남의 승인을 얻고자 / meet with a person's ~ 남의 찬성을 얻다 / show one's ~ 찬성[만족]의 뜻을 표하다 / with your kind ~ 찬성에 힘입어.
on approval 〖商〗 마음에 들면 산다는 조건으로, 상품[현물] 점검 매매 조건으로(cf. SALE *and return*) : send goods *on* ~ 현물 점검 매매 조건으로 상품을 보내다.

***ap·prove** [əprúːv] *vt.* **1** 시인하다, …에 찬성하다 : He ~*d* the scheme. 그 계획에 찬성했다. **2** 인가[재가]하다 : The committee ~*d* the budget. 위원회는 예산안을 승인했다. **3** 《文語》 [+目+補] [흔히 ~ one*self* 로] (스스로 …이라고) 입증하다(prove) : He ~*d* him*self* a good teacher. 스스로 좋은 교사(教師)임을 입증했다.
—— *vi.* [+*of*+名] 찬성하다, (…에) 만족의 뜻을 표하다, 만족하게 생각하다 : His father did not ~ ***of*** his choice. 아버지는 자식의 선택을 달갑게 여기지 않았다 / I don't ~ *of* cousins marry*ing*. 사촌간의 결혼에는 찬성하지 않는다. 注 타동사 용법보다도 뜻이 소극적. **ap·prov·able** [əprúːvəbəl] *a.* 시인[찬성, 인가]할 수 있는.
〚OF＜L ; ⇨ PROVE ; cf. APPROBATION〛
類義語 ***approve*** 좋은 것, 만족할 만한 것으로 인정[찬성]한다는 뜻의 가장 보편적인 말. ***commend*** 보통 손윗 사람이 손아랫 사람을 정식으로 칭찬하는 말로 approve 보다 형식적 : The mayor *commended* the brave firemen. (시장(市長)은 그 용감한 소방관들을 칭찬했다). ***endorse, indorse*** approve의 뜻에 더하여 적극적으로 지지·응원한다는 것을 나타냄 : Many scholars *endorse* this dictionary. (많은 학자들이 이 사전의 가치를 인정한다). ***sanction*** approve 하는 위에 정식으로 지지하고 권한을 준다는 뜻의 격식을 차린 말 : the rules *sanctioned* by an association (협회에서 승인한 규칙). ***certify*** 기준이나 요구에 합격되었기 때문에 공식적으로 인가를 부여하다 : He was *certified* as an architect. (그는 건축가로서의 자격을 얻었다). ***ratify*** 대표자가 행한 중요한 사항을 정식으로 승인하다《격식을 차린 말》 : *ratify* a treaty (조약을 비준하다).

ap·próved *a.* 시인된 ; 인가를 받은 ; 공인의 ; 시험을 거친, 정평이 있는, 입증된.

appróved schóol *n.* 《英》 (이전의) 내무부 인가 학교《불량 미성년자를 수용 교육함 ; 지금은 COMMUNITY HOME이라 함》.

ap·próv·er *n.* 승인[찬성]자, 시인자.

ap·próv·ing *a.* 시인[찬성]하는.
~·ly *adv.*

approx. approximate(ly).

ap·prox·i·mant [əprάksəmənt] *n.* 〖言〗 접근음《조음 기관의 좁힘이 넓고 마찰이 생기지 않는 음 ; 반모음 및 [r, l, j, w]》.

*__ap·prox·i·mate__ [əpráksəmèit] *vt.* **1** …에 접근하다 ; …에 가깝다 : The total income ~*s* 10,000 dollars. 총수입은 1만 달러에 가깝다. **2** 접근시키다. **3** 개산(槪算)하다 ; 〖數〗 근사하다 —— *vi.* [+*to*+名] (…에) 접근하다, 가까워지다 : His account of what happened ~*d* ***to*** the truth, but there were a few errors. 발생한 사건에 대한 그의 설명은 사실에 가까웠으나 다소 잘못이 있었다. —— [-mət] *a.* 근사한, 정확에 가까운, 대략의 : an ~ estimate 개산 / ~ value 개산 가격 ; 〖數〗 근사값. **~·ly** *adv.* 대략, 대강. 〖L ; ⇨ PROXIMATE〗

*__ap·prox·i·ma·tion__ [əpràksəméiʃən] *n.* **1** U,C 접근, 근사, 흡사 : an ~ *to* the truth 진실[진리]에 가까움. **2** 개산 ; 〖數〗 근사값.

ap·próx·i·mà·tive [ˌ-mətiv] *a.* 대략의, 개산의, 근사한.

apps. appendixes. **appt.** appoint(ed) ; appointment. **apptd.** appointed.

ap·pui [æpwí:] *n.* U 〖軍〗 지원, 지지 : a point of ~ 〖軍〗 거점, 지지점. 〖F〗

ap·pulse [æpʌ́ls, ə-] *n.* (천체의) 접근, 접촉 ; (배·파도 따위의) 충돌.

ap·pur·te·nance [əpə́:rtənəns] *n.* [보통 *pl.*] 부속품, 부속물 ; 〖法〗 종속물. 〖OF ; ⇨ PERTAIN〗

ap·púr·te·nant *a.* 부속의, 종속하고 있는, 종속한 ⟨*to*⟩. —— *n.* 부속물.

*__Apr.__ April. **APR** annual percentage rate((대출 따위의) 연율(年率)).

aprax·ia [əprǽksiə, ei-] *n.* 〖醫〗 실행(증) (失行(症)), 행동 불능(증).

après [ǽprei] *prep.* …의 후에[의] (after). —— *adv.* 후에, 나중에. 〖F〗

après guerre [àprei gɛ:r] *n.*, *a.* 대전 후(의) : the ~ generation[school] 전후 세대[파]. 〖F〗

après-mi·di [*F* aprɛmidi] *n.* 오후(afternoon).

après-ski [æprèi-ˊ, ɑ:-] *a.*, *adv.* 스키를 타고 난 후의[후에]. —— *n.* (스키 산장에서 하는) 스키를 타고 난 후의 사교적 모임. 〖F=after-ski〗

ap·ri·cot [ǽprəkàt, éi- ; éi-] *n.* 〖植〗 살구 ; 살구나무 ; U 살구색, 붉은 색깔을 띤 노란색. 〖Port. or Sp.<Arab.<Gk. (L *praecox* early-ripe)〗

◇**April** [éiprəl] *n.* 4월《略 Ap., Apr.》. 〖L *Aprilis*〗

Ápril fóol *n.* 4월 바보《4월 1일 만우절에 감쪽같이 속은 사람》.

Ápril Fóols' Dày *n.* =ALL FOOLS' DAY.

Ápril shòwer *n.* (초봄의) 소낙비.

Ápril wèather *n.* 비가 오다 개다 하는 날씨 ; 《비유》 울다가 웃기.

a pri·o·ri [ɑ̀: prió:ri, æpri-, èi praió:rai] *adv.*, *a.* 연역적(演繹的)으로[인] ; 선험(先驗)[선천]적으로[인], 아 프리오리로[인] (↔*a posteriori*).

àpri·ór·i·ty [-árəti, -ó(:)r-] *n.* 선천적임 ; 선험성 ; 연역성. 〖L=from what is before〗

apri·o·rism [ɑ̀:prió:rizəm, æp-, èipraió:rizəm, ei-práiərìzəm] *n.* 선천설 ; 선험[연역]적 추론.

*__apron__ [éiprən] *n.* **1** 에이프런, 앞치마, 행주치마. **2** (마차의) 가죽 무릎덮개 ; (영국 국교 주교의) 법의(法衣)의 앞으로 늘어진 부분 ; 〖機〗 에이프런 《선반의 앞으로 처진 부분》 ; 〖劇〗 에이프런 무대 《막 앞으로 튀어나온 무대 ; cf. APRON STAGE》 ; 〖空〗 에이프런《격납고 앞의 포장된 광장》. —— *vt.* 에이프런을 두르다.

~ed *a.* 에이프런을 두른. **~·lìke** *a.* 〖ME *a naperon*의 다른 분석<OF (dim.) < *nape* tablecloth<L=napkin ; cf. ADDER〗

ápron·fùl *n.* (*pl.* **~s, áprons·ful**) 앞치마[에이프런] 하나 가득한 분량.

ápron pìece *n.* 〖建〗 비막이《빗물이 못들어오게 붙인 널빤지》.

ápron stàge *n.* 〖劇〗 (엘리자베스조 시대의 막 앞으로 튀어나온) 앞 무대(cf. APRON 2).

ápron strìng *n.* 앞치마 끈.

be tied to one***'s mother's***[***wife's***] ***apron strings*** 어머니[아내]가 말하는 대로 하다[에게 쥐어 살다].

ap·ro·pos [æ̀prəpóu, ˊ-ˋ] *a.* 적절한, 계제 좋은 (fitting). —— *adv.* 적절하게, 계제좋게 ; 그건 그렇고(by the way). —— *prep.* …와의 관련으로 ; …에 관하여.

apropos of …에 관하여(concerning) ; …의 이야기로 생각났지만 : ~ *of* nothing 불쑥, 밑도 끝도 없이. 〖F *à propos* to the purpose〗

APS American Press[Philatelic, Philosophical, Physical] Society ; 〖宇宙〗 auxiliary propulsion system(보조 추진 시스템).

apse [ǽps] *n.* **1** 〖建〗 후진(後陣)《교회당 제단 뒤쪽 끝의 튀어나온 반원형의 부분》. **2** 〖天〗 =APSIS. 〖L APSIS〗

apse 1

ápse lìne *n.* 〖天〗 (타원 궤도의) 장축(長軸).

ap·si·dal [ǽpsədl] *a.* apse[apsis]의.

ap·sis [ǽpsəs] *n.* (*pl.* **ap·si·des** [ǽpsədi:z, æpsáidi:z]) 〖天〗 (타원 궤도의) 궤도 극점, 장축단(長軸端)《근일점(近日點) 또는 원일점(遠日點)》 ; 〖建〗 =APSE 1. 〖L<Gk. *apsid- apsis* arch, vault〗

*__apt__ [ǽpt] *a.* **1** [+*to* do] …하기 쉬운(liable) ; 《美口》 (…을) 하는 경향이 있는, …할 듯한 (likely) : There are few things of which we are ~ *to* be so wasteful as time. 시간만큼 허비하기 쉬운 것은 별로 없다 / This kind of weather is ~ *to* occur on days in late July. 이런 날씨는 7월 하순에 흔히 접하게 마련이다. **2** 적당[적절]한 (suitable) : an ~ quotation 적절한 인용. **3** [+前+do*ing* / +*to* do] 이해가 빠른, 영리한, 머리가 매우 좋은 : He is the ~*est* of all the pupils. 모든 학생 중에서 제일 영리하다 / He is ~ ***at*** mathematics. 수학에 소질이 있다 / My brother is ~ *at* devis*ing* new means. 형은 새로운 방법을 고안해 내는 것을 잘 한다 / She is ~ *to* learn. 이해가 빠르다. **~·ly** *adv.* 적절히, 능숙하게, 어울리게(appropriately) : It has ~*ly* been said that …이란 적절한 평[말씀]이다. **~·ness** *n.* U [+*to* do] 적합성(fitness) ; 적성, 경향 ; 재능 : the ~*ness* of men *to* sin 죄를 짓기 쉬운 인간의 본성. 〖L *aptus* fitted〗

類義語 ⟹ FIT[1], LIKELY, READY.

APT advanced passenger train(초특급 열차) ; 〖컴퓨〗 automatically programmed tool(수치 제어 문제용 언어) ; automatic picture transmission((기상·인공 위성에서) 자동 사진 송신).

apt. (*pl.* **apts.**) apartment ; aptitude.

Ap·tera [ǽptərə] *n. pl.* 〖昆〗 무시류(無翅類).

ap·ter·al [ǽptərəl] *a.* 〖昆〗 무시(無翅)의 ; 〖建〗 측면 기둥이 없는.

ap·ter·ous [ǽptərəs] *a.* 〖昆〗 무시류(無翅類)의 ; 〖植〗 날개 모양의 것이 없는.

ap·ter·yx [ǽptəriks] *n.* =KIWI. 〚L (Gk. *a*-² not, *pterux* wing)〛

ap·ti·tude [ǽptətjùːd] *n.* UC [+*for*+do*ing* / +*to* do] 소질, 품성, 적성, 경향 ; 재질(才質), 재능(capacity) ; 적절함(special fitness) : He has an ~ ***for*** language by nature. 선천적으로 어학에 재능이 있다 / Edison had a great ~ *for* invent*ing* new things. 에디슨은 새로운 것을 발명하는 천재적인 소질이 있었다 / Oil has an ~ *to* burn. 기름은 타는 성질이 있다. 〚F<L ; ⇨ APT〛 類義語 ⟹ TALENT.

áptitude tèst *n.* 〖教〗 적성 검사.

apts. apartments. **APU** Asian Parliamentary Union(아시아 의원 연맹) ; 〖空〗 auxiliary power unit(보조 동력 장치). **apx.** appendix. **APWR** advanced pressurized water reactor(개량형 가압수형 경수로). **AQ, A.Q.** achievement quotient (학력 지수). **aq.** *aqua* 《L》 (=water).

AQL acceptable quality level(합격 품질 수준).

aqua [ǽkwə, 美+ɑ́ːk-] *n.* (*pl.* **aquae** [-wiː, -wai], **~s**) 물(water), 액체, 용액(liquid) ; U 옥색. —— *a.* 옥색의. 〚L=water〛

aqua- [ǽkwə, 美+ɑ́ːk-] *comb. form* =AQUI-. 〚L (↑)〛

áqua am·mó·nia [-əmóuniə], **-ni·ae** [-niìː] *n.* 암모니아수. 〚L〛

aqua·belle [ǽkwəbèl, 美+ɑ́ːk-] *n.* 수영복 차림의 미녀.

aqua·cade [ǽkwəkèid, 美+ɑ́ːk-, ⌐-⌐] *n.* 《美》 수상쇼.

áqua·cùlture *n.* U **1** =AQUICULTURE. **2** 양어, 양식(養殖).

áqua·fàrm *n.* 양식[양어]장.

aqua·for·tis [æ̀kwəfɔ́ːrtəs, 美+ɑ̀ːk-] *n.* 〖化〗 질산(窒酸) (nitric acid). 〚L=strong water〛

àqua·kinétics *n.* 부유(浮遊) 훈련법[술]《유아·어린아이를 풀에 넣어 조기에 수영을 익히게 함》.

aqua·lung [ǽkwəlʌ̀ŋ, 美+ɑ́ːk-] *n.* 잠수용(潛水用)의 수중 호흡기. 〚L AQUA+LUNG〛

aqua·ma·rine [æ̀kwəməríːn, 美+ɑ̀ːk-] *n.* 〖鑛〗 남옥(藍玉)《BERYL의 변종》 ; U 남녹색. 〚L *aqua marina* sea water〛

aqua·naut [ǽkwənɔ̀ːt, 美+ɑ́ːk-] *n.* 해저 기지에 살며 연구나 조사를 하는 과학 기술자 ; 잠수 기술자, =SKIN DIVER.

aqua·nau·tics [æ̀kwənɔ́ːtiks, 美+ɑ̀ːk-] *n.* [단수 취급] (스쿠버 다이빙에 의한) 수중 탐사.

àqua·phóbia *n.* 물공포(증) (cf. HYDROPHOBIA).

áqua·plàne *n.* (모터 보트가 끄는) 수상(水上) 스키, 수상 활주용의 널빤지. —— *vi.* 수상 스키를 타다. 〚PLANE¹〛

Áqua·pùlse gùn *n.* (해저 탐사용) 압축 공기총 《상표명》.

áqua pú·ra [-pjúərə] *n.* 증류수. 〚L=pure water〛

áqua ré·gia [-ríːdʒiə] *n.* 왕수(王水)《진한 질산과 진한 염산의 혼합액》. 〚L=royal water ; cf. REGIUS〛

aq·ua·relle [æ̀kwərél, 美+ɑ̀ːk-] *n.* C 수채화 ; U 수채화법. **-rél·list** *n.* C 수채화가. 〚F<It.〛

Aquar·i·an [əkwéəriən, -wǽər-] *a.* 물병자리(Aquarius)의, 물병자리 태생인. —— *n.* 물병자리 태생인 사람《1월 20일-2월 19일 사이에 출생한 자》.

aquar·ist [əkwéərəst, -wǽər- ; ǽkwə-] *n.* 수족관원, 어류 사육가.

aquar·i·um [əkwéəriəm, -wǽər-] *n.* (*pl.* **~s, -ia** [-iə]) 양어조 ; 양어장 ; 수족관. 〚L (neut.) ‹ *aquarius* of water ; *vivarium*에 준한 것〛

Aquar·i·us [əkwéəriəs, -wǽər-] *n.* 〖天〗 물병자리(the Water Bearer). 〚L (↑ <AQUA)〛

áqua·spàce·màn [ˌ -mən] *n.* 수중 생활자, 수중 작업원.

aquat·ic [əkwǽtik, -wɑ́t-] *a.* 물의 ; 수생(水生)의 ; 수중의, 물위의(cf. TERRESTRIAL) : ~ birds [plants] 물새[수초] / ~ products 수산물 / ~ sports 수상 경기. —— *n.* 수생 동물 ; 수초(水草) ; [*pl.*] 수상 경기. 〚F or L ; ⇨ AQUA〛

aqua·tint [ǽkwətìnt, 美+ɑ́ːk-] *n.* U 동판 부식법의 일종 ; C 그 판화. 〚F<It. *acqua tinta* colored water〛

aq·ua·vit, ak·va- [ɑ́ːkwəvìːt, ǽk-] *n.* 아쿼비트 《캐러웨이 열매(caraway seeds)로 맛을 낸 스칸디나비아산 브랜디》. 〚Swed., Dan., and Norw.<L ↓〛

áqua ví·tae [-váiti(ː), -víːtai] *n.* 알코올 ; 독한 술《brandy, whiskey 따위》. 〚L=water of life〛

aq·ue·duct [ǽkwədʌ̀kt] *n.* 물길, 수로, 수도 ; 수도교(水道橋)《고가식(高架式) 수로》; 〖解〗 도관(導管), 맥관(脈管). 〚L *aquae ductus* conduit〛

aque·ous [éikwiəs, ǽk-] *a.* 물의 ; 수성(水成)의 ; 물 같은(watery) : ~ humor 〖解〗 (안구(眼球)의) 수양액(水樣液) / ~ rock 수성암.

áqueous ammónia *n.* =AMMONIA WATER.

aq·ui- [ǽkwə, 美+ɑ́ːk-] *comb. form* 「물」의 뜻. 〚L AQUA〛

áqui·cùlture *n.* **1** 수산 양식(水産養殖)《수생 생물·해양성 동식물의 양식·배양》. **2** =HYDROPONICS. **àqui·cúltural** *a.*

aqui·fer [ǽkwəfər, 美+ɑ́ːk-] *n.* 〖地〗 대수층(帶水層)《지하수를 함유한 다공질 삼투성 지층》.

Aq·ui·la [ǽkwələ] *n.* 〖天〗 독수리자리. 〚L〛

aq·ui·line [ǽkwəlàin, 美+-lən] *a.* 독수리의[같은] ; 독수리[매] 부리 같은, 갈고리 같이 굽은 : an ~ nose 매부리코(Roman[hooked] nose) (cf. GRECIAN NOSE). 〚L (*aquila* eagle)〛

Aqui·nas [əkwáinəs] *n.* 아퀴나스. Saint **Thomas** ~ (1225-74) 이탈리아의 신학자·철학자.

aquív·er [ə-] *pred. a.* (벌벌) 떨면서‹*with*›.

aquose [əkwóus, éikwous] *a.* 물이 풍부한 ; 물의, 물 같은.

aquos·i·ty [əkwɑ́səti] *n.* U 물기[수분] 있음, 습기차 있음, 젖어 있음.

ar- [ǽr, ər] ☞ AD-.

-ar [ər] *a. suf.* 「…의[같은]」의 뜻 : famili*ar*, muscul*ar*. —— *n. suf.* 「…하는 사람」의 뜻 : schol*ar*, li*ar*. 〚L *-aris*〛

AR 〖美郵〗 Arkansas. **Ar** 〖化〗 argon. **AR, A.R.** all risks ; annual return ; Airman Recruit ; Army Regulation ; Autonomous Region(자치주) ; armed robbery(무장 강도) ; automatic rifle. **ar.** arrival ; arrive. **a.r.** *anno regni* 《L》 (=in the year of the reign). **Ar.** Arabic ; Aramaic ; argentum.

Ara [éirə] *n.* 〖天〗 제단(祭壇)자리(the Altar). 〚L〛

A.R.A. Associate of the Royal Academy.

***Ar·ab** [ǽrəb] *n.* **1** 아라비아인(人) ; (널리 셈족

의 일파로서의) 아랍인 ; [the ~s] 아라비아 민족. **2** 아라비아 말(=Arabian horse). **3** [흔히 éi-] [보통 street ~ *or* a~] 불량 소년[소녀], 부랑아 ; 《美俗》 가두 상인. —— *a.* 아라비아(인)의, 아랍(인)의 ; ARABIC.
〖F<L<Gk.<Arab.〗

Arab. Arabia(n) ; Arabian horse ; Arabic.

Árab bòycott *n.* 아랍 보이콧 《Arab League 국가들이 취하고 있는 이스라엘 거래 기업들과의 거래 금지 정책을 말함》.

Ar·a·bel [ǽrəbèl], **Ar·a·bel·la** [æ̀rəbélə] *n.* 여자 이름《애칭 Bel, Bella, Belle》. 〖⇨ ANNABEL〗

ar·a·besque [æ̀rəbésk] *a.* 아라비아식 의장(意匠)의, 당초(唐草) 무늬의 ; 기묘[이상]한.
—— *n.* 아라비아식 의장, 당초 무늬 ; 〖발레〗 아라베스크《발레 자세의 한 가지》; 〖樂〗 아라베스크《아라비아 정취가 풍기는 악곡(樂曲)》.
〖F<It. (*arabo* Arab)〗

***Ara·bia** [əréibiə] *n.* 아라비아《홍해와 페르시아 만 사이의 큰 반도》.
〖OF<?Arab. or L<Gk. *Arabios*〗

***Ará·bi·an** *a.* 아라비아의 ; 아라비아인(人)의 : an ~ horse 아라비아 말(Arab). —— *n.* 아라비아인 ; 아라비아 말.

Arábian bírd *n.* [the ~] 불사조(不死鳥)(phoenix).

Arábian cámel *n.* 아라비아 낙타, 단봉 낙타(dromedary)《등의 혹이 하나임 ; cf. BACTRIAN CAMEL》.

Arábian Désert *n.* [the ~] 아라비아 사막《이집트 동부의 사막 ; 아라비아 반도 북부의 사막》.

Arábian lìght *n.* 〖經〗 아라비안 라이트《중동 원유의 수출 가격을 정할 때에 쓰이는 사우디아라비아산(產) 표준 원유》.

Arábian Níghts' Entertáinments *n. pl.* [The ~] 「아라비안나이트」, 「천일(千一)야화」. ㊟ The Arabian Nights 또는 The Thousand and One Nights라고도 함.

Arábian Península *n.* [the ~] 아라비아 반도(Arabia).

Arábian Séa *n.* [the ~] 아라비아 해(海).

Ar·a·bic [ǽrəbik] *a.* 아라비아어[문학]의, 아라비아식의 ; 아라비아인의 : ~ literature[architecture] 아라비아 문학[건축] / ☞ GUM ARABIC.
—— *n.* Ⓤ 아라비아어《略 Arab.》.

Árabic númerals[**fígures**] *n. pl.* 아라비아 숫자《0, 1, 3 따위 ; cf. ROMAN NUMERALS》.

Ar·ab·ism [ǽrəbìzəm] *n.* Ⓤ,Ⓒ 아라비아풍, 아라비아어의 특징 ; 아라비아(문화, 관습) 연구[애호] ; 아랍 민족주의.

Ar·a·bist [ǽrəbəst] *n.* Ⓒ 아라비아(어) 학자, 아라비아(문화, 문학) 전문가 ; 아랍 지지자.

ar·ab·ize [ǽrəbàiz] *vt.* [때때로 A~] 아랍화하다.

ar·a·ble [ǽrəbəl] *a.* 경작에 알맞는[적합한], 농작물을 생산하는 : ~ land 경작지.
—— *n.* Ⓤ 경작지.
〖F or L (*aro* to plow)〗

Árab Léague *n.* [the ~] 아랍 연맹《Arab 국가들의 정치적 연대 기구로 1945년 결성 ; 현재는 이집트, 사우디아라비아, 이란 따위 13국으로 됨》.

Árab Repúblic of Égypt *n.* [the ~] 이집트 아랍 공화국《Egypt의 공식명 ; 수도 Cairo》.

Árab·sàt *n.* 아랍 (통신) 위성.

Ar·a·by [ǽrəbi] *n.* 《古·詩》 =ARABIA.

ara·ceous [əréiʃəs] *a.* 〖植〗 천남성과(科)(Araceae)의.

Arach·ne [əræ̀kni:] *n.* 〖그神〗 아라크네《Athena 와의 베짜기 시합에 져서 거미가 됨》.

arach·nid [əræ̀knəd] *n.* 〖動〗 거미류의 절지 동물《거미·전갈 따위》.
〖F or L (Gk. *arakhnē* spider)〗

arách·ni·dan *a.* ARACHNID의.
—— *n.* =ARACHNID.

arach·ni·tis [æ̀ræknáitəs] *n.* =ARACHNOIDITIS.

arach·noid [əræ̀knɔid] *a.* 〖植〗 거미집 모양의.
—— *n.* 〖解〗 지주막(蜘蛛膜).

arach·noid·i·tis [əræ̀knɔidáitəs] *n.* 〖醫〗 지주막염(炎).

A.R.A.D. Associate of the Royal Academy of Dancing.

arae·o·sys·tyle [ərì:əsístail] *n.* 〖建〗 쌍주식《기둥을 한 곳에 두 개 한쌍으로 배치하는 형식》.

Ar·a·fat [ǽrəfæ̀t] *n.* 아라파트. **Yasser ~** (1929–) 팔레스타인 지도자.

Ar·a·gon [ǽrəgɑ̀n, -gən] *n.* 아라곤《스페인 북동부 지방 ; 옛날엔 왕국》.

Ar·a·go·nese [æ̀rəgəní:z, -s] *a.* 아라곤(사람, 방언)의. —— *n.* 아라곤 사람 ; (스페인어의) 아라곤 방언.

ar·ak [ǽrək] *n.* =ARRACK.

Ar·al·dite [ǽrəldàit] *n.* 아랄다이트《강력 접착제·절연체용 ; 상표명》.

Ár·al Séa [ǽrəl-] *n.* [the ~] 아랄 해《카스피해 동쪽의 내해(內海)》.

Ar·am [ǽrəm, ér-] *n.* 아람《고대 시리아의 헤브라이어명(語名)》.

Aram. Aramaic.

A.R.A.M. Associate of the Royal Academy of Music.

Ar·a·m(a)e·an [æ̀rəmí(:)ən] *n.* 아람인(人)《지금의 Syria 및 Mesopotamia 지방에 살던 셈족(族)의 사람 ; cf. SEMITE》; =ARAMAIC.
—— *a.* 아람인[어]의.

Ar·a·ma·ic [æ̀rəméiik] *a.* 아람의. —— *n.* Ⓤ 아람어(語)《셈계(系) ; 略 Aram.》.

ARAMCO [əræ̀mkou] Arabian-American Oil Company.

ara·ne·id [əréiniəd, æ̀rəní:-] *n.* 〖動〗 (좁은 뜻의) 거미(spider). **ar·a·ne·idal** [æ̀rəní:ədl] *a.* **ar·a·ne·idan** [-ní:ədn] *a.*

Ar·a·ne·i·da [æ̀rəní:ədə] *n. pl.* 〖動〗 거미류.

Arap·a·ho, -hoe [əræ̀pəhòu] *n.* (*pl.* ~, ~**s**) 아라파호족《북미 인디언의 한 부족(部族)》; 아라파호어(語).

Ar·a·rat [ǽrəræ̀t] *n.* [Mount ~] 아라랏 산《터키 동부와 이란 국경 부근에 있는 산 ; 노아의 방주가 닿은 곳이라고 함 ; 창세기 8 : 4》.

ar·au·car·ia [æ̀rɔ:kéəriə, -kǽər-] *n.* 〖植〗 남양삼나무속(屬)(*A*~)의 각종 교목.

Ar·a·wak [ǽrəwæ̀k, -wɑ̀:k] *n.* (*pl.* ~, ~**s**) 아라와크족《남미 인디오》; 아라와크어.

Àr·a·wák·an *a.* 아라와크 어족의. —— *n.* (*pl.* ~, ~**s**) 아라와크족《남미 북동부에 사는 인디오 제족(諸族)으로 이루어짐》; 아라와크 어족.

ar·ba·lest, -list [ɑ́:rbələst] *n.* (중세의) 쇠로 만든 큰 활.

ar·bi·ter [ɑ́:rbətər] *n.* 중재인, 중개자, 조정자 ; 전권(全權) 결정[결재]자, 결정권자〈*of*〉; 〖野〗 심판 ; 《비유》 일반의 동정을 좌우하는 것[사람], 결정적인 요소. 〖L=judge, witness〗
類義語 ⟹ JUDGE.

árbiter ele·gán·ti·ae [-èləgǽnʃiì:], **árbiter ele·gan·ti·á·rum** [-èləgæ̀nʃiéərəm, -ǽər-] *n.* 취미의 심판자《Tacitus가 로마의 풍자작가인 페트

로니우스를 평한 말》; (일반적으로) …통(通). 〖L=arbiter of refinement〗

ar·bi·tra·ble [ɑ́ːrbətrəbəl, ɑːrbít-] *a.* 중재[조정] 할 수 있는.

ar·bi·trage [ɑ́ːrbətrɑ̀ːʒ, -tridʒ] *n.* **1** Ⓤ 〖商〗(차액으로 이득을 보는) 중개 매매. **2** [-tridʒ] Ⓤ 중재(仲裁) (arbitration). 〖F; ⇨ ARBITER〗

ar·bi·tral [ɑ́ːrbətrəl] *a.* 중재의 : an ~ tribunal 중재 재판소.

ar·bit·ra·ment, -re- [ɑːrbítrəmənt] *n.* Ⓤ,Ⓒ 중재재결(arbitration); 재결권.

ar·bi·trar·i·ly [ɑ́ːrbətrèrəli, ⌐-⌐--; ɑ́ːbitrərili] *adv.* 제멋대로; 독단적으로.

ár·bi·tràr·i·ness [; -trərinəs] *n.* Ⓤ 임의(적인 것); 멋대로임; 전단(專斷), 독단.

***ar·bi·trary** [ɑ́ːrbətrèri; -trəri] *a.* **1** 수의적인, 임의의; 멋대로 하는, 변덕스러운, 편의상의 : in ~ order 순서가 멋대로인. **2** 독단적인, 전단(專斷)의; 《英》〖印〗보통의 폰트가 아닌 : an ~ decision 전단 / ~ rule[monarchy] 전제(專制)정치[왕국] ── *n.* 《英》〖印〗특수활자. 〖F or L; ⇨ ARBITER〗

ar·bi·trate [ɑ́ːrbətrèit] *vi.* [動/+前+名] 중재[조정]하다 : A committee was appointed to ~ ***between*** the company and the union. 회사와 조합간을 조정하는 위원회가 임명되었다. ── *vt.* (쟁의(爭議) 따위를) 중재에 위임하다 : The two nations finally agreed to ~ their dispute. 두 나라는 드디어 분쟁을 중재에 부치기로 동의했다. 〖L *arbitror* to judge; ⇨ ARBITER〗

ar·bi·tra·tion [ɑ̀ːrbətréiʃən] *n.* Ⓤ,Ⓒ 중재, 조정, 재정(裁定); 중재 재판 : ~ of exchange 외국환(換) 재정 / a court of ~ 중재 재판소 / refer[submit] a dispute to ~ 쟁의를 중재에 위임하다 / go to ~ (기업·근로자 등이) 중재를 의뢰하다; (쟁의가) 중재에 부쳐지다.

ár·bi·trà·tor *n.* (전권) 중재인; 심판자.

ar·bi·tress [ɑ́ːrbətrəs] *n.* 여성 중재인.

ar·bor[1] [ɑ́ːrbər] *n.* **1** (*pl.* **-bo·res** [-bəriːz]) 〖植〗(관목(灌木) (shrub)에 대해) 교목(喬木), 수목(樹木) (tree). **2** 〖機〗굴대, 축(軸) (axle); 선반의 심축(心軸). 〖F<L=tree, axis〗

ar·bor[2] | **ar·bour** [ɑ́ːrbər] *n.* (나뭇가지·포도 덩굴·담쟁이 덩굴 따위가 덮인) 정자(亭子) (bower); 나무 그늘. 〖F (⇨ HERB); *ar-*의 형은 ↑와의 연상〗

arbor. arboriculture.

ar·bo·ra·ceous [ɑ̀ːrbəréiʃəs] *a.* 수목 같은; 수목이 있는.

Árbor Dày *n.* 《美》식목일《대개 4월 하순에서 5월초에 걸쳐 미국 각 주에서 행함》.

ar·bo·re·al [ɑːrbɔ́ːriəl] *a.* 수목의, 교목성의; 나무에서 사는; 〖動〗수상(樹上) 생활에 알맞는. 〖L; ⇨ ARBOR[1]〗

ár·bored *a.* 정자가 있는; (사방·양쪽에) 수목이 있는.

ar·bo·re·ous [ɑːrbɔ́ːriəs] *a.* 수목이 울창한; 수목상(狀)의.

ar·bo·res·cent [ɑ̀ːrbərésənt] *a.* 수목상(狀)의; 수지상(樹枝狀)의. **àr·bo·rés·cence** *n.* (모양이) 나무같음, 수목성(樹木性); 수지상(樹枝狀).

ar·bo·re·tum [ɑ̀ːrbəríːtəm] *n.* (*pl.* **-ta** [-tə], **~s**) 수목원(園).

ár·bo·ri·cùl·ture [ɑ́ːrbərə-, ɑːrbɔ́ːrə-] *n.* 수목 재배. **àrbori·cúlturist** [, ɑːrbɔ̀ːrə-] *n.* 수목 재배자. **-cúltural** *a.* 〖*agriculture*에 준해서 ARBOR[1]에서〗

ár·bo·ri·fòrm [ɑ́ːrbərə-, ɑːrbɔ́ːrə-] *a.* 수목 모양을 한.

ar·bo·rist [ɑ́ːrbərəst] *n.* 수목 재배자.

àr·bo·ri·zá·tion *n.* 수지상(樹枝狀); 〖生〗수지상 분기(分岐).

ar·bo·rize [ɑ́ːrbəràiz] *vi.* 수지상(樹枝狀) 분기(分岐)를 나타내다.

ar·bo·rous [ɑ́ːrbərəs] *a.* 나무의, 수목에 관한.

ar·bor·vi·tae [ɑ̀ːrbərváiti(ː), -víːtai] *n.* 〖植〗지빵나무속(屬)의 각종 상록수; 〖解〗=ARBOR VITAE.

árbor ví·tae [-váiti(ː), -víːtai] *n.* 수목(樹木)상의 구조; 〖解〗소뇌 활수(小腦活樹), 생명수. 〖L=tree of life〗

arbour ☞ ARBOR[2].

ar·bo·ví·rus [ɑ̀ːrbə-] *n.* 〖生〗아르보바이러스《뇌염 따위를 일으킴》. 〖*ar*thropod-*bo*rne *virus*〗

ar·bu·tus [ɑːrbjúːtəs] *n.* 〖植〗**1** 아르부투스속(屬)의 각종 관목《진달래과(科)의 상록 관목》. **2** (북미산(產)의) 암리(岩梨)《진달래과(科)의 상록 관목》. 〖L=wild strawberry tree〗

***arc** [ɑ́ːrk] *n.* 〖數〗호(弧), 원호(圓弧), 호형(弧形); 〖電〗호광(弧光), 아크 : (move) in ~*s* 호를 그리며 (움직이다) / the diurnal[nocturnal] ~ 〖天〗일주(日周)[야주(夜周)]호. ── *a.* 호의, 아크의. ── *vi.* (**árcked, árced; árck·ing, árc·ing**) 호 모양으로 움직이다[나아가다]; 〖電〗아크를 이루다. 〖OF<L *arcus* bow〗

ARC, A.R.C. American Red Cross (미국 적십자사).

ar·cade [ɑːrkéid] *n.* **1** 〖建〗홍예랑(虹霓廊), 줄지은 홍예 복도《건물 옆에 복도 모양으로 많은 arch를 나열한 것》. **2** 아케이드《지붕 달린 가로(街路)·상점가(街)》; 게임 센터; [형용사적으로] 아케이드 게임의. ── *vt.* …에 홍예랑을 달다; 아케이드로 하다. 〖F; ⇨ ARCH[1]〗

ar·cád·ed *a.* 홍예랑이 있는, 아케이드를 이룬.

arcáde gàme *n.* (게임 센터에 있는 고속·고선명(高鮮明) 화면의) 비디오 게임, 아케이드 게임.

Ar·ca·des am·bo [ɑ́ːrkədès ɑ́ːmbou] *n.* 직업이[취미가] 똑같은 두 사람; 둘다 같은 놈[나쁜 놈]. 〖L〗

Ar·ca·dia [ɑːrkéidiə] *n.* 아르카디아《고대 그리스 내륙의 경치가 좋은 이상향》; 《비유》이상향, 도원경(桃源境). 〖L<Gk. *Arkadia*〗

ar·ca·di·an [ɑːrkéidiən] *n.* 게임센터 단골 손님.

Arcadian *a.* 아르카디아의; 목가적인. ── *n.* 아르카디아 사람; [흔히 a~] 순박한 시골 사람, 전원 취미를 즐기는 사람. **~ìsm** *n.* 순박한 전원 취미, 목가적 정취.

Ar·cad·ic [ɑːrkéidik] *a.* 아르카디아 사람의; 아르카디아 방언의. ── *n.* 아르카디아 방언.

ar·cád·ing *n.* 〖建〗아치[아케이드] 장식.

Ar·ca·dy [ɑ́ːrkədi] *n.* 《詩》=ARCADIA.

ar·ca·na [ɑːrkéinə, -kɑ́ː-] *n.* ARCANUM의 복수형; 아르카나.

ar·cane [ɑːrkéin] *a.* 《稀》비밀의, 불가해한, 애매한; 신비적인. **~·ly** *adv.* 〖F or L (*arceo* to shut up‹*arca* chest)〗

ar·ca·num [ɑːrkéinəm] *n.* (*pl.* **-na** [-nə]) [보통 *pl.*] 비밀, 신비(mystery), 비법; 영약(靈藥). 〖L (neut.)‹↑〗

árc fùrnace *n.* 〖冶〗아크로(爐)《전기 방전에 의한 열을 이용한 전기로(爐)》.

***arch**[1] [ɑ́ːrtʃ] *n.* 〖建〗아치, 홍예문, 녹문(綠門), 아치[궁형(弓形)]문; 아치 길《아치 밑의 통로》; 반

(半)원형의 것 : a memorial[triumphal] ~ 기념[개선]문 / the great ~ of the sky 창공(蒼空).
—— *vt.* 아치형[궁형]으로 하다 ; …에 아치를 만들다 : The cat has ~*ed* its back. 고양이는 등을 둥글게 굽혔다 / The rainbow ~*es* the heavens. 무지개는 하늘에 아치형의 호(弧)를 그린다.
—— *vi.* [動/+前+名] 아치형으로[활모양으로] 되다 : Green branches ~*ed* **over** the road. 푸른 나뭇가지들이 길 위에 아치를 이루었다.
〚OF<L *arcus* arc〛

arch[2] *a.* **1** [*attrib.*로만 써서] 주요한, 주된, 중요한(chief) : an ~ impostor 대단한 사기꾼. 注 지금은 보통 ARCH-[1]으로서 접두사로 씀. **2** 교활한, 간교한, 장난꾸러기의, 깜찍한 : an ~ smile 깜찍한 미소 / She looked ~. 깜찍한 얼굴을 하고 있었다. 〚ARCH-[1] ; *arch rogue* 따위에서〛

arch. archaic ; archaism ; archery ; archipelago ; architect(ure) ; archives.

Arch. archbishop.

arch-[1] [ɑ́:rtʃ] *pref.* 「수위(首位)의 …」「두목의 …」「제1의 …」의 뜻 (cf. ARCH[2]) : *arch*bishop.
〚OE or OF<L<Gk. (*arkhos* chief)〛

arch-[2] [ɑ́:rk] ☞ ARCHI-.

-arch[1] [ɑ̀:rk] *n. comb. form* 「지배자」「왕」「군주」의 뜻 : mon*arch*. 〚ME<OF<L<Gk.〛

-arch[2] *a. comb. form* 「…에 근원을 가진」「(몇개의) 기점[원점]을 가진」의 뜻 : end*arch*. 〚Gk.〛

ar·chae-, ar·che- [ɑ́:rki], **ar·chaeo-, ar·cheo-** [ɑ́:rkiou, -kiə, ɑ:rkí:ou, -kí:ə] *comb. form* 「고대의」「원시적인」의 뜻.
〚Gk. ; ⇨ ARCHAIC〛

Archaean ☞ ARCHEAN.

àrchae·bactéria *n. pl.* 〔生〕 시원(始原) 세균《동식물과도 세균과도 구별되는 일군의 미생물》.

àrchaeo·astrónomy, -cheo- *n.* 고(古)천문학, 천문 고고학.

archaeol. archaeological ; archaeology.

ar·chae·o·lith·ic [ɑ̀:rkiəlíθik] *a.* 〔考古〕 구석기 시대의.

ar·ch(a)e·o·log·i·cal [ɑ̀:rkiəlɑ́dʒikəl] *a.* 고고학의, 고고학적인. **-i·cal·ly** *adv.*

ar·chae·ol·o·gy, -che- [ɑ̀:rkiɑ́lədʒi] *n.* Ⓤ 고고학. **-gist** *n.* 고고학자. 〚NL<Gk.〛

ar·chae·op·ter·yx [ɑ̀:rkiɑ́ptəriks] *n.* 〔古生〕 시조새(의 화석(化石)).

ar·cha·ic [ɑ:rkéiik] *a.* 예스러운, 고풍의(old-fashioned) ; 고체(古體)의, 낡은(obsolete) ; [명사적으로 ; the ~] 고대(형), 고대의 물건 : an ~ word 고어(古語). **-i·cal·ly** *adv.* 고풍으로, 고어로서. 〚F<Gk. (*arkhaios* ancient)〛

archáic smíle *n.* 아케익 스마일《초기 그리스 조각상(像)의 미소띤 듯한 표정》.

ar·cha·ism [ɑ́:rkeiìzəm] *n.* Ⓤ 고문체 ; 의고체(擬古體) ; 의고(擬古)주의 ; Ⓒ 고어. **-ist** *n.* 고어 사용자 ; 의고주의자. **àr·cha·ís·tic** *a.* 고풍스러운, 고체의 ; 의고적인. 〚NL<Gk. (↓)〛

ar·cha·ize [ɑ́:rkeiàiz] *vt., vi.* 고풍으로 하다 ; 고문체를 쓰다 ; 옛풍을 모방하다.
〚Gk. =to be old-fashioned ; ⇨ ARCHAIC〛

árch·àngel [ɑ́:rk-] *n.* 대천사, 천사장《9천사 중 제8위 ; cf. HIERARCHY》. **àrch·angélic** *a.* 천사장의. 〚OE<AF<L<Gk. (*arch-*[1])〛

arch·bíshop [ɑ:rtʃ-] *n.* (cf. BISHOP) 〔카톨릭〕 대주교(大主教) ; 〔新教〕 대감독 ; 〔佛教〕 대승정.
〚OE〛

arch·bíshopric *n.* U,C 대주교[대감독·대승정]의 직[관구].

Archbp. archbishop.

arch·compétitor [ɑ̀:rtʃ-] *n.* 최대의 경쟁 상대.

arch·consérvative [ɑ̀:rtʃ-] *a., n.* 초보수주의의 (사람).

archd. archdeacon ; archduke.

arch·déacon [ɑ:rtʃ-] *n.* 〔카톨릭〕 부(副)주교 ; 〔新教〕 부감독 ; 〔佛教〕 권(權)대승정.
〚OE<L<Gk. (*arch-*[1])〛

arch·déacon·ry *n.* U,C 부주교[부감독·권대승정]의 직[계급, 권한, 임기, 관구].

arch·díocese [ɑ:rtʃ-] *n.* archbishop의 관구.

arch·dúcal [ɑ:rtʃ-] *a.* 대공(大公)(령(領))의.

arch·dúchess [ɑ:rtʃ-] *n.* 대공비(妃)《archduke의 부인》; 옛 오스트리아 황녀.

arch·dúchy [ɑ:rtʃ-] *n.* 대공국(國) ; Ⓤ 대공의 지위.

arch·dúke [ɑ:rtʃ-] *n.* 대공《1918년까지의 옛 오스트리아 황태자의 칭호》.
~dom *n.* =ARCHDUCHY. 〚OF<L〛

arche- [ɑ́:rki] ☞ ARCHAE-.

Ar·che·an, -chae- [ɑ:rkí:ən] *a.* 〔地質〕 시생대(始生代)의, 태고대(太古代)의. —— *n.* 시생대, 태고대. 〚Gk. ; ⇨ ARCHAIC〛

arched [ɑ́:rtʃt] *a.* 아치형의, 궁형(弓形)의 ; 휜 : an ~ bridge 아치형 다리.

árched squáll *n.* 〔氣〕 아치형 스콜《적도 지방의 심한 뇌우를 동반하는 돌풍》.

ar·che·go·ni·um [ɑ̀:rkigóuniəm] *n.* (*pl.* **-nia** [-niə]) 〔植〕 (이끼·고사리 따위의) 장란기(藏卵器), 자성(雌性) 생식기관.

arch·énemy [ɑ:rtʃ-] *n.* 대적(大敵) : the ~ (of mankind) 인류의 대적, 사탄(Satan).

archeo- [ɑ́:rkiou, -kiə, ɑ:rkí:ou, -kí:ə] ☞ ARCHAE-.

archeology etc. ☞ ARCHAEOLOGY etc.

Ar·cheo·zo·ic, -chaeo- [ɑ̀:rkiəzóuik] *a.* 〔地質〕 시생대(始生代)의 : the ~ era 시생대《약 20억년 전》. —— *n.* [the ~] 〔地質〕 시생대.

arch·er [ɑ́:rtʃər] *n.* 활 쏘는 사람, 궁수(弓手), 궁술가 ; [the A~] 〔天〕 궁수자리(Sagittarius).
〚OF (L *arcus* bow)〛

árcher·ess *n.* 여자 궁수.

árcher·fish *n.* (인도·남양산(産)의 물을 뿜어 먹이를 잡는) 물총고기.

arch·ery [ɑ́:rtʃəri] *n.* Ⓤ 궁술(弓術), 궁도(弓道) ; 활과 화살(의 사용) ; [집합적으로] 궁술대(弓術隊)(archers).

ar·che·type [ɑ́:rkitàip] *n.* 원형(原型), 전형, 표준. **ár·che·tỳp·al** *a.* 원형적인, 전형적인, 표준의. **àr·che·týpical** [-típ-] *a.*
〚L<Gk. (*arch-*[2], TYPE)〛

arch·fíend [ɑ:rtʃ-] *n.* [the ~] 마왕(Satan).

arch·fóol [ɑ:rtʃ-] *n.* 가장 어리석은 바보.

ar·chi- [ɑ́:rki], **arch-** [ɑ́:rk] *pref.* 「주된」「제1의」의 뜻 ; 「원시적」「기원의」「원(原)…」의 뜻 : *archi*diaconal ; *archi*carp, *arch*enteron.
〚F<L<Gk. ; ⇨ ARCH-[1]〛

Ar·chi·bald [ɑ́:rtʃəbɔ̀:ld ; -bəld] *n.* **1** 남자 이름. **2** [a~] 《英軍俗》 고사포.
〚Gmc. =distinguished+bold〛

árchi·blàst *n.* 〔生〕 (척추동물의 수정란에서 생긴다는) 원배(原胚).

árchi·càrp *n.* 〔植〕 사원체(絲原體)《자낭균류의 자성(雌性) 생식기관》.

àrchi·diáconal *a.* ARCHDEACON의.

àrchi·diáconate *n.* ARCHDEACON의 직[관구].

Ar·chie [ɑ́:rtʃi] *n.* **1** 남자 이름《Archibald의 애

칭》. **2** [a~] 《英軍俗》 고사포 ; [a~] 《英俗》 개미(ant).

Árchie Bún·ker [-bʌ́ŋkər] *n.* 《美·Can.》 편협하고 독선적인 노동자《텔레비전 희극 프로그램의 인물에서》. **~·ìsm** 《美》 어처구니 없는 표현(Bunkerism).

àrchi·epíscopacy *n.* ARCHBISHOP의 직[지위].

àrchi·epíscopal *a.* ARCHBISHOP 의 : an ~ cross=PATRIARCHAL CROSS.

ar·chil [ɑ́:rtʃəl] *n.* 자색 물감의 일종 ; 〖植〗 그 염료를 내는 지의류(地衣類).

ar·chi·mage [ɑ́:rkəmèidʒ] *n.* 고대 페르시아의 배화교(拜火教)의 고승 ; 대마술사, 대마법사.

ar·chi·man·drite [ɑ̀:rkəmǽndrait] *n.* 〖그正教〗 대수도원장, 대승원장(大僧院長).
〚F or L<Gk. (*mandra* monastery)〛

Ar·chi·me·de·an [ɑ̀:rkəmí:diən, -mədí:ən] *a.* 아르키메데스(의 원리 응용)의.

Archimédean [**Archimédes'**] **scréw** *n.* 〖機〗 아르키메데스의 나선 양수기, 나사 펌프 : an ~ pump 아르키메데스의 나사 펌프.

Ar·chi·me·des [ɑ̀:rkəmí:di:z] *n.* 아르키메데스 (287?-212 B.C.)《고대 그리스의 물리학자》.

Archimédes' príncipie *n.* 〖理〗 아르키메데스의 원리.

árch·ing *a., n.* 아치를 이루는 ; 아치[활모양]로 된 부분 ; 아치 모양.

ar·chi·pe·lag·ic [ɑ̀:rkəpəlǽdʒik] *a.* 군도의.

ar·chi·pel·a·go [ɑ̀:rkəpéləgòu, 美+-tʃə-] *n.* (*pl.* **~es, ~s**) 군도(群島), 다도해 ; [the A~] (그리스 부근의) 에게 해. 〚It. (Gk. *archi-*, *pelagos* sea) ; 원래 Aegean Sea임〛

árchi·phòneme [ˌ ‐‐́‐] *n.* 〖言〗 원음소.

ar·chi·plasm [ɑ́:rkəplæ̀zəm] *n.* Ⓤ 〖生〗 미분화(未分化)의 원형질 ; =ARCHOPLASM.

archit. architecture.

***ar·chi·tect** [ɑ́:rkətèkt] *n.* **1** 건축가, 건축기사. **2** 설계자, 건설자 ; 《비유》 개척자 : the ~ *of* one's own fortunes 자기 운명의 개척자.
the (***Great***) ***Architect*** 조물주, 신(神) (God).
〚F<It. or L<Gk. (*tektōn* builder)〛

ar·chi·tec·ton·ic [ɑ̀:rkətektɑ́nik] *a.* 건축술의 ; 구조상의, 구성적인 ; 〖哲〗 지식 체계의. ── *n.* Ⓤ [*pl.*] 건축학 ; 〖哲〗 지식 체계론. 〚L (↑)〛

ar·chi·tec·tur·al [ɑ̀:rkətéktʃərəl] *a.* 건축술[학]의 ; 건축상의, 건축에 관한. **~·ly** *adv.* 건축(학)상, 건축학적으로.

architéctural bárrier *n.* 신체 장애자의 이용을 방해하는 구조.

***ar·chi·tec·ture** [ɑ́:rkətèktʃər] *n.* **1** Ⓤ 건축술, 건축학 : civil ~ 보통 건축 / ecclesiastical ~ 교회 건축 / military ~ 축성법 / naval ~ 조선학 (cf. SHIPBUILDING). **2** Ⓤ,Ⓒ 건축 양식. **3** Ⓤ 구조, 구성(construction). **4** 건축물.

ar·chi·trave [ɑ́:rkətrèiv] *n.* 〖建〗 **1** 평방(平枋) 《ENTABLATURE의 최하부》. **2** 처마도리.
〚F<It. (L *trabs* beam)〛

ar·chi·val [ɑ:rkáivəl] *a.* 고문서의, 공문서의 ; 기록 보관소의.

ar·chive [ɑ́:rkaiv] *vt.* ARCHIVES에 보관하다.

ar·chives [ɑ́:rkaivz] *n. pl.* **1** 기록[공문서] 보관소, 문서국(文書局). **2** 공문서, 고(古)문서.
〚F<L<Gk. =public office (*arkhē* government)〛

ar·chi·vist [ɑ́:rkəvəst, -kai-] *n.* 기록 보관인.

ar·chi·volt [ɑ́:rkəvòult] *n.* 〖建〗 홍예의 반원 부분의 내만곡선(內彎曲線) ; 그 부분의 장식. 〚It.〛

árch·ly *adv.* 교활하게, 능글맞게 ; 장난삼아(mischievously), 짓궂게, 익살스럽게.

arch·mon·e·tar·ist [ɑ:rtʃmɑ́nitərəst] *n.* 초통화주의자《통화주의적 정책(monetarism)에 열심인 지지자》.

árch·ness *n.* Ⓤ 장난기 ; 교활함.

ar·chon [ɑ́:rkɑn, -kən] *n.* 〖史〗 집정관《고대 그리스 Athens의 9명》 ; (일반적으로) 지배자, 우두머리, …장(長). **~·shìp** *n.* Ⓤ archon의 직.
〚Gk. =ruler〛

ár·cho·plàsm [ɑ́:rkə-] *n.* Ⓤ 시원질(始原質)《세포 분열에서 중심체를 둘러싼 원형질》.

ár·cho·sàur [ɑ́:rkəs-] *n.* 〖古生〗 조룡(祖龍).

arch·príest [ɑ:rtʃ-] *n.* 주(主) 목사 ; 〖카톨릭〗 수석 사제(司祭).

archt. architect.

arch·tráitor [ɑ:rtʃ-] *n.* 대반역자(大反逆者).

árch·wày *n.* 홍예 밑의 통로[입구], 아치 길.

árch·wìse *adv.* 아치 모양으로, 궁형(弓形)으로.

Ar·chy [ɑ́:rtʃi] *n.* 남자 이름《Archibald의 애칭》.

-ar·chy [ɑ:rki] *n. comb. form* 「정치(체제)」 「지배(체제)」의 뜻 : mon*archy*. 〚Gk.〛

ár·ci·fòrm [ɑ́:rsə-] *a.* 아치 모양의, 활 모양의.

árc·jèt *n.* 아크제트 엔진 (=∠ **èngine**)《추진 연료 가스를 아크로 가열하는 로켓 엔진》.

árc làmp [**lìght**] *n.* 아크등(燈).

A.R.C.M. Associate of the Royal College of Music(왕립 음악원 준회원).

A.R.C.O. Associate of the Royal College of Organists(왕립 오르간 연주가 준회원).

ár·co·gràph [ɑ́:rkə-] *n.* 〖數〗 원호(圓弧)자, 원호 그래프.

ar·col·o·gy [ɑ:rkɑ́lədʒi] *n.* 완전 환경 계획 도시.
〚*ar*chitectural e*cology* ; 미국의 건축가 P. Soleri의 조어(造語) (1969)〛

ARCRU Arab Currency Related Unit(아랍 통화 계산 단위).

A.R.C.S. Associate of the Royal College of Science(왕립 과학원 준회원).

***arc·tic** [ɑ́:rktik, 美+ɑ́:rtik] *a.* **1** [보통 A~] 북극의, 북극 지방의(↔*antarctic*). **2** 극한(極寒)의, 한대의 : ~ weather 극한. ── *n.* **1** [the A~] 북극 ; 북극권 ; 북극 지방 ; 북극해, 북빙양. **2** [*pl.*] 《美》 고무로 만든 방수·방한용 덧신.
〚OF<L<Gk. (*arktos* the Great Bear)〛

árctic círcle *n.* [the ~, 흔히 the A~ C~] 북극권《북위 66°33′의 위선(緯線)에서 북한대의 남쪽 한계선》.

árctic fóx *n.* 〖動〗 북극여우.

Árctic Ócean *n.* [the ~] 북극해, 북빙양.

Árctic Póle *n.* [the ~] 북극(the North Pole).

Árctic Séa *n.* [the ~] =ARCTIC OCEAN.

árctic séal *n.* [때때로 A~] 모조 물범 모피《토끼털로 가공》.

árctic zòne *n.* [the ~, 흔히 the A~ Z~] 북극대(帶)《북극권과 북극의 사이》.

Arc·tu·rus [ɑ:rktjúərəs] *n.* 〖天〗 아르크투루스(별)《목자자리(Boötes)의 α별》.

ar·cu·ate [ɑ́:rkjuət, -èit], **-at·ed** [ɑ́:rkjuèitəd] *a.* 아치 모양의, 궁형(弓形)의.
〚L ; ⇨ ARCUS〛

ar·cu·a·tion [ɑ̀:rkjuéiʃən] *n.* 활 모양으로 굽음 ; 〖建〗 아치 구조[사용] ; (일련의) 아치.

ar·cus [ɑ́:rkəs] *n.* 〖氣〗 아치 구름.
〚NL<L=bow, arch〛

árcus se·ní·lis [-sənáiləs] 〖醫〗 *n.* 노인환(老人環)《각막 주변에 있는 좁은 황백색궁(黃白色弓)으

로 지방변성(脂肪變性)에 의하여 생김).

árc wèlding *n.* 아크 용접.

-ard [ərd], **-art** [ərt] *n. suf.* 「과도하게 …한 사람」의 뜻(흔히 비난적으로): dot*ard*, drunk*ard*. 〖ME and OF<OHG *-hard*, *-hart* hardy〗

ARD 〖醫〗 acute respiratory disease(급성 호흡기 질환). **ARDC** 《美》 Air Research and Development Command(항공 기술 본부).

Ar·den [ɑ́:rdn] *n.* 잉글랜드 북부의 삼림 지대.

Ar·dennes [ɑ:rdén] *n.* 아르덴(프랑스 북동부, 벨기에 남동부에 걸친 삼림·구릉지; 제1·2차 양 대전의 격전지).

***ar·dent** [ɑ́:rdənt] *a.* 불타는 듯한, 열렬한, 열심인(eager); [원뜻] 불타는(burning): ~ love 불타는 듯한 사랑 / an ~ patriot 열렬한 애국자 / ~ spirits 독한 술, 화주(火酒)(brandy, whiskey 따위). ── *n.* [the ~] 독한 술, 화주.

ár·den·cy *n.* Ⓤ 열심, 열렬(zeal). **~·ly** *adv.* 열렬히, 열심히.

〖OF<L (*ardeo* to burn)〗

類義語 ⟹ PASSIONATE.

***ar·dor | ar·dour** [ɑ́:rdər] *n.* **1** Ⓤ 열정, 열심, 열띤 마음; 충성: with ~ 열심히 / He shows great ~ *for* music. 음악에는 대단히 열심이다. **2** Ⓤ 작열(灼熱). 〖OF<L; ⇨ ARDENT〗

類義語 ⟹ PASSION.

ARDS 〖醫〗 adult respiratory distress syndrome(성인성 호흡 곤란 증후군).

ar·du·ous [ɑ́:rdʒuəs; -dju(:)-] *a.* **1** 곤란한, 아주 어려운, 힘이 드는(laborious). **2** 끈질긴, 노력하는, 꾸준히 애쓰는(strenuous). **3** (언덕길 따위) 험한, 가파른(steep). **~·ly** *adv.* 꾸준히 애써서, 노력하여, 근면하게. **~·ness** *n.*

〖L=steep, difficult〗

◇**are**[1] [ər, ɑr, ɑ́:r] *vi.* BE의 복수·직설법·현재형(☞ BE): We[You, They] ~ schoolboys. 우리[너, 그들]는 학생이다.

活用 부정 단축형 aren't는 《英口》에서는 I am의 의문 부정형으로서도 쓰임: *Aren't* I right? / I'm right, *aren't* I? (내가 말한 대로지요). ☞ AIN'T.

are[2] [ɑ:r, 美+éər, 美+ǽər] *n.* 아르(미터법의 면적 단위, 100 제곱미터; 略 a.). 〖F=area〗

◇**ar·ea** [éəriə, ǽər-] *n.* **1** 지면, 평지, 빈터. **2** Ⓤ,Ⓒ 면적, 건평(建坪). **3** 지역, 지방: ☞ SPECIAL AREAS. **4** 범위, 영역. **5** 빈 터, 가운데 뜰. **6** 《英》 지하 출입구(지하실의 통행·통풍·채광을 위해 마련해 놓은 공간). **7** 〖컴퓨〗 기억 영역.

〖L=vacant space〗

área bèll *n.* 지하 출입구의 초인종.

área blòcking *n.* 〖美蹴〗 에어리어 블로킹.

área bòmbing *n.* (특정 시설이 아니고 전지역을 목표로 하는) 지역 폭격(carpet bombing, pattern bombing, saturation bombing이라고도 함).

área còde *n.* (전화의) 시외 국번(局番)(미국에서는 3자리 숫자).

área commànd *n.* 《美》 (경찰의) 주재소.

área contròl cènter *n.* 항공로 관제 기관.

área dèfense *n.* 〖軍〗 지역[광역] 방위(방위 대상물을 중심으로 한 어느 일정 범위내의 방위).

área gàte *n.* 지하실 통용문.

ar·e·al [éəriəl, ǽər-] *a.* 지역의; 면적의; 지면의.

áreal linguístics *n.* 지역 언어학(예외가 없는 음법칙(音法則)의 존재를 부정하고 언어의 변화와 전파의 설명에 계통보다도 지역간의 접촉을 중시하는 (역사) 언어학).

área navigátion *n.* 〖空〗 에어리어 내비게이션(지상의 무선 표지로부터 신호를 받아 컴퓨터로 위치를 계산하는 항법 시스템; 略 RNAV).

área rùg *n.* 방바닥 일부에 까는 융단.

área stèps *n.* 통용문[지하실 출입구] 계단.

área stùdy *n.* 지역 연구(어떤 지역의 지리·역사·언어·문화 따위의 종합적 연구).

área-survèy sátellite *n.* 〖軍〗 광역 탐사 위성, 광역 정찰 위성.

área·wày *n.* 《美》 =AREA 6; 복도, 통로(passageway); (건물 사이의) 통로.

ar·e·ca [əríːkə, ǽrikə] *n.* 〖植〗 황야자나무; 빈랑(BETEL NUT이라고도 함).

〖NL<Port.<Malayalam〗

are·na [əríːnə] *n.* **1** 투기장(AMPHITHEATER의 중앙에 모래를 깔고 설치했음); 시합[경기]장, (모래를 깐) 씨름판, 도장. **2** 《비유》 활동 무대, (경쟁) 마당, …계(界): enter the ~ *of* politics 정계에 들어가다.

〖L=sand, sand-strewn place of combat〗

ar·e·na·ceous [æ̀rənéiʃəs] *a.* 모래의, 사질(砂質)의, 모래밭의(sandy); 모래밭에 나는[자라는]; 무미 건조한. 〖L (↑)〗

aréna stáge *n.* (원형 극장의) 중앙 무대.

aréna théater *n.* 원형 극장.

ar·e·nite [ǽrənàit] *n.* 사암(砂岩).

ar·e·nose [ǽrənòus] *a.* 모래의, 사질의; 모래투성이의; 모래 섞인.

◇**aren't** [ɑ́:rnt, 美+ɑ́:rənt] ARE not의 단축형; [의문문에서] 《英》 AM not의 단축형(cf. AIN'T): *A*~ I stupid? 내가 어리석지.

ar·eo- [éəriou, ǽər-, -iə] *comb. form* 「화성(火星)」의 뜻. 〖Gk.〗

àreo·céntric *a.* 화성(火星) 중심의.

ar·e·og·ra·phy [èəriɑ́grəfi, æ̀ər-] *n.* Ⓤ 화성 지리학[지지(地誌)].

are·o·la [ərí(:)ələ] *n.* (*pl.* **-lae** [-lìː], **~s**) 〖動·植〗 (잎맥·시맥(翅脈)의) 그물눈틈; 〖解〗 유두륜(乳頭輪), 젖꽃판. **-lar, -late** [-lət, -lèit] *a.* 〖L (dim.) ‹ AREA〗

arè·o·lá·tion [ˌ, èəriə-, æ̀əriə-] *n.* Ⓤ,Ⓒ 그물눈 모양의 공극형성; 그물눈 모양의 조직.

ar·e·om·e·ter, ar·ae- [èəriɑ́mətər, æ̀ər-] *n.* 액체 비중계.

Ar·e·op·a·gite [æ̀riɑ́pədʒàit, -gàit] *n.* Areopagus의 재판관.

Ar·e·op·a·gus [æ̀riɑ́pəgəs] *n.* 아레오파고스(Athens의 언덕); (고대 그리스의) 최고 재판소; (일반적으로) 최고 법원.

Ar·es [éəriːz, ǽər-] *n.* 〖그神〗 아레스(군신(軍神), 전쟁의 신; 〖로神〗의 Mars에 해당).

arête [əréit] *n.* 〖地〗 (주로 빙하의 침식에 의한) 날카로운[험한] 산등성이. 〖F<L *arista* spine〗

Ar·e·thu·sa [æ̀rəθjúːzə] *n.* 〖그神〗 아레투사(숲의 요정).

arf [ɑ́:rf] *int.* 멍멍(개 짖는 소리). 〖imit.〗

arg [ɑ́:rg] *n.* 〖數〗 (함수의) 독립 변수.

arg. argent; argentum; argument.

Arg. Argentina; Argentine. **ARG** Atlantic Fleet Amphibious Ready Group (미국 대서양 함대의 상륙 대기 부대).

argal ☞ ARGOL[1].

ar·ga·la [ɑ́:rgələ] *n.* 〖鳥〗 대머리황새(인도산(産)의 황새). 〖Hindi〗

ar·ga·li [ɑ́:rgəli] *n.* 〖動〗 아르갈리(중앙 아시아나 시베리아산(産)의 크고 뿔이 굽은 야생의 양). 〖Mongolian〗

Ár·gand bùrner [ɑ́:rgænd-] *n.* 아르강식 버너

《ARGAND LAMP의 구조와 같은 방식의 가스[석유] 버너》. 〖Aimé *Argand* (d. 1803) 스위스의 물리학자 · 발명가〗

Árgand dìagram *n.* 〔數〕 아르강 도표《복소수(複素數)를 그래프에 쓰기 위한 좌표계》. 〖John R. *Argand* (d. 1825) 프랑스의 수학자〗

Árgand làmp *n.* 아르강 등《환상(環狀) 심지에서 원통상(圓筒狀)으로 불꽃을 내고 불꽃의 내외에서 공기를 보내도록 한 램프》. 〖Aimé *Argand*〗

ar·gent [ɑ́ːrdʒənt] *n.* 《古 · 詩》 은, 은빛깔 ; 〔紋〕 은백(銀白). —— *a.* 은의, 은같은 ; 은으로 만든 ; 은빛깔의. 〖F (↓)〗

ar·gent- [ɑːrdʒént], **ar·gen·ti-** [ɑːrdʒéntə], **ar·gen·to-** [ɑːrdʒéntou, -tə] *comb. form* 「은(銀)」의 뜻. 〖L〗

ar·gen·tal [ɑːrdʒéntl] *a.* 은의 ; 은을 함유한.

ar·gen·tan [ɑ́ːrdʒəntæ̀n] *n.* 양은(nickel silver)의 일종《니켈 · 구리 · 아연의 합금》.

ar·gen·te·ous [ɑːrdʒéntiəs] *a.* 은의[같은], 은백(銀白)의.

ar·gen·tic [ɑːrdʒéntik] *a.* 〔化〕 (보통 2가(價)의) 은을 함유한 ; 은의.

ar·gen·tif·er·ous [ɑ̀ːrdʒəntífərəs] *a.* 은을 함유한[산출하는].

Ar·gen·ti·na [ɑ̀ːrdʒəntíːnə] *n.* 아르헨티나《남미의 공화국 ; 수도 Buenos Aires》.

ar·gen·tine [ɑ́ːrdʒəntàin, -tìːn] *a.* 은의[같은], 은빛의 : ~ plate 양은(German silver). —— *n.* 은 ; 은빛 금속 ; 〔魚〕 색멸.

Argentine *a., n.* (남미) 아르헨티나의 ; 아르헨티나인(人) ; [the ~ (Republic)] =ARGENTINA.

Ar·gen·tin·ean, -ian [ɑ̀ːrdʒəntíniən] *n., a.* = ARGENTINE.

ar·gen·tite [ɑ́ːrdʒəntàit] *n.* Ⓤ 휘은광(輝銀鑛)(=silver glance)《은의 주요한 광석》.

ar·gen·tous [ɑːrdʒéntəs] *a.* 〔化〕 제1은의, 은이 섞인.

ar·gen·tum [ɑːrdʒéntəm] *n.* Ⓤ 〔化〕 은(銀)《기호 Ag》. 〖L〗

ar·ghan [ɑ́ːrgən] *n.* 〔植〕 아나나스속의 야생 파인애플《중앙 아메리카산》.

Ar·gie [ɑ́ːrdʒi] *n.* 아르헨티나인(Argentine).

ar·gil [ɑ́ːrdʒəl] *n.* Ⓤ 도토(陶土), 백점토(potter's clay). 〖F<L<Gk. (*argos* white)〗

ar·gil·la·ceous [ɑ̀ːrdʒəléiʃəs] *a.* 점토(질)의, 점토가 함유된.

ar·gil·lite [ɑ́ːrdʒəlàit] *n.* 규질 점토암(岩), 점판(粘板)암.

ar·gi·nase [ɑ́ːrdʒənèis, -z] *n.* Ⓤ 〔生化〕 아르기나아제《아르기닌을 요소로 분해하는 효소》.

ar·gi·nine [ɑ́ːrdʒənàin, -nìːn] *n.* Ⓤ 〔生化〕 아르기닌《아미노산의 일종》.

Ar·give [ɑ́ːrdʒaiv, -gaiv] *a.* 아르고스(Argos)의 ; 그리스의. —— *n.* 아르고스[그리스] 사람.

ar·gle-bar·gle [ɑ́ːrgəlbɑ́ːrgəl] *n.* 《스코》 입씨름, 토론. —— *vi.* 토론[언쟁]하다.

Ar·go [ɑ́ːrgou] *n.* [the ~] **1** 〔그神〕 아르고선(船) (cf. ARGONAUT). **2** 〔天〕 아르고자리《남쪽 하늘의 별자리》.

ar·gol[1] [ɑ́ːrgɔ(ː)l, -gəl], **ar·gal** [-gəl] *n.* 거치른 주석(酒石)《포도주통에 붙음》. 〖AF<?〗

argol[2] *n.* 《몽고》 아르골《말린 양똥 · 쇠똥 따위 ; 연료》. 〖Mongolian〗

ar·gon [ɑ́ːrgɑn] *n.* Ⓤ 〔化〕 아르곤《기체 원소 ; 기호 Ar ; 번호 18》. 〖Gk. (neut.) ‹ *argos* idle〗

Ar·go·naut [ɑ́ːrgənɔ̀ːt, -nɑ̀ːt] *n.* 〔그神〕 아르고선(船) 일행(the Argonauts)의 한 사람《JASON을 따라서 아르고선(the Argo)을 타고 「황금의 양털(the Golden Fleece)」을 찾으러 원정했음》. 〖L<Gk.〗

Àr·go·náu·tic *a.* 〔그神〕 아르고선(船) 원정[일행]의 : the ~ expedition 아르고선 일행의 원정.

árgon láser *n.* =AR LASER.

árgon-óxygen decarburizátion *n.* 아르곤과 산소의 혼합가스에 의한 탈탄법(脫炭法)《스테인리스강속의 탄소제거 정련법 ; 略 AOD》.

Ar·gos [ɑ́ːrgɑs, -gəs] *n.* 아르고스《그리스 남부의 고대 도시》.

ar·go·sy [ɑ́ːrgəsi] *n.* **1** 《史 · 詩》 (베니스의) 큰배[상선(商船)]. **2** 대상선 ; 대상선단(團) ; 《비유》 보고(寶庫). 〖*Ragusa* : 이탈리아의 지명〗

ar·got [ɑ́ːrgou, 美+-gət] *n.* Ⓤ (도적 등의) 암어(暗語), 은어, 암호(jargon). 〖F<?〗

ár·gu·able *a.* **1** 논할 수 있는, 논증[입증]할 수 있는. **2** 의론의 여지가 있는, 의심쩍은.

‡**ar·gue** [ɑ́ːrgjuː] *vt.* **1** [+目 / +*that* 節] 논하다, 논의하다(discuss), 주장하다(maintain) : It is difficult to ~ the matter without hurting her feelings. 그녀의 감정을 건드리지 않고 그 일을 논의하기는 어렵다 / Galilei ~*d that* the earth was round. 갈릴레이는 지구가 둥글다고 주장했다. **2** [+目+前+名 / +目+副] 설복시키다, 설득시키다(persuade) : He wanted to go skiing, but I ~*d* him ***out of*** it. 그는 스키 타러 가고 싶어했으나 내가 그를 설득하여 가지 않게 했다 / She ~*d* me ***into*** comply*ing* with her wish. 그 여자에게 설득되어 소원을 들어주기로 했다 / He tried to ~ ***away*** her misunderstanding. 여러 가지 설명을 하여 그녀의 오해를 풀려고 애썼다. **3** [+目+補 / +目+*to* do / +*that* 節 / +目] (이유 · 증거가 …이라는 것을) 나타내다, 입증하다 : His action ~*s* him (*to be*) a rogue [~*s that* he is a rogue, ~*s* roguery in him]. 그의 행동으로 (보아) 그가 나쁜 사람이라는 것은 분명하다.
—— *vi.* [動 / +前+名] 논하다, 논의[논쟁]하다 : ~ in a circle 순환논법(循環論法)으로 논하다 / He ~*d* ***against*** the passage of the bill. 법안 통과에 반대했다 / I ~*d* ***for*** justice. 정의를 위해서 변론했다 / He ~*d* ***with*** his friend ***about*** the best method. 친구와 최선의 방법에 대해 토론했다. **ár·gu·er** *n.* Ⓒ 논쟁자, 논증자.
〖OF<L (*arguo* to make clear, prove)〗
類義語 ⟹ DISCUSS.

ar·gu·fy [ɑ́ːrgjəfài] *vi., vt.* 《口 · 方》 부질없이 논쟁하다. 〖↑ ; cf. SPEECHIFY〗

ar·gu·ment** [ɑ́ːrgjəmənt] *n.* **1** Ⓤ,Ⓒ [+*that* 節 / +(前+) *wh.* 節 · 句] 의논, 논의 : for the sake of ~ 의논을 (진척시키기) 위해 / The ~ has been repeated *that* poverty is a blessing. 가난은 축복이라는 논의가 자주 되풀이되어 왔다 / They wasted no time in ~ ***about *what to* do. 무엇을 할 것인가라는 논의로 시간을 허비하지는 않았다 / We had an ~ *about* the matter. 그 일에 대해서 의논을 했다. **2** [+前+do*ing*] (찬부의) 논(쟁), 논거, 논점, 이유 : a strong ~ ***against*** war 전쟁 반대의 유력한 논거 / There is a good ~ ***for*** dismiss*ing* him. 그를 해고할 타당한 이유가 있다 / These are ~*s* ***in favor of*** this hypothesis. 이상이 이 가설(假說)에 대한 논거다. **3** (주제의) 요지, (서적의) 개요, (이야기 · 각본의) 줄거리. **4** 〔哲 · 論〕 증명. **5** 〔數〕 (복소수의) 편각(偏角) ; (변함수의) 독립 변수.
類義語 ***argument*** 자기의 주장을 뒷받침하거나 상대의 이야기를 반박하기 위한 이론이나 증거

가 되는 사실을 들고 논하기. **controversy** 어떤 중요한 문제에 대해서 두 파로 의견이 갈라져 오랫동안 구두·문서에 의한 계속적인 논쟁. ***dispute*** 이론에 의하지 않는 싸움; 토론에서 격렬한 감정적인 대립이 있음을 암시.

ar·gu·men·tal [àːrgjəméntəl] *a.* 의론[논쟁]상의.

ar·gu·men·ta·tion [àːrgjəmәntéiʃən, -men-] *n.* ⓊⒸ 입론(立論); 논증; 논쟁, 토론.

ar·gu·men·ta·tive [àːrgjəméntətiv] *a.* 논쟁적인, 의론이 분분한; 토론을 좋아하는, 따지기[의론]를 좋아하는. **~·ly** *adv.* **~·ness** *n.*

ar·gu·men·tive [àːrgjəméntiv] *a.* = ARGUMENTATIVE.

ar·gu·men·tum [àːrgjəméntəm] *n.* (*pl.* **-ta** [-tə]) 논(論), 의논(議論), 논증; (논증을 위한) 일련의 이유, 논거. 〖L〗

arguméntum ad hóm·i·nem [-æd hámənèm] *n.* 대인논증(對人論證)《상대의 성격·지위·처지 따위를 이용하는 논법》. 〖L〗

Ar·gus [áːrgəs] *n.* 〖그神〗 아르고스《100개의 눈을 가진 거인》; 《비유》 엄중한 감시인. 〖L<Gk. =vigilant〗

Árgus-èyed *a.* 감시가 엄중한, 빈틈없는.

ar·gute [ɑːrgjúːt] *a.* 날카로운; 빈틈없는.

ar·gy-bar·gy [áːrgibáːrgi, -dʒibáːrdʒi] *n., vi.* 《口》 잡담[언쟁](을 하다). 〖Sc.; cf. *argle* (dial.) to argue〗

ar·gyle, -gyll [áːrgail, -ˊ] *n., a.* [때때로 A~] 다이아몬드형 격자무늬(가 있는).

ar·gyr- [áːrdʒər], **ar·gy·ro-** [áːrdʒərou, -rə] *comb. form* 「은」「은색의」의 뜻. 〖Gk.〗

ar·gyr·ia [ɑːrdʒíriə] *n.* 은(銀)중독.

Ar·gy·rol [áːrdʒərɔ̀(ː)l, -ròul, -rɑ̀l] *n.* 〖藥〗 아지롤《함은액(含銀液)으로 눈·코·귀 따위의 국부 방부제; 상표명》.

ar·hat [áːrhət] *n.* [때때로 A~] 〖佛敎〗 아라한(阿羅漢). **~·ship** *n.* 〖Skt.〗

aria [áːriə, éər-, ǽər-] *n.* 〖樂〗 아리아, 영창(詠唱)《오페라 따위에서 악기의 반주가 있는 독창곡, 주로 3부 형식으로 이루어짐》. 〖It.〗

-ar·ia[1] [éəriə, ǽər-] *n. suf.* 「…같은[…에 관계가 있는] 생물(의 속(屬)[목(目)])」의 뜻: fil*aria*. 〖L〗

-aria[2] *n. suf.* -ARIUM의 복수형.

Ar·i·ad·ne [æ̀riǽdni] *n.* 〖그神〗 아리아드네《THESEUS에게 미궁 탈출의 실뭉치를 준 미노스 왕의 딸》. 〖Gk. =most holy〗

Ar·i·an[1] [éəriən, ǽər-] *a., n.* 아리우스(Arius)의; 아리우스파(의 사람).

Arian[2] ☞ ARYAN.

-ar·i·an [éəriən, ǽər-] *a. suf., n. suf.* 「…파(派)의 (사람)」「…주의의 (사람)」「나이가 …살인 (사람)」의 뜻. 〖L; cf. -ARY〗

Ar·i·ane [éəriən, ǽər-] *n.* 아리안《유럽 우주 기구가 개발한 대형 위성 발사용 로켓의 애칭》.

Áriane·spàce *n.* 유럽 우주 기구의 아리안 로켓 개발의 중심인 프랑스의 회사.

Árian·ìsm *n.* Ⓤ 아리우스파의 학설《그리스도의 신성(神性)을 부인》.

A.R.I.B.A. Associate of the Royal Institute of British Architects.

ari·bo·fla·vin·o·sis [eiràibəflèivənóusəs] *n.* 〖醫〗 비타민 B_2 결핍(증), 리보플라빈(riboflavin) 결핍(증).

A.R.I.C. Associate of the Royal Institute of Chemistry.

ar·id [ǽrəd] *a.* (토지가) 건조한, 메마른(dry); 불모의; (두뇌·사상이) 빈약한; 무미 건조한. **~·ness** *n.* **~·ly** *adv.* 〖F or L (*areo* to be dry)〗

arid·i·ty [ərídəti, æ-] *n.* Ⓤ 건조 (상태); 빈약함; 무미 건조.

ar·i·el [éəriəl, ǽər-] *n.* 〖動〗 (아라비아산) 영양(羚羊) (gazelle). 〖Arab.〗

Ariel *n.* **1** 〖中世傳說〗 아리엘《공기의 요정(妖精)》. **2** 〖天〗 천왕성의 제1위성. **3** 〖聖〗 = JERUSALEM 《이사야 29》.

Ari·es [éəriːz, ǽər-, -riìːz] *n.* (*pl.* ~) 〖天〗 양자리. 〖L=ram〗

ar·i·et·ta [æ̀riétə, àːr-] *n.* 〖樂〗 아리에타, 소영창(小詠唱). 〖It. (dim.)〈ARIA〗

aríght [ə-] *adv.* 바르게, 옳게: if I remember ~ 잘못 생각한 것이 아니면, 필시. ㈜ RIGHTLY 보다 문어적(文語的). 〖OE (*a-*[1])〗

ar·il [ǽrəl] *n.* 〖植〗 가종피(假種皮).

ar·il·late [ǽrəlèit, -lət] *a.* 가종피로 싸인.

ari·o·so [àːrióusou, æ̀r-, -zou] *a., adv.* 〖樂〗 영서창(詠敍唱)의 (으로). —— *n.* (*pl.* **~s, ~si** [-siː]) 영서창. 〖It.〗

-ar·i·ous [éəriəs, ǽər-] *a. suf.* 「…에 관한」의 뜻. 〖*-ary*〗

arise** [əráiz] *vi.* (**arose** [əróuz]; **aris·en** [arízən]) **1** [動/+前+名] (바람이) 일다, (문제·어려움 따위가) 생기다, 시작되다, (사태가) 발생하다: A great wind *arose.* 강한 바람이 일었다/Accidents ~ ***from carelessness. 사고는 부주의로 일어난다. **2** 《古·詩》 기상하다, (아침에) 일어나다; 일어서다; (해가) 뜨다(rise). ☞ 活用. **3** 《詩》 살아나다, 소생하다. 〖OE (*ā-* intensive)〗

活用 「(아침에) 일어나다」란 뜻의 동사에서 get up은 《口》, rise는 좀 딱딱한 표현이고 arise는 시적인 표현이다(cf. AWAKE *vi.*).

類義語 ⟹ RISE.

***aris·en** [arízən] *v.* ARISE의 과거분사.

aris·ings [əráiziŋz] *n. pl.* 부산물, 잉여 산물.

Arist. Aristotle.

aris·ta [ərístə] *n.* (*pl.* **-tae** [-tiː, -tai], **~s**) 〖植〗 까끄라기; 〖昆〗 촉각의 털. 〖L〗

aris·tate [ərísteit] *a.* 〖植〗 까끄라기가 있는.

aris·to [ərístou] *n.* (*pl.* **~s**) 《英口》 = ARISTOCRAT.

aris·to- [ərístou, -tə, 美+æ-] *comb. form* 「최적(最適)의」「최상위의」「귀족(제)의」의 뜻. 〖F<L<Gk. (↓)〗

***ar·is·toc·ra·cy** [æ̀rəstɑ́krəsi] *n.* **1** Ⓤ 귀족 정치; Ⓒ 귀족 정치를 하는 나라. **2** [the ~] 귀족, 귀족 사회(the nobility), 상류[특권]계급. **3** [집합적으로] 일류의 사람들: an ~ *of* talent[wealth] 손꼽히는 재능가[부호]들. 〖F<Gk. (*aristos* best)〗

***ar·is·to·crat** [ǽrəstəkræ̀t, 美+ərís-] *n.* 귀족; 귀족정치 주의자; 귀족적인 사람. 〖F (↓)〗

***ar·is·to·crat·ic** [æ̀rəstəkrǽtik, 美+ərìs-] *a.* 귀족의; 귀족 정치의; 귀족적인, 귀족다운; 귀족주의의; 배타적인(exclusive); 당당한, 품위있는. **-i·cal·ly** *adv.* 귀족적으로, 귀족답게. 〖F<Gk.〗

ar·is·toc·rat·ism [æ̀rəstɑ́krətìzəm, 美+ərístəkrætizəm] *n.* 귀족주의; 귀족적인 기질.

Ar·is·toph·a·nes [æ̀rəstɑ́fəniːz] *n.* 아리스토파네스《385 B.C. 경의 아테네의 시인·희극작가》.

Aris·to·phan·ic [əristəfǽnik; æ̀ris-] *a.* 아리스토파네스풍(風)의.

Ar·is·to·te·lian, -lean [æ̀rəstətíːljən, ərístə-] *a., n.* 아리스토텔레스(파)의 (학자).
~·ism *n.* 아리스토텔레스 철학[학설].
Ar·is·tot·le [ǽrəstɑ̀tl] *n.* 아리스토텔레스 (384-322 B.C.)《고대 그리스의 철학자·자연과학의 시조》.
aris·to·type [ərístoutàip] *n.* U,C 〖寫〗 아리스토 인화(법).
arith. arithmetic; arithmetical.
*__arith·me·tic__[1] [əríθmətìk] *n.* U 산수, 산술; 셈; C 셈본, 산수책: decimal ~ 10진법 / mental ~ 암산. 〖OF<L<Gk. *arithmētikē* (*tekhnē*) (art) of counting (*arithmos* number)〗
*__ar·ith·met·ic__[2], **-i·cal** [æ̀riθmétik(əl)] *a.* 산수의, 산수에 관한; 산술상의. **-i·cal·ly** *adv.* 산수로, 산수적으로. 〖L<Gk. (↑)〗
arith·me·ti·cian [əriθmətíʃən, æ̀riθ-] *n.* 산수전문가.
arithmétic méan *n.* (등차 수열의) 등차 중항(等差中項); 산술 평균.
arithmétic progréssion *n.* 등차 수열.
arithmétic séries *n.* 등차[산술] 급수.
ar·ith·mom·e·ter [æ̀riθmɑ́mətər] *n.* 계수기.
-ar·i·um [éəriəm, ǽər-] *n. suf.* (*pl.* **~s, -ia** [-iə]) 「…에 쓰는 것」「…의 장소」의 뜻. 〖L〗
Ari·us [əráiəs, ǽriəs, ér-; éəriəs] *n.* 아리우스 (256?-336)《Alexandria의 신학자; 그리스도의 신성(神性)을 부인》.
Ariz. Arizona.
Ar·i·zo·na [æ̀rəzóunə] *n.* 애리조나《미국 남서부의 주; 주도 Phoenix; 略 Ariz., AZ》.
Àr·i·zó·nan, -zó·ni·an [-niən, -njən] *a., n.* 애리조나의 (사람).
ark [ɑ́ːrk] *n.* **1** 〖聖〗 (Noah가 대홍수를 피한) 방주(方舟); 《方·詩》 궤, 통, 상자. **2** 《美》 평저선(平底船). **3** 피난처. **4** [흔히 A~] 〖유태敎〗 모세 오경(五經)을 넣어두는 보관 상자.
the Ark of Testimony [***the Covenant***] 〖聖〗 언약궤(言約櫃)《Moses의 십계명을 새긴 2개의 판판한 돌을 넣은 궤》.
〖OE *ærc*<L *arca* chest; cf. G *Arche*〗
Ark. Arkansas.
Ar·kan·sas [ɑ́ːrkənsɔ̀ː] *n.* **1** 아칸소《미국 중부의 주; 주도 Little Rock; 略 Ark.》. **2** [, 美+ ɑːrkǽnzəs] [the ~] 아칸소 강《Colorado 주에서 남쪽으로 흐르는 Mississippi 강의 지류》.
Ar·kán·san [-zən] *a., n.* Arkansas 주의, Arkansas 주의 사람.
Ar·kan·saw·yer [ɑ́ːrkənsɔ̀ːjər] *n.* 《口·方》 Arkansas 주 사람《별명》.
Ar·kie [ɑ́ːrki] *n.* 《美口》 Arkansas 출신의 유랑 농부; 이동(移動) 농업 노동자.
Ark·wright [ɑ́ːrkrait] *n.* 아크라이트. Sir **Richard** ~ (1732-92) 방직기계를 발명한 영국 사람.
ár láser [ɑ́ːr-] *n.* 〖光〗 아르곤 레이저《저압 아르곤 기체의 아크 방전을 증폭매체로 하는 연속발진 레이저》.
arles [ɑ́ːrlz] *n.* [때때로 단수취급] 《스코》 계약금, 착수금.
Arles [ɑ́ːrl; *F* arl] *n.* 아를《프랑스 남동부에 있는 도시》.
Ar·ling·ton [ɑ́ːrliŋtən] *n.* 알링턴《미국 Virginia 주(州) 북동부의 군·시의 이름; 국립 군인 묘지 및 무명 용사의 무덤, Kennedy 전대통령의 무덤이 있음》.
◇**arm**[1] [ɑ́ːrm] *n.* **1** 팔, 상지(上肢); (동물의) 앞발, 전지(前肢): ☞ UPPER ARM / one's better ~ 오른팔 / have a child *in* one's ~*s* 팔에 아이를 안다 / throw one's ~*s* around another's neck 남의 목을 끌어안다. **2** 팔 비슷한 것; (나무의) 큰 가지; (기둥 따위에 옆으로 댄) 가로대, 까치발; (옷의) 소매; (의자의) 팔걸이; 내포(內浦); 지류(支流); (산의) 지맥(支脈). **3** 《비유》 힘, 권력: the strong ~ of the law 법의 힘 / the secular ~ 〖史〗 (교권에 대한) 속권(俗權)《교회 권력에 대한 재판소의 권력》.
arm in arm [***arm-in-arm***] (***with...***) (…와) 팔짱을 끼고.
a child [***a babe, an infant***] ***in arms*** 갓난아기《아직 못 걷는 유아》.
give [***offer***] one***'s arms*** (동행하는 여성에게) 팔을 (끼도록) 내밀다[내밀어 부축하다]; 제휴를 제의하다〈*to*〉.
keep [***hold***] a person ***at arm's length*** 남을 가까이하지 않다, 쌀쌀하게 대하다.
make a long arm 팔을 쭉 뻗다.
one***'s right arm*** 오른팔; 심복 부하.
take the arm 내민 팔에 매달리다; 제휴하다.
talk one***'s arm off*** ☞ TALK.
under one***'s arm*** 겨드랑이 밑에: hold a package *under* one*'s* ~ 소포를 겨드랑이에 끼다.
within arm's reach 손이 닿는 곳에.
with one***'s arms folded*** = ***with folded arms*** 팔짱을 끼고, 수수방관하여.

〈회화〉
Which one is Mr. Smith? — He's the one *with* his *arms folded.* 「스미스씨는 어느 분이지」 「팔짱을 끼고 있는 사람이야」

with open arms 양팔을 벌려; 진심으로 (환영하여).
〖OE *earm*; cf. G *Arm*〗
◇**arm**[2] *n.* **1** [보통 *pl.*] 병기, 무기(weapon): carry ~*s* 무기를 휴대하다 / change ~*s* 총을 바꿔 메다 / deeds of ~*s* 무훈(武勳) / a man of ~*s* 전사(戰士); 장갑병(裝甲兵) / Order ~*s*! 세워총! / Pile ~*s*! 걸어총! / Present ~*s*! 받들어총! / Shoulder[Carry, Slope] ~*s*! 어깨총! / ☞ SIDE ARMS / ☞ SMALL ARMS. **2** [*pl.*] 《비유》 전쟁, 전투; 병역, 군인의 직(職): suspension of ~*s* 휴전 / appeal to ~*s* 무력에 호소하다 / ~*s* and gown 전쟁과 평화. **3** 병종(兵種), 병과《보병·기병(騎兵)·포병·공병 따위》: the infantry ~ 보병과 / the air ~ 공군. **4** [*pl.*] (옛 무사가 방패·기(旗) 따위에 쓴) 문장(紋章), 표지: a coat of ~*s* ☞ COAT 숙어 / the College of *A*~*s* ☞ 숙어. ㈜ 「무기」란 뜻으로서는 수사나 many, few 따위를 첫머리에 붙이지 못함(cf. FIREARM); 「병종(兵種)」이란 뜻에서는 가능.
a passage at arms 논쟁, 필전(筆戰).
arms and the man 무술(武術)과 사람《Vergil의 문구》; 무용담(武勇談).
bear arms ⑴ 무장하다, 병역에 복무하다. ⑵ 문장(紋章)을 달다.
bear arms against …와 싸우다.
be up in arms 무기를 들고 일어서다; 반기를 들다.
by arms 무력에 호소하여, 무력으로.
call...to arms …을 동원하다.
fly to arms 달려가서 무기를 잡다, 급히 서둘러 전투 준비를 하다.
get under arms 무장하다.
give up one***'s arms*** 무기를 버리고 항복하다;

절대 행동을 그만두다.
go to arms 무력에 호소하다(appeal to arms).
in arms 무장하여.
lay down one***'s arms*** (1) 무기를 버리다. (2) 항복하다.
rest on one***'s arms*** 무장한 채로 쉬다 ; 긴장을 풀지 않다.
rise in arms 무기를 들고 일어서다, 무장 궐기하다, 군사를 일으키다.
take up arms 무기를 잡다, 전투를 개시하다 〈*against*〉.
the College of Arms 《英》 문장원(紋章院) (the Heralds' College).
To arms ! 전투 준비 ! (의 나팔).
under arms 무장하고, 전쟁[전투] 준비를 하고.
── *vt.* [+目 / +目+*with*+名] **1** 무장시키다 ; (방호구(防護具) 따위로 몸을) 안전하게 (지키게) 하다 ; 방비하다 ; …을 장착하다 ; 갖추게 하다, …을 공급하다 : be ~*ed* at all points 완전 무장하다 ; 《비유》 논의에 빈틈이 없다 / be ~*ed* to the teeth 철저하게 무장을 하다 / The battleship was ~*ed* ***with*** 16-inch guns. 그 전함은 16인치 포를 탑재(搭載)하고 있었다 / be ~*ed with* all the tools 도구를 전부 갖추다 / reporters ~*ed with* cameras 카메라를 가진 사진 기자들 / I'm only ~*ed with* knowledge. 지식 이외에는 믿는 것이 없다. **2** 〖電〗 …에 전기자(電氣子) (armature)를 달다.
── *vi.* 무장하다, 전투 준비를 하다.
〚OF＜L *arma* arms, fittings〛

ARM[1] [ɑ́ːrm] *n.* 〖軍〗 대(對) 레이더 미사일.
〚*a*nti-*r*adiation *m*issile〛

ARM[2] *n.* 《美》 (변동성 있는) 조정 주택자금 융자.
〚*a*djustable *r*ate *m*ortgage〛

Arm. Armenia(n)

ar·ma·da [ɑːrmɑ́ːdə, -mǽdə, -méi-] *n.* **1** 함대 ; 군용 비행대 ; (버스 · 어선 따위의) 대집단. **2** [the A~] ＝the INVINCIBLE ARMADA.
〚Sp.＜Rom. *armata* army〛

ar·ma·dil·lo [ɑ̀ːrmədílou] *n.* (*pl.* **~s**) 〖動〗 아르마딜로《남미산 야행성 포유 동물》.
〚Sp. (dim.)〈*armado* armed man ; ⇨ ARM[2]〛

Ar·ma·ged·don [ɑ̀ːrməgédn] *n.* 〖聖〗 아마겟돈 《세상 끝날의 선과 악의 결전장 ; 요한 계시록 16 : 16》 ; Ⓒ 《비유》 최후의(국제적인) 대결전(장).
〚Gk.〛

Ar·magh [ɑːrmɑ́ː, ⌐-] *n.* 아마《북아일랜드 남부의 옛 주(州) ; 그 주도》.

ar·mal·co·lite [ɑːrmǽlkəlàit] *n.* 〖鑛〗 아말콜라이트《달에서 발견된 철 · 마그네슘 · 티타늄으로 이루어진 광물 ; 가지고 온 아폴로 11호의 우주 비행사 암스트롱, 올드린, 콜린스의 이름을 따서》.

***ar·ma·ment** [ɑ́ːrməmənt] *n.* **1** [보통 *pl.*] **a**) (한 나라의) 군사력, 군비《병력 · 병기 · 소요 물자 · 군수산업 따위를 포함》 : limitation[reduction] of ~*s* 군비 제한[축소]. **b**) 병기 ; (요새 · 군함의) 장비 : atomic ~*s* 원자 무기[병기]. **2** Ⓤ 군비, 무장 ; 군대, 부대 : an ~ race 군비 경쟁 / atomic ~ 핵장비[무장].
〚L ; ⇨ ARM[2]〛

ar·ma·men·tar·i·um [ɑ̀ːrməmentέəriəm, -mən-, -tǽər-] *n.* (*pl.* **-ia** [-iə], **~s**) **1** 〖醫〗 의료품, 의료 시설《기구 · 약품 · 서적 · 정보 · 기술 따위》. **2** (특정 분야에 필요한) 설비[자료].

ármaments expénditures *n.* 군사비.

ar·mar·i·um [ɑːrmέəriəm] *n.* (*pl.* **-ia** [-iə], **~s**) ＝AMBRY.

ar·ma·ture [ɑ́ːrmətjùər, -tʃər, -tʃùər] *n.* 《古》 갑옷과 투구(armor), 갑주(甲胄) ; 〖動 · 植〗 방호(防護) 기관《이 · 가시 따위》 ; 〖電〗 전기자(電氣子) ; 〖建〗 보강재 ; 〖彫〗 틀, 뼈대.
〚F＜L＝armor ; ⇨ ARM[2]〛

árm bàdge *n.* 완장.

árm·bànd *n.* 완장 ; 상장(喪章).

***árm·chàir** *n.* 안락의자 ── *a.* 편한 ; 이론뿐인, 실천이 따르지 않는, 평론가적인, 공론의 ; 다른 사람의 경험에 의한 : an ~ critic 실행하지 않고 비평만 하는 사람.

arme blanche [*F* arm blɑ̃ʃ] *n.* (*pl.* **armes blanches** [*F* ─]) 백병전(白兵戰)용 무기《기병도(騎兵刀), 기병창》 ; 기병.
〚F＝white weapon〛

armed[1] [ɑ́ːrmd] *a.* 무장한 : ~ forces[services] (육군 · 해군 · 공군을 포함한) 군, 군대, 전군 / ~ neutrality 무장 중립 / ~ peace 무장 평화 / an ~ robber 흉기를 가진 강도.

armed[2] *a.* …한 팔을 가진 : long-~ 긴팔을 가진.

ármed éyes *n.* 안경으로 시력을 보강한 눈(↔ *naked eye*).

Ármed Fórces chíef of stàff *n.* 군(軍) 총참모장.

Ármed Sérvices Commìttee *n.* (미 의회의) 군사 위원회.

Armen. Armenian.

Ar·me·nia [ɑːrmíːniə, -njə] *n.* 아르메니아 공화국《이란 북서에 있는 한 공화국 ; 수도 Yerevan》.

Ar·mé·ni·an *a.* 아르메니아(인)의. ── *n.* 아르메니아인 ; Ⓤ 아르메니아어.

ar·met [ɑ́ːrmət, -met] *n.* 아르메《15세기의 머리 전체를 덮는 철투구》.
〚OF〛

árm fàke *n.* 〖美蹴〗 암 페이크《공을 쥔 사람이 던지는 시늉을 하는 동작》.

árm·fùl *n.* (*pl.* **~s**, **árms·fùl**) 한 팔 가득한 분량, 한 아름 : an ~ *of* books 한 아름의 책.

árm·hòle *n.* (옷의) 진동 둘레.

ar·mi·ger [ɑ́ːrmidʒər] *n.* 기사(knight)의 갑옷을 들고 다니는 사람 ; 대향사(大鄕士)《문장(紋章)을 달 자격이 있는 knight와 yeoman 중간 신분》.
〚L〛

ar·mig·er·ous [ɑːrmídʒərəs] *a.* 문장(紋章)을 달고 있는.

ar·mil·lary [ɑːrmíləri, ɑ́ːrməl-, 美+ɑ́ːrməlèri] *a.* 팔찌의 ; 고리 모양의.

ár·mil·lary sphére [ɑ́ːrməlèri- ; -ləri-] *n.* 혼천의(渾天儀), 아밀러리 천구의(天球儀)《고대의 환상(環狀)의 천구의》.

árm·ing *n.* 무장, 장비 ; 가문(家紋) ; (자석의) 전기자(電氣子).

Ar·min·i·an [ɑːrmíniən] *a.* 아르미니우스파의.
── *n.* 아르미니우스파의 사람.
~·ìsm *n.* 아르미니우스파 ; 그 교리.

Ar·min·i·us [ɑːrmíniəs] *n.* 아르미니우스. **Jacob Harmensen**[**Hermensz**] ~ (1560-1609)《네덜란드의 신학자 ; Calvin의 교리를 부정하고 인간의 자유를 주장》.

ar·mip·o·tent [ɑːrmípətənt] *a.* 전투에 강한 ; 군비가 충실한.

ar·mi·stice [ɑ́ːrməstəs] *n.* 휴전, 정전(truce) ; 휴전 조약 : declare an ~ 휴전을 포고하다.
〚F or L (*arma* arms, *-stitium* stoppage)〛

Ármistice Dày *n.* (원래 제1차 세계 대전의) 휴전 기념일《11월 11일》. ㊟ 제2차 세계 대전도 포함해서 미국에서는 1954년에 VETERANS DAY라고

했고 영국에서는 1946년에 REMEMBRANCE SUNDAY라고 고쳤음.

árm·less *a.* 팔이 없는 ; (의자 따위가) 팔걸이가 없는 ; 무기를 안가진, 무방비의.

árm·let *n.* 팔찌, 팔 장식품(bracelet) ; 좁은 내포(內浦). 〚*arm*[1], *-let*〛

árm·lòad *n.* 《美》 팔로 안을 수 있는 양, 한 아름의 분량(armful)〈*of*〉.

árm·lòck *n.* 〔레슬링〕 암로크《상대방의 팔을 자기의 팔과 손으로 조르기》.

ar·moire [ɑːrmwɑ́ːr, ɑ́ːrmər] *n.* 대형 옷장[벽장], (붙박이가 아닌) 찬장. 〚F〛

***ar·mor | ar·mour** [ɑ́ːrmər] *n.* **1** Ⓤ 갑옷과 투구, 장비 : a suit of ~ 갑옷 한벌 / in ~ 갑옷과 투구를 착용한. **2** Ⓤ (군함 따위의) 장갑 철판, 철갑(鐵甲) ; 방호구, (동식물의) 방호[보호] 기관 ; 방호복, 잠수복 ; (전선의) 피복(被覆)[외장(外裝)]. **3** Ⓤ [집합적으로] 〔軍〕 기갑부대 ; 문장.
—— *vt.* …에 갑옷을 입히다, 방호 기구를 착용시키다 ; 장갑(裝甲)하다(☞ ARMORED).
—— *vi.* 장갑하다, 방호 기구를 착용하다.
〚OF<L ; ⇨ ARMATURE〛

ármor-bèar·er *n.* 갑옷을 들고 다니는 사람《기사(knight)의 시종》.

ármor-clàd *a.* 갑옷을 입은 ; 장갑한 : an ~ ship 장갑함(艦). —— *n.* 장갑함.

ár·mored *a.* 장갑의(cf. IRONCLAD) : an ~ battery 장갑 포대 / an ~ car 장갑차 / ~ concrete 철근 콘크리트 / an ~ cruiser[train] 장갑 순양함[열차].

ármored cáble *n.* 〔電〕 외장(外裝) 케이블.

ármored ców[héifer] *n.* 《美俗》 분유.

ármored fórces *n. pl.* 〔軍〕 기갑 부대.

ármored scále *n.* 《美》 〔昆〕 사철나무깍지벌레의 총칭.

ármor·er *n.* 갑옷장인 ; 병기 제조업자 ; (군함·연대(聯隊)의) 병기담당.

ar·mo·ri·al [ɑːrmɔ́ːriəl] *a.* 문장(紋章)의.
—— *n.* 문장집(集).

armórial béarings *n. pl.* 가문(家紋), 문장.

ar·mor·ing [ɑ́ːrməriŋ] *n.* 무장 ; 〔電〕 피복, 외장(外裝).

ar·mor·ist [ɑ́ːrmərəst] *n.* 문장학자.

ármor plàte *n.* 장갑 철판, 갑철판(板).

ármor-plàted *a.* 장갑의[으로 무장한].

ar·mo·ry[1] [ɑ́ːrməri] *n.* 문장학 ; 《古》 문장.
〚OF ; ⇨ ARMOR〛

ar·mo·ry[2] **| ar·mou·ry** [ɑ́ːrməri] *n.* **1** 《美》 병기 공장, 조병창 ; 《英》 병기고(庫) (arsenal). **2** 《美》 군사 교련장 ; 주(州) 병참대 본부. **3** [집합적으로] 《古》 갑옷[병기]류.
〚OF (*armoier* to blazon〈ARM[2]) 〛

***armour** ☞ ARMOR.

árm·pìt *n.* 겨드랑이.
up to the armpits 《美俗》 완전히, 온통.

árm·rèst *n.* 팔걸이.

ARMS 〔海洋工〕 atmospheric roving manipulator system《대기압 이동 머니퓰레이터 시스템 ; 작업 심도는 915m》.

árms competítion[ràce] *n.* 군비 확장 경쟁.

árms contról *n.* 군비 제한.

árms ràce *n.* 군비 확대 경쟁.

Arm·strong [ɑ́ːrmstrɔ(ː)ŋ, -strɑŋ] *n.* 암스트롱. **Neil** (**Alden**) ~ (1930-) 미국의 우주 비행사 ; 역사상 처음으로 달착륙에 성공했음.

Ármstrong gún *n.* (영국의) 암스트롱포(砲).

árm-twìst·ing *n., a.* 강요(하는) ; 강제(적인).

arm·wave [ɑ́ːrmwèiv] *n.* 〔브레이크댄싱〕 암웨이브《두 사람이 짝이 되어 팔에서 팔로 파도를 전하는 춤》.

árm-wàver *n.* 《口》 광신적인 사람, 독선적인 사람, 열렬한 애국자, 정의를 내세우는 사람.

árm wrèstling *n.* 팔씨름(Indian wrestling).

‡ar·my [ɑ́ːrmi] *n.* **1** 육군(cf. NAVY) ; 군(軍), 군대(armed force) : an ~ of occupation(적국에 진주하고 있는) 점령군 / be in the ~ 육군[군대]에 있다, 군인이다 / enter[join, go into] the ~ 육군에 입대하다, 군인이 되다 / raise an ~ 군사를 일으키다, 모병하다 / serve in the ~ 병역에 복무하다. ㊟ 군의 구분은 보통 다음과 같이 됨. army《2개 이상의 군단(corps)으로 이루어짐》— corps《2개 이상의 사단(divisions)으로 이루어짐》— division《3-4개의 여단(brigades)으로 이루어짐》— brigade《2개 이상의 연대(regiments)로 이루어짐》— regiment《2개 이상의 대대(battalions)로 이루어짐》— battalion《2개 이상의 중대(companies)로 이루어짐》— company《2개 이상의 소대(platoons)로 이루어짐》— platoon《2개 이상의 분대(squads *or* sections)로 이루어짐》— squad《중사·하사 각 1명과 10명의 병사로 이루어짐》. **2** [흔히 A~] (군대 같은 조직의) 단체 : the Salvation *A~* 구세군 / the Blue Ribbon *A~* 《英》 푸른 리본[금주(禁酒)]단(團). **3** 큰 떼, 대군(大群) (host), 다수, 많은 사람 : an ~ *of* ants 개미떼 / an ~ *of* workmen 수많은 노동자.
〚OF ; ⇨ ARM[2]〛

ármy àct *n.* 육군 형법.

Ármy and Návy Stòres *n.* [the ~] 《英》 육군·해군 구매 조합 매점.

ármy ànt *n.* 〔昆〕 (아메리카 열대 지방산) 무사개미《떼를 지어 이동함》.

ármy bràt *n.* 《美俗》 육군장교·하사관 등의 자녀《특히 군대 기지(基地)나 군인들만의 환경(環境)에서 자라남》.

ármy bròker[contràctor] *n.* 《英》 육군 조달[군납]업자.

ármy còrps *n.* 군단《2개 이상의 사단(divisions)과 부속 부대로 이루어짐》.

ármy installátion *n.* 군사 시설.

Ármy Lìst *n.* 《英》 =ARMY REGISTER.

ármy lòok *n.* 군대식 복장.

ármy règister *n.* 《美》 육군 현역 장교 명부.

Ármy Sérvice Còrps *n.* [the ~] 《英》 육군 병참단[수송대].

ármy sùrgeon *n.* 군의관(軍醫官).

ármy·wòrm *n.* 〔昆〕 조밤나방의 애벌레《밤에 큰 떼를 지어 이동함》.

ar·ni·ca [ɑ́ːrnikə] *n.* 〔植〕 아르니카속(屬)의 식물《엉거시과》; Ⓤ 아르니카 팅크《외상 진통제》.
〚NL< ?〛

Ar·no [ɑ́ːrnou] *n.* [the ~] 아르노 강《이탈리아 서부 Apennine 산맥에서 지중해에 이름》.

Ar·nold [ɑ́ːrnəld] *n.* **1** 남자 이름. **2** 아놀드. **Matthew** ~ (1822-88) 영국의 시인·비평가.
〚Gmc. =eagle power〛

ar·oid [έərɔid, ǽər-] *n.* 토란. —— *a.* 천남성과(科)의. 〚L ARUM〛

aroint [ərɔ́int] *int.* [다음 숙어로]
Aroint thee[ye]! 《古》 물러가라.

aro·ma [əróumə] *n.* **1** Ⓤ,Ⓒ 방향(芳香), 냄새, 향기(fragrance) : the ~ of fine tobacco 고급 담배 냄새 / a savory ~ 맛있는 냄새. **2** Ⓤ (예술품의) 풍격, 기품, 풍취.
〚L<Gk. *arōmat- arōma* spice〛

類義語 ⟹ SMELL.

aróma dìsc *n.* 아로마 디스크《방향을 내는 레코드를 갖춘 레코드플레이어의 일종》.

ar·o·mat·ic [æ̀rəmǽtik] *a.* 방향(성)의, 향기로운. —— *n.* 향기로운 것, 향료; 방향 식물; 〖化〗 방향족 화합물(=∠ **compóund**).
〚OF<L<Gk. (↑)〛

aromátic vínegar *n.* 향초(香醋)《장뇌(樟腦) 따위의 향제(香劑)를 녹인 초; 냄새 맡는 약》.

aro·ma·tize [əróumətàiz] *vt.* 향기롭게 하다; 〖化〗 방향족화(化)하다.
-tìz·er *n.* **arò·ma·ti·zá·tion** *n.*

aro·ma·to·thérapy [əròumətə-] *n.* 방향(芳香) 요법《향초·과실 따위에서 추출한 방향 물질을 피부에 문지르는 피부 미용술》.

***arose** *v.* ARISE의 과거형.

◇**around** [əráund] (☞ ROUND) *adv.* **1** 사면[사방]에, 둘레에(on every side): the scenery ~ 주위의 경치. **2** 《美口》 빙둘러(round about, all round). **3** 《美口》 여기저기에, 도처에, 사방에(about); 그 부근에(somewhere near): travel ~ 여기저기 여행다니다 / wait ~ for a person 근처에서 사람을 기다리다.
all around 사방에, 도처에; 두루두루: shake hands *all* ~ 두루두루 악수하다.
be around 《美口》 (침대에서) 일어나다; 오다.
have been around 《美口》 많은 경험을 가지고 있다; 세상사를 많이 겪었다.
—— [-́, -́] *prep.* **1** …주위에, …을 에워싸(round): with his friends ~ him 친구들에게 둘러싸여 / sit ~ the fire 불을 둘러싸고 앉다 / He looked ~ him. 그는 자기 주위를 둘러보았다. **2** 《美口》 **a**) …둘레를[에]: look ~ the room 방안을 빙 둘러보다 / The children were playing hide-and-seek ~ the house. 아이들이 그 집 둘레에서 숨바꼭질을 하며 놀고 있었다. **b**) …을 여기저기 …하고 다니다: travel ~ the country 나라 안을 여기저기 여행하며 다니다. **c**) 대략(about): ~ five o'clock [dollars] 5시경[약 5달러]. **3** 《美口》 …을 돌아서, (모퉁이를) 돌아선 곳에(=《英》 round): the house ~ the corner 모퉁이를 돌아선 곳에 있는 집.
***get around*...** (사실 따위를) 회피하다.
〚*a*-[1], ROUND〛

aróund-the-clòck *a., adv.* 《美》 24시간 계속하는[되는], 밤낮없는[없이], 무휴(無休)의[로](round-the-clock): an ~ operation 24시간 가동.

aróund-the-wórld *a.* 세계 일주의.

arous·al [əráuzəl] *n.* Ⓤ 각성(覺醒); 환기(喚起); 격려.

***arouse** [əráuz] *vt.* 일으키다, …의 눈을 뜨게 하다(awaken); 자극하다, 환기하다(excite); 분기시키다(stir up): Their homely figures ~ our sympathy and respect. 그들의 검소한 차림을 보면 동정과 존경의 마음이 일어난다. 주 주로 ROUSE가 구체적인 'awaken'의 뜻으로 사용되는데 대해 arouse는 비유적인 뜻으로 쓰임.
—— *vi.* 깨어나다.
〚*a*-[1] intensive; *arise*에 준한 것〛
類義語 ⟹ STIR.

arow [əróu] *adv.* 일렬로; 잇따라.

ARP anti-radiation projectile(대(對)레이더 탄).

A.R.P. air-raid precautions(공습 경보).

ar·peg·gio [ɑːrpédʒiòu] *n.* (*pl.* **~s**) 〖樂〗 아르페지오《화음(和音)의 각 구성음을 빨리 연주하기》, 충거리 꾸밈음.
〚It. (*arpeggiare* to play harp<*arpa* harp)〛

ar·que·bus [ɑ́ːrkwəbəs] *n.* 화승총(火繩銃).

ar·que·bus·ier [ɑ̀ːrkwəbəsíər] *n.* 화승총으로 무장한 병사.

arr. arranged (by); arrival; arrive(d); arrives.

A.R.R. *anno regni regis*[*reginae*] 《L》 (=in the year of the king's[queen's] reign).

ar·rack [ǽrək, ərǽk] *n.* 아락주(酒)《야자즙·당밀 따위로 만든 독한 술》. 〚Arab.〛

ar·rah [ǽrə] *int.* 《아일》 아아!, 저런!, 저봐!

ar·raign [əréin] *vt.* **1** 〖法〗 (피고를) 법정에 소환하여 기소 사실(charge)의 여부를 묻다. **2** 책망하다(accuse), 규탄하다. **~·ment** *n.* Ⓤ,Ⓒ (피고의) 죄상(罪狀) 인부(認否); 비난, 규탄.
〚AF<L RATIO; cf. REASON〛

‡**ar·range** [əréindʒ] *vt.* **1** 정리하다, 가지런히하다, 정돈하다(put in order); 정렬(整列)시키다, 배열[배치]하다: ~ flowers 꽃꽂이를 하다 / ~ one's hair 머리를 매만지다 / ~ things in order 물건을 바로 정돈하다. **2** [+目 / +目+前+名] 결정하다, 결말짓다; …하도록 짜놓다, 준비하다: at the hour ~*d* 예정된 시각에 / We ~*d* the matter satisfactorily ***between*** us. 우리 둘이서 그 문제를 잘 해결했다 / The meeting has been ~*d* ***for*** Saturday evening. 모임은 토요일 저녁 시간에 열기로 정해졌다. **3** 조정하다(settle): She often had to ~ disputes between the two boys. 때때로 두 아이들의 싸움도 조정해 주어야 했다. **4** [+目 / +目+*for*+名] 편곡하다; 각색하다: ~ a piece of music ***for*** the violin 음악을 바이올린곡용으로 편곡하다 / ~ a novel *for* the stage 소설을 무대용으로 각색하다.
—— *vi.* [+前+名 / +*to* do / +*that* 節] 미리 짜다[준비하다], 타협하다, 의논하다; 협정하다: ~ ***for*** a party[an appointment] 파티[약속한 회합]를 준비하다 / Can you ~ *to* be here at five o'clock? 5시에 여기로 와 주실 수 있을까요 / I have ~*d for* a messenger *to* report the details to you. 심부름 간 사람에게 자세한 말씀을 드리도록 얘기했습니다 / He ~*d for* a search *to* be made. 수사를 하도록 조치했다 / I have ~*d for* meet*ing* him at five. 5시에 그와 만나기로 되어 있다 / I am going to ~ ***with*** him ***about*** it. 그 일에 대해서 그와 타협하려고 생각하고 있다 / It is ~*d that* we shall meet here. 여기서 만나기로 되어 있다.
〚OF (*à* to, RANGE)〛

‡**arránge·ment** *n.* **1** Ⓤ,Ⓒ 정돈, 정리, 배열, 정렬, 배치, (빛깔의) 배합; 장치, 설비: flower ~ 꽃꽂이 / an ~ which turns on the light 점화 장치. **2** Ⓤ,Ⓒ 협정, 예비적인 교섭, 결정(agreement); 타협, 화해(和解); 결말내기(settlement): make ~*s with* a person 어떤 사람과 교섭을 하다 / arrive at[come to] an ~ (이야기의) 결말이 나다, 타협이 되다, 협정이 성립하다. **3** [보통 *pl.*] [+*to* do] 준비(preparation), 예정, 내정, 마련: an ~ committee 준비 위원회 / make ~*s* ***for*** one's journey 여행 준비를 하다 / He has made ~*s to* spend his holiday in Wales. 휴가를 웨일스에서 보내려고 계획하고 있다. **4** Ⓤ,Ⓒ 편곡; 각색.

ar·rant [ǽrənt] *a.* 철저한, 여지없는: an ~ fool [lie] 형편없는 멍청이[새빨간 거짓말] / an ~ thief 악명높은 도둑. 〚C16 *errant*; 원래 *arrant* (=outlawed roving) *thief* 따위의 관용구로〛

ar·ras [ɑ́ːrɑːs] *n. pl.* [보통 단수취급] 〖法〗 (결혼때 남편이 아내에게 주는) 증여품. 〚Sp.〛

Ar·ras [ǽrəs; *F* arɑːs] *n.* Ⓤ **1** 아라스《프랑스 북

부의 도시 ; 몇가지 색실로 무늬를 짜넣은 직물의 생산으로 알려짐》. **2** 아라스 직물《아름다운 그림 무늬가 있는 아라스 직물》; 아라스 직물의 벽걸이.

ar·ray** [əréi] *vt.* **1** [＋目／＋目＋前＋名] (군대를) 정렬[배치·대진]시키다(arrange) : The general ～*ed* his troops ***for the battle. 장군은 군을 전투 대형으로 배치했다 / The King ～*ed* his army ***against*** the enemy. 왕은 적을 향해서 군대를 대진시켰다. **2** 《文語》 [＋目／＋目＋*in*＋名] [때때로 ～ one*self* 로] 성장(盛裝)하다 : They all ～*ed* them*selves*[were all ～*ed*] ***in*** ceremonial robes. 모두 예복으로 성장하고 있었다. **3** 〖法〗 (배심원을) 소집하다. ── *n.* **1 a)** Ⓤ 《文語》 정렬, 배치, 배열(order), 대진 : *in* battle ～ 전투 대형을 취하고 / set ... *in* ～ …을 배열하다. **b)** 질서 정연히 죽 늘어선 것(display) : an ～ *of* umbrellas[fishing rods] 죽 늘어선 양산[낚싯대]. **2** Ⓤ 《文語》 군대(military force). **3** Ⓤ 〖法〗 배심원의 소집, (소집된) 배심원《전원(全員)》. **4** Ⓤ 《文語》 옷, 의상(dress), 아름다운 치장 : bridal ～ 혼수(婚需) / *in* fine ～ 아름답게 치장하여. **5** 〖컴퓨〗 배열.
〚AF＜OF＜Gmc. ; ⇨ AD-, READY〛

arráy·al *n.* 배열하기, 늘어놓기 ; 성장(盛裝).

ar·rear [əríər] *n.* [보통 *pl.*] 늦어짐, 지체, 더딤, 밀림 ; [*pl.*] (지불 기한이 지난) 미불잔금, 연체금 ; [보통 *pl.*] (일이나 지불금의) 지체.
fall into arrears 지체하다.
in arrear of …보다 늦어서.
in arrear(s) with... (지불·일 따위)가 늦어서, 지체하여.
work off arrears 일하여 늦은 것을 만회하다.
〚OF＜L (*ad-, retro* backwards)〛

arréar·age *n.* 지체 ; 지체된 것[일, 지불금 따위] ; [때때로 *pl.*] 연체 금액, 미불잔금(debts) ; 《美》 미처리 사항.

ar·rect [ərékt] *pred. a.* (귀를) 곤두세우고, 《비유》 정신을 바짝 차리고.

ar·rest** [ərést] *vt.* **1** [＋目／＋目＋前＋名] 〖法〗 체포하다 ; 구속[검속(檢束)]하다, 억류하다 : an ～*ed* vessel 억류선(船) / He was ～*ed* ***for theft. 절도죄로 체포되었다.

〈회화〉
> Newspapers say the man was *arrested* for swindling. — Oh, is that so? Serves him right. 「신문에 의하면 그 사나이는 사기죄로 붙잡혔다고 하는군」「뭐, 참말인가. 그래 싸지」

2 정지시키다, (진행을) 막다 : ～ judgment 〖法〗 (잘못된 이유로) 판결을 저지하다 / The new drug ～*ed* tuberculosis. 새 약으로 폐결핵의 진행은 저지되었다. **3** (주의를) 끌다(attract) (cf. ARRESTING) : His peculiar dress ～*ed* attention. 그의 이상한 복장이 주의를 끌었다. ── *n.* **1** Ⓤ,Ⓒ 〖法〗 구속, 검속 ; 체포, 포박 ; 억류 ; 압류 : ☞ HOUSE ARREST / make an ～ 체포하다. **2** Ⓤ,Ⓒ 〖法〗 정지, 저지 : ～ *of* judgment 판결 저지.
under arrest 구속[수감(收監)]되어 : place [put] a person *under* ～ 남을 구속하다.
ar·rest·ee [ərestíː] *n.* 체포된 사람. **arrést·er, ar·rés·tor** *n.* **1** arrest하는 사람. **2** 피뢰기 ; 보안기(器). 〚OF (L *resto* to remain)〛

ar·res·tant [əréstənt] *n.* 활동[진행 따위]을 저지하는 것 ; 〖動〗 정착 물질, (특히 해충의) 이동 저지제.

arréster gèar[wìre] *n.* 《英》 ＝ARRESTING GEAR.

arréster[arréstor] hòok *n.* (항공 모함에 비행기가 내릴 때 쓰는) 걸잡이 갈고리.

arrést·ing *a.* 주의[흥미, 이목]를 끄는, 인상적인.

arrésting gèar *n.* 《美》 (항공 모함 갑판에 있는) 걸잡이 장치.

ar·res·tive [əréstiv] *a.* 저지하는 ; 주의[이목]를 끌기 쉬운.

arrést·ment *n.* 저지 ; 체포, 구금, 구류 ; 압류.

ar·ret [æréi] *n.* 〖史〗 (법원·국왕 등의) 판결, 명령, 결정. 〚F〛

ar·rhyth·mia, arhyth- [əríðmiə] *n.* Ⓤ 〖醫〗 부정맥(不整脈).

ar·rhyth·mic, -mi·cal [əríðmik(əl)] *a.* 율동적[주기적, 규칙적]이 아닌. **-mi·cal·ly** *adv.*

ar·ride [əráid] *vt.* 《古》 기쁘게 하다, 만족시키다.

ar·ri·ère-ban [æ̀rièərbǽn ; *F* arjɛrbɑ̃] *n.* (봉건 시대에 프랑스 왕의) 소집령 ; [집합적으로] 소집된 병력.

ar·ri·ère-garde [æ̀rièərgɑ́ːrd ; *F* arjɛrgard] *n.* (전위에 대하여) 후위(derrière-garde). 〚F＝rear guard〛

ar·ri·ère-pen·sée [*F* arjɛrpɑ̃se] *n.* 저의(底意), 속셈 ; 꺼림칙함.

ar·ris [ǽrəs] *n.* (*pl.* ～, ～**·es**) 〖建〗 모서리, 구석, 외각(外角). 〚F *areste* ARÊTE〛

árris gùtter *n.* 〖建〗 (V자형의) 낙수 홈통.

árris·wàys, -wìse *adv.* 비스듬히 ; 모서리를[각을] 이루어.

***ar·riv·al** [əráivəl] *n.* **1** Ⓤ 도착, 입항(入港) ; 임석(臨席), 출현 ; 도달(↔*departure*) : an ～ list 도착 승객 명부 / an ～ station 종착역. **2** 도착자[물] ; 《口》 출생, 신생아 ; 입하(入荷) : a new ～ 신착자[품], 신생아 / The new ～ is a girl. 새로 태어난 아기는 여자애다 / He was a late ～. 늦게 참석했다.
on arrival 도착한 뒤, 닿는 대로 : cash *on* ～ 〖商〗 도착(즉시)불(拂) / *On* his ～ at the station, he called a taxi. 역에 닿자 그는 곧 택시를 불렀다.
〚AF (↓)〛

◇ar·rive [əráiv] *vi.* **1** [＋前＋名／＋副／動] 닿다, 도착하다(↔*depart*) ; (물건이) 와 닿다 : You should ～ ***at*** school before 8 : 30. 8시 반까지 등교하지 않으면 안된다 / We ～*d at* the village. 그 마을에 도착했다 / We ～*d* ***in*** Boston a week ago and found rooms in a fine hotel. 1주일 전에 보스턴에 도착하여 멋진 호텔에 묵었다 / The steamer ～*d in* harbor last night. 기선(汽船)은 어젯밤 입항했다《㊟ 보통 arrive *at*은 좁은 장소에, arrive *in*은 넓은 장소에 대해 쓰이지만 특히 단순히 도달점을 뜻하지 않고 머문다는 관념이 추가될 경우에는 in이 쓰임》/ We ～*d home* in the evening. 저녁에 귀가했다 / The goods have not ～*d* yet. 물건은 아직 도착하지 않았다. **2** [＋前＋名] (나이·결론·확신에) 이르다, 도달하다 : You must ～ ***at*** a decision soon. 곧 결정을 내려야 한다. **3** 《口》 (갓난 아기가) 태어나다 ; (일이) 벌어지다 ; (때가) 도래하다 : The time has ～*d* for you to start. 네가 출발할 때가 왔다. **4** [프랑스 어법] 성공하다, 명성을 얻다.
arrive (up) on the scene ☞ SCENE.
ar·rív·er *n.*
〚OF＜Rom.＝to come to shore (L *ripa* shore)〛

ar·ri·vé [æ̀rivéi] *n.* 갑자기 성공한 사람, 벼락 출세한 사람, 졸부. 〚F〛

ar·ri·ve·der·ci [ɑːrìːveidértʃi] *int.* 안녕, 그럼 또. 〚It.〛

ar·ri·vism(e) [æri(:)víːzəm] *n.* 악착같은 야심, 출세주의, 출세욕.
ar·ri·viste [æri(:)víːst] *n.* 악착같은 야심가, 출세주의자, 벼락 출세한 사람. 〖F〗
ar·ro·gance, -cy [ǽrəgəns(i)] *n.* Ⓤ 건방짐, 오만, 거만, 교만.
***ár·ro·gant** *a.* 건방진, 오만한, 교만한(↔*humble*). **~·ly** *adv.* 건방지게. 〖OF(↓)〗
類義語 ⟹ PROUD.
ar·ro·gate [ǽrəgèit] *vt.* [+目/+目+前+名] (칭호를) 사칭(詐稱)하다, (권리를) 가로채다, 불법 사용하다(usurp) : He ~*d* power ***to*** himself. 권력을 제멋대로 행사했다. 〖L (*rogo* to ask)〗
àr·ro·gá·tion *n.* U,C 사칭, 탈취, 가로챔〈*of*〉; 월권 행위, 횡포.
ar·ron·disse·ment [ərάndəsmənt, ærəndíːsmənt; *F* arɔ̃dismɑ̃] *n.* 군(郡)《프랑스에서 주의 최대 행정구(區) ; cf. CANTON》; (파리 따위 대도시의) 구(區).
***ar·row** [ǽrou] *n.* **1** 화살(cf. BOW³) ; 화살 모양의 것 ; 화살 표시《→ 따위》: ☞ BROAD ARROW.

〈회화〉
Excuse me, where's the men's room? — Just follow that *arrow.* 「미안하지만 남자 화장실은 어디입니까」「저 화살표를 따라가면 있습니다」

2 [*pl.*] [단수취급] 《英口》 화살 던지기 놀이(darts). **3** [the A~] 화살자리.
~·lìke *a.* 〖OE *ar(e)we* < ON < IE (L *arcus* bow)〗
árrow·hèad *n.* **1** 화살촉(cf. BROAD ARROW). **2** 〖植〗 쇠귀나물속(屬).
árrow·hèad·ed *a.* 화살촉[쐐기] 모양의 : ~ characters 쐐기[설형(楔形)] 문자.
árrow kèy *n.* (컴퓨터의) 화살표 키.
árrow·ròot *n.* 〖植〗 애로루트《칡의 일종 ; 그 뿌리에서 녹말을 얻는 식물》.
árrow·wòod *n.* 《美》 북미 인디언이 화살을 만들던 관목《가막살나무 따위》.
ár·rowy *a.* 화살의[같은] ; 곧바른 ; 빠른.
ar·royo [ərɔ́iə, -ou] *n.* (*pl.* **~s**) 《美南西部》 (건조지대의) 작은 내 ; 물이 마른 깊은 골짜기. 〖Sp.〗
ars [ά:*r*z] *n.* Ⓤ 예술, 학예. 〖L; ⇨ ART¹〗
ars- [ά:*r*s] *comb. form* 「비소(arsenic)」의 뜻.
ARS 〖컴퓨〗 Advanced Record System (기록통신 시스템) ; audio response system ; 《美》 Agricultural Research Service(농업 연구국(局)).
arse ☞ ASS².
árse·hòle *n.* 《英》 항문(=《美》 asshole).
ar·sen- [ά:rsən, ɑ:rsén; ά:sən, -sin], **ar·se·no-** [-nou, -nə] *comb. form* 「비소(砒素)를 함유하는」의 뜻. 注 모음 앞에서는 보통 arsen-이 쓰임. 〖Gk.〗
ar·se·nal [ά:*r*sənəl] *n.* 병기고(庫) ; 조병창, 병기[군수] 공장 ; (일반적으로) 비축, 수집, 저장 ; 창고. 〖F or It.<Arab. =workshop〗
ar·se·nate [ά:*r*sənèit, -nət] *n.* Ⓤ 〖化〗 비산염.
ar·se·nic¹ [ά:*r*sənik] *n.* Ⓤ 〖化〗 비소《양성 금속 원소 ; 기호 As ; 번호 33》. 〖OF<L<Gk. =yellow orpiment<Arab.<Pers. =gold〗
ar·sen·ic², ar·sen·i·cal [ɑ:*r*sénik(əl)] *a.* 〖化〗 비소의 ; 비소를 함유한 : *arsenic* acid 비산.
—— *n.* 비소제《살충제》. 〖↑〗
ar·se·nide [ά:*r*sənàid] *n.* 〖化〗 비소 화합물, 비화물(砒化物).
ar·se·ni·ous [ɑ:*r*sí:niəs] *a.* 〖化〗 제1 비소의, 아비(亞砒)의 : ~ acid 아비산(亞砒酸).
ar·se·nism [ά:*r*sənìzəm] *n.* (만성) 비소 중독.
ar·se·nite [ά:*r*sənàit] *n.* 〖化〗 아비산염.
àrseno·pýrite *n.* 〖鑛〗 황비철광(黃砒鐵鑛).
ar·se·nous [ά:*r*sənəs] *a.* 〖化〗 =ARSENIOUS.
ars est ce·la·re ar·tem [ά:rs èst keilά:ri ά:rtem] (참)예술이란 예술을 숨기는 일이다. 〖L〗
ars gra·tia ar·tis [ά:rs grά:tiɑ: ά:rtəs] *n.* 예술을 위한 예술. 〖L=art for art's sake〗
A.R.S.H. Associate of the Royal Society for the Promotion of Health.
ar·sis [ά:*r*səs] *n.* (*pl.* **-ses** [-si:z]) 〖韻〗 강음부[절](強音部[節]) ; 〖樂〗 여린박(拍).
A.R.S.L. Associate of the Royal Society of Literature(왕립 문학 협회 준회원).
ars lon·ga, vi·ta bre·vis [ɑ̀:rs lɔ́:ŋgɑ: wì:tɑ: bréwəs, ά:*r*z lɔ́:ŋgə váitə brí:vis] 예술의 길은 멀고 인생은 짧다. 〖L=art is long, life is short〗
ar·son [ά:*r*sən] *n.* Ⓤ 〖法〗 방화(죄) (cf. INCENDIARISM). **~·ist** *n.* 방화범(인).
〖OF<L (*ars- ardeo* to burn)〗
ars·phen·a·mine [ɑ:*r*sfénəmì:n, -mən] *n.* 〖藥〗 살바르산(Salvarsan).
ars po·et·i·ca [ɑ̀:*r*z pouétikə] *n.* 작시법[술], 시학. 〖L〗
ARSR air route surveillance radar.
A.R.(S.)V. American Revised (Standard) Version (of the Bible).
arsy-varsy [ά:*r*sivά:*r*si], **-versy** [-vǝ́:*r*si] *adv., a.* 《英俗》 등을 돌리고[돌린], 반대 방향으로[의], 역으로[의].
◇**art¹** [ά:*r*t] *n.* **1** U,C 예술, 미술 : a work of ~ 예술품, 미술품 / ~ and letters 문예 / ~*s* and crafts 미술 공예 / ☞ FINE ARTS. **2** Ⓤ (잡지 따위의) 삽화. **3** Ⓒ [+前+do*ing*] (특수한) 기술, 기예(技藝) : the healing ~ 의술 / industrial [useful] ~*s* 공예 / the ~ *of* building[war] 건축술[전술(戰術)] / He has the ~ *of* mak*ing* friends. 친구를 사귀는 요령을 알고 있다. **4** [*pl.*] 과목, (대학의) 교양 과목(=liberal arts) ; 인문과학(the humanities) ; 《古》 학예(learning) : a Bachelor of *A*~*s* 문학사《略 B.A.》/ a Master of *A*~*s* 문학 석사《略 M.A.》. **5** Ⓤ 인공, 기교 ; 숙련, 솜씨, 재주 ; 꾸밈, 작위(作爲) : by ~ 인공으로 ; 술책으로 ; 숙련되어. **6** U,C [때때로 *pl.*] 술책, 간책(奸策), 수단(trick).
art and part 〖스코法〗 계획과 실천, 교사 방조 : be[have] ~ *and part* in …에 가담하다.
art for art's sake 예술을 위한 예술《예술 지상주의》.
art for life's sake 인생을 위한 예술.
the state of the art ☞ STATE *n.*
—— *a.* 예술적인 ; 장식적인 : an ~ song 예술 가곡. —— *vi.* 예술적으로 하다, (소설·영화 따위에) 예술적 기교를 가하다〈*up*〉.
〖OF<L *art- ars*〗
類義語 ***art*** 가장 넓은 뜻으로 쓰이며 어떤 일을 완수하는 기술 : the *arts* of cooking and sewing (요리와 바느질 솜씨). ***skill*** 전문적인 또는 고도의 기술 : the *skill* on the piano (피아노 솜씨). ***artifice*** 기계적인 기술을 나타내며 발명의 재질, 연구력이 결여되어 있는 것을 뜻할 때도 있음. ***craft*** 마찬가지로 독창성이 결여되어 있는 것을 나타내지만 「속임, 가짜」를 암시.
art² [ərt, ɑ:rt, ά:rt] *vi.* 《古·詩》 BE의 2인칭 단수 직설법 현재형 : thou ~ =you are.
Art [ά:*r*t] *n.* 남자 이름《Arthur의 애칭》.

-art ☞ -ARD.
art. article ; artificial ; artillery ; artist.
ARTC air route traffic control (항공로 교통 관제).
árt crìtic *n.* 미술 비평가.
árt dèaler *n.* 미술상, 화상(畫商).
art de·co [à:*r* (t) deikóu, -déikou] *n.* [때때로 A~ D~] 아르 데코《1920-30년대의 일종의 디자인 운동 ; 대담한 윤곽, 유선(流線)·직선형, 플라스틱 따위의 신재료의 사용이 특징》. 〖F ; 1925년 Paris에서 개최된 장식·산업 미술전의 표제에서〗
árt dirèctor *n.* **1** 〖劇·映·TV〗 미술 감독. **2** 아트 디렉터《인쇄물의 디자인·일러스트레이션·레이아웃 따위를 담당함》.
artefact ☞ ARTIFACT.
ar·tel [ɑ:*r*tél] *n.* (구 소련의) 협동 조합. 〖Russ.〗
Ar·te·mis [á:*r*təməs] *n.* 〖그神〗 아르테미스《달과 사냥의 여신 ; 〖로神〗의 Diana에 해당 ; cf. LUNA, PHOEBE》.
ar·te·mis·ia [à:*r*təmí(:)ʒ*i*ə, -ziə, -ʃiə] *n.* 쑥 속(屬)의 식물. 〖NL<Gk. (<? ↑)〗
ar·te·ri- [ɑ:*r*tíəri], **ar·te·rio-** [ɑ:*r*tíəriou, -riə] *comb. form* 「동맥」의 뜻. 〖Gk. ; ⇨ ARTERY〗
ar·te·ri·al [ɑ:*r*tíəriəl] *a.* 〖解〗 동맥의(↔*venous*) ; (도로 따위가) 동맥과 같은, 동맥혈의 ; 교통상의 간선의 : ~ blood 동맥혈(血) / an ~ railroad 간선 철도 / ~ roads[traffic] 간선 도로[수송].
—— *n.* 간선 도로, 동맥.
artèrial·izátion *n.* 〖醫〗 동맥혈화(動脈血化).
ar·te·ri·og·ra·phy [ɑ:*r*tìəriágrəfi] *n.* 〖醫〗 동맥 X선 촬영법.
ar·te·ri·ole [ɑ:*r*tíəriòul] *n.* 〖解〗 소(小)동맥.
artèrio·sclerósis *n.* Ⓤ 〖醫〗 동맥 경화(증).
ar·te·ri·ot·o·my [ɑ:*r*tìəriátəmi] *n.* Ⓤ,Ⓒ 〖醫〗 동맥 절개(술), 동맥 해부.
artèrio·vénous *a.* 〖醫〗 동맥과 정맥의[을 잇는], 동·정맥의.
ar·te·ri·tis [à:*r*təráitəs] *n.* 〖醫〗 동맥염(炎).
ar·tery [á:*r*təri] *n.* **1** 〖解〗 동맥(↔*vein*) : the main ~ 대동맥. **2** 간선(도로) ; 중추(中樞). 〖L<Gk. (*airō* to raise)〗
ar·té·sian wéll [ɑ:*r*tí:ʒən-, -ziən-] *n.* (수맥까지 파내려가 수압에 의해 물이 솟구쳐 나오도록) 깊이 판 분수(噴水) 우물, 《美》 깊이 판 우물. 〖F (*Artois* 프랑스의 옛 지명)〗
árt fìlm *n.* 예술 영화.
art-for-árt schòol *n.* [the ~] 예술지상파, 유미파(唯美派).
árt fòrm *n.* (전통적인) 예술 형식《소네트·교향곡·회화·조각 따위》.
árt·ful *a.* 기교를 부리는, 교활한, 교묘한, 능수 능란한(cunning). **~·ly** *adv.* **~·ness** *n.*
árt gàllery *n.* 미술관 ; 화랑.
árt glàss *n.* (19세기말-20세기초엽의) 공예 유리 (제품).
árt-histórical *a.* 예술사의, 미술사의.
árt hòuse *n.* =ART THEATER.
arthr- [á:*r*θr], **ar·thro-** [á:*r*θrou, -θrə] *comb. form* 「관절」의 뜻. 〖Gk.〗
ar·thral·gia [ɑ:*r*θrǽldʒ*i*ə] *n.* Ⓤ 〖醫〗 관절통. **-gic** *a.*
ar·thrit·ic [ɑ:*r*θrítik] *a.* 관절염의[에 걸린], 노화 현상의. —— *n.* 관절염 환자.
ar·thri·tis [ɑ:*r*θráitəs] *n.* (*pl.* **-thrit·i·des** [-θráitədì:z]) Ⓤ 〖醫〗 관절염. 〖L<Gk. (*arthron* joint)〗
Ar·thro·gas·tra [à:*r*θrəgǽstrə] *n. pl.* 〖動〗 복절류(腹節類).
ar·thro·gry·po·sis [à:*r*θrougrəpóusəs] *n.* 〖醫〗 관절구축(拘縮)(증(症)).
ar·throp·a·thy [ɑ:*r*θrápəθi] *n.* Ⓤ 〖醫〗 관절증.
ar·thro·pod [á:*r*θrəpàd] *n., a.* 〖動〗 절지 동물(의)《새우·게·거미·지네·곤충 따위》. 〖Gk. *arthron* joint, *pod- pous* foot〗
Ar·throp·o·da [ɑ:*r*θrápədə] *n. pl.* 〖動〗 절지 동물문(門).
árthro·scòpe *n.* 〖醫〗 관절경(關節鏡).
ar·thros·co·py [ɑ:*r*θráskəpi] *n.* 〖醫〗 관절경 검사(법(法)).
ar·thro·sis [ɑ:*r*θróusəs] *n.* (*pl.* **-ses** [-si:z]) 〖解〗 관절.
Ar·thros·tra·ca [ɑ:*r*θrástrəkə] *n. pl.* 〖動〗 절갑류(節甲類).
Ar·thur [á:*r*θə*r*] *n.* **1** 남자 이름《애칭 Art, Artie》. **2** [King ~] 아서왕《6세기경의 전설상의 영국의 왕》. 〖? Celt. =noble bear-man〗
Ar·thu·ri·an [ɑ:*r*θ*j*úriən] *a.* 아서왕의[에 관한] : the ~ legends 아서왕의 전설.
ar·tic [á:*r*tik] *n.* 《英口》 =ARTICULATED LORRY.
ar·ti·choke [á:*r*tətʃòuk] *n.* 〖植〗 **1** 엉겅퀴. **2** 뚱딴지. 〖It.<Arab.〗
‡ar·ti·cle [á:*r*tikəl] *n.* **1** (신문·잡지의) 기사, 논설 : an ~ *on* China 중국에 관한 논설 / a leading ~ (신문의) 사설. **2 a)** 항목(項目), 조항, 조목(item) : the third ~ = ~ 3 제3조 / ~*s* of faith 신앙 조항. **b)** [*pl.*] 연기(年期) 계약. **3** 물품, 물건, 품목 : ~*s* of food[toilet] 식료[화장]품 / What is the next ~, madam? 달리 필요한 물건은 없습니까《점원 등이 쓰는 말》. **4** 〖文法〗 관사 **5** 《古》 찰나, 순간(moment) : in the ~ of death 죽는 순간에, 임종에.
articles of association (회사의) 정관.
articles of war 군율(軍律).
be under articles to …에게 연기(年期)로 도제(徒弟) 노릇을 하다.
—— *vt.* **1** 도제(徒弟) 계약으로 고용하다. **2** 조항별로 쓰다, 조목별로 쓰다. **3** 기소하다. 〖OF<L (dim.) <*artus* joint〗
ár·ti·cled *a.* 연기(年期) 계약의 : an ~ clerk [apprentice] 연기로 고용된 점원[도제].
ar·tic·u·lar [ɑ:*r*tíkjələ*r*] *a.* 관절의.
ar·tic·u·late [ɑ:*r*tíkjəlèit] *vt.* **1** (음절·각 낱말을) 똑똑히 발음하다 ; (사상을) 명확히[효과적으로] 표현하다 : Be careful to ~ your words. 말을 한마디 한마디 똑똑히 말하도록 주의하시오. **2** [+目 / +目+前+名] [보통 수동태로] 관절로 잇다 : This bone *is* ~*d* (=*vi.* ~*s*) ***with*** another. 이 뼈는 다른 뼈와 관절로 연결되어 있다. **3** 조직화하다. —— *vi.* **1** 명확하게 말하다. **2** 관절로 연결되다.
—— [-lət] *a.* **1** 발음[언어]이 명확한, 또렷한 ; (목소리가) 분절적(分節的)인《음절·낱말의 구분이 있음》 : ~ speech 뜻있는 말로 나누어진 말, 인간의 언어. **2** 말을 할 수가 있는, 발언할 수 있는 ; 사상을 (명료하게·효과적으로) 표현할 수 있는. **3** 관절이 있는. —— [-lət] *n.* 관절 동물. **~·ly** [-lətli] *adv.* 음절을 나누어, 뚜렷이 ; 관절로 이은. **~·ness** [-lətnəs] *n.* 〖L ; ⇨ ARTICLE〗
ar·tíc·u·làt·ed *a.* 관절로 이어진 체절(體節)이 있는.
artículated bús *n.* 연결 버스.
artículated lórry *n.* 《英》 트레일러 트럭.
artículated tráiler *n.* 세미트레일러(semitrailer).

artículated véhicle *n.* 견인차(牽引車).
ar·tic·u·la·tion [ɑːrtìkjəléiʃən] *n.* **1** 〖音聲〗 **a)** Ⓤ 유절(有節)발음, (낱낱의) 조음(調音); 언어. **b)** 언어음; 자음(子音). **2** Ⓤ 명석한 발음; 〖通信〗 발음의 명료도. **3** 〖解〗 관절; 〖植〗 마디. **4** (상관적인) 결합; 연합, 상호관련.
ar·tíc·u·là·tor *n.* **1** 발음이 명확한 사람. **2** 〖音聲〗 조음기관(調音器官)《혀·입술·성대 따위》. **3** 〖齒〗 (의치용의) 교합기(咬合器).
ar·tíc·u·la·tò·ry [; -tɔ̀ri] *a.* 유절음(有節音)의; 명확한 발음의; 조음의; 관절의: ~ phonetics 조음 음성학.
Ar·tie [ɑ́ːrti] *n.* 남자 이름《Arthur의 애칭》.
ar·ti·fact, -te- [ɑ́ːrtəfæ̀kt] *n.* 공예품; 가공품; 〖考古〗 유사 이전의 고기물(古器物), 문화 유물; 〖生〗 (세포·조직의) 인위(人爲) 구조.
〚L *arte* by art, *fact- facio* to make〛
ar·ti·fice [ɑ́ːrtəfəs] *n.* Ⓤ 기술; 기교, 고안, 연구; Ⓒ 수단, 술책, 책략: by ~ 책략을 써서.
〚F<L (ART[1], ↑)〛
類義語 ⟹ ART[1].
ar·tif·i·cer [ɑːrtífəsər, ɑ́ːrtə-] *n.* 기술자, 기능공, 숙련공; 고안자; 제작자(maker).
the Great Artificer 창조주《하느님》.
〚AF; OF *artificien* (↑)의 변형(變形)인가〛
***ar·ti·fi·cial** [ɑ̀ːrtəfíʃəl] *a.* **1** 인조의, 인위적인(↔ *natural*); 모조의, 만들어 낸: ~ daylight [sunlight] 태양등 / ~ flowers 조화(造花) / an ~ eye[limb, tooth] 의안(義眼)[지(肢)·치(齒)] / ~ ice 인조 얼음 / ~ leather 인조 가죽 / ~ stone 인조석(石) / an ~ planet 인공 행성(行星) / ~ rain 인공 강우 / ~ respiration 인공 호흡 / an ~ satellite 인공 위성 / ~ selection 인위(人爲) 선택, 인위 도태 / ~ silk 인조견(絹). **2** 부자연스러운, 거드름피우는, 일부러 꾸민, 거짓의, 어색한: an ~ manner 어색한 태도 / an ~ smile 억지 웃음 / ~ tears 거짓 눈물.
—— *n.* 모조물, (특히) 조화; [*pl.*] 《英》 인조 비료. **~·ly** *adv.* **~·ness** *n.*
〚OF or L; ⇨ ARTIFICE〛
artifícial blóod *n.* 〖醫〗 인공 혈액《혈액 대용의 화학적 혼합액》.
artifícial fárming *n.* 인공 농업.
artifícial féel *n.* 〖空〗 인공 조타 감각 장치.
artifícial flý *n.* 제물 낚시.
artifícial géne *n.* 〖生化〗 (화학적으로 합성한) 인공 유전자.
artifícial grávity *n.* 〖로켓〗 인공 중력《우주선을 회전시켜 인공적으로 만듦》.
artifícial héart *n.* 인공심장.
artifícial horízon *n.* (별의 고도 따위를 재는) 인공 수평기(水平器); 〖空〗 (항공기의 경사를 재는) 인공 수평의(水平儀).
artifícial inseminátion *n.* 인공 수정(人工受精) (cf. A.I.D., A.I.H.).
artifícial intélligence *n.* 인공 지능《추론·학습과 같은 인간의 능력과 비슷한 동작을 컴퓨터가 행하는 능력》.
artifícial intélligence compùter *n.* 인공 지능 컴퓨터.
ar·ti·fi·ci·al·i·ty [ɑ̀ːrtəfìʃiǽləti] *n.* **1** Ⓤ 인위적인 일; 부자연스러움, 일부러 꾸밈. **2** 인공물.
artifícial·ìze *vt.* 인공적[인위적]으로 하다.
artifícial kídney *n.* 〖醫〗 인공 신장.
artifícial lánguage *n.* 인공 언어(↔ *natural language*); 〖컴퓨〗 =MACHINE LANGUAGE; 암호(code).
artifícial lífe *n.* 〖醫〗 인조 생명.
artifícial líver *n.* 〖醫〗 인공 간(肝).
artifícial órgan *n.* 인공 장기.
artifícial pérson *n.* 법인(法人).
artifícial radioactívity *n.* 인공 방사능(induced radioactivity).
artifícial síght[vísion] *n.* 인공 시각[시력]《맹인이 시각피질(皮質)에 전기자극을 받아 얻는 지각 능력》.
artifícial skín *n.* 〖醫〗 인공 피부.
artifícial túrf *n.* 인조 잔디.
artifícial vóice *n.* 〖컴퓨〗 =SYNTHETIC SPEECH.
artifícial-vóice technòlogy *n.* 〖컴퓨〗 음성 합성 기술.
artifícial wómb(s) *n.* 〖醫〗 인공 자궁.
ar·til·ler·ist [ɑːrtílərəst] *n.* 포수(砲手), 포병.
***ar·til·lery** [ɑːrtíləri] *n.* **1** Ⓤ [집합적으로] 포, 대포(↔ *small arms*). **2** Ⓤ [집합적으로] 포병(과), 포병대: ☞ FIELD[HEAVY] ARTILLERY. 注 보통 「포」를 뜻할 때는 단수형의 동사, 「병(兵)」일 때는 복수형의 동사를 취함(cf. ARTILLERYMAN). **3** Ⓤ 포술(砲術) (gunnery).
〚OF (*artiller* to equip < *à* to, *tire* order)〛
artíllery-fired atómic projèctiles *n.* 〖軍〗 핵포탄, 포(砲) 발사 핵무기.
artíllery·man [-mən] *n.* 포병, 포수(gunner).
Ar·tio·dac·ty·la [ɑ̀ːrtioudǽktələ] *n. pl.* 〖動〗 우제목[류](目[類])《소·양·사슴 따위》.
ar·ti·san [ɑ́ːrtəzən, -sən; ɑ́ːtizæ̀n, ⌐-⌐] *n.* 숙련공, 기능공, 장인, 기공(技工) (mechanic).
~·al *a.* **~·shìp** *n.*
〚F<It. (L *artio* to instruct in arts)〛
‡árt·ist *n.* **1** (일반적으로) 예술가, 미술가, (특히) 화가(painter); 《古》 (기예(技藝)의) 명인, 명장(名匠). **2** =ARTISTE.
〚F<It.; ⇨ ART[1]〛
ar·tiste [ɑːrtíːst] *n.* 예능인《배우·가수·댄서; 때때로 이발사·요리사 등의 자칭》. 〚F (↑)〛
***ar·tis·tic, -ti·cal** [ɑːrtístik(əl)] *a.* **1** 예술적인, 미술적인, 우아한, 아치(雅致)있는: ~ effect 예술적 효과. **2** 미술의; 예술가의. **-ti·cal·ly** *adv.* 예술[미술]적으로 (보아), 우아하게.
árt·ist·ry *n.* Ⓤ 예술적 수완[기교]; 예술[미술]적 효과; 예도(藝道); 예술성; 예술품.
árt·less *a.* **1** 기술[지식]이 없는; 예술적 심미안이 없는; 치졸한. **2** 꾸밈없는, 있는 그대로의, 소박한, 순진한, 때묻지 않은; 볼품없는, 서투른(clumsy). **~·ly** *adv.* 〚ART[1]〛
類義語 ⟹ NAIVE.
árt·mobìle *n.* 《美》 (트레일러로 이동·전시하는) 이동식[자동차] 화랑. 〚*art*+auto*mobile*〛
árt mùsic *n.* 예술 음악《민속 음악·팝 뮤직에 대하여》.
árt nèedlework *n.* 미술 자수.
art nou·veau [ɑ̀ːr nuːvóu, ɑ̀ːrt-] *n.* [흔히 A~ N~] 〖美術〗 아르 누보《19세기말에서 20세기초에 유럽에서 일어난 주로 장식 미술의 양식; 유동적인 곡선 따위를 특색으로 함》. 〚F=new art〛
ar·to·type [ɑ́ːrtoutàip] *n.* Ⓤ,Ⓒ 〖印〗 아토타이프《사진 응용 제판 인쇄법》.
árt pàper *n.* 《英》 아트지(紙) (coated paper)《광택지의 일종》.
árt róck *n.* 아트 록《전통적[클래식] 수법을 도입한 록 음악》.
ARTS automated radar terminal system.
art·sa·ker [ɑ́ːrtseikər] *n.* 예술 지상주의를 신봉

하는 비평가.

árt schòol *n.* 미술 학교.

árt sìlk *n.* 인조견(絹), 레이온.

artsy-craftsy [ɑ́:rtsikræ̀(:)ftsi ; -krɑ́:ft-] *a.* 《戲》 =ARTY-(AND-)CRAFTY.

árt thèater *n.* 예술 극장, 아트 시어터《예술 영화·전위(前衛) 영화 따위를 상영함》.

árt títle *n.* 〖映〗 의장 자막(意匠字幕), 장식 자막.

árt·wòrk *n.* **1** 〖印〗 아트워크《활자면 이외의 삽화·도표 따위》. **2** 수공예품 (제작) ; (회화·조각 따위의) 예술적 제작 활동.

árty *a.* 《口》 예술가[화가]인 체하는 ; 사이비 예술품의. **árt·i·ly** *adv.* **árt·i·ness** *n.* 〖ART[1]〗

Arty. Artillery.

árty-cráfty, árty-and-cráfty *a.* 예술적이지만 실용성이 없는《가구》; 예술가인 체하는.

ARU audio response unit(음성 자동 응답 장치).

A.R.U. American Railway Union.

ar·um [éərəm, ǽər-] *n.* 〖植〗 아룸속(屬)의 천남성과(科)의 각종 식물. 〖L＜Gk. *aron*〗

árum lìly *n.* 〖植〗 칼라(calla lily).

arun·di·na·ceous [ərʌ̀ndənéiʃəs] *a.* 갈대의.

ARV aircraft recreational vehicle(레크리에이션용(用) 비행기). **A.R.V.** American Revised Version(미국 개역 성서).

ar·vo [ɑ́:rvou] *n.* (*pl.* **~s**) 《濠俗》 =AFTERNOON.

A.R.W.S. Associate of the Royal Society of Painters in Water Colours.

-ary [ˊ-èri, ˊəri ; ˊ(-)əri] *a. suf., n. suf.* 「…의」 「…에 관한」 「…에 속하는 사람[것]」 「…에 관련이 있는 사람[것]」 「…의 장소」의 뜻 : element*ary*, capill*ary*, mission*ary*, diction*ary*, gran*ary*. 〖F *-aire* or L *-ari(u)s*〗

Ar·yan, Ar·ian [éəriən, ǽər-, ɑ́:r-] *a.* 아리안 어(족)의 ; 아리안 인의.

—— *n.* 아리안 인 ; Ⓤ 아리안 어(족)《세계 3대 어족의 하나로 인도·그리스·라틴·켈트·튜턴·슬라브 어족 따위 언어의 총칭》. 〖Skt. =noble〗

ar·yl [ǽrəl] *n.* 〖化〗 아릴(기) ((基)). 〖*ar*omatic+*-yl*〗

ar·y·te·noid, -tae- [æ̀rətí:nɔid, ərítənɔ̀id] *a.* 〖解〗 피열(披裂)의. —— *n.* 피열 연골(軟骨). 〖NL＜Gk. =ladle-shaped〗

◇**as**[1] [əz, æ̀z, ǽz] *adv., conj., rel. pron., prep.* ㊟ (1) Tom is *as* honest *as* John. (톰은 존만큼 정직하다)에서 앞의 *as*는 「지시 부사」, 뒤의 *as*는 「종속 접속사」; ☞ *adv., conj.* 1. (2) 흔히 (*as*) white *as* snow 「눈과 같이 흰」과 같이 앞의 *as*를 생략하는 수가 있음. 또한 뒤의 *as* 이하를 생략하여 He has *as* many books (*as* I have). 「그도 (내가 가진 것과) 같은 수의 책을 갖고 있다」라고도 함. (3) 뒤의 *as*가 이끄는 절에 생략이 있는 경우, 이 *as*는 관계 대명사가 되며《보기 such men *as* are rich 「부유한 사람들」》, 또한 전치사적으로도 됨《보기 He appeared *as* Hamlet. 「햄릿으로 출연했다」》.

> (1) 기본 뜻 : 「꼭 그와 같이」.
> (2) 부사·접속사·관계대명사·전치사로 쓰이는 말하자면 기능어 중의 기능어다. 네 품사의 용법은 모두 「연결어」라 할 수 있다.
> (3) as 다음에 오는 명사가 관직·역능·직분·자격 따위를 나타낼 경우에는 관사를 붙이지 않는다.

—— *adv.* [접속사 as와 상관적으로 쓰여] …와 같이, …만큼 : He is *as* tall as you (are). 키가 너만큼 크다 / Tom is not *as*(=so) honest as John. 톰은 존만큼 정직하지 않다(☞ 活用 (1)) / Take *as* much as you want. 갖고 싶은 만큼 가지시오 / I can do it *as* well. 나도 할 수 있다《뒤에 as you 따위가 생략》.

—— *conj.* **1** [정도·비교·방법] …와 같이, …처럼, …대로, …만큼(cf. LIKE[1] *conj.*) : He is as tall *as* I[me]. 그는 나만큼 키가 크다(☞ 活用 (1) i)) / It is not so[as] easy *as* you think. 그것은 자네가 생각하는 것만큼 쉽지 않아(☞ 活用 (2) i)) / Do *as* you like. 좋으실 대로 하십시오 / Take things *as* they are. 있는 그대로 받아들이시오《현상태에 만족하라》/ Living *as* I do so remote from town, I rarely have visitors. 이같이 (궁벽한) 시골에 살고 있으므로 찾아오는 사람도 드물다(cf. 4) / as soon *as* possible 될 수 있는 대로 빨리 / black *as* a raven 까마귀처럼 검은 / He was *so* kind *as to* help me. 친절하게도 도와주었다《도와 줄 만큼 친절했다는 뜻》/ *As* rust eats iron, *so* care eats the heart. 녹이 쇠를 좀먹듯이 근심은 마음을 좀먹는다. ☞ 活用 (2).

2 [때] …하고 있을 때, …한 순간[찰나]에 ; …하면서 ; …함에 따라 : He came up *as* I was speaking. 내가 이야기하고 있을 때 그가 찾아왔다 / Just *as* he was speaking, there was a loud explosion. 마침 그가 이야기하고 있는 순간에 큰 폭음이 일어났다 / He trembled *as* he spoke. 그는 이야기하면서 떨었다 / *As* we go up, the air grows colder. 위로 올라감에 따라 공기가 차가워진다.

3 [원인·이유] …이므로, …까닭에(because, seeing that) : *As* it was getting dark, we soon turned back. 어두워졌기 때문에 곧 돌아왔다 / *As* you are sorry, I'll forgive you. 후회하고 있으니 용서해 주겠다. ☞ 活用 (3).

4 [양보] …이지만, …이면서도(cf. THOUGH) : Woman *as* she was, she was brave. 여자이면서도 용감했다《㊟ *as* 앞의 명사는 관사가 없음》/ Young *as* he was, he was able. 나이는 적었지만 유능했다. ㊟ (1) 이 형은 (*As*) young *as* he was, he.... (그처럼 젊어서…)에서 유래하여 원래 young은 주절의 주어 he에 대한 동격적인 서술어임. (2) 문맥에 따라서는 또 「…이므로」란 뜻의 이유를 나타내기도 함 : Young *as* he was, it is natural that he should have acted so foolishly. 젊었으므로 그런 어리석은 행위를 한 것도 무리는 아니다.

> **as를 이용한 문장 전환**
> *Though* he is rich, he works hard.
> → Rich *as* he is, he works hard.
> (그는 부자인데도 열심히 일한다.)
> *Though* he is a child, he is sensible.
> → Child *as* he is, he is sensible.
> (그는 아이지만 분별이 있다.)
> ▶ 문두의 Child가 무관사인데 유의할 것.

5 [바로 앞의 명사의 개념을 제한] : The origin of universities *as* we know them is commonly traced back to the twelfth century. 우리가 알고 있는 대학의 기원은 보통 12세기로 거슬러 올라간다 / Socrates' conversations *as* reported by Plato were full of a shrewd humor. 플라톤이 전하는 (바에 의한) 소크라테스의 대화는 신랄한 유머로 가득찬 것이었다《㊟ *as* 뒤에 they were가 생략》.

—— *rel. pron.* **1** [제한적 용법 : such, the same

또는 as를 선행사에 포함] …와 같은 : *such* food *as* we give the dog 우리들이 개에게 주는 것과 같은 음식 / *such* liquors *as* beer=liquors *such as* beer 맥주와 같은 음료 / *Such* men *as*(=Those men who) heard him praised him. 그의 연설을 들은 사람들은 그를 칭찬했다 / This is *the same* watch *as* I have lost. 이것은 내가 잃어버린 것과 같은 종류의 시계다(cf. the same...that ☞ SAME *a.* 1 (주)) / He is *as* brave a man *as* ever breathed. 그는 다시 없는 용감한 사내다. **2** [비제한적 용법 : 앞[뒤]에 있는 주절 전체를 선행사로] …한[있는] 일이지만 : He was a foreigner, *as* I knew from his accent. 그의 말투로 알았는데, 그는 외국인이었다 / *As* might be expected, a knowledge of psychology is essential for a good advertisement. 당연한 일이지만, 좋은 광고에는 심리학 지식이 절대로 필요하다 / *as* is the case (with him) (그에게) 흔히 있는 일이지만.

— *prep.* **1** …으로서(의) : He lived *as* a saint. 그는 성인으로서의 삶을 살았다 / It can be used *as* a knife. 그것은 칼 대신으로 사용될 수 있다 / *As*(=When) a boy, he used to dream about the possibility of flying. 소년 시절에 그는 하늘을 나는 꿈을 꾸곤 하였다(cf. WHEN (活用) (3), WHILE (活用) (1)) / a position *as* a teacher of English 영어 교사(로서)의 지위 / act *as* go-between 중매인으로서의 구실을 하다. (주) 이어지는 명사가 관직・구실・자격・성질 따위의 추상적인 개념을 뜻하고 있을 때는 무관사 ; 개인 또는 개개의 것을 뜻하는 것으로 사용되었을 때는 a[an]를 붙임.

2 예를 들면 …처럼[같이](=such as, like) : Some animals, *as* the fox and the squirrel, have bushy tails. 어떤 종류의 동물, 예를 들면 여우나 다람쥐에는 털이 텁수룩한 꼬리가 있다.

3 …이라고, …처럼 : I regard him *as* a fool. 나는 그를 바보라고 생각하고 있다 / They look up to him *as* their leader. 그들은 그를 지도자로 존경한다 / He treats me *as* a child. 그는 나를 어린애처럼 다룬다. (주) 뒤에 형용사나 부사가 쓰이기도 함(cf. REGARD *vt.* 1 a)) : Children look upon middle-aged persons *as* quite *old.* 아이들은 중년인 사람을 아주 늙은이로 생각한다.

4 [전치사・분사의 뜻을 제한] (cf. *conj.* 5) : ☞ *as* AGAINST, *as* COMPARED *with, as* OPPOSED *to, etc.*

as a general thing=***as a* (*general*) *rule*** 보통, 통례로 ; 대개 : Scholars are poor *as a rule.* 학자는 대개 가난하다.

as above 위[상기(上記)한 바]와 같이.

as. . .as ☞ *adv., conj.* 1.

> **as ~ as를 이용한 문장 전환**
> 최상급의 문장 전환에 이 형식을 쓸 수 있다.
> He is the greatest scholar that ever lived.
> → He is *as* great a scholar *as* ever lived.
> → He is *as* great a scholar *as* any in the world.
> (그는 세계에서 가장 뛰어난 학자다.)
> ☆ as ~ as...는 동등을 나타내는 비교지만 as ~ as any...는「어떤 …라도 같은 정도로 ~ → 어떤 …에도 뒤지지 않고 ~ → 가장 ~」으로 되어 최상급의 의미로 통한다.

as. . .as any 누구에게[어느 것에]도 뒤지지[뒤떨어지지] 않게 : He is *as* hardworking *as any.* 그는 누구에게도 뒤지지 않게 부지런하다.

as. . .as ever (1) 변함없이… : He works *as* hard *as ever.* 그는 변함없이 근면하다. (2) ☞ *rel. pron.* 1.

as. . .as* one *can=***as. . .as possible*** 될 수 있는 한.

> 〈회화〉
> How early should I come? — Come *as* early *as* possible.「얼마나 일찍 오면 되니」「될 수 있는 한 빨리 와」

as before 앞에 한 바와 같이, 전례대로.

as below 아래[하기(下記)한 바]와 같이.

as for …에 관해서는, …은 어떤가 하면 : *As for* (=As to) the journey, we will decide that later. 여행에 관해서는 나중에 정하자 / *As for* (=As to) myself, I am not satisfied. (남은 어떤지 모르지만) 나는 불만입니다《cf. I am not satisfied *as to*[*about*] the conditions. 나는 조건에 대해서 불만(족)이다》. (주) 대개 문장 첫머리에 쓰임 (☞ AS *to*).

as from. . . 《英》 (법률・계약 따위) …부터《실시・폐지 따위》 (on and after) (=《美》 as of).

as if [əzíf] 마치 …인 듯이, 마치 …나 되는 것처럼(as though), 할 듯이 : I feel *as if* I hadn't long to live. 내 목숨은 이제 얼마 안 남은 듯하다 / He looked at her *as if* he had never seen her before. 그는 지금까지 그녀를 본 일이 없는 것같은 표정으로 바라보았다 / It isn't *as if* he were poor. 그가 가난하다고 하는 것은 아닐테지 / *As if* you didn't know! 알지 못하는 체해 (알고 있으면서도)! / It seemed *as if* the fight would never end. 싸움은 끝나지 않을 듯했다 / It looks *as if* it is going to snow. 눈이 내릴 듯싶다. (주) as if[though]가 이끄는 절에는 보통 가정법 과거(완료)가 쓰이지만 특히 《口》에서는 직설법도 쓰인다. 가정법에서는 비현실성이, 직설법에서는 가능성이 제각기 강조됨 ; 예를 들면 It looks as if it *were*[*is*] going to snow.에서는 *were*를 쓰는 쪽이 현실에 반(反)하여 상상하는 기분이 강하게 나타난다.

as is [æzíz] (상품・팔 것 따위) 현상 그대로 (☞ *rel. pron.* 2).

as it is (1) [문장 첫머리에 있을 경우 ; 보통 가상적인 표현을 수반하여] 하지만 실상은《가상(假想)과는 반대로》 : If I had more experience, I might not mind it so much, but *as it is* I am terrified. 나에게 경험이 더 있었다면 이렇게 염려하지 않겠지만 사실인즉 두려움에 떨고 있다. (2) [문장 끝에 올 경우] 현실대로(의), 있는대로(의), 지금 이대로(는) : Leave it *as it is*(=stands). (있는) 그대로 놓아 두시오 / the world *as it is* 현실 그대로의 세계. (주) 이 경우의 it is는 관련되는 명사에 따라 적절하게 변화함 : England *as she is* 현재의 영국 / Take things *as they are.* 있는 그대로 받아들여라.

as it was 그때의 실정으로서는.

as it were 말하자면(so to speak).

as long as. . . ☞ LONG *adv.*

as many ☞ MANY.

as much ☞ MUCH.

as much as. . . ☞ MUCH.

as new ☞ NEW.

as of. . . 《美》 (1) (며칠) 현재의 : *as of* May 1 5월 1일 현재. (2) (며칠)부터(=《英》 as from).

as regards ☞ REGARD *v.*

as. . ., so. . . ☞ *conj.* 1.

as such ☞ SUCH *pron.*

as things are ☞ THING.

as though＝AS[1] *if* : He speaks *as though* he were[was] thoroughly frightened. 그는 아주 겁이 나 있는 투의 말씨다.
as to... (1) [문장 첫머리에 써서] ＝AS[1] *for.* (2) [문장중에 써서] …에 관하여, …에 대하여 : He said nothing *as to* hours. 그는 시간에 관해서는 아무 말도 없었다 / They were quarreling *as to which* was the stronger. 그들은 어느 편이 힘이 더 센가에 대해서 말다툼하고 있었다 / He said nothing *as to when* he would come. 그는 언제 온다고는 말하지 않았다. 注 Nobody could decide (*as to*) what to do.와 같이 *as to* which [what, where, when, how, *etc.*] 따위에서는 *as to*가 필요치 않을 때가 많음 ; 또 이 경우 as for는 안씀. (3) …에 따라서 : classify...*as to* size and color 크기와 색깔에 따라 …을 분류하다.
as who should say... ☞ WHO.
as with …와 마찬가지로.
as yet ☞ YET.
As you were ! 〖구령〗 바로 !, 제자리로 !
***so as to*[*as not to*]** do …하게[하지 않게] (cf. SO *that*) : Come early *so as to* have plenty of time. 충분한 시간을 가질 수 있도록 일찍 오시오 / He arranged matters *so as to* suit everyone. 그는 모두의 형편에 맞도록[편리하도록] 일을 꾸몄다. 注 so as (not) to＝《文語》 in order (not) to 이지만 보통 so as (not) to 다음에는 무의지(無意志) 동사, in order (not) to 다음에는 의지 동사를 씀 : I got up early *so as to* be in time for [*in order to* take] the first train. 첫차를 타기 위해서 일찍 일어났다.
so...as to do ☞ SO *adv.* 7 c).
〖OE *also* ALSO의 단축형〗
活用 (1) i) He is *as* tall *as I.*는 He is *as* tall *as I* am. 의 뜻이므로 문법적으로는 He is *as* tall *as* me.라고 해서는 안되지만《口》에서는 흔히 목적격도 쓰임. ii) 다음 두 문장의 차이에 주의 : I love you *as* much *as she.* (나는 그녀못지 않게 당신을 사랑합니다) (＝I love you *as* much *as she loves you.*) / I love you *as* much *as her.* (그녀를 사랑하는 만큼 당신을 사랑합니다) (＝I love you *as* much *as I love her.*). iii) This winter is *as* severe or worse *than* last. 와 같이 as...as의 구문과 '비교급＋than'의 구문이 혼용된 표현이 때때로 나타나는데 이것은 다음과 같이 표현하는 것이 정확 : This winter is *as* severe *as* last, or worse. (올 겨울은 작년 겨울만큼 혹한이거나 오히려 그 이상이다).
(2) i) as...as의 부정 표현으로서는 *not as...as, not so...as*의 양쪽이 쓰이는데 격식을 차린 문장에서는 *not so...as*라는 쪽이 더 잘 쓰임. ii) 단, *as* strong *as* a horse(말같이 튼튼한) / *as* rich *as* Croesus(크로이소스왕처럼 부자인)와 같이 정해진 관용구를 부정할 때에는 not *so... as*를 쓰는 일은 없음. iii) *so...as*는 정도가 높은 것을 나타내는 강조적인 표현에 쓰이는 일이 있는데 이 경우 *as...as*로 바꾸어 놓을 수는 없음 : A boy *so* clever *as* he cannot have made such a blunder. (그처럼 영리한 아이가 그런 실수를 했을 리가 없다).
(3) i) because는 직접 이유를 명시하고 as는 가볍게 부대적인 이유를 말하는 경우에 쓰이고 since는 추론(推論)의 근거를 나타내어 《文語》적임. 유의어중 because가 가장 의미가 강하며 다음은 since, as, for의 순. ☞ BECAUSE 活用 (1), FOR 活用 (2), SINCE 活用 (2). ii) 원인・이유를 나타내는 as가 이끄는 절은 주절 앞에 오는 것이 보통. 또 이 뜻의 as를 쓸 때에는 의미가 애매하게 되지 않도록 주의 ; 예를 들면 I could not hear her come into my room *as* I was studying hard. 에서는 as는 때를 나타낸다고도 해석되므로 다음과 같이 표현하는 것이 좋음 : I was studying *so* hard *that* I could not hear her come into my room. (나는 열심히 공부하고 있었으므로 그녀가 방으로 들어오는 소리를 듣지 못했다).

as[2] [ǽ(:)s] *n.* (*pl.* **as·ses** [ǽsi:z, -səz]) 〖古 로〗 아스《무게의 단위 ; 12온스, 약 340그램》; 아스 청동화(靑銅貨)《원래의 무게는 12온스》. 〖L〗
as- ☞ AD-.
As 〖化〗 arsenic. **As.** Asia ; Asiatic. **a.s.** 〖商〗 at sight. **AS** antisubmarine. **AS, A.S.** Anglo-Saxon. **A.S., A/S** 〖商〗 account sales (매상 계정서) ; after-sales service ; after sight (일람 후).
ASA, A.S.A. Amateur Swimming Association(아마추어 수영 협회) ; American Standards Association《미국 표준 협회 ; 현재 USASI》; American Statistical Association. **A.S.A.A.** Associate of the Society of Incorporated Accountants and Auditors. **ASA/BS** 〖寫〗 American Standards Association / British Standard.
as·a·fet·i·da, as·sa-, -foet- [æ̀səfétədə, 美＋-fítədi] *n.* 〖植〗 아위(阿魏) ; Ⓤ 그 수액(樹液)으로 제조한 약《경련 진정제・구충제》.
〖L (Pers. *azā* mastic, FETID)〗
ASALM advanced strategic air-launched missile(신형 전략 공중 발사(發射) 미사일).
ASAP, a.s.a.p. as soon as possible《문서나 텔렉스 따위에서 please reply *ASAP* (곧 회답 바람) 식으로 쓰임》.
ASAT [éisæt] *n.* 에이샛형 추격 위성, 대(對)위성 공격 위성. 〖*Anti-Sat*ellite interceptor〗
asb. asbestos.
as·bes·tine [æsbéstən, æz-] *a.* 석면의[같은], 불연성(不燃性)의.
as·bes·tos, -tus [æsbéstəs, æz-] *n.* Ⓤ 석면, 아스베스토스. ―*a.* 석면으로 만든[짠] ; 석면을 함유한 ; 석면과 비슷한. 〖OF<L<Gk. ＝unquenchable (*sbennumi* to quench)〗
as·bes·to·sis [æ̀sbestóusəs, æ̀z-] *n.* (*pl.* **-ses** [-si:z]) 〖醫〗 석면증《폐 또는 피부에 석면 가루가 침착하는 직업병》.
ASBM air-to-surface ballistic missile(공대지 탄도 미사일).
asc- [ǽsk, ǽs], **as·co-** [ǽskou, -kə] *comb. form* 「낭(囊)」「자낭(子囊)」의 뜻.
〖NL ; ⇨ ASCUS〗
ASC 〖空〗 advice of schedule change(정기편의 시각 변경 통지) ; altered state of consciousness. **A.S.C.** Air Service Command ; Army Service Corps ; American Society of Cinematographers ; American Standards Committee. **ASCAP** [ǽskæp] American Society of Composers, Authors and Publishers(미국 작곡가・작가・출판인 협회).
as·ca·rid [ǽskərəd], **as·ca·ris** [ǽskərəs] *n.* (*pl.* **-rids, -car·i·des** [æskǽrədi:z]) 〖動〗 회충. 〖NL<Gk.〗
A.S.C.E. American Society of Civil Engineers.
***as·cend** [əsénd] *vt.* (산・계단을) 오르다(↔ *descend*) ; (왕위(王位)에) 즉위하다, 등극하다 ;

(강·계보(系譜)를) 거슬러 올라가다 : A small party was planning to ~ Mt. Everest. 몇 명으로 구성된 일대가 에베레스트 산 등반을 계획중이었다 / That year he ~*ed* the throne. 그 해에 그는 왕위에 등극했다. ―― *vi.* [動 / +前+名 / +副] 오르다, 상승하다, 올라가다(↔*descend*) ; (길 따위가) 오르막이 되다, (연기 따위가) 올라가다 ; (물가가) 오르다, 상승하다, 등귀하다 ; (소리·지위 따위가) 높아지다 ; 출세하다 ; 〖印〗(활자가) 위로 튀어나오다 : The smoke was ~*ing* ***to*** heaven. 연기가 하늘로 올라가고 있었다 / The path ~*s here.* 길은 여기서 오르막이다. 注 go up, rise, climb에 대한 《文語》.

~·able, ~·ible *a.*

〖L *ad*-(*scens*- *scendo* = *scando* to climb)〗

類義語 ⟹ CLIMB.

as·cénd·an·cy, -en·cy, -ance, -ence *n.* Ⓤ (떠오르는 해와 같은) 세력, 우세, 지배권(domination) : gain[have an] ~ *over* …보다 우세해지다[하다], …을 지배하다.

as·cend·ant, -ent [əséndənt, æ-] *a.* 올라가는, 상승하는(rising) ; (해돋이와 같은) 기세의, 우세한(dominant) ; 〖占星〗 동쪽 지평선상의 ; 〖天〗 중천으로 떠오르는 : an *ascendant* star.

―― *n.* **1** Ⓤ [때때로 A~] 〖占星〗 동출(東出) [동승]점, 상승점《탄생시 따위 특정한 때에 동쪽 지평선상에 걸린 황도상의 위치》, 그 위치에 있는 황도십이궁의 별자리 ; (어떤 때의) 성위(星位). **2** Ⓤ 우월, 우세. **3** 선조, 조상.

in the ascendant 우세하여, 해돋는 기세로 : His star was *in the* ~. 그의 운세가 트였다.

the lord of the ascendant 〖占星〗 수좌성(首座星) ; 《비유》 우월한 지위에 있는 사람.

〖OF＜L ; ⇨ ASCEND〗

ascénd·er *n.* **1** 〖印〗 x자 높이보다 위로 올라온 활자《b, d, f, h 따위》. **2** 올라가는 사람[것].

ascénd·ing *a.* 올라가는, 상승적인(↔*descending*) ; 위쪽으로 향하는 : an ~ scale 〖樂〗 상승음계.

ascénding cólon *n.* 〖解〗 상행 결장(結腸).

ascénding rhýthm *n.* = RISING RHYTHM.

as·cen·sion [əsénʃən] *n.* **1** Ⓤ 상승(ascent), 올라감, 앙등(昻騰). **2** Ⓤ 즉위. **3** Ⓤ 승천 ; [the A~] 그리스도의 승천 ; [A~] = ASCENSION DAY. 〖OF＜L ; ⇨ ASCEND〗

Ascénsion Dày *n.* 그리스도의 승천일(Holy Thursday)《부활절 후 40일째의 목요일》.

Ascénsion·tìde *n.* 그리스도의 승천일로부터 성령 강림제(Whitsunday)까지의 10일간.

as·cen·sive [əsénsiv] *a.* 상승적인, 진보적인 ; 〖文法〗 강조의.

***as·cent** [əsént] *n.* (↔*descent*) **1** 오르기, 오름, 등반 : make an ~ (*of* a mountain) (산에) 올라가다. **2** 상승, 앙등 ; 향상, 승진. **3** 오르막 길 : a gentle[rapid] ~ 완만한[가파른] 비탈길.

〖ASCEND ; *descend* : *descent*에 준한 것〗

ascént propúlsion sỳstem *n.* 〖宇宙〗 우주정거장 귀환용 로켓 엔진.

ascént stàge *n.* 〖宇宙〗 달 착륙선의 머리 부분.

ascént trajéctory *n.* 〖로켓〗 상승 궤도《발사에서 원지점까지의 비상(飛翔) 경로》.

***as·cer·tain** [æ̀sərtéin] *vt.* [+目 / +*that* 節 / +*wh.* 節 / +目+*to* do] 확인하다, (사실 여부를) 알아내다 : The king wanted to ~ the people's wishes. 왕은 백성들의 소망을 알고 싶었다 / She ~*ed that* her son was among the wounded. 그녀는 아들이 부상자 중의 한 사람인 것을 확인했다 / It is difficult to ~ *what* really happened. 일의 진상을 규명하기란 어렵다 / The doctor ~*ed* the disease *to* be diphtheria. 의사는 질병이 디프테리아라는 것을 규명했다. **~·ment** *n.* 확인, 규명, 탐지. **~·able** *a.*

〖OF (*à* to, CERTAIN)〗

as·ce·sis [əsí:səs] *n.* (*pl.* **-ses** [-si:z]) Ⓤ 스스로의 고행, 엄한 자제, 극기, 금욕.

as·cet·ic [əsétik] *a.* 고행(苦行)의 ; 금욕주의의, 금욕적인, 금욕 생활의. ―― *n.* 금욕주의자 ; 고행자, 수도승, 은자(隱者).

〖L or Gk. (*askētes* monk＜*askeō* to exercise)〗

as·cét·i·cal *a.* = ASCETIC.

~·ly *adv.* 금욕적으로 ; 고행하여.

ascétic(al) theólogy *n.* 〖카톨릭〗 수덕 신학.

as·cet·i·cism [əsétəsìzəm] *n.* Ⓤ 금욕주의 ; 〖宗〗 고행 (생활) ; 〖카톨릭〗 수덕(修德)주의.

asci *n.* ASCUS의 복수형.

as·cid·i·an [əsídiən] *n., a.* 〖動〗 해초류(海鞘類) [우렁쉥이류](의).

ascídian tádpole *n.* (해초류의) 올챙이 모양의 유생(幼生).

as·cid·i·um [əsídiəm] *n.* (*pl.* **-ia** [-iə]) 〖植〗 낭상기관(囊狀器官), 떡잎. 〖NL ; ⇨ ASCUS〗

ASCII [ǽski:] American Standard Code for Information Interchange(미국 정보 교환 표준(標準) 부호).

ÁSCII códe *n.* 〖컴퓨〗 아스키 부호[코드].

As·cle·pi·us [æsklí:piəs] *n.* 〖그神〗 아스클레피오스《Apollo의 아들로 의술(醫術)의 신 ; 〖로神〗의 Aesculapius에 해당》.

ASCM anti-ship cruise missile.

asco- [ǽskou, -kə] ☞ ASC-.

ásco·càrp *n.* 〖植〗 자낭과(子囊果).

àsco·cárpous *a.*

ASCOM Army Service Command (육군(陸軍) 기지창).

as·co·my·cete [æ̀skoumáisi:t, -maisí:t] *n.* 〖植〗 자낭균류(子囊菌類).

ascor·bate [əskɔ́:rbeit, -bət] *n.* 〖化〗 아스코르브산염.

ascór·bic ácid [əskɔ́:rbik-, 美+ei-] *n.* 아스코르브산(酸) (= Vitamin C). 〖*a*-², SCORBUTIC〗

ásco·spòre *n.* 〖植〗 자낭포자(子囊胞子).

às·co·spór·ic [, -spár-], **às·co·spó·rous** [, æskáspərəs] *a.*

As·cot [ǽskət] *n.* **1** 애스컷 경마장《영국 Berkshire에 있으며 London 남서쪽 약 40km》 ; 애스컷 경마《그곳에서 매년 6월 셋째주에 거행됨》. **2** [a~] 폭이 넓은 넥타이의 일종, 애스컷 타이.

as·críb·able *a.* (…에) 돌릴 수 있는, 기인하는, (…의) 탓인 : His failure is ~ *to* incompetence. 그의 실패는 무능으로 인한 것이다.

as·cribe** [əskráib] *vt.* [+目+*to*+名] (원인·동기 따위를 …에) 돌리다 ; (결과 따위를 …의) 탓으로 하다 : He ~*d* his failure ***to bad luck. 실패를 불운한 탓으로 돌렸다 / The alphabet is ~*d to* the Phoenicians. 알파벳은 페니키아인이 만들었다고들 한다.

〖L *ad*-(*script*- *scribo* to write)〗

類義語 ⟹ ATTRIBUTE.

as·crip·tion [əskrípʃən] *n.* Ⓤ 귀속〈*to*〉 ; Ⓒ (설교 끝에 하는) 신에 대한 찬미의 말.

〖ASCRIBE〗

as·cus [ǽskəs] *n.* (*pl.* **-ci** [ǽskai, ǽski:]) 〖植〗 (자낭균류(子囊菌類)의) 자낭.

ASDE airport surface detection equipment.

as·dic [ǽzdik] *n.* 《英》 잠수함 탐지기. 〖*A*nti-*S*ubmarine *D*etection *I*nvestigation *C*ommittee〗

-ase [èis, -z] *n. suf.* 〖生化〗「효소」의 뜻 : lact*ase*. 〖diast*ase*〗

ASE 〖空〗 automatic stabilization equipment (자동 안정 장치).

ASEAN, A.S.E.A.N. [ɑ́:siən ; ǽsiæ̀n] 동남아시아 국가 연합 (Association of Southeast Asian Nations).

aséa·son·al [ei-] *a.* 비계절적인 ; 계절에 관계없는《품종》, 비계절성의.

aseis·mat·ic [èisaizmǽtik, æ̀s-] *a.* 내진의.

ase·i·ty [əsí:əti, ei-] *n.* 〖哲〗 자존성 (自存性)《자기 존재의 근거 또는 원리를 자기 자신 속에 갖는 존재 본연의 자세》.

asép·sis [ə-, ei-] *n.* Ⓤ 〖醫〗 무균 상태 ; 〖醫〗 (수술의) 무균법, 방부법. 〖*a*-²〗

asép·tic [ə-, ei-] *a.* 무균의 ; (외과의) 방부 (防腐) 처치를 한, 방부성의 ; 활기 없는 ; 객관적인. —— *n.* 방부제 (劑).

aséptic pàckaging *n.* 무균 (無菌) 화 포장.

aséx·u·al [ei-, æ-] *a.* 〖生〗 성별 [성기] 이 없는, 무성 (無性) 의 : ~ reproduction 〖生〗 무성 생식. **~·ly** *adv.* 〖*a*-²〗

asexual generátion *n.* 〖生〗 무성 (無性) 세대.

asèx·u·ál·i·ty *n.* 무성, 성별이 없음.

asg. assigned ; assignment. **A.S.G.** Association of Student Governments.

As·gard [ǽsgɑ:rd, ǽz-, ɑ́:s-], **As·garth** [-gɑ:rθ, -ð], **As·gar·dhr** [-gɑ:rðər] *n.* 〖北유럽神〗 아스가르드《신들의 천상 (天上) 의 거처》.

asgd. assigned. **asgmt.** assignment.

***ash**¹ [æ(:)ʃ] *n.* **1** Ⓤ 재, 회, 회분 (灰分)《주로 과학·상용어 (商用語)》 : soda ~ 소다회. **2** [보통 *pl.*] 화산재 ; (화재 뒤의) 재 : burn to ~*es* ☞ BURN¹ 숙어 / This coal leaves much ~. 이 석탄은 (타고난 뒤에) 재가 많이 남는다 / Please clear the ~*es* from the fireplace. 난로의 재를 청소해 주시오 / a heap of cigarette ~(*es*) 수북한 담뱃재. **3** [*pl.*] 유골, 유해 : His ~*es* repose in Westminster Abbey. 그의 유해는 웨스트민스터 성당에 안장되어 있다 / Peace to his ~*es*! 그의 영혼이여 평안하소서! **4** [the ~es] 〖크리켓〗 영국과 호주간의 크리켓 우승 결정전의 승리의 상징.

bring back* [*retain*] *the ashes 《英》 (크리켓에서 영국이 오스트레일리아에게) 설욕하다 [잇달아 이기다].

lay. . . in* [*reduce. . .*] *ashes …을 불태워 재로 만들다, 태워버리다.

turn to dust and ashes (희망이) 사라지다, 허무해지다.

—— *vt.* 재로 만들다 ; …에 재를 뿌리다. 〖OE *æsc* ; cf. G *Asche*〗

ash² *n.* 〖植〗 서양물푸레나무 ; Ⓤ 그 재목《스키·야구 배트용》 : ☞ MOUNTAIN [QUAKING] ASH. 〖OE *æsc* ; cf. G *Esche*〗

ASH Action on Smoking and Health (금연 건강 증진 협회).

ashamed** [əʃéimd] *pred. a.* [+前+do*ing* / +*to* do / +*that* 節] 수줍어하여, 부끄러워하여 : He is ~ ***of his behavior [*of* hav*ing* behaved so badly, *of* what he did]. 그는 자기의 행동 [버릇없는 짓, 자기가 한 짓] 을 부끄러워하고 있다 / She felt ~ *of* herself. 그녀는 자신을 부끄럽게 여겼다 / I am ~ ***for*** you. 나는 너 때문에 창피하다 / Old man as he was, he was not ~ *to* learn. 그는 노인이었으나 공부하는 것을 부끄럽게 여기지 않았다 / I feel ~ *that* I put you to so much trouble. 이렇게 폐를 끼쳐드려서 부끄럽습니다.

> **ashamed**의 문장 전환
> He is *ashamed* that his father *is* poor.
> → He is *ashamed* of his father *being* poor. (부친이 가난한 것을 부끄럽게 여기고 있다.)
> He is *ashamed* that he *cheated* on the test.
> → He is *ashamed* of *having cheated* on the test. (시험에서 훔쳐본 것을 부끄럽게 여기고 있다.)

ashám·ed·ly [-ədli] *adv.* 부끄러워. 〖OE (p.p.) *āscamian* to feel SHAME (*a*- intensive)〗

類義語 ***ashamed*** 자기나 남의 잘못 또는 어리석은 행위를 부끄럽게 생각하는 : I am heartily *ashamed* of my conduct. (나는 나의 행동을 진심으로 부끄럽게 여긴다). ***humiliated*** 남으로부터 업신여김을 받거나 창피를 당해 비굴한 기분이 되어 있는 : I was *humiliated* by my mistakes. (나는 내 실수 때문에 수치스러웠다 [창피했다]). ***mortified*** 자부심이나 자존심을 상할 정도로 큰 굴욕을 느끼고 있는 : She was *mortified* by the drunkenness of her husband. (그녀는 자기 남편의 술주정 때문에 죽고 싶었다). ***chagrined*** 혹시 모면했을지도 모른다는 후회의 마음이나 초조한 감정이 포함된 억울함을 나타내는 : She was *chagrined* at his rejection. (그녀는 그의 거절이 섭섭했다).

Ashan·ti [əʃǽnti, -ʃɑ́:n-] *n.* **1** 아샨티《가나의 한 주》. **2** (*pl.* ~, ~s) 아샨티족. **3** Ⓤ 아샨티어 (語).

ásh bìn *n.* 재통 ; 쓰레기통.

ásh blònd(e) *n.* 은빛이 도는 다갈색 (茶褐色) (머리의 사람).

ásh-blònd(e) *a.* (머리가) 붉은 기가 없는 엷은 금발의.

ásh càn, ásh·càn *n.* 《美》 (재·찌꺼기 따위를 넣는) 쓰레기통 (cf. GARBAGE CAN).

Áshcan Schòol, Ásh Càn Schòol *n.* 〖美術〗 애시캔파《20세기초 도시 생활의 현실적 측면을 묘사한 미국의 생활 풍경 화가 집단》.

ásh càrt *n.* 《美》 쓰레기 [재] 운반차.

ásh còlor *n.* =ASH GRAY.

ash·en¹ [ǽʃən] *a.* 잿빛의, 창백한 (pale) : turn ~ 창백해지다.

ashen² *a.* 서양물푸레나무의 ; 그 재목의.

Ash·er [ǽʃər] *n.* **1** 남자 이름. **2** 〖聖〗 아셀《(1) 야곱의 아들. (2) 아셀족 ; 창세기 30 : 12-13》. 〖Heb. =bearer of salvation〗

ásh fìre *n.* 잿불, 묻은 불.

ásh fùrnace *n.* 유리 제조용 가마.

ásh gráy *n.* 회백색.

ashív·er [ə-] *a.* 몸을 떠는 (듯한), 떨고 있는.

Ash·ke·nazi [æ̀ʃkənǽzi] *n.* (*pl.* **-naz·im** [-nǽzəm]) 독일·폴란드·러시아계 (系) 유태인. **-náz·ic** *a.* 〖Heb.〗

ásh·kèy *n.* 서양물푸레나무의 시과 (翅果).

ash·lar, -ler [ǽʃlər] *n.* [집합적으로] 마름돌, 모나게 깎은 돌 ; 마름돌 쌓기. —— *vt.* …의 표면을 마름돌로 쌓다 [치장하다]. 〖OF<L (dim.) ‹ *axis* board〗

áshlar·ing *n.* 고미다락방의 칸막이 샛기둥 ; [집합적으로] 마름돌 쌓기.

ásh·màn *n.* 《美》 쓰레기 청소원 (=《英》 dustman).

***ashóre** [ə-] *adv.* 바닷가에 [로] ; 해변에 [으로] ;

육지[뭍]에(↔*aboard*). ── *pred. a.* 육지에, 뭍에 오른 : life ~ 육지 생활.
ashore and adrift 육상 또는 해상으로.
be driven ashore = ***run ashore*** 좌초하다.
go[***come***] ***ashore*** (배에서) 상륙하다 ; (수영하는 사람이) 뭍으로 올라오다.
〖*a*-[1]〗

ásh-pále *a.* 회백색의 ; 창백한.

ásh·pàn *n.* (난로 격자(格子) 밑의) 재받이.

ásh·pìt *n.* (난로 격자 밑의) 재받이 구멍.

ashram [ɑ́ːʃrəm, ǽʃ-] *n.* 〘힌두敎〙 아슈람 (= **ashra·ma** [-mə]) 《행자(行者)의 암자나 수행자(修行者)의 주거(住居), 승원》; 은자의 주거 ; 《美》 히피들이 사는 집[부락]. 〖Skt.〗

Ash·to·reth [ǽʃtərèθ] *n.* = ASTARTE.

ásh·trày *n.* 재떨이.

Ashur, As·shur [ɑ́ːʃuər, ǽʃ-], **Asur, As·sur** [ǽsər] *n.* 아수르 《(1) Assyria의 최고 민족신(神). (2) Assyria의 옛 칭호. (3) Assyria의 원래의 수도》.

Ásh Wédnesday *n.* 재의 수요일《Lent의 첫날 ; 카톨릭에서 이날 참회의 상징으로 머리에 재를 뿌리는 데서》.

áshy *a.* **1** 재의 ; 재투성이의. **2** 잿빛의 ; 창백한 (pale). 〖ASH[1]〗

ASI 〘空〙 airspeed indicator.

‡Asia [éiʒə, -ʃə] *n.* 아시아.
〖L<Gk.〗

Ásia·dòllar *n.* 아시아달러.

Ásia Mínor *n.* 소아시아《흑해·지중해 사이의 지역(地域)》.

‡Asian [éiʒən, -ʃən], **Asi·at·ic** [èiziǽtik, -ʒi-, -ʃi-] *a.* 아시아(인)의 : the *Asian* Games 아시아 경기 대회.
── *n.* 아시아인.
活用 인종을 말할 경우 *Asiatic*은 경멸의 뜻을 내포한다고 생각되기 쉬우므로 *Asian*이 더 많이 쓰이는 경향이 있음.

Ásian-Áfrican *n., a.* 아시아 아프리카(의).

Ásian-Áfrican cònference *n.* 아시아 아프리카 회의.

Ásian-Áfrican Gròup *n.* 아시아 아프리카 그룹《국제 연합의 아시아 아프리카 여러 나라로 구성된 비공식적인 국가군》.

Ásian Devélopment Bánk *n.* 아시아 개발은행《略 ADB》.

Ásian·ic *a.* 비(非)인도 유럽 어족(語族)의.

Ásian influénza[**flú**], **Asiátic flú**[**influénza**] *n.* 아시아 유행성 감기.

Ásian néwly indústrialized còuntries *n. pl.* = ANICs.

Ásian Productívity Organizátion *n.* = APO.

Ásia-Pacífic Bróadcasting Ùnion *n.* 아시아·태평양 방송 연합.

Ásia-Pacífic telecommúnity *n.* 아시아·태평양 전기 통신 공동체.

Asiatic ☞ ASIAN.

Asiátic[**Ásian**] **chólera** *n.* 아시아 콜레라, 진성 콜레라.

ASIC application-specific integrated circuit (특정 용도를 위한 집적 회로).

‡aside [əsáid] *adv.* 곁으로[에], (곁에) 떨어져서 ; 따로 ; 〘劇〙 방백(傍白)으로 : speak ~ (무대 위 배우가) 방백으로 말하다 / stand[step] ~ 옆으로 비키다, 비켜서다 / take[draw] a person ~ 남을 한옆으로 데리고 가다《비밀을 말하기 위해》.
aside from... 《美》 …은 따로[별문제로] 하고 ; …외에(besides) ; …을 제외하고(except for).
lay aside ☞ LAY[1].
put aside ☞ PUT[1].
set aside ☞ SET.
turn aside ☞ TURN *v.*
── *n.* 〘劇〙 방백 ; (일반적으로) 비밀 이야기, 밀담, 사담 ; 여담, 삽화.
〖*a*-[1] on〗

as·i·nine [ǽsənàin] *a.* 당나귀의[같은] ; 어리석은(stupid), 고집이 센(obstinate).
〖L (*asinus* ass)〗

as·i·nin·i·ty [æ̀sənínəti] *n.* 완고함, 우둔함.

-asis ☞ -IASIS.

ASIS American Society for Information Science (미국 정보과학 학회).

◇ask [æ(ː)sk ; ɑ́ːsk] *vt.* **1** [+目 / +目+目 / +目+前+名 / +目+*wh.* 節 / +*wh.* 節 / +目+*wh.*+*to* do / +*wh.*+*to* do] 물어 보다, 질문하다, 묻다 (inquire) : ~ the way 길을 물어 보다 / if you ~ me 저의 생각을 말하라고 한다면, 제 의견으로는(in my opinion) / I ~*ed* him a question. = I ~*ed* a question ***of*** him. 나는 그에게 질문했다 / I ~*ed* her ***about*** her job. 나는 그녀에게 하는 일을 물었다 / *A*~ him *whether*[*if*] he knows. 알고 있는지 어떤지 그에게 물어 보렴 / He ~*ed* her *where* she had been. 그는 그녀에게 어디갔다 왔느냐고 물었다 / I ~*ed how* he had managed to open the safe. 나는 어떻게 해서 그가 금고를 열 수 있었느냐고 물었다 / *A*~ (him) *how to* do it. 그것을 어떻게 하는지 (그에게) 물어 보시오. 注 수동태에서는 : Several questions *were* ~*ed* (*of*) us. 우리에게 몇 가지 질문이 던져졌다 / I *was* not ~*ed* any question. 나는 아무런 질문도 받지 않았다.
2 [+目+目 / +目+前+名 / +目+*to* do / +*to* do / +*that* 節] 부탁하다, 요청하다, 바라다 : I wish to ~ you a favor[~ a favor ***of*** you]. 자네에게 부탁이 있네 / It is too much to ~ *of* me. 그것을 나에게 바라는 것은 무리다 / She ~*ed* me ***for*** some money. 그녀는 나에게 돈을 요구했다 / *A*~ Kate *to* sing. 케이트에게 노래를 불러 달라고 해라 / We were ~*ed to* leave the room. 우리는 방에서 나가 달라는 요구를 받았다 / He ~*ed to* see[~*ed that* he might be allowed to see] the violin. 그는 바이올린을 보여 달라고 부탁했다 / She ~*ed for* the windows *to* be shut. 그녀는 창문을 닫아 달라고 부탁했다.
3 [+目 / +目+前+名 / +目+目] 대가로 청구[요구]하다(demand) ; (사물이 …을) 필요로 하다 : How much did he ~? 그가 얼마를 요구했습니까 / It ~*s* your attention. 그것에는 주의를 해야 한다 / He ~*ed* (me) $5 ***for*** it. 그는 그것에 5달러를 청구했다.
4 [+目+前+名 / +目+*to* do / +目+副] 부르다, 초대하다(invite) : I ~*ed* them ***to*** the party. 그들을 파티에 초대했다 / He ~*ed* me *to* dine with him at the club. 그는 클럽에서 식사를 함께 하자고 나를 초대했다 / Shall I ~ him ***in***? 그에게 안으로 들어와 달라고 할까요 / I've been ~*ed* ***out*** to dinner. 나는 식사 초대를 받았다.
5 (결혼 예고를) 발표하다 ; 《口》 …의 결혼 예고를 하다 : ~ the banns (목사가) 결혼을 예고하다 《이의(異議)의 유무를 묻다》/ They were ~*ed* in church. 교회에서 그들의 결혼 예고가 있었다. 注 이 용법은 현재 《美》에서는 드물게 쓰임.
── *vi.* [動 / +前+名] 묻다 ; 부탁하다, 구하다,

청하다, 청구하다 : *A*~, and it shall be given you. 〔聖〕 구하라 그러면 너희에게 주실 것이요 / You will get nothing without ~*ing*. 잠자코 있으면 아무것도 얻지 못한다 / I ~*ed* ***about*** his job. 나는 그의 일에 대해 물었다 / He ~*ed* ***for*** some help[***for*** a night's lodging]. 그는 도움[하룻밤의 숙박]을 청했다.

ask after …의 안부를 묻다, …을 문안하다 (inquire after) : He ~*ed after* you[your health]. 당신의 안부[건강 상태]를 물었습니다.

ask again [***back***] 되묻다, 반문(反問)하다.

ask for... (1) (남을) 찾아오다[가다] : I ~*ed for* the manager. 나는 지배인에게 면회를 청했다. (2) (물건을) 청하다, 청구하다(cf. *vi.*). (3) (필)요하다 : Good books ~ *for* good readers. 좋은 책에는 좋은 독자가 있어야 한다.

ask for it=***ask for trouble*** ☞ TROUBLE *n.*

〖OE *āscian, ācsian* (*āxian*) ; OE의 어형은 음위전환(音位轉換)에 의함 ; 지금의 어형은 북부방언에서 ; cf. G *heischen* to demand〗

類義語 (1) ***ask*** 남에게 회답이나 정보를 묻는 가장 보편적인 말. ***inquire, query*** ask보다 격식을 차린 말. *query*는 질문하는 사람이 질문하는 사항에 대해서 의심을 품고 있는 것을 나타내는 수가 있음. ***question, interrogate*** 일련의 질문을 계속하는 것을 나타내는데 *interrogate*쪽이 격식을 차린 말로서 계통적이며 조직적인 질문을 함.

(2) ***ask*** 남에게 일을 부탁, 요구하는 가장 일반적인 말. ***request*** 격식을 차린 말로 정중하게 부탁이나 청을 하다. ***solicit*** 공손하게 열심히 부탁하다.

askance [əskǽns, 英+əskɑ́:ns], **askant** [əskǽnt, 英+əskɑ́:nt] *adv.* 비스듬히 ; 곁눈으로 ; 경멸하여 : look *askance at* …을 곁눈으로 보다, 흘겨보다《수상쩍게 여기거나 비난하는 투로》. —— *a.* 비스듬한, 경사진. 〖C16<?〗

as·ka·ri [ǽskəri, əskɑ́:ri] *n.* (*pl.* **~s**, ~) U,C 아프리카 원주민병(兵). 〖Arab. =soldier〗

ásk·er *n.* 질문자 ; 요청[청구]인.

askéw [ə-] *adv., pred. a.* 비스듬히 ; 비뚜로, 비뚤어져 ; 일그러져 ; 굽어서 : look ~ *at* …을 흘겨[경멸의 눈초리로] 보다. 〖*a*-¹〗

ásk·ing *n.* 묻기, 구하기, 청구.

for the asking 청구하기만 하면, 무상으로(for nothing) : It's yours *for the* ~. 가지고 싶다고 말만 하면 가질 수 있다.

ásking prìce *n.* 《口》 부르는 값, 제시 가격.

ASL American Sign Language. **A.S.L.A.** American Society of Landscape Architects.

aslant [əslǽ(:)nt ; əslɑ́:nt] *adv., pred. a.* 기울어져 ; 비스듬히(obliquely). —— [-́, -̀] *prep.* …을 비스듬히 가로질러, …와 엇갈려서. 〖*a*-¹〗

◇**asleep** [əslí:p] *adv., pred. a.* 주 *attrib.*에는 SLEEPING을 씀. **1** 잠들어(↔*awake*) ; 영면(永眠)하여, 죽어서 : He is[lies] fast[sound] ~. 푹 잠들어 있다 / fall ~ 잠들다, 푹 잠들다. **2** 죽은 듯이 되어 ; (손발이) 저려서, 마비되어(numb). **3** (팽이가 잘 돌아) 움직이지 않는 것 같은. 〖*a*-¹ in〗

ASLEF, A.S.L.E.F., As·lef [ǽzlef] 《英》 Associated Society of Locomotive Engineers and Firemen. **A.S.L.I.B., As·lib** [ǽzlib] Association of Special Libraries and Information Bureaux(전문 도서관 정보 협회).

aslope [əslóup] *adv., pred. a.* 비탈져서, 경사져서. 〖ME (? *a*-¹)〗

ASM air-to-surface missile.

A.S.M.E. American Society of Mechanical Engineers. **ASMS** Advanced Strategic Missile System.

A.S.N.E. American Society of Newspaper Editors(미국 신문 편집인 협회).

asó·cial [ei-] *a.* 비사교적인 ; 이기적인. 〖*a*-²〗

asp¹ [ǽ(:)sp] *n.* 〔動〕 이집트코브라 ; 그와 비슷한 각종 뱀. 〖OF or L<Gk. *aspis*〗

asp² *n.* 《詩》 =ASPEN. 〖ME〗

ASP American Selling Price(미국내 판매 가격) ; [ǽ(:)sp] Anglo-Saxon Protestant(앵글로색슨계 신교도) ; aerospace plane.

ASPAC Asian and Pacific Council(아시아 태평양 이사회).

as·pa·rag·i·nase [æspərǽdʒənèis, -z] *n.* 〔生化〕 아스파라기나아제《아스파라긴을 분해하는 효소(酵素)》.

as·par·a·gine [əspǽrədʒì:n, -dʒən] *n.* 〔生化〕 아스파라긴《식물의 *α* 아미노산의 일종》.

as·par·a·gus [əspǽrəgəs] *n.* 〔植〕 아스파라거스속의 각종 초본, (특히 식용의) 아스파라거스. 〖L<Gk.〗

as·par·tame [ǽspərtèim, əspɑ́:rteim] *n.* U 아스파르템《1981년 FDA에서 허가한 인공 감미료》.

as·pár·tic ácid [əspɑ́:rtik-] *n.* 〔生化〕 아스파르트산(酸)《*α* 아미노산의 일종》.

as·pár·to·kìnase [əspɑ́:rtou-] *n.* 〔生化〕 아스파르토키나아제.

As·pa·sia [æspéiʒiə] *n.* U 아스파시아《Pericles의 첩 ; 470?-410 B.C.》.

A.S.P.C.A. American Society for the Prevention of Cruelty to Animals《미국 동물 애호 협회 ; 1866년 설립》.

***as·pect** [ǽspekt] *n.* **1** (문제의) 관점, 견해, 면 ; (물건의) 외양, 외관, 겉모양 ; 형세, 상황, 국면(phase) : consider a question in all its ~*s* 문제를 여러 면에서 고찰하다. **2** (사람의) 얼굴 모양, 용모(appearance). **3** (집 따위의) 방향, 쪽 : His house has a southern ~. 그의 집은 남향이다. **4** (마음에 떠오르는) 모습, 상(相). **5** U 〔文法〕 상(相)《러시아어 따위 동사의 의미에서 계속·완료·기동(起動)·종지·반복 따위 구분을 나타내는 형식》. **6** 〔占星〕 별의 상(相), 별의 위치《인간사에 영향을 준다고 함》. **7** 〔空〕 애스펙트《진로면(進路面)에 대한 날개의 투영면(投影面)》. 〖L (*ad*-, *spect*- *specio* to look)〗

類義語 ⟹ APPEARANCE, PHASE.

áspect ràtio *n.* 〔空〕 가로세로비, 종횡비(縱橫比)《날개 너비의 제곱을 날개 면적으로 나눈 값》; 〔TV〕 화면비《세로 3 가로 4의 비율》; (로켓 따위) 길이와 몸체 평균 지름의 비.

as·pec·tu·al [æspéktʃuəl] *a.* 〔文法〕 aspect의.

as·pen [ǽspən] *n.* 〔植〕 포플러(poplar). —— *a.* 포플러의, 포플러 나뭇잎 같은 ; 《詩》 잘 떠는 : tremble like an ~ leaf (포플러 잎처럼) 파르르 떨다. 〖ME *asp*<OE *æspe* ; 지금의 형(形)은 형용사에서〗

as·perge [əspə́:rdʒ] *vt.* …에 성수를 뿌리다.

as·per·ges [əspə́:rdʒi:z, æs-] *n.* [때때로 A~] 〔카톨릭〕 살수식(撒水式) ; ("Asperges me"로 시작되는) 관수식 성가. 〖L=thou wilt sprinkle〗

as·per·gil·lo·sis [æspərdʒilóusəs] *n.* (*pl.* **-ses** [-si:z]) 아스페르길루스증《누룩곰팡이로 인해 가

금(家禽)이나 사람에게 걸리는 전염병》.

as·per·gil·lum [æ̀spərdʒíləm] *n.* (*pl.* **-gil·la** [-dʒílə]) 〔카톨릭〕 (성수(聖水)를 뿌리는데 쓰는) 성수채. 〖NL ; ⇨ ASPERSE〗

aspergillum

as·per·i·ty [æspérəti, ə-] *n.* U,C (기질·말투가) 거칢 ; 무뚝뚝함 ; (기후가) 사나움(severity) ; (처지가) 고생스러움 ; 까칠까칠함(roughness) : speak with ~ 거칠게 말하다 / the *asperities* of the ground 지면(地面)의 울퉁불퉁함. 〖OF or L (*asper* rough)〗

aspér·mous [ei-] *a.* **1** 〔植〕 씨가 없는. **2** 〔醫〕 무정액의. 〖*a*-²〗

as·perse [əspə́ːrs] *vt.* **1** 헐뜯다, 중상(中傷)하다(slander). **2** 〔카톨릭〕 (성수를) …에게 뿌리다(sprinkle)〈*with*〉. 〖ME=to besprinkle<L *aspers*- *aspergo* ; ⇨ SPARSE ; cf. ASPERGILLUM〗

as·per·sion [əspə́ːrʃən, 美+-ʒən] *n.* **1** U,C 비방, 중상(中傷) ; 오명(汚名) : cast ~*s on* a person 남을 중상하다. **2** U 〔카톨릭〕 (성수의) 살수(撒水).

as·per·so·ri·um [æ̀spərsɔ́ːriəm] *n.* (*pl.* **-ria** [-riə], **~s**) 〔카톨릭〕 성수반(聖水盤).

***as·phalt** [ǽsfɔːlt, -fælt ; -fælt, -fɔːlt] *n.* U 아스팔트 : an ~ pavement 아스팔트 포장 도로. —— *vt.* 아스팔트로 포장하다. 〖L<Gk.〗

ásphalt clòud *n.* 아스팔트 구름《적(敵) 미사일의 내열(耐熱) 차폐물을 파괴하기 위하여 요격 미사일이 분사하는 아스팔트 입자군》.

as·phál·tic [-fɔ́ːl-, -fǽl- ; -fǽl-, -fɔ́ːl-] *a.* 아스팔트(질)의.

as·phal·tite [æsfɔ́ːltait, -fǽl- ; -fǽl-, -fɔ́ːl-] *n.* 아스팔트광(鑛)《천연 아스팔트》.

ásphalt jùngle *n.* 아스팔트 정글, (약육 강식의) 대도시(의 특정 지역), 폭력·범죄의 거리[빈민가].

as·phal·tum [æsfɔ́ːltəm, -fǽl- ; -fǽl-, -fɔ́ːl-] *n.* =ASPHALT.

asphér·ic, -i·cal [ei-] *a.* 〔光〕 비구면(非球面)의 : an ~ lens 비구면 렌즈.

asphér·ics *n. pl.* 비구면(非球面) 렌즈.

as·pho·del [ǽsfədèl] *n.* **1** 《詩》 수선화. **2** 〔그神〕 극락에 핀다는 영원히 시들지 않는 꽃. 〖L<Gk. ; cf. DAFFODIL〗

as·phyx·ia [æsfíksiə, əs-] *n.* U 〔醫〕 기절, 가사(假死) ; 질식. 〖NL<Gk. (*a*-², *sphuxis* pulse)〗

as·phýx·i·al *a.* 가사(假死)의 ; 질식의.

as·phyx·i·ate [æsfíksièit, əs-] *vt.* 질식시키다. —— *vi.* 질식하다.

as·phỳx·i·á·tion *n.* U 질식(suffocation) ; 기절, 가사 상태.

as·phýx·i·à·tor *n.* 탄산가스 소화기(消火器) ; 질식제 ; (실험용) 동물 질식 장치.

as·phyxy [æsfíksi, əs-] *n.* =ASPHYXIA.

as·pic¹ [ǽspik] *n.* U 〔料〕 고기나 생선을 우려낸 국물에 토마토소스를 넣어 젤라틴으로 굳힌 젤리. 〖F=ASP¹ ; 젤리의 색에서〗

aspic² *n.* 《古》 =ASP¹. 〖F *piquer* to sting의 영향인가〗

as·pi·dis·tra [æ̀spədístrə] *n.* 〔植〕 엽란. 〖NL (Gk. *aspid*- *aspis* shield)〗

aspir·ant [ǽspərənt, əspáiərənt] *n.* 큰 뜻을 품은 사람 ; (지위 따위의) 지망자, 지원자, 열망자 〈*after, for, to*〉. —— *a.* 큰 뜻을 품은, 향상적인(aspiring). 〖F or L ; ⇨ ASPIRE〗

as·pi·rate [ǽspərət] *n.* **1** 〔音聲〕 기(식)음(氣(息)音), [h]음 ; 기식음자《h자》, 기식(氣息) 부호《'》 ; 대기음(帶氣音)《[pʰ, kʰ, bʰ, dʰ] 따위의 음》. **2** 〔醫〕 흡출된 이물. —— *a.* =ASPIRATED. —— [ǽspərèit] *vt.* **1** 〔音聲〕 기음(氣音)을 내어 발음하다《[h]음을 울리게 또는 [h]음을 덧붙여 발음 함》 : "P" is ~*d* in "pin" but not in "spin". pin의 p는 기음으로 발음하지만 spin의 p는 기음으로 발음하지 않는다. **2** (가스 따위를) 빨아내다 ; 빨아들이다. 〖L (p.p.) <ASPIRE〗

ás·pi·ràt·ed *a.* 〔音聲〕 기(식)음의, [h]음의.

as·pi·ra·tion [æ̀spəréiʃən] *n.* **1** U,C [+*to* do] 포부, 향상심, 큰 뜻 ; 열망, 야망, 대망, 지망 : I have no ~ ***for***[***after***] fame. 나는 명성을 바라지 않는다 / His ~ to attain the ideal has been realized. 이상을 달성하려는 그의 열망은 이루어졌다. **2** U 〔音聲〕 기음, 대기(帶氣) ; C 대기음(音) ; 〔醫〕 흡인《유체에서 기체·액체·조직·이물 따위를 빨아냄》.

ás·pi·rà·tor *n.* 흡입기(吸入器), 흡기기(吸氣器) ; 〔醫〕 (가스의) 흡인기(吸引器) ; 흡출기.

aspir·a·to·ry [əspáiərətɔ̀ːri ; -təri] *a.* 흡기(吸氣)[호흡]의[에 적당한].

as·pire** [əspáiər] *vi.* **1** [+前+名 / +*to* do] 열망하다(desire earnestly), 포부를 가지다, 큰 뜻을 품다, (…을) 동경하다 : Scholars ~ ***after truth. 학자는 끊임없이 진리를 추구한다 / He ~*d* ***to*** high honors. 그는 높은 영예를 열망하고 있었다 / Harry ~*d to* be captain of the team. 해리는 팀의 주장이 되려는 야망이 있었다. **2** 《文語·비유》 솟아오르다(rise) ; 높이 우뚝 솟다(tower up).

aspír·er *n.* 열망자. 〖F or L *ad*-(*spiro*)=to breathe upon〗

as·pi·rin [ǽspərən] *n.* (*pl.* **~, ~s**) U 〔藥〕 아스피린 ; C 아스피린 정제(錠劑). 〖G (*acetyl*+*spir*aeic (=salicylic) acid+-*in*)〗

aspír·ing *a.* 향상심에 불타고 있는, 포부[야심]가 있는(ambitious).

類義語 ⟹ AMBITIOUS.

ASPJ airborne self-protection jammer(기상 자위(機上自衛) 전자 방해 장치).

aspráwl [ə-] *pred. a., adv.* 손발을 뻗고 누워서.

ASQC American Society for Quality Control(미국 품질 관리 협회).

asquínt [ə-] *pred. a., adv.* 《稀》 사팔눈으로[인], 사시(斜視)로 ; 흘기는 눈의, 곁눈의 ; 비스듬히(obliquely) : look ~ *at* …을 곁눈질하다.

ASR airport surveillance radar ; air-sea rescue.

ASRAAM [ǽzrɑːm] *n.* 아스람《신형 단거리 공대공 미사일》. 〖*a*dvanced *s*hort-*r*ange *a*ir-to-*a*ir *m*issile〗

ASROC, as·roc [ǽsrɑk] *n.* 〔軍〕 대잠(對潛) 로켓. 〖*a*nti*s*ubmarine *roc*ket〗

ass¹ [ǽ(ː)s] *n.* **1** 노새, 당나귀(cf. DONKEY). **2** [, 英+ɑ́ːs] 고집쟁이, 둔한 사람, 바보(fool).

an ass in a lion's skin 강한 체하는 겁쟁이, 남의 권세로 위세를 부리는 사람.

make an ass of a person 남을 우롱하다.

make an ass of one***self*** 웃음거리가 되다.

play the ass 바보짓을 하다.

the asses' bridge 당나귀가 못 건너는 다리《Euclid 기하학 제1권 제5명제 「이등변삼각형의 두 밑각(角)은 서로 같다」의 별칭 ; 어리석은 학생

은 흔히 좌절하는 문제라는 뜻》.
—— *vi.* 《俗》 빈둥거리다. 〚OE *assa*<L〛

ass[2] [ǽ(:)s], **arse** [áːrs, 美+ǽ(:)s] *n.* 《卑》 [주] 《英》에서는 arse, 《美》에서는 ass, arse. **1** 궁둥이. **2** 항문. **3** 여자의 성기 ; (성교의 대상으로서의) 여성. **4** 얼간이, 바보 ; 《濠》 뻔뻔스러움. **5** (물건의) 후부, 저부(底部), 「맨 뒤」(=∠ **énd**).
ass backwards 《美俗》 엉망으로.
ass over tip 거꾸로.
bag [***cut***] ***ass*** 급히 떠나다[나가다], 서두르다.
break one***'s ass*** 《美俗》 필사적으로 버티다.
bust one***'s ass*** 전념하다, 집중하다.
drag ass 우물쭈물하다 ; 슬픈 듯이 하고 있다.
have one***'s ass in a sling*** 울적해 있다, 축 처져 있다 ; (상관의 눈밖에 나) 곤란한 입장이다.
kick ass 이러쿵저러쿵 말 못하게 하다.
(***Kiss***) ***my ass !*** 멋대로 해, 될대로 돼라 ; [My ~!] 당치않은, 설마 !
kiss a person***'s ass*** 《美俗》 남에게 굽실거리다, 남의 비위를 맞추다.
not know one***'s ass from*** one***'s elbow*** 아무것도 모르다.
on one***'s ass*** 《美俗》 실패하여, 아주 난처하여.
a pain in the ass 《俗》 불쾌감, 초조 ; 불쾌하게[초조하게, 싫증나게] 하는 사람[것].
save one***'s ass*** 《美俗》 몸을 지키다.
screw the ass off (a girl) 《卑》 (여자에게) 한 번 해주다.
shift one***'s ass*** 부지런히 일하기 시작하다.
stuff [***shove, stick***] ***it*** [. . .] ***up*** one***'s*** [(특히) ***your***] ***ass*** [보통 명령형] …따위는 뒈져라[멋대로 하라지]《강한 거절·반감을 표시 ; 단순히 up your ~ 또는 stuff[shove, *etc.*] it이라고도 함》.
up the ass 완전하게, 철저하게.
—— *vi.* 멍청한 짓을 하다.
〚OE *ærs* ; cf. G *Arsch*〛

-ass [ǽ(:)s] *a.* [*adv.*] *comb. form* 《卑》 「어리석은[어리석게]…」 「제기랄…」의 뜻 : big*ass*.
—— [ǽ(:)s] *n. comb. form* 「…한 지겨운 녀석」의 뜻 : wise*ass*. 〚↑〛

ass. assistant ; association.

assafetida, -foet- ☞ ASAFETIDA.

assagai ☞ ASSEGAI.

as·sai [ɑːsái, ɑːsɑ́ːi] *adv.* 〔樂〕 매우, 더욱 : allegro ~ 매우 빠르게. 〚It.〛

as·sail** [əséil] *vt.* [+目/+目+前+名] 습격하다, 맹렬히 공격하다(attack) ; 비난하다 ; 《비유》 (일·난국 따위에) 과감히 착수하다[맞서다] : They ~*ed* the fortress. 그들은 그 요새를 습격했다 / They ~*ed* the speaker ***with jeers. 그들은 강연자를 심하게 야유했다. **~·able** *a.*
〚OF<L (*salt- salio* to leap)〛
類義語 ⟹ ATTACK.

assáil·ant *a.* 공격의, 공격하는.
—— *n.* 공격자, 가해자.

As·sam [əsǽm ; ǽsæm] *n.* 아삼《인도 북동부의 한 주로 차의 산지 ; 주도 Shillong》.

As·sam·ese [æ̀səmíːz, -s] *a.* 아삼 지방의 ; 아삼인[어]의. —— *n.* (*pl.* ~) 아삼인[어].

as·sart [əsɑ́ːrt] *n.* 개간 ; (임지) 개척지.
—— *vt., vi.* 개간하다.

as·sas·sin [əsǽsən] *n.* 암살자, 자객 ; [A~] 〔史〕 (십자군의 전사들을 암살하기 위해 파송된) 이슬람교 비밀 결사원.
〚F or L<Arab.=hashish eater〛

as·sas·si·nate [əsǽsənèit] *vt.* 암살하다.
類義語 ⟹ KILL.

as·sàs·si·ná·tion *n.* U,C 암살.

as·sás·si·nà·tor *n.* 암살자, 자객.

***as·sault** [əsɔ́ːlt] *n.* 습격, 돌격, 강습⟨*on*⟩ ; 〔法〕 폭행 (cf. BATTERY).
assault and battery 〔法〕 폭행.
carry [***take***] ***. . .by assault*** (요새 따위를) 강습하여 점령하다.
make an assault (***up***)***on*** …을 강습하다, …을 폭행하다.
—— *vt.* 습격[강습]하다 ; 폭행하다.
〚OF<L ; ⇨ ASSAIL〛
類義語 ⟹ ATTACK.

as·sáult·able *a.* 공격[습격]할 수 있는.

assáult bòat [**cràft**] *n.* 〔軍〕 공격 주정(舟艇) 《도강·상륙용》.

as·sáult·er *n.* 공격자 ; 구타자 ; 가해자.

as·sáult·ive *a.* 공격적인. **~·ly** *adv.* **~·ness** *n.*

as·say [ǽsei, -∸, əséi] *vt.* **1** (광석을) 시금(試金)하다《금·은 따위의 함유량을 조사함》; 분석[평가]하다. **2** 《古》 시도하다(attempt). —— *vi.* 《美》 [+補] 분석한 결과 함유(량)을 나타내다 : This ore ~*s* high in gold. 이 광석은 금 함유율이 높다. —— [æséi, ∸-, əséi] *n.* **1** 시금 ; 분석 평가 ; 분석물, 시금석 ; (시금) 분석표. **2** 《古》 시도 (attempt). 〚OF ; ESSAY의 이형(異形)〛

assáy bàlance *n.* 시금 천칭(試金天秤).

assáy bàr *n.* (정부에서 제작한) 표준(標準) 순금[은] 봉.

assáy cùp *n.* 포도주 시음용의 작은 컵.

assáy·er *n.* 분석자, 시금자.

assáy·ing *n.* 시금(試金), 분석 시험.

assáy màster *n.* 분석 시험관.

assáy tón *n.* 분석[시금]톤《29.167그램》.

as·se·gai, as·sa·gai [ǽsigài] *n.* (남아프리카 원주민이 쓰는) 가느다란 투창.
—— *vt.* 투창으로 찌르다.
〚F or Port.<Arab. (*al* the, *zagāyah* spear)〛

as·sem·blage [əsémblidʒ] *n.* **1** 회중, 집단 ; (사람들의) 모임, 집회(gathering), (물건의) 집합, 수집(collection). **2** U (기계의) 조립 : the ~ *of* parts of a machine 기계 부품의 조립. **3** [, æsɑːmblɑ́ːʒ] U,C 아상블라주《지스러기나 폐품을 사용하여 만든 예술(작품)》.

as·sém·blag·ist [, æsɑːmblɑ́ːʒəst] *n.* 아상블라지스트《assemblage 예술가》.

as·sem·ble** [əsémbəl] *vt.* **1** 모으다, 집합시키다, 소집하다 : Many distinguished persons were ~*d* in the garden. 수많은 명사가 그 정원에 모여 있었다. **2** [+目/+目+*into*+名] (기계 따위를) 조립하다 ; 〔컴퓨〕 어셈블하다, 짜맞추다 : ~ a motorcar 자동차를 조립하다 / ~ parts ***into a unit 부품을 하나의 기계로 조립하다.
—— *vi.* 모이다, 회합하다(come together).
〚OF (L *ad-* to, *simul* together)〛
類義語 ⟹ GATHER.

as·sém·bler *n.* **1** 모으는 사람 ; 조립공. **2** 〔컴퓨〕 어셈블러, 짜맞추개《기호 언어로 쓰여진 프로그램을 기계어로 쓰인 프로그램으로 변환시키는 프로그램》.

assémbler lànguage *n.* =ASSEMBLY LANGUAGE.

***as·sem·bly** [əsémbli] *n.* **1** 집합, 모임, (특히 토의하기 위한) 회합, 집회 ; [A~] 의회, (미국 주의회의) 하원 : the prefectural[city, municipal] ~ 도[시]의회 / the General *A*~ (국제 연합의) 총회 ; 《美》 주의회 / a legislative ~ 입법 의회 ; (영국 식민지 의회의) 하원 / the National *A*~

(프랑스 혁명 때의) 국민 의회. **2** Ⓤ (부품의) 조립 ; Ⓒ 조립품, 조립 부품. **3** 〖軍〗 집합의 신호[나팔]. **4** 〖컴퓨〗 어셈블리, 짜맞춤《어셈블러에 의한 기호 언어로 쓰여진 프로그램을 기계어로 쓰인 프로그램으로 변환시킴》.
〚OF ; ⇨ ASSEMBLE〛
類義語 ⟹ MEETING.

assémbly dìstrict *n.* 《美》 주의회 하원의원 선거구.

assémbly hàll *n.* (대형 기계・항공기 따위의) 조립 공장.

assémbly lànguage *n.* 〖컴퓨〗 어셈블리 언어 《어셈블러로 처리된 원시 프로그램을 기술하는 기호 언어》.

assémbly lìne *n.* 일관 작업의 열(列).

assémbly·man [-mən] *n.* 의원(議員) ; [A~] (미국 일부 주(州)의) 하원의원.

assémbly plànt *n.* 조립 공장.

assémbly ròom *n.* **1** 집회실, 회관, (학교 따위의) 강당. **2** 조립 공장.

assémbly shòp *n.* (기계 따위의) 조립 공장.

assémbly·wòman *n.* 여성 의원 ; [A~] (미국 일부 주(州)의) 여성 하원의원.

as·sent** [əsént] *vi.* [動 / ＋*to*＋名] 동의[찬성]하다(agree) : He ~*ed* ***to the proposal. 그는 그 제안에 찬성했다. —— *n.* 동의, 찬동 : the Imperial[Royal] ~ 재가(裁可), 칙재(勅裁), 비준 / give one's ~ (*to* a plan) (계획에) 동의하다 / give a nod of ~ 끄덕이며 동의를 나타내다.
by common assent 일동 이의없이.
with one assent 만장 일치로.
〚OF<L (*ad*- to, *sentio* to think)〛
類義語 ⟹ CONSENT.

as·sen·ta·tion [æ̀sentéiʃən, æ̀sən-] *n.* 동의 ; (특히) 영합(迎合), 부화 뇌동(附和雷同).

as·sen·ti·ent [əsénʃiənt] *a.* 동의의, 찬성의. —— *n.* 동의자, 찬성자.

as·sén·tor, assént·er *n.* 찬성[동의]자 ; 《英》 (하원의원) 입후보자의 지지자《후원자 이외의》.

***as·sert** [əsə́ːrt] *vt.* [＋目 / ＋*that* 節 / ＋目＋*to* do] 단언하다, (의견을) 표명하다 ; (권리 따위를) 주장[옹호]하다 : His friends ~*ed that* he was innocent[~*ed* him *to* be innocent]. 그의 친구들은 그의 결백함을 주장했다.
assert one***self*** (1) 자설(自說)[자기의 권리]을 주장하다 ; (천리(天理) 따위가) 나타나다 : Justice will ~ it*self*. 정의는 밝혀지는 법이다. (2) 자기를 내세우다, 주제넘게 나서다.
~·er, as·sér·tor *n.* 주장[단언]자.
〚L (*ad*-, *sert*- *sero* to join)〛
類義語 ⟹ AFFIRM.

assért·ed *a.* (권리 따위) 주장된, (주장자의) 의견을 나타내는.

as·ser·tion [əsə́ːrʃən] *n.* Ⓤ,Ⓒ 단언, 주장 ; (자기 개인의) 언설(言說) : make an ~ 주장하다.

as·ser·tive [əsə́ːrtiv] *a.* 단정적인(positive), (완강히) 주장하는, 독단적인(dogmatic) : an ~ sentence 〖文法〗 평서[단정(斷定)]문(declarative sentence). **~·ly** *adv.* 단호히, 고집하여. **~·ness** *n.* 고집, 독단적인 일.

assértiveness[**assértion**] **tràining** *n.* 주장 훈련《소극적인 사람에게 자신감을 갖도록 하는 트레이닝》.

as·sess [əsés] *vt.* **1** [＋目 / ＋目＋前＋名] (세금・과료 따위를) 사정하다 ; (재산・수입 따위를) 평가하다 : The damages were ~*ed* ***at*** £ 120. 손해는 120파운드로 평가되었다 / ~ a statement *at* its true worth 《비유》 진술을 그 진실여부로 평가하다. **2** [＋目＋前＋名 / ＋目＋目] (세금・기부금 따위를 …에게) 할당하다, 과하다 : ~ a person ***at***[***in***] $10,000 …에게 만달러를 과세하다 / A tax ~*ed* (***up***)***on*** property is a property tax. 재산에 과하는 세를 재산세라 한다 / Each member of the club will be ~*ed* fifty dollars to pay for the trip. 여비로 회원 1인당 50달러씩 받습니다. 〚F<L *assess*- *assideo* to sit by〛

asséss·able *a.* 사정[평가]할 수 있는 ; 부과할 수 있는, 과세해야 할.

asséss·ment *n.* 부과, 평가, 세액(稅額) 사정 ; 세액 ; 평가액, 사정액 ; 〖商〗 불입 추징.

asséssment insùrance *n.* 《美》 부과식 보험.

as·ses·sor [əsésər] *n.* 세액 사정자 ; 〖法〗 배석판사 ; 입회인 보좌역.
〚OF<L=assistant judge ; ⇨ ASSESS〛

as·set [ǽset] *n.* **1** 자산《한 항목》. **2** 유리[유용, 귀중]한 것, 이점, 이익, 장점〈*to, for*〉 : Sociability is a great ~ ***to*** a salesman. 세일즈맨에게 있어서 사교성은 큰 이점이 된다. **3** [*pl.*] 〖會計〗 (대차 대조표의) 자산(↔*liabilities*) ; 교환 가치가 있는 소유물 : personal[real] ~*s* 동[부동]산 / ~*s* and liabilities (대차 대조표의) 자산과 부채. **4** [*pl.*] 〖法〗 (부채의 상각 또는 유증(遺贈)에 충당할) 유산, (부채 상각에 충당해야 할 개인・법인의) 전 자산, 재산.
〚OF *asez* (L *ad satis* to enough) ; -*ts* (<AF *asetz*)를 복수 어미로 잘못한 것〛

ásset effèct *n.* 〖經〗 자산 효과.

ásset sèttlement *n.* 자산 결제.

ásset strìpping *n.* 〖商〗 자산 박탈《자산은 많으나 업적이 부실한 회사를 사들여 그 자산을 처분하여 이익을 얻는 일》.

as·sev·er·ate [əsévərèit] *vt.* 단언[증언]하다.
〚L ; ⇨ SEVERE〛

as·sèv·er·á·tion *n.* Ⓤ,Ⓒ 단언, 증언.

áss-fùck *n., vt.* 《卑》 (…와) 비역(을 하다).

áss·hèad *n.* 바보, 멍청이.

áss·hòle *n.* 《卑》 똥구멍(anus) ; 가장 싫은 장소 ; 지겹게 싫은 녀석, 상머저리 ; =ASSHOLE BUDDY.
from asshole to breakfast time 《英卑》 내내, 언제나, 항상.

ásshole bùddy *n.* 《卑》 친구, 짝패.

as·sib·i·late [əsíbəlèit] *vt., vi.* 치찰음으로 발음하다[되다], 치찰음화하다.

as·si·du·i·ty [æ̀sədjúː(ː)əti] *n.* **1** Ⓤ 근면, 꾸준한 노력, 정려(精勵) : with ~ 부지런히. **2** [흔히 *pl.*] 여러 가지 배려, 마음을 쓰기.
〚L ; ⇨ ASSESS〛

as·sid·u·ous [əsídʒuəs ; -dju-] *a.* 끈기있는, 근면한, 정려한, 꾸준히 힘쓰는(diligent). **~·ly** *adv.* 부지런히, 근면하게. **~·ness** *n.* 근면.
〚L (↑)〛

as·si·fy [ǽsəfai] *vt.* 업신여기다, 우롱하다.

as·sign** [əsáin] *vt.* **1 a**) [＋目＋*to*＋名 / ＋目＋目] 할당하다, 충당하다(allot) : These jobs have been ~*ed* ***to us. 이 일들이 우리 몫으로 할당되었다 / He ~*ed* them tasks for the day. 그는 그들에게 그날의 일을 할당했다. **b**) [＋目＋前＋名 / ＋目＋*to* do] 임명하다 : They ~*ed* the vessel ***for*** the expedition. 그들은 그 선박을 원정용(用)으로 선정했다 / She was ~*ed* ***to*** the laboratory. 그녀는 연구실 근무로 선임되었다 / The captain ~*ed* two soldiers *to* guard the gate. 대장은 문 수비에 2명의 병사를 임명했다. **2** [＋目＋前＋名] (날짜・시간을) 지정하다(fix) : The

judge has ~*ed* a day ***for*** the trial. 판사는 심리할 날짜를 지정했다. **3** [＋目＋*to*＋名] (원인 따위를 …에) 돌리다, (사건의 연월·장소 따위를 …로) (정)하다(ascribe) : The birth of Buddha has been ~*ed* ***to*** 563 B.C. 석가의 탄생은 기원전 563년이라고 되어 있다. **4** [＋目＋*to*＋名]〖法〗양도[위탁]하다 : ~ one's property ***to*** one's creditor 채권자에게 재산을 위탁하다.
—— *n.* [보통 *pl.*] ＝ASSIGNEE.
〚OF＜L *assigno* to mark out to ; ⇨ SIGN〛
類義語 ⟹ ALLOT.

assígn·able *a.* 할당할 수 있는, 지정되는 ; …에 돌려야 할 ; 양도할 수 있는.

as·sig·na·tion [æ̀signéiʃən] *n.* **1** Ⓤ 지정, 지시, 선정 ; Ⓒ (시간·장소 따위의) 지정 ; Ⓒ 밀회(密會)의 약속. **2** Ⓤ〖法〗양도. **3** (원인 따위를) …에 돌리기(ascription)〈*to*〉.

assígned rísk plàns *n. pl.*〖保險〗위험 할당 방식.

as·sign·ee [æ̀səníː, æ̀sai-, əsai-] *n.* 임명[지정]된 사람 ;〖法〗지정 대리인 ;〖法〗양수인(讓受人) ; (파산의) 관재인 : ~*s in* bankruptcy 파산 관재인.

assígn·er *n.* 할당자, 지정자.

***assígn·ment** *n.* **1** Ⓤ,Ⓒ 할당 ; 임명, 서임(敍任)(appointment) ; Ⓒ (탐방 기자의) 할당된 임무 ; (일반적으로) 담당 업무(task). **2**《美》(학생의) 숙제, 연구 과제 : give an ~ 숙제를 내다. **3** (시일 따위의) 지시, 지정 ; (원인 따위의) 인정 ; (이유 따위의) 예시, (잘못 따위의) 지적. **4** Ⓤ,Ⓒ〖法〗양도 ; Ⓒ 양도 증서.

as·sign·or [æ̀sənɔ́ːr, æ̀sai-, əsai-] *n.*〖法〗(재산·권리의) 양도인 ; 위탁자.

as·sim·i·la·ble [əsímələbəl] *a.* 동화될 수 있는.
as·sìm·i·la·bíl·i·ty *n.* 동화될 수 있음, 동화성.

as·sim·i·late [əsímələ̀it] *vt.* **1** 동화하다, 흡수하다(absorb) ; 소화하다 ; 이해하다 : Do you ~ all that you read? 너는 읽은 것을 모두 이해하니. **2** [＋目/＋目＋前＋名] 비슷하게 하다, 동질화(同質化)하다 ;〖生理〗동화하다 ;〖音聲〗동화[유화(類化)]하다(↔ *dissimilate*) : Consonants are frequently ~*d* ***to*** the consonants which they precede. 자음(子音)은 흔히 뒤따르는 자음에 동화된다《*ads*-가 *ass*-로 되는 따위》/ One substance may be ~*d* ***with*** another. 물질은 서로 동화할 수 있다. **3** (언어·국민·작은 나라 따위를) 동화[융합]시키다 : The U.S.A. has ~*d* immigrants from various countries. 미국은 여러 나라에서 온 이민을 동화했다.
—— *vi.* 소화되다 ; 동화하다 ; 비슷해지다 : Does this food ~ easily? 이 음식물은 쉽게 소화됩니까 / Swedes ~ readily in America. 스웨덴인은 미국에 쉽게 동화한다.
—— [-lət, -lèit] *n.* 동화된 것.
〚L ; ⇨ SIMILAR〛

as·sìm·i·lá·tion *n.* Ⓤ 동화, 동화 작용(↔ *dissimilation*) ; 융합, 소화.

assimilátion·ìsm *n.* (인종적·문화적으로 다른 소수 집단에 대한) 동화 정책. **-ist** *a., n.*

as·sím·i·là·tive [, -lə-] *a.* 동화력이 있는 ; 동화(작용)의.

as·sím·i·là·tor *n.* 동화된 사람[것].

as·sím·i·la·to·ry [-lətɔ̀ːri ; -lətəri] *a.* ＝ASSIMILATIVE.

As·si·si [əsí(ː)si, -zi] *n.* 아시시《이탈리아 중부 지방의 도시 ; St. Francis of Assisi의 출생지》.

as·sist** [əsíst] *vt.* [＋目/＋目＋前＋名] 돕다, 도와 주다, 원조[조력]하다(help) : She ~*ed* him ***in his work[*in* edit*ing* the paper]. 그녀는 그의 일[그 신문의 편집]을 도왔다 / She ~*ed* her brother ***with*** his lesson. 그녀는 동생의 공부를 도와 주었다. 주 드물게 [＋目＋*to* do]의 문형으로 She ~*ed* him *to* edit the paper.와 같이 쓰이는 수도 있으나 이 용법은 표준적이 아니라고 함. 이 문형에서는 HELP를 쓰는 것이 일반적 : She *helped* him *to* edit the paper. —— *vi.* [＋前＋名] (운동 따위에) 참가하다 ; 참석하다, 입회하다 : ~ ***in*** a campaign[***at*** an interview] 운동에 가담[회견에 입회]하다. —— *n.* 원조, 조력 ;〖野〗외야수의 보살(補殺)《略 a.》;〖아이스하키·籠〗어시스트《골이 되게 슛을 도와주는 플레이》.
〚F＜L *assisto* to stand by〛
類義語 ⟹ HELP.

Assist. assistant.

***as·sist·ance** [əsístəns] *n.* Ⓤ 도움, 조력, 원조, 보조(help) : come to a person's ~ 남을 보조하다 / give ~ (*to*...) (…을) 원조하다.

〈회화〉
You look very busy packing your things. Can I be of any *assistance*? — Thank you so much. Would you put tags on these bags?
「짐을 꾸리느라고 바쁜 것 같군요. 뭔가 도울 일이 없을까요」「고마워요. 가방에 꼬리표를 달아 주시겠어요」

‡as·sist·ant *a.* 보조의, 보좌의 : an ~ professor 조교수(cf. INSTRUCTOR) / an ~ secretary 서기관보(補) / an ~ engineer 보조 기사.
—— *n.* 조수, 보조원, 보좌 ; 점원.

assíst·er *n.* 원조자.

as·sís·tor *n.*〖法〗방조자(幇助者).

as·size [əsáiz] *n.* **1**《스코》배심(심리) ;《英》[보통 the ~s] 순회 재판《중대한 민사·형사 사건을 재판하기 위해 정기적으로 법관을 London에서 England와 Wales의 각 주로 파견하여 행함 ; 1971년 이후 형사는 Crown Court에서, 민사는 High Court에서 이를 대신하고 있음》, 순회 재판 개정기[개정지]. **2** 도량형 및 상품 가격의 규정 ; (빵·맥주의) 법정 가격. **3** 입법부, 의회 ; 법령, 조령.
the Last Assize 최후의 심판.
〚OF ; ⇨ ASSESS〛

áss-kìss·er *n.*《卑》간살부리는 사람, 아첨하는 학생. 〚ASS²〛

áss lìcker *n.*《卑》＝ASS-KISSER.
áss-lìck·ing *n., a.*

áss màn *n.*《卑》섹스를 밝히는[섹스 이야기만 하는] 놈.

Assn., assn. association. **Assoc., assoc.** associate(d) ; association.

as·so·cia·ble [əsóuʃiəbəl, -siə-] *a.* 연상(聯想)할 수 있는, 관련지어 생각할 수 있는〈*with*〉;〖醫〗교감성(交感性)의 ; (국가가) 경제 공동체에 가맹하고 있는. —— *n.* 경제 공동체 가맹국.
as·sò·ci·a·bíl·i·ty *n.* 연상되기 쉬운 성질 ;〖醫〗교감성.

as·so·ci·ate** [əsóuʃièit, -si-] *vt.* [＋目＋前＋名] **1** 연상하다, 관련지어 생각하다 : We ~ giving presents ***with Christmas. 선물 하면 크리스마스를 생각하게 된다. **2** [때때로 수동태로] 한패에 가담시키다, 연합[관계]시키다, 가입시키다(join) : Then I was ~*d* ***with*** him ***in*** a large law firm. 그때 나는 그와 어떤 큰 법률 사무소에서 함께 일을 하고 있었다 / They *are* ~*d in* business. 그들

은 같은 일에 종사하고 있다. **3** 〖化〗 회합하다.
— *vi.* [+*with*+名] 교제하다, 사귀다 ; 제휴하다(combine) : A man's character can be measured by the types of men ***with*** whom he ~*s.* 사람의 성격은 그가 교제하는 사람의 종류를 보면 알 수 있다.
associate one***self with*...** (제안·의견·희망 따위)에 찬성(의 뜻)을 표시하다, 찬동하다, …을 지지하다 ; …와 교제하다.
— [-ʃiət, -ʃièit, -si-] *n.* **1** 같은 패, 한패(companion) ; 제휴자, 조합원 ; 동인(同人), 동료, 친구. **2** 준회원(cf. FELLOW 6) ; 《美》 부교수 〈*in*〉; (초급 대학 졸업의) 준학사. **3** 연상되는 물건 ; 〖心〗 연상 개념. — [-ʃiət, -ʃièit, -si-] *a.* 연합한, 한패가 된(associated) ; 준(準)… ; 〖心〗 연상의, 상반(相伴)의 ; 〖醫〗 교감의 : an ~ judge 배석 판사 / an ~ professor 《美》 부교수《(full) professor(정교수)와 assistant professor(조교수)의 중간 ; cf. INSTRUCTOR》 / an ~ member 준회원.
〚L (p.p.) <*associo* to unite (*socius* allied)〛
類義語 (1) ⟹ JOIN.
(2) ⟹ COMPANION.

as·só·ci·àt·ed *a.* 연합한 ; 조합의 ; 관련된 ; 연상(聯想)의 : ~ bank 조합 은행.

assóciated gás *n.* 부수 가스《원유 위에 접해 존재하는 천연 가스》.

Assóciated Préss *n.* [The ~] 미국 AP[연합] 통신사《略 AP ; cf. UPI》.

assóciated státe *n.* 연합주(州).

assóciated státehood *n.* 영국의 연합주로서의 지위, 준국가《외교·국방을 제외한 국내 문제에 관해서만 자치권이 있음》.

***as·so·ci·a·tion** [əsòusiéiʃən, -ʃi-] *n.* **1** Ⓤ 연합, 합동, 조합 ; 공동 생활. **2** 협회(society) ; 사단(社團), 회사. **3** Ⓤ 교제, 제휴, 연락. **4** Ⓤ,Ⓒ 〖心〗 개념 연합, 연상(聯想) ; 〖數〗 조합, 집합 ; 〖化〗 (분자의) 회합. **5** Ⓤ =ASSOCIATION FOOTBALL.
in association with …와 공동으로, …에 관련하여.

associátion·al *a.* 협회의, 공동 단체의, 연합[관련]상의, 연상의.

associátion·al·ìsm *n.* =ASSOCIATIONISM.

associátion bòok[**còpy**] *n.* 《美》 어떤 의미에서 유명 인사와 관련이 있기 때문에 진귀하게 여겨지는 책《수택본》.

associátion fóotball *n.* 축구(soccer) (cf. RUGBY FOOTBALL, AMERICAN FOOTBALL).

associátion·ìsm *n.* 〖心〗 관념 연합설, 연상 심리학.

associátion·ist *n.* 〖心〗 관념 연합론자.

associátion psychólogy *n.* 연상 심리학.

as·so·ci·a·tive [əsóuʃièitiv, -si-, -ʃiə- ; -ʃiə-] *a.* 조합의 ; 연상의.

as·só·ci·à·tor *n.* 조합원, 회원.

as·soil [əsɔ́il] *vt.* 《古》 용서[사면(赦免)]하다 ; 갚다, 보상하다.

as·so·nance [ǽsənəns] *n.* Ⓤ 음(音)의 유사, 유음(類音) ; 〖韻〗 모음운(韻)《악센트가 있는 모음만의 압운(押韻) ; 보기 *brave* — *vain*》.
〚F<L *assono* to respond to (*sonus* a sound)〛

ás·so·nant *a.* 유음의 ; 〖韻〗 모음운의. — *n.* 모음 압운어[음절] ; 유음어, 유음절.

as·sort [əsɔ́:rt] *vt.* **1** 유별(類別)[분류]하다(classify) ; (같은 종류끼리) 모으다, 맞추다, 한떼로 되게 하다(group). **2** (상점에) 물건을 고루 갖추다. — *vi.* [+副 / +*with*+名] **1** 어울리다, 조화되다(match) : It *well*[*ill*] ~*s* ***with*** his character. 그의 성격과 조화된다[되지 않는다]. **2** 교제하다(associate). 〚OF (*à* to, SORT)〛

assórt·ed *a.* **1** 분류한, 구분한 ; 구색을 갖춘 ; 잡다한(varied) ; (비스킷 따위를 한 상자에) 여러 가지로 섞어담은 : a box of ~ chocolates 골고루 구색을 갖추어 담은 초콜릿 한 상자. **2** 어울리는, 조화된 : a well ~ couple 어울리는 부부.

assórt·ment *n.* **1** Ⓤ 유별(類別), 분류 : a change in ~ 분류[유별]법의 변경. **2** 여러 가지[구색]를 갖춘 것, 갖추어 담은 것 : Our store has a great ~ *of* candy. 우리 가게에서는 여러 가지 캔디를 구비하고 있습니다.

áss-pèddler *n.* 《卑》 매춘부 ; 남창(男娼).

asst., **Asst.** assistant. **asstd.** assented ; assorted.

as·suage [əswéidʒ] *vt.* (고통·분노·불안 따위를) 완화[경감, 진정]시키다(soften), 누그러뜨리다, 부드럽게 하다(soothe) ; (식욕 따위를) 채우다(appease). **~·ment** *n.* Ⓤ 완화, 경감, 진정 ; Ⓒ 완화시키는 것. **as·suág·er** *n.*
〚OF (L *suavis* sweet)〛

Assuan ☞ ASWAN.

as·sua·sive [əswéisiv, -ziv] *a.* 완화시키는, 가라앉히는(soothing).
— *n.* 완화제(劑).

as·súm·able *a.* 가정할 수 있는. **-ably** *adv.* 아마 (…이겠지).

***as·sume** [əsú:m ; əsjú:m] *vt.* **1** [+*that* 節 / +目+*to* do] 가정하다, 억측하다, 당연하다고 여기다 : We ~*d that* the train would be on time. 열차가 제 시간에 도착할 것으로 생각하고 있었다 / They ~*d* him *to* be a complete stranger. 그를 아주 낯선 사람으로 생각했다 / This is ~*d to* be the best possible translation. 이것이 가장 좋은 번역이라고 생각된다. **2** (소임·임무·책임 따위를) 인수하다, (권력을) 쥐다, (태도를) 취하다(take) : ~ office 취임하다 / ~ the chair 의장석에 앉다 / ~ the offensive 공세를 취하다. **3** …인 체하다, 가장하다(pretend) : ~ an air of cheerfulness 쾌활한 체하다. **4** 제것으로 삼다, 횡령하다(usurp). — *vi.* 있는 체 뽐내다, 자부하다.
assuming that …로 가정하여, …이라 한다면 : *Assuming that* it is true, what should we do now? 그것이 참말이라면 이제 어떻게 할까.
〚L (*ad-*, *sumpt- sumo* to take)〛
類義語 ***assume*** 「…인 체하다」라는 뜻인데 반드시 나쁜 뜻으로 쓰인다고는 할 수 없음 : She *assumed* a look of sorrow. (그녀는 짐짓 슬픈 표정을 지어 보였다). ***pretend, feign*** 거짓(으로) 표시하는 일이지만 *feign*쪽이 《文語》적이며 계획적으로 꾸민 것을 암시하는 수가 있음 : He *pretended* to be ill. (그는 아픈 체했다) / She *feigned* someone else's voice. (그녀는 다른 사람의 목소리를 꾸며내었다). ***affect*** 어떤 효과를 노려 과시하다 : *affect* a poet (시인인 체하다). ***simulate*** 다른 것의 외관이나 특성을 흉내내다.

as·súmed *a.* **1** 가정한, 가(假)의 : an ~ name 가명, 변명(變名). **2** 꾸민, 가장한 : ~ ignorance 모른 체하는 얼굴 / an ~ voice 꾸민 음성.

as·súm·ed·ly [-ədli] *adv.* 아마도.

as·súm·ing *a.* 주제넘은[넘게 나서는], 거만한, 건방진(arrogant).
~·ly *adv.* 주제넘게, 거만하게.

as·sump·sit [əsʌ́mpsət] *n.* 〖法〗 계약 이행 요구 소송 ; (불이행시) 기소 가능한 계약.

***as·sump·tion** [əsʌ́mpʃən] *n.* **1** [U,C] [+*that* 節] 가정, 가설 사항, 전제(前提), 억측 : a mere ~ 단순한 가정 / *on* the ~ *that* …이라는 가정하에 / In that event we shall have to accept the ~ *that* no ideology is preferable to this. 그럴 경우에 우리는 어떠한 이데올로기도 이것보다 나은 것이 없다는 가설을 인정하지 않으면 안된다. **2** [U,C] 떠맡기, 취임, (권력의) 장악. **3** [U,C] 횡령, 위장 : with an ~ of ignorance 모르는 체하여. **4** [U] 외람, 주제넘게 나서기. **5** [the A~] 〖카톨릭〗 성모 몽소 승천(蒙召昇天) ; 성모 몽소 승천 대축일《8월15일》.
〚OF or L ; ⇨ ASSUME〛

as·sump·tive [əsʌ́mptiv] *a.* 강탈한 ; 가정의, 가정적인 ; 주제넘은(arrogant). **~·ly** *adv.*

***as·sur·ance** [əʃúərəns] *n.* **1** [+*that* 節] 보증, 보장 ; 언질 ; 안정 : I have an ~ *that* the goods shall be sent tomorrow morning. 나는 물품을 내일 아침에 보낸다는 언질을 받았다 / He gave me a definite ~ *that* the repairs would be finished by the end of the week. 그는 나에게 주말까지는 수리를 끝내겠다고 확약했다. **2** 《주로 英》 (생명) 보험(insurance) : ☞ LIFE ASSURANCE. **3** [+*that* 節] 확실, 확신(certainty) : with ~ 확신을 가지고 / We have full ~ *of* the results. 우리는 그 결과에 대해서 정말 확신하고 있다 / Nothing can shake our ~ *that* our team will win the game. 우리 팀이 시합에 이긴다는 확신은 어떤 일이 있어도 흔들리지 않는다. **4** 자신(self-confidence) : an easy ~ of manner 자신만만하고 여유있는 태도. **5** [+*to* do] 뻔뻔스러움, 염치 없 음(impudence) : He had the ~ *to* claim that he was an expert in psychoanalysis. 그는 뻔뻔하게도 정신분석의 전문가라고 자칭했다.
make assurance doubly* [*double*] *sure 주의에 주의를 거듭하다.
as·súr·able *a.* 보증할 수 있는.
〚OF (↓)〛
[類義語] ⟹ CERTAINTY.

as·sure** [əʃúər] *vt.* **1** [+目+*of*+名/+目+*that* 節/+目] …에게 보증하다, 보장하다, 확실히 (…이라고) 말하다(tell confidently) ; (보증하여) 안심[납득]시키다(convince) : He ~*d* me ***of his hearty assistance. 그는 나를 진심으로 도와 주겠다고 말했다 / The captain of the ship ~*d* the passengers *that* there was no danger. 선장은 승객에게 위험하지 않다는 것을 보증했다 / I can ~ you. 참말이오. **2** (…을) 확실하게 하다(ensure) : This ~*s* our success. 이로써 우리의 성공은 확실하다. **3** 《주로 英》 (인명(人命)에) 보험을 들다(insure).
assure one***self of* [*that*]** …을 확인하다.

〈회화〉
He is a very sincere man, I hear. Is it true? — He certainly is. I can *assure* you. 「저 사람은 매우 성실한 사람이라고 하던데 틀림없습니까」 「물론입니다. 보증합니다」

〚OF (L SECURE)〛

as·súred *a.* **1** 보증된, 확실한(certain) ; [+*that* 節] 확신[납득]하는 : I am ~ *that* his plan will succeed. 나는 틀림없이 그의 계획이 잘 되리라고 생각한다 / You may rest ~ *that*…. 안심하고 …이라 생각해 주시오. **2** 자신을 가진(bold). **3** 뻔뻔스러운. **4** 보험에 든(insured). —— *n.* (*pl.* ~, **~s**) [the ~] 《주로英》 피보험자.

as·sur·ed·ly [əʃúərədli, -ʃúərd-] *adv.* 틀림없이, 확실히(surely) ; 자신을 가지고, 대담하게 : *A*~ he didn't mean that. 확실히 그가 그런 것을 뜻한 것[그렇게 하려는 것]은 아니었다.

as·súr·ed·ness *n.* [U] 확실, 확실성 ; 자신 있음 ; 배짱좋음, 대담.

as·súr·er, -or *n.* 보증인 ; 《주로 英》 보험업자 (insurer).

as·sur·gent [əsə́ːrdʒənt] *a.* 향상하는, 상승적인 ; 〖植〗 (줄기·잎 따위가) 사상성(斜上性)의, 위로 뻗는[휘는].

as·súr·ing *a.* 보증하는, 자신을 주는 (것 같은). **~·ly** *adv.* 다짐하여 ; 보장하도록 ; 자신을 가지고.

áss-wìpe, -wìper *n.* 《卑》 밑씻개, 화장지.

assy. assembly. **Assyr.** Assyrian.

As·syr·ia [əsíriə] *n.* 아시리아《서남 아시아에 있었던 고대 왕국 ; 수도 Nineveh》.

As·sýr·i·an *a.* 아시리아(인·어)의. —— *n.* 아시리아인(cf. SEMITE) ; [U] 아시리아어.

As·syr·i·ol·o·gy [əsìriɑ́lədʒi] *n.* 아시리아 연구[학]. **-gist** *n.* 아시리아 연구가[학자].
〚*Assyria, -logy*〛

-ast [æst, əst] *n. suf.* 「…에 관계가 있는 사람」「…에 종사하는 사람」의 뜻 : ecdysi*ast.* 〚OF<L〛

AST Atlantic Standard Time(대서양 표준시).

ASTA American Society of Travel Agents.

astá·ble [ei-] *a.* 안정되지 않은 ; 〖電〗 무정위(無定位)의.

astár·board [ə-] *adv.* 〖海〗 우현으로.

As·tar·te [æstɑ́ːrti, æ-] *n.* 아스타르테《페니키아의 풍요·성애(性愛)·다산(多産)의 여신》.

astát·ic [ei-, æ-] *a.* 불안정한 ; 무정위(無定位)의 : an ~ galvanometer 무정위 검류계 / an ~ governor 무정위 조속기(調速機) / an ~ needle 무정위침(針). **astát·i·cism** [-tisìzəm] *n.* 〖理〗 무정위.

as·ta·tine [ǽstətìːn, -tən] *n.* [U] 〖化〗 아스타틴《방사성 원소 ; 기호 At ; 번호 85》.

as·ter [ǽstər] *n.* 〖植〗 해국, 과꽃(China aster), 탱알《따위》; 〖生〗 (세포 분열의) 성상체(星狀體).
〚L<Gk. *astron* star〛

as·ter- [ǽstər], **as·te·ro-** [ǽstərou, -rə] *comb. form* 「별」의 뜻. 〚L (↑)〛

-as·ter[1] [æstər, ǽs-] *n. suf.* 《蔑》「덜된…」「엉터리…」「서투른…」의 뜻 : poet*aster.* 〚L<Gk.〛

-aster[2] *n. comb. form* 〖生〗「별」「성상체」의 뜻 : di*aster.* 〚ASTER〛

as·te·ria [æstíəriə] *n.* 성채석(星彩石)《보석》.

as·ter·isk [ǽstərìsk] *n.* 별표《* ; 주(註) 따위를 달 때 씀》. —— *vt.* …에 별표를 붙이다.
〚L<Gk. =little star (dim.) 〈ASTER〛

as·ter·ism [ǽstərìzəm] *n.* **1** 세 개의 별표《⁂ 또는 *⁎*》. **2** 〖天〗 성군(星群), 별자리.

astérn [ə-] *adv.* 〖海〗 고물[선미(船尾)]로, 고물에 ; (…보다) 뒤쪽으로[에], 뒤에〈*of*〉: back ~ 〖海〗 배를 후진(後進)시키다 / drop[fall] ~ 〖海〗 (다른 배에) 추월당하다, 늦어지다 / Go ~ ! 배진(背進)!, 후진(後進)! (↔*Go ahead!*).
—— *a.* 뒤쪽[뒷부분]에 있는 ; 후진하고 있는.
〚*a-*[1]〛

as·ter·oid [ǽstərɔ̀id] *n.* **1** 〖天〗 소행성《화성과 목성의 궤도 사이 및 그 부근에 산재함》. **2** 〖動〗 불가사리(starfish). —— *a.* 별 모양의.
〚Gk. ; ⇨ ASTER〛

às·ter·ói·dal *a.* 소행성의 ; 불가사리의.

as·then- [æsθén, əs-], **as·theno-** [æsθénou, əs-, -nə] *comb. form* 「약한」「무력(한)」「쇠약(한)」의 뜻. 〚Gk. *asthenēs* weak〛

as·the·nia [æsθíːniə] *n.* 〖醫〗 무력증 ; 쇠약.
as·then·ic [æsθénik] *a.* 허약한, 쇠약해 있는, 홀쭉한 형의 ; 〖心〗 무력성(無力性)의. —— *n.* 홀쭉한[무력한] 사람.
as·the·no·pia [æ̀sθənóupiə] *n.* 〖醫〗 안정(眼睛) 피로《흔히 아픔·두통을 수반함》.
asthéno·sphère *n.* [the ~] 〖地質〗 (지구 내부의) 암류권(岩流圈).
asth·ma [ǽzmə ; ǽs-] *n.* Ⓤ 〖醫〗 천식.
〖L<Gk. (*azō* to breathe hard)〗
asth·mat·ic [æzmǽtik ; æs-] *a.* 천식의. —— *n.* 천식환자.
as·tig·mat·ic, -i·cal [æ̀stigmǽtik(əl)] *a.* 난시(안)(亂視(眼))의 ; 〖光〗 (렌즈가) 비점수차를 보정하는. —— *n.* 난시인 사람.
-i·cal·ly *adv.* 난시적으로.
astig·ma·tism [əstígmətìzəm] *n.* Ⓤ 〖醫〗 난시(안) ; 〖光〗 (렌즈의) 비점수차(非點收差).
〖*a*-², STIGMA〗
astir [əstə́ːr] *adv., pred. a.* **1** 활동하여, 움직여서 ; 활기를 띠고, 떠들썩하여 : The town was ~ *with* the news. 그 도시는 그 소식으로 술렁거렸다. **2** 일어나서 : be early ~ 일찍 일어나다.
〖*a*-¹〗
A.S.T.M., ASTM American Society for Testing Materials(미국 재료 시험 협회).
astóm·a·tous [ei-, æ-] *a.* 〖動〗 입이 없는, 무구(無口)의(mouthless) ; 〖植〗 기공(氣孔)이 없는.
as·ton·ied [əstánid] *pred. a.* 《古》 깜짝 놀란, 놀라 어리벙벙한.
as·ton·ish** [əstániʃ] *vt.* (깜짝) 놀라게 하다 : He ~*ed* us by taking a stroll at midnight. 그가 한밤중에 나돌아다녀 우리를 놀라게 했다. ㊟ 때때로 *p.p.*로서 형용사적으로 쓰임[+*to* do / +*that* 節] : I am ~*ed* ***at your behavior[your behav*ing* like that]. 나는 자네의 행동[자네가 그렇게 행동하는 것]에 놀랐네 / He was ~*ed* *to* hear it. 그는 그 소식을 듣고 깜짝 놀랐다. 〖C16 *astone* (obs.)<OF (*ex*-¹, L *tono* to thunder)〗
類義語 ⟹ SURPRISE.
***as·tón·ished** *a.* (깜짝) 놀란 : with an ~ look 깜짝 놀란 얼굴로 / He looked ~. 그는 놀란 얼굴을 하고 있었다.
***astónish·ing** *a.* 놀랄만한, 놀라운(amazing) : It was really ~ *to* me. 그것은 나에게 참으로 놀라운 일이었다. **~·ly** *adv.* 놀랄 만큼, 대단히, 몹시.
***astónish·ment** *n.* Ⓤ 놀람, 경악⟨*at*⟩ ; Ⓒ 놀랄 만한 일[것] : I stood up *in* ~. 나는 놀라서 일어섰다 / They watched the sight *with* ~. 그들은 깜짝 놀라서 그 광경을 바라보았다.
to one's ***astonishment*** 놀랍게도.
as·tound [əstáund] *vt.* [+目 / +目+前+名] 깜짝 놀라게 하다, 대경실색케 하다, 간담을 서늘케 하다 : We were ~*ed* ***at*** the news. 그 보도에 대경실색했다. —— *a.* 《古》 깜짝 놀란.
〖(p.p.)<*astone* ; ⇨ ASTONISH〗
類義語 ⟹ SURPRISE.
astóund·ing *a.* 깜짝 놀라게 하는, 놀랄 만한, 기절초풍할. **~·ly** *adv.* 깜짝 놀랄 만큼.
ASTP Army Specialized Training Program.
astr- [ǽstr], **as·tro-** [ǽstrou, -trə] *comb. form* 「별」「천공(天空)」「우주」「성상체」「점성술」의 뜻 : *astro*physics, *astro*logy. 〖Gk. ASTER〗
astr. astronomer ; astronomical ; astronomy.
Astrachan ☞ ASTRAKHAN.
astrád·dle [ə-] *adv., pred. a.* =ASTRIDE.
As·traea [æstríːə] *n.* 〖그神〗 아스트라이아《Zeus 와 Themis의 딸 ; 정의의 여신》.
Astráea Foundàtion *n.* 아스트라이아 재단《미국 여권 신장을 후원하는 단체》.
as·tra·gal [ǽstrigəl] *n.* 〖建〗 마중선, 풍소란 ; 염주 쇠시리(cf. BEAD) ; 〖砲〗 포구(砲口)의 볼록한 테 ; 〖解〗 거골(距骨). 〖↓〗
as·trag·a·lus [əstrǽgələs] *n.* (*pl.* **-li** [-lài, -lìː]) 〖解〗 복사뼈, 거골(距骨)(anklebone).
〖L<Gk.〗
As·tra·khan, -chan [ǽstrəkən, -kæ̀n ; æ̀strəkǽn, -kɑ́ːn] *n.* **1** 아스트라한《러시아의 Volga 하구(河口)의 도시》. **2** [a~] 아스트라한《Astrakhan 지방산(産) 새끼 양의 곱슬곱슬한 털이 있는 검은 모피》 ; [a~] 아스트라한 직물.
as·tral [ǽstrəl] *a.* 별과 같은(starry) ; 〖生〗 성상체의 ; 별 세계의 ; 환상적인, 비현실적인 ; 신분[지위]이 높은. 〖L ; ⇨ ASTER〗
ástral bódy *n.* 성기체(星氣體), 영체(靈體)《육체와는 별개의 것으로 믿어짐》 ; 별 ; 천체.
ástral hátch *n.* 〖空〗 천측창(天測窓)《비행 중에 천체 관측을 하는 비행기 윗부분의 창》.
ástral lámp *n.* (등밑에 그림자가 생기지 않도록 한) 비투영(非投影) 램프, 무영등(無影燈)《수술실 따위에서 씀》.
ástral spírit *n.* 성령(星靈)《별 세계의 정령(精靈)》 : 사령(死靈)·악령(惡靈)·화령(火靈) 따위》 ; 성기령(星氣靈).
***astray** [əstréi] *pred. a., adv.* 길을 잃고 ; 나쁜 길[사도(邪道)]로 빠져 : go ~ 헤매다, 길을 잃다 / lead...~ …을 유혹하다 ; 나쁜 길로 이끌다, 타락시키다. 〖OF<L ; ⇨ EXTRAVAGANT〗
as·trict [əstríkt] *vt.* 《古·稀》 묶다 ; 속박[제한]하다 ; 〖醫〗 변비를 일으키다(constipate) ; 도덕적[법적]으로 구속하다 ; 수렴시키다.
as·tríc·tion *n.*
as·tríc·tive *a., n.* =ASTRINGENT.
astríde [ə-] *adv., pred. a.* (…에) 걸터앉아 : sit ~ (*of*) a horse 말에 올라타다 / ride ~ 말을 타고 가다. —— [-⌐, -⌐] *prep.* …에 걸터앉아 ; (강·도로 따위)의 양측에 ; (넓은 지역·오랜 시간 따위)에 걸쳐.
〖*a*-¹〗
as·tringe [əstríndʒ] *vt.* 《稀》 오므리다, 수축시키다, 수렴(收斂)시키다 ; 《稀》 변비를 일으키다.
as·trín·gen·cy *n.* Ⓤ 수렴성(收斂性) ; 엄함.
as·trín·gent *a.* **1** 〖藥〗 수렴성의. **2** 엄한(severe). —— *n.* 〖藥〗 수렴제(劑), 아스트린젠트《화장수》.
~·ly *adv.* 〖F (L *astringo* to draw tight) ; cf. STRINGENT〗
as·tri·on·ics [æ̀striániks] *n.* 우주 전자 공학《우주 항행을 위한 전자공학》. 〖*astr*-, electr*onics*〗
as·tro [ǽstrou] *a.* =ASTRONAUTICAL.
—— *n.* (*pl.* **~s**) =ASTRONAUT.
astro- [ǽstrou, -trə] ☞ ASTR-.
àstro·archaeólogy *n.* 천문 고고학.
àstro·ballístics *n.* 〖宇宙〗 우주 탄도학.
àstro·biólogy *n.* Ⓤ 우주 생물학.
ástro·bleme [-bliːm] *n.* 운석 자국《운석의 낙하로 지각에 생김》.
〖*astr*-, Gk. *blēma* (wound from) a missile〗
àstro·bótany *n.* 우주[천체] 식물학.
àstro·chémistry *n.* 우주[천체] 화학.
-chémist *n.*
ástro·còmpass *n.* 〖海〗 성측(星測) 나침의, 천측 컴퍼스.
ástro·cỳte *n.* 〖解〗 (신경교(膠) 따위의) 성상(星狀) 세포.

ástro·dòme *n.* 〖空〗 (투명한 덮개가 있는) 천체 관측실 ; [the A~] 아스트로돔《Texas 주(州) Houston의 지붕이 있는 야구장》.
Ástrodome Cíty *n.* 《美俗》 Texas주 Houston 시(市).
àstro·dynámics *n.* 우주 역학, 천체 동력학. **-dynámic** *a.* **-dynámicist** *n.*
as·tro·gate [ǽstrəgèit] *vt., vi.* (우주선이나 로켓을) 우주 비행시키다 ; 우주 비행하다. 〖*astro*-+navi*gate*〗
às·tro·gá·tion *n.* Ⓤ 우주 비행.
àstro·geólogy *n.* (태양계의) 천체 지질학.
àstro·gráph *n.* 천체 항법도(航法圖).
astrol. astrologer ; astrological ; astrology.
as·tro·labe [ǽstrəlèib] *n.* 아스트롤라베《고대의 천문관측의(儀)》. 〖OF<L<Gk. =star-taking〗
as·tról·o·ger, -gist *n.* 점성가, 점성술사.
às·tro·lóg·ic *a.* =ASTROLOGICAL.
às·tro·lóg·i·cal *a.* 점성술의. **~·ly** *adv.*
as·trol·o·gy [əstrálədʒi] *n.* Ⓤ 점성학[술] 《별의 운행을 보고 사람의 운세를 판단하는 술(術) ; cf. ASTRONOMY》. 〖OF<L<Gk. ; ⇨ ASTER〗
àstro·meteorólogy *n.* 천체 기상학.
as·trom·e·try [əstrámətri] *n.* 측정 천문학.
astron. astronomer ; astronomical ; astronomy.
***as·tro·naut** [ǽstrənɔ̀:t] *n.* 우주 비행사. 〖Gk. *astr*-, *nautēs* sailor ; *aeronaut*에 준한 것〗
as·tro·nau·tess [ǽstrənɔ́:təs] *n.* 여성 우주 비행사. ㊟ 보통은 woman astronaut라고 함.
as·tro·nau·tic [ǽstrənɔ́:tik] *a.* =ASTRONAUTICAL.
as·tro·nau·ti·cal [ǽstrənɔ́:tikəl] *a.* 우주 비행의, 우주 항행의. **~·ly** *adv.*
às·tro·náu·tics *n.* Ⓤ 우주 항행학, 우주 비행학.
àstro·navigátion *n.* 우주 비행[항행].
***as·tron·o·mer** [əstránəmər] *n.* 천문학자 : the *A*~ Royal 《英》 (Greenwich와 Edinburgh의) 왕립 천문대장.
as·tro·nom·i·cal, -nom·ic [ǽstrənámək(əl)] *a.* 천문(학상)의 ; (숫자·거리 따위) 천문학적인, 방대한(enormous) : *astronomical* observation 천체 관측 / an *astronomical* observatory 천문대 / *astronomical* photography 천체 사진술 / an *astronomical* telescope 천체 망원경 / *astronomical* time 천문시(天文時)《하루가 정오에서 시작되어 정오에 끝남》/ an *astronomical* year= SOLAR YEAR / *astronomical* figures 천문학적 숫자. **-i·cal·ly** *adv.* 천문학상.
astronómical clóck *n.* 천문 시계.
astronómical dáy *n.* 천문일(天文日)《정오부터 정오까지》.
astronómical látitude *n.* 천문(학적) 위도.
astronómical sátellite *n.* 〖로켓〗 천문[천체] 관측 위성《미국의 아인슈타인 위성 따위》.
astronómical únit *n.* 〖天〗 천문 단위《태양과 지구 사이의 평균 거리 ; 略 A.U., AU》.
‡**as·tron·o·my** [əstránəmi] *n.* Ⓤ 천문학. 〖OF<L<Gk. (*astr*-, *nemō* to arrange)〗
àstro·phótograph *n.* 천체 사진.
àstro·photógraphy *n.* 천체 사진술.
àstro·photómeter *n.* 천체 광도계[측정기].
àstro·phýsical *a.* 천체 물리학의.
àstro·phýsicist *n.* 천체 물리학자.
àstro·phýsics *n.* Ⓤ 천체 물리학.
ástro·spàce *n.* Ⓤ 우주 공간.
ástro·sphère *n.* 〖生〗 중심구(球), (세포의 중심체를 제외한) 성상체(星狀體).
Ástro·tùrf *n.* 아스트로터프《인공 잔디 ; 상표명》.
as·trut [əstrʌ́t] *adv., pred. a.* 으쓱거리며 (걷는), 의기양양하게.
as·tute [əstjú:t, æ-] *a.* 기민한, 빈틈없는 ; 약삭빠른, 교활한. **~·ly** *adv.* 기민하게 ; 약삭 빠르게. **~·ness** *n.* 기민 ; 교활. 〖F or L (*astus* craft)〗
As·ty·a·nax [æstáiənæ̀ks] *n.* 〖그神〗 아스티아낙스《Hector와 Andromache의 아들》.
asty·lar [eistáilər, æ-] *a.* 〖建〗 무주식(無柱式)의.
ASU American Students Union(미국 학생연맹).
A-sub [éisʌ̀b] *n.* 《口》 원자력 잠수함. 〖*a*tomic *sub*marine〗
Asun·ción [əsù:nsióun] *n.* 아순시온《남미 Paraguay의 수도》.
asun·der [əsʌ́ndər] *adv., pred. a.* 떨어져서 (apart) ; 따로따로 (떨어져), 산산이 흩어져 : come[fall] ~ 산산이 흩어지다 / drive...~ …을 사방으로 쫓아버리다 / lie ~ 떨어져 있다 / put... ~ …을 떼어 놓다, 흩어지게 하다 / tear...~ …을 갈기갈기 찢다. 〖OE *on sundran* into pieces ; cf. SUNDER〗
ASUW anti-surface ship warfare(대수상함 전투). **A.S.V.** American Standard Version. **A.S.W.** antisubmarine warfare(대(對)잠수함 전(戰)).
As·wan, As·s(o)uan [ɑ:swá:n, æs-] *n.* 아스완《이집트 남동부 Nile 강가의 도시》.
Aswán Dám *n.* 아스완댐《Aswan근처의 Nile강을 막아 만든 큰 댐》.
Aswán Hígh Dám *n.* 아스완 하이 댐《Aswan에 1970년 완성》.
aswárm [ə-] *pred. a.* 떼지어, 우글거려, 가득하여 : the theater ~ with people 사람이 우글거리는 극장.
aswírl [ə-] *pred. a.* 소용돌이쳐.
aswóon [ə-] *pred. a.* 졸도[기절]하여.
***asy·lum** [əsáiləm] *n.* **1** (맹인·농아자·미친 사람 등의) 보호 수용소, 보호 시설 : ☞ LUNATIC ASYLUM / an orphan ~ ☞ ORPHAN. **2 a)** 〖史〗 (죄인·채무자 등의) 도피처, 보호소(sanctuary) 《주로 성당 따위》. **b)** 숨는 곳, 피신처, 피난처 (refuge), 은신처. **3** 〖國際法〗 (특히 외국의) 정치범 임시 수용소. **4** Ⓤ 피난, 망명, 보호 : political ~ 정치(적) 망명 / give[seek] ~ 보호해 주다[를 요청하다]. 〖L<Gk.=refuge (*a*-², *sulon* right of seizure)〗
asym. asymmetric(al).
asym·met·ric, -ri·cal [èisəmétrik(əl), æ̀-] *a.* 불균형[부조화]의 ; 〖植〗 비대칭의. **-ri·cal·ly** *adv.*
asymmétric tíme *n.* 〖樂〗 비대칭 박자.
asym·me·try [eisímətri, æ-] *n.* Ⓤ 어울리지 않음, 불균형 ; 〖植〗 비대칭(↔*symmetry*). 〖Gk. (*a*-²)〗
asỳmp·to·mát·ic [ei-, æ-] *a.* 조짐[징후]이 없는 ; 〖醫〗 무증후성(無症候性)의. **-i·cal·ly** *adv.*
as·ymp·tote [ǽsəmptòut] *n.* 〖數〗 점근선.
asýn·chro·nìsm, asýn·chro·ny [ei-, æ-] *n.* 비동시성(非同時性).
asýn·chro·nous [ei-, æ-] *a.* 비동시성의 ; 〖電〗 비동기(非同期)의.
as·yn·det·ic [æ̀səndétik] *a.* 앞뒤의 맥락이 없는 ; 상호 참조가 없는 ; 〖修〗 접속사를 생략한.
asyn·de·ton [əsíndətɑ̀n, 英+æsíndìtən] *n.* (*pl.* **~s, -de·ta** [-tə]) 〖修〗 접속사 생략. 〖NL<Gk. =not bound together〗

asyn·tác·tic [èi-, æ-] *a.* 문장법에 의거하지 않은 ; 비(非)문법적인.

◇**at** [ət, æt, ǽt] *prep.* ㊟ (1) [ǽt]은 고립되었거나 대조적 또는 문장 끝에 쓰이는 경우의 발음 : *at* or about the corner / What are you looking *at* ? (2) 원칙적으로 *at*은 공간·시간 따위의 「한 점」으로 (주관적으로) 생각할 때 씀 ; *in*은 「안에」 포함되는 관계를 말함. 나라·큰 도시는 *in* England, *in* London이라 하며 작은 도시·마을·촌락은 *at* Bath처럼, *at*은 보통 *in* 보다 좁은 장소를 나타내는데 같은 장소라도 지도상의 한 점이라고 생각되면 change *at* Chicago 따위로 말함 ; 한편 자기가 살고 있는 거리인 경우에 작은 도시라도 There are two stations *in* Iri. 라고 할 수 있음.

> (1) 기본 뜻 : 「어느 한 점에서」
> (2) 전치사 전용이다. ① 장소·때·착안점·방법 따위를 나타내어 우리말의 「…에(서)」의 뜻으로 쓰인다. ② 방향·목표의 표현에 쓰인다 : look *at* …쪽을 보다.
> (3) 자동사와 결합하여 중요한 타동사 상당어구를 많이 만든다.
> (4) 전치사구는 보통 부사적으로 옮기지만 그 대부분은 형용사적으로도 쓸 수 있다 : *at* that time(그때에)는 「그때에는」으로도 옮길 수 있음을 뜻한다.

—— *prep.* **1** [공간의 한 점] **a**) [위치·장소 ; ☞ BY *prep.* 1 ㊟, IN] …에, …에 있어서, …에서 : *at* a point 한 점에 / *at* the center 중심에 / *at* a distance 떨어진 곳에, 떨어져서. **b**) [출입의 점·바라보는 장소] …에서, …로부터 : enter *at* the front door 앞문으로 들어오다 / look out *at* the window 창에서 밖을 내다보다. **c**) [도착지·도달점] : arrive *at* one's destination 목적지에 이르다. **d**) [참석·재(在)·부재(不在)] …에[으로] (나가서 따위) : *at* a meeting 회의에 참석하여 / *at* the theater 극장에서[에 가서].
2 [때의 한 점] **a**) [시각·시절] : *at* 5 o'clock 5시에 / *at* noon 정오에 / *at* dinner time 저녁 식사 때에 / *at* present 지금은, 현재는 / *at* that time 그때에는 / *at* the beginning[end] of the month 월초[말]에 / *at* the same time 동시에 / *at* this time of (the) year 이 계절에, 매년 지금쯤은. **b**) [연령(年齡)] : *at* (the age of) seven 7세 때에. **c**) [단번에, 한 번에] : One thing *at* a time. 한 번[동시]에 두 가지 일을 하지 마라 / *at* a gallop 한걸음으로, 전속력으로.
3 a) …에 종사중[하는], …하여(engaged in) : *at* breakfast 아침 식사중 / *at* church (교회에 가서) 예배중 / *at* school (학교로 가서) 수업중 / be *at* work[play] 일하고[놀고] 있는 중이다 / What are you *at* now? 지금 무엇을 하고 있니. **b**) [솜씨] …하는데에(cf. IN *prep.* 10 c)) : He is good [poor] *at* drawing. 그는 그림 솜씨가 좋다[서툴다] / They are quick[slow] *at* learning. 그들은 빨리[더디] 깨친다.
4 [상태·상황] **a**) [극점(極點)] : The storm was *at* its worst. 폭풍우는 더없이 사나워졌다. **b**) [평화·불화] : *at* peace 평화로이 / *at* war 전쟁중. **c**) [곤경·궁상(窮狀)] : the stag *at* bay 궁지에 몰린 사슴. **d**) [정지·휴지(休止)] : *at* a standstill 딱 정지하여 / *at* anchor 정박(渟泊)하여. **e**) [자유·임의] : *at* one's disposal (…의) 마음대로.
5 [방향·목표·표적·목적] : look *at* the moon 달을 보다 / aim *at* a mark 표적을 겨누다 / What is he aiming *at* ? 무엇을 목표로 삼고 있니, 그의 목적은 무엇이니 / run *at* …을 향하여[…을 목표 삼아] 달리다 / guess *at* …을 맞추어 보다 / hint *at* …을 암시하다, 넌지시 알리다 / laugh *at* a man 남을 비웃다 / *At* [ǽt] him ! 그에게 덤벼라 !
6 [본원(本源)·감정의 원인] …에서, …로부터 ; …을 보고[듣고, 생각하고], …에 접하여 : get information *at* the fountainhead 근원에서 지식을 얻다 / tremble *at* the thought of …을 생각만 해도 떨리다 / wonder *at* the sight of …을 보고 놀라다.
7 [도(度)·비율] : *at* 80° 80도로[에서] / *at* the rate of 40 miles an hour 시속 40마일로 / *at* full speed 전속력으로.
8 [수량·대가·비용] …으로 《매매하다》 ; …이라고 《보다, 견적하다》(cf. FOR *prep.* 4) : *at* a good price 좋은 가격으로 / *at* a high salary 높은 급료로 / buy[sell, be sold] *at*... (얼마)에 사다[팔다, 팔리다] / estimate the crowd *at* 2000 군중을 2000명으로 어림잡다. ㊟ *at* AUCTION, *at* RETAIL, *at* WHOLESALE은 《美》에서, 《英》에서는 *by*...라고 함.
at about …할 즈음, 무렵(cf. ABOUT *adv.* 1) : *at about* five o'clock[the same time] 5시쯤[같은 무렵]에 / *at about* the same speed 대략 같은 속도로.
at it (일·운동·싸움 따위에) 착수하여, 종사하여, 열심히 하여 : He is hard *at it.* 그는 열심히 하고 있다.
at that ☞ THAT[1].
be at …을 겨누다, 하고자 하다 : What *are* you *at* ? 너는 무엇을 하려고 하니.

> 〈회화〉
> *At* what time do you get up? — I get up *at* seven. 「몇 시에 일어나니」 「7시에 일어나」

〖OE *æt* ; cf. OHG *az*, ON *at*〗

at- ☞ AD-.

At 〖化〗 astatine. **at.** atmosphere ; atomic ; attorney. **A.T., AT** Air Transport(ation) ; ampere-turn ; antitank. **A.T.A.** Air Transport Association of America.

-a·ta [ɑ́:tə, éi-] *n. pl. suf.* 「…을 특징으로 하는 동물 류(類)」의 뜻《동물학상의 분류명을 만듦》. 〖L (neut. pl.) < *-atus*〗

At·a·brine [ǽtəbrən, -brì:n] *n.* 아타브린《말라리아 예방[치료]약 ; quinacrine의 미국 상표명》.

At·a·lan·ta [æ̀təlǽntə] *n.* 〖그神〗 아탈란타《발이 빠른 미녀》.

A.T. & T. American Telephone and Telegraph Company(미국 전신 전화 회사).

at·a·rac·tic [æ̀tərǽktik], **-rax·ic** [-rǽksik] *n.*, *a.* 정신 안정제(의).

at·a·rax·ia [æ̀tərǽksiə], **at·a·raxy** [-rǽksi] *n.* (정신·감정의) 평정, 냉정. 〖F<Gk.〗

A.T.A.(S.) Air Transport Auxiliary (Service).

at·a·vism [ǽtəvìzəm] *n.* 〖生〗 격세 유전(遺傳), 귀선(歸先) 유전 ; 격세[귀선] 유전의 예. 〖F (L *atavus* great-grandfather's grandfather)〗

at·a·vist [ǽtəvəst] *n.* 〖生〗 격세(隔世) 유전에 의한 형질을 가진 개체.

at·a·vis·tic [æ̀təvístik] *a.* 격세 유전적인. **-ti·cal·ly** *adv.* 격세 유전적으로.

atax·ic [ətǽksik, ei-] *a.* 운동 실조의 ; 무질서한.

ataxy [ətǽksi, ei-], **atax·ia** [-siə] *n.* 무질서 ;

〖醫〗(특히 손발의) 운동 실조(증) (失調(症)). 〚L<Gk. =impassiveness (*a-*[2], *taxis* order)〛

at bát *n.* (*pl.* **~s**) 〖野〗 타수, 타석(略 a.b.) : He made two hits *in* four *~s* 그는 4타수 2안타를 쳤다.

ATC Air Traffic Control(항공 교통 관제) ; Air Transport Command(항공 수송 사령부) ; Air Training Corps(공군 훈련단) ; 〖鐵〗 automatic train control. **ATCC** air traffic control center (항공 관제 센터).

at·cha [ətʃɑ́:], **atch·oo** [ətʃú:] *int.* 에취(재채기 소리). 〚imit.〛

ATD advanced technology development. **ATE** automatic test equipment.

◇**ate** *v.* EAT의 과거형.

Ate [éiti, ɑ́:ti] *n.* **1** 〖그神〗 아테(신들이나 인간을 여러가지 나쁜 일로 이끄는 여신). **2** [a~] 사람을 파멸로 이끄는 충동[야망, 우행(愚行)].

-ate[1] [ət, èit] *a. suf.* 「…이 있는」의 뜻 (having) : foli*ate*. 〚L *-atus* (p.p.)〛

-ate[2] [ˊ-èit, -éit] *v. suf.* 「…시키다」 「…하다」의 뜻 : cre*ate*, transl*ate* ; educ*ate*, separ*ate*. 〚L *-atus* (p.p.)〛

-ate[3] [ət, èit] *n. suf.* **1** 「…의 직무, 직」의 뜻 : consul*ate*, sen*ate*. **2** 〖化〗「…산염(酸鹽)」의 뜻 : carbon*ate*, sulf*ate*. 〚OF or L *-atus* (n. or p.p.)〛

At·e·brin [ǽtəbrən, -brì:n] *n.* 아테브린(quinacrine의 영국 상표명).

-at·ed [èitəd] *a. suf.* =-ATE[1].

ate·lier [æ̀təljéi, ˊ-ˊ] *n.* 아틀리에, 작업장, 일하는[제작하는] 방, 화실(studio). 〚F〛

a tem·po [ɑ: témpou] 〖樂〗 *adv.*, *a.* 본디 빠르기로[의], 아 템포로[의]. —— *n.* 아 템포의 악절. 〚It. =in time〛

atém·po·ral [ei-, æ-] *a.* 시간에 영향받지 않는, 시간이 없는(timeless).

Aten, Aton [ɑ́:tn] *n.* 〖古이집트〗 아톤(유일신으로 숭배된 태양 원반).

Ate·ri·an [ətíəriən] *n.*, *a.* (북아프리카 구석기 시대 중기의) 아테리아 문화(기) (의). 〚Bir el-*Ater* 튀니지 남부에 있는 표준 유적〛

A-test [éiˊ] *n.* 원자 폭탄 실험.

ATF advanced tactical fighter ; 《美》 Bureau of Alcohol, Tobacco and Firearms. **ATGM** anti-tank guided missile(대전차 유도 미사일).

ath·a·na·sia [æ̀θənéiʒə, -ʃə], **athan·a·sy** [əθǽnəsi] *n.* 불사, 불멸.

Ath·a·na·sian [æ̀θənéiʒən, -ʃən] *a.*, *n.* 아타나시오스의 ; 아타나시오스파 사람.

Athanásian Créed *n.* [the ~] 아타나시오스 신경(信經).

Ath·a·na·sius [æ̀θənéiʒiəs, -ʃiəs] *n.* [Saint ~] 아타나시오스(293?-373)(Alexandria의 대주교로 아리우스파의 교리에 반대했음).

Athár·va-Véda [ətɑ́:rvə-] *n.* [the ~] 아타르바베다(바라문교의 성전(聖典)인 주문(呪文)을 집록한 베다의 하나 ; cf. VEDA).

athe·ism [éiθiìzəm] *n.* Ⓤ 무신론(cf. DEISM, THEISM) ; 무신앙 생활. 〚F (Gk. *atheos* without god) ; cf. THEISM〛

áthe·ist *n.* 무신론자 ; 무신앙자.

àthe·ís·tic, -ti·cal *a.* 무신론(자)의. **-ti·cal·ly** *adv.* 무신론적으로.

ath·e·ling [ǽθəliŋ, 美+ǽðə-] *n.* 〖英史〗 (앵글로색슨의) 왕자 ; 귀족 ; (특히) 황태자.

Ath·el·stan [ǽθəlstæ̀n ; -stən] *n.* 남자 이름. 〚OE=noble+stone〛

Athe·na [əθí:nə] *n.* 〖그神〗 아테나(지혜·예술·전술(戰術) 따위의 여신 ; 〖로神〗의 Minerva에 해당 ; cf. PALLAS).

Ath·e·nae·um, -ne- [æ̀θəní:əm] *n.* **1** [the ~] 아테네 신전(고대 그리스의 아테네에 있었으며 시인·학자들이 모여 시문(詩文)을 평론했음). **2** [a~] 학당 ; 문예[학술] 클럽 ; [a~] 도서실, 문고(文庫).

Athe·ne [əθí:ni] *n.* 아테네.

Athe·ni·an [əθí:niən] *a.* 아테네(Athens)의. —— *n.* 아테네 사람.

Ath·ens [ǽθənz] *n.* 아테네(그리스의 수도 ; 고대 그리스 문명의 중심지).

athè·o·rét·i·cal [ei-, æ-] *a.* 비(非)논리적인.

ather·man·cy [æθə́:rmənsi] *n.* 〖理〗 불투열(성) (不透熱(性)).

ather·ma·nous [æθə́:rmənəs] *a.* 불투열(성)의.

ath·ero·génic [æ̀θərou-] *a.* 〖醫〗 (동맥) 아테로마 발생(성)의(식사).

ath·er·o·ma [æ̀θəróumə] *n.* 〖醫〗 분류(粉瘤) ; 동맥 아테로마(혈관벽의 퇴행성 변화를 수반한 동맥 경화증).

ath·ero·sclerósis [æ̀θərou-] *n.* (*pl.* **-ses**) 〖醫〗 아테로마성(性) 동맥 경화증. 〚G (Gk. *athērē* groats, *-o-*, SCLEROSIS)〛

athirst [əθə́:rst] *pred. a.* 《古·詩》 목이 말라서 (thirsty) ; 《文語》 갈망하여(eager)〈*for*〉. 〚OE *ofthyrst*=*ofthyrsted* (p.p.)〈*ofthyrstan* to be thirsty〛

athl. athlete ; athletic(s).

***ath·lete** [ǽθli:t] *n.* (일반적으로) 운동가, 경기자 ; 건장한 사람 ; 《英》 트랙[육상] 경기자. 〚L<Gk. (*athleō* to contend for〈*athlon* prize)〛

áthlete fùnd *n.* 경기자 기금(육상선수가 획득한 상금·출장료 따위를 우선 이 기금에 넣고 필요 경비만 건넨 후 나머지는 은퇴 후에 지급하는 제도).

áthlete's fóot *n.* 〖醫〗 (발의) 무좀.

áthlete's héart *n.* (운동 과다로 인한) 스포츠 심장(비대해진 심장).

***ath·let·ic** [æθlétik] *a.* 운동선수[경기자]의 ; 체육[운동 경기]의 ; 건장한 : an ~ meet(ing) 경기회, 운동회 / ~ sports 운동 경기. **-i·cal·ly** *adv.* 운동 경기상[적으로].

ath·let·i·cism [æθlétəsìzəm] *n.* 운동 경기[스포츠]열 ; 집중적인[정력적인] 활동성.

***ath·lét·ics** *n. pl.* **1** [때때로 단수 취급] 옥외 운동 경기, 스포츠 ; 《英》 (특히) 트랙과 필드 경기 (track and field sports), 육상 경기. **2** [보통 단수 취급] 체육 실기, 체육 이론.

athlétic suppòrt(er) *n.* 운동용 서포터(jockstrap).

ath·o·dyd [ǽθədìd] *n.* 〖空〗 도관(導管) 제트(제트 엔진의 일종).

at-hóme *a.* 자택용의 ; 자택에서의.

at hóme *n.* (초대자 집에서 여는 가정적인) 초대회[모임, 잔치] ; =OPEN HOUSE.

-athon [əθɑ̀n] *n. comb. form* 「지구력 겨루기」의 뜻 : talk*athon*. 〚*marathon*〛

athríll [ə-] *pred. a.* 스릴이 넘치는, 흥분해서.

athwárt [ə-] *adv.* 엇갈리게, 비스듬히 : Everything goes ~ (*with* me). 만사가 생각대로 되지 않는다. ——[-ˊ, -ˊ] *prep.* …을 가로질러서 (across) ; (목적 따위)에 거슬러[반(反)하여] (against) ; 〖海〗 (선체와) 직각으로. 〚*a-*[1]〛

athwárt·shìp *a.* 〖海〗 뱃전에서 뱃전까지 선체를 가로지른.

athwárt·ships *adv.* 〖海〗 선체를 가로질러.

-at·ic [ǽtik] *a. suf.* 「…같은」 「…의」의 뜻 : aqu*atic*, dram*atic*. 〖F or L<Gk.〗

atich·oo [ətítʃuː, ətʃúː] *int.* 에취(ahchoo)《재채기 소리》.

atílt [ə-] *adv., pred. a.* **1** (마상(馬上) 시합에서) 창을 겨누고, 찌를 자세로 : run[ride] ~ at... 창을 겨누어 잡고 …을 향하여 질주하다. **2** 기울어(서) (tilted).

atín·gle [ə-] *pred. a.* 따끔거리어, 쑤시어 ; 들먹들먹하여, 흥분하여.

-a·tion [éiʃən] *n. suf.* 「…하는 행위·행동·과정」 「…한 상태」 「…한 결과로 생긴 것」의 뜻 : occup*ation*, civiliz*ation*. 〖F or L ; ⇨ -ION〗

atíp·toe [ə-] *adv., pred. a.* 발끝으로 딛고, 발돋움하여 ; 몹시 고대하여 ; 발소리를 죽여, 살금살금 ; 주의하여, 몰래.

ATIS automatic terminal information service. (비행장 정보 방송 업무)

-a·tive [∸èitiv, ∸(-)ətiv] *a. suf.* 「…의」「…에 관련이 있는」「…에 도움이 되는」「…하는 경향이 있는」의 뜻 : decor*ative*, talk*ative*. 〖F or L〗

At·kins [ǽtkənz] *n.* ☞ TOMMY ATKINS.

A.T.L. Atlantic Transport Line(대서양 운수 기선 회사). **Atl.** Atlantic.

At·lan·ta [ətlǽntə, æt- ; æt-] *n.* 애틀랜타《미국 Georgia 주의 주도》.

At·lan·te·an [æ̀tlæntíːən, ətlǽntiən] *a.* **1** 아틀라스(Atlas)와 같은 ; 힘센. **2** 아틀란티스(Atlantis) 섬의.

atlantes *n.* 〖建〗 ATLAS의 복수형.

‡At·lan·tic [ətlǽntik, æt-] *n.* [the ~] 대서양(=the ~ Ocean) : the North[South] ~ 북[남]대서양. —— *a.* **1** 대서양의, 대서양 연안(부근)의 : the ~ islands 대서양 제도 / the ~ states 《美》 대서양 연안의 여러 주, 동부 제주. **2** (아프리카 서부의) 아틀라스 산맥의. **3** 거인(巨人) 아틀라스(Atlas)의. 〖L<Gk. *Atlant-* ATLAS〗

Atlántic Chárter *n.* [the ~] 대서양 헌장《1941년 미국 대통령 Franklin D. Roosevelt와 영국 수상 Winston Churchill이 결정 발표한 「미·영 공동 선언」, 8개 원칙으로 이루어졌음》.

Atlántic Cíty *n.* 애틀랜틱 시티《미국 New Jersey주 남동부의 도시 ; 해수욕장으로 유명함》.

At·lan·ti·cism [ətlǽntəsìzəm, æt-] *n.* Ⓤ 범(汎)대서양주의《서유럽과 북미의 협력 정책》.

‡Atlántic Ócean *n.* [the ~] 대서양.

Atlántic Páct *n.* [the ~] =NORTH ATLANTIC TREATY[PACT].

Atlántic Próvinces *n. pl.* [the ~] (캐나다의) 대서양 제주(諸州).

Atlántic (stándard) tìme *n.* 대서양 표준시《GMT보다 4시간 늦음 ; 略 A(S)T ; cf. STANDARD TIME》.

At·lan·tis [ətlǽntəs, æt-] *n.* 아틀란티스 섬《Gibraltar 해협 서쪽에 있었으나 신벌(神罰)로 침몰했다고 하는 낙원》.

àt-lárge *a., adv.* 《美》 주(州) 전체를 대표하는 (의원(議員)에 의해서).

***at·las** [ǽtləs] *n.* 지도책(cf. CHART, MAP) ; 도해, 도표 ; 대판양지(大判洋紙)의 일종 ; 〖解〗 제1경추(頸椎) ; (*pl.* **at·lan·tes** [ətlǽntiːz, æt-]) 〖建〗 남상주(男像柱).

***Atlas** *n.* **1** 〖그神〗 아틀라스《지구를 양어깨에 짊어진 힘이 무쌍한 거인신》. **2** (일반적으로) 무거운 짐을 진 사람. **3** 《美》 (미공군 최초의) 대륙간 탄도 유도탄 ; 〖宇宙〗 달표면의 분화구《지름이 약 55마일》.

Atlas 1

Átlas-Céntaur clàss *n.* 〖宇宙〗 아틀라스센토급(級) 페이로드《1단계에는 아틀라스, 2단계에는 센토를 사용한 미국의 로켓 ; cf. PAYLOAD》.

átlas fólio *n.* 〖製本〗 대형 2절판《약 41×64cm》.

átlas gríd *n.* 항공 사진의 격자선(線).

Átlas Móuntains *n. pl.* [the ~] 아틀라스 산맥《아프리카 북서부에 있음》.

at·latl [ɑ́ːtlɑːtl] *n.* (고대 멕시코의) 창 발사기, 화살 발사기.

atm- [ǽtm], **at·mo-** [ǽtmou, -mə] *comb. form* 「증기」「공기」의 뜻. 〖Gk.〗

ATM anti-tank missile(대전차 미사일) ; automatic teller machine. **atm.** atmosphere(s) ; atmospheric.

at·man [ɑ́ːtmən] *n.* [흔히 A~] 〖힌두敎〗 아트만《(1) *Rig-Veda*에서 「호흡」「영혼」「자아」의 뜻. (2) 초월적 자아, 그 밖에 「범(梵)」의 뜻》. 〖Skt. =breath, self, soul〗

at·mol·o·gy [ætmɑ́lədʒi] *n.* 〖理〗 증발학.

at·mom·e·ter [ætmɑ́mətər] *n.* 증발계.

***at·mo·sphere** [ǽtməsfìər] *n.* **1** [the ~] (지구를 둘러싸는) 대기. **2** (실내 따위의) 공기 : a moist ~ 습기, 눅눅한 공기. **3** 분위기, 사방의 정세, 환경, 기분 : a tense ~ 긴장된 분위기. **4** Ⓤ.Ⓒ (예술품 따위에서 받는) 느낌, 운치, 미적 효과 : a novel rich in ~ (…한) 분위기가 잘 나타난 소설. **5** 〖理〗 기압《대기의 압력, 1기압은 1013.25밀리바 ; 略 atm.》. 〖NL (Gk. *atmos* vapor, SPHERE)〗

at·mo·spher·ic, -i·cal [æ̀tməsférik(əl), -sfíər-] *a.* 대기(중)의 ; 기압의 : *atmospheric* depression 저기압 / *atmospheric* discharge 공중 방전(放電). **-i·cal·ly** *adv.*

atmosphéric electrícity *n.* 〖理〗 공중 전기.

atmosphéric hypóxia *n.* 대기성 저산소증.

atmosphéric préssure *n.* 기압, 대기압.

àt·mo·sphér·ics *n. pl.* 〖理〗 공중전기, 공전(空電) ; 〖通信〗 (공전에 의한) 대기 잡음, 공전 잡음 ; 분위기(atmosphere).

atmosphéric tíde *n.* 〖理〗 대기 조석(潮汐).

at. no. atomic number. **A.T.O.** Air Transportation Office(항공 수송 사무소).

at·oll [ǽtɔ(ː)l, -toul, -tɑl, éi-, ətɑ́l] *n.* 환상(環狀)산호초(礁)[섬], 환초(環礁) (cf. LAGOON). 〖Maldives〗

atoll

***at·om** [ǽtəm] *n.* **1** 〖理·化〗 원자 ; [the ~] 원자 에너지, 원자력 : chemical ~*s* 원자. **2** 미소 분자, 미진(微塵)(particle), 소량 : smash[break]...to ~*s* …을 산산이 부수다 / There is not an ~ of truth in the rumor. 그 소문은 전혀 사실 무근이다. 〖OF<L<Gk.=indivisible〗

at·om·ar·i·um [ætəméəriəm, -mǽər-] *n.* 전시용 소형 원자로, 원자로[원자력] 전시관.
átom-bómb *vt., vi.* 원자 폭탄으로[을] 공격[투하]하다.
átom bómb *n.* =ATOMIC BOMB.
***atom·ic** [ətámik] *a.* 원자(력)의 ; 원자 폭탄의[을 이용한] ; 극소의(minute).
-i·cal·ly *adv.* 원자적으로, 원자력에 의해 ; 극히 작게.
〖NL ; ⇨ ATOM〗
atómic áge *n.* [the ~] 원자(력) 시대.
atómic áirplane *n.* 원자력 비행기.
atómic bómb *n.* 원자 폭탄(A-bomb).
atómic cálendar *n.* 탄소 14법(法)에 의한 연대 측정 장치.
atómic cárrier *n.* 원자력 항공 모함.
atómic clóck *n.* 원자 시계.
atómic clóud *n.* (원자 폭탄에 의한) 원자운(雲), 버섯 구름.
atómic cócktail *n.* 《美》 (암환자에게 복용시키는) 의약용 방사성 물질.
atómic contról *n.* 원자력 관리.
atómic demolítion munìtions *n. pl.* 폭파용 핵자재《略 ADM》.
atómic diplómacy *n.* 원자 외교《핵전쟁의 위협에 입각한 외교》.
atómic diséase *n.* 원자병.
atómic disintegrátion *n.* 원자핵 붕괴.
atómic dúst *n.* 원자재[회(灰)].
atómic énergy *n.* 원자력, 원자 에너지.
Atómic Énergy Authòrity *n.* [the ~] 《英》 원자력 공사(公社)《1954년 설립 ; 略 A.E.A.》.
atómic explósion *n.* 핵폭발.
atómic físsion *n.* 원자핵 분열.
atómic fórmula *n.* 〖化〗 원자식(式).
atómic fúrnace *n.* 원자로(爐) (reactor).
atómic fúsion *n.* 원자핵 융합.
atómic gún *n.* 원자포.
atómic héat *n.* 〖理〗 원자열.
atómic hypóthesis *n.* 〖哲〗 원자론.
at·o·mic·i·ty [ætəmísəti] *n.* 〖化〗 (분자 중의) 원자수 ; 원자가(valence).
atómic máss *n.* 〖化〗 원자 질량 ; 동위체 질량.
atómic máss ùnit *n.* 〖理〗 원자 질량 단위《略 AMU》.
atómic núcleus *n.* 원자핵.
atómic númber *n.* 〖化·理〗 원자(原子)번호《略 at. no.》.
atómic philósophy *n.* =ATOMISM.
atómic píle *n.* 원자로(爐) (reactor).
atómic pláne *n.* =ATOMIC AIRPLANE.
atómic plánt *n.* 원자력 공장.
atómic pówer *n.* 원자력.
atómic (pówer) generàtion *n.* 원자력(原子力) 발전.
atómic pówer plànt[stàtion] *n.* 원자력 발전소.
atómic propúlsion *n.* 원자력 추진.
atómic reáction *n.* 원자핵 반응.
atómic reáctor *n.* 원자로(爐) (reactor).
atóm·ics *n.* 원자학《원자력을 다루는 물리학의 한 부문》.
atómic shíp *n.* 원자력선(船).
atómic spéctrum *n.* 〖理〗 원자 스펙트럼《원자가 방출[흡수]하는 스펙트럼》.
atómic stándard *n.* 원자 표준.
atómic strúcture *n.* 〖理〗 원자 구조.
atómic súbmarine *n.* 원자력 잠수함.
atómic théory *n.* 〖理〗 (원자 구조에 관한) 원자설 ; Ⓤ 〖哲〗 =ATOMISM.
atómic tíme *n.* (원자 시계에 의한) 원자 시간.
atómic tíme clòck *n.* 원자 연대(年代) 시계 《C^{14}을 사용함》.
atómic válence *n.* 원자가(價).
atómic vólume *n.* 원자 부피《略 at. vol.》.
atómic wárfare *n.* 원폭전(戰), 핵전쟁.
atómic wárhead *n.* 핵탄두.
atómic wéapon *n.* 핵무기[병기].
atómic wéight *n.* 〖化〗 원자량《略 at. wt.》.
átom·ìsm *n.* Ⓤ 〖哲〗 원자론《모든 물질은 그 이상 분석할 수 없는 미립자로 이루어져 있고 그들의 상호 관계는 필연적이 아니라고 함》 ; 〖心〗 원자론《심리 현상을 심적 요소의 결합으로 설명하려고 하는 심리학설》.
-ist *n.* 원자론자.
at·om·is·tic [ætəmístik] *a.* 원자(론)의 ; 원자론적인 : an ~ society 원자론적 사회《각자 독립한 개체로 이루어짐》.
àt·om·ís·tics *n.* 애터미스틱스《에너지 이용을 주체로 하는 원자론 ; cf. ATOMICS》.
àtom·izátion *n.* Ⓤ 원자화 ; 분무(噴霧) 작용.
átom·ìze | -ìse *vt.* **1** 원자로 만들다 ; 미립자로 만들다. **2** (물·소독액 따위를) 안개처럼 뿜다. **3** 원자 폭탄으로 파괴하다.
-ìz·er *n.* 분무기(器) ; 향수 뿌리개.
átom smàsher *n.* 《口》 원자핵 파괴 장치 ; 가속기(accelerator).
at·o·my[1] [ǽtəmi] *n.* **1** 원자(atom) ; 미세한 것. **2** 꼬마, 난쟁이(pygmy).
〖? *atomi* (pl.) < L ATOM〗
atomy[2] *n.* 《古》 해골 ; 말라깽이.
〖다른 분석 ‹ *anatomy*〗
atón·al [ei-, æ-] *a.* 〖樂〗 무조(無調)의.
atónal·ìsm *n.* 〖樂〗 무조주의(無調主義) ; 무조 음악의 악곡[이론].
at·o·nál·i·ty [èi-, æ̀-] *n.* Ⓤ 〖樂〗 무조성(無調性) ; (작곡상의) 무조주의[형식].
atone [ətóun] *vi.* [+*for*+名] 보상[배상]하다, 갚다 ; 속죄하다 : He ~*d* ***for*** the wrong he had done. 자기가 저지른 잘못에 대한 대가를 치루었다 / He ~*d for* break*ing* his promise with Betty by taking her to the movies. 그는 약속을 어긴 대가로 베티에게 영화 구경을 시켜주었다.
—— *vt.* 보상하다 ; 《廢》 화해시키다. 注 능동태로 쓰여질 경우 또는 수동태에서도 *for*를 수반하지 않은 경우는 고형(古形).
〖역성(逆成) ‹ATONEMENT〗
atón(e)·able *a.* 보상할 수 있는.
atóne·ment *n.* **1** Ⓤ 보상, 대가 : make ~ *for* … 의 보상을 하다. **2** Ⓤ 〖宗〗 속죄 ; [the A~] 그리스도의 속죄《기독교에서 그리스도가 십자가에 못박혀 인류를 대신하여 죄를 속죄했다는 신앙》. **3** 《廢》 화해.
〖AT, ONE, *-ment* ; 어형은 L *adunamentum*과 E *onement* (‹ *one* (obs.) to unite)의 영향〗
atón·ic [ei-, æ-] *a.* 〖音聲〗 악센트가 없는 ; 〖醫〗 활력이 없는, 이완(弛緩)의. —— *n.* 〖音聲〗 악센트 없는 낱말[음절].
at·o·ny [ǽtəni] *n.* Ⓤ 〖醫〗 (수축성 기관의) 아토니, 이완(弛緩) ; 〖音聲〗 악센트가 없음.
atóp [ə-] *adv.* 《文語》 정상에〈*of*〉. —— *a.* [보통 후치] 정상에 있는. ——[-́, -̀] *prep.* …의 정상에 : ~ a hill 언덕 꼭대기에.
〖*a-*[1]〗

at·o·py [ǽtəpi] *n.* 〖醫〗 아토피《선천성 과민증》. **atop·ic** [eitápik, -tóu-] *a.*
〖Gk. =uncommonness〗

-a·tor [èitər] *n. suf.* 「…하는 사람[것]」의 뜻 : totaliz*ator.*
〖F and L (*-ate*[1,2], *-or*)〗

-a·to·ry [ˊ-ətɔ̀:ri ; ˊ-ətəri, -èitəri] **1** *a. suf.* 「…적(的)인」의 뜻 : compens*atory.* **2** *n. suf.* 「…하는 장소」의 뜻 : labor*atory.*
〖L (*-ate*[1,2], *-ory*)〗

atóx·ic [ei-, æ-] *a.* 독이 없는.

ATP [èiti:pí:] *n.* 〖生化〗 아데노신 3인산(燐酸) (adenosine triphosphate)《근육에서의 에너지 전달을 매개하는 물질》.

at·ra·bil·iar [æ̀trəbíljər] *a.* =ATRABILIOUS.

at·ra·bil·ious [æ̀trəbíljəs] *a.* 우울증에 걸린 ; 침울[우울]한(melancholy) ; 무뚝뚝한, 성마른(ill-natured). 〖L *atra bilis* black bile ; Gk. MELANCHOLY의 역(譯)〗

at·ra·zine [ǽtrəzì:n] *n.* 〖農〗 아트라진《제초제》.
〖L *atr- ater* black, tri*azine*〗

atrém·ble [ə-] *adv., pred. a.* 《詩》 벌벌 떨며.

atre·sia [ətrí:ʒə] *n.* 〖醫〗 (관(管)·공(孔)·강(腔) 따위의) 폐쇄(증).
〖NL (Gk. *trēsis* perforation)〗

Atreus [éitru:s, -triəs ; -triù:s, -triəs] *n.* 〖그神〗 아트레우스《Mycenae의 왕으로 Agamemnon과 Menelaus의 부친》.

at·ri·o- [éitriou] *comb. form.* 〖解〗 「심방」의 뜻.
〖⇨ ATRIUM〗

àtrio·ventrícular *a.* 〖解〗 (심장의) 방실간(房室間)의[에 위치하는] : an ~ valve[canal] 방실판(瓣)[관(管)].

atríp [ə-] *pred. a.* 〖海〗 (닻이) 막 바다 밑에서 떠올라.

atri·um [éitriəm, 英+á:-] *n.* (*pl.* **atria** [-triə], **~s**) **1** 〖建〗 가운데 뜰 ; (로마 건축의) 안마당. **2** 〖解〗 심방(心房), 심이(心耳) ; (귀의) 고실(鼓室). 〖L〗

atro·cious [ətróuʃəs] *a.* **1** 극악스러운, 흉악한, 잔인한(brutal). **2** 《口》 심한, 지독한, 정도가 아주 낮은 : an ~ pun 심한 농담. **~·ly** *adv.* 극악하게 ; 심하게. **~·ness** *n.* 잔인.
〖L *atroc- atrox* cruel〗

atroc·i·ty [ətrásəti] *n.* Ⓤ 포악, 비인도적임, 잔인 ; Ⓒ 잔학한 행위, 극악무도, 흉행 ; 《口》 대실책. 〖F or L ; ↑〗

à trois [*F* a trwɑ] *a., adv.* 셋이서 (하는), 3자 사이에서(의) : a discussion ~ 3자간 토의.

atroph·ic [eitráfik, ə-] *a.* 위축성의.

at·ro·phy [ǽtrəfi] *n.* **1** Ⓤ 〖醫〗 (영양 부족 따위에서 오는) 위축(증) (↔ *hypertrophy*) ; 쇠약. **2** Ⓤ 〖生〗 기능의 쇠퇴, 퇴화(degeneration). **3** Ⓤ,Ⓒ (도덕심 따위의) 감퇴. —— *vt., vi.* 위축시키다[하다] ; 쇠퇴하다.
〖F or L<Gk. (*a-*[2], *trophē* food)〗

at·ro·pine [ǽtrəpì:n, -pən], **-pin** [-pən] *n.* Ⓤ 〖藥〗 아트로핀《벨라도나(belladonna)에서 채취하는 유독한 백색 결정성(性) 알칼로이드 ; 경련 완화제(劑)》.
〖NL *Atropa belladonna* deadly nightshade (Gk. ATROPOS)〗

at·ro·pism [ǽtrəpìzəm] *n.* 아트로핀 중독.

At·ro·pos [ǽtrəpɑ̀s] *n.* 〖로·그神〗 아트로포스《운명의 3여신(the FATES) 중의 하나》.
〖Gk. =inflexible〗

ATS, A.T.S. American Temperance Society (미국 금주 협회) ; American Tract Society ; Army Transport Service (육군 수송부) ; applications technology satellite (응용 기술 위성) ; automatic train stop ; Automatic Transfer Services (자동 대체 서비스) ; Auxiliary Territorial Service 《英》 (여자 국방군).

att. attached ; attention ; attorney.

at·ta·boy [ǽtəbɔ̀i] *int.* 《美俗》 여어!, 잘한다!, 굉장한데! 《격려·칭찬》. 〖*That's the boy!*〗

at·tach** [ətǽtʃ] *vt.* **1** [+目+*to*+名] 붙이다, 달라붙게 하다(↔*detach*) ; (서명·부속 서류 따위를) 덧붙이다, 첨부하다 : He ~*ed* the label ***to his trunk. 그는 트렁크에 꼬리표를 붙였다. **2** [+目+*to*+名] [~ one*self* 또는 *p.p.*로] 소속시키다, (일시적으로) 배속하다 : He first ~*ed* him*self* ***to*** the Liberals. 그는 처음에는 자유당원이었다 / an officer ~*ed to* the General Staff 참모본부 배속 장교. **3** [+目+*to*+名] [때때로 수동태로] 애착을 가지게 하다, 따르게[사모하게] 하다 : He has the gift of ~*ing* people ***to*** him. 그에게는 남들을 따르게 하는 인덕이 있다 / Hamlet had *been* deeply ~*ed to* his father. 햄릿은 아버지에게 깊은 애착을 느끼고 있었다. **4** [+目+*to*+名] (중요성 따위를) 부여하다, (죄·책임 따위를) …에 돌리다 : Do you ~ much importance ***to*** what he says? 당신은 그의 말이 중요하다고 생각합니까. **5** 〖法〗 체포하다 ; 압류하다. —— *vi.* [+*to*+名] 달라붙다, 부착(附着)하다, (…에) 따르다, (…에) 속하다 : No blame ~*es* ***to*** you. 자네에게는 아무런 죄가 없네. **~·able** *a.*
〖OF=to fasten<Gmc. ; ⇨ STAKE〗
類義語 ⟹ FASTEN.

at·ta·ché [æ̀təʃéi, æ̀tæ-, ətæ- ; ətǽʃei ; *F* ataʃe] *n.* (대사·공사의) 수행원, 대[공]사관원(員), 외교관보(補) : a commercial ~ 상무관 / a military[naval] ~ 대[공]사관부 육군[해군] 무관.
〖F (p.p.) 〈*attacher* to ATTACH〗

attaché case [-ˊ-ˊ] *n.* 아타셰 케이스《서류용의 네모난 작은 손가방》; =BRIEFCASE.

at·táched *a.* **1** 결부되어 있는, 첨부[부속]된 ; 〖貝〗 고착된 ; 〖建〗 (부재(部材)가 벽 따위의) 속에 묻힌[부착된] : an ~ high school 부속 고등학교. **2** 사모하고[애정을 느끼고] 있는〈*to*〉; 결혼한, 정한 상대가 있는.

attách·ment *n.* **1** Ⓤ 붙이기, 부착 ; Ⓒ 부착물, 부속품[물]〈*to*〉; 연결[부가]장치. **2** Ⓤ,Ⓒ 애착, 애모(愛慕), 애정(affection) : He showed no ~ *to*[had a strong ~ *for*] the lady. 그는 그 여성에 대해 아무런 애정도 표시하지 않았다[강한 애정을 품고 있었다]. **3** Ⓤ 〖法〗 압류, 체포 ; Ⓒ 압류 영장, 체포 영장.
類義語 ⟹ LOVE.

‡at·tack [ətǽk] *vt.* **1** (적군·논적(論敵)·남의 언동 따위를) 공격하다, 습격하다(↔*defend*) : ~ the enemy 적을 공격하다. **2** (일에) 착수하다, (식사 따위를) 왕성하게 먹기 시작하다. **3** (질병이 사람을) 엄습하다 ; (비·바람 따위가 물건을) 침식[부식]하다 : He was ~*ed* by fever. 그는 열병에 걸렸다. **4** (여성을) 폭행하다.
—— *vi.* 공격하다.
—— *n.* **1** Ⓤ,Ⓒ 공격, 습격(offense) (↔*defense*) ; 비난 : deliver[make] an ~ 공격을 가하다〈*on, against*〉/ be under ~ 공격을 받고 있다 / *A*~ is the best defense. 공격은 최선의 방어. **2** Ⓤ,Ⓒ (작업의) 시작, 착수. **3** 발병(發病) ; (질병의) 발작(fit) : a heart ~ 심장병의 발작 / have an ~ *of* fever 열병에 걸리다. **4** 〖樂〗 발성(법) ;

〔音聲〕 소리내기. **5** (여성에의) 폭행(미수).
〖F<It. =to ATTACH, join (battle)〗
類義語 ***attack*** 가장 보편적인 말로 공격을 가하다 : *attack* a fortress (요새를 공격하다).
assail 되풀이하여 타격을 가하다 : *assail* a person with groundless gossip (낭설을 퍼뜨려 남을 공박하다). ***assault*** 갑자기 격렬하게 폭력·무력을 가하다 ; 직접 상대에게 손대는 것을 뜻함 : a gentleman *assaulted* by gangsters (악한들에게 폭행을 당한 신사). ***beset*** 포위하여 사방으로부터 공격을 가하다 : *beset* a castle (성을 포위하여 사방에서 공격하다). ***bombard*** 도시·보루·군대 따위를 연속 포격[폭격]하다 ; 《비유》 집요하게 되풀이하여 공격하다. ***charge*** 군사용어로 기병(騎兵)이 질주하여 적군을 급습하다 ; 동물·축구 선수 등이 상대를 향해 돌진하다. ***storm*** 폭풍우처럼 돌진하여 세차게 공격하다.

attáck dòg *n.* 《美》 공격견(犬)《명령으로 사람을 공격하도록 훈련된 개》.

attáck·màn *n.* 〔競〕 공격 위치의 선수.

attáck sùbmarine *n.* 공격형 잠수함.

at·ta·gal [ǽtəgæ̀l], **-girl** [-gə̀ːrl] *int.* 《美口》 잘한다, 됐어, 멋있다(cf. ATTABOY).

at·tain** [ətéin] *vt.* **1** (목적·희망 따위를) 이루다, 달성하다, 획득하다(achieve) : He *~ed* a full success. 그는 완전한 성공을 거두었다. **2** (높은 곳·고령 따위에) 이르다, 도달하다(reach) : ~ old age 고령에 달하다. ── *vi.* [+*to*+名] (노력하여) 도달하다, (자연히) …하게 되다 : ~ ***to perfection 완벽한 경지에 달하다 / At last he *~ed to* a position of great influence. 드디어 그는 대단히 영향력 있는 지위에 앉았다 / ~ *to* man's estate 성년이 되다.
〖OF<L *attingo* to reach (*at-*, *tango* to touch)〗
類義語 ⟹ REACH.

attàin·abílity *n.* Ⓤ 도달[달성] 가능성, 이룰 수 있음.

attáin·able *a.* 도달할 수 있는, 완수할[이룰] 수 있는. **~·ness** *n.*

at·tain·der [ətéindər] *n.* Ⓤ 〔英法〕 (반역죄·중죄 따위에 의한) 사권(私權) 박탈《지금은 폐지》; 《廢》 불명예.

attáin·ment *n.* **1** Ⓤ 도달, 달성. **2** (노력하여 얻은) 재주, 예능(accomplishment) ; [때때로 *pl.*] 학식, 재능 : a man of varied *~s* 다재 다능[박식 다재]한 사람.

at·taint [ətéint] *vt.* **1** …에게서 사권(私權)을 박탈하다. **2** 《古》 (명예·명성 따위를) 더럽히다(taint) ; 감염시키다(infect).
〖OF ; ⇨ ATTAIN〗

at·tar [ǽtər, 美+ǽtɑːr] *n.* 꽃의 향수 ; Ⓤ 장미 향유(=∠ **of róses**).
〖Pers.〗

at·tem·per [ətémpər] *vt.* 완화시키다, 누그러뜨리다 ; 조절하다 ; (쇠를) 불리다.

‡at·tempt [ətémpt] *vt.* **1** [+目/+*to* do/+do*ing*] 꾀하다, 시도하다(try) : They *~ed* an attack by night. 그들은 야습을 시도했다 / The patient *~ed* to rise but failed. 환자는 일어서려고 했으나 허사였다 / We *~ed* break*ing* the lines of the enemy. 우리는 적의 방어선 돌파를 시도했다. **2** (요새 따위를) 습격하다(attack), (인명 따위를) 노리다.
attempt the life of... 《古》 …을 죽이려고 계획하다《보통 미수인 경우에 씀》.
── *n.* **1** [+*to* do/+*at*+do*ing*] 시도, 기도(企圖), 노력 : Sails were raised in an ~ ***to*** keep the vessel before the wind. 배를 바람 불어가는 쪽으로 향하게 하려고 돛을 올렸다 / In 1881 a group of French engineers made their first ~ *to* construct a canal through Panama. 1881년에 일단의 프랑스 기사(技師)들이 최초로 파나마 운하의 건설을 시도했다 / He made an ~ ***at*** a joke [*at* jok*ing*]. 그는 농담을 하려고 했다. **2** 공격(attack), (암살·침해(侵害) 따위의) 기도(企圖) : An ~ was made *on* his life. 그의 암살 기도가 이루어졌다. **3** 〔法〕 미수.
〖OF<L ; ⇨ TEMPT〗
類義語 ⟹ TRY.

at·témpt·ed [-id] *a.* 시도한, 꾀한 ; 미수의 : ~ burglary 강도 미수.

◇at·tend [əténd] *vt.* **1** …에 출석하다, (학교에) 다니다, 참가하다(be present at) : He *~s* school regularly. 그는 꼬박꼬박 학교에 간다.
2 [+目/+目+*with*+名] (결과로서) …에 따르다, 수반하다 : Success often *~s* hard work. 근면에는 흔히 성공이 따른다 / The enterprise was *~ed* ***with*** much difficulty. 그 사업에는 많은 어려움이 따랐다. **3** (…에게) 시중들다, 수행하다 ; 간호하다 : The patient was *~ed* by a doctor. 환자에게는 의사가 딸려 있었다.
── *vi.* **1** [動/+*at*+名] 출석[출근, 참가]하다 (be present) : He received an order to ~ ***at*** the police court. 그는 즉결 재판소로 출두하라는 명령을 받았다. 주 *vt.* 1의 용법보다 문어적임. **2** [+*to*+名] 유의[주의]하다, 주의하여 듣다 ; 열성을 내다 : *A*~ ***to*** your teacher[what your teacher says]. 선생님 말씀하시는 것을 잘 들어야 합니다 / He *~ed to* his business. 그는 일에 열성이었다.
3 [+*on*+名] 시중들다 ; 간호하다(wait), 보살피다 : She had three servants *~ing* **(*up*)*on*** her. 하인 3명이 그녀의 시중을 들고 있었다 / ~ *on* the patient day and night 주야로 환자를 간호하다.
4 [+*on*+名] (결과로서 …에) 수반하다 : the consequences *~ing* **(*up*)*on*** his carelessness 그의 부주의로 생긴 결과.

〈회화〉
To my regret, I can't *attend* your party. — I'm sorry to hear that. 「유감이지만 자네 파티에는 갈 수 없네」「그거 정말 유감이군」

〖OF<L ; ⇨ TEND[1]〗
類義語 ⟹ ACCOMPANY.

‡attend·ance *n.* **1** Ⓤ 출석, 출근, 참가, 참석, 임석(presence)〈*at*〉; Ⓒ (한 번의) 출석 : regular ~ 규칙적인 출석, 정근(精勤) / make ten *~s* 10회 출석하다. **2** [집합적으로] 출석[참석, 참가]자, 회중(會衆)〈*at*〉; 출석자[관객]수〈*at*〉: a large[small] ~ 다[소]수의 참가자[관객]. **3** Ⓤ 시중, 봉사〈*on*〉: medical ~ 의료적인 조처, 치료. **4** Ⓤ 서비스료(料) : ~ included (호텔 따위의) 서비스료 포함 / give good ~(=service) 충분한 서비스를 하다.
dance attendance* (*up*)*on a person ☞ DANCE.
in attendance on a person 남에게 봉사하여, 시중을 들어(주는) : an officer *in* ~ *on* His Majesty 시종무관(侍從武官).

〈회화〉
I hear you've flunked history. — Yes, probably for poor *attendance*. 「역사가 학점 미달이더라」「응, 출석률이 나빠서 그런 것 같애」

atténdance allòwance *n.* 《英》 간호 수당.
atténdance àrea *n.* 《美》 (공립 학교의) 학구.
atténdance bòok *n.* 출근[출석]부.
atténdance òfficer *n.* 장기 결석 학생 조사관.
atténdance tèacher *n.* 《美》 학업 태만(怠慢) 자 지도 교사.
atténdance ùnit *n.* 통학구(通學區).
***at·tend·ant** [əténdənt] *a.* **1** 따라다니는, 따라다니며 시중드는, 수행의 ; 수반되는, 부수(附隨)적인, 부대(附帶)의 : an ~ nurse 전속 간호사 / ~ circumstances 부대 상황 / Miseries are ~ *on* vice. 악덕에는 재앙이 따른다. **2** 출석(出席)의, 참가의, (그 자리에) 있던. ── *n.* **1** 시중드는 사람, 수행원. **2** (호텔·회사·주유소 따위의) 안내원, 종업원. **3** 참가자, 참석자.
at·tend·ee [ətendíː, æ-] *n.* 출석자.
atténd·er *n.* 감시원 ; 간호인 ; 출석자.
atténd·ing *a.* (어떤 환자의) 주치의인 ; 대학 병원 의사인.
‡at·ten·tion [ətén∫ən] *n.* **1** Ⓤ 주의, 유의(consideration) ; 주의력 ; 시중, 조처, 돌봄 : arrest [attract, draw] ~ (*to*...) (…에) 주의를 끌다 / call a person's ~ (*to*...) 남의 주의를 (…로) 돌리게 하다 / devote one's ~ *to* …에 전념하다 / direct[turn] one's ~ *to* …에 주의를 돌리다, …을 연구하다 / give ~ *to* …에 주의하다, (…을) 소중히 여기다 / pay ~ *to* …에 유의하다 / bring a matter to a person's ~ 어떤 일에 남의 주의를 돌리게 하다 / distract a person's ~ 남의 주의를 다른 데로 돌리다 / receive immediate ~ 곧 조처를 받다 / He was all ~. 그는 온 신경을 집중하고 있었다《경청하다》. **2 a)** [ətèn∫ʌ́n] [감탄사적으로] : *A*~! 〔구령〕 차려 ! 《'Shun [∫ʌ́n] ! 으로 줄임》. **b)** 차려 자세 : come to ~ 차려 자세를 하다 / stand at ~ 차려 자세로 서다(↔ *stand at ease*). **3** 친절, 정중, 마음을 쓰기 ; [*pl.*] (특히 구혼자가 상대) 여성에 대해서 마음 쓰기 : pay (one's) ~*s to* a person 남에게 알랑거리다. **4** [A~] 〔商〕 어텐션, 앞《사무용 편지에서 특정의 개인[부서] 이름 앞에 쓰는 말 ; 略 Att(n)., ATT(N).》.
Attention, please! 알립니다.
〖L ; ⇨ ATTEND〗
atténtion lìne *n.* 〔商〕 어텐션 라인《사무 편지에서 수신인을 적는 행》.
atténtion spàn *n.* 〔心〕 주의 지속 시간, 주의 범위《개인의 주의 집중 지속 시간》.
***at·ten·tive** [əténtiv] *a.* **1** 주의깊은, 세심한 ; 경청(傾聽)하는 : You must be more ~ *to* your work. 너는 일에 좀 더 세심한 주의를 기울이지 않으면 안된다. **2** 정중한, 은근한 ; 친절한, 마음을 쓰는 : He was always ~ *to* his wife. 그는 언제나 아내를 위해 주었다. **~·ly** *adv.* 주의하여 ; 마음을 써서 : Listen to me ~*ly*. 주의해서 내말을 들으시오. **~·ness** *n.* 주의깊음.
〖F ; ⇨ ATTEND〗
類義語 ⟹ THOUGHTFUL.
at·ten·u·ant [əténjuənt] *a.* 묽게 하는, 희석(稀釋)하는. ── *n.* 〔醫〕 (혈액의) 희석제(劑).
at·ten·u·ate [əténjuèit] *vt.* 가늘게 하다, 수척[홀쭉]하게 하다 ; 묽게 하다 ; 감하다(lessen) ; 약하게 하다. ── *vi.* 가늘어지다 ; 묽어지다 ; 감소하다 ; 쇠퇴하다. ── [-njuət, -èit] *a.* 가는 ; 묽은, 희박한. 〖L ; ⇨ TENUOUS〗
at·tèn·u·á·tion *n.* Ⓤ 가늘어지기 ; 쇠약, 수척 ; 희석 ; 약화 ; 감소 ; 〔理〕 감쇠(減衰).
at·tén·u·à·tor *n.* 〔理〕 감쇠기(器).
at·test [ətést] *vt.* **1** [+目/+*that* 節] 증명하다, 증거를 대다(testify) ; …의 증거가 되다(prove) : ~ a signature 입회하여 서명을 법적으로 유효하게 하다 / The boy's good health ~*s* his mother's care. 소년이 건강한 것은 어머니가 잘 돌보고 있다는 증거다 / I hereby ~ *that* Mr. Green was for three years in my service. 그린 씨가 3년간 제 밑에서 근무하였음을 이에 증명합니다. **2** 선서시키다. ── *vi.* [+*to*+名] 증언[증명]하다 : The handwriting expert ~*ed* ***to*** the genuineness of the signature. 필적 감정가는 그 서명이 진짜임을 증언했다.
── *n.* 《古》 선서, 증언.
~·er, at·tés·tor [, 美+-tɔːr] *n.* 〔法〕 (증서 작성의) 입회 증인. **at·tést·ant** *n.* 입증자, 증인.
〖F<L (*testis* witness)〗
at·tes·ta·tion [æ̀testéi∫ən] *n.* Ⓤ,Ⓒ 증명 ; 입증, 증거 ; 증명서 ; 《英》 선서(testimony).
attést·ed *a.* 《英》 증명[입증]된 ; (소·우유가) 무병[무균]이 보증된.
Att. Gen. Attorney General.
***at·tic** [ǽtik] *n.* **1** 다락방《《英》에서는 the ~s라고 함》. **2** 〔建〕 고미 다락방《천장과 경사진 지붕 사이의 공간으로 만든 방 ; cf. GARRET》.
〖F<L<Gk. ; Attic 스타일의 벽기둥을 장식해서 사용한 데서〗
Attic *a.* **1** 아티카(Attica)의, (아티카의 수도인) 아테네(Athens)의. **2** 아테네풍의 ; 고전적인 (classic), 우아한(elegant). ── *n.* 아티카 사람 ; 아테네 사람 ; 아티카어《옛날 아테네 사람이 썼던 표준 그리스어》. 〖L<Gk. =of Attica〗
At·ti·ca [ǽtikə] *n.* 아티카《고대 그리스 남동부의 국가 이름》.
Áttic fáith *n.* 굳은 신의(信義).
at·ti·cism [ǽtəsìzəm] *n.* [흔히 A~] 아테네 사람 편애 ; (타 언어 또는 그리스어(語) 방언 중의) 아티카어풍(語風)의 특색[어법, 문체] ; 기지에 찬 간결하고 전아(典雅)한 표현.
〖Gk. ; ⇨ ATTIC〗
at·ti·cize [ǽtəsàiz] [흔히 A~] *vt.* 아테네풍(風)으로 하다 ; 그리스(어)풍으로 하다. ── *vi.* 아테네 사람의 편을 들다, 아테네 사람을 편애하다 ; 아티카어(語)로 말하다[쓰다].
Áttic órder *n.* [the ~] 〔建〕 아티카식《각주(角柱)를 사용한 기둥 양식》.
Áttic sált[wít] *n.* [the ~] 고상한 재치, 점잖은 농[익살].
At·ti·la [ǽtələ, ətílə ; ǽtilə] *n.* 아틸라《5세기 초에 유럽으로 침입한 훈족(the Huns)의 왕》.
at·tire [ətáiər] *vt.* [+目/+目+前+名] 차려 입히다, 성장시키다(dress up) : be simply[gorgeously] ~*d* 소박[화려]하게 차려 입다 / She was ~*d* ***in*** gray. 그녀는 회색 옷으로 차려입고 있었다. ── *n.* Ⓤ 《文語·詩》 치장, 복장, 의상(dress) : a girl in male ~ 남장 소녀.
〖OF (*à tire* in order)〗
***at·ti·tude** [ǽtət*j*ùːd] *n.* **1** 자세, 몸가짐, 태도 : strike an ~ 잘난 체하다, 짐짓 점잔빼다, 포즈를 취하다. **2** 태도(態度), 정신 자세 : one's ~ of mind 심적 태도, 마음 가짐 / take[assume] a strong[cool, weak] ~ *toward*[*to, on*] …에게 강경[냉담, 약(弱)]한 태도를 취하다.
〖F<It.=fitness, posture<L ; ⇨ APTITUDE〗
類義語 ⟹ POSTURE.
áttitude contròl *n.* 〔로켓〕 자세 제어.
attitude control system (우주선의) 자세 제어 장치.

áttitude mèasure *n.* 태도 측정.
áttitude stùdy *n.* (시장(市場) 조사에서) 태도 측정 조사.
áttitude sùrvey *n.* 태도 조사.
àt·ti·tú·di·nal *a.* (개인적인) 태도[의견]에 관한.
at·ti·tu·di·nar·i·an [æ̀tətjù:dənéəriən, -nǽər-] *n.* 점잔빼는 태도를 취하는 사람, 젠체하는 사람. **~·ìsm** *n.*
at·ti·tu·di·nize [æ̀tətjú:dənàiz] *vi.* 젠체하다, 점잔빼다. **-nìz·er** *n.*
attn., Attn. 〖商〗 (for the) ATTENTION (of).
at·to- [ǽtou] *comb. form* 〖單位〗 아토(《=10^{-18}; 기호 a》). 〚Dan. or Norw. *atten* eighteen〛
at·torn [ətə́:rn] *vt., vi.* 〖法〗 (새 지주에게) 양도하다; (양도한 결과로) 새 지주를 승인하다. **~·ment** *n.* 〖法〗 새 지주 승인.
***at·tor·ney** [ətə́:rni] *n.* **1** 대리인《위임장으로 정식 대행을 위임받은 사람》. **2** 《美》 변호사(lawyer); 《美》 검사: ☞ DISTRICT ATTORNEY.
by attorney 대리인으로서(↔*in person*).
a letter [***warrant***] ***of attorney*** 위임장.
(***a***) ***power of attorney*** 위임권; 위임장.
〚OF (p.p.)〈*atorner* to assign (*a*-[1] to, TURN)〛
類義語 ⟹ LAWYER.
attórney-at-láw *n.* (*pl.* **attórneys-at-láw**) 변호사(《英》에서는 현재 solicitor라고 함).
attórney géneral *n.* (*pl.* **attórneys géneral, attórney générals**) 《略 A.G., Att. Gen.》 [A~ G~] 《美》 (연방 정부의) 법무장관; 《美》 (각 주의) 검찰총장; [A~ G~] 《英》 법무 장관(cf. SOLICITOR GENERAL).
attórney-in-fáct *n.* (*pl.* **attórneys-in-fáct**) (위임장에 의한) 대리인.
attórney·shìp *n.* Ⓤ 대리인·변호사의 직분[신분], 대리권.
átto·sècond *n.* 아토초(《=10^{-18} second; 기호 as》).
‡at·tract [ətrǽkt] *vt.* 끌다, 끌어당기다(↔*distract*); 유인하다, 매혹하다(entice): A magnet *~s* iron. 자석은 쇠를 끌어당긴다 / The subject *~ed* his attention. 그 주제는 그의 주의를 끌었다 / He was *~ed* by her charm. 그는 그녀의 매력에 끌렸다. ── *vi.* 끌어당기다; 남을 매혹시키다. **~·able** *a.* **-trác·tor, ~·er** *n.*
〚L (*ad*-, *tract*- *traho* to draw)〛
類義語 ***attract*** 자석 같은 힘으로 사람·물건을 끌어당기다; 끌어당겨지는 사람·물건에도 감응력(感應力)이 있는 것을 암시함. ***allure*** 미(美)·쾌락·보수 따위로 유혹하여 끌어당기다. ***charm*** 글자 그대로 또는 비유적으로 사람의 마음을 끌어당기는 상쾌한 마력(魔力)이 있음을 암시함. ***fascinate, enchant*** 위와 같이 마력이 있는 것을 나타내나 *fascinate*는 저항할 수 없는 힘으로 매혹하는 것을 암시하고, *enchant*는 매혹되어 황홀하게 하는 것을 암시함. ***captivate*** 남의 주의나 애정을 붙잡는 것을 말함; 때때로 영향력이 일시적이고 가벼운 것을 나타냄.
***at·trac·tion** [ətrǽkʃən] *n.* **1** Ⓤ **a**) 끌어당기기, 흡인(吸引); 유인; 〖理〗 인력: magnetic ~ 자력(磁力) / chemical ~ 〖化〗 친화력(affinity) / ~ of gravity 중력, 인력. **b**) 〖文法〗 견인(牽引)《가까이 있는 낱말에 끌려 수·격 따위가 변화하는 일; 보기 [수·인칭] Each of us *have* done *our* best. 우리는 각자가 최선을 다했다 / [격] an old woman *whom* I guessed was his mother 내가 그의 어머니라고 생각한 노파》. **2** 사람을 끌어당기는 것, 인기있는 구경거리, 어트랙션; 잡아당기는 것, 매력(charm): the chief ~ of the day 당일의 제일가는 구경거리 / personal *~s* 미모.
attráction sphère *n.* 〖生〗 (중심립(中心粒) 주위의) 중심구(球).
***at·trác·tive** *a.* **1** 사람을 끌어당기는, 눈에 띄는, 매혹적인(alluring), 애교가 있는(charming): an ~ lady[story, sight] 매력이 있는 여성[이야기, 광경]. **2** 인력의. **~·ly** *adv.* 매혹적으로, 이목을 끌도록 (아름답게). **~·ness** *n.* 끌어당기는 힘; 이목 끌기, 애교.
attráctive núisance *n.* 〖法〗 유인성 유해물《아이들의 흥미를 돋구어 유인하는 위험물; 건축 중인 발판 따위》.
attráctive(-tỳpe) máglev *n.* 흡인식 자기 부상(磁氣浮上).
attrib. attribute; attributive(ly).
at·trib·ute** [ətríbju:t] *vt.* [+目+*to*+名] (성질을 …에) 있다고 하다(ascribe); (결과를 …으로) 돌리다(refer); (어떤 일을 어떤 때·장소의) 것으로 치다(assign): She *~d* her success ***to good luck. 그녀는 자기의 성공을 요행으로 돌렸다 / No fault can be *~d to* him. 그에게 잘못이 있다고는 생각할 수 없다. ── [ǽtrəbjù:t] *n.* **1** 속성(屬性); 특질, 특징. **2** (어떤 인물[직분] 등의) 부속물, 딸린 물건, 붙어 다니는 것. **3** 〖論〗 속성; 〖文法〗 한정어(구)(限定語(句))《속성·성질을 나타내는 어구; 형용사 따위》.
at·tríb·ut·able *a.* (원인 따위) …에 돌릴 수 있는, (…의) 탓인〈*to*〉.
〚OF or L; ⇨ TRIBUTE〛
類義語 (1) (*v.*) ***attribute, ascribe*** 다같이 어떤 일이 어떤 사람[것]에서 유래하다, 기인하다 라고 하는 것인데, *attribute*는 어떤 사람[것] 본래의 성질이나 권리로부터 당연히 그 사람[것]의 것임을 나타냄: *attribute* the success to his cleverness(성공을 그의 총명함 덕분으로 돌리다). *ascribe*는 확실한 증거 따위에 기인하여 추리·숙고한 결과 그렇게 하는 것이 당연하다는 것을 나타냄: *ascribe* the motive of his theft to his poverty (그의 도둑질의 동기를 가난 탓으로 돌리다). ***impute*** 보통 달갑지 않은 것을 어떤 사람[것]의 탓으로 여기다: *impute* the fault to John (잘못을 존 탓으로 돌리다).
(2) (*n.*) ⟹ QUALITY.
at·tri·bu·tion [æ̀trəbjú:ʃən] *n.* Ⓤ (원인 따위를 …에) 돌림, 귀속(歸屬); Ⓒ 속성; Ⓒ (부속하는) 권능, 직능〈*to*〉.
at·trib·u·tive [ətríbjətiv] *a.* 속성을 나타내는; 〖文法〗 수식하는, 한정적인, 관형적(冠形的)인《the *young* lady의 *young* 따위》(↔*predicative*). ── *n.* 〖文法〗 명사 수식어, 한정어구. **~·ly** *adv.* 속성적으로; 〖文法〗 한정적으로.
〚F; ⇨ ATTRIBUTE〛
at·trit [ətrít, æ-] *vt.* 《美軍俗》 소모시키다.
〚역성(逆成)〈*attrition*〛
at·trite [ətráit] *a.* 닳은, 마멸된.
at·trít·ed *a.* =ATTRITE.
at·tri·tion [ətríʃən] *n.* Ⓤ 마찰; 마멸, 마손, 소모; (인원 등의) (자연) 점감, 감소, 축소: a war of ~ 소모전. **~·al** *a.* 〚L; ⇨ TRITE〛
at·tune [ətjú:n] *vt.* **1** (악기 따위를) 조음[조율]하다. **2** [+目/+目+*to*+名] …의 음을 고르게 하다(put in tune); (마음 따위를) 조절하다(accord): Their hearts were *~d* ***to*** worship. 그들은 예배드릴 마음의 준비가 되어 있었다. **3** 〖通信〗 파장을 맞추다, 동조시키다.

attune to …에 적합하게 하다, 맞추다. 〖*ad*-, TUNE〗
Atty. Attorney.
Atty. Gen. Attorney General.
ATV [èitì:ví:] *n.* (*pl.* ~**s**) 전지형(全地形) 만능차. 〖*all-terrain vehicle*〗
ATV, A.T.V. 《英》 Associated Television.
at. vol. atomic volume.
at. wt. atomic weight.
atýp·i·cal, atýp·ic [ei-, æ-] *a.* 틀에 박히지 않은, 부정형(不定形)의, 비(非)정형성의; 불규칙한. **-i·cal·ly** *adv.* **atỳp·i·cál·i·ty** [ei-] *n.* 〖*a*-²〗
au [óu; *F* o] *prep.* …에, …으로, …까지, …에 따라서. 〖F=*à*+*le*〗
Au *aurum* 《L》(=gold).
AU, A.U., Å.U., a.u. 〖理〗 angstrom unit.
A.U., AU astronomical unit.
au·bade [oubá:d, -bǽd; *F* obad] *n.* 〖樂〗 새벽의 노래(cf. SERENADE, NOCTURNE).
au·berge [*F* obɛrʒ] *n.* 여인숙.
au·ber·gine [óubərʒì:n] *n.* 가지(의 열매); 가지색깔. 〖F<Cat.<Arab.<Pers.<Skt.〗
Au·brey [ɔ́:bri] *n.* 남자 이름. 〖Gmc. =elf ruler; cf. OE *Ælfric*〗
Áubrey hòle *n.* 오브리 홀《Stonehenge의 바깥 둘레를 이루는 56개 토분의 하나》.
au·brie·tia [ɔ:brí:ʃə] *n.* 겨자과의 관상용 식물. 〖C. *Aubriet* (d. 1743) 프랑스의 식물학자〗
au·burn [ɔ́:bə(:)rn] *a.* 다갈색의, 황갈색의《머리털》. —— *n.* Ⓤ 적갈색, 황갈색(golden brown), 다갈색. 〖ME=yellowish white<OF<L=whitish (*albus* white)〗
A.U.C. *ab urbe condita* 《L》(=from the founding of the city; 로마시 건설 이래); *anno urbis conditae* 《L》(=in the year of the founded city; 로마시 건설[기원전 753년]부터 세어); Australian Universities Commission.
au con·traire [*F* o kɔ̃trɛ:r] *adv.* 이에 반(反)해, 그렇기는커녕; 반대쪽에.
au cou·rant [*F* o kurɑ̃] *pred. a.* 정세에 밝은; (사정 따위에) 정통하고 있는, 잘 알고 있는〈*with, of*〉. 〖F=in the current〗
auc·tion [ɔ́:kʃən] *n.* **1** 경매, 공매: a public ~ 공매(公賣) / ☞ DUTCH AUCTION. **2** =AUCTION BRIDGE.
buy[***sell***] a thing ***at***[《英》 ***by***] ***auction*** 경매로 물건을 사다[팔다].
put...up at[《英》 ***to, for***] ***auction*** …을 경매에 부치다.
—— *vt.* 경매로 팔다〈*off*〉. 〖L (*auct- augeo* to increase)〗
áuction blòck *n.* 경매대.
áuction brìdge *n.* 〖카드놀이〗 옥션브리지《으뜸패를 경합하여 떨어뜨리는 놀이》.
àuction·éer *n.* 경매인. —— *vt.* 경매하다.
áuction resèrve *n.* 《英》 최저 경매 가격.
auc·to·ri·al [ɔ:ktɔ́:riəl] *a.* 작가[저자]의.
au·cu·ba [ɔ́:kjubə] *n.* 〖植〗 식나무.
aud. audit; auditor.
au·da·cious [ɔ:déiʃəs] *a.* 대담한(bold); 호기로운, 뻔뻔스러운. **~·ly** *adv.* 대담하게; 뻔뻔스럽게(도). **~·ness** *n.* 대담; 뻔뻔스러움. 〖L (*audac- audax* bold)〗
au·dac·i·ty [ɔ:dǽsəti] *n.* Ⓤ [+*to* do] 대담(무쌍), 호탕, 호방(豪放); 뻔뻔스러움, 무모함; 대담한 행위[발언]: He had the ~ *to* pick pockets in broad daylight. 그는 대담하게도 대낮에 소매치기를 했다.
au·di·al [ɔ́:diəl] *a.* 청각의[에 관한](aural).
***au·di·ble** [ɔ́:dəbəl] *a.* 들을 수 있는, 들리는, 가청의. **-bly** *adv.* 들을[알아들을] 수 있게.
àu·di·bíl·i·ty *n.* 들을 수 있음; 가청도. 〖L (AUDIENCE)〗
áudible frèquency *n.* 〖電〗 가청 주파수.
***au·di·ence** [ɔ́:diəns] *n.* **1** [때때로 복수취급] 청중; 관중, 관객(spectators); (라디오·텔레비전 따위의) 청취자(listeners), 시청자(viewers); 독자(readers): There *was a* large[small] ~. 청중이 많았다[적었다] / The ~ *were* mostly foreigners. 청중은 대부분이 외국인이었다. **2** Ⓤ,Ⓒ (호소·의견 따위의) 청취(hearing); 청취할 기회; 공식 회견, 배알(拜謁), 알현(謁見), 접견, 대면(formal interview)〈*with*〉: grant a person an ~ 남에게 알현을 허락하다.
be received[***admitted***] ***in audience*** 배알을 허락받다.
give audience to …을 청취하다; 접견하다.
have an audience with... =***have audience of*** …을 알현[배알]하다. 〖OF<L (*audit- audio* to hear)〗
áudience chàmber[**ròom**] *n.* 알현실(室).
áudience flòw *n.* 《俗》 방송 프로그램 구성을 부분적으로 결정하는 고정 청취자.
áudience pìcture *n.* 저질이지만 인기 좋은 영화(映畫).
áudience ràting *n.* (텔레비전·라디오의) 시청률(率).
áu·di·ent *a.* 청취[경청]의. —— *n.* 듣는 사람.
au·dile [ɔ́:dail, -dəl] *n.* 〖心〗 청각형인 사람 (cf. MOTILE, VISUALIZER).
—— *a.* =AUDITORY.
aud·ing [ɔ́:diŋ] *n.* 청해(聽解)《말을 듣고 인식하고 이해하는 작용》.
au·dio [ɔ́:diòu] *a.* 〖通信〗 가청 주파의; 〖TV〗 음(音)의(cf. VIDEO). —— *n.* (*pl.* **-di·òs**) 가청 주파[음역]; 음의 송신[수신, 재생]; (텔레비전 수신기·영사기의) 음성 재생기구, 오디오. 〖↓〗
au·dio- [ɔ́:diou, -diə] *comb. form* 「청각」「음」의 뜻: *audio*meter. 〖L; ⇨ AUDIENCE〗
àudio·an·i·ma·trón·ics [-ænəmətrɑ́niks] *n.* 컴퓨터 시스템에 의한 애니메이션 제작. 〖*audio*-+*anima*tion+elec*tronics*〗
àudio·cassétte *n.* 녹음 카세트, 카세트 녹음.
àudio·dón·tics [-dɑ́ntiks] *n.* 청각과 치아(齒牙)와의 관계에 대한 연구, 청치(聽齒) 과학.
áudio fàn *n.* 하이파이(hi-fi) 팬[애호가].
áudio frèquency *n.* 〖通信〗 가청 주파(수), 저(低)주파《略 a.f., A.F., a-f》.
àudio·génic *a.* 소리에 기인하는, 청각성의.
áudio·gràm *n.* 오디오그램, 청력도(聽力圖).
àudio-língual *a.* (언어 학습에서) 듣기와 말하기의 연습을 포함하는.
au·di·ol·o·gy [ɔ:diɑ́lədʒi] *n.* 청각 과학, 청력[청각]학; 언어 병리학.
-gist *n.* **àu·dio·lóg·i·cal** *a.*
au·di·om·e·ter [ɔ:diɑ́mətər] *n.* 청력(聽力) 측정기, 청력계(計).
àu·di·óm·e·try *n.* Ⓤ 청력 측정.
-trist *n.* **àu·dio·mét·ric** *a.*
au·di·on [ɔ́:diən] *n.* 삼극 진공관《원래 상표명》.

áudio·phìle, àudio·phíliac *n.* =AUDIO FAN.
àudio·phília *n.* 하이파이[오디오] 열(熱).
áudio pollùtion *n.* 소음 공해.
áudio respónse sỳstem *n.* 음성 자동 응답 시스템《음성 명령으로 기계를 작동하거나 컴퓨터가 자동 응답하는 시스템 ; 略 ARS》.
áudio respónse ùnit *n.* 음성 자동 응답 장치.
àudio·spéctro·gràph *n.* 오디오스펙트로그래프《사운드 패턴 기록 장치》.
àudio·táctile *a.* 청각 및 촉각의.
àudio·tápe *n.* 녹음 테이프(cf. VIDEOTAPE).
áudio telecònference *n.* 음성 통신 회의《서로 떨어진 곳에서 음성 회선(回線)을 연결하여 행하는 회의》.
áudio·tỳpist *n.* 녹음한 소리를 직접 타자하는 타이피스트.
àudio·vísual *a.* 시청각의 ; 시청각 교육 보조 재료의. —— *n.* [*pl.*] 시청각 교육 보조 재료(=∸∸ **áids**)《지도, 도표, 사진, 슬라이드, 테이프 리코더, 라디오, 텔레비전 따위》.
áu·di·phòne [ɔ́:də-] *n.* 보청기.
au·dit [ɔ́:dət] *n.* 회계 감사, (회사 따위의) 감사 ; 결산 ;《美》(수업의) 청강(聽講). —— *vt.* **1** (회계를) 감사하다. **2** 청강하다(listen in).
⟦L *auditus* hearing ; ⇨ AUDIENCE⟧
áudit àle *n.* 《英大學》 독한 맥주《원래 회계 감사일에 마셨음》.
áudit·ing *n.* Ⓤ 회계 감사 ;《美》 청강.
áuditing aróund the compúter *n.* 〖會計〗 컴퓨터 주변 감사법《인풋 데이터와 아웃풋 데이터의 대조가 맞으면 신뢰》.
au·di·tion [ɔ:díʃən] *n.* **1** Ⓤ 청력, 청각 ; 청취(hearing). **2** (레코드 따위의) 시청(試聽) ; (예능 지망자 등에 대해 하는) 청취 테스트, 연기 테스트, 오디션.
—— *vt.* (…에게) 오디션을 받게 하다. —— *vi.* 오디션을 받다.
au·di·tive [ɔ́:dətiv] *a.* 귀의, 청각의.
au·di·tor [ɔ́:dətər] *n.* **1** 회계 감사관 ; 감사역(役). **2** (라디오 따위의) 청취자(listener) ;《美》 대학의 청강생.
⟦AF<L ; ⇨ AUDIT⟧
au·di·to·ri·al [ɔ̀:dətɔ́:riəl] *a.* 회계 감사(관)의.
au·di·to·ri·um [ɔ̀:dətɔ́:riəm] *n.* (*pl.* **~s, -to·ria** [-riə]) **1** (극장 따위의) 청중석, 관객석 ; 방청석. **2** 《美》 강당, 대(大)강의실 ; 회관, 공회당.
⟦L ; ⇨ AUDITOR⟧
áuditor·shìp *n.* 감사관의 직[신분].
au·di·to·ry [ɔ́:dətɔ̀:ri ; -təri] *a.* 귀의, 청감의, 청각의 : the ~ canal[meatus] 이도(耳道) / the ~ nerve 청신경 / ~ sensation 청각 / ~ education 음감(音感) 교육 / the ~ type 〖心〗 청각형(cf. the VISUAL type). —— *n.* 《古》 청중 ; 청중석 (auditorium).
áuditory phonétics *n.* 청각 음성학.
áuditory túbe *n.* =EUSTACHIAN TUBE.
au·di·tress [ɔ́:dətrəs] *n.* AUDITOR의 여성형.
Au·drey [ɔ́:dri] *n.* 여자 이름.
⟦Gmc. =noble strength⟧
A.U.E.W. Amalgamated Union of Engineering Workers((영국) 합동 기계공 노동 조합).
au fait [*F* o fɛ] *pred. a.* 정통하여 ; 숙달하여〈*in, at*〉.
put a person ***au fait with*** [***of***] …을 남에게 가르치다.
Auf·klä·rung [*G* áufklɛ:ruŋ] *n.* 계몽 ; (특히 18세기 독일의) 계몽 사조[운동].
au fond [*F* o fɔ̃] *adv.* 근본은 ; 실제로는.
⟦F=at the bottom⟧
auf Wie·der·seh·en [*G* auf ví:dərze:ən] *int.* 안녕히 (가시오)!, 또 만나!
⟦G=until we meet again⟧
Aug. August. **aug.** augmentative ; augmented.
Au·ge·an [ɔ:dʒí:ən] *a.* 〖그神〗 Augeas왕의 ; 불결하기 짝이 없는(filthy) ; (일이) 어렵고 불쾌한.
Augéan stábles *n. pl.* 〖그神〗 Augeas왕의 마구간《30년간 청소를 안한것을 Hercules가 강물을 끌어들여 하루 만에 깨끗이 청소했음》.
Au·ge·as [ɔ́:dʒiəs, ɔ:dʒí:əs ; ɔ:dʒí:æs] *n.* 〖그神〗 아우게이아스《그리스의 Elis 국왕》.
au·gend [ɔ́:dʒend, -∸] *n.* 〖數〗 피가수(被加數) (↔ *addend*).
au·ger [ɔ́:gər] *n.* (나선형의) 송곳, 끌, 굴착추(掘鑿錐) (cf. GIMLET). ⟦OE *nafogār* (NAVE[2], *gār* piercer) ; *n*-의 소실에 관해서는 cf. ADDER⟧
Au·gér effèct [ouʒéi-, áugər-] *n.* 〖理〗 (원자의) 오제 효과.
⟦Pierre V. *Auger* (1899-) 프랑스의 물리학자⟧
áuger shèll *n.* 〖貝〗 죽순고둥.
augh [ɔ́:] *int.* 어이쿠, 앗《놀람·공포를 나타냄》.
⟦imit.⟧
aught[1], ought [ɔ́:t] *pron.* 《古》 어떤 일[것], 무엇인가, 무엇이나(anything).
for aught I care …이라도 상관없이 : He may starve *for ~ I care.* 그가 굶어 죽거나 말거나 나는 상관없다.
for aught I know 잘은 모르지만, 아마도, 어쩌면 : He may be rich *for ~ I know.* 어쩌면 그는 부자일지도 모른다.
—— *adv.* 《古》 적어도(at all) ; 아무튼(in any way).
if aught there be 가령 있다고 해도.
⟦OE *āwiht* ; ⇨ AYE[2], WIGHT⟧
aught[2] *n.* 《美》 영(零) ;《古》 무(無).
⟦*a naught*의 다른 분석⟧
au·gite [ɔ́:dʒait] *n.* 〖鑛〗 휘석(輝石), 사(斜)휘석.
aug·ment [ɔ:gmént] *vt.* 증가시키다, 늘리다 (increase), 증대시키다 ;〖樂〗 증음(增音)하다 : The king *~ed* his power by taking over rights that belonged to the nobles. 왕은 귀족들의 권리를 손에 넣어 자기 권력을 증대시켰다. —— *vi.* 증대하다, 늘다. ⟦F or L ; ⇨ AUCTION⟧
類義語 ⟹ INCREASE.
aug·men·ta·tion [ɔ̀:gməntéiʃən, -men-] *n.* Ⓤ 증대, 증가 ; 증가율 ; Ⓒ 증가물, 첨가물(addition) ; Ⓤ,Ⓒ 〖樂〗 주제 확대(主題擴大), 증음.
aug·men·ta·tive [ɔ:gméntətiv] *a.* **1** 증대하는, 증가적인. **2** 〖文法〗 어의[말뜻]를 증대하는(cf. DIMINUTIVE). —— *n.* 증대사(辭).
augmént·ed *a.* 증가된 ;〖樂〗 증음된 : an ~ sixth 증6도(增六度).
augménted ínterval *n.* 〖樂〗 증(增)음정.
aug·mén·tor, -mént·er *n.* 증대시키는 사람[것] ; 오그멘터《(1) 사람 대신에 어려운[위험한] 일을 하는 로봇. (2) 로켓 따위의 추진력을 증대시키기 위한 보조 장치 : 애프터버너 따위》.
au grand sé·rieux [*F* o grɑ̃ serjø] *adv.* 아주 진지하게.
au gra·tin [òu grǽtn, -grɑ́:- ; -grǽtæ̃ŋ ; *F* o gratɛ̃] *a.* 〖料〗 그라탱의《버터, 치즈 가루나 빵가루를 뿌려 갈색으로 굽는 ; cf. GRATIN》. —— *n.* (*pl.* **~s** [—]) 그라탱 접시.
Augs·burg [ɔ́:gzbə:rg, áugzbuərg ; *G* áuksburk] *n.* 아우크스부르크《독일 남부의 도시》.

Áugsburg Conféssion *n.* =AUGUSTAN CONFESSION.

au·gur [ɔ́:gər] *n.* 복점관(卜占官)《고대 로마에서 조류(鳥類)의 움직임 따위로 공사(公事)의 길흉을 점친 점쟁이》; 점술가, 복술가. —— *vt.* …을 점치다; …의 조짐[징조]을 나타내다: What does this news ~? 이 보도는 무슨 징조일까.
—— *vi.* [+副/+前+名] 징조[전조]가 되다, 징조를 보이다; 예언하다: It ~*s well*[*ill*] ***for*** me. 그것은 내게 좋은[나쁜] 징조다 / It ~*s ill* ***of*** the enterprise. 그 계획은 잘되어가지 않을 듯싶다. 〖L〗

au·gu·ral [ɔ́:gjərəl, -gə-] *a.* 점술의; 징조의.

au·gu·ry [ɔ́:gjəri, -gə-] *n.* 점술; 징조.

au·gust [ɔ:gʌ́st] *a.* 위엄 있는, 장엄한(majestic), 당당한(imposing); 존귀한, 존엄한. **~·ly** *adv.* **~·ness** *n.* 〖F or L=consecrated, venerable〗 類義語 ⟹ GRAND.

◇**Au·gust** [ɔ́:gəst] *n.* **1** 8월《略 Aug.》. **2** 남자 이름《Augustus의 독일어형》.
〖OE; 초대 로마 황제 Augustus Caesar의 이름에 연유함; cf. JULY, MARCH[1]〗

Au·gus·ta [ɔ:gʌ́stə, ə-] *n.* **1** 여자 이름. **2** 오거스타《미국 Maine 주의 주도》.
〖(fem.); ⇨ AUGUSTUS〗

Au·gus·tan [ɔ:gʌ́stən, ə-] *a.* (로마 황제) 아우구스투스의; 아우구스투스 황제 시대의.

Augústan áge *n.* [the ~] 아우구스투스 황제 시대《라틴 문학 융성기; 27 B.C.-14 A.D.》; (한 나라의) 문예 황금 시대《영국에서는 Anne 여왕 시대 따위를 가리킴》.

Augústan Conféssion *n.* [the ~] 1530년에 독일의 Augsburg에서 루터와 멜란히톤이 발표한 신앙 고백서[문].

Au·gus·tine [ɔ́:gəstì:n, ɔ:gʌ́stən; ɔ:gʌ́stin] *n.* **1** 남자 이름. **2** [St. ~] 성(聖)아우구스티누스《(1) 초기 기독교의 지도자(354-430). (2) 잉글랜드에 포교한 로마의 선교사; 최초의 Canterbury 대주교(?-604)》. 〖(dim.); ⇨ AUGUSTUS〗

Au·gus·tin·i·an [ɔ̀:gəstíniən] *a., n.* 성(聖)아우구스티누스의 (교리 신봉자).

Au·gus·tus [ɔ:gʌ́stəs] *n.* **1** 남자 이름. **2** 아우구스투스. ~ **Caesar** (63 B.C.-14 A.D.) 《로마 제국의 초대 황제(27B.C.-14A.D.); Julius Caesar의 후계자로 황제전에는 Octavian으로 불리움; 문학의 황금 시대를 이루었음; cf. TRIUMVIRATE》.
〖L=venerable, majestic〗

au jus [ou ʒú:s, -dʒú:s; *F* o ʒy] *a.* 〖料〗 (고기가) 그 구운 국물과 함께 나오는.
〖F=with juice〗

auk [ɔ:k] *n.* 〖鳥〗 바다쇠오리.
〖ON〗

áuk·let *n.* 〖鳥〗 작은 바다쇠오리류의 총칭.

au lait [ou léi; *F* o lɛ] *a.* 우유가 든: ☞ CAFÉ AULAIT.

auld [ɔ:l*d*, ɑ́:l*d*] *a.* 《스코》= OLD.
〖OE *ald*; OLD의 Anglian 방언〗

auld lang syne [óul*d* læŋ záin, -sáin, ɔ́:l-; ɔ́:ld læŋ sáin, -záin] *n.* **1** Ⓤ 지나간 날, 그리운 옛날(the good old times): Let's drink to ~. 그리운 옛날을 회상하며 건배하자. **2** [A~ L~ S~] 스코틀랜드 시인 Robert Burns의 시 제목.
〖Sc. =old long ago〗

auk

au·lic [ɔ́:lik] *a.* 궁정(宮廷)의.
〖F or L<Gk. (*aulē* court)〗

Áulic Cóuncil *n.* 〖史〗 (신성 로마 제국의) 황제 친재(親裁)의 최고 재판소.

AUM air-to-underwater missile. **a.u.n.** *absque ulla nota* 《L》 (=free from marking).

au nat·u·rel [*F* o natyrɛl] *adv., pred. a.* 자연 그대로(의); 벌거벗은[고]; 간단하게 요리한; 요리하지 않은 채로의.

◇**aunt** [ǽ(:)nt; ɑ́:nt] *n.* **1** 아주머니, 숙모, 백모, 고모, 이모 (cf. UNCLE). **2** [친근감을 나타내는 호칭으로] 《口》 아줌마《미국에서는 흑인인 나이 많은 가정부에게도 씀》. 〖AF<L *amita*〗

Áunt Édna *n.* 《英》 에드너 아줌마《평범한 서민의 대표로서의 관객·시청자》: ~ plays 오락극.

áunt·ie, áunty *n.* 《口》 아줌마《aunt의 애칭》; [A~] 《英俗》 영국 방송 협회(BBC); 《美俗》 미사일 요격 미사일; 《俗》 젊은 사내를 찾는 중년 호모. 〖-*ie*〗

áuntie màn *n.* 《카리브口》 여자같은 남자, 호모.

Àunt Jáne[**Jémima**] *n.* 《美俗》 백인에게 아첨하는 흑인 여자.

Àunt Sálly *n.* 《英》 담뱃대 떨어뜨리기 놀이《샐리 아줌마라고 불리는 나무 인형의 입에 물린 담뱃대를 공이나 나무 토막을 던져 떨어뜨리거나 상을 쓰러뜨리는 놀이》; Ⓒ 그 나무 인형; Ⓒ 《비유》 공격의 표적.

Áunt Tóm *n.* 《美蔑》 백인에게 비굴하게 구는 흑인 여자; 여성 해방운동에 냉담한 여자.
〖cf. UNCLE TOM〗

au pair [ou péər, -pǽər] *n.* 오페어(걸) (=**au páir gírl**)《영어를 배우기 위해 영국의 가정에 입주하여 가사를 돕는 외국인 여자; 용돈을 받는데도 있음》.
—— *a., adv., vi.* 오페어로 (일을 하는[하다]).
〖F=on even terms〗

au pied de la let·tre [*F* o pje də la lɛtr] *adv.* 문자 그대로.

aur- [ɔ́:r], **au·ri-** [ɔ́:rə] *comb. form* 「귀」의 뜻.
〖L (*auris* ear)〗

au·ra [ɔ́:rə] *n.* (*pl.* **~s, -rae** [-ri:]) **1** (물체에서 발산하는) 기(氣)(emanation); 특수하고 미묘한 분위기; (최면술에서의) 영기(靈氣)《시술자(施術者)에게서 피술자(被術者)에게로 전달된다고 함》; 〖醫〗 (신경질·지랄병의) 징조. **2** Ⓤ [A~] 미풍(微風)의 상징《그리스 예술에서는 하늘에서 춤추는 여자》. **áu·ral**[1] *a.* 영기(靈氣)의.
〖L<Gk. =breeze, breath〗

au·ral[2] [ɔ́:rəl] *a.* 귀의, 청각의(cf. ORAL): an ~ aid 보청기. **~·ly** *adv.* 귀로. 〖AUR-〗

áural·ìze *vt.* 마음으로 듣다, 청각화(化)하다.

áural-óral *a.* (외국어 교수법이) 귀와 입에 의한.

au·ra·mine [ɔ́:rəmì:n, -min] *n.* Ⓤ 〖化〗 아우라민《황색 물감》.

au·re·ate [ɔ́:riət, -èit] *a.* 《詩》 황금 빛깔의, 번쩍이는. 〖L (*aurum* gold)〗

au·re·lia [ɔ:rí:ljə] *n.* 《古》 (특히 나비의) 번데기; 〖動〗 해파리(류).

au·re·li·an [ɔ:rí:ljən] *a.* aurelia의. —— *n.* 나비·나방 연구가, 곤충 채집가.

Au·re·li·us [ɔ:rí:ljəs, -liəs] ☞ MARCUS AURELIUS. 〖L=golden〗

au·re·o·la [ɔ:rí:ələ] *n.* =AUREOLE.

au·re·ole [ɔ́:riòul] *n.* (성자·순교자가 쓰거나 받는) 하늘 나라의 보관(寶冠), 영광; (그림에서 그것을 상징하는) 후광 (cf. HALO 2, NIMBUS);

〔天〕 =CORONA 1.
〖L *aureola* (*corona*) golden (crown)〗
Au·reo·mýcin [ɔ̀:riou-] *n.* Ⓤ 오레오마이신《항생 물질약 ; 상표명》.
au reste [*F* o rɛst] 그 밖에는 ; 그 위에, 게다가.
au·re·us [ɔ́:riəs] *n.* (*pl.* **-rei** [-riài]) 고대 로마의 금화. 〖L=golden〗
au re·voir [òu rəvwá:*r*, ɔ̀:- ; *F* o rəvwa:r] *int.* 안녕히 계시오[가시오].
〖F=until we meet again〗
auri- [ɔ́:rə] ☞ AUR-.
au·ric [ɔ́:rik] *a.* 금의[을 함유한] ; 〔化〕 제2금의.
au·ri·cle [ɔ́:rikəl] *n.* 외이(外耳), 귓바퀴 ; 〔解〕 (심장의) 심방(心房) ; 〔動·植〕 이상부(耳狀部). **~d** *a.* 귀가 있는, 귀 모양의 것이 있는.
〖↓〗
au·ric·u·la [ɔ:ríkjələ] *n.* (*pl.* **-lae** [-lì:, -lài], **~s**) 〔植〕 앵초의 일종《귀 모양의 노랑꽃이 핌》; =AURICLE. 〖L (dim.) ‹ *auris* ; ⇨ AUR-〗
au·ric·u·lar [ɔ:ríkjələ*r*] *a.* **1** 귀의, 청각의, 청각에 의한 ; 귀 모양의 ; 귀엣말의, 비밀 이야기의 : an ~ confession 비밀 고해(告解)《사제(司祭)에게 함》. **2** 〔解〕 심방의. **~·ly** *adv.*
〖L (↑)〗
au·ric·u·late [ɔ:ríkjələt, -lèit], **-lat·ed** [-lèitəd] *a.* 귀가 있는 ; 귀 모양의 ; auricle이 있는.
au·rif·er·ous [ɔ:rífərəs] *a.* 금을 산출[함유]하는.
〖L (*aurum* gold, *-ferous*)〗
áuri·fòrm *a.* 귀 모양의.
au·ri·fy [ɔ́:rəfài] *vt.* 금빛으로 (염색·칠)하다 ; 금으로 바꾸다.
Au·ri·ga [ɔ:ráigə] *n.* 〔天〕 마차부자리.
Au·ri·gna·cian [ɔ̀:rinjéiʃən ; -rignéi-] *n., a.* (유럽 후기 구석기 시대 최초의) 오리냑 문화(기)(의). 〖*Aurignac* 표준 유적이 있는 남프랑스의 지명〗
áuri·scòpe *n.* 검이경(檢耳鏡).
au·rist [ɔ́:rəst] *n.* 이과의(耳科醫).
au·rochs [ɔ́:rɑks, áuər-] *n.* (*pl.* **~, ~es**) 유럽들소《지금은 멸종》.
〖G<OHG (*ūr-* urus, *ohso* ox)〗
au·ro·ra [ɔ:rɔ́:rə, ə-] *n.* **1** 《詩》 서광, 새벽의 빛, 여명 ; 《비유》 여명기. **2** (*pl.* **~s, -rae** [-ri:]) 오로라, 극광(極光) (cf. the POLAR lights).
〖L=(goddess of) dawn〗
Aurora *n.* **1** 〔로神〕 오로라《여명의 여신 ; 〔그神〕의 Eos에 해당》. **2** 여자 이름.
auróra aus·trá·lis [-ɔ(:)stréiləs, -ɑ:s-] *n.* 남극광(the southern lights). 〖NL〗
auróra bo·re·ál·is [-bɔ̀:riéiləs, -ǽləs] *n.* 북극광 (the northern lights). 〖NL〗
au·ro·ral [ɔ:rɔ́:rəl, ə-] *a.* 여명의 ; 서광과 같은 ; 장밋빛의 ; 극광(極光)과 같은.
au·rous [ɔ́:rəs] *a.* 금의[을 함유한] ; 〔化〕 제(第)1금의.
au·rum [ɔ́:rəm] *n.* 〔化〕 금 ; 금빛. 〖L〗
áurum po·táb·i·le [-pətɑ́:bəli:, -tǽb-] *n.* 마시는 금(金)《중세기의 강장제》.
AUS, A.U.S. Army of the United States 《미 육군 ; 비상시의 전(全)미국 육군 기구》.
Aus. Australia (n) ; Austria (n).
Au·schwitz [áuʃvits] *n.* 아우슈비츠《폴란드 남서부의 도시 ; 그곳에 있었던 나치의 강제 수용소 ; 유태인 학살로 유명함》.
aus·cul·tate [ɔ́:skəltèit] *vt., vi.* 〔醫〕 청진하다.
aus·cul·ta·tion [ɔ̀:skəltéiʃən] *n.* Ⓤ 〔醫〕 청진.
〖L (*ausculto* to listen to)〗
aus·cul·ta·to·ry [ɔ:skʌ́ltətɔ̀:ri ; -təri] *a.* 청진의.
Aus·gleich [*G* áusglaiç] *n.* (*pl.* **-glei·che** [-çə]) 협약 ; (1867년 오스트리아와 헝가리 사이의) 협정.
aus·land·er [áuslæ̀ndə*r*, -lèn-, ɔ́:s-] *n.* 타국인, 외국인 ; 부외자(者). 〖G *Ausländer* outlander〗
aus·pi·cate [ɔ́:spəkèit] *vt.* 《古》 행운을 빈 다음 [택일하여] 시작하다(inaugurate).
aus·pice [ɔ́:spəs] *n.* **1** [*pl.*] 보호, 원조, 찬조 (patronage) : under the ~*s* of the company= under the company's ~*s* 회사 찬조[후원]로. **2** [때때로 *pl.*] 전조 ; (특히) 길조(吉兆) (favorable omen) : under favorable ~*s* 상서롭게도.
〖F or L (*auspex* observer of birds ‹ *avis* bird)〗
aus·pi·cious [ɔ:spíʃəs] *a.* 경사스러운, 길조의 ; 상서로운(favorable). **~·ly** *adv.* 경사스럽게, 상서롭게. **~·ness** *n.*
Aus·sie [ɔ́:si, ɑ́si ; ɔ́zi] *n.* 《英俗》 오스트레일리아 사람[군인]. 〖*Aus*tralia (n), *-ie*〗
Aust. Australia (n) ; Austria (n).
Aus·ten [ɔ́:stən, ɑ́s-] *n.* 오스틴. **Jane ~** (1775–1817) 영국의 여류 소설가.
Aus·ter [ɔ́:stə*r*] *n.* 《詩》 남풍 ; 《古》 남국 ; 〔로神〕 아우스테르《남(서)풍의 신》. 〖L〗
aus·tere [ɔ:stíə*r* ; ɔ(:)s-] *a.* 엄한, 격렬한(stern), 엄격[엄숙]한 ; 간소한, 수수한 ; (생활 따위) 금욕적인, 내핍의, 검소한, 긴축의. **~·ly** *adv.* 엄격하게 ; 간소하게, 검소하게.
〖OF<L<Gk. *austēros* severe〗
類義語 ⟹ SEVERE.
aus·ter·i·ty [ɔ:stérəti ; ɔ(:)s-] *n.* **1** Ⓤ 엄격 (severity) ; 엄숙 ; 간소 ; 수수함. **2** Ⓤ 내핍, 긴축 (재정) ; [보통 *pl.*] 금욕[내핍] 생활 ; [형용사적으로] 긴축[내핍]의 : an ~ life 내핍 생활 / an ~ program (국가의) 긴축 계획.
Aus·ter·litz [ɔ́:stə*r*lìts, áu-] *n.* 아우스터리츠《1805년 Napoleon 1세가 러시아와 오스트리아의 연합군을 격파한 현재 체코 동부의 도시 ; 체코명 Slavkov》.
Aus·tin [ɔ́:stən, ɑ́s-] *n.* **1** 남자 이름《Augustine의 변형》. **2** 오스틴《미국 Texas 주의 주도》. **3** 오스틴《영국제 소형 자동차 이름》.
〖⇨ AUGUSTINE〗
Austl. Australia(n).
Austr-[1] [ɔ́:str], **Aus·tro-**[1] [ɔ́:strou, ɑ́s-, -trə] *comb. form* 「오스트리아」「오스트리아와」의 뜻.
〖AUSTRIA〗
Austr-[2] [ɔ́:str], **Aus·tro-**[2] [ɔ́:strou, ɑ́s-, -trə] *comb. form* 「남쪽(의)」「오스트레일리아와」의 뜻. 〖↓〗
aus·tral [ɔ́:strəl, ɑ́s-] *a.* 《文語》 남쪽(으로부터)의 (southern) ; [A~] =AUSTRALIAN.
〖L *austrais* (*Auster* South wind)〗
Austral. Australasia (n) ; Australia (n).
Aus·tra·la·sia [ɔ̀:stréléiʒə, -ʃə, ɑ̀s-] *n.* 남양[오세아니아]주《오스트레일리아와 그 부근의 남양 제도》. 〖F ; ⇨ AUSTRALIA, ASIA〗
Àus·tra·lá·sian *a., n.* 오세아니아주의 (사람).
‡**Aus·tra·lia** [ɔ:stréiljə, ɑ-, ə-] *n.* 오스트레일리아, 호주《영연방내 독립국 ; 공식 명칭 the Commonwealth of ~ (오스트레일리아 연방) ; 수도 Canberra》.
〖NL ; ⇨ AUSTRAL〗
Austrália àntigen *n.* 〔醫〕 오스트레일리아 항원 《간염 관련 항원》.
Austrália Dày *n.* 오스트레일리아의 건국 기념일 《1월 26일 후의 첫 월요일》.

‡Aus·trá·lian *a., n.* 오스트레일리아의, 호주의 ; 오스트레일리아 사람(의).
Austrálian bállot *n.* 오스트레일리아식 투표용지《전(全)후보자의 이름을 인쇄하고 지지하는 후보자에게 표를 찍게 함》.
Austrálian béar *n.* 〖動〗 =KOALA.
Austrálian Cápital Térritory *n.* [the ~] 오스트레일리아의 New South Wales 주 남동부에 있는 연방 직속 지역《略 A.C.T.》.
Austrálian·ìsm *n.* **1** 오스트레일리아 영어. **2** 오스트레일리아에 대한 애국적 충성심 ; 오스트레일리아 편애. **3** 오스트레일리아 사람의 국민성[국민 정신].
Austrálian Rúles fóotball *n.* 오스트레일리아식 축구《18명이 하는 럭비 비슷한 경기》.
Austrálian salúte *n.* 《濠口》 (파리를 쫓을 때의) 손짓, 몸짓.
Aus·tra·loid [ɔ́:strəlɔ̀id, ɑ́s-] *n., a.* 오스트랄로이드(의)《오스트레일리아 원주민 및 그들과 인종적 특징을 공유하는 주변의 제(諸)민족》.
aus·tra·lo·pith·e·cine [ɔ:strèiloupíθəsàin, ɑs-] *a., n.* 오스트랄로피테쿠스류(類)의 (화석인)《가장 오래된 화석 인류》.
〖NL (L AUSTRAL, Gk. *pithēkos* ape)〗
Aus·tral·orp [ɔ́:strəlɔ̀:rp, ɑ́s-] *n.* 오스트랄로프종(種)(의 닭).
〖*Austral*ian+*Orp*ington〗
Aus·tria [ɔ́:striə, ɑ́s-] *n.* 오스트리아《유럽 중부의 나라 ; 수도 Vienna》.
Áustria-Húngary *n.* 〖史〗 오스트리아 헝가리《유럽 중부에 있었던 옛 왕국(1867-1918)》.
Áus·tri·an *a., n.* 오스트리아(사람)의 ; 오스트리아 사람.
Aus·tro-[1,2] [ɔ́:strou, ɑ́s-, -trə] ☞ AUSTR-[1,2].
Àustro·asiátic *a.* 오스트로아시아 어족(語族)의.
Aus·tro·ne·sia [ɔ̀:strəní:ʒə, -ʃə, ɑ̀s-] *n.* 오스트로네시아《태평양 중남부의 여러 섬》.
Àus·tro·né·sian *a.* 오스트로네시아 (사람·어족(語族))의.
—— *n.* 오스트로네시아 어족.
aut- [ɔ:t], **au·to-** [ɔ́:tou, -tə] *comb. form* **1** 「자신의」「독자의」「자동의」의 뜻. **2** 〖生〗「동종의 게놈(genome)을 가진(↔*all-*)」의 뜻.
〖Gk. *autos* self〗
au·ta·coid [ɔ́:təkɔ̀id] *n.* 〖生理〗 내분비액《호르몬 따위》. 〖↑, Gk. *akos* remedy〗
au·tarch [ɔ́:tɑ:rk] *n.* 독재자.
au·tár·chic, -chi·cal *a.* 독재의, 전제(專制)의.
au·tar·chy [ɔ́:tɑ:rki] *n.* **1** Ⓤ 독재권, 전제(專制)정치 ; 자치(self-government). **2** =AUTARKY.
〖NL (*aut-*, Gk. *arkhō* to rule)〗
au·tar·ky [ɔ́:tɑ:rki] *n.* Ⓤ 경제적 자급 자족(self-sufficiency) ; Ⓤ 경제 자립 정책 ; Ⓒ 경제 자립 국가. **au·tár·kic, -ki·cal** *a.* 자급 자족의.
áu·tar·kist *n.* 경제 자립주의자.
〖Gk. (*aut-*, *arkeō* to suffice)〗
àut·ecólogy *n.* 개체 생태학.
au·teur [outə́:r ; *F* otœ:r] *n.* (*pl.* **~s** [—]) 작자, 저작자 ; (독창성과 개성적 연출을 주장하는) 영화 감독.
autéur thèory, autéur·ism *n.* 〖映〗 감독 지상주의《감독의 개성·수법이 작품의 성격을 결정한다는 영화 비평설》.
auth. authentic ; author ; authorized.
***au·then·tic** [ɔ:θéntik, ə-] *a.* **1** 믿어야 할, 확실한, 전거(典據)가 있는, 의지가 되는, 믿을 만한 (reliable). **2** 진정한, 진짜의(genuine). **3** 〖法〗 인증(認證)된. **-ti·cal·ly** *adv.* 확실하게 ; 정식으로 ; 진정으로.
〖OF<L<Gk.=genuine〗
au·then·ti·cate [ɔ:θéntikèit] *vt.* 확실하게 하다, …의 확증을 세우다 ; 인증하다.
au·thèn·ti·cá·tion *n.* Ⓤ 입증, 인증.
au·thén·ti·cà·tor *n.* 증명자, 인증자.
au·then·tic·i·ty [ɔ̀:θentísəti, -θən-] *n.* Ⓤ 확실성, 출처가 올바름, 믿을 만함, 진정임.
***au·thor** [ɔ́:θər] *n.* **1** 저자, 작가, 저술가. ㈜ 보통 여성도 포함함(cf. AUTHORESS). **2** (한 작가의) 저작물, 작품 : a passage in an ~ 어떤 사람의 저서 중의 한 구절. **3** 창시자, 창조자 : the ~ of the mischief 못된 짓의 장본인.
the Author of our being 조물주.
—— *vt.* (서적 따위를) 쓰다, 저술하다 ; 창시하다. 〖OF<L *auctor* (*auct-* *augeo* to increase, originate)〗
áuthor càtalog *n.* (도서관의) 저자 목록.
áuthor·ess *n.* 여류 작가. ㈜ 다소 경멸적으로 씀 (☞ AUTHOR 1).
au·tho·ri·al [ɔ:θɔ́:riəl] *a.* 저(작)자의.
au·thor·i·tar·i·an [ɔ:θɑ̀rətéəriən, -tǽər-, ə-, -θɔ̀(:)r-] *a.* 권위[독재]주의의. —— *n.* 권위[독재]주의자. **~·ìsm** *n.* 권위[독재]주의.
au·thor·i·ta·tive [ɔ:θɑ́rətèitiv, ə-, -θɔ́:- ; -θɔ́ritətiv] *a.* **1** 권위가 있는, 믿을 만한. **2** 관헌(官憲)의, 당국으로부터의. **3** 엄연한, 명령적인 (commanding). **~·ly** *adv.* 엄연히, 명령적으로. **~·ness** *n.*
au·thor·i·ty** [ɔ:θɑ́rəti, ə-, -θɔ́(:)-] *n.* **1** Ⓤ 권위, 권력, 위신. **2** Ⓤ [+*to* do] 교권, 권능, 권한, 직권 ; (권력자에 의한) 허가, 인가, 자유 재량(권) : Who gave you ~ *to* do this? 너는 누구 허락을 받고 이 일을 했니 / He has no ~ ***for the act[*to* settle the question]. 그에게는 그 행위를 할[그 문제를 결정할] 권한이 없다. **3** [보통 *pl.*] 관헌, 당국, 관계 부처 : the proper *authorities*=the *authorities* concerned 관계 당국[관청], 당국 / the civil[tax] *authorities* 행정[세무] 당국자. **4** (문제 해결의) 권위 ; 전거, 전적(典籍)〈*on*〉 ; 권위자, 대가〈*on*〉. **5** 공공 사업 기관 : the Tennessee Valley *A*~ 테네시 강 유역 개발 공사 (TVA).
by the authority of …의 권위로, …의 허가를 얻어.
have authority over …에 대하여 권위가 있다[잘 통어(統御)되다] : I *have* no ~ *over* them. 그들에게는 나의 통제가 듣지 않는다.
on good authority 확실한 근거에 따라서, 확실한 소식통[부처]으로부터 : I have it *on good* ~. 나는 그것을 확실한 소식통으로부터 들었다.
on* one's *own authority 자기 재량으로, 독단적으로.
on the authority of …을 근거로 해서.
under the authority of …의 지배[권력]하에.
with authority 권위를 가지고, 엄연하게 : He gave them orders *with* ~. 그는 권위를 가지고 그들에게 명령했다.
〖OF<L ; ⇨ AUTHOR〗
類義語 ⟹ INFLUENCE, POWER.
àu·tho·ri·zá·tion *n.* Ⓤ 권한 부여, 위임 ; 공인, 관허 ; 인증 ; 허가서 ; (법적인) 강제력[권].
***au·tho·rize** [ɔ́:rθəràiz] *vt.* **1** [+目/+目+*to* do] …에게 권위[권한]를 주다(empower) : The President ~*d* him *to* do that. 대통령은 그에게 그것을 할 권한을 위임했다. **2** 인정[면허, 인가]

하다(sanction). **3** 정당하다고 인정하다(justify) : The dictionary ~*s* the two spellings "honor" and "honour". 사전은 honor와 honour 라는 2가지 철자를 맞는 것으로 인정하고 있다. 〖OF＜L ; ⇨ AUTHOR〗

類義語 ***authorize*** 어떤 일을 처리하기 위한 법률적 권한 또는 독자적인 판단으로 행할 수 있는 권한을 주다 : The governor is *authorized* to allow the construction of a new road. (지사에게는 새 도로의 건설을 허락할 권한이 있다). ***commission*** 어떤 책임 또는 역할을 다하게 하기 위해 필요한 지령·권한 또는 지위를 주다 : The chairman is *commissioned* to appoint a new member. (회장은 새 회원을 임명할 권한을 가진다). ***license*** 사람 또는 사업에 대해서 법률적인 자격을 주다 : The shop is *licensed* to sell tobacco. (그 상점은 담배를 팔도록 인가를 받았다).

áu·tho·rìzed *a.* **1** 인정의, 검인정필의, 공인된 ; 올바른. **2** 권한을 부여받은 : an ~ translation 원작자의 허가를 얻은 번역.

áuthorized cápital *n.* 《美》 수권(授權) 자본.

Áuthorized Vérsion *n.* [the ~] 흠정역(欽定譯)성서《1611년 영국왕 James 1세의 재가에 의해 편집 발행된 영역(英譯) 성서 ; 略 A.V. ; cf. KING JAMES VERSION, REVISED VERSION》.

áuthor·less *a.* 저자 불명의.

áuthor·ling *n.* (서투른) 저술.

áuthor's ágent[**represéntative**] *n.* ＝LITERARY AGENT.

áuthor's alterátion *n.* 〖出版〗 저자 수정《오식 외의 저자가 하는 정정 또는 변경 ; 略 A.A.》.

áuthor's cópies *n. pl.* (저자에 대한 출판사의) 증정본.

áuthor's edítion *n.* 자비 출판(본).

áuthor·shìp *n.* **1** Ⓤ 저작자임 ; 저술업 ; (저작물의) 원작자. **2** Ⓤ (소문 따위의) 근원, 출처.

Auth. Ver. Authorized Version.

au·tism [ɔ́:tizəm] *n.* Ⓤ 〖心〗 자폐증(自閉症). **-tis·tic** [ɔ:tístik] *a.* 자폐증의. 〖NL ; ⇨ AUT-, -ISM〗

***au·to** [ɔ́:tou, 美+ɑ́:-] *n.* (*pl.* ~**s**) 《美》 자동차, 차 《지금은 car쪽이 일반적》. —— *vi.* 차로 가다《이전의 용법》. 〖*auto*mobile〗

auto. automatic ; automotive.

auto-[1] [ɔ́:tou, -tə] ☞ AUT-.

au·to-[2] [ɔ́:tou, -tə] *comb. form* 「자동 추진의 (탈것[기계]의)」의 뜻. 〖*auto*mobile〗

àuto·aggréssive *a.* ＝AUTOIMMUNE.

áuto·alàrm *n.* (배 따위의) 자동 경보기[장치].

àuto·análysis *n.* 〖心〗 자기 분석 ; 자동 분석.

àuto·ánalyzer *n.* 〖化〗 (성분) 자동 분석기.

àuto-ánswer *n.* 〖通信〗 자동 응답.

àuto·ántibody *n.* 〖醫〗 자기 항체(自己抗體).

Au·to·bahn [ɔ́:toubà:n, áut- ; *G* áutoba:n] *n.* (*pl.* ~**s**, **-bah·nen** [*G* -ba:nən]) 아우토반《독일·오스트리아·스위스의 자동차 전용 고속 도로》. 〖G (*auto* motor car, *bahn* road)〗

áuto·bàll *n.* 오토볼《자동차를 타고 하는 축구 경기 ; 브라질에서 시작함》.

àuto·biógrapher *n.* 자서전 작가.

àuto·biográphic, -ical *a.* 자서전(체)의. **-ical·ly** *adv.* 자서전적으로.

àuto·biógraphy *n.* 자서전, 자전(自傳) ; Ⓤ 자(서)전 문학.

áuto·bòat *n.* 발동기선(船).

áuto·bùs *n.* 《美》 버스.

áuto·càde *n.* 《美》 자동차의 행렬.

áuto càll *n.* 〖通信〗 자동 호출.

AUTOCAP Automobile Consumer Action Program《자동차 소비자 행동 계획 ; 결함차의 교환·환불 따위를 알선하는 미국의 중재 기관》.

áuto·càr *n.* 자동차《지금은 car쪽이 일반적》.

àuto·catálysis *n.* 〖化〗 자가 촉매 작용. **-catalýtic** *a.*

àuto·cathársis *n.* Ⓤ 〖精神醫〗 자기 정화(법)《자기 경험을 글로 쓰게 함으로써 불안감을 없앰》.

àuto·céphalous *a.* 독립한, 자주적인《교회·단체 따위》.

áuto·chànger *n.* 자동 음반 교환 장치.

áuto·chròme *n.* 오토크롬판(板)《초기의 천연색 투명사진용 건판》.

au·toch·thon [ɔ:tɑ́kθən] *n.* (*pl.* ~**s**, **-tho·nes** [-nì:z]) 원주민, 본토박이 ; 토착 생물. 〖Gk. (*auto-*[1], *khthōn* land)＝sprung from the land itself〗

au·tóch·tho·nous, au·tóch·tho·nal, au·toch·thon·ic [ɔ̀:tɑkθɑ́nik] *a.* 그 토지에서 형성된, 원지[현지]성의, 토착의, 자생적(的)인. **-nous·ly** *adv.* **au·tóch·tho·nìsm, au·tóch·tho·ny** *n.* 토착 ; 원산지.

áuto·cìdal *a.* 생식 기능을 저하시켜 해충의 수를 줄이는, 자멸(自滅)을 유도하는.

áuto·cìde *n.* (차를 충돌시켜 하는) 자동차 자살.

au·to·clave [ɔ́:toklèiv] *n.* 압력솥[냄비], 고압솥 《멸균·조리용》. —— *vt.* autoclave로 처리하다. 〖*auto-*[1], L *clavus* nail or *clavis* key〗

áuto·còde *n.* 〖컴퓨〗 기본 언어, 오토코드.

áuto·còup *n.* 친위 쿠데타《1992년 4월, 페루의 후지모리 대통령이 군부와 국민의 지지를 배경으로 의회와 헌법의 기능을 정지시킨 행위를 일컬음》. 〖*auto*＋*coup* d'état〗

áuto còurt *n.* ＝MOTEL.

au·toc·ra·cy [ɔ:tɑ́krəsi] *n.* Ⓤ 독재권 ; 독재[전제] 정치 ; Ⓒ 독재국가.

au·to·crat [ɔ́:təkræ̀t] *n.* **1** 독재[전제] 군주 (despot). **2** 독재자. 〖F＜Gk. (*auto-*[1], *kratos* power)〗

au·to·crat·ic, -i·cal [ɔ̀:təkrǽtik(əl)] *a.* 독재의, 독재적인. **-i·cal·ly** *adv.* 독재적으로.

Au·to·cue [ɔ́:təkjù:] *n.* 《英》 텔레비전용 후견기 (後見機)《상표명》.

áuto·cỳcle *n.* 원동기 달린 자전거.

au·to-da-fé [ɔ̀:toudəféi, àut-] *n.* (*pl.* **au·tos-** [-touz-]) 〖史〗 (스페인·포르투갈의 종교 재판소의) 사형 선고와 집행 ; 이교도의 화형. 〖Port. ＝act of the faith〗

Au·to·dex [ɔ́:tədèks] *n.* 탁상용 자동식 전화 번호부《번호의 첫 글자를 맞추고 단추를 누르면 페이지가 펼쳐짐 ; 상표명》.

au·to·di·dact [ɔ̀:toudáidækt, -daidǽkt, -dədǽkt] *n.* 독습자, 독학자. **-di·dác·tic** [-daidǽktik, -də-] *a.* 독학의.

AUTODIN 〖軍〗 automatic digital network(자동 디지털 통신망).

áuto·dròme *n.* 자동차 경주 트랙.

au·to·dyne [ɔ́:tədàin] *n.*, *a.* 〖通信〗 오토다인 수신 장치(의).

àuto·érotism, -eróticism *n.* 〖心〗 자기색정 (自己色情). **àuto·erótic** *a.* 〖心〗 자기색정적인.

au·tog·a·my [ɔ:tɑ́gəmi] *n.* 〖植〗 자화 수분(自花

受粉)；〔動〕자가 수정. **au·tóg·a·mous** *a.* 〔植〕 자화 수분의；〔動〕 자가 수정의.
àuto·génesis *n.* 〔生〕 우연 발생, 자연 발생. **-genétic** *a.*
àuto·génic *a.* =AUTOGENOUS.
autogénic tráining *n.* 자율 훈련법.
au·tog·e·nous [ɔːtádʒənəs] *a.* 자생(自生)의, (싹·뿌리가) 내생(內生)의；〔生理〕 내인적(內因的)인, 자원(성)의；〔昆〕 (모기가) 무흡혈(無吸血) 생식의. **~·ly** *adv.*
autógenous váccine *n.* 자원(自原) 백신.
au·tog·e·ny [ɔːtádʒəni] *n.* Ⓤ 〔生〕 자생(自生), 자기 발생.
au·to·ges·tion [ɔ̀ːtədʒéstʃən] *n.* (근로자 대표에 의한 공장 따위의) 자주 관리.
〚F (*gestion* administration)〛
au·to·gi·ro, -gy·ro [ɔ̀ːtoudʒáiərou] *n.* (*pl.* **~s**) 〔空〕 오토자이로(cf. HELICOPTER).
〚*Autogiro* 상표〛
áuto·gràft *n.* 자가 이식편. —— *vt.* (조직·기관(器官)을) 자가 이식편으로 이식하다.
au·to·graph [ɔ́ːtəgræ̀(ː)f；-gràːf] *n.* 자필, 육필；자서(自署), 사인(signature)；자필 원고《따위》.
—— *a.* 자필의, 자서의.
—— *vt.* 자필로 쓰다；…에 자서[사인]하다.
〚F or L<Gk.；⇨ -GRAPH〛
áutograph àlbum[**bòok**] *n.* 서명[사인]첩.
au·to·graph·ic, -i·cal [ɔ̀ːtəgræ̀fik(əl)] *a.* 자필의, 육필의；자서의；자기(自記)의(self-recording)；복사의.
-i·cal·ly *adv.*
au·tog·ra·phy [ɔːtágrəfi] *n.* 자서(自書)；자필；필적；〔印〕 자필 석판 인쇄.
àuto·gravúre *n.* 사진판 조각법의 일종.
autogyro ☞ AUTOGIRO.
àuto·hypnósis *n.* 자기 최면(술).
-hypnótic *a.*
àuto·ignítion *n.* (내연 기관의) 자기 발화[점화, 착화]；자연 발화.
àuto·immúne *a.* 〔醫〕 자기 면역의.
-immúnity *n.* **-immunizátion** *n.*
àuto·inféction *n.* Ⓤ 〔醫〕 자가 전염, 자기 감염.
àuto·injéctor *n.* (신경 가스 따위에 대해 쓰는) 자기 (피하) 주사기.
àuto·inoculátion *n.* 〔醫〕 자가 접종.
àuto·intoxicátion *n.* Ⓤ 〔醫〕 자가(自家) 중독.
áuto·ist *n.* 《美口》 자동차 상용자.
àuto·kinésis *n.* 자동 운동.
àuto·kinétic *a.* 자동의.
autokinétic phenómenon *n.* 〔心〕 자동 운동 현상《어두운 곳에서 광점(光點)을 응시하면 그 광점이 움직이는 것처럼 보임》.
áuto·lànd *n.* 〔空〕 자동 착륙.
áuto lìft *n.* 오토 리프트《자동차를 들어올리는 유압(油壓) 장치》.
àuto·lóad·ing *a.* (화기가) 자동 장전의(semi-automatic).
au·tol·o·gous [ɔːtáləgəs] *a.* 자가 이식한, 자가 조직의.
au·tol·y·sin [ɔːtáləsən, ɔ̀ːtəláisən] *n.* Ⓤ,Ⓒ 〔生化〕 (동식물 조직을 파괴하는) 자기 분해제.
au·tol·y·sis [ɔːtáləsəs] *n.* 〔生化〕 자기 분해；자기 소화.
au·to·lyze [ɔ́ːtəlàiz] *vt., vi.* 〔生化〕 자기 분해[소화]시키다[하다].
áuto·màker *n.* 《美》 자동차 제조업자[회사].
áuto·màn *n.* =AUTOMAKER.
àuto·manipulátion *n.* 수음, 자위(masturbation). **-manípulative** *a.*
au·to·mat [ɔ́ːtəmæ̀t] *n.* 《美》 자동 판매식 식당, 오토맷；자동 판매기.
〚G<F；⇨ AUTOMATION〛
automata *n.* AUTOMATON의 복수형.
au·to·mate [ɔ́ːtəmèit] *vt.* 오토메이션[자동]화하다. —— *vi.* 자동 장치를 갖추다, 자동화되다.
-màt·able *a.* **-màt·ed** *a.* 자동화한：an ~*d* factory 오토메이션[자동 조작] 공장.
〚역성(逆成)〈*automation*〛
automated DNA sequencer [⌐ dìːènéi ⌐] *n.* 〔生化〕 자동 DNA 해석 장치.
automated DNA synthesis [⌐ dìːènéi ⌐] *n.* 〔生化〕 DNA 자동 합성.
áutomated òffice *n.* 자동화된 사무(처리)《略 AO》.
áutomated ràdar términal sỳstem *n.* 〔空〕 터미널 레이더 정보 처리 시스템《略 ARTS》.
áutomated téller *n.* =AUTOMATIC TELLER MACHINE.
áutomated tìcket *n.* 자동 발행 항공권《컴퓨터의 예약 장치와 연동함》.
***au·to·mat·ic** [ɔ̀ːtəmǽtik] *a.* 자동의, 자동적인；자동(제어) 기구를 갖춘, 오토매틱의；자동기계에 의한；무의식적인；습관적인, 기계적인. —— *n.* 자동 기계[장치]；자동 변속 장치(가 달린 차)；(특히) 자동 화기(火器)《권총·기관단총 따위》.
-i·cal·ly *adv.* 자동[기계]적으로.
au·to·ma·tic·i·ty [ɔ̀ːtəmətísəti] *n.* 자동적임, 자동성.
〚AUTOMATON〛
類義語 ⟹ SPONTANEOUS.
automátic appróval sýstem *n.* AA제《수입 자동 승인제》.
automátic cálling *n.* (전화의) 자동 호출.
automátic chánger *n.* 레코드 자동 교환 장치.
automátic contról *n.* 자동 제어.
automátic dáta prócessing *n.* (컴퓨터 따위에 의한) 자동 데이터 처리《略 ADP》.
automátic depósitor *n.* (은행의) 자동(自動) 예금기(機).
automátic diréction finder *n.* (특히 항공기의) 자동 방위 측정기《略 ADF》.
automátic dísh wàsher *n.* 자동 접시 닦는 기계(機械).
automátic dóor *n.* 자동문(門).
automátic dríve[**transmíssion**] *n.* (기어 체인지가 필요없는) 자동 변속 장치.
automátic élevator *n.* 자동 엘리베이터.
automátic flìght contról sỳstem *n.* 〔空〕 자동 항공 제어 시스템.
automátic géars *n. pl.* 자동 기어.
automátic interplánetary státion *n.* 자동 행성간 스테이션.
automátic lánding *n.* 자동 착륙.
automátic operátion *n.* 오토메이션, 자동 조작(☞ AUTOMATION).
automátic pílot *n.* 〔空〕 자동 조종 장치.
automátic pístol *n.* 자동 권총.
automátic redìaling *n.* (전화기의) 자동 재(再)다이얼 기능.
automátic sprínkler *n.* **1** 자동 소화기. **2** 살수(撒水) 장치.
automátic téller (**machìne**) *n.* 현금 자동 인출·예입기.
automátic términal informátion sèrvice

n. 〔空〕 비행장 정보 방송 업무《비행장의 대공(對空) 송신 방송 업무 ; 略 ATIS》.
automátic tráin contròl *n.* 열차 자동 제어(장치)《略 ATC》.
automátic tráin stòp *n.* 열차 자동 정지 장치《略 ATS》.
automátic translátion *n.* 자동 번역.
automátic túning *n.* (라디오·텔레비전의) 자동 동조(同調)[조정].
automátic týpesetting *n.* =COMPUTER TYPESETTING.
automátic wríting *n.* 〔心〕 자동 서자(書字)《자기가 글을 쓰고 있다는 사실을 의식하지 못하고 쓰는 일》.
***au·to·ma·tion** [ɔ̀:təméiʃən] *n.* Ⓤ (기계·수속·조직의) 자동화, 자동 조작, 오토메이션 ; (육체 노동을 줄이기 위한) 기계 사용.
〚*automat*on+*-ation*〛
au·tom·a·tism [ɔ:támətìzəm] *n.* **1** Ⓤ 자동성, 자동 작용, 자동적 활동, 기계적 행위. **2** Ⓤ 〔生理〕 자동성《심장의 고동, 근육의 반사 운동 따위》. **3** 〔心〕 자동증.
au·tom·a·tize [ɔ:támətàiz] *vt.* 자동화하다, 오토메이션화하다. **au·tòm·a·ti·zá·tion** *n.* 자동화 ; 기계적으로 함.
au·to·máto·gràph [ɔ̀:təmǽtə-] *n.* 자동 기록기.
au·tom·a·ton [ɔ:támətən, -tàn] *n.* (*pl.* **~s, -ta** [-tə]) 자동 장치 ; 자동 인형, 로봇(robot) ; 기계적으로 행동하는 사람[동물].
〚L<Gk. (*automatos* acting of itself)〛
au·tom·a·tous [ɔ:támətəs] *a.* =AUTOMATIC.
au·tome [ɔ́:toum] *n.* 《美》 이동 주택.
〚*auto*+ho*me*〛
au·tom·e·ter [ɔ:támətər] *n.* 자동차 속도계.
***au·to·mo·bile** [ɔ̀:təmoubí:l, ⌐--⌐, ⌐-⌐-] *n.* **1** 《美》 자동차(car) (=《英》 motorcar). **2** 《美俗》 일이 빠른 사람, 기민한 사람.
— *vi.* 《稀》 자동차를 타다[타고 가다].
— *a.* =AUTOMOTIVE.
àu·to·mo·bíl·ist [, ⌐--⌐-] *n.* 《美》 자동차 사용[상용]자(motorist).
〚F ; ⇨ MOBILE〛
au·to·mo·bil·ism [ɔ̀:təmoubí:lizəm, ⌐---⌐-] *n.* 《美》 자동차의 사용[운전].
àuto·mórphism *n.* 〔數〕 자기동형(同型) ; 〔結晶〕 자형(自形).
àuto·mótive *a.* 자동차의 ; 자동 추진의, 동력 자급(動力自給)의 : the ~ industry 자동차 산업.
au·to·nom·ic [ɔ̀:tənámik] *a.* 자치의 ; 〔生理〕 자율(自律)의, 자율 신경계(系)의 : the ~ nervous system 자율 신경계.
au·ton·o·mist [ɔ:tánəməst] *n.* 자치제 주장자, 자치론자.
au·ton·o·mous [ɔ:tánəməs] *a.* 자치권이 있는 ; 자율의, 자주적인 : an ~ republic 자치 공화국.
au·ton·o·my [ɔ:tánəmi] *n.* Ⓤ 자치 ; 자치권 ; Ⓒ 자치 단체.
〚Gk. (*aut-*, *nomos* law)〛
au·to·nym [ɔ́:tənìm] *n.* 본명(으로 저술한 책).
áuto·pèn *n.* 자동 서명 장치.
au·toph·a·gy [ɔ:táfədʒi] *n.* 〔生理〕 자식(自食) 작용《동일 세포내에서 효소가 다른 성분을 소화하기》. **-gic** *a.*
áuto·phòne *n.* 자동 전화.
áuto·pìlot *n.* =AUTOMATIC PILOT.
au·to·pis·ta [àutoupí:stɑ:, ɔ̀:təpí:stə] *n.* (스페인어권의) 고속 도로.
〚Sp. =auto(mobile) track〛
áuto·plàsty *n.* 〔醫〕 자기 형성《자가 이식에 의한 형성》.
áuto·pòlo *n.* 자동차를 타고 하는 폴로 경기.
au·top·sy [ɔ́:tɑpsi, -təp-, ɔ:tɑ́p-] *n.* (검시(檢屍)) 해부, 부검, 검시(postmortem examination) ; 실지 시찰[검증] ; Ⓤ,Ⓒ 《비유》 (사후(事後)) 비판 분석. — *vt.* …의 검시 (해부)를 하다. **au·top·tic, -ti·cal** [ɔ:tɑ́ptik(əl)] *a.* 검시의 ; 실지 검증의.
〚F or NL<Gk. =seeing with one's own eyes ; ⇨ AUT-, OPTIC〛
àuto·psychósis *n.* 〔醫〕 자아 의식 장애성 정신병(病).
àuto·rádio·gràph, -gràm *n.* 방사선 사진(radioautograph). **-radiógraphy** *n.* 방사선 사진법. **-rà·dio·gráph·ic** *a.*
àuto·regulátion *n.* (장기(臟器)·생물·생태계 따위의) 자기 조절.
àuto·revérse *n.* 〔電子〕 오토리버스《녹음[재생] 중에 끝이 되면 테이프가 자동으로 역전하여 녹음[재생]을 계속하는 기능》.
au·to·route [ɔ́:tərù:t ; *F* ɔtɔrut] *n.* 프랑스·벨기에의 고속 도로.
〚F (AUTOMOBILE, ROUTE)〛
autos-da-fé *n.* AUTO-DA-FÉ의 복수형.
áuto·sèx·ing *a.* 태어날[부화할] 때 암수별로 각기 특징을 나타내는.
áuto·shàpe *vi.* 〔心〕 (자극에 대하여 조건 없이) 자기 반응을 형성하다.
áuto·slèd *n.* 자동 썰매.
áuto·sòme *n.* 〔遺〕 (성(性)염색체 이외의) 상염색체(常染色體).
àuto·stabílity *n.* 〔機〕 자동안정 ; 자동안정 장치에 의한 안정.
au·to·stra·da [àutoustrá:də, ɔ̀:-] *n.* (*pl.* **~s, -de** [-dei]) 이탈리아의 고속 도로(cf. AUTOBAHN).
〚It. (STREET)〛
àuto·suggéstion *n.* Ⓤ 〔心〕 자기 암시, 자가 감응. **àuto·suggést** *vt.* 자기 암시를 걸다.
àuto·táxi *n.* 무인 택시, 궤도 택시(cabtrack).
au·to·te·lic [ɔ̀:toutélik, -tí:-] *a.* 그 자체에 목적이 있는, 자기 목적적인. **-tél·ism** *n.* 자기 목적주의. 〚Gk. *telos* end〛
áuto thèater *n.* 《美》 자동차를 탄 채 보는 야외 영화관(drive-in theater).
áuto·tìmer *n.* (전자 레인지 따위의) 자동 타이머.
au·tot·o·mize [ɔ:tátəmàiz] *vi., vt.* 〔動〕 (도마뱀 따위가 몸의 일부를) 자절(自切)하다.
au·tot·o·my [ɔ:tátəmi] *n.* 〔動〕 (도마뱀 따위의) 자기 절단, 자절. **au·to·tom·ic** [ɔ̀:tətámik], **au·tot·o·mous** [ɔ:tátəməs] *a.*
àuto·tóxic *a.* 〔醫〕 자가 중독의.
àuto·tóxin *n.* 〔醫〕 자가 독소(毒素).
àuto·tóxis [-táksəs] *n.* 자가 중독.
áuto·tràin *n.* 오토트레인《일정 구간을 승객과 차를 동시에 수송하는 열차》.
àuto·transfórm·er *n.* 〔電〕 단권(單捲) 변압기, 오토트랜스.
àuto·tránsplant *n., vt.* =AUTOGRAFT.
àuto·trónic *a.* (엘리베이터가) 자동 전자 장치의.
au·to·troph [ɔ́:tətrɔ̀(:)f, -tròuf, -tràf] *n.* 〔生〕 독립[자주, 무기] 영양 생물.
au·tot·ro·phy [ɔ:tátrəfi] *n.*
àuto·tróphic *a.* 무기[자주] 영양의.
áuto·trùck *n.* 화물 자동차, 트럭(=《英》 motor-lorry).

áuto·tỳpe *n.* 오토타이프《단색 사진판》, 오토타이프 사진 ; 복사, 모사. —— *vt.* 오토타이프로 복사하다.

àuto·typógraphy *n.* 오토타이프 인쇄술.

áuto-wìnd·er *n.* (카메라의) 필름을 자동으로 감는 장치.

áuto·wòrk·er *n.* 자동차 제조 노동자.

au·tox·i·da·tion [ɔːtàksədéiʃən] *n.* 〖化〗 자동 산화(酸化).

◇**au·tumn** [ɔ́ːtəm] *n.* **1** 가을, 가을철《통속적으로 북반구에서는 9, 10, 11월, 천문학상으로는 추분(秋分)에서 동지(冬至)까지》: in (the) ~ 가을에(는) / in the ~ of 1994 1994년 가을에 / in (the) early[late] ~ 초[늦]가을에. ㊟《美》에서는 일상(日常)용어로 fall을 쓰는 일이 많음.
2 성숙기 ; 조락기(凋落期) ; 초로기(初老期) : in the ~ of life 인생의 초로기.
3 [형용사적으로] 가을의(cf. AUTUMNAL) : an ~ day 가을날 / the ~ term 가을 학기.

〈회화〉
What's the best time of year to visit Japan, Min-ho? — I think *autumn* is best. 「민호야, 일본에 가는 데 가장 좋은 시기는 언제니」「가을이 최고야」

〖OF<L *autumnus*〗

au·tum·nal [ɔːtʌ́mnəl] *a.* **1** 가을의[같은], 가을다운 ; 〖植〗 가을에 피는, 가을에 열리는 : ~ tints 추색(秋色), 단풍 / ~ weather 가을 같은 날씨. **2** 초로기의, 중년의.

autúmnal équinox *n.* [the ~] 추분, 추분점.

au·tun·ite [ɔ́ːtənàit, outʌ́nait] *n.* 〖鑛〗 인회(燐灰) 우라늄석.
〖*Autun* 프랑스 중동부의 지명〗

aux., auxil. auxiliary.

***aux·il·ia·ry** [ɔːgzíljəri, -zíləri] *a.* 보조의, 보조적인, 도움이 되는, 예비의 : an ~ engine 보조 기관 / ~ coins 보조 화폐 / an ~ language (국제적) 보조 언어《Esperanto 따위》/ an ~ note 〖樂〗 도움음(音). —— *n.* **1** 보조자, 조수(helper), 보조물(aid). **2** [*pl.*] (외국으로부터의) 원군, 외인부대. **3** 보조함(艦), 〖美海軍〗 보조정(艇). **4** 〖文法〗 조동사.
〖L (*auxilium* help)〗

auxíliary stàge *n.* 〖宇宙〗 보조 로켓.

auxíliary stòrage *n.* 〖컴퓨〗 보조 기억 장치(cf. MAIN STORAGE).

auxíliary tróops *n.* =AUXILIARY *n.* 2.

***auxíliary vérb** *n.* 〖文法〗 조동사.

aux·in [ɔ́ːksən] *n.* 〖植·化〗 옥신《식물 생장 물질의 총칭》. **aux·in·ic** [ɔːksínik] *a.* **-i·cal·ly** *adv.*

auxo- [ɔ́ːksə] *comb. form* 「생장」「증대」의 뜻 : *auxo*troph. 〖Gk.〗

auxo·troph [ɔ́ːksətrɔ̀(ː)f, -tròuf, -tràf] *n.* 〖生〗 영양 요구주(要求株).

àuxo·tróphic *a.* 〖生〗 (대사·생식에) 보조적 영양을 필요로 하는, 영양 요구성의 : ~ mutants 영양 요구성 돌연변이체.

A.V. Authorized Version (of the Bible)《킹 제임스판 성서 ; cf. R.V.》. **Av.** Avenue. **av.** avenue ; average ; avoirdupois. **a.v., a/v** *ad valorem* 《L》 (=according to the value).

avail** [əvéil] *vi.* [動/+副+名/+*to* do] 쓸모가 있다, 소용에 닿다(be of use) : Talk will not ~ without work. 말뿐이고 실행(實行)하지 않는 것은 아무런 쓸모가 없다 / Courage could not ~ ***against the enemy fire. 적의 포화 앞에서 용기란 아무런 소용이 없었다 / No words ~*ed to* soften him. 어떠한 말도 그의 마음을 누그러뜨리지 못했다. —— *vt.* …에 쓸모가 있다, 소용이 되다, 유익하다 : It will ~ you little or nothing. 그것은 너에게 이로운 데가 거의 없을 것이다. ㊟ 다음 숙어로 쓰이는 외에는 주로 부정 또는 의문에 사용되어 《文語》.
avail** one**self of …을 이용하다, …을 틈타다(make use of) : We should ~ our*selves of* this opportunity. 우리는 이 기회를 이용해야 한다.
—— *n.* Ⓤ 이익, 효용, 효력(use, profit) : be *of* ~ 쓸모 있다, 유익하다(be available) / be *of* no [little] ~ 전혀[거의] 쓸모가 없다, 무익(無益)하다[에 가깝다].
to no avail = ***without avail*** 무익(無益)하게, 보람없이.
〖VAIL²<OF<L *valeo* to be strong〗

avàil·abílity *n.* Ⓤ 유효성, 유용성 ; 이용[입수] 가능성 ; 《美》 (선거 후보자의) 인기면으로 본 당선 유망성 ; available한 사람[것].

availabílity státus mèssages *n. pl.* 항공 회사간 예약 상황 통지《略 AVS》.

***avái·able** *a.* 이용할 수 있는, 쓸모 있는, 유효[유용]한, 손에 넣을 수 있는, 얻을 수 있는 ; 《美》 (후보자가) 유력한 : All ~ tickets were sold. 있는 표는 모두 팔려 버렸다 / ~ on day of issue only 발행 당일에 한해 유효 / Tapes are ~ *to* all *for* language learning. 테이프는 어학 공부를 하는데 유용하다.

〈회화〉
Are there any seats *available*? — Just a minute, please. I'll check. 「빈 자리 있습니까」「잠시 기다리십시오. 체크해 보겠습니다」

-ably *adv.* 이용할 수 있게, 유효하게.

aváilable ássets *n. pl.* 〖會計〗 이용 가능 자산.

aváilable énergy *n.* 〖理〗 유효 에너지.

aváilable líght *n.* 〖美術·寫〗 (대상·피사체가 받는) 자연광(自然光).

av·a·lanche [ǽvəlæ̀(ː)ntʃ ; -lɑ̀ːntʃ] *n.* (눈)사태 ; 《비유》 빗발치듯이 쏟아지는 것《주먹·투석 따위》〈*of*〉 ; (우편물·불행·질문 따위의) 쇄도〈*of*〉.
—— *vi.* 눈사태가 되어 떨어지다 ; 눈사태처럼 쇄도하다. —— *vt.* …에 눈사태나듯 떨어지다[밀어닥치다]. 〖F (*avaler* to descend)〗

ávalanche blàst *n.* (알프스 따위의) 사태바람.

av·a·lan·chine [æ̀vəlǽ(ː)ntʃiːn ; -lɑ́ːn-] *a.* 눈사태 같은 ; 거대한 ; 맹렬한.

avale·ment [əvǽlmənt ; *F* avalmɑ̃] *n.* 〖스키〗 아발망《스피드를 내고 있을 때 스키가 설면(雪面)과 항상 접촉하도록 무릎을 굽혔다 폈다 하기》.

avant-cou·rier [ɑːvɑ̀ːntkúriər ; æ̀vɑ̃ːŋ- ; *F* avɑ̃kurie] *n.* 선구자 ; [*pl.*] 전위, 척후.

avant-garde [æ̀vɑ(ː)ntgɑ́ːrd, ɑ̀ːvɑːn-, 美+əvǽntgɑ̀rd ; *F* avɑ̃gard] *n.* [보통 the ~] 전위(前衛)[첨단]적 예술가들, 아방가르드〈*of*〉.
—— *a.* 전위적인, 전위의 : ~ pictures 전위 영화.
〖F=vanguard〗

av·a·rice [ǽvərəs] *n.* Ⓤ 탐욕, 허욕(虛慾).
〖OF<L (*avarus* greedy)〗

av·a·ri·cious [æ̀vəríʃəs] *a.* 욕심이 많은, 탐욕스러운. **~·ly** *adv.* 탐욕스럽게. **~·ness** *n.*

avast [əvǽ(ː)st ; əvɑ́ːst] *int.* 〖海〗 그만!, 중지!
〖Du. *houd vast* to hold fast〗

av·a·tar [ǽvətɑ̀ːr, ⌐-⌐] *n.* **1** Ⓤ,Ⓒ 〖힌두教〗 신[비슈누신]의 화신 ; (사람의 모습을 한) 권화(權化), 화신(化身). **2** 상(相), 면(面).

〚Skt. =descent (*áva* down, *tar-* to pass over)〛

avaunt [əvɔ́:nt, 美+əvá:nt] *int.* 《古》 가라!, 물러가라(Begone!).

AVC, A.V.C. American Veterans Committee (미국 재향 군인회); automatic volume control (자동 음량 조절).

avdp. avoirdupois (weight).

ave [á:vei; á:vi] *int.* 어서 오십시오(Welcome!); 안녕히 가십시오(Farewell!).
—— *n.* **1** [A~] 아베마리아의 기도. **2** 환영[고별]의 인사.
〚L (2nd sg. impv.) ‹ *aveo* to fare well〛

Ave., ave. 《美》 Avenue.

áve bèll *n.* 성모 마리아께 드리는 기도 시각을 알리는 종.

Ave Ma·ria [á:vei mərí:ə; á:vi-] *n.* 아베마리아 《카톨릭 교회에서 성모 마리아께 드리는 기도》.

Avé·na tèst [əví:nə-] *n.* 〔植〕 아베나 테스트《귀리(*Avena sativa*)에 의한 식물 생장소(素)의 함유량 테스트》.

avenge** [əvéndʒ] *vt.* [+目/+目+*on*+名] **1** (원한의) 복수를 하다, …의 원수를 갚다, …의 앙갚음을 하다 : She *~d* the wrong she had suffered. 그녀는 부당한 취급을 받은 앙갚음을 했다 / They swore to ~ their lord's death. 그들은 죽은 임금의 원수를 갚자고 맹세했다. **2** (남의) 원한을 풀다, …의 원한을 풀어주다 : Hamlet planned to ~ his father ((up***)***on*** the murderer). 햄릿은 아버지의 (살해자에 대한) 원한을 풀어주려고 계획했다. **3** [수동태 또는 ~ one*self* 로] 복수하다, 보복하다(☞ 活用) : He *was ~d*[*~d* him*self*] ***on*** them (***for*** the insult). 그는 그들에게 (모욕받은) 보복을 했다. —— *vi.* 복수하다.
〚OF (*à* to, L VINDICATE)〛
活用 avenge 3의 용법에는 보통 revenge *vt.* 1쪽을 씀.
類義語 ⟹ REVENGE.

avéng·er *n.* 복수자, 원수를 갚는 사람 : the ~ of blood 혈족 관계로 원수를 갚을 의무가 있는 사람 《피해자의 가장 가까운 근친자》.

av·ens [ǽvənz] *n.* (*pl.* **~, ~·es**) 〔植〕 뱀무속(屬)의 식물.

aven·tu·rine [əvéntʃərì:n, -rən], **-rin** [-rən], **avan-** [əvá:n-] *n.* 어벤처린 유리《금속동의 결정이 다수 분산된 유리》; 사금석(砂金石).
—— *a.* 어벤처린 유리와 같은, 반짝거리는.
〚F (*aventure* chance); 우연히 발견된 데서〛

***av·e·nue** [ǽvənjù:] *n.* **1** 가로수길 : an ~ of poplars 포플러 가로수길. **2** 《英》 (큰길에서) 현관까지의 가로수길. **3** 《美》 대로, 큰거리(main street). 注 미국의 도시에서는 흔히 Avenue와 Street가 직각으로 교차함. 예를 들면 New York 시의 Avenue는 남북으로 Street는 동서로 뻗은 도로의 명칭으로 쓰임 : ☞ FIFTH AVENUE. **4** 《비유》 (접근) 수단 : explore every ~ 가능한 수단[방법]을 강구하다, 모든 수를 다 쓰다 / Hard work is a sure ~ *to* success. 근면은 성공에 이르는 확실한 길이다. 〚F; ⇨ VENUE〛

aver [əvə́:r] *vt.* (**-rr-**) [+目/+*that* 節] (진실이라고) 단언하다; 〔法〕 증언하다(verify) : I ~ the report of my colleague. 동료(同僚)의 보고는 틀림이 없습니다 / He *~red that* I had spoken the truth. 그는 내가 진실을 말했다고 증언했다.
〚OF (*ad-*, L *verus* true)〛

‡av·er·age [ǽvəridʒ] *n.* **1** 평균(값); 보통; 평균 비율, 승률, 타율; [흔히 *pl.*] 주가 평균 : an arithmetical[geometrical] ~ 산술[기하] 평균 / strike[take] an ~ 평균을 내다. **2** 〔商〕 해손(海損) (분담액) : a general[particular] ~ 공동[단독] 해손.
above[***below***] ***the average*** 보통 이상[이하]으로.
on an[***the***] ***average*** 평균하여 (얼마); 개략적으로.
up to the average 평균에 이르러, 일반 표준에 달하여.
—— *a.* 평균의; 평균적인, 보통의; 〔商〕 해손(분담액)의 : an ~ cost 평균 원가 / of ~ quality 보통 품질의 / the ~ man 보통 사람.
—— *vt.* **1** 평균하다, …의 평균을 내다 : *A*~ 5, 7, and 15, and you'll get 9. 5와 7과 15를 평균하면 9가 된다. **2** 평균 …이다; 평균하여 …하다 : We ~ 8 hours' work a day. 우리들은 하루 평균 8시간 일한다 / The writer *~s* three stories a month. 그 작가는 한 달에 평균 3편의 이야기를 쓴다. —— *vi.* 평균하여 …이다[에 이르다].
〚F *avarie*<It.<Arab. =damaged goods; *-age*는 *damage*에서〛
類義語 ⟹ NORMAL.

áverage deviátion *n.* 평균 편차(偏差).

áverage lífe *n.* 〔理〕 (방사성 물질의) 평균 수명.

áverag·er *n.* 〔商〕 해손(海損) 청산인.

áverage yéar *n.* 평년.

avér·ment *n.* U,C 언명, 단언; 〔法〕 사실의 주장 [진술]. 〚AVER〛

Aver·nus [əvə́:rnəs] *n.* 아베르노호《나폴리 부근의 작은 호수》; 〔로神〕 지옥.

averse [əvə́:rs] *pred. a.* [+前+do*ing*] 싫어하여, 반대하여(opposed) : She is ~ ***to*** our plan. 그녀는 우리 계획에 반대하고 있다 / He was ~ *to* fight*ing*. 그는 싸움을 싫어했다. 注 전치사로 from을 쓰는 것은 《稀》 : I am inveterately ~ ***from*** any sort of fuss. 나는 원래 떠들어대는 것은 무엇이나 싫다. **~·ness** *n.* 혐오. 〚L; ⇨ AVERT〛
類義語 ⟹ RELUCTANT.

aver·sion [əvə́:rʃən, -ʒən] *n.* **1** [+前+do*ing*] 싫어함, (강한) 혐오감 : She felt an ~ ***to*** him. 그녀는 그를 싫어하고 있었다 / He feels an invincible ~ *to* snakes. 그는 뱀이라면 진저리를 친다 / He has an ~ *to* see*ing* cockfights. 그는 닭싸움 보는 것을 싫어한다 / I have an ~ ***for*** [*to*] fried shrimp. 나는 작은 새우 튀김은 싫다. **2** 싫은 것 : my pet ~ 내가 아주 싫어하는 것.
類義語 ***aversion, antipathy*** 둘 다 불쾌·싫은 것에 대한 뿌리 깊은 반감을 나타냄. *aversion*은 싫은 것을 피하는 또는 멀리하는 기분이 있으며 *antipathy*는 상대에 대해서 적극적인 적의를 품는 것을 나타냄. ***repugnance*** 자기의 생각이나 취미에 맞지 않는 것에 대한 감정적인 저항 또는 반발. ***disgust*** 취미 또는 감정에 맞지 않는 것에 대하여 아주 강한 혐오감을 나타냄. ***loathing*** 극단적인, 참을래야 참을 수 없는 마음. ***abhorrence*** 아주 강한 aversion 또는 repugnance한 마음.

avérsion thèrapy *n.* 혐기 요법《유해 자극에 의해 어떤 종류의 기피나 반사회 활동을 그만두게 만드는 요법》.

aver·sive [əvə́:rsiv, -ziv] *a.* 혐오감을 나타내는; 기피하는; 유해한《자극》.

avert** [əvə́:rt] *vt.* **1** [+目+*from*+名] (눈·생각을) 돌리다, 외면하다, 다른 데로 돌리다(turn away) : She *~ed* her eyes ***from the terrible sight. 그녀는 그 무서운 광경에서 눈을 돌렸다. **2**

(타격·위험을) 피하다, 막다(prevent) : He ~*ed* the accident by a quick turn of the car. 그는 차의 방향을 급히 돌려서 사고를 면했다.
avért·ible, -able *a.* 피할[막을] 수 있는.
〖L (*ab-*, *vers- verto* to turn)〗
Avery [éivəri] *n.* 남자 이름.
Aves [éivi:z] *n. pl.* 〖動〗 조류(鳥類).
〖L (pl.) ‹*avis* bird〗
Aves·ta [əvéstə] *n.* 아베스타《조로아스터교의 경전》. 〖Pers.〗
Aves·tan [əvéstən], **Aves·tic** [əvéstik] *n.* 아베스타 어. —— *a.* 아베스타 경전(經典)[어]의.
AVF All-Volunteer Force (전원(全員) 지원병군(軍)). **avg.** average.
av·gas [ǽvgæ̀s] *n.* Ⓤ 《美》 항공기용 가솔린.
〖*av*iation *gas*oline〗
avi- [éivi, 美+ǽvi] *comb. form* 「새」의 뜻 : *avi*phobia. 〖L *avis* bird〗
avi·an [éiviən] *a.* 조류의, 새의. —— *n.* 새.
avi·a·rist [éiviərəst, 美+-èr-] *n.* 애금가(愛禽家), 새 기르는 사람.
avi·ary [éivièri ; -vjəri] *n.* (동물원 따위의) 새장, 조류 사육장. 〖L ; ⇨ AVI-〗
avi·ate [éivièit, 美+ǽv-] *vi.* 비행하다, (특히) 항공기를 조종하다. 〖역성(逆成) ‹ ↓〗
***avi·a·tion** [èiviéiʃən, 美+æ̀v-] *n.* Ⓤ 비행, 항공 ; 비행[항공]술(aeronautics) ; [집합적으로] 항공기 ; (특히) 군용기 ; (중(重))항공기 산업.
〖F ; ⇨ AVI-〗
aviátion bàdge *n.* 공군 기장(wings).
aviátion cadét *n.* 〖美空軍〗 사관 후보생.
aviátion càp *n.* 비행 모자.
aviátion còrps *n.* 항공대.
aviátion gàsoline *n.* 항공 가솔린.
aviátion gròund *n.* 비행장.
aviátion médicine *n.* 항공 의학.
aviátion psychólogy *n.* 항공 심리학.
aviátion spìrit *n.* 《英》 =AVIATION GASOLINE.
avi·a·tor [éivièitər, 美+ǽv-] *n.* 비행기 조종사, 비행사, 비행가(airman) : a civilian[private] ~ 민간 비행가.
áviator glàsses *n. pl.* 비행사 안경.
áviator's éar *n.* 항공(성) 중이염.
avi·a·tress [éivièitrəs, 美+ǽv-] *n.* =AVIATRIX.
avi·a·trix [èiviéitriks, 美+æ̀v-] *n.* (*pl.* **~·es**, **-tri·ces** [-trəsì:z]) 여류 비행사[가]. ㊟ 지금은 보통 단순히 aviator, 또는 woman[lady] aviator 라고 함.
ávi·cùlture *n.* 조류 사육, 양금(養禽).
av·id [ǽvəd] *a.* 욕심 많은, 탐욕스러운(greedy) 〈*of*, *for*〉 ; 열심인.
be avid for …을 몹시 탐내다, 갈망하다.
~·ly *adv.* 탐욕스럽게, 욕심내어.
〖F or L (*aveo* to crave)〗
avid·i·ty [əvídəti] *n.* Ⓤ (열렬한) 욕망, 갈망 ; 탐욕 : with ~ =AVIDLY.
àvi·fáuna *n.* 〖動〗 (한 지방[나라]의) 조류(cf. FAUNA). **-fáunal** *a.* **-nal·ly** *adv.* **-faunístic** *a.*
ávi·fòrm *a.* 새 모양을 한, 새 모양의.
av·i·ga·tion [æ̀vəgéiʃən] *n.* 항공[비행]술.
Avi·gnon [*F* aviɲɔ̃] *n.* 아비뇽《프랑스 남동부의 도시》.
avion [*F* avjɔ̃] *n.* 비행기 : par ~ [*F* par-] 항공 우편으로.
avi·on·ics [èiviániks, 美+æ̀v-] *n.* Ⓤ 항공·미사일용 전자기기에 관한 전자 공학.
〖*av*iation+electr*onics*〗
avír·u·lent [ei-, æ-] *a.* 무독성(無毒性)의, 악성이 아닌.
avi·so [əváizou] *n.* (*pl.* **~s**) 통보(通報), 공문서 송달 ; 통보함(艦).
〖Sp. ; ⇨ ADVICE〗
avi·ta·min·o·sis [eivàitəmənóusəs, èivitæ̀mə-] *n.* (*pl.* **-ses** [-si:z]) 〖醫〗 비타민 결핍증.
A.V.M. Air Vice-Marshal(공군소장). **avn.** aviation.
avo·ca·do [æ̀vəká:dou, à:-] *n.* (*pl.* **~s**, **~es**) 〖植〗 (열대 아메리카산) 아보카도나무 ; 아보카도 열매(alligator pear).
〖Sp.<Aztec=testicle ; 열매의 모양에서〗
av·o·ca·tion [æ̀vəkéiʃən] *n.* **1** 부업, 아르바이트 ; 여기(餘技), 취미삼아 하는 일(hobby) (cf. VOCATION). **2** 《俗》 본업, 직업(vocation).
〖L (*avoco* to call away)〗
avoc·a·to·ry [əvákətɔ̀:ri ; -təri] *a.* 불러내는, 소환하는 : an ~ letter 소환장.
av·o·cet, -set [ǽvəsèt] *n.* 〖鳥〗 뒷부리장다리물떼새. 〖F<It.〗
Avo·ga·dro [æ̀vəgá:drou, à:v-] *n.* 아보가드로. Count **Amedeo** ~ (1776-1856) 이탈리아의 화학자·물리학자.
Avogádro cónstant, Avogádro's númber *n.* 〖理·化〗 아보가드로수(數). 〖↑〗
Avogádro's láw[**hypóthesis**] *n.* 〖理·化〗 아보가드로의 법칙. 〖↑〗
‡**avoid** [əvɔ́id] *vt.* **1** [+目/+do*ing*] 피하다, 회피하다 : No one can ~ his destiny. 아무도 운명은 피할 수 없다 / *A*~ cross*ing* this street at rush hours. 러시아워 때에는 이 도로를 횡단하지 않도록 하시오. **2** 〖法〗 무효로 하다(annul).
〖AF=to clear out (*es* out, VOID)〗
類義語 ⟹ ESCAPE.
avóid·able *a.* 피할 수 있는 ; 〖法〗 무효화할 수 있는. **-ably** *adv.* 피할 수 있게.
avóid·ance *n.* Ⓤ 회피, 기피 ; 〖法〗 무효, 취소.
avóid·ant *a.* 〖心〗 회피성의.
avoir. avoirdupois (weight).
av·oir·du·pois [æ̀vərdəpɔ́iz, ⌐--⌐, æ̀vwɑ:r-dju:pwá:] *n.* **1** Ⓤ 상형(常衡)《귀금속·보석·약품 이외에 쓰이는 형량 ; 16온스를 1파운드로 정함 ; cf. TROY (WEIGHT)》. **2** Ⓤ 《美口》 무게 ; (특히) 체중 ; 비만(肥滿).
〖OF *aveir de peis* goods of weight ; ⇨ POISE〗
avoirdupóis wèight *n.* =AVOIRDUPOIS 1.
Avon [éivən, ǽv-, 美+-vɑ:n] *n.* [the ~] 에이번 강《잉글랜드 중부의 강 ; Shakespeare의 출생지 Stratford를 흐름》.
avoset ☞ AVOCET.
avouch [əváutʃ] *vt.* 《文語》 공공연히 언명하다, 주장하다 ; 자백하다 ; 승인하다 ; 보증하다.
—— *vi.* [動/+前+名] 보증하다 : ~ ***for*** quality 품질을 보증하다. **~·ment** *n.* 단언, 주장.
〖OF<L ; ⇨ ADVOCATE〗
avow [əváu] *vt.* **1** [+目/+*that* 節] 공언(公言)[언명]하다 ; 공공연히[솔직히] 인정하다 : He ~*ed* his faults. 그는 자기의 결점을 공공연히 인정했다 / I ~*ed that* I had told her a lie. 나는 그녀에게 거짓말을 했다고 실토했다. **2** [+目+補 / +目+*to* do] [~ one*self* 로] 자백[고백]하다 : He ~*ed* him*self* (*to be*) the culprit. 그는 자기가 범인이라고 자백했다.
~·able *a.* 공언할 수 있는. **~·ed·ly** [-ədli] *adv.* 공공연히, 명백하게.
〖OF=to acknowledge ; ⇨ ADVOCATE〗

avów·al *n.* U,C 공언, 언명 ; 공인.

avówed *a.* 스스로 승인[인정]한 ; 공언(公言)한 (declared), 공공연한(open) : an ~ policy 공언한 정책.

AVS American Vacuum Society ; availability status messages.

avulse [əvʌ́ls] *vt.* 무리하게 떼어놓다 ; 〖醫〗 염제(捻除)하다, 열리(裂離)하다.

avul·sion [əvʌ́lʃən] *n.* U 무리하게 떼어놓음[벗겨냄] ; C 잡아 뗀 부분 ; 〖法〗 (홍수 따위로 인한 토지의) 자연 분리 ; 분열지 ; 〖醫〗 (수술·사고 따위에 의한 조직의) 열리, 박리(剝離), 적출(摘出).

avun·cu·lar [əvʌ́ŋkjələr] *a.* 백부[숙부]의, 백부[숙부]다운, 삼촌의 ; 백부[숙부]같이 상냥한[친절한]. 〖L *avunculus* maternal uncle (dim.) < *avus* grandfather〗

AVVI 〖宇宙〗 altitude vertical velocity indicator (우주 왕복선의 고도·연직 속도계).

aw [ɔ́:] *int.* 《美·스코》 오 !, 제기랄 !, 에이 !, 흥 ! 《항의·혐오 따위를 나타냄》. 〖imit.〗

aW 〖電〗 abwatt. **A.W., a.w.** actual weight ; aircraft warning ; all water ; articles of war ; atomic weight ; atomic weapon. **A/W** actual weight(실 량(實 量)) ; all water. **a/w** 〖印〗 artwork.

awa [əwɔ́:, əwɑ́:] *adv.* 《스코》 =AWAY.

AWA American Wrestling Association《미국 레슬링 협회 ; 프로레슬링 단체명》.

AWACS, Awacs [éiwæks] *n.* 《美》 **1** 공중 경계 관제 시스템. **2** 공중 경계 관제기. 〖*a*irborne *w*arning *a*nd *c*ontrol *s*ystem〗

***await** [əwéit] *vt.* **1** (사람이) 기다리다, 대기하다 : We must ~ his decision. 우리는 그의 결정을 기다리지 않으면 안된다 / I am anxiously ~*ing* your reply. 회답이 오기만을 기다리고 있습니다. 注 wait for보다 《文語》적이며 흔히 추상적인 것을 기다리는 경우에 씀. **2** (어떤 것이) …에 마련[준비]되어 있다 : Honors and wealth ~*ed* him. 영예와 부가 그를 기다리고 있었다.
—— *vi.* 기다리다 ; 대비하고 기다리다.
Awaiting arrival. 도착을 기다리기를《호텔 따위 앞으로 여행자가 도착하기 전에 보내는 편지 겉봉에 쓰는 글》.
〖AF (*a* AD-, WAIT)〗

‡**awake** [əwéik] *v.* (**awoke** [əwóuk], 《稀》 **~d** ; **~d**, 《稀》 **awoke, awok·en** [əwóukən]) *vt.* **1** (자는 사람을) 깨우다 : The distant rumbling of guns *awoke* us. 멀리서 총소리가 울려서 우리는 잠을 깼다. **2** 《비유》 각성시키다, (죄 따위를) 자각시키다, (기억 따위를) 불러일으키다. —— *vi.* **1** [動/+*to* do] 잠이 깨다, 일어나다 : One morning I *awoke to* find myself famous. 어느날 아침 잠을 깨어보니 나는 유명해져 있었다. **2** [+*to*+名] 《비유》 알아채다, 깨닫다 : He at last *awoke* ***to*** the danger. 그는 드디어 위험을 알아차렸다. 注 wake에 대해 특히 비유적인 뜻으로 많이 쓰이는 말.

〈회화〉
I *awoke* in the middle of the night.—Could you get back to sleep? 「난 한밤중에 잠이 깼어」「다시 잠들 수 있었니」

—— *pred. a.* **1** 잠들지 않고, 깨어서(↔*asleep*) : Everything is ~ *from* a long winter sleep. 만물이 긴 겨울잠에서 깨어나고 있다. **2** 《비유》 정신을 차린, 방심 않는 (vigilant) : It is time you were ~ *to* the danger of your position. 자기의 입장이 위험하다는 것을 깨달아야 할 때다.
〖OE *āwæcnan* and *āwacian* ; ⇨ A-²〗

***awak·en** [əwéikən] *vt., vi.* (~**ed**) =AWAKE.
注 주로 비유적인 뜻으로 흔히 *vt.*로 쓰임.
類義語 ⟹ STIR.

awáken·ing *n.* U,C 깸, 깨달음, 각성. —— *a.* 각성의, 깨닫는.

award** [əwɔ́:rd] *vt.* **1** [+目+目/+目+*to*+名] (상·장학금 따위를) (심사·숙고하여) 주다, 수여하다(grant) : The teacher ~*ed* the boy full marks. 선생님은 그 소년에게 만점을 주었다 / They ~*ed* a sum of 500 pounds ***to the injured woman. 그들은 부상당한 부인에게 500파운드를 주었다 / He was ~*ed* the 1993 Nobel prize for physics. 그는 1993년도 노벨 물리학상을 수상했다 / A medal was ~*ed* (*to*) him. 메달이 그에게 수여되었다. **2** (재판 따위에서) 재정(裁定)하다, 허가하다. —— *n.* **1** 심판, 판정, 재정. **2** (중재 재판 따위의) 판정서(書) ; (손해 배상 따위의) 재정액(額). **3** 상품, 상(賞).
〖AF=to decide (after investigation) ; ⇨ WARD〗
類義語 ⟹ REWARD.

award·ee [əwɔ:dí:, -ˊ-ˊ] *n.* 수상자 ; 수급자.

aware** [əwέər, əwǽər] *pred. a.* [+*that* 節/+(*of*+) *wh.* 節] 깨닫고, 알아차리고, (…기미를) 알고, 의식하고 : He was[became] ~ ***of the danger. 그는 그 위험을 의식하고[알아차리고] 있었다 / How can you make a fool ~ *that* he is a fool? 어리석은 자에게 그가 어리석다는 것을 어떻게 깨닫게 할 수가 있을까 / Few of them were ~ (*of*) *what* a mean fellow he really was. 그가 실제로 얼마나 비열한 사내인가를 그들 중에서 알아차린 사람은 거의 없었다. 〖OE *gewær* (*ge*- 'completeness'를 표현하는 pref., WARE²)〗
類義語 ***aware*** 관찰·감각으로 어떤 사물에 대한 지식[의식]을 가지고 있는 일로 가장 보편적인 말. ***conscious*** 사실·상태 따위를 알아차리고 있는 것으로 때때로 주의가 그곳으로 향해지는 것을 나타내는 : I was *aware* that they were talking, but not *conscious* what they said. (나는 그들이 얘기하고 있었던 것은 의식했지만 그들이 얘기한 내용은 알지 못했다). ***sensible*** 직접 느끼거나 또는 육감에 의해 어떤 것의 존재를 알아차리는.

awáre·ness *n.* U [+*that* 節] 알고 있음, 자각, 의식 ; 인식 ; 주의, 경계 : the ~ ***of*** one's ignorance[~ *that* one is ignorant] 자신의 무지[자신이 무지하다는 것]에 대한 자각.

awásh [ə-] *pred. a.* 〖海〗 (암초·침몰된 배가) 수면과 거의 같은 높이로 ; 물을 뒤집어 쓰고 ; 파도에 밀려, 표류하여 ; (…로) 가득하여. 〖*a*-¹〗

◇**away** [əwéi] *adv.* **1** [위치] 떨어져서, 떠나서, 멀리로 (가서) ; 부재[결석]로 : far ~ 저 멀리 / miles ~ 몇 마일이나 떨어져서 / ~ (to the) east 저 멀리 동쪽에 / stay ~ *from* …에서 떨어져 있다, …에 접근하지 않다 / He is ~ *from* home [his office]. 그는 집[사무실]에는 없다 / She is ~ in the country[on a trip]. 그녀는 시골에 가[여행을 떠나] 있다 / I shall be ~ for the summer. 나는 피서를 가기로 되어 있다. **2** [이동] 저쪽으로, (…에서) 떠나가 버려 : go ~ 떠나 버리다 / *A*~ !=Go ~ ! 가 버려라 ! / Come ~. (거기에서) 이쪽으로 오(너)라. **3** [소실·제거] (사라져) 가 버려서, 없어져서, 다하여 : cut ~ 잘라내다 / fade ~ 사라져버리다 / wash ~ 씻어버리다. **4** [연속 행동] 끊임없이, 자꾸자꾸 : work ~ 부지런히 일하다[공부하다]〈*at*〉. **5** [즉시] 곧, 바

로 : right[straight] ~《口》곧, 바로. **6** [강조]《美口》훨씬, 더욱 더(far). ㊟ 다른 부사·전치사 above, ahead, back, behind, below, down, off, out, over, up 따위의 바로 앞에 두어 이것을 강조함 ; 흔히 'way, way라고 줄여 씀 : The temperature is (*a*) *way below* the freezing point. 기온은 어는점을 훨씬 밑돌고 있다.
away back 《美口》훨씬 전(as long ago as).
Away with. . . ! [명령] …을 쫓아 버려라, …을 제거하라 : *A~ with* him! 그를 쫓아 버려라! / *A~ with* it! 그것을 제거해 버려라!, 그만둬라! / *A~ with* you! 거기 비켜라!, 꺼져!
cannot away with. . . 《古》…을 참을 수 없다.
do away with. . . ☞ DO[1].
far and away ☞ FAR *adv.*
from away 《美》멀리서(부터).
get away with. . . ☞ GET[1].
out and away ☞ OUT *adv.*
—— *a.* 상대의 본거지에서의 : an ~ win 원정 경기에서의 승리.
—— *n.* 원정 경기(에서의 승리).
〖OE *onweg, awey* ; ⇨ A-[1], WAY[1]〗
awáy màtch *n.* (프로 야구 따위의) 원정 경기.
***awe** [ɔ́:] *n.* Ⓤ 두려움, 경외(敬畏), 외포(畏怖) : with ~ 경외하는 마음으로 / be struck with ~ 위엄에 눌리다.
hold [***keep***] a person ***in awe*** 언제나 남을 두려워하게 하다.
in awe of …을 두려워하여 ; …에 경외심을 품고 : They always stood *in ~ of* God. 그들은 항상 신을 두려워했다.
—— *vt.* 두려워하게 하다, 경외하게 하다 : He was *~d* by the majesty of the mountain. 그는 그 산의 위용에 경외하는 마음이 생겼다.
〖ON *agi*〗
A-weapon [éi-] *n.* =ATOMIC WEAPON.
awéa·ry [ə-] *a.* 《詩》 =WEARY.
awéath·er [ə-] *adv.* 〔海〕바람 불어오는 쪽에[으로] (↔*alee*).
Helm aweather ! 키를 바람 불어오는 쪽으로 (돌려)!
awed [ɔ́:d] *a.* 경외심을 나타낸[갖고 있는].
awéigh [ə-] *pred. a.* 〔海〕닻이 바다 밑에서 떠나 : with anchor ~ 닻을 감아올리고.
〖*a-*[1]〗
áwe-inspìring *a.* 경외심을 갖게 하는, 장엄한.
áw(e)·less *a.* 위엄이 없는 ; 무서움을 모르는, 대담무쌍한.
áwe·some *a.* **1** 경외심을 갖게 하는(awe-inspiring), 무서운, 두려운(dreadful, awful). **2** 경외심으로 가득찬, 경건한 ; 두려워하는.
~·ly *adv.* **~·ness** *n.*
áwe·strùck, -strìcken *a.* 위엄에 눌린.
***aw·ful** [ɔ́:fəl] *a.* **1** 무서운, (폭풍우 따위) 맹렬한. **2** 장엄한. **3** [ɔ́:fl] 《口》 지독한, 굉장한(very great), (거동·실패·감기 따위) 아주 나쁜(very bad). —— *adv.* 몹시, 굉장히(awfully) : He is ~ mad. 그는 몹시 성내고 있다.
〖AWE〗
***áwful·ly** *adv.* **1** 무섭도록 ; 《古》 두려워하여, 위엄에 눌려. **2** [, ɔ́:fli] 《口》 대단히, 매우(very) : It is ~ good of you. 대단히 고맙습니다. **3** 장엄하게.
áwful·ness *n.* Ⓤ **1** 두려워해야 할 일 ; 장엄. **2** 《口》 지독함, 굉장함 ; 불쾌함.
AWG American wire gauge.
awhéel [ə-] *adv., a.* 차[자전거]로 (가는).
***awhile** [ə*h*wáil] *adv.* (잠시) 동안(for a while) : Let's rest ~. 잠시 동안 쉬자. ㊟ 이 형은 부사로서만 사용되고 다음과 같이 명사 어군으로서는 a while이라고 두 낱말로 씀 : for[after] *a while* 잠시 동안[후] / *a while* ago 조금 전에.
〖OE *āne hwile* A WHILE〗
awhírl [ə-] *adv., pred. a.* 소용돌이치며, 빙빙 돌아서.
awk·ward** [ɔ́:kwə*r*d] *a.* **1** [+前+do*ing*] (사람·동작 따위) 꼴사나운, 보기 흉한, 어색한 ; 솜씨없는, 서투른 : He is ~ ***in his gait[***at*** ping-pong]. 그는 걷는 품이 이상하다[탁구가 서투르다] / You were so very ~ *in* do*ing* it. 형편없이 서투른 짓을 했군 / The child feels ~ ***with*** strangers. 저 애는 낯선 사람을 보면 어색해 한다. **2** (물건이) 다루기 어려운, 형편이 나쁜, 불편한 ; (입장·문제 따위) 하기 어려운, 난처한, 곤란한 : an ~ question 난처한 문제 / It is ~ that Tom should be unable to play in our team this week. 톰이 이번 주에 우리 팀으로 출전할 수 없다니 난처하게 되었군.
〖*awk* (obs.) backhanded (<ME<ON *afugr* turned the wrong way), *-ward*〗
áwkward àge *n.* [the ~] 미숙한 사춘기《소년기는 지나고 아직 어른은 안된 나이》.
áwkward cústomer *n.* 《口》 거북한 것[상대, 사람], 다루기 힘든 녀석, 만만치 않은 상대.
áwkward·ly *adv.* 서투르게, 솜씨없게 ; 보기 흉하게, 어색하게 ; 버릇없이.
áwkward·ness *n.* Ⓤ 어색함 ; 버릇 없음 ; 졸렬 ; 다루기 어려움, 처치 곤란 ; 보기 흉함.
áwkward squád *n.* 신병반(新兵班) ; 《美俗》 비협력적인 사람들.
awl [ɔ́:l] *n.* (구둣방에서 쓰는) 송곳.
〖OE *æl* ; cf. G *Ahle*〗

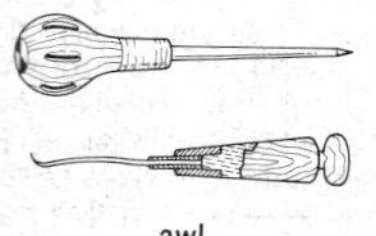
awl

AWL 《美》 absent[absence] with leave《승낙 결근 ; cf. AWOL》.
awless ☞ AWELESS.
awn [ɔ́:n] *n.* (보리의) 꺼끄러기(beard).
〖ON *ögn* (pl.) ‹ *agnar*〗
áwned *a.* 꺼끄러기가 있는.
aw·ning [ɔ́:niŋ] *n.* (창문 밖에 댄) 차양, 차일 ; (갑판 위의) 천막, 해가리개.
~ed *a.* 차양을 친, 차양이 있는.
〖C17 < ? ; 원래 해양 용어〗
áwning dèck *n.* 〔海〕천막으로 덮은 갑판.
áwning wìndow *n.* 내달이창(窓).
‡**awoke** *v.* AWAKE의 과거·과거 분사.
AWOL, Awol [éiwɔ:l, èidʌbljuòuél] *a., n.* 〔軍〕무단으로 이탈[외출]한 (자[병사]) (cf. ABSENCE *without leave*) ; (일반적으로) 무단 결석[외출]한 (자)

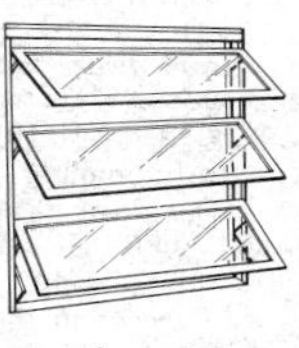
awning window

awry [ərái] *adv., pred. a.* 구부러져서, 휘어서, 굽어서, 비뚤어져, 찌그러져(distorted) ; (사물·사람의 행동이) 잘못되어, 신통치 않아, 틀려서(wrong) : look ~ 곁눈으로 보다, 비뚤어지게 보다.
go [***run, tread***] ***awry*** 실패하다, 좌절하다(fail).
〖*a-*[1]〗

AWVS American Women's Volunteer Service.

‡**ax | axe** [ǽks] *n.* **1** (손)도끼, (나무 따위 찍는) 큰 도끼 ; 전부(戰斧). **2** [the ~] 해고, 면직 ; 《비유》 대(大)삭감, (대폭적인) 행정 처리.

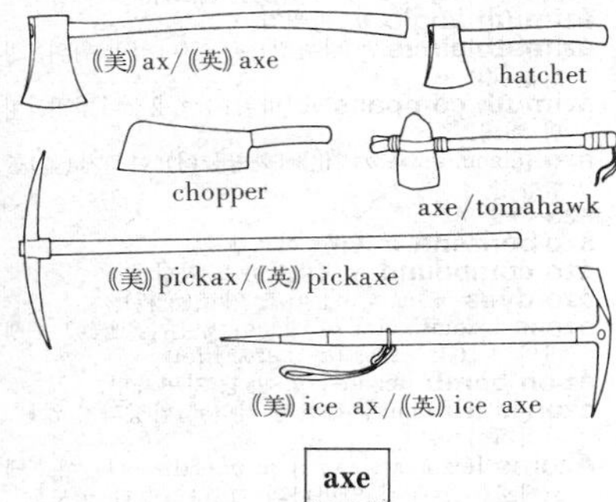

axe

get the ax 《口》 단두형에 처해지다 ; 《口》 목이 잘리다, 해고되다.
hang up one***'s ax*** 쓸데없는 계획을 중지하다.
have an ax to grind 《원래 美》 남몰래 속셈을 품고 있다, 마음속에 (무엇인가를) 꾸미다.
lay the ax to the root of …의 뿌리에 도끼질하다, …에 대개혁을 하다.
put the ax in the helve 어려운 문제를 해결하다, 수수께끼를 풀다.
── *vt.* 도끼로 자르다 ; (경비 따위를) 삭감하다 ; (사람을) 해고하다.
〚OE *æx* ; cf. G *Axt*〛

ax- [ǽks], **axo-** [ǽksou, -sə] *comb. form* 「축(axis)」의 뜻. 〚L〛

ax. axiom ; axis.

ax·al [ǽksəl] *a.* =AXIAL.

ax·el [ǽksəl] *n.* (피겨스케이팅의) 악셀 파울센 점프. 〚*Axel* Paulsen : 19세기말에 활약한 노르웨이의 피겨 스케이터〛

áxe·man [-mən] *n.* =AXMAN.

axen·ic [eizíːnik, -zén-] *a.* 〔生〕 무균의, 순(純) 배양의, 무기생 생물의. 〚Gk. *xenos* strange〛

*__ax·es__ [ǽksəz] *n.* **1** AX(E)의 복수형. **2** [ǽksiːz] AXIS[1]의 복수형.

áx-grìnd·er *n.* 《俗》 음모가 ; 속배포가 있는 사람.
áx-grìnd·ing *n.* 〚cf. have an AX to grind〛

axi- [ǽksə] *comb. form* 「축(axis)」의 뜻. 〚L〛

ax·i·al [ǽksiəl] *a.* 굴대 (모양)의, 축(軸)의 ; 축성(軸性)의 ; 축을 이루는 ; 축 둘레의 ; 축 방향의 ; 〔化〕 축결합의 : an ~ angle 축각(軸角). **~·ly** *adv.* 축방향으로. **ax·i·al·i·ty** [æksiǽləti] *n.* 〚AXIS〛

áxial flów *n.* (제트 엔진의) 축류(軸流).

áxial ròot *n.* 〔植〕 곧은 뿌리.

áxial skéleton *n.* 〔解〕 중축 골격(中軸骨格).

ax·il [ǽksil, -səl] *n.* 〔植〕 잎겨드랑이.

ax·ile [ǽksail] *a.* 〔植〕 줄기에 딸린, 축에 있는.

ax·il·la [æksílə, -gz-] *n.* (*pl.* **-lae** [-liː, -lai], **~s**) 〔解〕 겨드랑이, 액와 ; 〔植〕 =AXIL. 〚L〛

ax·il·lar [æksílər, ǽksə-, -gz-, -lɑːr] *n.* 겨드랑이 밑의 부분[혈관, 신경, 날개 따위].
── *a.* =AXILLARY.

ax·il·lary [ǽksəlèri ; æksíləri] *a.* 〔解〕 겨드랑이의 ; 〔植〕 잎겨드랑이의, 액생(腋生)의.
── *n.* =AXILLAR ; (새의) 겨드랑이 깃.

áxillary búd [; æksíl-] *n.* 〔植〕 액아(腋芽).

ax·i·nite [ǽksənàit] *n.* 〔鑛〕 옥(玉)의 일종《도끼돌》(=axstone).

ax·i·ol·o·gy [æksiɑ́lədʒi] *n.* 〔哲〕 가치론.
-gist *n.* **àx·i·o·lóg·i·cal** *a.* **-i·cal·ly** *adv.*

ax·i·om [ǽksiəm] *n.* 자명한 이치, 원리 ; 〔論·數〕 공리(公理) ; 격언(maxim).
〚F or L<Gk. (*axios* worthy)〛

ax·i·o·mat·ic, -i·cal [æksiəmǽtik(əl)] *a.* 공리의, 공리와 같은, 자명한(self-evident) ; 격언적인. **-i·cal·ly** *adv.* 자명하게, 공리적으로 ; 격언적으로.

*__ax·is__[1] [ǽksəs] *n.* (*pl.* **ax·es** [-siːz]) **1** 굴대, 축, 축선(軸線) ; 〔天〕 지축 ; 〔植〕 축(軸) ; 〔解·動〕 제2경추 ; 〔數〕 (좌표의) 축 : The earth turns round on its ~. 지구는 자전한다. **2** (물건의) 중심선(center line). **3 a)** 〔政〕 추축(국)(樞軸(國))《국가간의 연합》, 추축 동맹, 연합 : the Rome-Berlin A~ 로마 베를린 추축《제2차 세계대전 전에 이탈리아의 Mussolini 수상과 독일의 Hitler 총통이 맺었음》. **b)** [the A~] (제2차 세계 대전 때의) 일본·독일·이탈리아의 3추축국(樞軸國). 〚L=axle, pivot〛

axis[2], **áxis dèer** *n.* 〔動〕 악시스사슴《전체에 흰 반점이 있는 사슴 ; 인도·동부 아시아산》.
〚L=wild animal in India〛

áxis of sýmmetry *n.* 〔數〕 대칭축(對稱軸).

axi·symmétric, -rical [æksi-] *a.* 선대칭(線對稱)의. **àxi·sýmmetry** *n.*

*__ax·le__ [ǽksəl] *n.* 굴대, 차축, 축단(軸端).
〚*axle*tree〛

áxle bòx *n.* 축함(軸函).

áxle jòurnal *n.* 〔機〕 차축 머리.

áxle pìn *n.* (짐수레 따위의) 차축 볼트.

áxle·trèe *n.* 굴대, 차축. 〚ON *öxull-tré*〛

áx·man [-mən] *n.* 도끼를 사용하는 사람, 나무꾼, 초부(woodman).

Áx·min·ster (cárpet) [ǽksminstər(-)] *n.* 우단 비슷한 융단의 일종. 〚잉글랜드 Devon주의 원산지명(原產地名)에서〛

ax·o·lotl [ǽksəlɑ̀tl, ⌐-⌐] *n.* 〔動〕 (멕시코산) 도롱뇽의 유생(幼生).
〚Nahuatl (*atl* water, *xolotl* servant)〛

ax·on [ǽksɑn], **áx·one** [-soun] *n.* 〔解·動〕 (신경세포의) 축색돌기(軸索突起).
áx·o·nal [, æksɑ́nl, -sóu-], **ax·on·ic** [æksɑ́nik, -sóu-] *a.*

áxo·plàsm [ǽksə-] *n.* 〔解·動〕 축색 원형질(軸索原形質). **áxo·plàsmic** *a.*

áx·stòne *n.* 〔鑛〕 옥의 일종《남미에서 도끼를 만드는 재료》.

ay[1] [éi] *int.* 아아!, 아!《놀람·감탄·후회 따위를 나타냄》.
Ay me! 아 슬프다!, 그거 안됐군.
〚*ay me!* <? OF *aimi*〛

ay[2,3] ☞ AYE[1,2].

ay·ah [áiə, ɑ́ːjə, -jɑː] *n.* 《인도》 하녀, 유모.
〚Hindi<Port.<L *avia* grandmother〛

aya·tol·lah, -tul- [àiətóulə, -tɑ́ː-, -tʌ́l-, àiətəlɑ́ː ; -tɔ́lə] *n.* 아야톨라《이슬람교 시아파의 mullah중 신앙심·학식이 뛰어난 인물에게 주는 칭호》. 〚Pers.=sign of God〛

AYC American Youth Congress.

‡**aye**[1], **ay** [ái] *adv.*, *int.* 그럼, 네 ; 찬성! (Yes!) 《표결을 할 때의 대답》 : *Ay(e), ay(e)*, sir! 〔海〕 네

알았습니다《상관에 대한 대답》.
—— *n.* (*pl.* **áyes**) 긍정의 대답, 「가(可)」(↔ *no*) ; 찬성 투표자, 「가」라고 하는 사람 : the *ayes* and noes 찬·반 쌍방의 투표자 / The *ayes* have it. 찬성자 다수《의회에서 쓰는 말》.
〖c16<? ; I (pron.) 또는 YEA에서인가〗

aye[2], **ay** [éi] *adv.* 《古》 언제나, 항상(always). ***for*** (***ever and***) ***aye*** 영원히.
〖ON *ei, ey* ; cf. Goth. *aiws* age〗

aye-aye[1] [áiài] *n.* 〖動〗 (Madagascar 원산의) 손가락원숭이.
〖Malagasy〗

aye-aye[1]

aye-aye[2] *adv.* 《英》 아무렴 그렇고 말고.

Ayles·bury [éilzbəri] *n.* 에일즈브리《영국 Buckinghamshire의 주도》.

Ayl·mer [éilmər] *n.* 남자 이름.
〖OE=noble+famous〗

Ay·ma·ra [àimərá:] *n.* (*pl.* ~, ~**s**) 아이마라족(族)《볼리비아와 페루의 인디오》; 아이마라어(語)[어족(語族)].

Ayr [éər, ǽər] *n.* **1** 에어《스코틀랜드 남서부의 항구 도시》. **2** =AYRSHIRE.

Ayr. Ayrshire.

Ayr·shire [éərʃìər, ǽər-, ǽʃìər, -ʃər] *n.* **1** 에어셔《스코틀랜드 남서부의 옛 주》. **2** Ⓒ 에어셔 원산의 젖소.

az-[1] [éiz, ǽz], **azo-** [éizou, ǽzou, -zə] *comb. form* 「(특히 2가(價)의 기(基)로서의) 질소를 함유한」의 뜻. 〖AZOTE〗

az-[2] ☞ AZA-.

AZ 〖美郵〗 Arizona.

az. azimuth ; azure.

aza- [éizə, ǽzə], **az-** [éiz, ǽz] *comjb. form* 「탄소 대신에 질소를 함유한」의 뜻.
〖AZOTE〗

aza·lea [əzéiljə] *n.* 〖植〗 진달래.
〖NL<Gk. (*azaleos* dry) ; Linnaeus가 건조지에서 잘 자란다고 생각했기 때문〗

azan [ɑ:zá:n] *n.* (이슬람사원(寺院)에서 하루에 5회 울리는) 예배 시간 고지(告知), 아잔. 〖Arab.〗

Aza·nia [əzéiniə] *n.* 아자니아《아프리카 민족주의자의 용어로 남아프리카 공화국의 호칭》.

az·a·role [ǽzəròul] *n.* 〖植〗 아자롤《지중해 지방 원산의 능금나무과(科)의 관목 ; 그 식용 과실》.
〖F<Sp.<Arab.〗

az·a·ser·ine [æ̀zəsəríːn] *n.* 〖藥〗 아자세린《암세포의 분열증식을 저해하는 항생 물질》.

aza·thio·prine [æ̀zəθáiəprìːn, -prən] *n.* 〖藥〗 아자티오프린《세포독·면역 억제약》.
〖*aza-* + *thio-* + *purine*〗

azed·a·rach [əzédəræ̀k] *n.* 〖植〗 멀구슬나무(의 뿌리껍질).
〖F<Pers.=free or noble tree〗

aze·o·trope [eizíːətròup] *n.* 〖化〗 아제오트로프, 공비(共沸) 혼합물.

Azer·bai·jan, -dzhan [æ̀zərbaidʒáːn, ɑ̀ːz-] *n.* 아제르바이잔 공화국《1991년 구소련으로부터 분리 독립 ; 수도 Baku》.

az·ide [éizaid, ǽz-] *n.* 〖化〗 아지드화물(化物).
az·i·do [ǽzədou] *a.*

Azil·ian [əzí(:)ljən] *a.* 아질기(期)《서유럽 중석기 시대》의. 〖*Azile* Pyrenees 산맥 속의 동굴〗

az·i·muth [ǽzəməθ] *n.* 〖天〗 방위각 ; 방위(方位).

az·i·muth·al [æ̀zəmʌ́θəl] *a.* 방위각의.
〖OF<Arab. (*al* the, *sumūt*‹*samt* way, direction)〗

azimúthal (**equidístant**) **projéction** *n.* 〖地圖〗 정거 방위 도법(正距方位圖法).

ázimuth àngle *n.* 방위각.

ázimuth cìrcle *n.* 방위권(圈) ; (나침반 위의) 방위환(環).

ázimuth còmpass *n.* 방위[선박용] 나침반, 방위 컴퍼스.

azo [éizou, ǽz-] *a.* 〖化〗 (화합물이) 아조기(基)를 함유한.

azo- ☞ AZ-[1].

àzo·bénzene *n.* 〖化〗 아조벤젠.

ázo cómpound *n.* 〖化〗 아조 화합물.

ázo dỳes *n. pl.* 〖化〗 아조 염료(染料).

azo·ic [əzóuik, ei-] *a.* 생물이 없는 ; 〖地質〗 무생대의. 〖Gk. *azōos* (*a-*[2], *azōē* life)〗

áz·on bòmb [ǽzɑn-] *n.* 방향 가변폭탄.

azon·ic [eizóunik] *a.* 특정 지역에 한정되지 않는, 지역적이 아닌.

Azores [éizɔːrz, əzɔ́ːrz] *n. pl.* [the ~] 아조레스제도《포르투갈 앞바다의 그 나라령의 군도》.

az·ote [éizout, ǽz-, əzóut] *n.* 질소의 옛 이름.
〖F (*a-*[2], Gk. *zōō* to live)〗

az·oth [ǽzɔ(:)θ, -zɑθ] *n.* (연금술에서 모든 금속의 근본 원소로서의) 수은 ; 만능약.
〖Arab.〗

azot·ic [eizátik, æ-] *a.* 질소의, 질소를 함유한.
〖*azote*〗

az·o·tize [ǽzətàiz] *vt.* 질소와 화합시키다.

Az·ra·el [ǽzriəl, -reil] *n.* 〖유태敎·이슬람敎〗 죽음의 천사《죽는 순간 영혼을 육체에서 분리시키는 천사》.

AZT 〖藥〗 azidothymidine《AIDS 치료약 ; 상표명(名)》.

Az·tec [ǽztek] *n.* 아즈텍족(族)《멕시코 원주민 ; 1519년 Cortéz에게 정복됨》; Ⓤ 아즈텍어(語).
—— *a.* 아즈텍인[어]의.
Az·tec·an *a.* =AZTEC.
〖F or Sp.<Nahuatl=men of the north〗

azul [əzúl] *n.* 《美俗》 순경, 경찰.

***azure** [ǽʒər, ǽʒuər, éi-] *n.* **1** Ⓤ 하늘색, 담청색(sky blue) ; 〖紋〗 검남색, 청색(blue). **2** [the ~] 《詩》 푸른 하늘. —— *a.* 푸른 빛깔의, 푸른 하늘같은 ; (구름 한 점 없이) 파란, 짙푸른 : an ~ sky 짙푸른 하늘. —— *vt.* 하늘색으로 하다.
〖OF<L<Arab. *al* the, *lāzaward* (Pers.=lapis lazuli)〗

ázure stòne *n.* 청금석 ; 《俗》 =LAPIS LAZULI.

azur·ine [ǽʒəràin, -rən] *a.* 푸른, 담청색의,
—— *n.* 아주린《담청색의 안료》.

azur·ite [ǽʒəràit] *n.* 〖鑛〗 남동광(藍銅鑛) ; 보석의 일종.

ázurite blúe *n.* 녹청색의 안료 ; 그 빛깔.

azy·go- [eizáigou, ə-, -gə] *comb. form* 「부대(不對)의」「쌍을 이루지 않는(azygous)」의 뜻.
〖Gk.〗

azy·gos [ǽzəgəs, eizái-] *n.* 〖解〗 부대(不對) 부분. —— *a.* =AZYGOUS.

az·y·gous [ǽzəgəs, eizái-] *a.* 〖動·植〗 쌍을 이루지 않는.
〖Gk. =unyoked (*zugon* yoke)〗

azyme [ǽzaim], **azym** [ǽzəm] *n.* (유태교도가 유월절에 쓰는) 효모를 넣지 않은 빵, 유월절의 빵.
azym·ous [ǽzəməs] *a.* 효모를 넣지 않은.
〖L (neut. pl.)‹*azymus* unleavened〗

B

b, B [bíː] *n.* (*pl.* **b's, bs, B's, Bs** [-z]) **1** 비《영어 알파벳의 두 번째 글자》. **2** B자 형(의 것). **3** (가정(假定)의) 제2, 을(乙)；〖數〗 제2기지수(旣知數)(cf. A, C, X, Y, Z)；《美》(학업 성적의) B. **4** (ABO식 분류법에 의한 혈액형의) B형. **5** 〖樂〗 나음(音), 나조(調)：*B* flat[sharp] 내림[올림]「나」음. **6** 〖컴퓨〗 (16진수의) B《10진법에서는 11》. **7** 이류의 것；(도로의) B급, 비간선 도로.

B 〖체스〗 bishop；〖鉛筆〗 black；〖化〗 boron. **B.** Bachelor；Bible；British；brother；brotherhood. **B., b.** 〖樂〗 bass；basso；bay；book；born. **b** 〖理〗 bar；〖理〗 bel；breadth. **b.** base；baseman；battery；blended；blend of；bomber；bowled. **B-** bomber《미군 폭격기, B-29, B-52, B-1 따위》. **B/** balboa. **B/-** 〖商〗 bag；bale. **Ba** 〖化〗 barium. **BA** British Airways；banker's acceptance；Bank of America. **B.A.** Bachelor of Arts(=A.B.)；British Academy；British America. **B.A., b.a.** 《俗》 bare-assed.

baa, ba [bǽ(ː), báː；bɑ́ː] *n.* 매《양의 울음 소리》. —— *vi.* (**báa'd, báaed**) 매하고 울다. 〖imit.〗

B.A.A. British Airports Authority(영국 항공 관리 위원회).

Baa·der-Mein·hof Gang [*G* báːdərmáinhoːf ˗] *n.* [the ~] 바더마인호프단(團)《자본주의 사회의 타도를 목표로 하는 독일의 게릴라 집단》. 〖Andreas *Baader* (d. 1977)와 Ulrike *Meinhof* (d. 1976)가 함께 지도했음〗

B.A.A.E. Bachelor of Aeronautical and Astronautical Engineering.

ba·al [béiəl；bɑ́ːl] *n.* (*pl.* **~s, ba·a·lim** [-ləm, 美+béiəlìm]) [흔히 B~] 바알《고대 페니키아의 태양신》；사신(邪神), 우상. **~·ism** *n.* [흔히 B~] 바알신[우상] 숭배. 〖Heb. =lord〗

báa-làmb [bɑ́ː-] *n.* 《兒》 매매(sheep).

Báal·ist *n.* 바알신(神) 숭배자；우상 숭배자.

baas [bɑ́ːs] *n.* 《南아》 주인(master)；《호칭》 나리. 〖Afrik.〗

baas·skap, -kap, -kaap [bɑ́ːskɑːp] *n.* 《南아》 백인에 의한 유색 인종 지배, 백인 (우월)주의. 〖Afrik.〗

Baath [bɑ́ːθ] *n.* 바스당《Arab 세계의 통일과 독자적인 사회주의를 내세우는 민족주의 정당》.

Báa·thist *n., a.* 〖Arab. =revival〗

Bab [bǽ(ː)b] *n.* 여자 이름《Barbara의 애칭》.

Bab. Babylonia(n).

ba·ba[1] [bɑ́ːbɑː, -bə] *n.* 바바《럼(rum)이 든 시럽에 담근 건포도 케이크》. 〖F<Pol. =old woman〗

ba·ba[2] [bɑ́ːbɑː] *n.* [흔히 B~] 힌두교 도사(導師)의 칭호；(일반적으로) (영적) 지도자；《Turk.》 …님《특히 귀족에 대한 경칭》. 〖Hindi<? Arab. =father〗

bab·bitt [bǽbət] *n.* Ⓤ [때때로 B~] 배빗 합금《주석·안티몬·납·구리의 베어링용 백색 합금；= ~ mètal》.

Babbitt *n.* [때때로 b~] 《美口》 시야가 좁고 현상에 만족하는 실업가. 〖Sinclair Lewis의 소설 *Babbitt* 속의 인물에서〗

Bábbitt·ry *n.* Ⓤ [때때로 b~] 속물적인 실업가 기질, 속물 취미.

*__bab·ble__ [bǽbəl] *vi.* (어린애 등이) 떠듬거리며 말하다；조잘거리다；(냇물이) 졸졸 소리내다. —— *vt.* [+目/+目+副] (함부로) 지껄이다；(비밀 따위를) 누설하다：~ (***out***) nonsense[a secret] 터무니없는 일[비밀]을 누설하다. —— *n.* Ⓤ 떠듬거리며 말하기；지껄이기；(군중의) 떠드는 소리；졸졸 흐르는 소리. 〖imit.〗

báb·bler *n.* 수다쟁이；떠듬거리는 어린애；지저귀는 새；〖鳥〗 꼬리치레. 〖↑〗

báb·bling *a., n.* 조잘조잘 지껄이는[지껄이기]；Ⓤ,Ⓒ 말 많음；쓸데 없는 말을 지껄임；쓸데 없는 말；졸졸 흐르는 (소리)：a ~ stream 졸졸 흐르는 시냇물.

bábbling bròok *n.* 《美俗》 수다쟁이《여자》.

Báb·cock tést [bǽbkɑk-] *n.* 배브콕 시험《우유나 크림 속의 버터성 지방분의 함량을 측정》. 〖Stephen M. *Babcock* (1843-1931) 미국의 농예화학자〗

*__babe__ [béib] *n.* **1** 《詩》 갓난애(baby). **2** 순진한 사람；철부지. **3** 《美俗》 계집애(girl).
babes and sucklings 어린애나 갓난애；순진하여 속기 쉬운 사람；《蔑》 철부지들.
babe in the wood(s) 순진하여 잘 속는 사람.
〖imit.；유아의 *ba, ba*에서〗

Ba·bel [béibəl, 美+bǽb-] *n.* **1** 〖聖〗 바벨탑《옛날 Babylon에서 하늘까지 닿게 쌓으려다 신의 분노로 실패한 탑；창세기 11：1-9；=the Tower of ~》. **2** [보통 b~] 떠들썩함《이야기 소리》, 소음과 혼란의 장소：A *b~ of* voices came from the hall. 회의장에서 시끄러운 소리가 들려왔다. **3** [b~] 마천루, 고층 건축물；공상적인 계획. **4** =BABYLON 1.
〖Heb. =Babylon<Akkad. =gate of god〗

Ba·bette [bæbét] *n.* 여자 이름(cf. BABS). 〖F (dim.)；⇨ ELIZABETH〗

bábies' brèath *n.* =BABY'S BREATH.

bab·i·ru(s)·sa, -rous·sa [bæbərúːsə] *n.* 〖動〗 바비루사《말레이 군도산(產)의 멧돼지》. 〖Malay〗

ba·boo [bɑ́ːbuː] *n.* =BABU.

ba·boon [bæbúːn；bə-] *n.* Ⓒ 〖動〗 개코원숭이, 비비；《俗》 야비한 사람. 〖OF (*baboue* grimace) or L<?〗

ba·bouche, -boosh [bəbúːʃ] *n.* Ⓒ (중동·북아프리카 등지의) 실내화, 슬리퍼.

Babs [bǽbz] *n.* 여자 이름《Barbara, Babette의 애칭》.

ba·bu [bɑ́ːbuː] *n.* 《인도》 님, 나리《Mr., Sir에 해당》；인도 신사；영어를 쓸 줄 아는 인도인 서기；영국물이 든 인도인. 〖Hindi〗

bábu Ènglish *n.* 인도 신사의 영어《책에서 배운

영어로 장황하며 흔히 잘못 쓰임》.
ba·bul [bɑːbúːl, ´-, bəbúːl] *n.* 〖植〗 아라비아고무나무아재비 ; Ⓤ 아라비아고무나무아재비의 재목 [고무질·꼬투리·껍질]. 〚Pers.〛
ba·bush·ka [bəbú(ː)ʃkə] *n.* 바부슈카《머리에 쓰는 여성용 스카프》 ; [보통 bɑ́ːbuːʃkə] 할머니. 〚Russ. =grandmother〛

B

◇ba·by [béibi] *n.* **1** 갓난아기, 젖먹이 ; 막내 ; 최연소자 : She is going to have a ~ next month. 그 여자는 다음달에 아기를 낳을 예정이다. **2** 어린애 같은 사람. **3** 《美俗》 젊은 여자, 귀여운 사람[물건], 애인.
hold [***carry***] ***the baby*** 《口》 성가신[귀찮은] 일을 떠맡다.
talk baby 어린애 투로 말하다 ; 어린애에게 타이르듯이 말하다.
throw out the baby with the bathwater 쓸모없는 것을 버리려다 중요한 것까지 잃다.
—— *a.* **1** 어린애의[와 같은] : a ~ brother 어린 동생 / a ~ wife 어린애 같은 아내. **2** 자그마한, 소형의 : a ~ car 소형 자동차, 베이비 카 / ☞ BABY GRAND. **3** 어린애(용)의 : ☞ BABY FARM.
—— *vt.* 어린애처럼 다루다, 소중히[귀여워]하다 ; 응석받다.
〚*babe*, -*y*³〛
活用 baby (및 child)는 성별을 잘 알 수 없을 때 또는 성별을 문제삼지 않을 때 보통 it으로 받음 : The *baby* sleeping in the pram opened *its* eyes. (유모차에서 자고 있던 아기가 깨었다). 그런데 특히 애정을 품고 말하거나 성별을 문제삼을 때에는 he, she로 받는다 ; 또한 총칭으로 he를 쓸 때도 있다 : A *baby* is quiet when *his* mother is by *him*. (갓난애는 엄마가 옆에 있을 때는 조용하다).
báby àct *n.* 어린애다운 짓 ; 《口》 미성년자 책임 면제의 법규[항변].
plead the baby act 《美口》 경험없음을 구실로 삼다.
báby-bátter·ing *n.* 유아 학대.
báby blúe *n.* 《美》 엷은 푸른빛.
báby bònus *n.* 《Can. 俗》 아동 수당(family allowance).
báby bòok *n.* 육아 수첩[일기] ; 《口》 육아 가이드북, 육아서.
báby bòom *n.* 출생률의 급상승, 베이비 붐.
báby bòom·er *n.* 베이비 붐 세대.
Báby-bòuncer *n.* 베이비 바운서《baby jumper의 상표명》.
báby bùggy[**càrriage**] *n.* 《美》 유모차(=《英》 pram).
báby bùst *n.* 출생률의 급하락.
Báby Dóe Rùle *n.* 《美》 〖法〗 선천성 장애 유아 보호법안(cf. JOHN DOE).
báby fàce *n.* 동안(童顔)(인 사람).
báby fàrm *n.* [흔히 경멸적으로] (유료) 탁아소.
báby fàrmer *n.* [흔히 경멸적으로] 탁아소[보육원] 경영자.
báby fàrming *n.* 탁아소 경영.
báby gránd[**grànd piáno**] *n.* 〖樂〗 소형 그랜드 피아노.
báby·hòod *n.* Ⓤ 유년기[시절] ; 유치(幼稚) ; [집합적으로] 유아들.
báby hòuse *n.* 인형의 집(dollhouse).
báby·ish *a.* 어린애 같은[다운] ; 유치한, 철부지의. **~·ly** *adv.* **~·ness** *n.*
báby jùmper *n.* 《英》 베이비 점퍼《천장에 달아매놓은 유아의 손발 운동 용구》.
báby kìsser *n.* 《美俗》 (선거운동 따위에서) 대중의 인기에 영합하는 정치가.
báby·lìke *a.* 갓난아기 같은.
Bab·y·lon [bǽbələn, -lɑ̀n] *n.* **1** 바빌론《Babylonia의 수도》. **2** 화려하고 타락한 대도시.
Bab·y·lo·nia [bæ̀bəlóunjə, -niə] *n.* 바빌로니아《유프라테스강 하류지역에 있었던 고대 왕국》.
Bàb·y·ló·ni·an *a.* 바빌로니아[바빌론] (사람)의 ; 사악(邪惡)한, 사치한, 향락적인, 퇴폐적인.
—— *n.* 바빌로니아인 ; Ⓤ 바빌로니아어.
Babylónian captívity *n.* 〖聖〗 (기원전 6세기의 유태인의) 바빌론 유수(幽囚).
báby-mìnd·er *n.* 《英》 =BABY-SITTER.
báby ràttle *n.* (어린이 장난감인) 땡땡이.
báby's brèath *n.* 〖植〗 대나물.
báby-sìt *vi.* (양친 부재중에 고용되어) 집을 지키며 아이를 보다 : ~ *with* a person's children 남의 애를 돌보아 주다.
báby-sìt·ter *n.* 집을 지키며 아이를 돌봐주는 사람 ; 《美俗》 (항공모함에 딸린) 구축함.
báby snàtcher 《口》 *n.* 유아 유괴범 ; 자기보다 훨씬 나이가 적은 사람과 결혼하는 사람.
báby splìt *n.* 《俗》 (볼링에서) 2번과 7번 또는 3번과 10번의 핀이 남기.
báby spòt *n.* 가까이서 좁은 범위를 비추는 조명.
Báby Státe *n.* [the ~] 미국 Arizona 주(州)의 속칭.
báby·swìpes *n. pl.* 〖브레이크댄싱〗 베이비스와이프스《양손으로 바닥을 짚고 두 다리를 모아 좌우로 뜀》.
báby tàlk *n.* 아기말 ; 유아의 떠듬거리는 말.
báby tòoth *n.* 젖니(milk tooth).
Báby-wàlk·er *n.* 갓난아기의 보행기《상표명》.
báby-wàtch *vi., vt.* 《英》 =BABY-SIT.
BAC blood alcohol concentration(혈중 알코올농도) ; British Aircraft Corporation.
bac·ca [bǽkə] *n.* (*pl.* **-cae** [bǽksiː, bǽkai]) 〖植〗 장과(漿果)(berry). 〚L〛
bac·ca·lau·re·ate [bæ̀kəlɔ́ːriət, -lɑ́r-] *n.* **1** 《美》 학사(Bachelor)의 칭호. **2** 《美》 (대학의) 졸업식 송사. 〚L〛
bac·ca·ra(t) [bǽkərɑ̀ː, bɑ́ː-, ``-´] *n.* Ⓤ 바카라《카드 도박의 일종》. 〚F〛
bac·cate [bǽkeit] *a.* 〖植〗 장과(漿果)(berry)를 맺는, 장과 모양의.
bac·cha·nal [bǽkənl] *a.* 바커스(Bacchus)의 ; (술마시며) 법석대는.
——[, bɑ̀ːkənɑ́ːl, bæ̀kənǽl] *n.* 바커스 신자 ; 술마시며 떠드는 사람 ; 법석대는 술잔치 ; 주신제.
〚L ; ⇨ BACCHUS〛
Bac·cha·na·lia [bæ̀kənéiljə] *n.* (*pl.* ~) **1** 바커스(Bacchus)제(祭). **2** [b~ ; 단수취급] 법석댐 ; 큰 술잔치, 진탕 마시고 떠들기(orgy).
bàc·cha·ná·li·an *a., n.* 바커스[주신]제의 ; 바커스 예찬자 ; 술취해 떠드는 (사람).
bac·chant [bəkǽnt, -kɑ́ːnt, bǽkənt] *n.* (*pl.* **~s, bac·chan·tes** [bəkǽntiːz, -kɑ́ːn-]) 바커스신(神)의 사제(司祭)[신자(信者)] ; 바커스 예찬자 ; 술마시고 떠드는 사람.
—— *a.* 바커스신을 숭배하는 ; 술을 좋아하는 ; 바커스신의 사제[신도]의 ; 술마시고 떠드는.
〚F<L ; ⇨ BACCHUS〛
bac·chan·te [bəkǽnti, bəkɑ́ːnti] *n.* 바커스의 여사제[여신자] ; 여자 술꾼.
bac·chan·tic [bəkǽntik] *a.* 바커스 숭배의 ; 술마시고 법석대는.

bac·chic [bǽkik] *a.* [B~] 바커스신(神)(숭배)의 ; [흔히 B~] =BACCHANALIA.

Bac·chus [bǽkəs] *n.* **1** 〔그神〕 바커스《주신(酒神) ; cf. DIONYSUS》: a son of ~ 대주가(大酒家). **2** 술. 〖Gk.〗

bac·ci- [bǽksə] *comb. form* 「장과(漿果)(bacca)」의 뜻. 〖L〗

bac·cif·er·ous [bæksífərəs] *a.* 장과(漿果)가 열리는, 장과를 맺는.

bácci·fòrm *a.* 〔植〕 장과 모양의.

bac·cy [bǽki] *n.* Ⓤ 《口》 담배. 〖to*bacco*〗

bach [bǽtʃ] *n.* 《口》 독신자 ; (뉴질랜드 해변가의) 작은 별장. ── *vi.* 독신 생활을 하다 ; (아내가 외출 중에) 남편이 집안일을 하다《bach it이라고도 함》. 〖*bach*elor〗

Bach [bɑ́:x] *n.* 바흐. **1 Johann Sebastian** ~ (1685-1750) 독일의 작곡가. **2 Johann Christian** ~ (1735-82) 독일의 작곡가 ; J. S. ~의 아들 ; 런던에 살아서 「English Bach」라 불림.

Bach. Bachelor.

*__bach·e·lor__ [bǽtʃələr] *n.* **1** 미혼[독신] 남자(cf. SPINSTER). **2** 학사(cf. MASTER[1]) : a *B~ of* Arts 문학사《略 B.A., A.B.》/ a *B~ of* Medicine 의학사 / a *B~ of* Science 이학사《略 B. S(c.)》/ a ~'s degree 학사 학위.
keep bachelor('s) hall 《美》 독신 생활을 하다, 남편이 아내가 없는 동안 집안일을 돌보다.
~·dom *n.* Ⓤ 독신[총각] (생활). **~·shìp** *n.* Ⓤ 독신[총각]임 ; 학사 자격[신분].
〖OF=aspirant to knighthood<L〗

báchelor apàrtment[flàt] *n.* 독신자 아파트.

báchelor-at-árms *n.* (*pl.* **báchelors-**) 〔英史〕 다른 기사(騎士)를 섬기는 젊은 기사.

bach·e·lor·ette [bæ̀tʃələrét] *n.* (자활(自活)하고 있는) 독신 여성.

báchelor gìrl[wòman] *n.* 독립 생활을 하는 젊은 직업 여성.

báchelor·hòod *n.* Ⓤ 독신, 독신 생활[시대].

báchelor·ìsm *n.* Ⓤ 독신(의 신분) (bachelordom) ; (남자의) 독신주의.

báchelor mòther *n.* 《美俗》 **1** 미혼모. **2** 남편과 헤어져 아기를 양육하는 어머니.

báchelor('s) bùtton *n.* 〔植〕 수레국화 ; 《英》 [bachelor's button] 비스킷의 일종 ; 《英》 꿰매지 않고 다는 단추.

bac·il·lary [bəsíləri, 美+bǽsəlèri], **ba·cil·lar** [bəsílər, bǽsə-] *a.* 간상(桿狀)의 ; 〔菌〕 바실루스의, 간균(桿菌)에 의한 ; 세균성의.

ba·cíl·li·fòrm [bəsílə-] *a.* 작은 막대 모양[간상(桿狀)]의 ; 세균 모양의.

ba·cil·lus [bəsíləs] *n.* (*pl.* **-li** [-lai]) 〔菌〕 바실루스 ; 간균(桿菌)《작은 막대 모양》 ; [*pl.*] 세균(bacteria). 〖L (dim.) ‹ *baculus* stick〗

◇**back**[1] [bǽk] *n.* **1** (↔*front*) 등 ; 배후 ; 후부(後部) ; 이면, 뒤(↔*obverse*) : the *B~s* 《英》(Cambridge 대학) 뒤편의 정원 / the ~ *of* one's hand 손등(cf. INSTEP) / turn one's ~ to …에 등을 돌리다 / have...*on* one's ~ (짐을) 지고 있다 / have...*to* one's ~ (옷을) 입고 있다. **2** 뒤쪽, 안쪽(↔*obverse*) ; (무대의) 배경 ; (마음의) 깊은 속, (일의) 진상 : at the ~ *of* one's mind 마음[기억] 속에. **3** (산의) 등성이 ; (칼·책 따위의) 등 ; (선박의) 용골(龍骨) ; (의자의) 등받이. **4** 〔蹴·하키〕 후위, 백《forward를 제외한 full ~, half ~, quarter ~》. **5** 등뼈(backbone). **6** (짐을) 짊어지는 힘 : He has a strong ~. 짐을 잘 진다. **7** 안받침, 안감.
at the back of... = 《美》 ***back of...*** =***at*** one***'s back*** …의 뒤에, …의 배후에(behind) (↔*in front of*) ; …을 후원하여 ; …을 추적하여 : There is something *at the* ~ (*of* it). 배후에 무엇인가가 있다.
back to back 등을 맞대고〈*with*〉.
behind a person***'s back*** 비밀히, 몰래, 남이 없을 때(↔*to a person's face*).
break one***'s back*** 등뼈를 삐다 ; 《口》 열심히 일하다, 애쓰다 ; 《俗》 실패[파산]하다.
break the back of …에게 짊어질 수 없는 (무거운) 짐을 지우다 ; …을 꺾다 ; 죽이다 ; 《口》 (일)의 고비를 넘기다.
get [***put, set***] one***'s*** [a person***'s***] ***back up*** 성을 내다[남을 성나게 하다].
give [***make***] a person ***a back*** (말타기 놀이 따위에서) 말이 되다, 디딤판이 되어 주다.
give a person ***the back*** 남을 배반하다.
in (***the***) ***back of...*** 《美》=(*at the*) BACK *of*....
on one***'s back*** 뒤로[반듯이] 누워 ; 등을 바닥에 대고 : fall *on* one*'s* ~ 뒤로 나자빠지다 / lie[be] *on* one's ~ 앓아 누워 있다.
on a person***'s back*** 남의 등에 업혀.
on the back of …의 등뒤[속]에서 ; …에 잇대어 ; …에 추가하여.
put one***'s back into...*** 《비유》 …에 힘을 쓰다[노력하다].
see the back of …을 쫓아내다, …을 (쫓아내어) 정리하다 : He is a nuisance ; I shall be glad to *see the* ~ *of* him. 그는 귀찮은 존재다, 쫓아버렸으면 좋겠다.
the back of beyond 매우 외진 곳, 오지보다 더 떨어진 곳.
to the back 골수까지, 속속들이.
turn the [one***'s***] ***back on*** …을 저버리다, 무시하다, …에서 도망치다.
with one***'s back to the wall*** (다수를 상대로) 쫓겨서, 궁지에 몰려 ; 배수의 진을 치고.
── *attrib. a.* **1** (↔*fore, front, frontal*) 배후의, 후방의 ; 뒤쪽의 : a ~ street 뒷골목. **2** 먼, 후미진, 외딴, 미개한 ; 뒤떨어진 : a ~ district 《美》 시골, 외딴 지방. **3** 기왕의, 앞의. **4** 뒤로 돌아가는, 거꾸로의. **5** 지체된, 체납[미납]의 : ~ pay[salary] 체납 임금.
take the back track 《美》 오던 길로 되돌아가다(cf. BACKTRACK).
── *adv.* **1** 뒤로, 후방으로, 안으로 ; 물러나서 ; 떨어져서 : ~ *from* the road 도로에서 떨어져서. **2** 원상으로, 제자리[원상태]로 ; 되돌아 가서[와서], 되돌려 : *B~*!=Go ~! 돌아가라, 되돌아가 / be ~ 돌아가 있다, 돌아가다 / come[send] ~ 돌아오다[돌려보내다] / follow a person ~ (*to*...) 남을 따라 (…으로) 돌아가다 / get ~ (*from*) (…에서) 돌아오다 / answer ~ 말대꾸를 하다 / push ~ 되밀다. **3 a)** 숨기어, 감추어 두어 : keep[hold] ~ ☞ KEEP, HOLD[1] 숙어. **b)** 지체하여 : ~ in payment 지급이 지체되어. **4** 거슬러 올라가서 ; 지금부터 …전에(ago) : for some time ~ 얼마 전부터 / The French Revolution happened as far ~ as 1789. 프랑스 혁명은 오래전인 1789년에 일어났다.
back and forth 앞뒤로 ; 여기저기에(to and fro).
back of... 《美口》 …의 뒤에(behind) ; …이전에(before) ; …을 후원하여 : There is a garden ~ *of* the house. 집 뒤에 뜰이 있다.
back to... 원래의[도로] …에.
there [***to...***] ***and back*** 거기까지의[…에로의]

B

왕복 : a fare *to* London *and* ~ 런던까지의 왕복 운임.

〈회화〉
When will you get *back*? — I'll be *back* by six. 「언제쯤 돌아오니」「여섯 시까지는 돌아와」

—— *vt.* **1** [+目/+目+副] 후원하다, 지지하다(support) : Many of his friends ~*ed* his plan [~*ed* him ***up***]. 그의 친구들 중에는 그의 계획을 지지하는 사람이 많았다. **2** [+目/+目+前+名] 후퇴시키다, 뒤로 물리다, 역행시키다 : ~ oars 역조(逆漕)하다, 노를 거꾸로 젓다 / ~ a sail 돛을 돌려 배를 후퇴시키다 / I slowly ~*ed* my car ***into*** the garage. 차를 천천히 차고로 후진시켰다. **3** (책 따위에) 등을 붙이다, 뒤를 대다. **4** (경치 따위)의 배경을 이루다, 이어지다 : Our little farm is ~*ed* by woods. 우리의 작은 농장 뒤로는 숲이 이어져 있다. **5** (경마 따위에) 걸다(bet on) : He ~*ed* the Yankees heavily. 양키팀에게 큰 돈을 걸었다. **6** (어음에) 배서(背書)[이서(裏書)]하다(endorse). **7** 《稀》 (말의) 등에 타다, (말을 타서) 길들이다.

—— *vi.* [動/+副/+前+名] (뒤로) 물러나다, 역행하다 ; (바람의) 방향이 바뀌다(cf. VEER) : He ~*ed away* ***from*** the gun. 그는 총으로부터 뒷걸음질을 쳤다.

back down (요구·계획 따위를) 포기하다, 손을 떼다〈*from*〉; 양보하다, 후퇴하다.

back off 양보하다, 철회하다.

back on to[***onto***]... 《美》 …와 등을 맞대다, …에 인접하다 : Their house ~*s on to* ours. 그들의 집은 우리집과 인접해 있다.

back out (***of***...) 《口》 (기획·계약 따위에서) 손을 떼다, 취소하다, 파기하다 ; 약속을 어기다 : ~ *out of* one's bargain 매매 계약에서 손을 떼다 / He was to go with us, but ~*ed out* at the last moment. 우리들과 동행하기로 했는데 마지막 순간에 약속을 어겼다.

back up 후원하다(cf. *vt.* 1) ; 〖競〗 후방에 배치하다, 백업하다 ; 후퇴하다 ; 자세히 설명하다 ; (물이) 역류(逆流)하다 ; (댐이 물을) 막다 ; 《美》 (차가) 지체하다 ; 《美》 (차를) 후진시키다, 백시키다.

〚OE *bæc* ; cf. OHG *bah*〛

類義語 ⟹ SUPPORT.

back² *n.* Ⓒ (양조(釀造)·염색용의) 넓고 얕은 통(tub, vat). 〚Du. *bak* tub, cistern<OF<L〛

báck·àche *n.* Ⓤ 등의 아랫부분의 통증, 요통.

báck álley *n.* 빈민가, (풍기) 문란한 지역 ; 선정적인 재즈.

báck-álley *a.* 저속한, 지저분한, 음습한, 몰래하는.

báck ànswer *n.* 말대꾸, 말대답 : give a ~ 말대꾸하다.

báck·bànd *n.* (말안장과 수레를 연결하는) 등띠.

báck·bèat *n.* 백비트《록음악 특유의 강한 비트》. 〚*back*ground music + *beat*〛

báck bénch *n.* [the ~] 〖英下院〗 뒷좌석《여·야당 평의원석 ; cf. FRONT BENCH》.

báck·bénch·er *n.* 〖英下院〗 뒷좌석의 의원, 평(平)의원, 초선 의원.

báck·bìte *vt., vi.* (…의) 험담을 하다, 중상하다. **-bìter** *n.* 험담을 하는 사람. **-bìt·ing** *n.* Ⓤ 험담[중상](을 하기).

báck·blòck *n.* [보통 *pl.*] 《濠》 오지 ; 개척지의 끝 ; (도시의) 빈민굴.

báck·bòard *n.* (짐수레의) 뒤판, 등판 ; (농구의) 백보드 ; 〖醫〗 척추 교정판(矯正板).

báck bònd *n.* 〖法〗 (채무자가 보증인에게 내는 손실 보상용) 금전 채무 증서.

***báck·bòne** *n.* **1** 등뼈, 척추(spine) ; 분수령(分水嶺) ; 책등 ; 중견(中堅), 주력(主力). **2** Ⓤ 기골(firmness), 용기 : have[display] ~ 기골이 있다[있음을 보이다].

to the backbone 뼛속까지, 철저하게, 순수한 : Churchill was British *to the* ~. 처칠은 철저한 영국인이었다.

〈회화〉
He is really the *backbone* of the team. — His brother was a few years ago. 「그는 참으로 그 팀의 주력이군」「몇 해 전에는 그의 형이 그랬었지」

báck·bòned *a.* 등뼈가 있는 ; 기골이 있는.

báck·brèak·er *n.* 몹시 힘드는 일, 중노동 ; 열심히 일하는 사람.

báck·brèak·ing *a.* 애쓰는, 몹시 힘드는.

báck bùrner *n.* 요리용 레인지의 뒤쪽의 버너 ; 《美俗》 [흔히 on the ~로] 뒤로 미루어져, 다음 차례로, 당분간 유보되어.

báck-bùrn·er *a.* 그리 중요치 않은, 뒤로 미룰.

báck chànnel *n.* 《美》 (외교 교섭 따위의) 비공식 루트, 비밀 채널.

báck·chàt *n.* Ⓤ 《口》 (건방진) 말대꾸(back talk) ; 응수.

báck·clòth *n.* 《英》 = BACKDROP 1.

báck·còmb *vt.* (머리 모양을 부풀리기 위해) 머리털의 밑쪽으로 거꾸로 빗질하다.

báck·còuntry *n.* 《美》 시골, 벽지 ; 미개척지.

báck·cóurt *n.* 〖테니스·籠〗 백코트《농구에선 중앙선을 경계로 자기편 바스켓이 있는 쪽 ; 테니스에서는 상대방 서브가 유효한 뒤쪽 부분 ; ↔ *forecourt*》.

báck còver *n.* (잡지·서적의) 뒷표지.

báck cràwl *n.* 배영(背泳)(backstroke).

báck·cròss *vt., vi.* 〖遺〗 역교배하다《잡종 제1대를 그 선대와 교배(交配)하다》.

—— *n., a.* 역교배(의) ; 역교배에 의한 개체.

báck·dàte *vt.* (문서 따위에서) 실제보다 앞의 날짜를 써넣다〈*to*〉; 소급하여 적용하다.

báck dóor *n.* 뒷문, 뒷구멍 ; 비밀[부정] 수단.

get in by [***through***] ***the back door*** 뒷구멍으로 취직[입사, 입학]하다.

báck·dòor *a.* 뒷문의, 뒷구멍의 ; 내밀한, 부정한, 정규가 아닌.

báckdoor mán *n.* 《美俗》 유부녀의 애인.

báck·dòwn *n.* 퇴각, 후퇴 ; 항복 ; 철회.

báck·dròp *n.* **1** 〖劇〗 배경막. **2** (사건 따위의) 배경〈*of*〉. —— *vt.* …에 배경막을 치다.

backed [bækt] *a.* 등[안감]을 댄 ; 〖商〗 배서(背書)[이서(裏書)]가 있는 ; 후원받은.

báck ènd *n.* 후부, 후미 ; 《英口》 늦가을, 초겨울 ; (핵연료 사이클의) 종말 과정《사용이 끝난 연료의 재처리 과정》.

báck·er *n.* Ⓒ 후원자, 이서인, 보증인 ; (경마 따위의) 돈을 거는 사람(cf. LAYER *n.* 2) ; 지지물(支持物) ; (타자기의) 대지(臺紙).

báck·fàll *n.* 〖레슬링〗 상대를 넘어뜨려 매트에 등이 닿게 하기[하는 수].

báck-fénce *a.* (잡담 따위) 거리낌없이 주고받는.

báck·fìeld *n.* [집합적으로] 〖美蹴〗 후위(後衛).

báck·fìll *vt.* (판 구멍을) 되메우다.

—— *n.* 되메우는 작업 ; 그 재료.

báck·fìre *n.* **1** (내연 기관의) 역화(逆火). **2** 《美》

(산불 따위를 막기 위해 놓은) 맞불 ; (총의) 역발(逆發) ; 기대에 어긋남, 역효과. —— *vi.* **1** 역화를 일으키다 ; 《美》 맞불을 놓다. **2** 역효과를 내다, 실패로 끝나다 ; 예상을 뒤엎는 결과가 되다 : The plot ~*d.* 그 음모는 실패로 끝났다.
báck·flìp *n., vi.* 뒤 공중제비(를 하다).
báck·flòat *n.* 〔브레이크댄싱〕 =MOONWALK.
báck·flòw *n.* 역류, 환류.
báck-formàtion *n.* 〔言〕 Ⓤ 역성(법)(逆成(法)) ; Ⓒ 역성어(語) : Typewrite[Laze, Pea] is a ~ from typewriter[lazy, pease].
back·gam·mon [bǽkgæ̀mən, ⌐⌐-] *n.* Ⓤ 서양 주사위 놀이《각 15개의 말을 가지고 주사위를 던져 말을 나아가게 함》. —— *vt.* (상대)에게 backgammon에서 이기다. 〖*back*[1]+*gammon*[3]〗
***báck·gròund** *n.* **1** 배경, 원경(遠景) (cf. FOREGROUND, MIDDLE DISTANCE) : The skyscraper stood against a ~ of blue sky. 그 마천루는 푸른 하늘을 배경으로 솟아 있었다. **2** (옷감 따위의) 바탕(색) : a dress with pink flowers on a white ~ 흰 바탕에 핑크 꽃무늬의 드레스. **3** 눈에 띄지 않는 곳, 이면 : keep (oneself) [stay, be] in the ~ 표면에 나서지 않다, 흑막에 가리어 있다. **4** (사건 발생의) 배경, 원인 ; (성격 형성기 따위의) 기초 환경 ; (사람의) 배경 《교양·집안·교우(交友) 등》, 경력, 학력 ; 소양, 기초 지식[훈련], 예비 지식 : a man with a college[good family] ~ 대학[양가(良家)] 출신의 사나이. **5** =BACKGROUND MUSIC.

〈회화〉
I want something in the *background.* — Shall I paint some mountains? 「배경에 무엇인가 있었으면 좋겠군」 「산이라도 그려 넣을까」

—— *a.* 배경의 ; 표면에 드러나지 않는.
—— *vt.* …에게 기초 지식[배경 설명]을 알려 주다[해주다] ; 《美口》 (이야기·극 따위)의 고증을 하다.
báckground còunt *n.* 가이거(Geiger) 계수관에 기록되는 방사선의 자연 계수.
báck·gròund·er *n.* 《美》 **1** (정부 고관의 정부 정책에 대한) 배경 설명(회). **2** (사건·정책 따위의) 배경 해설 기사.
báckground héating *n.* 적당한 온도보다 약간 낮게 온도를 유지하는 난방.
báckground mùsic *n.* (영화·연극·방송 따위의) 배경 음악 ; 효과 음악.
báckground projèction *n.* 〔TV·映〕 배경 영사(映寫).
báck·hànd *n., a., adv.* (테니스 따위에서의) 백핸드(의[로]), 역타(逆打)(로 치는) (↔*forehand*) ; 왼쪽으로 기울어진 필체(의[로]). —— *vt.* 백핸드로 치다 ; 《俗》 깎아내리다.
báck·hánd·ed *a.* 백핸드의, 역타로 치는 ; (필체가) 왼쪽으로 기울어진 ; 서투른 ; 간접의, 애매한, 비꼬는, 빈정대는, 심술궂은 : a ~ compliment 겉치레뿐인 찬사. —— *adv.* 백핸드로.
báck·hànd·er *n.* 역타 ; 간접 공격 ; 덤으로의 한 잔《술을 왼쪽으로 따라 돌릴 때 오른쪽으로 따르는 두 잔째》 ; 《口》 행하, 팁, 뇌물.
báck·hàul *n.* (수송기·화물선 따위의) 귀로, 복항(復航), 역송(逆送) ; 귀로 화물.
báck·hàul·ing *n.* 《美》 (트럭 운송에서) 귀로(歸路)짐싣기.
báck·hòuse *n.* 《美》 (안채 뒤의) 별채, (특히) 옥외 화장실.
báck·ing *n.* **1** Ⓤ 역행, 후퇴 ; [형용사적으로] 역행하는 : a ~ signal 후퇴 신호. **2** Ⓤ (제본의) 등붙이기 ; 등붙이는 재료. **3** Ⓤ 이서(裏書)[배서(背書)] 보증 ; (음악의) 반주 ; 후원, 지원, 지지(support) ; [집합적으로] 후원자 (단체) (body of supporters).
básking-òut *n.* 《美口》 철회, 취소.
bácking stòrage[stòre] *n.* 〔컴퓨〕 보조 기억 장치.
báck íssue *n.* (잡지 따위의) 지난 호.
báck jùdge *n.* 〔美蹴〕 백 저지《수비측 깊숙이 위치하여 계시(計時)도 담당하는 심판원》.
báck·lànd *n.* [흔히 *pl.*] 오지, 벽지, 후배지.
báck·làne *n.* 뒷골목(alley).
báck·làsh *n.* **1** (급격한) 역회전. **2** 〔機〕 백래시《톱니바퀴의 톱니의 헐거움으로 생기는 역행》 ; 〔낚시〕 (실감개(reel)에) 엉킨 낚싯줄 ; 심한 반동[반발]. —— *vi.* 역회전하다 ; 반발하다.
báck·less *a.* 등[등쪽 부분]이 없는.
báck·lìght *n.* 역광(선), 역라이트, 백라이트.
—— *vt.* 역광으로 비추다[조명하다].
~·ing *n.* 역광 조명(법).
báck·lìning *n.* 〔建〕 판자 안벽 ; 〔製本〕 (책등이나 표지의) 안에 댄 두꺼운 종이.
báck·lìst *n.* 재고 목록, 기간(旣刊) 도서 목록, (신간에 대한) 기간서《전체》.
—— *vt.* 재고 목록에 넣다.
báck·lòg *n.* **1** 《美》 (오래 타도록) 난로 안쪽에 넣는 굵은 장작. **2** 주문 잔고 ; 팔다 남은 것 ; 잔무(殘務) ; 예비(품), 비축(한 것) 〈*of*〉.
—— *vt.* backlog로 확보하다[모으다].
—— *vi.* backlog로 늘다[모이다].
báck màrker *n.* 《英》 (핸디캡이 있는 경주·시합에서) 최악의 불리한 조건이 주어진 경기자.
báck màtter *n.* (책의) 본문 뒷부분의 부속물《참고 문헌, 색인 따위》.
báck·mòst [ˊ, 英+-məst] *a.* 맨 뒤[나중]의.
báck mutàtion *n.* 〔生〕 복귀 돌연변이(↔*forward mutation*). **bàck-mútate** [ˌ ⌐⌐ˊ] *vi.*
báck níne *n.* 〔골프〕 18홀 코스의 후반 9홀.
báck númber *n.* **1** (잡지 따위의) 묵은 호(號), 백넘버. **2** 《비유·口》 시대에 뒤떨어진 사람[방법, 것].
báck of beyónd *n.* [the ~] 《英·濠》 몹시 외진[궁벽한] 곳, 벽지.
báck-of-the[an]-énvelope *a.* 간단한 계산으로 끝나는, 쉽게 산출할 수 있는.
báck órder *n.* 〔商〕 (재고가 없어서) 미납·연기된 주문, 이월 주문.
báck·òut *n.* 《美口》 철회, 탈퇴 ; 〔로켓〕 백아웃, (발사 중지에 따른) 초읽기 역행《발사 준비의 작업이 어느 단계까지 진행되고서 무엇인가의 원인으로 발사가 중지된 경우에 그때까지의 작업을 역으로 진행시켜 준비작업전의 상태로 되돌리는 일》.
báck·pàck *n.* **1** 등짐 ; 등에 메는 부대, 백팩. **2** (우주 비행사 등의) 등에 메는 상자《보통은 생명 유지 장치(PLSS)로 되어 있음》. —— *vt.* (특히 도보여행등에서 식량이나 장비를) 등에 메고 나르다. —— *vi.* backpack을 등에 메고 도보여행하다, 백팩킹하다. **~·er** *n.* **~·ing** *n.*
báck páge *n.* 뒤페이지《책을 폈을 때의 왼쪽 페이지》.
báck-páge *a.* 〔新聞〕 뒤페이지의 ; 보도 가치가 적은.
báck párlor *n.* 뒤쪽의 객실, 뒷방 ; 뒷거리, 빈민굴(slum).
báck pássage *n.* 《婉》 직장(直腸) (rectum).
báck-pàt *vt., vi., n.* (…의) 등을 가볍게 두드리다

B

[두드리기]；(…에) 찬성의 뜻을 보이다[보이기]；또 그 몸짓이나 말.
báck·pàt·ting *n.* (등을 가볍게 두드리며 표시하는) 동의, 합의, 격려.
báck pày *n.* 체불 임금；(임금 인상에 의한) 소급분 급여.
báck·pèdal *vi.* (자전거의) 페달을 뒤로 밟다；(날렵하게) 후퇴하다；행동을 역전하다；의견[약속]을 철회[역전]하다；입장을 바꾸다.
báck·plàte *n.* (갑옷의) 등판；〔建·機〕(부재(部材)의) 뒤판.
báck·projèct *vt.* 배경 영사(映寫)하다. —— *n.* 배경 영사상(像).
báck projéction *n.* =BACKGROUND PROJECTION.
báck·rèst *n.* (의자 따위의) 등널.
báck róad *n.*《美》뒷길, (특히 왕래가 적고 포장되지 않은) 시골길.
báck ròom *n.* 안쪽 방；비밀 획책 장소.
báck·ròom bóy *n.*《英口》(군사 목적 따위의) 비밀 연구 종사자.
báck rów *n.*〔럭비〕스크럼의 제3열째를 짜는 2-3명의 선수.
báck·sàw *n.* 등에 보조재를 덧댄 톱《톱등에 쇠를 댄 정교한 세공용》.
báck·scàtter *n.* Ⓤ〔理〕(X선 따위의) 후방 산란(散亂). —— *vt.* 후방 산란시키다.
báck scràtcher *n.* 등긁개；《口》서로의 이익을 꾀하여 한패가 된 사람.
báck scràtching *n.*《口》서로의 이익을 위해 한패가 되어 도와주기.
báck·séat *n.* **1** 뒷자리. **2** 눈에 띄지 않는 위치；대수롭지 않은 지위：take a ~ 겸양하다, (쓸데없이) 나서지 않다.
báck·sèat dríver *n.*《口》자동차의 객석에 앉아서 운전에 참견하는 사람；《口》책임이 없는 지위에서 간섭하는 사람, 건방진 사람.
báck·sèt *n.* 정체(停滯)；역행；역류(逆流).
backsheesh, -shish ☞ BAKSHEESH.
báck·sìde *n.* 후방, 후부, 이면；[때때로 *pl.*] 엉덩이, 둔부(臀部).
báck·sìght *n.*〔測〕후시(後視)；(총의) 가늠자.
báck slàng *n.* 거꾸로 읽는 속어(俗語)《보기 *slop*「순경」(<police)》.
báck·slàp *n.*《美口》등을 툭 치기《친밀·칭찬의 표시》. —— *vt.* …의 등을 툭 치다.
báck·slìde *vi.* 퇴보하다；(사람이) 타락하다；뒷걸음질치다；종지(宗旨)를 어기다. —— *n.* 퇴보；타락. **-slìder** *n.* (원래의 악습 따위로) 되돌아가는 사람, 타락자, 배교자(背敎者).
báck slúm *n.* 빈민굴.
báck·spàce *vi.* (타자기에서) 한 자(字) 뒤로 물리다. —— *n.* 백스페이스 키(= ∠ **kèy**).
báck·spìn *n.* (당구·골프 따위의) 역회전.
báck·stáge *adv.*〔劇〕무대 뒤[안]에서[으로]；=UPSTAGE；《비유》이면에서, 은밀히.
——[⌐⌐] *a.* 무대 뒤의, 연예계 뒷면의；《비유》(배우 등의) 사생활의；이면의, 은밀한.
——[⌐⌐] *n.* 무대 뒤, (특히) 분장실；무대 뒤쪽.
báck·stáirs *a.* 뒷계단의；비밀의, 부정한；음험한；중상적인：~ gossip 중상적인 험담. —— *n.* [단수 또는 복수취급] (부엌문으로 통하는) 뒷계단；음모, 비밀의[음험한] 수단.
báck·stày *n.*〔機〕뒤[등]를 받치는 것《스프링·받침대 따위》；〔海〕[때때로 *pl.*] 후지삭(後支索)《마스트의 용두에서 고물 양뱃전에 맨 밧줄》.
báck·stìtch *n.* 박음질. —— *vt., vi.* 박음질하다.
báck·stòp *n.* (구장(球場) 따위의) 백스톱；《野口》포수(捕手)；이탈을 막는 안전 장치. —— *vt., vi.* 캐처를 하다.
báck stréet *n.* 뒷거리[골목].
báck·strétch *n.*〔競〕백스트레치《결승점이 있는 코스의 반대편 직선 코스；cf. HOMESTRETCH》.
báck·stròke *n.* 되치기, 반격；〔機〕(피스톤 따위의) 퇴충(退衝)(recoil)；〔테니스〕역타(逆打)(backhand)；〔泳〕배영(cf. BREASTSTROKE). —— *vi.* 배영을 하다.
báck·swèpt *a.* 뒤쪽으로 기울어진；〔空〕(날개가) 후퇴각이 있는.
báck swìmmer *n.*〔昆〕송장헤엄치개.
báck·swìng *n.*〔球技〕백스윙；원래의 자세로 되돌아가기.
báck·swòrd *n.* Ⓒ 날이 한 쪽에만 있는 칼；〔펜싱〕목검(木劍).
báck·swòrd·man [-mən] *n.* Ⓒ 한 쪽 날만 있는 칼을 쓰는 검사(劍士).
báck tàlk *n.*《美》(건방진) 말대꾸(backchat).
báck-tàlk *vi.* 말대꾸하다.
báck tèst *n.* 상품의 가격을 올린 후 일부를 원래의 가격으로 팔아 보아 가격을 올린 영향을 가늠하는 판매 테스트.
báck tìme *n.*《美俗》가출옥 때 남은 형기.
báck-to-báck *a.* (집이) 등을 맞대어 지은；《美口》연속적인, 연이은. —— *n.* [*pl.*] 등을 맞대어 지은 (연립) 주택.
báck-to-básics *a.*《美》기본[근본, 처음]으로 되돌아가는.
báck tràck *n.*《美》되돌아가는 길, 되돌아감.
báck·tràck *vi.*《美》**1** 같은 길로 되돌아오다. **2** [動/+前+名] 손[발]을 떼다[빼다], 반대 정책을 취하다；(앞서 한 말을) 철회하다：Harry ~*ed* ***on*** the claim he had made the day before. 해리는 그 전날에 했던 요구를 철회했다.
báck·ùp *n.* Ⓤ,Ⓒ 뒷받침；지원；Ⓒ (차 따위의) 밀림, 지체, 정체；예비(품[인원]), 대체품[요원]；백업, 예비복사；(정책 따위의) 철회. —— *a.* 지원의, 반주의；예비의, 대체[보충]용의；보충 요원의：a ~ candidate 예비 후보.
báckup lìght *n.*《美》(차의) 후진등, 백업라이트(reversing light).
báck vówel *n.*〔音聲〕후설(後舌) 모음《[u, o, ɔ, ɑ] 따위》.
báck wàge *n.* (임금 인상 따위의) 소급분 급여.
báck·ward** *a.* **1** 뒤쪽(으로)의, 후방의(↔*forward*)；반대[거꾸로]의. **2** [+前+do*ing*] 싫어하는, 내성적인, 수줍어하는(shy)：He is ~ ***in giv*ing* people his views. 남에게 자기 의견을 말하기 싫어한다. **3** 뒤늦은, 진보[발전]가 늦은(↔*forward*)；머리가 둔한：a ~ country[child] 후진국[지진아] / He is ~ *in* mathematics. 그는 수학이 뒤떨어져 있다. **4** 시기[계절]가 늦은(↔*forward*). —— *adv.* **1** 뒤로, 후방으로, 뒤로 향하여(↔*forward*)：walk ~ 뒷걸음질치다. **2** 역행[퇴보]하여. **3** 거꾸로, 역(逆)으로：say the alphabet ~ 알파벳을 거꾸로 말하다. **4** (이전으로) 거슬러 올라가서.
backward and forward 앞뒤로, 이리저리로.
go backward 뒷걸음질치다；퇴보[타락]하다.
lean over backward ☞ LEAN¹.
—— *n.* 뒤쪽, 뒤；과거, 옛날.
~·ly *adv.* 뒷걸음질쳐；마지못해；늦어져.
back·ward·ation [bæ̀kwərdéiʃən] *n.*《英》〔證〕수도 유예(금)(受渡猶豫(金)), 역일변(逆日邊)(cf. CONTANGO).

báck·ward-gàzing, -lòok·ing *a.* 회고적인 ; 퇴영(退嬰)적인.
báckward páss *n.* 〖美蹴〗 백워드 패스《패서가 옆이나 그 뒤쪽 방향으로 던진 패스》.
***báck·wards** *adv.* ＝BACKWARD.
báck·wàsh *n.* Ⓤ 밀려나는 파도《한번 해안에 밀려왔다가 밀려난 물결》; (노 따위로) 밀려나는 물, 역류《선박의 추진기에 의해 생김》;〖空〗 후류(後流) ; (사건의) 여파, 반향.
báck·wàter *n.* Ⓤ (둑에 밀려왔다가) 밀려나는 물결, 역류(逆流) ;《비유》(지적(知的)) 슬럼프, 침체 ; 문화가 뒤떨어진 지역, 벽지. ── *vi.* [흔히 back water] 《美》 앞서한 말을 철회하다 ; (노·추진기 따위를) 역작동시켜 배를 정지[후진]시키다 ; 보트를 후진시키다.
báck·wìnd[1] *n.* 역풍. ── *vt.* (돛)에 역풍을 받게 하다.
báck·wind[2] [-wàind] *vt.* (카메라의 필름을) 되돌려 감다.
báck·wóods *n.* [단수·복수취급] 《美》 변경의 삼림지 ; 오지(奧地). ── *a.* 벽지의 ; 촌스러운, 거칠고 무딘.
báck·wóods·man [-mən] *n.* 변경의 주민 ; 오지의[에 사는] 사람, 문화가 뒤떨어진 지방에 사는 사람.
báck·yárd *n.* 《美》 (집의) 뒤뜰(↔*front yard*).
***ba·con** [béikən] *n.* Ⓤ 베이컨《돼지의 배의 살을 소금에 절여 훈제(燻製)한 것 ; cf. FLITCH》.
bacon and eggs 베이컨 에그《얇게 저민 베이컨에 곁들인 계란 프라이》.
bring home the bacon 생활비를 벌다 ;《口》 성공[입상]하다, 잘 되어가다.
save one*'s* ***bacon*** 《口》 위험[손실]을 면하다.
〚OF＜Gmc. (OHG *bahho* ham, flitch)〛
Ba·con [béikən] *n.* 베이컨. **1 Francis** ~ (1561-1626) 영국의 수필가·철학자로 경험학파의 시조. **2 Roger** ~ (1214?-?92) 영국의 철학자·신학자·자연 과학자.
bácon dìsh *n.* 자루와 뚜껑이 있는 이중 바닥의 접시《온수를 담음》.
Ba·co·ni·an [beikóuniən] *a.* 베이컨(F. Bacon) (학파[학설])의. ── *n.* 베이컨의 철학설을 신봉하는 사람 ; 베이컨 설 주장자.
Bacónian théory *n.* [the ~] 베이컨설《Shakespeare의 작품을 Bacon이 썼다는 설(說)》.
ba·cony [béikəni] *a.* 《英》 베이컨 같은 ; 뚱뚱하게 살찐, 지방질의.
bact. bacteria ; bacterial ; bacteriology ; bacterium.
bac·te·re·mia, -rae- [bæ̀ktəríːmiə] *n.* 〖醫〗 균혈증(菌血症)《혈액 속에 세균이 있는 증상》.
bac·te·ri- [bæktíərə], **bac·te·rio-** [bæktíəriou, -rə] *comb. form* 「세균」「박테리아」의 뜻. 〚↓〛
***bac·te·ria** [bæktíəriə] *n. pl.* (*sg.* **-ri·um** [-riəm]) 박테리아, 세균, 균.
〚NL (pl.)＜Gk.＝little sticks〛
bac·té·ri·al *a.* 박테리아[세균]의, 세균성의.
bactéri·cìde *n.* 살균제(劑).
bac·ter·id [bǽktərəd] *n.* 〖醫〗 세균성 피진(皮疹)《매독진 따위》.
bac·ter·in [bǽktərən] *n.* 〖醫〗 세균 백신《면역용(免疫用)》.
bacteriol. bacteriology.
bac·te·ri·o·log·ic, -i·cal [bæktìəriəlɑ́dʒik(əl)] *a.* 세균학(상)의 ; 세균 사용의. **-i·cal·ly** *adv.*
bacteriológical wárfare *n.* 세균전(戰).
bac·te·ri·ol·o·gy [bæktìəriɑ́lədʒi] *n.* Ⓤ 세균학. **-gist** *n.* 세균학자.
bac·te·ri·ol·y·sis [bæktìəriɑ́ləsəs] *n.* 〖醫〗 세균 분해, 용균(溶菌) (작용).
bac·te·ri·o·lyt·ic [bæktìəriəlítik] *a.* 용균력(溶菌力)이 있는.
bactério·phàge *n.* 〖菌〗 살균 바이러스, 박테리오파지.
bactèrio·phóbia *n.* 세균 공포증.
bac·te·ri·os·co·py [bæktìəriɑ́skəpi] *n.* 현미경에 의한 세균 검사.
bac·te·rio·sta·sis [bæktìəroustéisəs, -riə-] *n.* (*pl.* **-ses** [-siːz]) Ⓤ 〖菌〗 세균 발육 저지.
bactério·stàt [-stæ̀t] *n.* 〖菌〗 세균 발육 저지제. **-stat·ic** [bæktìəriəstǽtik] *a.* **-i·cal·ly** *adv.*
bactèrio·thérapy *n.* 〖醫〗 세균 요법.
bacterium *n.* BACTERIA의 단수형.
bac·te·rize [bǽktəràiz] *vt.* …에 세균을 작용시키다 ; …을 세균에 의해 변화시키다.
bac·te·roid [bǽktərɔ̀id] *n.* 〖菌〗 (콩과 식물의 뿌리혹 속의) 균 유사체, 박테로이드.
── *a.* 세균 비슷한, 세균 모양의.
bac·te·roi·dal [bæ̀ktərɔ́idl] *a.* ＝BACTEROID.
Bác·tri·an cámel [bǽktriən-] *n.* 쌍봉(雙峰)낙타《동남 아시아산으로 등에 혹이 2개 있는 낙타 ; cf. DROMEDARY, ARABIAN CAMEL》.
bac·u·line [bǽkjələn, -làin] *a.* 막대기의, 회초리로 때리는, 태형(笞刑)의.
◊**bad**[1] [bǽ(ː)d] *a.* (**worse** ; **worst**) (↔*good*) **1 a**) 나쁜, 불량한 ; 부정한 ; 악성의 : ~ language 욕설, 독설 / a ~ son 불효 자식 / The weather is too ~ (for you) to go for a walk. (네가) 산책을 나가기에는 날씨가 나쁘다. **b**) [명사적으로 ; the ~] 나쁜 사람들(bad people). **2** 심한, 중한, 무거운 : a ~ cold 심한 감기 / a ~ crime 중죄. **3** 불리한, 불길한, 흉한 : ~ luck 불운. **4** 유해(有害)한, 해로운 : Reading in the dark is ~ *for* the eyes. 어두운 곳에서의 독서는 눈에 해롭다. **5** 부적당한, 형편이 좋지 않은(unfavorable) : She came at a ~ time. 그녀는 적당하지 않은 때에 왔다. **6** 불쾌한, 싫은 : a ~ smell [taste] 불쾌한 냄새[맛]. **7** [＋前＋do*ing*] 서투른, 미숙한(poor) : He is a ~ worker. 서투른 일꾼이다 / My uncle writes ~ English. 나의 아저씨는 영어를 서툴게 쓴다 / He is ~ ***at*** play*ing* baseball. 야구가 서툴다. **8** 건강이 나쁜 ; 고통스러운, 몸이 안좋은, 아픈 : a ~ leg 아픈 다리 / He is ~ today. 오늘은 기분이 언짢다 / He is ~ *with* gout. 통풍을 앓고 있다 / He was taken ~ while traveling. 여행 중에 건강이 나빠졌다 / I feel ~ this morning. 오늘 아침에는 기분이 언짢다. **9** 쓸모없는 ; 잘못된 ; 틀리는 ;〖法〗 무효의 (void) : ~ grammar 잘못된 어법(語法). **10** 부패한 ; 자양분이 없는 : a ~ tooth 충치(蟲齒). **11** [＋前＋do*ing*][*pred.*로 써서] 《美口》 후회하여, 유감으로(sorry) : I feel ~ ***about*** the error [*about* miss*ing* your visit]. 잘못을 저질러서[찾아오셨는데 부재중이었던 것이] 죄송합니다. **12** 《美口》 공교로운, 운이 나쁜 (unfortunate) : It's too ~ she's so sick. 그 여자분이 그렇게 편찮으시다니 안됐군요 / That's too ~. 그것 참 안됐군요[유감스럽습니다]. **13** (**bád·der** ; **bád·dest**) 《美俗》 굉장히 좋은, 굉장한, 멋진.
go bad 썩다, 상하다, 나빠지다 : In summer eggs soon *go* ~. 여름철에는 계란이 빨리 상한다.
have a bad time (***of it***) 혼이 나다, 불쾌한 꼴을 당하다.

in a bad way (몸이) 불편하여, (건강이) 염려되는 상태에; 불경기로; 곤란한 처지에.
not (***so***[***half***]) ***bad*** (그다지) 나쁘지 않아, 제법 좋은(rather good): The book is *not so* ~. 그 책은 그다지 나쁘지 않다. ㊟ 영국 사람이 쓰는 공손한 말씨 중의 한 가지.

〈회화〉
Her father passed away last night. — That's too *bad*.「어젯밤 그녀의 아버지가 돌아가셨어」「그것 참 안됐군요」

—— *adv.* (**worse**; **worst**)《美口》=BADLY.
—— *n.* Ⓤ [the ~] 나쁜 일, 악(惡); 나쁜 상태, 악운(惡運), 불운(不運): take *the* ~ with the good 행운과 불운 둘 다 겪다.
be in bad《口》어려움을 겪고 있다; 불쾌한 경우를 당하다, 미움을 받다.
be...to the bad …만큼 빚이 있다: I *am* $10 *to the* ~. 10달러 빚지고 있다.
go from bad to worse 더욱 더 악화되다.
go to the bad《口》파멸[타락]하다, 비참한 지경에 빠지다(go to ruin).
〚? OE *bæddel* hermaphrodite, womanish man; -*l*의 소실은 cf. MUCH, WENCH〛
類義語 ***bad*** 극히 약한 뜻에서부터 강한 뜻에 이르기까지 두루 쓰이는 보통의 말로 good의 반대. ***evil*** 고의적으로 도덕 따위를 어긴다는 뜻으로 bad보다 뜻이 강하고 때때로 불길하거나 큰 해를 초래하는 경향이 있음: an *evil* life (사악한 생활). ***wicked*** 부도덕·부정한 뜻이 evil보다 강하지만 단순히「장난을 좋아하는」뜻으로 쓰이는 일도 있음: a *wicked* ruler (악덕한 통치자).
bad² *v.* =BADE.
bád áctor *n.*《俗》감당할 수 없는 난폭자[동물]; 악인; 상습범;《美俗》유해한 것.
bád ápple *n.*《俗》=BAD EGG.
bád bárgain *n.*《英俗》보잘것없는 사나이, 쓸모없는 군인.
bád blóod *n.* 악감정, 증오, 분노; 유한(遺恨).
bád bóy *n.* (도덕·예술상의) 시대의 반역아.
bád bréath *n.* 입내, 구취(口臭)(halitosis).
bád chécks *n. pl.*《美俗》부도 수표;《CB俗》(순찰차가 아닌) 보통차를 탄 순찰 경찰관.
bád cónduct dìscharge *n.*〔美軍〕불명예 제대[면직].
bád cónscience *n.* 꺼림칙한[뒤가 켕기는] 마음, 양심의 가책.
bád débt *n.* 돈을 떼임, 대손(貸損)(금); 불량 대출(cf. GOOD DEBT).
bad·die, bad·dy [bǽdi] *n.*《口》(영화·텔레비전에 나오는) 악한, 나쁜놈.
bád·dish *a.* 좀 나쁜, 그리 좋지 않은.
***bade** *v.* BID의 과거형.
bád égg *n.*《口》인간 쓰레기, 악인(惡人), 불량배; 헛시도.
Ba·den-Pow·ell [béidnpóuəl, -páu-] *n.* 베이든 파웰. **Robert S. S.** ~ (1857-1941) 영국의 장군; 보이 스카우트와 걸 가이드를 창설.
bád féeling *n.* =BAD BLOOD.
bád fórm *n.*《英》버릇없음, 조심성이 없음.
***badge** [bǽ(ː)dʒ] *n.* 기장(記章), 배지, 견장(肩章); 상징, 표시(symbol): a ~ of rank (군인의) 계급장 / a good conduct ~ 선행기장(善行記章) / a school ~ 학교 배지.
—— *vt.* …에 기장을 달다[주다].
〚ME<?; cf. AF *bage*〛
BADGE《美》Base Air Defense Ground Environment (기지 방공 지상 경계 조직).
bádge bàndit *n.*《美俗》(흰색 모터사이클을 탄) (교통) 경찰관.
badg·er¹ [bǽdʒər] *n.*〔動〕오소리; Ⓤ 그 모피. —— *vt.* [+目/+目+前+名/+目+*to* do] (아주) 못살게 굴다, 지분거리다, 괴롭히다: The lawyer ~*ed* the witness ***with*** questions. 변호사는 여러 가지 심문을 하여 증인을 괴롭혔다 / I ~*ed* him ***into*** com*ing* with me. 그를 졸라서 나와 동행하게 했다 / She ~*ed* her mother *to* allow her to go out. 그녀는 엄마를 졸라서 외출 승낙을 받았다.

badger¹

〚? BADGE+-ARD; 이마의 흰 반점에서인가〛
badger² *n.*《方》(식료품 따위의) 행상인.
〚ME *bagger* < ? BAG¹〛
bádger bàiting *n.* 오소리를 괴롭히는 장난《오소리를 통속에 넣고 개를 부추기는 놀이》.
bádger gàme *n.*《俗》미인계; 공갈, 사기.
Bádger Státe *n.* [the ~] 미국 Wisconsin 주(州)의 속칭.
bád hát *n.*《俗》불량배, 악당(bad egg).
bád hóle *n.*《美俗》감방.
bád-húmored *a.* 심기가 나쁜; 화를 잘 내는.
bad·i·nage [bæ̀dənáːʒ; bǽdináːʒ] *n.* 농담, 조롱.
—— *vt.* 놀리며 집적거리다.
〚F (*badiner* to joke)〛
bád·lànds *n. pl.* 황무지(荒蕪地), 불모지.
Bád·lànds, Bád Lànds *n.* [the ~] 미국 South Dakota 주(州) 남서부 및 Nebraska 주(州) 북서부의 황무지.
bád lánguage *n.* 욕설, 악담.
bàd lòan *n.* 불량 대출, 대손(貸損); 불량 채권.
bád lót *n.*《俗》=BAD EGG.
‡bád·ly *adv.* (**worse**; **worst**) **1** 나쁘게, 서툴게, 솜씨없게(↔*well*¹): He did very ~ in school. 학교 성적이 몹시 나빴다. **2**《口》몹시, 심하게, 대단히(greatly): ~ injured 몹시 다쳐서 / He wants the rifle ~. 라이플을 몹시 탐내고 있다.
—— *pred. a.* **1** 건강[기분]이 좋지 않은, 몸이 불편한(sick): I feel ~. 기분이 언짢다. **2** [+前+do*ing*]《美口》슬퍼서, 후회하여(sorry): He felt ~ ***about*** the spiteful remark[*about* be*ing* late]. 그 짓궂은 말[지각한 것]을 미안하게 생각했다.
bád·màn *n.*《口》무뢰한, 무법자; (영화 따위의) 악역, 악당.
bád márk sỳstem *n.*〔스포츠〕벌점제.
***bad·min·ton** [bǽdmintən] *n.*〔競〕배드민턴;《英》붉은 포도주를 넣은 청량 음료.
〚잉글랜드 Gloucestershire의 지명〛
bád móuth *n.*《美》욕설, 중상, 비방, 혹평.
bád-mòuth [-màuθ, -ð] *vt., vi.*《美俗》끈질기게 혹평하다, 엄하게 비평하다, 욕하다, 헐뜯다, 중상하다. **~·er** *n.*
bád·ness *n.* Ⓤ 나쁜 상태[모양]; 불량, 좋지 못함; 유해(有害); 불길, 흉(凶)함.
bád néws *n.* **1** 흉보;《口》곤란한 문제, 난처한 일. **2**《美俗》귀찮은 사람;《美俗》(나이트클럽 따위의) 청구서.
bád nígger *n.*《美黑人俗》백인 압력에 굴하지 않는 흑인《흑인 동료 사이에 찬사로 씀》.
bád páy *n.*〔出版〕요금 체납으로 인한 예약 구독

의 해제.
bád shít *n.* 《卑》 위험한 인물[일, 위치, 상황] ; 악의 ; 불운.
bád-tèmpered *a.* 기분이 나쁜[언짢은] ; 심술궂은 ; 성미가 까다로운.
bád tíme *n.* 곤경 ; 곤란한 일 ; 《軍俗》 영창 구금 기간 ; [~s] 불경기.
bád tríp *n.* 《俗》 (환각제에 의한) 무서운 환각 체험 ; 《口》 불쾌한 경험.
Bae·de·ker [béidikər] *n.* 베데커 여행 안내서 ; (일반적으로) 여행 안내서.
〚Karl *Baedeker* (d. 1859) 독일의 출판업자〛
B.A.E.E. Bachelor of Arts in Elementary Education(초등 교육 학사).
baff [bǽ(:)f] *vt.* 〖골프〗 공 밑의 지면을 골프채로 쳐서 높이 날려 보내다. ── *n.* 그렇게 (해서) 치기.
báff·ing spòon *n.* 〖골프〗 =BAFFY.
*__baf·fle__ [bǽfəl] *vt.* [+目/+目+前+名] 당황하게 하다, 난처하게 하다, 곤혹케 하다 ; (계획·노력 따위를) 좌절시키다, …의 허를 찌르다 ; (추적자를) 떼어 버리다 ; 그만두다, 방해하다 : This puzzle ~*s* me. 이 수수께끼에는 손들었다 / He was ~*d* by the technical language. 전문용어 때문에 당황했다 / They were ~*d* ***in*** their search. 그들의 수사는 실패했다. ── *vi.* 공연히 안달하다, 초조해하다. ── *n.* 방해(물) ; 좌절, 당황 ; 배플(=∠ **bòard**[**plàte**]) 《기류(氣流)·음향·유체(流體) 따위의 조절 장치》. 〚C16< ? ; cf. Sc. (dial.) *bachlen* to condemn publicly, F *bafouer* to ridicule, OF *beffer* to mock〛
類義語 ⟹ FRUSTRATE.
báffle·gàb *n.* 《口》 =GOBBLEDYGOOK.
báffle·ment *n.* Ⓤ 좌절시킴, 방해 ; 당혹.
báffle wàll *n.* 방음벽(防音壁).
báf·fling *a.* 저해하는 ; 당혹시키는 ; 불가해(不可解)한 : ~ winds 방향이 일정치 않은 바람.
báffy *n.* 〖골프〗 공을 높이 쳐올리는 목제 클럽 《WOOD의 4 또는 5번》.
◇**bag**[1] [bǽ(:)g] *n.* **1** 자루, 가방, 손가방(handbag) ; 한 자루[포대] : a rice ~ 쌀가마니 / a ~ of rice 쌀 한 가마 / a traveling ~ 여행용 가방. **2** (돈)지갑. **3** 사냥 자루(game bag) ; [집합적으로 ; a ~] (사냥하여) 잡은 것, 불치 : make [secure] *a* good[poor] ~ 불치가 많다[적다]. **4** 자루 모양의 것 ; 눈밑의 처진 살가죽 ; [*pl.*] 《주로 英俗》 바지 : a pair of ~*s* 바지 한 벌 / He has ~*s* under his eyes. 눈밑의 살가죽이 처져 있다. **5** 《野俗》 누(壘)(base). **6** [*pl.*] 《口》 많음 : ~*s of* time[chances] 많은 시간[기회]. **7** 《俗》 **a**) 좋아하는 것, 특기 ; 현재의 관심사 ; 상황, 환경, 사태. **b**) 사는 법, 생활 양식 ; 행동 양식.
a bag of bones 빼빼 마른 사람[동물].
bag and baggage 《口》 소지품[가재 도구] 일체 ; 이것 저것 (죄다) ; 고스란히(entirely).
empty the bag 남김없이 이야기하다.
get[***give*** a person] ***the bag*** 해고되다[시키다].
hold the bag 《口》 빈털터리가 되다 ; (혼자서) 책임을 지게 되다 : be left *holding the* ~ (달갑지 않은) 책임을 지게 되다.
in the bag 《口》 확실하게 ; 성공이 확실하여.
in the bottom of the bag 마지막 수단으로서.
the (***whole***) ***bag of tricks*** 《口》 온갖 수단.
── *v.* (**-gg-**) *vt.* **1** 자루에 넣다 ; (사냥감을) 잡다. **2 a**) 《口》 (의석·좌석 따위를) 획득하다 ; 훔치다(steal) : She ~*ged* the best seat. 그 여자는 제일 좋은 좌석을 슬쩍 차지했다. **b**) 《英幼·英學俗》 요구하다 《보통 ~*s* I..., 또는 ~*s*...로 쓰임》 : *B~s I* first innings! 첫번째는 나다!
── *vi.* 부풀다(bulge) ; (빈자루처럼) 축 처지다 (hang loosely) : His trousers ~*ged* at the knees. 그의 바지는 무릎이 불룩 나와 있었다.
〚ME< ? ON *baggi*〛
類義語 ***bag*** 종이·천·가죽 따위로 만든 자루 ; 일반적인 말. ***sack*** 특히 거친 천 따위로 만든 큰 자루 ; 현재는 두꺼운 종이 자루에도 쓰임.
bag[2] *vt.* (**-gg-**) (풀 따위를) 낫으로 베다.
〚C17< ?〛
ba·gasse [bəgǽs] *n.* 사탕수수의 사탕을 짜고 남은 찌꺼기《연료용》. 〚F〛
bag·a·telle [bæ̀gətél] *n.* **1** 보잘것없는 것 ; 사소한 일. **2** 바가텔《피아노용 소곡》. **3** Ⓤ 당구치기의 일종. 〚F<It. (dim.)< ? *baga* baggage〛
bág·bìt·er *n.* 《美俗》 **1** 다루기 어려운 것, 작동하지 않는 것《컴퓨터 프로그램 따위》. **2** (일반적으로) 폐를 끼치는 사람.
bág·bìt·ing *a.* 《美俗》 (기계 따위가) 쓸모없는, 도움이 안 되는, 잘 작동하지 않는.
Bagdad ☞ BAGHDAD.
ba·gel, bei- [béigəl] *n.* 도넛 모양의 딱딱한 롤빵 《이스트가 든 반죽을 쪄서 구운 것》. 〚Yid.〛
bágel bénder *n.* 《俗》 (경멸적으로) 유태인.
bág fòx *n.* (자루에 넣고 와서) 사냥터에 풀어놓아 개로 하여금 쫓게 하는 여우.
bág·fùl *n.* (*pl.* **~s, bágs·fùl**) 한 자루 가득함[한 분량], 다량.
*__bag·gage__ [bǽgidʒ] *n.* **1** Ⓤ 《美》 수화물《육지에서는 《英》 luggage, 배·비행기에서는 《英》 baggage라고 함》 ; 《英》 군용 행낭 : a piece of ~ 수화물 1개. **2** 《口》 말괄량이.
〚OF (*baguer* to tie up, or *bagues* bundles)〛
bággage allòwance *n.* 《美》 수화물의 중량 제한.
bággage càr *n.* 《美》 수화물차(車).
bággage chèck *n.* 《美》 수화물표.
bággage clàim *n.* (공항의) 수화물 찾는 곳.
bággage·màn [, -mən] *n.* 《美》 수화물 계원.
bággage·màster *n.* 《美》 수화물 계장[주임].
bággage òffice *n.* 《美》 수화물 취급소.
bággage ràck *n.* 《美》 (기차·버스 따위의) 선반, 시렁.
bággage ròom *n.* 《美》 수화물 일시 보관소(=《英》 left-luggage office).
bággage-smàsh·er *n.* 《美俗》 수화물 담당자 ; 수화물 운반원.
bággage tàg *n.* 《美》 수화물[짐] 꼬리표.
bagged [bǽ(:)gd] *a.* 축 늘어진 ; 《俗》 술에 몹시 취한, 곤드레만드레의(drunk).
bág·ger *n.* (식품 따위를) 자루에 담는 직공[기계] ; 《野俗》 …루타(壘打).
bág·ging *n.* Ⓤ 자루에 넣기 ; 자루감.
bág·gy *a.* 헐렁헐렁한, 부풀은, 불룩한 ; 아래로 드리워진. ── *n.* [~s, baggies, 복수취급] 《美》 배기《헐렁헐렁한 짧은 팬티 ; 수영·서핑용》.
bág·gi·ly *adv.* **bág·gi·ness** *n.* 〚BAG[1]〛
Bagh·dad, Bag·dad [bǽgdæd ; ⌐∠] *n.* 바그다드《Iraq의 수도》.
bág hólder *n.* (공항 따위에서 사용하는) 화물 운반용 대차(臺車).
bág jòb *n.* 《美俗》 (간첩 활동의) 증거를 잡기 위한 비합법 (가택) 수색.
bág làdy *n.* 《美》 =SHOPPING-BAG LADY ; 《俗》 여자 마약 밀매인 ; 여자 넝마주이.
bág·man [-mən] *n.* 《英》 외교원, 출장 판매원 ; 뇌물을 건네주거나 몸값을 받는 사람.

ba·gnio [báːnjou, bǽnjou] *n.* (*pl.* **~s**) 《廢》 (이탈리아·터키의) 목욕탕 ; 《廢》 (동양의) 감옥 ; 매춘굴. 〖It.〗

bág·pìpe *n.* [때때로 *pl.*] (가죽 부대로 만든) 백파이프 《스코틀랜드 고지인(高地人)이 애용하는 악기로 애조를 띤 소리를 냄》.
—— *vi.* 백파이프로 연주하다.
-pìper *n.* 백파이프를 부는 사람.

bág·plày *n.* 《美俗》 비위 맞추기, 추종.

bág·slèeve *n.* (손목 부분을 바짝 조이게 만든) 통 넓은 소매.

ba·guet(te) [bægét] *n.* 길쭉한 네모꼴로 깎은 보석 ; 〖建〗 볼록형의 작은 쇠시리 ; 긴 막대 모양의 프랑스 빵. 〖F=rod〗

bág·wìg *n.* 뒷머리를 싸는 비단 주머니가 달린 가발《18세기에 유행》.

bág·wòman *n.* 《美俗》=SHOPPING-BAG LADY ; 여자 마약 밀매인.

bág·wòrm *n.* 〖昆〗 도롱이벌레.

bah [báː, bǽ(ː)] *int.* 흥!, 어리석은 짓! 《경멸을 나타냄》. 〖? F〗

ba·ha·dur [bəháːdər, -hɔ́ː-] *n.* 《인도》 [때때로 B~] 각하《경칭》. 〖Hindi〗

Ba·ha'i, -hai [bəhái, -háːi] *n.*, *a.* 바하이교(도)(의) (cf. BAHAISM).

Ba·ha·ism [bəháːizəm, -hái-] *n.* Ⓤ 바하이교 《1863년에 페르시아에서 일어난 종교 ; 인류의 융화·세계 평화 따위를 창도함》. **-ist, -ite** *a.*, *n.*

Ba·há·ma Íslands [bəháːmə-, -héi-; -háː-] *n. pl.* [the ~] 바하마 제도《미국 Florida 반도 남동 해상의 제도군》.

Ba·há·mas *n. pl.* [the ~] 바하마《Bahama Islands로 이루어진 공화국 ; 수도 Nassau》.
Ba·há·mi·an, -há·man *a.*, *n.*

Ba·há·sa Indonésia [bəháːsə-] *n.* 인도네시아의 공용어. 〖Indon. =Indonesian language〗

Ba·há·sa Maláy[Maláysìa] *n.* 말레이시아의 공용어. 〖Malay=Malaysian language〗

Bah·rain, -rein [bɑːréin] *n.* 바레인《페르시아 만 내의 Bahrain 제도로 이루어진 풍부한 석유 매장량을 자랑하는 독립국 ; 수도 Manama》.

baht [báːt] *n.* (*pl.* ~(**s**)) 타이의 화폐 단위 《=100 satangs》. 〖Siamese〗

bai·gnoire [beinwáːr, ⌐-] *n.* (극장의) 아래층 특별석. 〖F=bathtub〗

Bai·kal, Bay- [baikɔ́ːl, -káːl, -kǽl] *n.* [Lake ~] 바이칼 호《시베리아에 있는 세계에서 제일 깊은 담수호(淡水湖)》.

bail[1] [béil] *n.* 〖法〗 보석(保釋) ; 보석금 ; [집합적으로] 보석 보증인 ; 보석을 허락하는 법정 : give [offer] ~ (피고가) 보석금을 내다.
go bail for …의 보석 보증인이 되다 ; 《口》 …을 책임지고 장담하다.
(***out***) ***on bail*** 보석으로 (풀려난).
save[***forfeit***] one***'s bail*** (보석중인 피고가) 출정(出廷)하다[하지 않다].
—— *vt.* **1** [+目+副] 보석을 받게 하다 : ~ a person *out* 보석금을 내고 (감옥에 갇힌 사람에게) 보석을 받게 하다. **2** (물품을) 위탁하다.
〖OF=custody (*bailler* to take charge of<L *bajulo* to bear a burden)〗

bail[2] *n.* 〖크리켓〗 위켓(wicket) 위에 가로지른 가로대 ; (마구간의) 칸막이 가로대 ; 〖史〗 (성의) 외벽(으로 둘러싸인 정원) (bailey).
〖OF=stake (? *bailler* to enclose)〗

bail[3] *n.* 베일 《뱃바닥에 괸 물을 퍼내는 기구》.
—— *vt.* [+目/+目+副] (뱃바닥에 괸 물을) 퍼내다 : ~ water *out*= ~ *out* a boat 배에서 바닥에 괸 물을 퍼내다. —— *vi.* 괸 물을 퍼내다.
bail out 낙하산으로 탈출하다.
〖*bail* (obs.) bucket<F ; ⇨ BAIL[1]〗

bail[4] *n.* (냄비 따위의) 반원형 손잡이 ; (마차의 포장 따위의) 둥글게 휜 살대.
〖? ON (*beygja* to bend, bow)〗

báil·able *a.* 보석할 수 있는, 보석될 수 있는. 〖BAIL[1]〗

báil bònd *n.* 〖法〗 보석(保釋) 보증서.

bail·ee [beilíː] *n.* 수탁자(受託者).

báil·er *n.* 〖크리켓〗 위켓(wicket) 위의 가로대에 맞는 공 ; (배의) 괸 물을 퍼내는 사람[기구].

bai·ley [béili] *n.* **1** 〖史〗 (성채의) 외벽. **2** (성곽의) 곽내《성곽의 안뜰》 : ☞ OLD BAILEY.
〖BAIL[2]〗

Báiley brìdge *n.* 〖軍〗 베일리식 비상용 조립 교량(組立橋梁). 〖Sir Donald *Bailey* (1901-) 고안자인 영국인 기사(技師)〗

bai·lie [béili] *n.* Ⓒ 《스코》 시(市) 참사 의원.

bai·liff [béiləf] *n.* **1** 《英》 (법의) 집행관 《sheriff 밑에서 범인의 체포, 영장·형벌 따위의 집행을 담당》. **2** 《英》 토지 관리인. **3** 《美》 정리(廷吏) (=《英》 usher)《법정의 잡일을 함》.
〖OF<L ; ⇨ BAIL[1]〗

bai·li·wick [béiliwìk] *n.* Ⓤ bailiff의 관할구 ; 《戲》 (전문·취미·잘하는) 분야[영역].

báil jùmper *n.* 보석 상습범(cf. RECIDIVIST).

báil·ment *n.* Ⓤ 〖法〗 위탁 ; 보석. 〖BAIL[1]〗

báil·or [, beilɔ́ːr] *n.* 〖法〗 기탁자(寄託者).

báil·òut *n.* (재정적인) 긴급 원조, 기업구제 ; (조난기(遭難機)로부터의) 낙하산 탈출. —— *a.* 긴급 사태 대책의, 긴급(처치)의. 〖BAIL[3]〗

báilout lòan *n.* 구제 융자.

báils·man [-mən] *n.* 보석 보증인.

Bái·ly's béads [béiliz-] *n. pl.* 〖天〗 베일리의 목걸이 《개기 일식 직전 직후의 몇 초간 달의 가장자리에 나타나는 목걸이 모양의 태양광》.
〖Francis *Baily* (d. 1844) 영국의 천문학자〗

bain-ma·rie [bǽnməríː ; *F* bɛ̃mari] *n.* (*pl.* **bains-marie** [—]) 이중냄비.
〖F<L *balneum Mariae* (Gk. *kaminos Marias* furnace of Mary (가공(架空)의 연금술사))〗

bairn [béərn, bǽərn] *n.* 《스코·北英》 유아, 어린이. 〖OE *bearn* ; cf. BEAR[1]〗

*****bait*** [béit] *n.* **1** Ⓤ,Ⓒ 먹이, 미끼 ; 《비유》 꾀어내는 물건, 유혹 ; 후림수 : an artificial ~ 제물 낚시 / put a ~ *on* a hook[*in* a trap] 낚시[덫]에 미끼를 달다. **2** (여행 도중의) 휴식. —— *vt.* **1** (낚시·덫에) 미끼를 달다 : ~ the hook 《비유》 남을 미끼로 유혹하다. **2** (말에게 여행 중에) 먹이를 주다. **3 a)** [+目/+目+前+名] (매여 있는 동물에게) 개를 부추겨서 괴롭히다 : Men used to ~ bulls and bears (***with*** dogs) for sport. 옛날에는 재미로 곧잘 개를 부추겨서 소나 곰을 괴롭히곤 했다 / ☞ BEARBAITING, BULLBAITING. **b)** (남을) 희롱하다, 괴롭히다(worry). —— *vi.* (말이) 먹이를 먹다 ; (사람이 식사·휴식을 위해) 도중에서 쉬다.
〖ON *beita* < *bíta* to BITE ; (n.)은 ON *beita* food 와 (v.)에서〗

báit and swítch *n.* 《美》 유인 판매《광고 상품으로 꾀어서 비싼 물건을 팔려고 함》.
báit-and-swítch *a.*

baize [béiz] *n.* Ⓤ 베이즈 《보통 녹색으로 올이 거친 나사의 일종 ; 책상보·커튼용》. —— *vt.* 베이즈로 덮다[대다]. 〖F ; ⇨ BAY[4]〗

‡bake [béik] *v.* (**~d** ; **~d**, 《古》 **bak·en** [béikən]) *vt.* [+目 / +目+補] (빵·과자 따위를) 굽다, 구워 말리다 ; (벽돌 따위를) 구워 굳히다 ; (과실을) 익히다 ; (피부를) 그을리다 : She *~d* the bread (hard). 그 빵을 (딱딱하게) 구웠다 / a *~d* apple 구운 사과.

〈회화〉
These cookies taste very good. Did you *bake* them yourself? — No. my mother did. 「이 쿠키는 굉장히 맛있네요. 직접 구었어요」「아니오, 어머니가 구워 주셨어요」

—— *vi.* 빵 따위를 굽다 ; 구워지다 : Bread *~s* in an oven. 빵은 오븐에서 구워진다.
—— *n.* 빵굽기 ; 《美》 회식 《음식을 그 자리에서 구워 내는》. 〖OE *bacan* ; cf. G *backen*〗

báked Aláska *n.* [때로 B~ A~] 베이크트 알래스카《스펀지 케이크에 아이스크림을 얹고 머랭으로 싸서 오븐에 살짝 구운 과자》.

báked béans *n. pl.* 《美》 베이크트 빈스《푹 익힌 강낭콩을 소금절이 돼지고기·토마토 소스 따위의 향미료를 넣어 요리한 것》.

báke·hòuse *n.* =BAKERY.

Ba·ke·lite [béikəlàit] *n.* Ⓤ 베이클라이트《열경화 성수지》. 〖G 발명자 L. H. *Baekeland*에서〗

báke-òff *n.* 빵굽기 콘테스트.

***bak·er** [béikər] *n.* **1** 빵장수, 빵 따위의 제조업자. **2** 《美》 (휴대용) 빵굽는 기구, 오븐 ; 제물 낚시의 일종.

báker-knèed, -lègged *a.* 무릎이 안으로 굽은, 앙가발이《다리가 짧고 굽은 사람》의.

Báker-Núnn càmera [-nʌ́n-] *n.* 인공 위성 추적용 카메라. 〖James G. *Baker* (1914-), Joseph *Nunn,* 미국의 공동 설계자〗

báker's dózen *n.* 빵집의 한 다스, 13개. 〖무게가 모자라면 받게 되는 벌을 피하려고 한 개를 더 추가하던 습관에서〗

bak·ery [béikəri] *n.* 제빵(업)소, 빵집 ; 《美》 빵과자 제조[판매]점.

báke·shòp *n.* 《美》 Ⓒ =BAKERY.

báke·wàre *n.* (빵·과자 따위를 굽는) 내열도기[유리] 냄비.

bak·ing [béikiŋ] *n.* **1** Ⓤ 빵굽기. **2** 한 번 굽는 분량(batch). —— *a., adv.* 찌는 듯이 더운[덥게] : ~ hot 찌는 듯이 더운.

báking pòwder *n.* 베이킹 파우더《빵을 부풀게 하는 가루》.

báking sòda *n.* 중조《탄산수소나트륨의 속칭》.

bak·kie [bá:ki] *n.* 《南아》 (농민 등이 사용하는) 소형 픽업[밴].

bak·ra [bǽkrə] *n.* (*pl.* **~, ~s**) 《카리브》 백인, (특히) 영국계 백인. —— *a.* 백인계의, (특히) 영국계의.

bak·sheesh, -shish, back- [bǽkʃi:ʃ, -ˊ] *n.* (*pl.* ~) (터키·이집트 등지에서의) 팁(tip), 사례금. —— *vt.* …에게 팁을 주다. —— *vi.* 팁을 주다. 〖Pers.〗

Ba·ku [ba:kú:] *n.* 바쿠《카스피 해에 면한 Azerbaijan 공화국의 수도 ; 채유(採油)의 중심지》.

BAL[1] [bì:èiél] *n.* 〖컴퓨〗 기본 어셈블리 언어. 〖*b*asic *a*ssembly *l*anguage〗

BAL[2] [bǽ(:)l] *n.* 〖藥〗 발《해독제의 일종》. 〖*B*ritish *a*nti-*l*ewisite〗

BAL[3] blood alcohol level(혈중 알코올 농도).

bal. balance ; balancing.

Ba·laam [béiləm ; -læm] *n.* **1** 〖聖〗 발람 《헤브라이의 예언자 ; 민수기 22-24》 ; 《비유》 믿을 수 없는 예언자[자기편]. **2** [b~] (잡지·신문 따위의) 여백을 메우는 기사.

Bal·a·kla·va, -cla- [bæ̀ləklǽvə, bà:ləklá:və] *n.* 발라클라바 《크림 반도의 흑해에 면해 있는 항구》 ; [b~] 발라클라바 모자《눈만 내놓고 귀까지 덮음》.

bal·a·lai·ka [bæ̀ləláikə] *n.* 발랄라이카《기타 비슷한 러시아의 악기》. 〖Russ.〗

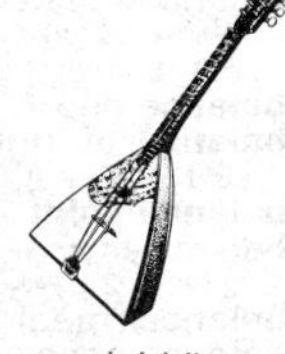
balalaika

‡bal·ance [bǽləns] *n.* **1** 천칭(天秤), 저울(=~ of scales) ; [the B~] 〖天〗 천칭자리(Libra). **2** Ⓤ 균형, 평균, 평형 ; 〖體操〗 평균 운동, 〖댄스〗 밸런스 : the ~ of nature 자연(계)의 평형 / the ~ of power (강대국 사이의) 세력 균형 / keep [lose] one's ~ 평형[중심]을 유지하다[잃다] ; 평정을 유지하다[잃다]. **3 a**) 〖會計〗 밸런스, 차액, 차감 잔액 : the ~ at a bank 은행 예금의 잔액 / the ~ brought forward (전기에서의) 이월(移越) 잔액 / the ~ carried forward (다음 기로의) 이월 잔액 / the ~ in hand 차감 잔여액 / the ~ of accounts 계정 잔액 / the ~ of clearing (거래 쌍방이 장부상 계정을 청산한 후의) 잔여액 / The ~ of the account is against[for] me. 차감 계정 결과 나의 차입[대출]이다. **b**) [the ~] 《口》 나머지(remainder) : You may keep *the* ~. 잔액[거스름돈]은 네가 가져도 된다 / the ~ of a meal 식사의 나머지. **4** =BALANCE WHEEL. **5** (의견·여론 따위의) 우세, 우위.

balance of trade 무역 수지 : a favorable[an unfavorable] ~ *of trade* 수출[수입] 초과.
hang [***tremble***] ***in the balance*** 어느 편으로 기울어질지 불안정한 상태에 있다.
hold the balance 결정권을 쥐다.
in the balance 어느 편으로도 정해지지 않고 : hold something *in the* ~ 어떤 일을 미정인 채로 두다.
on (***the***) ***balance*** 모든 것을 고려하여, 결국.
strike a balance 대차[수지] 결산하다 ; 《비유》 균형잡힌[공평한] 해결[조정]을 찾아내다.
throw a person ***off*** his ***balance*** 남의 균형을 무너뜨리다, 쓰러뜨리다 ; 남을 당황하게 하다.
—— *vt.* **1** [+目 / +目+前+名] …의 균형[평형]을 유지시키다, 조화시키다, 조정하다 : ~ one*self* ***on*** one leg 외발로 몸의 균형을 잡다 / Can you ~ a coin *on* its edge? 동전을 가장자리로 세워 놓을 수 있느냐. **2** [+目+前+名] 균형잡히게 하다 : ~ one thing ***with*** [***against, by***] another 어떤 것을 다른 것과 균형잡히게 하다. **3** (문제 따위를) 가늠질하다(weigh) ; (두 개의 논점 따위를) 비교[대조]하다. **4** 〖會計〗 (차감(差減)하여) 청산하다 : ~ one's accounts[the books] 장부의 대차를 대조하다, 결산하다.
—— *vi.* **1** 균형[밸런스]이 잡히다, 조화되다, 안정되다. **2** 〖會計〗 (계산·장부의 청산 잔액이) 들어맞다 : The accounts have *~d.* 대차 계정이 들어맞는다. **3** 어느 편으로도 정하지 못하다, 주저하다(waver). **4** 〖댄스〗 서로 앞뒤로 움직이다.
~·able *a.* 균형을 잡을 수 있는, 저울로 달 수 있는. 〖OF<L (*libra*) *bilanx* two scaled (balance) (*bi-, lanc- lanx* scale)〗

bálance bèam *n.* 저울대 ; 평균대.

bál·anced *a.* 균형이 잡힌 : a ~ diet[ration] 균

형[조정] 식사, 완전 영양식.
bálanced attàck *n.* 〖美蹴〗 러닝플레이와 패스 플레이를 효율적으로 하는 공격.
bálanced fúnd *n.* 균형 투자 신탁《일반 주식 외에 채권·우선주 따위에도 투자하는 개방식 투자 신탁 회사의 일종》.
bálanced lìne *n.* 〖美蹴〗 센터의 좌우에 3인씩 배치한 공격측의 라인.
bálanced tícket *n.* 《美》 밸런스 공인 명부《종교 단체·소수 민족 등 주요 유권자 그룹의 지지 획득을 노리고 선정한 정당 공인 후보자 명부》.
bálance dúe *n.* 차감 부족액.
bálance of (internátional) páyments *n.* 〖經〗 국제 수지.
bálance pòint *n.* [the ~] 균형점.
bál·anc·er *n.* **1** 균형을 잡는 사람; 평형기(器); 청산인. **2** 곡예사(acrobat).
bálancer mèal *n.* 〖養鷄〗 완전 사료.
bálance shèet *n.* 〖商〗 대차 대조표.
bálance wèight *n.* 저울추, 분동(分銅), 평형추, 낚싯봉.
bálance whèel *n.* (시계의) 평형 바퀴.
bal·a·ni·tis [bæ̀lənáitəs] *n.* 〖醫〗 귀두염(龜頭炎).
bal·as [bǽləs, béi-] *n.* 〖鑛〗 홍첨정석(紅尖晶石), 발라스 루비(=∠ **rúby**).
bal·a·ta [bəlɑ́:tə, bǽlətə] *n.* 〖植〗 발라타《서인도산 열대 나무의 일종》; Ⓤ 발라타 고무《전선피복(電線被覆)·추잉 검의 원료》.
ba·la·tik, -tic [bɑːlɑ́:tik] *n.* 발라틱《필리핀에서 쓰이는 야생조수 포획용 올가미》. 〖Tagalog〗
Bal·boa [bælbóuə] *n.* **1** 발보아. (**Vasco Núñez**) **de** ~ (1475?-1519) 태평양을 발견한 스페인의 탐험가. **2** [b~] 발보아《파나마의 화폐 단위; 기호 B/, B》.
bal·brig·gan [bælbrígən] *n.* 무명 메리야스의 일종《양말·속옷용》; [*pl.*] 무명 메리야스의 양말[파자마].
*__bal·co·ny__ [bǽlkəni] *n.* 발코니 《2층 따위의 밖으로 튀어나온 노대》; 《英》 〖劇〗 2층 좌석《dress circle의 위》, 《美》 〖劇〗 =DRESS CIRCLE.
-nied *a.* 발코니가 있는.
〖It.; cf. BALK〗
*__bald__ [bɔ́:ld] *a.* **1** (머리 따위가) 벗어진, 대머리의; 잎이 없는; 나무가 없는: a ~ mountain 민둥산 / (as) ~ as an egg[a coot, a billiard ball] 반들반들하게 벗어진. **2** (문체가) 단조로운; 노골적인; 꾸밈없는(unadorned). **3** 〖動〗 머리에 털이 없는. **4** 있는 그대로의, 뻔한.

〈회화〉
My uncle is going *bald* even though he's young. — So is my father. 「우리 삼촌은 젊지만 머리가 벗겨졌어」「우리 아버지도 그래」

—— *vi.* 벗어지다.
〖ME<? OE 《美》 *ball-* white patch+*-ed*〗
類義語 ⟹ BARE.
bal·da·chin, -quin [bɔ́:ldəkən, bǽl-], **bal·da(c)·chi·no** [bæ̀ldəkí:nou, bɔ̀:l-] *n.* (*pl.* **~s**) 금란(金襴)《비단의 일종》; 〖建〗 천개(天蓋), 닫집. 〖It. (*Baldacco* Baghdad)〗
báld cóot *n.* 〖鳥〗 물닭, 쇠물닭; 대머리《사람》.
báld cýpress *n.* 〖植〗 미국 원산 삼나무과의 낙엽 침엽수《교목으로서 습지에 살고 기근(氣根)이 있음; 속칭 낙우송(落羽松)》.
báld éagle *n.* 〖鳥〗 흰머리독수리《북미산의 독수리; 1782년 이래 미국의 국장》. ㊟ American eagle이라고도 함.

bald eagle

bal·der·dash [bɔ́:ldərdæ̀ʃ] *n.* Ⓤ 헛소리.
〖C16=frothy liquid<?〗
báld-fáced *a.* (동물 따위의) 얼굴에 흰 얼룩이 있는; 노골적인; 뻔뻔스러운: a ~ lie 뻔뻔스러운 거짓말.
báld·hèad *n.* 대머리(인 사람); 〖鳥〗=BALDPATE.
báld-hèad·ed *a.* 머리가 벗어진; 대머리의. —— *adv.* 허둥지둥; 곧장.
bal·di·coot [bɔ́:ldikù:t] *n.* =BALD COOT.
baldie ☞ BALDY.
báld·ing *a.* 머리가 벗어져 있는, 대머리인.
báld·ish *a.* 약간 대머리진.
báld·ly *adv.* 까놓고, 노골적으로(plainly): put it ~ 노골적으로 말하다[쓰다].
báld·mòney *n.* 〖植〗 용담속(屬)의 몇 종.
báld·ness *n.* Ⓤ 벗어짐, 대머리임; 노골적임; (문체 따위가) 무미건조함.
báld·pàte *n.* **1** 대머리(인 사람). **2** 〖鳥〗 미국홍머리오리(widgeon). —— *a.* =BALD-HEADED.
-pàted *a.* 대머리의.
bal·dric, -drick [bɔ́:ldrik] *n.* (칼·나팔 따위를 차는) 한쪽 어깨에서부터 허리까지 비스듬히 둘러멘 띠, 식대(飾帶). 〖OF〗
báld whéat *n.* 〖植〗 민머리밀.
baldy, bald·ie [bɔ́:ldi] *n.* 《美俗》 대머리《사람》; 접지면이 마모된 타이어.
bale[1] [béil] *n.* (선적(船積)용 상품의) 짐짝, 포장용 가마니: a ~ of cotton 한 궤짝의 면화.
—— *vt.* 포장용 가마니에 넣다. 〖Du.; ⇨ BALL[1]〗
bale[2] *v., n.* =BAIL.
bale out=BAIL[3] *out.*
bale[3] *n.* 《詩》 재해(evil), 불행; 슬픔(sorrow), 고통(pain). 〖OE *b(e)alu* evil〗
bale[4] *n.* 《古》 큰 모닥불; 봉화; 화장(火葬)용으로 쌓아올린 장작. 〖OE *b(e)alu*〗
bale[5] *n.* =BAIL[4].
ba·leen [bəlí:n] *n.* 고래 수염(whalebone).
〖OF<L *balaena* whale〗
bále·fìre *n.* (들판의) 큰 화톳불; 봉화; (옛날의) 화장하는 불.
bále·ful *a.* (영향 따위) 해로운, (눈초리 따위) 악의가 있는(evil); 비참한. **~·ly** *adv.* 해롭게; 악의를 품고; 비참하게. **~·ness** *n.* 〖BALE[3]〗
bal·er [béilər] *n.* 짐짝을 꾸리는 사람[기계].
Ba·li [bɑ́:li] *n.* 발리 섬《자바 섬 동쪽에 있는 인도네시아의 섬》.
Ba·li·nese [bɑ̀:liní:z, bæ̀l-, -s] *a.* 발리 섬의.
—— *n.* (*pl.* ~) 발리 섬의 주민; Ⓤ 발리어(語).
balk, baulk [bɔ́:k] *vi.* **1** (말이) 갑자기 서다, 멈추어 서다(stop). **2** [動/+前+名] 망설이다, 주저하다: ~ ***at*** mak*ing* a speech 연설하기를 주저하다 / ~ ***in*** one's speech 연설에서 머무적거리다. **3** 〖野〗 보크하다. —— *vt.* **1** [+目/+目+前+名] 방해하다(hinder), 꺾다; 좌절시키다, 실망시키다(disappoint): The police ~*ed* the robber's plans. 경찰은 도둑들의 계획을 좌절시켰다 / He was ~*ed* ***in*** his purpose. 방해로 목적을 이루지 못했다 / ~ a person ***of*** his prey 남을 방해하여 사냥감을 도망치게 하다. **2** (기회를) 놓치다(miss), (의무·화제(話題)를) 피하다(shirk).
—— *n.* **1** 장애, 방해, 장애물. **2** 〖競·野〗 보크《도약경기에서 도약 시작선을 넘어서 도약했을 경

우 무득점이 됨 ; 야구에서는 투구 모션을 중지한 투수의 주자에 대한 견제 동작으로서 이 반칙으로 주자는 1루씩 진루함》. **3** 〔建〕(잘 다듬어지지 않은) 각재(角材). 〖OE *balc* bank, ridge<ON〗 [類義語] ⟹ FRUSTRATE.

Bal·kan [bɔ́:lkən] *a.* 발칸 반도[제국]의. —— *n.* [the ~s] 발칸 제국(the ~ States).

Bálkan·ìze *vt.* [때때로 b~] (서로 적대시하는) 여러 작은 나라로 분할시키다.

Bàlkan·izátion *n.* [때때로 b~] 소국 분할(주의[정책]).

Bálkan Móuntains *n. pl.* [the ~] 발칸 산맥.

Bálkan Península *n.* [the ~] 발칸 반도《유럽 남동부에 있음》.

Bálkans *n. pl.* [the ~] =the BALKAN STATES.

Bálkan Státes *n. pl.* [the ~] 발칸 제국.

bálk·lìne *n.* **1** 〔競〕(육상 경기 종목의) 시발선, 스타트 라인. **2** 〔撞球〕 보크라인.

bálky *a.* **1** (말 따위가) 갑자기 멈추어 서서 나아가지 않는 ; 고집센, 말을 듣지 않는. **2** 〔野〕 보크할 것 같은. **bálk·i·ness** *n.*

◇**ball**[1] [bɔ́:l] *n.* **1** 공, 구(球) ; (구기용의) 볼 ; 공 모양을 한 것 ; 천체, 지구《따위》 : three (golden) ~*s* 《英》 3개의 금빛 구(球) 《전당포의 간판》 / the ~ of the eye 안구(眼球) / the ~ of the thumb [big toe] 엄지 손[발]가락에 생긴 볼록한 살. **2** Ⓤ 공놀이 ; 야구. **3 a**) 투구(投球) : a fast ~ 속구(速球) / a curve ~ 커브 볼. **b**) 〔野〕 볼(↔ *strike*). **c**) 〔크리켓〕 정구(正球) : no ~ 규칙 위반의 투구. **4** 〔軍〕 탄환, 포탄, 총탄(cf. BULLET, SHELL 5) ; Ⓤ [집합적으로] 탄환, (특히) 총알(bullets) : powder and ~ 탄약 / loaded with ~ 실탄을 장전한[잰].

ball and chain 《美》 쇠사슬에 쇳덩어리를 단 차꼬 ; (행동을) 속박하는 것.

carry the ball 책임을 떠맡다 ; 《口》 리드하다.

catch [***take***] ***the ball before the bound*** 기선을 제압하다, 선수를 쓰다.

get [***start***] ***the ball rolling*** 활동을 시작하다, 궤도에 오르다.

have the ball at one***'s feet*** 성공할 기회가 목전에 다가오다.

have the ball before one 마침 좋은 기회가 눈앞에 있다.

keep the ball rolling = ***keep up the ball*** 이야기를 잘 이끌어 나아가다, 흥을 깨지 않게 하다.

make balls [***a ball***] ***of*** …을 둥글게 뭉치다 ; …을 망쳐 놓다(make a mess of).

on the ball 《口》 빈틈없이, 민첩하여(alert) ; 능률적[활동적]이어서.

play ball 공놀이[야구]를 하다 ; [명령] 플레이 볼!, 시합 시작! ; 《비유》 (일 따위를) 시작하다 ; 《美口》 협력하다〈*with*〉.

take up the ball 남의 이야기를 받아서 이어나가다.

—— *vt.* 둥글게[공모양]으로 만들다, 공을 만들다 ; 뭉쳐 굳히다 : ~ snow to make a snowman 눈사람을 만들기 위해 눈을 뭉치다. —— *vi.* 공 (모양)이 되다 ; 뭉치다.

ball up 공모양으로 만들다 ; 《美俗》 혼란시키다, 어리둥절[당황]하게 하다(muddle).

〖ME<ON *böllr* ; cf. OHG *balla*〗

ball[2] *n.* (성대하고 공식적인) 무도회(cf. DANCE) : give a ~ 무도회를 열다 / lead the ~ 무도의 선도 역할을 하다.

open the ball 무도회에서 제일 먼저 추다 ; 《비유》 개시를 하다.

〖F (L *ballō* to dance<Gk.〗

***bal·lad** [bǽləd] *n.* 민요, 속요(俗謠) ; 발라드《센티멘털한 랩소리》. 〖↓〗

bal·lade [bəlɑ́:d, bæ-] *n.* 〔韻〕 발라드《8행의 3구절과 4행의 ENVOY로 된 프랑스 시체(詩體) ; 각 절과 envoy와는 동일한 후렴으로 끝남》 ; 〔樂〕 발라드, 서사가(敍事歌)[곡], 담시곡(譚詩曲). 〖OF<Prov. =dancing song ; ⇨ BALL[2]〗

bal·lad·eer [bæ̀lədíər] *n.* Ⓒ 발라드 작가[시인], 민요 가수.

bállad mèter *n.* 〔韻〕 발라드율(律)《약강(弱強) 4보격(步格)과 3보격이 번갈아 4행으로 이루어 stanza형을 이룸》.

bállad·mònger *n.* 민요 작가, 엉터리 시인.

bállad·ry *n.* 민요를 노래하기 ; [집합적으로] 민요, 발라드 ; 발라드 작시법.

báll-and-sócket jòint *n.* **1** 〔機〕 공 모양의 조인트. **2** 〔解〕 구와관절(球窩關節).

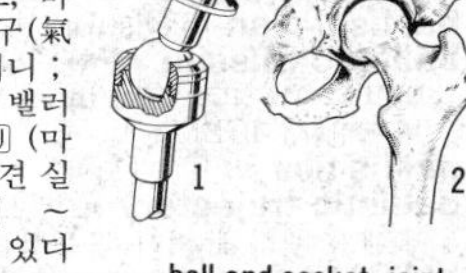

ball-and-socket joint

bal·last [bǽləst] *n.* **1** Ⓤ 〔海〕 밸러스트, 바닥짐 ; 〔空〕 (기구(氣球)의) 모래 주머니 ; (철도·도로의) 밸러스트, 자갈. **2** Ⓤ (마음의) 안정 ; 견실함 : have [lack] ~ 마음이 안정되어 있다 [있지 못하다].

in ballast (선박(船舶)이) 바닥짐만 싣고, 빈 배로. —— *vt.* …에 바닥짐을 싣다 ; …에 자갈[밸러스트]을 깔다.

〖LG or Scand. *barlast* bare (i.e. without commercial value) load〗

bállast·ing *n.* Ⓤ 바닥짐 재료 ; 깔 자갈.

bállast resìstance *n.* 〔電〕 안전 저항.

báll béaring *n.* 〔機〕 볼 베어링, 강구(鋼球)가 든 베어링(cf. ROLLER BEARING).

báll-béar·ing *a.* 볼 베어링의, 강구가 든.

báll bòy *n.* 〔테니스·野〕 볼 보이《공 줍는 소년》. [주] 여성은 ball girl.

báll bùster [**brèaker**] *n.* 〔建〕 =SKULL CRACKER ; 《美卑》 (불알이 찌그러질 만큼) 괴로운 일(을 시키는 놈).

báll·càrrier *n.* 〔美蹴〕 공을 갖고 상대 진으로 돌진하는 선수.

báll cártridge *n.* 실탄(↔*blank cartridge*).

báll clùb *n.* 야구·축구·농구 따위의 팀[구단], 그 팀의 관계자, 야구팀 후원 클럽[단체].

báll còck *n.* 〔機〕 부구(浮球) 마개《수조(水槽)의 물의 흐름을 자동적으로 조절함》.

báll contròl *n.* 〔競〕 볼 컨트롤《(1) 축구나 농구 따위에서 공을 되도록 오랫동안 자기편에 두려는 작전. (2) 드리블 따위에 의해 공을 다루는 능력》.

bálled-ùp *a.* 《俗》 아주 혼란한, 몹시 당황한.

bal·le·ri·na [bæ̀lərí:nə] *n.* 발레의 여성 무용수, 발레리나.

〖It. (fem.) ‹ *ballerino* dancing master ; ⇨ BALL[2]〗

***bal·let** [bǽlei, -́] *n.* Ⓤ,Ⓒ 발레, 무용극 ; Ⓒ 발레단(團) : a ~ dancer 발레 댄서 / a lesson in ~ 발레 연습 / attend a [the] ~ 발레를 보러 가다.

〖F<It. (dim.) ‹ *ballo* BALL[2]〗

bal·let·ic [bælétik] *a.* 발레의[같은], 발레적인 ; 발레에 알맞은. **-i·cal·ly** *adv.*

bal·let·o·mane [bælétəmèin] *n.* 열광적 발레 애호가, 발레광(狂).

bal·let·o·mánia [bælètə-, -tou-] *n.* 발레에의 심

취[열중], 발레광(狂).
bállet slìpper *n.* 발레화(靴).
bállet suìte *n.* 〔樂〕 발레 모음곡.
báll-flòwer *n.* 〔建〕 꽃송이 장식[쇠시리].

ball-flower

báll gàme *n.* **1** 구기, (특히) 야구, 소프트볼. **2** 《美口》 경쟁, 활동 ; 《美俗》 흥미[활동]의 중심 ; 《美俗》 상황, 사태 : a whole new ~ 전혀 새로운 사태[정세] ; 《美口》 경쟁, 활동.
báll gìrl *n.* 〔테니스·野〕 볼 걸(cf. BALL BOY).
báll hàwk *n.* 〔野〕 우수한 외야수 ; (구기에서) 상대편 공을 잘 빼앗는 선수.
Bal·liol [béiljəl] *n.* Oxford 대학의 남자 단과대학의 이름(cf. COLLEGE 2).
bal·lis·ta [bəlístə] *n.* (*pl.* **-tae** [-ti:, -tai], **~s**) (고대의) 쇠뇌, 투석기(投石器). 〚L (Gk. *ballō* to throw)〛
bal·lis·tic [bəlístik] *a.* 탄도(학)의.
bal·lis·ti·cian [bæ̀listíʃən] *n.* Ⓒ 탄도학자.
ballístic míssile *n.* 탄도탄, 탄도 미사일(cf. GUIDED MISSILE) : an intercontinental ~ 대륙간 탄도탄《略 ICBM》.
bal·lís·tics *n.* Ⓤ 탄도학.
ballístic trajéctory *n.* 탄도 (궤도)《중력장에서 물체가 관성에 따라 운동하는 경로》.
bal·lìs·to·cárdio·gràm [bəlìstou-] *n.* 〔醫〕 심동도(心動圖), 발리스토카르디오그램.
bal·lìsto·cárdio·gràph [bəlìstou-] *n.* 〔醫〕 심동도계(心動圖計).
-càr·dio·gráph·ic *a.* **-cardiógraphy** *n.*
báll jòint *n.* =BALL-AND-SOCKET JOINT.
báll lìghtning *n.* 〔氣〕 구상(球狀) 번개(globe lightning)《공 모양의 번개로 드문 기상 현상》.
bállocks *n. pl.* 《卑》 **1** [복수취급] 불알. **2** [또는 a ~][단수취급] 농담, 실없는 소리(nonsense).
make a ballocks of 뒤죽박죽으로 하다.
── *int.* 흥! 《불쾌·불신의 발성》.
── *vt.* 혼란시키다〈*up*〉.
báll of fíre *n.* 《口》 정력가, 민완가 ; 한 잔의 브랜디 ; 급행 열차.
bal·lon d'es·sai [*F* balɔ̃ desɛ] *n.* (*pl.* **bal·lons d'es·sai** [─]) 관측 기구 ; 시험 기구 ; 탐색《여론의 반응을 살피기 위한 성명 따위》.
bal·lo(n)·net [bæ̀lənét, -néi] *n.* 〔空〕 (기구·비행선의) 보조 기낭(氣囊)《부력 조절용》.
***bal·loon** [bəlú:n] *n.* **1** 기구 ; 풍선 ; (형세를 보기 위한) 시험 기구 : a captive[free] ~ 계류[자유] 기구 / a dirigible ~ 비행선 / an observation ~ 관측용 기구. **2** 만화에서 인물의 대화를 입에서 불어낸 풍선 모양으로 나타낸 윤곽. **3** 둥근 대형의 브랜디글라스(=∠ **glàss**) ; =BALLOON SAIL ; =BALLOON TIRE ; 〔化〕 풍선 모양 플라스크 ; 〔建〕 구슬 장식. **4** 《美俗》 (헤로인 용기로서의) 풍선 ; 《英口》 공을 공중 높이 올리는 킥[타격].
like a lead balloon 전혀 효과 없이.
the balloon goes up 《口》 큰일[야단]나다 ; 소동이 일다.
── *vi.* **1** (풍선처럼) 부풀다〈*out, up*〉 ; 급속히 증대하다. **2** 기구로 오르다[여행하다]. **3** 《俗》 (연극 따위의) 대사를 잊다 ; 《美俗》 발기하다.
── *vt.* 부풀게 하다 ; 《英口》 (공을) 공중 높이 차[쳐]올리다.
── *a.* 기구[풍선]꼴의 ; 기구의[에 의한] ; 부푼 ; 〔商〕 최종지급이 그 이전보다 훨씬 많아지는.
~·lìke *a.* 〚F or It.=large ball ; ⇨ BALL[1]〛
ballóon astrónomy *n.* 기구(氣球) 천문학.
ballóon barràge *n.* 〔軍〕 기구조색(氣球阻塞) ; 방공(防空) 기구망.
ballóon·er *n.* 〔海〕 =BALLOON SAIL.
ballóon·fìsh *n.* 〔魚〕 복어.
ballóon·flòwer *n.* 〔植〕 도라지.
ballóon-hèad *n.* 《美俗》 멍청이, 바보. **~·ed** *a.*
ballóon·ing *n.* 기구 타기 ; 기구 조종(술) ; 〔空〕 (항공기 착륙 때의) 기체의 부상(浮上)《접지(接地) 속도가 너무 크거나 할 때 생김》 ; 〔醫〕 (치료를 위한 체강(體腔)의) 풍선 모양 확대 ; 〔動〕 (거미가 자기 줄에 매달려 바람을 타는) 공중 이동.
ballóon·ist *n.* (스포츠·취미 따위로) 기구를 타는 사람.
ballóon jùmping *n.* 기구를 몸에 매달아 체중을 가볍게 하여 하는 도약.
ballóon lòan *n.* 〔金融〕 빌린 돈을 나누어 갚다가 만기 때 남은 돈을 한꺼번에 갚는 방식.
ballóon lìne *n.* 〔服飾〕 벌룬 라인《풍선이나 기구처럼 불룩한 실루엣》.
ballóon mòrtgage *n.* 〔金融〕 주택 융자 따위에서의 balloon loan 방식의 융자.
ballóon nòte *n.* 〔金融〕 벌룬 노트《융자 계약 기간 중에 할부 변제 금액을 아주 소액으로 하고 계약 해제 때에 한꺼번에 일괄 변제하는 방식의 약속 어음》.
ballóon pàyment *n.* 〔金融〕 차입 잔액의 일괄 지급(cf. BALLOON LOAN).
ballóon pùmp *n.* 〔醫〕 벌룬 펌프《인공 심폐와 대동맥 사이에 넣는 풍선식 정맥(整脈) 장치》.
ballóon ròom *n.* 《美俗》 마리화나를 피우는 곳.
ballóon sàil *n.* 〔海〕 벌룬 세일《미풍에서도 잘 부푸는 대형의 가벼운 돛》.
ballóon sàtellite *n.* 《美》 기구 위성.
ballóon slèeve *n.* 벌룬 슬리브《손목에서 팔꿈치까지는 좁고 팔꿈치에서 어깨까지는 크게 부풀린 소매》.
ballóon tìre[tỳre] *n.* (자동차 따위의) 저압 타이어.
ballóon vìne *n.* 〔植〕 풍선덩굴《열대 아메리카 원산(原産)》.
***bal·lot**[1] [bǽlət] *n.* Ⓤ,Ⓒ 무기명[비밀] 투표, 《美》 대통령 후보자 결정 선거 ; Ⓒ 무기명 투표 용지[투표용 작은 공] ; 투표 총수 ; (일반적으로) 투표 : cast a ~ 투표하다 / elect[vote] by ~ 투표로 선거[결정]하다 / take a ~ 투표를 하다.
── *vi.* [動 / +*for*+名] (무기명으로) 투표하다 ; 제비를 뽑다 : ~ ***for*** a person 남을 투표로 선출하다 / ~ *for* precedence (하원에서 발의 따위의) 우선권을 제비 뽑아 정하다. ── *vt.* 투표[제비]로 뽑다. 〚It. (dim.) ‹ *balla* BALL[1]〛
ballot[2] *n.* (70-120 lb. 들이의) 작은 통[고리짝]. 〚F (dim.) ‹ BALE[1]〛
bal·lo·tage [bæ̀lətá:ʒ, ∠-∠] *n.* 결선 투표.
bállot bòx *n.* 투표함(函).
bállot·ing *n.* Ⓤ,Ⓒ 투표 ; 추첨.
bal·lo·ti·ni [bæ̀lətí:ni] *n. pl.* 미소(微小) 유리알(beads)《연마제·도료 따위에 섞어 넣는 반사재용(反射材用)》. 〚? It. *ballottini* (dim., pl.) ‹ *ballotta* small ball〛
bállot pàper *n.* 투표 용지.
bállot-ríg·ging *a.* (선거에서) 득표를 부정하게 조작하는.
bal·lotte·ment [bəlátmənt] *n.* 〔醫〕 부구감(浮球感)《임신중의 자궁이나 신장을 촉진(觸診)할 때의》. 〚F=a tossing ; ⇨ BALLOT[1]〛

báll pàrk *n.* 《美》 (야)구장 ;《비유》 활동[연구] 분야 ;《美俗》 대개의 범위, 근사값.
in[*within*] *the ball park* 《俗》 (질·양·정도가) 허용범위인, 거의 타당한 : *in the* ~ of $100 약 100달러의.

báll-pàrk *a.* 《美俗》 (견적·추정이) 대강의 : a ~ figure 대강의 어림.

báll pén *n.* = BALL-POINT (PEN).

báll·plày·er *n.* 야구[공놀이]를 하는 사람 ; 프로 야구 선수.

***báll-pòint (pén)** *n.* 볼펜.

báll-próof *a.* 방탄(防彈)의 : a ~ jacket 방탄 조끼[재킷].

báll·ròom *n.* 무도장[실(室)] : ~ dancing 사교 댄스(social dancing). —— *a.* (댄스가) 당당한.

bálls *vt.* 《英俗》 혼란시키다 ; 엉망으로 하다〈*up*〉.

bálls-ùp *n.* 《英卑》 = BALLUP.

ball·sy [bɔ́:lzi] *a.* 《美卑》 배짱이 있는, 강심장의, 위세 좋은, 용감한. **báll·si·ness** *n.*

báll tùrret *n.* 〔空〕 (전투기용) 선회 총좌[포탑].

báll·ùp *n.* 《美俗》 당황, 혼란 ; 실패.

bal·lute [bəlú:t] *n.* 기구형(氣球形) 낙하산《우주선·귀환용》. 〚*ball*oon+parach*ute*〛

báll vàlve *n.* 〔機〕 볼 밸브 ; = BALL COCK.

bal·ly [bǽli] *a.*, *adv.* 《英俗》 지겨운 ; 빌어먹을 ; 굉장히 ; 도대체 : be too ~ tired 굉장히 지쳤다.
—— *vi.* 《美俗》 손님을 불러 들이다, 손님을 끌다.
—— *vt.* 《美俗》 (물건을) (남)에게 팔다.
〚bl—y(=bloody)의 의성음〛

bal·ly·hack [bǽlihæ̀k] *n.* Ⓤ 《美俗》 파멸, 지옥(hell) : Go to ~! 지옥에나 떨어져라.

bal·ly·hoo [bǽlihù:] *n.* (*pl.* **~s**) 《口》 **1** Ⓤ 요란스럽고 저속한 선전(을 하는 사람), 대 선전. **2** Ⓤ 요란스러움, 야단 법석(uproar).
—— [, 美+ ⁻ ⁻ ⁻] *vt.*, *vi.* 떠들썩하게[과대] 선전[광고]을 하다. 〚C20< ?〛

bal·ly·rag [bǽliræ̀g] *vt.* = BULLYRAG.

bálly stànd *n.* 《美俗》 (가설 흥행장 앞의) 손님을 끌거나 약간의 연예를 보이는 대.

balm [bá:lm, 美+bá:m] *n.* Ⓤ **1** 향유(香油) ; 향고(香膏) ; 방향(芳香) ; 진통제 ; 위안물. **2** Ⓒ 〔植〕 서양박하. —— *vt.* (통증 따위를) 진정시키다, 완화시키다. 〚OF<L ; ⇨ BALSAM〛

bal·ma·caan [bæ̀lməkǽn, -ká:n] *n.* 올이 거친 모직 천으로 만든 래글런 소매의 짧은 망토. 〚*Balmacaan* 스코틀랜드 Inverness 부근의 지명〛

bálm cricket *n.* 〔昆〕 매미(cicada).

bálm of Gíl·e·ad [-gíliæ̀d] *n.* 〔植〕 길레아드발삼나무 ; 그 방향성(芳香性) 수지(樹脂) ; 〔聖〕 상처를 아물게 하는 것, 위안《예레미야 8 : 22》.

Bal·mor·al [bælmɔ́(:)rəl, -mɑ́r-] *n.* **1** 스코틀랜드에 있는 영국 왕실의 저택. **2** Ⓒ 모직 페티코트의 일종 ; [흔히 b~] 편상화(編上靴)의 일종 ; [흔히 b~] 둥글고 챙이 없는 납작한 모자.

bálmy *a.* **1** (기후 따위) 화창한, 시원한, 온화한 ; 향유의[같은], 향기가 좋은 ; 상쾌한 ; 위로가 되는(soothing) : ~ air[breezes] 신선한 공기[미풍]. **2** 《英俗》 멍청한, 얼빠진 (㊟이 뜻으로는 BARMY가 좋다고 함). **bálm·i·ly** *adv.* 향기롭게 ; 상쾌하게. **bálm·i·ness** *n.*

bal·ne·al [bǽlniəl], **bal·ne·ary** [-nièri ; -əri] *a.* 욕탕의 ; 탕치(湯治)의.

bal·ne·ol·o·gy [bæ̀lniálədʒi] *n.* 〔醫〕 온천 치료학[법]. **-gist** *n.* 온천 치료학 전문의(醫).

bal·neo·thérapy [bæ̀lniou-] *n.* Ⓤ,Ⓒ 온천[광천] 치료법.

baloney ☞ BOLONEY.

bal·sa [bɔ́:lsə, bá:l-] *n.* 〔植〕 (열대 아메리카산) 발사 ; Ⓤ 발사 재목(가볍고 튼튼함) ; Ⓒ 발사 재목으로 된 뗏목[부표(浮標)]. 〚Sp. =raft〛

bal·sam [bɔ́:lsəm] *n.* Ⓤ 발삼, 향고(香膏) ; 위안물, 진통제 ; Ⓒ 〔植〕 봉선화(=garden ~).
—— *vt.* 발삼으로 처리하다. 〚OE<L〛

bálsam ápple *n.* 〔植〕 덩굴여주《박과(科)》.

bálsam fír *n.* 〔植〕 발삼전나무《북미산(産) ; 펄프·크리스마스 트리재(材)》 ; 그 재목.

bal·sam·ic [bɔ:lsǽmik, bæl-] *a.* 방향성의 ; 발삼 같은, 발삼질의 ; 진통의. —— *n.* 진통제.
-i·cal·ly *adv.*

bal·sam·if·er·ous [bɔ̀:lsəmífərəs, bæ̀l-] *a.* 방향성 수지[발삼]를 분비하는.

bal·sa·mine [bɔ́:lsəmì:n] *n.* 〔植〕 봉선화.

bálsam péar *n.* 〔植〕 = BALSAM APPLE.

bálsam póplar *n.* 〔植〕 발삼포플러《싹이 방향성의 진으로 덮여 있음 ; 북미산》.

Balt [bɔ́:lt] *n.* 발트인《발트 제국(諸國)의 사람》.

Bal·tic [bɔ́:ltik] *a.* 발트 해의 ; 발트 제국의.
—— *n.* [the ~] = BALTIC SEA.

Báltic Séa *n.* [the ~] 발트 해(海).

Báltic Státes *n. pl.* [the ~] 발트 제국 《Estonia, Latvia, Lithuania》.

Bal·ti·more [bɔ́:ltəmɔ̀:r, 美+bɔ́:l(tə)mər] *n.* **1** 볼티모어《미국 Maryland 주의 도시》. **2** [b~] 〔鳥〕 = BALTIMORE ORIOLE.

Báltimore chóp *n.* 〔野〕 홈 베이스 근처에서 높은 바운드 때문에 내야 안타가 되는 타구.

Báltimore óriole *n.* 볼티모어찌르레기사촌.

bal·us·ter [bǽləstər] *n.* 〔建〕 (손잡이·난간의) 작은 기둥[난간 동자] ; [*pl.*] = BALUSTRADE.
〚F<It.<Gk. =wild pomegrante flower ; 모양이 비슷한 데서〛

bal·us·trade [bǽləstrèid] *n.* 〔建〕 (다리나 층계의) 난간[손잡이].

bál·us·tràd·ed *a.* 손잡이[난간]가 달린[있는].

Bal·zac [bɔ́:lzæk, bǽl- ; *F* balzak] *n.* 발자크. **Honoré de** ~ (1799-1850) 프랑스의 소설가.

bam[1] [bǽ(:)m] *n.*, *int.* 통, 쾅, 쿵, 털썩《세게 치는[차는, 부딪치는] 소리》. —— *vi.*, *vt.* **(-mm-)** 통[쾅, 쿵, 털썩] 소리를 내다. 〚imit.〛

bam[2] *vt.* **(-mm-)** 《俗·古》 속이다(fool), 감쪽같이 속여 넘기다. —— *n.* 속이기. 〚? *bam*boozle〛

bam[3] *n.* 《美俗》 진정제와 흥분제《특히 바르비투르산염과 암페타민 혼합 각성제》.
〚*b*arbiturate+*am*phetamine〛

Ba·ma·ko [bà:məkóu] *n.* 바마코《Mali 공화국의 수도》.

bám-bám *a.* 한 발 한 발 확실하게 나아가는, 착실한.

Bam·bi [bǽmbi] *n.* **1** 여자 이름. **2** 밤비《오스트리아의 작가(作家) Felix Salten (1869-1945) 작의 동명(同名)의 동물 이야기(1923) 및 Walt Disney 영화(1942)의 주인공인 수사슴》.

Bámbi effect *n.* 동성애에서 이성애로의 눈뜸 《Salten작의 새끼사슴 *Bambi*에서》.

bam·bi·no [bæmbí:nou, ba:m-] *n.* (*pl.* **~s, -ni** [-ni:]) 어린 예수의 상(像)[그림] ; 《口》 어린이. 〚It. =baby〛

***bam·boo** [bæmbú:] *n.* (*pl.* **~s**) Ⓤ 〔植〕 대(나무) ; Ⓒ 대막대[스틱] ; 죽재(竹材). —— *a.* 대나무(제)의. 〚Du.<Port.<Malay〛

bambóo cúrtain *n.* [the ~, 흔히 the B~ C~] 죽의 장막《중국과 다른 나라 사이의 정치·군사·사상적 장벽 ; cf. IRON CURTAIN》.

bambóo shòot *n.* 죽순(竹筍).

bambóo wàres *n. pl.* 죽세공품.

bambóo wòrk *n.* 죽세공.

bam·boo·zle [bæmbúːzəl] *vt.* 《口》 [＋目 / ＋目＋前＋名] 교묘한 말로 속이다, 속여먹다 ; 현혹시키다 : ～a person ***into*** do*ing*[***out of*** something] 남을 속여서 …하게 하다[물건을 빼앗다]. ── *vi.* 속이다, 사기치다. **～·ment** *n.* 속임, 사기. 〚C18＜?〛

B

ban**[1] [bǽ(ː)n] *n.* **1** 금지령, 금제(禁制), (여론 따위의) 무언[비공식]의 압박, 반대 : lift[remove] the ～ *on* …을 해금(解禁)하다. **2** 〚敎會〛 파문(破門) ; 추방. **3** 사회적 추방의 선고. **4** 공고, 포고 ; [*pl.*] 결혼 예고. **5** (봉건 시대의) 가신 소집. ***under (***a***) ***ban*** 금지되어, 엄금되어 ; 파문당하여 : place[put]...under a ～ …을 금지하다. ── *v.* (**-nn-**) *vt.* **1** 금지하다(prohibit) ; 《南아》 (사람·조직)에 대하여 (언론[정치]) 활동을 금지하다 : Swimming is ～*ned* in this lake. 이 호수에서는 수영이 금지되어 있다. **2** 《古》 파문하다 ; 《古》 저주하다. ── *vi.* 저주하다. 〚OE *bannan* to summon＜Gmc. 《美》 *bannan* to be under penalty〛

ban[2] [bάːn] *n.* 〚史〛 (헝가리·크로아티아·슬라보니아의) 태수, 도독(都督). 〚Serbo-Croat *bān* lord〛

ban[3] [bάːn] *n.* (*pl.* **ba·ni** [bάːni]) 바니《루마니아의 통화 단위 : 1/100 leu》. 〚↑〛

ba·nal [bənάːl, bənǽl, bæ-, bei-, bǽnl, béinl] *a.* 케케묵은, 평범한(commonplace). **～·ly** *adv.* **～·ìze** *vt.* 평범화하다, 진부한 것으로 만들다. 〚F ; ⇨ BAN[1] ; 어의 변화는 'compulsory' → 'common to all'로〛

ba·nal·i·ty [bənǽləti, bei-] *n.* 진부(한 말).

‡**ba·nana** [bənǽ(ː)nə ; -nάːnə] *n.* 바나나, 바나나나무 ; Ⓤ 바나나색(grayish yellow) : a hand [bunch] of ～*s* 바나나 한 송이 / ～ oil 바나나 유(油) / ～ republic 바나나 공화국《과일 수출·관광으로 경제를 유지하는, 외자의 의존도가 높고 정치적으로 불안한 열대의 군소 국가》. 〚Sp. or Port.＜(Guinea)〛

banána bèlt *n.* 《美口·Can.口》 기후가 온난한 지역.

banána hèad *n.* 《美俗》 바보, 멍텅구리.

ba·nan·as [bənǽ(ː)nəz ; -nάːnəz] *a.* 《美俗》 미친, 몰두한, 흥분한 : drive a person ～ 열중시키다, 열광시키다 / go ～ 미치다, 열광[흥분]하다, 잔뜩 골이 나다. ── *int.* 쓸데없는 소리 마라!

banána séat *n.* (자전거의) 바나나 모양의 안장[시트].

ba·nau·sic [bənɔ́ːsik, -zik] *a.* 실용적인 ; 실리[영리]적인 ; 단조로운, 기계적인.

Bán·bury càke[**bún**] [bǽnbèri-, bǽm- ; -bəri-] *n.* 《英》 밴버리 케이크《건포도·오렌지 껍질·벌꿀·향미료 따위를 섞은 작은 타원형 파이 ; 원래 Oxfordshire의 Banbury시에서 만듦》.

banc [bǽŋk], **ban·co** [-kou] *n.* 판사석 : in ～ 판사가 모두 임석하여, 재판중. 〚L〛

‡**band** [bǽ(ː)nd] *n.* **1** (띠 모양의) 끈, 밴드, 띠, 대(帶) ; (통의) 테 ; (모자의) 띠 ; 《古》 인연, 유대, 의리, 속박 ; 〚機〛 피대(皮帶), 벨트(belt) ; 〚製本〛 등을 묶는 실, 밴드. **2** 한 조(組)의 사람, 일단(一團) (party) ; 악대, 악단 ; 《美》 짐승의 떼[무리] : a ～ of thieves 도적떼 / a military ～ 군악대. **3** 〚解〛 대상 조직 ; (색의) 줄, 줄무늬 (stripe) ; 〚建〛 띠무늬. **4** 〚通信〛 밴드, 주파대(周波帶). **5** 〚컴퓨〛 띠, 대역. ***band the band*** 《俗》 다른 것을 압도하다, 여럿속에서 뛰어나다. ***the Band of Hope*** 소년 금주단(禁酒團). ***when the band begins to play*** 일이 중대해지면. ── *vt.* **1** 끈[띠]으로 묶다[매다]. **2** …에 줄무늬를 넣다. **3** [＋目 / ＋目＋副] 단결[결합]시키다 : They were ～*ed together.* 그들은 단결했다. ── *vi.* 단결하다〈*together*〉. 類義語 ⟹ COMPANY.

band·age** [bǽndidʒ] *n.* **1** 붕대 : apply a ～ 붕대를 감다〈*to*〉. **2** 눈가리는 천, 안대. ── *vt.* [＋目 / ＋目＋副] …에 붕대를 감다 : ～ (up***) a person's leg 남의 발에 붕대를 감다 / a ～*d* hand 붕대를 감은 손. ── *vi.* 붕대를 하다.

Band-Aid [bǽndéid] *n.* 밴드에이드《반창고와 가제를 합친 구급 치료품 ; 상표명》 ; [band-aid] 임시 수단, 미봉책. ── *a.* [band-aid] 응급의, 임시 방편의.

ban·dan·na, -dana [bændǽnə] *n.* (밝은 색 바탕에 흰 무늬를 넣은) 큼직한 비단 손수건. 〚Port.＜Hindi〛

ban·dar [bʌ́ndər] *n.* 붉은털원숭이. 〚Hindi〛

b. and b., b. & b., B. & B. bed and breakfast ; brandy and benedictine ; bread and butter.

bánd·bòx *n.* (모자·칼라 따위를 넣어 두는) 판지상자, 얇은 널상자. ***look as if*** one ***had come out of a bandbox*** 말쑥한 옷차림을 하고 있다.

B and D, B/D bondage and discipline《가학·피학성 변태성욕 행위》. **B and E** breaking and entering.

ban·deau [bǽndou, -ˊ] *n.* (*pl.* **-deaux** [-z], **～s**) (여자 머리에 꽂는) 가는 리본[머리 띠] ; 폭이 좁은 브래지어. 〚F〛

bánd·ed *a.* 단결한 ; 〚地〛 줄무늬 모양의.

ban·de·ri·lla [bæ̀ndəríːjə] *n.* 〚鬪牛〛 (소의 머리·어깨를 찌르는) 술이 달린 창. 〚Sp.〛

ban·de·ri·lle·ro [bæ̀ndəriːljέərou] *n.* (*pl.* **～s**) 〚鬪牛〛 banderilla를 쓰는 투우사. 〚Sp.〛

ban·de·rol(**e**) [bǽndəròul] *n.* (창 끝·돛 선단의) 작은 기(旗), 기드림. 〚F＜It. (dim.)＜*bandiera* banner〛

bandh, bundh [bʌ́nd] *n.* 《인도》 항의를 위한 업무의 전면 중지, 총파업. 〚Hindi＝a stop〛

ban·di·coot [bǽndikùːt] *n.* 〚動〛 (인도·스리랑카산) 왕쥐 ; (오스트레일리아산) 밴디쿠트. ── *vt.* (감자를) 파내다.

ban·dit [bǽndət] *n.* (*pl.* **～s, -dit·ti** [bændíti]) 산적, 강도 ; 악당, 불한당(outlaw) ; 《美空軍俗》 적기, (일반적으로) 적 : a set[gang] of ～*s* 산적단. 〚It. (p.p.)＜*bandire* to BAN[1]〛

bán·dit·ry *n.* Ⓤ 산적 행위 ; [집합적으로] 산적단.

bánd·màster *n.* (악단의) 단장, 지휘자.

bánd·mòll *n.* 《美》 록밴드를 쫓아다니는 젊은 여성《보통 10대 ; cf. GROUPIE》.

bán·dòg *n.* 사슬에 매놓은 개 ; 사나운 개.

ban·do·leer, -lier [bæ̀ndəlíər] *n.* 〚軍〛 탄약대(帶), 멜빵. 〚Du. or F ; ⇨ BANDEROLE〛

ban·do·line [bǽndəliːn, 美＋-lən] *n.* 밴돌린《포마드의 일종》.

ban·do·ni·on, -ne- [bændóuniὰn] *n.* 〚樂〛 반도네온《라틴 음악용 소형 아코디언》. 〚G (H. *Band* 19세기 독일의 음악가로 고안자, Harmo*nika*, Akkord*ion*)〛

bánd-pàss filter *n.* 〚電子〛 대역 여파기(帶域濾波器) 《일정한 주파수의 전류만을 여과하는 장치》.

bánd ràzor *n.* 카트리지식의 안전 면도기.
B.& S., B and S brandy-and-soda.
bánd sàw *n.* 〖機〗 띠톱.
bánd shèll *n.* 《美》 =BANDSTAND.
bánds·man [-mən] *n.* (악단·악대의) 악사, 악단[대]원; 군악대원.
bánd·stànd *n.* 야외 음악당《야외 연주용의 보통 지붕 달린 반원형의 건물》.
Ban·dung [bá:nduŋ, bǽn-] *n.* 반둥《인도네시아의 휴양 도시》.
B. & W., b and w black and white.
bánd·wàgon *n.* 《美》 (행렬 선두의) 악대차; (정치 운동·경쟁(競爭) 따위에서) 분명하게 우세해진 쪽; 인기 있는 그룹; 시류에 편승하기.
climb* [*get, hop, jump*] *on* [*aboard*] *the bandwagon 《口》 우세한 쪽에 붙다, 편승하다.
bánd whèel *n.* 〖機〗 벨트 바퀴; 띠톱 바퀴.
bánd·wìdth *n.* 〖電子〗 띠너비, 대역너비《증폭기나 필터 따위의 주파수 특성의 최대값보다 3데시벨 떨어진 두 점 사이의 주파수의 너비》.
ban·dy[1] [bǽndi] *vt.* [+目/+目+*with*+名/+目+副] (공 따위를) 치고 받다, (타격·언쟁 따위를) 주고받다; (이야기를) 퍼뜨리다; (나쁜 소문을) 퍼뜨리다; 《古》 단결시키다: To ~ words ***with*** a foolish person is a waste of time. 어리석은 자와 말을 주고받는 것은 시간 낭비다 / I don't like having my name *bandied* ***about.*** 내 이름을 여기저기 퍼뜨리고 싶지 않다. —— *vi.* 《古》 단결하다, 도당을 조직하다; 《廢》 싸우다 ⟨*with*⟩. 〖F=to take sides; ⇨ BAND〗
bandy[2] *n.* 《인도》 한 필의 말이 끄는 이륜 마차.
bandy[3] *a.* (다리·사람·동물이) 안짱다리의; (가구 따위가) 고양이 다리같은.
knock a person ***bandy*** 《濠口》 남을 깜짝 놀라게 하다.
〖? *bandy* (obs.) curved stick〗
bándy-bàll *n.* (옛날의) 하키, 하키공.
bándy-lègged *a.* 다리가 밖으로 굽은, 앙가발이의(cf. KNOCK-KNEED).
bane [béin] *n.* **1** 《詩》 죽음, 파멸(의 원인), 비탄, 고뇌; 해독, 재해: Gambling was the ~ *of* his life. 도박이 그의 삶의 파멸의 원인이었다. **2** Ⓤ 《古》 독(毒). ㊟ 지금은 다음 복합어에만 쓰임: rats ~ 살서제(殺鼠劑), 쥐약. —— *vt.* 《古》 …에 위해를 가하다; 《廢》 독살하다.
〖OE *bana* slayer<Gmc.〗
báne·bèrry [, -bəri; -bəri] *n.* 〖植〗 미나리아재비과(科)의 유독 식물; 그 열매.
báne·ful *a.* 해로운, 유독[유해]한, 유독성[유해성]의: a ~ influence 해로운[악(惡)]영향.
~·ly *adv.* 해를 미치게. **~·ness** *n.*
bang**[1] [bǽŋ] *vi.* **1** [+前+名/+副] 탁 치다; 쿵 울리다; 탕 쏘다: I heard someone ~*ing* ***on the door with his fist. 누군가가 문을 주먹으로 쾅쾅 두드리는 소리가 들렸다 / The hunters ~*ed away* ***at*** the wolves. 사냥꾼들은 늑대떼에게 탕탕 발포를 계속했다. **2** [動/+副/+副+過分] (문 따위가) 쾅당 소리나다[닫히다]; 쿵[쾅] 소리나다: The door ~*ed back*[shut]. 문은 쾅당하고 닫혔다 / Their guns were ~*ing away.* 그들의 총은 계속 탕탕 울리고 있었다 / The children were ~*ing* ***about*** noisily. 아이들은 소란스럽게 쿵쾅거리며 뛰놀고 있었다. —— *vt.* **1** [+目/+目+前+名/+目+副] (문을) 쾅당 소리나게 하다[닫히게 하다]; 탁 치다, (총을) 탕 쏘다; 심하게 두들겨 대다; 몹시 때리다, 강타하다: He ~*ed* the door behind him. 문을 쾅 닫고 밖으로 나갔다 / The teacher ~*ed* his fist ***on*** the desk. 선생은 주먹으로 책상을 쾅 쳤다 / The boy ~*ed* himself ***against*** a tree. 소년은 쾅하고 나무에 부딪쳤다 / My father tried to ~ Latin grammar ***into*** my head. 아버지는 내 머리속에 라틴어 문법을 억지로 주입시키려고 하셨다 / Be careful not to ~ the lid ***down.*** 뚜껑을 쾅 닫지 않도록 주의하시오. **2** 《俗》 능가하다, 패배시키다(beat).
—— *n.* **1** 강타(하는 소리); 충격; 쿵(하는 소리), 총[포]소리: He got a ~ on the head. 타머리를 맞았다. **2** 《美口》 활기, 의기, 흥분.
with a bang 쾅당[쿵]하고; 《口》 별안간, 불쑥.
—— *int., adv.* **1** 쾅[쿵]! (하고): *B*~! went the gun. 탕하고 총소리가 울렸다. **2** 《口》 돌연; 바로(exactly); 아주: ~ in the middle 바로 한 복판에, 가운데에.
go bang 쾅[쿵] 울리다, 파열하다; 쾅 닫히다.
〖imit.<? Scand. (ON *bang, banga* hammer)〗
bang[2] *n.* [때때로 *pl.*] 앞 단발머리. —— *vt.* 앞머리를 단발로 깎다: wear one's hair ~*ed* 앞머리를 단발머리로 하다. 〖↑〗
bang[3] ☞ BHANG.
Ban·ga·lore [bǽŋgəlɔ̀:r; ⌐-⌐] *n.* 방갈로르《인도 남부 Karnatak 주의 주도》.
bángalore torpédo *n.* 〖軍〗 폭약통《TNT를 채운 철관》. 〖↑〗
ban·ga·low [bǽŋgəlòu] *n.* (오스트레일리아산) 야자의 일종.
báng-báng *n.* 《口》 요란스러운 총격전[싸움]; 《美俗》 서부극[영화]; 《俗》 피스톨, 권총; 뱅뱅《유도 미사일 제어 시스템의 일종》.
báng·er *n.* **1** BANG[1] 하는 사람[것]; 《英口》 폭죽; 《英口》 소음이 나는 고물차; 소시지. **2** 《英俗》 (자동차 엔진의) 실린더, 기통. **3** 격렬한 키스. **4** 《美俗》 곤봉, 굵은 단장.
Bang·kok [bǽŋkɑk, -⌐] *n.* 방콕《태국의 수도》.
Ban·gla·desh [bà:ŋglədéʃ, bæ̀ŋ-, -déiʃ] *n.* 방글라데시《1971년 독립한 공화국; 옛 동파키스탄; 수도 Dacca》.
ban·gle [bǽŋgəl] *n.* 장식고리, 팔찌, 발목고리《금·은·유리 따위로 만든 여성용의 장식품》.
〖Hindi *bangri* glass bracelet〗
báng-ón *a.* 《英口》 딱 들어맞는, 근사한, 멋진.
Báng's disèase [bǽŋz-] *n.* 〖獸醫〗 방 병(病)《소의 전염병으로 종종 유산의 원인이 됨》.
〖B. L. F. *Bang* (d. 1932) 덴마크의 수의사〗
báng·tàil *n.* 꼬리를 짧게 자른 말(꼬리); 《美俗》 경주마(racehorse); 꼬리가 짧은 야생마.
Ban·gui [*F* bɑ̃gi] *n.* 방기《중앙 아프리카 공화국의 수도》.
báng·ùp *a.* 《口》 멋있는, 고급[일류]의. —— *n.* 충돌.
báng zòne *n.* 〖空〗 초음속비행기의 충격음 피해지역(boom carpet).
banian ☞ BANYAN.
ban·ish** [bǽniʃ] *vt.* **1** [+目/+目+前+名/+目+目] (국외로) 추방하다, 귀양보내다: Napoleon was ~*ed* ***to Elba in 1814. 나폴레옹은 1814년에 엘바 섬으로 유배되었다 / The king ~*ed* him (***from***) the country. 왕은 그를 국외로 추방했다 / He was ~*ed* (*from*) the court. 궁정에서 추방당했다. **2** [+目/+目+前+名] (면전에서) 쫓아내다, 멀리하다; (걱정·슬픔을) 덜어 없애다: ~ a person ***from*** one's presence (남을) 면전에서 멀리하다 / I'll ~ all troubles *from* you. 걱정거리는 모두 덜어 없애주겠다.
~·er *n.* 쫓아내는 사람. **~·ment** *n.* Ⓤ,Ⓒ 추방, 배

B

척 ; 유형.
〖OF ; ⇨ BAN[1]〗
[類義語] ***banish*** 권력에 의하거나 형벌로 나라에서 영원히 또는 일정기간 추방하다 : The prince *banished* Romeo from Verona. (영주는 로미오를 베로나에서 추방했다). ***exile*** 명령에 의하거나 또는 주변의 사정으로 자국에서 퇴거시키다 또는 자기 의사로 퇴거하다 : The king was *exiled* after the revolution. (왕은 혁명 이후 추방당했다). ***deport*** 불법 입국자나 달갑지 않은 외국인을 본국으로 추방하다 : The smugglers were *deported* from England. (밀수업자들은 영국에서 추방당했다). ***expatriate*** 강제적 또는 자유 의사로 국외로 나가 외국민이 되다. ***expel*** 개인[단체]이 특정 개인에게 치욕을 주어 강제로 퇴거시키다 : *expel* a student from school (학생을 퇴학시키다). ***ostracize*** 불명예스러운 행위 따위로 사회에서 강제적으로 배척하다 : After his bankruptcy he was *ostracized* by all. (그는 파산 후 모든 사람으로부터 경원당했다). ***transport*** 죄수를 식민지의 유형지로 유배하다 : be *transported* for burglary (야간 절도죄로 유형당하다).

ban·is·ter, ban·nis- [bǽnəstər] *n.* = BALUSTER ; [*pl.*] = BALUSTRADE.
〖C17 *barrister* ; BALUSTER의 변형〗

ban·jax [bǽndʒæks] *vt.* 《俗》 (…을) 치다, 때리다 ; 때려눕히다, 해치우다, …에게 이기다.

ban·jo [bǽndʒou] *n.* (*pl.* **~s, ~es**) 밴조《현악기의 일종》 ; [형용사적으로] 밴조 모양의. —— *vi.* 밴조를 연주하다. **~·ist** *n.* 밴조 연주자.
〖*bandore* (Gk. *pandoura* three stringed lute) ; 흑인 사투리〗

Ban·jul [bɑ́:ndʒu:l, bændʒú:l] *n.* 반줄《Gambia의 수도 ; 옛 이름 Bathurst》.

ban·ju·le·le [bæ̀ndʒuléili], **-jo-** [-dʒə-], **bánjo·uku·léle** *n.* 반줄렐레《banjo와 ukulele의 중간 악기》.

bank**[1] [bǽŋk] *n.* **1** 둑, 제방. **2** (둑 모양의) 더미, 층 : a ~ of clouds 층운(層雲), 구름 봉우리. **3** (해양의) (모래)톱, 사주, 뱅크 : a sand ~ 모래톱 / the ~*s* of Newfoundland 뉴펀들랜드 뱅크《어장(漁場)》. **4** 강 기슭 ; [*pl.*] 강 양안(兩岸), 강가의 땅 : on the ~*s* of the Thames 템스강가의 땅에. [注] 강의 right ~, left ~는 강의 하류를 향해 말함. **5** (피아노·오르간의) 건반. **6** 〖空〗 뱅크, 횡경사(橫傾斜) : the angle of ~ 뱅크각(角)《비행중의 좌우 경사각》. **7** (당구대의) 쿠션. **8** 〖鑛〗 갱구. —— *vt.* **1** …에 제방[둑]을 쌓다, 둑으로 둘러싸다. **2** [+目 / +目+副] 쌓아 올리다[포개 쌓다] : ~ snow (up***) 눈을 쌓아올리다. **3** (불을 죽지 않게) 묻다, 재[장작 따위]를 (불위에) 올려놓다. **4** (방향 전환 때) (기체(機體)를) 기울다, 옆으로 기울다. **5** 당구공을 쿠션에 맞히다. —— *vi.* **1** [+副 / +前+名] 포개져 쌓이다, 층을 이루다 : The sand had ~*ed* ***up***. 모래가 층을 이루고 있었다 / Clouds are ~*ing* ***along*** the horizon. 구름이 지평선을 따라 층을 이루어 뻗어 있다. **2** (방향 전환할 경우에) 비행기[자동차]가 옆으로 기울어 비행[주행(走行)]하다.
bank up 쌓아올리다[올라가다] (cf. *vt.* 2, *vi.* 1) ; (불을) 재에 묻다 ; (물줄기를) 막다.
〖ON ; ⇨ BENCH〗

‡**bank**[2] *n.* **1 a)** 은행 : a savings ~ 저축 은행 / a ~ of deposit[issue] 예금[발권(發券)] 은행. **b)** [the B~] 《英》 = *the* BANK *of England.* **2** 저장소 : a blood ~ 혈액 은행. **3** [the ~] (노름판 따위에서) 물주의 돈, 판돈 : break the ~ 물주를 지게 하다《물주의 돈을 몽땅 따다》. **4** 〖카드놀이〗 물주(banker).
the Bank of England 잉글랜드 은행《1694년 창립한 영국의 중앙은행》.
—— *vt.* 은행에 맡기다 : Try to ~ a third part of your salary. 봉급의 3분의 1을 은행에 맡기도록 해라. —— *vi.* **1** 은행업을 경영하다. **2** [+*with*+名] (은행과) 거래하다. **3** (노름판에서) 물주가 되다. **4** 《口》 [+*on*+名] …을 기대하다, 내다보다, …에 의지하다(rely), 확신하다 : You can ~ ***on*** me when you need money. 돈이 필요할 때는 내게 의지해도 좋다.

〈회화〉
Where do you *bank*? — At the *bank* in front of the station. 「어느 은행과 거래하고 있습니까」「역전에 있는 은행입니다.」

〖F *banque* or It. *banco* (↑)〗

bank[3] *n.* (좌석·가로등 따위) 한 줄로 늘어선 열(列), (galley의) 노젓는 자리 ; 한 줄로 늘어선 노 ; (피아노·오르간의) 건반의 한 줄 ; (일반적으로) 줄, 열. —— *vt.* 일렬로 나열하다.
〖OF<Gmc. ; ⇨ BANK[1]〗

bánk·able *a.* 은행에 담보할 수 있는 ; 은행에서 할인이 되는 ; 신용[신뢰]할 수 있는 ; 《口》 돈이 되는 ; (영화·연극 등이) 성공이 확실한. 〖BANK[2]〗

bánk accèptance *n.* 은행 인수 어음.

bánk accòunt *n.* 《美》 은행 예금 계좌[계정].

bánk bàlance *n.* 은행(예금) 잔고.

bánk bìll *n.* 《英》 은행 어음 ; 《美》 = BANK NOTE.

bánk·bòok *n.* 은행 통장(cf. PASSBOOK).

bánk càrd *n.* 은행 발행의 신용 카드.

bánk chàrge *n.* (고객에 대한) 은행 수수료.

bánk chèck *n.* 은행 수표.

bánk clèaring *n.* 어음 교환.

bánk clèrk *n.* 《英》 은행 출납원.

bánk crèdit *n.* 은행 신용.

bánk demànd *n.* (외국환의) 은행 도착 지급.

bánk depòsit *n.* 은행 예금.

bánk dìscount *n.* 은행 할인료(割引料).

bánk dràft *n.* 은행 환어음《略 B/D》.

bánk èngine *n.* 《英》 경사가 가파른 오르막에서 열차에 연결하는 보조 기관차.

***bánk·er**[1] *n.* **1** 은행가, 은행업자 ; 은행의 간부직원, (일반적으로) 은행원 ; [one's ~s] 거래 은행. **2** (노름판의) 물주, 총지배인. **3** Ⓤ 〖카드놀이〗 은행놀이 〖F ; ⇨ BANK[2]〗

banker[2] *n.* Ⓒ 둑 쌓는 인부 ; 《英》 둑이라도 뛰어넘는 수렵용 말 ; 대구잡이 배[어부]. 〖BANK[1]〗

banker[3] *n.* (석수 등의) 작업대. 〖BANK[3]〗

bánker's accèptance *n.* = BANK ACCEPTANCE.

bánker's bìll *n.* 은행 (환)어음.

bánker's càrd *n.* = BANK CARD.

bánker's chèck *n.* = TRAVELERS CHECK.

bánkers' hóurs *n. pl.* 짧은 노동 시간.

bánk exàminer *n.* (주(州)정부·연방 정부의) 은행 감독관.

bánk fìsh *n.* 〖魚〗 대구.

Bánk for Internátional Séttlements *n.* [the ~] 국제 결제 은행《略 BIS》.

***bánk hòliday** *n.* 《英》 일반 공휴일(=《美》 legal holiday)《England에서는 토·일요일 이외에 New Year's Day, Good Friday, Easter Monday, Early May Bank Holiday, Spring Bank Holiday, Summer Bank Holiday, Christmas Day,

Boxing Day의 8회의 법정 휴일이 있음) ; 《美》 은행 휴일《토요일과 일요일 이외에 연4회》.
bánk·ing[1] *n.* 은행업, 은행 업무. ── *a.* 은행(업)의 : ~ capital 은행 영업 자금 / ~ center 금융 중심지 / ~ holiday (공황 따위로 인한) 은행 휴업 / ~ house 은행 / ~ power 대출 능력.
banking[2] *n.* Ⓤ 둑 쌓기 ; 〔空〕 횡(橫)경사.
bánking accòunt *n.* 《英》 ＝BANK ACCOUNT.
bánking prìnciple[dòctrine] *n.* 〔經〕 은행주의(cf. CURRENCY PRINCIPLE[DOCTRINE]).
bánk ìnterest *n.* 은행 이자.
bánk lètter *n.* 경제 보고서, 경제 시평.
bánk lìne *n.* 〔金融〕 은행 여신 한도액 ; 기슭에 설치해 두고 가끔 살펴보는 낚싯줄.
bánk lòan *n.* 은행 융자, 뱅크 론.
bánk mànager *n.* 은행의 (지방) 지점장.
bánk nìght *n.* 《美口》(영화관 입장자에게 추첨으로 경품을 주는) 영화 추첨이 있는 저녁.
bánk nòte *n.* 은행권[지폐] (＝《美》 bank bill).
bánk pàper *n.* [집합적으로] 은행 어음(류).
bánk pàssbook *n.* ＝BANKBOOK.
báŋk ràte *n.* **1** 은행의 할인율. **2** 《英》 잉글랜드 은행 할인율, 《美》 준비 은행 할인율.
bánk resèrve *n.* 은행 지급 준비금.
bánk·ròll *n.* 《口》 자금 (공급) ; 재화의 저축. ── *vt.* (기업·계획에) 자금을 공급하다, 출자하다. **~·er** *n.* 후원자.
***bank·rupt** [bǽŋkrʌpt, -rəpt] *n.* 〔法〕 파산자, 지급 불능자《略 bkpt.》. ── *a.* **1** 〔法〕 파산한, 지급 능력이 없는 : go[become] ~ 파산하다. **2** (정신적으로) 파탄한 ; 결여된, (…이) 없는 〈*of, in*〉. ── *vt.* 파산시키다.
〚It. *banca rotta* broken bench ; ⇨ BANK[2]〛
bank·rupt·cy [bǽŋkrʌptsi, -rəpsi ; -rəptsi] *n.* Ⓤ,Ⓒ 파산, 도산(倒産), 파탄 ; (명성 따위의) 실추, 상실 〈*of*〉 : a trustee in ~ 〔法〕 파산 관재인.
banks·ia [bǽŋksiə] *n.* 〔植〕 뱅크셔《오스트레일리아산의 상록 관목》.
bánksia róse *n.* 〔植〕 목향화(木香花).
Bank·side [bǽŋksaid] *n.* [the ~] 뱅크사이드《London의 Thames 강 남쪽 기슭 ; Shakespeare와 관계가 깊은 Globe Theatre도 여기 있었음》.
bánks·man [-mən] *n.* (지상의) 탄갱 감시인, 갱외(坑外) 감독.
***ban·ner** [bǽnər] *n.* **1** 깃발《국기·군기·교기 따위》; 상징, 표상 ; 기치(旗幟) : fight under the ~ of freedom 자유의 기치 아래 싸우다. **2** 《美》 신문의 전단에 걸친 큰[톱] 제목(＝《英》 ~ headline).
follow*[*join*] *the banner of …의 깃발 아래 모이다, …의 부하가 되다.
unfurl one***'s banner*** 깃발을 높이 펼치다, 태도를 분명히 하다.
── *attrib. a.* 주요한, 일류[일급]의 (first-rate) : a ~ crop 풍작. ── *vt.* …에 기를 갖추다 ; …에 전단짜리 표제를 붙이다.
〚AF＜L *bandum* standard ; ⇨ BAND[1]〛
bánner bèarer *n.* 기수(旗手) ; (주의 따위의) 주창자.
bán·nered *a.* 기를 갖춘[단].
ban·ner·et[1] [bǽnərət, bæ̀nərét] *n.* [때때로 B~] 〔史〕 기령 기사(旗領騎士)《자신의 깃발(banner) 아래 휘하를 거느리고 출전함》.
ban·ner·et[2], **-ette** [bæ̀nərét, ⌐-⌐] *n.* 작은 기.
bánner héad(line) *n.* ＝BANNER 2.
bánner·lìne *n., vt.* 신문의 전단 크기의 제목(을 달다).
bánner·man [-mən] *n.* 기수.
ban·ne·rol, ban·ner roll [bǽnəròul] *n.* 수기(手旗) ; 조기(弔旗).
bánner scrèen *n.* (난로 앞에 놓는 기 모양의) 방화(防火) 스크린.
bannister ☞ BANISTER.
ban·nock [bǽnək] *n.* 《스코》 과자 빵의 일종.
〚OE *bannuc* a bit, small piece＜? Celt.〛
banns, bans [bǽ(:)nz] *n. pl.* 〔基〕 결혼 예고《교회에서 의식 전 연속 3회 일요일마다 행하여 이의(異議)의 유무를 물음》.
ask*[*call, publish, put up*] *the banns 교회에서 결혼을 예고하다.
forbid the banns 결혼에 이의를 제기하다.
have one***'s banns called*[*asked*]** 교회에 결혼 예고를 청하다.
〚(pl.)＜BAN[1]〛
banque d'af·faire [*F* bɑ̃:k dafɛ:r] *n.* (프랑스의) 상업 은행.
***ban·quet** [bǽŋkwət, bǽn-, -kwet] *n.* (정식으로 베푸는) 연회, 만찬회 ; 향응 : give[hold] a ~ 연회를 베풀다 / a regular ~ 진수성찬. ── *vt.* 연회를 베풀고 접대하다. ── *vi.* 연회에 참가하다 ; 진수성찬을 즐기다. **~·er** *n.*
〚F (dim.)＜*banc* bench, BANK[1]〛
bánquet hàll *n.* (대)연회장.
bánquet làmp *n.* (키가 큰) 연회용 석유 램프.
bánquet ròom *n.* (레스토랑·호텔의) 연회장.
ban·quette [bæŋkét, bæn-] *n.* **1** (식당 따위의) 벽 가의 긴 의자. **2** 〔軍〕 흉벽(胸壁) 내부의 사격용 발판 ; 《美》(차도보다 높은) 보도(步道) (sidewalk). 〚F＜It. (dim.)＜*banca* bench, BANK[1]〛
Ban·quo [bǽŋkwou, bǽn-] *n.* 뱅코《Shakespeare작의 비극 *Macbeth*에 등장하는 스코틀랜드의 장군》.
bans ☞ BANNS.
BANs [bǽnz] *n.* 《美》 〔證〕 지방 자치 단체의 자금 조달을 위한 단기채(短期債).
〚*b*ond *an*ticipation *n*ote*s*〛
ban·shee, -shie [bǽnʃi:, ⌐⌐] *n.* 《아일·스코》 반시《가족 중 죽을 사람이 있을 때 큰소리로 울어 이를 알린다는 요정》. 〚Ir. ＝woman of the fairies〛
bant [bǽnt] *vi.* 《戲》(몸이 여위도록) 밴팅 요법을 하다. 〚역성(逆成)＜*bant*ing〛
ban·tam [bǽntəm] *n.* 〔鳥〕 당닭, 밴텀닭 ; 《비유》 싸움을 좋아하는 작은 사내 ; ＝BANTAMWEIGHT. ── *a.* 자그마한, (작지만) 공격적인 ; 소형의.
bántam·wèight *n.* 〔拳〕 밴텀급의 선수(☞ BOXING WEIGHTS).
ban·teng [bǽnteŋ] *n.* 〔動〕 밴텡《동남아시아산(産)의 야생우(野生牛)》. 〚Malay〛
ban·ter [bǽntər] *n.* (악의가 없는) 농담, 놀림, 희롱. ── *vt.* (서로) 놀리다, 희롱하다, 조롱하다. ── *vi.* 농담하다. **~·ing·ly** *adv.* 놀리며, 희롱하며, 까불며. 〚C17＜?〛
bán-the-bòmb *a.* 핵무장 폐지를 주장하는.
ban·tin [bǽntn], **-ting**[1] [-tiŋ] *n.* ＝BANTENG.
ban·ting[2] [bǽntiŋ], **bánting·ìsm** *n.* Ⓤ [때때로 B~] 밴팅 요법《지방분·당분 섭취를 줄이는 식이 요법》. 〚W. *Banting* (d. 1878) 의사의 지시로 이것을 실행한 London의 장의사·작가〛
bant·ling [bǽntliŋ] *n.* 《蔑》 꼬마, 풋내기.
〚? G *Bänkling* bastard (*Bank* bench)〛
Ban·tu [bǽntu:, bá:n-, ⌐⌐] *n.* (*pl.* ~, **~s**) 반투족(族)(의 사람)《남부 및 중부 아프리카에 사는 종족 ; Kaffir, Swahili, Zulu 등》; Ⓤ 반투어(족).
── *a.* 반투어[족]의. 〚Bantu＝people〛

Bántu Hómeland *n.* =BANTUSTAN.

Ban·tu·stan [bæ̀ntustǽn, bɑ̀:ntustɑ́:n] *n.* 반투스탄《남아프리카 공화국의 흑인 분리 정책에 따라 설치된 반(半)자치의 흑인 거주 구역; 공식명 homeland》. 〖*Bantu*+*-stan* land〗

ban·yan, ban·ian [bǽnjən] *n.* 〖植〗 벵골 보리수《가지에서 수많은 기근(氣根)이 나옴》; 《인도》 (육식을 금지하는 특수 카스트에 속하는) 상인; 《인도》 헐거운 셔츠[가운, 상의]. 〖Port.<Skt. =merchant〗

bányan dày *n.* 〖海〗 정진일(精進日), 고기를 먹지 않는 날.

bányan hòspital *n.* 가축 병원.

ba·o·bab [báubæb, béiəbæ̀b; béiəubæ̀b] *n.* 〖植〗 바오바브《아프리카산의 거목(巨木)》. 〖L<(Africa)〗

B.A.O.R. British Army of the Rhine(영 육군 라인군단).

bap [bǽp] *n.* 《스코》 부드러운 롤빵. 〖C16<?〗

bap., bapt. baptism; baptized.

Bap., Bapt. Baptist.

***bap·tism** [bǽptizəm] *n.* U.C 〖基〗 세례(식), 침례《교회 신자가 되는 의식; 영국 성공회나 카톨릭 교회에서는 아이가 태어나면 수일 후에 이 의식을 거행하고 명명(命名)함; cf. SACRAMENT》; 명명식: ~ by immersion[effusion] 침수[관수(灌水)] 세례 / ~ of blood 피의 세례; 순교 / ~ of [by] fire (성령에 의한) 영적(靈的) 세례《사도행전 2:3-4, 마태복음 3:11》; 첫번째의 본격적인 시련; 포화의 세례, 실전의 첫 경험; 순교. 〖OF<L<Gk.; ⇨ BAPTIZE〗

bap·tís·mal *a.* 세례의. **~·ly** *adv.* 세례에 의하여.

baptísmal nàme *n.* 세례명(洗禮名)(Christian name)《예를 들면 Robert Louis Stevenson의 Robert Louis》.

Bap·tist [bǽptəst] *n.* **1** 세례를 베푸는 사람[시행자]; 뱁티스트, 침례교회 신자; [the ~s] 침례파. **2** [the ~] 세례 요한. —— *a.* 침례파의; 세례를 중히 여기는: the ~ Church 침례 교회.

bap·tis·tery [bǽptəstəri], **-try** [-tri] *n.* 세례장[당(堂)]; 세례용의 물통.

bap·tis·tic [bæptístik] *a.* 세례의; 침례 교회(파)의, 뱁티스트적인.

bap·tize [bæptáiz, 美+ ́-] *vt.* **1** [+目/+目+前+名/+目+補] …에게 세례[침례]를 베풀다; …에게 세례명을 주다(christen); (일반적으로) …에게 이름[별명]을 붙이다, 명명하다: The vicar ~*d* the baby. 목사는 갓난아이에게 세례를 베풀었다 / He was ~*d* (**by** the name of) Thomas. 토머스라고 명명되었다. **2** 《비유》 청정(淸淨)하게 하다, 정화하다(purify). —— *vi.* 세례를 하다. **bap·tíz·er** *n.* 〖OF<L<Gk.=to immerse, baptize〗

‡bar¹ [bɑ́:r] *n.* **1** (나무 또는 금속의) 막대; 막대 모양의 덩어리; 막대 모양의 지금(地金): a ~ of gold 막대 모양의 금 한 덩어리, 금괴 한 개 / a chocolate ~ 초콜릿 바. **2** 빗장, 가로대; (문·창문의) 창살. **3** 방책(防柵), 장벽, 장애[방해](물); (교통을 막는) 차단봉: a ~ *to* happiness 행복을 방해하는 것. **4** 사주(砂洲), 모래톱. **5** 선조(線條), 줄(무늬) (stripe); 〖樂〗 세로줄《악보의 마디를 나눔》; 마디(measure): a single[double] ~ 세로줄[겹세로줄]. **6** (선술집·여관의) 술 파는 대(臺); 술집, 바; 경(輕)식당(=snack ~): ☞ MILK BAR. **7** (법정의) 난간; 법정; 심판: the ~ of conscience[public opinion] 《비유》 양심[여론]의 제재. **8** [the ~, 흔히 the B~] [집합적으로] 법조계, (법원 소속의) 변호사단 (cf. BENCH 4): a ~ association 변호사회.

at bar 공개 법정에서.

be called to [***before***] ***the bar*** =《美》 ***be admitted to the bar*** 변호사 자격을 얻다.

be called within the bar 《英》 칙선(勅選) 변호사(Queen's[King's] Counsel)로 위임되다.

behind (***the***) ***bars*** 옥중에, 교도소에.

cross the bar 죽다.

go to the bar 법정 변호사(barrister)가 되다.

practice at the bar 변호사를 개업하다.

a prisoner at the bar 형사 피고인.

read [***study***] ***for the bar*** (법정) 변호사가 될 공부를 하다.

the bar of the House (영국 하원의) 징벌 제재소(制裁所).

〈회화〉

How about having a drink at a *bar* this evening? — OK. That sounds good. 「오늘밤 바에서 한 잔 어때」「그것 좋지」

—— *vt.* (**-rr-**) **1** …에 빗장을 지르다, 닫다: He ~*s* the doors every night. 매일 밤 문단속을 한다. **2** (길을) 막다(block), (통행을) 방해하다; (일반적으로) 저지하다, 가로막다(prevent): Fallen trees ~*red* the way. 나무가 쓰러져 길을 가로막고 있었다. **3** [+目/+目+前+名/+do*ing*] 금하다(prohibit); 제외하다(exclude): a convention ~*ring* the use of poison gas in war 전쟁에서의 독가스 사용 금지 협약 / All talking is ~*red* during a study period. 공부시간 중에 잡담은 모두 금지되어 있다 / They ~*red* him **from** the contest. 그들은 그를 그 경기에서 제외했다. **4** 《口》 [+目/+do*ing*] 좋아하지 않다(dislike), 찬성하지 않다: We ~ smok*ing* in a classroom. 교실에서 담배 피우는 것을 찬성할 수 없다. **5** [+目/+目+*with*+名] …에 줄무늬를 치다[붙이다]: The eastern sky was ~*red* **with** gray clouds. 동쪽 하늘은 회색 구름으로 줄무늬져 있었다.

bar in [***out***] (남을) 가두어 넣다[몰아내다]: She ~*red* herself *in.* 집에 처박혀 아무도 만나지 않았다.

—— [bɑ:r, ́] *prep.* [동사의 명령법에서] …을 제외하고(except) (cf. BARRING): ~ none 예외없이, 전적으로. 〖OF<?〗

類義語 ⟹ HINDER.

bar² *n.* 〖理〗 바《압력의 단위》. 〖Gk. *baros* weight〗

bar³ *n.* 《美》 모기장(mosquito netting). 〖La. F *boire*〗

bar⁴ *n.* 〖魚〗 지중해·대서양산 민어과(科)의 대형 식용어. 〖F〗

bar⁵ *n.* 《英》 게임의 규칙[벌칙]의 적용 면제. —— *int.* 타임!《게임중에 룰의 적용 면제를 요청할 때의 소리》. 〖BARLEY²〗

bar- [bǽr], **baro-** [bǽrə, -ou] *comb. form* 「기압」「중량」의 뜻. 〖Gk. *baros* weight〗

BAR Browning automatic rifle. **B. Ar.** Bachelor of Architecture. **bar.** barometer; barometric; barrel; barrister.

Ba·rab·bas [bərǽbəs] *n.* 〖聖〗 바라바《그리스도 대신에 사면(赦免)을 받은 도적의 이름》.

bár-and-gríll *n.*《美》 식당을 겸한 술집.

barb¹ [bɑ́:rb] *n.* **1** (화살촉·낚시 따위의) 미늘, (철조망의) 가시. **2** 〖動·植〗 수염 모양의 것. **3** (새의) 깃가지. **4** (여자용의) 작은 스카프. **5** 《비유》 통렬한 비판, 신랄한 말, 가시 돋친 말.

—— *vt.* …에 미늘[가시]을 달다.
〚OF<L *barba* beard〛

barb² *n.* (아프리카 북부 Barbary 지방산의) 우수한 말. 〚F<It. *barbero* of Barbary〛

barb³ *n.* 《美口》 =BARBITURATE.

Barb. Barbados.

Bar·ba·di·an [bɑːrbéidiən] *n.* 바베이도스 (섬)의 주민. —— *a.* 바베이도스 (섬)의 ; 바베이도스 섬 사람의.

Bar·ba·dos [bɑːrbéidəs, -douz, -dɑs, -dous] *n.* 바베이도스《서인도 제도 카리브 해 동쪽의 섬으로 1966년 영연방 내의 독립국이 됨 ; 수도 Bridgetown》.

Bar·ba·ra [bɑ́ːrbərə] *n.* 여자 이름《애칭 Babs, Bab》. 〚Gk. =foreign, strange〛

***bar·bar·i·an** [bɑːrbέəriən, -bǽər-] *n.* 야만인, 미개인 ; 야만적인[야비한] 사람 ; 이방인. —— *a.* 미개인의, 야만적인 ; 교양이 없는 ; 외국의, 이방의.
〚F (L<Gk. BARBAROUS) ; 원래 그리스와 언어 습관이 다른 모든 외국인을 가리켰음〛
類義語 ***barbarian*** 단순히 문명의 정도가 원시적이라는 뜻. ***barbaric*** 원시인 특유의 조야(粗野)하고 우아하지 못한 것을 뜻함. ***barbarous*** 야만성과 잔인성을 암시함. ***savage*** barbarian보다 한층 원시적인 뜻이 강하며 잔인·용맹의 뜻이 강함.

bar·bar·ic [bɑːrbǽrik] *a.* 야만인의[같은], 야만의, 거친, 조야(粗野)한. **-i·cal·ly** *adv.*
類義語 ⟹ BARBARIAN.

bar·ba·rism [bɑ́ːrbərìzəm] *n.* Ⓤ 야만(적인 생활 양식), 미개 (상태) (↔*civilization*) ; 포학 ; Ⓒ 조야한 거동[말씨], 파격적인 말[구문], 비어.

bar·bar·i·ty [bɑːrbǽrəti] *n.* Ⓤ,Ⓒ 야만, 잔혹, 만행, 잔학 (행위) ; 거칠고 촌스러움.

bar·ba·rize [bɑ́ːrbəràiz] *vt., vi.* 야만화하다, 야만스러워지다 ; 불순[조잡]해지다[하다].
bàr·ba·ri·zá·tion *n.* 야만화 ; (말·문체(文體)의) 불순화, 파격.

***bar·ba·rous** [bɑ́ːrbərəs] *a.* 야만의, 미개한(savage) (↔*civilized*) ; 잔인한 ; (언어가) 표준이 아닌 ; 라틴어·그리스어 이외의, 이국어(異國語)의 ; 야비한 ; 귀에 거슬리는 : a ~ people 미개한 국민. **~·ly** *adv.* 야만스럽게, 잔인하게. **~·ness** *n.*
〚L<Gk. *barbaros* foreign〛
類義語 ⟹ BARBARIAN.

Bar·ba·ry [bɑ́ːrbəri] *n.* 바르바리《이집트를 제외한 북아프리카의 옛 이름》.

Bárbary ápe *n.* 〖動〗 바르바리원숭이《북아프리카산의 꼬리없는 원숭이》.

Bárbary shéep *n.* 〖動〗 =AOUDAD.

Bárbary Státes *n. pl.* [the ~] 바르바리 제국《16-19세기 터기 지배하의 모로코, 알제리, 튀니지, 트리폴리》.

bar·bate [bɑ́ːrbeit] *a.* 〖動〗 수염이 있는 ; 〖植〗 까끄라기가 있는, 길고 억센 털이 있는.

bar·be·cue [bɑ́ːrbikjùː] *n.* **1 a)** (돼지·소 따위의) 통째로 굽기[구운 것] ; Ⓤ (살코기를) 불에 직접 굽기, 바비큐. **b)** (통째로 구운 소·돼지 고기가 나오는) 야외 식사[파티]. **2** (돼지·소 따위를) 굽는 틀 ; 간단한 고기굽는 연장. **3** 성적 매력이 있는 여자. —— *vt.* (돼지·소 따위를) 통째로 굽다 ; (살코기를) 불로 그슬리다(broil), 바비큐로 하다 ; (고기·생선의 저민 조각을) 초 따위의 진한 조미료를 써서 요리하다.
〚Sp.<Haitian *barbacòa* wooden frame on posts〛

bárbecue manèuver *n.* (우주선의) 비행중의 선체 회전 운동.

bárbecue móde *n.* 〖宇宙〗 바비큐 모드《우주선의 본체가 과열을 막기 위해 기축(機軸)둘레를 회전하는 일》.

bárbecue pìt *n.* 바비큐 피트《야외에서 바비큐용으로 불을 피우기 위해 판 구멍》.

bárbecue ròll *n.* 〖宇宙〗 바비큐 비행《태양열과 냉기를 우주선에 고루 받기 위한 회전 비행》.

bárbecue sàuce *n.* 바비큐 소스《신맛이 남》.

barbed [bɑ́ːrbd] *a.* 미늘[가시] 돋친[돋혀 있는] ; 날카로운, 신랄한 : a ~ word[wit] 가시 돋친 말[날카로운 재치].

bárbed wíre *n.* (철조망용의) 가시 철사[철선] : ~ entanglements 철조망.

bar·bel [bɑ́ːrbəl] *n.* (물고기의) 수염, 촉수(觸鬚) ; 〖魚〗 바벨《유럽산 잉어과의 민물고기》.
〚OF<L (dim.) ‹ *barbus* ; ⇨ BARB¹〛

bár·bèll *n.* 바벨《역도·보디 빌딩 용구》.

bar·bel·late [bɑ́ːrbəlèit, bɑːrbélət] *a.* 〖動·植〗 짧은 강모(剛毛)가 있는 ; 〖魚〗 촉수(觸鬚)가 있는 ; 〖植〗 BARB¹로 덮인.

***bar·ber** [bɑ́ːrbər] *n.* 이발소, 이발사 (=《英》 hairdresser) : at the ~ shop[《英》 ~'s] 이발소에서. —— *vt.* 《美》 머리를 깎다, 이발하다, …의 수염을 깎다 : be well-~*ed* 말쑥하게 이발하다.
—— *vi.* 이발업을 하다.
〚AF<L (*barba* beard)〛

bárber chàir *n.* 이발용 의자 ; 《美俗》 (조절 가능하고 또 여러 가지 부속 장치를 비치한) 우주선의 좌석.

bárber còllege *n.* 《美》 이용(理容) 학교.

bar·ber·ry [bɑ́ːrbèri ; -bəri] *n.* 〖植〗 매발톱나무 ; 그 열매.

bárber's blóck *n.* 가발 거는 틀.

bárber·shòp *n.* 《美》 이발소, 이용원(=《英》 barber's (shop)). —— *a.* 《美口》 남자 음성이 잘 조화된 《4중창》.

bárber's ítch[rásh] *n.* 모창(毛瘡), 이발 습진 《피부병》.

bárber('s) pòle *n.* (붉은색과 흰색[청색]의) 이발소의 간판 기둥《옛날 영국의 이발소에서 사혈(瀉血) 수술도 했기 때문에 피와 붕대를 나타낸 것》.

bárber-súrgeon *n.* 외과·치과를 겸한 옛날의 이발사 ; 돌팔이 외과의사.

bar·bet [bɑ́ːrbət] *n.* 〖鳥〗 오색조《부리 밑에 강모가 있는 열대산의 아름다운 작은 새》.

bar·bette [bɑːrbét] *n.* 〖築城〗 (흉장(胸墻) 내의) 포좌(砲座) ; (군함의) 노포탑(露砲塔).

bar·bi·can [bɑ́ːrbikən] *n.* 〖築城〗 외보(外堡) ; 흉장의 총안(銃眼). 〚OF< ?〛

Bár·bie Dóll [bɑ́ːrbi-] *n.* 바비 인형《금발·푸른 눈의 플라스틱 인형 ; 상표명》; 《美俗》 전형적인 미국인, (특히) =WASP² ; (비개성적인) 평범한 인물 ; 백치 미인.

bar·bi·tal [bɑ́ːrbitɔ̀(ː)l, -tæ̀l] *n.* Ⓤ 〖藥〗 바르비탈 《진정·수면제》.

bar·bi·tone [bɑ́ːrbətòun] *n.* 《英》 =BARBITAL.

bar·bi·tu·rate [bɑːrbítʃərèit, -rət, 美+bɑ̀ːrbətjúər-] *n.* 〖化〗 바르비투르산염(酸鹽)[에스테르]. 〚G ; 여자 이름 *Barbara*에서〛

bar·bi·tú·ric ácid [bɑ̀ːrbətjúərik-] *n.* 〖化〗 바르비투르산. 〚G *Barbitur* (*säure* acid) ‹ ↑〛

Bár·bi·zon Schòol [bɑ́ːrbizɑ̀n-] *n.* [the ~] 바르비종파(派)《19세기 중엽의 농촌 생활과 자연 광선을 주제로 하여 프랑스 Barbizon 마을에서 활동한 프랑스 회화의 유파》.

bar·bo·la [bɑːrbóulə] *n.* 바볼라 세공(細工) (=∠ **wòrk**) 《압화(押畫)·따붙인 그림》.

B

Bar-B-Q, bar-b-q, bar-b-que [bá:rbikjù:] *n.* 《口》 =BARBECUE.

Bar·bu·da [ba:rbú:də] *n.* 바르부다《서인도 제도 동부 Leeward 제도의 산호초로 이루어진 섬; cf. ANTIGUA AND BARBUDA》.

bar·bule [bá:rbju:l] *n.* (새의) 가는 깃가지[우지(羽枝)].

bárb·wìre *n.* 《英》 =BARBED WIRE.

bár càr *n.* 〖鐵〗 바를 갖춘 여객차.

bar·ca·role, -rolle [bá:rkəròul, ⌐--⌐] *n.* (베니스의 gondola 사공이 부르는) 뱃노래, 뱃노래풍의 곡. 〖F<It. =boatman's song; ⇨ BARK[3]〗

Bar·ce·lo·na [bà:rsəlóunə] *n.* **1** 〖地〗 바르셀로나《스페인 북동부의 항구 도시》. **2** 개암나무의 열매(=∠ **nút**). **Bar·ce·lo·nese** [bà:rsəlouní:z, -lóuni:z, -s] *a.*, *n.*

B. Arch. Bachelor of Architecture.

bar·chan(e), -k(h)an [ba:rká:n, ⌐-⌐] *n.* 〖地〗 바르한《초승달 모양의 사구(砂丘)》.
〖Russ. <Kirghiz〗

bár chàrt *n.* 막대 그래프(bar graph).

bár còde *n.* 바 코드, 막대 부호《광학 판독용의 줄무늬 기호; 상품의 식별 따위에 쓰임》.

bár-còde *vt.*, *vi.* (상품 따위에) 바 코드를 붙이다.

bár códe recognìtion *n.* 〖컴퓨〗 바 코드 인식《쓰여진 문자·숫자를 광학적 수단에 의해 자동적으로 식별하기》.

bard[1] [bá:rd] *n.* 켈트족의 악사, 음유(吟遊)[방랑]시인; 《文語》 (서정) 시인.
the Bard of Avon 에이번의 시인《Shakespeare의 속칭》.
〖Celt.〗

bard[2], **barde** [bá:rd] *n.*, *vt.* (중세 때의) 말갑옷(을 입히다); 〖料〗 (지방분을 보충하기 위해) 고기 따위에 마는 베이컨(으로 말다).
〖F<Arab.〗

bárd·ic *a.* 음유 시인의.

bard·ol·a·try [ba:rdálətri] *n.* Ⓤ [때때로 B~] 셰익스피어 숭배.
〖*Bard* of Avon+id*olatry*〗

Bar·do·li·no [bà:rdəlí:nou] *n.* 바르돌리노《순한 양질의 이탈리아산 포도주》. 〖Garda 호반의 마을, 생산지〗

bardy [bá:rdi] *n.* 《濠》 원주민이 먹는 풍뎅이나 딱정벌레 따위의 애벌레.
Starve the bardies! 아뿔싸 이건 낭패다, 어머나, 저런; 제기랄.
〖(Austral.)〗

‡**bare**[1] [béər, bǽər] *a.* **1** 벌거벗은, 나체의(naked); 노출한; (칼집에서) 빼낸 칼의; (방에) 가구가 없는, 텅빈: ~ branches 잎이 떨어진 나뭇가지 / ~ feet 맨발 / with ~ head 모자 없이 / fight with ~ hands 맨손으로 싸우다. **2** (사실이) 있는 그대로의. **3** (…이) 없는, 빈(empty) 〈*of*〉. **4** 가까스로, 다만 그것뿐인(mere); 아주 적은(slightest): a ~ majority 간신히 넘는 과반수 / ~ necessities of life 목숨을 이을 최소한의 필수품 / escape with ~ life 목숨만 건져 도망치다 / The ~ sight of him thrilled me. 그를 보기만 해도 오싹했다 / I shudder at the ~ thought (of the scene). (그 장면을) 생각만 해도 오싹해진다 / She believes any man on his ~ word. 그 여자는 누구든 그의 말만 듣고 믿어버린다. **5** 닳아 빠진. **6** 공공연한, 노골적인.
bare infinitive 〖文法〗 원형 부정사.
lay bare 드러내다, 털어놓다, 노출하다; 폭로하다, 터놓고 이야기하다: *lay* one's heart ~ 마음속을 터놓고 이야기하다 / *lay* one's plans ~ 계획을 털어놓다.
── *vt.* 벌거벗게 하다; 노출하다; (칼집에서 칼을) 빼다; 털어 놓다, 공표하다: ~ one's head 모자를 벗다 / ~ one's heart 마음속을 터놓다 / The dog ~*d* its teeth. 개는 이를 드러냈다.
〖OE *bær*; cf. G *bar*〗
類義語 ***bare*** 옷[피복물(被服物)]을 입고[걸치고] 있지 않다고 하는 일반적인 뜻: *bare* arms (드러낸 팔). ***naked*** 몸 전체 또는 일부가 옷[피복물] 없이 노출된 뜻; bare보다 뜻이 강함: a *naked* boy (벌거숭이 소년). ***nude*** naked 보다 완곡한 표현법으로서 미술 작품 따위에 대하여 말할 때가 많음: a *nude* model (누드 모델). ***bald*** 자연히 있어야 할 것이 없는; 특히 머리털이 없는 것 따위: a *bald* head (대머리). ***barren*** 특히 산이나 들에 자연의 식물이 나 있지 않은, 따라서 불모(不毛)인: *barren* lands (불모지).

bare[2] *v.* 《古》 BEAR[1]의 과거형.

báre·bàck, -bácked *a.*, *adv.* (말·노새에) 안장이[을] 놓여있지 않은[놓지 않고]: ride ~ 안장 없는 말을 타다.

báre·bòat *a.* 선주는 배만 빌려주고 배를 빌린 편이 모든 부담과 책임을 지는(cf. BARE CHARTER).

báre·bònes *n.* (*pl.* ~) 바싹 마른 사람, 피골이 상접한 사람. ── *a.* 말라빠진; 《비유》 내용이 부족한, 빈약한; (서비스 따위가) 아무것도 없는, 셀프 서비스의.

báre bónes *n. pl.* 골자, 요점.

báre chárter *n.* 용선(傭船) 계약의 한 방식, 베어 차터《빌린 편에서 운항비·수선비·보험료·선원 급료 따위를 전부 부담하는 용선 계약》.

báre·fáced *a.* 얼굴을 가리지 않은, 낯을 드러낸; 낯가죽이 두꺼운, 뻔뻔스러운(shameless): ~ impudence 철면피(鐵面皮), 뻔뻔스러움.
-fác·ed·ly [-féisədli, -féist-] *adv.* 뻔뻔스럽게.

báre·físt·ed *a.* =BAREKNUCKLE.

báre·fòot, -fóot·ed *a.*, *adv.* 맨발의[로].

bárefoot dóctor *n.* 의료(醫療) 보조원《농촌 등지에서 간단한 의료활동을 함》.
〖중국에서 농한기에 의료 활동을 하도록 훈련된 「다리를 드러낸 의생(醫生)」의 역(譯)〗

ba·rege, -rège [bəréʒ] *n.* Ⓤ 바레주《명주실과 무명실 또는 털실로 짠 얇은 천; 베일·의복 따위에 쓰임》.

báre-hánd·ed *a.*, *adv.* 맨손의[으로]; 《口》 현행범으로, 현장에(서).
catch a person ***bare-handed*** 《美口》 현장에서 압류하다, 현행범으로 잡다.

báre·héad·ed, -héad *a.*, *adv.* 모자를 쓰지 않는[않고]; 모자 없이.

báre·knúckle, -knúckled *a.* **1** (권투에서) 글러브를 끼지 않은. **2** 마구잡이의, 인정 사정없는; 맹렬한[히].

báre·lègged *a.*, *adv.* 발을 드러낸[드러내고], 양말을 신지 않은[않고].

***báre·ly** *adv.* **1** 겨우, 가까스로, 간신히: He is ~ of age. 겨우 성년이 되었다 / He ~ escaped death. 그는 간신히 죽음을 모면했다[구사 일생을 했다]. **2** 거의 …없이[아닌](scarcely): She can ~ read and write. 그녀는 거의 읽을 줄도 쓸 줄도 모른다. **3** 드러내(놓)고; 숨김없이, 사실대로, 꾸밈없이.
類義語 ⟹ HARDLY.

báre-nécked *a.* 목을 드러낸.

báre·ness *n.* Ⓤ 나체, 노출; 꾸밈없음; (방 따

위) 무장식, 무설비.

bare·sark [béərsɑːrk, bǽər-] *n.* =BERSERKER. —— *adv.* 갑옷[방호복, 잠수복]을 입지 않고.

barf [bɑ́ːrf] *vi., vt.* **1** 《美俗》 토하다, 게우다 (vomit). **2** 《俗》(사람이) 불평을 하다. **3** 《俗》 (컴퓨터가 틀린 입력에 대해서) 경고 메시지를 표시하다 ; 작동하지 않다. —— *n.* 구토 : a ~ bag (비행기 안 따위의) 구토 주머니.

bárf·age *n.* 《美俗》 토해낸 것.

bárf cìty *n.* 《美俗》 역겨운 것[일].

bár·flỳ *n.* 《口》 술집의 단골 ; 《美俗》 술고래, (특히) 공술을 얻어 마시려고 술집을 기웃거리는 알코올 중독자.

bar·fu·lous [bɑ́ːrfjələs] *a.* 《俗》 취미[설계]가 나쁜, 구역 나는, 역겨운.

***bar·gain** [bɑ́ːrgən] *n.* **1** [+*to* do / +*that* 節] 계약, 협정 ; 매매계약, 거래 : strike a ~ (*with* a person) (남과) 매매계약을 하다, 홍정하다 / The two camps made a ~ *to* cease fire. 양 진영은 휴전 협정을 했다 / They made a ~ *that* they would not forsake each other. 그들은 서로를 저버리지 않겠다고 맹세했다 / That's a ~. 그렇게 결정하세 / A ~'s a ~. 약속은 약속《지켜야 한다》. **2** (싸게 산) 물건 ; 값싸게 산 좋은 물건, 특가품 : a good ~ 값싼[사서 덕을 본] 물건 / a bad [losing] ~ 비싼[사서 손해 보는] 물건 / ~*s in* furniture 가구의 특매. **3** [형용사적으로] 값싼, 싸게 산 좋은 물건의 : a ~ sale 특매.

a bargain 싸게(at a ~, cheap) : I got this *a* ~. 이것을 싸게 샀다.

beat a bargain 값을 깎다, 에누리하다.

buy at a (***good***) ***bargain*** 싸게 사다.

drive a hard bargain 몹시 값을 깎다〈*with*〉, 유리하게 교섭[홍정]을 하다〈*for*〉.

into[***in***] ***the bargain*** 그 위에, 덤으로.

make the best of a bad bargain ☞ BEST *n.*

—— *vi.* **1** [動 / +前+名] (매매의) 계약을 체결하다, 협정하다, 약속을 하다, 홍정하다, 약정하다 : We ~*ed* ***with*** the producer ***for*** a constant supply of the articles. 계속적인 물품 공급에 대해 생산자와 홍정했다. **2** [+*for*+名] 기대하다, 예상하다 : I didn't ~ ***for*** that. 그것은 예상 밖의 일이었다 / This bad weather is more than I ~*ed for*. 이 나쁜 일기는 예상 밖의 일이다. —— *vt.* [+*that* 節] (…하도록) 교섭하다, (…이라는) 조건을 붙이다 : We ~*ed that* we should not have to work on Sundays. 일요일은 근무하지 않도록 교섭했다.

bargain away (*vt.*) 싼 값으로 내놓다[팔다] : ~ *away* one's estate 토지를 싼 값으로 팔다.

〚OF<Gmc. ; cf. OE *borgian* to borrow〛

bárgain and sále *n.* 〔法〕 토지 매매 계약 및 대금 지급.

bárgain básement *n.* (백화점의) 특가품 매장, 특매장《주로 지하》.

bárgain-bàsement *a.* 특별히 값싼 ; 두드러지게 질이 떨어지는.

bárgain cóunter *n.* 특가품 매장 ; 《비유》 (물건이나 의견의) 자유로운 교환 장소.

bárgain-cóunter *a.* =BARGAIN-BASEMENT.

bárgain dày *n.* 특매일.

bar·gain·ee [bɑ̀ːrgəníː] *n.* 〔法〕 BARGAIN AND SALE에서 사는 사람[편], 매수인(買受人).

bárgain·er *n.* 파는 사람[편], 매도인.

bárgain hùnter *n.* 특매품만 찾아다니는 사람.

bárgain·ing *n.* Ⓤ 거래, 교섭, 홍정 : collective ~ 단체 교섭 / ~ tariff 〔經〕 호혜 협정 관세 / ~ unit 교섭 단위[단체].

bárgaining chìp *n.* 교섭을 유리하게 이끌기 위한 재료[최후 수단].

bárgaining posìtion *n.* (토론 따위의) 사태, 형편, 형세.

bárgain mòney *n.* 계약금(earnest).

bar·gain·or [bɑ́ːrgənər] *n.* 〔法〕 BARGAIN AND SALE에서 파는 사람[편](↔*bargainee*).

barge [bɑ́ːrdʒ] *n.* **1** 밑이 평평한 짐배, 큰 거룻배. **2** 《美》 (2층으로 된) 유람선 ; (살림하는) 지붕 달린 배(houseboat). **3** (기함(旗艦) 부속의) 사령관용 함재 보트, 제독 전용 보트.

—— *vt.* 거룻배로 나르다.

—— *vi.* 《口》 [+副 / +前+名] (거룻배 모양으로) 느릿느릿 나아가다 ; 난폭하게 돌진하다[충돌하다].

barge about 난폭하게 뛰어다니다.

barge in 《口》 난입하다 ; 참견하다, 끼어들다 : Don't ~ *in* where you are not wanted. 쓸데없는 일에 참견하지 마라.

barge into[***against***] a person[thing] 남[물건]에게 부딪치다, 억지로 끼어들다, 난입하다.

〚OF< ? L *barika*<Gk. *baris* Egyptian boat ; cf. BARK[3]〛

bárge·bòard *n.* 〔建〕 박공널.

〚ME< ? ; cf. L *bargus* gallows, BOARD〛

bárge còurse *n.* 〔建〕 박공처마.

barg·ee [bɑːrdʒíː] *n.* 《英》 거룻배[유람선]의 사공, 선원.

swear like a bargee 난폭한 말[욕지거리]을 하다.

bárge·man [-mən] *n.* =BARGEE.

bárge màster *n.* 거룻배의 주인.

bárge pòle *n.* (거룻배용의) 삿대 ; (배를 미는) 장대 : I wouldn't touch it with a ~. 《英》 그런 것은 질색이다[아주 싫다](cf. TONGS).

bar·ghest, -guest [bɑ́ːrgest] *n.* 《英方》 (큰 개의 모습으로 나타나서 궂은 일을 예고한다는) 도깨비, 귀신.

bár gìrl *n.* 바 걸 ; 여자 바텐더 ; (특히) 바에 출입하는 창녀.

bár gràph *n.* 막대 그래프(bar chart).

bár·hòp *vi.* (여러 술집을 돌아다니며) 계속 술을 마시다. —— *n.* 《美口》 술집에서 밖의 손님에게 음식물을 나르는 웨이트리스.

bar·i·a·tri·cian [bæ̀riətríʃən] *n.* 비만 치료 전문가, 비만학자.

bar·i·at·rics [bæ̀riǽtriks] *n.* 〔醫〕 비만학(學), 비만 치료법.

bar·ic[1] [bǽrik ; béərik] *a.* 〔化〕 바륨의 ; 바륨을 함유한.

bar·ic[2] [bǽrik] *a.* =BAROMETRIC.

ba·ril·la [bəríːljə] *n.* 수송나물《명아주과의 해초》; 〔化〕 소다회(灰). 〚Sp.〛

bár ìron *n.* 쇠막대, 철봉(鐵棒).

barit. 〔樂〕 baritone.

bar·ite [béərait, bǽər-] *n.* Ⓤ 〔鑛〕 중정석(重晶石)《바륨의 주요 광석》.

bari·tone, bary·tone [bǽrətòun] *n.* Ⓤ,Ⓒ 〔樂〕 바리톤《TENOR와 BASS의 중간의 남성음》; Ⓒ 바리톤 가수. —— *a.* 바리톤의.

〚It.<Gk. (*barus* heavy, TONE)〛

bar·i·um [béəriəm, bǽər-] *n.* Ⓤ 〔化〕 바륨《금속 원소 ; 기호 Ba ; 번호 56》. 〚BARYTA, *-ium*〛

bárium méal *n.* 바륨 용액《X선 촬영용》.

bárium peróxide[**dióxide**] *n.* 〔化〕 과산화

바륨《산화(酸化)·표백제》.

bárium súlfate *n.* 〖化〗 황산바륨.

‡**bark**[1] [bɑ́ːrk] *vi.* **1** [動 / +前+名] (개·여우 따위가) 짖다, 울다; 짖는 듯한 소리를 내다: A ~*ing* dog seldom bites. 《속담》 짖는 개는 물지 않는다《수다쟁이는 악의가 없다》/ That dog always ~*s* ***at*** me. 저 개는 나를 보면 언제나 짖는다. **2** 《口》 기침을 하다(cough); (총포가) 쾅 울리다. ── *vt.* [+目 / +目+副] 고래고래 소리치다, 고함치다; 큰소리로 손님을 끌다: Some officers ~ ***out*** their orders. 장교 중에는 고함치듯이 명령하는 사람도 있다.

bark at [***against***] ***the moon*** 달을 향해 짖다; 공연히 떠들어대다.

bark up the wrong tree 《口》 엉뚱하게 추궁하다, 아주 헛다리 짚다.

── *n.* 짖는 소리; 총[포]성; (짖는 소리 비슷한) 기침(cough): give a ~ 짖다 / His ~ is worse than his bite. 《비유》 입은 사나워도 과히 나쁜 사람은 아니다. 〖OE *beorcan*<《美》 *berkan* (BREAK의 음위 전환인가); cf. ON *berkja* to bark〗

***bark**[2] *n.* Ⓤ 나무껍질; 키나나무껍질(quinine); 탠피(tanbark); 《俗》 피부. ── *vt.* **1** 나무껍질을 벗기다; 나무껍질로 덮다. **2** (가죽을) 무두질하다. **3** …의 껍질을 벗기다.

〖OIcel. *bark- börkr*; *birch*와 관계있나〗

類義語 ⟹ SKIN.

bark[3], **barque** [bɑ́ːrk] *n.* 〖海〗 돛대가 세 개 있는 범선(帆船), 바크형 범선; 《詩》(작은) 돛배. 〖F<? Prov.<L *barca* ship's boat〗

bark[3]

bárk bèetle *n.* 〖昆〗 (침엽수의 해충인) 나무좀.

bár·kèep(·er) *n.* 《美》 바[술집]의 주인; 《美》 바텐더(bartender).

bar·ken·tine, -quen-, -quan-, -kan- [bɑ́ːrkəntìːn] *n.* 〖海〗 돛대가 세 개 있는 범선; 바켄틴《돛대가 셋인데 앞돛대에 가로돛, 다른 두 돛대에는 세로돛이 있는 범선; cf. BRIGANTINE》.

bárk·er[1] *n.* **1** 짖는 동물: Great ~*s* are no biters. 《속담》 짖는 개는 물지 않는다. **2** 고함지르는 사람; 《美》 (상점·극장의) 손님 끄는 사람. **3** 《俗》 권총, 대포.

barker[2] *n.* (나무) 껍질 벗기는 사람[동물, 기계]; 가죽 벗기는 기구.

bárk·ery *n.* 무두질 공장, 가죽 다루는 곳.

Bárk·hau·sen effèct [bɑ́ːrkhàuzən-] *n.* 〖理〗 바르크하우젠 효과. 〖Heinrich *Barkhausen* (d. 1956) 독일의 물리 학자〗

bárk·ing *a.* 잘 짖는[짖어대는]. ── *n.* 짖는 소리; 심한 기침; 《口》 고함소리.

bárking íron *n.* 《俗》 =BARK SPUD.

bárk spùd *n.* 나무 껍질 벗기는 끌 모양의 공구.

bárk trèe *n.* 〖植〗 키나나무.

bárky *a.* 나무 껍질로 덮인, 나무 껍질 비슷한.

***bar·ley**[1] [bɑ́ːrli] *n.* Ⓤ 보리(cf. WHEAT, OAT). 〖OE *bærlic* (a.) (*bære, bere* barley)〗

barley[2] *int.* 《英方》 타임!《게임 중에 규칙의 적용 면제나 일시적 중단을 요구할 때에 지르는 소리》. 〖? PARLEY〗

bárley·brèak *n.* 《英》 술래잡기 놀이의 일종.

bárley-bree [-brìː], **-broo** [-brùː], **bárley bròth** *n.* 《스코》 위스키; 독한 맥주.

bárley·còrn *n.* 보리쌀; 대략 보리 한 알의 길이 《1/3인치》: ☞ JOHN BARLEYCORN.

bárley mèal *n.* 보리 가루.

bárley mòw *n.* 보리의 낟가리.

bárley sùgar *n.* 보리엿《여러 가지 형으로 만든 사탕엿; 보리를 고아 즙으로 만들었음》.

bárley wàgon *n.* 《CB俗》 맥주를 실은 트럭.

bárley wàter *n.* (환자용의) 보리 미음.

bárley wìne *n.* 발리 와인《독한 맥주》.

bar·low [bɑ́ːrlou] *n.* 《美》 큰 주머니칼. 〖Russell *Barlow* 18세기 영국의 나이프 제작자〗

barm [bɑ́ːrm] *n.* Ⓤ 효모, 이스트(yeast); 맥아 발효주(麥芽醱酵酒)의 거품. 〖OE *beorma*; cf. G (dial.) *Bärme*〗

bár màgnet *n.* 막대 자석.

bár·màid *n.* 술집[바]의 여급(女給).

bár·man [-mən] *n.* =BARTENDER.

Bar·me·cid·al [bɑ̀ːrməsáidl] *a.* 허울뿐인, 이름만의; 가공의. 〖↓〗

Bar·me·cide [bɑ́ːrməsàid] *n.* 말로만 친절을 베푸는 사람, 겉치레만의 대접을 하는 사람. ── *a.* 가공의, 공허한, 실망시키는.

Bármecide [**Barmecídal**] **féast** *n.* 겉만 번지르르한 향응[친절]《진미라면서 빈 그릇만 내놓았다는 *Arabian Nights*에서》.

bar mi(t)z·vah [bɑːr mítsvə] *n.* [때때로 B~ M~] 바르미츠바《유태교의 남자 성인식, 13세》; 그 식에 나오는 소년(cf. BATH MIT(Z)VAH). ── *vt.* (소년)에게 바르미츠바의 의식을 하다. 〖Heb. =son of commandment〗

bármy *a.* **1** 효모질의, 발효중인; 거품이 이는. **2** 《口》 들뜬; 머리가 돈, 미친 듯한(crazy): go ~ 정신이 이상해지다. 〖BARM〗

***barn** [bɑ́ːrn] *n.* **1** (농가의) 헛간, 광; 《美》 (가축의) 우리, 외양간. **2** 《美》 전차[버스] 차고(carbarn). ㊟ 《美》에서는 주로 2의 뜻으로 씀. 〖OE *bern, beren* (*bere* barley, *ærn* house)〗

Bar·na·bas [bɑ́ːrnəbəs] *n.* **1** 남자 이름《애칭 Barney》. **2** [(Saint) ~] 〖聖〗 바나바《Saint Paul의 전도를 도운 레위족 사람; 사도행전 4: 36, 37》. 〖Heb. =son of exhortation〗

Bar·na·by [bɑ́ːrnəbi] *n.* 남자 이름. 〖↑〗

Bárnaby brìght [**dày**] *n.* 성 바나바 축제(일) 《율리우스력의 6월 11일; 낮이 가장 긴 날》.

bar·na·cle [bɑ́ːrnikəl] *n.* **1** 〖貝〗 조개삿갓·따개비 등의 바위·배 밑에 붙어 사는 갑각류의 총칭. **2** 《비유》 (사람·지위 따위에) 달라붙어 떨어지지 않는 사람. **3** 흰얼굴흑기러기(=∠ **góose**). 〖L<?〗

bár·na·cles *n. pl.* 말의 코집게《말편자를 박을 때 날뛰지 못하게 하는 기구》; 《英口》 안경.

Bar·nard [bɑ́ːrnərd] *n.* 남자 이름. 〖⇨ BERNARD〗

bárn-bùrn·er *n.* 《美俗》 굉장한 것; 격렬한 시합.

bárn dànce *n.* 《美》 (농가에서 흔히) 헛간[광]에서 추는 댄스 (파티); 폴카조의 댄스.

bárn dòor *n.* 헛간의 양쪽으로 밀고 여는 문; 빗맞을 우려가 없는 큰 과녁.

(*as*) ***big as a barn door*** 아주 큰.

bárn-dòor fówl *n.* =BARNYARD FOWL.

bar·ney [bɑ́ːrni] *n.* **1** 《口》 논쟁; 싸움; 실수. **2** 《濠口》 떠들썩한 군중. **3** (광산·벌목장에서 쓰는) 작은 기관차. ── *vi.* 《口》 시끄러운 의론[논쟁]을 하다.

Barney *n.* 남자 이름《Barnabas의 애칭》.

bárn òwl *n.* 올빼미의 일종《흔히 헛간에 삶》.

Barns·ley [bá:rnzli] *n.* 반즐리《잉글랜드 북부 South Yorkshire의 공업 도시》.

bárn·stòrm *vi.* 《美口》 지방 유세[흥행]를 하다. —— *vt.* (각지를) 유세[순회 공연]를 하다.
~·er *n.* 《口》 지방 유세자, 지방 순회 공연자 ; 엉터리 배우.

bárn swàllow *n.* 〖鳥〗 (헛간 처마 따위에 집을 짓는) 제비.

bárn·yàrd *n.* 헛간 앞뜰 ; 농가의 안뜰. —— *a.* 뒤뜰의[같은] ; 촌스러운, 속된.

bárnyard fówl *n.* 닭.

bárnyard gólf *n.* 《美口》 편자 던지기 놀이.

baro- [bǽrou, -rə] ☞ BAR-.

ba·ro·co·co [bərõukəkóu] *a.* 바로크와 로코코를 절충한, 더없이 정교한[장식적인].
〖*baro*que+ro*coco*〗

bar·o·cy·clo·nom·e·ter [bæ̀rəsàiklənámətər] *n.* 〖氣〗 열대 저기압계, 바로사이클로노미터.

bàro·dynámics *n.* 중량역학(重量力學).

báro·gràm *n.* 〖氣〗 기압 기록《기압 기록계 (barograph)로 기록한 기압 곡선》.

báro·gràph *n.* 〖氣〗 자기(自記) 기압[청우]계.

ba·rol·o·gy [bərálədʒi] *n.* Ⓤ 중력학(重力學).

***ba·rom·e·ter** [bərámətər] *n.* **1** 청우계, 기압계, 바로미터. **2** 《비유》 (여론 따위의) 지표, 변화의 징조 : Newspapers are often ~*s of* public opinion. 신문은 흔히 여론의 지표가 된다.

bar·o·met·ric [bæ̀rəmétrik] *a.* 기압(계)의 : ~ pressure 기압.

bar·o·mét·ri·cal *a.* =BAROMETRIC.
~·ly *adv.*

barométric depréssion *n.* 〖氣〗 저기압.

barométric grádient *n.* 〖氣〗 기압 경도(氣壓傾度).

ba·rom·e·try [bərámətri] *n.* Ⓤ 기압 측정법.

bar·on [bǽrən] *n.* **1** 남작 (cf. NOBILITY). ㊟ 성(姓)과 함께 쓸 때 영국에서는 *Lord* A, 외국에서는 *Baron* A라 함(cf. BARONESS). **2** 〖英史〗 (영지를 부여받은) 왕의 직신(直臣), (지방의) 호족. **3** 외국 귀족. **4** [흔히 복합어를 이루어] 호상(豪商) : an oil[a lumber] ~ 석유[목재]왕.
〖OF<L *baron- baro* man<?〗

báron·age *n.* [집합적으로] 전(全)남작 ; Ⓤ 남작의 벼슬[지위] ; Ⓒ 남작 명부.

báron·ess *n.* **1** 남작 부인. **2** 여남작. ㊟ 성(姓)과 함께 쓸 때 영국에서는 *Lady* A, 외국에서는 *Baroness* A라 함(cf. BARON).

bar·on·et [bǽrənət, -nèt] *n.* 준 남작. —— *vt.* 준남작에 봉하다.
活用 baronet는 영국의 최하위 세습 위계(世襲位階) ; baron과 knight의 중간에 있으나 귀족은 아님 ; 쓸 때에는 *Sir* John Smith, *Bart.*라고 (KNIGHT와 구별하기 위해) Bart.를 덧붙인다 ; 호칭은 *Sir* John ; 그 부인은 정식으로는 *Dame* Jane Smith, 호칭은 *Lady* Smith.

báronet·age *n.* [집합적으로] 전(全) 준 남작 ; Ⓤ 준 남작의 벼슬[신분] ; Ⓒ 준 남작 명부.

báronet·cy *n.* Ⓤ 준 남작의 지위.

ba·rong [bərɔ́(:)ŋ, -ráŋ] *n.* 바롱 도(刀)《필리핀의 Moro족이 사용하는 너비가 넓은 칼》.

ba·ro·ni·al [bəróuniəl] *a.* 남작령(領)의 ; 귀족풍의, 당당한.

bar·ony [bǽrəni] *n.* 남작령(領) ; Ⓤ 남작의 지위[신분].

ba·roque [bəróuk, bæ-, -rák] *a.* 기이한, 기괴한 ; (취미 따위가) 괴상하고 천한, (문체가) 과도하게 수식적인 ; 〖建〗 바로크식의. —— *n.* [the ~] 〖建〗 바로크식 ; 기괴[그로테스크]한 취미.
~·ly *adv.* 〖F=misshapen pearl〗

báro·recéptor *n.* 〖解〗 압수용기(壓受容器)《혈관벽 따위에 있으며 압력 변화를 느끼는 지각 신경 종말(終末)》.

báro·scòpe *n.* 기압계.

bàro·tólerance *n.* 〖工〗 압력 내성(壓力耐性).

ba·rouche [bərú:ʃ] *n.* 4인승 4륜마차《보통 말 두 필이 끌며 포장이 달렸음》. 〖G<It.〗

barouche

bár pàrlor *n.* 《英》 술집의 특별실.

bár pìn *n.* 장식용 핀 《브로치의 일종》.

barque ☞ BARK³.

barquentine, -quan- ☞ BARKENTINE.

Barr. Barrister. **barr.** barrels.

bar·rack¹ [bǽrək, -ik] *n.* **1** [보통 ~s, 단수 또는 복수취급] 병사(兵舍), 병영(兵營) : a ~ room 막사. **2** 바라크(식 건물) ; 크고 헙수룩한 건물. —— *vt., vi.* (군대를) 병영에 수용하다 ; 바라크에 살다[살게 하다].
〖F<It. or Sp.=soldier's tent<?〗

barrack² *vt., vi.* 《濠·英》 (응원단이 경기자를) 야유하다[놀리다].

bárracks bàg *n.* (군용의) 사물(私物) 자루, 잡낭, 의낭(衣囊).

bar·ra·coon [bæ̀rəkú:n] *n.* 노예[죄수] 수용소. 〖Sp.〗

bar·ra·cu·da [bæ̀rəkú:də] *n.* 바라쿠다[창꼬치]《꼬치고기과의 사나운 식용어 ; 난해산》.
〖Am. Sp.〗

bar·rage [bərá:ʒ, -dʒ ; bǽra:ʒ] *n.* **1** 〖軍〗 탄막(彈幕). **2** 《비유》 (타격 따위의) 연속, 집중, 비처럼 쏟음 : a ~ *of* questions 연속적인 질문. —— *vt.* …에 탄막 포화를 집중시키다[퍼붓다] ; 《비유》 …에 연속적으로 퍼붓다〈*with*〉. —— *vi.* 탄막 포격을 하다.
〖F *barrer* to obstruct ; ⇨ BAR¹〗

barráge ballòon *n.* 〖軍〗 조색(阻塞)[방공(防空)]기구(氣球).

bárrage fìre *n.* 〖軍〗 탄막(彈幕)(사격)《단시간에 행하는 대량 집중 포격》.

bar·ran·ca [bərǽŋkə], **-co** [-kou] *n.* (*pl.* **~s**) 협곡(峽谷). 〖Sp.〗

bar·ra·tor, -ter, bar·re·tor [bǽrətər] *n.* 〖法〗 소송[쟁의] 교사자 ; 부정 선장[선원] ; 관직[성직] 매매자.
〖AF (*barat* deceit, <Gk. *prattō* to manage)〗

bar·ra·trous, -re- [bǽrətrəs] *a.* 〖法〗 소송 교사의 ; 사기적인 ; 태만한.
~·ly *adv.*

bar·ra·try, -re- [bǽrətri] *n.* Ⓤ 〖法〗 소송[쟁의] 교사죄 ; (선장·선원의) 사기적 태만 ; 관직[성직] 매매(죄).

Bárr bòdy [bá:r-] *n.* 〖遺〗 바 소체(小體) (=sex chromatin)《고등 포유동물의 암컷에 있는 성(性) 결정 염색체(體) ; 성별 판정에 이용함》.
〖Murray L. *Barr* (1908-) 캐나다의 해부학자〗

barred [bá:rd] *a.* 빗장이 달린 ; 줄[줄무늬]이 있는 ; 가두어 버린 ; 모래톱이 있는. 〖BAR¹〗

‡bar·rel [bǽrəl] *n.* **1** (가운데가 불룩한) 통. **2** 한 통, 1배럴(의 양) (cf. FIRKIN) : a ~ *of* beer 맥주 한 통. ㊟ 영국에서는 36, 18, 또는 9 gallons 들

이 ; 미국에서는 31.5 gallons. **3** 총열, 총신, 포신. **4** (기계의) 원통, 몸통 ; (펌프의) 통(筒) ; (만년필의) 잉크들이 (통). **5** 《美口》 다량(lot) ; 《美》 정치자금 : a ~ *of* books 많은 책 / ~*s of* money 굉장히 많은 돈 / have a ~ *of* fun 아주 많은 재미를 보다.
have a person ***over a barrel*** 《口》 남을 궁지에 몰아넣다, 남을 능가하다.
── *v.* (**-l-** | **-ll-**) *vt.* **1** 통에 넣다[담다]. **2** 《美俗》 (자동차 따위를) 달리다. ── *vi.* 《美俗》 맹렬한 스피드로 나아가다. 〚OF ; ⇨ BAR[1]〛
bárrel·age *n.* 통의 용량.
bárrel bùlk *n.* 5세제곱 피트의 용적《1/8톤》.
bárrel chàir *n.* 통 모양의 안락의자.
bárrel-chèst·ed *a.* 가슴이 잘 발달한.
bárrel dràin *n.* (원통형의) 수채, 배수구(溝).
bár·reled, -relled *a.* **1** 통에 담은 ; 통 모양의. **2** 총신이 …인 : a double-~ gun 2연발총.
bárrel·fùl *n.* (*pl.* **~s, bárrels-**) 한 통 가득함[한 분량].
bárrel gòods *n.* 《美》 주류.
bárrel·hèad *n.* 통 뚜껑[바닥].
on the barrelhead 현금으로[의].
bárrel·hòuse *n.* 통술집, 선술집 ; Ⓤ (선술집 따위에서 연주되는) 저속한 재즈(음악). ── *a.* 조야한, 거친《재즈》.
bárrel òrgan *n.* 거리에서 오르간을 연주하는 사람(organ-grinder)들이 연주하는 작은 아코디언 (hurdy-gurdy) (cf. HAND ORGAN).

barrel organ

bárrel ròll *n.* 〔空〕 연속 횡전(橫轉).
bárrel vàult *n.* 〔建〕 원통형의 천장.
***bar·ren** [bǽrən] *a.* **1** 아기를 못 낳는, 불임(不姙)의 ; 열매를 맺지 않는 ; (토지가) 불모인, 메마른, 농작이 안되는 : a ~ flower 암술[씨방]이 없는 꽃 / a ~ stamen 꽃가루를 만들지 않는 수술. **2** 내용이 빈약한, 흥미가 덜한, 무미 건조한, 시시한 ; 무력한, 평범한. **3** …이 부족한, 결여된 : a hill ~ *of* trees 나무가 없는 작은 산. ── *n.* [보통 *pl.*] 메마른 땅, 불모지. **~·ness** *n.* Ⓤ 불임 ; 불모, 빈약, 무미 건조. 〚AF<?〛
類義語 ⟹ BARE.
Bárren Gróunds[Lánds] *n. pl.* [the ~] 캐나다 북부 (특히 Hudson 만 서쪽의) 툰드라 지대.
bárren·wòrt *n.* 〔植〕 남유럽 원산(原産)의 마디풀과(科)의 일종.
bar·ret [bǽrət, bərét] *n.* Ⓒ 납작한 모자.
bar·rette [bərét, bɑ:-] *n.* 《美》 여자용 머리 핀. 〚F〛
bar·ret·ter [bərétər] *n.* 〔電〕 고주파 전류 검파기(檢波器)의 일종.
bar·ri·a·da [bɑ̀:rriɑ́:ðɑ:] *n.* (도시의) 지구(地區), (특히 지방 출신자가 사는) 슬럼가(街). 〚Sp.〛
bar·ri·cade** [bǽrəkèid, ˌ-ˈ] *n.* 방책(防柵), 바리케이드 ; 장애(물) ; [*pl.*] 전쟁터. ── *vt.* [+目 / +目+*with*+名 / +目+副] …에 바리케이드를[방책으로] 쌓다[막다] ; 장애물로 가로막다 : The road was ~*d* ***with fallen trees. 도로에는 나무가 쓰러져 있어서 지나갈 수 없었다 / The soldiers ~*d* themselves ***in***. 병사들은 방책을 둘러싸고 농성했다. 〚F (Sp. *barrica* cask)〛

Bar·rie [bǽri] *n.* 배리. Sir **James M**(**atthew**) ~ (1860-1937) 스코틀랜드의 소설가·단편 작가 ; ⇨ *Peter Pan.*
***bar·ri·er** [bǽriər] *n.* **1** 울타리, 장벽 ; 국경의 요새[성채], 검문소, 세관 ; (역의) 개찰구 ; (경마의) 출발문 ; [흔히 B~] 보빙. **2** 《비유》 장애, 방해〈*to*〉 : the language ~ 언어의 장벽. **3** (각종의) 한계, 경계선.
put a barrier between …의 사이를 이간하다.
── *vt.* 울타리로 둘러싸다〈*off, in*〉.
〚OF ; ⇨ BAR[1]〛
類義語 ⟹ OBSTACLE.
bárrier bèach[bàr] *n.* (바닷가의) 모래톱, (해안선과 연속된) 긴 해변.
bárrier crèam *n.* 피부 보호 크림, 스킨 크림.
bárrier rèef *n.* 〔海〕 (해안선과 나란히 뻗은) 암초, 보초(堡礁).
bar·ring [bɑ̀:riŋ, ˈ-] *prep.* …이 없다면(except) : ~ accidents 사고만 없다면. 〚BAR[1]〛
bárring-óut *n.* (학생들의) 교사 배척 (행위).
bar·rio [bɑ́:riòu, bǽr-] *n.* (*pl.* **-ri·òs**) 바리오《(1) 스페인어권(語圈)의 도시의 1구역 또는 교외. (2) 행정 구획으로서의 군구(郡區)》 ; 《美》 (미국의 남서부 도시의) 스페인어를 일상어로 하는 사람들이 사는 지역. 〚Sp.〛
bar·ris·ter [bǽrəstər] *n.* 《英》 법정(法廷) 변호사 《**bárrister-at-láw** 의 略 ; cf. SOLICITOR, COUNSEL》 ; 《美口》 (일반적으로) 변호사(lawyer). 〚BAR[1] ; 어형은 *minister* 따위의 영향인가〛
類義語 ⟹ LAWYER.
bár·ròom *n.* (호텔 따위의) 술파는 곳.
bar·row[1] [bǽrou] *n.* =HANDBARROW ; =WHEELBARROW ; 《英》 (과일 행상인의) 2륜 손수레.
── *vt.* barrow로 나르다.
〚OE *bearwe* ; ⇨ BEAR[1]〛
barrow[2] *n.* **1** 〔考古〕 무덤, 분묘, 총(塚). **2** 짐승의 굴(burrow). **3** 《英》 산, …언덕(hill)《흔히 지명 따위》. 〚OE *beorg* ; cf. G *Berg* hill〛
barrow[3] *n.* 거세한 수퇘지.
〚OE *bearg* ; cf. G *Barg*〛
barrow[4] *vi.* 《濠》 양의 털을 깎다[다 깎다]. 〚C20<?〛
Barrow *n.* [Point ~] 배로 곶(串)《알래스카의 최북단》.
bárrow bòy *n.* 《英》 손수레로 과일 따위를 거리에서 파는 행상인.
bárrow·fùl *n.* 손수레 한 대 분(의 짐).
bárrow·man [-mən, -mæ̀n] *n.* 《英》 =COSTERMONGER.
bár sínister *n.* [오용] 〔紋〕 =BEND[BATON] SINISTER ; [the ~] 적자(嫡子)가 아님 ; (영구히 사라지지 않는) 오명, 치욕, 낙인.
bár·spòon *n.* (칵테일용의) 자루가 긴 스푼.
bár·stòol *n.* (술집의) 높고 둥근 의자.
Bart [bɑ́:rt] *n.* 남자 이름《Bartholomew의 애칭》.
Bart. [bɑ́:rt] Baronet.
bar·tend [bɑ́:rtènd] *vi.* 《美》 바텐더를 하다. 〚역성(逆成) < ↓〛
bar·tend·er [bɑ́:rtèndər] *n.* 《美》 바텐더(=《英》 barman).
bar·ter** [bɑ́:rtər] *vt.* **1** [+目+*for*+名] 물물 교환하다(exchange) : The colonists ~*ed* calico ***for Indian land. 개척민들은 사라사와 인디언들의 토지를 물물 교환했다. **2** [+目+副] (특히 이익에 눈이 어두워 자유·지위 따위를) 팔다 ; 싸게 팔아 버리다 : ~ *away* one's rights[freedom, chance for fame] 이익[욕심]에 눈이 어두워 권리

[자유, 명성을 떨칠 기회]를 잃다. —— *vi.* [動/+前+名] 물물 교환하다 : They ~*ed* ***with*** the islanders (***for*** rice). 섬 주민들과 (쌀을 구하기 위해) 물물 교환을 했다. —— *n.* Ⓤ 물물 교환 ; 교역품 : exchange and ~ 물물 교환 / ~ trade agreement 구상(求償) 무역 협정. **~·er** *n.* 〖BARRATOR〗

類義語 ⟹ SELL.

bárter sỳstem *n.* 〔經〕 구상 무역제.

Bar·thol·di [bɑːrθɑ́ldi] *n.* 바르톨디. **Frédéric Auguste** ~ (1834-1904) 프랑스 조각가 ; 뉴욕의 자유의 여신상을 조각함.

Bar·thol·o·mew [bɑːrθɑ́ləmjùː] *n.* **1** 남자 이름 《애칭 Bart》. **2** [St. ~] 성 바르톨로뮤[바돌로매]《그리스도 12사도중의 한 명》. 〖Heb. =son of Talmai(사무엘하 13 : 37)〗

Barthólomew Fáir *n.* 성 바르톨로뮤 축제의 시장《London에서 Bartholomew's Day에 열리는 정기적인 큰 시장》.

Barthólomew's Dày *n.* [St. ~] 성 바르톨로뮤 축제일《8월 24일》.

Barthólomew tíde *n.* 바르톨로뮤 축일 기간.

bar·ti·zan [bɑ́ːrtəzən, bɑ̀ːrtəzǽn] *n.* 〔建〕 (성 따위의 튀어나온) 작은 탑, 망대. 〖Sc. *bratticing* parapet의 변형 *bertisene* ; cf. BRATTICE〗

Bart·lett [bɑ́ːrtlət] *n.* 서양배의 일종《Bartlett pear라고도 함》. 〖Enoch *Bartlett* 미국의 재배자〗

Bar·tók [bɑ́ːrtɑk, 美+-tɔːk] *n.* 바르토크. **Béla** ~ (1881-1945) 헝가리의 작곡가 · 피아니스트.

bar·ton [bɑ́ːrtn] *n.* 《古》 농가의 안마당 ; 헛간.

Bart's [bɑ́ːrts] *n.* 《英口》 (London의) 성 바르톨로뮤 병원《St. Bartholomew's Hospital》.

Ba·ruch [béərək, bɑ́ːru(ː)k, bərúːk] *n.* 〔聖〕 바룩 《예언자 Jeremiah의 제자 ; 예레미아 32 : 12》 ; 바룩서(書)《구약성서 외전(外典)의 한 편》.

bary- [bǽrə] *comb. form* 「중(重)(heavy)」의 뜻. 〖Gk.〗

báry·cènter *n.* 무게 중심(重心). **bàry·céntric** *a.* 무게 중심의.

barycéntric òrbit *n.* 〔天〕 중심 궤도.

bary·on [bǽriɑ̀n] *n.* 〔理〕 바리온, 중(重)입자《핵자(核子)와 hyperon의 총칭》.

báry·sphère *n.* 〔地學〕 중심권(中心圈), 중(층)권(重(層)圈)《암석권으로 둘러싸인 지구의 내부》.

ba·ry·ta [bəráitə] *n.* Ⓤ 〔化〕 바리타, 중토(重土) 《산화바륨 ; 수산화바륨 ; 황산바륨》.

ba·ryt·ic [bərítik] *a.* 바리타의, 바리타가 있는. 〖Gk. BARITE ; 어형은 *soda* 따위의 영향〗

barýta pàper *n.* 〔寫〕 바리타지(紙)《황산바륨을 바른 인화지의 원지》.

ba·ryte [béərait, bǽər-], **ba·ry·tes** [bəráitiːz] *n.* Ⓤ 〔鑛〕 중정석(重晶石). 〖Gk. *barus* heavy ; 어형(語形)은 다른 광물명 *-ite*의 영향〗

barytone[1] ☞ BARITONE.

bar·y·tone[2] [bǽrətòun] *a., n.* 〔그文法〕 마지막 음절에 악센트가 없는 (단어).

BAS building automation system(빌딩 자동화 시스템).

ba·sal [béisəl, 美+-zəl] *a.* 기저[기초 · 근본]의 : ~ metabolic rate 기초 대사율《略 BMR》/ ~ metabolism 기초 대사《略 BM》. **~·ly** *adv.* 기부(基部)에 ; 근본적으로. 〖BASE[1]〗

ba·salt [bəsɔ́ːlt, béisɔːlt, bǽsɔːlt] *n.* Ⓤ 현무암《건축용(用)》. 〖L *basaltes*<Gk. (*basanos* touchstone)〗

ba·sal·tic [bəsɔ́ːltik] *a.* 현무암의.

ba·sál·ti·fòrm [bəsɔ́ːltə-] *a.* 현무암 모양의.

bas·a·nite [bǽsənàit] *n.* Ⓤ 〔鑛〕 바사나이트《주로 준장석 · 감람석 · 휘석으로 된 현무암》.

bas bleu [*F* bɑ blø] *n.* 재원(才媛), 여류 문학가 (bluestocking).

B.A.Sc. Bachelor of Agricultural Science ; Bachelor of Applied Science.

bas·cule [bǽskjuːl] *n.* 〔土〕 도개(跳開) 구조 : a ~ bridge 도개교(跳開橋). 〖F=seesaw (*battre* bump, *cul* buttocks)〗

bascule bridge

◊**base**[1] [béis] *n.* **1** 기부(基部), 기저(基底), 바닥 ; 기슭(foot). **2** 기초, 근거. **3** 〔軍〕 근거지, 기지 ; (정치 따위의) 지지기반 : a ~ of operations 작전 기지. **4** 〔競〕 출발점[선] ; 〔野〕 베이스, 누(壘) : third ~ 3루 / a three-~ hit 3루타. **5 a)** 〔數〕 밑변, 저면(底面). **b)** 〔醫〕 주약 ; 〔染〕 현색제 ; 〔化〕 염기. **6** 〔文法〕 어근(語根), 어간(語幹)《단어에서 접사를 제거하고 남는 요소 ; cf. ROOT[1] *n.* 5, STEM[1] *n.* 4》. **7** 〔證〕 (증권의) 밑바닥 시세. **8** 〔建〕 주춧돌, 초석. **9** 〔컴퓨〕 기준.

get to first base 〔野〕 1루로 나가다 ; 《美俗》 [보통 부정문에서] (계획 따위의) 제 1 보[첫단계]를 성취하다, 성공적인 첫발을 딛다 : He didn't *get to first* ~ ***with*** his new book. 그는 새 책에 전혀 손을 대지 못했다.

off base (1) 〔野〕 베이스를 떠나서(↔*on base*). (2) 《口》 어처구니 없는 실수를 하여 ; 뜻밖에, 불의에 : be caught *off* ~ 기습을 당하다.

on base 〔野〕 출루하여(↔*off base*).

—— *a.* 기초가 되는 ; 기본적인 : a ~ camp (등산의) 베이스 캠프.

—— *vt.* **1** [+目+*on*+名] …에 기초를 두다, 기초로 하다 : This international language is ~*d* (***up***)***on*** the sounds of English. 이 국제어는 영어의 음에 기초를 두고 있다. **2** 기지를 두다. 〖F or L<Gk. *basis* stepping〗

類義語 ⟹ BASIS.

***base**[2] *a.* **1** 천한 ; 비열[비천]한, 야비한(mean) (↔*noble*) : a ~ action 비열한 행위. **2** (금속이) 열등한, 열위(劣位)의(cf. NOBLE) ; (화폐가) 위조의 : ~ coins 악화(惡貨) / ~ metals 비(卑)금속《구리 · 납 · 쇠 · 주석 따위》. **3** 〔言〕 불순화한, 속된 : ~ Latin 속된 라틴어. **4** =BASEBORN. —— *n.* 《廢》 〔樂〕=BASS[1]. 〖ME=of small height<F<L *bassus* short〗

類義語 ⟹ MEAN[2].

báse àddress *n.* 〔컴퓨〕 기준 번지《이것에 상대 번지를 가하면 절대 번지를 얻을 수 있음》.

báse àngle *n.* 〔數〕 밑각 ; 〔軍〕 (사격에서의) 기준각.

báse bág *n.* 〔野〕 베이스, 누낭(壘囊).

◊**báse·bàll** *n.* Ⓤ 야구 ; Ⓒ 야구공 : play ~ 야구를 하다 / a ~ game[park, player] 야구 시합[야구장, 야구 선수]. **~·er, ~·ist** *n.* 《美》 야구 선수 [경기자]. **~·ism** *n.* 《美》 야구 용어.

báseball Ánnie *n.* 《美俗》 야구 팀에 따라다니는 젊은 여성 팬.

báseball glòve *n.* 야구용 글러브.

báseball pàss *n.* (농구의) 베이스볼 패스《야구처럼 볼을 한손으로 잡아서 하는 패스》.

báse·bòard *n.* 〔建〕 (벽 아래쪽의) 장식 널빤지

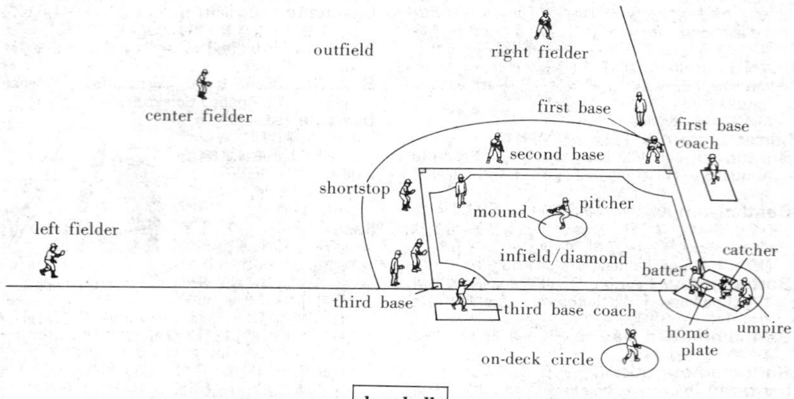

baseball

(=《英》 skirting).
báse·bórn *a.* 태생이 천한 ; 사생[서출]의 ; 비천한(mean).
báse-bréd *a.* 천하게 자란, 비천한 (태생의).
báse bùrner *n.* 《美》 밑바닥의 연료가 바닥나면 깔때기 부분에서 자동적으로 연료가 보급되는 스토브[난로].
báse·còat *n.* 밑칠, 애벌칠.
báse còurse *n.* (돌·벽돌의) 기초 쌓기.
báse-còurt *n.* (성·큰 저택의) 바깥 마당 ; 농가의 뒤뜰.
básed *a.* 근거가 있는 ; …에 기반을 둔 ; (…에) 보급·작전 기지가 있는.
Bá·se·dow's disèase [bɑ́:zədòuz-] *n.* 바제도병《갑상선(甲狀腺) 기능 항진증》. 〖Karl von *Basedow* (d. 1854) 독일의 의사〗
báse exchànge *n.* (토양의) 염기(鹽基) 교환 ; 〔美空軍〕 기지 매점, 물품 판매소.
báse·héart·ed *a.* 마음이 비열한, 품성이 천한.
báse hít *n.* 〔野〕 히트, 안타, 누타(壘打).
báse hòspital *n.* 〔軍〕 기지 병원.
Ba·sel [bɑ́:zəl] *n.* 바젤《스위스 북서부의 도시》.
báse·less *a.* 기초[근거·이유]가 없는(groundless). **~·ly** *adv.* **~·ness** *n.*
báse·lèvel *n.* 〔地質〕 기준면(基準面).
báse·lìne *n.* 기준선 ; 〔테니스〕 베이스라인《코트의 한계선》; 〔野〕 베이스라인, 누선(壘線).
báse lòad *n.* 〔電·機·鐵〕 (일정 시간내의) 베이스 부하(負荷), 기초 하중(荷重) ; 《英》(기업 존속을 위한 수주(受注) 따위의) 기초량.
báse·ly *adv.* 야비하게, 비열하게.
báse·man [-mən] *n.* 〔野〕 내야수, 누수(壘手) (infielder) : the first ~ 1루수.
báse màp *n.* 백(白)지도, 기본도.
***base·ment** [béismənt] *n.* (건물의) 최하부, 기부(基部) ; =BASEMENT COMPLEX ; 〔建〕 지(하)층, 지하실《도시에선 부엌과 저장실 ; 길에서 계단으로 통함》: ~ garage 지하 주차장 / the 2nd[3rd] ~ 지하 2[3]층.
básement còmplex *n.* 〔地質〕 (퇴적암층(層) 밑의) 기반(基盤).
básement párking àrea *n.* 지하 주차장.
báse métal *n.* 비(卑)금속(↔*noble metal*) ; (합금의) 주(主)금속 ; (도금의) 바탕 금속, 지금(地金) ; (금속 가공의) 모재(母材).
báse-mínd·ed *a.* 비열한 마음의, 천한[야비한] 마음을 가진.
báse·ness *n.* Ⓤ 천함 ; 비열 ; (질이) 조잡함 ; 서출(庶出).
ba·sen·ji [bəséndʒi, -zén-] *n.* [때때로 B~] 바세니《중앙 아프리카 원산의 작은 개》. 〖Bantu〗
báse número *n.* 〔數〕 =RADIX.
báse on bálls *n.* 〔野〕 사사구(에 의한 출루) (walk, pass).
báse pàir *n.* 〔遺〕 (이중 사슬 DNA, RNA 중의) 염기쌍《아데닌과 티민[RNA에서는 우라실] 또는 구아닌과 시토신》.
báse páy *n.* 기본급(basic wage).
báse períod *n.* (물가·임금 따위의 변동을 비교할 때 설정하는) 기준 기간.
báse·plàte *n.* 〔機〕 바닥판, 기초판 ; 〔齒〕 의치(義齒)의 틀을 만드는 플라스틱, 의치의 턱에 닿는 부분 ; (도금의) 바탕쇠.
báse príce *n.* (비용을 가산하기 전의) 기초단가 ; 기준가.
báse quántity *n.* 기본량.
báse (rádio) stàtion *n.* 〔通信〕 기지국.
báse ráte *n.* 기본 요금 ; (임금 조절의) 기준 급여율 ; (은행 대출·예금의) 기준 이자율.
báse rùnner *n.* 〔野〕 주자(走者).
báse·rùnning *n.* 〔野〕 주루(走壘).
‡**bas·es**[1] [béisi:z] *n.* BASIS의 복수형.
***bas·es**[2] [béisəz] *n.* BASE[1]의 복수형.
báses émpty *n.* 〔野〕 누상(壘上)에 주자(走者)가 없는.
báse sèquence *n.* 〔生化·遺〕 염기 배열.
báses-lòad·ed *a.* 〔野〕 만루(滿壘)의.
báse stèaling *n.* 〔野〕 도루(盜壘).
báse stícker *n.* 《俗》〔野〕 누(壘)에서 거의 리드를 하지 않는 주자.
báse ùmpire *n.* 〔野〕 누심(壘審).
báse ùnit *n.* 기본 단위.

bash [bǽ(:)ʃ] *vt.* 《口》 (사람·물건을) 후려치다, 세게 후려갈기다, 때려부수다 ; 두들겨서 들어가게 하다(smash) 〈*in*〉. —— *n.* 후려치기, 강타, 일격 ; (매우 유쾌한) 파티, 훌륭한 식사. 〖imit. ; *bang, smash, dash* 따위에서 인가〗

ba·shaw [bəʃɔ́:] *n.* 《口》 고관, 거물 ; 거만한 관리[사람].

bash·ful [bǽʃfəl] *a.* 수줍어하는, 내성적인, 부끄럼타는(shy). **~·ly** *adv.* 수줍어하여, 부끄러운 듯이, 내성적으로. **~·ness** *n.* Ⓤ 수줍음, 내향성(內向性). 〖ABASH〗

類義語 ⟹ SHY.

bashi-ba·zouk [bæ̀ʃibəzú:k] *n.* (오스만 제국시대의) 터키의 비정규 고용병《약탈과 잔인한 행위로 유명》.

bash·ing [bǽʃiŋ] *n.* Ⓤ,Ⓒ 《口》 강타(하기) ; 심한 패배[비난], 타격 : take a ~ 심한 패배를 당하다 ; 혹평을 받다.

-bash·ing [bæ̀ʃiŋ] *comb. form* 「공격」 「학대」의 뜻 : bureaucrat-~, union-~. 〖↑〗

ba·si- [béisə], **ba·so-** [béisou, -sə] *comb. form* 「기부[기저]」의 뜻. 〖L〗

‡**ba·sic** [béisik, 美+-zik] *a.* 기초의, 근본적인 ; 기본의 ; 〔軍〕 초보적인 ; 〔化〕 염기[알칼리]성의 ; 〔地質〕 염기성의. —— *n.* [보통 *pl.*] 기본, 원칙, 원리 ; [*pl.*] 기본적인 것, 필수품. 〖BASE¹〗

BASIC, Ba·sic [béisik, 美+-zik] *n.* 〔컴퓨〕 베이식《회화형 프로그램 언어의 하나 ; cf. COBOL, FORTRAN》. 〖*B*eginner's *A*ll-purpose *S*ymbolic *I*nstruction *C*ode〗

básic áirman *n.* 〔空軍〕 신병.

bá·si·cal·ly *adv.* 기본[근본]적으로 ; 원래.

básic cróp[commódity] *n.* (경제적·정치적으로 중요한) 기본 작물, 기본 농산물.

básic dedúction *n.* 기초 공제.

básic dìrect áccess mèthod *n.* 〔컴퓨〕 기본 직접 접근 방식.

básic dréss *n.* 베이식 드레스《액세서리 따위의 변화로 다양하게 입을 수 있는 옷》.

Básic Énglish *n.* 기초 영어《1930년에 발표한 국제 보조어로 어휘수는 850개로 영국인 C. K. Ogden 등이 고안》.

básic (ìndexed) sequéntial áccess mèthod *n.* 〔컴퓨〕 기본 (색인) 순차적 접근 방식.

básic índustry *n.* 기간 산업.

ba·sic·i·ty [beisísəti] *n.* Ⓤ 〔化〕 염기도(鹽基度), 염기성도.

básic óperating wèight *n.* 〔空〕 기본 운용 중량(重量).

básic prócess *n.* 〔冶〕 염기성법(鹽基性法), 염기성 제강법(製鋼法).

BÁSIC prógram *n.* 〔컴퓨〕 베이식으로 쓰인 프로그램.

básic ráte *n.* =BASE RATE.

básic sálary *n.* =BASIC WAGE.

básic scíence *n.* 기초 과학.

básic sérvice *n.* 기본 서비스.

básic slág *n.* 〔化〕 염기성 슬래그《제강의 부산물로 석회분이 많음 ; 비료나 시멘트의 혼합 재료》.

básic tráining *n.* 〔美軍〕 (신병의) 초보[기초] 훈련(訓練).

básic wáge *n.* 기본급(base pay).

ba·sid·io·mycéte [bəsìdiou-] *n.* 〔植〕 담자균류(擔子菌類).

ba·síd·io·spòre [bəsídiou-, -diə-] *n.* 〔植〕 담자포자(擔子胞子). **ba·sìd·io·spór·ous** *a.*

ba·si·fi·ca·tion [bèisəfəkéiʃən] *n.* Ⓤ 〔化〕 염기화(鹽基化).

ba·si·fy [béisəfài] *vt.* 염기화(鹽基化)하다.

bas·il¹ [bǽzəl, béis-, bǽs-, béiz-] *n.* 스위트배질《향미·야채로 쓰이는 꿀풀과의 식물 ; 애기탑꽃》. 〖OF＜L＜Gk. *basilikos* royal〗

basil² *n.* (타닌으로 무두질한) 양가죽(cf. ROAN). 〖변형(變形)＜F *basane,* ＜Arab. =lining〗

Basil *n.* 남자 이름. 〖Gk. =kingly, royal〗

bas·i·lar [bǽsələr, bǽz-], **-lary** [-lèri ; -ləri] *a.* 〔生〕 기부(基部)의, 기부에 있는 ; (특히) 두개골 밑부분의.

basi·lect [bǽzəlèkt, béizə-, -sə-] *n.* (한 사회에서) 가장 격식이 낮은 방언, 하층 사투리(cf. ACROLECT). 〖*basi-*+dia*lect*〗

ba·sil·ic, -i·cal [bəsílik(əl), -zíl-] *a.* basilica의 ; 왕(자)의, 왕다운(royal) ; 중요한 ; 〔解〕 척측피정맥(尺側皮靜脈)의.

ba·sil·i·ca [bəsílikə, -zíl-] *n.* 〔古로〕 회당《법원·교회로 사용했음》 ; 대성당.
〖L＜Gk. *basilikē* (*oikia*) royal (house)〗

ba·síl·i·con (óintment) [bəsílikən(-)] *n.* 송진에서 채취하는 로진을 사용한 연고(軟膏).

basílic véin *n.* 〔解〕 척골측피 정맥.

bas·i·lisk [bǽzəlìsk, bǽs-] *n.* **1** 바실리스크《아프리카의 사막에 살며 한번 쏘아봄으로써 사람을 죽였다는 전설상의 괴동물 ; 뱀·도마뱀 따위 ; cf. COCKATRICE》. **2** (열대 아메리카산) 등지느러미가 있는 도마뱀. **3** (뱀무늬가 있는) 옛날 대포. —— *a.* 바실리스크 같은.
〖L＜Gk. (dim.)＜*basileus* king〗

básilisk glánce *n.* BASILISK와 같은 눈초리《한번 쏘아봄으로써 재난이 옴》.

***ba·sin** [béisən] *n.* **1** 대야, 동이(bowl), 물그릇, 세면기, 수반(水盤). **2** 대야[세면기] 하나 가득 : a ~ *of* water 한 대야 가득한 물. **3** 웅덩이, 못(pond) ; 풀 ; (항구의) 깊숙한 곳 ; 육지에 둘러싸인 항구, 내만(內灣). **4** 독(dock) ; 선거(船渠) : a tidal ~ (밀물 때의) 개선거(開船渠). **5** 〔地〕 (대야 모양의) 분지, 반층(盤層), (물이 괴면 바다·못·호수가 되는) 오목한 땅 ; 해분(海盆) ; (하천·호수·늪의) 유역, 집수(集水)지역(cf. RIVER BASIN) : the Thames ~ 템스 강 유역 / collecting[setting] ~ 저수지. **6** 〔解〕 골반, 골반강(腔). 〖OF＜L *bacinus*〗

bas·i·net, bas·ci- [bǽsənət, -nèt, bæ̀sənét], **bas·net** [bǽsnət] *n.* 바시넷식 철갑투구《14세기 때의 철갑(투구)의 일종》.

básin·fùl *n.* 한 대야 가득(한 분량).

bás·ing mòde [béisiŋ-] *n.* 〔軍〕 배비(配備) 방식《어떤 병기 시스템을 어떻게 설치 또는 전개하는가 하는 방법》.

básing pòint *n.* 〔商〕 기지점《출하·운송 따위의 기준이 되는 생산[출하] 센터》.

ba·si·on [béisiɑn] *n.* 〔解〕 대후두공(大後頭孔)의 전정중점(前正中點).

***ba·sis** [béisəs] *n.* (*pl.* **-ses** [-si:z]) **1** 기초, 근거, 논거(論據) : *on* a commercial ~ 상업을 기초로 / *on* an equal ~ 대등하게 / *on* the ~ *of* … 을 기준삼아 / He has no ~ *for* complaint. 불평할 근거는 없다. 注 다음처럼 Ⓤ의 용법도 있음 : *on* individual ~ 개인적으로, 개별적으로. **2** (조제 따위의) 주성분, 주약(主藥).
〖L＜Gk. ; ⇒ BASE¹〗

類義語 ***basis, base*** 다 함께 어떤 구조의 밑받침이 되는 기반을 말하지만 *base*는 물질적, *basis*는 정신적·추상적인 것을 가리킴 : the *base* of a pyramid (피라미드의 기초) / the *basis* of an argument (논의의 근거). ***foundation*** 튼튼하고 확고하여 안정성과 영구성이 있는 기반 : the *foundation* of a building (빌딩의 기반). ***groundwork*** foundation과 같지만 정신적인 것을 나타낼 때가 많음 : the *groundwork* of culture (문화의 바탕).

básis pòint *n.* 〔證〕 (이율 배당률을 나타낼 때의) 1/100퍼센트, 모(毛) : 15 ~*s* 1리(厘) 5모(毛).

básis ràte *n.* 〔保險〕 기본 요금.

bask [bǽ(:)sk ; bá:sk] *vi.* **1** [+前+名] 몸을 녹이다, 햇볕을 쬐다 : The cat was ~*ing* ***in*** the sun(shine) [***before*** the fire]. 고양이는 햇볕을 쬐고 [불 앞에 웅크리고] 있었다. **2** [+*in*+名] 《비유》 (신세를) 지다[입다] : ~ ***in*** a person's favor [approval] 남의 신세를 지다[승인을 받다]. —— *vt.* 《古》 따뜻하게 하다.
〚ON (rflx.) ‹ *batha* to BATHE〛

◇**bas·ket** [bǽ(:)skət ; bá:s-] *n.* **1** 바구니, 광주리 ; 바스켓 (모양의 그릇). **2** 조롱(吊籠)《경기구·삭도(索道)용》. **3** =BASKETFUL. **4** 〔籠〕 골(의 그물) ; 골(goal).
be left in the basket 팔다 남다 ; 버림받다.
shoot a basket 《口》 농구에서 득점을 올리다.
the pick of the basket ☞ PICK *n.*
—— *vt.* 바구니[바스켓]에 넣다.
~·**lìke** *a.* ~·**less** *a.* 〚OF<? ; cf. L *bascauda*〛

*****básket·bàll** *n.* Ⓤ 농구, 바스켓볼 ; Ⓒ 농구공.

básket càrriage *n.* (차체를 버들가지로 엮어 만든) 마차.

básket càse *n.* 사지(四肢)를 절단한 사람 ; 무능력자 ; 매우 초조해 하는 사람.

básket-cáse *a.* 무능력한, 힘을 잃은.

básket chàir *n.* 버들가지로 만든 의자.

básket clàuse *n.* 바스켓 조항《계약·협정·성명 따위의 포괄적인 조항》.

bas·ke·teer [bæ̀(:)skətíər ; bà:s-] *n.* 농구 선수.

básket·fùl *n.* 바구니 하나 가득함[한 분량].

básket hìlt *n.* (칼 따위의) 바구니 모양의 날밑이 달린 칼자루.

básket lùnch *n.* 《美》 도시락《basket dinner라고도 함》.

Básket Màker *n.* 〔考古〕 바스켓 메이커 문화《북아메리카 콜로라도 고원에서 융성했던 인디언 문화》 ; 바스켓 메이커기(期)의 사람.

básket mèeting *n.* 《美》 (각자 저녁 식사를 지참하는) 종교적 집회.

básket òsier *n.* 〔植〕 고리버들.

básket·ry *n.* Ⓤ 바구니 세공법 ; [집합적으로] 바구니 세공품.

básket stìtch *n.* (자수에서) 바스켓 스티치.

básket wèave *n.* 바구니 무늬식 짜기《직조법의 한 가지》.

básket·wòrk *n.* Ⓤ 바구니 세공(품).

básket·wòrm *n.* 〔昆〕 도롱이벌레.

básk·ing shàrk *n.* 〔魚〕 돌묵상어.

bas mi(t)zvah ☞ BATH MITZVAH.

basnet ☞ BASINET.

baso- [béisou, -zou, -sə, -zə] ☞ BASI-.

ba·son [béisən] *n.* 《옛투》 =BASIN.

báso·phìl, -phìle *n.* 〔生〕 호염기성(好鹽基性) 세포[백혈구]. —— *a.* [-phil] =BASOPHILIC.

bàso·phílic *a.* 〔生〕 호(好)염기성의.

Basque [bǽ(:)sk ; bá:sk] *n.* 바스크 사람《Spain 서부 Pyrenees 산맥 지방에 삶》 ; Ⓤ 바스크어 ; Ⓒ [b~] 여성용 짧은 상의.
—— *a.* 바스크인[어]의.

〚F<L *Vasco*〛

bas-relíef, bass- [bà:-, bæ̀s-, ⌐⌐] *n.* Ⓤ,Ⓒ 얕은 돋을새김 (low relief) (cf. ALTO-RELIEVO, MEZZO-RELIEVO).
〚F *bas-relief* and It. *basso rilievo* low relief〛

***bass**[1] [béis] *n.* Ⓤ 〔樂〕 저음(低音), 베이스 ; 남성 최저음 ; Ⓒ 저음 가수[악기]. ㊟ 다음의 순으로 높아짐 : BASS, TENOR, ALTO (여성 CONTRALTO), TREBLE (여성 SOPRANO). —— *a.* 저음의.
〚BASE[1] ; 어형은 It. *basso*의 영향〛

bass[2] [bǽ(:)s] *n.* (*pl.* ~) 〔魚〕 배스《농어의 일종》.
〚OE *bærs*〛

bass[3] [bǽ(:)s] *n.* 참피나무 ; Ⓤ 그 내피 ; 종려나무 껍질 ; [*pl.*] 종려나무 껍질 제품. 〚BAST〛

Bass [bǽ(:)s] *n.* Ⓤ (영국 맥주회사 Bass 제의) 배스 맥주 ; Ⓒ 배스 맥주 한 병.

báss bròom [bǽ(:)s-] *n.* 참피나무[종려나무]로 만든 비.

báss clèf [béis-] *n.* 〔樂〕 낮은음자리표.

báss drúm [béis-] *n.* (오케스트라용) 큰북.

basse cou·ture [*F* bɑs kuty:r] *n.* (여성의) 이류[저급한] 패션.
〚F (*basse* low, *couture* sewing) ; haute couture에 따른 영어 내의 조어인가〛

bas·set[1] [bǽsət] *n.* =BESSET HOUND.
〚F (dim.) <BASE[2]〛

basset[2] *n.* 〔地質〕 노두(露頭). —— *vi.* 노출하다.
〚? F=low stool〛

basset[3] *n.* 〔카드놀이〕 바셋《18세기에 유럽에서 유행한 도박》. 〚F<It.〛

básset hòrn *n.* 바셋 호른《클라리넷의 일종으로 옛날 목관 악기》.
〚G ; F<It. *corno di bassetto* (*basso* BASE[2])의 번역〛

básset hòund *n.* 바셋 하운드《다리가 짧고 몸통·귀가 긴 사냥 개》.

báss guitár [béis-] *n.* 〔樂〕 베이스 기타.

báss hórn [béis-] *n.* 〔樂〕 =TUBA.

bas·si·net, -nette [bæ̀sənét] *n.* 포장 달린 요람[유모차].
〚F (dim.) ‹ BASIN〛

bassinet

bas·so [bǽsou, bá:s-] *n.* (*pl.* ~**s**, **bas·si** [-si:]) 〔樂〕 베이스 가수 ; 낮은 음부.
〚It. =BASS[1]〛

bas·soon [bəsú:n, bæ-] *n.* 〔樂〕 바순, 파곳《저음 목관 악기》. ~·**ist** *n.* 바순[파곳] 연주자. 〚F<It. ; ⇨ BASE[2]〛

básso ostináto *n.* (*pl.* ~**s**) 〔樂〕 바소 오스티나토. 〚It.〛

básso pro·fún·do [-proufʌ́ndou, -fún-] *n.* (*pl.* **bássi pro·fún·di** [-di], ~**s**) 바소 프로푼도《남성(男聲)의 장중한 최저음 (가수)》.
〚It. =deep bass〛

básso-relíevo *n.* (*pl.* ~**s**) =BAS-RELIEF.

báss stàff [béis-] *n.* 〔樂〕 낮은음자리표.

báss víol [béis-] *n.* =CONTRABASS.

báss·wòod [bǽ(:)s-] *n.* 〔植〕 참피나무《보리수도 포함》 ; Ⓤ 그 재목.

bast [bǽ(:)st] *n.* 〔植〕 (삼·아마 따위의) 체관부 (phloem) ; 체관부[인피] 섬유.
〚OE *bæst*; cf. BASS[3]〛

bas·tard [bǽ(:)stərd, bá:s-] *n.* **1** 서자(庶子), 사생아. **2** 〔動〕 잡종. **3** 가짜 물건 ; 열등품 ; 조악품. **4** 《俗》(욕으로) 자식, 놈. —— *a.* 서자의 ; 잡종의 ; 가짜의, 모조의 ; 유사한 ; 의사(擬似)의 (sham) : ~ charity 위선 / ~ slip (뿌리에서 뻗

은 비정상적인) 흡지(吸枝). **~·ly** *a.* 서출의 ; 가짜의, 무가치한.
〖OF<L=packsaddle child〗

bástard acácia *n.* 〔植〕 아가시나무.

bástard file *n.* 거친 줄《연장》.

bàstard·izátion *n.* Ⓤ 서자로 인정함.

bástard·ìze *vt.* 비적자(非嫡子)[서자]로 인정하다 ; 질을 떨어뜨리다, 나쁘게 하다.
── *vi.* 나빠지다.

bástard stúcco *n.* 거친 회반죽.

bástard títle *n.* =HALF TITLE.

bástard wìng *n.* 〔鳥〕 작은 날개(alula, winglet).

bás·tardy *n.* Ⓤ 서출(庶出).

bástardy órder *n.* 〔英法〕 비적출자 부양 명령《지금은 보통 maintenance order라고 함》.

baste[1] [béist] *vt.* 가봉(假縫)하다.
〖OF<Gmc. ; ⇨ BAST〗

baste[2] *vt.* 심하게 치다, 때리다(thrash).
〖↓의 전용인가 ; cf. ON *beysta*〗

baste[3] *vt., vi.* (요리할 때 고기에) 버터[양념즙]를 바르다[치다] : Meat is ~*d* to keep it from drying and to improve its flavor. 고기의 기름기를 없애지 않고 맛을 내기 위해 양념즙을 친다.
〖C16<?〗

Bas·tille [bæstí:l ; *F* bastij] *n.* [the ~] (Paris의) 바스티유 감옥《1789년 7월 14일 민중이 이 곳을 파괴하여 프랑스 혁명이 시작됨》; [b~] 작은 성채, 방어탑 ; [b~] 감옥.

Bastílle Dày *n.* 프랑스 혁명 기념일《7월 14일》.

bas·ti·na·do [bæ̀stənéidou, -ná:-], **-nade** [-néid, -ná:d] *n.* (*pl.* **-na·does, -dos, -nades**) 매질 ; 장형(杖刑) ; 매, 곤장. ── *vt.* 매로 치다 ; 매질하다 ; 장형에 처하다.
〖Sp. (*baston* stick)〗

bast·ing [béistiŋ] *n.* **1** 시침질, 가봉 ; [*pl.*] 시침실. **2** Ⓤ (고기를 구울 때) 양념즙(을 바르기).

bas·tion [bǽstʃən ; -tiən] *n.* 〔築城〕 능보(稜堡)《5각형으로 된 성벽의 돌출부》; 요새(要塞) ;《비유》(사상·자유 따위의) 방위 거점. **~ed** *a.* 능보를 갖춘. 〖F<It. (*bastire* to build)〗

Ba·su·to [bəsú:tou] *n.* (*pl.* ~, ~**s**) 바수토인(人)《Basutoland의 주민》.

Basúto·lànd *n.* 바수톨란드《옛 영국 보호령 ; 지금은 독립하여 LESOTHO 왕국》.

‡**bat**[1] [bǽt] *n.* **1** 〔野·크리켓〕 배트 ; (탁구 따위의) 라켓 ; 곤봉 ; (비행기의 착륙을 유도하는) 배트 ; 타구할 차례. **2** 타자(batsman). **3** 《俗》 강타 ; 타구. **4** 벽돌 조각 ; (찰흙 따위의) 덩어리 ; [보통 *pl.*] 탄(이불)솜. **5** 《俗》 술잔치, 야단법석.
at bat 타석으로 들어가서, 공격하고 있는.
carry** one's **bat 〔크리켓〕 1회 말까지 죽지[아웃되지] 않고 살아 남다 ; (일반적으로) 견디어 내다.
cross bats with …와 시합을 하다.
go to bat for …의 원조에 나서다.
off** one's **own bat 자기(스스로)의 노력으로 ; 혼자 힘으로 ; 자발적으로《크리켓 용어에서》.
(***right***) ***off the bat*** 곧바로, 즉시.
── *v.* (**-tt-**) *vt.* **1** 곤봉으로 치다[때리다] ; 배트로 치다. **2** …의 타율을 얻다 : He ~*s* .300. 그는 3할 대를 친다. ── *vi.* 치다, 때리다 ; 타자로 나가다 ; 쳐서 주자를 보내다.
〖OE *batt* ; 일부 OF *batte* club (*battre* to strike)에서〗

***bat**[2] *n.* 〔動〕 박쥐 ; 박쥐폭탄 ;《俗》 매춘부.
(***as***) ***blind as a bat*** 장님이나 다름없는.
be [***go***] ***bats*** 《俗》 머리가 돌다.
have bats in the belfry 머리가 돌다, 미치다.
〖변형(變形)<ME *bakke*<Scand.〗

bat[3] *n.* 《俗》 (발걸음 따위의) 속도.
go full bat 전속력으로 나아가다.

bat[4] *vt.* (**-tt-**) 《美口·英方》 (눈을) 깜빡이다(wink), (눈이) 휘둥그래지게 놀라다.
do not bat an eyelid [***eye, eyelash***] 얼굴색 하나 변하지 않다, 동요의 빛을 보이지 않다, 한잠도 자지 않다 ; 조금도 놀라지[꿈쩍도] 않다.
〖*bate* (obs.) to flutter〗

bat[5] [bǽt, bá:t] *n.* [the ~] Ⓤ 《인도》 구어, 통속어 ;《英俗》 (인도 따위의) 지방말, 이국의 말.
sling [***spin***] ***the bat*** (외지에서) 그 지방말을 사용하다.
〖Hindi=speech, language〗

bat., batt. battalion ; battery.

Ba·ta·via [bətéiviə] *n.* 바타비아《(1) 자카르타의 옛 이름. (2) 라인 강 하구에 있던 옛 지역. (3) 네덜란드의 옛 이름》. **Ba·tá·vi·an** *n., a.* 바타비아(인) (의) ; 네덜란드(인) (의).

bát-blínd *a.* 눈뜬 장님의, 우둔한.

bát·bòy *n.* 야구팀의 잡일을 보는 소년.

batch [bǽtʃ] *n.* **1** (빵·도기 따위의) 한 가마, 한 번 구워낸 것. **2** 한 번(의 분량) ; 한 묶음 ; 한 떼, 일단(一團) ; 〔컴퓨〕 묶음 : a ~ *of* letters 한 묶음의 편지 / a ~ *of* men 일단의 사람들.
── *vt.* 한 번 분량으로 모으다 ; 한번 분량으로 처리하다. 〖OE *bæcce* ; ⇨ BAKE〗

bátch file *n.* 〔컴퓨〕 묶음 파일.

bátch pròcessing *n.* 〔컴퓨〕 (자료의) 묶음 처리. **bátch-pròcess** *vi., vt.* 〔컴퓨〕 (자료를) 묶음 처리하다.

bátch pròcessing sỳstem *n.* 〔컴퓨〕 묶음 처리 시스템.

bátch prodùction *n.* 배치 생산《연속 생산에 대하여 비연속적으로 생산함》.

batchy [bǽtʃi] *a.* 《美俗》 정신이 이상한, 머리가 돈(batty).

bate[1] [béit] *vt.* 덜다, 감하다 ; 약하게 하다(abate) ; 공제하다 : with ~*d* breath 숨을 죽이고.
── *vi.* 덜어지다 ; 약해지다, 쇠약해지다.
〖ABATE〗

bate[2] *n.* (매가) 몹시 성난[겁난] 상태 ;《英俗》 노여움, 화 : in a ~ 화를 내어. ── *vi.* (매가) 몹시 성나서[겁나서] 급히 날개를 치다.
〖BAIT[1] ; 매에 관해서는 cf. OF *batre* to beat〗

bate[3] *n.* Ⓤ (무두질용의) 알칼리액. ── *vt.* 알칼리액에 담그다. 〖OE *bǣtan* to bait[1]〗

bát éar *n.* (박쥐처럼 끝이 둥근) 개의 귀.

ba·teau, bat·teau [bætóu] *n.* (*pl.* **-teaux** [-z]) 《Can.》 바닥이 평평한 작은 배.
〖Can. F, <OE *bāt* boat〗

batéau brídge *n.* 배다리, 주교(舟橋).

batéau nèck [**nèckline**] *n.* 〔服〕 바토 넥(boat neck).

bát-èyed *a.* 장님 같은.

bát·fish *n.* 〔魚〕 새 날개 모양의 돌기가 있는 물고기《박쥐물고기·날치·노랑가오리 따위》.

bát-flỳ·ing *a.* (박쥐가 나는) 황혼녘의.

bát·fòwl *vi.* (횃불 따위를 켜들고) 새를 몰아 그물로 덮쳐 잡다.

◇**bath** [bǽ(:)θ ; bá:θ] *n.* (*pl.* **~s** [bǽ(:)ðz, -θs ; bá:ðz]) **1** 목욕, 입욕(入浴) (cf. BATHE *n.*) : a hot[cold] ~ 온수(溫水)[냉수]욕 / a sun ~ 일광욕. **2** 목욕통, 욕조(浴槽) ; 목욕실(=~room) ; 대중 목욕탕 ; [때때로 *pl.*] 목욕탕, 풀 ; 한증탕 ; [때때로 *pl.*] 온천 : a private ~ 전

용 욕실 / a public ~ 대중 목욕탕 / a steam [vapor] ~ 증기 목욕, 한증 / a Turkish ~ 터키탕 / take the ~*s* (요양하기 위하여) 온천에서 목욕하다. **3** 용액(溶液) ; 용액기(器), 전기 분해조(分解槽) : a hypo ~ 〖寫〗 하이포액(용기), 하이포욕 / a stop ~ 〖寫〗 (현상) 정지욕(停止浴).
a bath of blood 피투성이 ; 대살육.
a room with private bath 목욕실 딸린 방.
take [***have***] ***a bath*** (1) 목욕하다. (2) 《美俗》 (투기 따위로) 큰 손해를 보다 ; 파산하다.
── *vt.* 《英》 (어린애 · 환자를) 목욕시키다.
── *vi.* 《英》 목욕하다 ; 《美俗》 크게 손해보다.
〖OE *bæth* ; cf. G *Bad*〗

Bath[1] [bǽ(:)θ ; bá:θ] *n.* 《英》 [the ~] 바스 훈위(勳位) : the Order of the ~ 바스 훈위[훈장]. ㊟ 다음의 3 계급이 있음 : Knight Grand Cross of the ~ 《略 G.C.B.》 / Knight Commander of the ~ 《略 K.C.B.》 / Companion of the ~ 《略 C.B.》.

Bath[2] *n.* 바스《잉글랜드 Avon 주의 온천도시》.

bath- [bǽθ], **batho-** [bǽθou, -ə] *comb. form* 「깊이」「하향(下向)의」「밑의」의 뜻.
〖Gk. ; ⇨ BATHOS〗

Báth brìck *n.* 바스 숫돌《금속 닦는 데 씀》.
〖BATH[2]〗

Báth bùn *n.* 설탕을 친 얇은 과일조각이 든 빵.

Báth chàir *n.* [흔히 b~] 《英》 바퀴달린 의자, 휠체어《환자용》.

Báth chàp *n.* 돼지의 볼 밑부분 고기.
〖BATH[2]〗

‡**bathe** [béið] *vt.* **1** 담그다, …에 물을 주다, 씻다 ; 《美》 입욕[목욕]시키다, (갓난애 등을) 더운 물로 씻기다 : I advise you to ~ your eyes twice a day. 하루에 두번 눈을 씻도록 하십시오. **2** [+目/+目+前+名] 온통 적시다 ; (빛 · 온기 따위가) …에 가득 차다, (몸 따위를) 감싸다 : The girl's face was ~*d* ***in*** tears. 소녀는 눈물로 온 얼굴이 젖어 있었다 / The man had his hands ~*d in* blood. 그 남자의 손은 온통 피로 물들어 있었다 / The valley was ~*d in* sunshine. 골짜기는 햇볕으로 가득 차 있었다. ── *vi.* [動/+*in*+名] 멱감다, 헤엄치다 ; 해수욕하다 : go *bathing* ***in*** the river 강으로 멱감으러 가다 / We ~*d in* the sea yesterday. 어제 바다에서 해수욕했다. ── *n.* 《英》 (강이나 바다에서의) 수영, 해수욕(swim, dip) : go for a ~ 해수욕하러 가다 / have[take] a ~ 해수욕하다, 미역감다.
〖OE *bathian* ; ⇨ BATH〗

bath·er [béiðər] *n.* 멱감는 사람, 목욕하는 사람 ; 탕치객(湯治客).

ba·thet·ic [bəθétik, bei-] *a.* 평범한, 진부한 ; 〖修〗 급락법(bathos)의, 점강법(漸降法)의.

báth·hòuse *n.* 목욕탕 ; (해수욕장 따위의) 탈의실(脫衣室).

Bath·i·nette [bæ̀(:)θənét ; bà:θ-] *n.* 유아용 휴대욕조《상표명》.

báth·ing [béið-] *n.* Ⓤ 수영, 멱감기 ; 목욕.
── *a.* 목욕[수영]용의 : a ~ hut[box] 《英》 해수욕장의 탈의장.

báthing bèach *n.* 해수욕장.

báthing bèauty *n.* 《美俗》 (미인 선발 대회 따위 때의) 수영복 차림의 미인.

báthing càp *n.* 수영 모자.

báthing còstume[**drèss**] *n.* 《英》 =BATHING SUIT.

báthing drawers *n.* 《英》 =BATHING TRUNKS.

báthing hòuse *n.* =BATHHOUSE.

báthing-machìne *n.* (해수욕장에서의) 이동 탈의차(脫衣車).

báthing-màn *n.* 목욕탕 고용인(雇傭人).

bathing-machine

báthing plàce *n.* 해수욕장 ; 수영장.

báthing sùit *n.* (특히 여성용의) 수영복.

báthing trùnks *n. pl.* 《英》 수영팬츠.

báth màt *n.* 욕실용 매트.

bath mit(z)·vah [bɑ:s mítsvə, bɑ:θ-], **bas-** [bɑ:s-] *n.* [때때로 B~ M~] 바스 미츠바《12-13세의 소녀에게 행해지는 유태교의 종교상(上)의 성인 의식 ; cf. BAR MI(T)ZVAH》.
〖Heb. =daughter of commandment〗

batho- [bǽθou, -ə] ☞ BATH-.

bátho·lìth, -lìte *n.* 〖地質〗 저반(底盤).
bàtho·líth·ic *a.*

Báth Óliver *n.* 단맛이 없는 비스킷.
〖William *Oliver* (d. 1764) 잉글랜드 *Bath*의 의사〗

ba·thom·e·ter [bəθámətər] *n.* (심해(深海)용) 측심계(測深計).

bát·hòrse *n.* Ⓒ (전선에서 짐을 나르는) 복마(卜馬), 짐말.

ba·thos [béiθɑs] *n.* **1** Ⓤ 〖修〗 급락법[점강법](急落法[漸降法])《점차 높인 장중한 어조를 급히 익살조로 떨어뜨림》. **2** Ⓒ (익살스러운) 용두사미(anticlimax). **3** Ⓤ 평범, 진부 ; 거짓[값싼] 감상 ; (표현 따위) 진부함. 〖Gk. =depth〗

báth·ròbe *n.* 《美》 화장옷 《목욕전후에 입음》.

***báth·ròom** *n.* 목욕실 ; 화장실, 《婉》 변소(toilet) : In the morning the ~ is crowded. 아침에는 화장실이 붐빈다.

báth sàlts *n. pl.* 목욕물을 부드럽게 하고 향기를 더하는 결정 화합물.

Bath·she·ba [bæθʃí:bə, bǽθʃə-] *n.* **1** 여자 이름. **2** 〖聖〗 밧세바《전 남편 우리아가 죽은 뒤 다윗왕과 결혼 솔로몬왕을 낳음 ; cf. URIAH》.
〖Heb.=daughter of the oath〗

báth spònge *n.* 목욕용 해면(海綿).

Báth stòne *n.* 배스석(石)《건축재료》.

báth tòwel *n.* 목욕 수건.

báth·tùb *n.* 목욕통, (서양식) 욕조(浴槽).

báthtub gín *n.* 《美俗》 (특히 금주법 시대의) 밀조한 진.

bathy- [bǽθi] *comb. form* 「깊은」「깊이」「심해」「체내」의 뜻. 〖Gk. BATHOS〗

bathy·al [bǽθiəl] *a.* 심해(深海)의.

ba·thym·e·ter [bəθímətər] *n.* Ⓒ 수심 측량기.

ba·thym·e·try [bəθímətri] *n.* 수심 측량술.

bathy·scaphe [bǽθiskæ̀f, -skèif], **-scaph** [-skæ̀f] *n.* 바티스카프《심해 탐험용 잠수정의 일종》. 〖F (Gk. *bathus* deep, *skaphos* ship)〗

báthy·sphère *n.* (심해 생물 조사용) 구형(球形) 잠수기.

bàthy·thérmo·gràph *n.* 심해 자기(深海自記) 온도계.

ba·tik [bətí:k, bǽtik] *n.* Ⓤ 납염(蠟染)법 ; Ⓤ,Ⓒ 납염한 천. ── *a.* 납염한. 〖Jav. =painted〗

bat·ing [béitiŋ] *prep.* 《古》 …을 제외하고, …이외는(excepting).

ba·tiste [bətí:st, bæ-] *n.* 얇게 짠 무명[삼베].

〖F＜*Baptiste* of Cambrai 13세기의 직물업자로 그 최초의 제조자〗

bat·man [bǽtmən] *n.* 〔軍〕 짐말의 당번병 ; 《英》 장교의 당번병. 〖*bat* (obs.) packsaddle＜OF＜Prov.＜L *bastum*〗

Bat·man [bǽtmən] *n.* 배트맨《Bob Kane (1916-)의 만화(1939)속 정의의 주인공》.

bát mòney *n.* 《英》 (장교의) 전지(戰地) 수당.

ba·ton [bætán, bə-; bǽtən] *n.* **1** (관직을 나타내는) 관장(官杖), 사령장(司令杖). **2** (경찰관의) 경찰봉. **3** 〔樂〕 지휘봉. **4** 〔競〕 (릴레이 경주용) 배턴. **5** 배턴《긴 막대 모양의 빵》. **6** 〔紋〕 (서자 표시의) 배턴문(紋).
under the baton of …의 지휘로.
── [bǽtən] *vt.* 경찰봉으로 …을 때리다.
〖F＜L (*bastum* stick)〗

báton chàrge *n.* 경찰의 단속.

batón-chàrge *vt., vi.* 《英》 경찰봉으로 공격하다.

batón gùn *n.* 배턴총《폭동 진압용의 고무탄총》.

batón ròund *n.* (baton gun용의) 고무총탄.

báton sínister *n.* 〔紋〕 서자의 표시(bend sinister).

batón twìrler *n.* (지휘봉을 휘두르며 지휘하는) 악대 지휘자.

bát-pày *n.* 〔英軍〕 ＝BAT MONEY.

Ba·tra·chia [bətréikiə] *n. pl.* 〔動〕 양서류(Amphibia). **ba·trá·chi·an** *n., a.* 양서류(의).
〖Gk. (*batrakhos* frog)〗

bats [bǽts] *a.* 《美俗》 머리가 돈, 미친.
〖BAT[2] *in the belfry*〗

báts·man [-mən] *n.* ＝BATTER[1]. 〖BAT[1]〗

batt [bǽt] *n.* (이불 따위의) 탄 솜, 안솜.

batt. battalion ; battery.

bat·ta [bǽtə] *n.* 《인도》 전시(戰時)[특별]수당 ; 출장 수당.

bat·tail·ous [bǽtələs] *a.* 《古》 호전적인.

bat·tal·ion [bətǽljən] *n.* 〔軍〕 보병[포병] 대대 (☞ ARMY 1 㶊) ; [때때로 *pl.*] 대부대, 대군.
〖F＜It. ; ⇨ BATTLE〗

batteau ☞ BATEAU.

bat·tel [bǽtl] *n.* [*pl.*] 《英》 (Oxford 대학의) 교내 매점 계산, 식비. ── *vi.* (Oxford 대학에서) 교내 매점을 이용하다.
〖? *battle* (obs.) to fatten‹*battle* (obs.) nutritious ; cf. BATTEN[1]〗

bat·te·ment [bæ̀təmɑ́ːŋ, bǽtmənt] *n.* 〔발레〕 배트망《제5포지션에서 한쪽 다리를 앞[뒤, 옆]으로 올렸다가 이를 제자리로 돌리는 동작》. 〖F〗

bat·ten[1] [bǽtn] *vi.* 잔뜩 먹다〈*on*〉; (특히 남의 돈 따위로) 살찌다. ── *vt.* 살찌게 하다.
〖ON *banta* to get better (*bati* advantage)〗

batten[2] *n.* 작은 널빤지 ; 작은 각재 ; 〔海〕 누름대.
── *vt.* [＋目/＋目＋副] …에 작은 널을 붙이다[대다] ; 〔海〕 …에 누름대로 보강하다 : ～ *down* the hatches 승강구 입구를 누름대로 밀폐하다《폭풍우·화재 따위 때》; (일반적으로) 난국에 대처하다. 〖OF (pres. p.) ‹BATTER[1] ; 일설에＜F BATON〗

batten[3] *n.* (베틀의) 바디. 〖↑〗

***bat·ter[1]** [bǽtər] *n.* 〔크리켓·野〕 타자(batsman) : the ～*'s* box 타석(打席). 〖BAT[1]〗

batter[2] *vt.* **1** [＋目/＋目＋副/＋目＋前＋名] 난타하다 ; 때려부수다 ; (모자 따위를) 쳐서 쭈그러뜨리다 ; (활자를) 뭉그러뜨리다 : ～ the door ***down*** 문을 두들겨 부수다 / The rioters ～*ed* the windows ***to*** pieces. 폭도들은 유리창을 산산이 부수어버렸다. **2** (학설·사람 등을) 깎아내리다, 학대하다. ── *vi.* [＋前＋名/＋副] 연속해서 [세차게] 치다[두들기다] : They ～*ed* (*away*) ***at*** the gate. 그 문을 세차게 두들겼다. ── *n.* **1** Ⓤ 〔料〕 (우유·계란·빵의) 반죽, 반죽 가루. **2** Ⓤ (활자의) 마멸, 뭉그러짐.
〖AF ; ⇨ BATTERY〗

batter[3] *n.* Ⓤ 〔建〕 (벽면 따위의) 완만한 경사.
── *vi.* (뒤쪽으로) 완만히 경사지다. 〖ME＜?〗

bát·tered *a.* 때려서 부서진, 찌그러진, 오래 써서 낡은 : a ～ hat 찌그러진 모자 / a ～ car 오래 써서 낡은 자동차.

báttered báby *n.* 피학대아(兒)《어른에게 학대당한 유아》.

báttered chíld[báby] sỳndrome *n.* 〔醫〕 피학대아 증후군《어른이 가한 유아 학대 상해》.

báttered wífe *n.* 남편에게 상습적으로 구타당하는 아내(cf. DOMESTIC VIOLENCE).

báttered wóman *n.* 구타당하는 여성.

bátter·ing ràm *n.* 파성퇴(破城槌)《옛날에 성벽을 파괴하는 데 쓴 것》.

battering ram

báttering tràin *n.* 공성(攻城) 포열.

***bat·tery** [bǽtəri] *n.* **1** 〔軍〕 포병 중대 (cf. COMPANY 6, TROOP 3) ; 포열(砲列) ; 포대 ; (군함의) 비포(備砲). **2** 〔電〕 전지, 배터리(cf. CELL) : a dry ～ 건전지 / a storage ～ 축전지. **3** 한 벌의 기구[장치] : a cooking ～ 요리 기구 한 벌. **4** 〔野〕 배터리《투수와 포수》. **5** Ⓤ 〔法〕 구타(cf. ASSAULT). **6** (지능·적성·능력 따위의) 종합 테스트. **7** 〔畜産〕 배터리《닭·토끼 따위의 일련의 케이지》.
turn (a person***'s***) ***battery against*** him***self*** (상대의) 논법을 그대로 이용하여 역습하다.
〖F (*battre* to strike) ; cf. BATTLE〗

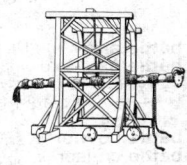

Battery *n.* [the ～] 배터리 《미국 New York시 Manhattan섬 남단의 공원》.

báttery hén *n.* 배터리에서 기른 닭.

báttery méthod *n.* 〔畜産〕 (병아리의) 배터리식 사육법.

bat·tik [bǽtik] *n.* ＝BATIK.

bát·ting *n.* **1** Ⓤ 〔野〕 타구, 타격 : the ～ average 타율 ; 《美口》 성공률, 성적 / the ～ order 타순. **2** Ⓤ 이불솜.

bátting èye *n.* 〔野〕 선구안.

bátting pràctice *n.* 〔野〕 타격 연습.

‡**bat·tle** [bǽtl] *n.* **1** Ⓤ,Ⓒ 전투, 싸움, 회전(會戰) 《특정 지역에서의 조직적이고 장기적인 전투》; (일반적으로) 전쟁 : a close[decisive] ～ 접[결]전 / a losing ～ 지는 싸움 / a naval ～ 해전 / a field of ～ 전장(battlefield) / a line of ～ 전선(battle line) / a general's[soldier's] ～ 군략(軍略)[무력]전 / accept ～ 응전(應戰)하다 / do ～ 싸우다 / fall[be killed] in ～ 전사하다 / fight a ～ 교전하다, 한바탕 싸우다 / gain [lose] a ～ 싸움에 이기다[지다] / give ～ 공격하다 / join ～ 응전[교전]하다 / ☞ BATTLE ROYAL. **2** 투쟁 : a ～ *against* sin 범죄와의 전쟁 / a ～ *for* existence 생존 경쟁 / the ～ of life 생존 투쟁 / a ～ of words 논쟁. **3** Ⓤ [the ～] 승리, 성공 : *The* ～ is not always to the rich. 부자가 언제나 승리하는 것은 아니다 / Youth is half *the* ～. 젊음만으로 반은 이긴 셈이다.

fight one's ***battles over again*** 옛날 무용담[경험담]을 들려 주다.
a trial by battle ☞ TRIAL.
── *vi.* [+前+名] 싸우다, 분투[용전]하다 : ~ ***against*** adversity 역경과 맞싸우다 / ~ ***with*** the waves 풍랑과 싸우다 / ~ ***for*** freedom 자유를 위해 싸우다. ── *vt.* (…와) 싸우다.
battle it out 《口》 결전을 하다, 끝까지 싸우다.
battle one's ***way*** 《口》 싸우며 전진하다, 노력하여 나아가다.
〖OF<L (*battuo* to beat)〗
類義語 ***battle*** 군대끼리 어떤 특정 지역에서의 대규모적이고 장기적인 전투. ***engagement*** battle 보다 격식을 차린 말로 실제의 대전을 강조하고 기간에 대해서는 별로 제한이 없음. ***campaign*** 특별한 목적을 가진 일련의 전투로 몇번의 battle을 포함하기도 함. ***encounter*** 우연히 적과 마주칠 때의 싸움. ***combat*** 단순히 무기를 가진 싸움을 말하는 일반적인 말. ***action*** 단시간의 국부적인 전투 또는 격렬한 1회의 공방전.
báttle arrày *n.* 전투 대형, 진용(陣容).
báttle-àx, -àxe *n.* (중세 때의 무기의 일종인) 싸움에 쓰던 큰 도끼, 전부 ; 《口》 사나운 여자 ; 여장부(女丈夫) (virago).

battle-ax

báttle bòwler *n.* 《軍俗》 철모.
báttle crùiser *n.* 순양 전함(巡洋戰艦).
báttle crỳ *n.* (돌격의) 함성 ; 표어, 구호(slogan).
bat·tled [bǽtld] *a.* 총쏘는 구멍이 있는, 흉벽(胸壁)이 있는.
bat·tle·dore [bǽtldɔ̀:*r*] *n.* 베틀 도어 채《배드민턴 비슷한 라켓채》; (세탁할 때 쓰는) 빨랫방망이.
play battledore and shuttle-cock 깃털 제기치기를 하다.
── *vt., vi.* 교대로 던지다, 서로 던지다. 〖? Prov. *batedor* beater ; ⇨ BATTLE〗
báttle drèss *n.* 《英》 전투복.
báttle fatìgue *n.* 〖心〗 전쟁 피로[신경]증.
báttle·fìeld *n.* 전장, 싸움터(battleground).
báttle formàtion *n.* 전투 대형.
báttle·frònt *n.* 전선 ; 일선.
báttle·gròund *n.* **1** =BATTLEFIELD. **2** 《비유》 논쟁점.
báttle gròup *n.* 〖美軍〗 전투 집단《5개 소대로 구성되는 전투 단위 부대》.
báttle jàcket *n.* 전투복의 상의(와 비슷한 재킷).
báttle lìne *n.* 전선.
báttle mànagement *n.* 〖軍〗 전투 관리.
báttle·ment *n.* [보통 *pl.*] 총쏘는 구멍이 있는 흉벽(胸壁) (cf. PARAPET).
〖OF *batailler* to furnish with ramparts〗
báttle pìece *n.* 전쟁을 다룬 작품《그림, 시, 음악 따위》.
báttle·plàne *n.* 〖空軍〗 전투기.
bát·tler *n.* 《濠》 악전 고투하는 사람, 의지가 굳은 전사 ; 《古》 부랑자 ; 《口》 매춘부.
báttle-rèady *a.* 전투 준비가 된.
báttle róyal *n.* (*pl.* **~s, báttles róyal**) 일대 혼전 ; (싸움닭의) 대격투 ; (격렬한) 일대 논쟁.
báttle-scàrred *a.* 전상(戰傷)을 입은 ; (군기(軍旗) 따위) 역전(歷戰)의 자취가 있는 ; 오래 써서 흠집이 있는.
báttle·shìp *n.* 전함.
báttleship bùcket *n.* 땅을 파 올리는 기계.
báttle·some *a.* 싸움[논쟁]을 좋아하는.
báttle stàr *n.* 〖美軍〗 종군 동성 기장(銅星記章) ; 종군 은성(銀星) 기장.
báttle stàtion *n.* 〖軍〗 전투 기지 ; 전투 배치[부서] ; 〖空軍〗 즉시 대기.
báttle·wàgon *n.* 《軍俗》 전함(battleship) ; 중(重)폭격기 ; 중(重)전차.
bat·tue [bætjú: ; *F* baty] *n.* 사냥몰이 ; 몰아낸 짐승 ; 대량 학살.
〖F=beating ; ⇨ BATTERY〗
bát·ty *a.* 박쥐의, 박쥐 같은 ; 《美俗》 머리가 돈 ; 어리석은(silly). 〖BAT²〗
bát·wìng *a.* 박쥐 날개 모양을 한.
bátwing sléeve *n.* 〖服〗 진동은 넓고 소맷부리는 가늘게 좁혀진 소매.
bát·wòman *n.* 〖軍〗 잡역을 하는 여성 병사.
bau·ble [bɔ́:bəl, 美+bɑ́:-] *n.* 싸구려 ; 시시한[보잘것 없는] 것 ; 어린애 장난감 ; 〖史〗 어릿광대의 지팡이. 〖OF *ba*(*u*)*bel* child's toy< ?〗
baud [bɔ́:d, 美+bóud] *n.* (*pl.* **~, ~s**) 〖컴퓨·通信〗 보드《정보 전송의 속도 단위》.
〖J. M. E. *Baudot* (d. 1903) 프랑스의 발명가〗
bau·de·kin, -di- [bɔ́:dikən] *n.* =BALDACHIN.
Baud·e·laire [boudəléə*r*, -lǽə*r* ; *F* bodlɛ́:r] *n.* 보들레르. **Charles Pierre ~** (1821-67) 프랑스의 시인·비평가.
Bau·dót còde [bɔ:dóu-] *n.* 〖컴퓨·通信〗 보도 코드《5 또는 6 bit로 된 같은 길이의 코드로 한 문자를 나타냄》. 〖J. M. E. *Baudot* (⇨ BAUD)〗
báud ràte *n.* 〖컴퓨〗 보드율.
Bau·haus [báuhàus] *n.* 바우하우스《Walter Gropius가 1919년 독일 Weimar에 세운 건축·조형학교 ; 미술·과학·공예학을 건축에 도입했음》.
── *a.* 바우하우스의 (영향을 받은). 〖G〗
baulk etc. ☞ BALK etc.
Bau·mé [bouméi, ‐́‐] *a.* 〖理〗 보메 비중계의[로 잰] 《略 Be, Bé》.
〖A. *Baumé* (d. 1804) 프랑스의 물리학자〗
Baumé scale [‐́‐‐] *n.* 보메 눈금. 〖↑〗
baux·ite [bɔ́:ksait, 美+bɑ́:k-] *n.* Ⓤ 〖鑛〗 보크사이트《알루미늄의 원광》.
〖F (*Les Baux* 남프랑스 Arles 근처의 지명)〗
Bav. Bavaria(n).
Ba·var·ia [bəvéəriə, -vǽər-] *n.* 바바리아《독일 남부의 주 ; 주도 Munich》.
Ba·vár·i·an *a.* 바바리아의 ; 바바리아 사람[방언]의. ── *n.* 바바리아 사람 ; Ⓤ 바바리아 방언.
bav·in [bǽvən] *n.* 《英》 삭정이 나뭇단.
baw·bee, bau- [bɔ:bí:, ‐́‐] *n.* 《스코》 반 페니 (halfpenny) ; 《口》 하찮은 것.
baw·cock [bɔ́:kɑk] *n.* 《古》 좋은 동료[녀석].
bawd [bɔ́:d] *n.* 《古》 (여자) 포주 ; 《稀》 매춘부.
〖OF *baudetrot*〗
báwd·ry *n.* Ⓤ,Ⓒ 음담(패설), 음탕한 짓 ; 《古》 포주 노릇.
báwdy *a.* 음탕한, 외설적인 : a ~ house 매춘굴 / a ~ talk 음담. **báwd·i·ly** *adv.* **-i·ness** *n.*
bawl [bɔ́:l] *vt.* [+目/+目+副] **1** 외치다, 소리치며 팔다 ; 울부짖다 : The peddler *~ed* his wares in the street. 행상인이 길거리에서 물건을 소리치며 팔고 있었다 / He *~ed* ***out*** abuse. 욕설을 퍼부었다. **2** 《美俗》 [+目+副] 야단치다, 욕하다 : ~ a person ***out*** 남을 욕해대다.
── *vi.* [動/+前+名] 떠들다, 야단치다, 소리치다 : Don't ~ ***at*** him. 그를 야단치지 마시오 / Her brother *~ed* ***to*** her across the street. 그

너의 오빠는 길 건너편에서 여동생에게 소리쳤다 / The girl ~*ed* ***for*** help. 소녀는 도와달라고 소리쳤다. —— *n.* 외침, 큰소리, 아우성.
〖imit.; cf. L *baulo* to bark〗

*__bay__[1] [béi] *n.* **1** (작은) 만(灣), 내포(內浦), 후미 : the *B*~ of Yŏngil=Yŏngil *B*~ 영일만. **2** (삼면이) 산으로 둘러싸인 곳[평지].
〖OF<OSp. *bahia*〗

bay[2] *n.* 사냥개가 짐승을 쫓을 때 내는 소리 ; 굵직히 으르렁대는 소리 ; 쫓겨 몰린 상태, 궁지.
be [***stand***] ***at bay*** 쫓겨 몰리다, 궁지에 몰리다.
bring [***drive***] ***. . . to bay*** …을 몰아넣다, 궁지에 빠뜨리다.
hold [***have***] ***. . . at bay*** …을 몰아넣어 놓치지 않다.
keep [***hold***] ***. . . at bay*** (적 등을) 다가오지 못하게 하다.
turn [***come***] ***to bay*** 궁지에 몰려 반항하다.
—— *vi.* [動/+前+名] (특히 사냥개가 짐승을 몰아) 큰소리로 (연달아) 짖다 : Dogs sometimes ~ ***at*** the moon. 개는 가끔 달을 향해 (연달아) 짖어댄다. —— *vt.* …을 향해 (연달아) 짖어대다.
bay (***at***) ***the moon*** 달을 향해 짖다 ; 《비유》 무익한 일을 꾀하다 ; 《口》 끊임없이 불평하다.
〖OF *bayer* to bark<It. (imit.)〗

bay[3] *n.* 계수나무 ; [*pl.*] 월계관, 명성(fame).
〖OF<L *baca* berry〗

bay[4] *a.* 밤색(털)의. —— *n.* 밤색 말.
〖OF<L *badius*〗

bay[5] *n.* 〔建〕 벽의 기둥과 기둥 사이, 교각의 사이 ; =BAY WINDOW. 〖OF (*baer* to gape<L)〗

ba·ya·dère, -dere, -deer [báiədìər, -dèər ; ⌐-⌐] *n.* (인도 남부의) 무희(舞姬).

bay·ard [béiərd] *n.* [B~] (중세 기사 이야기 속의) 마력을 지닌 말 ; 《戲》 (일반적인) 말 ; 《古》 사슴털빛의 말.

Ba·yard [báiərd, béi- ; *F* baja:r] *n.* 의협심 있는 남아 《중세 때 기사의 귀감이었던 프랑스 무사의 이름에서》. 〖F (? *bay* brown, *-ard* (suf.))〗

báy·bèrry [ˌ-bəri] *n.* 〔植〕 **1** 피멘타《서인도 제도산의 도금양과(科)의 관목》. **2** 소귀나무.

Báy Cíty *n.* 《CB俗》 샌프란시스코.

Bay·ern [*G* báiərn] *n.* 바이에른《BAVARIA의 독일어명》.

Bayes·ian [béiziən, -ʒən] *a.* 〔統〕 베이스(의 정리)의.
〖Thomas *Bayes* (d. 1761) 영국의 수학자〗

báy láurel *n.* =BAY TREE.

báy lèaf *n.* 계수나무의 말린 잎《향미료로 씀》.

báy lìne *n.* 〔鐵〕 인입선, 측선.

báy lỳnx *n.* 〔動〕 보브캣, 붉은스라소니.

báy òil *n.* 베이유(油)《피멘타에서 채취하는 기름 ; BAY RUM의 원료》.

bay·o·net [béiənət, -nèt, bèiənét] *n.* 총검, 대검 ; [the ~] 무력(武力) ; [*pl.*] 총검 무장병, 보병 (cf. SABERS, RIFLEs) : 500 ~*s* 보병 500의 병력/ ~ charge 총검 돌격 / ~ fencing 총검술 / Fix[Unfix] ~*s*! 《구령》 꽂아[빼어] 칼.
at the point of the bayonet 총검을 들이대어, 무력으로.
—— *v.* (~·(t)**ed**, ~·(t)**ing**) *vt.* **1** 총검으로 찌르다[죽이다]. **2** [+目+前+名] 무력으로 강압하다 : ~ people ***into*** submission 무력으로 복종시키다. —— *vi.* 총검을 쓰다.
〖F (BAYONNE 최초의 제작지)〗

bay·ou [báijou, -ju:, -jə ; báiju:] *n.* (미국 남부의 강·호수·만의) 늪 같은 후미[내포(內浦)].

báyou blúe *n.* 《美俗》 값싼 술, 밀조주.

Báyou Státe *n.* [the ~] 미국 Mississippi 주의 속칭.

Bay·reuth [bairɔ́it, ⌐-] *n.* 바이로이트《독일 남부 Bayern 주의 도시 ; R. Wagner의 악극만을 상연하는 바이로이트 음악제로 유명》.

báy rúm *n.* 베이럼《머리용 향유》.

Bayrut ☞ BEIRUT.

báy sàlt *n.* 천일염(天日鹽).

báy séal *n.* 모조 바다 표범 가죽《토끼·사향쥐 따위의 모피》.

báy·smèlt *n.* (*pl.* ~**s**, ~) (소의) 넓적다리 고기.

Báy Státe *n.* [the ~] 미국 Massachusetts 주의 속칭.

báy trèe *n.* 〔植〕 계수나무.

báy wíndow *n.* 〔建〕 퇴창, 내달이창《벽보다 밖으로 나온 창 ; cf. BOW WINDOW, ORIEL》; 《戲》 장구통배.

báy·wòod *n.* (열대 아메리카산의) 큰잎마호가니《가구용》.

báy·wrèath *n.* 월계관.

baz [bǽ(:)z] *n.* 《해커俗》 배즈《관용기호의 하나》: Suppose we have three variables, foo, bar and ~. '푸'와 '바'와 '배즈'의 세 변수가 있다고 치자.
—— *int.* 아니 이거, 아뿔싸 : *Baz!* The return key on my keyboard is stuck! 쳇, 행 바꾸는 키가 움직이지 않네.

ba·zaar, -zar [bəzɑ́:r] *n.* **1** (동양의) 상점가, 시장, 마켓. **2** 잡화점. **3** 특매장 : a Christmas ~ 크리스마스 특매장. **4** 바자, 자선시(慈善市)《사회단체·교회 따위에서 벌임》: charity ~ 자선시. 〖Pers.〗

ba·zaa·ri [bəzɑ́:ri:] *n.* 이란인 상인[상점주인].
〖Pers.〗

ba·zoo [bæzú:] *n.* (*pl.* ~**s**) 카주 피리(kazoo) ; 《俗》 입 ; 불찬성(의 소리) ; 욕설.
shoot off one***'s bazoo*** 《俗》 줄줄이 지껄이다.

ba·zoo·ka [bəzú:kə] *n.* 〔軍〕 바주카 포《휴대용 대(對)전차 로켓 포》. ~·**man** [-mən] *n.* 바주카 포병. 〖C20<? ; cf. ↑〗

ba·zoom [bəzú:m] *n.* 《美俗》 젖퉁이. 〖BOSOM〗

ba·zoon·gies [bəzú:ndʒiz] *n. pl.* 《學生俗》 (특히) 크고 예쁜 유방. 〖BOSOM〗

bb base(s) on balls.

BB double black (연필의 2B). **B.B.** Blue Book ; Bureau of the Budget(예산국).

B/B bottled in bond.

B.B.A. [bì:bì:éi] Bachelor of Business Administration.

B battery [bí: ⌐] *n.* 〔電〕 B 전지《진공관의 플레이트 회로에 쓰이는 고압전지 ; cf. A BATTERY》.

BBB treble black (연필의 3B).

BBC, B.B.C. British Broadcasting Corporation (영국 방송 협회).

BB gun [bí:bì: ⌐] *n.* BB 총《구경 0.18 인치의 공기총》.

bbl. barrel(s). **bbls.** barrels.

B-bop [bí:⌐] *n.* =BEBOP.

BBS Big Brothers and Sisters movement((자매)결연 운동) ; Buddhist Broadcasting System(불교 방송국) ; bulletin board system(공개 전자 게시판).

*__B.C., B.C.__ [bì:sí:] before Christ 기원전《숫자 뒤에 붙여 보통 small capital로 쓴다 ; cf. A.D.》.

B.C. Boat Club ; British Columbia ; Bachelor of Chemistry[Commerce] ; Battery Commander ; Birth Control.

B/C bills for collection.
B.C.A. 《英》 Bureau of Current Affairs.
BCD [bìːsìːdíː] 〘軍〙 bad conduct discharge ; 〘컴퓨〙 binary-coded decimal.
B.C.E. Bachelor of Chemical Engineering ; Bachelor of Civil Engineering.
B cell [bíː ˊ] *n.* B세포, 골수성 림프 세포《항체를 산출하는 림프구》. 〖*b*one-marrow-derived *cell*〗
BCG vaccine [bìːsìːdʒíː ˊ] bacillus Calmette-Guérin vaccine(비시지 백신).
B.C.L. Bachelor of Civil Law (민법학사).
bcn. beacon.
B. Com(m). Bachelor of Commerce (상(商)학사).
B complex [bíːˊ] 〘生化〙 =vitamin B complex (비타민 B 복합체).
BCR bioclean room. **BCS** 〘컴퓨〙 business communication system. **B.C.S.** Bachelor of Chemical Science.
bd. band ; board ; bond ; bound ; bundle.
B.D. Bachelor of Divinity (신(神)학사).
B/D bank draft ; bills discounted ; brought down.
BDAM basic direct access method.
Bde. Brigade.
bdel·li·um [déliəm] *n.* 〘聖〙 베델리엄《방향수지(樹脂)·보석 또는 진주로 추정 ; 창세기 2 : 12》; 브델륨《방향 수지(를 내는 나무)》.
〖L<Gk. ; Heb.에서의 번역〗
bd. ft. board foot[feet].
bdg. binding (제본(製本)).
bdl., bdle. (*pl.* **bdls.**) bundle.
BDR 〘英〙 bearer depository receipt (무기명 예탁 증서).
Bdr. Bombardier.
bdrm. bedroom.
B.D.S. Bachelor of Dental Surgery.
bds. 〘製本〙 (bound in) boards《양장, 본제(本製) ; 보드지를 사용한 본격적인 제본》; bundles.
BDSA Business and Defense Services Administration((미국) 방위 산업 협력국).
B.D.S.T. British double summer time.
◇**be** [bi, bíː]

> (1) 어형 변화가 심하다 : ① 직설법(Indicative)의 현재형 : (I) AM ; (you) ARE[1], 《古》 (thou) ART[2] ; (he, she, it) IS ; (we, you, they) ARE[1]. 과거형 : (I) WAS ; (you) WERE, 《古》 (thou) WAST ; (he, she, it) WAS ; (we, you, they) WERE. ② 가정법(Subjunctive)의 현재형 : BE. 과거형 : WERE, 《古》 (thou) WERT. 명령법 : BE. ③ 부정사 : (to) BE. ④ 과거분사 : BEEN. ⑤ 현재분사·동명사 : BEING. ⑥ 단축형 : 《口》 'M(<am), 'RE(<are), 'S(<is) ; [부정 단축형] 현재형 : AREN'T, 《口》 AIN'T ; ISN'T. 과거형 : WASN'T, WEREN'T.
> (2) be의 형태대로 쓰는 것은 ① 조동사 뒤 ② 부정사 ③ 명령법·기원법 ④ 가정법에서.
> (3) 변칙동사로서 의문문·부정문에서 do를 쓰지 않는다 : He is tall. → *Is he* tall?
> (4) 강조에도 do를 쓰지 않고 동사 자체에 강세를 주어서 나타낸다 : You look tired. —I *am* tired.「너 피곤해 보이는구나」「응, 정말 피곤해」《경우에 따라 인쇄체에서는 이탤릭체를 쓰고 필기체에서는 하선을 친다》.

— *vi.* **1** [연결 동사로] [+補/+*to* do/+do*ing*/+*that* 節/+*wh.*節/+*wh.*+*to* do/+副/+前+名] …이다, (장차) …이 되다 : Boys, *be* ambitious. 소년들이여 야망을 가져라 / Don't *be* lazy. 게으름피우지 마라 / He will *be* a good doctor. 그는 훌륭한 의사가 될 것이다 / Twice two *is* four. 2×2=4 / It's he[me]. 그[나]입니다(☞ I[2] 主 (1)) / That'*s* what I wanted to say. 그것이 (바로) 내가 말하고 싶었던 거다 / To live *is to* fight. 인생은 투쟁이다 / Seeing *is* believ*ing.* 《속담》 백문이 불여 일견 / The trouble *is that* she does not like it. 곤란한 일은 그녀가 그것을 좋아하지 않는다는 것이다 / What matters *is how* they live. 중요한 것은 그들이 어떻게 사느냐하는 것이다 / The question *is* not *what to* do but *how to* do it. 문제는 무엇을 할 것인가가 아니라 어떻게 할 것인가다 / *How are* you? 안녕하십니까 / I *am* quite well[*in* good health]. 아주 잘 있습니다 / The situation *is* ***of*** utmost importance. 사태는 더없이 중대합니다 / We *are* the same age. 우리들은 동갑입니다《主 the same age 앞에 *of*를 보충할 수 있으나 현재는 *of*를 쓰지 않는 것이 보통 ; cf. OF *prep.* 8 ; ☞ OF 活用 (2)》 / The house *was* ***on*** fire[***in*** flames] then. 그때 그집은 불타고 있었다 / We *were* ***at*** table when they called. 그들이 찾아왔을 때 우리들은 식사중이었다. 主 Be 동사에 악센트를 넣으면 문장의 긍정이 강조됨 : It *is* [íz] wrong. 확실히 잘못되어 있다 / That *is* [íz] a baby! 정말로 귀여운 아이입니다.
2 [+副/+前+名] (어디에) 있다 ; (언제) 이다 : *Where is* Seoul? —It *is* ***in*** Korea. 서울은 어디에 있느냐 —한국에 있다 / *When is* your birthday? —It *is* ***on*** the 5th of May. 생일은 언제입니까 —5월 5일 입니다 / *Be here* ***at*** 5. 5시에 여기로 오십시오.
3 생존[존재·잔존(殘存)]하다(exist), 일어나다, 지속하다 : Let it[him] *be.* 그것을[그를] 그대로 두게《내버려 둬라》 / Can such things *be*? 이런 일이 있을 수 있을까 / When is the ceremony to *be*? 식(式)은 언제 거행됩니까 / To *be* or not to *be*—that is the question. 《세익스피어》 사느냐 죽느냐—그것이 문제로다 / God *is* (=exists). 신은 존재한다. 主 이 용법은 문어적 ; 보통 존재의 「유무」를 말할 경우는 THERE is를 씀 : Once upon a time *there was* a knight. 옛날에 한 기사가 있었습니다.
4 [be의 특별 용법] **a)** 《文語·古》 [조건절·양보절 따위 중에서 가정법 현재형으로] : If it *be* fine.... 날씨가 좋으면…《현재는 보통 직설법을 씀 : If it *is* fine....》 / if need *be* ☞ NEED 숙어 / *Be* it ever so humble, there's no place like home. 아무리 초라하다 해도 내 집만한 곳은 없다 / *Be* that as it may, ... 그것이 어떻든간에… / *Be* the matter what it may, ... 일이 어떻게 되든 간에…. 主 뒤의 3가지 보기의 구절은 원래 다음과 같은 소망을 나타내는 독립문장에서 유래 : *Be* it so! =So *be* it! (=Let it be so!) 그렇게 될지어다(Amen!) ; 그렇다면 그래도 좋다《괜찮다》. **b)** 《美文語》 [요구·주장·제안 따위를 나타내는 동사에 계속되는 *that* 節 중에서 가정법 현재형으로] : I demanded that he *be*(=《英》 should be) present. 나는 그가 출석할 것을 요구했다 / Resolved (=It has been resolved) that our salary *be* (=《英》 should be) raised. 봉급을 인상해 주시길, 이상 결의함. **c)** 《古》 =ARE[1] : the powers that *be* 권력자, 당국(the authorities).

—— *auxil. v.* **1** [*be*+(타동사의) 과거분사형으로 수동태를 만듦] …되다《동작》, …되고 있다《상태》: This magazine *is published* twice a month. 이 잡지는 한 달에 두 번 발행된다 / Grammar *be hanged*! 문법 따위는 필요없다 / He *is* known as a leading poet. 일류 시인으로 알려져 있다.
2 [*be*+(자동사의) 과거분사] …했다, …해 있다《완료형》: Winter *is gone* (=over). 겨울은 지났다《cf. He *has gone* out. 그는 나갔다》/ *Be gone!* 가버려라, 없어져 버려. ㊟ 운동 또는 변화를 나타내는 자동사《come, go, arrive, rise, set, fall, grow 따위》의 경우지만 지금은 완료형은 'have+*p.p.*'로 통일되어 'be+*p.p.*'는 동작의 결과로서의 상태를 나타내는데 위의 보기와 같이 go의 경우(cf. GO *vi.* 2)를 제외하면 《古·詩》.
3 [*be*+do*ing*] …하고 있는 중이다: She *is* sing*ing* now. 그녀는 지금 노래를 부르고 있다.
4 [*be*+*to* do] …하기로 되어 있다, …할 작정이다, …해야 한다: We *are to* meet at 5. 5시에 만나기로 되어 있다 / I *am to* inform you that …을 통지하여 드립니다 / It *is to* be hoped that.... 아무쪼록 …이시기를 바랍니다 / He *was* never *to* see his home again. 다시는 고향으로 돌아가지 못할 운명이었다 / No one *was to be* (=could be) seen. 아무도 보이지 않았다.
5 [*were*+*to* do] 가령 …이라고 하면 《실현성이 거의 없는 가정》: If I *were to* die[*Were* I *to* die] tomorrow, what would my children do? 내일이라도 내가 죽는다면 아이들은 어떻게 될 것인가. ㊟ should 보다도 불확실성을 나타내는 뜻이 강함; cf. SHOULD 1 e).
〖*be, been, being*<OE *bēon* to be, <IE=to become, grow; *am, is, are*<OE *eom, is, earon,*<IE=to exist; *was, were*<OE *wēsan* to be, <IE=to remain〗

be- *pref.* **1** [강조적으로 타동사 앞에 붙여] 전면적으로, 아주, 완전히, 과도히: *be*smear, *be*spatter. **2** [자동사 앞에 붙여 타동사를 만듦]: *be*moan, *be*speak. **3** [형용사·명사에 붙여 타동사를 만듦] …으로 하다, …라고 부르다, …으로서 대우하다: *be*fool, *be*foul, *be*friend. **4** [명사에 붙여서 타동사를 만듦] …으로 싸다, …으로 덮다: *be*cloud. **5** [명사에 붙여서 어미 *-ed*를 첨가하여 형용사를 만듦] …을 가진, …으로 꾸민[장식한], 전면 …의: *be*wigg*ed* 가발(wig)을 쓴 / *be*jewel*ed* 보석(jewel)으로 꾸민 / *be*grim*ed* 먼지(grime)투성이의.
〖OE *be-* BY의 약형(弱形)〗

Be 〖化〗 beryllium. **B/E, b.e.** bill of exchange(환어음); bill of entry. **B.E.** Bachelor of Education; Bachelor of Engineering; Bank of England; bill of exchange; Board of Education. **B.E.A.** British European Airways; British East Africa.

Bea [bíː] *n.* 여자 이름《Beatrice의 애칭》.

‡**beach** [bíːtʃ] *n.* **1** 해변, 물가, 바닷가; 《古》 [집합적으로] (바닷가의) 모래, 자갈. **2** 해수욕장, (호숫가 따위의) 수영장.
on the beach 해변[부둣]가를 서성거리며; 영락(零落)[실직]하여; 육상 근무로.

〈회화〉
How about going for a walk along the *beach*?
— Yes, that's a good idea. 「해변을 산책하지 않을래?」「그것 좋은 생각이다」

—— *vt.* (배를) 뭍[바닷가]으로 끌어올리다.
—— *vi.* (배가) 뭍[바닷가]에 얹히다.
〖C 16<?〗
類義語 ⟹ SHORE.

béach bàll *n.* 비치 볼《(1) 해변·풀용의 대형 공. (2) 우주 비행사를 구조선에 이송하기 위한 1인용의 구체(球體)》.

béach bòat *n.* (바닷가에 쉽게 끌어올릴 수 있는) 바닥이 평평한 보트.

Béach Bòys *n. pl.* [the ~] 비치 보이스《1961년 5명으로 결성된 미국의 포퓰라 코러스 그룹》.

béach bùggy *n.* 《美》 비치 버기《모래 사장을 달리기 알맞게 큰 바퀴를 단 자동차》.

béach bùnny *n.* 《美俗》 비치 버니《서핑하는 남자와 어울리거나 비키니 차림을 과시하는 여자》.

béach còat *n.* (수영복 위에 덧입는) 해변복.

béach·cònb *vi.* 부두에서 건달 노릇을 하며 지내다. —— *vt.* 부두에서 떠돌이로 헤매다.

béach·còmb·er *n.* **1** (해변으로 밀려오는) 큰 파도. **2** 해변에서 (난파선의) 물건을 줍는 사람. **3** (특히 남태평양 제도의 백인) 부두 부랑자.

béach flèa *n.* 바다벼룩.

béach gràss *n.* 〖植〗 해변 따위의 모래땅에 많은 포아풀과(科)의 잡초.

béach·hèad *n.* **1** 〖軍〗 교두보, 상륙 거점(cf. BRIDGEHEAD). **2** 발판.

beach·ie [bíːtʃi] *n.* 《濠口》 바닷가 어부; 젊은 해변 부랑자.

Beach-la-mar [bìːtʃləmáːr] *n.* 〖言〗 =BÊCHE-DE-MER.

béach·màster *n.* 〖軍〗 상륙[양륙] 지휘관.

béach·scàpe *n.* 해변가 풍경(cf. SEASCAPE).

béach umbrèlla *n.* 비치 파라솔.

béach wàgon *n.* 《美》 =STATION WAGON.

béach·wèar *n.* Ⓤ 해변[해수욕장·풀]에서 입는 옷, 수영복.

béachy *a.* 모래[자갈]로 덮인.

bea·con [bíːkən] *n.* **1** 봉화, 횃불, 신호, 표지. **2** 신호소; 표지탑, 등대(lighthouse); 수로[항공·교통] 표지(標識): an aerial ~ 항공 등대 / a radio ~ 무선 표지. **3** 경계, 지침(指針).
—— *vt.* (표지로) 인도하다; …에 표지를 설치하다. —— *vi.* (표지처럼) 반짝이다, 지침[경계]이 되다. 〖OE *bēacn*; cf. G *Bake*〗

béacon fìre[lìght] *n.* 신호불, 봉화, 표지등.

***bead** [bíːd] *n.* **1** 유리알, 구멍 뚫린 작은 구슬, 염주알; [*pl.*] 염주, 로사리오(rosary), 목걸이. **2** (이슬·땀·피의) 방울; (위스키·탄산 음료 따위의) 거품. **3** 〖建〗 구슬선(cf. ASTRAGAL). **4** (총의) 가늠쇠; 겨냥(aim). **5** 비드《고무 타이어를 림(rim)에 고정시키는 보강(補强)부분》.
draw a bead (up)on …을 잘 겨냥하다.
tell[count, say] one's beads (염주알을 돌리며) 기도문을 외다, 기도하다.
—— *vt.* 구슬로 꾸미다, …에 구슬을 달다, 염주 모양으로 매다. —— *vi.* 구슬처럼 되다; 거품이 일다; 조준하다.
〖OE *gebed* prayer (cf. BID[1]); 염주로 기도의 횟수를 센 데서〗

béad cúrtain *n.* 주렴(珠簾), 구슬발.

béad·ed *a.* (구슬·땀 따위) 방울이 된, 방울 모양의; 구슬로 장식한.

béad·hòuse, bède- *n.* 구빈원; 양로원.

béad·ing *n.* Ⓤ 구슬 세공[장식]; 레이스 모양의 가장자리 장식; 〖建〗 구슬선 (장식); (맥주의) 거품; (타이어의) 비드(bead).

bea·dle [bíːdl] *n.* 《英》 (원래) 교구 관리; 대학 총장 직권의 권표(權標)를 받드는 속관(屬官).
〖OF<Gmc.〗

béadle·dom *n.* Ⓤ 하급 관리 근성.
béad·lìke *a.* 구슬 같은.
béad·ròll *n.* 〖카톨릭〗 과거장(過去帳) ; (일반적으로) 명부, 목록 ; 묵주, 로사리오(rosary).
beads·man [bí:dzmən], **bede(s)-** [bí:d(z)-] *n.* **1** (돈을 받고) 남의 명복을 비는 사람. **2** 《英》 구빈원[양로원]의 수용자 ; 《스코》 공인된 거지.
béad·wòrk *n.* Ⓤ 구슬 세공[장식] ; 〖建〗 구슬선.
béady *a.* 구슬 같은 ; 구슬로 장식한 ; 거품이 이는 : ~ eyes 작고 반짝이는 동그란 눈.
〖BEAD〗
bea·gle [bí:gəl] *n.* **1** 비글《토끼 사냥용의 작은 사냥개》. **2** 《비유》 스파이, 탐정 ; 집달리.
béa·gling *n.* beagle을 이용한 토끼 사냥.
〖OF=noisy person〗
***beak**[1] [bí:k] *n.* (맹금류의 굽은) 부리(cf. BILL[2]) ; 부리 모양의 것 ; 《俗》 코, (특히) 매부리코(hook nose) ; 피리의 촉 ; (주전자의) 주둥이 ; 〖化〗 도관 ; 〖建〗 (빗물이 흘러내리도록 벽 위쪽에 댄) 부리 모양의 돌출부.
~·like *a.* 〖OF<L<Celt.〗
beak[2] *n.* 《英俗》 치안 판사 ; 《英學俗》 선생, (특히) 교장. 〖C19 ; 아마도 도둑 패거리의 말〗
beaked *a.* 부리가 있는 ; 부리 모양의 ; 돌출하고 있는 ; (사람이) 매부리코인.
beak·er [bí:kər] *n.* 아가리가 넓은 유리컵 ; 한잔의 술 ; 비커《화학 실험용 유리 그릇》.
〖ON *bikarr* ; cf. Gk. *bikos* drinking bowl〗
béaky *a.* 부리가 있는 ; 부리 모양의.
bé-àll (and énd-àll) *n.* 가장 중요한 것, 궁극적인 목표[목적], 핵심 ; 《戲》 개선의 여지가 없는 사람[것].
***beam** [bí:m] *n.* **1** 들보, 도리. **2** 〖海〗 (선박의) 갑판을 받치는 들보 ; 선폭(船幅). **3** 저울대 ; 저울 ; 쟁기의 날에 대는 긴 자루. **4** 광선(ray) ; 〖理〗 광속(光束) (bundle of rays) : a ~ of hope 희망의 빛. **5** (확성기·마이크로폰 따위의) 유효 가청 범위. **6** 〖通信〗 신호 전파, 방위 지시 전파, 빔 (=radio ~) : on[off] the ~ (비행기가) 방향 지시 전파에 올바로 인도되어[에서 벗어나]. **7** 《비유》 (얼굴·행위 따위의) 빛남, 웃음띤 얼굴, 밝은 표정 : a ~ of delight 기쁜듯한 얼굴.
abaft*[*before*] *the beam 〖海〗 바로 옆쪽 뒤[앞으]로.
kick the beam (저울의 한쪽이 가벼워) 저울대가 튀어 올라가다 ; 《비유》 압도되다, 지다.
off the beam ⑴ ☞ 6. ⑵ 《口》 방향이 틀려서. ⑶ 《口》 잘못되어 ; 정신이 돌아.
on the beam ⑴ ☞ 6. ⑵ 바른 방향으로 나아가. ⑶ 《口》 순조롭게, 정상적으로.
on the port*[*starboard*] *beam 〖海〗 좌[우]현 바로 옆에.
ride the beam 〖空〗 방향지시 전파를 따라 날다.
the beam in one***'s*** (***own***) ***eye*** 〖聖〗 자기 눈속에 있는 들보《알아차리지 못하는 자기의 큰 결점》.
—— *vi.* **1** 빛을 내다, 빛나다. **2** [動/+前+名] 웃음짓다 : Her face ~*ed*. 웃음띤 얼굴이었다 / He ~*ed* ***on*** his friends. 친구들에게 싱글벙글 웃음지어 보였다. —— *vt.* **1** (빛을) 발산하다. **2** [+目/+目+前+名] 〖通信·라디오〗 (방송을) 내보내다(direct) : The programs will be ~*ed* ***to***[***at***] Russia. 그 프로그램은 러시아로 방송될 것이다. 〖OE *bēam* tree ; cf. G *Baum*〗
[類義語] ***beam*** 발광체에서 발산되는 길고 다소 폭이 있는 광선 : the *beam* from a flashlight (플래시의 광선). ***ray*** beam을 이루는 광선의 한 가지로 발광체에서 나오는 방사광선 또는 작은 구멍에서 나오는 가는 빛의 선(線) ; 학술어로서는 빛을 내지 않는 「선(線)」《X선, 적[자]외선》 : *rays* of moonlight through the leaves (나뭇잎 사이로 비치는 달빛).
BEAM *n.* 빔《뇌파의 파형(波型)을 실제 뇌의 활동성을 나타내는 컬러 지도로 바꾸는 장치》.
〖*b*rain *e*lectrical *a*ctivity *m*apping〗
béam antènna[**àerial**] *n.* 지향성(指向性) 안테나.
béam·càst *vt.* 지향 무선으로 전송하다.
béam cómpasses *n. pl.* (큰 원을 그리기 위한) 빔 컴퍼스.
beamed [bí:md] *a.* 들보가 있는 ; 빛나는 ; 〖라디오〗 방송되는.
béam-ènds *n. pl.* 〖海〗 들보의 끝, 양단(梁端).
on her*[one's*] *beam-ends*** (배의) 들보가 수직이 될 정도로 기울어져, 거의 전복되어 ; 《비유》 진퇴양난에 빠져, 아주 난처하여.
béam hòle *n.* 〖理〗 (원자로의) 빔 구멍《실험용의 중성자 빔 따위를 추출하기 위하여 차폐물에 설치한 구멍》.
béam hòuse *n.* (제혁 공장의) 빔 하우스《무두질의 준비 공정 작업장》.
béam·ing *a.* 빛나는 ; 기쁨에 넘친, 명랑한, 화기가 도는. **~·ly** *adv.* 기쁨에 넘쳐서, 명랑하게, 화기가 돌게.
béam·ish *a.* 희망에 빛나는 ; 화기가 도는.
béam·less *a.* 들보가 없는 ; 빛을 발하지 않는, 빛나지 않는.
béam-pówer tùbe *n.* 〖電子〗 빔 출력[전력]관.
béam rìder *n.* 〖軍〗 전파 유도 미사일, 빔 라이더.
béam-rìding *n.* 〖空〗 (미사일 따위의) 전파 유도.
béam séa *n.* (뱃전에) 옆으로 부딪히는 파도.
béam sỳstem *n.* 〖通信〗 빔식(式)《일정한 방향으로 강한 전파를 복사하는 안테나 방식》.
béam wèapon *n.* 〖軍〗 빔 무기《레이저광·입자선을 이용한 무기》.
béam wèaponry *n.*
béam·wìdth *n.* 〖通信〗 (안테나가 복사하는 전파 따위의) 빔의 폭(幅).
béam wínd *n.* 옆바람.
béamy *a.* (배가) 폭이 넓은 ; (일반적으로) 폭이 넓은, 딱 벌어진 ; 빛을 발하는, 빛나는 ; 〖動〗 (수사슴 같은) 뿔이 있는.
***bean** [bí:n] *n.* **1** 콩(cf. PEA) ; 잠두(蠶豆)(= broad ~) : small ~*s* 팥 / soya ~*s*=soy ~*s* 콩 / ☞ KIDNEY BEAN / ☞ STRING BEAN. **2** (콩 비슷한) 열매 : ☞ COFFEE BEAN. **3** 《俗》 머리(head). **4** 《俗》 돈(coin) : I haven't a ~. 한 푼의 돈도 없다《빈털터리다》.
full of beans 《口》 (말·사람이) 원기 왕성하여 ; 《美口》 응석을 부려 ; 《美口》 터무니없는 말을 하여.
give a person ***beans*** 《俗》 남을 꾸짖다, 벌주다.
not care a bean 《俗》 조금도 개의치 않다.
not worth a bean 《俗》 한푼의 값어치도 없는.
old bean 《英俗·호칭》 야아, 자네 !
spill the beans 《口》 비밀을 밝히다, 자백하다.
—— *vt.* 《口》 던져서 (남의) 머리를 때리다 ; (특히 야구에서) (타자)에게 빈볼을 던지다.
〖OE *bēan* ; cf. G *Bohne*〗
béan·bàg *n.* 공기, 오자미《콩 따위를 헝겊으로 싼 장난감》; 공기 놀이.
béan·bàll *n.* 〖野〗 빈볼《고의로 타자의 머리를 향해 던지는 공》; 타자 머리 옆을 스치는 강속구.
béan càke *n.* 콩깻묵, 대두박(cf. OIL CAKE).
béan cùrd *n.* 두부.

béan·ery *n.* 《美口》 (콩 요리가 잘 나오는) 싸구려 음식점 ; 《美俗》 유치장.
béan·fèast, -fèst *n.* 《英》 (1년에 한 번) 고용주가 고용인에게 베푸는 잔치 ; 《英俗》 즐거운 잔치.
béan-fèd *a.* 《口》 원기 왕성한.
béan-hèad *n.* 《俗》 바보, 천치.
bean·ie [bíːni] *n.* 두건 모양의 여성[학생]모자.
beano [bíːnou] *n.* (*pl.* **~s**) 《俗》 ＝BEANFEAST.
béan pòd *n.* 콩깍지.
béan pòle *n.* 콩의 버팀대[지주] ; 《口》 키다리.
béan pòt *n.* (찜용의) 두꺼운 냄비.
béan·shòot·er *n.* ＝PEASHOOTER ; ＝SLINGSHOT.
béan sóup *n.* 잠두를 넣은 수프.
béan spròut[shòot] *n.* [보통 *pl.*] 콩나물.
béan·stàlk *n.* 콩줄기, 콩대.
Béan Tòwn *n.* Boston시의 속칭.
béan trèe *n.* 콩깍지와 비슷한 열매를 맺는 각종 나무《개오동나무 따위》.
beany[1] [bíːni] *a.* 《俗》 팔팔한 ; 기분좋은. 〚*full of* BEAN*s*〛
beany[2] *n.* ＝BEANIE.
◇**bear**[1] [béər, bǽər] *v.* (**bore** [bɔ́ːr], 《古》 **bare** [béər, bǽər] ; **borne, born** [bɔ́ːrn] ; ☞ 9 b)) *vt.* **1** [＋目/＋目＋前＋名] 나르다, 가지고[데리고] 가다 ; 전하다 : A voice was *borne* **(up)on** the wind. 목소리가 바람결에 들려 왔다. 주 이 뜻으로는 carry가 일반적.
2 (무게를) 지탱하다, 받치다 : The ice is thick enough to ~ your weight. 그 얼음은 당신의 무게를 지탱할 만큼 두껍습니다.
3 (비용을) 감당하다 ; (의무·책임을) 지다, 분담하다 : Will you ~ the cost[responsibility]? 비용을 부담해[책임을 맡아] 주시겠습니까?
4 [＋目/＋*to* do/＋do*ing*/＋目＋*to* do] [흔히 cannot을 수반하여] (고통·불행 따위에) 견디다, 참(아내)다 : The doubt is more than I can ~. 그 의혹은 나에게는 견딜 수 없을 정도다 / I *cannot* ~ *to* see the children going hungry. 어린아이들이 배고파하는 것을 차마 눈뜨고 볼 수 없다 / I *cannot* ~ *to* be[~ be*ing*] made a fool of. 나는 바보 취급을 당하는 것은 견딜 수 없다 / He said he *could not* ~ me *to* be unhappy. 그는 내가 불행해진다는 것이 참을 수 없다고 말했다 / grin and ~ it ☞ GRIN 숙어.
5 [＋目/＋do*ing*] …하기에 알맞다[할 만하다] ; …해도 좋다, 할 수 있다 : The accident ~*s* two explanations. 그 사고는 두 가지로 설명할 수 있다 / This cloth will ~ wash*ing*. 이 천은 손빨래할 수 있다 / The story[His language] does not ~ repeat*ing*. 그 이야기[그의 말]는 되풀이할 것도 못된다.
6 (무기·마크·흔적 따위를) 몸에 지니다, 띠다, 가지고 있다 : ~ arms ☞ ARM[2] *n.* 숙어 / This letter ~*s* a British stamp. 이 편지에는 영국 우표가 붙어 있다.
7 [＋目/＋目＋前＋名/＋目＋目] 마음에 두다, (원한·악의를) 품다 : *B*~ **in** mind what I say. 내가 말하는 것을 명심하시오 / I ~ a grudge ***against*** him. 나는 그에게 원한을 품고 있다 / She ~*s* me no grudge. 그녀는 나에게 아무런 악의도 품고 있지 않다.
8 [＋目/＋目＋前＋名] (관계·칭호·명성 따위가) 있다, 가지다 : He ~*s* the name of John, the title of duke, and a reputation of courage. 존이라는 이름, 공작이라는 작위, 용감하다는 명성을 지니고 있다 / ~ some relation[resemblance] ***to*** …과 약간 관계가 있다[닮았다] / ~ a part ***in*** something 어떤 일에 관계[협력]하다.
9 a) (이자가) 붙다 ; (꽃이) 피다, (열매를) 맺다(yield) : How much interest will the bonds ~? 그 채권은 이자가 얼마나 붙습니까 / This tree ~*s* fine apples. 이 나무에는 좋은 사과가 열린다 / These schemes *bore* fruit. 이들 계획은 결실을 맺었다. **b**) [＋目/＋目＋目] (아이를) 낳다, 출산하다 : She has *borne* him three daughters. 그녀는 그와의 사이에 딸 셋을 두었다. 주 특히 수동태에서 「태어나다」라는 뜻을 나타낼 경우에는 뒤에 by…가 계속되는 경우 이외는 과거분사로서 BORN을 씀 : He was *born* in 1980. 그는 1980년에 태어났다.
10 [＋目＋副] 쫓다, 밀다(push) : The crowd was *borne back*(*ward*) by the police. 군중은 경찰대에게 뒤로 밀려났다.
11 [＋目/＋目＋前＋名] (권력·직권을) 휘두르다, 행사하다 : The king *bore* sway ***over*** the empire. 왕은 제국(帝國)을 지배했다.

〈회화〉
Where were you *born*? — I was *born* in London. 「어디에서 태어났니」「런던에서」

— *vi.* **1** 지탱하다, 배겨내다, 견디다 : The ice will not ~. 그 얼음은 올라타면 깨질 것이다. **2** [＋前＋名] 누르다 ; (지탱할 것에) 기대다 : Taxation ~*s* heavily ***on*** the poor. 과세는 가난한 사람을 압박하고 있다 / The old woman was ~*ing on* her crutches. 노파는 목발에 기대고 있었다. **3** [＋副/＋前＋名] (어떤 방향으로) 향하다, 돌다 : The ship *bore north*. 배는 북으로 (진로를) 향했다 / When you come to the end of the street, ~ ***to*** the left. 도로의 막다른 곳에 이르면 왼쪽으로 도시오《주 구어에서는 turn이 일반적》. **4** [＋副] 위치하다 : The land *bore* due *south* of the ship. 육지는 배의 정남쪽에 위치하고 있었다. **5** 열매를 맺다, 아이를 낳다.
be borne in upon …에게 확신되다, …가 알게 되다 : It *was borne in upon* me that.... 나는 …라고 확신하기에 이르렀다.
bear oneself 처신하다 ; 행동하다 : He *bore* him*self* well[with dignity]. 훌륭하게 처신했다[위엄있는 태도를 취했다] / She ~*s* her*self* like a nurse. 유모처럼 처신한다.
bear a hand 거들다, 도와주다(help).
bear away (1) 쟁취하다 : ~ *away* the prize 상을 타다, 우승하다. (2) 몰아세우다 : He was *borne away* by anger. 울화가 치밀었다. (3) (*vi.*) 〖海〗 바람이 불어가는 쪽으로 향하다, 떠나다.
bear a person ***company*** 남의 상대[말벗]가 되어주다, 남과 동행하다.
bear down ((***up***)***on...***) (적·반대를) 제압[압도]하다 ; (배 따위가) (…로) 차차 다가오다.
bear off (1) (*vt.*) 견디다, 빼앗다, (상을) 타다, 떼다 ; …의 목숨을 빼앗다. (2) (*vi.*) 〖海〗 멀어져 가다.
bear (***up***)***on...*** (1) …을 압박하다 ; …에 기대다(cf. *vi.* 2). (2) …에 관계[영향]가 있다 : His story does not ~ *on* the question. 그의 이야기는 그 문제와 관계가 없다.
bear out 지지하다, 지원하다, 확증하다, …의 증거가 되다.
bear up (1) (*vt.*) 받치다, 지탱하다. (2) (*vi.*) 견디(어 내)다, 굽히지 않다 : He *bore up* under the misfortune. 불행 속에서도 견디어 냈다. (3) (*vi.*) 〖海〗 진로를 바람이 불어가는 쪽으로 바꾸

다 ; (…쪽으로) 진로를 변경하다〈*for*〉.
bear with... (남을) 용서하다, 참다.
***bear witness to*[*of*]...** ☞ WITNESS.
bring...to bear* (*up*)*on …에 (포화·정력 따위를) 향하게 하다, 집중하다 ; …에 (압력 따위를) 가하다 : We *brought* all our energies *to* ~ *upon* the task. 그 일에 온 정력을 기울였다.
〖OE *beran* ; cf. G *gebären*〗
類義語 (1) ***bear*** 고통·곤란·괴로움·불쾌·불편 따위를 참다 ; 참는 방법에 대해서는 별로 언급하지 않음 : *bear* a disappointment (실망을 참다). ***suffer*** 고통·불쾌한 것을 소극적으로 또는 체념하여 견디다 : *suffer* the damage (손해를 감수하다). ***endure*** 장기간에 걸친 고통·불행·곤란 따위를 끈질기게 불평하지 않으며 참다 ; 인내심이나 끈기를 강조하는 말 : *endure* much torture (고초를 감내하다). ***stand*** 불쾌한 일이나 싫은 것을 완강하게 참고 견디다 : *stand* loss of one's fortune (재산의 손실을 견디어 내다). ***tolerate*** stand와 같은 뜻으로 보다 격식차린 말. ***brook*** 보통 부정 구문으로 쓰이며 싫은 것을 결코 참을 수 없음을 나타냄. (2) ⟹ CARRY.

◇**bear²** *n.* **1** 〖動〗 곰 : a black ~ 흑곰 / a brown ~ 큰곰, 불곰 / a polar ~ 흰[북극]곰. **2** 난폭한[곰 같은] 사람 ; 《美俗》 못생긴 여자 : a regular ~ 아주 난폭한 자. **3** [the B~] 〖天〗 곰자리 : ☞ GREAT BEAR, LITTLE BEAR. **4** 〖證〗 파는 쪽, 시세 하락을 내다보는 사람(↔*bull*¹). **5** 《口》 비범한 재능 [열성·관심]을 가진 사람. **6** 구멍 뚫는 기구. **7** [the B~] 러시아. **8** 《CB俗》 순경, 경찰관. **9** 봉제(縫製) 곰인형. **10** 《學俗》 어려운 일[과목].
(as) cross as a bear (with a sore head) ☞ CROSS *a.*
be a bear for (일 따위) 잘 버티어 내다, …에 내구력이 있다.
play the bear with... 《俗》 …을 망쳐 놓다.
sell the skin before* one *has killed the bear 너구리 굴 보고 피물 돈 내어 쓴다.
── *a.* 〖證〗 약세의, 하락세의(↔*bull*¹).
── *vt., vi.* 시세를 떨어뜨리다, 팔아치우다 : ~ the market 대량 판매로 값을 떨어뜨리다.
〖OE *bera* ; cf. G *Bär*〗

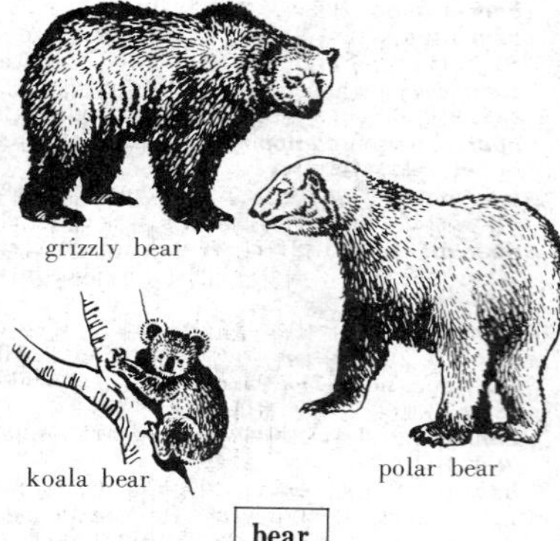

bear

béar·able *a.* 견딜 수 있는, 참을 수 있는, (더위 따위가) 견딜 만한. **-ably** *adv.*
béar animálcule *n.* 〖動〗 완보류(緩步類) (tardigrade).
béar·bàit·ing *n.* Ⓤ 곰 놀리기《매놓은 곰에게 개를 부추겨서 덤벼들게 하던 영국의 옛 놀이 ; cf. BEAR GARDEN》.
béar·bèrry [ˌ-bəri] *n.* 〖植〗 월귤나무속(屬)의 붉은 열매를 맺는 덩굴식물 ; 넌출월귤.
béar càt *n.* 〖動〗 작은팬더[곰고양이] ; 《美俗》 강한[용맹스러운] 사람[동물], 대형 중량급 기계.
béar càve *n.* 《CB俗》 경찰서.
‡**beard** [bíərd] *n.* **1** (턱)수염 (cf. MUSTACHE, WHISKERS) ; 《美俗》 (특히 지식 계급의) 수염을 기른 사람 ; 《俗》 지식인, 냉정한 사람, 전위적인 사람. **2** 〖植〗 까끄라기(awn). **3** (화살촉·낚시의) 미늘. **4** (염소 따위의) 수염 ; (굴·조개의) 아가미 ; 새의 수염 모양의 깃털. **5** 활자의 면과 어깨 사이.
in spite of a person***'s beard*** 남의 의지에 거슬러서.
laugh in* one*'s beard 소리없이 비웃다.
speak in* one*'s beard 중얼거리다, (혼자) 우물우물 말하다.
take by the beard 수염을 잡다 ; 대담하게 공격하다.
to a person***'s beard*** 남 앞에서 거리낌없이 ; 공공연히 반항하여, 맞대 놓고.
── *vt.* **1** …의 수염을 잡아 당기다[뽑다] ; …에게 공공연히 반항하다. **2** …에 수염을 달다 ; (주물의 이음매·널의 모서리)를 깎아내다.
beard the lion in his den 무서운 상대에게 대담히 맞서다 ; 위험을 무릅쓰고 요구 따위를 제시하다.
〖OE ; cf. G *Bart*〗
béard·ed *a.* 수염[까끄라기·미늘]이 있는.
béarded dárnel *n.* 〖植〗 독보리.
béarded pínk *n.* 별패랭이꽃.
béarded tít[títmouse] *n.* 〖鳥〗 수염박새《유럽·아시아산(產)》.
béarded vúlture *n.* 〖鳥〗 수염수리(lammergeier).
béar dèn *n.* =BEAR CAVE.
béard gràss *n.* 〖植〗 쇠돌피《해안에 가까운 소택지에 많음 ; 포아풀과(科)》.
beard·ie [bíərdi] *n.* 《口》 수염을 기른 사람, 털보, 수염이 난 아저씨.
béard·less *a.* 수염이 없는[나지 않은], 풋내기의 ; 까끄라기[미늘]가 없는.
béard lìchen[mòss] *n.* 〖植〗 소나무겨우살이속(屬)의 지의류(地衣類).
Beards·ley [bíərdzli] *n.* 비어즐리. **Aubrey (Vincent)** ~ (1872-98)《영국의 삽화가》.
béard·tòngue *n.* 〖植〗 현삼과(科) 펜츠테몬속(屬) 식물의 총칭(pentstemon).
béar·er *n.* **1** 나르는 사람[것], 짐꾼, 목도꾼 : The tsetse fly is a ~ of sleeping sickness. 체체파리는 기면성 뇌염을 매개한다. **2** 가마꾼 ; 상여꾼. **3** (수표·어음의) 지참인, (편지의) 심부름꾼 : payable to ~ 지참인 지불. **4** 열매 맺는 초목. **5** 신분[직위]이 있는 사람.
── *a.* 지참인 지불의 : ~ stocks 무기명 공채[채권]《지참인 지불》.
béarer bònd *n.* 〖證〗 무기명 채권.
béarer chèck[secùrities] *n.* 지참인 지불 수표[증권].
béarer còmpany *n.* 〖軍〗 위생 간호대.

béar gàrden *n.* 〖史〗곰 우리《옛날 BEARBAITING을 해 보인 곳》;《비유》 소란스러운 장소.
béar hùg *n.* 강한 포옹.
béar·ing *n.* **1** Ⓤ [또는 a ~] 태도(manner) ; 처신, 거동 : a man *of* lofty ~ 태도가 당당한 사람 / a military ~ 군인다운 태도. **2** ⓊⒸ (남에 대한) 관계(relation) ; 의미, 취지 : His question has no ~ *on* the subject. 그의 질문은 그 주제와는 아무런 관계가 없다.

> **have no bearing on**의 문장 전환
> His remark *has no bearing on* the subject under discussion.
> (그의 발언은 지금 토의중인 문제와 아무런 관계가 없다.)
> → His remark *has nothing to do with* the subject under discussion.

3 방위각(方位角)(direction) ; [때때로 *pl.*] 방위 : consider[take] a question in all its ~*s* 문제를 모든 방면에서 고찰하다. **4** Ⓤ 인내 : beyond[past] all ~ 더 이상 참을 수 없는. **5** 〖機〗 베어링, 축받이. **6** [보통 *pl.*] (방패 위의) 문장(紋章). **7** Ⓤ 낳기, 출산 ; 결실(기간) : be in full ~ 열매가 잘 맺는다.
bring a person ***to*** his ***bearings*** 남에게 자기의 입장을 알게[깨닫게] 하다 ; 남을 반성시키다.
lose[***be out of***] one***'s bearings*** 방향[입장]을 알 수 없게 되다, 어찌할 바를 모르다.
take the bearings 자신의 위치를 확인하다, 주위의 형세를 살피다.
類義語 ⟹ MANNER.
béaring rèin *n.* (말이 머리를 숙이지 못하게 하는) 멈춤 고삐(checkrein).
béar·ish *a.* **1** 곰과 같은 ; 거친, 난폭한(rough). **2** 〖證〗 약세인, 내림 시세의(↔*bullish*) ; (일반적으로) 비관적인. **~·ly** *adv.*
béar lèader *n.* 귀족[부호] 자제의 가정 교사.
béar màrket *n.* 〖證〗 하락 시세의 시장, 약세 시장(↔*bull market*).
béar repòrt *n.* 《CB俗》 경찰의 동향.
béar·skin *n.* Ⓤ 곰 가죽 ; Ⓒ 곰 가죽 제품[옷] ; 《英》 (근위병의) 검은 털모자 ; Ⓤ (외투용의) 거친 나사천.
Béar Stàte *n.* [the ~] 미국 Arkansas 주(州)의 속칭.
béar tràp *n.* 《CB俗》 (경찰의) 속도 위반 단속용 레이더 장치.
***beast** [bíːst] *n.* **1 a)** 동물, (특히) 네발 짐승 : a wild ~ 야수(野獸). 㐀 이 뜻으로는 animal이 일반적. **b)** (사람에 대하여) 짐승. **c)** [the ~] 수성(獸性), 짐승같음 ; [the B~] 그리스도의 적 : *the* ~ in man 인간의 야수성 ;《俗》 매춘부, 추녀. **2** 가축, 우마(牛馬), (*pl.* ~) 《英》 식용우(食用牛). **3** 짐승같은 사람, 《俗》 고집통이 ; 망나니 : Don't be a ~. 심술부리지 마라《제발 청을 들어달라 따위》. **4** 《學俗》 엄한 선생, 잔소리꾼. **5** 《美俗》 고속을 내는 비행기[승용차], 유도 미사일.
a beast of burden[***draft***] 짐 운반용의 짐승, 사역용 가축《말·소·낙타 따위》.
a beast of prey 맹수, 육식 동물.
a (***perfect***) ***beast of a day*** 날씨가 (몹시) 나쁜 날.
beast of chase 사냥에 쓰는 짐승.
make a beast of one***self*** 야수성을 발휘하다.
〖OF＜L *bestia*〗
béast èpic *n.* 동물 우화시(寓話詩).
béast fàble *n.* 동물 우화.
beast·ie [bíːsti] *n.* 《스코·口》 (귀여운) 동물.
béast·ly *a.* **1** 짐승 같은, 잔인한, 더러운, 추잡스러운 : ~ pleasures 수욕(獸慾). **2** 오싹할 만큼 불쾌한[싫은], 구역나는. **3** 《口》 (가벼운 뜻으로) 지긋지긋한, 싫은, 지독한 : a ~ headache 지독한 두통 / ~ hours 엉뚱한 시각《꼭두새벽 따위》.
── *adv.* 《口》 몹시, 지독하게(very) : ~ drunk 몹시 취하여. **béast·li·ness** *n.* Ⓤ 짐승 같은 상태, 야수성(brutality), 불결, 부정, 추악, 잔인 ; 더러움, 지저분함 ; 외설 ;《口》 싫은 것.
◇**beat**[1] [bíːt] *v.* (**beat** ; **beat·en** [bíːtn], 단 dead beat는 **beat**) *vt.* **1** [＋目/＋目＋前＋名] 연달아 치다, 두들기다 ; (날개를) 퍼덕거리다 ; 때려부수다 : ~ a person with a stick 남을 막대기로 때리다 / ~ a drum 북을 두들기다[으로 신호하다] / ~ an alarm 경보의 북을 치다 / ~ the wings 날개치다 / ~ one's breast[chest] ☞ BREAST *n.* 1 a) ; CHEST 1 / He ~ his dog ***to*** death. 그는 개를 죽도록 팼다 / ~ (the dust ***out of***) the carpet 융단의 먼지를 털어내다.
2 (장단을) 맞추다 ; (시계가) 재깍거리다 : ~ time 박자를 맞추다 / The clock is ~*ing* seconds. 시계는 재깍거리고 있다.
3 [＋目/＋目＋副/＋目＋前＋名] (계란 따위를) 세게 휘젓다 : ~ cream 크림을 휘저어서 거품을 일게 하다 / ~ (***up***) eggs 계란을 휘저어서 거품을 내다 / ~ flour and eggs ***to*** a paste 밀가루와 계란을 휘저어서 반죽을 하다.
4 (상대·적을) 패배시키다(defeat) ; …을 능가하다, …보다 우월하다(surpass) : ~ a traffic signal 교통신호의 빨간 불이 켜지기 직전에 건너편으로 건너가다 / Our team ~ theirs by a big score. 우리팀은 큰 점수차로 그들팀을 이겼다 / Nothing can ~ yachting as a sport. 스포츠로서 요트타기를 능가하는 것은 없다 / He ~ me ***at*** chess. 서양 장기에서 나에게 이겼다 / I can ~ any of you ***to*** the top of that hill. 저 언덕 꼭대기까지의 경주에서 너희들 중 누구라도 이길 수가 있다.
5 《口》 손들게 하다, 쩔쩔매게 하다(perplex) : That ~*s* me. 그것에는 손들었다.
6 《美口》 앞지르다, 빼돌리다, 속이다(cheat).
7 [＋目＋副/＋目＋補/＋目＋前＋名] 두들겨 펴다 : ~ ***out*** gold 금을 두들겨 늘이다 / ~ iron flat[***into*** thin plates] 쇠를 두들겨서 납작하게 하다[얇은 판으로 늘이다].
8 (길을) 밟아서 다지다(tread) : ~ a path ***through*** the snow 눈을 밟아 다져 길을 만들다.
9 (덤불 따위를) 두들겨 뒤지다 : ~ the bushes 덤불을 두들겨 숨어있는 사냥감을 몰아내다 / The men ~ the woods in search of the lost child. 사람들은 길잃은 아이를 찾아서 숲속을 뒤지고 다녔다.
10 《美俗》 (기차 따위에) 무임 승차하다.
── *vi.* **1** [＋前＋名/＋副] 탕탕 치다 ; (비·바람·파도 따위가) 치다, 부딪히다, 세게 휘몰아치다 : Stop ~*ing* ***at***[***on***] the door. 문을 탕탕치는 것을 그만두시오 / The rain is ~*ing* ***against*** the window(pane)s. 비가 세차게 창문을 치고 있다 / The waves ~ *against* the rocks. 파도가 바위에 세게 부딪히고 있다 / The sun ~ ***down*** (***up***) ***on*** him. 태양은 그의 머리 위를 내리쬐었다.
2 (북이) 둥둥 울리다 ; (날개가) 퍼덕[파닥]거리다 ; (심장이) 고동치다(throb) : We heard drums ~*ing.* 북이 울리고 있는 소리가 들려 왔다 / Her heart ~ fast with joy. 기쁨으로 그녀의

가슴은 두근거렸다. **3** [+副/+前+名]〔海〕바람 불어오는 쪽으로 나아가다《갈짓자 모양으로 나아가다》: The sailing ship ~ ***about***[***along***] the coast]. 그 돛배는 지그재그로[해안을 따라] 나아갔다. **4**《口》이기다(win) : I hope you'll ~. 자네가 이겨 주었으면 하네. **5**〔理〕윙하는 소리를 내다. **6**《美俗》달아나다.
beat a retreat 퇴각의 신호로 북을 울리다;《비유》퇴각하다, 물러나다.
beat about (1) 찾아다니니다, 찾아내려고 하다. (2) ☞ *vi.* 3.
beat about[《美》***around***] ***the bush*** (덤불 둘레를 두들겨서) 짐승[사냥감]을 몰아내다;《비유》우회하여 말하다, 먼발치로 살피다, 요점을 건드리지 않다.
beat away 연달아 치다; 털다;〔鑛〕파내다.
beat back 격퇴하다.
beat down (1) 때려 떨어[넘어]뜨리다, 압도하다 : The wheat has been *~en down* by the storm. 밀은 폭풍우에 쓰러져 버리고 말았다. (2) (태양이) 내려쬐다(cf. *vi.* 1). (3)《口》(값을) 깎다, 에누리하다 : We ~ him *down* [~ *down* the price] to a dollar. 그가 부르는 가격을[값을] 1달러로 깎았다.
beat a person ***hollow***《口》(남을) 혼내주다[혼나게 하다].
beat in 쳐부수다 : ~ the door *in* 문을 부수다.
beat it《美俗》도망치다; 날아가다(rush).
beat something ***into*** one***'s head*** 어떤 일을 머리속에 억지로 주입시키다.
beat off (공격 따위를) 격퇴하다.
beat one***'s brains*** ☞ BRAIN *n.*
beat out (1) (불을) 밟아 끄다; (금속을) 두들겨 늘이다(cf. *vt.* 7); (음악·신호를) 쳐서 울리다. (2) 부연하다; (진상을) 규명하다. (3) (사람을) 기진맥진케 하다;《美俗》패배시키다(defeat). (4)〔野〕(평범한 땅볼을) 내야 안타로 만들다. (5) 타이프를 치다;《口》(보도·이야기)를 급히 쓰다.
beat the air ☞ AIR.
beat the bounds ☞ BOUND³.
beat the record ☞ RECORD² 4.
beat up (1)《俗》(남을) 호되게 때려주다, 때려눕히다; 차버리다; 기습하다. (2) (북을 쳐서) 모으다 : ~ *up* recruits 신병을 모집하다. (3) (계란 따위를) 몹시 휘젓다(cf. *vt.* 3). (4) (*vi.*)〔海〕바람을 거슬러 헤쳐 나아가다.
—— *n.* **1** 두들김; (북·시계의) 치는 소리; (심장의) 고동, 동계(動悸), 맥박;〔理〕(진동의) 맥놀이. **2** 박자, 발로 맞추는 장단;〔樂〕(재즈 따위의) 비트, 강한 리듬;〔樂〕지휘봉의 한 번 휘두르기. **3** (순경·경비원 등의) 순찰[담당] 구역 (cf. POINT DUTY) : on the[one's] ~ 담당 구역 순찰중. **4** (짐승[사냥감]을) 몰아내기. **5**〔美新聞〕(특종 따위로 다른 신문을) 앞지르기, 특종 기사(scoop); (담당 분야의) 취재활동, 담당 출입처. **6**《口》승리하는 사람[것];《美俗》은혜를 모르는 식객.
be in[***out of, off***] one***'s beat***《비유》자기의 전문 분야다[분야 밖이다].
in[***out of***] ***beat*** 시계의 흔들추가 규칙[불규칙]적으로 움직여서.
off (***the***) ***beat*** 박자가 고르지[맞지] 않아, 불규칙하게.
—— *a.*《美口》**1** 피로에 지쳐버린(exhausted) : dead ~ 아주 지쳐버린. **2** 몹시 놀란. **3** 좌절한, 의욕을 잃은.
〖OE *bēatan*; cf. OHG *bōzan*〗

類義語 ***beat*** 손이나 발 그 밖의 연장을 사용하여 연거푸 치거나 두드리거나 하는 가장 보편적인 말. ***pound*** 가장 강력하고 격렬한 그리고 효과적으로 치는 것[두들기는 것]을 나타냄. ***pommel*** 남을 주먹으로 마구 때림을 나타냄. ***thrash*** 지팡이로 치는 것처럼 손이나 막대기를 휘둘러서 치다. ***flog*** 벌을 주기 위해 지팡이·회초리·가죽끈 따위로 연거푸 치다. ***whip*** 주로 채찍으로 소리나게 치다. ***maul*** 상대편에게 상처를 낼 정도로 몇 번이고 심하게 매질하다.

beat² *a., n.*《美》비트족의 (사람)(cf. BEAT GENERATION, BEATNIK). **~·dom** *n.* Ⓒ《美俗》비트족 사회.
〖? (p.p.)〈↑〗

béat bòard *n.*〔스포츠〕발판, 구름판.

‡beat·en [bíːtn] *attrib. a.* **1** 두들겨 맞은, 얻어맞은. **2** 진, 패배당한. **3** 두들겨 늘인 : ~ work 망치로 두들겨 펴서 만든 세공 / ~ gold[silver] 금[은]박. **4** 밟아 다진[다져진] : a well-~ path 충분히 밟아 다져진 좁은 길 / the ~ track 밟아 다져진 길;《비유》정상적인 방법 / off the ~ track [path] 상도(常道)를 벗어나서; 보통이 아닌. **5** (크림 따위) 세게 휘저은. **6** 완전히 지친.

béat·er *n.* **1** 두들기는[치는] 사람; (사냥에서의) 몰이꾼. **2** 두들기는[휘젓는] 기구, 교반기(攪拌器). **3** (드럼의) 북채; 가두 선전원.

béat fréquency *n.*〔通信〕진동 주파수.

béat generátion *n.* [the ~]《美》비트족《제2차 세계 대전후 세태에 환멸을 느끼고 사상·음악·공상적인 환상에 빠지거나 이상한 복장을 하며 멋대로 행동하는 사람들》; 비트 세대(cf. BEAT², BEATNIK).

béat gròup *n.* 비트 음악을 연주하는 그룹.

be·a·tif·ic, -i·cal [bìː)ətífik(əl)] *a.* 축복을 주는 힘이 있는; 행복에 빛나는, 기쁨이 넘치는. **-i·cal·ly** *adv.* 기쁨이 넘친듯이.
〖F or L (*beatus* blessed)〗

be·at·i·fi·ca·tion [bi(ː)æ̀təfəkéiʃən] *n.* Ⓤ 축복을 받음, 수복(受福);〔카톨릭〕시복(諡福)(식)(cf. CANONIZATION).

beatífic vísion *n.*〔神學〕지복 직관(至福直觀).

be·at·i·fy [biǽtəfài] *vt.* 축복하다;〔카톨릭〕시복(諡福)하다《죽은 자를 복자품(福者品)의 서열에 끼게 함》.

béat·ing *n.* **1** Ⓤ,Ⓒ 두들기기; 채찍질(의 처벌) : give a boy a good ~ 소년을 호되게 매질[징벌]하다. **2** Ⓤ,Ⓒ 지게 하기; 패배(defeat); 호되게 당함 : He took a ~ in the stock market. 그는 주식으로 큰 타격을 입었다. **3** Ⓤ,Ⓒ 날개치기. **4** Ⓤ,Ⓒ (심장의) 고동, 동계(動悸). **5** Ⓤ (금속 따위를) 두들겨 펴기;〔海〕(바람을 거슬러) 갈짓자로 나아감;〔泳〕물장구치기.

beat·ism [bíːtizəm] *n.* Ⓤ 비트주의. **-ist** *n.* Ⓒ 비트주의자.

be·at·i·tude [biǽtətjùːd] *n.* **1** Ⓤ 지복(至福)(supreme happiness). **2** [흔히 the B~s]〔聖〕그리스도가 산상수훈에서 가르친 복음.
〖F or L (*beatus* blessed)〗

Bea·tles [bíːtlz] *n. pl.* [the ~] 비틀즈《영국의 4인조 록 그룹》.

beat·nik [bíːtnik] *n.* 비트족(族)의 사람(beat) (cf. BEAT GENERATION).
〖*beat²*+-*nik*〗

béat·òut *n.*〔野〕내야 안타, 번트 히트.

béat pàd *n.*《美俗》마리화나 담배를 파는 곳.

Be·a·trice [bíːətrəs, biǽt-; bíə-] *n.* **1** 여자 이름. **2** [bèːtríːtʃei, bíːətrəs] 베아트리체《Dante

가 사랑하여 이상화한 여자》.
〖L=she who brings joy〗
béat-úp *a.* 《美口》 써서 낡은 ; 지친.
beau [bóu] *n.* (*pl.* **~s, beaux** [-z]) 멋쟁이 남자 ; 여성의 상대역이 되는[보살펴 주는] 남자 (lady's escort) ; 애인, 정부(情夫). ── *vt.* …의 비위를 맞추다[상대를 하다]. ── *a.* 아름다운, 좋은, 친절한.
〖F<L *bellus* pretty〗
Béau Brúm·mell [-brʌ́məl] *n.* **1** 멋쟁이 남자 브러멜《George Bryan Brummell (1778-1840) ; George 4세가 총애한 사람으로 유행의 모범을 보인 멋쟁이 남자》. **2** 멋쟁이 남자(dandy).
beau·coup [*F* boku] *adv.* 매우, 대단히.
Béau·fort scále [bóufərt-] *n.* =WIND SCALE.
beau geste [bóu ʒést] *n.* (*pl.* **beaux gestes** [─], **~s** [─]) 아름다운 행위 ; (겉치레뿐인) 아량(雅量). 〖F〗
béau idéal [; *F* bo ideal] *n.* (*pl.* **~s**) 〖文藝〗 이상[미]의 극치 ; 최고의 이상 ; 전형(典型).
〖F=ideal beauty ; 'a beautiful ideal'의 의미는 오해에 의함〗
beau·jee·ful, -gee- [bjúːdʒifəl] *a.* 《美俗》 못생긴, 추한, 보기 흉한, 악취미의.
Beau·jo·lais [bòuʒouléi ; bóuʒəlèi] *n.* 프랑스산 붉은 포도주.
beau monde [bóu mɑ́nd, -mɔ́ːnd ; *F* bo mɔ̃d] *n.* (*pl.* **~s** [-z], **beaux mondes** [─]) 상류 사회(high society).
Beaune [bóun] *n.* 붉은 포도주의 일종.
beaut [bjúːt] *n.* 《美俗》 근사한 사람[것], 미인.
beau·te·ous [bjúːtiəs] *a.* 《詩》 우아한, 아름다운 (beautiful). **~·ly** *adv.* **~·ness** *n.*
beau·ti·cian [bjuːtíʃən] *n.* 《美》 미용사.
◇**beau·ti·ful** [bjúːtifəl] *a.* **1** 아름다운, 예쁜 : a ~ flower 아름다운 꽃. **2** 화창한, 멋있는, 산뜻한 : ~ weather 화창한 날씨. **3** 훌륭한, 뛰어난 ; 선명한 ; 보기 좋은 : a ~ character 훌륭한 성품. ── *n.* [the ~] 미(beauty) ; 아름다운 것 ; [집합적으로] 미인, 가인(佳人). **~·ly** *adv.* 아름답게 ; 훌륭하게 ; 멋있게.
〖BEAUTY, *-ful*〗
類義語 ***beautiful*** 「아름다운」을 뜻하는 가장 일반적인 말로 정신적·이상적인 미(美)에 대해서 말하기도 함. ***lovely*** 애정 또는 마음 속으로부터의 상찬(賞讚)의 마음을 일으키게끔 사랑스러운. ***handsome*** 균형이 잡히고 용자단려하고 사나이다움·위엄·관록을 느끼게 할 만큼 풍채가 좋은. ***pretty*** 조그마하고 여성적으로 우미(優美)하고 귀여운. ***comely***, 매우 아름답다기보다는 얼굴 모양이나 전체가 매력적임을 말함. ***fair*** 선명하고 밝으며 더러움이 없는 아름다움을 강조함. ***good-looking*** 사람의 용모가 잘 생긴 것을 말하는데 beautiful, handsome, pretty와 같이 의미상에서 자잘한 구별을 하지 않음.
béautiful létters *n.* 《美》 [단수취급] 순문학 (belles lettres).
béautiful péople *n.* [때때로 B~ P~] 국제 사교계 인사들《미와 우아함의 유행을 창조하는 상류인·예술가 ; 略 B.P., BP》 ; 현대적 감각이 있는 사람들.
beau·ti·fy [bjúːtəfài] *vt.* 아름답게 하다, 미화하다 ; 멋있게[훌륭하게] 하다 : Flowers ~ a garden. 꽃이 있으면 정원이 아름다워진다.
── *vi.* 아름다워지다. **bèau·ti·fi·cá·tion** *n.* Ⓤ 미화(美化). **béau·ti·fi·er** *n.* 미화시키는 것[사람] ; 화장품《따위》.
beau·til·i·ty [bjuːtíləti] *n.* 미(美)와 실용성의 겸비, 실용미, 기능미. 〖*beauty*+*utility*〗
‡**beau·ty** [bjúːti] *n.* **1** Ⓤ 아름다움, 미 : girlish ~ 처녀다운 아름다움 / manly[womanly] ~ 남성[여성]미 / *B*~ is but skin-deep. 《속담》 미모(美貌)는 단지 거죽 한 꺼풀《겉만 아름다운 것은 마음이 착한 것에 비하면 대수롭지 못하다》. **2** [때때로 *pl.*] (문학 작품의) 절묘한 대목, 아름다운 취향, 미점, 매력(charm) : That's the ~ *of* it. 그것이 좋은 점이다. **3** [흔히 반어적으로] 미인, 가인(佳人), 아름다운 것 : She was the ~ *of* the ball. 그 여자는 무도회의 여왕이었다 / She's *a* regular ~, isn't she? 《戱》 어쨌든 굉장한 미인아니냐. **4** [집합적으로] 아름다운 사람들 : the wit and ~ of the town 장안의 재자 가인(才子佳人)들. ── *a.* 《俗》 최고의, 전혀 나무랄 데 없는.
〖AF<L (*bellus* pretty)〗
béauty àrt *n.* 미용술.
béauty cὸntest *n.* 미인 선발 대회.
béauty cùlture *n.* 미용술(cosmetology).
béauty dὸctor *n.* 미용사.
béauty ὸperator *n.* 미용사(cosmetologist).
béauty pàrlor[**salὸn,** 《美》 **shὸp**] *n.* 미장원(美粧院).
béauty quèen *n.* 미인 선발 대회의 여왕.
béauty·shὸpped *a.* 《美》 미장원에서 멋을 낸.
béauty shὸt *n.* 〖廣告〗 클로즈업《텔레비전 광고에서 그 상품의 매력이 강조되도록 조명을 비춰 접사(接寫)함》.
béauty slèep *n.* 초저녁잠《미용과 건강에 좋음》.
béauty spècialist *n.* 《美》 미용사.
béauty spὸt *n.* **1** 만들어 붙인 점《용모를 돋보이게 하기 위해 뺨에 붙이는 검은점 따위》. **2** 사마귀, 점, 모반(mole). **3** 경승지, 절경.
béauty trèatment *n.* 미용술, 미안술.
béauty wàsh *n.* 화장수, 미안수.
beaux *n.* BEAU의 복수형.
beaux arts [bòuzɑ́ːr ; *F* bozaːr] *n. pl.* 미술 (fine arts). ── *a.* 고전적 장식 양식의.
beaux esprits *n.* BEL ESPRIT의 복수형.
beaux gestes *n.* BEAU GESTE의 복수형.
beaux yeux [*F* bozjø] *n.* 아름다운 눈매, 미모 ; 특별한 호의, 특별히 돌봐 줌 ; 눈요깃거리.
〖F=beautiful eyes〗
bea·ver[1] [bíːvər] *n.* (*pl.* **~, ~s**) **1** 〖動〗 비버, 해리(海狸) ; Ⓤ 비버 모피. **2** Ⓤ 〖織〗 두꺼운 나사. **3** 비버 모자《비버 모피제》 ; 실크해트. **4** 《美口》 일꾼, 근면한 사람. **5** 《美卑》 여자의 성기 ; 《美俗》 여자.

beaver[1]

on beaver patrol 《俗》 섹스 상대의 여자를 찾아다녀.
work like a beaver 부지런히 일하다.
── *vi.* 《口》 부지런히[덤어놓고] 일하다. 〖OE *be(o)for* ; cf. G *Biber* ; IE에서 'brown'의 뜻〗
beaver[2] *n.* (투구의) 턱받이, (헬멧의) 차양.
〖OF=bib (*baver* slaver[2])〗
béaver·bὸard *n.* 천장 칸막이용의 건축 재료《목재 섬유로 만든 가벼운 판자》. 〖상표〗
béaver bὸok *n.* 《美俗》 포르노 책[잡지].
béaver shὸoter *n.* 《美俗》 여성 성기를 보는 데 홀려 있는 남자.

béaver shòt *n.* 《美俗》 두 다리를 벌린 여성 성기(의 사진).

Béaver Státe *n.* [the ~] 미국 Oregon 주(州)의 속칭.

bèaver·téen *n.* Ⓤ 비버 모피(毛皮) 비슷한 면(綿)비로드.

B.E.B. British Education Broadcast.

be·bop [bíːbàp] *n.* Ⓤ 〖樂〗 비밥《현대재즈의 가장 초기의 형식》. **bé·bòp·per** *n.* 비밥 가수. 〖imit.〗

be·bug·ging [bibʌ́giŋ] *n.* 〖컴퓨〗 프로그래머의 오류 수정 능력을 보기 위해 프로그램 속에 일부러 틀린 것을 넣기.

be·cáll [bi-] *vt.* 《英古·卑》 …를 부르다, 불러내다 ; …의 욕을 하다.

be·cálm [bi-] *vt.* [보통 수동태로] 바람이 자서 (돛배를) 나아갈 수 없게 하다 ; 잔잔[고요]하게 하다(calm) : The ship *was* ~*ed* for ten days. 배는 바람이 없어서 10일간 움직이지 못했다. 〖BE-〗

◇**became** *v.* BECOME의 과거형.

◇**be·cause** [bikɔ́ːz, -kʌ́z, -ˊ; -kɔ̀z, -ˊ]

> (1) because는 as if, if, though 따위와 함께 종속접속사이면서도 이들과 다른 점은 because가 이끄는 부사절은 주절 앞에 오는 경우보다 주절 뒤에 오는 경우가 아주 많다는 점이다.
> (2) because는 온갖 경우의 원인·이유를 나타낼 수 있고, 부사로 수식하거나 강조구문으로 강조할 수도 있다.
> (3) Why...?가 이유를 묻는 경우에는 원칙적으로 Because...의 형태로 대답한다.

— *conj.* **1** [why에 대응하여] (왜냐하면) …이므로[이니까], 그 까닭은 …때문에 : I can't go, ~ I'm busy. 바빠서 갈 수 없다 / He will succeed (,) ~ he does his very best in anything. 그는 무슨 일이든지 최선을 다하므로 성공할 것이다 / The reason (why) I can't go is ~ (=that) I'm busy. 내가 가지 못하는 까닭은 바쁘기 때문이다. **2** [부정구문 ...not... ~로] …라고 해서 …인 것은 아니다 : You should *not* despise a man simply ~ he is poor. 단지 가난하다고 해서 사람을 경멸해서는 안된다. ☞ 活用.

all the more because …때문에 더욱[도리어].

none the less because …임에도 불구하고 (역시), …한데도 (그래도).

— *adv.* 주 항상 다음 전치사구를 이루어 사용됨.

because of …때문에, …까닭으로(owing to) (☞ DUE 活用) : I didn't go out ~ *of* the rain (=because it rained). 비가 왔기 때문에 외출하지 않았다.

〖BY, CAUSE ; cf. OF *par cause de* by reason of〗

活用 *conj.* 2의 용법에서는 because 앞에 콤마(,)를 찍는 경우가 없다.

bec·ca·fi·co [bèkəfíːkou] *n.* (*pl.* **~s, ~es**) 〖鳥〗 꾀꼬리의 일종《이탈리아에서는 식용》. 〖It.〗

bé·cha·mel [bèiʃəmél] *n.* Ⓤ 베샤멜(=∠ **sàuce**) 《희고 진한 소스의 일종》.

〖Louis de *Béchamel* (d. 1703) Louis 14세의 식사 담당 집사로 고안자〗

be·chánce [bi-] *vi.* 《文語》 생기다(happen).

— *vt.* …에게 (우연히) 일어나다(befall).

— *adv.* 우연히, 때마침.

be·chárm [bi-] *vt.* 매혹하다(charm).

bêche-de-mer [béʃdəméər, 美+béiʃ-] *n.* **1** (*pl.* **~, bêches-de-mer** [–, -ʃəz-]) 〖動〗 해삼의 일종. **2** [Bêche-de-Mer] New Guinea 주변의 섬에서 쓰는 영어와 원주민의 혼합어. 〖F〗

beck[1] [bék] *n.* 고갯짓, 끄덕거림(nod), 몸짓 ; 손짓으로 부름 ; 《스코》 절(bow).

be at a person***'s beck*** (***and call***) (남이) 시키는 대로 하다.

have a person ***at*** one***'s beck*** (남을) 제마음대로 부리다.

— *vi.* 《古》 몸짓으로 신호하다 ; 《스코》 절하다.

— *vt.* 《古》 (사람)에게 신호하다.

〖*beckon*〗

beck[2] *n.* 《英》 시내, 계류. 〖ON〗

beck·et [békət] *n.* 〖海〗 작은 밧줄 고리(매듭).

Beck·ett [békət] *n.* 베케트. **Samuel** ~ (1906–89) 프랑스에 살았던 아일랜드 태생인 극작가·소설가 ; Nobel 문학상 수상(1969).

beck·on** [békən] *vt., vi.* **1** [+目 / +目+副 / +目+*to* do / +前+名] 손짓[고갯짓·몸짓]하여 부르다, 신호하다 : The tall man ~*ed* (to***) her. 키가 큰 사내가 그녀를 손짓하여 불렀다 / He ~*ed* me *forward*[*away*]. 나에게 오라[가라]고 손짓을 했다 / I ~*ed* them *to* come nearer. 그들에게 더 가까이 오라고 신호했다. **2** 꾀어 부르다, 유인하다 ; 초대하다 : The blue sea ~*s*. 푸른 바다가 부른다.

〖OE *biecnan* to make a sign ; ⇨ BEACON〗

Becky [béki] *n.* 여자 이름《Rebecca의 애칭》.

be·clásp [bi-] *vt.* (…의 주위를) 꽉 죄다.

be·clóud [bi-] *vt.* 흐리게 하다 ; (눈·마음 따위를) 어둡게 하다, 모호하게 하다, 혼란시키다.

BECO [békou] 〖로켓〗 booster engine cutoff(발사 로켓 엔진의 연소 차단).

◇**be·come** [bikʌ́m] *v.* (**be·came** [-kéim] ; **become**) *vi.* [+補 / +過分] …이 되다 : He *became* poor[a merchant]. 가난하게[장사꾼이] 되었다 / The truth *became* know*n* to us all. 진상이 우리 모두에게 알려졌다.

> **become**의 ○×
> (×) They *became to* enjoy their English lessons.
> (그들은 영어 공부를 좋아하게 되었다.)
> (○) They *came to* enjoy their English lessons.
> ☆ 부정사와 함께 써서 「…하게 된다」라고 할 때는 come to를 쓴다.

— *vt.* **1** …에 알맞다, 적합하다 : It ill ~*s* you to complain. 불평을 하다니 자네답지 않아. **2** …에 어울리다 : A white dress ~*s* her. 흰 옷이 그녀에게 어울린다.

become of... [의문사 *what*을 주어로 하여] …이 (어떻게) 되다 : *What* has ~ *of* him? 그에게 무슨 일이 생겼느냐, 그는 어떻게 되었느냐 / I don't know *what* will ~ *of* the boy. 그 아이는 어떻게 될 것인지 나는 모르겠다.

〖OE *becuman* to happen ; ⇨ BE-〗

be·com·ing [bikʌ́miŋ] *a.* 어울리는, 알맞은, 적당한(suitable) : Such conduct is not ~ *in* a gentleman. 그런 행위는 신사에게 어울리지 않는다 / The necklace is very ~ *to* her. 그 목걸이는 그 여자에게 잘 어울린다. — *n.* 적당, 알맞음 ; 〖哲〗 생성(生成). **~ly** *adv.* 알맞게, 어울리게 ; 우아하게. **~ness** *n.*

類義語 ⟹ FITTING.

bec·que·rel [bèkərél] *n.* 〖理〗 베크렐《방사능의 SI 단위 : 기호 Bq.》.

Becquerél ràys *n.* 〖理〗 베크렐선(線)《*α*, *β*, *γ*

의 세 방사선》.

◇**bed** [béd] *n.* **1** 침대, 침상 ; 잠자리 ; Ⓤ 잠자기, 취침(시간) (sleeping (time)) : a feather ~ 새털을 넣은 이불 / a room with two single ~*s*[with a double ~] 1인용 침대가 2개 있는[2인용 침대가 있는] 방 / sit *on* the ~ 침대에 앉다 / get *out of* ~ 기상하다, 일어나다 / be *in* ~ 잠자고 있다 / lie *in* ~ 잠자리에 누워 있다 / sit up *in* ~ 침대에서 일어나 앉다 / He usually goes *to* ~ at ten. 보통 10시에 잠자리에 든다. **2** 결혼(의 잠자리), 부부관계 ;《口》성교(性交) ; 휴식(장소). **3** 숙박(lodging) : get a ~ at an inn 여인숙에 유숙하다. **4**《비유》무덤(grave) : one's narrow ~ 묘소 / a ~ of honor 전몰 용사의 무덤. **5** (마소의) 깔짚(litter). **6** 토대 ; 포상(砲床) : a ~ of concrete 콘크리트의 토대. **7** 묘상(苗床), 화단(flowerbed). **8** 강바닥, 물 밑바닥(river-bed) ; (굴 따위의) 양식장. **9** 지층 ; 층(stratum) ; 노반(露盤), 길바닥.

be brought to bed (***of a child***)《文語》분만[해산]하다.

be confined to one***'s bed*** = *keep* one's BED.

bed and board 숙박과 식사 ;〖法〗부부가 침식을 같이 하는 것[의무], 부부 동거(의 의무) : separate from ~ *and board* 부부가 별거하다.

a bed of down[***flowers, roses***] 안락한 신분[환경·살림] : repose on *a* ~ *of down* 호화롭게 살다.

a bed of sickness 병상(病床).

a bed of thorns 가시 방석, 어려운 처지.

die in one***'s bed*** 병으로[수명이 다하여] 죽다, 와석 종신(臥席終身)하다(cf. DIE *in* one's *boots* [*shoes*], *die in a* DITCH).

get out of bed on the right[***wrong***] ***side*** 기분이 좋다[나쁘다].

go to bed 잠자다 (cf. 1) ; [명령법]《俗》시끄럽다, 조용히 해라 !

keep one***'s bed*** 병으로 누워 있다.

leave one***'s bed*** 병상에서 일어나다, 완쾌하다.

make the[one***'s***] ***bed*** (기상 후) 잠자리를 정리하다[치우다] ; 잠자리를 마련하다 : As you *make your* ~, so you must lie upon it. = One must lie in[on] *the* ~ one has made.《속담》자업 자득, 누워서 침뱉기.

put. . . to bed (갓난아기를) 잠재우다.

take to one***'s bed*** 병상(病床)에 앓아 눕다.

〈회화〉

Go to *bed* before I count to ten. — Do I have to?「열을 세기 전에 잠을 자거라」「자지 않으면 안돼」

—— *v.* (**-dd-**) *vt.* **1 a**)《詩·古》…에게 잠자리를 마련해 주다, 잠재우다. **b**) [＋目 / ＋目＋副 / ＋目＋*with*＋名] (마소 따위에게) 깔짚을 펴주다 : He ~*ded* ***down*** his horse ***with*** straw. 그는 (깔짚을 깔아) 말에게 잠자리를 마련해 주었다. **2** [＋目 / ＋目＋副 / ＋目＋前＋名] 화단[묘상(苗床)]에 심다 : ~ ***out*** geraniums 제라늄을 화단에 심다 / ~ seedlings (***in***) 묘목을 심다 / These tulips should be ~*ded in* rich soil. 이 튤립은 기름진 땅에 심지 않으면 안된다. **3** [＋目 / ＋目＋前＋名] (돌·벽돌 따위를) 반반하게 놓다 ; 집어넣다, 쌓다 ; 포개어 놓다 : Stones are ~*ded* ***in*** mortar or concrete. 모르타르나 콘크리트 사이에 돌을 집어넣는다 / The bullet has ~*ded* itself *in* the wall. 탄알이 벽속에 박혔다.

—— *vi.* **1** (특히 마소 따위가) 잠자다. **2**《口》동침하다, (남녀가) 동거하다〈*with*〉. **3** 끼워 넣다, 메워지다. 〖OE *bed*(*d*) ; cf. G *Bett*〗

B. Ed. Bachelor of Education.

be·dábble [bi-] *vt.* (물 따위를) …에 끼얹다, 튀겨서 더럽히다.

be·dad [bidǽd] *int.*《아일》= BEGAD.

béd and bréakfast *n.*《英》아침밥을 제공하는 숙박《b. and b.》. —— *a.*《英口》(세금 대책으로서) 주식환매로 손해를 보는.

be·dásh *vt.* …에 온통 뿌리다[치다]〈*with*〉; (비가) 세차게 때리다 ; 산산이 부수다.

be·dáub [bi-] *vt.* 더덕더덕 칠하다[발라 대다], 천하게 꾸미다〈*with*〉.

be·dáze [bi-] *vt.* 어리둥절케 하다 ; 현혹시키다.

be·dázzle [bi-] *vt.* 현혹시키다, 당황하게 하다.

béd bòard *n.* 베드 보드《침대 스프링과 매트리스 사이의 딱딱한 얇은 판자》.

béd·bùg *n.*《美》빈대 ;《美俗》풀먼 열차의 포터.

bédbug háuler *n.*《美·CB俗》가구 운반차 (moving van).

béd·chàmber *n.*《美·英古》침실.

béd chèck *n.*〖美軍〗취침 점호.

béd·clòthes *n. pl.* 침구《시트·담요·베개 따위 ; 잠옷과 mattress는 제외》.

béd·còver *n.* 침대보[커버].

béd-cùrtain *n.* 침대 둘레에 드리운 커튼.

béd·da·ble *a.* 침대 구실을 하는 ; 성적 매력이 있는 ;《俗》(아무 남자와도) 쉽게 동침하는.

béd·ded *a.*〖地質〗층상(層狀)의.

béd·der *n.* 잠자리 까는 사람 ; 화단에 심는 화초 ; (Cambridge 대학의) 침실 담당원.

béd·ding *n.* Ⓤ = BEDCLOTHES ; (마소의) 깔짚 ;〖建〗토대, 기반 ;〖地質〗층리(層理), 성층(成層). —— *a.* 화단용의.

bédding plàne *n.*〖地質〗(퇴적암 내부의) 층리면(層理面).

béd·dy-bỳe *n.* (어린이 등에게 익살로) 침대 ; 잘 시간 ; 자장(sleep) : Come, ~ ! 아가, 이젠 잘 시간이지.

be·déck [bi-] *vt.* [＋目 / ＋目＋前＋名] 화려하게 꾸미다, 장식하다 : ~ a window ***with*** flowers 창문을 꽃으로 장식하다.

bed·e·guar, -gar [bédəgɑ̀ːr] *n.* (혹벌 따위에 의해 생기는 장미의) 충영(蟲癭). 〖F < Pers.〗

be·del, be·dell [bíːdl, bidél] *n.*《英大學》(옥스퍼드 및 케임브리지 대학의) 총장의 권표(權標)를 받드는 속관(屬官).

bede(s)man ☞ BEADSMAN.

be·dévil [bi-] *vt.* 악마에게 홀리게 하다, 귀신들리게 하다 ; 혼란시키다, 마음을 어지럽히다 ; 몹시 괴롭히다. **~·ment** *n.* Ⓤ 악마[귀신] 들리기 ; 혼란 ; 고민.

be·déw [bi-] *vt.* [＋目 / ＋目＋*with*＋名] 이슬[눈물 따위]로 적시다 : a face ~*ed* ***with*** tears 눈물 젖은 얼굴.

béd·fàst *a.* = BEDRIDDEN.

béd·fèllow *n.* **1** 잠자리를 같이하는 사람, 아내. **2**《비유》동료, 친구(companion), 한패 : an awkward ~ 교제하기 어려운 사람 / a strange ~ 마음 속을 알 수 없는 동료.

Bed·ford [bédfərd] *n.* **1** 남자 이름. **2** 베드퍼드《Bedfordshire의 주도(州都)》.

Bédford córd *n.* (승마복 따위에 쓰는) 코르덴의 일종.

Bédford·shire [-ʃìər, -ʃər] *n.* 베드퍼드셔《잉글랜드 중부의 주 ; 略 Beds. ; 주도 Bedford》.

go to Bedfordshire《兒》코하다, 자다.

béd·fràme *n.* Ⓒ 침대틀.
béd·gòwn *n.* Ⓒ 여자의 잠옷.
béd·hòp *vi.* 《口》 계속 애인을 바꾸다.
béd·hòuse *n.* 《美俗》 사창굴.
be·díght [bi-] *vt.* (~, **~·ed**) 《古·詩》 꾸미다, 치장하다. —— *a.* 화려하게 꾸민.
be·dím [bi-] *vt.* [+目/+目+*with*+名] (눈·마음을) 흐리게 하다 : with her eyes ~*med* ***with*** tears 눈물로 눈이 흐려져.
be·dízen [bi-] *vt.* (더덕더덕) 현란하게 꾸미다 ⟨*with*⟩.
béd jàcket *n.* 여성용 잠옷《나이트 가운 위에 입는 짧고 느슨한 침실옷》.
béd·kèy *n.* 침대용 스패너.
bed·lam [bédləm] *n.* **1** 미친 짓 ; 대혼란, 소란한 장소. **2 a**) [B~] (London의) 베들레헴 정신 병원. **b**) 《古》 정신 병원(madhouse). 〚St. Mary of *Bethlehem*〛
bédlam·ìte *n.* 《古》 미치광이. —— *a.* 미친.
béd·làmp *n.* (머리맡의) 베드램프.
béd lìnen *n.* 침구용 리넨천《시트·베갯잇 따위》.
Béd·ling·ton (**térrier**) [bédliŋtən(-)] *n.* 베들링턴 테리어《털이 짧고 머리가 작은 테리어》. 〚잉글랜드 Northumberland 주(州)의 도시〛
Béd·loe's Ísland [bédlouz-] *n.* 베들로 섬 《LIBERTY ISLAND의 옛 이름》.
béd·màker *n.* 《英大學》 침실 담당 하인 ; 침대 제조인.
béd·màking *n.* 침상 정돈 ; 침대 제조.
béd·màte *n.* 동침자, 아내, 남편 ; 정부(情婦), 정부(情夫).
béd mòld(**ing**) *n.* 〔建〕 벽에 돌출한 장식물 받이, 벽에 두른 띠 모양의 장식용 돌출부 받이.
béd of náils *n.* 《英》 몹시 곤란한 입장, 매우 편치 않은 상황, 바늘 방석.
Bed·(**o**)**u·in** [béduin] *n.* (*pl.* ~, **~s**) 베두인 사람《사막 지대에서 유목 생활을 하는 아랍인》 ; 유목민, 방랑자. —— *a.* 베두인 사람의 ; 유목민의. 〚OF<Arab. =dwellers in desert〛
béd·pàd *n.* 베드패드《매트리스와 시트 사이에 까는 침대용 요》.
béd·pàn *n.* **1** (침대용) 각로(脚爐), 탕파. **2** (환자용) 요강, 변기.
béd pìece *n.* =BEDPLATE.
béd·plàte *n.* (기계 설치용) 대(臺), 받침대.
béd·pòst *n.* (네 귀에 있는) 침대 지주(支柱), 침대 다리.
between you and me and the bedpost ☞ BETWEEN.
in the twinkling of a bedpost 삽시간에, 즉석에서.
béd·quìlt *n.* 침대용 이불.
be·drábble *vt.* 비[흙탕물]로 더럽히다.
be·drággle [bi-] *vt.* (옷자락 따위를) 질질 끌어 흠뻑 젖게 하다[더럽히다] ; 더럽게 하다. **~d** *a.* (질질 끌려서) 더럽혀진.
béd·ràil *n.* 침대의 횡판(橫板).
be·drénch [bi-] *vt.* 흠뻑 적시다.
béd rèst *n.* 침대에서 요양하기, (병상 환자용의) 기대는 장치.
bed·rid·den [bédrìdn], **-rid** [-rìd] *a.* 자리에 누운, (침대에) 누워만 있는(↔*ambulatory*) ; 《비유》 노후한, 낡은.
béd·róck [ˊ, ˊˋ] *n.* **1** 〔地質〕 기반암(基盤岩), 상암(床岩)《최하층의 바위》. **2** 최저의 상태, 밑(바닥). **3** 기초, 근저(根底), 근본(foundation) ; 기초적 사실, 기본 원칙.
be at bedrock (재고량 따위가) 바닥나다.
come[***get***] ***down to bedrock*** 진상을 규명하다 ; 《美俗》 빈털터리가 되다.
—— *a.* 기초의, 근본의 ; 기본적인(basic) : the ~ price 《美》 최저 가격 / ~ facts 근본적인 사실.
béd·ròll *n.* (휴대용으로 말아 감은) 침구.
***béd·ròom** *n.* 침실. —— *a.* 성교의, 성적인 ; 침실의 ; 통근자가 거주하는 : a ~ town (대도시 주변의) 베드타운.
bédroom sùburb *n.* 교외(郊外) 주택지(dormitory suburb).
Beds. [bédz] Bedfordshire.
béd shèet *n.* 시트, (침대에) 까는 천.
***béd·sìde** *n.* 침대곁 ; (환자의) 머리맡 : a ~ book 머리맡에 두는 책 / be at[by] a person's ~ 남의 머리맡에서 시중들다. —— *a.* 침대곁의 ; 임상의 ; (책 따위) 침대에서 읽기에 알맞은, 부담스럽지 않은.
bédside mánner *n.* **1** 병상의 환자에 대한 의사의 태도 : have a good ~ (의사가) 환자 다루는 솜씨가 좋다 ; 《비유》 사람을 능숙하게 다루다. **2** 붙임성 있는 태도.
bédside táble *n.* 머리맡의 테이블.
béd-sít *vi.* 《英》 BED-SITTER에서 살다. —— *n.* 《英》=BED-SITTER.
béd-sítter *n.* 《英口》 =BED-SITTING-ROOM. 〚*bed*room+*sitt*ing room+*-er*〛
béd-sítting-ròom *n.* 침실·거실 겸용의 방.
béd sòcks *n. pl.* 취침용 긴 양말.
bed·so·nia [bedsóuniə] *n.* (*pl.* **-ni·ae** [-niài], **-ni·as**) 베드소니아《관절염·트라코마 따위에 관계가 있는 미생물》. 〚Sir Samuel P. *Bedson* (d. 1969) 영국의 세균학자〛
béd·sòre *n.* (환자의) 욕창(蓐瘡).
béd·spàce *n.* (호텔·병원 따위의) 침대수.
béd·sprèad *n.* (주로 장식용의) 침대 덮개, 침대 커버.
béd·sprìng *n.* 침대의 용수철, 베드스프링. —— *a.* 베드 스프링 모양의《안테나》.
béd·stèad *n.* 침대(의 뼈대).
béd·stràw *n.* Ⓤ (침대의) 속짚 ; 〔植〕 갈퀴덩굴속(屬)의 식물.
béd tàble *n.* 침대 옆에 놓아 두는 작은 탁자, 나이트 테이블.
béd tèa *n.* 잠에서 갓깬 손님에게 내는 아침 차.
béd·tìck *n.* 이불[요]잇 ; 《英海俗》 미국기(旗).
béd·tìme *n.* Ⓤ 잠자리에 들[취침]시간 : a ~ story (어린이에게 들려주는) 취침시의 옛날 이야기 ; 《비유》 재미있지만 의심쩍은 이야기[설명].
béd·ward(**s**) *adv.* 침대쪽으로 ; 잠잘 무렵에.
béd-wètting *n.* Ⓤ 야뇨증(夜尿症).
béd·wòrthy *a.* =BEDDABLE.
‡**bee** [bíː] *n.* **1** (특히) 꿀벌 (=honey ~) (cf. APIARIST, APIARY) ; (일반적으로) 벌 : the queen [worker] ~ 여왕[일]벌(cf. DRONE). **2** 매우 근면한[일 잘하는] 일꾼. **3** 《美》 (일·오락을 위한) 이웃[친구]간의 모임 : ☞ HUSKING BEE, SPELLING BEE, QUILTING BEE.
bee culture 양봉(養蜂).
(***as***) ***busy as a bee*** 부지런히 일하는.
have a bee in one's ***bonnet***[***head***] 무엇인가 골똘히 생각하고 있다 ; 머리가 좀 돈 듯하다. 〚OE *bēo* ; cf. G *Biene*〛
Beeb [bíːb] *n.* [the ~] 《英口》 BBC 방송.
bee·bee [bíːbìː] *n.* 공기총(銃), BB총(=ˊ **gùn**).
bée bèetle *n.* (유럽산) 벌집불개미붙이.
bée bìrd *n.* 〔鳥〕 벌먹이새.

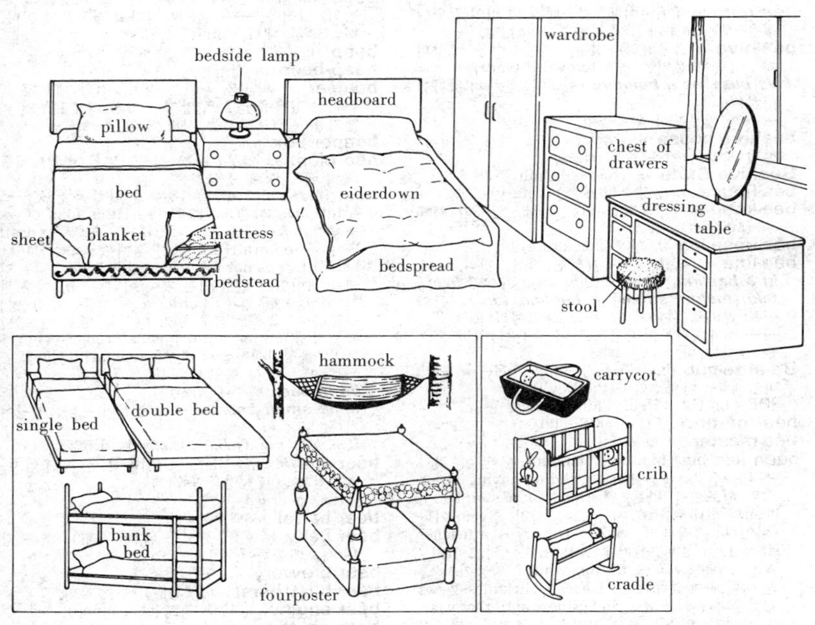

bedroom

bée·brèad *n.* Ⓤ 꿀벌의 식량《꿀벌이 꽃가루로 만든 애벌레의 먹이》.
beech [bíːtʃ] *n.* (*pl.* **~es**, ~) 〖植〗 너도밤나무 ; Ⓤ 그 재목. 〚OE *bēce* ; cf. BOOK〛
béech·en *a.* 너도밤나무(재목)의.
béech màrten *n.* 〖動〗 너도밤나무담비(stone marten).
béech màst *n.* 너도밤나무 열매《특히 땅에 떨어진 것을 총칭함》.
béech·nùt *n.* 너도밤나무 열매.
béech·wòod *n.* Ⓤ 너도밤나무 재목.
bée èat·er *n.* 〖鳥〗 = BEE BIRD.
***beef** [bíːf] *n.* **1** Ⓤ 쇠고기 ; (일반적으로) 살코기 : ~ extract 육즙, 쇠고기 익스트랙트 / corned ~ 콘드 비프《소금에 절인 쇠고기》/ horse ~ 말고기. **2** (*pl.* **beeves**, ~) 식용우(食用牛) ; (*pl.* **beeves** [bíːvz], **~s**) (도살된 식용우의) 동체(carcass). **3** Ⓤ (인간의) 근육 ; 힘 ; 살집, 체중. **4** (*pl.* **~s**) 《美俗》 불평, 불만.
— *vi.* 《美俗》 불평하다(complain) 〈*about*〉.
beef up 《口》 강화[보강]하다 ; (소를) 도살하다 ; (군인이) 학살하다.
〚OF < L *bov- bos* ox〛
beef·a·lo [bíːfəlòu] *n.* (*pl.* **~s**, **~es**) 비펄로《들소와 사육소와의 교배 품종 ; 육우》. 〚*beef* + buff*alo*〛
béef Bourguignon *n.* = BOEUF BOURGUIGNON.
béef·bùrger *n.* 쇠고기 햄버거.
béef·càke *n.* 《美俗》 **1** (남성의) 육체미[누드] 사진. **2** [a piece of ~] 늠름한 사내, 육체미의 남자. **3** 근육이 늠름한 체격.
béef·cak·e·ry [-kèikəri] *n.* 《美俗》 BEEFCAKE 사진술.
béef càttle *n.* [집합적으로] 식용우(食用牛) (cf. DAIRY CATTLE).
béef·èat·er *n.* **1** 쇠고기를 먹는 사람 ; 딱 벌어진 근육질의 사람. **2** 영국왕의 호위병 ; 런던탑의 수위《Tudor 왕조 시대의 복장으로 유명함 ; cf. YEOMAN *of the Guard*》.
béef·ish[1] *a.* (사람이) 늠름한 ; (영국인이) 쇠고기를 먹는.
bee·fish[2] [bíːfiʃ] *n.* 저민 쇠고기와 다진 어육을 섞은 것《햄버거용》. 〚*beef* + f*ish*〛
bée flỳ *n.* 〖昆〗 재니등에《꿀벌 비슷함》.
béef-squàd *n.* 《美俗》 (고용된) 폭력단.
béef·stèak *n.* Ⓤ,Ⓒ (불고기용·프라이용의) 두껍게 저민 쇠고깃점 ; 비프스테이크.
béef tállow *n.* 쇠기름.
béef téa *n.* 진한 곰국, 쇠고기를 고아 만든 자양 음료《환자용》.
béef trùst *n.* 《美俗》 거인들만의 합창단[야구팀·미식축구팀].
béef-wìtted *a.* 어리석은, 둔한.
béef-wòod *n.* Ⓤ 오스트레일리아산(産)의 목마황과의 나무 ; 목마황 재목.
béefy *a.* 살찐 ; 근육이 건장한 ; 우둔한(stolid) ;

《英學俗》(성적이) 그저 그런.
bée gùm *n.* 《美中南部》 가운데가 텅 비어 꿀벌이 집을 짓는 고무나무의 일종 ; 꿀벌의 집.
bée·hìve *n.* (꿀벌의) 벌집, 벌통 ; 벌통 모양의 것 ; 사람이 붐비는 장소(crowded place).
as busy as a beehive (무리가) 분주히 왔다갔다하여.
—— *a.* 윗부분이 원뿔꼴인.
béehive hòuse *n.* 〖考古〗 (유럽 선사 시대의) 벌집 모양의 가옥《주로 석조》.
Béehive Státe *n.* [the ~] Utah 주의 속칭.
bée·hòuse *n.* 양봉소(養蜂所) (apiary).
bée·kèep·er *n.* 꿀벌을 치는 사람, 양봉가(養蜂家) (apiarist).
bée·kèep·ing *n.* 양봉(apiculture).
bée·lìne *n.* 직선 ; 《비유》 최단[직선] 거리.
in a beeline 일직선으로(cf. *in a* CROW[2] *line*).
take*[*make, strike*] *a beeline for... 《口》 …로 곧바로 나아가다, …으로 직행하다.
—— *vi.* 《美口》 일직선으로 나아가다, 최단 코스를 급히 가다.
Be·el·ze·bub [biélzibʌ̀b, 美+bíːl-, bél-] *n.* 〖聖〗 바알세불, 마왕 ; 악마(the Devil).
〚OE<L<Gk.<Heb. =lord of flies〛
bée·màrtin *n.* 〖鳥〗 =KINGBIRD.
bée·màster *n.* 양봉가.
◇**been** [bin, bín ; bin, biːn, bíːn, bín] *v.* BE의 과거분사. 주 have *or* has *or* had *or* having+been으로 완료형을 만듦. **1** [have *or* has *or* had+been의 형태로] **a**) 지금[그때]까지 줄곧 …이다[이었다] 《상태의 계속》 : He *has* ~ a teacher since 1980. 1980년 이래 교사 노릇을 하고 있다 / Where *have* you ~ all this while? 지금까지 줄곧 어디에 계셨습니까 / I *have* ~ upstairs. 2층에 있었습니다 / I *had* ~ in business until that year. 그 해까지 장사를 하고 있었습니다《과거 어느 시점까지의 계속》/ I *have* ~ *living* in Seoul since 1980. 1980년 이래 서울에 살고 있습니다《현재 완료 진행형의 예 ; 계속을 강조함》. **b**) 지금까지 … 한 적[간 적 · 온 적]이 있다《경험》: *Has* she ever ~ at[in, to] Kyŏngju? 그 여자는 경주에 가본 적이 있습니까 / I *have* often ~ in America. 미국에는 전에도 여러 번 가본 적이 있다 / My mother *has* never ~ here. 어머니는 한 번도 여기에 오신[계셨던] 적이 없다. 주 (1) ever나 often 따위의 빈도를 나타내는 부사를 수반하는 점에서 다음 c)와 다르다. (2) have gone[come]은 동작의 완료를 나타낸다 : He *has gone* to America. 미국으로 가버렸다《지금 여기에 없다》/ I *have come* here. 방금 막 여기에 왔다《지금 여기에 있다》. **c**) …(에) 갔다오는 길이다〈*to*〉《왕복의 완료》: I *have* ~ *to* the station to see my friend off. 친구를 배웅하러 정거장에 갔다오는 길이다. **d**) (이제) 왔다, 찾았다《내방(來訪)의 완료》: The postman hasn't ~ (=called here) yet. 집배원은 아직 오지 않았다.
2 [having been의 형태로] **a**) [분사구문] *Having* ~ a teacher myself, I know how difficult it is to teach. 내가 교사를 했던 일이 있으므로 가르친다는 것이 얼마나 어려운 것인가를 알고 있다. **b**) [동명사] I regret *having* ~ so careless. (제가) 그렇게 부주의했던 것이 후회스럽습니다.
have been and done 《口》 [항의 · 놀람을 나타냄] : He *has been and* moved my papers. 그가 내 서류를 뒤지고 있었다니.
béen·to *n.*, *a.* 《西 Africa口》 영국에서 생활한[교육받은] 적이 있는 사람(의). 〚*been*+*to*〛
beep[1] [bíːp] *n.* (경적 따위) 삑하는 소리 ; (인공 위성의) 발신음. —— *vi.*, *vt.* 삑하고 경적을 울리다, 삑 소리를 내다. 〚imit.〛
beep[2] *n.* 《美》 소형 지프.
béep-béep *n.* 발신음.
béep·er *n.* BEEP를 울리는 장치 ; 전화 대화가 녹음되고 있음을 신호로 알리는 장치 ; 《俗》 무인 비행기를 원격조정하는 사람[장치].
béeper bòx *n.* 무선 호출 장치.
bée plànt *n.* 양봉(養蜂) 식물, 밀원(蜜源) 식물《꿀벌에게 꿀을 공급하는》.
***beer** [bíər] *n.* **1 a**) Ⓤ [종류를 말할 때는 Ⓒ] 맥주(cf. ALE, PORTER, STOUT) : He is fond of ~. 맥주를 좋아한다 / (a) dark ~ 흑맥주 / draft ~ = ~ on draft[draught] 생맥주 / ☞ SMALL BEER / Life is not all ~ and skittles. 《속담》 인생은 재미있는 일만 있는 것이 아니다. **b**) 맥주 한 잔[한 병 · 한 깡통] : order a ~ 맥주 한 잔[병] 주문하다. **2** Ⓤ (식물 뿌리 따위를 넣고 만드는) 발포성 음료 : ☞ GINGER BEER / root ~ 《美》 루트 비어《청미래덩굴의 뿌리(sarsaparilla) 따위 즙으로 만든 청량 음료》.
be in beer 맥주에 취하다.
think small beer of …을 얕잡아 보다, 업신여기다.
〚OE *bēor* ; cf. G *Bier*, L *bibo* to drink〛
béer·age *n.* 《俗》 [the ~] (귀족이 된) 양조업자, 맥주업계 ; 《蔑》 영국귀족(계급).
〚*beer*+*peerage*〛
béer bàrrel *n.* 맥주통.
béer bèlly *n.* 《美俗》 맥주 배(인 사람), 북통 같은 배, 배불뚝이.
béer brèwery *n.* 맥주 양조장.
béer bùst[**bùrst**] *n.* 《美俗》 맥주 파티.
béer èngine *n.* 맥주 펌프(beer pump).
béer gàrden *n.* 비어 가든, 노천 맥주판매장.
béer hàll *n.* 《美》 비어 홀, 맥주집.
béer·hòuse *n.* 《英》 맥주집, 비어 홀.
béer jòint *n.* 《俗》 선술집(tavern).
béer mòney *n.* 《英口》 (고용인에게 주는) 팁 ; (남편들의) 용돈, 술값.
béer pàrlor *n.* 《Can.》 (호텔의) 비어 홀.
béer·pùll *n.* =BEER PUMP ; 그 손잡이.
béer pùmp *n.* (지하 저장실 따위에서) 맥주를 빨아올리는 펌프.
Beer·she·ba [biərʃíːbə, beər-, bər-] *n.* 비어시바《이스라엘 남부의 상업 도시 ; ☞ DAN》.
béer·shòp *n.* 〖英法〗 (가게 안에서는 마시지 못하는) 맥주 판매점.
béer-ùp *n.* 《濠俗》 주연, 술잔치.
—— *vt.* 《美俗》 맥주를 퍼마시다.
béery *a.* 맥주의, 맥주에 취한, 맥주 냄새가 나는 ; 맥주로 맛을 낸. **béer·i·ly** *adv.* 맥주에 취하여.
bée's knées *n.* **1** [the ~] [단수취급] 《口》 월등히 좋은 것[일] ; 가장 탁월한 사람, 안성맞춤인 것[사람]. **2** 비즈니스《레몬 주스에 진 · 벌꿀로 맛을 낸 칵테일의 하나》.
beest·ings [bíːstiŋz] *n.* (*pl.* ~) (산후(産後)의 암소의) 초유(初乳).
bées·wàx [bíːz-] *n.* Ⓤ 밀, 밀랍(蜜蠟)《초의 원료, 광택제》. —— *vt.* …에 밀랍을 바르다.
bées·wìng *n.* 오래된 포도주의 표면에 생기는 얇은 더껑이 ; 오래된 포도주.
beet [bíːt] *n.* 사탕무, 근대, 비트《근대류의 식물》; 《美》 =BEETROOT : the red ~ (샐러드용) 당근(beetradish) / the white ~ 사탕무 / ☞ SUGAR BEET.

go to beet red (얼굴이) 홍당무처럼 되다.
〚OE *bēte*＜L *beta*＜? Celt.〛

Bee·tho·ven [béitouvən ; *G* bé:tho:fən] *n.* 베토벤. **Ludwig van** [*G* fan, vən] ～ (1770-1827) 독일의 작곡가.

***bee·tle**[1] [bí:tl] *n.* **1** 딱정벌레 ; (흔히) 바퀴벌레 (black beetle). **2** 근시(近視)인 사람. **3** [B～] 《俗》 =VOLKSWAGEN.
(as) blind as a beetle=***beetle blind*** 심한 근시안인[이어서].
—— *vi.* 《口》 (눈 따위) 바쁘게 움직이다 ; 《英俗》 급히 가다, 급히 출발하다.
〚OE *bitula* biter ; ⇨ BITE〛

beetle[2] *n.* 큰 망치, 나무메. —— *vt.* (큰 망치 따위로) 치다. 〚OE *bētel* biter ; ⇨ BEAT[1]〛

beetle[3] *a.* 튀어나온 : ～ brows 짙고 굵은 보기 흉한 눈썹 ; (불쾌함을 나타내는) 찌푸린 눈썹, 찌푸린 얼굴. —— *vi.* (눈썹·낭떠러지 따위가) 튀어나오다(overhang). 〚ME＜?〛

béetle·bràin *n.* =BEETLEHEAD.

béetle-bròwed *a.* 눈썹이 튀어나온[굵은], 짙은 눈썹의 ; 얼굴을 찡그린, 시무룩한(sullen).

béetle-crùsh·er *n.* 《英》 큰 장화 ; (납작하고) 큰 발 ; 《俗》 경찰관.

béetle·hèad *n.* 멍청이, 얼간이. **～·ed** *a.*

bée·tling *n.* 망치로 치기 ; (광택을 내기 위한) 비틀링. —— *a.* (벼랑·눈썹 따위) 튀어나온.

béet·ràdish *n.* 당근의 일종.

béet·ròot *n.* 《英》 사탕무[당근]의 뿌리.

béet sùgar *n.* 사탕무로 만든 설탕(cf. SUGAR BEET, CANE SUGAR).

beeves *n.* BEEF의 복수형.

bee·wy [bí:wai] *n.* 《美俗》 돈, (특히) 잔돈.

bee·zer [bí:zər] *n.* 《俗》 코 ; 사람, 놈.

bef. before. **B.E.F.** British Expeditionary Force(s).

be·fáll [bi-] *vt.* 《文語》 (좋지 못한 일이) 일어나다, 생기다, (몸에) 닥치다(happen to) : A misfortune *befell* him. 불행이 그에게 닥쳤다. 注 수동태로는 쓰이지 않음. —— *vi.* 일어나다, 생기다 ; 《口》 속하다, 어울리다 〈*to*〉.
〚*be-* around, near+*fall*〛

be·fít [bi-] *vt.* …하기에 알맞다, 어울리다, 적합하다 : *It* ill ～*s* him *to do* …하는 것은 그에게는 어울리지 않는다.

be·fít·ting *a.* 적합한, 알맞은, 어울리는(proper) 〈*to*〉. **～·ly** *adv.* 적합하게, 알맞게.

be·flág [bi-] *vt.* 많은 기(旗)로 장식하다.

be·flówer [bi-] *vt.* 꽃으로 덮다, …에 꽃을 흩뿌리다.

be·fóg [bi-] *vt.* 짙은 안개로 덮다 ; 흐리게 하다 ; 《비유》 (남을) 난처하게 하다, 어리둥절[얼떨떨]하게 하다(bewilder).

be·fóol [bi-] *vt.* 바보 취급을 하다, 놀리다, 조롱[우롱]하다 ; 속이다.

°**be·fore** [bifɔ́:r] *adv.* (↔*after, behind*) **1** [위치] 앞에[으로] ; 전방[전면(前面)]에[으로] : go ～ 앞서 가다 / ～ and behind 앞뒤에 / look ～ and after 앞뒤를 보다. **2** [때·시기] 이전에, 일찍이, 이미 ; 그때까지(☞ 活用) : I have met him ～. 그를 전에 만난 일이 있다 / I visited the temple (once) ～. 그 절에는 전에 (한번) 가 본 적이 있다 / I had been there ～. 전에 거기에 간 적이 있다 / the day ～ 그 전날 / two days ～ (그때부터) 2일 전에 / long ～ 오래 전에. **3** [때] (정해진 때보다) 빠르게, 전에(earlier) : I'll be there a few days ～ (=a few days earlier). 2, 3일 전에 그곳에 가 있겠습니다 / I'll pay tomorrow, *not* ～ (=not earlier). 내일은 지불하겠으나 그전에는 안된다.
—— [-ˊ, ˊ-] *prep.* **1** [위치] …의 앞에 ; …의 면전[눈앞]에 : stand ～ the King 왕 앞에 나서다 / problems ～ the meeting 회의에 제출되는 문제 / lay[put] the matter ～ a person 일을 남에게 털어놓다. **2** [때] **a)** …보다 먼저[앞서·빠르게] (cf. BY[1] *prep.* 4, TILL[1] *prep.* 1, UNTIL) ; …의 전도(前途)에 : Come ～ five o'clock. 5시 전에 오시오 / ～ (=ahead of) time 정각 전에 / ～ two days 이틀이 지나기 전에 / His whole life is ～ him. 그의 생애는 이제부터다 / Summer holidays were ～ the children. 여름방학이 아이들을 기다리고 있었다. **b)** 《美》 (…분) 전(to) (cf. OF 12, TILL[1] 3 ; AFTER *prep.* 1 b)) : It's five minutes ～ ten. 지금 10시 5분 전입니다. **3** [순서·계급·선택·우선 순위] …에 앞서서(preceding) ; …보다는 차라리[오히려](rather than) : Put conscience ～ profits. 이익보다도 양심을 앞세워라 / I'll die ～ giving in. 굴복하느니 차라리 죽겠다 / I would do anything ～ that. 무엇이든 하겠으나 그것만은 싫다. **4** (기세에) 눌리어, …의 힘으로 : bow ～ authority 권력에 눌리다.
before Christ 서력 기원전《略 B.C.》.
before everything 만사를 제쳐놓고.
before a person***'s face*** 남의 면전에서, 공공연하게.
before God 신에 맹세코, 반드시.
before long 오래지 않아, 곧(soon).
before now 이제까지, 좀더 일찍.
before one***'s time*** ☞ TIME *n.*
before the fact ☞ FACT 2.
before the mast ☞ MAST[1].
before the wind ☞ WIND[1].
put the cart before the horse 앞뒤의 순서를 틀리게하다 ; 본말을 전도하다.
sail before the wind 순풍을 받고 달리다.
the day[***night***] ***before yesterday*** 그저께 (밤). 注 명사구와 부사구의 어느편으로도 사용되나 부사구 용법인 경우 《美》에선 때때로 the를 생략.
—— [-ˊ, ˊ-] *conj.* **1** (…하기에) 앞서서, …보다 먼저, (…하기) 전에 : I had not waited long ～ he came. 기다리기 전에[얼마 기다리지 않아] 그가 왔다 / I got up ～ the sun rose. 해가 뜨기 전에 일어났다 / You must sow ～ you can reap. 《속담》「심지 않은 곳에 나지 않는다」, 노력 없이는 성과도 없다 / ～ he knew where he was 아차하는 순간에, 곧 / It will be long ～ we meet again. 다시 만날 때는 먼 훗날이겠지. 注 before가 이끄는 절이 의미상으로는 미래에 관한 것을 나타내어도 술어동사는 보통 현재형을 씀 ; 따라서 It will be long ～ we *shall* meet again. 이라고 하는 것은 잘못(☞ TILL[1] 活用 (2)). **2** (…하느니) 차라리(rather than) (cf. *prep.* 3) : I will die ～ I give in (=before giving in). 굴복하느니 차라리 죽겠다, 죽어도 항복하지 않겠다.
〚OE *beforan* ; ⇨ BY, FORE[1] ; cf. G *bevor*〛
活用 *adv.* 2의 용법과 술어동사의 시제와의 관계에 대해서는 다음 점에 주의. i) 단독으로 쓰이는 경우, 동사는 현재완료·과거완료·과거의 어떠한 경우에도 있을 수 있음. ii) the day before, two days before 따위의 부사구를 형성하는 경우에 동사는 과거완료 : She had returned home *long before.* (그녀는 훨씬 전에 집으로 돌아와 있었다) / I told her that I had met John *the day before.* (나는 존을 그 전날에

만났었다고 그 여자에게 말했다). ☞ AGO 活用 (1).

befóre·hànd *adv., pred. a.* (cf. AFTERWARD) 이전에[의] ; 미리, 사전에, 벌써(부터) ; 빨리 (손을 써서) : be ~ 미리 준비를 갖추다 ; 미리 손을 쓰다 ; 기선을 제압하다〈*with*〉/ You are rather ~ *in* your suspicions. 의심하기에는 아직 빠르다[의심이 지나치다].

befóre-mèntioned *a.* 앞서 말한, 전술한, 전기(前記)한.

befóre-tàx *a.* 세금 공제 전의, 세금이 포함된(cf. AFTERTAX) : a ~ income 세금을 공제하지 않은 수입.

befóre·tìme *adv.* 《古》 이전에 (formerly) (cf. before time ☞ BEFORE *prep.* 2).

be·fóul [bi-] *vt.* 《文語》 **1** 더럽히다, 어지럽히다 ; 헐뜯다 : ~ one's own nest ☞ NEST 숙어. **2** …에 휘감기다(entangle).

be·fríend [bi-] *vt.* …의 편이 되다, 돌보아주다, 돕다(help).

be·fúddle [bi-] *vt.* (술 따위로) …의 정신을 잃게 하다 ; 곤혹[어리둥절]케 하다. **~·ment** *n.*

be·fúrred [bi-] *a.* 모피 장식을 단.

‡beg [bég] *v.* (**-gg-**) *vt.* [+目 / +目+前+名 / +目+*to* do / +*to* do / +*that* 節] (돈·음식 따위를) 애걸하다, 구걸하다(ask for) ; (용서·은혜 따위를) 빌다, 간청[부탁]하다 : The tramp ~*ged* food. 부랑자는 음식을 달라고 애걸했다 / I have a favor to ~ ***of*** you. =I ~ a favor *of* you. 당신에게 청이 있어요 / He ~*ged* the king ***for*** his life. 임금에게 살려줄 것을 간청했다 / I ~ you *to* be very attentive. 아무쪼록 주의해서 들어주십시오 / I ~ *of* you not *to* run any risk. 부디 위험한 일은 하지 않으시기를 부탁드립니다《注 of를 쓰지 않은 것보다 격식을 차린 말》/ I ~ *to* be excused. 사양했으면 합니다 / ~ to differ ☞ DIFFER 2 / I ~ *to* inform you that.... 《商用文·古》…이라는 것을 통지해 드립니다 / He ~*ged that* he might not be interrupted. 그는 방해를 하지 말아 달라고 부탁했다. —— *vi.* [動 / +*for*+名] 원조해 줄 것을 청하다, 구걸하다 ; 용서를 청하다 ; (개가) 앞발을 들고 서서 재롱부리다, [명령] (개에게) 앞발 들어! : He ~*ged* ***for*** a living[*for* mercy, *for* quarter]. 생계를 잇기 위해 구걸을 했다[자비를 빌었다, 살려달라고 애걸했다].

〈회화〉
I *beg* of you not to interrupt me anymore.— All right, I won't. 「제발 부탁이니까 이 이상은 방해하지 말아 줘」「알았어. 더는 안할게」

beg* (*leave*) *to do 실례지만 …합니다, 삼가 …하다 : We ~ *leave to* reply that.... (…라고) 삼가 회답을 드립니다.

beg off (의무, 약속 따위의) 면제를 바라다, 변명을 하며 거절하다.

beg the question 논점이 되어 있는 것을 사실로 가정하고 논의를 계속하다 ; (흔히) 논점을 교묘히 피하다.

(***I***) ***beg your pardon.*** ☞ PARDON.

go begging 동정을 구하며[구걸을 하며] 다니다 ; (물건을) 살 사람이 없다, 받아줄[인수할] 사람이 없다.

〖? OE *bedecian* ; ⇨ BID ; cf. BEGGAR〗

類義語 ***beg*** 공손하게 또는 열심히 무엇을 원한다고 간청하다 ; 때때로 공손한 의뢰[부탁]에도 쓰임. ***solicit*** 예의를 갖추어 열심히 청하다《격식을 차린 말》. ***entreat*** 모든 수단을 다 써서 열심히 부탁[청]하다. ***beseech*** 매우 열심히 청하다 ; 청이 이루어질지 불안한 마음을 나타냄. ***implore*** beseech 보다 더 간절한 마음으로 간청하다. ***importune*** 때때로 상대방이 화가 나게끔 짓궂게 몇번이나 청[부탁]한다는 느낌. ***ask*** 「청하다, 부탁하다」란 뜻을 내포한 포괄적인 말.

be·gad [bigǽd] *int.* 맹세코, 당치도 않은 소리, 천만에, 아뿔싸! 〖*by God*〗

◇began *v.* BEGIN의 과거형.

begat [bigǽt] *v.* 《古》 BEGET의 과거형.

be·gats [bigǽts] *n. pl.* 《美俗》 가계도, 족보《특히 구약 성서의》.

be·get [bigét] *vt.* (**-got** [-gɑ́t] ; **-got·ten** [-gɑ́tn], **-got** ; **-gét·ting**) **1** (아버지가 자식을) 낳다, 자식을 보다 : Abraham *begot* Isaac. 아브라함은 이삭을 낳았다. 注 어머니에게는 BEAR[1]를 씀. **2** 《文語》 생기게 하다, 일으키다 : Money ~*s* money. 돈이 돈을 번다 / Poverty ~*s* crime. 가난은 죄악의 근원. 〖OE *begietan* ; ⇨ BE-〗

***beg·gar** [bégər] *n.* **1** 거지 ; 가난한 사람 ; 기부(금) 모집자 : *B*~*s* must not be choosers. 물건을 구걸하는데 투정은 할 수 없다, 「빌어먹는 놈이 콩밥을 마다할까」/ a good ~ (남의 것을) 잘 얻어내는 사람. **2** 《蔑·戱》 놈, 녀석(fellow) : a saucy ~ 건방진 녀석 / (nice) little ~*s* 귀여운 놈《아이들이나 동물 새끼에 하는 말》/ Poor ~! 불쌍[가련]하게도.

die a beggar 객사하다, 거지꼴이 되어 죽다.

—— *vt.* **1** 가난하게[거지로] 만들다, 영락시키다 : Your reckless spending will ~ your father. 자네같이 돈을 함부로 썼다가는 얼마 안되어 아버지도 파산할 걸세. **2** [항상 description을 목적어로 하여] 빈약하게 하다, 무력하게 만들다 : The scenery ~*s* (=is beyond) (all) description. 그 광경의 아름다움은 필설로[말로써] 다 표현할 수 없다.

I'll be beggared (=hanged) ***if...*** 《俗》 맹세코 …한 일은 없다.

〖*beg, -ar*〗

béggar·dom *n.* Ⓤ 거지 사회[패거리·생활].

béggar·ly *a.* 거지 같은, 무일푼의 ; 인색한 ; 빈약[초라]한. —— *adv.* 《古》 비열한 태도로.

béggar-my-néighbor, -thy- *n.* Ⓤ 〘카드 놀이〙 한 사람이 상대방의 패를 다 딸 때까지 계속하는 놀이. —— *a.* 자기 중심적인, 보호주의적인 《정책》.

béggar('s)-lìce *n.* (*pl.* ~) 옷에 열매가 달라붙는 식물《도둑놈의 갈고리·갈퀴덩굴 따위》.

béggar('s)-tìcks *n.* (*pl.* ~) = BEGGAR('S)-LICE.

bég·gary *n.* Ⓤ 거지 신세, 빈곤 ; 거지패[소굴].

bég·ging *n.* Ⓤ 거지 생활. —— *a.* 구걸하고 다니는, 기부금을 부탁하는 : a ~ letter 구걸 편지, 기부금을 부탁하는 편지.

go* (*a-*)*begging 구걸하고 다니다 ; (물건을) 사는 사람이 없다.

◇be·gin [bigín] *v.* (**be·gan** [-gǽn] ; **be·gun** [-gʌ́n] ; **be·gín·ning**) *vt.* **1** [+目 / +*to* do / +do*ing*] 시작하다, 착수하다(start) ; …하기 시작하다 : Let's ~ our work. 일을 시작하자 / ~ the world ☞ WORLD 숙어 / Well *begun* is half done. 《속담》 시작이 반이다 / It has *begun to* rain. 비가 내리기 시작했다 / I ~[am ~*ning*] *to* remember it. 차차 생각이 나기 시작한다 / He *began* read*ing* the book yesterday. 어제 그 책을 읽기

시작했다. ☞ 活用. **2** 《口》 [+*to* do] [부정 구문으로] …할 것 같지않다 : That suit does*n't* even ~ *to* fit you. 그 옷은 너에게는 도무지 맞을 것 같지 않다. —— *vi.* [動/+前+名] 시작되다[하다], 착수하다 ; 말하기 시작하다 : You had better ~ again. 처음부터 다시 시작하는 것이 좋다 / School ~*s* ***at*** eight o'clock [***on*** Monday, ***in*** April]. 학교는 8시에[월요일부터, 4월부터] 시작된다 / Let's ~ *at* page seven[*at* the beginning]. 7페이지부터[처음부터] 시작합시다 / He *began* ***by*** scold*ing* us, saying.... 그는 우선 …이라고 말하면서 우리를 야단부터 쳤다 / He *began* ***on*** a new book. 새로운 책을 시작했다(…을 읽기[쓰기] 시작했다) / In England spring really ~*s* ***with*** the first of May. 영국에서는 봄이 실제로는 5월 1일부터 시작된다 / *B*~ *with* No. 1. 먼저 자기부터 시작하라.

to begin with [독립구(句)] 우선 첫째로, 먼저 …할 것은(in the first place).

〖OE *beginnan*< ? ; cf. OHG *biginnan*〗

活用 *begin to* do는 동작의 개시점에 주의를 기울였고 *begin* do*ing*은 개시된 동작의 계속에 주의를 기울이는 경우에 쓰임 ; 무의지적(無意志的)인 감정 따위를 나타내는 동사에는 *to* do를 쓴다 : The baby *began to* feel hungry. (아기는 배고픔을 느끼기 시작했다).

類義語 ***begin*** 어떤 행동·할 일의 순서 따위를 「시작하다」라는 가장 일반적인 말 : *begin* one's work (일을 시작하다). ***commence*** 가장 격식을 차린 말로 무언가 까다로운 일이나 의식 따위를 시작하다 : *commence* the investigation (철저한 조사를 시작하다). ***start*** 동작의 개시·착수에 중점을 둔 말 : *start* paving a road (도로 포장 공사를 시작하다). ***initiate*** 사물의 첫발을 내딛기 시작한 것을 강조하는 말로 그 결과에 대해서는 말하지 않음 : *initiate* the peace talk (평화 협상의 기선을 잡다). ***inaugurate*** 형식적·의식적인 개시를 뜻하는 말 : *inaugurate* a new railroad (새 철도를 개통하다).

***be·gín·ner** *n.* **1** 초보자(初步者) ; 초심자 : the ~'s luck 초심자에게 붙는 행운 / a ~'s dictionary 초보자용의 사전. **2** 창시자, 개시자, 시조(始祖)〈*of*〉.

‡**be·gín·ning** *n.* 처음, 시작(start) ; 시초(↔*end*), 발단 ; 기원, 근원(origin) ; [*pl.*] 초기, 첫 단계, 초창기 ; 어렸을 때 : *at* the ~ *of* May[the term] 5월[학기] 초에 / from the ~ 처음부터 / make a ~ 단서를 잡다〈*for*〉; 착수하다 / rise from humble[modest] ~*s* 비천한 신분에서 출세하다 / Everything has a ~. 《속담》 모든 일에는 시작이 있는 법.

from beginning to end 처음부터 끝까지 ; 시종(始終).

in the beginning 개시로, 처음에, 최초로(cf. *in the* END).

since the beginning of things 천지개벽 이래, 태초부터.

the beginning of the end 최후의 결과를 예시(豫示)하는 최초의 징조.

類義語 ***beginning*** 사물의 출발점·시작 ; 가장 기본적인 말 : the *beginning* of a war (전쟁의 발단). ***origin*** 사람 또는 사물이 발생한 기원 : the *origin* of the civilization (문명의 기원). ***source*** 어떤 것이 발생·발달하는 기점(起點) 또는 장소 : the *source* of the Nile (나일 강의 원천). ***root*** 어떤 것[일]이 발생하게 하는 근본적인[깊은] 기원(起源) : The love of money is the *root* of all evil. (돈에 대한 애착은 모든 죄악의 근원이다).

begínning rhýme *n.* 《詩》 행두운(行頭韻)《각 행(各行)의 첫머리가 압운함》.

be·gírd [bi-] *vt.* (**be·gírt, ~·ed**)《文語》 [+目/+目+前+名] [흔히 *p.p.*로] 띠로 두르다 ; 둘러싸다, 에워싸다 : a country *begirt* ***with*** sea 바다로 둘러싸인 나라.

beg·ohm [bégòum] *n.* 〖電〗 10억 옴《전기 저항의 단위》.

be·gone [bigɔ́(:)n, -gán] *vi.* 《文語》 [명령형·부정사형으로] 가라, 물러가라(go away) : Tell him to ~ at once. 그에게 즉시 물러가라고 일러라. 〖*be gone*〗

be·go·nia [bigóunjə] *n.* 〖植〗 베고니아, 추해당(秋海棠).
〖M. *Bégon* (d. 1710) 프랑스 식물학의 후원자〗

be·gor·ra, -rah [bigɔ́(:)rə, -gárə] *int.* 《아일》 허참, 어렵쇼, 어머나. 〖*by God*의 사투리〗

begot *v.* BEGET 의 과거·과거분사.

begotten *v.* BEGET 의 과거분사.

be·gríme [bi-] *vt.* [+目/+目+前+名] (연기·검댕 따위로) 더럽히다 ; 《비유》 부패시키다 : His hands were ~*d* ***with*** oil and dirt. 그의 손은 기름과 먼지로 더럽혀져 있었다 / a ~*d* street 지저분한 거리.

be·grúdge [bi-] *vt.* [+目+目] **1** 시기하다 : He ~*d* his friend the award. 그는 친구의 수상(受賞)을 시기했다. **2** 아까워하다, 꺼려하다 : He ~*s* his dog a bone. 개에게 뼈다귀 하나 주려고 하지 않는다. 주 GRUDGE가 보통 쓰이는 말.

be·grúdg·ing·ly *adv.* 마지못해, 아까운 듯이 (grudgingly).

be·guile [bigáil] *vt.* **1** [+目/+目+前+名] 속이다, 기만하다(cheat) : ~ a person (***out***) ***of*** money 남을 속여서 돈을 빼앗다 / He ~*d* me ***into*** part*ing* with my money. 나는 그에게 속아서 돈을 빼앗기고 말았다. **2** [+目/+目+前+名] (시간·한가한 틈·굶주림 따위를) 잊게하다 ; 기쁘게 하다(amuse) : I ~*d* my long journey ***with*** thrillers. 긴 여행의 지루함을 괴기[탐정] 소설로 잊었다 / ~ children *with* stories 이야기로 어린이들을 기쁘게 하다.
—— *vi.* 농간으로 속이다.
類義語 ⟹ AMUSE, LURE.

be·guíle·ment *n.* Ⓤ 속이기, 기만 ; Ⓒ 심심풀이, 기분 전환(거리).

be·guíl·er *n.* 속이는 사람 ; 기분전환(이 되는 것), 심심풀이(로 일 하는 사람).

be·guíl·ing *a.* 속이는, 기만하는 ; 재미있는, 기분전환의 ; 심심풀이의, 무료함을 달래기 위한.

be·guine [bigí:n] *n.* 비긴《남미의 볼레로조의 댄스》; 그 리듬[곡(曲)].
〖Am. F (*béguin* infatuation)〗

Be·guine [bégi:n, béi-, -ˊ] *n.* [때때로 b~] 베긴회 수도원 수녀.

be·gum [béigəm, bí:-] *n.* (이슬람 교도의) 왕비, 귀부인. 〖Urdu<Turk. =princess (fem.)〈BEY〗

◇**begun** *v.* BEGIN의 과거 분사.

be·half [bihǽ(:)f ; -há:f] *n.* [다음 숙어로]

in behalf of... =***in*** a person***'s behalf*** (1) [지지·이익] …을 위하여(in the interest of) : She worked *in* ~ *of* the Community Chest. 그녀는 공동 모금 운동을 위해 봉사했다 / He spoke *in* her ~. 그 여자를 위해 변호해 주었다. (2) = *on* BEHALF *of* (1).

on behalf of... =***on*** a person***'s behalf*** (1)

[대리] …대신에[으로], …의 대표[대리]로서 (as the representative of) : The captain accepted the cup *on* ~ *of* the team. 주장이 팀을 대표하여 우승배를 받았다 / As my mother was ill, I wrote *on her* ~. 어머니가 병환이 나셨기에 내가 대필(代筆)했다. (2) =*in* BEHALF *of* (1).

in this*[*that*] *behalf 《古》 이것[그것]에 관하여, 이[그] 점에서.

〖*by, half* part, side ; *on his halve*와 *bihalve him* (합께 'on his side'의 뜻)의 혼동으로 인한 *on his bihalve*에서〗

活用 숙어 *in* behalf of...와 *on* behalf of...는 원래 「지지·이익」이란 뜻에는 in을, 「대리」란 뜻에는 on을 써야 하지만 지금은 《英》에서는 양쪽 다 on을 쓰는 경향이 있으며 형태상으로는 뜻의 구별을 할 수 없을 때도 있음.

‡**be·have** [bihéiv] *vt.* [~ one*self* 로] **1** [+目+副] 처신하다 : He ~*d* him*self like* a gentleman. 신사답게 처신했다. **2** (어린이가) 예절바르게[얌전하게] 행동하다 : *B*~ your*self* ! 얌전히 굴어라. —— *vi.* **1 a)** [+副 / +前+名] 행동[처신]하다 : The child ~*d well*[*badly*] at school. 그 애는 학교에서 예절바르게[버릇없게] 굴었다 / She doesn't know *how* to ~. 예의 범절을 모른다 / He ~*s respectfully* ***toward*** his superiors. 윗사람들에게 공손하다. **b)** (어린이가) 얌전하다, 예절바르다(cf. *vt.* 2) : Did you ~ at the party today? 오늘 모임에서는 얌전했었니. **2** [+副 / +前+名] (기계 따위가) 움직이다, 작동하다 (work) ; (물체·물질이 특정한 상태하에서) 작용하다, 반응[성질]을 나타내다 : *How* is your new motor *behaving*? 새 모터의 상태는 어떠한가요 / Water ~*s* ***in*** different ways when it is heated and when it is frozen. 물은 가열했을 때와 얼었을 때 다른 반응을 나타낸다.

〖BE-, HAVE〗

類義語 ***behave*** (one***self***) 예의 범절에 알맞게 행동[처신]을 하다 : Did Mary *behave* her*self* at the ceremony? (식전에서 메리는 예의있는 행동을 했느냐). ***conduct*** (one***self***) 어떤 특정한 경우에서의 사회 통념에 따른 행동의 제한 따위에 중점을 둠 : She *conducted* her*self* well there. (그녀는 그곳에서 몸가짐을 잘했다). ***demean*** (one***self***) 본인의 특징·성격·직업 따위를 나타내는 것 같이 거동하다 : He *demeaned* him*self* like a professor. (그는 교수답게 행동했다).

-be·háved *a.* [복합어를 이루어] 행동[행위]이 …한 : well-[ill-]~ 행실이 좋은[나쁜].

〖(p.p.) ‹ ↑〗

***be·hav·ior** | **-iour** [bihéivjər] *n.* **1** Ⓤ 거동, 행실, 품행, 태도 ; 〖心〗 행동 ; (생물의) 습성. **2** Ⓤ (기계 따위의) 작동, 움직임 ; (특정한 상태에서의 물체·물질을 나타내는) 성질, 작용, 반응.

be on one***'s good behavior*** (정신을 차려) 얌전히[예절바르게] 하다.

be put on one***'s good*[*best*] *behavior*** 근신(謹愼)중이다.

during good behavior 올바르게 처신[충실히 근무]하는 동안은.

~·ìsm *n.* Ⓤ〖心〗 행동주의. **-ist** *n., a.* 행동주의자[적인]. **be·hàv·ior·ís·tic** *a.* 행동주의적인.

〖DEMEANOR, HAVIOR (obs.)에 준하여 *behave*에서〗

be·háv·ior·al *a.* 행동[거동]의[에 관한]. **~·ìsm** *n.* (BEHAVIORAL SCIENCE에 의거한) (인간) 행동 연구(의 방법) ; 행동과학주의.

behávioral scíence *n.* 행동 과학《심리학·사회학·인류학 따위의 인간 행동의 법칙을 탐구하는 학문》.

behávior pàttern *n.* 〖社〗 행동 양식《개인 또는 집단이 일정한 상황 아래, 항상 또는 반복적으로 취하는 행동 방법[유형]》.

behávior thèrapy[**modificàtion**] *n.* 〖精神醫〗 행동 요법[변용, 수정].

Béh·çet's disèase[**sỳndrome**] [béiʃets-] *n.* 〖醫〗 베체트 증후군[병(病)] 《눈·입의 점막 또는 음부에 병이 생김》.

〖Hulusi *Behçet* (d. 1948) 터키의 피부과 의사〗

be·héad [bi-] *vt.* 목을 베다, 참수형에 처하다.

〖OE *beheāfdian* ; ⇨ BE-〗

‡**beheld** *v.* BEHOLD의 과거·과거분사.

be·he·moth [bihíːməθ, bíːəmɑ̀θ ; bihíːmɔθ] *n.* **1** [때때로 B~] 하마(河馬)《욥기 40 : 15-24》. **2** 《비유》 거수, 괴수, 크고 힘이 센 것《사람·짐승 따위》; (기계 따위의) 강력한 것. 〖Heb.〗

be·hest [bihést] *n.* 《詩》 명령(command) ; 간절한 부탁, 끈질긴 요청. 〖OE *behæs* (*behātan* to promise ‹ *hatan* to bid, call)〗

◇**be·hind** [biháind] *adv.* **1** [장소] 뒤로, 뒤에 ; 남아서, 남겨서 ; 숨어, 그늘에서 : fall[drop] ~ 남에게 뒤지다 / look ~ 뒤돌아보다 ; 회고하다 / There is more ~. 이면에 속셈이 있다. **2** [때] 늦어서. **3** (일·진보 따위) 늦어서, 밀려서 : He is ~ *in*[*with*] his work. 일이 늦어지고 있다. —— [-ˊ, -ˊ] *prep.* **1** [장소] …의 뒤에, …의 뒤로 (↔*in front of*) ; …의 그늘에[로] (숨어서) : ~ one's back (…이) 없는 데서, 배후에서 / ~ the scenes ☞ SCENE 숙어 / The boy was hiding ~ a door. 그 소년은 문 뒤에 숨어 있었다 / Come close ~ me. 나를 곧 뒤따라오시오 / I tried to go ~ his words. 그의 말의 이면[참뜻]을 캐내려고 했다. **2** [때] …보다 처져서, 보다 늦게(later than) : ~ the times ☞ TIME *n.* 7. **3** …보다 뒤떨어져[못하여] (inferior to). **4** …에게 편들어, …을 지지하여.

behind schedule ☞ SCHEDULE.

behind time 지각하여.

from behind (…의) 뒤에서[로부터] : The moon came out *from* ~ the clouds. 달은 구름 뒤에서 나타났다.

go behind …의 이면[참뜻]을 캐다.

leave. . .behind ☞ LEAVE[1].

〈회화〉
Never forget to close the door *behind* you. — Oh, my! It's an automatic door, isn't it? 「나가면[들어오면] 반드시 잊지 말고 문을 닫아 주세요」「어머, 그럼 자동문이 아니었어요」

—— [-ˊ] *n.* (사람·동물의) 뒤, 배후 ; 《口》 궁둥이(buttocks) : fall on one's ~ 엉덩방아를 찧다. 〖OE *behindan* (*by, hindan* from behind)〗

類義語 ***behind*** 항상 배후에 (숨어) 있는 또는 뒤처지거나 늦은 것을 나타냄 ; 보통은 공간적인 의미를 나타내지만 시간적으로도 쓰인다 : He hid himself *behind* a curtain. (그는 커튼 뒤에 숨었다). ***after*** 정해진 연속·순서 중에서 뒤에 계속되고 있는 것을 나타냄 : The dog was running *after* the cat. (개가 고양이 뒤를 쫓아가고 있었다).

behínd·hànd *pred. a., adv.* **1** 늦어진, 뒤떨어진, 늦게, 뒤늦게 : be ~ in one's ideas 생각이 뒤떨어지다, 생각이 케케묵다. **2** (일·집세 따위가) 밀려 ; (경영 따위가) 적자인〈*with, in*〉: be ~

with payments 지불이 밀려 있다 / be ~ in one's circumstances 살림살이가 어렵다.

behínd-the-scénes *a.* 무대뒤의, 이면의, 막후의, 비밀[비공식]의.

be·hold [bihóuld] *v.* (**-héld**) *vt.* 《文語》 [+目 / +目+原形 / +目+do*ing*] (특히 이상한 것·현저한 것 따위를) 보다(see) : They ran to the window just in time to ~ him descend from the carriage. 그들은 창가로 달려와서 마침 그가 마차에서 내리는 것을 보았다 / I *beheld* some people fish*ing* with long angling rods. 몇몇 사람들이 긴 낚싯대를 드리우고 낚시질을 하고 있는 것이 보였다. —— *vi.* [명령] [감탄사적으로] 보라(Look!) : Lo and ~! 이게 어떻게 된 영문이지! **~·er** *n.* 보는[바라보는] 사람.
〚OE *bihaldan* ; ⇨ BE-〛
類義語 ⟹ SEE.

be·hold·en [bihóuldən] *pred. a.* 은혜를 입은, 신세를 진 : I am much ~ *to* you *for* your kindness. 친절에 대하여 깊이 감사드립니다.

be·hoof [bihúːf] *n.* 《文語》 이익. [다음 숙어로]
to*[*for, on*]** a person's behoof*** 남을 위하여.
〚OE *behōf* ; ⇨ HEAVE〛

be·hoove [bihúːv] | **-hove** [-hóuv] *vt.* 《文語》 [it을 비인칭 주어로 하여] …하는 것이 의무다 ; …함이 마땅하다 : *It* ~*s* public officials *to* (= Public officials must) do their duty. 공무원은 본분을 다할 의무가 있다 / *It* ~*s* a child *to* obey his parents. 아이들은 부모님을 따름이 마땅하다.
—— *vi.* 《稀》 필요[당연]하다, 어울리다.
〚OE *behōfian* (↑)〛

Beh·ring [*G* béːriŋ] *n.* 베링. **Emil** (**Adolf**) **von** ~ (1854-1917) 독일의 세균학자 ; 노벨 생리학의학상 수상.

beige [béiʒ] *n.* Ⓤ 원모(原毛)로 짠 모직물 ; 엷은 다갈색, 베이지색. —— *a.* 베이지색의. 〚F< ?〛

Beijing ☞ PEKING.

bé-in *n.* 《俗》 (공원 따위에서의) 히피족의 모임.

be·ing [bíːiŋ] *v.* **1** [BE의 현재분사] **a**) [am *or* are *or* is *or* was *or* were+*being*+過分로] …되어가고 있다[있었다] ; 당하고 있다《수동의 진행형》 : The house is ~ *built.* 집은 건축중이다. **b**) [분사구문을 이루어] …이므로, …이기 때문에 : *B*~ busy, I stayed at home. 바빴기 때문에 집에 있었다. **2** [BE의 동명사] …이기, …임 ; …됨, …당함 : *B*~ with you makes me happy. 자네와 함께 있는 것은 즐거워 / I hate ~ *treated* like a child. 어린아이 취급을 받는 것은 싫다.
—— *a.* 현재의. [다음 숙어로]
for the time being 당분간, 우선, 목하.
—— *n.* **1** Ⓤ 존재(existence), 생존, 인생(life). **2** 생물(living thing) ; 인간(=**húman** ∠). **3** [B~] 신(神) : the Supreme *B*~ 절대신(絶對神), 유일신(God). **4** Ⓤ 본질, 본성(essence).
call*[*bring*]*...into being …을 탄생시키다, 생기게 하다 ; …을 성립시키다.
come into being 태어나다, 생기다.
in being 존재[생존]하고 있는.

bé·ing-for-it·sélf *n.* 〔哲〕 (헤겔의) 향자재성(向自在性).

Bei·rut, Bay·rut, Bey·routh [beirúːt, ∠-] *n.* 베이루트《Lebanon의 수도》.

Be·ja [béidʒə ; bíː-] *n.* (*pl.* **~, ~s**) 베자족(族)《나일 강과 홍해 사이에 사는 유목 민족》 ; Ⓤ 베자어(語).

be·jab·bers [bidʒǽbərz], **-ja·bers** [-dʒéibərz], **-ja·sus** [-dʒéizəs], **-je·sus** [-dʒíːzəs] *int.* 저런, 어머나, 맙소사《놀람·공포·노했을 때 따위》. —— *n.* 《俗》 [다음 숙어로]
beat*[*hit, kick, knock*] *the bejabbers out of …을 마구때리다, 때려눕히다.
scare the bejabbers out of …을 섬뜩하게 하다, …을 깜짝 놀라게 하다.
〚*by Jesus*의 완곡어〛

be·jéaned [bi-] *a.* 청바지를 입은.

bejesus ☞ BEJABBERS.

be·jéwel [bi-] *vt.* 《文語》 [+目 / +目+前+名] 보석으로[을 박아] 장식하다 : the sky ~*ed* ***with*** stars 별로 수놓아진 하늘.

bé·ké [béikei] *n.* 백인 이민자《보통 상류 계급 ; 프랑스계 크레올(Creole)》.

bel [bél] *n.* 〔理〕 벨《전기 통신의 감쇄·이득을 나타내는 단위 ; 略 b》. 〚A. G. BELL〛

Bel *n.* 여자 이름《Arabel, Arabella의 애칭》.

be·lábor | **-bour** [bi-] *vt.* (논쟁·일을) 오래도록 하다 ; 강하게 치다, 때리다 ; 욕하다, 비웃다(abuse). 〚*be-*, *labor* to exert one's strength〛

be·lat·ed [biléitəd] *a.* (편지·보고서 따위) 늦어진 ; 때늦은, 시대에 뒤진(out-of-date) ; 《古》(나그네 등) 길이 저문 : ~ efforts 때늦은 헛수고.
~·ly *adv.* 뒤늦게. **~·ness** *n.*
〚(p.p.) ‹ *belate* (obs.) to delay〛

Be·lau [beláu] *n.* [Republic of ~] 벨라우 공화국《전의 Palau 제도 ; 1981년 독립》.

be·láud [bi-] *vt.* 격찬하다, 극구 칭찬하다.

be·lay [biléi] *vt.* 〔海〕 (밧줄을) 밧줄걸이 따위에 감아 매다 ; (명령 따위를) 취소하다.
—— *vi.* 《口·원래 海俗》 [명령법으로] 중지, 그만 해(Stop!), 좋아(Enough!).
〚Du. *beleggen* ; cf. OE *belecgan*〛

beláy·ing pìn *n.* 〔海〕 밧줄걸이, 삭지전(索止栓).

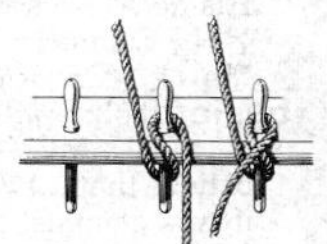
belaying pin

bel can·to [bél kάːntou] *n.* 〔樂〕 벨칸토 창법.
〚It. =fine song〛

belch [béltʃ] *vi.* 트림하다.
—— *vt.* [+目 / +目+副] (불꽃·연기 따위를) 내뿜다 ; (폭언을) 퍼붓다 : A volcano ~*es* (***out***) smoke and ashes. 화산은 연기와 재를 뿜어낸다.
—— *n.* 트림 ; 분출하는 화연(火煙), 분화 ; 폭(발)음. **~·er**[1] *n.* 트림하는 사람.
〚OE *belcettan* or 《美》 *belcan*〛

bel·cher[2] [béltʃər] *n.* 검남색 바탕에 흰 물방울 무늬의 목도리.

bel·dam(**e**) [béldəm] *n.* 《古》 (흉악한) 노파.
〚BELLE, DAME〛

be·lea·guer [bilíːgər] *vt.* 포위[공격]하다 ; 《비유》 둘러싸다, …에 끈덕지게 붙어다니다, 따라다니다, 괴롭히다.
〚Du. =to camp round (*be-*, *leger* camp)〛

bel·em·nite [béləmnàit] *n.* 〔古生〕 전석(箭石)《오징어류의 화석》. 〚NL (Gk. *belemnon* dart)〛

bel es·prit [*F* bɛlɛspri] *n.* (*pl.* **beaux es·prits** [*F* bozɛspri]) 재사(才士). 〚F=fine mind〛

Bel·fast [bélfæ(ː)st, -∠ ; bélfɑːst, ∠-] *n.* 벨파스트《북아일랜드의 수도 ; 항구 공업 도시》.

bel·fry [bélfri] *n.* 종루(bell tower) : have bats in the ~ ☞ BAT[2].
〚OF=watch tower<Gmc. =peace protector (《美》 *bergan* to protect, 《美》 *frithuz* peace) ; 어형은 BELL[1]과의 혼동〛

Belg. Belgian; Belgic; Belgium.

bel·ga [bélgə] *n.* 벨가《벨기에의 옛 화폐 단위; 5 벨기에 프랑에 해당; 제2차 세계 대전 후 폐지》.

Bel·gae [bélgai, -dʒi:] *n. pl.* 벨가에족《근대 벨기에의 시조라는 종족; B.C. 1세기경 북 프랑스·벨기에 지방에 살았음》.

Bel·gian [béldʒən] *a.* 벨기에의, 벨기에인(人)의. —— *n.* 벨기에인.

Bélgian háre *n.* 벨기에 헤어《큰 적갈색의 집토끼; 식육용》.

Bélgian Ma·li·nóis [-mælənwɑ́:] *n.* 벨기에 원산의 목양견·경찰견.

Bélgian Ter·vú·ren [-tərvjúərən, -teər-] *n.* 벨기에 원산인 목양견(牧羊犬).
〖*Tervuren* 벨기에 중부의 도시〗

Bel·gic [béldʒik] *a.* 벨기에의, 벨가에족의.

Bel·gium [béldʒəm] *n.* 벨기에《수도 Brussels》.

Bel·go- [bélgou] *comb. form* 「벨기에」의 뜻: the *Belgo*-Franco frontier 벨기에·프랑스 국경. 〖↑〗

Bel·grade [bélgreid, -ˊ, 美+bélgrɑ:d, 美+-græd, 美+-ˊ] *n.* 베오그라드《유고슬라비아 연방공화국의 수도》.

Bel·gra·via [belgréiviə] *n.* 벨그레이비어《London의 Hyde Park에 인접한 상류 계급의 주택지》.

Be·li·al [bí:liəl, -ljəl] *n.* 〖聖〗 벨리알; (Milton작 *Paradise Lost*의) 타락한 천사의 하나.
a man*[*son*] *of Belial 〖聖〗 타락한 사람.
〖Heb. =worthless〗

be·lie [bilái] *vt.* (**~d**; **-lý·ing**) **1** 거짓으로 나타내다[전하다] (misrepresent): His appearance *~s* him.=His looks ~ his character. 그는 겉보기와는 다른 사람이다. **2** (약속·기대 따위를) 저버리다, 배반하다(disappoint): He stole again, and so *~d* our hopes. 그는 또 도둑질을 해서 우리의 기대를 저버렸다. **3** …을 잘못 나타내다: His acts ~ his words. 그의 언행은 일치하지 않는다 / Summer *~s* its name. 여름이라 해도 명색뿐이다. 〖OE *belēogan*; ⇨ BE-〗

‡be·lief [bəlí:f] *n.* **1** Ⓤ [+*that* 節] 믿기, 신념, 확신, 소신: My ~ is that.... 내 생각으로는… (I believe that....) / He bought it in the full ~ *that* it was genuine. 그것을 진짜인 줄만 알고 샀다. **2** Ⓤ,Ⓒ 믿음, 신앙: ~ *in* Christianity 기독교의 신봉[를 믿음]. **3** Ⓤ 신용, 신뢰: I have no ~ *in* doctors. 의사를 신뢰하지 않는다. **4** 신조(信條); [the B~]=*the* APOSTLES' *Creed.*
beyond belief 믿을 수 없는[없을 만큼].
easy*[*hard*] *of belief 《文語》 쉽게 믿을 수 있는[없는].
in the belief that …이라고 믿고.
light of belief 경솔히 잘 믿는.
to the best of** one's **belief …이 확신하는 바로는, 확실하게.
〖OE *gelēafa*; ⇨ BELIEVE〗
類義語 (1) ***belief*** 가장 뜻이 넓은 말로써 어떤 것이 진실하다고 믿는 것: They have *belief* in ghosts. (그들은 유령을 믿는다). ***faith*** 이성(理性)에 의하지 않고 어떤 일을 아주 맹목적으로 믿기; 때때로 종교적인 신앙에 쓰임: I have *faith* in our victory. (나는 우리의 승리를 확신한다). ***trust*** 상대방에 대한 직관적인 신뢰를 나타냄: We have *trust* in his ability. (그의 능력을 믿는다). ***confidence*** trust와 같지만 때때로 감각에 의한 증거나 이성의 뒷받침을 수반하는 신뢰를 말함. ***credence*** 단순히 어떤 일을 믿고 있는 것만을 나타낼 뿐이고 신뢰성을 나타내지 않음: The leader placed no *credence* in the news. (지도자는 뉴스를 신용하지 않았다). (2) ⟹ OPINION.

be·líev·able *a.* 믿을[신용할] 만한.

◇be·lieve [bəlí:v] *vt.* [+目 / +*that* 節 / +目+補 / +目+*to* do / +*wh.* 節] 믿다, 신용하다: I ~ you. 자네(의 말)을 믿는다, 그렇고말고, 그럼요《당신 말이 옳아요》/ I ~ him (*to be*) honest. = I ~ (*that*) he is honest. 그를 정직하다고 생각한다 / There is every reason to ~ *that* …라고 믿을 만한 충분한 이유가 있다 / You should always do what you ~ *to be* right. 항상 옳다고 믿는 일을 해야 할 것이다 / Nobody will ~ *how* difficult it was. 그것이 얼마나 어려웠던가는 아무도 믿으려고 하지 않을 것이다. 注 (1) I ~ (*that*) he is honest.는 I ~ him *to be* honest. 보다도 구어적. (2) 수동태에서는: He *is ~d to be* honest. / *It* used to *be ~d* (=People used to ~) *that* the world was flat. 옛날에는 지구가 평평하다고 믿었다. (3) 때때로 *that* 節을 대신하여 so, not이 쓰인다: Will he be here tomorrow? —I ~ *so*[*not*]. 그는 내일 여기에 올까요—네 오겠지요[안올걸요]. (4) I ~ 가 가볍게 삽입적으로 쓰일 때도 있다: He has, I ~, two children. 그에게는 아마도[확실히] 아이가 둘 있지《cf. I ~ *that* he has two children.》.
—— *vi.* [+*in*+名 / 動] 믿다, 신뢰하다; (…의) 존재를 믿다; (…의) 가치를 인정하다, (…을) 좋다고 생각하다: I ~ ***in*** you. 자네의 인격[역량]을 믿는다[신뢰한다] / You should ~ *in* God. 하느님을 믿어야 한다 / I ~ *in* early rising[marry*ing* young]. 일찍 일어나는 것[조혼(早婚)]은 좋다고 생각한다 / I quite ~! 절대로 믿고 있다《그것임에 틀림없다》.
make believe ☞ MAKE.
be·líev·er *n.* 믿는 사람, 신자.
〖OE *belȳfan*; *gelēfan* (<Gmc. 《美》 *glaubjan* to hold dear)의 pref.가 변한 것; cf. LIEF〗

be·líev·ing *n.* Ⓤ 믿기, 신용하기: Seeing is ~. ☞ SEEING *n.* —— *a.* 신앙(심)을 가진, 믿고 있는.

be·líke [bi-] *adv.* 《古》 아마. 〖BY, LIKE[1]〗

Be·lin·da [bəlíndə] *n.* 여자 이름《애칭 Linda》.
〖? OSp. =beautiful; Gmc. =?+snake〗

Be·lí·sha béacon [bilí:ʃə-] *n.* 《英》 벨리샤 교통표지《보행자 보호를 위해 횡단 보도에 세움》.
〖Leslie Hore-*Belisha* (d. 1957) 이것을 채용한 (1937) 영국의 운수상〗

be·líttle [bi-] *vt.* **1** 얕보다, 흠잡다, 업신여기다: Don't ~ yourself. 스스로를 너무 비하시켜서는 안된다. **2** 과소 평가하다, 작게 하다[보이게 하다]. **~·ment** *n.*

Be·lize [bəlí:z] *n.* 벨리즈《중미의 카리브 해에 면한 나라; 옛 이름 British Honduras; 수도 Belmopan》. **Be·líz·ean, -ian** *a., n.*

◇bell[1] [bél] *n.* **1** 종, 범종(梵鐘); 벨, 방울, 초인종: an electric ~ 전기종(鐘) / marriage *~s* (교회에서의) 결혼식의 종 / a chime[peal] of *~s* (교회의) 한 차례의 종소리 / ring a ~ ☞ RING[2] *v.* 숙어 / ring *~s* ☞ RING[2] *v.* 숙어 / ring the ~ ☞ RING[2] *v.* 숙어. **2** 종 모양의 것; 종상화관(鐘狀花冠); (해파리의) 갓. **3** [때때로 *pl.*] 〖海〗 시종(時鐘) 《1점종(點鐘)부터 8점종까지 30분마다 1점을 추가해서 치는 당직의 종》.
answer the bell 손님을 안내하다.
(***as***) ***clear as a bell*** (종소리처럼) 맑아서《물·술 따위에도 씀》.
(***as***) ***sound as a bell*** 매우 건강하여.

bear*[*carry*] *away the bell 상품을 타다; 승리를 얻다.
bear the bell 수위(首位)를 차지하다.
bells and whistles 꼭 필요하지는 않지만 있으면 편리한 것.
curse with bell, book, and candle 〘카톨릭〙 종·성서·촛불로 파문하다《파문의 의식》.
── *vt.* …에 종을 달다; 종 모양으로 벌리다.
── *vi.* **1** (전차 따위) 종을 울리다; 종같은 소리를 내다. **2** 종같은 모양을 이루다; (식물이) 개화하다.
bell the cat 「고양이 목에 방울을 달다」, (여럿을 위해) 스스로 어려운[불쾌한] 일을 떠맡다《Aesop 이야기에서》.
〚OE *belle*; ↓와 관계가 있나〛
bell[2] *n.* (교미기의) 수사슴의 울음소리. ── *vi.* (교미기의 수사슴이) 울다.
〚OE *bellan* to bark, bellow; cf. BELLOW〛
Bell *n.* 벨. **Alexander Graham** ~ (1847-1922) 전화기를 발명한 스코틀랜드 태생의 미국인.
Bel·la [bélə] *n.* 여자 이름《Arabel, Arabella, Isabella의 애칭》.
bel·la·don·na [bèlədánə] *n.* 〘植〙 벨라도나《가지과(科)의 유독 식물》; 〘藥〙 벨라도나제(劑)《독약의 일종》. 〚L<It. =beautiful lady〛
belladónna líly *n.* =AMARYLLIS.
bel·la fi·gu·ra [bélɑ figúːrɑː] *n.* 좋은 인상, 훌륭한 용모. 〚It.〛
Bel·la·trix [bélətriks] *n.* 〘天〙 벨라트릭스《오리온자리의 γ성》. 〚L=female warrior〛
bell·bind(·er) [bélbàind(ər)], **-bine** [-bàin] *n.* 〘植〙 메꽃.
béll·bìrd *n.* 울음소리가 종소리 비슷한 남미산의 새, (특히) 치장새과(科)의 방울새.
béll-bóttom *a.* 바지 가랑이가 넓어진; 벨보텀의.
── *n.* [*pl.*] 나팔 바지, 벨보텀의 판탈롱.
~ed *a.*
béll-bóttoms *n. pl.* (선원(船員))의 나팔 바지; 벨보텀.
béll·bòy *n.* 《美》 (호텔·클럽의) 보이, 사환.
béll brònze *n.* =BELL METAL.
béll bùoy *n.* 타종부표(打鐘浮標)《물결치는 대로 종이 울려 여울·암초 따위의 존재를 나타냄》.
béll bùtton *n.* 초인종의 누름단추.
béll càptain *n.* 《美》 (호텔의) 보이장.
béll còt[**còte**] *n.* 작은 종탑.
belle [bél] *n.* 미인, 예쁜 처녀; 으뜸가는 미녀[아가씨]: the ~ of the society 사교계의 꽃.
〚F (fem.)〈BEAU〛
belle amie [*F* bɛlami] *n.* 미모의 친구《여자》, 여자 친구.
belle époque [bél éipɔːk; *F* bɛl epɔk] *n.* [때때로 B~ É~] (19세기말(1871)부터 제1차 세계대전까지의) 평화로운 시대, 벨 에포크.
belle laide [bel léid; *F* bɛl lɛd] *n.* (*pl.* **belles laides** [—]) 못생겼으나 매력 있는 여자(jolie laide).
belles let·tres [bèl létr, -létər; *F* bɛl lɛtr] *n.* Ⓤ 미문(학), 순문학. 〚F=fine letters〛
bel·le·trist [belétrəst] *n.* 순문학 연구가.
bel·le·tris·tic [bèlətrístik] *a.* 순문학의, 순문학 연구가의.
béll·flòwer *n.* 〘植〙 초롱꽃속(屬): the autumn ~ 용담 / the Chinese ~ 도라지.
béll fòunder[**fòundry**] *n.* 범종(梵鐘) 주조사.
béll fòunding *n.* 범종 주조법[술(術)].
béll gàble *n.* (교회당의) 종첨탑.
béll glàss *n.* =BELL JAR.
béll·hàng·er *n.* 종을 매다는 사람.
béll·hòp *n.* 《美口》=BELLBOY; 은행의 사환.
bel·li·cose [bélikòus] *a.* 호전적인(warlike); 다투기 좋아하는(pugnacious). 〚L *bellum* war〛
bèl·li·cós·i·ty [-kás-] *n.* Ⓤ 호전적임; 다투기 좋아함.
bél·lied *a.* **1** [복합어를 이루어] 배가 …한: empty-~ children 배곯은 아이들. **2** 배가 나온, 비만한: a woman ~ like a hog 돼지같이 살찐 여자.
bel·lig·er·ence [bəlídʒərəns] *n.* Ⓤ 호전성(好戰性); 투쟁성(性); 교전(交戰), 전쟁 행위.
bel·líg·er·en·cy *n.* Ⓤ 교전상태; =BELLIGERENCE.
bel·líg·er·ent *a.* 교전중인; 교전국의; 호전적인(bellicose): the ~ powers 교전국. ── *n.* 교전국, 전투원. **~·ly** *adv.*
〚L *belligero* to wage war (*bellum* war)〛
béll jàr *n.* 종 모양의 유리 그릇[뚜껑].
béll làp *n.* (트랙 경기의) 마지막 한 바퀴.
béll·lìke *a.* 종 모양의, 종소리를 닮은.
béll·man [-mən] *n.* 종을 치는 사람; (옛날에 포고 따위를) 알리고 다니는 사람(town crier); 잠수부(潛水夫)의 조수; 《美》 =BELLBOY.
béll mètal *n.* 종청동(鐘靑銅)《약 80%의 구리와 약 20%의 주석의 합금》.
béll-mòuthed [-ðd, -θt] *a.* 나팔꽃 모양의 입을 가진.
Bel·lo·na [bəlóunə] *n.* 〘로神〙 벨로나《전쟁의 여신; cf. MARS》; Ⓒ (벨로나처럼) 키가 큰 미인.
bel·low [bélou] *vi.* (소가) 큰소리로 울다; (개가) 짖다, 으르렁거리다(roar); 고함치다; 울려퍼지다; (바람이) 윙윙대다. ── *vt.* [+目/+目+副] 으르렁거리기 시작하다, 큰소리로 말하다 〈*out, forth*〉: ~ ***out*** a song 큰소리로 노래하다. ── *n.* 소의 울음소리; 울려퍼지기; 으르렁거리는 소리.
〚ME<?; cf. OE *bylgan* to bellow; cf. BELL²〛
bel·lows [bélouz, -ləz] *n.* (*pl.* ~) **1** 풀무《㊟ 두 손으로 쓰는 것은 보통 a pair of ~, 골풀무는 (the) ~》. **2** (사진기 따위의) 주름상자; (오르간 따위의) 바람통; 《俗》 폐.
have bellows to mend 숨이 차다, (특히 말이) 헐떡거리다.
〚? OE *belga* (pl.) 〈 *bel*(*i*)*g* BELLY(略) 〈 *blæstbel* (*i*)*g* blowing-bag〛
béllows fish *n.* 〘魚〙 **1** 대주둥치. **2** 아귀.
béll pèpper *n.* 〘植〙 =SWEET PEPPER.
béll·pùll *n.* 종[벨]을 당기는 줄.
béll pùsh *n.* (벨의) 누름단추.
béll rìnger *n.* 종치는[벨을 울리는] 사람[장치]; 《美俗》 외판원.
béll rìnging *n.* (교회의) 종을 치는 법, 종을 치기[울림]; 종 악기 연주법.
béll-shàped *a.* 종 모양의, 종처럼 생긴.
béll tènt *n.* 종 모양의 천막.
béll tòwer *n.* (교회 따위의) 종루(鐘樓).
béll tùrret *n.* 종각《종을 매달아 두는 작은 탑》.
béll·wèther *n.* 방울 단 양《목에 방울을 단 선도(先導)하는 숫양》; (일반적으로) 선도자, 리더; (반란·음모 따위의) 주모자.
béll-wìre *n.* 문의 벨을 당기는 줄.
béll·wòrt *n.* 〘植〙 초롱꽃; 《美》 나리과(科)의 식물《북미산; 종 모양의 노랑꽃이 핌》.
bel·ly [béli] *n.* **1** 배, 복부(abdomen): an empty ~ 공복(空腹). ㊟ 어감이 좋지 못하므로 보통

stomach를 대용함. **2** 위(胃)(stomach). **3** 불룩한 부분, 허리통. **4** 식욕(appetite), 먹고 싶은 욕망, 탐욕. **5** (물건의) 내부(의 빈곳) ; 불룩한 부분 ; 전면, 밑면.
belly up 도산하여, 죽어서, 녹초가 되어.
— *vi.* [動/+副] 불룩해지다(swell) : The ship's sails *bellied* (***out***) in the wind. 배의 돛은 바람을 받아 불룩해졌다. — *vt.* [+目/+目+副] 불룩하게 하다 : The wind *bellied* (***out***) the sail. 바람은 돛을 불룩하게 했다.
〚OE *belig, bæl(i)g* bag<Gmc. (*balg-, belg-* to swell)〛

bélly·àche *n.* 배앓이, 복통 ; 《俗》 투정, 불평. — *vi.* 《俗》 불평을 하다, 투덜거리다〈*about*〉.
bélly·bànd *n.* (말의) 뱃대끈, 배띠.
bélly bòard *n.* (엎드려서 타는) 소형 파도타기용 널빤지(surfboard).
bélly-bòund *a.* 변비가 있는.
bélly bùtton *n.* 《俗》 배꼽.
bélly dànce *n.* (여성이 혼자 배와 허리를 뒤틀며 추는) 벨리 댄스, 배꼽춤.
bélly dàncer *n.* 벨리 댄서.
bélly fiddle *n.* 《美俗》 기타.
bélly flòp *n., vi.* 배로 수면을 치면서 뛰어들기[들다] ; 동체 착륙(하다).
bélly·fùl *n.* 배에 가득함, 배부름 ; 충분〈*of*〉.
bélly-gòd *n.* 식충이, 대식가 ; 미식가(美食家).
bélly gùn *n.* 《美俗》 권총.
bélly·hòld *n.* 비행기의 객실 밑 화물실.
bélly·ing *a.* 부푼, 배가 나온.
bélly-lànd *vi.* 〔空〕 동체 착륙하다.
bélly lànding *n.* 〔空〕 동체 착륙.
bélly làugh *n.* 《美口》 포복절도, 홍소(哄笑), 가가대소 ; 웃음거리.
bélly-pìnched *a.* 배고파 속이 쓰린.
bélly-ròbber *n.* 《美俗》 (군대의) 취사 담당.
bélly ròll *n.* 땅 다지는 롤러 ; 〔競〕 (높이뛰기에서) 배를 아래쪽으로 하고 가로대를 뛰어넘기.
bélly ùp *n.* 《CB俗》 뒤집힌 자동차.
bélly-wàsh *n.* 《美俗》 (맥주·커피 따위의) 음료, 마실 것.
bélly wòrm *n.* 회충.
bélly wòrship *n.* 식충이 ; 대식(가).
Bél·mont Stákes *n.* [the ~] [단수취급] 벨몬트 스테이크스《미국의 삼관(三冠) 경마의 하나》.
Bel·mo·pan [bèlmoupǽn] *n.* 벨모판《벨리즈(Belize)의 수도》.
◇**be·long** [bilɔ́(ː)ŋ, -lάŋ] *vi.* **1** [+*to*+名] (소)속하다 : This book ~*s* ***to*** me (=is mine). 이 책은 나의 것이다 / He ~*s to* (=is a member of) a golf club. 골프 클럽의 회원이다 / Man ~*s to* the great group of animals called "mammals." 인간은 포유동물이라는 큰 집단에 속한다 / It ~*s to* me to dictate them. 그들을 지시하는 것은 내 권한이다. **2** 《주로美》 [+前+名/+副] (있어야 할 곳에) 있다 ; 있어야 하다 : These cups ~ ***on*** the shelf. 이 컵들이 놓여져야 할 곳은 선반 위다 / ***Under*** what category do they ~? 그것들은 무슨 종류[범주]에 속하느냐[들어가느냐] / Cheese ~*s* ***with*** salad as much as it does *with* coffee. 치즈가 커피에 맞는 것처럼 샐러드에도 맞는다 / He ~*s* ***in*** the movies. 순수한 영화인이다 / She doesn't ~ *here.* 그 여자는 이 고장 사람이 아니다 ; 이곳에서는 안맞는다. 〚*be-* (intensive), *long* (obs.) to belong<OE *langian*〛
belóng·ing *n.* **1** [*pl.*] 소유물, 재산 ; 소지품 ; 부속품[물]. **2** [*pl.*] 《口》 가족, 친척. **3** 성질, 재능. **4** Ⓤ 귀속(의식), 친밀(감).
~**·ness** *n.* 소속(성(性)).
Be·lo·rus·sia [bèlourʌ́ʃə] *n.* =BYELORUSSIA.
Bèlo·rús·sian *n., a.*
*****be·lov·ed** [bilʌ́vəd] *a.* 가장 사랑하는, 귀여운, 사랑스러운(dear) (cf. LOVING) ; 애용하는, 소중한. — *n.* 가장 사랑하는 이[사람] : my ~ 당신, 여보(darling)《애인·남편·아내에 대한 호칭》. — [bilʌ́vd] *vt.* 고어 belove [bilʌ́v]의 과거분사 : He is ~ *by*[*of*] all. 그는 모두에게 사랑받고 있다. 〚(p.p.)‹*belove* (obs.)〛
◇**be·low** [bilóu, -´] *prep.* (↔*above* ; cf. UNDER) **1** …보다 밑[아래]에[로] : ~ one's eyes 눈 아래에 / ~ sea level 해면 이하로[의] / The sun set ~ the horizon. 해가 지평선 아래로 졌다 / Write your name ~ the line. 이름을 줄 아래에 쓰십시오. **2** …보다 하류에 ; …의 아래쪽에 : a few miles ~ the bridge 다리에서 몇 마일 아래쪽에. **3** …이하의 ; …보다 못한[떨어지는] ; …의 가치가 없는 : ~ (the) average 평균 이하의[로] / ~ freezing point 어는점 이하 / She is not much ~ (=under) fifty (years of age). 50살이 그리 멀지 않다 / A major is ~ a colonel. 소령은 대령보다 밑이다 / ~ contempt=beneath contempt ☞ BENEATH 2.
below one***'s breath*** ☞ BREATH.
— [-´] *adv.* **1** [장소] 밑에[으로, 을] ; 지상에, 하계(下界)에 ; 지하로[에], 지옥에[으로] ; 아래층으로 ; 가두로(on the street) ; 선실로[에서] : Is it above or ~? 위냐 아래냐. **2** [지위·정도] 하위(下位)에 (있는), 하급(下級)의 : in the court ~ 하급 법원에서. **3** (페이지) 하단에 ; (책의) 아래 문장(쪽)에 : See ~. 하기(下記)참조. **4** 강 아래에, 하류에. **5** 영하(零下) : The temperature is 20 ~. 영하 20도다.
Below there ! 여보, 밑에 있는 사람 ! 《물건이 떨어질 때 주의시키는 소리》.
down below 훨씬 아래(쪽)에 ; 지하[무덤·지옥]에 ; 물 밑바닥에 ; 〔海〕 선창에(서).
from below 아래로부터.
go below 〔海〕 (갑판에서) 선실로 내려가다 ; 당직이 되다(cf. go on deck ☞ *on* DECK).
here below 이 세상[이승]에서(↔*in heaven*).
the place below 지옥.
— *a.* (책 페이지의) 하부의, 다음 페이지의. 〚BY, LOW[1]〛
類義語 ⟹ UNDER.
belów·décks *adv.* 선실로, 배 안에.
belów·stáirs *adv.* 아래층에[으로].
belów-the-lìne *n.* 〔經〕 (영국 예산제도에서) 특별 회계.
Bel·shaz·zar [belʃǽzər] *n.* 〔聖〕 벨사살《성서에서 Nebuchadnezzar의 아들로 바빌론의 왕 ; 다니엘 5》.
‡**belt** [bélt] *n.* **1** 허리띠, 혁대, 벨트, 피대(皮帶) ; (백작 또는 기사의) 예대(禮帶) ; 〔空〕 (좌석의) 벨트, 가로띠. **2** 〔機〕 벨트, 피대. **3** 지대(地帶)(zone) ; 지방 ; 환상[순환] 지대《도로 따위》 : ☞ BLACK BELT / ☞ COTTON BELT / ☞ GREENBELT. **4** 결, 줄무늬 ; 〔天〕 구름 모양의 띠. **5** 해협, 수로(strait). **6** 《美俗》 음주, 과음 ; 《美俗》 기분좋은 흥분.
hit[***strike***] ***below the belt*** 〔拳〕 벨트 아래를 치다《반칙》; 《비유》 비겁한 짓을 하다.
loosen one***'s belt*** 허리띠를 늦추다.
tighten one***'s belt*** 허리띠를 졸라매어 허기를 참다 ; 내핍 생활을 하다.

under one's ***belt*** 《口》 뱃속에 넣고, 먹고 ; 《口》 과거의 경험으로, 경험하여 : with a good deal *under* his ~ 양껏 먹고[마시고].
—— *vt.* **1** …에 띠를 매다 ; …에 피대를 걸다. **2** [+目 / +目+副] 띠로 졸라매다 : ~ one's sword ***on*** 허리에 칼을 차다. **3** …에 (널찍한) 줄(무늬)를 달다[넣다]. **4** 에워싸다, 포위하다 (surround)〈*with*〉. **5** (가죽띠 따위로) 치다 ; 《俗》 후려치다〈*out*〉. **6** 《美口》 …을 기운차게[위세있게] 노래부르다〈*out*〉. **7** 《美俗》 (특히 술을) 많이 마시다. —— *vi.* 《口》 기운차게 달리다, 질주하다 ; 활발하게 움직이다.
〖OE *belt*<Gmc. <L *balteus*〗

bélt and bráces *n.* 벨트와 바지 멜빵 ; 이중의 안전 대책 : wear a ~ 주의에 주의를 거듭하다 ; 벌벌 떨고 있다.

Bel·tane [béltein, -tən] *n.* 벨테인 축제《고대 켈트인이 May Day에 행했던 축제》.

bélt convéyor *n.* (공장에서 제품을 나르는) 벨트 컨베이어.

bélt còurse *n.* 돌림띠(stringcourse).

bélt·ed *a.* 띠[벨트]를 두른 ; 예장대를 두른 ; (군함이) 장갑의 ; (동물 따위가) 줄이[줄무늬가] 있는 : a ~ cruiser 장갑 순양함.

bélted-bìas tíre *n.* 벨티드 바이어스 타이어《둘레를 코드나 금속 벨트로 보강한 타이어》.

bélt·er *n.* 《俗》 뛰어난 것[사람].

bélt hìghway *n.* 《美》 (도시 주변의) 순환도로.

bélt·ing *n.* **1** Ⓤ 벨트 재료 ; 벨트류 ; 〖機〗 벨트(장치). **2** (혁대로) 때리기 : give a man a good ~ (남을) 몹시 때리다. **3** 《美俗》 한잔하기.
—— *a.* 《俗》 훌륭한.

bélt·less *a.* 벨트가 없는.

bélt lìne *n.* 《美》 (도시 주변 전차 · 버스의) 순환선(cf. LOOP[1] *n.* 2 a)).

bélt·lìne *n.* 허리둘레.

bélt-òut *n.* 〖拳〗 녹아웃.

bélt sàw *n.* =BAND SAW.

bélt·tìghten *vi.* 긴축 정책을 펴다.

bélt tìghtening *n.* 내핍 (생활) ; 긴축 (정책 · 재정), 검약.

bélt wày *n.* =BELT HIGHWAY ; [B~] 워싱턴 주위에 있는 환상고속도로.

be·lu·ga [bəlúːgə] *n.* 〖魚〗 벨루가《흑해 · 카스피 해산의 큰 철갑상어》; 〖動〗 흰돌고래.
〖Russ.〗

bel·ve·dere [bélvədìər, ⌐-⌐] *n.* (고층 건축물의) 망루(望樓) ; (정원이나 높직한 데 설치한) 전망이 좋은 정자, 전망대.
〖It. =beautiful view (*vedere* to see)〗

bely [bilái] *vt.* =BELIE.

belý·ing *v.* BELIE의 현재분사.

B.E.M. British Empire Medal《1941년 제정》; Bachelor of Engineering of Mines ; bug-eyed monster 《SF의 그림에 나오는 눈이 큰 우주인》.

be·ma [bíːmə] *n.* (*pl.* **~s, -ma·ta** [-tə]) (교회의) 강단(講壇) ; (고대 그리스의) 연단.

be·mául [bi-] *vt.* 혼내주다.

Bem·berg [bémbəːrg] *n.* Ⓤ 벰베르크《인조견의 상표명》.

be·méan [bi-] *vt.* 멸시하다(demean).

be·méd·al(l)ed [bi-] *a.* 훈장[메달]을 단.

be·me·gride [bémәgràid, bíːm-] *n.* 〖藥〗 베메그리드《바르비투르산염(酸鹽) 중독자용 흥분제》.
〖*be*ta+*e*thyl+*me*thyl+*g*luta*r*ic acid+im*ide*〗

be·míre [bi-] *vt.* 흙탕으로 더럽히다 ; 진흙구덩이에 묻다.

be·móan [bi-] *vt., vi.* 슬퍼하다, 비탄하다, 탄식하다 ; 불쌍히 여기다 : ~ one's sad fate 일신상의 비운을 슬퍼하다.

be·móck [bi-] *vt.* 비웃다.

be·múse [bi-] *vt.* 곤혹스럽게 하다 ; 멍하게 하다.

be·músed *a.* 넋을 잃은, 멍한.
be·mús·ed·ly [-zəd-] *adv.*

ben[1] [bén] *n.* 《스코》 (시골집의) 안채, 거실.
—— *adv., a.* 집 안에[의], 안의, 안방에[의].
—— [bən] *prep.* …의 안에.
〖OE *binnan* within〗

ben[2] *n.* 《스코 · 아일》 봉우리, 산꼭대기, 산정. 주 주로 *Ben* Nevis 처럼 산이름과 같이 씀.
〖Gael.〗

ben[3] *n.* 〖植〗 고추냉이 ; 그 열매《아라비아 · 인도산 ; cf. BEN OIL》. 〖Arab.〗

be·nab [bənǽb] *n.* 가이아나 원주민의 오두막.

Ben·a·dryl [bénədrəl] *n.* 〖藥〗 베나드릴《두드러기 따위 알레르기성 질환용 ; 상표명》.

Be·na·res, Ba·na·ras [bənáːrəs, -riz] *n.* 베나레스《인도 북부의 힌두교 성지》.

°**bench** [béntʃ] *n.* **1** 벤치, 긴 의자. **2** (보트의) 노 젓는 자리. **3** (목수나 대장장이 등의) 작업대 ; (동물 품평회의) 진열대 : a carpenter's[shoemaker's] ~ 목수[구둣방]의 작업대. **4** [the ~] 판사석 ; 법정(law court) ; [the ~ ; 집합적으로] 재판관 ; 재판관직(cf. BAR[1] 8) ; 〖議會〗 의석 ; 〖스포츠〗 벤치《대기 선수석》: ☞ BACK BENCH / ☞ FRONT BENCH / ☞ TREASURY BENCH. **5** (노천굴 따위의) 계단 ; (호수나 강 연안의 좁고 긴) 단구(段丘) (terrace). **6** (온실의) 상자식 묘상(苗床).

be [***sit***] ***on the bench*** 재판관석에 앉아 있다, 심리중이다 ; (야구 선수가) 선수석에[후보 선수로] 앉아 있다(cf. BENCH WARMER).

bench and bar 재판관과 변호사.

be raised [***elevated***] ***to the bench*** 판사[《英》 주교]로 승진하다.

ministerial benches 정부의 각료석.

〈회화〉
This *bench* is wet. — Let's try that one over there. 「이 벤치는 젖어 있어」「그럼 저쪽 벤치에 앉자」

—— *vt.* **1** …에 벤치를 놓다 ; 착석시키다. **2** (품평회에서 개를) 진열대에 전시하다. **3** 판사[명예직 따위]의 자리에 앉히다. **4** (선수를) 출전 멤버에서 제외시키다. **5** (화초 따위를) 온실의 상자식 묘상에 심다. 〖OE *benc* ; cf. BANK[1], G *Bank*〗

bénch dòg *n.* (품평회에) 출품된 개.

bénch·er *n.* **1** 벤치에 앉는 사람 ; (보트의) 노젓는 사람. **2** 《英》 법학원(Inns of Court)의 간부의 일원 ; 국회 의원. **3** 《俗》 술집에 틀어박혀 사는 사람.

bénch hòle *n.* 변소.

bénch jòckey *n.* 《美俗》 벤치에서 상대팀을 야유하는 선수 ; 옆에서 과격한 말을 하는 사람.

bénch làthe *n.* 〖機〗 탁상 선반(卓上旋盤).

bénch-máde *a.* (피혁 · 목재 따위의 가공품을) 손으로 만든 ; 맞춤의.

bénch màn *n.* 작업대에서 일하는 사람, (특히) 라디오 · 텔레비전의 수리 기술자.

bénch màrk *n.* 〖測〗 수준 기표(水準基標), 벤치마크《고저 측량의 기준이 됨 ; 略 B. M.》.

bénch·màrk *n.* **1** 〖컴퓨〗 견주기《여러 가지 컴퓨터의 성능을 비교 · 평가하기 위해 쓰이는 표준 문제》. **2** (일반적인) 기준, 척도. **3** 표준 가격.

—— *vt.* 〔컴퓨〕 견주기 문제로 테스트하다.
bénchmark shèet *n.* 〔컴퓨〕 견주기 용지.
bénch scìentist *n.* (연구실·실험실의) 과학 연구원; 연구 과학자.
bénch sèat *n.* (자동차의) 벤치 시트《좌우로 갈라져 있지 않은 긴 좌석》.
bénch shòw *n.* 개《따위》의 품평[전시]회.
bénch wàrmer *n.* 〔競〕 대기[후보] 선수(cf. *be on the* BENCH).
bénch wàrrant *n.* 〔法〕 (판사·법원이 발부하는) 구속 영장.
bénch·wòrk *n.* (기계 작업에 대하여) 앉아서 하는 일, 마무리 손질.
‡**bend**[1] [bénd] *v.* (**bent** [bént], 《古》 **~·ed**) *vt.* **1** [+目/+目+前+名/+目+副] 구부리다; (무릎을) 꿇다; 휘게 하다, (활을) 당기다; (눈썹을) 찌푸리다: The old man *bent* his brows. 노인은 눈썹을 찌푸렸다/~ the knee (***to*** a person) (남을 향해서) 무릎을 꿇다; (남에게) 애원하다/She *bent* her head ***over*** her needlework. 그녀는 수그리고 앉아서 바느질을 했다/The acrobat *bent* himself ***into*** a hoop. 곡예사는 굴렁쇠 모양으로 몸을 구부렸다/I *bent* the end of the wire ***up*** [***down, back***]. 나는 철사줄의 끄트머리를 구부려 올렸다[내렸다, 돌렸다]. **2** [+目+前+名] 굴복시키다, 의지를 꺾다; (규칙 따위를) 개정하다; 《俗》 악용하다, 부정하게 하다, 후무리다; 《俗》 (시합을) 일부러 지다: ~ a person ***to*** one's will 남의 뜻에 따르게 하다, 굴종시키다. **3** [+目+前+名/+目+副] (눈·걸음 따위를) 돌리다; (마음·노력 따위를) 기울이다; 쏟다: He stood there with eyes *bent* ***on*** the ground. 그는 땅바닥을 내려다 본 채 거기에 서 있었다/~ an ear ☞ EAR[1] 3/be *bent on...* ☞ BENT[1] *a.* 2/She *bent* her mind ***to*** the new work. 그녀는 새로운 일에 전념했다/Then they *bent* their steps *homeward.* 그리고 그들은 집으로 발길을 돌렸다. **4** 〔海〕(돛·로프 따위를) 동여매다⟨*to*⟩.
—— *vi.* **1** [動/+副/+前+名] 구부러지다, 휘다, 굽다, 휘어지다; 웅크리다(stoop): Better ~ than break. 《속담》 부러지느니 휘어져라/The branch *bent* but did not break. 가지는 휘어졌으나 꺾어지지는 않았다/Try to ~ ***down*** and touch your toes without bending your knees. 무릎을 구부리지 말고 몸을 굽혀서 발끝에 손이 닿도록 해 보세요/I *bent* ***to*** the ground and picked up a stone. 나는 땅으로 몸을 굽혀서 돌을 주워 올렸다/She sobbed, *~ing* ***over*** her child. 그 여자는 자기 아이 쪽으로 몸을 구부린 채 흐느껴 울었다. **2** [動/+前+名] 방향이 바뀌다, (…쪽으로) 향하다(turn); 노력하다, 정력을 기울이다⟨*to*⟩: The river[road] *~s* ***to*** the right there. 강[도로]은 거기에서 오른쪽으로 구부러졌다/~ *to* the oars 열심히 노를 젓다. **3** [+前+名] 굴복하다, 복종하다(submit): He *bent* ***before*** the enemy. 그는 적에게 굴복했다/~ ***to*** a person's will 남의 뜻에 굴복하다. **4** 《俗》 (차 따위를) 부딪다, 찌부러뜨리다; 《美俗》 싸움하다.
bend over backward = LEAN[1] *over backward.*
—— *n.* **1** 몸을 굽히기; 《美俗》 몸을 굽힌 인사; 굽음, 굴곡(부); 구부러진 곳: a sharp ~ *in* the road 도로의 급커브. **2** 〔海〕 밧줄의 매듭. **3** [the ~s] 《口》 =CAISSON DISEASE; 항공병(航空病). **~·able** *a.* 굽힐 수 있는. 〖OE *bendan*; cf. ↓〗
類義語 ⟹ CURVE.
bend[2] *n.* 〔紋〕 벤드 (=∠ **déxter**)《방패 무늬 옷감의 우상부[보는 쪽에서 좌상부]로부터 좌하부로 친 대선(帶線); ↔ *bend sinister*》; 벤드《등가죽을 배근(背筋)에서 반으로 자른 한쪽》.
〖OE *bend* band[1], bond[1] (⇨ BIND); cf. BAND[1], BOND[1]〗
bén·dáy *a.* 〔印〕 벤데이법의.
—— *vt.* 벤데이법으로 제판(製版)하다.
Bén Dáy[**Bén·dáy, bén·dáy**] **pròcess** *n.* 〔印〕 (사진 제판에서) 벤데이법《점이나 선 따위로 음영·농담을 나타내는 제판법》.
〖*Benjamin Day* (d. 1916) 미국의 인쇄업자〗
bénd·ed *v.* 《古》 BEND[1]의 과거·과거분사.
—— *a.* 꺾인, 구부러진, 만곡한: with ~ bow 활을 잔뜩 당겨서.
on bended knees 《文語》 무릎을 꿇고, 간청하여, 애원하듯이《부탁하는 따위》.
bendee ☞ BENDY[2].
bénd·er *n.* **1** 구부리는 것《기구·사람》; 구부러지는 것; 〔野〕 커브(curve). **2** 《英俗》 옛 6펜스 은화.
bénd·ing mòment *n.* 〔理〕 휨 모멘트.
bénd sínister *n.* 〔紋〕 (방패의) 왼쪽 위에서 오른쪽 아래로 그은 대각선의 띠 모양의 줄《보는 사람쪽에서는 그 반대; 서자의 표시》.
〖BEND[2]〗
bénd·wìse, -wàys *a.* 〔紋〕 bend[2] 모양으로 표시한; 또 그러한 모양의(cf. BEND[2]).
bendy[1] [béndi] *a.* 마음대로 구부릴 수 있는, 유연한; (길 따위가) 꼬불꼬불한.
bendy[2], **bend·ee** [béndi] *a.* 〔紋〕 비스듬히 줄무늬가 있는.
bene ☞ BENNE.
bene- [bénə] *comb. form* 「선(善)」「양(良)」의 뜻 (↔*male-*): *bene*diction. 〖L *bene*〗
‡**be·neath** [biní:θ, -ˊ] *prep.* 㽞 below, under의 문어적 대용어. **1** [위치·장소] …의 바로 밑에; (무게·지배·압박 따위의) 아래서. **2** [신분·지위·도덕적 가치] …보다 낮은, …의 손아래의; …할 가치 없는(unworthy of), …답지 못한, …의 품위에 어울리지 않는: ~ (=below) contempt 경멸할 가치도 없는/~ notice 안중에 두기에도 미흡한/marry ~ one 자기보다 신분이 낮은 사람과 결혼하다/It is ~ him to grumble. 투덜거리다니 그답지 않다. —— [-ˊ] *adv.* (바로) 아래(쪽)에; 땅 밑에[속에].
〖OE *binithan*; ⇨ BE-, NETHER〗
類義語 ⟹ UNDER.
Be·ne·di·ci·te [bènədísəti; -dái-] *n.* 〔宗〕 만물송(萬物頌); [b~] 축복의 기도, (식전(食前)의) 감사의 기도. —— *int.* 《廢》 너에게 행복 있으라! (Bless you!); 아니 뭐, 당치도 않아! (Bless me!) 《놀람·항의 따위를 나타냄》.
ben·e·dick [bénədik] *n.* (독신주의를 버리고) 결혼한 남자. 〖Shak., *Much Ado About Nothing*속의 인물에서〗
Ben·e·dict [bénədikt] *n.* 남자 이름; [b~] = BENEDICK.
Saint Benedict 성 베네딕트(480?-?543)《베네딕트회를 창설한 이탈리아의 수사》.
〖L=blessed〗
Ben·e·dic·tine [bènədíktən, -tain, 美+-ti:n] *n.* **1** 〔카톨릭〕 베네딕트회의 수사《그들이 입은 검은 옷때문에 Black Monk라고도 함》. **2** [-ti:n] [b~] Ⓤ 베네딕틴《프랑스산 달콤한 술의 일종; 원래 베네딕트 수도원에서 만들어졌음》.
—— *a.* 베네딕트회의: the ~ Rule 베네딕트회의 계율《침묵과 근로를 존중함》.
〖F or L (*Benedictus* Benedict)〗

ben·e·dic·tion [bènədíkʃən] *n.* 축복(blessing) (↔*malediction*) ; 축도(祝禱)《예배가 끝나고 목사가 회중을 위해서 신의 축복을 구하는 기도》; (식사전·후의) 감사 기도 ; [B~] 〔카톨릭〕 성체 강복식(聖體降福式) ; 천복(天福).
〚OF<L (*benedict- benedico* to bless)〛

ben·e·dic·tive [bènidíktiv] *a.* 〔文法〕 소망의.

ben·e·dic·to·ry [bènidíktəri] *a.* 축복의.

Ben·e·dic·tus [bènidíktəs] *n.* **1** 〔聖〕 베네딕투스《*Benedictus qui venit* 《L》 (=Blessed is he who...)로 시작되는 찬송가 ; 마태복음 21 : 9, 누가복음 1 : 68》. **2** 그 악곡.

ben·e·fac·tion [bènəfǽkʃən] *n.* Ⓤ,Ⓒ 은혜, 선행, 자선 ; 희사(喜捨)물, 시주.
〚L (*bene* well, *facio* to do)〛

ben·e·fac·tive [bènəfǽktiv] *n.* 〔言〕 수익자격(受益者格)《격(格)문법 이론에서 'It's for you.'의 'for you' 부분》.

ben·e·fac·tor [bénəfæ̀ktər] *n.* (*fem.* **-tress** [-trəs]) 은혜[자선]를 베푸는 사람, 은인 ; (학교·병원 따위의) 후원자 ; 기증[기부]자 : a ~ of mankind 인류의 은인.

be·nef·ic [bənéfik] *a.* 선행하는, 은혜를 베푸는.

ben·e·fice [bénəfəs] *n.* 〔基〕 성직록(聖職祿) (living)《목사 특히 vicar 또는 rector의 수입》; 〔카톨릭〕 성직록(cf. PARSONAGE) ; 성직록이 따르는 성직. —— *vt.* …에게 성직록을 주다.
~d *a.* 성직록을 받는.
〚OF<L=favor ; ⇨ BENEFIT〛

be·nef·i·cence [bənéfəsəns] *n.* Ⓤ 선행, 은혜, 자선, 적선 ; Ⓒ 희사물, 시주물(gift).

be·néf·i·cent *a.* 자선심이 풍부한, 인정이 많은 ; 선행을 하는(↔*maleficent*) ; 유익한.
~·ly *adv.* 인정[자선심]이 많게[깊게].
〚L ; ⇨ BENEFIT〛

ben·e·fi·cial [bènəfíʃəl] *a.* 유익한, 유리한, 이익이 나는[있는] (useful) (↔*harmful*) ; 〔法〕 수익을 받아야 할 ; 수익을 얻는 : Sunshine and moisture are ~ *to* plants. 햇빛과 습기는 식물에 유익하다.
~·ly *adv.* 유익하게.
〚F or L ; ⇨ BENEFICE〛

ben·e·fi·ci·ary [bènəfíʃièri, -fíʃəri ; -fíʃəri] *n.* 수익자(受益者), 이익을 얻는 사람 ; 〔法〕 신탁 수익자 ; (연금·보험금 따위의) 수령자 ; 〔카톨릭〕 성직록(benefice)을 받는 신부 ; 《美》 장학생.
—— *a.* 녹을 받는, 신하로서 섬기는.

ben·e·fi·ci·ate [bènəfíʃièit] *vt.* (원료를) 선별하다, (특히 광석을) 선광하다.
bèn·e·fi·ci·á·tion *n.* 선광 (처리).

***ben·e·fit** [bénəfit] *n.* Ⓤ,Ⓒ 이익 ; 〔商〕 이득 ; 은혜, 은전(恩典) ; Ⓒ 자선 흥행[공연, 경기대회] ; (상병자(傷病者)들에 대한) 구제금 ; [흔히 *pl.*] 《英》 (병·퇴직·사망 따위에 대한 보험회사·공공기관 따위에서의) 급부금, 연금, 수당, 시료(施療) ; 《俗》 수지 맞는 일 ; 《英》 면세 ; 교회의 (결혼)승인.
be of benefit to …에 유익하다.
for the benefit of …을 위해서 ; 《反語》 …을 혼내주기 위하여, …의 벌로서.
give a person ***the benefit of the doubt*** 의심스러운 점을 피고에게 유리하게 해석해 주다.
the benefit of clergy (1) 교회의 의식[승인], (특히) 결혼에 대한 교회의 의식과 승인. (2) 〔英史〕 성직의 특전《법정대신에 교회내에서 재판을 받음 ; 1827년 폐지》.
—— *v.* (**-t-** | **-tt-**) *vt.* …에게 이롭게 되다 : The fresh air will ~ you. 신선한 공기는 몸에 이로울 것이다. —— *vi.* [+前+名] 이익을 얻다 : She ~*ed* ***by*** the medicine. 약의 효험이 있어 그 여자는 좋아졌다 / The community will ~ ***from*** the new method of generating electricity. 이 지방은 새로운 발전법(發電法)의 혜택을 받게 될 것이다.
〚AF<L (p.p.)‹*bene facio* to do well〛
類義語 ⟹ ADVANTAGE.

bénefit socìety[**associàtion**, **clùb**] *n.* 《美》 공제 조합(=《英》 friendly society).

Ben·e·lux [bénəlʌ̀ks] *n.* 베넬룩스(*Be*lgium, the *Ne*therlands, *Lux*emburg의 총칭 ; 원래 이 세 나라 사이에 체결된(1948년) 관세 동맹》.

be·nev·o·lence [bənévələns] *n.* Ⓤ 자비심, 박애 ; Ⓒ 자선, 적선, 선행 ; 〔英史〕 덕세(德稅)《강제 헌금》.

***be·név·o·lent** *a.* 유순한, 자애로운, 호의적인 ; 인정많은, 자선적인, 박애의 : a ~ society 공제회 / the ~ art 인술(仁術)《의술》/ ~ neutrality 호의적인 중립. **~·ly** *adv.* 인정[자비심] 많게[깊게] ; 박애적으로.
〚OF<L *bene volens* well wishing〛

Beng. Bengal ; Bengali.

B. Eng. Bachelor of Engineering.

Ben·gal [beŋgɔ́:l, beŋ-] *n.* 벵골《인도 북동부의 옛 이름 ; 지금은 인도와 방글라데시로 갈라졌음 ; 略 Beng.》.

Ben·gal·ese [bèŋgəlí:z, bèn-, -s] *a.* 벵골(인·어)의. —— *n.* (*pl.* ~) 벵골인.

Ben·gali, **-gal·ee** [beŋgɔ́:li, beŋ-] *a.* 벵골(인(人))의 ; 근대 벵골어의. —— *n.* 벵골인 ; Ⓤ 근대 벵골어. 〚Hindi〛

ben·ga·line [béŋgəlì:n, ⌐-⌐] *n.* 비단의 일종《명주와 양털[무명]과의 혼직(混織)》.
〚F (*Bengal*, *-ine*[1])〛

Béngal líght[**fíre**] *n.* 벵골 불꽃《청백색의 지속성 불꽃으로 해난 신호·무대 조명용》; (일반적으로) 아름다운 채색 불꽃.

Béngal mónkey[**macáque**] *n.* 〔動〕 붉은털 원숭이(rhesus monkey).

Béngal strípes *n. pl.* 견사와 무명실로 짠 줄무늬의 양복지.

Béngal tíger *n.* 〔動〕 벵골호랑이《털이 짧음》.

B. Engr. Bachelor of Engineering.

Ben-Hur [bénhə́:r] *n.* 벤허《Lew Wallace의 역사 소설 ; 그 주인공 ; 이 소설(小說)을 소재로 한 미국 영화》.

be·níght·ed [bi-] *a.* **1** 밤이 된, 어둠에 쌓인, (나그네 등) 길이 저문. **2** 《비유》 미개한, 문명이 뒤떨어진, 우매한. 〚(p.p.)‹*benight* (obs.)〛

be·nign [bináin] *a.* **1** 인자한, 다정한, 친절한, 유순한, 상냥한 : a ~ smile 상냥한 미소. **2** (기후 따위가) 온화한 ; 〔醫〕 양성(良性)의(↔*malign*).
~·ly *adv.* 인자[유순]하게, 친절히, 부드럽게.
〚OF<L *benignus* (*bene* well, *-genus* born) ; cf. MALIGN〛

be·nig·nan·cy [binígnənsi] *n.* Ⓤ 인자(仁慈), 온정 ; 온화(mildness) ; 〔醫〕 양성(良性).

be·níg·nant *a.* 인자한, 유순한, 온화한, 평온한 ; 〔醫〕 양성인(↔*malignant*). **~·ly** *adv.* 온정적으로, 유순하게.
〚F or L ; 어미는 *malignant*에서〛

be·nig·ni·ty [binígnəti] *n.* Ⓤ 인자[유순]함 ; 은혜, 자비 ; 온화 ; Ⓒ 자비로운[친절한] 행위.

benígn negléct *n.* (외교·경제 관계에서) 은근한 무시.

benígn túmor *n.* 〖醫〗 양성 종양《세포 이형성(異形性)이 적고 전이(轉移) 따위를 일으키지 않는 종양으로 수술 따위로 제거하면 완치됨; 악성 종양은 malignant tumor》.

Be·nin [bənín, -ní:n, bénən] *n.* 베냉《아프리카의 공화국; 옛 이름 Dahomey; 수도 Porto Novo》.
Be·nin·ese [bèni(:)ní:z, -s] *a.*, *n.*

Bén·i·off zòne [bénəɔ̀f-] *n.* 〖地質〗 진원면(震源面), 베니오프대(帶). 〚Victor H. *Benioff* (1889-1968) 미국의 지진학자〛

ben·i·son [bénəsən, -zən] *n.* 《古》 축도(祝禱), 축복(blessing).
〚OF<L *benedictio* BENEDICTION〛

ben·ja·min [béndʒəmən] *n.* =BENZOIN.

Benjamin *n.* **1** 남자 이름《애칭 Ben, Benjy, Benjie, Benny, Bennie》. **2** 〖聖〗 베냐민《Jacob이 귀여워하던 막내 아들; 창세기 35 : 18, 42 : 4》; Ⓒ (일반적으로) 막내 아들, 귀염둥이. **3** 《美俗》 외투.
Benjamin's mess [***portion***] 〖聖〗 (할당되는 분량이) 큰몫《창세기 43 : 34》.
〚Heb. =son of the right hand (i.e. of good fortune)〛

Ben·jy, -jie [béndʒi] *n.* 남자 이름《Benjamin의 애칭》.

Ben·late [bénleit] *n.* 벤레이트《살균용 농약; 상표명》.

ben·ne, ben·ni, bene [béni] *n.* 〖植〗 참깨 (sesame). 〚Malay〛

bénne òil *n.* 참기름.

ben·net [bénət] *n.* 〖植〗 **1** 뱀무속(屬)의 일종. **2** 데이지.

Ben·net(t) [bénət] *n.* **1** 남자 이름. **2** 베넷. **Arnold Bennett** (1867-1931) 영국의 소설가.
〚⇨ BENEDICT〛

Bénnett's bénd *n.* 베넷의 편리 만곡《플라이어·볼펜·골프채·마치 따위의 자루를 쓰기 편하게 적당히 구부릴 수 있음을 일컬음》.

Ben Ne·vis [bén névəs] *n.* 벤네비스 (산(山)) 《Scotland 중서부의 산; British Isles 중의 최고봉; 1343 m》.

benni ☞ BENNE.

bennie ☞ BENNY.

ben·ny, ben·nie [béni] *n.* 《俗》 중추 신경 자극제, (특히) =BENZEDRINE; benny에 취하기[취해 있기].

Benny, Bennie *n.* **1** 남자 이름《Benjamin의 애칭》. **2** [b~] 《俗》 남자용 외투; 《美俗》 =DERBY HAT. **3** [b~] 《美俗》 전당포.

bén òil *n.* 벤유(油)《ben[3]에서 채취한 기름; 향수·화장품·요리·윤활유 따위에 씀》.

ben·o·myl [bénəmìl, -nou-] *n.* 베노밀《살균제》.

‡bent[1] [bént] *v.* BEND[1]의 과거·과거분사.
── *a.* **1** 구부러진, 굽은, 휘어진 : He is ~ with age. 그는 늙어서 허리가 굽었다. **2** [+*on*+do*ing*] 마음[힘]을 기울인, 결심한; 열심인 : He is ~ ***on*** master*ing* French. 그는 프랑스어에 통달하려고 열심이다 / The boy was ~ *on* mischief. 그 소년은 장난을 꾸미느라고 열심이었다. **3** 《英俗》 부정직한; 도둑맞은; 도벽이 있는. **4** 《英》 머리가 돈; 격노한; 고장난; 《美》 파산한 것과 다를 바 없는. **5** 《美》 (마약·술에) 취한; 도착의, 호모의.
── *n.* **1** 기호(嗜好), 성벽, 경향; 좋아함, 소질 : follow one's ~ 마음내키는 대로 하다 / He has a ~ *for* study. 그는 학문을 좋아한다 / a young man with a literary ~ 문학(을 좋아하는) 청년. **2** 긴장, 내구력. **3** 굴곡[만곡(彎曲)]. **4** 〖土木〗 교각.
to the top of one***'s bent*** 힘[마음]껏, 충분히 만족할 때까지.
〚BEND[1]; (n.)는 *descend*; *descent* 따위의 유추〛
類義語 ⟹ INCLINATION.

bent[2] *n.* Ⓤ,Ⓒ 〖植〗 =BENT GRASS; 그 마른 줄기; 잡초의 마른 줄기; 《스코》 초원, 황야(moor).
〚OE *beonet-*; ⇨ G *Binse* rush; 지명에서〛

bént éight *n.* 《美俗》 8기통(차).

bént gràss *n.* 〖植〗 겨이삭속 및 그와 유사한 포아풀과의 잡초.

Ben·tham [bénθəm, -təm] *n.* 벤담. **Jeremy** ~ (1748-1832) 영국의 철학자로 공리주의(utilitarianism)를 주창.
~·ìsm *n.* (Bentham이 주창한) 공리설《최대 다수의 최대 행복설》. **~·ìte** *n.* 공리주의자.

bént-hàn·dled *a.* 구부릴 수 있는 손잡이의《테니스 라켓·해머·골프채·냄비 따위의 손잡이를 10-19도 구부릴 수 있음》.

ben·thic [bénθik], **ben·thal** [-θəl], **ben·thon·ic** [benθánik] *a.* 〖生〗 물밑에 사는 : ~ animals 저생(底生) 동물. 〚↓〛

ben·thos [bénθɑs] *n.* (심해(深海)의) 해저(海底); (물 밑바닥에 떼지어 사는) 저생(底生) 생물.
〚Gk. =depth of the sea〛

bén·tho·scòpe [bénθə-] *n.* 잠수구(潛水球)《해저 조사용》.

bént-leg slíde [-lèg-] *n.* 〖野〗 베이스에 곧바로 미끄러져 들어가는 보통의 슬라이딩.

Bent·ley còmpound [béntli-] *n.* 〖藥〗 벤틀리 화합물《야생 동물용의 강력 마취제》.
〚K. W. *Bentley* 20세기 영국의 화학자〛

ben·ton·ite [béntənàit] *n.* Ⓤ 〖鑛〗 벤토나이트《화산재의 풍화로 된 점토의 일종; 흡수제·충전재(充塡材)》. **bèn·ton·ít·ic** [-nít-] *a.*
〚Fort *Benton*, Montana 주(州)의 도시〛

ben tro·va·to [bèn trouvá:tou] *a.* (일화 따위) 잘 생각해 낸, 그럴듯한, 진짜같은.
〚It. =well found〛

bént·wòod *n.* 굽은[휜] 나무《가구 목공용의》.
── *a.* 굽은[휜] 나무로 만들어진《가구 따위》.

be·númb [bi-] *vt.* [+目 / +目+前+名] **1** 감각을 잃게 하다, (몸을) 얼게 하다 : My hands are ~*ed* ***with*** cold. 추워서 손이 얼었다. **2** 마비시키다, (남의) 정신을 잃게 하다; 멍하게 하다.
〚(p.p.) < ME *benimen* to deprive<OE (*be-*, *niman* to take)〛

Benz [bénts] *n.* 벤츠《독일제 자동차》.

benz- [bénz], **ben·zo-** [bénzou, -zə] *comb. form* 〖化〗 「벤젠(고리)의」의 뜻.
〚*benzoic*〛

benz·áldehyde [benz-] *n.* 〖化〗 벤즈알데히드《향료·물감용》.

Ben·ze·drine [bénzədrì:n, -drən] *n.* 〖藥〗 벤제드린《amphetamine의 상표명; 각성제》.

ben·zene [bénzi:n, -ˊ] *n.* Ⓤ 〖化〗 벤젠《콜타르에서 채취하는 무색의 액체》.
〚*benzoic*+*-ene*〛

bénzene nùcleus [**rìng**] *n.* 〖化〗 벤젠핵(核) [고리].

ben·zi·dine [bénzədì:n, -dən] *n.* 〖化〗 벤지딘《물감의 원료·시약용》.

ben·zine [bénzi:n, -ˊ], **-zin** [bénzən] *n.* Ⓤ 〖化〗 벤진, 가솔린《benzene과 구별하기 위해 benzoline이라고도 함》: petroleum ~ 석유 벤진.

ben·zo- [bénzou, -zə] ☞ BENZ-.

ben·zo·ate [bénzouèit, -ət] *n.* 〖化〗 벤조산염(酸鹽), 벤조에이트.
ben·zo·caine [bénzəkèin] *n.* 〖藥〗 벤조카인《결정성 분말로 국소 마취제》.
ben·zo·di·az·e·pine [bènzoudàiǽzəpì:n, -pən] *n.* 〖化·藥〗 벤조디아제핀《Valium 따위의 정신 안정제용 화학 물질》.
ben·zo·ic [benzóuik] *a.* 〖化〗 벤조산성(酸性)의 : ~ acid 벤조산. 〚*benzo*in+*-ic*〛
ben·zo·in [bénzouən, -ì:n, -zɔin, 英+benzóuin] *n.* Ⓤ 〖化〗 벤조인《의약품·향수용》.
〚F<Arab. *lubān jāwī* incense of Java〛
ben·zol [bénzɔ(:)l, -zoul, -zɑl], **-zole** [-zoul, -zɑl] *n.* Ⓤ 〖化〗 =BENZENE ; 벤졸《benzene의 공업용 조제(粗製)품》.
〚*benzo*ic+*-ol*〛
ben·zo·line [bénzəlì:n] *n.* 〖化〗 =BENZINE.
bènzo·pýrene *n.* Ⓤ 〖化〗 벤조피렌《콜타르에 함유된 발암성 물질》.
ben·zyl [bénzi(:)l, -zəl] *n.* Ⓤ 〖化〗 벤질(=~ **gròup**[**ràdical**])《1가(價)의 치환기》.
ben·zyl·ic [benzílik] *a.*
bénzyl álcohol *n.* 〖化〗 벤질 알코올.
Be·o·wulf [béiəwùlf] *n.* 베어울프《8세기초의 고대 영어 서사시 ; 그 주인공》.
be·páint [bi-] *vt.* 《古》 …에 페인트[그림물감]을 칠하다, 착색하다.
be·pláster [bi-] *vt.* 회반죽을 바르다 ; 두껍게 바르다.
be·pówder [bi-] *vt.* …에 가루를 뿌리다 ; 분을 짙게 바르다.
be·práise *vt.* 격찬하다, 극구 칭찬하다.
be·queath [bikwí:θ, -ð] *vt.* [+目+*to*+名/+目+目] **1** (동산을) 유언으로 양도하다 : He ~*ed* a great fortune ***to*** his son. 그는 유언으로 자식에게 많은 재산을 양도했다 / My father ~*ed* me ten million won. 아버지는 나에게 1000만원을 남겼다. 注 수동태에서는 : A great fortune *was* ~*ed* to his son. =《주로 美》 His son *was* ~*ed* a great fortune. **2** (작품·문명 따위를 후세에) 남기다, 전하다 : One age ~*s* its civilization ***to*** the next. 한 시대의 문명은 다음 시대로 계승된다.
~·al, ~·ment *n.* =BEQUEST.
〚OE (*be-*, *cwethan* to say ; cf. QUOTH)〛
be·quest [bikwést] *n.* Ⓤ 유증(遺贈) ; 유산 ; Ⓒ 전해진 물건, 유증물, 유품(遺品).
be·ráte [bi-] *vt.* 호되게 꾸짖다, …에게 야단치다 (cf. RATE²), 비난하다. 〚*rate*²〛
Ber·ber [bə́:rbər] *n.* 베르베르인(人)《북아프리카 산지의 한 종족》 ; Ⓤ 베르베르어.
—— *a.* 베르베르인[문화, 어]의.
〚Arab. *barbar*〛
ber·ber(·r)y [bə́:rbəri] *n.* =BARBERRY.
ber·ceuse [beərsə́:rz ; *F* bɛrsø:z] *n.* (*pl.* **~s** [-zəz ; *F* —]) 〖樂〗 자장가.
bere [bíər] *n.* 《英》 보리의 일종.
be·reave** [birí:v] *vt.* (**~d, be·reft** [biréft]) [+目+*of*+名/+目] **1** (죽음이 사랑하는 가족·근친을) 앗아가다 ; (뒤에 외로이) 남기다 : The accident ~*d* her ***of her son. 그 사고로 그녀는 아들을 잃었다 / the ~*d* family 유족. **2** (희망·기쁨 따위를) 잃게 하다(deprive) : He was *bereft* ***of*** all hope. 그는 모든 희망을 잃어버렸다. **3** 《廢》 강탈하다.
〚OE *berēafian* ; ⇨ REAVE〛
be·réaved *v.* BEREAVE의 과거·과거분사.
—— *a.* (가족을) 잃은, 여읜 ; [the ~ ; 명사적으로] 가족[근친]을 잃은 사람(들), 유족 : be ~ of (one's wife) (아내와) 사별하다.
beréave·ment *n.* Ⓤ,Ⓒ (사랑하는 자식·아내 등을) 잃음, 사별(死別) ; 불행 : I sympathize with you in your ~. 불행을 당하신데 대하여 애석히 여깁니다 / owing to a recent ~ 최근의 불행으로 인하여.
be·reft [biréft] *v.* BEREAVE의 과거·과거분사.
—— *a.* (물건 따위를) 빼앗긴 ⟨*of*⟩, (바라는 것이) 없는 ⟨*of*⟩ ; (가족을) 잃은, 여읜 : He is utterly ~. 그는 (귀중한 것을 잃고) 어찌할 바를 모르고 있다.
Ber·e·ni·ce [bèrənáisi, bə(:)rní:s, bə́:rnəs] *n.* 여자 이름. 〚⇨ BERNICE〛
Bereníce's Háir *n.* [the ~] 〖天〗 머리털자리.
be·ret [bəréi, bérei] *n.* 베레모(자) ; 〖英軍〗 (베레 모형의) 군모(軍帽) : a green[black] ~ 특전(特戰) 부대원. 〚F ; cf. BIRETTA〛
beretta ☞ BIRETTA.
berg¹ [bə́:rg] *n.* 빙산.
〚ice*berg*〛
berg² *n.* 《南아》 [흔히 복합어를 이루어] 산(山).
〚Afrik.<Du.〛
ber·ga·mot [bə́:rgəmɑ̀t] *n.* 〖植〗 불수감나무《감귤류》 ; 베르가모트《배의 일종》 ; Ⓤ 베르가모트 향유(香油).
berg·schrund [béərkʃrùnt] *n.* 빙하의 상단에 갈라진 틈. 〚G〛
Berg·son [béərgsən ; bə́:gsn ; *F* bɛrksɔn] *n.* 베르그송. **Henri** ~ (1859-1941) 프랑스의 철학자 ; 노벨 문학상(1927).
Berg·so·ni·an [bə:rgsóuniən] *a.* 베르그송 (철학)의. —— *n.* 베르그송 철학도.
Bérgson·ìsm *n.* Ⓤ 베르그송 철학.
bergy [bə́:rgi] *a.* 빙산이 많은.
be·rhýme, be·ríme [bi-] *vt.* 시가(詩歌)[노래]로 찬양하다.
be·ríbboned [bi-] *a.* 리본으로 장식한.
beri·beri [bèribéri] *n.* Ⓤ 〖醫〗 각기(脚氣).
〚Sinhalese (*beri* weakness)〛
Be·ring [béəriŋ, bíər-] *n.* 베링. **Vitus** ~ (1680-1741) 덴마크의 항해가 ; Bering섬, Bering 해협을 발견.
Béring Séa *n.* [the ~] 베링 해《시베리아와 알래스카 사이》.
Béring (stándard) tìme *n.* 베링 표준시《GMT보다 11시간 늦음 ; 略 B(S)T》.
Béring Stráit *n.* [the ~] 베링해협.
berk, burk, birk [bə́:rk] *n.* 《俗》 얼간이, 지겨운 놈.
Berke·le·ian, -ley·an [bɑ́:rkliən, 美+bə́:r-, bɑ:rklí:ən, 美+bə:r-] *a.* 버클리 철학의.
—— *n.* 버클리 철학론자.
~·ìsm *n.* 버클리 철학.
Berke·ley [bə́:rkli] *n.* 버클리《미국 California 주의 도시》.
berke·li·um [bə́:rkliəm] *n.* Ⓤ 〖化〗 버클륨《*α* 방사성 원소 ; 기호 Bk ; 번호 97》.
〚*Berkeley* 원소 발견지〛
Berks. [bə́:rks ; bɑ́:ks] Berkshire.
Berk·shire [bə́:rkʃiər ; bɑ́:k-] *n.* **1** 버크셔《잉글랜드 남부의 주 ; 주도 Reading [rédiŋ] ; 略 Berks.》. **2** Ⓒ 버크셔《검은 바탕에 흰 얼룩이 있는 돼지의 일종》.
ber·ley [bə́:rli] *n.* 《濠》 허튼 소리, 난센스 ; 낚시의 밑밥(ground bait).
***Ber·lin** [bə:rlín] *n.* **1** 베를린《현재 독일의 수도 ;

통일전 West Berlin(서독령)과 East Berlin(동독 수도)으로 갈라졌었음》. **2** [b~] (=**ber·line** [bərlíːn, bə́ːrlin]) 2인승 4륜 상자형 마차의 일종 ; Ⓤ [b~] 편물용(用)의 털실 : *b*~ wool 가는 고급 털실.

Bérlin bláck[**várnish**] *n.* 내열(耐熱) 흑색 에나멜《스토브 따위에 칠함》.

Berlín·er *n.* 베를린 시민.

Bérlin glóves *n. pl.* 털실 장갑.

Bérlin Wàll *n.* [the ~] (통일전(前) 독일의) 베를린 장벽 ; 《비유》 (파벌 사이 따위의) 의사 소통의 장벽.

Ber·li·oz [bérliòuz ; béəli-] *n.* 베를리오즈. **Louis Hector** ~ (1803-69) 프랑스의 작곡가.

berm, berme [bə́ːrm] *n.* 〖築城〗 (해자에 면한 성벽 사면(斜面)에 낸) 벼랑길 ; 〖土〗 성벽과 해자 사이의 좁은 수평 통로 ; 《美》 둑, 포장 안된 길의 갓길(shoulder).

Ber·mu·da [bə(ː)rmjúːdə] *n.* **1** 버뮤다《대서양상의 영령(英領) 군도의 최대의 섬》; [the ~s] 버뮤다 제도. **2** [*pl.*] =BERMUDA SHORTS ; =BERMUDA GRASS ; 《美俗》 양파.
Ber·mú·di·an, -mú·dan *a., n.*

Bermúda bàg *n.* 버뮤다 백《달걀꼴의 핸드백》.

Bermúda cóllar *n.* 버뮤다 칼라《여성복·블라우스의 끝이 뾰족한 깃》.

Bermúda gràss *n.* 〖植〗 버뮤다잔디《잔디·목초용(用)》.

Bermúda ónion *n.* 〖植〗 버뮤다양파《미국 남부·버뮤다 제도에서 재배된 양파의 일종》.

Bermúda shórts *n. pl.* 버뮤다 반바지《일할 때 또는 간편한 차림에 입는 남자·여자용》.

Bermúda Tríangle *n.* [the ~] 버뮤다 삼각 해역(the Devil's Triangle).
〖Charles Berlitz, *The Bermuda Triangle* (1974)〗

Bern, Berne [bə́ːrn, béərn] *n.* 베른《(1) 스위스의 주(州). (2) 그 주도로 스위스의 수도》.

Ber·na·dette [bə̀ːrnədét] *n.* 여자 이름.
〖F (fem. dim.) ; ⇨ BERNARD〗

Ber·nard [bə́ːrnərd, bəːrnɑ́ːrd] *n.* **1** 남자 이름《애칭 Bernie》. **2** [Saint ~] 성(聖)베르나르 (1090?-1153) 《프랑스의 성직자 ; 축일 8월 20일》.
〖Gmc. =bear+hard〗

Ber·nard·ine [bə́ːrnərdən, -dìːn] *a.* (시토 교단을 조직한) St. Bernard의 ; 시토교단의.
—— *n.* 시토교단의 수사.

Berne ☞ BERN.

Bern·ese [bəːrníːz, -s, ⌐⌐] *a.* 베른(사람)의.
—— *n.* 베른 사람.

Ber·nice [bəːrníːs, bə́ːrnəs ; bə́ːnis] *n.* 여자 이름《이형(異形) Berenice》.
〖Gk. =bringer of victory〗

Ber·nie [bə́ːrni] *n.* 남자 이름《Bernard의 애칭》.

Ber·noul·li, Ber·nouil·li [*G* bɛrnúli ; *F* bɛrnuji] *n.* 베르누이. **1 Daniel** ~ (1700-82) 스위스의 수학자·물리학자 ; Johann의 아들 ; 유체역학에 관한 베르누이의 정리를 발표. **2 Jakob** [**Jacques**] ~ (1654-1705) 스위스의 수학자 ; 미적분학 발전에 공헌하고 확률론을 체계화하였음. **3 Johann**[**Jean**] ~ (1667-1748) 스위스의 수학자 ; Jakob의 동생 ; 미분학에 공헌.

Bernóulli's prínciple[**láw**] *n.* 〖理〗 베르누이의 정리. 〖Daniel *Bernoulli*〗

Bernóulli trìal *n.* 〖統〗 베르누이 시행(試行)《일어나든가 일어나지 않든가의 두 가능성밖에 없는 현상에 대한 통계적 실험》.
〖Jacques *Bernoulli*〗

bér·ried *a.* BERRY가 열리는[와 같은] ; (새우 따위) 알을 밴.

***ber·ry** [béri] *n.* 〖植〗 액과(液果), 장과(漿果) ; (일반적으로) 딸기류, 베리《핵이 없고 과육(果肉)이 말랑말랑한 식용의 작은 열매 ; 주로 딸기류 ; cf. DRY FRUIT, NUT》; 밀 따위의 낟알(grain) ; 말린 씨앗 ; (게·새우의) 알.
in berry (게·새우가) 알을 밴 : a lobster *in* ~ 알을 밴 새우.
—— *vi.* 액과[장과(漿果)·베리]를 맺다, 베리[딸기]를 따다 : go ~*ing* (야생의) 베리[딸기]를 따러가다.
〖OE *beri(g)e* ; cf. G *Beere*〗

ber·sa·glie·ri [bèərsəljéəri(ː), -rei] *n. pl.* (*sg.* **-glie·re** [-rìː]) [때때로 B~] 저격병(狙擊兵), 저격대. 〖It.〗

ber·serk [bə(ː)rsə́ːrk, -zə́ːrk, ⌐⌐] *a.* 광포한 : ~ fury 격노, 광포(狂暴) / go[run] ~ 광포해지다.
—— *adv.* 광포하게, 욱하여.
—— *n.* =BERSERKER.
〖Icel. =bear-coat〗

bersérk·er [, ⌐⌐⌐] *n.* 〖北유럽傳說〗 광포한 전사《싸움터에 나가면 광포해져서 당할 자가 없었다고 함》; 폭한(暴漢).

berth [bə́ːrθ] *n.* **1** 〖海〗 정박[계류(繫留)] 위치[거리·간격] : a foul ~ 나쁜 (정박) 위치《충돌할 염려가 있음》/ a ship on the ~ 정박중인 선박 / take up a ~ 정박할 위치에 대다. **2** (선박·열차·비행기의) 침대, 계단식 침대 : ~ list 선실(船室) 할당표. **3** 숙소(lodging). **4** 《口》 직장, 취직자리.
give a person ***a wide berth***=***give a wide berth to*** a person=***keep a wide berth of*** a person 남을 멀리하다, 경원하다.
—— *vt.* 정박시키다 ; …에게 침대[침실]를 주다 : Six passengers can be ~*ed* amidships. 여섯 명의 승객이 배의 중앙에 숙박할 수 있다.
—— *vi.* 정박[숙박]하다.
〖BEAR¹, *-th²*〗

ber·tha [bə́ːrθə] *n.* 여성복의 양 어깨에 늘어진 레이스의 깃.

Bertha *n.* 여자 이름《애칭 Bertie, Berty》.
〖Gmc. =bright〗

bérth·age *n.* (배의) 숙박 설비[준비] ; 정박[숙박]지[세(稅)].

bérth·ing *n.* (선박의) 정박 ; 계선(繫船) 위치 ; 침대 설비 ; 현장(舷墻).

Ber·tie [bə́ːrti] *n.* **1** 여자 이름《애칭 Bertha, Berty》. **2** 남자 이름《Albert, Bertram, Elbert 등의 애칭》.

Ber·til·lon [bə́ːrtəlɑ̀n ; *F* bɛrtijɔ̃] *n.* 베르티용. **Alphonse** ~ (1853-1914) 프랑스의 인류(人類)학자·범죄(犯罪)학자.

Bértillon sỳstem *n.* 베르티용식 인체 측정법《범인 식별법》.

Ber·tram [bə́ːrtrəm] *n.* 남자 이름《애칭 Bertie, Berty》. 〖Gmc. =bright raven〗

Ber·trand [bə́ːrtrənd] *n.* 남자 이름.
〖F (↑)〗

Ber·ty [bə́ːrti] *n.* =BERTIE.

Ber·wick(**·shire**) [bérik(ʃìər, -ʃər)] *n.* 베리크(셔)《스코틀랜드 남동부의 옛 주 ; 현재는 영국 Borders 주(州)의 일부》.

ber·yl [bérəl] *n.* Ⓤ 〖鑛〗 녹주석(綠柱石), 베릴《에메랄드 따위》; 연한 청색. 〖OF<L<Gk.〗

ber·yl·line [bérələn, -làin] *a.* 녹주석 같은 ; 연한

청색의.

be·ryl·li·um [bəríliəm] *n.* Ⓤ 〖化〗 베릴륨《알루미늄의 1/3무게의 금속 원소; 기호 Be; 번호 4》. 〚BERYL〛

besant ☞ BEZANT.

be·scréen [bi-] *vt.* 덮어 감추다.

be·seech [bisíːtʃ] *v.* (**be·sought** [-sɔ́ːt], ~**ed**) *vt.* [+目/+目+*to* do/+目+*for*+名/+*that* 節] 간청[탄원]하다, 청하다, (간절히) 원하다: I ~ your favor. 간절히 부탁드립니다/I ~ you *to* speak the truth. 부디 진실을 말씀해 주시길 간청합니다/The girl *besought* him ***for*** mercy. 그 소녀는 그에게 자비를 빌었다/They *besought that* he might report his will to them. 그들은 그가 의사를 밝혀줄 것을 간청했다.

—— *vi.* 간청하다.

~·ing *a.* 애원[간청]하는 듯한, 두손을 마주잡고 비는. **~·ing·ly** *adv.* 간청[애원]하듯이, 두손을 (마주잡고) 빌듯이. 〚*be*-, SEEK〛

類義語 ⟹ BEG.

be·seem [bisíːm] *vt.* 《文語》 어울리다, 알맞다 (befit): conduct that ~*s* a gentleman 신사에게 어울리는 행위. —— *vi.* =SEEM; 정당하다, 어울리다.

be·set [bisét] *vt.* (**be·sét; -tt-**) **1** 포위하다, 에워싸다(surround); (도로 따위를) 막다, 봉쇄하다; 밀어닥치다, 공격[습격]하다: We were ~ by the enemies. 우리는 적에게 포위되었다. **2** [+目/+目+前+名] 《비유》 (곤란·유혹 따위가) 뒤따르다, 괴롭히다: They are ~ by doubts and fears. 그들은 의혹과 공포의 상념에 사로잡혀 있다/The matter was ~ ***with*** difficulties. 그 일에는 여러가지 번거로움이 뒤따랐다. **3** [+目+前+名] [*p.p.*로] 꾸미다, 장식하다, 아로 새기다, 박아 넣다(stud): a bracelet ~ ***with*** gems 보석을 박아 넣은 팔찌.

~·ment *n.* 포위; 고민(거리); 빠지기[범하기] 쉬운 죄[과실 따위].

〚OE *besettan* (*be*-, SET)〛

類義語 ⟹ ATTACK.

be·sét·ting *a.* (유혹 따위) 항상 뒤따르는; 에워싸는; 끊임없이 괴롭히는: ~ sins 인간이 빠지기 쉬운 죄악.

be·sháwled [bi-] *a.* 숄을 걸친.

be·shréw [bi-] *vt.* 《古》 저주하다.

Beshrew me [***him, it***]***!*** 《古·戲》 빌어먹을!, 제기랄!

◇**be·side** [bisàid, -ˊ] *prep.* **1** …의 곁에(서) (☞ BY¹ *prep.* 1 注): He sat ~ me. 그는 내곁에 앉았다. **2** …와 비교하여: *B*~ yours my share seems very small. 당신 것에 비하여 저의 몫은 매우 적은 것 같습니다. **3** …을 벗어나서, 빗나가서 (apart from): That's ~ the point. 그것은 핵심을 벗어나 있다[잘못 맞추었다]. **4** …에 더하여; …외에. 注 이 뜻으로는 보통 BESIDES를 씀.

beside* one*self 제정신을 잃고, 굉장히 흥분되어: ~ one*self with* joy[rage] 미친듯이 기뻐[격분]하여.

beside the question 문제 밖에.

—— [-ˊ] *adv.* 《古》 =BESIDES.

〚OE *be sīdan* (BY, SIDE) =by the side of〛

活用 beside와 besides는 다같이 전치사지만, beside는 항상 by the side of(…의 옆에)를 뜻하는 전치사로, besides는 부사 또는 except(…외에, …을 제외하고)를 뜻하는 전치사로 쓰임.

‡**be·sides** [bisàidz, -ˊ] *prep.* **1** …이외에(도): *B*~ the mayor, many other people were present. 시장(市長) 외에도 많은 분이 참석했다/*B*~ lend*ing* books, libraries offer various other services. 도서관은 책을 빌려주는 이외에도 여러가지 편의를 제공해 준다.

> **besides**를 쓴 문장 전환
> He is not only clever but also very diligent.
> → *Besides* being clever, he is very diligent.
> (머리가 좋을 뿐더러 아주 근면하다.)

2 [부정 또는 의문 구문에서] …외에는, …을 제외하고(except): We spoke of *no* one ~ him. 우리는 단지 그 사람에 관해서만 이야기했다.

—— [-ˊ] *adv.* 그 위에, 게다가, 그 밖에, 따로: and ~ 그 밖에 또.

> 〈회화〉
> I don't want to go; and *besides* I'm tired.—All right. I'll go by myself. 「가고 싶지 않아. 게다가 지쳐 있고」「알았어. 혼자 갈게」

be·síege [bi-] *vt.* **1** (도시·요새 따위를) 포위[공격]하다: The army ~*d* the town for many days. 군대는 마을을 여러 날 동안 포위했다/the ~*d* 농성군(籠城軍) (cf. BESIEGER). **2** [+目+前+名] …에 밀어닥치다, 쇄도하다(crowd); (탄원·질문 따위로) 괴롭히다: The lecturer was ~*d* ***with*** questions from his audience. 강사는 청중으로부터 질문 공세를 받았다.

~·ment *n.* 포위. **be·síeg·er** *n.* 포위자; [*pl.*] 포위(공격)군: the ~*s* and the besieged 포위(공격)군과 농성군.

〚ME *assiege*<OF; *pref.*가 *be*-로 변한 것〛

be·sláver [bi-] *vt.* 《英》 **1** …에 군침을 흘리다, …에 군침이 나게 만들다. **2** …에게 치근덕거리며 아첨하다.

be·slóbber [bi-] *vt.* =BESLAVER; …에게 마구 입맞추다, 키스를 퍼붓다.

be·sméar [bi-] *vt.* 잔뜩 처바르다; (명예 따위를) 더럽히다, …투성이가 되게 하다〈*with*〉.

〚OE *bismierwan*; ⇨ BE-〛

be·smírch [bi-] *vt.* 더럽히다(soil); (명예·인격을) 손상[욕되게]하다.

be·som¹ [bíːzəm] *n.* 대비; 〖植〗 금작나무.

—— *vt.* 대비로 쓸다.

〚OE *besema*; cf. G *Besen*〛

besom² *n.* 《스코》 여자, (특히) 칠칠치 못한 여자. 〚↑〛

be·som³ [bíːzəm, bíz-, bís-, bʌ́z-] *n.* 〖服〗 (포켓의) 가선 꿰매기, 가선 장식. 〚C20<?〛

be·sot [bisát] *vt.* (**-tt-**) 정신없이 취하다, 취하게[멍하게] 하다.

be·sót·ted *a.* 정신없이 취한(intoxicated); 정신이 나간, 멍해진(stupefied).

besought *v.* BESEECH의 과거·과거분사.

bespake *v.* 《古》 BESPEAK의 과거형.

be·spángle [bi-] *vt.* [+目/+目+*with*+名] …에 반짝거리는 것을 뿌리다[장식하다], 번쩍[반짝]이게 하다: The sky was ~*d* ***with*** stars. 하늘에는 별이 총총히 반짝이고 있었다.

be·spátter [bi-] *vt.* (남에게) 흙탕물 따위를 튀기다〈*with*〉; 욕설을 퍼붓다(abuse).

be·speak [bispíːk] *v.* (**be·spoke** [-spóuk], 《古》 **be·spake** [-spéik]; **be·spo·ken** [-spóukən], 《古》 **be·spóke**) *vt.* **1** 미리 청[구]하다, 예약하다, 맞추다, 주문하다(order): ~ a room in a hotel 호텔에 방을 예약하다. **2** (행동 따위가 어떤 일을) 나타내다, …의 증거가 되다: His good

manners *bespoke* the gentleman. 그의 예의 범절로 그가 신사라는 것을 알았다. **3** 《詩》 (남에게) 말을 걸다(address). —— *vi.* 《古》 =SPEAK.
〖OE *bisprecan* ; ⇨ BE-〗

be·spéckle [bi-] *vt.* …에 반점(斑點)을 찍다.

be·spéctacled [bi-] *a.* 안경을 낀.

be·spoke [bispóuk] *v.* BESPEAK의 과거·과거분사. —— *a.* [or **be·spo·ken** [-spóukən]] 《英》 〖商〗 **1** 주문품의, 주문하여 만든, 맞춘(↔*ready-made*). **2** [*attrib.*로 쓰여] (양복점·양화점 따위) 예약 주문품을 만드는[파는].

bespoken *v.* BESPEAK의 과거분사.

be·spót [bi-] *vt.* =BESPECKLE.

be·spréad [bi-] *vt.* 전면에 퍼지게 하다, (뒤)덮다(spread over).

be·sprent [bisprént] *a.* 《古·詩》 흩뿌려진〈*with*〉.

be·sprínkle [bi-] *vt.* =SPRINKLE〈*with*〉.
〖*be-*, *sprenkel* (freq.) 〈 *sprengen* to besprinkle〗

Bess [bés] *n.* 여자 이름《Elizabeth의 애칭》.

Bes·se·mer [bésəmər] *n.* 베서머. Sir **Henry** ~ (1813-98) 영국의 제강법 발명자·기술자.

Béssemer convérter *n.* 〖冶〗 베서머 전로.

Béssemer pròcess *n.* [the ~] 〖冶〗 베서머 제강법(製鋼法).

Béssemer stéel *n.* 〖冶〗 베서머강(鋼).

Bes·sie, Bes·sy [bési] *n.* 여자 이름《Elizabeth의 애칭》.

◇**best** [bést] *a.* (cf. BETTER¹) [GOOD, WELL¹의 최상급] (↔*worst*) **1** 가장 좋은, 최상[최선]의, 가장 바람직한, 지상(至上)의 : the ~ thing to do 해야 할 최선의 일 / It is ~ to start it now. 지금 시작하는 것이 가장 좋다 / one's ~ days 전성시대 / one's ~ friend 가장 친한 친구 / one's ~ girl 《口》 연인 / ☞ BEST MAN / the ~ abilities [talents] 가장 재능이 뛰어난 사람들 / the ~ families[people] (지방의) 유지들. ㊟ (1) 보통 the를 수반하지만 서술적으로 쓰이는 경우에는 생략될 때가 많음 : The view is ~ in autumn. 그 경치는 가을이 가장 좋다. (2) 《口》에서는 두 사람의 경우에도 BETTER¹ 대신에 흔히 쓰임 : Jane was the ~ singer of the two. 두 사람 중에서는 제인이 노래를 잘 불렀다. **2** 가장 많은 ; 최대의 : the ~ part of the holidays[day] 휴가[하루]의 대부분. **3** (아주) 지독한, 철저한 : the ~ liar 지독한 거짓말쟁이.

put** one's **best leg**[**foot**] **foremost ☞ FOREMOST.

—— *adv.* [WELL¹의 최상급] **1** 가장[제일] 좋게 : I like it (the) ~. 나는 그것이 제일 좋다 / I work ~ early in the morning. 나는 새벽에 가장 일[공부]하기 좋다 / Who did it ~? 누가 가장 잘 했을까. ㊟ 부사의 경우는 보통 the를 수반하지 않음. **2** 《口》 가장, 몹시(most) : the ~ abused book 가장 평판(評判)이 나쁜 책.

***as best** one **can**[**may**]* 할 수 있는 한, 되도록, 힘껏 : Do it *as* ~ you *can.* 되도록 잘 하시오.

had best do …하는 것이 가장 좋다 : You *had* ~ consent. 너는 승낙하는 것이 좋을 것이다.

—— *n.* [보통 the ~, one's ~] 최상, 최선, 전력 ; 제일 좋은 것 ; 나들이옷 ; [the ~] 최상의 사람(들) : *the* next[second] ~ 차선(次善) / *the* ~ of the joke 그 농담의 가장 재미있는 부분 / in *the* ~ of health[temper] 최상의 건강[기분]으로 / in one's (Sunday) ~ 나들이옷[가장 좋은 옷]을 입고 / The patient had *the* ~ of care. 환자는 최선의 간호를 받았다 / Hope for *the* ~! (또)다시 좋은 일이 있겠지, 비관하지 마.

at its[one's] ***best*** 가장 좋은 상태로[에] ; 만발하여 ; 전성기에.

at (***the***) ***best*** 잘해야, 기껏해야 : He is *at* ~ a second-rate writer. 그는 고작해야 이류 작가다.

at the very best ☞ *at* BEST.

do** one's **best 전력[최선]을 다하다 : *Do* your ~ to get there early. 그곳에 빨리 닿도록 전력을 다하십시오.

do** one's **level best ☞ LEVEL *a.*

for the best (1) 제일 좋다고 생각하여, 되도록 …을 생각해서 : I did it (all) *for the* ~. 그것이 제일 좋다고 생각해서 했다. (2) …해서 결국 제일 좋게 되어 : It will be all *for the* ~. 그것이 도리어 좋은 결과가 될 것이다 / All (is) *for the* ~. 모두가 하느님의 뜻이다, 천도불사인(天道不捨人).

get[***have***] ***the best of it*** 의론[경기]에 이기다[뛰어나다] ; (거래 따위를) 잘하다, 앞지르다.

make the best of …을 최대로[될 수 있는 한] 이용하다 ; …을 체념하다, 참다 : He *made the* ~ *of* the time left. 그는 남은 시간을 할 수 있는 한 이용했다 / We must *make the* ~ *of* things. 어려운 때라도 참지 않으면 안된다.

make the best of a bad bargain[***business, job***] 실망하지[굴하지] 않다, 악조건 하에서 최선을 다하다.

make the best of** one's **way 《英》 (갈길을) 될 수 있는 한 서두르다.

to the best of …하는 한에서는 : *to the* ~ *of* my belief[knowledge] 내가 믿고[알고] 있는 한에서는 / *to the* ~ *of* one's ability[power] 능력[힘]이 미치는 한에서는.

with the best (일류의 사람들 사이에 끼어) 누구 못지않게.

—— *vt.* 《口》 (남을) 앞지르다 ; 이기다(defeat).
〖OE (a.) *betest*, (adv.) *bet*(*o*)*st* ; cf. BETTER, G *best*〗

bést and brìghtest *n.* [the ~ ; 집합적으로] 엘리트 계급, 정예, 뛰어난 사람들.

be·stár [bi-] *vt.* 별로 꾸미다, 별로 온통 뒤덮다.

bést-báll fòursome *n.* 〖골프〗 네명이 두명씩 한 조가 되어 각조의 두 사람 중에서 나은 편의 점수를 그 조의 득점으로 정하는 방식.

bést-báll màtch *n.* 〖골프〗 한 사람이 두명 이상으로 구성된 조에 대하여 이들 중의 최고 점수와 겨루는 시합(cf. FOUR-BALL).

bést bét *n.* 가장 안전하고 확실한 방책[수단].

bést bílls *n. pl.* 우량 어음.

bést búy *n.* 가장 싸게 잘 산 물건.

bést-cáse *a.* 최고 조건[상태]의.

be·stead [bistéd] *vt.* (**~·ed** ; **~·ed**, ~) 《古》 (…에) 도움이 되다 ; 돕다, 원조하다(help).
—— *a.* 《古》 (…한) 경우[처지]에 있는.

bést-éfforts *a.* 〖證〗 최선의 노력을 하는 조건의 《최선의 노력을 한 후에 팔다 남은 주식은 인수하지 않음》.

bes·tial [béstʃəl, bíːs-, bìːʃ- ; béstiəl] *a.* 짐승의[같은], 수성(獸性)의, 비인간적인 ; 흉포한 ; 비천한. **~·ly** *adv.* 〖OF<L ; ⇨ BEAST〗

bes·ti·al·i·ty [bèstʃiǽləti, bìːs-, bìːʃ- ; bèsti-] *n.* Ⓤ 수성(獸性) ; 수욕(獸慾).

béstial·ìze *vt.* 짐승같이 되게 하다, 수성화(獸性化)하다.

bes·ti·ary [béstʃièri, bíːs-, bíːʃ- ; béstiəri] *n.* (중세의) 동물 우화집.

be·stír [bi-] *vt.* [~ one*self* 로] 분기하다, 노력하다 ; 활약하다.

***bést-knówn** *a.* [WELL-KNOWN의 최상급] 가장

잘 알려진.
bést mán *n.* 최적임자 ; (결혼식에서) 신랑 들러리인 남자(☞ GROOMSMAN ; cf. BRIDESMAID).
bést-of-fíve *a.* (야구 따위에서) 5판 3승부의.
bést-of-séven *a.* (야구 따위에서) 7판 4승부의.
be·stow** [bistóu] *vt.* **1** [+目+*on*+名] 수여[부여]하다, 증여하다, 주다 : ~ an honor[title] ***on a person (남에게) 명예[칭호]를 부여하다 / He did not ~ one thought *on* his dead father. 그는 선친을 생각조차 하지 않았다. **2** (간직해) 두다(place), 저장하다. **3** 《古》 숙박시키다, 묵게 하다(lodge). **4** 이용하다(put to use).
〖*be-*, OE *stow* a place〗
類義語 ⟹ GIVE.
bestów·al *n.* U.C 증여, 수여 ; 처치 ; 저장.
bést píece *n.* 《美俗》 (특히 관계가 깊은) 걸프렌드 ; 마누라(wife).
be·stráddle [bi-] *vt.* =BESTRIDE.
be·stréw [bi-] *vt.* (**~ed** ; **~ed, be·strewn** [-strú:n]) **1** [+目+*with*+名] (표면에) 흩뿌리다 : ~ a path ***with*** flowers 길에 꽃을 (흩)뿌리다. **2** (물건을) 흐트러뜨리다. **3** (어떤 지역·표면 따위에) 산재하다[얼룩지다], …에 흩어져 쌓이다. 〖OE〗
be·stríde [bi-] *vt.* (**be·stróde, be·stríd ; be·strídden, -stríd**) (말·의자 따위에) 걸터앉다[타다], 가랑이를 벌리고 걸터타다[뛰어넘다·건너뛰다](stride over) ; (무지개가 들판에) 서다, 걸리다 ; 지배하다. 〖OE〗
bést-séll·er *n.* 베스트셀러《어느 기간 동안 가장 많이 팔린 책·레코드 따위》; 베스트셀러 작가.
bést·séll·er·dom *n.* 베스트셀러급(級), 가장 잘 팔리는 부류 ; 베스트셀러 작가들.
bést-séll·ing *a.* (책·저작자 등) 베스트셀러의, 가장 잘 팔리는.
be·stúd [bi-] *vt.* (…에) 징투성이가 되도록 박다 ; 산재(散在)시키다(dot).
bet** [bét] *v.* (**bet, bét·ted**) 注 과거·과거분사형으로서 bet은 특정한 금액을 걸 때, betted는 일반적인 서술에 흔히 쓰임. *vt.* [+目/+目+前+名/+目+目/+目+*that* 節] (…에) 걸다, (돈을) 걸고 (어떤 일을) 보증하다, 단언하다, 내기하다 : ~ both ways[=《英》 each way] (경마에서) 우승하거나 입상(入賞)하거나 간에 양쪽에 걸다 / They ~*ted* a great deal in those days. 그 당시는 흔히 내기를 걸었었다 / He has ~ $20 ***on the horse. 그는 그 말에 20달러 걸었다 / You can ~ your bottom dollar (on that). 있는 돈 전부를 걸 만큼 (그것은) 절대로 틀림없다 / We ~ three to one *that* he would win. 3대 1의 비율로 그가 이긴다고 걸었다 / I ~ you a pound (*that*) he has forgotten. 그는 틀림없이 잊었을 게다《*bet* 이 3중 목적어를 수반한 예》.

〈회화〉
That can't be ! — You want to *bet* ? I saw it myself. 「그럴 리가 없어」「내기 걸까, 내가 그것을 봤다니까」

—— *vi.* [動/+前+名] 걸다, 내기하다 ; 보증하다, 책임지다 : I'll ~ ***on*** that horse. 저 말에 걸겠다 / I'll ~ ***against*** your winning. 자네가 이기면 돈을 내지.
I bet. 《口》 [動/+*that* 節/+目] 확실히[틀림없이] …이라고 생각하다 : *I* ~ he's right. 확실히 그가 옳다 / (*I*) ~ you. 《美》 틀림없다, 물론 그렇다(Certainly !).
You bet ! 《口》 [動/+*that* 節] 틀림없다 ; 확실해, 정말이야 : Are you going to the seaside ? — *You* ~ (I am)! 자네는 바다에 갈건가 — 틀림없이 가고 말고.
—— *n.* (경마 따위에 대한) 내기, 걸기〈*on*〉; 건 돈[물건] ; 내기의 대상 ; 취해야 할 방책 ; 《口》 생각, 의견 : an even ~ 반반의[엇비슷한] 내기 / a heavy[paltry] ~ 큰[적은] 내기 / win[lose] a ~ 내기에 이기다[지다] / Your best ~ is to.... 최선의 방책은 …하는 것이다.
lay (a person) ***a bet*** (남과) 내기를 하다 : I will *lay* you *a* ~. 너 내기 하자 / *lay a* ~ *on* a racehorse 경주말에 내기를 걸다.
make a bet 내기를 하다〈*on, that*...〉: He *made a* ~ *that* he would reach the top of the hill before any of the others. 그는 누구보다도 먼저 언덕 꼭대기에 도착하겠다고 내기를 걸었다.
〖C16< ? ; *abet* instigation, Support of a cause의 두음 생략인가〗
BET Black Entertainment Television《미국의 흑인용 방송 전문 유선 텔레비전 네트워크》.
bet. between.
be·ta [béitə, bí:- ; bí:-] *n.* **1** 베타《그리스어 알파벳의 둘째자 *B, β* ; 영어의 B, b에 해당》. **2** 제 2위(의 것), 제 2급(cf. ALPHA, GAMMA) : ~ plus [minus]《주로 英》 (학업 성적이) B의 상[하], B^+ [B^-]. **3** 〔化〕 베타, *β* ; 〔理〕 =BETA PARTICLE, BETA RAY. 〖L<Gk.〗
béta-adrenérgic *a.* 〔生理〕 베타 아드레날린에 의한, 베타 수용체(受容體)의.
béta àngle *n.* 〔宇宙〕 베타 각(角)《비행 중인 위성·우주선에서 지구와 태양을 연결하는 선과 궤도면이 이루는 최소의 각(角)》.
béta-blóck·er *n.* 〔藥〕 베타 수용체(受容體) 차단약. **béta-blóck·ing** *a.*
béta bràss *n.* 〔冶〕 베타 황동(黃銅).
béta-càrotene *n.* 〔生化〕 베타카로틴.
Béta-clòth *n.* 베타클로스《커튼·양탄자나 우주복 따위에 쓰이는 유리 섬유 직물》.
béta decày *n.* 〔理〕 (원자핵의) 베타 붕괴.
béta emìtter *n.* 〔理〕 베타 방사체.
béta-endórphin *n.* 〔生化〕 베타엔도르핀《모르핀보다 강력한 진통성을 가진 뇌하수체 엔도르핀》.
Béta fìber *n.* 베타 파이버《유리섬유 ; 상표명》.
be·ta·ine [bí:təì:n, bitéii(:)n] *n.* 〔化〕 베타인《보리싹 따위에 있는 결정성 알칼로이드》.
be·táke [bi-] *vt.* (**be·tóok ; be·táken**) 《文語》 [다음 숙어로]
***betake** one**self** **to**. . .* (1) …을 가게 하다 : The queen *betook* her*self to* her residence in Scotland. 여왕은 스코틀랜드의 저택으로 돌아갔다. (2) …을 해보다(try), 열심히 …에 경주하다(apply to) : ~ one*self to* hard study 공부에 전념하다.
betake** one**self to** one's **heels 황급히 도망치다, 줄행랑치다.
bèta-náphthol *n.* 〔化〕 베타나프톨《결정성 방부제·색소의 원료》.
béta pàrticle *n.* 〔理〕 베타 입자(粒子)《고속도의 전자》.
béta ràу *n.* [보통 *pl.*] 〔理〕 (방사성 물질의) 베타선(線), *β*선.
béta rhỳthm[**wàve**] *n.* 〔生理〕 베타 리듬[파]《매초 10 이상의 뇌파의 맥동》.
béta·tròn *n.* 〔理〕 베타트론《전자의 자기(磁氣) 유도 가속 장치》. 〖*beta*+elec*tron*〗
bet·cha [bétʃə] [발음 철자] bet you.
bête blanche [*F* bɛt blɑ̃:ʃ] *n.* 조금 지겨운 것, 초조의 원인 ; 약간의 초조[우울].

〚F＝white beast ; cf. BÊTE NOIRE〛

be·tel [bíːtəl] *n.* 〖植〗 구장(蒟醬)《후추나무과》; 그 잎(cf. BETEL NUT).
〚Port.＜Malayalam *vettila*〛

Be·tel·geuse, -geux [bíːtəldʒùːs, bét-, -dʒùːz, -dʒəːz ; bìːtəldʒə́ːz, ˌ--ˈ] *n.* 〖天〗 베텔게우스《오리온자리의 *α*성(星)》.

bétel nùt *n.* 빈랑의 열매, 빈랑자(檳榔子)《동인도에선 이것을 betel 잎에 싸서 씹음》.

bétel pàlm *n.* 〖植〗 빈랑나무.

bête noire [bèt nwáːr, bèit- ; *F* bɛt nwaːr] *n.* (*pl.* **bêtes noires** [-*z* ; *F* —]) 몹시 싫은[지겨운] 것. 〚F＝black beast〛

beth [béiθ, -t, -s] *n.* 헤브라이어 알파벳의 둘째 자. 〚Heb. (*bayith* house)〛

Beth [béθ] *n.* 여자 이름《Elizabeth의 애칭》.

Beth·a·ny [béθəni] *n.* 베다니《Jerusalem의 마을로 나사로와 그의 누이들이 살던 곳》.

beth·el [béθəl] *n.* **1** [B~] 남자 이름 ; 여자 이름. **2** [B~] [béθəl, beθél] 〖聖〗 벧엘, 성지(聖地). **3** 《英》 남자 이름 ; 비(非)국교도의 예배당 ; (선원(船員)을 위한) 수상(水上)[해안] 예배소.
〚Heb. ＝house of God〛

be·thínk [bi-] *v.* (**be·thóught**) *vt.* 《文語》 [~ one*self* 로] 잘 생각하다(reflect), 숙고하다 ; 생각해 내다, 생각나다(recall)〈*of*, *how*…, *that*…〉; (…하려고) 결심하다〈*to* do〉. —— *vi.* 《古》 숙고하다. 〚OE ; ⇨ BE-〛

Beth·le·hem [béθlihèm, -liəm] *n.* 베들레헴《Palestine의 옛 도시, 그리스도가 탄생한 곳》.

be·tide [bitáid] *vi.*, *vt.* 《文語》 (…에) 일어나다, 생기다, 발생하다(happen to) ; 덮치다 : whatever may ~ 무슨 일이 일어날지라도.
***Woe betide*...** ☞ WOE.
〚*be*-, *tide* to befall〛

be·times [bitáimz] *adv.* 《文語》 때마침, 늦기 전에, 일찍(early) ; 《古》 얼마 후, 곧.
be up betimes 아침 일찍 일어나다.
〚BY, TIME, -*s*〛

bê·tise [beitíːz] *n.* (*pl.* ~**s** [—]) 어리석음 ; 어리석은 짓. 〚F〛

be·tóken [bi-] *vt.* …의 전조(前兆)가 되다, 미리 알리다(portend), …을 예시하다 ; 보이다, 나타내다(show) : Those black clouds ~ rain. 저 먹구름은 비가 올 전조다.
〚OE (*be*-, *tācnian* to signify)〛

bét·on [bétən] *n.* 베통《콘크리트의 일종》. 〚F〛

bet·o·ny [bétəni] *n.* 〖植〗 곽향.
〚OE＜L ; Iberia의 부족 이름에서인가〛

betook *vt.* BETAKE의 과거형.

be·tray** [bitréi] *vt.* **1** [＋目／＋目＋*to*＋名] (조국·동지 등을 적에게) 팔아 넘기다 : The traitor ~*ed* his country (to*** the enemy). 반역자는 조국을 (적에게) 팔았다. **2** 배반하다 ; (신뢰·기대를) 저버리다 ; 속이다(deceive) ; …을 위배하다 : I won't ~ her. 나는 그녀를 배반하지 않겠다／He ~*ed* his promises. 그는 약속을 어겼다. **3** [＋目／＋目＋*to*＋名] (비밀을) 누설하다, 밀고하다 : She would not ~ his hiding place ***to*** me. 아무리해도 그녀는 그의 은신처를 알려주지 않았다. **4** [＋目／＋目＋補／＋目＋*to* do] (무지·약점 따위를) 무심코 드러내다 ; 나타내다(show) : Confusion ~*ed* his guilt. 허둥대다 그의 죄가 탄로났다／His dress ~*ed* him (*to be*) a foreigner. 그의 복장으로 외국인이라는 것을 알았다. —— *vi.* (남이) 부실[부정]하다고 알다.
betray one***self*** 무심코 본성[비밀]을 드러내다, 본색[바탕]이 드러나다.
~**·al** *n.* 배반(행위), 배신(행위) ; 누설, 내통.
~**·er** *n.* 매국노(traitor) ; 배신자 ; 배반자, 밀고[내통]하는 사람 ; 유혹자.
〚*be*-, *tray* (obs.)＜OF＜L (*trado* to hand over)〛

be·troth [bitrɔ́(ː)θ, -tróuθ, -tráθ, -ð ; -tráuð, -θ] *vt.* [＋目＋*to*＋名] 《古·文語》 약혼시키다 (engage) : She was[became] ~*ed* ***to*** Mr. Jones. 그 여자는 존스씨와 약혼했다[약혼한 사이였다]. 〚*be*-, TRUTH ; 어형은 *troth*에 동화〛

betróth·al *n.* 약혼(식).

be·tróthed *a.* 정혼[약혼]한(engaged). —— *n.* 약혼자 : one's ~ 약혼자(cf. FIANCÉ(E)).

Bet·sy, -sey [bétsi] *n.* 여자 이름《Elizabeth의 애칭》.

◇**bet·ter**[1] [bétər] *a.* (cf. BEST) [GOOD, WELL[1]의 비교급] (↔*worse*) …보다 좋은, (두 사람 중에서) (더) 나은[우수한](superior) ; (환자 등이) 더 좋아지고 있는, 좋은 편인 ; 한층 (더) 많은 : one's ~ feelings 인간의 본심, 양심／☞ BETTER HALF／be[feel] ~ 기분이 전보다 좋다／He is getting ~. 그는 병이 나아가고 있다／He has seen ~ days. 그는 한때 잘 살던 때도 있었다／So much the ~! 그렇다면 더욱 더 좋다／*B*~ late than never. 《속담》 늦더라도 안하는 것보다는 낫다／The ~ the day, the ~ the deed. 좋은 날이면 하는 일도 더 좋을터《안식일을 지키지 않은 것을 문책당했을 때 대꾸하는 말》／She is no ~ than she should be. 그 여자는 행실이 좋지 못[무절제]하다.
be better than one***'s word*** 약속한 이상의 일을 하다.
be the better for …때문에 더 낫다, …로(써) 오히려 더 좋다.
no better than …이나 다름없다[마찬가지다], …에 지나지 않다 : He is *no* ~ *than* a beggar. 그는 거지나 다름없다[와 마찬가지다].
the better part of …의 태반[거의 대부분] : He spends *the* ~ *part of* his earnings in eating and drinking. 그는 번 것의 대부분을 먹고 마시는데 써 버린다.
—— *adv.* [WELL[1]의 비교급] 보다 더 좋게[낫게] ; 도리어, 오히려 ; 더 많이 : He is ~ feared. 사람들은 그를 더욱더 두려워하고 있다.
be better off 전보다 살림[형편]이 낫다, 보다 나은 상태에 있다.
go a person ***one better*** 남보다 좀더 잘하다, 남보다 한 수 위다.
had [***'d***] ***better*** do …하는 편이 좋다(cf. *may as* WELL[1] *do*) : You *had* ~ go[not go]. 자네는 가는[가지 않는] 편이 좋다《㊟ 구어에서는 때때로 I[You *etc.*]'d better go[not go]., 더욱이 I[You *etc.*] better go[not go]. 라고 had를 생략함 ; *would* BETTER[1] do가 같은 뜻으로 쓰이기도 함 ; 과거의 일을 말하는데 HAD *better have* done 형태를 쓰기도 함》／*Hadn't* I ~ ask? 물어보는 편이 좋지 않겠니.
know better (***than***) ☞ KNOW.
know no better 그 정도밖에 지혜가 없다, 기껏 그 정도의 지혜[두뇌]다.
think better of …을 다시 생각하다, …에 대해 재평가하다 ; …에 대해 생각을 고치다.
would better do ☞ *had* BETTER[1] do.
—— *n.* (보다) 더 좋은 것[사람] : one's ~*s* 손윗사람들, 선배《㊟ 이 뜻으로는 보통 *pl.*로 씀》／one's ~ 자기보다 우수한 사람.
a change for the better 호전, 개선 ; 영전.

for better (***or***) ***for worse*** 좋건 나쁘건, 공과(功過)는 어떻든, 어떠한 운명을 맞더라도 (오래오래)《기도서 중의 결혼식 선서의 글귀에서》: Albert Einstein fathered, *for ~ or for worse,* the atomic age. 알베르트 아인슈타인은 그 공과가 어떻든 간에 원자 시대의 창시자가 되었다.
get [***gain, have***] ***the better of*** …보다 우수하다; …에게 이기다: Curiosity *got the ~ of* him. 그는 호기심을 억누를 수가 없었다.
—— *vt.* **1** 더욱 개량[개선]하다(improve): We can ~ our work by being more careful. 더욱 신중을 기함으로써 일을 개선할 수가 있다. **2** …보다 뛰어나다(surpass), 우수하다: The other classes cannot ~ our grades. 성적에서 우리 학급은 다른 학급에 뒤지는 일이 없다. **3** (기록 따위를) 갱신하다.
—— *vi.* 좋아지다, 향상하다.
better one***self*** 보다 더 좋은 지위[급료]를 얻다, 출세하다.
〖OE *betera*<Gmc. (《美》 *bat-*; cf. BOOT²); cf. G *besser*〗
類義語 ⟹ IMPROVE.

better² ☞ BETTOR.

Bétter Búsiness Bùreau *n.* 《美·Can.》 상업 개선 협회《상도덕의 유지·개선을 위한 실업가·생산자의 단체; 略 BBB》.

bétter dáys *n. pl.* [주로 see와 더불어] 행복했던 [지금보다 경기가 좋았던] 시절(cf. DAY).

Bétter Góvernment Associàtion *n.* 《美》 정부 개혁 협회《정부의 예산 낭비·부정 따위를 조사하는 민간 단체; 略 BGA》.

bétter hálf *n.* (*pl.* **bétter hálves**) [one's ~] 《口·戲》 배우자; (특히) 아내; 《稀》 남편; 《美俗》 애인《preppie 용어》.

bétter hánd *n.* 오른손.

bétter·ment *n.* U,C 개량, 개선; (지위의) 향상, 출세; [보통 *pl.*] 〖法〗 (부동산의) 개선, (개선에 의한 부동산의) 값오름; 개량비.

bétter·mòst *a.* 《口》 최상의, 태반의.

bétter-óff *a.* 부유한, 유복한.

Bettie ☞ BETTY.

bét·ting *n.* U 내기(에 건 돈), 도박: a ~ book 도박금 장부.

bet·tor, bet·ter² [bétər] *n.* 내기를 하는 사람. 〖BET〗

Bet·ty, -tie [béti] *n.* 여자 이름《Elizabeth의 애칭(愛稱)》.

Bétty Fórd Cènter *n.* 베티 포드 센터《알코올[약물] 중독자를 치료하는 미국의 민간 시설》.

◇**be·tween** [bitwìːn, -ˊ] *prep.* (cf. AMONG) **1** [장소·위치·시간] (두 개)의 사이에[의·를·에서], (둘이) 공동[분배·협력]으로: ~ Seoul *and* Pusan 서울과 부산간에[의·을·에서] / ~ Monday *and* Friday 월요일과 금요일 사이에[의] / the air service ~ London *and* New York 런던·뉴욕간의 항공 업무 / Let's divide the sum ~ us. 돈을 둘이서 반씩 나누자 / The job was completed ~ the two. 둘이서 공동으로 일을 마무리했다 / The man rushed out from ~ the trees. 그 사나이는 나무 사이에서 뛰어나왔다. ☞ 活用. **2** [~ …and…의 형태로] …과 …으로, …와 …와의 중간의[어중간한]《양쪽의 성질·원인·정도를 겸하여》: *B~* astonishment *and* sorrow, she could not speak a word. 놀람과 슬픔으로 그 여자는 한마디도 할 수 없었다 / something ~ a chair *and* a sofa 의자도 아니고 소파도 아닌 어중간한 것. ☞ 活用 (4). **3** (둘 중[양자 중])의 하나를《분리·차별·선택 사이에서》: choose[decide] ~ A *and* B A와 B의 어느 하나를 고르다[로 정하다]. ☞ 活用 (4).
between each act 각 막간(幕間)마다. ☞ 活用 (3).
between ourselves=***between you and me*** (***and the gatepost*** [***bedpost***]) 우리끼리의[비밀] 이야기인데, 내밀히.
come [***stand***] ***between...*** (둘의) 방해를 하다[가 되다].
what between...and 과 으로(☞ WHAT¹ *adv.* 3).
—— [-ˊ] *adv.* 양자 사이에[로]; 중간에[으로], 사이를 두고: I can see nothing ~. 사이에는 아무것도 안 보인다 / betwixt and ~ ☞ BETWIXT 숙어.
(***few and***) ***far between*** ☞ FAR *adv.*
from between 사이에서.
in between 중간[사이]에; 중간에 끼어서[끼인]; (…하는) 틈틈이: *In* ~ was a lake. 중간에는 호수가 있었다 / He does gardening *in* ~. 그는 틈틈이 정원 일을 한다.
〖OE *betwēonum*<Gmc. (*by, two*)〗
活用 (1) between은 양자(兩者) 사이에 쓰는 것이 일반적; 단, 3자[세개] 이상의 경우라도 2조씩 개별적으로 생각하여 양자끼리 상호간의 관계를 암시할 때에는 between을 쓴다(cf. AMONG 活用): a treaty *between three* powers (3국간의 조약) / The *three* children saved fifty pounds *between* them. (세 명의 어린이들은 공동으로 50파운드를 저축했다).
(2) between은 전치사로 대명사일 때에는 목적격이 오는 것이 바른 용법이지만, *between* you and *I*는 관용적으로 사용되고 있다.
(3) between을 each, every나 단수형 명사와 함께 쓰는 것은 문법적이 아님; 따라서 *between the act*는 틀리며 *between the acts*(막간마다)가 맞다. 또 *between each act*(막간마다), *between every inning*(매회마다) 따위는 엄밀히는 제각기 *between each act and the next*라거나 *between the acts* 및 *after every inning* 따위로 해야할 것임.
(4) between 다음에 2개의 어구가 계속될 때에는 and를 쓰며 to나 or를 쓰는 것은 틀림. 예를 들면 *between* 1960 *to* 1970는 틀리며, *between* 1960 *and* 1970, 또는 *from* 1960 *to* 1970로 하는 것이 알맞음; 또한 choose *between* wealth *or* love는 틀리며 choose *between* wealth *and* love(돈이냐 사랑이냐의 어느 것인가를 택하다)처럼 말함.

betwéen·bràin *n.* 〖解〗 간뇌(間腦).

betwéen dècks *n.* 〖海〗 갑판간 공간.

betwéen·màid *n.* 《英》 허드렛일을 하는 하녀 (tweeny).

betwéen·tìmes *adv.* 사이 사이에, 틈틈이.

betwéen·whìles *adv.* =BETWEENTIMES.

be·twixt [bitwìkst, -ˊ] *prep., adv.* 《古·詩·方》 =BETWEEN.
betwixt and between 이도저도 아닌; 중간으로[에].
〖OE *betwēohs, betwēox* between; *-t*는 16세기 이후에 첨가된 글자; cf. AGAINST〗

Beu·lah [bjúːlə] *n.* **1** 뿔라《이스라엘 땅으로 밝은 미래를 상징; 이사야 62:4》. **2** (인생 만년의) 안식의 땅. **3** 여자 이름. 〖Heb. =married〗

BeV, bev, Bev [bév] *n.* 〖理〗 10억 전자 볼트. 〖*b*illion *e*lectron *v*olts〗

bev·a·tron [bévətrɑ̀n] *n.* 〖理〗 베바트론《양성자나 전자를 가속하는 고에너지의 cyclotron의 일종 ; cf. SYNCHROTRON》.

bev·el [bévəl] *n.* 경사각(傾斜角) ; 경사, 사면 ; 각도자(=~ square).
—— *v.* (**-l-** | **-ll-**) *vt.* …에 경사각을 만들다 ; 비스듬히 자르다. —— *vi.* 기울다, 경사지다.
—— *a.* 경사각의 : a ~ edge 기울어진 가장자리.
〖OF (*baïf* open-mouthed ‹ *baer* to gape)〗

bével gèar[**whèel**] *n.* 〖機〗 베벨 기어《우산 모양의 톱니바퀴》.

bével jòint *n.* 〖建〗 베벨 조인트, 빗 이음.

bével protràctor *n.* 만능 각도 측정기《회전자가 달린 각도기》.

bével squàre *n.* 사각자, 각도자.

***bev·er·age** [bévəridʒ] *n.* 마실 것, 음료 : alcoholic[cooling] ~*s* 알코올성[청량] 음료.
㊟ drink와 같은 뜻의 격식을 차린 말.
〖OF＜L (*bibo* to drink)〗

Bév·er·ly Hílls [bévərli-] *n.* 비벌리 힐스《Los Angeles 시 Hollywood에 인접한 도시로 영화인 등의 저택이 많음》.

bev·vy [bévi] *n.* 《리버풀方》 음료, (특히) 술 ; 술을 즐기는 하룻밤.

bevy [bévi] *n.* (작은 새의) 떼, (여성의) 무리 ‹*of*›. 〖C15＜?〗

be·wáil [bi-] *vt., vi.* …을 슬퍼하다, 비탄에 잠기다(mourn), 통곡하다 ‹*over, of*›.

be·ware [biwέər, -wǽər] *vi., vt.* [+*of*+名/+*that* 節/+*wh.* 節] 주의하다, 조심[경계]하다 : *B*~ ***of*** pickpockets! 소매치기 조심! / You must ~ *of* strangers. 낯선 사람은 경계하도록 해라 / *B*~ *that* you do not anger him. 너는 그를 화나게 하지 않도록 조심해라 / I was told to ~ *lest* I (should) wake him. 나는 그를 깨우지 않도록 주의하라는 말을 들었다 / We must ~ *how* we approach them. 어떻게 그들에게 접근할 것인지 신중을 기해야 한다.
〖BE, *ware* cautious〗
活用 be careful에 해당되는 격식을 차린 말 ; 명령법과 부정사로서만 쓰임.

be·whískered [bi-] *a.* **1** 구레나룻(whiskers)을 기른. **2** (익살 따위가) 케케묵은, 진부한.

be·wígged [bi-] *a.* 가발(wig)을 쓴.

***be·wil·der** [biwíldər] *vt.* 당황하게 하다, 어리둥절하게 하다, 깜짝 놀라게 하다, 갈피를 못잡게 하다 ; 《古》 현혹시키다 : The boy was so ~*ed* that he didn't know what to say. 소년은 어리둥절하여 말문이 막혔다.
〖*be-*, *wilder* (obs.) to lose one's way〗
類義語 ⟹ PUZZLE.

bewílder·ing *a.* 어리둥절[당황]하게 하는, 놀라서 질린. **~·ly** *adv.* 당황하여, 어리둥절할 만큼.

bewílder·ment *n.* U,C 당황, 난처, 어리둥절함 ; 혼란 : look around *in* ~ 당황하여 두리번거리다.

be·witch [biwítʃ] *vt.* …에 마법을 걸다 ; 매혹하다, 넋을 빼앗다(charm), 황홀하게 하다 : She behaved very strangely as if she had been ~*ed*. 그녀는 마치 마법에라도 걸린듯이 아주 괴상한 짓을 했다. —— *vi.* 매혹되다.
~·ing *a.* 남을 매혹시키는, 넋을 빼앗는.
~·ing·ly *adv.*
〖BE-, OE *wiccian* to enchant ; ⇨ WITCH〗

bewítch·ery *n.* =BEWITCHMENT 1.

bewítch·ment *n.* **1** U 매혹 ; 매력 ; C 주문, 진언(spell). **2** U 황홀(경), 홀림.

be·wray [biréi] *vt.* 《古》 (무심코) 누설하다, 폭로하다(reveal).

bey [béi] *n.* (터키의) 지방 장관 ; (터키·이집트의) 고관에 대한 경칭. 〖Turk.〗

bey·lic [béilik] *n.* bey의 관할 구역.

◇be·yond [bijɑ́nd, -́] *prep.* **1** [장소] …의 저쪽에[에서], …을 넘어서(cf. OVER) : ~ the hill 언덕 저편에 / from ~ the sea 바다 (건너) 저편에서. **2** [시각] …을 지나서, …보다 늦게 : ~ the usual hour 평상시의 시간을 지나서. **3** [정도·범위·한계 따위] …을 넘어서 ; …이상으로 ; …에 벅차서 ; …보다 뛰어나(cf. ABOVE) : It's ~ me. 나로서는 알 수 없다[할 수 없다] / ~ (one's) belief 믿을 수 없는 / ~ all praise 칭찬을 다 할 수 없을 정도로 / Such things are ~ my powers. 그런 일은 내 능력으로는 미치지 못한다 / He has gone far ~ me in learning. 그는 학문에서는 나보다 훨씬 앞서 있다 / live ~ one's income 수입 이상의 생활을 하다. **4** [부정적 또는 의문적 구문] …이외에는(except) : I know *nothing* ~ this. 나는 이것 이외에는 아무것도 모른다.
above and beyond... =OVER *and above*....
beyond all things 무엇보다 먼저.
go beyond one***self*** 도를 지나치다, 제분수를 넘다 ; 여느 때[평소]보다 더 잘하다.
—— [-́] *adv.* (저) 멀리에, 먼 저쪽에 ; 그 밖에 : *B*~ was the blue sea. 저 멀리는 푸른 바다였다 / The pamphlet provides the essentials but nothing ~. 그 팸플릿은 요점외에는 아무것도 제공하지 않는다.
the life beyond 저승.
—— [-́] *n.* 저쪽 ; [the ~] 내세, 저 세상.
the great beyond 저승, 내세.
〖OE *begeondan* ; ⇨ BY, YON(DER)〗

beyónd ríght *n.* 〖空〗 이원권(以遠權)《민간 항공 협정을 맺은 상대국 도시에서 더 먼 제 3 국의 도시로 운항할 수 있는 권리》.

Beyrouth ☞ BEIRUT.

bez·ant, bes-, bez·zant [bézənt, bəzǽnt], **byz·ant** [bízənt, bəzǽnt] *n.* 옛 Byzantium의 금화[은화] 《비잔틴 제국에서 발행 ; 금화는 중세 유럽에서 널리 유통》; 〖紋〗 금빛의 작은 원 ; 〖建〗 원반형 장식.

be·zel [bíːzəl, béz- ; béz-] *n.* 경사진 홈《반지의 보석 끼우는 홈, (시계의) 유리 끼우는 홈 따위》; 보석의 사면(斜面) ; (끌·정의) 날모, (칼의) 경사면 ; 거미발. —— *vt.* (**-l-** | **-ll-**) …에 bezel을 달다. 〖OF＜?〗

be·zique [bəzíːk] *n.* U 〖카드놀이〗 베지크《2명 또는 4명이 64매의 카드로 하는 게임의 일종 ; cf. PINOCHLE》. 〖F＜? Pers. *bāzīgar* juggler〗

be·zoar [bíːzɔːr] *n.* 분석(糞石)《염소 따위의 뱃속의 결석(結石) ; 옛날에는 해독제로 썼음》; 《古》 해독제(解毒劑).

bezzant ☞ BEZANT.

BF, B.F. Bachelor of Forestry ; board foot.
B/F, BF, b/f, b.f. 〖簿〗 brought forward (앞에서의 이월).
bf, b.f. 《口》 bloody fool ; 〖印〗 boldfaced.
B.F.A. Bachelor of Fine Arts.
B.F.B.S. British and Foreign Bible Society (영국 성서 협회).
B.F.C. 《美》 Bureau of Foreign Commerce.
BFI British Film Institute.

B film [bíː -́] *n.* 〖映〗 비 필름《프로그램 편성상의 특별 작품의 보조적 (단편) 영화》.

B flat [bíː -́] *n.* **1** 〖樂〗 내림 나음(音). **2** 《英戲》

빈대.
BFO 〔電子〕 beat-frequency oscillator(맥놀이 주파수 발진기).
B.F.O. British Foreign Office.
BFP 〔醫〕 biological false positive(생물학적 위양성(僞陽性)).
BFPO British Forces' Post Office.
BFT 〔醫〕 biofeedback training.
BG 〔放送〕 background.
bg. bag (*pl.* **bgs.**) ; beige ; being.
B.G., B.Gen. Brigadier General. **BGA** Better Government Association. **BGC** bank giro credit.
B-girl [bíː-] *n.* 《美俗》 바 여종업원, 행실이 나쁜 여자, 반(半)직업적 매춘부. 〖*bar girl*〗
BGM background music(배경[반주] 음악).
B.H. 〔冶〕 Brinell hardness.
B/H, BH bill of health.
BHA butylated hydroxyanisole.
Bha·ga·vad-Gi·ta [bɑ̀ːgəvɑ̀ːdgíːtə, bʌ́gəvəd-] *n.* 바가바드기타《힌두교도의 성전이라 하는 종교 서사시로 Mahabharata의 일부를 이룸》. 〖Skt. =song of the blessed one「신의 노래」〗
B'ham. Birmingham.
bhang, bang [bǽŋ] *n.* Ⓤ 〔植〕 (인도)삼, 대마(大麻) ; 그 잎·꽃을 말려 만든 마약《흡연용》. 〖Port.<Skt.〗
Bha·rat [bʌ́rʌt] *n.* 바라트《India의 힌디(Hindi) 명칭》.
BHC [bìːèitʃíː] *n.* 〔藥〕 BHC(=benzene hexachloride)《살충제》.
bhd. bulkhead.
B.H.E. Bureau of Higher Education.
bhees·ty, -tie, bhis(h)·ti [bíːsti] *n.* (인도의) 식수(食水) 운반인. 〖Hindi〗
B.H.L. Bachelor of Hebrew Letters[Literature]. **B.H.N., Bhn** 〔冶〕 Brinell hardness number.
BHN Basic Human Needs(인간 기본 요소).
Bho·pal [boupɑ́ːl] *n.* 보팔《인도 Madhya Pradesh 주의 주도 ; 1984년 살충제 제조 공장의 유독가스 누출 사고로 인명 피해가 컸음》.
B-horizon [bíː-] *n.* 〔地質〕 B층《토양 층위(層位)의 하나 ; A층 바로 아래에 있으며 부식(腐植)이 적음》.
B.H.P., b.h.p. brake horsepower.
Bhu·tan [buːtɑ́ːn, -tǽn] *n.* 부탄《인도 북동부 히말라야 산맥의 왕국》.
bi [bái] *n., a.* 《俗》 =BISEXUAL.
bi-¹ [bái] *pref.* 「둘」「쌍」「중(重)」「복(複)」의 뜻 (cf. DEMI-, HEMI-, SEMI-) : *bi*plane, *bi*cycle. 〖L〗
bi-² [bái], **bio-** [báiou, báiə] *comb. form* 「생(生)」「생명」의 뜻. 〖Gk. *bios* course of life〗
Bi 〔化〕 bismuth.
B.I. British India.
BIA, B.I.A. Bachelor of Industrial Arts ; Braille Institute of America ; 《美》 Bureau of Indian Affairs(인디언국(局)).
BIAC Business and Industry Advisory Committee(경제 산업 자문 위원회).
Bi·a·fra [biǽfrə, bai-, -ɑ́ːfrə] *n.* 비아프라《나이지리아의 동부 지방 ; 1967-70년에 일시 독립을 선언했었으나 붕괴됨》. **Bi·á·fran** *a., n.*
bi·aly [biɑ́ːli] *n.* (*pl.* **~s**) 비알리《가운데가 오목하고 납작한 롤빵 ; 잘게 썬 양파를 얹음》. 〖Yid.〗
bi·ángular *a.* 두 개의 각이 있는.
bi·ánnual *a.* 연 2회의, 반 년마다의(half-yearly). **~·ly** *adv.* 반년마다.
***bi·as** [báiəs] *n.* **1** (옷감 재단의) 사선(斜線), 〖服〗 바이어스. **2** [원뜻] (무게에 의해) 공이 비스듬히 굴러가는 것, 사행(斜行). **3** 성벽(性癖) ; (심리적) 경향 ; 선입관〈*toward, to*〉, 편견〈*for, against*〉. **4** 〔通信〕 바이어스, 편의(偏倚). **5** 〔統〕 치우침.

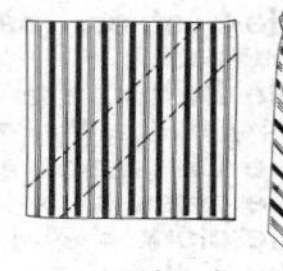
bias 1

be under*[*have*] *a bias toward …의 경향이 있다, …에 치우치다. ***on the bias*** 비스듬히 ; 비뚤어져 : cut cloth *on the* ~ 천을 비스듬히 재단하다. ***without bias and without favor*** 공평 무사(公平無私)하게.
── *a.* 엇갈리는, 비스듬한 ; 〔通信〕 바이어스의.
── *adv.* 비스듬하게, 경사지게.
── *vt.* (**-s-** | **-ss-**) [+目/+目+前+名] 한편으로 치우치게 하다 ; …에 편견을 갖게 하다, 기울게 하다 : be ~*ed **against**[**in favor of**]* a person 남에게 편견[호의]을 갖고 있다. 〖F<L=looking two ways〗
類義語 ⟹ PREJUDICE.
bías-bèlt·ed tíre *n.* =BELTED-BIAS TIRE.
bías bìnding *n.* 〔洋裁〕 바이어스 테이프.
bí·ased | **-assed** *a.* 한쪽으로 기운 ; 편견을 가진 : a ~ view 편견.
bías-plỳ tíre, bías tìre *n.* 바이어스 (플라이) 타이어, 코드 타이어《접지면의 중심선과 비스듬히 섬유층으로 강화함》.
bi·ath·lete [baiǽθliːt] *n.* biathlon 선수.
bi·ath·lon [baiǽθlən, -lɑ̀n] *n.* Ⓤ 〔競〕 바이애슬론《스키 경주에 사격을 겸한 것》.
bi·áxial *a.* 〔理〕 2축(軸)의.
bib¹ [bíb] *n.* 턱받이 ; (앞치마 따위의) 가슴 받이 ; 〔魚〕 비브《소형 대구》 ; 수도꼭지(bibcock). ***in** one**'s best bib and tucker*** 《口》 나들이옷을 차려 입고. 〖? ↓〗
bib² *vi., vt.* (**-bb-**) 《古》 (술을) 잘 마시다, 많은 술을 마시다. 〖? L *bibo* to drink〗
Bib. Bible ; Biblical.
bi·básic *a.* 〔化〕 2염기성의.
bibb [bíb] *n.* =BIBCOCK.
bíb·ber *n.* 음주가, 술꾼(cf. WINEBIBBER).
bíb·bing *n.* Ⓤ 술마시는 버릇, 과음.
bíb·còck, bíbb còck *n.* (꼭지가 밑으로 굽은) 수도 꼭지, 콕.
b.i.b. contàiner [bìːàibíː-] *n.* 백 인 박스 컨테이너《골판지 상자 안에 같은 모양의 연질 플라스틱 주머니를 넣고 밖에서 개폐할 수 있게 된 액체 용기》. 〖*bag in box container*〗
bi·be·lot [bí(ː)blou ; *F* biblo] *n.* (*pl.* **~s** [-z ; *F* —]) 골동품, 장식품.
bì·bi·válent *a.* 〔化〕 쌍 2 가(雙二價)의《2가의 양·음이온으로 해리(解離)하는 전해질을 일컬음》.
bibl. bibliographical.
Bibl. Biblical.
‡Bi·ble [báibəl] *n.* **1** [the ~] 바이블, (기독교의) 성경, 성서《the Old Testament(구약) 및 the New Testament(신약) ; 특히 그 중의 한 쪽만을 가리킬 때도 있음 ; cf. SCRIPTURE》 ; (일반적으

로) 성전(聖典) ; [a ~] 성서의 한 편[1판(版)]. **2** [b~] 권위있는 책.
kiss the Bible ☞ KISS.
〖OF<L<Gk. *biblia* books ; 「파피루스」가 채취된 땅 *Byblos*(고대 Phoenicia의 도시)에서〗
Bíble-bàsh·er, -bàng·er *n.* 《俗》 = BIBLE-THUMPER.
Bíble Bélt *n.* [the ~] (fundamentalism을 굳게 믿는) 미국 남부의 기독교 신앙이 두터운 지역.
Bíble Chrìstians *n. pl.* 성서주의파.
Bíble clàss *n.* 바이블 클래스, 성서 연구회.
Bíble clèrk *n.* 성서 낭독 학생《Oxford 대학 예배당에서 성서 낭독을 하는 일을 맡은 장학생》.
Bíble òath *n.* (특히 성서에 손을 얹고 하는) 엄숙한 맹세.
Bíble pàper *n.* = INDIA PAPER.
Bíble-pòund·er, -pùnch·er *n.* 《俗》 = BIBLE-THUMPER.
Bíble-pòund·ing, -pùnch·ing *a.* 《俗》 열광적으로 복음을 전하는.
Bíble rèader *n.* 《英》 (고용되어 집집마다 다니며) 성서를 읽어 주는 사람.
Bíble schòol *n.* 성서 (연구) 학교.
Bíble socìety *n.* 성서 협회.
Bíble-thùmp *vi.* 《俗》 복음을 열성적으로 전도하다 ; 전도에 열을 올리다.
Bíble-thùmp·er *n.* 《俗》 완고하고 융통성 없는 성서 신봉자.
Bíble-thùmp·ing *a.* 《俗》 = BIBLE-POUNDING.
bib·lic- [bíblik], **bib·li·co-** [bíblikou, -kə] *comb. form* [흔히 B~] 「성경」의 뜻.
〖Gk.〗
bib·li·cal [bíblikəl] *a.* [또는 B~] 성서의, 성서에서 나온 (구(句)의), 성경에 의한 ; (말투가) 성경풍인 : ~ style (흠정역(欽定譯)) 성서체의 문체.
~·ly *adv.*
Bíblical Látin *n.* 성경의 라틴어.
Bib·li·cism [bíbləsìzəm] *n.* [때때로 b~] 성서 엄수주의.
Bib·li·cist [bíbləsəst] *n.* [때때로 b~] 성서 엄수주의자 ; [b~] 성서 학자.
bib·lio- [bíbliou, -liə] *comb. form* 「책」「성서」의 뜻 : *biblio*mania, *biblio*phile.
〖Gk. *biblion* book ; ⇨ BIBLE〗
bíblio·film *n.* 도서 복사 필름.
bibliog. bibliographer ; bibliographic(al) ; bibliography.
bíblio·gràph *vt.* (책 따위에) 서지(書誌)를 달다[만들다]. 〖역성(逆成)<*bibliography*〗
bib·li·og·ra·pher [bìbliágrəfər] *n.* 서적 해제 편자(解題編者), 서지(書誌) 학자[편집자].
bib·lio·graph·ic, -i·cal [bìbliəgrǽfik(əl)] *a.* 서지의, 서지학적인, 서적 해제(解題)의 ; 도서목록의, 참고서 일람의.
bib·li·og·ra·phy [bìbliágrəfi] *n.* **1** Ⓤ 서지학. **2** 서적 해제《서적의 저자·출판 날짜·판 따위의 기술》; (어떤 저자·시대·주제의) 관계서 일람, 저서 목록, 출판 목록, 참고서 일람, 문헌 : a Tennyson ~ 테니슨 문헌.
〖F or NL<Gk. ; ⇨ BIBLE〗
bíblio·klept [-klèpt] *n.* 책 도둑.
bìblio·klèpto·mánia *n.* Ⓤ 도서벽(盜書癖).
bib·li·ol·a·ter [bìbliálətər] *n.* 서적《특히 성서》 숭배자, 성서 광신자.
bìb·li·ól·a·trous *a.* 서적[성서] 숭배의.
bìb·li·ól·a·try *n.* Ⓤ 서적《특히 성서》 숭배, 성서 광신.
bib·li·ol·o·gy [bìbliálədʒi] *n.* Ⓤ,Ⓒ 도서학 ; 서지학(bibliography), 서적 해제(解題) ; [B~] 성서(문)학.
bíblio·màncy *n.* 성서[서적]점(占)《성서[책]를 폈을 때 나온 첫 글귀로 점을 침》.
bìblio·mánia *n.* Ⓤ 장서벽(藏書癖), 서적광.
bìblio·mániac *a., n.* 장서광인 (사람).
bìblio·maníacal *a.* = BIBLIOMANIAC.
bib·li·op·e·gy [bìbliápədʒi] *n.* 제본술.
-gist *n.*
bíblio·phìle, -phìl *n.* 애서가(愛書家), 장서 도락가, 서적 수집가.
bìblio·phílic *a.*
〖F ; ⇨ -PHILE〗
bib·li·oph·i·lism [bìbliáfəlìzəm], **-oph·i·ly** [-fəli] *n.* 장서벽, 서적 도락.
bíblio·phòbe *n.* 서적 증오자[불신자, 기피자].
bib·li·o·pole [bíbliəpòul] *n.* 서점 주인, (특히 진귀한 서적의) 서적상.
bib·li·op·o·ly [bìbliápəli], **-óp·o·lìsm** *n.* 서적 판매, 진귀한 서적의 판매.
bib·lio·the·ca [bìbliəθí:kə] *n.* (*pl.* **~s, -cae** [-si:, -ki:]) 장서, (개인의) 문고 ; 서점의 (재고) 목록.
-thé·cal *a.*
bìblio·thérapy *n.* (신경증에 대한) 독서 요법.
bib·li·ot·ics [bìbliátiks] *n.* 필적 감정학.
Bi·blist [bíbləst, báibləst] *n.* 성서 신앙자 ; = BIBLICIST.
bib·u·lous [bíbjələs] *a.* 술을 좋아하는, 술꾼의.
~·ly *adv.* 음주에 빠져서.
〖L (*bibo* to drink)〗
bi·cam·er·al [baikǽmərəl] *a.* (의회가) 상하 양원제의 (cf. UNICAMERAL).
〖*bi-*[1], L CAMERA=chamber〗
bi·carb [báikɑ̀:rb, -⌐] *n.* 《口》 탄산수소나트륨.
bi·cárbonate *n.* Ⓤ 〖化〗 탄산 수소염 : ~ of soda 탄산수소나트륨.
bíce (blùe) [báis-] *n.* 청록색《안료》.
bì·centénary *a., n.* = BICENTENNIAL (cf. CENTENARY).
bì·centénnial *a.* 2백년(동안)의, 2백년째[마다]의 ; 2백년(기념)제의. ── *n.* 2백년(기념)제 ; 2백년째.
bi·céntric *a.* 〖生〗 (분류 단위가) 이기원성(二起源性)의 ; (동식물이) 두 분포 중심의.
bi·céphalous, bì·cephálic *a.* 쌍두(雙頭)의.
bi·ceps [báiseps] *n.* (*pl.* **~, -ceps·es** [-əz]) **1** 〖解〗 이두근(二頭筋) : the ~ of the arm 이두 박근(膊筋), 「알통」. **2** Ⓤ 근력, 근육이 억셈 (muscularity).
〖L=two-headed (*caput* head)〗
bi·chlóride *n.* Ⓤ 〖化〗 이염화물(dichloride) : ~ of mercury 염화제이수은.
bi·chrómate [, báikroumèit] *n.* Ⓤ 〖化〗 중크롬산염[칼륨].
bi·chrome [báikròum] *a.* 이색(二色)의.
bi·cip·i·tal [baisípətəl] *a.* 머리가 둘 있는 ; 〖解〗 이두근(二頭筋)의.
bick·er [bíkər] *vi.* **1** [動/+前+名] 논쟁[언쟁]하다, 말다툼하다(quarrel) : They *~ed* ***over*** [***about***] some unimportant thing. 그들은 무엇인가 하찮은 일로 말다툼을 했다. **2** (물이) 졸졸 흐르다(babble) ; (비가) 후둑후둑 내리다(patter) ; (빛·불꽃이) 반짝이다, 어른거리다, (등불 따위가) 깜빡이다(flicker). ── *n.* 말다툼 ; 졸졸(흐르는 소리) ; 후둑후둑 ; 깜빡깜빡.

〚ME< ?〛

bi·cóast·al *a.* 동·서 양해안의《흔히 미국의》.

bì·collàteral *a.* 〔植〕 양립(兩立)의 : a ~ vascular bundle 양립 관다발.

bi·col·o·gy [báikɑ̀lədʒi] *n.* 바이칼러지《자전거로 교통 전쟁, 환경 파괴의 자동차에 대항하려고 하는 인간성 회복 운동》. 〚*bi*cycle+e*cology*〛

bí·còlor *a., n.* 이색(二色)의 (것). **~ed** *a.*

bícolor lòok *n.* 〔服〕 바이컬러 룩《흑백 또는 적흑 따위의 대조적인 배색을 한 옷차림》.

bi·cóncave [, 美+ˋ-ˊ] *a.* (렌즈 따위가) 양면이 오목한(concavo-concave).

bì·concávity *n.*

bì·condítion·al *n., a.* 〔論〕 상호 조건(적인).

bi·cónvex [, 美+ˋ-ˊ] *a.* (렌즈 따위가) 양면이 볼록한(convexo-convex).

bí·còrn *a.* 〔動·植〕 뿔 (모양)이 둘 있는 ; 초승달 모양의.

bi·córporal *a.* 양체(兩體)의, 두 몸체를 지닌.

bì·corpóreal *a.*

bi·cron [báikrɑn] *n.* 〔理〕 비크론《1m의 10억분의 1 ; cf. MICRON》.

bi·crúral *a.* 두 다리의.

bi·cúltural *a.* 두 문화(병존)의.

bi·cúspid *n.* 〔解〕 이두치(二頭齒), 앞어금니, 작은 어금니, 소구치(小臼齒). —— *a.* (이가) 뾰족한 끝이 둘 있는. 〚CUSP〛

bi·cúspidate *a.* =BICUSPID.

bicúspid válve *n.* 〔解〕 (심장의) 이첨판(二尖瓣) (mitral valve).

◇**bi·cy·cle** [báisikəl, 美+-sàikəl] *n.* 자전거(cf. TRICYCLE) : ride (on) a ~ 자전거를 타다 / go *by* ~[*on* a ~] 자전거로 가다 / ~ race[racing] 자전거 경주, 경륜(競輪). —— *vi.* 자전거를 타다[타고 가다]. ㊟ *v.*로서는 단축형인 CYCLE이 일반적. —— *vt.* 자전거로 여행하다.

-cler *n.* =BICYCLIST.

〚CYCLE〛

bícycle chàin *n.* 자전거 체인.

bícycle clìp *n.* (자전거 체인에 말리지 않도록) 바짓자락을 고정시키는 클립[안전 밴드].

bícycle kìck *n.* 바이시클 킥《(1) 〔蹴〕 공중에서 자전거를 타듯 발을 움직여 공을 차는 오버헤드킥. (2) 바로 누워 허공에서 자전거 페달을 밟듯 두 다리를 움직이는 체조》.

bi·cýclic *a.* 두 원으로 된 ; 〔植〕 두 고리형의, 두 돌려나기를 이룬 ; 〔化〕 (화합물이) 두[쌍] 고리식의. **-cli·cal** *a.*

bí·cy·clist *n.* 자전거를 타는 사람 ; 경륜 선수.

bid** [bíd] *v.* (**bade** [bǽ(:)d ; bǽ(:)d, béid], **bad** [bǽ(:)d], **bid ; bid·den** [bídn], **bid ; bíd·ding**) *vt.* **1** 《文語》 [+目+原形 / +目] …에게 명령하다(command) : He *bade* the servant call the boy into the room. 그는 하인에게 소년을 방으로 들여보내도록 명했다. ㊟ (1) 위의 글은 구어에서는 He *told* the servant *to* call....이 됨. (2) 능동태에서는 보통 原形을 수반하지만 수동태에서는 原形 대신에 *to* do를 수반함 : I was ~*den to* enter. 나는 들어오라는 명령을 받았다 / Do as I ~ you. 명령대로 하시오. **2** [+目+目 / +目+*to*+名] (인사·기도 따위) 말하다, 고하다 : He *bade* us good-bye[welcome]. 그는 우리에게 이별[환영]의 인사말을 했다 / I have come to ~ farewell *to* all my friends. 저는 여러분에게 작별을 고하기 위해 왔습니다. **3** (**bid ; bíd·ding**) [+目+*for*+名] (특히 경매에서) 값을 매기다, 입찰하다 ; (조건을) 제시하다 : She ~ a good price [two hundred dollars] ***for the table. 그 여자는 그 테이블에 비싼 값[200달러라는 값]을 불렀다. **4** 〔카드놀이〕 (패나 끗수를) 선언하다《승부할 패나 획득한 끗수를 선언하는 일》 : ~ one heart 원 하트를 선언하다. **5** 《古》 초대하다(invite) (cf. BIDDEN, UNBIDDEN).

—— *vi.* (**bid ; bíd·ding**) **1** [動 / +前+名] 명령하다 ; 값을 부르다 ; 입찰하다 : Is anybody else going to ~? 달리 또 입찰하실 분은 안계십니까 / He wanted to get the house, but some one was ~*ding* ***against*** him. 그는 그 집을 사고 싶었으나 누군가 그보다 더 비싼 값을 부른 사람이 있었다 / Several companies will ~ ***for*** the contract. 몇개 회사가 그 계약에 입찰할 것이다 / They ~ ***on*** the new building. 그들은 새 빌딩 건축에 입찰했다. **2** [+*for*+名] (…을 얻으려고) 노력하다, 손을 쓰다 : He was ~*ding* ***for*** popular support. 그는 민중의 지지를 얻으려고 노력하고 있었다.

bid defiance to. . . ☞ DEFIANCE.

bid fair to do …할 가망이 충분히 있다, …할 듯하다 : The plan ~*s fair to* succeed. 그 계획은 잘되어 갈 듯하다.

bid in (소유자가) 자기에게 낙찰시키다.

bid off 경매에서 낙찰시키다 ; 경매로 처분하다.

bid up (…의 값을) 다투어 올리다 ; (경매에서) 값을 올리다 ; 값이 비싸지다 : ~ *up* an article beyond its real value 물건을 현시세보다 높은 값으로 끌어올리다.

—— *n.* **1** 매긴 값, 입찰, 입찰의 기회[차례] : call for ~*s* of …의 입찰을 하다. **2** (명성·지위·인기 따위를 얻으려고) 애씀, 노력, 시도. **3** 〔카드놀이〕 (비드) 선언 ; 다투어 올린 값 : a two-spade ~ 투 스페이드의 선언. **4** 《美口》 초대, (입회 따위의) 권유, 안내, 제안(提案). **5** 〔法〕 경매 가격 신고.

make a bid for …에 입찰하다, 값을 부르다 ; (인기 따위를) 얻으려고 노력하다(cf. *vi.* 2).

〚OE *biddan* to ask<Gmc. 《美》 *bidhjan* to pray and OE *bēodan* to offer ; cf. G *bitten, bieten*〛

B.I.D. Bachelor of Industrial Design. **b.i.d., B.I.D.** 〔處方〕 *bis in die* 《L》(=twice a day 하루에 2번).

bi·dáily *a.* 하루 두 번 발행하는.

bíd·da·ble *a.* 유순한(obedient) ; 〔카드놀이〕 끗수가 높은.

***bid·den** [bídn] *v.* BID의 과거분사. —— *a.* 《古》 초대된《손님 ; cf. UNBIDDEN》.

bíd·der *n.* **1** 경매 입찰자 : the highest[best] ~ 최고 입찰자 ; 자기를 가장 높이 평가해 주는 사람. **2** 명령자. **3** 《美口》 초대자.

bíd·ding *n.* **1** Ⓤ 입찰, 다투어 값 부르기 : force the ~ 값을 다투어 올리다. **2** Ⓤ 명령 ; 초대 : at the ~ of …의 뜻대로 / do a person's ~ 남의 명령에 따르다.

bídding pràyer *n.* 《英》 설교 전의 기도 ; 대속(代贖)의 기도.

bid·dy[1] [bídi] *n.* 병아리 ; 암탉(hen).

〚? imit.〛

biddy[2] *n.* [경멸적으로] 여자, (특히) 수다쟁이[싫은, 괴팍한 노파 ; 《美口》 하녀.

Biddy *n.* 여자 이름《Bridget의 애칭》.

bide [báid] *v.* (**bode** [bóud], **bíd·ed ; bíd·ed**) *vi.* 《古·文語·方》 머무르다 ; 살다 ; 기다리다.

—— *vt.* 참다, 자제하다.

bide one***'s time*** 시기[때]를 기다리다.

〚OE *bīdan*〛

bi·déntate *a.* 이[치상(齒狀) 돌기]가 둘 있는.
bi·det [bidéi, bidét ; bí:dei] *n.* 비데《주로 여성의 국부 세척기(洗滌器)》; 작은 승용마(馬). 〚F=pony〛
bì·dialéctal *a., n.* 〔言〕 두 방언을 쓰는 (사람).
bì·diréctional *a.* (안테나 따위가) 양(兩)지향성의 ; (반도체 소자 따위가) 두 방향으로 도통(導通) 가능한.
bi·don·ville [*F* bidɔ̃vil] *n.* (프랑스·아프리카 북부 등지의) 변두리의 날림 공사 주택 지구. 〚F *bidon* tin can〛
bíd prìce *n.* 입찰 가격 ; 〔證〕 사는 쪽이 제시하는 최고 한도 가격, 매수 호가.
bíd rìgging *n.* 담합(談合) 입찰.
B.I.E. Bachelor of Industrial Engineering.
Bie·der·mei·er [bí:dərmàiər] *a.* 비더마이어 양식의《19세기의 간소하고 실용적인 가구 양식》; 《蔑》 인습적인, 판에 박힌, 범속한. 〚Gottlieb *Biedermeier* 'Papa Biedermeier' 단순 평범한 독일 부르주아에 대한 경멸하는 칭호〛
bi·en·na·le [biennɑ́:le] *n.* 격년 행사, 비엔날레 ; [the B~] 비엔날레《짝수 해의 5-10월에 로마에서 열리는 현대 회화·조각 전람회》.
bi·en·ni·al [baiéniəl] *a.* 2년에 한 번하는, 2년마다의 (cf. BIANNUAL, TRIENNIAL) ; 2년 동안 계속되는 ; 〔植〕 2년생의 (cf. ANNUAL, PERENNIAL).
—— *n.* 2년생[월년성(越年性)] 식물 ; 2년마다 열리는 행사[시험·전시 따위].
~·ly *adv.* 〚L (*bi*-¹, *annus* year)〛
bi·en·ni·um [baiéniəm] *n.* (*pl.* **~s, -nia** [-niə]) 2년 동안.
bien·ve·nue [*F* bjɛ̃vəny] *n., a.* 환영(받는).
bien vu [*F* bjɛ̃ vy] 높이 평가받는 ; 좋게 생각되고 있는.
bier [bíər] *n.* 관가(棺架) ; 영구차 ; 시체 ; 《古》 운반대(臺), 들것. 〚OE *bēr* ; ⇨ BEAR² ; cf. G *Bahre*〛
bier·kel·ler [bíərkèlər] *n.* 《英》 독일풍(風)으로 꾸민 독일 맥주의 퍼브[선술집]. 〚G=beer cellar〛
biest·ings [bí:stiŋz] *n.* (*pl.* ~) =BEESTINGS.
B.I.F. British Industries Fair《영국 공업 박람회 ; 1915년부터 1950년대까지 London과 Birmingham에서 개최》.
bi·fácial *a.* 두 면(面)의, (비슷한) 두 면이 있는 ; 〔植〕 (나뭇잎 따위가 서로 다른) 양면을 가지는 ; 〔考古〕 돌칼의 양면을 깎아낸.
bi·far·i·ous [baiféəriəs, -fǽər-] *a.* 이중의, 두줄의 ; 〔植〕 (잎의 면 따위) 직립한 두 줄을 이루는. **~·ly** *adv.*
bi·fer [báifər] *n.* 〔植〕 2년마다 꽃 피는[열매맺는] 식물.
biff [bíf] *n.* 《俗》 강타, 일격, 세게 때리기(slap) : give a person a ~ *in* the jaw[*on* the nose] 남의 턱[코]을 세게 때리다. —— *vt.* [+目 / +目+前+名] 강타하다 : ~ a person ***on*** the nose 남의 코를 강타하다. 〚imit.〛
bif·fin [bífən] *n.* 검붉은 요리용 사과《영국 Norfolk산》.
bi·fid [báifid, -fəd] *a.* 두 갈래의, 두 갈래진 ; 〔植〕 이열(二裂)의. 〚L (*findo* to cleave)〛
bi·fid·i·ty [baifídəti] *n.* 〔植〕 이열.
bi·fílar *a.* 두 줄의 실로 매단.
bí·flèx *a.* 두 군데가 굽은, 만곡이 두 곳인.
bi·flórate *a.* 꽃이 둘 있는.
bi·fócal *a., n.* (원시(遠視), 근시(近視)의) 이중[겹] 촛점의 (렌즈) ; [*pl.*] 이중[겹] 촛점 안경. 〚FOCUS〛
bí·fòld *a.* 둘로 접게 된, 이중의.
bi·fóliate *a.* 〔植〕 쌍엽의.
bi·fóliolate *a.* 〔植〕 (겹잎이) 두 작은 잎이 있는.
bí·fòrked *a.* 갈래가 둘인, 두 갈래가 있는.
bí·fòrm, -fòrmed *a.* 두 모양[성질]을 함께 가지고 있는.
Bif·rost [bívrɑst, bí:f-] *n.* 〔北유럽神〕 비프로스트《하늘과 땅을 잇는 무지개 다리》.
bi·fúel *a.* 이중 연료의.
bi·fúnction·al *a.* 두 가지 기능[작용]의, 두 기능[작용]을 지닌.
bi·fur·cate [báifə(:)rkèit, 美+baifə́:rkeit] *vt., vi.* (길·가지·하천 따위) 두 갈래로 나누다[가르다], 두 갈래로 나뉘다[갈라지다].
—— [ˊ-kət, -kèit, 美+-ˊkeit] *a.* 〔解〕 두 갈래의 (forked).
〚L (BI¹+*furcus* two-forked ; ⇨ FORK)〛
bì·furcátion *n.* Ⓤ 두 갈래로 나누기[갈라지기], 분기(分岐) ; Ⓒ 〔解〕 분기점 ; 가지.
°**big**¹ [bíg] *a.* (**bíg·ger ; bíg·gest**) **1** 큰(↔*little, small*) : a ~ voice 큰 목소리 / ☞ BIG TOE / a ~ heart 관대(함) (cf. BIGHEARTED) / ☞ BIG TREE. **2** 성장한 ; 손위의 : one's ~ brother[sister] 《口》 큰형[누나]. **3** 훌륭한, 중요한 ; 《美口》 유명한, 인기있는 ; 젠 체하는(pompous), 오만한 ; 자만[자랑]하는 : ~ words 호언 장담 / look ~ 잘난 체하다. **4** 임신한 : be ~ *with* child 아이를 임신하다. 㸃 지금은 pregnant를 사용. **5** (…에) 가득찬[차 있는] : a heart ~ *with* grief 슬픔에 가득찬 마음 / a war ~ *with* the fate of the nation 나라의 존망을 결정하는 전쟁. **6** 《口》 (바람·폭풍우 따위) 강한, 세찬.
***be*[*get, grow*] *too big for* one*'s boots* [*breeches,* 《美》 *pants*]** 《口》 뽐내다, 자만하다, 주제넘게 나서다.
—— *adv.* **1** 《口》 크게 ; 젠 체하여(cf. *a.* 3) : talk ~ 허풍떨다 / think ~ 야망을 품다. **2** 《口》 잘, 솜씨좋게 ; 《口》 많이, 충분히 : eat ~ 실컷 먹다.
—— *n.* 큰 것[사람] ; [Mr. B~] 《口》 거물, 중심인물, (음의) 실력자.
bíg·ly *adv.* 대규모로 ; 《古》 거만하게, 거드름 피우며. **bíg·ness** *n.* 큼, 중대함 ; 과장, 허풍.
〚ME< ? ; cf. Norw. (dial.) *bugge* important man〛
類義語 ⟹ LARGE.
big² ☞ BIGG.
big·a·mist [bígəməst] *n.* 중혼자(重婚者).
big·a·mous [bígəməs] *a.* 중혼한. **~·ly** *adv.*
big·a·my [bígəmi] *n.* Ⓤ 이중 결혼, 중혼(죄). 〚OF<L (Gk. *gamos* marriage)〛
Bíg Ápple *n.* [the ~] New York 시의 애칭 ; 《美俗》 대도시, 번화가 ; [the b~ a~] 가장 중요한 부분, 주요 관심사.
Big·ar·reau [bígəròu], **big·a·roon** [bìgərú:n] *n.* 〔園藝〕 비가로종(種)[경육종(硬肉種)]의 버찌《단단하고 맛있음》; 그 나무. 〚F〛
bíg·àss *a.* 《美卑》 엄청나게 큰 ; 과장된 ; 젠 체하는, 거드름 피우는 ; 터무니없는.
bíg banána *n.* 《俗》 =BIG BUG.
bíg bánd *n.* 빅 밴드《특히 1930-50년대의 대편성의 재즈[댄스 음악] 밴드》.
bíg báng *n.* [the ~, 때때로 the B~ B~] 〔天〕 (우주 생성 때의) 대폭발, 빅 뱅.
bíg báng thèory *n.* [the ~] 〔天〕 (우주 생성의) 폭발 기원설, 대폭발 우주론.

bíg béat *n.* 《俗》 [흔히 B~ B~] 록 음악.
Bíg Bén *n.* 빅벤《영국 국회 의사당 탑 위의 큰 시계(종) 및 그 탑》. 〖Sir *Benjamin* Hall (d. 1867) 큰 종의 주조 감독〗
Bíg Bértha *n.* (제 1 차 세계 대전 때 독일군의) 대구경 장거리포(砲) ; 고성능 대포 ; 《美俗》 뚱뚱한 여자. 〖*Bertha* Krupp (d. 1957) 독일 Essen의 Krupp 철공장 사장〗
Bíg Bírd *n.* 빅 버드《(1) 〖軍〗 미국이 사용하는 광역(廣域) 정찰 위성의 통칭 ; 정식명은 Project 467. (2) 미국 TV 프로그램의 Sesame Street에 나오는 큰 노랑새》.
bíg blóke *n.* 《美俗》 코카인.
Bíg Blúe *n.* 《美俗》 빅 블루《IBM사의 애칭 ; 제품·상표 색깔에서 나온 말》.
Bíg Bóard *n.* [the ~, 때때로 the b~ b~] 《美口》 뉴욕 증권 거래소(의 거래 주식 표시판(板)), 빅보드.
bíg bóss *n.* 《俗》 회장, 최고 책임자.
bíg bóy *n.* 《口》 (특히 실업계의) 거물, 대기업 ; 《美俗》 고액권, (햄버거 따위의) 큰 것 ; 《美俗》 페니스, 음경.
bíg bróther *n.* 큰 형 ; (고아·불량 소년 등을 선도하는) 형같은 남자 ; [B~ B~] (독재 국가의) 독재자, (개인(個人)에게 권력을 휘두르는) 독재주의 국가[조직].
Bíg Bróther·ìsm *n.* (사람·국가의) 독재 통제주의.
bíg brówn·èyes *n. pl.* 《美俗》 젖(통이).
bíg búck *n.* [보통 *pl.*] 《口》 많은 돈, 큰 돈.
bíg búg *n.* 《俗》 중요 인물, 보스, 거물.
bíg búsiness *n.* 《蔑》 재벌 ; 대기업.
Big C [ˊ sí:] *n.* 《口》 암 ; 《美俗》 코카인.
bíg cát *n.* 대형의 고양이과(科) 동물《사자·호랑이 따위》.
bíg chéese[**chíef**] *n.* 《俗》 =BIG BUG.
big D [ˊ dí:] *n.* 《美俗》 =LSD ; =DALLAS.
bíg dáddy *n.* [the ~] 《俗》 가장 중요한[큰] 것[사람·동물] ; 《美》 (자기) 아버지 ; [B~ D~] 《CB 俗》 연방 통신 위원회(FCC).
bíg déal *n.* (기업간의 대규모 사업 교환 따위의) 큰 거래 ; 《美俗》 [반어적으로] 대단한 것[인물], 중대 사건 : What's the ~? 무엇 때문에 이 소동이냐.
make a big deal out of 별일 아닌 것을 요란하게 떠들어 대다.
── *int.* 《俗》 [비꼼·조소를 나타내어 감탄사적으로] 참 대단하군, 그뿐인가, 별거 아니군 : "I make 500 dollars a week."—"*B*~! I make twice that much." '나는 한 주에 500달러 번다네'—'별거 아니군. 나는 그 갑절은 번다네.'
Bíg Dípper *n.* **1** [the ~] 《美》〖天〗 북두칠성. **2** [b~ d~] 《英口》 =ROLLER COASTER.
bíg dóg *n.* (도둑을) 지키는 개 ; 《美俗》 거물, 유

big cat

력자 ; [B~ D~] 《CB俗》 그레이하운드 버스.

bi·gem·i·ny [baidʒémәni] *n.* 〖醫〗 이단맥, 이연맥 《이단맥(bigeminal pulse)의 상태》.

bi·gém·i·nal *a.*

bíg enchiláda *n.* 《美俗》 중요 인물, 거물, 두목.

bíg énd *n.* 〖機〗 (연접봉의) 빅 엔드, 대단(大端) 《크랭크 축쪽》.

bi·gen·er [báidʒәnәr] *n.* 〖生〗 이속(二屬) 사이의 잡종.

bì·genéric *a.* 〖植〗 이속의, 이속을 포함하는.

Bíg Fíve *n.* [the ~] 5대 강국《(1) 제 1 차 세계 대전 후의 미국·영국·프랑스·이탈리아·일본. (2) 제 2 차 세계 대전 후의 미국·영국·구소련·중국·프랑스》.

Bíg·fòot *n.* Sasquatch의 별칭.

Bíg Fóur *n.* [the ~] 4대 강국《제 2 차 세계 대전 후의 미국·영국·구소련·프랑스》.

bigg, big [bíg] *n.* 《스코》 빅《보리의 일종》.

bíg gáme *n.* 큰 시합 ; 큰 사냥감《맹수·월척어 따위》; 《비유》 (위험이 따르는) 큰 목표[수확].

big·gie, big·gy [bígi] *n.* 《美口》 큰 것 ; 중요한 것 ; 중요 인물, 거물.

no biggie 《美俗》 대수로운 일 아냐, 걱정할 것 없어.

bíg·gish *a.* **1** 약간 큰, 큰 편인. **2** 중요[위대]한 듯한.

bíg gún *n.* 큰 대포 ; 《俗》 유력[실력]자, 중요 인물, 거물, 고급 장교 ; 중요한 일.

bring out [***up***] ***the*** [one'***s***] ***big guns*** (논쟁·게임 따위에서) 결정적인 수[으뜸패]를 내놓다.

biggy ☞ BIGGIE.

big H [ˊ éitʃ], **Bíg Hárry** *n.* [the ~] 《美俗》 헤로인.

bíg hát *n.* 《CB俗》 주(州) 경찰관.

bíg·hèad *n.* 《美》 우두머리 ; 자부심 ; 과장 ; 〖獸醫〗 (양의) 두부(頭部) 확장증 ; 《美俗》 숙취(宿醉) ; 《口》 자만(하는 사람).

-héad·ed *a.* 《口》 젠체하는, 우쭐한.

bíg·héart·ed *a.* 관대한, (돈 따위를) 아끼지 않는, 활수한.

~·ly *adv.* **~·ness** *n.*

bíg·hòrn *n.* **1** (*pl.* ~, ~**s**) 〖動〗 로키 산맥의 야생양(羊) (=ˊ **shèep**). **2** [the B~] 빅혼 강(江)《Wyoming 주(州) 북쪽에서 Yellowstone 으로 흘러 듦》.

bighorn 1

Bíghorn [**Bíg Hòrn**] **Móuntains** *n. pl.* [the ~] 빅혼 산계《Rocky 산맥 중, Wyoming 주(州) 북부로부터 Montana주 남부에 걸침》.

bíg hòuse *n.* **1** 《英》 [때때로 B~ H~] (마을 제일의) 부잣집, 《美》 (예전 중남부의) 대저택. **2** [the ~] 《俗》 교도소 ; 《美中南部》 응접실, 거실.

bight [báit] *n.* 해안[강·산맥]의 완곡부, 후미, 굽이, 만(灣) ; 밧줄의 고리[가운데] 부분.
—— *vt.* (밧줄을) 고리로 만들다 ; 밧줄(고리)로 조이다. 〚OE *byht* ; cf. BOW[1]〛

bíg idéa *n.* 《俗》 어림도 없는 생각[계획] ; 목적, 의도.

bíg íf *n.* 《俗》 큰 문제.

bíg Jóhn *n.* 《美俗》 경찰관(policeman) ; 경찰.

Bíg Ko·hóo·na [-kәhú:nә] *n.* 〔서핑〕 서퍼에게 가장 이상적인 형태의 거대한 파도.

bíg lábor *n.* 《美》 [때때로 B~ L~ ; 집합적으로] 대규모 노동 조합.

bíg léague *n.* =MAJOR LEAGUE ; 톱 클래스(의 것). **bíg léaguer** *n.* (기업(企業) 따위의) 최고 위층 인사.

bíg-léague *a.* 《美口》 (직업 분야에서) 최고위의.

bíg líe *n.* [the ~] 새빨간 거짓말 ; (정책 따위의) 허위 선전.

Bíg Lóok *n.* [때때로 b~ l~] 빅 룩《주름을 많이 넣어 강한 이미지를 나타내는 패션》.

Bíg Mác *n.* 《美口》 빅 맥. **1** 햄버거 레스토랑 연쇄점으로 유명한 McDonald's Corp.의 애칭. **2** McDonald 햄버거 연쇄점에서 파는 햄버거《상표명》. **3** 자치체 원조 공사(公社) (MAC).

bíg mán *n.* **1** 《美俗》 중요 인물, 명사 : ~ on campus 학교(學校)의 인기인(人) [히어로] 《略 B.M.O.C.》. **2** 《俗》 (마약의) 도매[중계] 상인.

bíg móment *n.* 《美俗》 애인, 연인.

bíg móuth *n.* 《俗》 재잘재잘[일방적으로] 잘 지껄이는 사람.

bíg-móuthed [-ðd, -θt] *a.* 입이 큰 ; 큰 목소리의 ; 자랑하는, 장담하는 ; 《俗》 재잘재잘[일방적으로] 잘 지껄이는.

bíg náme *n.* 《口》 널리 알려진 사람[것], 명사(名士), 유명인, 지명인, 중요 인물 ; 일류 배우[출연자].

bíg-nàme *a.* 《口》 유명[저명]한 ; 일류의 ; 유명한 인물[단체, 제품]과 관계있는 : a ~ ambassador 거물 대사.

bíg níckel *n.* 《美俗》 (내기에 건 돈) 5천 달러.

bíg nóise *n.* 《口》 명사, 거물, 유력자, 우두머리.

big·no·nia [bignóuniә] *n.* 〖植〗 능소화과의 각종 덩굴성 관목.

Bíg Óil *n.* (미국의) 거대 석유업계.

bíg òne *n.* 《美俗》 (내기에 건 돈) 1000달러, 천 달러 짜리 지폐 ; 대변(大便).

big·ot [bígәt] *n.* 고집통이, 괴팍한 사람. 〚F=Norman< ? 〛

bígot·ed *a.* 완고한, 편협한, 고집 불통의.

bígot·ry *n.* Ⓤ 완고한 신앙 ; 편협, 괴팍스러움.

bíg páy *n.* 《美》 고액의 봉급.

bíg pòt *n.* 《口》 큰[중요] 인물.

bíg rág *n.* 《美俗》 서커스의 큰 천막.

bíg ríg *n.* 더블 트레일러 트럭《트레일러를 두 대 연결한 트럭》.

Bíg Scíence *n.* 거대 과학《우주 개발·해양 개발 따위의 대규모의 투자를 요하는 과학》.

bíg scrèen *n.* 《口》 영화(관).

bíg shòt *n.* 《口·蔑》 거물, 중요 인물(fat cat).

bíg síster *n.* 큰 언니[누나] ; [때때로 B~ S~] (고아·불량 소녀 등을 선도하는) 언니 구실을 하는 여자.

Bíg Smóke *n.* [the ~] 《英俗》 런던의 속칭, 《美俗》 =PITTSBURGH ; [the b~ s~] 《濠》 대도시, 멜버른, 시드니.

bíg sólar *n.* 대규모 태양열 이용 계획.

bíg stíck *n.* (정치적·군사적인) 압력, 압박, 힘의 과시, 위압 ; 《俗》 (소방용의) 긴 사닥다리.

wield [***carry***] ***a big stick*** (***over. . .***) (…에게) 심하게 힘[권력]을 휘두르다.

bíg stíff *n.* 《俗》 형편없는 놈, 감당할 수 없는 놈.

bíg stínk *n.* 《美俗》 큰 스캔들, 대(大)소동, 절대 반대.

bíg tálk *n.* 《俗》 호언 장담, 허풍.

bíg tálker *n.* 《俗》 허풍선이.

Bíg Thrée *n.* [the ~] 3대 강국《미국·구소련·중국[전에는 영국]》.

bíg-tícket *a.* 《美口》 비싼 (가격표가 붙은).

bíg tíme *n.* [the ~] 《口》 최고 수준, 일류 ; 《美口》 하루 2회 흥행만으로 수지 맞는 연예 ; 유쾌한 시간 ; 메이저리그의 경기.
bíg-tìme *a.* 《俗》 일류의, 최고의.
bíg-time operátor *n.* 《美俗》 책략을 써서 큰일을 하려는 사람, 거물 ; (면학(勉學) 이외의 방면에서) 두드러진 놈 ; 바람둥이.
bíg-tìmer *n.* [the ~] 일류 배우[인물] ; 대실업가, 거물급 인사 ; 메이저리그의 선수 ; 《美俗》 직업 도박사.
bíg tóe *n.* 엄지 발가락(great toe).
bíg tóp *n.* 《口》 (서커스의) 큰 천막 지붕 ; [the ~] 서커스.
bíg trée *n.* 〖植〗 세쿼이아덴드론(=giant sequoia)《미국 California 주산(産)의 수령(樹齡)이 3000년에 이르는 거목 ; cf. REDWOOD》.
bíg whéel *n.* =FERRIS WHEEL ; 《俗》 =BIGWIG ; 《美俗》 (대학·학교의) 인기있는 사람.
bíg wíenie *n.* 《美俗》 =TOP DOG ; 음경(陰莖).
bíg·wìg *n.* 《口·蔑》 높은 양반, 실력자, 거물, 중요 인물.
bíg wín *n.* 《美俗》 뜻밖의 행운[성공].
bi·hóur·ly *a.* 두 시간마다의[일어나는].
bi·jec·tion [baijékʃən] *n.* 〖數〗 (사상(寫像)의) 전단사(全單寫). **bi·jéc·tive** *a.*
bi·jou [bíːʒuː, -ˊ] *n.* (*pl.* **~s, bi·joux** [-z]) 보석(jewel) ; 장식품 ; 작고 아름다운 것.
—— *a.* 작고 우아한, 주옥 같은.
〖F〗
bi·jou·te·rie [bi(ː)ʒúːtəriː] *n.* 보석류, 주옥 ; 작은 장식품 ; =BON MOT. 〖F (↑)〗
bi·ju·gate [báidʒugèit, baidʒúːgeit, -gət], **-ju·gous** [-gəs] *a.* 〖植〗 (우상(羽狀) 복엽이) 두 쌍의 작은 잎이 있는.
bik·a·thon [báikəθɑ̀n] *n.* 바이카손《WALKATHON의 자전거판》.
〖*bike*+mar*athon*〗
***bike**[1] [báik] 《口》 *n.*, *vi.* 자전거(로 가다) ; 모터바이크(를 타다).
〖*bicycle* ; cf. TRIKE〗
bike[2] *n.* 《스코》 (야생의) 벌집 ; (사람의) 무리.
〖ME<? ; cf. ON *bý* bee〗
bík·er *n.* **1** 《口》 =BICYCLIST. **2** 《美口》 (폭주족 등의) 오토바이[모터바이크] 타는 사람.
bíke·wày *n.* (공원 따위의) 자전거 (전용) 도로.
bik·ie [báiki] *n.* 《濠俗》 오토바이[모터바이크] 타는 사람[폭주족].
bík·ing *n.* =CYCLING.
Bi·ki·ni [bəkíːni] *n.* **1** 비키니《마셜 제도에 있는 환초(環礁) ; 미국의 원수폭 실험장(1946-58)》. **2** [b~] 여성용 수영복, 비키니.
bi·kí·nied *a.* 비키니를 입은.
Bikíni Státe *n.* 《CB俗》 Florida 주.
bi·lábial *a.* 〖音聲〗 두 입술의, 두 입술로 발음되는 ; 〖植〗 =BILABIATE. —— *n.* 양순음《[p, b, m] 따위》.
bi·lábiate *a.* 〖植〗 꽃부리가 두 입술 모양의.
bi·láteral *a.* 양측의[이 있는], 두 면이 있는 ; 좌우 동형의 ; 〖生〗 좌우 상칭(相稱)의, 대칭적인, 좌우가 균형이 잡힌 ; 〖法·商〗 쌍무적인 ; 〖社〗 (부모) 쌍계(雙系)의(cf. UNILATERAL) : a ~ contract[agreement] 쌍무 계약[협정]. —— *n.* 이자(二者) 회담[회의].
~·ly *adv.* **~·ness** *n.*
bi·láteral·ìsm *n.* 〖生〗 좌우 상칭(相稱) ; 〖法〗 쌍무(계약)제[주의].
biláteral núclear disármament *n.* 쌍무적 핵군축《다국간과 2국간의 것이 있음》.
Bil·bao [bilbɑ́ːou, -báu, -béi-] *n.* 빌바오《스페인 북부 도시로 Vizcaya 주(州)의 주도 ; 중세 이래로 도검 따위의 철제품 제조로 유명 ; 현재도 제철업이 왕성》.
bil·ber·ry [bílberi, -bəri] *n.* 〖植〗 월귤나무속(屬)의 일종 ; 그 열매.
〖Scand. ; cf. Dan. *böllebær*〗
bil·bo[1], **-boa** [bílbou] *n.* (*pl.* **-bo(e)s, -boas**) 《古》 빌보검《특히 스페인의 명검》. 〖BILBAO〗
bilbo[2] *n.* (*pl.* **~es**) [흔히 *pl.*] 빌보형 쇠차꼬《주로 배에서 사용》.
〖C16<? ; ↑에서인가〗
Bil·dungs·ro·man [*G* bíldʊŋsromaːn] *n.* (*pl.* **-ma·ne** [-nə], **~s**) 교양 소설《주인공의 인간 형성 과정을 다룸》.
bile [báil] *n.* Ⓤ 쓸개즙 ; 기분이 언짢음, 화.
rouse*[*stir*]** a person*'s* ***bile 남을 성나게 하다.
〖F<L *bilis*〗
bíle àcid *n.* 〖生化〗 빌산.
bíle dùct *n.* 〖解〗 쓸개관(管).
bíle·stòne *n.* Ⓤ,Ⓒ 담석(膽石)(gallstone).
bí-lével *a.*, *n.* 두 개의 평면을 가진 이층 구조의 (건물[차량]) ; 반(半)지하로 된 이층 건물.
bilge [bíldʒ] *n.* **1** 〖海〗 배 밑 만곡부 ; Ⓤ 배 밑바닥에 괸 더러운 물. **2** Ⓒ (통의) 중배. **3** Ⓤ 《口》 실없는 이야기[생각], 허튼 소리(nonsense) ; 웃음거리. —— *vt.*, *vi.* 〖海〗 (배 밑바닥에) 구멍을 뚫다 ; 구멍이 나다 ; 불룩하게 하다[되다] ; 《美俗》 낙제[퇴학]시키다.
bilge out 《美俗》 =FLUNK *out*.
〖? BULGE〗
bílge pùmp *n.* 〖海〗 빌지 펌프《배 밑바닥에 괸 물을 퍼내는 펌프》.
bílge wàter *n.* **1** 배 밑바닥에 괸 더러운 물 ; 《英俗》 싱거운 맥주. **2** 《口》 실없는 소리.
bílgy *a.* 해감내 나는, 퀴퀴한.
bil·har·zia [bilhɑ́ːrziə, -tsiə] *n.* 〖動〗 빌하르츠 주혈흡충(住血吸蟲) ; 〖醫〗 주혈흡충병. **-zi·al** *a.*
〖Theodor M. *Bilharz* (d. 1862) 독일의 의사·동물학자〗
bil·har·zi·a·sis [bìlhɑːrzáiəsəs, -tsái-], **-zi·o·sis** [bilhɑ̀ːrtsióu-, -zi-] *n.* (*pl.* **-ses** [-əsìːz, -óusiːz]) 〖醫〗 빌하르츠 주혈흡충병.
bil·i·ary [bílièri ; bíliəri] *a.* 쓸개즙(bile)[담관, 쓸개]의 ; 《古》 =BILIOUS. 〖F ; ⇨ BILE〗
bíliary cálculus *n.* 〖解〗 담석.
bi·línear *a.* 두줄의 선의 ; 〖數〗 쌍일차(雙一次)의.
bi·lin·gual [bailíŋgwəl] *a.* 2개 국어를 (자유로이) 말하는 ; 2개 국어를 병용하는. —— *n.* 2개 국어를 쓰는 사람 ; 2개 국어로 기록한 것. **~·ìsm** *n.* 2개 국어 병용. **~·ly** *adv.* **bì·lin·guál·i·ty** *n.*
〖L (*lingua* tongue)〗
bilíngual educátion *n.* 2개 언어 병용 교육《영어로 수업하는 학교에서 영어가 서투른 소수 민족 출신의 학생에게 그 모국어로 교육하는 제도》.
bi·lin·guist [bailíŋgwəst] *n.* 두 나라 말을 자유로이 구사하는 사람.
bil·ious [bíljəs, -liəs] *a.* **1** 담즙(성)의 ; 쓸개즙 이상(異狀)의[에 의한]. **2** 성마른, 까다로운 ; 매우 불쾌한. **~·ly** *adv.* **~·ness** *n.*
〖F<L ; ⇨ BILE〗
bil·i·ru·bin [bìlirúːbən, bài-, ˊ-ˋ-] *n.* 〖生化〗 빌리루빈《쓸개즙의 적황색 색소》.
bi·líteral *a.*, *n.* 두 글자의 (언어 요소), 두 글자를 쓰는.
-bility [bíləti] *n.* *suf.* -able, -ible, -uble로 끝나

는 형용사를 명사로 만듦 : a*bility*, possi*bility*, solu*bility*.

bil·i·ver·din [bilivə́ːrdən, ⌐-⌐] *n.* 〖生化〗 담록소(膽綠素).

bilk [bílk] *vt.* (계산·빚 따위를) 떼어먹다, 지급하지 않고 달아나다 ; (추적자 등)에게서 교묘하게 벗어나다, 따돌리다 ; (채권자를) 속이다, 사기치다 ; (기대 따위를) 망쳐놓다. —— *n.* 떼어먹기 ; 사기 ; 무전취식(無錢取食) ; 사기꾼.
〖? BALK ; 17세기 cribbage의 용어로 'spoil opponent's score'의 뜻〗

‡bill[1] [bíl] *n.* **1** Ⓒ 계산서(書), 청구서, 명세서 : a grocer's ~ 식료품점의 청구서 / collect a ~ 수금하다 / pay one's ~ 셈을 치르다 / run up ~*s* 지급할 돈이 밀리다. **2** 광고지[전단·포스터], 상연 프로그램, 흥행, 연예 : a theater[concert] ~ 연극[음악회]의 광고지 / post (up) a ~ 광고지를 붙이다 / Post No *B*~*s*. 《게시》 벽보를 붙이지 마시오. **3** 목록, 표 : a ~ of fare ☞ 숙어. **4** 〖商〗 증서, 증권 ; 《英》 환어음 : a long[short] (-dated) ~ 장[단]기 어음 / a ~ of debt 약속 어음 / a ~ of dishonor 부도 어음 / a ~ of sale 매도 증서 / a ~ payable[receivable] 지급[수취] 어음 / a ~ payable to bearer[order] 지참인[지시인] 지급 어음 / draw a ~ on a person 남에게 어음을 발행하다. **5** 《美》 지폐, 현찰(=《英》 note) (cf. BILLFOLD) : a ten-dollar ~ 10달러 짜리 지폐. **6** 〖議會〗 의안, 법안 : introduce a ~ 의안을 제출하다 / lay a ~ before Congress[Parliament, the Diet] 의회에 의안을 상정하다 / pass [reject] a ~ 법안을 가결[부결]하다(㊟ 가결되면 bill이 act(법령)가 됨). **7** 〖法〗 (기)소장, 조서 : ☞ TRUE BILL / ignore the ~ (대(大)배심이) 기소장을 부인[불기소]하다. **8** (세관의) 신고서 : a ~ of clearance 출항 증서 / a ~ of entry 통관 신고서, 입항 증서.
a bill in sets*＝*a set of bills 세트 어음.
a bill of exchange 환어음(《略 b.e》).
a bill of fare 식단표(menu) ; 《비유》 예정표, 프로그램.
a bill of health (승선자들의) 건강 증명서(《略 B/H》) : *a* clean ~ *of health* 건전 건강 증명서 ; 《口》 [일반적으로] 만족할 만한 보고(서) / *a* foul ~ (*of health*) 이환(罹患)증명서, 질병 유행지 출항 증명서.
a bill of lading (《略 B/L》) 선화 증권 ; 《美》 화물 인환증(=《英》 consignment note) : *a* clean ~ *of lading* 무사고[완전] 선화 증권.
bill at sight 일람[요구]불 (환)어음.
bill discount 할인 어음.
bill for acceptance 인수 청구 어음.
bill of credit 신용장.
bill of date 확정일부(日附) 어음 ; 장기 어음.
bill of exception 〖法〗 항고서.
bill of goods (대량) 주문[출하]품 ; 《美俗》 (상품·이야기의) 꿍꿍이속.
bill of parcels 소화물 매도증 ; 매도물 목록.
Bill of Rights 권리 장전.
bill of sight 가양륙(假揚陸) 신고서.
bill on demand 요구불 어음.
clean bill 보통 환어음.
fill the bill 《美》 요구를 채우다, 생각[요구·주문한]대로 되다 ; 《英》 (혼자서) 인기를 독점하다.
find a true bill ☞ TRUE BILL.
foot the bill 계산을 맡다[지급하다] ; 《비유》 책임을 떠맡다.
the bill of rights ☞ RIGHT *n.*
take up a bill 어음을 인수[지급]하다.

〈회화〉
Can you bring me the *bill*, please? — Certainly, sir. One hundred dollars in all. 「계산을 부탁합니다」「네, 알겠습니다. 전부 100달러입니다」

—— *vt.* **1** …에 계산서[청구서]를 보내다 ; 계산서에 기입하다. **2** [+目/+目+*to* do] 광고지[전단]로 광고하다 ; 프로그램을 짜다, …을 프로그램에 넣다, 프로그램을 발표하다 : He was ~*ed to* appear as Macbeth. 그가 맥베스로 분장한다고 프로그램에 나와 있었다. **3** …에 광고지[전단]를 붙이다. **4** …을 일람표로 만들다 ; …의 목록을 만들다.
〖AF＜L *bulla* seal, sealed document, BULL[2]〗

bill[2] *n.* **1** 부리(《특히 가늘고 평평한 약한 부리 ; cf. BEAK》) ; 부리 모양의 것 ; 《美口》 (사람의) 코. **2** 닻혀(fluke)의 앞쪽 끝. **3** (가늘고 긴) 곶(串) (promontory) : Portland *B*~ 포틀랜드 곶(《잉글랜드 남부 Dorsetshire에 있는 곶(串)》).
—— *vi.* (한 쌍의 비둘기가) 부리를 서로 맞대다 ; 애무(愛撫)하다.
bill and coo (연인들이) 서로 애정을 나타내다, 애무하며 사랑을 속삭이다.
〖OE *bile*＜? ; cf. ↓〗

bill[3] *n.* 갈고리 창(《중세 창의 일종》) ; 밀낫.
—— *vt.* 베다, 쳐서 자르다.
〖OE *bil* ; cf. G *Bille*〗

bill[4] *n.* (특히 bittern의) 울음소리. 〖BELL[2]〗

Bill *n.* 남자 이름(《William의 애칭》).

bil·la·bong [bíləbɔ̀(ː)ŋ, -bɑ̀ŋ] *n.* 《濠》 강의 분류.
〖(Austral.) *Billibang* Bell River (*billa* water)〗

bíll·bòard *n.* 《美》 광고 게시판(bulletin board) (=《英》 hoarding).

bíll bòok *n.* 어음 기록 장부.

bíll bròker *n.* 《英》 증권[어음] 매매[중개]인.

bíll·bùg *n.* 〖昆〗 바구미.

bíll collèctor *n.* 수금원.

bíll dìscounter *n.* 환어음 할인업자.

billd(s). billiards.

-billed [bíld] *a. comb. form* 「…의 부리(bill)가 있는」의 뜻.

bíll·er *n.* 청구서를 작성하는 사람[기계].

bil·let[1] [bílət] *n.* **1** 〖軍〗 (민가에 대한) 숙소 제공 명령서 ; (사병의) 숙사(《민가》) ; 《古》 짧은 편지 : Every bullet has its ~. 《속담》 총알에 맞고 안 맞고는 팔자 소관. **2** 지위(position) ; 일(자리), 직업(job).
—— *vt.* [+目+前+名] (사병들을) 숙소를 지정하여 숙박시키다 : The soldiers were ~*ed* ***on*** the villagers[***in*** the houses of the village]. 사병들은 촌락의 민가에 숙소를 배당받았다.
—— *vi.* 숙박하다.
〖AF (dim.) ‹ *billa* BILL[2]〗

billet[2] *n.* 나무 토막, 장작 ; 강철 조각 ; (마구(馬具)의) 가죽끈. 〖F (dim.) ‹ *bille* tree trunk〗

bil·let-doux [bílidúː, -lei-] *n.* (*pl.* **bil·lets-doux** [-*z*]) 연애 편지. 〖F=sweet note〗

bíll·fòld *n.* 《美》 지갑.

bíll·hèad *n.* (상호·주소 따위가 인쇄된) 청구서 [계산서] (용지).

bíll·hòok *n.* 밀낫(bill).

bil·liard [bíljərd] *a.* 당구(용(用))의.
—— *n.* 《美》 〖撞球〗 =CAROM.

bílliard grèen *n.* 짙은 황록색.

bílliard·ist *n.* 직업적으로 당구를 치는 사람.

bílliard màrker *n.* 당구의 점수 계산인.
bílliard ròom[**pàrlor, salòon**] *n.* 당구장.
bil·liards [bíljərdz] *n.* [단수 취급] 당구 : play ~ 당구를 치다 / have a game *at* ~ 당구를 (한 번) 치다. 〖F ; ⇨ BILLET²〗
bílliard tàble *n.* 당구대.
bil·li-bi [bì:libí:] *n.* 빌리비 수프《조개 수프에 백포도주·크림을 섞은 것》.
〖F (*Billy B.* ; William B. Leeds, Jr. (d. 1972) 특히 이것을 즐긴 미국의 실업가)〗
Bil·li·ken [bílikən] *n.* 빌리켄《행운의 신(神)의 좌상(坐像)》.
bíll·ing *n.* **1** (출연자가 광고지에 실리는) 차례, 서열, 순위표의 위치 ; 게시, 광고. **2** (연극 따위의) 흥행 광고. **3** (광고 회사의) 거래액 ; 청구서 작성[발송, 제시].
bílling machìne *n.* 자동 경리 사무 처리기.
Bil·lings·gate [bíliŋzgèit ; -gət] *n.* 빌링즈게이트《런던 최대의 어시장(魚市場) ; 말씨가 거칠기로 유명》; [b~] Ⓤ 난폭한[상스러운] 말, 욕지거리. 〖C17〗
***bil·lion** [bíljən] *n.* (*pl.* **~s**, (수 사 뒤) ~), *a.* 《英·獨·프》 1조(兆)(의)《million의 100만 배》; 《美》 10억(의)《million의 1000배》.
-lionth [-θ] *n., a.* 1조[10억]번째(의) ; 1조[10억]분의 1(의). 〖F (*bi*-¹, *million*)〗
bil·lion·aire [bìljənέər, -nǽər, ˌ--ˈ] *n.* 억만 장자. 〖*billion*+million*aire*〗
bíll of wórk *n.* 〖宇宙〗 작업 프로그램《특정 비행체의 정비 점검에 필요한 작업을 상술한 스케줄》.
bil·lon [bílən] *n.* 은[금]의 합금《화폐 주조용》; 그것으로 만든 경화.
bil·low [bílou] *n.* **1** 《文語》 큰 물결 ; 《詩》 파도 (wave) ; [the ~(s)] 바다. **2** 《비유》 소용돌이치는 것 : ~*s* of smoke 소용돌이치는 연기. —— *vi.* [動/+副+名] 큰 파도가 물결치다, 물결이 넘실거리다 ; 크게 굽이치다, 소용돌이치다 ; 부풀어 오르다 : The flames ~*ed* ***over*** the prairie. 불길이 물결치듯이 초원으로 번졌다. —— *vt.* 소용돌이 치게 하다.
bíl·lowy *a.* 놀치는, 물결이 높은, 소용돌이치는 ; 부풀어 오른. **bíl·low·i·ness** *n.*
〖ON *bylgja*＜Gmc.＝to swell〗
類義語 ⟹ WAVE.
bíll·pòst·er, bíll·stìck·er *n.* 광고지[전단] 붙이기[는 사람].
bil·ly¹ [bíli], **bílly·càn** *n.* (야외에서 쓰는) 양철[법랑] 그릇《주전자·요리용 또는 음식물을 나르는 데에도 씀》. 〖? (Austral.) *billa* water〗
billy² *n.* 곤봉 ; 《美》 (경찰관의) 경찰봉(警察棒) (truncheon) ; ＝BILLY GOAT.
Billy *n.* 남자 이름《William의 애칭》.
bílly·bòy *n.* 《英口》 (하천·연안용의) 큰 너벅선의 일종.
bílly·còck *n.* 《英》 중산 모자(＝《美》 derby (har)).
bílly gòat *n.* 《口》 숫염소(↔*nanny goat*).
〖BILLY〗
bílly-o(h) [-òu] *n.* [다음 숙어로]
like billy-o(h) 《英口》 맹렬히(fiercely), 마구. 〖C19＜?〗
bi·lóbate, -lóbated, -lóbed *a.* 〖植〗 이열편(二裂片)의, 두 가닥이 난.
bil·tong [bíltɔ̀(:)ŋ, -tɑ̀ŋ] *n.* 《南아》 육포, 건포(乾脯). 〖Afrik.〗
bim [bím] *n.* 《美俗》 여자 ; 헤픈 계집, 매춘부 ; 억센 사내 ; 시시한 놈.

B.I.M. British Institute of Management(영국경영 연구소).
bi·mane [báimein] *a., n.* 〖動〗 이수류(二手類)의 (동물).
bim·a·nous [bímənəs, baiméin-], **bim·a·nal** [-nəl] *a.* 〖動〗 이수(류)의, 손이 둘 있는.
bi·mánual *a.* 두 손을 쓰는.
bim·bo [bímbou] *n.* (*pl.* **~s**, **~es**) 《俗·蔑》 녀석 ; 계집 ; 화냥년.
bi·ménsal *a.* 격월의(bimonthly).
bi·mes·ter [baiméstər, ˈ--] *n.* 2개월 동안.
bi·mes·tri·al [baiméstriəl] *a.* 2개월마다의, 격월의, 2개월 동안 계속되는.
bi·métal *a.* ＝BIMETALLIC.
—— *n.* 바이메탈《(1) 두 가지 금속으로 된 물질(物質). (2) 열팽창 계수가 다른 두 종류의 금속을 맞붙인 판》.
bì·metállic *a.* 〖經〗 (금·은의) 복본위제(複本位制)의(cf. MONOMETALLIC) ; 두 가지의 금속을 쓰는. —— *n.* ＝BIMETAL.
bi·met·al·lism [baimétəlìzəm] *n.* Ⓤ 〖經〗 (금·은) 복본위제(cf. MONOMETALLISM), 복본위제론[주의]. **-list** *n.* 복본위제론자. 〖F〗
bi·míllenary [ˌ bàiməlén-], **bì·millénial** *n., a.* 2천년(동안)(의) ; 2천년 기념일[제](의).
bì·molécular *a.* 〖化〗 2분자의[로 된]. **~·ly** *adv.*
bi·mónth·ly *a., adv.* **1** 격월(隔月)의[로], 2개월마다(의). **2** 월 2회(의) (semimonthly).
—— *n.* 격월[월 2회]의 간행물.
bì·morphémic *a.* 두 개의 형태소에 관한[로 이루어지는].
bi·mótored *a.* 〖空〗 두 개의 발동기를 갖춘, 쌍발식(雙發式)의.
bin [bín] *n.* (뚜껑 달린) 큰 상자, 저장소《석탄·곡물 따위 저장용》; (지하실의) 포도주 저장소 ; 《英》 (hop용의) 즈크 자루 : ☞ DUSTBIN.
—— *vt.* (**-nn-**) bin에 넣다.
〖OE *binn* or L *benna*〗
bin- [báin, bín] *comb. form* 「이(二)」「양(兩)」의 뜻. 〖BI-¹〗
bi·nal [báinəl] *a.* 두 배[겹]의 ; 〖音聲〗 (음절이) 두 개의 고음부를 가진.
bi·na·ry [báinəri] *a.* 둘[쌍(雙)·복(複)]의(dual), 둘로 이루어진 ; 〖數〗 이진법의 ; 〖化〗 두 성분의, 이원(二元)의 ; 〖樂〗 2악절의[로 이루어진], 2박자의 ; 〖컴퓨〗 이진(법)의, 이진수의 ; 〖言〗 2항으로 된, 2항 대립의 : ~ measure 〖樂〗 2박자. —— *n.* **1** 이원체(二元體), 이연체(二連體) ; 이진수. **2** ＝BINARY STAR ; ＝BINARY WEAPON.
〖L (*bini* two together)〗
bínary céll *n.* 〖컴퓨〗 이진 소자(素子).
bínary chòp *n.* 〖컴퓨〗 2분할법《전(全) 데이터를 하나하나 체크하는 대신 목적하는 데이터의 위치를 판정하면서 지정된 항목을 검출함》.
bínary códe *n.* 〖컴퓨〗 바이너리 코드, 이진 코드[부호].
bínary-còded décimal *n.* 〖컴퓨〗 이진화 십진수《십진수의 각 자리를 각기 4비트의 이진수로 나타낸 것 ; 略 BCD》: ~ character 이진화 십진 문자 코드 / ~ notation 이진화 십진법.
bínary dígit *n.* 〖컴퓨〗 이진 숫자, 이진수《두 개의 값, 0 및 1을 이용한 코드 ; cf. BIT⁴》.
bínary nérve gàs *n.* ＝BINARY WEAPON.
bínary notátion[**scále**] *n.* [the ~] 〖數〗 이진 표기법, 이진법.
bínary séarch *n.* 〖컴퓨〗 이진 탐색(dichotomizing search)《한 군의 항목을 두 부분으로 나누어

목적하는 항목이 어느 부분에 있는가를 판정하는 것을 그때 그때마다 되풀이하는 절차》.

bínary stár *n.* 〔天〕 연성(連星)《공통되는 중심(重心)의 둘레를 공전함》.

bínary sýnchronous communicátions *n. pl.* 〔通信〕 이진 데이터 동기(同期) 통신《이진 부호화 데이터를 동기 전송하기 위해 소정의 제어 문자 및 제어 문자 시퀀스를 쓴 전송 방식; 略 BSC, BISYNC》.

bínary sýnchronous transmìssion *n.* 〔通信〕 이진 데이터 동기 전송(cf. BINARY SYNCHRONOUS COMMUNICATION).

bínary sỳstem *n.* 〔天〕 연성계(連星系); 〔理·化〕 2성분계(二成分系), 2원계(二元系); [the ~] =BINARY NOTATION.

bínary wéapon *n.* 바이너리 무기(binary nerve gas)《발사시에 비교적 독성이 낮은 가스를 화학 반응을 시켜 치사(致死) 가스로 바꾸는 방식의 무기》.

bi·nate [báineit] *a.* (잎이) 쌍생(雙生)의.

bin·au·ral [bainɔ́:rəl, bin-] *a.* 귀가 둘 있는; 두 귀(용)의; 입체 음향[방송]의(cf. MONAURAL, STEREOPHONIC).

‡bind [báind] *v.* (**bound** [báund]) *vt.* **1** [+目/+目+前+名/+目+副] 묶다, 매다(tie), 동이다; 꽁꽁 묶다, 결박하다: They *bound* the prisoner's hands behind him. 그들은 죄수 손을 뒤로 꽁꽁 묶었다 / ~ a person hand and foot 손발을 묶다 / She was *bound* by a spell. 그녀는 주문에 걸려 있었다 / We are *bound* ***to*** each other by a close friendship. 《비유》 우리들은 서로가 깊은 우정으로 굳게 결속되어 있다 / She *bound* the package ***with*** a bright ribbon. 그녀는 소포를 예쁜 빛깔의 리본으로 동여매었다 / The burglar *bound* the shopman's legs *together*. 강도는 점원의 두 다리를 결박하였다.
2 [+目/+目+副/+目+前+名] …을 싸다; (붕대로) 감다: ~ ***up*** a wound 상처를 붕대로 감다 / She had her head *bound up* ***in*** a handkerchief. 그녀는 머리를 손수건으로 감고 있었다.
3 a) [때때로 수동태로] [+目+*to* do /+目+前+名] 속박하다, …을 얽매다, …에게 의무를 지우다(cf. BOUND[1] 2 a)): I *am* not *bound to* please you with my answers. 당신 마음에 들 대답을 해야 한다는 의무는 없다 / I *was in* duty *bound to* obey him. 나는 그에게 복종할 의무가 있었다 / He *was bound* ***to*** secrecy. 그는 비밀을 지킬 의무가 있었다. **b**) [+目+補/+目+*as* 補/+目+*to* do/+目+副] 도제(살이)로 보내다, …에 (견습생으로서의) 계약을 맺게 하다: He was *bound* (*as* an) apprentice to[*bound* ***out*** *to* be] a carpenter. 그는 목수에게[가 되기 위해] 기한[조건]부 도제로 가게 되었다.
4 (동맹·계약 따위를) 맺다, 체결[인가]하다.
5 (…에 가장자리를) 대다: ~ (the edge of) a carpet (풀어지지 않도록) 융단의 가장자리를 감치다.
6 [+目/+目+前+名/+目+副] (책·원고 따위를) 제본하다, (책을) 장정하다: The book is *bound* ***in*** leather[cloth, paper]. 그 책은 가죽[천·종이]으로 장정되었다(cf. PAPERBOUND) / They *bound* ***up*** two volumes ***into*** one. 그들은 두권의 책을 한권으로 제본[합본]했다.
7 a) (얼음·눈 따위가) (뒤)덮다, 얼어붙다: The lake was ice*bound*. 호수는 온통 얼어붙어 있었다. **b**) [+目/+目+前+名/+目+副] (시멘트로) 굳히다: ~ stones *together* ***with*** cement 돌을 시멘트로 굳히다. **c**) 변비(便祕)를 일으키다 (constipate): food that ~*s* the bowels 변비를 일으키는 음식.
8 (옷이) …에게 꼭 끼다.
9 《英俗》 진력나게 하다.
—— *vi.* **1** 묶다, 다발[단]로 묶다[짓다]. **2** 구속력이 있다. **3** (눈·흙이) 굳어지다; 변비가 생기다: Clay ~*s* when it is baked. 점토는 구우면 굳어진다. **4** 제본되다: The new impression is ~*ing*. 새로 인쇄된 것은 지금 제본중이다. **5** (옷 따위가) 꼭 끼다.
bind one***self to*** do …하기를 맹세[계약·보증]하다: I *bound* my*self to* deliver the goods by the end of this week. 나는 물건을 금주말까지 꼭 인도하겠다고 약속했다.
bind a person ***over*** 남에게 법률상의 의무를 지우다, (…할 것을) 법으로 맹세시키다: He was *bound over to* keep the peace[*to* good behavior]. (법정에서) 그는 공안을 유지할 것을[품행을 단정히 할 것을] 서약했다.
—— *n.* **1** 묶는[동여매는] 것, 끈, 줄, 실; 붕대. **2** (탄층 사이의) 경화점토(硬化粘土). **3** 〔樂〕 붙임줄. **4** 《英俗》 지겨운 일.
〖OE *bindan*; cf. G *binden*〗
類義語 ⟹ FASTEN.

bínd·er *n.* **1** 묶는[동여매는] 사람; 제본사, 제책인. **2** 동여매는 것; 실, 끈; 붕대, (산후의) 복대(腹帶); (책의) 접어 넣는 표지, 철하는 데 쓰는 띠지. **3** 결속기(結束機); (재봉틀의) 휘갑치는 기구. **4** 〔法·保險〕 가계약, 구두 약속. **5** 〔化〕 접합제, 고착제. **6** 〔石工〕 이음돌.

bínd·ery *n.* 《美》 제본소(bookbindery).

bínd-in càrd [báindən-] *n.* (잡지 따위의) 끼워 철한 엽서.

bínd·ing *a.* **1** 구속력이 있는, 강제적인, 의무적인: The agreement is ~ (*up*) *on* all parties. 그 계약은 당사자 모두가 이행해야 할 것이다. **2** 묶는, 접합[결합]하는, 잇는. **3** (음식·약 따위가) 변비를 일으키는. —— *n.* **1** 묶기, 잡아매기; 속박. **2** 묶는 것, 끈; 붕대. **3** U.C 제본, 장정, 철(綴), (책의) 표지: books *in* leather ~*s* 가죽 표지 장정의 책. **4** U (의류 따위의) 가장자리[옷깃]를 휘갑치는 재료. **5** (구두에 스키를 고정시키는) 바인딩. **~·ly** *adv.* 구속적으로, 속박하여.

bínding àgent *n.* 접합[접착]제(劑).

bínding ènergy *n.* 〔理〕 결합 에너지《분자·원자(핵) 따위의 분할에 필요한 에너지》.

bínding scrèw *n.* 멈춤나사.

bin·dle [bíndəl] *n.* 《美俗》 부랑자의 의류·침구 꾸러미; 아편·코카인의 한 봉지.

bíndle stìff *n.* 《口》 계절 노동자, 떠돌이 노동자; 방랑자, 거지.

bínd·wèed *n.* 〔植〕 메꽃; 서양엉거시.

bine [báin] *n.* **1** (식물의) 덩굴; (특히) HOP의 덩굴. **2** =WOODBINE.
〖BIND의 방언형(方言形)〗

Bi·nét(-Sí·mon) tèst[scàle] [binéi (simɔ̃ [sáimən])-] *n.* 〔心〕 비네-시몽식 지능검사《아동 지능 검사법》.
〖Alfred *Binet* (d. 1911), Théodore *Simon* (d. 1961) 프랑스의 심리학자〗

binge [bíndʒ] *n.* 《口》 술잔치, 진탕 떠들기; (야단) 법석, 대소동; 열중하여 무엇을 하기.
〖*binge* (dial.) to soak〗

bin·gee, bin·g(e)y [bíndʒi] *n.* 《濠口》 위, 배.

bínge èating *n.* 과식증.

bínge-pùrge sỳndrome *n.* [the ~] 식욕 이

상 항진증, 대식증(bulimia).

bin·gle[1] [bíŋgəl] *n.* 치켜 깎은 단발(머리)《bob와 shingle과의 중간》.

bingle[2] *n.*, *vi.* 《野俗》 안타(를 치다). 〖C20 < ?〗

bin·go [bíŋgou] *n.* (*pl.* **~s**) Ⓤ 빙고《숫자를 적은 카드를 써서 복권식으로 하는 놀이 ; cf. JACKPOT》; 축제 소동.
Bingo ! 《口》 이겼다.
〖승자의 환성에서인가〗

bíngo bòy *n.* 《美俗》 술 취한 사람, 술주정꾼.

bíngo càrd *n.* = READER'S SERVICE CARD.

bin·na·cle [bínəkəl] *n.* 〖海〗 나침의함(羅針儀函). 〖Sp. or Port. < L *habitaculum* lodge〗

bin·ocs [bənάks] *n. pl.* 《口》 쌍안경(binoculars).

bin·oc·u·lar [bainάkjələr, bə-] *a.* 두 눈으로 쓰는 ; 쌍안용(雙眼用)의 : a ~ telescope[microscope] 쌍안 망원[현미]경. ── *n.* [보통 *pl.*로 단수취급도 함] 쌍안경 : a pair of ~*s* 쌍안경 한 개 / a six-power ~ 배율 6배의 쌍안경.
bin·òc·u·lár·i·ty [-lǽr-] *n.* **~·ly** *adv.*
〖*bin-*〗

bi·no·mi·al [bainóumiəl] *n.*, *a.* 〖數〗 이항식(二項式)(의) ; 〖生〗 이명식(二名式)(의) : the ~ theorem 이항 정리 / ~ distribution 〖統〗 2항 분포 / ~ nomenclature 〖生〗 이명법《생물을 속(屬)·종(種)의 이명(二名)으로 나타내는 방식》.
~·ly *adv.*
〖F or NL (Gk. *nomos* part ; ⇨ NOMINAL)〗

binómial coeffícient *n.* 〖數〗 이항 계수.

bi·nóminal *a.* = BINOMIAL.

bi·núclear, -núcleate, -núcleated *a.* (세포가) 핵이 둘 있는[인].

binúclear fàmily *n.* 이중[복합] 핵가족《이혼한 부부가 각기 재혼하여 한 집이나 이웃에 사는》.

bio [báiou] *n.* (*pl.* **bí·os**) 《口》 전기(biography), (특히 연감(年鑑)·선전 기사 따위에서의) 인물 소개, 약력.

bio- [báiou, báiə] ☞ BI-².

bìo·accóustics *n.* 생체 음향학《생체가 내는 음향과 생체와의 관계를 다룸》.
-accóustic, -tical *a.*

bìo·actívity *n.* (약품 따위의) 대(對)생물 작용[활성]. **bìo·áctive** *a.* 생물[생체]에 영향[작용]을 미치는.

bìo·assáy *n.* 〖生〗 생물학적 정량(定量), 생물(학적) 검정(법). ── [, -ǽsei] *vt.* …에 생물 검정을 하다.

bìo·astronáutics *n.* 우주 생리학[생물학].

bìo·autógraphy *n.* 〖生化〗 바이오오토그래피《크로마토그래피 조작과 생물 검정을 맞추어서 하는 검정》. **-áuto·gràph** *n.* **-àu·to·gráph·ic** *a.*

bìo·avàil·abílity *n.* (약물의) 생물학적 이용 효능[이용율].

bío·blàst *n.* 〖生〗 원형 세포, 비오블라스트《원형질 속의 알트만 입자》.

bìo·ce·nól·o·gy, -coe- [-sənάlədʒi] *n.* Ⓤ 생물[군집] 생태학.

bìo·ce·nóse, -coe- [-si:nóus] *n.* = BIOCENOSIS.

bìo·ce·nó·sis, -coe- [-sənóusəs] *n.* (*pl.* **-ses** [-si:z]) 〖生態〗 생물군집[공동체].
-ce·nót·ic, -coe- [-nάt-] *a.*

biochem. biochemistry.

bìo·chémical, -chémic *a.* 생화학의, 생화학적인. ── *n.* [-cal] 생화학 제품[약품].
-ical·ly *adv.*

biochémical óxygen demànd *n.* 생화학적 산소 요구량(biological oxygen demand)《물의 오염도를 나타내는 수치 ; 略 BOD》.

bìo·chémistry *n.* Ⓤ 생화학 ; 생화학적 조성(組成)[특징]. **-chémist** *n.* 생화학자.

bío·chìp *n.* 바이오칩《(1) 생체에 심어 넣는 실리콘 집적회로 소자. (2) 생물화학 소자》.

bío·cìde *n.* 생명 파괴제, 살생물제《생물에 유해한 화학물질》; 생명의 파괴.
bìo·cídal *a.* 생명파괴[살균]성의.

bío·clèan *a.* 무균(無菌)(상태)의 : a ~ room 무균실.

bìo·climátic *a.* 생물 기후학적인[의].

bìo·climatólogy *n.* Ⓤ 생물 기후학.

bìo·compátible *a.* 생물학적 적합(성)의《거부 반응 따위를 일으키지 않는》.

biocompátible métal *n.* 생체용 금속 재료.

bío·compùter *n.* 〖컴퓨〗 바이오 컴퓨터《인간의 뇌·신경에 가까운 성능의 분자 전자 장치를 이용한 컴퓨터》.

bìo·concentrátion *n.* 생물농축《생물이 원소나 화합물을 생활환경 속의 농도보다 고농도로 체내에 축적하는 것》.

bìo·convérsion *n.* (생물 이용에 의한 폐기물 따위의) 생물(학적) 변환.

bío·cràt *n.* 생물 과학자[전문가·기사].

bìo·crítical *a.* (작가 등의) 생활(과 작품) 연구의.

bìo·cybernétics *n.* 바이오사이버네틱스《생물학에 사이버네틱스를 응용하는 연구》.

bìo·degrádable *a.* 미생물에 의해 무해한 물질로 분해할 수 있는, 생물 분해성의 : ~ detergents 생물 분해성 세제.
-de·gràd·abíl·i·ty *n.* 생물 분해성.

bìo·degráde *vt.* 세제 따위를 (미생물에 의해) 생물 분해하다. **-degradátion** *n.*

bìo·deteriorátion *n.* 생물 열화(劣化)《균류 따위의 생물에 의해 목재 따위의 재료가 열화 또는 변질되는 것》.

bìo·dynámic, -ical *a.* 생물[생체] 역학의.

bìo·dynámics *n.* 생물[생체] 역학.

bìo·ecólogy *n.* Ⓤ 생물생태학《생물 군집을 다룸》. **-gist** *n.* **-ecológical** *a.*

bìo·eléctric, -cal *a.* 생물 조직의 전기 에너지의[에 관한], 생체[생물]전기의.
bìo·electrícity *n.* 생체[생물] 전기.

bìo·elèctro·magnétics *n.* 생체(生體) 전자기학(學).

bìo·electrónic éar *n.* 생체 전자귀《심한 청각 장애자를 위한 신형 보청기》.

bìo·electrónics *n.* 생체(生體) 전자 공학, 생체 전자론[학].

bìo·energétics *n.* 생물 에너지학[론] ; 〖醫〗 생체 에너지 요법.

bìo·énergy *n.* 생물 에너지《생물체 연료에서 얻는 에너지》.

bìo·enginéer·ing *n.* Ⓤ 생의학 공학(biomedical engineering) ; 생체 공학.

bìo·environméntal *a.* 생물 환경에 관한《생물의 환경과 그 중의 유해 인자에 대한》.

bìo·equívalence *n.* 〖藥〗 생물학적 등가성(等價性)《같은 조건에서 같은 양의 약제를 투여할 때 흡수·배설 따위에 차이가 없음》.

bìo·éthics *n.* 〖生〗 생명 윤리(학)《생물학·의학의 발달에 의한 윤리 문제를 다룸》.
-éthical *a.* **-éthicist** *n.*

bìo·féed·bàck *n.* Ⓤ 〖醫〗 생체 자기(自己) 제어, 바이오피드백《뇌파계에 의지하여 알파파(波)를 조절, 안정된 정신 상태를 얻는 방법》.

biofeedback tràining *n.* 바이오피드백 훈련《略 BFT》.

bío·fùel *n.* 생물[화석] 연료《석탄 따위》.

biog. biographer ; biographic ; biography.

bío·gàs *n.* 생물 가스《미생물의 작용으로 유기 폐기물에서 생기는 메탄과 이산화탄소의 혼합기체》.
bìo·gasificátion *n.* 생물 가스화(化).

bìo·génesis *n.* 속생설(續生說), 생물 발생설《생물은 생물에서만 생김 ; cf. ABIOGENESIS》; 생물발생 ; =BIOSYNTHESIS.
-genétic, -ical *a.* **-i·cal·ly** *adv.*

bìo·génic *a.* 생물 기원의 ; 유기물에 의해 생긴 ; 생명 유지에 불가결한.

bi·og·e·nous [baiádʒənəs] *a.* 생물에 기원[기생]하는 ; 생명을 만드는, 생명 창조의.

bio·geo·ce·nol·o·gy, -coe- [bàioudʒì:ousənálədʒi] *n.* 생태계 연구.

bio·geo·ce·nose, -coe- [bàioudʒì:ousənóuz, -s] *n.* =BIOGEOCENOSIS.

bio·geo·ce·no·sis, -coe- [bàioudʒì:ousənóusəs] *n.* (*pl.* **-ses** [-si:z]) 생태계(ecosystem).
-ce·nót·ic, -coe- [-nát-] *a.*

bìo·geógraphy *n.* Ⓤ 생물 지리학.
bìo·geográphical, -ic *a.*

bío·gràph *n.* 전기(傳記), 약전(略傳) ; [B~] 바이오그래프《초기의 영화 촬영기[영사기] ; 상표명》. —— *vt.* …의 전기[약전]를 쓰다.

bi·og·ra·phee [baiágrəfí:, bi-] *n.* 전기(傳記)의 주인공.

bi·og·ra·pher [baiágrəfər, bi-] *n.* 전기 작가.

bio·graph·ic, -i·cal [bàiəgrǽfik(əl)] *a.* 전기의, 전기적인 : a *biographical* sketch 약전 / a *biographical* dictionary 인명 사전.
-i·cal·ly *adv.* 전기식으로 ; 전기상(傳記上).

***bi·og·ra·phy** [baiágrəfi, bi-] *n.* Ⓒ 전기(傳記), 일대기, …전 ; Ⓤ 전기 문학.
〖F or NL<Gk. (*bio-*)〗

bìo·házard *n.* 생물학적 위험《사람과 그 환경에 대하여 위험이 되는 생물학적 물질·상황》.
-házard·ous *a.*

bìo·instrumentátion *n.* 생물 측정기《우주비행사 등의 생리에 관한 데이터를 기록·전달하는 기기》; 생물 측정기의 개발과 사용.

biol. biologic(al) ; biologist ; biology.

bio·log·ic, -i·cal [bàiəládʒik(əl)] *a.* 생물학(상)의 ; 응용 생물학의. —— *n.* 〖藥〗 생물학적 약제《혈청·백신 따위》. **-i·cal·ly** *adv.*

biológical chémistry *n.* 생물화학.

biológical clóck *n.* (생물의) 생체[체내] 시계.

biológical commùnity *n.* 〖生態〗 (생물) 군집《한 지역간의 생물이 서로 작용하며 그 환경 조건에 규정된 생활을 하는 집합체》.

biológical contàinment *n.* 〖生〗 생물적 봉쇄《유전자 변조 결합 실험에서 보통 환경에서는 생존하지 못하는 숙주(宿主)를 쓰는 격리 방법》.

biológical contról *n.* 〖生態〗 생물적 방제(防除)《유해 생물의 밀도를 천적의 도입과 같은 비화학적 수단으로 억제하는 일》.

biológical convérsion *n.* 〖生〗 생물적 변환《생물[주로 미생물]을 써서 어떤 화합물을 다른 화합물로 변화시키는 일》.

biológical enginéering *n.* 생물 공학(工學).

biológical hálf-lìfe *n.* 생물학적 반감기.

biológical magnificátion *n.* =BIOMAGNIFICATION.

biológical matérials ànalyzer *n.* 생체물질 분석 장치.

biológical oceanógraphy *n.* 해양 생물학.

biológical óxygen demànd *n.* 〖生態〗 생물학적 산소 요구량(biochemical oxygen demand)《略 BOD》.

biológical pésticide *n.* 생물 농약.

biológical productívity *n.* 생물 생산력《일정 시간내에 생물이 합성하는 유기물량》.

biológical respónse mòdifier *n.* 면역 응답 물질《略 BRM》.

biológical wárfare *n.* 생물학전, 세균전.

***bi·ol·o·gy** [baiálədʒi] *n.* Ⓤ **1** 생물학 ; 생태학(ecology) ; Ⓒ 생물학 서적. **2** [the ~] (어느 지역·환경의) 동식물(상) ; 생태.
-gist *n.* 생물학자. 〖F<G (*bio-*)〗

bìo·luminéscence *n.* Ⓤ 〖生〗 (개똥벌레·균류·심해어 따위의) 생물 발광(發光).
-cent *a.*

bi·ol·y·sis [baiáləsəs] *n.* Ⓤ 〖生〗 생물 분해《생체의 죽음과 붕괴 ; 세균 따위에 의한 유기물의 분해》. **bi·o·lyt·ic** [bàiəlítik] *a.*

bìo·magnificátion *n.* (생태계의 먹이 연쇄에서의) 생물학적 (독물) 농축.

bío·màss *n.* 〖生態〗 생물량, 생체량《한 지역내의 단위 넓이[부피]당 현존하는 생물의 총량》; 바이오매스《열자원으로서의 식물체 및 동물 폐기물》.

bíomass fùel *n.* 바이오매스 연료《생물 배설물에서 생기는 메탄·수소로 된 합성 연료》.

bìo·matérial *n.* 〖醫·齒〗 생체 조직에 닿는 부위의 보철에 쓰이는 물질, 생체 적합 물질[재료].

bìo·mathemátics *n.* 생물 수학《생물 현상에의 수학의 응용》.
-mathematícian *n.*

bi·ome [báioum] *n.* 〖生態〗 생물 군계(群系)(biotic formation), 생활 구역.

bìo·mechánics *n.* 생체[생물] 역학.
bìo·mechánical *a.*

bìo·médical *a.* 생물 의학의.

biomédical enginéering *n.* 생물 의학 공학, =BIOENGINEERING.

bìo·médicine *n.* Ⓤ 생리학·생화학에 의거한 임상의학, 생물 의학《특히 환경에 대한 생존 능력을 취급함》.

bìo·meteorólogy *n.* 생기상학《생물과 기상의 관계를 다룸》.

bio·met·ric, -ri·cal [bàiəmétrik(əl)] *a.* 생물 측정(학)의 ; 수명 측정(법)의.
-ri·cal·ly *adv.*

bi·om·e·try [baiámətri], **bio·met·rics** [bàiəmétriks] *n.* 생물 측정[통계]학 ; 수명(壽命) 측정(법).

bìo·moléculer *a.* (생물체내의) 생체(고)분자의.

bìo·mólecule *n.* 생체분자(分子)《바이러스처럼 생명 있음》.

bío·mòrph *n.* 바이오모프《생물을 나타낸 장식 형태》. **bìo·mórphic** *a.* **bìo·mórphism** *n.* (미술에서의) 생체표현[묘사].

bi·on·ic [baiánik] *a.* **1** 생체[생물] 공학적인 ; (SF에서) 신체 기능을 기계적으로 강화한. **2** 《口》 초인적인 힘을 지닌, 정력적이고 억센 ; 수준 이상의, 우수한.

bi·ón·ics *n.* 생체[생물] 공학.
bi·ón·i·cist *n.*

bi·o·nom·ics [bàiənámiks] *n.* [단수·복수 취급] 생활지(誌), 생태학. **-nóm·ic, -i·cal** *a.*

bi·on·o·my [baiánəmi] *n.* Ⓤ 생명학 ; 생태학.

bi·ont [báiɑnt] *n.* 〖生〗 생리적 개체.

-bi·ont [báiɑnt] *n.* *comb. form* 「(특정한) 생활

방식을 가진 것」의 뜻 : haplo*biont* 단상(單相) 식물. 〚G<Gk.〛
bìo·orgánic *a.* 생물 유기 화학의.
bìo·pharmacéutics *n.* 생물 약제학.
-céutical *a.*
bìo·phýsics *n.* 생물 물리학.
-phýsical *a.* **-phýsicist** *n.*
bío·pìc *n.* 《口》 전기(傳記)영화.
bío·plàsm *n.* 〖生〗 원형질(原形質).
bío·plàst *n.* 〖生〗 원생체, 원형질 세포.
bìo·pólymer *n.* 〖生化〗 생물 고분자 물질《단백질·다당류 따위》.
bi·op·sy [báiɑpsi] *n.* 〖醫〗 생체 검사(법)《생체 조직의 현미경 검사》.
—— *vt.* …에 생체 검사를 실시하다.
〚F ; ⇨ BIO-, OPTIC ; *necropsy* 따위에 준한 것〛
bìo·rátional *n.* [때때로 *pl.*] 〖藥〗 생물학적 합리 살충제《식물에는 영향이 없이 해충만을 살충》.
—— *a.* 생물학적으로 합리성 있는.
bìo·reáctor *n.* 바이오리액터, 생물 반응기(器).
bìo·reséarch *n.* 생물 과학 연구.
bìo·rheólogy *n.* 생체 유동학.
bìo·rhýthm *n.* 생체[생물] 리듬, 바이오리듬《생체가 가지는 주기성》.
-rhýthmic *a.* **-rhythmícity** *n.*
bìo·sátellite *n.* 생물 위성《사람·동식물을 탑재하는 위성 ; 略 BIOS》.
bìo·scíence *n.* Ⓤ 생물 과학, 생명 과학, 생물학. **-scientífic** *a.* **-scíentist** *n.*
bío·scòpe *n.* (초기의) 영사기.
bi·os·co·py [baiɑ́skəpi] *n.* 〖醫〗 생사(生死) 반응 검사.
bío·sènsor *n.* 생체 감응 장치《우주 비행사 등의 생리학적 데이터를 계측·전달하는 장치》.
bío·shìeld *n.* 생물체 차폐(遮蔽)장치《발사전 살균 작업 후, 우주선을 생물체로부터 차폐·격리하는 장치》.
-bi·o·sis [baióusəs, bi-] *n. comb. form* (*pl.* **-ses** [-si:z]) 「(특정한) 생활 방식」의 뜻.
〚NL ; ⇨ BIO-, -OSIS〛
bìo·sónar *n.* 〖生〗 바이오소나《동물에게 있는 음파 탐지 장치》.
bìo·speleólogy *n.* 동굴 생물학.
bío·sphère *n.* 〖生態〗 생물권(圈).
〚G〛
bìo·státics *n.* 생물 정역학(生物靜力學)(↔ *biodynamics*).
bìo·statístics *n.* 생물 통계학.
-statístical *a.* **-statistícian** *n.*
bìo·sýnthesis *n.* Ⓤ 〖生化〗 생합성.
-synthétic *a.* **-i·cal·ly** *adv.*
B.I.O.T. British Indian Ocean Territory.
bi·o·ta [baióutə] *n.* 〖生態〗 생물(종류)상(相).
bìo·technólogy *n.* Ⓤ 생물 공학.
-technológical *a.* **-gist** *n.*
bìo·telémetry *n.* Ⓤ 〖宇宙〗 (동물[사람]의 위치·행동·생리 상태 따위의) 생물 원격 측정법.
-telemétric *a.*
bìo·thérapy *n.* 〖醫〗 생물(학적) 요법《생물체에서 얻는 혈청·백신·페니실린 따위에 의한 요법》.
bi·ot·ic, -i·cal [baiɑ́tik(əl)] *a.* 생명의, 생명에 관한 ; 생물의. 〚F or L<Gk. (*bios* life)〛
-bi·ot·ic [baiɑ́tik, bi-] *a. comb. form* 「(특정한) 생활 방식을 가진」의 뜻. 〚↑〛
biótic formátion *n.* 〖生態〗 생물 군계(群系).
bi·o·tin [báiətən] *n.* 비오틴《비타민 B 복합체 중의 하나 ; 비타민 H》.
bi·o·tite [báiətàit] *n.* 〖鑛〗 흑(黑)운모.
bì·o·tít·ic [-tít-] *a.*
〚G ; Jean B. *Biot* (d. 1862) 프랑스의 수학·물리학자〛
bio·tope [báiətòup] *n.* 〖生態〗 소(小)생활권.
bìo·tóxic *a.* 생물독의, 생체 독소(毒素)의.
bìo·tóxicology *n.* 생체 독소학.
bío·tròn *n.* 바이오트론《환경 조건을 인위적으로 조작하고 생물연구를 하는 실험 장치》.
bío·tỳpe *n.* 〖生〗 생물형《동일 유전자형을 지닌 개체군 ; 그 유전자형》.
-typ·ic [bàiətípik] *a.*
bi·óvular *a.* 〖生〗 이란성(二卵性)의 ; 이란성 쌍생아에 특유한(cf. MONOVULAR).
bìo·wárfare *n.* 〖軍〗 생물 전쟁, 세균전.
bì·paréntal *a.* 양친의[에 관한, 에게서 얻은].
~·ly *adv.*
bip·a·rous [bípərəs] *a.* 〖動〗 한번에 두 마리를 낳는 ; 〖植〗 쌍가지의 ; 두 축(軸)이 있는.
bi·pártisan, -zan *a.* 두 정당(연립)의 ; 《美》 (민주·공화) 양당 제휴의, 초당파적인《외교 정책 따위》 : ~ diplomacy 초당파적 외교.
~·shìp *n.* 초당파적 제휴. **~·ìsm** *n.*
bi·par·tite [baipɑ́:rtait] *a.* 두 통 작성한《조약서 따위》 ; 〖植〗 두 갈래로 나누어진《잎 따위》, 두 부분으로 이루어진 ; 양자가 분담하는, 협동의 : a ~ pact 상호 협정. **~·ly** *adv.*
〚L *bipartio* to divide into two parts〛
bi·par·ti·tion [bàipɑ:rtíʃən] *n.* 두통 작성 ; 〖植〗 이열(裂).
bí·pàrty *a.* 두 당(파) 연합의, 두 당의.
bí·pèd *a.* 두 발의, 두발이 있는.
—— *n.* 두발 동물. 〚L ; ⇨ PEDAL〛
bí·pèdal *a.* =BIPED.
bi·pétal·ous *a.* 〖植〗 꽃잎이 둘 있는.
bi·phényl *n.* 〖化〗 비페닐.
bi·pínnate *a.* 〖植〗 (잎이) 겹깃꼴의, 재(再)우상의. **~·ly** *adv.*
bí·plàne *n.* 복엽 비행기.
B.I.P.O. British Institute of Public Opinion.
bí·pòd *n.* 다리가 둘 달린 받침대.
bi·pólar *a.* 두 극(極)이 있는, (남북) 양극의, 양극단인. **bì·polárity** *n.* 2극성.
bipólar transìstor *n.* 바이폴러 트랜지스터《보통 트랜지스터》.
bì·propéllant *n.* 〖空〗 이원 추진제(劑).
bì·quadrátic *a.* 〖數〗 사차의, 사제곱의.
—— *n.* 사차방정식.
bi·quárter·ly *a.* 4반기[3개월]에 2번의.
bi·quínary *a.* 이오진법(二五進法)의《2진법과 5진법의 병용》.
bi·rácial *a.* 두 인종 (결합)의.
~·ìsm *n.*
birch [bə́:rtʃ] *n.* **1** Ⓒ 〖植〗 자작나무(류의 총칭) ; Ⓤ 자작나무재(材) : ☞ WHITE[PAPER] BIRCH. **2** Ⓒ 자작나무 회초리(=∠ **ród**)《학생을 벌하기 위한》. —— *a.* 자작나무의 ; 자작나무 재목으로 된. —— *vt.* (자작나무 가지의) 회초리로 때리다.
bírch·en *a.* 자작나무의[로 된], 자작나무 회초리의. 〚OE *bi*(*e*)*rce* ; cf. G *Birke*〛
Bírch·er, Bírch·ist, Bírch·ite *n.* John Birch Society《미국의 극우 단체》의 회원[동조자].
Bírch·ism *n.*
◇**bird** [bə́:rd] *n.* **1** 새 : ~*s* of a feather ☞ FEATHER 1 / the ~ of wonder=PHOENIX 1 / A ~ in the hand is worth two in the bush. 《속담》 손 안의 새 한 마리는 숲 속의 새 두 마리보다 더

낫다, 「남의 돈 100냥이 내 수중의 한 푼만 하랴」. ㊟ a bird in the hand는 「현실적인 이익」이란 뜻 / The ~ is[has] flown. 상대는 도망가 버렸다 《잡으려고 하던 사람·죄수 등이 도망친 것을 말함》. **2** 날짐승; (사냥감으로서의) 엽조(獵鳥). **3** 《俗》 사람, 놈, (특히) 괴짜; 열광자; 소년; 《英俗》 (귀여운) 계집애, 소녀, 여자 친구, 연인: my ~ 귀여운 아이, 연인 / a tough ~ 다루기 힘든 사람 / a queer ~ 괴짜. **4** 《俗》 유도탄, 비행기, 헬리콥터, 로켓, 인공위성, 우주선《따위》. **5** (배드민턴의) 셔틀콕. **6** 《英俗》 옥살이, 형기; 투옥 판결. **7** [the ~] 《俗》 (관객·청중이 내는) 조롱의 소리, 야유.

A little bird told me. 소문으로 들었다, (이름을 말할 수 없는) 어떤 사람에게서 들었다.

a bird of ill omen 불길한 새; 항상 불길한 말만을 하는 사람, 재수없는 사람.

a bird of paradise 극락새《뉴기니산의 아름다운 새의 일종》.

a bird of passage 철새; 《비유》 방랑자.

a bird of prey 맹금(猛禽)《독수리·매·올빼미 따위》.

eat like a bird 적게 먹다, 소식(小食)하다.

for the birds 《俗》 보잘것없는, 어리숙한: The movie is *for the ~s.* 그 영화는 보잘것 없다.

get the bird 《俗》 (집어치워라 따위의) 야유를 받다; 해고되다, 퇴짜놓다.

give a person ***the bird*** 《俗》 (남에게) 야유를 퍼붓다; (남을) 해고하다.

kill two birds with one stone 일거양득[일석이조]하다.

like a bird 명랑하게《노래부르다》; 부지런히 [기운차게]《일하다》.

the bird of freedom 자유의 새《미국 문장(紋章)의 독수리》.

the bird of Jove [***Juno, Minerva***] 독수리[공작, 올빼미].

the bird of night 올빼미.

the bird of peace 비둘기.

the bird of Washington 미국 독수리.

the birds and the bees 《口》 (아이들에게 가르치는) 성(性)교육의 기초 지식《새와 꿀벌을 예로 드는 데서》.

— *vi.* 새를 잡다; 들새를 관찰하다.

〖OE *brid* < ?; 현재의 어형은 ME에서의 음위(音位) 전환에 의함〗

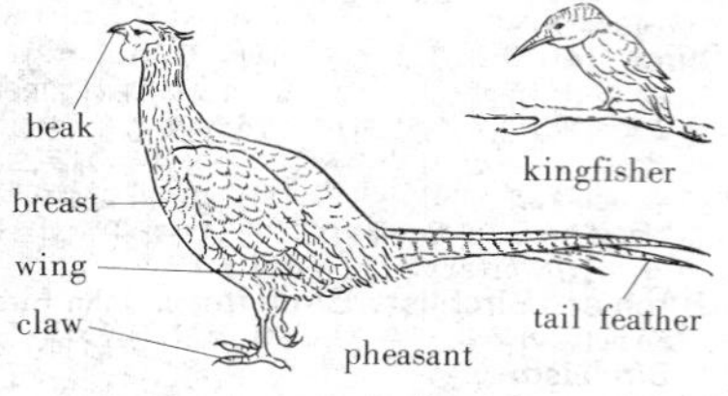

bird

bírd·bànd·ing *n.* 조류 표지법(標識法)《새들의 이동 상황 조사 따위를 위해 다리에 표를 해 달고[고리를 끼워] 날려 보내는 일》.

bírd·bàth *n.* 수반(水盤)《새들의 목욕을 위해 정원에 만들어 놓은 대야 모양의 장식물》.

bírd·bràin *n.* 《美俗》 바보, 멍청이.
 ~ed *a.* 어리석은.

bírd·càge *n.* 새 조롱, 새장; 《美俗》 유치장, 작은 여인숙 방.

bírd·càll *n.* **1** 새가 짝을 부르는 소리, 새의 지저귐. **2** (새 부르는) 피리 소리.

bírd càtcher *n.* 새 사냥꾼[덫].

bírd cìrcuit *n.* 《俗》 게이 바 편력.

bírd-clàw *a.* 새 발톱처럼 깡마른.

bírd dèaler *n.* 새 파는 집; 새장수.

bírd dòg *n.* 새 사냥용 개; 찾는 사람; 정보 수집자; 데이트(date) 상대를 가로채는 사람.

bírd-dòg *vt., vi.* 《美俗》 신중히 감시[탐사·수색]하다[당하다].

bírd-dògging *n.* 《美口》 꼼짝않고 지키기; 데이트 상대를 가로챔.

bírd·dom *n.* 《俗》 미녀의 세계.

bírd·er *n.* 들새 사육자[관찰자].

bírd-éyed *a.* (말이) 잘 놀라는; 예민한 눈을 가진, 눈치 빠른.

bírd fàncier *n.* 새를 좋아하는 사람; 새장수.

bírd·fàrm *n.* 《美軍俗》 항공 모함.

bírd·fòot *n.* (*pl.* **~s**) 〖植〗 =BIRD'S-FOOT.

bírd·hòuse *n.* 새장; 새집, (새들을 보여주는) 조류관(鳥類館).

bird·ie [bə́ːrdi] *n.* **1** 《兒》 새, 작은 새《애칭》. **2** 〖골프〗 버디《기준 타수(par)보다 하나 적은 타수로 홀에 넣음; cf. EAGLE 4》. **3** 《口》 배드민턴의 셔틀콕.
— *vt.* 〖골프〗 (공을) 버디로 넣다.

bírd·ing *n.* Ⓤ 새잡기, 새사냥.

bírd·lìke *a.* (모습·동작 따위가) 작은 새 같은.

bírd·lìme *n.* Ⓤ (새 잡는) 끈끈이.

bírd·màn [, -mən] *n.* 조류 연구가, 박제사(剝製師); 새를 잡는 사람; 《口》 비행가.

bírd sánctuary *n.* 조류 보호구(保護區).

bírd·sèed *n.* 새모이; 《俗》 푼돈.

bírd's-èye *a.* **1** 위에서 내려다 본, 조감적(鳥瞰的)인: a ~ view 조감도; 《口》 개요, 대요 / take a ~ view of American history 미국사를 개관(槪觀)하다. **2** 새눈 무늬의: ~ maple 새눈 점박이로 된 단풍나무 목재의 일종《가구의 재료》.
— *n.* **1** 〖植〗 설앵초, 복수초; 《英》 살담배의 일종. **2** 새눈 무늬; Ⓤ 새눈 무늬의 직물.

bírd's-fòot *n.* (*pl.* **~s**) 〖植〗 잎·꽃 따위가 새발 같은 콩과의 식물.

bírd shòt *n.* 새 사냥용 산탄(散彈).

bírd's nèst *n.* 새둥지; (요리용의) 제비집, 연와(燕窩); 야생 당근; =CROW'S-NEST; 《俗》 엉킨 낚싯줄.

bírd's-nèst *vi.* 새둥지를 뒤지다.
~·ing *n.*
bírd-wàtch *vi.* 야생 조류를 관찰하다.
bírd wàtching *n.* 야생 조류 관찰, 버드 워칭, 탐조(探鳥).
bírd wàtcher *n.* 야생 조류 관찰자.
bírd·wòman *n.* 《口》 여류 비행가.
bírdy *a.* 새같은 ; 엽조가 많은 ; (사냥개가) 새를 잘 찾는 ; 《美俗》 별난, 묘한, 괴짜의.
bi·reme [báiri:m] *n.* (아래 위 2단으로 노가 달린) 옛 군함.
bi·ret·ta, ber·ret·ta [bərétə] *n.* 법관(法冠)《성직자의 4각 모자》.
〚It. or Sp. (dim.) <L *birrus* cape〛
birk[1] [bə́:rk] *n.* 《스코》 =BIRCH ; 《美俗》 얼간이.
~·en *a.* =BIRCHEN.
birk[2] ☞ BERK.
birl[1] [bə́:rl] *vt., vi.* **1** (물에 뜬 통나무 따위의 위에 서서) 발로 밟아 회전시키다, 빙빙 돌리다 ; 빙빙 돌다. **2** 《口》 돈을 멋대로 쓰다 ; 도박하다.
— *n.* 《口》 시도, 도박.
〚? (*bi*rr+whi*rl*)〛
birl[2], **birle** [bə́:rl] 《스코》 *vt.* (술을) 따르다, …에게 술을 강권하다. — *vi.* 함께 술을 마시다.
〚OE *byrelian*〛
birl[3] 《濠口》 ☞ BURL[2].
Bir·ming·ham [bə́:rmiŋəm] *n.* **1** 버밍엄《영국 중부에 있는 공업 중심지 ; 略 **Birm**, B'ham.》 **2** [bə́:rmiŋhæ̀m] 버밍햄《미국 Alabama주(州)의 공업 도시》.
Bi·ro [báiərou] *n.* 《英》 바이로《볼펜의 상표명》.
〚L *Biró* 헝가리의 발명자〛
birr[1] [bə́:r] *n.* 《주로 스코》 힘, 세력, 정력 ; 활기 ; (특히) 바람의 힘 ; 강타, 공격 ; 역설, 강조 ; 윙하는 회전음. — *vi.* 윙하고 소리를 내다[내며 움직이다].
〚OE *byre* strong wind and ON *byrr* favoring wind〛
birr[2] [bə́:r, bíər] *n.* (*pl.* ~, **~s**) 비르《에티오피아의 화폐 단위 : =100 cents》. 〚Ethiopic〛
‡**birth** [bə́:rθ] *n.* **1** Ⓤ.Ⓒ 출생 ; 탄생 ; 《비유》 신생, 갱생 : the date of one's ~ 생년월일 / He was blind from ~. 그는 태어나면서부터 장님이었다. **2** 태어난 것, 생긴 것. **3** Ⓤ 태생, 가문, 혈통, 가계 ; 명문 집안 : a man of ~ and breeding 집안도 좋고 교양도 있는 사람. **4** Ⓤ 기원 (origin), 발생, 창립. **5** 출산, 분만 : She had two at a ~. 그녀는 쌍둥이를 낳았다.
by birth 태생은 ; 타고나면서부터의 : a Londoner *by* ~ 순수한 런던 태생.
give birth to …을 낳다 ; …의 원인이 되다.
in birth 태생은 ; 태어났을 때에는 : He is noble *in* ~. 그는 태생이 고귀한 사람이다.
of birth[***of no birth***] 가문이 좋은[나쁜] : A woman *of no* ~ may marry into the purple. 여자는 이름없는 집안에 태어나도 명문에 출가할 수 있다.
Birth is much, but breeding is more. 《속담》 가문도 중요하지만 가정 교육은 더 중요하다.
— *vt.* **1** 일으키다, 시작하다(originate). **2** 《方》 낳다, 출산하다.
— *vi.* 《方》 아이를 낳다, 출산하다.
〚ON *byrth* ; ⇨ BEAR[2]〛
bírth canàl *n.* 산도(產道).
bírth certìficate *n.* 출생 증명서, 호적 등본.
bírth contròl *n.* 산아 제한, 임신 조절, 가족 계획.
◇**bírth·dày** *n.* 탄생일, 탄생 기념일, 생일 : When is your ~? — It's on December 18. 당신의 생일은 언제입니까 — 12월 18일입니다 / Happy ~ (to you)! 생일을 축하합니다.
bírthday bòok *n.* (친지·친구의) 생일 기록장.
bírthday càke *n.* 생일(기념) 케이크《나이 수만큼 촛불을 켜 놓는 관습이 있음》.
bírthday hónours *n. pl.* 《英》 국왕 탄생일에 거행되는 훈장·작위 수여.
bírthday pàrty *n.* 생일 기념[생일] 파티.
bírthday prèsent *n.* 생일 선물.
bírthday sùit *n.* 《戲》 알몸, 벌거숭이 : in one's ~ 알몸으로.
bírth dèfect *n.* 선천적 기형《언청이 등》.
bírth·màrk *n.* (태어날 때부터 있는) 모반(母斑), 얼룩점. — *vt.* [보통 수동태로] …에게 얼룩점을 붙이다.
bírth·nìght *n.* 생일의 밤 ; 국왕 탄생 축하 ; (왕족의) 생일밤의 축하.
bírth·pàng *n.* [때때로 *pl.*] 진통 ; 《비유》 (변혁 따위를 위한) 고통 ; 출산의 고통.
bírth pìll *n.* (여성용) 경구 피임약.
bírth·plàce *n.* 생가, 출생지, 고향〈*of*〉 《略 bpl.》 ; 발상지.
bírth·ràte *n.* 출산율.
bírth·rìght *n.* 생득권(生得權)《장자 상속권·상속[세습] 재산 따위》.
sell one***'s birthright for a pottage of lentils*** 〔聖〕 팥죽 한 그릇에 장자의 권리를 팔다, 일시적인 이익 때문에 영구적인 이익을 버리다.
bírth·stòne *n.* 탄생석(誕生石)《태어난 달을 상징하는 보석 ; 예를 들면 1월생은 garnet》.
bis [bís] *adv.* 두 번, 두 차례 ; 〔樂〕 되풀이하여.
〚It.<L〛
bis- [bís] *comb. form* 「쌍방」 「2(회(回))」의 뜻 《주로 화학 용어》. 〚L〛
bis. bissextile. **BIS** Bank for International Settlements(국제 결제 은행). **B.I.S.** British Information Service(영국 정보부).
BISAM basic indexed sequential access method.
Bi·sa·yan [bəsáiən] *n.* (*pl.* ~, **~s**) 비사야족《필리핀의 원주민》 ; 비사야어. — *a.* 비사야족의, 비사야어의.
Bis·cay [bískei, -ki] *n.* [the Bay of ~] 비스케이 만《프랑스 서해안의 만》.
***bis·cuit** [bískət] *n.* (*pl.* **~s**, ~) **1** 《英》 비스킷 (=《美》 cracker, cookie) ; 《美》 작고 연한 둥근 빵(scone). **2** Ⓤ 담갈색 ; 초벌구이.
ship's biscuit 건빵.
〚OF<L (*bis* twice, *coctus* (p.p.) ‹ *coquo* to cook)〛
bíscuit wàre *n.* 유약을 바르지 않고 구운 도자기 (bisque).
bise [bí:z] *n.* (특히 남프랑스·스위스·이탈리아에서 부는) 찬 북동풍. 〚F〛
bi·sect [baisékt, ⌐-] *vt., vi.* 양분하다 ; 갈라지다 ; 〔數〕 이등분하다.
bi·séc·tion *n.* **bi·séc·tion·al** *a.* **-al·ly** *adv.*
〚L *sect- seco* to cut〛
bi·sec·tor [báisektər, -⌐-] *n.* 양분하는 것 ; 〔數〕 이등분선.
bi·sec·trix [baiséktriks] *n.* (*pl.* **-tri·ces** [bàisektráisi:z]) 〔結晶〕 이등분선 ; =BISECTOR.
bi·séxual *a.* 〔生〕 양성(兩性)의 ; 자웅동체[동주]의 ; 양성 성기(性器)가 있는(cf. UNISEXUAL) ; 〔心〕 양성에 모두 마음이 끌리는. — *n.* 양성 동물, 자웅 동체[동주] ; 양성 연애자.

bish [bíʃ] *n.* 《俗》 잘못, 틀림, 실수 : make a ~ 실수하다.
〖C20<?〗

***bish·op** [bíʃəp] *n.* **1** (cf. ARCHBISHOP) 〔카톨릭〕 주교(主敎), 〔新敎〕 감독, 〔그正敎〕 주교 ; 〔佛敎〕 종정. ㊟ 영국 국교회에서는 England와 Wales를 약 40관구로 구분하여 각 관구를 한 명의 bishop이 관할함. **2** 〔체스〕 비숍《bishop의 모자 모양의 말로 대각선으로 둠》. **3** 포도주에 레몬 또는 오렌지와 설탕을 가미한 따뜻한 음료.
〖OE<L<Gk. *episkopos* overseer ; ⇒EPISCOPAL〗

bish·op·ric [bíʃəprik] *n.* BISHOP의 직무[관구].

bíshop sléeve *n.* 비숍 슬리브《아래쪽이 넓고 손목에서 주름을 잡아 죈 소매》.

bíshop's lèngth *n.* 58×94인치 크기《화포(畫布)의 크기》.

Bíshop's ríng *n.* **1** 〔氣〕 비숍 고리《화산 폭발·원폭 실험 따위로 공중의 미소한 먼지에 의해 태양 주위에 생기는 암적색의 둥근 테》. **2** [b~ r~] 주교의 반지《오른손 가운뎃손가락에 끼워 교구와의 결혼을 뜻함》.

bisk ☞ BISQUE³.

Bis·marck [*G* bísmark] *n.* **1** 비스마르크, **Otto** (**Eduard Leopold**) **von** ~ (1815-98) 독일의 정치가, 「철혈재상(鐵血宰相)」. **2** [bízmaːrk] 비즈마크《North Dakota 주(州)의 주도》.
~·ian *a.*

bis·mil·lah [bismílə] *int.* 알라신의 이름으로《이슬람 교도의 맹세하는 말》.

bis·muth [bízməθ] *n.* Ⓤ 〔化〕 비스무트, 창연(蒼鉛)《금속원소 ; 기호 Bi ; 번호 83》.
〖NL<G *Wismut*<?〗

bi·son [báisən, 美+-zən] *n.* (*pl.* ~) 〔動〕 아메리카들소(buffalo).
〖L<Gmc.〗

bisque¹ [bísk] *n.* 비스크《테니스·골프 따위에서 약한 쪽[사람]에게 주는 1점[타]의 핸디캡》.
〖F<?〗

bisque² *n.* 애벌구이한 도기 ; 비스크 백자《인형용의 애벌구이한 백자》; 붉은빛을 띤 황갈색.
—— *a.* 붉은빛이 도는 황갈색의.
〖BISCUIT〗

bisque³**, bisk** [bísk] *n.* 비스크《(1) 새우[게, 새고기, 야채 따위]의 크림 수프. (2) 빻은 호두[마카롱]가 든 아이스크림》.
〖F<?〗

Bis·sau [bisáu], **Bis·são** [, bisə̃ũ] *n.* 비사우《기니비사우의 수도》.

bis·sex·tile [baisékstəl, bi- ; bisékstail] *n.*, *a.* 윤년(의) : the ~ day 윤일《2월 29일》.

bì·stabílity *n.* 쌍안정(雙安定).

bi·stáble *a.* 쌍안정(雙安定)의, (회로가) 두 개의 안정 상태가 있는.

bí·stàte *a.* 두 나라[주(州)](간)의.

bi·státic rádar *n.* 바이스태틱 레이더《송·수신기가 각기 다른 위치에 놓인 레이더》.

bis·ter, -tre [bístər] *n.* Ⓤ 비스터《회화용의 진한 갈색 그림 물감》; 암갈색 ; [형용사적으로] 비스터 색(色)(의).
〖F<?〗

bis·tort [bístɔːrt, -´] *n.* 〔植〕 마디풀속의 각종 풀, (특히) 범꼬리.
〖F<L (*tortus* (p.p.) ‹ *torqueo* to twist)〗

bis·tou·ry [bístəri] *n.* (외과용) 메스의 일종.

bistre ☞ BISTER.

bi·stro [bí(ː)strou] *n.* (*pl.* **~s**) 작은 술집[식당] ; 작은 나이트클럽 : a ~ crawler 여러 술집을 돌며 마시는 사람.
bi·stró·ic *a.* 〖F〗

bì·súlfate *n.* 〔化〕 중황산염.

bì·súlfide *n.* 〔化〕 이황화물(二黃化物).

bì·súlfite *n.* 〔化〕 중아황산염(重亞黃酸鹽), 아황산수소염.

‡bit¹ [bít] *n.* **1** 작은 부분[조각], (음식의) 한 입(거리). **2** 조금, 근소⟨*of*⟩ ; 《口》 잠깐(동안) ; 《俗》 징역형 : Wait a ~. 잠깐만 기다려. **3** (풍경화의) 소품 ; (극의) 삽화적인 한 장면[신] ; (연극·영화의) 단역. **4 a**) 잔돈 : a sixpenny ~ 6펜스 은화. **b**) 《美口》 12.5센트 : two ~*s* 25센트. **5** 《俗》 젊은 여자.
a bit [부사적으로] 조금만, 약간(a little) : I wish I were *a* ~ younger. 내가 조금만 더 젊었으면 좋을 텐데.
a bit of... 한 조각의 …, 조금[소량]의 … : *a* ~ *of* land[patience, *etc.*] 작은 토지[약간의 인내 따위]. ㊟ a PIECE of와 마찬가지로 일반적으로 uncountable noun 앞에 사용되지만 그것보다 「소량」이라는 뜻이 강하며 한층 더 구어적.
a bit of a... 좀 …, 다소 : He is *a* ~ *of a* poet. 그에게는 약간 시인다운 데가 있다《대단치 않은 시인이다》(cf. *a* PIECE *of a*...).
a bit of blood 순종(純種)(의 말).
a good bit 꽤 오랫동안 ; 훨씬 : He's *a good* ~ older than I. 그는 나보다 훨씬 나이가 위다.
a little bit 조금《때로는 뜻없이 첨가하는 말》.
a nice bit (***of...***) 꽤 많은, 상당한 (수량의).
bit by bit 조금씩, 서서히.
do one***'s bit*** 자기의 본분을 다하다 ; 응분의 기부[봉사]를 하다.
every bit 어느 면[점]으로 보아도, 아주.
give a person ***a bit***[***piece***] ***of*** one***'s mind*** ☞ MIND *n.*
not a bit (***of it***) 조금도 …하지 않다[아니다] ; 천만에요.
quite a bit 《美口》 =quite a little(☞ LITTLE (*pron.*)).
take a bit of doing 상당히 힘이 들다.
〖OE *bita* (⇒ BIT³) ; cf. G *Bissen*〗

‡bit² *v.* BITE의 과거·과거분사.

bit³ *n.* (말의) 재갈 ; 구속(물), 제어[억제]하는 것 ; (송곳 따위의) 끝 ; (대패의) 날 ; [*pl.*] (집게·열쇠 따위의) 맞물리는 부분 ; (파이프·여송연의) 입에 물고 빠는 부분.
draw bit 고삐를 당겨 말을 세우다 ; 속력을 늦추다 ; 삼가다.
on the bit 말을 재촉하여.
take[***get***] ***the bit between***[***in***] ***the***[one***'s***] ***teeth*** (말이) 재갈을 물고 말을 듣지 않다, 날뛰다 ; (사람이) 제멋대로 행동하다, 반항하다.
take the bits (말이) 재갈을 물다.
—— *vt.* (**-tt-**) (…에게) 재갈을 물리다 ; 재갈에 길들이다 ; 《비유》 억제[구속]하다.
〖OE *bite* (⇒ BITE) ; cf. G *Biss*〗

bit⁴ *n.* 〔컴퓨〕 비트, 두값《(1) 정보량의 최소 단위. (2) 2진법에서의 0 또는 1》.
〖*bi*nary dig*it*〗

bitch [bítʃ] *n.* **1** 암캐(↔*dog*) ; (이리·여우 따위 개과(科) 동물의) 암놈. **2** 《俗》 여자, 음란[음험]한 여자 ; 심술궂은 여자 ; 뽐내는 여자. **3** 《俗》 잔소리, 불평 ; (카드의) 퀸.
a son of a bitch 《卑》 후레[망할] 자식《심한 모욕의 말 ; 略 S.O.B.》.
—— *vi.* 《口》 불평을 하다⟨*about*⟩ ; 푸념을 늘어놓다 ; 음란하다 ; 심술궂다. —— *vt.* 《俗》 엉망이

되게 하다, 때려 부수다〈*up*〉; …에 음란한 짓을 하다; 심술부리다; 속이다; …에 대해 불평을 하다.
~·er *n.* 《俗》 불평자.
〚OE *bicce*〛

bítch·en *a.* 《美俗》 (사람·물건이) 아주 좋은, 최고의, 멋진.
bitchen twitchen 《美俗》 (사람·물건이) 최고로 멋진.

bítch·ery *n.* 《俗》 심술궂은[건방진] 행동.

bítch gòddess *n.* 《俗》 (파멸이 뻔한) 일시적인 성공; 세속적인 성공.

bítch·ing *a.* 《俗》 멋진, 아주 좋은.

bítchy *a.* 《口》 닳고 닳은 여자 같은; 음란한; 심술궂은, 짓궂은; 《俗》 성적 매력이 있는.
bítch·i·ly *adv.* **-i·ness** *n.*

bít decày *n.* 《해커俗》 비트[두값] 붕괴 현상《이용되지 않는 프로그램 기능이 기능하지 않게 됨을 원자적 붕괴 현상에 비유한 것》.

bít dènsity *n.* 〔컴퓨〕 비트[두값] 밀도.

‡bite [báit] *v.* (**bit** [bít]; **bit·ten** [bítn], **bit**) *vt.* **1** [+目/+目+副/+目+前+名] 물다, 물어뜯다: ~ one's fingernails (신경질적으로) 손톱을 물어뜯다 / He *bit* ***off*** a piece of the cake. 그는 과자를 한 조각 물었다 / He *bit* the rope ***through***. 그는 밧줄을 물어 끊었다 / The dog *bit* me ***in*** the left leg. 개는 내 왼쪽 다리를 물었다 / Once *bitten*, twice shy. 《속담》 한번 물리면 두번째부터는 조심한다, 「개도 한번 빠진 구멍에는 다시 안 빠진다」. **2** (모기·벼룩 따위가) 물다, 쏘다; (게가) 집다: Take care not to be *bitten* by the mosquitoes. 모기에게 물리지 않도록 조심하시오. **3** (한기가) 스며들다; (서리가) 상하게 하다; (후추 따위가) 자극하다, 콕 쏘다; (산 따위가) 부식시키다: My fingers were *bitten* by frost. 내 손가락은 동상에 걸렸다 / Mustard ~*s* the tongue. 겨자를 핥으면 혀가 얼얼하다 / Acid ~*s* metal. 산은 금속을 부식시킨다. **4** (톱니바퀴가) …에 맞물리다, (닻줄이) 밑바닥에 걸리다: The wheels ~ the rails. 차바퀴가 레일과 맞물린다. **5** [+目+*with*+名] [수동태로] 열중시키다, 물들게 하다, 사로잡다: He *was* completely *bitten* ***with*** the angling mania. 그는 완전히 낚시광이 되었다. **6** [지금은 보통 수동태로] 속이다 (cf. BITER 2): I got *bitten* in a mail order swindle. 통신 판매 사기에 단단히 속아 넘어갔다.
—— *vi.* **1** [動/+*at*+名] 물다, 깨물다〈*at*〉: My dog never ~*s*. 내 개는 절대로 물지 않는다 / The fish *bit* ***at*** the hook. 물고기가 낚시를 물었다. **2** (톱니바퀴가) 맞물리다. **3** [動/+*into*+名] (산(酸)이) 부식하다; 얼얼[자극]하다; 파고들다: Acids ~ ***into*** metals. 산은 금속을 부식시킨다. **4** (물고기가) 낚싯밥을 물다; 《비유》 (사람이) 유혹에 걸리다, 달려들다: The fish are *biting* well today. 오늘은 물고기가 잘 물린다. **5** (수수께끼·질문 따위에서) 패배를 자인하다, 모른다, 몰라[뭐야]: I'll ~, what is it? 모르겠어, 뭐야.
bite off more than one ***can chew*** 《口》 분에 넘치는 일을 하려고 하다, 힘에 겨운 큰일에 손을 대다.
bite a person***'s head***[***nose***] ***off*** 《口》 (아무렇지도 않은 일로 남에게 대들듯이[무뚝뚝하게] 대답하다.
bite one***'s lip***(***s***) ☞ LIP *n.*
bite one***'s***[***the***] ***thumb at...*** ☞ THUMB.
bite the bullet 이를 악물고 견디다.
bite the dust[***ground***] 땅위로 쓰러지다, 쓰러뜨리다; (특히 전쟁에서) 죽다; 낙마하다.
bite the hand that feeds one 주인의 손을 물다, 은혜를 원수로 갚다.
—— *n.* **1** (깨)물기. **2** 한 입(의 분량); 소량; 소량의 음식: a ~ of bread 한 입의 빵 / He took a ~ out of his apple. 그는 사과를 한 입 베어 물었다. **3** 물린[찔린] 상처, 쏘인 자국; 동상(cf. FROSTBITE); 부식(腐蝕). **4** (심한) 아픔, 얼얼함, 통렬함. **5** 자극성; (음식의) 콕 쏘는 맛. **6** (물고기가) 먹이를 물기; 유혹에 빠지기. **7** 〔機〕 맞물기, 걸림.
bite and sup 간단한 식사.
make two bites at a cherry ☞ CHERRY *n.*
put the bite on …으로부터[에게서] 돈을 빌리려고[융통하려고] 하다.
〚OE *bītan*; cf. G *beissen*〛

BITE built-in test equipment《전자 장치에 내장된 자기 진단 장치》.

bíte-by-bíte *a.* 조금씩 갉아내는; 서서히 죄어가는; 한발짝씩 다가가는.

bíte plàte *n.* 〔齒〕 치열 교정기.

bit·er [báitər] *n.* **1** 무는 사람[것]; 물려는 짐승[개]; 먹이를 잘 무는 물고기: Great barkers are no ~*s*. ☞ BARKER 1. **2** 《古》 속이는 사람 (swindler) (cf. BITE *vt.* 6). 주 지금은 다음《속담》에만 씀: The ~ is sometimes bit[bitten]. 《속담》 속이려다가 도리어 속다, 「혹떼러 갔다 혹붙여 온다」.

bit·ing [báitiŋ] *a.* **1** 날카로운(sharp), 통렬한, 신랄한: have a ~ tongue 신랄한 풍자[말]를 하다. **2** (찬 바람 따위) 살을 에이는 듯한; 얼얼한; 부식성의: a ~ wind 매섭게 찬 바람 / [부사적으로] ~ cold 살을 에이는 듯이 추운. **~·ly** *adv.* 쏘는 것같이; 쑤시듯이; 신랄하게.

bít màp *n.* 〔컴퓨〕 두값본, 비트 맵《디스플레이의 1도트[점]가 정보의 최소 단위인 1비트에 대응지워지는 것》.

bít-mápped *a.* 〔컴퓨〕 두값본 뜨기 방식의《컴퓨터 그래픽스에서 메모리의 1비트를 화면(畫面)의 1도트[점]에 대응시키는 방식》.

bít pàrt *n.* 단역(端役), 대수롭지 않은 역.

bít plàyer *n.* 단역(端役).

bít ràte *n.* 〔컴퓨〕 비트[두값] 전송 속도.

bitt [bít] *n.* 〔海〕 (닻줄을 매는) 계주(繫柱).
—— *vt.* (사슬·닻[밧]줄을) 계주에 감다[매다].
〚? LG; cf. LG, Du. *beting*, ON *biti* beam〛

‡bitten *v.* BITE의 과거분사.

‡bit·ter [bítər] *a.* **1** 쓴(↔*sweet*). **2** 지독한; 통렬한: a ~ winter 추위가 지독한 겨울 / a ~ quarrel 격렬한 언쟁. **3** 잔인한; 무정한; 호된, 비통한; 멋없는: a ~ rival 원한맺힌 적수 / ~ words 독설 / ~ experience 쓰라린 경험.
to the bitter end ☞ BITTER END[2].
—— *adv.* =BITTERLY: It's ~ cold. 살을 에이는 듯이 춥다. —— *n.* **1** [the ~] 씀, 쓴맛. **2** Ⓤ 《英》 쓴 맥주(=∠ **bèer**): a pint of ~ 쓴(맛의) 맥주 1파인트. **3** [*pl.*] 비터즈《칵테일 따위의 맛을 내는데 씀》; 고미제, 고미(苦味) 팅크처: gin and ~*s* 아주 소량의 비터즈를 넣은 진(술). **4** [흔히 *pl.*] 괴로움.
taste the sweets and bitters of life 인생의 쓴맛·단맛을 (모두) 경험하다.
—— *vt.* 씁쓸하게 하다: ~*ed* ale 쓴 맥주.
〚OE *biter* < ? Gmc. 《美》 *bītan* to BITE〛

Bitter *n.* 비터《(1) 독일의 고급 스포츠카 메이커. (2) 그 회사 제작 자동차의 총칭》.

bítter ápple *n.* 〔植〕 콜로신스《박과 식물》.

bítter cúp *n.* 쓴 잔, 고배(苦杯)《quassia 나무로

만든 잔 ; 이것을 사용하면 마실 것에 쓴 맛이 우러남》; 쓰디쓴 경험.

bítter ènd[1] *n.* 〖海〗 (계삭(繫索)이나 닻줄의 선내(船內)쪽의) 말단.
〚*bitter* turn of cable around the BITTs〛

bítter énd[2] *n.* 최후, 궁극, 끝(장), 종말.
to* [*till, until*] *the bitter end 최후까지 (견디어), 죽을 때까지, 끝까지《싸우는 따위》.
bítter-énd·er *n.* 《口》 끝까지 굴하지 않는[주장을 굽히지 않는] 사람.
〚↑ ; *bitter* (a.)인가〛

bítter frúits of fréedom *n.* 내전(civil war)과 경제적 격변(economic upheaval).

bítter·ish *a.* 씁쓰레한.

bítter·ly *adv.* 쓰게 ; 몹시, 심하게 ; 통렬히, 잔인하게 ; 쓰디쓰게 : cry ~ 엉엉 울다.

bit·tern[1] [bítə(:)*r*n] *n.* 〖鳥〗 알락해오라기.
〚OF *butor* < L〛

bittern[2] *n.* 〖化〗 간수, 고염(苦鹽).
〚*bittering* ; ⇨ BITTER〛

bítter·ness *n.* Ⓤ 쓴맛, 고미(苦味) ; 신랄함 ; 괴로움, 비통 ; 빈정댐, 비꼼.

bítter píll *n.* 쓴 알약.
a bitter pill (***to swallow***) 하지 않으면 안되는 싫은 것[일].

bítter pít *n.* 〖植〗 고두병(苦痘病)《과일에 갈색 반점이 생김》.

bítter prìnciple *n.* 〖化〗 고미질(苦味質)《식물체 속의 쓴맛의 성분》.

bítter·ròot *n.* 〖植〗 쇠비름과의 초본.

bítter rót *n.* 〖植〗 탄저병(炭疽病).

bítter·swèet *a.* 달콤 씁쓸한, 괴롭고도 즐거운.
── [ˊ-ˋ] *n.* **1** Ⓤ 고미가 포함된 감미(甘味), 쓴맛이 섞인 단맛[즐거움]. **2** 〖植〗 가지과의 배풍등(排風藤).

bit·ty[1] [bíti] *a.* 작은 부분으로 이루어진, 단편적인, 종합이 아닌. 〚BIT[1]〛

bitty[2] *a.* 《兒·口·方》 조그만.
〚(*little*) *bitty* < ? *little bit*[1]〛

bi·tu·men [bət*j*úːmən, bai- ; bítju-] *n.* Ⓤ 〖鑛〗 역청(瀝青), 비튜멘《천연산 탄화수소 화합물 및 그것을 정제한 것의 총칭》; 암갈색. 〚L〛

bi·tu·mi·nize [bət*j*úːmənàiz, 美+bai-] *vt.* 역청화하다, 역청으로 처리하다.

bi·tu·mi·nous [bət*j*úːmənəs, 美+bai-] *a.* 역청질(質)의 : ~ coal 역청탄(炭), 유연탄, 연탄(軟炭) (=soft coal).

bì·uníque *a.* 〖言〗 이(二) 방향 유일성의《음소 표시와 음성 표시가 일대일의 대응 관계에 있는》.
~·ness *n.*

bi·va·lence [baivéiləns, bívə-] *n.* **1** 〖化〗 2가(價). **2** 〖生〗 상동 염색체가 접착하여 쌍을 이룸[이룬 상태].

bi·vá·lent [, bívə-] *a.* 〖化〗 2가(價)의 ; 〖生〗 2가(염색체)의. ── *n.* 〖生〗 2가 염색체.

bí·vàlve *n., a.* 〖植〗 양판(兩瓣)(의) ; 쌍각(雙殼)(의) ; 쌍각류의 (조개).

bí·vàlved *a.* =BIVALVE.

biv·ou·ac [bívuæ̀k, -vəwæ̀k] *n.* 야영(野營)(지(地)), 노숙(露宿). ── *vi.* (**-àcked** ; **-àck·ing**) 야영[노숙]하다.
〚F < ? G *beiwacht* (BY, WATCH)〛

bívouac shèet *n.* (등산용) 간이 천막.

biv·vy [bívi] *n.* 《俗》 작은 천막[피난소].
〚BIVOUAC〛

bi·wéek·ly *a., adv.* **1** 격주의[로](fortnightly).
㊟ 간행물 따위에선 흔히 이 뜻. **2** 주 2회의[로] (semiweekly). ㊟ 수송 스케줄 따위에서는 흔히 이 뜻.
── *n.* 격주 간행 잡지[간행물].

bi·yéar·ly *adv., a.* **1** 2년에 1회(回)(의). **2** 1년에 2번(의) (biannual(ly)).

biz [bíz] *n.* 《口》 =BUSINESS : ~ confab 《美口》 상담(商談) / Good ~. 멋있다, 좋아.

bi·zarre [bəzάː*r*] *a.* 기괴한, 기묘한, 별난, 괴이한 ; (색조(色調) 따위) 조화가 안된 ; 기상천외한《결말 따위》. ── *n.* 불규칙한 줄무늬의 꽃.
~·ly *adv.* **~·ness** *n.*
〚F=handsome, brave < Sp. and Port. < Basque =beard〛

bi·zar·re·rie [bəzὰːrəríː] *n.* 기괴(한 것).
〚F〛

Bi·zet [biːzéi, ˊ- ; *F* bizɛ] *n.* 비제. **Georges** ~ (1838-75) 프랑스의 작곡가.

bi·zónal *a.* 두나라 공동 통치 지구의 ; [B~] (2차 대전후 서독의) 영·미 양 점령지구의.

bí·zòne *n.* (정치·경제적으로 한 단위를 이루는) 양 지구 ; (특히) 두 나라가 공동으로 통치하는 한 지구.

bi(z)·zazz [bəzǽz] *n.* 《美俗》 =PIZZAZZ.

BK 〖野〗 balk(s).
Bk 〖化〗 berkelium.
bk. (*pl.* **bks.**) bank ; bark ; block ; (*pl.* **bks.**) book ; break ; brook.
bkg. banking ; bookkeeping ; breakage.
bklr. black letter.
bkpt. bankrupt.
bks. banks ; barracks ; books.
bkt. basket(s) ; bracket.

BL [bìːél] *n.* **1** 영국 최대의 자동차 제조회사《전신은 민족 자본계 회사가 합병한 British Leyland Motor Corporation ; 略 B.L.M.C.》. **2** 동(同)사제 자동차의 총칭.

B.L. Bachelor of Laws ; Bachelor of Letters [Literature] ; British Legion. **bl.** bale ; barrel ; black. **B/L, B.L., b.l.** 〖商〗 bill of lading (선화 증권).

blab [blǽ(:)b] *vt., vi.* (**-bb-**) [+目/+目+副/動] (비밀을) 지껄여대다, 입싸게 지껄이다, 비밀을 누설하다 : He ~*bed* ***out*** the secret. 그는 비밀을 입싸게 지껄이고 말았다. ── *n.* Ⓤ,Ⓒ 지껄이기, 수다쟁이. **bláb·by** *a.*
〚imit. ; (v.) < (n.)〛

bláb·ber *vi., vt., n.* 재잘재잘 지껄이다 ; 수다스러움[쟁이].

blábber·mòuth *n.* 수다쟁이, 밀고자.

◇**black** [blǽk] *a.* **1** 검은, 검은 색의 ; 흑의(黑衣)의 ; 피부가 검은 ; (하늘·깊은 물 따위) 거무스름한, 어둠침침한, 암흑의(dark) : (as) ~ as coal [ebony, ink, soot] 시커먼. **2** 더러운, 때묻은. **3** 암거래의, 암시장의. **4** 광명[희망]이 없는, 암담한, 음침한(gloomy) ; 재앙의, 불길한 : ~ despair 암담한 절망. **5** (표정 따위) 언짢은, 시무룩한, 무서운, 험악한 : ~ in the face (노동·격분으로) 파랗게 질린, 안색이 변하여 / He gave me a ~ look. 그는 화난듯이 나를 노려보았다 / look ~ 화가 나다, 노려보다〈*at, on*〉; (사태가) 험악하다. **6** 뱃속 검은, 흉악한, 사악한 : a ~ heart 음흉한 마음 / ~ ingratitude 배은 망덕 / paint a person ~ ☞ PAINT *v.* 숙어. **7** (커피에) 크림[우유]을 타지 않은. **8** 〖軍〗 (정보 기관의) 이면 공작의. **9** 비난받아야 할, 불명예스러운. **10** 《英》 비조합원에 의해 이루어지는, 암거래의. **11** 《英》 (노동 조합에 의한) 보이콧 대상

의《상품 따위》. **12** (농담·문학 작품 따위가) 병적인, 조소적인, 그로테스크한. **13** 〔會計〕 흑자의. **14** 《美口》 순수한, 완전한.

black and blue 검푸른 멍이 들도록(cf. BLACK-AND-BLUE) : beat a person ~ *and blue* (남을) 멍이 들도록 때리다.

〈회화〉
How would you like your coffee? — I'd like it *black*, please. 「커피는 어떻게 할까요」「블랙으로 부탁합니다」

── *n.* **1** U,C 검정, 흑색 ; U 검정 그림물감, 흑색 염료[잉크] ; 먹. **2** U 검은 천 ; 검은 옷(감) ; 검은 옷차림 ; 상복(喪服) ; (말의) 검은 털 ; 검은 털의 말 : dressed in ~ 검은 옷을 입은. **3** 암흑, 깜깜함. **4** 검은 얼룩, 그을음, 더러움 ; 흑균(黑菌). **5** [흔히 B~] 흑인(Negro). **6** [the ~] 《英》 (노동 조합에 의한) 보이콧. **7** [the ~] 흑자. **8** (체스의) 검은말 ; (스누커용의) 검은공.

be in the black 《美》 (장사가) 흑자가 나다, 이득을 보다(show a profit) (cf. *be in the* RED).

swear [***prove that***] ***black is white*** = ***talk black into white*** 검은 것을 희다고 억지를 부리다.

── *vt.* 검게 하다 ; 더럽히다 ; (구두 따위를) 닦다 ; (난로 따위에) 검정 약칠을 하다 ; 《英》 (노동 조합이 상품·업무 따위를) 보이콧하다.

── *vi.* 검어지다, 어두워지다.

black out 검게 지우다[칠하다] ; (무대를) 어둡게 하다, 어두워지다 ; (창 따위를 가려) 등화 관제를 하다 ; (*vi.*) (급강하 따위로) 일시적으로 시력[의식]을 잃다.

〖OE *blæc* < ? ; cf. OHG *blah* black〗

bláck advánce *n.* 《美》 (유세장을 따라다니며 하는) 선거연설 방해.

bláck África *n.* 블랙 아프리카《아프리카 대륙에서 흑인이 지배하고 있는 부분》.

bláck àmber *n.* 흑호박(黑琥珀).

black·a·moor [blǽkəmùər] *n.* 《戲·古》 흑인, (특히) 아프리카 흑인 ; 피부가 검은 사람.

bláck-and-blúe *a.* (매맞아서) 퍼렇게 멍든.

bláck and tán *n.* **1** [B~ and T~] 아일랜드의 민중 반란(1919-21) 진압을 위해 파견된 영국군의 일원《카키색과 흑색 제복을 착용》. **2** [흔히 B~ and T~] 〔美史〕 (남부의) 흑·백인 비례대표제를 주장한 공화당원. **3** 《英》 ale을 탄 흑맥주 ; 《美俗》 흑백 혼혈인 ; = MANCHESTER TERRIER.

bláck-and-tán *a.* 검정과 밤색으로 얼룩진《테리어 개 따위》 ; 《俗》 흑인과 백인이 다같이 드나드는. ── *n.* 흑인과 백인이 다같이 드나드는 나이트 클럽.

bláck and whíte *n.* **1** 펜화(畫), 묵화. **2** (백지에 검은 잉크의) 인쇄, 필사(筆寫) : put down in ~ 기록해 두다, 인쇄[문서]로 하여 두다. **3** 흑백《사진·영화·텔레비전의》 : a picture in ~ 흑백 사진. **4** 《美俗》 초콜릿을 탄 바닐라 아이스크림 소다. **5** 《俗》 밤.

bláck-and-whíte *a.* 흑과 백의 ; 펜화(畫)의 ; 단색(單色)의 ; (사진·텔레비전이) 흑백인 ; (판단 따위) 흑과 백[선악]이 뚜렷한.

bláck àntimony *n.* 〔化〕 검정 삼황화(三黃化) 안티몬 ; 황화 안티몬광(鑛).

Bláck Árrow *n.* 〔로켓〕 블랙 애로《영국의 삼단식 로켓》.

bláck árt *n.* [the ~] 마술 ; (미국의) 흑인 예술.

black-a-vised [blǽkəvàist, -zd, -vì:st] *a.* 《古·方》 얼굴이 거무스름한.

bláck-bàg jób *n.* 《美口》 (연방 수사관 등의) 정보 입수를 위한 불법 침입.

bláck·bàll *vt.* (검은 공을 던져) …에 반대 투표하다(vote against) ; (사회에서) 배척하다.

── *n.* 반대 투표, (반대 투표에 쓰는) 검은 공.

~·er *n.* 반대 투표자.

bláck báss *n.* 〔魚〕 (미국산(産)) 농어 비슷한 민물고기.

bláck bèar *n.* 〔動〕 (미국산) 흑곰.

bláck bèer *n.* 흑맥주《미국·아시아산》.

bláck bèetle *n.* 〔昆〕 잔날개바퀴벌레.

bláck bèlt *n.* 《美》 [the ~ ; 흔히 B~ B~] 흑인 지대 ; (Alabama, Mississippi 두 주의) 옥토 지대 ; (유도 따위의) 유단자의 검은 띠(인 사람).

bláck·bèrry [, -bəri] *n.* 검은 딸기나무 (열매).

── *vi.* 블랙베리를 따다.

bláck bíle *n.* 검은 쓸개즙《중세 의학에서는 신장(腎臟)의 분비물로 보고 이것이 너무 많으면 우울증이 된다고 생각했음, 4체액의 하나 ; cf. HUMOR 4》 ; 우울.

bláck·bìrd *n.* 수컷이 검은 각종 울새《지빠귀과(科)》 ; 《美》 울새에 속하는 검은 새 ; 흑인 ; 노예선에 유괴된 Kanaka 사람.

── *vi.* [보통 ~ing] (노예로 삼기 위해) 흑인[캐나다인]을 채가다.

── *vt.* 유괴하여 노예로 팔다.

~·ing *n.* 흑인 노예 유괴[매매].

◇**bláck·bòard** *n.* 칠판, 흑판.

bláckboard jùngle *n.* 폭력 교실.

bláck·bòdy *n.* 〔理〕 흑체(黑體)《모든 파장의 복사(輻射)를 완전 흡수하는 가상 물체》.

bláck bòok *n.* = BLACK LIST ; 《口》 여자 친구의 주소록.

be in a person***'s black books*** 남의 주목을 받고 있다, 평판이 나쁘다.

Bláck Bòok *n.* 흑서(黑書) 《미국 연방 수사국(FBI) 발행의 구소련 첩보 활동 조서》.

bláck bóttom *n.* [흔히 B~ B~] 궁둥이를 몹시 흔들며 추는 춤《1920년대 미국에서 유행》.

bláck bóx *n.* 《口》 블랙박스《(1) 비행 기록 장치(flight recorder). (2) 핵실험 탐지용 자동 지진계. (3) 속을 알 수 없는 밀폐된 전자 장치》.

bláck bréad *n.* (호밀로 만든) 흑빵.

bláck cámp *n.* 《美俗》 (죄수의 대부분이 흑인인) 흑인 교도소.

bláck cáp *n.* 《英》 (사형을 선고할 때 판사가 쓰는) 검은 우단 모자.

bláck·càp *n.* 〔鳥〕 머리가 검은 각종 새 ; 〔植〕 검은열매나무딸기 ; 〔植〕 부들.

bláck cápitalism *n.* 《美》 흑인 자본주의《정부의 지원으로 흑인 자신에 의한 기업의 자본 소유 및 경영》.

bláck-cápped *a.* (새의) 머리가 검은.

bláck cáttle *n.* 《古》 검정소《스코틀랜드 및 웨일스종(種)의 식용소》.

Bláck Chámber *n.* 정부 첩보부[국(局)].

bláck·còat *n.* 《보통 蔑》 목사 ; 《美俗》 장의사 사람 ; 《英》 봉급 생활자《공무원·교원·회사원》.

bláck-còat·ed *a.* 《英》 월급쟁이[샐러리맨]의.

bláck·còck *n.* 검은멧닭의 수컷.

bláck códe *n.* [때때로 B~ C~] 〔美史〕 (남북전쟁 직후 남부의) 흑인 단속법.

bláck cóffee *n.* 블랙 커피(café noir)《크림·우유, 때로는 설탕도 타지 않은 커피》.

bláck cómedy *n.* 블랙 코미디《black humor가 담긴 희극》.

bláck cónsciousness *n.* 《南아》 (흑인 자주를

위한) 흑인으로서의 (정치적) 자각, 흑인 의식.
bláck cópper *n.* 조동(粗銅).
Bláck Còuntry *n.* [the ~] (잉글랜드 중부의 Birmingham을 중심으로 하는) 대공업 지대.
bláck cróp *n.* 콩과의 농작물.
bláck cúrrant *n.* 〖植〗 까막까치밥나무의 일종.
bláck·dàmp *n.* (탄갱 내의) 질식 가스.
Bláck Déath *n.* [the ~] 페스트, 흑사병《14세기 때에 아시아・유럽에 유행되었음》.
bláck díamond *n.* 흑다이아몬드 ; [*pl.*] 석탄 (coal) ; 흑갈색 적철광.
bláck dóg *n.* [the ~] 《口》 우울증.
bláck dráft *n.* 하제(下劑)의 일종.
bláck éarth *n.* (비옥한) 흑토(chernozem).
bláck ecónomy *n.* (정부 묵인의) 불법[부정] 고용 (상태)《세금・사회 보장・최저 임금 따위가 무시된 고용》.
bláck·en *vt.* **1** 검게[어둡게] 하다. **2** …에게 오명(汚名)을 씌우다, 나쁘게 말하다.
—— *vi.* 검어지다, 어두워지다.
Bláck Énglish *n.* (미국의) 흑인 영어.
bláck·en·ing *n.* =BLACKING.
Bláck Entertáinment Télevision *n.* = BET.
bláck éye *n.* (맞아서 생긴) 눈 언저리의 멍 ; 《口》 패배, 수치, 불명예 ; 홍채가 새까만 눈 : give a person a ~ 남의 눈을 쳐서 멍이 들게 하다 / get a ~ 평판을 떨어뜨리다.
bláck-èyed *a.* 눈 언저리에 멍이 든.
bláck-eyed Súsan *n.* 〖植〗 루드베키아.
bláck·fàce *n.* **1** 흑인으로 분장한 배우 ; Ⓤ 흑인역의 분장. **2** Ⓤ 〖印〗 =BOLDFACE.
bláck·fàced *a.* **1** 얼굴이 검은 ; 침울한 얼굴을 한. **2** 〖印〗 =BOLD-FACED.
bláck·fèllow *n.* 오스트레일리아의 원주민.
bláck-fìgure *a.* 〖古그〗 묵화식의《단지》.
bláck·fish *n.* 〖動〗 물돼지과(科)에 속하는 둥근머리돌고래 ; 〖魚〗 검은 물고기류.
bláck flág *n.* [the ~] 해적기(海賊旗)《검은 바탕에 흰 두개골과 X자형의 흰 뼈가 그려져 있음》; (사형 집행이 끝났음을 알리는) 검은 기.
bláck-flág *vt.* (자동차 경주에서) (운전자)에게 즉시 피트(pit)로 가도록 검은 기로 신호하다.
bláck·flỳ *n.* 흑색[암갈색]의 곤충, (특히) 파리매, 털날개, 진딧물.
Bláck·fòot *n.* (*pl.* **-fèet**, ~) 북미 인디언의 한 종족 ; Ⓤ 그 언어.
Bláck Fórest *n.* [the ~] 슈바르츠발트 (*G* Schwarzwald)《독일 남서부의 삼림지대》.
Bláck Fríar *n.* 〖카톨릭〗 도미니크회의 수사.
Bláck Fríday *n.* 불길한 금요일《그리스도가 처형당한 요일》.
bláck fróst *n.* [the ~] 된서리《식물의 잎・싹을 검게 함》; 모진 추위.
bláck gáng *n.* 《美俗》 기관실의 선원.
bláck ghétto *n.* 흑인 빈민가.
bláck góld *n.* 《口》 석유(petroleum).
Bláck Góld Awárd *n.* 《美》 최우수 흑인 예술인상(賞).
bláck gróuse[gáme] *n.* 〖鳥〗 검은멧닭.
black·guard [blǽgɑːrd, -gərd] *n.* 불량배, 무뢰한, 악한, 악당, 건달 ; 입이 건 사람. —— *a.* = BLACKGUARDLY. —— *vt.* …에게 깡패 같은 말씨를 쓰다, 욕지거리를 퍼붓다. —— *vi.* 상놈처럼 행동하다.
~·ìsm *n.* 야비한 언행, (특히) 천한 말씨. **~·ly** *a.*, *adv.* 악한[악당]의, 못된 ; 천박하게.
Bláck Hánd *n.* 흑수단(黑手團)《스페인의 무정부주의 결사로 1883년에 붕괴 ; 19세기말 미국의 범죄자 단체》; [b~ h~] 악당의 무리, 비밀 폭력단 ; 공갈, 음모.
bláck·hànd·er *n.*
bláck·hèad *n.* **1** 머리가 검은 각종 새 ; 〖鳥〗 검은머리흰죽지. **2** (표면이 검은) 여드름.
bláck·hèart *n.* 〖植〗 검은 버찌(가 열리는 나무) ; (감자 따위) 썩음병.
bláck·hèart·ed *a.* 음흉한, 사악한(evil).
Bláck Hílls *n. pl.* [the ~] 블랙 힐스《South Dakota 주 남서부와 Wyoming 주 북동부의 산악군 ; 최고봉 Harney Peak (2208 m)》.
bláck hóle *n.* **1** 〖天〗 블랙 홀《초중력에 의해 빛・전파도 빨려든다는 우주의 가상적 구멍》. **2** 감옥, (특히) 군교도소.
Bláck Hóle of Calcútta *n.* **1** [the ~] 캘커타의 지하 감옥《1756년 6월 146명의 유럽 사람 중 123명이 더위와 산소부족으로 하룻밤 사이에 죽었음》: like the ~ 더워서 불쾌한. **2** 《英口》 있기에 거북한 곳, 심한 북적거림.
bláck húmor *n.* 블랙 유머《빈정거리는 듣기 거북한 유머》.
bláck-húmored *a.*
bláck íce *n.* (지면의) 얇게 굳어진 얼음.
bláck·ing *n.* Ⓤ 검게 하기[닦기] ; (난로의) 흑색도료(塗料) ; (특히 검은) 구두약.
bláck ínk *n.* 검은 잉크 ; 《美》 금전적 이익, 흑자 (↔*red ink*).
bláck·ish *a.* 거무스름한.
bláck ívory *n.* (탄화한 상아에서 얻는) 검은 염료 ; [집합적으로] 아프리카 흑인 노예.
bláck jáck *n.* 〖宇宙〗 블랙 잭《우주에서 손으로 금속판을 성형하기 위한 특수 공구》.
bláck·jàck *n.* **1** (보통 타르를 바른 옛날 가죽으로 만든) 큰 (맥주) 잔(mug). **2** 《원래 美》(끝에는 납을 붙이고 자루는 가죽을 씌워 잘 휘도록 한) 소형 곤봉(棍棒). **3** 해적기(black flag). **4** 〖鑛〗 섬아연광(閃亞鉛鑛). **5** 〖植〗 (미국산) 껍질이 검은 참나무. **6** 〖카드놀이〗 =TWENTY-ONE.
—— *vt.* 곤봉으로 때리다 ; 협박하다.
bláck knót *n.* 〖植〗 흑절병(黑節病), 죽은 옹이.
bláck lábor *n.* (정부 묵인의) 불법[부정] 노동.
bláck·lánd *n.* 흑토《텍사스 주(州) 등지의》; [*pl.*] 흑토(黑土) 지대.
Bláck Láw *n.* 《美》 흑인에 관한 법률.
bláck léad [-léd] *n.* 〖鑛〗 흑연, 석묵(石墨).
bláck·léad [-léd] *vt.* 흑연을 칠하다[으로 닦다].
bláck·lèg *n.* (카드놀이・경마 따위의) 사기꾼 ; 《英》 파업 파괴자(strikebreaker, scab) ; 〖獸醫〗 기종저(氣腫疽) ; 〖植〗 (양배추 따위의) 줄기를 검게 말리는 병, 흑각병(黑脚病).
—— *vt.*, *vi.* 《英》 (파업자에 대해서) 파업 파괴자 노릇을 하다.
bláck léopard *n.* 검은 표범.
bláck létter *n.* =GOTHIC 2 a).
bláck-létter *a.* 〖印〗 고딕 글자의, 굵은[블랙] 활자의 ; 운이 나쁜, 불길한.
Bláck Liberátion Ármy *n.* 흑인 해방군《미국 흑인 과격파의 비합법적 조직》.
bláck líe *n.* 악의의 거짓말.
bláck líght *n.* 불가시 광선《적외선과 자외선》.
bláck·lìst *n.*, *vt.* 블랙리스트[요주의 인물 일람표](에 올리다).
bláck lúng *n.* (탄진에 의한) 흑폐진증(黑肺塵症) (=∠ **disèase**).
bláck·ly *adv.* 검게, 어둡게, 암흑으로 ; 음침하

게 ; 사악(邪惡)하게.

bláck mágic *n.* 마술(魔術), 요술(black art) (cf. WHITE MAGIC).

bláck·màil *n.* Ⓤ 공갈, 협박, 갈취한 돈. —— *vt.* 공갈하다, 남을 등치다.
~·er *n.* 갈취자.

bláck majórity rùle *n.* 흑인 다수 지배《아프리카 제국에서의 흑인 다수에 대한 권력 이행》.

bláck mán *n.* 흑인 ; [the B~ M~] 악마.

Bláck María *n.* 《口》 죄수 호송차.

bláck márk *n.* 벌점(罰點), 오점.

bláck márket *n.* 암(暗)시장 ; 암 거래.

bláck-márket *vi., vt.* 암시장에서 팔다[사다].

bláck marketéer[márketer] *n.* 암시장[암거래] 상인.

bláck-marketéer *vi.* 암거래하다.

Bláck Máss *n.* **1** Ⓤ,Ⓒ 〔카톨릭〕 검은 옷의 미사, (사제가 흑의(黑衣)를 입고 드리는) 죽은 사람을 위한 미사. **2** 악마의 미사《특히 19세기말의 악마 숭배자가 미사를 흉내내어 했다고 함》.

bláck méasles *n. pl.* [때때로 단수취급] 〔醫〕 흑색 홍역, 출혈성 홍역.

Bláck Mónday *n.* 《學生俗》 휴가가 끝난 직후의 등교일(cf. BLUE MONDAY) ; 「검은 월요일」《1987년 10월 19일 월요일, 뉴욕 주식시장의 주가 폭락을 계기로 전세계 주식시장이 연쇄 폭락한 것에 빗대어 페루치사(社)의 주가 폭락을 일컬음》.

bláck móney *n.* 《美俗》 검은 돈《도박 따위로 얻은 신고하지 않은 소득》, 부정[음성]소득.

Bláck Mónk *n.* ＝BENEDICTINE 1.

Bláck Móuntains *n. pl.* [the ~] 블랙 마운틴스《미국 애팔래치아 산맥 중의 최고의 산계》.

Bláck Múslim *n.* 블랙 모슬렘《흑인에 의한 흑인 지배를 주장하는 과격한 흑인 단체(의 한 사람)》, 흑인 지상(至上)파.

bláck nátionalist *n.* [때때로 B~ N~] (미국의) 흑인 민족주의자.

bláck·ness *n.* Ⓤ 검음, 검정, 암흑 ; 흉악 ; 뱃속이 검음 ; 음험, 침울.

bláck óak *n.* 〔植〕 (북미산) 큰떡갈나무.

bláck óil *n.* 《俗》 ＝HASH OIL.

bláck óperator *n.* 《俗》 비밀 첩보원.

bláck òre *n.* 흑광(黑鑛)《구리·아연·납·금·은 따위가 높은 함유율로 섞여 있는 광석》.

bláck·òut *n.* **1** (완전) 소등(消燈), 등화관제(cf. DIMOUT) ; 정전. **2** 〔劇〕 무대 암전(暗轉). **3** 일시적 시력[의식·기억력] 상실《비행기가 급강하할 때 일어남》. **4** (뉴스 따위의) 발표금지 ; 통신 두절. **5** 말살, 삭제.

Bláck Pánther *n.* 흑표범당원《미국의 흑인 해방 운동의 과격파》.

Bláck Páper *n.* 《英》 흑서《백서에 대하여 현행 제도·정책을 비판한 문서 ; cf. GREEN PAPER》.

bláck pépper *n.* 〔植〕 후추 ; 후춧가루《후추씨를 껍질째 빻은 것 ; cf. WHITE PEPPER》.

bláck plágue *n.* **1** 페스트, 흑사병(黑死病). **2** [B~ P~] 런던의 대역(大疫)《1665년에 발생, 사망자 약 7만명 ; the London Plague라고도 함》.

bláck plàte *n.* 흑강판 《묽은 산수(酸水)로 세척하기 전의 강철판》; (래커나 에나멜을 칠한) 강철판.

bláck pòint *n.* 〔植〕 흑수병(黑穗病), 깜부기병.

Bláck Pópe *n.* 검은 교황《예수회 총회장의 속칭 ; 한때 총회장이 갖고 있던 권력과 그 회(會)의 검은 복식에서》.

bláck pówder *n.* 《美》 검정 화약.

bláck pówer *n.* [흔히 B~ P~] 《美》 흑인 지위향상 운동, 블랙 파워《특히 흑인의 정치력·경제력을 동원하여 인종 평등을 촉진하려고 하는 정치 운동》.

Bláck Prínce *n.* [the ~] 흑태자(黑太子)《영국 Edward 3세의 왕자 Edward(1330-76)》.

bláck pùdding *n.* 검정 푸딩(blood sausage) 《돼지 선지나 비계로 만듦》.

bláck ráce *n.* 흑인종, 니그로.

Bláck Ród *n.* 《英》 흑장관(黑杖官)《영국 왕실의 안내 의전관·상원에 속하는 궁내관(宮內官) ; 검은 지팡이를 든 데서》.

bláck rót *n.* 〔植〕 흑균병(黑菌病) ; 부패병.

bláck Rússian *n.* 《俗》 암갈색의 효능이 강한 해시시(hashish).

bláck rúst *n.* 〔植〕 흑청병(黑銹病).

bláck sánd *n.* 〔鑛〕 (사금·사백금(砂白金)을 함유한) 흑사(黑砂).

Bláck Sásh *n.* [the ~] 《南아》 블랙 새시《인종차별 정책에 반대하는 여성 단체》.

Bláck Séa *n.* [the ~] 흑해《동유럽 남부의 바다 ; Dardanelles 해협으로 지중해와 연결됨》.

Bláck Septémber *n.* 검은 구월단《팔레스타인 해방기구의 테러 조직》.

bláck shéep *n.* (흰 양무리 속에 가끔 섞여 태어나는) 검은 양 ; 악한(惡漢), 골칫거리, (가문·단체의) 말썽꾸러기, 못된 짓을 하는 자.

Bláck·shìrt *n.* 흑셔츠 당원《이탈리아 국수(國粹) 당원 ; cf. FASCIST, BROWNSHIRT》.

bláck·shòe *n.* 《美俗》 항공 모함의 선상 승무원.

bláck·smìth *n.* 대장장이 ; 마제공(馬蹄工) (cf. WHITESMITH).

bláck·snàke *n.* **1** 검은 뱀, (특히) 먹구렁이《북미산으로 독이 없음》. **2** 《美》 (가죽으로 만든 끝이 가는) 큰 채찍.

blacksploitation ☞ BLAXPLOITATION.

bláck spót *n.* 《英》 위험[사고 다발(多發)] 지점 ; 〔植〕 흑반병(黑斑病).

bláck sprúce *n.* 〔植〕 가문비나무의 일종.

bláck·stràp *n.* **1** (당밀(糖蜜)과 럼을 섞은) 음료. **2** 《俗》 (지중해 지방 원산(原産)의) 싸구려 포트 와인.

Bláck Stréam *n.* [the ~] 구로시오(黑潮)해류 《일본해류》.

bláck stúdies *n. pl.* (미국) 흑인 문화 연구.

bláck stúff *n.* 《美俗》 아편(opium).

bláck stúmp *n.* [the ~] 《濠》 문명 사회의 끝에 있다는 상상의 표지(標識)[장소].
beyond the black stump 아주 오지에.

bláck swán *n.* **1** 검은고니, 흑조(黑鳥)《오스트레일리아산》. **2** 《비유》 진귀한 것.

bláck téa *n.* 홍차(cf. GREEN TEA).

bláck théater *n.* 흑인극《흑인이 극본·감독·제작하여 만든 흑인 사회를 다룬 연극》.

bláck·thòrn *n.* 〔植〕 (유럽·서아시아산) 섕도과(科)의 나무 ; (북미산) 산사나무 : ~ winter 블랙손이 피는 겨울.

bláck tíe *n.* 검은 나비 넥타이 ; Ⓤ (남자의) 약식 예복[야회복]《턱시도(tuxedo)에 검은 나비 넥타이 ; cf. WHITE TIE》.

bláck-tíe *a.* (모임 따위) 약식 예복[반정장(半正裝)]을 요하는, 정식의.

bláck·tòp *n.* 아스팔트 도로. —— *vt.* (도로를) 아스팔트 포장하다.

bláck tràcker *n.* 《濠》 (범인·미아 수색에 경찰이 이용하는) 원주민 수색자.

bláck trée fúngus *n.* 목이버섯《최근 미국에서 심장 발작 억제 작용이 인정됨》.

bláck vélvet *n.* **1** 스타우트 맥주와 샴페인의 칵테일. **2** 《濠俗》 (섹스 상대로서의) 원주민(原住民) 여인들.

bláck vómit *n.* 〖醫〗 검은 구토물《황열병의 말기에 토해 냄》; 황열병.

bláck vúlture *n.* **1** 검은독수리. **2** 검은콘도르.

bláck wálnut *n.* 검정 호두나무《북미산》; 그 열매[목재].

Bláck Wátch *n.* [the ~] 영국 육군 스코틀랜드 고지연대(高地聯隊)《체크 무늬가 있는 제복이 검은 데서》.

bláck·wàter (féver) *n.* 〖醫〗 흑수열(黑水熱) 《열대 지방의 악성 말라리아로 오줌이 검어짐》.

bláck whále *n.* 〖動〗 **1** 남쪽참수염고래. **2** 둥근머리돌고래. **3** 향유고래(sperm whale).

bláck wídow *n.* 〖動〗 검은이끼꼬마거미.

blácky *n.* 《英》 흑인, 니그로; 《口》 검은 새[동물(動物)].

blad·der [blǽdər] *n.* **1** [the ~] 〖解〗 방광(膀胱); 쓸개. **2** (해초 따위의) 기포(氣胞). **3** 〖醫〗 물집, 수포(水疱). **4** (물고기의) 부레; 공기 주머니. **5** 부푼 것; 허풍(선이). 〚OE *blǣdre*; ⇨ BLOW[1]〛

bládder cáncer *n.* 방광암.

bládder pácemaker *n.* 방광 페이스메이커《수축이 되지 않는 방광을 자극하여 배뇨량을 조절하는 장치》.

bládder tànk *n.* 〖空〗 블래더형 탱크《유연한 연료 또는 액체용 탱크로 한 곳이 파손되어도 새지 않도록 되어 있음》.

bládder wòrm *n.* 〖動〗 낭충(囊蟲)《촌충의 번데기 모양의 애벌레》.

bládder·wòrt *n.* 〖植〗 통발속(屬)의 각종(各種) 식충식물.

blád·dery *a.* 기포가 있는; 방광 모양의; 부푼.

***blade** [bléid] *n.* **1** 칼날, 칼몸(cf. EDGE *n.*), 칼, 검(劍). **2** (풀의) 잎, 잎사귀: a ~ of grass 풀잎. **3** 노(oar)깃; (스크루 따위의) 날개(깃); 평평한 부분; 견갑골(肩胛骨). **4** 위세 당당한[약삭빠른] 사나이; 검객: a knowing ~ 약삭 빠른 사나이. **5** 《濠·N. Zeal.》 양털깎는 가위.

in the blade (이삭이 패지 않고) 잎만 나 있는 동안에.

〚OE *blæd*; cf. BLOW[3], G *Blatt*〛

bláde·bòne *n.* 〖解〗 견갑골.

blád·ed *a.* [때때로 복합어를 이루어] 잎이 있는; 날이 있는: a two-~ knife 양날이 있는 나이프.

bláde·lètte, -lèt *n.* 〖考古〗 소석인(小石刃), 블레이드레트.

bláde·smìth *n.* 칼 대장장이.

bláe·bèrry [bléi-, -bəri] *n.* 《스코》 =BILBERRY.

blague [blɑ́ːg] *n.* 허풍, (엉터리) 거짓말, 속임. 〚F〛

blah [blɑ́ː] *int.* 《美俗》 피!, 체! ── *n.* (엉터리) 거짓말, 허튼 소리(nonsense). 〚imit.〛

blain [bléin] *n.* 〖獸醫〗 농포(膿疱); (말의) 설저(舌疽). 〚OE *blegen*〛

Bláir Hòuse [bléər-, blǽər-] *n.* 블레어 하우스 《White House 근처의 미국 대통령 영빈관》.

Blake [bléik] *n.* 블레이크. **William** ~ (1757-1827) 영국의 시인·화가.

‡**blame** [bléim] *vt.* [+目/+目+前+名] **1** 책망[비난]하다: He will ~ you ***for*** neglect*ing* your duty. 그는 직무 태만이라고 자네를 책망할 것이다. **2** (죄과를 남에게) 씌우다, …의 탓으로 돌리다, 전가하다: He has only himself to ~. 책망을 받아야 할 사람은 그 자신밖에 없다《자기 말고는 탓할 사람이 없다》/ He ~*d* me for the accident. 그는 사고의 책임이 나에게 있다고 책망했다 / Don't ~ it ***on*** me. 그것을 내 탓으로 해서는 곤란하다. **3** [DAMN의 완곡어] 《美俗》 저주하다: *B*~ this rain! 젠장 비가 오다니.

be to blame 책임이 있다; (누가) 나쁘다: Who *is to* ~? 누가 나쁘냐.

Blame it! 《美俗》 제기랄!, 빌어먹을!

Blame me if I do[don't]. =***(I'm) blamed if*** I do[don't]. …한다면[하지 않는다면] 사람이 아니다!

〈회화〉
Who on earth is to *blame* for our defeat? — Everbody is equally to *blame*, I believe. 「도대체 우리가 진 것은 누구의 책임입니까」「모두의 책임이라고 생각합니다」

── *n.* Ⓤ 비난, 책망(censure); 책임; 《古》 죄, 허물: bear[take] the ~ for[of] …의 책임을 지다 / incur ~ *for* …때문에 비난을 사다 / lay [put, place] the ~ (*for*...) *on* a person 남에게 (…의) 죄를 씌우다. **blám·able, ~·able** *a.* 나무랄 만한, 비난할 만한. **-ably** *adv.*

〚OF; ⇨ BLASPHEME〛

類義語 ⟹ CRITICIZE.

blamed [bléimd] *a.* 《口》 천벌받을, 빌어먹을 《damned의 완곡어》.

── *adv.* 빌어먹을, 지독하게.

bláme·ful *a.* 비난[책망]받아야 할, 괘씸한; 비판적인. **~·ly** *adv.* **~·ness** *n.*

bláme·less *a.* 나무랄 데 없는, 비난[책망]할 데가 없는, 죄[허물]가 없는, 결백한.

~·ly *adv.* **~·ness** *n.*

類義語 ⟹ INNOCENT.

bláme·wòrthy *a.* 책망[비난]받을 만한, 나무랄 만한. **-wòrthiness** *n.*

blanch [blǽ(ː)ntʃ; blɑ́ːntʃ] *vt.* **1** 희게 하다, 표백하다(bleach): We ~ almonds by soaking off their skins in boiling water. 아몬드는 끓는 물에 담가 그 껍질을 벗겨서 희게 한다. **2** [+目+副] 《비유》 겉보기 좋게 하다, 겉치레하다: ~ one's conduct ***over*** 자기의 행위를 돋보이게 하다.

── *vi.* [動/+前+名] 희어지다, 창백해지다: ~ ***with*** fear 공포로[때문에] 창백해지다.

〚OF; ⇨ BLANK〛

blanc·mange [bləmɑ́ːndʒ, -ʒ; -mɔ́nʒ, -dʒ] *n.* Ⓤ 블라망주《우유를 갈분(葛粉)·우무로 굳힌 푸딩의 일종》. 〚OF=white food (*manger* to eat)〛

bland [blǽnd] *a.* (기후가) 온화한(mild), 온후한; (음식·약품 따위) 순한, 독하지 않은; (말씨·태도가) 부드러운, 유순한, 기분 좋은; 시시한, 매력없는, 싱거운. **~·ly** *adv.* 온화하게, 온후하게. **~·ness** *n.* 〚L *blandus* smooth〛

blan·dish [blǽndiʃ] *vt.* 알랑거리다, 아첨하다.

~·er *n.* 알랑거리는[아첨하는] 사람.

blándish·ment *n.* [보통 *pl.*] 치켜세움, 추김, 감언, 아양, 유혹, 추종.

***blank** [blǽŋk] *a.* **1** 백지의, 공백(空白)의: a ~ sheet ☞ SHEET[1] *n.* 숙어. **2** (공간 따위) 빈(empty), 공허한, 텅빈; 내용이 텅빈, 무미건조한; 창이 없는; 미완성의: a ~ space 여백; 공지(空地). **3** 얼빠진, 멍한, 무표정한; 난처한: look ~ 멍하니 있다. **4** 〖商〗 백지식의, 무기명의. **5** 순수한, 순전한: ~ terror 더없는 공포. **6** 《俗》 =DAMN, DAMNED (cf. *n.* 6). 주 '—'로 기입하여 blank, blanky, blanked, blankety 또는 something 따위로 읽음. **7** 〖카드놀이〗 (좋은) 패

가 없는 : be ~ in heart 하트가 한 장도 없다. **8** (명확하게 나타내는 것을 피해) 모(某)…, ○ ○ : the ~ regiment ○ ○연대. —— *n.* **1** 공백, 여백 : Fill in[out] the ~*s.* (문제의) 빈칸을 채워라. **2** 백지 ; 《美》 서식 용지 (=《英》 form) ; 백지 투표 ; 당첨 안된 제비 : an application ~ ☞ APPLICATION 2 / draw a ~ 공치는 제비를[꽝을] 뽑다 ; 실패하다. **3** 공백을 표시하는[나타내는] 대시. ㊟ 대시를 읽는 법 : Mr. — of — place=Mr. *B*~ of *B*~ place 모지방에 있는 모씨. **4** 공허, 텅빔 (emptiness) ; 할 일이 없는 시간. **5** 공포(탄) (=~ **cártridge**). **6** [저주하는 말(damn, damned, bloody 따위의) 대용 ; 임시적인 형용사·동사로서도 쓰임] : a ~ idiot 지독한 멍텅구리 / *B*~ him[it *etc.*] ! 젠장 !, 빌어먹을 ! **7** (과녁의) 중심부《흰색 ; cf. BULL'S-EYE》.

in blank 공백인 채로, 백지식(白紙式)으로.

—— *vt.* 희게 하다 ; 지우다, 무효로 하다〈*out*〉; 비우다 ; 봉쇄하다〈*off*〉; 《美》 무득점으로 막다, 영패시키다. —— *vi.* 서서히 흐려지다〈*out*〉; (기억·인상 따위가) 희미해져 가다〈*out*〉; 의식을 잃다〈*out*〉. **~·ly** *adv.* 멍청하니, 무표정하게 ; 단호히, 딱 잘라. **~·ness** *n.* 공백, 단조.

〖OF *blanc* white ; cf. G *blank* bright, clean〗

類義語 ⟹ EMPTY.

blánk bìll *n.* 백지 어음.

blánk·bòok *n.* 《美》 백지[미기입] 장부.

blánk cártridge *n.* 공포탄.

blánk chéck *n.* 백지 수표 ; 《俗》 무제한의 권한, 자유 행동권 : give a person a ~ 돈[권력]을 무제한으로 주다 ; 자유 행동을 허용하다.

blánk endórsement *n.* 백지[무기명식] 이서.

***blan·ket** [blǽŋkət] *n.* **1** 모포, 담요 : ☞ WET BLANKET. **2** 《비유》 전면을 덮는 것 : a ~ *of* snow (온세상을) 뒤덮은 눈. **3** 〖印〗 (오프셋 인쇄기의) 블랭킷 ; 〖物〗 블랭킷《원자로의 노심 또는 그 주위에 놓인 연료 본물질의 층》.

be born on the wrong side of the blanket 사생아로 태어나다.

—— *attrib. a.* **1** 《美》 총괄적인, 포괄적인, 전체에 공통되는 : a ~ ban 전면 금지 / a ~ bill [clause] 총괄적 의안[조항]. **2** 전파 방해의.

—— *vt.* **1** 담요로[처럼] 덮다. **2** (벌로) 담요에 올려놓고 헹가래치다. **3** 〖海〗 (돛배가 다른 배의) 바람막이로 나아가 바람을 가로막다. **4** (사건·추문 따위를) 덮어 없애다 ; 《美》 방해하다 ; (전파 따위를) 들리지 않게 하다. **5** (법 따위가) 일괄적으로 적용되다.

〖OF ⇨ BLANK〗

blánket àrea *n.* (라디오 따위의) 난청 지역《방송국 주변》.

blánket bómbing *n.* 전면적[무차별] 폭격.

blánket chèst *n.* 이불장.

blánket drìll *n.* 《美俗》 수면, 잠.

blánket·ing *n.* Ⓤ 담요감 ; 전파 방해.

blánket insùrance *n.* 《美》 전종(全種) 보험.

blánket (insùrance) pólicy *n.* 전종 보험 증서[계약].

blánket ròll *n.* 〖軍〗 배낭 ; 둘둘만 담요.

blánket shèet *n.* (19세기 중엽의) 대형 신문지.

blánket stìtch *n.* 블랭킷 스티치《버튼홀 스티치보다도 땀이 넓은 것》.

blánket vìsa *n.* 일괄 사증(査證)《세관이 선객 전원에게 일괄적으로 줌》.

blank·ety (-blank) [blǽŋkəti(blǽŋk)] *a., adv.* 《美俗》 망할 것 !, 빌어먹을 ! 《damned 따위 저주하는 말의 대용어》.

blánk fórm *n.* 기입 용지, 서식 용지.

blánk máp *n.* 백지도.

blánk shéll *n.* 공포탄(空砲彈).

blánk tést *n.* 〖化〗 바탕 시험, 대조(對照) 시험.

blánk vérse *n.* 〖韻〗 무운시(無韻詩)《보통 약강(弱強) 5보격 ; cf. RHYMED verse》.

blánk wáll *n.* 막다름, 장애 : run into a ~ 막다른 곳에 부딪치다.

blánky *a.* 《英口》 공백이 많은 ; 《英俗》 =DAMN-(ED).

blan·quette [blæŋkét ; *F* blɑ̃kɛt] *n.* 화이트 소스로 푹 끓인 송아지 고기.

blare [bléər, blǽər] *vi.* (나팔소리 따위) 울려 퍼지다 : The trumpet ~*d*, announcing the king's arrival. 왕의 도착을 알리는 나팔소리가 울려 퍼졌다. —— *vt.* [+目/+目+副] 큰소리로 울리다[외치다] ; 소리높이 선언[말]하다 : The band ~*d* (***out***) a quickstep. 악대는 소리높이 빠른 보조의 곡을 연주했다. —— *n.* Ⓤ (나팔의) 울리는 소리 ; 외침, 함성, 포효 ; 눈부신 빛깔.

〖MDu. *blaren* (imit.)〗

blar·ney [blɑ́ːrni] *n.* Ⓤ 아첨하는[알랑거리는] 말, 감언(甘言). —— *vt., vi.* (…에게) 아첨하는[알랑거리는] 말을 하다, 감언으로 꾀다.

〖Blarney 성(城) ; cf. BLARNEY STONE〗

Blárney Stòne *n.* [the ~] 아일랜드의 Cork [kɔ́ːrk] 근처 성안에 있는 돌《여기에 입맞추면 아첨을 잘 할 수 있게 된다고 함》.

bla·sé [blɑːzéi ; ⌐-] *a.* 향락에 물린, 싫증이 난, 무관심[무감동]한. 〖F〗

blas·pheme [blæsfíːm, 美+⌐-] *vi., vt.* (신·신성한 것에) 불경한 언사를 쓰다, 모독하다 : ~ the name of God 신의 이름을 함부로 말하다.

blas·phém·er *n.* 불경한 언사를 쓰는 사람, 신성 모독자 ; 험구가. 〖OF<L<Gk. ; cf. BLAME〗

blas·phe·mous [blǽsfəməs] *a.* 불경스러운, 모독[모욕]적인.

blas·phe·my [blǽsfəmi] *n.* Ⓤ 신에 대한 불경, 모독, 욕설 ; Ⓒ 모욕적인 언행.

***blast** [blǽ(ː)st ; blɑ́ːst] *n.* **1** 한줄기의 거센 바람, 일진의 강풍, 돌풍 ; (풍로의) 통풍 ; 피리 소리. **2** 발파 ; (1회분의) 폭약 ; 폭파, 폭풍. **3** 《口》 (감정의) 폭발 ; 타격, 맹타 ; (동·식물에 해를 주는) 독기 ; 《美俗》 (술 마시며 야단법석을 떠는) 파티. **4** 《俗》 큰 실패.

at a blast 단숨에, 한번 불어서.

at full blast = (***in***) ***full blast*** 세차게 불어, 전력을 다하여.

in [***out of***] ***blast*** (열풍로가) 가동하고[가동하지 않고].

—— *vt.* **1** 폭파하다, 폭발시키다 ; (로켓 따위를) 발사하다, 쏘아올리다. **2** 시들게 하다, 마르게 하다 ; (명예·소망 따위를) 손상시키다, 격렬하게 비난하다, 호되게 해치우다 : A disease has ~*ed* our grapes. 병 때문에 우리의 포도가 말라 버렸다 / My hopes were ~*ed*. 나의 희망은 수포로 돌아갔다. **3** [앞에 May God을 생략하여 저주하는 문장으로] 저주하다, 뒈져라 :

B~ it[you] ! 망할 것, 뒈져라 !

—— *vi.* 폭발하다 ; 시들다, 마르다.

blast off (로켓·미사일 따위가) 발사되다, 이륙하다.

〖OE *blǣst*<Gmc. (《美》 *blǣs*- to blow)〗

類義語 ⟹ WIND[1].

blast- [blǽ(ː)st ; blɑ́ːst], **bla·sto-** [blǽ(ː)stou, -tə ; blɑ́ːs-] *comb. form* 〖生〗 「배(胚)」 「아(芽)」의 뜻. 〖Gk. *blastos* sprout〗

-blast [blǽ(:)st ; blɑ́:st] *n. comb. form* 〖生〗「배(胚)」「아(芽)」따위의 뜻 ; 〖解〗「아구(芽球)」「아세포(芽細胞)」의 뜻 : epi*blast*, erythro*blast*. 〖↑〗
blást-dòwn *n.* (로켓의) 역추진 착륙.
blást·ed *a.* 시들은, 마른, 서리 맞은 ; 《俗》 한푼 없는, 무일푼의 ; 《婉》 저주받은(cursed), 가혹한, 지독한. —— *adv.* 몹시.
blást·er *n.* 발파공(發破工).
blást-frèeze *vt.* (냉각 공기를 순환시켜) 급속 냉동하다.
blást fùrnace *n.* 용광로, 열풍로.
-blas·tic [blǽstik] *a. comb. form* 〖生〗「…한 배(胚)의」「…한 눈[싹·아(芽)]의」의 뜻 : hypo*blastic*. 〖*-blast*〗
blást·ing *n.* Ⓤ 폭파 ; (서리 따위가 초목을) 죽이기 ; (나팔 따위의) 소리, 울림 ; 《俗》 호된 꾸지람.
blásting pàrty *n.* 《美俗》 크게 법석대는 파티.
blásting pòwder *n.* 흑색 화약, 발파용 폭약.
blasto- [blǽ(:)stou, -tə ; blɑ́:s-] ☞ BLAST-.
blásto·cỳst *n.* 〖生〗 배반포(胚盤胞)《수정란이 일정한 세포 분열을 끝내고 속이 빈 단계의 배》.
blásto·dèrm *n.* 〖生〗 포배엽(胞胚葉).
blást-òff *n.* (로켓·미사일 따위의) 발사, 이륙.
blásto·mère *n.* 〖生〗 할구(割球), 난할구(卵割球). **blàs·to·mér·ic** [-mér-] *a.*
blásto·pòre *n.* 〖生〗 원구(原口). **blàs·to·pó·ral** [-pɔ́:rəl], **-pór·ic** [-pɔ́:rik] *a.*
blást pàrty *n.* 《美俗》 마리화나 파티.
blást pìpe *n.* 송풍관 ; 배기관.
blas·tu·la [blǽstʃələ] *n.* (*pl.* **~s, -lae** [-lì:]) 〖生〗 포배(胞胚). **-lar** *a.*
blást wàll *n.* (건물 따위를 폭풍으로부터 보호하는) 폭풍 막이.
blást wàve *n.* 폭풍(파)(暴風(波)).
blat [blǽt] *vi., vt.* (**-tt-**) (새끼양·송아지가) 울다 ; 《口》 시끄럽게 지껄이다. —— *n.* 새끼양 따위의 울음 소리 ; 시끄럽게 지껄여대는 소리[지껄임] ; 《美俗》 신문. 〖imit.〗
bla·tant [bléitənt] *a.* 시끄러운, 떠들썩한, 소란스러운 ; 뻔뻔스러운 ; 야한 ; 빤히 속이 뵈는, 노골적인. **blá·tan·cy** *n.* 소란함 ; 야함 ; 노골적임 ; 뻔뻔스러움. **~·ly** *adv.*
〖? Sc. *blatand* bleating ; Spenser *Faerie Queene*의 조어(造語)〗
blath·er [blǽðər] *n.* Ⓤ 허튼 소리(blether).
—— *vi.* 지껄이다, 허튼 소리를 하다.
〖ON *blathra* to talk nonsense (*blathr* nonsense)〗
bláther·skite [-skàit] *n.* 《口》 허튼 소리를 하는 사람, 허풍선이.
blat·ter [blǽtər] *vi., vt.* 《美》 허튼소리를 하다, 군소리를 하다.
Blaue Rei·ter [bláuə ráitər] *n.* [der ~] 블라우에 라이터, 청(靑)기사회《1911년 Kandinski와 Marc가 조직한 독일 표현주의 화가의 집단》.
blax·ploi·ta·tion, blacks- [blæ̀ksplɔitéiʃən] *n.* 《美》 흑인개발《흑인이 주연하는 영화나 연극을 흑인 관객에게 보임으로써 흑인에 대한 관심을 개발하는 일》.
〖*black*+*exploitation*〗
***blaze**[1] [bléiz] *n.* **1** Ⓤ,Ⓒ (확 타오르는) 불길, 화염(bright flame) : in a ~ 확 타올라. **2** 섬광(閃光), 반짝이는 빛(glare)〈*of*〉; (명성을) 떨침 : the ~ of noon 한낮의 빛. **3** 확 타오름, 격발(激發) : a ~ of colors 타오르는 듯한 색채 / a ~ of temper 분노 / in a ~ of passion[anger] 발끈 화를 내어. **4** [*pl.*] 《口》 지옥 ; [의문사 뒤에 쓰여 강한 뜻으로] 도대체 (cf. DICKENS, DEVIL 8, HELL 3) : Go to ~*s*! 이 빌어먹을 놈아!, 뒈져라! / What[Who] *the*[*in*] ~*s* do you mean? 도대체 무슨 일이야[누구 짓이야!].
like blazes 맹렬히.
Old Blazes 악마.
the blaze of publicity 대대적인 선전.
—— *vt.* 연소시키다, 태우다 ; 빛나다 ; 분명하게 보이다.
—— *vi.* [動 / +前+名 / +副] **1** 타오르다, 불꽃이 솟다 : When the fire engine arrived, the fire was *blazing*. 소방차가 왔을 때 불은 활활 타오르고 있었다. **2** 밝게 빛나다[반짝이다] : On Christmas Eve the big house ~*d* ***with*** lights. 크리스마스 전날 밤 그 큰 집에는 휘황하게 불이 켜져 있었다 / The sun ~*d* ***down on*** us. 태양이 이글이글 우리들 머리 위를 내리 쬐었다. **3** 격노하다, 발끈 화를 내다 : He was *blazing* ***with*** anger. 그는 발끈 화를 내고 있었다.
blaze away (1) (*vi., vt.*) (총 따위) 탕탕 쏘다, 연거푸 쏘아대다 ; 맹렬히[흥분하여] 지껄여 대다. (2) (일 따위) 척척 하다 : He ~*d away* at his work. 그는 일을 척척 해냈다. (3) 격렬하게 논의하다 : We kept *blazing away* about ideals. 우리는 이상에 대해서 열심히 논의를 계속했다.
blaze up 확 타오르다 ; 격노하다.
〖OE *blæse* torch ; cf. BLAZE[3]〗
[類義語] ***blaze*** 뜨겁고 밝으며 상당히 크고 안정된 불길[화염]. ***flame*** 촛불같이 날름대며 타는 불꽃. ***flicker*** 불안정하여 곧 꺼질듯이 깜박거리는 flame. ***flare*** 어둠 속에 순간적으로 비치는 밝은 빛. ***glow*** 날름[깜박]거리지 않는 안정되고 따뜻한 또는 불그스레한 빛깔의 광열. ***glare*** 눈부실 만큼 강렬한 빛.
blaze[2] *vt.* [+目/+目+副] 나팔을 불어 알리다, (큰소리로) 포고하다(spread) : ~ the news *abroad* 소식을 널리 알리다.
〖MLG, MDu. *blāzen* to BLOW[1] ; cf. BLAST〗
blaze[3] *n.* (말·소의 안면의) 흰 반점[줄] ; (나무껍질을 벗겨 표시한) 흰 표적. —— *vt.* (나무의) 껍질을 벗겨 흰 표적을 하다[내다] ; 나무껍질에 흰 표적을 내어 (길을) 알리다 : ~ a trail (지나간 표시로) 나무껍질을 벗겨 놓다 ; 《비유》 뒤에 오는 이를 위해 길을 트다. 〖C17< ?〗
blaz·er [bléizər] *n.* **1** 블레이저 코트《화려한 빛깔의 플란넬제 스포츠 상의》. **2** (소문을) 퍼뜨리는[유도하는] 사람, 전파자 ; 《口》 굉장히 더운날 ; 《俗》 새빨간 거짓말.
bláz·ing *a.* **1** 불타고 있는 ; 불타오르는 듯한 : one ~ hot afternoon 어느 불타는 듯한 무더운 오후. **2** 《口》 뻔한, 명백한 ; 심한 ; 대단한 : a ~ indiscretion 대단히 무분별한 행위.
blázing stár *n.* 〖植〗 화려한 꽃송이가 열리는 각종 식물 ; 《古》 이목을 끄는 사람[것].
bla·zon [bléizən] *n.* **1** 문장(紋章) (coat of arms) ; 문장 해설. **2** 《비유》 (미덕 따위의) 과시, 발양(發揚) (display). —— *vt.* **1** (방패에) 문장을 그리다, 문장으로 꾸미다 ; 문장을 해설하다. **2** …에 광채를 내다, 과시하다 ; 공표하다. **~·ment** *n.* 가문(家紋) 장식[해설] ; 공표.
〖OF *blason* shield< ?〗
blázon·ry *n.* Ⓤ 문장 (묘사법) ; 가문(家紋) 해설 ; 화려한 과시, 미관.
bld. boldface. **Bldg. E.** Building Engineer. **bldg(s).** building(s). **bldr.** builder.
bleach [blí:tʃ] *vt.* 표백하다, 바래다 : ~ linen 리

넨을 표백하다. —— *vi.* 표백되다, 바래다, 희어지다 : I saw some bones ~*ing* on the battlefield. 전쟁터에서 뼈가 희게 바랜 것을 보았다. —— *n.* 표백(제(劑)).
〖OE *blǣcan* to whiten＜Gmc. (《美》 *blaik-* white) ; cf. BLEAK[1]〗

bleached [blíːtʃt] *a.* 표백을 한, 표백이 된 : ~ cotton 표백한 무명.

bléach·er *n.* **1** 표백(업)자 ; 표백기 ; 표백제. **2** [보통 *pl.*] 《美》 지붕이 없는 관람석(의 관중), 외야석.

bléach·er·ìte *n.* 《美》 외야석의 관람객.

bléach·ery *n.* 표백 공장.

bléach·ing *n.* Ⓤ 표백법 ; 표백. —— *a.* 표백하는, 표백성의.

bléaching pòwder *n.* 표백분(粉).

bleak[1] [blíːk] *a.* **1** 바람받이의, 한랭한 : a ~ wind 찬바람. **2** 황량한, 거친, 쓸쓸한(dreary). **3** (생활이) 궁색한, 가혹한(harsh) ; 적막한 ; (장래가) 어두운, 암울한, 침울한, 슬픈(sad). **~·ly** *adv.* **~·ness** *n.* 〖*bleach, blake* (obs.) pale (ON *bleikr*) ; ⇨ BLEACH〗

bleak[2] *n.* 〔魚〕 블리크《잉어과의 물고기》.
〖? ON ; ⇨ BLEACH〗

blear [blíər] *a.* (눈이) 흐린, 침침한 ; 《詩》 희미한 [어슴프레한] (dim). —— *vt.* 눈을 흐리게[침침하게] 하다, 눈물짓게 하다 ; 어슴프레하게 하다, (거울을) 흐리게 하다. —— *vi.* 멍하니 바라보다.
〖ME *blere* to make dim ; cf. MHG *blerre* blurred vision〗

bléar-èyed, bléary- *a.* 눈이 흐린[잘 안보이는] ; 근시적인 ; 머리가 둔한.

bléary *a.* 눈이 흐린 ; 어렴풋한.
bléar·i·ly *adv.* **-i·ness** *n.*

bleat [blíːt] *vi.* (양·염소·송아지가) 매애 울다. —— *vt.* [＋目/＋目＋副] 매애 하고 울다 ; 우는 소리[불평]를 하다 : ~ (***out***) a complaint 힘없이 우는 소리[불평]를 하다. —— *n.* (양 따위의) 우는 소리, 울음소리. 〖OE *blǣtan* (imit.)〗

bleb [bléb] *n.* 물집, 수포(水泡) ; 거품(bubble).
〖BLOB〗

‡bled [bléd] *v.* BLEED의 과거·과거분사.

‡bleed [blíːd] *v.* (**bled** [bléd]) *vi.* **1** [動/＋前＋名] 출혈하다 ; 피를 흘리다, 죽다 : The cut is ~*ing.* 그 상처에서 피가 나고 있다 / He was ~*ing* ***at*** the nose.＝His nose was ~*ing.* 그는 코피를 흘리고 있었다 / He was ~*ing* ***to*** death. 그는 출혈로 인해 죽어가고 있었다 / They fought and *bled* ***for*** their country. 그들은 조국을 위해 싸우다가 쓰러졌다. **2** [動/＋前＋名] (마음이) 몹시 아프다 : My heart ~*s* ***for*** them[***at*** the sight]. 그들 때문에[그 광경을 보면] 내 마음은 아프다. **3** (나무에서) 수액이 나오다. **4** (염색한 것이) 번지다, 배어 나오다. **5** 《口》 돈을 착취당하다.
—— *vt.* **1** 〔醫〕 사혈하다, 피를 빼다 : Doctors used to ~ sick people. 옛날 의사는 환자를 치료할 목적으로 피를 빼기도 했다. **2** 《口》 …의 돈을 우려내다 ; (…에서) 물[공기·전기]을 빼다 ; 〔製本〕 인쇄한 부분까지 잘라내다.
bleed a person ***white*** (남에게서) 우려낼 수 있을 때까지 우려내다.
—— *n.* 〔製本〕 (인쇄한 부분까지) 절단된 페이지.
〖OE *blēdan* (⇨ BLOOD) ; cf. G *bluten*〗

bléed·er *n.* **1 a**) 피를 뽑는 사람 ; 피가 나오기 쉬운 사람, 출혈성 소인자(素因者), 혈우병 환자 (hemophiliac). **b**) 《俗》 [보통 경멸적으로] 등치는 사람, (지겨운) 사람, 놈, 자식 : a ~ of a [an]... 《英蔑》 몹시 귀찮은…. **2** 〔電子〕 블리더 저항기 ; 〔機〕 추기구(抽氣口), 블리더 밸브. **3** 《野俗》 (간신히 안타가 되는) 느린 내야 땅볼.

bléeder's disèase *n.* 혈우병(hemophilia).

bléed·ing *a.* **1** 출혈하는. **2** 《英卑》 지독한, 끔찍한(bloody). **3** 괴로운, 쓰라린. —— *adv.* 《英卑》 몹시, 매우. —— *n.* 출혈 ; 사혈(瀉血).

bléeding héart *n.* 〔植〕 금낭화 ; 《蔑》 남의 걱정을 지나치게 하는 사람.

bleep [blíːp] *n.* 삐하는 신호음 ; 《放送俗》 (온당하지 않은 어구를 삭제하기 위한) 전자음(電子音) ; 《口》 블리퍼(bleeper)《휴대용 호출 신호 수신기》.
—— *vi.* bleep를 발하다 ; bleep로 부르다〈*for*〉; 《放送俗》 bleep로 삭제하다. —— *vt.* bleep로 (남을) 부르다 ; ＝BLIP. **~·er** *n.* 〖imit.〗

blem·ish [blémiʃ] *n.* 흠, 결점(defect) ; 오점.
without blemish 흠없는, 완전한[히].
—— *vt.* 손상하다, 해치다 ; 더럽히다.
〖OF *ble(s)mir* to make pale〗

blench[1] [bléntʃ] *vi.* 기가 죽다, 움찔하다.
—— *vt.* …을 보고 못본 체하다, 눈감아 주다, 피하다. **~·er** *n.* **~·ing·ly** *adv.* 〖OE *blencan* to deceive ; 후의 의미는 BLINK의 영향〗

blench[2] *vi., vt.* 희어지다[희게 하다], 새파래지다 [새파랗게 하다]. 〖BLANCH〗

blend** [blénd] *v.* (**~·ed,** 《詩》 **blent** [blént]) *vt.* 혼화(混和)하다, (차·술 따위를) 혼합하다, 블렌드하다, 섞다 : I ~ tea so as to obtain a nice flavor. 좋은 향기가 나게끔 차를 섞는다 / The two rivers ~ their waters here. 두 강은 이곳에서 합류한다. —— *vi.* [動/＋前＋名] 섞이다 ; (특히 빛깔이) 융합[조화]되다, 융해하다 : Purple and dark blue do not ~. 자색과 짙은 청색은 잘 조화되지 않는다 / The colors of the rainbow ~ ***into one another. 무지개 빛깔은 서로 조화된다.
—— *n.* **1** 혼합(물), 블렌드 ; 혼합색 : This coffee is a ~ of Java and Mocha. 이 커피는 자바(커피)와 모카(커피)를 혼합한 것이다. **2** 〔言〕 혼성어(混成語) (portmanteau word)《두 개 이상의 단어가 혼합하여 한 단어가 된 것 ; 예 *brunch*＜*br*eakfast＋l*unch* / *mo*tel＜*mo*torists' ho*tel* / *smog*＜*sm*oke＋f*og* ; cf. BLENDING》.
〖? ON *blanda* to mix〗
類義語 ⟹ MIX.

blende [blénd] *n.* Ⓤ 〔鑛〕 섬(閃)아연광.
〖G (*blenden* to deceive) ; galena와 비슷하나 납을 함유하지 않기 때문에 한 명명(命名)〗

blénded fámily *n.* ＝STEP-FAMILY.

blénded whískey *n.* 블렌드 위스키.

blénd·er *n.* blend하는 사람[기계] ; 《美》 (요리용의) 믹서(＝《英》 liquidizer) ; 〔機〕 배합기.

blénd·ing *n.* Ⓤ 〔言〕 (낱말·구·문장 따위의) 혼성, 혼교(混交) (contamination)《예를 들면 *different* from과 other *than*에서 different than 이, *the tallest of* all과 taller than *any*에서 the tallest of any가, *I am* friendly *with* him과 He and I are *friends.*에서 I am friends with him.이 생기는 따위 ; 말의 혼성의 예에 대해서는 ☞ BLEND *n.* 2》.

blénding inhéritance *n.* 〔遺〕 유전 융합.

blénd-wòrd *n.* ＝BLEND *n.* 2.

Blen·heim [blénəm] *n.* **1** 블레넘《독일 서부 Bavaria 주의 마을 ; 스페인 왕위 계승 전쟁 때 이곳에서 Marlborough공작이 이끄는 영국군이 프랑스·바바리아군에게 대승했다(1704)》. **2** Ⓒ 〔園藝〕 황금색의 사과(＝∠ **Òrange**) ; 〔犬〕 블레넘 스패니얼(＝∠ **spàniel**) 《애완견》.

blen·ny [bléni] *n.* 〖魚〗 청베도라치. 〚L<Gk. =mucus ; 그 매끄러운 비늘에서〛

blent *v.* 《詩》 BLEND의 과거·과거분사.

bleo·mýcin [blìːə-] *n.* 〖藥〗 블레오마이신《토양균에서 채취한 항생 물질로 피부암, 설암, 폐암 치료용》.

bleph·ar- [bléfər], **bleph·a·ro-** [bléfərou, -rə] *comb. form* 「눈꺼풀」「속눈썹」「편모(鞭毛)」의 뜻. 〚Gk.〛

bleph·a·ri·tis [blèfəráitəs] *n.* 〖醫〗 안검염(眼瞼炎)《눈꺼풀 염증》.

blépharo·plàsty *n.* 〖醫〗 안검(眼瞼) 형성(술).

Blé·ri·ot [*F* blerjo] *n.* 블레리오. **Louis ~** (1872-1936) 프랑스의 비행가·항공 기술자 ; 1909년 최초로 영국해협을 비행기로 횡단하는데 성공.

bles·bok [blésbὰk], **-buck** [-bʌ̀k] *n.* 블레스복《남아프리카산의 영양》. 〚Afrik.〛

bless** [blés] *vt.* (**~ed** [-t], **blest** [blést]) **1** 신성하게 하다, (음식 따위를) 정하게 하다, 정결하게 하여 (신에게) 바치다 : ~ bread at the altar 빵을 제단에 바쳐 정결케 하다. **2** [+目/+目+前+名] …을 위해 신의 은총을 빌다, 축복하다 : ~ one's child 아이의 행복을 빌다. **3** (신을) 찬미하다, 숭상하다 ; (…에) 감사하다 : *B*~ the Lord, O my soul. 〖聖〗 내 영혼아 여호와를 송축하라《시편 103 : 1》/ ~ one's stars (좋은 별[운명] 아래 태어난) 행운을 감사하다 / I ~ him ***for his kindness. 그의 친절을 진심으로 감사한다. **4 a**) [+目/+目+*with*+名] [때때로 수동태로] (신이 인간에게) 은혜를 내리다 ; 《古》 (집·국토 따위를) 방위[수호]하다(cf. CURSE *v.* 3) : May this country always *be ~ed* ***with*** prosperity. 이 나라가 항상 번영할 수 있기를 / She *is ~ed with* good children. 그 여자는 자식복이 있다. **b**) 《口》 [감탄을 나타내는 말로] : (God) ~ me ! = (Lord) ~ my soul ! = *B*~ my heart ! = *B*~ your heart alive ! = I'*m ~ed*[*blest*] ! 저런 !, 아차 이 일을 !, 야단났구나 ! / (God) ~ you ! 당신에게 신의 가호가 있기를 ; 참 고맙다 ; 이런 불쌍하게[가엾게]도 ! 《따위》. **c**) [반어적으로 저주하는 표현이 되어] : (I'm) *~ed*[*blest*] if I know ! (그 따위 것을) 내가 알게 뭐야《*~ed*는 반어(反語)로 cursed의 뜻》.

bless one***self*** (성호(聖號)를 그어) 신의 축복을 빌다《God bless me ! 라고 말함》 ; 참 잘됐다고 생각하다 : I have not a penny to ~ my*self with.* 나는 동전 한닢 없다《1페니 은화로 행운을 빌고 손바닥에 성호를 그은 데서》.

〚OE *blētsian* to consecrate (*blōd* blood) ; '피로 적다'의 뜻 ; 의미 변화는 L *benedico*의 역(譯)으로 쓰인 때문〛

bléss·ed [-əd], 《詩》 **blest** [blést] *a.* **1** 신성한, 정화(淨化)된 : my father of ~ memory 지금은 안계신 나의 선친(先親) / the ~ (ones) 하늘에 계신 여러 성인. **2** 은혜입은, 혜택받은 ; 행복한 : ~ ignorance 「행복한 무지」《모르는게 약》/ *B*~ are the pure in heart. 〖聖〗 마음이 청결한 자는 복이 있나니《마태복음 5 : 8》. **3** 즐거운, 고마운. **4** [반어적으로] 저주할, 빌어먹을. **5** [강조적으로] : every ~ book 모든 책.

the Island of the Blessed ☞ ISLAND.

bléss·ed·ly *adv.* 다행히[복되게]도 ; 행복하게 ; 즐겁게.

blessed evént *n.* 《戱》 아이의 출산 ; 신생아.

bléss·ed·ness *n.* Ⓤ 행운, 행복 : single ~ 《戱》 독신 생활.

Bléssed Sácrament *n.* [the ~] 성찬 예식의 빵《성체(聖體)를 상징》.

Bléssed Trínity *n.* [the ~] 〖宗〗 삼위 일체.

Bléssed Vírgin *n.* [the ~] 성모 마리아.

***bléss·ing** *n.* **1** 천혜(天惠), 축복(↔*curse*) ; 식전[식후]의 기도 : ask a ~ 식전[식후]의 기도를 올리다(cf. say grace ☞ GRACE *n.* 5). **2** 행운, 고마운 것 : a ~ in disguise 불행하게 보이나 실은 고마운 것《괴로우나 후에 유익하게 되는 경험 따위》. **3** 찬성.

***blest** [blést] *n.* BLESS의 과거·과거분사. —— *a.* ☞ BLESSED.

blet [blét] *n.* 농익은 열매의 썩음.

bleth·er [bléðər] etc. *v.*, *n.* =BLATHER etc.

‡**blew** *v.* BLOW[1,3]의 과거형.

blg. building.

blight [bláit] *n.* Ⓤ 〖植〗 마름병, 충해(蟲害) ; (식물에 해로운) 안개가 자욱하고 훈훈한 대기 ; Ⓒ (사기·희망 따위를) 좌절시키는 것, 어두운 그림자 ; 장애, 파탄의 원인. —— *vt.* (식물을) 말라 죽게[시들게] 하다(wither up) ; (일반적으로) 좌절시키다, 손상하다(ruin), 파괴하다 ; (희망 따위를) 꺾다 : His reputation was *~ed* by that misconduct. 그의 명성은 그 비행(非行)으로 인해 손상되었다. —— *vi.* 시들다 ; 꺾이다. 〚C17<?〛

blíght·er *n.* 《英口》 지긋지긋한[성가신] 놈 ; 바보, 녀석, 자식.

Blighty, b- [bláiti] *n.* 《英軍俗》 영국 본국 ; 본국 송환 : a ~ (one) (영국 본국 송환을 요하는) 중상(자), 귀휴(歸休) 부상 / get one's ~ 본국에 송환되다. 〚Hindi=foreign, European〛

bli·m(e)y [bláimi] *int.* 《英俗》 아뿔싸 !, 제기랄 !, 빌어먹을 ! 〚(*God*) *blind me !*〛

blimp [blímp] *n.* 《口》 소형 연식(軟式) 비행선 ; [흔히 B~] 《口》 =COLONEL BLIMP. 〚C20<?〛

‡**blind** [bláind] *a.* **1** 눈이 먼, 장님의 ; 눈이 잘 안보이는 ; [the ~ ; 복수취급] 맹인들 : a ~ man 장님, 맹인 / ~ *in* one eye = ~ *of* an eye 애꾸눈으로《of를 쓰는 것은 문어적》/ ~ *in* the right [left] eye 오른[왼]쪽 눈이 안보이는 / go [become] ~ 장님이 되다, 실명(失明)하다 / In the country of *the* ~, the one-eyed is king. 《속담》 장님 나라에선 애꾸가 임금님, 「범 없는 골에 토끼가 스승이라」/ If *the* ~ lead*ing the* ~ 〖聖〗 만일 소경이 되어 소경을 인도하면《마태복음 15 : 14》. **2** 맹인(용)의 : a ~ home 맹인원(院). **3** 문맹인, 까막눈의. **4** 맹목적인, 무모한 ; (결점·장점·이해 따위를) 보는 눈이 없는, 알지[식별하지] 못하는 : ~ *to* the beauties of nature 자연의 아름다움을 모르는 / be ~ *to* all arguments (고집이 세어서) 논리가 전혀 통하지 않다 / in one's ~ haste 너무 급히 서둘러, 당황한 나머지. **5** 목적이 없는, 기계적인 : ~ forces 기계적으로 작용하는 힘. **6** 눈에 안보이는 ; 숨은 ; 막다른 ; 출구[창(窓)]가 없는 : a ~ corridor 창이 없는 복도. **7** 《俗》 곤드레만드레 취한. **8** 〖園藝〗 꽃[열매]을 맺지 않는 : a ~ bud 꽃도 열매도 맺지 않는 싹. **9** 〖空〗 계기(計器) 비행의 : ~ flight 계기 비행. **10** 의식[감각]이 없는.

(***as***) ***blind as a bat***[***beetle, mole***] (마치) 장님과 마찬가지로.

—— *adv.* 맹목적으로, 아무것도 안보일 만큼, 앞뒤 생각없이 : ~ drunk 곤드레만드레 취하여(cf. *a.* 7).

fly blind 계기[맹목] 비행을 하다.

go it blind = ***go blind on it*** 무턱대고[맹목적으로] 하다.

—— *vt.* **1** 눈멀게 하다 ; 어둡게 하다, 눈을 가리다 : The bright lights ~*ed* me for a moment. 밝은 빛 때문에 일순간 눈이 안보였다. **2** [+目/+目+*to*+名] …의 눈을 안보이게 하다, …의 판단력을 잃게 하다 : He was ~*ed* by her beauty. 그는 그녀의 미모에 판단력을 잃었다 / His prejudice ~*ed* him ***to*** the defects in the argument. 그는 편견으로 인해 그 논의의 결함을 보지 못했다. **3** 메우다 ; 틈바귀를 메워 채우다, (신작로의) 틈을 자갈로 메우다.
—— *vi.* 《英俗》 (자동차로) 마구 달리다.
—— *n.* **1** 가리는 물건《발·차양·덧문 따위》, 블라인드(=《美》 window shade) : draw[pull down] the ~*s* 창의 블라인드를 올리다[내리다]. **2** 눈을 가리는[어지럽히는] 것, 속임, 구실(pretext). **3** 《美》 (수렵하기 위해) 숨는 장소(cf. HIDE¹ *n.*). **4** 《美俗》 벌금 ; 《美俗》 수신인 불명의 우편물 ; 《英俗》 주연(酒宴).
〖OE *blind* ; cf. G *blind*〗
blínd·age *n.* 〖軍〗 (참호 속의) 방탄벽.
blínd álley *n.* 막다른 골목, 막바지 ; 《비유》 가망이 없는 일[국면(局面)].
blínd bággage (càr) *n.* 《美》〖鐵〗 수화물[우편물]차《앞으로 뚫린 통로[문]가 없음》; 《俗》 수화물차의 연결부《종종 부랑자의 잠복처가 됨》.
blínd bómbing *n.* 〖軍〗 보이지 않는 목표에 대한 맹목 폭격, 무차별 폭격.
blínd cóal *n.* 무연탄.
blínd dáte *n.* 《美俗》 (제삼자의 주선에 의한) 서로 모르는 남녀간의 데이트 (상대).
blínd dítch *n.* 암거(暗渠)《땅 밑으로 낸 도랑》.
blínd dòor *n.* 모양뿐인 (장식)문.
blínd éel *n.* =CONGO SNAKE.
blínd·er *n.* 눈을 가리는[어지럽히는] 사람[것] ; [*pl.*] 《美》 (말의) 눈가리개(blinkers).
blínd·fish *n.* 〖魚〗 장님물고기, 맹목어《동굴 속의 물고기 따위와 같이 시력이 없거나 눈이 퇴화한 심해어(深海魚) 따위》.
blínd flýing *n.* 계기 비행(instrument flying).
blínd·fòld *vt.* 눈가리개를 하다 ; …의 눈을 가리다, 어지럽히다, 눈을 속이다 : walk ~*ed* 눈을 가리고 걷다. —— *n.* 눈을 가리는 천. —— *a., adv.* 눈가림을 당한[하여] ; 맹목적인[으로] ; 경솔한[하게].
Blínd Fréddie *n.* 《濠口》 눈먼 프레디《더없이 무능하다고 하는 상상속의 인물》: ~ could see that! 그런 건 어떤 바보라도 알아.
blínd gód *n.* [the ~] 사랑의 신(=god of love)《Eros, Cupid를 말함》.
blínd gút *n.* 맹장(盲腸)(cecum).
blínd·ing *a.* 눈을 어지럽히는 (듯한) : ~ snowstorm 한치 앞도 보이지 않는 눈보라.
blínd létter *n.* 수신인(受信人) 불명의 편지.
blínd·ly *adv.* 맹목적으로, 무모하게.
blínd·man [-mən] *n.* (*pl.* **-men** [-mən]) 《英》 =BLIND-READER.
blíndman's búff[blúff] *n.* 장님놀이, 술래잡기.
blíndman's hóliday *n.* 《古》 =TWILIGHT.
blínd·ness *n.* Ⓤ 눈이 멂음, 보이지 않음, 맹목, 무분별 ; 문맹(文盲) ; 무지(無知).
blínd píg *n.* 《美俗》 주류 밀매소, 비밀 술집.
blínd pòol *n.* 위임(委任) 기업 동맹.
blínd rádio *n.* 《美俗》 (텔레비전 방송에 대하여) 보통 라디오 방송.
blínd-rèad·er *n.* (우체국의) 수신인 주소·성명 판독 계원.
blínd shéll *n.* 불발탄.
blínd síde *n.* 애꾸눈의 못보는 쪽 ; 약점.
blínd·sìde *vt.* (상대)의 무방비한 곳[약점]을 치다[찌르다] ; 《비유》 기습하다.
blínd spòt *n.* (망막의) 맹점 ; (본인이) 모르는 약점 ; 〖通信〗 수신 상태가 나쁜 지역.
blínd stàmp *n.* 〖製本〗 (표지의) 민누름《금박을 쓰지 않고 형태만을 박기》.
blínd-stàmp *vt.* (표지)에 민누름하다.
blínd stítch *n.* 공그르기《실땀이 보이지 않게 감치기》.
blínd·stìtch *vt., vi.* 공그르다.
blínd·stòr(e)y *n.* (벽에 창이 없는 교회의) 복도 ; 〖建〗 맹계(盲階)《채광창이 없는 계단》.
blínd tèst *n.* 블라인드 테스트《피(被)시험자가 내용을 모르고 하는 화학상의 검사》; 예비지식이나 선입감 없이 하는 테스트.
blínd tíger 《美俗》 *n.* 주류 밀매소, 비밀 술집(=blind pig) ; 싸구려 위스키.
blínd Tóm *n.* 《野俗》 누심(壘審).
blínd trúst *n.* (공직자의 주식·부동산 따위의) 백지위임《직권 남용의 비판을 막기 위함》.
blínd·wòrm *n.* 〖動〗 (유럽산(産)) 발없는 도마뱀(slowworm).
bling·er [blíŋgər] *n.* 《美俗》 극단적인 것[사례].
blink** [blíŋk] *vi.* **1** [動/+前+名] **a**) (눈을) 깜박거리다(wink), 눈을 깜작깜작하다 ; 힐끗 보다, 훔쳐보다 : The girl ~*ed* ***at me. 소녀는 나를 힐끗 보았다 / She ~*ed at* the sudden light. 갑작스런 빛에 (눈이 부시어) 눈을 깜작거렸다. **b**) 놀란 눈으로 보다, 깜짝 놀라다 : She ~*ed* ***at*** the unexpected turn of affairs. 그 일의 뜻밖의 변화에 깜짝 놀랐다. **2** (불빛·별 따위가) 명멸하다. **3** [+*at*+名] 보고도 못본 체하다, 너그러이 봐주다, 눈감아 주다 : He ~*ed* ***at*** her fault. 그녀의 과실을 눈감아 주었다. ☞ 活用. —— *vt.* **1** 깜작거리게 하다 : ~ one's eyes 눈을 깜작거리다. **2** [+目+副] (눈물을) 눈을 깜작거려 떨어뜨리다 : He ~*ed away* the tears. 눈을 깜작거려 눈물을 떨어뜨렸다. **3** 보고도 못본 체하다, 무시하다(ignore) : You cannot ~ [There is no ~*ing*] the fact that there is a war. 전쟁이 일어났다는 사실은 무시할 수가 없다. ☞ 活用.
—— *n.* (눈을) 깜작거림 ; 일순간 ; 힐끗 보기 ; 번쩍이기 ; 깜박이기. 〖Du. *blinken* to shine과 BLENCH¹의 이형(異形) *blenk*에서〗
活用 *vi.* 3은 「너그러이 보아주다, 관대히 묵인하다」라는 뜻으로서 이 경우에는 wink at을 쓰는 일이 많음 : *blink at* (=*wink at*) dishonest practices (부정한 방법[수법]을 묵인하다). *vt.* 3은 「감히 현실을 인정치 않다, 직시(直視)하는 것을 피하다」란 뜻으로 *blink* ugly[unpleasant] facts (싫은[불쾌한] 사실을 무시하다)와 같이 쓰인다.
類義語 ⟹ WINK.
blínk·ard *n.* 시종 눈을 깜작이는 사람 ; 멍청이.
blínk·er *n.* **1** 눈을 깜작이는 사람. **2** [보통 *pl.*] (말의) 눈을 가리는 가죽(blinders) ; 《俗》 먼지막이 안경. **3** [*pl.*] 《美》 점멸(點滅)광[신호등]《경계(警戒) 표지》.
be [***run***] ***in blinkers*** 《비유》 주위의 형세를 모르고 있다[달리다].

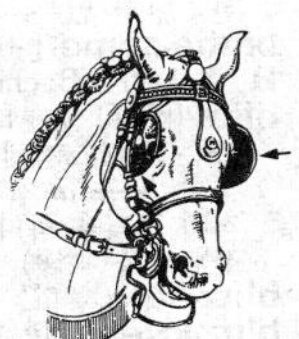
blinker 2

—— *vt.* (말)에게 눈가리개를 하다.
blínk·ing *a.* 깜빡이는, 명멸하는, 깜짝거리는 ; 《英俗》 지독한, 괘씸한.
—— *adv.* 《口》 대단히, 매우, 몹시.
blin·tze [blíntsə], **blintz** [blínts] *n.* 블린츠《얇은 팬케이크로 치즈·잼 따위의 소를 넣어 구운 유태 요리》. 〚Yid.〛
blip [blíp] *n.* 블립《레이더의 스크린에 나타나는 영상》; 삐하는 소리(bleep) ; (텔레비전에서 부적당한 말을 비디오테이프에서 지운 자리의) 삐소리.
—— *a.*《美俗》 뛰어난, 훌륭한. —— *vt., vi.* (**-pp-**) (온당치 않은 말 따위를 비디오테이프에서) 삐소리로 지우다 ; 삐하고 소리 내다.
〚imit.〛
***bliss** [blís] *n.* Ⓤ 더없는 기쁨, 지복(至福), (대단한) 행복 ; 천국에 있기[있는 기쁨].
〚OE *bliss* ; ⇨ BLITHE ; 의미는 *bless*의 영향〛
blíss·ful *a.* 지복(至福)의 ; 더없이 행복한, 즐거운. **~·ly** *adv.* **~·ness** *n.*
blíssful ígnorance *n.* (현실의 부조리·불평등·부정 따위를 못 느끼는) 행복한 무지.
blis·ter [blístər] *n.* (피부의) 물집, 수포(水疱), (페인트·니스칠·금속판·식물 따위의) 기포(氣泡), 발포(發泡) ; 〔醫〕 발포고[제] ; 《口》 불쾌한 인물, 녀석 : get ~*s* on one's hands 손에 물집이 생기다. —— *vt.* **1** 물집[수포]이 생기게 하다 ; (페인트에) 거품이 나게 하다. **2** (비평 따위로 사람을) 상처 주다, 엄하게 비난하다. —— *vi.* 물집이[수포가] 잡히다 : I[His hands] ~ easily. 나는[그의 손은] 물집이 쉽게 생긴다.
〚? OF *blestre, blo*(*u*)*stre* swelling, pimple〛
blíster bèetle *n.* 〔昆〕 건조시켜 분말로 만든 것이 발포제(發疱劑)로 사용되는 남가뢰류(類)의 각종 딱정벌레.
blíster còpper *n.* 〔冶〕 거친 구리.
blíster gàs 〔軍〕 *n.* (인체에 물집이 생기게 하는) 미란[수포]성 독가스.
blíster·ing *a.* 물집이 생기게 하는 ; 통렬한, 맹렬한, 엄격한《비평 따위》. —— *n.* (페인트 칠 따위의) 부풀음. **~·ly** *adv.*
blíster pàck *n.* 블리스터 팩(bubble pack)《물건이 보이도록 그 형상대로 뜬 투명 플라스틱으로 씌운 포장》.
blíster rùst *n.* 〔植〕 소나무의 털녹병.
blís·tery *a.* 물집이 있는, 물집투성이의.
Blís·tèx *n.* 블리스텍스《입술 튼 데 효능이 있는 립크림 ; 상표명》.
blithe [bláið] *a.* **1** 《詩》 즐거운, 쾌활한, 명랑한(joyous). **2** 부주의한, 경솔한(casual).
~·ly *adv.* 즐거운 듯이, 쾌활하게 ; 부주의하게, 경솔하게. **~·ness** *n.*
〚OE *blithe* happy ; cf. BLISS〛
blith·er [blíðər] *n., v.* ＝BLATHER.
blíther·ing *a.* 수다스럽게 지껄이는 ; 《口》 철저한 ; 형편 없는, 경멸할.
blíthe·some [-θ-, -ð-] *a.* 《詩》 ＝BLITHE 1.
B. Lit(t). Bachelor of Literature[Letters].
blitz [blíts] *n.* 《口》 전격적인 공격 ; 맹공(猛攻) ; 급습 ; (매스컴에 의한) 대선전 : ~ tactics 전격작전. —— *a.* 전격적인. —— *vt.* [특히 *p.p.*로] 전격적 공격을 하다 : ~*ed* areas (전격적 공격에 의한) 피폭(被爆) 지대.
blítz·flù *n.* 《俗》 전격성[유행성] 감기.
blitz·krieg [blítskrìːg] *n.* 전격전, 급습, 대공습.
〚G＝lightning war〛
bliv·it [blívət] *n.* 불필요한 [귀찮은, 헷갈리기 쉬운] 것.
bliz·zard [blízərd] *n.* (큰) 눈보라, 폭풍설(雪), 블리자드 ; 《비유》 돌발, 쇄도 ; 《古》 일제 사격.
〚? imit.〛
blízzard hèad *n.* 《美俗》 (텔레비전 방송에서 조명을 낮추어야 할 만큼) 눈부실 정도의 금발의 여배우.
blk. black ; block ; bulk.
B.LL. Bachelor of Laws.
bloat [blóut] *vt.* **1** [주로 *p.p.*로] 부풀게 하다 ; 《비유》 우쭐하게 하다 : a ~*ed* face 부푼[부은] 얼굴 / ~*ed with* overeating 너무 먹어 살이 찐[쪄 있는] / ~*ed with* pride 우쭐한[해 있는]. **2** (청어 따위를) 훈제(燻製)로 하다 : a ~*ed* herring＝BLOATER.
—— *vi.* 부풀다 ; 우쭐하다.
—— *n.* 〔動〕 고창(증) 《소나 양에게 다발하는 소화 불량의 일종》; 《美口》 (인원·지출의) 쓸데없는 팽창 ; 부풀은[부풀게 하는] 사람[것] ; 《美俗》 술주정꾼.
〚*bloat* (obs.) swollen, soft and wet < ? ON *blautr* soft, soaked〛
blóat·ed *a.* 지나치게 커진, 부풀은 ; 거만한, 거드럭거리는.
blóat·er *n.* 통째로 훈제한 청어(cf. KIPPER).
blob [bláb] *n.* **1** (잉크 따위의) 얼룩 ; (왁스 따위 반고체의) 둥글고 작은 덩어리. **2** (물고기의) 물 튀기는 소리. —— *v.* (**-bb-**) *vt.* ＝BLOT[1].
—— *vi.* 《美俗》 실패하다.
〚imit. ; cf. BLEB〛
blób·ber-lìpped [blábər-] *a.* 《英》 입술이 두툼하게 튀어나온《사람 등》.
bloc [blák] *n.* 블록, 단(團), 권(圈)《정치·경제상의 특수한 이익을 위해 제휴한 몇몇 국민·단체의 일단(一團)》; 《美》 (특수한 문제에 관한 초당파적인) 의원 연합 : ~ economy 블록 경제 / the dollar ~ 달러 블록《무역 결제가 달러로 행해지는 지역》. 〚F ; ⇨ BLOCK〛
‡**block** [blák] *n.* **1 a)** 덩어리, 조각⟨*of*⟩ ; 나뭇 덩어리[조각]. **b)** [*pl.*] (장난감의) 토막 쌓기 나무(brick) (＝building ~) ; (건축용) 블록(＝building ~). **2** 받침판, 대반(臺盤) 《도마·모탕·승마대·단두대·조선(造船)대·구두닦기의 발판 따위》; 경매대 (＝auction ~) ; 모자골. **3** 도르래, 활차 《한 개 또는 그 이상의 도르래(pulley)를 나무[금속] 상자에 넣은 것》. **4** 덧대는 것, 채워 넣는 것(pad). **5 a)** 《英》 (한 동(棟)의) 큰 건물 : a ~ (＝building) of flats 한 동의 아파트. **b)** 《美》 한 구획(☞ SQUARE *n.* 4 a)) : a building occupying an entire ~ 한 구획 전체를 차지하는 건물. **c)** 《美》 1블록《구획의 1변(邊)의 길이》, 가(街) (cf. SQUARE *n.* 4 b)) : It's two ~*s* away. 그것은 두 블록 떨어져 있다. **6** 〔政〕 ＝BLOC. **7** 폐색(閉塞)물《혼잡하여 움직일 수 없게 된 여러 대의 자동차 따위》, 방해물. **8** 〔크리켓〕 타자가 배트를 쉬고[공치기를 멈추고] 있는 위치. **9** (여러 가지의) 한 벌, 한 묶음 ; (한장씩 떼어 쓰게 된) 종이철[큰 우표장]. **10** 〔醫〕 (신경) 장애 ; 〔競〕 (상대편의) 행동 방해. **11** (유가 증권의) 거래 단위 ; 대량의 주(株). **12** 《濠》 (이민에게 주는) 토지의 한 구획. **13** 《俗》 (사람의) 머리 ; 멍청이, 바보(blockhead). **14** 〔컴퓨〕 구역《순서도상의 기호 ; 한 단위로 취급되는 워드군(群) ; 일정한 기능을 지니는 기억 장치의 구성부분》. **15** 〔鐵〕 폐색(구간).
block and tackle [***fall***(***s***)] 도르래 장치, 복합 도르래 ; 《美俗》 자기의 행동을 규제하는 사람《아내·상사 등 ; 미식 축구 용어에서》.

cut blocks with a razor (면도날로 통나무를 자르듯이) 훌륭한 능력이나 수단을 하찮은 일에 쓰다, 천재를 썩이다.

go*[*come*] *to the block 참수(斬首)[단두대에서 목을 잘리게] 되다 ; 경매에 부쳐지다.

on the block 경매에 부친, 팔물건으로 내놓은.

── *vt.* **1** [+目/+目+前+名/+目+副] (길 따위를) 막다, 폐색[봉쇄]하다 : The railroad was ~*ed* by the snow. 철도는 눈으로 인해 불통이 되었다 / They ~ (***up***) the sidewalk ***with*** bicycles and things. 보도(步道)에 자전거나 기타 물건을 놓고 통행의 방해를 한다 / (Road) *Blocked* ! 《게시》 통행 금지. **2** (진행·행동을) 방해하다, …의 장애가 되다 : His wife's sickness ~*ed* his plans for the party. 아내의 병때문에 파티를 열려던 그의 계획이 좌절되었다. **3** 〖競〗(상대 선수를) 방해하다 ; 〖크리켓〗(공을) WICKET 직전에서 배트로 막다 ; 〖美蹴〗(공을 가지고 뛰는 상대편 선수를) 가로막다. **4** (모자를) 골로 본을 뜨다 (shape) ; (책의 표지를) 양각(陽刻)으로 새기다 (emboss). **5** [주로 *p.p.*로] 〖經〗 봉쇄하다 : ~*ed* currency 봉쇄 화폐. **6** 〖醫〗(마취로) 신경을 차단하다. ── *vi.* 〖競〗 상대를 방해하다.

block in 폐색하다, 가두어 넣다 ; (그림의) 약도를 그리다.

block out …의 윤곽을 그리다 ; (…의) 개략적인 계획을 세우다.

block up 막다, 봉쇄하다 ; 방해하다(cf. *vt.* 1).

── *a.* 총괄[종합]적인 ; (활자의) 블록체의 ; (상용문(商用文)에서) 각행의 첫머리를 고르게 맞춘. 〖OF < MDu. < ?〗

類義語 ⟹ HINDER.

block·ade [blakéid] *n.* 봉쇄, 폐색 ; (교통 따위의) 방해 : break[lift, raise] a ~ 봉쇄를 파괴하다[풀다] / run a ~ (몰래) 봉쇄를 뚫고 출입하다. ── *vt.* 봉쇄하다 ; 가로막다, 방해하다.

block·ád·er *n.* 봉쇄[폐색]하는 사람[것], 폐색선(船).

〖↑ ; 어미는 *ambuscade*에 준한 것〗

blockáde-rùnner *n.* 밀항자[선(船)].

blóck·age *n.* 봉쇄 ; 방해.

blóck associàtion *n.* 《美》 (살기 좋은 거리를 만들기 위한) 가구(街區)[블록]회(會).

blóck·bàll *n.* 〖野〗 블록볼, 방해구(球).

blóck·bòard *n.* 합판, 베니어판.

blóck bòok *n.* 목판본(木版本).

blóck·bùst *vt.* (백인의 토지 따위를) blockbusting으로 팔려고 내놓게 하다.

blóck·bùst·er *n.* 《口》 초대형 고성능 폭탄 ; 《美口》 블록버스팅(blockbusting)을 하는 투기꾼 ; 《口》 압도적[위협적]인 것, 유력자, 강한 영향력을 가진 사람[것] ; 막대한 제작비를 투자한 영화[소설].

blóck·bùst·ing *a.* 《口》 압도적으로 강렬한[효과적인]. ── *n.* 《美》 블록버스팅《어떤 백인 지구에 흑인[소수 민족]이 거주하게 된다고 하여 그 지역의 백인 주민에게서 부동산을 헐값에 산 다음 그것을 다시 비싸게 팔기》.

blóck càpital *n.* 〖印〗 블록체의 대문자.

blóck chàin *n.* (자전거 체인 따위) 고리 사슬.

blóck clùb *n.* 《美》 가구[블록] 반상회, 지역 야경대.

blóck cùtter *n.* 목판(木版) 기술자 ; 목판점(店).

blóck dìagram *n.* **1** 〖地質〗 지각(地殼)을 정육면체 블록으로 잘라낸 모형도. **2** 구역 도표《전기(電器)·컴퓨터 따위의 구성 단위나 일련 작업의 각 과정을 사각형으로 나타내고 이것들을 선으로 연결한 것》.

blocked [blɑ́kt] *a.* **1** 막힌, 폐색된, 봉쇄된. **2** 《俗》 마약에 취한.

blóck·er *n.* 막는 사람 ; 〖美蹴〗 방해 전문 선수.

blóck·frònt *n.* (책상·장롱 따위의) 중앙이 좌우 양끝보다 들어간 정면 ; 가구(街區)[블록]의 정면.

blóck grànt *n.* 《美》 (연방정부로부터 주에 지급되는) 정액 교부금[보조금].

blóck·hèad *n.* 바보, 멍청이.

blóck hèater *n.* 축열(蓄熱) 히터[난방기](storage heater).

blóck·hòuse *n.* 통나무 방색(防塞), 작은 요새, 통나무집 ; 로켓 발사 관제소.

blóck·ing bàck *n.* 〖美蹴〗 블로킹 백《주로 블로커의 역할을 하는 공격측의 백》.

blócking capàcitor *n.* 〖電〗 저지(沮止) 콘덴서.

blócking fàctor *n.* 〖컴퓨〗 블록화(化) 인수(因數)《단일 블록에 수용 가능한 레코드의 최대수》.

blóck·ish *a.* 나무토막[목석] 같은 ; 우둔[완고]한 ; 거칠게 만든, 서투른 솜씨의.

blóck làva *n.* 〖地質〗 괴상용암(塊狀熔岩).

blóck lèngth *n.* 〖컴퓨〗 블록 길이《블록 크기의 척도》.

blóck lètter *n.* 〖印〗 블록체, 목판 문자《굵기가 일정하고 장식이 없음》 : Please write your name in ~*s.* 성명은 블록체로 써주십시오.

blóck lìne *n.* 도르래용 로프[케이블].

blóck pàrty *n.* (모금 운동 따위로) 거리에서 벌이는 자선 파티.

blóck plàne *n.* (나무 모서리를 깎는) 작은 대패.

blóck prìnt *n.* 목판화.

blóck prìnting *n.* 목판 인쇄 ; 판목 날염법.

blóck prògramming *n.* 〖라디오·TV〗 블록 프로그래밍《같은 종류의 프로그램을 같은 시간대로 통합하는 것》.

blóck relèase *n.* 단기간의 집중적인 연구에 종사시키기 위해 직원의 직무를 일시 면제시켜 주는 제도《영국·유럽 등지에서 행함》.

blóck sèction *n.* =BLOCK SYSTEM.

blóck·shìp *n.* (항로의 사용을 불능케 하기 위해 일부러 가라앉히는) 폐색선(閉塞船).

blóck sìgnal *n.* 〖鐵〗 폐색 신호.

blóck stỳle *n.* **1** U,C 〖印〗 블록식 자체(字體)《인쇄·필기용》. **2** U,C 블록식《상용문 따위에서 각행 첫머리를 가지런히 맞춘 서식》.

blóck sỳstem *n.* 〖鐵〗 폐색 장치《한구간에 한 열차만을 통과시켜 충돌을 피하게 함》.

blóck tìme *n.* 〖空〗 블록 타임《항공기의 출발시 활주로에서 움직이기 시작한 시간 또는 도착시 활주로에서 정지한 시간》.

blóck tín *n.* 주석 지금(地金).

blóck tỳpe *n.* 〖印〗 블록체(block letter).

blóck vòte *n.* 블록 투표《대의원에게 그가 대표하는 인원수만큼의 투표권을 주는 투표 방법(方法) ; 그 한 표》.

blócky *a.* 뭉툭한 ; 농담(濃淡)이 고르지 않은.

blóc vòte *n.* =BLOCK VOTE.

bloke [blóuk] *n.* 《주로 英俗》 녀석, 놈, 사내.

***blond(e)** [blɑ́nd] *a.* **1** 금발의, (머리털이) 엷은 갈색의 ; (피부가) 희고 혈색이 좋은, 블론드의 (cf. BRUNET(TE) ; DARK 2). **2** 금발·흰살결·푸른 눈의. ── *n.* **1** 블론드인 사람. **2** =BLONDE LACE. **~·ness** *n.* 〖F < L *blondus* yellow〗

活用 명사·형용사 모두 blond, brunet는 남성에 관하여 쓰이는 것이 원칙이지만 특히 형용사의 경우에는 남녀 구분없이 쓰이는 경향도 있음. blonde, brunette는 명사·형용사 다같이 여성

에게만 쓰임.

blónd(e) láce *n.* (프랑스제의) 비단 레이스.

blónd hásh *n.* 《俗》 색이 엷고 약한 해시시(hashish).

blon·die [blɑ́ndi] *n.* 금발[블론드]인 여자 ; [B~] 블론디《Chic Young의 만화 *Blondie*의 여주인공 ; 남편은 Dagwood》.

blónd·ish *a.* 블론드 빛깔을 띤.

◇**blood** [blʌ́d] *n.* **1** Ⓤ 피, 혈액 ; 선혈(鮮血) ; 생명 : give one's ~ for one's country 국가에 생명을 바치다. **2** Ⓤ 체액(體液) ; 붉은 수액(樹液), 과즙. **3** Ⓤ 유혈 ; 살인(죄) ; 희생. **4** Ⓤ 순혈(純血) ; 혈통 ; 가문, 태생, 명문, 문벌 ; 혈연 ; [the ~] 왕족 : fresh[new] ~ (오래된 혈통에 받아들여진) 새로운 혈통 ; [집합적으로] 혈기 왕성한 신예[신진] / ☞ FULL BLOOD / ☞ HALF BLOOD / ☞ BLUE BLOOD / *B*~ is thicker than water. 《속담》 피는 물보다 진하다, 남보다 혈족 / *B*~ will tell. 핏줄은 못속인다 / a prince [princess] of the ~ 왕자[공주]. **5** Ⓤ 혈기, 원기, 격정 ; 기질 : move a person's ~ 남을 격분시키다 / When he heard the news, his ~ boiled[was up]. 그 소식을 듣자 그는 격노했다 / ☞ BAD[ILL] BLOOD / with ~ in one's eye's 눈에 핏발을 세우고, 살기 등등하여. **6** 혈기 왕성한 사람 ; 멋쟁이(dandy) ; 도락자, 한량 : a young ~ 혈기 왕성한 젊은이. **7** 《廢》 육욕, 수욕(獸慾).

cannot get blood from*[*out of*] *a stone 돌에서 피가 나오기를 바랄 수는 없다, 무정한 사람에게서는 동정을 얻을 수 없다.

flesh and blood ☞ FLESH *n.*

have a person***'s blood on*** one***'s head*** [***hands***] 남의 죽음[불행]에 책임이 있다.

in one***'s blood*** 혈통에(서), (대를) 물려받은 : Caprice runs *in her* ~. 변덕스러움은 그녀의 집안 내력이다 / Politics is *in his* ~. 그가 정치를 좋아하는 것은 조상에게서 물려받은 것이다.

in cold blood 냉혹하게, 냉정하게, (살인 따위) 태연히 : commit murder *in cold* ~ 태연스레 남을 죽이다.

in hot*[*warm*] *blood 격노하여.

in the blood =*in* one*'s* BLOOD ; (민족 따위의) 전통에(서), 특질 중에 : Patriotism ran *in the* ~ (of the nation). 애국심이 국민의 핏속을 흐르고 있었다《전통적인 정신이었다》.

let blood 사혈(瀉血)하다(cf. LET[1] *vt.* 6).

make a person***'s blood boil*[*run cold*]** 남을 격노케[오싹하게] 하다.

a man of blood 냉혹한 사람 ; 살인자.

taste blood (사냥개·야수 따위가) 피를 맛보다 ; 《비유》 처음으로 경험하다.

to the last drop of one***'s blood*** 목숨이 붙어 있는 한.

—— *vt.* **1** (사냥개에게) 처음으로 피를 맛보게 하다 ; (군사들을) 유혈에 익숙하게 하다. **2** 〔醫〕 (환자로부터) 피를 뽑다, 사혈(瀉血)하다《이 뜻으로서는 BLEED가 보통》.

〖OE *blōd* ; cf. BLEED, G *Blut*〗

blóod-and-gúts *a.* 《口》 흉포한, 흉포할 정도의 《적의(敵意)》, 지독한 ; 매우 살벌한《이야기》.

blóod and íron *n.* 군사력.

the blood and iron policy (Bismarck의) 철혈 정책《the Man of *Blood and Iron*은 철혈 재상 Bismarck》.

〖G *Blut und Eisen*〗

blóod and thúnder *n.* 유혈과 폭력.

blóod-and-thúnder *a.* 폭력이나 유혈 사태의 ; (소설·영화 따위) 저속한.

blóod bànk *n.* 혈액 은행.

blóod·bàth *n.* 대량 살인, 피의 숙청, 대학살.

blóod bòx *n.* 《CB俗》 구급차(ambulance).

blóod bróther *n.* 피를 나눈 형제 ; (피로 맹세한) 의형제, 혈맹자(血盟者).

blóod cèll[**còrpuscle**] *n.* 혈구(血球) : red [white] ~*s* 적[백]혈구.

blóod clòt *n.* 〔醫〕 혈병(血餠), 혈괴(血塊).

blóod còunt *n.* 혈구 산정(법), 혈구수.

blóod·cùrdler *n.* 소름이 끼치는[등골이 오싹하는] 이야기·기사·책《따위》.

blóod·cùrdling *a.* 오싹하게 하는[할 것 같은] ; 소름끼치는.

blóod dònor *n.* 〔醫〕 혈액 공급[헌혈]자.

blóod·ed *a.* **1** [복합어를 이루어] (…한) 피를 가지고 있는 : cold-~ 냉혈의. **2** 《美》 순종[순혈]의 《가축 따위》.

blóod féud *n.* (몇 대에 걸친 두 종족 사이의) 피의 복수(cf. BLOOD VENGEANCE).

blóod·gìv·en *a.* 혈연에 의한, 동족의.

blóod gròup *n.* 혈족(血族) ; 혈액형.

blóod gròuping *n.* 혈액형 검사.

blóod·guìlt, -guìltiness *n.* 살인죄 ; 유혈죄.

blóod·guìlty *a.* 사람을 죽인, 살인범의.

blóod hèat *n.* (인체의) 혈온(血溫)《평균 37℃》.

blóod·hòrse *n.* 순종인 말.

blóod·hòund *n.* 블러드하운드《영국산의 경찰견(犬)》; 《口》 집요한 추적자, 탐정.

blóod·less *a.* 핏기가 없는, 빈혈의 ; 창백한 ; 무혈의 ; 유혈 참사가 없는 ; 냉혈[무정]한 ; 정열[원기]이 없는. **~·ly** *adv.* **~·ness** *n.*

Blóodless Revolútion *n.* [the ~] 〔英史〕 무혈(無血)혁명(☞ ENGLISH REVOLUTION).

blóod·lètting *n.* Ⓤ 〔醫〕 사혈(瀉血) ; (전쟁·권투 따위에서의) 유혈(bloodshed) (cf. LET[1] *vt.* 6) ; 인원[자원]의 소모.

blóod·lìne *n.* 혈족, 혈통 ; (동물의) 혈통.

blóod·lùst *n.* Ⓤ,Ⓒ 유혈(流血)에의 욕망 ; 피에 굶주림.

blóod màrk *n.* 혈흔, 핏자국.

blóod·mobìle *n.* 이동 헌혈차《수혈 기구를 설치한 자동차》.

blóod mòney *n.* 사형수 인도 보상금 ; 근친을 살해당한 위자료 ; 살인 사례금 ; 《空軍俗》 적기를 격추시키고 받는 상여금.

blóod òrange *n.* 과육이 붉은 각종 오렌지.

blóod plàsma *n.* 〔解〕 (수혈용의) 혈장(血漿).

blóod plàtelet *n.* 〔解〕 혈소판(血小板).

blóod pòisoning *n.* 〔醫〕 패혈증(敗血症).

blóod prèssure *n.* [또는 a ~] 〔醫〕 혈압 : high [low] ~ 고[저]혈압.

blóod pùdding *n.* =BLOOD SAUSAGE.

blóod pùrge *n.* 피의 숙청《정당·사회단체·정부에 의한 불순분자의 숙청》.

blóod-ràgs *n. pl.* 《俗》 월경, 멘스.

blóod·réd *a.* 피처럼 붉은 ; 피로 물들인.

blóod rèd *n.* 핏빛 같은 진홍색.

blóod relátion[**rélative**] *n.* 혈족, 육친.

blóod revénge *n.* 혈족[육친]에 의한 복수.

blóod·ròot *n.* 〔植〕 (뿌리가 붉은 북미산의) 양귀비꽃과의 다년생 초목.

blóod róyal *n.* [the ~] 왕족(royal family).

blóod sàusage *n.* 블러드 소시지 《돼지 선지를 많이 넣은 거무스레한 소시지》.

blóod sèrum *n.* 〔生理〕 혈청(血淸).

blóod·shèd(**ding**) *n.* Ⓤ 유혈(의 참사), 살해,

학살 : vengeance for ~ 피의 복수.
blóod·shòt *a.* (눈이) 충혈된, 핏발이 선 ; 혈안이 된 : see things ~ 살기 등등하다.
blóod spòrt *n.* 피를 보게 되는 스포츠《사냥·투우 따위》.
blóod spòt *n.* 핏자국.
blóod·stàin *n.* 혈흔(血痕).
blóod·stàined *a.* 핏자국이 있는 ; 피투성이의, 피로 물들인 ; 살인범의 ; 학살의.
blóod·stòck *n.* [집합적으로] 순혈종(의 경주말).
blóod·stòne *n.* 〖鑛〗 혈석(血石), 혈옥수(血玉髓)《특히 heliotrope를 말함》.
blóod·strèam *n.* (몸속의) 혈류(血流)(량) ; 활력, 필수적인 것 ; 주류, 대동맥.
blóod·sùck·er *n.* 흡혈 동물, 거머리(leech) ; 흡혈귀 ; 남에게서 돈을 우려내는 사람, (남을) 착취하는 사람 ; 군식구, 식객(食客).
blóod sùgar *n.* 혈당(血糖).
blóod tèst *n.* 〖醫〗 혈액 검사.
blóod-tést *vt.* 〖醫〗 혈액 검사를 하다.
blóod·thìrsty *a.* 피에 굶주린, 잔인한.
blóod tìe *n.* 혈연, 혈족 관계.
blóod transfùsion *n.* 〖醫〗 수혈(법).
blóod tỳpe 혈액형(blood group.)

〈회화〉
What's your *blood type*? — Mine is B. 「혈액형은 무엇입니까」「B형입니다」

blóod tỳping *n.* =BLOOD GROUPING.
blóod véngeance *n.* 유혈의 처사에 대한 유혈의 복수(cf. BLOOD FEUD).
blóod vèssel *n.* 혈관.
blóod-wárm *a.* 혈온(血溫)의 ; 미지근한.
blóod·wòrm *n.* 붉은지렁이《낚시미끼》.
***blóody** *a.* **1** 피의[같은]. **2** 피가 흐르는, 피로 물든, 피투성이의, 피에 관한, 피를 함유한. **3** 피비린내 나는, 살벌한, 잔인한, 잔학한(cruel) ; 핏빛이 나는, 붉은 : ~ work 학살. **4** 《英俗》 심한, 지독한 (cf. SANGUINARY 3 a)). ㊟ 쓰기를 기피하여 때때로 b — dy라고 복자(伏字)를 쓰기도 함(cf. BLOOMING 2).
Bloody hell! 《俗》 빌어먹을.
get a bloody nose from (a person) (남)에게 얻어맞다, 얻어맞아 코피가 나다.
not a bloody one [강한 뜻으로] 단 하나도 … 않은[아닌].
the bloody shirt 《美》 (복수를 상징하는) 피로 물든 셔츠 ; 적의를 부추기는 것 : wave *the ~ shirt* 〖美政〗 당파적인 적개심을 부추기다.
— *adv.* 《英俗》 굉장히, 지독하게, 몹시(very) : All is ~ fine. 다 잘 있네《편지 따위의 결구》.
— *vt.* (…에서) 피를 흘리다, 피로 물들이다, 피투성이가 되게 하다.
blóod·i·ly *adv.* 피투성이가 되어, 무참하게. **-i·ness** *n.*
〖OE *blōdig* ; ⇨ BLOOD〗
Bloody *n.* 《美俗》 =BLOODY MARY 1.
blóody fíngers *n.* (*pl.* ~) 《俗》 디기탈리스(foxglove).
blóody flúx *n.* 《古》 이질(dysentery).
Blóody María *n.* 《美》 블러디 마리아《테킬라와 토마토 주스로 만든 음료》.
〖*Bloody Mary*를 흉내낸 말〗
Blóody Máry *n.* **1** (*pl.* ~**s**) [흔히 b~ m~] 보드카와 토마토 주스를 섞은 음료. **2** 영국 여왕 Mary 1세의 별명《신교도를 다수 처형했기 때문에 얻은 별명》.

blóody-mínd·ed *a.* 살벌한 ; 잔인한.
blóody múrder *n.* 《美俗》 **1** 완패, 괴멸. **2** 살인적인[매우 고통스러운] 일. **3** [다음 숙어로]
cry [***scream, yell***] ***bloody murder*** 노여움[공포]의 소리를 지르다.
bloo·ey, bloo·ie [blúːi] *a.* 《俗》 상태가 이상한, 고장난(out of order) : go ~ 상태가 나빠지다, 고장나다.
‡**bloom**[1] [blúːm] *n.* **1** (특히 관상용 식물의) 꽃(flower) (cf. BLOSSOM). **2** Ⓤ [집합적으로] 화초. **3** Ⓤ 개화기(期), 꽃의 만발 ; 한창(인 때) : the ~ *of* youth 청춘 / a girl in the ~ of youth 한창 나이인 아가씨. **4** Ⓤ (얼굴의) 장미빛 홍조, 건강한 빛 ; 신선미. **5** Ⓤ 포도 따위의 과실 표면에 생기는 흰 가루, 과분(果粉). **6** Ⓤ 〖鑛〗 화(華), 가루 : cobalt ~ 코발트화.
in [***out of***] ***bloom*** 꽃이 피어[지고] 있는.
in full bloom 한창인 때 : The roses are *in full* ~. 장미꽃은 지금 한창입니다.
— *vi.* **1** 꽃이 피다 : Many plants ~ in spring. 많은 식물이 봄에 꽃이 핀다. **2** 번영하다 ; 한창이다 ; 건강색[붉은빛]으로 빛나다 ; 붉어지다.
— *vt.* 개화시키다 ; (렌즈에) 코팅하다 ; 《廢》 번창하게 하다.
〖ON *blōm* ; ⇨ BLOW[3]〗
類義語 ⟹ FLOWER.
bloom[2] *n.* 괴철(塊鐵) ; 〖冶〗 블룸, 봉강(棒鋼).
— *vt.* 괴철로 불리다. 〖OE *blōma*〗
bloomed [blúːmd] *a.* 《英》 〖寫·光〗 (렌즈가) 코팅된(coated).
blóom·er[1] *n.* [흔히 수식어를 수반하여] **1** 꽃이 피는 식물 : an early ~. **2** 인생의 전성기에 있는 사람. **3** 《英口》 큰 실수[실책](blunder) : pull a ~ 실수하다.
〖BLOOM[1] ; cf. *blooming* error〗
bloomer[2] *n.* [보통 *pl.*] 블루머《여성·유아용의 느슨한 팬츠》; 여성용의 운동복 반바지 : a pair of ~*s* 블루머 한 벌.
〖Mrs. A. *Bloomer* (d. 1894) 미국의 여권 확장주의자〗

bloomer[2]

blóom·ery *n.* 〖冶〗 괴철로(爐) ; 괴철 공장.
Bloom·field [blúːmfiːld] *n.* 블룸필드. **Leonard** ~ (1887-1949) 미국의 언어 학자.
blóom·ing *a.* **1** 꽃이 활짝 핀, 꽃이 한창인(in bloom) ; 한창 피어나는 ; 꽃 같은 ; 번성하는, 번영[융성]하는. **2** 《英口》 [BLOODY의 대용어] 굉장한, 터무니없는 ; 지독한 : a ~ fool 지독한 멍청이. **~·ly** *adv.* 《英俗》 터무니없게, 지독하게.
blóoming mìll *n.* 분괴(分塊) 압연기[공장].
Blóoms·bury gròup [blúːmzbəri-] *n.* [the ~] 블룸즈베리 그룹《20세기 초엽, Virginia Woolf, Bertrand Russell 등을 중심으로 블룸즈베리에 모여 있던 문학가·지식인의 집단》.
blóomy *a.* 꽃이 핀 ; (열매에) 흰 가루가 생긴.
bloop [blúːp] *n.* 《美》 (윙윙거리는) 불쾌한 잡음 ; 잡음 방지용 마스크《필름의 이음매에 댐》; 큰 실수. — *vi.* 잡음을 내다. — *vt.* **1** …의 잡음을 없애다. **2** 《野俗》 텍사스 리거를 날리다. **3** 《美俗》 치다, 때리다.
blóop·er *n.* 《美口》 실수, 잘못 ; 근처 라디오에 잡음이 나게 하는 라디오 ; 《野俗》 텍사스 리거 ; 《野俗》 역회전하는 높은 공.

‡**blos·som** [blásəm] *n.* **1 a**) (특히 과수(果樹)의) 꽃(cf. BLOOM[1]) : apple ~*s* 사과꽃. **b**) Ⓤ [집합적으로] (한 그루에 핀) 꽃 전부. **2** Ⓤ 개화(된 상태), 꽃피는 시절 ; 청춘 : in ~ 꽃이 피어 / in full ~ 만발하여 / a cherry tree *in full* ~ 꽃이 만발한 벚꽃나무 / come into ~ 꽃이 피기 시작하다.
(my) little blossom 귀여운 아이, 애인.
—— *vi.* **1** (나무가) 꽃이 피다 : The peach trees ~ in April. 복숭아는 4월에 꽃이 핀다. **2** [+*into*+名/+*as* 補/+副] 발전하다, 번영하다 : He ~*ed* (***out***) ***into*** [~*ed out as*] a statesman. 그는 얼마 후 훌륭한 정치가가 되었다.
the blossoming season 꽃피는 시절.
〖OE (n.) *blōstm(a)* ; cf. BLOOM〗
類義語 ⟹ FLOWER.

blós·somy *a.* (꽃이) 활짝 핀.

***blot**[1] [blát] *n.* 더러움, (잉크 따위의) 얼룩 ; (명성의) 흠, 오점(汚點), 오명(汚名) : a ~ *on* one's character 인격의 오점. —— *v.* (**-tt-**) *vt.* **1** …에 잉크를 번지게 하다, 얼룩지게 하다 ; …에 오점을 남기다, 더럽히다 ; (쓸데없는 것을) 써대다. **2** (압지(壓紙)로) 빨아들이다. —— *vi.* (잉크 따위가) 번지다, 얼룩지다.
blot one's ***copybook*** 《英口》 (경솔한 짓을 하여) 평판을 떨어뜨리다, 이력에 오점을 남기다.
blot out (1) (문자·행(行)·문장을) 지우다 : A whole line has been ~*ted out* there. 그 부분은 1행이 전부 지워져 있다. (2) 덮어 감추다, 안보이게 하다 : A cloud appeared and ~*ted out* the mountain top. 구름이 몰려와 산꼭대기를 가렸다. (3) 파괴하다, 죽이다 : ~ *out* the enemies 적을 섬멸하다.
〖? Scand. ; cf. Icel. *blettr* spot, stain〗

blot[2] *n.* 〖체스〗 잡히기 쉬운 말 ; 《古》 (의논 따위의) 약점, 결함.
〖C16< ? ; cf. Du. *bloot* naked〗

blotch [blátʃ] *n.* 부스럼, 종기 ; 큰 얼룩.
—— *vt.* 더럽히다, 얼룩을 묻히다.
~ed *a.* 얼룩이 묻은.
〖*plotch* (obs.)와 BLOT[1]의 혼성(混成)인가〗

blótchy *a.* 부스럼[종기·얼룩]투성이의.

blót·ter *n.* 흡수지(紙), 압지(押紙) ; 기록부 ; 《美》 (원장(元帳)에 올리기 전의) 임시 장부 : a police ~ (경찰의) 체포 고소 기록부.

blot·tesque [blatésk, blə-] *a.* 휘갈겨 쓴, 아무렇게나 그린 ; (예술품 따위) 조잡하게 만들어진.

blótting pàd *n.* 압지첩.

blótting pàper *n.* 압지.

blot·to [blátou] *a.* 《俗》 곤드레만드레 취한.
〖C20< ? ; *blot*[1]에서인가〗

***blouse** [bláus, -z ; -z] *n.* 〖服〗 (여성·어린이용의) 블라우스 ; (느슨한 셔츠 비슷한) 작업복 ; 〖美軍〗 보통 군장(軍裝)의 웃옷[재킷]. 〖F< ?〗

blous·on [blú:zan, bláusan ; *F* bluzɔ̃] *n.* 〖服〗 (미용사 등이 입는) 허리부분이 홀치게 된 헐렁한 겉옷.

‡**blow**[1] [blóu] *v.* (**blew** [blú:] ; **blown** [blóun], ☞ *vt.* 10) *vi.* **1** [動/+前+名/+補] [때때로 it을 주어로 하여] (바람이) 불다 : The wind ~*s.* 바람이 분다 / *It* is ~*ing* hard. 바람이 세차게 불고 있다 / There was a strong wind ~*ing* ***from*** the northeast. 북동쪽에서 세찬 바람이 불어오고 있었다 / *It* was ~*ing* a gale. 센바람이 불고 있었다 / ~ great guns ☞ GUN 숙어.
2 [動/+副/+前+名/+補+過分] 바람에 날려서 움직이다, (바람에) 불려 휘날리다[흩어지다] : The papers *blew* ***off*** [***away***]. 서류가 바람에 날려 흩어졌다 / Sand dust *blew* ***in through*** the crevices. 모래 먼지가 갈라진 틈으로 휘날려 들어왔다 / The door has ~*n* open [shut]. 문이 바람에 밀려 열렸다[닫혔다].
3 입김[숨]을 내뿜다[내쉬다], 헐떡이다 ; (고래가) 물줄기를 내뿜다(spout) : puff and ~ ☞ PUFF 숙어.
4 (오르간·피리 따위가) 울리다 : The whistle ~*s* at noon. 정오에 경적이 울린다.
5 [動/+副] (타이어가) 구멍나다 ; (전구(電球)가) 끊어지다, (퓨즈가) 나가다 : The fuse has ~*n* (***out***). 퓨즈가 나갔다.
6 《口》 허풍을 떨다, 자랑[자만]하다(boast).
7 《俗》 가버리다, 떠나다 ; 도망가다.

〈회화〉
The siren's *blowing.* — A fire has broken out, I guess. 「사이렌이 울리고 있어」「불이 났는지도 모르겠군」

—— *vt.* **1** [+目/+目+副/+目+前+名] 불다, 휘몰아치다 : The wind *blew* the curtains. 바람으로 커튼이 휘날렸다 / He had his hat ~*n* ***off***. 그의 모자가 바람에 날아갔다 / The tent was ~*n* ***over*** by the wind. 천막은 바람에 쓰러졌다 / The yacht was ~*n* ***off*** its course. 요트는 바람에 밀려 항로에서 벗어났다. 주 다음 속담의 구조에서 blow는 [+目+目]을 수반하고 있다 : It is an ill wind that ~*s* nobody (any) good. 《속담》 누구에게도 이득이 안되는 바람은 불지 않는다, 「갑의 이득은 을의 손실」.
2 불어서 부풀게 하다 ; (비눗방울·유리 기구 따위를) 불어서 만들다 : ~ bubbles 비눗방울을 불다 / ~ glass 유리컵을 불어서 만들다.
3 (피리·나팔 따위를) 불다, 취주(吹奏)하다 : ~ a horn (사냥꾼 등이) 뿔피리를 불다.
4 [+目/+目+副/+目+前+名] …에 숨을 불어넣다 ; (불이 일게) 불다 ; (풀무에서) 바람을 보내다 : ~ bellows 풀무질하다 / ~ (***up***) the fire (풀무 따위로) 불어 불을 일으키다 / He *blew* the dust ***off*** (the table). 그는 (책상 위의) 먼지를 훅 불었다.
5 (계란에 구멍을 두 개 뚫어) 불어 속을 빼다 ; (코를) 풀다 : ~ one's nose 코를 풀다.
6 [+目/+目+副] 폭파하다 ; (타이어를) 구멍내다 ; (퓨즈를) 나가게 하다 : The railroad was ~*n* with dynamite. 철도는 다이너마이트로 폭파되었다 / That *blew* (***out***) the fuse. 그것 때문에 퓨즈가 나갔다.
7 [보통 수동태로] 헐떡이게 하다.
8 (곤충이) …에 알을 까다 : Some flies ~ fruit. 파리 중에는 과일에 쉬를 스는 것도 있다.
9 《俗》 (돈 따위를) 낭비하다(squander) ; (소식을) 전하다, 발표하다 ; (소문을) 퍼뜨리다 ; 《俗》 (비밀을) 누설하다.
10 (*p.p.* **blówed**) 《口》 저주하다(curse) : *B*~ the expense. 경비 따위는 생각지 마라《마음대로 써라》 / *B*~ it ! =Oh, ~ ! 제기랄 될 대로 되라 / I'll be ~*ed* if...=I'm ~*ed* if …이면 내 목을 주마, 결코 …은 아니다[않다] / Well, I'm ~*ed* ! 이것 참 놀랐는걸.
blow hot and cold (추켜 세웠다 내렸다하여) 변덕스럽다, 주견이 없다.
blown in 《口》 뜻밖에 찾아들다[나타나다].
blow into... 《口》 (마을에) 다다르다.
blow off (1) 불어 털다[날리다] (cf. *vi.* 2, *vt.* 1). (2) 《口》 마구 지껄여[불평하여] (울분을) 풀

다 : ~ *off* steam ☞ STEAM *n.* 숙어.
***blow** one's **own horn**[**trumpet**]* 허풍떨다, 자기 자랑하다, 자화 자찬하다.
blow** one's **top ☞ TOP[1].
blow out (1) (등잔불 따위) 훅하고 불어 끄다, (갑자기) 꺼지다 ; (바람이) 그치다 : The candle was ~*n out* by a gust of wind. 촛불은 바람이 한번 불자 꺼졌다 / The wind has ~*n* itself *out.* 바람이 그쳤다. (2) 폭파하다 ; (타이어가) 구멍나다 ; (퓨즈가) 나가다[나가게 하다] (cf. *vi.* 5, *vt.* 6) : ~ (*out*) one's brains 머리를 쏘아 자살하다.
blow over (1) 불어 쓰러뜨리다 (cf. *vt.* 1). (2) (폭풍이) 지나가다, 그치다, 고요해지다 ; (위기·불행·낭설이) 무사히 지나가다, 잊혀지다.
blow the gaff ☞ GAFF.
blow up (*vt.*) (1) 불어 일으키다 (cf. *vt.* 4) ; 부풀게 하다 : ~ *up* a tire 공기를 넣어 타이어를 부풀게 하다. (2) 폭파하다 : ~ *up* a large rock 큰 바위를 폭파하다. (3) (사진·지도 따위를) 확대하다 (enlarge). (4) 《口》 몹시 야단치다, 욕하다. (*vi.*) (5) (폭약 따위가) 폭발하다. (6) (폭풍이) 휘몰아치다 : A storm suddenly *blew up.* 폭풍이 별안간 엄습해 왔다. (7) 《口》 화를 내다.
blow upon …의 인기[신용]를 잃게 하다, 가치 없게 만들다, 낡아빠지게 하다.
—— *n.* **1** 한번 불기 ; (코 따위를) 풀기 ; 한줄기의 바람 (blast) : give one's nose a good ~ 코를 시원하게 풀다. **2** 취주(吹奏). **3** (용광로에 바람을) 한번 불어 넣는 시간[양(量)]. **4** (고래의) 물뿜기. **5** 산란, 파리의 쉬. **6** 허풍, 자기 자랑.
have*[*go for*] *a blow 바람쐬러 나가다.
〖OE *blāwan* ; cf. G *blähen*〗

‡blow[2] *n.* **1** 강타, 구타 ; 급습 : give a person a ~ 남을 구타하다 / strike a ~ *at* a person = strike a person a ~ 남에게 일격을 가하다 / deal a ~ between the eyes 양미간에 일격을 가하다 / The first ~ is half the battle. 《속담》 먼저 손을 쓰면 남을 제압한다. **2** 《비유》 (정신적인) 타격, 큰 불행 (misfortune) ; 재난 (disaster) : a ~ to one's pride 자존심에 대한 타격.
at a*[*one*] *blow 별안간, 급히 ; 단숨에, 단번에, 일거에.
at blows 주먹다짐[싸움]을 하여.
come*[*fall*] *to blows 주먹다짐을 하다, 싸움을 시작하다.
***strike a blow for*[*against*]** …에 가세[반항]하다, …을 위해 노력하다[에 반대하다] : *strike a ~ for* freedom 자유를 위해 진력하다.
without striking a blow 힘들이지 않고.
〖C15 *blaw* (dial.) < ?〗
類義語 ***blow*** 강하고 난폭하게 어떤 것[사람]을 치기 ; 주먹이나 무거운 것으로 치는 타격. ***stroke*** 손이나 가느다란 것으로 정확하게 치기 ; 때때로 테니스 따위 기술적인 경우에 쓰임.

blow[3] *vi.* (**blew** [blúː] ; **blown** [blóun]) 《文語》 [주로 *p.p.*로] 꽃이 피다 : a full-~*n* rose 활짝 핀 장미꽃. —— *n.* 개화(開花).
〖OE *blōwan* ; cf. BLADE, BLOOM[1]〗

blów·bàck *n.* (축사(縮寫)한 것의) 확대 복사 ; (비밀 정보부원이 외국에서 흘린 헛소문의) 본국으로의 역수입.

blów·bàll *n.* (민들레 따위의) 수과(瘦果).

blów·bỳ *n.* 블로바이《피스톤과 실린더 사이에서의 가스 누출》.

blów-by-blów *a.* (권투 시합 중계 모양으로) 하나하나 보고하는, 매우 상세한.

blów còck *n.* (보일러의) 배기(排氣) 콕.

blów-drý *vt.* (머리를) 드라이어로 매만지다. —— *a.* 드라이어로 머리를 매만진. —— *n.* 드라이어로 머리를 매만지기.

blów drỳer *n.* 헤어 드라이어.

blów·er *n.* 부는 사람 ; (유리 그릇 따위를) 불어 만드는 직공 ; 송풍기[장치] ; 〖魚〗 고래[복어]류 ; 《口》 허풍선이 ; 《俗》 (방과 방 사이의) 통화관.

blówer brùsh *n.* 블로어 브러시《렌즈를 닦아내는 고무 제품》.

blów·fish *n.* 〖魚〗 몸을 부풀어 오르게 하는 물고기《복어 따위》, (특히) 검복 (puffer).

blów·flỳ *n.* 검정파리과(科)의 각종 파리.

blów·gùn *n.* 입으로 불어서 내쏘는 화살통 ; (페인트 따위의) 분무기.

blów·hàrd *n.* 《美俗》 허풍선이.

blów·hòle *n.* (고래의) 분수공(孔) ; 통풍 구멍 ; (주물(鑄物)의) 기포(氣泡).

blów-ìn *n.* 《濠口》 환영 받지 못하는 신참자, 타관 사람.

blów·ing *n.* 분출하는 소리 ; (말 따위의) 거친 숨소리 ; 〖冶〗 취제(吹製), 취정(吹精).

blówing-úp *n.* 질책, 꾸짖음.

blów jòb *n.* 《卑》 = FELLATIO, CUNNILINGUS ; 《美俗》 제트기.

blów·làmp *n.* = BLOWTORCH.

blów·mobìle *n.* (프로펠러를 사용하는) 극지용(極地用) 스키 자동차.

blów mòlding *n.* (플라스틱 따위의) 취입 성형(吹入成形).

‡blown[1] [blóun] *v.* BLOW[1]의 과거분사.
—— *a.* 부푼 ; 숨가쁜, 지친 ; 파리가 쉬를 슨 ; 불어서 만든.

blown[2] *v.* BLOW[3]의 과거분사. —— *a.* (꽃이) 만발한, 활짝 핀.

blówn fílm *n.* 블론 필름《통 모양의 얇은 필름》.

blówn-in-the-bóttle *a.* 진짜의, 진정한.

blówn pùmpkin *n.* 《美俗》 구멍난 타이어.

blówn-úp [-ʌ́p] *a.* (사진이) 확대된 ; 폭파된, 팽창된 ; (평가 따위) 과장된.

blów·òff *n.* 분출 장치 ; 《口》 (감정의) 분출, 격발 ; 허풍선이 ; 《美俗》 끝장.

blów·òut *n.* **1** 파열 ; (타이어가) 구멍나기 ; 〖電〗 (퓨즈의) 끊어짐 ; 〖機〗 뿜어내기. **2** 《口》 큰 잔치 ; 대향연.

blów·pìpe *n.* 취관(吹管) ; 불어서 불길을 세게 하는 대롱 ; = BLOWGUN.

blowsy [bláuzi] *a.* 《蔑》 얼굴이 불그데데한 ; (방 따위가) 지저분한 ; (계획 따위가) 용의주도하지 못한, 거친. **blóws·i·ly** *adv.*
〖*blowze* (obs.) beggar's wench < ?〗

blów·tòrch *n.* (연관공용(鉛管工用)) 충풍등(衝風燈), 토치 램프.

blów·tùbe *n.* = BLOWPIPE.

blów·ùp *n.* 파열 ; (사진의) 확대 ; 《口》 울화 ; 《美》 파산. —— *vt.* 《美俗》 마구 화를 내다 ; 《美俗》 대사를 잊어버리다, (배우가) 대사·연기를 틀리다.

blów wàsh *n.* 〖空〗 제트 엔진의 분기구(噴氣口)에서 나오는 뜨거운 가스의 유출.

blów-wàve *n.* 블로웨이브《머리를 드라이어로 말리면서 가지런히 하는 방법[헤어 스타일]》.
—— *vt.* (머리를) 블로웨이브법으로 가지런히 하다[다듬다].

blówy *a.* 바람이 강한 (windy).

blowzed [bláuzd], **blowzy** [bláuzi] *a.* = BLOWSY.

BLS 《美》 Bureau of Labor Statistics (노동 통계

국) ; bus location system《버스 위치 파악 시스템 ; 버스의 혼란 현상을 방지하기 위한 시스템》.

bls. bales ; barrels.

B.L.S. Bachelor of Library Science.

BLT, b.l.t. [bì:èltí:] *n.* 베이컨·레터스·토마토샌드위치. 〖*b*acon, *l*ettuce and *t*omato sandwich〗

blub [blʌ́b] *vi.* (**-bb-**) 《口》 훌쩍훌쩍 울다. 〖↓〗

blub·ber [blʌ́bər] *n.* **1** Ⓤ 고래의 지방(脂肪). **2** 훌쩍훌쩍 울기 : be in a ~ 훌쩍훌쩍 울다.
—— *vi.* 엉엉 울다. —— *vt.* 울면서 말하다〈*out*〉; (눈·얼굴 따위) 울어서 붓게 하다. —— *a.* 울어서 부은 ; (입술이) 두툼한, 튀어나온. 〖? imit.〗

blúb·bery *a.* 고래 지방의 ; 울어서 부은[젖은].

blu·cher [blú:tʃər, -kər] *n.* **1** 창과 발등이 한장의 가죽으로 된 구두. **2** 구식 반장화의 일종.

blucher 1

bludge [blʌ́dʒ] *n.* 《濠口》 간단한[쉬운] 일 ; (일자리가 없어 쉬고 있는) 시기 : have a ~ 하는 일 없이 빈둥거리다. —— *vt.* (일에) 게으름피우다 ; (물건을 달라고) 조르다. —— *vi.* 책임[일]을 회피하다 ; 남에게 의지하다 ; (복지 기구 따위에) 의지하여 살아가다.
bludge on …을 속이다.
blúdg·er *n.* 식객 ; 게으름뱅이 ; [친근한 호칭으로서] 자네.

bludg·eon [blʌ́dʒən] *n.* 곤봉 ; 공격 수단.
—— *vt.* 곤봉으로 치다 ; 집적거리다(bully), 위협하다(threaten). 〖C18< ?〗

◇**blue** [blú:] *a.* **1** 푸른 ; 남빛의, 검남색의. **2** 창백한 ; 우울한, 비관한 : ~ in the face (몹시 화나거나 하여) 얼굴이 새파란, 창백해져서 / look ~ 침울해 있다 ; 기분이 언짢은 것 같다 ; (형세가) 시원치 않다. **3** 푸른 옷의 ; 《英》 보수당(Tory)의 ; 학식이 있는. **4** (바람 따위가) 차가운(cold, chilly). **5** 엄격한, 딱딱한. **6** 음란한, 외설적인 ; 천한. **7** 《古》 (여자가) 인텔리겐치아의. **8** 〖樂〗 (리듬이) 블루스조의.
like blue murder 《口》 전속력으로.
till all is blue (배가 출항하여 푸른 바다로 사라질 때까지) 철저하게, 끝까지 : drink *till all is* ~ 끝장을 볼 때까지 마시다.
—— *n.* **1** Ⓤ,Ⓒ 파랑, 남빛, 검남색 ; 청색 그림 물감, 남색 염료 ; Ⓤ (세탁용의) 푸른색 염료(=《美》 bluing) : dark ~ 검푸른 색《Oxford 대학 및 그 선수의 색표(色標)》/ light ~ 담청색, 엷은 청색《Cambridge 대학 및 그 선수의 색표》/ pale ~ 연한 파랑. **2** Ⓤ 검남색의 나사[의복] ; 《美》(남북 전쟁 때의 북군의) 군복《검남색 군복》 (cf. GRAY *n.* 3 b)) ; Yale 대학의 색표. **3** [the ~] 푸른 바다[하늘]. **4** (영국의) 보수 당원(a Tory) ; 《英》 (Oxford, Cambridge 대학의) 선수의 청장(青章), 선수 : an Oxford ~ / win one's ~ 선수가 되다. **5** [*pl.*] ☞ BLUES ; ☞ BLUES.
out of the blue 불시에, 뜻밖에 (cf. *a* BOLT *out of the blue*).
the blue and the gray (미국의 남북 전쟁 당시의) 북군과 남군.
the men*[*boys*] *in blue (미국의) 경찰 ; 수병(水兵) ; (미국 남북 전쟁 때의) 북군의 병사.
—— *vt.* **1** 푸르게 하다[물들이다]. **2** 《俗》 (돈을) 낭비하다. —— *vi.* 푸르게 되다.
〖OF<Gmc. ; cf. G *blau*〗

blúe alért *n.* 청색 경보 ; 제2 경계 경보《yellow alert의 다음 단계 ; cf. RED ALERT》.

blúe bàby *n.* 〖醫〗 (선천적 심장 기형으로 인한) 청색증(青色症) 어린이, 남청아(藍青兒).

blúe bág *n.* 《英》 법정 변호사가 서류·법복 따위를 넣는 푸른 자루.

blúe bálls *n. pl.* 《卑》 성병에 감염된 고환, 임질(환자).

Blúe·bèard *n.* 푸른 수염의 사나이《잔인 무도하여 여섯 명의 아내를 차례로 죽였다는 전설상의 사나이》; Ⓒ 《비유》 잔인하고 변태적인 남편.

blúe·bèll *n.* 《北英·스코》 =HAREBELL ; 《南英》 블루벨《습지에 피며 봄에 푸른 또는 흰꽃이 피는 야생의 히아신스》.
the bluebell of Scotland =HAREBELL.

Blúe Beréts *n. pl.* 유엔군의 애칭《푸른 베레모를 쓴 데서》.

blúe·bèrry [, -bəri] *n.* 〖植〗 블루베리《월귤나무속(屬)의 식물의 열매 ; 식용(食用)》; 그 나무.

blúe·bìll *n.* 〖鳥〗 검은머리흰쭉지(scaup duck)《물오리의 일종》.

blúe·bìrd *n.* 〖鳥〗 (북미산) 블루버드 ; 경찰.

Blúe Bírd *n.* [the ~] 「파랑새」《Maeterlinck의 시극(詩劇)에서 유래 ; 행복의 상징》.

blúe-bláck *n., a.* 짙은 남빛(의).

blúe blòod *n.* 귀족(의 혈통) ; 명문 출신.

blúe-blóod·ed *a.* 명문의.

blúe·bònnet *n.* **1** (스코틀랜드인(人)의) 청색 모자 ; (청색 모자를 쓴) 스코틀랜드인. **2** 〖植〗 = CORNFLOWER.

blúe bòok *n.* [때때로 B~ B~] 청서(青書)《영국에서는 국회 또는 정부의 보고서, 미국에서는 국가 공무원 명부[저명 인사록] ; cf. YELLOW BOOK, WHITE BOOK, WHITE PAPER》; 《美》 (대학에서 쓰는 푸른 표지의) 시험 답안철 ; 《美》 대학 시험.

blúe·bòttle *n.* 〖植〗 수레국화 ; 청파리(=∠ **flỳ**).

blúe bóx *n.* 《美俗》 장거리 전화요금을 지불하지 않고 쓸 수 있게 하는 위법의 소형 전자 장치.

blúe-brìck univérsity *n.* 《英》 (Oxford, Cambridge 같은) 전통 있는 대학.

blúe chèese 블루 치즈《우유로 만든 푸른곰팡이가 든 치즈》.

blúe chíp *n.* **1** 〖카드놀이〗 청색의 포커 칩《높은 점수용》. **2** 〖證〗 우량주(株) ; 우량 사업[기업], 흑자 기업 ; 훌륭한 것, 일류품 ; 평이 좋은 것, 가치가 있는 것.

blúe-chìp *a.* 우수한, 일류의 ; 확실하고 우량한《증권》(cf. GILT-EDGED) ; 훌륭한, 호평의 ; 값어치가 있는 ; 값비싼.

blúe·còat *n.* 검남색 제복을 입은 사람《미국의 경찰 ; 옛 육·해군 군인, 《美》 옛 북군 군인》.
~·ed *a.* 검남색 제복을 입은.

blúecoat bóy[**gírl**] *n.* 《英》 자선학교(=bluecoat school)의 남학생[여학생].

blúecoat schóol *n.* (영국의 각종) 자선 학교.

blúe-cóllar *a.* 《美》 작업복의, 육체 노동자의(cf. WHITE-COLLAR) : a ~ worker 육체 노동자.

Blúe Cróss *n.* 《美》 (주로 피고용인과 그 가족의) 건강 보험 조합.

blúe dáhlia *n.* (푸른 달리아 꽃처럼) 좀처럼 없는 것, 희귀한 것.

blúe dángers *n.* 《美》 (파란색을 칠한) 순찰차, (푸른 제복의) 경찰관《범죄자들의 은어》.

blúe dárter *n.* 《野俗》 강렬한 직구.

blúe dévil *n.* 《美俗》 =BLUE HEAVEN.

blúe dévils *n. pl.* [단수취급] 우울, 침울(the blues) ; 〖醫〗 (알코올·모르핀 중독에 의한) 섬망증(譫妄症).

blúe énsign *n.* 〖英海軍〗 예비함기(艦旗).

blúe-éyed *a.* 눈이 파란, 파란 눈을 한 ;《美黑人俗》 백인의.
blúe·fish *n.* 〔魚〕 블루피시《게르치류의 식용어》 ; (일반적으로) 푸른 물고기.
blúe flàg *n.* 〔植〕 (북미산) 붓꽃.
blúe flíck *n.* 《俗》 =BLUE MOVIE.
blúe flú *n.* 병 따위를 빌미로 한 경찰관의 비공식적인 파업.
blúe fúnk *n.* 《口》 두려워하기, 심한 공포심(cf. FUNK) ;《美俗》 실망, 실연, 고독.
blúe gálaxy *n.* 청색 은하.
blúe·gill [-gìl] *n.* 〔魚〕 블루길 《미국 미시시피 강 유역산의 선피시과(科)의 식용어》.
blúe·gràss *n.* 〔植〕 왕포아풀속의 풀.
Blúegrass Règion[**Còuntry**] *n.* [the ~] 미국 Kentucky 주(州)의 중부 지방.
Blúegrass Státe *n.* [the ~] Kentucky 주(州)의 속칭.
blúe-gréen *n.* 청록색.
blúe-grèen álga *n.* 〔植〕 남조(藍藻)식물[류].
Blúe Guíde *n.* 블루 가이드《1918년 창간된 영국의 여행 안내 총서》.
blúe gùm *n.* 〔植〕 유칼립투스(eucalyptus)속의 각종 나무.
blúe héaven *n.* 《美俗》 아모바르비탈제(劑)《중추 신경계 억제약》; =LSD.
blúe hélmet *n.* (유엔의) 국제 휴전 감시부대원.
Blúe Hèn Státe *n.* [the ~] 미국 Delaware 주(州)의 속칭.
Blúe Hòuse *n.* [the ~] 청와대《대한민국 대통령 관저》.
blueing, blueish ☞ BLUING, BLUISH.
blúe·jàcket *n.* 수병(水兵).
blúe·jày *n.* 〔鳥〕 어치의 일종.
blúe jéans *n. pl.* (푸른색의) 진 또는 데님(denim)으로 만든 작업복 바지, 블루 진.
blúe jòhn *n.* 자형석(紫螢石).
blúe jòwl *n.* 짙은 수염.
blúe làw *n.* [*pl.*] 《美》 엄격한 법률 ; 안식령《주일에 노동·장사·오락을 금했던 청교도적 법률》.
blúe líght *n.* (*pl.* **blúe líghts**) (신호용의) 푸른 불꽃.
Blúe Líz *n.* 《美俗》 호송차, (경찰) 순찰차.
blúe mán *n.* 《美俗》 정복 경찰관.
blúe métal *n.* 도로용으로 깬 bluestone.
blúe móld *n.* (빵·치즈에 생기는) 푸른곰팡이 ; 〔植〕 푸른곰팡이병(病).
Blúe Mónday *n.* 《美口》 (쉬다가 다시 일이 시작되는) 우울한 월요일(cf. BLACK MONDAY).
blúe móon *n.* 《口》 매우 오랜 기간 ;《美俗》 창가(娼家), 홍등가.
once in a blue moon 매우 드물게, 좀처럼 …하지 않는.
Blúe Móuntains *n. pl.* [the ~] 블루 산맥《미국 Oregon 주(州)와 Washington 주(州)에 걸쳐 있는 산맥》.
blúe móvie *n.* 《俗》 포르노[도색] 영화(=blue flick).
blúe·ness *n.* 파랑, 푸름, 푸르스름함.
Blúe Níle *n.* [the ~] 청나일《나일 강의 지류》.
blúe·nòse *n.* 도덕적으로 엄격한 사람 ; [B~] 캐나다 Nova Scotia주(州) 사람의 속칭《겨울의 추운 기후에서》.
blúe nòte *n.* 〔樂〕 블루 노트《블루스에 특징적으로 잘 사용되는 반음 내린 3[7]음도》.
blúe péncil *n.* (원고를 정정·삭제하는) (청색) 연필 ; (출판물 내용의) 삭제, 수정, 검열.
blúe-péncil *vt.* (편집자가 원고 따위를) 청색 연필로 삭제[수정]하다, 원고에 손질을 하다 ; (검열관이 원고 따위를) 삭제[수정]하다, 검열하다(censor) (cf. RED-PENCIL).
blúe-péenciller *n.*
blúe péter *n.* [the ~] 〔海〕 출범기《파란 바탕에 흰 정사각형》.

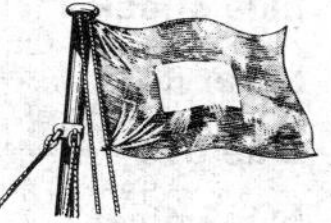
blue peter

blúe phóne lìne *n.* 지령 전화 시스템《카운트다운[초읽기]할 때 각 중요 인물에게 연결됨》.
blúe píll *n.* 수은[청홍(靑汞)]제 환약《하제(下劑)》;《美俗》 탄알.
blúe plàte *n.* 《美口》 각종 요리를 동시에 담기 위해 구분되어 있는 접시 ; 그 접시의 고기·야채가 주요리인 정식(定食).
blúe-plàte spécial *n.* 《美》 큰 접시에 담은 값싼 정식(定食).
blúe·pòint *n.* (날로 먹는) 작은 굴(oyster). 〚*Blue Point* Long Island의 곶(串)〛
blúe póinter *n.* 〔魚〕 백상아리《크고 사나운 식인 상어》;《濠》 청상아리.
blúe·prìnt *n.* 청사진 ;《비유》 (자세한) 계획.
—— *vt.* …의 청사진을 찍다 ; 계획을 세우다.
blúe·prìnt·ing *n.* Ⓤ 청사진(법).
blúe rácer *n.* 〔動〕 블루레이서《미국 중부산 짙은 남빛의 독없는 뱀》.
blúe ríbbon *n.* (가터 훈장의) 푸른 리본, 최고의 명예[상], 블루 리본 ; (금주(禁酒) 회원의) 청리본 기장 ;〔海〕 (북대서양을 최대 평균 시속으로 횡단한 배의 마스트에 걸었다는) 푸른색의 길고 큰 리본 ; 영예의 표시 : win a ~ (박람회·전시회 따위에서) 입상하다.
blúe-ríbbon *a.* 최고급의, 정선된, 으뜸가는, 탁월한.
blúe-ríbbon júry[**pánel**] *n.* (학식과 경험이 많은 사람 중에서 뽑는) 특별 배심원.
Blúe Rídge Móuntains *n. pl.* [the ~] 블루리지 산맥《미국 동해안의 산맥 ; Appalachian 산계의 지맥(支脈)》.
blúe róck 〔鳥〕 =ROCK PIGEON.
Blúe Róund *n.* 블루 라운드.
blúe rúin *n.* 《俗》 완전한 파멸 ; 질이 나쁜 진《술》.
blues [blú:z] *n. pl.* [the ~, 단수·복수 취급] **1** 《口》 침울, 우울증(melancholy) : be in *the* ~ = have *the* ~ 원기가 없다. **2** [단수·복수 취급] 블루스《미국 남부 흑인 민요에서 생긴 가곡의 한 형식으로 주로 비통한 심정을 노래함》: a ~ singer 블루스 가수. **3** 미국 해군복.
Blues *n. pl.* [the ~] 《英》 근위 기병 제3연대.
blúe scréen *n.* 블루 스크린《합성 사진 제작 기술의 하나》.
Blúe Shíeld *n.* 《美》 블루 실드 《비영리 의료 보험 조합의 호칭 ; cf. BLUE CROSS》.
blúe ský *n.* 푸른 하늘 ; 부정 증권 ; 불량 투자.
blúe-ský *a.* (거의) 무가치한《증권》; 공상적인, 이상에 치우친.
blúe-ský làw *n.* 《美口》〔法〕 부정 증권 거래 금지법《증권의 매출을 규제하는 미국의 주법 ; 특히 사기적인 주식 매매로부터 아마추어 투자가를 보호하기 위한 각주의 법률》.
blúes·man [-mən] *n.* 블루스 연주자[가수].
blúe spót *n.* 〔醫〕 청반(靑斑) (mongolian spot).
blúes-róck *n.* 블루스록《블루스조의 록 음악》.

blúe·stòcking *n.* 《蔑》 여류 문학자, 학식을 자랑하는 여자, 문인인 체하는 여자.
〚18세기 London의 문예 살롱의 지도적 인물 중에 파란 양말을 신은 사람이 있던 데서〛

blúe·stòne *n.* Ⓤ 〔化〕 황산구리 ; (건축용의) 청석 ; 푸르스름한 점토질 사암(砂岩).

blúe stréak *n.* 《口》 번갯불(처럼 빠른 것) ; 길게 이어지는 것 : run like a ~ 번개처럼 달리다.

blu·et [blúːət] *n.* 〔植〕 월귤나무속(屬)의 일종《파란 꽃이 핌》; 꼭두서니과의 초본.

blúe tít *n.* 〔鳥〕 푸른박새《머리 꼭대기가 코발트 청색 ; 아시아·유럽에 널리 분포》.

blúe vélvet *n.* 《俗》 블루 벨벳《아편 벤조 팅크와 항(抗)히스타민제를 섞은 주사약》.

blúe vítriol *n.* 〔化〕 황산구리.

blúe wáter *n.* 푸른 바다, 대해(open sea).

blúe-wàter schóol *n.* 《美》 (전략에서의) 해군 만능주의파.

blúe whàle *n.* 〔動〕 흰긴수염고래.

bluey [blúːi] *n.* 《濠口》 **1** (방랑자·갱부 등의) 휴대품 보따리, 여행용 옷가방. **2** 붉은 머리털의 사람. **3** 모포 ; 소환장 ; 소몰이 개(cattle dog). 㽞 모두 푸른색과 연관되어 생긴 뜻임.
—— *a.* 푸르스름한.

***bluff**[1] [blʌ́f] *a.* 절벽의, 가파른, 험한 ; 깎아세운 듯한 ; 무뚝뚝한, 솔직한. —— *n.* **1** (강·호수·바다에 면한 널따란) 절벽, 벼랑, 낭떠러지. **2** [the B~] (도회지의) 높은데 위치한 주택지. **~·ly** *adv.* **~·ness** *n.* 〚C17< ?〛

bluff[2] *vt., vi.* (…에게) 허세를 부리다, 위협하다, 을러대어 속이다. —— *n.* Ⓤ 허세, 위협 ; 으르대기, 야바위 : make a ~=play a game of ~ 허세부리다.
call a person***'s bluff*** 〔카드놀이〕 (남의) 카드를 펴보게 하다 ; 《비유》 (남의 허세에) 도전하다.
〚Du. *bluffen* to brag ; 포커 용어에서 'to blindfold'의 뜻〛

blu·ing, blue- [blúːiŋ] *n.* Ⓤ,Ⓒ 《美》 청분(青粉) 《옷감이 누렇게 변하는 것을 방지하기 위한 세탁용 청색(착색)제》.

blu·ish, blue- [blúːiʃ] *a.* 청색을 띤, 푸르스름한.

blun·der** [blʌ́ndər] *n.* 큰 실수[실책], 서투른 짓, 바보짓. —— *vi.* **1** 대실책을 하다 : He has ~*ed* again. 그는 또 실수를 저질렀다. **2** [動/+前+名] 머뭇거리다, 비틀비틀 걷다, 실족하다 : The drunkard ~*ed* ***against me. 술주정뱅이가 내가 있는 쪽으로 비틀거리며 넘어졌다. **3** [+*on*+名] (…을) 우연히 발견하다 : The detective ~*ed* (***up***) ***on*** the solution to the mystery. 형사는 우연히 사건 해결의 실마리를 발견하였다. —— *vt.* **1** 실수하다, 서투른 짓을 하다. **2** [+目+副] 부지중에[잘못하여] …을 하다[입 밖에 내다] : ~ *away* one's chance 잘못하여 좋은 기회를 놓치다 / ~ ***out*** a secret 얼떨결에 비밀을 누설하다.
blún·der·er *n.* 실수 잘하는 사람. **blún·der·ing** *a.* 서투른, 어색한. **~·ing·ly** *adv.*
〚? Scand. ; cf. MSwed. *blundra* to shut eyes〛
類義語 ⟹ ERROR.

blun·der·buss [blʌ́ndərbʌ̀s] *n.* 《古》 나팔총《17-18세기경의 총부리가 뭉툭한 단총(短銃)》; 멍청이, 실수를 저지르는 사람, 바보짓을 하는 사람.
〚Du. *donderbus* thunder gun ; 어형은 *blunder*와의 연상(聯想)〛

blunge [blʌ́ndʒ] *vt.* (도토(陶土) 따위를) 물과 섞어 반죽하다.

blung·er [blʌ́ndʒər] *n.* (큰) 반죽통, 혼합 용기 ; 반죽하는 사람.

***blunt** [blʌ́nt] *a.* **1** 우둔한, 무딘(↔*sharp*). **2** 퉁명스러운, 무뚝뚝한 ; 둔감한, 신경이 둔한.
—— *vt.* (칼날 따위를) 무디게 하다, 둔하게 하다.
—— *vi.* 무디어지다, 둔해지다.
~·ly *adv.* 퉁명스럽게, 무뚝뚝하게. **~·ness** *n.* 무딤 ; 둔함, 둔감 ; 퉁명스러움.
〚? Scand. ; cf. BLUNDER〛
類義語 ⟹ DULL.

blur [blə́ːr] *n.* **1** 몽롱함, 어스름, 흐림 ; 〔寫〕 흐려짐, 불명료(不明瞭) ; 번진 자국, 더러움, 얼룩. **2** 붕붕거리는[희미하게 웅웅하는] 소리(hum) : a ~ of human voices 희미하게 들리는 사람 소리.
—— *v.* (**-rr-**) *vt.* 희미하게 하다 ; (눈을) 흐리게 하다 ; (책·원고 따위에) 잉크를 번지게 하다, 더럽히다 : Smoke ~*red* the landscape. 연기 때문에 경치가 흐릿해졌다 / Tears ~*red* her eyes. 눈물로 그녀의 눈이 흐려졌다 / The printing is somewhat ~*red*. 인쇄가 약간 흐려져 있다 / The page has been ~*red* ***with*** ink in two places. 그 페이지 두 군데가 잉크로 얼룩져 있었다.
—— *vi.* [動/+前+名] 몽롱해지다 ; (눈이) 흐려지다 : Her eyes ~*red* ***with*** tears. 그녀의 눈은 눈물로 흐려졌다.
〚C16< ? BLEAR〛

blurb [blə́ːrb] *n.* 《口》 (신간 서적의) 자찬적(自讚的) 광고, 추천 광고《책 커버 따위에 인쇄함》; 과대 선전. —— *vi.* 추천 광고를 하다.
〚1907년 G. Burgess의 조어(造語)〛

blúr·ry *a.* 더러워진 ; 희미한.

blurt [blə́ːrt] *vt.* [+目+副] 말을 불쑥 꺼내다, 부지중에 말해버리다 : In his anger he ~*ed* ***out*** the secret. 그는 홧김에 불쑥 비밀을 누설했다.
〚? imit.〛

***blush** [blʌ́ʃ] *n.* **1** 얼굴을 붉히기 ; 홍조 ; 붉음 ; (장미 따위의) 불그레함. **2** 《古》 일견, 힐끗 보기 (glance).
at [***on***] (***the***) ***first blush*** 일견(一見)하여 ; 얼핏 본 바로는.
put a person ***to the blush*** (남의) 얼굴을 붉히게 하다, 면목을 잃게 하다.
—— *vi.* **1** [動/+前+名/+*to* do/+補] 얼굴을 붉히다 ; (얼굴이) 붉어지다 ; 부끄러워하다 : ~ ***for*** [***with***] shame 부끄러움으로 얼굴을 붉히다 / I ~ *for* you. 자네(가 한 일[말]) 때문에 부끄러운 생각이 든다 / She ~*ed* ***at*** the thought of it. 그 여자는 그것을 생각하고 얼굴이 빨개졌다 / I ~ *to* own it. 부끄럽습니다만 그것은 참말입니다 / He ~*ed* fiery red. 그의 얼굴은 불덩어리처럼 빨개졌다. **2** (꽃봉오리 따위) 빨개지다, 장밋빛으로 되다.
—— *vt.* 붉게 하다 ; 얼굴을 붉혀 보이다.
〚OE *blyscan* to redden (*blȳsa* (flame)〛

blúsh·ful *a.* 얼굴을 붉히는, 부끄러워하는 ; 불그레한. **~·ly** *adv.* **~·ness** *n.*

blúsh·ing *a.* 얼굴을 붉힌 ; 수줍어하는. —— *n.* 얼굴을 붉힘.

blúshing·ly *adv.* 얼굴을 붉히고, 부끄러운 듯이.

blúsh·less *a.* 부끄러움을 모르는.

blus·ter [blʌ́stər] *vi.* (바람·물결이) 거세게 몰아치다, (사람이) 거칠게 날뛰다 ; 고함지르다.
—— *vt.* [+目+副] 고함치듯이 말하다 : ~ ***out*** threats 호령하여 위협하다.
bluster one***self into anger*** 불끈 성을 내다.
—— *n.* 시끄러움, 거칠게 몰아침, (파도의) 거셈 ; 고함, 호통 ; 허세, 호언 장담. 〚C16 (imit.)〛

blúster·er *n.* 소리 지르는 사람, 호령하는[난폭한] 사람.

blúster·ing *a.* 휘몰아치는 ; 떠들썩한, 허세부리며 호통치는, 난폭한. **~·ly** *adv.*
blúster·ous, blús·tery *a.* =BLUSTERING. **~·ly** *adv.* **~·ness** *n.*
Blvd., blvd. Boulevard, boulevard.
B.M. Bachelor of Medicine ; ballistic missile ; 《婉》 bowel movement ; British Museum ; 〖測〗 bench mark ; Brigade Major. **B/M, BM** bill of material. **B.M.A.** British Medical Association(영국 의학 협회). **BMD** ballistic missile defense(탄도 미사일 방어).
B.M.E. Bachelor of Mechanical Engineering ; Bachelor of Mining Engineering.
BMEP brake mean effective pressure.
BMEWS [bí:mju:z] 《美》 Ballistic Missile Early Warning System《탄도탄 조기(早期) 경보체계 ; cf. DEW[1]》.
BMF bond management fund(수익 증권 저축).
B.M.J. British Medical Journal.
B.M.O.C. big man on campus.
B movie [bí: ―] *n.* B급 영화《적은 예산으로 만든 오락영화》.
BMT Brooklyn-Manhattan Transit 《뉴욕의 지하철 노선》. **B.M.T.** Bachelor of Medical Technology. **B. Mus.** Bachelor of Music.
B.M.V. Blessed Mary the Virgin.
BMW [bì:èmdʌ́blju:] *n.* 독일 BMW사제의 자동차 [모터사이클]. 〖G *B*ayerische *M*otoren *W*erke =Bavarian Motor Works〗
Bn. Baron. **bn.** beacon ; been ; billion ; battalion. **b.n.** bank note. **B.N.A.** *Basle Nomina Anatomica* 《L》 (=Basle anatomical nomenclature ; 바젤 해부학회 명명법).
B'nai B'rith [bənéi bríθ, -bərí:θ] *n.* 유태인 문화 교육 촉진 협회 《유태인 남성의 친목 단체 ; 略 B.B.》.
B.N.C. Brasenose College 《옥스퍼드 대학 기숙사의 하나》.
B.N.D.D. Bureau of Narcotics and Dangerous Drugs.
bo[1]**, boh** [bóu] *int.* 왁! 《사람을 놀라게 할 때 내는 소리》.
can't say bo to a goose 몹시 소심하다. 〖imit.〗
bo[2] *n.* (*pl.* **~es**) 《美俗》 부랑자(hobo).
bo[3] *n.* (*pl.* **~s**) 《美俗》 여보게, 친구, 형님, 아우 《호칭》. 〖? *bo*zo or ho*bo*〗
B.O. Board of Ordnance ; body odor. **b.o.** 〖商〗 back order(미처리[추가] 주문) ; bad order ; box office ; branch office ; 〖海運〗 broker's order(선박 중개인 지시서) ; 〖證〗 buyer's option (매수측의 선택). **b/o** 〖簿〗 brought over(이월).
boa [bóuə] *n.* **1** =BOA CONSTRICTOR. **2** 보아《모피 또는 날개깃으로 만든 여성용 목도리》. **3** [때때로 the ~] (공동 변동 환시세제보다 변동폭이 큰) 확대 공동 변동 환시세제, 보아. 〖L〗

boa 2

BOAC, B.O.A.C. British Overseas Airways Corporation (영국 해외 항공 회사).
bóa constríctor *n.* 〖動〗 보아 콘스트릭터 《먹이를 졸라 죽이는 큰 뱀》.
BOADICEA British Overseas Airways Digital Information Computer for Electronic Automation.
Bo·a·ner·ges [bòuənə́:rdʒi:z] *n.* [복수취급] 보아너게《우레의 아들이란 뜻으로 그리스도가 제자인 야고보와 요한에게 지어준 이름 ; 마가복음 3 : 17》; [단수취급] 열렬한 설교사.
boar [bɔ́:r] *n.* **1** (거세하지 않은) 수퇘지 (cf. HOG, SOW[2]). **2** 〖動〗 멧돼지 (=wild ~) ; Ⓤ 멧돼지 고기 : ~'s head 멧돼지 머리《축제 따위 때의 음식》. 〖OE *bār* ; cf. OHG *bēr*〗
◇**board** [bɔ́:rd] *n.* **1 a)** 널빤지, 판자《전문적으로는 두께 2인치 반 이하, 폭은 최하 4인치 반이 표준 ; cf. PLANK》: a ~ fence 《美》 판자 벽. **b)** (전신·전화의) 교환기 ; 〖컴퓨〗 기판, 판. **2** 칠판, 보드 ; 게시판 ; 장기판 ; (밑에 까는) 판 ; 울타리. **3** 보드지 ; 대지(臺紙), 판지(板紙) (=cardboard, pasteboard). **4** [the ~s] 무대. **5** 식탁, 테이블 ; Ⓤ 식사, 식사 제공. **6 a)** 회의 탁자[테이블] ; 회의, 평의회, 이사회, 위원회 : a ~ of directors 중역회, 임원회, 이사회 / a ~ of education ☞ 숙어. **b)** 《美》 (중개인·보험업자 등의) 협회(league) ; (증권 거래소의) 입회장 (boardroom). **7** 연맹 ; (관청의) 청(廳), 원(院), 부(部), 국(局). **8** 갑판, 뱃전, 현(舷) ; 선내(船內).
a board of education 《美》 (주(州)·군·시·읍의 공립학교를 감독하는) 교육 위원회《선거·임명에 의함 ; cf. SCHOOL BOARD》.
above board 공명 정대하게.
across the board 《美》 전면적으로 : apply a rule *across the* ~ 규칙을 모든 경우에 적용하다.
board and lodging 식사를 제공하는 하숙.
board and [***on***] ***board*** = ***board by board*** 〖海〗 (두 척의 배가) 서로 나란히.
come on board 귀선(歸船)[귀함(歸艦)]하다.
fall [***run***] ***on board of*** …와 충돌하다 ; …을 공격하다.
go [***pass***] ***by the board*** (마스트 따위가) 부러져 배 밖으로 떨어지다 ; 버림받다, 잊혀지다 ; 《비유》 (계획이) 완전히 실패하다.
go on the boards =TREAD *the boards.*
on board 선상(船上)[선내(船內)]에[의] (cf. *on* SHORE, *on the* WATER) ; 《주로 美》 차안에 [의] (aboard) : go *on* ~ 승선(乘船)[승차]하다 / have...*on* ~ …을 싣고 있다 / help...*on* ~ …을 도와서 승선시키다 / take...*on* ~ …을 실어 넣다, 선적(船積)하다, 승선시키다/[전치사적으로] *On* ~ the ship were several planes. 그 함상(艦上)에 비행기가 몇 대 탑재(搭載)되어 있었다.
sweep the board (이겨서) 탁상 위의 돈을 모두 긁어가다 ; 《비유》 대승[전승]하다.
the Board of Education 《英》 문부성(文部省) 《1944년 the Ministry of EDUCATION으로 개칭 ; 1964년 Department of Education and Science로 됨》; 《美》 교육 위원회 (☞ *a* BOARD *of education*).
the board of health (지방 자치 단체의) 위생국, 공중 위생부.
the Board of Trade 《英》 상무성(商務省) 《1970년 Department of Trade and Industry 에 통합되어 1974년 이후 Department of Trade의 한 부국(部局) ; 통상 장관은 오늘날에도 President of the Board of Trade의 칭호를 가짐》; [b~ of t~] 《美》 상공 회의소.
tread the boards ☞ TREAD.
walk the boards =TREAD *the boards.*
── *vt.* **1** [+目/+目+副] …에 널빤지를 깔다, 판자로 막다 : ~ the floor 마루에 널빤지를 깔다 / ~ ***up*** a window[door] 창[문]에 판자를 붙이다

[붙여 열리지 않게 하다]. **2** (남을 위해) 식사를 제공하다, 하숙시키다. **3** (배에) 타다 ; (적선(敵船) 따위의) 곁으로 다가가다, …에 난입하다 ; 《美》(열차·버스 따위에) 타다.

── *vi.* **1** [動/+前+名] 식사하다 ; 하숙[기숙]하다 : She ~*s* ***at*** her uncle's[***with*** her uncle]. 그녀는 아저씨댁에서 기숙하고 있다. **2** 〔海〕(배가) 파도를 헤치며 나아가다(tack).

board out 외식하다 ; (군대에서 환자에게) 외식을 허가하다.

〖OE *bord* plank ; cf. G *Bort* ; 의미는 ME기(期) F *bord*로 보강됨〗

bóard·er *n.* 하숙생(下宿生) ; 기숙[하숙]하는 사람(cf. DAY BOY) ; (배·차·비행기에) 타는 사람, (적선(敵船)에의) 돌격 대원.

bóarder bàby *n.* 《美》 부모의 양육 능력[자격] 부족으로 무기한 병원에 맡겨지는 아이.

bóard fòot *n.* 《美》 보드 풋《1피트 제곱으로 두께 1인치의 판자의 체적 ; 판재(板材) 측정 단위》.

bóard gàme *n.* 보드 게임《체스처럼 판 위에서 말을 움직여 하는 게임》.

***bóard·ing** *n.* **1** Ⓤ 판자 울타리 ; [집합적으로] 판자(boards). **2** (식사가 제공되는) 하숙. **3** 승선, 승차, (비행기에의) 탑승.

bóarding càrd *n.* (여객기) 탑승권 ; 승선 카드.

bóard·ing·hòuse *n.* (식사가 제공되는) 하숙집(cf. LODGING HOUSE) ; 기숙사.

bóarding lìst *n.* (여객기의) 탑승객 명부.

bóarding òfficer *n.* 선내 검열 장교[세관원].

bóard·ing-òut *n.* 《英》 집 밖에서의 식사, 외식 ; (가난한 집 아이를) 남의 집에 맡김 : ~ system 위탁 양육 제도.

bóarding pàss *n.* =BOARDING CARD.

bóarding ràmp *n.* (항공기의) 승강대, 램프.

bóarding·ròom *n.* 《美》(증권 거래소의) 입회장.

bóarding schòol *n.* 기숙학교.

bóarding shìp *n.* 임검선(臨檢船)《중립국 선박 따위의 금제품(禁制品) 유무를 조사》.

bóarding stáble *n.* 《美》 전세(傳貰) 마구간 ; 말을 세놓는 집.

bóard·lìke *a.* 널 모양의 ; 경직된.

bóard·man [-mən] *n.* **1** 판(板)[반(盤)]을 사용하여 일하는 사람《샌드위치맨, 조명용 배전반 담당원 등》. **2** 증권 거래소의 직원. **3** 위원, 평의원(評議員). **bóard(s)·man·shìp** *n.*

bóard méasure *n.* BOARD FOOT을 단위로 하는 목재의 체적 측정법.

bóard mèeting *n.* 중역회, 이사회.

bóard·ròom 중역[이사] 회의실 ; (증권 거래소의) 입회장.

bóard rúle *n.* 판재(板材) 용적 측정용 계산자.

bóard·sàil·ing *n.* 보드세일링《surfing과 sailing을 조합시킨 수상 스포츠》.

bóard schòol *n.* 《美》(원래 SCHOOL BOARD가 관리하던) 공립 초등학교(cf. COUNTY SCHOOL).

bóard sìde *n.* (재목의) 폭이 넓은 면.

bóard wáges *n.* 통근 고용인에게 주는 숙식비.

bóard·wàlk *n.* 《美》 널빤지를 깐 길 ; (해변 따위의) 널빤지를 깐 산책길.

bóardy *a.* 《口》 딱딱한, 단단한(stiff).

bóar·hòund *n.* 멧돼지 사냥용의 큰 사냥개.

bóar·ish *a.* 돼지같은 ; 잔인한(cruel) ; 상스러운, 음탕한.

boast**[1] [bóust] *vi.* [+前+名] 자랑하다, 뽐내다 : He never ~*ed* ***of his success. 그는 절대로 자기의 성공을 자랑하지 않았다 / Many Oxford colleges can ~ *of* beautiful gardens. 옥스퍼드 대학에는 (자랑할 만한) 아름다운 정원이 많다 / She ~*ed of* hav*ing* won the prize. 그녀는 그 상을 받은 것을 뽐냈다 / He used to ~ ***to*** us ***about*** his rich uncle. 그는 자주 우리에게 부자인 아저씨에 대해 자랑삼아 말했다.

── *vt.* **1** [+*that* 節] 자만하다, 자랑으로 여기다 : He ~*ed that* there was nobody he could not defeat. 그는 자기를 이길 자가 아무도 없다고 자만했다. **2** (자랑삼아) 가지다, 자랑삼다 ; 《때때로 戲》 가지다(have) : The village ~*s*[can ~] a fine castle. 그 마을에는 (자랑할 만한) 훌륭한

boat

성(城)이 있다 / The room ~*ed* only a broken chair. 그 방에는 못쓰게 된 의자가 한 개 있을 뿐이었다.

not much to boast of 그다지 자랑할 만한 것이 못되는.

—— *n.* 자랑, 자만거리 ; 허풍.

make a boast of …을 자랑하다.

~·ing·ly *adv.* 자랑스럽게, 여봐란 듯이.

〖AF< ?〗

[類義語] ***boast***「자랑하다」라는 뜻의 가장 보편적인 말. ***brag*** boast와 같은 뜻이나 그것보다 한층더 과장하여 말하다. ***swagger*** 건방진 또는 거만스러운 태도로 자랑하다.

boast[2] *vt.*〖石工·彫〗(돌 따위를 정·끌로) 건목치다. 〖C19< ?〗

bóast·er *n.* 자랑하는 사람, 허풍선이.

bóast·ful *a.* 자랑하는, 허풍을 떠는〈*of*〉. **~·ly** *adv.* 과장[자랑]하여. **~·ness** *n.* 자랑.

◇**boat** [bóut] *n.* **1** 보트, 기정(汽艇), 거룻배, 돛단배 ; 어선 ; (보통 작은) 기선 (cf. SHIP, VESSEL) : take a ~ for …행의 배에 타다. [주] 대소에 관계없이 외항선을 말할 때도 있음 ; 때때로 복합어를 만듦 : ferry~, life~, steam~. **2**《美口》 자동차 ; 배 모양의 탈것 : a flying ~ 비행정. **3** 배 모양의 그릇 : a sauce ~ (배 모양으로 된) 소스 담는 그릇.

be (***all***) ***in the same boat***《口》운명[위험]을 같이하다.

burn one***'s boats*** ☞ BURN[1].

go by boat 기선으로 가다.

have an oar in every man's boat ☞ OAR.

miss the boat = *miss the* BUS.

rock the boat《美口》동요[파란]를 일으키다 ; 변혁(變革)을 꾀하다.

—— *vi.* (보통 뱃놀이로) 보트를 타다[젓다].

—— *vt.* 보트에 태우다, 배로 나르다[가다].

〖OE *bāt* ; cf. ON *beit*〗

bóat·able *a.*《美》(강 따위를) 거슬러 올라갈 수 있는 ; 항행할 수 있는 ; 보트로 건널 수 있는.

bóat·age *n.* [U] 뱃삯 ; 작은 배[보트]로 나르기.

bóat·bìll *n.*〖鳥〗배부리황새 ; 넓은 부리새.

bóat·buíld·er *n.* 보트 건조자, 배 목수.

bóat dèck *n.*〖海〗구명 보트가 있는 갑판.

bóat drìll *n.* 구명 보트 훈련.

boa·tel [boutél] *n.* 보텔《보트 여행자용 호텔》. 〖*boat*+ho*tel*〗

bóat·er *n.* 보트를 타는 사람 ;《英》맥고 모자《옛날 뱃놀이 때 썼음》.

bóat·fùl *n.* 한 배(에 가득한 양).

bóat·hòok *n.* (보트를 밀거나 당길 때 쓰는) 갈고리 달린 상앗대.

bóat·hòuse *n.* 정고(艇庫)《보트 창고》.

bóat·ing *n.* [U] 보트 젓기, 뱃놀이 ; 작은 배에 의한 운송업 : go ~ 뱃놀이[보트 젓기]하러 가다.

bóat·lòad *n.* 배 하나 가득한 뱃짐, 배 하나분의 적재량.

bóat·man [-mən] *n.* 보트 대여소의 주인 ; 보트 젓는 사람 ; (뱃)사공.

bóat·man·shìp [-mən-], **bóats-** *n.* [U] 조정술.

bóat nèck[**nèckline**] *n.*〖服〗보트 넥[네크라인]《드레스의 목 둘레선이 옆으로 넓고 앞뒤는 얕게 파진 배 모양》. **bóat-nécked** *a.*

bóat pèople *n.* (주로 베트남에서의) 작은 배로 탈출한 표류 난민, 보트 피플.

***bóat ràce** *n.* 보트 레이스 ; [the B~ R~] Oxford 대 Cambridge 대학 대항 보트 레이스《Thames 강에서 매년 열림》.

bóat·ròck·er *n.* 문제를 일으키는 인물.

boat·swain [bóusən, 때때로 bóutswèin] *n.*〖海〗갑판장, 보슨, 수부장《옛 칭호》;〖美海軍〗장범(掌帆)[병조(兵曹)]장. [주] bo's'n, bo'sun, bosun으로도 씀.

boatswain's bird《俗》열대조.

boatswain's pipe〖海〗(갑판장의) 보슨 호각.

bóatswain's chàir *n.*〖海〗보슨 체어《높은 곳에서 일하기 위해 로프에 매다는 의자(용 판자)》.

bóat tràin *n.* (기선과 연락하는) 임항(臨港)열차.

bóaty *a.* 보트를 좋아하는.

bóat·yàrd *n.* (소형의) 조선소.

bob[1] [báb] *n.* **1** (상하·좌우로) 깐딱깐딱 움직이기, 갑자기 상하로 움직이기, 왈칵 잡아당기기[당기는 동작]. **2** 고개를 숙여 하는 절[인사].

—— *v.* (**-bb-**) *vi.* **1** 갑자기 상하로 움직이다[흔들리다·튀다] : The wooden bowl ~*bed* on the waves. 그 나무 주발은 파도위에 너울거렸다. **2** [+*to*+[名]] 절[인사]하다 : ~ ***to*** a person 남에게 절[인사]하다.

—— *vt.* **1** [+目/+目+[副]] 갑자기 상하로 움직이게 하다 ; 홱 잡아당기다 : The bird ~*bed its* head ***up*** and ***down.*** 새는 머리를 상하로 까딱거렸다. **2** (꾸벅) 절을 하다 : ~ a curtsy 절하다.

bob up (*vi.*) 불쑥 나타나다[제기되다].

bob up again like a cork 기운차게[다시] 일어나다, 재출발하다.

〖ME < ? imit.〗

bob[2] *n.* **1** 단발(斷髮) (cf. BINGLE, SHINGLE[1] 3) ; 잡아 맨 머리, 곱슬머리(curl). **2** (개·말의) 자른 꼬리. **3** (시절(詩節) 끝의) 행(行)《후렴(refrain) 따위》. **4** 추(錘), 진자(振子)의 추 ; 연의 꼬리 ; (낚시의) 찌. **5** =BOBSLED, BOB SKATE, SKIBOB. —— *vt.* (**-bb-**) 단발로 하다 ; 짧게 자르다 : She wears her hair ~*bed.* 그 여자는 단발머리를 하고 있다.

〖ME< ? Celt.〗

bob[3] *n.* (*pl.* ~)《英俗》=SHILLING ;《美俗》1달러. 〖*C*19< *?*〗

bob[4] *n.* 경타(輕打) ;《廢》주먹의 일격. —— *vt.* (**-bb-**) 가볍게 치다.

〖ME *bobben* to rap (↓)〗

bob[5] *n.* 종(鐘)의 차례를 바꾸기 ; (한 조(組) 6,8,10 또는 12로 된 종의 차례를 바꾸어 울리는) 변타법. 〖BOB[1]〗

Bob *n.* 남자 이름《Bobby, Bobbie라고도 함 ; Robert의 애칭》.

bóbbed *a.* 꼬리를 자른 ; 단발의[을 한] : ~ hair 단발 머리(cf. BOB[2] *n.* 1).

bób·ber[1] *n.* BOB[1]하는 사람[것] ; 낚시찌.

bóbber[2] *n.* 봅슬레이를 타는 사람[선수].

bob·bery [bábəri] *n.* 여기저기서 그러모은 사냥개(=⌐ pàck) ;《口》대소동, 야단 법석. —— *a.* (사냥개를) 그러모아 시끄러운 ;《口》떠들썩한, 성가신, 흥분하기 쉬운.

Bob·bie [bábi] *n.* 남자 이름(☞ BOB).

bob·bin [bábən] *n.* (통 모양의) 실패[감개], 보빈 ; 가느다란 끈 ;〖電〗(코일을) 감는 틀. 〖F〗

bob·bi·net [bàbənét, ⌐-⌐] *n.* [U] 보비넷《그물코가 6각인 기계제(製) 그물 직물》.

〖↑, *net*〗

bob·bing [bábiŋ] *n.* 단발(법) ; (레이더의) 반사 전파가 불규칙적으로 수신됨.

bóbbin làce *n.* 보빈 레이스《바늘 대신 보빈을 사용하여 짜는 수직(手織) 레이스》.

bób·bish *a.*《俗》기분 좋은, 들뜬, 기운찬. 〖BOB[1]〗

bob·ble [bábəl] *n.*《美口》실책(bumble).

—— *vi.* (야구에서) 공을 놓치다.

bóbble hàt *n.* 방울이 달린 딱 맞는 털실 모자.

Bob·by [bábi] *n.* **1** Robert의 애칭 **2** [b~] 《英口》 순경. 〖1829년 런던의 경찰 제도를 개혁한 Sir *Robert* PEEL에 연유〗

bóbby càlf *n.* 생후 바로 도살되는 송아지.

bóbby-dàzzler *n.* 《英方》 반짝반짝하는[자랑삼아 보이려는] 것.

bóbby pìn *n.* 《美》 머리핀의 일종.

bóbby sòcks[sòx] *n.* 《美》 보비 양말《복사뼈 위까지 올라오는 소녀용 양말》.
〖BOB²; *bobby pin*의 영향이 있나〗

bóbby-sòx·er, -sòck·er *n.* 《蔑》 사춘기의 소녀, 틴에이저.

bób·càt *n.* 〖動〗 =BAY LYNX.

bob·let [báblət] *n.* 2인용 봅슬레이. 〖BOB²〗

bob·o·link [bábəliŋk] *n.* 〖鳥〗 (북미산) 쌀먹이새 (ortolan)《찌르레기의 일종인 작은 새》. 〖imit.〗

bób skàte *n.* 날이 두 줄로 달린 스케이트.

bób·slèd, -slèigh *n.* (두 대를 앞뒤로 이은) 연결 썰매, 봅슬레이.
—— *vi.* 봅슬레이를 타다[로 지치다].

bób·slèd·ding, -slèigh·ing *n.* Ⓤ 봅슬레이 경기[조종법, 놀이].

bób·stày *n.* 〖海〗 제 1 사장(斜檣)의 지삭(支索).

bob·sy-die [bábzidài] *n.* 《N. Zeal. 口》 대소동[혼란].
kick up bobsy-die = ***play bobsy-die*** 대소동[혼란]을 일으키다.

bób·tàil *n.* **1** 자른 꼬리 ; 꼬리 자른 동물《개·말 따위》; 《美俗》 트레일러가 없는 트럭. **2** 《軍俗》 면직 ; [the ~] 사회의 쓰레기(☞ RAGTAG AND BOBTAIL). —— *a.* 꼬리를 자른 ; 불충분한, 불완전한. —— *vt.* …의 꼬리를 자르다.

bób vèal *n.* (요리용의) 갓난 송아지 고기.

bob·white [báb*h*wáit] *n.* 〖鳥〗 (북미산) 콜린메추라기. 〖imit.〗

bób wìg *n.* 귀언저리가 곱슬곱슬한 가발.

bób wìre *n.* =BARBED WIRE.

bo·cage [bouká:ʒ, bə-] *n.* (프랑스 북부 등지의) 들과 숲 따위가 어우러져 있는 전원 풍경 ; (직물·도자기 따위의 장식에 쓰이는) 삼림[전원] 풍경화. 〖F〗

Boc·cac·cio [boukáːtʃiòu ; bɔ-] *n.* 보카치오. **Giovanni** ~ (1313-75) 이탈리아의 작가.

Boche, Bosche [báʃ] *n., a.* [때때로 b~] 《俗·蔑》 독일인[병](의), 독일놈(의), 악당(의). 〖F=rascal ; 제 1차 대전 때의 용어〗

bóck (béer) [bák(-)] *n.* Ⓤ (독일제의 독한) 흑맥주 ; Ⓒ [a ~] 흑맥주 한 잔.
〖G *bockbier* 와 *Einbecker bier* beer from Einbeck의 부분역(譯)〗

bo·cor [boukɔ́ːr] *n.* 《Haiti》 부두교(voodoo)의 마술사, 주술의(呪術醫).

bod [bád] *n.* 《俗》 =BODY ; 《英口·美學生俗》 사람(person).

BOD biochemical[biological] oxygen demand (생물화학적[생물학적] 산소 요구량).

bo·da·cious [boudéiʃəs] *a.* 《美南部·中部》 틀림없는 ; 주목할 만한 ; 솔깃해지는 ; 멋진 ; 《俗》 대담무쌍한. **~·ly** *adv.* 〖*bo*ld+au*dacious*〗

bód bìz *n.* 《美俗》 집단 감수성 훈련, 그룹 연수.

bode¹ [bóud] *vt.* [+目/+目+目] …의 징조[전조]가 되다 : The crow's cry ~*s* rain. 까마귀가 우는 것은 비가 올 징조다 / This ~*s* you no good. 이것은 자네에게 좋지 않은 징조야. —— *vi.* [+副] (나쁜·좋은) 징조[전조]다 : That ~*s* *well*[*ill*] for his future. 그것은 그의 장래에 대한 좋은[나쁜] 징조다. 〖OE *bodian* (*boda* messenger)〗

bode² *v.* BIDE의 과거형.

bóde·ful *a.* 전조가 되는, 불길한.

bo·de·ga [boudéigə ; -díː-] *n.* **1** 포도주 파는 술집, 포도주 저장 창고. **2** 식품 잡화점.
〖Sp. ; ⇨ APOTHECARY〗

bóde·ment *n.* 전조(前兆) ; 예언.

bodge [bádʒ] *n., vt.* 《口》 실수(를 저지르다) (botch¹).

bodg·er [bádʒər], **bodg·ie** [bádʒi] *a.* 《濠口》 하등(下等)의, 무가치한 ; (이름이) 가짜인.
—— *n.* 하찮은 사람 ; 가명을 쓰고 있는 사람 ; 가명, 별명.

bo·dhi·satt·va, bod·dhi- [bòudisʌ́tvə, -sǽt-] *n.* 보살(菩薩). 〖Skt.〗

bod·ice [bádəs] *n.* **1** (코르셋 위에 입는) 여성용 웃옷. **2** (여성복의) 몸통 부분.
〖(*pair of*) *bodies*의 변형(變形)〗

-bódied *a. comb. form* 「몸이 …한」「…체(體)의」「구체화한」의 뜻.

bódi·less *a.* 몸[동체]이 없는 ; 실체(實體)가 없는, 무형의.

bódi·ly *a.* 신체[육체]상의 ; 구체적인, 유형(有形)의 : ~ exercise 체조 / ~ fear 신체에 대한 위해의 두려움. —— *adv.* 고스란히, 통째로, 송두리째 ; 육체 그대로 ; 몸소 ; 구체적으로. 〖BODY〗
[類義語] ***bodily*** 마음이나 정신과 구별하여 「육체의」란 뜻 : *bodily* pain (육체적 고통).
physical bodily와 같은 뜻으로 쓰이나 때로는 인간의 신체를 생리적인 입장에서 본다는 뜻이 포함되어 있음 : a *physical* examination (신체검사). ***corporeal*** spiritual에 대하여 물질적으로 본 인체를 말함 : *corporeal* nourishment (육체의 영양상태). ***corporal*** 「신체에 가해진」이란 뜻 : *corporal* punishment (체형(體刑)).
somatic 정신과 구별하여 「신체의」란 뜻의 과학적인 말 : the *somatic* differences between individuals (개인간의 신체적인 차이).

bod·ing [bóudiŋ] *a.* 전조(前兆)의[가 되는] ; 불길한. —— *n.* 흉조 ; 예감, 전조(omen). **~·ly** *adv.*

bod·kin [bádkən] *n.* **1** 돗바늘, 뜨개질 바늘 ; (긴) 머리핀 ; 송곳 바늘 ; 〖印〗 (활자를 뽑는) 핀셋. **2** 《주로 英》 두 사람 사이에 끼여 있는 사람.
sit*[*ride, travel*] *bodkin 두 사람 사이에 끼여 앉다[타고 가다].
〖ME< ? Celt.〗

◇**body** [bádi] *n.* **1** 몸, 신체 ; 육체(↔*mind, soul, spirit*) ; 시체. **2** 몸통, 동체 ; (나무의) 줄기 (trunk). **3** (사물의) 본체, 주요부《차체·선체·법률의 본문·연설이나 편지의 주문(主文)》. **4** (의류의) 몸통[허리] 부분, 조끼. **5** 법인 단체, 조직체 ; 일단, 한 무리, 다수〈*of*〉: a ~ politic 국가(state) / a ~ corporate 법인 / a ~ *of* laws 법전. **6** 사람(person) ; (범인 등의) 신병(身柄) : a good sort of ~ 좋은 사람. **7** 〖數〗 입체 ; 〖理〗 물체, …체(體) : a solid ~ 고체 / a heavenly ~ 천체. **8** Ⓤ 실질(實質), 밀도 ; (술 따위의) 감칠맛 : a wine of full ~ 감칠맛 나는 포도주 / a play with little ~ 내용이 별로 없는 각본. **9** (도자기의) 본바탕.
give body and soul to …에게 몸과 마음을 바치다.
heirs of one'***s body*** 직계 상속자.
in a body 한 떼[집단]가 되어 : resign *in a* ~ 총사직하다.
in body 몸소, 친히.

keep body and soul together 생계를 이어가다, 겨우 살아가다.
the Body of Christ 성찬(聖餐)의 빵, 성체《그리스도의 몸을 뜻함》; 교회.
── *vt.* 구체화하다(embody) ; 상징하다 ; 마음에 새기다〈*forth*〉.
〚OE *bodig* < ? ; cf. OHG *botah* body〛
類義語 ***body*** 사람이나 동물의 「몸」, 산 것에나 죽은 것에나 공통적으로 쓰임. ***corpse*** 인간의 시체. ***carcass*** 보통은 동물의 시체를 말하며 사람에게 쓸 때에는《蔑》. ***remains*** 시체에 대한 완곡한 말로서 corpse보다 점잖은 말.
bódy-àrmor *n.* 방탄복.
bódy àrt *n.* 보디 아트《인체 자체를 미술의 재료로 하는 예술의 한 양식》.
bódy àrtist *n.* 보디 아티스트.
bódy bàg *n.* (지퍼가 있는) 유체(遺體) 운반용 포대《고무류(類) 제품》.
bódy blòw *n.* 〚拳〛 보디 블로《복부 타격》; 통격(痛擊), 큰 타격 ; 대단한 실망.
bódy-buìld *n.* (특징 있는) 체격, 체질.
bódy-buìld·er *n.* 보디 빌딩 기구 ; 보디 빌딩을 하는 사람 ; 영양식 ; 차체(車體) 제작자.
bódy buìlding *n.* 보디 빌딩, 육체미 조형.
bódy bùrden *n.* (방사성 물질이나 독물 따위의) 체내 축적물[유해 물질].
bódy càvity *n.* 〚動〛 체강(體腔).
bódy chèck *n.* 〚아이스하키〛 몸으로 막기[방해하기] ; 〚레슬링〛 (상대방의 움직임을) 온몸으로 막기.
bódy-chèck *vt., vi.* 〚아이스하키〛 (상대를) 몸으로 막다.
bódy clòck *n.* 〚生理〛 체내 시계《biological clock (생물 시계)의 하나 ; 일상적으로 몸의 컨디션을 규칙적이게 유지하는 기능》.
bódy còlor *n.* (보석 따위의) 실체색(實體色) ; (그림 물감·페인트의) 농후(濃厚) 색소, 체질 안료.

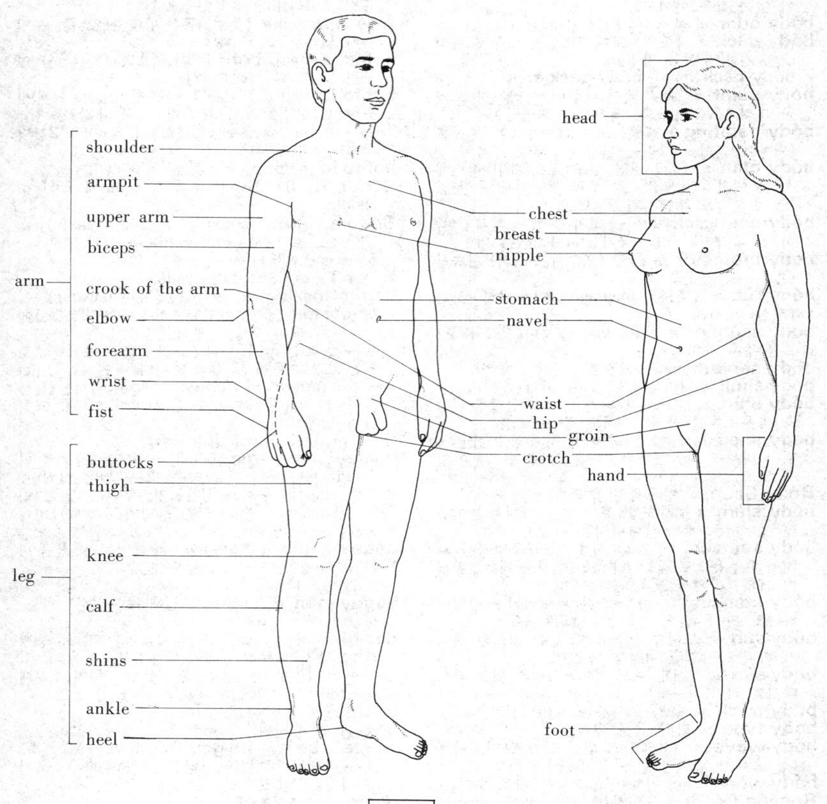

body

bódy córporate *n.* 〔法〕 법인.

bódy còunt *n.* (적의) 전사자 총수 ; (사건 따위의) 사망자 수 ; (일반적으로) 총원, 총인원수.

bódy Ènglish *n.* 《美口》 〔스포츠〕 던진 공의 움직임을 몸짓으로 바꾸어 보려고 하는 경기자[관중]의 몸의 비틂 ; 몸짓, 제스처.

bódy flùid *n.* 〔生理〕 체액(體液).

bódy·guàrd *n.* 경호원, 호위병 ; [집합적으로] 호위대, 수행원, 보디가드.

bódy hèat *n.* 〔生理〕 체열, 동물열(animal heat).

bódy ìmage *n.* 〔心〕 신체상(身體像), 자기 신체에 대해 가지는 심상(心像).

bódy lànguage *n.* 보디 랭귀지, 신체 언어《몸짓·표정 따위 의사 소통의 수단》.

bódy-lìne (bòwling) *n.* 〔크리켓〕 타자를 거의 스칠 정도로 던지는 속구《위협하기 위함》.

bódy mechànics *n.* 신체 역학《신체 기능의 조정·내구력·균형 따위를 향상시키는 조직적 운동》.

bódy mìke *n.* 보디 마이크《옷깃 따위에 다는 줄이 없는 작은 마이크》.

bódy òdor *n.* 체취 ; (특히) 암내《略 B.O.》.

bódy pàck *n.* 《美俗》 보디 팩《신체 내부에 마약을 숨겨 밀수하는 방법》.
bódy-pàck *a.*, *vi.* **bódy-pàck·er** *n.*

bódy pàint *n.* 보디 페인트《몸에 여러가지 모양을 그려 넣는 데 쓰는 페인트나 화장품》.

bódy pàinting *n.* 《美》 보디 페인팅, 피부 예술《나체에 그림을 그리는 미술의 일종》.

bódy plàn *n.* 〔船〕 정면 선도(正面線圖)《정면에서 본 대선체(大船體) 각 부의 횡단면을 수미(首尾) 방향으로 투영시킨 곡선도》.

bódy pólitic *n.* [the ~] 정치 단체, 통치체 ; (특히 한 나라의) 국민 ; 국가(state) ; 《古》 법인.

bódy protèctor *n.* 〔野〕 (포수나 주심의) 가슴받이.

bódy rùb *n.* 《美俗》 massage parlon에서 하는 (전신) 마사지.

bódy scànner *n.* 〔醫〕 보디 스캐너《단층(斷層) X선 투시 장치》.

bódy sèrvant *n.* 종자(從者), 몸종 ; 호위.

bódy·shèll *n.* (자동차의) 차체 외각(外殼).

bódy shìrt *n.* 셔츠와 팬티가 하나로 연결된 여성용 속옷 ; 몸에 착 붙는 셔츠[블라우스].

bódy shòp *n.* 《美》 (자동차의) 차체 공장《수리·제작 따위를 함》 ; 《美俗》 매춘굴, 유곽 ; 매춘 알선 업소.

Bódy Shòp *n.* 영국계의 유명 화장품 회사명.

bódy slàm *n.* 〔레슬링〕 보디 슬램《상대를 들어올려 등너머로 매트에 내던지는 기술》.

bódy snàtcher *n.* 〔史〕 시체 도둑《무덤에서 파내어 해부용으로 팖》 ; 《軍俗》 (들것을 메는) 위생병 ; 《俗》 장의사 ; 《美俗》 유괴범.

bódy stòcking *n.* 보디 스타킹《내의와 스타킹이 하나로 된 몸에 착 달라붙는 얇은 속옷》.

bódy·sùit *n.* 보디슈트《몸에 착 붙는 셔츠와 팬티가 하나로 연결된 여성용 속옷》.

bódy·sùrf *vi.* (서핑 보드 없이) 가슴과 배로 파도타기를 하다. **~·er** *n.*

bódy tràck *n.* 〔鐵〕 조차용(操車用) 선로.

bódy tỳpe *n.* 〔印〕 본문 활자.

bódy·wàve *n.* (브레이크 댄싱에서) 보디웨이브《몸 속에서 파도가 치는 듯한 춤》.

bódy·wòrk *n.* Ⓤ 차체 구조 ; 차체 제조[수리].

Boe·ing [bóuiŋ] *n.* 보잉사(社) (Boeing Company)《미국의 민간 항공기 제작 회사》.

Boe·o·tia [bióuʃiə] *n.* 보이오티아《고대 Athens의 북서 지방으로 현재는 Voiotía(그리스 중동부의 현)》.

Boe·ó·tian *a.* (고대 그리스 공화국) 보이오티아(Boeotia)인의 ; 우둔한, 따분한, 느림보의.
—— *n.* 보이오티아인[방언] ; 아둔패기 ; 문학·예술에 몰이해한 사람.

Boer [bóuər, bɔ́ːr, búər] *n.*, *a.* 보어인(의)《남아프리카의 네덜란드계 이민의 자손 ; 현재는 보통 Afrikaner라고 함》.
the Boer War 보어 전쟁(1899-1902).
〖Du. =farmer ; cf. BOOR〗

boeuf bour·gui·gnon [*F* bœf burgiɲɔ̃] *n.* 〔料〕 뵈프 부르기뇽《모나게 썬 쇠고기를 양파·버섯·붉은 포도주와 함께 끓인 것》.
〖F=beef of Burgundy〗

B. of E. the Bank of England ; the Board of Education.

boff[1] [báf] *n.* 《美俗》 **1** (주먹의) 일격. **2** 폭소(를 자아내는 익살). **3** (연극 따위의) 대성공, 히트. **4** 《卑》 성교. —— *vt.* 《美俗》 주먹으로 때리다 ; 폭소를 자아내다 ; 《卑》 성교하다.
be boffed out 《美俗》 돈을 날리다[잃다], 무일푼이 되다.

bof·fin [báfən], **boff**[2] [báf] *n.* 《英口》 (군사) 연구원, 과학자. 〖C20<?〗

bof·fo [báfou] *a.* 《美俗》 **1** 아주 인기있는, 크게 성공[히트]한 ; 호의적인《비평》. **2** 새된《웃음》.
—— *n.* (*pl.* **~s**, **~es**) 《美俗》 **1** =BOFF. **2** 1달러 ; 1년(의 형기).

bof·fo·la [bɑfóulə] *n.* 《美俗》 =BOFF.

B. of H. the Band of Hope ; the Board of Health.

Bó·fors (gùn) [bóufɔːrz(-), búː- ; -fəz(-)] *n.* 〔軍〕 보포르 고사포《2연발식 자동 고사포》.
〖*Bofors* 스웨덴의 화기 공장〗

B. of T. the Board of Trade.

bog [bɔ́(ː)g, bág] *n.* 늪, 수렁, 습지(swamp).
bog butter 〔鑛〕 (아일랜드의 이탄지(泥炭地)에서 나는) 버터 모양의 광지(鑛脂).
—— *vt.*, *vi.* (**-gg-**) [+目 / +目+副 / +副] [*vt.*로서는 보통 수동태로] 늪에 빠지다[빠뜨리다] : get ~*ged* (***down***) = ~ ***down*** 수렁에 빠져들다[빠지다] ; 《비유》 움직일 수 없다[없게 되다], 교착 상태에 빠지다.
〖Ir. or Gael. *bogach* (*bog* soft)〗

bo·gey[1], **-gy**, **-gie** [bóugi] *n.* **1** 〔골프〕 기준 타수(par)보다 하나 많은 타수. **2** 도깨비, 허깨비, 유령(ghost) ; 무서운[싫은] 것, 두려운 것, 고민거리(bugbear) ; 《俗》 국적 불명기(不明機)[비행물체], 적기(敵機).

bogey[2], **-gie** *n.* 《濠俗》 한차례 헤엄치기, 물을 끼얹기 ; 수영장. —— *vi.* 물을 끼얹다.
〖(Austral.)〗

bógey·màn *n.* (어린이를 놀래주기 위한) 괴물, 도깨비.

bog·gle[1] [bágəl] *vi.* **1** (놀라서) 펄쩍 뛰다, 움찔하다, 주저하다〈*at*〉. **2** 속이다 ; 실수하다.
—— *n.* (놀라서) 펄쩍 뜀 ; 실수, 주저, 실패(blunder). 〖? *boggle* (dial.) BOGEY[1]〗

boggle[2] *n.* =BOGLE.

bóg·gy *a.* 습지의, 수렁이 깊은, 습지가 많은.

bo·gie[1], **bo·gy**, **bo·gey** [bóugi] *n.* 《英》 〔鐵〕 보기《차축이 전향(轉向)하는 대차(臺車)》 ; 보기차《차량》. 〖C19<?〗

bogie[2] ☞ BOGEY[1,2].

bóg ìron (óre) *n.* =LIMONITE.

bo·gle [bóugəl, bágəl] *n.* 《英》 유령, 도깨비 ; 허수

아비.
bóg mòss *n.* 〖植〗 물이끼.
Bog·ners [bágnərz] *n. pl.* 《美俗》 스키 바지.
〖*Bogner's* 스키 용품 메이커〗
Bo·go·tá [bòugətáː, -tɔ́ː] *n.* 보고타《남미 콜롬비아 공화국의 수도》.
bóg-pòcket *n.* 《美俗》 구두쇠, 절약가.
bóg·tròtter *n.* 소택지의 주민[방랑자]; 《蔑》 아일랜드 사람.
bogue [bóug] *a.* 《美俗》 마약 기운이 떨어진, 약을 필요로 하는; 금단 증상으로 고통스러워하는; =BOGUS.
bo·gus [bóugəs] *a.* 《美》 가짜의, 엉터리의.
〖C19; 가짜 금 제조기의 이름에서〗
bóg·wòod *n.* (토탄(土炭) 지대의) 묻힌 나무.
bogy etc. ☞ BOGEY[1], BOGIE[1], etc.
boh ☞ BO[1].
Boh. Bohemia; Bohemian.
Bo Hai [bóu hái], **Po Hai** [; póu-] *n.* 보하이(渤海) (만)《산둥 반도와 랴오둥 반도로 둘러싸인 만; 별칭 Gulf of Zhili[Chihli]》.
bo·hea [bouhíː] *n.* [흔히 B~] 보히차《중국산의 질이 낮은 홍차》; (일반적으로) 홍차(black tea).
bó-hèad *n.* 《俗》 마리화나 상용자.
Bo·he·mia [bouhíːmiə] *n.* **1** 보헤미아《체코 서부 지방, 원래 왕국; 중심지 Prague》. **2** [흔히 b~] 자유 분방한 생활을 하는 사람들의 거주 구역.
Bo·hé·mi·an *a.* 보헤미아의; 보헤미아인[어]의; [흔히 b~] 방랑적인; 전통에 얽매이지 않은, 자유분방한.
—— *n.* 보헤미아인; [흔히 b~] 자유 분방한 생활을 하는 사람《특히 문예인》; 집시; Ⓤ 보헤미아어(語). **~·ìsm** *n.* [흔히 b~] 자유 분방한 기질[생활·주의].
Bohémian gláss *n.* 보헤미아 유리《조각을 한 광채가 풍부한 유리; 화학 용기용(用)의 경질(硬質) 유리》.
Bohr [bɔ́ːr] *n.* 보어. **Niels** (**Henrik David**) ~ (1885-1962) 덴마크의 물리학자; Nobel 물리학상(1922).
Bóhr effèct *n.* 〖生理〗 보어 효과《혈액 산소 해리 곡선상에 나타나는 이산화탄소의 영향》.
〖Christian *Bohr* (d. 1911) 덴마크의 생리학자〗
Bóhr mágneton *n.* 〖理〗 보어 마그네톤《자기(磁氣) 모멘트를 나타내는 단위》.
〖N. *Bohr*〗
Bóhr thèory *n.* 보어 이론《보어의 원자 구조론》.
bo·hunk [bóuhʌ̀ŋk] *n.* [흔히 B~] 《美俗》 (중부 유럽 출신의) 미숙련 이민 노동자; 깡패(rogue).
〖*Bo*hemian+*Hung*arian〗
‡**boil**[1] [bɔ́il] *vt.* [+目/+目+補] 비등(沸騰)시키다, 끓이다; 찌다; 삶다: *B~* the meat for some time. 고기는 잠깐 동안 삶으시오/She *~ed* the eggs hard. 계란을 완숙(完熟)시켰다/a soft-*~ed* egg 반숙한 계란.
—— *vi.* **1** [動/+補] 비등하다, 끓다; 쪄지다; 삶아지다: The water is *~ing*. 물이 끓고 있다/You must not let the kettle ~ (dry). 주전자를 (물이 마를 때까지) 끓여서는 안된다. **2** (바다가 끓는 것같이) 파도가 거칠게 일다: the *~ing* waves (끓어오르는 듯한) 거친 파도. **3** [動/+副/+前+名] 흥분하다, 격분하다: That makes my blood ~. 그것 때문에 피가 끓는다《화가 난다》/I was *~ing* (**over**) **with** rage. 나는 화가 나서 펄펄 뛰고 있었다.
boil away 끓어서[끓여서] 증발하다[시키다]; (주전자의 물 따위를) 계속 끓이다.
boil down 바짝 조리다; 《비유·口》 요약하다[되다]: ~ *down* a story *to* a page or two 이야기를 요약하여 1, 2페이지로 줄이다/It *~s down to* this. 요약하면 다음과 같이 된다.
boil over 끓어 넘치다; 《비유》 노발 대발하다 (cf. *vi.* 3).
boil the pot=***make the pot boil*** ☞ POT.
keep the pot boiling ☞ POT.
—— *n.* [the ~] 끓음, 비등; 삶음; 찜.
be on [***at***] ***the boil*** 끓고[비등하고] 있다.
bring. . . to the boil …을 끓게 하다.
come to the boil 끓기 시작하다.
〖OF<L *bullio* to bubble (*bulla* bubble)〗
類義語 ***boil*** 「끓다」「비등하다」「끓이다」란 뜻의 가장 기본적인 말. ***seethe*** 격렬하게 거품을 일으키며 부글부글 끓다. ***simmer*** 지글지글 조용하게 끓다. ***stew*** 천천히 오랫동안 끓이다.
boil[2] *n.* 〖醫〗 종기, 부스럼.
〖OE *bȳl* (*e*); cf. G *Beule*〗
boiled [bɔ́ild] *a.* 끓인, 삶은; 《美俗》 술취한: a ~ egg 삶은 달걀.
bóiled dínner *n.* 《美》 쇠고기와 야채 따위를 섞어 끓인 것.
bóiled óil *n.* 보일유(油)《건성유에 건조제를 넣고 가열하여 건성을 높인 것; 도료의 원료유》.
bóiled shírt *n.* 《美俗》 가슴 부분을 빳빳하게 풀 먹인 흰 와이셔츠; 《美俗》 딱딱한 놈[태도].
(***as***) ***stiff as a boiled shirt*** 격식을 차리어.
bóiled swéets *n. pl.* 《英》 딱딱한 캔디, 눈깔 사탕(hard candy).
bóil·er *n.* 끓이는 것[사람]; 비등기(器)《솥·냄비 따위》; 보일러, 기관(汽罐).
bóil·er·màker *n.* 보일러 제조인; Ⓤ 《美》 맥주를 탄 위스키.
bóiler plàte *n.* 보일러 강판; 《美》 (주간 신문에 사용되는) 스테레오판의 뉴스[특집, 논설 따위]; 획일적이고 상세한 문언, 틀에 박힌 기사.
bóiler ròom *n.* **1** 보일러실. **2** 《俗》 (전화만 있는) 무허가 증권 브로커들의 영업장소.
bóiler scàle *n.* (보일러 속에 생기는) 버캐[물때].
bóiler sùit *n.* 《英》 (상하가 붙은) 작업복(overalls, coveralls).
bóil-in-bág pàckaging 보일인백 포장《포장된 채로 끓일 수 있게 된 포장》.
bóil·ing *n.* Ⓤ 끓음, 비등; 한번의 삶을거리.
the whole boiling 《俗》 전부, 모두, 전체.
—— *a.* 끓는, 비등하는; 끓어 넘치는 듯한.
—— *adv.* 끓어 넘치듯이: ~ hot 비등하여; 《口》 찌는 듯 무더운.
bóiling òff *n.* 〖染〗 명주실을 삶아서 세리신(sericin)을 없애기.
bóiling pòint *n.* 〖理〗 끓는점, 비등점《섭씨 100도; cf. FREEZING POINT》; 《口》 격노, 격분.
bóiling wàter reáctor *n.* 비등수(沸騰水)형 원자로《노(爐) 안에서 냉각수를 끓여 그 증기로 직접 터빈을 회전시킴; 略 BWR》.
bóil·òff *n.* **1** 《俗》 (카운트다운 때 로켓의) 산화제[연료] 증발 누출(漏出). **2** (명주를) 삶아서 세리신을 제거하기.
bóil·òver *n.* 《濠》 (경마에서) 예상 밖의 결과.
bóil·ùp *n.* 《濠》 차를 달여 내기.
bois·ter·ous [bɔ́istərəs] *a.* 사나운, 사납게 휘몰아치는(stormy); (사람이) 난폭한; 시끄러운, 떠들썩한; 억제성이 없는. **~·ly** *adv.* 휘몰아쳐서, 시끄럽게, 떠들썩하게. **~·ness** *n.*
〖변형(變形) <ME *boistous* < ?〗

boke [bóuk] *n.* 《美俗》 코(nose).
bo·ko [bóukou] *n.* (*pl.* **~s**) 《英俗》 코, 머리.
Bol. Bolivia(n).
bo·la, -las [bóulə(s)] *n.* (*pl.* **bó·las**(**·es**)) 밧줄 끝에 쇠[돌] 구슬이 달린 수렵 기구《남미 원주민이 짐승의 발에 던져 휘감아 그 짐승을 잡음》. 〖Am. Sp. <Sp. *bola* ball〗

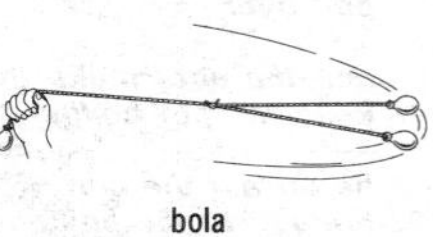
bola

***bold** [bóuld] *a.* **1** [+*to* do] 대담한(daring) : a ~ explorer[act] 대담한 탐험가[행위] / make ~ *to* do ☞ 숙어 / If I may be *so* ~ *as to* say... 감히 …라고 말해도 좋다면. **2** 뱃심좋은, 주제넘은 : (as) ~ as brass 참으로 뻔뻔스러운. **3** 두드러진, 뚜렷한, 획이 굵은(striking) : ~ lines 획이 굵은 선 / in ~ relief 뚜렷하게 돋보이는 / the ~ outline of a mountain 뚜렷한 산의 윤곽 / in ~ strokes 획이 굵게. **4** (벼랑 따위) 가파른(steep) : a ~ shore 깎아지른 듯한 해안. **5** (묘사·상상력 따위가) 기운찬, 분방한. **6** 〔印〕 = BOLD-FACED.
make bold to do 실례인 줄 알면서 …하다, 대담하게도 …하다 : I *make* ~ (=*make* so ~ as) *to* ask you. 실례지만 여쭈어 보겠습니다.
make bold with …에게 대담하게 맞서다.
put a bold face on... ☞ FACE *n.*

〈회화〉
That's *bold* of you to say such a thing. —I know. But it's important. 「그런 말을 하다니 겁도 없군」「나도 알아. 하지만 중요한 일이니까」

〖OE *bald* brave ; cf. G *bald* soon〗
類義語 ⟹ BRAVE.
bóld·fàce *n.* Ⓤ 〔印〕 획이 굵은 활자체, 고딕체, 볼드페이스(↔*lightface*).
bóld·fàced *a.* 〔印〕 (활자가) 획이 굵은, 고딕 활자(체)의 (blackfaced) (↔*lightfaced*).
bóld-fáced *a.* 뻔뻔스러운.
bóld·ly *adv.* 대담하게 ; 뻔뻔스럽게 ; 뚜렷하게.
bóld·ness *n.* Ⓤ [+*to* do] 대담함 ; 뻔뻔스러움, 뱃심좋음 ; 분방(奔放), 두드러지기 : *with* great ~ 아주 대담하게 / He had the ~ *to* ask for more money. 그는 뻔뻔스럽게도 돈을 더 달라고 요구했다.
bole[1] [bóul] *n.* 나무 줄기(trunk, stem). 〖ON *bolr* ; cf. BALK〗
bole[2] *n.* 〔地質〕 교회점토(膠灰粘土). 〖BOLUS〗
bo·lec·tion [boulékʃən] *n.* 〔建〕 볼록 쇠시리.
bo·le·ro [bəléərou] *n.* (*pl.* **~s**) **1** 볼레로《경쾌한 3/4박자의 스페인 무용》; 그 곡. **2** [, 英+bɔ́lə-] (여성용의) 짧은 상의[재킷], 볼레로. 〖Sp.〗

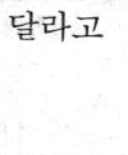
bolero 2

bo·lide [bóulaid, -ləd] *n.* 〔天〕 불덩이 유성.
bo·li·var [bəlíːvɑːr, báləvər] *n.* (*pl.* **~s, -va·res** [bàləvɑ́ːreis]) 볼리바르《Venezuela의 은화, 화폐 단위》.
Bo·liv·ia [bəlíviə] *n.* 볼리비아《남미 중서부의 공화국 ; 수도는 공식적으로는 Sucre지만 정치·경제의 중심지는 La Paz》.
Bo·lív·i·an *a.* 볼리비아(인)의. —— *n.* 볼리비아인[주민].
bo·liv·i·a·no [bəlìviɑ́ːnou] *n.* (*pl.* **~s**) 볼리비아노《Bolivia의 화폐 단위》.
boll[1] [bóul] *n.* 〔植〕 (목화·아마 따위의) 둥근 꼬투리. 〖Du. ; cf. BOWL[1]〗
boll[2] *n.* 《스코》 부피[중량] 단위. 〖↑〗
bol·lard [bálərd] *n.* 배를 매는 기둥, 계선주. 〖BOLE[1]〗
bol·lix[1] [báliks] *vt.* 《俗》 혼란시키다, 망쳐 놓다 〈*up*〉; (시험 따위)에 실패하다〈*up*〉. —— *n.* 혼란 ; 뒤죽박죽. 〖↓〗
bol·lix[2], **bol·locks** [báləks] *n., int., vt.* 《英卑》 =BALLOCKS.
bóll wéevil *n.* 〔昆〕 목화씨바구미《목화에 심한 해를 끼침》; 《美政治俗》 (민주당 내의) 반대 그룹.
bóll·wòrm *n.* 〔昆〕 목화씨벌레《목화·곡물 따위의 해충》.
bo·lo[1] [bóulou] *n.* (*pl.* **~s**) (필리핀 등지에서 쓰는) 외날의 대형 칼. 〖Sp. < (Philippines)〗

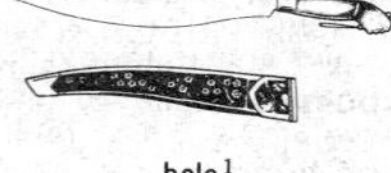
bolo[1]

bolo[2] *n.* (*pl.* **~s**) 《美俗》 사격술이 최저 수준의 사격수. —— *vi.* 사격술이 최저 수준에도 미치지 못하다.
Bo·lo·gna [bəlóunjə, -ni] *n.* **1** 볼로냐《이탈리아 북부의 도시 ; 세계 최고(最古)의 대학(1088)이 있음》. **2** [b~] 《美》 볼로냐 소시지(=**bológna sáusage**)《소·돼지고기로 만든 대형 소시지》.
bó·lo·gràph [bóulə-] *n.* 〔理〕 볼로미터에 의한 기록. **bò·lo·gráph·ic** *a.*
bo·lom·e·ter [boulɑ́mətər] *n.* 〔理〕 볼로미터《전자 복사 에너지 측정용의 저항 온도계》. **bo·lóm·e·try** *n.*
bo·lo·ney, ba- [bəlóuni] *n.* **1** 《美口》 볼로냐 (소시지). **2** Ⓤ 《美俗》 어리석은 짓, 쓸데없는 짓[소리](nonsense) ; 허튼 수작, 실없는 생각. 〖C20< ?〗
bó·lo tìe [bóulou-], **bóla tìe** *n.* 《美》 볼로 타이《장식 금속 고리로 고정시키는 끈 타이》. 〖BOLA와 모양이 비슷함〗
Bol·she·vik [bɔ́(ː)lʃəvì(ː)k, bóul-, bál-] *n.* (*pl.* **~s, -vi·ki** [-vìkiː]) 볼셰비키《러시아 사회 민주 노동당의 다수파의 한 사람 ; cf. MENSHEVIK, SANSCULOTTE, OCTOBER REVOLUTION》. —— *a.* 볼셰비키의 ; 급진적인. 〖Russ. =member of majority (*bol'she* greater)〗
Bol·she·vism [bɔ́(ː)lʃəvìzəm, bóul-, bál-] *n.* Ⓤ 볼셰비키의 정책[사상]. **-vist** *a., n.* 볼셰비키의 (한 사람).
bol·she·vize [bɔ́(ː)lʃəvàiz, bóul-, bál-] *vt.* 볼셰비키화하다, 공산주의화하다.
Bol·shie, -shy [bɔ́(ː)lʃi, bóul-, bál-] *n., a.* 《口》 =BOLSHEVIK.
bol·ster [bóulstər] *n.* (베개 밑에 받치는) 긴 덧베개《요의 머릿부분을 높이기 위해서 넣는 것 ; 그 위에 pillow를 얹음》; 〔建〕 의지물(依支物)《서까래 따위의 밑에 받쳐 대는 재료》. —— *vt.* (환자 등을) 긴 베개로 받치게 하다〈*up*〉; (운동·학설 따위를) 지지하다, 강화하다〈*up*〉, 증강하다. 〖OE *bolster* cushion<Gmc. (《美》 *bolg-* to swell) ; cf. G *Polster*〗
***bolt**[1] [bóult] *n.* **1** 굵은 화살《crossbow로 쏨》. **2** 전광(電光) ; 번갯불 ; 분출. **3** 빗장, 빗장쇠 ; (총의) 놀이쇠. **4** 볼트, 죔못, 수나사. **5** 뻥소니, 탈

출, 도망치기. **6**《美》탈당, 탈퇴. **7** (천·벽지 따위) 한 통, 한 필, 한 다발.

bolt upright 똑바르게, 곧추, 꼿꼿이.

do a bolt*＝*make a bolt for it 《口》 도망치다, 뺑소니치다.

(*like*) *a bolt from*[*out of*] *the blue*[*sky*] 청천벽력으로[같이].

shoot one***'s bolt*** 굵은 화살을 쏘다 ; 최선을 다하다 : My ~ *is shot.* 이미 화살은 시위를 떠났다, 최선은 다했다 / A fool's ~ *is* soon *shot.* 《속담》 어리석은 자는 금방 자기 밑천을 드러낸다.

── *vi.* **1** [動 / ＋前＋名] 뛰어[튀어]나가다 ; (특히 말이) 도망치다 ;《美》탈당하다, 자기당의 방침[후보]을 거부하다 : I saw a man ~ ***out of*** our garden. 한 사내가 우리집 정원에서 도망치는 것을 보았다. **2** (음식을) 삼키다, 급히 먹다.

── *vt.* **1** (음식물을) 통째로 삼키다, 삼켜버리다. **2** (문을) 빗장을 질러 잠그다 ; 볼트로 죄다. **3**《美》(정당을) 탈당하다. **4** (천·벽지를) 말아서 한 통[필]으로 만들다.

bolt a person ***in***[***out***] (문에 빗장을 질러) 남을 가두어 넣다[내어쫓다].

── *adv.* 똑바로, 직립으로[하여] ;《古》불쑥.

〖OE *bolt* crossbow for throwing bolts or arrows＜? ; cf. G *Bolzen*〗

bolt[2] *vt.* **1** (밀가루 따위를) 체로 치다, 체질하다. **2** 자세히 조사하다.

bolt to the bran 자세히 조사하다.

bólt-àction *a.* 수동식 놀이쇠(bolt)가 있는《라이플 총》.

bólt bòat *n.* (파도가 사나운 바다에서 견딜 수 있는) 외양(外洋) 보트.

bólt·er[1] *n.* **1** 질주하는 말 ; 탈주자. **2**《美》탈당자.

bolter[2] 체질하는 사람[것].

bólt hèad *n.* 볼트 대가리.

bólt-hòle *n.* 피난 장소, 도피 장소.

bólt·ing *n.* 볼트로 죄기 ; (씹지도 않고) 음식물을 통째 삼키기 ; 도망 ;〖植〗꽃대, 꽃종서기.

bólt-òn *a.*〖機〗(자동차의 부품 따위) 볼트로 죄는[조이게 되어 있는].

bólt·ròpe *n.*〖海〗돛 가장자리의 보강 로프 ; (일반적으로) 최상급 밧줄.

bol·us [bóuləs] *n.* 둥근 덩어리 ; 큰 알약[환약]《동물용》;《俗》싫은 것《고언(苦言) 따위》;〖地質〗＝BOLE[2].

BOM Business Office Must《俗》《PR 기사 ; PR 이라고 알리지 않고 내는 선전 기사》.

〖*B*usiness *O*ffice *M*ust(영업상 불가결한 것)〗

bo·ma [bóumə] *n.* 《중앙·東Africa》 방벽 ; (경찰·군대의) 초소 ; 치안판사 사무소. 〖Swahili〗

‡**bomb** [bám] *n.* **1** 폭탄 ; 수류탄 : an atomic ~ 원자 폭탄. **2**〖地質〗화산탄(火山彈). **3**《美口》큰 실수, 대실패. **4** 방사성 물질을 나르는 납 용기. **5** (살충제·페인트 따위의) 분무식 용기, 스프레이, 봄베. **6**《英》대성공, 대히트. **7** 폭탄적인 것 ; 돌발 사건 ;《美俗》폭탄 성명[발언] ;《美蹴俗》롱패스. **8**《口》한 재산[밑천] ; 큰 돈 : make a ~ 한 밑천 잡다. **9**《俗》(고물) 자동차.

── *vt.* …에 폭탄을 투하하다 ; 폭격하다.

── *vi.* 폭탄을 투하하다 ;《俗》참혹하게 실패하다, 큰 실수를 저지르다, 얼간이 짓을 하다.

bomb out 공습으로 (집·직장에서) 몰아내다.

bomb up (비행기에) 폭탄을 싣다.

〖F＜It.＜L＜Gk. *bombos* hum〗

bom·bard [bambá:rd] *vt.* **1** 포격[폭격]하다 : The artillery ~*ed* the enemy all day. 포병대는 온종일 적에게 포격을 가했다. **2** [＋目 / ＋目＋*with*＋名]《비유》질문[불평·탄원] 공세를 하다 ; (꽃다발 따위를) 던지다 : The lawyer ~*ed* the witness ***with*** one question after another. 변호사는 증인에게 계속 질문 공세를 하였다. **3**〖理〗(원자 따위에) 충격을 주다.

〖F＜L＝stone-throwing engine ; ⇨ BOMB〗

bom·bar·dier [bàmbərdíər] *n.* (폭격기의) 폭격수 ;《英》포병 하사관.

bombárd·ment *n.* [U,C] 포격 ;〖原子理〗충격.

bom·bar·don, -done [bámbərdòun, -dən, bamba:rdən] *n.*〖樂〗예전의 바순(bassoon) ; 저음 튜바(tuba) ; (오르간의) 저음 리드 스톱.

bombasine ☞ BOMBAZINE.

bom·bast [bámbæst] *n.* [U] 호언 장담, 큰 소리 (tall talk), 과장. **~·er** *n.* 〖*bombace* cotton wool＜F＜L ; ⇨ BOMBAZINE ; *-t*는 첨가한 글자〗

bom·bas·tic [bambǽstik] *a.* 허풍떠는, 과장된, 허풍치는. **-ti·cal·ly** *adv.*

Bom·bay [bambéi] *n.* 봄베이《(1) 인도 서부의 옛 주. (2) 그 주(州)의 주도》.

Bómbay dúck *n.*〖魚〗물천구속(屬)의 작은 바닷물고기《말려서 카레 요리에 씀》.

〖변형(變形)＜*bombil* 물고기의 이름〗

bom·ba·zine, -sine [bàmbəzí:n, ⌐-⌐] *n.* [U] 봄바진《날실은 명주, 씨실은 무명이나 털로 짠 능직(綾織) ; 주로 여성용 상복(喪服)감》.

〖F＜L＜Gk. (*bombux* silk)〗

bómb bày *n.* (폭격기의) 폭탄 투하실(室).

bómb dispósal *n.* 불발탄 제거 ; 불발탄 처리.

bombe [bɔ́(:)mb, bámb] *n.* 멜론 모양의 용기에 몇 종의 아이스크림을 층으로 채운 얼음 과자.

〖F＝bomb〗

bom·bé [bambéi] *a.* 가구의 앞[옆]면이 둥글게 나온. 〖F〗

bombed [bámd] *a.* 공습을 받은 ;《俗》(술·마약에) 취한 : a ~ area 피폭(被爆) 지역.

bómbed-òut *a.* 공습으로 불타버린.

bómb·er *n.* 폭격기 ; 폭탄 투하수 : a strategic [tactical] ~ 전략[전술] 폭격기.

bómb-hàppy *a.*《口》폭격에 의한 충격으로 머리가 돈 ; 폭탄[전투] 노이로제의.

bómb·ing *n.* [U,C] 폭격 ;《비유》(상대방을) 무찌르기.

bómbing plàne *n.* 폭격기(bomber).

bom·bi·ta [bɔ:mbí:tɑ:] *n.*《美俗》봄비타《암페타민의 정제(錠劑)[캡슐]》. 〖Sp. ＝small bomb〗

bómb·let *n.* 소형 폭탄.

bómb·lòad *n.*〖空軍〗폭탄 탑재량.

bómb·pròof *a.* 방탄(防彈)의 ; 방공호 구축의.

── *n.* (지하 따위의) 방공호, 방공 구축물 : a ~ shelter 방공호.

bómb ràck *n.* (비행기 안의) 폭탄 적재 장치.

bómb rùn *n.*〖軍〗(목표 확인에서 폭격까지의) 폭격 항정(航程)[행정(行程)].

bómb·shèll *n.* **1** 폭탄(bomb) ; 포탄(shell). **2**《비유》남을 놀라게 하는 일[사람], 아주 매력적인 여자 ; 돌발 사건 : like a ~ 돌발적으로 / explode a ~ 폭탄 선언을 하다.

bómb shèlter *n.* 방공호, 방공 건조물.

bómb·sìght *n.*〖空〗폭격 조준기.

bómb sìte *n.* 피폭(被爆) 구역, 공습 피해 지역.

bómb snìffer *n.* 취각성(臭覺性) 폭탄 탐지기.

bómb squàd *n.*〖美蹴〗폭격 부대《위험이 따르는 경기 때에 출전하는 예비팀》.

bómb thròwer *n.* 척탄병 ; 폭격수 ; 폭탄 투하[발사] 장치.

bom·by·cid [bámbəsəd, -sìd] *n.*〖昆〗누에나방

과(科)의 각종 나방.

bon [bɔ́(ː)n, bán] *a.* 좋은(good) : no ~ 《軍俗》 나쁘다, 좋지 않다(no good). 〖F=good〗

bo·na fide [bóunə fáidi, -fàid, bánə-] *adv., a.* 진실하게[한], 성실하게[한], 선의로[의] : a ~ offer 진정한 제의. 〖L=in good faith〗

bóna fí·des [-fáidiːz] *n.* 진실, 선의. 〖L=good faith〗

bon ami [*F* bɔnami] *n.* (*fem.* **bonne amie** [—]) (*pl.* **bons amis** [*F* bɔ̃zami]) 좋은 벗 ; 애인.

bo·nan·za [bənǽnzə] *n.* 대히트, 노다지, 부광대(富鑛帶) ; 《口》 운수 대통, 행운 ; 큰 돈벌이.

in bonanza 《口》 크게 횡재하여.

—— *a.* [*attrib.*으로 쓰여] 《口》 크게 횡재한, 대융성의 : a ~ farm 큰 수익을 올리는 대농장 / a ~ year 대풍년.

〖Sp. =calm sea, fair weather (L *bonus* good)〗

bonánza·gram [-grǽm] *n.* 빈 칸에 낱말을 채우는 퀴즈의 일종.

Bonánza Stàte *n.* 《美》 Montana 주의 속칭.

Bo·na·parte [bóunəpàːrt] *n.* =NAPOLEON 1.

Bó·na·pàrt·ism *n.* 나폴레옹(1세(世))의 정책.

Bó·na·pàrt·ist *n., a.* 나폴레옹(1세)의 지지자(의).

bon ap·pé·tit [*F* bɔnapeti] *int.* 많이 드십시오. 〖F=(I wish you) a good appetite〗

bon·bon [bánbàn] *n.* 봉봉, 사탕과자. 〖F (*bon* good<L *bonus* good)〗

bon·bon·nière [bànbəníər, -njέər] *n.* 봉봉(과자 담는) 그릇. 〖F〗

bonce [báns] *n.* 《英俗》 머리(head) ; 큰 공깃돌, 그것으로 하는 공기놀이.

***bond**[1] [bánd] *n.* **1** 묶는 것 ; 끈, 띠 ; 결속 ; [*pl.*] 속박하는 것, 구속, 굴레, 기반(覊絆) ; [보통 *pl.*] 속박, 연분, 인연, 맺음. **2** 〔法〕 약정, 계약, 맹약 ; 동맹, 연맹 : enter into a ~ with …와 계약을 맺다. **3** (차용) 증서, 증거문 ; 공채 증서, 채권, 사채(社債) : a public ~ 공채 / ☞ TREASURY BOND / call a ~ 공채 상환의 통고를 하다. **4** 〔建〕 접합재(材) ; 〔建〕 (돌·벽돌 따위를) 포개 쌓기, 포개쌓기 공법. **5** Ⓤ,Ⓒ 접착제, 본드. **6** 〔化〕 원자가(價), (한 원자의) 결합, 가표(價標). **7** (세관의) 보세 창고 유치.

in bond (세관의) 보세 창고에 유치(留置)한.

in bonds 속박[감금]되어.

out of bond (세관의) 보세 창고에서 (꺼내어).

—— *vt.* **1** 보세 창고에 맡기다(cf. BONDED[1]) ; 담보로 넣다, 저당잡히다 ; (차입금을) 채권으로 대체하다 ; …을 위한 손해를 보증하다. **2** (돌·벽돌을) 포개어 쌓다, 접합하다.

—— *vi.* (돌·기와가) 고착[부착]하다, 접착시킬 수 있다〈*together*〉.

〖BAND〗

類義語 ***bond*** 두 명 또는 그 이상의 사람들이 밀접하게 연결되어 일체가 된 관계 : The members are joined by *bonds* of fellowship. (그 멤버들은 우정으로 결합되어 있다). ***tie*** bond와 같은 경우도 있으나 특히 개개의 사람이 독립성을 유지하면서 또는 자기 의사에 반(反)하여 연결지어져 있는 것을 암시함 : He tried to sever all *ties* with his former life. (지난 생활과의 모든 인연을 끊으려고 했다).

bond[2] *a.* 《古》 노예의, 잡힌 몸의. ㊟ 지금은 복합어로만 쓰임. —— *n.* 《廢》 노예.

〖OE *bonda*<ON=husbandman ; cf. HUSBAND〗

***bónd·age** *n.* Ⓤ 농노(農奴)의 신세, 천역(賤役) ; (행동 자유의) 속박, 굴종 ; 얽매인 몸, 노예의 신분 ; (욕정 따위에) 사로잡히기.

in bondage 붙잡혀서, 노예가 되어.

bónd·ed[1] *a.* 공채[채권]로 보증된 ; 담보가 붙은 ; 보세 창고 유치(留置)의 ; 보세품의 : a ~ debt 사채 발행 차입금 / ~ goods 보세 화물 / a ~ warehouse 보세 창고.

bonded[2] *a.* 특수 접착제로 붙인《섬유 따위》 : ~ jersey 섬유 접착제로 마무리한 저지.

bónded fàctory[**mìll**] *n.* 보세 공장.

bónded whískey *n.* 보세 병들이 위스키《병에 담기 전 최저 4년간 정부 관리하에 두었던 알코올 함량 50%의 위스키 원액》.

bónd·er *n.* 보세 화물의 소유주 ; =BONDSTONE.

bónd·hòld·er *n.* 공채 증서[사채권] 소유자.

bónd·ing *n.* 〔建〕 포개쌓기 ; 접착제[본드] 접착 ; 〔電〕 결합.

bónd·màid *n.* 여자 노예 ; 보수 없이 부리는 여자.

bónd·man [-mən] *n.* 남자 노예, 농노 ; 보수 없이 부리는 남자.

bónd màrket *n.* 공사채 시장.

bónd pàper *n.* 증권 용지, 특별 고급 용지.

bónd ràtings *n. pl.* 채권의 등급 매김《기업 따위의 채권 발행자에 대하여 원리금의 지불 능력 따위를 평가하는 제도》.

bónd ròom *n.* 〔證〕 (거래소의) 채권 매매 입회장.

bónd sèrvant *n.* 종, 노예.

bónd sèrvice *n.* 노예[농노]의 일[신분].

bónd·slàve *n.* =BONDMAN.

bónds·man [-mən] *n.* **1** 농노(serf). **2** 〔法〕 (날인 채무증서·보석의) 보증인.

bónd·stòne *n.* 〔建〕 (벽을 가로지르는) 이음돌, 포개어 쌓는 돌.

Bónd Strèet *n.* (London의) 본드 스트리트《고급 상점가》.

bónd tràding *n.* 채권 거래.

bónd·wòman *n.* 여자 노예.

‡**bone**[1] [bóun] *n.* **1** Ⓒ 뼈(cf. FLESH, SKIN) ; Ⓤ 골질(骨質) ; [*pl.*] 신체 : a horse with plenty of ~ 골격이 좋은 말 / old ~*s* 늙은 몸, 노구, 노골(老骨) / Hard words break no ~*s.* 《속담》 아무리 심한 말을 들었다고 해도 몸에 상처는 나지 않는다. **2** [*pl.*] 유해, 시체. **3** 뼈와 비슷한 것《상아·고래 수염 따위》. **4** 살이 붙어 있는 뼈. **5** [~s ; 단수취급] 뼈·상아 따위로 만든 것, 뼈의 구실을 하는 것《양산의 살·여성용 코르셋의 뼈대 따위》 ; 《口》 주사위 ; 캐스터네츠(castanets). **6** [*pl.*] 《美俗》 말라깽이 ; [*pl.*] 《英口》 외과의, 의사. **7** 《口》 싸움의 씨[원인].

a bone of contention 싸움의 씨, 불화의 원인.

(***as***) ***dry as a bone***=BONE-DRY.

bred in the bone (성질이) 뿌리깊게 박힌.

feel in one***'s bones*** (직감적으로) 확신하다, 직감하다 ; 예감하다.

have a bone in one***'s leg***[***throat***] 발[목구멍]에 가시[뼈]가 박혔다《가지[말하지] 못할 때의 구실》.

have a bone to pick with …에 따질 일[불평·잔소리]이 있다.

lay one***'s bones*** 죽다, 매장되다.

make no bones of[***about, to*** do] …을[에 대하여] 꺼리지 않다, …을 예사로 하다.

No bones broken ! 대단치는 않아 ; 괜찮아.

pick a bone with …와 싸우다.

skin and bones 뼈와 가죽(만 남은 사람), 말라깽이.

to the bone 철저히, 철두철미하게.

〈회화〉
They are always working you to the *bone*. — I think I may quit. 「그들은 언제나 자네를 혹사하고 있군」「응, 그래서 나는 일을 그만둘 생각이야」

—— *vt.* **1** (닭·생선 따위의) 뼈를 바르다. **2** (코르셋·양산 따위의) 살을 해 넣다. **3** 《俗》 훔치다 (steal).
—— *vi.* 《美口》 [動/+副/+前+名] 공부만 들이파다, 머리 속에 집어넣다 : ~ ***up on*** a subject 어떤 과목과 씨름하다.
—— *adv.* 철저하게, 완전히 : ~ weary 정말 싫어져서 / be ~ lazy 천성이 게으름뱅이다.
〖OE *bān* ; cf. G *Bein*〗

bone[2] *n.* =TROMBONE.

bóne·ache [-èik] *n.* Ⓤ 골통(骨痛).

bóne àsh *n.* 골회(骨灰).

bóne bànk *n.* 〖醫〗 (이식용(移植用)의) 뼈은행.

bóne blàck[chàr] *n.* 골탄(骨炭)《탈색 흡수제·안료》.

bóne bòx *n.* 《美俗》 구급차(ambulance).

bóne chína *n.* 골회자기(骨灰磁器), 본 차이나.

boned [bóund] *a.* 뼈가 …한 ; 뼈를 발라낸 ; 고래수염[양산 살]을 넣는 : big-~ 뼈가 굵은.

bóne-drý *a.* 바싹 마른, 목이 바싹 마른, 완전히 말라 버린 ; 《美口》 절대 금주의.

bóne dùst *n.* =BONE MEAL.

bóne èarth *n.* =BONE ASH.

bóne-èat·er *n.* 《美俗》 개.

bóne·fàctory *n.* 《美俗》 병원, 묘지.

bóne·hèad *n.* 《口》 멍청이, 얼간이.

bóne·hèad·ed *a.* 《口》 얼빠진.

bónehead pláy *n.* 〖野〗 실책.

bóne·ídle, bóne·lázy *a.* 매우 게으른.

bóne·less *a.* 뼈가[기골이] 없는 ; 뼈를 발라낸.

bóne manúre *n.* 골분(骨粉) 비료.

bóne màrrow *n.* 골수(骨髓).
to the bone marrow 골수까지.

bóne màrrow transplantátion *n.* 골수 이식(술).

bóne mèal *n.* 골분(骨粉)《비료·사료용》.

bóne òil *n.* 뼈기름.

bon·er [bóunər] *n.* (의복에) 고래 수염을 넣는 직공 ; (통조림·소시지용의) 열등 식육용 동물 ; 《美俗》 어처구니 없는 실수(cf. HOWLER 2) : pull a ~ 실수를 저지르다.

bóne·sèt *n.* 〖植〗 엉거시과(科)의 다년생초, (특히) 등골나물《골절 치료에 효험이 있다고 함》.

bóne·sètter *n.* 《古》 (돌팔이) 접골의(接骨醫).

bóne·sètting *n.* 접골(술)(接骨(術)).

bóne·shàker *n.* 《口·戱》 (고무 타이어가 아닌) 구식 자전거.

bóne-tíred [-táiərd] *a.* 기진 맥진한.

bóne·yàrd *n.* 폐차[폐선] 처리장 ; 《口》 묘지.

bón·fire [bán-] *n.* (축제의) 큰 모닥불, (들판의) 모닥불 ; 《美俗》 담배 (꽁초).
make a bonfire of. . . (쓰레기 따위)를 태워버리다 ; …을 제거하다.
〖BONE, FIRE ; 뼈를 태운 데서〗

bon·go[1] [bɔ́(:)ŋgou, báŋ-] *n.* (*pl.* **~, ~s**) 〖動〗 봉고《붉은 밤색에 흰 줄무늬가 있는 아프리카산 영양》. 〖cf. Bangi *mbangani*, Lingala *mongue*〗

bongo[2] *n.* (*pl.* **~s, ~es**) 봉고《쿠바의 소형 드럼 ; 두 개를 무릎 사이에 끼고 침》.
〖Am. Sp.〗

bon·goed [bɔ́(:)ŋgoud, báŋ-] *a.* 《美俗》 술취한.

bon·ho(m)·mie [bànəmí:, bòun-] *n.* Ⓤ 온순, 쾌활. 〖F (*bonhomme* good fellow)〗

bon·ho·mous [bánəməs] *a.* 사근사근한, 쾌활한.
~·ly *adv.*

bon·i·face [bánəfəs, -fèis] *n.* [또는 B~] (쾌활하고 호인인) 여관[식당] 주인.
〖*Boniface* Farquhar, *The Beaux' Strategem*에 나오는 Lichfield의 여관 주인〗

bon·ing [bóuniŋ] *n.* Ⓤ 뼈 발라내기 ; 골분 비료를 주기 ; 코르셋 따위에 넣는 뼈.

bon·ism [bánizəm] *n.* 낙관설(樂觀說)《현 세계를 선(善)으로 봄》.

bo·ni·to [bəní:tou, -tə], **-ta** [-tə] *n.* (*pl.* **~, ~s**) 〖魚〗 줄삼치, 점다랑이 : a dried ~ 말린 가다랭이(포), 가다랭이 포. 〖Sp.〗

bon·jour [*F* bɔ̃ʒu:r] *int.* 안녕하십니까《아침·낮 인사》.

bon·kers [báŋkərz] *a.* 《俗》 머리가 이상한, 정신이 돈(mad).
go bonkers 미치다.
〖C20< ?〗

bon mot [bán móu] *n.* (*pl.* **~s, bons mots** [-móuz]) 명구(名句), 명언(名言) ; (교묘한) 말재주. 〖F=good saying〗

Bonn [bán] *n.* 본《독일의 도시 ; 옛 수도》.

bonne [bɔ́(:)n, bán] *n.* 하녀 ; 아이 보는 여자.
〖F=good〗

bonne amie ☞ BON AMI.

bonne bouche [bɔ(:)n bú:ʃ, ban-] *n.* (*pl.* **~s, bonnes bouches** [—]) (마지막에 먹는) 한 조각의 진미, 입가심(tidbit). 〖F=good mouth〗

bonne for·tune [*F* bɔn fɔrtyn] *n.* (*pl.* **bonnes for·tunes** [—]) 여성에게서 받은 호의[선물]《자랑거리》; 행운, 성공.

bon·net [bánət] *n.* 보닛《여성·어린이용 모자, 턱 밑에서 끈으로 맴》; 《스코》 남자용 챙없는 모자(Scotch cap) ; 뚜껑, 덮개, 고깔《굴뚝의 불꽃 따위를 막음》; 《英》 자동차의 보닛(=《美》 hood) 《기관부를 덮은 것》. —— *vt.* …에게 모자[뚜껑·덮개]를 씌우다. —— *vi.* 모자를 벗어 경의를 표하다.
〖OF (*chapel de*) *bonet*〗

bonnet

bónnet-làird *n.* 《스코》 소(小) 지주.

bon·net rouge [bɔ:néi rú:ʒ] *n.* (*pl.* **bon·nets rouges, ~s** [—]) (1793년 프랑스 혁명의 과격파가 쓴) 붉은 자유모 ; 혁명 당원, 과격주의자.
〖F〗

Bon·nie [báni] *n.* 여자 이름.
〖ME=pretty<OF<L=good〗

bon·ny, -nie [báni] *a.* 《스코》 아름다운, 귀여운 ; 오동통한. —— *adv.* 《口》 유쾌하게, 좋은 인상으로, 잘. —— *n.* 《古》 예쁜 처녀[여자].
bón·ni·ly *adv.*
〖C16< ? ; F *bon* good에서인가〗

bon·soir [*F* bɔ̃swa:r] *int.* 안녕하십니까《저녁 인사》; 안녕히 주무세요.

bon ton [bán tán ; *F* bɔ̃ bɔ̃] *n.* (*pl.* **~s**) 고상함 ; 상류 사회. 〖F=good tone〗

bo·nus [bóunəs] *n.* **1** 보너스, 특별 배당금 ; 할증금(割增金). **2** 리베이트(rebate) ; (물건 살 때의) 덤. 〖L=good (thing)〗

bónus dívidend *n.* 특별 배당.

bónus gòods *n. pl.* 보상(報償) 물자.
bónus íssue *n.* 《英》 무상 신주(無償新株).
bónus plàyer *n.* 〖野〗 보너스 플레이어《대(大) 리그 규정의 급료에 계약금을 더 얹어서 계약하는 자유 계약 선수》.
bónus sỳstem[**plàn**] *n.* (일정 작업량을 넘는 노동자에 대한) 장려적 임금 지불 제도.
bon vi·vant [bàn vivá:nt ; *F* bɔ̃ vivɑ̃] *n.* (*pl.* **~s** [—], **bons vi·vants** [-vá:n*t*s, -vá:nz ; *F*—]) 미식가, 식도락가 ; 사치하는 사람, 향락가 ; 사귀어 재미있는 사람.
〖F=good liver (*vivre* to live)〗
bon vo·yage [*F* bɔ̃ vwaja:ʒ] *n.* 즐거운 여행 ; [감탄사적으로] 즐거운 여행이 되시기를! (good journey).
bony [bóuni] *a.* 골질(骨質)의 ; 뼈와 같은, 뼈가 많은 ; 뼈대가 굵은, 뼈가 불거진 ; (여위어서) 뼈만 앙상한. **bón·i·ness** *n.*.
bonze [bánz] *n.* (불교의) 중, 승려.
〖F or Port. <Chin.〗
bon·zer [bánzə*r*] *a.* 《濠俗》 우수한, 훌륭한.
〖C20<?〗
boo[1] [bú:] *int.* 우우!, 피!《위협·비난·경멸을 나타내는 소리》. —— *n.* (*pl.* **~s**) 우우하는 소리. —— *vt.* [+目/+目+前+名] …에게 우우라고 하다 ; 비웃다, 야유하다(hoot) : The audience *~ed* the singer ***off*** the stage. 청중은 가수에게 야유를 보내 무대에서 퇴장시켰다. —— *vi.* 우우[피]하는 소리를 내다. —— *a.* 《美俗》 두드러진, 뛰어난. 〖imit.〗
boo[2] *n.* Ⓤ 《美俗》 마리화나. 〖?〗
boob [bú:b] *n.* 《俗》 얼간이, 맹추. —— *vi.* 《口》 큰 실수를 저지르다. 〖*booby*〗
boo-boo, boo·boo [bú:bù:] *n.* (*pl.* **~s**) 《兒》 타박상, 대수롭지 않은 상처 ; 《美俗》 실수, 실책.
〖? *boohoo*〗
bóob tùbe *n.* [the ~] 《美俗》 텔레비전.
boo·by [bú:bi] *n.* 멍청이 ; 꼴찌 ; 〖鳥〗 사다새의 일종. 〖Sp. *bobo*<L *balbus* stammering〗
bóoby hàtch *n.* 《美俗》 정신 병원.
bóoby·ish *a.* 어리석은, 바보의.
bóoby prìze *n.* 꼴찌에게 주는 상, 최하위 상.
bóoby tràp *n.* 맹추 골리기《반쯤 열린 문 위에 물건을 올려놓고 들어오는 사람의 머리 위에 떨어지게 하는 장난》 ; 〖軍〗 부비 트랩《대인 위장(對人僞裝) 폭탄[지뢰] 장치》.
bóoby-tràp *vt.* BOOBY TRAP을 꾸며 놓다.
boo·dle [bú:dl] *n.* 《美俗·蔑》 **1** 단체, 그룹. **2** 뇌물, 매수금 ; 부정 이득.
the whole (***kit and***) ***boodle*** (누구나 할 것 없이) 모두, 전부.
〖Du. *boedel* possessions〗
bóo·dler *n.* 《美》 수회자.
boo·ga·loo [bù:gəlú:] *n.* [the ~] 부걸루《2박자로 발을 끌 듯이 어깨·허리를 놀리는 춤》.
boo·gie[1] [bú(:)gi] *n.* **1** 《蔑》 깜둥이(negro). **2** 《卑》 매독. 〖? 변형(變形) ‹*booger* bogeyman〗
boogie[2] *n.* =BOOGIE-WOOGIE ; 《美俗》 디스코 음악. —— *vi.* 《美俗》 (디스코 음악에 맞추어) 몸을 흔들다 ; 《口》 크게 즐기다, 들떠 신이 나다.
boo·gie-woo·gie [bù(:)giwú(:)gi] *n.* 〖樂〗 부기우기《1소절 8박자의 베이스 리듬을 취하는 피아노 블루스》.
boo·hoo [bù:hú:] *vi.* 엉엉 울어대다. —— *n.* (엉엉) 우는 소리. 〖imit.〗
◇**book** [búk] *n.* **1** 책, 책자, 서적 ; 《口》 잡지 ; 저술, 저작 : read[write] a ~ 책을 읽다[쓰다] / a ~ of the hour 시기에 맞추어 낸 책. **2** [the (good) B~] 성서(the Bible). **3** 권, 편 : *B*~ 1 제 1 권《bóok óne이라고 읽음》. **4** (오페라의) 가사(libretto) ; 대본. **5 a**) 장부 ; 대장, 차표[수표·전화]첩(帖)《따위》 ; 명부. **b**) [*pl.*] 회계 장부 : keep ~*s* 부기[장부에 기입]하다 / shut the ~*s* 거래를 중지하다. **6** 〖競馬〗 도박 대장 ; 〖카드놀이〗 6장을 맞추기. **7** (가극의) 가사 ; 대본. **8 a**) 지식[규범]의 근원 ; [*pl.*] 학과, 과목. **b**) [the ~] 기준(법), 규범. **9** 변명.
at one***'s books*** 공부하는 중인.
book nonsense 《美》 탁상 공론.
book of account 회계 장부《특히 원장》.
book of fate 운명의 책《사람의 미래가 적혀 있다고 함》.
book of hours 기도서.
book of reference 참고서.
bring[***call***] a person ***to book*** (남을) 책망하다, (남에게) 해명을 요구하다.
by the book 정확하게, 규칙에 따라[대로].
close the books 결산하다 ; (모집 따위를) 마감하다.
God's book=*the Book of Books*.
hit the[one***'s***] ***books*** 열심히 공부하다.
in one***'s book*** …의 의견으로서는.
in the good[***bad***, ***black***] ***books of*** …의 마음에 들게 되어[…에게 미움을 받아].
keep books 치부(置簿)하다.
kiss the book ☞ KISS *v.*
like a book 《口》 충분히, 완전히 ; 꼼꼼하게 ; 정확하게 ; 주의깊게 ; 주저하지 않고 : know...*like a* ~ …을 잘 알고 있다 / speak[talk] *like a* ~ 상세히[격식을 차려] 말하다.
make book 마권 영업을 하다, 물주가 되다 ; (내기에) 걸다.
one for the book 주목할 만한[굉장한] 일.
on the books 기록되어, 명부에 올라서.
speak by the book 확실한 인용을 해서 말하다, 정확히 이야기하다.
suit one***'s book*** 목적에 들어맞다, 의도에 맞다.
take a leaf out of another***'s book*** 남의 행동을 본받다.
take kindly to one***'s books*** 학문을 좋아하다.
take[***strike***] a person***'s name off the books*** 남을 제명하다.
the Book of Books 성경(책), 성서, 바이블 《「책 중의 책」이란 뜻》.
the Book of Common Prayer (영국 국교회의) 기도서.
the book of life 〖聖〗 (영생을 얻는 자의 이름을 기록한) 생명의 책《요한계시록 3 : 5》.
throw the book at... 《俗》 (범죄자에게) 최고형을 선고하다, 엄하게 벌하다.
without book 전거(典據)없이 ; 암기하여.
—— *vt.* **1** (이름·주문 따위를) 기입[기장]하다 ; (예약자의) 이름을 기입하다 ; 《英》 (좌석을) 예약하다 ; 출찰(出札)하다 ; 《英》 (…행) 차표를 사다 ; (화물을) 탁송(託送)하다 : ~ seats[berths] 좌석[침대]을 예약하다 / ~ a passage to Pusan 부산까지 배의 승선표(乘船票)를 사다 / We have *~ed* two staterooms on the steamship. 그 기선의 특등실을 두 개 예약했다. **2** [+目+*for*+名/+目] …와 예약하다, …에게 약속시키다, 출연 계약을 하다 : The lecturer is *~ed* ***for*** every night of the week. 강사는 금주 중 매일밤 강연하기로 되어 있다 / I'm *~ed*. 《俗》 (붙잡혀) 꼼짝할 수 없다.

〈회화〉
I want to *book* a single room. — You're lucky, sir. We've just one room vacant. 「싱글로 방 하나를 예약하고 싶은 데요」「운이 좋군요. 마침 방 하나가 비었어요」

—— *vi.* [+副 / +前+名] 《英》 열차의 차표를 사다[예약하다] : Can I ~ ***through to*** Naples? 나폴리까지의 직행표를 살 수 있습니까.
—— *a.* **1** 책의, 서적의. **2** 책에서 얻은, 책에 바탕을 둔 : a ~ knowledge of mountaineering 책에서 얻은 등산 지식. **3** 장부상의.
〖OE *bōc* ; cf. BEECH, G *Buch* ; OE의 복수형은 *bēc*, 현재형은 -(*e*)*s*어미의 유추에 의함〗
bóok·able *a.* 《주로 英》 예약할 수 있는.
bóok accòunt *n.* 장부상의 대차 계정.
bóok àgent *n.* 서적 판매인[외판원].
bòok·a·hól·ic *n.* 독서광(狂) ; 장서광(藏書狂).
bóok·bìnd·er *n.* 제본소[업자].
bookbinder's cloth 제본용 클로스.
bóok·bìnd·ery *n.* 《美》 제본소.
bóok·bìnd·ing *n.* Ⓤ 제본, 제본술[업].
bóok·bùrn·er *n.* 분서주의자(焚書主義者) ; 반대설 억압자.
bóok bùrning *n.* 분서(焚書).
bóok càrd *n.* 도서 대출표《도서관에서 대출할 때 적어두는 카드》.
***bóok·càse** *n.* 책장, 서가(書架).
bóok clòth *n.* 제본용 천.
bóok clùb *n.* 독서 클럽, 서적 공동 구매회 ; 애서가(愛書家) 클럽 ; 독서회.
bóok concèrn *n.* 《美》 도서 출판 회사.
bóok còver *n.* 책 표지(cf. BOOK JACKET).
bóok dèaler *n.* 서적상.
bóok dèbt *n.* 장부상의 채무.
booked [búkt] *a.* (장부에) 기장한 ; 계약한 ; 《英》 (차표가) 팔린, 예약(필)의(cf. RESERVED).
bóok·ènd *n.* [보통 *pl.*] (책이 쓰러지지 않게) 양쪽에 받치는 책꽂이.
Bóoker Príze *n.* 영국의 권위 있는 소설 상.
bóok fàir *n.* 도서전(展).
bóok·hòld·er *n.* 독서대(讀書臺).
bóok·hùnt·er *n.* 책을 찾아 다니는 사람, 엽서가.
book·ie [búki] *n.* 《口》 =BOOKMAKER 2.
bóok·ing *n.* 장부 기입 ; Ⓤ,Ⓒ 좌석의 예약(=《美》 reservation) ; 출찰(出札) ; (배우의) 출연 계약.
bóoking clèrk *n.* 《英》 출찰담당자 ; (호텔 따위의) 객실 예약담당(자), 지배인.
bóoking òffice *n.* 《英》 출찰소(所), 매표장(=《美》 ticket office).
bóok·ish *a.* 서적상의, 독서의, 문학적인(literary) ; 서적[학문]에 열중한 ; 딱딱한 ; 학자인 체하는 : ~ English 딱딱한 영어. **~·ness** *n.*
bóok jàcket *n.* 책 커버(cf. BOOK COVER).
bóok·kèep·er *n.* 부기담당(자) ; 기장하는 사람.
bóok·kèep·ing *n.* Ⓤ 부기 : ~ by single[double] entry 단식[복식] 부기.
bóok·lànd *n.* 〖英史〗 특허 보유지.
bóok-lèarn·ed [-lə̀:rnəd] *a.* 책으로만 배운 ; 실제에 어두운.
bóok lèarning *n.* 책으로만 배운 학문 ; 학문 ; 학교 교육.
bóok·let *n.* (보통 종이 표지로 된) 작은 책자.
bóok lìst *n.* (특히) 추천 도서 목록.
bóok·lòre *n.* =BOOK LEARNING.
bóok lòuse *n.* 〖昆〗 (고서·식물 표본 따위의) 책좀.
bóok·lòver *n.* 애서가(愛書家).
bóok lùng *n.* (거미 따위의) 확산폐 ; 서폐(書肺) 《호흡 기관》.
bóok·màker *n.* **1** 저술가《특히 돈을 벌려고 마구 써 내는》 ; 서적 제조업자. **2** 〖競馬〗 마권 영업자, 도박꾼(bookie).
bóok·màking *n.* **1** Ⓤ 서적 제작, 책 만들기《편집·인쇄·제본》. **2** Ⓤ 〖競馬〗 마권업, 도박업.
bóok·man [-mən, -mæ̀n] *n.* 독서인, 문인, 학자 ; 《口》 서적상인, 출판인.
bóok·màrk *n.* 서표(書標) ; 장서표(bookplate).
bóok màtches *n. pl.* 둘로 접은 종이 성냥.
bóok·mobìle *n.* 《美》 이동[순회] 도서관(mobile library) (cf. TRAVELING LIBRARY).
bóok mùslin *n.* (제본용) 모슬린, 엷고 흰 고급 모슬린.
bóok nòtice *n.* (신간) 서적 안내[비평].
bóok òath *n.* 성서에 손을 얹고 하는 맹세[저주].
bóok pàrty *n.* (서점에서 하는) 저자 서명회(署名會)《저자가 직접 서명해 줌》.
bóok·plàte *n.* 장서표(cf. EX LIBRIS).
bóok pòst *n.* 《英》 서적 우편.
bóok·ràck *n.* 서대(書臺), 서가.
bóok ràte *n.* 《美》 서적 우편[소포] 요금.
bóok·rèst *n.* 책꽂이.
bóok revìew *n.* (신간) 서평(書評) ; 서평란 ; 서평지(誌).
bóok revìewer *n.* (신간 서적의) 서평가.
bóok revìewing *n.* 서평(書評).
bóok·sèll·er *n.* 서적 상인, 책방.
bóok·sèll·ing *n.* 서적 판매(업).
***bóok·shèlf** *n.* 책꽂이, 서가.
***bóok·shòp** *n.* 《英》 =BOOKSTORE.
bóok-síze *a.* 책크기의 : a ~ computer 책크기의 컴퓨터.
bóok-slìde *n.* 자동식 서가(書架).
bóok socìety *n.* =BOOK CLUB.
bóok·stàck *n.* (도서관의) 서가.
bóok·stàll *n.* 《英》 고본[헌책 따위]의 노점 ; (정거장의) 신문·서적 판매점.
bóok·stànd *n.* 서가, 책장 ; 독서대 ; 서적 판매장[매점].
***bóok·stòre** *n.* 《美》 책방, 서점(=《英》 BOOKSHOP).
book·sy [búksi] *a.* 《口》 학자티를 내는, 유식한 체하는.
bóok·tèller *n.* (녹음용으로 책을 읽는) 낭독자.
bóok tèst *n.* 〖超心理〗 특이 초능력 소유자가 읽지도 않았던 책 내용을 정확히 외는 실험.
bóok-to-bíll ràtio *n.* 〖經〗 출하액(出荷額)에 대한 수주액(受注額)의 비율.
bóok tòken *n.* 《英》 서적 구입권.
bóok tràde *n.* 출판업《출판·인쇄·판매를 포함》.
bóok tràveler *n.* 서적 판매 사원.
bóok-tròugh *n.* V자형(字型) 서적 전시 선반.
bóok vàlue *n.* 〖簿〗 장부 가격.
bóok·wòrk *n.* (실습·실험이 아닌) 서적[교과서]에 의한 연구 ; 〖印〗 (신문 따위가 아닌) 서적류의 작업.
bóok·wòrm *n.* 책벌레[좀] ; 독서광.
bóok wràpper *n.* =BOOK JACKET.
***boom**¹ [bú:m] *n.* **1** 웅웅거리는 소리[우는 소리], 쾅 울리기. **2** 벼락 경기(景氣), (갑작스러운) 인기, 붐(cf. SLUMP) : a war ~ 전시[군수(軍需)] 경기. —— *a.* 《口》 급등한, 벼락 경기의.
—— *vi.* **1** [動 / +副] 쿵쿵 소리나다[울리다] ; 윙하고 울다 ; 울려퍼지다 : His voice ~*ed* ***out***

above the rest. 그의 목소리는 다른 목소리보다 더 높이 울렸다. **2** 벼락 경기가 생기다, 인기가 오르다 : Business is ~*ing*. 경기가 갑자기 좋아지고 있다.
—— *vt.* **1** [+目/+目+副] 윙[쿵쿵] 울려서 알리다 ; 낭낭하게 소리내어 부르다[읽다] : The big guns ~*ed* their message. 대포가 꽝 울려서 그 일을 알렸다 / He ~*ed* ***out*** the poem. 그 시를 소리 높이 낭송했다. **2** [+目/+目+前+名] (광고 따위에서) …의 인기를 부채질하다, 선전하다 ; (후보자를) 추켜[내] 세우다 : His friends were ~*ing* him ***for*** senator. 그의 친구들은 그를 상원 의원 후보로 추대하고 있었다. 〚imit.〛

boom[2] *n.* **1** 〔海〕 돛의 아래 활대 ; (항구에서 목재 유실을 막는) 방재(防材). **2** 〔空〕 공중 급유관. **3** 〔映·TV〕 (이동식 촬영기의) 카메라[마이크] 위치 조정 장치. **4** 수로(水路) 표지. —— *vt.* 방재를 치다 ; 아래 활대에 돛을 달다 ; (기중기로) 끌어올리다[운반하다]. —— *vi.* 전속력으로 항행하다 ; 기세 좋게 움직이다. 〚Du. ; ⇨ BEAM〛

bóom-and-búst *n.* 《口》 벼락 경기와 불경기의 교체, 일시적 호황(好況).

bóom bàby *n.* [보통 *pl.*] 베이비 붐 시기에 태어난 아기.

bóom càrpet *n.* 초음속 비행기의 충격파로 인한 굉음(轟音)의 피해 지역.

bóom còrridor *n.* 초음속 비행대(帶)[로(路)].

bóom·er *n.* 《美俗》 경기를 활기띠게 하는[부채질하는] 것[사람] ; 《美俗》 신흥지로 몰려드는 사람 ; 《濠》 큰 캥거루의 수컷.

boo·mer·ang [búːmərӕ̀ŋ] *n.* 부메랑《오스트레일리아 원주민의 무기, 곡선을 그리면서 던진 사람에게 되돌아옴》 ; 《비유》 누워서 침뱉기 식의 비난·공격《따위》. —— *vi.* (부메랑처럼) 던진 사람에게 되돌아오다, 자업자득이다 ; (계획이) 예기치 못한 화를 가져오다. 〚(Austral.)〛

bóomerang effèct *n.* 부메랑 효과《지원해 준 결과 역수출되어 경쟁을 벌이는 현상》.

Bóomer Státe *n.* [the ~] Oklahoma 주(州)의 속칭.

bóom·ing *a.* 윙윙거리는 ; 쾅하고 울리는 ; 경기가 좋은, 대인기의 : ~ prices 폭등하는 물가.

bóom·let *n.* 《美》 약간의 호경기.

bóom·ster *n.* =BOOMER.

bóom·tòwn *n.* 《美》 신흥도시.

boomy [búːmi] *a.* 경제적 붐의 ; 호황의 ; (재생음이) 저음(低音)을 살린.

boon[1] [búːn] *n.* 혜택, 은혜, 이익 ; 《古》 부탁 : ask a ~ of a person 남에게 부탁하다 / be[prove] a great ~ to …에게 있어서 큰 혜택이 되다. 〚ME=prayer<ON〛

boon[2] *a.* **1** 재미있는, 유쾌한 : a ~ companion 유쾌한[마음이 맞는] 술친구. **2** 《口》 친절한, 다정한 ; 온화한, 풍요한《풍토 따위》. 〚OF *bon*<L *bonus* good〛

bóon·dàgger *n.* 《美俗》 완력이 센 여자 ; (특히) 남자역의 여자 동성 연애자.

boon·docks [búːndɑ̀ks] *n. pl.* [the ~] 《美俗》 숲, 밀림 ; [the ~] 시골, 벽지. 〚Tagalog *bundok* mountain〛

boon·dog·gle [búːndɑ̀gəl] *n.* 《美口》 **1** 보이 스카우트가 목 둘레에 걸치는 가죽으로 꼰 끈. **2** 쓸데없는[의미없는] 일 ; 보잘것없는 세공품. —— *vi.* 쓸데없는 일을 하다.

Boone [búːn] *n.* 분. **Daniel** ~ (1734-1820) 미국 초기의 개척자 ; Kentucky에서 활약했음.

boong [búːŋ] *n.* 《濠俗·蔑》 오스트레일리아[뉴기니]의 원주민, 흑인, 유색인. 〚(Austral.)〛

boon·ies [búːniz] *n. pl.* [the ~] 《俗》 오지.

boor [búər] *n.* 시골뜨기(rustic), 촌놈, 농사꾼 ; 투박한 사내 ; [B~]=BOER. 〚LG or Du. =farmer ; cf. BOWER[3]〛

bóor·ish *a.* 농부 같은 ; 투박[소박]한(rude), 교양 없는, 촌스러운. **~·ly** *adv.* **~·ness** *n.* (거칠고) 촌스러움, 무례함.

boost [búːst] *n.* 《口》 뒤를 밀기, 후원, 추어올림 ; 경기 부양 ; (가격의) 인상, (생산량의) 증대(increase) : give a person a ~ 남의 뒷바라지를 하다, 남을 뒤에서 밀어주다. —— *vt.* **1** [+目/+目+前+名] 밀어올리다 ; 후원하다 ; 추어올리다, …의 경기를 부양하다 : ~ prices 물가를 인상하다 / ~ a person ***into*** a good job 남을 추천하여 좋은 자리에 앉게 하다. **2** 증진시키다, 증가시키다, 상승시키다 ; 〔電〕 …의 전압을 올리다 : ~ car production 자동차를 증산하다. 〚?〛

bóost·er *n.* 《美》 원조자, 후원자 ; (시세를 올리려고) 마구 사들이는 사람 ; 〔電〕 승압기(昇壓機) ; 〔라디오·TV〕 무선 주파 증폭기 ; 부스터《로켓 따위의 보조 추진장치》 ; (약의) 효능 촉진제.

bóost·er·ìsm *n.* 열렬한 지지, 격찬 ; 《美》 (도시·관광지의) 선전 광고.

bóoster ròcket *n.* 다단식(多段式) 추진 로켓의 발사용 로켓(launch vehicle).

bóoster shòt[injèction] *n.* (약효 지속을 위해 맞는) 두 번째 예방 주사.

‡**boot**[1] [búːt] *n.* **1** [보통 *pl.*] 《英》 목이 긴 구두, 반장화 (cf. SHOE) ; 《美》 장화, 부츠 : a pair of ~*s* 장화 한 켤레 / high ~*s* 《英》 장화 / laced ~*s* 편상화(編上靴) / pull on[off] one's ~*s* 구두를 잡아당겨 신다[벗다]. **2** 《英》 (합승 마차 앞뒤의) 짐칸[싣는 곳] ; =TRUNK 2 b). **3** [boots로 단수취급] 《英》 =BOOTS. **4** [때때로 the ~] 《俗》 (불의의) 해고(dismissal). **5** 《口》 흥분, 스릴, 유쾌. **6** 《美口》 (해군·해병대의) 신병.

bet your boots 《美》 염려없다, 틀림없다.

die in one***'s boots***=***die with*** one***'s boots on*** ☞ DIE[1].

give [***get***] ***the boot*** 걷어차다[채이다] ; 《俗》 해고하다, 해고되다.

have one***'s heart in*** one***'s boots*** 실망[낙담, 의기소침]하다 ; 겁을 먹고 있다.

lick the boots of …에게 아첨하다, 맹종하다.

like old boots 《俗》 심하게, 몹시.

Over shoes, over boots. ☞ SHOE.

The boot is on the other leg. 당치도 않다, 진상은 다른 데 있다, 책임은 상대에게 있다.

wipe one***'s boots on*** …을 모욕하다.

—— *vt.* **1** …에 구두를 신기다 : ☞ BOOTED. **2** [+目/+目+副/+目+前+名] 〔美蹴〕 (공을) 차다(kick) ; [보통 수동태로] 《俗》 쫓아내다, 해고하다 : He was ~*ed* ***out*** (***of*** the employment [*of* school for not studying]). 그는 (그 직책에서[공부를 하지 않는다는 이유로 학교에서]) 쫓겨났다. —— *a.* 《美俗》 신참의, 경험이 적은. 〚ON *bóti* or OF *bote*< ?〛

boot[2] *n.* [다음 숙어로]

to boot 게다가, 그 위에(in addition).

—— *vi.* [보통 it을 주어로 하여] 《古》 [+副] 이롭다, 도움[소용]이 되다 : What ~*s it* to weep? 운다고 소용이 있느냐《아무 소용없다》. 〚OE *bōt*<Gmc. 《美》 *bōtō* remedy ; cf. BETTER, BEST〛

boot[3] *n.* 《古》 전리품(戰利品) (booty).

bóot·blàck *n.* 《稀》 (거리의) 구두닦기(shoe-

black)《사람》.
bóot brùsh *n.* 구둣솔.
bóot càmp *n.* 《口》 (미 해군·해병대 따위의) 신병 훈련소.
bóot·ed *a.* 구두를 신은; 《俗》 해고를 당한; 〖鳥〗 정강이뼈에 깃털이 난.
boo·tee, -tie [buːtíː, ´-] *n.* **1** [보통 *pl.*] 가벼운 여성[어린이]용 구두[반장화, 오버슈즈]. **2** 털실로 뜬[천으로 만든] 유아 신발.
bóot·er *n.* 축구(soccer) 선수.
bóot·ery *n.* 양화점.
Bo·ö·tes [bouóutiːz] *n.* 〖天〗 목자자리《Arcturus가 주성(主星)》.
bóot-fàced *a.* (표정이) 엄한, 무뚝뚝한, 무표정한, 생기없는 얼굴의.
***booth** [búːθ; -ð, -θ] *n.* (*pl.* **~s** [-ðz, -θs]) 매점, 노점; (상품 전시회장 따위에서의) 진열대[전시실]; 오두막집, 판자집, 전화 박스, 칸막이한 자리[좌석], 가설 투표소: a polling ~ 투표장. 〖ON (*bóa* to dwell); cf. BOND², BOWER¹〗
Booth [búːθ; -ð] *n.* 부드. **William** ~ (1829-1912) 구세군을 창시한 영국의 목사.
bóot híll *n.* 《美》 (서부의) 공동 묘지. 〖cf. DIE¹ in one's *boots*〗
bóot·jàck *n.* (장화용) 신 벗는 기구《V자 모양임》.

bootjack

bóot·làce *n.* 《英》 구두끈(shoelace).
bóot·lèg *vi., vt.* 《美俗》 (술 따위를) 밀매[밀수·밀조]하다. —— *n.* 밀수[밀매·밀조]주(酒). —— *a.* 밀매[밀수·밀조]된; 불법의; 비밀의: ~ whiskey 밀수 위스키.
bóotleg cìgarette *n.* 《美》 밀수 담배; 납세 증서를 위조하여 파는 담배.
bóot·lègger *n.* 《美俗》 (특히 금주 시대의) 주류 밀매[밀수]자.
bóot·lègging *n.* 주류 밀매[밀수].
bóotleg tùrn *n.* 〖自動車〗 수동 브레이크로 뒷바퀴를 고정시키고 핸들을 돌려서 하는 급선회.
bóot·less *a.* 무익한(useless). **~·ly** *adv.* 〖BOOT²〗
bóot·lìck *vt., vi.* 《口》 (…에게) 알랑거리는[아첨하는] 말을 하다. —— *n.* 알랑거리기, 아첨하기. **~·er** *n.* 알랑쇠, 아첨꾼.
bóot·lòad·er *n.* 〖컴퓨〗 부트스트랩 로더.
bóot·màker *n.* 구둣방 직공, 구두 수선공.
bóot pòlish *n.* 구두닦기(=《美》 shoeshine).
bóot ràck *n.* 신발장.
boots [búːts] *n.* (*pl.* ~) 《英》 여관의 구두닦기《짐을 나르기도 함》.
bóots-and-áll *a.* 필사적인[으로 행한].
bóot·stràp *n.* 《美》 (편상화의) 손잡이 가죽(끈) (=《英》 boot-tag); 《비유》 혼자 힘; 〖컴퓨〗 [흔히 형용사적으로] 부트스트랩 (방식의)《예비 명령에 의해 프로그램을 로드하는 방식》.
pull** one**self** **up** [**lift** one**self**] **by** one**'s** (**own**) **bootstraps 《美》 독자적인 힘[독력(獨力)]으로 해내다, 자활하다.
—— *a.* 자동(식)의; 독력(獨力)[자력]의.
—— *vt.* 〖컴퓨〗 부트스트랩에 (프로그램을) 넣다; 독력으로 나아가다.
bóot·stráp·per *n.* 자력으로 성공한 사람.
bóot-tàg *n.* 《英》 (구두의) 손잡이 가죽(=《美》 bootstrap).
bóot tràining *n.* 《美口》 (해군·해병대의) 신병 훈련 (기간).
bóot trèe *n.* 구둣골《구두 모양을 찌그러지지 않게 하기 위해 구두 속에 넣음》.
boo·ty [búːti] *n.* Ⓤ 약탈품, 전리품, 노획(품); 벌이, (사업 따위에서의) 이득: I made ~ of a good book. 나는 좋은 책을 입수했다.
play booty 한패끼리 짜고 남을 속이다. 〖G=exchange< ?〗
booze [búːz] *vi.* 《口》 술을 많이 마시다. —— *vt.* [~ it up으로] 독한 술을 벌컥벌컥 마시다.
—— *n.* Ⓤ 알코올 음료, 맥주, (독한) 술; Ⓒ 주연; 폭음.
on the booze 만취가 되어, 몹시 취하여. 〖*bouse*¹<MDu.=to drink to excess〗
bóoze fìghter *n.* =BOOZEHOUND.
bóoze·hòund *n.* 《美俗》 대주가(大酒家), 모주꾼, 호주가.
bóoz·er *n.* 《口》 술꾼; 《英口》 술집(pub).
booz·er·oo [bùːzərúː] *n.* 《N. Zeal. 俗》 주정; 싸구려 술집.
bóoze-ùp *n.* 《英俗》 주연(酒宴).
bóozy *a.* 《口》 술 취한(drunk); 술을 많이 마시는.
bop¹ [bɑ́p] *n.* =BEBOP. **bóp·pèr** *n.* 밥 음악가; 《俗》 =TEENYBOPPER. 〖be*bop*〗
bop² *vt., vi.* (**-pp-**) 《俗》 치다, 때리다; 싸우다. —— *n.* 일격; 《美》 (폭주족 등의) 난투. 〖BOB⁴〗
BOP balance of payments.
bo·peep [bòupíːp] *n.* Ⓤ 《英》 아웅, 깍꿍《숨어 있다가 불쑥 얼굴을 내밀며 Bo! 라고 하여 아이를 놀려주는 장난; cf. 《美》 PEEKABOO》: play ~ 아웅[깍꿍] 장난을 하다; (정치가 등이) 변화 무쌍하여 정체를 알 수 없다.
bóp·ster *n.* 《俗》 밥 광(狂).
B.O.Q. 〖美軍〗 Bachelor Officers' Quarters(독신 장교 숙소).
bor. boron; borough.
bo·ra [bɔ́ːrə] *n.* 〖氣〗 보라《아드리아 해 연안에서 계절적으로 부는 건조하고 찬 북동풍》. 〖It. (dial.)<L *boreas*〗
bo·rac·ic [bərǽsik] *a.* 〖化〗 =BORIC. 〖BORAX〗
borácic ácid *n.* 〖化〗 붕산(boric acid).
bo·ra·cite [bɔ́ːrəsàit] *n.* 〖鑛〗 방붕석(方硼石).
bor·age [bɔ́(ː)ridʒ, bɑ́r-, bʌ́r-] *n.* 〖植〗 서양지치《샐러드용》. 〖OF<L<Arab. =father of sweat; 발한제로 사용한 데서〗
bo·rate [bɔ́ːreit] *n.* Ⓤ 〖化〗 붕산염(硼酸鹽).
bó·rat·ed *a.* 붕산[붕사]을 섞은.
bo·rax [bɔ́ːræks, -rəks] *n.* Ⓤ 〖化〗 붕사(硼砂); 《俗》 싸구려 물건《특히 가구 따위》; 《美俗》 거짓말, 허튼 소리; 속임수. —— *a.* 《美俗》 싸구려의. 〖OF<L<Arab.<Pers.〗
Bor·a·zon [bɔ́ːrəzàn, -zən] *n.* 보라존《다이아몬드와 같은 경도(硬度)로 내열도도 우수한 질화붕소의 결정체; 상표명》.
Bor·deaux [bɔːrdóu] *n.* **1** 보르도《프랑스 남서부의 항구·공업도시; 포도주 생산지의 중심》. **2** Ⓤ,Ⓒ (*pl.* ~[-z]) [흔히 b~] 보르도 (지방산의) 포도주《적색·백색; cf. CLARET, BURGUNDY》. **3** =BORDEAUX MIXTURE.
Bordéaux mìxture *n.* 보르도 합제액(合劑液)《농약의 일종》.
bor·del [bɔ́ːrdl] *n.* 《古》 =BORDELLO.
bor·del·lo [bɔːrdélou] *n.* (*pl.* **~s**) =BROTHEL.
‡**bor·der** [bɔ́ːrdər] *n.* **1** 가장자리, 변두리. **2 a)** 국경(선); 국경 지대, [*pl.*; 집합적으로] 국경 지방(frontier districts); 경계; 《美》 변경: a ~

army 국경 경비군 / a ~ town 국경의 마을 / on the ~ 국경(지대)에 / over the ~ 국경(선)을 넘어. **b**) [the B~] 잉글랜드와 스코틀랜드의 국경(지방) ; [the ~] 《美》 멕시코[캐나다]와 미국과의 국경. **3** [때때로 *pl.*] 영토, 영역 : within[out of] ~*s* 영토내[외]로. **4** 가장자리 장식 ; (꽃밭·정원의) 가장자리 잡기 : a herbaceous ~ ☞ HERBACEOUS.

on the border of... (1) …의 가장자리[가]에, …에 접하여. (2) 바야흐로 …하려고[하여].

—— *vt.* …에 인접하다, 경계를 이루다, 면하다 ; …에 가장자리를 두르다, 테를 두르다 : My land ~*s* his. 내 토지는 그의 토지에 인접해 있다 / The lawn was ~*ed* by shrubs. 잔디밭 가장자리에 관목이 심어져 있었다. —— *vi.* [+*on*+名] **1** 인접하다 : Wales ~*s* ***on*** England. 웨일스는 잉글랜드와 인접해 있다. **2** 근사[비슷]하다 : His humor ~*s* ***upon*** the farcical. 그의 유머는 어릿광대짓 같다. **~·er** *n.* 국경[변경] 주민 ; 가자리 장식[테 따위]을 하는[두르는] 사람. **~·ing** *n.* Ⓤ 가장자리[경계]를 마련하기 ; 테를 두르기. 〖OF<Gmc. ; ⇨ cf. BORDURE〗

類義語 ***border*** 「가장자리, …가」 따위로 경계선 또는 이에 따르는 지대(地帶). ***margin*** 무엇인가 뚜렷한 것으로 구획되어져 있는 가장자리[끝] 부분. ***edge*** 칼날같이 예리하게 날이 서 있는 끝부분. ***rim*** 안경·사발 따위 둥그런 것의 가장자리. ***brim*** 컵·사발 같은 그릇 상단 안쪽의 rim. ***brink*** 절벽 따위 같은 낭떠러지의 가장자리. ***frontier*** 다른 나라에 면하거나 그것과 경계를 이루는 한 나라의 경계[변경] 지방[부분] : defend the *frontier* (국경을 지키다). ***boundary*** 지리학상의 용어로 경계 : a *boundary* line (국경선). ***bounds*** 경계선에 의해 한정된 지역.

bórder·lànd *n.* [the ~] 국경(지) ; 분쟁지 ; 《비유》 막연한 경계선 ; 비몽 사몽간.

bórder lìne *n.* 국경선, 경계선.

bórder·lìne *n. attrib. a.* **1** 국경 (가까이)의. **2** 막연한, 정하기 어려운 : a ~ case 어중간한 경우, 불명확한 사건, 〖心〗 경계선적 케이스《정신 박약아와 정상아의 중간 케이스 따위》 / a ~ joke 아슬아슬한 농담.

bórder prìnt *n.* 〖織〗 보더 프린트《천의 가장자리와 평행으로 디자인한 날염 무늬[지]》.

bórder sèrvice *n.* 국경 경비 근무.

Bórder Stàtes *n. pl.* [the ~] 〖美史〗 남부의 노예 제도를 채택한 여러 주 중에서 탈퇴보다는 타협으로 기울은 여러 주《Delaware, Maryland, Virginia, Kentucky, Missouri》; 《美》 캐나다와 인접한 여러 주《Montana, North Dakota》.

bor·dure [bɔ́ːrdʒər] *n.* 〖紋〗 (방패) 가장자리.

‡**bore**[1] [bɔːr] *v.* BEAR[1]의 과거형.

bore**[2] *vt.* **1** [+目 / +目+前+名] (구멍·땅굴을) 파다, 뚫다, 도려[파]내다 : ~ a well 우물을 파다 / ~ a hole ***in wood 나무에 구멍을 뚫다 / A tunnel has been ~*d* ***through*** the mountain. 산을 뚫고 터널이 만들어졌다. —— *vi.* **1** [動 / +前+名] 구멍을 뚫다 : ~ ***for*** oil 석유를 파내려고 시굴(試掘)하다. **2** 구멍이 나다[뚫어지다].

bore **one's *way*** 뚫고[밀고] 나아가다 : Moles ~ their *way under* our garden. 두더지가 우리 집 정원 밑으로 구멍을 뚫고 다닌다.

—— *n.* **1** (총의) 구경, 안지름, 내경(內徑) ; 시굴공(試掘孔). **2** 송곳, 천공기. 〖OE *borian* ; cf. G *bohren*〗

bore[3] *n.* 고조(高潮), 해일(海溢)《보르네오 섬의 강 따위에서 일어남》. 〖? ON *bāra* wave〗

bore**[4] *vt.* [+目 / +目+前+名 / +目+do*ing*] 지루[따분]하게 하다 : I was ~*d* to death. 나는 지루해서 죽을 지경이었다 / He ~*s* me ***with his endless tales. 그의 장황한 이야기는 정말 지루하다 / We were ~*d* listen*ing* to his reminiscences. 그의 회고담을 듣기에 진력이 났다. —— *n.* 지루하게 하는 것[사람], 지루한 일. 〖C18< ?〗

bo·re·al [bɔ́riəl] *a.* 북풍의 ; 북쪽의.

Bo·re·as [bɔ́ːriəs] *n.* 〖그神〗 보레아스《북풍의 신》; 《詩》 북풍, 삭풍.

bóred *a.* 진저리나는, 싫증난.

bóre·dom *n.* Ⓤ 지루함, 따분함 ; Ⓒ 지루한 일.

bóre·hòle *n.* 보링한 구멍 ; 우물파기, 시추공.

bor·er [bɔ́ːrər] *n.* 구멍을 뚫는 사람[기구] ; 나무·과실 따위에 구멍을 내는 각종 곤충.

bóre·some *a.* 지루[따분]한, 싫증이 나는.

bo·ric [bɔ́ːrik] *a.* 〖化〗 붕소(硼素)의 (boracic) : ~ ointment 붕산 연고. 〖BORAX〗

bóric ácid *n.* 〖化〗 붕산(硼酸).

bo·ride [bɔ́ːraid] *n.* 〖化〗 붕소화물(硼素化物).

bor·ing[1] [bɔ́ːriŋ] *a.* 진저리나는, 따분한.

boring[2] *a.* 천공용의. —— *n.* **1** 구멍 뚫기, 천공 ; 속을 우비어 파기 ; 천공 작업 ; 〖鑛〗 보링. **2** [*pl.*] 송곳밥.

bóring bìt *n.* 송곳 끝.

bóring màchine *n.* 우비어 파는 기계, 천공[보링] 기(계), 시추기.

bóring mìll *n.* (큰 구멍을 뚫는) 착공기.

bóring tòol *n.* 천공기, 속파는 연장.

‡**born** [bɔ́ːrn] *v.* BEAR[1] 「낳다」의 과거분사 (cf. BEAR[1] *vt.* 9 b)).

be born [動 / +前+名 / +補 / +*to* do] 태어나다 : She *was* ~ ***in*** 1980. 그녀는 1980년생입니다 / He *was* ~ ***of*** humble parentage. 그는 신분이 천한 양친 아래 태어났다 / A baby son *was* ~ ***to*** Ruth and Boaz. 사내 아이가 루스와 보아즈 사이에 태어났다 / He *was* ~ rich[a poet]. 그는 부자[시인]로 태어났다 / These dreadful creatures *are* ~ *to* be robbers. 이 무서운 어린이들은 도적이 되도록 타고났다.

be born again 다시 태어나다, 갱생하다.

—— *a.* 태어나면서부터의, 타고난, 천부의, 천성의 : a ~ athlete 타고난 운동선수.

born and bred 순수한, 본토박이의 : He is a Parisian ~ *and bred*. 파리 본토박이다.

in all **one's *born days*** 《口》 태어나면서부터 지금까지, 일생 동안에.

bórn-agàin *a.* 《美》 (특히 기독교도가 격한 종교적 경험에 의해) 다시 태어난, 신앙을 새롭게 한, 개종한, 전향한 ; (신념·관심 따위가) 되살아난, 소생한, 회복한 ; 열심인.

‡**borne**[1] [bɔ́ːrn] *v.* BEAR[1]의 과거분사.

borne[2] *n.* 원형(圓形) 소파.

bor·né [bɔːrnéi] *a.* (*fem.* **-née** [—]) (마음·시야가) 좁은, 편협한. 〖F=limited〗

Bor·ne·an [bɔ́ːrniən] *a.* 보르네오 (사람)의. —— *n.* 보르네오 사람.

Bor·neo [bɔ́ːrniòu] *n.* 보르네오《Malay 군도 중 제일 큰 섬》.

bor·ne·ol [bɔ́ːrniɔ̀(ː)l, -òul, -ɑ̀l] *n.* 〖化〗 보르네올, 용뇌(龍腦).

born·ite [bɔ́ːrnait] *n.* 〖鑛〗 Ⓤ 반동광(斑銅鑛). 〖Ignaz von *Born* (d. 1791) 오스트리아의 광물학자〗

bo·ro- [bɔ́ːrou, -rə] *comb. form* 「붕소(boron)」의 뜻.

bo·ron [bɔ́ːrɑn] *n.* Ⓤ 〖化〗 붕소(硼素) 《비금속 원

소 ; 기호 B ; 번호 5》. 〖*bor*ax+carb*on*〗

bor·ough [bə́ːrou, bʌ́r- ; bʌ́rə] *n.* **1** 《英》 (칙허장(勅許狀)에 의해 특권이 부여된) 자치 도시(=municipal ~) ; 선거구로서의 시(=parliamentary ~) : buy[own] a ~ 선거구를 매수[소유]하다 / a close ~=a POCKET BOROUGH / ☞ ROTTEN BOROUGH. **2** 《美》 **a**) 자치읍면 ; (New York의) 독립구《Manhattan, the Bronx, Brooklyn, Queens, Richmond의 다섯 구(區)》. **b**) (Alaska주의) 군(郡) 《다른 주의 county에 해당》. **3** 〖史〗 성시(城市), 도시.
〖OE *burg* fort, walled town ; cf. BURGH, G *Burg*〗

bórough cóuncil *n.* 《英》 (borough의 호칭을 가진 지방의) 시(市)의회《의장은 mayor》.

bórough Énglish *n.* 〖英法〗 막내 아들 상속제《영국의 어떤 지방에 있었던 관습법》.

◇**bor·row** [bɔ́(ː)rou, bár-] *vt.* [+目 / +目+前+名] **1** 빌리다, 꾸다, 차용하다(↔*lend*) : May I ~ your dictionary? 사전을 빌려 주시겠습니까 / I have ~*ed* this bicycle ***from*** Harry. 이 자전거는 해리에게서 빌렸다 / He ~*ed* a large sum ***of*** the bank. 그는 은행에서 큰 돈을 빌렸다. 주 오늘날 전치사는 of보다도 from쪽이 보통. **2** (사상·풍습 따위를) 무단 차용하다, 모방하다, 표절하다 : Rome ~*ed* many ideas ***from*** Greece. 로마는 그리스로부터 많은 사상을 받아들였다. **3 a**) 〖言〗 (외국어를) 차입[차용]하다 : words ~*ed* ***from*** French 프랑스어로부터의 차용어. **b**) (뺄셈에서) 윗자리에서 빌리다.

〈회화〉
May I *borrow* your eraser? — Sure. You can keep it. I have another one. 「지우개를 빌려줄래」「응, 그래. 그것 너 가져, 난 또 있으니까」

— *vi.* 빌리다, 돈을 꾸다 : He neither lends nor ~*s.* 그는 남에게 빌려주지도 않고 빌려 쓰지도 않는다.
a borrowed light 간접광, 반사광, (특히) 창문으로부터 비치는 빛.
borrow trouble 부질없이 염려[걱정]하다.
in borrowed plumes 남의 옷을 빌려 입고, 빌린 것으로 ; 주워들은 지식으로, 남의 권세[신망]를 빌려서《Aesop 이야기에서》.
live on borrowed time (노인·환자 등이) 기적적으로 살아나다.

[Try]
borrow의 용법
한국어에서는「유료」,「무료」에 관계없이「빌리다」라고 하지만 영어에서는「무료」로「빌리다」는 borrow,「유료」로「빌리다」는 rent라고 한다.「무료」라도 전화나 화장실 따위 일시적으로 그 자리에서 빌릴 때에는 use를 쓴다.
(○) Can I *borrow* your bicycle?
(자전거를 좀 빌려주시겠습니까?)
(○) Can I *use* the telephone?
(전화를 좀 쓸 수 있겠습니까?)
(○) Can I *rent* a compact car?
(소형차를 빌려 주실 수 있겠습니까?) (유료)
(×) May I *borrow* the bathroom.
(화장실 좀 사용해도 되겠습니까?)

~·er *n.* 빌리는 사람, 차용자.
〖OE *borgian* to give a pledge (*borg* pledge)〗

bór·rowed *a.* 빌린, 차용한, 딴데서 따온.

bórrow·ing *n.* 빌려오기, 차용 ; 빌려온 것《습관 따위》; 차용어.

borscht, borsht [bɔ́ːrʃt], **bors(c)h, bortsch** [bɔ́ːrʃ] *n.* Ⓤ 〖料〗 보르시티《러시아식의 홍당무가 든 스튜》.

bórscht cìrcuit[bèlt] *n.* [the ~] [때때로 B~ C~] 《美口》 (Catskill, White 산악지에 있는) 유태인 피서지의 극장[나이트 클럽].

bor·stal [bɔ́ːrstl] *n.* [때때로 B~] 《英》 보스틀식 소년원. 〖↓〗

Bórstal sỳstem *n.* 보스틀식 비행(非行) 소년 재교육 제도. 〖잉글랜드 Kent주(州)의 교도소 이름 *Borstal* prison에서〗

bort, boart [bɔ́ːrt], **boartz** [bɔ́ːrts] *n.* 질이 낮은 다이아몬드 (부스러기). **bórty** *a.*

bor·zoi [bɔ́ːrzɔi] *n.* 보르조이《러시아산(産) 사냥개의 일종》. 〖Russ. (*borzyi* swift)〗

bos ☞ BOSS[4].

bos·cage, -kage [báskidʒ] *n.* 《詩》 숲 ; 수풀.

bosh [báʃ] *n.* Ⓤ 《口》 허튼 소리, 터무니없는 말, 모자라는 생각. — *int.* 《口》 바보같으니!
— *vt.* 《英學生俗》 놀리다, 조롱하다, 곯리다 (tease). 〖Turk. =empty〗

bosk [bask] *n.* 《文語》 (관목의) 작은 숲, 덤불.

bos·ket, bos·quet [báskət] *n.* 《詩》 나무를 많이 심은 곳, 우거진 곳, 삼림.

bosky [báski] *a.* 숲이 우거진, 녹음이 짙은 ; 그늘이 진[많은] (shady).

bo·s'n, bo'·s'n [bóusən] *n.* =BOATSWAIN.

Bos·nia [bázniə] *n.* 보스니아《Balkan 반도 서부에 있는 옛 왕국 ; 지금은 보스니아-헤르체고비나의 일부》.

Bósnia and Herzegovína *n.* 보스니아-헤르체고비나《1992년 구유고슬라비아에서 분리 독립한 공화국 ; 수도 Sarajevo》.

Bós·ni·an *a.* Bosnia의. — *n.* Bosnia인[어].

Bos·ny·wash [básnəwàʃ] *n.* 보스니와시《미국 동부의 New England에서 Washington, D.C.에 이르는 인구 조밀 지대》.
〖*Bos*ton+*N*ew *Y*ork City+*Wash*ington, D.C.〗

***bos·om** [búzəm, 美+búː-] *n.* (*pl.* **~s**) **1** 《文語》 가슴(breast), (여자의) 유방 ; 마음, 가슴, 정, 애정 : *in* one's ~ 포옹하여[하고 있는] / keep something *in* one's ~ 어떤 일을 가슴에 간직하다. **2** 《古》 (옷의) 흉부 ; 《美》 셔츠의 가슴부분 (shirt front). **3** 아늑한 곳, 정이 가는 곳 ; 내부, 후미진 곳 ; (바다·호수·강 따위의) 표면 : *in* the ~ *of* the earth 지구의 내부에 / *in* the ~ *of* one's family 온 가족이 단란하게 / *on* the ~ *of* the ocean 바다의 한복판에.
of one***'s bosom*** 진정으로 신뢰하는, 가장 사랑하는 : a friend *of* my ~ 나의 친구 / the wife *of* his ~ 그의 애처(愛妻).
take . . . to one***'s bosom*** …을 아내로 삼다 ; …을 막역한 친구로 삼다.
— *a.* **1** 가슴의, 흉부의. **2** 절친한, 친숙한 : a ~ friend 친구.
— *vt.* 꽉 껴안다 ; 가슴[마음]에 숨기다.
〖OE *bōsm* breast ; cf. G *Busen*〗
類義語 ⟹ BREAST.

-bós·omed *a. comb. form* 「…한 가슴의」의 뜻.

bós·omy *a.* (언덕이) 위[밖으]로 불룩한 ; (여자가) 가슴이 풍만한.

bos·on [bóusan] *n.* 〖理〗 보손《spin이 정수(整數)인 소립자(素粒子)[복합 입자]》.

Bos·po·rus [báspərəs], **-pho-** [-fə-] *n.* [the ~] 보스포루스 해협《흑해와 Marmara해를 연결함》.

bosquet ☞ BOSKET.

‡**boss**[1] [bɔ́(:)s, bɑ́s] *n.* 《口》 보스, 두목, 대장 ; 사장, 소장, 주임 ; 상사 ; 감독 ; 《美蔑》 정당의 영수 ; 거물, 실력자. ── *vt.* 《口》 지배하다, 지휘하다, 마음대로 처리하다, 감독하다. ── *vi.* 두목[보스]이 되다.
boss the show 《口》 좌지우지하다, 지휘 감독하다.
── *a.* 《美》 일류의, 주요한 : a ~ printer 인쇄담당 주임. 〖Du. *baas* master〗

boss[2] *n.* (장식적인) 양각(陽刻) 돌기, 사마귀 모양의 징 ; 〖建〗 양각한 장식. ── *vt.* [*p.p.*로] 양각한 장식으로 꾸미다. ~**ed** *a.* 양각으로 한, (장식적으로) 울퉁불퉁하게 한.
〖OF< ? ; cf. It. *bozza* swelling〗

boss[3], **bos·sy**, **-si** [bɔ́(:)si, bɑ́si] *n.* 《美》 송아지, 암소. 〖(Eng. dial.) < ? ; cf. L *bos*〗

boss[4], **bos** [bɔ́(:)s, bɑ́s] *n., vt., vi.* 《英俗》 잘못(하다), 잘못 짐작(하다). 〖C19< ?〗

BOSS [bɔ́(:)s, bɑ́s] *n.* 《南아》 국가 안전국 (Bureau of State Security).

bos·sa no·va [bɑ̀sə nóuvə] *n.* 〖樂〗 보사노바《재즈를 가미한 삼바(samba)》.
〖Port. =new trend〗

bóss·dom *n.* 정계의 보스이기 ; 정계 보스의 영향 범위 ; 보스 정치.

bós(s)-èyed *a.* 《英俗》 애꾸인, 사팔뜨기의 ; 편파적인.

bóss·hèad *n.* 《美俗》 (업무상의) 장(長), 우두머리, 치프.

bossi ☞ BOSS[3].

bóss·ism *n.* Ⓤ 《美俗》 보스[두목] 제도, 영수(領袖)의 정당 지배.

bóss rùle *n.* 수령 지배제(制).

bóss-shòt *n.* 서투른 겨냥[계획].

bóssy[1] *a.* 《美口》 두목 행세를 하는, 뽐내는 ; 횡포한(domineering).

bossy[2] *a.* =BOSSED ; 《俗》 멋진, 유행의.

bossy[3] ☞ BOSS[3].

Bos·ton [bɔ́(:)stən, bɑ́s-] *n.* 보스턴《미국 Massachusetts주의 주도 ; 속칭 the Puritan City》.

Bóston àrm *n.* 〖醫〗 보스턴 의수(義手)《보스턴에서 개발된 신경(神經) 펄스를 감지시켜 작동하는 인공 팔》.

Bóston bàg *n.* 보스턴 백.

Bóston brówn brèad *n.* 찐빵의 일종.

Bóston búll *n.* 보스턴 테리어《영국종 bulldog과 terrier의 교배종(交配種)》.

Bóston créam píe *n.* 보스턴 크림 파이《둥근 케이크를 갈라서[벌려서] 크림이나 커스터드를 채워넣은 것》.

Bos·to·ni·an [bɔ(:)stóuniən, bɑs-, -njən] *a., n.* 보스턴의 ; 보스턴 시민.

Bóston Mássacre *n.* [the ~] 〖美史〗 보스턴 학살(虐殺) 사건《1770년 3월 5일에 있었던 보스턴시 주둔 영국군과 시민의 충돌 사건》.

Bóston Téa Pàrty *n.* [the ~] 〖美史〗 보스턴 차 사건《1773년 미 식민지인들이 영국 정부의 과세에 반대하여 보스턴항의 영국 선박을 습격하고 배안의 차 상자들을 바닷속에 던져 버렸음》.

bo·sun, **bo'·sun** [bóusən] *n.* =BOATSWAIN.

Bos·well [bɑ́zwèl, -wəl, -wəl] *n.* 보즈웰. **James** ~ (1740-95) ; 충실한 전기 작가로서 유명. **Bos·well·ian** [bɑzwéliən] *a., n.* Boswell 같은 ; Boswell을 따르는 사람.

bot[1], **bott** [bɑ́t] *n.* **1** 쇠[말]파리(botfly)의 애벌레. **2** [the ~s ; 단수취급] 〖獸醫〗 보트증(症)《BOTFLY의 애벌레가 말의 위(胃)에 기생하여 일으키는 말의 질병》.
〖Sc. Gael. *boiteag* maggot〗

bot[2] *vt., vi.* 《濠口》 등치다, 조르다, 강청(強請)하다〈*on*〉. ── *n.* 등치는[조르는] 사람.
on the bot for …을 조르려고.
〖*botfly*〗

B.O.T. 《英》 Board of Trade ; 《美俗》 balance of time《가출옥자가 규칙을 위반하면 다시 과해지는 잔여 형기》. **bot.** botanical ; botanist ; botany ; bottle ; bottom ; bought. **botan.** botanical.

bo·tan·ic [bətǽnik], **-i·cal** [-əl] *a.* 식물의, 식물학(상)의 : the *botanical* garden(s) 식물원.
-i·cal·ly *adv.* 식물학상으로.
〖F or L<Gk. (*botanē* plant)〗

bot·a·nist [bɑ́tənəst] *n.* 식물학자.

bot·a·nize [bɑ́tənàiz] *vi., vt.* (식물을) 채집[실지 연구]하다, (한 지역의) 식물을 조사하다.

bot·a·ny [bɑ́təni] *n.* Ⓤ 식물학 ; (한 지방의) 식물 (전체) ; 식물의 생태 ; Ⓒ 식물학 서적 : geographical ~ 식물 지리학.
〖*botanic* ; *-y*는 *astronomy* 따위의 유추〗

Bótany Báy *n.* 보타니 만(灣)《오스트레일리아 Sydney 남쪽의 만 ; 근처에 최초의 영국 유형(流刑) 식민지가 있었음》.

Bótany (wóol) *n.* 호주산 (고급) 양털.

bo·tar·go [bətɑ́:rgou] *n.* (*pl.* ~**es**, ~**s**) (숭어 · 방어 따위의 알로 만드는) 어란.
〖It. (obs.) <Arab.〗

botch[1] [bɑ́tʃ] *n.* 서투르게 기운데[이은데] ; 서투른 일[솜씨]. ── *vt.* 서투르게 고치다 ; 실수하다〈*up*〉. ── *vi.* 서투른 말[짓]을 하다. **bótch·er** *n.* 서투른 직공. **bótch·ery** *n.* 서투르게 기운 자리[수선(한 것)] ; 서투른 솜씨 ; 실수. **bótchy** *a.* 누덕 누덕 기운, 보기 흉한, 서투른.
〖ME< ?〗

botch[2] *n.* 《方》 부스럼, 종기.
〖AF ; cf. BOSS[2]〗

bótch·wòrk *n.* 서투른[소홀히 한] 일.

bo·tel [boutél] *n.* =BOATEL.

bot·fly [bɑ́tflài] *n.* 〖昆〗 말파리.

°**both** [bóuθ] *pron., a.* (↔*either*) 쌍방(의), 양쪽(의) : *B*~ (the) brothers are dead. =*B*~ of the brothers are dead. =The brothers are ~ dead. 형제는 둘 다 죽었다 / *B*~ (*of*) my gloves have been lost. 장갑을 양쪽 다 잃어버렸다 / *B*~ of us [We ~] knew it. 우리는 둘 다 그것을 알고 있었다 / I love ~ of them[love them ~]. 그들을 모두 다 사랑하고 있다 / *B*~ are good. 어느 쪽이나 다 좋다 / on ~ sides(=either side) of the street 거리의 양쪽에(☞ EITHER).
have it both ways 두 가지 논법을 쓰다, (논쟁 따위에서) 양다리 걸치다.
not both 양쪽이 다 …이라는 것은 아니다《부분 부정 ; ☞ NOT 4》 : I do *not* know ~ of them. 그들 양쪽을 다 알지는 못한다《한쪽만 안다》.

〈회화〉
I want to study either English or French. — Why don't you study *both* of them?
「영어나 프랑스어 중 어느 하나를 공부하고 싶어」「두 가지를 다 하면 어때」

── *adv.* [both... and로 상관 접속사로서 ; cf. *as* WELL *as* ; 부정형 NEITHER... nor] …와 …(모두) ; …뿐만 아니라 …또한 : *B*~ brother *and* sister are dead. 형도 누이도 죽었다 / ~ good

and cheap 좋기도 한데다 싼 / ~ by day *and* by night 주야를 가리지 않고. ☞ 活用 (4).
〚ON *bâthir* ; 전반은 OE *bēgan, bā* both에 해당하고 *-th*는 본래 정관사(cf. G *bei-de* both the)〛
活用 (1) i) 'both the+복수 명사'보다는 'both+복수 명사'쪽이 보편적. ii) 격식을 차린 어법으로는 *both* (the) brothers라는 표현 쪽이 *both of* the brothers보다 더 잘 쓰임. iii) *the* both of us와 같이 both of 앞에 the를 쓰는 것은 부주의한 용법으로 단순히 both of us로 하는 것이 보다 좋음.
(2) both는 두 명[두 개]이라는 것을 강조하는 것이므로 다음과 같은 예에서는 both가 없는 편이 좋음 : His new novel is excellent in *both* motif, plot and style. (그의 새 소설은 주제·구성·문체에 있어서 훌륭하다).
(3) The books are *both alike.* / They *both* came to the party *together.*와 같이 both를 as well as, equally, alike, together 따위와 함께 쓰는 것은 의미상 중복되므로 이 경우도 both는 불필요함.
(4) both A and B의 형식에서는 다음과 같이 A와 B는 같은 품사(상당)의 어구로 하는 것이 좋음 : both *in Britain* and *in America* ; 그러나 이와 같은 경우 어조(語調)를 고려하여 *both in* Britain *and* America와 같이 말하는 경우도 많음. ☞ NEITHER 活用 ; EITHER 活用.

‡**both·er** [báðər] *vt.* **1** [+目/+目+前+名/+目+*to* do] 괴롭히다, 귀찮게 하다(worry) ; 곤란하게 하다 ; 당황하게 하다, 허둥지둥하다 : The inhabitants are *~ed* by the noise of the planes. 주민들은 비행기의 소음에 시달리고 있다 / Don't ~ me ***with*** such trifles. 그런 시시한 일로 나를 귀찮게 하지 마라 / Stop *~ing* your head[yourself] ***about*** it. 그런 일로 괴로워하지 마라 / Bill *~ed* his mother ***for*** candy. 빌은 엄마에게 사탕을 달라고 성가시게 굴었다 / His son *~s* him *to* buy him a car. 그의 아들은 자동차를 사달라고 졸라댄다. **2** 《英口》 (가벼운 뜻으로) 저주하다, 제기랄(confound) : *B~* the flies! 요놈의 파리! / *B~* you! 귀찮다! / Oh, ~ (it)! 젠장, 제기랄, 망할 놈의 것! ── *vi.* [動/+前+名/+do*ing* /+*to* do] 괴로워하다, 번민하다 ; 일부러 …하다 : I don't ~ ***about*** it. 그런 일에 신경 안쓴다 / I've no time to ~ ***with*** such things. 그런 일에 상관하고 있을 시간은 없어 / Don't ~ answer*ing*[*to* answer] this note. 이 편지에 회답을 하시지 않아도 됩니다.
── *n.* **1** Ⓤ 성가심 ; Ⓒ 귀찮은 일 ; 시끄러움, 소동, 분규 : have a ~ *with* a person *about* a thing 어떤 일로 남과 옥신각신 다투다. **2** 성가신 사람, 두통거리(인 사람).
── *int.* 《英》 제기랄!, 귀찮은 …놈아!
〚18세기 Anglo-Ir. < ? *pother*〛
類義語 ⟹ ANNOY.

both·er·a·tion [bàðəréiʃən] *n.* 《口》 성가심, 귀찮음(vexation).
── *int.* 귀찮아!, 제기랄!, 시끄럽다! : Oh, ~! 제기랄!, 지긋지긋해!

bóther·some *a.* 귀찮은, 성가신, 거추장스러운.

bóth-hànd·ed *a.* 양손잡이의, 두 손을 쓰는.

bóth hánds *n. pl.* 《美俗》 양손(ten), 10달러.

bóth-síd·ed *a.* 양쪽이 (다) 듣는, 양면(兩面)이 있는.

bothy, both·ie [báθi] *n.* 《스코》 오두막집 ; (노동자용의 간이식) 합숙소.

bó trèe [bóu-] *n.* 인도보리수 나무《석가가 이 나무 아래서 도를 깨달았다고 함》.
〚Sinhalese *bogaha* (*bo* perfect knowledge, *gaha* tree)〛

bot·ry·oi·dal [bàtriɔ́idl], **-oid** [bátriɔ̀id] *a.* 포도송이 모양의.

Bot·swa·na [batswá:na:] *n.* 보츠와나《1966년 영국 보호령에서 독립한 아프리카 남부의 공화국 ; 수도 Gaborone》.
Bot·swá·nian, -swá·nan *n., a.*

bott ☞ BOT[1].

Bot·ti·cel·li [bàtətʃéli] 보티첼리. **Sandro ~** (1445-1510) 이탈리아의 화가.

◇**bot·tle**[1] [bátl] *n.* **1 a)** 병, 호리병 : an ink ~ 잉크병. **b)** 《古》 (술·기름 따위를 넣은) 가죽부대. **2** 한 병의 분량 : a ~ *of* wine 포도주 한 병. **3** [the ~] 술 : be fond of *the* ~ 술을 좋아하다 / take to *the* ~ 술을 즐기다. **4** 포유병, 젖병(=nursing ~) ; [the ~] (젖병에 넣은) 우유 : bring up a child on *the* ~ 아이를 우유로 키우다 (cf. BOTTLE-FED).
hit the bottle 《俗》 술을 너무 많이 마시다.
over a [***the***] ***bottle*** 술을 마시면서 : We talked *over a* ~. 술을 마시면서 이야기를 했다.
── *vt.* 병에 넣다 ; 《英》 (과일·야채 따위를) 병에 담아 보관하다 : ~ milk 우유를 병에 담다 / ~ fruit 과일을 병조림으로 하다.
Bottle it ! 《美俗》 조용히 해라!, 그만두어라!
bottle off (통에서) 병으로 옮겨 담다.
bottle up 병에 밀봉하다, 봉쇄하다 ; (분노 따위를) 억누르다 ; 감추다, 숨기다 ; (법안 따위를) 일시 보류하다.
〚OF < L (dim.) ‹ BUTT[3]〛

milk bottle
wine bottle
medicine bottle
《美》 baby bottle/ 《英》 baby's bottle
hot water bottle

bottle

bottle[2] *n.* 《英方》 (건초·짚의) 단(bundle).
look for a needle in a bottle of hay 찾기가 힘들다, 헛수고를 하다.
〚OF (dim.) ‹ *botte* bundle < Gmc.〛

bóttle bàby *n.* 우유로 키운 어린애.

bóttle blònd *n.* 《美俗》 머리를 염색하여 금발이 된 사람.

bóttle·brùsh *n.* 병 씻는 솔 ; 〔植〕 병브러시나무《오스트레일리아 원산》.

bóttle càp *n.* (코르크 패킹이 달린) 금속 병마개.

bóttle chàrt *n.* 해류병도(海流甁圖)《해류병 시

험에 의하여 작성된 해류도(海流圖)).

bóttle clùb *n.* (각자가 마실 술을 준비해 오는) 음주 클럽.

bót·tled *a.* **1** 병에 담은, 병에 든 : ~ beer 병맥주 (cf. DRAFT BEER). **2** 《俗》 술취한.

bóttled gás *n.* 휴대용 봄베(bomb)에 든 가스 ; 액화 석유 가스, LPG.

bóttle-fèed *vt.* (유아를) 인공 영양으로[우유로] 키우다. **bóttle-fèd** *a.* 우유로 자란, 인공 영양의 (cf. BREAST-FED).

bóttle·fùl *n.* 한 병 가득(한 양).

bóttle glàss *n.* (짙은 초록색의 조제품(粗製品)) 병유리.

bóttle gòurd *n.* 〔植〕 조롱박.

bóttle gréen *n.* 짙은 초록색.

bóttle-gréen *a.* 짙은 초록색의.

bóttle·hòld·er *n.* 병을 세워두는 장치[대] ; 〔拳〕 선수의 시중꾼, 세컨드(second) ; 후원자.

bóttle ìmp *n.* 병 속에 갇혀 있다는 전설상의 작은 도깨비.

bóttle-màn *n.* 《美俗》 술군, 주정꾼.

bóttle·nèck *n.* 병목 ; 좁은 통로[길] ; 교통 체증이 생기는 지점 ; 진행을 방해하는 사람[것] ; 《비유》 장애, 애로〈*of*〉.
—— *vt., vi.* …의 진행을 막다, 방해하다 ; 방해받다, 늦어지다.
—— *a.* (병목처럼) 좁은, 잘록한.

bóttleneck inflàtion *n.* 〔經〕 보틀넥 인플레이션《일부 산업의 생산 요소 부족이 원인이 되어 생기는 물가 상승》.

bóttle nòse *n.* 《俗》 병코, (주독이 오른) 주먹코. **bóttle-nòsed** *a.* 주먹코의.

bóttle·nòse *n.* =BOTTLE-NOSED DOLPHIN.

bóttle-nòse(d) dólphin *n.* 〔動〕 병코돌고래 《흔히 수족관 따위에서 사육되고 곡예를 함》.

bóttle-o(h) [-òu] *n.* (*pl.* **~s**) 《濠俗》 빈병 회수업자.

bóttle òpener *n.* 병따개.

bóttle pàrty *n.* 각자가 술병을 들고와서 하는 파티[연회].

bót·tler *n., a.* 병에 담는 사람[장치] ; 탄산 음료 제조업자 ; 《濠》 멋있는 (것 · 사람).

bóttle-wàsh·er *n.* 병 씻는 사람[기구] ; 《口》 잡일꾼 ; 병 씻는 기계.

bót·tling *n.* Ⓤ 병에 채워 넣기 ; 병에 든 음료, (특히) 포도주.

◇**bot·tom** [bátəm] *n.* **1** 밑바닥 (부분), 기부(基部) ; 근본, 근저(根底), 기초(basis) ; 실질 ; 마음속 ; (바다 따위의) 밑바닥(↔*surface*) ; [때때로 *pl.*] 《美》 강가의 얕은 지대(bottomland) : Some fishes are found *in* the ~ of the sea. 어떤 물고기들은 바다 밑바닥에서 볼 수 있다. **2** 선저(船底), 선복(船腹) ; 선박, (특히) 화물선. **3** (의자의) 앉는 부분 ; 《俗》 엉덩이, 둔부(buttocks). **4** (산)골짜기 밑, (나무의) 밑동, (책 페이지의) 하부 ; 말석(末席), 꼴찌(↔*top*) : the first line but one from the ~ 밑에서 두번째 행(行). **5** (길 · 후미 따위의) 안쪽, 깊숙한 곳, 막다른 곳. **6** 찌끼, 앙금(dregs, lees). **7** 〔野〕 한 회(回)의 말(末)(↔*top*). **8** 뚝심, 끈기, 저력(底力). **9** 〔證〕 (가장 낮은) 바닥 시세.
at bottom 마음 속은 ; 실제는 ; 근본적으로(는).
at the bottom of …의 기슭[밑바닥 · 아랫도리]에 ; …의 주요 원인[주모자]으로 : The boat lay *at the* ~ *of* the lake. 그 보트는 호수 밑바닥에 놓여 있었다.
bottom up [***upward***] 거꾸로.
Bottoms up ! 《口》 쭉 들이켜라, 실컷 마셔라 (drink deep), 건배 !
from the bottom of the [one's] ***heart*** 충심[진심]으로.
get to the bottom of …의 진상을 규명하다.
go to the bottom 가라앉다 ; 탐구하다.
knock the bottom out of . . . (의논 · 증거 · 논거 따위의) 근본을 뒤집어엎다, …을 타파하다.
reach the bottom 〔商〕 시세(時勢)가 내릴 대로 내리다.
send . . . to the bottom …을 가라앉히다.
sift . . . to the bottom …을 철저하게 조사하다.
stand on one's ***own bottom*** 독립[자영(自營)]하다.
to the bottom 밑(바닥)까지 ; 철저하게.
touch bottom ☞ TOUCH *v.*
—— *attrib. a.* 밑의, 바닥의, 최저의 ; 최후의 ; 근본적인 : the ~ price 최저 가격.
—— *vt.* **1** …에 바닥[창]을 대다, (의자에) 밑판[앉는 부분]을 대다. **2** …의 진상을 규명하다. **3** …에 근거를 두게 하다(base)〈*upon*〉. —— *vi.* (바다 따위의) 밑바닥에 닿다.
bottom out 바닥(시세)에 달하다, (주식 따위) 최저[바닥] 시세까지 떨어지다.
〖OE *botm* ground ; cf. G *Boden*〗

bóttom bòards *n. pl.* (보트의) 밑판.

bóttom dóllar *n.* 톡톡 턴 돈, 가진 돈 전부.

bóttom dráwer *n.* 《주로 英》 (장롱의) 맨 밑 서랍《시집갈 처녀가 혼수감 따위를 간직해 두는 서랍 ; cf. HOPE CHEST》.

-bót·tomed *a. comb. form* 「BOTTOM이 … 한」 「…한 바닥의」의 뜻.

bóttom-ènd *n.* 《美俗》 (엔진의) 보텀엔드《크랭크축 · 메인 베어링 · 연결봉의 굵은 끝부분》.

bóttom gèar *n.* 《英》 (자동차의) 로 기어, 저속 기어(=《美》 low gear).

bóttom·ing *n.* 초벌 염색, 바탕 물들이기.

bóttom·lànd *n.* 《美》 강가의 낮은 지대.

bóttom·less *a.* **1** 밑바닥이 없는, 끝이 없는, 한없이 깊은 : the ~ pit 지옥. **2** 앉는 부분이 없는 : a ~ chair. **3** 엉덩이를 드러낸 ; 발가벗은.

bóttom lìne *n.* 《美》 **1** [the ~] 최저선 ; 《口》 (계정된) 이익[손실]액, 순이익[손실] ; 경비. **2** 《口》 (최종) 결과 ; 결산. **3** 《俗》 중요[최종] 결정, 결론. **4** 《俗》 핵심, 가장 중요한 점, 요점 ; 중요한 장소 ; 《俗》 중요한 시점, 전환점. **5** (여성의) 히프선(線).
the bottom line is that. . . 요컨대, 결국.

bóttom-lìne *a.* 손익 계정만을 문제로 삼는 ; 실리적인, 본질적인, 현실주의의.

bóttom·mòst *a.* 맨 밑바닥의, 최저의.

bóttom róund *n.* (쇠고기의) 넓적다리 살의 바깥쪽 살코기.

bóttom rùng *n.* 사다리의 최하단 ; (사회 계급 따위의) 최저의 지위[계급].

bot·tom·ry [bátəmri] *n.* 〔海法〕 선박 저당 계약.
—— *vt.* (선박의) 저당 계약을 맺다.

bóttom-úp manàgement *n.* 〔經〕 보텀업 경영《상의하달식 경영에 대하여 정보나 아이디어가 하의상달식으로 된 관리 체제》.

bot·u·lin [bátʃələn] *n.* 〔醫〕 보툴리누스 독소《식중독의 원인이 됨》.

bot·u·li·num [bàtʃəláinəm], **-nus** [-nəs] *n.* Ⓤ 보툴리누스균.

bot·u·lism [bátʃəlìzəm] *n.* Ⓤ 〔醫〕 보툴리누스 중독《썩은 소시지 · 통조림 고기에서 생김》.
〖G (L *botulus* sausage)〗

bou bou [bú: bu:] *n.* 부부《아프리카 여러 나라의 천을 휘감은 것 같은 긴 옷》.

bou·chée [bu:ʃéi] *n.* 〖料〗 부셰《쇠고기·생선이 든 작은 파이》.
〚F=mouthful〛

bou·doir [bú(:)dwɑ:r, -dwɔ:r] *n.* (상류) 여성의 내실, 규방.
〚F=sulking place (*bouder* to sulk)〛

bouf·fant [bu:fɑ́:nt, ⌐-; *F* bufɑ̃] *a.* (옷소매·스커트·머리 따위가) 불룩한. —— *n.* 불룩한 머리 모양.

bouffe [bú:f] *n.* 익살 희가극(喜歌劇).
〚F〛

bou·gain·vil·l(a)ea [bù:gənvíljə, bòu-, bùg-, -ví:jə] *n.* 〖植〗 부겐빌레아《분꽃과의 열대 식물》.

***bough** [báu] *n.* 큰 가지, (특히) 주가 되는 가지 (main branch) (cf. BRANCH, SPRAY², TWIG¹).
〚OE *bōg* shoulder, branch ; cf. BOW²〛
類義語 ⟹ BRANCH.

bóugh·pòt *n.* 큰 꽃병 ; 《英》 꽃다발.

◇**bought** [bɔ́:t] *v.* BUY의 과거·과거분사.
—— *attrib. a.* 《美方》 =BOUGHTEN.

bought·en [bɔ́:tn] *attrib. a.* 《美方》 가게에서 산, 점포에 있는 물건의, 기성의 (cf. HOMEMADE).

bou·gie [bú:dʒi:] *n.* 〖醫〗 부지《요도·식도(食道) 협착 따위를 넓히는 기구》; 〖醫〗 좌약 ; 양초.
〚F<Arab. *Bujiya* 밀랍 거래가 있었던 알제리의 도시〛

bouil·la·baisse [bù:jəbéis, ⌐-⌐; *F* bujabɛs] *n.* U,C 부야베스《생선·조개류를 넣은 프랑스식 모듬요리》.

bouil·li [bu:jí:] *n.* 삶은 고기, 고기찜.
〚F=boiled〛

bouil·lon [bú:jɑn, búljɑn] *n.* U 부용《쇠고기·닭고기 따위의 맑은 수프》.
〚F (*bouillir* to boil)〛

Boul., boul. boulevard.

bou·lange·rie [*F* bulɑ̃ʒri] *n.* 빵 제조소, 빵집.

boul·der [bóuldər] *n.* 호박돌, 옥석, 큰 조약돌 ; 〖地質〗 표석(漂石). 〚*boulder*- stone<Scand. ; cf. Swed. (dial.) *bullersten*〛

Bóulder Cányon *n.* 볼더 계곡《미국 Nevada 주와 Arizona 주 경계의 협곡》.

bóulder·ing *n.* **1** 호박돌을 깐 보도. **2** 〖登山〗 (훈련 또는 스포츠로서의) 큰 바위 오르기.

Bou·le [bú:li:, bu:léi] *n.* (그리스의) 의회, 하원 ; [보통 b~] (고대 그리스의) 입법 회의.
〚Gk.〛

bou·le·vard [bú(:)ləvɑ̀rd ; bú:lvɑ:r, -vɑ:d] *n.* 넓은 가로수 길 ; 《美》 한길, 대로《略 Blvd.》.
—— *a.* 원래 오락을 위해 만들어진.
〚F<G ; ⇨ BULWARK ; 원래 파괴된 성채 위에 만든 포장도로〛

bou·le·var·dier [bù(:)ləvɑ:rdjéi, -díər] *n.* (파리의) boulevard에서 서성대는 사람 ; (일반적으로) =MAN-ABOUT-TOWN.
〚F (↑)〛

boulle, buhl [bú:l, bjú:l], **bóulle·wòrk, búhl·wòrk** *n.* 불[상감] 세공(의 가구).
〚A.C. *Boul(l)e* (d. 1732) 프랑스의 가구 제작가〛

boult [bóult] *vt.* =BOLT *vt.* 4.

boul·ter [bóultər], **bul-** [bʌ́ltər] *n.* 많은 낚시를 단 낚싯줄, 주낙.

bounce** [báuns] *vi.* **1** [動 / +副 / +前+名] **a**) 뛰어오르다, 되튀다, 튀기다, 바운드하다 : Children like *bouncing* ***up and ***down*** on a sofa. 아이들은 소파 위에서 깡충깡충 뛰기를 좋아한다 / The ball ~*d* ***over*** the net. 공이 튀어 네트를 넘어갔다 / He ~*d* ***out of*** the bed. 침대(속)에서 벌떡 일어났다. **b**) 허둥지둥[황급히] 가다[오다] : He ~*d* ***into***[***out of***] the room. 방으로 뛰어들어갔다[방에서 뛰어나갔다] / The kettle went *bouncing* ***down*** the stairs. 주전자는 계단 아래로 굴러 떨어졌다. **2** (수표·어음이) 부도가 되어 되돌아오다. **3** 호언 장담하다, 큰소리치다, 자만하다(boast).
—— *vt.* **1** 튀게 하다, 뛰어오르게 하다 : ~ a ball 공을 튀기다 ; 공치기를 하다 / ~ a child on one's knee 무릎 위에서 아이를 달래다. **2** [+目+前+名] (남을) 협박하여 …시키다[빼앗다], 억지로 쫓아내다 : ~ a person ***into*** doing something (남을) 협박하여 어떤 일을 시키다 / ~ a person ***out of*** his right (남을) 협박하여 권리를 빼앗다. **3** 《美俗》 해고하다(discharge).
—— *n.* **1** 튐, 되튀기, 반동, 반발력 ; 튀어오름 (spring) : catch a ball on the first ~ 첫번째 바운드에서 공을 잡다. **2** U 《英》 거짓, 허풍 ; 허세부리기 ; 《口》 원기, 기력, 활력. **3** [the ~] 《美俗》 추방, 해고.
—— *adv.* 나는 듯이 ; 느닷없이, 별안간.
〚ME *bunsen* to beat, thump<? imit. or LG *bunsen*, Du. *bons* thump〛

bóunce·able *a.* 《英》 괜히 뽐내는, 몹시 으스대는 ; 싸움을 좋아하는.

bounc·er [báunsər] *n.* **1** 튀는 사람[물건]. **2** 거대한 인간[물건]. **3** 《美俗》 (극장·호텔 따위의) 문지기, 경비원, 경호원. **4** 《俗》 허풍선이 ; 《英俗》 건방진 놈. **5** 《俗》 부도수표.

bounc·ing [báunsiŋ] *a.* 잘 튀는 ; 기운찬, 억센 ; 《俗》 거대한, 거액의 ; 허풍떠는.

bouncy [báunsi] *a.* 기운찬, 쾌활한 ; 탄력 있는 ; 튀는 : a ~ ball 잘 튀는 공.
bóunc·i·ly *adv.*

‡**bound¹** [báund] *v.* BIND의 과거·과거분사.
—— *a.* **1** 제본한, 묶인 ; 〖化〗 결합된 ; 장정한 ; 표지를 붙인 : ~ *in* cloth 천으로 장정한 / half-[whole-] ~ 배혁(背革)[전(全) 가죽] 제본의. **2** [*pred.*로 써서] [+*to* do] **a**) 의무[책임]가 있는 : ☞ BIND *vt.* 3 / I'll be ~. 《口》 내가 책임지겠다, 틀림없다. **b**) 확실히 (…할) 예정인 (certain) : Our team is ~ *to* win. 우리 팀은 반드시 이긴다. **c**) 《美口》 결심한(determined) : He was ~ *to* go. 그는 가기로 결심했다. **d**) 속박된, 구속된. **3** 갇힌.
bound up in …에 열중하여[정신이 팔려] : He was ~ *up in* his work. 작업에 몰두하고 있었다.
bound up with …와 이해가 일치되어 ; …와 밀접한 관계로 : Sight and sound and touch are ~ *up with* our bodies. 시각·청각·감각은 우리의 신체와 밀접한 관계가 있다.

bound²** *vi.* [動 / +副 / +前+名] 튀다, 튀어오르다, (공이) 바운드하다(bounce) ; 튀어가다, 튀기다 ; 날라가다 ; 기운차게 걷다 ; (파도가) 물결치다 : My heart ~*ed* with expectation. 내 가슴은 기대감으로 뛰었다 / The ball ~*ed back* ***from the wall. 공이 벽에 맞고 되튀어왔다 / The deer ~*ed* ***through*** the woods. 사슴은 숲속을 뛰어 돌아다녔다.
—— *n.* 튐, 되튀기 ; 도약 ; 《詩》 약동.
at a (***single***) ***bound*** 단번에 뛰어, 일약.
by leaps and bounds 착착 (순조롭게).
on the bound (공이) 튀고 있는, 튀어.
with one bound 단번에, 일약.
〚F *bondir*<L (*bombus* hum)〛

類義語 ⟹ SKIP.

bound[3] *n.* [*pl.*] 국경지, 경계선 내의 영토, 출입 허가 구역(cf. LIMITS) ; [보통 *pl.*] 한도, 범위, 경계선, 한계 : go beyond[outside] the ~*s* of possibility 가능한 범위를 넘다, 불가능해지다 / keep one's hopes within ~*s* 될성싶지 않은 희망은 안 가진다 / Her joy knew no ~*s*. 그 여자는 한없이 기뻐했다 / pass the ~*s* of common sense 상식의 범위를 벗어나다.
beat the bounds 《英》 교구(敎區)의 경계를 확인하다.
out of all bounds 터무니없는[없게], 과분한[하게], 과도한[하게].
out of bounds 《英》 =《美》 OFF-LIMITS.
put [***set***] ***bounds to*** …을 제한하다.
— *vt.* **1** [특히 수동태로] …에 경계를 짓다 ; …의 경계를 표시하다 : The United States *is* ~*ed* on the west by the Pacific. 미합중국은 서쪽으로 태평양과 경계를 이루고 있다. **2** [보통 수동태로] (욕망 따위를) 억제하다, 제한하다(limit) 〈*by*〉.
— *vi.* [+*on*+名] 경계를 접하다 : Canada ~*s* ***on*** the United States. 캐나다는 미합중국과 경계를 접하고 있다.
〖OF＜L＜?〗
類義語 ⟹ LIMIT.

***bound**[4] *a.* (…로) 출발하려고 하는, …에 가려고 (하는), …행의 : The fishing boats are ~ *for* the Lofoten Islands. 그 어선은 로포텐 제도행이다 / Where is the steamer ~ (*for*)? 기선은 어디로 가느냐 / a train ~ *for* Paris 파리행 열차 / a plane ~ *from* Chicago *to* New York 시카고에서 뉴욕으로 가는 비행기 / homeward ~ 본국행의, 귀항 중(歸航中)인(cf. HOMEWARD-BOUND) / outward ~ 외국으로 가는 / ~ *for* east 동쪽으로 가는[향하는](eastbound).
〖ON *búinn* (p.p.)〈*búa* to get ready ; *-d*는 BOUND[1]와의 연상(聯想)〗

bound[5] *vt.* 《美中南部》 (내기에서) 걸다 : I'll ~ you he'll come. 그는 꼭 온다.

-bound *comb. form* 「…으로 갇힌」「…행(行)의」의 뜻 : snow*bound* 눈으로 갇힌 / east*bound* 동쪽으로 향해 가는.

***bound·a·ry** [báundəri] *n.* 경계(선) ; [때때로 *pl.*] 한계 범위, 영역 : a ~ line 경계선.
〖BOUND[3] ; 어미는 *limitary* 따위에 준한 것〗

bóundary làyer *n.* 〖理〗 경계[한계]층《유체내의 물체의 표면 가까이에 있는 액체의 층》.

bóunded tàriffs *n. pl.* 양허 관세.

bound·en [báundən] *a.* 의무적인 ; 필수(必修)의(required) ; 은혜를 입은〈*to*〉: one's ~ duty 본분(本分).
〖p.p.〈BIND〗

bóund·er *n.* **1** 《口·稀》 도덕적으로 비열한 사람, 버릇없는 놈[사람], 벼락부자(upstart). **2** 〖野〗 크게 튀는 땅볼(grounder).

bóund fórm *n.* 〖文法〗 구속 형태《독립적으로는 사용할 수 없고 늘 다른 말의 일부로 쓰이는 형태 ; 보기 mended의 -ed ; cf. FREE FORM》.

bóund·less *a.* 무한의, 끝[한]이 없는, 한정없는. **~·ly** *adv.* **~·ness** *n.*

boun·te·ous [báuntiəs] *a.* 《詩》 관대한, 자비스러운 ; 풍부한. 〖BOUNTY〗

boun·tied [báuntid] *a.* 장려금을 받은 ; 장려금이 나오는.

boun·ti·ful [báuntifəl] *a.* 자비로운, 너그러운 ; 선심 쓰는 ; 풍부한 : ☞ LADY BOUNTIFUL.
~·ly *adv.* **~·ness** *n.*

boun·ty [báunti] *n.* Ⓤ 깊은 자비심, 박애, 관대(generosity) ; Ⓒ 하사물 ; 상여금 ; (정부의) 장려[보조·조성]금(subsidy)〈*on, for*〉.
bounty hunter 현상금을 노려 범인[맹수]을 쫓는 사람.
bounty jumper 《美》 돈만 받고 탈주하는 응모병《남북 전쟁 때 입대 보상금을 받고》.
the king's [***queen's***] ***bounty*** 《英》 (세 쌍둥이 이상을 난 어머니에게 내리는) 하사금.
Queen Anne's Bounty (가난한 교회의 수입을 보조했던) 앤 여왕의 하사금.
〖OF＜L (*bonus* good)〗

bou·quet [boukéi, buː-] *n.* **1** 부케, 꽃다발 ; 찬사, 아첨하는 말 : throw ~*s* 《美俗》 칭찬하다, 아첨하는 말을 하다. **2** (술 따위의 특수한) 향기 ; (연기·문예 작품 따위의) 품격, 기품.
〖F (*bois* wood)〗

bouquét gar·ní [-gɑːrníː] *n.* (*pl.* **~s ~s** [-z gɑːrníː]) 〖料〗 부케 가르니《스튜나 수프 따위에 향기를 내기 위해 넣는 파슬리·백리향·월계수잎 따위의 작은 다발》.
〖F=garnished bouquet, tied bunch of herbs〗

bouque·tière [bùkətjéər, -tiéər] *a.* 〖料〗 야채를 곁들인.
〖F=girl who sells flowers〗

bou·qui·niste [*F* bukinist] *n.* (*pl.* **~s** [—]) 고서적상, 헌책방.

bour·bon [bə́ːrbən] *n.* Ⓤ 버번 (위스키)《원래 미국 Kentucky 주의 Bourbon산(産), 옥수수와 호밀로 만듦 ; cf. CORN WHISKEY》.

Bour·bon [búərbən, bɔ́ːr-] *n.* (프랑스의) 부르봉 왕가의 사람 ; [때때로 b~] 《美》 (특히 남부출신인 민주당내의) 완고한 보수주의자.
~·ìsm *n.* Ⓤ 《美》 극단적인 보수주의. **~·ist** *n.*

bour·don [búərdn] *n.* 〖樂〗 **1** (길게 지속하는) 저음. **2** (백파이프 따위의) 최저음관[현] ; (파이프 오르간의) 부르동 스톱.

bourg [búərg] *n.* (중세의) 고을, (성이 있던) 마을 ; =MARKET TOWN.

bour·geois[1] [búərʒwɑː, -́-] *n.* (*pl.* ~ [-z]) **1** 중산 계급의 시민 ; 상공업자《지주나 농가·봉급 생활자에 대한》. **2** 유산자, 자본가, 부르주아(↔ *proletarian*). **3** [*pl.*] =BOURGEOISIE. — *a.* 부르주아 (근성)의, 자본주의의.
〖F ; ⇨ BURGESS〗

bour·geois[2] [bə(ː)rdʒɔ́is] *n.* 〖印〗 버조이스《9포인트 활자 ; ☞ TYPE 5 注》.

bour·geoise [búərʒwɑːz, -́-] *n., a.* BOURGEOIS[1]의 여성형.

bour·geoi·sie [bùərʒwɑːzíː] *n.* (*pl.* ~) [the ~] 부르주아[상공업] 계급, 중산 계급, 유산 계급(↔ *proletariat*(*e*)).
〖F〗

bourgeon ☞ BURGEON.

bourn(**e**)[1] [bɔ́ːrn, búərn] *n.* 《古》 개울, 시내, 실개천.
〖BURN[2]〗

bourn(**e**)[2] *n.* 《古·詩》 한계 ; 목적지, 도달점(goal).
〖BOUND[3]〗

Bourse [búərs] *n.* (특히 Paris의) 증권 거래소.
〖F=purse〗

bou·stro·phe·don [bùːstrəfíːdən, -dɑːn, bàu-] *n.* 글을 각 행마다 좌우 교대로 쓰기 시작하는 옛날 서식(書式). — *a., adv.* 각 행마다 좌우 교대로 쓴[써서].
〖Gk.〗

bousy [búːzi] *a.* 《古》 술취한.

bout [báut] *n.* **1** 한판의 시합 : have a ~ *with* … 와 시합하다. **2** 일시적인 기간 ; 발작(發作) ; 한바탕 …하고 있는 동안 : a ~ *of* work 한바탕의 일 / a drinking ~ 주연, 술잔치.
〖? *bought* (obs.) bending ; cf. BIGHT〗

bou·tique [bu(ː)tíːk] *n.* 부티크《특히 여성용 유행 양품을 팖》.
〖F=small shop ; cf. BODEGA〗

bou·ti·quier [bùːtiːkjéi] *n.* 부티크의 주인.
〖F〗

bou·ton·nière, -niere [bùːtənjéər, -níər] *n.* 단춧구멍에 꽂는 장식꽃.
〖F〗

bouts-ri·més [bùːriːméiz ; *F* burime] *n. pl.* 화운(和韻)《미리 운(韻)이 정해져 그에 맞추어 지은 시(詩)》.

bo·va·rism [bóuvərìzəm] *n.* 자기 과대평가, 자만《Flaubert작의 *Madame Bovary*에서》.

bo·vi- [bóuvə] *comb. form* 「소」의 뜻.
〖L ; ⇨ BOVINE〗

bo·vid [bóuvəd] *a., n.* 소과(科)의 (동물).

bo·vine [bóuvain, -viːn] *a.* 소과의 ; 소(ox)와 같은 ; 둔감한, 우둔한(dull, stupid). ── *n.* 소과의 동물. 〖L (*bov- bos* ox)〗

bóvine éxtract *n.* 《美俗》 우유.

Bov·ril [bávrəl] *n.* 보브릴《쇠고기 익스트랙트 ; 상표명》.

bov·ri·lize [bávrəlàiz] *vt.* 《英》 …을 압축[요약]하다.

bov·ver [bávər] *n.* 《英俗》 (불량 소년 그룹에 의한) 소란, 싸움, 난투.
〖*bother*의 cockney형(形)에서인가〗

bóvver bòots *n. pl.* 《英俗》 구두창에는 징을 박고 앞끝에는 쇠를 댄 싸움용 구두.

bóvver bòy *n.* 《英俗》 (특이한 복장을 한) 불량소년, 깡패.

‡**bow**[1] [báu] *vi.* **1** [動/+前+名/+副] 허리를 구부리다, 인사하다, (남자가) 모자를 벗고 절하다 : He ~*ed* ***to*** the gentleman. 그는 신사에게 인사를 했다 / They ~*ed* ***down to*** false gods. 사신(邪神)에게 무릎을 꿇었다[을 숭배했다] / We ~*ed* ***before*** the King. 왕 앞에 꿇어 엎드렸다 / She ~*ed down* ***upon*** her knees. 그녀는 무릎을 꿇었다. **2** [+前+名/+副] 항복하다(yield), 굴복하다 : We must ~ ***to***[***before***] necessity. 운명[불가피한 것]은 체념하고 받아들여야 한다 / They refused to ~ (***down***) *to* power. 그들은 권력에 굴복하기를 거부했다.
── *vt.* **1** [+目/+目+前+名] (허리를) 구부리다, (머리를) 수그리다, 숙이다 : ~ one's head in prayer 머리를 숙여 기도하다 / ~ the knee to [before]… ☞ KNEE 숙어 / ~ the neck to… ☞ NECK[1] 숙어. **2** [+目+前+名/+目+副] [때때로 수동태로] (…의 몸·의지를) 굽히다(bend), …의 기세를 꺾다 : The wind has ~*ed* the trees along the shore. 바람이 해안의 나무들을 휘게 했다 / She *was* ~*ed* (***down***) ***with***[***by***] care. 그 여자는 근심으로 기가 꺾였다. **3** (사의·동의를) 절을 하여 나타내다 : He ~*ed* his thanks. 인사를 하여 사의를 나타냈다. **4** [+目+副/+目+前+名] 인사를 하여 맞아들이다[배웅하다] : He ~*ed* her ***in***[***out***]. 그 여자를 인사를 하며 맞아들였다[배웅했다] / I ~*ed* myself ***into***[***out of***] the room. 나는 인사를 하고 방으로 들어갔다[에서 나왔다].
bow and scrape ☞ SCRAPE *v.*
bow out (인사를 하고) 퇴장하다, 물러나다 ; 사퇴[사임]하다, 사직하다.
have a bowing acquaintance with …와 만나면 인사를 주고 받을 정도의 사이다.
── *n.* 인사 ; 절하기, 머리를 숙이기 : with a low ~ 깊숙이 머리를 숙여.
a bow and a scrape ☞ SCRAPE *n.*
make one***'s bow*** 경례하다〈*to*〉; 대면을 하다〈*to*〉; 퇴장[은퇴]을 하다(retire).
take a bow 갈채에 대해 답례하다 ; 표창(表彰)을 공손히 받다.
〖OE *būgan* to bend ; cf. BOW[3], G *biegen*〗

bow[2] [báu] *n.* **1** [때때로 *pl.*] 뱃머리, 선[함]수, 이물(↔*stern*[2]) : a lean[bold, bluff] ~ 뾰족한[편편한] 뱃머리. **2** =BOW OAR.
bows on 곧장, 일직선으로.
bows under 뜻대로 나아가지 않는 ; 당황하여, 어리둥절하여.
on the bow 뱃머리 쪽으로《정면에서 좌우 45도 이내에》.
〖LG, Du. ; ⇨ BOUGH〗

***bow**[3] [bóu] *n.* **1** 활(cf. ARROW). **2** (악기의) 활(=fiddle ~). **3** 활 모양(의 것) ; (말 안장의) 앞테 ; 무지개(rainbow) ; (안경의) 테. **4** (리본 따위의) 나비 매듭 ; 나비 모양의 리본[넥타이]. **5** =BOW WINDOW.
draw[***bend***] ***the***[***a***] ***long bow*** 허풍을 떨다.
have two strings[***another string***] ***to*** one***'s bow*** 만일의 경우에 대비되어 있다.
── *vt., vi.* 활 모양으로 휘(어지)다 ; (바이올린 따위를) 활로 켜다.
〖OE *boga* ; cf. BOW[1], G *Bogen*〗

bów-àrm [bóu-] *n.* =BOW HAND.

bów-bàck(ed) [bóu-] *a.* 새우등의, 꼽추의.

Bów béllls [bóu-] *n. pl.* 런던의 Bow Church의 종《이 종소리가 들리는 범위 내에서 탄생한 사람이 순수한 런던 태생이라 함 ; cf. COCKNEY》.
within the sound of Bow bells 런던의 옛 시내(the City)에서.

bów chàser [báu-] *n.* 함수포(艦首砲).

bów còmpass(es) [bóu-] *n.* (*pl.*) 용수철 달린 제도용 스프링 컴퍼스.

bowd·ler·ize [báudlərài z, bóud-] *vt.* (서적 따위의) 불온[추잡]한 부분을 멋대로 삭제 정정하다.
bówd·ler·ìsm *n.* (저작물의) 불온한 부분을 멋대로 삭제 정정하기. **~·izátion** *n.*
〖Dr. T. *Bowdler* (d. 1825) 제멋대로 삭제한 *The Family Shakespeare* (1818)를 출판한 편집자〗

bów drìll [bóu-] *n.* 활처럼 굽은 송곳.

bowed[1] [báud] *a.* 굽은, 머리를 숙인. 〖BOW[1]〗

bowed[2] [bóud] *a.* 활을 가진 ; 활 모양을 한.
〖BOW[3]〗

bow drill

***bow·el** [báuəl] *n.* 장(腸) (의 일부), [보통 *pl.*] 내장, 창자, 창자의 전부(intestines) ; [*pl.*] (대지의) 내부 ; [*pl.*] 《古》 (사람의) 인정, 연민의 정.
bind[***loosen, move***] ***the bowels*** 설사를 멈추게[변을 보게] 하다.
One***'s bowels are open.*** 변이 나온다.
have loose bowels 설사를 하다.
── *vt.* (**-l-** | **-ll-**) …의 창자를 빼내다(disembowel).
〖OF<L *botulus* sausage〗

bówel mòvement[mòtion] *n.* 배변(排便) ; 변통 ; 대변.

bówel rùn *n.* 《美俗》 위장 검사 ; 특히 장검사 《간·쓸개 검사 따위도 포함함》.

bow·er[1] [báuər] *n.* 《詩》 나무 그늘(의 휴식처), 정자, 초당 ; 암자, 오두막 ; 부인의 개인방 ; 《詩》 살곳, 은신처(retreat) ; 《古》 침실.
〚OE *būr* dwelling ; cf. G *Bauer* bird cage〛

bower[2] *n.* 〔海〕 이물닻, 주묘(主錨) (=∠ **ànchor**) 《뱃머리의 큰 닻》.
〚BOW[2]〛

bower[3] *n.* (카드놀이의 EUCHRE 놀이에서) 최고의 패(jack) : the right ~ 으뜸패인 잭 / the left ~ 으뜸패인 잭과 같은 색의 다른 잭.
〚G *Bauer* peasant, jack at cards ; cf. BOOR〛

bower[4] *n.* (바이올린 따위를) 켜는 사람.

bower[5] *n.* 절하는 사람, 허리를 구부리는 사람 ; 굴복하는 사람.
〚BOW[1]〛

bówer·bìrd *n.* 〔鳥〕 정원사새《오스트레일리아·뉴기니산(産) ; 암컷을 꾀기 위해 작은 집을 지음》.

bow·ery[1] [báuəri] *a.* 정자[초당]가 있는 ; 나무 그늘이 많은(shady), 나무가 무성한.
〚BOWER[1]〛

bowery[2] *n.* **1** 네덜란드 이민 농장《초기 New York시 부근에 있었음》. **2** [the B~] 바워리가(街)《New York시의 가로(街路)(및 그 부근), 싸구려 술집이나 하급 여관 따위가 많음》.
〚Du. (*bouwen* to farm) ; cf. BOOR〛

bów·fìn [bóu-] *n.* (북미산) 민물고기의 일종인 아미아《경린류(硬鱗類)》.

bów·frònt [bóu-] *a.* 〔家具〕 (수평 방향으로) 달아낸《찬장 따위》 ; 〔建〕 활꼴로 달아 낸《창문 따위》, 활꼴로 달아 낸 창문이 있는.

bów hànd [bóu-] *n.* 활 잡는 손《왼손》, 악기의 활을 쓰는 손《오른손》.
on the bow hand 과녁에서 빗나가, 실수하여.

bów·hèad [bóu-] *n.* 〔動〕 북극고래.

bów·hùnt [bóu-] *vt., vi.* 활로 사냥하다.

bów·ie (**knìfe**) [bóui(-), bú:i(-)] *n.* (원래 미국 개척 시대의) 칼집이 달린 사냥칼.
〚J. *Bowie* (d. 1836) 고안자인 미국 군인〛

bowie (knife)

Bówie Státe [bóui-] *n.* [the ~] 미국 Arkansas 주의 속칭.

bów·ing[1] [bóu-] *n.* 현악기의 활쓰기[쓰는 법].

bów·ing[2] [báu-] *a.* 절을 하는 ; 휘는.

bów ìnstrument *n.* 〔樂〕 활을 쓰는 현악기.

bów·knòt [bóu-] *n.* 나비 매듭.

***bowl**[1] [bóul] *n.* **1** 사발 ; 주발, 공기 ; 한 사발[공기] 가득. **2** 《주로 詩》 큰 술잔 ; 《비유》 주연 : over the ~ 술을 마시면서, 술 좌석에서. **3** (숟가락의) 오목한 곳 ; (파이프의) 대통, (저울의) 판 ; 접시. **4** 《美》 (야외의) 원형 경기장, 스타디움(stadium).
~·ful *n.* 사발[주발·공기] 하나 가득(한 양).
~·like *a.* 사발[공기] 모양의.
〚OE *bolle* cup ; cf. OS *bollo*〛

bowl[2] *n.* **1** (유희용의) 나무공. **2** [단수 취급 ; ~s] 나무공놀이《나무공을 잔디밭에서 굴리며 노는 옛날 공놀이》 ; [단수 취급 ; ~s] 구주희(九柱戲), 십(十)주희. **3** (공놀이의) 투구(投球).
── *vi.* **1** 공굴리기를 하다 ; 볼링을 하다 ; 〔크리켓〕 투구하다. **2** [+副 / +前+名] 데굴데굴[미끄러지듯] 나아가다 : The car ~*ed* ***along over*** the street. 차는 거리를 미끄러지듯이 달려갔다.
── *vt.* **1** (공을) 굴리다 ; 〔볼링〕 (점수 따위를) 얻다. **2** 〔크리켓〕 **a**) (공을) 던지다 : Tom ~*ed* ten overs. 톰은 10오버를 투구했다. **b**) [+目 / +目+副] 아웃시키다 : The first batsman was ~*ed* (***out***). 첫 타자는 아웃이 되었다.
bowl down 〔크리켓〕 (wicket을) 공으로 쳐서 쓰러뜨리다 ; 《俗》 때려눕히다(knock down).
bowl off 〔크리켓〕 (wicket의 가로대를) 쳐서 떨어뜨리다.
bowl over (1) 〔볼링〕 쳐서 쓰러뜨리다 ; (일반적으로) 쓰러뜨리다(knock down) : He was ~*ed over* by a truck. 트럭에 치어 쓰러졌다. (2) 《口》 당황하게 하다(upset) : The unexpected news completely ~*ed* him *over*. 뜻밖의 소식에 그는 완전히 당황하고 말았다.
〚F<L *bulla* bubble〛

bowl·der [bóuldər] *n.* =BOULDER.

bów·lèg [bóu-] *n.* [보통 *pl.*] 내반슬, 앙가발이.
bów·lègged *a.* 내반슬의, 앙가발이의.

bówl·er[1] *n.* 볼링하는 사람[선수] ; 〔크리켓〕 투수(投手). 〚BOWL[2]〛

bówler[2], **bówler hát** *n.* 《英》 중산모(帽) (=《美》 derby (hat)). 〚J. *Bowler* 1850년에 이것을 고안한 London의 모자 상인〛

bówler-hàt *vt.* 《英俗》 퇴역하다.

bówler-hátted *a.* 《英》 중산모를 쓴 ; 《英俗》 제대한.

bow·line [bóulən, -làin] *n.* 〔海〕 돛을 팽팽하게 당기는 밧줄 ; 고리 매듭(=∠ **knòt**).
〚BOW[2]〛

***bówl·ing** *n.* **1** Ⓤ 볼링, 공굴리기(놀이)(bowls) (cf. TENPINS, NINEPINS). **2** Ⓤ 〔크리켓〕 투구.

bówling àlley *n.* (볼링용) 레인(lane) ; [보통 *pl.*] 볼링장.

bówling crèase *n.* 〔크리켓〕 투수선(投手線).

bówling grèen *n.* (잔디밭의) 공굴리기 경기장.

bow·man[1] [báumən] *n.* (보트의) 앞 노젓는 사람, 뱃머리에서 노젓는 사람, 바우(bow).

bow·man[2] [bóumən] *n.* 궁수(弓手), 활잡이, 궁술가(archer).

bów òar [báu-] *n.* (보트의) 앞 노(를 젓는 사람) (cf. BOWMAN[1]).

bów pèn [bóu-] *n.* 펜이 달린 용수철 컴퍼스.

bów sàw [bóu-] *n.* 활처럼 굽은 톱.

bow·ser [báuzər] *n.* 《英》 (항공기 따위의) 급유차 ; 《濠》 (주유소의) 급유 펌프.
〚상표〛

bów shòck [báu-] *n.* 〔宇宙·天〕 태양풍(太陽風)과 행성 자기장의 상호 작용에 의한 행성간 공간에 일어나는 충격파.

bów·shòt [bóu-] *n.* Ⓤ 화살이 닿는 거리, 활의 사정 거리《약 300미터》 : within ~ (활의) 사정 거리 내에.

bow·sprit [bóusprìt, báu-] *n.* 〔海〕 제 1 기움 돛대《이물에서 앞으로 뻗침》.
〚BOW[2]〛

Bów Strèet [bóu-] *n.* 보가(街)《London의 중앙 경찰 즉결 법원이 있음》 : ~ runner[officer] 런던 경찰청의 경찰관[형사].

bów·strìng [bóu-] *n.* 활시위 ; (현악기 따위의) 줄 ; 가볍고 튼튼한 밧줄. ── *vt.* 활시위로 목졸라 죽이다.

bów tíe [bóu-] *n.* 나비 넥타이.

bów wàve [báu-] *n.* 〔海〕 선수파(船首波) ; 〔理〕 =SHOCK WAVE ; 〔宇宙·天〕 =BOW SHOCK.

bów wèight [bóu-] *n.* 파운드 중량으로 나타낸 활의 강도.
bów wíndow [bóu-] *n.* (활 모양으로) 불룩하게 내민 창문(cf. BAY WINDOW, ORIEL);《俗》불룩배, 장구통배. **bów·wíndowed** *a.* (활 모양의) 불룩하게 내민 창문이 있는;《俗》배불뚝이의, 장구통배의.
bow·wow [báuwáu] *int.* 멍멍!; 우우우 《야유하는 소리》. —— *n.* **1** 개 짖는 소리. **2** [ㅡ̀ㅡ́]《兒》멍멍이(dog). —— *a.*《俗》고압적인, 고자세인;《美俗》멋진, 근사한, 굉장한. —— *vi.* (개·짐승 따위가) 짖다.
〖imit.〗
bow·yer [bóujər] *n.* 활 만드는 사람, 활 장수;《詩》궁수, 궁술가(archer).
◇**box**[1] [báks] *n.* **1** 상자. **2** 한 상자(의 분량)(boxful): a ~ *of* matches 성냥 한 갑. **3** 선물(cf. BOXING DAY): ☞ CHRISTMAS BOX. **4** [the ~] 돈 궤(=money ~)(cf. STRONGBOX). **5 a**) (극장 따위의) 칸 막은 좌석, 특별석; =BOX SEAT 1. **b**)《英》(법정의) 배심원석, 증인석(=《美》chair). **c**) (마구간·화물차의) 한 칸;〖野〗투수[타자]석, 박스. **6 a**) 초소(哨所), 대기소, 파출소. **b**)《英》=SIGNAL BOX; =HUNTING [SHOOTING] BOX. **7** (기계 따위의) 보호 케이스, 상자형 부분; (창문의) 두껍닫이, 활자판의 한 칸. **8** (신문·잡지의 선으로 둘러싼) 테두리. **9**《美》(우편) 사서함. **10** (기타·피아노 따위) 상자 모양의 악기. **11** 전화 부스;《俗》축음기. **12**《美俗》관(棺); 금고(safe); =ICEBOX.
a box and needle〖海〗나침반(羅針盤).
in a (***tight***) ***box***《口》난처하게 되어, 어찌할 바를 몰라, 진퇴양난이 되어.
in the same box 같은 상황[경우, 처지, 입장]에 놓여.
in the wrong box 난처하게 되어; 일을 잘못하여, 장소를 잘못 알아.
a little box of a place (성냥통 같은) 조그마한[비좁은] 곳.
—— *vt.* **1** 상자에 넣다[담다]. **2**〖海〗=BOX-HAUL.
box about〖海〗자주 방향을 바꾸면서 항해하다.
box in …을 둘러싸다; …의 앞길[움직임]을 방해하다, (다른 주자)의 진로를 막다; =BOX *up*.
box the compass〖海〗나침반의 방위를 차례로 읽다;《비유》(의견·의논이) 결국 출발점으로 되돌아오다.
box up 상자에 넣어 포장하다; 좁은 곳에 밀어 넣다;《英》(서류를) 법정에 제출하다.
〖OE< ? L *buxis* (*pyxis* box of boxwood)〗
***box**[2] *n.* (손바닥·주먹으로) 따귀를 때리기, 일격: He gave me a ~ *on* the ear(s). 그는 내 따귀를 후려쳤다. —— *vt.* (남의 따귀를) 손바닥[주먹]으로 치다[때리다]; (남과) 권투하다. —— *vi.* 권투하다.
box it out 승부가 날 때까지 치고 받다.
〖ME< ?; cf. Du. *boken* to shunt〗
box[3] *n.* **1**〖植〗회양목과(科)의 식물(=~ tree). **2** Ⓤ 그 목재(=boxwood).
〖OE<L *buxus*〗
Bóx and Cóx *vi., n.* 동시에 동일 장소[직장 따위]에 있는 일이 없다[없는 두 사람]. —— *a., adv.* 교대의[로]; 엇갈리는[리게].
〖영국의 극작가 John M. Morton(d. 1891)의 단막희극(1847) 중에 나오는 서로 모르면서 한 방을 빌어 주야로 번갈아 근무하는 두 등장인물에서〗
bóx barràge *n.* 대공(對空) 십자 포화; 사방으로부터의 일제 사격.
bóx bèd *n.* 상자형 침대; (벽 따위에) 접어 넣을 수 있는 침대.
bóx·bòard *n.* 상자용 판지.
bóx càlf *n.* 박스 가죽《송아지 가죽의 일종》.
〖J. *Box* 19세기 말의 London의 양화점 주인〗
bóx cámera *n.* 상자형 카메라《기구(機構)가 아주 간단한 상자형 사진기》.
bóx cànyon *n.*《美西部》양쪽이 절벽으로 된 깊은 협곡.
bóx·càr *n.*《美》유개(有蓋) 화물차(=《英》box waggon).
bóx clòth *n.* 연한 다갈색의 두꺼운 모직물.
bóx còat *n.* (마부의) 두꺼운 나사 외투.
bóx dràin *n.* 상자형 하수구(下水溝).
boxed [bákst] *a.*《美俗》취한; 교도소에 수감된.
bóx èlder *n.*〖植〗네군도단풍《북미원산》.
box·en [báksən] *a.* 회양목의.
bóx·er *n.* 권투 선수, 복서; 복서《테리어 비슷한 개》; [B~] 의화단원(義和團員), [the B~s] 의화단, 권비(拳匪): the *B*~ Rebellion[rising, trouble] 의화단 사건《1900년》.
〖BOX[2]〗
bóx·fish *n.*〖魚〗(열대해양산) 거북복류(類)(trunkfish).
bóx fràme *n.* 상자 틀;〖建〗(내력(耐力)) 벽식(壁式) 구조.
bóx·fùl *n.* 한 상자 가득(한 양).
bóx·hàul *vt.*〖海〗바람이 불어 가는 쪽으로 배를 돌리다.
bóx·hòld·er *n.* (극장 따위의) 칸막이 좌석의 관람자; 사서함 소유자.
‡**bóx·ing**[1] *n.* Ⓤ 권투, 복싱; 복싱 기술: a ~ match 권투 시합. 〖BOX[2]〗
boxing[2] *n.* Ⓤ 상자 꾸리기 (작업); 상자 만드는 재료; 창틀, (창문의) 두껍닫이.
〖BOX[1]〗
Bóxing Dày *n.*《英》크리스마스 선물의 날《12월 26일; 일요일이면 그 다음날; 집배원·고용인 등에게 선물을 주는 풍습이 있음》.
bóxing glòve *n.* 권투용 글러브.
bóxing rìng *n.* 권투 시합장, 복싱 링.
bóxing wèights *n. pl.* 체급, 권투 선수의 체중에 의한 등급. 㕊 프로의 중량 제한(weight limits)은 다음과 같음; 단위는 파운드: *flyweight* 112; *bantamweight* 118; *featherweight* 126; *junior lightweight* 130; *lightweight* 135; *junior welterweight* 140; *welterweight* 147; *junior middleweight* 154; *middleweight* 160; *light heavyweight* 175; *heavyweight* 무제한.
bóx ìron *n.* 상자형 다리미.
bóx jùnction *n.*《英》(도로에 황색선을 친) 정차 금지의 교차점.
bóx·kèep·er *n.* (극장의) 박스[좌석] 담당자.
bóx kìte *n.* 상자형 종이연《기상 관측용》.
bóx lòbby *n.* (극장의) 칸막이 좌석에 딸린 복도.
bóx lùnch *n.* (특히 주문받아 만드는) 곽 도시락.
bóx·màn [, -mən] *n.*《美俗》(전문) 금고털이; 전문적인 카드 딜러; 도박장의 직원.
bóx nùmber *n.* 사서함 번호; 신문 광고 번호.
bóx òffice *n.* **1** (극장 따위의) 매표소. **2** Ⓤ 매표액(額), (흥행물 따위의) 수익(receipts); (연극 따위의) 인기; 만원 사례: It was good ~. 그것은 아주 인기가 좋았다.
bóx-òffice *attrib. a.* (연극 따위가) 인기를 끄는, 성공하는: a ~ hit[success, riot] 대성황, 대성공, 큰 히트.

bóx plèat[plàit] *n.* (스커트 따위의) 상자형 겹주름[맞주름].
bóx·ròom *n.* (상자·쓰지 않는 가구 따위를 넣어 두는) 작은 방, 골방.
bóx scòre *n.* 〖野〗 박스 스코어《선수명, 수비 위치, 성적 따위의 데이터를 약기한 것》; 개요.
bóx séat *n.* **1** (마차의) 마부석《밑이 상자형으로 되어 있음》. **2** (극장의) 칸막이 좌석[의자].
bóx sèt *n.* 〖劇〗 3면의 벽과 천장으로 이루어진 방의 세트.
bóx sòcial *n.* (모금을 위한) BOX LUNCH 경매회(競賣會).
bóx spànner *n.* 《英》 =BOX WRENCH.
bóx stàll *n.* (외양간·마구간의) 칸막은 한 칸.
bóx sùpper *n.* 《美》 =BOX SOCIAL.
bóx trèe *n.* 〖植〗 회양목.
bóx-ùp *n.* 《濠》《비유》 여러 양(羊)떼의 뒤섞임; 혼란.
bóx wàggon *n.* 《英》 =BOXCAR.
bóx·wòod *n.* 회양목; Ⓤ 회양목 목재.
bóx wrènch *n.* (우묵한 곳의 볼트 따위를 죄는) 박스 스패너.
bóxy *a.* 상자 비슷한, 네모진.
◇**boy** [bɔ́i] *n.* **1** 사내아이, 소년《17, 18세까지》 (↔ *girl*) : a ~ husband 젊은 남편 / *B~s* will be ~*s*. 《속담》 사내아이는 역시 사내아이다, 사내아이의 장난은 어쩔 수 없다 / ☞ OLD BOY. **2** [때때로 one's ~] (나이에 관계없이) 자식(son) : He has two ~*s* and one girl. 아들 둘에 딸 하나가 있다. **3** (단순하고 기운찬) 소년다운 사람; 젊은이. **4** 사환, 보이, 사동. **5** 애인《남자》 (beau); [one's ~] 마음에 드는 사람. **6** 생도, 학생. **7** (친근감을 나타내어) 남자, 사내(fellow); [보통 *pl.*] 《俗》 한패, 동아리; [the ~s] 《口》 술[놀이]친구; [the ~s] 《口》 추종[지지]자들 : a nice ~ 멋있는 사내 / quite a ~ 훌륭한 남자. **8** [the ~] 《古俗》 샴페인.
boy's play 애들 장난(같이 쉬운 일).
my boy 내 아들; 얘야《다정하게 부를 때》; 여보게 《친구를 부르는 말》.
one of the boys 《口》 여럿이 떠들썩하게 지내기 좋아하는 남자[동료].
the boys uptown 《美俗》 두목들.
yellow boys 《俗》 금화(金貨).
—— *int.* 《美俗》 야아, 이 사람아!, 정말, 물론(이지)!《유쾌·놀람을 표시; Oh, boy! 라고도 함》. 〖ME=servant < ?; 일설에 L *boia* fetter에서의 동사 p.p. 'fettered'〗
bóy-and-gírl *a.* 소년 소녀의, 천진한《사랑》.
bo·yar(d) [bóiər(d), boujáːr(d)] *n.* 〖史〗 (옛 러시아의) 귀족; (원래 루마니아의) 특권 귀족. 〖Russ.〗
boy-chik, -chick [bɔ́itʃik] *n.* 《美俗》 소년, 남자아이, 젊은 남자. 〖Yid. =little boy〗
boy·cott [bɔ́ikɑt] *vt.* (개인·상점·나라·상품 따위를) 보이콧하다, (…에 대하여) 불매 동맹을 맺다, 배척하다. —— *n.* 보이콧, 불매 동맹. 〖Capt. C. C. *Boycott* (d. 1897) 아일랜드의 토지 관리인; 1880년에 이 전법으로 고통을 받음〗
*__bóy·frìend__ *n.* 《口》 남자 친구, 보이프렌드《특히 애인; cf. GIRL FRIEND》.
*__bóy·hood__ *n.* Ⓤ 소년 시절, 소년기; [집합적으로] 소년들, 소년 사회.
bóy·ish *a.* 어린이다운, 기운찬; 남자애 같은, 앳된, 미숙한, 유치한. **~·ly** *adv.* 어린이답게; 유치하게. **~·ness** *n.*
Boyle [bɔ́il] *n.* 보일. **Robert ~** (1627-91) 영국의 물리학자.
Bóyle's láw *n.* 〖理〗 보일의 법칙《일정 온도에서 기체의 압력과 부피는 반비례함》.
bóy-mèets-gírl *a.* (로맨스나 이야기 따위가) 틀에 박힌 듯한, 진부한.
Bóy's Báseball *n.* 〖野〗 소년 야구 리그.
bóy scòut *n.* 소년단원, 보이 스카우트 단원; [the B~ S~s] 보이 스카우트《영국에서는 1908년, 미국에서는 1910년 창설되었음; cf. GIRL GUIDE, GIRL SCOUT》. ㊟ 미국은 Cub Scouts (8-10세), Boy Scouts (11-13세), Explorers (14세 이상)로, 영국은 Cub Scouts (8-11세), (Boy) Scouts (11-16세), Venture Scouts (16-20세)로 각각 3부로 나뉨.
bóy·sen·bèrry [bɔ́izən-, -sən-; -bəri] *n.* 보이젠베리《나무딸기의 일종》.
〖Rudolf *Boysen* (fl. 1923) 신종을 만든 미국의 원예가〗
bóy wònder *n.* 천재소년, 신동.
bo·zo [bóuzou] *n.* (*pl.* **~s**) 《美俗》 사내, 놈(fellow, guy), (특히 몸집만 큰) 촌스런[멋없는] 사나이. 〖C20 < ?〗
BP British Petroleum(영국 석유 회사). **B.P.** Bachelor of Pharmacy[Philosophy]. **B.P., BP** beautiful people; before the present(: 6000 B.P.(지금부터) 6000년전); Black Panther; blood pressure; blueprint; British Pharmacopoeia; British Public. **Bp.** Bishop. **bp.** baptized; birthplace; bishop. **b.p., B/P** bills of parcels; bills payable. **b.p.** below proof; boiling point. **b/p** blueprint. **BPD, bpd** barrels per day. **B.Pd., B.Pe.** Bachelor of Pedagogy. **B.P.E.** Bachelor of Physical Education. **B.Ph., B.Phil.** Bachelor of Philosopy. **B.Pharm.** Bachelor of Pharmacy. **bpi, b.p.i.** 〖컴퓨〗 bits[bytes] per inch《인치당 비트[바이트]; 자기(磁氣) 테이프 따위의 정보 기억 밀도의 단위》. **bpl.** birthplace. **B.P.O.E.** Benevolent and Protective Order of Elks.
B́ pòwer supplỳ [bíː-] *n.* =B SUPPLY.
BPS 〖컴퓨〗 bits per second《비트 / 초; 정보 전달량[속도]의 단위》. **b.pt.** boiling point.
B.P.W. Board of Public Works; Business and Professional Women's Clubs. **B.R., BR** bedroom; bills receivable; British Rail. **Br** 〖化〗 bromine. **Br.** Breton; Britain; British; 〖宗〗 Brother. **br.** branch; brand; brass; brig; bronze; brother; brown. **b.r.** bank rate. **b.r., B/R** bills receivable. **BR** Blue Round.
bra [bráː] *n.* 브래지어. 〖*bra*ssiere〗
Bra·ban·çonne [*F* brabɑ̃sɔn] *n.* [la ~] 브라방손《벨기에 국가(國歌)》.
brab·ble [brǽbəl] *n.* 《古》 싸움, 말다툼.
—— *vi.* (하찮은 일로) 말다툼하다〈*with*〉. 〖imit.〗
brá bùrner *n.* 《俗·蔑》 전투적 여성해방 운동가. 〖시위로서 브래지어를 불태웠다고 하는 데서〗
*__brace__ [bréis] *vt.* **1** 죄다; 고정시키다; (…에) 받침대[버팀목]를 끼우다, 받치다, 졸라매다; 버티다, 긴장시키다(☞ BRACING) : He ~*d* every nerve for a supreme effort. 최대한의 노력을 하기 위해서 온 신경을 곤두세웠다. **2** 〖海〗 아딧줄로 (돛을) 돌리다. **3** 기운을 북돋우다. **4** 중괄호로 묶다. **5** 〖軍〗 차려 자세를 시키다.
brace one***self*** (***up***) =***brace up*** 《口》 기운을 내다, 분발[분기]하다[시키다] : He ~*d* him*self* for[to meet] the blow. 그는 그 타격에 대비하기

위해서 마음을 단단히 먹고 기운을 냈다.
—— *n.* **1** 버팀목, 버팀대, 지주(支柱). **2** 꺾쇠, 거멀못, 거멀장; (회전 송곳의) 손잡이. **3** 중괄호 ({, }, ⌢; cf. BRACKET *n.* 3)). **4** 《英》 (차체를 용수철에 매다는) 가죽띠; 죔줄; 〔海〕 (돛을 돌리는) 돛줄, 아딧줄. **5** [*pl.*] 《英》 바지 멜빵(=《美》 suspenders): trousers and ~*s* 멜빵이 달린 바지. **6** 〔醫〕 부목(副木), 목발; [때때로 *pl.*] 〔齒〕 치열 교정기(齒列矯正器). **7** (*pl.* ~) 한 벌, 한 쌍(pair): a ~ *of* dogs / three ~ *of* ducks 세 쌍의 오리. 〖OF<L *bracchia* arms; (v.)는 OF *bracier* to embrace도 영향〗
類義語 ⟹ PAIR.
bráce and bít *n.* ㄷ자형(字型) 손잡이가 달린 타래 송곳의 일종.
***bráce·let** *n.* 팔찌, (갑옷의) 팔받이; [*pl.*] 《口》 수갑(handcuff). **~·ed** *a.* 팔찌를 낀.
〖F (dim.) ‹ *bracel* < L (*bracchium* arm)〗
brácelet wàtch *n.* (특히 여성용) 손목 시계.
brac·er¹ [bréisər] *n.* **1** 지지하는 것[사람], 긴장시키는 것[사람]; 죄는 것, 죔줄, 밧줄, 당김줄, 띠. **2** 《美俗》 자극성 음료, 술(pick-me-up); 기운을 돋우는 것. 〖BRACE〗
bracer² *n.* 활을 쏠 때 쓰는 토시; 갑옷의 팔 보호구. 〖OF (*bras* arm, *-ure*)〗
bra·ce·ro [brɑːséərou] *n.* (*pl.* **~s**) (미국으로 일하러 오는) 멕시코 계절 농장 노동자.
〖Sp. =laborer〗

bracer²

brach [brætʃ], **brach·et** [brætʃət] *n.* 《古》 암 사냥개.
bra·chi- [bræki, bréi-], **bra·chio-** [brækiou, bréi-, -kiə] *comb. form* 「팔」의 뜻. 〖L; ⇨ BRACELET〗
bra·chi·al [bréikiəl, bræk-] *a.* 팔의, 팔 모양의.
bra·chi·ate [bréikiət, -èit, bræk-] *a.* 〔植〕 가지[줄기]가 좌우 번갈아 나는; 〔動〕 팔이 있는.
—— *vi.* [-èit] (원숭이가) 양손으로 번갈아 매달리며 가다.
bráchio·pòd *n., a.* 〔動〕 완족류(腕足類)(의).
bra·chi·um [bréikiəm, bræk-] *n.* (*pl.* **bra·chia** [-kiə]) 〔解〕 상박(上膊); 〔動〕 앞다리.
〖L; ⇨ BRACE〗
brachy- [bræki] *comb. form* 「짧은」의 뜻. 〖Gk.〗
bràchy·cephálic, -céphalous *a.* 〔解〕 단두(短頭)의(↔*dolichocephalic*).
bràchy·céphaly *n.* 〔解〕 단두; 〔醫〕 단두증.
bra·chyl·o·gy [brækílədʒi] *n.* U,C 〔文法〕 간략법, 어구 생략.
brac·ing [bréisiŋ] *a.* 긴장시키는; 기력[기운]을 북돋우는, 활기를 띠게 하는; 신선한, 상쾌한: ~ mountain air 신선한 산의 공기. —— *n.* 〔建〕 버팀대, 지주; 원기를 북돋움; 자극.
brácing càble[wìre] *n.* 〔空〕 버팀줄.
brack·en [brækən] *n.* 〔植〕 고사리(덤불). 〖ON〗
brack·et** [brækət] *n.* **1** 〔建〕 까치발; 선반받이, 전등(電燈)받이. **2** 까치발 선반, (벽에 붙인) 가스관(管), 램프받이. **3** [때때로 *pl.*] 〔印〕 괄호: round[square] ~*s* 소[각]괄호. 注 소괄호는 보통 parentheses; 〔數·樂〕에서는 중괄호({, })도 brackets. **4** (같은 종류로서 구분되는) 그룹; (수입에 따른 납세자의) 구분: high[low] income ~*s* 고[저]액 소득자층. —— *vt.* **1** 까치발《선반받이 따위》을 달다. **2** 괄호로 묶어 넣다. **3** [+目/+目+*for*+名] 일괄하여 다루다: The names of the two boys were ~*ed* ***for the first prize. 일등 입선자로 두 소년의 이름이 함께 호명되었다. **4** 고려 대상에서 제외되다〈*off*〉.
~·ed *a.* 괄호로 묶은; 일괄한.
〖F or Sp. <L *bracae* breeches〗
brácket clòck *n.* 소형 탁상시계.
brácket crèep *n.* 인플레이션으로 납세자 과세 등급이 점차 올라가는 현상.
brácket fòot *n.* (가구의) 브래킷식(式) 다리.
brácket·ing *n.* [집합적으로] 〔建〕 까치발, 선반받이, 브래킷.
brack·ish [brækiʃ] *a.* **1** 소금기가 있는, 염분이 함유된: ~ water 짭짤한 물. **2** 맛없는; 불쾌한.
〖*black* (obs.) <MLG, MDu. *brac*〗
bract [brækt] *n.* 〔植〕 포(苞), 포엽(苞葉).
〖L *bractea* thin sheet〗
brac·te·al [bræktiəl] *a.* 포(苞)의, 포엽의[같은].
brac·te·ate [bræktiət, -èit] *a.* 포엽이 있는.
brac·te·ole [bræktiòul] *n.* 〔植〕 소(小)포엽.
bráct·let *n.* =BRACTEOLE.
bráct scàle *n.* 〔植〕 포린(苞鱗).
brad [bræ(ː)d] *n.* 대가리가 구부러진 못, ㄱ자형의 못, 곡정(曲釘). —— *vt.* (**-dd-**) …에 brad를 박다. 〖ME *brad* goad<ON=spike〗
brád·àwl *n.* 작은 송곳.
Brad·bury [brædbèri; -bəri] *n.* 《英俗》 1파운드 또는 10실링 지폐《둘 다 구지폐》. 〖Sir John *S. Bradbury* (d. 1950) 영국의 재무 대신〗
Brad·shaw [brædʃɔː] *n.* 《英》 브래드쇼 철도 여행 안내서. 〖George *Bradshaw* (d. 1853) 발행자〗
bra·dy- [brædi, bréi-] *comb. form* 「느린」 「둔한」 「짧은」의 뜻: *brady*cardia. 〖Gk.〗
bràdy·cárdia *n.* 〔醫〕 심동 지완(心動遲緩).
bràdy·ecóia [-ikɔ́iə] *n.* 〔醫〕 난청(難聽).
bràdy·kínin *n.* 〔生化〕 브라디키닌.
bràdy·pépsia *n.* 소화 불량.
brády·sèism *n.* 〔地學〕 완만 지동(地動).
brae [bréi] *n.* 《스코》 언덕; 산중턱; 둑의 경사면; [*pl.*] 구릉지대.
〖ON *brá* eyelash; cf. BROW〗
brag [bræ(ː)g] *vi., vt.* (**-gg-**) [動/+前+名/+*that* 節] 자랑하다: He ~*ged* ***about***[***of***] his merits. 그는 자기의 공로를 자랑했다 / He ~*s that* he has built the house. 그 집을 지은 것을 자랑하고 있다. —— *n.* U 허풍, 자랑; 허풍선이.
—— *a.* (**brág·ger; brág·gest**) 자랑하여도 좋은, 훌륭한, 일급의; 《古》 자랑하는; 《古》 기운찬, 생기가 넘치는: a ~ crop 굉장한 수확.
〖ME=spirited, boastful< ?〗
類義語 ⟹ BOAST.
brag·ga·do·cio [brægədóuʃiòu, -si-, -tʃi-] *n.* (*pl.* **-ci·òs**) 허풍선이(boaster); U 허풍, 건방짐. 〖*brag*와 It. (augment.) *-occio*에서; Spenser의 조어(1590년)〗
brag·gart [brægərt] *n., a.* 허풍선이(의).
brág-ràgs *n. pl.* 《美俗》 훈장.
Bra(h)m [brɑ́ːm], **Bra(h)·ma** [brɑ́ːmə] *n.* **1** 〔힌두敎〕 범(梵)《세계의 최고 원리》; 브라마《Vishnu, Siva와 함께 3주신(主神)의 하나로 창조신》. **2** [Brahma] [brɑ́ːmə, bréimə, brǽmə] 〔動〕 =BRAHMAN. 〖Skt. =creator〗
Brah·man [brɑ́ːmən] *n.* **1** 브라만《인도 4성(四姓) 중의 최고 계급인 승려》; 범(梵); =BRAHMA. **2** [, bréi-, bræm-] **a)** 〔動〕 난쟁이혹소, 브라마[만], 인도소 《성우(聖牛)라고 함》. **b)** 브라

마《인도소를 품종 개량한 미국 남부산(產)의 소 ; 건조한 기후에 강하고 진드기가 붙지 않음》. 〖Skt. (*brahman* priest)〗

Brah·ma·nee [brɑ́ːmənìː], **-ni** [-ni] *n.* 브라만 계급의 여자.

Brah·man·ic, -i·cal [brɑːmǽnik(əl)] *a.* 브라만(교)의.

Bráhman·ìsm *n.* Ⓤ 브라만교《고대 인도의 경전 베다(the Vedas)를 중심으로 한 종교》.

brah·ma·poo·tra, -pu- [brɑ̀ːməpúːtrə] *n.* 브라마종(種)(의 닭)《인도원산(原產)의 대형 육용종》.

Brah·min [brɑ́ːmən] *n.* **1** =BRAHMAN. **2** 《美》 《보통 蔑》 교양있는 사람, 인텔리겐치아.
Brah·mín·ic, -i·cal *a.* 〖Skt.〗

Bráhmin·ìsm *n.* =BRAHMANISM ; 인텔리겐치아풍(風).

Brahms [brɑ́ːmz] *n.* 브람스. **Johannes** ~ (1833-97) 독일의 작곡가.

***braid** [bréid] *n.* **1** 묶는[짠·꼰] 끈, 합사 ; Ⓤ 납작한 끈 : gold ~ 금 몰 / straw ~ 밀짚으로 짠 (납작한) 끈. **2** 땋아 늘어뜨린 머리, 변발.
— *vt.* 짜다, 꼬다 ; 짠[꼰] 끈으로 장식하다 ; 머리를 땋다. 〖OE *bregdan* to move quickly, weave ; cf. OHG *brettan* to draw sword〗

bráid·ed *a.* 짜서 만든, 꼰, 땋은.

bráided rúg *n.* 세 가닥으로 꼰 끈을 타원형[원형, 사각형]으로 짠 융단.

bráid·er *n.* 끈 꼬는 사람[기계] ; 합사 제조기.

bráid·ing *n.* **1** Ⓤ [집합적으로] 짠[꼰] 끈[실]. **2** 몰 자수.

brail [bréil] *n.* [보통 *pl.*] 〖海〗 돛을 달아 매는 밧줄.
— *vt.* (돛을) 죄다 ; 가죽 끈으로 묶다.
〖OF<L *bracale* girdle ; ⇨ BRACKET〗

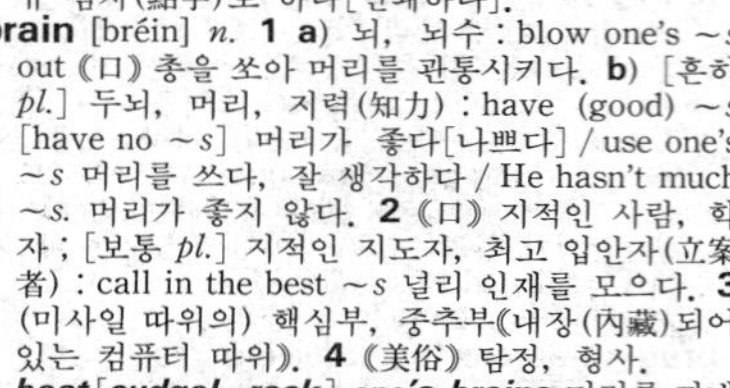
brail

braille [bréil] *n.* [때때로 B~] 브라유 점자(법) (cf. FINGER READING) : write in ~ 브라유 점자로 쓰다.
— *vt.* [때때로 B~] 브라유 점자(點字)로 하다[인쇄하다].

‡brain [bréin] *n.* **1 a)** 뇌, 뇌수 : blow one's ~*s* out 《口》 총을 쏘아 머리를 관통시키다. **b)** [흔히 *pl.*] 두뇌, 머리, 지력(知力) : have (good) ~*s* [have no ~*s*] 머리가 좋다[나쁘다] / use one's ~*s* 머리를 쓰다, 잘 생각하다 / He hasn't much ~*s.* 머리가 좋지 않다. **2** 《口》 지적인 사람, 학자 ; [보통 *pl.*] 지적인 지도자, 최고 입안자(立案者) : call in the best ~*s* 널리 인재를 모으다. **3** (미사일 따위의) 핵심부, 중추부《내장(內藏)되어 있는 컴퓨터 따위》. **4** 《美俗》 탐정, 형사.
beat [***cudgel, rack***] one***'s brains*** 머리를 짜내다, 골똘히 생각하다〈*for, to* think of, *etc.*〉.
have . . . on the brain …이 머리에서 떠나지 않다, …에 정신이 팔려 있다.
pick [***suck***] a person***'s brains*** 남의 지혜를 빌리다.
turn one***'s brain*** 머리가 돌게 하다 ; 자만심을 일으키다 ; 우쭐해지게 하다.
— *vt.* (…의) 머리통[골통]을 쳐부수다.
〖OE *brægen* ; cf. Du. *brein*〗

bráin bòx *n.* 《口》 컴퓨터.

bráin-bòx *n.* 《美俗》 머리 ; (끌고 가는 배의) 조종석.

bráin cèll *n.* 〖解〗 뇌신경 세포.

bráin·chìld *n.* 《口》 안출된 것, 독자적인 생각, 새로운 구상, 창작품, 두뇌의 산물.

bráin-dàmaged *a.* 《美俗》 결정적인 결함을 가진, 전혀 쓸모 없는.

bráin dèad *a.* 〖醫〗 뇌사 상태의, 뇌사의 징후를 보이는.

bráin dèath *n.* 〖醫〗 뇌사(腦死).

bráin dràin *n.* 《口》 두뇌 유출(流出), 인재의 국외 이주.

bráin-dràin *vi., vt.* 《口》 두뇌 유출하다[시키다].

bráin dràin·er *n.* 《口》 유출 두뇌《학자》.

-brained [bréind] *a. comb. form* 「…한 머리를 가진」의 뜻 : mad-*brained*.

bráin·ery *n.* 《美俗》 대학.

bráin fàg *n.* 뇌신경 쇠약, 정신 피로.

bráin fèver *n.* 〖醫〗 뇌염 ; 뇌척수막염.

bráin gàin *n.* 두뇌 유입(cf. BRAIN DRAIN).

bráin·less *a.* 머리가 나쁜, 어리석은.

bráin·pàn *n.* 두개(頭蓋) ; 《美》 머리.

bráin·pìck·er *n.* 남의 지혜를 이용하는 사람.

bráin-pìck·ing *n.* 《口》 남의 두뇌에서 정보를 훔침, 두뇌 착취.

bráin·pòwer *n.* 지력, 정신 능력 ; [집합적으로] 머리가 우수한 사람들.

bráin revèrse *n.* 두뇌 회귀.

bráin-sàuce *n.* Ⓤ 《戲》 지성.

bráin scàn *n.* 〖醫〗 뇌주사(腦走査) 사진[도(圖)] 《brain scanner에 의한 X선도》.

bráin scànner *n.* 〖醫〗 뇌주사 장치《뇌종양 따위를 진단하는 CAT 스캐너》.

bráin·sìck *a.* 미친, 머리가 돈.

bráin stèaler *n.* 《美俗》 (남의 문장 따위의) 표절자(者).

bráin stèm *n.* 뇌간(腦幹).

bráin·stòrm *n.* **1** (갑작스런) 정신 착란. **2** 《口》 =BRAIN WAVE 2. **3** =BRAINSTORMING.
— *vi.* 브레인스토밍하다.

bráin·stòrm·ing *n., a.* 창조적 집단 사고법(의), 브레인스토밍(의).

bráins trùst *n.* 《英》 (퀴즈 프로그램 따위의) 전문적인 해답자 그룹 ; =BRAIN TRUST.

bráin tàblet *n.* 《美俗》 (종이로 만) 궐련.

bráin·tèaser, -twìst·er *n.* (푸는 데에) 머리를 쓰는 것《퍼즐 따위》, 어려운 문제.

bráin tìckler *n.* 《美俗》 알약으로 된 마약.

bráin trùst *n.* 《美》 브레인 트러스트, 두뇌 위원회, (정부의 비공식) 전문 고문단.

bráin trùster *n.* 《美》 brain trust의 일원.

bráin tùmor *n.* 뇌종양.

bráin·wàsh *vt.* 세뇌하다. — *n.* 세뇌.
~·ing *n.* Ⓤ 세뇌《강제적인 사상 개조》; (세일즈 따위의) 설득.
〖Chin. 시나오(洗腦)〗

bráin wàve *n.* **1** 〖醫〗 뇌파. **2** 《口》 영감(靈感), 명안, 묘안.

bráin·wòrk *n.* Ⓤ 머리 쓰는 일, 정신[두뇌] 노동.
~·er *n.* 정신 노동자.

brainy [bréini] *a.* 《口》 머리가 좋은, 총명한.

braird [bréərd, brǽərd] *n.* 《英》 싹이 트기, 새싹.
— *vi.* 싹이 트다, 새싹이 나오다.

braise [bréiz] *vt.* (고기를) 베이컨이나 채소에 넣고 볶다[끓이다].
〖F (*braise* live coals)〗

***brake**[1] [bréik] *n.* **1** 브레이크, 톱니바퀴 멈춤, 제동기[장치] : apply[put on] the ~*s* 브레이크를 걸다. **2** 방지[방해](하는 것), 억제 ; 펌프의 긴 자루(pump brake). — *vt.* …에 제동을 걸다 ;

…의 브레이크를 조정하다 : ~ an automobile 자동차에 브레이크를 걸다. —— *vi.* 브레이크를 걸다 ; 브레이크가 걸리다.
〖? *brake* (obs.) machine handle or bridle ; cf. MDu. *braeke*〗

brake², **bráke fèrn** *n.* 〖植〗 봉의꼬리 ; 고사리.
〖BRACKEN ; *-en*을 복수 어미로 착각한 것인가〗

brake³ *n.* **1** 큰 써레. **2** 삼의 껍질을 벗기는 기구. —— *vt.* (삼·아마를) 부수어 섬유를 뽑다.
〖MLG, MDu. =flax brake ; ⇨ BREAK〗

brake⁴ *v.* 《古》 BREAK¹의 과거형.

brake⁵ *n.* 숲, 덤불, 풀숲.
〖OE *bracu*, MLG *brake* branch, stump〗

bráke·age *n.* Ⓤ 제동 작용[장치].

bráke bànd *n.* 제동띠, 브레이크 밴드.

bráke drùm *n.* 〖機〗 브레이크 드럼[통(筒)].

bráke flùid *n.* (유압 브레이크의) 브레이크액.

bráke hórsepower *n.* Ⓤ 제동[브레이크] 마력 《略 b.h.p., bhp》.

bráke·lìght *n.* (자동차 후미의) 브레이크라이트 (stoplight).

bráke lìning *n.* 브레이크 라이닝[제동 마찰대].

bráke·man [-mən] | **brákes-** *n.* 〖鑛·鐵〗 제동수(制動手) ; 《美》 (대륙 횡단 철도의) 보조 차장.

bráke pàrachute *n.* 〖空〗 브레이크 파라슈트 《감속용》.

bráke pèdal *n.* 〖機〗 제동[브레이크] 페달.

bráke shòe *n.* 〖機〗 브레이크 슈, 제동자.

bráke vàn *n.* 《英》 〖鐵〗 제동 장치가 달린 차, 완급차(緩急車).

bráke whèel *n.* 브레이크 륜(輪), 제동륜.

brak·ie [bréiki] *n.* 《口》 =BRAKEMAN.

brák·ing dìstance *n.* 제동 거리.

bráking skìd *n.* 브레이크를 갑자기 세게 밟았을 때 일어나는 (자동차 따위의) 미끄러짐.

braky [bréiki] *a.* 덤불[수풀]이 우거진.
〖BRAKE⁵〗

brá·less [brɑ́:-] *a.* 브래지어를 하지 않은, 노브라(주의)의.

Br. Am. British America.

bram·ble [brǽmbəl] *n.* 〖植〗 찔레, 들장미 (wild rose) ; 나무딸기속(屬), (특히) 나무딸기 덤불.
brám·bly *a.* 가시덤불이 우거진.
〖OE *bræmbel*, *brēmel* brier ; cf. BROOM〗

bram·bling [brǽmbliŋ] *n.* 〖鳥〗 되새, 화계(花鷄)《유럽·아시아산의 멧새과의 작은 새》.

bran [brǽ(:)n] *n.* Ⓤ 겨, 밀기울. —— *vt.* (가죽을) 밀기울 물에 담그다[삶다].
〖OF< ?〗

‡branch [brǽ(:)ntʃ ; brɑ́:ntʃ] *n.* **1** (나뭇) 가지, 가지처럼 갈라진 것(cf. BOUGH, SPRAY², TWIG¹, TRUNK) : The highest ~ is not the safest roost. 《속담》 가장 높은 가지가 가장 안전한 보금자리가 되는 것은 아니다《높은 지위에 있으면 위험도 많다》. **2** 가지 모양의 것. **3** 파생물, 분파. **4** 지맥(支脈), 지류, 지선(支線) ; 실개천《river와 creek의 중간》. **5** 분가(分家) ; 지점, 지부, 지국, 출장소(cf. HEAD OFFICE). **6** 부문, 분과(分課), 분과(分科) : a ~ of study 한 학과(學科). **7** 〖컴퓨〗 분기 ; 〖理〗 (방사성 핵종의) 분기.
root and branch 철저한[하게].
—— *vi.* **1** [動 / +副 / +前+名] 가지를 뻗다[가 펴지다] : Their cherry ~*es* ***out to*** our garden. 그들의 벚나무 가지가 우리 마당에까지 뻗어 있다 / The tree ~*es* ***over*** the gate. 그 나무는 문 위로 가지를 뻗치고 있다. **2** [動 / +副] 갈라지다, 분기(分岐)하다 : The road ~*es* at the bottom of the hill. 도로는 언덕 밑에서 갈라져 있다 / The railroad tracks ~ ***off*** [***away***] in all directions. 철도 선로는 사방으로 갈라져 있다.
branch forth 가지가 뻗다.
branch out 가지를 뻗다(cf. *vi.* 1) ; 사업[장사]을 넓히다[확장하다], 관심이 여러 면에 걸치다.
〖OF<L *branca* paw〗
[類義語] ***branch*** 가장 일반적인 말로 높은 나무나 얕은 나무의 큰 가지에나 작은 가지에나 두루 쓰임. ***bough***, ***limb*** 주된 또는 큰 가지 ; *bough*는 특별히 잘라낸 가지로 꽃이나 열매가 많이 달려 있는 것을 가리키기도 함. ***twig*** 극히 작은 branch 또는 어린 가지(shoot). ***spray*** 특히 가지 끝이 갈라져 있고 꽃이나 잎이나 열매가 달려 있는 아름다운 작은 가지. ***shoot*** 주로 새로 나와 아직 덜 자란 가지.

bránched *a.* 가지가 있는 ; 갈라진.

bran·chi- [brǽŋki], **bran·chio-** [brǽŋkiou, -kiə] *comb. form* 「아가미」의 뜻.
〖L<Gk. (↓)〗

bran·chia [brǽŋkiə] *n.* (*pl.* **-chi·ae** [-kiì:, -kiài]) 아가미(gill). 〖Gk.〗

brán·chial *a.* 아가미의[같은], 아가미에 관한.

brán·chi·ate [-kiət, -kièit] *a.* 아가미가 있는.

bránch·ing *n.* Ⓤ 분기(分岐). —— *a.* 가지가 뻗은 ; 갈라진.

bránch·let *n.* 작은 분지(分枝), 끝가지.

bránch lìne *n.* 〖鐵〗 지선(cf. MAIN LINE).

bránch òffice *n.* =BRANCH 5.

bránch wàter *n.* 《英》 실개천의 물, 끌어온 물 ; 《口》 (위스키 따위에 타는) 보통물.

bránchy *a.* 가지가 많은[우거진].

***brand** [brǽ(:)nd] *n.* **1** 타다 남은 것[나무], 타고 있는 나무. **2** 낙인(烙印) ; 오명(disgrace). **3** (상품·가축에 찍힌) 소인(燒印) ; 품질, 품목 ; 상표(trademark). **4** 《詩》 횃불(torch) ; 검(劍) (sword).
a brand from the burning [***fire***] 〖聖〗 불에서 꺼낸 그슬린 나무《스가랴 3 : 2》 ; 위태로운 지경에서 구출된[구원받은] 사람.
the brand of Cain 살인죄(cf. CAIN).
—— *vt.* **1** (죄인이나 가축에게) 낙인[소인(燒印)]을 찍다 ; …에 상표를 붙이다. **2** [+目+前+名 / +目+*as* 補] …에게 오명을 씌우다 : ~ a person ***with*** infamy 남에게 오명을 씌우다 / He was ~*ed as* a traitor. 그에게는 반역자란 오명이 찍혀 있다. **3** [+目+前+名] (마음에) 새기다, (마음에) 흔적을 남기다 : The war has ~*ed* an unforgettable lesson ***on*** our minds. 전쟁은 우리들의 마음에 잊을 수 없는 교훈을 남겼다.
〖OE *brand* fire, torch<Gmc. (《美》 *bran-to* BURN¹)〗

bran·dade [*F* brɑ̃dad] *n.* 〖料〗 브랑다드《말린 대구에 올리브 기름·향미료 따위를 넣어 갈아서 크림처럼 만든 것》.
〖F<Prov. (p.p.) ‹ *branda* to shake〗

bránd awàreness *n.* 상표 기억《(남이) 상표를 기억해 주는 일》.

bránd·er *n.* 낙인을 찍는 사람[기구].

brán·died *a.* 브랜디에 담근, 브랜디를 넣은, 브랜디로 맛을 낸.

bránd·ing *n.* 낙인[소인]을 찍기 ; 오명을 씌우기.

bránding ìron *n.* 낙인[소인]을 찍는 쇠도장.

bránd ìron *n.* (난로 안의) 장작 받침쇠.

bran·dish [brǽndiʃ] *vt.* (창·칼 따위를) 휘두르다, 머리 위로 쳐들다 ; …을 과시하다.
—— *n.* (무기를) 휘두르기. **~·er** *n.*

〚OF (*brand* sword blade＜Gmc.)〛

brand·ling [brǽndliŋ] *n.* (낚싯밥으로 쓰는) 줄지렁이 ; 연어 새끼.

bránd nàme *n.* 상표명(trade name) ; 유명 상품(商品).

bránd-nàme *a.* (유명) 상표가 붙은 : a ~ item 메이커 제품.

bránd-néw [ˊ, brǽn-] *a.* 아주 새로운, 신품의 (span-new) ; 갓 손에 넣은.

bran·dreth, -drith [brǽndrəθ] *n.* 나무틀 ; (건초 따위를 걸쳐놓는) 삼각가(三脚架) ; 우물 둘레의 울짱 ; 삼발이.

Brand X [ˊ éks] *n.* 상표 X《어떤 상품을 돋보이게 하기 위한 익명의 경합품(競合品)》.

bran·dy [brǽndi] *n.* Ⓤ 브랜디 ; Ⓒ 브랜디 한잔 : (a) ~ and soda 소다수를 탄 브랜디. —— *vt.* …에 브랜디를 섞다[로 맛을 내다], 브랜디에 담그다 ; …에게 브랜디를 주다.
〚*brand*(*e*) *wine*＜Du. *brandewijn* burnt (i. e. distilled) wine〛

brándy·bàll *n.* 《英》 브랜디가 든 과자.

brándy páwnee *n.* 《인도》 물을 탄 브랜디.

brándy snàp *n.* 브랜디 스냅《브랜디로 향기를 낸 생강이 든 쿠키》.

branks [brǽŋks] *n. pl.* (철제의) 재갈《옛날 영국에서 말많은 여자에게 씌웠음》.

branks

brán-néw [brǽn-] *a.* ＝BRAND-NEW.

bran·ni·gan [brǽnigən] *n.* 《美俗》 술잔치, 주연 ; 언쟁, 말다툼.

brán·ny *a.* 겨(bran)의, 밀기울의.

brán píe *n.* 밀기울 통《밀기울을 넣은 통 속에 선물을 넣고 아이에게 찾게 함》.

brant [brǽnt] *n.* (*pl.* **~, ~s**) 《美》〔鳥〕 흑기러기 (＝ˊ **gòose**) 《북미·북유럽 원산》.
〚C16＜?〛

brán tùb *n.* 《英》 ＝BRAN PIE.

bras [brɑ́:z] *n.* BRA의 복수형.

brash[1] [brǽ(:)ʃ] *a.* 성 잘 내는, 성급한, 경솔한, 무모한 ; 무례한, 건방진(saucy) ; (소리가) 날카로운 ; ＝BRASHY. **~·ly** *adv.* **~·ness** *n.*
〚? RASH[1]〛

brash[2] *n.* **1** 신트림 나는 증세, 탄산증(呑酸症) ; 《스코》 소나기. **2** (바위 따위의) 조각, 부스러기 ; 가지치기하여 생긴 잔가지 (부스러기).
〚C16＜? imit.〛

bráshy *a.* (목재가) 부서지기 쉬운, 무른. **brásh·i·ness** *n.*

brasier ☞ BRAZIER[1,2].

Bra·sil [brəzíl] *n.* BRAZIL의 포르투갈어(語) 철자 ; [b~] ＝BRAZIL.

Bra·síl·ia [brɑzí:ljə, brə-] *n.* 브라질리아《새로이 건설된 1960년 이후의 브라질 수도》.

*__brass__ [brǽ(:)s ; brɑ́:s] *n.* **1** Ⓤ 놋쇠, 황동(黃銅). **2 a**) [또는 *pl.*] 놋쇠 제품, 유기류, 놋쇠 장식물 : clean[do] the ~(*es*) 놋쇠 기구를 닦다. **b**) [the ~] 〔樂〕 (취주) 금관 악기 ; [집합적으로] (악단의) 금관 취주(cf. REEDS, STRINGS). **3** Ⓤ 놋쇠 빛깔. **4** Ⓤ 《英俗》 돈(money). **5** Ⓤ 《口》 뻔뻔스러움, 철면피(impudence). **6** [(the) ~] 《口》 (육군·공군의) 고급 장교들 (brass hats), (일반적으로) 고관들.
(*as*) ***bold as brass*** 아주 뻔뻔스러운.
—— *a.* 놋쇠의, 놋쇠로 만든 ; 놋쇠 빛깔의 ; 금관 악기의 : a ~ plate 놋쇠 이름판[문패].
don't care a brass farthing 조금도 개의치 않다, 조금도 상관없다.
—— *vt., vi.* **1** …에 놋쇠를 입히다. **2** 《俗》 지불하다〈*up*〉.
〚OE *bræs*＜?〛

bras·sage [brǽsidʒ] *n.* 화폐 주조료(鑄造料).

bras·sard [brəsɑ́:rd, brǽsɑ:rd], **bras·sart** [brǽsɑ:rt] *n.* 완장 ; (갑옷의) 팔찌.

bráss bánd *n.* 취주 악단, 브라스 밴드.

bráss·bóund [ˊ, ˊˊ] *a.* (트렁크 따위) 놋쇠로 보강한 ; 딱딱한 ; 뻔뻔스러운, 융통성 없는.

bras·se·rie [bræ̀sərí: ; brǽsəri] *n.* 맥주와 식사를 파는 식당.
〚F＝brewery (*brasser* to brew)〛

bráss fòunder *n.* 놋쇠 주조자.

bráss fòundry *n.* 놋쇠 제조소.

bráss hát *n.* 《軍俗》「금테 모자」《육군·공군의 고급 장교를 가리킴》; (일반적으로) 고관, (재계 따위의) 거물.

brass·ie [brǽ(:)si ; brɑ́:si] *n.* 〔골프〕 브라시.

bras·siere, -sière [brəzíər ; brǽsiər, brǽz-] *n.* 브래지어(bra).
〚F〛

bráss ínstrument *n.* 〔樂〕 금관 악기, 브라스.

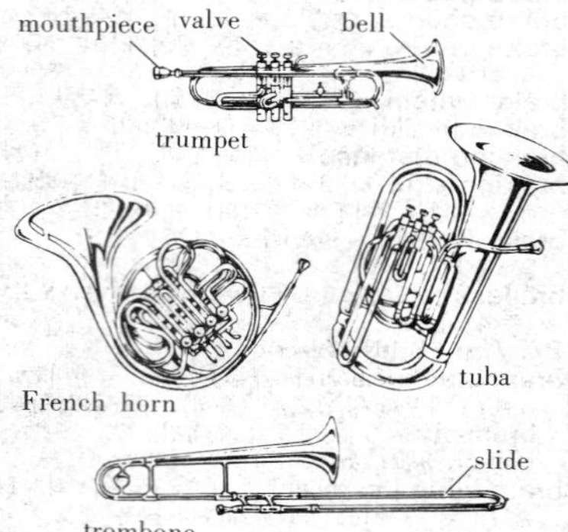

brass instrument

bráss knúckles *n.* 《美》 [단수·복수 취급] ＝KNUCKLE-DUSTER.

bráss mónkey *n.* 《英卑·濠卑》 [다음 숙어로] ***cold enough to freeze the balls off a brass monkey*** 불알이 오그라들 정도로 추운.

bráss-mònkey wéather *n.* 《英俗·濠俗》 혹한(酷寒).

bráss rágs *n. pl.* (뱃사람의) 놋쇠 닦는 헝겊.
part brass rags 《海俗》 절교하다.

bráss ríng *n.* 《美俗》 큰 돈벌이[대성공]의 기회.

bráss-smìth *n.* 놋쇠장이[세공사(細工師)].

bráss tácks *n. pl.* **1** 놋쇠 징. **2** 《口》 요점, 중대한 일[문제].
come[***get***] ***down to brass tacks*** 《口》 현실적인 문제를 논의하다, 요점을 말하다.

bráss·wàre *n.* Ⓤ 놋쇠로 만든 제품.

bráss-wìnd *a.* 금관 악기의.
bráss wìnds *n. pl.* (관현악단의) 금관 악기류.
brássy[1] *a.* **1** 놋쇠 제품의 ; 놋쇠 빛깔[소리]의. **2** 겉치레 뿐인. **3** 《口》 뻔뻔스러운.
〚BRASS〛
brassy[2] *n.* =BRASSIE.
brat [brǽt] *n.* 《蔑》 선머슴, (버릇없는) 아이, 개구쟁이.
brát·tish *a.* **brát·ty** *a.*
〚Sc. *bratchart* hound 또는 *brat* rough garment에서 인가〛
brat·tice [brǽtəs, -iʃ] *n.* (탄광의) 통풍벽(通風壁) ; (기계 따위를) 둘러싸는 판자[울타리].
—— *vt.* …에 칸막이를 하다.
brat·tle [brǽtl] *n., vi.* 《주로 스코》 우르르, 쿵쿵, 콰당 (울리다, 뛰다).
〚? imit.〛
braun·ite [bráunait] *n.* 브라운광(鑛), 갈(褐)망간광.
Bráun tùbe [bráun-] *n.* 《稀》 브라운관(管).
〚K. F. *Braun*(d. 1918) 독일의 물리학자로 발명자〛
bra·va [brɑ́ːvɑː, -ˊ] *int., n.* =BRAVO[1] 《여자에 대하여 쓰임》.
bra·va·do [brəvɑ́ːdou] *n.* (*pl.* **~es**, **~s**) Ⓤ 허세, 허세를 부리기, 허장 성세 ; Ⓒ 허세를 부린 행동 : with ~ 허세를 부려, 무모하게. —— *vi.* 허세를 부리다.
〚Sp. ; ⇨ BRAVE〛
‡brave [bréiv] *a.* **1** 용감한(↔*cowardly*). **2** 《文語》 화려한(showy), 치장한 ; 멋있는(splendid) : a ~ new world 훌륭한 신세계. —— *n.* 용사 ; 북미 인디언의 전사(cf. SQUAW, PAPOOSE).
—— *vt.* (위험·죽음에) 과감히 맞서다, 용감히 해내다 ; 두려워하지 않다, 끄떡도 하지 않다 : He ~*d* the king's anger. 임금의 노여움에도 끄떡하지 않았다.
brave it out 용감하게 밀고 나가다.
〚F<It. or Sp.<L ; ⇨ BARBAROUS〛
類義語 ***brave*** 가장 의미가 넓은 일반적인 말. ***courageous*** 정신적으로 뚜렷한 기상, 결의 따위를 암시함. ***bold*** 용감하다는 이외에 뻔뻔스러우며 도전적인 기질을 나타내기도 함. ***valiant*** 영웅적인 기품을 나타내는 품위있는 말. ***plucky*** 불리한 조건에서도 좌절하지 않는 용기가 있는. ***dauntless*** 끄떡도 하지 않는 사람[정신] 등의 불굴을 나타내는 말. ***fearless*** 위험의 염려 또는 원인이 없으므로 두려움이 없는 것을 나타냄.
bráve·ly *adv.* 용감하게 ; 《文語》 훌륭하게.
***brav·ery** [bréivəri] *n.* Ⓤ 용기, 용감(성) (cf. COURAGE) ; 화려함, 화미(華美), 화려한 빛깔, 옷치장, 화려한 옷.
bra·vo[1] [brɑ́ːvou, -ˊ] *n.* (*pl.* **~s**, **-vi** [-viː]) 갈채의 소리. —— *int.* 잘한다, 좋다 !, 브라보 !
—— *vt.* (가수 등)에게 갈채하다.
〚F<It.〛
bra·vo[2] [brɑ́ːvou] *n.* (*pl.* **~s**, **~es**, **-vi** [-viː]) 자객(刺客), 살인 청부 업자, 폭한(暴漢), 흉한.
〚It. ; ⇨ BRAVE〛
bra·vu·ra [brəvjúərə] *n.* **1** 〘樂〙 활발하고 화려한 연주(를 요하는 악절). **2** 위세, 용맹하고 화려함, 용감하고 장려함.
〚It. =bravery〛
braw [brɔ́ː, brɑ́ː] *a.* 《스코》 옷차림이 화려한, 훌륭한, 아리따운.
—— *adv.* 매우, 대단히.
brawl [brɔ́ːl] *n.* 말다툼, 언쟁, 논쟁.
—— *vi.* 말싸움하다, 떠들어대다 ; (강물이) 콸콸 (소리내어) 흐르다. **~·er** *n.* 말싸움하는 사람, 떠들어대는 사람.
〚Prov. ; cf. BRAY[1]〛
bráwl·ing *a.* 시끄러운, 떠들썩한.
~·ly *adv.*
brawn [brɔ́ːn] *n.* **1** Ⓤ 근육(muscle) ; 완력 ; 인력(manpower). **2** Ⓤ 양념한 돼지고기.
〚OF<Gmc. =roast flesh〛
bráwn dràin *n.* 노동 유출 ; 운동선수의 해외 유출(cf. BRAIN DRAIN).
bráwny *a.* 근육이 건장한 ; 몹시 힘이 센, 강건한, 튼튼한.
bráwn·i·ness *n.*
braxy [brǽksi] *n.* 〘獸醫〙 (양의) 탄저병.
bray[1] [bréi] *n.* 나귀의 울음소리 ; 나팔소리 ; 시끄러운 잡담[항의]. —— *vi.* (나귀 따위가) 울다 ; (나팔소리가) 울려퍼지다. —— *vt.* [+目+副] 소리치다, 고함지르다 : ~ ***out*** one's grievances 시끄럽게 투덜거리다.
〚OF *braire*< ? Celt.〛
bray[2] *vt.* 갈아 바수다, (절구 따위로) 빻다 ; (인쇄 잉크를) 엷게 펴다.
〚OF *brier*<Gmc. ; cf. BREAK[1]〛
bráy·er *n.* 나귀 같은 울음소리를 내는 것, 나귀 ; 절굿공이 ; 〘印〙 (교정쇄를 찍어 내기 위해) 손으로 미는 롤러.
Braz. Brazil, Brazilian.
braze[1] [bréiz] *vt.* 놋쇠로 만들다[장식하다] ; 놋쇠 빛깔로 하다.
〚BRASS〛
braze[2] *vt.* 〘冶〙 경납땜하다. —— *n.* 경납땜 결합. 〚F (*braise* live coals)〛
bra·zen [bréizən] *a.* **1** 《文語》 놋쇠의, 놋쇠로 만든. **2** (놋쇠와 같이) 굳은 ; 놋쇠 빛깔의 ; 귀에 거슬리는, 시끄러운. **3** 파렴치한, 철면피한, 뻔뻔스러운(impudent). —— *vt.* **1** 뻔뻔스럽게 만들다. **2** [보통 다음 숙어로] 뻔뻔스럽게 행동하다.
brazen it out 뻔뻔스럽게 밀고 나가다[시치미 떼다].
brazen . . . out [***through***] …을 뻔뻔스럽게 해치우다.
~·ly *adv.* **~·ness** *n.*
〚OE *bræsen* ; ⇨ BRASS〛
brázen áge *n.* [the ~] 〘그神〙 청동 시대.
brázen·fáce *n.* 철면피.
brázen-fáced *a.* 뻔뻔스러운, 철면피한.
bra·zier[1], **bra·sier** [bréiʒər, -ziər] *n.* 놋쇠장이[세공사].
〚*glass* : *glazier*에 준하여 *brass*에서 인가〛
brazier[2], **brasier** *n.* 화로.
〚F ; ⇨ BRAISE〛
brá·ziery *n.* 놋쇠 세공(장), 유기 공장.
Bra·zil [brəzíl] *n.* **1** 브라질《수도 Brasília》. **2** [b~] =BRAZILWOOD.
Brazíl·ian *a.* 브라질인. —— *n.* 브라질(인)의.
Brazíl nùt *n.* 브라질호두《식용(食用)》.
brazíl·wòod *n.* 브라질나무《붉은 물감을 채취》.
Br. Col. British Columbia.
B.R.C.S. British Red Cross Society.
***breach** [bríːtʃ] *n.* **1** (법률·도덕·약속 따위의) 위반[불이행], 침해 : a ~ *of* contract 계약 위반, 불이행, 파약(破約) / a ~ *of* duty 의무 위반, 배임, 직무 태만 / a ~ *of* etiquette 예의가 없음, 실례 / a ~ *of* faith 배신, 배반 / a ~ *of* promise 약속 위반, 약속 불이행, (특히) 혼약 불

이행 / a ~ *of* the peace 치안 방해 / a ~ *of* privacy 프라이버시의 침해 / a ~ *of* trust 신탁 위반, 배임. **2** 절교, 불화 : heal the ~ 화해시키다. **3** (성벽 · 요새 따위의) 갈라진 틈, 돌파구 (rent) : make a ~ *in* the fence 담에 구멍을 내다. **4** 〔海〕 부서지는 파도, (밀려와) 부딪치는 파도(surge).
stand in[***throw*** one***self into***] ***the breach*** 공격의 정면에 서다 ; 난국에 대처하다.
— *vt.* (성벽 · 방어선 따위를) 깨뜨리다, 돌파하다 ; (법률 · 약속 · 협정 따위를) 위반하다.
— *vi.* (고래가) 물위로 뛰어오르다.
〖OF<Gmc. ; ⇨ BREAK[1]〗

◇**bread** [bréd] *n.* **1** Ⓤ 빵(cf. LOAF[1], ROLL *n.* 5) : a loaf[slice, piece] of ~ 빵 한 개[한 조각]. **2** 음식(물), 주식, 양식 ; 생계(livelihood) : one's daily ~ 일용할 양식 / the ~ of life 〔聖〕 생명의 떡《요한복음 6 : 35》 / beg one's ~ 걸식[구걸]을 하다 / earn[gain] one's ~ 밥벌이를 하다, 생계를 세우다.
bread and butter (1) 버터를 바른 빵(buttered bread) : a slice of ~ *and butter* 버터를 바른 빵 한 조각. (2) [one's ~] 필요한 음식 ; [one's ~] 호구지책, 생계 : quarrel with one's ~ *and butter* ☞ QUARREL.
bread and cheese 치즈를 곁들인 빵 ; 간단한 식사 ; 생계.
bread and milk 끓인 우유에 적신 빵《어린이의 음식》.
bread and salt 빵과 소금《환대의 상징》.
bread and scrape 버터를 살짝 바른 빵.
bread and wine (미사 · 성찬식에 사용하는) 빵과 포도주 ; 성찬(식).
bread buttered on both sides 팔자 좋음, 안락한 처지.
break bread 식사를 하다 ; 성찬(聖餐)을 받다.
break bread with …와 식사를 같이 하다, …의 접대를 받다.
cast one***'s bread upon the waters*** 보수를 바라지 않고 남을 위해 진력하다, 음덕(陰德)을 베풀다.
eat the bread of affliction[***idleness***] 비참한[게으른] 생활을 하다.
in good[***bad***] ***bread*** 행복[불행]하게 살아서.
know on which side one***'s bread is buttered*** 자기의 이해 타산에 밝다, 빈틈이 없다.
take the bread out of a person***'s mouth*** 남의 생계의 길을 빼앗다.

〈회화〉
There's no *bread* for breakfast. — Well, run to the store and get some. 「아침에 먹을 빵이 없어요」「그럼 가게에 뛰어가서 사오너라」

— *vt.* …에 빵가루(breadcrumbs)를 뿌리다 ; …에게 빵을 주다.
~·ed *a.* 빵가루를 묻힌.
〖OE *brēad* bit, crumb ; cf. G *Brot*〗

bréad-and-bútter *attrib. a.* **1** 생계를 위한 ; 돈벌기 위한 ; 실제적인, 실용 본위의, 실리적인 ; 믿을 수 있는, 의지할 수 있는. **2** 평범한, 일상의 (commonplace). **3** 접대[환대]를 감사하는 : a ~ letter[note] 환대에 대한 답례장. **4** 《주로 英》 한창 먹을[자랄] 나이의, 미성년의, 순진한, 귀여운 : a ~ miss 음식에만 마음 쓰는 계집애 ; 순진한 아가씨.

bréad·bàsket *n.* **1** 빵 광주리. **2** 《俗》 위(胃) (stomach). **3** 《美》 주요 농업지대, (특히 미국 중 · 서부의) 곡물 생산지, 곡창(지대). **4** 《俗》 소형 폭탄 · 소이탄을 내장한 대형 폭탄.

bréad·bìn *n.* 《英》 뚜껑 달린 큰 빵 상자.

bréad·bòard *n.* **1** 밀가루를 반죽하는[빵을 써는] 도마. **2** 전기[전자] 회로의 실험용 조립반, 브레드보드 ; 브레드보드 위에 조립한 실험 회로.
— *vt., vi.* (회로 따위를) 브레드보드 위에 조립하다, 실험용 조립 견본을 만들다.

bréad·bòard·ing *n.* Ⓤ 평평한 실험대 위의 회로 조립.

bréad·crùmb *n.* 빵의 연한 부분(cf. CRUST) ; [보통 *pl.*] 빵부스러기, 빵가루.

bréad·frùit *n.* 빵나무 (열매)《열매를 구우면 식빵 같은 맛이 남》.

bréad knìfe *n.* (톱니 모양으로 된 날이 큰) 빵 써는 칼.

bréad·less *a.* 빵[양식]이 없는.

bréad·lìne *n.* 《美》 빵[식량] 배급을 타(려)는 영세민[실업자]의 줄.

bréad mòld *n.* 빵에 생기는 검은곰팡이.

bréad·nùt *n.* 〔植〕 (서인도산) 뽕나무과의 식물《그 열매로 빵을 만듦》.

bréad sàuce *n.* 〔料〕 브레드 소스《빵가루를 넣은 걸쭉한 소스》.

bréad·stìck *n.* 가는 막대 모양의 딱딱한 빵, 스틱빵.

bréad·stùff *n.* [때때로 *pl.*] 빵의 원료《밀 · 밀가루 따위》 ; 빵류.

◇**breadth** [brédθ, brétθ] *n.* **1** Ⓤ 폭 ; 넓이(width) (cf. LENGTH) : The cloth is five feet *in* ~. 그 천은 폭이 5피트다 / ☞ HAIRBREADTH. **2** 나비로 재는 물건, (피륙의) 일정한 제폭, 원폭. **3** Ⓤ (식견 따위의) 넓음 ; 관용(generosity) ; 〔藝〕 웅대함 ; 〔論〕 외연(外延) : ~ of mind 마음의 여유, 관대한 마음.
〖*brede* (obs.)<OE *brǣdu* ; ⇨ BROAD ; *-th*는 *length* 따위의 유추〗

bréadth·wàys, -wìse *adv.* 옆으로, 가로질러.

bréad trèe *n.* 빵나무(breadfruit).

bréad·wìnner *n.* 한 집안의 생계를 꾸려 나가는 사람 ; 장사 밑천[기구] ; 가업.
-wìnning *n.* 생계비를 벌기.

◇**break**[1] [bréik] *v.* (**broke** [bróuk] ; **bro·ken** [bróukən], 《古 · 方》 **broke**) *vt.* **1** [+目 / +目+副 / +目+前+名 / +目+補] 깨뜨리다, 쪼개다, 부수다 ; 부러뜨리다 ; 깨다 ; 꺾다 ; 골절(骨折)[탈구(脫臼)]하다 ; (피부를) 다치다 ; (시계 따위를) 맞지 않게 하다 : Who *broke* the window? 누가 창문을 깼느냐 / ~ bread ☞ BREAD 숙어 / ~ a house 집을 부수다 ; 주택에 침입하다 / ~ one's neck 목뼈를 부러뜨리다 / ~ the skin 피부에 상처를 입히다 / He broke a branch ***off***[***from*** the tree]. 나뭇가지를 꺾었다[나무에서 가지를 꺾었다] / She *broke* the cup ***in*** two [(***in***)***to*** pieces]. 컵을 두 조각으로 깼다[산산이 깨뜨렸다] / He *broke* the door open. 문을 부수어 열었다.
2 열다, 째다 ; (땅을) 갈다, 개간하다(plow) ; (물고기 따위가 물 위로) 튀어 오르다 : ~ a package 소포를 풀다 / ~ a way[path] 길을 내다 / ~ the water (물고기가) 수면에서 튀어 오르다 / ~ ground 땅을 갈다 / ~ the new[fresh] ground 《비유》 새로운 분야를 개척하다.
3 (적을) 무찌르다, 타파하다 ; (발걸음 · 행동 통일 따위를) 흩뜨리다 ; 깨뜨리다 ; (기록을) 깨다 : ~ a strike (동맹) 파업을 깨뜨리다 / ~ step ☞ STEP *n.* 5 / The speed of the new train

has *broken* all records. 새 열차의 속력은 새로운 기록이었다.
4 (평화·침묵·단조로움 따위를) 깨뜨리다, 문란하게 하다 : ~ one's sleep 안면 방해를 하다.
5 중단[차단]하다 : ~ an electric current 전류를 차단하다 / ~ one's journey 도중 하차하다 / ~ one's fast ☞ FAST[3] 숙어.
6 [+目+*of*+名] (…에게 나쁜 버릇을) 버리게 하다, 고치다 : ~ a child ***of*** the habit of lying 아이의 거짓말하는 버릇을 고치다 / He managed to ~ himself *of* that bad habit. 그는 용케 그 나쁜 버릇을 버렸다.
7 (한 벌로 된 것 따위를) 나누다, 따로따로 가르다 : ~ a set 한 벌로 된 것을 가르다, 따로따로 팔다 / ~ a bank note 지폐를 헐다.
8 (법률·규칙·약속 따위를) 어기다, 범하다 : ~ one's promise[word] 약속을 어기다.
9 (속박 따위를) 깨뜨리고 나오다, 벗어나다 : ~ prison 탈옥하다.
10 (*p.p.* **broke** ; cf. BROKE *a.*) (남을) 파멸[파산]시키다(ruin) ; 해고하다(dismiss).
11 (기력·자부심·건강 따위를) 꺾다, 잃다 : ~ a person's heart[spirit] 비탄에 잠기다, 실연(失戀)시키다 ; 기를 꺾다.
12 [+目 / +目+*to*+名] (나쁜 소식을) 놀라지 않도록 잘 전하다, 알리다 ; (덮어두었던 뉴스 따위를) 공표하다 ; (농담 따위를) 지껄이다 : ~ a jest[joke] 농담을 지껄이다 / He *broke* the bad news gently ***to*** his wife. 그 나쁜 소식을 아내에게 차분하게 전했다.
13 (풍력·타격 따위의 힘을) 늦추다, 약화시키다 : The trees ~ the wind. 그 나무들이 바람을 막아준다(cf. WINDBREAK).
14 [+目 / +目+*to*+名 / +目+副] (동물을) 길들이다 : ~ wild colts (***to*** the saddle) 야생 망아지를 (안장에) 길들이다 / ☞ BREAK *in* (1).
15 (암호 따위를) 해독하다, 풀다(solve).
16 해직시키다, 강등처분하다(reduce in rank), …에서 임무[특전]를 빼앗다 : The captain was *broken* for neglect of duty. 대위는 임무 태만으로 강등 처벌을 받았다.
17 (천막 따위를) 걷다, 뜯다, 접다.
— *vi.* **1** [動 / +副 / +前+名] 깨지다, 부서지다, 부러지다, (밧줄 따위가) 끊어지다 : Crackers ~ easily. 크래커는 잘 부서진다 / The doll's hand had *broken away.* 인형의 손이 떨어져 나갔다 / The cup *broke* ***into*** pieces. 컵은 산산조각이 났다. **2** (파도가) 부딪쳐 부서지다 ; (거품이) 꺼지다, (부스럼이) 터지다 ; (건강·기력이) 쇠퇴하다, 쇠약해지다, 꺾이다 ; (군대·전선이) 허물어지다, 패주(敗走)하다 ; (군중 등이) 흐트러지다, (사방으로) 뿔뿔이 헤어지다 : The surf *broke* fifty feet high on the rocks. 파도가 바위에 부딪쳐 50피트나 솟아 흩어졌다 / Her heart *broke* when her child died. 그녀의 아이가 숨지자 그녀의 마음은 갈기갈기 찢기는 것 같았다 / The enemy *broke* and fled. 적진은 무너져 패주했다. **3** (안개·어둠 따위가) 사라지다, (구름이) 걷히다 ; (서리가) 녹다 ; (기후가) 바뀌다 : The clouds began to ~. 구름이 걷히기 시작했다 / The spell of rainy weather has *broken.* 장마철도 끝이 났다. **4** (폭풍·고함 따위가) 돌발하다, 일어나다, 나타나다 ; (목소리가) 변하다 : The storm *broke* within ten minutes. 10분도 못되어 폭풍이 엄습해 왔다 / Day was beginning to ~. 동이 트기 시작했다(cf. DAYBREAK) / The boy's voice has *broken.* 소년은 변성기가 되었다. **5** 교제를 끊다 ; 중단하다 ; 휴식하다. **6** 파산하다 ; 《美》 시세가 폭락하다. **7** 《美》 돌진하다〈*for, to*〉. **8** (공이) 커브가 되다. **9** [명령법으로] 〖拳〗 브레이크, 갈라져라, 떨어져라《심판의 명령》.
break away (1) (*vt.*) 무너뜨리다 ; (습관·신념 따위를) 갑자기 중단하다[고치다]. (2) (*vi.*) 무너져 떨어지다(cf. *vi.* 1) ; 급히 떠나다, 도망치다 ; 이탈[탈퇴]하다 ; (경주 따위에서) 신호가 나기전에 뛰어나가다 ; 갑자기 바뀌다 : The man managed to ~ *away from* his bad friends. 그 사나이는 용케 나쁜 친구와 손을 끊었다.
break back 꺾여 들어가다 ; (크리켓 공이 타자의 바깥쪽에서) 휘어서 날아들다.
break cover 숲[은신처]에서 뛰쳐 나오다.
break down (*vt.*) (1) 파괴하다, 때려 부수다 : ~ *down* a wall 벽을 때려 부수다. (2) 압도[진압]하다 : ~ *down* all opposition 모든 반대를 억압하다. (3) 분류[분석]하다 : These figures on living expenses must be *broken down into* food, shelter, education, medical bills, etc. 이 생활비의 숫자는 식량·거주·교육·의료비 따위로 구분되어야 한다. (*vi.*) (4) 파괴되다, 붕괴하다, 부서지다, 실패로 끝나다 : The fence has *broken down.* 울타리가 무너졌다 / The negotiations have *broken down.* 교섭은 실패로 끝났다. (5) (기계 따위가) 고장나다, 망가지다 : The car *broke down* on the highway. 자동차는 고속도로에서 고장났다. (6) 실망하다, 실의에 차다 ; 건강을 해치다 ; 주저앉아 울다 ; 정전(停電)되다 : He[His health] *broke down* from lack of sleep. 수면 부족으로 그는[그의 건강은] 아주 나빠졌다 / She *broke down* when she heard the sad news. 그 비보를 듣자 그 여자는 주저앉아 울어버렸다.
break even 승부없이 끝나다, 피장파장이 되다, 손익이 없게 되다.
break forth (*vi.*) 뿜어 나오다, 왈칵 쏟아져 나오다 ; (특히 분노 따위가) 치밀어 폭발하다(burst out).
break free = BREAK *loose.*
break in (*vt.*) (1) (동물·자동차 따위를) 길들이다 ; (남을) 새 일에 적응시키다, 가르쳐 알게 하다 : ~ a horse *in* 말을 조련(調練)하다 / ~ *in* a new pair of shoes 새 신발을 신어 길들이다 / ~ *in* a tobacco pipe 파이프를 길들이다. (*vi.*) (2) (도적 등이) 침입[난입]하다. (3) 말참견하다(interrupt).
break in (up)on …을 습격하다 ; …에게 참견[훼방]하다, …을 가로막다 : It is impolite to ~ *in on* a conversation. 남의 말에 참견하는 것은 실례다.
break into . . . (1) …에 침입[난입]하다 : Some burglars *broke into* the shop last night. 어젯밤에 가게에 도둑이 들었다. (2) 별안간 …하기 시작하다(break out into) : ~ *into* tears[laughter] 갑자기 울기[웃기] 시작하다 / The low muttering all at once *broke into* a heavy peal of thunder. 나지막하게 울리던 소리가 별안간 사나운 천둥이 되어 울리기 시작했다. (3) (시간에) 손해를 입다 : Don't let play ~ *into* study hours. 공부 시간을 축낼 정도로 놀아서는 안된다. (4) (돈을) 헐다, 잔돈으로 바꾸다.
break into the headline 신문에 대대적으로 보도되다, 유명해지다, 평판이 나다.
break loose 자유롭게 되다, 탈출하다, 도주하다, 속박에서 벗어나다, 떨어져 가다 ; (웃음 따위가) 저도 모르게 나오다 : The horse has *broken loose.* 말이 도망쳤다 / ~ *loose from* prison 탈옥

하다.
break off (1) 꺾어 버리다, 따다(cf. *vt.* 1) ; 꺾어지다, 찢어지다 : The chimney *broke off* in the middle. 굴뚝은 한가운데서 꺾어졌다. (2) 갑자기 그만두다[끊다], (일을) 그만두다 ; 절교하다 ; (이야기를) 중단하다 : ~ *off* an engagement 파혼하다 / England *broke off* diplomatic relations with Germany. 영국은 독일과의 외교 관계를 끊었다《국교를 단절했다》/ Her voice *broke off* in the middle of a sentence. 그녀의 목소리는 문장의 도중에서 끊겼다 / We *broke off* for a few minutes and had a rest. 우리는 몇 분간 일을 중지하고 쉬었다 / When I went in, they *broke off* (talk*ing*). 내가 들어가자 그들은 이야기를 중단했다.

〈회화〉
I have *broken off* with him. — What? Why don't you make up with him?「그와는 절교했어요」「저런, 화해하는 게 어때」

break off from …와 절교하다.
break on the scene 별안간 나타나다.
break one***'s mind to*** …에게 마음속을 터놓다.
break open 강제로[부수고] 열다.
break out (*vi.*) (1) 탈출[탈주]하다 : They *broke out of* the prisoners' camp. 그들은 포로수용소에서 탈출했다. (2) (화재·전쟁·폭동·유행병 따위가) 돌발하다, 일어나다(cf. OUTBREAK) ; 발진(發疹)하다 : A fire *broke out* in a neighboring store last night. 어젯밤 근처의 가게에 화재가 났다 / Flu has *broken out* all over the district. 유행성 감기가 그 지방 전체에 퍼지고 있다 / Cries of anger *broke out against* him. 뜻밖에 분노의 소리가 그에게 쏟아졌다 / His face *broke out into* red spots. 그의 얼굴에 별안간 붉은 발진이 생겼다. (3) 별안간 …하기 시작하다 ; 성내기 시작하다 : He *broke out into* curses. 별안간 욕하기 시작했다. (*vt.*) (4) (게양한 깃발을) 펼치다.
break short ☞ SHORT *adv.*
break the bank《美俗》(도박에서) 땡을 잡다.
break through (1) (…을) 헤치고 나아가다, 빠져나가다, 돌파하다 ; (…의 틈에서) 나오다[나타나다] : The U.S. army succeeded in ~*ing through* (the enemy's defense line). 미군은 (적의 방어선) 돌파에 성공했다 / He *broke through* the crowd. 사람 틈을 빠져 나갔다 / The sun is ~*ing through* (the clouds). 태양이 (구름 사이로) 나오기 시작했다. (2) …에게 이기다, …을 극복하다(overcome) : I tried to ~ *through* her reserve. 사양하는 그 여자의 마음을 평안하게 하려고 애썼다. (3) (법률 따위를) 어기다.
break up (*vt.*) (1) 분쇄하다, 부수다 ; 해체하다 : ~ *up* a box for firewood 상자를 부수어 장작으로 하다 / ~ *up* an old ship 낡은 배를 해체(解體)하다. (2) 쫓아버리다(scatter) ; 중지[해산]시키다 : The groups of demonstrators were *broken up* by the police. 데모대는 경찰에 의해서 해산되었다 / *B*~ it *up*! (싸움을) 그만둬라. (3) 분해[분할]하다 : ~ *up* a word *into* syllables 단어를 음절로 나누다 / ~ *up* a piece of work *among* several persons 작업을 몇 사람에게 분담하다. (4)《口》…의 마음을 흩뜨리다, 곤란하게 하다. (*vi.*) (5) 뿔뿔이 헤어지다[흩어지다] ; 부서지다 ; 해산하다, 끝이 나다 ; (학교·학생 등이) 방학[휴가]에 들어가다 : The ice on the lake was ~*ing up*. 호수의 얼음이 갈라지기 시작했다 / The party *broke up* at ten. 파티는 10시에 끝이 났다 / School will ~ *up* next Saturday. 학교는 다음 주 토요일에 방학에 들어간다. (6) 쇠약하다, 몸이 약해지다. (7) (일기가) 변하다, 나빠지다 : The weather was ~*ing up*. 일기가 나빠지기 시작했다. (8)《口》크게 웃다.
break upon …에 갑자기 나타나다 ; …이 분명해지다 : A new landscape *broke upon* us. 갑자기 새로운 경치가 나타났다 / The truth *broke upon* me. 진상이 분명해졌다.
break with …와의 관계를 끊다, 손을 떼다 ; …을 그만두다, 중지하다, 거부하다 : ~ *with* an old friend 옛 친구와 절교하다 / ~ *with* old habits 오래된 습관을 버리다.
— *n.* **1** 깨짐, 찢어짐, 파괴, 파손 ; 갈라진 틈, 깨진 곳, 꺾어진 곳 ; 골절(骨折) ; 분열(split). **2 a)** 단절, 절교 ; 중단, 끊김 ; 단락(段落) : a ~ *in* conversation 이야기의 중단 / without a ~ 끊임없이 / make a ~ *with* …와 관계를 끊다, 절교하다 ; …을 그만두다. **b)**〖電〗단전, (회로의) 차단(기) (↔*make*) ;〖컴퓨〗(일시) 정지. **3** Ⓤ,Ⓒ (작업·수업 따위의) 잠깐의 휴식 : *at* ~ (수업의) 휴식 시간에 / ☞ COFFEE BREAK. **4** 마디, 분기점, 변경점. **5** (시세의) 폭락 ; (진로의) 급회전(急回轉). **6**《口》실수, 과실, 실태(失態), 실언 : make a (bad) ~ (몹쓸) 실수를 저지르다. **7**《口》기회(chance), 운, 행운, 불운 : an even ~《口》피장파장, 서로 비김 / a lucky ~ 행운 / get [have] a bad ~ 운이 나쁘다. **8**〖撞球〗첫번째로 치기, 초구(初球) ; 연속되는 득점 ;〖拳〗「브레이크」의 명령(cf. *vi.* 9). **9** Ⓤ 새벽, 여명 : *at* (the) ~ of day 새벽녘에(cf. DAYBREAK).
〚OE *brecan* ; cf. G *brechen*〛
類義語 **break** 치거나 하여 산산이 부수는 일로서 「부수다」를 뜻하는 가장 일반적인 말. ***smash, crash*** 별안간 난폭하게 소리를 내면서 부순다는 말. ***crush*** 뭉개거나 또는 산산이 부서뜨린다는 뜻의 말. ***shatter*** 산산조각이 나서 파편이 흩어지다. ***crack*** 딸깍 소리가 나면서 일부분이 깨지거나 금이 가거나 하다. ***split*** 결을 따라 또는 세로로 갈라지다. ***fracture*** 뼈라든가 바위 같은 딱딱한 것이 부서지다. ***splinter*** 나무 따위가 가늘게 또는 기다랗게 조각으로 쪼개지다.

break², **brake** *n.* 어린 말 훈련용의 특수한 마차 ; 대형 사륜 마차의 일종.
〚C17 < ? *brake* framework < ?〛

bréak·able *a.* 깨어지기[부서지기] 쉬운, 여린.
— *n.* 깨어지기[부서지기] 쉬운 물건.
-ably *adv.* **~·ness** *n.*

bréak·age *n.* Ⓤ 파손 ; Ⓒ 파손된 곳 ; [보통 *pl.*] 파손물, 파손 예상[배상]액(額), 파손액.

bréak·awày *n.* **1** 탈주 ; 분리 ; 전향(轉向) ; 탈퇴 : make a ~ *from* …에서 이탈[탈퇴]하다. **2**〖競〗(스타트 신호전의) 플라잉, (때때로) 스타트 ;〖럭비〗(공을 가지고 적진의 골로) 돌진하기 ; 별거. — *a.* 이탈[전향]한 ; 분리하는, (무대장치 따위) 조립 분해가 쉬운.

bréakaway vìew *n.* 파단도(破斷圖), 내부 구조 설명도.

bréak·bòne fèver *n.*〖醫〗뎅그열(dengue).

bréak-bùlk cárgo *n.*〖貿易〗(컨테이너) 혼재 화물.

bréak·dànc·ing *n.* 브레이크 댄싱《곡예나 체조와 같은 동작을 단속적으로 하며 추는 춤》.

bréak·dòwn *n.* **1** 붕괴 ; 파손 ; 고장 ;〖電〗절연 파괴. **2** 몰락, 와해(downfall). **3** 좌절, 쇠퇴, 쇠약 ; 신경 쇠약(nervous breakdown). **4** Ⓤ,Ⓒ 분

해, 분석 ; 분류(classification) ; 내역, 명세(明細) ; 분업.

〈회화〉
Where's your car? — It's had another *breakdown.* 「자네 차는 어디 있나」「또 고장이야」

bréakdown gáng *n.* 구급[응급] 작업대, 구난(救難)[구조] 작업반.

bréakdown tést *n.* 내구[내력(耐力)] 시험.

bréakdownván[trúck] *n.* 응급 (작업)차, 레커(wrecker)차.

bréakdown vòltage *n.* 〖電〗 (절연) 파괴 전압 ;〖半導體〗 항복 전압.

bréak·er[1] *n.* 분쇄하는 사람[기계], 쇄탄기(碎炭機) ;〖電〗차단기 ; (해안·암초 따위에) 부서지는 파도, 흰 물결 ; 파란(波瀾) ; (동물의) 조련사(調練師). 〖BREAK[1]〗
類義語 ⟹ WAVE.

brea·ker[2] [bréikər] *n.* 〖海〗 (구명정(救命艇) 따위에 싣는) 음료수통.
〖Sp. *barrica* cask<F〗

bréak-éven *a.* 수입액과 지출액이 맞먹는, 이익도 손해도 없는, 손익 분기점상의, 수지가 균형잡힌 : ~ point 손익 분기점(分岐點).

bréak-éven anàlysis *n.* 손익 분기점 분석.

bréak-éven chàrt *n.* 〖會計〗손익 분기(점) 도표(圖表).

◊**break·fast** [brékfəst] *n.* Ⓤ 조반, 아침식사 : be at ~ 아침 식사중이다 / At what time do you have ~? 조반은 몇 시에 드십니까. 주 종류를 말할 때는 Ⓒ : have a good ~ 충분한 아침 식사를 하다 / a ~ of porridge 오트밀의 조반 / a wedding ~ 결혼식의 조찬(朝餐) / The ~ we got was excellent. 우리가 먹은 조반은 참 맛있었다.

〈회화〉
What do you usually have for *breakfast*? — I have a *breakfast* of toast and coffee. 「아침 식사로는 평소에 무엇을 드십니까」「토스트와 커피입니다」

—— *vi.* 아침 식사를 하다. —— *vt.* …에게 조반을 내다.
~·er *n.* 조반을 먹는 사람.
〖*break*[1] to interrupt, FAST[3]〗

bréakfast céreal *n.* =BREAKFAST FOOD.

bréakfast cùp *n.* 아침 식사용의 큰 커피[홍차] 잔, 모닝 컵.

bréakfast fòod *n.* 아침 식사용의 즉석[인스턴트] 식품(cereal).

bréakfast-in-béd fòlks *n.* 《美》 게으름뱅이.

bréakfast nòok *n.* (부엌 한쪽 귀퉁이 따위의) 간단한 식사용 코너.

bréakfast ròom *n.* 거실(morning room).

bréakfast sèt *n.* 조반용 식기 한 벌.

bréak·frònt *a., n.* 가운데 부분이 볼록하게 나온 (책상·책장 따위).

breakfront

bréak-ìn *n.* 가택 침입, 밤도둑질 ; (써서) 길들이기, 시운전, 시연(試演).
—— *a.* 길들이는, 시운전의.

bréak·ing *n.* 파괴, 절단 ; 끊임, (말 따위의) 길들임 ;〖音聲〗분열《단모음의 이중 모음화》: ~ and entering 〖法〗 주거 침입(죄), 주거를 파괴하고 침입하는 범죄 / ~ point 한계점, 극한 / ~ test 파괴[내구력] 시험.

bréaking bàll *n.* 〖球技〗 변화구, 곡구(曲球).

bréak lìne *n.* 〖印〗 행말(行末)의 빈 행《패러그래프의 마지막 행》.

bréak·nèck *a.* 극히 위험한, 위험하리만큼 빠른[가파른] : drive at ~ speed 맹렬한 속도로 드라이브하다, 폭주(暴走)하다.

bréak·òff *n.* 갑자기 멈추기[그만두기] ; (회담의) 결렬.

bréak·òut *n.* 〖軍〗 포위 돌파[탈출] ; 돌발, 발발 ; 돌출물 ; 출현.

bréak·pòint *n.* (어느 과정에서의) 중지점, 휴지점 ;〖컴퓨〗 (일시) 정지점, 단절점.

bréak·thròugh *n.* **1** 〖軍〗 돌파(작전). **2** (과학 따위의) 약진, 발전, 전진, 진보, 진전, 현상 타파, 난관 돌파, (계획의) 성공 ; 해명.

bréak·ùp *n.* 분산 ; 붕괴 ; 별거, 파탄 ; 해산, 산회(dispersal), (학기말의) 종업(終業) ; 쇠약.

bréak·wàter *n.* 방파제.

bréak·wìnd *n.* 《濠》 =WINDBREAK.

bream[1] [brí:m] *n.* (*pl.* **~, ~s**) 〖魚〗 **1** 브림《유럽산 ; 잉어과(科)의 물고기》. **2** 선피시.
〖OF〗

bream[2] *vt.* (배 밑을 그슬려) 청소하다.
〖? LG ; cf. BROOM〗

****breast** [brést] *n.* **1 a**) 가슴(chest), 흉부 ; (옷의) 가슴부분, 옷가슴 : beat one's ~ 가슴을 치며 슬퍼하다. **b**) 흉중(胸中) ; 심정(heart) : a troubled ~ 애태우는 마음. **2** 유방, 젖통이. **3** 가슴 모양의 부분 ; (난간 따위의) 불쑥 튀어나온 부분 ; (그릇의) 측면 : the mountain's ~ 산중턱.
give a child ***the breast*** 아기에게 젖을 빨리다.
make a clean breast of …을 죄다 털어놓다.
past the breast 젖을 떼어, 이유(離乳)하여.
suck the breast 젖을 빨다.
—— *vt.* (물결을) 헤치고 나아가다 ; …에 대담하게 맞서다, 조금도 겁내지 않다 ;〖競〗 (결승점의 테이프에) 가슴 부분을 대다 : ~ the waves 파도를 헤치고 나아가다 / He *~ed* every trouble as it came. 재난이 닥칠때마다 과감히 맞섰다.
breast it out 끝까지 대항하다.
breast the yarn 《美》 (경주에서) 결승점에 들어오다.
〖OE *brēost* ; cf. G *Brust*〗
類義語 ***breast*** 사람 몸의 어깨에서 배까지의 부분 또는 여성의 유방. ***bosom*** breast와 같지만 현재로는 비유적으로 사람의 감정·애정을 나타낼 때가 많음. ***bust*** 여자의 가슴 부분으로 보통 옷·신체의 치수 따위에 쓰임. ***chest*** breast 중에 늑골이나 흉골(胸骨)에 둘러싸인 부분으로 심장(心臟)이나 폐(肺)가 있는 곳.

bréast·bànd *n.* (말의) 가슴걸이, 흉대(胸帶).

bréast-bèat·ing *n., a.* 가슴을 치며 큰 소리로 감정을 나타내기[내는] 《자만, 후회 따위》 ; 떠벌림[떠벌리는], 연극조의 호소[로 호소하는].

bréast·bòne *n.* 가슴뼈, 흉골(胸骨).

bréast càncer *n.* 유방암(乳房癌).

bréast-déep *adv., a.* 가슴 부분까지 (있는).

bréast·ed *a.* 가슴 부분을 댄.

bréast-fèd *a.* 어미젖으로 키운, 모유로 양육한(cf. BOTTLE-FED).

bréast-fèed *vt.* 모유[어미젖]로 키우다.
~·ing *n., a.* 모유 양육(의).

bréast hàrness *n.* 가슴걸이로 맨 마구(馬具).

bréast-hígh *a., adv.* 가슴 높이의[로].

bréast·ing *n.* 구두 뒷닫이 가죽.

bréast knòt *n.* 가슴 부분의 장식 옷매듭.

bréast-not-bóttle pòlicy *n.* 《美》 모유 복귀 정책.
bréast·pìn *n.* 《美》 가슴에 꽂는 장식용 핀, 브로치(brooch).
bréast·plàte *n.* (갑옷의) 가슴받이 ; (말의) 앞가슴받이, 뱃대끈 마구(馬具) ; 흉판(胸板), (판자벽의) 널빤지.
bréast pùmp *n.* 젖 짜내는 기구.
bréast·ràil *n.* 고물[뒷갑판]의 난간[손잡이].
bréast·stròke *n.* 〖泳〗 평영(cf. BACKSTROKE).
bréast wàll *n.* (둑을 받치는) 옹벽, 흉벽.
bréast whèel *n.* 물방아의 일종.
bréast·wòrk *n.* 〖軍〗 흉장(胸牆), 흉벽(胸壁) ; 〖海〗 =BREASTRAIL ; 《俗》 유방의 애무.

breastwork

‡**breath** [bréθ] *n.* **1** Ⓤ 숨, 호흡 ; Ⓒ 한번 들이쉬는[내쉬는] 숨, 한 호흡, 한숨, 순간 ; 휴식 : draw a long ~ 한숨을 쉬다. **2** 산들거림, 속삭임 ; 기미, 징조 : a ~ of fresh air 산들거리는 상쾌한 바람 / There is not a ~ of suspicion. 추호의 의심도 없다. **3** Ⓤ 〖音聲〗 무성(음), 기음(氣音) (cf. VOICE 7). **4** 향기(의 풍김). **5** Ⓤ 생기(生氣), 활기 ; 생명.
above** one's **breath 소리를 내어.
at a breath 단숨에.
below** one's **breath 조그마한 소리로, 속삭이듯, 소곤소곤(in a whisper).
catch** one's **breath 헐떡이다 ; 숨을 죽이다, 깜짝 놀라다 ; 한숨 쉬다.
draw** one's **breath 호흡하다, 살아있다.
give up**[**yield**] one's **breath 죽다(die).
hold**[**keep**] one's **breath 숨을 삼키다[죽이다], 마른침을 삼키다.
in one**[**a**] **breath 단숨에, 단번에 ; 일제히.
in one**[**the same**] **breath 동시에 : These two things cannot be mentioned *in the same* ~. 이 둘은 같이 논할 것이 아니다《종류가 다르다》.
knock the breath out of a person 남을 깜짝 놀라게 하다.
lose** one's **breath 숨이 차다, 숨을 할딱거리다.
out of breath 숨이 차서, 숨을 할딱거리며 : run oneself *out of* ~ 뛰어서 숨을 할딱거리다.
save** one's **breath 잠자코 있다.
spend** one's **breath =WASTE one's *breath.*
take breath 한숨 돌리다, 잠깐 쉬다 : *take* a deep ~ 한숨을 돌리다 ; 심호흡하다.
take a person***'s breath** (**away**)* 남을 깜짝 놀라게 하다.
the breath of life=***the breath of** one's **nostrils*** 반드시 필요[귀중]한 것.
under** one's **breath=*below* one's BREATH.
waste** one's **breath ☞ WASTE *vt.*
with the last breath 임종 때에[까지], 죽을 때까지.

〈회화〉
I need a *breath* of air. — Should we go outside? 「한숨 돌리고 싶군」 「밖으로 나갈까」

〚OE *brǣth* odor, vapor<Gmc.<IE (《美》 *bhrē-* to burn)〛
breath·alyze | **-alyse** [bréθəlàiz] *vt., vi.* 주기(酒氣)[음주 여부]를 검사하다.
bréath·alỳz·er | **-alỳs·er** *n.* 음주 검지기(飮酒檢知器) (drunkometer) 《자동차 운전자 등의 음주량을 호흡 검사에 의해 검출함》. 〚*breath*+an*alyzer* ; 상표명에서〛
‡**breathe** [bríːð] *vi.* **1** [動 / +副] 호흡하다 ; 살아 있다 : We all ~. 우리들은 모두 공기를 호흡하며 살고 있다 / He is *breathing* hard. 거칠게 숨을 쉬고 있다 / ~ ***in***[***out***] 숨을 들이[내]쉬다. **2** 한숨 돌리다(rest) : Let me ~ 숨 좀 돌리게 해 달라, 이제 그만 해 둬라. **3** (바람이) 산들산들 불다, (향내가) 풍기다. —— *vt.* **1** 호흡하다, (숨을) 들이쉬다 : I walked in the garden, *breathing* the smell of the flowers. 꽃 향기를 맡으면서 정원을 산책했다 / He ~*d* a sigh of relief. 안도의 한숨을 쉬었다. **2** (말에게) 숨을 돌리게 하다, 쉬게 하다. **3** [+目+*into*+名] (생명 따위를) 불어 넣다 : The captain ~*d* new life ***into*** his tired soldiers. 대장은 지쳐있는 병사들에게 새로운 활기를 불어넣었다. **4** 운동시키다, 지치게 하다, 숨을 할딱거리게 하다. **5** [+目/+目+副] 속삭이다 ; 심하게 말하다 ; 나타내다 ; (향기를) 풍기다 : You mustn't ~ a word[syllable] of it. 그 일은 한마디라도 누설하면 안된다 / ~ ***out*** threats 위협하는 말을 하다 / The flowers were *breathing forth* perfume. 꽃들은 향기를 풍기고 있었다. **6** 〖音聲〗 무성음[기음(氣音)]으로 발음하다.
***breathe again**[**freely**]* (긴장·근심·위험 따위가 없어져서) 한시름 놓다.
***breathe** one's **last** (**breath**)* 《文語》 숨이 끊어지다, 죽다(die).
breathe** (**up**) **on …을 어지럽히다, 흐리게 하다 ; 《비유》 …을 더럽히다, …을 비난하다.
〚ME ; ⇨ BREATH〛
breathed [bréθt, bríːðd] *a.* 〖音聲〗 무성음의 ; 호흡이 …한 : sweet-~ 향기를 내는《꽃 따위》.
breath·er [bríːðər] *n.* **1** 호흡하는 사람[동물], 살아 있는 것. **2** 《口》 급격한 운동. **3** 《口》 잠시 동안의 휴식 : have[take] a ~ 한숨 돌리다, 잠깐 쉬다. **4** 《美》 헐떡이는 권투선수. **5** (잠수함 따위의) 공기 보급 장치.
bréath gròup *n.* 〖音聲〗 기식군(群) 《단숨에 발음하는 음군》, 기식의 단락(段落).
bréath·hòld dìving *n.* (바다표범·돌고래 따위의) 호흡 정지 잠수.
breath·ing [bríːðiŋ] *n.* **1** Ⓤ 숨쉬기 ; 호흡법 : deep ~ 심호흡. **2** Ⓤ (공기·향기 따위의) 부동(浮動) ; 미풍. **3** Ⓤ 휴식, 휴지(休止). **4** Ⓤ 숨을 불어넣기 ; 영감(靈感) ; 입 밖으로 내는 말[발언], 가만히 하는 말. **5** 〖音聲〗 기음(氣音) ; 기음 기호(' 또는 ' ; cf. ROUGH[SMOOTH] BREATHING). —— *a.* 숨쉬는, 호흡하(고 있)는 ; 숨쉬고 있는 듯한 ; 살아 있는 듯한.
bréathing capàcity *n.* 폐활량(肺活量).
bréathing hòle *n.* (통 따위의) 공기 구멍 ; (곤충 따위의) 숨구멍.
bréathing plàce *n.* (노래·낭독시의) 숨 돌리는 곳, (시의) 중간 휴지 ; 요양지.
bréathing spàce[**spèll, tìme**] *n.* 숨쉬는 틈, 휴식[숙고(熟考)]의 기회.
bréath·less [bréθ-] *a.* **1** 숨이 찬[가쁜], 숨을 할딱거리는. **2** 숨을 쉬지 않는, 숨을 죽인 : with ~ anxiety 조마조마하여 / with ~ interest 숨 죽이고. **3** 숨막힐 듯한 : at a ~ speed 숨막힐 듯한 속력으로. **4** 《詩》 죽은. **5** 바람 한 점 없는.
~·ly *adv.* 숨차게, 숨가쁘게 ; 숨죽이고.
~·ness *n.*

bréath·tàking *a.* 아슬아슬한, 손에 땀을 쥐게 하는 (듯한) (thrilling) ; 대단한, 굉장한.
bréath tèst *n.* 《英》 (운전자 등에 대한) 음주 검사(법), 주기(酒氣) 검사.
breathy [bréθi] *a.* 기식음(氣息音)이 섞인 ; 성량이 부족한 ; 〖音聲〗 기식의, 기식음(질)의.
bréath·i·ly *adv.* **-i·ness** *n.*
B. Rec., b. rec. bills receivable.
brec·cia [brétʃiə, bréʃ-] *n.* 〖地質〗 각력암(岩).
***bred** [bréd] *v.* BREED의 과거·과거분사.
—— *a.* …하게 자란, …하게 양육된 : ill-[well-] ~ 버릇없이[예절바르게] 자란.
bred·i·nin [brédənin] *n.* 〖醫〗 브레디닌《자낭균으로 만든 면역 억제제 ; 장기 이식 따위에 유효》.
bréd-in-the-bóne [-ən-] *a.* 타고난, 선천적인, 애초부터의, 없애기 힘든.
breech [bríːtʃ] *n.* 엉덩이 ; 포미(砲尾), 총개머리.
—— *vt.* …에 포미[총개머리]를 달다 ; [brítʃ] (사내애에게) 짧은 바지(breeches)를 입히다.
〖OE *brōc*의 복수형 *brēc*을 ME기(期)에 단수로 한 것〗
bréech bìrth *n.* 골반위 출산(breech delivery).
bréech·blòck *n.* 미전(尾栓), (총의) 놀이쇠 ; (포의) 폐쇄기(閉鎖機).
bréech·clòth, -clòut [, brítʃ-] *n.* =LOINCLOTH.
bréech delìvery *n.* 골반위 분만, 역산(逆産).
bréeched [, brítʃt] *a.* **1** 포미[총개머리]가 붙은. **2** 반바지를 입은.
breech·es [brítʃəz] *n. pl.* 승마용[궁정에서 예식 때 입는] 바지 ; 《口》 바지, 반바지.
wear the breeches (아내가) 남편을 쥐고 흔들다.
bréeches bùoy *n.* 〖海〗 (즈크로 만든 바지 모양의) 구명대.

breeches buoy

bréech·ing [, brítʃ-] *n.* **1** (말의) 엉덩이 띠. **2** 〖海軍〗 (대포의) 포삭(砲索) 《발포할 때 포가 뒤로 물러나는 것을 막는 줄》.
bréech·less *a.* 포미[총개머리]가 없는 ; (아이가) 아직 바지를 입지 않은.
bréech·lòad·er *n.* 후장포[총](後裝砲[銃]).
bréech-lòad·ing *a.* 후장(後裝)식의.
breed** [bríːd] *v.* (**bred** [bréd]) *vt.* **1** (동물이 새끼를) 낳다. **2** [+目+副 / +目+補 / +目+前+名 / +目+*to* do] 양육하다, 기르다, (재주 따위) 가르치다 : He was *bred* (up***) a lawyer[*bred* ***to*** the law]. 법률가가 되도록 교육받았다 / England still ~*s* men *to* fight for her. 영국은 지금도 국민을 모국을 위해 싸우도록 육성하고 있다. **3** 번식시키다, 사육하다 ; (새 품종을) 만들어 내다, (품종을) 개량하다 : These farmers try to ~ bigger sheep. 이 농부들은 더 큰 양을 사육하려고 애쓰고 있다. **4** 일으키다, 불러일으키다, 야기하다(cause) : Filth ~*s* disease and vermin. 불결은 질병과 해충을 발생시킨다.
—— *vi.* (동물이) 새끼를 낳다 ; 번식하다, 자라다 (thrive) : Mice ~ in all seasons. 쥐는 연중 번식한다.
born and bred ☞ BORN *a.*
breed in and in[***out and out***] 동종(同種)[이종(異種)] 번식을 (행)하다, 늘 근친[근친이외의 사람]과 결혼하다.
breed true to type (잡종이 같은 특질의 새끼를 낳게 되어) 고정형이 되다.
what is bred in the bone 태어나면서부터 가진 성질, 타고난 성품 : *What is bred in the bone* will not (go) out of the flesh. 《속담》 타고난 성품은 어찌 할 수 없다, 「세 살 적 버릇 여든까지 간다」.
—— *n.* (동·식물의) 품종, 한 무리, 일단 ; 종족 ; 종류 ; 품질.
〖OE *brēdan* to produce or cherish a BROOD ; cf. G *brüten*〗
bréed·er *n.* **1** 종축(種畜), 번식하는 동물[식물]. **2** 양육[사육]하는 사람. **3** 발기인, 장본인 (originator). **4** (불만 따위의) 씨, 원인. **5** = BREEDER REACTOR.
bréeder reàctor[**pìle**] *n.* 증식(형 원자)로.
bréed·ing *n.* **1** Ⓤ 번식 ; 사육 ; 부화 ; 품종 개량, 육종. **2** Ⓤ 양육, 훈육. **3** Ⓤ 가정 교육, 교양 ; 예의 범절 : a man of fine ~ 교양이 풍부한 사람. **4** Ⓤ 〖理〗 증식(작용).
breeding in the line 동종 이계(異系)의 번식.
bréeding gròund[**plàce**] *n.* 사육장, (사상 따위를 키우는) 적당한 장소[환경], 번식지 ; 온상.
bréeding pònd *n.* 양어장.
bréeding sèason *n.* 번식기(繁殖期).
breen [bríːn] *n., a.* 갈색을 띤 녹색(의).
〖*br*ownish+gr*een*〗
***breeze**[1] [bríːz] *n.* **1** 산들바람, 미풍 ; 〖氣·海〗 연풍(軟風) : a land[sea] ~ 육[해] 연풍 / There was not much of a ~. 바람 한 점 없었다. **2** 《口》 분쟁, 분규, 소동, 「풍파」, 싸움 : kick up a ~ 소동을 일으키다. **3** 《口》 소문, 풍문. **4** 《俗》 쉬움, 용이(容易) (ease).
shoot the breeze 호언 장담하다 ; 잡담하다.
—— *vi.* 산들바람이 불다 ; 《口》 기세좋게 들어가다, 난입하다〈*in, into*〉 ; 횡하니 떠나가다, 사라지다 ; 씩씩하게[경쾌하게] 걷다〈*off*〉 ; 《美俗》 도망치다, 탈옥하다.
〖? OSp. and Port. *briza* northeast wind〗
類義語 ⟹ WIND[1].
breeze[2] *n.* 타고 남은 재 ; 석탄재 ; 분탄 : ~ concrete 코크스 찌꺼기를 섞은 콘크리트.
〖F ; ⇨ BRAISE〗
breeze[3], **bréeze flỳ** *n.* 〖昆〗 쇠파리, 등에.
〖OE *briosa* < ?〗
bréeze blòck *n.* =CINDER BLOCK.
bréeze·less *a.* 바람이 없는.
bréeze·wày *n.* 《美》 브리즈웨이《집과 차고 사이의 지붕 있는 통로》.
breezy [bríːzi] *a.* **1** 산들바람이 부는, (장소·옷이) 통풍이 잘 되는, 시원한. **2** 기운찬, 원기왕성한 ; 쾌활한 ; 《美》 한가로운 : have a ~ manner 태평스럽다. **3** 《口》 가벼운 (내용의) 《회화》.
bréez·i·ly *adv.* **-i·ness** *n.*
breg·ma [brégmə] *n.* (*pl.* **-ma·ta** [-tə]) 〖人類〗 대천문(大泉門), 브레그마《두개 계측점(頭蓋計測點)의 하나》.
breg·oil [brégɔil] *n.* 브레그오일《제지(製紙) 폐기물 ; 유출된 석유의 흡수 회수용으로 쓰임》.
brek·ker [brékər] *n.* 《英俗》 조반.
brek·ky [bréki] *n.* 《濠俗》 조반(breakfast).
Bre·men [bréimən, brémən] *n.* 브레멘《독일 북부의 주(州)로 Weser강에 면한 동주(同州)의 공업 도시》.
brems·strah·lung [brémʃtràːləŋ] *n.* 〖理〗 제동

복사(制動輻射).
〖G=breaking radiation〗

Brén càrrier [brén-] *n.* 〔軍〕 브렌식 경기관총을 탑재한 정찰용 장갑 자동차.
〖*Br*no 체코의 원산지, *En*field 후의 제조지인 영국의 도시〗

Brén (gùn) [brén(-)] *n.* 《英》 브렌 기관총《경(輕) 기관총의 일종》.

brent [brént], **brént gòose** *n.* =BRANT.

brent·ing [bréntiŋ] *n.* (보이스카우트에서 하는) 지방 무료 연예 봉사.

br'er [brə́ːr] *n.* =BROTHER 《미국 남부의 흑인 사투리》.

Bret. Breton.

breth·ren [bréðərən] *n. pl.* (같은 종교를 믿는) 형제, (종교상의) 교우(敎友), 동포 ; (클럽·협회의) 회원들 ; 동업자(인 사이). 㘴 일반적인 용어인 brothers에 대한 옛 말.

Bret·on [brétən ; *F* brətɔ̃] *n.* 브리타니인(人) 《Brittany지방의 주민》 ; Ⓤ 브리타니어(語).
—— *a.* 브레턴인[어]의.
〖F ; ⇨ BRITON〗

Brétton Wóods Cònference *n.* 브레턴우즈 회의《1944년 미국 New Hampshire주의 Bretton Woods에서 개최된 국제 통화 금융 정책 회의 ; IMF와 IBRD를 설립했음》.

brev. brevet(ted) ; brevier.

breve [bríːv, brév] *n.* **1** (모음 위에 붙이는) 단음(短音) 기호 《˘ ; 보기 ă, ĕ, ŏ ; cf. MACRON》. **2** 〔樂〕 겹온음표(cf. CROTCHET).
〖BRIEF의 이형(異形)〗

bre·vet [brivét ; brévit] *n.* 〔陸軍〕 명예 진급.
—— *vt.* (**-tt-** | **-t(t)-**) 명예 진급시키다.
—— *attrib. a.* 명예 진급의.
~·cy *n.* 명예 (진급) 계급.
〖F (dim.) ‹ *bref* ; ⇨ BRIEF〗

brevi- [brévə-] *comb. form* 「짧은」의 뜻.
〖L ; ⇨ BRIEF〗

bre·vi·ary [bríːvjəri, brévjə-, 美+-vièri] *n.* [때때로 B~] 〔카톨릭〕 성무(聖務)일과서, 성무 일도서. 〖L=summary ; ⇨ ABBREVIATE〗

bre·vier [brəvíər] *n.* Ⓤ 〔印〕 브레비어 (활자) 《8포인트 활자에 해당 ; ☞ TYPE 5 㘴》.

brèvi·pénnate *a.* 〔鳥〕 날개가 짧은.

brev·i·ty [brévəti] *n.* Ⓤ (시간의) 짧음 ; 간결함 : *B*~ is the soul of wit. 간결은 재치의 생명, 말은 간결할수록 좋다.
〖AF ; ⇨ BRIEF〗

brew** [brúː] *vt.* **1** (맥주 따위를) 양조하다(cf. DISTILL). **2** [+目/+目+前+名] (음료를) 조합하여 만들다, (차를) 달이다(make) : Tea is *~ed* ***in boiling water. 차는 뜨거운 물에 넣어 달인다. **3** (음모 따위를) 획책하다(plot), (파란을) 일으키다 : ~ mischief 장난[나쁜 일]을 꾸미다.
—— *vi.* **1** 양조하다. **2** (음모 따위) 꾸며지다 ; (폭풍우 따위가) 일어나려고 하다 : There is trouble *~ing.* 말썽이 생기고 있다 / A storm is *~ing.* 폭풍이 막 몰아치려고 한다. —— *n.* 양조(한 것) ; (한 번의) 양조량(量) ; 제품, 품질 : the first ~ of tea 처음 우러난 차. **~·er** *n.* 양조자 ; 음모가. 〖OE *brēowan* ; cf. G *brauen*〗

bréw·age *n.* 양조주[음료], (특히) 맥주 ; 양조법 ; 음모.

bréwer's yéast *n.* 양조용 이스트, 양조 효모.

bréw·ery *n.* 양조장.

bréw·hòuse *n.* (맥주) 양조장.

bréw·ing *n.* Ⓤ 양조(업) ; Ⓒ 양조량 ; 〔海〕 폭풍우의 전조(前兆).

brew·is [brúːəs, brúːz] *n.* 《方》 고깃국(broth) ; 고깃국[수프 따위]에 담근 빵.

bréw·ster *n.* 《古》 =BREWER.

bréwster sèssions *n. pl.* 《英》 주류 판매 면허 인가 회의.

bréw-up *n.* 《英口》 차를 달이기.

briar etc. ☞ BRIER[1,2] etc.

Bri·ar·e·us [braiéəriəs, -ǽər-] *n.* 〔그神〕 브리아레우스《손이 100개 있는 거인》.

***bribe** [bráib] *n.* 뇌물 ; 유혹물, 미끼 : take a ~ 수회(收賄)하다. —— *vt.* [+目/+目+前+名/+目+*to* do] 뇌물로 유혹하다, 매수하다 : He tried to ~ the police *into* connivance. 경찰을 매수하여 묵인시키려고 했다 / He *~d* them *to* vote for him. 그들을 매수하여 자기에게 투표하게 했다.
—— *vi.* 뇌물을 주다. **brìb·abíl·i·ty, brìbe-** *n.* 뇌물로 다룰 수 있음, 매수 가능성. **bríb·able, bríbe-** *a.* 뇌물이 효과적인, 매수할 수 있는.
〖OF *briber* to beg< ?〗

brib·ee [braibíː] *n.* 수회자(收賄者).

bríbe·gìver *n.* 증회자(briber).

brib·er [bráibər] *n.* 증회자(贈賄者).

brib·ery [bráibəri] *n.* Ⓤ 증회, 수회 : commit ~ 증회[수회]하다.

bríbe·tàker *n.* 수회자(bribee).

bric-a-brac, -à- [bríkəbræ̀k] *n.* [집합적으로] 골동품, 고물 ; 장식품.
〖F *à bric et à brac* (obs.) at random〗

‡brick [brík] *n.* **1** Ⓤ 벽돌 ; Ⓒ 벽돌 한 개 ; 벽돌 모양의 것《빵·전차(磚茶)(brick tea) 따위》: The house was built of red ~(*s*). 그 집은 붉은 벽돌로 지어졌다. **2** (장난감) 쌓기 놀이 나무토막(block) : a box of ~*s* (장난감) 쌓기 놀이 나무 상자. **3** 《口》 호남아, 쾌남아. **4** [the ~s, 단수 취급] 《美俗》 포도(鋪道), 보도, 가로. **5** 《美俗》 교도소의 바깥 (세상). **6** 혹평, 모욕 : throw ~*s* at …을 혹평하다.

drop a brick 《口》 경솔한 말[짓]을 하다, 실수하다.

drop . . . like a hot brick ☞ HOT.

dry as a brick 바싹 마른.

have a brick in one***'s hat*** 《俗》 술 취해 있다.

hit the bricks 《美俗》 밖에 나가 돌아다니다 ; 《美俗》 (동맹) 파업을 하다.

like a brick = ***like*** (***a load*** [***a ton, a hundred, a pile***] ***of***) ***bricks*** 맹렬하게, 활발히, 기운차게.

like a cat on hot bricks ☞ CAT.

make bricks without straw 필요[충분]한 재료[자료]없이 일을 시작하다, 헛수고하다, 악조건에서 일하다.

up against a brick wall 벽돌담에 부딪친 것처럼《꿈쩍도 않는》.
—— *a.* 벽돌의, 벽돌로 만든, 벽돌을 깐.
—— *vt.* [+目/+目+副] …에 벽돌을 깔다, 벽돌로 둘러싸다[막다] : ~ ***up*** a window[***in*** a hole] 창[구멍]을 벽돌로 가리다[막다].
〖MLG, MDu. < ? ; cf. OF *brique*<E〗

bríck·bàt *n.* 벽돌 조각 ; 벽돌의 부스러기 ; 《비유》 혹평, 모욕.

bríck bùrner *n.* 벽돌 제조인.

bríck chéese *n.* 《美》 벽돌 모양의 치즈.

bríck cláy *n.* 벽돌 제조용 진흙.

bríck dùst *n.* 벽돌 가루.

bríck·fìeld *n.* 《英》 벽돌 공장.

bríck·fìeld·er *n.* 〔氣〕 오스트레일리아 각지의 무

덥고 건조한 북풍.

bríck·kìln *n.* 벽돌 굽는 가마.

bríck·lày·er *n.* 벽돌공, 벽돌 쌓는 직공.

bríck·lày·ing *n.* Ⓤ 벽돌 쌓기[쌓는 직업].

brick·le [bríkəl] *a.* 《方》 무른, 부서지기 쉬운, 깨지기 쉬운.

bríck·màker *n.* 벽돌 제조인.

bríck·màking *n.* 벽돌 제조.

bríck·màson *n.* =BRICKLAYER.

bríck réd *n.* 붉은 벽돌색.

bríck-réd *a.* 붉은 벽돌색의.

brícks and mórtar *n.* 《美學俗》 노트와 책; 《英俗》 가옥.

bríck téa *n.* 전차(磚茶)《벽돌 모양으로 굳힌 차; 깎아서 가루로 하여 달임》.

bríck wáll *n.* 벽돌 담; 큰 장벽, 넘기 어려운 벽.

bríck·wòrk *n.* Ⓤ 벽돌 쌓기 (공사).

brícky *a.* 벽돌의[같은], 벽돌로 만든. —— *n.* 《口》 벽돌공.

bríck·yàrd *n.* 벽돌 공장.

bri·co·lage [brì:koulá:ʒ, brìk-] *n.* 〖美術〗 브리콜라주《손이 닿는 아무것이나 이용하여 만들기[만든 것]》. 〖F=(doing) odd jobs〗

bri·cole [brikóul, bríkəl] *n.* 〖撞球〗 원 쿠션 치기; 〖테니스〗 공을 간접적으로 치기; 간접 공격, 기습.

bri·co·leur [*F* brikɔlœ:r] *n.* BRICOLAGE를 하는 사람. 〖F=handyman〗

brid·al [bráidl] *n.* 혼례, 결혼식. —— *a.* 신부[새색시]의; 혼례의: a ~ march 결혼 행진곡 / a ~ party 결혼 피로연. 〖OE *brȳd-ealu* wedding feast (BRIDE, *ealu* ALE drinking)〗

brídal shòwer *n.* 《美》 여성의 결혼식 전 친구들이 선물을 갖고 오는 파티.

brídal wrèath *n.* 〖植〗 조팝나무.

***bride** [bráid] *n.* 신부, 새색시(cf. BRIDEGROOM). 〖OE *brȳd*; cf. G *Braut*〗

bríde·càke *n.* =WEDDING CAKE.

***bride·groom** [bráidgrù(:)m] *n.* 신랑, 새서방(cf. BRIDE). 〖OE *brȳdguma* (BRIDE, *guma* man); 어형은 GROOM에 동화한 것〗

bríde prìce *n.* 신부 값《매매혼에서 남자가 신부집에 주는 돈·귀중품·식량 따위》.

bríde's bàsket *n.* 은도금한 대좌가 있고 손잡이가 달린 색유리로 만든 장식 화분. 〖19세기에 결혼 선물이 된 데서〗

brides·maid [bráidzmèid] *n.* (결혼식에서) 신부 들러리(cf. GROOMSMAN). 〖*bridemaid*〗

brides·man [bráidzmən] *n.* 신랑 들러리.

bríde-to-bé *n.* (*pl.* **brídes-**) 신부가 될 사람.

bride·well [bráidwel, -wəl] *n.* 《英口》 유치장, 교도소. 〖*Bridewell* London의 교도소〗

◇**bridge**[1] [brídʒ] *n.* **1** 다리, 교량: a ~ of boats 배다리 / throw a ~ across[over] a river 강에 다리를 놓다 / Don't cross the ~ until you come to it. 《속담》 쓸데없는 염려는 할 필요도 없다. **2** 배다리, 함교(艦橋). **3** 다리 모양의 것; 콧마루; 안경의 코걸이; (현악기의) 기러기발, 〖齒〗 가공의치(義齒)(cf. DENTURE); 〖撞球〗 브리지, 큐 걸이《큐를 받치는 손의 자세 또는 그 대용 기구》. **4** 〖電〗 브리지, 전교(電橋), 교락(橋絡); 〖레슬링〗 브리지; 〖樂〗 경과부, =BRIDGE PASSAGE; 〖放送〗 (장면 전환 때에) 사이를 메우기 위해 내보내는 것《음악 따위》.

a bridge of gold = ***a golden bridge*** (패잔병의) 안전한 퇴각로; 난국 타개책.

burn one***'s bridges*** ☞ BURN[1].

the Bridge of Sighs 탄식의 다리《(1) Venice에서 죄인이 교도소로 끌려갈 때 건너던 다리. (2) 뉴욕시에서 Tombs 교도소로 통하는 다리》.

—— *vt.* **1** (강에) 다리를 놓다, 다리처럼 걸치다; …의 교량 역할을 하다: ~ a gap 갭[간격]을 메우다, 틈을 좁히다 / The engineers ~*d* the river. 공병들은 그 강에 다리를 놓았다 / A log ~*d* the brook. 통나무 다리 하나가 그 개천에 걸쳐 있었다. **2** [+目/+目+副] (난관을) 헤쳐나가다, 타개하다: Politeness will ~ (***over***) many difficulties. 공손하면 많은 난관이 타개될 것이다. 〖OE *brycg* (n.); cf. G *Brücke*〗

bridge[2] *n.* Ⓤ 브리지《카드놀이의 일종》: ☞ CONTRACT BRIDGE. 〖C19< ?〗

brídge·able *a.* 다리를 놓을 수 있는.

brídge·bòard *n.* 〖建〗 계단의 발판을 걸치는 양쪽 옆 널빤지.

brídge·buìld·er *n.* 다리를 놓는 사람, (대립 관계의 해소를 도모하는) 조정자, 중재인.

brídge·hèad *n.* 〖軍〗 교두보(cf. BEACHHEAD); 전진 기지; 다리의 끝 부분.

brídge hòuse *n.* 〖海〗 선교[함교] 갑판실.

brídge làmp *n.* 카드놀이 테이블용의 램프.

brídge mùsic *n.* 〖放送〗 간주 음악《프로그램의 남은 시간을 메우거나 장면을 연결시키는》.

brídge pàssage *n.* 〖樂〗 두 개의 주제를 잇는 간주 악절.

brídge ròll *n.* 작은 롤빵.

Bridg·et [brídʒət] *n.* 여자 이름. 〖Celt. =strength〗

brídge tàble *n.* (다리를 접었다 폈다 할 수 있게 된) 카드놀이용 탁자.

brídge tòll *n.* 다리 통행세(稅).

brídge tòwer *n.* 교탑(橋塔).

brídge tràin *n.* 〖軍〗 가교 종대(架橋縱隊).

brídge-tùnnel *n.* (하구(河口) 지역 따위의) 다리와 터널이 이어지는 도로.

brídge·wàrd *n.* 교량의 파수, 다리지기.

brídge·wòrk *n.* Ⓤ 교량 공사; 〖齒〗 가공의치(架工義齒); 브리지 기공(技工).

bridg·ing [brídʒiŋ] *n.* 다리놓기; 〖建〗 버팀목(strut), 거멀장; 〖電〗 교락(橋絡).

brídging lòan *n.* (집을 다시 사거나 할 때) 일시적인 단기 융자[대부금·차입금].

bri·dle [bráidl] *n.* **1** 말굴레《재갈끈·재갈·고삐 따위의 총칭》: give a horse the ~ = lay the ~ on a horse's neck 말의 고삐를 늦추다《자유로이 활동시키다》. **2** 구속(물), 억류, 속박.

—— *vt.* **1** (말에) 굴레를 씌우다. **2** (감정을) 억제하다(restrain): ~ one's temper 분노를 억누르다. —— *vi.* [動/+副/+前+名] (특히 여자가) 머리를 쳐들고 새치름한 태를 부리다, (몸을) 으쓱거리다: She ~*d* ***up***. 건방지게 으쓱거렸다 / She ~*d* ***at*** the insinuation. 빈정대는 말을 듣고 새치름해졌다. 〖OE *bridel*; cf. BRAID〗

類義語 ⟹ RESTRAIN.

brídle brìdge *n.* (말만 건널 수 있고 수레는 건널 수 없는) 비좁은 다리.

brídle hànd *n.* 고삐잡는 손《보통 왼손》.

brídle pàth[**ròad, tràil, wày**] *n.* 말만 다닐 수 있는 길《수레는 다닐 수 없는》.

brídle rèin *n.* 말 고삐.

brídle·wìse *a.* 《美》 굴레에 익숙해진, 길든.

bri·doon [brədú:n, brai-] *n.* 작은 재갈, (군마의) 간편한 굴레.

Bríe (**chéese**) [brí:(-)] *n.* [때때로 b~] 프랑스

Brie 지방에서 나는 치즈.

*__brief__ [brí:f] *a.* 짧은, 단시간의, 잠시의 ; 단명(短命)한 ; 간결한(concise) ; 무뚝뚝한 : a ~ life 짧은 생애 / a ~ note 짧은 편지.
to be brief 간단히 말하면, 요컨대.
── *n.* **1** 적요 ; 〔法〕 소송사건 적요서(摘要書) ; 소송사건 ; 소송 의뢰인 : take a ~ 소송사건을 맡다 / hold a ~ for a person 남을 변호하다 / have plenty of ~*s* (변호사가) 사건 의뢰가 많다, 경기가 좋다. **2** 지시(사항) ; 《비유》 권한, 임무. **3** (로마 교황의) 교서(cf. BULL²). **4** 《英》 = BRIEFING. **5** [*pl.*] 《口》 짧은 팬츠(shorts).
in brief = *to be* BRIEF(☞ *a.*).
── *vt.* **1** 요약하다. **2** 〔法〕 (소송 사건의) 적요를 작성하다 ; 《英》 …에게 변호를 의뢰하다. **3** 〔空軍〕 (특히 조종사에게) 출격 전에 간결한 지시를 하다 ; …에게 간단히 지시하다[말하다].
~·ness *n.* 간단, 간결 ; (시간의) 짧음, 덧없음.
〖OF<L *brevis* short〗
類義語 ⟹ SHORT.

bríef bàg *n.* **1** 《英》 변호사가 들고 다니는 서류 가방《청색 또는 적색》. **2** (간단한) 여행용 가방.

bríef·càse *n.* 《원래 英》 서류 가방.

brief·ie [brí:fi] *n.* 《美俗》 단편 영화.

bríef·ing *n.* U,C 간결한 보고[발표], 요점 설명 ; 〔空軍〕 (출격 전에 조종사에게 하는) 간결한 지시.

bríef·less *a.* (변호사에게) 소송 의뢰서[인]가 없는(without clients), 경기가 좋지 않은.

*__bríef·ly__ *adv.* 간단하게, 요약해서 : to put it ~ 간단히[요약해서] 말하면.

bri·er¹, -ar [bráiə*r*] *n.* 찔레, 들장미(의 작은 가지) : ~*s* and brambles 찔레가시덤불.
〖OE *brǣr, brēr* < ?〗

brier², -ar *n.* 〔植〕 브라이어《남유럽산의 관목, 히스(heath)의 일종》 ; U 브라이어 재(材)《특히 뿌리 부분》 ; C [보통 briar] 브라이어 파이프(=∠ **pìpe**)《브라이어 뿌리로 만듦》.
〖F *bruyère* heath ; 어형은 ↑에 동화〗

bríer-hòpper *n.* 《美俗》 농민.

bríer·ròot, bríar- *n.* 브라이어의 뿌리.

bríer ròse *n.* 〔植〕 유럽찔레나무.

bríer·wòod, bríar- *n.* U 브라이어 재목.

bri·ery [bráiəri] *a.* 가시덤불의, 찔레의 ; 《비유》 곤란한.

brig¹ [bríg] *n.* 〔海〕 **1** 브리그《돛대를 2개 단 돛배의 일종》. **2** 《美》 함내(艦內)의 영창(營倉) ; 《美俗》 (일반적으로) 교도소. 〖*brig*antine〗

brig² *n., vt.* (**-gg-**) 《스코》 = BRIDGE¹.

Brig. Brigade ; Brigadier.

bri·gade [brigéid] *n.* 〔軍〕 여단(旅團)《略 Bde., Brig. ; ☞ ARMY 1》 ; (군대식 편성의) 단체, 대(隊), 조(組) : a ~ major 여단 부관 / a mixed ~ 혼성 여단/ ☞ FIRE BRIGADE. ── *vt.* 여단[조]으로 편성하다.
〖F<It. = company (*briga* strife)〗

brig·a·dier [brìgədíə*r*] *n.* **1** 《英》 육군 준장《대령과 소장의 중간 계급으로 여단장을 맡음 ; 해군의 commodore에 해당 ; 略 Brig.》. **2** 《美》 = BRIGADIER GENERAL 1.

brigadíer géneral *n.* **1** 《美》 육군[공군] 준장 《cf. BRIGADIER 1 ; 略 Brig. Gen.》. **2** 《英》 BRIGADIER의 옛 칭호.

brig·a·low [brígəlòu] *n.* 《濠》 〔植〕 아카시아나무.

brig·and [brígənd] *n.* 산적(bandit), 약탈자.
~·age, ~·ìsm, ~·ry *n.* U 약탈 ; 산적 행위.
〖OF<It. ; ⇨ BRIGADE〗

brig·an·dine [brígəndì:n] *n.* (중세의) 사슬 갑옷의 일종.

brígand·ish *a.* 산적 같은.

brig·an·tine [brígəntì:n, -tàin] *n.* 〔海〕 브리간틴《쌍돛대의 범선 ; cf. BARKENTINE》.
〖OF or It. ; ⇨ BRIGAND〗

brigantine

bri·ga·tis·ti [brìːgɑːtí:sti] *n. pl.* (이탈리아의) 붉은 여단의 단원. 〖It.〗

Brig. Gen. brigadier general.

◇**bright** [bráit] *a.* **1** (햇빛 따위) 밝은, 밝게 빛나는 ; (별 따위) 반짝이는, 빛나는 ; (눈 따위) 맑은, (얼굴이) 명랑하고 밝은 ; (날씨 따위) 청명한 : ~ and clear 쾌청한[하여]. **2** 투명한 ; (증거 따위) 명백한. **3** (빛깔이) 선명한, 뚜렷한(↔*dull*) : ~ red 선홍(鮮紅)색. **4** 명랑한, 쾌활한, 기운찬. **5** (소년 등) 영리한, 똑똑한, 머리가 좋은(clever), 총명한《때때로 반어적》 ; (생각 따위) 그럴듯한 ; 빈틈이 없는 : ~ and clever 영리한. **6** 혁혁한, 빛나는 : ~ prospects[hope] 창창한 전도(前途)[희망] / look on the ~ side of things 사물의 밝은 면을 보다, 일을 낙관하다.
be on the bright side of... …살 전이다 : He *is* still *on the* ~ *side of* fifty. 그는 아직 쉰 살 전이다.
bright and early 아침 일찍이.

〈회화〉
What's she like? — Oh! she's very *bright* and active. 「그녀는 어떠한 사람이지요」「아주 머리가 좋고 게다가 활동적인 사람이지요」

── *adv.* = BRIGHTLY : The sun shines ~. 태양이 밝게 빛난다. ── *n.* 빛남, 광휘, 광명 ; [*pl.*] (자동차의) 하이 빔 ; 《美俗》 한낮, 주간 ; 《美俗》 그다지 검지 않은 흑인, 흑백 혼혈아 ; 〔畫〕 밝은 색을 칠하는 가는 평필(平筆).
〖OE *beorht* ; cf. OS, OHG *beraht*〗
類義語 (1) ***bright*** 「밝은, 빛나는」이라는 뜻의 가장 보편적인 말. ***radiant*** 태양처럼 실제로 빛을 내며 빛나는 (것 같은) : Her *radiant* face tells us that she is happy. (그녀의 밝은 얼굴은 우리에게 그녀가 행복하다는 것을 말해준다). ***shining*** 언제나 끊임없이 밝게 빛나고 있는 : the *shining* sun (빛나는 태양). ***brilliant*** 매우 밝게 반짝반짝 빛나고 있는 : *brilliant* diamonds (반짝이는 다이아몬드). ***luminous*** 빛을 가득히 발산하고 있거나 반사하고 있는 물체에 대해 말함 : a *luminous* body (발광체(發光體)). ***lustrous*** 표면에 광택이 있어서 빛을 반사하여 번쩍번쩍 빛나고 있는 : *lustrous* silk (광택이 있는 명주).
(2) ⟹ INTELLIGENT.

*__bríght·en__ *vt.* 빛나게 하다, 밝게 하다 ; (은(銀) 따위를) 윤을 내다 ; 상쾌하게 하다, 유망하게 하다 : Young faces ~ a home. 젊은 사람이 있으면 집안이 밝아진다.
── *vi.* [動/+副] 밝아지다 ; (기분이) 명랑해[환해]지다 : The sky ~*ed*. 하늘이 차차 밝아졌다 / She ~*ed* (**up**). 그녀는 (갑자기) 명랑해졌다. **~·er** *n.* (형광) 증백제(增白劑).

bríght-èyed *a.* 눈이 맑은, 순진한 ; 비현실적인.

bríght-fàced *a.* 영리하게 생긴.

bríght·ish *a.* 약간 밝은.

bríght líghts *n. pl.* [the ~] 《口》 도시의 환락가(의 화려함).
bríght-lìne spéctrum *n.* 〘理〙 휘선 스펙트럼.
bríght·ly *adv.* 밝게 ; 반짝이게 ; 휘황하게 ; 화사하게 ; 선명하게.
bríght·ness *n.* Ⓤ 빛남, 밝음 ; 명도 ; 광명, 광휘(光輝) ; 광도(光度) ; 선명함 ; 총명, 영특 ; 쾌활, 명랑.
Bríght's disèase *n.* 〘醫〙 브라이트병《가장 위험한 신장염(腎臟炎)》.
〚R. *Bright* (d. 1858) 영국의 내과의사〛
bríght·some *a.* 밝게 빛나는, 찬란한.
bríght·wòrk *n.* (기계 따위의 닦아서 윤이 나는) 쇠붙이[부분] ; 다듬어서 니스만 칠한 목공 부분《난간 따위》.
brill [bríl] *n.* (*pl.* ~) 〘魚〙 (유럽산) 넙치.
〚ME< ?〛
bril·liance, -cy [bríljəns(i)] *n.* Ⓤ 광휘(光輝) ; 광명, 광택 ; 밝음 ; 뛰어난 재치, 화려함 ; 〘理·美術〙 (색의) 명도, 휘도.
*__bríl·liant__ *a.* **1** (보석·일광 따위) 반짝반짝 빛나는, 찬란한, 눈부신 ; (빛깔이) 선명한 : a ~ yellow. **2** 훌륭한, 화려한, 찬란한 : a ~ achievement 훌륭한 업적, 위업(偉業). **3** 괄목할 만한, 재치가 있는 : a ~ idea 멋진 생각 / a ~ mind 천재. —— *n.* **1** 브릴리언트 컷한 보석《특히 다이아몬드》. **2** Ⓤ 〘印〙 브릴리언트《가장 작은 활자로 대략 3½포인트 ; ☞ TYPE 5 ㊟》.
〚F (*briller* to shine<It.< ?)〛
類義語 ⟹ BRIGHT, INTELLIGENT.
brílliant cùt *n.* 브릴리언트 컷《보석을 가장 빛나게 깎는 방법 ; 보통 58면》 ; 그 보석.
brílliant-cùt *a.* 브릴리언트 컷의《보석》.
bril·lian·tine [bríljəntìːn] *n.* Ⓤ 머릿기름의 일종 ; 무명실과 털실을 섞어 짠 천의 일종.
〚F ; ⇨ BRILLIANT〛
bríl·liant·ly *adv.* 눈부시게, 휘황하게, 찬란하게 ; 선명하게, 뛰어나게.
Bríll's disèase [brílz-] *n.* 〘醫〙 브릴병《가벼운 증세의 발진티푸스》.
〚Nathan E. *Brill* (d. 1925) 미국의 의사〛
*__brim__ [brím] *n.* (그릇의) 가장자리 ; 언저리(cf. BRINK) ; (모자의) 차양, 테(rim) ; 물가.
full to the brim (넘칠 만큼) 가득한[가득히].
—— *v.* (-mm-) *vt.* …에 가득(히) 붓다[따르다].
—— *vi.* [動 / +副 / +*with*+名] 넘치다, 가득 차다 : He was ~*ming* ***over with*** health and spirits. 그는 원기가 넘쳐흘렀다.
〚ME< ? ; cf. MHG *brem* border〛
類義語 ⟹ BORDER.
brím·fúl, -fúll *a.* 가장자리까지 가득 찬, 넘칠 듯한 : ~ *of* ideas 재기(才氣)가 넘치는.
-fúl·ly *adv.* 가득히. **~·ness** *n.*
brím·less *a.* 가장자리가 없는 ; 테[챙] 없는.
-brimmed [brímd] *a. comb. form* 「가장자리(brim)가 …한」의 뜻 : a broad-~ hat.
brím·mer *n.* 가득히 부은 컵[술잔], 잔에 가득함.
brím·ming *a.* 넘칠 듯한.
brim·stone [brímstòun] *n.* **1** Ⓤ 유황《주로 SULFUR의 상업용어》. **2** 〘昆〙 흰나비과의 각종 나비, (특히) 멧노랑나비. **3** 잔소리 많은 여자.
brimstone and treacle 《英》 황당수(糖水)《옛날의 유아용 해독제》.
Fire and brimstone ! 〘聖〙 불과 유황《요한계시록 20 : 10》 ; 제기랄 !, 빌어먹을 !
〚? OE *bryne* burning, STONE〛
brím·stòny *a.* 유황(색)의, 유황 냄새가 나는 ; 악마[지옥] 같은.
brin·dle [bríndl] *n.* 얼룩(무늬), 얼룩진 색 ; 얼룩개. —— *a.* = BRINDLED. 〚역성(逆成) < ↓〛
brín·dled *a.* 얼룩진, 얼룩무늬[진 빛깔]의.
〚*brinded* branded < *brended* < *brend* < ? Scand.〛
brine [bráin] *n.* **1** Ⓤ 소금물(salt water). **2** [the ~] 《文語》 바닷물, 바다 ; 《詩》 눈물 : the foaming ~ 거친 바다. —— *vt.* 소금물에 담그다.
brín·ish *a.* 짠, 짭짤한. 〚OE *brȳne* < ?〛
Bri·néll hárdness [brinél-] *n.* 〘冶〙 브리넬 경도[굳기]《略 B.H.》.
〚Johann A. *Brinell* (d. 1925) 스웨덴의 기사〛
Brinéll machìne *n.* 〘冶〙 브리넬 경도 측정기.
Brinéll nùmber *n.* 〘冶〙 브리넬 (경도)수.
Brinéll tést *n.* 〘冶〙 브리넬 (경도) 시험.
bríne pàn *n.* 소금 굽는 가마 ; 제염갱(製鹽坑).
bríne pìt *n.* 소금 구덩이 ; 염수(鹽水) 우물.
◇**bring** [bríŋ] *vt.* (**brought** [brɔ́ːt]) **1** [+目+目 / +目+前+名 / +目+副] 가지고 오다 ; 데리고[함께] 오다(cf. TAKE 9) : *B*~ me the book. = *B*~ the book ***to*** me. 그 책을 가져다 주시오 / She has *brought* it *back to* me. 그것을 나에게 돌려 주었다 / *B*~ him *here* ***with*** you. 그를 여기에 데려오너라 / Pilate *brought* Jesus *out* before the people. 빌라도는 예수를 민중 앞으로 데리고 나갔다. ㊟ 수동태로는 : The book *was brought* (*to*) me. / I *was brought* a dirty plate. 나에게는 더러운 접시를 가져왔다.
2 a) [+目 / +目+前+名 / +目+副] 오게 하다, 초래하다, 가져오다 : The winter *brought* heavy snowfalls. 그 겨울에는 많은 눈이 내렸다 / What *brought* you *here*? 무슨 일로 여기에 왔느냐 / The brisk walk had *brought* color ***into*** her cheeks. 힘차게 걸은 탓으로 그녀의 뺨은 붉게 상기되어 있었다 / The radio ~*s* music and the latest news ***into*** almost every home. 라디오는 거의 모든 가정에 음악과 최신 뉴스를 가져다 준다 / We shall not ~ mass destruction ***on*** ourselves by waging an atomic world war. 세계적인 핵전쟁을 일으켜 우리가 우리 자신을 대량 파괴하는 일이 있어서는 안된다. **b)** [+目+前+名] (상태 따위로) 이끌다, 되게 하다 : ~...***to*** life ☞ LIFE 숙어/~ a person *to* terms ☞ TERM 숙어 / It is a good thing to ~ the party *to* an end at the time arranged. 모임을 예정시간에 끝낸다는 것은 좋은 일이다.
3 [+目+前+名/+目+*to* do] (남을 …으로) 이끌다 ; (…할) 마음[생각]이 들게 하다[일어나게 하다] : The muddy lane ~*s* you ***to*** the gate of a farmyard. 진흙투성이의 작은 길을 따라가면 농가 마당의 문이 있는 곳에 이른다 / I could not ~ myself *to* believe it. 아무리해도 그것을 믿고 싶지 않았다.
4 [+目/+目+前+名] (소송 따위를) 제기하다, 일으키다 ; (이유·증거 따위를) 제시하다 : He *brought* a charge ***against*** me. 나를 고소했다.
5 [+目/+目+目] (물건이 수익·이익을) 가져오다 ; (얼마에) 팔리다 : Meat is ~*ing* a high price this week. 고기는 이번 주에 비싼 값에 팔리고 있다 / His tutoring ~*s* him about 500,000 won a month. 그는 가정교사를 하여 한달에 약 50만원의 수입이 있다.
bring about 야기하다, 일으키다 ; 성취하다 : Technological development has *brought about* a revolution in the present-day world. 과학 기술의 진보는 현대에 혁신을 초래했다.
bring a person ***around*** 남을 데리고 (…을) 방

문하다 〈*to*〉; (자기당 따위에) 남을 끌어들이다, (자기 주장에) 찬동시키다 〈*to*〉, 남을 설득하다, 의견을 바꾸게 하다.

bring around (남을) 데리고 방문하다; =BRING *round* (1), (2).

bring back 돌려주다, 도로 찾다(cf. *vt.* 1); 되부르다, 상기시키다, 생각나게 하다; 회복시키다: The class reunion *brought back* a lot of memories. 동창회는 여러가지 일을 생각나게 했다 / The change of air *brought* him *back to* health. 전지요양(轉地療養)한 덕택으로 그의 건강은 회복되었다.

bring down (1) (짐 따위를) 부리다, 내리다; (물가를) 내리다; (적기 따위를) 격추시키다; (사냥감을) 쏘아 떨어뜨리다; (사람을) 때려 쓰러뜨리다, (자존심을) 꺾다: I *brought down* the lion at a shot. 그 사자를 단 한 방에 쓰러뜨렸다. (2) (기록을 …까지) 계속하다: The history has been *brought down to* modern times. 그 역사는 근대에까지 이르고 있다. (3) (화·죄 따위를) 불러 일으키다, 초래하다, 가져오다: ~ *down* a person's wrath *on* one's head 남을 화나게 하다.

bring down the (***whole***) ***house*** 만장의 갈채를 받다.

bring forth 낳다, 생기다; (싹이) 나다, 나게 하다, (열매를) 맺다, 맺게 하다; 분명하게 하다; 나타내다: The prime minister's remark *brought forth* protests. 수상이 한 말은 항의를 불러일으켰다 / April showers ~ *forth* May flowers. 《속담》 4월의 소나기는 5월의 꽃을 피게 한다.

bring forward (1) (의안(議案)·의논을) 제출하다, 의제로 삼다; 공표하다: ~ a matter *forward* at a meeting 어떤 안건을 회의에 제안하다. (2) (…할 날을) 앞당기다: ~ *forward* a meeting from...*to*... 회의를 …에서 …으로 앞당기다. (3) 〖簿〗 다음 페이지로 이월하다.

bring . . .home to a person ☞ HOME *adv.*

bring in (1) 가지고 들어오다, 데려오다; (원조자를) 끌어들이다; (예로서) 제기하다; (풍습 따위를) 소개[수입]하다(introduce): *B*~ *in* dinner for this gentleman. 이 분에게 식사를 가져다 주시오. (2) (이익·이자가) 생기다: His lands ~ (him) *in* 5,000,000 won a year. 그의 토지에서 연 500만원의 수익을 올린다 / This deposit account ~*s* (me) *in* $5^1/_2$ percent. 이 정기예금에는 5푼 5리의 이자가 붙는다. (3) [+目/+目+補] (배심이 평결을) 답신(答申)하다; (법안을) 제출하다: ~ *in* a verdict of guilty[not guilty] 유죄[무죄]의 평결을 답신하다 / ~ a person *in* guilty[not guilty] 남에게 유죄[무죄]의 평결을 내리다.

bring . . .into being[***existence***] ☞ BEING, EXISTENCE.

bring . . .into line ☞ LINE[1].

bring into play 활동시키다; 이용하다.

bring into the world (아이를) 낳다.

bring off (1) (난파선 따위에서) 구출[구조]하다: The mountaineers were *brought off* by the rescue party. 등산객들은 구조대에 의해 구출되었다. (2) (사업 따위를) 성취하다(carry out); 완수하다, 해치우다: The conference was *brought off* without a hitch. 회의는 무사히 끝났다 / The author has *brought off* a signal success with his latest book. 그 저자는 최신작으로 눈부신 성공을 거두었다.

bring on (질병 따위를) 가져오다, 일으키다; (작물 따위를) 발육[생장]시키다; (문제 따위를) 제기하다(bring up): Damp weather ~*s on* her rheumatism. 그 여자는 날씨가 궂으면 류머티즘 때문에 고생한다.

bring out (1) 내놓다, 내다(cf. *vt.* 1). (2) (빛깔·성질 따위를) 나타내다; (의미 따위를) 분명하게 하다; (능력 따위를) 발휘하다; (꽃을) 피게 하다: The warm weather has *brought out* the cherry blossoms. 날씨가 따뜻하여 벚꽃이 피었다. (3) (배우·가수를) 세상에 내놓다; 상연하다; (딸을) 사교계로 내보내다: The Joneses will ~ *out* their daughter next year. 존스 부부는 내년에 딸을 사교계로 내보낼 것이다. (4) 출판하다(publish): The publishers will ~ *out* his new book next week. 그 출판사는 내주에 그의 새로운 저서를 출판할 것이다.

bring over 자기편에 끌어넣다; 개종(改宗)시키다: ~ a person *over to* a cause 남을 설득시켜 어떤 운동에 가담시키다.

bring round (1) 제정신이 들게 하다, 회복[소생]시키다: Artificial respiration *brought* the boy *round.* 인공호흡으로 소년은 숨을 돌렸다. (2) 설득하다(persuade). (3) (화제를) 돌리다(divert): He *brought* the discussion *round to* a side issue. 그는 논의를 지엽적인 문제로 돌렸다.

bring through (남에게 곤란 따위를) 이겨내게 하다; (환자를) 살리다, 회복시키다: He was *brought through* mainly by his mother's patient nursing. 주로 어머니의 참을성 있는 간호로 회복되었다.

bring to (1) [⌐⌐] [to는 *adv.*] 정신들게 하다(bring round); 〖海〗 배를 정지시키다[배가 정지하다]. (2) [to는 *prep.*] …의 금액[값]으로 되다; (지식·경험 따위를 일)에 맞게 하다.

bring . . .to bear (***up***)***on*** ☞ BEAR[1].

bring . . .to pass ☞ PASS *n.*

bring under (1) 진압[억제]하다(subdue): ~ rebels[a rebellion] *under* 반란자들[반란]을 진압하다. (2) (소속·권력·지배 따위)의 밑에 두다; (…할 수 있는 상태)에 놓다: The findings can be *brought under* five heads. 조사 결과는 5 항목으로 간추릴 수 있다 / The land was soon *brought under* cultivation. 그 토지는 얼마 안가서 경작할 수 있게 되었다.

bring up (1) (아이를) 기르다, 키우다; 교육하다: She was *brought up* to behave politely. 예절바르게 행동하도록 교육을 받았다. (2) (문제 따위를) 일으키다, 제기하다: They have decided to ~ *up* the question at the next session. 그 문제는 다음 회합 때 제기하기로 결정하였다. (3) 토하다, 게우다(vomit). (4) 딱 멈추게 하다[멈추다]; 〖海〗 닻을 내리다[내리게 하다]: The sight *brought* him *up* (short). 그 광경을 보고 그는 (갑자기) 발을 멈추었다. (5) (국회 의원에게) 발언을 허가하다. (6) (계산을) 되풀이하다.

〚OE *bringan*; cf. G *bringen*〛

[類義語] ***bring*** 엄밀하게는 어떤 장소로 물건[사람]을 가지고[데리고] 오다: I *brought* some cake home with me. (집에 과자를 좀 가지고 왔다). ***take*** 반대로 어떤 장소에서 다른 데로 가지고[데리고] 가다: I will *take* the umbrella to the office. (우산을 갖고 사무실로 가겠다). ***fetch*** 어떤 것[사람]이 있는 곳으로 가서 데리고[가지고] 오다: Please *fetch* me my hat. (모자를 갖다 주시겠습니까). ***carry*** 보통 차나 기타 운반 도구를 써서 사람[물건]을 다른 곳으로 옮기다: *carry* a basket to the house (광주리를 집으로 옮기다). ***convey*** 때로 carry에 대

한 격식을 차린 말, 물건을 많이 또는 인공적인 방법으로 나르는 데에서는 carry보다 예사로 쓰는 말 : *convey* goods from here to there (물건들을 이곳에서 저곳으로 운반하다). ***transport*** 화물을 기차[선박·비행기] 따위로 어떤 곳에서 다른 곳으로 특히 먼거리까지 대규모로 운반하다 : *transport* troops from America to Europe (군대를 미국에서 유럽으로 수송하다).

bríng-and-búy sàle *n.* 《英》 지참 매매 자선 바자《각자 가지고 온 물건을 서로 사고 팔아서 그 매상금을 자선 사업 따위에 씀》.

bríng·dòwn *n.* 《美俗》 신랄한 야유 ; (남을 우울하게 하는) 음울한 사람, 풀이 탁 죽게 하기.
—— *a.* 불만족한, 무능한, 우울한.

bríng·ing-úp *n.* Ⓤ 양육, 훈육, 교육.

***brink** [bríŋk] *n.* (절벽·벼랑의) 가장자리, 끝(cf. BRIM) ; 물가 ; 《비유》 순간, (…할) 찰나.
on the brink of... 바야흐로 …하려고 하여, …에 직면하여, (죽음·멸망 따위)에 임박하여.
stand shivering on the brink 막상 닥치자 무서워서 떨다.
〚ON (OIcel. *brekka* slope)< ?〛
類義語 ⟹ BORDER.

brínk·man·shìp, brínks- [-mən-] *n.* Ⓤ (위험한 상태까지 밀고 나가는) 극단 정책.

briny [bráini] *a.* 소금물의, 바다의, 바닷물의 ; 짠(salty) ; 《詩》 눈물의 : a ~ taste. —— *n.* [the ~] 《口》 바다, 대양. 〚BRINE〛

brio [brí:ou] *n.* 생기 ; 〖樂〗 활기, 활발. 〚It.〛

bri·oche [brí:ouʃ, -ɔʃ, brióuʃ, -ɔ́ʃ] *n.* 브리오슈《계란·버터 따위를 넣은 롤 빵》. 〚F〛

bri·o·lette [brì:əlét] *n.* 브리올레트《표면 전체를 삼각형의 작은 면으로 연마한 물방울 모양의 다이아몬드》. 〚F〛

briony ☞ BRYONY.

bri·quet(te) [brikét] *n.* 연탄 ; 조개탄.
—— *vt.* (**-tt-**) (분탄 따위를) 연탄으로 만들다.
〚F (dim.) ‹BRICK〛

bri·sance [brizɑ́:ns ; brí:zəns ; *F* brizɑ̃:s] *n.* (폭약의) 폭파력, 파괴력. **-sant** [-t ; *F*—] *a.* 파괴력이 센.

brise-bise [brí:zbì:z] *n.* (창문 아래 반쪽을 가리는) 반커튼.

***brisk** [brísk] *a.* **1** (사람·태도가) 활발한, 원기[기운] 있는(lively), (일을) 척척 해내는, (장사가 한창) 번성하는(↔*dull*). **2** (대기 따위) 상쾌한, 기분이 좋은 : ~ weather. **3** (맛 따위가) 톡 쏘는 ; (음료가) 거품이 자꾸 이는.
—— *vt., vi.* [다음 숙어로]
brisk up 활기띠다[띠우다], 기운내다.
〚? F BRUSQUE〛
類義語 ⟹ ACTIVE.

bris·ket [brískət] *n.* Ⓤ (짐승의) 가슴 부분(의 고기), 양지머리. 〚F〛

brísk·ly *adv.* 활발하게, 기운차게, 팔팔하게.

bris·ling [bríslin, bríz-] *n.* 〖魚〗 작은 청어.
〚Norw. and Dan. =sprat〛

***bris·tle** [brísəl] *n.* 빳빳한 털, 강모(剛毛).
set up one***'s*** [a person***'s***] ***bristles*** 격분하다[시키다].
—— *vi.* **1** [動/+副] **a**) (머리털 따위가) 곤두서다 : The dog ~*d* ***up***. 개는 (성나서) 털을 곤두세웠다. **b**) 《비유》 성[화·짜증]내다 : He ~*d with* anger. 그는 화가 나서 덤벼들려고 했다. **2** [+*with*+名] 빽빽이 나다, 충만하다, …으로 가득차다 : Our path ~*s* ***with*** difficulties. 우리들의 앞길은 어려움으로 가득차 있다. —— *vt.* (털을) 곤두세우다 : The cat ~*d* its back. 고양이는 등의 털을 곤두세웠다.

brís·tled *a.* 빳빳한 털이 있는[털이 많은] ; 털이 곤두선.

brístle·tàil *n.* 〖昆〗 좀.

bris·tly [brísəli] *a.* 털이 빳빳한 ; 강모(剛毛)가 많은 ; 빽빽이 들어선[돋아난], 곤두선.

Bris·tol [brístl] *n.* **1** 브리스틀《영국 남서부의 항구 도시》. **2** 브리스틀《영국 Bristol 자동차 회사제의 승용차》. **3** [b~s] 《英俗》 유방, 젖통이.

Brístol bòard *n.* 고급 판지《도화지용》.

Brístol Chánnel *n.* [the ~] 브리스틀 만[해협]《웨일스와 잉글랜드 남서부 사이의 작은 만》.

Brístol Créam[Mílk] *n.* 고급 셰리주(酒).

Brístol fàshion *pred. a.* 〖海〗 단정하게[한], 잘 정돈된.

brit, britt [brít] *n.* 작은 청어, 청어 새끼 ; 수염고래류의 먹이가 되는 작은 동물.

Brit. Britain ; Britannia ; British ; Briton.

◇**Brit·ain** [brítən] *n.* **1** 브리튼 섬(☞ GREAT BRITAIN)《略 Br., Brit. ; cf. UNITED KINGDOM》 : ☞ NORTH BRITAIN. **2** =the BRITISH EMPIRE.

Bri·tan·nia [britǽniə] *n.* **1** 브리타니아《Britain의 고대 로마시대의 명칭》. **2** =GREAT BRITAIN. **3** =BRITISH EMPIRE. **4** 《文語》 브리타니아 상(像)《Great Britain 또는 British Empire를 상징하는 여인상》. **5** =BRITANNIA METAL. 〚L〛

Británnia mètal *n.* [때때로 b~] 브리타니아 메탈《주석·안티몬·구리의 합금》.

Británnia sìlver *n.* 〖冶〗 브리타니아 실버《순도 약 96%의 은》.

Bri·tan·nic [britǽnik] *a.* 영국의(British) : His [Her] ~ Majesty 영국 국왕[여왕] 폐하《略 H.B.M.》.

Bri·tan·ni·ca [britǽnikə] *a.* 영국의《책 이름 따위에 쓰임》. —— *n.* 영국에 관한 문헌.

britch·es [brítʃəz] *n. pl.* 《口》 바지(breeches).

Brit·i·cism [brítəsìzəm] *n.* Ⓤ,Ⓒ 영국 영어 ; 영국 영어특유의 어(법)(cf. AMERICANISM).

◇**Brit·ish** [brítiʃ] *a.* 영국(Britain)의 ; 영국인의 ; 고대 브리턴족(the Britons)의.
—— *n.* [the ~] 영국민[인] ; 고대 웨일스어 ; =BRITISH ENGLISH.

〈회화〉
Are you American? — I should say not. I'm *British.* 「당신은 미국 사람입니까」「아니오, 영국 사람입니다」

〚OE *Bryttisc* (*Bryt* BRITON, -*ish*)〛

Brítish Acádemy *n.* [the ~] 영국 학사원《인문학의 연구·발달을 목적으로 함 ; 略 B.A.》.

Brítish Áirways *n.* 영국 항공.

Brítish América *n.* =BRITISH NORTH AMERICA.

Brítish Associátion *n.* [the ~] 영국 학술협회《과학의 진보·발달을 목적으로 함》.

Brítish Bróadcasting Corporátion *n.* [the ~] 영국 방송 협회《略 B.B.C.》.

Brítish Colúmbia *n.* 브리티시 컬럼비아《캐나다 남서부의 주 ; 略 B. C.》.

Brítish Cómmonwealth (of Nátions) *n.* [the ~] 영연방(☞ COMMONWEALTH).

Brítish Cóuncil *n.* [the ~] 영국 문화 진흥회.

Brítish dóllar *n.* 영국 달러《전에 영국이 연방내에 통용시킬 목적으로 발행한 각종 은화》.

Brítish Èast África *n.* 영령 동아프리카《Kenya, Uganda, Tanzania 등지의 영령이었던

지역의 옛 이름》.

Brítish Émpire *n.* [the ~] 대영 제국《영 본토 및 그 식민지와 자치령의 옛 이름》.

Brítish Énglish *n.* (American English에 대하여) 영국 영어.

Brítish·er *n.* 《美》 영국 사람, 영 본국인.

Brítish Expedítionary Fórce *n.* [the ~] (1914년 8월에 프랑스로 파송된) 영국 해외 파견군《略 B. E. F.》.

Brítish Guiána *n.* Guyana의 옛 이름.

Brítish Hondúras *n.* 영령(英領) 온두라스《현재 BELIZE》.

Brítish Índia *n.* (옛날의) 영령 인도《略 B.I.》.

Brítish Ísles *n. pl.* [the ~] 영국[브리티시] 제도《Great Britain, Ireland와 Man섬 따위 부근의 섬들을 포함》.

Brítish·ìsm *n.* ＝BRITICISM.

Brítish Ísraelite *n.* 영국인은 이스라엘의 잃어버린 10지족(lost tribes of Israel)의 자손이라고 믿는 종교단체의 사람.

Brítish Légion *n.* [the ~] 영국 재향 군인회.

Brítish Líbrary *n.* [the ~] 영국(국립) 도서관.

Brítish Muséum *n.* [the ~] 대영 박물관.

Brítish Nòrth América *n.* 영령 북아메리카《옛 대영 제국령(領)으로서의 캐나다 및 그 속령·속주》.

Brítish Ópen *n.* [the ~] 〖골프〗 영국 오픈《세계 4대 토너먼트 중의 하나》.

Brítish Ráil *n.* 영국 국유철도《略 BR》.

Brítish thérmal ùnit *n.* 영국 열량 단위《1파운드의 물을 화씨 40도에서 1도 상승시키는 데 필요한 열량 ; 略 B.T.U., B.t.u.》.

Brítish wárm *n.* (군대용) 짧은 털외투.

Brítish Wèst Índies *n. pl.* [the ~] 영령 서인도 제도《Bahamas, Barbados, Jamaica, Trinidad and Tobago 기타 섬들》.

Brit. Mus. British Museum.

Brit·on [brítn] *n.* **1** (고대의) 브리턴인 : the ~*s* 브리턴족《Celt족으로 로마군 침입 당시, 영국 남부에 살고 있었음》. **2** 《文語》 영국인 : ☞ NORTH BRITON.
〖OF＜L *Britton- Britto*＜OCelt.〗

brits·ka, britz·(s)ka [brítskə] *n.* 브리츠카《접을 수 있는 포장이 달린 무개 마차》. 〖Pol.〗

Britt. *Brit(t)an(n)iarum* 《L》 (＝of the Britains).

brit·tle [brítl] *a.* **1** 부서지기[깨지기] 쉬운, 무른 ; 무상한, 덧없는. **2** 과민한, 상처 받기 쉬운 ; (태도가) 완고한, 차가운. **3** (소리가) 날카로운.
── *n.* (땅콩 따위가 든) 바삭바삭한 당과(糖果).
~·ly, brít·tly *adv.* **~·ness** *n.*
〖ME (Gmc. 《美》 *brut-* to break up)〗

Brix [bríks] *n., a.* Brix scale(의).

Bríx scále [bríks-] *n.* 브릭스 비중계《용융 설탕의 비중을 잼》.
〖A. F. W. *Brix* (d. 1890) 독일의 발명가〗

brl. barrel.

bro. [bróu] (*pl.* **bros.**) brother.

broach [bróutʃ] *n.* **1** (고기굽는) 꼬치. **2** 구멍 뚫는 기구 ; 송곳 ; (촛대의 양초를 꽂는) 초꽂이. **3** 〖建〗 브로치《네모진 탑위의 팔각 첨탑(broach spire)의 네 귀퉁이를 덮는 삼각뿔 모양의 부분》.
── *vt.* **1** (통 따위의) 마개를 따다 ; 《비유》 (이야기를) 꺼내다, 문제를 내놓다, 발의(發議)하다. **2** 〖海〗 (배를) 가로 돌리다〈*to*〉. ── *vi.* 〖海〗 (배가) 뱃전을 바람부는 쪽으로 돌려대다.
〖OF ; ⇨ BROOCH〗

bróach·er *n.* 기안자, 발의자, 제창자.

bróach spìre *n.* 〖建〗 팔각 첨탑.

‡broad [brɔ́:d] *a.* **1** (폭이) 넓은, 널따란(↔*narrow*) : 5 ft. ~ (＝in breadth) 폭 5피트. **2** (마음이) 넓은, 포용력이 큰 ; 일반적인 ; 개괄적인 : in a ~ sense 넓은 뜻으로 / a ~ outline 대체적인 윤곽. **3** (밝음 따위) 가득찬, 충만한 : in ~ daylight ☞ DAYLIGHT 1. **4** 단번에 알 수 있는, 명백한 ; (사투리가) 심한 : a ~ distinction 명백한 차이 / a ~ dialect 심한 사투리 / ~ Scotish 저지대 스코틀랜드 사투리. **5** 천한(indecent), 노골적인 ; 거리낌없는, 방자한 : ~ jests 천한 농담. **6** 〖音聲〗 개구음(開口音)의《ask 따위 모음을 [ɑ:]로 발음하는 따위 ; cf. FLAT[1] *a.* 9》.
as broad as it is long 결국 마찬가지인.
in broad day 대낮에, 백주에.
── *n.* **1** 넓은 부분 ; 손바닥. **2** [the B~s] 《英》 (Norfolk 또는 Suffolk의) 호소(湖沼) 지방《강이 넓어져서 생김》. **3** 《美俗》 여자, 싫은 여자, 단정치 못한 여자, 매춘부.
── *adv.* ＝BROADLY : ~ awake 완전히 잠을 깨어 / speak ~ 심한 사투리로 말하다.
〖OE *brād* ; cf. G *breit*〗
類義語 ⟹ WIDE.

bróad árrow *n.* 굵은 화살촉 모양의 도장《영국 정부의 관유물(官有物)에 찍음 ; cf. ARROWHEAD》.

broad arrow

bróad·àxe, -áx *n.* 날이 넓은 도끼, 큰 도끼.

bróad·bànd *a.* 〖通信〗 광대역(廣帶域)의.

bróad·bànd·ing *n.* 〖經營〗 (생산성 향상을 위한 각 노동자의) 작업 분담 영역의 확대.

bróad bèan *n.* 마마콩, 잠두(蠶豆).

bróad·bìll *n.* 부리가 넓적한 오리류《검은머리흰죽지·넓적부리 따위》; 〖魚〗 황새치.

bróad-blòwn *a.* (꽃이) 만개한.

bróad·brìm *n.* 챙이 넓은 모자 ; [B~] 《美口》 퀘이커교도. **bróad-brìmmed** *a.* 챙이 넓은.

bróad·bròw *n.* 《口》 취미가 다양한 사람.

bróad-brùsh *a.* 대략적인, 대강의.

***bróad·càst** *vt., vi.* (~, ~·ed) **1** 방송하다 : ~ a speech[concert] 연설[연주회]을 방송하다 / The news was ~[~*ed*] yesterday evening. 그 뉴스는 어제 저녁 방송되었다. **2** (씨앗을) 뿌리다, 살포[산포]하다. **3** (소문 따위를) 퍼뜨리다, 퍼뜨리고 다니다(spread widely).
── *n.* **1** U,C 방송, 방영, 방송 프로그램 : a ~ *of* a baseball game 야구 방송. **2** (씨앗의) 살포[산포]. ── *a.* 방송의, 방송되는 ; 흩뿌리는, 살포한 ; (소문 따위) 널리 퍼진. ── *adv.* 흩뿌려서, 널리 (퍼뜨려) : scatter[sow] ~ 살포하다, 흩뿌리다. **~·er** *n.* 방송자[방송사] ; 방송 장치 ; 살포기(器).

bróad·càst·ing *n., a.* (라디오·텔레비전의) 방송(의), 방영(의) : a ~ station 방송국 / radio ~ 라디오 방송.

bróadcast jòurnalism *n.* 방송 저널리즘.

bróadcast mèdia *n.* 전파 매체.

bróadcast sàtellite *n.* 방송 위성.

Bróad Chúrch *n.* [the ~] 광(廣)교회파《영국 국교내의 자유주의적인 일파 ; cf. HIGH CHURCH, LOW CHURCH》.

bróad·clòth *n.* U 《英》 폭이 넓고 질이 좋은 나사 ; 《美》 ＝POPLIN.

bróad·en *vt.* 넓히다. ── *vi.* [動 / 副 / ＋前＋名] 넓어지다, 퍼지다 : The river ~*s* at its mouth. 강은 강하구에서 넓어진다 / The old man's face ~*ed* (***out***) ***into*** a grin. 노인은 이를 드러내고 싱긋 웃었다.

bróad-fáced *a.* 얼굴이 넓적한.

bróad gáuge *n.* 〖鐵〗 광궤(廣軌).

bróad-gáuge(d) *a.* 〖鐵〗 광궤의 ; 관대한, 도량이 넓은 ; 광범한.

bróad glás *n.* 창유리.

bróad hátchet *n.* 날의 폭이 넓은 손도끼.

bróad-hòrn *n.* 《美》 너벅선, 평저선(平底船).

bróad·ish *a.* 널찍한, 널따란.

bróad jùmp *n.* [the ~] 《美》 멀리뛰기(=《英》 long jump) : *the* running ~ 도움닫기 멀리뛰기.

bróad·lèaf *n.* 잎이 넓은 담배.

bróad-léaved, -léafed *a.* 잎이 넓은.

bróad·lòom *a.* 폭 넓게 짠.

bróad·ly *adv.* 널리, 골고루 ; 노골적으로, 거리낌없이 ; 사투리로 ; 개괄적으로 ; 버릇없이, 천하게. ***broadly speaking*** 개괄적으로 말하면, 대개.

bróad-mínd·ed *a.* 마음이 넓은, 관대한, 편견이 없는.
~**·ly** *adv.* ~**·ness** *n.*

Broad·moor [brɔ́:dmuər] *n.* 브로드무어 수용소 《잉글랜드 Berkshire에 있는 정신장애 범죄자를 수용하여 치료하는 시설》.

bróad·ness *n.* **1** Ⓤ 넓음, 널따람 ; 관대(함). **2** Ⓤ 노골(적임), 비천(함).
㈜ 1의 뜻으로는 BREADTH쪽이 일반적.

bróad pénnant[péndant] *n.* 〖海軍〗 대장기, 사령관기 ; (상선대 선임선장·요트 협회 회장 등의) 연미기(燕尾旗).

bróad rùle *n.* 보편적인 규칙 ; 일반적 기준.

bróad séal *n.* [the ~] 영국의 국새(國璽).

bróad·shèet *n.* 브로드사이드(에 인쇄된 것)《광고·전단 따위》 ; 38×61cm의 신문지.

bróad·sìde *n.* **1** 뱃전 ; 한쪽 뱃전의 대포(의 일제사격) ; 《비유·口》 (욕 따위를) 일제히 퍼붓기 ; [형용사적으로] 일제히 행하는. **2** (집 따위의) 넓은 쪽 면. **3** 브로드사이드《(1) 한쪽 면만 인쇄한 대형 인쇄물. (2) 접어 넣은 인쇄물》. **4** 브로드사이드에 인쇄된 광고《따위》. —— *adv.* 뱃전을 (어떤 방향으로) 돌려〈*on, to*〉.

bróad sìlk *n.* 폭이 넓은 명주.

bróad-spéctrum *a.* 〖藥〗 광역 (항균) 스펙트럼의 : ~ antibiotic 광역[광 스펙트럼] 항생물질.

bróad·swòrd *n.* 날이 넓은 칼.

bróad·tàil *n.* (아시아산) 꼬리가 굵은 양 ; 그 새끼 양 모피.

***Broad·way** [brɔ́:dwei] *n.* **1** 브로드웨이 《New York시를 남북으로 종단하는 극장·환락가 ; cf. GREAT WHITE WAY》. **2** Ⓤ [집합적으로] (New York시(市)의) 상업 극장[연극](cf. OFF-BROADWAY).

bróad·way(s) *adv.* =BROADWISE.

bróad·wìfe *n.* 《美》 자기의 소유주와 남편의 소유주가 다른 여자 노예.
〖*abroad wife*〗

bróad·wìse *adv.* 가로로, 옆으로.

Brob·ding·nag [brάbdiŋnæ̀g, -dig-], **-dig-** [-dig-] *n.* 거인국(巨人國)《Swift작 *Gulliver's Travels*에서》.

Bròb·ding·nág·i·an *a.* 거대한(gigantic).
—— *n.* 거인(巨人).

bro·cade [broukéid] *n.* Ⓤ (무늬가 두드러진) 비단, 금란(金襴). —— *vt.* 무늬 넣은 비단으로 짜다. 〖Sp. and Port. *brocado* < It. (*brocco* twisted thread)〗

bro·cád·ed *a.* 무늬를 두드러지게 짠.

broc·a·telle, -tel [brὰkətél] *n.* 브로카텔, 솟을무늬로 짠 brocade.

broc·(c)o·li [brάkəli] *n.* Ⓤ,Ⓒ 〖植〗 브로콜리, 모란채《cauliflower류의 야채》. 〖It. (pl.) ‹ *broccolo* cabbage top (dim.) ‹ *brocco* ; cf. BROACH〗

bro·ché [brouʃéi] *a.* 무늬를 두드러지게 짠.
—— *n.* (명주 또는 교직(交織)의) 무늬를 두드러지게 짠 피륙. 〖F〗

bro·chette [brouʃét] *n.* (요리용) 구이꼬치. 〖F〗

bro·chure [brouʃúər ; brə́uʃuə, -ʃə] *n.* 가(假)철한 책, 소책자, 팸플릿(pamphlet).
〖F=stitching (*brocher* to stitch)〗

brock [brάk] *n.* 〖動〗 (유럽산) 오소리 ; 지저분한 사람. 〖OE *brocc* < Celt.〗

brock·age [brάkidʒ] *n.* 불완전 주조화(貨).

Brock·en [*G* brɔ́kən] *n.* 브로켄《독일 하르츠 산지 최고봉(1142 m) ; 전설에 의하면 Walpurgis Night에 마녀들이 모인다고 함》.

Brócken spécter [bów [-bóu]] *n.* 브로켄의 요괴《태양을 등지고 섰을 때 산꼭대기의 구름에 크게 비치는 자기의 그림자》. 〖↑〗

brock·et [brάkət] *n.* 두 살된 수사슴 ; 작은 사슴의 일종《남아메리카산》.

bro·die [bróudi] *n.* 《俗》 큰 실책[실수, 실패] ; 뛰어듦, (특히) 투신 자살. 〖Steve *Brodie* 19세기말 Brooklyn Bridge에서 East River로 뛰어들었다고 하는 신문팔이 소년〗

Broed·er·bond [brúdərbɔ̀(:)nt, -bὰnt] *n.* 《南아》 아프리카 민족주의자의 정치적 비밀 결사 ; (수상쩍은 목적의) 비밀 조직.
〖Afrik. =band of brother〗

bro·gan [bróugən, -gæn] *n.* 복사뼈까지 오는 튼튼한 작업용 구두.

brogue[1] [bróug] *n.* **1** (무두질하지 않은 가죽으로 만든) 투박하고 튼튼한 신, 생가죽 구두《원래 아일랜드인이나 고지 스코틀랜드인이 사용》. **2** 구멍을 뚫고 장식한 튼튼한 단화(短靴)《골프화 따위》.
〖Gael. and Ir. *brōg* < ON〗

brogue[2] *n.* 지방 사투리 ; (특히) 아일랜드 사투리.
〖C18 < ? ; ↑에서 인가〗

broi·der [brɔ́idər] *v.* 《詩·古》 =EMBROIDER.

broi·dery [brɔ́idəri] *n.* 《詩·古》 =EMBROIDERY.

broil[1] [brɔ́il] *vt.* (고기를 불에) 쬐어 굽다, 굽다 ; 《비유》 (햇볕이) …에 쨍쨍 내리쬐다. —— *vi.* (고기가) 구워지다 ; 《비유》 찌는 듯이 덥다.
—— *n.* Ⓤ,Ⓒ 굽기 ; (불에) 쬐어 굽기, 쬐어 구운 고기 ; 혹서. 〖OF *bruler* to burn〗

broil[2] *n.* 싸움, 말다툼, 소동. —— *vi.* 싸움하다, 대소동을 벌이다. 〖*broil* (obs.) to muddle < OF *brouiller* to mix〗

bróil·er[1] *n.* **1** 고기 굽는 사람[기구] ; 《美口》 구이용 닭, 브로일러. **2** 《美口》 찌는 듯이 더운 날.
〖BROIL[1]〗

broiler[2] *n.* 소동을 일으키는 사람, 싸움꾼.

bróil·ing *a.* 찌는 듯이 더운, 무더운 ; 구워지는 : I was ~ in the sun. 나는 타는 듯이 뜨거운 햇볕 속에 있었다 / a ~ day 몹시 무더운 날. **~·ly** *adv.*

bro·kage [bróukidʒ] *n.* 《古》 =BROKERAGE.

◇**broke** [bróuk] *v.* BREAK[1]의 과거·《古》 과거분사.
—— *a.* 《俗》 파산한 ; 무일푼인 : I'm ~. 나는 한 푼 없다 / dead[stone, stony] ~ 무일푼으로 / go ~ 한푼 없이 되다 ; 파산하다.

◇**bro·ken** [bróukən] *v.* BREAK[1]의 과거분사.
—— *a.* **1** 부서진, 깨진 ; 부러진 ; 찢어진, 상처난 : ~ tea 가루 차 / a ~ cup 깨진 컵. **2** 꺾인, 쇠약한, 낙심한, 낙담한 : a ~ man 실의에 빠진

사람 / ☞ BROKEN HEART. **3** (말이) 조련된, 길든. **4** (약속·계약 따위) 파기된, 깨진 ; 침범된 : a ~ promise 깨진 약속. **5** 파산한 ; 파탄에 이른 : a ~ bank 파산한 은행. **6** 단속적(斷續的)인 ; (잠·말 따위) 기복이 있는, 파상(波狀)의, 끊겼다 이어졌다 하는 ; (날씨 따위) 불안정한 : ~ service 중단된[중도에서 끊긴] 근무[연한] / a ~ sleep 선잠. **7** 엉터리의, 제멋대로의 ; 문법에 반(反)하는 ; 변칙적인 : ~ English 엉터리[문법에 어긋난] 영어. **8** 우수리의, 토막난 : ~ money 푼돈 / ~ numbers 끝수, 분수 / a ~ lot 《美》 단주(端株) / ~ meat 먹다 남은 고기, 먹다 남은 밥.
~·ly *adv.* 띄엄띄엄.

bróken árm *n.* 《美俗》 먹다 남은[만] 음식.

bróken chórd *n.* 〔樂〕 분산 화음.

bróken cólor *n.* 점묘(點描) 화법《원색 그대로의 작은 점들로 화면을 만드는 화법》.

bróken-dówn *a.* **1** 산산이 부서진, 괴멸된(ruined). **2** 건강을 잃은, 쇠약한. **3** (말이) 지쳐서 움직일 수 없게 된 ; (기계 따위가) 못쓰게 된, 움직이지 않는.

bróken héart *n.* 실의, 낙담 ; 실연.
die of a broken heart 비탄한 나머지 죽다, 실연으로 죽다.

bróken·héart·ed *a.* 실의의, 비탄에 빠진 ; 실연(失戀)한.

bróken hóme *n.* 결손 가정《사망·이혼 따위로 한쪽 부모[양친]가 없는 가정》.

bróken líne *n.* 파선(破線) ; 절선(折線) ; (도로의) 점선《차선(車線)간의 경계선》.

bróken-nécked *a.* 목뼈가 부러진 ; 완전히 망가진[못쓰게 된].

bróken páttern *n.* 〔美蹴〕 리시버가 당초의 패스 코스를 달리지 않음.

bróken récord *n.* 《口》 같은 말을 자꾸 반복해서 하는 사람.

bróken réed *n.* 상한 갈대《일단 유사시에 신뢰할 수 없는 사람[것] ; 마태복음 12 : 20》.

bróken wáter *n.* (여울 따위에서) 거세게 치는 물결.

bróken wéather *n.* 변덕스러운 날씨.

bróken wínd *n.* 말의 폐기종[천식].

bróken-wínd·ed *a.* (말 따위가) 헐떡이는, 폐기종[천식]의(wind-broken).

bro·ker [bróukər] *n.* **1** 브로커, 주식 중개인(cf. JOBBER) ; 중개인, 중개업자(middleman) : a ~ house 증권 회사/☞ STREET[CURBSTONE] BROKER. **2** 《英》 고물상 ; 전당포. **3** 《美》 (정계의) 막후, 권력자(power broker).
〖AF *brocour* broacher (cf. cask), one who sells< ?〗

bróker·age *n.* Ⓤ 중개(업), 거간 ; 중개 수수료, 구전(口錢).

bró·kered *a.* 《美》 막후의 조종을 받는.

brok·ing [bróukiŋ] *n.* 중개(업), 중매(업).
—— *a.* 중개를 하는, 중매하는.

brol·ly [bráli] *n.* 《英口》 우산. 〖umbrella〗

brom- [bróum], **bro·mo-** [bróumou, -mə] *comb. form* 「브롬」의 뜻.
〖Gk. ; ⇨ BROMINE〗

bro·mal [bróumæl] *n.* 〔藥〕 브로말《진통제·수면제(劑)》.

bro·mate [bróumeit] *vt.* 브롬과 화합시키다.
—— *n.* 〔化〕 브롬산염(酸鹽).

bro·mic [bróumik] *a.* 〔化〕 브롬을 함유하는 : ~ acid 브롬산(酸).

bro·mid [bróuməd] *n.* ＝BROMIDE.

bro·mide [bróumaid] *n.* **1** 〔化〕 브롬화물《특히 브롬화칼륨》; 진정제 《1회 복용분》. **2** 《원래 美》 케케묵은 생각, 평범한 일[사람·문구]. **3** 브로마이드 사진.
〖*bromine, -ide*〗

brómide pàper *n.* 〔寫〕 브로마이드(인화)지.

bro·mid·ic [broumídik] *a.* 브롬화물 중독의 ; 《美口》 평범한(commonplace), 고리타분한, 진부한(hackneyed).

bro·min·ate [bróumənèit] *vt.* 〔化〕 브롬으로 처리하다, 브롬과 화합시키다(bromate).
brò·mi·ná·tion *n.* 브롬화(化).

bro·mine [bróumi(:)n] *n.* 〔化〕 브롬《비금속 원소 ; 기호 Br ; 번호 35》.
〖F *brome*<Gk. *brōmos* stink, *-ine*[2]〗

bro·mism [bróumizəm], **bro·mi·nism** [bróumənìzəm] *n.* Ⓤ 〔醫〕 (만성) 브롬 중독.

bro·mo [bróumou] *n.* (*pl.* **~s**) 〔藥〕 브로모《두통약(藥)》.

bromo- ☞ BROM-.

bròmo·críp·tine, -crýp- [-krípti(:)n] *n.* 〔藥〕 브로모크립틴《프로락틴의 과잉 분비를 억제함》.

Brómp·ton còcktail[**mìxture**] [brámptn-] *n.* 〔藥〕 브롬프톤 합제(合劑)《암환자에게 쓰는 진통용 혼합제》.
〖? *Brompton* Chest Hospital 최초로 사용된 병원(病院)〗

bro·my·rite [bróumərài̇t] *n.* 브롬 은광(銀鑛).

bronc, bronk [brάŋk] *n.* 《口》 ＝BRONCO.

bronch- [brάŋk], **bron·cho-** [brάŋkou, -kə] *comb. form* 「기관지」의 뜻.
〖Gk. ; ⇨ BRONCHUS〗

bronchi *n.* BRONCHUS의 복수형.

bron·chi- [brάŋki], **bron·chio-** [brάŋkiou, -kiə] *comb. form* 「기관지」의 뜻. 〖NL〗

bronchia *n.* BRONCHIUM의 복수형.

bron·chi·al [brάŋkiəl] *a.* 〔解〕 기관지의.
〖L<Gk. ; ⇨ BRONCHUS〗

brónchial ásthma *n.* 〔醫〕 기관지 천식.

brónchial catárrh *n.* 〔醫〕 기관지 카타르.

brónchial tùbe *n.* 〔解〕 기관지《둘로 갈라지고, 다시 나뭇가지 모양으로 갈라져서 허파 꽈리[폐포]에 이름 ; cf. BRONCHUS, BRONCHIUM》.

bron·chi·ec·ta·sis [brὰŋkiéktəsəs] *n.* 〔醫〕 기관지 확장(증). **-ec·tat·ic** [-ektǽtik] *a.*

bron·chi·ole [brάŋkiòul] *n.* 〔解〕 세(細)기관지.
bròn·chi·ó·lar *a.*

bron·chit·ic [braŋkítik] *a.* 〔醫〕 기관지염의.
—— *n.* 기관지염환자.

bron·chi·tis [braŋkáitəs] *n.* 〔醫〕 기관지염.
〖*bronchus, -itis*〗

bron·chi·um [brάŋkiəm] *n.* (*pl.* **-chia** [-kiə]) 〔解〕 기관지《bronchus의 분지(分枝)》.

bron·cho [brάŋkou] *n.* (*pl.* **~s**) ＝BRONCO.

bròncho·dilátor *n.* 〔藥〕 기관지 확장제.

bròncho·pneumónia *n.* 〔醫〕 기관지 폐렴.

bróncho·scòpe *n., vt.* 〔醫〕 기관지경(鏡)(으로 검사하다).

bron·chot·o·my [braŋkάtəmi] *n.* 〔醫〕 기관지 절개(술).

bron·chus [brάŋkəs] *n.* (*pl.* **-chi** [-kai, 美＋-ki:]) 〔解〕 기관지. 〖Gk.＝windpipe〗

bron·co [brάŋkou] *n.* (*pl.* **~s**) (북미 서부 평원산) 야생말. 〖Sp.＝rough〗

brónco·bùst·er *n.* 《美口》 야생말을 길들이는 목동[카우보이].

bronk ☞ BRONC.

Bron·të [brάnti] *n.* 브론테. **Charlotte** ~ (1816-55), **Emily** ~ (1818-48), **Anne** ~ (1820-49) 영국의 소설가였던 세 자매.

bron·to·saur [brάntəsɔ̀ːr], **bròn·to·sáurus** *n.* 〖古生〗 뇌룡(雷龍), 브론토사우루스《북미 쥐라기의 거대한 초식 파충류》.

Bronx [brάŋks] *n.* [(the) ~] 브롱크스《New York시 북부의 한 구역(borough)》.

Brónx chéer *n.* 《美俗》 야유, 비웃음《hiss 따위》.

***bronze** [brάnz] *n.* Ⓤ 청동(靑銅), 브론즈; Ⓒ 청동제품; Ⓤ 청동색(reddish brown). —— *a.* 청동제의: a ~ statue 동상(銅像). —— *vt.* 청동색으로 하다; 구릿빛[갈색]으로 만들다: His face had been ~*d* by the sea wind. 그의 얼굴은 바닷바람에 그을려서 갈색으로 탔다. —— *vi.* (볕에 타서) 구릿빛이 되다.
〚F<It.〛

Brónze Àge *n.* **1** [the b~ a~] 〖그神〗 청동 시대(the brazen age)《전쟁과 폭력의 시대; cf. GOLDEN AGE, SILVER AGE, IRON AGE》. **2** [the ~] 〖考古〗 청동기 시대(cf. ICE AGE, STONE AGE, IRON AGE).

brónze médal *n.* 동메달《3등상》.

brónz·er *n.* 피부를 태운 것처럼 보이게 하는 화장품《주로 남성용》.

brónze·smìth *n.* 청동 장인[세공사].

Brónze Stàr Médal *n.* 〖美軍〗 청동 성장(星章), 브론즈스타《공중전 이외의 용감한 행위를 한 사람에게 수여함》.

bronz·ing [brάnziŋ] *n.* (나뭇잎 따위의) 갈색화(化), 퇴색, 변색; 〖染〗 브론징; 청동 장식.

brónzy *a.* 청동 같은[으로 만든]; 청동색의.

brooch [bróutʃ, 美+brúːtʃ] *n.* **1** 브로치, (깃이나 가슴에 꽂는) 장식 핀. **2** (스코틀랜드 군인의) 깃밑의 장식.
〚F *broche* BROACH<L〛

***brood** [brúːd] *n.* **1 a**) 한 배의 병아리[새끼]: a ~ *of* chickens 한 배의 병아리. **b**) [형용사적으로] 증식(增殖)하기 위해 기르는, 알을 품는. **2** 《보통 蔑》 (한 집안의) 아이들. **3** 종족, 종류.
—— *vi.* **1** 알을 품다, 둥지에 들다: The hen is ~*ing.* 암탉이 알을 품고 있다. **2** [+前+名] **a**) (구름·땅거미·저녁놀 따위가) 낮게 깔리다, 나직이 덮다. **b**) 생각에 잠기다; 꾀하다: He was ~*ing* ***over*** the problem. 곰곰이 그 문제를 생각하고 있었다 / She ~*ed* ***on*** what to do if her son did not return from the war. 아들이 전쟁터에서 돌아오지 않으면 어떻게 할까 하는 생각에 잠겨 있었다. —— *vt.* (알을) 품다; 《稀》 (복수 따위를 하려고) 곰곰이 생각에 잠기다, 숙고하다. **~·er** *n.* 인공 부화기; 생각에 잠긴 사람.
〚OE *brōd*; cf. G *Brut*〛

bróod hèn *n.* 씨암탉.

bróod·màre *n.* 씨암말.

bróod pòuch *n.* 〖動〗 (개구리·물고기의) 알주머니; 육아낭(marsupium).

bróody *a.* **1** (암탉이) 알을 품으려 하는. **2** 골똘히 생각하는, 침울한.
〚BROOD〛

◇**brook**[1] [brúk] *n.* 시내, 실개천.
〚OE *brōc* torrent<?; cf. G *Bruch* marsh〛

brook[2] *vt.* [보통 부정 구문으로] 《文語》 (모욕 따위에) 견디다(tolerate); (일의 지연을) 허락하다(allow of): His pride would not ~ such insults. 그의 자존심은 그와 같은 모욕을 참을 수 없었다 / The matter ~*ed* no delay. 사태는 촌각의 지체도 허락지 않았다.
〚OE *brūcan* to use, enjoy; cf. G *brauchen*〛

Bróok·ha·ven Nátional Láboratory [brúkheivən-] *n.* [the ~] 브루크헤이븐 국립 연구소《미국 원자핵물리학 연구소》.

brook·ite [brúkait] *n.* 〖鑛〗 브루카이트, 판(板)티탄석(石).
〚Henry J. *Brooke* (d. 1857) 영국의 광물학자〛

bróok·let *n.* 실개천, 작은 시내.

bróok·lìme *n.* 〖植〗 개불알풀속의 식물.
〚OE (BROOK[1], *hleomoce* 풀 이름)〛

Brook·lyn [brúklən] *n.* 브루클린《New York시의 한 구역(borough); Long Island의 남서부에 있음》.

bróok tròut *n.* 〖魚〗 연어과 곤들매기의 일종[강송어]《북미 동부 원산》.

***broom** [brúːm, brúm] *n.* **1** 비, 대비, 갑판용 브러시: New ~*s* sweep clean. 《속담》 신임자는 구악 일소에 여념이 없는 법. **2** 〖植〗 금작화. **3** 《美俗》 말라깽이.
a man with the broom 개혁하려는 사람.
—— *vt.* 비로 쓸다, 쓸어내다; (콘크리트 표면 따위를) 매끈하게 마무리하다. —— *vi.* 《美俗》 떠나다; (특히) 도망치다.
〚OE *brōm* brushwood; cf. BRAMBLE〛

bróom·bàll *n.* 스틱과 퍽 대신에 빗자루와 배구[축구]공을 쓰는 일종의 아이스하키. **~·er** *n.*

bróom clòset *n.* 빗자루 따위를 넣어 두는 벽장.

bróom·còrn *n.* 〖植〗 수수의 일종《그 이삭으로 비를 만듦》.

bróom cỳpress *n.* 〖植〗 댑싸리.

bróom·ràpe *n.* 〖植〗 초종용《열당과(科); 금작화 따위 뿌리에 기생하는 식물의 총칭》.

bróom·stìck *n.* 빗자루《witch가 하늘을 난다고 함》; 《美俗》 (자기의) 아내; 말라깽이.
marry over the broomstick = ***jump*** (***over***) ***the broomstick*** 남녀가 내연 관계를 맺다.

bróomy *a.* 금작화가 우거진.

Bros., bros. [brʌ́ðərz, 《戲》 bràs, -z; brɔ̀s, -z] brothers: Smith *Bros.* & Co. 스미스 형제 상회.

brose [bróuz] *n.* 《스코》 오트밀에 더운 물[우유]을 타서 소금과 버터로 맛을 낸 음식.

broth [brɔ́(ː)θ, brάθ] *n.* (*pl.* **~s** [-s; -s, brɔ́ːðz]) Ⓤ,Ⓒ 묽은 수프, 고깃국물.
a broth of a boy 《아일》 남자다운 남자, 쾌남아(快男兒).
〚OE *broth*<Gmc. (《美》 *bru-* to BREW)〛

broth·el [brɔ́(ː)θəl, brάθ-] *n.* 매음굴; 《濠》 지저분한 곳. 〚*brothel* (*-house*)<ME *brothel* worthless fellow (OE *brēothan* to go to ruin)〛

bróthel crèepers *n. pl.* 《英俗》 두꺼운 크리프 고무창을 댄 구두《보통 스웨이드 가죽제품》.

◇**broth·er** [brʌ́ðər] *n.* **1** 형제(↔*sister*); 형, 동생; 의형제: my elder[younger] ~ 나의 형[동생] / the Wright ~*s* = 《稀》 the ~*s* Wright 라이트 형제. **2** 남자 친구; 동료, 동기생. **3** 동포; 《美》 (널리) 흑인. **4** (*pl.* 흔히 **breth·ren** [bréðərən]) 같은 교회 교인, 같은 조합 조합원, 동업자 《등》 (cf. BRETHREN): a ~ carpenter 동업자인 목수(fellow carpenter) / a ~ of the brush [quill] (동업인) 화가[문필가](fellow artist [writer]). **5** [군주·재판관끼리의 호칭] 우방 군주, …경(卿).
a man and a brother 동포 형제《노예 반대 운동의 표어에서》.
—— *int.* 《俗》 [놀람·혐오·실망의 소리] 아니 뭐, 저런, 지긋지긋해, 에계.

—— *vt.* 형제로 삼다 ; 형제라고 부르다 ; 조합《따위》에 들다[가입하다].
〖OE *brōther* ; cf. G *Bruder*〗

bróther-gérman *n.* (*pl.* **bróthers-**) 같은 부모의 형제, 친형제.

bróther·hòod *n.* **1** Ⓤ 형제 사이 ; 형제의 인연[애정] ; 동기간. **2 a)** 조합, 협회 ; 우애 단체 ; [집합적으로] 동업자 : the legal ~ 변호인단. **b)** [집합적으로] 수사, 교단원(敎團員).
〖ME *brotherrede*<OE *brōther-rǣden* fellowship ; 어미는 *-hood, -head*의 영향〗

bróther-in-árms *n.* (*pl.* **bróthers-in-árms**) 친한 친구, (특히) 전우(戰友).

bróther-in-làw *n.* (*pl.* **bróthers-in-làw**) 남편 또는 아내의 형제《자형, 매부, 처남, 시아주버니, 시동생》, 자매의 남편《동서》.

Bróther Jónathan *n.* 《英》 미국 국민 ; 미국 정부 ; 미국 ; (전형적인) 미국인《별명 ; 지금은 Uncle Sam이 일반적》.

bróther·ly *a.* 형제의, 형제다운(fraternal) ; 친밀한. —— *adv.* 형제처럼, 형제답게 ; 친척처럼, 친밀하게. **-li·ness** *n.* 형제다움 ; 동기간의 사랑 ; 우애 ; 우정.

brough·am [brú:əm, 美+bróuəm] *n.* 말 한 필이 끄는 4륜 마차 ; 브룸형 자동차《운전석에 지붕이 없는 초기의 상자 모양의 자동차》.

◇**brought** *v.* BRING의 과거·과거분사.

brou·ha·ha [bru:há:ha:, ⌐-⌐, ⌐-⌐] *n.* (민중의) 격앙된 여론[관심], 소동 ; (하찮은 일에 대한) 분규, 난동. 〖F〗

***brow** [bráu] *n.* **1** 이마(forehead). **2** [보통 *pl.*] 눈썹(eyebrows) : knit[bend] one's ~*s* 눈살을 찌푸리다, 상을 찡그리다. **3** 용모, 표정(countenance). **4** 벼랑의 끝부분, (험한 산의) 꼭대기 : the ~ of a cliff 벼랑 끝.
〖OE *brū* ; cf. ON *brūn* eyebrow〗

brów àgue *n.* 〖醫〗 편두통(偏頭痛).

brów àntler *n.* 사슴 뿔의 최초의 가지.

brów·bèat *vt.* (표정이나 말로) 위협하다, 을러대다, 무서운 얼굴로 노려보다 ; 큰소리로 야단치다.
browbeat a person ***into*** do***ing*** (남을) 위협하여 …(을) 하게 하다.

-browed [bráud] *a. comb. form* 「…한 눈썹을 한」의 뜻.

◇**brown** [bráun] *a.* **1** 갈색[밤색]의, 다갈색의. **2** (피부가) 거무스름한, 햇볕에 탄 ; 말레이 인종의.
be in a brown study ☞ BROWN STUDY.
do brown (빵을) 갈색으로[알맞게] 굽다 ; 《英俗》 감쪽같이 속여 넘기다.
do. . .up brown 《美口》 …을 철저하게 하다.
—— *n.* **1** Ⓤ,Ⓒ 갈색, 밤색, 다갈색 ; 갈색[밤색] 그림 물감[염료] ; 갈색인 것《의복·나비·당구공 따위》 : light ~ 연한 갈색 / dark ~ 짙은 갈색, 암갈색 / dressed in ~ 갈색옷을 입은. ㊟ 다음과 같은 경우에는 a를 붙임 : The door was *a* light [dark] ~. 문은 연한 갈색[암갈색]이었다. **2** [the ~] 날아가는 새떼.
fire into the brown 《英》 날아가는 새떼를 향하여 (아무렇게나) 발포하다 ; 《비유》 집단《따위》을 향하여 발포하다.

〈회화〉
My favorite color is *brown*. What's yours ? — Mine is blue. 「내가 좋아하는 색은 갈색이야. 너는 무슨 색을 좋아하니」「나는 푸른색을 좋아해」

—— *vt., vi.* 갈색으로 하다[이 되다], 다갈색으로 굽다[구워지다] ; 거무스름해지다 : be[get] ~*ed* 햇볕에 타다.
brown off 《英俗》 (남을) 싫증나게 하다, 화나게 하다, 짜증나게 하다.
~·ness *n.* 갈색, 밤색.
〖OE *brūn* dark, shining ; cf. G *braun*〗

Brown *n.* **1** 남자 이름. **2 Robert** ~ (1773-1858) 《스코틀랜드의 물리학자》.

brówn álga *n.* 〖植〗 갈조류의 해조(海藻).

brówn-bàg *vt., vi.* [때때로 ~ it] 《美》 (회사 따위에) 갈색 주머니에 넣은 도시락을 가지고 가다 ; (주류 금제인 클럽이나 레스토랑에) 술을 가지고 들어가다.
—— *a.* brown-bag하는.

brówn bàgger *n.* 《美》 도시락을 지참하는 사람 ; (특히 봉급 생활자인) 기혼 남자.

brówn béar *n.* 〖動〗 (갈색의) 불곰.

brówn bélt *n.* (유도 따위에서) 갈색띠《black belt 보다 아래, white belt의 위》.

Brówn Béss *n.* 구식 화승총(火繩銃).

brówn Bétty *n.* [때때로 b~ b~] 푸딩의 일종.

brówn bréad *n.* 흑빵《밀기울을 제거하지 않은 가루로 만든 빵》 ; 《美》 당밀이 든 빵의 일종.

brówn cóal *n.* 갈탄(lignite).

Brówn decísion *n.* 《美》 브라운 판결《공립학교에서의 인종 차별 위헌 판결》.

brówn fát *n.* 〖生理〗 갈색 지방(체)《사람이나 (동면) 동물의 체온 유지 조직》.

Brówn Geórge *n.* 큰 질그릇 물병.

brówn góods *n. pl.* (갈색을 기조로 한) 가정용 집기《텔레비전·주전자 따위》.

Brówn·ian móvement[mótion] *n.* [the ~] 〖理〗 브라운 운동《액체 또는 기체 속에 있는 물질의 미립자가 하는 불규칙적인 운동》.
〖Robert *Brown*〗

brown·ie [bráuni] *n.* **1** 〖(스코)傳說〗 브라우니《한 밤중에 나타나서 몰래 농가의 일을 도와 준다는 작은 요정》. **2** [B~] ＝BROWNIE GUIDE. **3** 《美》 피넛이 든 판(板)초콜릿.
〖small *brown* man ; ⇨ -IE〗

Brównie Guìde *n.* 《英》 걸 가이드(Girl Guide)의 유년단원《7.5-11세》 ; 《美》 걸 스카우트(Girl Scout)의 유년단원《대개 7-9세》.

Brównie pòint *n.* Brownie Guide가 포상(褒賞)으로서 받는 점수 ; [때때로 b~ p~] 《美口》 윗사람에게 환심을 사서 얻은 신용[총애].

brówn·ing *n.* Ⓤ 갈색 착색제《색이나 맛을 내는 볶은 설탕·밀가루 따위》.

Browning[1] *n.* 브라우닝. **Robert** ~ (1812-89) 영국의 시인.

Browning[2] *n.* 브라우닝《자동 권총의 일종》.
〖John M. *Browning* (d. 1926) 미국의 화기(火器) 제작자〗

brówn·ish *a.* 갈색을 띤(browny).

Brówn·ism *n.* 브라운주의《영국의 청교도 Robert Browne이 주창》. **-ist** *n.*

brówn jób *n.* 《英俗》 군인, 병사.

brówn lúng (disèase) *n.* ＝BYSSINOSIS.

brówn·nòse *vt., vi.* 《俗》 (…의) 환심을 사다, 알랑거리다, 아첨하다. —— *n.* 아첨꾼.
brówn·nòser *n.*

brówn·òut *n.* **1** 경계[준비] 등화 관제《공습 대비·절전을 위함》. **2** 《美》 전압 저하.

brówn ówl *n.* (영국·캐나다 따위의) 걸 가이드 유년단의 여성 지도원.

brówn páper *n.* 갈색 포장지.

brówn pówder *n.* 갈색 화약《총포용》.

Brówn Pówer *n.* 브라운 파워《멕시코계 미국인의 정치 운동》.
brówn ráce *n.* 갈색 인종(人種)《말레이·폴리네시아 인종》.
brówn rát *n.* 〖動〗 집쥐[시궁쥐](water rat).
brówn ríce *n.* 현미(玄米).
brówn·shìrt *n.* [흔히 B~] (나치의) 돌격대원《제복이 갈색》, (널리) 나치(cf. BLACKSHIRT) : the ~*s* 나치스 당.
brówn sóil *n.* 갈색토《온대 건조지의 성대성(成帶性) 토양》.
brówn-stàte *a.* (리넨 따위가) 염색되지 않은.
brówn·stòne *n.* Ⓤ《美》 갈색 사암(砂岩) ; Ⓒ 그것을 써서 지은 건축물《고급 주택》. —— *a.* 부유층의.
brówn stúdy *n.* 몽상, 공상(reverie) : be in a ~ 멍하니 몽상에 잠겨 있다.
〖*brown*=dark, gloomy〗
brówn súgar *n.* 〖食工〗 누런 설탕 ;《美俗》 동남아시아산(産)의 저질 헤로인.
Brówn Swíss *n.* (스위스산) 젖소.
brówn-tàil móth, brówn·tàil *n.* 〖昆〗 흰날개독나방《피부에 가려움증을 일으키며 애벌레는 나무의 해충》.
brówn thrásher[**thrúsh**] *n.* 〖鳥〗 (북미 동부산) 갈색지빠귀.
brówn thúmb *n.*《美》 식물 재배에 재능이 없음[없는 사람].
〖cf. GREEN THUMB〗
brówn tróut *n.* =BROOK TROUT.
Brówn Univérsity *n.* 브라운 대학《Rhode Island 주(州) Providence에 있는 1764년에 창립한 사립 대학으로 Ivy League 중의 하나》.
brówn·wàre *n.* 갈색 유약 도자기 ; (원시적인) 갈색 도자기.
brówny *a.* =BROWNISH.
brows·abil·i·ty [bràuzəbíləti] *n.* 〖컴퓨〗 일람(一覽) 가능성《정보 검색 시스템으로 그 내용의 개략을 한번에 알 수 있음》.
browse [bráuz] *n.* (책 따위를) 골라서 읽기 ; (상품 따위를) 사지 않고 구경만 하고 다니기 ; (가축의 사료로서의) 새싹, 순, 어린 잎[가지].
be at browse 새싹을 먹고 있다.
—— *vi.* **1** (가축이) 새싹[연한 잎]을 먹다, 뜯어먹다. **2** [動/+前+名]《비유》 (서점 따위에서) 책을 이것저것 읽다, (책 따위를) 마음내키는 대로 읽다 : A number of people were *browsing* in the library[bookstore]. 몇 사람이 도서관[서점]에서 책을 이것저것 골라서 읽고 있었다 / He often spends many hours *browsing* ***among*** his books. 흔히 책을 이것저것 마음내키는 대로 읽으면서 몇 시간이고 보낸다. —— *vt.* **1** (새싹·순을) 먹다. **2** [+目/+目+*for*+名] (책꽂이에서) 책을 고르다 ; (책 따위를 재미로) 여기저기[이것저것] 읽다 : ~ headlines ***for*** the news 무슨 뉴스가 없나 하고 표제만을 훑어보다.
〖*brouse*<OF *brost* bud〗
bróws·er *n.* 어린 잎을 먹는 소[노루] ; 마음내키는 곳만 골라서 읽는 사람 ; 사지 않고 구경만 하는 손님.
BRS, B.R.S. British Road Services.
brt. for. brought forward《이월(移越) ; 略 B/F》.
Bruce [brú:s] *n.* **1** 남자 이름. **2** 브루스. **Robert (the)** ~ (1274-1329) Scotland 왕 ; 1314년 영국군을 격파하고 Scotland의 독립을 확보했음.
〖OF *Brieuse* (family name)〗
bru·cel·lo·sis [brù:səlóusəs] *n.* (*pl.* **-ses** [-si:z]) 〖醫〗 브루셀라병(病), 파상열(波狀熱).
bruc·ine [brú:si:n, -sən] *n.* 〖化〗 브루신《유독성 알칼로이드의 일종》.
Brücke [*G* brýkə] *n.* [die ~] 브뤼케《독일의 표현주의 화가 단체(1905-13)》.
〖G=bridge〗
Bru·in [brú:ən] *n.* [의인적으로] (동화 따위에서 나오는) 곰 아저씨(bear).
〖Du. =brown〗
***bruise** [brú:z] *n.* 타박상, 멍 ; 상처 ; (야채·과일 따위의) 흠 : a ~ *on* the arm 팔의 타박상.

〈회화〉
Are you okay? — Yeah, just a few *bruises.*
「괜찮아」「응, 약간 타박상을 입었을 뿐이야」

—— *vt.* **1** …에게 상처[타박상]를 입히다 ; (야채·과일 따위를) 흠이 나게 하다, 상하게 하다 ; (목재·금속을) 흠나게[찌그러지게] 하다 : He ~*d* his shin knocking against the chair. 의자에 부딪쳐 정강이에 멍이 들었다 / ~*d* fruit 흠이 난[상한] 과일. **2** (마음 따위에) 상처를 입히다. **3** (약·음식물을) 부수다, 가루가 되게 하다. **4** 〖사냥〗 함부로 말을 몰다. —— *vi.* [+副] 멍이 들다, 상처 자국이 나다 : Peaches ~ *easily.* 복숭아는 흠집이 나기 쉽다.
〖OE *brȳsan* to crush ; AF *bruser*, OF *bruisier* to break로 의미가 강화〗
bruis·er [brú:zər] *n.* 권투 선수 ;《口》 난폭한 사람 ; 난폭한 승마자[기수(騎手)].
bruis·ing [brú:ziŋ] *a.* 치열한.
bruit [brú:t] *n.*《古》 풍설(風說) ; 소동.
—— *vt.*《英古·美》 [보통 수동태로] (소문을) 퍼뜨리다〈*about, abroad*〉. **~·er** *n.*
〖F=noise (*bruire* to roar)〗
brum [brʌ́m] *n., a.* [때때로 B~]《口》 =BRUMMAGEM.
bru·mal [brú:məl] *a.*《古》 겨울의, 겨울 같은 ; 황량한.
brum·by, -bie [brʌ́mbi] *n.*《濠》 사나운 말, 야생마(wild horse).
brume [brú:m] *n.*《詩》 안개 ; 수증기.
brum·ma·gem [brʌ́midʒəm] *n., a.* 《口》 가짜(의) ; 싸구려 물건(의).
〖BIRMINGHAM의 사투리 ; 옛날 가짜돈이나 싸구려 물건이 만들어짐〗
brum·mie, -my [brʌ́mi] *n.*《英口》 버밍엄 사람. —— *a.* 버밍엄(으로부터)의 ;《濠》 삼류의 ; 굴퉁이인.
bru·mous [brú:məs] *a.* 안개가 자욱한 ; 겨울의.
brunch [brʌ́ntʃ] *n., vi.*《口》 늦은 조반《점심을 겸하기도 함》(을 들다).
〖*breakfast*+*lunch*〗
brúnch còat *n.* 여자의 평상복(의 한 가지).
Bru·nei [brú:nai, -ei, -⌐] *n.* 브루나이《보르네오섬 북서부의 독립국 ; 1983년말까지 영연방내의 자치령》.
bru·net(te) [bru:nét] *a.* 브루넷의, (피부·눈·머리가) 거무스름한(cf. BLOND(E), DARK 2). ㊟ brunet은 남성형, brunette는 여성형이 원칙.
—— *n.* (피부·눈·머리가) 거무스름한 사람, 브루넷.
〖F (dim.) < *brun* BROWN〗
Bru·no [brú:nou] *n.* 남자 이름 ;《美俗》 브라운 대학(Brown University).
〖It.<Gmc. =brown〗
Bruns·wick [brʌ́nzwik] *n.* 브런즈윅, 브라운슈바이크(*G* Braunschweig)《독일 중부의 지방》.

Brúnswick bláck *n.* 검은색 니스의 일종.
Brúnswick líne *n.* [the ~] 영국의 Hanover 왕가.
Brúnswick stéw *n.* 브런즈윅 스튜《사냥해서 얻은 고기와 닭고기 따위 두 종류의 고기에 야채를 섞어 만든 스튜》.
brunt [brʌ́nt] *n.* 주력(主力); (공격의) 예봉.
bear the brunt of …의 정면 공격을 받다, 가장 큰 피해를 입다.
〚ME< ?〛

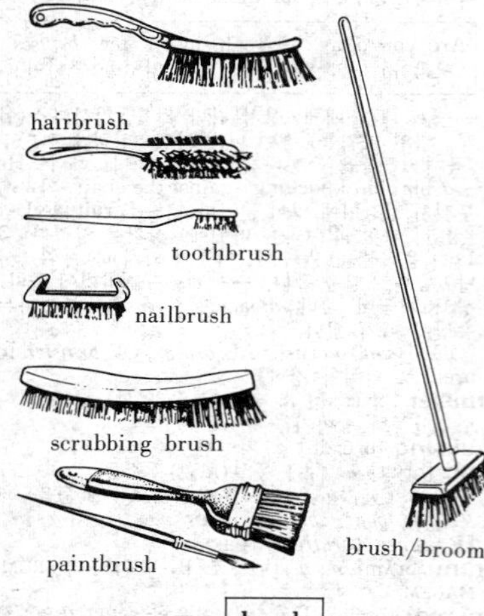

brush

‡brush¹ [brʌ́ʃ] *n.* **1** 솔, 솔질(하기) : Give it another ~. 다시 한번 그것에 솔질을 하십시오. **2** 모필, 화필(畫筆); [the ~] 화법, 화풍 (cf. *the* CHISEL, *the* PEN); [the ~] 화가들 : *the* ~ of Turner 터너의 화풍 / a brother of *the* ~ ☞ BROTHER 4. **3** (여우의) 꼬리《여우 사냥을 한 기념으로 사냥에 참가한 사람이 보존함》. **4** 〖電〗 브러시 (방전), 솔. **5** 스치기; 옥신각신, 작은 충돌[싸움], 사소한 분쟁 : have a ~ *with* …와 옥신각신하다.
at a brush 일거에, 단번에.
at the first brush 최초에; 최초의 작은 충돌로.
— *a.* 솔 같은, 《美俗》 수염을 기른; 《美俗》 시골의.
— *vt.* **1** [+目/+目+補] …에 솔질을 하다, 닦다, 털다 : ~ one's hat 모자에 솔질을 하다 / I ~ my teeth clean every morning. 매일 아침 이를 깨끗하게 닦는다. **2** [+目+副/+目+前+名] 솔[손]로 털어내다 : *B~ away* the fly ***from*** the baby's nose. 갓난애의 콧잔등에서 파리를 쫓아 줘라 / The child ~*ed* the tears *from* his eyes. 아이는 눈에서 눈물을 닦아냈다. **3** 스쳐 지나가다 (touch lightly) : Something ~*ed* my hand in the darkness. 어둠 속에서 무엇인가가 내 손을 살짝 스쳤다.
— *vi.* [+前+名] 스치다, 스치고 지나가다, 질주하다 : He ~*ed* ***against*** me in the passage. 복도에서 나에게 부딪칠 듯이 스치고 지나갔다 / The car ~*ed* ***past***[***by***] him. 그 차는 그의 곁을 살짝 스치고 지나갔다.
brush aside 털어버리다, 떨쳐 버리다, 뿌리치다; (곤란·반대를) 무시하다; 가볍게 다루다.
brush away 털어버리다; =BRUSH *aside.*
brush off (1) 털어버리다. (2) 스쳐 떨어지다 : The mud will ~ *off* when it dries. 진흙은 마르면 비벼 털어버릴 수 있다.
brush over …에 가볍게 칠하다, …을 솔질하다.
brush up (1) 번질하게 닦다, (기술 따위를) 연마하다 : ~ *up* the dust 먼지를 털어내다. (2) (공부를) 다시 시작하다 : ~ *up* one's English 영어를 다시 공부하다.
〚OF *brosse*〛
brush² *n.* **1** 덤불, 잡목 숲. **2** Ⓤ 《美》 작은 나뭇가지, 곁가지(brushwood). **3** [the ~] 《美口》 미개척지(backwoods). 〚OF (↑)〛
brúsh·bàck *n.* 〖野〗 타자를 위협하는 빈볼(beanball) 비슷한 속구.
brúsh bòrder *n.* 〖解〗 브러시 보더《유상피(類上皮) 세포의 원형질막의 미소(微小) 융모》.
brúsh bùrn *n.* 스친 상처, 찰과상.
brúsh cùt *n.* (머리를) 상고 머리(로 깎기).
brúsh dìscharge *n.* 〖電〗 브러시[코로나] 방전.
brushed [brʌ́ʃt] *a.* 보풀이 일게 가공[처리]한《모직물 따위》.
brúsh fìre *n.* 소규모의 전투, 덤불의 불.
brúsh·fìre *a.* (전투·노동쟁의 따위) 소규모의; 국지적인.
brúsh-fòot·ed bútterfly *n.* 〖昆〗 (몇 종의) 네발나비과(科)의 나비.
brúsh hàrrow *n.* 튼튼한 가지로 만든 써레, 잡목가지 써레.
brúsh hòok *n.* 덤불 베는데 쓰는 낫.
brúsh·ing *a.* 살짝 스쳐가는, 날쌘. — *n.* 솔질; 솔로 칠하기; [*pl.*] 쓸어 모은 것.
brúsh·lànd *n.* 관목림 지역.
brúsh·less *a.* 솔을 사용할 필요가 없는.
brúsh-òff *n.* [흔히 the ~] 《美口》 갑작스런 해고, 뜻밖의 거절 : give[get] *the* ~ 퇴짜 놓다[맞다], 거절하다[당하다].
brúsh-pèncil *n.* 화필(畫筆).
brúsh·stròke *n.* 솔질, (화필의) 붓놀림.
brúsh·ùp *n.* 복습, 다시 하기; 재연마; 몸단장 : give one's English a ~ 영어 공부를 다시 시작하다 / have a wash and ~ (손이나 얼굴을 씻은 뒤) 몸단장을 하다.
brúsh whèel *n.* 〖機〗 솔 바퀴《청소·연마용》.
brúsh·wòod *n.* Ⓤ 작은 나뭇 가지, 곁가지; Ⓒ (관목의) 숲, 잔나무 덤불.
brúsh·wòrk *n.* **1** Ⓤ 화법, 화풍. **2** Ⓤ 회화.
brúshy¹ *a.* 솔[브러시]과 같은, 텁수룩한.
brushy² *a.* 덤불로 덮인, 관목이 우거진.
brusque, brusk [brʌ́sk; brú(:)sk] *a.* (태도·말투가) 무뚝뚝한, 퉁명스러운, 애교 없는, 함부로 대하는. **~·ly** *adv.* **~·ness** *n.* 인정머리 없음, 무뚝뚝함.
〚F<It. (*brusco* sour)〛
brus·que·rie [brʌ̀skəríː; brú(:)skəriː] *n.* 무뚝뚝함, 매정함. 〚F (↑)〛
Brus·sels [brʌ́səlz] *n.* 브뤼셀《벨기에의 수도》.
Brússels cárpet *n.* 브뤼셀 카펫《기계로 짠 융단의 일종》.
Brússels láce *n.* 브뤼셀 레이스《꽃무늬를 넣어 손으로 짠 고급 레이스》.
Brússels spròuts *n. pl.* (긴 줄기에 싹이 촘촘히 생기는) 양배추.

brut [brúːt ; *F* bryt] *a.* (포도주, 특히 샴페인이) 쌉쌀한, 단맛이 없는(very dry).

***bru·tal** [brúːtl] *a.* 짐승의, 짐승 같은, 야수적인, 잔인한 ; 포악한 ; 저돌적인. **~·ly** *adv.* 야만스레 ; 잔인하게.
〖F or L ; ⇨ BRUTE〗
類義語 ⟹ CRUEL.

brútal·ìsm *n.* 야수성, 수심(獸心) ; 잔인(무도).

bru·tal·i·ty [bruːtǽləti] *n.* Ⓤ 야만, 잔인성, 무자비 ; Ⓒ 잔인한 행위, 만행.

brútal·ìze *vt.* 야수처럼 하다, 잔인[무정]하게 하다 : War ~*s* many men. 전쟁은 많은 사람들을 잔인하게 만든다. ── *vi.* 짐승처럼 되다, 잔인한 짓을 하다.
brùtal·izátion *n.* 짐승같이[잔인하게] 만듦, 수성화(獸性化).

***brute** [brúːt] *n.* **1 a)** 짐승, 금수 : the ~*s* 짐승류 / a ~ of a man 짐승 같은 사람. **b)** 비(非)인간, 야만인(↔*Christian*) ; 《口》 싫은 놈. **2** [the ~] 수성(獸性), (특히) 수욕(獸慾).
── *a.* 동물의, 짐승의, 이성(理性)이 없는 ; 맹목적인, 무감각한 ; 야만적인(savage), 난폭한 ; 육욕적인 : the ~ beasts 짐승류, 축생 / ~ courage 만용 / ~ force 폭력.
〖F<L *brutus* stupid〗

brut·i·fy [brúːtəfài] *vi., vt.* 《英》 =BRUTALIZE.

brut·ish [brúːtiʃ] *a.* 짐승 같은 ; 야비[잔인·우둔]한 ; 육욕적인.
~·ly *adv.* 짐승같이, 잔인하게. **~·ness** *n.* 야수 같음, 야만적임.

bru·tum ful·men [brúːtəm fúlmən] *n.* 허세(부리기) ; 쓸데없는 협박.
〖L=insensible thunderbolt〗

Bru·tus [brúːtəs] *n.* 브루투스. **Marcus** ~ (85?-42 B.C.) 로마의 정치가로 공화주의자 ; Caesar를 암살했음.

brux·ism [brʌ́ksizəm] *n.* 〖醫〗 자면서 이를 갊.

bry- [brái], **bryo-** [bráiou, bráiə] *comb. form* 「이끼」의 뜻. 〖Gk.〗

Bryn·hild [brínhild] *n.* 〖北유럽神〗 브린힐드 《Sigurd가 마법의 잠에서 깨어나게 한 Valkyrie로, 후에 Sigurd를 살해하게 함》.

bry·ol·o·gy [braiάlədʒi] *n.* 선태학(蘚苔學).

bry·o·ny, bri- [bráiəni] *n.* 〖植〗 브리오니아《박과의 다년생 덩굴풀》 ; [때때로 *pl.*] 브리오니아의 말린 뿌리《하제(下劑)》.
〖L<Gk.〗

brýo·phỳte *n.* 〖植〗 선태(蘚苔) 식물.

brỳo·zóan *a., n.* 〖動〗 이끼벌레류(類)의 (동물).

Bryth·on [bríθən, -αn] *n.* 브리손 사람《고대에 브리튼 섬 남부에 살았던 켈트족의 일파》.

Bry·thon·ic [briθάnik] *a.* 브리손 인[어]의.
── *n.* 브리손어《켈트어의 한 파(派)로 Welsh, Cornish, Breton을 포함함 ; cf. GOIDELIC》.

BS British Standard(s) ; 〖自動車國籍表示〗 Bahamas.

b.s., B/S balance sheet ; bill of sale.

B.S., b.s. 《美學生俗》 bullshit.

B.S. 《美》 Bachelor of Science ; Bachelor of Surgery ; British Standard.

B.S.A. Bachelor of Science in Agriculture ; Boy Scouts of America ; British South Africa.

B.S.A.A. Bachelor of Science in Applied Arts.

B.S.A.A.C. British South American Airways Corporation.

B.S.A.E. Bachelor of Science in Aeronautical Engineering ; Bachelor of Science in Agricultural Engineering ; Bachelor of Science in Architectural Engineering.

BSAM basic sequential access method. **BSC** 〖通信〗 binary synchronous communications.

B.Sc. Bachelor of Science.

B-school [bíː-] *n.* 《口》 경영 대학원(business school).

B scope [bíː -] *n.* 〖電子〗 B 스코프《방위각과 거리를 동시에 나타내는 음극선 스코프》.

B.S.Ec., B.S.Econ. Bachelor of Science in Economics. **B.S.E(d).** Bachelor of Science in Education. **BSFF** 〖經〗 buffer stock financing facility(완충 재고 융자 제도). **B.S.F.S.** Bachelor of Science in Foreign Service.

b.s.g.d.g. *breveté sans garantie du gouvernement* 《F》 (=patented without government guarantee).

BSI, B.S.I. British Standards Institution ; business survey index(기업 경기 실사 지수).

B side [bíː -] *n.* (레코드의) B면(面), 뒷면(flip side) ; 또 그 면의 곡.

B.S. in C.E. Bachelor of Science in Chemical Engineering ; Bachelor of Science in Civil Engineering. **B.S. in Ch.E.** Bachelor of Science in Chemical Engineering. **B.S. in Ed.** Bachelor of Science in Education. **B.S. in L.S.** Bachelor of Science in Library Science ; Bachelor of Science in Library Service. **bskt.** basket.

B.S.L. Bachelor of Sacred Literature ; Bachelor of Science in Law ; Bachelor of Science in Linguistics. **Bs/L** bills of lading. **BSO** blue stellar object(청색 항성꼴 천체). **BSP** bank settlement plan. **BST** British Summer Time.

B supply [bíː -] *n.* B 전원《진공관의 플레이트 회로용 전원》.

Bt, Bt. Baronet. **bt.** bolt ; bought. **B.T.** Bachelor of Theology ; 《美俗》 bacon and tomato sandwich(베이컨 토마토 샌드위치).

BTA 〖廣告〗 best time available(취득 가능 최적 시간대).

B.T.C. British Transport Commission (영국 운수 위원회(1947-62)).

B-test [bíː-] *n.* (Breathalyzer에 의한) 주기(酒氣) 검사.

B. Th. Bachelor of Theology.

BTN Brussels Tariff Nomenclature(브뤼셀 관세 품목 분류법).

btoom [btúːm] *int.* 쾅《폭음 따위》. 〖imit.〗

B Town [bíː -] *n.* 《CB俗》 Alabama 주(州) Birmingham시.

Btry, btry battery.

B.T.U., B.t.u. British thermal unit(s).

bty. battery. **bu.** bureau ; bushel(s).

bub [bʌb] *n.* **1** 《美口》 아가, 젊은이《보통 손아랫사람에 대한 호칭》. **2** [*pl.*] 《俗》 젖퉁이, 유방.

bu·bal, -bale [bjúːbəl], **bu·ba·lis** [-ləs] *n.* 큰영양의 일종《북아프리카산》. **bú·ba·line** [-làin, -lən] *a.* bubal의[같은].

***bub·ble** [bʌ́bəl] *n.* **1** 거품 ; 기포(氣泡)《유리 따위 속의》. **2** 물거품 같은 계획[야심] ; 사기. **3** 거품일기 ; 끓어오름 ; 거품이 이는[끓어오르는] 소리. **4** 작고 둥근 돔. ㊟ foam이나 froth가 거품의 집합체인 데 대하여 bubble은 그 낱낱의 거품을 말함.
blow* (*soap*) *bubbles 비눗방울을 불다《놀이》 ; 공상에 잠기다.

bubble and squeak 《英》 다진 양배추와 감자가 든 고기 프라이 ; 실없는 허풍.
burst a person*'s* ***bubble*** …의 희망을 깨다, …을 실망시키다.
prick the[***a***] ***bubble*** 비눗방울을 찔러 터뜨리다 ; 허위를 폭로하다 ; 환멸을 주다.
── *vi.* **1** 거품이 일다 ; 부글부글 끓다. **2** (샘 따위가) 솟다, 졸졸 흐르다 : Clear water ~*d* ***up*** from among the rocks. 바위 사이에서 맑은 물이 솟아났다. **3** [+*with*+名/+副] 《비유》 (행복감 · 격한 감정이) …으로 들끓다, 넘치다, 가득차다, 흥분하다, 들뜨다 : ~ ***over with*** laughter 웃으며 떠들어대다 / ~ *over with* life 기운차게 떠들다. ── *vt.* **1** 거품이 일게 하다. **2** 《古》 …을 속이다 : ~ a person *into*[*out of*] …을 속여서 …하게 하다.
bubble over 거품이 일어 넘치다 ; (기운 따위가) 넘쳐흐르다 ; …에 열중[열광]하다.
〖ME (? imit.)〗

búbble bàth *n.* 거품을 일으키는 용제(溶劑) ; 거품 목욕.

búbble cànopy *n.* 〔空〕 버블 캐노피, (조종석의) 유선형 바람막이.

búbble càr *n.* 돔(dome) 모양의 투명 덮개가 있는 자동차.

búbble chàmber *n.* 〖理〗 거품 상자.

búbble-chàser *n.* 《美軍俗》 폭격기.

búbble còmpany *n.* 유령 회사.

búbble cúshioning matèrial *n.* (손상 방지용) 기포 완충재(氣泡緩衝材)《손상되기 쉬운 물건의 수송에 씀》.

búbble dànce *n.* 버블 댄스《풍선을 알몸에 달고 추는 춤》.

búbble gùm *n.* 풍선껌 ; 《美》 버블 검《어린이 취향의 록 음악》.

búbble·gùm *a.* 《美》 (록 음악 따위) 어린이 취향의 : ~ music 어린이 취향의 록 음악.

búbble gùm machíne *n.* 《美俗》 경찰차 지붕의 점멸 적등(赤燈).

búbble·gùmmer *n.* 《美》 **1** (10대 전반의) 어린이. **2** 어린이 취향의 록 연주자.

búbble-gùmmy *a.* =BUBBLEGUM.

búbble·hèad *n.* 《美俗》 바보, 멍청이.
~·**ed** *a.*

búbble mèmory *n.* 〔컴퓨〕 버블 메모리《자기(磁器) 버블을 이용한 메모리》.

búbble pàck *n.* (물건이 보이도록) 투명 재료를 쓴 포장.

búb·bler *n.* (물마시게 되어 있는) 분수식 꼭지.

búbble·tòp *n.* (자동차에 붙이는) 방탄용 플라스틱 덮개 ; =BUBBLE CAR.

búbble umbrèlla *n.* 돔 모양의 투명 우산.

búb·bly *a.* 거품이 이는, 거품투성이의 ; 기운찬.
── *n.* 《口》 샴페인.

búbbly-jòck *n.* 《스코》 칠면조의 수컷.

bub·by [bʌ́bi] *n.* **1** =BUB 1. **2** [*pl.*] 《俗》 젖(통이), 유방.

bu·bo [bjúːbou ; bjúː-] *n.* (*pl.* **~es**) 〖醫〗 (특히 샅 · 겨드랑이 밑의) 림프선종(腫).
〖L<Gk. *boubōn* groin〗

bu·bon·ic [bju(ː)bánik ; bjuː-] *a.* 림프선종의.

bubónic plágue *n.* 〖醫〗 선(腺)페스트.

bu·bon·o·cele [bjuːbánəsìːl ; bjuː-] *n.* 〖醫〗 서혜(鼠蹊) 헤르니아. 〖Gk.〗

bu·bu [búːbuː] *n.* =BOU-BOU.

buc·cal [bʌ́kəl] *a.* 〖解〗 볼의 ; 입의, 입속의 : the ~ cavity 구강.

buc·ca·neer, -nier [bʌ̀kəníər] *n.* 해적《특히 17-18세기 아메리카 대륙의 스페인령 연안을 휩쓺》; 악덕 정치가[상인]. ── *vi.* 해적질하다.
〖F (*boucaner* to cure meat on a *boucan* (i. e. barbecue))〗

buc·ci·na·tor [bʌ́ksənèitər] *n.* 〖解〗 협근(頰筋).

bu·cen·taur [bjuːséntɔːr] *n.* 〖그神〗 반우반인(半牛半人)의 괴물.

Bu·ceph·a·lus [bju(ː)séfələs] *n.* 알렉산더 대왕이 타던 말 ; [b~] 《古》 승용마.

Bu·chan·an [bjuːkǽnən, bə-] *n.* **1** 뷰캐넌. **James** ~ (1791-1868) 미국의 제15대 대통령. **2** 뷰캐넌《라이베리아의 항구도시》.

Bu·cha·rest [bjúːkərèst ; ⌐-⌐] *n.* 부쿠레슈티《Rumania의 수도》.

Buch·man [búkmən, bʌ́k-] *n.* 부크먼. **Frank N**(**athan**) **D**(**aniel**) ~ (1878-1961) 미국의 종교가(宗教家).

Búchman·ìsm *n.* 부크먼주의[운동]《영국에서는 Oxford Group Movement, 미국에서는 Moral Rearmament Movement라고 함》.

buck[1] [bʌk] *n.* **1** 수사슴(stag) ; (양 · 토끼 따위의) 수컷(cf. DOE). **2** 멋쟁이. **3** 《口》 혈기 넘치는 젊은이 ; 《蔑》 흑인 또는 아메리칸 인디언의 남자. **4** 《英》 톱질대[톱질 모탕](sawhorse) ; 지지대[지지틀].
old buck 여보게.
── *a.* **1** 수컷의 ; 《俗》 사내의. **2** 《美軍俗》 최하급의 : a ~ sergeant (최하급의) 중사급.
── *vt.* (통나무 따위) 자르다, 톱으로 켜다.
〖혼성(混成) ; OE *bucca* male goat (<ON), OE *buc* male deer (<Gmc.)〗

buck[2] *vi.* **1** (말이 갑자기 등을 굽히고) 뛰어오르다. **2** 《美口》 완강(頑強)하게 저항하다, 강력히 반대하다〈*at*, *against*〉 : ~ ***against*** fate 운명에 거스르다. **3** 《美口》 (차가 덜커덕하고) 갑자기 움직이다. **4** 《英》 자랑하다, 뽐내다, 허풍을 떨다〈*about*〉. **5** 《美》 도박을 하다〈*at*, *against*〉.
── *vt.* **1** (말이 탄 사람 · 짐을) 날뛰어 떨어뜨리다〈*off*〉. **2** 《美口》 완강하게 반항[저항]하다, 강경히[집요하게] 반대하다. **3** 《美口》 (머리 · 뿔 따위로) 받다 ; 걷어차다, 돌격하다. **4** 기운을 북돋다. **5** 〖蹴〗 공을 가지고 적진에 돌입하다.
buck for... 《美口》 …을 얻으려고 기를 쓰다.
buck up 《口》 기운을 내다, 격려하다 ; 힘을 내다 ; [명령] 빨리, 꾸물대지 마라.
── *n.* (말이 등을 굽히고) 뛰어오름.
give it ***a buck***=***have a buck at*** it (시험삼아) 해보다.
〖ME ↑〗

buck[3] *n.* (포커에서) 카드를 돌릴 차례가 된 사람 앞에 놓는 표지 ; 《口》 책임.
pass the buck to... 《口》 …에 책임[죄 따위]을 전가하다.
The buck stops here. 《俗》 모든 책임은 내가 진다《트루먼 대통령의 좌우명》.
── *a.* 《美俗》 용감한, 대담한.
〖C19< ?〗

buck[4] *n.* 《美俗》 달러(cf. BIT[1]) : one ~ and four [six] bits 1달러 50[75]센트.
in the bucks 《美俗》 돈이 있는.

buck[5] *n.* 《英》 뱀장어 잡는 데 쓰는 통발.
〖C19< ?〗

buck[6] *n.* 차체(車體).
〖? *bouk* (obs.) belly<OE〗

buck[7] *n.* 이야기 ; 제자랑. ── *vi.*, *vt.* 지껄이다, 잡담하다 ; 뻐기다 ; 제자랑하다〈*about*〉. 〖Hindi〗

buck[8] *adv.* 《美中南部》 아주, 전혀 : ~ naked 발가벗고, 알몸뚱이로.
〚C20 < ?〛

Buck *n.* 벅. **Pearl** ~ (1892-1973) 미국의 여류작가 ; 노벨 문학상 수상.

buck. buckram.

búck-and-wíng *n.* 《美》 (흑인의) 복잡하고 빠른 탭 댄스.

buck·a·roo, buck·er·oo [bʌ́kərùː, ⌐-⌐] *n.* (*pl.* **~s**) 《美西部》 = COWBOY ; = BRONCOBUSTER.

búck bàsket *n.* 세탁물 광주리.

búck·bèan *n.* 〔植〕 조름나물.

búck·bòard *n.* 《美》 4륜 짐마차《좌석이 탄력성이 있는 판(板) 위에 있음》; 운반부.

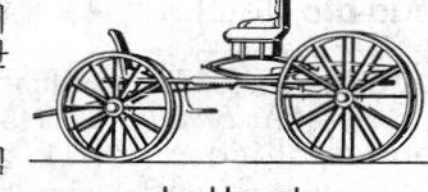
buckboard

búck·càrt *n.* 2륜 짐마차.

bucked [bʌkt] *a.* 《英口》 **1** 지친. **2** 행복한, 즐거운(happy), 의기양양한(elated).

buck·een [bʌkíːn] *n.* 《아일》 자존심만 강하고 교양이 없는 가난한 청년 귀족, 부자나 귀족의 흉내를 내는 가난한 청년.

búck·er *n.* 버릇이 나쁜 말, 갑자기 뛰어오르는 말 ; 《美俗》 상사에게 아첨하는 사람 ; 《美俗》 카우보이.

‡**buck·et** [bʌ́kət] *n.* **1** 양동이, 물통, 두레박 : a fire ~ 소화용 양동이. **2** (컨베이어 · 준설기의) 버킷 ; (펌프의) 피스톤 ; (물방아의) 물받이. **3** (가죽으로 만든) 채찍받이, 기병 총받이. **4** 양동이[물통] 가득(bucketful) ; 《口》 대량, 다량. **5** 《俗》 궁둥이(buttocks) ; 《美俗》 자동차, (특히) 대형차 ; 중고차, 털터리차, 고물차 ; 《美俗》 변소. **6** 《美俗》 미운[싫은] 여자 ; 싫은 놈. **7** 〔컴퓨〕 버킷《직접 접근(direct access) 기억 장치에서의 기억 단위》.
a drop in the bucket 큰 바다의 물 한 방울, 창해 일속(滄海一粟).
cry buckets 《口》 엉엉 울다.
give a person ***the bucket*** 《俗》 남을 해고하다.
kick the bucket 《口 · 때때로 戲》 죽다 ; 뻗다.
make the bucket 《美俗》 곤란한 입장이 되다.
── *vt.* **1** 양동이로 긷다[나르다, 붓다]. **2** 《英口》 (말을) 난폭하게 몰다 ; (배를) 빠른 속도로 젓다. **3** 《俗》 (거래 · 발주를) 부정하게 행하다 ; 《美俗》 …을 속이다(cheat).
── *vi.* 달리다 ; 말을 몰다 ; 《美俗》 엉터리 거간을 하다.
bucket about 《英》 (격랑 속의 배 따위가) 몹시 흔들리다.
bucket down (비가) 억수같이 내리다.
〚AF < ? OE *būc* pitcher, *-et*〛

búcket brigàde *n.* (불을 끄기 위한) 양동이 릴레이 열.

búcket convèyor[**càrrier**] *n.* 〔機〕 버킷 컨베이어《광석, 자갈, 곡물 따위 운반용》.

búcket èlevator *n.* 〔機〕 버킷 엘리베이터《운반 부분이 버킷인 승강기》.

buck·et·er [bʌ́kətər], **-e·teer** [bʌkətíər] *n.* 무허가 브로커, 엉터리 중개인 ; (손님 돈으로 투기하는) 부정 증권 업자.

búcket·fùl *n.* (*pl.* **~s, búck·ets·fùl**) 양동이[물통] 가득(한 양) : rain[come down] (in) ~ 비가 억수로 쏟아지다.

búcket hàt *n.* 수병이 갠 날 쓰는 모자.

búcket-hèad *n.* 《美俗 · 蔑》 독일 병정 ; 멍청이.

búcket mòuth *n.* 《CB俗》 수다쟁이 ; 음담패설하는 사람.

búcket of bólts *n.* **1** 《美俗》 트랙터 트레일러《운전대와 짐칸이 분리된 화물 자동차》. **2** 《俗》 털터리 자동차, 고물 자동차.

búcket sèat *n.* (자동차 · 비행기 따위의 1인용) 접의자.

búcket shòp *n.* **1** 무허가 중개소, 엉터리 거래점. **2** (버킷 따위를 사용한) 술집.

búck·èye *n.* **1** 〔植〕 칠엽수류(七葉樹類)《미국산》. **2** [B~] 《美口》 미국 Ohio 주(州) 사람.
── *a.* 《美》 화려하고 촌스러운.

Búckeye Státe *n.* [the ~] 미국 Ohio 주(州)의 속칭.

búck fèver *n.* 《美口》 초보 사냥꾼이 처음으로 사냥감을 보고 느끼는 흥분.

búck géneral *n.* 《美俗》 (미국 육군의) 준장.

búck·hòrn *n.* 사슴 뿔.

búck·hòund *n.* (사슴 사냥용) 작은 사냥개.

Búck Hóuse *n.* [the ~] 《英俗》 = BUCKINGHAM PALACE.

Búck·ing·ham Pálace [bʌ́kiŋəm-] *n.* [the ~] (런던의) 버킹엄 궁전《영국 왕실의 궁전》.

Búckingham·shire [-ʃìər, -ʃər] *n.* 버킹엄셔《잉글랜드 남부의 주(州), Bucks(.)라고도 함 ; 주도 Aylesbury》.

búck·ish *a.* 멋을 부린, 맵시를 내는.
~·ly *adv.* **~·ness** *n.*

búck·jùmp *n.* (말이 탄 사람을 떨어뜨리려고) 뛰어오르기.
── *v.* = BUCK².

búck·jùmp·er *n.* = BUCKER.

búck knèe *n.* [때때로 *pl.*] 〔獸醫〕 (말 따위의) 안쪽으로 굽은 무릎 ; 외반슬(外反膝)(calf knee).

buck·le [bʌ́kəl] *n.* **1** 물림쇠, 죔쇠 ; 혁대쇠 ; 버클. **2** 휨, 굽음.
── *vt.* **1** [+目/+目+副] 물림쇠[버클]로 물리다[죄다] : ~ (**up**) a belt 벨트를 버클로(바싹) 죄다 / ~ ***on*** a armor 갑옷을 입다. **2** (차바퀴 · 톱 따위를) 구부리다(bend), 우그리다(curl).
── *vi.* **1** (구두 · 허리띠 따위) 물림쇠[죔쇠]로 죄어지다. **2** 굽어지다, 휘다, 우그러지다〈*up*〉: The plaster has ~*d* because of the settling of the house. 집 토대가 가라앉았기 때문에 회벽이 비뚤어졌다. **3** 부서지다 ; 붕괴하다〈*up*〉.
buckle (***down***) ***to*** …에 전력을 기울이다 : ~ *to* a task 열을 내어 일을 시작하다.
buckle one***self to*** …에 노력하다, 온 정력을 다하다.
buckle to [to[túː]는 *adv.*] 기운차게 일을 시작하다, 일에 열중하다.
buckle under... 《美口》 …에 굴복하다, …에게 지다[항복하다].
~d *a.* 물림쇠[죔쇠]가 달린.
〚OF < L *buccula* cheek strap (of helmet) ; 「무너지다」의 뜻은 F *boucler* to bulge에서〛

buck·ler [bʌ́klər] *n.* (왼손에 드는) 둥근 방패 (cf. SHIELD) ; 방어물(protector) ; (배의) 닻줄 구멍의 뚜껑. ── *vt.* …의 방패 구실을 하다 ; 방어하다(defend).

Búck·ley's (**chánce**[**hópe**]) [bʌ́kliz(-)] *n.* 《濠口》 가망 없는 기회, 헛된 소망.

búck·màst *n.* = BEECH MAST.

búck nìgger *n.* 《英俗》 덩치 큰 흑인 남자.

bucko [bʌ́kou] *n.* (*pl.* **búck·oes**) 《俗》 난폭한 사람, 약한 자를 못살게 구는 사람.

búck pàrty *n.* 남자끼리의 모임(stag party).
búck pàsser *n.* 《美口》 매사에 책임 전가를 하는 사람, 책임 회피하는 사람.
búck-pàss·ing *n.* 《美口》 책임 전가.
búck prívate *n.* 《美軍俗》 이등병.
buck·ra [bʌ́krə] *n.* 《美南部》 백인.
buck·ram [bʌ́krəm] *n.* Ⓤ 버크럼《풀·아교 따위로 빳빳하게 한 아마포(亞麻布); 깃 심이나 제본용》; 딱딱하고 거북함; 겉만의 위세.
men in buckram*＝*buckram men 《셰익스피어》 가공 인물.
—— *a.* 버크럼의; 딱딱한; 겉모양만 번드르르한. —— *vt.* 버크럼으로 튼튼하게 하다; 《古》 …에 겉만의 위세를 주다.
〖OF *boquerant*＜? *Bokhara* 중앙 아시아의 도시〗
Bucks(.) [bʌ́ks] *n.* ＝BUCKINGHAMSHIRE.
búck·sàw *n.* 《美》 (H자형 틀에 낀 두손으로 켜는) 큰 톱.
buck·shee [bʌ́kʃiː, -ˊ] *a., adv.* 무료의; 특별한[히]; 무료로, 거저, 공짜로. —— *n.* 《英軍俗》 특별 수당; 뜻밖의 횡재. 〖BAKSHEESH〗
búck·shòt *n.* (*pl.* ～, ～**s**) Ⓤ (사슴 사냥에 쓰는) 큰 산탄(散彈).
búck·skìn *n.* Ⓤ 사슴 가죽《양의 무두질한 누런 가죽을 가리키기도 함》; Ⓒ 사슴 가죽옷을 입은 사람; [*pl.*] 사슴 가죽 구두[반바지].
búck slìp *n.* 〖軍〗 연락용 메모(지).
búck·stìck *n.* 《俗》 허풍선이.
búck·tàil *n.* 〖낚시〗 사슴꼬리 따위로 만든 가짜 미끼, 제물낚시의 일종.
búck·thòrn *n.* 〖植〗 털갈매나무.
búck·tóoth *n.* 뻐드렁니.
búck-tóothed *a.* 뻐드렁니의[가 있는].
búck·wàgon *n.* ＝BUCKBOARD.
búck·whèat *n.* Ⓤ 〖植〗 메밀(열매).
〖Du. ＝beech wheat〗
búckwheat bràid *n.* 《美》 (리본을 맨) 짧게 땋은 머리.
búckwheat càke *n.* 《美》 메밀가루로 만든 팬케이크.
búck·whèat·er *n.* 《美俗》 초심자, 풋내기.
búckwheat flòur *n.* 메밀가루《미국에서는 가벼운 식사 CEREAL을 만듦》.
bu·col·ic [bjuːkɑ́lik] *a.* 양치기의, 목가적인(pastoral); 시골풍의, 전원생활의; 농경의. —— *n.* [보통 *pl.*] 목가, 전원시; 전원 시인; 《古·戱》 시골뜨기, 농부. **-i·cal** *a.*
〖L＜Gk. (*boukolos* herdsman)〗
***bud**[1] [bʌ́d] *n.* **1** 싹, 눈; 봉오리; 발아(기)(發芽(期)): put forth ～*s* 싹이 트다 / ☞ FLOWER BUD / ☞ LEAF BUD / ☞ ROSEBUD. **2** 아이, 소녀; 미숙한 것; 《美》 갓 사교계로 나온 처녀. **3** 〖動〗 (하등 동물의) 싹 모양의 돌기.
in bud 싹터서, 봉오리가 져서.
in the bud 발아기에[로]; 《비유》 초기에, 발달이 덜 된: nip...*in the* ～ ☞ NIP[1] *v.* 숙어 / a physician *in the* ～ 햇병아리 의사.
—— *v.* (**-dd-**) *vi.* 봉오리지다, 싹트다; 《비유》 신장[발달]하기 시작하다; 젊다, 장래가 있다.
—— *vt.* 〖園藝〗 눈접하다.
bud off from …에서 분리하다.
〖ME＜?; Gmc. 인가〗
bud[2] *n.* 《美俗》 ＝BUDDY.
Bu·da·pest [búːdəpèst; bjùːdəpést] *n.* 부다페스트《헝가리의 수도》.
búd·ded *a.* 싹이 튼, 봉오리진; 눈접한.
Bud·dha [bú(ː)də] *n.* [the ～] 불타(佛陀), 여래(如來), 부처.
〖Skt. ＝enlightened (p.p.)＜*budh* to know〗
Búddha·hòod *n.* 불교의 깨달음의 경지, 보리(菩提), 불성.
Bud·dhism [bú(ː)dizəm] *n.* Ⓤ 불교.
Bud·dhist [bú(ː)dəst] *n., a.* 불교도(의), 불교의.
Bud·dhis·tic, -ti·cal [bu(ː)dístik(əl)] *a.* 불타의; 불교도의.
búd·ding *a.* 싹트기 시작하는; 《비유》 나타나기 시작하는: a ～ beauty 애띤 처녀 / a ～ poet 신진 시인 / a ～ diplomat 신진 외교관. —— *n.* Ⓤ 발아, 출아(出芽); 싹이 틈; 눈접붙이기, 눈접붙이는 법.
bud·dle [bʌ́dl] *n.* 〖鑛〗 세광조(洗鑛槽). —— *vt.* 세광조로 씻다.
bud·dle·ia [bʌ́dliə, bʌdlíːə] *n.* 〖植〗 부들레아속의 교목. 〖A. *Buddle* (d. 1715) 영국의 식물학자〗
bud·dy [bʌ́di] *n.* 《美口》 형제, 동료, 짝패; 《호칭》 여보게, 자네. —— *vi.* 《口》 사이좋게[친구가] 되다〈*up*〉; 《美學生俗》 (남자 동료와) 함께 지내다〈*up*〉. 〖? BROTHER or BUTTY[2]〗
búddy-búddy *a.* 《俗》 아주 절친한, 사이가 썩 좋은. —— *n.* 친한 친구; 《美俗》 적(敵), 싫은 놈. —— *vi.* 아주 친한 사이가 되다.
búddy sèat *n.* 《美俗》 (모터사이클의) 사이드카; 권력이 있는 지위.
búddy stòre *n.* 《美軍俗》 급유선[기, 기지].
búddy sỳstem *n.* (사고 방지를 위해 수영 따위에서) 2인 1조(組) 방식.
budge[1] [bʌ́dʒ] *vi.* [보통 부정구문으로] (조금) 움직이다, 몸을 움직이다; 의견[생각]을 바꾸다: He would*n't* ～ an inch. 조금도 움직이려 하지 않았다. —— *vt.* (조금) 움직이게 하다; (남)에게 생각을 바꾸게 하다, 양보하게 하다: I ca*n't* ～ it. 조금도 움직일 수 없다.
〖F *bouger* to stir〗
budge[2] *n.* 어린 양의 털가죽; 가죽 자루[포대].
〖AF＜?〗
budge[3] *n.* 《美俗》 술, 위스키.
〖?; cf. BUDGET〗
budg·er·i·gar, budg·er·ee·gah [bʌ́dʒərigɑ̀ː(r), bʌ̀dʒəríːgɑː] *n.* 〖鳥〗 (오스트레일리아산) 사랑새.
〖(Austral.)＝good cockatoo〗
budg·et** [bʌ́dʒət] *n.* **1** (정부 따위의) 예산안; 예산, 경비; 가계(家計), 생활비: introduce[open] the ～ (하원에) 예산안을 제출하다. **2** (물건의) 무더기, (편지·서류 따위의) 한 묶음(bundle): a ～ *of* news 한 묶음의 뉴스. —— *vi.* [＋*for*＋名] 예산에 계정[편성]하다: ～ ***for the coming year 이듬해의 예산을 짜다. —— *vt.* (시간 따위의) 예정을 짜다. **búdget·àry** [; -əri] *a.* 예산상의. 〖ME＝pouch＜OF (dim.)＜*bouge*＜L *bulga* bag〗
búdget accòunt *n.* (백화점의) 할부 방식; (은행 따위의) 자동 지급 계좌.
búdgetary prócess *n.* 예산 편성.
bud·ge·teer [bʌ̀dʒətíər] *n.* 예산을 짜는 사람, 예산 위원.
Búdget Mèssage *n.* [the ～] (미국 대통령이 의회에 보내는) 예산 교서.
búdget plàn *n.* 분할 지불제(制).
búdget stòre *n.* 《美》 백화점의 특매장.
bud·gie [bʌ́dʒi] *n.* 《口》 ＝BUDGERIGAR.
búd·let *n.* 새싹, 새눈, 봉오리.
búd scàle *n.* 〖植〗 아린(芽鱗)(scale).
Bud·wei·ser [bʌ́dwaizər] *n.* 버드와이저《미국 Anheuser-Busch 사제(社製) 맥주; 상표명》.

búd·wòrm *n.* 새순을 갉아먹는 털벌레.
bue·nas no·ches [bwénɑ:s nɔ́:tʃəs] *int.* 안녕히 주무십시오. 〖Sp. =good night〗
bue·nas tar·des [bwénɑ:s tɑ́:rdes] *int.* 안녕하십니까. 〖Sp. =good afternoon〗
Buen·os Ai·res [bwéinəs áiriz, bóunəs éəri:z] *n.* 부에노스아이레스《아르헨티나의 수도》.
bue·nos di·as [bwénɔ:s dí:ɑ:s] *int.* 안녕히 주무셨습니까, 안녕하십니까. 〖Sp. =good day〗
Búer·ger's disèase [bə́:rgərz-] *n.* 〖醫〗 버거병《폐색성 혈전 혈관염》.
〖Leo *Buerger* (d. 1943) 미국의 의사〗
buf [bʌ́f] *n.* 《美俗》 늠름한 사내, 믿음직한 남자, 좋은 남자.
buff[1] [bʌ́f] *n.* **1** Ⓤ (소·물소의) 담황색의 연한 가죽, 유혁 ; Ⓒ 가죽제 군복. **2** Ⓤ 담황색 ; 《口》 (사람의) 맨몸 : be stripped to the ~ 알몸이 되다 / (all) in ~ 알몸으로. **3** 버프《렌즈를 닦는 부드러운 헝겊》. **4** 《美口》 팬, …광(狂), 애호가 : video ~ 비디오 광(狂).
— *vt.* (금속을) 유혁[버프]으로 닦다 ; (가죽을) 부드럽게 하다.
— *a.* 황갈색의 ; 유혁으로 만든.
〖C16=buffalo< ? F *buffle*〗
buff[2] *vt.* (…에 대해) 완충기(buffer) 구실을 하다.
— *n.* 《方》 (손바닥 따위로) 치기, 때리기.
〖imit.〗
buf·fa·lo [bʌ́fəlòu] *n.* (*pl.* **~(e)s, ~**) (인도 원산) 물소 ; (북미 원산) 들소(bison) ; 《軍俗》 수륙 양용(水陸兩用) 탱크 ; 《美俗》 사내, 놈, 남편.
— *vt.* 《美俗》 곤란하게 하다, 당황하게 하다, 속이다.
〖Port.<L<Gk. *boubalos* antelope, wild ox〗
Buffalo *n.* 버펄로《미국 New York 주 서부의 항구 도시》.
búffalo·fish *n.* 〖魚〗 (북미산) 카스토미과(科)의 잉어 비슷한 담수어.
búffalo gràss *n.* 〖植〗 (미국 중부 평원에서 자라는) 목초의 일종.
Búffalo Índian *n.* =PLAINS INDIAN.
búffalo ròbe *n.* 들소 가죽의 무릎 덮개.
búff·còat *n.* 가죽 코트.
búff·er[1] *n.* 완충기(器)[장치] (=《美》 bumper) ; 완충물, (적대 세력 사이에서) 방패가 되는 사람 ; 〖化〗 완충제[액] ; 〖컴퓨〗 버퍼 기억 장치(=∠ **mèmory**)《정보가 다른 장치로 전송될 때, 일시적으로 데이터를 기억하는 중간 장치》.
— *vt.* buffer로서 일하다 ; 〖化〗 완충제로 처리하다, (아스피린)에 제산제를 조합하다.
〖? BUFF[2]〗
buffer[2] *n.* 닦는[윤내는] 기구[사람]. 〖BUFF[1]〗
buffer[3] *n.* 《俗》 (무능한) 놈, 쓸모없는 녀석 ; 〖海〗 부갑판장 : an old ~ 쓸모없는 늙은이.
〖? ME *buffer*[1] stammerer〗
búffer regíster *n.* 〖컴퓨〗 버퍼 레지스터《주기억 장치에 넣기 전에 1차적으로 데이터를 모아 전송하는 컴퓨터의 한 부분》.
búffer solùtion *n.* 〖化〗 완충액(緩衝液).
búffer stàte *n.* 완충국(國).
búffer stòck *n.* 〖經〗 완충 재고(緩衝在庫).
búffer zòne *n.* 완충 지대 ; =BUFFER STATE.
buf·fet[1] [bʌ́fət] *n.* 타격(blow) ; (풍파·운명 따위에) 시달리기 ; 학대. — *vt.* **1** 치다, 때려눕히다 ; (파도·불운 따위가 사람을) 못살게 굴다, 희롱하다 : The boat was ~*ed* by the waves. 보트는 거친 파도에 시달렸다 / She was ~*ed* by fate. 그녀는 운명에 농락당했다. **2** (거센 파도 따위와) 싸우다, 저항하다 : He reached home exhausted from ~*ing* the storm. 폭풍에 시달려 녹초가 되어 집에 당도했다. — *vi.* [+*with*+名] 고투하다 : ~ ***with*** the waves 파도를 헤치고 나아가다.
〖OF (dim.) ‹ *bufe* blow〗
buf·fet[2] [bəféi, bu:-, bú:fei ; búfei] *n.* **1** [; bʌ́fit, búfei] =SIDEBOARD. **2 a)** 경식용(輕食用) 카운터 (counter) ; (정거장·열차 따위의) 경식당, 뷔페, 스낵 바. **b)** (티 파티 따위에서의) 서서 먹는 테이블, 서서 먹는 곳 ; 서서 먹는 식사, 간이 식사 (=∠ **mèal**). **c)** 《주로 英》 = BUFFET CAR.
〖F=stool< ?〗
buffét càr *n.* (간이) 식당차.
búffet·ing [bʌ́fət-] *n.* 난타(亂打) ; 〖空〗 버피팅《난기류에 의한 기체의 이상 진동 현상》 ; 대기권(大氣圈)을 탈출할 때 발사 로켓에 일어나는 심한 진동.
búffing whèel *n.* 연마기(硏磨機).
búff lèather *n.* 튼튼하고 부드럽게 무두질한 쇠가죽.
búf·fle·hèad [bʌ́fəl-] *n.* 〖鳥〗 (북미산) 각시흰뺨오리.
buf·fo [bú(:)fou] *n.* (*pl.* **-fi** [-fi:], **~s**) (이탈리아 가극의) 익살 광대, 우스꽝스런 가수. — *a.* 익살맞은, 우스운. 〖It.〗
buf·foon [bəfú:n] *n.* 익살꾼, 광대(clown) : play the ~ 익살맞게 굴다. — *vi.* 익살부리다.
~·ery *n.* 광대노릇 ; 익살.
〖F<It. (L *buffo* clown)〗
búffy *a.* 들소 가죽 같은, 무두질한 가죽 같은 ; 담황색의 ; 《美俗》 술취한.
búffy còat *n.* 〖生化〗 연막(軟膜)《혈액 응고가 더딜 때 생기는 상층막》.
bu·fo·ten·ine [bjù:fəténi:n, -nən] *n.* 〖化〗 부포테닌《두꺼비의 피부선에서 유도되는 유독 환각제》.
***bug**[1] [bʌ́g] *n.* **1** 《주로 美》 (흔히) 곤충(insect) ; 벌레《거미·바퀴 따위》. **2** 《주로 英》 =BEDBUG. **3** 《口》 세균, 병균, 미생물(germ). **4 a)** 《口》 열중(craze) ; 열광자 : a movie ~ 영화광. **b)** 《美俗》 (특히 교도소에서) 정신과 의사, 카운슬러. **5** 《俗》 =BIG BUG. **6** 《美口》 (기계·계획 따위의) 결함, 잘못(defect). **7** 《口》 비밀[도청용] 마이크, 도청기. **8** 《美俗》 〖競馬〗 수습 기수(에게 주어지는 5파운드의 감량). **9** 〖컴퓨〗 오류.
— *v.* (**-gg-**) *vt.* **1** 《口》 …에 방범벨[도청 마이크]을 설치하다, 도청하다 ; 《俗》 …을 귀찮게 따라다니다, 괴롭히다 ; 《美俗》 …의 정신 감정을 하다, 정신 이상으로 단정하다. **2** 《美俗》 (식물)에서 해충을 잡다.
— *vi.* (깜짝 놀라 눈이) 튀어나오다.
bug off 《美俗》 귀찮게 하지 않고 떠나다.
bug out 《美俗》 (1) 도망치다. (2) (…에서) 급히 손을 떼다.
bug up 《美口》 흥분[당혹]하다.
〖C17< ?〗
bug[2] *n.* 《廢》 악령, 귀신, 도깨비.
〖ME *bugge*< ? Welsh *bwg* ghost ; cf. BUGBEAR〗
bug·a·boo, bug·ga·boo [bʌ́gəbù:] *n.* (*pl.* **~s**) 무서운 괴물(bugbear, bogey) ; (까닭없는) 근심거리. 〖BUGBEAR의 방언〗
búg·bèar *n.* (나쁜 아이를 잡아먹는) 괴물, 도깨비 ; 고민거리, 까닭없이 무서운 것, 겁나는 것.
〖*bug*[2] bogy〗
búg·bìte *n.* 벌레에 물림.
búg bòy *n.* 《美俗》 수습 기수(騎手). 〖⇨ BUG[1] 8〗
búg dòctor *n.* 《美俗》 교도소의 정신과 의사.
búg-èyed *a.* 퉁방울눈의 ; 눈이 휘둥그래진.

búg-frèe *a.* 결점 없는, 흠없는.
bug·ger[1] [bʌ́gər, búg-] *n.* 비역질[계간(鷄姦)]하는 사람 ; 《卑》 상놈, 자식 ; [보통 부정적으로] 《英俗》 조금.
—— *vt.* 《卑》 …와 비역[계간]하다 ; 《英》 몹시 지치게 하다.
bugger off 《英俗》 떠나다, 가버리다.
〚MDu.<OF<L *Bulgarus* Bulgarian heretic〛
bugger[2] *n.* 《美俗》 도청 전문가. 〚BUG[1]〛
búgger àll *n.* 《英俗》 아무것도 없음, 전무(全無) (nothing).
búg·gered *a.* 《英卑》 몹시 지친.
bug·gery [bʌ́gəri, búg-] *n.* 비역, 계간.
Búg·gins's túrn [bʌ́ginzəs-] *n.* 연공 서열에 의한 승진. 〚*Buggins* 막연하게 불특정한 인물〛
búg·gy[1] *a.* 벌레투성이의 ; 미친 ; 《俗》 (눈이) 튀어나온. 〚BUG[1]〛
buggy[2] *n.* **1** 《英》 경장(輕裝) 2륜 마차. **2** 《美》 경장 4륜 마차 ; 《口》 자동차. 〚C18<?〛
búggy whìp *n.* 《美俗》 긴 자동차용 안테나.
búg·hòuse *n.* 《美俗》 정신병원 ; 《英俗》 초라한 극장. —— *a.* 미친, 실성한, 바보 같은.
Búghouse Squáre *n.* (종교가·정치가 등이 연설을 하는) 대도시의 광장(廣場).

buggy[2] 2

búg·hùnt·er *n.* 《口》 곤충 학자(entomologist), 곤충 채집가.
-hùnt·ing *n.* 곤충 채집.
búg-jùice *n.* 《俗》 싸구려 술, 혼합주.
búg kèy *n.* 〔通信〕 전건(電鍵)《용수철 장치로 전기 회로를 간단히 개폐하는 장치》. 〚개발·발매한 회사가 벌레 마크를 붙인 데서〛
bu·gle[1] [bjúːgəl] *n.* (군대의) 나팔. —— *vi.* 나팔을 불다. —— *vt.* 나팔을 불어 지령하다[모으다]. 〚ME=buffalo<OF<L *buculus* young bull (dim.)‹*bos* ox〛
bugle[2] *n.* [보통 *pl.*] 유리[플라스틱]의 관옥(管玉) 《주로 여성복의 장식용》. 〚C16<?〛
bugle[3] *n.* 〔植〕 금난초의 일종《파란 꽃이 핌》. 〚L *bugula*〛
búgle càll *n.* 집합[소집] 나팔 (소리).
bú·gled *a.* 관옥(管玉) 장식이 달린.
búgle hòrn *n.* (사냥꾼의) 호각, 뿔피리, 각적(角笛), 뿔나팔.
bú·gler *n.* 나팔수.
bú·glet *n.* (자전거용) 작은 나팔.
búgle·wèed *n.* 〔植〕 쉽싸리《약용》.
bu·gloss [bjúːglɔ(ː)s, -glɑs] *n.* 〔植〕 지치과(科)의 약초.
〚F or L<Gk.〛
bug·ol·o·gy [bʌgɑ́lədʒi] *n.* 《美俗》 곤충 연구(entomology), 생물학(biology).
búg·òut *n.* 《軍俗》 (명령을 위반한) 후퇴, 전선 이탈 ; 《俗》 의무(이행) 태만자.
búg ràke *n.* 《英俗》 빗(comb).
bugs [bʌgz] *n.* 《美學生俗》 생물학. —— *pred. a.* 《美俗》 미쳐.
búg tèst *n.* 《美俗》 심리 테스트, 정신 감정.
buhl (work) ☞ BOULLE.
buhr [bəːr] *n.* buhrstone으로 만든 돌절구.
búhr·stòne *n.* Ⓤ 〔岩石〕 버스톤《맷돌용》.
bu·i·bui [búibúi] *n.* 부이부이《아프리카 동부 연안 지방에서 이슬람교도 여성들이 숄로 쓰는 검은 천》. 〚Swahili〛
BUIC Back-Up Intercept Control(예비 요격 관제 시스템).
‡**build** [bíld] *v.* (**built** [bílt], 《詩·古》 **~·ed**) *vt.* [+目/+目+前+名/+目+目] 세우다, 건축[건조]하다, 쌓다, 만들다 ; (새가 둥지를) 짓다 ; (사업 따위를) 일으켜 세우다 ; (불을) 피우다 : Huge dams have been *built* ***across*** the river. 거대한 댐이 그 강에 건조되었다 / The house is *built* ***of*** brick. 그 집은 벽돌로 지어졌다 / Bookshelves have been *built* ***into*** the wall. 책장을 벽에 붙박이로 만들었다(cf. BUILD *in*) / He has *built* a house ***for*** his parents. 부모님께 집을 지어 드렸다 / I shall ~ them a new house. 그들에게 새 집을 지어주겠다. ㊟ (1) 보통 집·교량·선박·나라 따위의 큰 것에 사용됨 ; 작은 것에는 MAKE. (2) 때때로 진행형이 수동의 뜻을 포함하여 쓰임 : The railroad *is* ~*ing* (=is being built). 철도가 건설 중이다. —— *vi.* 건축[건조]하다 ; (새가) 둥지를 짓다 : He ~*s* for a living. 건축업을 생계로 한다.
build in (용재(用材)를) 맞추어 넣다, (가구 따위를) 붙박이로 만들다 ; (토지를 건물 따위로) 둘러싸다.
build on... (1) …을 …의 기초[근거]로 삼다 : I would not ~ too many hopes *on* promises. 나 같았으면 남의 약속 따위엔 그렇게 기대를 하지 않았을 텐데 / *built on* sand ☞ SAND 숙어. (2) …을 믿다[의지하다](rely on) : We can ~ *on* that man's honesty. 그 사람의 진실성을 믿을 수 있다 / He *built on* go*ing* to Hawaii with his savings. 저축한 돈으로 하와이로 여행가려고 생각했다.
build up (1) (문·창을) 짜넣다, 붙박이로 만들다. (2) 건물로 둘러싸다(cf. BUILT-UP). (3) (부귀·명성·인격 따위를) 쌓아올리다, 확립하다 ; (건강 따위를) 증진하다, (체력을) 단련하다 : The firm has *built up* a wide reputation for fair dealing. 그 회사는 공정한 거래로 널리 평판을 쌓아 올렸다 / ~ *up* one's health 몸을 단련하다. (4) (신제품 따위를 팔기 전에) 선전을 하다. (5) (군대의 요원을) 모으다 ; (*vi.*) (압력 따위가) 가해지다, 집중되다.
—— *n.* **1** Ⓤ 만들기, 구조. **2** Ⓤ 체격 : a man of sturdy ~ (체격이) 건장한 사람.
〚OE *byldan* (*bold* dwelling place) ; cf. BOWER[1], BOOTH〛
buíld-dòwn *n.* 〔軍〕 빌드다운《신형 무기[핵탄두]의 배치와 동시에 그 수량을 상회하는 수의 구형 무기[핵탄두]를 폐기하는 방식》.
***buíld·er** *n.* 건축(업)자, 건설업자, 건조자 : a master ~ 도목수.
◇**buíld·ing** *n.* **1** Ⓤ 건축술 ; 건축, 건조 : a ~ contractor 건축 청부인. **2** 건축물, 빌딩 : a ~ area 건평 / a ~ site 부지. **3** [*pl.*] 부속 건조물 《헛간·마구간 따위》.
類義語 ***building*** 가장 보편적인 말 ; 벽과 지붕이 있는 건축물. ***edifice, structure*** 둘다 당당한 building을 가리키는데 *structure*는 아름다움보다는 크기·건축법·건축 재료 따위에 중점을 둠. ***pile*** 매우 큰 building 또는 그 집단. ***fabric*** 넓고 웅장한 structure《시(詩)에 적합한 기품이 있는 말》.
buílding and lóan assocìation *n.* 《美》 주택 금융 조합(savings and loan association).
buílding blòck *n.* =BLOCK 1 b).

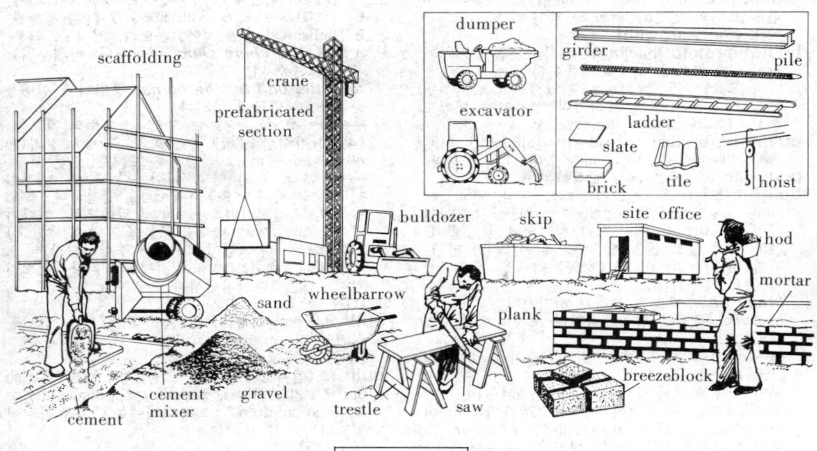

building site

búilding còde *n.* 〔建·土〕 건축 (기준) 법규.
búilding cýcle *n.* 〔經〕 =KUZNETS CYCLE.
búilding lèase *n.* 건축 부지의 임대차 (기한).
búilding lìne *n.* 건축 제한선《도로 따위를 침범하지 못하게 제정한 건축물의 경계선》.
búilding socìety *n.* 《英》 주택 조합《《美》의 building and loan association에 해당》.
búilding tràdes *n. pl.* 건축업《목수·벽돌쌓기·미장이·연관직(鉛管職) 따위 건설에 관계된 각종의 직업을 포함함》.
búild·ùp, búild-ùp *n.* **1** (신인(新人)·신제품 따위의 유명해지기 전이나 팔기 시작하기 전의) 선전, 홍보 ; 대대적인 추천. **2** (병력·세력·체력 따위의) 증강, 강화 ; 축적(蓄積). **3** (토지의) 건물에 의한 점유 상태. **4** (극의 내용을 북돋우는) 줄거리.
◇**built** [bílt] *v.* BUILD의 과거·과거분사. ── *a.* 조립(組立)의 ; (…한) 체격의.
búilt-ín *a.* 짜 넣는, 끼우는, (책장 따위) 붙박이로 만든, 내장된 ; 《비유》 (성질 따위가 본래부터) 타고난(inherent) : a ~ range finder (카메라 내부의) 내장되어 있는 거리계(距離計). ── *n.* 만들어 다는 비품[가구].
búilt-in hóld *n.* 〔로켓〕 카운트다운 때에 전체의 스케줄에 지장을 주지 않고 트러블을 처리할 수 있는 여유 시간.
búilt-in sóftware *n.* 〔컴퓨〕 빌트인 소프트웨어《ROM 칩에 들어 있는 프로그램》.
búilt-úp *a.* 조립한 ; (석탄 따위) 쌓아올린 ; (구역 따위) 건물로 둘러싸인, 건물이 들어찬.
Bu·jum·bu·ra [bùːʒəmbúərə] *n.* 부줌부라《Burundi의 수도》.
bul. bulletin.
***bulb** [bʌ́lb] *n.* **1** 알뿌리, 비늘줄기. **2** 구상(球狀)의 것 ; 구상부(球狀部), 전구 ; (온도계 따위의) 구(球) ; 〔醫〕 안구(眼球). ── *vi.* 알뿌리를 이루다, 알뿌리 모양으로 부풀다.
〚L<Gk.=onion〛
bul·ba·ceous [bʌlbéiʃəs] *a.* =BULBOUS.
bul·bar [bʌ́lbər, -bɑːr] *a.* 알뿌리의, 구상 기관(球狀器管)의 ; 연수(延髓)의.
bul·bif·er·ous [bʌlbífərəs] *a.* 알뿌리를 이루는.
búlb·i·fòrm [bʌ́lbə-] *a.* 알뿌리 모양의.
bul·bil, bul·bel [bʌ́lbəl, -bil] *n.* 〔植〕 (참나리 따위의) 살눈, 구슬눈, 주아(珠芽).
búlb·let *n.* 〔植〕 살눈, 주아(珠芽).
bul·bous [bʌ́lbəs] *a.* 알뿌리 [알줄기]의 ; 알뿌리에서 생기는 ; 알뿌리 모양의.
bul·bul [búlbul] *n.* 〔鳥〕 nightingale의 일종 ; 가수, 시인.
〚Pers.<Arab.〛
Bulg. Bulgaria(n).
Bul·gar [bʌ́lgɑːr, búl-] *n., a.* =BULGARIAN.
Bul·gar·ia [bʌlgέəriə, -gǽər-, bul-] *n.* 불가리아《유럽 남동부의 공화국 ; 수도 Sofia》.
Bul·gár·i·an *a.* 불가리아(인·어)의. ── *n.* 불가리아인 ; Ⓤ 불가리아어.
bulge [bʌ́ldʒ] *n.* **1** (통 따위의) 중배. **2** 부품 ; 〔船〕 배밑, 선저(船底)(bilge) ; 〔軍〕 돌출부(salient). **3** (수·양의) (일시적인) 증대, 팽창.
get* [*have*] *the bulge on... 《俗》 …을 능가하다, …보다 우세하다.
── *vi.* [動/+副/+前+名] 부풀다(swell) : *bulging* eyes 퉁방울눈 / The wrestler's muscles ~*d* (***out***). 레슬러의 근육은 울퉁불퉁했다 / His pocket ~*d* ***with*** small coins. 그의 호주머니는 잔돈 때문에 불룩하게 튀어나왔다. ── *vt.* [+目/+目+前+名] 부풀게 하다 : The child ~*d* his cheeks. 그 아이는 볼을 부풀게 했다 / The apple ~*d* his pocket. 사과 때문에 그의 호주머니는 불룩해졌다 / He ~*d* his pocket ***with*** acorns. 도토리를 넣어 호주머니를 불룩하게 했다.
〚OF<L *bulga* bag ; cf. BUDGET〛
bulg·er [bʌ́ldʒər] *n.* 〔골프〕 타구면(面)이 불룩한 골프채.
bulgy [bʌ́ldʒi] *a.* 부푼, 불룩한. 〚BULGE〛

-bu·lia [bjúːliə] *n. comb. form* 〖醫〗「의욕이 (…한) 상태」의 뜻 : hyper*bulia* 과잉 의욕. 〚NL (Gk. *boulē* will)〛

bu·lim·a·rex·ia [bjuːlìməréksiə] *n.* 〖醫〗 병적 기아와 식욕 부진을 교대로 되풀이하는 정신 장애 ; 다식(多食) 거부증《비만을 죄악시하여 다식하면 손가락을 입에 넣어 토하거나 설사약을 먹기도 함》. 〚*bulim*ia+-*a*-+ano*rexia*〛

bu·lim·ia [bjuːlímiə], **bu·li·my** [bjúːləmi] *n.* Ⓤ 〖醫〗 식욕 과다증 ; (독서 따위에 대한) 이상 욕망.

bu·lím·ic *a.* 게걸들린, 포식하는.

***bulk**[1] [bʌ́lk] *n.* **1** Ⓤ 크기(size), 용적, 부피 : of vast ~ 굉장히 큰 / a price for the ~ 총괄적인 가격. **2** [the ~] 대부분, 대량, 태반〈*of*〉. **3** Ⓤ 〖船〗 묶지 않고 실은 짐, (포장하지 않은) 낱짐, 적화(積貨) (cargo). **4** 《文語》 거대한 것, 거체(巨體), 거구(巨軀).

break bulk 뱃짐을 부리기 시작하다.

in bulk (곡식류 따위) 묶거나 포장하지 않고 ; 대량으로.

── *a.* 전부의, 대량의 ; 낱개의 짐의, 낱개의 짐으로 다루는.

── *vi.* **1** 부피가 늘다〈*up*〉. **2** [+補] (어떤 크기로) 보이다, (중요성이) 있다고 생각되다(be of importance) : The catastrophe ~*ed* large. 그 재해는 굉장한 것으로 생각되었다. ── *vt.* **1** 산더미같이 쌓다. **2** (선화(船貨)의) 용적을 평가[확인]하다.

〚'cargo'의 뜻은 <OIcel. ; 'mass'따위의 뜻은 *bouk* (obs.) belly의 변형(變形)인가 (cf. BUCK[6])〛

類義語 ***bulk, mass, volume*** 모두 물질의 양에 사용된다. *bulk* 모양이 큰 또는 중량이나 수량이 많은 물체 : an elephant of great *bulk* (몸집이 큰 코끼리). *mass* 동종(同種)의 것이 굳어져서 일체를 이루고 있는 집합체 : the *mass* of earth (지구의 용적). *volume* 유동 또는 변화하고 있는 물체의 양 : the *volume* of water of the dam (댐의 물의 용적).

bulk[2] *n.* 〖建〗 건축물의 삐죽 나온 부분 ; (상점 앞의) 삐죽 나온 진열장[판매대] (stall). 〚? ON *bálkr* partition〛

búlk bréaking àgent *n.* 적화(積貨) 구분 대리점《혼재한 화물을 발송지에서 낱낱의 화물로 구분하는 대리점》.

búlk bùy clùb *n.* 《英》 (상품을 싸게 사기 위한) 공동 구입 모임.

búlk bùying *n.* (생산품의) 전량 매점, 대량 구매(購買).

búlk càrgo *n.* 묶거나 포장하지 않은 짐.

búlk chèmical *n.* 소재형(素材型) 화학제품(cf. FINE CHEMICAL).

búlk díscount *n.* (광고량에 의한) 요금 할인.

búlk·hèad [, bʌ́lked] *n.* 〖船〗 칸막이, 격벽(隔壁) ; 〖鑛〗 차단벽 ; 〖建〗 위로 들어서 열게 된 (창)문《옥상 출구·지하실 입구 따위》, 천창(天窓).

búlk lòading *n.* 벌크 로딩《항공기에 화물을 실을 때 사람이 좁은 화물칸에 화물을 차곡차곡 쌓는 방법》.

búlk máil *n.* 다량의 동일 인쇄물의 국불(局拂) 요금 할인 우편.

búlk mòdulus *n.* 〖理〗 부피 탄성률.

búlk prodùction *n.* 《美》 대량 생산.

búlky *a.* 부피가 큰 ; 커다란 ; 다루기 어려운. **búlk·i·ly** *adv.* **-i·ness** *n.*

***bull**[1] [búl] *n.* **1** 황소 (cf. OX, COW, BULLOCK). **2** (코뿔소·코끼리·고래 따위의) 수컷(↔*cow*) : a ~ whale=a whale ~ 수코래. **3** [the B~] 황소자리(Taurus). **4** 〖證〗 사는 쪽, 강세(↔*bear*[2]). **5** =BULL'S-EYE. **6** =BULLDOG. **7** 《俗》 경찰관. **8** [bullshit의 경멸] 《俗》 큰소리, 거짓말, 허풍.

a bull in a china shop 어디서나 행패부리는 부랑자[난폭자].

take the bull by the horns 용감하게[위험을 무릅쓰고] 난국에 맞서다.

── *a.* [*attrib.*로 쓰여] 수컷의 ; 황소의[같은] ; 《美俗》 강력한 ; 〖證〗 사는 쪽의, 강세 예견의(↔*bear*[2]) : a ~ market 강세를 보이는 증권 시장.

── *vt., vi.* **1 a**) 밀고 나아가다 ; …에 대하여 난폭하게 하다 ; 《俗》 (황소가) 발정하다 ; 《卑》 (여자)와 성교하다 : ~ ahead 앞쪽으로 나아가다 / ~ one's way 반대를 무릅쓰고 나아가다. **b**) 〖證〗 마구 사다, (값이 오르도록 주식·시장)의 조작을 하다. **2** 《美口》 …에 허세를 부리다 ; 큰소리치다, 허풍떨다, 자만하다.

〚ON *boli*〛

bull[2] *n.* (로마 교황의) 칙서《교황인(印)을 찍은 공식적인 것 ; cf. BRIEF *n.* 2》.

〚OF<L BULLA〛

bull[3] *n.* (언어상의) 우스운 모순, 엉뚱한 말(=Irish bull)《보기 "It was hereditary in his family to have no children." (그의 집안에는 대대로 자식이 없었다)》.

〚C17< ?〛

bull. bulletin.

bul·la [búlə, bʌ́lə] *n.* (*pl.* **bul·lae** [-liː, -lai]) **1** 〖醫〗 수포(水疱). **2** 〖史〗 로마 교황의 인장.

〚L=seal〛

bul·lace [búləs] *n.* 〖植〗 서양자두나무의 일종.

〚OF<Rom. =sloe〛

bul·late [búleit, -ət, bʌ́l-] *a.* 〖解·動·植〗 수포(水疱) 모양의 돌기가 있는.

búll·bàt *n.* 《美》〖鳥〗 쏙독새.

búll bìtch *n.* bulldog의 암컷.

búll·bòat *n.* 《美俗》 쇠가죽배, 가죽배.

búll·càlf *n.* 수송아지 ; 멍청이.

búll·dag·ger [-dæ̀gər] *n.* 《美俗》 =BULLDYKE.

búll·dòg *n.* 불도그 ; 완고한 사람 ; 《英》 (Oxford, Cambridge 대학의) 학생감(監)의 보좌역 ; 《美俗》 조간. ── *a.* [*attrib.*로 쓰여] 불도그 같은, 용맹하고 끈기 있는 : ~ courage 용맹 / the ~ breed 영국인《속칭》.

── *vt.* 용감하게 행동[공격]하다 ; 《美西部》 (소의) 뿔을 잡고 냅다 쓰러뜨리다.

búlldog ànt *n.* 《濠》〖昆〗 불도그개미《몸길이 2.5 ㎝의 위험한 개미》.

búlldog bònd *n.* 〖經〗 불도그채(債)《영국 국내 시장에서 발행되는 외채》.

búlldog clìp *n.* 강력한 종이 끼우개.

búlldog edìtion *n.* 《美》 (신문의 원격지 발송용) 조조판(早朝版).

bull·doze [búldòuz] *vt.* 불도저로 고르다[파다, 운반하다] ; 《美口》 위협하다, 못살게 굴다 (bully) : ~ one's way 장애[반대]를 극복하고 [무릅쓰고] 돌진하다 / ~ a person *into* doing 남을 위협하여 …시키다. ── *vi.* 불도저를 운전하다 ; 《口》 위협하다.

búll·dòz·er *n.* 《美》 불도저 ; 《口》 위협하는 사람.

búll·dùst *n.* 《濠》 거친 먼지 ; 《俗》 난센스, 허튼 소리, 어리석은 짓.

búll·dỳke, -dìke *n.* 《美卑》 남성역의 여성 동성애자.

***bul·let** [búlət] *n.* **1** 탄알, 권총탄, 소총[기관총]탄. **2** 《英俗》 해고, 모가지. **3** 〖印〗 (광고 따위에서 주의를 끌기 위해 찍는) 큰 점 ; 작은 공, 소

구(小球) ; 낚싯봉 ; [*pl.*] 《美俗》 콩, 완두콩. **4** 〖카드놀이〗 에이스 ; 〖테니스〗 불렛《강한 속구로 정확히 되받아친 공》 ; 《스케이트보드俗》 탄알 활강(자세). **5** 〖美政〗 전부 동일 정당에 던져진 속기 투표(cf. BALL[1], SHELL).
bite (***on***) ***the bullet*** 이를 악물고 견디다.
get the bullet 《口》 해고당하다.
give a person ***the bullet*** 《口》 남을 해고하다.
— *vi.* 재빨리 움직이다.
〖F (dim.) ‹ *boule* ball < L *bulla* bubble〗
búllet bàit *n.* 《美俗》 총알밥《젊은 병사 등》.
búllet·hèad *n.* 둥근 머리(의 사람).
~·ed *a.* 머리가 작고 둥근.
***bul·le·tin** [búlətən] *n.* **1** 고시(告示) ; 보고, 공보 ; 회보 ; 정기 보고서 ; 간략한 최신 뉴스《방송·신문 따위》. **2** (환자의) 용태서(容態書). — *vt.* 고시[게시]하다. 〖F < It. (dim.) ‹ BULL[2]〗
búlletin bòard *n.* 《美》 알림판(=《英》 notice board).
búllet·pròof *a.* 방탄(防彈)의. — *vt.* 방탄으로 하다.
búllet tràin *n.* 탄환 열차, 초특급 열차.
búll fíddle *n.* 《美口》 =CONTRABASS.
búll·fìght *n.* 투우(鬪牛).
~·er *n.* 투우사. **~·ing** *n.* 투우.
búll·fìnch *n.* 〖鳥〗 피리새의 일종(一種)《붉은배멋쟁이새》.
búll·fròg *n.* (미국산) 식용 개구리.
búll gùn *n.* (총신이 무거운) 표적 사격용 총.
búll hàuler *n.* 《CB俗》 **1** 수다. **2** 가축 운반 트럭(의 운전사).
búll·hèad *n.* 머리가 큰 물고기《메기류 따위》, (특히) 둑중개 ; 《비유》 완고한 사람.
búll·héad·ed *a.* 머리가 큰 ; 완고한, 고집센 ; 어리석은.
búll·hòrn *n.* 휴대용 확성기 ; 군함의 확성기.
— *vt.* 《美》 스피커로 연설하다[말하다] ; 《비유》 큰소리로 말하다.
bul·lion [búljən] *n.* **1** Ⓤ 금[은]괴 ; 순금[은] : a ~ point 정화 수송점(正貨輸送點). **2** Ⓤ 금[은] 몰. **~·ìsm** *n.* 금은 통화주의, 경화(硬貨)주의.
~·ist *n.* 금은 통화론자.
〖AF=mint (OF *bouillon*의 변형 ; cf. BOIL[1])〗
búllion frìnge *n.* 금[은]몰.
Búllion Státe *n.* [the ~] Missouri 주의 속칭.
búll·ish *a.* 황소와 같은 ; 완고한 ; 어리석은 ; 〖證〗 강세의(↔*bearish*) ; 낙관적인 : a ~ market 상승 시세. **~·ly** *adv.* **~·ness** *n.*
búll márket *n.* 〖證〗 상승 시세, 강세 시장.
búll mástiff *n.* 불마스티프《bulldog와 mastiff의 교배종으로 경비견》.
búll·nèck *n.* 굵고 짧은 목, 자라목.
búll-nécked *a.* 목이 굵은, 자라목의.
búll·nòse *n.* 주먹코 ; 〖獸醫〗 (돼지의) 괴사성 비염(鼻炎) ; 〖建〗 (벽돌·타일 또는 벽 모서리의) 둥근 면. **~d** *a.*
bul·lock [búlək] *n.* (네 살 이상의) 황소 ; 거세한 소. — *vi.* 《濠口》 황소처럼 일하다, 정력적으로 일하다. — *vt.* 주위에 상관없이 밀고 나아가다.
〖OE *bulluc* (dim.) ‹ BULL[1]〗
búllock pùncher *n.* 《濠》 =BULL PUNCHER.
búl·locky *a.* 거세한 소 같은 ; 《濠》 소몰이의.
— *n.* 《濠》 소몰이 ; 소몰이업 ; 난폭한 말.
bul·lous [búləs] *a.* 〖獸醫〗 수포성(水疱性)의.
búll pèn *n.* 《美》 (소의) 외양간 ; 〖野〗 불펜《구원 투수 연습장》 ; 《口》 유치장 ; (벌목장의) 숙박소.
búll póint *n.* 《英口》 득점, 이점, 우세.
búll pùncher *n.* 《濠》 목동, 카우보이.
búll·pùp *n.* 불도그의 새끼 ; [B~] 〖美軍〗 공대지(空對地) 유도탄.
búll ràck *n.* 《CB俗》 가축 운반 트럭.
búll·rìng *n.* 투우장.
búll-ròar·er *n.* (오스트레일리아 원주민의) 예식용 악기 ; 《美俗》 목소리가 큰 연설가.
bullrush ☞ BULRUSH.
búll sèssion *n.* 《美俗》 (젊은 사람들의) 자유 토론 ; 남자들만의 회합 ; 잡담.
búll's-èye *n.* **1** (표적의) 중심부, 정곡 ; 흑점[과녁의 중심부]에 맞은 화살[총알] ; 《비유》 타당한 말[행동], 핵심을 찌른 발언, 급소 ; 요점 : hit the ~ 표적을 맞히다. **2** 반구(半球)[볼록] 렌즈 ; (볼록 렌즈를 단) 각등(角燈) ; (채광을 위한) 둥근 창. **3** 《英》 알사탕. **4** 폭격 목표의 촛점 ; 적중 미사일. **5** 태풍의 눈, (태풍의 전조가 되는) 중심이 불그스름한 비운(飛雲).
búll·shìt *n.* 《卑》 허풍, 거짓말. — *vt., vi.* 큰소리 치다, 허풍떨다. — *int.* 바보[엉터리] 같은 소리!
búll·térrier *n.* 불테리어《불도그와 테리어의 교배종》.
búll tòngue *n.* 《美》 (목화 재배용의) 큰 쟁기.
— *vt., vi.* 큰 쟁기로 갈다.
búll tròut *n.* 〖魚〗 브라운트라우트 ; 곤들매기.
búll·whàck *n.* 《美》 소몰이 채찍.
— *vt., vi.* 《美》 소몰이 채찍으로 몰다.
~·er *n.* 《美》 소몰이꾼.
búll·whìp *n.* 생가죽 채찍.
— *vt.* bullwhip으로 치다.
bul·ly[1] [búli] *n.* **1** 폭한, 깡패 ; 약자를 못살게 구는 사람 ; 골목대장, 개구쟁이. **2** 《英》 〖럭비〗 스크럼(scrimmage, scrum(mage)).
play the bully 약자를 못살게 굴다.
— *vt.* [+目/+目+前+名] (약자를) 못살게 굴다, 괴롭히다 ; (…에게) 으스대다 ; 을러대다 : He must be *bullied* ***into*** working. 그는 을러대서 일하게 하지 않으면 안된다 / She wanted to go, but he *bullied* her ***out of*** it. 그녀는 가고 싶었으나 그가 윽박질러서 가지 못하게 했다.
— *vi.* 으스대다, 뽐내다. — *a.* 《美口》 멋있는, 굉장한, 훌륭한(excellent), 잘한. — *int.* 《口》 [만족·칭찬·기쁨을 나타내어] 좋다, 잘했다, 좋은데.
〖C16=fine fellow, swaggering coward < ? MDu. *boele* lover ; 본래는 친애하는 말〗
bully[2], **búlly bèef** *n.* 통조림[소금절이] 쇠고기.
〖F=boiled beef ; ⇨ BOIL[1]〗
búlly·bòy *n.* 정치 깡패.
búlly-óff *n.* 《英》 〖하키〗 시합 시작(cf. KICKOFF).
bul·ly·rag [búliræ̀g] *vt., vi.* (**-gg-**) 《美口》 으르다, 위협하다, 괴롭히다. 〖C18 < ?〗
bul·rush, bull- [búlrʌ̀ʃ] *n.* 〖植〗 방동사니과(科)의 올챙이고랭이속(屬)의 각종 큰 골풀 ; 부들 ; 〖聖〗 갈대, 파피루스(papyrus). 〖? *bull*[1] large, coarse+*rush*[1] ; cf. *bull*frog, *bull* trout〗
bul·wark [búlwərk, -wɔːrk, 美+bʌ́l-] *n.* 성채, 보루(保壘) ; 방파제 ; 보호자[물], 지지자 ; [보통 *pl.*] 〖船〗 (갑판보다) 위로 올라온 뱃전. — *vt.* …에 보루를 둘러치다 ; 옹호[방비]하다.
〖BOLE[1], WORK〗
bum[1] [bʌ́m] *n.* 《美俗》 부랑자(tramp) ; 게으름뱅이 ; 룸펜 ; 술주정뱅이 : go on the ~ 부랑생활을 하다, 남의 신세를 지다. — *v.* (**-mm-**) *vi.* 빈둥빈둥 지내다, 방랑하다 ⟨*around*⟩ ; 술주정하다 ; 남의 신세를 지다. — *vt.* 공짜로 얻다, 졸라대다. — *a.* 아주 하치의, 질이 나쁜 ; 잘못된, 가짜의 ; 값싼.
〖생략 또는 역성(逆成) ‹ *bummer*¹〗

bum² *n.* 《英卑》 엉덩이. 〖ME *bom* < ?〗

bùm·báiliff *n.* 《英》 집달리.

bum·ber·shoot [bʌ́mbərʃùːt] *n.* 《美俗》 우산 (umbrella).
〖*umbr*ella+para*chute*〗

bum·ble¹ [bʌ́mbəl] *vi., vt.* 어설프게 하다, 실패하다, 망치다 ; 비틀거리다 ; 우물쭈물 말하다. —— *n.* 실수, 실패. **búmb·ler** *n.* 실패자.
〖*bumble*², *bumble*³ ; 일설에 *bu*ngle+st*umble*〗

bumble² *vi.* (벌 따위가) 윙윙거리다. —— *n.* 《英》 잘난 체하는 하급 관리. 〖*boom*¹, *-le*〗

bumble³ *n.* 《英》 점잔빼는 말단 관리.
〖Dickens, *Oliver Twist*의 교구 관리 *Bumble*에서 ; 원래 'jumble, blunderer'의 뜻〗

búmble·bèe *n.* 〖昆〗 띠호박벌.

búmble·dom *n.* 하급 관리 근성, 거만한 거동.
〖BUMBLE³〗

búmble·pùppy *n.* 〖카드놀이〗 whist 변칙적인 방법 ; 변칙 테니스.

búm·bling *a.* 실수를 잘 하는 ; 무능한. —— *n.* 실수 잘하기.

bum·bo [bʌ́mbou] *n.* (*pl.* **~s**) 럼이 든 펀치 (punch).

búm·bòat [bʌ́m-] *n.* 〖船〗 (정박 중인 선박에 물건을 파는) 행상선(行商船).

búm·chàt *vt.* (여자를) 꾀려고 많이 지껄이다.

bumf, bumph [bʌ́mf], **búm fòdder** *n.* 《英俗》 화장지 ; 《英口 · 蔑》 공문서, 휴지.
〖*bum*² *f*odder〗

Bu·mi·pu·tra [bùːmipúːtrə] *n.* [때때로 b~] (말레이시아에서 중국인과 구별하여) 본토인, 말레이 사람. **bù·mi·pù·tra·izá·tion** *n.* 말레이화 (정책). 〖Malay=sons of the soil〗

bum·kin [bʌ́mkən] *n.* =BUMPKIN².

bum·ma·lo [bʌ́məlòu] *n.* (*pl.* **~s**) 〖魚〗 =BOMBAY DUCK. 〖? Marathi〗

bum·mer¹ [bʌ́mər] *n.* 《美》 부랑자, 건달.
〖G *bummler* loafer〗

bummer² *n.* 《美俗》 (마약 따위의 작용에 의한) 불쾌한 경험 ; 기대에 어긋나는 경험 ; 실패 ; 실망(시키는 것). 〖*bum*¹, *-er*¹〗

bump [bʌ́mp] *n.* **1** 충돌 ; 쾅, 쿵 : with a ~ 쾅하고. **2** 혹(swelling). **3** (골상학에서) 두개골의 융기 ; 두상(頭相) ; (일반적으로) 재능, 육감(faculty) : have no ~ *of* music 음악에 재능이 전혀 없다. **4** 〖競漕〗 추돌(追突) (하고서의 승리). **5** 차의 동요 ; 〖空〗 (비행기를 동요시키는) 악기류(惡氣流), 돌풍. —— *adv.* 쾅당하고, 쾅하고.
—— *vt.* [+目/+目+前+名] 쾅당 부딪치다 ; …에 쿵하고 충돌하다[부딪다], 〖競漕〗 …에 추돌하다 ; (남을 마루나 벽 따위에) 밀어붙이다[넘어뜨리다] : The truck ~*ed* our car. 트럭이 우리 차를 쾅당하고 받았다 / He ~*ed* his head ***against*** the wall. 그는 머리를 벽에 부딪쳤다. —— *vi.* **1** [+前+名] 쾅 부딪치다[맞부딪치다] : He ~*ed* ***against*** the door. 그는 쾅하고 문에 부딪쳤다 / In my hurry I ~*ed* ***into*** a man. 서두르다가 다른 사람과 부딪쳤다. **2** [+副/+前+名] (차가) 덜커덕거리며 지나가다 : The cart ~*ed* ***along*** (the rough road). 짐차는 (울퉁불퉁한 길을) 덜커덕거리며 지나갔다. **3** 〖크리켓〗 (공이) 땅에 맞고 높이 튀어오르다.
bump into... (1) ☞ *vi.* 1. (2) 《口》 …을 우연히 만나다(meet by chance) : I ~*ed* ***into*** an old friend on my way home. 나는 귀가 길에 우연히 옛 친구를 만났다.
bump off 《美俗》 잔인하게 죽이다 ; 죽다 ; 남을 해고[파면]하다.
〖imit.〗

búmp and gó *n.* 〖美蹴〗 수비하는 후위가 스타트하려는 패스 리시버에게 부딪쳐 상대를 혼란시키는 적극적인 플레이.

búmp and grínd *n.* 《美俗》 스트리퍼가 허리 부분을 쑥 내밀고 비트는[돌리는] 동작.

búmp·er *n.* **1** (자동차 앞뒤의) 완충기(器), 범퍼 (=《英》 buffer). **2** 가득 채운 잔 ; 풍작. **3** 대만원 ; 《美口》 굉장히 큰 것. —— *a.* 《口》 굉장히 큰, 풍작의 ; 멋있는 : a ~ year 풍년. —— *vt., vi.* (술 따위) 넘치도록 채우다 ; 다 마셔 버리다 ; 건배하다. 〖BUMP〗

búmper càr *n.* 범퍼 카《유원지 따위에서 서로 부딪치기 놀이를 하는 작은 전기 자동차》.

búmper guàrd *n.* 《美》 범퍼 가드(=《英》 overrider) 《충돌시 다른 차의 범퍼와 얽히는 것을 방지하기 위해 범퍼 양쪽에 붙인 수직 부품》.

búmper júmper *n.* 《CB俗》 딴 차 뒤를 바싹 따라가는 차.

búmper stìcker *n.* 자동차 범퍼에 붙인 선전 · 광고 스티커.

búmper strìp *n.* 《美》 =BUMPER STICKER.

búmp·er-to-búmp·er *a., adv.* 자동차가 줄줄이 길게 이어진[이어져].

bumph ☞ BUMF.

búmp·ing pòst *n.* (철도 궤도 종점에 설치한) 차량 궤도 탈출 방지 장치.

búmping ràce *n.* 〖競漕〗 (앞 보트에 부딪치거나 앞지르면 이기는) 추돌(追突) 보트 경주.

bump·kin¹ [bʌ́mpkən] *n.* 시골뜨기.
〖? Du. *boomken* little tree or MDu. *bommekijn* little barrel〗

bumpkin² *n.* 〖海〗 범프킨《(1) 돛의 아랫 자락을 내뻗기 위해 선내로부터 돌출시킨 짧은 둥근 재목. (2) 삭구용의 내뻗은 막대》. 〖↑〗

búmp-òff *n.* 《俗》 살인(murder).

bump·tious [bʌ́mpʃəs] *a.* 오만한, 건방진.
〖BUMP ; *fractious*를 흉내낸 희언(戲言)〗

búmpy *a.* 울퉁불퉁한 ; (차가) 덜컥거리는 ; 〖空〗 악기류(惡氣流)가 있는, 돌풍이 심한.
búmp·i·ly *adv.* **-i·ness** *n.*

búm ràp *n.* 《美俗》 이유없는 형벌, 누명.

búm's rúsh *n.* 《美口》 강제 추방(하는 수단).

búm stéer *n.* 《美口》 잘못된 지시[조언].

búm·sùck·ing *n.* 《英卑》 아부, 알랑거림, 아첨.
búm·sùck·er *n.*

búm trìp *n.* 《俗》 =BAD TRIP.

bun¹ [bʌ́n] *n.* **1** 건포도가 든 달콤한 빵과자 : ☞ CROSS BUN. **2** (bun 모양의) 묶은 머리 : wear one's hair in a ~ 머리를 트레머리로 땋다. **3** 《俗》 취한 상태, 취기.
have a bun on 취해 있다.
take the bun 《英俗》 전혀 생각지 못한 일이다 ; 일등을 차지하다.
〖ME < ?〗

bun² *n.* 다람쥐, 토끼《의인적(擬人的)으로 씀》.
〖Sc. Gael. =scut of rabbit〗

BUN blood urea nitrogen(혈중 요소질소).

Bu·na [bjúːnə] *n.* 부나《합성 고무 ; 상품명》.

bunce [bʌ́ns] *n.* 《英俗》 횡재.

***bunch** [bʌ́ntʃ] *n.* **1** 송이(cluster) ; 다발 : a ~ of grapes[keys] 한 송이의 포도[한 묶음의 열쇠]. **2** 《口》 한 패거리(group), 동아리, 일단 ; 《美》 (마소의) 떼. **3** 혹, 융기(隆起).

a bunch of calico 《美俗》 여자, 계집.
a bunch of fives 《俗》 손, 주먹.
the best of the bunch 《口》 여럿 중에서 가장 뛰어난 것, 백미.

〈회화〉
Who is the *bunch* of flowers for?—It's for my teacher.「그 꽃다발을 누구에게 줄거니」「선생님께요」

—— *vt.* 다발로 묶다, (가축이) 떼를 짓다 ; (옷에) 주름을 잡다. —— *vi.* 일단[한 떼]이 되다.
〖ME< ?〗
類義語 ⟹ PARCEL.

búnch·bèrry [, -bəri] *n.* 〔植〕 풀산딸나무.
búnch·flòwer *n.* 《美》〔植〕 녹색의 꽃이 피는 무릇난과(科)의 실꽃풀의 일종.
búnch·gràss *n.* 〔植〕 다발로 자라는 각종 포아풀과의 풀《쥐꼬리새풀·쇠풀 따위》.
búnch·ing *a.* 매우 붐비는, 줄지어 늘어선《차》.
búnch lìght *n.* (조명의) 속광(束光).
búnchy *a.* 송이로 된, 송이 모양의 ; 다발로 된 ; 혹 모양의.
bun·co, -ko [bʌ́ŋkou] *n.* (*pl.* **~s**) 《美俗》 카드놀이의 일종 ; 속임수, 사기(swindle).
—— *vt.* 속임수를 쓰다.
búnco àrtist *n.* 《美俗》 사기꾼, 야바위꾼.
buncombe ☞ BUNKUM.
búnco stèerer *n.* 《美口》 야바위꾼(의 속임수).
bund [bʌ́nd] *n.* 《인도》 번드, 해안 도로.
〖Hindi<Pers.〗
Bund [búnd, bʌ́nd ; *G* búnt] *n.* (*pl.* **~s, Bün·de** [*G* bʏ́ndə]) [흔히 b~] 동맹, 맹약(盟約) ; (특히 1930년대 미국의) 친나치스 정치 연맹.
bun·der [bʌ́ndər] *n.* 《인도》 항구, 부두.
〖Hindi<Pers.〗
búnder bòat *n.* 연안·항만내에서 사용하는 배.
Bun·des·rat, -rath [búndəsrɑ̀:t] *n.* (독일 연방 의회의) 상원 ; (스위스의) 연방평의회. 〖G〗
Bun·des·tag [búndəstɑ̀:g] *n.* (독일 연방 의회의) 하원. 〖G〗
***bun·dle** [bʌ́ndl] *n.* **1** 다발 ; 뭉치 ; 꾸러미 : a ~ *of* letters 한 뭉치의 편지 / a ~ *of* blanket 둘둘 만 모포 뭉치 / a ~ *of* clothes 한 보따리의 옷. **2** 덩어리, 일단(一團) (group). **3** 〔컴퓨〕 묶음.
—— *vt.* **1** [+目/+目+副] 꾸러미[다발]로 하다 ; 둘둘 말다, 싸다 : We ~*d* everything ***up***. 모든 것을 꾸렸다. **2** [+目+前+名/+目+副] 뒤섞어 던져 넣다 ; 서둘러 보내다 : She ~*d* everything ***into*** the drawers. 그녀는 무엇이나 옷장에 마구 집어 넣었다 / They ~*d* him ***off to*** the hospital. 그들은 서둘러 그를 입원시켰다.
—— *vi.* 급히 떠나가다 ; 옷을 입은 채 같은 침상에서 자다 : They ~*d* ***off*** [***out, away***] in anger. 화가 나서 급히 떠나 버렸다.
bundle (one***self***) ***up*** 따뜻하게 몸을 감싸다.
〖? OE *bindele* a binding or LG and Du. *bundel*〗
類義語 ⟹ PARCEL.
bún·dling *n.* **1** 약혼 중인 남녀가 옷을 입은 채 한 잠자리에서 자는 웨일스나 뉴잉글랜드의 옛 풍속. **2** 일괄[시스템] 판매《컴퓨터 본체 뿐 아니라 디스플레이 장치·프린터·기본 소프트웨어 따위를 세트로 하여 합계 금액을 표시 판매하는 방법》.
bun·do·bust [bʌ́ndəbʌ̀st] *n.* 《인도》 결정, 협정.
bún fìght[**strùggle, wòrry**] *n.* 《英俗·戲》 = TEA PARTY.
bung[1] [bʌŋ] *n.* (통의) 마개 ; 통 주둥이 ; 《俗》 거짓말. —— *vt.* [+目+副] (통에) 마개를 하다 ; 막다, (코·하수구 따위를) 막히게 하다 ; 《英俗》 (돌 따위를) 던지다 : with his eyes ~*ed* ***up*** (매 맞아서) 눈이 부어 감긴 채로.
〖MDu. *bonghe*〗
bung[2] *a.* 《濠俗》 죽은, 파산한, 고장난.
go bung 죽다, 파산하다, 실패하다.
〖(Austral.)〗
bun·ga·loid [bʌ́ŋgəlɔ̀id] *a.* 방갈로식의.
bun·ga·low [bʌ́ŋgəlòu] *n.* 방갈로《베란다가 있는 단순한 양식의 목조 단층 건물》.
〖Hindi=of Bengal〗
bung·er [bʌ́ŋər] *n.* 《濠俗》 불꽃.
búng-hó *int.* 건배 ; 건강하시기를, 안녕히 계십시오《헤어질 때의 인사》.
búng hòle *n., vi.* 《美卑》 항문(성교를 하다).
búng·hòle *n.* 통의 마개 구멍.
bun·gle [bʌ́ŋgəl] *vt.* 허술하게[서툴게] 하다, 실수하다, 실패하다. —— *vi.* 실수를 저지르다.
—— *n.* 서투른 솜씨 ; 실수, 과실 : make a ~ *of* …을 못쓰게 만들다. **bún·gler** *n.* 실수를 저지르는 사람, 솜씨가 없는 사람. **~·some** *a.* 서투른, 둔한, 솜씨 없는. 〖imit. ; cf. BUMBLE[1]〗
bún·gling *a., n.* 서투른 (솜씨). **~·ly** *adv.*
búngy *n.* 《英俗》 치즈 ; 지우개, 탄성 고무.
bun·ion [bʌ́njən] *n.* 〔醫〕 (엄지발가락 안쪽의) 건막류(腱膜瘤), 티눈.
〖OF *buignon* (*buigne* bump of head)〗
bunk[1] [bʌ́ŋk] *n.* (선박·열차의) 침대, 잠자리 (berth) ; 《口》 (일반적으로) 침대. —— *vi.* 《口》 침대에서 자다 ; 등걸잠을 자다. —— *vt.* (남)에게 잠잘 곳을 주다.
〖C19< ? ; *bunker*의 생략인가〗
bunk[2] *n.* Ⓤ 《美俗》 허튼 소리, 허풍 ; 속이기 (humbug). 〖*bunk*um〗
bunk[3] *vi., vt.* 《俗》 뺑소니치다 ; (수업을) 빼먹다.
—— *n.* 도망 : do a ~ 도망치다.
〖C19< ? ; *bunk*[1] to occupy a bunk인가〗
búnk bèd *n.* 2층 침대《아이들 방 따위의》.
bun·ker [bʌ́ŋkər] *n.* **1** (고정된) 큰 상자, 석탄통, (배의) 석탄고(庫). **2** 〔골프〕 벙커《움푹한 모래땅으로 장애 구역》. **3** 〔軍〕 엄폐호 ; 숨는 곳.
—— *vt.* [보통 수동태로] 〔골프〕 벙커에 처넣다 ; 《비유》 궁지에 빠뜨리다 : I *was* ~*ed*. 벙커에 빠졌다《곤란하게 되었다》. —— *vi.* 배에 연료를 싣다. 〖C19< ? ; cf. Sc. *bonkar* chest, box〗
Búnker Híll *n.* 벙커 힐《미국 Boston의 언덕 ; 독립전쟁 때의 싸움터》.
Búnker·ìsm *n.* =ARCHIE BUNKERISM.
búnker òil *n.* 벙커유(油).
búnk fatìgue[**hàbit**] *n.* 《美俗》 수면.
búnk flỳing *n.* 《美空軍俗》 비행에 관한 이야기, 비행담.
búnk·hòuse *n.* 《美》 산 속의 오두막, 합숙소《특히 나무꾼·광부들이 머묾》.
búnk·ie, búnky *n.* 《口》 = BUNKMATE, 동료.
búnk·màte *n.* (군대에서) 같은[옆] 침대에서 자는 사람, 잠동무.
bunko etc. ☞ BUNCO etc.
bun·kum, 《美》 **-combe** [bʌ́ŋkəm] *n.* Ⓤ 《口》 (선거 구민에게) 인기 끌기 위한 연설 ; 쓸데없는 이야기, 빈말 ; 쓸모없는 일.
〖*Buncombe* North Carolina주(州)의 지명 ; 1820년에 이 지역에서 선출한 의원의 연설에서〗
búnk-ùp *n.* 《英口》 (오를 때) 받쳐주기, 뒤에서 밀어주기.
bun·nia [bʌ́njə] *n.* 《인도》 (채식주의의) 상인.
〖Hindi〗

bun·ny [bʌ́ni] *n.* 《兒》 토끼, 다람쥐.
〚*bun*² rabbit〛

búnny fùck *n.* 《美卑》 조급하게 성교하다 ; 우물쭈물하다.

búnny-grùb *n.* 《英俗》 (샐러드용(用)의) 신선한 야채.

búnny hùg *n.* 버니 허그《20세기 초에 유행한 사교춤의 일종》.

Bun·sen [bʌ́nsən ; *G* búnzən] *n.* 분젠. **Robert Wilhelm** ~ (1811-99) 독일의 화학자.

Búnsen búrner *n.* 분젠 버너. 〚↑〛

bunt¹ [bʌ́nt] *vt.* (소 따위가 머리나 뿔로) 떠받다, 밀다(butt) ; 〔野〕 (공을) 번트하다. —— *vi.* 머리로 받다 ; 〔野〕 번트하다. —— *n.* 머리로 받기 ; 〔野〕 번트. 〚C19<? *butt*⁴〛

bunt² *n.* (가로돛의) 한복판《바람을 받으면 부풂》. 〚C16<?〛

bunt³ *n.* (밀의) 깜부기병 ; 그 균. 〚C18<?〛

bun·tal [bʌ́ntəl] *n.* 번털《필리핀의 탈리포트야자 나뭇잎의 가느다란 섬유 ; 모자를 만듦》. 〚Tagalog〛

búnt·er *n.* 〔野〕 번트를 잘치는 선수.

bun·ting¹ [bʌ́ntiŋ] *n.* **1** Ⓤ 기·휘장 만드는 천 ; [집합적으로] 장식기, 휘장 : streets decorated with ~ 휘장으로 장식된 거리. **2** 《美》 (젖먹이용의) 포대기, 포근한 잠옷(sleeper). 〚C18<?〛

bunting² *n.* 〔鳥〕 멧새류 : ☞ SNOW BUNTING. 〚ME<?〛

búnt·lìne [ˌ-lən] *n.* 〔船〕 번트라인《가로돛을 치켜 올리는 밧줄》. 〚BUNT²〛

Bun·yan [bʌ́njən] *n.* 버니언. **1 John** ~ (1628-88) 영국의 작가로 *Pilgrim's Progress*의 작자. **2** =PAUL BUNYAN.

buoy [bɔ́i, 美+bú:i] *n.* 부표(浮標), 부이, 찌 ; 구명대(救命帶) (life buoy). —— *vt.* **1** … 부표[찌]를 달다, 부표로 표시하다. **2** [+目+副/+目+前+名] 띄우다, 띄워 두다 ; 《비유》 지지하다, (소망 따위를) 계속 갖다 : The cheerful music ~*ed* her ***up***. 경쾌한 음악이 그 여자를 기운나게 했다 / He was ~*ed up* ***with***[***by***] new hope. 새로운 희망에 용기를 얻었다. —— *vi.* 뜨다, 떠오르다(float)〈*up*〉. 〚MDu. <? OF *boie* chain〛

búoy·age *n.* [집합적으로] 부표 ; 부표 설치 ; 부표 규정[통제] ; 계선(繫船)부표 사용료.

buoy·an·cy, -ance [bɔ́iəns(i), bú:jən-] *n.* **1** Ⓤ 부력(浮力) ; 부양성(浮揚性). **2** Ⓤ 낙천적인 성질, 쾌활함 ; (타격 따위에서의) 회복하는 힘. **3** 가격 등귀의 경향[기미].
buoyancy chamber 어뢰(魚雷)의 부실(浮室).

búoy·ant *a.* **1** 부양성이 있는 : ~ force 〔理〕 부력. **2** 탄력이 있는 ; 곧 원기를 회복하는, 경쾌한 ; 낙천적인(hopeful). **3** (가격이) 오름세의 ; (시장이) 매기(買氣)가 있는. **~·ly** *adv.*

B.U.P. British United Press(영국 연합통신사).

bur¹ [bə́:r] *n.* (밤·우엉 따위 열매의) 가시 ; 《비유》 달라붙는 것 ; 성가시게 구는 사람 ; 〔醫〕 (외과·치과용의) 작은 드릴. —— *vt.* (**-rr-**) …에서 bur를 빼내다.
〚Scand. ; cf. Dan. *burre* bur〛

bur² *n.* =BURR[1,2,3].

bur. Burma. **Bur.** bureau.

bu·ran [burɑ́:n] *n.* 〔氣〕 부란《시베리아 초원 따위의 폭풍》. 〚Russ. <Turk.〛

Bur·ber·ry [bə́:rbəri, 美+-beri] *n.* Ⓤ 바바리《방수포(防水布)의 일종》 ; 바바리《영국 Burberrys 사제의 방수옷·코트 ; 상표명》.

bur·ble [bə́:rbəl] *vi.* [動/+前+名] 거품이 일다, 부글거리다 ; (말을 빨리) 중얼중얼 지껄이다 ; 〔空〕 박리(剝離)하다 : ~ *with* mirth 킬킬 웃다 / ~ *with* rage 벌컥 화내다. —— *vt.* 중얼중얼 지껄이다. —— *n.* 부글거리는 소리 ; 중얼거리기 ; 킬킬 웃기 ; 〔空〕 박리.
búr·bler *n.* **-bly** *adv.*
〚C19 (imit.)〛

búrble pòint *n.* 〔空〕 실속각(失速角).

bur·bot [bə́:rbət] *n.* 〔魚〕 (대구과(科)의 민물고기인) 모캐. 〚OF〛

burbs [bə́:rbz] *n. pl.* 《美俗》 주택 지역, 베드 타운. 〚su*burbs*〛

bur·den**¹ [bə́:rdn] *n.* **1** Ⓤ,Ⓒ 짐(load) ; 무거운 짐 : a beast of ~ ☞ BEAST 숙어 / a ship of ~ 화물선. **2** 부담, 의무, 책임 ; 근심, 걱정, 괴로움, 고통 : be a ~ *to*[*on*] …의 부담[무거운 짐]이 되다 / the ~ of proof 〔法〕 입증 책임 / ☞ WHITE MAN'S BURDEN. **3** Ⓤ (배의) 적재량(積載量)《㊟ 《英》에서는 때때로 BURTHEN이라고 씀》 : a ship of 300 tons ~ 300톤을 적재하는 배. —— *vt.* [+目/+目+*with*+名] …에게 짐을 지우다 ; …에게 부담시키다, 괴롭히다, 고통스럽게 하다 : He ~*ed* himself ***with many packages. 많은 짐을 지었다 / They were ~*ed* *with* heavy taxes. 중세(重稅)로 고통을 당했다.
〚OE *byrthen* ; ⇨ BIRTH〛
類義語 ⟹ LOAD.

burden² *n.* **1** (노래의) 후렴 (구절) (refrain) : like the ~ *of* a song (노래의 후렴처럼) 되풀이하고 또 되풀이하여. **2** 《비유》 요지, 취지(gist) 〈*of*〉. 〚OF *bourdon* bass horn<(imit.)〛

búrden·some *a.* 부담이 되는(oppressive), 귀찮은, 성가신(troublesome), 어려운.
類義語 ⟹ HEAVY.

bur·dock [bə́:rdɑk] *n.* 〔植〕 우엉속의 풀.
〚BUR¹, DOCK³〛

***bu·reau** [bjúərou] *n.* (*pl.* **~s, -reaux** [-z]) **1** 《英》 서랍 달린 큰 책상. **2** 《美》 (경대 달린) 침실용 화장농. **3** (관청의) 국(局) (=《英》 department) : the *B*~ of Standards (미국 상무부의) 표준국《도량형·함유량 따위를 검정함》 / *B*~ of Customs (미국 재무부의) 관세국 / *B*~ of the Budget (미국 연방) 예산국 / *B*~ of the Census (미국 상무부의) 조사(통계)국. ㊟ 미국의 관제(官制)에서 Bureau는 Department(부)《영국의 Ministry에 해당》의 아래 부서며 영국의 Department(국(局))에 해당. **4** 사무[편집]국 : a ~ of information 《美》 안내소, 접수처.
〚F=baize covering, desk (*bure*, *buire* dark brown)〛

bu·reau·cra·cy [bjuərɑ́krəsi] *n.* Ⓤ 관료 정치[주의·제도] ; (관료식의) 번잡한 절차 ; [집합적으로] 관료.

bu·reau·crat [bjúərəkræ̀t] *n.* 관료, 관료적인 사람 ; 관료주의자.

bu·reau·cra·tese [bjùərəkrætí:z, -s] *n.* (추상적·전문적·우회적 표현을 여러 군데 포함하는) 관청 용어, 관료어법.

bù·reau·crát·ic *a.* 관료정치의, 관료적인.
-i·cal·ly *adv.*

bureaucrátic procédures *n. pl.* 관료적 경영《조직체의 합리적 운영·관리를 목표로 함》.

bú·reau·cràt·ism *n.* Ⓤ 관료주의[기질].

bu·reau·cra·tize [bjuərɑ́krətàiz] *vt.* 관료 체제로 하다, 관료화하다.

***bureaux** *n.* BUREAU의 복수형.

bu·ret(te) [bjurét] *n.* 〔化〕 뷰렛《세밀한 눈금이

달린 분석용 유리관》. 〖F〗

burg [bə́ːrg] *n.* 《美口》 시(市), 동(洞). 〖BOROUGH〗

-burg [bə̀ːrg], **-burgh** [bə̀ːrə, bərə, bə̀ːrg ; bərə, bə̀ːg] *n. suf.* 「시」「도시」의 뜻《흔히 지명에 사용함》: Johannes*burg*, Pitts*burgh*. 〖⇨ BOROUGH, BURGH〗

bur·gage [bə́ːrgidʒ] *n.* 〔古英法〕 자치읍 토지 보유 양태(樣態)《borough의 시민권을 가진 사람이 화폐로 일정한 지대(地代)를 치르고 국왕이나 영주로부터 토지 보유를 허가받는 권리》.

bur·gee [bə́ːrdʒiː, ‐́‐] *n.* (요트·상선 따위의) 삼각기(旗). 〖F *bourgeais* (dial.) shipowner ; cf. BURGESS〗

bur·geon, bour- [bə́ːrdʒən] *n.* 싹, 어린 가지(shoot). —— *vi.* **1** 움트다, 싹이 트다〈*forth, out*〉. **2** (급격히) 성장[발전]하다〈*into*〉.
burgeon into 갑자기 …으로 발전하다.
~·ing *a.* 싹트기 시작한 ; 급격히 발전하는, 신장하는, 신흥의, 자라나는.
〖OF＜L *burra* wool〗

burg·er [bə́ːrgər] *n.* 《美俗》＝HAMBURGER ; 《俗》 찰과상(擦過傷).

-bur·ger [bə̀ːrgər] *n. comb. form* 「…을 사용한 햄버거식(式)의 빵」「…제(製)의 햄버거」의 뜻 : cheese*burger*. 〖*hamburger*에 준한 것〗

Búrg·er Kíng *n.* 버거 킹《미국의 대(大)햄버거 연쇄점》.

bur·gess [bə́ːrdʒəs] *n.* (자치 도시의) 시민, 공민. 〖OF＜L (*burgus* BOROUGH)〗

burgh [bə́rou, -rə, bə́ːrg ; bʌ́rə] *n.* 《스코》 자치 도시. 〖Sc.〗

-burgh ☞ -BURG.

bur·gher [bə́ːrgər] *n.* 공민, 시민. 〖G or Du. (*burg* borough)〗

bur·glar [bə́ːrglər] *n.* 주거 침입자, 밤도둑, 도적《보통 야간의 ; cf. HOUSEBREAKER, THIEF, ROBBER》. 〖AF *burgler*〗

búrglar alàrm *n.* 도난 경보기.

bur·glar·i·ous [bərgléəriəs, -lǽər-] *a.* 주거침입(죄)의, 밤도둑의, 야간 도둑(죄)의. **~·ly** *adv.* 밤도둑질할 목적으로.

búrglar·ìze *vt.* 《美口》 …에서 밤도둑질을 하다, (집으로) 침입하다.

búrglar·pròof *a.* 도난 방지[예방]의.

bur·gla·ry [bə́ːrgləri] *n.* 〔法〕 (범죄를 목적으로 한) 주거 침입(죄) ; U,C (주거 침입) 강도, 밤도둑질(cf. HOUSEBREAKING).

bur·gle [bə́ːrgəl] *vi.* 《美口》 강도질하다, 밤도둑질하다. —— *vt.* …에 침입하여 강탈하다 : ~ a safe 금고를 부수다.
〖역성(逆成)〈*burglar*〗

búr·go·màster [bə́ːrgə-] *n.* (네덜란드·독일 등지의) 시장(mayor) ; 〔鳥〕 흰갈매기.
〖Du. *burgemeester* ; ⇨ BOROUGH ; 어미는 *master*에 동화(同化)〗

bur·go·net [bə́ːrgənèt, -nət, ‐‐́‐] *n.* (16-17세기의) 가벼운 투구.

bur·goo [bə́ːrguː, ‐́‐] *n.* (*pl.* **~s**) 《海俗》 오트밀(porridge) ; 걸쭉한 죽.

Bur·gun·di·an [bərgʌ́ndiən] *a.* Burgundy(주민)의. —— *n.* Burgundy의 주민.

Bur·gun·dy [bə́ːrgəndi] *n.* **1** 부르고뉴, 버건디《프랑스 남동부 지방 ; 원래 왕국·공국(公國)》. **2** [때때로 b~] U,C 부르고뉴 지방산 포도주《흰색과 적색 두 종류가 있음 ; cf. BORDEAUX》.

burh·el [bə́ːrəl ; bʌ́rəl] *n.* 바랄《히말라야산 주변에 야생하는 양》. 〖Hindi〗

***bur·i·al** [bériəl] *n.* U,C 매장, 매장식 : ~ at sea 수장(水葬) / ~ service 매장[장례]식. 〖BURY〗

búrial càse *n.* 《美》 관(棺)(coffin).

búrial gròund[**plàce**] *n.* 매장지, 묘지.

búrial mòund *n.* (특히 북미 인디언의) 무덤.

Bú·ri·dan's áss [bjúərədənz-] *n.* **1** 뷰리던의 당나귀《거리가 같은 곳에 같은 질과 양의 건초를 두면 당나귀는 어느 쪽을 먼저 먹을까하고 망설이다가 굶어죽게 됨》. **2** 우유부단한 사람, 미적지근한 사람.
〖Jean *Buridan* 14세기의 프랑스의 철학자〗

bur·ied [bérid] *vt.* BURY의 과거·과거분사.
—— *a.* 《美俗》 종신형으로 복역하고 있는.

búried làyer *n.* 〔電子〕 매몰층《반도체 소자 내부에 매몰된 불순물층》.

bur·i·er [bériər] *n.* 매장자 ; 매장 도구.

bu·rin [bjúərən, 美＋bə́ːr-] *n.* (동판 조각용) 조각칼 ; 조각법. 〖F〗

burin

bur·ka [bə́ːrkə] *n.* 부르카《이슬람교도 여인이 입는 머리부터 아래까지 푹 덮어쓰는 겉옷》. 〖Hindi＜Arab.〗

burke [bə́ːrk] *vt.* (소문·사건 따위를) 덮어 버리다, 은폐하다 ; (의안 따위를) 묵살해 버리다.
〖W. *Burke* (d. 1829) 해부용 사체를 얻기 위해서 사람을 목졸라 죽인 아일랜드 사람〗

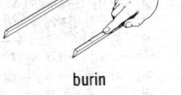

Bur·ki·na Fa·so [bə́ːrkìnə fásou] *n.* 부르키나파소《아프리카 서부의 공화국 ; 옛 이름 Upper Volta, 1984년 개칭 ; 수도 Ouagadougou》.

Búr·kitt('s) lymphóma[**túmor**] [bə́ːrkət(s)-] *n.* 〔醫〕 버킷 림프종(腫)《아프리카 어린이에게 많은 악성 림프종》.
〖Dennis P. *Burkitt* (1911-) 영국의 외과 의사〗

burl[1] [bə́ːrl] *n.* (실·모포 따위의) 매듭, 마디 ; (나무의) 마디, 옹이. —— *vt.* 매듭을 제거하고(천을) 마무르다.
〖OF＝tuft of wool (dim.)〈*bourre*〗

burl[2], **birl** *n.* 《濠口》 시도, 해보기.
give it a burl 《濠口》 해보다.
〖? *birl* (dial.) twist or turn〗

burl. burlesque.

bur·la·de·ro [bùrlədéərou, bə̀ːr-] *n.* (*pl.* **~s**) 부를라데로《투우사가 피할 수 있도록 투우장의 벽과 평행으로 만든 방패 모양의 보호물》.

bur·lap [bə́ːrlæp] *n.* (포장용) 거친 삼베.

bur·lesque [bə(ː)rlésk] *a.* 익살맞은, 광대의 ; 해학(諧謔)의 ; 희작(戲作)의. —— *n.* (천한) 광대짓, 저속한 희극, 희가극(喜歌劇), 《美》 천한 희극 ; 광시(狂詩) ; 희화(戲畫). —— *vt.* (흉내내어) 익살부리다, 우스꽝스럽게 하다.
〖F＜It. (*burla* mockery)〗

bur·let·ta [bəːrlétə] *n.* 소(小)희가극.

bur·ley[1] [bə́ːrli] *n.* U [또는 B~] 《美》 Kentucky 주(州)와 그 부근에서 나는 담배의 일종.
〖*Burley* 재배자의 이름에서인가〗

burley[2] *n.* 《美口》 저속한 희가극.

Bur·ling·ton [bə́ːrliŋtən] *n.* 벌링턴《(1) 캐나다 남부 Ontario 호(湖)에 면한 도시. (2) Vermont 주(州) 북서부의 도시》.

Búrlington Hóuse *n.* London의 Piccadilly에 있는 건물《Royal Academy, British Academy, British Association의 본부가 있음》.

bur·ly [bə́ːrli] *a.* 건장한, 튼튼한(stout) ; 무뚝뚝

한(bluff). **búr·li·ly** *adv.* 튼튼하게 ; 무뚝뚝하게. **-li·ness** *n.*
〖ME *borli(ch)* < ? OE 《美》 *būrlic* fit for the BOWER[1]〗

Bur·ma [bə́ːrmə] *n.* 버마《미얀마의 옛 이름》.

Bur·man [bə́ːrmən] *a.* =BURMESE. —— *n.* (*pl.* **~s**) 버마인.

Bur·mese [bə(ː)rmíːz, -s] *a.* 버마(인·어)의. —— *n.* (*pl.* ~) **1** 버마인. **2** Ⓤ 버마어.

◇**burn**[1] [bə́ːrn] *v.* (**burnt** [-t], **~ed** [-d]) ㊟ 과거·과거분사 : 《英》에서는 burnt, 《美》에서는 burned 가 많지만 《英》에서도 *vi.*로서 또는 비유적인 뜻으로는 burned를 쓰는 경향이 있음 ; 형용사적 용법으로는 항상 BURNT. *vi.* **1** 불타다 ; 구워지다, 눋다 ; 햇볕에 타다 ; 〖化〗 연소하다 : Paper ~*s.* 종이는 탄다 / Her skin does not ~ easily. 그 여자의 피부는 햇볕에 잘 타지 않는다 / The porridge is ~*ing.* 오트밀이 타고 있다. **2** 빛을 내다, 빛나다 : Lamps were ~*ing* in every room. 어느 방에나 램프불이 환하게 빛나고 있었다. **3 a)** [動/+前+名] 불붙는 것처럼 느끼다 ; (혀·입이) 얼얼하다 ; 확 달아오르다 : My ears ~. 귀가 화끈거린다[가렵다] ; [뜻이 변하여] 누군가가 (내) 이야기를 하는 것 같다, 「재채기가 나온다」/ My forehead ~*ed* ***with*** fever. 이마는 열로 뜨거웠다. **b)** [動/+前+名/+*to* do] 화끈거리다, 화를 내다, 흥분하다 ; 열중하다 : My cheeks were ~*ing* ***with*** shame. 내 뺨은 부끄러움으로 화끈거렸다 / He was ~*ing with* enthusiasm[zeal]. 열의에 불타고 있었다[열중하고 있었다] / She ~*ed to* see Paris. 파리를 몹시 보고 싶어했다. **4** 「이제 한고비다」《보물찾기·수수께끼에서 해답에 가까워질 때 하는 말》 : Now you are ~*ing*! 자, 애가 타지요. **5** 《美俗》 부랴부랴 가다.

—— *vt.* **1** 불태우다, 불사르다[때다] ; (가스 따위를) 점화하다, 켜다 : This stove ~*s* oil. 이 난로는 석유를 연료로 한다 / We still sometimes ~ candles at dinner. 지금도 만찬 때에는 촛불을 켤 때가 있다. **2** [+目/+目+補] 태우다 ; 데다 ; (햇볕이) 내리쬐다, 햇볕에 그을리다 ; 얼얼하게 하다 : I ~*ed* the toast. 토스트를 태웠다 / He ~*ed* his hand *on* the hot iron. 뜨거운 다리미에 손을 데었다 / She ~*ed* herself kindling a fire. 불을 지피다가 데었다 / The grass has been ~*t* brown by the sun. 풀은 햇볕 때문에 갈색으로 말라버렸다. **3** [+目/+目+前+名] (낙인 따위를) 달구어 찍다 ; (구멍을) 달구어 뚫다 : His cigar ~*ed* a hole ***in*** the rug. 그의 담뱃불 때문에 깔개에 불구멍이 났다. **4** 구워서 굳히다, (벽돌 따위를) 굽다 : ~ bricks[lime, charcoal] 벽돌[석탄·숯]을 굽다. **5** [+目/+目+前+名/+目+補] 화형(火刑)에 처하다 : Joan of Arc was ~*t* ***to*** death. 잔 다르크는 화형에 처해졌다 / be ~*t* alive[***at*** the stake] 화형을 당하다. **6** …의 마음을 불붙게 하다, 흥분하게 하다 : The very thought of it ~*ed* him like fire. 그것을 생각만 해도 그의 마음은 불처럼 타올랐다. **7** 〖化〗 연소시키다 ; 〖原子理〗 (우라늄 따위의) 원자 에너지를 사용하다.

burn (***a hole in***) one***'s pocket*** (돈이) 호주머니에 남아나지 않다.

burn away (1) 타 없어지다 ; 타서 떨어지다 ; 태워버리다 : The candle has completely[nearly] ~*t away.* 촛불은 완전히[거의] 타버렸다 / His trouser leg was ~*t away* at the knee. 그의 바지 한 쪽 무릎이 타서 떨어져 나갔다. (2) 계속 타다 : The fire was still ~*ing away.* 불은 아직 타고 있었다.

burn daylight ☞ DAYLIGHT.

burn down (1) 모두 타다, 타서 떨어지다 ; 다 타버리다[태워 없애다] : The army ~*ed down* the village. 군대는 그 마을을 태워버렸다. (2) = BURN *low.*

burn into …을 부식(腐蝕)하다 ; (마음에) 새겨지다.

burn low 불길이 수그러지다.

burn one***'s boats***[***bridges, ships***] (***behind*** one) 배수진을 치다.

burn one***self out*** 정력을 다 소모하다.

burn one***'s money*** 돈을 다 써버리다.

burn out (1) 태워버리다[없애다] ; 불로 몰아내다(cf. FLOOD *out*) : They were ~*t out* (*of* house and home). 그들은 집에 불이 나서 쫓겨났다. (2) 타 없어지다 : The light bulb has ~*t out.* 전구(電球)가 (타서) 끊어졌다 / The fire ~*ed* itself *out.* 불이 다 타버렸다. (3) 《비유》 (열의 따위가) 식다 ; (정력을) 소모하다.

burn the Thames ☞ THAMES.

burn to ashes[***cinders***] 불타서 재가 되다 ; (집을) 몽땅 태우다.

burn to the ground ☞ GROUND[1] *n.*

burn up (1) 확 타오르다 : Putting oil on the fire made it ~ *up.* 불에 기름을 부으니 불이 확 타올랐다. (2) 태워 없애다[버리다] ; 타 없어지다, 소진(燒盡)하다 : ~ *up* the dead leaves 낙엽을 태워버리다 / The old letters ~*t up* in no time. 오래된 편지는 금방 타버렸다.

—— *n.* 화상(cf. SCALD[1] *n.*) ; 태움, 불에 탄 자리 ; 한번 굽기. 〖OE *birnan* (vi.), *bærnan* (vt.) ; ME기(期)는 음위 전환형 *brenne*가 주류로 지금의 형은 16세기에서〗

類義語 **burn** 가장 보편적인 말. ***scorch, singe*** 다 함께 표면이 불타는 것을 말하는데 *scorch*는 본바탕의 손상·변색을, *singe*는 털 따위가 타서 끊어지는 것도 나타냄. ***char*** 숯이 되도록 태우다[굽다]. ***sear*** 특히 인간이나 동물의 조직체를 태우다, 불고기 따위를 갈색이 되거나 표면이 건조하여 굳어질 정도로 태우다.

burn[2] *n.* 《스코·北英·詩》 개울, 시내(brook, rivulet). 〖OE *burna* ; cf. BOURN[1]〗

búrn·able *a., n.* 태울[구울] 수 있는 (것).

búrn bàg *n.* 소각 폐기해야 할 기밀 문서를 넣는 자루. **búrn-bàg** *vt.* 《美》 (문서를) burn bag에 넣다.

búrned-óut *a.* **1** 타버린 ; 타서 없어진. **2** (전구(電球) 따위) 끊어진, 못쓰게 된 ; 《비유》 (정력 따위) 소모된, 다 써버린.

búrn·er *n.* **1** 태우는 사람 : a charcoal ~ 숯굽는 사람. **2** 연소기(器) ; 점화물 ; (석유 램프·가스등(燈)의) 불켜는 곳, 화구(火口) : a gas ~ 가스 버너.

bur·net [bə́ːrnət, bə(ː)rnét] *n.* 〖植〗 수박풀의 일종《식용》. 〖*burnet* (obs.) dark brown<OF ; ⇨ BRUNETTE〗

búrn-ìn *n.* 〖電子〗 통전(通電) 테스트《트랜지스터·콘덴서 따위의 성능 테스트》.

búrn·ing *a.* **1** 불타고[굽고] 있는 ; 더운, 강렬한(intense) : a ~ thirst 심한 갈증. **2** (문제 따위) 의논이 분분한 : a ~ question 활발히 논의되고 있는 문제. **3** 대단한, 심한(notorious) : a ~ disgrace 심한 치욕. —— *n.* 연소 ; 작열 ; (대)화재 ; (도자기·세라믹의) 소성.

búrning ghàt *n.* (힌두교도의) 강가의 화장터.

búrning glàss *n.* 화경《볼록렌즈》.

búrning móuntain *n.* 화산(volcano).
búrning òil *n.* 연료유(油).
búrning òut *n.* 《美俗》 (나이 든 약물 중독자가) 자의적으로 약물을 끊기.
búrning pòint *n.* [the ~] 연소점.
bur·nish [bə́ːrniʃ] *vt.* (금속이나 가죽을) 닦다, 갈다, 빛[윤]나게 하다(polish). —— *vi.* [+副] 윤이 나다, 광택이 나다 : Silver *~es well.* 은은 윤이 잘난다. —— *n.* 닦아진 표면 ; Ⓤ 윤, 광택(luster). **~ed** *a.* 닦은 ; 윤[광택]이 나는(lustrous). **~·er** *n.* 광내는[닦는] 사람[것], 연마기.
〖OF ; ⇨ BROWN〗
類義語 ⟹ POLISH.
búrn-òff *n.* 불살라 버림 ; 초목을 태워버리고 토지를 개간하기.
bur·nous, -noose [bə(ː)rnúːs, 英+-z] *n.* (아라비아인 등의) 두건 달린 겉옷.
〖F＜Arab.＜Gk. *birros* cloak〗
búrn·òut *n.* (로켓 연료의) 소실점(燒失點) ; 과열에 의한 손실 ; 체력[감성]의 고갈.
búrnout velòcity *n.* 〔로켓〕 연소 종료 속도.
Burns [bə́ːrnz] *n.* 번즈. **Robert** ~ (1759-96) 스코틀랜드의 시인.
burn·sides [bə́ːrnsaidz] *n. pl.* 《美》 번사이드 수염《턱수염은 깎고 구레나룻과 콧수염을 이어지게 기른 것 ; cf. SIDEBURNS》.
〖A. E. *Burnside* (d. 1881) 남북 전쟁시 남군의 장군〗

burnsides

ᵻburnt [bə́ːrnt] *v.* BURN[1]의 과거·과거분사. —— *a.* 구운 ; 탄 ; 덴 : ~ alum 구운 백반(白礬) / ~ lime 생석회 / ~ ocher 철단(鐵丹)《황토를 구워서 만든 황색 안료(顔料)》/ a ~ offering[sacrifice] (신(神)에게 바치는) 번제(燔祭) / ~ sienna 대자(代赭)《적철광의 안료》/ ~ umber 구운 엄버《적갈색 안료》.
búrnt álmond *n.* [보통 *pl.*] 아몬드 당과(糖菓)《눌린 설탕으로 굳힌 아몬드》.
búrnt-óut *a.* ＝BURNED-OUT.
búrnt pláster *n.* 구운 석고.
búrn-ùp *n.* 〔空〕 (공기의 저항에 의해) 로켓이 다 타버리는 일 ; 〔理〕 (핵연료의) 연소도(燃燒度), 연소율 ; 《俗》 폭주.
búrny *a.* 《口》 타는, 타고 있는.
búr òak *n.* (북미산) 떡갈나무의 일종 ; 그 재목.
Bü·ro·land·schaft [G byróːlantʃaft] *n.* 사무실을 위한 실내 디자인《식물 따위를 칸막이로 하여 공간 사용에 융연성을 주는 실내 설계》.
〖G＝office landscape〗
burp [bə́ːrp] *n.* 《美口》 트림(belch). —— *vi.* 트림하다. —— *vt.* (젖먹인 후 등을 쓸어내어 갓난애에게) 트림을 시키다. 〖imit.〗
búrp gùn *n.* 《美軍俗》 경기관총, 자동 권총.
〖발사 소리에서〗
burr[1] [bə́ːr] *n.* (동판 조각 따위의) 깔쭉깔쭉한 자리 ; (치과용의) 구멍 우비는 기구. —— *vt.* …에 깔쭉깔쭉한 자리를 내다.
〖imit. ; *bur*[1]의 변형(變形)〗
burr[2] *n.* 삐걱삐걱[윙윙]하는 소리 ; 목젖을 울리며 내는 진동음《uvular *r* ; 기호는 [R]》. —— *vt., vi.* 목젖을 울리는 진동음 [R]로 발음하다 ; 분명치 않은 발음을 하다. 〖↑〗
burr[3] *n.* 규석(硅石) 《돌절구를 만듦》 ; 거친 숫돌, 결이 센 숫돌. 〖*burr*[1]〗
búrr cùt *n.* 《美俗》 ＝CREW CUT.
búrr·hèad *n.* 《美俗》 흑인.

bur·ri·to [bəríːtou] *n.* (*pl.* **~s**) 부리토《육류·치즈를 tortilla로 싸서 구운 멕시코 요리》.
〖Am. Sp. ＜Sp. (dim.)〈↓〗
bur·ro [búrou, 美+bə́ːr-] *n.* (*pl.* **~s**) 《美》 당나귀, (특히 짐을 운반시키는) 몸집이 작은 당나귀.
〖Sp.〗
bur·role [bəróul] *n.* 《美俗》 귀(ear) ; 엿듣는 사람 ; 통보자(通報者) ; 구결《행위》.
on the burrole [***bur·ro·la*** [bəróulə]] 《美俗》 범죄자[수배자]로서 여기저기 떠돌아서, 떠돌이 생활을 하고.
Bur·roughs [bə́ːrouz, bʌ́rouz ; bʌ́rouz] *n.* 버로스. **1 Edgar Rice** ~ (1875-1950) 미국의 소설가로 *Tarzan*으로 유명. **2 John** ~ (1837-1921) 미국의 자연지가(自然誌家)·시인. **3 William** ~ (1914-) 미국의 소설가.
bur·row [bə́ːrou ; bʌ́r-] *n.* (여우·토끼·두더지 따위가 판) 구멍 ; 숨는 곳, 은신처(shelter).
—— *vt.* (구멍을) 파다, (길을) 파나가다 : A mole *~s* a hole[*~s* its way] in the ground. 두더지는 땅 속에 구멍을 판다[파서 길을 낸다].
—— *vi.* **1** 구멍을 파다, 구멍에 살다 ; 잠복하다. **2** [+前+名] 《비유》 파고들어 조사하다[찾다] : ~ ***into*** a mystery 신비를 캐다 / He *~ed* ***in*** the library ***for*** a book about Indian life. 그는 도서관에 파묻혀서 인디언의 생활에 관한 책을 뒤졌다.
~·er *n.* 구멍을 파는 사람, 혈거성의 동물.
〖BOROUGH의 변형(變形)인가〗
búrr·stòne [bə́ːr-] *n.* ＝BUHRSTONE.
bur·ry [bə́ːri] *a.* (밤송이 따위) 가시가 있는 ; 따끔따끔한 ; 목젖을 울리는 ; (말투 따위) 불명료한.
bur·sa [bə́ːrsə] *n.* (*pl.* **~s, -sae** [-siː, -sai]) 〔解〕 낭(囊), 활액낭(滑液囊).
〖L＝bag ; cf. PURSE〗
bur·sar [bə́ːrsər, -sɑːr] *n.* (특히 대학의) 회계원, 출납 담당원 ; 《스코》 (대학의) 장학생.
〖F or L ; ⇨ BURSA〗
bur·sar·i·al [bə(ː)rsέəriəl, -sǽər-] *a.* 회계원의 ; 장학(생)의.
bur·sa·ry [bə́ːrsəri] *n.* (대학의) 회계과 ; 《스코》 (대학의) 장학금(scholarship).
bur·sec·to·my [bə(ː)rséktəmi] *n.* 〔醫〕 활액낭(滑液囊) 절제(술). **bur·séc·to·mìze** *vt.*
búr·si·fòrm [bə́ːrsə-] *a.* 〔解·動〕 주머니 모양을 한, 주머니 모양의.
bur·si·tis [bə(ː)rsáitəs] *n.* 〔醫〕 활액낭염(滑液囊炎), 점액낭염.
ᵻburst [bə́ːrst] *v.* (~) *vi.* **1** 파열하다 ; 폭발하다(explode) : The bomb ~. 폭탄이 폭발했다. **2** [動/+前+名/+副/+補] 짓찢어지다, 부풀어 터지다 ; (수포(水疱)·밤송이 따위가) 터지다, 벌어지다 ; (꽃봉오리가) 피어나다 ; (문·자물쇠가) 부서져서 열리다 : The trees ~ ***into*** bloom. 나무는 활짝 꽃망울을 터뜨렸다 / The door ~ ***in***. 문이 홱 안으로 열렸다 / The window ~ open. 창문이 홱 열렸다. **3** [動/+前+名] 가득차다, (가득하여) 터지다 : I ate until I was fit to ~. 배가 터지도록 먹었다 / The barns were *~ing* ***with*** grain. 곳간은 곡식으로 가득차 있었다 / She is *~ing with* vitality. 그녀는 활기에 넘쳐 있다. **4** [+*to* do] [진행형으로] (…하고 싶어) 못견디다 : She *was ~ing to* tell us about what she had done during the vacation. 휴가 중에 한 일들을 우리에게 말하고 싶어서 못견딜 지경이었다.
—— *vt.* [+目/+目+補] 파열시키다 ; 터뜨리다, 눌러 터뜨리다 : ~ a blood vessel (흥분하여) 혈관을 파열시키다 ; 《美口》 매우 흥분하다 / The

river ~ its banks. 강물로 둑이 터졌다 / They ~ the door open[~ open the door]. 문을 확 열어 젖혔다.

burst forth 별안간 나타나다 ; 뛰어나오다 ; 돌발하다 ; (꽃 따위가) 활짝 피다 ; 찢어지다.

burst in (1) (문 따위가) 안쪽으로 세차게 열리다 (cf. *vi.* 2). (2) (이야기를) 중단하다 ; 난입하다 : ~ *in* (*up*)*on* a conversation 이야기에 갑자기 끼어들다 / ~ *in* (*up*)*on* a person 남 있는 곳으로 들이닥치다.

burst into... (1) …에 난입하다, 난데없이 …으로 달려들다. (2) 돌연 …하기 시작하다 : ~ *into* laughter[tears] 갑자기 웃기[울기] 시작하다 / He ~ *into* a run. 갑자기 뛰기 시작했다 / The falling plane ~ *into* flames. 추락하던 비행기가 갑자기 불타올랐다 / ☞ *vi.* 2.

burst* one*self 무리를 해서 건강을 해치다.

***burst* one*'s sides with laughing*[*laughter*]** 허리가 끊어지도록 웃다.

burst out (1) 뛰어나가다 ; 갑자기 나타나다 : Hot water ~ *out of* the ground. 별안간 더운물이 땅속에서 솟아올랐다. (2) (전쟁·질병·소동 따위가) 돌발하다(cf. OUTBURST). (3) 절규(絶叫)하다(exclaim) : ~ *out into* threats 큰소리로 위협하다. (4) [+do*ing*] 별안간 …하기 시작하다 : ~ *out* cry*ing*[laugh*ing*] 갑자기 울기[웃기] 시작하다.

burst through (…을) 부수고[뚫고] 지나가다, 밀고 나아가다 : The sun has ~ *through* the clouds. 태양이 구름 사이로 활짝 나타났다.

burst up 파열시키다[하다] ; 《俗》 파산하다.

burst* (*up*)*on …에 갑자기 나타나다 ; …을 엄습하다 : The view of the mountain ~ *upon* my sight. 산 경치가 갑자기 내 시야에 들어왔다 / The blare of the radio ~ *upon* our ears. 라디오 소리가 별안간 우리들의 귀를 울렸다.

—— *n.* **1** 파열, 폭발(explosion) ; 파열된 곳, 째진 구멍 : a ~ of applause[laughter] 터져 나오는 갈채[웃음]. **2** 돌발(outbreak). **3** 한바탕 분발하기, 분투(spurt), (말의) 한바탕 달림. **4** 집중 사격. **5** 별안간 눈앞에 펼쳐지는 광경. **6** 《口》 술마시며 떠들기(cf. BUST[2] *n.* 4).

at a*[*one*] *burst 단번에, 일거에 ; 분발하여.

〖OE *berstan* to break ; cf. G *bersten* ; ME기(期)는 음위 전환형 *bresten*이 주류로 지금의 형은 16세기에서〗

búrst·er *n.* 작약(炸藥) ; 파열[폭파(爆破)]시키는 사람[것].

búrst·ing chàmber *n.* 작약실(室).

búrsting chàrge[pòwder] *n.* 작약.

búr·stòne [bə́ːr-] *n.* =BUHRSTONE.

búrst-pròof *a.* (문의 자물쇠 따위가) 강한 충격에 견디는.

búrst-ùp *n.* 《口》 =BUST-UP.

bur·then [bə́ːrðən] *n.*, *v.* 《古》 =BURDEN[1].

bur·ton[1] [bə́ːrtn] *n.* 〖船〗 고패 장치 《돛을 올릴 때에 씀》. 〖C18< ?〗

burton[2] *n.* [다음 숙어로]

***go for a burton*[*Burton*]** 《英口》 부서지다, 쓸모없게 되다 ; (사라져) 없어지다, 죽다.

〖C20< ? ; *Burton*(i.e. Burton on Trent) ale에서 인가〗

Búrton on Trént *n.* 버턴온트렌트《잉글랜드 Staffordshire의 도시 ; 양조업이 성행》.

Bu·run·di [burúːndi, bərʌ́ndi] *n.* 부룬디《아프리카 중앙부의 왕국 ; 공식명 the Republic of ~ (부룬디 공화국) ; 수도 Bujumbura》.

búr·wèed *n.* 가시 돋힌 열매를 맺는 잡초《우엉·도꼬마리 따위》.

‡bury [béri] *vt.* **1 a)** [+目/+目+前+名/+目+補] 장사지내다, 매장하다(inter) ; (성직자가) …의 장례식을 하다 : be dead and *buried* 지하에 잠들다 / He has *buried* his wife. 아내와 사별(死別)했다 / Tennyson was *buried* ***in*** Westminster Abbey. 테니슨은 웨스트민스터 사원에 안장되었다 / The sailor was *buried* ***at*** sea. 그 뱃사람은 수장(水葬)되었다 / He was *buried* alive. 그는 생매장되었다 ; 《비유》 그는 세상에서 매장되었다. **b)** 《비유》 파묻어버리다, 잊어버리다 : They agreed to ~ the whole thing. 모든 것을 잊어버리기로[묻어두기로] 동의했다. **2** [+目/+目+前+名] 묻다, (흙 따위로) 덮다, 매장하다, 묻어두다 : ~ treasure 보물을 파묻다 / The end of the post was *buried* ***in*** the ground. 기둥 밑동은 땅속에 파묻혀 있었다. **3** [+目+前+名] (덮어) 감추다(conceal) : She *buried* her face ***in*** her hands. 양손으로 얼굴을 감쌌다 / He *buried* his hands *in* his pockets. 양손을 주머니에 집어 넣었다 / He *buried* himself *in* the country. 시골에 파묻혔다 / The letter was *buried* ***under*** the papers. 편지는 서류 밑에 숨겨져 있었다. **4** [+目+*in*+名] [수동태 또는 ~ one*self*로] 몰두하다 : She *was buried* ***in*** thought[*in* grief]. 생각[슬픔]에 잠겨 있었다 / I *buried* my*self in* my books[studies]. 독서[연구]에 몰두했다.

bury* one*'s head in the sand ☞ SAND *n.*

bury the hatchet ☞ HATCHET.

〖OE *byrgan* to raise a mound, hide (Gmc. 《美》 *bergan* to shelter) ; cf. BURIAL ; 발음은 Kent 방언, 철자는 남부방언에서〗

Bur·yat, -iat [buərjáːt, bùəriáːt] *n.* (*pl.* **~, ~s**) 부랴트족(族)《부랴트 공화국에 거주하는 몽골로이드》 ; 부랴트어.

búry·ing *n.* 파묻음, 매장 : ~ beetle 송장 벌레.

búrying gròund[plàce] *n.* =BURIAL GROUND.

◇bus [bʌ́s] *n.* (*pl.* **~·es**, 《美》 **bús·ses**) **1** 버스, 승합 자동차, =TROLLEY BUS ; 에어 버스(airbus) ; 《口》 (일반적으로) 탈것《특히 낡은 자가용차·비행기·배 따위》 ; 〖宇宙〗 소형 우주선이나 분리식 탐사기를 탑재한 모선, 버스 : have a face like the back of a ~ 《英俗》 아주 못생긴 상통을 하고 있다. **2** 〖電〗 모선(母線), 버스.

miss the bus 《口》「버스를 놓치다」, 좋은 기회를 잃다 ; 실수하다.

—— *v.* (**~ed, búsed** [-t] ; **~·ing, bús·sing**) *vi.* 버스를 타다[를 타고 가다] ; busboy[busgirl]로 일하다. —— *vt.* 버스로 나르다 ; 《美俗》 (식당 따위에서 그릇을) 치우다〈*up*〉.

bus it 버스로 가다.

〖omni*bus*〗

bus. bushel(s) ; business.

bús·bòy *n.* 《美》 식당 웨이터의 조수《접시닦기 따위를 함》.

bus·by [bʌ́zbi] *n.* 모피로 만든 춤이 높은 모자 《영국 경기병(輕騎兵)·포병·공병의 예모》.

〖C18< ?〗

busby

bús·càr *n.* 《美俗》 의외의 기쁨, 예상외로 좋은 것 ; 친구.

bús condùctor *n.* 버스 차장 ; 〖電子〗 모선(母線) (bus).

bús·gìrl *n.* 《美》 busboy의 여성형.

‡bush[1] [búʃ] *n.* **1** 관목(shrub) : trees and ~*es* 교목(喬木)과 관

목. **2** Ⓤ [때때로 the ~] 덤불, 숲 ; 총림(지) (叢林(地)) ; 미개지, 오지(奧地) : beat about the ~ ☞ BEAT[1] 숙어 / A bird in the hand is worth two in the ~. ☞ BIRD 1. **3** 《古》 담쟁이 가지 《옛날 술집 간판》 : Good wine needs no ~. 《속담》 좋은 물건에는 광고가 필요 없다.

take to the bush (죄수 등이) 오지로 도망치다 ; 산적이 되다(cf. BUSHRANGER).

—— *a.* 오지의, 시골의 ; 시골티가 나는 ; 조잡한, 풋내기 같은《일》; 졸속주의의《목수 등》.

—— *vt.* (수렵(狩獵) 지역을) 덤불로 둘러싸다 《사냥을 하지 못하도록》.

—— *vi.* 관목처럼 퍼지다 ; 떼지어 자라다[무성해지다].

〚OE《美》*bysc* (<ON), ON and OF *bos*(*c*)〛

bush[2] *n.* =BUSHING. —— *vt.* (마찰 방지용으로) bushing을 끼우다.

〚Du. ; ⇨ BOX[1]〛

Bush *n.* 부시. **George** ~ (1924-) 미국의 제41대 대통령.

bush. bushel(s) ; bushing(s).

búsh bèan *n.* 《美》 강낭콩.

búsh-bèat·ing *n.* 《美俗》 철저한 수사[탐색].

búsh·cràft *n.* 《주로 濠》 미개지에서 살아가는 방법[생활의 지혜].

bushed [búʃt] *a.* 덤불로 뒤덮인 ; 당혹스런 ; 《口》 많이 써서 낡은 ; 지쳐버린.

be bushed 《口》 지쳐버리다.

bush·el[1] [búʃəl] *n.* **1** 부셸《36 liters, 8 gallons ; cf. QUARTER *n.* 1 e)》; 부셸 되. **2** 《口》 다량, 다수〈*of*〉.

hide one***'s light***[***candle***] ***under a bushel*** 겸손하여 자기 재능을 숨기다, 내성적이어서 자기의 선행을 숨기다.

measure another***'s corn by*** one***'s own bushel*** ☞ CORN[1].

〚OF〛

bushel[2] *vt.* (-l- | -ll-) 《美》 수선[개선]하다. **~·man** [-mən], **~·(l)er** *n.* (의복의) 수선공, (옷을) 수선하는 사람.

〚? G *bosseln* to do odd jobs〛

búsh·er *n.* 〔野〕 bush league의 선수 ; 초심자 ; 시골 사람.

búsh·fìght·ing *n.* 수풀 속의 전투, 게릴라전. **búsh·fìght·er** *n.* 유격병(遊擊兵).

búsh frùit *n.* 관목의 열매《특히 currants, gooseberries, raspberries 따위》.

búsh·hàmmer *n.* 부시해머《석재(石材) 표면 마무리용 망치》.

búsh hàrrow *n.* 써레의 일종.

búsh hàt *n.* 부시 해트《챙이 넓은 모자로 호주군(軍)의 제모》.

búsh·hog [-hɔ̀(:)g, -hàg] *vi.* 《美南部·中部》 토지의 나무나 숲을 없애버리다.

búsh hòok *n.* (덤불을 베는) 낫의 일종.

búsh·ing *n.* 〔機〕 (구멍 안쪽에 끼워 마찰을 방지하는) 축투(軸套), 베어링통.

búsh jàcket *n.* 부시 재킷《벨트가 달린 긴 셔츠풍의 재킷》.

búsh làwyer *n.* 〔植〕 뉴질랜드산(産)의 나무딸기의 일종 ; 《濠口·뉴질口》 법률에 통달한 체하는 사람 ; 의론을 좋아하는 사람.

búsh lèague *n.* 《美俗》 =MINOR LEAGUE ; (일반적으로) 이류 회사, 이류급 인물.

búsh-lèague *a.* 《美俗》 =minor league의 ; 이류의, 평범한.

búsh lèaguer *n.* 《美俗》 이류 직업 야구단의 선수(와 같은 무능한 선수) ; (일반적으로) 이류급인 사람들《선수·연기자 등》.

búsh·man [-mən] *n.* (*pl.* **-men** [-mən]) 총림지(叢林地) 거주자 ; [B~] 부시먼《남아프리카 원주민》; Ⓤ [B~] 부시어(語).

búsh·màster *n.* 부시마스터《몸길이가 3m에 이르는 중남미산 독사의 일종》.

búsh paròle *n.* 《美俗》 탈옥(자).

búsh·pìg *n.* (아프리카 남동부산의) 강멧돼지.

búsh pìlot *n.* 캐나다 북부나 Alaska 총림지대의 정기 항공로를 비행하는 비행사.

búsh·rànger *n.* 총림(叢林)에 사는 사람 ; 《濠》 산적(山賊).

búsh shìrt *n.* 부시 셔츠《bush jacket과 비슷한 면셔츠》.

búsh tèlegraph *n.* **1** (정보·소문 따위가) 급속히 퍼짐. **2** (북·연기 따위로 행해지는) 밀림의 통신 수단. **3** 《濠》 (경찰의 계획·활동 상황을 알리는) 구두 전달 방식.

búsh·vèld *n.* 총림(叢林)지대 ; [때때로 B~] 남아프리카의 저지대(低地帶).

bush·wa(h), boosh-, boush- [búʃwɑː, -wɔː] *n.* 《俗》 시시한 일(nonsense) ; [감탄사적으로] 시시하다!

búsh·whàck *vi.* 《美》 덤불을 베어 길을 내다 ; (덤불을 이용하여) 기습하다.

〚역성(逆成) < ↓〛

búsh·whàck·er *n.* 《美》 덤불을 베어 길을 내는 사람 ; 덤불 베는 낫 ; 기습[게릴라]병(兵).

búshy *a.* 관목이 무성한, 덤불투성이의 ; 풀숲 모양의 ; (털이) 무성한, 텁수룩한.

—— *n.* 《濠》 총림지[오지]의 주민 ; 《濠口》 시골 사람.

bus·i·ly [bízəli] *adv.* 분주하게 ; 바쁘게 : study ~ 열심히 공부하다.

◇busi·ness [bíznəs, 美+-z] *n.* **1** Ⓤ 사무, 업무, 일, 집무, 영업 ; 직업, 가업(家業) : a matter of ~ 사무상의 일 / hours of ~ =BUSINESS HOURS / a place[house] of ~ 영업소, 사무소 / *B*~ as usual. 평소대로 영업합니다 / a doctor's ~ 의업(醫業).

2 Ⓤ 장사, 상업, 사업, 실업 : a man of ~ 사[실]무자 ; 실업가(businessman).

3 Ⓤ 거래, 매매 ; 상황(商況) : be connected in ~ *with* …와 상업상 거래가 있다 / *B*~ is ~. 거래는 거래다《관용이나 감정은 금물》/ *B*~ is brisk. 거래가 활기를 띠고 있다.

4 상점, 회사, 상사(商社) ; 영업권 : sell one's ~ 상점[영업권]을 팔다 / He has a ~ in New York. 뉴욕에 상점을 가지고 있다.

5 Ⓤ 용무, 볼일, 용건 ; 의사(議事) 일정(agenda) : What is your ~ here? 무슨 용무로 오셨습니까 / What ~ have you here? 무슨 일로 여기에 오셨습니까 / the ~ of the day (의사(議事)) 일정(日程) / proceed to[take up] ~ 의사 일정에 들어가다.

6 Ⓤ 해야 할 일, 직무, 본분(duty) ; [부정 구문으로] [+*to* do] (간섭할) 권리, 이유, 필요 : *B*~ before pleasure. 《속담》 놀기 전에 우선 일부터《노는 것은 일이 끝나고》/ Everybody's ~ is nobody's ~. 《속담》 공동 책임은 무책임 / That's my ~. 그것은 내 일이다 / Mind your own ~. ☞ MIND *vt.* 1 / That's *not*[*none* of] your ~. =That's *no* ~ of yours. =What ~ is that of yours? 그것은 네가 관여할 바 아니다 / You have *no* ~ *to* interfere in the matter.

자네에겐 그 일에 간섭할 권리가 없네.
7 일, 사건(affair) ; 일이 되어가는 형편 ; 《口》 성가신 일, (막연하게) 것, 일 : an awkward ~ 귀찮은 사건 / a strange ~ 이상한 일 / What a ~ it is! 참으로 성가신 일이군.
8 Ⓤ 〖劇〗 몸짓, 동작(action).
at business 집무중에, 상점에 나가, 출근하여.
close[***set up, open***] ***a business*** 상점을 닫다[열다].
come[***get***] ***to business*** 일을 시작하다 ; 볼일을 시작하다.
do business 장사를 하다, 거래를 하다〈*with*〉.
do good business 번성[번창]하다.
do a person***'s business for*** him 남을 해치우다, 죽이다.
get down to business (진지하게) 일에 착수하다 ; 본론으로 들어가다.
go about one***'s business*** 자기가 해야 할 일을 하다 : *Go about* your ~! 네 일이나 해, 저리 가!
go into business 실업계에 들어가다.
Good business! 잘했다, 장하다!
go to business 사무를 보다, 출근하다.
in business 실업[사업]에 종사하여.
make a great business of it 일이 힘에 겨워 쩔쩔매다, 일 감당을 못하다.
make it one***'s business to*** …하기를 수락하다, 스스로 나아가서 …하다, 반드시 …하다.
make the best of a bad business ☞ BEST.
mean business 《口》 진정이다(be serious).
on business 상용(商用)으로, 용무가 있어서(↔ *for pleasure*) : go to town[Pusan] *on* ~ 용무로 시내[부산]에 가다 / No admittance except *on* ~. 용무자외 출입 금지《알림》.
one***'s man of business*** 대리인(agent), 법률 고문(cf. a man of BUSINESS ☞ 2).
out of business 폐업[실업(失業)]하여 : go *out of* ~ 폐업하다.
send a person ***about*** his ***business*** 남을 내쫓다, 해고하다.
〖OE *bisignis* ; ⇨ BUSY〗
類義語 ⟹ OCCUPATION.

búsiness addrèss *n.* 근무처 주소.
búsiness administràtion *n.* 사무 관리 ; 《美》 경영학.
búsiness àgent *n.* 《英》 (업무) 대리점 ; 《美》 (노동 조합의) 집행 위원.
búsiness àircraft *n.* 업무용 항공기.
Búsiness and Índustry Advísory Commìttee *n.* 경제 산업 자문 위원회《OECD 산하의 민간 기구 ; 略 BIAC》.
búsiness càrd *n.* 업무용 명함.
búsiness cènter *n.* =BUSINESS QUARTERS.
búsiness còllege *n.* 《美》 실업학교 《속기·타자·부기 따위 실무 훈련을 함》.
búsiness communicátion sỳstem *n.* 〖컴퓨〗 상업용 통신 시스템.
búsiness correspòndence *n.* 상업 통신.
búsiness cỳcle *n.* 《美》 경기 순환(=《英》 trade cycle).
búsiness dày *n.* 영업일, 평일.
búsiness dìstrict *n.* 상업 지역.
búsiness èditor *n.* (신문·잡지의) 경제부장.
búsiness educàtion *n.* 직업 교육.
búsiness ènd *n.* 《口》 **1** (회사 따위의) 영업 부문(commercial part). **2** [the ~] 일을 하는[중요한] 부분, 무기의 날카로운 부분 : *the* ~ of a tin tack 대갈못의 끄트머리.
búsiness Ènglish *n.* 상업 영어.
búsiness fàilure *n.* (기업) 도산.
búsiness gàme *n.* 〖컴퓨〗 비즈니스 게임《몇 가지 경영 모델을 놓고 의사결정(意思決定) 훈련을 행하게 하는 게임》.
búsiness hòurs *n. pl.* 집무[영업] 시간.
búsiness ìndicator *n.* 경기 지표.
búsiness lètter *n.* 상용 통신문[편지].
búsiness·lìke *a.* 사무적인 ; 실제적인(practical) ; 능률적인 ; (처리 따위가) 기민한 ; 진지한, 진심의, 의도적인.
búsiness lòan *n.* 기업 대출.
búsiness machìne *n.* 사무 기기(器機).
búsiness magazìne *n.* **1** 비즈니스지(誌), 경제지. **2** =TRADE MAGAZINE.
***búsiness·màn** *n.* 실업가, 경영자 ; 실무가.
búsinessman's rìsk *n.* (주식 따위) 약간 높은 위험률이 수반되는 투자.
búsiness òffice *n.* (회사·사업소 따위의) 사무소(事務所).
búsiness pèrson *n.* 《美》 실업가《남성·여성에 대해 같이 씀》.
búsiness pràctice *n.* 상관습(商慣習).
búsiness quàrters *n. pl.* 중심가, 번화가.
búsiness replỳ càrd *n.* 상용 반신 엽서.
búsiness replỳ ènvelope *n.* 상용 반신 봉투《수신인명이 미리 인쇄된 요금 수취인 지급 봉투》.
búsiness replỳ màil *n.* 상용 반신 우편물《business reply card[envelope]를 씀》.
búsiness schòol *n.* =BUSINESS COLLEGE.
búsiness sìze ènvelope *n.* $9^1/_2$인치×$4^1/_8$인치 크기의 봉투.
búsiness·spèak *n.* 상업 관계의 전문 용어, 상용어(商用語).
búsiness stùdies *n. pl.* 경영 따위의 실무 연수, 실무 훈련.
búsiness sùit *n.* 《美》 신사복(=《英》 lounge suit).
búsiness·wòman *n.* 여성 실업가, 여성 상인.
búsiness yèar *n.* 사업 연도.
bús·ing, bús·sing *n.* 버스 수송 ; 《美》 (백인·흑인 학생을 융합시키기 위한) 강제 버스 통학《아동을 거주 구역 밖의 학교로 통학시키기》.
busk[1] [bʌ́sk] *n.* (코르셋의) 가슴 부분을 버티는 살대《고래뼈 또는 강철제(製)》 ; 《古·方》 코르셋.
〖OF < ? OIt. *busco* splinter, stick < Gmc.〗
busk[2] *vi.* 《英》 거리에서 연예를 하다.
〖=(obs.) to peddle < ? F *busquer* (obs.) to seek〗
busk[3] 《英方》 *vt., vi.* 준비하다, 채비하다(get ready, prepare) ; 꾸미다, 장식하다 : *B*~! 자, 준비하시오.
〖ON *búask* (rflx.) 〈 *búa* to prepare ; cf. BOUND[4]〗
busk·er [bʌ́skər] *n.* 《英》 뜨내기 악사[배우].
〖BUSK[2]〗
bus·kin [bʌ́skən] *n.* [보통 *pl.*] (옛 그리스·로마의 비극 배우가 신은) 창이 두꺼운 반장화 ; [the ~] 《詩·文語》 비극(tragedy) (cf. SOCK[1] 3).
put on the buskins 비극을 상연하다.
bús·kined *a.* 반장화를 신은 ; 비극의 ; 고상한.
bús làne *n.* 버스 전용 차선, 버스 레인.
bús lìne *n.* 버스 노선 ; 버스 회사.
bús·lòad *n.* 버스의 최대 수용량[인원수].
bús·man [-mən] *n.* 버스 승무원[운전사].
búsman's hóliday *n.* 《口》 평상시와 같은 일을 하며 보내는 휴가[휴일].

〖버스 대신에 자기의 차를 운전한 데서〗

buss[1] [bʌ́s] *n.* 《古·方》 키스(kiss). —— *vt.* …에게 키스하다.
〖? imit. or *bass* (obs.) to kiss ; cf. F *baiser* <L〗

buss[2] *n.* 쌍돛배 어선 ; 짐배. 〖OF<ON〗

búss·bàr *n.* 〔電〕 모선(母線).

busses *n.* 《美》 BUS의 복수형.

bús shèlter *n.* 《英》 지붕 있는 버스 정류장.

bussing ☞ BUSING.

***bús stòp** *n.* 버스 정류장.

bust[1] [bʌ́st] *n.* **1** 반신상(半身像), 흉상(胸像). **2** 상반신 ; (여성의) 앞가슴, 버스트 : a ~ supporter 코르셋. 〖F<It.<?〗
類義語 ⟹ BREAST.

bust[2] *vt., vi.* (**~·ed, ~**) **1** 《俗》 파열[폭발]시키다[하다] (burst) ; 《口》 파멸[파산]시키다[하다] ; 잡치다, 실패하다 ; 낙제시키다[하다] : go ~ 파산하다. **2** 《口》 때리다, 치다(hit). **3** 《美》 (야생마 따위를) 길들이다(tame). **4** (신탁 회사를) 작은 회사로 나누다. **5** 강등(降等)[좌천]하다. **6** 《俗》 (현행범으로) 체포하다, 처넣다 ; 《俗》 (특히 경찰이) 급습하다(raid). —— *n.* **1** 《俗》 (주먹의) 강타. **2** 《俗》 실패 ; 파산 ; 《口》 쓸모없는 사람[것], 패배자 ; 《美俗》 낙제[제적] 통지, 강등 명령. **3** 《口》 불황 ; 《俗》 체포 ; 《俗》 (경찰의) 습격. **4** 《口》 술마시며 떠들기 : have a ~ 술마시며 떠들다 / *on* the ~ 술에 취해 들떠서. —— *a.* 《英口》 부서진 ; 파산한, 무일푼의.
~·ed *a.* 《口》 파멸[파산]한 ; 《口》 좌천[강등]된 ; 《俗》 체포된. 〖BURST〗

bus·tard [bʌ́stərd] *n.* 〔鳥〕 느시.
〖AF<L *avis tarda* slow bird〗

búst·er *n.* 파괴하는 사람[것] (cf. BURSTER) ; 《口》 거대한 것, 훌륭한 것 ; 거한(巨漢) ; 《俗》 (술 먹은 뒤의) 법석 ; 《美口》 (야생마를) 길들이는 사람 ; [B~] 《口》 얘야《다소의 경멸 또는 친근감을 나타냄》 ; 강풍.
〖BURSTER〗

búst·hèad *n.* 《美俗》 싸구려 술 ; 주정뱅이.

bus·tle**[1] [bʌ́səl] *vi.* **1** [動/+副/+前+名] 크게 소란떨다 ; 부산하게 일하다 : She was *bustling* ***about preparing the dinner. 식사 준비를 위해서 분주하게 왔다갔다하고 있었다 / We must ~ ***up*** a bit. 조금 서둘지 않으면 안된다 / People were *bustling* ***in*** and ***out*** (***of*** the building). 사람들이 분주하게 (건물을) 드나들고 있었다. **2** [+*with*+名] 번화하다, 번잡하다, (사람이 많아) 웅성웅성하다 : The promenade ~*d* ***with*** colorful activity. 산책로에는 화려한 행사로 떠들썩하였다. —— *vt.* [+目/+目+副/+目+前+名] 소란하게 하다 ; 재촉하다 : He ~*d* the maid ***off on*** an errand. 가정부를 재촉하여 심부름을 보냈다. —— *n.* 큰 소동, 야단 법석 ; 웅성거림 : be in a ~ 떠들다, 번잡하다. 〖? *buskle* (freq.) ‹BUSK[3]〗

bustle[2] *n.* (스커트를 넓게 하는) 허리받이.
〖C18<?; cf. G *Büschel* bunch〗

bús·tling *a.* 분주한 듯한, 바쁜 듯한 ; 시끄러운, 떠들썩한, 번잡한. **~·ly** *adv.*

bús·tòp *n.* 버스의 2층석.

búst·òut *n.* 《美俗》 사기 도박에서 빈털터리가 되기 ; 《俗》 파산, (회사를 빼앗아 많은 상품을 외상 매입 후 곧 팔아버리고 파산 선고를 하는) 신용 사기에 의한 도산. —— *vi., vt.* 사기 도박으로 빈털터리가 되다[되게 하다].

búst·ùp *n.* **1** 《口》 파열, 폭발 ; 파산. **2** 《英口》 싸움, 말다툼. **3** 《美口》 파탄, 이별, 이혼 ; 떠들썩한 잔치(spree).

bústy *a.* (여자가) 가슴이 풍만한.

bu·sul·fan [bjuːsʌ́lfən] *n.* 〔藥〕 부술판《골수성(骨髓性) 백혈병 치료에 씀》. 〖*bu*tane+*sulf*onyl〗

bús·wày *n.* 버스 전용 도로[차선].

◇**busy** [bízi] *a.* **1** [+前+do*ing*] 분주한, 다망한 ; 부지런히 일하는[일하고 있는] : a ~ man 분주한 사람 / I was ~ ***with***[***over***] my task. 일로 분주했다 / He was ~ (***in***) canvass*ing* for the election. 선거운동으로 바빴다. ☞ 活用.

> **busy**의 ○×
> (×) He is *busy to do* his homework.
> (그는 숙제를 하느라 바쁘다.)
> (○) He is *busy doing* his homework.
> ☆ 이 문장은 다음과 같이 나타낼 수도 있다.
> He is *busy with*[*at*] his homework.

2 번화한, 떠들썩한 : a ~ street 번화한 거리. **3** 참견 잘하는(officious) : She is ~ *in* other people's affairs. 남의 일에 참견을 잘한다. **4** (전화가) 통화중인 : Line's ~. 《美》 통화중입니다(=《英》 Number's engaged.).
get busy 《美口》 일을 시작하다.
—— *vt.* [+目/+目+前+名/+目+do*ing*] [때때로 ~ one*self* 로] 분주하게 하다[일을 시키다] : She *busied* her*self* ***with***[***about***] household chores in the morning. 아침엔 집안일로 바쁘게 지냈다 / The maid *busied* her*self about* the house. 가정부는 집의 이곳저곳에서 분주하게 일했다 / I *busied* my*self* (***in***) keep*ing* books. 장부를 정리하느라 바빴다.
〖OE *bisig*<?; cf. Du. *bezig*〗
活用 busy *in* do*ing*에서는 지금은 in을 생략하여 do*ing*을 직접 busy 뒤에 쓰는 것이 일반적 : He is *busy* prepar*ing* for the exam. (그는 시험 준비로 바쁘다) / Farmers are *busy* work*ing* in the fields. (농부들은 지금 밭에서 부지런히 일하고 있다).
類義語 ***busy*** 일시적 또는 습관적으로 어떤 일에 부지런한 : I'm too *busy* to eat. (너무 바빠서 식사할 시간도 없다). ***industrious*** 천성적으로 또는 습관적으로 부지런히 일하는, 근면한 : an *industrious* clerk (근면한 사무원). ***diligent*** 어떤 특수한 일에 정력을 기울이는 ; 그 일을 하고 싶거나 흥미를 갖고 있는 것을 암시 : a *diligent* student of English (부지런히 영어를 공부하는 학생). ***assiduous*** 일을 참을성 있게 해 나가는. ***sedulous*** 목적 달성을 위해 일을 참을성 있게 하는. ***hardworking*** diligent나 industrious와 같은 뜻의 일상적인 말.

búsy bée *n.* 대단한 일꾼, 열심히 일하는 사람.

búsy·bòdy *n.* 남의 일에 참견 잘하는 사람, 일 도와주기, 간섭하기.

búsy-bùsy *n.* 바쁨, 번잡함.

búsy ídleness *n.* 하는 일 없이 바쁨.

búsy·ness *n.* Ⓤ 《稀》 분주함, 다망.

búsy sìgnal *n.* 〔電話〕 「통화중」의 신호.

búsy tòne *n.* 〔電話〕 「통화중」의 신호음.

búsy·wòrk, búsy-wòrk *n.* (학교에서) 시간을 보내기 위해 시키는 학습 활동.

◇**but**[1] [bət, bʌt, bʌ́t]

> (1) 기본 뜻 : 「그와는 반대로」
> (2) but과 though의 관계 : He is young, *but* he is wise. =He is wise *though* he is young. =*Though* he is young, he is wise. (그는 젊지만 현명하다.)

(3) *conj.* 1 a)의 용법인 but을 however, yet, still, nevertheless 따위의 유사한 뜻이 있는 부사와 병용하는 것은 부적당하다 : He felt sleepy, *but* he had to work hard *nevertheless*. 《nevertheless를 생략하는 것이 좋다.》
(4) 「…이외에(는)」「…을 제외하고(는)」이란 뜻의 but에 인칭대명사가 이어질 경우, 특히 《美》에서는 다음과 같은 경향이 있는 데 주의 : 'but+인칭대명사'가 문장 끝에 올 때는 그 인칭대명사의 격은 목적격이다《이 경우의 but은 *prep.*》. 그 밖의 위치에 올 때는 주격이 되는 경향이 있다《이 경우 but은 *conj.*》.

—— *conj.* **1** [등위 접속사] **a)** 그러나, 그렇지만 (☞ HOWEVER 3, THOUGH, YET 活用 (4)) : He is poor ~ cheerful. 그는 가난하지만 명랑하다 / I didn't go, ~ he did. 나는 가지 않았으나 그는 갔다.

〈회화〉
I like baseball, *but* I'm not a good player. — Neither am I. 「난 야구를 좋아하지만 잘하지는 못해」「나도 그래」

b) [앞의 부정어와 관련하여] (…이) 아니고 : It is *not* a pen, ~ a pencil. 펜이 아니고 연필이다 / not that… ~ that ☞ 숙어. **c)** [감동적 표현 따위의 뒤에 붙여] Heavens, ~ it rains! 거 참 지독한 비다 / Why didn't you go? — Oh[Ah], ~ I did. 너는 왜 가지 않았니 — 아냐, 난 틀림없이 갔었어 / Excuse me, ~ will you show me the way to the station? 죄송하지만 정거장으로 가는 길을 가르쳐 주시겠습니까.
2 [종속(從屬) 접속사] **a)** [*prep.* 1의 전용(轉用)] …이외에(는), …을 제하고(는) : All ~ he are present. 그를 빼고는 모두 출석했다 / Nobody ~ she knew it. 그녀를 제외하고는 아무도 그것을 아는 사람이 없었다. ㊟ 이 두 예문의 he, she를 각기 him, her로 하면 but은 전치사가 됨. **b)** [부정 구문 뒤에서] …이 아닌… (that…not), …하지 않고(는) (if…not) : *No* man is *so* bad ~ (*that*) he may have some redeeming point. 장점이 하나도 없을 만큼 나쁜 사람은 아무도 없다《아무리 나쁜 사람일지라도 장점이 있게 마련》/ He is *not such* a fool ~ he can tell that. 그 정도의 일을 모를 만큼 바보는 아니다 / It *never* rains ~ it pours(=without pouring). 《속담》 비가 오면 반드시 퍼붓듯이 온다 ; 「불행은 겹쳐 오는 법」「산 너머 산」/ *Scarcely* a day passed ~ I met her. 그녀를 만나지 않은 날은 거의 하루도 없었다. **c)** 《文語》 [부정적인 말 doubt, deny, hinder 따위가 재차 부정될 경우] ~ (that) = THAT[2] : I have [There is] *no doubt* ~ (*that*) you will succeed. 자네가 성공할 것을 의심치 않네. **d)** [부정·수사(修辭)적 의문에 쓰인 say, know, be sure 따위의 뒤에서] *but that* = that…not : Who knows *but that* he may be right? 혹시 그의 말이 맞을지도 모르지《그렇지 않다고는 누구도 말할 수 없다》.
—— *adv.* **1** 단지, 다만, 그저 …일 뿐(only) : He is ~ a child. 그저 어린애에 불과하다 / I have ~ just seen him. 지금 막 그를 만났다. **2** [can, could를 수반하여] 여하간, 어쨌든 …할 뿐(at least) : I *can* ~ try. 아무튼 해보겠다.
—— *prep.* **1** [all 또는 부정어 뒤에서 ; cf. *conj.* 2 a), EXCEPT] …을 제외하고, …외에(except) : the last house ~ one[two] 끝에서 두[세]번째 집 / *All* ~ him were drowned. 그 말고는 모두 익사(溺死)했다 / *Nobody* has heard of it ~ me. 그 소문을 들은 것은 나밖에 없다 / It is *nothing* (*else*) ~ (=only) a joke. 그저 농담에 지나지 않는다. **2** [~ that으로] …이라는 것[일]이 없다면(unless) : They would have succeeded in reaching the summit ~ *that* rain came on. 비가 내리지 않았다면 꼭대기까지 도달하는 데 성공했을 것이다.

but one을 이용한 문장 전환
Pusan is the second largest city in Korea.
(부산은 한국에서 두번째로 큰 도시다).
→ Pusan is the largest city *but one* in Korea.
(부산은 한국에서 한 도시를 제외하고는 가장 큰 도시다.)

—— *rel. pron.* [부정 구문 뒤에서 제한적 용법으로] …이 아닌 (것·사람) (that… not) : There is *no one* ~ knows(=*that* does *not* know) it. 그것을 모르는 사람은 없다.

but을 이용한 문장 전환
(1) There is no man *who* does *not* know it.
→ There is no man *but* knows it.
(그것을 모르는 사람은 없다.)
(2) No man is so old *that* he may *not* learn.
(=No man is too old to learn.)
→ No man is so old *but* he may learn.
(배우지 못할 정도로 나이든 사람은 없다 [아무리 나이를 먹어도 배울 수는 있다].)
☆ (1)의 but은 관계대명사, (2)의 but은 접속사 용법.

—— *n.* 예외, 이의, 반대 : (There are) no ~*s* about it. 그것에는 어떤 문제도 없다.
—— *vt.* 「그러나」라고 말하다.
all but… (1) ☞ *conj.* 2 a), *prep.* 1. (2) 거의(almost) : *all* ~ nudity 거의 나체 / He *all* ~ died of his wounds. 그는 중상(重傷)으로 목숨을 잃을 뻔 했다.
anything[***nothing***] ***but…*** ☞ ANYTHING, NOTHING.
but for …이 없다면(if it were not for), …이 없었다면(if it had not been for) (cf. EXCEPT *for*) : *B~ for* (=Without) your help, I could not do it[I could not have done it]. 당신의 도움이 없으면[없었다면] 나는 그것을 할 수 없을 것이다[없었을 것이다] / There, ~ *for* the grace of God, goes X. Y. [go I]. 신의 은총이 없었다면 X. Y. [나]도 저렇게 되어 버렸을 것이다.

but for의 문장 전환
But for your help, he would fail. → *If it were not for* your help, he would fail.
(네 도움이 없으면 그는 실패할 거야.)
But for your help, he would have failed. → *If it had not been for* your help, he would have failed.
(네 도움이 없었다면 그는 실패했을 것이다.)

But me no buts[***Not so many buts, please***]. 「그러나, 그러나」라고 자꾸 변명은 하지 말게. ㊟ But은 임시 동사, buts는 임시 명사로서의 용법.
but that… (1) ☞ *prep.* 2. (2) ☞ *conj.* 2 b), c), d).
but then ☞ THEN.

but what... 《口》 =BUT *that*... (2).
cannot but do... ☞ CAN[1].
cannot choose but do=***have no choice but to*** do …하지 않을 수 없다 : I *had no choice* ~ *to* accept the offer. 그 신청을 받아들이지 않을 수 없었다.
do nothing but do …만 할 뿐이다 : She *did nothing* ~ complain. 불평만 할 뿐이었다.
It shall go hard but I will do it. 어떻게 해서라도 하지 않으면 안된다[하고야 말겠다].
never...but …하면 반드시 …하다 (☞ *conj.* 2 b)).
not but that[***what***]... = 《古》 ***not but*** …하지 않는다는 것은 아니지만 : I can't come, *not* ~ *that* I'd like to. 가기 싫은 것은 아니지만 갈 수가 없다.
not that...but that …라는[하다는] 것이 아니고 …인 것이다 : *Not that* I dislike the work, ~ *that* I have no time. 일이 싫은 것이 아니고 시간이 없는 것이다.
ten to one but (***that***) …임에 틀림없다 : *Ten to one* ~ the police have got him. 십중 팔구 경찰은 그를 붙잡았음에 틀림없다.
〖OE *be-ūtan, būtan*=outside, without ; ⇨ BY[1], OUT〗

but[2] [bʌ́t] *n., adv.* 《스코》 (방이 둘 있는 집의) 바깥방(에) ; 부엌(에).
but and ben 바깥방과 안방(에) ; 집안 모두 : be ~ *and ben* with …와 친밀하게 지내다.
—— *a.* 바깥(쪽)의.
〖*but*[1] outside〗

but- [bjúːt], **bu·to-** [bjúːtou, -tə] *comb. form* 〔化〕「4개의 탄소를 함유하는」의 뜻. 〖L〗

bu·ta·caine [bjúːtəkèin] *n.* 〔藥〕 부타카인《황산염으로 눈과 귀의 국부 마취제로 쓰임》.

bu·ta·di·ene [bjùːtədáiiːn, -daiíːn] *n.* Ⓤ 〔化〕 부타디엔《탄화수소의 일종》.

bu·tane [bjúːtein, -ˊ] *n.* Ⓤ 〔化〕 부탄《가연성 탄화수소의 일종 ; 연료용》. 〖*buty*l, *-ane*〗

Bu·ta·zol·i·din [bjùːtəzúlədən] *n.* 부타졸리딘 《phenylbutazone의 상표명》.

butch [bútʃ] *n.* 《美》 (남자의) 상고머리, (여자의) 단발 ; 《俗》 아주 터프한[난폭한] 남자, 만만치 않은 녀석[여자] ; 《俗》 사내 같은 여자 ; 《俗》 (여성 동성애에서) 남자 역할을 하는 쪽 ; 《美俗》 (열차 내의) 판매원 ; 《美俗》 실패.
—— *a.* 터프한, 난폭한《남자》 ; 《俗》 (여성 동성애에서) 남자 역할을 하는 ; 《俗》 (여자가) 남자 같은, 사내같은.
—— *vt.* 《美俗》 엉망으로 만들다, 쓸모없게 하다.
〖역성(逆成) < ↓〗

***butch·er** [bútʃər] *n.* **1** 푸주한 ; 도살(업)자 ; 《비유》 학살자 : a ~[~'s] knife 고기 써는 칼 / She bought them at the ~'s (=the ~'s shop). 그것들을 푸줏간에서 샀다. 囨 《美》에서는 「푸줏간」을 a meat market이라고 함. **2** 《美》 (특히 열차 내의) 판매원 ; 권투 선수 ; 《俗》 서투른 외과 의사.
butcher*('s) *meat (물고기·새고기·베이컨 따위에 대해) 짐승의 식용육.
the butcher, the baker, the candlestick maker 각양각색의 상인들.
—— *a.* 《濠》 기분 나쁜.
—— *vt.* **1** 도살하다 ; 학살하다(massacre) ; (병사를) 사지(死地)로 보내다 ; 사형시키다. **2** 《비유》 (서툰 솜씨로) 망쳐 놓다 ; 혹평하다.
〖OF ; ⇨ BUCK[1]〗

bútcher-bìrd *n.* 《口》 때까치(shrike).

bútcher-blòck *a.* 쪽매붙임의, 나무쪽 세공의《테이블 따위》.

bútcher·ly *a.* 도살자 같은 ; 《비유》 잔인한.

bútch·er's *n.* 고깃간, 푸줏간, 정육점 ; 《韻俗》 = BUTCHER'S HOOK.

bútcher's bíll *n.* 푸줏간의 계산서 ; 《비유》 전사자[조난 사망자] 명부.

bútcher's hòok *n.* 《韻俗》 일별(一瞥), 한번 봄 : have[take] a ~ 흘끗 보다.

bútcher shòp *n.* 고깃간 ; 《美俗》 병원.

bútcher wàgon *n.* 《美俗》 구급차.

bútch·ery *n.* **1** 《주로 英》 도살장(slaughterhouse) ; 푸주. **2** 도살업 ; 학살, 살생.

Bute [bjúːt] *n.* [때때로 b~] =BUTAZOLIDIN.

bu·teo [bjúːtiòu] *n.* (*pl.* **-te·òs**) 〔鳥〕 말똥가리.

bu·te·o·nine [bjuːtíːənàin, bjúːtiə-, -nən] *a., n.*

but·ler [bʌ́tlər] *n.* 집사, 우두머리 하인《식기류·술창고 따위를 관장함 ; cf. HOUSEKEEPER》 ; 〔英史〕 궁내성(宮內省) 주류 관리인 : a ~'s pantry 식기실(室)《주방과 식당 사이에 있음》.
〖OF ; ⇨ BOTTLE〗

Buts·kel·lism [bʌ́tskəlìzəm] *n.* 〔英政〕 대립 당파가 같은 정책을 내건 상황.
〖R. A. *But*ler (1912-) 보수당 정치가, Hugh Gait*skell* (1906-63) 노동당 정치가 ; 1950년대를 전후하여 재무부 장관을 지내 서로 비슷한 정책을 폈음〗

butt[1] [bʌ́t] *n.* **1** (칼·창의) 굵은 쪽의 끝 ; (총의) 개머리판. **2** 나무의 밑동 ; 잎자루의 기부(基部) ; 통나무 토막. **3** 남은 조각, 나머지 ; 《美》 (담배의) 꽁초. **4** 《美口》 궁둥이(buttocks). **5** 〔魚〕 가자미류. **6** (피대·구두창용의) 등가죽.
—— *vt.* (통나무 따위)의 끝을 (사각으로) 자르다. 〖Du. *bot* stumpy ; cf. BUTTOCK〗

butt[2] *n.* **1** [보통 *pl.*] (사적장(射的場)의) 과녁 주위에 살이 떨어지는 둑. **2** [*pl.*] 표적(target), 사적장(射的場), 사격장. **3** (비웃음·비평·노력 따위의) 목표, 대상(object) 〈*of*〉.
—— *vt., vi.* 밀착하다, 접합하다 ; 기대다〈*on, against*〉.
〖OF *but* goal < ?〗

butt[3] *n.* 큰 술통 ; 버트《영국에서는 108-140갤런, 미국에서는 126갤런들이》.
〖OF<L *buttis*〗

butt[4] *vt.* [+目/+目+前+名] 머리[뿔]로 받다[밀다] : The goat ~*ed* the man ***in*** the stomach. 염소는 뿔로 그 사내의 배를 받았다.
—— *vi.* **1** 머리에 받히다[밀리다]. **2** [+前+名] (맞)부딪치다, (정면으로) 충돌하다 : In the dark I ~*ed* ***into*** a man[***against*** the fence]. 어둠 속에서 나는 머리를 어떤 사람과[담벽에] 부딪쳤다. **3** (이야기 따위에) 간섭하다, 말참견하다.
butt head 다투다, 논쟁하다.
butt in 《口》 (이야기 따위에) 끼어들다, 간섭하다(interfere), 말참견하다, 나서다.
butt out [보통 명령] 《俗》 말참견을 그만두다.
—— *n.* 머리로 받기.
—— *adv.* 머리로 떠밀어서 ; 굉장한 기세로 : run ~ into …로 쏜살같이 뛰어들다.
〖AF<Gmc. 《美》 *buttan* to sprout〗

butte [bjúːt] *n.* 《Can.·美西部》 뷰트《고립된 산》.
〖F=knoll, mound〗

bútt ènd *n.* =BUTT[1] 1, 2, 3.

bútt-ènd *vi.* 〖아이스하키〗 스틱의 끝으로 상대를 찌르다.

◇but·ter[1] [bʌ́tər] *n.* **1** Ⓤ 버터. **2** Ⓤ 버터 비슷한

것, 버터 모양의 물질 : apple ~ 사과잼 / peanut ~ 땅콩 버터. **3** Ⓤ《口》아첨, 아부.

lay on the butter 아첨하다.

look as if butter would not melt in** one's **mouth 《口》시치미를 뚝 떼고 있다.

〈회화〉
I want a pound of *butter*, please. — Anything else? 「버터를 1파운드만 주세요」「그밖에는요」

—— *vt.* **1** …에 버터를 바르다, …에 버터로 맛을 내다. **2** 《口》…에게 아부하다(flatter)〈*up*〉. 〚OE *butere*<L<Gk. *bouturon*〛

bútt·er[2] *n.* 머리[뿔]로 받는 짐승 ; 미는 사람. 〚BUTT[4]〛

bútter-and-égg màn *n.* 《美俗》돈을 뿌리고 다니는 사람, 부유한 투자가 ; 단순하고 돈 있는 실업가, (특히 무대 흥행의) 후원자.

bútter-and-éggs *n.* (*pl.* ~) 〔植〕가는잎운란.

bútter·bàll *n.* =BUFFLEHEAD ; 《口》뚱뚱보.

bútter bèan *n.* 〔植〕리마콩, 흰강낭콩.

bútter·bòat *n.* 배 모양의 소스 그릇.

bútter bòy *n.* 《英俗》신참 택시 기사.

bútter·bùr *n.* 〔植〕머위.

bútter chìp *n.* 각자 앞의 버터 접시.

bútter còoler *n.* (탁상용) 버터 냉장 용기.

bútter·crèam *n.* 버터크림.

bútter·cùp *n.* 〔植〕애기미나리아재비 ; 《美俗》악의 없는 귀여운 아가씨 ; 《俗》여자역의 호모[동성애자].

bútter dìsh *n.* (식탁용) 버터 접시.

bútter·fàt *n.* Ⓤ 유지방《우유의 지방 ; 버터의 주요 성분》.

bútter·fingered *a.* 물건을 잘 떨어뜨리는 ; 솜씨가 없는, 부주의한 ; 《英》(크리켓에서) 공을 잘 놓치는.

bútter·fingers *n.* (*pl.* ~) 물건을 잘 떨어뜨리는 사람 ; 부주의한[솜씨없는, 서투른] 사람 ; 《英》(크리켓에서) 공을 잘 놓치는 야수(野手).

bútter·fish *n.* 〔魚〕비늘이 매끈매끈한 물고기《베도라치 따위》.

***but·ter·fly** [bʌ́tərflài] *n.* **1** 〔昆〕나비. **2** (특히 여자) 멋쟁이, 허영꾼. **3** 〔泳〕접영(蝶泳). **4** [보통 *pl.*] 《口》(긴장·흥분·걱정 따위로 인한) 안달, 초조.

break a butterfly on the wheel ☞ WHEEL. 〚OE (BUTTER[1], FLY[2])〛

bútterfly bàll *n.* 《野俗》너클볼.

bútterfly chàir *n.* 쇠파이프 따위의 프레임에 범포를 댄 의자.

bútterfly·er *n.* 접영[버터플라이] 선수.

bútterfly fìsh *n.* 나비 비슷한 물고기《청베도라치·죽지성대·나비고기 따위》.

bútterfly nèt *n.* 포충망(捕蟲網).

bútterfly nùt *n.* (손으로 죄는) 나비 너트.

bútterfly stróke *n.* 〔泳〕접영, 버터플라이 (butterfly).

bútterfly tàble *n.* 옆판이 달려 접을 수 있게 된 타원형 테이블.

bútterfly vàlve *n.* 〔機〕나비 밸브.

bútterfly wèed *n.* 〔植〕박주가리과의 식물.

bútterfly wíndow *n.* (자동차의) 삼각창.

bútter·hèad *n.* 《美黑人俗》(흑인의) 불명예, 망신 ; 《美俗》얼간이.

but·ter·ine [bʌ́tərən] *n.* 인조(人造) 버터.

bút·ter·i·ness *n.* 버터 비슷함 ; 버터를 함유함.

bútter·ing *n.* (벽돌 쌓기 전에) 벽돌 수직면에 모르타르를 칠하기 ; 《口》(한 마디의) 아첨.

but·ter·is [bʌ́tərəs] *n.* 말굽 깎는 기구.

bútter knìfe *n.* **1** 버터 나이프《버터를 접시에서 뜨는 데 씀 ; 보통 은으로 만듦》. **2** =BUTTER SPREADER.

bútter·mìlk *n.* 버터밀크《(1) 버터를 빼고 난 후의 우유. (2) 신선한 밀크를 발효시켜 만든 식품》.

bútter mùslin *n.* 《英》(버터 싸는데 썼던) 성기고 엷은 무명의 일종(=《美》cheesecloth).

bútter·nùt *n.* (북미산) 버터너트.

bútter pàper *n.* 버터를 싸는 납지.

bútter prìnt *n.* 버터 프린트《(1) 버터 덩어리에 장식 모형을 찍기 위한 목형(木型). (2) 버터에 찍은 목형(木型)》.

bútter sàuce *n.* 버터 소스《녹인 버터에 밀가루·달걀 노른자·레몬즙 따위를 섞은 소스》.

bútter·scòtch *n.* 버터스카치《버터와 누런 설탕으로 만든 캔디》.

bútter sprèader *n.* 버터 나이프《빵에 버터를 바를 때 씀 ; cf. BUTTER KNIFE》.

bútter trèe *n.* 〔植〕버터나무《씨에서 버터같은 물질을 얻을 수 있는 적철과 따위 각종 수목》.

bútter·wòrt *n.* 〔植〕벌레잡이오랑캐.

bút·tery[1] *a.* 버터 같은, 버터를 바른 ; 《口》알랑거리는(flattering).

buttery[2] *n.* 식료품 저장실.

búttery hàtch *n.* (식료품을) 식당으로 내보내는 창구[해치].

bútt-fùcking *n.* 《俗》항문 성교.

bútt hìnge *n.* 나비 경첩.

butt·in·sky, -ski [bʌtínski] *n.* 《美俗》오지랖넓은 사람, 끼어들기 잘하는 사람, 주제넘는 짓을 하는 사람. 〚*butt in*+*-sky* (슬라브계(系) 남성 이름에 붙는 보통 어미)〛

bútt jòint *n.* 〔工〕맞댐 이음《겹치지 않고 단지 두 기둥 머리를 맞대어 잇는 접합법》.

butt·leg·ging [bʌ́tlègiŋ] *n.* 《美》(탈세의) 담배밀매. **-lèg·ger** *n.* 〚*butt*[1] cigarette+boot*legging*, *-legger*〛

but·tock [bʌ́tək] *n.* **1** [보통 *pl.*] 궁둥이, 둔부. **2** 《주로 英》(레슬링의) 허리치기, 업어치기.

—— *vt.* …에게 허리치기[업어치기]를 하다. 〚*butt*[1] ridge, *-ock*〛

‡but·ton [bʌ́tn] *n.* **1** (의복의) 단추. **2** 단추 비슷한 것 ; (초인종의) 누름 단추 ; (시합용 펜싱 칼 끝의) 조그만 가죽 뭉치《위험 방지물》. **3** [단수취급 ; ~s] 《英口》(금빛깔 단추가 달린 제복을 입은) 현관 보이, 사환. **4** 〔拳〕턱 끝. **5** [a ~ ; 부정구문에서] 《口》무가치한 것, 하찮은 것.

be not worth a button 《口》조금도 가치(價値)가 없다.

have a button short [***loose, missing***] 《口》조금 (지혜가) 모자라다.

hold [***take***] a person ***by the button*** 남을 붙들어 놓고 긴 이야기를 하다.

not care a button 《口》조금도 개의치 않다.

push [***press, touch***] ***the button*** 단추를 누르다 ; 《비유》실마리를 풀다.

—— *vt.* **1** [+目/+目+副/+目+前+名] …의 단추를 채우다 : His coat had been *~ed* ***up to*** the chin. 그의 상의 단추는 턱밑까지 다 채워져 있었다. **2** …에 단추를 달다. —— *vi.* [動/+前+名] 단추로 잠기다 : This type of sport shirt doesn't ~. 이런 유형의 스포츠 셔츠는 단추로 잠그게 되어 있지 않다 / This dress *~s* ***down*** the front, but that one *down* the back. 이 드레스는 앞에서 단추를 채우지만 저것은 뒤에서 채운다.

button up (1) 단정하게 …의 단추를 채우다(cf. *vt.* 1) ; (남에게) 옷을 입히고 단추를 채우다 ; (물건을) 호주머니에 넣고 단추로 잠그다. (2) 《비유》 (입 따위를) 굳게 다물다 : ~ *up* one's mouth 입을 다물다, 잠잠하게[가만히] 있다 / ~ *up* one's purse 지갑을 꼭 잠그다, 돈을 내려고 하지 않다. (3) 《口》 (명령·임무 따위를) 잘 수행하다, (일 따위를) 잘 마무리하다. (4) 《口》 (협정·거래 따위를) 최종적인 것으로 하다.
〚OF<Gmc.=sprout〛

bútton dày *n.* 《濠》 버튼 데이《가두 모금의 날 ; 기부자에게 단추를 달아줌 ; cf. TAG DAY, FLAG DAY》.

bútton-dòwn *a.* (셔츠의 칼라가) 단추로 채워지게 된, 버튼다운식의 ; (셔츠가) 버튼다운식의 칼라가 달린 ; 《美》 (복장·행동 따위가) 틀에 박힌, 흔한, 독창성이 없는, 보수적인.

búttoned úp *a.* 말이 없는, 조용한 ; 내향성(內向性)의 ; (일이) 잘 되는.

bútton·hòle *n.* **1** 단춧구멍 ; 《英》 단춧구멍에 꽂는 장식 꽃. **2** 《비유》 작은 입, 오므린 입.
── *vt.* **1** …에 단춧구멍을 내다 ; 단춧구멍 가장자리를 휘갑치다. **2** (남을) 붙들고 긴 이야기를 하다.
-hòl·er *n.* 남을 붙들고 긴 이야기를 하는 사람.

búttonhole stìtch *n.* 버튼홀 스티치, (단춧구멍의) 사뜨기.

bútton·hòok *n.* 단추걸이.

bútton·less *a.* 단추가 없는[떨어진].

bútton màn *n.* 《美俗》 (마피아 따위의) 하급 단원, 졸개.
〚*button boy* page〛

bútton-òn *a.* 단추로 채우는, 단추가 달린.

bútton pùsher *n.* 《CB俗》 마이크로폰의 버튼을 누르고도 교신하지 않는 사람《잡음의 원인》.

bútton stìtch *n.* 사뜨기.

bútton-thròugh *a.* (여성복 따위가) 위에서 아래까지 단추로 채우는.

bútton trèe *n.* 〖植〗 **1** 열대의 콤브레타과(科)의 나무의 일종. **2** 플라타너스(buttonwood).

bútton·wòod *n.* 〖植〗 **1** 플라타너스《북미 원산(原産)》. **2** =BUTTON TREE.

bút·tony *a.* 단추 같은 ; 단추가 많이 달린.

bútt plàte *n.* (총의) 개머리판.

but·tress [bʌ́trəs] *n.* 〖建〗 버팀벽 ; 버팀, 지지물[자]. ── *vt.* 〖建〗 버팀벽으로 지탱하다 ; (의론 따위를) 지지하다, 강화하다〈*up*〉.
〚OF (*ars*) *bouterez* thrusting (arch) ; ⇨ BUTT[4]〛

bútts and bóunds *n. pl.* 〖法〗 (토지의) 경계선.

bútt shàft *n.* (촉이 없는) 연습용 화살.

bútt·stòck *n.* 총대, 총개머리.

bútt wèld *n.* 충두접합(衝頭接合) ; 맞대기 용접[단접(鍛接)]. **bútt-wèld** *vt.* 맞대어 용접을[단접을] 하다.

but·ty[1] [bʌ́ti] *n.* 《北英》 샌드위치, 버터바른 빵.
〚BUTTER[1]〛

butty[2] *n.* 감독, 우두머리 ; 《英口》 한패, 동료 ; (탄광의) 채탄(採炭) 청부인. 〚? *booty* sharing ; cf. play *booty* to join in sharing plunder〛

bu·tut [butú:t] *n.* (*pl.* **~, ~s**) 부투트《감비아의 통화 단위 ; 1/100 dalasi》.
〚(Gambia)〛

bu·tyl [bjú:təl] *n.* 〖化〗 부틸(기(基)).
butyl group[***radical***] 부틸기.
〚L (BUTTER[1], *-yl*)〛

Butyl *n.* 부틸《가스 불침투성 고무 ; 상표명》.

bútyl ácetate *n.* 〖化〗 아세트산 부틸.

bútyl álcohol *n.* 〖化〗 부틸 알코올.

bu·tyl·ene [bjú:təlì:n] *n.* 〖化〗 부틸렌.

bu·tyr- [bjú:tər], **bu·ty·ro-** [bjú:tərou, -rə] *comb. form* 「부티르산」의 뜻. 〚L〛

bu·tyr·a·ceous [bjù:təréiʃəs] *a.* 버터 같은, 버터를 함유한.

bu·tyr·ate [bjú:tərèit] *n.* 〖化〗 부티르산염.

bu·tyr·ic [bju:tírik] *a.* 버터의 ; 〖化〗 부티르산(酸)의.

butýric ácid *n.* 〖化〗 부티르산(酸).

bux·om [bʌ́ksəm] *a.* (여성이) 포동포동하고 귀여운, 균형이 잡히고 가슴이 풍만한 ; 건강하고 쾌활한 ; 《古》 순종하는 ; 《古》 유연한, 부드러운.
~·ness *n.* 풍만 ; 쾌활.
〚ME *buhsum* pliable ; ⇨ BOW[1], -SOME[1]〛

◇**buy** [bái] *v.* (**bought** [bɔ́:t]) *vt.* **1 a**) [+目/+目+前+名/+目+目] 사다, 구입하다(↔*sell*) : ~ a thing ***at*** a store[***from*** a person] 물건을 가게에서[남에게서] 사다 / I *bought* this ball pen ***for*** two dollars. 이 볼펜을 2달러에 샀다 / She *bought* the apples ***at*** ten cents each. 그 사과를 한 개 10센트씩에 샀다 / I *bought* her[myself] a new hat. 나는 그녀에게 새 모자를 사 다[나는 모자를 새로 샀다] / I must ~ a hat ***for*** my wife. 아내에게 모자를 사주어야 한다. **b**) 얻는데 (돈이) 필요하다 : Money cannot ~ happiness. 행복은 돈으로 살 수 없다. **2** 매수하다, (뇌물로) 유혹하다(bribe). **3** (희생을 치르고) 획득하다 : Victory was dearly *bought.* 승리는 값비싼 희생을 치르고 얻어졌다. **4** 《口》 (의견을) 받아들이다, 찬성하다, 승낙하다, 믿다(accept, believe) : I won't ~ that nonsense. 나는 그런 어리석은 일은 믿지 못하겠다.

〈회화〉
Did you *buy* the camera for cash? — Yes, I *bought* it for 100 dollars. 「그 카메라 현금으로 샀니」「응, 백 달러 주고 샀어」

── *vi.* 물건을 사다, 사는 쪽이 되다.
buy back 도로 사다, 되사다.
buy in 사들이다 ; (경매에서 부르는 값이 너무 싸서 물건을 파는 사람이 경매품을) 도로 사다, 주인이 되사다 ; =BUY *into.*
buy into 회사의 주를 사다, 주주가 되다.
buy it 《口》 (수수께끼·질문이 풀리지 않아) 집어치우다, 손을 떼다 ; 《英俗》 불행[재난]을 당하다, 살해되다, (비행사가) 격추당하다.
buy off 돈을 주어서 (부당한 청구자·협박자 등을) 쫓아내다, 돈을 치르고 …에서 면제되다, 돈으로 해결하다, 매수하다.
buy out …에서 증권[권리 따위]을 사다.
buy over 매수하다.
buy up 매점하다 ; (회사 따위를) 사버리다.
── *n.* 《口》 물건 구입(purchase) ; 《美口》 특별히 싼 물건, (좋은 물건을) 싸게 산 것(bargain) : a bad ~ 잘못 산 물건 / a good ~ 싼 물건, 잘 산 물건. **~·able** *a.* 살[구매할] 수 있는.
〚OE *bycgan*〛
類義語 ***buy*** 「사다」라는 뜻의 가장 일반적인 말. ***purchase*** 약간 격식을 차리는 말로 충분히 계획을 세워서 대규모로 구입하다라는 뜻임 : purchasing power (구매력).

Búy Américan Pòlicy *n.* (dollar 방어를 위해 대외 원조에 적용하는) 미국 상품 우선매입 정책.

búy·bàck *a.* 되사기의 ; (특히) 석유 환매의《석유 회사의 자사 석유 환매를 말함》. ── *n.* 되사기 ; 주식의 환매.

búy·er *n.* 사는 사람, 사는 편(↔*seller*) ; 구매담당자 ; 바이어 : a ~*s'* association 구매 조합 / a ~*s'* market 매주(買主) 시장《공급이 수요보다 많아 사는 편이 유리한 시장 ; ↔*sellers' market*》/ a ~*s'* strike 불매(不買) 동맹.

búyer's crèdit *n.* 수출국 금융기관이 상대국 수입업자에게 신용 공여나 자금대부를 직접 하는 일.

búyer's òption *n.* 〖證〗 매입 선택권.

búy-ìn *n.* (거래에서) 벌충 매입.

búy·ing behàvior *n.* 소비 동향.

búying cènter *n.* 〖經〗 구매 센터.

búying pòwer *n.* 구매력(purchasing power).

búy-òff *n.* 《美》 **1** (제품이나 서비스에 관한) 전(全) 권리의 매점. **2** 전속 계약하는 사람《탤런트 등》.

búy òrder *n.* 〖證〗 (주가 상승을 예상한) 매수(買受)주문(↔*sell order*).

búy-òut *n.* 매점.

buz·ka·shi [búːzkáːʃi] *n.* 부즈카시《죽은 염소[송아지]를 말을 타고 서로 빼앗는 아프가니스탄의 국기(國技)》.

buzz[1] [bʌ́z] *vi.* **1** [動/+副/+前+名] **a**) (벌·기계 따위가) 윙윙거리다 : A bee was ~*ing* ***about*** (me). 한 마리의 벌이 윙윙거리며 (내) 주위를 맴돌고 있었다. **b**) 분주히 돌아다니다 : ~ *about* 허둥지둥 돌아다니다 / ~ ***along*** 분주하게 왔다갔다하다. **2** 와글와글 떠들다 ; (소문이) 떠들썩하게 퍼지다 ; (귀가) 윙윙거리다. **3** 《口》 가다, 떠나다. —— *vt.* **1** 말을 퍼뜨리다. **2** 《口》 …에게 전화를 걸다. **3** 〖空〗 …위를 스칠 듯이 날아가다 : The plane ~*ed* the wood. 그 비행기는 숲 위를 스칠 듯이 날아갔다. **4** (돌 따위를) 홱 던지다. **5** 《英》 (술병을) 비우다 ; 《美俗》 취하게 하다. **6** 《美俗》 …에게 구걸하다 ; 《美俗》 좀도둑질을 하다, …에게서 빼앗다.

buzz away 《口》 =BUZZ *off* (1).

buzz off (1) 《口》 급히 떠나다, [명령] 가버려라. (2) 전화를 끊다(ring off).

—— *n.* **1** (윙윙 울리는) 울림소리(humming) ; (기계의) 소음. **2** 왁자지껄 (떠드는 소리) ; 소문 ; 잡담. **3** 《口》 전화의 호출(소리) : I'll give him a ~. 그에게 전화하겠다. **4** 투구풍뎅이의 일종. **5** 《美》 둥근 톱(buzz saw). 〚imit.〛

buzz[2], **buz** *int.* 케케묵은 이야기다 ! 〚그만둬 ! 의 imit.인가〛

buz·zard [bʌ́zərd] *n.* 〖鳥〗 말똥가리《falcon의 일종》; 멍청이. 〚OF＜L *buteo* falcon〛

búzz bòmb *n.* 버즈 폭탄, 폭명탄(爆鳴彈)《유도 폭탄의 일종》.

búzz bòx *n.* 《英俗》 자동차.

búzz·er *n.* 윙윙거리는 벌레 ; 기적(汽笛), 사이렌 ; 〖電〗 버저 ; 《英俗》 전화 ; 《俗》 신호병 ; 《美俗》 경찰 배지.

búzz·ing *a.* 윙윙거리는 ; 웅성대는.

búzz sàw *n.* 《美》 =CIRCULAR SAW.

búzz sèssion *n.* 버즈 학습[세션]《소(小)그룹의 비공식 논의》.

buzz·wig [bʌ́zwìg] *n.* 《英》 숱이 많고 큰 가발 ; 신분이 높은 사람, 거물.

búzz·wòrd *n.* 현학적인 전문 용어, 상업상[동료들 사이]의 통용어.

b.v. *bene vale* 《L》 (=farewell) ; book value(장부 가격).

B. V. D. [bìːvìːdíː] *n.* B.V.D.《남성용 속옷의 상표명》.

B. V. M. *Beata Virgo Maria* 《L》 (=the Blessed Virgin Mary).

BVR 〖軍〗 Beyond Visual Range(유시계외(有視界外)).

bvt. brevet ; brevetted.

BW bacteriological warfare.

bwa·na [bwáːnə] *n.* 《東Africa》 주인님, 나리 (master, boss). 〚Swahili〛

B. W. G. Birmingham wire gauge《버밍엄 와이어 게이지 ; 전선·강관·강판 따위의 표준 치수 방식(方式)》.

B. W. I. British West Indies. **BWI** business warning indicators(경기 예고 지표).

BWR, B. W. R. 〖原子〗 boiling water reactor(비등수(沸騰水)형 원자로(原子爐)).

B.W.T.A. British Women's Temperance Association.

BX [bìːéks] base exchange.

bx. (*pl.* **bxs.**) box.

◇**by**[1] [bai, bə, bi, bài]

(1) 기본 뜻 : ① 「…에 의하여」 ② 「…의 곁에」 (2) 「…의 곁에」의 뜻으로는 전치사·부사의 기능을 겸한 전치사적 부사(prepositional adverb)다. (3) by 뒤에 오는 교통·통신 수단 따위를 나타내는 명사에는 관사를 붙이지 않으나 교통·통신 수단 따위 앞에 수식어가 올 경우에는 정관사가 붙는다 : go *by* train 열차로 가다 / go *by* the 9 p.m. train 오후 9시 열차로 가다. 《*prep.* 3 a) 참조》

—— *prep.* **1 a**) [위치] …의 곁에[으로], …의 옆에(서), …의 가까이에[근방에] : a house *by* the seaside 바닷가의 집 / I haven't got it *by* me. 그것은 지금 나한테 없다. ㊟ by, beside는 우연적인 근접이지만 at은 더욱 가까운 근접을 표시하며 보통 어떤 목적을 가지고 「곁에 (있게 하다)」라는 뜻 : The car is *at* the gate. 자동차는 문가에 있다. **b**) [방위] …가까운 곳의, 근처의 : North *by* East 동쪽 가까운 북쪽, 북미(微)동《N과 NNE 사이》.

2 [통과·경로] …곁을 ; …에 따라, …을 지나, 경유하여 : drive *by* the highway 고속 도로를 따라 드라이브하다 / pass *by* the river 강가를 지나다 / go *by* me[the church] 내[교회] 옆을 지나치다 / travel *by* (way of) Italy 이탈리아를 경유하여 여행하다.

3 a) [수단·방법·원인·매개(媒介) 따위] …에 의하여, …으로 : *by* letter [wire] 편지[전보]로 / send *by* post 우편으로 보내다 / go[travel] *by* bus 버스를 타고 가다[여행하다] / go *by* water[air] 수로(水路)[공로(空路)]로 가다 / *by* land[sea] 육로[해로]로 / *by* hand[machine] 손[기계]으로 (만든) / sell *by* auction 경매로 팔다 (cf. AT 8) / He went home *by* the night train. 그는 야간 열차를 타고 집으로 돌아왔다 / She left the house *by the* back door. 뒷문으로 집을 나갔다 / He pulled the plants *by the* roots. 뿌리째 그 식물을 뽑았다 / He held the boy *by the* collar. 그는 소년의 멱살을 잡았다. ㊟ 위의 예문과 같이 catch, hold, lead 따위의 동사와 함께 쓰여 동작을 받는 장소·부분을 나타낼 때는 그 명사에 the를 붙임. **b**) [동작하는 것[사람]을 나타내어] …에 의해 (…되다), …에 의한(cf. WITH 3) : America was discovered *by* Columbus. 아메리카는 콜럼버스에 의해 발견되었다 / Those locomotives are driven *by* electricity. 저 기관차는

전기로 움직인다 / be written *by* John Smith 존 스미스에 의해 쓰여지다 / a novel *by* Scott 스콧(작)의 소설 / He had a child *by* his first wife. 그에게는 전처 소생이 하나 있었다.
4 [동작·상태의 완료·개시의 시기] …까지는 (not later than) (cf. TILL[1] *prep.* 1, BEFORE *prep.* 2, UNTIL) : finish *by* the evening 저녁까지는 완성하다 / *By* the time we reached home, it was quite dark. 우리가 집에 도착했을 때는 꽤 어두웠다.

〈회화〉
I'll be back *by* six. — I'll be waiting for you. 「여섯 시까지는 돌아올거야」「기다리고 있을게」

5 [때] …사이, …동안에 : I work *by* day and study *by* night. 낮에는 일하고 밤에는 공부한다.
6 [척도·표준·단위] …에 의하면 ; …으로 : It's five o'clock *by* my watch. 내 시계로는 5시다 / judge a person *by* appearances 남을 겉모습으로 판단하다 / board *by the* month 월 얼마로 하숙하다 / sell *by the* yard[gallon] 1야드[갤런]당 얼마로 팔다 / pay a worker *by the* piece 한 개 얼마로[일한 양대로] 일한 사람에게 지불하다 / *by the* hundred = *by* (*the*) hundreds 몇 백 씩(이나) / He used to read *by the* hour. 몇 시간씩이나 계속하여 책을 읽곤 했다.
7 [정도] (얼마)만큼 ; (어느 정도)까지 ; 어떻게 ; 얼마만큼씩 : *by* degrees 조금씩, 서서히 / miss *by* a minute 1분 정도 늦다, 간발의 차로 시간에 대지 못하다 / win *by* a boat's length 보트 한 척의 길이 차로 이기다 / He is taller than she *by* five centimeters. 그는 그녀보다 5센티미터가 더 크다 / little *by* little = bit *by* bit 조금씩 / case *by* case 경우에 따라서 / day *by* day 나날이 / drop *by* drop (한)방울 (한)방울씩 / one *by* one 한 개[한 사람]씩 / step *by* step 한 걸음 한 걸음 / room *by* room (각) 방마다.
8 [곱셈·나눗셈] multiply 8 *by* 2 = 8×2 / divide 8 *by* 2 = 8÷2 / a room (of) 12 ft. *by* 15 (ft.) (폭) 12피트에 (길이) 15피트인 방 / a 5-*by*-8 inch card (세로) 5인치에 (가로) 8인치인 카드.
9 [관계] …에 관해서 말하면, …은 : *by* birth [name, trade] 태생[이름, 직업]은 / a Frenchman *by* birth 태생은 프랑스인 / They are cousins *by* blood. 그들은 한 핏줄인 사촌이다 / He is Jones *by* name. 그의 이름은 존스다 / I know him *by* name. (교제는 없지만) 그의 이름은 알고 있다 / It's O.K. *by* me. 《美口》 나는 오케이다.
10 《文語》 …에 대해서(toward) : do one's duty *by* one's parents 부모에게 본분을 다하다 / Do as you would be done *by* (=unto). 남에게 대접을 받고자 하는 만큼 남을 대접하라(cf. *the* GOLDEN-RULE).
11 [맹세·기원] (하느님·신)의 이름으로, …에 맹세코 : swear *by* God that …이라는 것을 신의 이름으로 맹세하다.
(all) by oneself ☞ ONESELF.
by far ☞ FAR *adv.*
by itself ☞ ITSELF.
by night and day 낮이나 밤이나, 밤낮으로.
by the by(e) ☞ BY(E).
by the space of... 〖聖〗 (몇년) 동안(during).
what by..., (and) what by …하거나, …하거나 하여 : ☞ WHAT[1] *adv.* 3.
—— [bái] *adv.* **1** [정지한 위치 ; 흔히 복합어를 이루어] 곁에, 옆에, 가까이에, 부근에 : close [hard, near] *by* 바로 가까이에 / Nobody was *by* when the fire broke out. 불이 났을 때 가까이에는 아무도 없었다. **2** [통행의 위치] 앞을 지나서, 앞을 지나버려 : pass *by* 곁을 지나다 ; 지나가 버리다(cf. PASSERBY) / call[stop] *by* 《美口》 지나가는 길에 들르다 / go *by* 지나가 버리다 / Time goes *by*. 시간은 흘러간다 / in days gone *by* 옛날에는. **3** 한쪽으로, 옆으로 ; 제쳐놓고 : keep... *by* …을 가까이에 두다 / put[lay]...*by* …을 치워두다, 저장하다. **4** 끝나서.
by and by [báimbái] 얼마 안되어, 그럭저럭 하는 사이에, 오래지 않아서(before long).

〈회화〉
By and by I learned to speak English. — That's great ! 「그럭저럭 하는 사이에 영어로 말을 할 수 있게 되었어」「대단하다」

by and large (1) 전반적으로, 대체로(on the whole) : Taking it *by and large*, ... 전반적으로 보아, 대개…. (2) 〖海〗 (돛배가) 바람을 받았다 못 받았다 하여.
stand by ☞ STAND.
〚OE *be* near, at; cf. G *bei*〛
by[2] ☞ BYE[1,2].
b.y. 《美》 billion years.
bý-and-bý *n.* [the ~] 미래, 장래(future).
bý-bìdder *n.* (경매의) 바람잡이《값을 올리기 위해 고용됨》. **bý-bìdding** *n.* 경매인과 짜고 경매품 값을 올려 부르기.
bý-blòw *n.* 간접적인 타격 ; 우연한 재난 ; 서자 ; 사생아.
bye[1], **by** [bái] *a.* [흔히 복합어를 이루어] 종속적[부차적]인 ; 본길에서 벗어난 ; 지엽적인 ; 내밀의 ; 간접적인 ; 《스코》 끝난, 지나가버린 : a *by*-effect 부산물적 효과. —— *n.* (*pl.* **byes** [-z]) 종속적인 것[일], 지엽 ; 〖골프〗 상대가 경기를 마쳤을 때 자기 앞에 남아 있는 홀 ; (토너먼트에서) 짝지을 상대가 없는 사람, 남은 사람[조] ; 〖크리켓〗 타구가 타자와 wicketkeeper를 지나 넘어갔을 때 얻는 득점(得點).
by the bye 말이 났으니 말이지, 그건 그렇다 치고, 그런데.
draw a bye 부전승을 거두다.
〚BY[1]〛
bye[2], **by** *int.* 《口》 = GOOD-BY(E) : *By(e)* now ! 《美口》 그럼, 안녕 !
***býe-bỳe**[1], **bý-bỳ** *n.* 이별, 빠이빠이, 안녕.
—— *adv.* 밖으로.
go bye-bye 《口·兒》 나가다, 외출하다.
—— [⌐⌐] *int.* 《口》 빠이빠이(Good-bye !).
〚BYE[2]〛
bye-bye[2], **by-by** *n.* 《兒》 잠(sleep).
go to bye-bye 코하다, 잠자다.
〚imit. ; 자장가 속의 말에서〛
bý-elèction, býe- *n.* (영국 의회 따위의) 보궐선거(cf. GENERAL ELECTION).
býe-lòw *adv., int.* (자장가에서) 조용히, 쉬 (Hush !).
bý-ènd *n.* 부차적인[은밀한] 목적 ; 사심(私心) ; 단편(斷片).
bý-fòrm *n.* (단어 따위의) 부차적인 형식, 이형.
bý·gòne *a.* 과거의, 옛날의 : ~ days 옛날, 지난날. —— *n.* [*pl.*] 과거(의 일) : Let ~*s* be ~*s*. 《속담》 과거사는 물에 흘려 보내라, 「지난날은 지난날」. 〚GO *by*〛
bý-jòb *n.* 부업.
bý-làne *n.* 샛길, 골목길.

bý·làw, býe·làw *n.* (지방 자치 단체·철도 회사 따위의) 조례(條例), 규칙(=《美》(city) ordinance); 부칙, 세칙, 내규(內規).
〚ME (*bī* village, *laue* law)〛
by·li·na [bəlíːnə] *n.* (*pl.* **by·li·ny** [-ni], **~s**) 빌리나《러시아의 서사시[민요]》.
〚Russ. =what has been〛
bý-lìne *n.* **1** (철도의) 병행선. **2** 《美》 (신문·잡지의) 기사 표제 아래의 필자 이름을 쓰는 행(行).
── *vt.* 서명 기사를 쓰다.
bý·lìner *n.* 서명 기사를 쓰는 기자.
by·low [báilou] *n.* 《美俗》 큰 주머니칼.
〚*barlow*〛
bý·nàme, bý-nàme *n.* 성(姓); 별명.
B. Y. O. [bìːwàióu] *n.* 《濠》 술을 갖고 들어갈 수 있는 주류 판매 면허가 없는 식당; 주류(酒類) 지참 파티. 〚*b*ring *y*our *o*wn〛
B. Y. O. B., BYOB, b. y. o. b. bring your own booze[bottle] (주류(酒類) 각자 지참할 것).
byp. bypass.
bý·pàss *n.* **1** 바이패스《자동차용 우회로; cf. SLIP ROAD》. **2** 〖電〗 측로(側路) (cf. SHUNT); (가스·수도의) 측관(側管), 보조관(補助管).
── *vt.* **1** (거리 따위를) 우회하다. **2** …에 측로[측관]를 내다. **3** (규약 따위를) 무시하다 (ignore); (문제 따위를) 회피하다; 뛰어 넘어가다《직속 상관이 아닌 그 위의 상관에게 호소하는 따위》; 우회하여 (적을) 피하다.
býpass condènser[**capàcitor**] *n.* 〖電〗 바이패스 콘덴서, 측로 축전기.
býpass ràtio *n.* 〖空〗 (터보팬 엔진의) 바이패스비(比)《풍관(風管)을 통과하는 공기량을 코어 (core) 부분을 흘러 나가는 공기량으로 나눈 값》.
býpass technòlogy *n.* 〖通信〗 바이패스 기술《전화회사의 전화선망(網)을 쓰지 않는 통신 기술 및 그 방법》.
bý·pàst *a.* 지나가 버린, 과거의(bygone).
bý·pàth *n.* 샛길, 옆길(byway); 사도(私道): the ~ of history 측면사(側面史).
bý·plày *n.* 조연(助演); 지엽적인 사건.
bý-plòt *n.* (소설·희곡의) 곁줄거리.
bý-pròduct *n.* 부산물(副産物); 부작용.
byr billion years.
Byrd [bəːrd] *n.* 버드. **1 Richard E.** ~ (1888-1957) 미국의 남극 탐험가. **2 William** ~ (1543-1623) 영국의 작곡가.
byre [báiər] *n.* 외양간. 〚OE *bȳre*; cf. BOWER[1]〛
bý·ròad, bý-ròad *n.* 샛길; 옆길.
By·ron [báiərən] *n.* 바이런. **Lord George Gordon** ~ (1788-1824) 영국 시인. **Býron·ìsm** *n.*
〚OF=cowman〛
By·ron·ic [bairάnik] *a.* 바이런풍[식]의《비장하고 낭만적임》.
bý-sìtter *n.* **1** 가까이 앉아 있는 사람. **2** 방관자, 구경꾼.
bý-spèech *n.* 방백(傍白), 독백.
bys·si·no·sis [bìsənóusəs] *n.* (*pl.* **-ses** [-siːz]) 〖醫〗 면공장열(綿工場熱), 비시노시스《면화의 미립자로 인해 생기는 폐질환》.
bys·sus [bísəs] *n.* (*pl.* **~·es, -si** [-sai, -siː]) 옛날 삼베; 〖貝〗 (섭조개 따위의) 족사(足絲).
bý·stànd·er *n.* 방관자(looker-on), 구경꾼, 국외자(局外者). 〚STAND *by*〛
býstander effèct *n.* 〖心〗 방관자 효과《곁에 다른 사람이 있을 때 작업 따위가 촉진되는 현상》.
bý·strèet, bý-strèet *n.* 옆골목, 뒷골목.
bý-tàlk *n.* Ⓤ 여담, 잡담(small talk).
byte [báit] *n.* 〖컴퓨〗 바이트《정보 단위로서 8비트 (bit)임》: ~ mode 바이트 단위 전송 방식 / a ~ storage 바이트 기억기(機).
bý-the-wáy *a.* 별 생각 없는, 무심결의, 우연한.
bý-tìme *n.* 여가(餘暇).
bý·wàlk *n.* 사도(私道), 작은 길, 옆길, 샛길.
bý·wày *n.* **1** 옆길, 샛길; 곁길(cf. HIGHWAY 1). **2** [the ~s] (연구 따위의) 잘 알려지지 않은 분야〈*of*〉(cf. HIGHWAY 2).
bý·wòrd *n.* **1** 잠언, 속담(proverb); (개인의) 말버릇. **2** (보통 나쁜 것의) 본보기, 전형(典型): a ~ *for* iniquity 악(惡)의 전형. **3** 웃음거리: the ~ *of* the town 읍내의 웃음거리.
bý-wòrk *n.* Ⓤ 부업, 아르바이트.
bý-your-léave *n.* 허락을 청하는 것: without so much as a ~ 「실례합니다」라는 말도 없이.
Byz. Byzantine.
byzant ☞ BEZANT.
Byz·an·tine [bízəntìːn, -tàin, bəzǽntin], **By·zan·ti·an** [bizǽnʃiən, -tiən] *a.* 비잔티움 (Byzantium)의, 비잔틴 제국의: *Byzantine* architecture 비잔틴식 건축《5-6 세기경 Byzantium 중심의 건축 양식》 / the *Byzantine* school 〖美術〗 비잔틴파(派) / the *Byzantine* Church 비잔틴 교회, 그리스 정교회 / the *Byzantine* Empire 비잔틴 제국《476-1453년의 동로마 제국; 수도 Constantinople》.
── *n.* 비잔티움[동로마 제국]의 사람; 비잔틴파의 화가[건축가].
〚F or L; ⇨ BYZANTIUM〛
By·zan·tin·esque [bəzæ̀ntənésk] *a.* (건축·예술의) 비잔틴식의.
By·zan·tin·ism [bəzǽntənìzəm] *n.* 비잔틴식[주의]; 〖宗〗 국가 지상권(至上權)주의.
By·zán·tin·ist *n.* 비잔틴 문화 연구자(硏究者), 비잔틴 학자.
By·zan·ti·um [bəzǽnʃiəm, -tiəm] *n.* 비잔티움 《Constantinople의 옛 이름, 현재(現在)는 Istanbul》.
BZ [bìːzíː] *n.* 〖美陸軍〗 BZ《군용의 착란성(錯亂性) 독가스의 일종인 코드 이름》.
bz, bz., Bz. 〖化〗 benzene.
BZZ 붕붕, 삐삐《장난감 피리나 버저의 소리》; 윙윙《꿀벌의 날개짓 소리》.

c, C [síː] *n.* (*pl.* **c's, cs, C's, Cs** [-z]) **1** 시《영어 알파벳의 셋째 글자》. **2** C자 모양(의 것). **3** (가정(假定)의) 제3, 병(丙) ;〔數〕제3 기지수(既知數) (cf. A, B, X, Y, Z) ;《美》(학업 성적에서 A, B 다음가는) C. **4**〔樂〕다 음(音), 다 조(調). **5** (로마 숫자의) 100《L *centum* (=100)에서》: *C*VI =106. **6**《美俗》100달러 지폐.
C for Charlie (전화에서) Charlie의 C《국제전화 통화 용어》.

C calorie ;〔化〕carbon ;〔文法〕complement ;〔數〕constant ;〔電〕coulomb. **C.** Cape ; Catholic ; Celsius ; Celtic ; Centigrade ; Chancellor ; College ; Congress ; Conservative ; Corps ; Court. **C., c.** candle ; carat ; carbon ; carton ; case ;〔野〕catcher ;〔크리켓〕caught ; cent(s) ;〔蹴〕center ; centigrade ; centime ; centimeter ; century ; chairman ; chapter ; chief ; child ; church ; circa, circiter ; city ; cloudy ; cognate (with) ; copper ; copy ; copyright ; corps ; cubic ; current. © copyright.

C 〔化〕carbon 14.

C-〔美軍〕cargo transport : *C*-5.

C *n.*〔컴퓨〕C《미국의 Bell 연구소에서 개발된 시스템 기술 언어》.

Ca [káː] *n.*《病院俗》암(cancer).

Ca〔化〕calcium.

ca. cathode ; centiare(s) ; circa.

CA, C.A.〔心〕chronological age (생활 연령). **C.A.** Central America ; Confederate Army ; Court of Appeal. **C.A., c.a.** chartered accountant ; chief accountant ; commercial agent ; consular agent ; coast artillery ; controller of accounts.

C/A〔簿〕capital account (자본금 계정) ; cash account ; credit account (대변(貸邊) 계정) ; current account (당좌 예금[계정]).

CAA《美》Civil Aeronautics Administration (민간 항공 관리국).

Caaba ☞ KAABA.

CAAC Civil Aviation Administration of China (중국 민용 항공 총국, 중국 민항).

***cab**[1] [kǽ(ː)b] *n.* **1** 택시(taxicab) ; (옛날에는) 역마차(hansom) : take a ~ to=go by ~ to 택시[마차]를 타고 가다. **2** (기관차의) 기관사실 ; (트럭·트랙터의) 운전석.

〈회화〉
Let's take a *cab*. — Yes, let's. 「택시를 타자」「응, 그렇게 하자구」

— *vi., vt.* (**-bb-**) 택시[역마차]를 타고 가다 : ~ it 택시를 타고 가다.
〖*cab*riolet〗

cab[2] *n.*《英俗》자습서. — *v.* (**-bb-**) *vi.* 자습서를 보다[사용하다]. — *vt.* 훔치다, 후무리다.
〖*cab*bage[2]〗

cab[3], **kab** *n.*〔聖〕갑《헤브라이의 건량 단위 ; 열왕기하 6 : 25》. 〖Heb. =vessel〗

CAB Civil Aeronautics Board.

ca·bal [kəbǽl] *n.* 음모 ; 비밀 결사 ; (예술가 등의) 동인 모임. — *vi.* (**-ll-**) 음모를 꾸미다 (plot) ; 도당(徒黨)을 짓다, 작당하다.
-bál·ler *n.* Ⓒ 음모자. 〖F<L (↓)〗

cab·a·la, cab·ba·la(h), kab·(b)a- [kǽbələ, kəbáːlə] *n.* Ⓤ 카발라《유태교의 신비적 성서 해석법 ; 중세 후기·르네상스의 기독교 신학자에게 영향을 줌》; Ⓒ 밀교(密教) (esoteric doctrine).
〖L<Heb. =tradition〗

cab·a·lism, cab·ba- [kǽbəlìzəm] *n.* [흔히 C~] 헤브라이 신비(神祕)주의. **cáb·(b)a·list** [ˌ kəbáː-] *n.* **càb·(b)a·lís·tic, -ti·cal** *a.*

ca·bal·le·ro [kæ̀bəljέərou] *n.* (*pl.* **~s**) 신사 ; 기사 ;《美》승마자(horseman).
〖Sp. ; ⇨ CAVALIER〗

ca·ba·llo [kəbáiou] *n.* (*pl.* **~s**)《美俗》=HEROIN.
〖Sp. ; ⇨ CAVALIER〗

ca·bana, -baña [kəbǽnjə] *n.* 오두막집 ; (해변 따위의) 탈의실. 〖Sp. ; ⇨ CABIN〗

cab·a·ret [kæ̀bəréi ; ⌐-⌐] *n.* 카바레《댄서의 여흥이 있는 술집》; 카바레의 여흥(floor show).
〖F=wooden structure, tavern〗

***cab·bage**[1] [kǽbidʒ] *n.* 양배추 ; Ⓤ 캐비지《요리용》;《美俗》돈, 지폐 ;《英口》어떤 일에도 흥미를 나타내지 않는 사람, 무관심파, 무기력한 사람 : I am fond of ~. 양배추를 좋아한다. — *vi.* (양배추 모양으로) 결구(結球)하다.
〖ME *cabache*<OF *caboche* head<?〗

cabbage[2] *n.* Ⓤ 재단사가 떼어먹은 천 ;《俗》자습서. — *vi., vt.* (천을) 속여먹다, 훔치다 ;《俗》표절하다. 〖? OF *cabas* cheating, theft〗

cábbage bùtterfly *n.*〔昆〕배추흰나비.

cábbage·hèad *n.*《口》크고 둥근 머리 ;《美口》멍청이.

cábbage lèaves *n.*《美俗》지폐(greenback).

cábbage nèt *n.* 양배추 데치는 망.

cábbage pàlm[trèe] *n.*〔植〕캐비지야자나무《새싹은 식용》.

cábbage ròse *n.*〔植〕서양장미.

cábbage·tòwn *n.*《Can.》슬럼가(slum).

cábbage whìte *n.* =CABBAGE BUTTERFLY.

cábbage·wórm *n.* 배추벌레《특히 배추흰나비의 애벌레》.

cabbala, cabbalism ☞ CABALA, CABALISM.

cab·by, cab·bie [kǽbi] *n.*《口》=CABDRIVER.
〖CAB[1]〗

cáb·drìver *n.* =CABMAN.

ca·ber [kéibər, káː-] *n.*《스코》〔建〕서까래 ; 통나무 던지기 시합용 재목.
〖Gael. *cabar* pole〗

cab·ette [kæbét] *n.* 여성 택시 기사.

***cab·in** [kǽbən] *n.* **1** 오두막(hut) ;《美》간이 숙박 시설 : a log ~ 통나무 오두막. **2** 캐빈《여객선의 1·2등 객실 ; 군함의 함장실·사관실》; (비행기의) 캐빈, 객실, 화물실 ; (트레일러의) 주거하는 부분.

—— *vi.* 오두막에 살다. —— *vt.* (좁은 곳에) 가두다(confine). 〖OF<L=hut〗

cábin bòy *n.* 선실[선장실·함장실] 사환.

cábin clàss *n.* (여객선의) 특별 2등실(室)《first class(1등실)와 tourist class(2등실)의 중간》.

cábin-clàss *a., adv.* 특별 2등실의[로].

cábin còurt *n.* =MOTEL.

cábin crùiser *n.* 유람용 대형 모터보트[요트].

cáb·ined *a.* (좁은 곳에) 갇힌; 옹색한, 비좁은; 선실이 있는.

***cab·i·net** [kǽbənət] *n.* **1** (귀중품을 넣는) 장, 농, 선반, 진열대, 캐비닛《서랍·유리 선반 또는 칸막이가 있어서 귀중품·약품·서류 따위를 넣거나 미술품을 진열함》; [집합적으로] 캐비닛의 수집품(collection). **2** 회의실; 관방(官房); 《英》 각의실. **3** [보통 C~] 《英》 내각: ☞ SHADOW CABINET. **4** (박물관의) 소(小)진열실. **5** 《英》 〖寫〗 캐비닛판 사진(=∠ **phótograph**). **6** 《古》 작은 방, 사실(私室).

—— *attrib. a.* **1** [C~] 내각의: the *C*~ council=the *C*~ meeting 각의(閣議), 국무회의/a *C*~ member[officer]=《英》 a *C*~ Minister 각료. **2** 사실용(私室用)의(private); 소형의: a ~ edition 《英》〖製本〗 캐비닛판《아름다운 소형판》. **3** 진열장용의; 가구(제작)용의.
〖(dim.)<*cabin*; F *cabinet*의 영향〗

cab·i·ne·teer [kæ̀bənətíːər] *n.* 《口》 내각의 일원, 각료.

cábinet·màker *n.* 가구상, 소목장이; 《英戲》 (조각(組閣)중인) 수상.

cábinet·màking *n.* 가구 제조업; 《英》 조각.

cábinet mèthod *n.* 〖證〗 (채권의) 캐비닛 거래 방식, 정리함(函) 방식.

cábinet órgan *n.* =REED ORGAN.

cábinet piáno *n.* 소형 수형(竪形) 피아노.

cábinet pùdding *n.* 캐비닛 푸딩《빵, 스펀지 케이크에 달걀·우유를 넣어 만든 푸딩》.

cábinet reshùffle *n.* 개각(改閣).

cábinet wìne *n.* 독일산 고급 포도주.

cábinet·wòrk *n.* 가구 제조; 가구류.

cábin fèver *n.* 외딴 곳에서 사람이 적거나 혼자서 생활할 때 권태로 생기는 과민증[정서 불안].

cábin gìrl *n.* (호텔·모텔의) 여자 종업원.

cábin pássenger *n.* 캐빈[1, 2등실] 선객(cf. CABIN *n.* 2).

cabio ☞ COBIA.

***ca·ble** [kéibəl] *n.* 굵은 밧줄; 강삭(鋼索), 케이블, 뭇줄; 〖海〗 닻줄; 〖建〗 밧줄 모양의 장식; 피복 전선, 해저 전선, 케이블; =CABLEGRAM; 〖海〗 =CABLE LENGTH; 〖編物〗 =CABLE STITCH; =CABLE TELEVISION: send a ~ 해외 전보를 치다(☞ TELEGRAPH 活用)/by ~ 해외 전보로. —— *vt.* **1** 해저 전신으로 보내다; …에 해외 전보를 치다. **2** …에 밧줄 모양의 장식을 달다. —— *vi.* 해외 전보를 치다.
〖OF<L *caplum* halter<Arab.〗

cáble addréss *n.* 해외 전보 수신인 약호.

cáble cár *n.* 케이블 카.

cáble·càst *vt., vi.* 유선 텔레비전으로 방송하다. —— *n.* 유선 텔레비전 방송.

cáble destròyer *n.* 해저 전선 파괴선(船).

cáble dispàtch *n.* 해외[국제] 전보.

cáble·gràm *n.* 해저 전신, 해외[국제] 전보.

cáble hòme *n.* 유선 텔레비전(cable television) 수신 계약을 맺고 있는 가정.

cáble-láid *a.* 아홉 가닥으로 꼰: a ~ rope 아홉 가닥으로 꼰 밧줄.

cáble lèngth *n.* =CABLE'S LENGTH.

cáble mèssage *n.* =CABLE DISPATCH.

cáble nètwork *n.* 유선 텔레비전 방송망.

cáble òrder *n.* 〖經〗 전보 주문.

cáble ràilway[**ràilroad, ròad**] *n.* 케이블 철도, 강삭(鋼索) 철도.

ca·blese [kèibəlíːz, -s] *n.* Ⓤ 해외 전보 용어.

cáble shìp *n.* 〖海〗 해저 전선 부설선.

cáble's lèngth *n.* 〖海〗 연(鏈)《거리를 나타내는 단위; 보통 100 fathoms 또는 120 fathoms; 〖美海軍〗 219.6 m, 〖英海軍〗 185.4 m》.

cáble stìtch *n.* 〖編物〗 밧줄 무늬의 뜨개질《밧줄 모양의 무늬를 만들기》.

ca·blet [kéiblət] *n.* 아홉 가닥으로 꼰 둘레 10인치 이하의 밧줄.

cáble télevision *n.* 유선 텔레비전.

cáble trànsfer *n.* 《美》 전신환.

cable TV [∠ tíːvíː] *n.* =CABLE TELEVISION.

cáble·vìsion *n.* =CABLE TELEVISION.

cáble·wày *n.* 공중 케이블, 삭도(索道).

cáb·man [-mən] *n.* 택시 기사; 역마차의 마부.

cab·o·chon [kǽbəʃɑ̀n; *F* kabɔʃɔ̃] *n.* (모나게 갈지 않고) 둥글게 간 보석.
〖F (dim.) <CABBAGE[1]〗

ca·boo·dle [kəbúːdl] *n.* [다음 숙어로]
the whole caboodle 《俗·원래 美》 무리, 떼, 모든 사람[것], 전부, 모조리.
〖? *kit and boodle*〗

ca·boose [kəbúːs] *n.* 《美》 (화물 열차 맨 끝의) 승무원차[칸]; 《英》 (상선(商船) 갑판 위의) 요리실[부엌](galley). 〖Du.<?〗

Cab·ot [kǽbət] *n.* 캐벗. **John** ~ (1450-98) 1497년에 북미 대륙을 발견한 이탈리아의 항해가.

cab·o·tage [kǽbətɑ̀ːʒ] *n.* 연안 무역; 근해(近海) 운항; (민간 항공기의) 국내선 취항 (조건).
〖F (*caboter* to sail along the coast)〗

ca·bo·tin [*F* kabɔtɛ̃] *n.* (*fem.* **-tine** [*F* -tin]) 연기가 서툰 배우; 지방 순회극단의 배우.

cáb rànk *n.* 《英》 (택시 주차장에서) 손님을 기다리는 택시의 줄.

ca·bret·ta [kəbrétə] *n.* (장갑·구두용) 양가죽.
〖Port. and Sp. *cabra* goat〗

cab·ri·ole [kǽbriòul] *n.* (가구 따위의) 굽은 다리 《《英》 Anne 여왕 시대 가구의 특색》. 〖F; ↓〗

cab·ri·o·let [kæ̀briəléi] *n.* **1** 쿠페(coupé)형 자동차《접었다 폈다 할 수 있는 포장 지붕이 달렸음》. **2** (한 필의 말이 끄는) 2인용 2륜 포장마차.
〖F=goat's leap (⇒ CAPRIOLE); 그 경쾌한 움직임에서〗

cabriolet 2

cáb·stànd *n.* =CAB RANK.

cáb·stòp *n.* 무인 택시 정류장.

cáb·tràck *n.* 무인(無人) 택시, 궤도 택시《고가 궤도를 정시 운행하는 미래의 도시 교통기관》.

cac- [kǽk], **caco-** [kǽkou, -kə] *comb. form* 「악(惡)」「오(誤)」의 뜻. 〖Gk. *kakos* bad〗

ca' can·ny [kɔːkǽni, kə-] *vi.* 《스코》 조심해서[천천히] 가다(cf. CANNY); 《英》 태업하다.
—— *n.* 《英》 태업(怠業); 《스코》 중용, 신중함.
〖Sc. *call canny* to proceed warily〗

ca·cao [kəkéiou, -kɑ́ːou, 美+-káu] *n.* (*pl.* ~**s**) 〖植〗 카카오의 열매(=∠ **bèan**) 《아메리카 열대

지방산 카카오나무의 열매 ; 코코아 · 초콜릿의 원료》; 카카오나무(chocolate tree).
cacáo bùtter *n.* 카카오 기름《화장품 · 비누의 원료(原料)》.
ca·cha·ca, -ça [kəʃá:sə] *n.* 카샤사《브라질산(産)의 럼(rum)》. 〖Port. =rum〗
cach·a·lot [kǽʃəlɑ̀t, -lou] *n.* =SPERM WHALE. 〖F<Sp. and Port. <?〗
cache [kǽ(:)ʃ] *n.* **1** 저장소, 숨겨 두는 곳 ; (은닉처의) 저장품 ; 숨겨 둔 귀중품 ; 은신처. **2** 〔컴퓨〕 시렁.
make (a) cache of …을 저장하다.
── *vt.* (은닉처에) 저장하다, 숨기다(hide). 〖F (*cacher* to hide)〗
cáche mèmory *n.* 〔컴퓨〕 시렁 기억 (장치).
cáche·pòt [ˌkǽʃəpòu] *n.* (화분을 담는) 장식용 화분(花盆).
ca·chet [kæʃéi ; ⌐-] *n.* **1** 봉인(封印)(seal) ; 공식 인가의 표시 ; 높은 지위, 명성 ; 우수성 ; 품질 보증표. **2** (행사 · 기념 따위를 표어나 디자인으로 한) 우표, 기념 스탬프. **3** 〔藥〕 캡슐, 오블라토(wafer).
〖F (*cacher* to hide, press)〗
ca·chex·ia [kəkéksiə, kæ-], **-chexy** [-kéksi] *n.* 〔醫〕 악액질(惡液質), 악태증《암 · 결핵 · 매독 따위 같은 만성병에 의한 불건강 상태》; (정신 따위) 불건전 상태 ; 도덕성의 저하, 퇴폐.
cach·in·nate [kǽkənèit] *vi.* 너털웃음을 웃다.
càch·in·ná·tion *n.* U,C 너털웃음.
ca·chou [kǽʃu:, -⌐, kəʃú:] *n.* 구중 향정(口中香錠) ; =CATECHU.
ca·chu·cha [kətʃú:tʃə] *n.* U 〔댄스〕 카추차《스페인 Andalusia 지방의 활발한 솔로 댄스 ; 3/4박자로 캐스터네츠를 사용함》. 〖Sp.〗
ca·cique [kəsí:k] *n.* (특히 말레이 제도 · 중남미 인디언의) 추장 ; (스페인 및 라틴 아메리카의) 지방 정계의 보스.
〖Sp. <Carib〗
cack [kǽk] *n.* 뒤축이 없고 부드러운 가죽으로 밑창을 댄 구두《유아용》.
cáck-hánd·ed [kǽk-] *a.* 《英口》 왼손잡이의 ; 어색한.
cack·le [kǽkəl] *n.* U 꼬꼬댁, 꼬꼬《암탉 따위의 울음 소리》; 수다, 잡담 ; C 째지는 듯한 웃음소리. ── *vi.*, *vt.* (암탉이) 꼬꼬꼬꼬 울다 ; (사람이) 재잘재잘 지껄이다〈*out*〉; 낄낄[껄껄]대며 웃다. 〖? MLG, MDu. *kākelen* (imit.)〗
cáckle brȍad *n.* 《俗》 수다스런 여자 ; 상류 사회의 여인.
CACM Central American Common Market (중미 공동 시장).
caco- [kǽkou, -kə] ☞ CAC-.
caco·de·mon, -dae- [kæ̀kədí:mən] *n.* 악귀(↔ *agathodemon*) ; 악인. 〖Gk.〗
cac·o·dyl [kǽkədìl ; -dàil] *n.* 〔化〕 카코딜《(1) 비소(砒素) 화합물중의 1가의 치환기. (2) 두 개의 카코딜기(基)로 된 악취가 나는 무색 액체》.
── *a.* 카코딜기(基)를 함유하는.
〖G<Gk. =ill smelling〗
caco·epy [kǽkouèpi, kəkóuəpi] *n.* U 나쁜 발음, 발음 불량(↔*orthoepy*). 〖Gk.〗
caco·ë·thes, -e- [kæ̀kouí:θi:z] *n.* 나쁜 버릇 ; …광(狂)(mania)〈*for*〉. 〖ETHOS〗
càco·génesis *n.* 종족 퇴화(種族退化) ; 〔醫〕 발생[발육] 이상.
ca·cog·ra·phy [kækɑ́grəfi] *n.* U 악필(惡筆)(↔*calligraphy*) ; 오기(誤記), 오철(誤綴)(↔*orthography*). **-pher** *n.*
ca·col·o·gy [kækɑ́lədʒi] *n.* 말[발음]의 오용 ; 틀린 발음.
càco·phónic *a.* 〔樂〕 안어울림음의, 불협화음의 ; 불쾌한 음조의 ; 소음의.
ca·coph·o·nous [kækɑ́fənəs, kə-] *a.* =CACOPHONIC.
ca·coph·o·ny [kækɑ́fəni, kə-] *n.* 〔樂〕 안어울림음, 불협화음 ; 불쾌한 음조(↔*euphony*) ; 귀에 거슬리는 소리. 〖F<Gk. (*caco-*, *phōnē* sound)〗
cac·ta·ceous [kæktéiʃəs] *a.* 〔植〕 선인장과의.
cac·tus [kǽktəs] *n.* (*pl.* **~·es, -ti** [-tai]) 〔植〕 선인장. 〖L<Gk. =cardoon〗
cáctus jùice *n.* 《美俗》 =TEQUILA.
ca·cu·mi·nal [kækjú:mənl, kə-] *a.* 〔音聲〕 반설음(反舌音)의, 반전음(反轉音)의(retroflex).
── *n.* 반설음(反舌音), 반전음.
cad [kǽ(:)d] *n.* 비열한 사람, 비신사적인 남자(↔ *gentleman*). 〖*cad*die army cadet〗
CAD computer-aided design(컴퓨터 설계).
ca·das·tral [kədǽstrəl] *a.* 지적도의, 토지대장의 : a ~ survey 지적 측량. **~·ly** *adv.*
ca·das·tre, -ter [kədǽstər] *n.* 지적도, 토지대장.
ca·dav·er [kədǽvər, -déi-] *n.* (특히 해부용의) 시체(corpse) ; 송장. 〖L (*cado* to fall)〗
ca·dav·er·ous [kədǽvərəs] *a.* 시체와 같은 ; 창백한(pale), 여윈(worn).
CAD/CAM computer-aided design/computer-aided manufacturing(컴퓨터를 이용한 설계 · 제조의 자동화 시스템).
CADD 〔컴퓨〕 computer-aided drug design(컴퓨터에 의한 약(藥)의 조제).
cad·die, cad·dy [kǽdi] *n.* 〔골프〕 캐디《클럽을 메고 따라다니는 사람》. ── *vi.* 캐디로 일하다. 〖Sc. <FCADET〗
cáddie bàg *n.* (골프의) 클럽백.
cáddie càrt[càr] *n.* 캐디 카트 《골프채를 나르는 2륜차》.
cad·dis[1], **cad·dice** [kǽdəs] *n.* 서지(serge)의 일종 ; 소모사(梳毛絲).
〖ME=cotton wool<? OF〗
caddis[2], **caddice** *n.* =CADDISWORM.
〖C17<?〗
cáddis flỳ *n.* 〔昆〕 날도래《총칭》.
cád·dish *a.* 야비한(ungentlemanly). **~·ly** *adv.*
cáddis·wòrm *n.* 〔昆〕 날도래류 곤충의 애벌레 《낚싯밥》.
cad·dy[1] [kǽdi] *n.* 차(넣는) 통(tea caddy) ; 용기.
caddy[2] ☞ CADDIE.
cáddy spòon *n.* 《英》 (차통에서 차를 떠내는) 작은 스푼.
-cade [kèid, kéid] *n. comb. form* 「행렬」 「구경거리」의 뜻 : aqua*cade*, motor*cade*. 〖caval*cade*〗
ca·dence [kéidəns] *n.* U,C (시 따위의) 운율, 리듬, 박자 ; 억양 ; (문장 끝의) 내림조 ; 〔樂〕 (악장 · 악곡의) 종지(법). **~d** *a.* 운율적인.
〖OF<It. <L (*cado* to fall)〗
cá·den·cy *n.* **1** 분가의 혈통 ; 분가의 신분 ; 〔紋〕 분가라는 것을 나타내는 기장. **2** =CADENCE.
cá·dent *a.* **1** 리듬이 있는. **2** 《古》 떨어지는, 내려가는(falling).
ca·den·za [kədénzə] *n.* 〔樂〕 카덴차, 종지 장식(부). 〖It. ; ⇨ CADENCE〗
ca·det [kədét] *n.* **1** 장교[간부] 후보생. **2** (장남 이외의) 아들, 아우 : a ~ branch 분가. **3** 견습생 : a ~ teacher 교생(教生).
〖F ((dim.)<L *caput* head)〗

cadét còrps *n.* 《英》 학생 군사 훈련단.
cadét·cy *n.* =CADETSHIP.
cadét fàmily *n.* 분가.
cadét·ship *n.* Ⓤ CADET의 지위[신분].
ca·dette [kədét] *n.* 《濠》 여자 공무원.
Cadétte scóut *n.* 12살부터 14살까지의 걸 스카우트.
cadge [kǽ(ː)dʒ] *vi.* 《英》 **1** 행상하다(peddle). **2** 《口》 빌어먹다(beg) ; 조르다 : ~ *for* a meal 식사를 구걸하여 먹다. —— *vt.* 《口》 (친구 등에게) 졸라대서 손에 넣다 : May I ~ a cigarette? 담배 한 대 주지 않겠니. —— *n.* 《口》 구걸.
cádg·er *n.* 거지 ; 부랑자 ; 행상인.
〖C19=? to carry, bind<? ; cf. Sc. *cadger* carrier (ME *caggen* to tie)〗
cadgy [kǽdʒi] *a.* 《스코》 명랑한 ; 호색적인, 바람난(wanton).
ca·di [kɑ́ːdi, kéi-] *n.* (이슬람권의) 법관.
〖Arab. =judge〗
Cad·il·lac [kǽdəlæ̀k] *n.* 캐딜락《미국제 고급 승용차 ; 상표명》.
Cad·me·an [kædmíː(ː)ən] *a.* 〖그神〗 CADMUS의.
Cadméan víctory *n.* 큰 희생을 치르고 얻은 승리(cf. PYRRHIC VICTORY).
cad·mi·um [kǽdmiəm] *n.* Ⓤ 〖化〗 카드뮴《금속 원소 ; 기호 Cd ; 번호 48》. **cád·mic** *a.* 카드뮴의. 〖L *cadmia*〗
cádmium céll *n.* 카드뮴 전지.
cádmium órange *n.* 카드뮴 오렌지《주황색에 가까운 황색(안료)》.
cádmium yéllow *n.* 카드뮴 옐로 ; 선황색.
Cad·mus [kǽdməs] *n.* 〖그神〗 카드무스《용을 퇴치하여 Thebes를 건설하고 알파벳을 그리스에 전한 페니키아의 왕자》.
C.A.D.O. 〖美空軍〗 Central Air Documents Office.
ca·dre [kǽdri, kɑ́ːdrə ; kɑ́ːdər] *n.* **1** [집합적으로] **a)** 〖軍〗 (새 부대 편성에 필요한) 간부. **b)** (정치·종교 단체 따위의) 핵심 ; (혁명파 따위) 세포(cell). **2** 간부[핵심]의 일원. **3** 뼈대, 구조(framework). 〖F<It. <L *quadrus* square〗
ca·du·ce·us [kədjúːsiəs, -ʃəs] *n.* (*pl.* **-cei** [-siài]) 〖로·그神〗 신의 사자 Mercury [Hermes]의 지팡이《두 마리의 뱀이 감기어 있고 꼭대기에 양날개가 있음 ; 평화·의술의 상징 ; 미국에서는 육군 의무대의 기장》.
〖L (Gk. *kērux* herald)〗

caduceus

ca·du·ci·ty [kədjúːsəti] *n.* 노쇠(senility) ; 덧없음(transitoriness) ; 〖植〗 조락성(早落性), 잎이 일찍 떨어짐 ; 〖動〗 탈락성(脫落性).
ca·du·cous [kədjúːkəs] *a.* 〖植〗 (잎이) 일찍 떨어지는, 조락성의(↔ *persistent*) ; 〖動〗 탈락성의 ; 덧없는 (fleeting). 〖L (*cado* to fall)〗
CAE computer-aided engineering(컴퓨터 보조 엔지니어링).
caecal ☞ CECAL.
caecitis, etc. ☞ CECITIS, etc.
caecum ☞ CECUM.
caen(o)- ☞ CEN-.
caenogenesis ☞ CENOGENESIS.
Cae·sar[1] [síːzər] *n.* 시저, 카이사르.
Gaius Julius ~ (100-44 B.C.) 로마의 장군·정치가·역사가(cf. TRIUMVIRATE).
Caesar's wife 세상의 의혹을 살 행위가 있어서는 안될 사람《시저가 불의의 의혹을 산 아내 Pompeia와 이별할 때 한 말에서》.
Caesar[2] *n.* 로마 황제 ; [흔히 c~] 제왕(cf. KAISER, CZAR), 전제 군주(autocrat).
Cae·sar·e·an, -i·an [si(ː)zέəriən, -zǽər-] *a.* 시저[카이사르]의 ; (로마) 황제의 ; 전제 군주적인. —— *n.* **1** 시저파의 사람 ; 전제주의자. **2** = CAESAREAN SECTION.
Caesárean séction[bírth, operátion] *n.* [흔히 c~] 〖醫〗 제왕 절개(술), 개복 분만법(開腹分娩法). 〖Julius *Caesar*가 이 방법으로 태어났다는 전설에서〗
Cáesar·ìsm *n.* Ⓤ 황제정치주의 ; 제국주의 (imperialism) ; 독재 군주제(autocracy).
-ist *n.* 제국[독재 군주]주의자.
Cáesar sálad *n.* 시저 샐러드.
〖멕시코의 Tijuana 시(市)에 있는 레스토랑 *Caesar's*에서〗
caesium ☞ CESIUM.
cae·su·ra, ce- [siʒúrə, -zúrə, -zjúərə] *n.* (*pl.* **~s, -rae** [-rìː]) 〖韻〗 중간 휴지(休止).
c(a)e·sú·ral *a.*
〖L (*caes- caedo* to cut)〗
CAF currency adjustment factor(통화 시세 변동 할증료(割增料)). **C.A.F., c.a.f.** cost and freight.
ca·fard [kɑːfɑ́ːr] *n.* (특히 열대지방에서의 백인의) 극도의 우울.
〖F=cockroach, hypocrite〗
***ca·fé, ca·fe** [kæféi, kə- ; kǽfei, -fi] *n.* **1** 커피점(coffeehouse) ; Ⓤ 커피. **2** (가벼운 식사를 할 수 있는) 카페, 레스토랑. **3** 《美》 바(barroom) ; 나이트 클럽.
café car 흡연실 겸 식당차.
café society (특히 New York 시의) 사교계 명사(名士)들.
〖F=coffee(house)〗
CAFEA Commission on Asian and Far East Affairs((국제 상공회의소내(內)의) 아시아 극동 위원회).
café au lait [ˊ ou léi] *n.* (대략 같은 양의) 우유[크림]를 탄 커피.
〖F=coffee with milk〗
café chan·tant [*F* kafe ʃɑ̃tɑ̃] *n.* (*pl.* **~s, cafés chantants** [—]) 음악·노래를 들려 주는 카바레 (cabaret).
café crème [ˊˊ] *n.* 크림을 탄 커피. 〖F〗
café coronary [ˊˊ] *n.* 카페 코로나리《음식물에 체했을 때 일어나는 관상 동맥 혈전증(血栓症)과 비슷한 증상》.
café curtain [ˊˊ] *n.* 창 위나 밑부분을 가리는 짧은 커튼.
café fil·tre [ˊ fíːltrə] *n.* 필터를 사용해서 여과한 커피. 〖F〗
café noir [ˊ nwɑ́ːr] *n.* =BLACK COFFEE. 〖F〗
‡**caf·e·te·ria** [kæ̀fətíəriə] *n.* 《美》 카페테리아《손님이 직접 요리를 날라다 먹는 간이 식당》.
〖Am. Sp. =coffee shop〗
cafetéria bénefit prògrams *n.* 〖經〗 카페테리아형 급부 방식《둘 이상의 부가 급부나 기타 특전 중에서 수익자가 자유 선택하는 방식》.
caff [kǽf, kéif] *n.* 《英俗》 =CAFÉ.
caf·fe·ic [kæfíːik] *a.* 커피의, 카페인의.
caf·feine, -fein [kǽfiːn, -fiən, kæfíːn] *n.* Ⓤ 카페인《커피·콜라 따위에 함유된 알칼로이드》.
〖F ; ⇨ COFFEE〗
Caffèine·frèe Cóke *n.* 카페인프리 코크《카페

인 성분을 제거한 콜라 ; 상표명》.

caf·fe·in·ism [kǽfiːənìzəm] *n.* 카페인 중독.

caf·tan, kaf·tan [kǽftæn, -ˊ, kɑːftɑ́ːn] *n.* **1** 카프탄《터키인들이 입는 띠가 달리고 소매가 긴 옷》. **2** 카프탄풍의 드레스. 〖Turk.〗

‡cage [kéidʒ] *n.* **1** 새장 ; 우리 ; 포로 수용소 ; 교도소. **2** (건물의) 철골 구조 ; (승강기의) 칸, (기중기의) 운전실. **3** 〔野〕 포수용 마스크, 이동식 백 스톱, 케이지 ; 〔하키〕 골(goal) ; 〔籠〕 바스킷 ; 농구장.
── *vt.* 바구니[장]에 넣다[기르다].
〖OF＜L＝*cavea*〗

caftan 1

cáge bìrd *n.* 새장에 넣어서 기르는 새.

cáge·ling *n.* 새장의 새.

cag·er [kéidʒər] *n.* 《美口》 농구 선수.

ca·gey, ca·gy [kéidʒi] *a.* (**-gi·er** ; **-gi·est**) 《口》 주의 깊은, 조심성이 있는, 빈틈없는, 신중한. 〖C20＜?〗

ca·goule, ka·gool [kəgúːl] *n.* 카굴《무릎까지 오는 얇고 가벼운 방한용 웃옷(anorak)》.

ca·hier [kɑːjéi, kæ-, kaiéi] *n.* (의회 따위의) 의사록, 보고서 ; 〔製本〕 접장《제본하려고 접은 인쇄지》 ; 가철(假綴)《임시로 대강 철해둔 팸플릿[노트북]》. 〖F ; ⇨ QUIRE[1]〗

ca·hoot [kəhúːt] *n.* [흔히 *pl.*] 《美俗》 공동, 공모.
go (in) cahoot 《美俗》 반씩 나누다〈*with*〉, 한패가 되다.
in cahoot(s) 《美俗》 공모하여〈*with*〉.
〖C19＜? ; F *cahute* cabin, hut에서 인가〗

CAI computer-aided[computer-assisted] instruction(컴퓨터를 이용한 교육).

cai·man, cay- [kéimən, keimǽn, kaimǽn] *n.* 〔動〕 카이만《중남미산의 악어 ; cf. ALLIGATOR, CROCODILE》. 〖Sp. and Port. ＜Carib〗

Cain [kéin] *n.* 〔聖〕 가인《아담과 하와의 첫아들 ; 아우 아벨을 죽였음》 ; 《비유》 형제 살인.
raise Cain 《俗》 (큰) 소동을 일으키다.

-caine [kèin, kéin] *n. comb. form* 「인조 알칼로이드 마취약」의 뜻 : pro*caine*.
〖Gk. ; ⇨ COCAINE〗

Cai·no·zóic, Kai- [kàinə-] *a., n.* ＝CENOZOIC.

ca·ïque, ca·ique [kɑːíːk, kaiíːk, káik] *n.* (터키의) 가벼운 배 ; (지중해 동부의) 범선. 〖Turk.〗

caird [kéərd] *n.* 《스코》 떠돌이 땜장이 ; 방랑자(vagabond).

Cairene [kaiəríːn] *n., a.* Cairo 시민(의).

cairn [kéərn, kǽərn] *n.* **1** 돌무덤, 이정표, 케른. **2** ＝CAIRN TERRIER. 〖Gael.〗

cairn·gorm [kéərngɔ̀ːrm, kǽərn-] *n.* 〔鑛〕 연수정(煙水晶).

cáirn térrier *n.* 케언 테리어《스코틀랜드 원산인 몸집이 작은 애완용 테리어의 일종》.

Cai·ro [káiərou] *n.* 카이로《이집트의 수도》.

cais·son [kéisən, -sɑn, 英＋kəsúːn] *n.* 〔工〕 케이슨, 잠함(潛函)《수압에 잘 견디게 짠 상자 ; 그 안에서는 수중 공사를 함》 ; 철판 수문《도크용》 ; 〔軍〕 탄약 상자[차]. 〖F ; ⇨ CASE[2]〗

cáisson disèase *n.* 케이슨병 ; 잠함병(潛函病), 잠수부병.

cai·tiff [kéitəf] *n.* 《古·詩》 비열한 자, 비겁자.
── *a.* 비열한, 비겁한. 〖OF＜CAPTIVE〗

ca·jole [kədʒóul] *vt.* [＋目／＋目＋前＋名] 감언으로 유혹하다(coax), 부추겨서 …시키다, 구슬리다 : ～ a person ***into*** consent[*into* do*ing* something] 사람을 부추겨서 동의하게 하다[어떤 일을 시키다] / He tried to ～ his daughter ***out of*** matrimony. 그는 딸을 구슬려서 결혼하지 못하게 하려고 했다 / He ～*d* the knife *out of* the child. 그는 구슬려서 그 아이에게서 칼을 빼앗았다. **ca·jól·ery** *n.* U,C 감언, 아첨. **～·ment** *n.* U,C 농간《교묘하게 속임》. 〖F＝to coax＜?〗
類義語 ⟹ COAX.

Ca·jun, -jan [kéidʒən] *n.* ACADIA 태생 프랑스인의 자손인 Louisiana 주의 주민.

◇cake [kéik] *n.* **1** U 케이크, 양과자, C 케이크 한 개 ; C 《美》 핫케이크(pancake) : Are you fond of ～? 케이크를 좋아하십니까 / Bring us two fruit ～*s*. 프루트 케이크 2인분을 가져와요 / My ～ is dough. 《口》 계획은 실패했다《반죽된 채 과자가 되지 못했다는 뜻에서》 / You can't eat your ～ and have it (too). ＝You can't have your ～ and eat it (too). 《속담》 먹은 과자는 손에 남지 않는다《동시에 양쪽이 다 좋을 수는 없다》. **2** (얇고 평평한) 굳은 덩어리, (딱딱한 덩어리의) 한 개[한 덩어리] : a ～ *of* soap 비누 한 개[장]. **3** 원그래프.
cakes and ale 《셰익스피어》 맛있는 과자와 좋은 술 ; 인생의 쾌락, 속세의 즐거움.
like hot cakes ☞ HOT CAKE.
a piece of cake 《口·비유》 편안한 것[일], 즐거운 것.
take the cake 《口》 상을 타다 ; 남보다 뛰어나다 : That *takes the* ～! [흔히 반어적으로] 그와 같은 것은 본[들은] 일이 없다 ; 놀랍다.
the land of Cakes 《英》 스코틀랜드.
── *vt.* [＋目／＋目＋*with*＋名] 굳히다 : His shoes were ～*d* ***with*** mud. 그의 신발에는 진흙이 굳어 달라붙어 있었다. ── *vi.* 굳어지다 : Mud ～*s* as it dries. 진흙은 마르면 굳어진다.
〖ON *kaka* ; cf. G *Kuchen*〗

cáke èater *n.* 《俗》 싹싹한[예쁘장한] 사내[애인], 플레이 보이.

cáke flòur *n.* 질이 좋은 밀가루.

cáke-hòle *n.* 《英俗》 입(mouth).

cáke ìnk *n.* 막대 모양으로 굳힌 잉크, 먹.

cáke·wàlk *n.* **1** (케이크를 상품으로 주는 미국 흑인의) 걸음걸이 경기 ; 스텝 댄스의 일종. **2** 《口》 손쉬운 일, 누워서 떡먹기, (뜻밖에도) 간단한 일, 일방적인 경쟁[시합].

cak·ey, caky [kéiki] *a.* 케이크 같은 ; 굳어진, 고형의.

cal. calendar ; caliber ; 〔理〕 small calorie(s).

Cal. California ; 〔理〕 large calorie(s).

cal·a·bash [kǽləbæ̀ʃ] *n.* 호리병박(의 제품)《술잔·파이프 따위》.
〖F＜ Sp. ＜? Pers. ＝ melon〗

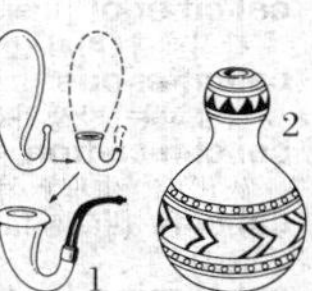

1 calabash pipe
2 calabash bottle
calabash

cal·a·boose [kǽləbùːs] *n.* 《美口》 교도소(prison), 유치장(lockup).

ca·la·di·um [kəléidiəm] *n.* 〔植〕 칼라듐《관엽식물》. 〖NL＜Malay〗

Cal·ais [kǽlei, 美＋-ˊ, 英＋kǽli ; *F* kalɛ] *n.* 칼레《Dover 해협에 면한 프랑스의 항구》.

cal·a·man·co [kæ̀ləmǽŋkou] *n.* (*pl.* **～es**) 윤이

C

나는 모직물 ; 그 천으로 만든 옷.

cal·a·man·der [kǽləmæ̀ndər, ⌐-⌐-] *n.* 감나무속(屬)의 목재, (특히) 흑단(黑檀)의 일종《Ceylon 섬산(產) ; 고급 가구재》.

cal·a·mary [kǽləmèri ; -məri], **cal·a·mar** [kǽləmɑ̀ːr] *n.* 〖動〗 오징어.

cal·a·mine [kǽləmàin, -mən] *n.* Ⓤ 〖鑛〗 칼라민, 이극광(異極鑛) ; 《英》 능아연광(菱亞鉛鑛) ; 칼라민《산화제이철을 혼합한 산화아연 ; 로션·연고로 피부의 소염에 쓰임》. 〖F<L ; L *cadmia*의 변형(變形) (⇨ CADMIUM)〗

cálamine lótion *n.* 칼라민 로션《햇볕에 탄 데 따위에 바르는 로션》.

cal·a·mite [kǽləmàit] *n.* 〖古生〗 노목(蘆木)《높이 30 m의 고생대 화석 식물》.

ca·lam·i·tous [kəlǽmətəs] *a.* 불행한, 재난이 많은, 비참한(disastrous), 참혹한. **~·ly** *adv.* 불행하게도, 참혹하게도.

***ca·lam·i·ty** [kəlǽməti] *n.* U,C 불행(misfortune), 재난 ; 참화(misery) : the ~ of war 전화(戰禍) / ~ howler 《美》 불길한 예언을 하는 사람, 헐뜯는 사람. 〖F<L〗
類義語 ⟹ DISASTER.

cal·a·mus [kǽləməs] *n.* (*pl.* **-mi** [-mài, -mìː]) 〖植〗 창포(sweet flag) ; 그 뿌리줄기 ; 〖動〗 (날개의) 깃촉(quill).

ca·lan·do [kɑːlɑ́ːndou] *adv., a.* 〖樂〗 칼란도로[의], 점점 느리고 사라지듯이[는 듯한], 약하게[약한]. 〖It. =slackening〗

ca·lash [kəlǽʃ] *n.* 가벼운 2륜 포장마차 ; (마차의) 포장 ; (18세기의) 포장꼴 여성용 모자. 〖F CALÈCHE〗

calc- [kǽlk], **cal·ci-** [kǽlsə], **cal·co-** [kǽlkou, -kə] *comb. form* 「칼슘」의 뜻. 〖G *kalk*<L CALX〗

calc. calculate(d) ; calculating.

cal·ca·ne·um [kælkéiniəm] *n.* (*pl.* **-nea** [-niə]) 〖解〗 =CALCANEUS.

cal·ca·ne·us [kælkéiniəs] *n.* (*pl.* **-nei** [-niài]) 〖解〗 종골(踵骨).

cal·car [kǽlkɑːr] *n.* (*pl.* **-car·ia** [kælkéəriə, -kǽər-]) 〖動·植〗 며느리발톱 ; 그 모양의 돌기. 〖L (*calx* heel)〗

cal·car·e·ous, cal·car·i·ous [kælkéəriəs, -kǽər-] *a.* 석회암의, 석회(질)의 ; 석회질 토양에서 자라는. 〖CALX〗

cal·ce·o·lar·ia [kælsiəléəriə, -lǽər-] *n.* 〖植〗 칼세올라리아《현삼과의 식물》.

calces *n.* CALX의 복수형.

calci- [kǽlsə] ☞ CALC-.

cal·cic [kǽlsik] *a.* 칼슘의[을 함유한].

cal·cif·er·ol [kælsífərɔ̀(ː)l, -ròul, -rɑ̀l] *n.* 〖生化〗 칼시페롤《비타민 D_2》.

cal·cif·er·ous [kælsífərəs] *a.* 〖化〗 탄산칼슘을 함유하는[발생하는].

cal·ci·fi·ca·tion [kælsəfəkéiʃən] *n.* Ⓤ 석회화(石灰化) ; 〖生理〗 석회성 물질의 침착(沈着).

cal·ci·fy [kǽlsəfài] *vt., vi.* 석회(질)화하다. 〖CALX〗

cal·ci·mine [kǽlsəmàin, -mən] *n.* Ⓤ 칼시민《수성 도료의 일종》. —— *vt.* …에 칼시민을 바르다.

cal·ci·na·tion [kælsənéiʃən] *n.* U,C 〖化〗 하소 ; (석회) 소성(燒成) ; 〖冶〗 소광법(燒鑛法), 배소(焙燒).

cal·cine [kǽlsain, 美+-⌐] *vt.* 구워서 생석회로 하다, 하소하다 ; 구워서 재[가루]로 하다 : ~*d* alum 백반 / ~*d* lime 산화칼슘. —— *vi.* 타서 생석회가 되다. 〖OF or L ; ⇨ CALX〗

cal·cite [kǽlsait] *n.* Ⓤ 〖鑛〗 방해석(方解石). 〖G ; ⇨CALX〗

cal·ci·to·nin [kælsətóunən] *n.* Ⓤ 〖生化〗 칼시토닌《혈액 중의 칼슘량을 조절하는 호르몬》.

***cal·ci·um** [kǽlsiəm] *n.* Ⓤ 〖化〗 칼슘《금속 원소 ; 기호 Ca ; 번호 20》 : ~ arsenate 비산(砒酸) 칼슘《살충제》/ ~ carbide[carbonate] 탄화[탄산]칼슘 / ~ chloride 염화(鹽化)칼슘 / ~ cyanamid 칼슘시안아미드 / ~ hydroxide 수산화칼슘, 소석회(消石灰) / ~ light 칼슘광(光) / ~ phosphate 인산칼슘. 〖CALX, -*ium*〗

cálcium-éntry blòcker *n.* 〖醫·藥〗 칼슘 차단제《칼슘 이온을 차단, 심근(心筋)의 부담을 줄여 심장 발작을 예방》.

cálcium óxide *n.* 산화칼슘.

cal·cog·ra·phy [kælkɑ́grəfi] *n.* Ⓤ 크레용[파스텔] 화법.

calc·spar [kǽlkspɑ̀ːr] *n.* 〖鑛〗 방해석(calcite).

cálc-tùfa, cálc-tùff *n.* 〖地質〗 석회화(華).

càl·cu·la·bíl·i·ty *n.* 계산[예측]할 수 있음.

cal·cu·la·ble [kǽlkjələbəl] *a.* 계산[예측]할 수 있는 ; 신뢰할 수 있는. **-bly** *adv.*

cal·cu·la·graph [kǽlkjələgræ̀f ; -kjuləgrɑ̀ːf] *n.* 통화 시간 기록기.

cal·cu·late** [kǽlkjəlèit] *vt.* **1** [+目 / +*wh.* 節] 계산하다, 셈하다 ; 추정하다 ; 산정(算定)하다, 견적하다 : He ~*d* the cost of heating. 그는 난방비를 계산해 보았다 / Scientists cannot yet ~ *when* there will be a great earthquake. 과학자들은 아직 언제 큰 지진이 일어날는지 예측하지 못한다. **2** [+目+*for*+名 / +目+*to* do] [보통 수동태로] 계획하다, (어떤 목적에) 맞추다 : The school *is* ~*d* ***for poor students. 그 학교는 가난한 학생의 교육을 목적으로 하고 있다 / That remark *was* ~*d to* hurt someone's feelings. 그 말은 누군가의 감정을 상하게 하려는 것이었다. **3** [+*that* 節] 《美口》 생각하다(suppose) (cf. RECKON *vt.* 3) ; 믿다(believe) : I ~ it's waste of time. 그것은 시간 낭비라고 생각한다. —— *vi.* **1** 계산[산정]하다. **2** [+*on*+名] 예측하다, 기대하다 (rely) : I ~ ***(up) on*** earn*ing* 1000 pounds a month. 나는 한달에 1000파운드를 벌 수 있다고 생각하고 있다. 〖L ; ⇨ CALCULUS〗
類義語 ⟹ COUNT[1].

cál·cu·làt·ed *a.* **1** 계획된, 고의의 : a ~ lie 계획된 거짓말 / a ~ crime 계획적인 범죄. **2** [+*to* do] 알맞은, …할 것 같은(likely) : a circumstance ~ *to* excite strong suspicion 강한 의혹을 불러일으킬 만한 사태.

cálculated rísk *n.* 산정(算定) 위험률.

cál·cu·làt·ing *n.* Ⓤ 계산 : a ~ machine 계산기 / a ~ table 계산표. —— *a.* 타산적인, 음모가 있는, 빈틈없는, 신중한.

cal·cu·la·tion [kælkjəléiʃən] *n.* **1** Ⓤ 계산, 셈, Ⓒ 계산(의 결과). **2** U,C 추정, 견적 ; 예상(하는 것), 예상의 결과. **3** Ⓤ 숙려(熟慮) ; 타산.

cál·cu·là·tive [, -lə-] *a.* **1** 계산적인, 계산상의. **2** 타산적인, 빈틈없는. **3** 계획적인.

cál·cu·là·tor *n.* 계산자 ; 계산표[기] ; 타산적인 사람.

cal·cu·lous [kǽlkjələs] *a.* 〖醫〗 결석병(結石病)의, 결석이 있는.

cal·cu·lus [kǽlkjələs] *n.* (*pl.* **-li** [-lài, -lìː], **~·es**) **1** 〖醫〗 결석(結石). **2** Ⓤ 〖數〗 계산법 ; 〖數〗 미적분학[법] : differential[integral] ~ 미분[적분]학.

〖L=small stone used in reckoning, abacus ball〗

Cal·cut·ta [kælkʌ́tə] *n.* 캘커타《인도 북동부에 있는 항구 도시, 인도 제 1 의 도시》.

cal·dar·i·um [kældέəriəm, -dǽər-] *n.* (*pl.* **-ia** [-iə]) 〘古로〙 고온 욕실(cf. FRIGIDARIUM). 〖L=hot bath (*calidus* hot)〗

cal·de·ra [kældέərə, -díər-, kɔ́:ldərə] *n.* 〘地質〙 칼데라. 〖Sp. =CALDRON〗

cal·dron [kɔ́:ldrən] *n.* 큰 솥, 큰 냄비. 〖AF<L CALDARIUM〗

Cald·well [kɔ́:ldwel, -wəl] *n.* 콜드웰. **Erskine** ~ (1903-87) 미국의 소설가.

ca·lèche, -leche [kəléʃ, -lǽʃ] *n.* (캐나다 Quebec에서 사용된) 2륜 마차. 〖F<G〗

Cal·e·do·nia [kælədóuniə] *n.* 《詩》 칼레도니아《스코틀랜드의 옛 이름 ; cf. ALBION, CAMBRIA, HIBERNIA》. 〖L<Celt.〗

Càl·e·dó·ni·an *a., n.* 고대 스코틀랜드의[인] ; 《詩》 (현대) 스코틀랜드의[인].

cal·e·fa·cient [kæləféiʃənt] *a.* 열을 일으키는 (heating) ; (몸을) 덥게 하는. ── *n.* (고추·후추 따위의) 발온(發溫) 물질.

cal·e·fac·tion [kæləfǽkʃən] *n.* 열을 일으킴 ; 가열 (상태). **càl·e·fác·tive** *a.*

cal·e·fac·to·ry [kæləfǽktəri] *n.* 수도원 휴게실의 난방. ── *a.* 열을 일으키는 ; 열을 전도하는.

‡cal·en·dar [kǽləndər] *n.* **1** 달력(almanac) ; 역법(曆法) : a perpetual ~ 만년력 / the solar [lunar] ~ 태양[태음]력 / ☞ GREGORIAN CALENDAR, JULIAN CALENDAR. **2** 일정표 ; 예정표, 연중 행사표 ; (공문서의) 연차 목록, 일람표 (list) ; 법정 일정. **3** 《英》 (대학 따위에서 내는) 요람, 편람(=《美》 catalog(ue)). **4** 《美》 (의회의) 의사 일정.

on the calendar 달력에 실려서 ; 《美》 일정에 올라서.

── *vt.* 역식(曆式)으로 …의 표를 만들다, (날짜와 내용에 따라 문서를) 일람표[목록]로 하다.

── *a.* 달력의[에 의한] ; 달력의 사진[그림]처럼 저속한. 〖OF<L ; ⇨ CALENDS〗

cálendar àrt *n.* 싸구려 그림《달력에 실린》.

cálendar clòck[wàtch] *n.* 날짜 시계[회중 시계·손목 시계]《시각 외에 날짜·요일·달·연도 표시함》.

cálendar dáy[mónth, yéar] *n.* 역일(曆日) [역월, 역년] : for three *calendar months* 만 3개월간.

cálendar-yéar bàsis *a.* 〘出版〙 (예약 구독이) 역년(曆年) 단위의《과학 잡지나 학회보 따위》.

cal·en·der[1] [kǽləndər] *n.* 윤내는 롤러 기계. ── *vt.* 윤내는 기계에 걸다, 윤을 내다. 〖F< ?〗

calender[2] *n.* (이란·터키 등지의) 탁발승. 〖Pers.〗

cal·ends, kal- [kǽləndz, kéi-] *n. pl.* (고대 로마력(曆)의) 초하룻날.

on[at] the Greek calends 언제까지나 결코 …하지 않는(never)《고대 그리스력에는 calends 가 없는 데서》.

〖OF<L *calendae* (《美》 *kal-* to proclaim) ; 매달의 일시(日時)를 알리고 다닌데서〗

ca·len·du·la [kəléndʒələ] *n.* 〘植〙 금송화《엉거시과(科)로 관상용》.

cal·en·ture [kǽləntʃùər, -tʃər] *n.* 열사병《특히 열대의 해양에서 뱃사람들이 걸리는 병》.

ca·les·cence [kəlésəns] *n.* Ⓤ 증온(增溫), 가열.

ca·les·cent [kəlésənt] *a.* 서서히 따뜻해지는, 더워지는.

***calf**[1] [kǽ(:)f ; kɑ́:f] *n.* (*pl.* **calves** [-vz]) **1** 송아지(cf. VEAL) ; (하마·물소·고래·사슴 따위의) 짐승 새끼(cf. FAWN[1]). **2** Ⓤ (*pl.* **~s**) 송아지 가죽 : bound in ~=CALFBOUND. **3** 《口》 어리석은 젊은이, 얼간이.

in[with] calf (소가) 새끼를 배어.

kill the fatted calf ☞ FAT *v.*

〖OE *cælf* ; cf. G *Kalb*〗

calf[2] *n.* (*pl.* **calves**) 종아리, 장딴지(cf. SHIN). 〖ON< ?〗

cálf·bòund *a.* (책을) 송아지 가죽으로 장정한.

cálf·doz·er [-dòuzər] *n.* 소형 불도저.

cálf knèe *n.* 안짱다리(=knock-knee).

cálf·less *a.* 종아리가 가는.

cálf lòve *n.* 풋사랑, 첫사랑.

cálf's-fòot jélly [-vz-, -fs-] *n.* 〘料〙 송아지족(足) 젤리.

cálf·skìn *n.* Ⓤ 송아지의 무두질한 가죽《제본·제화용》.

cálf's tóoth *n.* 젖니.

cal·i·ber | -bre [kǽləbər, 英+kəlí:-] *n.* **1** (총포의) 구경(口徑), (탄알의) 지름. **2** Ⓤ 도량, 역량, 재간(ability) : a man of excellent ~ 수완가. 〖F<It.<Arab.=mold〗

cál·i·bered | -bred *a.* 구경(口徑)이 …인.

cal·i·brate [kǽləbrèit] *vt.* **1** …의 구경을 측정하다. **2** (온도계·계량기 따위의) 눈금을 정하다[바로잡다·조정하다].

càl·i·brá·tion *n.* Ⓤ 구경 측정 ; [*pl.*] 눈금.

cál·i·brà·tor *n.* 구경[눈금] 측정기.

calices *n.* CALIX의 복수형.

ca·li·che [kəlí:tʃi] *n.* 〘地質〙 칼리치《때때로 순수한 암염(岩鹽)을 포함함》. 〖Am. Sp.〗

cal·i·cle [kǽlikəl] *n.* 〘生〙 작은 술잔 모양의 부분[기관].

cal·i·co [kǽlikòu] *n.* (*pl.* **~s, ~es**) Ⓤ,Ⓒ 《英》 캘리코, 옥양목 ; 《美》 사라사《흰 무명에 여러가지 무늬를 물들인 것》. ── *a.* 옥양목의 ; 사라사의.

cálico·bàck *n.* 〘昆〙 양배추의 해충(=harlequin bug).

cálico bùg *n.* =HARLEQUIN BUG.

cálico prìnting *n.* 캘리코 날염 ; 사라사 날염.

calif, califate ☞ CALIPH, CALIPHATE.

Calif. California.

Cal·i·for·nia [kæləfɔ́:rnjə] *n.* 캘리포니아《미국 태평양 연안의 주 ; 주도 Sacramento ; 略 Calif., Cal.》.

Califórnia Cúrrent *n.* [the ~] 캘리포니아 한류(寒流).

Califórnia póppy *n.* 캘리포니아 포피《미국 캘리포니아 주의 주화(州花)》.

Califórnia rósebay *n.* 〘植〙 (핑크색 꽃이 피는) 철쭉(pink rhododendron)《미국 태평양 연안 원산(原産)》.

Califórnia súnshine *n.* 《俗》 =LSD.

Califórnia tílt *n.* 《美俗》 (hot rod 따위에서) 뒷부분의 차의 높이를 앞부분에 비해 극단적으로 높인 자동차(의 스타일).

Cal·i·for·ni·cate [kæləfɔ́:rnəkèit], **Cal·i·for·ni·ate** [kæləfɔ́:rnièit] *vt.* (도시화·공업화에 따라) 경관(景觀)·환경을 해치다.

cal·i·for·ni·um [kæləfɔ́:rniəm] *n.* Ⓤ 〘化〙 칼리포르늄《방사성 원소 ; 기호 Cf ; 번호 98》.

caligraphy ☞ CALLIGRAPHY.

cal·i·pash, cal·li- [kǽləpæ̀ʃ, ⌐-⌐] *n.* 바다거북(turtle)의 등살《녹색으로 수프용》.

cal·i·pee, cal·li- [kǽləpìː, ⌐-⌐] *n.* 바다거북의 뱃살《담갈색으로 진미》.
cal·i·per | cal·li- [kǽləpər] *n.* [보통 (a pair of) ~s] 캘리퍼스, 측경 양각기(測徑兩脚器).
—— *vt., vi.* 캘리퍼스로 재다.
〖변형(變形) < *caliber*〗
cáliper còmpass *n.* =CALIPER.
cáliper rùle *n.* 캘리퍼스 자.
cal·iph, kal-, -if [kéiləf, kǽl-] *n.* 이슬람국가의 왕, 칼리프《Muhammad의 후계자·이슬람교 교주로서의 터키국왕 Sultan의 칭호; 지금은 폐지(廢止)》.
〖OF < Arab. =successor (of Muhammad)〗
cáliph·ate, -if- [-eit, -ət] *n.* CALIPH의 지위[직, 통치]. 〖*-ate*³〗
cal·is·then·ics, cal·lis- [kæ̀ləsθéniks] *n.* [단수취급] 맨손[유연, 미용] 체조법; [단수·복수취급] 맨손[유연, 미용] 체조.
-thén·ic, -i·cal *a.*
〖Gk. *kallos* beauty, *sthenos* strength, *-ic*〗
ca·lix [kéiliks, kǽl-] *n.* (*pl.* **cal·i·ces** [kéiləsìːz, kǽl-]) 잔, 성찬배(聖餐杯).
〖L=cup; cf. CALYX〗
calk¹ [kɔ́ːk] *n.* 편자[제철(蹄鐵)]가 빠져 나가지 않도록 박아 두는 못; 구두창에 박는 뾰족한 징.
—— *vt.* …에 징[못]을 박다. 〖? *calk*in〗
calk² *vt.* =CAULK¹.
calk³ *vt.* 베껴 옮기다, (트레이스해서) …의 윤곽을 투사(透寫)하다.
〖F *calquer* to trace; cf. CALQUE〗
cálk·er *n.* =CAULKER.
cal·kin [kɔ́ːkən, kǽlkən] *n.* (미끄러지지 않도록 박는) 편자[징]의 뾰족한 쇠.
◇**call** [kɔ́ːl] *vt.* **1** [+目/+目+副/+目+前+名/+目+目] (소리쳐서) 부르다; …를 불러내다, 점호하다; 초대하다; 〖放送〗 …에 호소하다 (broadcast to): ~ the servant 하인을 부르다 / ~ the doctor 의사를 부르다 / ~ an ambulance 구급차를 부르다 / Suddenly he was ~*ed home* by the death of his father. 아버지의 사망으로 인해 그는 갑자기 고향으로 돌아가게 되었다 / She ~*ed* the boy ***into*** the room. 그녀는 소년을 방안으로 불러들였다.

〈회화〉
(호텔의 프런트에서) Will you *call* a taxi for me? — Sure, sir. 「택시좀 불러 주겠어요」「네, 알겠습니다」

2 [+目/+目+前+名] (회의를) 소집하다: The meeting will be ~*ed* ***for*** May 10. 그 회의는 5월 10일에 소집된다.
3 a) [+目+補/+目+前+名] …라고 이름짓다, 부르다, 일컫다: He ~*ed* his child John. 아들을 존이라고 이름지었다 / What do you ~ this flower? 이 꽃은 무슨 꽃이라고 부릅니까 / Chaucer is ~*ed* the Father of English poetry. 초서는 영시의 아버지라고 일컬어진다 / Between the United States and Canada there is a famous bridge ~*ed* the Bridge of Peace. 미합중국과 캐나다 사이에 「평화의 다리」라고 부르는 유명한 다리가 놓여 있다 / We ~ them ***by*** other names. 그들을 다른 이름으로 부르고 있다. **b)** [+目+補] 여기다, 생각하다(consider): You may ~ him a scholar. 그는 학자라고 불러도 좋다 / I ~ that mean. 나로서는 그건 인색하다고 생각해.
4 불러깨우다(awake): *C*~ me at 7. 7시에 깨워 주십시오.
5 …에게 전화하다(ring up): *C*~ me later on. 나중에 전화를 걸어 주세요.
6 (채권 따위의) 상환(償還)을 청구하다; 〖카드놀이〗 (상대방의 패를) 보여 달라고 요구하다.
7 (시합을) 중지하다.
—— *vi.* **1** [動/+前+名] 소리쳐 부르다; (새가) 지저귀다, (나팔이) 울리다; 부르짖다 (shout): I heard somebody ~*ing*. 누군가 부르는 소리가 들렸다 / She ~*ed* ***to*** him (*to* stop). 그에게 (멈추라고) 소리쳤다 / Mother is ~*ing* ***from*** downstairs. 어머니께서 아래층에서 부르신다. **2** [動/+前+名] 방문하다, 들르다, (배가) 기항하다, (열차가) 정차하다: A lady ~*ed* when you were out. 안 계시는 동안에 어떤 여자분이 다녀갔습니다 / I should like to ~ ***on*** you on Sunday about tea time. 일요일 차마시는 시간 쯤에 찾아 뵙고자 합니다 / I ~*ed* ***at*** Mr. Brown's yesterday. 나는 어제 브라운씨 댁을 방문했다. **3** 《美》 전화하다(telephone)〈*to*〉.
call after... ⑴ (사람을) 뒤따라가며 부르다. ⑵ (사람의) 이름을 따서 명명하다: He was ~*ed* Tom *after* his uncle. 그는 아저씨의 이름을 따서 톰이라고 이름이 지어졌다.
call at... (집 따위)에 들르다, …를 방문하다 (cf. *vi.* 2); (열차·배가) …에 정차[기항]하다: Does the train ~ *at* this station? 그 열차는 이 역에 정차합니까.
call away 불러서 가게[떠나게] 하다; (기분을) 전환하다.
call back 도로 불러들이다; 생각나게 하다; 취소하다; 《美》 후에 다시 전화하다.
call down 불러 내리다; (천혜·천벌을) 내려 달라고 빌다; 《美口》 (사람을) 꾸짖다, 비난하다.
call for... ⑴ (술 따위)를 청하다, 요구하다; …을 큰소리로 부르다: Somebody was ~*ing for* help. 누군가 구조를 청하는 소리가 들렸다 / She ~*ed* loudly *for* her husband *to* come and help her. 남편에게 빨리 와서 도와 달라고 크게 소리쳤다. ⑵ …을 부르러[데리러] 가다[오다]; …를 요청하기 위하여 방문하다, 권유하다: ~ *for* orders 주문을 받다 / We'll ~ *for* your daughter at six. 6시에 따님을 마중하러 오겠습니다 / (a parcel) to be left till ~*ed for* (소포를) 찾으러 올 때까지 유치하기. ⑶ …를 요구하다: Mountain climbing ~*s for* a strong body and a brave heart. 등산에는 강한 신체와 용감한 정신이 필요하다.

〈회화〉
I'll *call for* you at eight. — I'll be expecting you. 「여덟 시에 데리러 갈게」「기다리겠습니다」

call forth ⑴ 생기게 하다, 자아내다: The decision of the government ~*ed forth* many protests. 정부의 결정은 많은 항의를 받았다. ⑵ (용기 따위를) 불러일으키다: He ~*ed forth* his courage and tried it again. 그는 용기를 내어 한 번 더 해 보았다.
call in 불러들이다; (의사에게) 왕진을 의뢰하다; (도움을) 청하다 (통화·대여금 따위를) 회수하다, (대출한 책 따위를) 반환하게 하다.
call...in question ☞ QUESTION.
call in sick (근무처에) 아파서 결근하겠다고 전화로 알리다.
call...into being[***existence***] ☞ BEING, EXISTENCE.
call...into play ☞ PLAY *n.*
call it a day ☞ DAY.

call it quits (일시적으로) 중지하다, 중단하다.
call it square ☞ SQUARE *a.*
call a person ***names*** ☞ NAME *n.*
call off (1) 불러서 떠나게 하다 : Please ~ your dog *off*. 당신의 개를 불러서 저쪽으로 가게 하시오. (2) (주의를) 딴 곳으로 돌리다. (3) (스트라이크·공격 따위의) 중지를 선언[지령]하다 ; (약속 따위를) 취소하다, …에서 손을 떼다.
call on =CALL *upon*.
call out (1) 큰소리로 외치다, 부르짖어 요구하다. (2) (군인 등을) 소집하다 ; 남에게 결투를 신청하다 ; (노동자를) 소집해서 파업을 하게 하다.
call over 호명하다, 점호하다.
call a person ***over the coals*** ☞ COAL.
call. . . one***'s own*** …를 제것이라고 내세우다, 자유로이 하다 : Switzerland has no language which she can ~ *her own*. 스위스에는 모국어라고 부를 만한 언어가 없다 / I have nothing to ~ *my own*. 나는 빈털터리다.
call the shots =*call the* TUNE.
call a person ***to account*** ☞ ACCOUNT.
call up (1) (사람을) 불러 내다, 전화로 부르다 : Don't ~ me *up* in the morning. 오전 중에는 전화 좀 걸지 말게. (2) 생각해내다, 상기시키다 : He ~*ed up* the scenes of his childhood. 어린 시절의 광경을 상기시켰다. (3) (특히 병역에) 소집하다, 징병하다 : The reservists are ready to be ~*ed up*. 예비역은 당장이라도 소집할 수 있다.
call (up)on. . . (1) (사람)을 방문하다(cf. *vi.* 2). (2) …에게 요구하다, 호소하다 : Let's ~ *upon* Mr. Black *to* lead the toast. 블랙씨에게 축배의 인사말을 선창해 달라고 부탁드리자 / I feel ~*ed upon to* warn you that …라고 당신에게 주의하지 않으면 안되겠다고 생각합니다.
what we[you, they] call=what is called ☞ WHAT[2] *pron.*
—— *n.* **1 a**) 부르는 소리, 외침, 부르짖음(cry, shout) ; (새의) 지저귐 소리 ; (호루라기·나팔·피리 따위의) 소리 ; (배우 등을 무대로) 다시 불러 냄, 앙코르 : We heard a ~ *for* help. 살려달라는 외침 소리를 들었다. **b**) (전화·무선 따위에 의한) 상대방의 호출, 통화 : give a person a ~ (남에게) 전화하다 / put a ~ through 전화로 통화하다 / I had[received] a ~ from him. 그에게서 전화가 걸려왔다. **c**) (호텔의 보이에게 몇 시에 깨워 달라는) 요청 : He left a ~ *for* 7 : 30. 일곱시 반에 깨워 달라고 부탁해 두었다. **d**) 점호 (roll call). **2** (깃발·등불 따위의) 신호, 알림. **3** 소집, 소환 ; 초대 ; 하느님의 부르심, 사명, 천직. **4** 짧은 방문, (주문을 받으러 점원·집배원 등이) 찾아옴, 기항(寄港), (열차의) 정차 : make [pay] a ~ (*on* a person) (사람을) 방문하다. **5** 유혹, 매력 : the ~ of the sea[wild] 바다[야성]의 매력. **6** [+*to* do] [주로 부정·의문문] 필요, 의무 : You have no ~ *to* interfere. 자네가 참견할 필요는 없네 / There is no ~ *for* you *to* do it. 당신이 그것을 할 아무런 의무도 없소. **7 a**) 〖商〗 (주식·사채의) 불입 청구 ; (거래소의) 입회 ; 〖카드놀이〗 어떤 패를 내라는 요구, 콜 : a ~ *on* shareholders *for* payment 주주에의 불입 청구. **b**) (일반적으로) 요구(되는 일) : A busy man has many ~*s on* his time. 바쁜 사람은 이것저것 시간을 빼앗기는 일이 많다.
at[on] call (1) 당좌로, 요구불로 : money *on* ~=CALL MONEY. (2) 부르면 곧 오는, 대기하여.
at one***'s call*** 부름에 응하여 ; 대기해서.
a call of nature 《婉》 오줌[뒤] 마려움.
a call to quarters 〖美軍〗 (소등나팔 15분 전에 부는) 귀영나팔.
a call to the bar 《英》 변호사 자격 면허.
a close call ☞ CLOSE CALL.
a house of call (주문을 받는) 거래처, 배달처 ; 여인숙.
have the call 수요가 아주 많다, 인기가 있다.
a place of call 기항지, 정차지(停車地).
within call 부르면 들릴 곳에 ; 대기중인.
〚OE *ceallian*<ON *kalla*〛
類義語 ***call*** 사람을 어떤 장소로 부르다 ; 일상 용어. ***summon*** 형식에 치우친 말로 때로는 권력자가 강제로 부르다 : *summon* members of a committee (위원회의 위원을 소집하다). ***convoke, convene*** 회의·의회 따위의 심의를 위해서 소집하다 : *convene* a class (반 학생을 소집하다). *convoke* 쪽이 보다 의미가 강하고 형식에 치우친 말 : *convoke* Parliament (의회를 소집하다). ***invite*** 사람의 출석·참석을 정중하게 요청하다, 참석 여부는 그 사람의 자유임을 나타냄 : *invite* some friends to dinner (저녁식사에 몇몇 친구들을 초대하다).

cal·la [kǽlə] *n.* 〖植〗 칼라(=∠ lìly)《관상용》.
cáll·able *a.* 부를 수 있는 ; 〖商〗 청구 즉시 지불되는, 요구불의 ; 기일 전에 상환될 수 있는.
cal·lan(t) [kɑ́:lən(t), kǽl-] *n.* 《스코》 젊은이 (lad), 소년(boy).
cáll·bàck *n.* (결함 제품의) 회수 ; (일시 휴가 중인 노동자의) 복귀 ; (상담을 위한) 고객과의 거듭되는 면담.
cáll-back pày *n.* 〖勞動〗 기준외 특별 수당 ; 비상 초과 근무 수당.
cáll bèll *n.* 초인종.
cáll bìrd *n.* 미끼새, 후림새(decoy).
Cáll Blóck *n.* 〖美通信〗 콜 블록《통화하고 싶지 않은 상대의 전화 번호를 미리 기억시켜 통화를 거부할 수 있는 시스템》.
cáll-bòard *n.* (극장의 상연 프로그램이나 철도 승무원의 당번 따위의) 알림판.
cáll bòx *n.* **1** 우편 사서함의 일종 ; 공중 전화 박스(=telephone booth). **2** (거리 따위에 있는) 비상용 전화《경찰 연락·화재 신고용》.
cáll·bòy *n.* (배우에게 차례를 알리는) 호출원 ; 호텔의 보이(bellboy).
cáll càrd *n.* =CALL SLIP.
cáll chàrges *n. pl.* 통화료.
cáll connèct sýstem *n.* 《英》 전화 접속기《다이얼을 돌리지 않고 키를 눌러 외선·내선 전화에 접속하는 장치》.
cáll-dày *n.* 〖英法〗 (Inns of Court에서) 변호사 자격이 수여되는 날.
cáll·er[1] *n.* 방문[내방]한 사람 ; 호출인, 소집자, 불러모은 사람.
類義語 ⟹ VISITOR.
cal·ler[2] [kǽlər] *a.* 《스코》 신선한(fresh) ; (공기·바람·날씨가) 선선한(cool).
〚변형(變形)<ME *calver*<? OE *calwer* curds〛
cal·let [kǽlət] *n.* 《스코》 매춘부 ; 《英方》 시끄럽게 떠들어 대는 마음씨 고약한 여자(shrew).
cáll-fìre *n.* (상륙군을 엄호하기 위한) 함포 사격.
cáll gìrl *n.* (전화로 불러내는) 매춘부, 콜걸.
cáll hòuse *n.* (콜걸이 있는) 매음하는 집 ; 콜걸을 알선하는 곳.
cal·li- [kǽlə] *comb. form* 「미(美)」의 뜻. 〚Gk.〛
cal·li·graph [kǽləgræ̀(:)f ; -grɑ̀:f] *vt.* 달필(達筆)로 쓰다.
cal·líg·ra·pher, cal·líg·ra·phist *n.* 글씨에 능

한 사람, 서예가.
cal·li·graph·ic, -i·cal [kæ̀ləgrǽfik(əl)] *a.* 서예의, 달필의.
cal·lig·ra·phy, ca·lig- [kəlígrəfi] *n.* Ⓤ 달필(↔ *cacography*) ; 서예 ; 필적, 서법. 〖Gk. (*kallos* beauty)〗
cáll-ìn *n.* 콜인《시청자나 청취자가 전화로 참여하는 프로그램》.
cáll·ing *n.* **1** 부르기, 외침 ; 암내낸 암코양이의 울음 소리. **2** 천직 ; 직업(profession) ; 초대, 소집 ; (하느님의) 부르심 ; 소명 ; (해야할 의무에 사로잡히는) 강한 충동 ; 방문 ; 기항, 정차 : He is a carpenter *by* ~. 직업은 목수다 / betray one's ~ 본색을 드러내다.
cálling càrd *n.* 《美》 =VISITING CARD.
cálling lìst *n.* 《美》 방문자 명부.
cáll-in pày *n.* 《美》 출근 수당《일이 없음을 미리 통보받지 못한 노동자에게 지급함》.
Cal·li·o·pe [kəláiəpi:] *n.* 〖그神〗 칼리오페《웅변·서사시의 여신 ; the Muses의 한 사람》.
cal·li·op·sis [kæ̀liɑ́psəs] *n.* (*pl.* ~) 〖植〗 = COREOPSIS《특히 코레오프시스속(屬)의 재배용 일년생 초본》.
callipash ☞ CALIPASH.
calliper ☞ CALIPER.
cal·li·pyg·i·an [kæ̀ləpídʒiən], **cal·li·py·gous** [kæ̀ləpáigəs] *a.* 엉덩이가 아름답게 균형잡힌.
callisthenics ☞ CALISTHENICS.
Cal·lis·to [kəlístou] *n.* 〖그神〗 칼리스토《Zeus에게 사랑받은 탓으로 Hera에 의해 곰이 됨》; 〖天〗 목성의 제 4 위성.
cal·li·thump [kǽləθʌ̀mp] *n.* 《美口》 소란스러운 가두 행렬. 〖역성(逆成) ‹ (a.) ‹ *gallithumpian* (dial.) 18세기에 선거를 방해한 사람들〗
cáll lètters *n. pl.* 〖通信〗 =CALL SIGN.
cáll lòan *n.* 〖商〗 (주로 은행 사이의) 요구불 단기 대부금.
cáll màrket *n.* 〖商〗 콜 [단자] 시장.
cáll mòney *n.* 〖商〗 (주로 은행간의) 요구불 단기 차입금.
cáll-nìght *n.* 《英》 CALL-DAY의 밤.
cáll nùmber[màrk] *n.* (도서관의) 도서 정리 번호[부호].
cáll-òn *n.* 《英》 콜온《항만에서 일자리를 구하는 노동자의 호출 대기》.
cáll òption *n.* 주식 매수 선택권.
cal·los·i·ty [kəlɑ́səti, kæ-] *n.* **1** 피부의 경결(硬結), 굳어진 피부, 못. **2** Ⓤ 무감각, 냉담. 〖F or L (↓)〗
cal·lous [kǽləs] *a.* **1** (피부가) 굳어진, 못이 박혀 딱딱해진. **2** 무감각한 ; 냉담[무정]한, 태연한 : ~ *to* ridicule 비웃어도 태연한. —— *vt., vi.* 굳게 하다, 굳어지다 ; 무감각하게 하다, 무감각해지다. —— *n.* =CALLUS. **~·ly** *adv.* 무신경하게, 냉담[무정]하게, 태연히. **~·ness** *n.* 〖L or F ; ⇨ CALLUS〗
cáll òut *n.* 삽화 따위에서 특정 부분에 주의를 환기하는 표시《문자나 부호 따위》.
cáll-òver *n.* 점호(roll call) ; 《英》 경마 도박사(bookmakers)의 회합《다음 레이스에서 이길 말을 예상해서 도박을 함》.
cal·low [kǽlou] *a.* 〖鳥〗 아직 깃털이 나지 않은(unfledged) ; 풋내기의(inexperienced). —— *n.* 《아일》 저습한 목초지. 〖OE *calu* bare, bald ; cf. L *calvus* bald〗
cáll ràte *n.* 〖商〗 콜 레이트《call loan의 이율》.
cáll sìgn[sìgnal] *n.* 〖通信〗 호출 부호[신호], 콜 사인.
cáll slìp *n.* (도서관의) 열람표(call card).
cáll-ùp *n.* 〖美軍〗 징집[소집] 영장 ; 소집 ; 징병(draft).
cal·lus [kǽləs] *n.* 〖醫〗 피부경결(皮膚硬結), 못 ; 〖植〗 유합(癒合) 조직, 가골(假骨). —— *vi.* callus를 형성하다. —— *vt.* …에 callus를 형성시키다. 〖L〗
‡**calm** [kɑ́:*l*m ; kɑ́:m] *a.* **1** (바다·날씨 따위가) 평온한(↔*stormy*), 고요한 ; 침착한, 잔잔한, 안정된. **2** [+*of*+名+*to* do] 《口》 뱃심 좋은, 뻔뻔스러운, 철면피한 : It's ~ ***of*** you *to* expect his help. 그 사람의 도움을 기대하는 건 뻔뻔스럽다. —— *vt.* 진정시키다, 가라앉히다 : She soon ~*ed* the baby. 그녀는 곧 그 아기를 달랬다[진정시켰다] / *C*~ yourself. 진정하십시오. —— *vi.* [+副] (바다·기분·감정 따위가) 가라앉다 ; (사람·생물 따위가) 진정되다 : The crying baby soon ~*ed* ***down***. 울고 있던 아기는 곧 조용해졌다. —— *n.* 고요함, 잔잔함 ; 평온 ; 태평 ; Ⓤ 냉정, 침착 : the ~ before the storm 폭풍 전의 정적 / a dead[flat] ~ 죽은 듯이 고요함 / the region of ~ (적도 부근의) 무풍대(無風帶) / A deep ~ filled the room. 깊은 정적이 방안에 감돌았다. 〖OF＜OIt.＜L＜Gk. *kauma* heat ; 'a rest during the heat of the day'의 뜻 ; *-l-*은 L *calor* heat에서〗
類義語 ***calm***은 원래 날씨에 쓰는 말 ; 소란이나 방해가 없는 : *calm* sea (잔잔한 바다). ***tranquil*** calm보다 한층 더 안정되어 계속적으로 조용하고 평온한 : a *tranquil* country life (조용한 시골 생활). ***serene*** 품위 있는 tranquil한 상태 : a *serene* smile (고상한 미소). ***peaceful*** 소동이나 혼란이 없이 평온한 : a *peaceful* demonstration (평화적 시위).
calm·a·tive [kɑ́:*l*mətiv, kǽlmə-] *a.* 〖醫〗 진정시키는. —— *n.* 〖醫〗 진정제.
cálm bèlt *n.* 무풍대.
cálm·ly *adv.* 조용히 ; 냉정하게, 태연하게.
cálm·ness *n.* Ⓤ 평온, 냉정, 침착 : with ~ = CALMLY.
cal·o·mel [kǽləmèl, -məl] *n.* Ⓤ 〖化〗 염화제일수은. 〖NL (? Gk. *kalos* beautiful, *melas* black)〗
cal·o·res·cence [kæ̀lərésəns] *n.* 〖理〗 열발광《적외선 조사(照射)로 가시 광선이 나타나는 것》.
Cál·or gàs [kǽlər-] *n.* 캘러 가스《용기에 넣은 가정용 액화 부탄 가스 ; 상표명》. 〖L *calor* heat〗
cal·o·ri- [kǽləri] *comb. form* 「열(heat)」의 뜻. 〖L (↑)〗
ca·lor·ic [kəlɔ́(:)rik, -lɑ́r-] *n.* 〖理〗 열소(熱素) ; 《古》 열. —— *a.* 열의 ; 칼로리의. **-i·cal·ly** *adv.* 〖F ; ⇨ CALORIE〗
cal·o·ric·i·ty [kæ̀lərísəti] *n.* 〖生理〗 온열력(溫熱力)《체내에서 열이 생겨 체온을 유지하는 힘》.
***cal·o·rie, -ry** [kǽləri] *n.* 〖理·化〗 칼로리《열량의 단위로서 물 1g을 1℃ 올리는데 필요한 열량 ; 특히 음식의 영양가를 나타낼 때는 그 1000배로 a kilogram[large] ~라고도 함》. 〖F (L *calor* heat, *-ie*)〗
cálorie-contrólled *a.* 칼로리를 억제한.
ca·lor·i·fa·cient [kəlɔ̀(:)rəféiʃənt, -lɑ̀r-] *a.* (음식물이) 열을 내는.
cal·o·rif·ic [kæ̀lərífik] *a.* 열을 내는 ; 열의, 열에 관한.
calorífic vàlue[pówer] *n.* 발열량.
ca·lor·i·fi·er [kəlɔ́(:)rəfàiər, -lɑ́r-] *n.* (증기에 의

한) 액체 가열기, 온수기.
cal·o·rim·e·ter [kæ̀lərímətər] *n.* 열량계.
cal·o·rim·e·try [kæ̀lərímətri] *n.* 열량 측정(법).
calory ☞ CALORIE.
ca·lotte [kəlɑ́t] *n.* (카톨릭 성직자 등이 쓰는) 챙 없는 모자.
calque [kǽlk] *n.* 어의(語義) 차용 ; 번역 차용(어구) (loan translation). —— *vt.* (낱말의 뜻을) 다른 언어의 유사한 낱말의 뜻에 따라 만들다. 〚F＝tracing〛
Cal. Tech., Cal. tech., Cal·tech [kæltέk] California Institute of Technology《캘리포니아 공과 대학 ; 미국 California주 Pasadena 시에 있음 ; cf. CIT》.
cal·trop, -trap [kǽltrəp, kɔ́:l-], **-throp** [-θrəp] *n.* 〔軍〕 마름쇠《적의 기병 진격을 저지하기 위해 땅 위에 흩어 두는 마름 모양의 무쇠 덩이》; 〔植〕 가시가 있는 열매를 맺는 식물《마름·남가새 따위》. 〚OE＜L〛
cal·u·met [kǽljəmèt, -mət] *n.* (북미 인디언이 쓰는) 긴 파이프《평화의 상징》.
smoke the calumet together 《비유》 화목하다.
〚F (L *calamus* reed)〛

calumet

ca·lum·ni·ate [kəlʌ́mnièit] *vt.* 헐뜯다, 중상하다 (slander).
〚L *calmnior* to accuse falsely〛
ca·lùm·ni·á·tion *n.* [U,C] 중상.
ca·lúm·ni·à·tor *n.* 중상[모략]자.
ca·lum·ni·a·to·ry [kəlʌ́mniətɔ̀:ri ; -nièitəri] *a.* ＝CALUMNIOUS.
ca·lum·ni·ous [kəlʌ́mniəs] *a.* 중상적인.
cal·um·ny [kǽləmni] *n.* [U,C] 비방, 중상(slander). —— *vt.* 비방하다, 중상하다.
〚L＝trickery, cunning ; ⇨ CALUMNIATE〛
cal·u·tron [kǽljətrɑ̀n] *n.* 〔理〕 칼루트론《동위 원소를 분리시키는 전자 장치》.
Cal·va·dos [kæ̀lvədɔ́(:)s, -dóus, -dɑ́s, ←-→] *n.* **1** 칼바도스《프랑스 북부의 영국 해협에 면한 주》. **2** [또는 c～] 칼바도스 사과주(酒)《그 지방산(産)의 브랜디》.
Cal·va·ry [kǽlvəri] *n.* 〔聖〕 골고다《그리스도가 십자가에 못박힌 곳 ; 누가복음 23 : 33》; [C] [c～] 그리스도가 못박힌 상(像) ; 엄청난 괴로움, 수난, 고뇌. 〚L *calvaria* skull (*calvus* bald) ; Gk. *Golgotha*에 준함〛
calve [kǽ(:)v ; kɑ́:v] *vi., vt.* (소·사슴·고래 따위가) 새끼를 낳다. 〚OE *cealfian* ; ⇨ CALF[1]〛
***calves** *n.* CALF[1,2]의 복수형.
Cal·vin [kǽlvən] *n.* **1** 남자 이름. **2** 칼뱅. **John** ～ (1509-64) 프랑스 태생의 스위스 종교 개혁가. 〚L＝bald〛
Cálvin·ìsm *n.* 칼뱅주의《신의 절대성·성서의 권위·신의 뜻에 따른 인생의 예정을 강조함》.
-ist *n.* 칼뱅주의자.
Càl·vin·ís·tic, -ti·cal *a.* 칼뱅파의.
-ti·cal·ly *adv.*
cal·vi·ti·es [kælvíʃiì:z] *n.* (*pl.* ～) 〔醫〕 대머리, 탈모(baldness).
calx [kǽlks] *n.* (*pl.* **～·es, cal·ces** [kǽlsi:z]) 〔化〕 금속회(金屬灰). 〚L *calc- calx* lime＜? Gk. *khalix* pebble, limestone〛

calyces *n.* CALYX의 복수형.
ca·ly·cine [kéiləsàin, kǽl-] *a.* 〔植〕 꽃받침의 ; 꽃받침 모양의.
ca·ly·cle [kéiləkəl, kǽl-] *n.* 〔植〕 바깥꽃받침, 곁꽃받침.
ca·lyp·so [kəlípsou] *n.* (*pl.* **～(e)s**) 칼립소《서인도 제도에서 비롯된 아프리카계 리듬의 즉흥적인 노래를 바탕으로 한 재즈의 일종》.
〚C20＜?〛
Calypso *n.* 〔그神〕 칼립소《트로이에서 돌아오는 Odysseus를 오기기아(Ogygia) 섬에 7년간 머물게 한 바다의 요정》.
ca·lyp·tra [kəlíptrə] *n.* 이끼류의 포자낭을 보호하는 조직 ; (꽃·열매의) 갓 ; 뿌리골무.
ca·lyx [kéiliks, kǽl-] *n.* (*pl.* **～·es, ca·ly·ces** [-ləsì:z]) 〔植〕 꽃받침(cf. SEPAL).
〚L＜Gk. ＝husk〛
cályx spràỳ *n.* 살충 분무액.
cal·za·da [kɑ:lsɑ́:ðɑ:, -θɑ́:-] *n.* 포장 도로 ; (라틴 아메리카의) 대로. 〚Sp.〛
cam [kǽ(:)m] *n.* 〔機〕 캠《회전 운동을 왕복 운동으로 바꾸는 장치》.
〚Du. *kam* comb〛
CAM computer-aided manufacturing(컴퓨터를 사용해서 하는 제조).
Cam., Camb. Cambridge.
ca·ma·ra·de·rie [kæ̀mərǽdəri, kɑ̀:mərɑ́:- ; kæ̀mərɑ́:-] *n.* [U] 우정, 우애(comradeship).
〚F (COMRADE)〛
cam·a·ril·la [kæ̀mərílə, -rí:jə] *n.* (국왕·수상의) 비밀 고문단 ; 도당(clique). 〚Sp.〛
cam·as, -ass [kǽmæs, -əs] *n.* 〔植〕 미국 서부에서 자라는 백합과의 일종.
〚Chinook〛
cam·ber [kǽmbər] *n.* **1** [U,C] (도로·갑판 따위의) 불룩하게 휘어 오른 모양 ; 경사, 기울기. **2** 캠버 ; 〔空〕 캠버《날개 앞·뒤 방향 단면 중심선이 불룩한 모양》. —— *vt., vi.* 불룩하게 휘어 오르게 하다[되다].
〚F＝arched＜L *camurus* curved〛
cam·bism [kǽmbizəm] *n.* 환(換)이론[업무].
cam·bi·um [kǽmbiəm] *n.* (*pl.* **～s, -bia** [-biə]) 〔植〕 형성층 ; 신생(新生) 조직.
〚L＝exchange ; ⇨ CHANGE〛
Cam·bo [kǽmbou] *a.* ＝CAMBODIAN.
Cam·bo·dia [kæmbóudiə] *n.* 캄보디아《인도차이나 남동부에 있는 나라 ; 수도 Phnom Penh ; ☞ KHMER ROUGE》.
Cam·bó·di·an *n.* 캄보디아인(人) ; 크메르어 (Khmer). —— *a.* 캄보디아(인)의.
Cambódia Péace Agrèement *n.* 캄보디아 평화 협정.
cam·brel [kǽmbrəl] *n.* 《英》 (푸주의) 고기 거는 쇠 갈고리(gambrel).
Cam·bria [kǽmbriə] *n.* 《詩》 캄브리아《Wales의 라틴어(語) 이름 ; cf. ALBION, CALEDONIA, HIBERNIA》.
〚L＜Welsh ; ⇨ CYMRIC〛
Cám·bri·an *a.* 웨일스의 ; 〔地質〕 캄브리아기(紀)[계(系)]의. —— *n.* 《詩》 웨일스인 ; [the ～] 〔地質〕 캄브리아기(紀)[계(系)].
cam·bric [kéimbrik] *n.* [U] 한랭사(寒冷紗)《얇은 천의 흰 삼베 또는 면포》. 〚Flem. *Kamerijk*＝F *Cambrai* 북프랑스의 산지(産地)〛
cámbric téa *n.* 우유·설탕을 섞은 엷은 홍차.
Cam·bridge [kéimbridʒ] *n.* 케임브리지. **1 a)** 영국 Cambridgeshire 주의 주도《Cambridge 대학의

C

소재지). **b**) (그 도시의) Cambridge 대학. **2** 미국 Massachusetts 주의 도시(Boston시에 가까운 Harvard, M.I.T. 두 대학의 소재지).

Cámbridge blúe *n.* 《英》 담청색(淡靑色) (light-blue) (cf. OXFORD BLUE).

Cámbridge phenómenon *n.* [the ~] 케임브리지 현상(케임브리지 지역의 케임브리지 대학생·졸업생을 주축으로 한 많은 컴퓨터 관계 하이테크 벤처 기업들이 생겨나는 현상 ; 미국 SILICON VALLEY의 영국판).

Cámbridge·shire [-ʃìər, -ʃər] *n.* 케임브리지셔 《영국 동부의 주(州)》.

Cambs. Cambridgeshire.

cam·cord·er [kǽmkɔ̀ːrdər] *n.* 캠코더(비디오 카메라와 비디오 카세트 리코더(VCR)를 일체화한 소형 전자기기).

◇**came** *v.* COME¹의 과거형.

***cam·el** [kǽməl] *n.* **1** 〔動〕 낙타 : the Arabian [Bactrian] ~ 단봉(單峰) [쌍봉] 낙타 / The last straw breaks the ~'s back. ☞ STRAW 1. **2** 낙타색(담황갈색). 〖OE<L<Gk.<Sem.〗

cámel·bàck *n.* 낙타의 등 ; 재생 고무의 일종.
on camelback 낙타를 타고.
—— *adv.* 낙타를 타고.

cámel bìrd *n.* 〔鳥〕 타조(ostrich).

cámel drìver *n.* 낙타를 모는 사람.

cam·el·eer [kæ̀məlíər] *n.* =CAMEL DRIVER ; 낙타 기병(騎兵).

ca·mel·lia, ca·me·lia [kəmíːljə] *n.* 〔植〕 동백나무. 〖Georgius Josephus *Camellus* [Georg Joseph *Kamel*] (d. 1706) 모라비아 인(人) 예수회(會) 선교사·식물학자〗

ca·mel·o·pard [kəméləpɑ̀ːrd, kǽmələ-] *n.* **1** 기린(지금은 GIRAFFE가 보통임). **2** [the C~] 〔天〕 기린자리.

Cam·e·lot [kǽməlɑ̀t] *n.* 캐멀랏(ARTHUR왕의 궁전이 있었다고 하는 전설상의 마을).

cámel·ry *n.* 〔軍〕 낙타(기병)대.

cámel's hàir *n.* 낙타의 털 ; 낙타털의 대용품(다람쥐의 꼬리털 따위) ; 낙타 모직.

cámel's-hàir *a.* 낙타털로 만든 : a ~ brush 다람쥐 꼬리털로 만든 화필 / ~ yarn 낙타털실.

Cam·em·bert [kǽməmbɛ̀ər] *n.* Ⓤ 카망베르(치즈) (=∠ **chéese**)(연하고 맛이 짙은 프랑스산 치즈). 〖Normandy의 원산지〗

cam·eo [kǽmiòu] *n.* (*pl.* **cám·e·òs**) 카메오(양각한 마노(瑪瑙)·조개 껍데기 따위) ; 카메오 세공(細工) (cf. INTAGLIO) ; 간결하고 인상적인 묘사, 주옥같은 단편 ; 유명한 배우가 연기하는 조연.
—— *vt.* …에 카메오 세공을 하다 ; 돋을 새김으로 하다. —— *a.* 미니어처의, 작은. 〖OF and L〗

cámeo párt *n.* 〔劇〕 유명한 스타나 배우가 단역 같은 사소한 역으로 특별 출연하는 일.

cámeo ròle *n.* (주연을 돋보이게 하는) 조연.

‡**cam·era** [kǽmərə] *n.* **1** 사진기, 카메라 ; 텔레비전 카메라. **2** =CAMERA OBSCURA. **3** (*pl.* ~**s**, **cam·er·ae** [kǽmərìː, -rài]) 둥근 천장의 방, 판사(判事)의 사실(私室).
in camera 〔法〕 (공개가 아닌) 판사의 사실에서 ; 비밀로.
on camera 생방송중인 텔레비전 카메라 앞에서.

〈회화〉
Can I help you? — I need a color film for my *camera.* 「어서 오세요. 무엇을 도와 드릴까요」 「컬러 필름 한 개 주세요」

〖L ; ⇨ CHAMBER〗

cámera àngle *n.* (피사체에 대한) 카메라의 각도[앵글].

cámera-cònscious *a.* 《美》 카메라에 찍히는 일에 익숙지 않은(↔*camera-wise*).

cámera-èye *n.* 정확하고 공정한 관찰[보도] (능력(能力)).

cámera gùn *n.* 〔空〕 (사격 연습용) 카메라총.

cam·er·al [kǽmərəl] *a.* 판사실의 ; 국가 재정 및 국사(를 담당하는 회의)에 관한.

cam·er·a·lism [kǽmərəlìzəm] *n.* 〔經〕 카메랄리즘(17-18세기에 독일에서 발전한 중상주의).
-list *n.*

càm·er·al·ís·tic *a.* 카메랄리즘의 ; 국가 재정의.

cámera lú·ci·da [-lúːsədə] *n.* (프리즘 따위를 이용한) 사생기(寫生機) [전사기(轉寫器)]. 〖L=light chamber〗

cámera·màn [, -mən] *n.* **1** (영화·텔레비전의) 촬영 기사. **2** 카메라 판매 업자.

cámera mòvement *n.* 카메라 이동.

cámera ob·scú·ra [-ɑbskjúərə] *n.* 암실 ; (사진기 따위의) 어둠상자. 〖L=dark chamber〗

cámera·plàne *n.* 촬영용 비행기.

cámera posìtion *n.* 카메라 위치.

cámera-rèady *a.* 〔印〕 촬영할 수 있게 준비한, 카메라가 준비된(활자 조판 따위).

cámera-ready cópy *n.* 〔印〕 (제판(製版)에 돌리기 위한) 사진 촬영용 교료지(mechanical).

cámera rèhearsal *n.* 〔TV〕 카메라 앞에서 하는 총연습.

cámera scrìpt *n.* 〔TV〕 카메라의 위치·이동을 나타내는 대본.

cámera shòt *n.* 카메라 쇼트(카메라의 위치·각도 또는 회전·이동에 의한 화상).

cámera-shỳ *a.* 카메라[사진 찍기]를 싫어하는.

cámera stànd *n.* 삼각대(tripod).

cámera tùbe *n.* 〔TV〕 촬상관(撮像管).

cámera-wìse *a.* 《美》 카메라에 찍히는 데 익숙한(↔*camera-conscious*).

cámera·wòrk *n.* 카메라 사용(법)[기술].

cam·er·ist [kǽmərəst] *n.* 《口》 카메라 사용자, 사진가.

cam·er·len·go [kæ̀mərléŋgou], **-lin-** [-líŋ-] *n.* (*pl.* ~**s**) 로마 교황의 시종 겸 재정관. 〖It. =chamberlain〗

Cam·er·oon, -oun [kæ̀mərúːn, 英+∠-∠] *n.* 카메룬(서아프리카 대서양 연안의 공화국 ; 1960년 독립 ; 원래 프랑스의 신탁 통치령 ; 수도 Yaoundé). **Càm·er·óo·nian** *a., n.* 카메룬(공화국)의 (사람).

Cam·er·oons [kæ̀mərúːnz, 英+∠-∠] *n.* 카메룬 (아프리카 서부 Guinea만(灣) 북동부에 면한 지역으로, 원래는 영국 위임 통치령(領)과 프랑스 위임통치령으로 나뉘어 있었으나 지금은 나이지리아와 카메룬 공화국에 속함).

ca·mik [kɑ́ːmik] *n.* 바다표범 가죽으로 만든 장화 《에스키모가 신음》.

cam·i·knick·ers [kǽmənìkərz], **-knicks** [-nìks] *n. pl.* 《英》 캐미솔과 쇼츠가 하나로 붙은 여성용 속옷.

Ca·mil·la [kəmílə] *n.* **1** 여자 이름. **2** 〔로神〕 카밀라(Aeneas와 싸운 여걸). 〖L=freeborn attendant at a sacrifice〗

ca·mion [kǽmiən ; *F* kamjɔ̃] *n.* 군용 트럭.

ca·mise [kəmíːz, -s] *n.* 헐거운 셔츠 ; 겉옷 ; 화장용 가운.

cam·i·sole [kǽməsòul] *n.* 캐미솔((1) 짧은 슬립형의 여성용 속옷. (2) 화장용 가운) ; 소매가 긴 구

속복(拘束服). 〚F〛

cam·let [kǽmlət] *n.* Ⓤ 낙타 모직(cf. MOHAIR).

cam·o·mile [kǽməmàil] *n.* 〖植〗 카밀레《꽃은 건위(健胃)·흥분제》: ~ tea 카밀레 차.

Ca·mor·ra [kəmɔ́(:)rə, -mɑ́rə] *n.* 카모라당《19세기 이탈리아에서 일어난 부정 비밀 결사》; [c~] 부정 비밀 결사. **-mór·rist** *n.*

cam·ou·flage [kǽməflɑ̀:ʒ, -dʒ] *n.* Ⓤ,Ⓒ 〖軍〗 위장, 기만; 속임수.
— *vt., vi.* 위장하다; 속이다.
〚F (*camoufler* to disguise<It.)〛

ca·mou·flet [kæ̀məfléi, ´-´] *n.* 〖軍〗 적의 뇌갱(雷坑)을 폭파하기 위한 지뢰; 지하 폭발(에 의한 구멍). 〚F〛

ca·mou·fleur [kǽməflə̀:r, ´-´] *n.* 위장 기술자[전문가].

***camp**[1] [kǽmp] *n.* **1** (군대·보이 스카우트·여행자의) 야영(지), 캠프; 주둔지(의 영사(營舍)); 야영(野營) 텐트; [집합적으로] 캠프하는 사람들, 텐트집단, 야영대(野營隊); 출정군(出征軍). **2** 《美》 산장(山莊). **3** Ⓤ 군대 생활; 텐트 생활, 캠프. **4** (주의·사상·종교 따위의) 동지, 그룹, 진영. **5** 《美》 분회. **6** (포로) 수용소.
be in the same [***the enemy's***] ***camp*** 동지다[적이다].
break up [***strike***] ***a camp*** = ***break camp*** 텐트를 걷다.
make [***pitch***] ***a camp*** 천막을 치다, 캠프하다.
— *vi.* [動/+副/+前+名] 천막을 치다, 야영하다, 텐트 생활을 하다: go ~*ing* 캠핑을 가다 / Let's ~ ***out*** somewhere ***in*** the woods. 어딘가 숲속에서 캠프하자.
— *vt.* (군대 따위를) 야영시키다.
〚F<It.<L *campus* level ground〛

camp[2] 《口》 *n.* 호모; 호모의 과장된 여성적인 몸짓; 꾸미는 사람[것]; 눈에 띄는 거짓 동작.
— *a.* 젠 체하는; 계집애 같은; 우스꽝스러울 정도로 과장된; 동성 연애의, 호모의. — *vt., vi.* (일부러) 과장되게 행동하다.
〚C20<?〛

Cam·pa·gna [kæmpɑ́:njə] *n.* 로마시 부근의 평원; [c~] 평원.

***cam·paign** [kæmpéin] *n.* **1** 전투, 작전, 전역(戰役); 종군, 출정: on ~ 종군하여, 출정중 / the Waterloo ~ 워털루의 회전(會戰)(☞ WATERLOO). **2 a**) [+*to* do] (사회적) 운동, 권유, 유세(遊說), 캠페인: an election[advertising] ~ 선거[광고·선전] 운동 / a ~ *for* funds [*against* alcohol, *to* combat crime] 자금 조달 [금주, 범죄 방지] 운동. **b**) 《美》 선거전: a ~ chairman 선거 사무장.
— *vi.* 출정하다; 운동을 벌이다: go ~*ing* 종군(從軍)하다; 유세(遊說)하다. 〚F=open country<It.<L; ⇨ CHAMPAIGN〛
類義語 ⟹ BATTLE.

campáign biógraphy *n.* 《美》 후보자 전기.

campáign bùtton *n.* 캠페인 버튼《후보자의 이름·사진 또는 슬로건을 넣은 plate로 지지자들이 가슴 따위에 닮》.

campáign chèst *n.* 정치 운동 기금, 선거 자금; 양쪽에 손잡이가 달린 소형 서랍장.

campáign clùb *n.* 《美》 선거 후원회.

campáign émblem *n.* 《美》 정당의 심벌《미국 공화당의 독수리, 민주당의 수탉 따위》.

cam·páign·er *n.* 종군자; 노병(老兵) (veteran): an old ~ 고참병, 노련한 사람.

campáign fùnd *n.* (보통 기부금에 의한) 선거 운동 자금(campaign chest).

campáign mèdal[**rìbbon**] *n.* 종군 기장.

campáign spèaker *n.* 유세원(遊說員).

campáign spèech *n.* 선거 연설.

campáign swíng *n.* 지방 유세(여행).

campáign tràil *n.* 선거 유세 여행[코스].

Cam·pa·nia [kæmpéinjə, -niə] *n.* 캄파니아《이탈리아 남부의 주; 주도 Naples》.

cam·pán·i·fòrm [kæmpǽnə-] *a.* 종(鐘) 모양의.

cam·pa·ni·le [kæ̀mpəní:li, 美+-ní:l] *n.* (*pl.* **~s**, **-li** [-li]) 종루(鐘樓), 종탑.

C

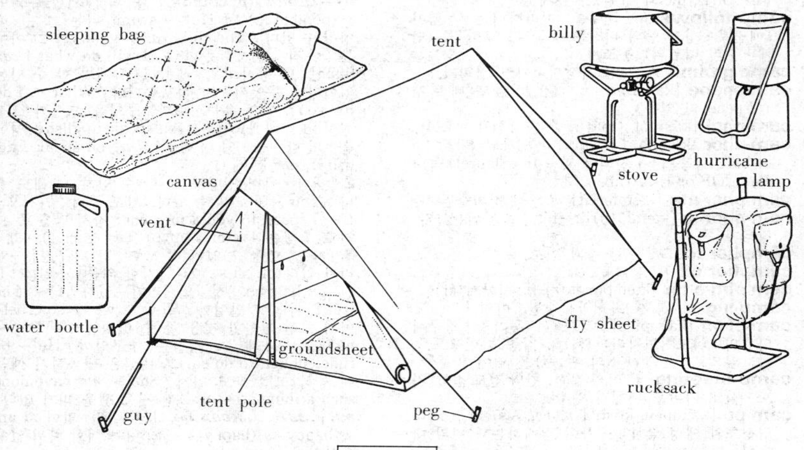

camping

〚It. (*campana* bell＜L)〛

cam·pa·nol·o·gy [kæ̀mpənɑ́lədʒi] *n.* Ⓤ 종학(鐘學) ; 주종술(鑄鐘術) ; (특히) 명종술(鳴鐘術). **-gist** *n.* 명종사(鳴鐘師) ; 주종사.
〚L (*campana* bell)〛

cam·pan·u·la [kæmpǽnjələ] *n.* 〔植〕 초롱꽃속(屬)의 각종 초본(bellflower)《도라지·잔대 따위》.
〚L (dim.) ＜*campana* bell ; cf. -ULE〛

cam·pan·u·late [kæmpǽnjələt, -lèit] *a.* 〔植〕 종(鐘) 모양의.

campanile

cámp bèd *n.* 접을 수 있는 캠프용 침대.

cámp chàir *n.* 캠프용의 간편한 접의자.

cámp còunselor *n.* 《美》 (아동을 대상으로 한) 여름 캠프의 지도자.

cámp·cràft *n.* 야영술, 야영 생활법.

Cámp Dávid *n.* 《美》 캠프 데이비드《Maryland 주에 있는 대통령 전용 별장》.

Cámp Dávid Agrèement *n.* 《美》 캠프 데이비드 협정《1978년 9월 미국의 중재로 Egypt와 Israel간에 합의된 평화 협정으로 양국의 국교 수립과 팔레스타인 자치권 허용을 포함하고 있음》. 〚협상 장소가 미국 대통령 전용 별장인 Camp David였던 데서〛

cámp·er *n.* 야영하는 사람, 야영 생활자 ; 《美》 캠프용의 자동차[트레일러].

cam·pe·si·no [kæ̀mpəsí:nou] *n.* (*pl.* **~s**) (라틴 아메리카계 원주민) 농부[농업 노동자]. 〚Sp.〛

cam·pes·tral [kæmpéstrəl] *a.* 초야의, 시골의.

cámp fèver *n.* 야영지에서 발생하는 열병《특히 발진티푸스 따위》.

cámp·fire *n.* 야영의 모닥불, 캠프파이어 ; 《美》 모닥불을 둘러싼 간담회.

cámpfire bòy *n.* 《美俗》 아편 중독자.

cámp fire gìrl *n.* 《美》 캠프 파이어 걸《the Camp Fire Girls, Inc.의 단원 ; 7-18세》.

cámp fòllower *n.* 군대를 따라다니는 동행자《매춘부·상인 등의 비전투 종군자》; 《비유》 (단체·주의 따위의) 동조자.

cámp·gròund *n.* 야영 지정지 ; 야영 집회지.

cam·phene [kǽmfi:n] *n.* 〔化〕 캄펜《테르펜(terpene)의 일종》.

cam·phol [kǽmfəl, -fɔ:l] *n.* 〔化〕 용뇌(borneol).

cam·phor [kǽmfər] *n.* Ⓤ 〔化〕 장뇌(樟腦) : a ~ ball (방충제용) 장뇌알 / ~ tree[laurel] 녹나무. 〚OF or L＜Arab. ＜Skt.〛

cam·phor·ate [kǽmfərèit] *vt.* …에 장뇌를 넣다.

cam·phor·ic [kæmfɔ́(:)rik, -fɑ́r-] *a.* 장뇌(성)의, 장뇌가 든.

cámphor ìce *n.* 〔藥〕 장뇌 연고.

cámphor òil *n.* 장뇌유(油).

cam·pim·e·ter [kæmpímətər] *n.* 시야계(計).

cámp·ing *n.* Ⓤ 캠프[천막] 생활, 야영.

cam·pi·on [kǽmpiən] *n.* 〔植〕 (동자꽃·장구채 따위의) 너도개미자리과(科)의 각종 다년생초. 〚그 잎으로 CHAMPION의 관(冠)을 엮어 만듦〛

cámp mèeting *n.* 야외 집회, 천막 전도 집회《기도·설교 따위를 며칠간 행함》.

cam·po [kǽmpou, kɑ́:m-] *n.* (*pl.* **~s**) 캄푸스《다년생초와 왜성(矮性) 수목이 점재하는 남미의 대초원》. 〚Am. Sp.〛

cam·po·ree [kæ̀mpərí:] *n.* 《美》 보이 스카우트의 지방 대회, 캠퍼리. 〚*camp*＋jamb*oree*〛

cam·po san·to [kǽmpou sǽntou, kɑ́:mpou sɑ́:ntou] *n.* (*pl.* **cám·pos sán·tos, cam·pi san·ti** [-pi sǽnti, -sɑ́:n-]) (주로 미국 남서부의) 공동묘지. 〚It., Sp.〛

cámp·òut *n.* 야영[천막] 생활, 야영.

cámp·sìte *n.* 야영지 ; (특설) 캠프장.

cámp·stòol *n.* ＝CAMP CHAIR.

***cam·pus** [kǽmpəs] *n.* 《美》 (대학 따위의) 교정, 구내, 캠퍼스 ; 학원 : ~ activities[life] 학생 활동[생활] / *on* the ~＝*on* ~ 교정[교내]에서.
── *vt.* 외출 금지의 벌에 처하다, 벌로 (학생의 권리·활동을) 제한하다. 〚L＝field ; cf. CAMP[1]〛

cámpus bùtcher *n.* 《俗》 여학생에게 친절한 남학생 ; 《俗》 여학생 킬러.

cámpus polìce *n.* 《美》 대학 경비원.

campy [kǽmpi] *a.* 《美俗》 동성애(자)의 ; 젠체하는 ; 우스꽝스럽게 통속적인[케케묵은].

cám·shàft *n.* 〔機〕 캠축(軸).

Ca·mus [*F* kamy] *n.* 카뮈. **Albert** ~ (1913-60) 프랑스의 소설가·극작가.

cám whèel *n.* 〔機〕 캠 휠.

cam·wood [kǽmwùd] *n.* 〔植〕 캄우드《서아프리카산의 단단한 나무 ; 붉은 염료를 채취》.

◊can[1] [kən, kǽn]

(1) 기본 뜻 : 「가능」
(2) 부정형 *can*not, 《口》에서는 *can*'t [kǽ(:)nt; kɑ́:nt]
(3) 조동사 *can* 뒤에는 동사 원형이 오며, 3인칭 단수 현재형에 s를 붙이지 않는다.
(4) 과거형 could
(5) 인칭에 따른 변화가 없다.
(6) 의문문은 *can*과 주어를 앞뒤로 바꿔서 만든다 : She *can* come. → *Can* she come?
(7) *can*으로 시작하는 의문문의 대답은 *can* 또는 *can*not[*can't*]로 끝내는 것이 보통이다 : *Can* you drive? — Yes, I *can*. / No, I *can*not [*can't*].

── *auxil.v.* (*p.* **could**) **1** [능력] …(할 수) 있다(be able to) : I[He] ~ swim. 나는[그는] 헤엄칠 수 있다 / The child *can't* walk yet. 그 아이는 아직 걷지 못한다 / I will do what I *can* [kǽn]. (본동사 do를 생략해서) 제가 할 수 있는 일이라면 무엇이든지 하겠습니다 / What ~ I do for you? 무슨 용무십니까 ; 무엇을 드릴까요《점원이 고객에게》/ *C*~ you speak English? 영어를 말할 줄 압니까(cf. *Do* you speak English?). ☞ 活用 (1).
2 [허가·가벼운 명령] …할 수 있다, …해도 좋다 : You ~ go. 갈 수 있다, 가도 좋다 ; 가시오 / *C*~ I speak to you a moment? 잠시 말씀 좀 드려도 좋겠습니까(cf. COULD). ☞ 活用 (2), (3).
3 [가능] 있을 수 있다(cf. MAY[1] 2) ; [부정] …일 리가 없다(cf. MUST[1] 2) ; [강한 의문] …일까 : It ~ *not* be true. 정말일 리가 없다 / *C*~ it be true? 과연 정말일까 / How ~ we be so cruel? 어찌 그런 잔인한 짓을 할 수 있겠는가 / Who ~ he be? 도대체 그 사람은 누구일까 / He ~ be rude enough to do so. 그 녀석은 난폭하기 때문에 능히 그럴 수도 있지 / She ~ *not* have done such a thing. 그녀가 그런 짓을 했을 리가 없다.
as...as* (...) *can be 더(할 나위) 없이 : I am *as* happy *as* (happy) ~ *be*. 나는 더할 나위 없이 행복하다.
cannot but do＝***cannot help*** do*ing* …하지 않으면 안된다, …할 수밖에 없다, 하지 않을 수 없

다(cf. HELP *vt.* 2 b)) : I *could not but* laugh[*help* laugh*ing*]. 웃지 않을 수 없었다. 注 위의 두 가지 형태 중 후자 쪽이 보다 구어적임 ; 《美口》에서는 두 가지 형태를 혼합한 *cannot help but* do도 흔히 사용됨 ; 《文語》에서는 *cannot* CHOOSE *but* do도 쓰임.

cannot*[*can't*] *seem to do ☞ SEEM.

cannot. . . too. . . ☞ TOO.

── *vt.* …을 할[만들]수 있다 ; 《廢》 알고 있다 (know). ── *vi.* 《古》 알고 있다〈*of*〉.

〖OE *can*(*n*) (1·3인칭 단수 직설법 현재)〈*cunnan* to know＜IE ; 과거형 *could* (＜OE *cūthe*)의 -*ld*는 SHOULD, WOULD의 유추 ; cf. KEN, UNCOUTH〗

活用 (1) i) 1의 의미의 과거형으로는 가정법에도 사용되는 COULD 보다도 was[were] ABLE to가 흔히 쓰임 : I[He] *was able to* swim. ☞ COULD. ii) 구어에서는 목적을 나타내는 부사절에서도 가끔 may대신에 사용됨 : ☞ MAY 5.

(2) i) 2의 의미의 의문문은 May I...? 가 정식이지만 《口》에서는 *Can* I...? 라고 하는 경향이 강하다. ii) 특히 다음 예문과 같은 부정 의문문에서는 보통 can't가 사용되고 mayn't는 사용되지 않음 : Why *can't* I go to the movies? (왜 영화 구경을 가면 안됩니까). ☞ MAY[1] 活用 (1).

(3) 강한 금지를 나타내려면 must not이 쓰이지만 가벼운 금지일 때에는 cannot이 흔히 쓰인다 : You *must not* stay here. (여기 있으면 안돼) / You *cannot* stay here. (여기에 계시면 안됩니다).

***can**[2] [kǽn] *n.* **1** 《英》 (손잡이·뚜껑이 달린) 금속제 용기. **2** 《美》 생철통, 통조림통(=《英》 tin). **3** 금속제 물컵.

in the can (영화의) 촬영이 끝나서 ; 개봉 준비가 되어, 완료되어.

── *vt.* (-nn-) **1** 《美》 통조림으로 하다(=《英》 tin) : ~ fruit[fish] 과일[생선]을 통조림하다. **2** 《美俗》 해고하다(fire). **3** 《口·英俗》 (테이프 따위에) 녹음하다(☞CANNED).

〖OE *canne* can, cup〗

can. cannon ; canto.

Can. Canada ; Canadian.

Ca·naan [kéinən] *n.* **1** 〖聖〗 가나안《지금의 Palestine의 서부 지방》. **2** (하느님이 이스라엘인에게 약속한) 이상향, 낙원, 약속의 땅(the Promised Land). **~·ite** *n.* (이스라엘인이 와서 살기 전의) 가나안인[어].

Canad. Canada ; Canadian.

‡**Can·a·da** [kǽnədə] *n.* 캐나다《영연방 내의 독립국가 ; 종래에는 자치령(Dominion) ; 수도 Ottawa》.

Cánada bálsam *n.* 캐나다발삼《캐나다산 전나무에서 채취하는 유성(油性) 수지》.

Cánada Drý *n.* 캐나다 드라이《영국 Bass Charrington 사제(社製)의 탄산수 ; 상표명》.

Cánada góose *n.* 〖鳥〗 캐나다흑기러기.

***Ca·na·di·an** [kənéidiən] *n., a.* 캐나다(의) ; 캐나다 인(의).

Canádian bácon *n.* 캐나다 베이컨《돼지 허릿살을 소금에 절여 훈제한 것》.

Canádian Énglish *n.* 캐나다 영어.

Canádian Fálls *n.* [the ~] (Niagara Falls의) 캐나다 폭포《캐나다 쪽》.

Canádian Frénch *n.* (프랑스계 캐나다 인이 사용하는) 캐나다 프랑스어(French Canadian).

ca·naille [kənéil ; *F* kanɑ:j] *n.* [the ~ ; 집합적으로] 하류 계급의 백성, 어리석은 백성(the rabble).

***ca·nal** [kənǽl] *n.* **1** 운하 : the Suez *C*~ 수에즈 운하 / ☞ CANAL ZONE. **2** 〖解·植〗 도관(導管) (duct). ── *vt.* (-l(l)-|-ll-) …에 운하를 개척하다. 〖OF or It.＜L *canalis*〗

canál·age *n.* 운하 개설(開設) ; [집합적으로] 운하, 수로 ; 운하 운송 ; 운하 통행료.

canál·bòat *n.* 운하에서 사용하는 좁고 긴 짐 배.

canál-buìlt *a.* (배가) 운하 항행에 적합한.

can·a·lic·u·lar [kæ̀nəlíkjələr] *a.* 〖解·植〗 소관계(小管系)의[와 같은], 소관계를 갖춘.

can·a·lic·u·lus [kæ̀nəlíkjələs] *n.* (*pl.* **-li** [-lài, -lì:]) 〖解·植〗 세관(細管), 소관, 소구(小溝).

ca·nal·iza·tion [kæ̀nələzéiʃən ; -lai-] *n.* Ⓤ 운하 개설, 운하화(運河化).

ca·nal·ize [kǽnəlàiz] *vt.* …에 운하를 개설하다 ; (강의) 수로를 만들다, 운하로 하다 ; 《비유》 방향을 잡다, 빠져나갈 길을 마련해 주다.

── *vi.* 수로에 흘려 넣다.

ca·nál·(l)er *n.* 운하선(運河船) ; 운하선의 선원.

canál rày *n.* 〖理〗 양극선(陽極線).

Canál Zòne *n.* [the ~] 파나마 운하 지대《파나마 운하 및 양쪽 연안 8km 지대 ; 미국이 파나마로부터 얻은 영구 조차지지만, 파나마 조약 (1977)으로 2000년에는 파나마로 반환하기로 함》.

ca·na·pé [kǽnəpi, -pèi] *n.* 카나페《얇은 빵에 캐비아·치즈 따위를 얹은 전채(前菜)의 일종》; 소파(sofa). 〖F=sofa〗

ca·nard [kənɑ́:rd ; *F* kanar] *n.* **1** 허위 보도, 유언 비어. **2** 〖料〗 식용 오리. ── *vi.* (유언 비어가) 난무하다 ; (관악기 따위로) 오리 울음소리 같은 소리를 내다. 〖F=duck〗

Ca·nár·ies *n. pl.* [the ~] =the CANARY ISLANDS.

***ca·nary** [kənéəri] *n.* **1** 카나리아(=∠ **bìrd**). **2** Ⓤ 카나리아빛《밝은 노란색》. **3** Ⓤ 카나리아 제도산 백포도주. ── *a.* 카나리아 제도에서 나는 ; 카나리아빛의. 〖*Canary* (*Islands*)〗

canáry créeper *n.* 〖植〗 카나리아한련.

Canáry Íslands *n. pl.* [the ~] 카나리아 제도《아프리카 북서 해안 가까이 있음 ; 스페인령》. 〖F＜Sp. ＜L (*canis* dog) ; 로마 시대에 큰 개로 유명했음〗

canáry yéllow *n.* Ⓤ [또는 a ~] 카나리아색(色)《선명한 노란색》.

ca·nas·ta [kənǽstə] *n.* Ⓤ 커내스터《RUMMY[2]와 비슷한 카드놀이》.

〖Sp. =basket〗

ca·nas·ter, ka- [kənǽstər] *n.* (남미산의 거칠게 썬) 살담배.

Ca·nav·er·al [kənǽvərəl] *n.* [Cape ~] 커내버럴《미국 플로리다 주(州)의 반도와 곶(串)의 이름 ; 케네디 우주 센터가 있음 ; Cape Kennedy의 옛 이름》.

Can·ber·ra [kǽnbərə, -berə ; -bərə] *n.* 캔버라《오스트레일리아의 수도》.

canc. canceled ; cancellation.

can·can [kǽnkæn] *n.* 캉캉(춤) 《스커트를 올리고 다리를 높이 차올리는 1830년경 파리에서 유행한 춤》. 〖F＜?〗

cán-càrrier *n.* 《俗》 책임자.

***can·cel** [kǽnsəl] *v.* (-l-|-ll-) *vt.* 지워버리다, 말살하다, (부채를) 말소하다 ; 취소하다, 무효로 하다 ; 〖數〗 약분하다 ; 소인(消印)하다 ; 중화하다 : a ~*ed* stamp 소인이 찍힌 우표 / The school ~*ed* its order for the book. 학교는 그 책의 주문을 취소했다.

C

〈회화〉
I want to *cancel* my reservation. — You know there's a cancellation charge, don't you?「예약을 취소하고 싶은 데요」「취소에는 요금이 부과된다는 것을 알고 계시겠죠」

—— *vi.* 상쇄[엇셈]하게 되다, 중화되다, 〖數〗 약분하게 되다〈*out*〉.
—— *n.* 말살, 취소; (계약의) 해제; 소인.
cán·cel·able, -cel·la- *a.* **cán·cel·(l)er** *n.* 《美》 소인기(消印器). 〚F<L; ⇨ CHANCEL〛

cáncel báck órder *n.* 〖商〗 미조달(未調達) 주문의 취소《略 CBO》.

can·cel·la·tion, -ce·la- [kæ̀nsəléiʃən] *n.* 말살; 취소; 해제; 〖數〗 약분; 소인(消印).

can·cel·lous [kǽnsələs, kænséləs] *a.* 〖解〗 망상조직(網狀組織)의, 해면 모양의, 다공질(多孔質)의: a ~ tissue 해면 모양의 조직.

***can·cer** [kǽnsər] *n.* **1** Ⓤ,Ⓒ 암(癌), Ⓒ 암종(癌腫): get[die of] ~ 암에 걸리다[걸려서 죽다]/ breast ~ = ~ of the breast 유방암. **2** (사회의) 적폐(積弊). **3** [C~] 〖天〗 게자리(the Crab); 거해궁(巨蟹宮) (cf. *the signs of the* ZODIAC): the Tropic of *C* ~ ☞ TROPIC[1] 숙어.
—— *vt.* 암처럼 좀먹다. 〚L=crab〛

cáncer·àte *vi.* 암이 되다.

can·cero·génic [kæ̀nsərə-] *a.* 〖醫〗 발암성의.

cáncer·ous *a.* 암(癌)의; 암에 걸린.

cáncer prevèntion *n.* 암 예방.

cáncer stìck *n.* 《俗·戲》 궐련(cigarette).

can·croid [kǽŋkrɔid] *a.* 〖動〗 게(crab)와 비슷한; 〖醫〗 암(癌) 모양의. —— *n.* 〖醫〗 피부암.

c. & b. 〖크리켓〗 caught and bowled (by).

C & C cash and carry; computer and communications.

can·de·la [kændíːlə, -délə] *n.* 〖光〗 칸델라《국제 광도 단위》. 〚L=candle〛

can·de·la·brum [kæ̀ndəlɑ́ːbrəm, -léi-, -lǽb-], **-bra** [-brə] *n.* (*pl.* **-bra, -bras, -brums**) 가지 모양의 촛대. 〚L (↑)〛

can·dent [kǽndənt] *a.* 백열의(incandescent).

can·des·cence [kændésəns] *n.* Ⓤ 백열(incandescence).

can·dés·cent *a.* 백열의.

C.& F., c.& f., C and F 〖商〗 cost and freight(운임 포함 가격).

***can·did** [kǽndəd] *a.* **1** 솔직한(frank), 숨김없는, 거리낌없는(outspoken): Give me a ~ hearing. 편견없이 들어다오/a ~ friend 친한 체하면서 불쾌한 말을 마구 하기 좋아하는 사람. **2** 《약간 古》 공평한(impartial). **3** (사진에서) 포즈를 취하지 않는.
***to be quite*[*perfectly*] *candid* (*with you*)** 솔직하게 말하면.
—— *n.* 스냅 사진.
~·ly *adv.* 솔직하게. **~·ness** *n.* Ⓤ 솔직함.
〚F or L *candidus* white; ⇨ CANDLE〛
類義語 ⟹ FRANK[1].

can·di·da [kǽndədə] *n.* 칸디다균(菌)《아구창의 원인이 됨》. 〚NL<L (↑)〛

can·di·da·cy [kǽndədəsi] *n.* Ⓤ 《美》 입후보.

***can·di·date** [kǽndədèit, -dət] *n.* (입)후보자; 지원자; 다분히 …이 될 만한 사람: a ~ *for* president[presidency] 대통령 입후보자/a ~ *for* a school 입학 지원자/a ~ *for* the Ph. D. 박사 학위 논문 제출 자격을 취득한 학생/a ~ *for* fame[wealth] 장차 출세할[부자가 될] 사람.
~·ship [, -dət-] *n.*

can·di·da·ture [kǽndədətʃər, -tʃùər] *n.* 《英》= CANDIDACY.

cándid cámera *n.* 스냅용 소형 카메라.

can·di·di·a·sis [kæ̀ndədáiəsəs] *n.* (*pl.* **-ses** [-sìːz]) 〖醫〗 칸디다증(症)《candida 감염에 의한 대장염》.

cándid phótograph *n.* 스냅 사진.

can·died [kǽndid] *a.* **1** 설탕에 절인, 설탕을 넣고 조린; (얼음사탕 모양으로) 굳어진: ~ plums 설탕에 절인 자두/~ sweet potatoes 설탕으로 겉을 굳게 조린 고구마. **2** 달콤한, 사탕발림의: ~ words 달콤한 말.

C. & L.C. 〖印〗 capitals and lowercase.

‡**can·dle** [kǽndl] *n.* 양초; 양초 모양의 것; 촉광(燭光)(=candlepower): ☞ ROMAN CANDLE/ hide one's ~ under a bushel ☞ BUSHEL[1] 숙어/The game is not worth the ~. 그 경기는 보람이 없다, 헛수고다.
burn the candle at both ends (정력·건강·금전 따위를) 지나치게 낭비하다, 무리를 하다.
cannot*[*be not fit to*] *hold a candle to … 과는 비교도 되지 않는다.
hold a candle to the sun 필요[쓸데]없는 짓을 하다.
***sell by the candle*[*by inch of candle*]** (경매에서) 작은 양초가 다 타버리는 것을 신호로 낙찰하다.
—— *vt.* (알을 검사하는 것 처럼) …을 촛불에 비추어 조사하다. 〚OE *candel* lamp, light<L *candela* (*candeo* to shine, be white)〛

cándle·bèrry *n.* 〖植〗 흰소귀나무; 그 열매.

cándle ènds *n. pl.* 촛동강; 조금씩 모은 자질구레한 것.

cándle-fóot *n.* (*pl.* **cándle-féet**) 〖光〗 = FOOT-CANDLE.

cándle·hòld·er *n.* = CANDLESTICK.

cándle·lìght *n.* Ⓤ 촛불(빛); 《文語》 등불을 켤 무렵, 저녁(evening).

Can·dle·mas [kǽndlməs, -mæ̀s] *n.* 〖카톨릭〗 성촉절(聖燭節)(=∠ **Dày**)《2월 2일 성모의 순결을 기념하여 촛불 행진을 행함》.

cándle·nùt *n.* 〖植〗 쿠쿠이나무; 쿠쿠이나무의 견과(堅果)《실에 꿰어 양초 대용으로 씀》.

cándle·pìn *n.* 캔들핀용의 핀; [~s; 단수취급] 캔들핀《가는 초 모양의 핀을 사용한 10주희(柱戲)(tenpins) 놀이의 일종》.

cándle·pòwer *n.* (*pl.* ~) 촉광(燭光): a lamp of 100 ~ 100촉광의 전등.

cándle·stànd *n.* (긴 다리의) 큰 촛대.

cándle·stìck *n.* 촛대.

cándle·wìck *n.* 초의 심지.

cán-dó *a.* 《美俗》 의욕 있는; 유능한; (어려운 일을) 할 수 있는.

can·dor | -dour [kǽndər, -dɔːr] *n.* Ⓤ 공평무사, 허심탄회, 담백함, 솔직함.
〚F or L *candor* whiteness; ⇨ CANDLE〛

CANDU Canadian Deuterium Uranium (캐나다형(型) 중수로(重水爐)). **C & W** country and western.

‡**can·dy** [kǽndi] *n.* **1** Ⓤ,Ⓒ 얼음 사탕(=sugar ~). **2** Ⓤ [종류를 말할 때는 *pl.*] 《美》 캔디, 사탕과자(=《英》 sweets)《taffies, caramels, chocolates 따위》: a piece of ~ 캔디 한 개/I am fond of ~. 캔디를 좋아합니다/mixed[assorted] *candies* 각종 배합 캔디. —— *vt.* 설탕에 절이다, 설탕을 치다; 얼음사탕 모양으로 굳히

다 : ☞ CANDIED. —— *vi.* 얼음사탕 모양으로 굳어지다. 〖C18 (*sugar*) *candy*<F<Arab. (*kand* sugar)〗

Candy, -die *n.* 여자 이름.

cándy àss *n.* 《美卑》 무기력[소심]한 사람, 패기 없는 사람.

cándy-àssed, cándy·àss *a.* 《美俗》 소심한, 우유 부단한, 적극성이 없는.

cándy·flòss *n.* 《英》 솜사탕(=《美》 cotton candy) ; 겉뿐인[엉성한] 것.

cándy gìrl *n.* 과자 파는 소녀.

cándy màn *n.* 《美俗·CB俗》 연방 통신위원회(FCC)의 조사관 ; 속도 위반차를 단속하기 위해 레이더를 갖춘 경찰차 ; 《俗》 마약 밀매인.

cándy pùll *n.* (과자를 만들며 즐기는 젊은이들의) 사교 모임.

cándy stòre *n.* 《美》 과자 가게(=《英》 sweet-shop).

cándy strìpe *n.* 한가지 색으로만 된 줄무늬.

cándy strìper *n.* 《口》 자원봉사로 간호사를 돕는 10대. 〖적백(赤白)의 줄무늬 제복에서〗

cándy·tùft *n.* 〔植〕 서양말냉이《관상용 식물》.

cándy wédding *n.* 캔디혼식(婚式)《결혼 3주년 기념》.

cane** [kéin] *n.* **1 a**) 등나무 지팡이 ; 《英》 가볍고 가는 지팡이. **b**) 몽둥이, 회초리《처벌용》 : get the ~ 회초리로 얻어맞다. **2** (등나무·대나무·사탕수수 따위의) 줄기 ; Ⓤ (목재용) 등나무류. **3** =SUGARCANE. —— *vt.* **1** 매질하다. **2** [+目+*into*+名] 회초리로 쳐서 공부를 시키다 : ~ a lesson ***into a boy 소년을 회초리로 쳐서 학과를 가르치다. **3** 등나무로 만들다. 〖OF<L<Gk. *kanna* reed〗

cáne-bòttomed *a.* (의자의) 앉는 부분을 등나무로 엮은.

cáne·bràke *n.* 등나무 숲.

cáne cháir *n.* 등나무 의자.

cáne lànd *n.* 사탕수수 재배지.

ca·nel·la [kənélə] *n.* 〔植〕 서인도 제도에서 나는 백육계(白肉桂)《그 껍질은 향미료·약용》.

can·e·phor(e) [kǽnəfɔ̀ːr], **ca·neph·o·ra** [kənéfərə ; -níːfə-], **-neph·o·rus** [-rəs], **-ros** [-rəs] *n.* (*pl.* **-phòr(e)s, -neph·o·rae** [-rìː], **-ri** [-rài], **-roe** [-rìː]) (고대 그리스에서 Bacchus신 따위의 제례에 참가한) 바구니를 머리에 인 처녀 ; 〔建〕 바구니를 머리에 인 여인상(像). 〖Gk.〗

ca·nes·cent [kənésənt, kæ-] *a.* 흰빛깔을 띤, 회백색의 ; 〔植〕 회백색의 부드러운 털로 덮인.

cáne sùgar *n.* 수수설탕(cf. BEET SUGAR).

cáne·wòrk *n.* Ⓤ 등나무 세공(품).

cán·fùl *n.* (*pl.* **~s,** ~) 한 통 가득(한 분량).

cangue, cang [kǽŋ] *n.* 칼《중앙에 구멍이 있는 약 1제곱미터의 판자 형구》.

cán·hòuse *n.* 《美俗》 매음굴, 청루(青樓).

Ca·nic·u·la [kəníkjələ] *n.* 〔天〕 천랑성(天狼星), 시리우스(Sirius).

ca·níc·u·lar *a.* 천랑성의 ; 한여름의 : ~ days 삼복(三伏).

can·i·cule [kǽnəkjùːl] *n.* =DOG DAYS.

ca·nine [kéinain, kǽnain] *a.* 〔動〕 개과의 ; 개와 같은 : ~ madness 광견병 / ~ tooth 송곳니. —— *n.* 〔動〕 개과의 동물 ; 송곳니 ; 《戲》 개(dog). 〖F or L (*canis* dog)〗

can·ing [kéiniŋ] *n.* Ⓤ,Ⓒ 매질 : give a lazy boy a good ~ 게으른 아이를 심하게 매질하다.

Ca·nis [kéinəs, kǽn-] *n.* 〔動〕 개속(屬).

Cánis Májor *n.* 〔天〕 큰개자리.

Cánis Mínor *n.* 〔天〕 작은 개자리

can·is·ter, can·nis- [kǽnəstər] *n.* (차·커피·담배 따위를 넣는) 깡통 ; =CANISTER SHOT. 〖L<Gk. *canastron* wicker basket ; ⇨ CANE〗

cánister shòt *n.* (대포의) 산탄(散彈).

can·ker [kǽŋkər] *n.* **1** Ⓤ 〔醫〕 입안에 생기는 궤양 ; 〔獸醫〕 말굽 종창 ; 〔植〕 (과수의) 암종병(癌腫病) ; 뿌리혹병. **2** 해독(害毒) ; (마음속에 파고드는) 고뇌. **3** =CANKERWORM. —— *vt.* 부식(腐蝕)시키다, 헐게 하다 ; 썩이다, 서서히 파괴시키다. 〖OE *cancer* and OF<L ; ⇨ CANCER〗

cán·kered *a.* canker에 걸린 ; 부패한 ; 악성의, 근성이 나쁜 ; 해충이 꾄.

cánker·ous *a.* canker의[같은] ; 해독을 미치는.

cánker ràsh *n.* 〔醫〕 성홍열.

cánker·wòrm *n.* 〔昆〕 자벌레《과수의 해충》.

can·na [kǽnə] *n.* 〔植〕 칸나《열대 아프리카가 원산지》. 〖L ; ⇨ CANE〗

can·na·bin [kǽnəbən] *n.* 카나빈《인도대마에서 채취한 수지(樹脂) ; 마취제·진통제로 쓰임》.

can·na·bis [kǽnəbəs] *n.* 인도대마 ; 건조한 대마의 암술(cf. MARIHUANA). 〖L<Gk.〗

can·na·bism [kǽnəbìzəm] *n.* 대마[마리화나] 중독(증).

***canned** [kǽnd] *v.* CAN²의 과거·과거분사. —— *a.* **1** 《美》 통조림한(=《英》 tinned) : ~ goods 통조림 제품 / ~ fruit 과일 통조림. **2** 《美俗》 **a**) (음반·테이프 따위에) 녹음된 : ~ music 레코드 음악 / a ~ program 녹음[녹화] 방송《필름 또는 테이프를 사용해서 미리 준비한 것》. **b**) (연설 따위의) 미리 준비된. **3** 《美俗》 〔新聞〕 신디케이트 제공의, 동일 내용의.

cánned héat *n.* 휴대 연료《고체 알코올 따위》.

cán·nel (còal) [kǽnl(-)] *n.* 촉탄(燭炭)《기름·가스를 많이 함유한 석탄》.

can·ne(l)·lo·ni [kæ̀nəlóuni] *n.* 〔料〕 원통형의 pasta에 저민 고기와 치즈를 채워 넣어 구운 이탈리아 요리.

can·ne·lure [kǽnəljùər] *n.* 〔軍〕 (소총탄의) 약협 압입구(藥莢壓入溝), 탄피홈, 탄띠홈.

cán·ner *n.* 《美》 통조림 제조업자. 〖CAN²〗

cán·nery *n.* 《美》 통조림 공장.

Cannes [kǽ(ː)n] *n.* 칸《프랑스 남동부의 피한지 ; 매년 국제 영화제를 개최함》.

can·ni·bal [kǽnəbəl] *n., a.* 식인종(의) ; 자기 종족을 서로 잡아먹는 (동물). **~·ìsm** *n.* Ⓤ 식인 풍습 ; 자기 종족을 서로 잡아먹기 ; 잔인한 짓. **can·ni·bal·ic** [kæ̀nəbǽlik], **can·ni·bal·is·tic** [kæ̀nəbəlístik] *a.* 〖*Canibales* (pl.)<Sp.<Carib〗

cánnibal·ìze *vt.* [+目 / +目+前+名] **1** (낡은 자동차나 기계의 부품을 사용해서) 조립하다, 수리하다 : ~ a radio set ***from*** two old ones 헌 라디오 2대로 새것 1대를 조립하다. **2** (헌 자동차 따위에서) 부품을 떼어내다 : ~ a wrecked jeep ***for*** tires 부서진 지프에서 타이어를 떼어내다. **3** (살아 있는 동물의) 고기를 먹다. —— *vi.* 인육을 먹다, 같은 무리끼리 서로 잡아먹다. **cànnibal·izátion** *n.*

can·ni·kin [kǽnikən] *n.* 컵, 작은 양철통.

can·ning [kǽniŋ] *n.* Ⓤ 통조림 제조업 : the ~ industry 통조림 산업.

‡can·non [kǽnən] *n.* **1** (*pl.* ~, **~s**) 대포 ; (특히) 항공기 탑재용 기관포. 注 지금은 gun이 흔히 쓰임. **2** 〔動〕 =CANNON BONE. **3** 《英》 〔撞球〕 캐논(에 의한 득점)《친 공이 두 개의 목표한 공에 연달아 맞는 것 ; 그 득점 ; =《美》 carom》. —— *vi.* 《英》 〔撞球〕 캐논을 치다 ; 《비유》 간접적으로 부

C

딪치다〈*against, into, with*〉. ── *vt.* 포격하다 ; 《英》〔撞球〕 캐논으로 하다.
〚F<It.=great tube (⇨ CANE) ; 〔撞球〕 캐논의 뜻은 CAROM에서〛

can·non·ade [kæ̀nənéid] *n.* 연속 포격. ── *vt.* 연속적으로 포격하다.
㊟ 현재에는 BOMBARD(MENT)가 흔히 쓰임.

cánnon·bàll *n.* **1** (구식의) 구형 포탄, 포환. **2** 《俗》 특급[탄환] 열차 ; 《口》〔테니스〕 강하고 빠른 서브. ── *vi.* 《美俗》 탄알처럼 빨리 달리다 ; 무릎을 감싸쥐고 뛰어들다. ── *a.* 《口》 맹렬하게 빠른, 강렬한, 탄환….

cánnon bìt *n.* 둥근 재갈(말 주둥이에 채움).

cánnon bòne *n.* 〔動〕 (말 따위의) 정강이뼈.

cánnon cràcker *n.* 대형 불꽃.

can·non·eer [kæ̀nəníər] *n.* 포수, 포병.

cánnon fòdder *n.* 병사들(대포의 밥이 된다는 뜻에서).

can·non·i·cal [kǽnənikəl] *a.* 《해커俗》 (그 분야에서는) 일반적인, 흔한.

cánnon·pròof *a.* 방탄의.

cánnon·ry *n.* [집합적으로] 포 ; 연속 포격.

cánnon-shòt *n.* **1** 포탄. **2** (포탄의) 착탄 거리 ; 포격.

◇**cannot** *auxil. v.* CAN[1]의 부정형.

can·nu·la [kǽnjələ] *n.* (*pl.* **~s, -lae** [-lìː, -lài]) 〔醫〕 캐뉼러(환부에 삽입하여 액을 빼내거나 약을 주입하는 데 씀).

can·ny [kǽni] *a.* 빈틈없는, 교활한 ; 조심성 있는, 신중한 ; 검소한 ; 솜씨 있는 ; 《스코》 신비한 힘이 있는. ── *adv.* 《스코》 주의깊게 ; 조용하게 ; 《스코》 꽤, 상당히. **cán·ni·ly** *adv.* **-ni·ness** *n.*
〚CAN[1]〛

***ca·noe** [kənúː] *n.* 카누(paddle로 젓는 작은 배).
paddle** one's **own canoe 《口》 자립하다, 자활하다.
── *vi., vt.* (~d ; ~·ing) 카누를 젓다[로 가다·로 나르다]. **~·ist** *n.* 카누 젓는 사람.
〚Sp. and Haitian〛

cán of wórms *n.* 《美俗》 복잡하고 까다로운 문제[상황] ; 《美俗》 몹시 안절부절 못하는 사람.

can·on[1] [kǽnən] *n.* **1** 〔宗〕 기독교적인 신앙 및 행위의 기준 ; 교회의 법규 ; 법규집. **2** 규범, 기준 (criterion). **3** (성서의 외전(外典)에 대해서) 정전(正典) ; (가짜 작품에 대한) 진짜 작품 : Books of the *C*~=CANONICAL books. **4** 〔樂〕 카논(규칙적 모방에 의한 대위적 작곡 형식). **5** 〔印〕 카논 활자(48포인트). **6** 〔宗〕 성당참사회 (chapter) 회원. 〚L<Gk. *kanōn* rule〛

canon[2] *n.* 《英》〔撞球〕 =CANNON.

canon[3] *n.* 주교좌 성당 참사회원 ; =CANON REGULAR ; (중세의) 수도회의 회원. 〚OF<L= one living under rule (CANON[1])〛

cañon ☞ CANYON.

ca·non·ic [kənánik] *a.* =CANONICAL.

ca·nón·i·cal *a.* **1** 정전(正典)으로 인정된 : ~ books (of the Bible) 정전 / ~ hours 성무일도(聖務日禱) ; 《英》 결혼식 거행 시간(오전 8시부터 오후 6시까지). **2** 교회법에 의거한. **3** 규범적인. **4** 카논 형식의. ── *n.* [*pl.*] (정규의) 법복, 성직복(聖職服).
~·ly *adv.* 교회법에 따라서.

can·on·ic·i·ty [kæ̀nənísəti] *n.* 교회법에 합치하는 것 ; 정전임, 정전(正典)될 자격.

ca·nón·ics *n.* 경전 연구, 정전학(正典學).

cánon·ist *n.* 교회법 학자(=canon laywer).

can·on·is·tic, -ti·cal [kæ̀nənístik(əl)] *a.* 교회법(상)의 ; 교회법학자의.

cànon·izátion *n.* Ⓤ 성인으로 모심 ; 성전 승인(聖典承認) (cf. BEATIFICATION).

cánon·ìze *vt.* (신앙·덕이 뛰어난 사람을) 성인으로 모시다 ; 성전으로 인정하다.

cánon láw *n.* 교회법, 종규(宗規).

cánon láwyer *n.* =CANONIST.

cánon régular *n.* (*pl.* **cánons régular**) 〔카톨릭〕 수도참사회원 ; 의전(儀典) 수도회.

cánon·ry *n.* 수도참사회원의 직(職) ; [집합적으로] 수도참사회원.

ca·noo·dle [kənúːdl] *vi., vt.* 《俗》 키스하다, 껴안다, 애무하다(fondle).

cán òpener *n.* 《美》 캔 오프너, 깡통따개(=《英》 tin opener) ; 《俗》 금고털이 연장.

Ca·no·pus [kənóupəs] *n.* 카노푸스(고대 이집트의 항구) ; 〔天〕 카노푸스(CARINA 및 Argo의 α 성(星)).

can·o·py [kǽnəpi] *n.* 닫집, 천개(天蓋) ; 닫집 모양의 덮개 ; 〔建〕 천개 모양의 차양 ; 《詩》 하늘 ; 〔空〕 (조종석의 위가 투명한) 둥근 덮개 : under the ~ *of* smoke 연기에 뒤덮여 / the ~ *of* heaven 《詩》 창공. ── *vt.* 닫집으로 덮다.
cán·o·pied *a.* 닫집이 있는.
〚L<Gk. =mosquito net (*kōnōps* gnat)〛

ca·no·rous [kənɔ́ːrəs, kǽnərəs] *a.* 음정[음색]이 좋은(melodious), 울려 퍼지는(resonant).
~·ly *adv.* **~·ness** *n.*

cans [kǽnz] *n. pl.* 《口》 헤드폰.

canst [kənst, kǽnst] *auxil. v.* 《古》 CAN[1]의 주어가 2인칭 단수 thou일 때의 현재형.

cant[1] [kǽnt] *n.* **1** Ⓤ (도학자 등의) 위선적인 말투 ; (정당 따위의) 형식적인 표어, 일시적인 유행어 : a ~ phrase 암호의 말, 유행[인기]어. **2** Ⓤ (일부 사람들의) 변말, 은어(lingo) : thieves' ~ 도둑의 은어. ── *vi.* 위선적인[젠체하는·가련한] 말투를 쓰다 ; 암호로 말하다.
〚? CHANT ; 원래 탁발승의 장타령〛

cant[2] *n.* **1** (결정체·제방 따위의) 사면, 경사. **2** (기울어질 만큼) 갑자기 밀기[찌르기]. **3** 〔鐵〕 캔트(커브에서 바깥쪽 레일이 높게 되어 있는 것).
── *a.* 사면이 있는 ; 모서리를 잘라 낸 ; 기운, 경사진. ── *vt., vi.* **1** 기울이다, 기울다. **2** 비스듬히 밀다[찌르다]. **3** …의 모서리를 비스듬히 잘라내다.
cant over 기울이다, 기울다, 뒤집다, 뒤집히다.
〚MLG, MDu. =edge, side〛

cant[3] *a.* 《英方》 생생한, 원기 있는, 활발한.
〚? MLG *kant* bold, merry〛

‡**can't** CANNOT의 단축형. ㊟ 구어(口語)에서는 MAYN'T 대신 쓰이는 수도 있음 : *Can't* I go now? 이제 가도 됩니까. ☞ CAN[1].

cant. canton ; cantonment.

Cant. Canterbury ; Canticles.

Can·tab [kǽntæb ; -́] *n.* 《口》 =CANTABRIGIAN.

can·ta·bi·le [kɑːntáːbəlèi, kæntǽbəli ; kæntáːbili] *adv., a.* 〔樂〕 칸타빌레의, 노래하는 듯한[하듯이], 흐르는 듯이[한]. ── *n.* 칸타빌레(의 악장). 〚It. =singable〛

Can·ta·brig·i·an [kæ̀ntəbrídʒiən] *a., n.* 케임브리지의 ; 케임브리지 대학의 (재학생·졸업생·교우) (cf. OXONIAN).
〚*Cantabrigia* Cambridge의 라틴어식 읽기〛

can·ta·la [kæntáːlə] *n.* 캔탈라(경질의 섬유).

can·ta·lev·er [kǽntəlèvər], **-liv·er** [-livər] *n.* =CANTILEVER.

can·ta·loup(e) [kǽntəlòup ; -lù:p] *n.* 칸탈루프《멜론의 일종 ; cf. MUSKMELON》.
〚F (*Cantaluppi* : 로마에 가까운 원산지)〛

can·tan·ker·ous [kæntǽŋkərəs, kən-] *a.* 마음씨 나쁜, 심술궂은(bad-tempered) ; 곧잘 싸움을 하는(quarrelsome), 시비조의, 화를 잘 내는. **~·ly** *adv.* **~·ness** *n.*
〚? Ir. *cant* out bidding, RANCOROUS ; 일설(一說)에 ME *conteckour* contentious person〛

can·ta·ta [kəntá:tə, kæn-] *n.* 〖樂〗 칸타타《독창부·2중창부·합창부로 구성된 성악곡》.
〚It. *cantata* (*aria*) sung (air) ; ⇨ CHANT〛

can·ta·tri·ce [kà:ntətrí:tʃei ; *F* kɑ̃tatris] *n.* (*pl.* **~s** [-tʃeiz ; *F* —], **-tri·ci** [-trí:tʃi:]) 여가수.
〚It. and F〛

cánt dòg *n.* =CANT HOOK.

cánt·ed wáll *n.* 〖建〗 경사진 벽《다른 벽과 빗각을 낀》.

can·teen [kæntí:n] *n.* **1** 밥통, 반합, 물통(water bottle) ; 휴대 식기. **2** 〖英軍〗 군매점《미국에서는 보통 PX라고 함》; (광산·바자[자선시(市)]의) 매점 : a dry[wet] ~ 술을 판매하지 않는[판매하는] 군매점. **3** 가정용 취사 도구 상자 ; 찬장.
〚F＜It. =cellar〛

cantéen córps *n.* 《美》 적십자 여성 급식대.

cantéen cùp *n.* 〖美軍〗 수통 컵.

can·ter[1] [kǽntər] *n.* (말의) 느린 구보《TROT과 GALLOP의 중간 ; cf. WALK *n.* 1, FOX-TROT》: at a ~ (말이) 보통 구보로.
win at*[*in*] *a canter (경주에서 말이) 쉽게 이기다.
── *vi.* (말이) 느린 구보로 달리다 ; 보통 구보로 (말을) 몰다. ── *vt.* (말을) 천천히 달리게 하다.
〚*Canter*bury pace, gallop, trot, etc. ; Canterbury 참배에서 순례하는 말의 속도에서〛

canter[2] *n.* 염치 없는[무례한] 이야기를 하는 사람, 위선자 ; 말을 잘하는 체하는 사람 ; 은어를 쓰는 사람. 〚CANT[1]〛

Can·ter·bury [kǽntərbèri ; -bəri] *n.* **1** 캔터베리《영국 Kent 주의 도시로 영국 국교 총본산의 소재지 ; cf. YORK》. **2** Ⓒ [보통 c~] 악보대(臺).

Cánterbury bèll *n.* 〖植〗 풍경초《초롱꽃과(科)》.

Cánterbury tále[stóry] *n.* (지루하고) 긴 이야기 ; 엉터리 이야기.

Cánterbury Táles *n.* [The ~] 캔터베리 이야기《중세 영어로 쓰여진 Geoffrey Chaucer작의 운문 이야기집(集)》.

can·tha·ris [kǽnθərəs] *n.* (*pl.* **can·thar·i·des** [kænθǽrədi:z]) 〖昆〗 청가뢰(=SPANISH FLY) ; [cantharides, 단수·복수취급] 〖藥〗 칸타리스《Spanish fly의 가루로 만드는 반(反) 자극약 ; 원래 최음제(催淫劑)》.

cánt hòok *n.* 《美》 갈고리 달린 나무지레《통나무 처리에 씀》.

cant hook

can·thus [kǽnθəs] *n.* (*pl.* **-thi** [-θai]) 〖解〗 안각(眼角).

can·ti·cle [kǽntikəl] *n.* 찬송가 ; 기도서 성가(聖歌) ; [the C~s] 〖聖〗 솔로몬의 아가(雅歌).
〚OF or L (dim.) 〈 *canticum* CHANT〛

can·ti·lev·er [kǽntəlì:vər] *n.* 〖建〗 외팔보, 캔틸레버 : a ~ bridge 외팔보 다리, 캔틸레버식 다리. 〚C17＜ ?〛

can·til·late [kǽntəlèit] *vt.* 읊조리다(chant), 영창(咏唱)하다.

can·ti·na [kæntí:nə] *n.* (미(美)남서부의) 술집.
〚Am. Sp.〛

cant·ing [kǽntiŋ] *a.* 점잔빼는[위선적인] 말투의.

can·tle [kǽntl] *n.* 안미(鞍尾)《안장 뒤쪽의 활처럼 휘어 올라간 부분》; 자투리, 조각.

can·to [kǽntou] *n.* (*pl.* **~s**) (시나 노래의) 편(編)《소설 따위의 chapter에 해당함》; 〖樂〗 주(主)선율(cantus).
〚It. =song＜L CANTUS ; cf. CHANT〛

can·ton [kǽntn, -tɑn, -´ ; -tɔn, -´] *n.* (스위스 연방의) 주(州) ; (프랑스의) 소군(小郡)《ARRONDISSEMENT의 소(小)구분》. ── [kǽntn, -tɑn ; kæntɔ́n] *vt.* **1** 주(州)로[소군으로] 나누다〈*out*〉. **2** [kəntóun, -tɑ́n ; kəntú:n] (군대를) 숙영(宿營)시키다. **~·al** [, kæntɑ́nəl] *a.* …주의, …소군의.
〚OF=corner ; ⇨ CANT[2]〛

Can·ton [kǽntɑn, -´ ; kæntɔ́n] *n.* (중국의 남부 도시) 광둥(廣東).

cánton crépe *n.* [흔히 C~] 광둥(廣東) 크레이프《견직물의 일종》.

Can·ton·ese [kæ̀ntəní:z, -s] *a.* 광둥(廣東)(어)의. ── *n.* (*pl.* ~) 광둥인 ; Ⓤ 광둥어.

cánton flánnel *n.* [흔히 C~] 광둥 플란넬《면직물의 일종》.

can·ton·ment [kæntóunmənt, -tɑ́n- ; kəntú:n-] *n.* [보통 *pl.*] 〖軍〗 숙영지(宿營地) ; (원래 인도 주재 영국군의) 병영. 〚F ; ⇨ CANTON〛

can·tor [kǽntɔ:r, -tər] *n.* (성가대의) 합창 지휘자, 선창자. 〚L=singer ; ⇨ CHANT〛

can·to·ri·al [kæntɔ́:riəl] *a.* 합창 지휘자의, 선창자의, 교회 내의 성가대석쪽의.

can·to·ris [kæntɔ́:rəs] *a.* =CANTORIAL ; 〖樂〗 (교창(交唱)에서) 북쪽 성가대가 노래해야 할(cf. DECANI). ── *n.* 북쪽 성가대.

cánt phràse *n.* 통용어, 유행어.

can·trip [kǽntrəp] *n.* 《스코》 장난 ; 주문(呪文).

Cantuar : *Cantuariensis* 《L》 (=of Canterbury) 《Archbishop of Canterbury가 서명할 때 씀》. ㊟ archbishop이나 bishop이 서명할 때에 세례명 또는 그 머리글자 뒤에 성(姓) 대신에 임지(任地)의 라틴어명의 속격형(屬格形)을 적음.

can·tus [kǽntəs] *n.* (*pl.* ~ [, -tu:s]) =CANTUS FIRMUS ; 주선율(主旋律).
〚L=singing, song〛

cántus fír·mus [-fə́:rməs, -fíər-] *n.* (*pl.* **cántus fír·mi** [-mi:]) 〖樂〗 (대위법의) 정선율(定旋律). 〚L=fixed song〛

canty [kǽnti] *a.* 《스코》 활발한, 명랑한.

Ca·nuck [kənʌ́k] *n.*, *a.* 《口》 프랑스계 캐나다인(의), 캐나다인(의).

Ca·nute, Cnut, Knut [kənjú:t] *n.* 크누트(994?-1035)《잉글랜드왕, 덴마크왕 및 노르웨이왕을 겸했음》.

Ca·nu·tism [kənjú:tizəm] *n.* 《英》 크누트주의《끝까지 변화에 저항하고자 하는 자세, 반동적인 태도》. 〚↑〛

***can·vas**[1], **-vass**[1] [kǽnvəs] *n.* **1** Ⓤ 범포(帆布), 즈크 ; Ⓒ 텐트, 덮개 ; Ⓤ 화포(畫布), 캔버스 : ~ shoes 텐트 천으로 만든 신. **2** 유화(oil painting). **3** 권투·레슬링 경기장의 바닥.
on the canvas (권투에서) 녹다운 되어 ; 《비유》 패배 직전에.
under canvas 〖軍〗 (군대가) 텐트를 치고, 야영(野營)중인 ; 〖海〗 (배가) 돛을 올리고.
〚OF＜L ; ⇨ CANNABIS〛

cánvas·bàck *n.* 〖鳥〗 큰부리흰죽지《북미산 오리

의 일종》.

cánvas bàck *n.* 《俗》 유랑자, 떠돌이 노동자; 도시에 갓 나온 젊은이; 즈크 자루를 멘 사람.

cánvas bòat *n.* 즈크 보트.

can·vass², -vas² [kǽnvəs] *vt.* **1** 상세하게 조사하다; 철저하게 논하다. **2** [+目/+目+*for*+名] 권유하며[주문을 받으려고] (지방을) 돌아다니다: The salesmen ~*ed* the whole city ***for*** subscriptions. 외판원들은 예약을 받으려고 전 시가를 돌아다녔다. —— *vi.* [動/+*for*+名] 투표를 권유[간청]하다, 선거운동을 하다, 유세하다; (선거의) 검표를 하다; 주문받으러 다니다: We are ~*ing* ***for*** the Republican candidate. 공화당 후보를 위한 선거운동을 하고 있습니다. —— *n.* 조사; 권유, 의뢰; 운동, 유세: make a ~ of the neighborhood 그 근방을 유세[권유]하다.

~·er *n.* 운동[권유]원, 주문받는 사람.

〖CANVAS¹; 동사의 원래의 뜻은 'to toss in a sheet, shake up, agitate'〗

cánvas strètcher *n.* 캔버스[화포(畫布)]를 친 나무틀.

cany [kéini] *a.* 등나무가 많은, 등이 무성한; 등나무 같은.

***can·yon, ca·ñon** [kǽnjən] *n.* 《美》 깊은 협곡(峽谷) ☞ GRAND CANYON.

〖Sp. *cañón* tube; ⇨ CANE〗

can·zo·ne [kænzóuni:, kɑ:ntsóunei; kæntsóuni] *n.* (*pl.* **~s** [-z], **-ni** [-ni:]) 〔樂〕 칸초네. 〖It.〗

can·zo·net, -nette [kæ̀nzənét], **-net·ta** [-nétə] *n.* 칸초네타《madrigal과 비슷하나 보다 간단한 (무반주) 합창곡》; 가벼운 소가곡.

caou·tchouc [káutʃu(:)k, -tʃu:, -ˊ] *n.* Ⓤ 탄성고무(India rubber).

〖F<Carib〗

◇cap¹ [kǽp] *n.* **1** (테 없는) 모자, 두건(cf. HAT): a college[square] ~ 대학모, 각모(角帽) / ☞ FOOTBALL CAP / a steel ~ 철모(helmet) / the ~ of liberty=LIBERTY CAP / the ~ of maintenance ☞ MAINTENANCE 숙어 / Where is your ~? (어린이를 타일러) 인사를 해야지. **2** 모자 모양의 것; 뚜껑, 병마개; (버섯의) 갓; 〔建〕 기둥머리; 〔海〕 (돛대 꼭대기의) 이음목; (신발의) 코(toe cap); 슬개골(膝蓋骨) (kneecap); 뇌관(雷管); 마모된 타이어에 녹여서 덧댄 새 고무층. **3** 최고, 정상(top). **4** (대패의) 덧날.

(*a*) *cap and bells* (어릿광대가 쓰는) 방울 달린 모자.

cap and gown (대학생의) 제모와 제복.

cap in hand 모자를 벗고; 공손[겸손]하게.

get one***'s cap*** 《英》 선수가 되다.

If the cap fits (***, wear it***). 그 비평이 옳다고 생각되면 (받아들이는 게 좋다).

put on one***'s thinking***[***considering***] ***cap*** 《口》 깊이 생각하다, 숙고하다.

send the cap round 모자를 돌려서 기부금을 모으다.

set one***'s cap at***[***for***]... (여자가 남자의) 관심을 끌려고 하다, …의 마음에 들려고 하다.

win one***'s cap*** 《英》 선수가 되다(cf. *win one's* FLANNELS[LETTER]).

—— *v.* (**-pp-**) *vt.* **1** …에 모자를 씌우다; (경기자를) 멤버에 넣다; 《스코》 …에게 학위를 주다. **2** (기구 따위에) 뚜껑을 씌우다[달다]. **3** (농담·일화·인용구 따위) 다투어 꺼내다; …을 능가하다, …보다 뛰어나다. **4** …의 최고에 이르다: The rock ~*ped* a high cliff. 그 바위가 높은 벼랑의 최고봉을 이루고 있다. **5** …에게 모자를 벗다.

—— *vi.* [+*to*+名] 모자를 벗다: I was ~*ped* ***to*** by a strange man. 나는 모르는 사람에게서 인사를 받았다.

cap the climax 도를 넘다, 극단으로 치닫다, 예상 이상으로[믿을 수 없을 만큼] 행하여 지다.

to cap it all 결국에 가서는.

〖OE *cæppe* cope, hood<L *cappa*<? *caput* head〗

cap² *n., vt.* (**-pp-**) 대문자(capital letter) (로 쓰다[인쇄하다]).

cap³ *n.* 《俗》 (헤로인 따위) 약의 캡슐.

bust a cap 마약 주사를 맞다[놓다].

pop a cap 캡슐에 든 마약을 먹다.

—— *vt., vi.* (**-pp-**) (캡슐에 든 마약을) 열다[사용하다]; (마약을) 사다(buy).

cap⁴ *vt.* (**-pp-**) 《스코》 (배를) 약탈하다, 빼앗다; 덫에 걸리게 하다; 《廢》 체포하다.

〖AF *caper* to seize〗

cap. capacity; [kǽp] (*pl.* **caps.**) capital; capitalize(d); [L *capitulum*] chapter; capsule; captain; foolscap.

CAP computer-aided production; Common Agricultural Policy《EEC의 농산물 정책》.

CAP, C.A.P. Civil Air Patrol.

ca·pa·bil·i·ty [kèipəbíləti] *n.* **1** Ⓤ [+前+do*ing* / +*to* do] 능력; 재능, 수완: He showed great ~ *of* rac*ing* at a high speed up the mountain path. 그 산길을 빠른 속도로 차를 모는 대단한 솜씨를 보였다 / the ~ of the ray *to* be refracted by the prism 광선이 프리즘에 의해서 굴절되는 성질. **2** [*pl.*] 성장할 소질; 장래성.

ca·pa·ble** [kéipəbəl] *a.* **1** 유능한(able); 머리가 좋은; (…에 필요한) 실력[자격]이 있는〈*for*〉. **2** **a**) (사물·사정이) 가능한, (…에) 견딜 수 있는, (…을) 넣을 수 있는: The situation is ~ ***of improvement. 사태는 개선의 여지가 있다. **b**) [+*of*+do*ing*] (…을) 서슴지 않고 하는, (…을) 서슴지 않는: He is a man ~ ***of*** (do*ing*) anything. 어떤 일이라도 할만한 사나이이다.

> **capable**의 ○×
> (×) She is *capable to do* it.
> (그녀는 그것을 할 수 있다.)
> (○) She is *capable of doing* it.
> ☆ able은 able *to do*인데 대하여 capable은 capable *of doing*임에 주의. 또 able과 capable의 다음과 같은 의미상의 차이에도 주의해야 한다.
> (1) He is *able to do* anything.
> (2) He is *capable of doing* anything.
> (1)은 「무엇이든 할 수 있다」는 뜻이고 (2)는 「(생각만 있으면) 무슨 일이든 할 수 있다(경우에 따라서는 살인도 저지를 수 있다)」의 뜻도 된다.

-bly *adv.* 잘, 훌륭하게. **~·ness** *n.*

〖F<L=able to take in (*capio* to hold)〗

類義語 ⟹ ABLE.

ca·pa·cious [kəpéiʃəs] *a.* 널찍한; 큰; 포용력이 있는(receptive). 〖L *capac- capax* (↑)〗

ca·pac·i·tance [kəpǽsətəns] *n.* 〔電〕 정전 용량(靜電容量), 전기 용량.

ca·pac·i·tate [kəpǽsətèit] *vt.* [+目+前+名/+目+*to* do] …에게 (…을) 할 수 있게 하다(enable); …에게 …의 능력[자격]을 주다: ~ a person ***for***[*to* do] his task …에게 일을 할 수 있도록 하다.

ca·pàc·it·á·tion *n.* 능력[자격] (부여).

〖CAPACITY〗

ca·pac·i·tive [kəpǽsətiv] *a.* 〖電〗 전기 용량의, 용량성의. **~·ly** *adv.*

ca·pac·i·tor [kəpǽsətər] *n.* 〖電〗 콘덴서, 축전기.

capácitor píckup *n.* 〖電〗 커패시터 픽업《레코드 홈에 닿는 바늘의 움직임이 정전(靜電) 용량의 변화를 일으키는 픽업》.

ca·pac·i·ty** [kəpǽsəti] *n.* **1** Ⓤ [또는 a ~] 용적; 용량(容量); 〖理〗 열[전기] 용량: This can has *a* ~ *of* 4 quarts. 이 통은 4쿼트의 용량이다. **2 a)** Ⓤ [또는 a ~] [+前+ do*ing*] 수용(受容) 능력; 흡수력; 수용(收容)력: the ~ of a metal ***for retain*ing* heat 금속의 열 보유력 / The auditorium has a seating ~ ***of*** 800. 그 강당은 좌석수가 800명을 수용할 수 있다. **b)** [형용사적으로] (수용력) 최대한의, 만원의: a ~ crowd [audience] 만원 / a ~ house 만원 회의장[극장]. **3** Ⓤ [+*to* do / +前+ do*ing*] [또는 a ~] 재능, 역량, 능력: a man *of* great ~ 대수완가 / the ~ *to* take account of all the important factors in a problem 문제의 중요한 요소를 모두 고려하는 능력 / He has a great ~ ***for*** mathematics. 수학에 비상한 재능이 있다 / We have more ~ *for* know*ing* the past than *for* know*ing* the future. 우리는 미래를 아는 능력보다도 과거를 아는 능력을 더 많이 지니고 있다. **4** 자격, 입장; Ⓤ 〖法〗 법정(法定) 자격: *in* the ~ *of* a friend 친구로서 / *in* my ~ *as* critic 평론가의 자격으로 / ~ to action 〖法〗 소송 능력.
at capacity 전(全)생산 능력을 다하여.
in capacity 법률상의 자격을 가진.
to capacity 극한까지: be filled *to* ~ 만원이다, 꽉 차다 / work up *to* ~ 힘껏 일하다.
〖F<L; ⇨ CAPACIOUS〗

capácity tònnage *n.* 적재 톤수.

cap-a-pie, cap-à-pie [kæ̀pəpíː, -péi] *adv.* 머리끝에서 발끝까지, 온몸에 빈틈없이: be armed ~ 완전 무장하고 있다.

ca·par·i·son [kəpǽrəsən] *n.* (말·무사 등의) 성장(盛裝). —— *vt.* 성장시키다.
〖F<Sp. =saddlecloth; ⇨ CAPE[2]〗

cáp clòud *n.* (산마루에 걸린) 모자 구름.

Cap·com [kǽpkɑm] *n.* (비행중인 우주 비행사와 우주 기지로 교신하는) 지상 통신사.
〖*Cap*sule *Com*municator〗

***cape**[1] [kéip] *n.* 곶(headland).
the Cape of Good Hope ☞ GOOD HOPE.
〖OF<Prov.<L CAPUT〗

cape[2] *n.* (여성복의) 케이프, 소매 없는 외투.
—— *vt.* (투우를) 케이프를 펄럭거려 흥분시키다.
〖F<L *cappa* CAP[1]〗

Cápe bóy *n.* 흑백 혼혈의 남아프리카인.

Càpe Bréton Ísland *n.* 케이프브레턴(섬) 《캐나다 남동부 Nova Scotia 주의 일부》.

Cápe bùffalo *n.* 아프리카들소《크고 사나움》.

Cápe Canáveral *n.* 케이프커내버럴 (☞ CANAVERAL).

Cápe Cód *n.* 케이프코드《미국 Massachusetts 주의 반도》; =CAPE COD COTTAGE.

Cápe Còd cóttage *n.* 일층[일층 반] 건물의 목조 소형주택《물매가 가파른 맞배 지붕과 중앙의 큰 굴뚝이 특징》.

Cápe Còd túrkey *n.* 《俗》 대구(codfish).

Cápe Còlony *n.* 케이프 식민지《the Cape of Good Hope 주의 옛 이름》.

Cápe Cólored *n.* (*pl.* ~, **~s**) 《南아》 백인과 유색 인종과의 혼혈인.

Cápe Hórn *n.* 케이프혼(=the Horn) 《남미 최남단; 강풍과 거친 물결로 항행이 어려운 곳》.

Cápe Kénnedy *n.* 케이프 케네디 (☞ CANAVERAL).

cápe·let *n.* 어깨만 걸칠 정도의 작은 케이프.

cap·e·lin [kǽpələn] *n.* 사할린빙어《바다빙어과(科)의 작은 물고기; 대구 잡이의 미끼》.

Ca·pel·la [kəpélə] *n.* 〖天〗 마차부자리의 주성(主星), 카펠라.

ca·per[1] [kéipər] *vi.* 뛰어 돌아다니다, 까불다.
—— *n.* 뛰어 돌아다님; [때때로 *pl.*] 광태(狂態) (spree); 《英俗》 버릇없이 까부는 행위; 《俗》 범죄 계획[행위], (특히) 강도질.
cut capers [***a caper***] 뛰어 돌아다니다; 버릇없이 까불어대다.
〖*cap*riole〗

caper[2] *n.* 〖植〗 풍접목《백화채과(科); 지중해 연안산(産)》; [*pl.*] 그 꽃봉오리를 식초에 절인 것《식용》. 〖L<Gk. *kapparis*; 어형은 *-is*를 pl.로 혼동했기 때문임; cf. CHERRY, PEA〗

cap·er·cail·lie [kæ̀pərkéilji], **-cail·zie** [-kéilzi] *n.* 〖鳥〗 큰들꿩《들꿩(grouse)류 중에서 가장 큰 새》. 〖Gael. =horse of the wood〗

Ca·per·na·um [kəpə́ːrniəm] *n.* 가버나움《팔레스타인의 옛 도시; Galilee 호의 북서안에 있었음》.

cápe·skìn *n.* (남아프리카산) 양가죽; 그 양가죽 제품.

Ca·pe·tian [kəpíːʃən] *a., n.* 〖史〗 (987-1328년 동안의 프랑스의) 카페 왕조의 (사람).

Cápe Tòwn, Cápe·tòwn *n.* 케이프타운《남아프리카 공화국의 입법기관 소재지로 Cape 주(州)의 주도; cf. PRETORIA》.

Cápe Vérde [-və́ːrd; -véədei] *n.* 카보베르데《남아프리카의 군도로 이루어진 공화국, 1975년 포르투갈로부터 독립; 수도 Praia》.

cáp·fùl *n.* 모자 가득(한 양): a ~ *of* wind 한번 스쳐가는 바람.

ca·pi·as [kéipiəs, kǽp-; -æs] *n.* 〖法〗 구인장, 영장(令狀).

cap·il·lar·i·ty [kæ̀pəlǽrəti] *n.* Ⓤ 〖理〗 모세관 현상(毛細管現象).

cap·il·lary [kǽpəlèri; kəpíləri] *a.* 털 모양의; 모세관(현상)의: ~ action 모세관 작용[현상] / a ~ tube 모세관 / a ~ vessel 모세 혈관.
—— *n.* 모세관. 〖L (*capillus* hair)〗

cápillary attráction *n.* 모세관 인력(引力).

cápillary repúlsion *n.* 모세관 척력(斥力).

capita *n.* CAPUT의 복수형.

◇**cap·i·tal** [kǽpətl] *n.* **1** 수도; 중심지. **2** 머리글자, 대문자. **3** 〖建〗 기둥머리. **4** Ⓤ 자본(금), 원금(cf. FUND 1); 자본가 계급(cf. LABOR): 5% interest *on* ~ 원금에 대한 5%의 이자.
capital and interest 원금과 이자, 원리: lose both ~ *and interest* 원금과 이자를 모두 못 받다[잃다].
Capital and Labor 노사(勞使).
make capital (***out***) ***of*** …을 이용하다, …에 편승하다.
—— *a.* **1** 주요한; 수위의(chief): a ~ city[town] 수도. **2** 원래의(original), 기본의; 자본의: a ~ fund 자본금 / ☞ CAPITAL STOCK. **3** 일류의(first-class), 훌륭한, 썩 좋은: *C*~! 멋지다!, 훌륭하다! / a ~ idea 명안(名案). **4** (죄의 대가가) 죽어야 마땅할: ~ punishment 사형. **5** 중대한, 치명적인(fatal): a ~ error 중대한 과오. **6** 대문자의. 〖OF<L; ⇨ CAPUT〗
類義語 ⟹ CHIEF.

cápital accóunt *n.* 〖經〗 자본금 계정 ; [*pl.*] 순자산 계정.
cápital ássets *n. pl.* 〖商〗 고정자산(FIXED ASSETS 외에 특허권·상표권 따위 무형자산도 포함함 ; ↔*current assets*).
cápital coeffícient *n.* 자본 계수.
cápital equípment *n.* 자본 설비 : ~ industry 자본재 산업(産業).
cápital expénditure *n.* 〖商〗 자본 지출(토지 따위의 영구적 자산을 위한 지출 ; cf. REVENUE EXPENDITURE).
cápital gáin *n.* 자본 이득, 자산 매각 소득.
cápital gáins distribùtion *n.* (투자 (신탁) 회사가 주주에게 지불하는) 자본 이득 배분.
cápital gáins tàx *n.* 자본 이득세.
cápital góods *n. pl.* 〖經〗 자본재(상품 생산을 위해서 쓰임).
cápital incréase *n.* 증자.
cápital-intènsive *a.* 자본 집약적인 : ~ industry 자본 집약형 산업.
cápital invéstment *n.* 기업 투자 자본.
cápital·ìsm *n.* Ⓤ 자본주의.
***cápital·ist** *n.* 자본가, 자본주(cf. WORKER) ; 자본주의자. ── *a.* 자본가의 ; 자본주의(적)인.
cap·i·tal·is·tic [kæ̀pətəlístik] *a.* 자본주의의[적인]. **-ti·cal·ly** *adv.*
cápitalist róad *n.* (중국의) 주자(走資)파의 정책[목표].
cápitalist róad·er *n.* (중국의) 주자파(走資派) ; (자본주의 노선을 걷는) 실권파.
cap·i·tal·iz·a·tion [kæ̀pətələzéiʃən ; -lai-] *n.* **1** Ⓤ 자본화(資本化) ; 《美》 투자 ; (수입·연금 따위의) 자본 견적, 현가 계상(現價計上). **2** Ⓤ 대문자 사용. **3** 수도로 삼기.
cápital·ìze *vt.* **1** 자본화하다 ; 《美》 투자하다 ; (회사의) 자본을 평가하다. **2** 대문자로 쓰다[인쇄하다]. **3** 이용하다 : ~ one's opportunities 기회를 포착하다. ── *vi.* [+前+名] 이용하다〈*on*〉: ~ ***on*** another's mistake 남의 실수를 이용하다.
cápital lètter *n.* 대문자.
cápital lèvy *n.* 자본 과세, 자본세.
cápital·ly *adv.* 훌륭하게, 굉장하게 ; 극형으로.
cápital márket *n.* 〖金融〗 자본시장.
cápital shìp *n.* 주력함(主力艦).
cápital stóck *n.* (회사의) 주식 자본.
cápital súrplus *n.* 《美》 자본 잉여금.
cápital térritory *n.* 수도권.
cápital transáction *n.* 자본 거래.
cápital tránsfer tàx *n.* 《英》 증여세(gift tax).
cap·i·tate [kǽpətèit] *a.* 〖植〗 두상화서(頭狀花序)의 ; 〖動〗 (촉각 따위가) 구두상(球頭狀)의. ── *n.* 〖解〗 유두골(有頭骨).
cap·i·ta·tion [kæ̀pətéiʃən] *n.* Ⓤ 머릿수 할당 ; Ⓒ 인두세(人頭稅) (poll tax).
〖F or L=poll tax ; ⇨ CAPUT〗
capitátion grànt *n.* 인두(人頭) 보조금.
***Cap·i·tol** [kǽpətl] *n.* **1** [the ~] (고대 로마의 Capitoline Hill 위에 있던) 주피터(Jupiter) 신전 ; Capitol이 있는 언덕. **2** [the ~] 《美》 연방의회 의사당 ; [보통 the c~] 《美》 주의회 의사당 (statehouse).
〖OF<L ; ⇨ CAPUT〗
Cápitol Híll *n.* [the ~] =CAPITOLINE Hill ; 《美》 연방 의회 의사당이 있는 언덕 : on ~ 의회에서(관사를 붙이지 않음).
Cap·i·to·line [kǽpətəlàin, 英+kəpítəulain] *n.* [the ~] 카피톨 언덕(=the ∠ **Híll**) (고대 로마 7 언덕의 하나 ; 정상에 Jupiter 신전(the Capitol)이 있었음).
Cápitol polìce *n.* 《美》 의회 경호원, 경위(警衛) (제복을 입은).
ca·pit·u·lar [kəpítʃələr] *a.* 〖植〗 CAPITULUM의 ; 〖宗〗 =CAPITULARY. ── *n.* 〖宗〗 =CAPITULARY.
〖L CAPITULUM ; cf. CHAPTER〗
ca·pit·u·lary [kəpítʃəlèri ; -ləri] *a.* 〖宗〗 참사회의. ── *n.* 참사회원 ; [*pl.*] (특히 프랑크 왕국의) 법령집.
ca·pit·u·late [kəpítʃəlèit] *vi.* 〖軍〗 (조건부로) 항복하다, 성을 내어 주다, 저항을 중지하다. 〖L= to draw up under headings ; ⇨ CAPITULUM〗
ca·pit·u·la·tion [kəpìtʃəléiʃən] *n.* **1** Ⓤ 조건부 항복, 성을 내어 줌 ; 항복 조건 ; Ⓒ [*pl.*] 항복 문서. **2** (문제의) 요점(summary), 일람표 ; (회의·조약 따위의) 합의 사항 조서(條書).
capitulátion·ìsm *n.* 투항[항복]주의(특히 서방 측으로 전향한 공산주의자의 자세를 가리킴). **-ist** *n.*
ca·pit·u·lum [kəpítʃələm] *n.* (*pl.* **-la** [-lə]) **1** 〖植〗 두상화서(頭狀花序), 두상화 ; (버섯 따위의) 갓(cap). **2** 〖解〗 뼈의 소두(小頭).
〖L (dim.) ‹CAPUT〗
Cap·let [kǽplət] *n.* 캐플릿(당의를 입힌 갸름한 정제 ; 상표명).
cap·lin [kǽplən], **cap·ling** [-liŋ] *n.* = CAPELIN.
Cap'n [kǽpən] *n.* =CAPTAIN.
ca·po [ká:pou, kǽp-] *n.* (*pl.* **~s**) 《美俗》 (마피아의 지방 지부의) 두목, 우두머리. 〖It. =head〗
ca·po·ei·ra [kà:pouéirə] *n.* 〖舞踊〗 카포에이라(아프리카 기원으로 호신과 무용을 겸한 브라질의 남성 무용의 하나).
ca·pon [kéipən, -pɑn] *n.* (거세(去勢)한) 식육용 수탉 ; 거세한 토끼 ; 《비유》 겁쟁이.
〖OE *capun*<OF<L *capon- capo*〗
Ca·po·ne [kəpóuni] *n.* 카포네. **Al**(**phonso**) ~ (1899-1947) 미국 마피아단의 두목.
cap·o·ral [kǽpərəl, kæ̀pərǽl ; kæ̀pərá:l] *n.* 카포랄(프랑스제(製) 살담배).
〖F (*tabac du*) *caporal* tobacco (of corporal[3]) ; '고급'의 뜻〗
cap·o·re·gime [kæ̀pouriʒí:m] *n.* 《美俗》 (마피아의) 부(副)지부장(capo의 다음 자리).
ca·pot [kəpát, -póu] *n.*, *vt.* 〖카드놀이〗 (PIQUET에서) 전승(하다).
ca·pote [kəpóut] *n.* **1** 후드 달린 긴 외투. **2** 테가 없고 끈이 달린 여성·어린이용 모자의 일종. **3** 카포트(투우에 쓰이는 대형의 붉은 천).
cáp pàper *n.* 엷은 갈색의 포장지 ; 편지지의 한 사이즈.
cáp·per *n.* 모자를 만드는[파는] 사람 ; 마개를 씌우는 사람[장치] ; 《美俗》 (경매에서) 값을 올리는 사람 ; (노름판의) 바람잡이.
cáp pìstol *n.* 장난감 권총.
Ca·pri [kæprí:, ká:pri: ; kǽp-] *n.* 카프리 섬(이탈리아 나폴리 만 입구의 명승지).
cap·ric [kǽprik] *a.* 숫염소의.
cápric ácid *n.* 〖化〗 카프르산(酸).
ca·pric·cio [kəprí(:)tʃiòu] *n.* (*pl.* **-ci·òs**, **-pric·ci** [-prí:tʃi]) 〖樂〗 카프리치오, 기상곡(奇想曲).
〖It. =sudden start, horror〗
ca·price [kəprí:s] *n.* **1** ⓊⒸ 변덕, 일시적 기분 (whim) ; Ⓤ 멋대로 함 : out of ~ 변덕으로. **2** 〖樂〗 =CAPRICCIO. 〖F<It. CAPRICCIO〗
***ca·pri·cious** [kəpríʃəs] *a.* 변덕스런(fickle) ; 불규

칙한(changeable) : a ~ breeze 변덕스러운 미풍[산들바람].
~·**ly** *adv.* 변덕스럽게. ~·**ness** *n.*

Cap·ri·corn [kǽprikɔ̀ːrn] *n.* 〖天〗 염소자리(the Goat) ; 마갈궁(磨羯宮) (cf. *the signs of the* ZODIAC) : the Tropic of ~ ☞ TROPIC 숙어.
〖OF<L (*caper* goat, *cornu* horn)〗

Cap·ri·cor·nus [kæ̀prikɔ́ːrnəs] *n.* =CAPRICORN.

cap·ri·fi·ca·tion [kæ̀prəfəkéiʃən] *n.* 〖園藝〗 절단법《식용 무화과의 수분(受粉) 촉진 기법》.

cap·ri·fig [kǽprəfìg] *n.* 카프리무화과《남유럽·소아시아산》.

cap·rine [kǽprain] *a.* 염소(goat)의[와 같은].
〖L (*capri caper* goat)〗

cap·ri·ole [kǽpriòul] *n.* (말의) (제자리에서의) 도약. —— *vi.* (말이) 도약하다.
〖F<It. =to leap (L *caper* goat)〗

caprí pánts [kəpríː-] *n. pl.* [때때로 C~] 카프리 팬츠《바짓부리가 좁은 홀쭉한 여성용(用) 캐주얼 바지》.

ca·pró·ic ácid [kəpróuik-] *n.* 〖化〗 카프로산.

caps. capital letters.

cáp scrèw *n.* 〖機〗 =TAP BOLT.

cap·si·cum [kǽpsikəm] *n.* 〖植〗 고추(의 열매).
〖? L CASE²〗

cap·sid [kǽpsəd] *n.* 〖生〗 캡시드《바이러스의 핵산을 둘러싼 단백질의 외각(外殼)》.
〖F<L *capsa* box〗

cap·size [kæpsáiz, ⌐-] *vt., vi.* 뒤집다[뒤집히다] (overturn) : The boat ~*d* [was ~*d*]. 보트가 전복됐다. —— *n.* 전복.
〖Sp. *capuzar* to sink by the head (*cabo* head and *chapuzar* to dive)〗

cáp·so·mère [kǽpsə-] *n.* 〖生化〗 캡소미어《capsid의 구성 단위》.

cap·stan [kǽpstən, -stæn] *n.* **1** 〖海〗 닻 따위를 감아 올리는 기구 : a ~ bar 캡스턴의 지렛대. **2** 캡스턴《테이프리코더를 일정 속도로 회전시킴》. 〖Prov. (*cabestre* halter<L *capio* to seize)〗

capstan 1

cáp·stòne *n.* (돌기둥·석벽 따위의) 갓돌, 관석(冠石) ; 절정, 극치.

cap·su·lar [kǽpsələr ; -sju-] *a.* 캡슐의, 캡슐 모양의 ; 캡슐에 들어 있는.

cap·su·late [kǽpsəlèit, -sju-] *vt.* 캡슐에 넣다 ; 요약하다. —— *a.* 캡슐에[로] 든[된].
càp·su·lá·tion *n.*

***cap·sule** [kǽpsəl, -suːl ; -sjul] *n.* **1** 캡슐《먹기 거북한 약을 넣는 젤라틴제 용기》. **2** 〖解〗 피막(被膜) ; 〖植〗 삭과 ; 깍지. **3** 〖化〗 (증발용) 작은 접시 ; (유리병의) 병마개. **4** 〖로켓〗 캡슐《승무원과 계기류를 수용한 채 항공기나 로켓으로부터 분리할 수 있는 부분》. **5** 요약.
—— *vt.* …을 캡슐로 싸다 ; 요약[약술]하다, 간결히 서술하다.
—— *a.* 소형의 ; 요약한.
〖F<L ; ⇨ CASE²〗

Cápsule Separátion *n.* 〖로켓〗 캡슐 분리《略 Cap Sep》.

capt. captain ; caption.

◇**cap·tain** [kǽptən] *n.* **1** 장(長), 수령, 우두머리 (chief) ; (육·해군의) 명장, 지휘관, 주임 : the great ~*s* of industry[ancient times] 대실업가들[고대의 명장들]. **2** 육군 대위 ; 해군 대령 ; 공군 대위 ; (배의) 선장, 함장, 정(艇)장 ; 부대장. **3** (팀의) 주장 ; 조장(組長), 단장 ; 《美》 (경찰·소방대의) 대장(cf. LIEUTENANT 3).
—— *vt.* …의 주장이 되다, 통솔하다.
~·**cy** *n.* U,C CAPTAIN의 지위[직·임기·관할 구역]. ~·**shìp** *n.* U CAPTAIN의 자격 ; 통솔력.
〖OF<L=chief ; ⇨ CAPUT〗

cáptain géneral *n.* (*pl.* **cáptains gén-**, ~**s**) 총사령관 ; 《英》 (포병대) 명예 장교.

cáptain's bíscuit *n.* 〖海軍〗 질이 좋은 건빵.

cáptain's chàir *n.* 팔걸이 의자.

cáptain's táble séating *n.* (레스토랑 따위에서) 합석할 수 있는 테이블.

CAPTAIN System [kǽptən ⌐] *n.* 비디오텍스 시스템《중앙 컴퓨터에서 전화선으로 연결되어 각 가정의 텔레비전에 정보를 제공하는 시스템 ; 상표명》. 〖*C*haracter *a*nd *P*attern *T*elephone *A*ccess *I*nformation *N*etwork〗

cap·tion [kǽpʃən] *n.* (신문·논설 따위의) 표제(어), 타이틀 ; (장·절·페이지 따위의) 색인 ; (삽화·사진의) 설명문 ; (영화의) 자막 ; 〖法〗 법률 문서의 머리말 ; 《古》 체포. —— *vt.* 《美》 …에 표제(어)[자막]를 붙이다. ~·**less** *a.*
〖L (*capt- capio* to take) ; cf. CAPTIVE〗

cap·tious [kǽpʃəs] *a.* 남을 헐뜯는, 흠잡기를 좋아하는. ~·**ly** *adv.* ~·**ness** *n.* 〖OF or L (↑)〗

cap·ti·vate [kǽptəvèit] *vt.* [+目 / +目+前+名] …의 마음을 사로잡다, 매혹하다, 현혹시키다 (charm) : The children were ~*d* by the animal story. 아이들은 동물 이야기에 현혹되었다 / I am ~*d* ***with*** the music of Mozart. 모차르트 음악에 매료되었다. **-và·tor** *n.* 매혹하는 사람[것].
cáp·ti·vàt·ing *a.* 사람의 마음을 사로잡을 만한, 매혹적인. **-vàt·ing·ly** *adv.* **càp·ti·vá·tion** *n.* U 매혹, 매력. **cáp·ti·và·tive** *a.* 매혹적인, 매력있는.
類義語 ⟹ ATTRACT.

***cap·tive** [kǽptiv] *a.* 포로의, 사로잡힌(↔*free*) ; 매료된 ; 전속의, 전용의 : a ~ balloon 계류 기구 / a ~ audience 싫어도 들어야 하는 청중《라디오·확성기를 갖춘 버스의 승객처럼》 / hold[lead] a person ~ 사람을 포로로 잡아 두다[끌고 가다]. —— *n.* 포로 ; (사랑 따위에) 빠진 사람〈*to*〉.
〖L (*captcapio* to take)〗

cáptive tèst[fíring] *n.* 계류 시험《미사일·우주선 시험 때 고정 엔진을 전개 상태로 하는 것》.

cap·tiv·i·ty [kæptívəti] *n.* U 사로잡힘, 사로잡힌 몸[기간], 감금 ; [the C~] 〖聖〗 바빌론 유수 (Babylonian ~) : in ~ 감금되어.

cap·tor [kǽptər, -tɔːr] *n.* 잡는 사람, 체포자.

***cap·ture** [kǽptʃər] *vt.* 잡다(catch) (↔*release*) ; 포획하다 ; (상품 따위를) 획득하다 : Three of the enemy were ~*d*. 적병 3명이 포로로 잡혔다 / Tom ~*d* most of the prizes at school. 톰은 학교에서 상을 거의 다 독차지했다 / The new teacher ~*d* the mind of the class. 새로 오신 선생님은 반 학생들의 마음을 사로잡았다.
—— *n.* U 포획, 생포 ; C 포획물, 노획물(품).
-tur·able *a.* **-tur·er** *n.*
〖F<L ; ⇨ CAPTIVE〗
類義語 ⟹ CATCH.

Cap·u·chin [kǽpjətʃən] *n.* 캐퓨신회(會)《프란체스코회 일파(一派)》의 수사 ; [c~] 여성용 후드 달

C

린 겉옷.
⟦F<It. (*cappuccio* cowl< *cappa* cloak, CAPE²)⟧

capuchin

ca·put [kéipət, kǽpət] *n.* (*pl.* **ca·pi·ta** [kǽpətə]) 〖解〗 머리(head) ; (뼈나 근육의) 혹, 근두(筋頭).
⟦L *capit- caput* head⟧
cáput mór·tu·um [-mɔ́ːrtʃuəm] *n.* (*pl.* **cápita mór·tua** [-mɔ́ːrtʃuə]) 두개골 ; 폐물 ; 증류 [승화] 찌끼. ⟦L⟧
cap·y·ba·ra, cap·i- [kæ̀pibǽrə, -báːrə] *n.* 〖動〗 캐피바라《남미의 강가에 사는 설치류 중 가장 큰 동물》. ⟦Tupi⟧
◊**car** [kɑ́ːr] *n.* **1** 자동차《㊟ 《口》에서는 motorcar, automobile 보다 car를 쓰는 것이 보통임》; (거리의) 전차(=tramcar) : take a ~ 자동차를 타다. **2** 특수 차량, …차 : ☞ SLEEPING CAR, OBSERVATION CAR. **3** 《英》 짐마차, 짐수레. **4** 《美》 (일반적으로) 철도차량, 객차, 화차(=《英》 carriage, van, wagon, coach) : the ~*s* 《美》 열차(the train). **5** (엘리베이터의) 칸 ; (비행선 따위의) 조롱(吊籠). **6** 《詩》 전차(chariot).
⟦AF<L<OCelt.⟧
CAR Central African Republic ; Civil Air Regulations(민간 항공 규칙) ; computer-aided retrieval(컴퓨터 검색). **Car.** Carlow ; Charles.
car. carat(s) ; carpentry.
ca·ra·bao [kɑ̀ːrəbáːou, -béi-, kæ̀r-] *n.* (*pl.* ~**s**, ~) 물소《필리핀산》. ⟦Philippine Sp. <Malay⟧
car·a·bine [kǽrəbàin] *n.* =CARBINE.
car·a·bi·neer, -nier [kæ̀rəbəníər, kɑ̀r-] *n.* 기총병(騎銃兵). ⟦F⟧
car·a·bi·ner, kar- [kæ̀rəbíːnər] *n.* 〖登山〗 카라비너. ⟦G⟧
ca·ra·bi·nie·re [kæ̀rəbənjéəri] *n.* (*pl.* **-ri** [-ri]) 경찰관 ; 기총병. ⟦It.⟧
car·a·cal [kǽrəkæ̀l] *n.* 〖動〗 스라소니 ; 그 모피. ⟦F<Turk.⟧
ca·ra·ca·ra [kɑ̀ːrəkɑ́ːrə, kæ̀rəkǽrə, kæ̀rəkərɑ́ː] *n.* 카라카라《남미산(產)의 다리가 길고 썩은 고기를 먹는 매 ; 멕시코의 국조》.
⟦Sp. and Port. <Tupi (imit.)⟧
Ca·ra·cas [kərǽkəs ; -rɑ́ːk-] *n.* 카라카스《베네수엘라의 수도》.
carack, carac ☞ CARRACK.
car·a·cole [kǽrəkòul], **-col** [-kɑ̀l] *n.* (승마의) 반회전 ; 〖建〗 나선[나사식] 계단.
—— *vi.* (승마에서) 반회전하다.
caracul ☞ KARAKUL.
ca·rafe [kərǽf, -rɑ́ːf] *n.* 유리 물병.
⟦F<It. <Sp. <Arab. =drinking vessel⟧
car·a·mel [kǽrəməl, -mèl] *n.* Ⓤ 캐러멜, 조린 설탕《착색제로 푸딩 따위를 맛들이는 데 쓰임》; Ⓒ 캐러멜 과자 ; 엷은 갈색. **~·ize** *vt., vi.* 캐러멜화하다[되다]. ⟦F<Sp.⟧
ca·ran·gid [kərǽndʒəd, -gəd] *a., n.* 〖魚〗 전갱이과(科)의 (물고기).
car·a·pace [kǽrəpèis] *n.* (거북 따위의) 배갑(背甲), 등딱지. ⟦F<Sp.⟧
car·at [kǽrət] *n.* **1** 캐럿《보석류의 무게 단위로 200mg ; 略 ct., kt.》. **2** =KARAT.
⟦F<It. <Arab. <Gk. =fruit of carob (dim.)< *keras* horn⟧
***car·a·van** [kǽrəvæ̀n] *n.* (사막의) 대상, 캐러밴 ; (집시 등의) 포장 마차 ; 이주민의 마차대 ; 《英》 자동차로 끌고 다니는 이동식 주택, 트레일러(trailer). —— *vi.* (**-vànned, -vàned ; -vàn·ning, -vàn·ing**) caravan으로 여행하다[휴가를 보내다]. ⟦F<Pers.⟧
cáravan párk[síte] *n.* 《英》 트레일러[이동 주택]용 주차장(trailer camp)《지정 구역》.

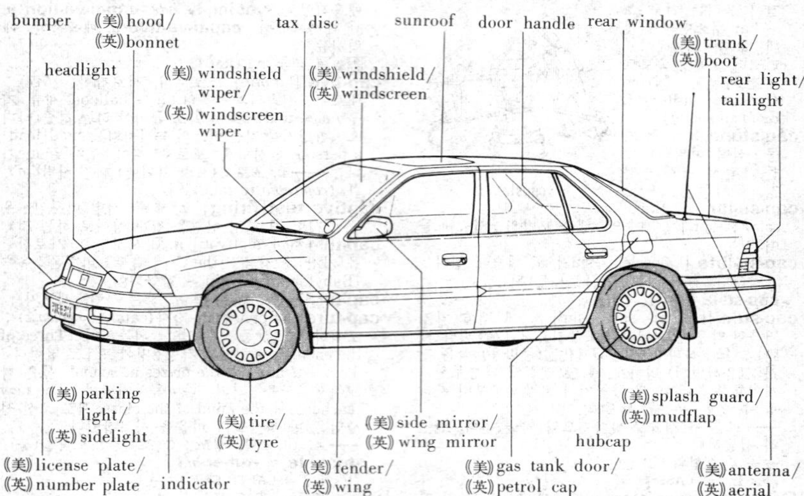

car

car·a·van·sa·ry [kæ̀rəvǽnsəri], **-se·rai** [-sərài] *n.* (*pl.* **-ries**, **-ràis**, **-rài**) (넓은 마당이 있는) 대상이 묵는 여관 ; 큰 여관. 〖Pers. ; cf. SERAI〗

car·a·vel, **-velle** [kǽrəvèl] *n.* (15-16세기경 스페인・포르투갈의) 경쾌한 돛배(carvel). 〖F<Port. <Gk. = horned beetle, cray fish〗

caravel

car·a·way [kǽrəwèi] *n.* 〖植〗 캐러웨이(미나리과(科) 회향의 일종) ; [*pl.*] 캐러웨이 열매(=∠ **sèeds**). 〖Sp. <Arab.〗

carb- [kɑ́:*r*b], **car·bo-** [kɑ́:*r*bou, -bə] *comb. form* 「탄소」의 뜻. 〖L ; ⇨ CARBON〗

cár·bàrn *n.* 《美》 전차[버스] 차고.

car·be·cue [kɑ́:*r*bəkjù:] *n.* 폐차 처리기(機) (폐차를 불 위에서 회전시키면서 압축하는 장치). 〖*car*+bar*becue*〗

cár bèd *n.* 카 베드(자동차 좌석에 놓는 휴대용 아기 침대).

car·bide [kɑ́:*r*baid] *n.* Ⓤ 〖化〗 카바이드, 탄화(炭化) 칼슘(=calcium ~). 〖*carbon*+*-ide*〗

car·bine [kɑ́:*r*bain, 美+-bi:n] *n.* (옛날의) 기병총, 카빈총(총신이 짧음). 〖C17 *carabine*<F= weapon of the *carabin* (mounted musketeer)〗

car·bi·neer [kɑ̀:*r*bəníə*r*] *n.* =CARABINEER.

carbo- [kɑ́:*r*bou, -bə] ☞ CARB-.

càrbo·hýdrate *n.* 〖化〗 탄수화물, 함수탄소.

car·bo·late [kɑ́:*r*bəlèit] *n.* 〖化〗 석탄산염(石炭酸鹽). —— *vt.* 석탄산으로 처리하다.

cár·bo·làt·ed *a.* 석탄산(石炭酸)을 함유한.

car·bol·ic [kɑ:*r*bɑ́lik] *a.* 〖化〗 콜타르성(性)의 : ~ acid 석탄산. 〖*carbo-*, *-ol*, *-ic*〗

carbólic sóap *n.* 석탄산 비누(약산성).

car·bo·lize [kɑ́:*r*bəlàiz] *vt.* 석탄산으로 처리하다 ; …에 석탄산을 타다.

cár bòmb *n.* 자동차 폭탄(차에 폭약을 싣고 목표물에 돌진하는 특공대용 폭탄).

cár bòmbing *n.* (car bomb에 의한) 차량 폭파.

‡**car·bon** [kɑ́:*r*bən] *n.* **1** 〖化〗 탄소(기호 C ; 번호 6) ; 〖電〗 탄소봉(棒). **2** 카본지 ; 그것에 의한 복사. 〖F<L *carbon- carbo* charcoal〗

car·bo·na·ceous [kɑ̀:*r*bənéiʃəs] *a.* 탄소질의.

car·bo·na·do[1] [kɑ̀:*r*bənéidou, -nɑ́:-] *n.* (*pl.* **~s**, **~es**) 흑금강석(옛날에는 시추용(試錐用)으로 썼음). 〖Port. =carbonated〗

carbonado[2] *n.* (*pl.* **~s**, **~es**) 칼집을 내서 구운 고기[생선]. —— *vt.* 칼집을 내어 굽다 ; 다지다 (hack). 〖Sp. ; ⇨ CARBON〗

Car·bo·na·ri [kɑ̀:*r*bənɑ́:ri:] *n. pl.* (*sg.* **-ro** [-rou]) 〖史〗 카르보나리당(黨)(19세기 초에 Naples에서 조직된 이탈리아의 급진 공화주의자의 결사). 〖It. =charcoal burners〗

car·bon·ate [kɑ́:*r*bənèit] *vt.* 탄산염으로 바꾸다 ; 탄산으로[탄산가스로] 포화시키다 ; 탄화시키다 ; 숯이 되게 굽다[태우다] : ~*d* water 소다수/~*d* drinks 탄산음료. —— [-nèit, -nət] *n.* 탄산염. ***carbonate of lime***[***soda***] 탄산 석회[소다].

càr·bon·á·tion *n.* 탄산 염화[포화] ; 탄(산)화.

cárbon blàck *n.* 〖化〗 카본 블랙, 그을음.

cárbon cópy *n.* (서류의) 카본지에 의한 복사 ; 《비유》 아주 닮은 사람[것].

cárbon-còpy *a.* 꼭 닮은. —— *vt.* 복사하다.

cárbon cỳcle *n.* 〖理〗 탄소 사이클.

cárbon dàting *n.* 〖考古〗 방사성 탄소 연대 측정법(carbon 14를 이용). **cárbon-dáte** *vt.* …의 연대를 방사성 탄소로 측정하다.

cárbon dióxide *n.* 〖化〗 이산화탄소, 탄산가스.

cárbon fìber *n.* 탄소 섬유.

carbon 14 [∠ fɔ:*r*tí:n] *n.* 〖化〗 탄소 14(탄소의 방사성 동위 원소 ; 기호 ^{14}C, C^{14}).

car·bon·ic [kɑ:*r*bɑ́nik] *a.* 〖化〗 탄소의.

carbónic ácid *n.* 〖化〗 탄산.

carbónic ácid gàs *n.* 탄산가스.

car·bon·if·er·ous [kɑ̀:*r*bənífərəs] *a.* **1** 석탄을 산출하는[함유하는], 탄소를 발생하는[함유하는]. **2** [C~] 〖地質〗 석탄기(紀)의 : the *C*~ period[strata, system] 석탄기(紀)[층, 계]. —— *n.* [the C~] 〖地質〗 석탄기[층].

cárbon·ìze *vi.*, *vt.* 탄화하다 ; 숯으로 만들다. **càrbon·izátion** *n.* 탄화 ; 석탄 건류(乾溜).

cárbon knòck *n.* (엔진의) 불완전 연소에 의해 생기는 노크 소리.

cárbon monóxide *n.* 〖化〗 일산화탄소.

cárbon monóxide pòisoning *n.* 일산화탄소 중독.

cárbon pàper *n.* 카본지(복사용), 카본 인화지.

cárbon pròcess[**prìnting**] *n.* 〖寫〗 카본 인화(印畫)법.

cárbon stèel *n.* 탄소강(鋼).

cárbon tetrachlóride *n.* 사염화탄소(소화용(消火用)).

carbon 13 [∠ θə:*r*tí:n] *n.* 〖化〗 탄소 13(탄소의 방사성 동위 원소 ; 기호 ^{13}C, C^{13}).

cárbon tìssue *n.* 〖寫〗 카본 인화지.

car·bon·yl [kɑ́:*r*bəni(:)l] *n.* 카르보닐(기) ; 금속 카르보닐 : nickel ~ 니켈 카르보닐. **càr·bon·ýl·ic** [-níl-] *a.*

car·bo·rane [kɑ́:*r*bərèin] *n.* Ⓤ 〖化〗 카르보란(탄소・붕소・수소의 화합물).

cár·bòrne *a.* 자동차로 온[운반된], 자동차에 실린[비치된].

Car·bo·run·dum [kɑ̀:*r*bərʌ́ndəm] *n.* Ⓤ 카보런덤(상표명) ; 탄화규소(硅素), 금강사(金剛砂). 〖*carbon*+co*rundum*〗

car·box·yl [kɑ:*r*bɑ́ksəl] *n.* 〖化〗 카르복실기(基). 〖*carbo-*, *oxy-*[2], *-yl*〗

car·boy [kɑ́:*r*bɔi] *n.* 상자[채롱]에 든 유리병(강산액 따위를 넣음 ; cf. DEMIJOHN). 〖Pers.〗

carboy

car·bun·cle [kɑ́:*r*bʌŋkəl] *n.* **1** 〖醫〗 옹(癰), 정(疔). **2** 〖鑛〗 홍옥(紅玉), 홍수정 ; (꼭대기를 둥글게 다듬은) 석류석. 〖OF<L=small coal ; ⇨ CARBON〗

cár·bun·cled *a.* 등창이 생긴, 뾰루지가 난 ; 홍옥을 박은.

car·bun·cu·lar [kɑ:*r*bʌ́ŋkjələ*r*] *a.* CARBUNCLE의 ; 염증을 일으킨, 붉은.

car·bu·ret [kɑ́:*r*bjərèit, -rèt ; -rèt, ∠-∠] *n.* 탄화물. —— *vt.* (**-t-** | **-tt-**) 탄소[탄화수소]와 화합시키다 ; (공기・가스에) 탄소 화합물을 혼합하다. 〖*carbon*, *-uret*〗

car·bu·re·tion [kὰːrbjəréiʃən, -réʃ- ; -réʃ-] *n.* 탄화, 기화.
car·bu·ret·or, -er [káːrbjərèitər, -rèt- ; -rèt-] | **-ret·tor** [-rètər] *n.* 탄화 장치 ; (내연기관의) 기화기(氣化器), 카뷰레터.
car·bu·ri·za·tion [kὰːrbjərəzéiʃən ; -rai-] *n.* 〖化〗 탄화 ; 증탄 ; 〖冶〗 침탄(浸炭).
car·bu·rize [káːrbjəràiz] *vt.* 탄소와 화합시키다.
car·ca·jou [káːrkədʒùː, -ʒùː] *n.* 〖動〗 (북미산) 오소리의 일종.
car·ca·net [káːrkənət, -nèt] *n.* 관(冠) 모양의 머리 꾸미개 ; 《古》 목걸이.
cár càrd *n.* (전차·버스 따위의) 차내 광고판.
cár càrrier *n.* (수출용) 자동차 운반선.
car·cass, 《英》 **car·case** [káːrkəs] *n.* **1** (짐승의) 사체 ; 《蔑》 사람의 시체 ; (죽인 식용 짐승의) 몸통, 도살체. **2** 형해(形骸), 잔해〈*of*〉. **3** (가옥·선박 따위의) 뼈대.
to save** one**'s carcass 《戲》 목숨이 아까워서. 〖AF< ?〗
[類義語] ⟹ BODY.
cárcass flóoring *n.* 맨마루.
cárcass méat *n.* 날고기《통조림 고기에 대해》.
car·cin- [káːrsən], **car·ci·no-** [káːrsənou, -nə] *comb. form* 「게」「종양」「암」의 뜻. 〖Gk.〗
càrcino·embryón·ic ántigen *n.* 〖醫〗 암배항원(癌胚抗原)《일부 암환자의 혈액 및 태아의 장조직에서 볼 수 있는 당(糖)단백질》.
car·cin·o·gen [kɑːrsínədʒən, káːrsənədʒèn] *n.* 〖醫〗 발암물질. 〖*carcinoma, -gen*〗
càrcino·génesis *n.* 〖醫〗 발암(현상). **-génic** *a.* 〖醫〗 발암(성(性))의. **-ge·níc·i·ty** [-dʒənísəti] *n.*
car·ci·nol·o·gy [kὰːrsənálədʒi] *n.* 갑각류학.
car·ci·no·ma [kὰːrsənóumə] *n.* (*pl.* **-ma·ta** [-tə], **~s**) 〖醫〗 암종(癌腫) (cancer). 〖L<Gk. (*karkinos* crab)〗
car·ci·nom·a·tous [kὰːrsənámətəs] *a.* 〖醫〗 암(성(性))의 : a ~ lesion 암의 병소(病巢).
cár còat *n.* 카 코트《짧은 외투》.
◊**card**[1] [kaːrd] *n.* **1** Ⓤ 두꺼운 종이(pasteboard) ; 〖컴퓨〗 =PUNCH CARD ; Ⓒ 카드 ; 명함(=visiting ~), 엽서(=post ~), 초대장, 안내장, 축하장 ; 입장권 ; 신분증 : a Christmas ~ 크리스마스 카드 / a wedding ~ 결혼 청첩장. **2** 트럼프 카드 ; [*pl.*] 트럼프놀이 : a pack of ~*s* 트럼프 한 벌 / play ~*s* 트럼프를 치다 / be *at* ~*s* 카드놀이를 하고 있다. **3** 목록표, 메뉴 ; 방위지시반(盤). **4** 《口》 (…한) 인물, 별난 사람, 익살부리는 사람 : a knowing[queer] ~ 빈틈없는[별난] 사람. **5** (어떠한) 방책 : a doubtful[safe, sure] ~ 미심쩍은[안전한, 확실한] 수단[계획]. **6** 《美俗》 프로그램, 구경거리, 시합 : a drawing ~ 인기 끄는 것(attraction), 인기 배우. **7** [*pl.*] 《口》 (고용주측이 보관하는) 피고용자에 관한 서류. **8** 《美》 (신문에 내는 성명·해명 따위의) 짧은 광고, 통지. **9** 《俗》 (마약 중독자의) 일회분의 마약.
have a card up** one**'s sleeve ☞ SLEEVE.
a house of cards ☞ HOUSE.
leave a[*one's*] ***card*** (***on*** a person) 명함을 두고 돌아가다《정식 방문 대신에》.
make a card 〖카드놀이〗 한 장의 패로 1회분의 패(trick)를 따다.
No cards. (신문의 부고란에서) 이 부고로 개별 통지를 대신합니다.
on[***in***] ***the cards*** 아마 (…인 듯한) (likely, possible)《트럼프 점치기에서 유래》.
play** one**'s best card (비장의) 수법[방책]을 사용하다(cf. TRUMP CARD).
play** one**'s cards well[***badly***] 일을 잘[잘못] 처리하다.
play** one**'s last card 최후의 수단을 쓰다.
put[***lay***] (***all***) one***'s cards on the table*** 계획을 공개하다, 공명정대하게 하다.
show** one**'s cards ☞ SHOW *vt.*
speak by the card 명확하게 말하다.
the (***correct***) ***card*** 옳은[마땅한] 것 : That's *the* ~ for it. 바로 그것이다.
The cards are against one. 형세가 불리하다.
throw[***fling***] ***up** one**'s cards*** 가진 패를 내던지다 ; 《비유》 계획을 포기하다, 패배를 인정하다.
── *vt.* 카드에 기입하다 ; …에 카드를 돌리다 ; …의 시간[일정]을 정하다 ; 〖競〗 득점하다《카드에 적으므로》 ; 《美俗》 …에게 신분 증명서 제시를 요구하다. 〖OE *carte* paper for writing on<OF<L *charta*<Gk. =papyrus leaf〗
card[2] *n.* 참빗 ; 〖紡〗 소모기 ; 보풀을 세우는 기계.
── *vt.* 빗(질하)다 ; …의 보풀을 일으키다. 〖OF<Prov. (*cardar* to tease<L *caro* to card)〗
CARD, C.A.R.D. 《英》 Campaign against Racial Discrimination(인종 차별 철폐 운동).
Card. Cardinal.
carda·hol·ic [kὰːrdəhɔ́(ː)lik, -hál-] *n.* 크레디트 카드로 낭비하는 사람, 크레디트 카드 중독자.
car·da·mom, -mum [káːrdəməm, -mὰm], **-mon** [-mən, -mὰn] *n.* 〖植〗 생강과의 식물《열대 아시아산(産)》 ; 그 열매《약용·향료》. 〖F or L<Gk. (*amōmon* a spice plant)〗
***cárd·bòard** *n.* Ⓤ 두꺼운 종이, 마분지, 판지.
── *a.* 마분지의[와 같은], 틀에 박힌, 비현실적인, 분별없는 : a ~ box 마분지 상자.
cárd-càrry·ing *a.* 회원증을 가진 ; 정식 당원[회원]인 ; 《口》 진짜의 ; 전형적인.
cárd càse *n.* 명함통 ; 카드 상자.
cárd càtalog[**càtalogue**] *n.* 카드식 목록.
cárd-còunter *n.* 트럼프 도박(賭博)사.
cárd dèck *n.* =DECK *n.* 4.
cárd·ed páckaging *n.* 카드 모양의 포장《시각 효과를 노린 인쇄된 판지에 상품을 부착시킴》.
cárd·er *n.* 빗질하는 사람, 보풀을 세우는 직공 ; 소모기(梳毛機), 보풀 세우는 기계. 〖CARD[2]〗
cárd field *n.* 〖컴퓨〗 카드 필드《한 단위의 정보에 지정된 천공(穿孔) 카드의 일련의 자리》.
cárd file *n.* 카드식 정리 상자.
cárd gàme *n.* 카드놀이.
cárd·hòld·er *n.* 정식 회원[당원] ; 도서 대출증 소지자 ; (타이프라이터의) 카드홀더.
car·di- [káːrdi], **car·dio-** [káːrdiou, -diə] *comb. form* 「심장」의 뜻. 〖Gk. ; ⇨ CARDIAC〗
-car·dia[1] [káːrdiə] *n. comb. form* 「심장 활동」 「심장 위치」의 뜻 : tachy*cardia* 〖醫〗 심계항진(心悸亢進). 〖NL ; ⇨ CARDIAC〗
-cardia[2] *n. comb. form* -CARDIUM의 복수형.
car·di·ac [káːrdiæ̀k] *a., n.* 〖醫〗 심장(병)의 ; 강심제(cordial). 〖F or L<Gk. *kardia* heart〗
cárdiac arrést *n.* 〖醫〗 심장 (박동) 정지.
cárdiac glýcoside *n.* 〖藥〗 강심 배당체(強心配糖體)《식물에서 얻는 강심제》.
cárdiac múscle *n.* 〖解〗 심근(心筋).
cárdiac neurósis *n.* 〖醫〗 심장 신경증.
car·di·al·gia [kὰːrdiǽldʒiə] *n.* 〖醫〗 가슴앓이 (heartburn), 심장통(痛).
car·di·ant [káːrdiənt] *n.* 강심제.
Car·diff [káːrdəf] *n.* 카디프《영국 웨일스 남동부

의 석탄을 실어 내는 항구 도시》.

car·di·gan [kɑ́ːrdigən] *n.* 카디건《앞이 트인 털 스웨터》. 〚7th Earl of *Cardigan* (d. 1868) 영국의 군인〛

car·di·nal [kɑ́ːrdənl] *a.* **1** 기본적인 ; 주요한. **2** 짙은 홍색의, 새빨간. ── *n.* **1** Ⓤ 주홍색, 새빨간색. **2** 추기경《로마 교황(Pope)의 최고 고문으로 새 교황을 호선함 ; 주홍색의 옷과 모자를 걸침》: the College of *C*~*s* ☞ COLLEGE 숙어. **3** (여성용의) 후드 달린 짧은 외투. **4** 홍관조(= ~ bird). **5** [*pl.*] = CARDINAL NUMBER. 〚OF＜L=that which something depends (*cardincardo* a hinge)〛

cardinal *n.* 4

cárdinal·àte [, -ət] *n.* 〖카톨릭〗 추기경의 직[지위·권위] ; [집합적으로] 추기경.

cárdinal bìrd[**gròsbeak**] *n.* 홍관조(紅冠鳥)《북미산》.

cárdinal flòwer *n.* 〖植〗 붉은꽃숫잔대《북미산(産)》.

car·di·nal·i·ty [kɑ̀ːrdənǽləti] *n.* 〖數〗 농도(濃度)《집합(集合)의 원(元)의 어림수》.

cárdinal número[**númeral**] *n.* 기수(基數)《one, two, three 따위 ; cf. ORDINAL NUMBER》.

cárdinal pòints *n. pl.* 기본 방위. ㊟ 북·남·동·서(NSEW)의 차례로 부름.

cárdinal·shìp *n.* =CARDINALATE.

cárdinal síns *n. pl.* [the ~] 〖神〗 일곱 가지의 큰죄《pride, covetousness, lust, anger, gluttony, envy, sloth》.

cárdinal vírtues *n. pl.* [the ~] 기본 도덕《고대 철학에서는 justice, prudence, temperance, fortitude의 자연적인 덕 ; 그리스도교에서는 이에 faith, hope, charity를 더하여 7덕(德) ; cf. THEOLOGICAL VIRTUES》.

cárdinal vówels *n. pl.* [the ~] 〖音聲〗 기본 모음《각 언어의 모음 성질을 기술하기 위한 기준으로서 설정된 인위적 모음》.

cárd ìndex *n.* 카드식 색인(索引).

cárd-ìndex *vt.* …의 카드식 색인을 만들다.

cárd·ing *n.* (방직의) 소면(梳綿), 소모(梳毛).

cárding machìne *n.* 소면(梳綿)[소모]기.

cardio- [kɑ́ːrdiou, -diə] ☞ CARDI-.

càrdio·áctive *a.* 〖醫〗 심장(기능)에 작용하는.

càrdio·génic *a.* 〖醫〗 심장성의 : ~ shock 심장성 쇼크.

cárdio·gràm *n.* 〖醫〗 심전도, 심박동 곡선.

cárdio·gràph *n.* 〖醫〗 심전계, 심전도 장치, 심박동 기록기.

car·di·ol·o·gy [kɑ̀ːrdiɑ́lədʒi] *n.* Ⓤ 심장(병)학. **-gist** *n.* 심장병 전문 의사.

car·di·om·e·ter [kɑ̀ːrdiɑ́mətər] *n.* 〖醫〗 심장계(計). **càr·di·óm·e·try** *n.* 심장계 검사법.

càrdio·myópathy *n.* 〖醫〗 심근증(心筋症).

càrdio·púlmonary *a.* 심폐의.

cardiopúlmonary resuscitátion *n.* 〖醫〗 (심박 정지후의) 심폐기능 소생법《略 CPR》.

cárdio·scòpe *n.* 〖醫〗 심장경(鏡) ; 심음(心音) 청진기.

car·di·ot·o·my [kɑ̀ːrdiɑ́təmi] *n.* 〖醫〗 심장수술.

càrdio·tónic *a.* 〖藥〗 강심성(強心性)의. ── *n.* 〖藥〗 강심제.

càrdio·váscular *a.* 〖解〗 심장 혈관의 : ~ disease 심장 혈관 질환.

car·di·tis [kɑːrdáitəs] *n.* Ⓤ 〖醫〗 심장염.

-car·di·um [kɑ́ːrdiəm] *n. comb. form* (*pl.* **-car·dia** [kɑ́ːrdiə]) 「심장」의 뜻 : endo*cardium*. 〚NL＜Gk.〛

car·doon [kɑːrdúːn] *n.* 〖植〗 카르둔《아티초크의 일종 ; 지중해 지방산 ; 잎과 줄기는 식용》.

cárd·phòne *n.* 《英》 카드식 공중 전화《동전 대신에 자기(磁氣) 플라스틱 카드(phonecard)를 넣고 통화함》.

cárd·plày·er *n.* 카드 놀이를 하는 사람.

cárd plàying *n.* 카드놀이.

cárd pùnch *n.* 〖컴퓨〗 카드 천공기 ; =KEY PUNCH.

cárd ràte *n.* 표준 매체 요금《신문·잡지사, 방송국 따위가 공표한 광고 표준 요금표》.

cárd rèader *n.* 〖컴퓨〗 카드 판독기.

cárd·ròom *n.* 카드놀이 방.

cárd shàrk *n.* 《口》 **1** 카드놀이 명수. **2** = CARDSHARP(ER).

cárd·shàrp(**·er**) *n.* 트럼프 사기꾼.

cárd sỳstem *n.* 카드식 정리법.

cárd tàble *n.* 카드놀이용 탁자.

cárd tràY *n.* 명함받이.

cárd vòte[**vòting**] *n.* 《英》 대표 투표《노동조합 따위에서 대표 투표자가 한 투표는 그 조합원 수와 같은 효력을 지님》.

◇**care** [kéər, kǽər] *n.* **1** Ⓤ 걱정, 근심 ; [보통 *pl.*] 염려되는 일, 고심 : Few people are free of ~. 걱정 없는 사람은 (거의) 없다 / *C*~ killed the [a] cat. 《속담》 걱정은 몸에 해롭다 / I know the heavy ~*s* of my family. 가족들이 몹시 걱정하는 것을 알고 있습니다. **2** Ⓤ 관심, 배려, 주의. **3** Ⓤ 보호, 돌봄. **4** 관심사, 책임, 용무 : That shall be my ~. 그것은 내가 맡겠다 / My first ~ is to make a careful inspection of the factory. 내가 맨 처음 해야 할 일은 그 공장을 잘 시찰하는 것이다.

care of …조심, (…씨) 방(方)《略 c/o》.

give care to …에 주의하다.

have a care 조심[주의]하다.

have the care of . . . =*take* CARE *of* (1).

in care of . . . 《美》 =CARE *of*....

leave a child ***in the care of*** …에게 아이를 맡기다.

place[***put***] a person ***under the care of*** …에게 (남을) 부탁하다.

take care [+*to* do / +*that*節 / +(前+) *wh.* 節·句] 주의하다 ; 배려하다 : We *took* ~ *to* preserve trees where their presence was necessary. 꼭 필요한 곳에 자라는 나무가 보호되도록 주의했다 / *Take* ~ *that* you don't break the eggs. 달걀을 깨뜨리지 않도록 조심해라 / You must *take* special ~ *how* you drive your car along busy streets. 교통이 붐비는 거리를 달릴 때의 차 운전에는 특히 조심해야 한다.

take care of . . . (1) …을 돌보다, 소중히 하다 : *Take* good ~ *of* yourself. 몸조심하시오 / Who is *taking* ~ *of* the guests? 손님 접대는 누가 합니까. (2) …에 대비하다, …을 위하여 준비하다 : They have built the dam to *take* ~ *of* sudden rains. 그들은 갑작스런 강우에 대비해서 그 댐을 건설했다. (3) 《口》 …을 처리하다, 해치우다(deal with). ㊟ 수동태에 주의 : The job must *be taken* ~ *of* tomorrow. 그 일은 내일 처리해야만 한다.

with care 주의[조심]해서 ; (화물 따위에 쓰는) 취급 주의.

—— *vi.* **1** [動/+前+名/+*wh.* 節] [보통 부정·의문문] 염려[근심]하다, 유의하다, 관심을 갖다, 상관하다, 마음을 쓰다 : Who ~*s*? 알게 뭐야 / I couldn't ~ less. 《口》 조금도 염려하지 않는다, 걱정이 없다 / I don't ~ a pin[a damn, a fig, a straw, a farthing]. 《口》 조금도 상관없다 《注 a pin 따위 처럼 무가치한 것을 가리키는 표현은 부정을 강조하는 부사구》 / She seemed to ~ ***for*** nothing but music. 음악 외에는 아무것에도 흥미가 없는 것 같았다 / She doesn't ~ much [She ~*s* nothing] ***about*** be*ing* ladylike. 숙녀답게 한다는 것에 그다지[전혀] 유의하지 않고 있다《注 much, nothing은 부사》 / I didn't ~ *what* anybody thought. 누가 어떻게 생각하든 상관없었다 / I don't ~ if you go or not. 네가 가든지 안가든지 상관없다. **2** [+*for*+名/+*to* do] [부정·의문문] 좋아하다, 원하다, 하고자 하다 ; (…을) 하려고 생각하다 : I don't ~ ***for*** fame. 나는 별로 명성을 원하지 않는다 / Would you ~ *for* some more coffee? 커피를 조금 더 드시겠습니까 / A cat does not ~ *to* be washed. 고양이는 몸을 씻기를 싫어한다 / I should not ~ *for* that man *to* be my daughter's husband. 저 사람을 사위로 맞아들이고 싶지 않다. **3** [+*for*+名] 돌보다, 보살피다, 간호하다 : She ~*d* kindly ***for*** the shipwrecked men. 그녀는 선박의 조난자들을 친절하게 돌보았다.

for all [***what***]... ***care*** (…해도) …의 알 바가 아니다 : He may die *for all* I *care*. 그가 죽든 말든 내 알 바 아니다.

〖OE *caru* concern, sorrow〗

類義語 ***care*** 근심·걱정·공포·고민·책임 같이 마음의 부담이 되는 것 : The *care* of the living has aged her. (생계에 대한 걱정이 그녀를 늙게 만들었다). ***concern*** 자기가 애정을 지니고 있는 자에 대한 심리적인 불안 : He showed *concern* over my success. (나의 성공에 관심을 보였다). ***worry*** 정신적인 고통, 쓸데없는 근심 : His chief *worry* is that he might fail. (그의 주된 걱정은 실패할지도 모른다는 것이다). ***anxiety*** worry 만큼 정신적인 동요는 없으나 앞날의 불행·재난 따위에 대한 불안 : He saw the game of his team with *anxiety*. (자기 팀의 경기를 초조하게 보았다).

CARE, Care [kéər, kǽər] *n.* 케어《미국 원조 물자 발송 협회》 : ~ goods 케어 물자.
〖*C*ooperative for *A*merican *R*elief to *E*very-where[원래 *R*emittances to *E*urope]〗

ca·reen [kəríːn] *vi., vt.* 〖海〗 (배가) 기울다 ; (청소·수리하기 위해서) (배를) 옆으로 기울이다 ; (배를 기울여) 수리[청소]하다 ; 《美》 (차가) 기울면서[좌우로 흔들면서] 질주하다.
—— *n.* 경선(傾船) ; 경선 수리 : on the ~ 배가 기울어[기울어져].
〖F<It. <L *carina* keel〗

caréen·age *n.* 기울어진 배, 경선(傾船) 수리비(용), 경선 수리소.

ca·reer** [kəríər] *n.* **1** 생애, 경력, 이력 : enter upon a business[political] ~ 실업계[정계]에 투신하다 / start[set out on] one's ~ 인생을 시작하다 / His ~ is run. 그의 생애는 끝났다. **2** 출세, 성공 : make a ~ 출세하다. **3** (특별한 훈련을 요하는) 직업 : ~*s* open to women[educated men] 여성[교육받은 사람들]에게 개방되어 있는 직업. **4** Ⓤ 질주 : in full[mad] ~ 전속력으로 / in mid ~ 도중에서. **5** 경로 ; 빠른 전진(운동), 질주, 매진. —— *attrib. a.* 전문 직업의, 본직의 : a ~ diplomat 직업[전문] 외교관 / a ~ soldier 직업 군인. —— *vi.* [+副/+前+名] 질주하다 : The runaway horse ~*ed* ***about [~*ed* ***through*** the streets]. 뛰쳐 나온 말은 이리저리 뛰어다녔다[거리를 질주했다].
~·ism *n.* Ⓤ 출세 제일주의. **~·ist** *n.* 출세 제일주의자.
〖F<It.<Prov.=road for vehicles<L CAR〗

caréer educàtion *n.* 〖教〗 커리어 교육《장래의 진로·직업을 적절히 선택할 수 있도록 유치원에서 고등학교까지 일관되게 지도하려는 미국의 교육 커리큘럼》.

caréer gìrl[**wòman**] *n.* 직업 여성《특히 결혼을 염두에 두지 않음》.

caréer·man [-mən] *n.* 직업인 ; 직업 외교관.

caréers màster *n.* 《英》 (중등 학교의) 직업[진로] 지도 교사.

cáre·frèe *a.* 근심[걱정]이 없는, 태평스러운, 즐거운.

‡**cáre·ful** [-fəl] *a.* **1 a**) [+*to* do/+*that*節/+*wh.* 節/+前+do*ing*] (사람이) 주의깊은, 조심성있는(↔*careless*) : He is very ~ ***with*** his work. 일할 때 그는 무척 조심한다 / Be ~ not *to* drop[~ *that* you don't drop] the vase. 꽃병을 떨어뜨리지 않도록 주의하시오 / You must be ~ *how* you hold it. 그것을 쥐는 방법을 조심하시오 / I shall be ~ ***in*** decid*ing* what to do. 어떻게 해야할지를 신중하게 결정하겠다. **b**) 조심스럽게 유념하는, 관심을 쓰는 : He is ~ ***about*** his appearance. 옷 차림에 유념한다 / Be ~ ***of*** your health. 건강을 조심하시오. **2** (수단 따위) 세심한, 면밀한, 고심하는 : a ~ examination 면밀한 조사. **~·ness** *n.* 조심, 신중함, 용의 주도.

類義語 ***careful*** 자기 일이나 책임에 대하여 잘못이나 손해가 없도록 마음을 쓰는 : Be *careful* not to break it. (그것을 깨뜨리지 않도록 조심하시오). ***cautious*** 일어날 가능성이 있는 위험에 대하여 매우 경계하는 : He is *cautious* about his investments. (그는 투자에 있어 신중을 기한다). ***discreet*** 자기의 언행에 대해서 이성적인 주의를 기울이는 ; 강한 자제심을 나타냄 : be *discreet* in word (말씨에 신중을 기하다). ***wary*** 계략·위험을 경계하여 cautious 한 : He is very *wary* of flattering people. (그는 아첨하는 자들을 매우 조심한다).

***cáreful·ly** *adv.* 주의깊게 ; 면밀하게 ; 고심해서.

cáre làbel *n.* (옷 따위에 단) 취급 표시 라벨.

cáre-làden *a.* =CAREWORN.

cár electrònics *n. pl.* 자동차의 컴퓨터 조정 시스템《안전 주행이나 운전 조작·연료 절약 따위》.

***cáre·less** *a.* **1** 부주의한(↔*careful*), 조심성 없는, 무관심한 : He is ~ *of* his clothes. 옷에 대해서는 무관심하다 / a ~ mistake 부주의한 실수. **2** [+*of*+名+*to* do] 경솔한, 소홀한 : It was ~ *of* you *to* lose it. 그것을 잃어버린 것은 자네가 경솔한 탓이야. **3** 걱정없는, 태평한, 마음이 편한. **~·ly** *adv.* 부주의하게, 소홀하게 ; 태평하게. **~·ness** *n.* Ⓤ 부주의, 경솔, 소홀 ; 태평 : through ~*ness* 부주의 때문에.

***ca·ress** [kərés] *n.* 애무《키스·포옹 따위》.
—— *vt.* 애무하다, 포옹하다, 어루만지다.
〖F<It.<L(*carus* dear)〗

caréss·ing *a.* 애무하는, 귀여워하는 ; 달래는 듯한(soothing). **~·ly** *adv.* 애무하여.

caréss·ive *a.* 애무하는 (듯한) ; 달콤한.

~·ly *adv.*
car·et [kǽrət] *n.* 탈자(脫字) 부호《∧》.
〖L=is lacking (*careo* to lack)〗
cáre·tàker *n.* (집 따위의) 관리인, 지배인 ; (집) 지키는 사람 ; 《美》 문지기, 수위. ── *a.* (정체·경영 따위) 잠정적인 : a ~ government (총사직 후의) 과도 정부[정권, 내각].
cáre·wòrn *a.* 고민에 시달린, 고통으로 야윈.
Cár·ey Strèet [kέəri-, kǽəri-] *n.* **1** 케리가(街)《전에 런던의 파산 재판소(the Bankruptcy Court)가 있었음》. **2** 《英》 파산(상태).
bring a person ***into Carey Street*** 남을 파산시키다.
end up on Carey Street 파산하다.
car·fax [ká:rfæks] *n.* 《英》 십자로, 교차점.
cár fèrry *n.* 카페리《(1) 객차·화차·자동차를 건네주는 연락선. (2) 해양·호수를 건너는 자동차를 운반하는 비행기》.
cár flòat *n.* 항만이나 운하에서 자동차·화차 따위를 나르는 거룻배.
cár·fùl *n.* 자동차[차량] 한 대분.
***car·go** [ká:rgou] *n.* (*pl.* **~es, ~s**) U,C (선박·항공기·차 따위의) 화물, 뱃짐, 선화(船貨).
〖Sp. ; ⇨ CHARGE〗
cárgo bày *n.* 〖宇宙〗 (우주 왕복선의) 화물실.
cárgo bòat[**shìp**] *n.* 화물선(freighter).
cárgo capàcity *n.* 화물 적재량.
cárgo clùster[**reflèctor**] *n.* 야간의 하역 작업용 조명.
cárgo cùlt *n.* [때때로 C~ C~] (Melanesia 특유의) 적화(積貨) 숭배《조상들이 현대 문명의 이기(利器)를 만재한 배 또는 비행기를 타고 돌아와서 백인의 지배로부터 해방시켜 준다는 신앙》.
cárgo lìner *n.* 정기 화물선, 화물 수송기.
cárgo plàne *n.* 화물 수송기.
cár·hòp *n.* 《美》 차를 탄 채 들어가는 식당(drive-in restaurant)의 종업원.
── *vi.* carhop로 일하다.
Car·ib [kǽrəb] *n.* (*pl.* ~, **~s**) 카리브 인《서인도 제도의 원주민》; U 카리브 어(語). **Cár·i·ban** [, kərí:bən] *n., a.* 카리브 어족(의) ; 카리브 인(의). 〖Sp. <Haitian〗
Car·ib·be·an [kæ̀rəbí(:)ən, kəríbiən] *n., a.* 카리브인[해](의).
the Caribbean (***Sea***) 카리브 해(海)《중미·남미·서인도 제도 사이의 해역》.
Car·ib·bees [kǽrəbì:z] *n. pl.* [the ~] LESSER ANTILLES의 별칭.
ca·ri·be [kərí:bi] *n.* 〖魚〗 피라니어(piranha)《남미산의 도미와 비슷한 담수어 ; 사람·소를 물어 죽이기도 함》. 〖Sp.〗
car·i·bou [kǽrəbù:] *n.* (*pl.* ~, **~s**) 〖動〗 카리부《북미산(産) 순록》.
〖Can. F<Am. Ind.〗

caribou

car·i·ca·ture [kǽrikətʃùər, -tʃùər] *n.* 풍자만화, 풍자문 ; U 만화화(化) ; 서투른 모방.
── *vt.* 만화풍으로 그리다, 풍자하다.
càr·i·ca·túr·al [, ∸--∸-] *a.* **cár·i·ca·tùr·ist** *n.* 풍자 (만)화가. 〖F<It. (*caricare* to load, exaggerate) ; cf. CHARGE〗
Car·i·com, CARICOM [kæ̀rəkám] *n.* 카리브 공동체[공동 시장]《CARIFTA를 모체로 하여 카리브 해역 10개국이 1974년에 발족시킴》.
〖*Cari*bbean *Com*munity or *Cari*bbean *Com*mon *M*arket〗
car·ies [kέəri:z, kǽəri:z ; -riì:z] *n.* (*pl.* ~) U 〖醫〗 카리에스 ; 충치 : ~ of the teeth 충치.
〖L〗
Ca·rif·ta, CARIFTA [kəríftə] *n.* 카리브 자유무역 연합.
〖*Cari*bbean *F*ree *T*rade *A*ssociation[*Area*]〗
car·il·lon [kǽrəlàn, -lən ; kəríljən] *n.* (교회의 종루에 음계적으로 배열한) 편종(編鐘), 차임 ; 편종이 울리는 곡.
〖F (Rom. =peal of four bells)〗
car·il·lon·neur, -lo·neur [kæ̀rələnə́:r, kæ̀riə-, kərìljə-] *n.* 종악(鐘樂)을 연주하는 사람.
ca·ri·na [kəráinə, -rí:-] *n.* (*pl.* **~s, -nae** [-ni:, -nai]) **1** 〖鳥〗 용골(龍骨) ; 흉봉(胸峰) ; 〖植〗 (접형화관(蝶形花冠)의) 용골판. **2** [C~] 〖天〗 용골자리. **3** [C~] 여자 이름.
car·i·nate [kǽrənèit, -nət] *a.* 〖生〗 용골 모양의, 용골상 돌기[조직]를 가진.
car·i·o·ca [kæ̀rióukə] *n.* 카리오카《사교 댄스용의 삼바 ; 그 곡》. 〖Port. <Tupi〗
car·i·ole, car·ri- [kǽriòul] *n.* 말 한필이 끄는 작은 마차(cf. CARRYALL) ; 지붕이 있는 짐마차 ; 《Can.》 개가 끄는 터보건(toboggan) 썰매.
car·i·ous [kέəriəs, kǽər-] *a.* 〖醫〗 카리에스에 걸린 ; 충치의(decayed).
〖L ; ⇨ CARIES〗
cár jòckey *n.* 《美》 (주차장의) 주차 관리원.
cark [ká:rk] *vt.* 괴롭히다. ── *vi.* 마음졸이다, 고민하다, 괴로워하다. ── *n.* 괴로움, 걱정.
cárk·ing *a.* 괴롭히는 : ~ care(s) 근심, 걱정.
cár knòcker *n.* 철도 차량 검사[수리]원.
carl, carle [ká:rl] *n.* 《스코》 야인 ; 《古》 백성, 촌놈.
Carl [ká:rl] *n.* **1** 남자 이름. **2** 카를. ~ **XVI Gus·taf** [gʌ́stɑ:v, gús-, -tɑ:f] (1946–) 스웨덴 왕(1973–).
〖Gmc.=man ; ⇨ KARL, CHARLES〗
Cár·ley flòat [ká:rli-] *n.* 〖海〗 칼리식(式) 고무 구명 보트.
〖H. S. *Carley* 고안자인 미국인〗
car·lin(e)[1] [ká:rlən] *n.* 《스코》 여자 ; 노파《미국에서는 경멸적으로 쓰임》.
cár lìne *n.* 《美》 전차 선로.
car·ling [ká:rliŋ, -lən], **car·lin(e)**[2] [-lən] *n.* 〖船〗 종량(縱梁).
Car·lisle [kɑ:rláil] *n.* 칼라일《잉글랜드의 북서부 Cumbria 주의 주도(州都)》.
Car·lism [ká:rlizəm] *n.* **1** 〖스페인史〗 카를로스주의《Don Carlos가(家)의 스페인 왕위 계승권을 주장하는 주의·운동》. **2** 〖프랑스史〗 샤를(Charles) 10세(世)파의 운동.
cár·lòad *n.* 한 차량분의 화물<*of*>.
cárload lòt *n.* 화차 전세 취급 표준량.
cárload ràte *n.* 《美》 화차 전세 운임(률).
Car·lo·vin·gi·an [kɑ̀:rləvíndʒiən] *a., n.* = CAROLINGIAN.
Car·low [ká:rlou] *n.* 칼로《아일랜드 남동부의 주 ; 그 주도》.
Carl·ton [ká:rltən] *n.* **1** 남자 이름. **2** = CARLTON CLUB. 〖OE=peasant's farm〗
Cárlton Clúb *n.* 칼턴 클럽《London에 있는 영국 보수당 본부》.
Car·lyle [kɑ:rláil] *n.* 칼라일. **Thomas** ~

(1795-1881) 영국의 평론가·사상가·역사가.
〖? Gmc. =fortified city〗

car·ma·gnole [kὰːrmənjóul ; ⌐-⌐] *n.* 카르마뇰《프랑스 혁명에 참가한 사람들의 복장 ; 당시 유행한 춤·혁명가(歌)》.
〖F ; 점령지 이탈리아의 Carmagnola인가〗

cár·màker *n.* 자동차 제조업자(automaker).

cár·man [-mən] *n.* (전차 따위의) 승무원 ; (짐마차의) 마부.

Car·mel·ite [káːrməlàit] *n.* 〖카톨릭〗 **1** 카르멜 수도회《12세기에 Palestine에서 창설》 수사(修士) (White Friar)《흰 옷을 입음》. **2** 카르멜회의 수녀. —— *a.* 카르멜 수도회의. 〖F or L (Mt. *Carmel* 여기서 12세기에 수도회가 창설됨)〗

car·min·a·tive [kaːrmínətiv, káːrmənèitiv ; káːminə-] *a.* 위장내의 가스를 배출하는.
—— *n.* 구풍제(驅風劑).
〖F or L (*carmino* to heal by CHARM)〗

car·mine [káːrmain, -mən] *n., a.* 카민, 양홍색(洋紅色)(의). 〖F or L ; ⇨ CRIMSON〗

Cár·na·by Strèet [káːrnəbi-] *n.* 카나비 거리《런던의 쇼핑가(街) ; 1960년대의 젊은이의 패션 중심지》.

car·nage [káːrnidʒ] *n.* Ⓤ 대학살, 참살 : a scene of ~ 수라장(修羅場). 〖F<It. (↓)〗

car·nal [káːrnl] *a.* 육체의(fleshly), 육감적인(sensual) ; 육욕적인 ; 물질[현세]적인, 세속적인(worldly) : ~ affection 정욕적인 사랑.
~·ìsm *n.* 육욕[현세]주의. **~·ly** *adv.* 육체[육욕]적으로 ; 현세적으로. **car·nal·i·ty** [kaːrnǽləti] *n.* 육욕 ; 음탕 ; 세속성. **~·ìze** *vt.* 육욕[세속]적으로 하다.
〖L (*carn- caro* flesh)〗

cárnal abúse *n.* 〖法〗 (어린애에 대한) 강제 외설 행위, 강제 추행, (특히 소녀에 대한) 강간.

car·nall·ite [káːrnəlàit] *n.* 〖鑛〗 광로석(光鹵石)《칼륨의 원료》. 〖Rudolf von *Carnall* (d. 1874) 독일의 광산 기사〗

cárnal-mínd·ed *a.* 육욕에 마음을 빼앗긴, 마음이 비열한, 세속적인.

car·nap·(p)er [káːrnæ̀pər] *n.* 자동차 도둑.
〖*car*+kid*napper*〗

car·na·tion [kaːrnéiʃən] *n., a.* 〖植〗 카네이션(의) ; Ⓤ 담홍색(pink)(의).
〖F<It. <L=fleshness ; ⇨ CARNAL〗

Car·neg·ie [káːrnəgi, kaːrnéigi] *n.* 카네기. **Andrew** ~ (1835-1919) 스코틀랜드 태생의 미국 강철왕(鋼鐵王)·자선가 : the ~ Foundation for the Advancement of Teaching 카네기 교육 진흥 재단.

Cárnegie Foundátions *n. pl.* [the ~] 카네기 재단.

Cárnegie Háll *n.* 카네기 홀《New York시에 있는 연주회장》.

Cárnegie Institútion *n.* [the ~] 카네기 협회《Washington 시에 있는 주로 자연 과학 연구를 후원하는 단체》.

Cárnegie únit *n.* 〖教〗 카네기 학점《중등 학교에서 한 과목을 1년간 이수하면 주어짐》.
〖처음 Carnegie 교육 진흥 재단이 정의했음〗

car·ne·lian [kaːrníːljən] *n.* 홍옥수(紅玉髓)(cornelian).
〖OF〗

car·net [kaːrnéi ; ⌐-; *F* karnɛ] *n.* 유럽 국가들을 차로 통과할 때의 무관세 허가증.

car·ney[1] [káːrni] *vt.* 《英口》 =CAJOLE. —— *a.* 교활한. —— *n.* 치켜 세우기, 입에 발린 칭찬, 감언이설.
〖C19<?〗

carney[2], **car·nie** [káːrni] *n.* =CARNY[1].

car·ni·fy [káːrnəfài] *vt., vi.* 〖醫〗 육질화(肉質化)하다[되다].

***car·ni·val** [káːrnəvəl] *n.* **1** 카니발, 사육제《카톨릭국가에서 사순절(Lent) 직전 1주간의 축제》. **2** 법석떨기, 소란 ; 광란 : a ~ *of* bloodshed 유혈의 광란. **3** 오락장, 흥행 : a water ~ 수상대회 / a winter ~ 겨울의 제전. **4** 순회 대 서커스.
〖It.<L=shrovetide (CARNAL, *levo* to put away)〗

Car·niv·o·ra [kaːrnívərə] *n. pl.* 〖動〗 식육류.

car·ni·vore [káːrnəvɔ̀ːr] *n.* 육식동물(cf. HERBIVORE) ; 식충 식물.
〖↓의 역성(逆成)인가〗

car·niv·o·rous [kaːrnívərəs] *a.* (동물이) 육식(성)의(cf. HERBIVOROUS, OMNIVOROUS).
~·ly *adv.* **~·ness** *n.*
〖L ; ⇨ CARNAL, -VOROUS〗

car·no·tite [káːrnətàit] *n.* 카르노석(石)《우라늄 원광》.
〖M. A. *Carnot* (d. 1920) 프랑스의 광산 감독관〗

car·ny[1] [káːrni] *n.* 《美俗》 **1** 순회 공연. **2** 순회 공연에서 일하는 사람, 순회 공연 배우.
〖*carni*val, -y[3]〗

carny[2] *vt., a., n.* 《英口》 =CARNEY[1].

car·ob [kǽrəb] *n.* 유럽콩나무《지중해 연안산》.

car·ol [kǽrəl] *n.* **1** 축가 : a Christmas ~. **2** 《詩》 새의 지저귐. —— *v.* (**-l-** | **-ll-**) *vt.* 기뻐서 노래하다 ; 노래하여 축하[찬양]하다. —— *vi.* 축가를 부르다 ; 기쁘게 노래하다. 〖OF<?〗

Car·o·le·an [kæ̀rəlíːən] *a.* =CAROLINE.

Car·o·li·na [kæ̀rəláinə] *n.* 캐롤라이나《원래 미국 대서양 연안에 있었던 영국의 식민지 ; 1729년 North Carolina와 South Carolina의 두 주로 나뉨》 ; [the ~s] 남북 캐롤라이나 주.

Car·o·line [kǽrəlàin, -lən] *n.* 여자 이름《애칭 Carrie》. —— *a.* 영국왕 찰스 1세 및 2세 (시대)의 ; Charlemagne (시대)의.
〖F (dim.) ; ⇨ CAROL〗

Cároline Íslands *n. pl.* [the ~] 캐롤라인 제도《태평양 서부의 미국 신탁통치령 ; 600개 이상의 섬으로 구성됨》.

Car·o·lin·gi·an [kæ̀rəlíndʒiən] *a., n.* 카롤링거 왕조《751-987년간의 프랑크 왕국》의 (왕·사람)(cf. MEROVINGIAN) ; 카롤링거왕조풍의 (서체).
〖F *carlovingien* (*Karl* Charles) ; MEROVINGIAN을 모방한 것〗

Car·o·lin·i·an [kæ̀rəlíniən] *a., n.* North[South] Carolina 주의 (주민) ; =CAROLINE.

car·om [kǽrəm] *n., vi.* 《美》 〖撞球〗 =CANNON.
〖*caram*bole<Sp.〗

car·o·tene [kǽrətiːn] *n.* 〖化〗 카로틴《적황색의 탄수화물》.

ca·rot·e·noid, -rot·i- [kərátənɔ̀id] *n., a.* (색소의 일종인) 카로티노이드(의).

ca·rot·id [kərátəd] *n., a.* 경동맥(頸動脈)(의).
〖F or L<Gk. (*karoō* to stupefy) ; 여기를 누르면 stupor를 일으킨다고 함〗

ca·rous·al [kəráuzəl] *n.* **1** 흥청거림, 큰 술잔치. **2** =CAROUSEL.

ca·rouse [kəráuz] *vi., vt.* 진탕 마시다 ; 마시며 떠들다. —— *n.* =CAROUSAL 1. **ca·róus·er** *n.*
〖G *gar aus* (*trinken* to drink) right out〗

car·ou·sel, car·rou- [kæ̀rəsél, -zél, ⌐-⌐] *n.* 회전 목마, 메리고라운드 ; (컨베이어 시스템·화물

운반용의) 원형 컨베이어; (슬라이드 영사기용의) 도넛형(形) 슬라이드 상자《회전식》; 〖史〗 기사가 여러 가지 대형을 이루어 무예를 일반인에게 보이는 마상(馬上) 경기 대회. 〚F<It.〛

carp[1] [ká:rp] *n.* (*pl.* **~s**, ~) 잉어; 잉어과(科)의 물고기: the silver ~ 붕어. 〚OF<Prov. or L〛

carp[2] *vi.* [+前+名] 트집잡다, 시끄럽게 잔소리하다: You are always *~ing* ***at*** my errors. 항상 나의 트집만 잡고 있다. —— *n.* 불평, 불만, 투덜거림. 〚ME=to talk, say, sing<ON *karpa* to brag; 현대의 뜻은 16세기 L *carpo* to pluck at, slander의 영향〛

carp-[1] [ká:rp], **car·po-** [ká:rpou, -pə] *comb. form* 「과실(果實)」의 뜻. 〚Gk.; ⇨ CARPEL〛

carp-[2] [ká:rp], **car·po-** [ká:rpou, -pə] *comb. form* 「손목(뼈)」의 뜻. 〚Gk.; ⇨ CARPUS〛

-carp [kà:rp] *n. comb. form* 「과실(을 맺는 식물)」의 뜻: schizo*carp*, endo*carp*. 〚NL; ⇨ CARPEL〛

carp. carpenter; carpentry.

car·pal [ká:rpəl] *a.* 〖解〗 손목 관절[뼈]의, 손목뼈 부분의. —— *n.* 손목뼈 부분. 〚CARPUS〛

car·pa·le [ka:rpéili(:), -pǽli(:), -pá:-] *n.* (*pl.* **-lia** [-liə]) 〖解〗 손목뼈.

cár pàrk *n.* 《주로 英》 =PARKING LOT.

Car·pa·thi·an Móuntains [ka:rpéiθiən-] *n. pl.* [the ~] 카르파티아 산맥《유럽 중부의 산맥; the Carpathians라고도 함》.

car·pe di·em [ká:rpe dí:em, -dáiem, -əm] (미래의 우환을 생각하지 말고) 현재를 즐겨라. 〚L=enjoy the day〛

car·pel [ká:rpəl] *n.* 〖植〗 심피(心皮), 암술 잎. 〚F or L<Gk. *karpos* fruit〛

cár·pel·late [-pəlèit, -lət] *a.* 〖植〗 심피(心皮)를 가진.

***car·pen·ter** [ká:rpəntər] *n.* 목공, 목수(cf. JOINER, CABINETMAKER); 〖劇〗 무대 장치원: a ~'s shop[square] 목공의 작업장[접는 자] / the ~'s son (특히 나사렛의 목수 아들) 예수. —— *vi., vt.* 목공[목수]일을 하다[해서 만들다]. 〚AF<L=wagon maker (*carpentum* wagon)〛

cárpenter bèe *n.* 〖昆〗 어리호박벌.

cárpenter[cárpenter's] scène *n.* 〖劇〗 막전극(幕前劇)《무대 장치원이 다음 무대의 준비를 하는 동안 무대 앞쪽에서 하는》.

car·pen·try [ká:rpəntri] *n.* Ⓤ 목수일; 목수질; 목수 직업; 목공품.

cárp·er *n.* 트집쟁이; 혹평가.

***car·pet** [ká:rpət] *n.* **1** 카펫, 융단, 양탄자, 깔개 (cf. RUG): a ~ *of* flowers 양탄자를 깐듯이 만발한 꽃. **2** (융단을 깐 듯한) 꽃밭·풀밭《따위》. **3** (포탄 따위의) 집중 투하 지역.

on the carpet 심의중에; 《口》 (사환·하인 등이) 꾸지람을 들어서(cf. *on the* MAT).

—— *vt.* **1** [+目/+目+*with*+名] …에 융단을 깔다; (꽃 따위로) 덮다: ~ the stairs 계단에 융단을 깔다 / In the spring the ground was *~ed* ***with*** violets. 봄에 대지는 온통 제비꽃으로 덮여 있었다. **2** 《口》 (하인 등을) 불러 야단치다. 〚OF or L<It.=woolen counterpane (L *carpo* to pluck)〛

cárpet·bàg *n.* (구식) 여행용 가방. —— *a.* 《美》 carpetbagger식의. —— *vi.* 《美》 carpetbagger 풍으로 행동하다; 간편한 차림으로 여행하다.

cárpet·bàgger *n.* 《英》 다른 데서 데려온 후보; 《美》 떠돌이 정치가《특히 남북 전쟁 후 남부로 넘어옴》; 《美西部》 엉터리 은행가.

cárpet·bèat·er *n.* 양탄자를 터는 사람[도구].

cárpet bèd *n.* 양탄자 무늬처럼 꾸민 화단.

cárpet bèdding *n.* 양탄자 무늬의 화단 가꾸기.

cárpet bèetle[bùg] *n.* 〖昆〗 수시렁이, (특히) 애알수시렁이《애벌레는 모직물을 좀먹음》.

cárpet-bòmb *vt., vi.* 융단 폭격하다.

cárpet bòmbing *n.* Ⓤ 〖軍〗 융단 폭격(cf. PRECISION BOMBING).

cárpet dànce *n.* 약식 무도(회)《융단 위에서 가볍게 춤을 춤》.

cárpet·ing *n.* Ⓤ 깔개용 재료, 양탄자감; [집합적으로] 깔개류.

cárpet knìght *n.* 《蔑》 실전 경험이 없는 기사[병사]; 여자에게 친절한 사내(lady's man).

cárpet ròd *n.* (계단의) 양탄자 누르개(stair rod) 《안 움직이게 함》.

cárpet·slìpper *n.* 모직 슬리퍼, (일반적으로) = HOUSE SLIPPER.

cárpet snàke *n.* 〖動〗 융단뱀《오스트레일리아산 비단뱀》.

cárpet swèeper *n.* 융단 청소기[하는 사람].

cárpet·wèed *n.* 〖植〗 석류풀《석류풀과(科)》.

cárpet yàrn *n.* 융단을 짜는 실.

carpi *n.* CARPUS의 복수형.

-car·pic [ká:rpik] *a. comb. form* =-CARPOUS.

cárp·ing *a.* 트집잡는, 시끄럽게 잔소리하는: a ~ tongue 독설. —— *n.* 흠을 들추어 냄. **~·ly** *adv.*

carpo- [ká:rpou, -pə] ☞ CARP-[1,2].

car·pol·o·gy [ka:rpálədʒi] *n.* 과실(果實)(분류)학. **-gist** *n.* 과실학자. **càr·po·lóg·i·cal** *a.*

cár pòol *n.* 《美》 자가용차의 합승 이용[그룹]《통근시 따위에 몇 사람이 그룹을 만들어 (매일) 교대로 각자의 차를 운전해서 남을 태우는 방식》.

cár·pòol *vt.* 교대로 운전하며 가다; (어린이 등을) 합승식으로 태워주다. —— *vi.* (자가용차가) 합승 이용에 참가하다. **cár·pòol·er** *n.*

cár·pòrt *n.* (벽이 없고 지붕만 있는) 차고.

-car·pous [ká:rpəs] *a. comb. form* 「… 의[… 개(個)의] 과실이 있는」의 뜻. **-car·py** [kà:rpi] *n. comb. form* 〚⇨ -CARPUS〛

car·pus [ká:rpəs] *n.* (*pl.* **-pi** [-pai, -pi:]) 〖解〗 손목(wrist); 손목뼈. 〚L<Gk.; ⇨ CARPEL〛

-car·pus [ká:rpəs] *n. comb. form* 「…의 과실을 맺는 식물」의 뜻. 〚NL<Gk.〛

car·rack, car·ac(k) [kǽrək, -ik] *n.* 〖史〗 (14-16세기의 스페인인(人)·포르투갈인의) 무장 상선(cf. GALLEON).

cár ràdio *n.* 카 라디오.

car·ra·geen, car·a-, -gheen [kǽrəgì:n] *n.* 〖海藻〗 진두발속(屬)의 홍조류(=Irish moss) 《북대서양산(産)》; =CARRAGEENAN. 〚*Carragheen* 아일랜드 Waterford에 가까운 산지(産地)〛

car·ra·geen·an, -in, -gheen·in [kæ̀rəgí:nən] *n.* 카라기닌《바닷말 진두발 따위에서 추출되는 콜로이드》.

car·re·four [kǽrəfùər] *n.* 네거리; 광장.

car·rel, -rell [kǽrəl] *n.* (도서관의) 개인 열람석[실]; 〖史〗 수도원의 서재. 〚변형(變形) ‹ *carol* cloister room〛

carr. frd., carr. fwd. 〖商〗 carriage forward.

‡**car·riage** [kǽridʒ] *n.* **1** 차, 탈것; 마차《주로 4륜 자가용》; 《英》 (철도) 객차(=《美》 car). **2** (기계의) 운반대; 포가(砲架). **3** Ⓤ 운반, 수송; 운임: ~ *of* goods 화물 수송 / ~ *by* sea 해상 수

송 / ~ *on* parcels 소포 운송 / ~ free 운임 무료로. **4** [a ~] 몸가짐, 태도(bearing) : She has *an* elegant ~. 그녀는 몸가짐이 우아하다.
~·able *a.* 마차가 지나갈 수 있는.
〖OF ; ⇨ CARRY〗
類義語 ⟹ MANNER.
cárriage clòck *n.* (초기의) 여행용 휴대 시계.
cárriage còmpany *n.* 《口》 =CARRIAGE FOLK.
cárriage dòg *n.* 마차를 끄는 개(coach dog), (특히) Dalmatian개.
cárriage drìve *n.* 《英》 (큰 저택의 문에서 현관에 이르는) 차도 ; (공원 안 따위의) 마찻길(cf. DRIVE *n.* 2).
cárriage fòlk *n.* 《口》 자가용 마차를 가질 만한 신분의 사람들.
cárriage fórward *adv.* 《英》 운임[송료] 수취인 지급으로(=《美》 collect).
cárriage hòrse *n.* 마차를 끄는 말.
cárriage hòuse *n.* 마차 차고.
cárriage páid *adv.* 《英》 운임 선불(先拂)로(=《美》 carriage prepaid).
cárriage pòrch *n.* 차 대는 곳.
cárriage tràde *n.* [집합적으로] 상류 고객, 자가용차 계급, 부유 계급의 사람들.
cárriage·wày *n.* 차도, 마찻길(roadway) ; 《英》 (분리대가 있는) 자동차 도로.
cárriage wràpper *n.* 마차를 탈 때 사용하는 무릎 덮개.
car·rick [kǽrik] *n.* =CARRACK.
cárrick bènd *n.* 〔海〕 닻 매듭, 선원 매듭《밧줄의 끝과 끝을 이어 매는 매듭의 일종》.
car·ried [kǽrid] *a.* 운반된 ; 넋을 잃은, 황홀해진.
***car·ri·er** [kǽriər] *n.* **1** 운반하는 사람 ; 《美》 우편집배원(=《英》 postman) ; 운송업자 ; 운송회사《철도·항공·트럭·버스·기선회사를 포함》. **2** 운반시설 ; (자전거 따위의) 짐받이. **3** 전염병 매개체, 보균자. **4** 〔鳥〕 =CARRIER PIGEON. **5** 항공모함(=aircraft ~). **6** 〔理·通信〕 반송파(搬送波). **7** =CARRIER BAG. 〖CARRY〗
cárrier bàg *n.* 소화물을 넣는 튼튼한 종이 부대.
cárrier-bàsed *a.* 함재(艦載)의, 함상 발진의(cf. LAND-BASED).
Cárrier Báttle Gròup *n.* 〔軍〕 항공모함 전투군(群)《항모 1척을 중심으로 순양함·구축함·프리깃함 따위가 각 몇 척씩 배속되는 미(美)해상부대 편성 방식의 하나》.
cárrier-bòrne *a.* 항공모함에 실린.
cárrier-frèe ísotope *n.* 〔原子〕 혼합물이 없는 방사성 원소.
cárrier nàtion *n.* 해운국.
cárrier pìgeon *n.* 전서(傳書) 비둘기.
cárrier ròcket *n.* 운반 로켓, 쏘아 올리는 로켓.
cárrier wàve *n.* 〔通信〕 반송파(搬送波).
carriole ☞ CARIOLE.
car·ri·on [kǽriən] *n.* Ⓤ 썩은 고기, 죽은 짐승 고기 ; 부패. —— *a.* 썩은 ; 썩은 고기를 먹는 ; 추악한, 싫은. 〖OF＜L *caro* flesh ; of CARNAL〗
cárrion cròw *n.* 〔鳥〕 까마귀《유라시아산》.
Car·roll [kǽrəl] *n.* 캐럴. **Lewis** ~ (1832-98) 영국의 동화 작가. 〖L *Carolus* ; ⇨ CHARLES〗
car·ro·ma·ta [kæ̀rəmɑ́ːtə] *n.* (필리핀 제도에서 한 필의 말이 끄는) 2륜 마차. 〖Philippine Sp.〗
car·ron·ade [kæ̀rənéid] *n.* 〔史〕 함포(艦砲)의 일종《구경이 크고 포신이 짧음》. 〖*Carron* 최초에 이것이 만들어진 스코틀랜드의 지명〗
cár·ron òil [kǽrən-] *n.* 〔藥〕 캐런유《아마인유와 석회수를 섞은 화상(火傷) 치료약》.

***car·rot** [kǽrət] *n.* 당근 ; [*pl.*] 《口》 붉은 머리털(의 사람) ; 《비유》 설득의 수단, 미끼 ; 포상.
carrot and stick 회유와 위협(정책).
〖F＜L＜Gk.〗
cárrot-and-stíck *a.* 회유와 위협의 : ~ diplomacy 회유와 위협 정책.
cárrot·tòp *n.* 《美俗》 머리털이 붉은 사람.
cár·roty *a.* 당근빛의 ; (털이) 붉은, 붉은 털의.
carr. pd. 〔商〕 carriage paid.
◇**car·ry** [kǽri] *vt.* **1 a)** [+目 / +目+前+名 / +目+副] 운반하다, 운송하다(transport) : Metals ~ heat easily. 금속은 열을 잘 전한다 / He is ~*ing* a box ***on*** his back[shoulder]. 등[어깨]에 상자를 지고 운반하고 있다 / ~ a stick ***in*** one's hand 손에 지팡이를 잡고 가다 / ~ a baby *in* one's arms 아기를 안고 가다 / Please ~ this trunk ***for*** me. 이 트렁크를 운반해 주십시오 / *C*~ this stone *back* ***to*** its place. 이 돌을 제자리에 갖다 두시오. **b)** [+目+*to*+名] (동기·여비·시간 따위로) 가게 하다 ; (통지·말 따위를) 전하다 ; (병 따위를) 옮기다 : Business *carried* him ***to*** London. 사업상 그는 런던에 갔다 / Helen *carried* the news *to* the class. 헬렌은 그 소식을 반 학생들에게 전했다.
2 [+目 / +目+前+名] (중량을) 지탱하다, 받치다 ; (배가 돛을) 올리다 : Those columns ~ the roof. 저 기둥들이 지붕을 떠받치고 있다 / The bridge is *carried* ***on*** firm bases. 그 다리는 튼튼한 토대로 받쳐져 있다.
3 [+目+副] (머리·몸 따위를) 어떤 자세로 하다 : He always *carried* his head *high*. 그는 항상 머리를 높이 쳐들고 있다 / ~ oneself ☞ 숙어.
4 a) 이기다(win), 〔軍〕 (요새 따위를) 쳐서 무너뜨리다 : Our troops failed to ~ the enemy's fort. 우리 군은 적의 요새를 공략할 수 없었다. **b)** [+目 / +目+前+名] (청중을) 끌다 : His acting *carried* the house. 그의 연기는 만장의 갈채를 받았다 / The lecturer *carried* his audience ***with*** him. 연사는 청중의 공감을 샀다. **c)** (주장을) 관철하다 ; (동의(動議)를) 통과시키다 ; (후보자를) 당선시키다 ; (선거에) 이기다(win) : ~ one's point 자기 주장을 관철하다 / The motion to adjourn the meeting was *carried*. 회합을 연기하자는 동의가 통과됐다. **d)** (술을) 마셔도 흐트러지지 않다.
5 [+目 / +目+前+名] 휴대하다, 지니다, 소지하다 : An army officer usually *carries* a sword. 육군 장교는 보통 칼을 차고 있다 / He never *carries* much money ***with*** him. 그는 결코 많은 돈을 몸에 지니고 다니지 않는다.
6 [+目+前+名 / +目+副] 연장하다 ; (어느 정도까지) 진척시키다 : They *carried* a road ***into*** the mountains[a fence ***round*** the garden, pipes ***under*** the road]. 산속까지 도로를[정원 둘레에 울타리를, 도로 밑에 파이프를] 연장했다 / She *carries* her kindnesses ***to*** excess. 그녀는 지나치게 친절을 베푼다 / You *carried* the joke too *far*. 자네 농담은 도가 지나쳤어.
7 [+目 / +目+前+名] (무게를) 지니다 ; (책임이) 따르다, (결과로서) 생기다, (이자가) 붙다 : His judgment *carries* great weight. 그의 판단은 매우 무게가 있다 / Mr. White's voice *carried* great authority. 화이트씨의 발언은 큰 권위가 있었다《영향력이 있었다》 / The bond *carries* 6 per cent interest. 그 증권에는 6부의 이자가 붙는다 / These privileges ~ great responsibilities ***with*** them. 이들 특권에는 큰 책임이 따른다.

8 [+目+前+名] 기억해 두다 : I was surprised to find him ~ all these names ***with*** him[***in*** his head]. 그가 이 모든 이름을 다 기억하고 있는 데 놀랐다.
9 (물품을) 가게에 두다 ; (신문에 기사를) 게재하다 : This store *carries* clothing for men. 이 상점은 남성복을 판다 / ~ weather reports 일기 예보를 게재하다.
10 (수를) 한 자리 올리다 ; 〖簿〗 (다음 페이지로) 이월하다.
—— *vi.* **1** 물건을 나르다 ; 운송업을 경영하다 ; (말 따위가) 머리를 쳐들다 ; [진행형으로] 임신하고 있다. **2** [+副/+前+名] (소리·탄알 따위가) 도달하다, 이르다, 미치다 ; (총포가) …의 사정(射程)을 가지다 : My voice does not ~ so *far.* 내 목소리는 그렇게 멀리까지 미치지 못한다 / This gun will ~ a half mile. 이 총으로는 반마일 거리까지 쏠 수 있다 / His voice will ~ ***to*** the back of the room. 그의 목소리는 방 뒤에까지 들릴 것이다. **3** (사냥개가) 냄새를 쫓다. **4** (동의가) 통과하다.
carry about (이곳 저곳) 가지고 다니다 ; (…을) 몸에 지니고 있다 : I ~ *about with* me a small dictionary. 작은 사전을 갖고 다닌다 / He always *carries* some money *about* him. 그는 항상 약간의 돈을 몸에 지니고 있다.
carry all [***everything***] ***before*** one 파죽지세로 나아가다, 나아가는 곳에 적이 없다, 큰 성공을 거두다.
carry away ⑴ 휩쓸어 가다, 가져가다 : The oars were *carried away* by the waves. 물결에 노가 떠내려갔다. ⑵ [보통 수동태로] …에 넋[정신]을 잃게 하다, 도취시키다 ; …의 목숨을 빼앗다 : The entire gathering was *carried away* by his fiery speech. 청중은 모두 그의 열변에 감동했다 / He was *carried away* by the plague. 그는 역병(疫病)으로 목숨을 잃었다.
carry back 되가져 가[오]다(*vt.* 1 a)) ; (남에게) 옛일을 생각나게 하다 : The incident *carried* him *back to* his schooldays. 그 사건으로 그는 학창 시절이 생각났다.
carry conviction ☞ CONVICTION 2.
carry forward (사업 따위를) 진전시키다 ; 〖簿〗 (다음 페이지로) 이월하다 ; (수를) 한 자리 올리다(cf. *vt.* 10).
carry...into effect [***execution***] ☞ EFFECT, EXECUTION.
carry it = CARRY *the day.*
carry it off (***well***) 태연히 버티어 나가다, 시치미를 떼다.
carry off ⑴ 가져가다, 채가다 ; (병이 인명 따위를) 빼앗다. ⑵ (상·영예 따위를) 획득하다 : Dick *carried off* all the school prizes. 딕은 학교의 상을 독차지했다. ⑶ 해치우다.
carry on ⑴ (특히 중단한 후) 계속해 가다, 진척시키다, (앞으로) 나아가다 : ~ *on* a conversation[discussion] 대화[토론]를 계속하다 / They decided to ~ *on* (*with* their work). (일을) 계속해서 하기[해나가기]로 결정했다. ⑵ (사업 따위를) 경영하다. ⑶ 《口》 울고불고하다, 미친 것처럼 날뛰다 ; (여자와) 난잡한 짓을 하다, 희롱하다(flirt) <*with*>.
carry a person ***off his feet*** ☞ FOOT.
carry one***'s bat*** ☞ BAT[1] *n.*
carry one***self*** 처신하다, 행동하다(cf. *vt.* 3) : He *carries* him*self* well[badly, like a sportsman]. 그는 훌륭하게[비겁하게, 스포츠맨답게] 행동을 한다.
carry out 성취하다 ; 실행하다 : You should ~ *out* your first plan. 첫번째 계획을 실행해야만 한다 / The orders were not *carried out.* 그 명령들은 수행되지 않았다.
carry over (미결인 채) 남기다 ; 이월하다, 뒤로 미루다(= ~ forward).
carry sword 〖軍〗 「어깨 칼」을 하다(cf. *n.* 1).
carry the day (선거에) 이기다, 승리를 거두다, 성공하다.
carry the war into the enemy's camp [***country***] ☞ WAR.
carry through 버티어 내다, 성취하다 ; (남에게) 난관을 극복하게 하다, 지탱해 내게 하다 : ~ *through* an undertaking 계획을 완성시키다 / Your encouragement will ~ her *through.* 당신의 격려는 그녀로 하여금 어려움을 이겨나가게 해줄 것입니다.
—— *n.* **1** 〖軍〗 「어깨 칼」[「어깨 총」]의 자세 : at the ~ 「어깨 칼」[「어깨 총」]을 하고서. **2** (총포의) 사정(射程) ; 〖골프〗 공이 날아간 거리. **3** 《美·Can.》 두 수로간의 육상 운반, 그 육로.
〚AF and ONF *carier* ; ⇨ CAR〛
類義語 ***carry*** 차 따위의 운반 도구를 사용하여 어떤 곳에서 다른 곳으로 옮기다 : The railroad *carries* coal to the port. (철도로 석탄이 항구까지 운반된다). ***bear*** 나르기 위한 노력 또는 운반된 것이 중요함을 암시함. 흔히 비유적으로 쓰임 : *bear* a burden (짐을 지다). ***convey*** carry에 대해서 격식을 갖추는 딱딱한 말이나, 물건을 쉬지 않고 계속해서 나를 때나 어떤 경로에 의해 나를 때 흔히 쓰임 : Escalators *convey* people upstairs. (에스컬레이터가 사람들을 위층으로 운반한다). ***transport*** 장거리의 사람 또는 물건의 수송에 쓰임 : Airplanes *transported* troops from America to Europe. (군대를 미국에서 유럽으로 공수(空輸)했다).

car·ry·all [kǽriɔ̀ːl] *n.* **1** 〚CARIOLE의 사투리〛 《美》 한 필의 말이 끄는 4[2]인승 경(輕)마차 ; 양쪽에 마주보는 좌석이 있는 버스. **2** 〚*carry*+*all*〛 (여행용의) 즈크제 대형 백.
cárry-álong *a.* 휴대용의.
cárry-bàck *n.* 《美》 (소득세의 과납(過納) 따위로 인한) 환불(액).
cárry bàg *n.* 《美》 = SHOPPING BAG.
cárry-còt *n.* 《英》 (아기용) 휴대 침대.
cárry·ing *n., a.* 운송(의), 운반(의).
cárrying capàcity *n.* 적재량.
cárrying chàrge *n.* 〖商〗 분할 지급 할증금.
cárry·ings-ón *n. pl.* 《口》 바보 같은[미련한] 짓, 눈에 거슬리는 행실 ; 희롱.
cárrying tràde *n.* 운송업, 해운업.
cárry-òn *n.* (비행기내로) 휴대할 수 있는 소지품 ; 《英口》 = CARRYINGS-ON.
cárry-òn *a.* 기내(機內) 휴대의《짐》.
cárry·òut *a., n.* 사가지고 갈 수 있는 (음식물) (takeout).
cárry-òver *n.* **1** 〖簿〗 (다음 페이지에) 이월. **2** 〖商〗 이월 거래 ; 이월품.
cár·sìck *a.* 차멀미나는.
Cár Sléeper *n.* (철도에 의한) 여객과 승용차의 동시 수송 서비스《열차에 의한 완성차의 수송은 'piggyback'이라고 함》.
Cár·son Cíty [káːrsn-] *n.* 카슨 시티《Nevada 주의 주도(州都)》.
***cart** [kaːrt] *n.* **1** 짐마차《2륜 또는 4륜 ; cf. WAGON》 ; (2륜의) 짐수레, 운반차. **2** (한 필의 말이

끄는 2륜의) 경마차.
in the cart 《英口》 난처하여, 곤경에 빠져서.
put [***set***] ***the cart before the horse*** 본말(本末)을 전도(轉倒)하다.
── *vt.* [+目 / +目+副] 짐수레로 나르다 : ~ *away* the rubbish 쓰레기를 짐수레로 실어가다. ── *vi.* 짐수레를 쓰다.
〖ON *kartr* cart, OE *cræt*가 대체로 AF, ONF *carete* (dim.) ‹ *carre* CAR의 영향을 받은 것〗
cárt·age *n.* Ⓤ 짐수레 운반[운임].
carte[1] [kɑ́ːrt] *n.* 〖펜싱〗 =QUARTE.
carte[2] [kɑ́ːrt ; *F* kart] *n.* 식단표(食單表), 메뉴 ; 명함. 〖F=CARD[1]〗
carte blanche [kɑ́ːrt blɑ́ːntʃ ; *F* kartəblɑ̃ːʃ] *n.* (*pl.* **cartes blanches** [kɑ́ːrts- ; *F* —]) 백지 위임장《서명만 하고 자유 기입을 허용함》 ; Ⓤ 백지 위임 : give ~ to …에 자유 행동을 허용하다. 〖F=blank paper〗
carte de vi·site [kɑ́ːrt də vi(ː)zíːt] *n.* (*pl.* **cártes de visíte** [kɑ́ːrts-]) 명함 ; 〖寫〗 명함판 사진《$2\frac{1}{4}\times3\frac{3}{4}$인치》. 〖F〗
car·tel [kɑːrtél, kɑ́ːrtl] *n.* **1** 〖經〗 기업 연합, 카르텔(cf. TRUST *n.* 7). **2** 포로 교환 조약서[협정서]. **3** 결투장. 〖G<F<It. (dim.) ‹CARD[1]〗
cár tèlephone *n.* 자동차 전화, 카 텔레폰.
cártel·ìze *vi.*, *vt.* 기업 연합으로[카르텔로] 되다[하다].
cartél shìp *n.* 포로 교환선.
cárt·er *n.* 마부, 짐마차꾼.
Car·ter *n.* 카터. **Jimmy** ~ (1924-) 미국의 제 39대 대통령(1977-81) ; 민주당.
Car·te·sian [kɑːrtíːʒən ; -ziən] *a.* 데카르트의. ── *n.* 데카르트 학도[파].
〖L *Cartesius* Descartes의 라틴어 이름〗
Cartésian coórdinate *n.* 〖數〗 데카르트 좌표(座標).
Cartésian dévil[**díver**] *n.* 〖理〗 무자맥질 인형《유리관에 든 인형이 압력의 영향으로 가라앉았다 떴다 하는 장치》.
Cartésian pláne *n.* 〖數〗 데카르트 평면.
Cartésian próduct[**sét**] *n.* 〖數〗 곱집합.
cárt·fùl *n.* 한 수레[바리](의 분량).
Car·thage [kɑ́ːrθidʒ] *n.* 카르타고《아프리카 북부 해안의 고대 도시 국가로서 로마에 멸망》.
Car·tha·gin·i·an [kɑ̀ːrθədʒíniən] *a.*, *n.* 카르타고의 (사람).
Carthagínian péace *n.* 카르타고적(的) 화평《패자에게 아주 엄한 화평 조약》.
cárt hòrse *n.* 짐마차 말.
Car·thu·sian [kɑːrθjúːʒən ; -ziən] *n.* 카르투지오 수도회《11세기 알프스 산속에서 창설된》의 수사. ── *a.* 카르투지오 수도회의.
〖L ; ⇨ CHARTREUSE〗
Car·tier [*F* kartje] *n.* 카르티에.
Jacques ~ (1491-1557) 프랑스의 항해가·탐험가 ; St. Lawrence 강을 발견.
car·ti·lage [kɑ́ːrtəlidʒ] *n.* Ⓤ,Ⓒ 〖解〗 연골조직 : a ~ bone 연골성 경골(硬骨). 〖F<L〗
car·ti·lag·i·nous [kɑ̀ːrtəlǽdʒənəs] *a.* 〖解〗 연골성의 ; 〖動〗 (물고기가) 골격이 연골로 된.
cárt·lòad *n.* 짐(마)차 1대의 짐〈*of*〉 ; 《口》 대량(heap)〈*of*〉.
by the cartload (짐마차로 나를 정도로) 많이.
car·to·gram [kɑ́ːrtəgræ̀m] *n.* 통계 지도.
car·to·graph [kɑ́ːrtəgræ̀f] *n.* 지도(map) ; (특히) 삽화가 있는 지도.
car·tog·ra·phy [kɑːrtágrəfi] *n.* 지도 작성(법).
-pher *n.* 지도 제작자. **càr·to·gráph·ic**, **-i·cal** *a.* 지도 제작(상)의.
〖F (*carte* map, CARD[1])〗
car·to·man·cy [kɑ́ːrtəmæ̀nsi] *n.* 카드점(占).
car·ton [kɑ́ːrtən] *n.* **1** 마분지 상자 ; Ⓤ 마분지, 판지(cardboard) ; (우유 따위의) 납지[플라스틱] 용기. **2** 과녁 복판의 하얀 점《bull's-eye 가운데의 흰 곳》 ; 명중탄. ── *vt.*, *vi.* carton에 넣다, carton을 만들다. 〖F ; ⇨ CARTOON〗
car·toon [kɑːrtúːn] *n.* (시사) 만화 ; 만화 영화 ; 연재 만화(comic strip) ; (실물 크기의) 밑그림. ── *vt.* 만화화하다. ── *vi.* 만화[밑그림]를 그리다. **~·ist** *n.* 만화가. 〖It. ; ⇨ CARD[1]〗
cartóon tést *n.* 〖마케팅〗 약화(略畫) 테스트《한 사람 이상의 인물 약화를 보이고 말이나 회화를 써넣게 하는 투영 원리를 이용한 임상 테스트법 ; cf. RORSCHACH TEST》.
cár·tòp *a.* (크기나 무게가) 자동차 지붕 위에 싣고 다니기 알맞은.
cár-tòp *vt.*, *vi.* 자동차 지붕에 실어 나르다.
cár·tòpper *n.* 자동차 지붕 위에 싣고 다닐 수 있는 소형 보트.
cár tòpping *n.* **1** 짐을 자동차의 지붕에 싣고 나르기. **2** 화차에 속임수로 실은 화물《석탄차로 석탄을 운반할 때에 품질이 나쁜 석탄 위에 상질의 석탄을 덮어서 상대업자를 속이는 일 따위》.
car·touch(**e**) [kɑːrtúːʃ] *n.* 카르투시《기둥머리·기념비 따위의 소용돌이 장식 ; 상형문자로 이집트 왕의 이름, 신의 이름이 쓰여 있는 타원형의 윤곽》 ; 장식 벽판 ; 탄약통[상자] ; 폭죽의 화약통.
〖F=cartridge<It. ; ⇨ CARD[1]〗
car·tridge [kɑ́ːrtridʒ] *n.* **1** 탄약통, 탄창, 약포(藥包) : a ball ~ 실탄. **2 a**) 〖寫〗 (필름을 감아 넣는) 파트로네. **b**) (전축의) 카트리지《픽업 속의 바늘을 꽂아 넣는 작은 케이스》 ; (카트리지식 만년필 따위의) 갈아 끼우개.
〖↑〗
cártridge bàg *n.* 탄약 주머니.
cártridge bèlt *n.* 탄띠, 탄약대.
cártridge bòx *n.* 탄창 케이스《벨트 따위에 매어 다는 가죽 케이스》.
cártridge càse *n.* 약협(藥莢), 탄창.
cártridge chàmber *n.* (총의) 약실(藥室).
cártridge clìp *n.* (기관총 따위의) 삽탄자(揷彈子), 탄알 클립.
cártridge pàper *n.* 약포지(藥包紙) ; 포장지 ; 값싼 도화지.
cárt ròad, **cárt tràck**, **cárt·wày** *n.* (승용 마차가 통과하기 어려운) 짐수렛길.
car·tu·lary [kɑ́ːrtʃəlèri ; -ləri] *n.* 기록집[부] ; 특허장[지권(地券)] 대장(chartulary).
cárt·whèel *n.* **1** (짐수레 따위의) 바퀴. **2** 《口》 대형 화폐, 달러 은화. **3** 옆으로 재주넘기 : turn ~*s* 옆으로 재주넘기를 하다. ── *vi.* 옆으로 재주넘기를 하다 ; 차바퀴처럼 움직이다.
cárt whìp *n.* (마부의) 굵은 채찍.
cárt·wrìght *n.* 달구지(를 만드는) 목수.
car·un·cle [kǽrʌŋkəl, kərʌ́ŋ-] *n.* 〖動〗 (새의) 볏 ; (칠면조 따위의) 근육혹, 육부(肉阜) ; 〖植〗 씨혹, 종부(種阜)《종자의 밑씨 부근의 소돌기》 ; 〖醫〗 (여성의 요도 부근에 생기는 작고 빨간) 육구(肉丘), 육부.
Ca·ru·so [kərúːsou, -zəu] *n.* 카루소. **Enrico** ~ (1873-1921) 이탈리아의 테너 가수.
***carve** [kɑ́ːrv] *vt.* **1** (식탁에서 고기를) 썰어 분배하다《이것은 주인이 함》 : ~ a chicken 닭고기를 썰어 나누다. **2** [+目 / +目+前+名] (나무·돌

따위를 어떤 모양으로) 새기다, 깎아서 상(像)을 만들다 ; 깎다, 조각하다 : ~ a figure ***out of*** stone 돌에 새겨 상을 만들다 / Statues are ~*d* ***from*** marble, stone, or wood. 조상(彫像)은 대리석이나 돌 혹은 나무에 새겨서 만든다 / He ~*d* his name ***on*** the tree. 나무에 이름을 새겼다 / a Buddha ~*d* ***in*** wood 목각의 불상 / Marble is ~*d* ***into*** a statue. 대리석은 다듬어져 조각상으로 된다. **3** [+目 / +目+副] (운명 따위를) 타개하다 : ~ one's way 진로를 개척하다 / ~ ***out*** a career for oneself 자력으로 사회에 진출하다.
── *vi.* 고기를 썰어 나누다 ; 조각업에 종사하다.
carve up (고기를) 썰어 나누다 ;《蔑》(유산·영토 따위를) 분할하다,《英俗》칼로 찌르다 ;《英俗》속이다.
〖OE *ceorfan* to cut, slay〗

car·vel [ká:rvəl, -vel] *n.* =CARAVEL.

cárvel-buìlt *a.* (뱃전의 널을) 겹치지 않고 평평하게 댄[붙인].

carv·en [ká:rvən] *v.* CARVE의 과거분사.
── *a.*《詩》조각한.

carv·er [ká:rvər] *n.* 조각자, 조각사 ; 고기를 써는 사람 ; 고기 써는 칼 ; [*pl.*] 고기 써는 칼과 대형 포크.

cárve-ùp *n.*《英俗·蔑》이익 따위의 분배 ; 사기 ; 나이프와 면도칼을 들고 하는 싸움 ; 운전자의 노상(路上) 싸움.

carv·ing [ká:rviŋ] *n.* **1** Ⓤ 조각《특히 목각이나 상아에 파는 것》; 조각술 ; Ⓒ 조각물. **2** Ⓤ 고기를 썰어 나누기.

cárving fòrk *n.* 고기를 써는 큰 포크.

cárving knìfe *n.* 고기 써는 나이프[칼].

cár wàsh *n.* 세차(장), 세차기(機).

cary- [kǽri], **car·yo-** [kǽriou, -iə] ☞ KARY-.

car·y·at·id [kæ̀riǽtəd] *n.* (*pl.* **~s**, **~·es** [-ì:z]) 〖建〗여인상 기둥(cf. TELAMON).

car·y·op·sis [kæ̀riápsəs] *n.* (*pl.* **-ses** [-si:z], **-si·des** [-sədì:z]) 〖植〗영과(穎果).

CAS 〖空〗calibrated airspeed(수정 대기(修正對氣) 속도).

ca·sa·ba, cas·sa·ba [kəsá:bə] *n.* 〖植〗카사바《머스크멜론의 일종》. 〖Turk.〗

Ca·sa·blan·ca [kæ̀səblǽŋkə] *n.* 카사블랑카《모로코 북서 해안의 항구 도시》.

cas·al [kéisəl] *a.* 〖文法〗격(格)의.

Cas·a·no·va [kæ̀zənóuvə, kæ̀s-] *n.* **1** 카사노바. **Giovanni Jacopo** ~ (1725-98) 이탈리아의 음모 정치가·작가, 유명한 호색가. **2** 색마 ; 바람둥이 애인《남자》.

cas·bah [kǽzba:, ká:z-] *n.* =KASBAH.
〖F<Arab.〗

cas·ca·bel [kǽskəbèl] *n.* 〖軍〗(포구(砲口) 장전식 평사포(平射砲)의) 포미(砲尾)의 유두상(乳頭狀) 돌기 ; 포미 부분. 〖Sp. =small bell〗

cas·cade [kæskéid] *n.* **1** 작은 폭포(cf. CATARACT, WATERFALL), 계단 폭포 ; 인공 폭포. **2** 폭포 모양의 레이스《따위》; 〖園藝〗현애(懸崖) 재배. **3** 〖電〗종속(從續) ; 〖理·化〗캐스케이드.
── *vi.* 폭포가 되어 떨어지다. ── *vt.* 폭포처럼 떨어지다 ; 〖電〗종속 접속하다 ; (작업을) 단계적으로 하다. 〖F<It. =to fall ; ⇨ CASE¹〗

Cascáde Ránge *n.* [the ~] 캐스케이드 산맥《미국 California 주에서 캐나다 British Columbia 주에 걸쳐 있음》.

cascáde shòwer *n.* 〖理〗방사선이 단계적으로 입자수를 늘려가는 현상.

cas·cara [kæskǽrə, -ká:rə] *n.* 〖植〗갈매나무과의 카스카라 ; =CASCARA SAGRADA.

cascára sa·grá·da [-səgrá:də, -gréi-] *n.* 카스카라 사그라다《cascara의 껍질 ; 완하제(緩下劑)》. 〖Sp. =sacred bark〗

cas·ca·ril·la [kæ̀skəríl ə, -rí:jə] *n.* 〖植〗카스카릴라《등대풀과(科) 파두속(巴豆屬)의 관목(灌木) ; 서인도제도산》; 그 수피(樹皮) (=∠ **bàrk**)《향기 좋은 건위제》.
〖Sp. (dim.) ‹CASCARA〗

◊**case¹** [kéis] *n.* **1** 경우 : *in* such ~*s* 그런 경우에. **2** 사건, 사례(事例), 문제 : a common ~ 흔히 있는 예 / a ~ *of* conscience 도의상의 문제 / I never knew a ~ *of* it. 아직 그런 사례는 못 보았다 / a ~ *between* them 양자간의 문제 / a ~ in point 적절한 예. **3** 사실, 실정, 진상, 정당한 논거 : That is[is not] the ~. 사실은 그러하다[그렇지 않다] / It is always the ~ *with* him. 그는 늘 그 모양이다 / Such being the ~, I can't go. 이런 실정이므로 저는 가지 못합니다 / It is the ~ that …이라는 것이 사실[진상]이다. **4** 사정, 상태 : *in* sorry ~ 비참한 지경으로 / *in* good[bad] ~ 지내는 형편이 좋아[나빠] ; 건강이 좋아서[나빠서]. **5** 〖醫〗병증(disease) ; 환자(patient) : explain one's ~ 병의 증상을 설명하다 / twenty new ~*s* of flu 유행성 감기 새 환자 20명. **6 a)** 〖法〗판례 ; 소송사건(suit) : a leading ~ 선례가 되는 판례 / drop a ~ 소송을 취하(取下)하다. **b)** (소송할 만한) 문제 ; 변명, 진술, 주장, 논거 : lay the ~ 진술하다 / state[make out] one's ~ 자기의 입장을 진술하다[입증하다] / That is our ~. 그것이 우리들의 입장이다 / the ~ *for* conservatism 보수주의 변호론(辯護論). **7** 〖文法〗격. **8** 《美口》괴짜.
as is often the case with …에 흔히 있는 일이지만.
as the case may be 경우에 따라, 사정 여하에 따라.
case by case 그때그때 경우에 따라.
a gone case ☞ GONE 5.
in any case 어찌 되었건, 어떠한 경우에도, 여하튼, 어쨌든, 어떻든.
in case《口》만일의 경우에 대비해서 : I'll wear a raincoat (*just*) *in* ~. 만일을 생각해서 우의(雨衣)를 입고 가겠다《...*in* ~ it rains의 略》.
in case of …의 경우에는(in the event of), …을 생각하여 : *in* ~ *of* need 필요할 경우에는 / *In* ~ *of* anything happening, call this number. 무슨 일이 있거든 이 번호로 전화를 걸어 주십시오.
in case (***that***) …하는 경우에는, …의 경우에 대비해서 ; 만일 …이면 : Take an umbrella with you *in* ~ it rains. 비가 올 경우에 대비해서 우산을 가져 가시오《for fear (that)보다도 구어적(口語的)》/ *In* ~ I forget, please remind me of [about] it. 잊어버릴 경우에는 주의를 환기시켜 주십시오《*if*보다 구어적》.
in nine cases out of ten 십중팔구.
in no case 결코 …아닌.
in that case 그런 경우에는《if that is so의 쪽이 구어적》.
in the case of …의 경우에는 ; …에 관해서는.
put (***the***) ***case*** (***that***) …이라고 가정하다.
〖OF<L *casus* fall (*cas- cado* to fall)〗
類義語 ⟹ INSTANCE.

◊**case²** *n.* **1 a)** 상자, 갑, 케이스 ; 용기 ; 주머니, 가방 ; 통 ; (나이프의) 집(cf. CASE KNIFE) ; 겉포장, 덮개, 씌우개 ; 커버 ; 틀 ; …집 : a dressing ~ 화장품 상자 / a pillow ~ 베갯잇 / a packing

~ 포장용 상자 / a watch ~ (시계의) 딱지 / ☞ BOOKCASE, SUITCASE. **b**) 한 상자(의 분량), 한 벌, 한 짝 : a ~ *of* wine 포도주 한 상자《1다스 들이》. **2** 〖印〗 활자 케이스 : ☞ LOWER CASE / ☞ UPPER CASE. ── *vt.* [+目 / +目+前+名] 상자[집·주머니]에 넣다 ; 싸다, …에 씌우다 : a wall ~*d* ***with*** stone 주위를 돌로 친 담벽 / a warrior ~*d* ***in*** armor 갑옷으로 무장한 용사. 〖OF < L *capsa* box (*capio* to hold)〗

Case *n.* 컴퓨터 원용(援用) 소프트 웨어 공학. 〖*c*omputer-*a*ided *s*oftware *e*ngineering〗

ca·se·ase [kéisièis, -z] *n.* 〖生化〗 카세아제《카세인을 분해하는 효소》.

ca·se·ate [kéisièit] *vi.* 〖醫〗 건락화(乾酪化)하다, 치즈질(質)이 되다.

cà·se·á·tion *n.* (결핵 따위의) 건락화[변성], 치즈화.

cáse bày *n.* 〖建〗 천장 들보 사이의 공간.

cáse·bòok *n.* 케이스북《법률·의학·심리·경제 따위에서 자료로 모은 상세한 사례집》.

cáse bòttle *n.* 네모난 병《상자에 넣기 위함》.

cáse·bòund *a.* 〖製本〗 표지를 판지로 제본한.

cáse-by-cáse *a.* 그때 그때의, (사례를) 개별적으로 다루는 : on a ~ basis 그때 그때의 경우에 따라, 하나하나 개별적으로.

cásed gláss *n.* 색을 입힌 유리잔.

cáse-dòugh *n.* 《美俗》 (특히 비상용으로 모아 둔) 얼마 안되는 돈.

cáse-ènd·ing *n.* 〖文法〗 격어미.

ca·se·fy [kéisəfài] *vt., vi.* 치즈질(質)로 만들다[되다].

cáse glàss *n.* =CASED GLASS.

cáse gòods *n. pl.* 수납용(收納用) 가구《책장·찬장 따위 ; 또 그 세트》; 상자에 넣은[케이스에 넣어 파는] 상품《통조림·주류(酒類)·우유 따위》.

cáse hàrden *vt.* **1** (철·강철의) 표면을 경화(硬化)하다, …에 열처리[담금질]하다. **2** 《비유》 철면피가 되게 하다, 신경을 무디게 하다.

cáse-hàrdened *a.* 담금질을 한 ; 철면피의, 신경이 무딘 : a ~ man 철면피한 남자.

cáse hístory *n.* 사례사(事例史), 병력(病歷)《특정한 개인이나 집단의 환경·혈통·병력 따위의 기록으로서 내과·정신병의 치료나 사회 사업에 이용됨》.

ca·sein [kéisiːn, -siən, keisíːn] *n.* Ⓤ 카세인, 건락소(乾酪素)《우유의 단백질, 치즈의 원료》.

cáse knìfe *n.* 칼집이 있는 칼(sheath knife) ; 식탁용 나이프(table knife).

cáse làw *n.* 〖法〗 판례법.

cáse·lòad *n.* (법원·병원 따위에서의 일정 기간의) 취급 건수.

case·mate [kéismeit] *n.* (축성으로) 엄폐된 포대 ; 포곽. 〖F and It. or Sp.〗

case·ment [kéismənt] *n.* 여닫이창《젖혀서 여는 창문》(=∠ **wíndow**) (cf. SASH WINDOW) ; 《詩》 창(window) ; 틀, 테 ; 덮개 ; Ⓤ 커튼[옷감]용 얇은 무명천(=∠ **clòth**). 〖ME=hollow molding ; ⇨ CASE²〗

casement

cáse mèthod *n.* **1** 〖教〗 사례(事例) 연구법. **2** 〖法〗 =CASE SYSTEM.

ca·se·ous [kéisiəs] *a.* 치즈 (모양·질)의.

cáse récord *n.* =CASE HISTORY.

ca·sern, -serne [kəzə́ːrn] *n.* (특히 요새지의) 병사(兵舍). 〖F〗

cáse shòt *n.* (대포에 쓰이는) 산탄.

cáse stúdy *n.* 사례(事例) 연구.

cáse sỳstem *n.* 〖美法〗 판례주의 교육(법).

cáse·wòrk *n.* Ⓤ 생활 환경 조사, 케이스워크《정신적·육체적·사회적 결함을 가진 사람의 개별적 생활 기록·환경 따위를 조사하여 진단·치료의 자료로 삼음, 사회복지사업의 하나》. **~·er** *n.* 생활 환경 조사원, 케이스워커《casework에 종사하는 사람[직원]》.

cáse·wòrm *n.* 〖昆〗 몸 둘레에 집을 짓는 애벌레《도롱이벌레의 애벌레 따위》.

***cash**¹ [kæ(ː)ʃ] *n.* Ⓤ 현금 ; 《口》 돈 ; 〖證〗 현물 ; 《廢》 금고.

cash and carry 현금 자국선(自國船) 수송주의 ; 현찰 판매주의.

cash down 현금으로, 즉시불로.

cash in[《美》 ***on***] ***hand*** 현금 보유액(保有額).

cash on delivery 〖商〗 대금 상환 인도《略 C.O.D.》(=《美》 collect (on delivery)).

cash on the nail 현금, 맞돈.

in[***out of, short of***] ***cash*** 현금을 가지고서[현금이 떨어져, 모자라서].

〈회화〉
(가게에서) *Cash* or charge? — I'll pay *cash.* 「현금 지급입니까, 아니면 카드입니까?」「현금으로 지급합니다」

── *vt.* [+目 / +目+目 / +目+*for*+名] (수표·어음 따위를) 현금으로 바꾸다 : The bank will ~ your five-dollar check. 은행에 가면 5달러짜리 수표를 현금으로 바꾸어 준다 / Can you ~ me this check[~ this check ***for*** me]? 이 수표를 현금으로 바꾸어 주실 수 있겠습니까.

cash in 현금으로 바꾸다, 환금하다 ; 《口》 돈을 벌다, 성공하다 ; 《비유》 청산하다, 사건의 종말을 짓다 ; 《美口》 죽다《포커에서》.

cash in on. . . 《口》 …으로 이익을 얻다 ; …을 이용하다, 기화로 삼다.

cash in one***'s checks***[***chips***] 《俗》 죽다.

〖F=box or It. < L ; ⇨ CASE²〗

cash² *n.* (*pl.* ~) 〖史〗 (인도·중국의) 잔돈, 엽전. 〖Port. < Tamil < Skt.〗

cásh accòunt *n.* 현금 계정.

cásh-and-cárry *a., adv.* 배달없는 현금 판매의[로] (cf. CASH¹ *and carry*) : a ~ business[market].

cásh assèts *n. pl.* 현금 자산.

cásh bàr *n.* 캐시 바《파티나 결혼 피로연 따위에서 술을 파는 가설(假設) 바 ; cf. OPEN BAR》.

cásh·bòok *n.* 현금 출납부.

cásh·bòx *n.* 돈궤, 금고 ; [*pl.*] 부(富) (wealth).

cásh·bòy *n.* 판매의 현금 수납을 돕는 남자 점원.

cásh càrd *n.* 캐시[현금 인출] 카드《cash dispenser에 집어 넣음》.

cásh càrrier *n.* (은행 따위 점포 내에서의) 금전 전송기(轉送機).

cásh còw *n.* (기업의) 재원(財源), 달러 박스, 돈벌이가 되는 상품.

cásh crèdit *n.* 당좌 대출.

cásh cróp *n.* 환금 작물(=《美》 money crop) 《즉시 현금화할 수 있는 농작물》.

cásh delívery *n.* 〖證〗 당일 결제 거래.

cásh dèsk *n.* (매점·식당 따위의) 계산대.

cásh díscount *n.* 현금 할인.
cásh dìspenser *n.* 현금 자동 지급기(=**cásh-dìspensing máchine**).
cásh·dràwer *n.* (금전 등록기 따위의 경화나 지폐를 분류해서 넣는) 현금 출납기.
cash·ew [kǽʃuː, kəʃúː, 英+kæʃúː] *n.* 캐슈《열대 아메리카산 옻나무과 식물 ; 점성 고무가 채취됨》. 〖Port. <Tupi〗
cáshew nùt *n.* 캐슈의 열매《식용》.
cásh flòw *n.* 〔會計〕 현금 유출입, 현금 자금, 자금 변통 ; 캐시 플로《현금 잔고의 변동 ; 감가 상각비를 가산한 순이익》.
cásh·gìrl *n.* 판매의 현금 수납을 돕는 여자 점원.
cásh-hùngry *a.* 현금이 없는, 현금을 갖고 싶어 하는.
***cash·ier**[1] [kæʃíər, kə-] *n.* 출납원 ; 회계원 ; 《美》 (은행의) 지배인. 〖Du. or F ; ⇨ CASH[1]〗
cash·ier[2] [kæʃíər] *vt.* (군인을) 파면[면직]하다 ; 추방[해고]하다 ; 내버리다 ; 퇴짜 놓다. 〖Flem. =to disband, revoke<F ; ⇨ QUASH〗
cashíer's chéck *n.* 〔商〕 자기앞 수표.
cásh-ìn *n.* (저축 채권 따위의) 상환.
cásh·less *a.* 현금이 없는 ; 현금이 필요없는.
cáshless socíety *n.* 현금이 필요하지 않은 사회《크레디트 카드 사용, 은행의 자동 납입 시스템 따위에 의한 미래 사회》.
cash management account ☞ CMA.
cásh mánagement sèrvice *n.* 현금관리 서비스《略 CMS》.
cash·mere [kǽʃmiər, 美+kǽʒmiər] *n.* Ⓤ 캐시미어《인도 Kashmir산 염소의 모직물》 ; 그 옷감, 캐시미어직(織) ; 모조 캐시미어《양모제(製)》 ; Ⓒ 캐시미어제의 숄.
cash·o·mat [kǽʃəmət] *n.* 《美》 (은행의) 현금 자동 지급기.
cásh pàyment *n.* 현금 지급.
cásh prìce *n.* 현찰 가격.
cásh ràtio *n.* (은행의 지급 준비를 위한 총예금에 대한) 현금 비율.
cásh rebàte *n.* 현금 할인.
cásh règister *n.* 금전 등록기.
cásh sàle *n.* 현찰 판매 ; 〔證〕 당일 결제 거래 (cash trade).
cásh stòre *n.* 현찰 판매점.
cásh-stràpped *a.* 돈에 궁한.
cásh surrénder válue *n.* 〔保險〕 해약 환급금 《보험 계약의 해약 때 반환되는 금액》.
cásh tràde *n.* 〔證〕 =CASH SALE.
cásh vàlue *n.* 현금 가격.
cas·i·mere, -mire [kǽsəmìər] *n.* =CASSIMERE.
cas·ing [kéisiŋ] *n.* **1** 포장《상자·주머니·통·집 따위》 ; Ⓤ 포장 재료. **2** 싸개, 씌우개 ; (창·문의) 틀 ; 액자틀. 〖CASE[2]〗
cásing·hèad gàs *n.* 〔化〕 유전[유정] 가스.
cásing knífe *n.* 도배용 칼.
ca·si·no [kəsíːnou] *n.* (*pl.* **~s**) **1** 카지노《댄스·음악 따위가 있는 도박장》, 오락장 ; 이탈리아의 시골 별장. **2** Ⓤ 카드놀이의 일종. 〖It. (dim.) ‹ *casa* house<L=cottage〗
cask [kǽ(ː)sk ; káːsk] *n.* (술)통, 물통 ; 한 통(의 분량). —— *vt.* 통에 넣다. 〖F or Sp. (*casco* helmet)〗
cas·ket [kǽ(ː)skət ; káːs-] *n.* **1** 손궤, 작은 상자 《보석·귀중품을 넣음》. **2** 《美》 (흔히 장식을 한) 널, 관(cf. COFFIN). —— *vt.* 작은 상자에 넣다. 〖AF<It. (dim.) ‹ *cassa* ; ⇨ CASE[2]〗
Cás·pi·an Séa [kǽspiən-] *n.* [the ~] 카스피해(海) 《아시아와 유럽의 경계에 있는 세계 최대의 함수호(鹹水湖)》.
casque [kǽ(ː)sk] *n.* 《詩》 〔史〕 투구. 〖F<Sp. ; ⇨ CASK〗
cassaba ☞ CASABA.
Cas·san·dra [kəsǽndrə] *n.* 〔그神〕 카산드라 《Troy의 여자 예언자》 ; Ⓒ 흉사의 예언자, 아무도 믿어주지 않는 예언자. 〖Gk. =helper of men〗
cas·sa·reep [kǽsərìːp] *n.* 〔料〕 카사리프《cassava 뿌리의 즙을 고아 만든 조미료》.
cas·sa·tion [kæséiʃən] *n.* Ⓤ,Ⓒ 〔法〕 폐기 ; 파기 : the Court of *C*~ (프랑스의) 대심원.
cas·sa·va [kəsáːvə] *n.* 〔植〕 카사바《열대지방산》 ; Ⓤ 카사바 녹말. 〖Taino ; 어형은 F *cassave*의 영향〗
cas·se·role [kǽsəròul] *n.* 캐서롤《찜냄비 ; 토기(土器) 또는 유리제로서 요리한 채 식탁에 올림》 ; 캐서롤 찜요리. ***en casserole*** 캐서롤로 요리한. —— *vt., vi.* 캐서롤로 요리하다[의 속에서 굽이다]. 〖F (dim.) ‹ *casse*< Prov. <L<Gk. *kuathion* little cup〗

casserole

***cas·sette, ca-** [kəsét, kæ-] *n.* **1** (보석 따위를 넣는) 작은 상자. **2** (사진기의) 필름 통 ; (녹음·녹화용의) 카세트(테이프) ; 카세트 플레이어[리코더]. —— *vt.* 카세트에 녹음[녹화]하다, 카세트화(化)하다. 〖F (dim.) ‹ CASE[2]〗
cassétte lòading *n.* 제품을 카세트《반송용(搬送用) 작은 상자》에 넣은 채 기계에 장치함.
cassétte plàyer *n.* (녹음[비디오] 테이프용) 카세트 플레이어.
cassétte tàpe recórder *n.* 카세트식(式) 테이프 리코더.
cassétte tèlevision *n.* 카세트식 비디오 테이프 전용의 텔레비전 수상기.
cas·sia [kǽʃə, kǽsiə] *n.* Ⓤ 〔植〕 계피, 육계(肉桂) ; 계피《향미료》 ; 〔植〕 계수나무 ; (질이 낮은) 육계. 〖L<Gk. <Heb.〗
cas·si·mere [kǽsəmìər, 美+kǽz-] *n.* 캐시미어 《평직 또는 능직의 고급 모직물 옷감》.
cas·si·no [kəsíːnou] *n.* =CASINO 2.
Cas·si·o·pe·ia [kæ̀siəpíːjə] *n.* 〔天〕 카시오페이아자리.
cas·sit·er·ite [kəsítəràit] *n.* 〔鑛〕 주석석《주석의 원광(原鑛)》.
cas·sock [kǽsək] *n.* (성직자의) 일상 법의. 〖F=long coat<It. =horseman's coat< ? Turkic=nomad ; cf. COSSACK〗
cas·so·wary [kǽsəwɛ̀əri] *n.* 〔鳥〕 화식조(火食鳥)《날지 못하나 잘 뛰고 헤엄침 ; 호주산》. 〖Malay〗
cast** [kǽ(ː)st ; káːst] *v.* (~) *vt.* **1** [+目/+目+前+名] 던지다(throw) ; (주사위를) 굴리다 ; (그물을) 던지다, 치다 ; (닻을) 내리다 ; (표를) 던지다 : ~ a fishing line 낚싯줄을 드리우다 / ~ a ballot ☞ BALLOT[1] *n.* / ~ anchor ☞ ANCHOR 숙어 / *C*~ the net ***into the pond. 못에 그물을 쳐라 / The boat was ~ *ashore.* 보트가 해안으로 떠밀렸다.
2 (옷을) 벗다 ; (뱀이 허물을) 벗다 ; (사슴이 뿔을, 새가 깃털을) 갈다 ; (말이 편자를) 빠뜨리다 : The snake ~*s* its skin. 뱀은 허물을 벗는다 / A deer ~*s* its horn in autumn. 사슴은 가을에 뿔을

간다.
3 (짐승이 새끼를) 조산하다 ; (나무가 과실을) 익기 전에 떨어뜨리다.
4 해고[해직]하다(dismiss) ; (수험자 등을) 떨어뜨리다 ; (말 따위를) 내버리다 ; (법정 또는 상대가) 패소시키다.
5 [+目+前+名/+目+目] (시선·광선을) 쏟다 ; (그림자 따위를) 던지다 ; (마음·생각을) 쏟다 ; (비난·모욕을) 퍼붓다 : Just ~ an eye ***at*** this. 이것을 잠깐 보라 / That will ~ a new light ***on*** the subject. 그것은 그 문제에 새로운 빛을 비춰줄 것이다 / The moon ~ the shadow of a tree *on* the white wall. 달빛은 하얀 벽에 나무 그림자를 드리우고 있었다 / The sad news ~ a gloom ***over*** the mansion. 그 슬픈 소식은 저택에 어두운 그림자를 드리웠다 / He ~ her a glance. 그는 그녀를 흘끗 쳐다보았다.
6 [+目/+目+副] 계산하다, (숫자 따위를) 보태다(add) : ~ ***up*** a column of figures 한 난의 숫자를 합계하다.
7 [+目/+目+前+名] (녹인 금속을) 주조하다 ; (본을) 뜨다 : ~ metal ***into*** a bell 금속으로 종을 주조하다 / a statue ~ ***in*** bronze 청동으로 만든 동상.
8 [+目+*for*+名] (배우에게) 역을 배정하다, (연극에) 배역하다 : Meg was ~ ***for*** the part of Cinderella. 메그는 신데렐라 역을 맡았다.
9 (성운(星運)을 보려고 천궁도(天宮圖)를) 펴보다 ; …을 예측하다(forecast) : ~ a horoscope[a person's nativity] 사람의 운명을 점치다.
—— *vi.* **1** 던지다 ; 주사위를 던지다 ; 낚싯줄[낚싯 바늘]을 드리우다〈*for* fish〉; 《英方》 토하다(vomit). **2** 주조되다, 본으로 떠지다. **3** 계산하다(calculate) ; 《廢》 추측하다. **4** (사냥개가) 냄새 자국을 맡고 다니다.
be cast away (배가) 표류하다.
cast about (*vi.*) 두루 살피다, 공부[사색]하다 : ~ *about for* a means of escape 도망갈 방법을 궁리하다, 도망갈 길을 찾다.
cast aside 제외하다 ; 버리다 ; 탈피하다.
cast a spell over... ☞ SPELL².
cast away 물리치다 ; 배척하다 ; 헛되이 하다.
cast back (*vi.*) 회고하다, 옛날로 되돌아가다.
cast down 쓰러뜨리다, 부수다 ; 낙담시키다(depress).
cast in one***'s lot with...*** ☞ LOT.
cast...in a person***'s teeth*** ☞ TOOTH.
cast off 포기하다, 버리다, 보고 내버려 두다(abandon), (옷을) 벗어던지다 ; 〖海〗 (밧줄을) 풀어 버리다, (매어 놓은 배를) 띄우다 ; 〖編物〗(= ~ ***off stitches***)…의 코를 감치다(finish off) ; 〖印〗 (원고를) 조판면(面)수로 어림치다.
cast on 재빨리 입다 ; 〖編物〗 (=~ ***on stitches***) …의 처음 코를 뜨다[잡다].
cast one***self*** (***up***)***on*** …에 의지하다.
cast out 몰아내다, 추방하다(banish).
cast up (흙 따위를) 돋구다 ; (파도가 물체를 해안으로) 밀어 올리다 ; 합계하다(cf. *vt.* 6).
—— *n.* **1** 던지기[는 거리] ; 돌팔매질 ; (그물·측연(測鉛))의 투하 ; 낚싯줄 드리우기 ; 주사위의 한번 던지기, 그 눈 ; 운 ; 모험 : the last ~ 최후의 모험. **2** 던져[버려]진 것 ; 벗어버린 것, (뱀이나 벌레의) 허물. **3** 거푸집 ; 주조물 ; 깁스 : a plaster ~ ☞ PLASTER *n.* 1. **4** 〖劇〗 배역 : an all-star ~ 인기 배우 총출연. **5** (얼굴 생김새·성질 따위의) 특색, 모양, 기질 : a ~ *of* countenance [mind] 용모[성품]. **6** 경향, 기미(氣味) : a yellowish ~ 누르스름한 색깔. **7** 사팔뜨기 : have a ~ in the left eye 왼쪽 눈이 사팔뜨기다. **8** (사람을) 차에 태우기, 편승하기(lift) : give a person a ~ 사람을 차에 태워주다. **9** (사냥개가) (사냥감의 냄새를 찾아) 좌우로 살펴보기 : The setter made a wide ~ *for* the scent. 그 사냥개는 냄새의 흔적을 찾아 넓은 일대를 헤매었다.
〖ON *kasta*〗
類義語 ⟹ THROW.

Cas·ta·lia [kæstéiliə] *n.* =CASTALY.
Cas·tá·li·an *a.* Castaly의 ; 시적인.
Cas·ta·ly, -lie [kǽstəli] *n.* 〖그神〗 카스탈리아《Parnassus산허리에 있었던 Apollo와 Muses의 신천(神泉)[영천(靈泉)]》; (일반적으로) 영감(靈感)[시]의 원천.
cas·ta·net [kæ̀stənét] *n.* [보통 (a pair of) ~s] 캐스터네츠《나무·상아 따위로 된 타악기 ; 손바닥에 쥐고 쳐서 박자를 맞춤》.
〖Sp. (dim.) ‹ *castaña* ; ⇨ CHESTNUT〗
cást·awày *a., n.* 버림받은 (사람) ; 난파한 (사람) ; 무뢰한.
caste [kǽ(ː)st ; kɑ́ːst] *n.* **1** 카스트《인도의 세습적 계급 ; 승려·무사·평민·노예의 4계급이 있음》. **2** (일반적으로) 배타적[특권] 계급, 계급적 사회제도 ; 〖昆〗 계급, 카스트《집단 생활을 영위하는 곤충의 직능군별(職能群別)》.
lose caste 사회적 지위[위신]를 잃다.
〖Sp. and Port. =lineage, race ; ⇨ CHASTE〗
cas·tel·lan [kǽstələn, kæstélən] *n.* 성주(城主).
cas·tel·lat·ed [kǽstəlèitəd] *a.* 성곽풍의 ; 성이 많은. 〖CASTLE〗
cas·tel·la·tion [kæ̀stəléiʃən] *n.* Ⓤ 축성(築城).
cáste màrk *n.* 인도 사람들이 이마에 붙이는 카스트의 표지 ; 소속 계급을 나타내는 특징《태도·말씨 따위》.
cást·er *n.* **1** 던지는 사람 ; 계산하는 사람 ; 배역(配役) 담당자 ; 주조자, 주물사. **2** 양념병[그릇] ; [*pl.*] 양념그릇 받침대. **3** (피아노·의자 따위의) 바퀴다리.
〖CAST〗

caster 3

cáster sùgar *n.* 《英》 =CASTOR SUGAR.
cáste sỳstem *n.* 카스트 제도.
cas·ti·gate [kǽstəgèit] *vt.* 엄하게 꾸짖다 ; 혹평하다, 매우 엄하게 비난하다 ; 첨삭(添削)하다.
càs·ti·gá·tion *n.* Ⓤ,Ⓒ 엄벌, 견책, 징계 ; 혹평 ; 첨삭, 수정. **cás·ti·ga·tò·ry** [; -gèitəri] *a.* 벌주는, 징계의 ; 수정의, 비판적인.
〖L=to reprove ; ⇨ CHASTE〗
Cas·tile [kæstíːl] *n.* **1** 카스티야《스페인 중부에 있었던 고대 왕국》. **2** =CASTILE SOAP.
Castíle sóap *n.* 카스티야 비누《올리브유가 주원료인 단단한 비누》.
Cas·til·ian [kæstíljən] *a.* 카스티야(인[어])의.
—— *n.* 카스티야인 ; Ⓤ 카스티야어.
cást·ing *n.* **1** Ⓤ 주조 ; Ⓒ 주물 : a bronze ~ 청동 주물. **2** Ⓤ 던지기, 포기 ; Ⓒ 뱀의 허물. **3** Ⓤ 〖劇〗 배역.
cásting dirèctor *n.* (극·영화 따위의) 배역 담당 책임자.
cásting nèt *n.* =CAST NET.
cásting vóte[**vóice**] *n.* (찬반 동수일 때 또는 찬반 동수로 만들기 위해 의장이 던지는) 결정 투표(decisive vote) ; 그 표(수)의 향방에 따라 가부(可否)·당락이 결정되는 표(수).
cást íron *n.* 주철(鑄鐵).

cást-íron *a.* **1** 주철의. **2** 단단한, 엄중한, 엄격한 (stern) ; 불굴의, 건장한(hardy).

‡**cas·tle** [kǽ(:)səl ; kɑ́:sl] *n.* **1** 성, 성곽 : An Englishman's house is his ~. 《속담》 영국인에게는 집이 자기의 성이다《사생활을 존중한다》. **2** 대저택, 관(館) (mansion) ; 안전한 장소. **3** 〖체스〗 성장(城將) (rook).

build a castle [***castles***] ***in the air*** [***in Spain***] 공중 누각을 쌓다, 공상에 잠기다.

—— *vt., vi.* (…에) 성을 쌓다, 성으로 굳게 지키다 ; 성[안전한 장소]에 자리잡다 ; 〖체스〗 성장으로 (왕을) 지키다.

〚AF＜L *castellum* (dim.) ‹ *castrum* fort〛

cástle-buìld·er *n.* 축성가(築城家) ; 공상가.

Cástle Cátholic *n.* 영국의 북아일랜드 지배를 지지하는 카톨릭 교도《북아일랜드에서 반대파가 경멸적으로 일컬음》.

cás·tled *a.* 성(城)이 있는.

cástle púdding *n.* 작은 컵 모양의 틀에 넣어 찌거나 구운 푸딩.

Cástle·ròbin bòmb *n.* (뇌관을 못 빼게 만든) 특수 장치의 폭탄.

〚C20 ; *Castle* (＝Catholic) ＋round *robin*인가〛

cást nèt *n.* 투망.

cást·òff *n.* 버림받은 것[사람] ; [*pl.*] 이제는 입지 않게 된 의복 ; 〖印〗 캐스트오프《원고에서 페이지수·행수를 계산하기 ; 대강의 페이지수》.

cást-òff *a.* (벗어)버린, 버림받은.

cas·tor[1] [kǽ(:)stər ; kɑ́:s-] *n.* Ⓤ 해리 향《약품·향수의 원료》. 〚F or L＜Gk. ＝beaver〛

castor[2] *n.* ＝CASTER 2, 3. —— *a.* 《濠俗》 훌륭한, 좀 멋진.

Castor *n.* **1** 〖그神〗 카스토르(☞ CASTOR AND POLLUX). **2** 〖天〗 카스토르《쌍둥이자리(Gemini)의 α성(星)》.

Cástor and Póllux *n. pl.* 〖그神〗 카스토르와 폴룩스《Leda의 쌍둥이 아들 ; 두 사람은 Zeus에 의해 쌍둥이자리(Gemini)로 변하였음 ; 뱃사람의 수호신》.

cástor bèan *n.* 아주까리 씨, 피마자.

cástor óil *n.* 피마자 기름. 〚C18＜? ; 의약용으로 *castor*[1]로 대체되었기 때문인가〛

cástor-óil plànt *n.* 〖植〗 아주까리, 피마자.

cástor sùgar *n.* 《주로 英》 흰 분말 설탕, 정제당(精製糖).

cas·trate [kǽstreit ; -ˊ] *vt.* 거세하다(geld), …의 난소를 제거하다 ; 골자를 빼버리다 ; 삭제 정정하다. —— *n.* 거세된 사람[동물].

cas·trá·tion *n.* Ⓤ,Ⓒ 거세 ; 삭제, 정정.

〚L *castro* to emasculate〛

castrátion còmplex *n.* 〖精神醫〗 거세 복합체.

cas·tra·to [kæstrɑ́:tou, kə-] *n.* (*pl.* **-ti** [-ti]) 〖樂〗 카스트라토《17-18세기의 이탈리아에서 변성(變聲) 전의 고음을 유지하기 위해 거세한 남성 가수》.

〚It. (p.p.) ‹ *castro* to CASTRATE〛

Cas·tro [kǽstrou] *n.* 카스트로. **Fi·del** [fidél] ~ (1927-) 쿠바의 혁명가 ; 수상(1959-).

cást stéel *n.* 주강(鑄鋼).

***ca·su·al** [kǽʒuəl] *a.* **1** 우연의(accidental), 뜻하지 않은, 불의의 : a ~ meeting 우연한 상봉 / a ~ visitor 뜻밖의 방문객. **2** 부주의한, 엉터리의, 무심결의(careless) : a ~ remark 무심결에[되는 대로] 던진 말. **3** 그때 그때의, 임시의, 정해지지 않은 : ~ expenses 임시 지출, 잡비 / ~ labor 임시 취업, 자유 노동 / a ~ laborer (임시) 자유 노동자. **4** 무관심한, 믿을 수 없는, 걱정없는 : a very ~ sort of person 형편없는 변덕쟁이. **5** (옷 따위가) 간편한, 약식의, 캐주얼한 : ~ wear 일상복. —— *n.* **1** 자유 노동자 ; 부랑자 ; [*pl.*] 《英》 임시 보호를 받고 있는 사람들(＝the ~ poor). **2** [*pl.*] 평상복, 캐주얼(웨어)(＝ˊ **clóthes**), 캐주얼 슈즈(＝ˊ **shóes**). **~·ly** *adv.* 우연히, 무심결에 ; 부주의하게, 문득.

〚OF and L ; ⇨ CASE[1]〛

類義語 ⟹ RANDOM.

cásual hòuse *n.* 《英》 자선 복지원.

cásual·ìsm *n.* 〖哲〗 우연론.

cásual·ìze *vt.* (정식 고용인을) 임시 고용인으로 하다.

cásual·ty *n.* **1** (불의(不意)의) 재난(災難), 기화(奇禍), 사고 : ~ insurance 재해 보험. **2** [*pl.*] 사상자 수(數) ; 전시의 손해 : heavy *casualties* 많은 사상자. **3** 조난자, 부상자, 사망자.

〚L (⇨ CASUAL) ; *royalty* 따위의 유추〛

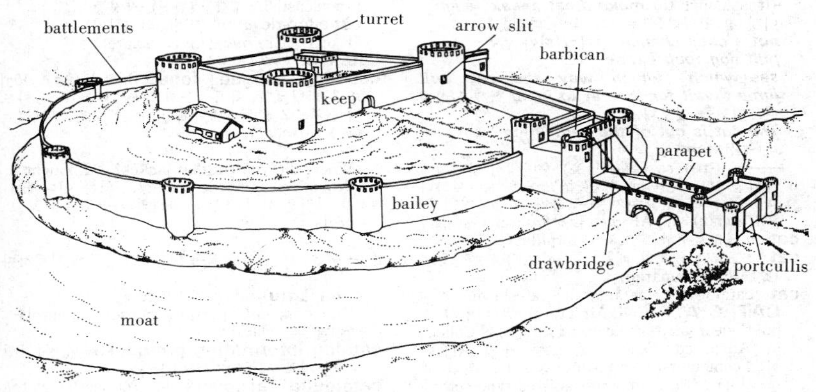

castle

cásualty wàrd *n.* 《英》 (병원의) 응급 치료실[병동].

cásual wàrd *n.* 《英》 부랑인 수용소 ; 《美》 부상자 병동(病棟).

cásual wàter *n.* 〖골프〗 코스에 비 따위로 괸 물.

ca·su·ist [kǽʒuəst ; -zju-] *n.* **1** 결의론자(決疑論者). **2** 궤변가. **cà·su·ís·ti·cal, -tic** *a.* 결의론적인 ; 궤변적인. **-ti·cal·ly** *adv.*
〚F<Sp. ; ⇨ CASE¹〛

cásuist·ry *n.* **1** Ⓤ 〖哲〗 결의론(決疑論). **2** Ⓤ 궤변, 견강 부회(牽強附會).

ca·sus bel·li [kéisəs bélai, kɑ́:səs béli:] *n.* (*pl.* ~) 전쟁 원인, 개전 이유.
〚NL=occasion of war〛

ca·sus foe·de·ris [kéisəs fédəris, -fí:-, kɑ́:səs fɔ́idəris] *n.* (*pl.* ~) 〖國際法〗 조약 해당 사유.
〚NL=case of the treaty〛

◇**cat¹** [kǽt] *n.* **1** 고양이 ; 〖動〗 고양이과(科)의 동물 《lion, tiger, lynx 따위》 : no(t) room to swing a ~ (in) ☞ SWING *vt.* 1 / A ~ has nine lives. 《속담》 고양이는 목숨이 아홉 있다《쉽게 죽지 않는다》 / A ~ may look at a king. 《속담》 고양이도 임금님을 볼 수 있다《천한 사람이라도 누구나 제나름의 권리는 있다》 / Curiosity killed the ~. 《속담》 호기심이 신세를 망친다 / Care killed the[a] ~. ☞ CARE *n.* 1 / When the ~'s away, the mice will play. 《속담》 범 없는 골에는 토끼가 스승이다. **2** 심술궂은 여자 ; 잘 할퀴는 아이. **3** =CAT-O'-NINE-TAILS. **4** 〖海〗 =CATHEAD ; =CATBOAT. **5** 육각기(六脚器) 《어떻게 세우든 세 다리로 섬》. **6** =CATFISH. **7** 《俗》 사내, 놈(guy), (특히) 재즈 연주자, 재즈광(狂) (hepcat) ; 여자 꽁무니를 쫓아다니는 사내. **8** 《美俗》 캐딜락(Cadillac).
bell the cat ☞ BELL¹ *vt.*
fight like Kilkenny [kilkéni] ***cats*** 쌍방이 죽을 때까지 싸우다.
It rains cats and dogs. 비가 억수로 퍼붓다.
let the cat out of the bag (무심코) 비밀을 누설하다(cf. *The* CAT *is out of the bag.*).
like a cat on hot bricks 《英口》 덜렁대는, 조급하여 침착하지 못한.
(It is enough to) ***make a cat speak***[***laugh***]. 이것 참 맛있다《상등품의 술맛 따위》.
not a cat's chance 전혀 기회가 없는.
pull dog, pull cat ☞ PULL.
see[***watch***] ***which way the cat will jump***=***wait for the cat to jump*** 형세를 살피다, 기회를 엿보다.
The cat is out of the bag. 비밀이 새어 나갔다[누설되었다].
── *v.* (**-tt-**) *vt.* 〖海〗 (닻을) 수면에서 닻걸이에 끌어올리다. ── *vi.* **1** 《英俗》 게우다, 토하다 (vomit). **2** 《俗》 여자를 구하러 어슬렁거리다.
〚OE *catt*(*e*) and AF *cat*<L *cattus* ; cf. G *Katze*〛

cat² *n.* 《口》 무한 궤도차(caterpillar).

cat³ *n.* 《口》 (2척의 배를 나란히 연결한) 쌍동선(雙胴船) (catamaran).

cat. catalog(ue) ; catamaran ; catechism.
CAT, C.A.T. Civil Air Transport《대만의》 ; [kǽt] clear-air turbulence ; 《英》 [kǽt] College of Advanced Technology(고등 공업 전문대학) ; computer-aided testing(컴퓨터에 의한 제품 검사) ; 〖印〗 computer-assisted type-setting (컴퓨터 사식) ; computerized axial tomography (컴퓨터에 의한 X선 체축(體軸) 단층촬영) ; credit authorization termal(크레디트 카드의 신용도를 문의하는 단말기).

cat- [kǽt], **cata-** [kǽtə], **cath-** [kǽθ], **kat-** [kǽt], **kata-** [kǽtə] *pref.* 「하(下)」 「반(反)」 「오(誤)」 「전(全)」 「측(側)」의 뜻. 〚Gk. =down〛

cat·a·bol·ic [kæ̀təbɑ́lik] *a.* 〖生化〗 이화(異化) 작용의(↔*anabolic*).

ca·tab·o·lism, ka- [kətǽbəlìzəm] *n.* Ⓤ 〖生化〗 이화(異化) 작용(↔*anabolism*).
〚*cata-*, Gk. *ballō* to throw〛

ca·tab·o·lite [kətǽbəlàit] *n.* 〖生化〗 이화(異化) 생성물.

ca·tab·o·lize [kətǽbəlàiz] *vt., vi.* 〖生化〗 대사 작용으로 분해하다, 이화(異化)하다.

cat·a·chre·sis [kæ̀təkrí:səs] *n.* (*pl.* **-ses** [-si:z]) 〖修〗 (말・비유의) 혼용, 오용(誤用), 비유의 남용. **-chres·tic, -ti·cal** [-kréstik(əl)] *a.* **-ti·cal·ly** *adv.* 〚L<Gk. (*khraomai* use)〛

cat·a·clasm [kǽtəklæ̀zəm] *n.* 파열, 분열.

càta·clínal *a.* 〖地質〗 지층 경사와 같은 방향으로 하강하는, 암층(岩層) 경사의.

cat·a·clysm [kǽtəklìzəm] *n.* 대홍수(deluge) ; 〖地質〗 지각의 격변 ; 정치적[사회적] 대변동.
càt·a·clýs·mic, -clýs·mal *a.* 대변동의, 격변하는. 〚F<L<Gk. (*kluzō* to wash)〛

cat·a·comb [kǽtəkòum, 英+-kù:m] *n.* [보통 *pl.*] 지하 묘지 ; [the ~s, the C~s] (로마의) 카타콤《초기 기독교도의 피난처》 ; 지하동굴.
〚F<L< ?〛

ca·tad·ro·mous [kətǽdrəməs] *a.* 〖動〗 (물고기가) 알을 낳기 위하여 하류[바다]로 내려가는.

cat·a·falque [kǽtəfæ̀lk, -fɔ̀:*l*k] *n.* 관대(棺臺) ; 무개 영구차. 〚F<It. < ? ; cf. SCAFFOLD〛

Cat·a·lan [kǽtələn, -læ̀n] *a.* (스페인) 카탈로니아 (지방)의(☞ CATALONIA) ; 카탈로니아인[어]의. ── *n.* 카탈로니아인 ; Ⓤ 카탈로니아어.
〚F<Sp.〛

cat·a·lase [kǽtəlèis, -z] *n.* 〖生化〗 카탈라아제 《과산화수소 분해 효소》.

cat·a·lec·tic [kæ̀təléktik] *a.* 〖韻〗 각운(脚韻)이 불완전한《행(行) 끝의 각운이 한두 음절 적은》.
── *n.* 결절 시구(缺節詩句).

cat·a·lep·sis [kæ̀təlépsəs], **cat·a·lep·sy** [kǽtəlèpsi] *n.* 〖醫〗 (전신) 강경증.
càt·a·lép·tic *a., n.* 강경증의 (환자).
〚F or L<Gk. *cata-* (*lēpsis* seizure)〛

catalo ☞ CATTALO.

*__cat·a·log, -logue__ | __-logue__ [kǽtəlɔ̀(:)g, -lɑ̀g] *n.* **1** 카탈로그, 목록 ; 출판 목록 : a card ~ 카드식 목록. **2** 《美》 (대학에서 내는) 요람, 편람(=《英》 calendar).

〈회화〉
Where did you get that jacket ? — I bought it through a mail-order *catalog.* 「너는 어디에서 그 재킷을 샀니」 「통신 판매의 카탈로그를 보고 샀어」

── *vt., vi.* …의 목록을 만들다 ; 목록에 기재하다[실리다].
cát·a·lòg(u)·er *n.* 카탈로그 편집자.
〚F<L<Gk. *cata-* (*legō* to choose) =to enrol〛
類義語 ⟹ LIST.

cátalog informátion provìder *n.* 상품[카탈로그] 정보 제공업자《略 CIP》.

catalogue rai·son·né [∸ rèizənéi] *n.* (*pl.* **-logues rai·son·nés** [-gz-]) (책・그림 따위의) 해설이 붙은 분류 목록.
〚F=reasoned catalog〛

Cat·a·lo·nia [kæ̀təlóuniə] *n.* 카탈로니아《스페인 북동부의 지방, 북쪽은 프랑스에 접하고 동쪽은 지중해에 면함》.

ca·tal·pa [kətǽlpə, -tɔ́ːl-] *n.* 〖植〗 개오동나무. 〚Creek=head with wings〛

ca·tal·y·sis [kətǽləsəs] *n.* (*pl.* **-ses** [-sìːz]) Ⓤ,Ⓒ 〖化〗 촉매 작용. **cat·a·lyt·ic** [kæ̀təlítik] *a.* 촉매 작용의. 〚Gk. *cata-*(*lusis* ‹ *luō* to set free)=dissolution〛

cat·a·lyst [kǽtələst] *n.* 〖化〗 촉매. 〚↑; *analyst*의 유추〛

catalýtic convèrter *n.* 촉매 변환 장치《자동차 배기 가스 속의 유해 성분을 무해화(無害化)하는 장치》.

catalýtic crácker *n.* (석유 정제(精製)의) 접촉 분해기.

catalýtic crácking *n.* 〖化〗 촉매에 의한 분(별증)류(分(別蒸)溜)《원유를 분해해서 가솔린이나 경유를 만듦》.

catalýtic refòrming *n.* 〖化〗 접촉 개질(改質)《탄화수소의 옥탄가(octane rating)를 높이기 위한 방법》.

cat·a·lyze [kǽtəlàiz] *vt.* 〖化〗 …에 촉매 작용을 하다[일으키다]. **cát·a·lỳz·er** *n.* =CATALYST. 〚CATALYSIS; *analyze*의 유추〛

cat·a·ma·ran [kæ̀təmərǽn] *n.* **1 a**) (통나무를 여러 개 묶은) 뗏목배《인도나 남미의 바닷가에서 씀》. **b**) (2척의 배를 나란히 연결한) 쌍동선(雙胴船), 캐터머랜(cf. TRIMARAN). **2** 《口》 바가지 잘 긁는 여자. 〚Tamil=tied wood〛

cat·a·me·nia [kæ̀təmíːniə] *n. pl.* 〖生理〗 월경. 〚NL<Gk.〛

cat·a·mite [kǽtəmàit] *n.* 미동(美童)《남색(男色)의 상대》. 〚L<Gk. =Ganymede, cupbearer of Zeus〛

cat·a·mount [kǽtəmàunt] *n.* 〖動〗 고양이과의 야수《mountain lion 따위》; (특히) =COUGAR, LYNX. 〚↓〛

càt-a-móuntain, càt-o'- *n.* 〖動〗 고양이과의 야수《특히 (유럽산) 살쾡이(wildcat) 또는 표범(leopard) 따위》. 〚ME *cat of the mountain*〛

cát-and-dóg *a.* 사이가 나쁜, 견원지간의 : lead a ~ life (부부가) 싸움만 하고 지내다.

cát and móuse[**rát**] *n.* 고양이가 쥐를 가지고 노는 것과 같은 행동[방식].

cát-and-móuse *a.* 끝까지 징계[공격]의 손을 늦추지 않는 ; 습격할 기회를 노리고 있는 ; 쫓고 쫓기는.

Cát-and-Móuse Àct *n.* 《英俗》 단식(斷食) 죄수 가출옥법(假出獄法).

cat·a·plasm [kǽtəplæ̀zəm] *n.* 〖醫〗 찜질약, 습포에 바르는 연고.

cat·a·plexy [kǽtəplèksi] *n.* 〖醫〗 카타플렉시, 탈력(脫力) 발작《공포 따위로 갑자기 마비를 일으켜 움직일 수 없게 되는 상태》.

cat·a·pult [kǽtəpʌ̀lt, -pùlt] *n.* 쇠뇌, 석궁 ; 《英》 (장난감) 새총(=《美》 slingshot) ; 〖空〗 (항공 모함에서의) 비행기 사출기, 글라이더 시주기(始走器). —— *vt., vi.* **1** …에 석궁을 쏘다 ; 《英》 새총으로 쏘다. **2** 힘차게 방출(放出)시키다 ; 발사하다 ; (맹렬한 기세로) 내던지다. 〚F or L<Gk.〛

cat·a·ract [kǽtərǽkt] *n.* **1** 폭포(cf. CASCADE, WATERFALL) ; 호우, 홍수(deluge). **2** 〖醫〗 백내장(白內障). 〚L<Gk.=down rushing ; 〖醫〗는 'portcullis' (obs.)의 뜻에서인가〛

ca·tarrh [kətáːr] *n.* Ⓤ 〖醫〗 카타르《코·목구멍 따위의 점막에 생기는 염증》; (흔히) 코감기. **~·al** *a.* 카타르성(性)의. 〚F<L<Gk. (*rheō* to flow)〛

cat·ar·rhine [kǽtəràin] *n., a.* 〖動〗 협비류(狹鼻類) 원숭이(의).

***ca·tas·tro·phe** [kətǽstrəfi] *n.* **1** 갑작스런 대변동 ; 대재해(大災害). **2** 지각의 격변(cataclysm). **3** (비극의) 대단원, 파국(denouement). **4** 파멸, 파국. **5** 〖數〗 (catastrophe theory에서 다루어지는) 불연속적 사상(事象), 파국. **cat·a·stroph·ic** [kæ̀təstráfik] *a.* 대변동[대재변(災變)]의 ; 대단원의 ; 파멸적인, 비극적인. 〚L<Gk. *cata-*(*strophē* turning ‹ *strephō* to turn)〛 類義語 ⟹ DISASTER.

catástrophe rìsk *n.* 〖保險〗 비상 재해 위험.

catástrophe thèory *n.* 〖數〗 파국(破局)[카타스트로프] 이론(理論)《불연속적인 현상을 설명하기 위한 기하학 이론》.

cata·to·nia, kata- [kæ̀tətóuniə] *n.* 〖정신병〗 긴장병. **càta·tón·ic** [-tán-] *a., n.* 〚Gk.; ⇨ TONE〛

Ca·taw·ba [kətɔ́ːbə] *n.* Ⓒ 카토바 포도 ; Ⓤ (북미 Catawba강 부근에서 나는) 백포도주.

cát·bìrd *n.* 〖鳥〗 (북미산) 고양이소리새.

cátbird sèat[**posìtion**] *n.* 《美口》 유리한[부러운] 입장[상태, 지위].

cát blòck *n.* 닻을 감아올리는 도르래.

cát·bòat *n.* 돛대 하나에 돛 하나를 단 배.

catboat

cát bùrglar *n.* 기둥·벽 따위를 타고 들어오는 [침입하는] 밤도둑.

cát·càll *n.* (집회·극장 따위에서) 고양이 울음소리를 흉내내는 야유[날카로운 휘파람]. —— *vi., vt.* 야유하다.

◇catch [kætʃ] *v.* (**caught** [kɔ́ːt]) *vt.* **1** [+目/+目+前+名] 잡다, 붙들다 : Cats ~ mice. 고양이는 쥐를 잡는다 / The rat was *caught* ***in*** a trap. 쥐가 쥐덫에 걸렸다 / He *caught* me ***by*** the collar. 그는 나의 목덜미를 잡았다.
2 [+目+do*ing* / +目+前+名 / +目] (…하고 있는 것을) 발견하다, 간파하다, 불쑥 …앞에 나타나다 : I *caught* the boy steal*ing* fruit from our orchard. 소년이 과수원에서 과일을 훔치고 있는 것을 발견했다 / ~ a person napping ☞ NAP[1] *v.* 숙어 / He was *caught* ***in*** the act. 그는 실제 하고 있는 것을[현행범으로] 들켰다 / *C*~ me ***at*** it[do*ing* that]! 《口》 그런 짓을 누가해 / Mother *caught* me just as I was hiding her present. 선물을 숨기려고 했을 때 어머니가 불쑥 나타나셨다.
3 (불이) 붙다 ; (병에) 걸리다 ; (열정·버릇에) 물들다, 감염되다 : ~ (a) cold 감기에 걸리다 / Paper ~*es* fire easily. 종이는 불이 잘 붙는다.
4 [+目/+目+*in*+名] (폭풍우 따위가) 엄습하다 : We were *caught* ***in*** a shower. 우리는 소나기를 만났다.
5 …을 따라잡다, 시간에 대다(↔*miss, lose*) : ~ a train[bus] 열차[버스] 시간에 대다 / ~ the mail[post] 우편물 수집 시간에 맞추다.
6 〖크리켓·野〗 (공을) 받아 잡다, …쳐들어오는 것을 막다 ; 공을 받아서 (타자를) 아웃시키다

⟨*out*⟩.
7 [+目+前+名 / +目+目] (낙하물·타격 따위가) …에 맞다, 치다 : A ball *caught* me ***on*** the head. 공이 내 머리에 맞았다 / I *caught* him one *on* the jaw. 그의 턱을 한대 갈겨 주었다.
8 [+目 / +目+前+名] 걸리다, 얽히게 하다 : The nail *caught* my coat. 못에 저고리[외투]가 걸렸다 / She *caught* her coat ***on*** a hook. 그녀는 상의를 옷걸이에 걸었다 / I *caught* my foot *on* a leg of a table. 나는 책상다리에 발이 걸렸다 / He *caught* his fingers ***in*** the door. 그는 문에 손가락이 끼였다 / My bicycle was *caught* ***between*** two cars. 나의 자전거가 두대의 자동차 사이에 끼여버렸다.
9 (사람의 주의를) 끌다, (시선을) 끌다 : Beauty *~es* the eye. 아름다움은 눈길을 끈다 / ~ the Speaker's eye ☞ SPEAKER 3.
10 …의 뜻을 파악하다, 알아듣다, 이해하다.

⟨회화⟩
What did he say?—I don't know. I didn't *catch* it, either.「그가 뭐라고 말했지」「모르겠는데. 나도 듣지 못했어」

—— *vi.* **1** [+*at*+名] 잡다, 잡으려 하다 : A drowning man will ~ ***at*** a straw. 《속담》 물에 빠진 사람은 지푸라기라도 잡는다. **2** (물건이) 타다 : Tinder *~es* easily. 부싯깃은 불이 잘 붙는다. **3** [動 / +前+名] 걸리다, 휘감기다 ; (자물쇠·문빗장 따위가) 걸리다 : This lock will not ~. 이 자물쇠는 잠기지 않는다 / Your sleeve has *caught* ***on*** a nail[***in*** the door]. 소맷자락이 못에 걸렸다[문에 끼였다]. **4** 〖野〗 포수(捕手)를 하다.
catch as catch can 기를 쓰고 달려들다[붙잡다], 닥치는 대로 붙들다(cf. CATCH-AS-CATCH-CAN).
catch at... (1) …을 붙잡으려 하다(cf. *vi.* 1). (2) (기회)를 포착하려 하다, (의견 따위)를 환영하다.
catch away 채가다(snatch away).
catch hold of …을 붙잡다 ; (상대방의 말)의 약점을 잡다.
catch it 《口》 꾸중듣다, 벌받다 ; 매맞다.
catch on (*vi.*) 《口》 인기를 끌다[얻다], 유행하다(become popular) ; 뜻을 깨닫다, 이해하다, 알아차리다(get the idea).
catch one***'s breath*** ☞ BREATH.
catch out (1) 〖野·크리켓〗 공을 잡아 (타자를) 아웃시키다(cf. *vt.* 6). (2) (사람의) 잘못을 발견하다, …의 거짓[속임수]을 알아차리다 : John was *caught out.* 존은 잘못을 들켰다.
catch up (1) 급히 집어 올리다, 움켜잡다 ; 쇠고리로 매달아 올리다. (2) …에 따라붙다 ; …을 따라잡다 : He went so far ; we cannot ~ *up*[~ *up with* him]. 그가 아주 멀리 가버려서 우리들은 따라잡을 수 없다. (3) (비평이나 질문으로) 방해하다, 빈정대다. (4) (사람의 마음을) 빼앗아가다, 몹시 기뻐하게 하다 : We were *caught up* in the excitement of the crowd. 우리들은 군중의 흥분에 휘말려 버렸다.
catch up with …에 따라붙다 : ☞ CATCH *up* (2) / Mary had to study hard in order to ~ *up with* her classmates. 반 친구들을 따라가기 위해서 메리는 열심히 공부해야만 했다.
—— *n.* **1** 붙듦 ; 〖野·크리켓〗 공잡기[받기] ; 포수 ; 포구(捕球) : a good[poor] ~ 멋진[서툰] 포구[포수] / miss a ~ 〖크리켓〗 공을 놓치다 / play ~ 공받기를 하다. **2** 잡은 것 ; 어획량 : (get) a good ~ (of fish) 고기를 많이 잡음[잡다]. **3** 《口》 바람직한 것[사람], 횡행물, 횡재물 ; 좋은 결혼 상대 : a good ~ 바람직한 결혼 상대 / a great ~ 인기물 / It's no ~[not much of a ~]. 대수로운 것이 아니다, 그까짓 것 별것 아니다. **4** 방아쇠, 멈춤쇠, 손잡이. **5** (숨·목소리의) 끊김(break). **6** 〖樂〗 돌림노래 ; 단편(fragment) : *~es* of a song 노래의 군데군데. **7** 《口》 (사람을 걸리게 하는) 구멍, 함정, 올가미, 구렁텅이 : This question has a ~ in it. 이 문제에는 함정이 있다. **8** (작물의) 발아.
by catches 때때로, 가끔.
〖AF<L *capto* to try to catch (*capio* to take)〗
類義語 ***catch*** 사람 또는 물건을 붙잡는다는 뜻의 가장 일반적인 말. ***capture*** 상대가 달아나거나 저항하는 것을 나타내므로 계략 또는 폭력을 써서 붙잡다 : *capture* an outlaw (상습범을 체포하다). ***nab*** 《口》 현행범 따위를 돌연 체포하다. ***trap, snare*** 사람이나 물건을 「함정」을 이용해서 계획적으로 붙잡다, 일단 붙잡히면 좀처럼 달아날 수 없음을 암시한다.

cátch·àll *n.* 잡동사니 주머니[창고].
cátch-as-cátch-cán *n.* Ⓤ 자유형 레슬링(cf. CATCH *as catch can*). —— *a., adv.* 《口》 수단을 가리지 않는[가릴 처지가 아닌], 닥치는 대로(의), 계획성 없는, 하루 벌어 하루 사는[살이로] : in a ~ fashion 무계획적으로.
cátch bàsin *n.* (수챗구멍에서 찌꺼기를 받는) 찌꺼기받이.
cátch càr *n.* 《美俗》 속도 위반 차량 단속차.
cátch cròp *n.* 사이짓기 작물《대파(代播) 또는 두 중요 작물 휴한(休閑)기간 중에 재배하는 작물》.
cátch cròpping *n.* 사이짓기.
cátch dràin *n.* (산허리의) 배수로.
catch-'em-alive-o [kǽtʃəmәláivou] *n.* 《英》 파리잡는 끈끈이 종이.
***cátch·er** *n.* 붙잡는 사람[물건] ; 〖野〗 포수, 캐처 ; 〖포경〗 캐처 보트(cf. WHALEBOAT).
cátch·flỳ *n.* 〖植〗 꽃이나 줄기의 끈끈이로 벌레를 잡는 식물《끈끈이대나물》.
cátch·ing *a.* **1** 전염성의, 옮는 : Colds are ~. 감기는 전염된다. **2** 눈길을 끄는, 매력있는.
cátch·lìght *n.* 아주 매끄러운 표면[수면]에서 비치는 반사광.
cátch lìne *n.* **1** (신문기사·광고문 따위의) 표제, 선전 문구. **2** (연극의 관중을 폭소케 하는) 희극 대사 한 토막.
cátch·ment *n.* **1** Ⓤ 집수, (저수지 따위에) 물을 모음 ; Ⓒ 집수량. **2** =CATCHMENT BASIN.
cátchment bàsin[àrea] *n.* 〖地〗 집수지역, 유역(流域) ; 《비유》 통학[통원] 범위[권].
cátch-òut *n.* 거짓의 간파 ; 기대에 어긋남.
cátch·pènny *a.* 싸구려의, 겉만 번드르르한.
—— *n.* 싸구려 물건.
cátch·phràse *n.* 사람의 주의를 끌 만한 문구, 표어(slogan).
cátch pìt *n.* 집수구(集水溝).
catch·pole, -poll [kǽtʃpòul] *n.* 《古》 집달리.
cátch stìtch *n.* 새발 뜨기.
cátch tìtle *n.* (도서 목록에서의) 책명 약호.
catch-22, catch twenty-two [-twéntitú:] *n.* (*pl.* **~s, ~'s**) [때때로 C~] 《口》 모면할 수 없는 불합리한 상황[규칙], (곤란으로) 꼼짝할 수 없는 상태, 이러지도 저러지도 못하게 된 상태, 사방이 막힌 상태, 딜레마 ; 함정. —— *a.* 꼼짝할 수 없는. 〖*Catch*-22 (1961) 미국의 작가 Joseph Heller의 소설〗
catch·up [kǽtʃəp, kétʃ-, kǽtsəp] *n.* =CATSUP.

cátch·ùp *n.* 따라붙으려는 노력 ; 만회, 회복, 격차 해소.

cátch·wèight *n.*, *a.* 〔競〕 무제한급(의).

cátch·wòrd *n.* **1** 표어. **2** (사전류의) 난외 표제어 ; 다음 배우가 이어받게 넘겨주는 대사(cue).

cátchy *a.* 《口》 **1** 인기를 끌 만한 ; (곡조가) 재미있고 외우기 쉬운. **2** 걸려들기[속아 넘어가기] 쉬운. **3** 단속적(斷續的)인, 변덕스러운.

cát dàvit *n.* 닻 대빗, 닻걸이 기둥.

cate [kéit] *n.* [보통 *pl.*] 《古》 진미, 좋은 음식. 〚*acate* (obs.) ; ⇨ CATER〛

cat·e·chet·i·cal, -chet·ic [kæ̀təkétik(əl)] *a.* 문답식의 ; 교리 문답의.

cat·e·chism [kǽtəkìzəm] *n.* **1** Ⓤ 교리 문답, 문답집 ; Ⓒ 교리 문답서. **2** [the C~] (영국 국교의) 공회(公會) 문답《기도서(the Book of Common Prayer) 안에 있는 신앙교리에 관한 문답 ; 견신례(confirmation)를 받는 소년 소녀가 배우는》. **3** 연속적인 질문 : put a person through a [his] ~ 사람에게 질문공세를 하다. 〚L<Gk. ; ⇨ CATECHIZE〛

cat·e·chist [kǽtəkìst, kǽtikəst] *n.* 〔基〕 CATECHISM에 의해 교리를 전하는 사람, 전도사, 교리교사 ; 심문하는 사람.

cat·e·chize [kǽtəkàiz] *vt.* 문답식으로 가르치다 ; 캐묻다. **-chìz·er** *n.* =CATECHIST. 〚L<Gk. (*katēkheō* to make hear ‹ *cata-*, *ēkheō* to sound)〛

cat·e·chol·amine [kæ̀təkɔ́(:)ləmìːn, -kóul-, -kál-] *n.* 〔生化〕 카테콜아민《신경 전달 작용을 하는 호르몬》.

cat·e·chol·amin·er·gic [kæ̀təkɔ́(:)ləminə̀ːrdʒik, -kóul-, -kál-, -mə-] *a.* 〔生化〕 카테콜아민이 관여하는[을 방출하는, 이 매개하는].

cat·e·chu [kǽtətʃùː, -ʃùː] *n.* 아선약(阿仙藥)《건위 수렴제 · 흑색염료 · 가죽 무두질에 씀》. 〚Malay〛

cat·e·chu·men [kæ̀təkjúːmən ; -men] *n.* 세례 지원자 ; 입문자, 초심자. 〚OF or L ; ⇨ CATECHIZE〛

cat·e·gor·ic [kæ̀təgɔ́(:)rik, -gár-] *a.* =CATEGORICAL.

cat·e·gor·i·cal [kæ̀təgɔ́(:)rikəl, -gár-] *a.* **1** 범주에 속하는, 분류별의. **2** 무조건의, 절대적인, 지상의 ; 명확한, 〔論〕 정언적인 ; 단언적인(↔*hypothetical*) : the ~ imperative 〔論〕 지상(至上) 명령《양심의 절대 무조건적 도덕률》. **~·ly** *adv.* **~·ness** *n.* 〚CATEGORY〛

categórical gránt *n.* (특별한 목적에 주는) 개별 보조금(↔*block grant*).

categórical proposítion *n.* 정언 명제.

categóric cóntact *n.* 〔社〕 개인으로서가 아니고 자기가 소속하는 그룹의 대표로서 행하는 접촉(↔*sympathetic contact*).

cat·e·go·rize [kǽtigəràiz] *vt.* 분류하다, 유별(類別)하다.

cat·e·go·ry [kǽtəgɔ̀ːri ; -gəri] *n.* **1** 〔論〕 범주 : grammatical ~ ☞ GRAMMATICAL. **2** 종류, 부류, 부문. 〚F or L<Gk. =statement〛

cátegory ròmance *n.* 카테고리 로맨스《일정한 틀에 의해서 쓰여진 로맨스 소설》.

ca·te·na [kətíːnə] *n.* (*pl.* **-nae** [-niː], **~s**) 사슬(chain) ; 연쇄, 연속(series). 〚L=chain〛

ca·te·nac·cio [kὰːtənáːtʃiou] *n.* 〔蹴〕 카테나치오《네 명의 백에 스위퍼를 두는 수비형》. 〚It. =door chain〛

cat·e·nary [kǽtənèri ; kətíːnəri] *n.* 〔數〕 현수선(懸垂線). ── *a.* 현수선 모양의. **càt·e·nár·i·an** [-néər-, -nǽər-] *a.* =CATENARY.

cat·e·nate [kǽtənèit] *vt.* 연쇄하다, 쇠사슬로 잇다 ; 암기하다. ── *a.* 쇠사슬 모양의, 쇠사슬 모양으로 사는《균체》. **càt·e·ná·tion** *n.* Ⓤ 연쇄.

ca·ter[1] [kéitər] *vi.* [+前+名] 음식을 장만하다, 식료품을 조달하다 ; (오락을) 제공하다, (요구를) 만족시키다 : The hotel also ~*s* ***for*** weddings and parties. 그 호텔은 또한 결혼식과 피로연도 맡아한다 / programs ~*ing for* boys' enjoyments 소년들에게 오락을 제공하는 프로그램 / He publishes several magazines that ~ ***to*** boys and girls. 소년 소녀들을 위한 잡지를 몇 권 발행하고 있다. 〚AF *acatour* buyer (L *capto* to CATCH)〛

cater[2] *n.* (주사위 · 카드 따위의) 네 끗[눈]. 〚F *quatre*<L *quattuor* four〛

cat·er·an [kǽtərən] *n.* 《스코》 산적(山賊). 〚? Sc. Gael. *caethairneach* robber〛

cat·er·cor·ner, cat·ty- [kæ̀tikɔ́ːrnər, kæ̀tə-, kìti-], **-cor·nered** [-nərd] *a.*, *adv.* 《美》 대각선상의[에].

cáter-còusin *n.* 친한 친구.

cáter·er *n.* 음식 조달자, 요리상을 차려내는 업자 ; (여흥 따위의) 공급자.

cáter·ess *n.* caterer의 여성형.

cáter·ing *n.* 케이터링《여객기 따위의 음식[음료] 제공하는 업무》.

***cat·er·pil·lar** [kǽtərpìlər] *n.* **1** 쐐기벌레, 모충(毛蟲)《나비 · 나방의 애벌레》. **2** 〔機〕 무한 궤도차 ; [C~] 무한 궤도식 트랙터《상표명》. **3** 욕심쟁이, 착취자. 〚? AF<OF *chatepelose* hairy cat (⇨ CAT, PILE[3]) ; 어형 · 의미상 *piller* ravager가 영향〛

cáterpillar trèad *n.* 무한 궤도.

cat·er·waul [kǽtərwɔ̀ːl] *vi.* (고양이가) 야옹야옹 울다 ; 으르렁대다. ── *n.* 야옹야옹 우는 소리 ; 으르렁거림[거리는 소리]. 〚CAT, -*waul* (imit.)〛

cát-èyed *a.* 고양이 같은 눈의 ; 밤눈이 밝은.

cát·fàll *n.* 〔海〕 닻을 감아 올리는 밧줄.

cát·fight *n.* 《美俗》 (특히 여자의) 으르렁대기.

cát·fish *n.* 〔魚〕 메기.

cát·fit *n.* 《俗》 격노(激怒).

cát-fòot *vi.* 살금살금 걷다.

cát fòot *n.* 고양이 발《짧고 포동포동한 발》.

cát·gùt *n.* 장선(腸線)《현악기 · 라켓 · 외과 수술용 꿰매는 실에 쓰임》; 현악기.

cath- [kǽθ] ☞ CAT-.

Cath. Cathedral ; Catherine ; Catholic.

Cath·ar [kǽθɑːr] *n.* (*pl.* **-a·ri** [kǽθəràì, -rìː], **~s**) (중세 유럽의 마니교의 이단파인) 카타리파의 신자(信者). **-a·rism** [-θərìzəm] *n.* **-a·rist** *n.* **Càth·a·rís·tic** *a.*

ca·thar·sis, ka- [kəθáːrsəs] *n.* (*pl.* **-ses** [-siːz]) Ⓤ,Ⓒ 〔哲〕 카타르시스《작위적 경험, 특히 비극에 의한 감정의 정화》; 〔精神分析〕 정화법 ; 〔醫〕 배변(排便), 변통(便通) ; 설사. 〚L<Gk. (*katharos* clean)〛

ca·thar·tic [kəθáːrtik] *a.* 배변의, 변이 통하는 ; 카타르시스의. ── *n.* 하제(下劑), 설사약. 〚L<Gk. (↑)〛

Ca·thay [kæθéi] *n.* 《古 · 詩》 =CHINA. 〚L<Turk.〛

cát·hèad *n.* 〔海〕 (이물 양쪽의) 닻걸이.

ca·the·dra [kəθíːdrə] *n.* **1** BISHOP의 법좌(法座), 주교좌(主敎座). **2** 대학 교수의 강좌[지위] ; 권위의 자리.

〖L<Gk. (↓)〗

***ca·the·dral** [kəθíːdrəl] *n.* (*pl.* **-drae** [-driː]) **1** 주교좌 대성당《bishop의 자리가 있는 성당으로 각 교구(diocese)의 중앙회당》. **2** 대성당.
── *a.* bishop의 자리가 있는 ; 대성당이 있는 ; 대성당 소속의 ; 권위있는.
〖OF or L (Gk. *kathedra* seat)〗

cathédral ángle *n.* 〖空〗 처진각(角).

cáth·e·rine whèel [kǽθərən-] *n.* **1** 회전 불꽃. **2** 〖建〗 (수레바퀴 모양의) 원창(圓窓).
turn catherine wheels 옆으로 공중제비하다.

cath·e·ter [kǽθətər] *n.* 〖醫〗 카테테르, 도뇨관(導尿管). 〖L<Gk. (*kathiēmi* to send down)〗

ca·thex·is [kəθéksəs, kæ-] *n.* (*pl.* **-thex·es** [-siːz]) 〖精神分析〗 (특정 인물·사물·관념에 쏠리는) 정신의 집중.

cath·ode, kath- [kǽθoud] *n.* 〖電〗 (전자관·전해조의) 음극(↔*anode*).
〖Gk. =descent (*cata-*, *hodos* way)〗

cáthode fòllower *n.* 〖電〗 음극 접지형(接地型) 증폭 회로.

cáthode rày *n.* 〖電〗 음극선.

cáthode-rày tùbe *n.* 〖電子〗 음극(선)관.

***Cath·o·lic** [kǽθəlik] *a.* **1 a**) (신교(Protestant)에 대해서) 구교의, 천주교의, (로마) 카톨릭 교회의 ; (로마) 카톨릭교(도)의 ; 영국 국교회 고교파(高教派)의(Anglo-Catholic). ☞ 活用. **b**) (그리스 Orthodox 교회에 대해서) 서방 교회(Western Church)의. **c**) (동서 교회로 분열되기 전의) 전(全) 기독교회의. **2** [c~] 보편적인, 일반적인 ; 만인이 관심을 가지는, 만인 공통의 ; 포용적인, 관대한 : ~ in one's tastes 취미가 다양한. ── *n.* **1** 구교도 ; (특히) 로마 카톨릭 교도, 천주교도(Roman Catholic). **2** 전(全)기독교도.
〖OF or L<Gk. =universal (*cata-*, *holos* whole)〗
活用 로마 카톨릭 교도는 단순히 Catholic이라고 자칭하고, Anglican-Catholic 따위 비(非)로마 카톨릭 교도는 로마 카톨릭 교도를 Roman Catholic이라고 부를 때가 많음.

ca·thol·i·cal·ly [kəθálikəli] *adv.* 보편적으로, 전반적으로 ; 카톨릭적으로.

Cátholic Apostólic Chúrch *n.* [the ~] 카톨릭 사도 교회.

Cátholic Chúrch *n.* [the ~] **1** (로마) 카톨릭 교회, 천주 교회. **2** 전(全) 기독교회.

Cátholic Emancipátion *n.* 〖英史〗 구교도 해방《1829년 신교도와 동일한 정치상의 권리를 부여했음》: the ~ Act 구교도 해방령.

Cátholic Epístles *n. pl.* [the ~] 〖聖〗 공동서신(書信)《James, Peter, Jude 및 John이 일반 신도에게 준 7교서》.

Ca·thol·i·cism [kəθáləsìzəm] *n.* Ⓤ 카톨릭교, 천주교 ; 카톨릭교 신앙 ; 카톨릭주의.

cath·o·lic·i·ty [kæ̀θəlísəti] *n.* **1** Ⓤ 보편성, 포용성 ; 관용. **2** Ⓤ [C~] 카톨릭 교리(Catholicism), 카톨릭교 신앙.

ca·thol·i·cize [kəθáləsàiz] *vt., vi.* 일반화[보편화]하다[되다] ; [C~] 카톨릭 교도가 되다.

Cátholic Kíng *n.* 옛 스페인 왕의 칭호.

ca·thol·i·con [kəθálikən, -ləkàn] *n.* 만병 통치약. 〖F ; ⇨ CATHOLIC〗

cát hòok *n.* 〖海〗 CAT BLOCK에 달린 갈고리.

cát·hòuse *n.* 《美俗》 갈보집, 청루.

cát ìce *n.* 살얼음.

Cat·i·li·na [kæ̀təláinə], **Cat·i·line** [kǽtəlàin] *n.* 카틸리나(*L* Lucius Sergius Cathilina) (108?–62 B.C.) 고대 로마의 정치가 ; Cicero 정부 전복을 노린 음모 사건을 일으켰으나 실패.

Cat·i·li·nar·i·an [kæ̀tələnéəriən] *n.* 타락한 반역자 ; (특히) 카틸리나 음모 사건의 참가자.
── *a.* 카틸리나의 ; 반정부적 음모의.

cat·ion, kat- [kǽtàiən] *n.* 〖化〗 양(陽)이온(↔*anion*). 〖*cata-*, *ion*〗

cat·kin [kǽtkən] *n.* 〖植〗 (버드나무 따위의) 꼬리꽃차례.
〖Du. =kitten ; ⇨ CAT〗

catkin

cát·làp *n.* Ⓤ 《英俗》 멀건 국물, 싱거운 음료.

cát lìck *n.* 《英口》 대강대강[적당히] 씻음.

cát·lìke *a.* 고양이 같은 ; 날랜 ; 발소리를 죽인.

cát·ling *n.* 고양이 새끼 ; 〖醫〗 절단도(刀) ; (현악기의) 장선.

cát màn *n.* (서커스단에서) 맹수의 조련사 ; =CAT BURGLAR ; =CATSKINNER.

cát·mìnt *n.* 〖植〗 =CATNIP.

cát·nàp *n.* 얕은 잠, 수잠, 풋잠(doze).
── *vi.* 얕은 잠을 자다, 선잠을 자다.

cát·nìp *n.* 〖植〗 개박하(=catmint).

Ca·to [kéitou] *n.* 카토. **Marcus** ~ (234–149 B.C.) 고대 로마의 장군·정치가 ; (95–46 B.C.) 그의 증손자인 정치가·철학자(哲學者).

càt-o'-níne-tàils [kæ̀tə-] *n.* (*pl.* ~) 아홉 가닥의 끈이 달린 채찍《원래 체벌용》.

cat-o'-nine-tails

ca·top·trics [kətáptriks] *n.* 반사광학.

cát rìg *n.* catboat식(式)으로 돛을 달기.

cát-rìgged *a.* catboat식으로 돛을 단.

cáts and dógs *n. pl.* 《美俗》 가치 없는 잡다한 증권, 값어치 없는 상품.

CAT scan [sìːèitíː ㅡ, kǽt-] *n.* 〖醫〗 컴퓨터 X선 체축(體軸) 단층 사진.
〖*CAT* (*c*omputerized *a*xial *t*omography)〗

CAT scanner [sìːèitíː ㅡ, kǽt-] *n.* 〖醫〗 컴퓨터 X선 체축 단층 촬영 장치, CT 스캐너.

CAT scanning [sìːèitíː ㅡ, kǽt-] *n.* 〖醫〗 컴퓨터 X선 체축 단층 촬영법.

cát's cràdle *n.* 실뜨기 놀이.

cát's-èar *n.* 〖植〗 금혼초속(屬)식물《잎이 고양이 귀를 닮음》.

cát's-èye *n.* **1** 〖鑛〗 묘안석(猫眼石). **2** (도로의) 야간 반사 장치.

cát's-fòot *n.* (*pl.* **-fèet**) 〖植〗 장군덩이 ; 떡쑥.

cát shàrk *n.* 〖魚〗 두톱상어.

cát·skìnner *n.* 《美》 트랙터 운전사.

cát slèep *n.* =CATNAP.

cát's mèat *n.* 《英》 고양이의 먹이 고기《꼬챙이에 꿴 말고기·고기 찌끼 ; cf. DOG'S MEAT》 ; 질이 나쁜 고기.

cát's mèow *n.* [the ~] 《俗》 훌륭한 것[사람], 매우 좋은 것.

cát's-pàw *n.* **1** 앞잡이[끄나풀] 노릇을 하는 사람 : make a ~ of …을 앞잡이로 쓰다. **2** 〖海〗 미풍《잔물결을 일게 하는 정도》.

cát's pyjàmas *n. pl.* [the ~] 《俗》 =CAT'S MEOWS.

cát's-tàil *n.* 〖植〗 부들 ; 꼬리꽃차례.

cát·stìck *n.* (tipcat이나 trapball 놀이용의) 타봉

(打棒), 배트.

cát·sùit *n.* 《英》 점프슈트《위아래가 연결된 옷》.

cat·sup, ketch·up [kǽtsəp, kétʃəp] *n.* Ⓤ 케첩 ; 케첩 색깔. 〖Malay=spiced fish sauce〗

cát's whìsker *n.* (광석 검파기의) 가느다란 철사 ; [the ~s] 《英俗》 멋진 것, 자랑거리 (cat's meows).

cát·tàil *n.* 〔植〕 부들.

cat·ta·lo, cat·a·lo [kǽtəlòu] *n.* (*pl.* **~s, ~es**) 카탈로《아메리카들소와 집소의 잡종》. 〖*catt*le+buff*alo*〗

cat·tery [kǽtəri] *n.* 고양이 사육장, 고양이집.

cát·tish *a.* 고양이 같은 ; 교활한(sly), 음흉한. 〖CAT[1]〗

***cat·tle** [kǽtl] *n.* [집합적으로 ; 복수취급] **1 a)** 소, 축우(畜牛) (cows and bulls) ; 《英》 가축 (livestock)《주로 소》: ~ and sheep 소와 양 / a [twenty] head of ~ 소 한[스무] 마리 / Are all the ~ in? 소는 모두 들어왔니. **b)** 들소, 물소《따위》. **2** 《俗》 말(horses). **3** (인간을 경멸해서) 짐승 같은 것들. 〖AF *catel* ; ⇨ CAPITAL, CHATTEL〗

cáttle bòat *n.* 가축 수송선.

cáttle brèeding *n.* 목축(업).

cáttle càke *n.* 《英》 가축용 농후 사료 덩어리.

cáttle càll *n.* 집단 오디션《지원자 등의》.

cáttle càr *n.* 《美俗》 (여객기 후부의) 보통석.

cáttle dòg *n.* 《濠·N. Zeal.》 소몰이 개.

cáttle dròver *n.* 목동, 소몰이꾼.

cáttle grìd *n.* 《英》 =CATTLE GUARD.

cáttle guàrd *n.* 《美》 가축 탈출 방지용의 도랑.

cáttle lèader *n.* 쇠코뚜레.

cáttle-lìft·er *n.* 소도둑, 가축 도둑. **-lìft·ing** *n.*

cáttle·man [-mən, -mæ̀n] *n.* 목장 주인, 목축업자 ; 소치는 사람, 목동, 소몰이꾼.

cáttle pàss *n.* 가축 통로《특히 소의》.

cáttle pèn *n.* 외양간, 가축 우리.

cáttle pìece *n.* 소[가축]의 그림.

cáttle plàgue *n.* 우역(牛疫) (rinderpest).

cáttle pròd *n.* 소몰이 막대《전류가 흐름》.

cáttle rànch[rànge] *n.* 《美》 소의 방목장.

cáttle rùn *n.* 목장.

cáttle rùstler *n.* 《美》 소도둑.

cáttle shòw *n.* 축우[가축] 품평회.

cáttle trùck *n.* 《英》〔鐵〕 가축차(=《美》 stock car) ; 《비유》 혼잡하고 불쾌한 차.

cat·tleya [kǽtliə, kætléiə, -líːə] *n.* 〔植〕 카틀레야《양란(洋蘭)의 일종》. 〖W. *Cattley* (d. 1832) 영국의 식물 애호가〗

cat·ty [kǽti] *a.* =CATTISH ; 《美口》 심술사나운 못된 소문을 퍼뜨리는. 〖CAT[1]〗

catty-corner(ed) ☞ CATERCORNER.

CATV cable television ; community antenna television (공동 안테나 텔레비전).

cát·wàlk *n.* (기관실이나 다리의) 좁은 통로 ; (패션 쇼 따위의) 객석으로 튀어나온 무대.

Cau·ca·sia [kɔːkéiʒə, -ʃə ; -zjə] *n.* 카프카스《흑해와 카스피 해 사이에 있는 그루지야의 한 지방》.

Cau·cá·sian *a.* 카프카스 지방[산맥]의 ; 코카서스인의 ; 백색 인종의. ── *n.* 코카서스인 ; 백인.

Cau·ca·soid [kɔ́ːkəsɔ̀id] *a., n.* 코카서스 인종(의)《인간의 3대 집단의 하나인 백색 인종》.

Cau·ca·sus [kɔ́ːkəsəs] *n.* **1** [the ~] 카프카스 산맥《그루지야의 Caucasia에 있는 산맥》. **2** [때때로 the ~] =CAUCASIA.

cau·cus [kɔ́ːkəs] *n.* 《美》 (정당의) 당원 대회, 간부회의《정책·후보자 등을 정함》, 실력자 회의 ; [흔히 경멸적으로] 《英》 정당 지부 간부회 (제도). ── *vi.* 간부제로 하다 ; 간부회를 열다. ── *vt.* 간부회에서 결정하다[지명하다]. 〖C18 < ? Algonquin=adviser〗

cau·dad [kɔ́ːdæd] *adv.* 〔動〕 꼬리쪽에 (↔*cephalad*).

cau·dal [kɔ́ːdl] *a.* 〔動〕 꼬리 부분[모양]의. 〖L (*cauda* tail)〗

cáudal appéndage *n.* 꼬리.

cáudal fín *n.* 〔魚〕 꼬리지느러미 (tail fin).

cau·date [kɔ́ːdeit], **-dat·ed** [-deitəd] *a.* 꼬리가 있는 ; 꼬리 모양의 부속기관을 가진. 〖L *cauda* tail〗

cau·di·llo [kauðíːljou, -ðíːjou] *n.* (*pl.* **~s**) (스페인어권(語圈) 여러 나라의) 군사 독재자, (게릴라의) 리더 (leader) ; (정계의) 지도자 ; [El C~] 총통. 〖Sp. (L *caput* head)〗

cau·dle [kɔ́ːdl] *n.* (묽은 죽에 달걀·포도주·향료를 넣은 따끈한) 자양 음료《산모·환자용》. 〖OF=gruel < L (*calidus* warm)〗

◇**caught** *v.* CATCH의 과거·과거분사.

caul [kɔ́ːl] *n.* 〔解〕 대망막(大網膜)《태아가 태어날 때 머리에 쓰고 나오는 양막(羊膜)의 일부》. 〖F *cale* small cap〗

caul- [kɔ́ːl], **cau·li-** [kɔ́ːlə], **cau·lo-** [-lou, -lə] *comb. form* 「줄기(stem, stalk)」의 뜻. 〖L < Gk.〗

caul·dron [kɔ́ːldrən] *n.* =CALDRON.

cau·les·cent [kɔːlésənt] *a.* 〔植〕 줄기가 있는.

cau·lic·o·lous [kɔːlíkələs] *a.* 〔植〕 (버섯 따위가) 나무 줄기에서 자라는.

cau·li·flórous [kɔ̀ːlə-] *a.* 〔植〕 줄기에 꽃이 피는 [열매가 맺는].

cau·li·flow·er [kɔ́(ː)liflàuər, kɑ́l-] *n.* Ⓤ,Ⓒ 꽃양배추, 콜리플라워 ; 《스코》 맥주의 거품. 〖*cole-florie* < F *chou fleuri* flowered cabbage ; 어형은 *cole*과 *flower*에 동화〗

cáuliflower éar *n.* (권투선수의) 찌그러진 귀.

cau·line [kɔ́ːlain, -lən] *a.* 줄기의, 줄기에 나는.

cau·lis [kɔ́ːləs] *n.* (*pl.* **-les** [-liːz]) 〔植〕 (초본(草本) 식물의) 줄기.

caulk[1] [kɔ́ːk] *vt.* (뱃널 틈을) 뱃밥으로 메우다 ; (창틀·파이프 이음매 따위의 틈을) 메우다, 코킹하다. **~·er** *n.* 〖OF=to tread, press with force < L *calco* to tread (*calx* heel)〗

caulk[2] *n., vt.* =CALK[1].

caus. causation ; causative.

caus·able [kɔ́ːzəbəl] *a.* 야기될 수 있는.

caus·al [kɔ́ːzəl] *a.* **1** 원인의 ; 원인이 되는 : ~ relation 인과 관계. **2** 〔論·文法〕 원인을 나타내는 : ~ conjunctions 원인을 나타내는 접속사 (because, as 따위). ── *n.* 〔文法〕 원인을 나타내는 단어[형식]. **~·ly** *adv.* 원인이 되어.

cau·sal·gia [kɔːzǽldʒiə] *n.* 〔醫〕 작열통(灼熱痛), 카우살기아.

cau·sal·i·ty [kɔːzǽləti] *n.* Ⓤ 인과관계, 인과율 ; 원인, 작인(作因).

cau·sa si·ne qua non [káusɑː sìni kwɑː nóun] 필수 조건[전제]. 〖L〗

cau·sa·tion [kɔːzéiʃən] *n.* Ⓤ 원인 ; 인과관계.

caus·a·tive [kɔ́ːzətiv] *a.* 원인이 되는, (…을) 일으키는 ⟨*of*⟩ ; 〔文法〕 원인 표시의, 사역적인 : ~ verbs 사역 동사《make, let 따위 ; cf. FACTITIVE verbs》. ── *n.* 〔文法〕 사역 동사. **~·ly** *adv.* 〔文法〕 사역적으로.

◇**cause** [kɔ́ːz] *n.* **1** Ⓤ,Ⓒ [+*that* 節] 원인 (↔*effect*, *result*; cf. OCCASION 5): ~ and effect 원인과 결과, 인과(因果) / God is the ~ of all things. 신은 만물의 근원이시다 / the First *C*~ 조물주, 신 / the ~ ***of*** the fire 화재의 원인 / You are the ~ *that* I cut my finger. 너 때문에 나는 손가락을 베었다. **2** Ⓤ **a**) [+*to* do] 이유(reason); 근거(ground): I have no ~ ***for*** a grudge[~ *to* have a grudge] against him. 그에게 원한을 품을 이유가 없습니다 / You must not be absent from the meetings without good ~. 정당한 이유없이 회의에 불참하지 마시오. **b**) 정당[충분]한 사유(事由): show ~ 정당한 사유를 제시하다. **3** 주장, 주의, …운동, (…을) 위함: the temperance ~ 금주운동 / He worked *for* the ~ *of* the colonies. 그는 식민지 해방을 위해 일했다. **4** 소송(사건); (소송의) 제기, 주장의 개진(開陳): plead one's ~ 소송의 이유를 개진하다.

in the cause of …을 위해서: They were fighting *in the* ~ *of* justice. 그들은 정의를 위해 투쟁하고 있었다.

make common cause with... (주의(主義)를 위해서) …와 제휴하다, …와 공동 전선을 펴다⟨*against*⟩.

with cause 정당한 사유가 있어서, 당연히.

without cause 사유[이유]없이(cf. 2 a)).

—— *vt.* (cf. OCCASION) **1** [+目 / +目+目 / +目+前+名] …의 원인이 되다; 야기시키다, 발생시키다, (사람에게 걱정 따위를) 끼치다: Rainstorms ~ damage every year. 폭풍우는 매년 재해를 야기시킨다 / His death was ~*d* by a fever. 그의 사인(死因)은 열병이었다 / The matter ~*d* her a great deal of trouble. 그 일로 인해서 그녀는 매우 애를 먹었다 / He never ~*s* pain ***to*** others. 남에게 고통을 주는 일은 하지 않는다. **2** [+目+*to* do] (사람에게) …시키다: The noise ~*d* me *to* jump back. 그 소리는 나를 펄쩍 뛰게 만들었다《注 The noise *made* me *jump* back. 보다 문어적임》. 〚OF<L *causa*〛

類義語 ***cause*** 어떤 결과(effect, result)를 발생시키는 사정·사건·원인: Jealousy was the *cause* of the quarrel. (질투가 싸움의 원인이었다). ***reason*** 자기의 행위나 의견을 설명할 때 사용: the *reason* for his departure to America (그가 미국으로 출발한 이유). ***motive*** 어떤 행동을 유발시키는 충동·감정 또는 욕망: the *motive* for theft (도둑질한 동기). ***ground*(*s*)** 어떤 일을 설명·주장할 수 있는 근거·재료가 되는 사실: the *ground*(*s*) for the conclusion (결론에 대한 근거).

'cause [kɔ́:z, kʌ́z, kəz; kɔ́z, kəz] *conj.* 《俗》 =BECAUSE.

cáuse-and-efféct *a.* 서로 인과 관계가 있는, 인과적인.

cause cé·lè·bre [kɔ́:z səlébrə, -sei-; *F* ko:z selɛbr] *n.* (*pl.* **causes cé·lè·bres** [—]) 유명한 소송 사건; (유명한 재판 사건처럼) 대중의 관심[주의]을 끄는 논쟁. 〚F=famous case〛

cáuse·less *a.* 원인[까닭]이 없는: ~ anger 이유 없는 분노. **~·ly** *adv.* 까닭없이.

cáuse lìst *n.* 〘法〙 공판 일정표; 소송 사건 목록.

cáus·er *n.* 원인이 되는 사람[것].

cau·se·rie [kòuzərí:] *n.* 잡담, 한담; (신문·잡지의) 수필, (특히) 문예 수상(隨想).
〚F (*causer* to talk)〛

cause·way [kɔ́:zwèi] *n.* (저습 지대에 흙을 쌓아 올린) 둑[방죽]길; (차도보다 높은) 보도, 인도.
—— *vt.* …에 방죽길을 만들다, 자갈[통나무 따위]을 깔다. 〚*cauce*(*way*)<AF *caucee*<L CALX〛

cau·sey [kɔ́:zi] *n.* 《英方》 =CAUSEWAY.

caus·tic [kɔ́:stik] *n.* Ⓤ,Ⓒ 〘醫〙 부식제(腐蝕劑), 소작제(燒灼劑): common ~ 질산은(窒酸銀).
—— *a.* **1** 부식성의, 소작성(燒灼性)의, 가성(苛性)의: ~ alkali[soda] 가성알칼리[수산화나트륨] / ~ lime ☞ LIME[1] *n.* / ~ potash 수산화칼륨 / ~ silver 질산은. **2** 통렬한, 신랄한: ~ remarks 신랄한 비평 / a ~ tongue 독설.
-ti·cal·ly *adv.* 부식적으로; 통렬하게.
〚L<Gk. (*kaustos* burnt⟨*kaiō* to burn)〛

caus·tic·i·ty [kɔ:stísəti] *n.* 부식성; 가성도(苛性度); (말 따위의) 빈정댐, 신랄함.

cau·ter·ant [kɔ́:tərənt] *n.* 〘醫〙 소작기구; 부식제. —— *a.* 소작하는; 부식성의(caustic).

càuter·izátion *n.* Ⓤ 〘醫〙 소작, 부식; 뜸.

cáuter·ìze *vt.* 〘醫〙 소작하다, …에 뜸을 뜨다; 《비유》 (양심 따위를) 마비시키다.
〚F<L<Gk. (*kautērion* branding iron⟨*kaiō* to burn)〛

cau·tery [kɔ́:təri] *n.* Ⓤ 〘醫〙 소작(법); 뜸질(법); Ⓒ 소작기《불에 달군 인두 따위》.

***cau·tion** [kɔ́:ʃən] *n.* **1** Ⓤ 조심, 신중: use ~ 조심하다 / with ~ 조심하여. **2** 경계(警戒); 경고(warning): The police dismissed him with a ~. 경찰은 그를 훈계하여 석방했다 / by way of ~ 만일을 위하여. **3** 〘軍〙 (구령의) 예비 구령. **4** 《口》 경계를 요하는 것[사람]; 괴짜: Well, you're a ~! 아니, 너는 보통이 아니구나!
—— *vt.* [+目 / +目+*to* do / +目+*against*+名] …에게 경계[경고]하다(warn): The policeman ~*ed* the driver. 경찰은 운전자를 주의시켰다 / The teacher ~*ed* me not *to* be late[me ***against*** be*ing* late]. 선생님은 내게 지각하지 말라고 주의를 주셨다. —— *vi.* 경고[충고, 권고]하다. **~·er** *n.*
〚OF<L (*caut-* *caveo* to take heed)〛
類義語 ⟹ ADVISE.

cáution and wárning sỳstem *n.* 〘로켓〙 (우주선의) 경계 경보 시스템.

cáution·àry [; -əri] *a.* 경계의, 경고를 주는; 담보[보증]의.

cáution mòney *n.* 《英》 (대학 따위의) 신원 보증금.

cau·tious** [kɔ́:ʃəs] *a.* [+前+do*ing* / +*to* do] 신중한, 주도 면밀한: He was ~ ***in all his movements. 그는 일거수 일투족에 신경을 썼다 / She is very ~ ***of*** giv*ing*[~ not *to* give] offense to others. 그녀는 남의 감정을 상하지 않도록 조심한다. **~·ness** *n.* 〚CAUTION〛
類義語 ⟹ CAREFUL.

cáutious·ly *adv.* 주의해서, 조심스럽게.

CAV 〘電子〙 constant angular velocity《광학식 비디오 디스크에서 각 트랙에 텔레비전의 1프레임분을 기록하는 방법》.

cav. cavalier; cavalry; cavity.

cav·al·cade [kæ̀vəlkéid, 美+⌐-⌐] *n.* 승마대; 기마[마차] 행진; 행렬(cf. MOTORCADE); 사건의 진전; 장면의 전개; (별의) 운행.
〚F<It.; ⇒ CHEVALIER〛

cav·a·lier [kæ̀vəlíər, 美+⌐-⌐] *n.* **1** 《美》《英古》 기사(knight). **2** 정중한 신사; (여성의) 호위자(escort). **3** [C~] 〘英史〙 (17세기 Charles 1세 시대의) 왕당원(↔*Roundhead*). —— *a.* **1** 귀족적인; [C~] 기사당의; 왕당파 시인의. **2** 대범한, 호방한, 무관심한. **3** 거만한, 오만한(arrogant). —— *vt.* (여성)에게 호위하다.

—— *vi.* 여성의 호위역[파트너]를 맡다 ; 기사처럼 행동하다.
〚F<It. ; ⇨ CHEVALIER〛

cavalíer·ly *adv., a.* 기사답게[다운] ; 거만[호방]하게[한].

***cav·al·ry** [kǽvəlri] *n.* U,C [집합적으로] 기병(대) : heavy[light] ~ 중[경]기병.
〚F<It. (*cavallo*<L *caballus* horse)〛

cávalry·man [-mən, -mæ̀n] *n.* 기병(騎兵).

ca·vate [kéiveit] *a.* 바위에 구멍을 뚫은.

cav·a·ti·na [kæ̀vətíːnə, kɑ̀ː-] *n.* 〔樂〕 카바티나 《짧은 아리아》. 〚It.〛

cave**[1] [kéiv] *n.* 동굴 ; 함몰 : the ~ period 혈거 시대. —— *vi.* **1** [+副] 꺼지다, (지반이) 함몰하다, 움푹 들어가다 : After the long rain the road ~*d* ***in. 긴 장마 끝에 도로가 패였다. **2** 《口》 (반항을 그치고) 굴복[항복]하다〈*in*〉.
—— *vt.* [+目+副] 함몰시키다 ; 쑥 들어가게 하다 : Somebody has ~*d* my hat ***in***. 누군가가 나의 모자를 찌부러뜨렸다.
〚OF<L (*cavus* hollow)〛

ca·ve[2] [kéivə] *int.* 《英學俗》 (선생님이 오신다) 조심해라(Look out!). —— *vt.* …의 망을 보다.
keep cave 《英學俗》 감시하다.
〚L *caveo* to beware〛

cáve àrt *n.* (석기 시대의) 동굴 예술.

ca·ve·at [kéiviæ̀t, kǽv-, -ət ; kɑ́ːviɑ̀ːt, -ət] *n.* **1** 〔法〕 수속 정지 통고, 소송 절차 정지 통고, 발명 특허권 보호 신청 : enter[file, put in] a ~ against …에 대한 수속 정지 신청원을 제출하다. **2** 경고. 〚L=let him beware〛

cáveat émp·tor [-émptɔːr, -tər] *n.* 〔商〕 매수인(買受人)의 위험 부담.
〚L=let the buyer beware〛

cáve dwèller *n.* =CAVEMAN.

cáve dwèlling *n.* 혈거(穴居) 생활.

cáve-ìn *n.* **1** (광산의) 낙반, 함몰(장소). **2** 타락 ; 실패(failure) ; 쇠약.

cáve·màn [, -mən] *n.* **1** (석기 시대의) 혈거인(穴居人)(cave dweller). **2** 《口》 야인(野人), 세련되지 못한 사람.

cav·en·dish [kǽvəndiʃ] *n.* (단맛을 가하여 압축한) 씹는 담배(cf. NEGROHEAD).
〚최초의 제조자의 이름인가〛

cav·er [kéivər] *n.* 동굴 연구[탐험]가.

***cav·ern** [kǽvərn] *n.* 동굴 ; 〔醫〕 (체내 조직에 생기는) 공동(空洞). —— *vt.* 동굴에 들어가다, 동굴을 파다[만들다]
〚OF or L *caverna* ; ⇨ CAVE[1]〛
類義語 ⟹ HOLE.

cáv·erned *a.* 동굴이 있는.

cávern·ous *a.* 동굴 모양의[같은], 움푹한, 깊은 ; 동굴이 많은.

cav·e(s)·son [kǽvəsən] *n.* (말의) 재갈끈.

cav·i·ar(e) [kǽviɑ̀ːr, ⌐-⌐] *n.* U 캐비아《철갑상어(sturgeon)의 알젓》; 진미.
caviar(e) to the general 대중들은 알 수 없는 천하 일품, 돼지에게 진주격인 물건.
〚It. <Turk.〛

cav·il [kǽvəl] *v.* (-l- | -ll-) *vi.* [+*at*+名] 트집잡다, 흠잡다(carp) : He often ~*s* ***at*** other's faults. 그는 곧잘 남을 헐뜯는다. —— *vt.* 《稀》 …에 트집잡다. —— *n.* 약점잡기, 트집잡기.
〚F<L (*cavilla* mockery)〛

cáv·il·(l)er *n.* 트집잡는 사람.

cav·ing [kéiviŋ] *n.* U 동굴 탐험 ; 함몰.

cav·i·ta·tion [kæ̀vətéiʃən] *n.* 〔機〕 캐비테이션《회전하는 추진기 따위의 뒤쪽에 생기는 진공부》.
〚CAVITY〛

cav·i·ty [kǽvəti] *n.* 움푹 패인 곳, 구덩이, 구멍 ; 〔解〕 강(腔) ; 〔理〕 공동(空洞) : the mouth ~ 구강(口腔). 〚F or L ; ⇨ CAVE[1]〛
類義語 ⟹ HOLE.

cávity résonator *n.* 〔電子〕 공동 공진기(空洞共振器).

cávity wàll *n.* 〔建〕 중공벽(中空壁)(hollow wall)《단열 효과가 있음》.

ca·vort [kəvɔ́ːrt] *vi.* 《口》 (말이) 날뛰다, 껑충거리다(caper about), 뛰놀다.
〚? CURVET〛

CAVU, c.a.v.u. 〔空〕 ceiling and visibility unlimited (시계 양호).

ca·vy [kéivi] *n.* 〔動〕 기니피그, (남미산(産)) 모르모트.

caw [kɔ́ː] *n.* (까마귀의) 까악까악 우는 소리.
—— *vi.* (까마귀가) 까악까악 울다. —— *vt.* (까마귀 울음소리 같은) 시끄러운 목소리로 말하다 〈*out*〉. 〚imit.〛

Cax·ton [kǽkstən] *n.* **1** 캑스턴. **William** ~ (1422?-91) 영국 최초의 인쇄가. **2** C 캑스턴판 책 ; U 캑스턴 활자체.

cay [kéi, kíː] *n.* (특히 서인도 제도에서) 모래톱, 암초, 작은 섬. 〚Sp. *cayo*〛

Cay·enne [keién, kai-] *n.* 카옌(프랑스령(領) Guiana의 수도 ; 원래 프랑스의 유형지(流刑地)).

cayénne (pépper) *n.* U 고추, 고춧가루 《양념》; 〔植〕 고추《가지과(科)》.
〚Tupi *kyynha* ; 어형은 ↑에 동화〛

Cay·ley [kéili] *n.* 케일리암(岩)《월면 고지의 우묵한 곳을 메우고 있는 물질로 밝은 색의 각력암(角礫岩)질》. 〚*Cayley* Plain 그것이 처음으로 발견된 달 표면의 장소〛

cayman ☞ CAIMAN.

Cay·use [káijuːs, -⌐] *n.* **1** (*pl.* ~, ~s) 카이유스족(族)《Washington, Oregon 주(州)에 사는 인디언의 한 종족》; 카이유스 어(語). **2** [c~] 《美西部》 카이유스《조랑말의 일종》.

CB chemical and biological ; 〔通信〕 citizens band ; Companion (of the Order) of the Bath ; 〔軍〕 confinement[confined] to barracks (외출 금지, 금족) ; convertible bond ; counter bombardment ; county borough. **Cb** 〔化〕 columbium ; cumulonimbus.
C.B. Bachelor of Surgery ; Cape Breton ; cashbook. **C/B** cashbook. **c.b.** center of buoyancy.
CBC Canadian Broadcasting Corporation ; 〔醫〕 complete blood count (혈산(血算)) ; car bulk carrier. **CBD** central business district (중심 업무 지구). **C. B. D., c. b. d.** cash before delivery.
CBE computer-based education 《컴퓨터를 이용한 교육의 총칭》. **C. B. E.** Commander of (the Order of) the British Empire.

C.B.er, CB·er [sìːbíːər] *n.* 《美口》 시민 라디오(citizens band radio) 사용자.

CBI, C.B.I. Confederation of British Industry.
CBL computer-based learning. **CBO** 《美》 Congressional Budget Office(연방의회의 예산 사무국) ; cancel back order.

C-bomb [síː⌐] *n.* 코발트 폭탄(cf. A-BOMB, H-BOMB).

CBR chemical, biological, radiological(화생방(化生放) : ~ warfare). **CB radio** Citizen's

Band Radio. **CBS** Columbia Broadcasting System《현재의 정식명은 CBS Inc.》. **CBU** cluster[canister] bomb unit(산 탄(散彈)형 폭탄). **CBW** chemical and biological warfare [weapons]. **CC, cc** carbon copy. **cc.** chapters. **cc, c.c.** cubic centimeter(s). **C.C.** Cape Colony; cashier's check; Chamber of Commerce; circuit court; City Council(lor); civil court; common carrier; county clerk; county commissioner; county council(lor); county court; cricket club. **CCA** car cargo. **C.C.A.** Circuit Court of Appeals(순회 항소원). **CCC** car and container carrier; Civilian Conservation Corps(민간 식림 치수단); Commodity Credit Corporation(물질 신용 보증 회사); Customs Cooperation Council(관세 협력 이사회). **C.C.C.** Corpus Christi College《Cambridge 및 Oxford 대학의》. **CCD** charge-coupled device; Civil Censorship Department(민간 검열부); Conference of the Committee on Disarmament(군축 위원회 회의). **C.C.F.** Chinese Communist Forces. **C.Chem.** chartered chemist. **CCI** Chamber of Commerce and Industry(상공 회의소); Civil Communications Intelligence.

C-CLAW [sí:klɔ̀:] *n.* 〖軍〗 근접 전투용 레이저 공습 병기.
〚*c*lose-*c*ombat *l*aser *a*ssault *w*eapon〛

C clef [sí: ⌐] *n.* 〖樂〗 가온음자리표《다음자리표; cf. ALTO CLEF; ☞ CLEF》.

CCMS 〖宇宙〗 checkout, control and monitor subsystem(점검·초읽기·발사관제 시스템). **CCP** 〖軍〗 Consolidated Cryptologic Programme(통합 암호 계획). **C.C.P.** Court of Common Pleas. **C.Cr.P.** Code of Criminal Procedure(형사 소송법). **CCS** central control station. **CCTV** China Central Television (중국 중앙 텔레비전); closed-circuit television(폐회로 텔레비전). **CCU** communication control unit (통신 제어 장치); 〖醫〗 coronary care unit (심장병 치료동). **CCUS** Chamber of Commerce of the United States. **CCV** 〖空〗 control configured vehicle(컴퓨터 제어 자동조종기). **CCW** carrying a concealed weapon(은닉흉기 소지). **ccw** counterclockwise. **CD** cash dispenser(현금 자동 지급기); certificate of deposit (양도성 예금 증서); compact disc. **CD, c/d** 〖經〗 certificate of deposit. **Cd** 〖化〗 cadmium. **cd.** candela. **cd., cd** cord(s). **C.D.** civil defense; corps diplomatique; current density. **c.d.** cash discount; cum dividend. **CDC** Center for Disease Control. **CDE** Conference on Disarmament in Europe(유럽 군축 회의). **cd. ft.** cord foot. **CDI** conventional defense initiative(비핵 방위 구상). **CD-I** Compact Disk-interactive(대형화 콤팩트 디스크). **CDP** career development plan(직능 개발 프로그램).

cdr [sì:dì:ɑ́:*r*] *vt.* 《해커俗》 (리스트에서 제 1 항목을) 삭제하다.
cdr down (리스트 앞에서부터 차례로 항목을) 삭제하다.

CDR, Cdr. Commander. **Cdre.** Commodore. **CD-ROM** compact discread-only memory《시디롬; 콤팩트 디스크를 읽는 전용 기억 장치》. **CDS** 〖宇宙〗 central data system. **CDT** 《美》 Central daylight time(중부(中部) 여름시간). **CDU, C.D.U.** Christian Democrat(ic) Union. **c.d.v.** carte de visite. **Ce** 〖化〗 cerium. **C.E.** Christian Endeavor; Church of England; Civil[Chief, Chemical] Engineer; Common Entrance; Common Era.

-ce *n. suf.* 「…하기」「…한 성질」의 뜻: diligen*ce*, intelligen*ce*. ㊟ 미국에서는 -se로 쓰는 수가 있음: defen*se*, offen*se*, preten*se*.

CEA carcinoembryonic antigen; Council of Economic Advisers 《美》 ((대통령) 경제 자문 위원회).

ce·a·no·thus [sì:ənóuθəs] *n.* 갈매나무과의 식물.

cease** [sí:s] *vi.* [+*from*+名/動] 그만두다, 멈추다; 멎다, 끝나다: He has ~*d* ***from his wickedness. 나쁜 짓을 그만두었다 / The music ~*d* at last. 음악은 마침내 멎었다. ── *vt.* [+*to* do / +do*ing*] 끝내다, 중지하다; (…하는 것을 점차로) 하지 않게 되다: The story has ~*d to* be novel. 그 이야기는 진기하지 않게 되었다 / He has ~*d* writ*ing*. 그는 쓰는 것을 그만두었다 / She never ~*d* regrett*ing* her decision. 그녀는 자기의 결심을 두고두고 후회했다. ☞ 活用.
Cease fire! 《구령》 사격 중지!
── *n.* [다음 숙어로] 중단.
without cease 끊임없이.
〚OF＜L *cesso* (freq.)＜*cedo* to yield〛
活用 *vt.*의 구문으로서는 cease *to* do가 가장 일반적; cease do*ing*은 STOP do*ing*과 같은 뜻이나 더 문어적임.
類義語 ⟹ STOP.

céase and desíst òrder *n.* (부당 경쟁·부당 노동 행위에 대한 행정 기관의) 정지 명령.

céase-fíre *n.* 정전, 휴전(명령).

céase·less *a.* 끊임없는. **~·ly** *adv.*

ceas·ing [sí:siŋ] *n.* Ⓤ 중지, 중절(中絕); 종결: without ~ 끊임없이.

ce·cal, cae- [sí:kəl] *a.* 〖解〗 맹장의(cf. CECUM); 막다른.

cé·ci·fòrm [sí:sə-] *a.* 맹장 모양의.

Ce·cil·ia, -ce·lia [sisí(:)ljə] *n.* **1** 여자 이름. **2** [saint ~] 성 세실리아《음악가의 수호 성인》.

ce·ci·tis, cae- [si:sáitəs] *n.* 〖醫〗 맹장염.

ce·ci·ty [sí:səti] *n.* 《文語·비유》 눈멂.

ce·cró·pia (móth) [sikróupiə(-)] *n.* [때때로 C~] 가죽나무고치나방《북미 동부산》.

ce·cum, cae- [sí:kəm] *n.* (*pl.* **-ca** [-kə]) 〖解〗 맹장. 〚L (*intestinum*) *caecum* (*caecus* blind); Gk. *tuphlon enteron*의 번역〛

CED 《美》 Committee for Economic Development(경제 개발 위원회).

***ce·dar** [sí:də*r*] *n.* 〖植〗 설송[히말라야시더]; Ⓤ 그 목재 《나무의 질이 좋아 건축에 쓰임》: the ~ of Lebanon＝the Lebanon ~ 레바논 시더《히말라야시더의 변종》. 〚OF＜L＜Gk.〛

cédar·bìrd *n.* 〖鳥〗 꼬마여새《북미산; cedar waxwing이라고도 함》.

ce·darn [sí:də*r*n] *a.* 《詩》 시더의, 시더로 만든.

cede [sí:d] *vt.* [+目/+目+前+名] (권리·영토 따위를) 양도하다, 할양하다, 넘겨주다, 양보하다: Spain ~*d* the Philippines ***to*** the United States. 스페인은 필리핀 군도를 미국에 이양했다. 〚F or L *cess- cedo* to yield; cf. CEASE〛

ce·dil·la [sidílə] *n.* 세딜라《ç처럼 c의 밑에 붙어 [s]음을 나타내는 부호; 보기 façade》.
〚Sp. (dim.)＜*zeda* letter Z〛

cee [sí:] *n.* C, c자(字).

CEEB 《美》 College Entrance Examination Board(대학 입학 시험 위원회).

Cée·fàx *n.* 《英》 문자 다중 방송(teletext) 제도.
cée sprìng *n.* C자형 용수철.
CEFTA Central European Free Trade Association(중유럽 자유 무역 연합).
C. E. G. B. 《英》 Central Electricity Generating Board.
cei·ba [séibə] *n.* 〔植〕 케이폭나무 ; 그 섬유. 〚Sp.〛
ceil [síːl] *vt.* …에 천장을 대다 ; (배에 판자 따위를) 안으로 붙이다.
◇**ceil·ing** [síːliŋ] *n.* **1** 천장 : a fly *on* the ~ 천장에 붙은 파리. **2** 천장 널빤지 ; (배의) 안쪽에 붙이는 널빤지. **3** 〔空〕 (비행기의) 상승 한계 ; 시계 한도 ; 〔氣·空〕 구름 높이, 운고(雲高), 운저 고도(雲底高度). **4** (가격·임금 따위의) 최고 한도(top limit) (↔*floor*).
〚*ceil* to furnish with ceiling (? L *celo* to hide)〛
céiling lìght *n.* 천장등 ; 삼각 측량으로 운저(雲底) 고도를 재는 탐조등.
céiling prìce *n.* 최고[한정] 가격.
ceil·om·e·ter [siːlάmətər] *n.* 〔氣〕 운고 측정계.
cel [sél] *n.* 〔映〕 셀《동화(動畫)를 그리기 위한 셀로판》.
cel·a·don [sélədὰn] *n.* 회록색(灰綠色) ; 청자(青磁). —— *a.* 청자색의. 〚Honoré d'Urfé작(作) *L'Astrée*의 주인공인 목자(牧者)의 이름〛
cel·an·dine [séləndàin, -dìːn] *n.* 〔植〕 애기똥풀 ; 미나리아재비의 일종.
〚OF<L<Gk. (*khelidōn* the swallow) ; -*n*-에 대해서는 cf. PASSENGER〛
Cel·a·nese [séləniːz, ⌐-⌐ ; ⌐-⌐] *n.* 셀라니즈《인조 견사의 일종 ; 상표명》.
-cele [siːl] *n. comb. form* 〔醫〕 「…의 종양」 「…의 헤르니아」의 뜻 : varico*cele*, cysto*cele*. 〚Gk.〛
ce·leb [səléb] *n.* 《俗》 명사(celebrity).
Cel·e·bes [séləbìːz, səlíːbiz] *n.* 셀레베스《인도네시아 동부의 큰 섬》.
cel·e·brant [sélәbrәnt] *n.* (미사·성찬식의) 사제(司祭) ; 축하객.
cel·e·brate** [sélәbrèit] *vt.* **1** [+目/+目+前+名] (의식·축전을) 거행하다 ; (기념일·행사를) 식을 올려 축하하다 : The priest ~*s* Mass in church. 사제는 교회에서 미사를 집전한다 / We ~*d* Christmas ***with trees and presents. 트리를 장식하고 선물도 하면서 성탄절을 축하했다. **2** (승리·용사·공훈 따위를) 찬양하다 : The victory was ~*d* in many poems. 그 승리는 많은 시에서 찬양되었다. **3** 세상에 알리다, 공표하다.
—— *vi.* **1** 식을 올리다, 축하하다 : On his birthday Tom was too sick to ~. 톰은 병이 나서 자기 생일을 축하할 수 없었다. **2** 《口》 즐겁게 뛰어놀다, 축제 기분에 젖다.
〚L (*celebri- celeber* renowned)〛
類義語 ***celebrate*** 의식·축전을 베풀어 축하하다 : *celebrate* a birthday by a banquet (연회를 열어 생일을 축하하다). ***commemorate*** 사람이나 사건을 기념하기 위하여 의식을 거행하다 : *commemorate* Armistice Day (제1차 세계대전 휴전 기념일의 기념식을 거행하다). ***solemnize*** 엄숙하게 그리고 두드러지게 하려고 격식을 갖춰 특히 종교상의 의식을 행하다 : *solemnize* a marriage (결혼식을 올리다). ***observe*** 특정한 날[경우]을 규정된 적당한 방법으로 각별한 경의를 표하여 축하하다. ***keep*** observe보다 격식을 차리지 않는 말 : *keep*[observe] a religious holiday (종교상의 축제일을 지키다).
***cél·e·bràt·ed** *a.* 이름난(famous), 유명한 : a ~ writer 유명한 작가 / The place is ~ *for* its hot springs. 그곳은 온천으로 유명하다.
類義語 ⟹ FAMOUS.
***cel·e·bra·tion** [sèləbréiʃən] *n.* Ⓤ 축하 ; Ⓒ 축전, 의식 ; 성찬식(의 거행) ; Ⓤ 찬양 : in ~ of …을 축하하여 / hold a ~ 축하회를 개최하다.
cél·e·brà·tor, -bràt·er *n.* 축하객.
***ce·leb·ri·ty** [səlébrəti] *n.* Ⓤ 명성 ; Ⓒ 명사, 유명인. 〚F or L ; ⇨ CELEBRATE〛
ce·ler·i·ac [səlériæ̀k, -líər-] *n.* 뿌리를 쓰는 셀러리, 셀러리액.
ce·ler·i·ty [səlérəti] *n.* Ⓤ 《文語》 신속, 민첩. 〚F<L (*celer* swift)〛
cel·ery [séləri] *n.* Ⓤ 〔植〕 셀러리 : a bunch [stick, head] of ~ 셀러리의 한 다발[포기] / ~ soup 셀러리 수프.
〚F *céleri*<It. <L<Gk. *selinon* parsley〛
ce·les·ta [səléstə] *n.* 첼레스타《종소리 같은 음을 내는 피아노 비슷한 악기》. 〚F<L (↓)〛
ce·leste [səlést] *n.* Ⓤ 하늘색 ; Ⓒ (오르간 따위) 첼레스트 스톱. —— *a.* 하늘색(깔)의.
〚F=heavenly<L (*caelum* heaven, sky)〛
***ce·les·tial** [səléstʃəl] *a.* **1** 하늘의 ; 천체의(cf. TERRESTRIAL) : a ~ body 천체 / a ~ globe 천구의(天球儀) / a ~ sphere 〔天〕 천구《관측자를 중심으로 하여 그린 반지름 무한대의 구(球)》 / a ~ map 천체도, 성도(星圖) / the *C* ~ City 천상의 도읍, 천국《예루살렘》. **2** 천국[천계]의[같은], 신성한(divine), 절묘한, 기막히게 아름다운, 훌륭한 : a ~ being 천인(天人) / ~ bliss 지복(至福) / ~ music 절묘한 음악. **3** [C~] 《戲》 (옛) 중국의(Chinese) : the *C* ~ Empire 중국 왕조. —— *n.* **1** 천인. **2** [C~] 《戲》 중국인.
~·ly *adv.* 천국같이, 근엄하게, 거룩하게, 더할 나위 없이. 〚OF<L (↑)〛
celéstial equátor *n.* [the ~] 천구 적도.
celéstial guídance *n.* 〔空〕 천체 유도《유도탄·우주선과 목표 천체의 위치를 정기적으로 자동 측정하여 유도함》.
celéstial híerarchy *n.* [the ~] 〔基〕 천군구대(天軍九隊).
celéstial látitude *n.* 〔天〕 황위(黃緯).
celéstial lóngitude *n.* 〔天〕 황경(黃經).
celéstial mechánics *n.* 우주[천체] 역학.
celéstial navigátion *n.* 〔海·空〕 천문(天文) 항법(航法)《천체 관측으로 위치를 확인하는 항법》.
ce·li·ac [síːliæ̀k] *a.* 〔解〕 복강(腹腔)의.
—— *n.* 셀리악병 환자.
céliac disèase *n.* 〔醫〕 (유아의) 만성 소화 장애증, 셀리악병(病).
cel·i·ba·cy [séləbəsi] *n.* Ⓤ (특히 종교적 맹세를 하고 영위하는) 독신, 독신 생활.
〚F or L (*caelib- caelebs* unmarried)〛
cel·i·bate [séləbət] *a.* 독신의. —— *n.* 독신자.
‡**cell** [sél] *n.* **1** 작은 집 ; (수도원에 딸린) 작은 수도[수녀]원, 별실. **2** 작은 방 ; 독방 : a condemned ~ 사형수의 독방. **3** (벌집의) 구멍 ; 밀방. **4** 〔電〕 전지 : a dry ~ 건전지《cell이 모여 battery》. **5** 〔生〕 세포 : ~*s* of the brain 뇌세포 ; 〔컴퓨〕 비트 기억 소자(素子). **6** (공산당 따위의) 세포. **7** (기구·비행선의) 가스 주머니. **8** 〔數〕 포체(胞體) ; 〔化〕 전해조. **9** 〔通信〕 셀.
—— *vi.* 독방 생활을 하다, 작은 방에 틀어박히다.
〚OF or L *cella* storeroom〛
cel·la [sélə] *n.* (*pl.* **cel·lae** [séliː]) 〔建〕 성상(聖像) 안치소《그리스·로마 신전의 안쪽》. 〚↑〛
***cel·lar** [sélər] *n.* **1** 지하실, 땅광《식료품, 특히 포

도주의 저장소》. **2** 포도주의 저장 : keep a good [small] ～ 포도주의 비축이 많다[적다]. **3** 《英》 (도시 주택의) 석탄 저장소(=coal ～). **4** [the ～] 《口》〔競〕 최하위 : be the ～ 맨 꼴찌다.
── *vt.* 지하실에 저장하다.
〚AF<L *cellarium* storehouse ; ⇨ CELL〛

céllar·age *n.* Ⓤ 지하실의 넓이 ; [집합적으로] 지하실 ; 지하실 보관료.

céllar·er *n.* (수도원 따위의) 식료품 담당자.

cel·lar·et(te) [sèlərét] *n.* (식당의) 술병 선반.

céllar·man [-mən] *n.* (호텔 따위의) 저장실 관리인 ; 포도주 상인.

céll bànk *n.* 세포 은행.

céll·blòck *n.* (교도소의) 독방동(棟).

céll bòdy *n.* 〔解·生〕 (신경) 세포체.

céll cùlture *n.* 세포 배양.

céll cỳcle *n.* 〔生〕 세포 주기, 분열 주기.

céll divìsion *n.* 〔生〕 세포 분열.

-celled [sèld] *a. comb. form* 「…의[…개의] 세포를 가진」의 뜻. 〚CELL〛

céll fùsion *n.* 〔生〕 세포 융합.

cel·list, 'cel- [tʃéləst] *n.* 첼로 연주자.

céll lỳsis *n.* 〔生〕 세포 용해.

céll·màte *n.* 감방 친구.

céll-mèdiated immúnity *n.* 세포(매개)성 면역《세포막에 부착하는 항체(抗體)증가에 의한》.

céll mèmbrane *n.* 〔生〕 세포막.

***cel·lo, 'cel-** [tʃélou] *n.* (*pl.* **～s**) 〔樂〕 첼로.
〚violon*cello*〛

cel·lo·phane [séləfèin] *n.* Ⓤ 셀로판.
〚*cell*ulose+-*o*-+-*phane* (cf. DIAPHANOUS) ; 원래 상표〛

céll sàp *n.* 〔生〕 세포액.

céll sòrter *n.* 〔生·醫〕 세포 분별기(分別機).

céll technòlogy *n.* 세포 공학.

céll thèrapy *n.* 세포 요법《양(羊)의 태아의 조직에서 얻은 세포의 현탁액을 주사하는 회춘법》.

cel·lu·lar [séljələr] *a.* **1** 세포의 ; 세포질[상(狀)]의. **2** (셔츠 따위의) 천이 비치는. **3** 〔通信〕 셀 방식의, 통화존(zone)식의《도시를 기하학적 모양으로 분할하여 분할된 각 셀 중심에 중계국을 설치하는 방식》. **4** 독방 사용의 : ～ confinement 독방 감금. 〚F or L ; ⇨ CELLULE〛

céllular enginéering *n.* 세포 공학.

cel·lu·lar·i·ty [sèljəlǽrəti] *n.* Ⓤ 세포질.

cel·lu·la·rized [séljələràizd] *a.* 세분된.

céllular móbile phòne *n.* 〔通信〕 셀[존] 방식 이동[자동차] 전화.

céllular radiotélephone sỳstem *n.* 〔通信〕 셀[통화존] 방식 무선전화 시스템.

céllular télephone *n.* 〔通信〕 셀 방식 전화.

céllular thérapy *n.* =CELL THERAPY.

cel·lu·lase [séljəlèiz, -s] *n.* 〔化〕 셀룰라아제《섬유 분해 효소》.

cel·lu·late [séljəlèit], **-lat·ed** [-lèitəd] *a.* 세포 모양의, 다공성의.

cel·lu·la·tion [sèljəléiʃən] *n.* 세포 조직.

cel·lule [sélju:l] *n.* 〔解〕 소(小)세포.
〚F or L *cellula*〛

cel·lu·lite [séljəlàit, -li:t] *n.* Ⓤ 셀룰라이트《지방·물·노폐물로 된 물질로 여자의 둔부나 대퇴부에 멍울지게 한다고 함》.

cel·lu·li·tis [sèljəláitəs] *n.* Ⓤ〔醫〕 봉와조직염(蜂窩組織炎), 봉소염(蜂巢炎), 세포염, 플레그몬.

Cel·lu·loid [séljəlɔ̀id] *n.* Ⓤ 셀룰로이드《상표명》; [c～] 《口》 영화(의 필름)(motion picture (film)). ── *a.* [c～] 셀룰로이드의 ; 《비유》 영화의. 〚*cellu*lose+-*oid*〛

cel·lu·lose [séljəlòus, -z] *n.* Ⓤ 〔生化〕 셀룰로오스, 섬유소 : ～ acetate 〔化〕 아세테이트 셀룰로오스 / ～ nitrate 〔化〕 니트로셀룰로오스, 질산 셀룰로오스. 〚F (CELLULE, -*ose*)〛

cel·lu·lous [séljələs] *a.* 세포가 많은, 세포로 된.

céll wàll *n.* 〔生〕 세포막[벽].

Cel·o·tex [sélətèks] *n.* 셀로텍스《건축용 절연·방음판 ; 상표명》.

Cels. Celsius.

Cel·si·us [sélsiəs, -ʃəs] *n.* 셀시우스. **Anders ～** (1701-44) 스웨덴의 천문학자. ── *a.* 섭씨의 (centigrade)《略 Cels., C. ; cf. FAHRENHEIT》.

Célsius thermómeter *n.* 섭씨 온도계《centigrade thermometer ; cf. FAHRENHEIT THERMOMETER》.

celt [sélt] *n.* 〔考古〕 (유사 이전의) 돌도끼, 청동 도끼. 〚? L *celtes* chisel〛

Celt [kélt, sélt], **Kelt** [kélt] *n.* 켈트 사람 ; [the ～s] 켈트족《아리안 인종의 한 파로 Ireland, Wales 및 Scotland 고지 따위에 삶》.
〚L<Gk.〛

Celt- [kélt, sélt], **Cel·to-** [kéltou, sél-, -tə] *comb. form* 「켈트(Celt)」의 뜻 : *Celto*-Slavic.

Celt·ic [kéltik, sélt-], **Kelt·ic** [kéltik] *a.* 켈트족의 ; 켈트어의 : the *Celtic* fringe 켈트 외변인(外邊人) [지방]《영국제도(諸島)의 주변을 이루는 Scots, Irish, Welsh 및 Cornish 사람 ; 또는 그 종족들이 사는 지역》. ── *n.* Ⓤ 켈트어《略 Celt.》.

Céltic cróss *n.* 켈트 십자가《교차점에 ring이 달린 일종의 라틴 십자가》.

Celt·i·cism [kéltəsìzəm, sélt-] *n.* 켈트식(式), 켈트 기질 ; 켈트 말투.

Céltic twílight *n.* 「켈트의 박명(薄明)」《아일랜드 민화의 동화 세계와 같은 신비스런 분위기》.
〚W. B. Yeats의 민화집(1893)의 제명(題名)에서〛

cel·tuce [séltəs] *n.* 셀터스《셀러리와 양상추를 교배한 야채》; 셀터스 요리.
〚*cel*ery+let*tuce*〛

cem. cement. **C.E.M.A.** Council for the Encouragement of Music and the Arts《현재는 A.C.G.B.》.

cem·ba·lo [tʃémbəlòu] *n.* (*pl.* **-ba·li** [-li:], **～s**) 〔樂〕 쳄발로(harpsichord) ; 덜시머(dulcimer).
-list *n.* 〚It. clavi*cembalo*〛

***ce·ment** [simént] *n.* Ⓤ 시멘트, 양회 ; 접합제, 접착제 ; 《비유》 결합, 유대 ; 〔解〕 (치아의) 시멘트질 ; (치과용) 시멘트.
── *vt., vi.* …에 시멘트를 바르다[굳게 하다] ; (양회로) 굳히다, 단단히 연결하다, 견고하게 하다 : ～ a friendship 우정을 돈독히 하다.
〚OF<L=quarry stone (*caedo* to cut)〛

ce·men·ta·tion [sì:mentéiʃən] *n.* Ⓤ 시멘트 결합 ; 접합 ; 〔冶〕 삼탄(滲炭)《철을 숯가루 속에서 가열하여 강철을 만들기》; 〔地〕 교결 작용.

cemént hèad *n.* 《美俗》 멍청이, 바보.

ce·ment·ite [siméntait] *n.* 〔化〕 시멘타이트, 탄화철.

cemént mìxer *n.* 시멘트[콘크리트] 믹서(concrete mixer).

ce·men·tum [siméntəm] *n.* 〔解〕 (치아의) 시멘트질.

***cem·e·tery** [sémətèri ; -tri] *n.* (교회에 딸리지 않은) 공동 묘지(cf. CHURCHYARD, GRAVEYARD).
〚L<Gk. =dormitory (*koimaō* to put to sleep)〛

CEMF counter electromotive force (역(逆)기전력). **C.E.M.S.** Church of England Men's

Society.

cen- [síːn], **ce·no-** [síːnou, sén-, -nə], **caen-** [síːn, 美+káin], **cae·no-** [síːnou, kái-, -nə] *comb. form* 「새로운」의 뜻. 〖Gk. *kainos* new〗

cen. central ; century.

cen·a·cle, coe- [sénikl] *n.* **1** 만찬실 ; [C~] (그리스도의) 최후의 만찬소. **2** (작가 등의) 동인 ; 동인 집회소. **3** 〔카톨릭〕 묵상소. 〖OF<L (*cena* supper)〗

Cen. Am. Central America.

-cene [siːn] *a. comb. form* 〔地質〕 「새로운」의 뜻 : Eo*cene*. 〖Gk.〗

ceno- [síːnou, sén-, -nə] ☞ CEN-.

ce·no·bite, coe- [síːnəbàit, sénə-] *n.* 수도원에서 공동생활을 하는 수사. 〖F or L<Gk. =convent (*koinos* common, *bios* life)〗

cè·no·bít·ic, -i·cal [-bít-] *a.* 수사의.

cé·no·bìt·ism *n.* 수사의 생활 ; 수도원제(制).

cèno·génesis, còe-, càe- *n.* 〔生〕 신형발생, 변형 발생.

cèno·spécies, còe- *n.* 〔生〕 집합종(種), 공동종, 종합종.

céno·sphère [sénə-] *n.* 세너스피어《하소점토로 만든 구체(球體) ; 초고압에 견디어 심해 탐사, 우주선에 이용됨》. 〖*ceno*- (Gk. *kenos* empty), *sphere*〗

ceno·taph [sénətæ(ː)f ; -tɑːf] *n.* **1** 기념비(monument). **2** [the C~] (London의 Whitehall 가(街)에 있는) 제1·2차 세계 대전 전사자 기념비. 〖F<L (Gk. *kenos* empty, *taphos* tomb)〗

Cèno·zóic, Càe- *a.* 〔地質〕 신생대의 : the ~ era 신생대. —— *n.* [the ~] 신생대 ; [the ~] 신생계《신생대의 지층》. 〖Gk. *zōion* animal〗

cense [séns] *vt.* 향을 피우다 ; 향을 피우고 예배하다. 〖OF *encenser* to incense[1]〗

cen·ser [sénsər] *n.* (줄달린) 향로《의식때 이것을 흔들어 정결케 함》. 〖AF ; ⇨ INCENSE[1]〗

cen·sor [sénsər] *n.* **1** (출판물·편지 따위의) 검열관 ; 검열 ; 비평[비난]자. **2** 〔史〕 (고대 로마의) 감찰관. **3** (Oxford 대학의) 학생감. **4** Ⓤ 〔精神分析〕 =CENSORSHIP 2. —— *vt.* 검열하다. 〖L (*censeo* to assess) ; 〔精神分析〕의 뜻은 G *Zensur* censorship의 오역〗

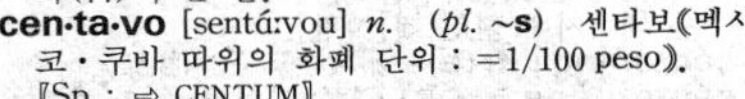

censer

cén·sor·able *a.* 검열에 걸릴 만한.

cen·so·ri·al [sensɔ́ːriəl], **-ri·an** [-riən] *a.* 검열(관)의.

cen·so·ri·ous [sensɔ́ːriəs] *a.* 검열관 같은, 비판적인, 흠을 들추어 내는(faultfinding). **~·ly** *adv.* **~·ness** *n.* 〖L (↑)〗

cénsor·shìp *n.* **1** Ⓤ 검열관의 직[직권·임기] ; 검열. **2** Ⓤ 〔精神分析〕 검열《잠재의식에 대한 억압력》.

cén·sur·able *a.* 비난할 만한(blamable). **-ably** *adv.* **~·ness** *n.*

***cen·sure** [sénʃər] *n.* Ⓤ.Ⓒ 심한 비난, 힐책, 책망(blame) : pass a vote of ~ 불신임 결의를 통과시키다. —— *vt.* [+目/+目+前+名] 비난하다, 책망하다(blame) (↔ *commend*) ; 견책하다(reprove) ; (비평가가) 혹평하다 : Some boys were ~*d for* be*ing* lazy. 몇몇 소년들은 게으르다고 꾸지람을 들었다. 〖OF<L ; ⇨ CENSOR〗 類義語 ⟹ CRITICIZE.

cen·sus [sénsəs] *n.* 인구[국세] 조사, 센서스, 통계 조사 : take a ~ (of the population) 인구[국세] 조사를 하다. —— *vt.* …의 인구 조사를 하다. 〖L ; ⇨ CENSOR〗

cénsus pàper *n.* 인구 조사표.

cénsus retùrns *n. pl.* 인구 조사 신고.

cénsus tàker *n.* 국세 조사[센서스]원.

cénsus tràct *n.* 《美》 (대도시의) 인구 조사 표준 지역, 국세 조사 단위.

‡**cent** [sént] *n.* **1** 센트《미국·캐나다 따위의 화폐 단위 ; =1/100 dollar ; 기호 ¢》; 1센트 동전 ; 잔돈 : 5¢ 5센트. **2** (단위로서의) 100 : per ~ 100에 대하여, 퍼센트(%)(☞ PERCENT). **3** [a ~ ; 보통 부정문에서] 푼돈, 조금.
cent per cent 10할, 100%, 10할의 이자 ; 예외 없이.
not care a* (*red*) *cent 전혀 개의치 않다 (☞ RED CENT).
〖F or It. or L CENTUM〗

cent- [sént, sɑ́ːnt] ☞ CENTI-.

cent. centered ; centigrade ; centimeter ; central ; centum ; century.

CENTAG [séntæg] Central (European) Army Group《NATO의》.

cen·tal [séntl] *n.* 《英》 =HUNDREDWEIGHT.

cen·ta·mat·ic [sèntəmǽtik] *a.* (용지에 둘 이상의 구멍을 낼 때에) 자동적으로 중심 위치를 맞추는, 용지의 중심 위치를 자동적으로 맞추게 되어 있는.

cent·are [séntèər, -tæ̀ər, -tɑ̀ːr], **cen·ti·are** [séntièər, -æ̀ər] *n.* 센티아르《100분의 1아르 ; 1제곱 미터 ; 略 ca.》.

cen·taur [séntɔːr] *n.* **1** 〔그神〕 켄타우루스《반인 반마(半人半馬)의 괴물》. **2** 명기수(名騎手). **3** [the C~] =CENTAURUS. 〖L<Gk. <?〗

centaur 1

Cen·tau·rus [sentɔ́ːrəs] *n.* 〔天〕 센타우루스자리.

cen·tau·ry [séntɔːri] *n.* 〔植〕 용담과(科)의 쓴 풀.

cen·ta·vo [sentɑ́ːvou] *n.* (*pl.* **~s**) 센타보《멕시코·쿠바 따위의 화폐 단위 : =1/100 peso》. 〖Sp. ; ⇨ CENTUM〗

cen·te·nar·i·an [sèntənéəriən, -nǽər-] *a., n.* 100년(제)의 ; 100살 (이상)의 (사람).

cen·te·nary [séntənèri, senténəri ; sentíːnəri, -tén-] *a.* 백년제의 ; 100(년)의, 100년마다의. —— *n.* 100년간 ; 백년제(祭). 注 이백년제 (2)부터 천년제 (10)까지의 순으로 (2) bicentenary, (3) tercentenary, (4) quatercentenary, (5) quincentenary, (6) sexcentenary, (7) septingenary, (8) octocentenary = octingentenary, (9) nongenary, (10) millenary. 〖L (*centeni* hundred each ‹CENTUM)〗

cen·ten·ni·al [senténiəl] *a.* 100년마다의 ; 100년간의 ; 백년제의. —— *n.* 백년제. **~·ly** *adv.* 100년마다. 〖BIENNIAL에 준하여 *centum*에서〗

Centénnial Státe *n.* [the ~] 미국 Colorado

주의 속칭.
〖독립선언 100주년(1876)에 성립한데서〗

◊**cen·ter | -tre** [séntər] *n.* **1** 중심 : the ~ *of* a circle 원의 중심 / the ~ *of* a town 도심 / the ~ *of* attraction 〖理〗 인력의 중심 ; 《비유》 인기인, 흥행물 / the ~ *of* gravity 〖理〗 무게 중심 ; 흥미[활동]의 중심 / the ~ *of* mass 〖理〗 질량의 중심. **2** 중앙, 한가운데 : There was a large round table in the ~ *of* the room. 방 한가운데에 큰 원탁(圓卓)이 놓여 있었다. **3** 중추, 핵심 ; 중심지, 중심[통합] 시설, 센터 : an amusement ~ 환락가 / a health ~ 보건소 / a medical ~ 중앙의료시설, 중앙병원. **4** 〖軍〗 중앙부대 ; 〖蹴·하키 따위〗 센터 ; 센터에 보낸 공[타구] : the ~ forward 〖蹴·하키 따위〗 센터 포워드(cf. WING *n.* 5) / the ~ halfback 〖蹴 따위〗 센터 하프백. **5** [보통 C~] 〖政〗 중도파, 온건파(cf. LEFT[1] *n.* 2, RIGHT *n.* 6). **6** 〖機〗 센터. —— *attrib. a.* (최상급 **~·most**) 중심의, 중심에 위치한. —— *vt.* **1** 중심에 두다 ; …에 중심을 정하다 ; …의 중심점을 찾아내다. **2** [+目+前+名] 집중시키다 : Our hopes were ~*ed* (***up***)***on*** him. 우리들의 희망은 모름지기 그에게 쏠려 있었다. **3** 〖蹴·하키〗 (공을) 중앙으로 패스하다[치다]. —— *vi.* [+前+名] 한점에 모이다, 집중하다〈*on,* (*a*)*round*〉《주격식을 차리지 않는 어법에서는 전치사로서 이밖에 *about, in, at*도 쓰임》 ; 중앙으로 패스하다 : The story ~*s* (***up***)***on*** a robbery. 이야기는 어떤 도난사건을 중심으로 전개된다.
〖OF or L＜Gk. ＝sharp point〗
類義語 ⟹ MIDDLE.

cénter báck *n.* 〖球技〗 (배구 따위의) 센터 백.

cénter bìt *n.* 〖機〗 회전 송곳.

center bit

cénter·bòard *n.* (배의 밑바닥에 댄) 하수용골(下垂龍骨).

cén·tered *a.* **1** 중심에[이] 있는 ; 〖建〗 심(心)(원(圓))이 있는 ; [복합어를 이루어] 관심·활동의 주대상으로 한 : consumer-~ 소비자 중심의. **2** 집중한[된].

céntered dót *n.* 〖印〗 굵은 가운뎃점(bullet) ; 가운뎃점, 중점(·).

cénter fíeld(er) *n.* 〖野〗 중견(수), 센터.

cénter-fìre *a.* (탄약통이) 기저부(基底部) 중앙에 뇌관이 있는.

cénter·fòld *n.* **1** 잡지의 중간에 접어서 넣은 페이지《그림·사진 따위를 접어 넣은 것》. **2** 접어 넣은 페이지에 실린 것[사람].

cénter·ing | -tr(e)- *n.* 〖建〗 공가(拱架).

cénter làne *n.* 《美》 (홀수 차선의) 중앙 차선, 가변 차선.

cénter-of-máss sỳstem *n.* 〖理〗 질량 중심계(重心系).

cénter·pìece *n.* (탁자 따위의) 중앙부 장식, 중앙 장식물《미술 공예품·꽃꽂이 따위》.

cénter-pìvot *a.* (회전식 대형 스프링클러에 의한) 원형 관수의《관개 방식》.

cénter púnch *n.* 센터 펀치.

cénter-sècond *n.* (문자반 중심을 축으로 하는) 초침(이 있는 시계).

cénter sprèad *n.* (신문·잡지의) 중앙의 마주보는 양면(의 기사·광고).

cénter stràp *n.* 〖테니스〗 센터 스트랩《네트와 코트면을 맺는 너비 약 2인치의 흰 띠》.

cénter thrée-quàrter *n.* 〖럭비〗 센터 스리쿼터《스리쿼터 중앙의 선수 ; 공격의 중심》.

cen·tes·i·mal [sentésəməl] *a.* 백분법의, 백진법(百進法)의(cf. DECIMAL). —— *n.* 백분의 일.
〖L *centesimus* hundredth ; ⇨ CENTUM〗

cen·te·si·mo [tʃentézəmòu] *n.* (*pl.* **-mi** [-mì:]) 첸테시모《이탈리아의 화폐 단위 ; ＝1/100 lira》 ; 1첸테시모화(貨). 〖It.〗

cen·ti- [séntə, sá:n-], **cent-** [sént, sá:nt] *comb. form* 「100」「1/100」의 뜻(☞ METRIC SYSTEM).
〖L CENTUM〗

centiare ☞ CENTARE.

cénti·bàr *n.* 〖氣〗 센티바《1 bar의 100분의 1, 기압을 재는 단위》.

***cen·ti·grade** [séntəgrèid, sá:n-] *a.* **1** 100분도(分度)의. **2** [때때로 C~] 섭씨의(cf. CELSIUS, FAHRENHEIT) : fifty degrees ~ 섭씨 50도.
—— *n.* 센티그레이드《각도의 단위 : 1/100 grade》. 〖F〗

céntigrade thermómeter *n.* 섭씨 온도계(Celsius thermometer)《어는점 0°, 끓는점 100°》.

cénti·gràm *n.* 센티그램《100분의 1그램 ; 略 cg》.

cénti·lìter | -tre *n.* 센티리터《100분의 1리터 ; 略 cl》.

cen·til·lion [sentíljən] *n.* 《美·프》 10의 303제곱 ; 《英·獨》 10의 600제곱.

cen·time [sá:nti:m, sén- ; *F* sɑ̃tim] *n.* (*pl.* **~s** [-z ; *F* —]) 상팀《프랑스의 화폐 단위 ; franc, gourde 따위의 1/100》.

***cénti·mèter | -tre** *n.* 센티미터《100분의 1미터 ; 略 cm》.

céntimeter-grám-sécond *a.* 〖理〗 cgs 단위계의《센티미터·그램·초(秒)를 길이·질량·시간의 단위로 함 ; 略 cgs》.

cénti·millionáire *n.* 1억달러[파운드 따위] 이상의 재산가, 억만 장자.

cen·ti·pede [séntəpì:d] *n.* 〖動〗 지네.
〖F or L (*centi-,* PES)〗

cénti·pòise *n.* 〖理〗 센티푸아즈《점도의 단위 ; 100분의 1 poise ; 略 cP》.

cénti·sècond *n.* 센티세컨드《100분의 1초》.

cénti·stère *n.* 센티스티어《1세제곱미터의 100분의 1》.

cent·ner [séntnər] *n.* 첸트너《독일 따위의 무게 단위 : 50kg》. 〖G〗

cen·to [séntou] *n.* (*pl.* **-to·nes** [sentóuni:z], **~s**) (유명한 시구를) 추려 모아 지은 시문 ; 명곡을 추려 모아 편곡한 것.
〖L＝patchwork garment〗

CENTO, Cen·to [séntou] Central Treaty Organization (중앙 조약 기구)(cf. NATO, SEATO).

centr- [séntr], **cen·tri-** [séntrə], **cen·tro-** [séntrou, -rə] *comb. form* 「중심」의 뜻. 〖L〗

***cen·tral** [séntrəl] *a.* **1** 중심의, 중앙의, 중부의. **2** 중추의, 주요한 : the ~ figure (그림·극 따위의) 중심[주요] 인물. **3** 중추 신경의(cf. PERIPHERAL). **4** (장소 따위가) 편리한. **5** 집중 방식의. **6** 중도적인, 온건한. **7** 〖音聲〗 중설(中舌)의 ; 추체(椎體)의. —— *n.* **1** 본점, 본사, 본부, 본국(本局). **2** 《美》 전화교환국(exchange) ; 전화 교환원 : get ~ 교환국을 호출하다.
~·ly *adv.* 중심(적)으로 ; 중앙에.
〖F or L ; ⇨ CENTER〗

Céntral Áfrican Repúblic *n.* [the ~] 중앙 아프리카 공화국《아프리카 중부에 있는 공화국 ; 1960년 독립 ; 수도 Bangui》.

céntral alárm sỳstem *n.* 중앙 경보 장치《비상시 경찰이나 경비 회사에 자동적으로 통보됨》.

Céntral América *n.* 중앙 아메리카, 중미.
Céntral Américan *a., n.* 중앙 아메리카[중미]의 (사람).
Céntral Ásia *n.* 중앙 아시아.
céntral bánk *n.* 중앙 은행 : ~ rate 공정 금리.
céntral bódy *n.* 〖生〗 중심체 ; 〖로켓〗 중심 천체 《위성·탐사선이 그 주위를 도는 천체》.
céntral cásting *n.* 《美》 (영화 촬영소의) 배역부(配役部).
(straight) from central casting 틀에 박힌, 전형적인.
céntral cíty *n.* (대도시권에서도 인구가 밀집한) 중심[핵] 도시.
céntral contról stàtion *n.* 〖通信〗 중앙제어국.
céntral dógma *n.* 〖生〗 센트럴 도그마《유전 정보의 흐름을 나타내는 분자 생물학의 원리》.
céntral góvernment *n.* (지방 정부에 대해) 중앙 정부.
céntral héating *n.* 중앙 난방(장치), 센트럴 히팅 : ~ system 센트럴 히팅 시스템《열원을 한곳에 집중하여 여기에서 발생한 열을 파이프나 송수관으로 각실에 보내어 난방하는 방법》.
Cen·tra·lia [sentréiliə] *n.* 센트레일리아(the Centre)《오스트레일리아 중부 오지》.
〖*Centr*al+Austr*alia*〗
Céntral Intélligence Ágency *n.* [the ~] 《美》 중앙 정보국《略 CIA》.
céntral·ìsm *n.* Ⓤ 중앙 집권주의[제].
-ist *n., a.*
cèn·tral·ís·tic *a.* 중앙 집권주의의.
cen·tral·i·ty [sentrǽləti] *n.* Ⓤ 중심임 ; 구심성.
cèntral·izátion *n.* Ⓤ 집중 ; 중앙 집권.
céntral·ìze *vt.* 중심으로 모으다, 한점에 집합시키다 ; (국가를) 중앙 집권제로 하다. —— *vi.* 중앙 집권제로 되다. 〖central+*-ize* (동사 어미)〗
céntral·ized fíre contról *n.* 〖軍〗 중앙 사격 통제[지휘].
céntral·ly-héat·ed *a.* 중앙 난방(장치)의.
céntral nérvous sỳstem *n.* 〖解〗 중추신경계.
Céntral Párk *n.* (미국 New York 시의) 센트럴 파크.
Céntral Pówers *n. pl.* [the ~] 제1차 세계 대전 동맹국《전쟁 중 독일과 오스트리아-헝가리 ; 때로 터키·불가리아를 포함 ; cf. the ALLIES》.
céntral prócessing ùnit *n.* 〖컴퓨〗 중앙 처리 장치《略 CPU》.
céntral prócessor *n.* 〖컴퓨〗 =CENTRAL PROCESSING UNIT.
céntral ráte *n.* 〖金融〗 중심시세《변동 환율제 이전의 미국 달러에 대한 각국 환의 공정 환율》.
céntral resérve[**reservátion**] *n.* 《英》 (도로의) 중앙 분리대(=《美》 median strip).
Céntral Resérve Bànks *n. pl.* 《美》 중앙 준비 은행《New York, Chicago, St. Louis의 세 도시에 있는 국립 은행》.
Céntral Sérvices Organizàtion *n.* 《美》 중앙 서비스 조직《1984년 AT&T사의 해체에 따라 7개의 지방 전화회사가 공동 출자하여 세운 회사》.
Céntral (Stándard) Tìme *n.* 《美》 중부 표준시《略 C.(S.)T.》.
céntral tréasury *n.* 중앙 금고.
céntral whólesale màrket *n.* 중앙 도매 시장.
◇**centre, centreing** ☞ CENTER, CENTERING.
cen·tric, -tri·cal [séntrik(əl)] *a.* 중심의 ; 중추적인.
-cen·tric [séntrik] *a. comb. form* 「…의[에] 중심이 있는」 「…중심의」의 뜻 : helio*centric*. 〖L〗
cen·trif·u·gal [sentrífjəgəl, 英+sèntrifjú:-] *a.* (↔*centripetal*) **1** 원심성[력]의 : ~ force 원심력. **2** 원심력을 응용한 : a ~ machine 원심 분리기. —— *n.* 원심 분리기 ; [흔히 *pl.*] 분밀당.
~·ly *adv.* 원심적으로.
〖NL (CENTER, *fugio* to flee)〗
centrífugal mèthod *n.* 원심 분리법.
centrífugal séparator *n.* 원심 분리기.
centrífugal súgar *n.* 분밀당(分蜜糖).
cen·tri·fuge [séntrəfjù:dʒ] *n.* 원심분리기.
—— *vt.* …에 원심력을 작용시키다 ; …을 원심 분리기에 걸다.
cen·tri·ole [séntriòul] *n.* 〖生〗 중심소체(小體), 중심립(中心粒), 중심자(中心子)《centrosome의 중심에 있는 소립(小粒)》 ; =CENTROSOME.
cen·trip·e·tal [sentrípətl] *a.* (↔*centrifugal*) **1** 구심성[력]의 : ~ force 구심력. **2** 구심력을 응용한. **~·ly** *adv.* 구심적으로.
〖NL (CENTER, *peto* to seek)〗
cen·trist [séntrəst] *n.* [때때로 C~] (유럽 각국의) 중도파, 중립 당원. **cén·trism** *n.* Ⓤ 중도[온건]주의, 중도 정치.
centro- [séntrou, -rə] ☞ CENTR-.
cen·troid [séntrɔid] *n.* 〖理〗 무게 중심 ; 〖數〗 도심(圖心).
céntro·sòme *n.* 〖生〗 (세포의) 중심체.
céntro·sphère *n.* 〖地質〗 지구의 중심 ; 〖生〗 (세포의) 중심구[권].
cen·trum [séntrəm] *n.* (*pl.* **~s, -tra** [-trə]) 중심(center) ; 진원지(震源地) ; 〖解〗 추체(椎體), 중추. 〖L〗
cénts-òff *a.* 《美》 쿠폰 지참자 할인 방식의.
cen·tum [séntəm] *n.* 100(hundred) : per ~ 퍼센트(percent). 〖L〗
cen·tu·ple [séntəpəl, -tju:- ; -tju-] *a.* 백 배의(hundredfold). —— *n.* 백배. —— *vt.* 백 배하다.
cen·tu·pli·cate [sentjú:pləkèit] *vt.* **1** 백 배하다. **2** 백 통 찍다. —— [-kət, -kèit] *a., n.* 백 배(의) ; 백 통(의).
in centuplicate 백 부 인쇄의[로].
cen·tu·ri·al [sentjúriəl ; -tjúə-] *a.* 1세기의, 100년의.
cen·tu·ri·on [sentjúriən ; -tjúə-] *n.* 〖로史〗 백인대(白人隊)의 대장. 〖L (↓)〗
◇**cen·tu·ry** [séntʃəri] *n.* **1** 1세기《100년》. ㊟ the 20th ~ (20세기)는 1901년 1월 1일에 시작하여 2000년 12월 31일에 끝남. **2** 100개 ; 〖크리켓〗 100점(100 runs) ; 《美口》 100달러, 100달러 지폐. **3** 〖로史〗 백인대《원래 100명의 보병을 1대(隊)로 하여 60대로 LEGION을 편성함》 ; 100명조《선거조합의 한 단위》. —— *a.* =CENTENNIAL.
〖L *centuria* ; ⇨ CENTUM〗
céntury plànt *n.* 〖植〗 용설란《열대 아메리카산 관상용 ; 100년에 한 번 꽃이 핀다고 여겨졌음 ; cf. AGAVE》.
CEO, C. E. O. chief executive officer((기업의) 최고 경영자). **CEP** 〖軍〗 circular error probable[probability](원형 공산(圓形公算) 오차 ; 미사일이나 폭탄이 50%의 확률로 낙하하는 원의 반경).
ceph·al- [séfəl], **ceph·a·lo-** [séfəlou, -lə] *comb. form* 「머리」의 뜻. 〖Gk. ; ⇨ CEPHALIC〗
ceph·a·lad [séfəlæ̀d] *adv.* 〖動·解〗 머리쪽에(↔*caudad*).
ce·phal·ic [səfǽlik, ke-] *a.* 머리의, 두부의.
〖F<L<Gk. (*kephalē* head)〗
-ce·phal·ic [səfǽlik, ke-] *a. comb. form* 「…의

머리가 있는」의 뜻 : dolicho*cephalic*.

-ceph·a·lism [séfəlìzəm], **-ceph·a·ly** [séfəli] *n. comb. form* 〖↑〗

cephálic índex *n.* 〔人類〕 두지수(頭指數).

-cephalism ☞ -CEPHALIC.

ceph·a·li·za·tion [sèfələzéiʃən ; -lai-] *n.* 〔動〕 두화(頭化)《중요 기관의 두부(頭部) 집중 경향》.

céphalo·cìde *n.* 지식인에 대한 집단 학살, 두뇌 살육.

ceph·a·lo·pod [séfələpɑ̀d] *n.* 〔動〕 두족류(頭足類)《문어·오징어 따위》. —— *a.* 두족류의.
〖*cephal-*, *-pod* PES〗

cèphalo·thórax *n.* 〔動〕 (갑각류 따위의) 두흉부(頭胸部).

ceph·a·lous [séfələs] *a.* 머리가 있는.

-ceph·a·lous [séfələs] *a. comb. form* = -CEPHALIC.

-ceph·a·lus [séfələs] *n. comb. form* 「두부 이상(頭部異常)」의 뜻 : hydro*cephalus*. 〖Gk.〗

-cephaly ☞ -CEPHALIC.

Cé·phe·id (vàriable) [síːfiəd(-), séf-] *n.* 〔天〕 세페이드형 변광성(變光星).

Ce·phe·us [síːfjuːs, séfiəs] *n.* 〔天〕 세페우스자리《북극성과 백조자리의 중간》.

cer- [síər], **ce·ro-** [síərou, -rə] *comb. form* 「밀랍(wax)」의 뜻.
〖L *cera* wax〗

ce·ra·ceous [səréiʃəs] *a.* 납 같은[모양의].

ce·ram·al [sərǽməl, -réi-, sérəmæ̀l] *n.* =CERMET.

ce·ram·ic [sərǽmik, 英+kə-] *a.* 도자기의 ; 질그릇 굽는 기술의, 요업의 ; 도예(陶藝)의 : the ~ industry 요업《도자기·벽돌·타일·유리 따위의 제조업》. —— *n.* 요업제품, 세라믹, 도자기.
〖Gk. (*keramos* pottery)〗

ce·rám·ics *n.* **1** Ⓤ 제도술(製陶術), 도예(ceramic art) ; 요업. **2** [복수취급] 도자기류.

cer·a·mist [sérəməst, sərǽm-], **ce·ram·i·cist** [sərǽməsəst] *n.* 도예가(potter) ; 도예 연구가 ; 요업가.

ce·ras·tes [sərǽstiːz] *n.* (*pl.* ~) (근동 지방산) 뿔살무사.

ce·ras·ti·um [sərǽstiəm] *n.* 〔植〕 점나도나물.

cer·at- [sérət], **cer·a·to-** [sérətou, -tə], **ker·at-** [kérət], **ker·a·to-** [kérətou, -tə] *comb. form* 「뿔」의 뜻 ; [보통 kerat(o)-] 「각막」의 뜻. 〖Gk. *kerat-*, *keras* horn〗

ce·rate [síəreit, -rət] *n.* 〔藥〕 밀기름, 납고.

ce·rat·ed [síəreitəd] *a.* 납고[밀랍]를 입힌.

ce·rat·o·dus [sərǽtədəs, sèrətóudəs] *n.* 〔魚〕 (호주산) 폐어(肺魚).

Cer·be·re·an [sə(ː)rbíəriən] *a.* Cerberus 같은 ; 엄중하고 무서운.

Cer·ber·us [sə́ːrbərəs] *n.* 〔그神〕 케르베로스《지옥을 지키는 개, 머리가 셋이고 꼬리는 뱀》.
throw a sop to Cerberus 뇌물을 쓰다.

-cer·cal [sə́ːrkəl] *a. comb. form* 「꼬리의」의 뜻.
〖Gk. *kerkos* tail〗

cere [síər] *n.* (새 부리의) 납막(蠟膜).

***ce·re·al** [síəriəl] *a.* 곡물류의. —— *n.* [보통 *pl.*] 곡식, 곡물(cf. CORN[1], GRAIN) ; 《원래 美》 (곡식으로 된) 조반(breakfast food)《cornflakes, oatmeal의 가공품 ; 우유와 설탕을 쳐서 먹음》.
〖L ; ⇨ CERES〗

cer·e·bel·lum [sèrəbéləm] *n.* (*pl.* **~s**, **-la** [-lə]) 〔解〕 작은골, 소뇌.
〖L (dim.) ‹CEREBRUM〗

ce·rebr- [sérəbr, 美+səríːbr], **ce·re·bro-** [sérəbrou, -rə, 美+səríː-] *comb. form* 「뇌」「대뇌」의 뜻. 〖L CEREBRUM〗

cerebra *n.* CEREBRUM의 복수형.

cer·e·bral [sérəbrəl, 美+səríː-] *a.* 〔解〕 큰골의, 대뇌의, 뇌의 ; 지성에 호소하는, 지적인 ; 사색적인 : ~ anemia[hemorrhage] 뇌빈혈[뇌일혈] / ~ palsy 뇌성(腦性) 마비. —— *n.* 〔音〕 반전음.

cérebral áccident *n.* 뇌졸중.

cérebral córtex *n.* 대뇌 피질.

cérebral déath *n.* 〔醫〕 뇌사(brain death).

cérebral hyperémia *n.* 〔醫〕 뇌충혈.

cérebral infárction *n.* 뇌경색.

cer·e·brate [sérəbrèit] *vi.* 《文語》 뇌[머리]를 쓰다 ; 사고하다, 생각하다.

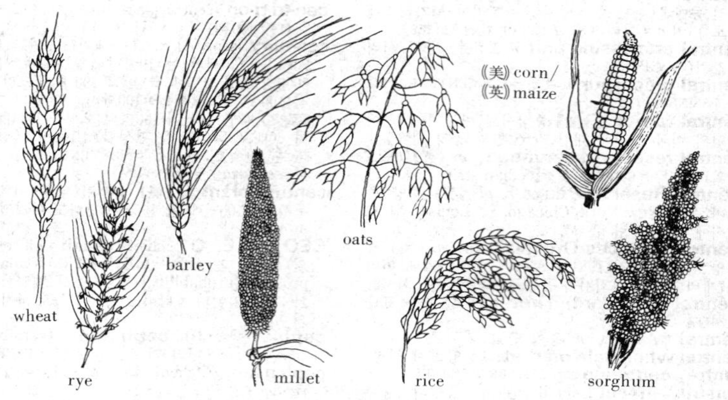

cereal

〖역성(逆成) < ↓〗

cèr·e·brá·tion *n.* Ⓤ 대뇌작용 ; 사고(작용) ; (심각한) 사색.

cer·e·bric [sérəbrik, 美+sərí:-] *a.* 뇌의.

cer·e·bri·tis [sèrəbráitəs] *n.* Ⓤ 뇌염.

ce·re·bro- [sérəbrou, -rə, 美+sərí:-] ☞ CEREBR-.

cer·e·bro·side [sérəbrəsàid, 美+sərí:-] *n.* 〔生化〕 세레브로시드《신경 조직 중에 있는 각종 지질(脂質)》.

cèrebro·spínal [, 美+sərí:-] *a.* 〔解〕 뇌척수의 : ~ meningitis 뇌척수막염.

cerebrospínal flúid *n.* 수액(髓液), 뇌척수액.

cèrebro·váscular [, 美+sərì:-] *a.* 〔解〕 뇌혈관(腦血管)의.

cer·e·brum [sérəbrəm, 美+sərí:-] *n.* (*pl.* **~s, -bra** [-brə]) 〔解〕 대뇌, 뇌.
〖L〗

cére·clòth [síər-] *n.* U,C 납포(蠟布)《시체를 싸거나 방수포(防水布)로 쓰는 천》.

cere·ment [síərmənt, sérə-] *n.* [보통 *pl.*] 수의(壽衣) (graveclothes).

cer·e·mo·ni·al [sèrəmóuniəl] *a.* 의식상의, 격식을 차리는 ; 정식의, 공식의(formal).
── *n.* U,C 의식, 예전 ; 예의.
~ìsm *n.* Ⓤ 의식[형식] 존중주의. **~ist** *n.*
~ly *adv.* 의식적으로, 격식을 차려서.

cer·e·mo·ni·ous [sèrəmóuniəs] *a.* **1** 형식적인, 장엄한. **2** 예의바른. **3** 의식적인, 딱딱한 : ~ politeness (비굴할 정도의) 지나친 공손.
~ly *adv.* 격식을 갖추어, 딱딱하게.
~ness *n.*

***cer·e·mo·ny** [sérəmòuni ; -məni] *n.* 식전, 식 ; Ⓤ (사교상의) 의식, 예식, 격식(formality) ; 허례 : a master of *ceremonies* (영국 왕실의) 의전장관 ; (공식 집회의) 사회자 ; (여흥의) 사회자, 진행 담당자《略 M.C.》/ with ~ 격식을 갖추어, 거창하게 / without ~ 격식을 차리지 않고, 소탈하게.
stand* (*up*)*on ceremony 격식을 차리다, 《보통 反語》 체면을 중시하다, 딱딱하다.
〖OF or L *caerimonia* religious worship〗
類義語 ***ceremony*** 종교적·국가적 공식의 엄숙한 의식. ***rite*** 종교상의 격식을 따른 행사 : a burial *rite* (장례식). ***ritual*** 종교상의 rite 또는 ceremony를 집합적으로 가리킴. ***formality*** 사회의 인습적인 관습.

Cerén·kov cóunter [tʃərjéŋkəf-] *n.* 〔理〕 체렌코프 계수관(計數管)《체렌코프 효과를 이용한 방사선 검출기》.

Cerénkov effèct *n.* [the ~] 〔理〕 체렌코프 효과《대전 입자가 물질 속에서 광속 이상의 등속 운동을 할 때 전자파를 방사하는 일》.

Cerénkov radiàtion[**lìght**] *n.* 〔理〕 체렌코프 복사(輻射).

Ce·res [síəri:z] *n.* 〔로神〕 케레스《풍작의 여신 ; 〔그神〕의 Demeter에 해당》.

cer·e·sin [sérəsən] *n.* 〔化〕 세레신《무정형의 밀랍 모양의 물질》.

ce·re·us [síəriəs] *n.* 세레우스속의 각종 선인장.
〖L=wax candle〗

ce·ria [síəriə] *n.* 산화세륨.

ce·ric [síərik, sér-] *a.* 〔化〕 (4가의) 세륨을 함유한, 세륨의.

ceriph ☞ SERIF.

ce·rise [sərí:z, -s] *n., a.* 연분홍빛(의), 버찌 빛깔(의), 담홍색(의).

〖F ; ⇨ CHERRY〗

ce·ri·um [síəriəm] *n.* Ⓤ 〔化〕 세륨《희토류 원소 ; 기호 Ce ; 번호 58》.
〖*Ceres* asteroid, *-ium*〗

cer·met [sə́:rmet] *n.* 〔冶〕 도성(陶性) 합금《금속과 도기원료를 합성한 내열(耐熱) 합금》.
〖*cer*amic+*met*al〗

CERN [sə́:rn] *n.* 유럽 원자핵 공동연구소《1952년 설립 ; 본부 Geneva교외》.
〖F *Conseil européen*[현 *Organisation européenne*] *pour la recherche nucléaire*〗

cero- [síərou, -rə] ☞ CER-.

cèro·plástic *a.* 밀랍 모형의.

cèro·plástics *n.* 납소술(蠟塑術) ; [단수·복수 취급] 밀랍 세공.

cert [sə́:rt] *n.* 《英俗》 확실한 일[결과] ; 반드시 일어남 : a dead[an absolute] ~ 절대 확실한 일.
〖*cert*ain(ty)〗

cert. certainty ; certificate ; certified.

◇**cer·tain** [sə́:rtn] *a.* 注 1의 의미로서는 Predicative로만 쓰이고 4, 5의 뜻으로는 Attributive만으로 쓰임.
1 [+*of*+do*ing* / +*that* 節 / +(前+)*wh.* 節·句] 확신하는(sure, convinced) : I am[feel] ~ ***of*** it. 그것은 확실하다고 생각한다 / I got up at half past six so as to be ~ *of* be*ing* in time. 나는 충분히 제시간에 댈 수 있도록 6시 반에 일어났다 / She was ~ *that* the young man had gone mad. 그녀는 그 젊은이가 미쳤다고 확신했다 / He was not ~ *whether* he should obey her. 그는 그녀를 따라야 할지 말아야 할지에 대해 확신이 없었다 / I am not ~ *what to* do. 어떻게 하면 좋을지 모르겠다.
2 확정된, 일정한(definite) : at a ~ place 일정한 장소에.
3 a) (일이) 확실한(reliable) ; 필연적인(inevitable) ; (지식·기술 따위가) 정확한(accurate) : It is ~ that there are many ups and downs in our lives. 인생에 기복이 많다는 것은 틀림없는 사실이다 / His touch on the piano is very ~. 그의 피아노 연주는 정확하다. **b**) [+*to* do] 반드시 …하는 : They are ~ *to* need help. 그들에게는 원조가 꼭 필요하다.
4 (확실하게 언급하지 않고) 어떤… : I was told it by a ~ person. 어떤 사람으로부터 그 말을 들었다 / a ~ Mr. Smith 스미스씨라고 하는 사람 (☞ 活用) / a lady a ~ age 어떤 중년 부인 / a woman of a ~ description 수상쩍은 직업의 여자 ; 매춘부.
5 얼마간의, 어느 정도의, 다소 : to a ~ extent 어느 정도(까지) / show a ~ hesitation 다소 주저하다.
for certain 명확하게 : I don't know *for* ~. 확실히는 모르겠다.
make certain (…을) 확인하다(make sure) 〈*of*〉 ; 꼭 (…하도록) 꾀하다〈*that*〉.
── *pron.* 《文語》 [*of*+복수(대)명사와 함께 ; 복수 취급] (…중의) 몇 개[사람]《some이 구어적》: *C*~ *of* them[the boys] were honest enough to tell the truth. 그들[소년들] 중의 몇 명은 정직하게 사실대로 말했다.
〖OF<L *certus* sure, settled〗
活用 *a.* 4의 certain은 알고는 있으나 말하지 않는 편이 나은 사람[물건]이나 언급하고 싶지 않은 사람[물건]을 나타낼 때 씀(☞SOME 活用 (1)) ; 단 사람 이름의 경우에는 certain을 사용하지 않고 a Mr.[Mrs.] Smith 혹은 a Henry

Smith 따위로 하는 것이 일반적(cf. A² *a.* 5).
類義語 ⟹ SURE.

***cértain·ly** *adv.* **1** [문장 수식 부사 혹은 강조 부사로서] 확실히(=《美》 sure) ; 틀림없이 : She will ~ become ill if she goes on working like that. 그녀는 저렇게 공부를 계속 하다가는 틀림없이 몸져 누울 것이다 / I'm ~ pleased that you came. 《口》 왕림하여 주셔서 정말 기쁩니다. **2** 《口》 [대답에서 문장을 대신하여] 물론입니다, 그렇고 말고요(=《美》 surely) ; 알았습니다 ; 좋습니다 : Are you going to the party tomorrow? — *C*~ [*C*~ not]. 내일 연회에 가시겠습니까 — 가고 말고요[절대로 안갑니다].

〈회화〉
(1) May I open the window? — *Certainly*! 「창문을 열어도 괜찮겠습니까」「괜찮고 말고요」
(2) Could you pass me the salt, please? — *Certainly*. 「소금을 좀 집어 주시겠습니까」「네, 여기 있습니다」

cer·tain·ty** [sə́ːrtnti] *n.* **1** Ⓤ (객관적인) 확실성. **2** 확실한 것[일] ; 필연적인 사물(cf. PROBABILITY 2). **3** Ⓤ [+*that*節] 확신(conviction) : his ~ ***of success 성공에 대한 그의 확신 / We have reached the ~ *that* the negotiations will be successful. 우리는 교섭이 잘 되리라는 확신을 얻었다.
bet on a certainty 처음부터 확실하다는 것을 알고서[결과를 미리 알고서] 걸다[시도하다].
for [***to,*** 《古》 ***of***] ***a certainty*** 확실히, 틀림없이 (without doubt).
with certainty 확신을 가지고 : I can say *with* ~ that this is true. 이것이 진실이라는 것은 확신을 갖고서 말할 수 있다.
類義語 ***certainty*** 어떤 것이 진실이라는 확고한 신념[신앙]. ***certitude*** certainty와 달리 객관적 뒷받침이 없을 경우가 있어, 맹목적인 신념[신앙]을 나타내는 수가 있음. ***assurance*** 장차 틀림없이 야기되리라는 예감을 나타내지만, 반드시 확신이라고는 말할 수 없음. ***conviction*** 충분한 이유 또는 증거가 있어서 품는 신념, 과거에 의심하고 있었던 것을 암시하는 수도 있음.

Cert. Ed. 《英》 Certificate in Education.

cer·tes [sə́ːrtiz, sə́ːrts] *adv.* 《古》=CERTAINLY.

certif. certificate(d) ; certified.

cér·ti·fi·able *a.* 보증[증명]할 수 있는.

***cer·tif·i·cate** [səːrtífikət] *n.* 증명서, 면허장 ; 《美》 (대학 무시험 입학을 위한) 졸업 증명서 ; 증권 : a ~ of birth[death, health] 출생[사망, 건강] 증명서 / a ~ of competency 적임(適任) 증명서 ; (선원의) 해기(海技) 면허장 / a ~ of efficiency[good conduct] 적임[선행]증 / a ~ of merit 〔美軍〕 유공증(有功證) / a ~ of origin 원산지 증명서 / a medical ~ 진단서 / a teacher's ~ 교원 자격증.
—— [-kèit] *vt.* …에게 증명서를 주다 ; 면허하다 : a ~*d* teacher 유자격 교원, 정교사.
〖F or L ; ⇨ CERTIFY〗

cer·ti·fi·ca·tion [sə̀ːrtəfəkéiʃən] *n.* **1** Ⓤ 증명, 검정, 보증 ; 증명서. **2** 증명서 교부, 상장 수여.

cér·ti·fied *a.* 보증[증명]된 ; 증명서[면허장]가 있는 ; 지급 보증된, 이서(裏書)가 있는 ; (법적으로) 정신 이상자로 인정된 : a ~ check 지급 보증 수표 / ~ milk 《美》 (공정 기준 합격의) 보증 우유 / a ~ public accountant 《美》 공인 회계사(cf. CHARTERED 1).

cer·ti·fy [sə́ːrtəfài] *vt.* **1** [+目 / +*that* 節 / +目+補 / +目+*as* 補] (문서로) 증명하다, (사실·임명(任命) 따위를) 인증하다 ; (…의 품질·가치를) 보증하다 : I ~ (*that*) this is a true copy. 본 서류가 틀림없는 사본임을 증명한다 / His report was *certified* (*as*) correct. 그의 보고는 정확하다는 것이 증명되었다. **2** (의사가 사람을) 정신병자라고 인정하다[입원시키다]. **3** [+目+*of*+名] …에 대해서 보증하다(assure) : That does not ~ us ***of*** the truth of any event in the future. 그것은 미래의 어떤 사건도 진실이라는 것을 보증하지는 않는다. **4** …에게 증명서[면허장]를 교부[발행]하다. —— *vi.* [+*to*+名] (사실 따위를) 보증[증명]하다 ; 증인이 되다 : ~ ***to*** a person's character …의 사람됨을 보증하다.
cér·ti·fi·er *n.*
〖OF<L ; ⇨ CERTAIN〗
類義語 ⟹ APPROVE.

cer·ti·o·ra·ri [sə̀ːrʃiəréərai, -rǽər-, -rɑ́ːri ; -tiɔː-] *n.* [보통 a writ of ~] 〔法〕 (상급 법원의 하급 법원에 대한) 사건 이송 명령서.
〖L=to be informed〗

cer·ti·tude [sə́ːrtətjùːd] *n.* Ⓤ 확신, (주관적) 확신감 ; 정확함, 적확함.
〖L ; ⇨ CERTAIN〗
類義語 ⟹ CERTAINTY.

ce·ru·le·an [sərúːliən] *a.* 하늘색의(sky-blue).
〖L *caeruleus* (*caelum* sky)〗

ce·ru·men [sərúːmən] *n.* Ⓤ 귀지.

ce·ruse [sərúːs, síəruːs] *n.* Ⓤ (백색 안료(顔料)로서의) 연백(鉛白) ; 분(粉).
〖OF<L〗

ce·ru(s)·site [síərəsàit, 美+sərʌ́sait] *n.* Ⓤ 〔鑛〕 백연광(白鉛鑛).

Cer·van·tes [sərvǽnti(ː)z] *n.* 세르반테스. **Miguel de ~ Saavedra** (1547-1616) 스페인의 작가, *Don Quixote*의 작가.

cer·van·tite [sərvǽntait] *n.* 〔聖〕 세르반타이트, 백안광(白安鑛).
〖*Cervantes* 스페인 북서부의 도시〗

cer·ve·lat [sə́ːrvəlæ̀t, -lɑ̀ː] *n.* 훈제 소시지.
〖F<It.〗

cer·vic- [sə́ːrvək], **cer·vi·ci-** [sə́ːrvəsə], **cer·vi·co-** [sə́ːrvəkou, -kə] *comb. form* 「목」 「경부(頸部)」의 뜻.
〖L CERVIX〗

cer·vi·cal [sə́ːrvikəl, 英+səvái-] *a.* 〔解〕 경부(頸部)의, 목의 ; 자궁경의.

cérvical cáp *n.* 〔醫〕 자궁 경관에 씌우는 고무제 피임구의 일종.

cer·vine [sə́ːrvain] *a.* 사슴(deer)의[같은] ; 짙은 갈색의.

cer·vix [sə́ːrviks] *n.* (*pl.* **-vi·ces** [sərváisiːz, sə́ːrvəsìːz], **~·es**) 〔解〕 목, 경부(頸部) ; 자궁 경부, 치경부(齒頸部).
〖L〗

Ce·sar·e·an, -i·an [sizéəriən, -zǽər-] *n.* [때때로 c~] =CAESAREAN SECTION. —— *a.* [때때로 c~] =CAESAREAN.

Ce·sar·e·vitch [səzɑ́ːrəvìtʃ], **-witch** [-wìtʃ] *n.* (제정) 러시아 황태자(cf. CZAR) ; 《英》 매년 Newmarket에서 개최되는 경마.

ce·si·um, cae- [síːziəm] *n.* Ⓤ 〔化〕 세슘《금속 원소 ; 기호 Cs ; 번호 55》.
〖L *caesius*, *-ium*〗

césium clòck *n.* 세슘 시계《원자 시계의 일종》.

cesium 137 [ˊ-wʌ́nhʌ́ndrədθəːrtisévən] *n.*

〖理·化〗 세슘 137《세슘의 인공 방사성 원소 ; 기호 ^{137}Cs》.

ces·pi·tose [séspətòus] *a.* 〖植〗 군생(群生)하는.

cess [sés] *n.* **1** 《아일·스코·인도》 세(稅), 요금. **2** Ⓤ 《英·아일》 운(luck) : Bad ~ to you! 될대로 되려므나!
〚? *sess* ‹ *assess*〛

ces·sa·tion [seséiʃən] *n.* Ⓤ,Ⓒ 멈춤, 중지, 정지 : the ~ of hostilities[arms] 휴전(休戰).
〚L ; ⇨ CEASE〛

ces·ser [sésər] *n.* 〖法〗 (권리의) 소멸《저당(抵當) 기간 따위가 끝나서》.
〚AF or OF ; ⇨ CEASE〛

ces·sion [séʃən] *n.* Ⓤ,Ⓒ (영토의) 할양, (권리의) 양도, (재산 따위의) 양여 ; 양도된 것[권리, 영토, 재산 따위].
〚OF or L ; ⇨ CEDE〛

céssion·àry [; -əri] *n.* 〖法〗 양도받는 사람.

Cess·na [sésnə] *n.* 세스너기(機)《미국제의 경비행기》.

céss·pìpe [sés-] *n.* (구정물 따위의) 배수관.
〚*cess*pool+*pipe*〛

cess·pit [séspìt] *n.* 구정물통, 오물 구덩이.
〚*cess*pool+*pit*〛

cess·pool [séspù:l] *n.* 시궁창 ; 《비유》 불결한 장소 : a ~ of iniquity 죄악의 소굴.
〚? *cesperalle*‹*suspiral* vent, water pipe<OF=air hole(⇨ SUSPIRE) ; 어형은 pool에 동화〛

c'est la vie [*F* sɛ la vi] 그것이 인생이다.
〚F=that is life〛

ces·tode [séstoud] *n., a.* 〖動〗 촌충(의).

ces·toid [séstɔid] *n., a.* 〖動〗 촌충 (같은).

ces·tus[1] [séstəs] *n.* 〖古로〗 (토시와 비슷한) 권투장갑.
〚L (*caedo* to strike)〛

cestus[2] *n.* (*pl.* **ces·ti** [-tai]) **1** (여성, 특히 신부의) 띠. **2** 〖그神·로神〗 Aphrodite [Venus]의 띠《애정을 불러일으키는 장식이 있었다고 함》. 〚L= girdle, belt<Gk.〛

cestus[1]

cesura ☞ CAESURA.

cet- [sí:t], **ce·to-** [sí:tou, -tə] *comb. form* 「고래」의 뜻.
〚L<Gk. ; ⇨ CETACEAN〛

C.E.T. Central European time《중앙 유럽 표준시 ; G.M.T.보다 1시간 빠름》.

CETA [sí:tə] *n.* 《美》 정부 자금을 받아 주(州)정부나 지방 자치 단체가 실업자의 직업훈련·공공사업 따위를 행하는 계획.
〚*C*omprehensive *E*mployment and *T*raining *A*ct〛

Ce·ta·cea [sitéiʃə] *n. pl.* 〖動〗 고래류《whale, dolphin, porpoise 따위》.

ce·ta·cean [sitéiʃən] *a.* 〖動〗 고래류(Cetacea)의. ── *n.* 고래류의 동물.
ce·tá·ceous *a.*
〚L<Gk. *kētos* whale〛

ce·tane [sí:tein] *n.* 〖化〗 세탄 : the ~ number [rating] 세탄가(價).

cet·er·ach [sétəræ̀k] *n.* 〖植〗 차꼬리고사리과(科)의 일종.

ce·te·ris pa·ri·bus [sétərəs pǽrəbəs, kéit-] *adv.* 기타 사정이 같다면《略 cet. par.》.
〚L=other things being equal〛

CETI communication with extraterrestrial intelligence (외계의 지적 생물과의 교신). **cet. par.** ceteris paribus. **C.E.T.S.** Church of England Temperance Society.

Ce·tus [sí:təs] *n.* 〖天〗 고래자리.
〚L〛

ce·vi·tám·ic ácid [sì:vaitǽmik-] *n.* =ASCORBIC ACID.

Cey·lon [silɑ́n] *n.* 실론《인도 남쪽의 인도양상의 섬 ; 1972년 스리랑카(Sri Lanka) 공화국으로 독립함》.

Cey·lon·ese [sèiləní:z, sì:-, sèl-, -s] *a.* 실론 섬의. ── *n.* (*pl.* ~) 실론 섬 사람.

Cé·zanne [seizǽn ; *F* sezan] *n.* 세잔. **Paul** ~ (1839-1906) 프랑스 후기 인상파 화가.

cf. *confer* 《L》 (=compare).

Cf 〖化〗 californium.

CF, C.F. centrifugal force ; coefficient of friction ; cost and freight ; cystic fibrosis. **cf., c.f.** calf(skin) ; center field(er). **c/f** carried forward. **CFA** certified financial analyst. **CFC(s)** chlorofluorocarbon(s). **CFE** Conventional Forces in Europe. **CFF** compensatory financing facility((IMF의) 보상 융자 제도). **C.F.I., c.f.(&)i.** cost, freight and insurance. ㊟ 보통 CIF라 함. **CFM** chlorofluoromethane. **CFM, cfm** cubic feet per minute. **C⁴I** 〖軍〗 computers, communications, command, control, and intelligence. **CFRC** carbon fiber reinforced concrete(탄소 섬유 강화 콘크리트). **CFRP** carbonfiber-reinforced plastics(탄소 섬유 강화 플라스틱). **CFS** container freight station. **CFS, cfs** cubic feet per second. **CFV** 《美》 cavalry fighting vehicle (장궤(裝軌)식 전투 차량)

CFW mouse [sì:èfdʌ́bəlju: ⌐] *n.* 〖醫〗 암이 없는 흰쥐《의학 실험용》. 〚*c*ancer-*f*ree *w*hite〛

cg. centigram(s). **CG** computer graphics. **C.G.** Captain General ; Coast Guard ; Coldstream Guards ; Commanding General ; Consul General. **C.G., c.g.** center of gravity. **C.G.H.** Cape of Good Hope. **CGI** 〖空〗 computer-generated image ; computer-generated imagery (컴퓨터에 그린 화상). **C.G.M.** 《英》 Conspicuous Gallantry Medal. **cGMP** cyclic GMP. **C.G.S., c.g.s., cgs** centimeter-gram-second. **CGT** Capital Gains Tax ; *Confédération générale du travail*《F》(=General Confederation of Labor). **Ch.** Chancery ; Charles ; China ; Chinese ; 〖樂〗 choir organ. **ch.** central heating ; chain ; champion ; chaplain ; chapter ; check ; chief ; church. **C.H., c.h.** clearing house ; Companion of Honor ; courthouse ; customhouse.

cha [tʃɑ́:] *n.* 《英俗》 차(茶).

Cha·blis [ʃǽbli(:), ʃɑ:blí:] *n.* (*pl.* ~ [-z]) [때때로 c~] 샤블리《프랑스 Burgundy 지방 Chablis 원산의 흰포도주》.

cha-cha(-cha) [tʃɑ́:tʃɑ̀:(tʃɑ́:)] *n.* 차차차《중·남미에서 시작된 빠른 리듬의 무용곡》.
── *vi.* 차차차를 추다.

chac·ma [tʃǽkmə] *n.* 〖動〗 차크마개코원숭이《남아프리카산》.
〚Hottentot〛

cha·conne [ʃəkɔ́(:)n, -kɑ́n] *n.* 샤콘《(1) 스페인 기원의 옛날 춤. (2) 3박자 변주곡의 하나》.
〚F<Sp.〛

chad [tʃǽ(:)d] *n.* 〖컴퓨〗 차드《펀치 카드에 구멍을 뚫을 때 생기는 종이 부스러기》, 천공(穿孔)밥. 〖C20 ; CHAFF¹에서 인가〗

Chad *n.* **1** 차드《아프리카 중북부의 공화국 ; 1960년 독립 ; 수도 N'Djamena》. **2** [Lake ~] 차드호(湖)《아프리카 중북부에 있음》.

Chad·band [tʃǽdbænd] *n.* 말만 번지르르한 위선자《Dickens작 *Bleak House*의 작중 인물에서》.

cha·dor, -dar [tʃʌ́dər] *n.* 차도르《인도·이란 등지의 여성이 숄로 사용하는 커다란 천》. 〖Hindi<Pers.〗

chaet- [kí:t], **chae·to-** [kí:tou, -tə] *comb. form* 「털(bristle, hair)」의 뜻. 〖↓〗

chae·ta [kí:tə] *n.* (*pl.* **-tae** [-ti:]) 〖動〗 강모(剛毛). **-tal** *a.* 〖NL<Gk. =long hair〗

chae·to·gnath [kí:tɑgnæ̀θ] *n.* 〖動〗 모악(毛顎)동물.

chafe [tʃéif] *vt.* **1** (손 따위를) 비벼서 따뜻하게 하다 : The boy ~*d* his cold hands. 소년은 시린 손을 비볐다. **2** 비벼서 벗기다(abrade) : This stiff collar has ~*d* my neck. 이 빳빳한 칼라에 쓸려서 목이 벗겨졌다. **3** 안달하게 하다, 초조하게 하다, 화나게 하다(irritate).
—— *vi.* **1** [+*against*+名] (동물이 우리 따위에) 몸을 비벼대다 ; (냇물이 벼랑 따위에) 세차게 부딪치다 : The bear is *chafing* ***against*** the bars. 곰이 쇠창살에 몸을 비벼대고 있다. **2** 비벼서 껍질이 벗어지다 : My skin ~*s* easily. 나의 피부는 쉽게 벗어진다. **3** [動/+前+名] 조급히 굴다, 안달복달하다, 초조해 하다, 화내다 : She ~*d* ***under*** her brother's teasing. 그녀는 오빠가 놀려대서 짜증을 냈다. —— *n.* **1** 찰상(擦傷)(의 쓰림). **2** 안달 : in a ~ 안달나서, 짜증나서. 〖OF<L *calefacio* to make warm (*caleo* to be hot)〗

cha·fer [tʃéifər] *n.* 풍뎅이(cf. COCKCHAFER). 〖OE *ceafor*〗

chaff¹ [tʃǽ(:)f ; tʃɑ́:f] *n.* **1** Ⓤ 왕겨(husks of grain). **2** Ⓤ 여물《마소의 사료》, 꼴. **3** Ⓤ 〖植〗 포(苞). **4** Ⓤ 폐물, 쓰레기(rubbish). **5** 레이더 탐지 방해용의 금속편《비행기에서 뿌림》; 〖로켓〗 대기중에 재돌입시 우주선이 지상의 추적국(tracking station)을 위해 방출하는 금속편.
be caught with chaff 쉽게 속아 넘어가다.
chaff and dust 폐물.
offer chaff for grain 하찮은 것으로 …을 꾀려 하다.
separate (***the***) ***wheat from*** (***the***) ***chaff*** 가치 있는 것과 그렇지 않은 것을 구별하다.
—— *vt.* (짚·여물 따위를) 썰다.
〖OE *ceaf* =OHG *keva* husk〗

chaff² *n.* (악의 없는) 놀림, 야유(banter) ; 《美俗》 바보같은 소리, 허풍.
—— *vt.* [+目/+目+前+名] 놀리다, 집적거리다 : The boys ~*ed* the French boy ***about*** his mistakes in speaking English. 아이들은 프랑스 소년이 영어를 말할 때에 틀린 것을 놀려댔다. **~·er**¹ *n.* 희롱하는 사람. 〖? *chafe*〗

cháff·cùtter *n.* 볏짚 절단기, 작두.

chaf·fer² [tʃǽfər] *n.* Ⓤ 값을 흥정하기. —— *vi.* [動/+前+名] 값을 깎다, 흥정하다(haggle) ; 잡담하다 : I ~*ed* ***with*** the merchant ***about*** the price. 나는 그 장사꾼과 흥정해서 값을 깎았다.
—— *vt.* 에누리하다, 거래하다.
chaffer away 싼값에 넘겨주다, 헐값으로 팔아버리다(bargain away).
~·er *n.* 에누리하는 사람.
〖OE (*ceap* bargain, *faru* journey)〗

chaf·finch [tʃǽfintʃ] *n.* 〖鳥〗 되새의 일종《유럽산(産)의 울새》. 〖OE (*chaff*¹, *finch*)〗

cháffy *a.* **1** 왕겨가 많은[와 같은] ; 쓸모없는. **2** 놀리는, 희롱하는.

cháf·ing dìsh [tʃéifiŋ-] *n.* 가열기 달린 냄비.

chafing dish

cháfing gèar *n.* 〖海〗 (삭구(索具) 따위의) 마찰을 막는 헝겊[가죽] 조각《따위》.

Chá·gas' disèase [ʃɑ́:gəs(əz)-] *n.* 〖醫〗 샤가스병(病), 아메리카트리파노 소마증(=(South) American trypanosomiasis)《중남미의 잠자는 병》. 〖Carlos *Chagas* (d. 1934) 브라질의 의사〗

cha·grin [ʃəgrín ; ʃǽgrin] *n.* 분함, 원통함〈*at*〉.
—— *vt.* (**~ed** ; **~·ing**) [+目/+目+前+名] [보통 *p.p.*로] 분하게 하다, 원통하게 하다, 억울하게 하다(mortify) : He was[felt] ~*ed* ***at*** his failure[*at* los*ing* his fountain pen]. 그는 실패를[만년필을 잃어 버린 것을] 원통하게 여겼다. 〖F<?〗

cha·grined [ʃəgrínd ; ʃǽgrind] *a.* 분하게 여기는. 類義語 ⟹ ASHAMED.

‡**chain** [tʃéin] *n.* **1** 사슬 : Bulls are kept *on* a ~. 황소가 사슬에 매어져 있다 / open a door *on* the ~ 도어 체인을 건 채로 문을 조금 열다 (cf. DOOR CHAIN). **2** 연쇄, 연속 : a ~ *of* mountains=a mountain ~ 산맥. **3** 목걸이, (관직의 표시로 목에 거는) 고리쇠줄. **4** (연쇄 경영의 은행·극장·호텔 따위의) 연쇄 조직체, 체인(cf. CHAIN STORE). **5** [보통 *pl.*] 속박의 사슬 ; 구속, 구금(captivity) : be in ~*s* 구속되어 있다 / throw a person into ~*s* 사람을 잡아서 사슬로 묶다. **6** 〖測〗 측쇄(測鎖)《英·美에서는 66피트》. **7** 〖地〗 맥, 대, 계 ; 〖電〗 회로 ; 〖化〗 (원자의) 연쇄(cf. CHAIN REACTION).
—— *vt.* [+目/目+目+前+名] …에 사슬을 걸다, 사슬로 잇다 ; 속박하다 ; 측쇄로 재다 : *C*~ (***up***) the dog. 개를 사슬로 묶어라 / I am ~*ed* to my work. 나는 일에 얽매여 있다.
~·less *a.* 사슬[속박]없는.
〖OF<L *catena*〗
類義語 ⟹ SERIES.

cháin àmor *n.* =CHAIN MAIL.

cháin bèlt *n.* (자전거 따위의) 톱니바퀴용 체인.

cháin bònd *n.* 〖建〗 이어쌓기.

cháin bràke *n.* 〖機〗 쇠사슬 브레이크.

cháin brèak *n.* 체인 브레이크《지국(支局)에서 삽입하는 짤막한 광고 ; cf. STATION BREAK》.

cháin brìdge *n.* 쇠사슬 현수교.

cháin càble *n.* 〖海〗 쇠사슬 닻줄.

cháin còupling *n.* 〖機〗 연결용 쇠사슬.

cháin-drìnk *vi.* 내리 계속 마시다《chain-smoke를 본떠서》. **~·er** *n.*

cháin drìve *n.* (동력의) 체인 전달 ; 체인 전달을 이용한 시스템.
cháin-drìven *a.*

chaîné [ʃenéi, ʃei-] *n.* 〖발레〗 회전 통과《무대 끝에서 끝으로 회전하며 이동하기》. 〖F〗

cháined lìst *n.* 〖컴퓨〗 연쇄 리스트.

cháin fèrn *n.* 〔植〕 새깃아재비속(屬)의 고사리.
cháin gàng *n.* 한 쇠사슬에 묶여 옥외 노동을 하는 죄수들.
cháin gèar *n.* 〔機〕 체인 톱니바퀴.
cháin·ing *n.* 〔컴퓨〕 체이닝, 연쇄.
cháin·let *n.* 작은 쇠사슬.
cháin lètter *n.* 연쇄 편지《받은 사람이 차례로 여러 사람에게 사본을 보내는》.
cháin lìghtning *n.* 쇄전(鎖電)《지그재그 모양으로 길게 뻗는 번갯불》; 《美方·俗》 싸구려[밀조] 위스키.
cháin lìnk fènce *n.* 철사를 다이아몬드형으로 엮은 울타리.
cháin lòck *n.* (자전거의) 사슬 자물쇠.
cháin lòcker *n.* 〔海〕 닻줄집.
cháin màil *n.* 쇠사슬 갑옷.
cháin·man [-mən] *n.* 〔測〕 측쇄(測鎖)를 잡는 사람, 측량 조수.
cháin mèasure *n.* 측량에 쓰는 길이의 단위 계열(系列).
cháin mòlding *n.* 〔測·建〕 쇠사슬[체인] 모양의 쇠시리.
cháin plàte *n.* 〔海〕 [보통 *pl.*] 돛대 밧줄을 뱃전에 매는 가느다란 철판.
cháin prìnter *n.* 체인 프린터《고속 인자기(印字機)의 일종》.
cháin pùmp *n.* 〔機〕 (쇠사슬에 두레박이 줄줄이 달린) 쇠사슬 펌프.
cháin-reàct *vi.* 〔理〕 연쇄 반응을 일으키다. **~·ing** *a.* 연쇄 반응성의.
cháin-reàct·ing píle *n.* 〔理〕 원자로.
cháin reàction *n.* 〔理〕 연쇄 반응.
cháin reàctor *n.* 연쇄 반응 장치.
cháin rùle *n.* 〔數〕 연쇄 법칙.
cháin sàw *n.* (휴대용) 동력(動力) 사슬톱.
cháin shòt *n.* 쇠사슬 포탄《포탄 두 개를 쇠사슬로 연결한 것, 돛대를 파괴하는데 썼음》.
cháin-smòke *vi.* 줄담배를 피우다.
cháin smòker *n.* 줄담배를 피우는 사람.
cháin stìtch *n.* 사슬 모양으로 뜨기[감치기], 체인 스티치.
cháin stòre *n.* 《美》 체인 스토어, 연쇄점(=《英》 multiple shop).
cháin·wale [tʃéinwèil, tʃǽnl] *n.* 〔海〕 =CHANNEL².
cháin whèel *n.* 〔機〕 (자전거 따위의) 체인 휠, 사슬(톱니)바퀴.
cháin·wòrk *n.* Ⓤ 쇠사슬 세공, 사슬 무늬.
◇**chair** [tʃɛər, tʃǽər] *n.* **1** 의자 : sit on a ~ 의자에 앉다 / Won't you take a ~? 좀 앉으시지요. **2** (대학의) 강좌 ; 대학교수의 직(professorship) : the *C*~ of History 역사학 강좌. **3** [the ~] 의장석[직] ; 회장석[직] ; 《英》 시장의 직 : *C*~ ! *C*~ ! 의장! 의장!《장내 정리의 요구》/ in the ~ 의장석에 앉아, 의장을 맡아서 / address[support] the ~ 의장을 부르다[지지하다] / appeal to the ~ 의장의 재결(裁決)을 요구하다 / leave the ~ 의장석을 떠나다 ; 폐회하다 / take the ~ 의장석에 앉다 ; 개회하다. **4** 〔史〕 가마(=sedan ~). **5** 증인석(box) : take the ~ 증인으로 서다. **6** [the ~] 《美口》 전기 사형 의자(=electric ~) : send[go] to the ~ 사형에 처하다[당하다].
above*[*below*] *the chair (시의원 등의) 시장 경력이 있고[없고].
fall off* one's *chair 깜짝 놀라다.
—— *vt.* **1** 의자[권위 있는 지위]에 앉히다. **2** 《英》 (시합에서 이긴 사람 등을) 의자에 앉혀 메고 돌아다니다. **3** (회의) 의장직을 맡다, 사회하다(preside over).
〚OF<L<Gk.; ⇨ CATHEDRAL〛
cháir·bèd *n.* 긴의자 겸용 침대.
cháir·bòrne *a.* 《口》 (특히 공군에서) 지상[비전투] 근무의 ; 탁상[연구실]에서의 : ~ pilot 비전투 조종사, 지상 근무원. 〚*chair*+air*borne*〛
cháir càr *n.* 〔美鐵〕 호화 특등객차.
cháir·làdy *n.* =CHAIRWOMAN.
cháir lìft *n.* 체어 리프트《케이블에 의자를 달아 사람을 산꼭대기에 나르는 ; cf. SKI LIFT》.
***cháir·man** [-mən] *n.* (*pl.* **-men**) **1** 의장 ; 사회자 ; 회장 ; 위원장 ; 사장, 은행장(cf. CHAIRWOMAN) ; (대학의) 학과장, 주임 교수. ㊟ 호칭으로는 남자는 Mr. Chairman, 여자는 Madam Chairman. **2** 휠체어(Bath chair)를 미는 사람 ; 교군꾼. —— *vt.* (**-n-**|**-nn-**) (모임의) 사회를 맡다 ; (위원회 따위의) 의장[위원장]을 맡다 ; (회사 따위의) 회장[사장]을 맡다 ; …의 학과장[주임 교수]을 맡다. **~·shìp** *n.* chairman의 직.
〚*chair*+*man*〛
cháir·òne *n.* 의장(chairperson).
cháir-o-plàne *n.* 공중회전 그네《유원지 따위의 어린이용 오락 시설》.
cháir·pèrson *n.* 의장, 사회자, 회장, 위원장(cf. CHAIRMAN) ; (대학의) 학과장[주임 교수].
cháir ràil *n.* 〔建〕 의자 때문에 벽이 상하지 않도록 벽에 댄 긴 판자, 중방.
cháir·wàrm·er *n.* 《俗》 호텔 로비 따위에서 의자에 오래 앉아 있는 사람 ; 게으름뱅이.
cháir·wòman *n.* 여자 의장[회장·위원장·사회자] (cf. CHAIRMAN).
chaise [ʃéiz] *n.* 한 필이 끄는 2인승 경장(輕裝) 2륜 마차 ; 4륜 유람마차 ; =POST CHAISE ; =CHAISE LONGUE.
〚F *chaire* CHAIR의 이형(異形)〛

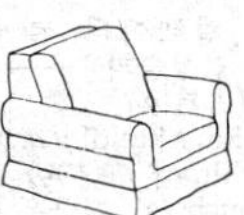
armchair

rocking chair

swivel chair

《美》 beach chair / 《英》 deck chair
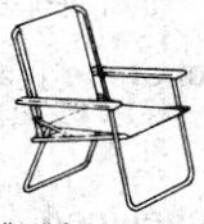
《美》 lawn chair / 《英》 garden chair

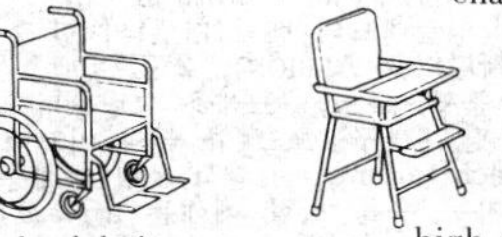
wheelchair
high chair

chair

chaise longue [ʃéiz lɔ́(:)ŋ, tʃéiz-] *n.* (*pl.* **chaise(s) longues** [ʃéiz lɔ́(:)ŋz, tʃéiz-]) 긴 의자, 누워서 잘 수 있는 의자. 〚F〛

chaise longue

chaise per·cée [ㅗ peərséi] *n.* 변기가 딸린 의자, 침실용 변기. 〚F〛

cha·la·za [kəléizə, -lǽzə] *n.* (*pl.* **~s, -zae** [-zi:])〔動〕(알의) 컬레이저, 알끈 ;〔植〕합점(合點).

Chal·ce·don [kǽlsədɑ̀n] *n.* 칼케돈《소(小)아시아 북서부(北西部)에 있었던 옛 도시》.
the Council of Chalcedon 〔基〕칼케돈 총회의《451년》.
Chal·ce·do·ni·an [kælsədóuniən] *a., n.*

chal·ced·o·ny [kælsédəni, kǽlsədòu-] *n.* Ⓤ〔鑛〕옥수(玉髓). 〚L<Gk.〛

chal·cid [kǽlsəd] *n.* 〔昆〕좀벌, (특히) 수중다리좀벌.

chal·co- [kǽlkou, -kə] *comb. form* 「구리」「놋쇠」「청동(靑銅)」의 뜻. 〚Gk. *khalkos* copper〛

chal·co·cite [kǽlkəsàit] *n.* 〔鑛〕휘동(輝銅)광.

chal·co·graph [kǽlkəgræ̀f, -grɑ̀:f] *n.* (조각) 동판(화). **-co·graph·ic, -i·cal** [kælkəgrǽfik(əl)] *a.* 동판술의.

chal·cog·ra·phy [kælkɑ́grəfi] *n.* 동판 조각술. **-pher** *n.* 동판 조각사.

chal·co·py·rite [kælkəpáiəràit] *n.* Ⓤ〔鑛〕황동광(黃銅鑛).

Chal·da·ic [kældéiik] *a., n.* =CHALDEAN.

Chal·dea, -daea [kældí(:)ə] *n.* 칼데아《바빌로니아 남부 지방의 옛 이름》. 〚L<Gk.<Assyr.〛

Chal·dé·an *a.* 칼데아의 ; 칼데아인[어, 문화]의 ; 칼데아식 점성술의. —— *n.* 칼데아인 ; 칼데아어 ; 점성가(占星家).

Chal·dee [kǽldi: ; kældí:] *a., n.* =CHALDEAN.

chal·dron [tʃɔ́:ldrən] *n.* 《英》촐드론《석탄의 계량 단위 ; 32-36 bushels ; 지금은 별로 쓰이지 않음》. 〚OF〛

cha·let [ʃæléi, ㅗㅡ] *n.* 샬레《스위스 산지의 시골집》; 샬레풍의 집[별장]. 〚Swiss F〛

chal·ice [tʃǽləs] *n.* 성찬배(聖餐杯) ;《文語》술잔 ;〔植〕술잔 모양의 꽃. 〚OF<L CALIX〛

chalice

chál·iced *a.* 술잔 모양의 꽃이 달린 ; 술잔에 부은.

◇**chalk** [tʃɔ́:k] *n.* **1** Ⓤ 백악(白堊), 호분(胡粉) : the ~ cliffs of England 잉글랜드의 백악(白堊)의 단애(斷崖) (cf. ALBION). **2** Ⓤ,Ⓒ 백묵, 분필, 초크, (크레용 그림용) 색분필 ;〔당구〕초크《큐 끝의 미끄럼 방지용》: French[tailor's] ~ 활석 분필《양재용》. ㊟ 분필의 자루 수를 말할 때에는 a *piece of* ~, two *pieces of* ~ 따위가 보통이지만, 특히 복수의 경우 다음과 같이도 쓰임 : some colored ~*s* 몇자루의 색분필. **3** (점수 따위를) 분필로 쓴 기호 ; 승부의 득점 ;《俗》인기있는 말. **4**《美俗》분유(粉乳).

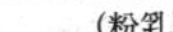

(as) different as chalk from cheese=***(as) like as chalk and cheese*** 겉은 비슷하나 본질적으로는 전혀 다른.
by a long chalk=***by long chalks***=***by chalks*** 《英口》훨씬, 단연코(by far) ; [주로 부정 구문에서] 결코 (…아닌).
make a person ***walk a chalk line*** 사람을 명령에 따르게 하다.
not know chalk from cheese 선악을 분별하지 못하다.
walk the chalk (***mark***)《美》엄밀히 명령에 따르다, 신중하게 행동하다《선원이 취하지 않은 증거로 배의 갑판에 초크로 그은 선 위를 걸은 데서》.
—— *a.* **1** 초크로 쓰여진[쓸 수 있는]. **2**《競馬俗》이긴다고 예상되는, 인기있는 말의 ; 인기있는 말에만 거는.
—— *vt.* **1** 분필로 쓰다[표시를 하다] ; …에 분필칠을 하다. **2**《英》백악을 섞다[으로 처리하다].
—— *vi.* (페인트가 풍화하여) 백악화하다.
chalk it up 공표[공고]하다.
chalk one up (상대보다) 낫다.
chalk out (분필로) 윤곽을 그리다(outline) ; 계획하다.
chalk up (득점을) 분필로 적다, 기록하다, 달성하다 ; (벽 따위에) 분필로 쓰다.
〚OE *cealc*<L CALX〛

chálk bèd *n.* 〔地質〕백악층(白堊層).

chálk·bòard *n.* 《美》칠판(blackboard).

chálk mìxture *n.* 젖먹이의 설사약.

chálk pìt[**quàrry**] *n.* (초크 채취의) 백악갱.

chálk·stòne *n.* 백악 덩어리 ;〔醫〕(손가락 관절 따위에 생기는) 통풍석(通風石).

chálk tàlk *n.* 《美》칠판에 쓰면서 하는 강연.

chálky *a.* 백악질의 ; 백악이 풍부한 ; 백악색의 ; 초크가 묻은.

***chal·lenge** [tʃǽləndʒ] *n.* **1** 도전, 결투 신청 〈*to*〉; 도전장 ; 시합의 신청〈*to*〉: give a ~ 도전하다 / accept[take] a ~ 도전에 응하다. **2 a)** 수하(誰何)《보초의 "Halt! Who goes there?" 「정지! 누구냐」》: give the ~ (보초가) 누구냐고 묻다. **b)** 설명[증거]의 요구 ; 책망, 항의, 힐난. **3** 해볼만한 일, 노력의 목표, 어려운 문제, 과제(task). **4**〔法〕(배심원에 대한) 기피. **5** 이의 신청 ;《美》투표(자의 자격)에 대한 이의(異議) 신청. **6**〔醫〕공격《면역 반응의 항원 투여, 또는 예방접종의 병원균 투여》.
rise to the challenge 난국에 잘 대처하다.
—— *vt.* **1** [+目 / +目+*to*+名 / +目+*to* do] …에 도전하다 ; (논쟁·시합·결투를 …에게) 걸다 ; …에게 회답을 요구하다 : He ~*d* me ***to*** another race. 그는 나에게 또 한번 경주하자고 제의했다 / The champion boxer ~*d* anyone *to* beat him. 그 권투 챔피언은 누구든지 자기를 이길 수 있는 자는 덤비라고 했다. **2** 수하(誰何)하다. **3** (진술·정당성·권리 따위를) 의심하다 ; 조사하다 ;《美》(투표(자)의 유효성·자격 따위에) 이의를 제기하다 ;〔法〕(배심원·증거 따위를) 거부하다. **4** (칭찬·주의·노력 따위를) 촉구하다, 요구하다(demand) ; (관심을) 불러 일으키다 ; 자극하다 : ~ a person's interest 사람의 흥미를 불러 일으키다 / an event that ~*s* explanation 설명을 필요로 하는 사건 / This problem ~*s* everyone's attention. 이 문제는 모든 사람이 주의할 필요가 있다. —— *vi.* 도전하다 ; (사냥개가) 냄새를 맡고 짖다 ; 이의 신청을 하다.
〚OF<L ; ⇨ CALUMNY〛

chállenge cùp[tròphy] *n.* 도전[우승]컵.
chállenge flàg *n.* 도전[우승]기.
chál·leng·er *n.* 도전자(↔*defender*) ; 수하하는 사람 ; 〖法〗 기피자, 거부자.
chál·leng·ing *a.* 도전적인 ; 자극적인, 흥미를 돋우는, 매력적인(provocative) ; 의욕을 돋우는, 해볼 만한. **~·ly** *adv.*
chal·lis [ʃǽli ; ʃǽlis], **chal·lie** [ʃǽli] *n.* Ⓤ 샬리 직물《가벼운 여성 옷감의 일종》.
chal·one [kǽloun, kéi-] *n.* 〖生理〗 칼론《생리 활동을 억제하는 내분비 물질》.
cha·lyb·e·ate [kəlíbiət, -lí:-, -èit] *a.* (광천(鑛泉)·약이) 철분을 함유한. —— *n.* 철제(鐵劑) ; 철천(鐵泉). 〖L (*chalybs* steel<Gk.)〗
cham [kǽ(:)m] *n.* 《古》=KHAN[1].
cha·made [ʃəmá:d] *n.* 〖軍〗 협상[항복]의 신호《북 또는 나팔》; 퇴각 신호. 〖F<Port.〗
chám·ae·phỳte [kǽmə-] *n.* 〖植〗 지표(地表) 식물《한랭기·건조기의 저항 싹이 지상 30cm 이하에 있는 식물》.
***cham·ber** [tʃéimbər] *n.* **1** 《文語》 방 ; 침실. **2** [*pl.*] **a)** 판사실 ; (특히 영국 법학원(Inns of Court) 내의) 변호사 사무실. **b)** 《英》 독신자용 셋방. **3** 회관(hall) ; 회의소 ; 회의장 ; 의회, 의원(議院) : a ~ of commerce 상공 회의소 / the lower[upper] ~ (의회의) 하[상]원. **4** (총의) 약실. **5** 〖機〗 (공기·증기 따위의) 실(室). **6** = CHAMBER POT. —— *vt.* **1** 방에 가두다 ; …에게 침실을 제공하다. **2** (탄알을) 약실에 재다, 장전하다. —— *a.* 비밀의[이 행해지는] ; 실내용의 ; 실내악(연주)의.
〖OF<L *camera*<Gk. *kamara* vault〗
chámber còncert *n.* 실내악 연주회.
chámber cóuncil *n.* 비밀 회의.
chámber cóunsel *n.* 《英》 법률 고문(=office lawyer)《법정에 나오지 않는 변호사》; Ⓤ (변호사의) 조언, 감정(鑑定).
chám·bered *a.* chamber가 있는 ; [복합어를 이루어] …(의) 실(室)[약실]이 있는.
cham·ber·lain [tʃéimbərlən] *n.* **1** 의전관, 시종 : ☞ LORD CHAMBERLAIN. **2** (귀족의) 가령(家令). 〖OF<L (*chamber, -ling*[1])〗
Chamberlain *n.* 체임벌린. **1** (**Arthur**) **Neville** ~ (1869-1940) 영국의 정치가. **2** Sir (**Joseph**) **Austen** ~ (1863-1937) 영국의 정치가 ; Neville ~의 형(兄).
chámber·màid *n.* 호텔의 하녀(cf. HOUSEMAID) ; 《美》 하녀.
chámber mùsic *n.* 실내악.
chámber òrchestra *n.* 실내악단.
chámber pòt *n.* 침실용 변기, 요강.
chámber prèssure *n.* 〖로켓〗 (로켓 엔진의) 연소실 압력.
cham·bray [ʃǽmbrei, -bri] *n.* Ⓤ 리넨·합성 섬유 따위로 짠 옷감.
cha·me·leon [kəmí:ljən] *n.* **1** 〖動〗 카멜레온《배경에 따라 몸 빛깔이 변함》. **2** 지조가 없는 사람, 변덕쟁이. **-le·on·ic** [kəmì:liánik] *a.* 카멜레온적인, 지조 없는, 변덕스러운.
〖L<Gk.=ground lion (*khamai* on the ground, *leōn* lion)〗
cham·fer [tʃǽmfər] *vt.* (목재·석재)의 모서리를 깎다, 면(面)을 다듬다 ; 《美》 …에 둥근 홈을 파다. —— *n.* 다듬은 면 ; 《美》 둥근 홈.
〖역성(逆成) ‹ *chamfer*ing<F *chamfrain* (CANT[2], *fraint* broken)〗
chám·my (**lèather**) [ʃǽmi(-)] *n.* 새미 가죽 (chamois).
cham·ois [ʃǽmi, ʃæmwá: ; ʃǽmwa:] *n.* (*pl.* ~, **-oix** [-z]) **1 a)** 〖動〗 새무아《남유럽·서남 아시아산의 스위스 영양(羚羊)》. **b)** 담황갈색(色) (=~ **yéllow**). **2** [ʃǽmi] (*pl.* ~, **-oix** [-z]) Ⓤ 섀미 가죽, 새미 가죽(shammy). —— [ʃǽmi] *vt.* (가죽을) 무두질하다 ; 섀가죽으로 갈다. 〖F〗
cham·o·mile [kǽməmàil, -mì:l] *n.* = CAMOMILE.
champ[1] [tʃǽmp, tʃá:mp, tʃʌ́mp] *vt.* (말이 여물을) 우적우적 씹다 ; (재갈을) 바드득바드득 깨물다 : The horse ~*ed* the bit. 말은 바드득바드득 재갈을 씹었다. —— *vi.* 바드득바드득 이를 갈다 ; 《비유》 이를 갈며 원통해 하다. —— *n.* 우적우적 씹음 ; 그 소리. 〖C16< ? imit.〗
champ[2] [tʃǽmp] *n.* 《俗》 =CHAMPION.
cham·pac, -pak [tʃǽmpæk, tʃʌ́mpʌk] *n.* 〖植〗 (동인도산) 목련과의 상록 교목《노랑꽃이 피며 나뭇결이 고움》. 〖Hindi and Skt.〗
cham·pagne [ʃæmpéin] *n.* Ⓤ 샴페인《프랑스 동북부 Champagne 원산의 거품이 이는 포도주의 일종 ; 사치의 상징으로 여겨지고 있음》; 샴페인 색깔《황록색 또는 황갈색》: ~ dinner 샴페인이 나오는 정찬.
—— *a.* 샴페인 빛깔의 ; 사치한, 값비싼(expensive) : ~ tastes 사치스러운 취미.
champágne cùp *n.* 샴페인에 감미료와 향료를 넣어 얼음에 채운 음료.
champágne trìck *n.* 《俗》 창녀의 돈 많은 손님.
cham·paign [ʃæmpéin, 英+tʃǽmpein] *n.* 평야, 평원 ; 《古》 전장(戰場). —— *a.* 평원의.
〖OF<L *campania* ; ⇨ CAMP[1]〗
cham·pers [ʃǽmpərz] *n.* 《英口》=CHAMPAGNE.
cham·per·tous [tʃǽmpərtəs] *a.* 〖法〗 소송을 원조하기로 약속한.
cham·per·ty [tʃǽmpərti] *n.* Ⓤ 〖法〗 (이익 분배의 특약이 있는) 소송 원조.
〖AF<OF=share of profit〗
cham·pi·gnon [tʃæmpínjən, ʃæm-] *n.* 샴피뇽《유럽 원산 송이과의 식용 버섯》. 〖F〗
***cham·pi·on** [tʃǽmpiən] *n.* **1** (주의·주장 때문에 싸우는) 투사, 옹호자(advocate) : a ~ *of* peace 평화 옹호자. **2** 〖競〗 선수권 보유자, 우승자 : the swimming ~ of the world 수영의 세계 챔피언. **3** 《口》 남보다 뛰어난 사람. —— *attrib. a.* **1** 우승한 : a ~ boxer 권투 선수권 보유자, 권투 우승 선수 / the ~ dog 최우수상의 개. **2** 《口》 일류의 (first-class) ; 《口·方》 최고의, 썩 좋은 : a ~ idiot 천치, 바보.
—— *adv.* 《口·方》 더할 나위 없이, 훌륭하게.
—— *vt.* …의 투사[옹호자]로서 활약하다, 옹호하다 ; 《古》 …에 도전하다 ; 지지하다, 지키다.
〖OF<L *campion- campio* ; ⇨ CAMP[1]〗
chámpion bèlt *n.* 챔피언 벨트.
chámpion·shìp *n.* **1** Ⓤ 옹호. **2** 우승자의 지위, 선수권 : win a world swimming ~ 세계 수영 선수권을 쟁취하다 / the ~ flag[cup] 우승기[컵]. **3** [보통 ~s] 선수권 대회 : the world ~*s* of tennis 세계 테니스 선수권 대회.
champ·le·vé [ʃæ̀mpləvéi ; *F* ʃɑ̃ləve] *a.* 바탕을 파고 에나멜로 메운. —— *n.* 그렇게 만든 칠보(七寶) 자기.
Champs Ély·sées [*F* ʃɑ̃zelize] *n.* [the ~] 샹젤리제《Paris의 큰 거리와 그 주변의 유원지》.
〖F=Elysian fields〗
CHAMPUS [tʃǽmpəs] Civilian Health and Medical Program of the Uniformed Services(군

속 건강 의료 계획). **chan.** channel.
Chanc. Chancellor ; Chancery.
◇**chance** [tʃǽ(:)ns ; tʃáːns] *n.* **1** [+*to* do / +前+do*ing*] 기회 ; 호기(好機) : the ~ of a lifetime 일생에 다시 없는 기회 / During the summer vacation I had a ~ *to* travel to Switzerland. 여름 휴가중에 스위스를 여행할 기회가 있었다 / It is a good ~ for you *to* meet him. 네가 그를 만나볼 절호의 기회다 / The ~ is lost ***of*** his going abroad. 해외 여행의 기회는 사라져 버렸다. **2** [U,C] [+前+do*ing* / +*to* do / +*that* 節] 승산, 공산, 가능성 ; [때때로 *pl.*] 전망(prospects) : an even ~ 성패 반반의 가망 / We have no[not much] ~ ***of*** gain*ing* the game. 시합에 이길 승산은 없다[별로 없다] / Is there any ~ for her *to* recover? 그녀가 회복할 가망이 있을까요 / There is a ~ *that* the boy will make progress. 그 소년은 향상될 가망이 있다[어쩌면 향상될지도 모르겠다] / The ~*s* are against it. 형세는 불리하다. **3** [U] 우연, 운, 운명(fate) : leave...to ~ …을 운에 맡기다 / *C*~ governs all. 모든것이 운수다 / If ~ will have me king.... 만일 내가 왕이 된다면…. **4** 위험, 모험(risk) : run a ~ of failure 실패할 위험을 무릅쓰다. **5** 《美口》 부정(不定) 수[양] : a smart[powerful] ~ of apples 많은 사과.
as chance would have it 우연하게도 ; 공교롭게도.
by chance 우연히(↔*on purpose*) : *by* any ~ 만일에, 어쩌다가 / *by* some ~ 어떤 기회에 / *by* the merest ~ 아주 우연히.
on the chance 혹시나하고 기대하고서 : ☞ *on the* OFF CHANCE.
on the chance of[***that . . .***] …을 은근히 바라고 : I went *on the* ~ *of* find*ing* him in. 그가 집에 있기를 은근히 바라고 가보았다.
stand a good[***fair***] ***chance*** (***of***) (…의) 가망이 충분히 있다.
stand no chance against …에 대해서 승산이 없다.
take a chance[***chances***] 운에 맡기고 한번 해보다, 모험하다.
take the[one***'s***] ***chance*** (***of***) (1) 운에 맡기고 (…을) 해보다. (2) (…할) 기회를 잡다.
The chances[***Chances***] ***are that . . .*** 다분히[아마] …이다 : *The* ~*s are* (ten[a hundred] to one) (*that*) the bill will be rejected. 의안은 아마 (십중팔구) 부결될 것이다.
watch one's ***chance*** 마땅한 때(가 오기)를 기다리다.

〈회화〉
I failed the examination. — Well, you'll have another *chance.* 「시험에 떨어졌어」「괜찮아, 또 기회는 있으니까」

〈회화〉
I met him by *chance.* — That was fortunate. 「우연히 그를 만났어」「그것 참 다행이군」

— *attrib. a.* 우연히 : a ~ hit 우연히 들어맞음 / a ~ child 사생아 / a ~ customer 우연히 지나가는[거쳐가는] 손님.
— *vi.* **1** [it을 주어로 하여] [+*that* 節] 우연히 일어나다 : *It* ~*d that* I was absent from the meeting that day. 우연히도 그날은 회의에 참석하지 않았다. **2** [+*to* do] 뜻하지 않게 …하다 : I ~*d to* be passing when he got injured. 그가 다쳤을 때에 뜻하지 않게 곁을 지나고 있었다. **3** [+*on*+名] 우연히 만나다, 뜻밖에 발견하다 : There he ~*d* (***up***)***on*** a real treasure—a first edition. 그는 뜻밖에도 거기서 정말 보물이라고도 할 수 있는 초판을 발견했다. — *vt.* 《口》 [보통 it을 목적어로 하여] 해보다, 운에 맡기고 해보다 (risk).
chance one***'s arm***[***luck***] 《英口》 (실패를 각오하고) 해보다.
〖OF (L *cado* to fall)〗
類義語 (1) (*n.*) ⟹ OPPORTUNITY. (2) (*a.*) ⟹ RANDOM. (3) (*v.*) ⟹ HAPPEN.
chánce·ful *a.* 다사(多事)한, 파란 많은(eventful) ; 《古》 운나름의, 모험적인, 위험한.
chan·cel [tʃǽ(:)nsəl ; tʃáːn-] *n.* (교회당의) 성단소《보통 동쪽 끝이며 choir와 목사의 자리》.
〖OF<L *cancelli* crossbars, grating〗
chan·cel·lery, -lory [tʃǽ(:)nsələri ; tʃáːn-] *n.* **1** [U] CHANCELLOR의 지위. **2** CHANCELLOR의 관청[법정 · 사무국]. **3** 대사관[영사관] 사무국.
chan·cel·lor [tʃǽ(:)nsələr ; tʃáːn-] *n.* **1** 《英》 (재무) 장관(長官) · 대법관의 칭호. **2** 《英》 대사관 1등 서기관(chief secretary). **3** (독일의) 수상. **4** 《美》 (대학의) 총장《대개 president라고 함》 ; 《英》 (대학의) 명예 총장《사실상의 총장은 vice-chancellor》.
the Chancellor of the Exchequer 《英》 재무부 장관, 재무대신.
the Lord (***High***) ***Chancellor***=***the Chancellor of England*** 《英》 대법관《각료의 한 사람, 의회 개원 기간 중에는 상원의장》.
~·shìp *n.* CHANCELLOR의 직[임기].
〖OE *canceler*<AF<L *cancellarius* porter, secretary (; ⇨ CHANCEL)〗
chánce-mèdley *n.* [U] 〖法〗 과실 치사, 정당 방위 살인.
chánce-mèt *a.* 우연히 만난.
chánce mùsic *n.* 우연성 음악《John Cage 등이 시작한 작곡이나 연주에 우연성을 도입한 음악》.
chan·cery [tʃǽ(:)nsəri ; tʃáːn-] *n.* **1** 《英》 [C~] 대법관청《지금은 고등법원의 일부》. **2** (미국 따위의) 형평법(衡平法) 법원 ; 형평법(cf. EQUITY 2) ; 공문서 보관청.
in chancery 〖法〗 형평법 법원에 소송중인, 대법관의 지배하의 ; 〖拳 · 레슬링〗 머리가 상대의 겨드랑이에 끼여 ; 《비유》 진퇴유곡에 빠져.
〖*chancellery*〗
chan·cre [ʃǽŋkər] *n.* 〖醫〗 하감 ; 《俗》 성병.
〖F<L *cancer*〗
chan·croid [ʃǽŋkrɔid] *n.* 〖醫〗 연성(軟性) 하감.
chan·crous [ʃǽŋkrəs] *a.* 〖醫〗 하감성의.
chancy, chanc·ey [tʃǽ(:)nsi ; tʃáːn-] *a.* (결과 · 예상 따위가) 불확실한, 믿을 수 없는 ; 《口》 위태로운, 위험한(risky) ; 《스코》 행복한.
***chan·de·lier** [ʃæ̀ndəlíər] *n.* 샹들리에《호화롭게 드리워진 실내의 장식 전등 ; cf. ELECTROLIER, GASOLIER》. 〖F ; ⇨ CANDLE〗
chan·delle [ʃændél ; *F* ʃɑ̃dɛl] *n.* 〖空〗 급상승 방향 전환. 〖F=candle〗
chan·dler [tʃǽ(:)ndlər ; tʃáːn-] *n.* 《美 · 英古》 양초 제조 판매인 ; 잡화상《양초 · 기름 · 비누 · 페인트 따위를 파는》 : a corn ~ 잡곡상 / a ship ~ 선박 잡화 상인 ; 선구상(船具商).
〖AF, OF ; ⇨ CANDLE〗
Chandler *n.* 챈들러. **Raymond** ~ (1888-1959) 미국의 탐정 소설가.
chán·dlery *n.* 《美 · 英古》 (양초 · 비누 · 기름 따

위의) 잡화 ; Ⓒ 잡화점.

Cha·nel [*F* ʃanɛl] *n.* 샤넬. **Gabrielle ~** (1883-1971) 통칭「Coco」; 프랑스의 여류 복식 디자이너.

Chang ☞ CHANG JIANG.

◇**change** [tʃéindʒ] *n.* **1** 변화, 변천 ; 변경 : a ~ of seasons 계절의 변화 / the ~ of life (여성의) 갱년기, 폐경기(menopause) / a ~ of heart ☞ HEART 숙어 / a ~ of mind 생각의 변화, 고쳐 생각함 / a ~ of scene ☞ SCENE 숙어 / the ~ of voice (사춘기 소년의) 변성(變聲) / a ~ *in* the weather 날씨의 변화 / (make) a ~ *for* the better 개량[진보](하다). **2 a)** 바꿈, 교체, 이동 : a ~ of clothes 옷을 갈아입기 / a ~ of cars[buses, trains] 차[버스, 기차]를 갈아타기. **b)** 기분 전환, 전지(轉地), 환경을 바꿈, 정양 : go away *for* a ~ (of air) 전지 요양을 가다 / This morning I had breakfast at 8 : 30 *for* a ~. 기분 전환을 위해 오늘 아침은 보통 때와는 달리 8시 반에 아침을 먹었다. **3** Ⓤ 바꿀돈 ; 거스름돈 ; 잔돈, 우수리 : Can you give me ~ *for* a £5 note? 5 파운드 지폐를 잔돈으로 바꾸어 주시겠습니까 / small ~ 잔돈. **4** [C~] 거래소《㊟ 때때로 Exchange의 약칭으로 잘못 알고 'Change 라고 씀》: *on C~* 거래소에서. **5** [보통 *pl.*] 〘樂〙 여러 가지로 순서를 달리한 1벌의 종을 울리는 방법. **6** [*pl.*] 〘數〙 순열 ; 중국의 역(易).

get to change out of a person 《英口》 (일·토론 따위로) 남을 당해내지 못하다 ; 남으로부터 아무것도 알아내지 못하다.

give a person ***change*** 《口》 남을 위해 힘쓰다 ; 남에게 반격하다.

ring the changes (교회의 종을) 여러 가지 소리로 바꾸어 울리다 ; 《비유》 같은 일[것]을 여러 가지 방법으로 바꾸어서 이야기하다 : Our parson *rings the ~s on* the same few sermons. 우리 목사님은 항상 똑같은 두어 가지 설교를 말만 바꾸어 할 뿐이다.

take the[one's] ***change out of*** …에게 복수하다.

— *vt.* **1** [+目 / +目+前+名] 바꾸다, 변화시키다 ; 고치다, 갈다 : ~ one's mind 생각을 바꾸다, 고쳐 생각하다 / We keep dairy cows to ~ the hay ***into*** milk. 건초를 우유로 바꾸기 위해서 젖소를 기른다 / The meeting has been ~*d* ***to*** Saturday. 모임은 토요일로 변경되었다 / I ~*d* soiled clothes ***for*** clean ones. 더러워진 옷을 새것으로 갈아입었다. **2** [+目 / +目+*for*+名 / +目+目] 돈을 바꾸다 ; 잔돈으로 바꾸다 ; (수표·어음을) 현금으로 지불하다 : He ~*d* a dollar bill ***for*** ten dimes. 1달러 지폐를 10센트 은화 10개로 바꾸었다 / Can you ~ me this note [~ this note *for* me]? 이 지폐를 잔돈으로 바꾸어 주실 수 있습니까《㊟ 앞의 구문은 특히 《英》에서 즐겨 씀》. **3 a)** [+目 / +目+*with*+名] 교환하다 : They ~*d* seats (***with*** each other). (서로) 자리를 바꾸었다 / I ~*d* places *with* my brother. 동생과 교대했다. **b)** [+目 / +目+*for*+名] (장소·입장 따위를) 전환하다 ; 갈아타다 : ~ schools 전학하다 / He ~*d* trains at Iri ***for*** Namwon. 이리에서 남원행 기차를 갈아탔다. ㊟ 위 예문의 seat*s*, place*s*, school*s*, train*s* 따위의 복수형에 주의.

— *vi.* [動 / +前+名] **1** 변화하다 ; (달·조수가) 바뀌다 : The weather will ~. 날씨는 바뀌겠지 / A caterpillar ~*s* ***into***[***to***] a butterfly. 쐐기벌레는 나비가 된다 / The matter has ~*d* ***for*** the better[worse]. 사태는 개선[악화]되었다. **2** 옷을 갈아입다 : It won't take her five minutes to ~. 그녀가 옷을 갈아입는 데는 5분도 안 걸린다 / He ~*d* ***into*** his flannels. 플란넬 바지로 갈아입었다 / He is *changing* ***for*** dinner. 만찬에 참석하려고 옷을 갈아입는 중입니다. **3** 갈아타다 : All ~! 모두 갈아타시오! / *C~* at Kuro ***for*** Inch'ŏn. 구로에서 인천행을 갈아타세요.

change down (자동차의) 기어를 저속(低速)으로 바꾸다.

change front ☞ FRONT *n.*

change hands ☞ HAND *n.*

change over (1) (두사람이) 위치[입장, 역할]을 바꾸다, 교체하다. (2) (경기에서 두팀이) 코트[사이드]를 바꾸다. (3) (제도·방침·직업 따위를) 새로 바꾸다, (기계 따위가) 교체되다.

change up (자동차의) 기어를 고속으로 바꾸다.

〚OF<L *cambio* to barter< ? Celt〛

類義語 ***change*** 가장 일반적 ; 전의 것과는 전혀 다른 것으로 되다[하다] : She *changed* her stockings. (그녀는 양말을 갈아 신었다). ***alter*** 본질적으로는 변하지 않지만 일부 또는 외관이 변하다 : *Alther* the coat to fit you. (너에게 맞도록 외투[웃옷]를 고쳐라). ***vary*** 불규칙적이며 단속적(斷續的)인 변화를 암시함 : Temperature *varies* during the day. (기온은 하루에도 몇번씩 변한다). ***modify*** 때때로 수정 정도의 부분적인 변경을 의미함 : *modify* the language of a report(보고서의 어구를 수정하다). ***transform*** 원래 형태를 바꾸는 것을 말하나, 지금은 보통 성질 또는 기능을 바꾸는 것을 말함 : *transform* matter into energy (물질을 에너지로 바꾸다). ***convert*** 새로운 용도·기능에 적응토록 완전히 바꾸다 : *convert* a study into a nursery (서재를 육아실로 개조하다).

chánge·able *a.* 변하기 쉬운 ; 가변성(可變性)의, 바뀔 수 있는 ; 변덕스러운 : ~ weather 변덕스러운 날씨. **chànge·abílity** *n.* Ⓤ 변하기 쉬운 성질, 불안정. **-ably** *adv.* 변하기 쉽게 ; 변덕스럽게. **~·ness** *n.* Ⓤ 변하기 쉬움.

chánge-dòwn *n.* (자동차 따위의 기어를) 저속으로 바꾸기.

chánge·ful *a.* 변화가 많은 ; 변하기 쉬운, 불안정한. **~·ly** *adv.*

chánge gèar *n.* 〘機〙 변속기[장치].

chánge·less *a.* 변화가 없는 ; 불변의, 일정한. **~·ly** *adv.* 변함없이, 일정하게.

chánge·ling *n.* 바꿔치기한 아이(elf child)《빼앗아간 아이 대신 요정이 남겨놓은 못생긴 아이》; 작고 추한 사람 ; 《古》 변절자 ; 《古》 바보. 〚*-ling*[1]〛

chánge machìne *n.* 잔돈 교환기.

chánge·màker *n.* 자동 (동전) 환전기.

chánge-of-énds *n.* 〘테니스〙 코트 바꾸기.

chánge·òver *n.* (조직·정책 따위의) 전환, 변경 ; (내각 따위의) 경질, 개조 ; (형세의) 역전.

chánge pòcket *n.* 잔돈용 (호)주머니《여성용 지갑, 남성용 웃옷의 큰 주머니 안의》.

chánge rìnging *n.* 조바꿈의 타종《종을 여러 가지 음색, 특히 4분음계로 침》.

chánge-ùp *n.* 〘野〙 체인지업《타자의 타이밍을 빼앗기 위한 투구》.

chánge whèel *n.* 〘機〙 변속(變速) 기어.

cháng·ing ròom *n.* 《英》 (운동장·체육 시설 따위의) 탈의실.

Chang Jiang [tʃɑ́ːŋ dʒiɑ́ːŋ], **Chang** (**Kiang**) [; tʃǽŋ (kjǽŋ)] *n.* 창장(長江) (강)《양쯔 강(揚

子江)의 통칭》.

***chan·nel**[1] [tʃǽnl] *n.* **1** 강바닥, 하상(河床). **2** 수로 ; 해협《strait보다 큰 것》: the (English) *C*~ 영국 해협. **3** (기둥·문지방 따위의) 홈(groove) ; 도관(導管). **4** 경로, 루트 : ~*s* of trade 무역 루트. **5** 〖通信〗 (라디오·텔레비전 따위의) 채널 ; (할당된) 주파수대(帶) ; 〖컴퓨〗 채널, 통신로 ; 〖재즈〗 채널《경과부》. **6** 《美俗》 (마약을 맞는) 정맥.
—— *vt.* (**-l-** | **-ll-**) **1** [+目/+目+前+名] …에 수로를 내다 ; …에 홈을 파다 ; (수로로서) (길을) 내다 : The river had ~*ed* its way ***through*** the rocks. 강물이 바위산을 경유해서 흘렀다. **2** 수로로 나르다 ; (물자 따위를) …로 향하게 하다 ; 《비유》 이끌다, 어떤 방향으로 향하게 하다 ; 《美俗》 (약물을) 정맥 주사하다.
〖OF<L CANAL〗

channel[2] *n.* 〖海〗 (뱃전에 돌출한) 수평판《돛대의 버팀줄을 맴》. 〖*chainwale* (CHAIN, WALE) ; cf. GUNNEL (< *gunwale*)〗

chánnel bàr *n.* =CHANNEL IRON.

chánnel·ing *n.* 〖理〗 채널링《가속시킨 이온 빔을 단결정(單結晶)에 입사(入射)시킬 때, 그 입사 방향이 결정축[면]에 평행일 경우 입사 이온의 투과율이 현저하게 증대되는 현상》.

chánnel ìron *n.* 홈쇠《U자 모양의 쇠 또는 못》.

Chánnel Íslands *n. pl.* [the ~] 채널 제도(諸島)《프랑스 북서부의 영국 통치령의 제도》.

chánnel lèase *n.* 채널 리스《유선 텔레비전의 빈 채널을 빌림》.

chánnel separàtion *n.* 〖오디오〗 채널 분리《스테레오 시스템에서 동시에 재생되는 좌우 채널간의 cross talk의 비율》.

chan·son [ʃǽnsən ; *F* ʃɑ̃sɔ̃] *n.* (*pl.* **~s** [-*z*]) (특히 카바레 따위에서 노래하는) 샹송, 노래.

chan·son·nier [*F* ʃɑ̃sɔnje] *n.* 샹송 작가 ; (카바레에서 노래하는) 샹송 가수.

***chant** [tʃǽ(:)nt ; tʃɑ́:nt] *n.* **1** 노래(song), 성가(聖歌). **2** 영창(詠唱). **3** 영창조(調) ; 단조로운 말투 ; 슬로건. —— *vt.* **1** (노래·성가를) 부르다 : A choir ~*s* psalms or prayers. 성가대는 찬송가나 기도를 영송한다. **2** (시가(詩歌)로 읊어) 찬송하다 ; (찬사를) 되풀이하다 ; 단조로운 어조로 잇달아 지껄이다 : ~ a person's praises 남을 몇번이고 칭찬하다. —— *vi.* 영송하다.
〖OF<L *canto* (freq.) < *cano* to sing〗

chan·tage [*F* ʃɑta:ʒ] *n.* Ⓤ 강취(強取)(blackmail), 협박, 공갈.

chánt·er *n.* (chant를) 읊조리는 사람, 영창자 ; 성가대의 지휘자, 성가대원 ; (백파이프(bagpipes)의) 지관(指管) ; 《古·俗》 사기 말거간꾼.

chan·te·relle [tʃæ̀ntərél ; ʃæ̀n-] *n.* 꾀꼬리버섯《식용버섯의 일종》. 〖F〗

chan·teuse [ʃæntú:z, -tə́:rz] *n.* (*pl.* **-téus·es** [-z(əz)]) 여가수《카바레 따위의 전속》. 〖F〗

chan·tey, chan·ty [ʃǽ(:)nti, tʃǽ(:)n- ; tʃɑ́:n-] *n.* 〖海〗 (뱃사람이 작업중에 부르는) 노래(shanty).

chan·ti·cleer [tʃæ̀ntəklíər, ʃæ̀n-] *n.* 《文語》 수탉, 때를 알리는 새《COCK[1]을 의인화한 말》.
〖OF=clear singer ; ⇨ CHANT〗

chan·tress [tʃǽ(:)ntrəs ; tʃɑ́:n-] *n.* 《古·詩》 여가수. 〖(fem.) < *chanter*〗

chan·try [tʃǽ(:)ntri ; tʃɑ́:n-] *n.* **1** (명복을 빌어 달라고 바치는) 헌금. **2** 연보[시주]로 만든 공양 제단, 공양당. **3** (교회에 부속된) 소예배당.
〖OF=singing ; ⇨ CHANT〗

chanty ☞ CHANTEY.

***cha·os** [kéiɑs] *n.* **1** Ⓤ (천지 창조 이전의) 혼돈(↔*cosmos*) ; Ⓤ,Ⓒ 무질서, 대혼란 : in ~ 무질서[혼란] 상태로 / economic ~ 경제적 혼란 상태. **2** [C~] 〖그神〗 카오스《천지가 생기고 최초에 태어났다는 신》. **3** 〖數〗 카오스. 〖F or L<Gk.〗
類義語 ⟹ CONFUSION.

cháos thèory *n.* 〖數〗 카오스 이론《결정론적인 미분방정식에서 확률적인 현상이 생기는 구조를 연구하는 수학의 한 분야》.

cha·ot·ic [keiɑ́tik] *a.* 혼돈스런 ; 대혼란의, 무질서한(↔*cosmic*). **-i·cal·ly** *adv.*
〖*erotic* 따위의 유추로 *chaos*에서〗

***chap**[1] [tʃǽp] *n.* 《口》 사내, 놈(fellow) ; 《美南部·中部》 아이 ; 《英方》 단골, 고객.
〖*chap*man〗

chap[2] *n.* [보통 *pl.*] 금, 살갗의 튼 곳 ; 금이 가서 터짐. —— *v.* (**-pp-**) *vt.* (추위·서리가) …에 금이 가게[얼어 터지게] 하다 : The girl's hands were ~*ped* by the cold. 소녀의 손은 추위로 터 있었다. —— *vi.* (손 따위가) 거칠어지다, 살갗이 트다, 금이 가다 : Her skin ~*s* in winter. 겨울이면 그녀의 살갗은 거칠어진다. **chápped** *a.* 살갗이 튼, 피부가 갈라진.
〖ME< ? ; cf. MLG, MDu. *kappen* to chop off〗

chap[3] [tʃɑ́p, tʃǽp] *n.* =CHOP[2].

chap. chapel ; chaplain ; chapter.

chap·a·ra·jos, -re- [ʃæ̀pəréious, -əs] *n. pl.* 《美西部》 =CHAPS. 〖Am. Sp.〗

chap·ar·ral [tʃæ̀pərǽl, ʃæ̀p-, -rél] *n.* 《美西部》 키 작은 떡갈나무 덤불.
〖Sp. (*chaparra* evergreen oak)〗

chaparrál còck[**hèn**] *n.* 뻐꾸기의 일종으로 수[암]컷.

cháp·bòok *n.* 싸구려책《옛날 책장수(chapman)가 팔러 다니던 이야기·가요 따위의 책》.

chape [tʃéip, tʃǽp] *n.* (칼집의) 끝에 씌운 쇠 ; (혁대 장식의) 물림쇠. 〖OF=hood ; ⇨ CAP[1]〗

cha·peau [ʃæpóu ; ⌐-] *n.* (*pl.* **-peaux** [-*z*], **~s**) 모자 ; (특히) 군모(軍帽).
Chapeau bas [-bɑ́:] *!* 탈모 !
〖F ; ⇨ CHAP[1]〗

chapeau bras [⌐ brɑ́:] *n.* (*pl.* **chapéaux brás** [; ⌐--]) (18세기에 썼던) 접을 수 있는 삼각모(帽). 〖F〗

chapeau bras

***chap·el** [tʃǽpəl] *n.* **1** (교회의) 부속 예배당 ; (학교·병원·궁전·대저택 따위의) 예배당, 채플 : a ~ royal 왕궁 부속 예배당 / We go to ~ at nine. 9시에 예배당에 간다《㊟ 관사의 생략에 주의 ; cf. CHURCH 2》. **2** 《英》 (영국 비국교도의) 교회당(cf. CHURCH 1). **3** (학교에서 채플의) 예배식 : keep[miss] a ~ (대학의) 채플(시간)에 출석[결석]하다. **4** 인쇄 공장 ; 인쇄공 조합. —— *a.* 《英》 비국교도의.
〖OF<L (dim.) < *cappa* cloak ; 원래 St. Martin's cloak을 *cappellani* (chaplains)가 모신 sanctuary를 말함〗

chápel gòer *n.* 《英》 비(非)국교도.

cha·pelle ar·dente [*F* ʃapɛl ardɑ̃:t] *n.* 촛불이나 횃불을 켜놓은 귀인(貴人)의 유해 임시 안치소.
〖F=burning chapel〗

chap·er·on, -one [ʃǽpəròun] *n.* 샤프롱《젊은 여성이 사교계에 나갈 때의 보호자 ; 대개 나이 지긋한 부인 ; cf. DRAGON 2》. —— *vt.* (젊은 여성을) 보호 수행하다(escort). 〖F=hood, chaperon (dim.) ‹ *chape* cope ; cf. CAPE²〗

cháp·er·on·age *n.* Ⓤ 샤프롱 노릇.

cháp·fàllen *a.* 풀이 죽은, 맥빠진.

chap·i·ter [tʃǽpətər] *n.* 〖建〗 기둥머리.

chap·lain [tʃǽplən] *n.* 예배당 소속의 목사《궁정·대저택·육해군·학교·병원 따위의 예배당 소속》; 군목, 종군 사제 ; (교도소의) 교회사(敎誨師). **~·cy** *n.* 예배당 ; =CHAPLAINSHIP. **~·shìp** *n.* U,C CHAPLAIN의 직[임기].
〖OF<L ; ⇨ CHAPEL〗

chap·let [tʃǽplət] *n.* 화관(花冠) ; 목걸이 ; (카톨릭의) 작은 묵주. **~·ed** *a.* CHAPLET을 단.
〖OF (dim.)<L ; ⇨ CAP¹〗

Chap·lin [tʃǽplən] *n.* 채플린. Sir **Charles Spencer ~, 'Charlie ~'**(1889-1977) 영국의 영화 배우·연출가·제작자.

chap·man [tʃǽpmən] *n.* (*pl.* **-men** [-mən]) **1** 《英》 행상인(人), 도부 장수(peddler) (cf. CHAPBOOK). **2** 《古》 상인(merchant).
〖OE *cēapman* (CHEAP, *man*)〗

chap·pal [tʃǽpəl] *n.* 인도의 가죽샌들. 〖Hindi〗

chap·pie, -py¹ [tʃǽpi] *n.* 녀석, 놈《CHAP¹의 애칭》; 《俗》 멋쟁이.

chappy² *a.* 살갗이 튼, 피부가 갈라진. 〖CHAP²〗

chaps [ʃǽps, tʃǽps] *n. pl.* 《美》 (카우보이의) 가죽 바지(chaparajos)《엉덩이 부분이 없고 다리를 보호하기 위해 흔히 바지 위에 입음》.

cháp·stìck *n.* 《美》 입술 크림.

‡**chap·ter** [tʃǽptər] *n.* **1** (책·논문의) 장(章)《略 chap., ch., c. ; cf. CANTO》: the first ~=~ one 제1장. **2** 《비유》 중요한 한 구획[구분], 한 장, 한 시기 ; 문제, 화제(topic) ; 일화 ; 《英》 (일련의) 사건, 연속 : a ~ *of* accidents 잇따른 사고 / That ~ is closed. 그 건(件)[문제]은 이제 끝장났다《더 이상 언급할 필요가 없다》. **3 a**) 〖宗〗 (CATHEDRAL 또는 COLLEGIATE CHURCH의) 성당의 참사회(參事會) (college)《그 회원은 CANONS로 DEAN이 주재함》. **b**) (수도원·기사단 따위의) 총회. **4** (동창회·클럽의) 지부, 분회. **5** (시계 문자반의) 숫자, 숫자를 대신하는 기호.
give chapter and verse (성서의) 장과 절을 밝히다 ; (일반적으로) 정확한 출처[전거(典據)]를 밝히다.
to*[*till*] *the end of the chapter 끝까지, 영구(永久)히.
〖OF<L ; ⇨ CAPITAL¹〗

Chápter 11 *n.* 《美》 연방 파산법 제11조.

chápter hòuse[ròom] *n.* 〖宗〗 참사회 회의장 ; (대학 동창회·클럽 따위의) 지부 회관.

chápter rìng *n.* (숫자나 기호가 표시되어 있는) 시계 문자반 모양의 윤상부(輪狀部).

char¹ [tʃɑ́ːr] *vt., vi.* (**-rr-**) (불이 나무를) 숯으로 만들다, 까맣게 태우다[타다]. —— *n.* Ⓤ 숯, 골탄.
〖역성(逆成)? ‹ *char*coal〗
類義語 ⟹ BURN.

char² *n.* **1** 《英》 [보통 *pl.*] (가정의) 허드렛일 (chore). **2** 《英》 =CHARWOMAN. —— *vi.* (**-r-** | **-rr-**) (보통 품팔이로) 가정의 허드렛일을 하다.
〖OE *cerr* a turn, *cierran* to turn ; cf. CHORE〗

char³**, charr** [tʃɑ́ːr] *n.* (*pl.* **~s**, ~) 〖魚〗 곤들매기류(類). 〖C 17< ?〗

char⁴ *n.* Ⓤ 《英俗》 차(tea). 〖Chin. *ch'a*〗

char. charter ; character.

char·a·banc, char-à-banc [ʃǽrəbæ̀ŋ] *n.* 《英》 대형 유람 버스.
〖F *char à bancs* carriage with seats〗

‡**char·ac·ter** [kǽriktər] *n.* **1** U,C (물건의) 특징, 특질(特質), 특성, 특색 ; (일반적으로) 성질 ; 〖遺〗 형질(形質) ; 종류(kind) ; (개인·국민의) 성격, 기질(氣質) ; 품성, 인격 : the ~ of desert areas 사막 지역의 특성 / a face without any ~ 특징이 없는 얼굴 / assume (an international) ~ (국제적인) 성격을 띠다 / different in ~ 성격이 다른 / trees of a peculiar ~ 특이(特異)한 나무 / the ~ of Napoleon[the French] 나폴레옹의 성격[프랑스 국민성] / a man of fine [mean] ~ 품성이 훌륭한[저열한] 사람 / hereditary ~*s* 유전 형질.
2 기골, 기개(moral backbone) : a man of ~ [no ~] 기골이 있는[없는] 사람 / build[form] one's ~ 줏대있는 사람이 되다, 연성(鍊成)하다.
3 평판, 명성, 명망(reputation) : a ~ *for* honesty 정직하다는 평판 / give a person a good [bad] ~ 사람을 칭찬하다[헐뜯다].
4 Ⓤ 지위, 신분, 자격(status) : in the ~ *of* Ambassador 대사의 신분[자격]으로.
5 유명한 사람, 인물 ; 《口》 괴짜 : a public ~ 공인(公人) / a historical ~ 역사적인 인물 / an international ~ 국제적인 인물 / He is quite a ~. 그는 아주 별난 사람이다, 괴짜다 / a bad ~ 평판이 나쁜[악명이 높은] 사람.
6 (소설 따위의) 등장 인물, (극의) 배역 : the leading ~ 주역.
7 (전(前) 고용주가 고용인에게 주는) 인물 증명서, 추천장(testimonial) : a servant with a good ~ 좋은 추천장을 가진 하인.
8 문자(letter), (어떤 국어의) 알파벳, 자체(字體) ; 기호(mark), 부호(symbol) ; 〖컴퓨〗 문자, 캐릭터 : a Chinese ~ 한자 / in the German [Greek] ~ 독일[그리스] 문자로 / write in large[small] ~*s* 큰[작은] 글자로 쓰다 / a musical ~ 악보 기호.
in*[*out of*] *character 그 사람답게[답지 않게], 격에 맞는[맞지 않는], 신분에 맞는[맞지 않는] : go *out of* ~ 신분에 맞지 않는 일을 하다.

〈회화〉
How many Chinese *characters* do you know?
— About 3,000, I guess. 「한자를 몇 자나 알고 있니」「글쎄, 3천자 정도가 아닐까」

〖OF<L=mark, distinctive quality<Gk.〗
類義語 (1) ***character*** 어떤 개인 특유의 도덕적 성질의 총화로서 인물 가치의 기준이 되는 것. ***disposition*** 어떤 독특한 특색을 가진 성질. ***temperament*** 사람의 행동이나 감정에 나타나는 여러 가지 특징의 전반적인 균형. ***temper*** 사람의 감정적인 성질, 특히 비교적 화를 잘내는 것을 암시함. ***personality*** 어떤 개인의 육체적·정신적 특징의 총화로서 그 사람과 다른 사람과의 차이가 명백히 나타나 있는 것.
(2) ⟹ QUALITY.

cháracter àctor[àctress] *n.* 〖劇·映〗 성격 배우[여배우].

cháracter assassinàtion *n.* 《美》 인신 공격, 중상, 비방.

cháracter-básed *a.* 〖컴퓨〗 문자단위 표시방식의.

cháracter dènsity *n.* 〖컴퓨〗 문자 밀도.

cháracter disòrder *n.* 성격 이상(異常).

cháracter·ful *a.* 특색을 나타내는 ; 특징적인.

cháracter generàtion *n.* 활자 생성《활자의 서

체를 전자공학을 이용하여 구성함》.

***char·ac·ter·is·tic** [kæ̀riktərístik] *a.* **1** 특질적인, 독특한. **2** (…에) 특유한 : be ~ *of* …의 특성을 나타내다. —— *n.* **1** 특질, 특성, 특색. **2** 〖數〗 (대수(對數)의) 지표. **-ti·cal·ly** *adv.* 특질상 ; 특징[특색]으로 하여 ; 개성적으로.

characterístic cúrve *n.* 〖理·寫〗 특성 곡선.

characterístic equátion *n.* 〖數〗 특성 방정식.

characterístic radiátion *n.* 〖理〗 특성 복사《원자 중 전자 1개를 제거했을 때 발생하는 복사》.

characterístic róot *n.* 〖數〗 특성근(根).

characterístic velócity *n.* 〖로켓〗 특성 속도.

chàracter·izátion *n.* **1** Ⓤ 특성[특질] 표시, 특징지움. **2** Ⓤ 성격 묘사.

cháracter·ìze *vt.* **1** [+目/+目+*as* 補] …의 특성을 기술[묘사]하다 : The editorial may be ~*d as* a personal attack on Mr. White. 그 사설의 골자는 화이트씨에 대한 인신 공격이라고 할 수 있다. **2** …에 특성[성격]을 부여하다, …의 특색이 되다, 특징지우다 : Mozart's music is ~*d* by its naivety and clarity. 모차르트 음악의 특색은 그 천진난만함과 청아함에 있다.

cháracter·less *a.* 특성[특색]이 없는 ; 인물 증명서가 없는.

char·ac·ter·ol·o·gy [kæ̀riktərálədʒi] *n.* Ⓤ 성격학(性格學). **-o·log·i·cal** [kæ̀riktərəládʒikəl] *a.* **-i·cal·ly** *adv.*

cháracter pàrt *n.* 〖劇·映〗 성격 배우역(役).

cháracter portràyal *n.* 성격 묘사.

cháracter skètch *n.* 인물 촌평 ; 성격 묘사.

cháracter tỳpe *n.* 〖心〗 성격 유형.

char·ac·tery [kǽriktəri, kəræ̀k-] *n.* Ⓤ **1** [집합적으로] 문자, 기호. **2** 문자[기호]의 사용.

cha·rade [ʃəréid ; -rá:d] *n.* **1** 셔레이드《제스처 따위로 어구를 맞추는 게임》. **2** (그 게임의) 동작, 몸짓(으로 나타내는 어구) ; 《비유》 속이 환히 들여다보이는 겉꾸밈[변명].
〖F<Prov. =conversation (*charra* chatter)〗

cha·ran·go [tʃərǽŋgou] *n.* (*pl.* **~s**) 차랑고 《Spanish America의 기타 비슷한 현악기》. 〖Sp.〗

chár·bròil *vt.* (고기를) 숯불에 굽다. **~·er** *n.* 〖*char*coal+*broil*〗

***char·coal** [tʃá:rkòul] *n.* **1** Ⓤ 숯, 목탄 : a piece [bale] of ~ 숯 한 개[가마니]. **2** =CHARCOAL DRAWING. —— *vt.* 목탄으로 쓰다[그리다] ; 숯불에 굽다. 〖ME<? ; cf. Gael. *ceara* red〗

chárcoal bíscuit *n.* (소화를 돕기 위해) 숯을 섞은 비스킷.

chárcoal bùrner *n.* 숯굽는 사람 ; 숯가마 ; 숯풍로, 화로 ; [C~ B~s]=CARBONARI.

chárcoal dràwing *n.* 목탄화(畫).

chárcoal gráy *n.* 검정에 가까운 회색.

chárcoal pàper *n.* 목탄지(紙).

chard [tʃá:rd] *n.* 〖植〗 근대(=Swiss ~). 〖F〗

chare [tʃéər, tʃǽər] *n., v.* =CHAR².

‡charge [tʃá:rdʒ] *vt.* **1** [+目/+目+*with*+名] …에 채우다, 담다, (전기를) 통하다, 충전하다 ; 장전하다(fill, load) : A gun is ~*d* ***with*** powder and shot. 총포에는 화약과 포탄을 장전한다.
2 [+目+*with*+名] (의무·책임 따위를) …에 지우다, 부과하다 ; …에 위탁하다(entrust) : Law ~*s* policemen ***with*** keep*ing* law and order. 법률은 경찰관에게 법과 질서의 유지라는 임무를 부과한다 / He ~*d* himself *with* a heavy task. 중대한 임무를 스스로 걸머졌다.
3 a) [+目+*to* do] 명하다(command) : Mother has ~*d* me *to* take care of you. 어머님께서 당신을 돌보라고 하셨습니다. **b)** (재판관·주교 등이) …에 유시(諭示)[훈시]하다.
4 [+目+前+名/+*that* 節] …에 (죄를) 뒤집어 씌우다, 고발하다, 나무라다(blame) : The driver was ~*d* ***with*** speed*ing.* 운전사는 속도 위반으로 고발당했다 / Don't ~ the fault (***up***)***on*** me. 잘못을 나에게 뒤집어 씌우지 마라 / He ~*d* the failure ***to*** overconfidence. 그는 실패를 지나치게 자신한 탓으로 돌렸다 / He ~*d that* they had infringed his copyright. 그들이 저작권[판권]을 침해했다고 고발했다.
5 [+目+*for*+名/+目+目] (지불을) 부담시키다, (대가·요금 따위를) 청구하다, (값을) 매기다 : We ~ twenty pence a dozen ***for*** eggs. 달걀 값은 1다스에 20펜스입니다 / Sometimes a small fee is ~*d for* the use of a bridge. 가끔 소액의 교량 사용료가 부과된다 / He always ~*s* me too much *for* his goods. 그는 항상 나에게 물건 값을 비싸게 청구한다 / We have been ~*d* excessive prices. 터무니없이 비싼 값을 물었다.

〈회화〉
How much do you *charge* for a room for two nights? — Ten dollars per night, so twenty dollars in all. 「이틀 묵을 방하나 빌리는데 요금은 얼마입니까」「1박에 10달러니까 모두 20달러입니다」

6 《주로 美》 [+目+*to*+名] 차변(借邊)에 기입하다(debit) ; (상품을) 외상으로 팔다 : You can ~ the cost ***to*** me[*to* my account]. 비용은 내 앞으로[나의 계정에] 달아놓아도 좋다.
7 습격하다, …로 돌격하다(attack) ; (축구 따위에서) 차징하다 : They began to ~ the enemy. 적을 향해 돌격을 개시했다.
8 (무기를) 겨누다 : *C*~ bayonets ! 착검 !
—— *vi.* [動/+前+名] **1** 돌격하다 : The bear suddenly ~*d* ***at*** me. 곰은 갑자기 나에게 덤벼들었다. **2** [動/+*for*+名] 대가를 청구하다 : He ~*s* too high (***for*** his service). (사례로) 엄청나게 청구하고 있다. **3** 《美俗》 스릴을 느끼다.
charge off (1) 손실로서 공제하다. (2) (과실 따위를 …에) 돌리다, (…의 일부로) 간주하다 : A bad mistake must be ~*d off to* experience. 좋지 못한 실수도 경험의 하나로 여겨야만 한다.
—— *n.* **1** Ⓤ,Ⓒ 충전 ; (1발 분의) 장약, 화약 ; (용광로 1회 분의 원광의) 투입. **2** Ⓤ 의무, 책임 ; 위탁, 보호, 관리 ; 담임, 돌봄. **3** 위탁받은 사람《유모의 아기, 목사의 신도 등》. **4** Ⓤ 훈령, 훈시, 유시. **5** 고소, 문책, 죄, 과실 : bring a ~ of theft against a person 사람을 절도죄로 고발하다. **6** 청구금액, 대가(price) ; [때때로 *pl.*] (제)비용 : *at* one's own ~ 자비로 / free of ~ = without ~ 무료로 / make a ~ (가격·비용을) 얼마라고 부르다 / No ~ for admission. 입장 무료 / at a ~ *of* …의 비용으로 / ~*s* forward [paid] 제(諸)비용 선불[지불 완료]. **7** 짐 ; 부담(burden), 과세금, 세금〈*on*〉. **8** 〖蹴〗 차지《전진저지》 ; 〖軍〗 돌격(onset), 돌진 ; 진군 나팔[북]. **9** 〖紋〗 (방패의) 문장(bearing). **10** 《美俗》 스릴, 즐거운 경험. **11** 《俗》 성적 흥분 ; 《卑》 발기(勃起). **12** 《俗》 마리화나 ; 《美俗》 마약의 효과.
give*[*take*]*...in charge 《英》 (도둑 등을) 경찰에 넘겨주다[인수하다].
give...in charge to a person (물건을) 남에게 맡기다.
have charge of …을 (떠)맡다, …을 인수받다.
in charge (***of...***) (1) (…을) 맡고 있는, (… 의)

담당인 : the nurse *in* ~ *of* the patient 그 환자의 담당 간호사 / the person *in* ~ *of* the assembly 그 회합의 사회자 / the teacher[doctor] *in* ~ 담임교사[주치의]. (2) (…에) 맡긴 : the patient *in* (*the*) ~ *of* the nurse 그 간호사에게 맡겨진 환자 / The baby was left *in the* ~ *of* the neighbor. 그 아기는 이웃 사람에게 맡겨져 있었다. 주 (2)의 용법으로는 the를 붙이는 것이 좋음.

lay. . . to a person***'s charge*** …을 남의 책임으로 하다.

make a charge against …을 비난하다.

on (***the***[***a***]) ***charge of. . .*** =***on charges of*** …의 죄로 : He was arrested *on* ~*s of* murder. 그는 살인 혐의로 체포되었다 / He was tried *on a* ~ *of* not believ*ing* in the gods. 그는 신을 믿지 않았다는 이유로 재판에 회부되었다.

put. . . under[***in***] a person***'s charge*** …을 남에게 맡기다.

return to the charge (돌격・논쟁을) 다시 시작하다.

take charge 주선[담임・감독・취임]하다 ; 《口》 제어할 수 없게 되다, (차 따위가) 폭주하다.

take charge of …을 떠맡다, 담당하다.

〖OF<L (*carrus* CAR)〗

類義語 (*v.*) (1) ***charge*** 규칙 위반 같은 가벼운 죄를 비난할 때도 사용되는 수가 있지만 보통은 법률 위반과 같은 중대한 범죄를 법률적인 절차를 거쳐 고발하다 : He was *charged* with theft. (절도죄로 고발당했다). ***accuse*** 본인에게 직접 어떤 죄를 비난하나, 반드시 법적 수속 절차에만 의하는 것은 아니다 : He *accused* me of cowardice. (나를 비겁하다고 비난했다).
(2) ⟹ ORDER ; (*n.*) ⟹ PRICE.

char·gé [ʃɑːrʒéi ; ⌐-] *n.* =CHARGÉ D'AFFAIRES. 〖F〗

chárge·able *a.* **1** (책망・견책・죄를) 들을 만한[져야 할] ⟨*on* a person⟩, (죄로) 고소당해야 할 ⟨*with* guilt⟩. **2** (부담・비용을) 떠맡아야 할⟨*on* a person *to* one's account⟩ ; (세금이) 부과되어야 할⟨*on* a thing, *against* a person⟩. **3** (교구 따위의) 신세를 지는⟨*to*⟩.

chárge accòunt *n.* 《美》 외상 판매 계정 (=《英》 credit account).

chàrge·ahólic *n.* 크레디트 카드 남용자.

chárge-a-plàte [-ə-], **chárge càrd** *n.* 크레디트 카드.

chárge conjugàtion *n.* 〖原子〗 하전 공액(荷電共軛)변환 《입자를 반(反)입자로 바꿔 넣는 변환》.

chárge-cóupled devíce *n.* 〖電子〗 전하(電荷) 결합 소자, 전자(電子) 디스크《반도체 소자의 일종 ; 略 CCD》.

chárge cùstomer *n.* 외상 손님, 신용 거래처.

charged [tʃɑ́ːrdʒd] *a.* **1** 〖理〗 충전된. **2** 정열적인, 열렬한 ; (분위기 따위가) 긴장된, 일촉 즉발의 ; 논쟁을 유발하는, 과열된.

char·gé d'af·faires [ʃɑːrʒéi dəféər, -fǽər ; ʃɑ́ːʒei dæ-] *n.* (*pl.* **char·gés d'-** [ʃɑːrʒéiz- ; ʃɑ́ːʒeiz-]) 대리 대[공]사 ; 공사 대리. 〖F=in charge of affairs〗

chárge dènsity *n.* 〖理〗 전하 밀도(電荷密度).

chárged párticle bèam *n.* 〖理〗 하전(荷電) 입자선(particle beam).

chárged párticle béam wèapon *n.* 〖軍〗 하전 입자 빔 무기.

chárge·hànd *n.* 《英》 직장(職長), 조장, 주임.

chárge nùrse *n.* 《英》 병동 주임 간호사.

chárge of quárters *n.* 《美》 당직 (하사관).

chárge plàte *n.* =CHARGE-A-PLATE.

charg·er[1] [tʃɑ́ːrdʒər] *n.* **1** 《古》 〖軍〗 (장교의) 승마, 군마 ; 돌격자. **2** 장전수(裝塡手), 장탄기 ; 충전기.

char·ger[2] *n.* 《古》 큰 접시. 〖AF〗

chárges colléct *n.* 운임 착지(着地) 지급.

chárge shèet *n.* 경찰의 기소용 범죄자 명부.

Chár·ing Cróss [tʃǽriŋ-] *n.* 차링 크로스《London의 중심부에 있는, Strand 가(街) 서쪽끝의 번화한 광장》.

char·i·ot [tʃǽriət] *n.* **1** 〖史〗 2륜 전차《고대 그리스・로마에서 전쟁・경주 따위에 사용된 2륜 마차로 선 채로 탔음》. **2** (18세기의) 4륜 경마차. **3** 《詩》 화려한 수레, 꽃마차. —— *vt., vi.* 《文語》 전차를 몰다 ; 마차로 나르다.
〖F (augment.) ⟨ *char* CAR〗

char·i·o·teer [tʃæ̀riətíər] *n.* 전차(chariot)를 모는 사람.

cha·ris·ma [kərízmə] *n.* (*pl.* **~s, -ma·ta** [-tə]) **1** 〖神學〗 카리스마, 천부의 재능《신으로부터 특별히 받은 재능》. **2** (특정한 개인이나 지위에 따른) 신복력(信服力), 권위, 남을 끌어당기는 힘, (대중을 영도하는) 특별한 매력. **char·is·mat·ic** [kæ̀rəzmǽtik] *n., a.* 〖L<Gk. (*kharis* grace)〗

char·i·ta·ble [tʃǽrətəbəl] *a.* 자비로운 ; 관대한 (generous) ; 자선의[을 위한] : a ~ institution 자선 시설. **-bly** *adv.* 자비롭게. **~·ness** *n.*

***char·i·ty** [tʃǽrəti] *n.* **1** Ⓤ (성서에 쓰여 있는) 사랑(Christian love). **2** Ⓤ 박애, 자비심, 동정 ; 관용⟨*to*⟩ : *C*~ begins at home. 《속담》 사랑은 가정에서부터 시작된다, 사랑은 부모로부터 시작된다《기부나 봉사 따위를 거절할 때의 구실로 흔히 씀》. **3** Ⓤ 자선 (행위), 구호금, 적선 : the Sisters of *C*~ ☞ SISTER 숙어. **4** [*pl.*] 자선 사업 : She left the money to *charities*. 유언에 따라 그 돈을 자선 사업에 기부했다. **5** 자선 단체 ; 양육원 ; 요양원.

in[***out of***] ***charity*** (***with. . .***) (…을) 가련히 여겨, (…에 대한) 자비심에서.

〖OF<L *caritas* (*carus* dear)〗

chárity bòy[**gìrl**] *n.* 자선 학교의 남[여]학생.

chárity chìld *n.* 고아원의 아이들.

Chárity Commíssion *n.* 《英》 자선 사업 감독 위원회.

chárity dàme[**mòll**] *n.* (매춘부가 아닌) 군인 상대의 위안부.

chárity hòspital *n.* 자선[무료 진료] 병원.

chárity schòol *n.* 자선 학교.

chárity shòw *n.* 자선 쇼[흥행].

chárity stàmp *n.* 자선 우표.

chárity wòrk *n.* 자선 사업.

cha·riv·a·ri [ʃivəríː, ⌐-⌐, ʃərìv- ; ʃɑ̀ːrivɑ́ːri] *n.* = SHIVAREE.

chark [tʃɑːrk] *n.* 《英方》 숯, 목탄(charcoal). —— *vt.* [動/+目] 숯을 굽다 ; (석탄을) 코크스로 만들다.

chár·làdy *n.* 《英》 =CHARWOMAN.

char·la·tan [ʃɑ́ːrlətən] *n.* 허풍선이 ; 야바위꾼 (imposter) ; 돌팔이 의사. **~·ìsm, ~·ry** *n.* Ⓤ 허풍, 야바위. 〖F<It. =babbler〗

Char·le·magne [ʃɑ́ːrləmèin] *n.* 샤를마뉴 대제(大帝) (742-814)《프랑크 국왕(768-814) ; 서로마 제국의 황제(800-814)》.

Charles [tʃɑ́ːrlz] *n.* 남자 이름《애칭 Charley, Charlie》.

Charles I (1) 찰스 1세(1600-49)《내란으로 처형된 영국왕》. (2) =CHARLEMAGNE.

Charles II 찰스 2세(1630-85)《Charles Ⅰ세의 아들, 왕정 복고 후의 영국왕》.
Charles the Great =CHARLEMAGNE.
〖Gmc. =man〗
Charles's Wain [tʃɑ́ːrlzəz wéin] *n.* 《英》 **1** [the ~] 북두 칠성(the Plow) (cf. DIPPER 4). **2** 큰곰자리(the Great Bear).
Charles·ton [tʃɑ́ːrlstən] *n.* **1** 찰스턴《미국 South Carolina 주의 항구 도시》. **2** 찰스턴《1920년대에 미국에서 유행한 춤》. —— *vi.* 찰스턴을 추다.
Char·ley [tʃɑ́ːrli] *n.* **1** 남자 이름《Charles의 애칭》; 《美黑人俗》 백인 양반(Charlie). **2** [보통 c~] 《俗》 경찰, 야경꾼.
Chárley Cóke *n.* 《美俗》 코카인 (중독자).
Chárley Góon *n.* 《美俗》 순경.
chárley hòrse *n.* [때때로 C~] 《美口》 근육 경직, 근육통.
char·lie [tʃɑ́ːrli] *a.* 《英俗》 복장 따위 스타일이 싸구려인; 겉만 번드르르한; 상류계급이 아닌.
Charlie *n.* **1** 남자 이름《Charles의 애칭》. **2** [때때로 c~] 《美黑人俗》 백인(白人), 《호칭》 백인 양반(=Mr. C~), 백인 사회. **3** [때때로 c~; *pl.*] 《俗》 유방; 《英俗》 불알. **4** [때때로 c~] 《濠口》 여자애(girl). **5** 문자 c를 나타내는 통신 용어(cf. COMMUNICATIONS CODE WORD); [*pl.*] 《美軍俗》 =C RATION*s*; 《美俗》 코카인.
Chárlie Nébs [-nébz] *n.* 《美黑人俗》 경찰관.
char·lock [tʃɑ́ːrlɑk, -lək] *n.* 들갓《겨자과》.
〖OE *cerlic* < ?〗
char·lotte [ʃɑ́ːrlət] *n.* 샬럿《과일·크림 따위를 카스텔라[빵·비스킷]에 넣어서 구운 케이크》. 〖F〗
chárlotte rússe [-rúːs] *n.* 러시아풍(風)의 charlotte. 〖F=Russian charlotte〗
charm** [tʃɑ́ːrm] *n.* **1** Ⓤ.Ⓒ 매력(fascination), 마력, 마법(spell); [보통 *pl.*] (여자의) 아름다운 용모, 애교, 요염함. **2** (시계줄 따위의) 장식. **3** 주문(呪文), 호신부, 부적〈*against*〉: act like a ~ (약 따위가) 신통하게 듣다. —— *vt.* **1** [+目/+目+前+名] 매혹시키다, 반하게 하다: Goodness often ~*s* more than mere beauty. 선(善)함은 종종 아름다움보다도 더 사람의 마음을 사로잡는다《외모보다 마음씨》/ She was ~*ed* ***with the beautiful scene. 아름다운 광경에 넋을 잃었다(cf. CHARMED 3). **2** [+目+副/+目+前+名/+目+補] 매혹하여[…에 마력을 걸어서] (어떤 상태가) 되게 하다: Her laughter ~*ed* ***away*** his cares. 그녀의 웃음 소리를 듣고 그는 걱정거리도 잊어 버렸다 / ~ the secret ***out of*** a person 남을 홀려서 비밀을 캐내다 / ~ a person asleep 남을 매료시켜 잠들게 하다. 〖OF<L *carmen* song〗
類義語 ⟹ ATTRACT.
charmed [tʃɑ́ːrmd] *a.* **1** 반한; 마술에 걸린; 저주받은. **2** 마술[신통력]로써 보호된: bear [have] a ~ life 불사신(不死身)이다. **3** 《口》 [*pred.*로 써서] [+*to* do] 즐거워하는 (pleased): I shall be ~ *to* see you tomorrow. 내일 만나뵙게 되면 참으로 기쁘겠습니다.
chármed círcle *n.* 배타적 집단, 특권 계급.
chárm·er *n.* 매력적인 사람[것]; 마법사; 《戲》 요염한 여자.
Char·meuse [ʃɑːrmjúːz; ʃɑːmúːz] *n.* 샤르무즈《공단 비슷한 견직물; 상표명》.
***chárm·ing** *a.* 매혹적인, 즐거운(delightful): a ~ young lady 매력적인 젊은 여성. **~·ly** *adv.*
char·mo·ni·um [tʃɑːrmóuniəm] *n.* (*pl.* ~) 〖理〗 차모늄《참(charm) 쿼크(quark)와 참 반(反)쿼크로 이루어진 입자》.
chárm schòol *n.* (여성에게 사교술·화술·미용·교양 따위를 가르치는) 참 스쿨.
char·nel [tʃɑ́ːrnl] *n.* 납골당(=∠ **hòuse**). —— *a.* 납골당같은; 죽은 듯한.
〖OF=burying place (L CARNAL)〗
Cha·ro(l)·lais [ʃærəléi] *n.* 샤롤레《프랑스 원산의 대형 흰 소; 주로 식육·교배용》.
〖원산지(原産地) 이름〗
Char·on [kéərən, kǽər-] *n.* 〖그神〗 카론《저승길의 강(Styx)에 있는 나룻배 사공》; 《戲》 뱃사공(ferryman): ~'s boat[ferry] 저승길 강의 나룻배; 임종.
char·qui [tʃɑ́ːrki, ʃɑ́ːr-] *n.* Ⓤ 차르키《브라질 따위의 (쇠고기) 육포》. 〖Sp.<Quechua〗
char·rette [ʃərét] *n.* 각 분야 전문가의 도움으로 문제를 논하는 집단 토론회. 〖F〗
char·ry [tʃɑ́ːri] *a.* 숯같은.
***chart** [tʃɑ́ːrt] *n.* **1** 해도(海圖), 수로 지도(cf. MAP, ATLAS). **2** 표, 도표: a weather[physical] ~ 일기[지형]도. —— *vt.* 해도에 기입하다; 도표로 만들다. 〖F<L *charta*; ⇨ CARD[1]〗
***char·ter** [tʃɑ́ːrtər] *n.* **1 a)** (도시·협회 따위 설립의) 면허[특허](장), 인가(장). **b)** 특권, 특별면제. **2** =CHARTER PARTY. **3** (인권 확인의) 선언, 헌장: ☞ ATLANTIC CHARTER / the *C*~ of the United Nations 국제 연합 헌장 / the Great *C*~ 대헌장(Magna C(h)arta) / ☞ PEOPLE'S CHARTER. **4** (버스·비행기 따위의) 대차계약(서), 전세; (선박의) 용선 계약. —— *vt.* **1** …에 특허장을 주다, 면허하다. **2** (선박을) 용선 계약으로 대절하다, (비행기·자동차 따위를) 전세내다(hire).
〖OF<L *chartula* (dim.) ‹CHART〗
類義語 ⟹ HIRE.
chárter·age *n.* 임대차 계약, (특히) 용선계약(傭船契約); 용선료.
chárter còlony *n.* 〖美史〗 특허 식민지《영국왕이 개인·상사 따위에게 교부한 특허장으로 건설된 식민지》.
chár·tered *a.* **1** 특허받은, 공인(公認)된: a ~ accountant 《英》 공인 회계사, 계리(計理)사 (cf. CERTIFIED) / a ~ company 《英》 특허 회사 / a ~ libertine 천하가 다 아는 난봉꾼 / ~ rights 특권. **2** 용선(傭船) 계약을 한; 대절의: travel in a ~ aircraft 전세 비행기로 여행하다.
chárter·er *n.* 용선 계약자.
chárter flíght *n.* 〖空〗 차터[전세]편.
Chárter·hòuse *n.* **1** 카르투지오회 수도원(Carthusian monastery). **2** [the ~] (1611년 런던의 카르투지오회 수도원자리에 세워진) 차터하우스 양로원. **3** 차터하우스 스쿨(=∠ **Schóol**)《그곳에 병설된 후에 Surrey주(州)의 Godalming [gɑ́dəlmiŋ]으로 옮겨진 유명한 public school; cf. CARTHUSIAN》.
chárter mémber *n.* (협회 따위의) 창립 위원.
chárter pàrty *n.* 용선 계약(서)《略 C/P》.
chárter ràte *n.* 〖出版〗 특별요금《새 잡지의 정기 구독자나 광고주에게 주는 할인요금》.
Charter 77 [∠ sévəntisévən] *n.* 헌장 77《1977년 구체코슬로바키아의 반체제파가 인권옹호·언론의 자유를 요구한 선언》.
chárt hòuse[ròom] *n.* 〖海〗 해도실(室).
Char·tism [tʃɑ́ːrtizəm] *n.* Ⓤ 〖英史〗 차티스트운동(1838-48); 그 주의. **-tist**[1] *n.* 차티스트 운동 참가자. 〖L *charta* charter, *-ism*; 'People's Charter'에서〗
chárt·ist[2] *n.* **1** 지도 작성자(cartographer). **2** 괘

선표에 의거하여 주식시장의 동향을 분석 예측하는 주식 전문가.

chárt·less *a.* 해도(海圖)가 없는, 해도에 없는.

chart·og·ra·phy [kɑːrtɑ́grəfi, tʃɑːr-] *n.* =CARTOGRAPHY.

Char·treuse [ʃɑːrtrúːz, -s ; -trə́ːz] *n.* **1** 카르투지오회 수도원. **2** [c~] Ⓤ 샤르트루즈《프랑스산의 달콤하고 향기로운 술》. **3** Ⓤ 연한 황녹색, 연두빛. 〖La Grande *Chartreuse* 프랑스의 Grenoble 근처의 수도원〗

char·tu·lary [kɑ́ːrtʃəlèri, tʃɑ́ːr- ; -ləri] *n.* 특허장 대장, 등기부(cartulary).

chár·wòman *n.* 《英》 날품팔이 여자, 잡역부(雜役婦) ; 《美》 (큰 빌딩의) 청소부.

chary [tʃέəri, tʃǽəri] *a.* (**more ~, chár·i·er ; most ~, chár·i·est**) [+前+do*ing*] **1** 조심성 있는 : A cat is ~ ***of*** wett*ing* its paws. 고양이는 발이 젖지 않도록 조심한다. **2** 경원하는, 삼가는 : A bashful person is ~ ***of*** strangers. 수줍음 타는 사람은 낯선 사람을 경원한다. **3** 아끼는, 인색한(sparing) : He is ~ ***of*** praise[prais*ing* others]. 그는 좀처럼 남을 칭찬하지 않는다 / be ~ *of* speech 말수가 적다.
chár·i·ly *adv.* **-i·ness** *n.*
〖OE *carig* sorrowful, grievous ; ⇨ CARE〗

Cha·ryb·dis [kəríbdəs] *n.* 카리브디스《Sicily 섬 난바다의 큰 소용돌이 ; 배를 삼킨다고 전해옴》.
between Scylla and Charybdis ☞ SCYLLA.

Chas. Charles.

chase**[1] [tʃéis] *vt.* **1** 쫓다, 추적[추격]하다(pursue) ; 사냥하다(hunt) : ~ hares[foxes] 토끼[여우]를 몰다 / The policeman is *chasing* thief. 경찰관은 도둑을 뒤쫓고 있다 / John ~*d* her for a year but at last gave up. 존은 1년간이나 그녀의 뒤를 쫓아다녔으나 결국에는 단념해 버렸다. **2** [+目+副 / +目+前+名] 몰아내다, 쫓아 버리다[내다](drive) : *C*~ this cat ***out (***of*** the room). 이 고양이를 (방에서) 쫓아내라. ── *vi.* 《口》 [+副 / +前+名] 돌진하다(rush), 서두르다(hurry) : The boys and girls ~*d* ***off after*** the parade. 소년 소녀들은 행렬의 뒤를 쫓아갔다. ── *n.* **1** 추적, 추격 ; 추구 : give ~ to …을 쫓아가다, 추격하다 / in ~ of …을 쫓아서 / in (full) ~ (사냥개 따위가) (아주 급하게) 추적하여. **2** [the ~] 쫓기는 짐승[배]. **3** [the ~] (스포츠로서의) 사냥(hunting) (cf. FOREST 3) : the spoils of *the* ~ (사냥에서) 잡은 불치.
〖OF<L *capto* ; ⇨ CATCH〗

chase[2] *vt.* (금속에) 돋을새김을 하다, …에 무늬를 양각하다(engrave).
〖? ME *enchase*<F ; ⇨ CASE[2]〗

chase[3] *n.* 홈, 홈줄(groove) ; 〖建〗 (벽의) 세로홈 ; 〖印〗 (활자가 움직이지 않게 죄는) 판(版)틀 ; (대포의) 앞 포신(砲身)《포이(砲耳)에서 포구까지》. ── *vt.* …에 홈을[구덩이를] 만들다 ; 홈에 넣다 ; 움푹 들어가게 하다.
〖F=enclosed space<L *capsa* CASE[2]〗

cháse càr *n.* 《美俗》 =CATCH CAR.

cháse gùn *n.* 〖砲〗 (군함 이물의) 추격포 ; (군함 고물의) 박격포.

chas·er[1] [tʃéisər] *n.* **1** 뒤쫓는 사람 ; 추격자. **2** 사냥꾼(hunter). **3** 〖空〗 추격기 ; 〖海軍〗 구잠정(驅潛艇) ; 박격포. **4** 《口》 독한 술을 마신 뒤에 마시는 물[탄산수] ; 《英》 (커피 · 담배 따위 다음에 입가심으로 마시는) 한 잔의 술. 〖CHASE[1]〗

chaser[2] *n.* 돋을새김 ; 세공인. 〖CHASE[2]〗

***chasm** [kǽzəm] *n.* (지면 · 바위 따위의) 깊이 갈라진 틈[균열] ; 깊은 구멍 ; 틈새(gap) ; 결함 ; (감정 · 의견 따위의) 엇갈림, 크게 다름, 불화.
~ed *a.* 갈라진 틈이 있는. 〖L<Gk.〗

chásmy *a.* 깊게 갈라진 틈이 많은.

chasse [ʃǽ(ː)s, ʃɑ́ːs] *n.* Ⓤ (커피 · 담배 직후에 마시는) 입가심 술. 〖F〗

chas·sé [ʃæséi ; ⌐-] *n.* 샤세《미끄러지듯이 빨리 밟는 스텝》. ── *vi.* (**~d ; ~·ing**) 샤세로 춤추다. 〖F〗

chas·seur [ʃæsə́ːr] *n.* 프랑스의 추격병《경장비의 보병 · 기병》 ; 사냥꾼 ; 제복 입은 사환. ── *a.* 백포도주와 머시룸으로 된 소스의[로 요리한].
〖F=huntsman〗

chas·sis [ʃǽsi(ː), tʃǽsi(ː)] *n.* (*pl.* ~ [-z]) (자동차 따위의) 섀시, 차대(車臺) ; 포가(砲架) ; (비행기의) 각부(脚部) ; (포가가 그 위에서 전후로 움직이는) 가대(架臺) ; (라디오 · 텔레비전의) 섀시《세트를 조립하는 대》. 〖F<L ; ⇨ CASE[2]〗

***chaste** [tʃéist] *a.* **1** 순결한, 정숙한. **2** (사상 · 언어의) 순수한(pure). **3** (취미 · 문체 따위가) 고상한(decent), 간결한. **~·ly** *adv.* 순결[순수]하게.
〖OF<L *castus* chaste〗

chas·ten [tʃéisən] *vt.* **1** 징계하다, (신 · 역경이 인간을) 단련하다. **2** (열정 따위를) 억제하다, 누그러뜨리다(subdue), (기질 따위를) 연마하다 ; (사상 · 문체 따위를) 세련되게 하다(refine).
~ed *a.* 단련된, 연마된 ; 누그러진, 잠잠해진(subdued). 〖*chaste* (v.) <OF<L (↑)〗

chas·tís·able *a.* 응징받아야 할.

chas·tise [tʃæstáiz] *vt.* 《文語》 징벌하다, 혼내주다(punish). 〖CHASTEN〗

chastíse·ment [, tʃǽstəz-] *n.* Ⓤ,Ⓒ 징계, 징벌.

chas·ti·ty [tʃǽstəti] *n.* **1** Ⓤ 순결 ; 정숙. **2** Ⓤ (사상 · 감정의) 순화 ; (문체 따위의) 간결.

chástity bèlt *n.* 정조대.

chas·u·ble [tʃǽzjəbəl, -səbəl] *n.* 미사의 제의(祭衣)《사제가 ALB 위에 걸쳐 입는 소매 없는 예복》.
〖OF<L *casubla*‹*casula* hooded cloak, little cottage (dim.) ‹ *casa* cottage〗

chat**[1] [tʃǽt] *n.* **1** 잡담, 한담(gossip) : have a ~ with …와 잡담하다. **2** 〖鳥〗 지빠귀과(科)의 작은 새. ── *vi.* (**-tt-**) [動 / +副 / +前+名] (한가롭게) 담소[잡담]하다 : We ~*ted away* in the lobby. 우리는 휴게실에서 잡담으로 시간을 보냈다 / I ~*ted* ***with my friends ***about*** the affair. 그 건에 관해서 친구들과 어울려서 이야기를 했다.
〖*chat*ter〗

chat[2] *n.* **1** 〖植〗 꼬리 꽃차례 ; 시과(翅果) ; 수상 꽃차례. **2** 《俗》 이(louse).
〖F *chat* cat ; 꼬리의 연상(聯想)〗

châ·teau [ʃætóu ; ⌐-] *n.* (*pl.* **~x** [-*z*], **~s**) (프랑스의) 성(castle) ; 대저택(mansion).
〖OF ; ⇨ CASTLE〗

cha·teau·bri·and, -ant [ʃætoubriɑ̃] *n.* [흔히 C~] 샤토브리앙《필레(fillet)를 사용한 비프 스테이크》.

Château wine [⌐⌐] *n.* 샤토 와인《프랑스 Bordeaux 부근의 우량 포도주》.

chat·e·lain [ʃǽtəlèin] *n.* =CASTELLAN.

chat·e·laine [ʃǽtəlèin] *n.* **1** 성주의 부인 ; 여자 성주 ; 대저택의 여주인 ; 여주인(hostess). **2** (여성용) 허리띠의 장식용 쇠사슬《시계 · 열쇠 따위를 닮》. 〖F<L CASTELLAN〗

cha·toy·ant [ʃətɔ́iənt] *a.* 광택[빛깔]이 변하는《견직물 · 보석 따위 ; 보기 cat's-eye》. ── *n.* 광택이 변화되는 보석.
〖F (*chatoyer* to change luster like a CAT's-eye)〗

chát shòw *n.* 《英》 =TALK SHOW.
chat·tel [tʃǽtl] *n.* **1** 〖法〗 동산 : ~ mortgage 《美》 동산 저당 / ~*s* personal 순수 동산 / ~*s* real 부동산적 동산《토지의 정기 임차권 따위》. **2** 소지품 ; [*pl.*] 가재 : goods and ~*s* 가재 도구. 〚OF ; ⇨ CATTLE〛
*__chat·ter__ [tʃǽtər] *vi.* [動 / +前+名] **1** 재잘재잘 지껄이다, 쓸데없는 수다를 떨다 : The girls were ~*ing* ***over*** their needlework. 계집아이들은 수를 놓으면서 종알종알 잡담을 하고 있었다. **2** (새가) 지저귀다 ; (원숭이가) 캑캑거리다 ; (이·기계 따위가) 달각달각[덜컹덜컹] 소리를 내다 : Monkeys ~. 원숭이는 캑캑거린다 / My teeth ~*ed with* cold. 추워서 이가 덜덜 떨렸다. —— *n.* **1** Ⓤ 지껄임. **2** 캑캑거리는 소리 ; (기계·이 따위가) 덜거덕거리는 소리. 〚ME (imit.)〛
chátter·bòx *n.* 수다쟁이.
chátter·er *n.* 수다를 떠는 사람 ; 참새목(目)의 각종 새《특히 여새 따위》.
chátter màrk *n.* **1** 〖機〗 (진동으로 깎인 면에 생기는) 잔금 무늬. **2** 〖地質〗 채터 마크《빙하의 침식에 의한 암석 표면의 불규칙한 얕은 가로홈》.
chátter·pìe *n.* 《俗》 =CHATTERBOX.
chát·ty *a.* (흔히 **chát·ti·er ; -ti·est**) 수다스러운, 재잘거리는, 지껄이기 좋아하는 ; 기탄없는 : a ~ old man 지껄이기 좋아하는 늙은이 / a ~ letter 기탄없는 편지. 〚CHAT[1]〛
Chau·cer [tʃɔ́:sər] *n.* 초서. **Geoffrey** ~ (1343?-1400) 영국의 시인, *The Canterbury Tales*의 작자 ; 「영시의 아버지」.
Chau·ce·ri·an [tʃɔ:síəriən] *a.* CHAUCER의[에 관한]. —— *n.* Chaucer 연구가.
chaud·froid [*F* ʃofrwa] *n.* 쇼프루아《젤리처럼 만든 냉육(冷肉) 요리》.
cháud-mèdley [ʃóud-] *n.* 〖法〗 격정(激情) 살인 (cf. CHANCE-MEDLEY).
chau(f)·fer [tʃɔ́:fər] *n.* 작은 난로.
chauf·feur [ʃóufər, ʃoufə́:r] *n.* (자가용차의) 고용 운전사(cf. DRIVER). —— *vt.* …의 고용 운전사로 일하다 ; …을 위해서 자동차를 운전하다, 자동차로 안내하다. —— *vi.* 고용 운전사로 일하다. 〚F=stoker〛
chauf·feuse [ʃoufə́:z] *n.* 여자 운전사. 〚F〛
chaul·moo·gra [tʃɔ:lmú:grə] *n.* 〖植〗 대풍자나무《인도산 ; 기름은 문둥병의 특효약》. 〚Bengali〛
chau·tau·qua [ʃətɔ́:kwə] *n.* 《美》 (교육과 오락을 겸한) 하계(夏季) 대학, 문화 강연회《New York 주(州)의 Chautauqua 호(湖) 연안에 있는 같은 이름의 마을 이름에서》.
chau·vin [ʃóuvən] *n.* 군국적 영광 찬미자 ; 나폴레옹을 숭배하는 노병. 〚Nicholas *Chauvin* : Cogniard 형제 작(作) *La Cocarde Tricolore*(1831) 속의 군인〛
chau·vin·ism [ʃóuvənìzəm] *n.* Ⓤ 쇼비니즘《광신[호전]적 애국주의 ; cf. JINGOISM》. **-ist** *n.* **chàu·vin·ís·tic** *a.* **-ti·cal·ly** *adv.* 〚F(↑)〛
chaw [tʃɔ́:] *vt., vi.* 《方·卑》 질겅질겅 씹다.
chaw up 《美》 (경쟁 따위에서) 완패시키다 ; 때려부수다.
—— *n.* 한 입(의 양)《특히 씹는 담배의》. 〚CHEW〛
cháw·bàcon *n.* 《蔑》 촌뜨기.
chay [tʃái, tʃéi] *n.* 〖植〗 꼭두서니과(科)의 낚시돌풀의 일종 ; 그 뿌리. 〚Tamil-Malayalam〛
Ch. Ch. Christ Church. **Ch. E.** Chemical Engineer ; Chief Engineer.
◇**cheap** [tʃí:p] *a.* **1** 싼, 헐한(↔*dear*) (☞ DEAR 活用) ; 싸게 파는 : a ~ car[ticket] 할인 전차[표] / a ~ trip(per) 《英》 (철도 따위의) 할인 여행(자). **2** (인플레이션 따위에 의해) 구매력이 저하된 ; 저금리의 : ~ money 이자가 싼 돈. **3** 싸구려의, 보잘것없는 ; 쉽게 손에 넣는.
cheap and nasty 값싸고 질 나쁜.
feel cheap 《口》 풀 죽다, 기를 못펴다 ; 기분이 나쁘다.
get off cheap 가벼운 벌로 그치다.
hold. . .cheap …을 깔보다.
make one***self*** (***too***) ***cheap*** 자신을 (너무) 낮추다.
—— *n.* 《廢》 싸게 팔기.
on the cheap 싸게, 싸구려로.
—— *adv.* 싸게(↔*dear*) (cf. CHEAPLY) : buy [sell] things ~ 물건을 싸게 사다[팔다].
〚*cheap*(obs.) price, bargain<OE *cēap* barter, purchase ; a.는 *good cheap* favorable bargain에서〛
類義語 ***cheap, inexpensive*** 둘 다 가격·원가가 싼 것을 나타내나 *inexpensive*가 단순히 가격에 비해서 가치가 있는 것을 나타내는데 반해서 *cheap*은 싸구려 물건이라는 기분, 또는 질·가치가 보다 떨어짐을 암시할 때가 있음.
chéap chìc *n.* 돈을 들이지 않고 멋내는 옷치레.
chéap·en *vt.* 싸게 하다, …의 값을 깎다 ; 싸구려로 하다 ; 얕보다, 경시하다(belittle) : Constant complaining ~*s* you. 항상 불평불만만 하고 있으면 사람의 가치가 떨어진다. —— *vi.* 싸지다.
chéap hígh *n.* 《美俗》 아질산아밀《속효성 흥분제·최음제로 쓰임》.
cheap·ie [tʃí:pi] *n.* 《美》 싼 것 ; 싸게 파는 가게 ; 싸구려 극장. —— *a.* 싼.
chéap-jàck, -jòhn *n.* (싸구려 물건의) 행상인. —— *a.* 값싼, 시시한, 저열한.
chéap·ly *adv.* [비유적으로도 사용되어] 값싸게 (cf. CHEAP *adv.*) : The victory was ~ bought. 그다지 희생을 치르지 않고 승리했다.
chéap·ness *n.* Ⓤ 헐값 ; 싸구려임.
cheapo [tʃí:pou] *a.* =CHEAP.
chéap shòt *n.* 《美俗》 비열[부당]한 말[행위].
chéap-shòt ártist *n.* 《美·Can.》 저항할 수 없는 상대에게 저속[부당]한 비판을 퍼붓는 사람.
Cheap·side [tʃí:psaid] *n.* 치프사이드《런던 중앙부를 동서로 가로지르는 큰 거리》.
chéap·skàte *n.* 《美俗》 구두쇠.
*__cheat__ [tʃí:t] *vt.* **1 a)** 속이다 : ~ the customs 세관의 눈을 속이다. **b)** [+目+(*out*) *of* +名] 속여서 빼앗다 : He ~*ed* me (***out***) ***of*** my money. 나를 속여서 돈을 빼앗아 갔다. **2** (지루함·슬픔 따위를) 이럭저럭 넘기다(while away). —— *vi.* 협잡[부정]을 하다 : ~ at cards[in an examination] 카드놀이[시험]에서 부정 행위를 하다.
—— *n.* **1** 사기, 편취(fraud), 협잡, (수험생의) 부정 행위 ; 사기 카드 놀이. **2** 사기꾼, 협잡꾼.
〚es*cheat*〛
類義語 ***cheat*** 기만이나 속임수로 부정을 해서 자기가 필요한 것을 취득하거나 하고 싶은 일을 하다 : He *cheated* to get the position. (그 직위를 차지하기 위해 부정을 했다). ***deceive*** 진실을 감추거나 필요한 것을 손에 넣기 위해서 남에게 사실이 아닌 것을 믿도록 하다 : The boy *deceived* his parents. (소년은 부모를 속였다). ***trick*** 계략에 의해서 남을 속이되 반드시 나쁜 동기에서 한다고만은 할 수 없음 : The police *tricked* the suspect. (경찰은 함정을 만들어 혐의자가 걸려들도록 했다).
chéat·er *n.* 사기꾼, 협잡꾼 ; [*pl.*] 《美俗》 안경.

chéat shèet *n.* 《美俗》 (수험생의) 부정 행위 때 쓰여지는 종이.

◇**check** [tʃék] *n.* **1** 돌연한 방해, 저지, 급정지 ; 좌절 ; 〔사냥〕 흔적을 잃음 ; (군대 따위의) 견제. **2** 멈추개《잡아매는 밧줄・제동기(制動機)・마개 따위》; 제지하는 사람. **3** 조사, 대조(對照)〈*on*〉; 대조의 표시《기호(√) 따위》; 〔컴퓨〕 검사, 테스트 ; 감독 : ☞ CHECKLIST. **4** 물표 ; 인환권 ; 《美》 (카드놀이 따위의) 산가지(counter) : hat ~ (모자・오버코트 따위의) 보관표(cf. HATCHECK) / ☞ RAIN CHECK. **5** 《美》 수표(=《英》 cheque) ; 《美》 (상점・식당 따위의) 영수증, 계산서(bill). **6** 바둑판 무늬(의 천)(cf. CHECKER) : a ~ pattern 바둑판 무늬[모양] / a ~ tablecloth 바둑판 무늬의 테이블보. **7** 갈라진 틈(split). **8** 〔체스〕 장군(받아라) !

hand [***pass***] ***in*** one'***s checks*** 《俗・원래 美》 죽다.

keep a check on. . . (…의 옳고 그름・사실 여부・당부(當否) 따위를) 확인해 두다, 감독하다 ; …을 억제하다.

keep [***hold***] ***. . . in check*** …을 방지하다, 억제하다.

raise a check 《美》 수표의 액수를 고액으로 변조[개서]하다.

〈회화〉
Will you cash this *check*, please ? — How do you want it ? 「이 수표를 현금으로 바꾸어 주세요」「어떻게 바꿔 줄까요」

〈회화〉
Can I have the *check*, please ? — Thank you, sir. Just a moment. 「계산을 부탁합니다」「고맙습니다. 잠깐만 기다려 주세요」

—— *vt.* **1** 막다, 저지하다(hinder) ; 억제하다(restrain) : The police tried to ~ the demonstration parade. 경찰들은 데모대의 행진을 막으려고 했다 / I could not ~ my indignation. 의분을 참을 수가 없었다. **2** (상관 등이) 잔소리하다, 꾸짖다(rebuke). **3** [+目/+目+前+名] 대조하다, 검사하다, 확인하다 ; …에 대조의 표시를 찍다 : ~ a person's statements 남의 진술 사실 여부를 확인하다 / *C*~ your answers ***with*** mine. 당신의 해답을 나의 해답과 비교해 보십시오. **4** [+目/+目+副 / +目+前+名] 《美》 물표를 받고 맡기다[부치다] : Have you ~*ed* your hat? 모자를 (표를 받고) 맡기셨습니까 / I'll ~ my baggage ***through to*** Chicago. 나의 짐을 시카고까지 물표를 받고 부치겠다. **5** …에 바둑판 무늬를 놓다[새기다]. **6** 찢다, 쪼개다(split). **7** 〔체스〕 …에 장군을 부르다. —— *vi.* **1** 부합하다, 일치하다〈*with*〉. **2** 《美》 세밀하게 조사하다, 체크하다 : I'll ~ *with* him to make sure. 그를 조사해 확인해 보겠다. **3** 《美》 수표를 발행하다[쓰다]. **4** (사냥개가) 냄새 자국을 잃고 멈추어 서다 ; (사람 등이) 갑자기 멈추어 서다, 정지하다. **5** (목재・페인트 따위가 바둑판 모양으로) 금이 가다.

check and balance 지나침을 억제하여 균형을 잡다.

check in 《美》 (1) (*vi.*) (호텔에 도착해서) 숙박부에 기록하다, 숙박하다 ; (타임 리코더로 기록하여) 출근하다(cf. CLOCK *in*). (2) (*vt.*) 기록하다, 기입하다(register).

check off …에 기입[대조]필의 인을 찍다 ; (조합비 따위를 급료에서) 공제하다.

check on. . . 《원래 美》 …을 상세히 조사하다, …을 체크하다.

check out (*vi.*) (1) 《美》 (호텔 손님이) 계산을 치르고 나오다, 체크 아웃하다 ; (타임 리코더로 기록하고) 퇴근하다(cf. CLOCK *out*). (2) 《美俗》 죽다(die). (*vt.*) (3) 《美》 (돈을) 수표《따위》로 인출하다.

check up 《美》 상세히 조사하다 ; (기록・성질 따위를) 검토하다, 대조하다, 체크하다〈*on*〉.

—— *a.* **1** 조합(용)의. **2** 체크의 : a ~ suit 체크 슈트.

—— *int.* **1** 꼭 맞다, 좋다, 알았다, 그대로. **2** 〔체스〕 체크 !

〚OF < L < Arab. < Pers. = king (is dead) ; ⇨ CHECKMATE〛

類義語 ⟹ RESTRAIN.

chéck·bàck *n.* 재점검, 재검.

chéck bèam *n.* 〔空〕 체크 빔《조종사가 착륙전에 위치를 확인하기 위해 발사하는 전파》.

chéck·bòok *n.* 《美》 수표장(=《英》 chequebook).

chéckbook jóurnalism *n.* 독점 인터뷰에 큰 돈을 지불하고 기사를 만드는 저널리즘.

chéck càrd *n.* 체크 카드《은행 발행의》.

chéck dìgit *n.* 체크 숫자《국제 표준 도서 번호(ISBN) 말미에 추가하는 숫자》.

checked [tʃékt] *a.* 바둑판 무늬의 ; 얼룩진.

chécked-swìng *a.* 배트를 멈추듯이 휘두르는.

chéck·er[1] *n.* **1** 바둑판 무늬. **2** [*pl.* 로 단수취급] 《美》 체커(=《英》 draughts)《체스판 위에서 각각 12개의 말을 이용해서 하는 놀이》. —— *vt.* [+目/+目+*with*+名] 바둑판 무늬로 하다, 얼룩덜룩하게 하다, …에 변화를 주다 : The lawn was ~*ed* ***with*** sunlight and shade. 잔디밭은 햇볕과 그늘로 얼룩져 있었다.

〚ME = chessboard < AF EXCHECKER ; ⇨CHECK〛

checker[2] *n.* CHECK하는 사람 ; (휴대품 따위) 일시 보관소 담당원 ; (슈퍼마켓 따위의) 출납원. 〚CHECK〛

chécker·bèrry *n.* 〔植〕 철쭉과의 식물 ; 그 열매.

chécker·bòard *n.* 《美》 체커판, 서양 장기판(=《英》 chessboard) 《《英》에서는 체커에 쓰일 때는 특히 draughtboard, 《美》에서는 체스에 쓰일 때 특히 chessboard라고 함》.

chéck·ered *a.* **1** 바둑판 무늬의 ; 얼룩덜룩한. **2** 변화[부침(浮沈)]가 많은 : a ~ career 파란 만장한 경력.

chéckered flág *n.* 체커드 플래그《자동차 경주의 최종 단계를 알리는 바둑판 무늬의 기》.

chécker·wìse *adv.* 바둑판 무늬식으로.

chécker·wòrk *n.* Ⓤ 바둑판 무늬 세공 ; 〔石工〕 바둑판 무늬 쌓기 ; 《비유》 변화가 많은 것, (인생의) 부침(浮沈).

chéck·hòok *n.* (checkrein의 끝을 거는) 안장의 고리.

chéck·ìn *n.* 《美》 (호텔에서의) 숙박 절차(를 밟기), 투숙, 체크인.

chéck·ing accòunt *n.* 《美》 당좌 예금 구좌《인출(引出)할 때 수표를 사용하는》.

chéck·less socíety *n.* = CASHLESS SOCIETY.

chéck lìne *n.* = CHECKREIN.

chéck·lìst *n.* 《원래 美》 대조표, 체크리스트 ; 선거인 명부.

check·mate [tʃékmèit] *int.*, *n.* **1** 〔체스〕 외통 장군 ! 《지금은 흔히 Mate ! 라고 함》 ; 외통수로 몰기. **2** 궁지, 막다름. —— *vt.* **1** 장군으로 몰다, 몰아넣다. **2** 궁지에 몰아넣다, …을 저지하다, 좌절시키다. 〚OF < Pers. = king is dead〛

chéck nùt *n.* 〔機〕 고정 너트.
chéck·òff *n.* 《美》 노동 조합비의 공제.
chéck·òut *n.* **1** 《美》 **a**) 호텔의 숙박료 청산(시간), 체크아웃. **b**) (슈퍼마켓 따위에서의) 계산(대) : a ~ counter (나가는 문 쪽에 있는) 계산대. **2** 점검, 검사 ; (기계 따위의) 성능 검사.
chéckout ràck *n.* 체크아웃 래크《슈퍼마켓 따위의 계산대에 설치한 상품 선반 ; 충동 구매 유발에 유리함》.
chéckout scànner *n.* 상품에 붙어 있는 바 코드를 읽어내는 광학 기계.
chéck·pòint *n.* 《美》(통행)검문소 ; 〔空〕 표지(標識)가 되는 지형 ; 〔컴퓨〕 체크포인트, 검사점.
chéck ràil *n.* 〔英鐵〕 =GUARDRAIL.
chéck·rèin *n.* (말의 머리가 처지지 않게 하는) 멈춤 고삐.
chéck·ròll *n.* =CHECKLIST.
chéck·ròom *n.* 《美》 (외투・모자・가방 따위의) 휴대품 임시 보관소(cloakroom).
chéck·ròw *n.* 《美》 〔農〕 바둑판 눈처럼 된 밭이랑《옥수수 따위를 가로 세로 일정 간격으로 심음》. ── *vt.* 바둑판처럼 밭이랑을 지어 심다.
chéck·stànd *n.* 계산대.
chéck·strìng *n.* (차내의) 신호줄.
chéck·tàker *n.* (극장 따위의) 표받는 사람.
chéck tìll *n.* (상점의) 출납 자동 기록 상자.
chéck tràding *n.* 은행 수표 할부 판매 방식《수표의 금액과 이자를 할부로 팔기》.
chéck·ùp *n.* 《美》 대조 ; 검사 ; 건강 진단 : a ~ committee (회계) 감사 위원(회).
chéck vàlve *n.* 〔機〕 역류 방지[체크] 밸브.
chéck·wrìter *n.* 수표 발행인 ; 수표 금액 인자기.
chéd·dar (chéese) [tʃédər(-)] *n.* [흔히 C~] 체다 치즈. 〖*Cheddar* 잉글랜드 Somerset 주(州)의 마을로 원산지(原產地)〗
chedd·ite [tʃédait, ʃéd-] *n.* 강력 폭약의 일종. 〖*Chedde* 프랑스 Savoy 지방의 도시 ; 최초로 제조된 곳〗
chee-chee [tʃí:tʃi: ; ⌐⌐] *n.* 《英・인도》《蔑》 유럽 아시아 혼혈인(이 쓰는 부정확한 영어).
‡cheek [tʃí:k] *n.* **1** 빰, 볼 : She has rosy ~*s*. 그녀의 볼은 장밋빛이다. **2** [*pl.*] 기구・도구의 측면. **3** Ⓤ 《口》 건방진 말[태도]. **4** [+*to* do] 건방짐, 뻔뻔스러움(impudence) : give a person ~ 남에게 건방진 소리를 하다 / None of your ~ ! 건방진 소리 하지 마라 / I like his ~. 《反語》 녀석 꽤 건방진데 / She had the ~ *to* ask me to lend her some more money. 뻔뻔스럽게도 나에게 돈을 좀 더 빌려달라고 했다 / What ~ ! 뻔뻔스럽기도 하다 ! **5** 《俗》 엉덩이.
cheek by jowl 밀접하여 ; 친밀하게〈*with*〉.
have a cheek 《口》 건방지다, 뻔뻔스럽다.
have one***'s tongue in*** one***'s cheek*** ☞ TONGUE.
stick [***put***] one***'s tongue in*** one***'s cheek*** ☞ TONGUE.
to one***'s own cheek*** 자기 전용으로.
── *vt.* 《口》 (남에게) 건방진 소리를 하다[태도를 취하다].
cheek it 《口》 뻔뻔스럽게 버티다(face it out). 〖OE *cēace* ; cf. Du. *kaak*〗
chéek·bòne *n.* 광대뼈.
-cheeked [tʃí:kt] *a. comb. form* 「…한 빰의」의 뜻 : rosy-~ 빰이 불그스레한.
chéek·i·ly *adv.* 건방지게.
chéek·i·ness *n.* Ⓤ 건방짐.
chéek pòuch *n.* (다람쥐・원숭이의) 볼주머니.
chéek stràp *n.* 말굴레의 옆에 대는 가죽끈.
chéek tòoth *n.* 어금니.
chéeky *a.* 《口》 건방진, 뻔뻔스러운(impudent).
cheep [tʃí:p] *vi., n.* (병아리가) 삐악삐악 거리다[거리는 소리] ; (생쥐 따위가) 찌익찌익 거리다[거리는 소리]. 〖imit. ; cf. PEEP[2]〗
chéep·er *n.* (메추라기・들꿩 따위의) 새끼.
‡cheer [tʃíər] *n.* **1** 갈채, 환호 ; 《美》 (대학 따위의) 응원(하는 말), 성원(cf. CHEERLEADER) : give a ~ 갈채를 보내다 / (give) three ~*s* (for...) (…을 위해) 만세 삼창(하다) (☞ HIP[5]). **2** Ⓤ 기분 ; 원기 : with good ~ 기분좋게, 기꺼이 / Be of good ~ ! 힘을 내시오, 잘 하시오 / What ~ ? 안녕하십니까. **3** 먹을 것, 맛있는 음식 : Christmas ~ 크리스마스 성찬 / enjoy [make] good ~ 맛있는 음식을 먹다 / The fewer the better ~. 《속담》 맛있는 음식은 사람 수가 적을수록 좋다. ── *vt.* [+目/+目+副] **1** 기분좋게 하다, 위로하다(comfort) ; 기운을 북돋우다 : It ~*ed* the old woman to have me visit her. 내가 찾아가니 그 노파는 기운이 나셨다 / Your solace will ~ him ***up***. 당신이 위로해 드리면 그가 힘을 낼 것입니다. **2** 성원하다(encourage) ; 갈채를 보내다 : We all ~*ed* our baseball team. 우리는 모두 우리 야구팀을 응원했다 / We ~*ed* the news that he was elected governor. 그가 (도)지사에 당선되었다는 소식을 듣고 환성을 올렸다 / Columbus ~*ed* the sailors ***on***. 콜럼버스는 선원들을 격려해서 배를 전진시켰다. ── *vi.* 환성을 지르다, 갈채를 보내다 : The crowd ~*ed* when the champion team returned to their town. 우승 팀이 마을에 돌아오자 군중들은 환성을 올렸다.
cheer up 격려하다, 힘을 북돋우다(cf. *vt.* 1) ; 기분나다 ; [명령] 힘 내라, 기운을 내라 ! 〖OF<L *cara* face<Gk.〗
chéer·er *n.* 갈채하는 사람, 응원자.
‡chéer·ful *a.* **1** 기분좋은, 명랑한, 쾌활한, 기운찬. **2** 마음을 밝게하는, 유쾌한, 즐거운 ; (실내 따위가) 상쾌한. **3** 《反語》 싫은, 지독한 : That's a ~ remark. 그 말은 몸서리난다《듣고 흘려 버릴 수 없다》. **4** 쾌히 …하는 : a ~ giver 기꺼이 선심 쓰는 사람 / ~ obedience 마음에서 우러난 복종. **~·ness** *n.* Ⓤ 쾌활, 유쾌, 매우 기분좋음. 類義語 ⟹ HAPPY.
chéer·ful·ly *adv.* 기분좋게, 명랑하게, 쾌활하게, 환희에 넘친듯이.
chéer·ing *n., a.* 갈채(하는).
cheer·io(h) [tʃìərióu] *int.* 《英口》 안녕, 또 뵙겠습니다《작별의 인사》 ; 축하합니다《축배》, 만세 ! 〖*cheer*, *cheery*+*-o*[2]〗
chéer·lèad·er *n.* 《美》 응원단장.
chéer·lèad·ing *n.* 《美》 응원 지휘(솜씨).
chéer·less *a.* 즐거움이 없는(joyless), 침울한(gloomy), 맥빠진(dispirited), 적적한. **~·ly** *adv.* **~·ness** *n.*
chéer·ly *adv.* 《古》 =CHEERFULLY ; [감탄사적으로] 〔海〕 힘내자《격려의 소리》. ── *a.* 《古》〔海〕=CHEERFUL.
cheero [tʃíərou] *int.* =CHEERIO.
cheery [tʃíəri] *a.* 원기 왕성한 ; 명랑한(merry), 힘찬(lively).
chéer·i·ly *adv.* **chéer·i·ness** *n.*
◇cheese[1] [tʃí:z] *n.* **1** Ⓤ 치즈 ; Ⓒ (일정한 모양으로 굳힌) 치즈 (1개) : bread and ~ ☞ BREAD 숙어. **2** 구주희(九柱戲)의 공. **3** 《俗》 치구(恥垢). **4** 《美俗》 매력적인 계집아이 ; 《美俗》 목적,

보수, 돈.
make cheeses (여자가) 허리를 굽혀 인사하다 ; 빙그르르 돌아서 스커트를 불룩하게 하여 급히 앉다《계집아이들의 놀이》.
say cheese (사진 찍을 때) 자 웃어요!
—— *a.* 《美俗》 비겁한, 겁쟁이의. —— *vi.* 《俗》 (특히 유아가) 토하다〈*up*〉.
〚OE *cȳse*<L *caseus*〛
cheese[2] *vt.* 《俗》 =STOP : *C*~ it! 《俗》 그만 둬!, 달아나라! —— *vi.* 《俗》 굽실거리다.
〚C 19<? ; CEASE인가〛
cheese[3] *n.* 《俗》 [the ~] 꼭 알맞은 것, 안성맞춤 ; 일등품 ; 중요인물 : Quite the ~. 안성맞춤이다, 십상이다. 〚? Urdu *chīz* thing〛
chéese·bùrger *n.* 《美》 치즈버거.
chéese·càke *n.* 치즈 과자.
chéese·clòth *n.* Ⓤ 《美》 올이 성긴 엷은 무명천 (=《英》 butter muslin).
chéesed *a.* 《英俗》 진저리나는, 아주 싫증나는 《cheesed off라고도 함》.
chéese dìp *n.* 〔料〕 치즈 딥《치즈에 조미료를 넣은 것》.
chéese-hèad *n.* (나사 따위의) 몽뚝한 대가리 ; 《俗》 바보. —— *a.* (나사 따위의) 대가리가 몽뚝한. **chéese-hèad** *a.*
chéese mìte *n.* 치즈진드기.
chéese·mònger *n.* 치즈 장수《버터·달걀도 함께 파는》.
chéese·pàring *n.* 치즈를 깎은 부스러기 ; [*pl.*] 푼푼이 모은 용돈 ; 하찮은 것 ; 인색함, 쩨쩨함.
—— *a.* 인색한, 쩨쩨한(stingy).
chéese plàte *n.* **1** 치즈 접시《지름 15cm 가량》. **2** (웃옷의) 큰 단추.
chéese scòop[**tàster**] *n.* 치즈 국자.
chéese stràws *n. pl.* 가루 치즈를 발라 구운 길쭉한 비스킷.
chéese vàt[**tùb**] *n.* 치즈 배트《치즈 제조용 틀, 치즈 응고용 원형(原型)》.
chéesy *a.* **1** 치즈질(質)의 ; 치즈 맛이 나는. **2** 《俗》 값싼, 하치의.
chee·tah, chee·ta, che·tah, chi·ta [tʃíːtə] *n.* 〔動〕 치타《남아시아·아프리카산의 표범 비슷한 동물, 사냥용》.
〚Hindi<? Skt. =speckled〛
chef [ʃéf] *n.* 요리사, 쿡, (특히) 주방장.
〚F=head ; ⇨ CHIEF〛
chef d'œu·vre [ʃei dɔ́ːvr, -vər ; *F* ʃedœːvr] *n.* (*pl.* **chefs d'œu·vre** [ʃei- ; *F* —]) 걸작(傑作).
cheil(o) [káil(ou)] ☞ CHIL-.
chéilo·plàsty *n.* 입술 정형 수술.
cheir(o)- ☞ CHIR(O)-.
Che·k(h)ov [tʃékɔːf, -v ; -kɔf] *n.* 체호프. **Anton Pavlovich** ~ (1860-1904) 러시아의 극작가·단편 소설가.
Chekiang ☞ ZHEJIANG.
che·la[1] [kíːlə] *n.* (*pl.* **-lae** [-liː]) 〔動〕 (게·새우 따위의) 집게발. 〚NL<L or Gk. =claw〛
che·la[2] [tʃéilaː ; -lə] *n.* 〔힌두敎〕 (불가의) 제자.
〚Hindi=servant〛
che·late [kíːleit] *a.* 집게발을 가진. —— *n.* 〔化〕 킬레이트 (화합물). —— *vi., vt.* 킬레이트 화합물이 되다[을 만들다].
ché·lat·ing àgent *n.* 〔化〕 킬레이트 제(劑).
Chel·le·an, -li·an [ʃéliən] *n., a.* 〔考古〕 (구석기 시대의) 셸리언기(期)(의). 〚*Chelles* : Paris 동부에 있는 전기 구석기 시대의 유적〛
Chelms·ford [tʃélmzfərd] *n.* 첼름즈퍼드《잉글랜드 남부 Essex 주의 주도》.
cheloid ☞ KELOID.
che·lo·ni·an [kilóuniən] *a.* 거북류의.
—— *n.* 거북, 바다거북.
Chel·sea [tʃélsi] *n.* 첼시. **1** London의 Kensington and Chelsea의 일부《예술가·작가들이 많이 삶》. **2** 보스턴 교외의 도시.
the Chelsea Royal Hospital 첼시 왕립병원 《노병·상이군인을 위한》.
Chélsea bùn *n.* 첼시 번《건포도가 든 롤빵》.
Chel·ten·ham [tʃéltənhæ̀m ; tʃéltnəm] *n.* **1** 첼트넘《England 서부 Gloucestershire 중부의 도시 ; 명문 퍼블릭 스쿨인 Cheltenham College로 유명》. **2** 활자의 일종.
Chel·to·ni·an [tʃeltóuniən] *n., a.* CHELTENHAM College의 졸업[재학]생(의).
chem- [kém, 美+kíːm], **chemo-** [kémou, 美+kíːmou, -mə], **chemi-** [kémi, 美+kíːmi, -mə] *comb. form* 「화학」의 뜻.
〚NL ; ⇨ CHEMIC〛
chem. chemical ; chemist ; chemistry.
chem·ic [kémik] *a.* **1** 《詩》 =CHEMICAL. **2** 《古》 연금술의. 〚F or L ALCHEMY〛
***chem·i·cal** [kémikəl] *a.* 화학의 ; 화학적인, 화학 작용의 ; 화학 약품[제품]의[을 이용한] : ~ analysis 화학분석 / ~ combination 화합(化合) / ~ engineering 화학공학(工學) / a ~ formula 화학식 / ~ warfare 화학전 / ~ weapons 화학 병기.
—— *n.* [보통 *pl.*] 화학 제품[약품] : ☞ FINE CHEMICAL / heavy ~*s* 공업약품. **~·ly** *adv.* 화학적으로, 화학 작용에 의해서. 〚↑, *-al*〛
chémical bálance *n.* 〔化〕 화학용 저울《특히 분석용》.
chémical-biològical wéapon *n.* CB병기, 화학·생물학 병기.
chémical bónd *n.* 〔化〕 화학 결합.
chémical carcinogénesis *n.* 화학 발암《화학 물질에 의해 발생하는 암》.
chémical céll *n.* 화학 전지(電池).
chémical depéndency *n.* 〔醫〕 약물 의존.
chémical equátion *n.* 〔化〕 화학 반응식, 화학 방정식.
chémical equilíbrium *n.* 〔化〕 화학 평형.
Chémical Informátion Sỳstem *n.* 미국 환경 보호청 따위가 중심이 되어 작성한 화학 물질에 관한 데이터 뱅크(略 CIS).
chémical kinétics *n.* 〔化〕 화학 반응 속도론.
Chémical Máce *n.* =MACE《상표명》.
chémical oceanógraphy *n.* 해양 화학《바닷물의 화학적 성질을 다루는 학문》.
chémical óxygen demànd *n.* 〔環境〕 화학적 산소 요구량《물의 오염도를 나타내는 기준이 됨 ; 略 COD ; cf. BOD》.
chémical reáction *n.* 화학 반응.
chem·i·co- [kémikou, -kə] *comb. form* 「화학에 관한」의 뜻. 〚NL ; ⇨ CHEMICAL〛
chèmico·biólogy *n.* Ⓤ 생화학(生化學).
chèmico·phýsical *a.* 물리 화학의.
chèmico·phýsics *n.* 물리화학.
chemi·cultivátion [kèmi-] *n.* 농약 사용 경작.
chemi·luminéscence [kèmi-] *n.* 화학 루미네선스, 화학 발광.
che·mise [ʃəmíːz] *n.* 슈미즈《여성용 속옷》.
〚OF<L *camisia* shirt〛
chem·i·sette [ʃèmizét] *n.* 슈미젯《여성용 속조끼의 일종》. 〚F (dim.) < ↑〛
chem·ism [kémizəm, kíː-] *n.* 화학 작용.

che·mi·sorb [kémisɔ̀:rb, kí:-, -zɔ̀:rb], **che·mo-** [kémə-, kí:-] *vt.* 화학적으로 흡착하다.

***chem·ist** [kéməst] *n.* **1** 화학자. **2** 《英》 약사 ; 약종상, 약장수(=《美》 druggist) : a ~'s shop 《英》 약방(=《美》 drugstore). 〚C16 *chymist*<F<L ; ⇨ ALCHEMY〛

***chem·is·try** [kéməstri] *n.* **1** Ⓤ 화학 : applied ~ 응용 화학 / organic[inorganic] ~ 유기[무기] 화학. **2 a)** Ⓤ 화학적 성질, 화학 현상[작용]. **b)** 《비유》 (복잡한) 작용, 불가사의한 변화. **3** 마음이 맞음, 궁합이 맞음. 〚*chemist*, *-ry*〛

chemisette

chemi·type [kémətàip] *n.* 화학 제판(製版).

chemo- [kémou, 美+kí:mou, -mə] ☞ CHEM-.

chèmo·immùno·thérapy *n.* 화학 면역 요법.

chèmo·núclear *a.* 핵복사[융합]에 의한 화학 반응의, 핵화학의.

chèmo·phíliac *a.*, *n.* 약좋아하는 (사람).

chèmo·prophyláxis *n.* 〔醫〕 화학적 예방(법) 《질병 예방에 화학 약제를 쓰는 일》.

chèmo·recéptor *n.* 〔生理〕 화학 수용기.

chèmo·sénsing *n.* 〔生理〕 화학적 감각.

chèmo·sénsory *a.* 〔生化〕 화학적 감각의.

chemosorb ☞ CHEMISORB.

chémo·sphère *n.* Ⓤ 화학권《광(光)화학 반응이 일어나는 상부(上部) 성층권 이상의 대기권》.

chèmo·stérilant *n.* 〔生〕 (해충 따위의 유해 동물에 쓰이는) 화학 불임제(不姙劑).

chèmo·súrgery *n.* 화학약품에 의한 환부 제거 ; 화학 외과 요법.

chèmo·sýnthesis *n.* 〔化〕 화학 합성.

chèmo·táxis *n.* 〔生〕 주화성(走化性)《생물이 특정한 화학물질의 농도에 반응하여 이동하는 성질》.

chèmo·taxónomy *n.* 〔生〕 화학 분류《생화학적 구성의 같고 다름에 의한 동식물의 분류》. **-mist** *n.* **-taxo·nómic** *a.* **-ical·ly** *adv.*

chèmo·therapéutic, -tical *a.* 화학 요법의. —— *n.* 화학 요법약.

chemotherapéutic drúg *n.* 화학 요법제.

chèmo·thérapy *n.* Ⓤ 화학 요법.

che·mot·ro·pism [kimátrəpìzəm, ke-, kèmoutróupizəm] *n.* 〔生〕 화학 굴성(屈性), 굴화성(屈化性). **chèmo·trópic** *a.*

chem·ur·gy [kéməːrdʒi, kəmə́:r-] *n.* 《美》 농산(農産) 화학. 〚*chem-*, *-urgy*〛

Cheng·du [tʃʌ́ŋdú:], **Cheng·tu** [; tʃéŋtú:] *n.* 청두(成都)《중국 쓰촨(四川)성의 성도》.

che·nille [ʃəní:l] *n.* 가장자리 장식용으로 꼰실의 일종 ; 그것으로 짠 천. 〚F=hairy caterpillar<L ; ⇨ CANINE〛

cheong·sam [tʃɔ́:ŋsɑ́:m] *n.* 창산(長衫)《중국의 여성복》. 〚Chin.〛

Cheops ☞ KHUFU.

***cheque** [tʃék] *n.* 《英》 수표(=《美》 check). 〚CHECK〛

chéque·bòok *n.* 《英》 수표장(帳).

chéque càrd *n.* 《英》 =CHECK CARD.

che·quer [tʃékər] *n.*, *vt.* 《英》 =CHECKER[1].

Che·quers [tʃékərz] *n.* 《英》 체커즈《영국수상의 별장》.

cher [ʃéər] *a.* 《俗》 매력적인 ; 유행에 정통한, 현대적 감각을 지닌. 〚F=dear〛

cher·chez la femme [*F* ʃɛrʃe la fam] 여자를 찾아라《사건의 이면에는 여자가 있다》. 〚F=look for the woman〛

cher·eme [kéri:m] *n.* AMERICAN SIGN LANGUANE의 기본 단위.

***cher·ish** [tʃériʃ] *vt.* **1** 소중히 하다, 귀여워하다, 소중히 기르다 : A mother ~*es* her baby. 어머니는 아기를 귀여워한다. **2** (추억 따위를) 그리워 하다 ; (소망 따위를) 품다 : She ~*ed* the memory throughout her life. 평생 그 추억을 가슴에 간직하고 있었다 / ~ a grudge 원한을 품다〈*against*〉. 〚OF (*cher* dear<L *carus*)〛

類義語 (1) ***cherish*** 애정이 담긴 조심성을 가지고서 소중히 하다 : *cherish* trust (신용[신임]을 소중히 여기다). ***foster*** 어떤 생각이나 감정을 소중하게 간직하다 : *foster* charity for the poor (가난한 사람들에 대해 자비심을 품다). ***harbor*** 바르지 못한 혹은 좋지 않은 생각이나 계획을 마음에 품다 : *harbor* suspicion against someone(어떤 이[사람]에 대해 혐의를 품다). (2) ⟹ APPRECIATE.

Cher·nen·ko [tʃeərnénkou] *n.* 체르넨코. **Konstantin Ustinovich** ~ (1911-85) 구소련의 정치가 · 당서기장.

cher·no·zem [tʃèərnəʒɔ́:m, -zém ; tʃə́:nouzèm] *n.* 체르노젬토(土)《유럽 러시아나 북미 중앙부 따위의 냉온대 · 아습윤 기후의 스텝지대에 발달한 비옥하고 검은 성대성 토양》. 〚Russ.〛

Cher·o·kee [tʃérəkì:, ⌐--⌐] *n.* (*pl.* ~, ~**s**) **1** 체로키족《Oklahoma 주에 많이 사는 인디언》. **2** Ⓤ 체로키어.

Chérokee ròse *n.* 〔植〕 가시 없는 찔레나무《미국 Georgia 주의 주화(州花)》.

che·root [ʃərú:t, tʃə-] *n.* 양끝을 자른 엽궐련.

‡cher·ry [tʃéri] *n.* **1** 버찌. **2** 벚나무(=~ tree). **3** Ⓤ 벚나무 재목(=⌐ **wòod**) ; 버찌 색깔. ***make two bites at a cherry*** 한 번 할 일을 두 번에 하다, 머뭇거리다 ; 하찮은 일에 안달하다. —— *a.* **1** 버찌 빛깔의, 진분홍의 : ~ lips 붉은 입술. **2** 벚나무 재목으로 만든. 〚ONF *cherise*<L<? Gk. *kerasos* ; *-se*를 복수 어미로 잘못 취급한 것 ; cf. PEA〛

chérry àpple[cràb] *n.* 〔植〕 털야광나무《능금나무과로 열매는 버찌 크기》.

***chérry blòssom** *n.* 벚꽃.

chérry bòb *n.* 《英》 두 개가 맞붙은 버찌 송이.

chérry bòmb *n.* 버찌 크기만한 빨간 폭죽.

chérry bóy *n.* 《美俗》 숫총각.

chérry brándy *n.* 체리 브랜디《버찌를 브랜디에 담가서 만든 리큐어》.

chérry fàrm *n.* 《美俗》 경범죄자 교화 농장.

chérry lèb *n.* 《俗》 =HASH OIL.

chérry pìcker *n.* **1** 버찌를 따는 사람. **2** 체리피커《쌓아올린 통나무 따위를 하나씩 들어올리는 이동식 크레인 ; 사람을 올리고 내리는 이동식 크레인》. **3** 《俗》 미동(catamite) ; 《美俗》 처녀를[젊은 여성을] 좋아하는 남자. **4** 《로켓俗》 발사대위 우주선에 이상 발생시 비행사의 캡슐을 빼내는 기중기.

chérry rèd *n.* 선홍색 ; 《英俗》 =BOVVER BOOTS.

chérry·stòne *n.* **1** 버찌씨. **2** 〔貝〕 비늘백합.

chérry tòp *n.* 《美俗》 =LSD.

***chérry trèe** *n.* 벚나무.

chert [tʃə́:rt, tʃǽt] *n.* 〔鑛〕 각암(角岩)《규질암(硅質岩)의 일종》. 〚C17<?〛

cher·ub [tʃérəb] *n.* (*pl.* ~**s**, **cher·u·bim** [-bìm]) **1** 케루빔, 지천사(智天使)《9천사 가운데 둘째로서 지식을 관장함 ; cf. HIERARCHY》. **2 a)** (*pl.*

~s) 〖美術〗 (날개가 달린 귀여운) 아기 천사. **b)** 토실토실한 귀여운 아기.
〚OE *cherubin* and Heb.〛

che·ru·bic [tʃərúːbik] *a.* 케루빔의 ; 순진한 ; (얼굴 따위가) 탐스럽게 통통한. **-bi·cal·ly** *adv.*

cher·vil [tʃə́ːrvəl] *n.* 〖植〗 처빌《미나리과(科) ; 샐러드용》. 〚OE *cerfille*<L<Gk.〛

Cher·yl [tʃérəl, ʃér-] *n.* 여자 이름.
〚? *cherry* ; ? *charlotte*〛

Chés·a·peake Báy [tʃésəpìːk-] *n.* 체서피크 만 《미국 Virginia 주와 Maryland 주에 쑥 들어가 있는 대서양 해안의 만》.

Chesh·ire [tʃéʃər, -ʃiər] *n.* 체셔《잉글랜드 서부의 주 ; 주도 Chester ; 略 Ches.》.

Chéshire cát *n.* 체셔 고양이《Lewis Carroll, *Alice's Adventures in Wonderland*에 나오는 싱글싱글 웃는 고양이》.
grin like a Cheshire cat 이유도 없이 싱글싱글 웃다.

Chéshire chéese *n.* 체셔산(産) 치즈《크고 평평하고 둥그런》.

ches·key [tʃéski] *n.* [흔히 C~] 《美俗》 체코계(系)의 사람 ; [흔히 C~] Ⓤ 체코어.

*__chess__[1] [tʃés] *n.* Ⓤ 체스, 서양 장기《판 위에서 32개의 말을 움직여 둘이서 하는 놀이》. 〚OF=CHECK ; OF *esches* (pl.)의 두음(頭音) 소멸〛

chess[2] *n.* 〖軍〗 배다리에 건너지르는 널.
〚ME *ches* tier ‹ CHASSE〛

chess[3] *n.* 〖植〗 포아풀과(科)의 잡초, (특히) 참새귀리. 〚C18< ?〛

chéss·bòard *n.* 서양 장기판(☞ CHECKERBOARD).

ches·sel [tʃésəl] *n.* 치즈 제조용의 틀.

chéss·màn [ˏ, -mən] *n.* (*pl.* **-mèn** [ˏ, -mən]) (체스의) 말.

‡**chest** [tʃést] *n.* **1** 흉곽(thorax), 가슴 : a cold on the ~ 기침 감기 / ~ trouble 폐 병 / beat one's ~ 가슴을 치며 슬퍼하다 / have something on one's ~ 《口》 가슴에 멍이 들다, 한이 맺히다 / get something off one's ~ 《口》 (가슴에 맺힌 사연을) 툭 털어놓아 후련하다. **2** 큰 상자 : a carpenter's ~ 목수의 연장통 / a ~ of tea 한 상자의 차. **3** (대학·병원·정당의 자금 보관용) 금고 ; 자금 : the community ~ 공동 모금 / military ~ 군자금. **4** 용기 : a ~ of clothes 한 옷장 가득한 옷. 〚OE *cest*<L *cista* box<Gk.〛
類義語 ⟹ BREAST.

-chést·ed *a. comb. form* 「가슴이 …한」의 뜻 : broad-[flat-]~ 가슴이 넓은[평평한]. 〚↑〛

Ches·ter [tʃéstər] *n.* 체스터. **1** 영국 Cheshire 주의 주도. **2** 미국 Pennsylvania 주 남동부의 도시.
〚OE=fortified town<L *castra* camp〛

chéster·field *n.* **1** 단추가 가리워진 남자 싱글 외투. **2** 소파의 일종《양 끝에 팔걸이가 있고 침대 겸용인 것》.

Chesterfield *n.* 체스터필드. **Earl of** ~ (1694-1773) 영국의 정치가·문인.

Chéster Whíte *n.* 체스터 화이트《흰 돼지의 일종》. 〚*Chester* Pennsylvania 주(州)의 원산지〛

chést·ful *n.* 큰 상자[통] 하나 가득한 양.

chést hàrdware *n.* 《軍俗》 가슴의 훈장.

chést nòte *n.* =CHEST TONE.

*__chest·nut__ [tʃésnʌ̀t, -nət] *n.* **1** 밤 ; 도토리(=horse ~). **2** 밤나무(=~ **trèe**) ; 도토리 나무 ; Ⓤ 밤나무 재목. **3** Ⓤ 밤색 ; Ⓒ 밤색털(의 말). **4** 《口》 케케묵은 이야기[재담].
pull a person***'s chestnuts out of the fire*** 남을 위해서 불 속의 밤을 줍다 ; 남의 앞잡이 노릇을 하다.
—— *a.* 밤색의, 밤색 털의.
〚*chesten* (obs.) (F<L<Gk. *kastanea*), NUT〛

chést·nùt·ting *n.* Ⓤ 밤 줍기.

chést of dráwers *n.* (침실 따위의) 서랍장.

chést-on-chést *n.* 서랍이 여러 층으로 된 장롱《짧은 다리가 있음》.

chest-on-chest

chést protèctor *n.* (방한용) 가슴받이.

chést règister *n.* 〖樂〗 흉성 성역(胸聲聲域).

chést thùmping *n.* (가슴을 두드리며 하는) 허풍, 호언 장담 ; 젠체함.

chést tòne *n.* 〖樂〗 흉성(胸聲)《비교적 저음역(低音域)의 목소리》.

chést vòice *n.* 〖樂〗 =CHEST TONE.

chésty *a.* 《美俗》 으쓱대는, 거만한 ; 《英口》 가슴 질환의 징후가 있는 ; 《口》 가슴이 잘 발달한.

chetah ☞ CHEETAH.

Chet·nik [tʃétnik, tʃetníːk] *n.* 체트닉《세르비아민족 독립 운동 집단의 대원 ; 제1차 대전 전에는 터키에 저항하고 양(兩) 대전 중에는 게릴라 활동을 전개함》. 〚Serb.〛

che·val-de-frise [ʃəvǽldəfríːz] *n.* CHEVAUX-DE-FRISE의 단수형.

che·va·let [ʃəvǽlei] *n.* **1** (현악기의) 줄받침. **2** (현수교(懸垂橋)의) 교대(橋臺).
〚F (dim.) ‹ *cheval* horse〛

che·vál glàss [ʃəvǽl-] *n.* 큰 체경(體鏡).

chev·a·lier [ʃèvəlíər] *n.* 중세의 기사 ; (프랑스의 레종 도뇌르 작위(the Legion of Honor) 따위의) 훈작사(勳爵士) ; 의협적인 사람.
〚OF<L *caballarius* horseman (*caballus* horse)〛

che·va·lier d'in·dus·trie [*F* ʃəvalje dɛ̃dystri] *n.* 사기꾼, 협잡꾼(=chevalier of industry).

chevaux-de-frise [ʃəvóudəfríːz] *n.* (*sg.* **cheval-** [ʃəvǽl-]) **1** 〖軍〗 (기병 방어용) 방책(防柵). **2** (담 위 따위에 쳐놓은) 철조망. 〚F〛

che·vet [ʃəvéi] *n.* 〖建〗 (프랑스식 교회당의) 후진(後陣) (apse).

chev·i·ot [tʃíːviət, tʃév-, 美+ʃév-] *n.* Ⓤ 셰비엇 양모(羊毛) 직물《영국 Cheviot Hills 산(産)》.

Chéviot Hílls *n. pl.* [the ~] 셰비엇 힐즈《잉글랜드와 스코틀랜드 경계에 있는 구릉지대》.

Chev·ro·let [ʃèvrəléi, ˊ-ˋ] *n.* 시보레《미국산 대중용 자동차 ; 상표명》.
〚L. *Chevrolet* (d. 1941) : W. C. Durant와 함께 Chevrolet Motor Co.의 창설자〛

chev·ron [ʃévrən] *n.* **1** 갈매기표 수장(袖章). 注 《英》에서는 근무 연한을 나타내고, 《美》에서는 계급을 나타냄《3개는 sergeant, 2개는 corporal 따위》. **2** 〖紋〗 갈매기 무늬. 〚OF<L *caper* goat ; cf. L *capreoli* pair of rafters〛

chévron bòard *n.* 급커브를 나타낸 도로 표지《지그재그 모양의》.

chev·ro·tain [ʃévrətèin, -tən], **-tin** [-tən] *n.* 쥐사슴. 〚F〛

chevy, chev·vy [tʃévi] *n.* =CHIVY.
—— *vt., vi.* =CHIVY.
〚Ballad of *Chevy Chase* ; CHEVIOT HILLS에서〛

Chevy [ʃévi] *n.* 《美口》=CHEVROLET.

*__chew__ [tʃúː] *vt.* **1** (음식물을) 씹다 : You must ~

your food well before you swallow it. 음식은 삼키기 전에 잘 씹어야 한다. **2** [+目/+目+副] 숙고하다, 곰곰이 생각하다 : The judge ~*ed* the matter ***over*** before making a decision. 재판관은 판결을 내리기 전에 사건을 충분히 검토했다.
—— *vi.* **1** 씹다 ; 《口》 씹는 담배를 씹다. **2** [+前+名] 숙고하다(meditate) : You'd better ~ (***up***) ***on*** [***over***] your future. 장래에 대해서 잘 생각해 두는 것이 좋다.
bite off more than one ***can chew*** ☞ BITE.
chew out 《美俗》 비난하다, 몹시 꾸짖다.
chew the cud ☞ CUD.
chew the rag [***fat***] 《俗》 잡담하다(chatter) ; 신세 타령을 하다.
—— *n.* 씹기 ; 한 입.
〖OE *cēowan* ; cf. G *kauen*〗

chewed [tʃúːd] *a.* 《美俗》 성난 ; 지친 ; 진《경기·토론 따위에서》.
chewed up 《美俗》 호되게 당한, 풀이 죽은.

chéwing gùm *n.* 껌, 추잉 검.

chéw·ings *n. pl.* 《美俗》 음식.

chéwing tobácco *n.* 씹는 담배.

che·wink [tʃiwíŋk] *n.* 〔鳥〕 토히새《북미산》. 〖imit.〗

chéwy *a.* (질기거나 끈적끈적하여) 씹기 힘든, 많이 씹어야 하는.

Chey·enne [ʃaiǽn, -én] *n.* (*pl.* ~, ~**s**) 샤이엔족《북아메리카 인디언》 ; 샤이엔 어(語).

chez [ʃei ; *F* ʃe] *prep.* …의 집에서 ; (편지 겉봉의) …씨 앞 ; …와 함께. 〖F<L *casa* cottage〗

CHF congestive heart failure(울혈성 심부전).

chg. charge. **chgd.** charged.

chi [kái] *n.* 키《그리스어 알파벳의 22번째 자 X, *x* ; 영자의 ch에 해당》. 〖Gk.〗

Chi. Chicago.

chi·ack, chy·ack [tʃáiək, -æk] *vt.* 《濠俗》 놀리다, 바보취급하다, 조롱하다.
—— *n.* 놀림 ; 악의 없는 농담.

Chiang Kaishek ☞ JIANG JIESHI.

Chi·an·ti [kiáːnti, -ǽn- ; -ǽn-] *n.* Ⓤ 키안티《이탈리아 원산의 주로 붉은 테이블 와인 ; 보통 짚으로 싼 병에 들어 있음》.

chi·a·ro·scu·ro [kiɑ̀ːrəskjúərou] *n.* (*pl.* ~**s**) Ⓤ 〔美術〕 명암의 배합 ; 〔文藝〕 명암 대조법. 〖It. (*chiaro* CLEAR, OBSCURE)〗

chi·as·ma [kaiǽzmə] *n.* (*pl.* **-ma·ta** [-tə], ~**s**) Ⓒ 〔生〕 키아스마, 염색체 교차.

chi·as·mus [kaiǽzməs] *n.* (*pl.* **-mi** [-mai]) 〔修〕 교차 배열법《She went to London ; to New York went he. 처럼 어구의 순서를 바꾸는 법》.
chi·as·tic [kaiǽstik] *a.*

chi·b(o)uk, -bouque [tʃəbúːk, ʃə-] *n.* (터키의) 긴 담뱃대, 장죽. 〖F<Turk.〗

chic [ʃíːk, ʃík] *n.* Ⓤ (독특한) 스타일 ; 기품(elegance), 멋. —— *a.* 맵시있는, 세련된, 멋있는 (stylish).
〖F<? ; G *Schick* skill 또는 *chic*ane 인가〗

chi·ca [tʃíːkə] *n.* 《美俗》(푸에르토리코의) 계집애.

***Chi·ca·go** [ʃəkáːgou, -kɔ́ː- ; -káː-] *n.* 시카고《미국 Illinois주 북동부, Michigan 호 연안의 도시》.
—— *a.* 《美俗》 갱같은. **~·an** *n.* 시카고 시민.

Chicágo Convèntion *n.* 시카고 조약《국제 민간 항공에 관한 조약 ; cf. ICAO》.

Chicágo piáno *n.* 《美俗》 =THOMPSON SUBMACHINE GUN.

Chicágo píneapple *n.* 소형 폭탄, 수류탄.

Chi·ca·na [tʃikáːnə, ʃi-] *n., a.* 치카나(의)《멕시코계 미국 여성》.

chi·cane [ʃikéin, tʃi-] *n.* **1** =CHICANERY. **2** 〔카드놀이〕 (bridge 놀이에서) 으뜸패가 한장도 없는 사람(에게 주는 점수). —— *vi.* 교활한 수를 쓰다.
—— *vt.* [+目+前+名] 속여서 …시키다[빼앗다] : He ~*d* the widow ***out of*** her property. 미망인을 속여서 그녀의 재산을 탈취했다.
chi·cá·nery *n.* Ⓤ,Ⓒ 발뺌, 핑계, 속임수.
〖F=quibble〗

Chi·ca·no [tʃikáːnou, ʃi-] *n.* (*pl.* ~**s**) 치카노《멕시코계 미국인》. —— *a.* 치카노의.

Chich·es·ter [tʃítʃəstər] *n.* 치체스터《잉글랜드 West Sussex 주의 주도(州都)》.

chi·chi [ʃíːʃiː, 美+tʃíːtʃiː] *a., n.* 야한[몹시 거드름 피우는] (것) ; 맵시 있는[세련된] (것) ; 《俗》(성적으로) 가슴 설레게 하는 ; 《美俗》 남자 동성 연애자의 ; [흔히 *pl.*] 《卑》 젖퉁이 ; 성적 매력이 있는 것[여자]. 〖F〗

chick[1] [tʃík] *n.* **1** 병아리. **2** 《애칭》 어린아이 ; [the ~s] (한 집안의) 아이들. **3** 《美俗》 계집애 ; 교도소 음식. 〖*chick*en〗

chick[2] *n.* 《인도》 발 (bamboo screen). 〖Hindi〗

chick·a·bid·dy [tʃíkəbìdi] *n.* 《口》 병아리 ; 《兒》 삐악삐악《아기가 병아리 부르는 소리》 ; 《애칭》 귀여운[착한] 아기, 아가.

chick·a·dee [tʃíkədìː] *n.* 〔鳥〕 미국쇠박새. 〖imit.〗

Chick·a·mau·ga [tʃìkəmɔ́ːgə] *n.* 미국 Georgia 주 북서부에 있는 수로《남북 전쟁 때 남군이 대승한 곳(1863)》.

chick·a·ree [tʃíkərìː] *n.* 〔動〕 붉은다람쥐《북미산》. 〖imit.〗

Chick·a·saw [tʃíkəsɔ̀ː] *n.* (*pl.* ~, ~**s**) 치카소족《아메리카 인디언의 한 종족》 ; 치카소 방언.

◇**chick·en** [tʃíkən] *n.* **1** 《英》 새끼새 ; 병아리 : The hen has five ~*s*. 그 암탉은 병아리 다섯 마리를 거느리고 있다. **2** Ⓤ 닭고기 : We had ~ for dinner. 만찬에 닭고기를 먹었다. **3** 《美俗》 닭(fowl). **4** 젊은이, 어린애, (특히) 계집애 ; 《美俗》 젊은 매춘부 : She is no ~. 그녀는 애송이가 아니다. **5** 《俗》 호모인 소년 ; 소심한 사람, 겁쟁이 ; 《俗》 음경. **6** [형용사적으로] 닭고기의 ; 어린아이의, 작은 ; 《俗》 겁많은, 비열한, 비겁한 : a ~ lobster 잔 새우.
count one's ***chickens before they are hatched*** 《口》 떡 줄 놈은 생각도 않는데 김치국부터 마신다.
—— *vi.* [다음 숙어로]
chicken out 《口》 겁이 나서 (…에서) 물러나다 [손을 떼다]. 〖OE *cicen* ; COCK[1]와 동의어〗

chícken-and-égg *a.* (논의 따위가) 닭이 먼저냐 달걀이 먼저냐의 ; 인과 관계를 알 수 없는 : a ~ problem[dilemma].

chícken brèast *n.* 새가슴.
chícken-bréast·ed *a.* 새가슴의.

chícken chòlera *n.* 가금(家禽) 콜레라.

chícken cóop *n.* 닭장.

chícken fèed *n.* (닭 따위의) 모이 ; 《美俗》 잔돈, 푼돈.

chícken hàwk *n.* 〔鳥〕 말똥가리류의 독수리.

chícken hàzard *n.* 노름의 일종.

chícken·hèart *n.* 겁쟁이, 소심한 사람.

chícken-héart(·ed), -líver(ed) *a.* 소심한, 겁이 많은.

chícken pòx *n.* 〔醫〕 계두(鷄痘) ; 수두(水痘).

chícken sèxer *n.* 병아리 감별사.

chícken swìtch *n.* 《美俗》 **1** (우주선의) 긴급

탈출용 단추. **2** 당황해서 거는 도움 요청 전화.
chícken tràcks *n. pl.* 《美俗》 판독하기 힘든 지저분한 글씨.
chícken yàrd *n.* 《美》 양계장(=《英》 fowl-run).
chick·ie [tʃíki] *n.* 《美俗》 젊은 여성; 여자 아이.
chíck·let(te) *n.* 《美俗》 소녀.
chíck·ling *n.* 병아리. 〖*chicheling* (dim.) <ME and F *chiche* <L=chick-pea〗
chíck-pèa *n.* 이집트콩, 병아리콩.
chíck·wèed *n.* 〔植〕 나도개미자리과(科) 중에서 작고 포복성이 강한 풀《점나도나물·별꽃 따위》.
chícky *n.* chick¹의 애칭.
chi·cle [tʃíkəl, tʃíkli] *n.* Ⓤ 치클《사포딜라에서 채취하는 추잉 검의 원료》. 〖Am. Sp.<Nahuatl〗
Chi·com [tʃáikɑm] *n., a.* 《蔑》 중국공산당원(의). 〖*Chi*nese *com*munist〗
chic·o·ry, chic·co- [tʃíkəri] *n.* **1** 《美》 〔植〕 치코리《잎은 샐러드용, 뿌리의 가루는 커피의 대용품》. **2** 《英》 꽃상추(endive). 〖F<L<Gk. SÚCCORY〗
chide [tʃáid] *vt., vi.* (**chid** [tʃíd], **chíd·ed** [tʃái-]; **chid, chid·den** [tʃídn], **chíd·ed**) 《文語》 [+目/+目+前+名/動] 꾸짖다, (아이들 등에게) 잔소리하다: She ~*d* her little daughter ***for*** soiling her dress. 어린 딸이 옷을 더럽혔다고 꾸짖었다. 〖OE *cīdan* to contend, blame< ?〗
類義語 ⟹ SCOLD.
◇**chief** [tʃíːf] *n.* **1** 우두머리, 지배자; 장관, 상관, 국[부·과·소]장; 《俗》 보스(boss): the ~ of police 《美》 경찰본부장, 경찰서장 / the ~ of staff 참모장 / the ~ of state (국가의) 원수 / the *C*~ of the Imperial General Staff 《英》 참모총장. **2** 추장, 족장. **3** [보통 C~] 〔海〕 일등 기관사. **4** 《美俗》 여보세요《낯선 사람에 대한 호칭》. **5** [the ~] 《美俗》 =LSD.
in chief (1) 최고의, 장관의: ☞ COMMANDER IN CHIEF / the editor *in* ~ ☞ EDITOR 숙어. (2) 주로, 특히(chiefly): (an) examination *in* ~ ☞ EXAMINATION 숙어.
—— *a.* **1** 제1위의, 최고의: a ~ officer[mate] 〔海〕 일등 항해사 / a ~ engineer[nurse] 기사장[수간호사]. **2** 주요한(main), 주된: the ~ thing to do 우선 해야 할 중요한 일.
—— *adv.* 《古》 주로, 특히: ~(*est*) of all 특히. 〖OF<L *caput* head〗
類義語 ***chief*** 계급·권력·중요성이 최고로서, 다른 것들이 그 밑에 속해 있음: a *chief* justice (재판장). ***principal*** 남을 관리·지배하고 있는 사람, 혹은 크기·지위·중요성이 다른 어떤 것보다도 뛰어난 사람이나 물건에 쓰임: a *principal* act (주요한 법령[법률]). ***main*** 어떤 조직 또는 전체 중에서 크기·힘·중요성이 두드러져 있는 것에 씀: the *main* road (간선[주요]도로). ***leading*** 남을 지도하고 유도하는 능력을 강조함: a *leading* statesman (지도적인 정치가). ***foremost*** 선두에 나서서 나아가는 것을 암시함: the *foremost* leader of the day(그 날의 선두 지휘자). ***capital*** 중요성 또는 특별한 의미에서 같은 종류의 제1위에 있는: the *capital* city(수도).
chíef·dom *n.* U,C chief의 직[지위]; chief가 통할하는 지역[종족].
Chíef Exécutive *n.* [the ~] 《美》 대통령; [the c~ e~] 《美》 주지사; [c~ e~] (한 정부의) 최고 행정관, 수반.
chíef exécutive ófficer ☞ CEO.
Chíef Júdge *n.* 《美》 수석 판사, 하급 법원장.
chíef jústice *n.* [the ~] 재판장; 법원장. ***the Chief Justice of the United States*** 미연방 대법원장.
***chíef·ly** *adv.* 주로(mainly); 우선 첫째로: We visited Washington ~ to see the Capitol and the White House. 주로 국회의사당과 백악관을 견학하기 위해서 워싱턴을 방문했다. —— *a.* 우두머리의, 수령의.
類義語 ⟹ ESPECIALLY.
chíef máster sérgeant *n.* 〔美空軍〕 특무상사.
chíef of nával operátions *n.* 〔軍〕 해군 작전부장.
chíef pétty òfficer *n.* 〔美海軍〕 일등 상사; 〔英海軍〕 상사.
chíef príest *n.* (유태교의) 제사장.
chíef·ship *n.* =CHIEFDOM.
chief·tain [tʃíːftən] *n.* (산적 등의) 우두머리, 수령; (스코틀랜드 고지 씨족·인디언 부족 등의) 족장, 리더; 《詩·古》 지휘관.
chíef·tain·cy *n.* CHIEFTAIN의 지위[임무]. 〖OF<L CAPTAIN; 어형은 *chief*에 동화(同化)〗
chíeftain·ess *n.* CHIEFTAIN의 여성형.
chíef wárrant òfficer *n.* 〔美軍〕 상급 준위.
chiff·chaff [tʃíftʃæf] *n.* 〔鳥〕 치프차프《휘파람새과(科)》. 〖imit.〗
chif·fon [ʃifán, ⌐⌐] *n.* Ⓤ 시폰, 비단 모슬린; [*pl.*] 드레스의 가장자리 장식《레이스·리본 따위》.
—— *a.* 시폰 같이 얇은[부드러운]. 〖F (*chiffe* rag)〗
chif·fo·nier, -fon·nier [ʃìfəníər] *n.* 서양 장롱. 〖F↓〗
chif·fon·nière [ʃìfəníər; *F* ʃifɔnjɛːr] *n.* 시포니어 《(1) 서랍이 하나 달려 있는 작은 테이블. (2) 바닥이 얕은 서랍이 몇 단(段) 있는 18세기의 작업용 테이블》. 〖F=rag picker〗
chig·ger [tʃígər, dʒíg-] *n.* **1** 양충(恙蟲). **2** = CHIGOE. 〖변형(變形) ‹ *chigoe*〗
chi·gnon [ʃíːnjɑn, -njɔːŋ] *n.* (뒤통수에서 목덜미까지) 쪽찐 머리. 〖F=nape of neck〗
chig·oe [tʃí(ː)gou] *n.* 모래벼룩(sand flea)《사람이나 가축의 피부에 파고드는 기생형 곤충》; 양충. 〖Carib〗
Chi·hua·hua [tʃəwɑ́ːwɑː, ʃə-, -wə] *n.* 치와와《멕시코 원산의 작은 개의 품종》.
chil- [káil], **chi·lo-** [káilou, -lə], **cheil-** [kail], **chei·lo** [-lou, -lə] *comb. form* 「입술」의 뜻. 〖Gk.〗
chil·blain [tʃílblèin] *n.* [보통 *pl.*] 동상《FROSTBITE 보다 가벼움》. **~ed** *a.* 동상에 걸린. 〖CHILL, BLAIN〗
◇**child** [tʃáild] *n.* (*pl.* **chil·dren** [tʃíldrən, 美+ -dərn]) **1** 어린이, 아동; (일반적으로) 아이: The ~ is (the) father of[to] the man. 아이는 어른의 아버지다. ㊟ 이 낱말을 받는 인칭 대명사의 용법에 관해서는 ☞ BABY 活用. **2** 자식; 자손(offspring): a ~ *of* Abraham 아브라함의 자손, 유태인. **3** 제자(disciple), 숭배자: a ~ *of* God 하느님의 아들《선인·신자》/ a ~ *of* the Devil 악마의 아들《악인》. **4** (어떤 특수한 환경에) 태어난 사람, (어떤 특수한 성질에) 관련이 있는 사람: a ~ *of* fortune[the age] 운명[시대]의 총아 / a ~ *of* nature 자연아, 천진 난만한 사람 / a ~ *of* sin 죄악의 자식, 인간 / a ~ *of* the Revolution 혁명아. **5** (두뇌·공상 따위의) 소산 ‹*of*›.
as a child 어릴 때.
from a child 어릴 적부터.

with child 임신중인[하여] (pregnant).
〖OE *cild*, (pl.) *cild, cildru* ; ME 기(期) *brethren* 의 유추로 -en이 부가됨〗
chíld abùse *n.* 어린이 학대.
chíld áutism *n.* 소아 자폐증.
chíld-bàtter·ing *n.* (어른에 의한) 아동 학대 행위(cf. BABY-BATTERING).
chíld·bèar·ing *n.* Ⓤ 출산, 해산. ── *a.* 출산의, 분만의.
chíld·bèd *n.* Ⓤ 산욕(産褥) ; 분만 : die in ~ 해산중에 죽다 / ~ fever 산욕열.
chíld bénefit *n.* 《英》 (국가에서 지급하는) 아동 수당.
chíld·bìrth *n.* ⓊⒸ 분만, 출산.
chíld cáre *n.* Ⓤ 육아(育兒) ; 아동보호.
chíld·càre lèave *n.* 육아 휴가.
childe [tʃáild] *n.* 《古》 도련님, 귀공자.
Chil·der·mas [tʃíldərməs ; -mæ̀s] *n.* 아기의 날 《12월 28일, Herod 왕에게 살해된 Bethlehem의 아기들을 추도하는 날》.
chíld guídance *n.* 아동 복지의 관리 지도.
***chíld·hood** *n.* Ⓤ 어릴 적, 유년시절 : from early ~ 어릴 적부터.
in one'***s second childhood*** 늘그막에.

〈회화〉
How do you know her ? — We were *childhood* friends. 「어떻게 그녀를 알고 있지」「어렸을 때부터 친구야」

chíld·ing *a.* 임신한(pregnant).
***chíld·ish** *a.* **1** 아동의, 어린이다운. **2** (어른이) 앳된, 유치한 ; 어른답지 못한, 어리석은(cf. CHILDLIKE) : the ~ impulse of the man 그 사나이의 어른답지 못한 유치한 충동. **~·ly** *adv.* 아이들처럼 ; 유치하게. **~·ness** *n.* Ⓤ 유치함.
chíld lábor *n.* 〖法〗 미성년 노동《미국에서는 15세 이하》.
chíld·less *a.* 아이가 없는.
chíld·lìke *a.* (좋은 뜻으로) 어린이다운, 순진한, 천진난만한(cf. CHILDISH).
chíld·ly *a.* 어린애 같은. ── *adv.* 어린애 같이.
chíld·mìnd·er *n.* 《英》 애보는 사람(baby-sitter) ; 보모.
chíld-nàp·ping *n.* 이혼 수속이 끝나기도 전에 한쪽 부모가 자식을 빼앗기.
chíld pródigy *n.* =INFANT PRODIGY.
chíld·pròof *a.* 어린아이는 다룰 수 없는 ; 어린아이에게 안전한 : ~ caps 어린아이는 열 수 없는 병(마개).
chíld psychólogy *n.* 〖心〗 아동 심리학.
◇**children** *n.* CHILD의 복수형.
chil·dren·ese [tʃìldrəníːz, -s] *n.* 《美》 유아어 (baby talk) ; 어린애말.
Chíldren of Gòd *n.* [the ~] 〖基〗 하느님의 자녀파《Jesus Movement의 한 파》.
chíld-resìst·ant *a.* (제품이) 어린애가 장난할 수 없는 ; 어린애용으로 안전하게 된(childproof).
chíld's plày *n.* [항상 무관사] 《口》 아이들 장난(같이 쉬운 일) ; 하찮은 일 : It's mere ~ for him. 그에게 있어서 그건 식은죽 먹기다.
chíld wélfare *n.* 아동 복지.
chíld wífe *n.* 어린 아내.
chile ☞ CHILI.
Chile [tʃíli] *n.* 칠레《남아메리카에 있는 공화국 ; 수도 Santiago》.
Chíl·e·an, Chíl·i·an *a.* 칠레 사람의 ; 칠레의. ── *n.* 칠레 사람.
Chílean·ìze *vt.* 칠레화하다, 칠레 정부의 통제 아래 두다. **Chìlean·izátion** *n.*
Chíle saltpéter[níter] *n.* 칠레초석(硝石).
chili, chile, chil·li [tʃíli] *n.* (*pl.* **~s, chíl·lies**) Ⓤ 고추의 일종(hot pepper) 《열대 아메리카산 ; 멕시코 요리의 향미료》. ── *a.* 《美俗》 멕시코(풍)의 : ~ food 멕시코풍 요리. 〖Sp.<Aztec〗
chil·i·ad [kíliæ̀d, -əd] *n.* 천(千) ; 천년.
chil·i·arch [kíliɑ̀ːrk] *n.* 〖古그〗 천인(千人) 대장.
chil·i·asm [kíliæ̀zəm] *n.* Ⓤ 천년 왕국설《그리스도가 재림하여 1천년 동안 이 세상을 다스린다는 설 ; cf. MILLENNIUM》. **-ast** [-æ̀st] *n.* 천년 왕국설 신봉자. **chìl·i·ás·tic** *a.*
chíli-bòwl *n.* 《美俗》 아주 짧게 머리를 깎기 ; 지저분한 놈, 바보 녀석.
chíli còn cár·ne [-kɑ̀n kɑ́ːrni, -kən-] *n.* 칠레고추를 넣은 고기 및 콩 스튜《멕시코 요리》. 〖Sp. =chili with meat〗
chíli dòg *n.* 칠리 도그《chili con carne가 들어간 핫도그》.
chíli pòwder *n.* 칠리 파우더《고춧가루》.
chíli sàuce *n.* 칠레 소스《고추와 기타 향료를 넣은 토마토 소스》.
***chill** [tʃíl] *n.* **1** 차가움, 냉기 : the ~ of early dawn 이른 새벽의 냉기 / a ~ in the air 으스스함. **2** 《주로 英》 오한, 한기 : take[catch] a ~ 한기가 들다 / I have a ~. 오한이 나다. **3** 냉담, 쌀쌀함 ; 풀죽음, 실의 : cast a ~ over[upon] …에 찬물을 끼얹다, …의 흥을 깨다. **4** (주물의) 냉경(冷硬) 표면(부) ; (니스·래커의) 흐린 부분. **5** 《美俗》 (차게 한) 맥주.
take the chill off. . . (물·술)을 조금 데우다[찬기운만 없애다](cf. *vt.* 5).
── *a.* 《文語》 차가운 ; 냉담한《㊟ 지금은 CHILLY가 보통》 : a ~ reception 쌀쌀한 대접.
── *vt.* **1** 식히다 ; (음식을) 냉장하다 : I was ~*ed* to the bone. 한기가 뼛속까지 스며들었다. **2** (녹인 쇠를) 식혀서 굳히다. **3** (열의를) 꺾다, (흥을) 깨다 : The news ~*ed* the morale of the soldiers. 그 소식은 군인들의 사기를 꺾어 놓았다. **4** 오싹해지게 하다. **5** 《英口》 (액체를) 조금 데우다(cf. *take the* CHILL *off*). ── *vi.* 식다, 싸늘해지다 ; 추위를 느끼다.
〖OE *ciele* ; cf. COLD, COOL〗
chíll càr *n.* 《美》〖鐵〗 냉장차.
chilled [tʃíld] *a.* **1** 식힌, 냉각한 ; 냉장의 : ~ meat[beef] 냉장한 고기(cf. FROZEN meat). **2** 〖冶〗 냉각시켜 굳힌 : ~ casting 칠드 주물.
chíll·er *n.* 냉각[청량] 장치 ; 《口》 (소설·영화 따위의) 공포물(thriller).
chíll·er-díll·er [-dílər] *n.* 《美俗》 (소설·영화 따위의) 공포물, 서스펜스물(chiller). 〖↑, *dilly*[2]〗
chilli ☞ CHILI.
chíll·i·ness *n.* Ⓤ 냉기 ; 오한 ; 냉담.
chíll·ing *a.* 한기가 도는, 냉랭한 ; 냉담한, 쌀쌀한.
chíll mòld *n.* 냉각 거푸집.
Chil·lon [ʃəlɑ́n, ʃílən] *n.* 스위스 Geneva 호수 부근의 옛 성《원래 정치범 수용소》.
chíll·òut *n.* (등유 부족으로 인한) 난방 정지.
chíll·ròom *n.* 냉장실.
***chílly** *a.* **1** (날씨 따위가) 쌀쌀한, 으스스한 : It was rather ~ that day. 그 날은 꽤 쌀쌀한 날씨였다 / I feel[am] ~. 한기가 들다. **2** 냉담한, 쌀쌀한 : a ~ greeting 냉담한 인사.
── [tʃílli] *adv.* 쌀쌀하게, 냉담하게. 〖CHILL〗
chilo- [káilou, -lə] ☞ CHIL-.
chi·lo·plàsty [káilou-] *n.* 〖醫〗 입술 성형 수술.

Chíl·tern Húndreds [tʃíltərn-] *n. pl.* Chiltern Hills《잉글랜드 중남부의 구릉지대》를 포함하는 영국왕 직속지 : apply for[accept] the ~ 《英》 하원 의원을 사임하다.
Chi·lung [tʃí:lúŋ], **Kee·lung** [kí:lúŋ] *n.* 지룽(基隆)《대만 북부의 항구 도시》.
chi·mae·ra [kaimíərə, kə-] *n.* =CHIMERA.
chimb [tʃáim] *n.* =CHIME².
***chime**¹ [tʃáim] *n.* **1** 조율한 한 벌의 종 ; [때때로 *pl.*] 그 종소리(의 음악), 차임 : ring[listen to] the ~*s*. **2** U,C 선율(melody), 화음(harmony) ; 조화, 일치 : in ~ 조화되어. **3** (문·시계 따위의) 차임(소리) ; (라디오의) 시보.
—— *vt.* (한 벌의 종을) 울리다 ; (시간을) 종소리로 알리다 ; (사람을) 종으로 부르다 ; 되풀이해서[억양을 붙여서] 말하다 : ~ the hour 차임을 울려서 시간을 알리다 / The bell ~*d* noon. 종이 정오를 알렸다. —— *vi.* **1** (한 벌의 종·시계가) 울리다 : The bells ~*d* at midnight. 종이 한밤중에 울려 퍼졌다. **2** 조화하다, 일치하다(agree) 〈*with, together*〉.
chime in (1) 《口》 (서둘러) 맞장구치다, (사람·계획 따위에) 동의하다 : "Of course," he ~*d in*. 「물론이지요」하고 그는 맞장구를 쳤다. (2) 조화하다 : Her ideas ~*d in* beautifully *with* mine. 그녀의 생각은 내 생각과 매우 일치했다.
〚ME *chym(b)e bell*<? OE *cimbal(a)* CYMBAL〛
chime² *n.* (술통 양쪽 끝의) 튀어나온 가장자리.
〚ME ; cf. MDu., MLG *kimme* outer edge〛
chim·er¹ [tʃáimər] *n.* 종을 울리는 사람.
chi·me·ra [kaimíərə, kə-] *n.* **1** [C~] 〘그神〙 키메라《머리는 사자, 몸은 염소, 꼬리는 뱀으로서, 불을 뿜는 괴상한 짐승》. **2** 괴물, 도깨비 ; 망상(wild fancy), 터무니없는 계획, 실현 불가능한 꿈. **3** 〘生〙 키메라《두개 이상의 다른 유전자를 가진 조직이 한 개체를 형성한 것》.
〚L<Gk. =she-goat〛
chi·mere [tʃəmíər, ʃə-], **chim·er**² [tʃímər, ʃím-] *n.* (bishop이 rochet 위에 입는) 소매 없는 검은 법의(法衣).
〚↑의 특별 용법인가〛

chimere

chi·mer·ic, -i·cal [kaimérik(əl), -míər-, kə-] *a.* 괴물 같은 ; 공상적인, 터무니없는 ; 〘生〙 키메라의. 〚CHIMERA〛
chi·me·rism [kaimíərizəm, kə-, káimərìzəm] *n.* 〘生〙 키메라 현상(cf. CHIMERA).
‡**chim·ney** [tʃímni] *n.* **1** 굴뚝. **2** (램프의) 등피. **3** 굴뚝 모양의 물건 ; (화산의) 분연구(噴煙口) ; 〘登山〙 침니《바위의 세로로 갈라진 틈》.
〚OF<L=(room) with a fireplace (*caminus* oven<Gk.)〛
chímney brèast *n.* 방의 벽난로의 돌출한 부분.
chímney càp *n.* 굴뚝의 통풍갓.
chímney còrner *n.* **1** (옛날식의 큰 벽난로의) 귀퉁이 자리《따뜻해서 기거하기 좋은 자리로서 보통 집주인이 차지함》. **2** 난롯가(fireside).
chímney jàck *n.* =MANTELPIECE.
chímney nòok *n.* =CHIMNEY CORNER.
chímney·pìece *n.* =MANTELPIECE.
chímney pòt *n.* **1** 굴뚝 꼭대기의 연기 배출관. **2** 《英口》 실크햇(top hat).
chímney shàft *n.* =CHIMNEY STACK.
chímney stàck[**stálk**] *n.* 조립 굴뚝《그 하나 하나가 chimney pot》; (공장 따위의) 큰 굴뚝.

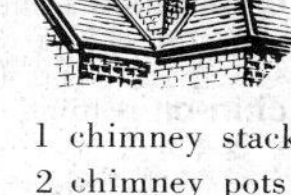
1 chimney stack
2 chimney pots
chimney stack

chímney swàllow *n.* (굴뚝에 둥지를 치는 보통의) 제비 ; 《美》 =CHIMNEY SWIFT.
chímney swèep(er) *n.* 굴뚝치는 사람[청소원].
chímney swìft *n.* 〘鳥〙 굴뚝칼새《북미산》.
chímney tòp *n.* 굴뚝 꼭대기.
chimp [tʃímp, 美+ʃímp] *n.* 《口》 =CHIMPANZEE.
chim·pan·zee [tʃìmpænzí:, 美+ʃìm-, 美+-pən-, 美+tʃimpǽnzi:, 美+ʃim-] *n.* 침팬지《아프리카산》.
〚F<Kongo〛
***chin** [tʃín] *n.* **1** 턱, 턱끝. **2** 《美俗》 쓸데없는 잡담, 수다.
chin in air 턱을 내밀고.
keep** one's **chin up 《口》 용기를 잃지 않다.
up to the chin 턱까지, 깊이 빠져서.
wag** one's **chin 《俗》 지껄이다.
—— *v.* (-nn-) *vt.* **1** (바이올린 따위를) 턱끝으로 밀다 ; 턱끝까지 가지고 오다 : He *chinned* the bar 12 times. 그는 철봉에서 턱걸이를 12번 했다. **2** 반복하다. —— *vi.* **1** 《美俗》 지껄이다, 이야기하다. **2** 턱걸이하다.
chin** one**self (철봉에서) 턱걸이하다.
〚OE *cin(n)* ; cf. G *Kinn*〛
Chin. China ; Chinese.
***chi·na** [tʃáinə] *n.* U 자기(porcelain) ; (일반적으로) 도자기, 토기 : a piece of ~ 한 개의 자기 그릇 / glass and ~ 유리 그릇과 도자기.
—— *a.* 도자기로 만든.
〚Pers. ; ⇨ CHINA〛
‡**Chi·na** [tʃáinə] *n.* 중국.
from China to Peru 세계의 구석구석까지(도).
the People's Republic of China 중화인민공화국, 중국.
—— *a.* 중국(산)의.
Chína àster *n.* 〘植〙 과꽃.
chí·na bàrk [káinə-, kí:-] *n.* 키나나무 껍질.
chína·bèrry [; -bəri] *n.* 〘植〙 멀구슬나무.
chína clày *n.* 고령토, 도토(陶土)(kaolin).
chína clòset *n.* 도자기 선반.
Chína crépe *n.* 중국 크레이프《바탕이 쪼글쪼글한 엷은 명주》.
Chína gràss *n.* 〘植〙 모시풀.
Chína ínk *n.* =INDIA INK.
Chína·man [-mən] *n.* 《보통 蔑》 중국인, 되놈 (cf. CHINESE).
chìna·mánia *n.* 《古》 도자기 수집열.
chìna·mániac *n.* 《古》 도자기 수집광(狂).
Chína róse *n.* 〘植〙 월계화 ; 히비스쿠스.
Chína Séa *n.* [the ~] 중국해(海).
Chína sýndrome *n.* 중국 증후군(群)《원자로의 노심용융(爐心溶融)(meltdown)에 의한 사고 ; 용융물이 대지에 침투, (미국의) 지구 반대쪽인 중국에까지 미친다는 상상에 의거한 말》.
Chína téa *n.* 중국차.
Chína·tòwn *n.* 화교 거주지역, 중국인 거리.
chína trèe *n.* 〘植〙 =CHINABERRY.
chína·wàre *n.* U 도자기.
Chína wàtcher *n.* 중국 (문제) 전문가(cf. PEKINGOLOGIST).

chína wédding *n.* 도혼식《결혼 20주년》.
Chína whíte *n.* 《美俗》 헤로인(heroin).
chín·bóne [, ⌐⌐] *n.* 〖動·解〗 아래턱(mandible).
chin·ca·pin [tʃíŋkəpìn] *n.* 〖植〗 =CHINQUAPIN.
chinch [tʃíntʃ] *n.* 《美》 빈대. 〖Sp.〗
chínch bùg *n.* 〖昆〗 긴노린재류《밀의 해충》.
chin·chil·la [tʃintʃílə] *n.* 〖動〗 친칠라《남미산 쥐류(類)의 작은 동물》; Ⓤ 그 모피《쥐색의 보드라운 고급품》. 〖Sp. (dim.) ‹ *chinche* bug, CHINCH〗
chin-chin [tʃíntʃìn; ⌐⌐] *n.* 《英口》 (중국인식의) 정중한 인사. —— *int.* 안녕하세요; 건강을 위하여《축배 따위》, 안녕! —— *vt., vi.* (**-nn-**) (…에) 인사하다.
〖Chin. *qingqing* (칭칭(請請))〗
CHINCOM [tʃínkəm] *n.* 대중(對中) 수출 통제 위원회(cf. COCOM). 〖*Chin*a *Com*mittee〗
chin·cough [tʃínkɔ̀(:)f, -kɑ̀f] *n.* 백일해(百日咳). 〖CHINK[2]〗
chine[1] [tʃáin] *n.* (동물의) 등뼈[등심살]; (산의) 마루턱(ridge). —— *vt.* …의 등을 따라 쨌다; …의 등뼈를 가르다.
〖OF *eschine*<Gmc. and L SPINE〗
chine[2] *n.* 《英方》 좁고 깊은 골짜기.
〖OE *cinu* chink[1], cavern〗
chine[3] *n.* =CHIME[2].
Chi·nee [tʃainíː] *n.* 《俗》 중국인(Chinaman): the heathen ~ 《戲》 전형적인 중국인. 〖↓〗
‡**Chi·nese** [tʃainíːz, -s] *a.* 중국(제·산·인·어)의. —— *n.* **1** (*pl.* ~) 중국인(cf. CHINAMAN). **2** Ⓤ 중국어. 〖CHINA〗
Chínese béllflower *n.* 도라지.
Chínese blóck *n.* 목탁.
Chínese bóxes *n. pl.* 크기의 차례대로 포개 넣을 수 있게 만든 그릇이나 상자.
Chínese cháracter *n.* 한자(漢字).
Chínese cópy *n.* 결점까지 똑같이 만든 가짜.
Chínese ínk *n.* =INDIA INK.
Chínese lántern *n.* (종이) 초롱.
Chínese médicine *n.* 한방약.
Chínese phóenix *n.* 봉황새.
Chínese púzzle *n.* 매우 복잡한 퀴즈; 난문.
Chínese réd *n.* 주홍; 크롬적; 《美俗》 헤로인.
Chinése Revolútion *n.* [the ~] 중국[신해] 혁명《1911년 손문의 혁명군이 청조(淸朝)를 무너뜨리고 1912년에 중화민국을 세움》.
Chínese Wáll *n.* [the ~] 만리 장성.
Chínese whíte *n.* 아연백(zinc white)《그림 물감》; 《美俗》 헤로인.
Chínese wóod òil *n.* 동유(桐油).
Ching, Ch'ing [tʃíŋ] *n.* 〖史〗 청(淸), 청조(淸朝) (1644-1912).
chink[1] [tʃíŋk] *n.* (가늘게) 째진 금, 갈라진 틈(slit), 틈바구니(crack). —— *vt.* …의 갈라진 틈새를 메우다. 〖C16; cf. CHINE[2]〗
chink[2] *n.* 땡그랑, 짤랑짤랑《유리나 금속의 소리》. —— *vi.* 땡그랑 소리나다. —— *vt.* 짤랑짤랑 울리게 하다: He ~*ed* his coins in his pocket. 주머니 속의 동전을 짤랑짤랑 소리나게 했다. 〖imit.〗
Chink *n.* 《俗·蔑》 중국인.
〖변형(變形) ‹ *Chinese*; 어형은 중국인의 가는 눈에서 *chink*와의 연상(聯想)〗
chin·ka·pin [tʃíŋkəpìn] *n.* =CHINQUAPIN.
chínky *a.* 금이 간, 틈이 많은.
chín·less *a.* 턱이 들어간; 《비유》 용기[뚜렷한 목적] 없는, 우유부단한, 나약한.
chín mùsic *n.* 《美俗》 잡담, 수다.
-chinned [tʃínd] *a. comb. form* 「…의 턱을 가진」의 뜻. 〖*chin*, *-ed*〗
chi·no [tʃíːnou, ʃíː-] *n.* (*pl.* **~s**) 《美》 치노《군복 따위에 쓰이는 카키색의 질긴 면직물》.
〖CHINA or Am. Sp.< ?〗
Chi·no- [tʃáinou, -nə] *comb. form* 「중국」의 뜻 (cf. SINO-). 〖CHINA〗
chi·noi·se·rie [ʃi(ː)nwɑ́ːzəri, -wɑ̀ːzəríː] *n.* 17-18세기에 유럽에서 유행한 복장·가구·건축 따위에서의 중국풍의 취미; 중국풍의 물건.
〖F (*chinois* Chinese)〗
Chi·nook [tʃənú(ː)k, 美+ʃə-] *n.* (*pl.* ~, **~s**) 치누크족(族)《북미 인디언》; Ⓤ 치누크어.
Chinóok Járgon *n.* 치누크어와 다른 인디언 언어에 영어와 프랑스어가 혼합된 언어.
chin·qua·pin [tʃíŋkəpìn] *n.* 〖植〗 친카핀밤나무의 일종. 〖Algonquian〗
chín rèst *n.* 바이올린 따위의 턱 괴는 곳.
chinse [tʃíns], **chintze** [tʃínts] *vt.* (배의 널의 이음매를) 뱃밥으로 메우다.
〖*chinch* (dial.) to fill up cracks〗
chín stràp *n.* (모자의) 턱끈.
chín tùrret *n.* (폭격기·무장 헬리콥터의) 기수 밑의 총좌.
chintz [tʃínts] *n.* Ⓤ 광택을 낸 두터운 사라사 무명.
chíntzy *a.* 사라사 무명 같은[으로 꾸민]; 《美俗》 싸구려의, 값싼; 야한.
〖*chints* (pl.) <Hindi<Skt. =variegated〗
chín-ùp *n.* 턱걸이. —— *a.* 용감한.
chín·wàg *n., vi.* 《俗》 수다(를 떨다) (gossip).
***chip**[1] [tʃíp] *n.* **1** 잘라낸 나뭇 조각, 토막, 나무 부스러기; 대팻밥, 얄팍하게 깎아낸 나무《모자·상자 따위를 만듦》. **2** (질그릇 따위의) 이빠진 자국; 사금파리. **3** [보통 *pl.*] (사과 따위의) 얇게 저며서 말린 고지; [*pl.*] 《英》 얇게 썬 감자 튀김 (potato chips). **4** 〖카드놀이〗 산가지(counter). **5** [*pl.*] 《英俗》 돈. **6** 〖골프〗 =CHIP SHOT. **7** 무미건조한 것, 시시한 것: do not care a ~ for … 을 조금도 개의하지 않다. **8** 〖컴퓨〗 칩《집적 회로를 붙인 반도체 조각》; 집적 회로.
(**as**) ***dry as a chip*** 바삭바삭 마른; 무미건조한, 시시한.
cash [***pass***] ***in*** one'***s chips*** 《俗》 죽다.
a chip off the old block (성격·외모 따위가) 아버지를 꼭 닮은 아들.
have a chip on one'***s shoulder*** 시비를 걸다.
—— *v.* (**-pp-**) *vt.* **1** [+目/+目+副/+目+前+名] (칼·가장자리·모서리 따위를) 갈다, 깎다, 잘라내다: ~ the edge of a saucer 접시의 가장자리를 이빠지게 하다 / Old paint was ~*ped* ***off*** [~*ped* ***from*** the side of the ship]. 낡은 도료(塗料)는 벗겨졌다[뱃전에서 떨어져 나갔다]. **2** (병아리가 달걀 껍데기를) 깨다. **3** [주로 *p.p.*로] (감자를) 얇게 썰어 튀기다, 튀기다; (살코기를) 훈제(燻製)하여 포를 뜨다. **4** (도끼·끌로) 쪼아서[다듬어서] 만들다. —— *vi.* (돌·도자기 따위가) 이가 빠지다: This china ~*s* easily. 이 사기 그릇은 이가 잘 빠진다.
chip in (1) 《口》 (대화·토의 따위의 말에) 끼어들다; 말참견하다. (2) 《美口》 (돈을) 기부[헌금]하다, 참가하여 …(원조를) 하다.
〖OE *cipp* log, weaver's beam< ?〗
chip[2] *vi.* (**-pp-**) 《美》 짹짹 울다(chirp). —— *n.* 짹짹 우는 소리. 〖imit.〗
chip[3] *n.* 〖레슬링〗 안다리후리기. 〖? *chip*[1]〗
chíp básket *n.* 얇게 깎은 나무로 짠 바구니.
chíp·bòard *n.* 두꺼운 마분지, 판지(板紙).
chíp bónnet[**hát**] *n.* 얇게 깎은 나무로 짠 모자.

chíp càrd *n.* 칩 카드《cash card, credit card, 진료 카드 따위》.

chíp hèad *n.* 컴퓨터광(狂).

chíp·màker *n.* 반도체(소자(素子)) 제조업자.

chíp·màking *n.* 〔電子〕 반도체 제조. ── *a.* 반도체 제조의.

chip·munk [tʃípmʌŋk], **-muck** [-mʌk] *n.* 〔動〕 얼룩다람쥐《북미산》. 〖Algonquian〗

Chip·pen·dale [tʃípəndèil] *a.* 치펜데일풍(風)의《곡선이 많고 장식적인 가구 따위의 디자인》. 〖Thomas *Chippendale* (d. 1779) 영국의 가구사(家具師)〗

chip·per[1] [tʃípər] *a.* 《美口》 원기왕성한, 쾌활한. ── *vt.* …에게 기운을 내게 하다〈*up*〉. ── *vi.* 기운 내다〈*up*〉. 〖? *kipper* (N. Eng. dial.) lively〗

chipper[2] *vi.* (새가) 짹짹 울다, 짹짹거리다 ; 재잘재잘 지껄이다. 〖CHIP[2]〗

chipper[3] *n.* CHIP[1]하는 사람[도구] ; 《美俗》 이따금 마약을 맞는 사람.

Chip·pe·wa [tʃípəwɑ̀ː, -wɔ̀ː, -wə, 美+-wèi] *n.* (*pl.* ~, ~**s**) =OJIBWA.

chippie ☞ CHIPPY[2].

chíp·ping[1] *n.* [보통 *pl.*] 지저깨비, 깎아낸 부스러기 ; [보통 *pl.*] 자갈. 〖CHIP[1]〗

chipping[2] *a.* 짹짹 우는. 〖CHIP[2]〗

chípping spàrrow *n.* 갈색머리멧새《북미산》.

chíp·py[1] *a.* 지저깨비의[가 많은] ; 《俗》 무미건조한(dry) ; 《俗》 (과음하여) 속이 쓰린, 숙취의 ; 성마른. **chíp·pi·ness** *n.*

chip·py[2], **chip·pie** [tʃípi] *n.* **1** =CHIPPING SPARROW. **2** =CHIPMUNK. **3** 《俗》 말괄량이 ; 바람기가 있는 여자 ; 창녀. **4** 협궤(狹軌) 철도차. **5** =CHIP SHOT. ── *a.* 작은 ; 《口》 아마추어 티가 나는, 미숙한 ; 행실 나쁜.

chíp shòt *n.* 〔골프〕 칩 숏《그린을 향하여 짧고 낮게 공을 쳐 올리는 일》.

chíp wàr *n.* 반도체 전쟁.

chíp·wìch *n.* 《美》 칩위치《감자튀김이나 비스킷 조각을 넣은 샌드위치 비슷한 것》.

chir- [káiər], **chi·ro-** [káiərou, -rə], **cheir-** [káiər], **chei·ro-** [káiərou, -rə] *comb. form* 「손」의 뜻. 〖Gk. *kheir* hand〗

chirk [tʃə́ːrk] *a.* 《美》 기운찬, 쾌활한. ── *vt., vi.* 기운을 북돋우다[내다]〈*up*〉.

chirm [tʃə́ːrm] *vi.* (새·벌레 따위가) 지저귀다, 울다 ; (먼데 모인 사람의 말소리가) 웅성웅성 울리다. ── *n.* (새·벌레의) 지저귐, 울음소리 ; (사람의) 웅성거리는 소리. 〖OE *cierm* noise〗

chiro- [káiərou, -rə] ☞ CHIR-.

chi·rog·no·my [kaiərágnəmi] *n.* Ⓤ 손금 보기, 수상술(手相術).

chíro·gràph *n.* 증서, 자필 증서.

chi·rog·ra·phy [kaiərágrəfi] *n.* Ⓤ 필법(筆法) ; 서체(handwriting). **-pher** *n.*

chi·rol·o·gy [kairálədʒi ; kairɔ́l-] *n.* Ⓤ 수화법(手話法).

chi·ro·man·cy [káiərəmæ̀nsi] *n.* Ⓤ 손금 보기, 수상술. **-màn·cer** *n.* 수상가(手相家).

chi·rop·o·dy [kərápədi, kaiər-, ʃə-] *n.* Ⓤ 발 치료(podiatry)《물집·티눈 따위의 치료·발톱 깎기 따위》. **-dist** *n.* 수족 치료의(醫). 〖*chiro-*, Gk. *pod- pous* foot〗

chi·ro·prac·tic [kàiərəprǽktik] *n.* Ⓤ (척추) 지압(指壓) 요법. **chí·ro·pràc·tor** *n.* 척추 지압사. 〖*chiro-*, Gk. *prattō* to do〗

chi·rop·ter [kaiərάptər, ⌐--] *n.* 〔動〕 박쥐(bat).

Chi·rop·tera [kaiərάptərə] *n. pl.* 〔動〕 익수류(翼手類)《박쥐 따위》.

chi·rop·ter·an [kaiərάptərən] *a., n.* 〔動〕 익수류의 (동물). **chi·róp·ter·ous** *a.*

***chirp** [tʃə́ːrp] *n.* 찌익찌익, 짹짹《작은 새나 곤충의 울음소리》. ── *vi.* 찌익찌익[짹짹] 울다 : The sparrow and crickets ~*ed* outside the house. 참새와 귀뚜라미들이 집 밖에서 울고 있었다. ── *vt.* 새된 목소리로 말하다. 〖imit.〗

chírpy *a.* 짹짹 지저귀는 ; 《俗》 명랑한, 쾌활한.

chirr [tʃə́ːr] *n.* 찌르르찌르르《귀뚜라미 따위의 우는 소리》. ── *vi.* 찌르르찌르르 울다. 〖imit.〗

chir·rup [tʃírəp, tʃə́ːrəp ; tʃírəp] *n.* 찌익찌익, 쯧쯧《작은 새가 우는 소리, 갓난아기·말 따위를 어르는 소리》. ── *vi.* 찌익찌익[쯧쯧]하다. ── *vt.* 쯧쯧하여 …을 나타내다. 〖변형(變形) ‹ *chirp*〗

Chis·an·bop [tʃízənbὰp] *n.* 지산법(指算法)《산수 초보교육을 위해 손가락을 쓰는 계산법 ; 한국인 배성진의 발명 ; 상표명》.

chis·el [tʃízəl] *n.* **1** 끌, 정 : a cold ~ 강철 정. **2** [the ~] 조각술(cf. *the* BRUSH[1], *the* PEN). ── *v.* (**-l-** | **-ll-**) *vt.* **1** 끌로 파다, 조각하다 : (finely) ~*ed* features 이목구비가 뚜렷한 용모. **2** 《俗》 협잡하다, 속이다(cheat). ── *vi.* 《俗》 부정행위를 하다. **chís·el·(l)er** *n.* 끌질하는 사람 ; 조각 도구 ; 《俗》 사기꾼. 〖OF＜L (*caes- caedo* to cut)〗

chit[1] [tʃít] *n.* 어린아이, 계집아이 ; 짐승의 새끼. ***a chit of a girl*** 건방진[깜찍한] 계집애. 〖ME=whelp, cub, kitten ; cf. CHIT[3]〗

chit[2] *n.* 짧은 편지 ; 쪽지 ; 전표 ; (특히 추천장으로서의) 인물 증명서 ; 수표, 어음. 〖C18 *chitty*＜Hindi＜Skt. =mark〗

chit[3] *n.* 싹. ── *v.* (**-tt-**) *vi.* 싹을 내다, 싹이 트다. ── *vt.* (감자 따위의) 싹을 내다. 〖OE *cith* germ, sprout〗

chít·chàt, chít-chàt *n., vi.* 《口》 쓸데없는 이야기, 수다(를 떨다). 〖*chat*의 가중(加重)〗

chi·tin [káitən] *n.* 키틴질(質)《곤충·갑각류 표면의 단단한 껍질》. **~·ous** *a.* 키틴질의. 〖F＜Gk. CHITON〗

chít·lin cìrcuit [tʃítlən-] *n.* 흑인 극장[나이트클럽]. 〖chitterlings가 흑인의 요리가 되는 데서〗

chitlin(g)s ☞ CHITTERLINGS.

chi·ton [káitn, -tɑn] *n.* 키톤《고대 그리스 사람들이 입었던 일종의 속옷》; 〔貝〕 군부(딱지조개)《바위에 붙어 삶》. 〖Gk. =coat of mail〗

chiton

chit·ter·lings, chit·lings, chit·lins [tʃítlənz] *n. pl.* (돼지·송아지 따위) (식용) 소장(小腸) ; 《美·戲》 (사람의) 창자. 〖ME＜?〗

chiv [tʃív] *n.* 《俗》 나이프, 단도(shiv). ── *vt., vi.* 단도로 찌르다[자르다].

chiv·al·ric [ʃəvǽlrik ; ʃívəlrik] *a.* 기사도 (시대)의 ; 기사적인(chivalrous).

chiv·al·rous [ʃívəlrəs] *a.* 기사도 시대[제도]의 ; 기사도에 맞는, 의협적인, 용기가 있고 예의바른, 관대한. **~·ly** *adv.* 기사답게, 용기있게 ; 의협적으로.

***chiv·al·ry** [ʃívəlri] *n.* **1** Ⓤ (중세의) 기사 제도 ; 기사도, 기사도적 정신《충성·용기·박애·예의 따위를 좌우명으로 하여 여성을 존경하고 약자를

도움》: the age of ～ 기사도 시대《유럽 10-14세기》. **2** [집합적으로] 기사들(knights). 〚OF<L ; ⇨ CHEVALIER〛
chive [tʃáiv] *n.* [보통 *pl.*] 〖植〗 산파《백합과로 잎은 조미료로 쓰임》. 〚OF<L *cepa* onion〛
chivy, chiv·vy [tʃívi] *n.* 《英》 사냥, 추적 ; 사냥할 때의 함성(hunting cry). ── *vt.* [動/＋目] 몰다, 쫓다 ; 부려먹다, 성가시게 괴롭히다.
── *vi.* 뛰어다니다.
chiz(z) [tʃíz] *n.* 《英俗》 속임수. ── *vt.* (**-zz-**) 속이다. 〚*chisel*〛
Ch. J. Chief Justice.
chl. chloroform.
chla·mys [klǽməs, kléi-] *n.* (*pl.* **～·es, chlam·y·des** [klǽmədì:z]) 망토의 일종《고대 그리스 사람의 웃옷》. 〚L<Gk.〛
Chloë [klóui] *n.* **1** 여자 이름. **2** 클로에《전원시에 나오는 양치는 소녀》.
chlor- [klɔ́:r], **chlo·ro-** [klɔ́:rou, -rə] *comb. form* 「염소(鹽素)」「녹(綠)」의 뜻. 〚Gk. *khlōros* green〛
chlo·ral [klɔ́:rəl] *n.* 〖化〗 **1** Ⓤ 클로랄. **2** Ⓤ ＝CHLORAL HYDRATE. **～·ism** *n.* Ⓤ 클로랄 중독(中毒). 〚F (*chlor*-, *al*cool ALCOHOL)〛
chlóral hýdrate *n.* 〖藥〗 포수(抱水) 클로랄《마취제》.
chlóral·ìze *vt.* 클로랄로 처리하다.
chlor·am·phen·i·col [klɔ̀:ræmfénikɔ̀(:)l, -kòul, -kɑ̀l] *n.* 클로람페니콜《항생 물질》.
chlo·rate [klɔ́:reit, -rət] *n.* Ⓤ 〖化〗 염소산염.
chlor·dane [klɔ́:rdein], **-dan** [-dæn] *n.* 〖藥〗 클로르데인《냄새없는 살충제》.
chlo·rel·la [klərélə] *n.* 〖植〗 클로렐라《녹조류(綠藻類)의 일종》.
chlo·ric [klɔ́:rik] *a.* 〖化〗 염소산의, 염소를 함유하고 있는 : ～ acid 염소산.
chlo·ride [klɔ́:raid] *n.* Ⓤ 〖化〗 염화물(鹽化物).
chlóride of líme *n.* 표백분.
chlóride pàper *n.* 〖寫〗 클로라이드지(紙)《감광도가 낮은 밀착용 인화지》.
chlo·ri·dize [klɔ́:rədàiz] *vt.* 염화물로 처리하다 ; …에 염화은(銀)을 입히다 ; 염화하다.
chlo·ri·nate [klɔ́:rənèit] *vt.* 〖化〗 염소로 처리[소독]하다.
chló·ri·nàt·ed hýdrocarbon *n.* 〖化〗 염소화탄화수소《환경 오염 물질 중에서 가장 오래 남는 살충제》.
chlò·ri·ná·tion *n.* 염소화, 염소 처리.
chlo·rine [klɔ́:ri:n, -rən] *n.* Ⓤ 〖化〗 염소《기호 Cl ; 번호 17》. 〚*chlor*-＋-*ine* ; 그 색깔에서 Sir H. Davy의 조어(造語)〛
chlórine dióxide *n.* 〖化〗 이산화염소《주로 목재 펄프·지방·기름·밀가루의 표백제용》.
chlórine wàter *n.* 염소수.
chlo·rite[1] [klɔ́:rait] *n.* 〖化〗 아(亞)염소산염. 〚*chlorine*〛
chlorite[2] *n.* 〖鑛〗 녹니석(綠泥石). 〚*chlor*-〛
chlor·mád·i·none (ácetate) [klɔ:rmǽdənòun(-)] *n.* 클로르마디논《경구 피임약》.
chloro- [klɔ́:rou, -rə] ☞ CHLOR-.
chlòro·àceto·phenóne *n.* 〖化〗 클로로아세토페논《최루(催淚) 가스 용액》.
chlòro·brómide pàper *n.* 〖寫〗 클로로브로마이드지《인화지의 일종》.
chlo·ro·dyne [klɔ́:rədàin] *n.* Ⓤ 〖藥〗 클로로다인《아편·클로로포름을 함유한 진통 마취약》.
chlòro·flùoro·méthane *n.* 〖化〗 클로로플루오로메탄《스프레이의 분사제·냉각제 ; 略 CFM》.
chlo·ro·form [klɔ́:rəfɔ̀:rm] *n.* Ⓤ 클로로포름《무색 휘발성의 액체, 마취약》: put...under ～ …을 클로로포름으로 마취하다. ── *vt.* 클로로포름으로 마취시키다[처리하다].
chlóroform·ize *vt.* ＝CHLOROFORM.
Chlo·ro·my·ce·tin [klɔ̀:roumaisí:tn, -tin] *n.* Ⓤ 클로로마이세틴《chloramphenicol의 상표명》.
chlo·ro·phyl(l) [klɔ́:rəfil] *n.* Ⓤ 〖植〗 클로로필, 엽록소. 〚F CHLORO- (*phylle*<Gk. *phullon* leaf)〛
chlo·ro·pic·rin [klɔ̀:rəpíkrən] *n.* Ⓤ 클로로피크린《자극·구토성의 무색 액체 ; 살충제·독가스로 사용》.
chlóro·plàst *n.* 〖植〗 엽록체.
chlo·ro·prene [klɔ́:rəprì:n] *n.* Ⓤ 클로로프렌《합성 고무의 원료》.
chlo·ro·quine [klɔ́:rəkwàin, -kwì:n] *n.* Ⓤ 클로로퀸《말라리아의 특효약》.
chlo·ro·sis [klərόusəs, klɔ:-] *n.* (*pl.* **-ses** [-si:z]) Ⓤ 〖醫〗 위황병(萎黃病)《빈혈증의 일종》; 〖植〗 (녹색 부분의) 백화(白化)(현상).
chlo·rous [klɔ́:rəs] *a.* 〖化〗 아염소산의 ; 염소를 함유하는 : ～ acid 아염소산.
chlor·prom·a·zine [klɔ:rprɑ́məzì:n] *n.* 〖藥〗 클로르프로마진《정신병약》.
chm., chmn. chairman. **Ch. M., Ch M** *Chirurgiae Magister* 《L》 (＝Master of Surgery).
choc [tʃɑ́k] *n., a.* 《英口》 초콜릿(의). 〚*choc*olate〛
cho·cha [tʃóutʃə] *n.* 《美卑》 ＝CUNT.
chóc-ìce, chóc-bàr *n.* 《英》 초콜릿 입힌 아이스크림바.
chock [tʃɑ́k] *n.* 굄목, 쐐기 받침, 받침두리 ; 〖海〗 밧줄걸이, 받침나무. ── *vt.* **1** 쐐기로 괴다 ; (보트를) 받침나무 위에 얹다. **2** 《口》 [＋目＋副/＋目＋*with*＋名] (방 따위에) 가구를 지나치게 많이 넣다 : The room was *～ed* ***up with*** furniture. 그 방에는 가구가 빽빽이 차 있었다. ── *adv.* [보통 부사 또는 형용사 앞에 쓰여서] 꽉, 빽빽이 : a bookcase ～ full of books 책이 빽빽이 꽂혀 있는 책장. 〚? OF *co*(*u*)*che* log<?〛
chock·a·block [tʃɑ́kəblɑ̀k] *adv.* **1** 〖海〗 (복합 도르래의) 위아래 도르래가 서로 닿을 만큼 당겨져서. **2** 가득히[꽉] 차서〈*with, of*〉.
chock·er [tʃɑ́kər] *a.* **1** 《英俗》 진저리나는, 기분이 언짢은. **2** 《濠口》 꽉 들어찬(full up) ; 술취한. **3** (눈물나게) 감동적인《영화 따위》.
chock-full [tʃʌ́kfúl, tʃɑ́k-] *a.* 빽빽이[꽉] 찬(chuck-full) : The garden is ～ *of* beautiful flowers. 정원에는 아름다운 꽃들이 가득하다.
choco [tʃɑ́kou] *n.* (*pl.* **chóc·os**) 《英俗·蔑》 유색인, 흑인 ; 《濠俗》 (제 2 차 대전 중의) 민병(民兵), 징집병. 〚*choco*late soldier〛
chòco·hólic *n.* 초콜릿 중독자.
‡**choc·o·late** [tʃɔ́(:)kələt, tʃɑ́k-] *n.* **1** Ⓤ 초콜릿 ; Ⓒ 초콜릿 과자 ; Ⓤ 초콜릿 음료 : a bar of ～＝a ～ bar 막대 초콜릿 / a box of *～s* 초콜릿 한 상자 / drink a cup of ～ 초콜릿 음료를 한 잔 마시다. **2** Ⓤ 초콜릿 색깔. **3** 《美俗》 해시시.
── *a.* 초콜릿으로 된[맛을 낸, 입힌] ; 초콜릿 색깔의, 《俗》 흑인의.
〚F or Sp. <Aztec〛
chócolate chìps *n. pl.* (디저트 따위에 넣는) 초콜릿 칩스 ; 《美俗》 LSD.
chócolate créam *n.* 초콜릿 크림《퐁당(fondant) 또는 퍼지(fudge)가 든 당과》.

chócolate sóldier *n.* 《비유》 전투에 참가하지 않는 군인, 비전투원.

Choc·taw [tʃάktɔː] *n.* (*pl.* ~, ~**s**) 촉토족(族) 《아메리칸 인디언의 한 종족 ; 현재는 Oklahoma 주에 삶》 ; [c~] 촉토《피겨 스케이트에서 오른발로 전진한 다음에 왼발로 후진하는 스텝》 ; 《美俗》 알아들을 수 없는 말, 횡설수설.

‡**choice**[1] [tʃɔ́is] *n.* **1** 선택 : She makes a careful ~ in buying dress goods. 의류(衣類)를 살 때에는 신경을 써서 고른다. **2** Ⓤ 선택의 자유 ; 선택력 ; 선택권 : have one's ~ 자유로이 선택하다 / use careful ~ 조심해서 선택하다 / He had no ~ in the matter. 그 문제에 있어서 선택의 여지가 없었다[달리 도리가 없었다] / There is no ~ *between* the two. 둘 사이에 우열이 없다 / ☞ HOBSON'S CHOICE. **3** [집합적으로] 선택 대상의 종류 : a great ~ *of* roses 각양각색의 장미 / There is a good[poor] ~ *of* transport facilities. 교통 기관의 종류가 많다[적다] / The store has a large ~ *of* shoes. 그 점포는 많은 종류의 구두를 갖추고 있다. **4** 선택한[뽑힌] 것 ; 선발, 골라잡기, 일품(逸品), 정수(精粹) : Which is your ~? 어느 것으로 하시겠습니까 / You may take your ~. 어느 것이든 좋은 것으로 골라잡아라 / the flower and ~ *of* the country 나라의 보배[가장 빼어난 사람들]. **5** 《美》 (특히 쇠고기 등급에서) 상품.

at choice 마음대로 (골라잡아).
by choice 특히, 좋아서 : I do not live here *by* ~. 여기가 좋아서 살고 있는 것은 아니다.
for choice 고른다면 : I should take this one *for* ~. 골라잡는다면 이것으로 하겠다.
have no choice but to do …할 수 밖에 없다.
of choice 고르고 고른.
of one***'s choice*** 스스로 고른 : a girl *of* his ~ 그의 눈에 든 처녀.
of one***'s own choice*** 자기가 좋아서.
without choice 무차별로.
〖OF (Gmc.=to CHOOSE)〗
類義語 ***choice*** 자기의 자유 의사에 따라 많은 것 가운데서 골라잡기 또는 선택한 것. ***option*** 권한이 있는 사람으로부터 부여된 선택의 권리, choice보다 더욱 선택의 자유·권리를 강조하는 말. ***alternative*** 엄밀하게는 두 가지 중에서 한 가지를 고르기. ***preference*** 자기의 기호에 따라서 선택하기. ***selection*** 주의깊게 살펴 보고서 넓은 범위에서의 choice.

choice[2] *a.* 고르고 골라 뽑은, 정선한, 선발된, 뛰어난, 고급의 ; 우등품의 : ~ fruit 1등품의 과일 / the *choicest* wine 최고급 포도주.
~·**ness** *n.* Ⓤ 정교, 우량. 〖↑〗
類義語 ⟹ FINE[1].

‡**choir** [kwáiər] *n.* (교회의) 성가대 ; 합창단 ; (교회의) 성가대석《보통 CHANCEL의 안에 있음》 ; 《詩》 노래하고 있는 새[천사] 따위의 떼. —— *vt.*, *vi.* 《詩》 (새·천사가) 합창하다.
〖OF<L CHORUS ; cf. BRIER[1], FRIAR〗

chóir·bòy *n.* (성가대의) 소년대원.
chóir lòft *n.* 성가대석(席).
chóir·màster *n.* 성가대 지휘자.
chóir òrgan *n.* (교회의) 합창 반주용 오르간.
chóir scrèen *n.* (교회의) 성가대석과 신도석 사이의 칸막이.

choke** [tʃóuk] *vt.* **1** [+目 / +目+前+名] 질식시키다 ; (연기·눈물 따위가 사람을) 숨막히게 하다 : I was almost ~*d* by the smoke. 연기 때문에 거의 질식할 뻔했다 / Tears ~*d* her words. 그녀는 눈물이 나와서 말을 못했다 / Our conversation was ~*d* ***with (the) buzzing of the plane. 우리들의 대화는 비행기 소음으로 들리지 않았다 / He has been ~*d* ***to*** death. 그는 질식해서 죽었다. **2** [+目 / +目+副 / +目+前+名] 메우다, 막다(block) : Sand is *choking* the river. 모래로 강이 막혀가고 있다 / The drain was ~*d* ***up with*** dirt. 하수도는 오물로 막혀 버렸다. **3** (식물을) 시들게 하다 ; (불을) 끄다. **4** [+目+副] (감정·눈물 따위를) 삼키다 : ~ *back* one's tears 눈물이 흐르려는 것을 참다 / He ~*d* ***down*** his chagrin. 원통함을 꾹 억눌렀다. **5** (엔진을) 초크하다《혼합기(氣)를 진하게 하기 위하여 카뷰레터로 흘러가는 공기를 막다》. —— *vi.* **1** [動 / +前+名] 숨이 막히다, 질식하다 ; 목이 메다 : ~ ***over*** one's food 음식을 먹다가 목이 메다 / ~ ***with*** rage 분노로 말문이 막히다. **2** (수도 따위가) 막히다.
choke down (1) (음식을) 겨우 삼키다. (2) (감정 따위를) 억누르다(cf. *vt.* 4).
choke off 억제하다, 중단하다, 그만두게[중지하게] 하다, 《口》 (남에게) 계획 따위를 포기하게 하다 ; 단념케 하다, 몰아내다.
—— *n.* **1** 질식 ; 목메임. **2** (파이프 따위의) 폐색부(閉塞部). **3** 〖機〗 조리개, 초크《엔진의 공기 흡입 조절 장치》 ; 〖電〗 색류(塞流) 코일. **4** 〖유도〗 목조르기. 〖OE *ācēocian* to choke, burn out (*a-*[3], *cēace* CHEEK)〗

chóke·bòre *n.* 총구를 점차 좁게 한 총신.
chóke·chèrry [ˊ-ˋ-] *n.* 《美》 산(山)벚나무의 일종《떫은 맛의 열매가 열림》.
chóke còil *n.* 〖電〗 초크 코일.
chóke·dàmp *n.* Ⓤ 질식 가스《석탄갱·버려둔 우물 따위에 생기는 탄산가스와 질소가스의 혼합물》.
chóke-fúll *a.* =CHOCK-FULL.
chóke pòint *n.* (교통·항해의) 험한 곳, 애로(隘路), 요충.
chok·er [tʃóukər] *n.* 숨막히게[질식시키게] 하는 것 ; (목에 꼭 끼는) 목걸이, 초커 ; 《口》 높이 세우는 칼라.
chok·ing [tʃóukiŋ] *a.* 숨막히는 ; (감동하여) 목메이는. —— *n.* 숨막히기. ~·**ly** *adv.* 숨막히게, 목메이는 소리로.
choky[1], **chok·ey** [tʃóuki] *a.* 숨막히는, 목메일 듯한. 〖CHOKE〗
choky[2], **chokey** *n.* [the ~] 《인도·英俗》 유치장, 교도소. 〖Hindi〗
chol- [kóul, kάl], **cho·le-** [kóulə, kάlə], **cho·lo-** [kóulou, kάl-, -lə] *comb. form* 〖生理〗 「쓸개즙」의 뜻. 〖Gk. ; ⇨ CHOLER〗
chol·an·gi·og·ra·phy [kəlæ̀ndʒiάgrəfi, kou-] *n.* 〖醫〗 담관(膽管) 조영[촬영]법.
chol·àn·gio·gráph·ic *a.*
chóle·cỳst *n.* 〖醫〗 쓸개.
chòle·cys·tec·to·my [-sistéktəmi] *n.* 〖醫〗 쓸개 절제(술).
chòle·cys·tos·to·my [-sistάstəmi] *n.* Ⓤ 〖醫〗 쓸개 조루(造瘻)(술).
chol·er [kάlər, kóu-] *n.* Ⓤ 《詩·古》 분통, 화(anger) ; 쓸개즙《중세 의학에서 인체 속을 흐르고 있다고 생각한 4체액의 하나 ; cf. HUMOR 4》. 〖OF=bile, anger (Gk. *kholē* bile)〗
chol·era [kάlərə] *n.* Ⓤ 〖醫〗 콜레라 : Asiatic [epidemic, malignant] ~ 진성(眞性) 콜레라. 〖L<Gk. (↑)〗
chólera bèlt *n.* 콜레라 예방 복대(腹帶)《플란넬 따위의》.

chólera in·fán·tum [-infǽntəm] *n.* 〔醫〕 소아(小兒) 콜레라.
chólera mór·bus [-mɔ́:rbəs] *n.* 급성 토사증, 식중독.
chol·er·ic [kálərik, kəlérik] *a.* 화 잘 내는, 성마른[성급한](irascible).
chol·e·rine [kálərin ; kɔ́l-] *n.* 경증 콜레라.
chòle·stásis *n.* 〔醫〕 쓸개즙 분비 중지.
cho·lés·ter·ic líquid crỳstal [kəléstərik-] *n.* 〔化〕 콜레스테릭 액정(液晶).
cho·les·ter·ol [kəléstərɔ̀(:)l, -ròul, -ràl], **cho·les·ter·in** [kəléstərən] *n.* Ⓤ 〔生理〕 콜레스테롤《쓸개즙·혈액·계란 노른자 따위에 들어 있음》.
〚*cholesterin* (*chol-*, Gk. *stereos* stiff), *-ol*〛
cholésterol-lówer·ing *a.* 콜레스테롤 수치를 내리는 : a ~ diet.
cholésterol-rích *a.* 콜레스테롤이 많은.
cho·li·amb [kóuliæ̀mb] *n.* 《詩》 장장격(長長格)으로 끝나는 불규칙한 단장격(短長格). 〚L〛
cho·line [kóuli:n, kál-, -lən] *n.* 〔生化〕 콜린《비타민 B복합체의 하나》.
chò·li·no·mimétic [kòulənou-] *a.* 〔生化·藥〕 콜린 자극성의. ── *n.* 〔藥〕 콜린 자극제《부교감 신경 자극제》.
chol·la [tʃóuljɑ:, tʃɔ́ijə] *n.* 〔植〕 (미국 남서부산) 오푼티아속의 각종 선인장.
〚Am. Sp. <Sp. =head〛
chomp [tʃámp] *vt., vi., n.* 우적우적[우물우물, 짜금짜금] 씹다[씹기](champ). 〚imit.〛
chondr- [kándr], **chon·dri-** [kándrə], **chon·dro-** [kándrou, -drə] *comb. form* 「연골」「입자」의 뜻. 〚Gk.〛
chon·drin [kándrən] *n.* Ⓤ 연골질[소(素)].
chon·droid [kándrɔid] *a.* 연골 모양의.
Chong·qing [tʃɔ́:ŋtʃíŋ], **Chung·king** [tʃúnkíŋ] *n.* 충칭(重慶)《중국 쓰촨(四川)성 남동부의 도시(都市)》.
choo·choo [tʃú:tʃù:] *n.* 《美兒》 칙칙폭폭(=《英》 puff-puff). ── *vi.* 기차 타고 가다 ; 휙 달리다 ; 기차 소리를 흉내내다. 〚imit.〛
chook [tʃúk] *n.* 《濠口》 병아리, 닭.
◇**choose** [tʃú:z] *v.* (**chose** [tʃóuz] ; **cho·sen** [tʃóuzən]) *vt.* **1** [+目/+目+前+名/+目+目] 고르다, 선택하다(↔*reject*) : *C*~ the cake you like best. 제일 좋아하는 과자를 골라라 / He *chose* a book ***from*** the library. 서고(書庫)에서 책을 한 권 골랐다 / *C*~ four ***out of*** the number. 그 숫자 중에서 넷을 골라라 / I *chose* her a nice present[*chose* a nice present ***for*** her]. 그녀에게 좋은 선물(膳物)을 골라 주었다. **2** [+目+補/+目+*as* 補/+目+*to* do] 선출하다(elect) : We *chose* him chairman. 그를 의장으로 선출했다 / Who(m) have you *chosen as* president? 누구를 총재로 선출했느냐 / On May Day a pretty girl is *chosen to* be the Queen of May. 5월제(祭)에는 예쁜 소녀가 5월의 여왕으로 선출된다. **3** [+*to* do] (오히려 …하는 쪽을) 택하다(prefer), (…에[으로]) 정하다(decide) : He *chose to* run for election. 선거에 입후보하기로 했다 / if you ~ *to* go 당신이 가기로 결정한다면.
── *vi.* **1** [動/+前+名] 선택을 하다 : He had to ~ ***between*** the two. 양자 중에 어느 쪽인가를 선택하지 않으면 안되었다 / We had to ~ ***from*** what remained. 남아 있는 것 중에서 택하지 않으면 안되었다. **2** 바라다, 하고자 하다 : You may stay here if you ~. 원하신다면 여기에 남아 계셔도 좋습니다.
as you choose 좋으실대로, 마음대로.
cannot choose but do 《文語》 …하지 않을 수 없다(cannot help doing).
nothing [***not much***] ***to choose between*** … 사이에 좋고 나쁘고[큰 차이]가 없다 : There's *nothing to* ~ *between* these pupils. 이 학생들 중에는 우열이 없다.
pick and choose 정성들여 고르다, 주의깊게 선택하다.
〚OE *cēosan* ; cf. G *kiesen*〛
類義語 ***choose*** 주어진 것들 중에서 자기의 판단에 의해 적당한 것을 고르다 : She *chose* a fashionable dress. (유행하는 옷을 골랐다). ***select, pick*** 《口》 수많은 것 중에서 신중하게 고르다 : She *selected* black dress to go to the funeral. (장례식에 가기 위해 검은 옷을 골랐다). *pick*는 때로는 제멋대로 하나를 고르는 데에도 사용됨 : He *picked* a book of a detective story. (탐정 소설책을 하나 뽑았다). ***elect*** 투표 따위 일정한 절차에 의해서 정식으로 사람 또는 물건을 선택하다 : *elect* a chairman(의장을 선출하다). ***prefer*** 자기의 기호에 따라 갑의 사람[것]보다 을의 사람[것]을 더 바라며 꼭 손에 넣는다고 단정하지는 못함 : He *preferred* tea to coffee. (커피보다 홍차를 좋아했다).
choos·er [tʃú:zər] *n.* 선택자 ; 선거인.
choosy, choos·ey [tʃú:zi] *a.* 《美口》 가리는, 까다로운, (성미 따위가) 괴팍한.
chop**[1] [tʃáp] *v.* (**-pp-**) *vt.* **1** [+目/+目+副/+目+前+名] (도끼·큰 칼 따위로) 자르다 ; 잘게 패다 : He ~*ped* the wood with an ax. 그 나무를 도끼로 팼다 / The cherry trees of the orchard were all ~*ped* ***down. 과수원의 벚나무는 모두 잘라냈다 / Will you ~ a branch ***off*** the tree? 그 나무에서 가지를 하나 잘라 주시겠습니까. **2** [+目+前+名] (길을) 트고[헤치고] 나아가다 : The explorer had to ~ his way ***through*** the bushes. 탐험가는 덤불 속으로 길을 헤쳐 나아가지 않으면 안되었다. **3** 〔테니스·크리켓〕 (공을) 깎아치다. ── *vi.* [+前+名] 찍어 자르다 ; 덤벼들다 : He ~*ped* ***at*** a tree. 나무를 찍어 잘랐다.
chop back 별안간 되돌아오다.
chop in 《口》 갑자기 가로막다, 말참견하다[끼어들다].
chop off (…에서) 잘라내다 : Don't ~ your finger *off*. 손가락을 자르지 않도록 하시오 / ☞ *vt.* 1.
chop out =CHOP *up* (2).
chop up (1) 잘게 썰다, 토막내다, 난도질하다 : ~ *up* vegetables 야채를 잘게 썰다. (2) (지층이) 노출하다.
── *n.* **1** 절단, 잘게 자르기 : take a ~ *at* something 어떤 물건을 잘게 자르다. **2** 잘라낸 한 조각, 두껍게 썬 살점《보통 갈비에 붙은 것》 : a mutton[pork] ~. **3** 불규칙적인 작은[잔] 물결, 삼각파(波). 〚CHAP[2]〛
類義語 ⟹ CUT[1].
chop[2] *n.* **1** [보통 *pl.*] 턱(jaw). **2** [*pl.*] (항구·해협·협곡(峽谷) 따위의) 입구. **3** [*pl.*] 《美俗》 음악적 재능, 재능, 능력.
lick one's chops 입맛을 다시다, 군침을 삼키며 기대하다. 〚CHAP[3]〛
chop[3] *vi.* (**-pp-**) [+副] (바람이) 갑자기 바뀌다 : The wind ~*ped* ***about***[~*ped* ***around***] from west to north]. 바람의 방향이 갑자기 바뀌어졌

다[서쪽에서 북쪽으로 바뀌었다].
chop and change (의견·계획 따위가) 자꾸 [바람처럼] 바뀌다.
chop logic 궤변을 부리다, 이론을 내세우다.
—— *n.* 급변, 돌변.
chops and changes (방침 따위가) 일정치 않음, 조령모개(朝令暮改).
〖? CHEAP〗
chop[4] *n.* 《인도·Chin.》 관인(官印) ; 면허장, 인가장 ; 《Chin.》 상표(商標) ; 《英口》 품종, 품질.
Chop of tea [***silk***] 같은 품종의 차[명주].
first [***second***] ***chop*** 1급[2급]품.
〖Hindi=stamp〗
chóp-chèrry *n.* (손 안대고) 버찌 따먹기《놀이》.
chop-chop [tʃáptʃáp] *adv., int.* 《俗》 빨리빨리.
〖Pidgin E *chop* quick ; cf. *chopstick*〗
chóp·fàllen *a.* =CHAPFALLEN.
chóp·hòuse *n.* 값싼 요릿집, 대중식당 ; 중국의 세관.
Cho·pin [ʃóupæn ; ʃɔ́pæ̃:ŋ ; *F* ʃopɛ̃] *n.* 쇼팽. **Frédéric François** ~ (1810-49) 폴란드 태생의 프랑스의 피아니스트·작곡가.
chóp·lògic *n.* 억지 이론, 궤변. —— *a.* 궤변을 부리는.
chopped [tʃápt] *a.* 《美俗》 (자동차·모터사이클 따위) 개조한.
chópped lìver *n.* 《英俗》 질(膣) (vagina).
chóp·per *n.* **1** 자르는 사람[물건] ; 도끼 ; 고기 자르는 큰 식칼(cleaver) ; 〔電〕 단속(斷續)기. **2** [흔히 *pl.*] 《俗》 이(teeth), (특히) 틀니. **3** 《美俗》 표 받는 사람, 차장. **4** 《口》 헬리콥터 ; 《美俗》 경기관총. **5** 〔電子〕 초퍼《직류나 광전류를 변조하는 장치》. **6** 《俗》 (특별히 맞춘) 개조 자동차[모터사이클]. **7** 〔野〕 높이 바운드하는 타구(打球).
—— *vt., vi.* 《俗》 헬리콥터로 날다[나르다].
〖CHOP[1]〗
chóp·ping[1] *a.* 자르는(데 쓰는) ; (아이가) 크고 튼튼한. —— *n.* 패기, 난도질 ; 나무를 벤 공터 ; 〔테니스〕 (공을) 깎아치기.
chopping[2] *a.* 삼각파(波)가 이는 ; (풍향 따위가) 자주 바뀌는, 일정치 않은 : a ~ sea 역랑.
chópping blòck [**bòard**] *n.* 도마, 모탕.
chópping knìfe *n.* 잘게 써는데 쓰는 칼.
chóp·py *a.* (바람이) 끊임없이[불규칙적으로] 변하는 ; (시세 따위) 변동이 심한 ; 파도가 치는, 거친, (문체 따위가) 일관성이 없는.
chóp shòp *n.* 《俗》 훔친 차를 분해해 그 부품을 불법으로 비싸게 파는 장사.
chóp·stìck *n.* [보통 *pl.*] 젓가락.
〖Chin. 콰이 쯔(快子) nimble ones의 Pidgin E (*chop* quick, STICK[1])〗
chóp stròke *n.* 〔테니스〕 (공을) 깎아치기.
chop su·ey [tʃáp sú:i] *n.* 잡채《미국식 중국 요리의 일종》. 〖Chin. 짜쵀이(雜炊)〗
cho·ral [kɔ́:rəl] *a.* 합창대의 ; 합창곡의 ; 합창의 : the *C*~ Symphony 합창 교향곡《Beethoven의 제 9번 교향곡》. —— [kɔ́:rəl, kərǽl ; kɔrá:l] *n.* = CHORALE. **~·ly** *adv.*
〖L ; ⇨ CHORUS〗
cho·rale [kərǽl, -á:l, kɔ́:rəl ; kɔrá:l] *n.* (합창) 성가 ; (특히 루터 교회 찬송가의) 합창곡 ; 합창대.
〖G *Choral* (*gesang*) ; L *cantus choralis*의 역(譯)〗
chóral·ist *n.* 성가대원, 성가를 부르는 사람.
chóral sérvice *n.* (교회의) 합창 예배.
chóral spéaking *n.* (운문·산문 따위의 아름다움이나 뜻을 목소리의 고저·강약·리듬 따위의 음악적 처리에 의해 표현하는) 집단 낭독, 제창.
chord [kɔ́:rd] *n.* **1** 《詩》 (악기의) 현(絃) (string). **2** 〔數〕 현(弦). **3** 〔解〕 삭(索), 힘줄(cord) : the vocal ~*s* 성대(聲帶) / the spinal ~ 척수. **4** 〔樂〕 화현(和絃), 화음(cf. DISCORD). —— *vt.* (…에) 현을 달다.
chórd·al *a.* 현 모양의 ; 〔樂〕 화음[화현]의.
chor·date [kɔ́:rdeit, -dət] *a.* 척색(脊索)이 있는 《동물》. —— *n.* 척색동물.
chórd progréssion *n.* 〔재즈〕 화음 진행《화음간의 옮김》.
*__chore__ [tʃɔ́:r] *n.* 허드렛일, 잡무(odd job) ; [*pl.*] (가정의) 잔일《세탁·청소 따위》, 싫은 일(cf. CHAR[2]). 〖CHAR[2], CHARE〗
[類義語] ⟹ TASK.
-chore [kɔ̀:r] *n.* *comb. form* 「…매(媒)식물」의 뜻 : anemo*chore*. 〖Gk.〗
cho·rea [kərí:ə, kɔ:- ; kɔríə] *n.* Ⓤ 〔醫〕 무도병(舞蹈病) (St. Vitus's dance).
〖L<Gk. ; ⇨ CHORUS〗
chóre bòy *n.* 《美》 잡역부 ; (목장 따위의) 취사 당번 ; 《口》 심부름하는 아이.
cho·re·ic [kərí:ik ; kɔ-] *a.* 무도병의.
chóre·man [-mən] *n.* 잡일꾼, 노무자.
cho·reo·dráma [kɔ̀(:)riou-, kɑ̀r-] *n.* (여럿이 나와서 하는) 무용극. 〖Gk. *khoreia* dance〗
chó·reo·gràph [kɔ́(:)riə-, kár-] *vt.* (시·음악 따위에) 안무하다. —— *vi.* 안무가 노릇을 하다.
cho·re·og·ra·pher [kɔ̀(:)riágrəfər, kɑ̀r-] *n.* 발레 편성가(編成家) ; (무용의) 안무가(按舞家).
cho·re·og·ra·phy [kɔ̀(:)riágrəfi, kɑ̀r-] *n.* Ⓤ (발레의) 무용법, 무용술 ; 안무(법).
chò·reo·gráph·ic *a.*
〖Gk. *khoreia* choral dancing to music〗
cho·ri·amb [kɔ́(:)riæ̀mb, kár-] *n.* 〔韻〕 강약약강격(∸××∸), 장단단장격(–⏑⏑–).
cho·ri·am·bus [kɔ̀(:)riǽmbəs, kɑ̀r-] *n.* =CHORIAMB. **-ám·bic** *a.*
cho·ric [kɔ́(:)rik, kár-] *a.* 〔그劇〕 합창곡풍의 ; 합창 가무식(歌舞式)의. 〖L<Gk. ; ⇨ CHORUS〗
chóric spéaking *n.* =CHORAL SPEAKING.
cho·rine [kɔ́:ri:n] *n.* 《美口》 코러스 걸(chorus girl)《합창 무용단이나 리뷰(revue)의 단역 댄서》.
cho·ri·oid [kɔ́:riɔ̀id] *a., n.* 〔解〕 =CHOROID.
cho·ri·on [kɔ́:riɑ̀n, -ən] *n.* 〔解〕 융모막 ; 〔動〕 장막(漿膜), 난각(卵殼). **chò·ri·ón·ic** *a.*
chorionic gonadotróp(h)in *n.* 〔生理〕 융모막성 생식선 자극 호르몬.
chórion víllus biòpsy *n.* 〔解〕 융모 생체 검사(絨毛生體檢査).
cho·rist [kɔ́:rəst] *n.* 《古》 합창대원.
cho·ris·ter [kɔ́(:)rəstər, kár-] *n.* (교회의) 합창대원 ; =CHOIRBOY ; 《美》 성가대 지휘자.
〖OF ; ⇨ CHOIR〗
cho·rog·ra·phy [kɔ(:)rágrəfi, kə-] *n.* 지방 지지(地誌), 지방지도 그리는 법, 지세도(地勢圖).
-pher *n.* 지방지(誌)[지도] 편찬자.
cho·roid [kɔ́:rɔid] *n., a.* 〔解〕 융모막(絨毛膜)(비슷한) ; (안구(眼球)의) 맥락막(脈絡膜)(의).
cho·rol·o·gy [kərálədʒi] *n.* (특히) 생물의 분포학[분포론].
chor·tle [tʃɔ́:rtl] *vi.* (의기 양양한 듯이) 큰소리로 웃다, …을 즐겁게 말하다, 즐겁게 입에 담다 〈*about, over*〉. —— *n.* Ⓤ,Ⓒ 의기 양양한 웃음.
〖*chuck*le+sn*ort*〗
*__cho·rus__ [kɔ́:rəs] *n.* **1** 〔樂〕 **a)** 합창 : a mixed ~ 혼성(混聲) 합창. **b)** 합창곡 ; (노래의) 합창부,

후렴(refrain). **2** 《비유》 이구 동성 : meet with a ~ *of* protest 모두의 항의를 한꺼번에 받다. **3** 합창대. **4** 〖古그〗 (종교 의식 · 연극의) 합창 가무단(團), 코러스.
in chorus 목소리를 합하여, 일제히 : sing *in* ~ 합창하다.
— *vt., vi.* 합창하다 ; 이구 동성으로 말하다.
〖L<Gk.〗

chórus bòy[gìrl] *n.* (오페라 · 리뷰(revue) 따위의) 코러스 보이[걸].

chórus lìne *n.* 코러스 라인《주연급 배우만이 넘을 수 있는 무대앞 1/3에 처진 백선》.

chórus màster *n.* 합창 지휘자.

◇**chose**[1] *v.* CHOOSE의 과거형.

chose[2] [ʃóuz] *n.* 〖法〗 물건(物件), 재산 : ~ in action 무체(無體) 재산 / ~ in possession 유체(有體) 재산. 〖F=thing〗

chose ju·gée [*F* ʃo:z ʒyʒe] *n.* (*pl.* **choses ju-** [—]) 결정된 일, 기정 사실.

◇**cho·sen** [tʃóuzən] *v.* CHOOSE의 과거분사. — *a.* (특히 구원을 위해) 신에게 선택된 : the ~ people [race] 신의 선민(選民)《유태인의 자칭(自稱)》.

chósen ínstrument *n.* 개인 · 단체 · 정부가 그 이익을 위해 후원하는 사람[업자] ; 정부 보조 항공 회사.

chou [ʃú:] *n.* (*pl.* **choux** [—, 美+ʃú:z]) (여자 모자 · 드레스의) 리본 장식 매듭.
〖F=cabbage〗

Chou En-lai [dʒóu énlái ; tʃə́u-] *n.* 저우 언라이(周恩來)(1898-1976)《중국 공산당 지도자 ; 수상(1949-76)》.

chough [tʃʌ́f] *n.* 〖鳥〗 붉은부리까마귀《유럽산 ; 부리와 발이 빨간빛을 띰》. 〖? imit.〗

chouse[1] [tʃáus] *vt.* 《古》 속이다, 협잡하다.
— *n.* 사기꾼, 협잡꾼. 〖Turk.〗

chouse[2] *vt.* 《美西部》 (소 떼를) 거칠게 몰다.
〖C20< ?〗

chow[1] [tʃáu] *n.* **1** [C~] 《濠口》 중국인(Chinese). **2** 중국산의 개《코가 뾰족하고 혀가 검음》. **3** 음식(food) ; 식사(meal) ; 식사 시간.
— *vi.* 먹다. 〖*chow*chow〗

chow[2] *int.* 《英俗》 어 ; 안녕(하시오). 〖It.〗

chow·chow [tʃáutʃàu ; ⌐⌐] *n.* 중국식 김치《과일 · 채소를 잘게 썰어 겨자로 담근 것》 ; 식사 ; 음식. — *a.* 뒤범벅의. 〖Pidgin E〗

chow·der [tʃáudər] *n.* 〖料〗 차우더《대합 조개 · 생선 따위에 감자 · 양파를 넣고 끓인 것》. 〖?F *chaudière* CAULDRON ; cf. F *faire la chaudière*〗

chówder·hèad *n.* 《美俗》 얼간이, 멍텅구리.

chów hàll *n.* 《俗》 식당.

chów·hòund *n.* 《俗》 대식가(glutton).

chów lìne *n.* 《口》 급식을 받기 위한 대열.

chow mein [tʃáuméin] *n.* Ⓤ 초면(炒麪)《미국식 중국 요리의 일종》.

chów·tìme *n.* 《口》 식사 시간.

choz·rim [xɔ:zrí:m] *n. pl.* (이스라엘로 돌아온) 이스라엘인. 〖Heb. =returnees〗

CHQ Corps Headquarters(군단 사령부).

CHR 《美》 contemporary hits radio《(FM라디오에서) 히트 차트의 상위곡만의 프로그램 편성》.

Chr. Christ ; Christian ; Christopher.

chre·ma·tis·tic [krì:mətístik] *a.* 화식(貨殖)의, 이재(理財)의.

chrè·ma·tís·tics *n. pl.* [단수취급] 이재학(理財學), 화식론(貨殖論).

chres·tom·a·thy [krestɑ́məθi] *n.* (언어 학습용의) 명문집(名文集), 독본.

Chris [krís] *n.* **1** 남자 이름《Christopher의 애칭》. **2** 여자 이름《Christiana, Christina, Christine의 애칭》.

Chris. Christopher.

chrism [krízəm] *n.* Ⓤ 성유(聖油)《기독교의 의식에 씀》 ; 성유식(式).
〖OE *crisma*<L *chrisma*<Gk. =ointment〗

chrís·mal *a.* 성유(식)의.

chris·ma·to·ry [krízmətɔ̀:ri ; -təri] *n.* 성유 그릇. — *a.* 성유식의.

chris·om [krízəm] *n.* =CHRISM ; 유아 세례용의 흰 천[보자기] ; =CHRISOM CHILD.

chrísom chìld *n.* 천진스런 아기 ; 생후 1개월 이내의 아기.

Chri(s)·sake [kráisseik] *n.* [다음 숙어로] (***for***) ***Chrissake*** 제발 부탁인데.
〖*Christ's sake*〗

Chris·sie [krísi] *n.* 여자 이름《Christiana, Christina, Christine의 통칭》.

‡**Christ** [kráist] *n.* 그리스도《구세주(the Savior)가 되어 출현한 Jesus의 칭호》.
before Christ ☞ BEFORE *prep.*
— *int.* 《俗》 (놀람 · 분노 따위를 나타내어) 이런 (놀랐다)!, 제기랄!, 뭐라고!
〖OE *Crist*<L<Gk.=anointed one ; Heb. MESSIAH의 역(譯)〗

Chríst chìld *n.* [the ~] 아기 예수.

christ·cross [krískrɔ̀(:)s, -krɑ̀s] *n.* =CRISS-CROSS.

chrístcross-rów *n.* 《古》 알파벳.

chris·ten [krísən] *vt.* **1** 세례를 베풀어 기독교도로 하다(baptize). **2** [+目/+目+補] 세례를 베풀어 이름짓다(cf. CHRISTIAN NAME) : The child was ~*ed* John. 그 아이는 존이라는 세례명을 받았다. **3** (배 따위에) 이름을 붙이다, 명명하다(name). **4** 《美口》 (새로운 자동차 따위를) 쓰기 시작하다, …을 처음으로 쓰다. 〖OE *crīstnian* to anoint with chrism (*crīsten* Christian)<L ; ⇨ CHRISTIAN〗

Chrísten·dom *n.* Ⓤ 기독교계 ; 기독교국 ; [집합적으로] 전(全)기독교도.
〖OE〗

chrísten·ing *n.* Ⓤ,Ⓒ 세례(식), 명명(식).

Chríst·hood *n.* 그리스도임 ; 그리스도의 성격[신성(神性)].

‡**Chris·tian** [krístʃən] *a.* 기독교의(↔*ethnic*) ; 기독교도다운, 이웃을 사랑하는 ; 고상한 ; 존경할 만한. — *n.* **1** 기독교도, 기독교 신자. **2** 《口》 훌륭한 사람, 문명인(↔*brute, savage*) : behave like a ~ 인간답게 행동하다. **3** 남자 이름.
〖L *Christianus*<Gk. =(follower) of CHRIST〗

Chris·ti·a·na [krìstiǽnə ; -ɑ́:nə] *n.* 여자 이름《애칭 Chris》.
〖L (fem.) ; ⇨ CHRISTIAN〗

Chrístian búrial *n.* 교회장(葬).

Chrístian Démocrats *n. pl.* [the ~] 기독교 민주당《독일 · 이탈리아 따위의 정당》.

Chrístian éra[Éra] *n.* [the ~] 서력 기원(紀元) : in the first century of *the* ~ 기원(후) 1세기에.

Chris·tia·nia [krìstʃiǽniə, -ti-, -ɑ́:niə ; krìs-tiɑ́:niə] *n.* **1** 〖스키〗 크리스티아니아 회전《평행이 되게 스키를 가지런히 모은 채로 하는 고속시의 회전법》. **2** OSLO의 옛 칭호.

Chrístian·ìsm *n.* 《古》 기독교 정신[교리].

***Chris·ti·an·i·ty** [krìstʃiǽnəti, -ti- ; -ti-] *n.* **1** Ⓤ 기독교 ; 기독교적 신앙[정신 · 성격]. **2** Ⓤ =

CHRISTENDOM. 〖OF (*crestien* CHRISTIAN)〗

Chrìstian·izátion *n.* Ⓤ 기독교화(化).

Chrístian·ìze *vt.* [흔히 c~] 기독교화하다. —— *vi.* 《稀》 기독교도가 되다.

Chrístian·lìke *a.* 기독교도 같은[다운].

Chrístian·ly *a., adv.* 기독교도다운[답게].

chrístian náme *n.* [흔히 C~] 세례명(given name)《세례때 붙이는 이름으로 성(姓) 앞에 붙여서 말함 ; ☞ NAME *n.* 1 ㊟》.

Chrístian Scíence *n.* 크리스천 사이언스《신앙요법을 특색으로 하는 기독교의 일파 ; 19세기 중엽부터 미국에서 일어났음》.

Chrístian sócialism *n.* 기독교 사회주의《그 주의자는 Christian socialist, 그 당은 the Christian socialists》.

Chris·tie [krísti] *n.* 남자 이름.

Chris·tie's [krístiz] *n.* 런던의 미술품 경매상. 〖James *Christie* (d. 1803) 창설자 (1766)〗

Chríst·less *a.* 그리스도 정신에 위배되는, 예수를 믿지 않는.

Chríst·lìke *a.* (성격·마음이) 그리스도와 같은.

Chríst·ly *a.* 그리스도다운.

◇**Christ·mas** [krísməs] *n.* Ⓤ,Ⓒ 크리스마스, 성탄절(yule)《12월 25일 ; 略 Xmas ; 《英》 QUARTER DAYs의 하나》 ; =CHRISTMASTIDE : at ~ 크리스마스에 / keep ~ 성탄절을 축하하다 / a green ~ 눈이 안 내리는 (따뜻한) 크리스마스 / a white ~ 눈이 내린[쌓인] 크리스마스 / A merry ~ to you! 성탄을 축하합니다! 〖OE *Crīstes mæsse* ; ⇨ CHRIST, MASS¹〗

Chrístmas bòok *n.* 크리스마스에 읽는 책.

Chrístmas bòx *n.* 《英》 크리스마스 선물《하인·집배원 등에게 주는 선물 ; cf. BOXING DAY》.

Chrístmas càrd *n.* 크리스마스 카드 : send ~*s.* ㊟ 보통 write는 쓰지 않음.

Chrístmas càrol *n.* 크리스마스 송가[찬가].

Chrístmas clùb *n.* 크리스마스 때 쓰기 위한 정기 적립 예금 구좌.

Chrístmas Dày *n.* 그리스도 성탄제, 성탄일《12월 25일》.

Chrístmas Éve *n.* 크리스마스 전야[일]《12월 24일(의 밤)》 : *on* ~.

Chrístmas fáctor *n.* 〖生化〗 크리스마스 인자(因子)《혈액 응고인자의 하나》.

Chrístmas gìft *n.* 크리스마스 선물.

Chrístmas hólidays *n. pl.* [the ~] 크리스마스 휴가 ; (학교 따위의) 겨울 방학.

Chrístmas nùmber *n.* (잡지 따위의) 크리스마스 특별[증간]호.

Chrístmas pàntomime *n.* =PANTOMIME 2.

Chrístmas púdding *n.* 크리스마스 푸딩《plum pudding을 써서 만듦》.

Chrístmas ròse *n.* 〖植〗 포인세티아《크리스마스 때에 꽃이 피는 다년초 ; 유럽 원산(原産)》.

Chrístmas sèal *n.* (결핵 퇴치 기금을 위한) 크리스마스 실.

Chrístmas stócking *n.* 크리스마스 스타킹《산타클로스의 선물을 받기 위해 걸어두는 양말》.

Chríst·mas(·s)y *a.* 크리스마스다운, 크리스마스 기분이 나는.

Chrístmas·tìde, -tìme *n.* Ⓤ 크리스마스 시즌(yuletide)《12월 24일부터 1월 6일까지》.

Chrístmas trèe *n.* 크리스마스 트리《보통 전나무(fir)에 장식물을 달아 놓음》.

Chris·to- [krístou, kráis-, -tə] *comb. form* 「그리스도의」의 뜻.

Chris·tol·o·gy [kristálədʒi, krais-] *n.* 〖神學〗 그리스도론. **-gist** *n.* 그리스도론 학자.

Chris·toph·a·ny [kristáfəni] *n.* 그리스도의 재림(再臨).

Chríst's Hóspital *n.* 크라이스츠 호스피틀《잉글랜드 Sussex 주(州) 호샴(Horsham)에 있는 퍼블릭 스쿨》.

Chríst's-thòrn [kráis(ts)-] *n.* 〖植〗 그리스도가시나무《그리스도가 쓴 가시면류관은 이 나뭇가지로 만들었다고 함》.

Chrísty mínstrels [krísti-] *n. pl.* 크리스티 악단《흑인으로 분장하여 흑인 노래를 부름》.

-chro·ic [króuik] *a. comb. form* =-CHROOUS.

chrom- [króum], **chro·mo-** [króumou, -mə] *comb. form* 「빛깔」의 뜻 ; 〖化〗 「크롬」 「(무색체에 대해) 유색 화합물」의 뜻. 〖Gk. ; ⇨ CHROME〗

chro·ma [króumə] *n.* 빛깔의 순도(純度) ; 채도(彩度). 〖Gk.〗

chro·mat- [kroumǽt, krə-, króumæt], **chro·mato-** [kroumǽtou, krə-, króumətou, -tə] *comb. form* 「빛깔」 「염색질」의 뜻. 〖Gk. ; ⇨ CHROME〗

chro·mate [króumeit] *n.* Ⓤ 〖化〗 크롬산염.

chro·mat·ic [kroumǽtik] *a.* **1** 색채의, 착색[채색]한 : ~ printing 색도 인쇄 / ~ aberration 〖光〗 색수차(色收差). **2** 〖生〗 염색성의. **3** 〖樂〗 반음계(半音階)의 : a ~ scale[semitone] 반음계[반음]. —— *n.* 〖樂〗 임시표(accidental). **-i·cal·ly** *adv.* 착색[채색]을 하여, 채색적으로 ; 반음계로. 〖F or L<Gk. ; ⇨ CHROME〗

chro·mat·i·cism [kroumǽtəsìzəm] *n.* 반음계 주의(主義).

chro·ma·tic·i·ty [kròumətísəti] *n.* 〖光〗 색도.

chro·mát·ics *n.* 색채론[학].

chromátic sensátion *n.* 색채 감각.

chromátic sígn *n.* 〖樂〗 반음[변위] 기호.

chro·ma·tid [króumətəd] *n.* 〖遺〗 (세포 분열에 앞서 염색체가 종렬(縱裂) 2분된) 염색 분체(染色分體).

chro·ma·tin [króumətən] *n.* Ⓤ 〖生〗 크로마틴, 염색질(質) (cf. CHROMOSOME).

chro·ma·tism [króumətìzəm] *n.* **1** Ⓤ 〖醫〗 수반(隨伴) 색채감 ; 색채 환각(幻覺). **2** Ⓤ 〖光〗 색수차(色收差).

chró·ma·tist *n.* 색채학자.

chromato- [kroumǽtou, krə-, króumətou, -tə] ☞ CHROMAT-.

chromáto·gràph *n.* 색층(色層) 분석 장치. —— *vt.* 색인쇄로 하다 ; 색층 분석을 하다.

chro·ma·tog·ra·phy [kròumətágrəfi] *n.* 〖化〗 색층(色層) 분석.

chro·ma·tol·o·gy [kròumətálədʒi] *n.* =CHROMATICS.

chro·ma·tol·y·sis [kròumətáləsəs] *n.* 〖生〗 염색질 융해.

chromáto·phòre *n.* 〖生〗 색소포(色素胞), 색소체(色素體).

chromáto·scòpe *n.* 크로마토스코프《여러가지 빛깔의 광선을 혼합색으로 만드는 장치》.

chró·ma·tròpe [króumə-] *n.* (환등의) 회전 채광판(彩光板), 회전 채색판(彩色板).

chróma·tỳpe *n.* 크롬지 사진(법) ; 컬러 사진.

chrome [króum] *n.* **1** Ⓤ 〖化〗 크롬(chromium). **2** Ⓤ =CHROME YELLOW. **3** Ⓤ 크롬 도금한 것. —— *vt.* 크롬 화합물로 처리하다 ; …에 크롬 도금을 하다.

〚F<Gk. *khrōmat- khrōma* color〛
-chrome [kròum] *n. comb. form, a. comb. form* 「…의 빛깔의 (것)」「색소」의 뜻. 〚↑〛
chróme gréen[réd] *n.* 크롬녹(綠)[적(赤)].
chróme·plàted *a.* **1** (금속이) 크롬 도금의[한]. **2** 허식(虛飾)의.
chróme stéel *n.* 크롬강(鋼).
chróme yéllow *n.* 크롬황(黃), 황연(黃鉛)《황색 안료의 하나》; 그 빛깔.
chro·mic [króumik] *a.* 〔化〕 3가(價) 크롬을 함유한, 크롬산(酸)의 : ~ acid 크롬산.
chro·mite [króumait] *n.* **1** Ⓤ〔鑛〕 크롬 철광. **2** 〔化〕 아(亞)크롬산염(酸鹽).
chro·mi·um [króumiəm] *n.* Ⓤ〔化〕 크로뮴, 크롬《금속 원소 ; 기호 Cr ; 번호 24》.
〚CHROME〛
chrómium pláte *n.* 〔冶〕 크롬 도금.
chrómium-plàte *vt.* …에 크롬 도금을 하다.
chrómium stéel *n.* =CHROME STEEL.
chro·mo[1] [króumou] *n.* (*pl.* **~s**) 〔印〕= CHROMOLITHOGRAPH.
chromo[2] *n.* **1** 《俗》 꼴보기 싫은 놈. **2** 《濠俗》 매춘부, 창녀.
chromo- [króumou, -mə] ☞ CHROM-.
chròmo·dynámics *n.* 크로모 역학《quark를 연결하여 hadron을 형성시키는 강한 상호 작용을 연구함》.
chro·mo·gen [króumədʒən] *n.* 색원체(色原體) 《(1)〔生〕 색소를 만드는 미생물의 일종. (2)〔化〕 매염(媒染) 염료의 일종》.
chrómo·gràph *n.* 〔印〕 젤라틴판. —— *vt.* 젤라틴판으로 복사하다.
chròmo·lítho·gràph *n.* 〔印〕 착색 석판 인쇄화, 크로모 석판. —— *vt.* 크로모 석판술로 인쇄하다. **-lithógrapher** *n.* **-lithográphic** *a.*
chròmo·lithógraphy *n.* 〔印〕 크로모 석판법, 착색 석판법.
chrómo·mère *n.* 〔遺〕 염색 소립(小粒)《이것이 연속되어 염색체를 구성》.
chro·mo·ne·ma [kròumənίːmə] *n.* (*pl.* **-ma·ta** [-tə]) 〔遺〕 염색사(絲), 나선사.
chròmo·phóto·gràph *n.* 컬러 사진.
chròmo·prótein *n.* 〔遺〕 색소 단백질.
chrómo·sòme *n.* 〔生〕 염색체. **chrò·mo·só·mic** *a.* **-sóm·al** *a.* 〔生〕 염색체의.
〚G (*chromo-*, Gk. *sōma* body)〛
chrómosome màp *n.* 〔生〕 염색체 지도.
chrómosome nùmber *n.* 〔遺〕 염색체수.
chrómosome translocàtion *n.* 〔遺〕 염색체 전좌(轉座).
chrómo·sphère *n.* 〔天〕 채층(彩層)《태양 광구면(光球面) 바로 바깥쪽의 백열 가스층》.
chrómo·tỳpe *n.* 착색 석판도 ; 컬러 사진.
chro·mous [króuməs] *a.* 〔化〕 2가(價)의 크롬을 함유한.
chron- [krán, króun], **chro·no-** [kránou, króu-, -nə] *comb. form* 「때」의 뜻.
〚Gk. ; ⇨ CHRONIC〛
Chron. 〔聖〕 Chronicles.
chron·ic [kránik] *a.* **1** 〔醫〕 만성의(↔*acute*) ; 지병(持病)이 있는 : a ~ disease 만성병(慢性病). **2** 장기간에 걸친, 오래 끄는, 오랜 ; 버릇이 된, 만성[습관, 상습]적인 : a ~ rebellion 장기간에 걸친 폭동 / a ~ grumbler 습관적으로 불평을 하는 사람. **3** 《英俗》 지겨운, 지독한. —— *n.* 만성병 환자, 지병이 있는 사람.
-i·cal *a.* =CHRONIC. **-i·cal·ly** *adv.* 만성적으로.
〚F<L<Gk. (*khronos* time)〛
***chron·i·cle** [kránikəl] *n.* **1** 연대기(年代記), 편년사(編年史) ; 기록, 역사 ; [the C~] …신문. **2** [the C~s ; 단수취급] 〔聖〕 역대기(歷代記) (the First[Second] Book of Chronicles)《구약 성서 중의 상하 2편이 있음 ; 略 Chron.》. —— *vt.* 연대기에 싣다[올리다], 기록으로 남기다.
〚AF<L<Gk. *khronika* (neut. pl.) annals ; ⇨ CHRONIC〛
chrónicle plày[hìstory] *n.* 사극(史劇).
chrón·i·cler *n.* 연대기 편자[저자] ; 기록자.
chrono- [kránou, króu-, -nə] ☞ CHRON-.
chròno·biólogy *n.* 시간 생물학《생체내에서 인지되는 주기적 현상을 취급함》.
chróno·gràm *n.* 연대 표시명《문장 중의 대문자를 숫자로 하여 합치면 연대를 가리키는 것》. ㊟ 보기를 들면 London에서 역병(疫病)의 해(1666)에 부적으로 문에 걸어두었던 LorD haVe MerCIe Vpon Vs의 숫자를 합치면 50+500+5+1000+100+1+5+5=1666.
chróno·gràph *n.* 크로노그래프, 초(秒)기록 시계 ; 일종의 스톱워치(stopwatch).
chronol. chronological ; chronology.
chro·nol·o·ger [krənálədʒər] *n.* 연대학자, 연표(年表)학자 ; 역사가.
chro·no·log·i·cal, -ic [krànəládʒik(əl), kròu-] *a.* 연대순의 : in ~ order 연대순으로. **-i·cal·ly** *adv.* 연대순으로, 연대학상, 연대기적으로.
chro·nól·o·gist *n.* 연대학자.
chro·nol·o·gize [krənálədʒàiz] *vt.* 연대순으로 배열하다, 연표를 만들다.
chro·nol·o·gy [krənálədʒi] *n.* **1** Ⓤ 연대학 ; 연대순. **2** 연대기, 연표(年表).
〚NL (*chrono-*)〛
chro·nom·e·ter [krənámətər] *n.* **1** 크로노미터《정밀한 경도(經度) 측정용의 시계》;《口》매우 정확한 (손목) 시계. **2** 〔樂〕 =METRONOME.
chro·no·met·ric, -ri·cal [krànəmétrik(əl), kròu-] *a.* 크로노미터 (측정)의.
-ri·cal·ly *adv.*
chro·nom·e·try [krənámətri] *n.* 시각 측정(법), 측시술(測時術).
chro·non [króunɑn] *n.* 〔理〕 가설적인 시간적 양자《광자가 전자의 직경을 횡단하는 데 요하는 시간 : 약 10^{-24}초》.
chron·o·pher [kránəfər] *n.* 시보 장치.
chróno·scòpe *n.* 크로노스코프《광속(光速) 따위를 재는 초 시계》.
-chro·ous [-krouəs] *a. comb. form* 「… 색깔의」의 뜻. 〚Gk.〛
chrys- [krís], **chry·so-** [krísou, -sə] *comb. form* 〔化·鑛〕「노란 빛의」「금빛의」「금의」의 뜻. 〚Gk.〛
chrys·a·lid [krísələd] *a.* 번데기의 ; 준비기의. —— *n.* =CHRYSALIS.
chrys·a·lis [krísələs] *n.* (*pl.* **~·es, chry·sal·i·des** [krisǽlədìːz]) (특히 나비의) 번데기(cf. PUPA) ; 누에 고치(cocoon) ;《비유》 준비 시대, 과도기(過渡期).
〚L<Gk. (*khrusos* gold)〛
chry·san·the·mum [krəsǽnθəməm] *n.* 〔植〕 국화 ; 〔植〕 [the C~] 엉거시과(科).
〚L<Gk. =gold flower (*chrys-*)〛
Chry·se·is [kraisíːəs] *n.* 〔그神〕 크리세이스《트로이 전쟁 때 그리스군에 붙잡힌 미녀》.
chrys·elephántine [krìs-] *a.* (그리스 조각이) 금과 상아로 장식된.

Chrys·ler [kráislər ; kráiz-] *n.* 크라이슬러《미국제 고급 자동차 ; 상표명》.
chryso- [krísou, -sə] ☞ CHRYS-.
chrýso·bèryl *n.* 〖鑛〗 금록석(金綠石).
chrys·o·lite [krísəlàit] *n.* 〖鑛〗 귀감람석(貴橄欖石). 〖OF<L<Gk. (-*lite*)〗
chrys·o·prase [krísəprèiz] *n.* 〖鑛〗 녹옥수(綠玉髓). 〖OF<L<Gk. (*prason* leek)〗
chrys·o·tile [krísətàil] *n.* 〖鑛〗 온석면(溫石綿).
chs. chapters.
chub [tʃʌb] *n.* (*pl.* ~, ~**s**) 〖魚〗 처브《잉어과의 민물고기》; 황어속의 민물고기.
〖ME< ?〗
chúb·by *a.* 토실토실 살찐 ; 통통하게 생긴.
-bi·ness *n.* 〖CHUB, -*y*[4]〗
chúb pàckage[**pàckaging**] *n.* 로켓[원통형] 포장《햄·소시지처럼 원통 모양으로 하여 양끝을 묶은 포장》.
chuck[1] [tʃʌk] *n.* **1** (선반 따위에) 고정시키는 회전 바이스, 척. **2** Ⓤ 소의 목덜미 고기.
── *vt.* 척에 걸다[으로 고정시키다].
〖CHOCK〗
chuck[2] *vt.* **1** [+目+*under*+名] (턱밑을) 가볍게 찌르다[치다] : He ~*ed* me ***under*** the chin. 내 턱밑을 가볍게 쳤다. **2** 《口》 [+目+副/+目+前+名] 내던지다, 버리다(hurl) : ~ *away* rubbish 쓰레기를 버리다 / ~ a drunken man ***out of*** a pub 술집에서 주정뱅이를 잡아 끌어내다. **3** 《口》 [+目/+目+副] 포기하다, (싫어져서) 그만두다, 단념하다 : ~ (***up***) one's job 직업을 그만두다, 사직하다.
chuck away (시간·돈을) 허비하다 ; (기회를) 놓치다(lose) ; 버리다(cf. *vt.* 2).
chuck out 내쫓다, 쫓아버리다, 추방하다, 해고하다 ; 《英口》 의안·동의를 부결하다.
chuck it 《俗》 그만두다[하다] ; [명령] (시끄러워) 그쳐 !
chuck up the sponge 스펀지·수건을 내던지다《권투에서 졌다는 표시》; 항복했다고 말하다.
── *n.* 내던지기 ; 가볍게 치기 ; 애무, 가볍게 쓰다듬기 ; [the ~] 《英口》 해고.
get the chuck 《英俗》 해고되다.
give a person ***the chuck*** 《英俗》 (갑자기) …을 해고하다 ; (별안간) 남과의 관계를 끊다.
〖C16< ? ; F *chuquer* to knock인가〗
chuck[3] *vi.* (암탉 우는 소리같이) 꾸꾸 소리내다, 꾸꾸하며 부르다 ; (말을 몰기 위해) 쭈쭈 소리내다. ── *vt.* (사람이 닭을) 꾸꾸하며 부르다.
── *n.* **1** 꾸꾸하는 소리. **2** 귀여운 아기, 사랑스런 이《애칭》. 〖ME (imit.)〗
chuck[4] *n.* 《美黑人俗》 백인.
chuck-a-luck [tʃʌ́kəlʌ̀k], **chuck-luck** [tʃʌ́k-lʌ̀k] *n.* (세 개의 주사위를 던져서 하는) 도박의 일종.
chúck·er-óut *n.* 《英》 (극장·술집 따위에서 행패꾼을 끌어내는) 경비원, 정리원.
chúck-fàrthing *n.* 돈치기.
chúck-fúll *a.* =CHOCK-FULL.
chúck·hòle *n.* (포장도로 위의) 구멍.
***chuck·le** [tʃʌ́kəl] *n.* **1** 킬킬거림[웃음], 속으로 웃기. **2** 꾸꾸 !《암탉이 병아리를 부르는 소리》.
── *vi.* **1** [動/+前+名] 킬킬 웃다 ; 싱글벙글 웃다, 좋아하다 : ~ while reading 책을 읽으면서 킬킬 웃다 / Don't ~ ***at*** the walking of the crippled. 다리를 저는 사람이 걷는 것을 보고 웃어서는 안된다. **2** (암탉이) 꾸꾸하고 울다(cluck).
〖imit.〗
類義語 ⟹ LAUGH.
chúckle·hèad *n.* 《口》 바보, 저능아(低能兒).
-hèad·ed *a.*
chúck wàgon *n.* 《美》 (목장·농장용의) 취사차(炊事車).
chud·dar, -der [tʃʌ́dər] *n.* 《인도》 처더《인도 북부 여자 등이 숄로 사용하는 네모진 천》.
chuff[1] [tʃʌf] *n.* 촌뜨기, 버릇없는 사람.
〖C17=(obs.) fat cheek< ?〗
chuff[2] *a.* 《英方》 땅딸막한, 통통한 ; 잘난 체하는.
chuff[3] *n.*, *vi.* =CHUG. 〖imit.〗
chuff[4] *vt.* 《英俗》 [보통 수동태로] 기운을 북돋우다, 격려하다, 기쁘게 해주다〈*up*〉. ── *n.* (성교 중에) 여자가 국부(局部)를 쑥 내밀기 ; (동성 연애 상대의) 소년(catamite).
〖?*chuff* pleased, happy, chubby〈CHUFF[1]〗
chuffed [tʃʌft] *a.* 《英俗》 **1** 매우 기쁜, 즐거운. **2** 불쾌한. 〖CHUFF[4]〗
chúf·fing *n.* 〖로켓〗 소리떨림 연소(燃燒)《로켓 연료의 불안정 연소의 일종》.
chuf·fy [tʃʌ́fi] *a.* 《英方》 야비한 ; 무뚝뚝한.
chug [tʃʌg] *n.* (발동기 따위의) 폭폭하는 소리.
── *vi.* (-**gg**-) 《口》 [動/+副] 폭폭 소리를 내다[내며 나아가다] : The train ~*ged* ***along***. 기차가 칙칙폭폭 소리를 내면서 지나가 버렸다.
〖imit.〗
chuga-chuga [tʃʌ́gətʃʌ́gə] *n.* =CHOOCHOO.
chúk·ka bòot [tʃʌ́kə-] *n.* 〖服〗 복사뼈까지 오는 부츠. 〖↓〗
chuk·ker, -kar [tʃʌ́kər] *n.* (polo 경기 따위의) 회(回)《한 시합이 8회》. 〖Hindi<Skt. =wheel〗
chum[1] [tʃʌm] *n.* 《口》 친한 친구, (남자 사이의) 친우, 한패, 짝 ; 《美》 (학생의) 동료, 동거자 (roommate) : a new ~ 《濠》 갓 온 이민. ── *v.* (-**mm**-) *vi.* **1** 《口》 [+副/+*with*+名] 한패[친한 친구]가 되다 : Tom ~*med* ***up with*** me. 톰은 나와 친한 친구가 되었다. **2** 동거하다.
── *vt.* 《에딘버러 方》 (남)을 따라가다.
〖? *chamber follow* ; 원래 Oxford 대학의 학생 속어(俗語)〗
chum[2] *n.* (낚시의) 밑밥. ── *vi.* 밑밥을 뿌리고 낚시질하다. 〖C19< ?〗
chúm·mage *n.* Ⓤ 《俗》 동숙(同宿) ; 한방에 거처하기, 합숙 ; 방세 ; 《英俗》 (교도소에 새로 들어오는 죄수가 내는) 가입금.
chúm·mery *n.* 동숙하는 사람[장소].
chúm·my *a.* 《口》 친숙한, 친한 ; 붙임성 있는 : be ~ *with* …와 친한 사이이다, 친구다.
chump [tʃʌmp] *n.* **1** 통나무 토막 ; 《英》 (양의 살고기의) 굵직한 쪽. **2** 《주로 英俗》 머리, 대가리. **3** 《口》 바보, 멍청이 ; 잘 속는 사람.
〖*chunk*+*lump*〗
Chungking ☞ CHONGQING.
chunk[1] [tʃʌŋk] *n.* 《口》 **1** (치즈·빵·고기·나무 조각 따위) 큰 덩어리 ; 상당한 부분[양]. **2** 《美》 (체격이 상당히) 큰 사람[동물] : a fine ~ *of* a man 크고 훌륭한 체격을 가진 사람.
〖변형(變形)〈CHUCK[1]〗
chunk[2] *vt.* 《美俗》 던지다 ; (모닥불 따위를) 지피다〈*up*〉. ── *vi.* 덜커덩[탕·덜컹] 소리를 내다.
〖imit.〗
chúnky *a.* 짧고 두꺼운, 땅딸막한, 앙바틈한 (stocky) ; 덩어리로 된.
Chun·nel [tʃʌ́nl] *n.* 《英口》 영불 해저 터널.
〖*Ch*annel+*t*unnel〗
chun·ter [tʃʌ́ntər], 《美》 **chun·ner** [tʃʌ́nər] *vi.* 《英口》 투덜거리다, 불평하다. 〖? imit.〗

◇**church** [tʃə́:rtʃ] *n.* **1** (기독교의) 예배당, 교회(당)《영국에서는 국교의 회당에 대해 말함; cf. CHAPEL 2》. **2** Ⓤ (교회의) 예배(service) : They are at[in] ~. 그들은 예배중이다 / after ~ 예배를 본 후 / Is ~ over yet? 예배가 벌써 끝났습니까. ㊟ 다음 구에서 church는 Ⓒ : between ~*es* 예배(시간)과 예배(시간) 사이에. **3** [C~] 교회 ; 교회 조직 ; 교파 ; 교권 : the Catholic [Protestant] *C*~ 카톨릭[신교] 교회 / the *C*~ of England=the Anglican[English] *C*~ 영국 국교회, 성공회(聖公會) / the *C*~ of Scotland 스코틀랜드 국교회《장로교회파》/ the Eastern [Western] *C*~ 동방[서방] 교회, 그리스[로마 카톨릭] 교회 / the established[state] ~ 국교(國敎) / the Methodist *C*~ 감리교회 / the Presbyterian *C*~ 장로교회 / ☞ HIGH CHURCH / ☞ LOW CHURCH. **4** [the C~] 전(全)기독교도 (=the *C*~ of Christ) : *the C*~ and the world 교회와 세속. **5** [the C~] 성직, 승직(僧職) : He is destined for *the* ~. 목사가 되기로 되어 있다. **6** 회중(會衆) (congregation) ; 교구(敎區).
(as) poor as a church mouse 아주[매우] 가난하여.
go into*[*enter*] *the Church 목사가 되다, 성직을 맡다(take orders).
go to*[*attend*] *church 예배보러 가다.
talk church 종교[교회] 이야기를 하다.
── *a.* 교회의, 예배의 ; 신도로 구성된 ;《英》영국 국교의. ── *vt.* (산후(産後) 감사기도를 드리기 위해 부인을) 교회로 데리고 가다[오다] ; 교회원으로 하다 ;《美》교회 규율을 따르게 하다.
〚OE *cirice*<Gk. *kurikon* Lord's (house) ; cf. G *Kirche*〛

Chúrch Ármy *n.* 교회군(軍)《영국 국교회의 전도봉사 단체》.

Chúrch Commíssioners *n. pl.* 《英》 국교 재무 위원회.

chúrch·gò·er *n.* (자주) 교회에 다니는 사람, 예배 참석자 ;《英》(비국교도에 대한) 국교도.

chúrch·gò·ing *n.* Ⓤ 교회 다니기.
── *a.* 교회에 다니는, 교회에 드나드는.

Church·ill [tʃə́:rtʃil] *n.* 처칠. Sir **Winston** ~ (1874-1965) 영국의 정치가·저술가·수상.

chúrch·ing *n.* Ⓤ 순산(順產) 감사식.

chúrch invísible *n.* [the ~] 보이지 않는 교회, 재천(在天)교회《지상 및 천국에 있는 참된 그리스도교도의 총체이며, 이것이 진정한 교회라고 주장되었음》.

chúrch·ism *n.* 교회 의식의 준수, 교회주의 ;《英》국교주의.

chúrch·less *a.* 교회가 없는 ; 교회에 속하지 않는, 교회에 다니지 않는 ; 무종교의.

chúrch·ly *a.* 교회의, 종교상의.

chúrch·man [-mən] *n.* **1** 성직자, 목사. **2**《英》

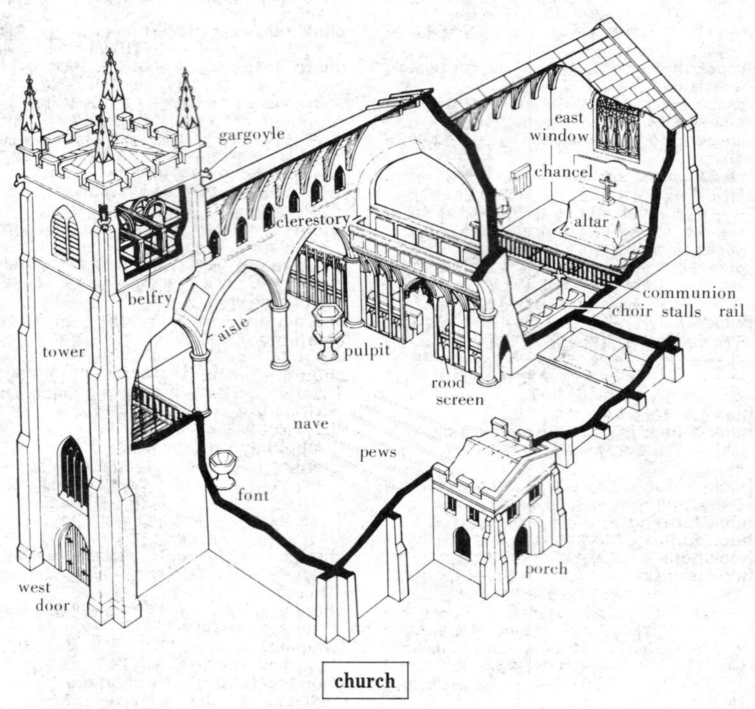

church

국교신자(cf. DISSENTER).
chúrch mílitant *n.* 신전(神戰)의 교회《악과 싸우는 것으로 보는 이 세상의 교회·교도》.
chúrch ràte *n.* 《英》 (교구의) 교회 유지비.
chúrch régister *n.* (교구민의 세례·결혼 따위를 기록한) 교회 기록부.
chúrch·scòt, -shòt *n.* 예전에 교구민에게 징수하던 목사 부양금.
chúrch sèrvice *n.* 예배 ; Ⓒ =SERVICE BOOK.
chúrch tèxt *n.* 〖印〗 일종의 가는 흑자체(黑字體) (cf. BLACK LETTER).
chúrch triúmphant *n.* [the ~] 개선 교회《지상에서 악과의 싸움에 이기고 승천한 기독교도들》.
chúrch vísible *n.* [the ~] 보이는 교회, 현세의 교회.
chúrch·wàrden *n.* **1** 교구 위원《교구(parish)를 대표하여 교회의 시중을 드는 사람 ; 정원 2명》. **2** 《英》 긴 사기 담뱃대.
chúrch·ward(s) *adv., a.* 교회쪽으로(의).
chúrch·wòman *n.* 《英》 여성 국교 신자.
chúrchy *a.* 교회 위주의, 국교 지상(國教至上)의.
chúrch·yàrd *n.* (교회의) 경내(境內) ; (교회 부속의) 묘지(cf. CEMETERY, GRAVEYARD) : A green Christmas[Yule] makes a fat ~. 《속담》 크리스마스 계절에 따뜻하고 눈이 안오면 (전염병이 돌아) 죽는 사람이 많다.
churl [tʃə́:rl] *n.* 신분이 낮은 사나이 ; 야비한 사내 ; 구두쇠 ; 옹고집 ; 시골뜨기.
〚OE *ceorl* man, peasant ; cf. G *Kerl*〛
chúrl·ish *a.* 야비한, 천한 ; 인색한 ; 성질이 비뚤어진, 버릇없는 ; 시골뜨기의.
churn [tʃə́:rn] *n.* 교유기(攪乳器). —— *vt.* **1** (크림·우유를) 교유기로 휘젓다 ; 휘저어 (버터를) 만들다. **2** [+目/+目+副] (일반적으로) 세차게 휘젓다 ; (바람이 파도를) 일게 하다, 물거품을 일게 하다 : The propeller of the steamboat was ~*ing* (***up***) the waves. 증기선의 프로펠러가 물결을 일으키고 있었다. —— *vi.* **1** 교유기를 움직이다, 교유기로 버터를 만들다. **2** (물결이) 물가에 세게 부딪치다, 거품이 일다 ; 심하게 요동하다[움직이다]〈*about*〉.
churn out 대량 생산[발행]하다, 속속 내다.
〚OE *cyrin*〛
chúrn dàsher[stàff] *n.* 우유 젓는 장치[막대] 《churner라고도 함》.
chúrn·er *n.* 휘젓는 도구[기계].
chúrn·ing *n.* 우유 젓기 ; 한번에 만들어낸 버터.
churr [tʃə́:r] *vi., n.* 찍찍 울다[우는 소리](chirr). 〚imit.〛
chut [tʃʌ́t] *int.* 체 ! 《짜증이 나거나 하여 혀를 차는 소리》. 〚imit.〛
chute, shute [ʃú:t] *n.* **1** 비탈진 수로, 배수로, 낙수통[홈] ; 활강 사면로(斜面路) (shoot) : a letter ~ 편지 투하 장치[통]. **2** 급류(急流), 폭포. **3** 《口》 =PARACHUTE. —— *vt.* chute로 나르다. —— *vi.* chute로 나아가다[를 이용하다] ; 《口》= PARACHUTE. 〚F (L *cado* to fall)〛
chúte-the-chùte(s) *n.* 놀이삼아 하는 미끄럼타기(장치)《roller coaster, water chute 따위》 ; 아슬아슬한 느낌[경험].
chúte-tròop·er *n.* 《口》 낙하산 부대원.
chút·ist *n.* 《口》 =PARACHUTIST.
chut·ney, -nee [tʃʌ́tni] *n.* Ⓤ 처트니《달콤하고 매운 인도의 조미료》. 〚Hindi〛
chut·tie, -ty [tʃʌ́ti] *n.* Ⓒ 《濠俗》 껌.
chutz·pa(h), hutz- [hútspə, xúts-] *n.* Ⓤ 《口》 뻔뻔스러움, 후안 무치. 〚Yid.〛
Chu·vash [tʃuvá:ʃ] *n.* (*pl.* **~, ~s**) Ⓒ 터키어계의 불가리아인 ; Ⓤ 그 언어.
chyle [káil] *n.* Ⓤ 〖生理〗 유미(乳糜). 〚L<Gk. *khulos* juice〛
chyme [káim] *n.* Ⓤ 〖生理〗 유미죽, 유미즙(汁). 〚L<Gk. *khumos* juice〛
chy·mo·papáin [kàimou-] *n.* 〖藥·生化〗 키모파파인《파파야에서 추출한 효소의 일종》.
CI, C.I. cast iron ; certificate of insurance ; corporate identity[identification] ; comfort index ; Communist International ; composite index(경기 종합 지수) ; cost and insurance.
CIA, C.I.A. 《美》 Central Intelligence Agency (중앙 정보국).
ci·bo·ri·um [səbɔ́:riəm] *n.* (*pl.* **-ria** [-riə]) 〖建〗 제단의 닫집 ; 〖카톨릭〗 성체(聖體) 넣는 그릇. 〚L<Gk.〛
C.I.C. combat information center ; Commander in Chief ; Counterintelligence Corps.
ci·ca·da [səkéidə, -ká:- ; sai-] *n.* (*pl.* **~, -dae** [-di:]) 〖昆〗 매미(=《美》 locust). 〚L〛
ci·ca·la [səká:lə] *n.* =CICADA. 〚It. <L〛
cic·a·trice [síkətrəs] *n.* (*pl.* **-tri·ces** [sìkətráisi:z]) =CICATRIX. 〚OF or L〛
cic·a·tri·cial [sìkətríʃəl] *a.* 〖醫〗 흉터 모양의 ; 〖植〗 엽흔(葉痕)의.
cic·a·tri·cle [síkətrìkəl] *n.* 〖動·植〗 (노른자위의) 씨눈, 배반(胚盤).
cic·a·trix [síkətriks, səkéi-] *n.* (*pl.* **-tri·ces** [sìkətráisi:z, səkéitrəsì:z]) 흉터, 상처 자국, 반흔 ; 〖植〗 잎이 떨어진 자국, 엽흔. 〚L=sear< ?〛
cic·a·trize [síkətràiz] *vi., vt.* 흉터가 생기다[생기게 하다], 흉터가 아물어 붙다. **cìc·a·tri·zá·tion** *n.* 흉터가 생김[아물어 붙음].
cic·e·ly [sísəli] *n.* 〖植〗 미나리과(科)의 식물. 〚? L<Gk. *seselis*〛
Cic·e·ro [sísəròu] *n.* 키케로. **Marcus T.** ~ (106-43 B.C.) 로마의 정치가·철학자·웅변가.
cic·e·ro·ne [sìsəróuni, tʃìtʃə-] *n.* (*pl.* **-ni** [-ni:]) (명승 고적 따위 관광객의) 안내원[인]《Cicero같은 웅변가의 뜻》. —— *vt.* (여행자 등을) 안내하다. 〚It. <L *Ciceron- Cicero* ; ↑〛
Cic·e·ro·ni·an [sìsəróuniən] *a.* 키케로식[풍]의, 장중전아(莊重典雅)한 ; (키케로 같은) 웅변가인. —— *n.* 키케로 연구가 ; 키케로 숭배자.
ci·cis·beo [tʃìtʃəzbéiou, səsísbiòu] *n.* (*pl.* **-bei** [-béii:, -bìi:]) (특히 18세기 이탈리아의) 유부녀의 공공연한 애인. 〚It.〛
CICS 〖컴퓨〗 customer information control system. **CICT** Commission of International Commodity Trade(유엔의 국제 상품 무역 위원회).
Cid [síd] *n.* [the ~] 11세기경 기독교의 옹호자로서 무어인(Moors)과 싸운 스페인의 전설적인 영웅 Ruy Díaz에게 준 칭호 ; 그의 공적을 노래한 서사시. 〚Sp. ; '수령(首領)'의 뜻〛
C.I.D. Criminal Investigation Department《《美》 검찰국 ; 〖軍〗 범죄 수사대 ; 《英》 경찰국 따위의 수사과》 ; Committee of Imperial Defence.
-ci·dal [sáidl] *a. comb. form* 「죽이는 (힘이 있는)」의 뜻. 〚↓〛
-cide [sàid] *n. comb. form* 「살인《범죄 또는 범인》」의 뜻 : parri*cide*. 〚L *caedo* to kill〛
ci·der [sáidər] *n.* 《美》 과즙, 사과 주스 ; 사과주(酒). 〚OF<L<Gk.<Heb.=strong drink〛
活用 사과 주스를 발효시키지 않은 것은 sweet *cider*, 발효시킨 것은 hard *cider*라고 함 ; 우리나라의 「사이다」는 설탕으로 맛들인 소다수

(soda pop)를 말하는 것으로 별개의 것임.
cíder cùp *n.* 사과주에 리큐어·탄산수 따위를 넣은 청량 음료.
ci·der·kin [sáidərkən] *n.* 좋지 않은 사과술.
cíder prèss *n.* 사과 압착기《cider 제조용》.
cíder vínegar *n.* 사과즙으로 만든 초.
ci-de·vant [*F* sidvɑ̃] *a.* 전의, 예전의(ex-).
— *adv.* 이전에. — *n.* (프랑스 혁명에서 작위를 잃은) 원래 귀족 ; 과거의 사람[것], 왕년의 세력을 잃은 사람, 제일선에서 물러난 사람.
〖F=heretofore〗
C.I.E. 《英》 Companion of (the Order of) the Indian Empire. 《인도 제국 3등 훈작사 ; 1947년 이후에는 수여하지 않음》. **CIEC** Conference of International Economic Cooperation (국제 경제 협력회의).
C.I.F., CIF, c.i.f. 〔商〕 cost, insurance and freight(보험료 운임 포함 가격).
cig [síg], **cig·gie, -gy** [sígi] *n.* Ⓒ 《口》 여송연 ; 궐련.
ci·ga·la [səgɑ́:lə], **-gale** [-gɑ́:l] *n.* =CICADA.
〖It.〗
ci·gar [sigɑ́:r] *n.* 엽궐련, 여송연, 시가.
〖F or Sp.<? Mayan〗
‡**cig·a·rette,** 《美》 **-ret** [sìgərét, 美+´--] *n.* 담배, 궐련. 〖F (dim.) ‹CIGAR〗
cigarétte bùtt[ènd] *n.* 담배 꽁초.
cigarétte cárd *n.* (예전의) 담뱃갑에 들어있던 그림카드.
cigarétte càse *n.* 담뱃갑, 담배 케이스.
cigarétte gìrl *n.* (나이트클럽·음식점 따위에서) 담배 파는 소녀.
cigarétte hòlder *n.* 궐련 담배용 파이프.
cigarétte pàper *n.* 담배 마는 종이.
cigár hòlder *n.* 엽궐련용 작은 파이프.
cig·a·ril·lo [sìgərílou, -rí:jou] *n.* (*pl.* **~s**) 가늘고 작은 여송연.
〖Sp. (dim.) ‹CIGAR〗
cigár lìghter *n.* (특히 자동차의) 담배용 라이터.
cigár-shàped *a.* 엽궐련 모양의.
cígar stòre *n.* 담배 가게.
cígar-stòre Índian *n.* 《美》 (담배 가게 간판으로 가게 앞에 놓아둔) 아메리칸 인디언 목각 인형.
C.I.I. Chartered Insurance Institute.
ci·lan·tro [səlɑ́:ntrou, -lǽn-] *n.* (*pl.* **~s**) 고수(coriander)의 잎《멕시코 요리의 조미료》. 〖Sp.〗
cil·ia [síliə] *n. pl.* (*sg.* **-i·um** [-iəm]) 속눈썹 ; (잎·날개 따위의) 솜털 ; 〔生〕 섬모. 〖L〗
cil·i·ary [sílièri ; -əri] *a.* 속눈썹의 ; 섬모의 ; (눈의) 모양체(毛樣體)의.
cil·i·ate [síliət, -èit] *a.* 속눈썹이 있는 ; 섬모가 있는. — *n.* 섬모충(蟲).
cil·i·a·tion [sìliéiʃən] *n.* 속눈썹[솜털]이 있음 ; [집합적으로] 속눈썹, 솜털.
cil·ice [síləs] *n.* 마미단(馬尾緞)(haircloth) ; 마미단으로 만든 셔츠.
Ci·li·cia [səlíʃiə] *n.* 실리시아《소아시아 남동부에 있었던 고대 국가》.
cil·i·o·late [síliələt, -lèit] *a.* 〔生〕 섬모가 있는.
cilium *n.* CILIA의 단수형.
CIM computer-integrated manufacturing(컴퓨터에 의한 통합 생산).
ci·met·i·dine [saimétədì:n] *n.* 〔藥〕 십이지장궤양 치료제, 제산제(制酸劑).
ci·mex [sáimeks] *n.* (*pl.* **cim·e·ces** [símәsì:z, sái-]) 〔昆〕 빈대. 〖L=bug〗
Cim·me·ri·an [səmíəriən] *n.* 킴메리오스족 사람《아주 옛날 영원한 암흑 속에서 살았다고 Homer의 시에 쓰여 있는 민족》.
— *a.* 킴메리오스족 사람의 ; 암흑의 나라의 ; 어둠에 싸인, 음산한 : ~ darkness 칠흑같은 어둠.
C. in C., C in C, CinC, CINC, C.-in-C. Commander in Chief.
CINCEUR Commander-in-Chief, European Command.
cinch [síntʃ] *n.* 《美》 **1** 안장띠, (말의) 뱃대끈. **2** 《口》 꽉 쥐기 ; 《俗》 (아주) 확실한[틀림없는] 일(sure thing), 손쉬운 일(easy thing) : It's a ~. 틀림없다. — *vt.* (뱃대끈으로) 단단히 매다[죄다](tighten) ; 《俗》 확실하게 하다.
〖Sp. *cincha* saddle girth〗
cínch bèlt *n.* 〔服〕 폭이 넓은 벨트.
cin·cho·na [siŋkóunə, -tʃóu-] *n.* 〔植〕 키나나무 ; Ⓤ 키나나무 껍질(=´~ **bàrk**)《키니네를 채취》. 〖Countess of *Chinchón* (d. 1641) 스페인에서 이것을 수입한 페루 총독 부인〗
cin·cho·nine [síŋkənì:n, -nən, -tʃə-] *n.* 〔藥〕 신코닌《키나나무 껍질에서 채취한 알칼로이드》.
cin·cho·nism [síŋkənìzəm, -tʃə-] *n.* Ⓤ 〔醫〕 키니네 중독증.
cin·cho·nize [síŋkənàiz, -tʃə-] *vt.* 신코나로 치료하다 ; 키니네 중독을 일으키다.
Cin·cin·nati [sinsənǽti, 美+-tə] *n.* 신시내티《미국 Ohio 주의 도시》.
Cin·cin·na·tus [sìnsənǽtəs, -néi-] *n.* 킨키나투스(519?-?439 B.C.)《로마의 정치가》.
CINCLANT 〔美海軍〕 Commander-in-Chief, Atlantic.
CINCPAC Commander-in-Chief, Pacific.
CINCSAC 《美》 Commander-in-Chief, Strategic Air Command.
cinc·ture [síŋktʃər] *n.* 《文語》 띠(girdle), 끈.
— *vt.* 띠로 감다 ; 둘러싸다(surround).
〖L (*cinct- cingo* to gird[1])〗
cin·der [síndər] *n.* **1** (석탄 따위의) 탄재 ; 뜬숯 ; (용광로에서 나오는) 쇠찌끼(slag) ; (화산의) 분석(噴石)(scoria) ; [*pl.*] 재(ashes) : burnt to a ~ (요리 따위가) 새까맣게 탄 / burn to ~*s* ☞ BURN[1] 숙어. **2** [*pl.*] =CINDER PATH.
— *vt.* 타고 남은 찌끼[것, 재]로 덮다.
〖OE *sinder* slag ; 어형은 어원적으로는 관계없이 F *cendre*, L *cinis* ashes에 동화〗
cínder blòck *n.* 《美》 (속이 빈 건축용) 콘크리트 블록(=《英》 breeze block).
cínder còne *n.* 〔地質〕 분석구(噴石丘).
Cin·der·el·la [sìndərélə] *n.* **1** (의붓딸로서 학대를 받다가 왕비가 되었다는 동화의) 신데렐라 ; Ⓒ 《비유》 의붓자식 취급을 받는 자 ; 숨은 미인[인재] ; 별안간 유명해진 사람. **2** Ⓒ =CINDERELLA DANCE.
Cinderélla còmplex *n.* 〔心〕 여성의 남성에 대한 잠재적인 의지심과 응석 심리.
Cinderélla dánce *n.* 《英》 밤 12시에 끝나는 댄스 파티.
cínder pàth[tràck] *n.* 석탄재를 깐 좁은 길[경주용 트랙].
cínder stár *n.* 《俗》 육상경기 선수.
cín·dery *a.* 탄 재(투성이)의.
cine [síni, sínei] *n.* 영화, 영화관. — *a.* = CINEMATOGRAPHIC.
cine- [síni, -ə] *comb. form* 「영화」의 뜻.
〖CINEMA〗
cine·ast [síniæ̀st, -əst], **-aste** [-æ̀st] *n.* 영화인 ; (열광적인) 영화 팬. 〖F *cinéaste*〗

cíne·càmera *n.* 《英》 영화 촬영기(=《美》 movie camera).

cíne·film *n.* 영화 필름.

‡cin·e·ma [sínəmə] *n.* **1** 《주로 英》 영화관; (한편의) 영화. **2** [the ~] 영화(motion picture); [the ~] 영화 제작, 영화 산업. ***go to the*[*a*] *cinema*** 영화를 보러 가다. 〖F *ciné*matographe CINEMATOGRAPH〗

cínema cìrcuit *n.* 영화의 흥행 계통.

cínema còmplex *n.* 여러 개의 홀(hall)로 구성된 영화관.

cínema fàn *n.* 영화 팬.

cínema·gò·er *n.* 영화 팬, 영화를 자주 보는 사람 (moviegoer).

Cínema·Scòpe *n.* (영화의) 시네마스코프《상표명; cf. WIDE-ANGLE》.

cínema thèater *n.* 영화관.

cin·e·ma·theque, cin·é- [sìnəmətéːk] *n.* 전위 영화를 전문으로 상영하는 소(小)영화관.

cin·e·mat·ic [sìnəmǽtik] *a.* 영화의, 시네마의.

cìn·e·mát·ics *n.* 영화 예술.

cin·e·mat·ize [sínəmətàiz] *vt., vi.* 영화화하다.

cin·e·mat·o·graph [sìnəmǽtəgræ̀(ː)f; -grɑ̀ːf] *n.* 《英》 **1** 영화 촬영기; 영사기; 영화관. **2** 영화 상영; [때때로 the ~] 영화 제작기술. —— *vt.* 《英》 영화로 만들다; (영화 촬영기로) 촬영하다. 〖F; ⇨ KINEMA〗

cin·e·ma·tog·raph·er [sìnəmətɑ́grəfər] *n.* 영화 촬영 기사, 카메라맨.

cin·e·mat·o·graph·ic, -i·cal [sìnəmæ̀təgrǽfik(əl)] *a.* 영화의; 영사(映寫)의. **-i·cal·ly** *adv.*

cin·e·ma·tog·ra·phy [sìnəmətɑ́grəfi] *n.* Ⓤ 영화 촬영술[법].

cin·é·ma vé·ri·té [sínəmə vèrətéi] *n.* 시네마 베리테《다큐멘터리식 영화》. 〖F=cinema truth〗

cin·e·mese [sínəmiːz] *n.* Ⓤ 영화 용어.

cin·e·mo·gul [sínəmòugʌl] *n.* 영화계의 거물.

cíne·phìle *n.* 《英》 영화 애호가[팬].

cìne·projéctor *n.* 《英》 영사기.

Cin·e·rama [sìnərǽ(ː)mə; -rɑ́ːmə] *n.* 〖映〗 시네라마《상표명; cf. WIDE-ANGLE》. 〖*cine*ma+pano*rama*〗

cin·e·rar·ia [sìnəréəriə, -rǽər-] *n.* 〖植〗 시네라리아《엉거시과(科)의 관상 식물》. 〖L (*ciner- cinis* ashes); 회색의 엽모(葉毛)에서〗

cin·e·rar·i·um [sìnəréəriəm, -rǽər-] *n.* (*pl.* **-ia** [-iə]) 납골당(納骨堂). 〖L (↑)〗

cin·er·ary [sínərèri; -əri] *a.* 재의, 납골의: a ~ urn 유골 단지.

cin·er·a·tor [sínərèitər] *n.* 화장로(火葬爐).

ci·ne·re·ous [siníəriəs] *a.* 회색의; 재 같은.

cíne·stàr *n.* 《美》 영화 스타.

Cin·ga·lese [sìŋgəlíːz, -s] *a., n.* =SINHALESE.

cin·gu·late [síŋgjələt, -lèit] *a.* (곤충 따위가) 색대(色帶)를 갖는, 띠 모양의 색이 있는.

cin·gu·lot·o·my [sìŋgjəlɑ́təmi] *n.* 〖醫〗 대상회전(帶狀回轉) 절개술.

cin·gu·lum [síŋgjələm] *n.* (*pl.* **-la** [-lə]) 〖解·動〗 대(帶), (빛깔 따위가) 대상(帶狀)의 것.

cin·na·bar [sínəbɑ̀ːr] *n.* **1** Ⓤ 〖鑛〗 진사(辰砂)《수은의 원광》. **2** Ⓤ 주홍빛(vermilion). 〖L<Gk.〗

cin·na·mon [sínəmən] *n.* Ⓤ 계피, 육계피(肉桂皮)《향미료》; 육계색(=~ **còlor**), 황갈색; 육계나무. —— *a.* 육계색의: a ~ bear 황갈색의 아메리카검은곰 / ~ fern 〖植〗 꿩고비 / ~ stone 〖鑛〗 육계석(肉桂石). 〖OF<L<Gk. <Sem.〗

cin·na·mon·ic [sìnəmɑ́nik] *a.* 육계의, 육계에서 채취한.

cínnamon tóast *n.* 시나몬 토스트《설탕과 계피를 친 버터 토스트》.

cinq-à-sept [*F* sɛ̃kasɛt] *n.* 저녁 때의 애인 방문. 〖F=five-to-seven〗

cin·quain [siŋkéin, ´-, sǽŋkein] *n.* 5개 한 벌; 5인조; 5행시.

cinq(ue) [síŋk] *n.* 5; (주사위 따위의) 다섯 끗. 〖OF<L *quinque* five〗

cin·que·cen·tist [tʃìŋkwitʃéntəst] *n.* [종종 C~] 16세기 이탈리아의 예술가[사람].

cin·que·cen·to [tʃìŋkwitʃéntou] *n.* Ⓤ 16세기 이탈리아의 예술. 〖It. =500; 1500년대의 뜻에서〗

cinq(ue)·foil [síŋkfɔ̀il, sǽŋk-] *n.* **1** 〖植〗 양지꽃속(屬)의 각종 식물. **2** 〖建〗 다섯 꽃잎 장식, 매화 무늬. 〖L (*folium* leaf)〗

Cínque Pórts *n. pl.* [the ~] 〖英史〗 (잉글랜드 남해안의 특별) 5항(港)《원래 Hastings, Romney, Hythe, Dover, Sandwich》. 〖OF<L=five ports〗

CINS [sínz] *n.* 《美》 보호 감독이 필요한 아동 (Child[Children] In Need of Supervision) (cf. JINS, MINS, PINS).

Cin·za·no [tʃinzɑ́ːnou] *n.* Ⓤ 친차노《이탈리아산의 베르무트 술; 상표명》.

CIO, C.I.O. Congress of Industrial Organization (cf. AFL-CIO).

cion ☞ SCION.

CIP catalog information provider; cataloging in publication.

Ci·pan·go [sipǽŋgou] *n.* 《古》 치팡고(=Japan) 《Marco Polo 및 당시의 지리학자의 용어》.

ci·pher, 《英》 **cy-** [sáifər] *n.* **1** (기호의) 영, 제로, 0(nought); 아라비아 숫자: a number of five ~*s* 5자리의 수. **2** 시시한[보잘것없는] 사람[물건]. **3** 암호(문); 암호 해독: in ~ 암호의[로]. **4** 짜맞추는 글자(monogram). **5** (오르간 따위 고장으로 인한) 자명(自鳴). —— *vt.* **1** 계산하다, 연산하다〈*out*〉. **2** 암호로 하다(↔*decipher*). —— *vi.* **1** 《口》 계산하다. **2** (오르간이) 자명(自鳴)하다. 〖OF<L<Arab.; ⇨ ZERO〗

cípher còde[**tèlegram**] *n.* 전신(電信) 암호장(帳)[암호 전보].

cípher kèy *n.* 암호 푸는 열쇠, 암호 해독법.

cípher·tèxt *n.* (plaintext에 대한) 암호문.

ci·pho·ny [sáifəni] *n.* 암호 전화법《신호를 전기적으로 혼란시킴》. 〖*ci*pher+tele*phony*〗

cip·o·lin [sípələn] *n.* 운모 대리석, 시폴린《흰색과 초록색 줄무늬가 있는 이탈리아산 대리석의 일종》. 〖It. =little onion〗

CIQ customs, immigration and quarantine (세관·출입국 관리 및 검역). **cir., circ.** circa; circiter; circle; circuit; circular; circulation; circumference; circus.

cir·ca [sə́ːrkə, ´-, kíərkɑː] *prep.* 대략, 경(頃) (about)《略 C., ca., cir., circ.》: He was born *c.* 1600. 그는 1600년경에 태어났다. 〖L〗

cir·ca·di·an [sə(ː)rkéidiən, -kǽd-, sə̀ːrkədáiən, -díːən] *a.* 〖生理〗 약24시간 간격[주기]의. **~·ly** *adv.* 〖L ↑, *dies* day〗

cir·ca·lu·na·di·an [sə̀ːrkəluːnɑ́ːdiən] *a.* 태음일(太陰日)(lunar day)마다 일어나는; 24시간 50분 간격의.

cir·can·ni·an [sə(ː)rkǽniən], **cir·can·nu·al** [sə(ː)rkǽnjuəl] *a.* 1년(年) 주기의.

Cir·cas·sia [sə(:)rkǽʃiə ; -kǽsiə] *n.* 시르카시아 《카프카스 산맥 북쪽의 흑해에 면한 지방》.

Cir·cas·sian [sə(:)rkǽʃiən ; -siən] *n., a.* 시르카시아족[인, 어](의).

Cir·ce [sə́:rsi(:)] *n.* 〖그神〗 키르케《마술로 Odysseus의 부하들을 돼지로 만든 마녀》; 요부.

Cir·ce·an [sə(:)rsí:ən] *a.* Circe의 ; 사람을 호리는 ; 매혹적인.

cir·ci·nate [sə́:rsənèit] *a.* 〖植〗 소용돌이 모양의.

cir·ci·ter [sə́:rsətər, kíərkətèər] *prep.* = CIRCA. 〚L〛

◇**cir·cle** [sə́:rkəl] *n.* **1** 원, 원주(cf. SPHERE) : make a ~ (물체가) 원을 그리다. **2** 권(圈), 위도(권)(緯度(圈)) ; (행성의) 궤도(orbit). **3** 원형의 물건, 환(環), 고리, 윤(輪)(ring), 원진(圓陣) ; 환상 도로 ; [C~](London의) 지하철 순환선 ; 《美》 환상 교차로(rotary), 원형 광장 ; 〖考古〗 환상 열석. **4** (원형의) 관람석 : ☞ DRESS CIRCLE / ☞ FAMILY CIRCLE 2. **5** 집단, 한패, 사회, …계(界) : the upper ~*s* 상류 사회 / business[literary] ~*s* 실업[문학]계 / ☞ FAMILY CIRCLE 1. **6** (교우・활동・세력・사상 따위의) 범위 : have a large ~ *of* friends 교제 범위가 넓다. **7** 주기(週期) ; 순환 : the ~ *of* the seasons 계절의 순환. **8** 전계통, 전체 : the ~ *of* the sciences 학문의 전계통. **9** 〖論〗 순환논법 ; 악순환(vicious circle).

come full circle 일주하여 원점으로 돌아오다.

in a circle 원형으로, 원을 이루어, 빙 둘러서서 ; 순환논법으로.

square the circle 원과 같은 넓이의 정사각형을 구하다 ; 불가능한 일을 시도하다.

—— *vi.* [動 / +副 / +前+名] 돌다, 회전하다, 선회하다 ; 원을 그리다 : The kite ~*d* ***round*** and ***round***. 솔개는 원을 그리며 선회했다 / The airplane ~*d* ***over*** the field. 비행기는 들판 상공을 선회했다. —— *vt.* 《詩》 에워싸다, 둘러싸다 〈*round, about*〉. 〚OF<L (dim.) *circus* ring〛

círcle gràph *n.* 원 그래프(pie chart).

cir·clet [sə́:rklət] *n.* 작은 원 ; (금・보석 따위의) 장식고리 ; 반지(ring). 〚*-et*〛

círcle·wìse *adv.* 둥글게.

cir·cling [sə́:rkliŋ] *n.* 〖馬〗 빙빙돌기.

Cir·clo·ra·ma [sə̀:rklərɑ́:mə] *n.* Ⓤ 서클로라마 《원주상의 스크린에 여러 대의 영사기로 동시 영사하는 영화 ; 상표명》.

circs [sə́:rks] *n. pl.* 《英口》 = CIRCUMSTANCES.

***cir·cuit** [sə́:rkət] *n.* **1** 순회(巡廻) ; 회유(回遊) 여행 : make[go] the ~ of …을 일주하다 / a ~ drive[blow, clout, wallop] 《野俗》 홈런. **2** 우회(detour). **3** 주위 ; 범위. **4** 순회 재판(구역) ; 순회 변호사회 ; (설교사의) 순회 교구 : go on ~ 순회 재판을 하다 / ride the ~ (판사・목사가) 순회하다. **5** 〖電〗 회로, 회선 : break[open] the ~ 회로를 열다 / make[close] the ~ 회로를 닫다 / a short ~ 단락(短絡), 쇼트. **6** (극장・영화관 따위의) 흥행 계통, 체인 ; (운동 경기 따위의) 연맹, 리그 : theaters on ~ 같은 흥행 계통의 극장 / a baseball ~ 야구 연맹. —— *vi., vt.* 순회[우회]하다, 주위를 돌다.
〚OF<L (*circum-, it- eo* to go)〛

círcuit brèaker *n.* 〖電〗 회로 차단기(器).

círcuit clòser *n.* 〖電〗 회로 접속기.

círcuit córut *n.* 순회 재판소.

círcuit córut of appéals *n.* 《美》 연방 순회 항소법원.

círcuit jùdge *n.* 순회 재판 판사.

cir·cu·i·tous [sə(:)rkjú:ətəs] *a.* 돌아가는 길의 ; 우회하는, 완곡한, 넌지시 하는. **~·ly** *adv.* 〚L ; ⇨ CIRCUIT〛

círcuit rìder *n.* 《美》 (감리교회의) 순회 목사.

círcuit·ry *n.* 회로도 ; 회로 구성 요소.

círcuit slùgger *n.* 《野俗》 홈런 타자.

cir·cu·i·ty [sə(:)rkjú:əti] *n.* Ⓤ 우회 ; 완곡, 에둘러 말하기.

***cir·cu·lar** [sə́:rkjələr] *a.* **1** 원형의, 고리 모양의 : ☞ CIRCULAR SAW / a ~ stair 나선식 계단. **2** 순환(성)의 : a ~ argument[reasoning] 순환논법. **3** 회람하는, 순회의 : a ~ tour[ticket] 회유 여행[권] / a ~ letter 회람장. —— *n.* 회람장, (판매・개점 따위의) 안내장. **~·ly** *adv.* 〚OF<L ; ⇨ CIRCLE〛
類義語 ⟹ ROUND[1].

círcular díchroism *n.* 〖光〗 원편광(圓偏光) 2색성, 원편광 2색성 분광분석(分光分析).

círcular fíle *n.* 《美俗》 (사무실 따위의) 휴지통.

cir·cu·lar·i·ty [sə̀:rkjəlǽrəti] *n.* Ⓤ 원형, 고리 모양 ; 순환성.

círcular·ìze *vt.* …에 회람장을 돌리다 ; 원형으로 하다.

círcular méasure *n.* 〖數〗 호도법(弧度法).

círcular nóte *n.* 여러 거래 은행 앞으로 발행한 신용장(letter of credit).

círcular órbit *n.* 원궤도.

círcular pláne *n.* 〖木工〗 둥근 대패(compass plane).

círcular polarizátion *n.* 〖光〗 원편광(圓偏光).

círcular sáw *n.* 둥근 톱(buzz, buzz saw).

círcular velócity *n.* 〖理〗 원궤도 속도.

cir·cu·late** [sə́:rkjəlèit] *vi.* [動 / +前+名] (피 따위가) 순환하다 ; 〖數〗 (소수가) 순환하다(recur) ; (술잔이) 차례차례 돌다 ; (풍설이) 유포되다 ; (신문 따위가) 배포되다 ; (화폐가) 유통되다 : Rumors ~ rapidly. 소문은 금방 퍼진다 / Blood ~*s* ***in the body. 혈액은 몸안을 순환한다 / A newspaper ~*s* ***among*** citizens in general. 신문은 일반시민 사이에 배포된다. —— *vt.* [+目 / +目+前+名] (술 따위를) 돌리다 ; (풍설 따위를) 퍼뜨리고 다니다 ; (신문 따위를) 배포하다 ; (편지・도서를) 회람시키다 ; (통화를) 유통시키다 : ~ false news 잘못된 보도를 퍼뜨리며 다니다 / I recommend this book to be widely ~*d* ***among*** the students. 이 책이 학생들 사이에 널리 회람되도록 권하고 싶다.
〚L ; ⇨ CIRCLE〛

cír·cu·làt·ing *a.* 순환하는, 순회하는 : a ~ decimal 〖數〗 순환 소수 / ~ capital 유동 자본(↔ *fixed capital*) / ~ medium 통화.

círculating lìbrary *n.* 이동 도서관 ; 회람 문고.

***cir·cu·la·tion** [sə̀:rkjəléiʃən] *n.* **1** Ⓤ 순환 : the ~ of the blood 혈액의 순환 / have a good[bad] ~ (혈액의) 순환이 좋다[나쁘다]. **2** Ⓤ 유통 ; 유포, 전달. **3** 보급량(量), 발행 부수, 판매 성적 ; (도서의) 대출 부수(cf. READERSHIP 2) : have a large[small, limited] ~ 발행 부수가 많다[적다]. **4** [집합적으로] 통화, 유통 어음.

put. . . in (***to***) ***circulation*** …을 유포시키다.

〈회화〉
What is the *circulation* of the magazine? — They say it is half a million. 「그 잡지의 발행 부수는 어느 정도일까」「50만 부라고 해」

circulátion gúarantee *n.* 〖廣告〗 (광고주에 대한) 부수 보증.

cír·cu·là·tive [, -lə-] *a.* 순환성의, 유통성 있는.
cír·cu·là·tor *n.* (보도·병균 따위의) 유포자, 전달자; (화폐의) 유통자; 순환기(器); 〖數〗 순환 소수(小數).
cír·cu·la·tò·ry [; -təri] *a.* (특히 혈액의) 순환상의: the ~ system 순환 계통《동맥·정맥》.
cir·cu·lus [sə́ːrkjələs; -kju-] *n.* (*pl.* **-li** [-lai]) 물고기 비늘의 성장선.
cir·cum- [sə́ːrkəm] *pref.* 「주(周)」「회(回)」「여러 방향으로」의 뜻.
〖L *circum* (prep.) round, about〗
cir·cum·am·bi·ent [sə̀ːrkəmǽmbiənt] *a.* 에워싸는, 주위의. **~·ly** *adv.* **-ence, -cy** *n.* Ⓤ 둘러싸기, 위요(圍繞).
cir·cum·am·bu·late [sə̀ːrkəmǽmbjəlèit] *vt., vi.* 돌아다니다, 순회하다; (남의 의향 따위를) 넌지시 알아보다. **-am·bu·lá·tion** *n.* Ⓤ 두루 돌아다님, 순행; 우회, 완곡. **-ám·bu·la·to·ry** *a.*
cir·cum·bend·i·bus [sə̀ːrkəmbéndəbəs] *n.* 《戲》 빙 둘러 말함; 완곡(婉曲).
círcum·cènter *n.* 〖數〗 외심(外心).
círcum·cìrcle *n.* 〖數〗 외접원(外接圓).
cir·cum·cise [sə́ːrkəmsàiz] *vt.* …에 할례(割禮)를 하다. 〖OF<L (*caedo* to cut)〗
cir·cum·ci·sion [sə̀ːrkəmsíʒən] *n.* **1** Ⓤ 할례. **2** [the C~] 그리스도 할례제《1월 1일》. **3** [the ~] 〖聖〗 유태인(the Jews).
*__cir·cum·fer·ence__ [sərkʌ́mfərəns] *n.* Ⓤ,Ⓒ 원주, 원둘레; 주변, 주위, 주선(周線): a lake about two miles in ~ 둘레가 약 2마일인 호수.
〖OF<L (*fero* to carry)〗
cir·cum·fer·en·tial [sə̀ːrkəmfərénʃəl] *a.* 원주의, 주위의; 완곡(婉曲)한.
cir·cum·flex [sə́ːrkəmflèks] *a.* **1** 곡절적(曲折的)인. **2** 〖解〗 만곡(彎曲)한(bent). —— *n.* = CIRCUMFLEX ACCENT. —— *vt.* (모음을) 곡절(曲折)하다; 모음에 곡절 악센트를 붙이다.
〖L (⇨ FLEX); Gk. *perispōmenos* drawn around 의 역(譯)〗
círcumflex áccent *n.* 곡절 (악센트) 부호 《ˆ, ˜, ˆ》.
cir·cum·flex·ion [sə̀ːrkəmflékʃən] *n.* Ⓤ,Ⓒ 모음(母音) 곡절.
círcum·flight *n.* 천체 궤도 비행.
cir·cum·flu·ent [sə(ː)rkʌ́mfluənt, sə̀ːrkəmflúː-ənt], **-flu·ous** [sə(ː)rkʌ́mfluəs] *a.* 돌아 흐르는, 환류(環流)하는, 환류성의.
-flu·ence *n.*
cir·cum·fuse [sə̀ːrkəmfjúːz] *vt.* (빛·액체·기체 따위를) 주위에 퍼붓다(pour)〈*round, about*〉; 주위를 에워싸다〈*with*〉; 퍼붓다, 끼얹다(bathe)〈*with*〉.
cìr·cum·fú·sion [-fjúːʒən] *n.* Ⓤ,Ⓒ (빛·액체·기체 따위를) 주위에 퍼붓기.
cìrcum·galáctic *a.* 〖天〗 성운(星雲) 주위의[를 운행하는]; 성운을 둘러싸고 있는.
cìrcum·glóbal *a.* 〖天〗 지구를 도는; 지구 주위의. **~·ly** *adv.*
cìrcum·gýrate *vi.* 선회[회전]하다; 순회하다.
cìrcum·gyrátion *n.* Ⓤ,Ⓒ 회전; 선회; 공중제비; 주변성, 두름성.
cir·cum·ja·cent [sə̀ːrkəmdʒéisənt] *a.* 주변의, 둘레에 접한; 둘러싸는.
〖L (*jaceo* to lie)〗
cìrcum·líttoral *a.* 연안 주변의, 해안선의.
cir·cum·lo·cu·tion [sə̀ːrkəmloukjúːʃən] *n.* Ⓤ 에둘러 말하기; Ⓒ 둘러 말하는 표현, 완곡한 변명.
〖F or L; Gk. PERIPHRASIS 의 역(譯)〗
Circumlocútion Òffice *n.* 번문욕례국(繁文縟禮局)《절차가 까다롭고 비능률적인 관청; C. Dickens작 *Little Dorrit*에서》.
cìr·cum·lóc·u·to·ry [-lákjətɔ̀ːri; -təri] *a.* 에둘러 말하는; 완곡한.
cìrcum·lúnar *a.* 〖天〗 달을 둘러싼; 달을 도는, 달 궤도 비행의: a ~ flight 달궤도 비행.
circumlúnar rócket *n.* 달 선회 로켓.
cìrcum·merídian *a.* 〖天〗 자오선 근처의.
cir·cum·nav·i·gate [sə̀ːrkəmnǽvəgèit] *vt.* (세계를) 주항(周航)하다.
cìr·cum·nàv·i·gá·tion *n.* Ⓤ 주항(周航).
cìr·cum·náv·i·gà·tor *n.* 세계 일주 여행자.
cìrcum·nútate *vi.* 〖植〗 (덩굴손이) 감아돌다.
cìrcum·plánet·àry [; -əri] *a.* 〖天〗 행성(行星) 주변의; 행성을 도는.
cìrcum·pólar *a.* **1** 〖天〗 북극[남극] 주위를 순회하는, 주극의: ~ stars 주극성(周極星). **2** 〖地質〗 주극(周極) 지방의.
cìrcum·rótate *vi.* 윤전(輪轉)[회전]하다.
-rotátion *n.*
cir·cum·scribe [sə̀ːrkəmskráib, ⌐-⌐] *vt.* **1** …의 둘레에 경계선을 그리다, …을 선으로 둘러 치다; …의 주위를 싸다, …의 한계를 긋다; 한정하다, 제한하다(limit): The patient's activities are ~*d*. 환자의 행동은 제한되어 있다. **2** 〖數〗 (원 따위를) …에 외접(外接)시키다(↔*inscribe*); (원이) …에 외접하다: a ~*d* circle 외접원(外接圓).
cír·cum·scrìb·er *n.*
〖L (*script- scribo* to write)〗
cir·cum·scrip·tion [sə̀ːrkəmskrípʃən] *n.* Ⓤ 한계; 정의(定義); 범위; 주변; Ⓒ (화폐의) 둘레에 새긴 글자 (무늬); Ⓤ 〖數〗 외접.
cìrcum·sólar *a.* 〖天〗 태양을 도는, 태양 주변의.
cir·cum·spect [sə́ːrkəmspèkt] *a.* 조심스러운, 신중한, 용의 주도한. **~·ly** *adv.*
〖L (*spect- specio* to look)〗
cir·cum·spec·tion [sə̀ːrkəmspékʃən] *n.* Ⓤ 신중함, 용의 주도.
cìr·cum·spéc·tive [-spéktiv] *a.* 신중한, 조심스러운.
*__cir·cum·stance__ [sə́ːrkəmstæ̀ns; -stəns] *n.* **1** [보통 *pl.*] (주위의) 사정, 상황, 환경: depend (up)on ~*s* 경우에 따르다 / under no ~*s* 결코 … 아닌 / in[under] the ~*s* 이런 사정 아래에서[에서는, 이므로] / *C*~*s* alter cases. 사정에 따라 이야기가 달라진다. **2** [*pl.*] 형편, 살림 살이: in bad[needy, reduced] ~*s* 궁핍하여 / in easy ~*s* 안락한 생계로 / in good ~*s* 순조롭게. **3** [+*that* 節] (사정을 구성하는) 한가지 사건, 사실(fact): a lucky ~ 요행스런 일 / The ~ *that* a man is happy raises the presumption that he is prosperous enough. 어떤 사람이 행복하다고 할 경우 그 사람이 그만큼 유복하다는 가정이 성립된다. **4** Ⓤ (일의) 과정, 상세한 전후 사정. **5** Ⓤ 격식에 치우침, 야단스러움.
with much*[*great*] *circumstance 상세하게.
without circumstance 격식을 차리지 않고, 소탈하게.
〖OF or L (*stantia*‹*sto* to stand)〗
cír·cum·stànced [, -stənst] *a.* (어떤) 사정하에[경제적 형편에] 있는: be differently[awkwardly] ~ 다른[난처한] 입장에 처해 있는 / thus ~ 이런 사정으로.
cir·cum·stan·tial [sə̀ːrkəmstǽnʃəl] *a.* **1** (증거 따위가) 상황적인, (그때의) 경우[사정]에 의한.

2 부수적인, 우연한. **3** 상세한(detailed). **4** 형식에 치우친, 딱딱한. **~·ly** *adv.*
circumstántial évidence *n.* 〘法〙 상황[간접] 증거(↔*direct evidence*).
cir·cum·stan·ti·al·i·ty [sə̀:rkəmstæ̀nʃiǽləti] *n.* Ⓤ 상황, 사정 ; 상세, 명세 ; 우연.
cir·cum·stan·ti·ate [sə̀:rkəmstǽnʃièit] *vt.* 자세하게 설명[말]하다 ; (상황에 따라) 실증하다.
cìrcum·stéllar *a.* 별 주위의, 별 주위를 도는.
cìrcum·terréstrial *a.* 〘天〙 지구 주위의 ; 지구를 도는.
cir·cum·val·late [sə̀:rkəmvǽleit] *vt.* 성벽을 두르다. ── [, -lət] *a.* 성벽으로 둘러싸인.
cìr·cum·val·lá·tion [-vəléiʃən] *n.* Ⓤ 성벽을 두름 ; Ⓒ 성벽, 보루.
cir·cum·vent [sə̀:rkəmvént] *vt.* (남의 계획 따위를) 앞지르다, 속이다 ; 선수치다 ; (법률·규칙 따위의) 빠져 나갈 길을 생각해 내다, 교묘하게 회피하다 ; 둘러싸다 ; 우회하다.
~·er, **-vén·tor** *n.* **-vén·tion** *n.*
〖L (*vent- venio* to come)〗
cir·cum·vo·lute [sə(:)rkʌ́mvəlù:t, sə:rkə́mvou-] *vt.* 감다 ; 말다 ; 말려들게 하다.
cir·cum·vo·lu·tion [sə(:)rkʌ̀mvəlú:ʃən, sə̀:rkəmvou-] *n.* Ⓤ,Ⓒ 둘둘 감음 ; 빙빙 돎, 나사 모양으로 돎 ; 꼬불꼬불함 ; 우회.
cir·cum·volve [sə̀:rkəmvɑ́lv] *vt., vi.* 회전시키다 ; 회전하다.
***cir·cus** [sə́:rkəs] *n.* **1** (관람석이 계단식으로 된) 원형 흥행장. **2** 곡예 ; 곡마단, 서커스. **3** 《英》 원형 십자로, 원형 광장(cf. SQUARE) : ☞ PICCADILLY CIRCUS. **4 a)** (고대 로마의) 야외의 대원형 경기장(amphitheater). **b)** 그 경기. **5** 《口》 유쾌하고 시끄러운 것[일, 사람].
circus make-up (많은 컷·특수 활자 따위로 호화롭게 꾸민) 신문의 서커스판.
〖L=ring〗
círcus càtch *n.* 《스포츠俗》 절묘한 포구(捕球).
Círcus Máx·i·mus [-mǽksəməs] *n.* [the ~] (고대 로마의) 대원형 경기장.
cirque [sə́:rk] *n.* **1** 〘地質〙 권곡(圈谷), (빙하에 의해 생기는) 카르, 원형의 협곡(峽谷). **2** 《詩》 원, 고리 ; 원형 극장. 〖F ; ⇨ CIRCUS〗
cirr- [sír], **cir·ri-** [sírə], **cir·ro-** [sírou, sírə] *comb. form* 「덩굴손」「촉모」「권운」의 뜻.
〖L ; ⇨ CIRRUS〗
cir·rate [síreit] *a.* 〘植〙 덩굴손이 있는 ; 〘動〙 극모(棘毛)가 있는, 촉모(觸毛)가 있는.
cir·rho·sis [səróusəs] *n.* (*pl.* **-ses** [-si:z]) Ⓤ 〘醫〙 (간장 따위의) 경변(증)(硬變(症)).
〖NL (Gk. *kirrhos* tawny, *-osis*)〗
cir·rhot·ic [sərɑ́tik] *a.* 간(장) 경변증의.
cirri *n.* CIRRUS의 복수형.
círri·pèd, -pède *n., a.* 〘動〙 만각류(蔓脚類)의 (동물). 〖L (*cirr-, ped- pes* foot)〗
cìrro·cúmulus *n.* 〘氣〙 권적운(卷積雲)《略 Cc》.
cir·rose, -rhose [sírous, -ˊ] *a.* =CIRRATE.
cìrro·strátus *n.* 〘氣〙 권층운(卷層雲)《略 Cs》.
cir·rous [sírəs] *a.* 권운(卷雲)[새털구름] (모양)의 ; 〘動·植〙 =CIRRATE.
cir·rus [sírəs] *n.* (*pl.* **cir·ri** [-rai]) **1** 〘植〙 덩굴, 덩굴손(tendril) ; 〘動〙 극모(棘毛), 촉모(觸毛). **2** 〘氣〙 권운(卷雲)《略 Ci》.
〖L=curl, tuft〗
cir·soid [sə́:rsɔid] *a.* 정맥류(靜脈瘤) 모양의.
CIS Counterintelligence Service (대(對)첩보부) ; 〘宇宙〙 communication interface system (대(對)오비터 교신(交信) 시스템) ; Chemical Information System ; Center for Integrated System(스탠퍼드 대학 집적회로 연구 센터).
cis- [sis] *pref.* 「…의 이쪽」의 뜻(↔*trans-, ultra-*). 〖L〗
cis·álpine *a.* (로마 쪽에서 본) 알프스의 이쪽의, 알프스 남쪽의(↔*transalpine*).
cìs·atlántic *a.* 대서양 이쪽 편의《말하는 사람의 위치에서 미국쪽》.
cis·co [sískou] *n.* (*pl.* **~es, ~s**) 〘魚〙 (미국 5대호에 서식하는) 연어 비슷한 물고기. 〖Can. F〗
cis·lúnar *a.* 〘天〙 지구와 달 궤도 사이의, 달과 지구 사이의.
cis·mon·tane [sismɑ́ntein] *a.* 알프스 산맥 이쪽의《특히 북쪽을 가리킴》.
cis·pon·tine [sispɑ́ntain, 美+-tən] *a.* 다리 이쪽의 ; (특히 런던에서) 템스 강 이북의.
〖L *pont- pons* bridge〗
cis·sy [sísi] *n., a.* 《英》 =SISSY.
cist [síst, kíst] *n.* 〘考古〙 석관(石棺) ; (고대 그리스의) 성기함(聖器函).
Cis·ter·cian [sistə́:rʃən ; -ʃjən] *n.* 시토 수도원《1098년 프랑스에서 창설》의 수사(修士).
── *a.* 시토 수도원의.
〖F (*Cîteaux* 프랑스 Dijon 근처의 창설지)〗
cis·tern [sístərn] *n.* 물통, 수조(水槽) ; 저수지(reservoir). 〖OF<L (*cista* box<Gk.)〗
cis·tron [sístrɑn] *n.* 〘遺〙 시스트론《유전자의 기능단위》. **cis·trón·ic** *a.*
cis·tus [sístəs] *n.* 〘植〙 시스투스《지중해 연안산의 관목》. 〖NL<Gk.〗
cit [sít] *n.* 《美》 **1** 시민(citizen) ; 《俗》 일반인. **2** [*pl.*] 《俗》 (군복에 대하여) 시민복, 평복.
cit. citation ; cited ; citizen ; 〘化〙 citrate.
CIT, C.I.T. California Institute of Technology (☞ CAL. TECH.).
cit·able, cite- [sáitəbəl] *a.* 인용할 수 있는.
cit·a·del [sítədl, -dèl] *n.* (시가를 내려다 보고 수호하는) 성, 성채, 요새, 보루 ; 《비유》 최후의 거점. 〖F or It. (dim.) ‹CITY〗
ci·ta·tion [saitéiʃən] *n.* **1** Ⓤ 인증(引證), 인용 ; Ⓒ 인용문 ; Ⓤ,Ⓒ (사실 따위의) 열거(enumeration). **2** 《美》 (수훈을 세운 군인의 이름 따위) 공보(公報)에 특기하기(cf. DISPATCH *n.* 숙어), 감사장, 표창장. **3** 〘法〙 Ⓤ 소환, Ⓒ 소환장.
citátion fòrm *n.* 〘言〙 대표형《영어의 원형부정사 따위》.
cite [sáit] *vt.* **1** 인용[인증]하다(quote), 예증하다(mention) ; (권위자를) 내세워 말하다 : Mr. Johnson usually *~s* a number of authorities to prove his views. 존슨씨는 보통 자기 설을 증명하기 위해 많은 권위자의 설을 인용한다. **2** 열거하다 ; (관보에) 특기하다 ; …에 감사장을 주다, …을 표창하다. **3** 〘法〙 소환하다(summon) ; (일반적으로) 환기(喚起)하다. ── *n.* 《口》 인용문.
〖F<L (*cieo* to set in motion)〗
類義語 ⟹ QUOTE.
CITE 〘宇宙〙 cargo integration test equipment.
cíte-òut *n.* 소환장만으로 방면하기《체포자가 많을 때 언제 출두하라는 소환장을 주고 석방시킴》.
CITES Convention on International Trade in Endangered Species(멸종 위기에 놓인 종(種)의 무역에 관한 조약).
cith·a·ra [síθərə, 美+kíθ-], **kith-** [kíθ-] *n.* (고대 그리스의) lyre 류의 악기. 〖Gk.〗
cith·er [síθər, síð-] *n.* =CITTERN.
cith·ern [síθərn, síð-] *n.* =CITTERN.

cit·ied [sítid] *a.* 도시화한 ; 도시가 있는.
cít·i·fied, -y- *a.* 《美口》 도시(사람)화 한, 도시의 물이 든.
cit·i·fy, city·fy [sítifài] *vt.* 도시화[도회지풍으로]하다.
‡cit·i·zen [sítəzən] *n.* **1** 공민, 시민 ; 도회지 사람 (cf. COUNTRYMAN) ; 《美》 서민(civilian). **2** 국민, 인민 : an American ~ 미국 국민. **3** (군인이나 경찰에 대하여) 일반시민. **4** 주민, 거주자 (resident)〈*of*〉; (널리) 구성원.
a citizen of the world 세계인(人).
〖AF (⇨ CITY) ; cf. DENIZEN〗
類義語 ***citizen*** 주·국가 특히 공화국의 일원으로 완전한 시민권을 가지고 국가에 대해 충성할 의무가 있는 사람. ***subject*** 특히 군주국의 국민에 쓰임. ***native*** 그 나라에서 태어난 사람, 특히 원주민을 지칭함. ***national*** 모국을 떠나서 살고 있는 사람, 특히 외국에 거주하는 같은 나라 동포끼리 쓰임.
cítizen defénse *n.* 시민 방위《핵(核) 셸터 (nuclear shelter)로 대표되는 민간 방위》.
cítizen·ess *n.* 《稀》 CITIZEN의 여성형.
cítizen·ry *n.* [집합적으로] (일반) 시민.
cítizen's arrést *n.* 〔法〕 시민 체포《중죄 현행범을 시민의 권한으로 체포함》.
cítizens(') bánd *n.* 시민 밴드《트랜스시버 따위를 위한 개인용 주파수대(帶) 및 그 라디오 ; 略 CB, C.B.》.
cítizen·shìp *n.* 시민권, 공민권 ; Ⓤ 공민[국민]의 신분[자격].
cítizenship pàpers *n. pl.* 《美》 시민권 증서《외국 태생의 미국인 또는 미국 거주 외국인에게 줌》.
CITO Charter of International Trade Organization(국제 무역 헌장).
citr- [sítr], **cit·ri-** [sítrə], **cit·ro-** [sítrou, -rə] *comb. form* 「감귤류」「시트르산」의 뜻. 〖L〗
cit·ral [sítrəl] *n.* 〔化〕 시트랄《레몬유 따위에 함유된 액체상의 알데히드 ; 향료용》.
cit·rate [sítreit, -rət, 英+sáitreit] *n.* 〔化〕 시트르산염(酸鹽).
cit·re·ous [sítriəs] *a.* 레몬빛깔의, 녹색을 띤 황색(黃色)의.
cit·ric [sítrik] *a.* 〔化〕 시트르성[산]의 : ~ acid 시트르산. 〖F<L ; ⇨ CITRON〗
cítri·cùlture *n.* 감귤 재배.
cit·rin [sítrən] *n.* 〔生化〕 시트린《비타민 P ; 레몬즙 따위에 함유되어 있음》.
cit·rine [sítri(ː)n, -rain, sitríːn] *n.* Ⓤ 레몬빛깔, 담황색 ; 〔鑛〕 황수정(黃水晶). ── *a.* 레몬(빛깔)의. 〖F ; ⇨ CITRON〗
cit·ron [sítrən] *n.* 시트론《구연의 열매》, 불수감(佛手柑)(의 나무) ; Ⓤ 담황색.
〖F<L *citrus* ; 어형은 *limon* lemon 의 영향〗
cit·ro·nel·la [sìtrənélə] *n.* 시트로넬라유(油) 《향수·비누·제충용》. 〖NL (dim.) ‹CITRON〗
cit·ro·nel·lal [sìtrənélæl] *n.* 〔化〕 시트로넬랄《무색 액상의 알데히드 ; 향료용》.
cítron mèlon *n.* 〔植〕 시트론 멜론《과육이 단단한 흰 수박의 일종 ; 과자·피클용》.
cit·rous [sítrəs] *a.* 감귤류(類)의.
cit·rus [sítrəs] *n.* (*pl.* **~, ~·es**) 〔植〕 감귤류의 식물. 〖L=citron tree〗
cit·tern [sítərn] *n.* (주로 16-17세기에 쓰였던) 기타 비슷한 현악기. 〖?‹*cither*+*gittern*〗
◇city [síti] *n.* **1** 도시, 도회지. **2** 시. 注 《英》 칙허장(勅許狀)이 있고 때때로 CATHEDRAL이 있는 도시 ; 《美》 주청(州廳)의 허가가 있으며 town과 거의 같은 뜻 ; 《Can.》 최고의 지방 자치제. **3** [the ~] 전(全)시민. **4** [the C~] (London의) 시티 《시장(Lord Mayor) 및 시의회가 관할하는 영국의 금융·상업의 중심구역으로 Thames강 북안의 약 1제곱마일》. **5** 《英》 재계, 금융계.
the city of the dead 묘지.
〖OF<L *civitas* ; ⇨ CIVIL〗
Cíty árticle *n.* 《英》 (신문의) 상업 경제 기사.
cíty assèmbly *n.* 시의회(市議會).
cíty bànk *n.* 시중 은행.
cíty·bìlly *n.* 《美俗》 도시에서의 컨트리 뮤직 연주자[가수, 애호가].
cíty-bòrn *a.* 도시 태생의.
cíty-brèd *a.* 도시에서 자란.
cíty bùster *n.* 《美口》 원자폭탄, 수소폭탄.
cíty càr *n.* (CVS에 쓰여지는 무인 조정의) 소형 전기 자동차.
cíty chícken *n.* 《美》 송아지[돼지]고기를 빵가루에 묻혀 튀긴 요리.
cíty còde *n.* 도시명 코드《항공사·여행사 따위에서 사용되는 세 문자로 된 도시명의 약호 ; London은 LON, 서울은 SEL 따위》.
Cíty Cómpany *n.* 런던시 상업 조합《옛날의 각종 상업 조합을 대표함》.
cíty cóuncil *n.* 시의회.
cíty cóuncilor *n.* 시의회 의원.
cíty delìvery *n.* 시내 우편 배달.
cíty désk *n.* 《美》 (신문·잡지사 따위의) 사회부, 지방 기사 편집부.
cíty éditor *n.* 《美》 (신문사의) 지방 기사 편집장, 사회부장 ; 《英》 [C~ e~] (신문사의) 경제부장.
cíty fáther *n.* 시의 장로, 시의회 의원.
cityfy ☞ CITIFY.
cíty háll *n.* 《美》 =시청(사) ; 시당국.
cíty magazíne *n.* 시티 매거진《특정한 도시·주 따위 한정된 지역의 독자를 위한 잡지》.
Cíty màn *n.* 《英》 실업가, 자본가.
cíty mánager *n.* 《美》 시정 담당관《공선(公選)이 아니고 시의회에서 임명되어 시정을 관장함 ; cf. TOWN MANAGER》.
cíty márshal *n.* 《美》 (시의) 경찰서장.
cíty óffice *n.* 시청.
cíty òrdinance *n.* 도시 조례(cf. BYLAW).
cíty páge *n.* 《英》 (신문의) 경제란(欄).
cíty plán[plánning] *n.* 도시 계획.
cíty plánner *n.* 도시 계획가.
cíty políce *n.* 시경찰청.
cíty ròom *n.* 《美》 (신문사의) 지방 뉴스 편집실 (cf. CITY EDITOR, NEWSROOM).
cíty·scàpe *n.* (시 중심가의) 도시 풍경.
cíty slícker *n.* 《美俗》 도회지 물이 든 사람.
cíty-státe [ˊ-ˊ] *n.* 도시 국가《고대 아테네, 스파르타 따위》.
cíty·ward(s) *adv., a.* 도시(쪽으)로(의).
cíty wàter *n.* 수도 (용수).
cíty·wìde *a., adv.* 전도시의[에].
civ. civic ; civil ; civilian.
civ·et [sívət] *n.* 사향고양이(=ˊ~ **cát**) ; Ⓤ (그것에서 채취하는) 사향(향료).
〖F<It.<L<Arab.=civet perfume〗
civ·ex [síveks] *n.* 시벡스《핵연료 재처리 시스템》.
〖C20 ? (*civ*ilian, *ex*traction)〗
civ·ic [sívik] *a.* **1** 시민[공민]의(civil) ; 공민으로서의[다운] : ~ duties 시민의 의무 / ~ rights 시민권 / ~ virtues 시민 도덕. **2** 시의, 도시의 : ~ life[problems] 도시 생활[문제].
〖F or L (*civis* citizen)〗

cív·i·cal·ly *adv.* 시민으로서, 공민답게.
cívic cénter *n.* (도시의) 관청가(街), 공관(公館) 지역[지구].
cívic crówn[wréath] *n.* 〖古로史〗(옛날 로마에서 시민의 생명을 구한 군인에게 주던) 오크나무의 잎으로 만든 관(冠); 그 장식(裝飾).

civic crown

civ·i·cism [sívəsizəm] *n.* Ⓤ 시정(市政); 시민주의[정신].
cívic-mínd·ed *a.* 사회 복지에 열심인, 공공심이 있는.
cív·ics *n.* Ⓤ (학교의) 공민과(公民科); 시정학(市政學).
civies ☞ CIVVIES.
*__civ·il__ [sívəl] *a.* **1** 시민[공민](으로서)의, 공민적인. **2** 공중의, 시민간의, 국내의 : a ~ airport 민간 비행장 / ~ aviation 민간 항공. **3** (성직자에 대한) 속(세)인의; (군인·관리에 대한) 일반 시민의; (무(武)에 대한) 문(文)의(↔*martial, military*) : ~ administration 민정 / the ~ service examination 문관(文官)시험. **4** 예의 바른, 공손한(polite) : a ~ reply 정중한 대답. **5** 〖法〗 민사의(cf. CRIMINAL 1) : a ~ case 민사 사건. **6** 달력의, 상용(常用)의.
do the civil 예의 바르게 행동하다; 예절을 지키다, 공손하게 하다.
〖OF<L; ⇨ CIVIC〗
類義語 ⟹ POLITE.
cívil áction *n.* 〖法〗 민사 소송.
Cívil Aeronáutics Bóard *n.* 《美》 민간 항공 위원회[국]《略 CAB, C.A.B.》.
cívil affáirs *n. pl.* (점령군의) 민정(民正).
Cívil Aviátion Secúrity Sérvice *n.* 《美》 민간 항공 경비부《공항 경비 기관》.
cívil códe *n.* 민법전(cf. CRIMINAL CODE).
cívil commótion *n.* (국내의) 소요, 폭동.
cívil cóurt *n.* 〖法〗 민사 법원.
cívil dáy *n.* 역일(曆日).
cívil déath *n.* 〖法〗 법률상의 사망, 시민권 상실.
cívil defénse *n.* (공습 따위에 대한) 민간 방위 대책[활동].
cívil disobédience *n.* 시민적 반항《납세 거부 따위》.
cívil dúties *n. pl.* 시민[공민]의 의무.
cívil enginéer *n.* 토목 기사《略 C.E.》.
cívil enginéering *n.* 토목 공학.
ci·vil·ian [səvíljən] *n.* **1** 일반 국민, 공민; 비전투원(noncombatant). **2** (군인·경찰에 대해서) 민간인, 일반인; 군속; 문관. —— *a.* **1** 일반인의, 민간(인)의 : a ~ airplane 민간기(機). **2** (군인에 대한) 문관의, 일반 민간인의; 군무원의.
〖ME=practitioner of CIVIL law〗
civílian·ìze *vt.* (포로에게) 일반 시민의 신분을 부여하다; 군(軍) 관리에서 민간 관리로 옮기다.
ci·vil·i·ty [səvíləti] *n.* **1** Ⓤ 정중함, 예절. **2** [*pl.*] 정중한 말씨[거동] : exchange *civilities* 정중한 말씨로 인사를 교환하다.
cív·i·lìz·able *a.* 교화[문명화] 할 수 있는.
*__civ·i·li·za·tion,__ 《英》 **-sa-** [sìvələzéiʃən; -lai-] *n.* **1** Ⓤ 개화, 교화(↔*barbarism*). **2** Ⓤ,Ⓒ (어떤 민족의) 문명 : Chinese ~ is one of the oldest ~*s* in the world. 중국 문명은 세계에서 가장 오래된 문명의 하나다. **3** Ⓤ 문명 세계; [집합적으로] 문명 국민 : All ~ was horrified. 문명 국민은 모두 공포에 휩싸였다. **4** 인구 밀집 지역, 도시. **~·al** *a.* **~·al·ly** *adv.*
*__civ·i·lize,__ 《英》 **-lise** [sívəlàiz] *vt.* 개화[교화]하다(enlighten); 세련되게 하다; 예의 바르게 하다 : Those facilities are intended to ~ people. 그 시설들은 민중의 교화를 목표로 한 것이다.
civilize away (야만적인 풍습 따위를) 교화하여 타파하다.
〖F; ⇨ CIVIL〗
cív·i·lìzed *a.* **1** 개화된, 문명화한(↔*barbarous*) : ~ life 문화 생활 / a ~ nation 문명국 / the ~ world 문명 세계. **2** 예절 바른, 교양이 높은[있는](cultured, refined).
cívil láw *n.* **1** 민법; 민사법《criminal law에 대하여》. **2** [때때로 C~ L~] 로마법(Roman law); 국내법《국제법에 대하여》; (로마법계(系)의) 사법(私法)체계, 대륙법.
cívil líberty *n.* [보통 *pl.*] 시민적 자유; 시민적 자유에 관한 기본적 인권.
cívil lífe *n.* 시민 생활; (군인 생활에 대한) 일반인의 생활 : return to ~ (군적을 떠나) 시민 생활로 돌아가다.
cívil líst *n.* 《英》 왕실비 및 하사 연금비(年金費).
Cívil Lórd *n.* 《英》 해군 본부 문관 위원.
civ·il·ly [sívəlli] *adv.* **1** 시민[공민]답게. **2** 예의 바르게, 정중히(politely). **3** 민법상, 민사적으로; (종교적이 아니라) 속세적[속인적]으로.
cívil márriage *n.* 민법상 결혼, 신고 결혼《종교 의식에 의하지 않고 관공리가 거행함》.
cívil mìnimum *n.* 근대적 대도시가 갖추어야 할 최저 한도의 환경 기준.
cívil párish *n.* 《英》 (교회구와 구별하여) 지방 행정 교구(敎區)(parish).
cívil ríght·er[ríght·ist] *n.* 《美口》 민권 운동가[옹호가].
cívil ríghts *n. pl.* 공민권, 시민권.
Cívil Ríghts Àct *n.* 《美》 민권법《넓은 의미로는 1960년대에 제정된 일련의 흑인 차별 금지법을 가리킴》.
cívil sérvant *n.* 문관, 공무원; (국제 연합 따위의) (행정) 사무관.
cívil sérvice *n.* 문관 근무, 행정 사무; [the C~ S~] [집합적으로] 문관, 공무원.
cívil-spóken *a.* 말씨가 공손한.
cívil súit *n.* 민사 소송(civil action).
cívil wár *n.* **1** 내란, 내전. **2** [the C~ W~] **a**) 〖英史〗 Charles 1세와 의회와의 싸움(1642-46, 1648-52). **b**) 〖美史〗 남북 전쟁(1861-65)(the War of Secession). **c**) =SPANISH CIVIL WAR.
cívil yéar *n.* 역년(曆年)(calendar year).
civ·ism [sívizəm] *n.* Ⓤ 공민 정신, 공공심; 공민의 자격.
Civ. Serv. Civil Service.
civ·(v)ies [síviz] *n. pl.* 《口》 시민복, 평복《군복에 대하여》 : in ~ 평복을 입고.
civ·vy [sívi] *n., a.* 《口》 =CIVILIAN.
cívvy strèet *n.* [때때로 C~ S~] 《英俗》 비(非)전투원[민간(인)] 생활.
C.J. Chief Judge; Chief Justice.
ck. (*pl.* **cks.**) cask; check; cock. **cl.** carload; centiliter; claim; class; classification; clause; clearance; clergyman; clerk; cloth.
c.l. carload; civil law. **Cl** 〖化〗 chlorine.
C/L 〖銀行〗 cash letter(당좌). **CLA** College Language Association.

clab·ber [klǽbər] *n.* Ⓤ 상해서 응고한 우유. ── *vi.* (우유가) 상해서 엉기다. ── *vt.* (우유를) 엉기게 하다.

clack [klǽk] *n.* 찰칵[딸깍]하는 소리 ; 재잘거리기(chatter) ; =CLACK VALVE.
── *vi.* 찰칵[딸깍]하고 소리나다 ; (암탉 따위가) 꾸꾸 울다 : ~*ing* typewriters 딸깍거리는 타이프라이터 소리.
〖ME=to chatter, prate＜?ON *klaka* to chatter (imit.)〗

cláck·er *n.* 딸깍딸깍 소리나는 것 ; (새 따위를) 쫓는 기구.

cláck vàlve *n.* 〖機〗 클랙 밸브.

clad [klǽ(:)d] *v.* 《古·文語》 CLOTHE의 과거·과거분사. ── *a.* [때때로 복합어를 이루어] 장비한, 입은 ; 〖冶〗 클래딩한《경화》: iron-~ vessels 철갑선. ── *vt.* (**-dd-** ; ~) (금속에) 다른 금속을 입히다[씌우다], 클래딩하다. ── *n.* 피복(被覆) 금속, 피복[외장]재.

clad- [klǽd], **clado-** [klǽdou, -də] *comb. form* 「가지」의 뜻. 〖Gk.〗

clad·ding [klǽdiŋ] *n.* 〖冶〗 (접착된) 금속 피복판[층] ; (건물 따위의) 외장재.

cládo·gràm *n.* 〖生〗 진화(進化)의 파생도, 분기도(分岐圖).

‡**claim** [kléim] *vt.* **1** (당연한 권리로서) 요구[청구]하다 ; 자기 것이라고 말하다 : She ~*ed* the inheritance on his death. 그녀는 그가 죽자 유산을 요구했다 / Does anyone ~ this watch? 이 시계 주인은 안계십니까. **2** [+目 / +*that* 節 / +*to* do] (권리·사실을) 주장하다, …의 승인을 구하다 : ~ relationship with …와 친척이라고 말하다 / He ~*ed that* his answer was correct. 그는 자기의 대답이 옳다고 주장했다 / He ~*ed to* have reached the top of the mountain. 그는 정상을 정복했다고 주장했다 / Bob ~*ed to* be the only student for the job. 보브는 자기야말로 그 일에 알맞은 학생이라고 주장했다. **3** (물건이 남의 주의를) 끌다, (…을) 구하다(call for), (주의할) 가치가 있다(deserve) ; (질병이 인명을) 빼앗다 : His new treatise ~*ed* our attention. 그의 새로운 논문은 우리의 주목을 끌었다 / The plague ~*ed* thousands of lives. 역병(疫病)으로 수천명의 사람이 죽었다.
── *vi.* 요구하다, 권리를 주장하다 ; 의견을 진술하다 ; 토지를 점유하다 : ~ on …에게 손해 배상을 요구하다.
claim** a person's **pound of flesh 빚 독촉을 심하게 하다.
claim back …의 반환을 요구하다 ; 권리를 주장하다.
── *n.* **1** [+*to* do / +*that* 節] (권리로서의) 요구, 청구(demand) ; (소유권·사실의) 주장 : a ~ ***for*** damages 손해 배상의 청구 / They put in ~*s for* possession of the estate. 그 부동산이 자기들 소유라고 주장했다 / Nobody made a ~ ***to*** the house. 아무도 그 집의 주인이라고 주장하는 이가 없었다 / He has a ~ *to* be called Europe's leading spokesman. 그는 마땅히 유럽 최고의 대변자라는 명성을 얻을 만하다 / I have many ~*s* ***on*** my time. 여러 가지 일에 시간을 빼앗긴다 / His ~ *to* be promoted to the post was quite legitimate. 그 직위로 승진시켜 달라는 그의 요구는 전적으로 타당한 것이었다 / He put forward the ~ *that* he was the first inventor of the machine. 최초로 그 기계를 발명했다고 주장했다. **2** Ⓤ,Ⓒ [+*to* do] 요구할 권리, 자격(right, title) : He has no ~ ***to*** scholarship. 학자라고 말할 자격이 없다 / She has no ~ ***on*** me. 나에게 아무 것도 요구할 권리가 없다. **3** 청구물 ; (특히) (광구(鑛區)의) 불하 청구지(拂下請求地) : jump a ~ ☞ JUMP *vt.* 8 / stake out a ~ ☞ STAKE 숙어. **4** 〖保險〗 지급 청구, 지급 요구, 클레임.
lay claim to …에 대한 권리를 주장하다 : I *lay* no ~ *to* being a scholar. 내가 학자라고 주장하지는 않는다.
~·able *a.* 요구[주장]할 수 있는.
〖OF＜L *clamo* to call out〗
類義語 ⟹ DEMAND.

cláim·ant, cláim·er *n.* 주장자, 요구자 ; 〖法〗 (배상 따위의) 원고(原告).

cláim chèck *n.* (옷·주차장 따위의) 번호표, 보관증, 예탁표, 인환권.

cláim jùmper *n.* 《美》 (광구권(鑛區權) 따위의) 선취 특권 횡령자.

cláims·man [-mən] *n.* (손해 보험의) 정산인 ; 지급액 사정 담당자.

cláim tàg *n.* 수화물 상환증.

clair·áudience [kleər-, klæər-] *n.* Ⓤ 투청력(透聽力)《초인적인 청각》.

clair·áudient *a.* 투청력을 가진. ── *n.* 투청력을 가진 사람.

clair·voy·ance [kleərvɔ́iəns, klæər-] *n.* Ⓤ 투시(透視), 천리안(千里眼) ; 비상한 통찰력.
〖F (CLEAR, *voir* to see)〗

clair·vóy·ant *a.* 투시의, 천리안의 ; 통찰력이 있는. ── *n.* 투시자 ; 천리안인 사람.

clair·vóy·ante [-ənt] *n.* CLAIRVOYANT의 여성형.

clam[1] [klǽ(:)m] *n.* **1** 〖貝〗 대합조개. **2** 《美口》 말없는 사람 ; 굼뜬 사람. ── *v.* (**-mm-**) *vi.* 대합조개를 잡다 ; 《美口》 침묵을 지키다. ── *vt.* …에서 대합조개를 잡다.
〖?CLAMP[1] ; cf. OE *clamm* fetter〗

clam[2] *n.* (재즈 따위의) 틀린 화음[가락]. ── *vi.* 잘못 연주하다.

clam[3] *n.* 《稀》 바이스(vise), 클램프(clamp).

cla·mant [kléimənt] *a.* 떠들썩한 ; 극성스럽게 주장하는 ; 지체할 수 없는 ; 긴급한. **~·ly** *adv.*
〖L ; ⇨ CLAIM〗

clám·bàke *n.* 《美》 (구운 대합 따위를 먹는) 해변대 파티(의 요리) ; 《美口》 떠들썩한 파티.

clam·ber [klǽmbər] *vi.* [+前+名] 기어오르다 ; 가까스로 오르다 : ~ ***up***[***over***] a wall 담벽을 기어오르다[타고 넘다]. ── *n.* 기어오르기.
~·er *n.* 〖? *clamb* (past) ‹CLIMB, -*er*[3]〗

clám dìggers *n. pl.* 《美》 종아리 중간까지 내려오는 길이의 바지《원래 갯벌에서의 조개잡이용(用) 바지 스타일》.

clam·my [klǽmi] *a.* 축축하고 끈적끈적한, 개운찮은, 터분한. **clám·mi·ly** *adv.* **-mi·ness** *n.*
〖ME *clam* to daub〗

***clam·or** | **-our** [klǽmər] *n.* 소란, 시끄러움 ; (불평·항의·요구 따위의) 외침, 소동(uproar).
── *vi.* [動 / +前+名 / +*to* do] 외치다, 떠들어대다 : They were ~*ing* ***against*** the government's plans. 정부 계획에 시끄럽게 반대하고 있었다 / The workers ~*ed* ***for*** higher wages. 근로자들은 떠들썩하게 임금 인상을 요구했다 / The student(s) were ~*ing to* see the new president. 학생들은 새 총장에게 면회를 요구하며 시끄럽게 떠들어댔다.
── *vt.* [+目+副 / +目+前+名] …에게 외치며 …시키다, 소란피우며 요구하다 : ~ ***down*** a

speaker 강연자에게 야유하여 연설을 못하게 하다 / ~ a person ***into***[***out of***] do*ing* something 소란을 피워 남에게 어떤 일을 하게 하다[그만두게 하다].
〚OF<L; ⇨ CLAIM〛
類義語 ⟹ NOISE.

clámor·ous *a.* 떠들썩한, 시끄러운. **~·ly** *adv.* **~·ness** *n.*

clamp[1] [klǽmp] *n.* 거멀못, 꺾쇠, (나사로 죄는) 죔틀; 〖建〗 접합부에 대는 오리목; [*pl.*] 못뽑이 (pincers); 〖醫〗 겸자(鉗子). —— *vt.* (꺾쇠 따위로) 죄다, 고정시키다.
clamp down (…을) 압박[탄압]하다〈*on*〉.
〚? MDu., MLG *klamp(e)*〛

clamp[2] *n., vi.* =CLUMP[2]. 〚imit.〛

clamp[3] *n.* 《英》 (굽기전의 벽돌·감자 따위의) 더미, 무더기; 퇴적(堆積). —— *vt.* (굽기 전의 벽돌 따위를) 더미로 쌓아올리다.
〚Du. =heap; ⇨ CLUMP〛

clámp·dòwn *n.* 엄중한 단속, 탄압.

clámp·er *n.* 꺾쇠; [*pl.*] 못뽑이; (미끄러지지 않게 박는) 구두징.

clámp(ing) scrèw *n.* 고정 나사.

clám·shèll *n.* 대합의 조개 껍데기.

clám wòrm 《美》 갯지렁이《낚싯밥》.

clan [klǽ(ː)n] *n.* **1** (원래는 스코틀랜드 고지인의) 씨족(tribe); (일반적으로) 일족, 일가. **2** 파벌; 족(族); 당파, 한 패(clique); 《口》 가족.
〚Gael.<L *planta* sprout〛

clan·des·tine [klændéstən] *a.* 은밀한, 비밀의 (secret). **~·ly** *adv.* 은밀히, 남몰래.
〚F or L (*clam* secretly)〛

clang [klǽŋ] *vi.* (종·무기 따위가) 뗑그렁[쾅·탕] 하고 울리다[소리나다]. —— *vt.* 뗑그렁[쾅·탕] 하고 울리게[소리나게] 하다: He *~ed* the fire bell. 그는 화재 경종을 뗑뗑 울렸다. —— *n.* 뗑그렁[쾅·탕] 하는 소리.
〚imit. and L *clango* to resound〛

clang·er [klǽŋər] *n.* 《英口》 큰 실책[실수]; 쾅하고 울리는[울리게 하는] 것; [*pl.*] 《古俗》 불알.
drop a clanger 《口》 큰 실수를 저지르다.

clang·or | **-our** [klǽŋgər] *n.* Ⓤ [또한 a ~] 땡땡, 쨍그랑, 찌링, 때릉《금속성의 연속음》. **~·ous** *a.* 울려퍼지는. **~·ous·ly** *adv.* 뗑그렁뗑그렁[딸랑딸랑] 하고.

clank [klǽŋk] *vi.* (무거운 사슬 따위) 철꺽[절꺼덕] 소리나다: The swords clashed and *~ed.* 칼과 칼이 맞부딪쳐서 쩽강 소리를 내었다. —— *vt.* 절꺼덕 소리나게 하다. —— *n.* 철꺽[절꺼덕]소리.
〚imit.; cf. CLANG, CLINK〛

clanked [klǽŋkt] *a.* 《俗》 지친, 녹초가 된.

clán·nish *a.* 씨족의; 파벌[당파]적인; 배타적인. **~·ly** *adv.* 당파[파벌]적으로. **~·ness** *n.*

clán·ship *n.* Ⓤ 씨족 제도; 씨족 정신; 당파[파벌]적 감정; 애당[애파(愛派)]심.

cláns·man [-mən] *n.* 같은 씨족의 사람, 일가[종가]인 사람.

***clap**[1] [klǽp] *n.* **1** 딱딱, 탁탁, 찰싹, 쾅《파열·천둥·박수 따위의 소리》: a ~ of thunder 천둥 소리. **2** 찰싹 때리기; 박수(치기); 일격: at a [one] ~ 일격에, 즉시 / in a ~ 갑자기.
—— *v.* (**-pp-**; **clapt** [klǽpt]) *vt.* **1** [+目/+目+副/+目+前+名] (손뼉을) 치다; 박수 갈채하다; 가볍게 두드리다; (탁탁·철썩) 소리내어 치다; (새 따위가) 날개치다: Everybody *~ped* his hands. 모두 박수를 쳤다 / He *~ped* the door ***to***. 문을 탁 닫았다 / I *~ped* my friend ***on*** the back. 친구의 등을 툭 쳤다. **2** [+目+副/+目+前+名] 급히[탁] 놓다; 서둘러 보내다[나아가다]: ~ one's hat ***on*** 홀쩍 모자를 쓰다 / ~ *on* sail 돛을 급히 올리다 / ~ duty *on* goods 물품에 세금을 매기다 / ~ a person ***in*** prison [***into*** jail] 사람을 감옥에 처넣다 / ~ spurs ***to*** a horse 말에 (급히) 박차를 가하다. —— *vi.* (갈채의) 박수를 치다.
clap eyes on... 《口》 [보통 부정구문] …을 보다, (…을) 우연히 찾아내다: I haven't *~ped eyes on* him since then. 그와는 그 후 만나지 않았다.
clap up 급히 시작하다; 급히 투옥하다; (거래·화해 따위를) 척척 진행[결정]시키다.
〚OE *clappian* to beat, throb<imit.〛

clap[2], **clapp** [klǽp] *n.* Ⓤ 《卑》 임질(gonorrhoea). —— *vt.* (**-pp-**) 임질에 걸리게 하다.
〚OF=venereal bubo〛

clap·board [klǽbərd, klǽpbɔ̀ːrd] *n.* 《美》 벽에 댄 판자, 미늘벽판자(weatherboard); 〖映〗 = CLAPSTICK. —— *vt.* …을 미늘벽판자로 덮다.
〚LG=cask stave〛

cláp·nèt *n.* (새 잡는) 덫 그물.

clap·om·e·ter [klæpɑ́mətər] *n.* 박수 측정기.

clápped-òut *a.* 《英俗》 지친, 녹초가 된; (차 따위가) 낡은, 털털거리는.

cláp·per *n.* **1** 종[방울]의 추(tongue). **2** 박수치는 사람; 딱따기; 《英》 (새 따위를 쫓기 위해) 논밭에 소리나게 매단 장치.

clápper·bòard *n.* [흔히 *pl.*] 〖映〗 (촬영 개시·종료를 알리는) 신호용 딱따기(clapstick).

clápper·clàw *vt., vi.* 《古·英方》 때리고 할퀴다; 욕을 퍼붓다.

cláp·stìck *n.* 〖映〗 (촬영 개시·종료를 알리는) 딱따기.

cláp tràck *n.* 클랩 트랙《사운드 트랙에 삽입하는 미리 녹음된 박수 소리》.

cláp·tràp *a., n.* 인기를 끌기 위한 (말·술책·행동); 환심 사기 위한 (말).

claque [klǽk] *n.* [집합적으로] (극장에 고용되어 박수 갈채를 보내는) 박수 부대[꾼], 성원단.
〚F (*claquer* to clap)〛

claqu·er [klǽkər], **cla·queur** [klækə́ːr] *n.* claque의 한 사람.

Clar. Clarence. **clar.** 〖樂〗 clarinet; 〖印〗 clarendon.

Clara [kléərə, klǽərə] *n.* 여자 이름《애칭 Clare, Clarice, Clarissa》. 〚L=bright〛

clar·a·bel·la, **clar·i-** [klærəbélə] *n.* 〖樂〗 (오르간의) 스톱의 하나《flute의 음색》.
〚NL (CLEAR, *bella*‹*bellus* beautiful)〛

Clare [kléər, klǽər] *n.* 여자 이름; 남자 이름 《Clarence의 애칭》. 〚⇨ CLARA〛

clar·ence [klǽrəns] *n.* 상자형 4인승 4륜 마차.
〚L=illustrious; Duke of *Clarence*(d. 1837) (후의 William 4세)에 연유함〛

Clarence *n.* 남자 이름《애칭 Clare》.

Clar·en·c(i)eux [klǽrənsùː] *n.* 《英》 영국 문장원(紋章院) 장관의 한 사람.

clar·en·don [klǽrəndən] *n.* 〖印〗 클라렌든체(體) 《세로로 약간 길고 획이 굵은 활자체》.

clar·et [klǽrət] *n.* **1** Ⓤ 클라레《프랑스 Bordeaux 지방산의 붉은 포도주》. **2** 자홍색(紫紅色)(=~ **réd** [**brówn**]); 《俗》 피. 〚OF (*vin*) *claret*<L *claratum* (*vinum*); ⇨ CLEAR〛

cláret cùp *n.* 클라레 컵《클라레에 브랜디를 섞어 레몬·설탕을 넣고 얼음으로 차게 한 음료》.

Clar·i·bel [klέərəbèl, klǽər-] *n.* 여자 이름.
〖L=bright and fair ; CLARA+-*bel*〗

Clar·ice [klǽrəs, klərí:s] *n.* 여자 이름.
〖F (dim.) ; ⇨ CLARA〗

clàr·i·fi·cá·tion *n.* Ⓤ **1** 깨끗하게 함 ; 맑게 하기 ; 청정(淸淨), 정화(淨化). **2** 설명, 해명.

clár·i·fi·er *n.* 청정화(化)하는 것, 정화기(淨化器) ; 정화제(劑).

clar·i·fy [klǽrəfài] *vt.* **1** (액체 따위를) 깨끗하게[맑게] 하다, 정화하다, 불순물을 제거하다. **2** (의미 따위를) 분명[명백]하게 하다 : Your explanation has *clarified* this difficult sentence. 당신의 설명을 들으니 이 어려운 문장의 의미를 분명하게 알겠습니다. —— *vi.* 맑아지다 ; 분명해지다. 〖OF<L ; ⇨ CLEAR〗

clar·i·net [klæ̀rənét, klǽrənət] *n.* 〖樂〗 클라리넷《목관 악기》. **~·(t)ist** *n.* 클라리넷 연주자.
〖F (dim.) ‹ *clarine* bell의 일종〗

clar·i·on [klǽriən] *n.* 〖樂〗 클라리온《명쾌하게 울려퍼지는 중세의 관악기》; 〖樂〗 (파이프 오르간의) 클라리온 스톱 ; 《詩》 클라리온의 소리 ; 명쾌한 나팔의 울림(소리). —— *attrib. a.* 명쾌하게 울려퍼지는 : a ~ voice 낭랑하게 울려퍼지는 목소리. —— *vt.* 큰소리로 알리다. 〖L ; ⇨ CLEAR〗

clar·i·o·net [klæ̀riənét] *n.* =CLARINET.

Cla·ris·sa [klərísə] *n.* 여자 이름《애칭 Clare》.
〖⇨ CLARA ; F *Clarisse*〗

clar·i·ty [klǽrəti] *n.* Ⓤ (사상·문체(文體) 따위의) 명쾌함, 명석 ; (음색의) 맑음 ; 투명도.
〖L ; ⇨ CLEAR〗

cla·ro [klɑ́:rou] *a., n.* (*pl.* **~s, ~es**) 빛깔이 연하고 맛이 순한 (엽궐련). 〖Sp. =light〗

clart [klɑ́:rt] *vt.* 《스코》 (끈적끈적한 것으로) …을 더럽히다. —— *n.* [때때로 *pl.*] (특히 구두에 묻은) 진흙. **clárty** *a.*

clary [klέəri, klǽəri] *n.* 〖植〗 샐비어속(屬)의 각종 식물《관상용》. 〖F<L *sclarea*〗

-clase [klèis, -z] *n. comb. form* 「…의 쪼개짐면이 있는 광물」의 뜻 : plagio*clase*.
〖F ; ⇨ -CLASIS〗

‡**clash** [klǽ(:)ʃ] *n.* (불났을 때 치는 종 따위의) 딸랑 소리, (금속 따위의) 맞부딪치는 소리 ; (의견·이익 따위의) 충돌, 불일치, 부조화. —— *vi.* **1** 딸랑딸랑 소리나다 ; 쟁그랑쟁그랑하다 : The dishes ~*ed* in the kitchen. 접시 부딪치는 딸그락 소리가 부엌에서 났다. **2** [動 / +前+名] 충돌하다 : The armies ~*ed* on the wide plain. 양군은 넓은 들판에서 충돌했다 / I ~*ed* ***into*** her when I entered the room. 방으로 들어가다가 그 여자와 맞부딪쳤다. **3** [動 / +*with*+名] (의견·이해 따위가) 충돌하다, (규칙 따위에) 저촉되다 ; (연설 따위가) 중복되다 ; 《口》 (빛깔이) 어울리지 않다 : On Monday the two meetings ~. 월요일에는 두군데 회의가 중복되어 있다 / Principles often ~ ***with*** interests. 주의와 이해는 흔히 상충한다 / This color ~*es with* that. 이 빛깔과 저 빛깔은 어울리지 않는다.
—— *vt.* [+目 / +目+前+名] 딸랑딸랑 소리나게 하다 ; (칼 따위를) 서로 맞부딪치게 하다 : He ~*ed* the glass ***against*** the stone. 그는 유리잔을 돌에다 팽개쳤다. **~·er** *n.*
〖imit. ; cf. CLACK, CLANG, CRACK, CRASH〗

-cla·sia [kléiʒiə, -ziə] *n. comb. form* 〖醫〗 「파괴」「붕괴」의 뜻. 〖NL<Gk.〗

-cla·sis [ˊ-kləsəs] *n. comb. form* (*pl.* **-cla·ses** [kləsì:z]) =-CLASIA.

***clasp** [klǽ(:)sp ; klɑ́:sp] *n.* **1** 멈춤쇠, 죔쇠, 걸쇠, 고리 ; 버클(buckle) ; 훅. **2** 꽉쥐기, 꽉잡기(grasp), 악수, 포옹(embrace) : I gave his hand a warm ~. 그의 손을 다정스럽게 쥐었다.
—— *vt.* **1** (clasp로) 고정시키다 ; (밴드 따위를) 걸쇠로 죄다. **2** [+目 / +目+前+名] 힘있게 쥐다 : ~ another's hand 상대방의 손을 꽉 쥐다 / ~ one's hands 양손의 손가락을 깍지끼다《애원·절망 따위를 나타내는 (여성적인) 동작》/ They ~*ed* hands. 굳은 악수를 교환했다 ; 《비유》 (서로) 제휴했다 / He ~*ed* her ***by*** the hand. 그녀의 손을 잡았다 / She ~*ed* her daughter ***to*** the breast. 딸을 가슴에 껴안았다. **3** (덩굴풀 따위가) …에 휘감기다. —— *vi.* (clasp로) 고정하다, 죄다. **~·er** *n.* 걸쇠, 잠그는[죄는] 것 ; 〖植〗 덩굴손 ; (곤충·상어 수컷 따위의) 교미기(交尾器).
〖ME< ?〗

clásp knìfe *n.* 대형 접칼(cf. SHEATH KNIFE).

◇**class** [klǽ(:)s ; klɑ́:s] *n.* **1** 종(種), 유(類), 부류, 종류(kind). **2** 클래스, 반, 조(組) (cf. FORM *n.* 9 b)) ; Ⓤ,Ⓒ (클래스의) 학습 시간, 수업 ; Ⓒ 강습 : The ~ consists of 45 boys and girls. 그 반은 45명의 남녀 학생으로 이루어져 있다 / take a ~ of beginners (선생이) 신입생반을 맡다 / be in ~ 수업중이다 / take ~*es* in cookery 요리 강습을 받다. **3 a)** 《美》 동기 졸업생[반] : the ~ of 1997 1997년도 졸업반. **b)** (군대의) 동기병 : the 1988 ~ 1988년 (입대)병(兵). **4 a)** 사회 계급 ; Ⓤ 계급 제도 : the upper[middle, lower, working] ~*es* 상류[중류·하층·노동] 계급[사회] / the educated ~ 지식 계급 / a feeling of ~ 계급적 감정 / ~ consciousness 계급 의식 / abolish ~ 계급 제도를 폐지하다. **b)** [the ~es] 상류[지식] 계급(the upper classes) (↔*the masses*). **c)** Ⓤ 상류(high social rank). **d)** Ⓤ 우수, 기량(distinction) ; 《口》 고급, 우아, 멋(style) (cf. CLASSY) : a ~ chess player 체스의 명수 / She has ~. 그 여자에게는 기품이 있다 / He is no ~. 그는 서투르다[틀렸다]. **5** 등급 : the first[second, third] ~ 1[2,3]등 / travel second ~ 2등석[칸]으로 여행을 하다. **6** 《英大學》 우등 시험(honors examination)의 합격 등급 : take[get, obtain] a ~ 우등으로 졸업하다. **7** 〖生〗 (동식물 분류학상의) 강(綱) (cf. CLASSIFICATION). **8** 〖數〗 집합(set).
in a class by itself[one***self***] 비길데 없이, 단연 우수하여.
—— *vt.* [+目 / +目+補 / +目+前+名] 분류하다(classify) ; …의 등급[품등(品等)]을 매기다(size up) ; 조로 나누다 ; (학생을) …반(班)[부류]에 넣다 : a ship ~*ed* A 1 최고급의 선박 / ~ one thing ***with*** another 어떤 것을 다른 것과 동류로 치다. —— *vi.* (어떤 부류에) 속하다.
〖L *classis* assembly〗

class. classic(al) ; classification ; classified.

cláss·able *a.* 분류[유별(類別)]할 수 있는, 구분을 지을 수 있는.

cláss àct *n.* 탁월한[일급의] 행동[일].

cláss áction *n.* 〖法〗 집단 소송(class suit)《다수의 피해자가 집단으로 기업 따위 특정 단체에 대해 손해 배상을 청구하는 소송》.

cláss bàby *n.* 《美俗》 반에서 제일 나이 어린 학생 ; 졸업후 반 친구 중에서 생긴 첫 아기.

cláss·bòok *n.* **1** 《美》 채점부(簿), 출석부 ; 졸업 기념 앨범. **2** 《英》 교과서.

cláss clèavage *n.* 〖文法〗 유분열(類分裂)《어떤 언어 형식이 둘 이상의 형식류(形式類)로 쓰이는것 ; 예를 들면, one이 형용사·명사·대명사로 쓰이는 것 따위》.

cláss-cónscious *a.* 계급 의식을 가진.

cláss cónsciousness *n.* 계급 의식.

cláss dày *n.* 《美》(졸업식에 앞선) 졸업 축하회.

cláss dìnner *n.* 동급생 만찬회.

cláss distínction *n.* 계급 의식 ; 계급 구분의 규준(規準).

cláss·féeling *n.* 계급(적) 감정.

cláss·fèllow *n.* =CLASSMATE.

***clas·sic** [klǽsik] *a.* **1** (예술품 따위가) 일류의, 최우수의, 걸작의 ; 표준적인 ; 전아한, 고상한. **2** 고전[그리스·라틴 문예]의, 고전적인 : ~ myths 그리스·로마 신화. **3** 사적[문화적인] 연상이 풍부한, 유서가 깊은 : ~ ground (for...) (…에) 유서 깊은 땅 / ~ Oxford[Boston] 옛 문화의 도시 옥스퍼드[보스턴]. **4** 전통적인, 유명한 ; (사례(事例) 따위가) 전형적인 ; (연구 따위) 권위있는 : a ~ event 전통적인 행사《시합·경기 따위》/ a ~ experiment 고전적인 실험. **5** (의상 따위가) 유행에 좌우되지 않는, (유행과는 상관없는) 전통적인 (스타일의). —— *n.* **1** 일류 작가[작품], 대문호(大文豪), 대예술가 : Milton['Paradise Lost'] is a ~. 밀턴[실낙원]은 대문호[걸작]이다. **2** (그리스·라틴의) 고전주의자[작가] (cf. ROMANTIC) ; 고전 작품. **3** [*pl.*] 고전, 고전어, 고전학 : the ~*s* (그리스·라틴의) 고전 문학, 고전어. **4** 전통적(으로 유명한) 행사. **5** 전통[고전]적인 (스타일의) 옷[차·도구《따위》], 유행과는 상관없는 (형의) 옷 ; 《美》 클래식 카《1925-42년 형의 자동차》.
〖F or L *classicus* of the first rank ‹ CLASS〗

***clas·si·cal** [klǽsikəl] *a.* **1** (고대 그리스·라틴의) 고전 문학의(cf. ANCIENT, MEDIEVAL, MODERN) ; 고전어의 ; 인문적(人文的)인, 일반 교양적인 : the ~ languages 라틴·그리스어 / a ~ education[scholar] 고전 교육[학자]. **2** 고전주의의(cf. REALISTIC, ROMANTIC), 의고(擬古)적인 ; 고전적인, 전통파의 : ~ literature 고전주의 문학 / ~ music (popular[folk] music과 구별하여) 클래식 음악 / ~ economics 정통[고전]파 경제학《Adam Smith나 Ricardo의 학설》. **3** 전형적인(typical) : a ~ example 전형적인 예. **4** = CLASSIC *a.* 3, 4. **~·ist** *n.* =CLASSICIST. **~·ìsm** *n.* Ⓤ 고전주의, 고전 숭배 ; (예술상의) 의고(擬古)주의(cf. ROMANTICISM). **~·ly** *adv.* 고전적으로. **~·ness** *n.*

clássical cóllege *n.* 《Can.》(퀘벡 주(州)에 있는) 전문대학 수준의 고전·일반 교양 과목을 가르치는 교육기관.

clas·si·cal·i·ty [klæ̀sikǽləti] *n.* Ⓤ 고전적 특질 ; 고전적 교양.

clas·si·cist [klǽsəsəst] *n.* 고전 학자, 고전주의자, 고전 문학자.

clas·si·cize [klǽsəsàiz] *vt., vi.* (문체 따위를) 고전적으로 하다 ; 고전을 따르다[모방하다].

clássic ráces *n. pl.* [the ~] 〖競馬〗 **1** 《英》 5대(大) 경마《Derby, Oaks, St. Leger, Two Thousand Guineas, One Thousand Guineas를 말함》. **2** 《美》 3대(大) 경마《Kentucky Derby, Preakness Stakes, Belmont Stakes를 말함》.

cláss identificàtion *n.* 〖社〗 계급 귀속 의식.

clás·si·fi·able *a.* 분류할 수 있는.

***clas·si·fi·ca·tion** [klæ̀səfəkéiʃən] *n.* **1** Ⓤ.Ⓒ 분류(법). ㊟ 생물학상의 분류 순서 : *kingdom*(계(界)) —〖動〗 *phylum*, 〖植〗 *division*(문(門)) — *class*(강(綱)) — *order*(목(目)) — *family*(과(科)) — *genus*(속(屬)) — *species*(종(種)) — *variety*(변종(變種)). **2** Ⓤ.Ⓒ 등급별, 격차, 급별(級別). **3** Ⓤ.Ⓒ (도서관의) 도서 분류법. **4** Ⓤ.Ⓒ 《美》 (공문서의) 기밀(機密) 종별《restricted, confidential, secret, top secret 따위》.
〖F ; ⇨ CLASS〗

classificátion clùb *n.* 《美》 직업별 클럽.

classificátion schèdule *n.* 〖圖書〗 도서 분류 일람표.

classificátion socìety *n.* (상선의 등급을 매기는) 선급(船級) 협회.

classificátion yàrd *n.* 《美》 철도 조차장(鐵道操車場).

clas·si·fi·ca·to·ry [klǽsəfəkətɔ̀:ri, klæsífə- ; klæ̀sifikéitəri] *a.* 분류(상)의, 유별의.

clás·si·fied *a.* **1** 분류한, 유별의 ; (광고 따위가) 항목별의 ; 《英》 분류 번호가 붙은《도로 따위》: a ~ catalog 분류 목록. **2** 《美》 (정부·군부 따위의 서류·정보가) 기밀 취급의.

clássified ád[ádvertising] *n.* 항목별 소(小)광고(란), 분류 광고《구인·구직 따위가 항목별로 분류된》.

clássified cìvil sérvice *n.* 《美》 공무원 직계(職階)제도.

clás·si·fì·er *n.* 분류자 ; 〖化〗 분급기(分級機).

***clas·si·fy** [klǽsəfài] *vt.* 분류[유별]하다, 등급으로 나누다 ; 〖化〗 분급(分級)하다 : Books are usually *classified* according to subjects. 책은 보통 항목에 의해 분류된다.
〖역성(逆成) ‹ *classif*ication〗

clas·sis [klǽsəs] *n.* (*pl.* **-ses** [-si:z]) 〖宗〗 장로 감독회[구(區)].

cláss·less *a.* (사회가) 계급 (차별)이 없는 ; (개인 등이) 어느 계급에도 속하지 않는.
~·ly *adv.* **~·ness** *n.*

cláss-lìst *n.* 학급 명부 ; 《英大學》 우등 시험 합격자 등급별 명부.

cláss mágazine *n.* 전문(잡)지.

cláss·màn [, -mən] *n.* 《英大學》 우등 시험 합격자(cf. HONORSMAN, PASSMAN).

cláss màrk *n.* 〖統〗 계급값 ; 〖圖書〗 =CLASS NUMBER.

‡cláss·màte *n.* 동급생 ; 동창생, 급우 : We were ~ in junior high school. 우리는 중학교 때 동급생이었다.

cláss mèaning *n.* 〖言〗 어류(語類) 의미.

cláss mèeting *n.* 클래스[학급]회.

cláss nòun[nàme] *n.* 〖文法〗 종속 명사, 보통 명사.

cláss nùmber[lètter] *n.* 〖圖書〗 분류(分類) 번호[문자].

cláss ríng *n.* 《美》 졸업 기념 반지.

◇cláss·ròom *n.* 교실.

clássroom cómbat fatìgue *n.* 《美》 (교사의) 교실분투 피로곤비증(困憊症)(㊟ teacher burnout이라고도 함).

cláss strífe[strúggle, wár(fare)] *n.* [the ~] 계급 투쟁.

cláss sùit *n.* 집단 소송(class action).

cláss wòrd *n.* 〖言〗 유어(類語)《종래의 명사, 형용사, 동사, 부사에 상당》.

cláss·wòrk *n.* (교실에서의) 공부, 학습, 수업.

classy [klǽ(:)si ; klɑ́:-] *a.* 상류의, 귀족적인 ; 《俗》 고급인(superior) ; 멋있는(stylish).

clas·tic [klǽstik] *a.* 〖地質〗 파쇄성(破碎性)의, 쇄설성(碎屑性)의.

***clat·ter** [klǽtər] *n.* Ⓤ 덜걱덜걱[딸그락딸그락·덜컹덜컹]하는 소리 ; 요란스러운 말[웃음] 소리 ;

지껄임 (chatter). —— *vi.* [動 / +副 / +前+名] 덜걱덜걱[덜컹덜컹] 소리나다 ; (여럿이서) 재잘재잘 지껄이다 : Toys ~*ed* in the box. 장난감이 상자속에서 덜걱덜걱 소리를 냈다 / The typewriters were ~*ing away.* 타자기가 타닥타닥 계속 소리내고 있었다 / A truck ~*ed* ***along***. 트럭이 한 대 덜커덩거리며 지나갔다 / Two horses ~*ed* ***over*** the stony road. 두 필의 말이 자갈투성이의 길을 딸각딸각 달려갔다. —— *vt.* 덜걱덜걱[덜컹덜컹] 소리나게 하다 : She ~*ed* the dishes when she washed them up. 식기를 닦을 때 덜걱덜걱 소리나게 했다.
clatter down 덜컹하고 떨어지다[떨어뜨리다].
~·er *n.* 딸그락딸그락 소리내는 것 ; 수다쟁이.
〖OE 《美》 *clatrian* (*clatrung* clattering, noise) < imit.〗

clátter·ing *a.* 덜커덕덜커덕 소리나는 ; 수다스런.

Claud(e) [klɔ́:d] *n.* 남자 이름.
〖L=lame ; ⇨ CLAUDIUS〗

Clau·dia [klɔ́:diə] *n.* 여자 이름.
〖(fem.) ; ⇨ CLAUDE〗

clau·di·cant [klɔ́:dəkənt] *a.* 《古》 절름발이의.

clau·di·ca·tion [klɔ̀:dəkéiʃən] *n.* 절름거리기, 파행(跛行).

Clau·di·us [klɔ́:diəs] *n.* **1** 남자 이름. **2** 클라우디오스(10B.C.-A.D.54) 《로마 황제》.
〖L ; 로마의 가족 이름〗

cláus·al *a.* 〔文法〕 절의 ; 〔法〕 조항의.

***clause** [klɔ́:z] *n.* **1** 〔文法〕 절(節) (cf. PHRASE). **2** (조약·법률의) 개조(個條). **3** 〔樂〕 악구(樂句). 〖OF<L *clausula* conclusion ; ⇨ CLOSE[1]〗

claus·tral [klɔ́:strəl] *a.* =CLOISTRAL.

claus·tro·phóbia [klɔ̀:strə-] *n.* Ⓤ 〔心〕 폐소(閉所) 공포증《폐쇄된 장소 따위를 무서워 하기 ; cf. AGORAPHOBIA》.
〖L (CLOISTER, *-phobia*)〗

cla·vate [kléiveit, -vət], **-vat·ed** [-veitəd] *a.* 〔植〕 곤봉 모양의, (방망이처럼) 한 쪽 끝이 굵은.

clave[1] [kléiv] *v.* 《古》 CLEAVE[2]의 과거형.

cla·ve[2] [klɑ́:vei] *n.* 〔樂〕 클라베스《(룸바 반주 따위에 쓰이는) 두 개 한 벌인 타악기》.
〖Am. Sp.<Sp. =keystone<L〗

clav·e·cin [klǽvəsən] *n.* 〔樂〕 클라브생 (harpsichord).

cla·ver [kléivər] *n.* 《스코》 잡담, 한담.
—— *vi.* 잡담을 하다.

clav·i·cémbalo [klæ̀və-] *n.* 〔樂〕 클라비쳄발로 《harpsichord의 일종》. 〖It.〗

clav·i·chord [klǽvəkɔ̀:rd] *n.* 〔樂〕 클라비코드 《피아노의 전신(前身)》.
〖L (*clavis* key, CHORD)〗

clavichord

clav·i·cle [klǽvəkəl] *n.* 〔解〕 쇄골.
〖L (dim.) ‹ *clavis* key ; 그 모양의 유사(類似)에서〗

cla·vic·u·lar [kləvíkjələr] *a.* 쇄골의.

cla·vier [kləvíər, klǽviər, kléi-] *n.* 〔樂〕 **1** 건반(鍵盤). **2** 건반 악기《피아노 따위》. 〖F=keyboard〗

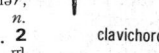

cláv·i·fòrm [klǽvə-] *a.* 방망이[곤봉] 모양의.

***claw** [klɔ́:] *n.* **1 a**) (고양이·매 따위의) 발톱 (cf. TALON) ; (게·새우 따위의) 집게발. **b**) 할퀸 상처. **2** 발톱 모양의 것, (장도리 끝의) 못뽑이. **3** (가늘고 긴) 사람의 손가락.
cut[***clip, pare***] ***the claws of*** … 의 위해(危害)를 가하는 힘을 빼앗다, …을 무력하게 하다.
—— *vt.* 손톱[발톱]으로 할퀴다(scratch) ; 손톱[발톱]으로 움켜쥐다 ; (돈 따위를) 그러모으다 : *C*~ me, and I'll ~ thee. 《속담》 오는 말이 고와야 가는 말이 곱다. —— *vi.* 손톱[발톱]으로 움켜쥐다[할퀴다].
〖OE *clawu* ; cf. G *Klaue*〗

cláw·bàck *n.* Ⓤ,Ⓒ 《英》 (교부금을) 세금으로 환수하기 ; 결점, 약점(drawback).

cláw bàr *n.* 끝이 게발 모양인 지렛대.

cláw clùtch[**còupling**] *n.* 맞물리는 연결기[클러치].

cláwed *a.* [주로 복합어를 이루어] …의 발톱을 가진 : iron-~ (무)쇠발톱을 가진.

cláw hàmmer *n.* 못뽑이 해머.

cláw hàtchet *n.* 못뽑이가 있는 손도끼.

cláw sétting *n.* 〔보석〕 티파니 세팅(Tiffany setting)《반지 따위에 보석을 6-8개의 거미발로 고정시키는 세공법》.

‡**clay** [kléi] *n.* **1** Ⓤ 점토 : porcelain ~ 자토(磁土) / potter's ~ 도토(陶土) / as ~ in the hands of the potter 뜻대로[생각대로] 되어. **2** Ⓤ 흙(earth) : a lump of ~ 한 덩어리의 흙. **3** Ⓤ 〔聖〕 육체 ; 《詩》 인체 : be dead and turned to ~ 죽어서 흙으로 돌아가다 / a man of common ~ 평범한 사람 / moisten[wet, soak] one's ~ 《戱》 한 잔 하다(drink). **4** =CLAY PIGEON. **5** =CLAY PIPE. —— *vt.* 점토로 덮다, …에 점토를 바르다〈*up*〉 ; 점토로 거르다.
〖OE *clæg* ; cf. G *Klei*〗

cláy·bànk *n.* 황갈색(의 말). —— *a.* 황갈색의.

cláy-còld *a.* (시체가) 흙처럼 찬 ; 죽은.

cláy cóurt *n.* 클레이 코트《바닥이 흙으로 된 보통 옥외의 코트 ; cf. HARD[GRASS] COURT》.

clay·ey [kléii] *a.* 점토(질)의, 점토 같은 ; 점토가 많은 ; 점토를 바른. 〖CLAY〗

cláy íronstone *n.* 〔鑛〕 점토질 함철암(含鐵岩).

cláy·ish *a.* 약간 점토 같은, 점토상(狀)의 ; 점토를 조금 함유한.

cláy mìneral *n.* 점토 광물.

clay·more [kléimɔ̀:r] *n.* 양 날이 달린 큰 칼《옛날 스코틀랜드 고지인(高地人)이 사용했음》.
〖Gael. =great sword〗

cláymore mìne *n.* 〔軍〕 지향성 파편 지뢰, 클레이모어 지뢰.

cláy·pàn *n.* 〔地質〕 점토반(盤) ; 《濠》 (비가 오면 물이 괴는) 얕은 점토질의 웅덩이.

cláy pígeon *n.* 〔射擊〕 클레이 피전《트랩 사격에서 공중으로 던져 올리는 점토로 만든 표적》 ; 《俗》 약한 입장에 있는 사람, 쉽게 속는 놈 ; 《美俗》 쉬운 일.

clay pigeon

cláy pípe *n.* 도제(陶製) 파이프《담뱃대의 일종으로 파이프 점토(pipe clay)를 구워서 만듦》.

clày pít *n.* 점토 채굴장.

cláy sláte *n.* 점판암(粘板岩).

cláy stóne *n.* 〔地質〕 점토암(粘土岩).

cld. called ; canceled ; cleared ; colored.

-cle ☞ -CULE.

clead·ing [klí:diŋ] *n.* 〔機〕 (실린더나 보일러의 절연용(絶緣用)) 덮개, 외피.

◇**clean** [klí:n] *a.* **1** 청결한, 깨끗한, 산뜻한, 더럽지 않은(↔*dirty*) : make a ~ sweep of …을 일

소하다 / Be careful to keep yourself ~. 언제나 몸을 청결히 하도록 주의하십시오. **2** 청정(清淨)[결백·순결]한(pure) ; 거짓이 없는, 공정한 : a ~ election 공명(公明) 선거. **3** 깨끗한 것을 좋아하는, 옷차림이 말쑥한 : be ~ in one's person 옷차림이 말쑥하다. **4** 깔끔한, 날씬한, 모양이 좋은 : ~ limbs 미끈한 팔 다리. **5** 결점[고장]이 없는, 흠이 없는, 하자가 없는 ; 죄를 범하지 않은 ; 질병이 아닌 ;〔印〕(교정쇄(刷) 따위가) 틀린 데가 없는(↔*foul*) : a ~ record 하자가 없는 이력(履歷) / a ~ sheet ☞ SHEET[1] 숙어. **6** 새로운(new), 신선한(fresh). **7** 섞인 것[불순물]이 없는(unmixed), 순수한. **8** 아무 것도 써 있지 않은, 백지의 : a ~ page[proof] 백지 페이지[고친 데 없는 교정쇄(校正刷)] / a ~ sheet of paper 백지 한 장. **9** 산뜻한(neat), 교묘한(skillful) : a ~ stroke 교묘한 타법(打法). **10** 장애가 없는, 완전한(complete) : a ~ hit〔野〕클린 히트 / a ~ hundred dollars 100달러 채운 것, 전부 100달러. **11** (물고기가) 산란기를 지난, 먹기에 알맞은. ㊟ 알을 배고 있는[산란기의] 물고기는 중독되기 쉬우므로 foul fish라 부르는데 대해 산란기 이외의 물고기를 clean fish라 함. **12** 방사성 낙진이 없는[적은], 오염이 안된(↔*dirty*) : ~ H-bombs [weapons] 방사성 낙진이 적은 수소 폭탄[무기]. **13** 니코틴 함유량이 적은 : ~ cigarettes.

clean bill of health 〔海〕완전 건강 증명서 ;《口》적격[적성] 증명(서).

come clean 《口》사실대로 모든 것을 말하다, 몽땅 털어놓다.

make a clean breast of …을 모조리 털어놓다, 고백하다.

show a clean pair of heels 쏜살같이[부리나케] 도망치다.

—— *adv.* **1** 아주, 전혀, 완전히(entirely) : ~ mad[wrong] 완전히 미쳐버려[잘못하여] / He jumped ~ over the brook. 그 개천을 단숨에 뛰어넘었다 / I ~ forgot about it. 그 일을 까맣게 잊고 있었다. **2** 깨끗하게(cleanly). **3** 바르게, 정확하게(exactly), 보기좋게(neatly) : hit a person ~ in the eye 남의 눈을 정확하게 치다.

—— *vt.* **1** 청결[깨끗]하게 하다, 청소하다, 손질을 하다 ; 닦다 ; 세탁하다 ; (물고기·야채 따위를) 조리(調理)하다 : ~ one's teeth 이를 닦다 / I must have the room ~*ed*. 방을 청소시키지 않으면 안된다 / ~ one's boots 장화를 닦다(cf. POLISH one's shoes). **2** (그릇에 담긴 음식을 먹어) 비우다 : ~ one's plate 깨끗이[몽땅] 먹어 버리다.

—— *vi.* **1** 청소하다. **2** [+副] 청소되다, 닦아지다 : This room ~*s* more *easily* than the next door one. 이 방은 옆방보다 청소하기 쉽다.

clean down (벽 따위를) 깨끗하게 청소하다 ; (말 따위를) 솔질을 하여 닦아주다.

clean house ☞ HOUSE[1].

clean out (1) 깨끗이 쓸어내다 ; 써 버리다 ; 비우다. (2)《俗》빈털터리가 되게 하다 : I'm ~*ed out*. 한 푼도 없다, 빈털터리다.

clean the slate ☞ SLATE[1].

clean up (1) (*vt.* & *vi.*) 청소하다 : We should always ~ *up* after our studies. 공부한 후에 언제나 깨끗하게 치워놓지 않으면 안된다. (2) …에서 불순분자 등을 일소하다, 정화하다 : They began to ~ *up* the political scandal. 그들은 정계(政界)의 추문을 척결하기 시작했다. (3)《口·원래 美》(일 따위를) 해치우다, 완료하다 ; (부채 따위를) 청산하다, 정리하다(settle). (4)《口》(큰 돈 따위를) 벌다, 크게 벌다.

—— *n.* **1** 청결하게 하기, 손질, 청소 : Give it a good ~. 그것을 잘 손질[청소]하시오. **2**〔力道〕클린《바벨을 어깨 높이까지 들어 올리기》.

〚OE *clǣne* ; cf. G *klein* small〛

類義語 ***clean*** 「깨끗하게 하다」「청소하다」라는 보편적인 말로 보통 세탁·손질 또는 닦거나 털어서 더러운 것을 제거하다 : *clean* a room. ***cleanse*** 청결하게 하다 ; 특히 약품·세척제 따위를 써서 「깨끗하게 씻다[하다]」. 옷이나 그와 유사한 것을 깨끗하게 할 때는 clean과 같은 뜻. 따라서 이 두 말은 흔히 혼용됨. 때로 비유적으로 씀 : *cleanse* one's mind of evil (마음 속에서 나쁜 생각을 지우다).

cléan bòmb *n.* (방사능이 적은) 깨끗한 폭탄.

cléan bréak *n.* 돌연한 중단, 딱 그만 둠.

cléan-bréd *a.* 순종(純種)의.

cléan configurátion *n.* 〔空〕순항(巡航) 형태.

cléan-cút *a.* 윤곽이 뚜렷한, 모양이 좋은 ; 명확한(definite) ; 단정한, 깔끔한 : ~ features 윤곽이 뚜렷한 얼굴.

cléan énergy *n.* 클린 에너지《대기오염을 시키지 않는 에너지로 태양열 따위》.

cléan·er *n.* **1** 깨끗하게 하는 사람 ; 세탁소의 주인[직공] ; 청소부. **2** [보통 *pl.*] 세탁소. **3** 청소기(器), 클리너 ; 세제.

cléaner áir páckage mèthod *n.* 배기 가스 오염 방지 방식.

cléan-fíngered *a.* 청렴한 ; 때묻지 않은 ; 솜씨가 좋은.

cléan·fínger·nàils *n.* (육체 노동을 하지 않아 손톱이 깨끗한) 상류 계층 ; 특권층.

cléan fíngers *n. pl.* 《비유》청렴(결백).

cléan flòat *n.* 〔經〕자유 변동 시세제(時勢制).

cléan·hánd·ed *a.* 결백한.

cléan hánds *n. pl.* (특히 금전문제·선거에 대해) 정직 ; 결백, 무죄 : have ~ 부정한 일에 관계치 않다 ; 결백하다.

***cléan·ing** *n.* Ⓤ 청결하게 하기, 청소 ; (의복 따위의) 손질, 세탁 : ☞ DRY CLEANING / general ~ 대청소 / It wants ~. 그것은 청소가 필요하다 / ~ woman[lady] 청소부(婦) / ~ rod (총구멍 청소용) 꽂을대.

cléan·ish *a.* 꽤 깨끗한, 산뜻한, 말쑥한.

cléan·li·ly *adv.* 깨끗하게, 말끔히.

cléan-límbed *a.* 팔 다리가 가지런한 ; 날씬한, 자세가 좋은(well-built).

clean·li·ness [klénlinəs] *n.* Ⓤ 청결 ; 깨끗함 ; 깨끗한 것을 좋아하기 : *C*~ is next to godliness. 《속담》깨끗한 것을 좋아하는 것은 경신(敬神) 다음가는 미덕.

cléan-líving *a.* (도덕적으로 나무랄 데 없이) 깨끗하게 사는.

clean·ly[1] [klénli] *a.* 깨끗한 것을 좋아하는, 깔끔한, 청결한 ;《古》결백한.

***clean·ly**[2] [klíːnli] *adv.* 깨끗하게, 청결하게.

cléan·òut *n.* (대)청소 ; (바람직하지 않은 것의) 일소 ; (보일러 따위의) 청소 구멍.

cléan ròom *n.* (우주선·병원 따위의) 청정(清淨)실, 무균실.

cleanse** [klénz] *vt.* **1** [+目 / +目+前+名] 청결하게 하다 ; 씻어 깨끗하게 하다, 정화하다 : ~ the soul[heart] ***of sin 마음의 죄를 씻어 청결하게 하다. **2**〔聖〕(문둥병 환자를) 고치다. ㊟ CLEAN보다 문어적. **cléans·able** *a.* 깨끗[청결]하게 할 수 있는.

〚OE *clǣnsian* to CLEAN〛

cleans·er [klénzər] *n.* 세탁하는 사람 ; 세척제(劑), 클렌저《금속·유리 닦는 가루》.
cléan-sháven, -sháved *a.* 수염이 없는 ; 수염을 말끔히 깎은.
cleans·ing [klénziŋ] *n.* Ⓤ 청결하게 하기, 깨끗하게 하기, 정화(淨化) ; [*pl.*] 쓸어 버린 먼지. —— *a.* 청결하게 하는.
cléansing crèam *n.* 세안(洗顔) 크림.
cléansing depàrtment *n.* (시(市)의) 청소국[과].
cléansing tìssue *n.* 화장용 티슈.
cléan·skìn *n.* 《濠》 낙인 찍히지 않은 동물 ; 《俗》 전과가 없는 사람.
cléan sláte *n.* 더할 나위 없는[오점이 없는] 경력, 백지 : have a ~ 깨끗한[훌륭한] 경력을 가지고 있다 / start afresh with a ~ 백지로 돌아가 재출발하다.
cléan swéep *n.* 〖政〗 (선거에서의) 완승.
cléan·ùp *n.* **1 a)** 대청소. **b)** 일소(一掃), 정화, 숙청 ; 잔적(殘敵) 소탕. **2** 《美俗》 큰 돈벌이. **3** 〖野〗 4번 ; 4번 타자. —— *a.* 〖野〗 4번(타자)의, 강타자의 : ~ trio 3, 4, 5번 타자.
◇**clear** [klíər] *a.* **1** 맑은, 흐리지 않은, 갠 ; 밝은(↔ *dark*), 쾌청한, 뚜렷한 : a ~ sky 맑게 갠 하늘 / a ~ fire 활활 타는 불 / a ~ outline 뚜렷한 윤곽. **2** 아주 맑은, 투명한 : the ~ ring of a bell 맑은 종소리 / ~ soup 멀건 수프 / ~ water 맑은 물. **3** 환한, 색깔이 밝은(cf. DARK 8). **4** [+(前+) *wh.* 節·句] 명확한, 분명한, 명료한, 명석한 : a ~ statement 명확한 진술 / have a ~ head 머리가 명석하다 / Do I make myself ~? 제가 말하는 것을 아시겠습니까 / It is ~ that he is in the right. 그가 옳다는 것은 확실하다 / It was ~ what he was driving at. 그가 무엇을 말하려는가는 명백했다 / Everything is now quite ~ ***to*** me. 이제는 모든 것을 분명히 알았다 / She is not ~ ***about*** *what* she is going to do. 그녀는 무엇을 하려는지 자신도 잘 모르고 있다. **5** 열린(open), (방해·지장 따위가) 전혀 없는 : a ~ space 빈터 / be ~ *from* suspicion 혐의의 여지가 없다 / roads ~ *of* traffic 사람 통행이 없는 도로 / be ~ *of* debt[worry] 빚[걱정]이 없다 / The coast is ~. ☞ COAST *n.* 1. **6** 순수한(pure), 정미(正味)의(net), 전적인(entire) : a ~ month 꼬박 1개월 / a hundred pounds ~ profit 100파운드의 순익. **7** (목재 따위의) 마디[가지·옹이]가 없는 : ~ lumber[timber] 흠 없는 재목.
all clear 적기(敵機) 없음, 「공습 경보 해제」.
(as) clear as day 대낮처럼 밝은 ; 《口》 명명백백한.
get clear of …을 멀리하다, 피하다.
keep clear of …을 피하고 있다, …에 접근하지 않다.
see one***'s way clear*** 앞길에 장애가 없다.
—— *vt.* **1** 밝게[맑게] 하다, 청명하게[뚜렷하게] 하다 : ~ the muddy water 흐린 물을 맑게 하다. **2** [+目 / +目+前+名] (방해물을) …에서 제거하다, 치워버리다 ; (의심 따위를) 풀게 하다 : ~ land 토지를 개간하다 / ~ the land (배가) 육지를 떠나다 / They ~*ed* the wood ***of*** the undergrowth. 그 숲에서 덤불을 제거하였다 / ~ the pavement *of* snow 포장도로의 눈을 치우다 / ~ one's mind *of* doubts 마음의 의심을 풀다 / He tried to ~ him*self of* the suspicion. 혐의를 풀어서 자기의 결백을 내세우려고 애썼다 / ~ the dishes ***from*** the table 식탁의 접시를 치우다. **3** (낚싯줄 따위의) 헝클어진 것을 풀다, (문제를) 해결하다 ; …와의 충돌을 피하다 ; 깨끗이 뛰어 넘다 : ~ an examination paper 시험 문제를 풀다 / My car only just ~*ed* the truck. 내차는 가까스로 트럭과의 충돌을 면했다. **4** (얼마의) 순익을 올리다 : ~ £60 60파운드의 순익을 올리다 / ~ expenses 이익으로 비용(費用)을 지급하다. **5** 〖商〗 (선하(船荷)의) 관세를 지급하다, (배의) 출항[입항] 수속을 끝내다 ; (셈을) 청산하다, (어음을) 교환 청산하다. **6** 〖컴퓨〗 (데이터를) 클리어[소거(消去)]하다.
—— *vi.* **1** [動 / +副] (날씨가) 맑아지다, 개다, (구름·안개가) 걷히다 ; (얼굴·앞길이) 환하다, 환히 트이다 ; (액체가) 맑아지다 : It ~*ed* soon. 날씨가 곧 개었다 / The haze soon ~*ed.* 얼마 안 있어 안개는 걷혔다 / The clouds have begun to ~ *away.* 하늘이 맑아지기 시작했다. **2** 〖商〗 (어음 교환소에서) 교환 청산하다 ; (배가 통관 수속을 하고) 출항하다. **3** 재고품을 싸게 팔아넘기다 ; (식사 후에) 식기를 치우다, 설거지하다. **4** 《俗》 떠나 버리다, (군중이) 흩어지다 ; (상품이) 매진되다.
clear away (*vt.*) (1) 제거하다, 빼버리다 ; 일소하다 ; (식사 후에 식탁 위의 것을) 치워버리다 : ~ *away* the tea things 차 그릇을 치워버리다. (*vi.*) (2) (구름·안개가) 걷히다(cf. *vi.* 1).
clear off (*vt.*) (1) 완성하다, 해치우다 ; 청산하다 ; 쫓아내다 : ~ *off* a debt 빚진 돈을 청산하다. (*vi.*) (2) (비가) 그치다, (구름이) 걷히다, 개다 ; 《口》 떠나가 버리다 : *C*~ *off*! 나가라, 없어져라.
clear one***'s throat*** ☞ THROAT.
clear out (*vt.*) (1) 쓸어내다, 치우다, 비우다 : ~ *out* a cupboard 찬장 안을 치워 비우다. (2) 《口》 빈털터리가 되게 하다 : The bankruptcy have ~*ed* him *out*. 파산으로 그는 빈털터리가 되었다. (*vi.*) (3) 《口》 (갑자기) 떠나가 버리다.
clear the air ☞ AIR.
clear the decks (for action) ☞ DECK.
clear up (*vt.*) (1) 정돈하다, 결제하다, 치우다 : He ~*ed up* his desk after the lessons. 수업이 끝나고서 책상을 정돈했다. (2) (문제·의문·오해를) 풀다. (*vi.*) (3) (날씨가) 개이다, 맑아지다 : The sky is[It's] likely to ~ *up*. 하늘이 개일 것 같다.
—— *adv.* (cf. CLEARLY) **1** 흐리지 않게, 분명하게, 뚜렷이 : It stands ~ against the evening sky. 저녁 하늘을 배경으로 뚜렷이 서 있다 / The street lamps shone bright and ~. 가로등은 환하게 비추었다《注 단, bright, clear는 *pred. a.*로도 간주됨》. **2** 명료하게, 밝게. **3** 충분히, 완전히(completely) : get ~ away[off] 아주 떨어지다 ; 도망치다 / The bullet went ~ through the wall. 탄알은 담벽을 뚫고 나갔다. **4** 떨어져서(apart)《注 형용사로 볼 수도 있음 ; cf. *a.* 숙어》 : Stand ~ ***of*** the rails. 선로에서 떨어져 있으시오. **5** 《美》 줄곧, 쭉, 내내(all the time[way]).
—— *n.* 빈 곳, 빈 틈 ; 〖木工〗 안치수 ; 옹이가 없는 목재 ; (암호문에 대해) 명문(明文).
in the clear 안치수로 ; 위험을 벗어나서 ; 의심이 풀려서 ; 자유로이 ; (암호가 아닌) 명문(明文)으로 ; 《俗》 빚[부채]이 없는.
〖OF<L *clarus*〗
類義語 ⟹ OBVIOUS.
cléar·able *a.* 깨끗하게 할 수 있는.
cléar-áir tùrbulence *n.* 〖氣〗 청천(晴天) 난기류《略 CAT》.

clear·ance [klíərəns] *n.* **1** Ⓤ 치우기, 제거하기, 정리 ; 해제(解除). **2** Ⓤ (개간을 위한) 삼림 벌채. **3** Ⓤ 통관 절차 ; 출항 (인가) ; 착륙[이륙] 허가 : a ~ permit[papers, certificate] 출항 허가서. **4** 어음 교환 ; (증권 거래소의) 청산 거래 완료. **5** 순이익. **6** (통과하는 선박·차량 따위와 암벽·터널의 벽 따위의 사이와의) 간격 ; 〔機〕 틈새 : There is not much ~. 그다지 여유가 없다 / There is a ~ of only five inches. 5인치의 틈밖에 없다. **7** =CLEARANCE SALE.

cléarance fèe *n.* 출항 수수료.

cléarance òrder *n.* 건물 철거 명령.

cléarance sàle *n.* 재고 정리[떨이] 매출, 염가 대매출.

cléar-cút *a.* 윤곽이 뚜렷한, 선명한(sharp-cut) ; 명확한, 명쾌한 : ~ pronunciation 명확한 발음.

cléar·er *n.* CLEAR하는 사람[것].

cléar-éyed *a.* 눈이 맑은[좋은] ; 명민한.

cléar·héad·ed *a.* 두뇌가 명석한.

***cléar·ing** *n.* **1** (삼림의) 개척지. **2** Ⓤ 〔商〕 청산, 어음 교환 ; [*pl.*] 어음 교환액(額). **3** Ⓤ 청소 ; 장애물 제거 ; 〔軍〕 소해(掃海).

cléaring bàlance *n.* 교환 차액.

cléaring bànk *n.* 어음 교환 조합 은행.

cléaring hòspital *n.* 〔軍〕 야전(野戰) 병원, 후송 병원.

cléar·ing·hòuse *n.* 어음 교환소 ; 《비유》 정보 센터, 홍보 기관.

cléaring ìtems *n. pl.* 교환 물품.

cléaring shèet *n.* 〔商〕 대차(貸借) 결산서.

cléaring stàtion *n.* =CLEARING HOSPITAL.

cléar líght *n.* 《俗》 =LSD 2.

***cléar·ly** *adv.* (cf. CLEAR *adv.*) **1** 밝게 ; 맑게 : The moon shone ~. 달은 밝게 빛났다. **2** 명료하게, 뚜렷이 : Pronounce it more ~. 좀 더 똑똑히 발음하시오 / *C*~, it is a mistake. =It is ~ a mistake. 그건 분명히 잘못이다. **3** (회답으로서) 그렇소, 아무렴(Yes, no doubt.).

〈회화〉
Do you remember our first date? — Of course, I remember it *clearly.* 「우리의 첫 데이트를 기억하고 있어」「물론이지요. 또렷이 기억하고 있어요」

cléar·ness *n.* Ⓤ 밝기 ; 맑기, 투명, 명석 ; 명료도 ; 방해물이 없음.

cléar·òut *n.* 《英口》 (불필요한 물품의) 처분, 일소 ; 청소, 치우기.

cléar-síght·ed *a.* 시력이 좋은 ; 명민한, 총명한(sagacious) ; 선견 지명이 있는.

cléar sígnal *n.* 안전 신호.

cléar·stàrch *vt., vi.* (옷 따위에) 풀먹이다.

cléar·stòry *n.* 《美》 =CLERESTORY.

cléar·wày *n.* 《英》 주차[정차] 금지 도로.

cléar wídth *n.* 〔木工〕 안치수.

cléar·wìng *n.* 〔昆〕 유리날개나방과(科)의 나방 《식물의 해충》.

cleat [klíːt] *n.* 쐐기 모양의 마개[보강재(補強材)] ; (구두창에 붙이는) 미끄럼 방지 쇠붙이[가죽] ; 〔海〕 밧줄걸이 ; 〔電〕 클리트《전선 누르개》. ── *vt.* …에 쐐기 모양의 마개를 달다 ; …에 미끄럼막이를 붙이다 ; 〔海〕 밧줄걸이에 매다 : ~*ed* shoes 구두창에 미끄럼막이를 붙인 구두.
〚ME *clete* wedge<OE 《美》 *clēat* ; cf. CLOT〛

clèav·a·bíl·i·ty *n.* Ⓤ 벽개성(劈開性) ; 절개(切開)할 수 있음.

cléav·able *a.* 쪼갤 수 있는, 갈라지는.

cleav·age [klíːvidʒ] *n.* **1** 쪼개짐, 쪼개진 틈. **2** 〔鑛〕 벽개(劈開) ; 〔化〕 분열(分裂). **3** (의견 따위의) 불일치, (당파의) 분열.

cleave**[1] [klíːv] *v.* (**clove** [klóuv], **cleft** [kléft], **~d** ; **clo·ven** [klóuvən], **cleft**, **~d**) *vt.* **1** [+目 / +目+前+名 / +目+補] (나뭇결을 따라) 쪼개다, (광물을) 갈라진 면에 따라 쪼개다 ; …에 갈라진 틈을 만들다 : ~ a block of wood ***in two 재목을 둘로 쪼개다 / He *clove* the pumpkin open with his kitchen knife. 그는 호박을 식칼로 잘랐다. **2** (새가 하늘을) 가로지르다, (배·헤엄치는 사람이 물을) 가로지르며 나아가다, (비행기가 구름을) 뚫고 나아가다. **3** [+目+前+名] (길을) 헤치고 나아가다 : We *clove* a path ***through*** the jungle. 밀림 속으로 길을 헤치고 나아갔다. ── *vi.* (나뭇결을 따라) 쪼개지다.
〚OE *clēofan* ; cf. G *klieben*〛

cleave[2] *vi.* (**~d**, 《古》 **clave** [kléiv], **clove** [klóuv] ; **~d**) **1** 《文語》 고수[집착]하다, (…에) 충실하다〈*to*〉. **2** 《古》 부착[점착(粘着)]하다, 달라붙다〈*to*〉.
〚OE *cleofian, clifian* ; cf. CLAY, G *kleben*〛

cleav·er [klíːvər] *n.* 쪼개는[가르는] 것[사람] ; 고기 베는 큰 식칼.

cleav·ers [klíːvərz] *n.* (*pl.* ~) 〔植〕 갈퀴덩굴.

cleek [klíːk] *n.* 클리크《아이언 1번 골프채》.

clef [kléf] *n.* 〔樂〕 (5선상의) 음자리표 : a C ~ 다 음자리표《가온음자리표》 / an F ~ 바 음자리표《낮은음자리표》 / a G ~ 사 음자리표《높은음자리표》. ── *vt.* (**-ff-**) 《美俗》 (노래를) 작곡하다.
〚F<L *clavis* key〛

cleft [kléft] *v.* CLEAVE[1]의 과거·과거분사.
── *a.* 쪼개진, 갈라진.
in a cleft stick 진퇴 양난에 빠져, 궁지에 몰려.
── *n.* **1** 갈라진 틈 ; 쪼개진 조각. **2** (당파간의) 분열, 단절.
〚OE 《美》 *clyft* ; ⇨ CLEAVE[1]〛

cléft gráft *n.* 〔園藝〕 쪼개접(椄).

cléft infínitive *n.* 〔文法〕 분리 부정사《부정사가 부사구로 분할되는 용법 ; 보기 *to* once more *speak*》.

cléft líp *n.* =HARELIP.

cléft pálate *n.* 구개 파열(口蓋破裂).

cléft séntence *n.* 〔文法〕 분리문《It...that으로 분리된 문장》.

cleg(g) [klég] *n.* 《英》 〔昆〕 등에.

cleist- [kláist], **cleis·to-** [kláistou, -tə] *comb. form* 「폐쇄적인」의 뜻. 〚Gk.〛

cleis·to·gam·ic [klàistəgǽmik], **cleis·tóg·a·mous** *a.* 〔植〕 폐화 수정(閉花受精)의, 폐쇄화(閉鎖花)의.

cleis·tog·a·my [klaistágəmi] *n.* 〔植〕 폐화 수정《화관을 벌리지 않는 자화[자가] 수정》.

clem [klém] *v.* (**-mm-**) *vt.* 《英方》 굶기다, 굶주림[갈증·추위 따위]으로 고생시키다. ── *vi.* 굶주리다, 굶주림[갈증·추위 따위]으로 고생하다.

clem·a·tis [klémətəs, 英+kliméitəs, 英+-mǽt-, 英+-mάː-] *n.* 〔植〕 참으아리속(屬)의 식물《위령선(威靈仙)·큰꽃으아리 따위》 ; 〔園藝〕 클레머티스. 〚L<Gk. (*klēma* vine branch)〛

Cle·men·ceau [*F* klemɑ̃so] *n.* 클레망소. **Georges** ~ (1841-1929) 프랑스의 정치가.

clem·en·cy [klémənsi] *n.* Ⓤ 온후, 인자, 관대한 행위, 인정있는[자비스러운] 조치 ; (기후의) 온화. 〚⇨ CLEMENT〛

Clem·ens [klémənz] *n.* 클레멘스(☞ MARK TWAIN).

clem·ent [klémənt] *a.* 온후한(gentle) ; 관대한 ; (기후가) 온화한, 따뜻한(mild). 〖L *clement- clemens*〗

Clement *n.* 남자 이름. 〖L=merciful ; ↑〗

Clem·en·ti·na [klèməntíːnə] *n.* 여자 이름. 〖It. (fem. dim.) ; ⇨ CLEMENT〗

clem·en·tine [kléməntìːn, -tàin] *n.* 클레멘타인《tangerine과 sour orange의 잡종인 작은 오렌지》. 〖F〗

Clementine *n.* 여자 이름. 〖F. (fem. dim.) ; ⇨ CLEMENT〗

Clem·mie [klémi] *n.* 여자 이름《Clementina, Clementine의 애칭》.

clench [kléntʃ] *vt.* **1** (이를) 악물다, (입을) 굳게 다물다, (주먹을) 꽉 쥐다, (물건을) 움켜잡다 : ~ one's fingers[fist] 주먹을 꽉 쥐다 / with ~*ed* teeth 이를 악물고 / The man suddenly ~*ed* my arm. 그 남자는 별안간 나의 팔을 잡았다. **2** = CLINCH *vt.* 1. —— *vi.* (입·손 따위가) 악물리다[굳게 쥐어지다]. —— *n.* **1** (분해서) 이를 갈기 ; 꽉 쥐기(tight grip). **2** =CLINCH *n.* 1. 〖OE (*be*) *clencan* to hold fast ; cf. CLING〗

clénch·er *n.* =CLINCHER.

clénch-físted salúte *n.* 주먹을 내미는 항의의 몸짓.

Cleo [klíːou] *n.* 여자 이름. 〖⇨ CLEOPATRA〗

Cle·o·cin [klióusən] *n.* 클레오신《clindamycin의 상표명》.

Cle·o·pat·ra [klìːəpǽtrə, -páː-, -péi-] *n.* 클레오파트라(69-30B.C.) 《고대 이집트 최후의 여왕(51-49B.C. 및 48-30B.C.)》. 〖Gk.=fame+father, i.e. fame of her father〗

clep·sy·dra [klépsədrə] *n.* (*pl.* **~s, -drae** [-drìː, -dràì]) 물시계. 〖L<Gk. =water thief〗

cleptomania ☞ KLEPTOMANIA.

cler. clerical.

clére·stòry [klíər-] *n.* **1** 〖建〗 클리어스토리《(고딕식 건축의 대성당 따위의 지붕위에) 높은 창이 달린 층》. **2** (철도 차량의) 지붕 밑의 통풍창. 〖CLEAR, STORY[2]〗

***cler·gy** [kləː́rdʒi] *n.* **1** [the ~로 보통 복수취급] 성직자(聖職者), 승직(僧職) ; 목사《영국에서는 보통 영국 국교회 목사 ; ↔*laity*》: All *the* ~ have disagreed of the plan. 모든 성직자가 그 계획에 반대했다. **2** 목사들(clergymen) : Thirty ~ were assembled. 30명의 성직자들이 모여 있었다. 〖OF<L ; ⇨ CLERK〗

***clérgy·man** [-mən] *n.* 목사, 성직자. ㊟ 미국에서는 성직자 일반에게 ; 영국에서는 보통 영국 국교회의 목사에게 쓰임 (cf. MINISTER, CLERIC).
clergyman's sore throat 〖醫〗 (흔히) 만성 후두염(喉頭炎).
a clergyman's week [***fortnight***] 일요일이 두 번[세 번] 끼어 있는 휴가.

clérgy·wòman *n.* 여자 목사[성직자] ; 《戲》 목사의 부인[딸].

cler·ic [klérik] *n.* 목사, 성직자. ㊟ CLERGYMAN 보다 적용범위가 넓고 문어(文語)적 (cf. CLERK 4). —— *a.* 《古》 =CLERICAL. 〖L<Gk. (*klēros* lot, heritage) ; cf. 사도행전 1 : 17〗

clér·i·cal *a.* **1** 목사(clergyman)의, 성직의 (↔ *lay*[3]) : ~ garments 법[성 직]복(服). **2** 서 기 (clerk)의 : a ~ error 잘못 쓰기, 오기(誤記) / the ~ staff 사무직원 / ~ work 서기의 일, 사무. —— *n.* 목사(cleric) ; [*pl.*] 성직자복(服).
~·ìsm *n.* Ⓤ 성직자주의(↔*secularism*) ; 성직자의(정치) 세력. **~·ist** *n.*

clérical cóllar *n.* 성직자용 칼라《옷깃의 뒤쪽에서 고정시키는 좁고 빳빳한 칼라》.

cler·i·hew [klérihjùː] *n.* 〖韻〗 클레리휴《meter가 일정하지 않은 4행(行) 풍자시》. 〖Edmund *Clerihew* Bentley (d. 1956) 영국의 저널리스트·탐정소설가〗

cler·i·sy [klérəsi] *n.* [집합적으로] 지식인, 학자 ; 지식 계층 ; 문인(文人) 사회.

***clerk** [kləːrk ; kláːk] *n.* **1** (관청의) 서기, 사무관, 관리 ; (은행·회사의) 사무장, 행원, 사원 : the head ~ 사무장 / a junior ~ 하급 직원 / a ~ of the works (청부 공사의) 현장 감독. **2** 《美》 점원, 판매원(=《英》 shop assistant). **3** 《英》 교회 서기(=parish ~). **4** 《古·法》 = CLERGYMAN : a ~ in holy orders 영국 국교회의 목사. **5** 《古》 학자(scholar).
the clerk of the weather 《英》 날씨의 신(神) ; 《美俗》 기상대장(氣象臺長).
—— *vi.* 사무원[점원]으로 근무하다.
~·dom *n.* Ⓤ 서기의 직[지위].
〖OE and F<L ; ⇨ CLERIC〗

clérk·ly *a.* 서기[사무원, 《美》 점원]의[같은] ; 달필의 ; 성직자의[다운] ; 《古》 학자의[다운].
—— *adv.* 사무원[사무관]답게 ; 《古》 학자답게.

clérk·ship *n.* **1** Ⓤ 서기[사무원·점원]의 직[신분]. **2** Ⓤ 목사의 직[신분].

Cleve·land [klíːvlənd] *n.* 클리블랜드《미국 Ohio 주의 항구·공업 도시》.

‡**clev·er** [klévər] *a.* **1** [+*of*+名+*to* do] 영리한, 재치가 있는, 현명한 ; 빈틈 없는 : He is the ~*est* boy in the class. 반에서 제일 머리가 좋은 아이다 / It was ~ *of* you *to* solve the problem. 그 문제를 풀다니 너의 머리가 좋았다. **2** 솜씨[재주] 있는, 썩 잘하는, 능숙한 : a ~ carpenter / She is ~ *at* mathematics. 수학을 썩 잘한다. **3** 솜씨가 뛰어난, 교묘한 : a ~ trick 교묘한 계략. 〖ME *cliver* quick at seizing, adroit ; cf. CLEAVE[2]〗
類義語 (1) ***clever*** 머리 회전이 빠르고 영리해서 문제 해결 따위도 능숙한. ***cunning*** 극히 교묘하기는 하지만 때로는 약아빠져 남을 속이는 것도 암시하는. ***ingenious*** 창조·발명·만드는 솜씨 따위가 훌륭한. ***shrewd*** 실제적인 면에서 빈틈이 없는.
(2) ⟹ INTELLIGENT.

cléver bòots[**clògs, sìdes, stìcks**] *n.* [단수취급] 《英俗》 《보통 反語》 영리[똑똑]한 사람, 민완[수완]가 ; 건방진 녀석, 아는 체하는 녀석.

cléver-clèver *a.* 똑똑한 체하는 ; 겉으로 영리한 체하는.

cléver dìck *n.* [때때로 C~ D~] 《英口》 똑똑한 체하는 사람 ; 잘난 체하는 사람(clever sticks).

cléver·ish *a.* 잔꾀가 있는 ; 잔재주가 있는.

cléver·ly *adv.* 영리하게, 빈틈없이 ; 교묘하게, 재주[솜씨]가 뛰어나게 ; 《方》 완전히.

cléver·ness *n.* Ⓤ 영리함, 빈틈없음 ; 교묘함, 재주[솜씨]가 뛰어남, 민첩함.

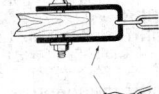

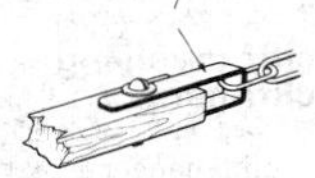
clevis

clev·is [klévəs] *n.* U 자꼴의 연결 고리[연결기].

clew [klúː] *n.* **1 a**) 실꾸리 ; 〖傳說〗 (미궁(迷宮)의) 길을 안내하는 실 ; 실마리, 단서. **b**) 《古》 = CLUE 1. **2** 〖海〗 돛의 귀《가로돛의 아랫귀, 세로돛의 뒷귀》; [*pl.*] (해먹(hammock) 따위를) 매다는

줄. —— *vt.* [+目+副]〖海〗(돛의) 돛귀를 당기다 : ~ ***down*** sails (돛을 펼 때) 돛의 아랫귀를 당겨 내리다 / ~ ***up*** sails (돛을 접을 때) 돛 아랫귀를 활대에 끌어 올리다.
〚OE *cliewen* sphere, skein〛

CLGP〖軍〗cannon-launched guided projectile (포발사형 유도 포탄). **CLI** cost-of-living index(소비자 물가 지수).

cli·ché [kliʃéi ; klíːʃei] *n.* **1** 상투적인 문구(文句), 진부(陳腐)한 표현[생각]. **2**〖印〗전기판(版), 스테레오판, 연판(鉛版).
〚F=stereotype<? imit.〛

cliché(')d [kliʃéid ; klíːʃeid] *a.* cliché가 많이 쓰인 ; 써서 낡아진, 진부한.

***click** [klík] *n.* **1** 짤까닥[찰칵]하는 소리 ;〖言〗흡기음(吸氣音) ; 혀 차는 소리. **2**〖機〗제륜기(制輪機), 걸쇠(catch). —— *vi.* **1** [動/+過分] 딸깍 소리나다(tick) : Her suitcase ~*ed* shut. 그 여자의 슈트케이스는 딸깍 소리를 내면서 잠겨졌다. **2**《口》(두 사람이) 의기투합하다, 마음이 맞다 ⟨*with*⟩ ;《俗》잘되다, 성공하다, 히트치다.
—— *vt.* [+目/+目+副] 짤까닥 소리나게 하다 : An officer ~*ed* his heels (*together*). 장교가 구두 뒤꿈치를 착[탁] 붙였다.
〚imit. ; cf. Du. *klikken*, F *cliquer*〛

clíck bèetle *n.*〖昆〗방아벌레(snapping beetle).

clíck·er *n.*〖印〗식자 책임자.

clíck·e·ty-cláck [klíkəti-], **clíckety-clíck** *n.* 덜컹덜컹, 찰칵찰칵《기차·타자기 따위의 소리》.
—— *vi.* 덜컹덜컹[찰칵찰칵] 소리를 내다.

clíck stòp *n.*〖寫〗클릭 스톱《카메라 따위에서 일정한 눈금마다 딸가닥 소리내며 정지하는 장치》.

***cli·ent** [kláiənt] *n.* **1 a**) (변호사·공인회계사·건축가 등의) 의뢰인 ; (은행·백화점의) 손님, 고객(customer) (cf. GUEST). **b**) (복지 기관 따위에서의) 내방자, 복지 서비스를 받는 사람. **2**〖로史〗(로마 귀족의) 예속 평민 ; 부하(dependant) ; (큰 나라의) 종속국, 무역 상대국. **~·shìp** *n.*
〚L *client- cliens* (*clueo* to hear, obey)〛

clíent·age *n.* =CLIENTELE.

cli·en·tal [klaiéntl] *a.* 의뢰인의 ; 고객 관계의.

clíent cóuntry *n.* 종속국《정치적, 경제적, 혹은 군사적으로 대국에 의존하고 있는 나라》.

cli·en·tele [klàiəntél, klìː- ; klìːɑːn-] *n.* [집합적으로] 소송 의뢰인 ; 환자 ; 고객 ; (호텔·극장·상점 따위의) 단골 (손님) ; 예속자들.
〚L=clientship and F〛

cli·en·ti·tis [klàiəntáitəs] *n.* Ⓤ 의존국 과신(過信)《정치·경제·군사적으로 의존하고 있는 나라에 대한 과신》.

clíent stàte *n.* 보호국 ; (종)속국 ; 예속[의존]국(國) (client) ; 무역 상대국.

***cliff** [klíf] *n.* (특히 해안의) 낭떠러지, 벼랑, 절벽(precipice). 〚OE *clif* ; cf. G *Kliff*〛

Cliff *n.* 남자 이름《Clifford의 애칭》.

clíff dwèller *n.* [보통 C~ D~]. 암굴 거주인 ;《美口》유사(有史) 이전의 북미 인디언의 한 종족 ;《俗》(특히 도회지의) 아파트 주민.

clíff dwèll·ing *n.* 암굴 주거.

clíff-hàng *vi.* 위험한[불안정한] 상태에 놓이다 ; 손에 땀을 쥐게 하는 아슬아슬한 상태로 끝나다 ; cliff-hanger를 쓰다[제작하다].

clíff-hàng·er *n.* (영화·라디오) 아슬아슬한 모험물 ; 끝까지 아슬아슬한 접전 ; 끝까지 조마조마하게 하는[손에 땀을 쥐게 하는] 사건.
—— *a.* CLIFF-HANGING.

clíff-hàng·ing *a.*《俗》(영화·텔레비전 따위가) 손에 땀을 쥐게 하는, 모험적인, 아슬아슬한.

Clif·ford [klífərd] *n.* 남자 이름.
〚OE=fort at cliff〛

cliffs·man [klífsmən] *n.* (*pl.* **-men**) 암벽을 잘 기어오르는 사람, 바위를 잘 타는 사람.

clíff swàllow *n.*〖鳥〗(북미산) 삼색제비.

clíffy *a.* 절벽의 ; 험한 ; 바위가 많은.

Clif·ton [klíftən] *n.* **1** 남자 이름. **2** 클리프턴《New Jersey주 북동부의 도시》. 〚OE=cliff town〛

cli·mac·ter·ic [klaimǽktərik, klàimæktérik] *a.* 전환기에 있는, 위기의(critical) ; 액년(厄年)의 ;〖醫〗(45-60세의) 갱년기의, 월경 폐지기(閉止期)의. —— *n.* 액년《7년째 또는 그 홀수 배의 해》: the grand ~ 대(大)액년《보통 63세》; 갱년기 ; 폐경기. 〚F or L<Gk. ; ⇨ CLIMAX〛

cli·mac·te·ri·um [klàimæktíəriəm] *n.*〖醫〗갱년기(의 생리적[정신적] 변화).

cli·mac·tic [klaimǽktik] *a.* 클라이맥스(climax)의, 정점(頂點)의, 절정의, 피크의 ;〖修〗점층법(漸層法)의. **-ti·cal** *a.* **-ti·cal·ly** *adv.*

***cli·mate** [kláimət] *n.* **1** 기후(cf. WEATHER) : The ~ of Korea is milder than that of Ireland. 한국의 기후는 아일랜드의 기후보다 온화하다. **2** (어떤 특정 기후의) 지역, 지방 ; 풍토 : a wet ~ 습윤(濕潤)한 지방 / move to a warmer ~ 따뜻한 지방으로 주거지를 옮기다. **3** 환경, (어떤 지역·시대의) 풍조, 사조(思潮) : a ~ *of* opinion 세론, 여론.
〚OF or L<Gk. *klimat- klima* (*klino* to slope)〛

cli·mat·ic [klaimǽtik] *a.* 기후상의 ; 풍토적인. **-i·cal·ly** *adv.* 기후상 ; 풍토적으로.

cli·mat·o·graph [klaimǽtəgræ̀f] *n.* 기후 그래프《월별 주야간 실효 온도의 변화를 나타낸 그래프》.

cli·ma·tol·o·gy [klàimətɑ́lədʒi] *n.* Ⓤ 기후학, 풍토학.
-gist *n.* **clì·ma·to·lóg·i·cal** *a.* **-i·cal·ly** *adv.*

***cli·max** [kláimæks] *n.* **1**〖修〗클라이맥스, 점층법(漸層法)(↔*anticlimax*). **2** (극·사건의) 절정, 최고조 ; 최고점, 극점 : cap the ~ ☞ CAP[1] *v.* 숙어. **3**〖生〗극상《식물 군락의 안정기》.
—— *vt., vi.* 클라이맥스에 도달시키다[이르다].
〚L<Gk. *klimak- klimak* ladder, climax〛
類義語 ⟹ TOP.

◇**climb** [kláim] *v.* (~**ed**, (古) **clomb** [klóum]) *vt.* 오르다, 기어오르다 : ~ a ladder[mountain] 사닥다리에[산에] 오르다.
—— *vi.* **1** [動/+前+名] 올라가다 ; (자동차·비행기 따위에) 타다 : A monkey is ~*ing* ***up*** a tree. 원숭이가 나무에 오르고 있다 / They ~*ed* ***to*** the top of the hill. 언덕 꼭대기에 올라갔다 / He ~*ed* ***upon*** the wreck. 난파선에 올라갔다 / I ~*ed* ***in***(***to***) the jeep. 지프에 올라탔다. **2** (태양·달·연기 따위가) 높이 오르다(mount slowly) ; (물가가) 오르다. **3** (식물이) 감겨 올라가다. **4** (노력하여) 승진하다, 지위가 오르다. **5** 서둘러 입다[벗다].
climb down (1) 기어내리다. (2)《口》(높은 지위에서) 떨어지다 ; 주장을 버리다, 양보하다(give in), 후퇴하다.
—— *n.* 오르기, 기어오름 ; 오르는 곳 ; 상승.
~·able *a.* (기어)오를 수 있는.
〚OE *climban* ; cf. G *klimmen*〛
類義語 ***climb*** 기어오르다 ; 노력하며 힘을 내어 무언가 지탱할 것에 의지하면서 오르다 : Our car managed to *climb* that hill. (우리 차는 저 산을 그럭저럭[용케] 오를 수가 있었다).

ascend 똑바로 높이 오르다 ; 또는 climb에 대해서 쉽게 높은 곳에 이르다 : I *ascended* the slope. (그 등성이에 올랐다). ***mount*** ascend와 같은 뜻인데 때때로 정상에 도달하는 뜻을 포함함 : I *mounted* the ladder. (사다리를 올라갔다). ***scale*** 험하고 오르기 어려운 경사면을 기어오르다.

clímb-dòwn *n.* 기어 내려오기 ;《口》양보, (성명(聲明)의) 철회, 후퇴.

clímb·er *n.* **1** 기어오르는 사람, 등산가 ;《口》늘 출세를 바라고 있는 사람. **2** 감겨 올라가는 식물 (climbing plant)《담쟁이덩굴 따위》; 반금(攀禽)《딱따구리 따위》. **3** 등산용 스파이크, 아이젠 (climbing irons).

clímb ìndicator *n.* 〖空〗 (비행기의) 승강도 지시기(器), 승강계.

clímb·ing *a.* 기어올라가는 ; 오르는. ── *n.* Ⓤ 등반(登攀), 등산.

clímbing férn *n.* 〖植〗 실고사리속(屬)의 각종 양치 식물.

clímbing físh *n.* 〖魚〗 등목어(登木魚)《땅위를 기어다니고 나무에 기어오르기도 하는 물고기》.

clímbing fràme *n.* 정글 짐《운동 시설》.

clímbing ìrons *n. pl.* (등산화 밑창에 대는) 아이젠.

clímbing pérch *n.* =CLIMBING FISH.

clímbing plànt *n.* =CLIMBER 2.

clímbing ròpe *n.* 등산용 밧줄, 자일.

clímbing róse *n.* 〖植〗 덩굴장미.

clímbing spéed *n.* 〖空〗 상승 속도.

clímb·òut *n.* (비행기의) 이륙 중의 급상승.

clime [kláim] *n.* 《詩》 지방, 나라 ; 기후, 풍토. 〚L ; ⇨ CLIMATE〛

clin- [kláin], **cli·no-** [kláinou, -nə] *comb. form* 「사면(斜面)」「경사」「각(角)」의 뜻. 〚NL<Gk.〛

clin. clinical.

-cli·nal [kláinl] *a. comb. form* 「경 사 진」의 뜻 : cata*clinal*, mono*clinal*. 〚Gk. ; ⇨ CLIMATE〛

clinch [klíntʃ] *vt.* **1** (박은 못 끝 따위를) 꼬부리다, 두드려 납작하게 하다 ; 죄어 붙이다. **2** = CLENCH *vt.* 1. **3** (토론·거래 따위의) 결말을 내다, 결정짓다, 성립시키다 : My assent to the proposal ~*ed* the bargain. 내가 그 제안에 찬성하여 거래는 이루어졌다. ── *vi.* (권투 따위에서) 껴안다, 클린치하다. ── *n.* **1** 박은 못끝을 구부리기, (구부려서) 조이기, 꺾어 굽히기. **2** 맞붙들기, 서로 붙들려고 하기, 〖拳〗 클린치. **3** 〖海〗 큰 밧줄 끝을 꼬부려 매기[매는 법]. 〚CLENCH〛

clínch·er *n.* **1** (못 끝을) 꼬부리는 연장, (볼트를) 죄는 기구 ; 꺾쇠(clamp). **2** 《口》 결정적인 의론, 결정타 : That's a ~. 할 말은 더이상 없다.

clínch(·er)-bùilt *a.* =CLINKER-BUILT.

clin·da·mýcin [klìndə-] *n.* 〖藥〗 클린다마이신《항균제》.

cline [kláin] *n.* 〖生〗 (지역적(地域的)인) 연속변이(連續變異). 〚Gk.〛

-cline [klàin] *n. comb. form* 「경사」의 뜻 : mono*cline* 〖地〗 단사층. 〚역성(逆成) ‹-*clinal*〛

cling** [klíŋ] *vi.* (**clung** [klʌ́ŋ]) [+*to*+名] **1** 달라붙어 안 떨어지다, 밀착하다(stick) : Wet clothes ~ ***to the body. 젖은 옷은 몸에 달라붙는다. **2** (담쟁이덩굴 따위가 벽에) 달라붙다 ; (사람·짐승 따위가 손발에) 매달리다 ; (물체에서) 떨어지지 않다, (해안 따위를) 따라 나아가다 : The little boy *clung* ***to*** his father's arm. 그 작은 사내 아이는 아버지의 팔에 매달려 있었다. **3** (습관·생각 따위에) 집착하다, 고집[고수]하다 : He *clung* ***to*** the memories of home. 언제나 고향 생각을 잊지 못했다. **4** (냄새가) 배어들다. ── *n.* 집착 ; 《美》〖農〗 표본중의 면섬유가 서로 점착하는 경향 ; 〖農〗 (동물의) 설사 ; =CLINGSTONE.
~·er *n.* 〚OE *clingan* to stick together, shrink ; cf. CLENCH〛
類義語 ⟹ STICK².

clíng fìlm *n.* 《英》 클링필름《식품 포장용(用)의 폴리에틸렌 막》.

clíng·ing *a.* 밀착성의, 점착성의, 끈기있는 ; 달라붙는 ; (옷 따위가) 몸에 딱 맞는, 몸매가 드러나는 ; 남에 의지하는.

clínging víne *n.* 《口》 남자에게 의존하는 여자.

clíng·stòne *a., n.* (어떤 류의 복숭아같이) 씨가 잘 발라지지 않는 (과일)(cf. FREESTONE).

clingy [klíŋi] *a.* 달라붙는, 밀착하는, 점착력이 있는 ; (옷이) 몸에 착 달라붙는.

***clin·ic** [klínik] *n.* 임상 강의(실) ; 단기 강좌 ; 진료소(의 의사), 《英》 개인 병원 ; 《美》 상담소.
── *a.* =CLINICAL.
〚F<Gk. =CLINICAL art〛

-clin·ic [klínik] *a. comb. form* 「경사진」「(··의) 사정(斜晶)이 있는」의 뜻 : iso*clinic* ; mono*clinic*. 〚Gk. ; ⇨ CLIN〛

clín·i·cal *a.* **1** 임상의 : ~ lectures[teaching] 임상 강의[수업] / ~ pathology 임상 병리학 / a ~ thermometer 체온계, 검온기(檢溫器) / ~ psychology 임상 심리학. **2** 냉정한, 객관적인《태도·판단》. **3** 병상의 ; 임종의 : a ~ diary 병상일지. **~·ly** *adv.* 임상적으로.
〚L<Gk. (*klinē* bed)〛

clínical déath *n.* 〖醫〗 임상사(臨床死)《기기(器機)에 의하지 않고 임상적 관찰로 판단한 죽음》.

clínical ecólogist *n.* 임상 생태학자.

clínical ecólogy *n.* 임상 생태학.

clínical pharmacólogy *n.* 임상 약학.

cli·ni·cian [kliníʃən] *n.* 임상의(醫)(학자).

clin·i·co- [klínikou] *comb. form.* 「임상…」의 뜻. 〚*clinic*al, -*o*〛

clìnico·pathológic, -ical *a.* 임상 병리적인.
-ical·ly *adv.*

clink[1] [klíŋk] *n.* (금속 조각·유리 따위의) 딸랑[쨍]하는 소리. ── *vt.* 쨍[딸랑]하고 소리내다 : ~ glasses (축배하여) 술잔을 맞부딪치다.
── *vi.* 쨍[딸랑] 소리나다.
〚? Du. (imit.) ; cf. CLANG, CLANK〛

clink[2] *n.* [the ~] 《口》 교도소, 형무소(prison), 유치장(lockup).
in clink 수감되어.
〚C16<? ; Southwark 의 Clink 교도소〛

clink·er[1] [klíŋkər] *n.* **1** U,C 클링커, (용광로 속에 생기는) 쇠똥. **2** U,C (네덜란드식으로 구운) 경질(硬質) 벽돌 ; 투화(透化) 벽돌.
── *vi.* clinker가 되다.
〚C17 *clincard* etc.<Du. ; ⇨ CLINK[1]〛

clinker[2] *n.* 딸랑 소리나는 것 ; [*pl.*] 《俗》 수갑 ; 《英俗》 특품, 일품(逸品) ; 탁월한 인물[것] ; 《美俗》 대실패, 실패작. 〚CLINK[1]〛

clínker-bùilt *a.* 〖船〗 (뱃전에 널빤지 따위로) 겹붙인, 덧붙여 댄. 〚CLINCH 의 변형(變形)에서〛

clínk·ing *a.* 땡그랑 소리나는 ; 《英俗》 훌륭한, 굉장한. ── *adv.* 《英俗》 훌륭[굉장]하게.

clínk·stòne *n.* 〖鑛〗 향암(響岩)《장석(長石)의 일종으로 때리면 소리가 남》.

clino- [kláinou, -nə] ☞ CLIN-.

cli·nom·e·ter [klainámətər] *n.* 클리노미터, 경사계(傾斜計).

cli·no·met·ric, -ri·cal [klàinəmétrik(əl)] *a.* 경사계의, 경사계로 잰 ; 〖鑛〗 결정축(結晶軸) 사이에 경사가 진.

-cli·nous [kláinəs] *a. comb. form* 〖植〗 「암술과 수술이 …의 꽃에 있는」의 뜻 : di*clinous*, mono*clinous*. 〚NL<Gk.〛

clin·quant [klíŋkənt ; *F* klɛ̃kɑ̃] *a.* 번쩍번쩍 빛나는, 값싸게 번쩍이는. ── *n.* 가짜 금박, 싸구려 물건, 빛좋은 개살구.

Clin·ton [klíntən] *n.* 클린턴. **William Jefferson** ~ (1946-) 미국의 42대 대통령.

Clio [kláiou, klí:-] *n.* 〖그神〗 클리오《사시(史詩)·역사의 여신 ; the Muses의 한 여신》. 〚L<Gk.〛

cli·o·met·rics [klàiəmétriks] *n.* 계량 경제사(史), 계량 역사학. **-mét·ric** *a.* **-ri·cal·ly** *adv.* **cli·o·me·tri·cian** [-mətríʃən] *n.*

clip**[1] [klíp] *v.* (**-pp-**) *vt.* **1** [＋目/＋目＋副/＋目＋前＋名] 자르다, 가위질하다, 오리다 ; 깎아 다듬다(trim) ; …의 털을 깎다(shear) : ~ a hedge 산울타리를 깎아 다듬다 / A sheep's fleece is ~*ped* ***off for wool. 양털을 깎아서 털실을 만든다 / The article has been ~*ped* ***out of*** the newspaper. 그 기사는 신문에서 오려낸 것이다. **2** (화폐·차표의) 끝을 자르다[찢어내다]. **3** (낱말의) 끝을 약하게 발음하다 ; (어미의 소리를) 떨구다, 발음하지 않다 : ~ one's words 단어의 끝 소리를 떨구다《[ŋ]을 [n] 으로 발음함》. **4** 《口》 [＋目/＋目＋前＋名] 후려치다 : ~ a person's ear 남의 따귀를 때리다 / He was ~*ped* ***on*** the jaw. 턱을 탁 얻어맞았다. ── *vi.* **1** (신문·잡지 따위에서) 오려내다. **2** 《口》 재빠르게 움직이다.
clip** a person**'s wings 남의 야심을 꺾다, 남의 활동력을 빼앗다.
── *n.* **1** (머리털·양털 따위를) 깎아내기. **2** (한 계절에 깎아낸) 양모의 분량. **3** 《口》 재빠른 동작 ; 강타 : go *at* a ~ 급한 걸음으로 가다. **4** 《美口》 한 번, 일회(a time), 한 바탕의 노력(an effort) : *at* one ~ 단번에 / a week *at* a ~ 일주일 내내. 〚ME<ON *klippa*<? imit.〛

clip[2] *v.* (**-pp-**) *vt.* [＋目/＋目＋副/＋目＋前＋名] 꽉 끼우다, 물다 ; 클립으로 고정시키다 : ~ two sheets of paper *together* 종이 두 장을 클립으로 끼워놓다 / ~ a sheet of paper ***to*** another 클립으로 서류를 다른 서류에 끼우다. ── *vi.* 클립으로 끼우다. ── *n.* 종이[서류]집게, 클립, (만년필 따위의) 끼우는 쇠붙이, 끼우개 ; =CARTRIDGE CLIP. 〚OE *clyppan* to embrace〛

clíp àrt *n.* 오려붙이기 공예《책 따위의 삽화를 오려 붙여 공예품을 만듦》.

clíp-àrt·ist *n.* 《美俗》 프로급 사기꾼[도둑].

clíp·bòard *n.* (종이 끼우개가 달린) 서판(書板), 화판.

clip-clop [klípklɑ́p] *n.* 따가닥따가닥(하는 말굽 소리). ── *vi.* 따가닥따가닥 소리를 내며 걷다[달리다]. 〚imit. ; ⇨ CLOP-CLOP〛

clíp-fèd *a.* (라이플 소총 따위가) 자동 장전식의, 총알을 잰.

clíp jòint *n.* 《美俗》 바가지를 씌우는 상점[술집·나이트클럽·카바레 따위].

clíp-òn *a.* (클립 따위로) 고정되는.

clípped *a.* 깎아낸 ; 발음을 생략한.

clípped fórm[wórd] *n.* 〖言〗 (낱말의) 단축형, 생략어.

clíp·per *n.* **1** 깎는 사람. **2** [보통 *pl.*] 가위, (나뭇가지를 치는) 전정 가위 ; 이발기(=hair ~). **3** 빠른 말 ; 〖海〗 쾌속 범선(=~ ship) ; 〖空〗 장거리 쾌속 비행정, 대형 쾌속 여객기. **4** 《俗》 멋있는 것, 일품.

clípper-buìlt *a.* 〖海〗 쾌속 범선식으로 만든.

clip·pe·ty-clop [klípətiklɑ́p] *n.* 따가닥따가닥《말발굽 소리》. 〚imit.〛

clip·pie, clip·py [klípi] *n.* 《口》 (버스 따위의) 여차장.

clíp·ping *n.* **1** 가위로 깎아[잘라]내기 ; 깎아 다듬기 ; 깎은 풀[털]. **2** (신문 따위의) 오려낸 것 (=《英》 cutting) ; 잡보란(雜報欄). ── *a.* 가위로 자르는 ; 《口》 빠른 ; 《俗》 일급품의, 멋진.

clípping bùreau[sèrvice] *n.* 《美》 다른 신문·잡지의 기사를 발췌하는 통신사(=《英》 press cutting agency).

clíp·shèet *n.* (오려내거나 복사한) 한쪽 면만 인쇄한 신문《보존·복사용》.

clique [klí:k, klík] *n.* (배타적인) 도당(徒黨), 파벌 : the military ~ 군벌(軍閥). ── *vi.* 《口》 도당을 조직하다. **clí·qu(e)y, clí·quish** *a.* 도당의, 파벌적인 ; 배타적인. 〚F (*cliquer* to CLICK)〛

clí·quism *n.* 도당심, 파벌심 ; 배타심.

clit [klít] *n.* 《俗》 음핵(陰核) (clitoris).

clit·ic [klítik] *a.* 〖言〗 (단어가) 접어적(接語的)인. ── *n.* 접어(接語).

clit·o·ri·dec·to·my [klìtəridéktəmi(:)] *n.* 음핵(陰核) 절제《이슬람 사회의 일부에서 유년시에 행하여짐》.

clit·o·ris [klítərəs, klái-] *n.* 〖解〗 음핵(陰核). 〚NL<Gk.〛

clít·ter-clátter [klítər-] *adv.* 달그락달그락, 덜컥덜컥.

cliv·ers [klívərz] *n.* (*pl.* ~) =CLEAVERS.

clk. clerk ; clock. **clm.** column. **clo.** clothing.

clo·a·ca [klouéikə] *n.* (*pl.* **-cae** [-ki:, -si:]) 〖動〗 (새·물고기 따위의) 총배설강(總排泄腔) ; 하수(下水), 지하 배수로 ; 변소 ; 마굴(魔窟). 〚L〛

***cloak** [klóuk] *n.* **1** (소매 없는) 외투, 망토. **2** 덮개[씌우개] (covering), 가면 : use charity as a ~ *for* vice 악덕의 가면으로 자선을 이용하다. **3** 구실, 은폐 수단.
under the cloak of . . . (자선)이란 구실 아래 ; (밤)을 틈타서(cf. *under* CLOUD *of night*).
── *vt.* …에게 외투를 입게 하다[입히다] ; (특히 비유적으로) 덮어 감추다(disguise).
〚OF<L (⇨ CLOCK) ; 그 bell 모양의 형태에서〛

cloak 1

clóak-and-dágger *a.* 통속적인 음모[스파이](극)의.

clóak-and-súiter *n.* 의류상, (특히) 기성복 제조[판매]업자.

clóak-and-swórd *a.* 칼싸움하는, 무술 시대[역사]극의.

***clóak·ròom** *n.* **1** (호텔·극장 따위의) 외투류[휴대품] 보관소(=《美》 checkroom). **2** 《美》 의원(議院) 대기실(=《英》 lobby). **3** (정거장의) 수화물 임시 보관소(=《美》 checkroom). **4** 《英》 변소(toilet).

clob·ber[1] [klɑ́bər] *vt.* 《軍俗》 (공중에서) 지상 목표를 치다 ; 철저하게 쳐부수다[지우다], 압승하다 ; 신랄하게 비판하다. 〚C20<?〛

clobber[2] *n.* 《英俗》 의복, 소지품, 장비. ── *vi.* (나들이) 옷을 입다. ── *vt.* (도자기에) 잿물을

입히다. 〚C19=to patch up<?〛

clo·chard [*F* klɔʃa:r] *n.* 방랑자, 떠돌이.

cloche [klóuʃ] *n.* (원예용의) 종 모양의 유리덮개 ; 종 모양의 여성 모자. 〚F=bell<L (↓)〛

◇**clock**[1] [klák] *n.* 시계 《벽시계·책상 시계 따위 휴대용이 아닌 것 ; cf. WATCH》; =TIME CLOCK ; 《口》 스톱워치(stopwatch) ; 《口》 사람의 얼굴 ; [the C~] 〖天〗 시계자리.

(***a***)***round the clock*** 12[24]시간 계속하여(cf. SLEEP *the clock round*) ; 끊임없이.

hold the clock on 스톱워치로 시간을 재다.

like a clock 아주 정확하게, 규칙바르게.

of the clock 《古·戱》 =O'CLOCK.

put [***turn***] ***back the clock***=***put*** (***the hands of***) ***the clock back*** 시계를 늦추다 ; 《비유》 과거로 되돌아가다 ; 진보를 방해하다, 역행하다.

What o'clock is it ?=《古》 ***What of the clock ?*** 몇 시 입니까(cf. O'CLOCK).

when one's ***clock strikes*** 임종 때에.

—— *vt.* 스톱워치로 (경기 따위의) 시간을 재다[기록하다] ; 《俗》 때리다.

clock in [***on***] (타임 리코더로) 출근 시간을 기록하다(cf. CHECK *in*).

clock out [***off***] (타임 리코더로) 퇴근 시간을 기록하다(cf. CHECK *out*).

〚MDu., MLG<Gmc.<L *clocca* bell<? Celt.〛

clock[2] *n.* (*pl.* 〖商〗 **clox** [kláks]) (양말의) 자수 장식. —— *vt.* 자수로 꾸미다. 〚C16<?〛

clócked *a.* 자수로 꾸며진.

clóck·er *n.* 기록 담당원《스포츠의 기록 시간·박물관의 입장자 수 따위를 기록함》.

clóck·fàce *n.* 시계의 문자반(盤).

clóck generátor *n.* 〖電子〗 시계 생성기, 클록 발생기《중앙 연산 처리 장치 따위의 각 접속부가 올바르게 작동되도록 설치한 발진기(發振器)》.

clóck gòlf *n.* 클록 골프《코스를 시계 문자반 모양으로 둥글게 12등분하였음》.

clóck-hòur *n.* 60분 수업.

clóck·ing *a.* 《스코》 (암탉이) 알을 품고 있는.

clóck·lìke *a.* 시계 같은, 정확한, 규칙적인.

clóck·màker *n.* 시계 제조공[수선공].

clóck·pùlse *n.* 〖電子〗 시각(時刻) 펄스.

clóck ràdio *n.* 시계[타이머]가 달린 라디오.

clóck stànd *n.* 시계 받침대《clock turret라고도 함》.

clóck tòwer *n.* 시계탑.

clóck wàtch *n.* 회중 시계.

clóck-wàtch·er *n.* 일[공부]이 끝나는 시간만 기다리는 사람[학생].

clóck·wìse *a., adv.* 시계 바늘 방향[오른쪽]으로 도는[돌아] (↔*counterclockwise*).

clóck·wòrk *n.* Ⓤ 시계[태엽] 장치.

like clockwork 규칙적으로, 정확하게 ; 자동적으로.

—— *a.* 규칙[자동]적인, 정확한 ; 정밀한 ; 시계 장치의[같은].

clóckwork órange *n.* 과학에 의해 개성을 잃고 로봇화(化)한 인간.

clod [klá(:)d] *n.* **1** 덩어리(lump) : a ~ *of* earth [turf] 한 덩어리의 흙[잔디]. **2** [a ~] 한 줌의 흙 ; [the ~] 흙(soil, earth). **3** 육체《영혼에 대하여》. **4** 촌뜨기 ; 바보, 멍청이(blockhead).

—— *v.* (**-dd-**) *vt.* …에 흙덩이를 쳐바르다.

—— *vi.* 흙덩이가 되다.

〚CLOT〛

clód·dish *a.* 흙덩이 같은 ; 촌놈 같은 ; 우둔한. **~·ness** *n.*

clód·dy *a.* 흙덩이가 많은, 흙덩이 같은.

clód·hòpper *n.* 촌사람, 우둔한[굼뜬] 사람.

clód·hòpping *a.* 《口》 무뚝뚝한, 투미한, 퉁명스러운.

clód·pàte, -pòle, -pòll *n.* 바보, 얼간이.

clo·fi·brate [kloufáibreit, -fíb-] *n.* 〖藥〗 클로피브레이트《콜레스테롤 과잉증(症)용》.

clog [klɔ́(:)g, klág] *v.* (**-gg-**) *vt.* **1** [+目/+目+副/+目+with+名] 방해하다 ; (기름·먼지 따위가 쌓여) …의 운전을 방해하다 ; (진흙이 묻어 신발을) 무겁게 하다 ; (관(管) 따위를) 메이게 하다,

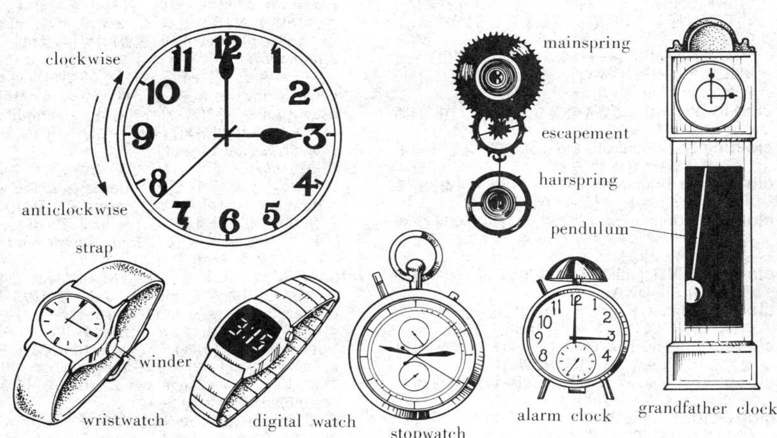

clock

막다 : The machinery got ~*ged* (**up**) **with** grease. 기름 찌꺼기로 기계는 움직임이 둔해졌다 / My pen is ~*ged* **with** ink. 내 펜은 잉크가 굳어져서 안 써진다. **2** [+目/+目+*with*+名] 《비유》 괴롭히다 : Don't ~ your mind **with** cares. 걱정으로 마음을 괴롭히지 마라.
— *vi.* **1** [動/+*with*+名] (기름·먼지 따위 때문에) 움직임이 둔해지다 ; 막힌다 : This pipe ~*s* easily. 이 도관(導管)은 잘 막힌다 / The saw ~*s* soon **with** damp wood. 그 톱은 눅눅한 목재를 켜면 곧 움직임이 둔해진다. **2** 나막신 춤을 추다. — *n.* **1** (짐승 다리에 매는) 무거운 나무추 ; 방해물 ; (먼지 따위로 인한 기계의) 고장. **2** 나막신 ; =CLOG DANCE.
〖ME=block of wood< ?〗

clóg àlmanac *n.* 막대 달력 《영국이나 스칸디나비아 제국에서 중세까지 쓴 원시적인 달력》.

clóg dànce *n.* 나막신 춤.

clóg·gy *a.* 방해가 되는 ; 막히기 쉬운 ; 달라붙는.

cloi·son·né [klɔ̀izənéi ; klwɑ̀:zənéi ; *F* klwazɔne] *n., a.* 칠보 자기(의) : ~ work[ware] 칠보 그릇[자기].

clois·ter [klɔ́istər] *n.* **1** 〖建〗 회랑, (수도원·대학 따위의 안뜰 둘레의) 보행 복도. **2** 수도원(cf. CONVENT) ; [the ~] 수도원 생활, 은둔 생활.
— *vt.* 수도원에 가두다〈*up*〉 ; [보통 *p.p.*로] 틀어박히게 하다 ; …에 회랑을 달다.
~·er *n.* 수사. 〖OF<L *claustrum* lock, enclosed place ; ⇨ CLOSE¹〗

clóis·tered *a.* 수도원에 틀어박힌 ; 회랑이 달린 : a ~ life 수도원 생활.

clóister gàrth *n.* CLOISTER로 둘러싸인 안뜰.

clois·tral [klɔ́istrəl] *a.* 수도원 (생활)의 ; 속세를 떠난, 고독한.

cloke [klóuk] *n., vt.* 《古》 =CLOAK.

clomb *v.* 《古》 CLIMB 의 과거·과거분사.

clóm·i·phene (cítrate) [klɑ́məfi:n(-), klóum-] *n.* Ⓤ 클로미펜《배란(排卵) 촉진제》.

clone [klóun], **clon** [klɑ́n, klóun] *n.* 〖植〗 클론, 영양계(營養系)《단일 개체로부터 무성적·영양적으로 번식한 군속(群屬)》 ; 〖動〗 분지계(分枝系) ; 〖生〗 복제 생물 ; 〖컴퓨〗 복제 컴퓨터 ; 기계적으로 행동하는 사람. — *vt., vi.* [clone] 〖生〗 무성적으로 번식시키다[하다], 클론으로 발생시키다.
〖Gk. *klōn* twig, slip〗

clon·ic [klɑ́nik] *a.* 〖醫〗 간헐성 경련의, 간대성(間代性)의.

clo·nic·i·ty [klounísəti, klɑ-] *n.* 〖醫〗 간헐성 경련(間歇性痙攣), 간대성 경련.

clo·ni·dine [klɑ́:nədi:n, klóu, -dàin] *n.* 〖藥〗 클로니딘《혈압 강하제·편두통 (예방)약》.

clon·ing [klóuniŋ] *n.* 〖生〗 클로닝《미수정란의 핵을 체세포의 핵으로 바꿔 놓아 유전적으로 똑같은 생물을 얻는 기술》.

clóning DNA [-dì:ènéi] *n.* 〖生〗 DNA의 복제 ; 클론화(化)한 DNA.

clonk [klɑ́ŋk, klɔ́(:)ŋk] *n., vi., vt.* 쿵[퉁]하는 소리(를 내다) ; 《口》 쾅 치기[치다]. 〖imit.〗

clo·nus [klóunəs] *n.* 〖醫〗 (근육의) 간헐성[간대성] 경련, 클로누스. 〖NL<Gk.〗

cloop [klú:p] *n., vi.* 펑(하고 소리나다) 《마개 따위가 열리는 소리》. 〖imit.〗

clop(-clop) [klɑ́p(klɑ́p)] *n., vi.* 따가닥따가닥(소리를 내다)《말 발굽 소리》. 〖imit.〗

clo·qué [kloukéi] *a.* 돋을 무늬가 있는, 누빈듯이 짠. — *n.* (*pl.* **~s**) 돋을 무늬, 누빈듯이 짠 직물. 〖F〗

°**close¹** [klóuz] *vt.* **1** [+目/+目+前+名/+目+副] (눈을) 감다, 닫다, 잠그다, 막다 ; 폐쇄하다, 차단하다 : All the doors and windows have been ~*d*. 문과 창은 모두 닫혀져 있다 / The shop is ~*d* for two weeks. 그 가게는 2주일간 휴업이다 (cf. *close a* SHOP) / That old bridge is ~*d* **to** traffic. 저 낡은 다리는 통행이 금지되어 있다 / Darkness ~*d* her **round.** 어둠이 그 여자 주위를 에워쌌다. **2** 끝내다, 완료하다 ; 마감하다 ; (끝)맺다, 마무리하다 : ~ an account (with a tradesman) (상인과) 외상 거래를 그만두다, 신용 거래를 그만두다 / The chairman announced the debate to be ~*d*. 사회자는 토론을 마칠 것을 선언했다. **3** 〖軍〗 …의 줄 간격을 좁히다 : ~ the ranks[files] 열[대오(隊伍)] 간격을 좁히다 ; 《비유》 (정당 따위가) 진영을 굳히다. **4** 〖電〗 (회로·전류를) 접속하다. **5** 〖海〗 (다른 배에) 접근하다.
— *vi.* **1** (문 따위가) 닫히다, (꽃이) 시들다, (상처 따위가) 아물다 : The door ~*d* with a noise. 문이 소리를 내면서 닫혔다. **2** 끝나다, 종결하다, 폐회하다 : ☞ CLOSING. **3** 접근하다, 가까워지다, 다가서다.
close about[***around, round***] 둘러[에워]싸다.
close a discussion[***debate***] (의장이) 토의 종결을 선언하다.
close down (*vt., vi.*) (공장·점포 따위를) 폐쇄하다 ; 《英》 (방송시간이) 끝나다 : Many small plants (were) ~*d down* for lack of fuel. 많은 작은 공장들이 연료 부족으로 폐쇄되었다 / We are now *closing down.* (방송) 시간이 거의 다 되었습니다.
close in (1) 포위하다, (적·밤·어둠 따위가) 가까워지다, 다가[몰려]오다, 박두하다 ; …에 접근하다 : Winter was *closing in on* us. 겨울이 우리 주위에 다가오고 있었다 / The enemy ~*d in upon* our position. 적은 우리의 진지에 접근했다. (2) (해가) 짧아지다, (기일이) 임박하다.
close out 《美》 팔아 넘기다, 염가 대매출하다 ; 처분하다.
close up 꼭 닫다, 막다, 완전히 폐쇄하다 ; (부대 따위의) 열(列)[간격]을 좁히게 하다, 밀집하다 ; (상처 따위가) 유착(癒着)하다[아물다].
close with …와 접전하다 ; 응하다.
— *n.* 종결, 끝(end) ; 닫기 ; (우편의) 마감 : come [bring] to a ~ 끝나다[끝마치게 하다] / draw to a ~ 종결에 가까워지다 / a complimentary ~ (편지 따위의) 끝맺는 말, 결구(結句).
〖OF<L *claudo* to shut〗
類義語 ***close*** 열려 있는 것을 닫다 ; 그 수단·방법은 문제삼지 않음 : Please *close* the window. (창을 닫아 주시오). ***shut*** 문·뚜껑 따위를 밀어[잡아당겨] 닫다, 문 밖에 쫓아내다, 또는 가두어 넣는 뜻을 강조함 : Please *shut* the door. (문을 닫아 주세오).

‡**close²** [klóus] *a.* **1** 접근한《주 NEAR보다도 근접도가 강함》 ; 친숙한(intimate) ; 거의 맞먹는 : The old farmhouse is ~ *to* the yard. 낡은 농가는 안마당 바로 옆에 있다 / a ~ friend 친한 친구 / a ~ contest 접전(接戰) / a ~ election 《美》 세력이 엇비슷한 선거전 / at ~ quarters ☞ QUARTER 숙어 / at ~ range ☞ RANGE 숙어 / a ~ resemblance 아주 닮음.
2 밀접한, 내용이 충실한, 긴밀한 : ~ print 자간·행간을 좁힌 인쇄 / ~ printing[writing] 자간·행간을 좁혀 빽빽하게 인쇄하기[쓰기] / ~ texture 올이 촘촘한 옷감.
3 정밀한(accurate), 세심한(careful) ; 철저한

(thorough) ; 마지막 (귀결)의 ; 아슬아슬한 : a ~ copy 정서(淨書), 정밀한 사본 / a ~ investigation 정밀검사 / ~ attention 세심한 주의.
4 무더운(sultry), 갑갑한, 답답한(heavy) ; (방 따위) 통풍이 잘 안 되는(stuffy).
5 입이 무거운(reticent), (마음을) 터놓지 못하는, 내성적인(reserved) : a ~ disposition 과묵한 성질 / He is ~ *about* his own affairs. 그는 자기의 일은 (좀처럼) 말하지 않는다.
6 숨겨진(concealed), 감금된 ; 비밀로 하고 있는(secret) : a ~ prisoner 엄중히 감시되고 있는 죄수 / keep oneself ~ 숨어 있다 / keep something ~ 어떤 일을 숨겨[감추어] 두다.
7 좁은(narrow), 거북한 ; 제한된, 비공개의 ; 손에 넣기 힘든, (금융이) 핍박하고 있는(scarce) : Money is ~. 돈이 궁하다.
8 (법률로) 금지중인, 금렵(禁獵)의 (↔*open*) : ☞ CLOSE SEASON.
9 인색한(stingy) : be ~ *with* one's money 돈에 인색하다, 돈을 잘 안 쓰다.
10 닫은, 폐쇄한(shut).
11 〖音聲〗 (모음이) 폐쇄된《혀의 위치가 높음 ; ↔*open*》.
—— *adv.* 바로 옆에, 가까이에, 좁혀서, 접하여 (cf. CLOSELY) : She sat[stood] ~ *to* her husband. 남편 바로 옆에 (다가가서) 앉았다[섰다] / They live ~ *to*[*by*] the park. 공원 바로 옆에 살고 있다 / She was ~ (*up*) *on* fifty. 50살에 가까웠다 / ~ at hand 바로 가까이에 ; 절박하여 / I followed ~ behind him. 그의 뒤를 바싹 따라갔다 / They came ~*r* together. 서로 몸을 기대었다 ; 친해졌다.
press a person ***close*** 남을 엄하게 추궁하다.
run a person ***close*** …을 바싹 따라붙다, …와 거의 맞먹다.
sail close to the wind 〖海〗 (돛이 바람을 거의 정면으로 받으며) 엇거슬러 가다, 《비유》 아슬아슬하게 법망을 빠져나가다 ; 아슬아슬한 이야기를 하다.
—— *n.* (담 따위로) 경계를 지은 땅 ; 《英》 구내, 경내(境內), 교정(校庭).
〖OF<L *clausus* (p.p.) 〈 ↑ 〗
[類義語] ***close*** 사이에 공간 없이 근접해 있는 : *close* teeth (가지런하게 난 이). ***dense*** 물·공기·빛 따위를 투과시키지 못할 정도로 짙게 밀집해 있는 : a *dense* smog (짙은 안개). ***compact*** 조그마한 공간에 꽉 차있는, 보통 각 부분이 가지런히 배열되어 있는 : a *compact* parcel (빽빽이 찬 꾸러미). ***thick*** 많은 부분이 두껍고 꽉 뭉쳐져서 일단(一團)을 이루고 있는 : *thick* fur (밀집한 부드러운 털).
clóse-at-hánd *a.* 근접한, 바로 가까이 있는, 가까이 박두한.
clóse bórough *n.* =POCKET BOROUGH.
clóse-bý *a.* 바로 곁의[이웃의] ; 지척의.
clóse cáll *n.* 《口·원래美》 =CLOSE SHAVE.
clóse commúnion *n.* 〖敎會〗 폐쇄 성찬식《같은 교파의 신자만이 참례할 수 있음》.
clóse cómpany *n.* 《英》 비공개 회사.
clóse corporátion *n.* =CLOSED CORPORATION.
clóse-cròpped, clóse-cùt *a.* (머리를) 짧게 깎은.
clóse·cròss *n.* 〖生〗 근친교잡(近親交雜) (에 의한 자손). —— *vt.* 근친교잡시키다.
***closed** [klóuzd] *a.* (↔*open*) **1** 폐쇄의, 비공개의 ; 배타적인. **2** 《게시》 마감, 폐업, 휴업 : "*C*~ today" 금일 휴업. **3** (차가) 지붕 달린, 상자형의. **4** 〖音聲〗 자음으로 끝나는(↔*open*) : a ~ syllable 폐음절.
with closed doors 문을 닫아 걸고 ; 방청을 금지하고.
clósed accòunt *n.* 차액이 없는 대차계정.
clósed bóok *n.* 《口》 불가해한 일, 분명치 않은 일〈*to*〉; 정체를 알 수 없는 인물 ; 끝난 일, 확정적[결정적]인 사항.
clósed cáption *n.* 〖TV〗 귀가 잘 안들리는 사람을 위한 자막《폐쇄 회로 텔레비전용》.
clósed-céll *a.* 독립[밀폐] 기포(氣泡)의《소재는 플라스틱 따위며, 완충재·단열재·구명구(救命具) 따위로 쓰임》.
clósed cháin *n.* 〖化〗 폐쇄(ring)《3개 이상의 원자가 고리 모양을 이루고 있는 구조》.
clósed cìrcuit *n.* 〖電〗 폐회로(閉回路), 닫힌 회로 ; 〖TV〗 클로즈드 서킷 《특정한 수상기에만 송신됨 ; cf. OPEN CIRCUIT》.
clósed-círcuit télevision *n.* 폐회로 텔레비전, 유선(有線) 텔레비전《略 CCTV》.
clósed corporátion *n.* 《美》 폐쇄(閉鎖) 회사, 동족(同族)[가족] 회사.
clósed-dóor *a.* 비공개[비밀]의 : a ~ session 비밀 회의《신문 기자 등을 따돌린 회의》.
clósed ecològical sýstem *n.* 생태학적 폐쇄계(閉鎖系).
clósed-énd *a.* 〖經〗 (투자 신탁이) 폐쇄식의, 자본액 고정식의, 유니트형의 ; (담보가) 대출(貸出) 금액을 고정시킨(↔*open-end*) : a ~ investment (trust) company 폐쇄식 투자(신탁)회사.
clósed-ènd bónd fùnd *n.* 〖證〗 폐쇄형(閉鎖型) 채권 펀드.
clósed lóop *n.* 폐회로, 폐(閉)루프, 닫힌 루프 [맴돌이] (↔*open loop*).
clósed-lóop *a.* (자동 제어가) 피드백 기구에서 자동 조정되는.
clóse·dòwn [klóuz-] *n.* 작업[조업] 정지 ; 《美》 공장 폐쇄 ; 《英》 방송[방영]시간 종료.
clósed prímary *n.* 《美》 제한 예비선거회 《당원 자격이 있는 자만이 투표하는 직접 예비 선거》.
clósed rúle *n.* 〖美議會〗 상정된 법안은 채택 여부만 결정할 뿐이고 수정은 가할 수 없다는 규칙.
clósed séa *n.* [the ~] 〖國際法〗 영해(領海) (cf. OPEN SEA).
clósed séason *n.* 《美》 금렵기(=《英》 close season).
clósed shóp *n.* **1** 클로즈드 숍《노동 조합원만을 고용하는 사업장 ; ↔*open shop*》. **2** 〖電子〗 컴퓨터 사용법의 하나《프로그램 작성 및 조작 따위를 전문 담당자가 하는 방식》.
clóse encóunter *n.* (비행 중에 다른 천체·물체와) 근접 조우(遭遇)하기 ; (모르는 사람끼리) 가까이 만남.
clóse·físt·ed *a.* 인색한, 구두쇠의.
clóse-fítting *a.* (옷 따위가) 몸에 꼭 맞는.
clóse-gráined *a.* 나뭇결이 고운, 촘촘한.
clóse hármony *n.* 〖樂〗 밀집 화성(和聲).
clóse-háuled *a.* 〖海〗 바람을 거슬러 가도록 돛을 활짝 편(cf. FREE *adv. 3*).
clóse-ìn *a.* (특히 도시) 중심에 가까운 ; 근거리에서의, 바싹 다가붙은《원호(圓弧) 따위》.
clóse-knít *a.* 유대가 긴밀한, 치밀히 조직된.
clóse-lípped *a.* 말수가 적은, 입이 무거운.
clóse-lóok sàtellite *n.* 정찰[스파이] 위성.
***clóse·ly** *adv.* **1** 접근하여, 착 달라붙어(cf. CLOSE *adv.*) : The baby clung ~ to his mother's breast. 갓난애는 엄마 가슴에 착 달라붙었다. **2**

꼭, 단단히, 빽빽이 : ~ packed 빽빽이 채워진. **3** 밀접하게, 친밀하게, 면밀[엄밀]히 ; 인색하게 : He listened ~ to the speaker. 연사의 이야기를 주의깊게 들었다.

clóse·móuthed *a.* 입이 무거운, (마음을) 터놓지 않는.

clóse·ness *n.* **1** Ⓤ 근사(近似) ; 접근, 친밀(intimacy). **2** Ⓤ (피륙 따위의) 올이 촘촘함, 올짜임새. **3** Ⓤ 정확, 엄밀 ; 조밀. **4** Ⓤ 밀폐 ; 답답함, 갑갑함, 숨막힘, 음울함. **5** Ⓤ 인색함, 쩨쩨함(stinginess).

clóse órder *n.* 〘軍〙 밀집 대형.

clóse·òut [klóuz-] *n.* (폐점 따위를 위한) 재고 정리 (상품) : a ~ sale 폐점 대매출.

clóse-pácked *a.* 밀집한, 빈틈없이 들어찬 : ~ stars 밀집 성단 / ~ structure 〘化〙 밀집 구조.

clóse-pítched *a.* (싸움이) 호각인, 막상막하의 : a ~ battle 접전.

clóse príce *n.* 〘證〙 매도 호가와 매수 호가가[앞서의 거래 가격과 나중의 거래 가격이] 매우 접근되어 있는 상태.

clóse punctuátion *n.* 엄밀 구두법《구두점을 많이 사용함》.

clóse quárters *n. pl.* 비좁은 장소[방] ; 접전(接戰), 백병전(白兵戰).

clos·er [klóuzər] *n.* 닫는 것[사람], 폐색기 ; 〘石工〙 파치 벽돌 ; 《野俗》 최종회(回).

clóse séason *n.* 《英》 =CLOSED SEASON.

clóse-sét *a.* 가지런히 모여 있는, 밀집한.

clóse sháve *n.* 아슬아슬함, 간발(間髮)의 차이, 위기 일발(narrow escape) (cf. SHAVE *n.* 4 ; CLOSE CALL), 구사일생 : win by a ~ 아슬아슬하게 이기다, 간신히 이기다 / lose by a ~ 아깝게 지다, 석패(惜敗)하다.

clóse-sháved *a.* (수염을) 깨끗이 깎은.

clóse shòt *n.* 〘映〙 근사(近寫).

clóse·stòol [klóuz-, klóus-] *n.* (실내용) 뚜껑 달린 변기(便器), 요강.

clos·et** [klázət, klɔ́:-] *n.* **1** (접견(接見)·공부하기 위한) 사실(私室), 작은 방. ☞ 活用. **2** 벽장, 다락, 찬장(=《英》 cupboard). **3** 변기(便器), (수세식) 변소(=water ~). —— *a.* 사실에서 행하는[행하기에 적당한] ; 비밀의 ; 몰래하는, 숨긴 ; 비실제적인 : a ~ consultation 비밀회의 / a ~ strategist 탁상 전술가. —— *vt.* [+目+副/+目+*with*+名] [보통 *p.p.*로] 가두다(shut up), 숨기다 ; 밀담하다 : They were ~*ed together*. 밀담(密談) 중이었다 / He was ~*ed* ***with someone else. 누군가와 밀담을 주고받았다. 〖OF (dim.) ‹ *clos* CLOSE[2] (n.)〗

活用 closet을 *n.* 1의 뜻으로 쓰는 것은 「변소」의 뜻으로 오해될 수 있으므로 지금은 《稀》.

clóse thíng *n.* **1** 구사 일생, 위기 일발(close call). **2** 막상막하의 시합[승부].

clóset homosèxual *n.* 동성 연애자임을 숨기는 사람, 은밀한 호모.

clóse tíme *n.* 《英》 =CLOSE SEASON.

clóset lìberal *n.* 《美俗》 (특히 정치적인 면에서) 자유주의임을 감추고 있는 자유주의자[보수적인 정치가].

clóset plày[dràma] *n.* 서재극(書齋劇), 레제드라마《무대 상연보다는 읽을 거리로서의 극》.

clóset polìtìcian *n.* 비실제적 정치가.

clóset quèen *n.* 《俗》 은밀한 동성(同性) 연애자(closet homosexual).

clóset stáll *n.* 대변소(大便所) (cf. URINAL).

clóse-ùp [klóus-] *n.* **1** 〘映·寫〙 클로즈업, 근접사진 ; 클로즈업 장면. **2** (사건의) 진상 ; 《美俗》 전기(傳記).

clóse-wóven *a.* 올이 가는[촘촘한].

clos·ing [klóuziŋ] *n.* **1** Ⓤ 폐쇄, 밀폐. **2** Ⓤ,Ⓒ 종결, 마감, 결산 ; 〘證〙 종장. —— *a.* 끝판의 ; 폐회의 : one's ~ year 만년(晩年) / a ~ address 폐회사 / a ~ price (증권 거래소의) 종가 / ~ time 폐점[종업] 시간 / the ~ day 마감날.

clósing dàte *n.* **1** (원고) 마감일 ; 결산일. **2** 증권 인수업자의 불입 기일.

clo·sure [klóuʒər] *n.* 폐쇄 ; 마감 ; 폐점, 휴업 ; 종지, 종결 ; 〘英議會〙 토론 종결(cf. CLOTURE). —— *vi., vt.* 〘英議會〙 토론 종결에 부치다, 토론을 종결시키다.
〖OF‹L ; ⇨ CLOSE[1]〗

clot [klát] *n.* **1** (피의) 엉긴 덩어리 : a ~ *of* blood 핏덩어리, 응혈(凝血). **2** 《俗》 바보, 얼간이. —— *v.* (**-tt-**) *vt.* 응고시키다, 응결시키다. —— *vi.* 응고하다, 응결하다.
〖OE *clott* lump, mass ; cf. CLEAT, G *Klotz* block〗

‡cloth [klɔ́(:)θ, kláθ] *n.* (*pl.* **~s** [-ðz, -θs]) 주 복수형의 발음 [-ðz]는 pieces of cloth, [-θs]는 kinds of cloth의 뜻으로 잘 쓰임. **1** Ⓤ 피륙, 옷감, 직물 : two yards of ~ 옷감 2야드 / ~ of gold [silver] 금실[은실]로 수놓은 천. **2** 한 장의 천, 천조각, (특히) 식탁보(=table ~) ; 행주 ; 걸레(duster) : lay the ~ 식탁을 차리다. **3** Ⓤ 나사. **4** Ⓤ 클로스, 표지포(表紙布). **5** Ⓤ 범포(帆布) ; 《英》 (무대 배경 따위에 쓰는) 채색한 천 ; 《西 Afr.》 전통적인 민속 의상. **6** 검은 성직복《법의(法衣)로서 신분을 나타냄》 ; [the ~] 성직, [집합적으로] 성직자(the clergy) : respect the[a man's] ~ =pay the respect due to the ~ 성직에 대해서 경의를 나타내다.
〖OE *clāth* ‹ ? ; cf. G *Kleid*〗

clóth·bàck *n.* 〘製本〙 클로스 장정본.

clóth bìnding *n.* 〘製本〙 헝겊 표지 제본, 클로스 장정.

clóth·bóund *a.* 〘製本〙 클로스 장정의《책》.

clóth càp *n.* 《英》 헝겊[천으로 만든] 모자《노동자 계급의 상징》.

clóth-càp *a.* 《英》 노동자 계급의.

clothe** [klóuð] *vt.* (**clothed** [-ðd], 《古·文語》 **clad** [klǽ(:)d]) [+目/+目+前+名] **1 a)** …에게 옷을 입히다[걸치게 하다] : He was ~*d* ***in wool. 모직 옷을 입고 있었다 / She ~*d* herself *in* her best. 나들이 옷을 입었다. 주 이 뜻으로는 지금은 dress쪽이 보통. **b)** …에게 옷을 지급하다 : ~ one's family 가족에게 옷을 사주다. **2** 《비유》 뒤덮다, 걸치게 하다 ; (말로써) 표현하다 ; (권력·영광 따위를) 부여하다 : The island is well ~*d* ***with*** coconut trees. 그 섬에는 야자나무가 무성하다 / To ~ thoughts ***in*** words means to express one's thoughts in words. 사상에 언어의 옷을 입힌다는 것은 사상을 말로 표현한다는 것이다.
〖OE 《美》 *clāthian* ‹ CLOTH〗

clóth-èared *a.* 《口》 난청의, 둔감한.

clóth èars *n. pl.* 《口》 **1** 난청, 음치 : have ~ 건성으로[빼먹고] 듣다. **2** [감탄사적으로] 똑똑히[잘] 들어.

◇clothes [klóuðz] *n. pl.* **1** 의복, 옷(garments) : a suit of ~ 옷 한 벌 / put on[take off] one's ~ 옷을 입다[벗다] / Fine ~ make the man. 《속담》 옷이 날개다 / She has many ~. 그 여자는 옷 부자다. **2** 침구. **3** 세탁물.

〈회화〉
I need to buy some new *clothes.* — Shall I go with you?「새 옷을 사야겠는데」「함께 갈까」

〖OE *clāthas* (pl.) ‹CLOTH〗
活用「옷을 많이 입고 있다」를 wear many clothes 라고 할 수는 있으나 two, three …따위 수사(數詞)와 함께 쓸 수는 없음 ☞ clothing 活用.

clóthes·bàg *n.* 세탁물(을 넣는) 자루.
clóthes bàsket *n.* 세탁물(을 넣는) 광주리.
clóthes·brùsh *n.* 옷솔[브러시].
clóthes hànger *n.* =COAT HANGER.
clóthes·hòrse *n.* **1** 빨래 걸이, 빨래 건조대. **2** 《俗》 옷 많은 것을 자랑하는 사람, 최신 유행의 패션을 쫓는 사람; 복장에 신경을 쓰는 사람.
clóthes·lìne *n.* **1** 빨랫줄. **2** 〔미식축구〕 벌린 팔을 볼 캐리어의 머리와 목에 불의에 거는 태클. —— *vt.* 〔미식축구〕 (상대 선수)에게 팔을 벌려 태클하다.
clóthes·màn *n.* 헌옷 장수.
clóthes mòth *n.* 〔昆〕 옷좀, 옷좀나방.

clotheshorse 1

clóthes-pèg *n.* 《英》 =CLOTHESPIN.
clóthes·pìn *n.* 《美》 빨래 집게.
clóthes·pòle *n.* 빨랫줄을 매는 기둥.
clóthes pòst *n.* 《英》 =CLOTHES PROP.
clóthes·prèss *n.* 옷장, 양복장(wardrobe).
clóthes pròp *n.* 《英》 =CLOTHESPOLE.
clóthes trèe *n.* 《美》 (기둥 모양의) 모자·외투 걸이.
clóthes wrìnger *n.* 빨래 짜는 기계.
cloth·ier [klóuðjər, -ðiər] *n.* **1** 옷감 장수; 양복점. **2** 《美》 직물 가공[마무리] 직공.
***cloth·ing** [klóuðiŋ] *n.* **1** Ⓤ 의류(clothes). **2** Ⓤ 덮개(covering); 〔船〕 범장(帆裝).
活用 clothing은 clothes보다 의미가 넓으며 몸에 걸치는 모든 것을 포함하여 말함. 따라서 의·식·주는 보통 'food, *clothing* and shelter'라 함. 한 가지 의류를 말할 때는 an article of *clothing* 이라고 말하며 예를 들면 The hat is an article of *clothing.* 이라고 할 수 있는데 이 경우 article 대신에 piece를 쓰는 것은 잘못임. 단 a piece of *clothing*의 예도 종종 있음.「많은 의류」는 현대 용어로서는 much clothing이지 many clothing은 아님.
clóth mèasure *n.* 피륙 재는 자.
Clo·tho [klóuθou] *n.* 〔그神〕 클로토《운명의 3여신 (the FATES) 중의 하나》.
clóthy *a.* 천 같은.
clóth yàrd *n.* 피륙 야드, 마(碼)《=3피트》.
clót·ted *a.* 응고한; 《英》 순전한: ~ blood 응고한 피/~ nonsense 엉터리, 헛소리.
clótted créam *n.* (지방분이 많은) 고형 크림.
clót·ty *a.* 덩어리가 많은, 덩어리지기 쉬운; 《口》 둔한, 굼뜬.
clo·ture [klóutʃər] *n.* 〔美議會〕 토론 종결(cf. CLOSURE). —— *vt.* …에 토론 종결 규정을 적용하다. 〖F; ⇨ CLOSURE〗
clou [klúː] *n.* 흥미의 중심, 인기를 끄는 것; 중심 사상. 〖F〗
◇**cloud** [kláud] *n.* **1** 구름: a bank of ~*s* 뭉게 구름 / covered with ~(*s*) 구름에 덮인 / Every ~ has a silver lining. 《속담》 검은 구름이라도 뒤쪽은 은빛으로 빛난다《괴로움의 이면에는 기쁨도 있다》. **2** (자욱한) 먼지[연기, 모래 따위]; 구름같은 대군(大群)의 사람[새·파리·메뚜기 따위]: a ~ *of* smoke[dust] 뭉게뭉게 피어오르는 연기[먼지]. **3** (투명한 것·거울 표면의) 흐림, 티, 흠(blemish); 《비유》 (얼굴·이마에 깃드는) 어두운 그늘; (의혹·불만·비애 따위의) 암영(暗影); 암운(暗雲), (덮쳐져서) 어둡게 하는 것, 어둠. **4** 오점; 우울. **5** 여자용 부드러운 스카프.
blow a cloud 《口》 담배를 피우다.
drop from the clouds 난데없이 나타나다.
in the clouds 허공에서; 공상에 빠져서, 속세를 초월하여; 가공적인, 비현실적인.
kick up the clouds 《俗》 교수형에 처해지다.
under a cloud 의혹[문초]을 받고, 풀이 죽어.
under cloud of night 야음(夜陰)을 타서(cf. *under the* CLOAK *of*).
—— *vt.* **1** [+目/+目+*with*+名] 흐리게 하다; …에 우려의 빛[암영]을 던지다: Boiled potatoes ~*ed* the room ***with*** their steam. 찐 감자의 김으로 방안이 흐려졌다/a face ~*ed with* anxiety 걱정으로 흐려진 얼굴. **2** (명성 따위를) 더럽히다; 애매하게 하다. —— *vi.* [動/+副] (하늘·마음이) 흐려지다: The sky is beginning to ~ (***over***). 하늘이 (잔뜩) 흐려지기 시작한다.
〖OE *clūd* mass of stone, rock; CLOD와 같은 어원인가〗
clóud·bànk *n.* 〔氣〕 구름 둑.
clóud·bèrry *n.* 〔植〕 (야생 나무 딸기의 일종인) 호로딸기[진들딸기].
clóud-buìlt *a.* 뜬구름 잡는 것같은, 공상적인.
clóud·bùrst *n.* 호우, 억수; 압도적인 양[수].
clóud·bùrst·er *n.* 《美俗》 〔野〕 높은 플라이; 고층 건물; 고속 신형 비행기.
clóud-càpped *a.* 구름을 인, 구름으로 덮인; 구름 사이로 우뚝 솟은.
clóud-càstle *n.* 공중 누각, 공상, 몽상(夢想), 백일몽.
clóud chàmber *n.* 〔理〕 안개 상자《전자·양성자 따위 하전입자가 지나간 흔적을 보는 장치》.
clóud còver *n.* 〔氣〕 운량(雲量).
Clóud-Cùckoo-Lánd, -Tówn *n.* **1** 운시조국(雲時鳥國)《Aristophanes의 *The Birds* 속의 신(神)을 인류로부터 떼어놓기 위해 새가 세운 도시》. **2** [보통 c~-c~-l~] 공상의 세계[나라], 이상향.
clóud drìft *n.* 뜬 구름, 흘러가는 구름.
clóud·ed *a.* 구름에 덮인, 흐려진; 구름무늬의, (마음이) 침울한.
clóud fòrest *n.* 운무림(雲霧林)《열대산지의 구름과 안개에 덮여 습도가 높은 삼림》.
clóud-hòpping *n.* Ⓤ 구름 뒤로 숨어 비행하기.
clóud·i·ly *adv.* 흐려서, 흐릿하게.
clóud·i·ness *n.* Ⓤ 흐린 날씨; 우울, 침울; (광택의) 흐림; 몽롱.
clóud·ing *n.* (광택면의) 흐림; 구름 무늬.
clóud-kìss·ing *a.* 구름까지 닿는; 하늘을 찌를 듯이 높은.
clóud·lànd *n.* Ⓤ,Ⓒ 선경(仙境), 꿈나라(dreamland), 이상향(理想鄕)(utopia).
clóud·less *a.* 구름이 없는, 맑게 갠; 암영[그늘]이 없는. **~·ly** *adv.* (한점의) 구름도 없이.
clóud·let *n.* 작은 구름.
clóud níne [원래 **séven**] *n.* 《口》 행복[환희]의 절정, 황홀경; 의기 양양. 〖1950년대에 라디오 쇼 *Johnny Dollar*로 인기가 있었음; 미국의 기상청이 한 구름을 9형태로 분류한 최상층부〗

clóud ràck *n.* 조각구름의 떼.
clóud rìng *n.* (적도상에 있는) 구름대(帶).
clóud·scàpe *n.* 구름의 경치[그림].
clóud sèeding *n.* (인공 강우를 위해) 화학 약품을 구름 속에 뿌리기.
clóud-wòrld *n.* 이상향, 유토피아.
◇**cloudy** [kláudi] *a.* **1** 구름이 많은, 흐린 : a ~ sky 흐린 하늘 / It is ~. 흐려 있다. **2** 몽롱한, 흐릿한(dim) : a ~ picture 흐릿한 그림[사진] / a ~ idea 막연한 생각. **3** (마음이) 밝지 못한, 침울한, 우울한 : ~ looks 침울한[불쾌한] 표정. **4** 구름이 낀, 흐린 구석이 있는(streaked). **5** (액체가) 혼탁한. **6** 의심스러운, 수상한.

〈회화〉
It's suddenly become *cloudy*. — It looks like it's going to rain. 「갑자기 날씨가 흐려졌어」 「비가 올 것 같군」

clough [klʌ́f] *n.* 좁은 골짜기, 협곡. 〖OE *clōh*〗
clout[1] [kláut] *n.* **1 a)** 《口》 (손가락 관절로) 똑똑 두드리기 ; 《野俗》 강타. **b)** 《美口》 (특히 정치적인) 영향력, 세력. **2** 〔弓術〕 과녁(에의 적중). **3** 《英方》 천조각, 헝겊조각 ; [보통 *pl.*] 배내옷 (swaddling clothes). —— *vt.* **1** 《口》 똑똑 두드리다 ; 치다(hit), 때리다 ; 《野俗》 강타하다. **2** …에 천조각을 대어 꿰매다(patch).
〖OE *clūt* patch, plate ; cf. CLEAT, CLOT〗
clout[2] *n.* 《古俗》 **1** 흙덩어리. **2** 바보(stupid).
clóut nàil *n.* (구두) 징.
clove[1] [klóuv] *v.* CLEAVE[1,2]의 과거형.
clove[2] *n.* 〔植〕 정자나무《도금양과(科)》 ; 정향(丁香)《봉오리를 말린 향료》.
〖OF < L *clavus* nail ; 형태가 비슷한 데서〗
clove[3] *n.* 〔植〕 (백합·마늘 따위의) 작은 비늘줄기 : a ~ *of* garlic 마늘 한 쪽.
〖OE *clufu* bulb ; CLEAVE[1]와 같은 어원〗
clove[4] *n.* 《英》 양모·치즈 따위의 중량 단위《보통 8파운드에 상당함》.
clóve gíllyflower *n.* =CLOVE PINK.
clóve hìtch *n.* 〔海〕 (밧줄 매듭짓기의 하나인) 감아매기.
clo·ven [klóuvən] *v.* CLEAVE[1]의 과거분사.
—— *a.* (발굽이) 갈라져 있는.
clóven fóot[**hóof**] *n.* (소·사슴·악마 따위의) 갈라진 발굽, 우제(偶蹄).
show the cloven hoof (악마의) 본성을 드러내다.
clóven-fóot·ed, clóven-hóofed *a.* 발굽이 갈라진 ; 악마 같은.
clóve òil *n.* 정향유(丁香油)《의약의 향료·유제놀의 원료》.
clóve pìnk *n.* 〔植〕 카네이션(carnation).
***clo·ver** [klóuvər] *n.* U,C 〔植〕 클로버, 토끼풀 : feed on ~ 클로버를 상식(常食)하다 / ☞ FOUR-LEAF CLOVER.
live*[*be*] *in clover 호화롭게[안락하게] 살다.
〖OE *clāfre*〗
clóver kìcker *n.* 《美俗》 농부, 농민 ; 시골 소년.
clóver·lèaf *n.* (네잎 클로버형의) 입체 교차로.

cloverleaf

clown [kláun] *n.* **1** 어릿광대(jester). **2** 시골뜨기(rustic) ; 무뚝뚝한 사람. —— *vi.* 어릿광대 노릇을 하다, 익살부리다.
〖C16 < ? LG ; cf. Fris. *klönne* clumsy fellow〗
clówn·ery *n.* U,C 광대짓, 익살.
clówn·ish *a.* 광대 같은, 익살맞은 ; 시골뜨기 같은(boorish), 무뚝뚝한.
clówn wàgon *n.* 《美俗》 화물열차의 승무원용 차량.
clox *n.* 〔商〕 CLOCK[2]의 복수형.
clox·a·cil·lin [klɑ̀ksəsílən] *n.* 〔藥〕 클록사실린《합성 페니실린의 일종》.
cloy [klɔ́i] *vt.* [+目/+目+*with*+名] 배부르게[만족하게] 하다, 싫증나게 하다, 물리게 하다 (satiate) : Too much sweet food ~*s* the palate. 단것을 너무 많이 먹으면 물리게 된다 / They are ~*ed* ***with*** pleasure. 놀기에도 싫증이 났다.
—— *vi.* 마음껏 하다, 포화 상태가 되다.
〖ME *acloy* < AF ; ⇨ ENCLAVE〗
clóy·ing *a.* 싫증나는, (너무 먹어) 물리게 된.
cloze [klóuz] *a.* 클로즈법(法)(=**~ procèdure**)의《글중의 빠진 단어를 채워 넣는 독해력 테스트》.
〖CLOSURE〗
clr. clear ; clearance.
CLU Civil Liberties Union. **C.L.U.** Chartered Life Underwriter.
◇**club** [klʌ́b] *n.* **1** 곤봉(cf. CUDGEL) ; (골프·하키 따위의) 클럽, 타구봉. **2** 클럽, 사교회 ; 클럽룸[회관] ; 나이트 클럽, 카바레. **3** (트럼프의) 클럽 ; [*pl.*] 클럽의 짝 : the king of ~*s* 클럽의 킹. **4** 〔野〕 구단(球團). **5** 〔植〕 곤봉 모양의 구조[기관]. —— *a.* 클럽[모임]의 ; 정식(定食)의.
—— *v.* (**-bb-**) *vt.* **1** 곤봉으로 때리다[혼내주다] ; (총 따위를) 곤봉 대신으로 쓰다. **2** (금전·사상 따위를) 모아 내놓다 ; 〔野〕 …을 치다.
—— *vi.* **1** 클럽을 조직하다. **2** [+副/+*with*+名] (공동의 목적에) 협력하다(unite) : The boys in the class ~*bed together* to buy a football. 반 학생들은 모두가 돈을 모아서 축구공을 사려고 했다 / Tom ~*bed* ***with*** his sister for the present. 톰은 여동생과 돈을 모아서 그 선물을 사려고 했다. **3** 〔海〕 닻을 끌며 조류에 표류하다.
~·ba·ble, ~·able *a.* 클럽회원 되기에 적합한 ; 사교적인. **clùb·ba·bíl·i·ty** *n.*
〖ON *klubba* < *klumba* club ; cf. CLUMP〗
clúb bàg *n.* (위에서 지퍼로 여는) 여행 가방.
clubbed [klʌ́bd] *a.* 곤봉 모양으로 생긴 ; 손가락 끝이 뭉툭한[굵은].
clúb·by *a.* 사교적인, 붙임성 있는 ; 클럽 특유의 ; 회원제의, 배타적인.
clúb càr *n.* (안락 의자 따위가 있는) 특별 객차.
clúb chàir[**sòfa**] *n.* 낮고 푹신한 안락 의자.
clúb·dom *n.* U 클럽[사교]계(界).
clúb flòor[**lèvel**] *n.* 《美》 (호텔의 상류층 손님을 위한) 호화객실 플로어.
clúb·fóot *n.* (*pl.* **-féet**) 굽은 다리, 내반슬(內反膝)《기형의 발》. **~·ed** *a.*
clúb·hànd *n.* 곰배팔[굽은 손].
clúb·hàul *vt.* 〔海〕 바람 불어가는 쪽의 닻을 내려 방향을 바꾸다.
clúb·hòuse *n.* 클럽의 건물, 회관.
clúb·lànd *n.* 《英俗》 클럽 지구《런던 서쪽에 있는 St. James's Street의 별명》.
clúb làw *n.* 폭력 ; 폭력주의.
clúb·man [-mən, -mæ̀n] *n.* 클럽 회원 ; 《美》 사교를 좋아하는 사람.
clúb·mobìle *n.* 《美》 이동 클럽차(車).
clúb mòss *n.* 〔植〕 석송과(科)의 각종 고사리.
Clúb of Róme *n.* [the ~] 로마 클럽《식량·인구·산업·환경 따위 지구 문제에 대해 연구·제언·연구 발표를 하는 경영자·경제학자·과학자 등의 국제적 연구 단체》.
clúb plàyer *n.* 클럽 플레이어《테니스・골프 따위에서 주로 소속 클럽에서 플레이하며 서킷이나 토너먼트에는 별로 출전하지 않는 선수》.
clúb·ròom *n.* 클럽[사교]실(室), 클럽의 집회실.
clúb·ròot *n.* (양배추・무 따위의) 뿌리혹병.
clúb sándwich *n.* 클럽 샌드위치《토스트를 세 조각 겹친 사이에 닭고기・상추・토마토・햄이나 베이컨・마요네즈 따위를 넣음》.
clúb sóda *n.* =SODA WATER.
clúb stèak *n.* (소의 허릿살 부분의) 작은 비프 스테이크.
clúb·wòman *n.* 클럽의 여자 회원 ; 사교계 여성.
cluck [klʌ́k] *n.* (암탉의) 꼬꼬하고 부르는 소리 ; 《俗》 얼간이. —— *vi.* (암탉이) 꼬꼬하고 울다. —— *vt.* 구구하여 불러들이다[모으다] ; 암탉이 우는 듯한 목소리로 (승인・불만 따위를) 나타내다. 〚imit.〛
clúck and grúnt *n.* 《美俗》 햄 에그.
***clue** [klúː] *n.* **1** (수수께끼 따위를 푸는) 실마리, (조사・연구 따위의) 단서, (사색의) 실마리 ; (이야기의) 줄거리 : I've no ~ *to* it. 그것에 대한 단서가 전혀 없다. **2** 《稀》 =CLEW 1 a), 2.
—— *vt.* 단서로 보이다 ; 《口》 (남)에게 단서를 제공하다 ; 《美俗》 털어놓고 이야기하다.
〚변형(變形) ‹ *clew*〛
clúe·less *a.* 실마리[단서]가 없는, 오리무중의 ; 《口》 어리석은, 무지한.
clúm·ber (spániel) [klʌ́mbər (-)] *n.* (다리가 짧은) 스파니엘종의 사냥개《영국산》.
〚*Clumber* 잉글랜드의 Nottinghamshire에 있는 Duke of Newcastle의 영지(領地)〛
clump[1] [klʌ́mp] *n.* **1** 숲, 작은 삼림 ; (관목) 덤불 (thicket) : a ~ *of* trees 나무 숲. **2** 덩어리 (lump) : a ~ *of* earth 흙덩어리. **3** (구두창에 덧대는) 두꺼운 가죽. —— *vt.* **1** 군생(群生)시키다, 굳어지게 하다. **2** (구두에) 두꺼운 창을 대다. —— *vi.* 군생하다.
〚MLG, MDu. ; cf. CLUB〛
clump[2] *n.* 무거운 발자국 소리. —— *vi.* 쿵하고 밟다, 천천히[쿵쿵] 걷다. 〚↑〛
clúmp·ish *a.* =CLUMPY.
clúmpy *a.* 덩어리의[가 많은], 덩어리 모양의, 모양이 고르지 않은 ; 울창한.
***clum·sy** [klʌ́mzi] *a.* 딱딱한 ; 모양이 고르지 않은 ; 솜씨 없는 ; 서투른, 눈치 없는.
clúm·si·ly *adv.* **-si·ness** *n.*
〚C16 *clumse* to be numb with cold < ? Scand.〛
clunch [klʌ́ntʃ] *n.* 《英方》 경화 점토(硬化粘土) ; 경질 백악(硬質白堊).
***clung** *v.* CLING의 과거・과거분사.
Clu·ni·ac [klúːniæ̀k] *a., n.* (베네딕트파에서 갈라진) 클뤼니파의 (수사).
clunk [klʌ́ŋk] *n.* **1** 쾅[쿵]하는 소리, 둔탁한 소리 ; 《口》 강타 ; 《스코》 (액체의) 부글부글하는 소리 ; 《스코》 (마개를 뺄 때의) 펑하는 소리. **2** 《俗》 아둔패기 ; 《美俗》 헐렁한 구두 ; 《美俗》 (사람의) 발. —— *vi., vt.* 쾅 소리를[가] 내다[나다] ; 《口》 쾅하고 치다 ; 《스코》 부글부글[펑] 소리를[가] 내다[나다]. 〚imit.〛
clúnk·er *n.* Ⓤ 《美俗》 털터리 기계[자동차] ; 하찮은 것 ; 서툰 골퍼《등》.
clúnk·hèad *n.* 《美俗》 바보, 얼간이.
clúnky *a.* 거추장스럽게 무거운[투박한], 이상한 소리가 나는.
Clu·ny [klúːni ; *F* klyni] *n.* 클뤼니《프랑스 중동부의 도시 ; 910년 베네딕트파(派) 수도원이 건설되었음》.
Clúny làce *n.* **1** 삼 또는 무명실로 짠 수직(手織) 레이스. **2** (위와 비슷한) 기계직(織) 레이스《보통 무명실을 사용》.
***clus·ter** [klʌ́stər] *n.* **1** (포도・버찌・등(藤)꽃 따위의) 송이(bunch) ‹*of*›. **2** (같은 종류의 물건・사람의) 떼, 무리, 일단, 집단(group) ; 〚天〛 성단(星團) : a ~ *of* spectators 일단의 관객 / a consonant ~ 자음군(子音群)《예를 들면 *spring*》 / ~ of galaxies 은하 집단. **3** 〚컴퓨〛 다발《데이터 통신에서 단말 제어장치와 그에 접속된 복수단말의 총칭》.
in a cluster 송이를 이루어 ; 떼를 지어.
—— *vi.* [動/+前+名] 송이를 이루다, 주렁주렁 달리다 ; 군생(群生)하다, 밀집하다 : The girls ~*ed* ***(a)round*** him. 소녀들은 그의 둘레에 떼지어 모였다. —— *vt.* 떼지어 모이게 하다.
〚OE *clyster* bunch ; cf. CLOT〛
clúster bòmb *n.* 산탄(霰彈)식 폭탄.
clúster cὸllege *n.* 《美》 (종합 대학 안의 독립된) 특정 분야 전문의 단과대학.
clúster hèadache *n.* 〚醫〛 군발성 두통《일정기간 동안 여러 번 일어나는 심한 두통》.
clúster pìne *n.* 〚植〛 피나스터소나무《지중해 연안 원산(產)》.
clutch**[1] [klʌ́tʃ] *n.* **1** U.C 쥐기, 꽉 잡기(tight grip) : within ~ 붙잡을[손닿을] 수 있는 곳에 / make a ~ *at* …에 달려들어 붙잡다. **2** [보통 *pl.*] 움켜쥠 ; 《비유》 지배력 ; 마수, 수중(手中) : fall into the ~*es of* …의 손아귀에 빠지다 / get out of the ~*es of* …의 마수를 벗어나다. **3** 〚機〛 연동기, (자동차의) 전동 장치 ; (기중기의) 갈고리, (보트의) 클러치 ; =CLUTCH BAG. **4** 《美》 위기 ; 〚野〛 핀치(pinch). —— *vt.* [+目/+目+前+名] 꽉 붙잡다 : She ~*ed* her daughter ***to her breast. 딸을 가슴에 꽉 끌어안았다. —— *vi.* [+*at*+名] 잡으려고 덤비다(snatch) : A drowning man will ~ ***at*** a straw. 《속담》 물에 빠진 사람은 지푸라기라도 붙잡으려 한다. —— *a.* **1** 손잡이[어깨끈]가 없는. **2** 《美俗》 핀치의, 핀치에 강한. **clútched** *a.* 《俗》 얼어버린, 긴장한.
clútchy *a.* **1** 긴장하기[불안해 지기] 쉬운. **2** 신경을 건드리는 ; 어려운 ; 위험한.
〚OE *clyccan* to crook, clench〛
類義語 ⟹ TAKE.
clutch[2] *n.* 한 배에 품은 알 ; 한 배에서 깐 병아리. —— *vt.* 알을 까다.
〚C18 ? *cletch* ‹ *cleck* < ON = to hatch〛
clútch bàg *n.* 클러치 백(=~ **pùrse**)《손잡이나 멜빵이 없는 작은 핸드백》.
clut·ter [klʌ́tər] *n.* Ⓤ [집합적으로] 흐트러져 있는 것, 잡동사니 ; Ⓤ 난잡, 혼란 ; 〚通信〛 클러터《레이더 스크린에 나타나는 목표 이외의 물체에 의한 간섭 에코》; 《俗》 (광고의) 정보 혼란상태.
in a clutter 산란[혼란]하여.
—— *vi.* 떠들다, 후닥닥 뛰어가다. —— *vt.* [+目+副/+目+*with*+名] (장소를) 흩뜨리다, 어지르다 : His study was ~*ed* ***up with*** newspapers. 그의 서재에는 신문이 흩어져 있었다.
〚*clotter* to coagulate (‹CLOT)의 변형(變形) ; CLUSTER, CLATTER와의 연상(聯想)〛
clútter·flỳ *n.* =LITTERBUG.
CLV 〚電子〛 constant linear velocity《광학식(光學式) 비디오 디스크에서 안쪽 1트랙에 텔레비전의 1프레임분을, 바깥쪽 트랙에는 3프레임분을 기록하는 방법》.
Clw·yd [klúːid] *n.* 클루이드《1974년에 신설된

Wales 북동부의 주》.
clyde [kláid] *n.* 《美俗》 유행[시류]에 뒤진 사람, 꽉 막힌 녀석, 무능한 사람, 얼빠진 놈.
Clydes·dale [kláidzdeil] *n.* 클라이즈데일《스코틀랜드 원산의 힘센 복마(卜馬)》.
Clýdesdale térrier *n.* 스코치테리어종의 개.
clyp·e·ate [klípiət, -èit], **-at·ed** [-təd] *a.* 둥근 방패 모양의 ; 〖昆〗 두순(頭楯)이 있는.
clyp·e·us [klípiəs] *n.* (*pl.* **clyp·ei** [klípiài, -ì:]) Ⓒ 〖昆〗 두순(頭楯) ; 액편(額片), 이마 방패, 머리방패《곤충의 윗입술과 이마 사이의 부분》.
clýp·e·al *a.*
clys·ter [klístər] *n.* Ⓤ,Ⓒ 《古》 관장(灌腸)(제(劑))(enema). —— *vt.* 관장하다.
Cly·tem·nes·tra, -taem- [klàitəmnéstrə] *n.* 〖그神〗 클리템네스트라《Agamemnon의 부정한 아내, 그의 아들 Orestes에게 피살되었음》.
CM command module ((달 착륙선의) 사령선) ; commercial message (광고 방송) ; Common Market ; corrective maintenance (사후 보전). **C.M.** Congregation of the Mission. **Cm** 〖氣〗 cumulonimbus (mammatus) ; curium. **cm, cm.** centimeter(s). **c.m.** church missionary ; common meter ; corresponding member ; court-martial. **c/m** (of capital stocks) call of more. **CMA** cash management accounts (현금 관리 계정 ; 증권 회사계의 종합 금융상품) ; 《美》 Chemical Manufacturers Association (화학 공업 협회) ; Committee on Military Affairs. **C.M.A.** certificate of management accounting. **CMC** Cable Music Channel ; certified management consultant ; Commandant of the Marine Corps. **Cmd.** command paper. **cmd.** command. **Cmdr.** Commander. **C.M.G.** Companion of (the Order of) St. Michael and St. George. **CMI** computer managed instruction ; 《英》 Central Monetary Institutions (공적 금융기관). **cml.** commercial.
c'mon [kəmán] 《美口》 come on의 단축형.
CMOS 〖電子〗 complementary metal-oxide-semiconductor (상보형(相補型) 금속 산화막(酸化膜) 반도체). **CMP** cytidine monophosphate ; cost per thousand (광고의 경비 효율). **CMS** cash management service (자금 관리 서비스). **CMV** cytomegalovirus. **CN** chloroacetophenone. **C/N** credit note ; Circular note. **CNA** Central News Agency (대만 중앙 통신사). **CNC** computer numerical control (컴퓨터 수치 제어). **CND** Campaign for Nuclear Disarmament. **CNN** Cable News Network (미국의 케이블 뉴스 방송망). **CNO** Chief of Naval Operations.
C-note [sí:-] *n.* 《美俗》 100달러 지폐.
cnr. corner.
co- [kóu] *pref.* **1** 「공동」「공통」「상호」「동등」의 뜻 : **a**) [명사에 붙여] *co*author, *co*partner. **b**) [형용사·부사에 붙여] *co*operative, *co*eternal. **c**) [동사에 붙여] *co*(-)operate, *co*adjust. **d**) COM-《모음 또는 h, gn앞의 형》. ㊟ 다음 세 가지의 철자방식이 있음 : cooperate, coöperate, co-operate. **2** 〖數〗 「여(餘)」, 「보(補)」의 뜻 : *co*sine. 〖*com-*〗
CO 〖化〗 carbon monoxide ; 〖美郵〗 Colorado. **Co** 〖化〗 cobalt. **c/o, c.o.** (in) care of ; carried over. **Co., co.** 〖商〗 [kóu, kʌ́mpəni] company (cf. AND CO.) ; county. **C.O.** Cash Order ; Commanding Officer ; conscientious objector ; criminal offense. **C/O** 〖商〗 Cash Order ; Certificate of Origin.
co·ac·er·vate [kouǽsərvèit, -vət, kòuəsə́:rveit, -vət] *n.* 〖化〗 코아세르베이트.
co·ac·er·va·tion [kouæ̀sərvéiʃən] *n.* 〖化〗 (콜로이드 용액에서) 코아세르베이션.
coach [kóutʃ] *n.* **1** 공식 마차 ; (옛날의 보통 4필의 말이 끄는) 4륜 대형 마차 ; (철도 이전의) 역전(驛傳) 합승마차, 역마차(=stage ~) : a ~ and four[six] 4[6]필의 말이 끄는 마차/☞ SLOW COACH. **2** 〖鐵〗 객차 ; 《美》 합승 자동차, 버스 ; 《英》 (장거리용) 대형 버스. **3** 세단형의 유개(有蓋) 자동차. **4** 〖競〗 코치, 지도원 : a baseball ~ 야구 코치. **5** 가정 교사. **6** 《美》 (열차·여객기의) 보통 등급 ; 보통석. **7** (군함의) 맨 뒷방.
***drive a coach and four*[*six*] *through*. . .** (1) (불완전한 법망 따위를) 충분히 빠져나갈 수 있다, …의 빠져나갈 구멍을 얼마든지 찾아낼 수가 있다. (2) (이야기 따위의) 모순을 얼마든지 지적할 수가 있다.
—— *vt.* **1** 마차로 나르다. **2** [+目/+目+*for*+名] 지도하다 ; 〖競〗 코치하다 ; (수험생 등을) 가르치다 : ~ baseball 야구 코치를 하다 / ~ a boat's crew ***for*** a race 보트 경주를 위해 선수를 코치하다 / ~ a boy *for* an examination 소년에게 수험 공부의 지도를 해주다. —— *vi.* **1** 마차로 여행하다. **2** 코치를 맡다 ; 코치의 (수험)지도를 받다. 〖F<Magyar=cart of Koes (Hungary의 지명) ; 「코치」의 뜻은 tutor가 시험 따위를 'carry through'시킨다는 《學俗》에서〗
còach-and-fóur[**-síx**] *n.* ☞ COACH 1.
cóach bòx *n.* 마부석(席).
cóach·bùild·er *n.* 《英》 자동차 차체 제작공(工).
cóach·bùild·ing *n.* 《英》 자동차 차체 제작.
cóach-bùilt *a.* 《英》 (자동차 차체가) 나무로 된 ; 주문 제작의.
cóach dòg *n.* =DALMATIAN 2.
coach·ee [koutʃí:] *n.* 《口》 코치받는 사람 ; 《口》 마부.
cóach·er *n.* =COACH 4.
cóach fèllow *n.* (같은 마차를 끄는) 말짝(들) ; 동료.
cóach·fùl *n.* 한 마차(의 승객).
cóach hòrn *n.* 역마차의 나팔.
cóach hòrse *n.* 역마차의 말.
cóach hòuse *n.* 마차 차고.
***cóach·man** [-mən] *n.* 마부.
cóach òffice *n.* 역마차의 표파는 곳.
cóach pàrk *n.* 《英》 장거리[관광] 버스용 주차장.
cóach·wòod *n.* 〖植〗 케라토페타룸속(屬) 나무 《호주산(産) ; 가구용재》.
cóach·wòrk *n.* (설계에서 완성까지) 자동차 차체 디자인[공정(工程)].
cóach yàrd *n.* 객차 조차장(操車場).
co·áct *vt., vi.* 함께 일하다[작용하다], 협력하다.
co·áctive[1] *a.* 공동의, 협력적인. **co·áctor** *n.*
co·áction[1] *n.* Ⓤ 공동 작업, 협력, 공동 ; 〖生態〗 상호 작용.
co·áction[2] *n.* 강제(coercion). **co·áctive**[2] *a.* 강제적인.
coad. coadjutor.
cò·adápt·ed *a.* (특히 자연 도태에 의해) 상호 순응한.
cò·adjácent *a.* 인접한, 이웃한.
cò·adjúst *vt.* 상호 조절하다.
~·ment *n.* Ⓤ 상호 조절.
co·ádjutant *a.* 서로 돕는 ; 보조의. —— *n.* 협력

자, 보조자.

co·ad·ju·tor [kouǽdʒətər, kòuədʒú:-] *n.* 조수(助手), 보조자, 보좌(補佐) : a bishop's ~ 〖基〗 감독보(補), 〖카톨릭〗 보좌주교.

co·ad·ju·tress [kouǽdʒətrəs, kòuədʒú:-] *n.* = COADJUTRIX.

co·ad·ju·trix [kouǽdʒətriks, kòuədʒú:-] *n.* (*pl.* **-tri·ces** [kòuədʒú:trəsì:z, kouæ̀dʒətrái-]) 여자 조수[보조원].

co·ad·u·nate [kouǽdʒənət, -nèit] *a.* 합체된 ; 밀착한 ; 〖動·植〗 합착(合着)[결합]한, 착생의. **co·àd·u·ná·tion** *n.* Ⓤ 〖動·植〗 밀착(성) ; 착생.

cò·advénture *vi.* 모험에 참가[협력]하다, 함께 모험[협력]하다. —— *n.* 공동 모험.

co·ágency *n.* Ⓤ 협력, 협동 작업.

co·ágent *n.* 협력자, 동료.

co·ag·u·la·ble [kouǽgjələbəl] *a.* 응고[응결]시킬 수 있는, 응고성의. **co·àg·u·la·bíl·i·ty** *n.*

co·ag·u·lant [kouǽgjələnt] *n.* 응고제 ; 응혈[지혈]약.

co·ag·u·lase [kouǽgjəlèis, -z] *n.* 〖生化〗 응고 효소(酵素).

co·ag·u·late [kouǽgjəlèit] *vt., vi.* (용액을[이]) 응고시키다[하다](clot) ; 굳어지다, 굳히다. —— [-lət, -lèit] *n.* 응괴. —— [-lət, -lèit] *a.* 《古》 응고한, 굳은.
co·àg·u·lá·tion *n.* Ⓤ 응고(작용) ; Ⓒ 응고물.
co·ág·u·là·tive *a.* 《古》 응고력이 있는, 응고성의. **co·ág·u·là·tor** *n.* 응고시키는 것, 응고제.
〚L (*coagulum* rennet[1])〛

co·ag·u·lum [kouǽgjələm] *n.* (*pl.* **-la** [-lə], **~s**) 〖生理〗 응괴 : a blood ~ (응)혈 덩어리.

co·ai·ta [kuaitɑ́:] *n.* (중남미산의) 거미원숭이. 〚Port.<Tupi〛

‡**coal** [kóul] *n.* **1 a)** Ⓤ 석탄 : brown ~ 갈탄/ hard ~ 무연탄 / soft ~ 역청탄(瀝靑炭) /small ~ 분탄(粉炭). **b)** [*pl.*] 《英》 (연료용으로 부순) 석탄, 작은 덩어리탄 : a ton of ~*s* 부서뜨린 석탄 1톤 / put ~*s* in the stove 난로에 석탄을 넣다. **c)** 특종탄(特種炭) : a good stove ~ 난로에 알맞은 석탄. **2** Ⓤ 목탄(charcoal). **3** (불타고 있는) 석탄[목탄] 따위의 덩어리, 타다 남은 것(ember) : cook food on (live) ~*s* 피어오른 탄불에 음식을 요리하다 / A heated ~ from the stove burnt a hole in the rug. 난로에서 떨어진 뜨거운 석탄 덩어리로 융단에 구멍이 났다.
call* [*drag, haul, take, rake*]** a person ***over the coals 남을 (불러서) 야단치다〈*for*〉.
carry coals to Newcastle 쓸데없는[헛] 일을 하다, 헛수고하다《Newcastle은 석탄 적하항》.
heap coals of fire on a person***'s head*** 〖聖〗 (원한을 은혜로 갚아) 상대를 부끄럽게 하다《로마서 12 : 20》.
—— *vt.* (선박 따위에) 석탄을 보급하다, …에 석탄을 싣다. —— *vi.* 석탄의 보급을 받다.
〚OE *col* ; cf. G *Kohle*〛

cóal bàll *n.* 탄구(炭球)《탄층에 보이는 석탄기(石炭紀) 식물을 포함하는 방해석 덩어리》.

cóal-bèar·ing *a.* 석탄을 산출하는.

cóal bèd *n.* 탄층(炭層).

cóal·bìn *n.* 석탄통[저장소].

cóal-blàck *a.* 새까만 ; 순전히 흑인만의.

cóal·bòx *n.* 석탄통, 《軍俗》 흑연탄(黑煙彈).

cóal brèaker *n.* 쇄탄장 ; 쇄탄기.

cóal briquétte *n.* 연탄, 구공탄.

cóal·bùnker *n.* (배의) 석탄 창고.

cóal càr *n.* 《美》 (철도·탄광의) 석탄 운반차.

cóal cèllar *n.* (주택의) 지하 석탄 창고.

cóal cràcker *n.* =COAL BREAKER.

cóal dèpot *n.* 저탄장.

cóal dùst *n.* 석탄 가루, 탄진(炭塵).

cóal·er *n.* **1** 석탄선(船) ; 석탄차(車). **2** (배의) 석탄 싣는 인부. **3** 석탄상(商).

co·alesce [kòuəlés] *vi.* **1** 유착(癒着)하다[아물다] ; 하나로 합치다[되다], 합체(合體)하다, 연합하다(unite)〈*in, into* one body〉. **2** 합동[연합]하다(combine). **cò·alés·cence** *n.* Ⓤ 합체, 합동 ; 유착 ; 〖地學〗 병합. **-lés·cent** *a.* 합체[합동]한 ; 유착된.
〚L *co-*(*alit- alesco* to grow〈*alo* to nourish)〛

cóal·fàce *n.* 〖鑛山〗 (갱내의) 채탄 막장 ; (노출된) 석탄층의 표면.

cóal fàctor *n.* 《英》 석탄 도매상[중개 상인].

cóal·fìeld *n.* 탄전(炭田) ; [*pl.*] (한 지방의) 탄광.

cóal·fìsh *n.* 대구과에 속하는 검은빛의 물고기《북대서양산 ; 식용》.

cóal flàp *n.* 《英》 석탄 저장 지하실 뚜껑문.

cóal gàs *n.* 석탄 가스.

cóal gòose *n.* 《英》 〖鳥〗 가마우지.

cóal hàtch *n.* (배의) 석탄 반입구.

cóal hèaver *n.* 석탄 운반 인부, 석탄을 싣고 부리는 사람.

cóal hòd *n.* 《美北東部》 =COAL SCUTTLE.

cóal·hòle *n.* (COAL CELLAR에의) 석탄 투입구(投入口)《쇠로 된 뚜껑이 있음》; 《英》 지하의 석탄 창고[저장소].

cóal hòuse *n.* 석탄 저장소[창고].

coal·ifi·ca·tion [kòuləfəkéiʃən] *n.* 석탄화 작용.

cóal·ing *n.* 석탄 적재 ; 석탄 공급.

cóaling bàse[**stàtion**] *n.* 석탄 공급지[항].

cóaling dèpot *n.* 〖軍〗 급탄소(所).

Coal·ite [kóulait] *n.* 콜라이트《저온 건류(乾溜) 코크스 ; 상표명》.

co·ali·tion [kòuəlíʃən] *n.* 일체화, 합체 ; (국가·정당 따위의) 연합, 연대, 합동(union) ; 〖政〗 제휴(提携), 연립 : the ~ cabinet[ministry] 연립 내각 / form a ~ 연합[제휴]하다. **~·al** *a.* 연합[연립]의. **~·ist, ~·er** *n.* 합동[연립]론자.
〚L ; ⇨ COALESCE〛

cóal·less *a.* 석탄이 없는.

cóal liquefáction *n.* 석탄 액화.

cóal·man [-mən] *n.* 석탄상 ; 석탄 운반인.

cóal màster *n.* 탄갱주(炭坑主), 탄광주.

cóal mèasures *n. pl.* 〖地質〗 석탄계(系) ; 협탄층(夾炭層).

cóal mèrchant *n.* 석탄 소매업자.

cóal mìne *n.* 탄광, 석탄광(鑛). **cóal mìner** *n.* 탄광부(夫), 탄갱부. **cóal mìning** *n.* 탄광업, 채탄(採炭).

cóal·mòuse *n.* 〖鳥〗 =COAL TIT.

cóal òil *n.* 《美》 석유(petroleum), (특히) 등유(燈油) (kerosene) (=《英》 paraffin oil).

cóal òwner *n.* 탄광주(主).

cóal pàsser *n.* 〖海〗 화부(火夫), 석탄을 운반 하는 인부.

cóal·pìt *n.* 탄광(coal mine) ; 《美》 숯굽는 곳.

cóal plàte *n.* =COAL FLAP.

cóal·sàck *n.* 석탄 포대 ; [the C~] 〖天〗 석탄 포대《은하수 중의 암흑 부분》.

cóal·scòop *n.* 석탄 부삽.

cóal scùttle *n.* (실내용) 석탄통.

cóal sèam *n.* 탄층.

cóal tàr *n.* 콜타르.

cóal tìt, cóle·tìt [kóul-] *n.* 〖鳥〗 진박새《박새의 일종 ; 유럽산》.

cóal-whìpper *n.* (배의) 석탄 양륙 인부[기계].

cóaly *a.* 석탄의, 석탄 같은 ; 석탄을 함유한.

coam·ing [kóumiŋ] *n.* [보통 *pl.*] 〖海〗(배의 갑판 승강구 · 지붕의 채광창 따위의) 널빤지 테두리《물이 들어오는 것을 막음》. 〚C17< ?〛

co·ánchor *vt., vi.* 〖美放送〗 공동 뉴스 캐스터를 맡다. —— *n.* 공동 뉴스 캐스터(cf. ANCHOR).

co·apt [kouǽpt] *vt.* (뼈 · 상처 따위를) 꼭 이어 맞추다, 접착하다, (특히) (뼈를) 맞추다.
cò·ap·tá·tion *n.* 접착, 유합(癒合), 접골.

co·arc·tate [kouɑ́:rkteit, -tət] *a.* 〖昆〗 잘록한 복부[흉부]를 가진 ; (번데기가) 고치로 둘러싸인 ; 틀어 넣은, 압축시킨.
cò·arc·tá·tion *n.*

***coarse** [kɔ́:rs] *a.* **1** 조잡한, 거친, 허름한, 하등의(inferior) : ~ fare[food] 조식(粗食). **2** (천 · 알갱이 따위가) 거친 ; 올이 굵은, 조제(粗製)의(↔*fine*) : ~ tea 질이 낮은 차. **3** 점잖지 못한, 천한, 상스러운(vulgar) ; (말씨 따위가) 야한, 음란한. **~·ly** *adv.* **~·ness** *n.* 〚ME< ?〛
類義語 ***coarse*** 태도 · 이야기하는 투가 고상하지 않고 남에게 불쾌감을 주는 : *coarse* manner (거친 태도). ***gross*** 매우 천하고 또는 야만적인 : a *gross* remark (야비한 말). ***vulgar*** 닦아야 할 가정 교육 · 교양 · 좋은 취미 따위가 결여되어 있는 : a *vulgar* taste (천박한 취미).

cóarse ággregate *n.* 굵은 골재(骨材).

cóarse físh *n.* (식료품으로서의) 하치 생선[물고기] ; 《주로英》 연어과(科) 이외의 민물 고기.

cóarse-gráined *a.* 결[올]이 거친 ; 조잡한, 천한, 덜렁대는.

coars·en [kɔ́:rsən] *vt., vi.* 조잡[난잡 · 비열 · 야비]하게 하다[해지다] ; 거칠어지다[게 하다] ; 까칠까칠하다.

cò·articulátion *n.* 〖言〗 동시 조음(調音).

COAS 〖宇宙〗 crewmen optical alignment sight ((우주선의) 관찰용 광학 기기).

‡coast [kóust] *n.* **1** 연안, 해안(seashore) ; [the C~] 《美》 태평양 연안 지방 : The ~ is clear. 아무도[방해자] 없음 ; 자 지금이다 !《밀수선의 용어에서》. **2 a)** 《美 · Can.》 (썰매 따위의) 활주, 활강. **b)** (내리막길에서의 자전거의) 타성 주행(惰性走行). —— *vi.* **1** 연안을 항행[무역]하다. **2** (썰매 따위로) 활주[활강]하다 ; (새 따위가) 활공(滑空)하다 ; (자전거 따위에서) 타력으로 달리다[나아가다]. —— *vt.* …의 연안을 (따라) 항행하다. 〚OF<L *costa* rib, side〛
類義語 ⟹ SHORE.

cóast·al *a.* 근해(近海)[연안]의 : ~ defense 연안 방위 / a ~ plain 해안을 따라 있는 평지, 연안[해안] 평야.

Cóastal Commánd *n.* [the ~] (제2차 세계대전 중 영국 공군이 해군 지원을 위해 파견한) 연안 방위대.

Cóastal Státes Organizàtion *n.* [the ~] 《美》 연안주 기구《미국의 태평양 · 대서양 · 5대호

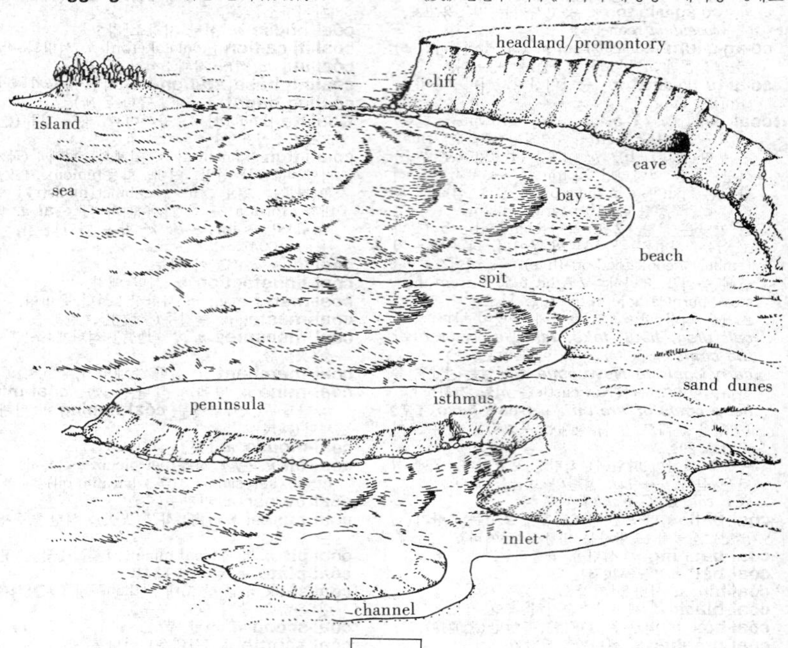

에 접한 30개 주와 5신탁령으로 된 조직; 略 CSO).

cóastal wáters *n. pl.* 〖氣〗 연안 해역(해안에서 약 20마일 내의 수역).

cóast artìllery *n.* 해안 포대; 해안 방어 포병대.

cóast·er *n.* **1** 연안 무역선(船). **2** (언덕을 미끄러져 내려오는) 썰매; (롤러) 코스터(유원지의 활주(滑走) 궤도). **3** (탁상에서 양주병 따위를 돌리기 위한) 바퀴 달린 은쟁반(tray); (술잔 따위의) 받침 접시. **4** (자전거 타주용(惰走用)) 발판.

cóaster bràke *n.* (자전거용) 코스터 브레이크(페달을 거꾸로 밟고 제동(制動)함).

cóast guàrd *n.* 해안 경비대(원) (밀수의 단속, 해난 구조 따위를 함).

cóast·guàrd(s)·man [-mən] *n.* 해안 경비대원.

cóast·ing *a.* 연안 항행의; 타성으로 나아가는. —— *n.* **1** Ⓤ 연안 항행[무역]. **2** Ⓤ,Ⓒ 해안선의 지형, 해안선도(圖); 타행, 타주.

cóasting flìght *n.* 〖로켓〗 타성[관성] 비행(로켓의 추력(推力)이 작용치 않을 때의 비행).

cóasting lìne *n.* 연안 항로.

cóasting pìlot *n.* 연안 도선사(導船士).

cóasting tràde *n.* 연안 무역.

cóasting vèssel *n.* 근해 항로선.

cóast·lànd *n.* Ⓤ 해안 지대.

cóast·lìne *n.* 해안선(線).

cóast-lìner *n.* 연안 항로선(船).

Cóast Rànges *n. pl.* [the ~] 《美》 코스트 산맥(California 남부에서 Alaska 남부에 이름).

cóast-to-cóast *a.* 미국 횡단의, 대서양 연안에서 태평양 연안에 이르는, 내륙[대륙] 횡단의.

cóast·wàit·er *n.* 《英》 연안 수송품을 처리하는 세관 관리.

cóast·ward *a., adv.* 해안을 향한; 해안쪽으로.

cóast·wards *adv.* 《英》 =COASTWARD.

cóast·wàys *a., adv.* 《古》 =COASTWISE.

cóast·wìse *a.* 연안의(coastal): ~ trade 연안 무역. —— *adv.* 연안에, 연안을 따라.

◇**coat** [kóut] *n.* **1** (양복의) 상의(jacket); (여성·어린이의) 긴 겉옷; 외투(cf. OVERCOAT, GREATCOAT): a red ~ 영국의 구식 군복(cf. REDCOAT). **2** 짐승의 외피(털가죽), 막(膜). **3** 가죽(skin, rind), 껍질(husk), 층(layer): the ~*s of* an onion 양파 껍질. **4** 피복(被覆), 도금(鍍金), (페인트 따위의) 칠하기, 도장(塗裝): two ~*s* of paint 페인트의 두 벌 칠하기.

a coat and skirt 《英》 여성 외출복.

a coat of arms (방패 모양의) 문장; 갑옷에 덧입는 가문(家紋)이 박힌 옷(옛날 전령(傳令)인 기병(騎兵)이 입었음).

a coat of mail 쇠미늘로 된 갑옷.

cut one***'s coat according to*** one***'s cloth*** 신분에 맞는 생활을 하다.

take off one***'s coat*** 겉옷을 벗다(싸울 준비); [뜻이 변하여] 걷어붙이고 시작하다.

trail one***'s coat*** =*trail* one's COATTAILS.

turn one***'s coat*** 변절(變節)하다(cf. TURNCOAT); 개종(改宗)하다.

wear the king's[***queen's***] ***coat*** 《英》 군복을 입다, 병역에 복무하다.

—— *vt.* **1** …에게 상의를 입히다. **2** [+目/+目+*with*+名] [때로 *p.p.*로] (페인트 따위를) …에 칠하다, (주석 따위를) …에 씌우다; (먼지 따위가) 덮다: He finished it up by ~*ing* the surface ***with*** paint. 표면에 페인트를 칠함으로써 그것을 마무리했다 / The furniture was ~*ed with* dust. 가구는 온통 먼지로 덮여 있었다.

〖OF<Gmc.<?; cf. G *Kotze*〗

cóat ármor *n.* [집합적으로] 문장(紋章) (coats of arms).

cóat càrd *n.* 《古》 (카드의) 그림패(cf. COURT CARD).

cóat·drèss *n.* 코트드레스(코트처럼 앞이 트이고 밑까지 단추가 달린 드레스).

cóat·ed *a.* 광택나는(종이 따위); 방수 가공한(천 따위); 겉칠을 한, 거죽을 입힌.

cóated páper *n.* 도피지(塗被紙)(코팅지·아트지 따위).

coat·ee [koutíː, 英+ˊ-] *n.* 몸에 꼭 끼는 짧은 양복 저고리(여성복·유아복(服)).

cóat gène *n.* 〖生化〗 외각(外殼) 유전자(외각 단백질 합성에 관계하는 바이러스 유전자).

cóat hànger *n.* 양복걸이.

co·a·ti [kouáːti], **coàti·món·di, -mún-** [-mʌ́ndi] *n.* 〖動〗 코곰, 흰코코곰(열대 아메리카산 곰의 일종). 〖Port.<Tupi〗

cóat·ing *n.* **1** Ⓤ,Ⓒ 칠하기, 덧칠하기; 피복물(被覆物); 도료; (음식물 특히 튀김 따위의) 겉을 싸는 것. **2** Ⓤ,Ⓒ 웃옷 옷감: new wool(l)en ~*s* 모직의 새 옷감. **3** Ⓤ,Ⓒ 〖光〗 코팅(광선 투과를 효과적으로 하기 위해 렌즈 표면에 약제를 바르기).

cóat pròtein *n.* 〖生化〗 외각(外殼) 단백질(바이러스를 항체로부터 보호하는 피막상 단백).

cóat·ràck *n.* (임시 보관한 모자·외투 따위를 거는) 옷걸이.

cóat·ròom *n.* (극장·호텔 따위의) 휴대품 보관소 (cloakroom).

cóat·tàil *n.* [흔히 *pl.*] (특히 야회복·모닝 코트 따위의) 웃옷 자락, 양복 저고리의 뒷자락; [*pl.*] 《美》〖政〗 약한 동료 후보자도 함께 당선시키는 유력 후보자의 힘.

trail one***'s coattails*** (긴 옷자락을 일부러 밟게 하여) 시비를 걸다, 싸움을 걸다.

—— *a.* 《美》 약한 후보자도 함께 당선시키는.

cóat·tràil·ing *n.* 《英》 싸움[논쟁]을 걺, 도발. —— *a.* 도발적인.

cóat trèe *n.* =CLOTHES TREE.

co·áuthor *n.* 공저자(共著者)〈*of*〉. —— *vt.* 공동 집필하다.

coax**[1] [kóuks] *vt.* [+目+*to* do/+目+前+名] **1** (남을) 잘 타일러 …시키다[…을 얻다], 달래다: I ~*ed* my child *to* sleep. 나는 아이를 달래어 재웠다 / She ~*ed* a smile ***from her baby. 그녀는 아기를 얼러서 웃게 했다 / He ~*ed* the secret ***out of*** his wife. 그는 아내를 슬슬 구슬려서 비밀을 알아냈다. **2** (사물을) 잘 다루어 뜻대로 하다: He ~*ed* a fire *to* burn. 이럭저럭 불을 잘 피웠다 / I ~*ed* the canary ***into*** the cage. 카나리아를 잘 다루어 새장에 넣었다. —— *vi.* 달콤한 말을 하다, 달래다, 속이다. —— *n.* 감언, 어르고 달램, 비위 맞춤. **~·er** *n.* **~·ing·ly** *adv.*

〖C16 *cokes* a fool<?; 'make a *cokes* of'의 구(句)에서〗

類義語 ***coax*** 교묘한 말로 몇번이나 상대방을 설득하여 무언가를 시키다. ***cajole*** 아첨이나 아부 따위로 상대방을 설복시키다. ***wheedle*** 더욱 뜻이 강하며 교묘히 아부·아첨하여 때로는 유혹해서 상대방을 속이다. ***blandish*** wheedle 만큼 수단을 쓰지 않고 공공연히 아첨하여 상대방을 유혹하다.

co·ax[2] [kóuæks, ˊ-] *n.* =COAXIAL CABLE.

co·áxial, -áxal *a.* 〖數·電·機〗 같은 축의, 공축(共軸)의.

coáxial cáble *n.* 〖電〗 동축 케이블, 동근 뭇줄.

cob[1] [kɑ́b] *n.* **1** =CORNCOB 1. **2** 다리가 짧고 튼튼한 승용마. **3** 백조의 수컷(↔*pen*[3]). **4** (빵 따위의) 작고 둥근 덩어리. **5** 〔주로 商〕 석탄·돌 따위를 둥글게 쌓은 더미. **6** 《英》 (건축용의) 점토에 짚을 섞은 벽토. 〖ME< ?〗

cob[2] *vt.* (**-bb-**) (광석 따위를) 바수다 ; …의 볼기를 때리다. 〖C18< ? ; imit. 인가〗

cob[3], **cobb** [kɑ́b] *n.* 〔鳥〕 갈매기, 큰갈매기. 〖C16<Gmc. ; cf. Du. *kob, kobbe*〗

co·balt [kóubɔːlt, 英+-ˊ] *n.* **1** Ⓤ 〔化〕 코발트《금속 원소 ; 기호 Co ; 번호 27》. **2** Ⓤ 코발트색의 그림물감.
cobalt blue [***green***] 코발트 청(靑)[녹(綠)]색. 〖G ? *Kobold* spirit in mines〗

cóbalt bòmb *n.* 코발트 폭탄.

co·bal·tic [koubɔ́ːltik] *a.* 〔化〕 코발트의 ; 코발트를 함유하는.

co·bal·tite [kóubɔːltàit, -ˊ-], **-balt·ine** [-tiːn, -tən] *n.* 〔鑛〕 휘(輝)코발트광(鑛).

cobalt 60 [ˊ síksti] *n.* 〔化〕 코발트 60《질량수 60의 코발트 방사성 동위원소 ; 암치료용》.

cobalt-60 bomb [-síksti ˊ] *n.* 코발트 60용기(容器)《암치료용》.

cob·ber [kɑ́bər] *n.* 《濠俗》 친구 ; 동료, 짝패. 〖C19< ? *cob* (dial.) to take a liking to〗

cob·ble[1] [kɑ́bəl] *vt.* 수선하다, 급조하다, 깁다, 솜씨 없게 고치다(mend and patch) 〈*up*〉.
cobble together 누덕누덕 깁다 ; 벌충하다.
〖역성(逆成) 〈*cobbler*〗

cobble[2] *n.* **1** =COBBLESTONE ; 자갈 포장길. **2** [*pl.*] 돌멩이 크기의 석탄. ── *vt.* (도로)에 자갈을 깔다 : ~*ed* street 자갈 길.
〖ME *cobel*(*-stone*) 〈COB[1], *-le*〗

cob·bler [kɑ́blər] *n.* **1** 구두 수선공 : The ~'s wife goes the worst shod. 《속담》 구두 수선공의 아내는 떨어진 신발을 신게 마련, 「남의 일에만 힘쓰고 자기 일은 하지 못함」의 비유 / The ~ should [Let the ~] stick to his last. 《속담》 본분을 지켜라, 쓸데없이 남의 일에 참견을 마라(cf. *stick to* one*'s last* ☞ LAST[3]). **2** 솜씨 없는 직공. **3** 카블러《포도주에 레몬 조각·설탕·얼음 따위를 넣은 청량 음료 ; cf. SHERRY COBBLER》. 〖ME< ?〗

cóbbler's wáx *n.* 구두 꿰매는 실에 먹이는 밀랍(蜜蠟).

cóbble·stòne *n.* (철도·도로용의) 자갈, 조약돌, 작은 돌멩이《pebble보다 큼》.

cób còal *n.* 덩어리 석탄.

Cob·den [kɑ́bdən] *n.* 코브던. **Richard** ~ (1804-65) 영국의 정치가·경제학자. **~·ism** *n.* 코브던주의《자유 무역·평화주의·불간섭주의》. **~·ite** *n., a.* 코브던주의자(의).

cò·bellígerent *n.* (정식으로 동맹을 맺지 않은) 공동 참전국, 맹방. ── *a.* 함께 싸우는. **-ence, ency** *n.*

co·bia [kóubiə], **ca·bio** [kɑ́ːbiòu] *n.* (*pl.* **-bi·as, -bi·òs**) 〔魚〕 날새기.

co·ble [kóubəl, kɑ́-] *n.* 《北英·스코》 바닥이 평평한 어선.

cób·lòaf *n.* 《英》 둥근 빵.

cób-nòsed *a.* 주먹코의.

cób·nùt *n.* 〔植〕 (유럽산) 개암나무의 일종 ; 그 열매 ; 그 열매로 하는 아이들 놀이.

COBOL, Co·bol [kóubɔ(ː)l] *n.* Ⓤ 〔컴퓨〕 코볼《보통 영어를 사용, 사무용 자료 처리를 위한 공통 프로그램 언어 ; cf. COMPUTER language》. 〖*co*mmon *b*usiness *o*riented *l*anguage〗

co·bra [kóubrə] *n.* 〔動〕 코브라《인도 등지에 사는 독사》. 〖Port.<L *colubra* snake〗

co·burg [kóubəːrg] *n.* **1** Ⓤ 안감·복지(服地)용의 능직물. **2** [때때로 C~] 위에 십자의 홈이 있는 둥근 빵(=ˊ~ **lòaf**).

cob·web [kɑ́bwèb] *n.* **1 a**) 거미집[줄]. **b**) (남을 모함하는) 함정, 계략(snare). **2** 얇은 천《아주 얇은 숄·레이스 따위》. **3** 덧없는 것, 가냘픈 것 ; [*pl.*] 낡아빠진[케케묵은] 생각, 인습 ; (머릿속의) 혼란, 혼미, 망상.
blow [***clear***] ***away the cobwebs*** (***from*** one***'s brain***) (산책하여) 머리를 맑게 하다, 기분을 일신하다.
have a cobweb in the throat 목이 마르다, 술을 마시고 싶다.
take the cobwebs out of one***'s eyes*** (졸린 눈을 비벼) 잠을 쫓다.
── *vt.* (**-bb-**) 거미집[줄]으로 싸다 ; (머리 따위를) 혼란시키다. **-wèbbed** *a.* 거미줄을 친 ; 《美口》 머리가 돈, 어리둥절한. **-wèb·by** *a.* 거미줄투성이의 ; 가볍고 얇은.
〖ME *cop*(*pe*) *web*〈 *coppe* spider, WEB〗

co·ca [kóukə] *n.* 〔植〕 코카나무《남미 원산의 관목》; Ⓤ 코카잎《말려서 코카인을 채취함》. 〖Sp.<Quechua〗

Co·ca-Co·la [kóukəkóulə] *n.* Ⓤ,Ⓒ 코카콜라《청량 음료의 일종 ; 상표명 ; cf. COKE》.

cò·ca·cò·la·izá·tion *n.* 코카콜라화(化), 아메리카화《제2차 대전 후 포도주의 나라 프랑스에까지 미국의 코카콜라가 침투한 것을 상징한 표현》.

còca·hólic *n.* =COKEAHOLIC.

co·caine, -cain [koukéin, ˊ-; kəkéin] *n.* Ⓤ 〔化〕 코카인《COCA의 잎에서 채취한 유기염기(有機鹽基)》; 분말상(狀) 코카인《염산(鹽酸) 코카인》; 국부 마취용 극약.
〖COCA, *-ine*[2]〗

co·cáin·ism *n.* 〔醫〕 코카인 중독. **-ist** *n.*

co·cáin·ize *vt.* 코카인으로 마비시키다.
co·càin·izá·tion *n.*

cocci *n.* COCCUS의 복수형.

coc·cid [kɑ́ksəd] *n.* 깍지벌레과 벌레의 총칭.

coc·cus [kɑ́kəs] *n.* (*pl.* **coc·ci** [kɑ́ksai, kɑ́ksiː]) **1** 〔醫〕 구균(球菌). **2** 〔植〕 작은 건과(乾果). 〖Gk. =berry〗

-coc·cus [kɑ́kəs] *n. comb. form* (*pl.* **-coc·ci** [kɑ́ksai, kɑ́ksiː]) 〔菌〕 「…구균(球菌)」의 뜻 : strepto*coccus*. 〖Gk. (↑)〗

coc·cyg·e·al [kɑksídʒiəl] *a.* 미골(尾骨)의.

coc·cyx [kɑ́ksiks] *n.* (*pl.* **coc·cy·ges** [kɑ́ksədʒìːz, kɑksáidʒiːz], **~·es**) 〔解〕 미골.

co·cháir *vt.* …의 공동사회자[부의장]를 맡다.

Co·chin [kóutʃən] *n.* [흔히 c~] 코친《아시아산 닭의 한 품종》.

Có·chin Chína [kóutʃən-; kɔ́tʃin-] *n.* 코친차이나《Viet Nam의 최남단, 원래 프랑스령》.

coch·i·neal [kɑ̀tʃəníːl, ˊ-ˋ, kóutʃənìːl] *n.* Ⓤ 코치닐 염료《양홍(洋紅)의 원료로 연지깍지벌레의 암컷을 말려서 채취함》. 〖F or Sp.<L *coccinus* scarlet (Gk. *kokkos* kermes)〗

coch·lea [kɑ́kliə, kóu-] *n.* (*pl.* **-le·as, -le·ae** [-lìiː, -liài]) 〔解〕 (내이(內耳)의) 와우각(蝸牛殼), 달팽이관. **cóch·le·ar** *a.* 와우각의.

cóchlear ìmplant *n.* 〔醫〕 와우각 이식, 인공귀《귓 속에 작은 마이크로폰을 넣음》.

coch·le·ate [kɑ́kliət, -èit, kóu-], **-at·ed** [-èitəd] *a.* 달팽이 모양의 ; 나선형의.

***cock**[1] [kɑ́k] *n.* **1** 수탉(=rooster) (↔*hen*) : ☞

FIGHTING COCK / Every ~ crows on its own dunghill. 《속담》 이불 속 활개짓은 누구라도 칠 수 있다. **2** (새의) 수컷(cf. COCK SPARROW, PEACOCK). **3** 〖鳥〗 멧도요(woodcock) : the ~ of the wood=CAPERCAILLIE. **4** (통 따위의) 마개, 전(栓)(stopcock), (수도·가스의) 콕, 꼭지 ; (총의) 공이치기, 격철(擊鐵). **5** 풍향계(weathercock). **6** 《비유》 제1인자, 두목, 「독불장군」. **7** (모자 테두리의) 위로 젖혀진 부분(↔*slouch*) ; (코끝이) 위로 젖혀짐 ; 눈을 치뜨고 보기. **8** (저울의) 바늘. **9** 《卑》 음경(陰莖).
at*[*on*] *full*[*half*] *cock 공이치기를 완전히[반쯤] 당기어 ; 충분히[불충분하게] 준비하여 : go off *at half* ~ 반쯤 공이치기를 당겨 발포하다 ; 서둘러 하다.
***a cock of the walk*[*dunghill*]** (위세당당한) 두목, 「독불장군」(cf. WALK *n.* 7 ; DUNGHILL).
old cock 《호칭》 여보게, 이봐.
That cock won't fight. 《口》 그렇게는 안될걸, 그 변명은 통하지 않아《투계(鬪鷄)에서》.
the cock of the north 《英》 =BRAMBLING.
the cock of the school (학교의) 싸움대장 ; 수석 학생(head boy).
—— *a.* 수컷의 : a ~ bird 수새 / a ~ lobster 로브스터의 수컷.
—— *vt.* **1** (총의) 공이치기를 당기다. **2** (모자챙을) 위로 젖히다(↔*slouch*), (모자를 멋으로) 삐딱하게 쓰다 : ☞ COCKED HAT. **3** [+目/+目+副/+目+前+名] 쫑긋 세우다, 쭈뼛이 세우다(prick) : ~ one's eye at …에게 눈짓을 하다, …을 알고 있다는 듯이 힐끗 보다 / ~ one's nose 코를 치올리다《경멸 따위의 표정》 / The dog ~*ed* ***up*** its ears. 개는 귀를 쫑긋 세웠다.
—— *vi.* (개 꼬리 따위가) 곧추서다〈*up*〉 ; (사람이) 거만하게 몸을 뒤로 젖히다〈*up*〉.
〖OE *cocc* and OF *coq*< ? L *coccus* (imit.)〗

cock² *n.* (원뿔 모양으로 쌓은) 볏짚[마른풀] 가리.
—— *vt.* (마른풀을) 원뿔 모양으로 쌓다[가리다].
〖? Scand. ; cf. Norw. *kok* heap〗

cock·ade [kakéid] *n.* 꽃 모양의 모표(帽標) ; (검은 가죽의) 꽃 모양의 휘장《영국 왕실의 시종이 모자에 다는》. 〖F (*cock*¹, *-ard* ; '*bonnet à la coquarde*'의 구(句)에서)〗

cock-a-doo·dle-doo [kákədù:dldú:] *n., int.* **1** 꼬끼오《수탉의 울음소리》. **2** 《兒》 꼬꼬(cock)《수탉을 말함》. 〖imit.〗

cock-a-hoop [kàkəhú(:)p, ⌐-⌐] *a., adv.* 의기 양양한[하게] ; 뽐내는[내어] ; 비스듬한[히].

Cock·aigne, Cock·ayne [kakéin] *n.* 환락경(歡樂境) ; 《戲》 런던《COCKNEY에 대한 익살》.

cock-a-leek·ie [kàkəlí:ki] *n.* 《스코》 =COCKY-LEEKIE.

cock·a·lo·rum [kàkəlɔ́:rəm] *n.* (*pl.* **~s**) 수평아리 ; 당닭 ; 《口》 몸집이 작고 건방진 사내 : high ~ 등넘기 놀이.

cock·a·ma·my, -mie [kàkəméimi] *a.* 《美俗》 나쁜, 저급인 ; 어처구니[믿을 수] 없는.
—— *n.* 어이[어처구니]없는 일.

cóck-and-búll (stòry) *n.* 터무니없는 엉뚱한 이야기, 괴상 망측한 이야기.

cóck-and-hén *a.* 《俗》 (클럽 따위에서) 남녀가 함께 하는[뒤섞인].

cock·a·tiel, -teel [kàkətí:l] *n.* 〖鳥〗 왕관앵무새《호주 원산(原産)》.

cock·a·too [kákətù:, ⌐-⌐] *n.* (*pl.* **~s**) 〖鳥〗 (인도·오스트레일리아산) 황앵무새 ; 《濠口》 소자작농(小自作農) ; 《濠俗》 (악당들의) 망보는 사람. 〖Du.<Malay ; 어형은 cock¹에서 동화(同化)〗

cock·a·trice [kákətrəs, -tràis] *n.* 코카트리스《한 번 노려보기만 하면 사람이 죽는다는 수탉의 머리와 발과 날개에 뱀의 몸을 한 괴물 ; cf. BASILISK》 ; 〖聖〗 독사 ; 요부 ; 〖紋〗 계사상(鷄蛇像). 〖OF ; 'tracker'의 뜻으로 Gk. ICHNEUMON의 역(譯)〗

cóck bèad *n.* 〖木工〗 돋을무늬 장식이 든 구슬 선(線).

cóck·bìrd *n.* 수탉.

cock·boat [kákbòut] *n.* (본선(本船)에 딸린) 작은 배. 〖*cock* (obs.) small boat<OF〗

cóck·chàfer *n.* 〖昆〗 왕풍뎅이《풍뎅이의 일종으로 해충》.

cóck·cròw, -cròw·ing *n.* Ⓤ 《文語》 동틀녘, 여명, 새벽.

cócked hát [kákt-] *n.* **1** 삼각모(tricorne) 《해군 장교 등의 정장용》. **2** (좌우 또는 전후로) 챙을 젖혀 올린 모자.
knock...into a cocked hat …을 완전히 때려 눕히다, 여지없이 해치우다, (논의·계획 따위를) 망치다.

cock·er¹ [kákər] *vt.* (아이의) 응석을 받아주다 ; (환자를) 소중히 하다[돌보다](coddle)〈*up*〉. 〖ME< ?〗

cocker² *n.* =COCKER SPANIEL. 〖COCK¹〗

Cocker *n.* 코커. **Edward** ~ (1631-75) 영국의 수학자.
according to Cocker 정확한 ; 정확히[바르게] 말해서.

cock·er·el [kákərəl] *n.* (1년 미만의) 수평아리 ; 툭하면 싸우는 젊은이. 〖(dim.) ‹ *cock*¹〗

cócker spániel *n.* 코커 스패니얼《수렵 또는 애완용 개의 일종》.
〖COCK¹ ; woodcock 따위를 몰아내는 데서〗

cóck·éye [, ⌐⌐] *n.* 사팔뜨기, 사시(斜視).

cóck·éyed *a.* 사팔뜨기의(squinting) ; 《俗》 뒤틀린, 비스듬한(slanted) ; 잘못된 ; 어리석은(stupid) ; 《俗》 미친(crazy) ; 술에 취한.

cóckeye(d) bób *n.* 《濠俗》 갑작스런 폭우(暴雨)[스콜].

cóck·fight *n.* 투계(鬪鷄) (시합).

cóck·fight·ing *n.* Ⓤ 투계(鬪鷄).
beat cockfighting 더없이 재미있다.

cóck-hàppy *a.* 《英俗》 (여자가) 색을 밝히는, 음란한.

cóck·hèad *n.* 《俗》 (음경의) 귀두(龜頭)(dickhead).

cóck·hòrse *n.* 흔들 목마(rocking horse), (장난감) 말, 죽마(竹馬)(hobbyhorse).
—— *adv.* 의기양양하게 ; 걸터앉아 : ride ~ on a broomstick 빗자루에 걸터앉다《옛날 마녀는 이렇게 해서 하늘을 날았다고 함》.

cóck·ish *a.* 《口》 =COCKY¹.

cock·le¹ [kákəl] *n.* **1** 〖貝〗 새조개류(類). **2** = COCKLEBOAT. **3** 표어를 넣은 조개 모양의 과자.
the cockles of one***'s heart*** 본심 : The scene warmed[delighted] *the* ~*s of* my *heart.* 그 광경은 내 마음을 기쁘게 했다.
〖OF *coquille* shell<L<Gk. ; ⇨ CONCH〗

cockle² *n.* 〖植〗 보리동자꽃.
〖OE *coccul*< ? L (dim.) ‹ *coccus*〗

cockle³ *n.* 방열형(放熱型) 난로의 일종.
〖Du. *kachel* (*-oven*) earth(-oven)〗

cockle⁴ *n.* (종이·가죽 따위의) 주름(wrinkle).
—— *vi., vt.* 주름지다[잡다] ; 물결이 일다[일게 하다]. 〖F=blister ; ⇨ COCKLE¹〗

cóckle·bòat *n.* 바닥이 얕고 가벼운 작은 보트 (cockboat).

cóckle·bùr, -bùrr [, kʌ́kəl-] *n.* 《美》 도꼬마리 《엉거시과의 잡초》; 그 열매《가시(bur)에 싸여 있음》; =BURDOCK.

cóckle·shèll *n.* (새조개류의) 조가비; 바닥이 얕은 작은 배.

cóck·lòft *n.* (조그마한) 지붕밑[다락]방(garret).

cock·ney [kɑ́kni] *n.* **1** 런던 토박이 《특히 East End 지역에 살면서 런던 사투리를 쓰는 사람; cf. BOW BELLS》. **2** 《廢》 유약한 도회지 사람; 멋부리는 녀석. **3** Ⓤ 런던 영어[말투].
—— *a.* 《보통 蔑》 런던내기의, 런던식[풍]의; 런던 사투리의: a ~ accent 런던 사투리. 〖ME *cokeney* cock's egg (*cocene* (gen. pl.) ‹ *ey*<OE *æg*); 현재의 의미는 'small or ill-shaped egg'에서 'pampered child' 'townsman'을 거친 것〗

cóckney·dom *n.* [집합적으로] 런던 토박이[내기]들, 토박이 기질; 런던 본토박이가 사는 지역.

còckney·ése [-íːz, -s] *n.* =COCKNEYISM.

cock·ney·fy, -ni- [kɑ́knəfài] *vt.* 런던 토박이식으로 하다; 런던 말투로 말하다.
còck·ney·fi·cá·tion, -ni- *n.*

cóckney·ìsm *n.* 런던 사투리《'plate'를 [pláit], 'house'를 [ǽus]와 같이 발음하는 따위》; 런던 토박이식.

cóckney·ize *vt., vi.* 런던 토박이[내기]식으로 하다[되다]; 런던 사투리를 쓰다.

Cóckney Schòol *n.* 런던파《19세기의 런던 토박이 작가들을 조롱하여 붙인 이름》.

cóck·pìt *n.* **1 a)** (울이 둘러 있는) 투계장. **b)** 전쟁터; (특히 때때로 전투가 행해졌던) 옛 싸움터: the ~ of Europe 유럽의 옛 전쟁터《벨기에를 이름》. **2 a)** 〖空〗 (전투기 따위의) 조종석[실]. **b)** (요트 따위의) 조타석(操舵席); (경주용 차의) 조종석. **c)** (옛 군함의) 최하 갑판의 뒷방《평상시는 청년 사관실, 전시에는 부상병실》.

cóckpit créw *n.* 〖空〗 운항 승무원《조종실에서 조종하거나 기기를 조작함》.

cóckpit vóice recòrder *n.* 〖空〗 (조종실) 음성 기록장치《略 CVR》.

cock·roach [kɑ́kroutʃ] *n.* 〖昆〗 바퀴.
〖Sp. *cucaracha*; 어형은 cock[1], roach[1]에서 동화(同化)〗

cócks·còmb *n.* (새 따위의) 볏; 〖植〗 맨드라미. 〖COCK[1]〗

cócks·fòot *n.* =ORCHARD GRASS.

cóck·shòt, -shỳ *n.* (막대기·돌 따위를 목표물에 던져) 표적을 떨어뜨리는 놀이; 그 놀이에서 한 번 던지기.

cócks·màn *n.* 《美卑》 늘 (새)여자를 잘 후리는 사람, 난봉꾼.

cóck spárrow *n.* 참새의 수컷; 《비유》 용감하게 나서는 작은 사내.

cóck·spùr *n.* (닭 따위의) 며느리발톱; 〖植〗 산사나무의 일종; 〖昆〗 물여우《날도래의 애벌레》.

cóck·sùck·er *n.* 《卑》 남자 성기를 빠는 사람, 여자역 호모; 아첨꾼; 치사한[더러운] 놈, 상놈.
cóck·sùck·ing *a.* 《卑》 구제할 길 없는, 비열한.

cóck·súre *a.* **1** 확신하는〈*of*〉; 혼자서 정한, 자만심이 강한: He is ~ *of* his position. 그는 자기의 입장에 자신이 넘쳐 있다. **2** [+*to* do] 반드시 일어나는; 확실히 …하는(certain): She is ~ *to* come. 그녀는 꼭 온다.

cockswain ☞ COXSWAIN.

cocksy [kɑ́ksi] *a.* 《英口》 =COXY.

***cock·tail** [kɑ́ktèil] *n.* **1** 칵테일《진이나 독한 술에 향료·고미제(苦味劑)·감미료 따위를 섞은 혼합주》; 《비유》 여러 가지 요소의 혼합; 《美》 (차게 한) 과일 주스《식전에 내놓음》. **2** 굴·조개 따위에 소스를 곁들여 내는 전채(前菜) 요리. **3** 꼬리 자른 말; 잡종의 경주용 말. **4** 벼락 출세한 사람. **5** 《美俗》 마리화나가 든 담배. —— *a.* 칵테일(용)의; 준정장용의《드레스 따위》.

cócktail bèlt *n.* 교외의 고급주택 지대(cf. COMMUTER BELT).

cócktail drèss *n.* 야회복, 칵테일 드레스.

cóck-tàiled *a.* 꼬리를 짧게 자른.

cócktail glàss *n.* 칵테일 잔《굽이 있음》.

cócktail hòur *n.* 칵테일 시간《저녁 식사 전 4-6시가 보통》.

cócktail lòunge *n.* 칵테일 라운지《호텔이나 공항에서 칵테일을 제공하는 휴게실》.

cócktail pàrty *n.* 칵테일 파티.

cócktail sàuce *n.* 새우·굴 따위의 칵테일용(用) 소스.

cócktail stìck *n.* 칵테일 스틱《칵테일의 체리나 올리브 따위에 꽂는 이쑤시개 모양의 것》.

cócktail tàble *n.* =COFFEE TABLE.

cóck tèaser[tèase] *n.* 《卑》 노골적으로 유혹하면서도 몸은 허락하지 않는 여자.

cóck·ùp, cóck-ùp *a.* 끝이 휘어올라간; 〖印〗 다른 글자보다 글자체가 튀어나온.
—— *n.* 어깨 글자, 어깨 숫자《A^3 따위》.

cocky[1] [kɑ́ki] *a.* 《口》 잘난 척하는; 으스대는; 건방진. 〖COCK[1]〗

cocky[2] *n.* 《濠口》 소농(小農); 〖鳥〗 왕관앵무새 (cockatiel). 〖*cock*atoo+-*y*[3]〗

cocky·leek·ie, -leeky [kɑ̀kəlíːki] *n.* 《스코》 부추(leek)를 넣은 닭고기 수프.

cocky·ól·ly bìrd [kɑ̀kiɑ́li-] *n.* 《兒》 짹짹(이) 《작은새의 애칭》.

co·co [kóukou] *n.* (*pl.* **~s** [-z]) **1** 코코야자 (coconut palm). **2** =COCONUT; 《俗》 (사람의) 머리. 〖Sp. and Port. =grimace; 껍데기의 밑바닥이 사람의 얼굴과 비슷한 데서〗

***co·coa**[1] [kóukou] *n.* **1** Ⓤ 코코아《cacao 종자의 분말》; 코코아색, 다갈색. **2 a)** 코코아《음료》: a cup of ~ 코코아 한 잔. **b)** 한 잔의 코코아.
—— *a.* 코코아(색)의.
—— *v.* [다음 숙어로]
I should cocoa! 《口》 완전하다《I should say so.의 《韻俗》》, 《反語》 아니야, 당치도 않아 (certainly not).
〖변형(變形) ‹ *cacao*〗

cocoa[2] *n.* COCO의 잘못된 철자.

cócoa bèan *n.* 카카오 열매《코코아 초콜릿의 원료(原料)》.

cócoa bùtter *n.* =CACAO BUTTER.

cócoa nìb *n.* 카카오 열매의 떡잎.

cocoanut ☞ COCONUT.

cócoa pòwder *n.* 갈색 화약.

COCOM [kɑ́kəm, kóukɑm] Coordinating Committee for Export to Communist Area《대(對)공산권 수출 통제 위원회; 본부는 Paris에 있음》.

cóco·màt *n.* 야자나무 열매 섬유로 엮은 돗자리.

co·cónscious *n., a.* 〖心〗 공의식(共意識) (적인).
~·ness *n.*

***co·co·nut** [kóukənʌ̀t], **cócoa·nùt** *n.* **1** 코코야자의 열매, 코코넛: ~ butter 코코야자유(油), 코코아 기름 / the milk in the ~ 《美俗》 요점, 핵심. **2** 《口》 (인간의) 머리; 《美俗》 1달러; [*pl.*] 《俗》 풍만한 여자. 〖COCO〗

cóconut ìce *n.* 설탕·건조 코코넛 따위로 만드

는 과자.
cóconut màtting *n.* =COCOMAT.
cóconut mìlk[wàter] *n.* 야자 열매즙.
cóconut òil *n.* 코코야자유《비누용》.
cóconut pàlm[trèe] *n.* 야자나무.
cóconut shỳ *n.* 《英》 코코넛 떨어뜨리기《코코넛을 표적 또는 상품으로 함》.
co·coon [kəkúːn] *n.* (누에) 고치 ; (거미 따위의) 알주머니 ; 〖軍〗 보호 피막(被膜)《기계류 · 함선 따위가 녹슬지 않도록 입히는 피복재》. ── *vi.* 고치를 만들다. ── *vt.* 폭 감싸다 ; (비행기 따위에) 보호 피막을 씌우다.
〖F<Prov. (dim.) 〈*coca* shell〗
cocóon·ery *n.* 양잠소(養蠶所).
cóco pàlm *n.* =COCONUT PALM.
co·cotte [*F* kɔkɔt] *n.* (파리 등지의) 매춘부 (prostitute) ; 음란한 여자. 〖F=hen〗
cò·currícular *a.* 정규 교과 과정과 병행하는.
cod[1] [kád] *n.* (*pl.* **~, ~s**) 〖魚〗 대구(codfish).
〖ME< ?〗
cod[2] *vt., vi.* (**-dd-**) 《俗》 속이다, 조롱하다.
〖C19< ?〗
COD chemical oxygen demand (화학적 산소 요구량).
C.O.D., c.o.d. cash[collect] on delivery : send...(a thing) ~ …을 대금 상환으로 보내다.
C.O.D. Concise Oxford Dictionary.
co·da [kóudə] *n.* 〖樂〗 코다, 종결부.
〖It. <L *cauda* tail〗
cód·bànk *n.* (해저의) 대구가 집결하는 퇴(堆).
cod·der [kádər] *n.* 대구잡이 배[어부].
cód·ding *n.* Ⓤ 대구잡이.
cod·dle [kádl] *vt.* **1** 응석받다, 소중히 키우다 : She ~*d* her son when he was sick. 그녀는 아들이 아팠을 때 응석을 받아주었다. **2** 뭉근한 불로 삶다. ── *n.* 《口》 유약한[나약한] 사람 ; 약골 (milksop). 〖변형(變形) ? 〈*caudle*〗
***code** [kóud] *n.* **1** 법전 : the civil[criminal] ~ 민[형]법 / the ~ of honor 신사도(道), 결투의 예법. **2** (어떤 계급 · 동업자 등의) 규약, 관례 ; (사회의) 법도. **3** 신호법 ; 암호, 약호(略號), 부호 : a ~ telegram 암호 전보 / the International *C*~ 만국 선박 신호 ; 만국 공통 전신 부호 / a telegraphic ~ 전신 약호. **4** 〖生〗 (생물의 특징을 결정하는) 유전 암호 : a genetic ~ 유전 정보 (遺傳情報). ── *vt.* 법전으로 작성하다 ; (전문을) 암호로 하다. ── *vi.* (특정한 단백질 따위를 합성하기 위한) 유전 암호를 지정하다〈*for*〉.
〖OF<L CODEX〗
CODE Cable Online Data Exchange.
códe bòok *n.* 전신 약호장 ; 암호책.
códe·brèak·er *n.* 암호 해독자.
códe·brèak·ing *n.* 암호 해독.
co·dec [kóudek] *n.* 〖電子〗 부호기(符號器), 복호기(復號器). 〖*co*der *dec*oder〗
cò·decíde *vt.* 공동으로 정하다.
cò·declinátion *n.* 〖天〗 여적위(餘赤緯), 극거리 《적위의 여각》.
códe dàting *n.* 《美》 (식료품 따위에의) 날짜 표시제.
cò·defénd·ant *n.* 〖法〗 공동 피고.
códe gròup *n.* 부호군(符號群)(code word).
co·deine [kóudiːn, -diən] *n.* Ⓤ 코데인《아편에서 채취되는 진통 · 진해 · 수면제》.
〖Gk. *kōdeia* poppyhead, *-ine*[2]〗
códe nàme *n.* 암호용 문자[이름], 코드명(名).
códe-nàme *vt.* …에 코드명을 붙이다.
Code Na·po·lé·on [*F* kɔd napɔleɔ̃] *n.* 나폴레옹 법전.
CODENE *Comité pour le Désarmement Nucléaire en Europe* 《F》 (=Committee for Nuclear Disarmament in Europe).
cod·er [kóudər] *n.* 〖컴퓨〗 코더, 부호기.
códe-swìtch·ing *n.* 한 언어[방언] 체계에서 다른 체계로 전환함.
cò·determinátion *n.* 노동자의 경영참가 ; 《美》 (정부와 의회의) 공동 (정책) 결정.
co·det·ta [koudétə] *n.* 〖樂〗 코데타《짧은 코다》. 〖It.〗
códe wòrd *n.* =CODE NAME ; =CODE GROUP ; 공격적인 뜻을 내포하지만 표면적으로는 무난한 표현, 완곡한 어구.
co·dex [kóudeks] *n.* (*pl.* **-di·ces** [-dəsìːz, kád-]) (성서 · 고전의) 사본 ; 약전(藥典) ; 《古》 법전.
〖L=wood block, (writing) tablet, book〗
cód·fish *n.* 〖魚〗 대구(cod).
códfish aristòcracy *n.* 《美俗》 (대구잡이로 한몫 본) 벼락부자들 ; 신흥계급.
códfish càke *n.* 《美》 대구와 감자를 함께 다져 튀긴 음식.
codg·er [kádʒər] *n.* 《口》 괴팍한 사람, 변태적인 사람《주로 늙은이》. 〖? *cadger*〗
cod·i·cil [kádəsəl, -sìl] *n.* 〖法〗 유언 보충서 ; 추가 조항, 부록. 〖L (dim.) 〈CODEX〗
cod·i·cil·la·ry [kàdəsíləri] *a.* 유언장 보충서적인 [보충서의].
co·di·col·o·gy [kòudəkálədʒi] *n.* (고전 · 성서 따위의) 사본 연구, 사본학.
co·di·co·log·i·cal [kòudəkəládʒikəl] *a.*
cod·i·fi·ca·tion [kàdəfəkéiʃən, kòu-] *n.* Ⓤ 법전 편찬 ; 성문화(成文化).
cód·i·fi·er *n.* 법전 편찬자, 법령 집성자(集成者).
cod·i·fy [kádəfài, kóu-] *vt.* 법전으로 편찬하다 ; 성문화하다 ; 체계화하다 ; 분류하다 : ~ laws 법률을 성문화하다. 〖CODE〗
cod·ing [kóudiŋ] *n.* 법전화 ; 전문의 암호화 ; 〖컴퓨〗 부호화, 코딩《정보를 계산 조작에 편리한 부호로 바꾸는 일》.
cod·ling[1] [kádliŋ], **-lin** [-lən] *n.* (요리에 쓰는) 갸름한 사과의 일종 ; 풋사과.
〖AF *quer de lion* lion heart〗
codling[2] *n.* 〖魚〗 대구새끼.
códlin(g) mòth *n.* 애기잎말이나방과의 나방의 일종《과수의 해충》.
cód·lins and créam [kádlənz-] *n.* 〖植〗 분홍바늘꽃(fireweed). 〖변형(變形) 〈*codling*[1]〗
cód-lìver óil *n.* (대구) 간유(肝油)《대구의 간장에서 채취한 것 ; 비타민 A · D가 풍부》.
co·don [kóudan] *n.* 〖遺〗 코돈《3개의 뉴클레오티드 염기로 만들어지는 유전 암호의 단위》.
cód·pìece *n.* **1** 코드 피스《15-16세기의 남자용 바지(breeches)의 앞트임을 가리기 위한 커버 ; 흔히 장식되어 있었음》. **2** 《廢》 음경.
〖ME *cod* scrotum〗

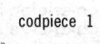

codpiece 1

co-dríver *n.* (특히 자동차 경주 따위에서) 교대로 운전하는 사람.
cods(·wal·lop) [kádz(wàləp)] *n.* Ⓤ 《英俗》 어처구니 없음, 난센스. 〖C20 < ?〗
cód wàr *n.* 대구 전쟁《대구 자원을 둘러싼 영국과 아이슬란드 간의 분쟁 ; 1958, 1972-73, 1975-76》.
co·ed, co-ed [kóuéd, ⌐⌐] *n.* 《美口》 (남녀 공학

대학의) 여학생 ; 남녀 공학. —— *attrib. a.* 남녀 공학의 : a ~ school (남녀) 공학 학교. 〚*coed*ucational student〛

cóed créw *n.* 《美俗》 (해군의) 남녀 혼합 승무원 (cf. LOVE BOAT).

cóed dórm *n.* 《美》 (대학의) 남녀 공용 기숙사.

co·édit *vt.* 공동 편집하다.

cò·edítion *n.* (다른 언어·나라·출판사에 의한) 동시 출판.

co·éditor *n.* 공편자. **~·shìp** *n.* 공편(共編).

co·éducate *vt., vi.* 남녀 공학 교육을 하다[받다].

co·educátion *n.* Ⓤ 남녀 공학. **~·al** *a.* 남녀 공학의, 남녀 공학을 실시한.

coef(f). coefficient.

cò·effícient *a.* 공동 작용[작업]의 ; 협력하는 (cooperating). —— *n.* **1** 공동 작인(作因) ; 〔數〕 계수(係數) : a differential ~ 미분(微分) 계수. **2** 〔理〕 계수, 율(率) : a ~ *of* expansion 팽창 계수 / a ~ *of* friction 마찰 계수. **3** (일반적으로) 정도, 비율 : a ~ *of* culture 교양[문화](의) 정도. 〚NL (*co*-)〛

coel- [síːl], **coe·lo-** [síːlou, -lə] *comb. form* 「강(腔)」의 뜻. 〚Gk. (↓)〛

coe·la·canth [síːləkæ̀nθ] *n.* 〔動〕 실러캔스《지금도 존재하고 있는 중생대의 물고기》 ; 강극 어류(腔棘魚類). —— *a.* 실러캔스의, 강극 어류의. 〚L (Gk. *koilos* hollow, *akantha* spine)〛

-coele, -coel [sìːl] *n. comb. form* 「체강(體腔)」의 뜻. 〚COEL-〛

coe·len·ter·ate [siléntərèit, -rət] *n., a.* 〔動〕 (해파리 따위의) 강장(腔腸) 동물(의).

coe·li·ac [síːliæ̀k] *a.* =CELIAC.

coelo- ☞ COEL-.

coe·lom [síːləm], **-lome** [-loum] *n.* (*pl.* **-loms, -lo·ma·ta** [si(ː)lóumətə, -lɑ́m-]) 〔動〕 체강. **-lom·ic** [silɑ́mik, -lóu-] *a.*

coe·lo·stat [síːləstæ̀t] *n.* 〔天〕 실로스탯《두 장의 평면 반사경으로 천체의 빛을 일정 방향으로 보내는 장치》.

co·empt [kouémpt] *vt.* 매점(買占)하다.

coen- [síːn, sén], **coe·no-** [síːnou, -nə, sén-] *comb. form* 「공통의」「보편의」의 뜻. 〚NL<Gk. *koinos* common〛

coe·nes·the·sia, ce- [sìːnəsθíːʒə], **-the·sis** [-θíːsəs] *n.* 〔心〕 체감(體感)《건강의 느낌이나 허탈감 같은 느낌의 막연한 전신의 감각》.

coenobite ☞ CENOBITE.

cóeno·cỳte *n.* 〔生〕 다핵체(多核體), 다핵세포. **cò·e·no·cýt·ic** [-sít-] *a.*

coenospecies ☞ CENOSPECIES.

co·énzyme *n.* Ⓤ 〔生化〕 보조 효소. **-enzymátic** *a.* **-ti·cal·ly** *adv.*

co·équal *a., n.* 동등한 (사람), 동격인 (사람) 〈*with*〉. **~·ly** *adv.* 〚L (*co*-)〛

cò·equálity *n.* Ⓤ 동등, 동격.

co·erce [kouə́ːrs] *vt.* [+目 / +目+前+名] 강제[강요]하다, 위압하다 : Her parents ~*d* her ***into*** marry*ing* the man. 그녀의 부모는 강제로 그녀를 그 남자와 결혼시켰다. 〚L *coerceo* to restrain〛

co·érc·ible *a.* 강제[위압]할 수 있는.

co·er·cion [kouə́ːrʒən, -ʃən] *n.* Ⓤ 강제, 억압 ; 위압 ; 압제 정치. **~·àry** [; -əri] *a.* =COERCIVE.

co·ér·cion·ist *n.* 강압[위압] 정치론자.

co·er·cive [kouə́ːrsiv] *a.* 강제적인, 위압적인, 고압적인. **~·ly** *adv.*

coércive fórce *n.* 〔理〕 보자력(保磁力).

coe·site [kóusait] *n.* 〔鑛〕 코자이트《고온·고압에서 합성되는 고밀도의 동질 이상(同質異像) ; 성분은 규산(硅酸)》. 〚Loring *Coes* (1915-) 미국의 화학자〛

cò·esséntial *a.* 동소(同素)의, 동질의, 동체의. **~·ly** *adv.*

co·eta·ne·ous [kòuətéiniəs] *a.* 동시대[시기]의. 〚L *aetas* age〛

cò·etérnal *a.* 〔주로 神學〕 영원히 공존하는. **~·ly** *adv.*

cò·etérnity *n.* Ⓤ 영원한 공존.

co·eval [kouíːvəl] *a.* 같은 연대의 ; 같은 시대[기간]의〈*with*〉. —— *n.* 같은 시대의 사람[것]. 〚L *aevum* age〛

co·eval·i·ty [kòuiːvǽləti] *n.* 같은 시대[연대].

co·evolútion *n.* 〔生〕 공(共)진화. **~·àry** [; -əri] *a.*

cò·evólve *vi.* 〔生〕 공(共)진화하다.

cò·exécutor *n.* (*fem.* **-exécutrix**) 〔法〕 (유언) 공동 집행인.

cò·exíst *vi.* (같은 장소에) 동시에 존재하다, (…와) 공존하다〈*with*〉.

cò·exístence *n.* Ⓤ 공존, 공재(共在) : peaceful ~ 평화 공존.

cò·exístent *a.* 공존하는〈*with*〉.

cò·exténd *vi., vt.* 같은 넓이[길이]로 넓어지(게 하)다[길어지(게 하)다].

cò·exténsion *n.* (공간·시간에 있어서) 동일한 범위.

cò·exténsive *a.* (공간·시간에 있어서) 같은 넓이를 가지는 ; 〔論〕 동연(同延)의.

co·fáctor *n.* 〔數〕 여인자(餘因子), 여인수 ; 〔生化〕 공동 인자, 보조 요인.

C. of C. Chamber of Commerce ; coefficient of correlation. **C. of E.** Church of England.

cò·féature *n.* (연예 따위의) 주(主) 공연물에 딸리는 (부차적인) 상연물.

°cof·fee [kɔ́(ː)fi, kɑ́fi] *n.* **1 a)** 커피(cf. CAFÉ) : a cup of ~ 커피 한 잔 / ☞ BLACK COFFEE / ~ and milk 밀크를 탄 커피 / make ~ 커피를 끓이다. **b)** 한 잔의 커피 : Let's have a ~. 커피 한 잔 마십시다 / They ordered two ~*s*. 그들은 커피를 두 잔 주문했다. **2** 커피가 딸린 가벼운 식사 ; Ⓤ 식후의 커피. **3** 커피나무(=~ plant[tree]). **4** [집합적으로] 커피 열매. **5** Ⓤ 커피 빛깔, 다갈색. 〚Turk.<Arab.〛

cóffee-ánd *n.* Ⓤ 《俗》 커피와 케이크《가장 싼 식사》 ; 《美》 생활 필수품.

còffee-and-cáke-jòb, -jòint *n.* 《美俗》 적은 급료의 변변찮은 일[가게].

cóffee and cáke(s) *n.* 《美俗》 형편없이 적은 급료, 푼돈.

cóffee bàg *n.* (1인분의 커피를 넣은) 커피 봉지.

cóffee bàr *n.* 《英》 가벼운 식사를 할 수 있는 커피점, 커피 바.

cóffee bèan *n.* 커피 콩.

cóffee bèrry *n.* 커피 열매《한 개에 bean이 2개 있음》 ; =COFFEE BEAN.

cóffee·bèrry *n.* 미국 북서부산의 상록 관목《커피 열매와 비슷한 열매를 맺음》.

cóffee brèak *n.* 《美》 커피 마시기 위한 휴식, 커피 브레이크《오전·오후 중간의 차 마시기 위한 15분 정도의 휴식》.

cóffee càke *n.* 커피 케이크《호두·건포도 따위가 든 빵과자》.

cóffee-cólored *a.* 커피 색깔의, 암갈색의.

cóffee còoler *n.* 《美俗》 쉬운 일을 원하는 녀석,

게으름뱅이.
cóffee cùp *n.* 커피 잔.
cóffee grìnder *n.* =COFFEE MILL.
cóffee gròunds *n. pl.* 커피 찌꺼기《커피를 거르고 난 후의》.
cóffee hòur *n.* (특히 정례의) 딱딱하지 않은 다과회 ; =COFFEE BREAK.
cóffee·hòuse *n.* 커피점 ;《英》 문인 클럽《17-18세기에 유행》.
cóffee klàtch[klàtsch] *n.* 다과회《커피를 마시며 잡담을 함》.
cóffee-klàtch[klàtsch] *vi.* 다과회를 열다.
cóffee-klátch[klátsch] campàign *n.* 〖美政〗 가정방문 유세.
cóffee lìghtener *n.* (유제품으로 만들지 않은) 커피용 크림 대용품.
cóffee màker *n.* 커피 제조업자 ; 커피를 넣는 사람[기구] ; 커피 끓이개, 커피 메이커.
cóffee mìll *n.* 커피 분쇄기.
cóffee mòrning *n.* 아침의 커피 파티《종종 모금을 위한》.
cóffee plànt *n.* 커피나무.
cóffee·pòt *n.* 커피 끓이는 주전자, 커피포트.
cóffee ròom *n.* 다방.
cóffee sèrvice[sèt] *n.* 커피 세트《커피 도구 한 벌 ; cf. TEA SERVICE》.
cóffee shòp *n.* 다방 ; (호텔 따위의 간단한 식당을 겸한) 다실 ; 원두 커피 가게.
cóffee spòon *n.* DEMITASSE용의 작은 스푼.
cóffee stàll[stànd] *n.* 커피 스탠드.
cóffee tàble *n.* 커피용 작은 탁자, (소파 앞에 놓는) 작은 테이블.
cóffee-tàble *a.* coffee table용의, (읽기보다) 보고 즐길 만한《책》.
cóffee-tà·bler [-tèiblər], **cóffee-table bòok** *n.* coffee table용의 호화판 책.
cóffee tàvern *n.* 찻집, 다방 ; (술은 팔지 않는) 간이 음식점.
cóffee trèe *n.* =COFFEE PLANT.
cof·fer [kɔ́(:)fər, káf-] *n.* **1** 귀중품 상자, 돈궤. **2** 금고 ; [*pl.*] 재원(財源), 기금(funds). **3** 〖建〗 (천장의) 정간(井間). **4** =COFFERDAM. —— *vt.* 상자[궤]에 넣다, 금고에 넣다.
〚OF<L *cophinus* basket <Gk.〛
cóffer·dàm *n.* 방수제(防水堤), 방죽, 임시 물막이 ;〖工〗 잠함(潛函) (caisson).
***cof·fin** [kɔ́(:)fən, káf-] *n.* 관(棺), 널(cf. CASKET).
a nail in** one**'s coffin ☞ NAIL.
drive a nail into** a person**'s coffin ☞ NAIL.
in** one**'s coffin 죽어서, 매장되어.
—— *vt.* 관에 넣다, 입관(入棺)하다 ; 밀폐하다.
〚OF=little basket etc.<L<Gk. ; ⇨ COFFER〛
cóffin bòne *n.* 말굽뼈.
cóffin còrner *n.* 《럭비俗》 죽음의 코너《골라인 앞 10야드 이내의 좌우 코너》.
cóffin jòint *n.* (말의) 발굽 관절.
cóffin nàil *n.* 《俗》 =CIGARETTE.
cóffin-plàte *n.* 관 뚜껑에 붙이는 명패《죽은 이의 이름·죽은 날짜 따위를 기입》.
cof·fle [kɔ́(:)fəl, káf-] *n.* (쇠사슬에 매인) 한 무리의 짐승[노예]. —— *vt.* 많은 사람[것]을 염주처럼 엮다. 〚Arab.〛
co·fígurative *a.* 각 세대(世代)가 독자적인 가치관을 가지는.
C. of S. Chief of Staff.
có·fùnction *n.* 〖數〗 여함수(餘函數).

cog[1] [kɔ́(:)g, kág] *n.* **1** (톱니바퀴의) 톱니(tooth) ; =COGWHEEL ; (큰 조직 속의) 톱니바퀴 같은 일원 ;《비유》 (사회·사업 따위에서) 필요하지만 보잘것 없는 일을 하고 있는 사람. **2** 〖木工〗 장부, 끼운 톱니.
slip a cog 실수하다.
—— *vt.* (**-gg-**) 〖冶〗 (강괴를) 분해 압연하다.
cógged[1] *a.* 톱니바퀴가 달린.
〚? Scand. ; cf. Swed. *kugge*〛
cog[2] *n.* 사기, 속임수. —— *vt., vi.* (**-gg-**) (주사위놀이에서) 부정 수단을 쓰다, 속이다, 사기하다.
cogged[2] *a.* (주사위에) 부정한 장치를 한.
〚C16< ?〛
cog[3] *n.* 작은 어선 ; 소형 보트. 〚C16< ?〛
cog. cognate. **c.o.g.** center of gravity.
Co·gas [kóugæ̀s] *n.* 석탄·석유에서 채취하는 가스. 〚*c*oal-*o*il-*gas*〛
co·gen·cy [kóudʒənsi] *n.* Ⓤ (이유·추론의) 적절함, 설득력.
co·génerate *vi.* 폐열(廢熱) 발전을 하다.
co·generátion *n.* 폐열 발전《발전시에 생기는 증기를 써서 발열·발전을 행하는 것》; (증기 난방과 발전 따위) 연료를 이중 목적으로 쓰기.
có·gent *a.* (이유·추론 따위가) 남을 승복시키는, 설득력이 있는, 적절한 ; 강력한(forcible).
~·ly *adv.* 남을 승복시키도록, 강력히.
〚L (*cogo* to drive, compel)〛
cóg·ging *n.* **1** [집합적으로] (톱니바퀴의) 톱니. **2** 〖木工〗 장부.
cog·i·ta·ble [kádʒətəbəl] *a.* 생각할 수 있는, 사고의 대상이 되는.
cog·i·tate [kádʒətèit] *vi.* 생각하다, 숙고하다(meditate)〈*upon*〉. —— *vt.* [+目/+目+前+名] 연구[계획]하다 : ~ mischief against... 남을 해치려고 일을 꾸미다. **cóg·i·tà·tor** *n.* 심사 숙고하는 사람. 〚COGITO〛
còg·i·tá·tion *n.* Ⓤ 사고(思考)(력) ; 숙고(熟考) ; [때때로 *pl.*] 생각, 고안, 계획.
cóg·i·tà·tive [; -tə-] *a.* 사고력이 있는 ; 숙고하는 ; 생각에 잠긴.
co·gi·to [kóugitòu] *n.* 고기토《'cogito, ergo sum' 이라는 철학의 원리》; 자아의 지적 작용.
〚L (*co-*, AGITATE to think)〛
co·gi·to, er·go sum [-érgou súm] 나는 생각한다, 그러므로 나는 존재한다《Descartes의 말》.
〚L=I think, therefore I exist〛
cogn. cognate.
co·gnac [kánjæk, kóu-] *n.* Ⓤ 코냑《프랑스 원산의 brandy》.
***cog·nate** [kágneit] *a.* **1** 조상이 같은, 같은 혈족의(kindred) ;〖法〗 여계친(女系親)의, 어머니 쪽의(cf. AGNATE). **2** 같은 기원(起源)의〈*with*〉; 〖言〗 같은 어족[어원]의〈*with*〉. **3** 같은 종류의, 같은 성질의(akin)〈*with*〉. —— *n.* **1** 〖法〗 혈족자, 어머니쪽의 친척(relative) ; 외척(外戚)(in-law). **2** 같은 근원[기원]의 물건, 같은 종류의 것 ;〖言〗 동족 언어 ; 어원이 같은 말.
〚L *co-*(*gnatus* born)〛
cógnate óbject *n.* 〖文法〗 동족목적어《보기 : die the death, live a good life 에서의 death, life》.
cog·na·tion [kagnéiʃən] *n.* 동족(同族), 친족 ; 여계친 ;〖言〗 동계(同系).
cog·ni·tion [kagníʃən] *n.* Ⓤ 〖心·哲〗 인식, 인지 ; 인식력 ; 지식. **~·al** *a.* 인식(상)의.
〚L *cognitio* ; ⇨ COGNIZANCE〛
cog·ni·tive [kágnətiv] *a.* 인식의[에 관한].

cógnitive díssonance *n.* 〖心〗 인지적 불협화 《두 가지 모순되는 신념이나 태도를 동시에 가지는 데서 오는 심리적 갈등의 상태》.

cógnitive méaning *n.* 〖言〗 지적 의미《외계사물에 대한 감정이 내포되지 않은 의미》.

cog·ni·za·ble, -sa- [kágnəzəbəl, kάn-, kagnái-] *a.* **1** 인식할 수 있는. **2** (범죄 따위가) 재판권 내에 있는, 심리되어야 할. **-bly** *adv.*

cog·ni·zance, -sance [kágnəzəns, kán-] *n.* **1** Ⓤ 인식, (사실의) 인지 ; 인식 범위 : be[fall, lie] within[beyond, out of] one's ~ 인식[심리]의 범위내[밖이]다 / have ~ *of* …을 알고 있다 (know) / take ~ *of* …을 인정하다. **2** Ⓤ 〖法〗 심리(審理) ; 재판권(jurisdiction). **3** 기장(記章), 문장(紋章).
〖OF<L *cognit- cognosco* to get to know〗

cóg·ni·zant *a.* 인식하고 있는(aware)〈*of*〉; 〖哲〗 인식력이 있는 ; 〖法〗 재판 관할권이 있는, 심리안이 있는.

cog·nize [kágnaiz, -ˊ] *vt.* 〖哲〗 인지[인식]하다.
〖*cogniz*ance ; RECOGNIZE 따위의 유추〗

cog·no·men [kagnóumən, kágnə- ; -men] *n.* (*pl.* **~s, -nom·i·na** [-námənə, -nóu-]) **1** 별명(nickname) ; 성(姓) (surname) ; 《俗》 이름(name). **2** 〖古로〗 제 3 명(名), 가명(家名) (family name)《예를 들면 Gaius Julius Caesar 의 *Caesar*》. 〖L〗

cog·nom·i·nal [kagnámənl, -nóum-] *a.* 성(姓)의, 가명(家名)상의 ; 명칭상의 ; 동명의, 동성의. **~·ly** *adv.*

co·gno·scen·te [kànjəʃénti, -njou-, kàgnə-] *n.* (*pl.* **-ti** [-ti(:)]) =CONNOISSEUR.
〖It. =one who knows〗

cog·nos·ci·ble [kagnásəbəl] *a., n.* 〖哲〗 인식할 수 있는 (것).

cog·no·vit [kagnóuvət] *n.* 〖法〗 (피고가 원고의 요구가 정당하다고 인정하는) 승인서.
〖L=he has acknowledged ; cf. COGNIZANCE〗

CO·GO [kóugou] *n.* 〖컴퓨·土〗 토목 기술자가 측량에 필요한 평면 기하 계산을 하기 위한 프로그래밍 언어. 〖*co*ordinate *geo*metry〗

cóg·ràil *n.* (아프트식 철도의) 톱니모양 레일.

cóg ràilway *n.* 톱니 모양의 레일 철도, 아프트식 철도(rack railway).

cóg·whèel *n.* 〖機〗 (이가 맞물리는) 톱니바퀴.

co·hab·it [kouhǽbət] *vi.* (내연(內緣)의 남녀가) 동거(同居)하다(live together), (이종 동물 따위가) 함께 서식하다 ; 《古》 함께[같은 장소에] 살다.
—— *vt.* (같은 장소)에 함께 서식하다〈*with*〉.
co·hàb·i·tá·tion *n.* 부부 생활 ; 동거.
〖L (*habito* to dwell)〗

co·hab·it·ee [kouhæ̀bətí:], **co·hab·i·tant** [kouhǽbətənt], **co·hab·i·tor, -it·er** [kouhǽbətər] *n.* 동서자(同棲者).

co·héir *n.* 〖法〗 공동 상속인(joint heir).
co·héir·ess *n. fem.* 〖法〗 여자 공동 상속인.

co·here [kouhíər] *vi.* **1** 밀착하다 ; (분자 따위가) 응집하다 ; (주의 따위로) 결합하다, 일치하다. **2** (문체·논리 따위가) 이치에 맞다, 시종 일관하다 : A sentence that does not ~ is hard to understand. 조리가 없는 문장은 이해하기 힘들다.
〖L (*haes- haereo* to stick)〗
類義語 ⟹ STICK².

co·her·ence [kouhíərəns] *n.* Ⓤ 결합의 긴밀도, 결합력(union) ; (문체·이론 따위의) 통일, 일관성. **co·hér·en·cy** *n.*

co·hér·ent *a.* 응집성(凝集性)의, 밀착한〈*with, to*〉; (이야기 따위가) 조리가 서는, 시종 일관한.
~·ly *adv.* 밀착하여 ; 시종 일관하여.

co·her·er [kouhíərər] *n.* 〖電〗 코히러《검파기(檢波器)의 일종》.

co·he·sion [kouhí:ʒən] *n.* Ⓤ 밀착, 점착, 결속, 결합(력) ; 〖理〗 (분자의) 응집력(cf. ADHESION).
~·less *a.* 응집력이 없는, 응집성이 없는 입자로 이루어진.
〖L (⇨ COHERE) ; ADHESION에 준한 것〗

co·he·sive [kouhí:siv] *a.* 밀착하는, 결합력이 있는 ; 〖理〗 응집성의. **~·ness** *n.*

co·ho·bate [kóuhoubèit] *vt.* 〖藥〗 재증류하다.

co·hort [kóuhɔ:rt] *n.* 〖古로〗 보병대《legion을 10으로 나눈 부대로 300명에서 600명으로 구성》; [때때로 *pl.*] 《文語》 군대(army) ; 동료 ; 일대, 일단〈*of*〉. 〖F or L=enclosure, company〗

cóhort anàlysis *n.* 〖心〗 동세대 분석.

C.O.I. Central Office of Information.

cò·idéntity *n.* 두 가지 (이상)의 것 사이의 동일성(同一性).

coif [kɔ́if] *n.* 〖史〗 밀착 두건(頭巾) ; (옛 영국의 상급 법원 변호사의) 흰 직모(職帽).
—— *vt.* 두건을 씌우다.
〖OF<L *cofia* helmet〗

coif·feur [kwɑ:fə́:r ; *F* kwafœ:r] *n.* 이발사.

coif·feuse [kwɑ:fə́:z, -fjú:z ; *F* kwafø:z] *n.* 여자 이발사.

coif·fure [kwɑ:fjúər ; *F* kwafy:r] *n.* 조발(調髮)형, 머리 땋는 법 ; 머리 장식(headdress).

coign(e) [kɔ́in] *n.* (벽 구석의) 돌출한 부분 : a ~ of vantage ☞ VANTAGE 1. 〖COIN〗

coil**¹ [kɔ́il] *vt.* [+目 / +目+副 / +目+前+名] 돌돌 말다, 뚤뚤 감다 : ~ a rope 밧줄을 뚤뚤 감다 / The snake ~*ed* itself ***up in the cave. 뱀이 동굴 속에서 사리를 틀고 있었다 / They ~*ed* a long wire (***a***)***round*** the tree. 그 나무에 긴 철사를 돌돌 감았다. —— *vi.* [動 / +前+名] 뚤뚤 감다, 원을 만들다 : A snake can ~ (***a***)***round*** a branch. 뱀은 나뭇가지를 친친 휘감을 수 있다.
—— *n.* **1** 동그라미, 똘똘 감음. **2** (밧줄·철사 따위의) 한 사리, (실패 따위에) 한 번 감기(cf. HANK) ; 〖電〗 코일. **3** 말아올린 머리.
〖OF<L COLLECT¹〗

coil² *n.* 《古·詩》 혼란, 번거로움 : this mortal ~ 이 속세의 번거로움. 〖C16<?〗

‡**coin** [kɔ́in] *n.* (지폐에 대해서) 주화, 동전, 화폐 ; 경화(硬貨) ; 《俗》 돈, 금전 ; 경화 비슷한 것, 다른 두 면을 가진 것 : bad ~ 악화(惡貨) ; 가짜돈 / false ~ 가짜 돈 ; 가짜 물건.
pay a person (***back***) ***in*** his ***own coin*** 남에게 보복하다.
the other side of the coin (사물의) 다른 면.
—— *vt.* **1** (주화를) 주조하다(mint) ; 화폐로 만들다 ; 《비유》 금전으로 바꾸다 : ~ one's brains 두뇌로 돈을 벌다. **2** (신어(新語)·허위(虛僞) 따위를) 만들어내다 : a ~*ed* word 신조어(新造語). —— *vi.* (경화를) 주조하다 ; 《英》 가짜돈을 만들다.
coin money 《口》 돈을 많이 벌다 : He is ~*ing money* in his new business. 그는 새로운 사업으로 많은 돈을 벌고 있다.
〖OF<L *cuneus* wedge ; cf. QUOIN〗

Coin *n.* =COUNTERINSURGENCY.

cóin·age *n.* **1** Ⓤ 화폐 주조. **2** [집합적으로] 주조 화폐 ; 한 나라[시대]의 화폐. **3** Ⓤ 화폐 주조권 ; 화폐 제도. **4** Ⓤ (단어 따위의) 신조(新造) ; Ⓒ 신조어 ; 만들어 낸 것 : the ~ *of* fancy[the

brain] 공상[두뇌]의 산물[소산].
cóin bòx *n.* (공중 전화 따위의) 동전 상자 ; 《英》 공중 전화.
cóin chànger *n.* 동전 교환기.
*__co·in·cide__ [kòuənsáid, ⌐-⌐] *vi.* **1** [動 / +*with*+名] 동시에 동일한 공간을 차지하다, 동시에 일어나다 ; (둘 이상의 것이) 부합[일치·우연히 일치]하다 : His free time does not ~ ***with*** mine. 그의 한가한 시간은 내 한가한 시간과 일치하지 않는다. **2** [動 / +前+名] (행동·취미 따위가) 일치하다, 의견[견해]을 같이하다 : Her ideas ~ ***with*** mine. 그녀의 생각은 내 생각과 일치하고 있다 / The committeemen did not ~ ***in*** opinion. 위원들의 의견은 일치하지 않았다. 〖L ; ⇨ INCIDENT〗
co·in·ci·dence [kouínsədəns, -dèns] *n.* Ⓤ 일치, 우연한 일치 ; 부합 ; 일이 동시에 발생하기, 같은 곳에 공존하기 ; Ⓒ 동시 발생한[우연히 일치한] 사건 : a casual ~ 우연의 일치.
coíncidence cìrcuit[**còunter, gàte**] *n.* 〔電〕 동시 회로.
co·ín·ci·dent [, -dènt] *a.* (…와) 일치[부합]한, 때를 같이한〈*with*〉. ── *n.* 〔經〕 일치지표《경제 상태를 즉시 반영하는 지표》.
~·ly *adv.* =COINCIDENTALLY.
co·in·ci·den·tal [kouìnsədéntl] *a.* 일치[부합]하는, 우연히 일치된. **~·ly** *adv.* 부합[일치]하여, 동시에.
cóin·er *n.* 화폐 주조자 ; 《英》 (특히) 화폐 위조자 (=《美》 counterfeiter) ; (신어의) 고안자.
cò·inhéritance *n.* 공동 상속.
cò·inhéritor *n.* 공동 상속자.
cóin làundry *n.* 경화 투입식 세탁기를 갖춘 세탁소(=《美》 Laundromat, launderette).
cóin machìne *n.* =SLOT MACHINE.
cóin-op [-àp] *n.* =COIN LAUNDRY ; 자동 판매기.
cóin-óperated *a.* 경화(硬貨) 투입식의 ; 자동 판매식의.
cóin-óperated vídeotex tèrminal *n.* 《英》 경화 투입식 비디오텍스 단말.
cò·instantáneous *a.* 동시에 발생하는, 동시의.
cò·insúrance *n.* Ⓤ 공동 보험.
cò·insúre *vt., vi.* 공동으로 보험에 들다.
Co·in·tel·pro [kòuintélprou] *n.* 《美》 대(對)파괴자 첩보 활동《국가 안전을 위협하는 개인이나 조직에 대한 FBI의 비밀 파괴 활동》. 〖*co*unter*intel*ligence *pro*gram〗
coir [kɔ́iər] *n.* 코코야자나무 껍질의 섬유. 〖Malayalam *kāyar* cord (*kāyaru* to be twisted)〗
cois·trel, -tril [kɔ́istrəl] *n.* 《古》 (기사의) 종복 ; 악한.
coit[1] [kɔ́it] *n.* 《濠俗》 궁둥이(buttocks).
coit[2] [kóuət] *n., vt., vi.* 《婉》 (여자와) 성교(性交)(하다).
co·ition [kouíʃən] *n.* Ⓤ 교접(交接), 성교. **~·al** *a.*
coítion déath *n.* 복상사(腹上死).
co·itus [kóuətəs, kouí:-] *n.* =COITION. 〖L (p.p.) ‹ *co-*(*eo* to go) =to meet〗
cóitus in·ter·rúp·tus [-ìntərʌ́ptəs] *n.* (피임법으로서의) 중절(中絕) 성교(행위).
cóitus re·ser·vá·tus [-rèzərvéitəs, -vá:-] *n.* 〔醫〕 보류 성교.
co·jo·nes [kəhóuneis] *n. pl.* 고환 ; 《비유》 용기. 〖Sp.〗
coke[1] [kóuk] *n.* Ⓤ 코크스, 해탄(骸炭). ── *vt., vi.* 코크스로 만들다[가 되다]. 〖*colk* (N. Eng. dial.) core‹ ?〗
coke[2] *n.* 《俗》 =COCAINE ; [C~] =COCA-COLA. ***blow coke*** 코카인을 흡입(吸入)하다. ── *vt.* …에 코카인을 넣다 ; 코카인[마약]으로 마비시키다〈*up*〉.
còke·ahólic *n.* 《口》 코카인 중독자.
cóke·hèad *n.* 《美俗》 코카인 중독자 ; 《美俗》 얼간이, 바보.
cóke òven *n.* 코크스 제조로(爐).
co·ker·nut [kóukərnʌ̀t] *n.* =COCONUT.
cok·ery [kóukəri] *n.* =COKE OVEN.
cok·ie, cok·ey [kóuki] *n.* 《俗》 코카인 중독자 ; 미숙자, 풋내기. 〖COKE[2]〗
cók·ing còal [kóukiŋ-] *n.* 점결탄(粘結炭)《코크스용(用)》.
col [kál] *n.* 잘록한 산허리, 산고개 ; 〔氣〕 안상(鞍狀) 저압부, (기압)골. 〖F‹L *collum* neck〗
COL collation ; cost of living(생계비). **Col.** Colombia ; Colonel ; Colorado ; 〔聖〕 Colossians ; Columbia. **col.** collected ; collector ; college ; colonial ; colony ; color(ed) ; column ; counsel.
col-[1] [kəl, kɑl] ☞ COM-.
col-[2] [kóul, kál], **co·li-** [kóulə, kálə], **co·lo-** [kóulou, kál-] *comb. form* 「결장(結腸)」 「대장균」의 뜻. 〖Gk.〗
co·la[1] [kóulə] *n.* [C~] 〔植〕 콜라《아프리카산》 ; 콜라 음료. 〖(W. Afr.)〗
cola[2] *n.* COLON[2]의 복수형.
COLA 《美》 cost-of-living adjustment(s) (생계비 조정 (제도)).
CÓLA clàuse *n.* 생계비 조정 조항.
CÓLA frèeze *n.* 생계비 조정 조항의 동결.
co·la·hol·ic [kòuləhɔ́(:)lik, -hál-] *n.* 《美俗》 (코카)콜라 중독자.
col·an·der [kʌ́ləndər, kál-], **cul·len-** [kʌ́l-] *n.* 거르는 기구, 여과기. ── *vt.* 여과하다. 〖? Prov. ‹L *colo* to strain〗

colander

cóla nùt[**sèed**] *n.* 콜라나무 열매.
co·látitude *n.* 〔海〕 여위도(餘緯度)《어떤 위도와 90°와의 차이》.
col·can·non [kɑlkǽnən, kəl-, kɔ̀l(:)kæ-] *n.* 양배추와 감자를 삶아서 으깬 요리. 〖Ir. Gael.〗
col·chi·cine [káltʃəsì:n, kálkə-, -sən] *n.* 〔藥〕 콜히친《식물 염색체의 배수화용(倍數化用)으로 통풍약으로 씀》. 〖↓〗
col·chi·cum [káltʃikəm, kálki-] *n.* 〔植〕 콜키쿰속의 각종 초본《나도여로과》 ; 콜키쿰의 건조 삭과《콜히친을 채취함》. 〖Gk. (↓)〗
Col·chis [kálkəs] *n.* 〔그神〕 콜키스《흑해 동안의 고대 국가 ; 페르시아 북서부의 전설적인 땅》.
col·co·thar [kálkəθà:r, -θər] *n.* Ⓤ〔化〕 철단(鐵丹), 벵갈라《안료·유리마분용(磨粉用)》. 〖F‹Sp. ‹Arab.〗
◇**cold** [kóuld] *a.* **1** 추운, 차가운 ; 냉각된, 식은(↔ *hot*) : ~ weather 차가운 날씨 / We had a ~ winter. 추운 겨울이었다 / I feel ~. 나는 춥다 / It is always ~ in the South Pole. 남극에서는 늘 춥다. **2** 냉정한(calm), 냉담한(indifferent)〈*in*〉; 서먹서먹한, 친하지 않은(unfriendly) (↔ *warm*). **3** 흥을 깨는 ; 마음이 내키지 않는 : ~ news 언짢은 소식. **4** (맛이) 약한 ; (알아맞히기 놀이에서) 빗나간, 잘 맞지 않는(↔*hot*). **5** 〔美

術》 한색(寒色)의 : ~ colors 한색《푸른색이나 회색 따위》. **6** 〖사냥〗 (냄새가) 희미한(faint) (↔ *hot*). **7** 범죄와 관계없는, 혐의 없는.
cold without 《口》 물을 탄 술《감미료를 넣지 않고 물을 탄 브랜디[위스키]; cf. WARM *with*》.
have a person ***cold*** 《口》 (약점을 쥐거나 하여) 남을 찍소리 못하게 하다.
have [***get***] ***cold feet*** ☞ COLD FEET.
in cold blood ☞ BLOOD.
leave a person ***cold*** ☞ LEAVE[1].
throw [***pour***] ***cold water on. . .*** (계획 따위)에 찬물을 끼얹다, …에 트집을 잡다.
—— *n.* **1** Ⓤ 추위, 냉기(↔*heat*) ; 어는점 이하의 한기(寒氣) (frost) : ten degrees of ~ 어는점 이하[영하] 10도 / sit in the ~ 차가운 곳에 앉다 / shiver with (the) ~ 추위에 떨다 / feel the ~ 한기가 들다. **2** [때때로 a ~] 감기, 고뿔 : a head ~=a ~ *in* the head[nose] 코감기 / a ~ *on* the chest[lungs] 기침 감기 / catch (a) ~=get a ~=take (a) ~ 감기에 걸리다 / I had a (bad) ~ last week. 지난주에 나는 (심한) 감기에 걸렸었다 / Many pupils are absent with ~*s*. 감기로 결석한 학생들이 많다.
out in the cold 《비유》 따돌림을 당하여, 무시당하여 : They left me *out in the* ~. 그들은 나를 따돌렸다.
—— *adv.* **1** 《口》 완전히, 아주, 확실히. **2** 《口》 준비[연습]없이 ; 예고없이, 갑자기 : stop ~ 갑자기 멈추다. **3** 〖冶〗 상온에서, 열을 가하지 않고.
~·ly *adv.* 차게, 차갑게 ; 냉담하게.
~·ness *n.* 한기, 차가움 ; 냉담.
〚OE *cald* ; cf. G *kalt*, L *gelu* frost〛

cóldbar sùit *n.* 〖美軍〗 기포 고무 모양의 플라스틱제 방한·방수 겸용의 절연 군복.
cóld blást *n.* (용광로에) 찬바람 불어넣기.
cóld-blóod·ed *a.* (동물이) 냉혈의 ; 추위를 타는 ; 냉담한, 피도 눈물도 없는(cruel) (↔*warm-blooded*). **~·ness** *n.*
cóld cáse *n.* 《美俗》 아주 나쁜 상황, 궁지.
cóld cásh *n.* 《口》 현금.
cóld chàin *n.* 냉동 식품 유통 조직.
cóld chìsel *n.* (금속을 쪼는) 정(釘).
cóld-còck *vt.* 《美俗》 (주먹·곤봉으로) 때려눕히다, 실신할 정도로 때리다.
cóld cómfort [**cóunsel**] *n.* 달갑지 않은 위로[충고] ; 《英》 반품(返品).
cóld crèam *n.* 콜드 크림《화장용 크림》.
cóld cùts *n. pl.* 얇게 저민 냉육과 치즈로 만든 요리.
cóld déck *n.* 〖카드놀이〗 (바꿔치기 하기 위한) 여분의 카드 ; 벌채한 곳에 쌓아둔 통나무.
cóld-dèck *vt.* 속이다, 농간부리다(cheat).
—— *a.* 부정한.
cóld dràwing *n.* 〖冶〗 상온에서 잡아늘이기.
cóld-dràw *vt.* 〖冶〗 상온에서 잡아늘이다.
cóld dúck *n.* [때때로 C~ D~] 콜드 덕《발포성 Burgundy와 샴페인을 섞은 음료수》. 〚G *Kalte Ente* (*kalte Ende* cold ends)의 역(譯)〛
cóld féet *n. pl.* 《口》 겁, 공포심, 주눅, 도망칠 자세 : get[have] ~ 겁을 내다, 도망칠 자세를 취하다.
cóld físh *n.* 《口》 쌀쌀맞은 사람, 냉담한 사람 ; 매력 없는 사람.
cóld fràme *n.* (난방 장치가 없는) 냉상(冷床).
cóld frònt *n.* 〖氣〗 한랭전선(寒冷前線) (↔*warm front*).
cóld-hàmmer *vt.* (쇠를) 달구지 않고 벼리다.
cóld·héart·ed *a.* 냉담한 ; 무정한(unkind).
~·ly *adv.* **~·ness** *n.*
cóld·ish *a.* 약간 추운 ; 꽤 추운.
cóld líght *n.* 냉광(冷光)《반딧불·인광 따위》.
cóld-lívered *a.* 냉담한, 무정한.
cóld méat *n.* (요리용의) 냉육(冷肉) ; 하급 요리 ; 《俗》 시체.
cóld móon·er *n.* 월면(月面)운석설 주장자《달의 크레이터는 운석의 충돌에 의해 생겼다고 믿는 사람 ; cf. HOT MOONER》.
cóld pàck *n.* 냉찜질 ; (통조림의) 저온 처리법.
cóld-pàck *vt.* …에 냉찜질을 하다 ; (과일·주스 따위를) 저온 처리법으로 통조림하다.
cóld pàtch *n.* 타이어의 응급 수리 조각《접착제를 사용함》.
cóld píg *n.* 《英俗》 (잠을 깨기 위해) 얼굴에 끼얹는 냉수.
cóld·pròof *a.* 추위에 견디는.
cóld-ròll *vt.* (금속을) 냉간 압연(冷間壓延)하다.
cóld ròlling *n.* 냉간 압연(冷間壓延).
cóld róom *n.* 냉장실.
cóld rúbber *n.* 저온에서 만든 강한 합성 고무.
cóld scént *n.* (짐승의) 희미한 냄새.
cóld-shórt *a.* 〖冶〗 (금속이) 냉간[상온]에 약한.
~·ness *n.* 냉간에 약한 성질.
cóld shóulder *n.* [흔히 the ~] 《口·비유》 냉대, 무시 : give the ~ to a person 남을 냉대[무시]하다.
cóld-shóulder *vt.* 《口》 냉대하다.
cóld shútdown *n.* 냉각 운전 정지《원자로의 완전 운전 정지》.
cóld·slàw *n.* =COLESLAW.
cóld snàp *n.* 한파(寒波).
cóld sòre *n.* 〖醫〗 (감기·고열로 인한) 입가의 부스럼, 단순 포진(fever blister).
cóld stéel *n.* 《文語》 날붙이《칼·총검 따위》.
cóld stórage *n.* (음식물 따위의) 냉장 ; 냉장실 ; 《비유》 동결[정지] 상태 ; 《美俗》 묘, 묘지.
cóld stóre *n.* 냉동 창고.
cóld swéat *n.* 식은땀《공포·충격 따위에 의함》 : in a ~ 식은땀을 흘리고.
cóld táble *n.* 찬[식은] 요리(가 차려진 식탁).
cóld túrkey *n.* 《美俗》 **1** 거리낌없는 말투 ; (약물 치료없이) 갑자기 마약을 끊기 ; 마약 잔류에 의한 증상[소름]. **2** 도도하게 구는 사람 ; 꼭 당할 녀석, 봉.
cóld-túrkey *vi., vt.* 《美俗》 단호히 끊다.
—— *a.* 거리낌없는 ; 급한, 돌연한. —— *adv.* 거리낌없이, 거침없이 ; 갑자기.
cóld týpe *n.* 〖印〗 콜드 타이프《사진 식자 따위, 활자 주조를 하지 않는 식자》.
cóld wár *n.* 냉전(冷戰)《무력 외교·경제 압박·선전(宣傳) 따위에 의함 ; ↔*hot war* ; cf. *war of* NERVEs, SHOOTING WAR》.
cóld wárrior *n.* 냉전(시대)의 정치가.
cóld-wáter *attrib. a.* 금주(禁酒) 집단의 ; 냉수의[를 쓰는] ; 온수 설비가 없는.
cóld wàve *n.* **1** 〖氣〗 한파(↔*heat wave*). **2** 콜드 퍼머넌트 웨이브《저온으로 처리한 머리의 퍼머넌트 웨이브》.
cóld-wèld *vt.* (우주 공간에서 두 금속을) 냉간(冷間) 용접하다.
cóld-wòrk *vt.* (금속을) 냉간(冷間) 가공하다.
cole [kóul] *n.* 겨자속(屬)의 채소(=colewort)《양배추·평지 따위》. 〚ON *kál*<L *caulis* stem〛
col·ec·to·my [kəléktəmi] *n.* Ⓤ,Ⓒ 〖醫〗 결장(結腸) 절제(술).

cole·man·ite [kóulmənàit] *n.* 회붕광(灰硼鑛). 〖William T. *Coleman* (d. 1893) 미국의 광산주(主)〗
co·le·op·te·ron [kàliáptərɑ̀n, kòul-] *n.* (*pl.* **-te·ra** [-tərə]) 〔昆〕 초시류[딱정벌레류](의 갑충). **-te·rous** [-rəs] *a.* 초시류[딱정벌레류]의. **Cò·le·óp·te·ra** *n. pl.* 초시류, 딱정벌레류. 〖L<Gk. (*koleon* sheath, *pteron* wing)〗
Cole·ridge [kóuləridʒ] *n.* 콜리지. **Samuel Taylor** ~ (1772-1834) 영국의 시인·비평가.
cóle·sèed *n.* 평지의 씨.
cole·slaw [kóulslɔ̀ː] *n.* Ⓤ 《美》 양배추 샐러드. 〖Du. (*kool* cabbage, *sla* salad)〗
Co·lette [koulét, kɑ-; *F* kɔlɛt] *n.* 여자 이름. 〖OF; ⇨ NICOLETTE〗
co·le·us [kóuliəs] *n.* 꿀풀과에 속하는 잎이 고운 관상식물.
cóle·wòrt *n.* ＝COLE.
coli- [kóulə, kálə] ☞ COL-[2].
col·ic[1] [kálik] *n.* Ⓤ 〔醫〕 배앓이, 산통(疝通). ── *a.* 배앓이의, 산통을 일으키는. 〖F<L; ⇨ COLON[2]〗
co·lic[2] [kóulik, kál-] *a.* 결장(結腸)의[에 관한].
col·icky [káliki] *a.* ＝COLIC[1]; (음식물 따위가) 복통을 일으키는.
cóli·còunt *n.* (바닷물 속 따위의) 대장균의 수.
co·li·form [kóuləfɔ̀ːrm, kál-] *n.* 대장균. ── *a.* 대장균의[과 비슷한].
-col·ine [kəlàin, -lən] *a. comb. form*＝-COLOUS.
col·i·se·um [kɑ̀ləsí(ː)əm] *n.* **1** 대경기장[대체육관]. **2** [C~] ＝COLOSSEUM.
co·lis·tin [kəlístən, kou-] *n.* 〔藥〕 콜리스틴《감염된 소화기 치료에 쓰는 항생물질》.
co·li·tis [kəláitəs, kou-, kɑ-] *n.* Ⓤ 〔醫〕 대장염. 〖*col*on[2], *-itis*〗
coll- [kál], **col·lo-** [kálou, -lə] *comb. form* 「아교」「풀」「콜로이드」의 뜻. 〖NL<Gk.; ⇨ COLLOID〗
coll. colleague; collected; collect(ion); collective; collector; college; colloquial.
col·lab·o·rate [kəlǽbərèit] *vi.* [動/+前+名] 공동으로 일하다, 협력[협동]하다; 합작하다, 공동연구하다; (점령군·적국에) 협력하다: Tom is *collaborating* ***on*** the work ***with*** his friend. 톰은 친구와 공동으로 그 일을 하고 있다. **col·láb·o·rà·tor** *n.* 협력자; 공편자(共編者), 합작자. **col·láb·o·rà·tive** [, -rə-] *a.* 협력[협조]적인, 합작의. 〖L *col-*(LABOR)〗
col·làb·o·rá·tion *n.* Ⓤ 협력, 협동, 원조; 공동연구, Ⓒ 그 결과, 합작, 공저(共著).
in collaboration with …와 공동으로.
collaborátion·ist *n.* (점령군·적국 따위에) 협력한 사람, 부역자(附逆者).
col·lage [kəlɑ́ːʒ, kɔː-, kou-] *n.* Ⓤ 〔美術〕 콜라주《화면에 신문지 오려낸 것이나 사진 따위를 붙여 특수한 효과를 내게 하는 기법으로 Picasso 등에서 비롯함》; Ⓒ 그 작품; 《비유》 여러가지 단편의 모임. ── *vt.* 콜라주로 하다. 〖F＝gluing〗
col·la·gen [káladʒən] *n.* 〔生化〕 교원질(膠原質), 콜라겐《결합 조직의 성분》. 〖F (Gk. *kolla* glue, *-gen*)〗
col·la·gen·o·lyt·ic [kɑ̀lədʒənəlítik] *a.* 〔生化〕 교원질(膠原質)[콜라겐] 용해의, 콜라겐 분해성의.
col·láps·able *a.* ＝COLLAPSIBLE.
col·lap·sar [kɑlǽpsɑːr] *n.* 〔天〕 ＝BLACK HOLE.
col·lapse [kəlǽps] *vi.* **1** (건물·사업·계획 따위가) 무너지다, 붕괴하다, 실패하다; (가격이) 폭락하다: Under the weight of the snow the roof ~*d* and buried them alive. 눈의 무게로 지붕이 무너져서 그들은 생매장되었다 / After all his efforts the project ~*d*. 그의 온갖 노력에도 불구하고 그 계획은 좌절되었다 / The price of rubber ~*d* within a year. 고무 가격이 1년 동안에 폭락했다. **2** (체력·건강이) 나빠지다, 쇠약해지다: His health has ~*d*. 그의 건강이 갑자기 나빠졌다. ── *vt.* 무너뜨리다; (기구를) 접다: ~ a chair 의자를 접다 / ~ a telescope 망원경을 (속으로) 밀어넣다. ── *n.* **1** Ⓤ,Ⓒ 붕괴, 도괴(倒潰); (내각·은행 따위의) 무너짐; (희망·계획 따위의) 좌절(failure): A heavy flood caused the ~ *of* the bridge. 대홍수로 교량이 무너졌다. **2** Ⓤ,Ⓒ (건강 따위의) 쇠약; 〔醫〕 허탈; 의기 소침: suffer a nervous ~ 신경 쇠약이 되다. 〖L (p.p.)‹*col-*(*laps-* *labor* to slip); (vi.)는 collapsed에서의 역성〗
col·láps·ible *a.* 접을 수 있는: a ~ boat[chair] 접는 식의 보트[접의자].
‡col·lar [kálər] *n.* **1** 칼라, 깃: seize[take] a person *by* the ~ 남의 멱살을 잡다 / hot under the ~ ☞ HOT 숙어. **2** 목걸이 장식 훈장; (여성의) 목걸이. **3** (개 따위의) 목걸이; (말의) 목줄(horse collar). **4** (동물 목둘레의) 변색부(變色部), 어깨띠; 〔植〕 경령(頸領)《뿌리와 줄기의 경계 부분》. **5** 〔機〕 고리(ring). **6** 〔럭비〕 상대방의 몸을 꽉 껴안아 옴쭉 못하게 하기.
against the collar (말이 언덕을 오르는데) 어깨띠가 어깨에 쓸려서; 어려움을 무릅쓰고.
get hot under the collar 《口》 발끈 성을 내다.
slip the collar 어려움을 벗어나다.
the collar of SS[***esses***] 《英》 S자가 연결된 수장(首章)《궁내관(宮內官)·런던 시장·고등 법원장 등의 관복의 일부》.
wear[***take***] a person***'s collar*** 남의 명령에 따르다.
── *vt.* **1** …에 깃[목걸이]을 달다. **2** (남의) 목덜미를 붙잡다, 포박하다; (난폭하게) 잡다; 《口》 붙잡다, 체포하다; 〔럭비〕 꽉 껴안아 옴쭉 못하게 하다: The detective ~*ed* the swindler. 형사는 사기꾼을 붙잡았다. **3** 《口》 횡령하다, 훔치다. **4** 《俗》 마음대로 하다, 실례[착복]하다. **5** 〔料〕 (고기를) 돌돌 말다. 〖AF<L (*collum* neck)〗
cóllar bèam *n.* 〔建〕 2중 대들보, 이음보, 종보.
cóllar·bòne [, ⌐⌐] *n.* 〔解〕 쇄골(鎖骨).
cóllar bùtton *n.* 《美》 칼라 단추(＝《英》 collar stud).
col·lard [kálərd] *n.* [흔히 *pl.*] 콜라드《kale의 한 변종; 식용》. 〖COLEWORT〗
cól·lared *a.* 칼라[목걸이]를 단; 돌돌 만.
col·lar·et(te) [kɑ̀lərét] *n.* (레이스·모피 따위의) 여성용 칼라. 〖F (dim.)〗
cóllar hàrness *n.* 마구(馬具)의 목에 걸리는 부분, 굴레.
cóllar·less *a.* 칼라[목걸이]가 없는.
cóllar stùd *n.* 《英》 ＝COLLAR BUTTON.
cóllar wòrk *n.* (비탈길에서 수레를 끌 때 말의) 치끌기; 힘든 일.
collat. collateral.
col·late [kəléit, kɑ-, kou-, 美+káleit] *vt.* **1** [+目/+目+*with*+名] 대조하다, 맞추어 보다: ~*d* telegram 조회 전보 / ~ the latter ***with*** the earlier edition 신판을 구판과 대조해 보다. **2** 함께 하다(put together); 〔製本〕 …의 페이지 순서를 맞추다. **3** 〔宗〕 (bishop이) 에게 성직을 부

여하다. 〖L ; ⇨ CONFER〗

col·lat·er·al [kəlǽtərəl, kɑl-] *a.* **1** 나란히 있는 (parallel) ; 〔解〕 부행(副行)의. **2** 부대적인, 2차적인 ; 방계의(cf. LINEAL). **3** 〔商〕 추가 담보로 보증된 : a ~ security 추가 담보, 근저당. —— *n.* **1** 방계(傍系) 친척, 연고자. **2** 부대 사실[사정]. **3** 부저당(副抵當), 담보물, 대충(對充) 물자.
~·ly *adv.* **1** 나란히. **2** 부대적으로, 방계적으로. 〖L (*co*-, LATERAL)〗

colláteral cìrcumstance *n.* 부대 사정.

colláteral gòods *n. pl.* 〔經〕 대충 물자.

colláteral·ìze *vt.* (대부금 따위를) 부가 저당에 의해서 보증하다 ; (유가 증권 따위를) 부가 저당으로서 사용하다.

colláteral lòan *n.* 담보부 대부.

colláteral rèlative *n.* 방계 친족.

collát·ing márk *n.* 〔製本〕 접지 대수표(臺數標) 《제본 순서를 쉽게 확인할 수 있게 접장(摺張)의 등에 표시한 직사각형의 표지》.

colláting séquence *n.* 〔컴퓨〕 병합(併合) 순서《일련의 데이터 항목의 순서를 정하기 위해 쓰는 임의의 논리적 순서》.

col·la·tion [kəléiʃən, kɑ-, kou-] *n.* **1** Ⓤ,Ⓒ 대조(조사), 조합(照合) ; 〔法〕 (권리의) 조사(照査) ; (책의) 페이지 순서 조사. **2** Ⓤ 〔宗〕 성직[승직(僧職)] 수임(授任). **3** 〔카톨릭〕 (단식일에 점심 또는 저녁 대신에 허용되는) 가벼운 식사 ; (특히 식사 시간 이외의) 간식. ㊟ 보통 a cold ~으로 쓰임. 〖OF<L ; ⇨ COLLATE〗

col·la·tive [kəléitiv, kɑ-] *a.* 〔宗〕 성직 임명권을 가진 ; 대조하는.

col·lá·tor *n.* **1** 대조[조회]자. **2** (제본의) 접지 직공, 페이지 순서를 조사하는 사람[기계] ; 〔컴퓨〕 (천공 카드의) 병합기.

***col·league** [kɑ́liːg] *n.* (주로 관직·공무상의) 동료 ; 동업자.
〖F<L *collega* partner in office ; ⇨ LEGATE〗
類義語 ⟹ COMPANION[1].

‡**col·lect**[1] [kəlékt] *vt.* **1** 모으다 ; 수집하다 : My brother ~*s* stamps for a hobby. 동생[형]은 취미로 우표를 모으고 있다. **2** (세금·집세 따위를) 수금[징수]하다 ; (기부금을) 모집하다 : ~ taxes [bills] 세금을 거두다[수금하다]. **3 a)** (생각을) 집중하다, 정리하다 ; (용기를) 불러일으키다 ; 《古》 추론하다 : ~ one*self* 마음을 가라앉히다, 기분을 새로이 하다 / He ~*ed* him*self* and his thoughts before getting up to the platform. 그는 마음을 가라앉혀 생각을 정리하고 나서 연단에 올라갔다. **b)** 〔馬〕 (말을) 제어하다. **4** 《口》 (수화물을) 찾으러 가다, 찾아 오다, (사람을) 부르러[마중하러] 가다.
—— *vi.* **1** [動/+前+名] 모이다 ; (눈·먼지 따위) 쌓이다 : The crowd had ~*ed* ***at*** the scene of the accident. 사고 현장에는 수많은 사람들이 모여 있었다 / Dust soon ~*s* ***on*** books. 책에는 곧 먼지가 쌓인다. **2** 기부금을 모집하다 ; 《美》 모금하다. —— *a., adv.* 《美》 요금 수취인 지불의[로] (cf. CARRIAGE FORWARD) : send a telegram ~ 요금 수취인 지불로 전보를 치다.
〖F or L (*lect*- *lego* to pick)〗
類義語 ⟹ GATHER.

col·lect[2] [kɑ́likt, -ekt] *n.* 〔카톨릭〕 (미사의) 집도문(集禱文) ; 〔英國教〕 기도《짧은 기도문》〈*for*〉. 〖OF<L (p.p.) ‹ ↑〗

colléct·able, -ible *a.* 모을 수 있는, 수금[수집]할 수 있는. —— *n.* [흔히 -ible ; 흔히 *pl.*] 수집대상품, 고유의 가치는 없으나 희소하기 때문에 수집되는 물건.

col·lec·ta·nea [kɑ̀liktéiniə] *n. pl.* 발췌(拔萃), 선집(選集) ; 잡록(雜錄). 〖L〗

colléct cáll *n.* 요금 수신인 지급 통화.

colléct·ed *a.* **1** 모은, 수집한 : ~ papers 논문집 / the ~ edition 전집(全集). **2** 침착한, 냉정한(cold). **~·ly** *adv.* 태연하게.
類義語 ⟹ COOL.

***col·lec·tion** [kəlékʃən] *n.* **1** Ⓤ,Ⓒ 수집, 채집 : make a ~ *of* books 책을 수집하다. **2** 수집물, 수장품(收藏品) : His study has a large ~ *of* books. 그의 서재에는 수많은 서적이 소장되어 있다. **3** Ⓤ,Ⓒ 수집, 수금, 징세(徵稅). **4** Ⓤ 기부금 모집 ; Ⓒ 헌금, 기부금 : A ~ will be made for the fund. 그 자금을 위해서 헌금이 마련될 것이다. **5** (물·먼지·종이 따위의) 퇴적(堆積) (mass) : a ~ *of* rubbish 쓰레기 더미.

colléction àgency *n.* 수금 회사《다른 회사의 미수금을 수금해 주고 그 일부를 수입으로 함》.

col·lec·tive [kəléktiv] *a.* 집합적인 ; 집합성(集合性)의 ; 집단적인 ; 공동의(common). —— *n.* **1** =COLLECTIVE NOUN. **2** 집단, 공동체.
~·ly *adv.* 집합적으로, 한데 묶어서 ; 〔文法〕 집합명사적으로.

colléctive bárgaining[agréement] *n.* (노사의) 단체 교섭[협약].

colléctive behávior *n.* 〔社〕 집단 행동.

colléctive fárm *n.* 콜호스, 집단 농장.

colléctive frúit *n.* 〔植〕 집합과(集合果)《오디·파인애플 따위》.

colléctive léadership *n.* 집단 지도 체제.

colléctive márk *n.* 단체 마크《단체의 상표·서비스 마크 따위》.

colléctive nóun *n.* 〔文法〕 집합명사.

colléctive secúrity *n.* 집단 안전 보장.

colléctive uncónscious *n.* 〔心〕 (개인의 마음에 잠재하는) 집단[민족]적 무의식.

col·léc·tiv·ìsm *n.* Ⓤ 집산주의(集産主義) 《토지·생산 수단 따위를 국가가 관리함》 ; 〔心〕 집단주의, 집단 행동[사고]적 경향.

col·léc·tiv·ist *n.* 집산주의자 ; 집단의 일원.
—— *a.* 집산주의의 ; 집산주의적인.
col·lèc·tiv·ís·tic *a.*

col·lec·tiv·i·ty [kɑ̀lektívəti, kə-] *n.* Ⓤ 집합성 ; 집단성 ; 공동성 ; Ⓒ 집합체, 집단.

col·lec·tiv·ize, 《英》 **-ise** [kəléktivàiz] *vt.* 집산주의화하다 ; 집단 농장화하다.
col·lèc·tiv·izá·tion, 《英》 **-isá-** *n.* 집산주의화 ; 집단 농장화.

***col·lec·tor** [kəléktər] *n.* **1** 수집가 ; 채집가. **2** 수금원 ; 세금 징수원(tax collector) ; (역의) 표 받는 사람 ; 《美》 (관세의) 징수관. **3** 수집기(器)[장치] ; 〔電〕 집전기(集電器).

col·lec·to·rate [kəléktərət] *n.* (특히 인도의) 세금 징수관의 직 또는 그 관구(管區).

colléctor·shìp *n.* 수금원[징수관]의 직 ; 징수권.

colléctor's ítem[píece] *n.* 수집가의 흥미를 끄는 물건, 일품 ; =COLLECTABLE.

col·leen [kɑ́liːn, -ˊ] *n.* 소녀, 처녀(girl) ; 아일랜드 처녀 : a ~ bawn [bɔ́ːn] 아름다운 소녀.
〖Ir. *cailín* (dim.) ‹ *caile* country woman〗

‡**col·lege** [kɑ́lidʒ] *n.* **1 a)** 《美》 (종합 대학의) 학부, 단과 대학. **b)** (일반적으로) 대학, 칼리지. ㊟ 관사의 유무는 SCHOOL[1]에 준함 : enter[be *at*, 《美》 *in*] ~ 대학에 입학[재학]하다 / work one's way through ~ 학비를 벌면서 대학을 졸업하다. **c)** [형용사적으로] =COLLEGIATE : a ~ dictionary

대학생용 사전. **2** 《英》 칼리지, 학료(學寮) 《Oxford, Cambridge에서와 같이 제각기 독립된 자치제로 전통적인 특색이 있으며 그들이 모여 University를 이룸》: King's *C*～, Cambridge 케임브리지 킹스 칼리지 / New *C*～, Oxford 옥스퍼드 뉴칼리지. **3** [보통 C～] 《英》 공립학교(public school)의 명칭: ☞ ETON COLLEGE / Winchester *C*～ 윈체스터 교(校) (cf. HARROW School). **4** 특수 전문 학교: a ～ of theology 신학교 / the Royal Naval *C*～ 《英》 해군 사관 학교. **5** (상기(上記) 각종 학교의) 교사(校舍) [기숙사]. **6** [원뜻] 협회, 단체 (association): ☞ ELECTORAL COLLEGE / the American[Royal] *C*～ of Surgeons 미국[영국] 외과 의사회. **7** 〖宗〗 = CHAPTER 3.
the College of Arms = *the* HERALDS' COLLEGE.
the College of Cardinals = *the* SACRED COLLEGE.
〖OF or L; ⇨ COLLEAGUE〗

cóllege bòards *n. pl.* [때때로 C～ B～] 《美》 대학 입학 시험.

cóllege càp *n.* 대학 정모.

cóllege fàir *n.* 대학 진학 설명회《매년 9-11월, 진학 희망 고교생을 위해 미국 각지에서 열림》.

cóllege ìce *n.* = SUNDAE.

cóllege lìving *n.* 《英》 대학이 임명권을 가진 성직(聖職).

cóllege of advánced technólogy *n.* 《英》 상급(上級) 기술 대학《略 CAT》.

cóllege-prepáratory *a.* 대학 입학 준비의.

cóllege pùdding *n.* (1인분씩의) 건포도 푸딩.

cól·leg·er *n.* 《英》 이튼교(Eton College)의 장학생; 《美》 대학생.

cóllege trý *n.* [흔히 the old ～] 《美》 (팀·모교를 위한) 최대한의 노력; 쉽게 타협하지 않는 한결같은 노력: give...*the old* ～ …에 최대한의 노력을 기울이다.

cóllege wìdow *n.* 《美口》 대학가에 살며 남학생과 교제하는 독신 여성.

col·le·gi·al [kəlíːdʒiəl] *a.* = COLLEGIATE; [, -gi-] 동료가 평등하게 권한[권위]을 가지는.

col·le·gi·an [kəlíːdʒiən] *n.* COLLEGE의 학생[졸업생(卒業生)].

col·le·giate [kəlíːdʒət, -dʒiət] *a.* **1** COLLEGE(학생)의; COLLEGE 조직의; 대학 정도의: ～ life 대학생활 / a ～ dictionary 대학생용 사전. **2** COLLEGIATE CHURCH의; 동료가 평등하게 권한[권위]을 가지는; 단체 조직의.

collégiate chúrch *n.* **1** 참사회 관리[조직]의 성당《bishop이 아니라 참사회 (college[chapter] of canons)가 관리하며 영국국교에서는 Westminster Abbey 따위와 같이 DEAN[1]이 관할함; cf. CATHEDRAL》. **2** 《美·스코》 협동 교회《2개 이상의 교회가 몇 명의 목사의 관리하에 합동한 것》.

col·le·gi·um [kəlíːgiəm, -léi-, -dʒi-; kəlíːdʒiəm] *n.* (*pl.* **-gia** [-iə], **～s**) (각 구성원이 평등한 권리를 갖는) 회, 법인; 〖基〗 신학교.
〖L COLLEGE〗

col·len·chy·ma [kəléŋkəmə, kɑ-] *n.* 〖植〗 후각(厚角) 조직. **-chym·a·tous** [kɑ̀ləŋkímətəs, -kái-] *a.*

col·let [kálət] *n.* 〖보석〗 (반지 따위의) 거미발《보석을 물리는 바탕》; 〖機〗 콜릿《드릴 따위 둥근 것을 물리게 된 원통형의 기구》. —— *vt.* 거미발에 끼우다. 〖F (*col* neck)〗

col·lide** [kəláid] *vi.* **1** [動 / ＋*with*＋名] 충돌하다: Running round the corner, I ～*d* ***with a gentleman. 모퉁이를 돌아 달리다가 한 신사와 부딪쳤다. **2** (의지·목적 따위가) 일치하지 않다, 저촉하다: Our views ～*d* over the matter. 그 일에 대해서 우리들의 의견은 일치하지 않았다 / He ～*d* ***with*** me over politics. 그와 나는 서로 정견(政見)이 달랐다. —— *vt.* 충돌시키다.
〖L *collis- collido* to clash (*laedo* to strike and hurt)〗

col·lie, col·ly [káli] *n.* 콜리《스코틀랜드 원산(原産)의 양 지키는 개》.
〖? *coll* COAL, *-ie*; 그 털 빛깔에서〗

col·lier [káljər, -iər] *n.* **1** (탄광의) 갱부(coal miner). **2** 석탄선; 석탄선의 선원. 〖COAL〗

cól·liery *n.* 《英》 탄광(coal mine)《관계 설비를 포함해서 말함》.

col·li·gate [káləgèit] *vt.* 묶다, 결합하다; 〖論〗 (여러 가지 사실을) 총괄[개괄]하다. —— *vi.* 집단의 일원이 되다[일원이다]. **còl·li·gá·tion** *n.* 결합, 결속; 〖論〗 총괄, 개괄.

cól·li·gà·tive [; -gətiv] *a.* 〖理〗 총괄성의《물질을 구성하고 있는 분자의 수에만 의존하고 그 종류에는 관계없는》.

col·li·mate [káləmèit] *vt.* 〖光〗 조준하다, 시준(視準)하다; (렌즈·광선 따위를) 평행하게 하다. **còl·li·má·tion** *n.* 시준.

cól·li·mà·tor *n.* 〖光〗 시준기; 〖天〗 (망원경의) 시준의(儀).

col·lin·ear [kɑlíniər, kə-] *a.* 〖數〗 동일 직선상에 있는, 공선적(共線的)인.

Col·lins [kálənz] *n.* 《英口》 환대받은 손님이 보내는 인사장; [c～] 콜린즈《진 따위에 레몬주스와 얼음을 넣은 음료》.

col·li·sion [kəlíʒən] *n.* U,C 충돌(clash); (이해 따위의) 충돌, 상충, (당(黨) 따위의) 부조화: come into ～ (*with*...) (…와) 충돌하다.
〖L; ⇨ COLLIDE〗

collísion còurse *n.* 충돌 노선《그대로 나가면 다른 물체나 견해와 충돌하게 될 노선》.

collísion màt *n.* 〖海〗 (배가 충돌하였을 때 생긴 구멍을 막는) 방수(防水) 매트.

collo- [kálou, -lə] ☞ COLL-.

col·lo·cate [káləkèit] *vt.* 나열하다; 배열하다, 배치하다; 〖文法〗 (낱말을) 연결시키다. —— *vi.* 〖文法〗 연결하다. 〖L (*loco* ‹ LOCUS)〗

col·lo·ca·tion [kɑ̀ləkéiʃən] *n.* **1** U 나열하기, 배열; 〖文法〗 낱말의 배치. **2** 연어(連語): 'Take place' is a ～. 'take place'는 연어다.

col·loc·u·tor [kəlákjətər, káləkjùːtər] *n.* 대화[대담]하는 사람. 〖COLLOQUY〗

col·lo·di·on [kəlóudiən], **-di·um** [-diəm] *n.* U 〖化〗 콜로디온《쓸린 상처·사진 원판 따위에 바르는 액체》.

collódion·ìze *vt.* …에 콜로디온을 바르다.

col·logue [kəlóug] *vi.* 《口》 밀담하다; 《方》 음모를 꾸미다. 〖*coll*ude＋dia*logue*인가〗

col·loid [kálɔid] *a.* = COLLOIDAL. —— *n.* U 〖化〗 콜로이드, 교상체(膠狀體), 아교질(阿膠質) (↔ *crystalloid*). 〖Gk. *kolla* glue, *-oid*〗

col·loi·dal [kəlɔ́idl] *a.* 콜로이드상(狀)의.

col·lop [káləp] *n.* 얇은 고깃점; 얇은 조각.
〖ME = fried bacon and eggs ＜ Scand.〗

colloq. colloquial(ly); colloquialism.

col·lo·qui·al [kəlóukwiəl] *a.* 구어(체)의, 이야기투의, 일상 회화의(↔*literary*). 주 교양있는 사람이 일상 회화에 쓰는 말을 일컬음. **～·ism** *n.* 구어[담화]체, 회화체; 구어(적) 표현. **～·ly** *adv.* 구어(체)로; 통속적인 말로. 〖COLLOQUY〗

col·lo·quist [kάləkwəst] *n.* 대화자.
col·lo·qui·um [kəlóukwiəm] *n.* (*pl.* **~s, -quia** [-kwiə]) 합동 토의, (대학에서의) 세미나. 〖L *col*-(*loquium* ‹ *loquor* to speak)〗
col·lo·quize [kάləkwàiz] *vi.* 대화하다.
col·lo·quy [kάləkwi] *n.* U,C (정식) 담화, 회화(conversation) ; 대화 형식의 문학 작품 ; 〖美議會〗 자유 토의. 〖L COLLOQUIUM〗
col·lo·type [kάlətàip] *n.* 콜로타이프(판)《사진 제판의 일종》; 콜로타이프 인쇄물.
col·lude [kəlú:d] *vi.* 결탁하다, 공모하다〈*with*〉. 〖L (*lus*- *ludo* to play)〗
col·lu·nar·i·um [kὰlənǽəriəm, -nέər-] *n.* (*pl.* **-ia** [-iə]) U 〖藥〗 세비제(洗鼻劑).
col·lu·sion [kəlú:ʒən] *n.* U,C 몰래 미리 짜기, 공모 : the parties *in* ~ 공모 당사자 / act *in* ~ *with* …와 공모하여[한패가 되어] 행동하다. 〖OF or L ; ⇨ COLLUDE〗
col·lu·sive [kəlú:siv] *a.* 공모한, 한패가 된 (다음의). **~·ly** *adv.* 공모로, 한패가 되어.
col·ly[1] [kάli] *vt.* 《古·方》 (석탄 가루 따위로) 새까맣게 더럽히다. —— *a.* 검댕으로 더러워진. —— *n.* 검댕, 그을음. 〖ME *colwen* (OE COAL)〗
colly[2] ☞ COLLIE.
col·lyr·i·um [kəlíriəm] *n.* (*pl.* **-ia** [-iə], **~s**) 〖醫〗 안약(eyewash).
col·ly·wob·bles [kάliwὰbəlz] *n. pl.* 《口》 복통(腹痛) ; (복통 따위를 수반하는 정신적인) 불안. 〖COLIC[1], WOBBLE〗
Colm. Column(종대).
Cól·ney Hátch [kóuni-] *n.* 정신 병원.
colo- [kóulou, kάl-] ☞ COL-[2].
Colo. Colorado.
col·o·bus [kάləbəs] *n.* 〖動〗 콜로부스속(屬)의 원숭이《꼬리가 발달한 아프리카산(產)》.
co·lócate *vt.* (시설을 공용할 수 있게 둘 이상의 부대를) 같은 장소에 배치하다.
col·o·cynth [kάləsìnθ] *n.* 〖植〗 콜로신스《박과(科) 식물의 열매》; 그것으로 만든 하제(下劑).
Co·logne [kəlóun] *n.* **1** 쾰른《독일 Rhine 강가에 있는 도시》. **2** U [흔히 c~] =EAU DE COLOGNE.
Co·lom·bia [kəlʌ́mbiə ; -lɔ́m-] *n.* 콜롬비아《남미 북서부의 공화국 ; 수도 Bogotá》.
Co·lóm·bi·an *n., a.* 콜롬비아(의) ; 콜롬비아인(人)(의).
Colómbian góld *n.* 《俗》 (남미산(產)의 독한) 마리화나.
Co·lom·bo [kəlʌ́mbou] *n.* 콜롬보《Sri Lanka의 수도·항구》.
Colómbo Plàn *n.* [the ~] 콜롬보 계획《1950년 Colombo 회의에서 채택된 영연방의 동남아시아 종합 개발 계획》.
co·lon[1] [kóulən] *n.* **1** 콜론《period와 semicolon의 중간에 위치하는 구두점(:)으로 설명[인용]구 앞 따위에 둠》. **2** (*pl.* **cola**) 발화(發話)의 리듬 단위. 〖L<Gk.=limb, clause〗
colon[2] *n.* (*pl.* **~s, co·la** [kóulə]) 〖解〗 결장. 〖OF or L<Gk.〗
co·lon[3] [koulóun, kə-] *n.* (*pl.* **co·lo·nes** [-neis], **~s**) 콜론《코스타리카(=100 centimos)와 엘살바도르(=100 centavos)의 화폐단위 ; 기호 ¢》. 〖Am. Sp.<Sp. ; *Cristóbal Colón* Christopher Columbus에서 연유함〗
co·lon[4] [kəlάn, -lóun, kóulɑn ; *F* kɔlɔ̃] *n.* 식민지 농부 ; 농원주(農園主). 〖F<L=colonist〗
cólon bacíllus *n.* 대장균《특히 유전 연구에 씀》.
***col·o·nel** [kə́:rnl] *n.* **1** 육군 대령, 연대장 ; 《美》 공군 대령. **2** 《美西部·南部》 대령《군과 관계가 없는 주(州)의 명예직 따위에 대한 경칭》. **~·cy, ~·shìp** *n.* COLONEL의 지위[직분]. 〖F<It. ; ⇨ COLUMN〗
Cólonel Blímp [-blímp] *n.* **1** 블림프 대령《영국의 만화가 David Law(d. 1963)가 묘사한 보수주의자》. **2** 초로의 거만하고 반동적인 군인[정부 관리] ; (널리) 반동적 인물.
cólonel commándant *n.* 《英》 여단(旅團)장.
cólonel-in-chíef *n.* (*pl.* **cólonels-, ~s**) 《英》 명예 연대장《왕족이 맡음》.
co·lo·ni·al [kəlóuniəl, -njəl] *a.* **1** 식민(지)의 ; 식민지풍의 ; [흔히 C~] 《美》 식민지 시대의 ; 케케묵은(antique). **2** 〖生〗 군체(群體)의. —— *n.* **1** 식민지 주민(cf. ABORIGINAL). **2** 식민지에서 사용하기 위해 만든 것《경화·수표·상품 따위》; 식민지풍의 것. 〖COLONY〗
colónial ánimal *n.* =COMPOUND ANIMAL.
colónial árchitecture *n.* 미국 초기의 건축 양식(樣式).
colónial·ìsm *n.* U 식민지주의, 식민 정책 ; 식민지풍[기질].
colónial milítia *n.* 둔전(屯田)병.
Colónial Óffice *n.* [the ~] 《英》 식민성(省).
co·lon·ic [koulάnik, kə-] *a.* 〖解〗 결장(結腸)의 ; 〖醫〗 결장 세척의. —— *n.* 〖醫〗 결장 세척. 〖COLON[2]〗
col·o·nise [kάlənàiz] *vt., vi.* 《英》 =COLONIZE.
***col·o·nist** [kάlənəst] *n.* 해외 이주민 ; (특히) 식민지 개척자, 입식자(入植者).
col·o·ni·tis [kòulənáitəs] *n.* U 결장염(炎).
col·o·ni·za·tion [kὰlənəzéiʃən ; -nai-] *n.* U 식민지화 ; 식민지 건설, 척식(拓殖).
col·o·nize [kάlənàiz] *vt.* 식민지로 개척하다 ; (사람들을) 이주시키다 : The English ~*d* New England. 영국 사람은 뉴잉글랜드를 식민지로 개척했다. —— *vi.* 개척자가 되다, 입식하다〈*in*〉.
cól·o·nìz·er *n.* 식민지 개척자, 입식자.
col·on·nade [kὰlənéid] *n.* **1** 〖建〗 (그리스 건축에서 볼 수 있는) 열주(列柱), 주랑(柱廊). **2** 가로수. **-nád·ed** *a.* 주랑을 갖춘. 〖F ; ⇨ COLUMN〗
***col·o·ny** [kάləni] *n.* **1** 식민 ; 이민단(移民團). **2 a**) 식민지. **b**) [the Colonies] 〖美史〗 (독립에 의해 미합중국을 형성한) 동부 13주의 영국 식민지. **3** 거류지 ; (조계(租界)·거류지의) 거류민, …인(人)거리 : the Italian ~ in Soho (런던의) 소호지구의 이탈리아인 거리. **4** (특정한 직업인이 사는) 집단 거주지, 부락 : a ~ of artists=an artists' ~ 예술가 마을. **5** (새·개미·꿀벌 따위의) 집단, 군생(群生), 콜로니 ; 〖生〗 군체(群體) ; 〖植〗 군락(群落). 〖L *colonia* farm (*colonus* farmer<*colo* to cultivate)〗
col·o·phon [kάləfən, -fὰn] *n.* (옛날 책의) 책 끝의 장식무늬(tailpiece) ; 출판사[인쇄소]의 마크, 사장(社章), 판권장.
from title page to colophon (책의) 첫장에서 끝장까지, 한권 모조리. 〖L<Gk. =summit, finishing touch〗
co·lo·pho·ny [kəlάfəni, kɑ-, kάləfòuni] *n.* 수지(樹脂), 송진.
col·o·quin·ti·da [kὰləkwíntədə] *n.* =COLOCYNTH.
◇**col·or | col·our** [kʌ́lər] *n.* **1** U,C 빛깔, 색채 ; 색조(色調) ; (광선화(光線畫)·묵화(墨畫) 따위의) 명암 ; [*pl.*] 그림 물감(cf. WATER[OIL] COLORS) ; 채색, 착색(coloring) : What is the ~ of the car?=What ~ is the car? 자동차는 무슨

색입니까 / a movie in ~ 컬러 영화(映畫) / accidental ~ ☞ ACCIDENTAL / complementary ~*s* 보색(補色) / line and ~ ☞ LINE[1] 숙어 / ☞ SECONDARY COLOR. **2** Ⓤ [또는 a ~] 안색, 혈색 (complexion) : She has a very high ~. 그 여자는 아주 혈색이 좋다 / be off ~ = have little ~ 혈색이 나쁘다, 창백하다. **3** Ⓤ (유색 인종의) 피부색, 유색 ; [집합적으로] 유색 인종, (특히) 흑인 : a person of ~ 유색인, 흑인. **4** Ⓤ [또는 a ~] 겉모양, 외관 ; 진실인 듯 함 ; 구실 ; [*pl.*] 성격 ; [*pl.*] 입장, 의견 ; 〖法〗 (실체는 없는데 있는 것처럼 꾸민) 표현상의 권리 : some ~ of truth 다소의 진실성 / give a false ~ to one's statement [conduct] 진술[행위]을 고의로 왜곡하다 / give [lend] ~ to one's account 이야기를 그럴싸하게 꾸미다 / have the ~ of …같은 낌새가 보이다. **5** Ⓤ 개성, 특색, (문학 작품 따위의) 멋, 표현의 변화, 뉘앙스 : ☞ LOCAL COLOR. **6** 음색, 음질. **7** [*pl.*] (기장(記章)의) 색 리본, 색옷 : be dressed in ~*s* 색옷[제복]을 입고 있다 / get[win] one's ~*s* 《英》 (경기 조별(組別) 또는 선수로서의) 색 리본을 받다, 선수가 되다. **8** [주로 *pl.*] 군기(軍旗), 연대기, 군함기, 선박기, 국기 ; 군대(軍隊) : the King's[Queen's] ~ 영국국기 / salute the ~*s* 군함기[국기]에 경례하다.

call to the colors 징병하다, 군대로 소집하다.
change color 얼굴빛이 변하다, 창백해지다 ; 낯을 붉히다.
come off with flying colors ☞ FLYING *a.*
in one***'s true colors*** 자기 정체를 분명히 하여, 진정을 토로하여.
join the colors 입대(入隊)[입영(入營)]하다.
lay on the colors too thickly 과장해 말하다.
lose color 창백해지다, (얼굴)색이 바뀌다.
lower one***'s colors*** 자기 요구를 철회하다 ; 항복하다.
nail one***'s colors to the mast*** 자기 주의[주장]를 고수하다 ; 결심을 굽히지 않다.
paint. . .in bright [***dark***] ***colors*** …을 칭찬하여 [나쁘게] 말하다.
raise color 빛깔이 바랜 것을 다시 염색하다.
sail through with flying colors = *come off with* FLYING *colors.*
sail under false colors (배가) 가짜 국기를 게양하고[국적을 감추고] 항행하다 ; 위선적인 행위를 하다.
see the color of a person***'s money*** 남의 주머니 사정을 확인하다.
serve (***with***) ***the colors*** 현역에 복무하다.
show one***'s colors*** 태도를 분명히 하다 ; 기치(旗幟)를 선명히 하다 ; 본성을 드러내다.
stand [***stick***] ***to*** one***'s colors*** 자기 목표[주의 · 입장]를 고수하다, 끝까지 버티다[견디어 내다].
take one***'s color from*** …을 흉내내다, …을 모방하다.
under color of …을 구실로 삼아.

〈회화〉
What *color* shall we paint your wall? — Light blue, please. 「벽은 어떤 색으로 칠할까요」 「밝은 청색으로 부탁합니다」

── *vt.* **1** [+目 / +目+補] 채색하다(paint) ; 물들이다(dye) : The wall was ~*ed* green. 벽은 녹색으로 칠해졌다. **2** 윤색(潤色)[분식(粉飾)]하다 ; 그럴듯하게 꾸며대다 ; …에 영향을 주다 : an account ~*ed* by prejudice 편견이 가미된 기사 / Facts are often ~*ed* by prejudices. 사실은 편견에 의해 흔히 왜곡된다. **3** 특색지우다, …의 특징이 되다 : Love of nature ~*ed* all of the author's writing. 자연에 대한 사랑이 그 작가의 작품 전체의 특징이었다. ── *vi.* [動 / +副] (잎 · 과실 따위가) 물들다 ; (사람이) 얼굴을 붉히다(blush) : She ~*ed* (***up***) when he spoke to her. 그가 말을 걸자 그녀는 얼굴을 붉혔다. 〖OF<L *color* hue, tint〗

類義語 ***color*** 일반적인 「빛깔」이란 뜻. ***shade*** 빛깔의 농담 · 명암의 비율 : a light *shade* of blue (약간 엷은 청색). ***hue*** color와 같은 뜻이지만 특히 원색이 아니라 배합된 중간색에 대해 말함 : orange of a yellowish *hue* (노란 빛깔의 오렌지). ***tint*** 빛깔의 농담, 특히 희거나 담백한 것에 대해 말함 : pastel *tints* (파스텔 색조). ***tinge*** 전체에 희미하게 물들어 있는 것을 말함 : white with bluish *tinge* (푸른기가 도는 흰색).

còlor·abílity *n.* Ⓤ 착색 가능성.

cólor·able *a.* 착색할 수 있는 ; 그럴듯한(plausible) ; 가짜의, 거짓의. **-ably** *adv.*

col·o·ra·do [kɑ̀ləráːdou, -rǽd-] *a., n.* (*pl.* **~es**) 독하기와 빛깔이 중간 정도인 (엽궐련), 콜로라도(의). 〖Sp. <L=colored〗

Colorado *n.* 콜로라도 《미국 서부의 주 ; 주도 Denver ; 略 Colo., Col., CO》 ; [the ~] 콜로라도강《대협곡 Grand Canyon이나 Hoover Dam으로 유명》. **Còl·o·rá·dan, ~·an** *a., n.* 미국 콜로라도주의 (사람). 〖Sp. =red<L ; ↑〗

Colorádo (**potáto**) **bèetle** *n.* 콜로라도잎벌레 《감자의 해충》.

col·or·ant [kʌ́lərənt] *n.* 《美》 착색제(劑), 염료, 안료, 색소.

col·or·a·tion [kʌ̀ləréiʃən] *n.* Ⓤ 착색법 ; 배색 ; 채색 ; (생물의) 천연색 : protective ~ 보호색. 〖F or L ; ⇨ COLOR〗

col·o·ra·tu·ra [kɑ̀lərətjúərə, kʌ̀l-] *n.* **1** 〖樂〗 콜로라투라《성악의 극히 화려한 기교적인 장식》. **2** 콜로라투라 가수. 〖It. ; ⇨ COLOR〗

col·or·a·ture [kʌ́lərətʃər, kʌ́l-] *n.* = COLORATURA.

cólor bàr *n.* = COLOR LINE.

cólor-bèar·er *n.* 기수(旗手).

cólor-blìnd *a.* 색맹의 ; 둔감한, 멍청한 ; 피부색으로 인종 차별을 않는 ; 《美俗 · 풍자》 자신의 돈과 남의 돈이 구별되지 않는, 태연하게 훔치는[속이는]. **cólor blìndness** *n.* 색맹(色盲).

cólor bòx *n.* 그림 물감통(paint box).

cólor·brèed *vt.* (품종을) 특정한 색을 내기 위해서 개량하다, 선택 육종하다.

cólor·càst *n., vt., vi.* 〖TV〗 컬러 텔레비전 방송(을 하다). 〖*color*+tele*cast*〗

cólor·càst·er *n.* 경기 상황을 세부까지 묘사하는 아나운서. 〖*color*+broad*caster*〗

cólor còde *n.* 색 코드《전선 따위를 식별하는 데 쓰이는 색분류 체계》.

cólor-còde *vt.* (식별을 위해 유형 · 종류 따위를) 색으로 분류하다.

cólor condìtioning *n.* 색채 조절《사람에게 좋은 인상을 주기 위해 색채를 쓰는 일》.

cólor-coórdinated *a.* 배색한, 색을 섞은.

***cól·ored** *a.* **1** 착색한, 채색되어 있는. **2** (문체 따위를) 꾸민, 과장한, 겉치레의. **3** [종종 C~] 유색(인종)의, 《때때로 蔑》 (특히) 흑인의 ; [C~] 《南아》 혼혈의. **4** [복합어를 이루어] …색깔의 : flesh-~ 살색의. ── *n.* (*pl.* ~, **~s**) [종종 C~] 유색 인종, 《때때로 蔑》 (특히) 흑인 ; [C~] 《南

아》 컬러드(=CAPE COLORED.

cólored stóne *n.* 다이아몬드 이외의 보석.

cólor·er *n.* 채색자, 착색자.

cólor·fàst *a.* 퇴색하지 않는, 색이 바래지 않는. **~·ness** *n.*

cólor·fìeld *a.* (추상화에서) 색채면이 강조된.

cólor fìlm *n.* 컬러 필름[영화].

cólor fìlter *n.* 〖寫〗 컬러 필터, 여광판(濾光板).

cólor fòrce *n.* 〖理〗 색채력《쿼크(quark)를 결합하는 강한 힘》.

***cólor·ful** *a.* 색채가 풍부한, 다채로운, 화려한 ; 생기가 있는(vivid). **~·ly** *adv.*

còlor·génic *a.* (컬러 텔레비전[사진]에서) 색상이 좋은.

cólor guàrd *n.* 〖軍〗 군기 위병(軍旗衛兵).

col·or·if·ic [kʌ̀lərífik] *a.* 색깔의, 빛깔을 내는 ; 《古》 (문체 따위) 화려한, 현란한.

col·or·im·e·ter [kʌ̀lərímətər] *n.* 〖理〗 비색계(比色計) ; 색채계. 〖COLOR〗

cólor·ing *n.* **1** Ⓤ 착색(법), 채색(coloration) : ~ matter 색소 / ~ book (윤곽만 그려놓은) 그림책. **2** Ⓤ 그림물감을 쓰는 법. **3** Ⓤ (얼굴의) 혈색 ; 색소, 그림물감, 염료. **4** 영향, 편견 ; 멋진 표현 ; 음색. **5** 겉치레, 그럴듯함.

cólor·ist *n.* 채색을 잘하는 화가, 컬러리스트 ; 화려한 문체의 작가.

col·or·is·tic [kʌ̀lərístik] *a.* 색의, 채색(상)의 ; 음색을 강조한《음악》.

cólor-kèy *vt.* =COLOR-CODE.

cólor·less *a.* **1** 무색의 ; 빛깔이 바랜. **2** 흐릿한, 흐려진 ; 핏기가 없는. **3** 특색이 없는, 흐리멍텅한 ; (사람이) 분명하지 않은, 애매한. **4** 치우치지 않는, 공평한, 물들지 않은, 중립적인(neutral). **~·ly** *adv.* **~·ness** *n.*

cólor lìne *n.* 《美》 (정치적·사회적인) 흑인과 백인의 차별, 피부색의 차별[장벽].
draw the color line 인종 차별하다.

cólor màn *n.* =COLORCASTER.

cólor·man [-mən] *n.* 《英》 그림물감 장수, 도료상(塗料商).

cólor màtching *n.* 〖染·照明〗 색의 배합.

cólor mìxture *n.* 〖照明·染〗 혼색(混色).

cólor músic *n.* 〖照明〗 색채 음악《색·모양·명암의 배합 변화로 나타내는 음악적인 분위기》.

cólor pàinting *n.* 형태보다 색채를 두드러지게 한 추상화법.

cólor pàrty *n.* 〖英軍〗 군기 호위대《하사관의》.

cólor phàse *n.* 〖動〗 유전에 의한 체색(體色) 변이, 그 동물 ; 계절에 의한 털의 변색.

cólor phóto *n.* 컬러 사진.

cólor photógraphy *n.* 컬러 사진술.

cólor prèjudice *n.* 유색 인종[흑인]에 대한 편견(偏見).

cólor prìnt *n.* 원색 판화 ; 컬러 인화.

cólor prìnting *n.* 색채 인쇄 ; 컬러 인화(현상).

cólor rèndering *n.* 〖照明〗 연색성(演色性).

cólor schème *n.* 색채의 배합.

cólor separàtion *n.* 〖印〗 색분해.

cólor sèrgeant *n.* 군기병(軍旗兵)《상사》.

cólor sèt *n.* 컬러 텔레비전 수상기.

cólor sìgnal *n.* 〖電子〗 (텔레비전의) 색신호.

cólor súpplement *n.* (신문 따위의) 컬러 부록 페이지[면].

cólor télevision *n.* 컬러 텔레비전.

cólor tèmperature *n.* 〖寫〗 색온도(色溫度).

cólor TV [-tì:ví] *n.* =COLOR TELEVISION.

cólor wàsh *n.* 수성 그림 물감[도료].

cólor·wày *n.* 《英》 =COLOR SCHEME.

cól·ory *a.* 〖商〗 품질이 좋은 ; 《口》 빛깔이 좋은, 다채로운.

Co·los·sae [kəlɑ́si:] *n.* 골로새《소아시아 Phrygia의 옛 도시》.

co·los·sal [kəlɑ́səl] *a.* 거대한 ; 《口》 멋진, 놀랄 만한. 〖F ; ⇨ COLOSSUS〗
[類義語] ⟹ HUGE.

Col·os·se·um [kɑ̀ləsí(:)əm] *n.* 콜로세움《로마의 대(大)원형 극장 ; 75년~85년에 완성되어 gladiators의 시합도 행해졌음 ; 지금은 유적으로 남아 있음》. 〖L ; ⇨ COLOSSUS〗

Co·los·sian [kəlɑ́ʃən] *a.* 골로새(Colossae)의 ; 골로새 사람의. —— *n.* **1** 골로새 사람. **2** [the ~s ; 단수취급] 〖聖〗 골로새서(書) (the Epistle of Paul the Apostle to the Colossians)《신약 성서 중의 한 편 ; 略 Col.》.

co·los·sus [kəlɑ́səs] *n.* (*pl.* **-los·si** [-sai], **~·es**) **1** 거상(巨像) ; [the C~] 아폴로신의 거상《세계 7대 불가사의 중의 하나로 Rhodes항 어귀에 있었음》. **2** 거인, 거대한 것 ; 큰 인물, 위인. 〖L<Gk.〗

co·los·to·my [kəlɑ́stəmi] *n.* 〖醫〗 인공(人工) 항문 형성(술), 결장 절개술.
〖COLON², Gk. *stoma* mouth〗

co·los·trum [kəlɑ́strəm] *n.* 초유(初乳). 〖L〗

co·lot·o·my [kəlɑ́təmi] *n.* 〖醫〗 결장(結腸) 절개. 〖COLON²〗

◊**colour** ☞ COLOR.

-c·o·lous [-kələs] *a. comb. form* 「…에 살고 있는」 「…에 자라고 있는」의 뜻 : areni*colous*, saxi*colous*. 〖L〗

colp- [kɑ́lp], **col·po-** [kɑ́lpou, -pə] *comb. form* 「질(膣)」의 뜻. 〖Gk.〗

col·por·teur [kɑ́lpɔ:rtər, kɑ̀lpɔ:rtə́:r] *n.* 종교 서적의 행상인. 〖F〗

Col. Sergt. Color Sergeant.

colt [kóult] *n.* **1** 망아지《보통 4-5살까지의 수컷 ; cf. FILLY》 ; 〖聖〗 낙타새끼. **2** 미숙한 젊은이, 풋내기 ; 〖競〗 (특히 프로 크리켓팀의) 초심자, 신출내기(tiro).
a colt's tail 새털구름《비를 몰고옴》.
〖OE *colt* young ass or camel< ? ; cf. Swed. (dial.) *kult* young animal, boy〗

Colt *n.* 콜트식 자동 권총《상표명》.
〖Samuel *Colt* (d. 1862) 콜트 총(銃)을 발명한 미국인〗

colter ☞ COULTER.

cólt·ish *a.* 망아지 같은 ; 멋대로 뛰노는, 마음먹은 대로의. **~·ly** *adv.*

Cólt revólver *n.* =COLT.

cólts·fòot *n.* (*pl.* **~s**) 〖植〗 (유럽산) 머위민들레.

col·u·brine [kɑ́ljəbràin, -ju-] *a.* 〖動〗 뱀 같은, 뱀아과(亞科)의.

col·um·bar·i·um [kɑ̀ləmbéəriəm, -bǽər-] *n.* (*pl.* **-ria** [-riə]) **1** 〖古로〗 (Catacomb안의) 납골소(納骨所). **2** 비둘기장(dovecot).
〖L〗

Co·lum·bia [kəlʌ́mbiə] *n.* **1** 《詩》 아메리카 합중국《보통 적·백·청의 옷을 입은 여성으로 표현》. **2** [the ~] 컬럼비아 강《캐나다 남서에서 미국 북서부를 지나 태평양에 이름》. **3** 컬럼비아《미국 South Carolina 주의 주도》. **4** 컬럼비아 대학《New York시 소재》. **5** 〖宇宙〗 컬럼비아호《미국의 우주 왕복선 제 1 호》.

Co·lúm·bi·an *a.* 《詩》 미국의 ; 콜럼버스(Columbus)의. —— *n.* 〖印〗 컬럼비안《16포인트 활자》.

col·um·bine[1] [kɑ́ləmbàin] *n.* 〘植〙 꽃매발톱《성탄꽃과 ; 관상 식물》. 〚OF<L *columbine* (*herba*) (*columba* pigeon)〛

columbine[2] *a.* 《稀》 비둘기의[같은]. 〚L (↑)〛

Columbine [, -bìːn] *n.* 컬럼비나《COMMEDIA DELL'ARTE에 등장하는 건방지고 빈틈없는 하인의 딸 ; 영국의 희극에서는 Harlequin의 애인》. 〚↑〛

columbine[1]

co·lum·bite [kəlʌ́mbait, kɑ́ləmbàit] *n.* 〘鑛〙 콜럼바이트《주로 철과 콜럼븀으로 된 검은 광물》.

co·lum·bi·um [kəlʌ́mbiəm] *n.* Ⓤ 〘化〙 콜럼븀《금속 원소 ; 기호 Cb ; niobium의 옛 이름》.

Co·lum·bus [kəlʌ́mbəs] *n.* **1** 콜럼버스. **Christopher** ~ (1451-1506) 이탈리아의 항해자, 미대륙을 발견(1492). **2** 콜럼버스《미국 Ohio 주(州)의 주도》.

Colúmbus Dày *n.* 《美》 콜럼버스 기념일《미대륙 발견을 기념함 ; 10월 12일》.

col·u·mel·la [kɑ̀ljəmélə] *n.* (*pl.* **-lae** [-liː, -lai]) 〘解〙 기둥 모양의 부분 ; 〘動〙 (우렁이 따위의) 축주(軸柱) ; 〘植〙 중축(中軸), 삭축(朔軸).

***col·umn** [kɑ́ləm] *n.* **1** 〘建〙 원주, 기둥. **2** 기둥 모양의 것, (연기 따위의) 기둥. **3** 〘軍〙 종대(縱隊) (cf. LINE[1] 12 b)) ; (선대(船隊)의) 종열, 종진(縱陣) : in ~*s* of fours[sections, platoons, companies] 4열[분대, 소대, 중대] 종대로. **4** 〘印〙 종행(縱行), 단(段) ; (신문 따위의) 난 ; 단 : advertisement ~*s* 광고란 / in our[these] ~*s* 본란에서, 본지상(本紙上)에서. **5** (신문의) 특약 정기 기고란《시평·문예란·오락란 따위》.
~ed *a.* 원주의[가 있는] ; 원주 모양의.
〚OF and L=pillar〛

co·lum·nar [kəlʌ́mnər] *a.* 원주 (모양)의 ; (신문처럼) 종란(縱欄)식으로 인쇄한.

co·lum·ni·a·tion [kəlʌ̀mniéiʃən] *n.* Ⓤ 〘建〙 원주 사용[배치](법) ; [집합적으로] 전원주(全圓柱).

cólumn ínch *n.* 〘印〙 1인치 칼럼난《가로로 한 난(欄), 세로로 1인치 분의 지면》.

***col·um·nist** [kɑ́ləmnəst] *n.* (신문의) 특별 기고가, 칼럼니스트(cf. COLUMN 5).

co·lure [kəlúər, kóuluər] *n.* 〘天〙 분지경선(分至經線), 양지권(兩至圈), 사계선(四季線) : the equinoctial ~ 이분경선(二分經線) / the solstitial ~ 이지경선(二至經線).

col·za [kɑ́lzə, kóul-] *n.* 〘植〙 유채[평지](rapeseed) : ~ oil 평지유. 〚F<Du.〛

COM [kɑ́m] *n.* 〘컴퓨〙 컴퓨터 출력 마이크로필름 (장치) (computer-output microfilm(er)).

com- [kəm, kɑm] *pref.* 「함께」「완전히」의 뜻《b, p, m 앞에서》. ㊟ l앞에서는 *col-* ; r 앞에서는 *cor-* ; 모음, h, gn 앞에서는 *co-* ; 기타의 경우에는 *con-*이 됨. 〚L *com-*, *cum* with〛

COM coal oil mixture(석탄 석유 혼합 연료).

Com. Commander ; Commission(er) ; Committee ; Commodore ; Communist. **com.** comedy ; comic ; comma ; command ; commentary ; commerce ; commercial ; commission ; committee ; common(ly) ; communication ; communist ; community.

co·ma[1] [kóumə] *n.* (*pl.* **-mae** [-miː, -mai], **~s**) **1** [C~] 〘天〙 (혜성(彗星) 둘레의) 성운상(星雲狀)의 것. **2** 〘植〙 씨에 난 솜털. **3** 〘光〙 코마《렌즈 수차(收差)의 하나》.
〚L<Gk. *komē* hair of head〛

coma[2] *n.* (*pl.* **~s**) Ⓤ,Ⓒ 〘醫〙 혼수(상태) (stupor) : go into a ~ 혼수 상태에 빠지다.
〚NL<Gk. *kōmat-* *kōma* deep sleep〛

có·màke *vt.* 연서(連署)하다(cosign).

co·máker *n.* 연서인 ; (특히) 연대 보증인.

co·mánage·ment *n.* =WORKER PARTICIPATION.

Co·man·che [kouméntʃi] *n.* (*pl.* **~, ~s**) (아메리칸 인디언의) 코만치족(族) ; 코만치어(語).

co·máte[1] *n.* 친구, 동료, 짝패.

co·mate[2] [kóumeit] *a.* 〘植〙 씨에 (난) 솜털이 있는 ; (솜)털 모양의.

co·ma·tose [kóumətòus, 美+kɑ́m-, 英+-z] *a.* 〘醫〙 혼수성의, 혼수 상태의 ; 생기가 없는, 무기력한. **~·ly** *adv.* 〚COMA[2]〛

cóma vígil *n.* 〘醫〙 각성(覺醒) 혼수《개안성(開眼性) 혼수》.

‡**comb**[1] [kóum] *n.* **1** 빗 ; 빗 모양의 것. **2** (닭의) 볏 (모양의 것) ; (파도의) 물마루. **3** 벌집.
cut the comb of …의 코를 납작하게 해주다, 거만한 콧대를 꺾다.
── *vt.* **1** 빗으로 빗다 ; 빗질하다. **2** 철저하게 수색하다 : They ~*ed* the village for the girl. 그들은 그 소녀를 찾으려고 마을을 구석구석 수색했다.
── *vi.* 파도가 물마루를 이루며 돌다[부서지다].
comb out (불순물 따위를) 제거하다, (불필요한 인원 등을) 정리하다 ; 앞서 면제한 사람들 중에서 (신병(新兵)을) 골라 모으다 ; 면밀히 조사하다.
〚OE *camb* comb, crest ; cf. G *Kamm*〛

comb[2] ☞ COMBE.

comb. combination ; combining ; combustion.

***com·bat** [kəmbǽt, kɑ́mbæt, kʌ́m-] *v.* (**-t-** | **-tt-**)
vi. [動 / +*with*+名] 싸우다 ; 투쟁하다 ; 분투하다 : We ~*ed* ***with*** them for our rights. 우리는 우리 자신의 권리를 위해 그들과 싸웠다.
── *vt.* …와 싸우다 ; (악 따위에) 반항하다 : ~ the enemy 적과 싸우다.
── [kɑ́mbæt, kʌ́m-, -bət] *n.* Ⓤ,Ⓒ 전투 (fight) ; 투쟁, 격투 ; 논쟁 : a single ~ 일대일의 싸움, 결투(duel).
in combat 전투 중에[인, 의], 투쟁 중에[인, 의], 싸워서.
a trial by combat ☞ TRIAL.
── *attrib. a.* 전투(용의) : a ~ jacket 전투복.
〚F<L ; ⇨ BATTLE〛
類義語 ⟹ BATTLE.

com·bat·ant [kəmbǽtnt, kɑ́mbətnt, kʌ́m-] *n.* **1** 전투원(↔*noncombatant*) ; 전투부대. **2** 투사, 격투자. ── *a.* 전투[실전]에 임하는, 교전중인, 싸우는(fighting) : a ~ officer 전투병과 장교.
〚OF (pres. p.) < ↑〛

cómbat bòots[**shòes**] *n. pl.* 전투화(靴).

cómbat càr *n.* 〘美軍〙 전차(戰車).

cómbat·er *n.* 격투자, 쟁투자.

cómbat fatìgue[**exhàustion**] *n.* 전투 피로증《전선 따위에서 일어나는 일종의 신경증》.

cómbat informátion cènter *n.* 〘軍〙 (군함의) 전투 정보 지휘소.

com·bat·ive [kɑ́mbətiv, kʌ́m-, 美+kəmbǽt-] *a.* 투쟁적인, 투지[사기] 왕성한.
~·ly *adv.* **~·ness** *n.*

cómbat plàne *n.* 전투기.

cómbat ràtion *n.* (전투용) 휴대 식량.

cómbat tèam *n.* 전투단(團), 연합 전투 부대.

cómbat tròops *n. pl.* 전투 부대.
cómbat ùnit *n.* 전투 단위.
cómbat zòne *n.* 작전[전투] 지역《일선에서부터 병참부대 직전까지 걸친 지역》.
combe, comb, coomb(e) [kú:m, 美+kóum] *n.* 험하고 깊은 골짜기 ; 산허리의 골짜기. 〖OE *cumb* valley ; cf. CWM〗
cómb·er *n.* **1** (양털·솜 따위를) 빗질하는 사람 ; 빗기는 기계[도구]. **2** 밀려오는 파도. 〖COMB[1]〗
com·bies [kámbiz] *n. pl.* 《英口》 내리닫이 속옷 (combinations).
***com·bi·na·tion** [kàmbənéiʃən] *n.* **1** Ⓤ,Ⓒ 결합, 짜맞춤, 배합, 연합 ; 도당(徒黨) ; 공동 동작 : make a strong ~ 좋은 결합이 되다 / in ~ with …와 공동[협력]하여 / enter into ~ with …와 협력하다. **2** [*pl.*] 《英》 콤비네이션(=《美》 union suit)《속바지가 달린 셔츠 ; 드로어즈가 달린 슈미즈》. **3** Ⓤ 〖化〗 화합 ; Ⓒ 〖數〗 조합(組合) (cf. PERMUTATION). **4** (자물쇠 따위를 열기 위해) 맞추는 번호 ; =COMBINATION LOCK. **5** 《英》 사이드카가 달린 모터사이클. ── *a.* 짜맞춘 ; 겸용의 : a ~ office and study 사무실과 서재 겸용의 방. 〖F or L ; ⇨ COMBINE〗
combinátion càr *n.* 《美》 (1, 2등 또는 객차와 화차의) 혼합 열차.
combinátion dòor *n.* (방충 창문처럼) 떼고 붙일 수 있는 옥외문.
combinátion drùg *n.* 복합약《두 가지 이상의 항생 물질 따위의 혼합약》.
combinátion lòck *n.* 숫자[문자(文字)] 맞추기 자물쇠.
combinátion ròom *n.* 《英》 =COMMON ROOM.
combinátion sàle *n.* 끼워팔기(tie-in sale).
com·bi·na·tive [kámbənèitiv, 英+-nətiv, 美+kəmbáinətiv] *a.* 결합하는, 결합력이 있는, 결합성의 ; 〖言〗 (음변화가) 연음 변화에 의한《연속하는 음에 의해 생김(cf. ISOLATIVE)》.
com·bi·na·to·ri·al [kəmbàinətɔ́:riəl, kàmbə-] *a.* 결합의 ; 〖數〗 조합의.
combinatórial análysis *n.* 〖數〗 조합론.
combinatórial topólogy *n.* 조합 위상 기하학(學).
com·bi·na·tor·ics [kəmbàinətɔ́(:)riks, -tár-, kàmbə-] *n.* 〖數〗 순열 조합론.
com·bine** [kəmbáin] *vt.* [+目 / +目+*with*+名] **1** 결합하다, (사람·힘·회사 따위를) 합병[합동]시키다, 연합하다 : The pursuit of knowledge should be ~*d* ***with wisdom. 지식의 추구에는 지혜가 수반되어야 한다. **2** (별개의 다른 성질을) 겸비하다 : work ~*d* ***with*** pleasure 오락을 겸한 일. **3** 〖化〗 화합시키다. **4** [kámbain] 콤바인으로 거두어들이다. ── *vi.* [動 / +*with*+名] 결합[합동]하다 ; 〖化〗 화합하다 ; [kámbain] 콤바인으로 거두어들이다 : Everything ~*d* to make me do that. 모든 일이 겹쳐서 그렇게 하게 된 것이다 / Two atoms of hydrogen ~ ***with*** one of oxygen to form water. 수소 2원자와 산소 1원자가 화합하여 물이 된다.
── [kámbain] *n.* **1** 《원래 美》 기업 합동 (syndicate) ; (정치상의) 연합. **2** 《美》 콤바인《수확·탈곡 따위의 기능을 겸비한 농기구(農機具) ; cf. HARVESTER》.
com·bín·able *a.* 결합[화합]할 수 있는.
〖OF or L (*bini* two by two)〗
類義語 ⟹ JOIN.
com·bíned *a.* 결합된, 합동[협동]의, 연합의 ; 〖化〗 화합된 : a ~ class 합반 클래스 / ~ efforts 협력 / ~ operations[exercises] (육해공군의) 협동 작전 / a ~ squadron 연합 함대.
combíned árms *n. pl.* 〖軍〗 제병 연합 군대《기갑·보병·포병·공병·항공 부대 따위를 통합한 작전 부대》.
cómb·ing *n.* **1** Ⓤ 빗질하기. **2** [보통 *pl.*] 빗질하여 빠진 머리털.
cómbing machìne *n.* 소모기(梳毛機).
cómbing wòol *n.* 빗질한[소모용] 양털《worsted 따위의 원료》.
com·bín·ing fòrm [kəmbáiniŋ-] *n.* 〖文法〗 연결형《복합어의 구성요소》.
combíning pòwer *n.* 〖化〗 화합력.
combíning wèight *n.* 〖化〗 화합량.
cómb jèlly *n.* 〖動〗 =CTENOPHORE.
com·bo [kámbou] *n.* (*pl.* **~s**) 《美》 캄보(밴드)《소규모 편성으로 이루어진 재즈 악단》.
〖*comb*ination, -*o*〗
cómb-òut *n.* 일제 징집[검거] ; (해충 따위의) 일제 박멸 ; 철저 수색.
com·bust [kəmbʌ́st] *a.* 〖天〗 (별이) 태양에 다가와 빛이 약해진. ── *vi.* (기관 따위가) 연료를 태우다, (연료가) 타버리다. ── *vt.* (연료를) 소비하다.
com·bùs·ti·bíl·i·ty *n.* Ⓤ 연소력(燃燒力), 가연성(可燃性).
com·bus·ti·ble [kəmbʌ́stəbəl] *a.* 불타기 쉬운, 가연성의 ; 흥분하기 쉬운. ── *n.* [보통 *pl.*] 가연물. 〖F or L (↓)〗
com·bus·tion [kəmbʌ́stʃən] *n.* **1** Ⓤ 연소 ; (유기체의) 산화 ; 자연 연소 : spontaneous ~ 자연 발화 / a ~ chamber (엔진의) 연소실. **2** Ⓤ 격동, 큰 소동(tumult).
〖F or L *combust- comburo* to burn up〗
combústion fùrnace *n.* 연소로(爐).
combústion tùbe *n.* 연소관(管).
com·bús·tive *a.* 연소의, 연소성의.
com·bús·tor *n.* (제트 기관의) 연소 장치.
comd. command.
COMDEX [kámdèks] *n.* 콤덱스《컴퓨터와 그 관련 업자를 대상으로 하는 전시회》.
〖*Com*puter *D*ealers *Ex*po〗
comdg. commanding. **Comdr.** Commander. **Comdt.** Commandant.
◇**come**[1] [kʌm] *v.* (**came** [kéim] ; **come**) *vi.* **1** [動 / +副 / +前+名 / +*to* do / +do*ing*] **a)** (이야기하는 사람 쪽으로) 오다 ; (상대방이 있는 곳으로·가는 곳으로) 가다(cf. GO) : *C~ in*, please. 들어 오십시오 / *C~ here*. 이리로 와 주십시오 / I will ~ ***to*** you. 너에게로 가겠다 / She *came to* see me. 그녀는 나를 만나러 왔다 / Some children *came* runn*ing*. 애들 몇이 달려왔다. **b)** 도착하다, 찾아오다 : He hasn't ~ yet. 그는 아직 오지 않았다 / They *came* ***to*** a fountain. 그들은 샘이 있는 곳까지 왔다. **c)** (물건이) 닿다, 도달하다 : The dress ~*s* ***to*** her knees. 그 옷은 그녀의 무릎까지 닿는다.
2 [+前+名] [시간·공간의 순으로] 오다, 있다, 나오다 : After Anne ~*s* George I. 앤(여왕)의 다음은 조지 1세다 / August ~*s* ***between*** July and September. 8월은 7월과 9월 사이에 (찾아) 온다.
3 [動 / +前+名] **a)** (일이 …에게) 돌아오다, 손에 들어오다, (일이) 일어나다 : I am ready for whatever ~*s*. 무슨 일이 일어나건 나는 각오가 되어 있다 / How did it ~ that you quarreled? 어쩌다가 자네가 말다툼하게 되었는가. 注 이와 같

은 의문문의 표현에서는 때때로 관용적으로 do를 쓰지 않는 《古》형도 있음 : How ~*s* it that you quarreled? (cf. 9 ; How come(*s*)...? ☞ 숙어) / Everything ~*s* ***to*** him who waits. 《속담》 쥐구멍에도 볕들 날이 있다, 기다리면 때가 온다 / Light ~, light go. 《속담》 쉽게 번 돈 쉽게 나간다, 「부정한 돈은 오래 못가는 법」(come, go 모두 명령법). **b**) (상품 따위가) 매출(賣出)되다, 살 수 있다 : This soup ~*s* ***in*** a can. 이 수프는 통조림으로 팔고 있다.

4 (자연 현상으로서) 나타나다, 나오다, 도래하다 : The time will ~ when.... 얼마 후면 …할 때다 / There's a good time *coming.* 금방 좋은 시절이 찾아온다.

5 [+前+名] (…에서) 생기다, 일어나다 ; (…의) 출신[자손]이다 ; (말·습관 따위가 …에서) 유래되다, 생기다 : The civilization of the Egyptian people has ~ ***from*** the River Nile. 이집트인의 문명은 나일 강에서 생겼다 / Dislike and hatred usually ~ *from* ignorance. 혐오와 증오는 보통 무지한 데서 생긴다 / This ~*s* ***of*** disobedience. 이것은 불복종의 결과다 / That ~*s of* your carelessness. 당신이 주의를 하지 않아서 그렇게 된 것이다 / She ~*s of* an old family[*from* Kyŏngju]. 그 여자는 전통있는 집안[경주] 출신이다 / All the riches of the world ~ ***out of*** the earth. 세상의 모든 부(富)는 땅으로부터 생긴다 / Nothing will ~ *out of* all this talk. 이렇게 아무리 이야기만 해보았자 아무 소용이 없을 것이다.

6 (감정 따위가) 솟아나다, 생기다 ; (사물이) 완성되다, 성립하다 : The butter *came* quickly. 버터가 금방 나왔다[되었다].

7 [+前+名] (어떤 상태·결과로) 되다, 바뀌다 ; 이르다 : ~ ***into*** use 쓰이게 되다 / ~ *into* action[play] 활동[움직이기]을 시작하다 / ~ ***to*** a conclusion 결론에 도달하다 / Has it ~ *to* this? 이렇게까지 되었는가.

8 [+*to*+名] (금액 따위가) …이 되다, 달하다 ; (…에) 귀착하다(amount) : Your bill ~*s* ***to*** £5. 계산은 5파운드입니다 / It ~*s to* the same thing. 결과는 마찬가지다.

9 [+*to* do] (…하기에) 이르다, (…하게) 되다 : The dog *came to* live with us. 그 개는 우리와 함께 살게 되었다 / After the First War motor vehicles *came to* be the best means of transport. 제 1 차 대전 후 자동차가 제일 가는 수송 수단이 되었다 / How did you ~ *to* hear of it? 어떻게 그 일을 알게 되었니. 注 때때로 관용적으로 did를 쓰지 않는 《古》형도 있음 : How *came* you to hear of it? (cf. 3 ; How come(*s*)...? ☞ 숙어).

10 [+補] (…이) 되다(become) : ~ true (꿈이) 현실이 되다 ; (예언·예감이) 들어맞다 / That sort of thing ~*s* natural to him. 그런 일이 닥쳐도 그는 그것을 자연스럽게 대한다 / Things will ~ right. 만사가 잘 될 것이다 / My shoelaces *came* undone[untied]. 구두끈이 풀어졌다. 注 주로 보다 바람직한 상태로 진행하는 뜻을 포함함(cf. GO 8).

11 [감탄사적으로 써서 유도·독촉·힐문 따위를 나타냄] 자, 이것봐 : *C*~, tell me what it's all about. 자, 어떻게 됐다는 건가 / *C*~, ~, you should not speak like that! 이봐, 그렇게 말하는 게 아니야.

12 [가정법 현재형으로] 《口》 …이 오[되]면 (when...comes) : He will be fifty ~ May. 그는 오는 5월이면 만 50세가 된다 / a year ago ~ Christmas 이번 크리스마스로부터 꼭 1년 전.

13 [과거분사의 특별 용법으로] : A Daniel ~ to judgment! 《셰익스피어》 명재판관 다니엘이 다시 나타났도다 / First ~, first[best] served. 《속담》 선착순.

14 [*to* come으로 명사 뒤에 두어] 장래의, 미래의 : the world *to* ~ 내세(來世) / in time(s) *to* ~ 장래(에).

〈회화〉
Could I have a look at the room? — Of course. *Come* this way, please. 「방을 보여 주시겠어요」「그러죠. 이쪽으로 오세요」

—— *vt.* **1** (어떤 연령)에 달하다, 되다 : a child *coming* seven years old 곧 일곱살이 되는 아이. **2** 《英口》 **a**) [정관사 붙은 명사를 수반하여] …한 행동을 하다, …인 체하다, …티를 내게 하다 (act as) : ~ *the* moralist 군자인 체하다 / ~ *the* swell 잘난체 하다, 뻐기다 / ~ *the* bully over … 을 마구 뽐내다. **b**) 행하다, 완수하다 : He cannot ~ that. 그는 그것을 할 수 없다 / ~ a joke[trick] on …에게 못된 장난을 하다.

come about (1) 일어나다, 생기다(happen) : With the use of oil, great changes have ~ *about*. 기름이 사용됨으로써 큰 변화가 생겼다. (2) (바람의 방향이) 바뀌다.

***come across*...** (1) …을 가로지르다(cross) ; (머리에) 떠오르다 : The thought *came across* my mind that …이라는 생각이 문득 머리에 떠올랐다. (2) …와 (우연히) 마주치다, …을 찾아내다 (meet with) : I *came across* a very interesting book in that bookshop. 나는 저 서점에서 아주 재미있는 책을 찾아냈다. (3) 《俗》 (빚진 돈 따위를) 지불하다 ; …을 고백하다 : He *came across with* the money. 그는 그 돈을 치렀다.

come after (…에) 계속하다(follow), (…의) 뒤를 잇다(cf. 2).

come along (1) 찾아오다 ; 함께 오다 ; [명령형] 서둘다 : *C*~ *along* here. (자) 이리로 와요 / He *came along* (*with* me). 그는 (나와) 함께 왔다 / *C*~ *along*! 자아 빨리. (2) 동의하다〈*with*〉. (3) 익숙해지다 ; 잘 되어 가다, 성공하다.

come and (=to) do …하러 오다 : *C*~ *and* see me tomorrow. 내일 찾아오도록 하게. 注 특히 《美口》에서는 come, go, run, send, try 따위의 동사 뒤에는 종종 원형 부정사가 쓰임 : *C*~ *tell* me. 나에게 와서 말하게.

come and go 왔다갔다하다, 오락가락하다, 변천하다 : Money will ~ *and go*. 돈은 돌고 도는 것이다.

***come around*[*round*]** (1) 돌아서 오다, 우회하다 ; 훌쩍 나타나다 : *C*~ *round* and see me this evening. 오늘 저녁에 찾아오게나. (2) (계절이) 돌아오다 : The leap year ~*s around* once in four years. 윤년은 4년에 한번 찾아온다. (3) 정신을 차리다, 회복하다 ; 기분을 전환하다 : He got faint, but soon *came around*. 그는 기절했으나 얼마 후 정신을 차렸다. (4) (풍향 따위가) 바뀌다 ; (남이) 의견을 바꾸다, 동조[동의]하다, (남에게) 아부하다 : He will ~ *around to* my opinion. 그는 내 의견에 동조할 것이다.

***come at*...** (1) …에 이르다, 도착하다(arrive at) ; (…임을 알기에) 이르다 ; …을 획득하다 (obtain) : These are hardest to ~ *at*. 이것들은 가장 얻기 어려운 것이다. (2) …을 향해 오다, …을 공격하다(attack) : Just let me ~ *at* you! 잠깐 내가 상대해 주마 ; 자아 내가 상대다!

come away 떠나다, 가다 ; 꺾어지다, 떨어지

다 : The branch *came away*. 가지가 꺾어졌다.
come back (1) 돌아오다 ; 생각나다 : The very name is *coming back* to him. 그 이름이 생생하게 생각나고 있다. (2) 《口》 (유행 따위가) 부활하다, 되살아나다 : Will long skirts ~ *back*? 롱 스커트가 다시 유행할 것인가. (3) 《美俗》 말대꾸하다, 보복하다(retort).
come before... (1) …에 앞서다 ; …의 상위(上位)에 있다 : The ambassador ~*s before* the minister. 대사는 공사의 상위에 있다. (2) (회의 따위)에 의제로서 제출되다 ; …에서 심의되다 : The question *came before* the committee. 그 문제는 위원회에 제출되었다.
come between …의 중간에 위치하다(cf. 2) ; …의 속[안]에 들다, …의 사이를 가르다 : After the accident some coldness *came between* us. 그 사고 이후 우리들 사이가 다소 서먹해졌다.
come by... (1) …을 손에 넣다, 획득하다 (obtain) : He *came by* his immense wealth honestly. 그는 정직한 수단으로 거액의 부(富)를 손에 쥐었다. (2) 지나가다(pass by) ; 《美口》 (…에) 찾아오다, 들르다(call at).
come clean ☞ CLEAN *a.*
come close to** do**ing 조금만 하면 …하게 될 듯하다 : He *came close to* achiev*ing* the ideal. 그는 이상을 거의 실현할 수 있게 되었다.
come down (1) 내리다, 내려오다 ; (위층의 침실에서) 일어나 내려오다 ; 떨어지다 ; 아래로 뻗다[미치다] ; (값이) 떨어지다 : Her skirt ~*s down to* her ankles. 그녀의 치마는 발목까지 내려온다. (2) 몰락하다, 영락하다 ; 《口》 (병으로) 쓰러지다 : He has ~ *down* in the world since I saw him last. 지난번 그를 만난 후 그는 영락했다 / The old man *came down to* stealing. 노인은 몰락하여 도둑질을 하게 되었다 / He *came down* with measles. 그는 홍역으로 쓰러졌다. (3) 전래하다, 전해지다 : Those fairy tales have ~ *down to* us through many centuries. 그 동화들은 몇 세기를 두고 전승(傳承)되어 왔다. (4) 《英口》 (돈을) 내다, 지불하다 : My father *came down* handsomely. 아버지는 선뜻 돈을 내주셨다 / I *came down with* some money to the society. 나는 그 협회에 돈을 좀 기부했다.
come down (up)on... (1) …에 별안간 달려들다 ; 《口》 …을 마구 야단치다, 꾸짖다 : The headmaster *came down upon* all the boys. 교장 선생님은 그 소년들을 모두 야단쳤다. (2) …에게 (돈 따위를) 청구하다, …에게서 짜내다 : The swindler *came down on* him *for* 10,000 dollars. 그는 사기꾼에게 1만 달러를 사취당했다.
come for... (물건을) 찾으러 오다, (남을) 마중하러 오다.
come forth 나오다, 나타나다.
come forth with …을 가지고 오다, …을 끄집어 내다.
come forward (1) 나아가다 ; [+*as* 補] 요구에 따라 나서다, 자진하여 나서다 : He *came forward as* a candidate for the general election. 그는 총선거에 자진해서 입후보했다. (2) (…의) 용도에 소용되다 ; 구실을 하다, 제공하다 : It will ~ *forward for* a weapon. 그것은 무기의 구실을 할 것이다.
come from... ☞ 5.
come home to... ☞ HOME *adv.* 3.
come in (1) 들어오다, 입장하다(cf. 1 a)) ; (조수(潮水)가) 밀려오다 ; 〖크리켓〗 타자가 되다. (2) (경기 따위에서) 입상하다 ; 당선되다 ; (당파가) 정권을 잡다 : Bill *came in* third. 빌은 3등으로 들어왔다 / Will the Democrats ~ *in*? 민주당이 정권을 잡을 것인가. (3) 계절이 되다 ; 유행하기 시작하다 : Oysters have just ~ *in*. 바야흐로 굴의 (제맛이 나는) 계절이 되었다 / Synthetic fiber did not ~ *in* till late. 합성 섬유는 최근에 와서야 유행하기 시작했다. (4) 수입으로 들어오다 : Accounts are *coming in* very slowly just now. 현재 거래가 별로 활발하지 못하다. (5) 입장이 (…하게) 되다 ; (재담의) 재미가 (…하는데) 있다 : Where do I ~ *in*? 내 입장은 어떻게 되는 건가, 내가 해야 할 일은 무엇인가 ; 내게 어떤 이익이 있는가 / Where does the joke ~ *in*? 그 농담이 어디가 재미있는가.
come in for... (몫·유산·벌·비판 따위를) 받다 : I have ~ *in for* the profit from the sale. 나는 판매에 의한 이익의 몫을 나눠 받았다.
come into …에 들다 ; (어떤 상태·결과)가 되다(cf. 7) ; (재산·권리)를 이어 받다 : ~ *into* a fortune 재산을 이어받다 / ~ *into* one's own 당연한 권리를 받다.
come in useful[handy] (필요할 때에) 도움이 되다, 소용이 닿다[되다] : This will ~ *in useful to* us *for* keep*ing* things in. 이것은 물건을 넣는데 소용될 때가 있을거다.
come in with 《口》 (그룹·회사 따위)에 참가하다, 가담하다.
come natural to... ☞ NATURAL.
come near** do**ing =COME *close to* do*ing*.
come of... ☞ *vi.* 5.
come off (1) (사람이) 가버리다 ; (…에서) 내려오다[떨어지다] ; …을 그만두다, 폐기하다 : ~ *off* one's perch[one's high horse] 《비유》 잘난 체하는[고자세를 취하는] 것을 그만두다. (2) (단추 따위가) 떨어지다, (머리칼·이 따위가) 빠지다, (페인트 따위가) 벗겨지다 : The second hand has ~ *off* my watch. 시계에서 초침이 빠졌다. (3) (계획 따위가) 행해지다, 실현되다, 성공하다(succeed) : The strike did not ~ *off*. 그 스트라이크[파업]는 실현되지 않았다 / The experiment *came off*. 그 실험은 잘 되었다. (4) [+副/+前+名/+補] 해치우다 ; (경기에서) 이겨내다 ; (…이) 되다(turn out) : The play *came off well*[*badly*]. 그 연극은 잘 되었다[되지 못했다] / He *came off best* in the match. 그는 그 경기에서 우승했다 / ~ *off with* flying colors ☞ FLYING 숙어 / He *came off* a victor[victorious]. 그는 승자가 되었다.
come off it [명령형] 《口》 그만두시오, 잠자코 있어요.
come on [on은 부사] (1) 뒤에서 잇달아 오다 ; [명령형] 자아 (가자), 자아 (오너라[덤벼라]), 제발(please) : *C*~ *on*! 자아 가자, 자 서둘자 ; 자아 오너라[덤벼라]! / *C*~ *on*, stop it! 제발 그만 둬! (2) (계절·밤 따위가) 찾아오다, 가까워지다 ; (비가) 내리기 시작하다 ; (질병 따위가) 엄습해 오다, 강렬해지다 : Darkness[The storm] *came on*. 어두워지기[폭풍이 치기] 시작했다 / It *came on* to snow hard. 눈이 심하게 내리기 시작했다 / I felt a fit *coming on*. 나는 발작이 일어나려는 것을 느꼈다. (3) (일이) 잘 진행되다 ; (장치가) 작동하기 시작하다, (전기·물 따위) 사용 가능해지다 ; 번영하다, (작물이) (잘)생육하다 : The crops are *coming on* nicely. 작황(作況)이 좋다 / He is *coming on*. 그는 잘되고 있다. (4) (문제 따위가) 심의에 오르다, 상정되다 ; (소송 사건이) 제기되다 : Trial is *coming on* in a day

or two. 금명간 공판이 열릴 것이다. (5) (배우가) 등장하다 ; (극이) 상연되다. (6) [on은 전치사] 〖크리켓〗 투구를 시작하다. (7) =COME *upon*.

come out (1) 나오다, 나타나다 ; 알려지다, 공공연해지다 ; 발간[출판]되다 : The cherry blossoms here ~ *out* early in April. 이곳의 벚꽃은 4월초에 꽃이 핀다 / The bulletin has not yet ~ *out*. 회보(會報)는 아직 나오지 않았다. (2) (사교계・무대에) 처음으로 나오다, 데뷔하다 : Their daughter will soon ~ *out*. 그들의 딸도 곧 사교계에 데뷔하게 될 것이다. (3) (선수 등으로서) 출전하다 : How many boys will ~ *out* for football this year? 금년의 축구 경기에는 몇 사람의 선수가 출전합니까. (4) (사진에) 찍히다 ; (본성 따위) 나타나다 : She does not ~ *out* well in a black and white picture. 그녀는 흑백 사진에서는 그다지 잘 나오지 않는다 / His character ~*s out* in what he has said. 그가 말한 것에 그의 성격이 나타나 있다. (5) (산수 문제가) 풀리다 ; (합계가 …으로) 되다 : I can't make this equation ~ *out*. 이 방정식이 풀리지 않는다 / The fare ~*s out at* twenty cents an hour. 그 요금은 1시간에 20센트 꼴이 된다. (6) (시험에서) …한 성적을 받다 : I never expected to ~ *out* as high as I did. 나는 그렇게 좋은 성적을 받게 되리라고는 꿈에도 생각지 못했다. (7) 결과가 (…으로) 되다 : Things have ~ *out* against us. 결국 사태는 우리에게 불리했다. (8) 스트라이크[동맹 파업]를 하다. (9) (얼룩 따위가) 빠지다, 지워지다 ; (염색 따위가) 바래다 : The stain won't ~ *out*. 그 얼룩은 빠지지 않는다 / Green is apt to ~ *out* easily. 녹색은 바래기 쉽다.

come out with …을 보이다, 발표하다 ; …을 입밖에 내다, 이야기하다, 누설하다(utter) ; …을 세상[시장]에 내놓다 : He suddenly *came out with* a very strange story. 그는 갑자기 아주 이상한 이야기를 했다.

come over (1) 찾아오다, 도래(渡來)하다 : Her parents had ~ *over* from England. 그 여자의 양친은 영국에서 건너온 사람들이었다. (2) (적편에서 우리 편으로) 달라붙다, 변절(變節)하다 : They *came over* to our side during the war. 그들은 전쟁 중에 우리 편이 되었다. (3) (감정・밤기운 따위가) …을 엄습하다, 지배하다 : A deep darkness *came over* the land. 짙은 암흑이 그 땅을 뒤덮었다. (4) 《英口》 [+補] (어떤 감정에) 사로잡히다 : She *came over* sad[dizzy]. 그녀는 슬픈[현기증이 날 것 같은] 기분이 되었다.

come round 《英》 =COME *around*.

come through (1) (…을) 빠져 나가다 ; (…을) 해내다, 살아나가다 ; 도망쳐버리다 ; (…을) 이겨내다, 성공하다 : My father *came* successfully *through* the ordeal. 아버지는 그 고난을 훌륭히 이겨냈다 / He *came through* nicely. 그는 교묘히 도망쳐 나왔다. (2) 《俗》 건네주다, 지불하다.

come to (1) [to가 전치사] ☞ 1, 3, 7, 8. (2) [to가 부사] [kʌ́m túː] 회복하다, 제정신이 들다 (come around). (3) 〖海〗 배를 바람 불어오는 쪽으로 돌리다 ; (배가) 정박하다.

come to nothing [***naught***] ☞ NOTHING *n.*

come to one***self*** 제정신이 들다 ; 본심으로 돌아가다.

come to pass ☞ PASS *n.*

come to stay ☞ STAY[1].

come under... (1) …의 부류[항목]에 들다 ; …에 편입[지배]되다, …에 해당하다 : Tea and sugar ~ *under* the heading of groceries. 차와 설탕은 식료 잡화류에 든다. (2) …을 받다 : ~ *under* a person's notice[influence] 남의 주목[영향]을 받다.

come up (1) 오르다, 올라가다 ; (성큼성큼) 다가오다, 가까이오다 ; 도시로 오다, 《英》 대학에 입학하다 : He *came up* to town that year. 그는 그 해에 도시로 왔다. (2) (씨앗・풀이) 돋아나다, 싹트다, 머리를 쳐들다 : Plants ~ *up* again every spring. 초목들은 봄마다 새로 싹튼다. (3) 유행하기 시작하다. (4) 논의되다 : The case will ~ *up* next week. 그 사건은 내주에 심의된다.

come up against... (곤란・반대)에 맞서다, …에 직면하다.

come upon... (1) …을 우연히 만나다(come across) ; (생각이) 미치다, (우연히) 생각해내다 : I had not gone far when I *came upon* an old man. 얼마 가지 않아서 우연히 노인을 만났다. (2) …을 불의에 습격하다 : A misfortune *came upon* him. 불행이 그에게 닥쳤다. (3) (남에게) 부탁하러 오다, …에게 요구하다 : She *came upon* me *for* assistance. 그녀는 나에게 도움을 청하러 왔다. (4) …의 신세를 지다 : In those days they *came upon* the landowner. 당시 그들은 지주의 신세를 지고 있었다.

come up to... (1) …바로 곁에까지 다가오다 ; …에 이르다(reach) : A gentleman *came up to* the boy and asked where he lived. 한 신사가 소년에게 다가와서 집이 어디냐고 물었다 / The water *came up to* his waist. 물은 그의 허리까지 찼다. (2) (기대)에 응하다, (표준・견본)에 알맞다 : His work does not ~ *up to* the standard. 그의 일은 수준에 도달하지 못한다.

come up with …을 따라잡다 ; …을 제공[제안]하다, (해답 따위)를 찾아내다 ; 생각해내다, 창출하다 ; (깜짝 놀래키려는 것을) 말하다, 이야기하다 ; …에게 복수하다.

come what may 어떤 일이 일어나건 (간에) (whatever may happen).

How come(s)...? 《美口》 어찌하여 그러냐, 왜 (그런가) (Why?) : *How* ~(*s*) you didn't say anything? 어째서 너는 아무 말도 하지 않았니. 주 *How comes* it that...? (cf. 3)에서의 단축형 ; comes의 -s를 빼는 것은 회화체.

〖OE *cuman* ; cf. G *kommen*〗

come[2], **cum** [kʌ́m] *n.* 《卑》 =SEMEN.

── *vi.* =EJACULATE.

cóme-and-gó *n.* 내왕, 거래.

come-át-able *a.* (장소・사람 등이) 가까이하기 쉬운(accessible) ; 입수(入手)할 수 있는(obtainable) (cf. GETATABLE).

cóme·bàck *n.* **1** 《口》 (건강・인기 따위의) 회복, 만회, 부흥, 컴백 : make one's ~ 회복[만회]하다. **2** 《美俗》 말대꾸(retort) ; 재치있는 대답. **3** 《美俗》 불평의 원인.

cóme·bàck·er *n.* 〖野〗 피처 앞[강습] 땅볼.

cómeback wín *n.* 역전승.

COMECON, Com·e·con [kɑ́mikɑ̀n] *n.* 동유럽 경제 상호 원조 회의, 코메콘(Council for Mutual Economic Assistance) 《1991년 해체》.

co·me·di·an [kəmíːdiən] *n.* 희극 배우, 코미디언 ; 광대, 우스운 사람 ; 희극 작가.

co·me·dic [kəmíːdik, -méd-] *a.* COMEDY의, COMEDY에 관한.

co·mé·die de mœurs [*F* kɔmedi də mœrs] *n.* 풍속 희극. 〖F=comedy of manners〗

Co·mé·die Fran·çaise [*F* kɔmedi frɑ̃sɛːz] *n.* [the ~] 코메디 프랑세즈《고전극 상연으로 유

명한 프랑스 국립 극장 ; 1680년 창립》.
comédie lar·mo·yante [*F* kɔmedi larmwajɑ̃:t] *n.* 감상적인[로맨틱한] 희극. 〖F=tearful comedy〗
co·mé·di·enne [kəmì:dién] *n.* 희극 여배우. 〖F〗
comédie noire [*F* kɔmedi nwa:r] *n.* =BLACK COMEDY.
co·me·di·et·ta [kəmì:diétə] *n.* 짧은 희극. 〖It.〗
com·e·dist [kámədəst] *n.* 희극 작가.
com·e·do [kámədòu] *n.* (*pl.* **-do·nes** [kàmədóuni:z]) 〔醫〕 여드름. 〖L〗
cóme·dòwn *n.* 《美口》 영락(零落), (지위·명예의) 실추 ; 기대에 어긋남.
‡**com·e·dy** [kámədi] *n.* **1** Ⓤ 희극《극의 한 부문》, Ⓒ (한편의) 희극(cf. TRAGEDY, FARCE). **2** Ⓤ,Ⓒ 희극적인 장면[사건] ; 희극적 요소 : There is much ~ in life. 인생에는 희극같은 일이 많이 있다. **3** 인생극《희비의 양면에서 인생의 진상을 그린 작품》: Dante's *Divine C~* 단테의 「신곡」/ light ~ 가벼운 희극.
〖OF<L<Gk. (*kōmōidos* comic poet‹ *kōmos* revel) ; cf. COMIC〗
cómedy dràma *n.* 희극적 요소를 가미한 드라마, 코미디 드라마.
cómedy·wrìght *n.* 희극 작가.
còme-from-behínd *a.* 역전의《승리》.
còme-híther *n., a.* 유혹(적인).
cóme-ìn *n.* 《美俗》 표를 사려고 줄을 선 관객, 연기가 시작되기를 기다리는 관객.
còme-láte·ly *a.* 신참의, 새로 가담한.
come·ly [kʌ́mli] *a.* (용모가) 잘 생긴, 아름다운, 예쁜 ; 《古》 흉하지 않은, 어울리는, 적당한《행동 따위》. 〖ME *cumelich, cumli*‹? *becumelich* ; ⇨ BECOME〗
類義語 ⟹ BEAUTIFUL.
cóme-òn *n.* 《美俗》 사기꾼 ; 유혹하는 것, 유혹하는 듯한 얼굴[몸짓] ; 눈길을 끄는 싸구려 상품.
còme-óut·er *n.* 탈퇴자 ; 급진적인 개혁주의자.
co·me pri·ma [kòumei prí:mə] *adv.* 〔樂〕 처음과 같게. 〖It. =as at first〗
com·er [kʌ́mər] *n.* **1** 오는 사람, 온 사람 : the first ~ 선착자 / all ~*s* 누구든지 오는 사람은 모두《모든 희망자·응모자·참가자 등》/ I stand up against all ~*s*. 누구든지 오시오. **2** 《口》 유망한 신인 ; 성장주(株). 〖COME[1]〗
co·me so·pra [kòumei sóuprə] *adv.* 〔樂〕 위와[앞과] 같이. 〖It. =as above〗
co·mes·ti·ble [kəméstəbəl] *a.* 《稀》 먹을 수 있는 (edible). ── *n.* [보통 *pl.*] 식료품. 〖F<L (*comest- comedo* to eat up)〗
***com·et** [kámət] *n.* 〔天〕 혜성(彗星), 살별. 〖OF<L<Gk. =long-haired (star)〗
com·e·tary [kámətèri ; -əri] *a.* 혜성의 ; 혜성 같은 ; 혜성으로부터의.
co·meth·er [kouméðər] *n.* 《英方》 =COME-HITHER.
put the [*one's*] ***comether on*** …을 설득하다, 구슬리다.
co·met·ic, -i·cal [kəmétik(əl)] *a.* =COMETARY.
cómet sèeker[**finder**] *n.* (배율은 적으나 시야가 넓은) 혜성 발견용 망원경.
cómet wìne *n.* 혜성(彗星)년에 양조한 포도주《특히 향기가 좋다고 함》.
cómet yèar *n.* (큰 혜성이 자주 나타나는) 혜성년(年).
come·up·pance [kʌ̀mʌ́pəns] *n.* Ⓤ 《美口》 당연한 대가[응보, 벌] ; 인과 응보(因果應報).
COMEX commodity exchange.
com·fit [kʌ́mfət, kám-] *n.* (구상(球狀)의) 당과(糖菓), 봉봉 과자 ; [*pl.*] 과자. 〖OF<L ; ⇨ CONFECTION〗
com·fort** [kʌ́mfərt] *vt.* **1** [+目/+目+前+名] 위로하다, 위안하다(console) ; (몸을) 편하게 하다 : They ~*ed* me ***for my failure. 그들은 나의 실패를 위로해 주었다. 주 ~ my failure라고는 안 함. **2** 《古》 원조하다.
── *n.* **1** Ⓤ 위로, 위안(consolation) : give ~ to …을 위로하다 / take[find] ~ in …을 위안으로 삼다 / words of ~ 위로의 말 / ☞ COLD COMFORT. **2** [a ~] 위로가 되는 사람[것], 위문품 ; (침대의) 이불 ; [*pl.*] 생활을 편하게 하는 것 : She is a great ~ ***to*** her parents. 그녀는 부모에게 큰 위로가 된다 / ☞ CREATURE COMFORTS / Those hotels offer plain ~*s*. 그 호텔들은 보통의 설비가 되어 있을 뿐이다. **3** 낙(樂), 마음 편함 ; 안락, 안일 : live in ~ 안락하게 살다 / be fond of ~ 안일을 좋아하다.
〖OF<L=to strengthen (*fortis* strong)〗
類義語 (1) (*v.*) ***comfort*** 고통이나 슬픔을 가라앉히고 원기를 나게 하거나 희망을 주다 : *comfort* the mother who has lost her child (자식을 잃은 어머니를 위로하다). ***console*** 손실·실망감(失望感)을 경감시키다 ; comfort 보다는 소극적 : The music *consoles* the lonely girl. (음악은 외로운 소녀에게 위안이 된다). ***solace*** 우울·지루함·고독 따위의 느낌을 제거해 주다 : She *solaced* herself by playing the violin. (바이올린을 켜면서 그녀는 자신을 달랬다). ***relieve*** 근심·불쾌·고통 따위를 (일시적으로) 가볍게 해주고 참을 수 있게 하다 : *relieve* a person from sorrow (남의 슬픔을 덜어주다). ***soothe*** 고통·아픔을 덜어주고 가라 앉히다 : *soothe* the pain of a toothache (치통을 가라앉히다).
(2) (*n.*) ⟹ EASE.
‡**cómfort·able** *a.* 기분이 좋은 ; 쾌적한 ; 편안한 ; 위안의 ; (수입 따위가) 충분한 : in ~ circumstances 안락한 삶[환경]에(서).

〈회화〉
We had an air-conditioner installed yesterday. — You'll be able to enjoy a *comfortable* summer then. 「어제 에어컨을 달았어」「그럼 여름은 쾌적하게 지내겠군」

── *n.* 《주로 英》 목도리 ; 《美》 이불. **~·ness** *n.*
類義語 ***comfortable*** 심신의 괴로움·고통·번거로운 일이 없는, 또한 적극적으로 안락·만족·평화를 뜻하기도 함 : a *comfortable* house (안락한 집). ***cozy*** 폭풍우·추위·곤란 따위에서 보호되어 comfortable한 : a *cozy* fireside (아늑한 난롯가). ***snug*** 작지만 안락과 평안함을 주는, 때로 살기 좋은 : a *snug* little room (아담한 작은 방). ***restful*** 마음을 평안케 하고 안락·쾌적한 기분을 느끼게 하는 : a *restful* melody (기분좋은 선율).
cómfort·ably *adv.* 기분좋게 ; 편안하게, 답답하지 않게 ; 아무런 부족함이 없이 : be ~ off 상당한 (수준의) 생활을 하다.
cómfort bàg *n.* 위문대(袋).
cómfort·er *n.* **1** 위로하는 사람[물건], 위안자 ; [the C~] 성령(聖靈) (the Holy Ghost). **2** 털실로 짠 목도리 ; 《美》 깃털 이불 ; 《英》 고무 젖꼭지, 입에 넣고 빠는 것《갓난아기용 장난감》.

cómfort·ing *a.* 격려가 되는, 기운을 북돋우는, 위안이 되는. **~·ly** *adv.*
cómfort·less *a.* 위안이 없는, 부자유스러운 ; 낙(樂)이 없는, 적적한. **~·ly** *adv.*
cómfort stàtion[**ròom**] *n.* 《美》 공중 변소.
cómfort stòp *n.* 《美》 (버스 여행의) 휴식 정차 ; 휴식 장소.
com·frey [kʌ́mfri] *n.* 〖植〗 지치과(科)의 잎이 넓은 식물, 캄프리. 〚OF<L (*ferveo* to boil)〛
com·fy [kʌ́mfi] *a.* 《口》 =COMFORTABLE.
com·ic [kámik] *a.* 희극의(cf. TRAGIC) ; 우스운, 익살맞은 ; 만화의 : a ~ expression 익살스러운 표정. —— *n.* 《口》 **1** (무대 따위의) 희극 배우. **2** 《美》 만화책[잡지] ; (우스운) 희극 영화 ; [*pl.*] (신문·잡지의) 만화란.
〚L<Gk. (*kōmos* revel)〛
cóm·i·cal *a.* 익살맞은 ; 얄궂은. **~·ly** *adv.*
còm·i·cál·i·ty *n.* 우스움, 익살스러움 ; 우스꽝스러운 사람[것].
cómic bòok *n.* 만화 잡지.
cómic ópera *n.* 희가극(喜歌劇).
cómic-ópera *a.* 곧이곧대로 받아들여서는 안되는, 허황된.
cómic pàper *n.* 만화 신문.
cómic relíef *n.* (비극적인 장면 사이에 삽입되는) 희극적 (안도) 장면.
cómic strìp *n.* 연재 만화.
Com. in Chf. Commander in Chief.
Com·in·form [kámənfɔ̀:rm] *n.* [the ~] 코민포름《국제 공산주의의 정보 기관(1947-56)》.
〚*Com*munist *Inform*ation Bureau〛
com·ing [kʌ́miŋ] *a.* **1** 다가올, 다음의(next) : the ~ generation[festival] 다음 세대[다가오는 축제]. **2** 《口》 신진의 ; 두각을 나타낸, 인기가 올라가는 : a ~ man 지금 인기 상승 중인 사람. —— *n.* **1** 도래(arrival), 출현(advent). **2** [the C~] 그리스도의 재림.
comings and goings 《口》 왔다 갔다하기, 왕래 ; 일, 활동.
〚COME[1]〛
cóming-òut *n.* (상류 계급에서) 젊은 여성의 사교계에의 데뷔 : a ~ party 사교계 데뷔를 축하하는 파티.
com·int [kámint] *n.* 〖軍〗 통신 도청에 의한 정보 수집 (활동). 〚*com*munications *int*elligence〛
Com·in·tern [kámәntә̀:rn] *n.* [the ~] 코민테른 (=the Third INTERNATIONAL).
〚*Com*munist *Intern*ational〛
COMISCO, Co·mis·co [kəmískou] *n.* [the ~] 국제 사회주의자 회의 위원회. 〚*Com*mittee of the *I*nternational *S*ocialist *Co*nference〛
comitadji ☞ KOMITADJI.
co·mi·tia [kəmíʃiə] *n.* (*pl.* ~) [the ~] 〖古로〗 민회(民會), 시민 회의. 〚L (*com-*, *it- eo* to go)〛
com·i·ty [káməti, kóu-] *n.* Ⓤ 우의(友誼), 예절 (courtesy) : the ~ of nations 국제 예절.
〚L (*comis* courteous)〛
com·ix [kámiks] *n. pl.* 만화(책), (특히) 전위(前衛) 만화.
coml. commercial. **comm.** commander ; commentary ; commerce ; commission ; committee ; commonwealth ; communication.
***com·ma** [kámə] *n.* 콤마, 구두점(,) ; 〖樂〗 콤마, 소음정(小音程) : ☞INVERTED COMMAS.
〚L<Gk.=clause〛
cómma bacíllus *n.* (콜레라의) 콤마균(菌)《아시아 콜레라의 병원균》.
cómma-còunt·er *n.* 《美俗》 사소한 일에 까다로운 사람.
cómma-còunt·ing *n.* 《美俗》 사소한 흠을 들추어 내기.
cómma fàult[**splìce**] *n.* 〔文法〕 콤마의 오용(誤用)《접속사를 사용하지 않고 2개의 등위절 사이에 콤마를 사용하기 ; cf. RUN-ON SENTENCE》.
***com·mand** [kəmǽ(:)nd ; -mά:nd] *vt.* **1** [+目/+目+*to* do / +*that* 節] 명령하다, 명하다, …에 명령을 내리다(order) : He ~*ed* silence. 그는 잠자코 있으라고 명령했다 / The captain ~*ed* his men *to* retreat. 대장은 부하들에게 후퇴를 명령했다 / The king ~*ed that* the slave (should) be set free. 왕은 노예를 석방하라고 명했다《注 이런 유의 글의 *that* 節에 가정법 현재를 쓰는 것은 주로 《美》》. **2** 지휘하다, 인솔하다(lead) : The captain ~*s* his ship. 선장은 배를 지휘한다. **3** (감정 따위를) 지배하다, 억누르다 ; 뜻대로 하다 : ~ oneself 자제하다 / I cannot ~ the sum. 그 많은 돈을 내 뜻대로 할 수 없다. **4** (동정·존경 따위를) 모으다, 일으키게 하다 ; …에 합당하다(deserve) ; (팔 것이 좋은 값으로) 팔리다 : He ~*ed* much respect for his honesty. 그는 정직하기 때문에 대단한 존경을 받았다 / Things ~ a higher price when they are scarce. 물자가 부족하게 되면 필연적으로 값이 오른다. **5** (중요한 지형 따위를) 차지하다(dominate) ; 내려다보다, (경치를) 바라보다(overlook) : a house ~*ing* a fine view 전망이 좋은 집 / The fort ~*s* the entrance to the harbor. 그 요새는 항구의 입구를 내려다볼 수 있는 위치에 있다. —— *vi.* **1** 명령하다 ; 지휘하다, 지휘권을 갖다 : He ~*ed* and we obeyed. 그가 명령하고 우리는 그것을 따랐다. **2** (경치가) 내려다보이다[보이는 위치를 점하다].
Yours to command 《古》 경구(敬具)《공손한 편지의 끝맺음 말 ; cf. YOURS 4》.
—— *n.* **1** [+*to* do / +*that* 節] 명령, 분부, 지시 (order) : *at*[*by*] a person's ~ 남의 명령에 의해, 지시에 따라서 / give a ~ 명령을 내리다 / The king issued a ~ *for* the slave *to* be[a ~ *that* the slave (should) be] set free. 왕은 노예를 석방하라고 명령을 내렸다(cf. *vt.* 1 注). **2** Ⓤ 지휘 ; 지휘권. **3** Ⓤ 지배력 ; 제어력(制御力) ; (언어를) 자유자재로 구사하는 힘(mastery) ; 지배권 : have ~ *over* oneself 자제할 수 있다 / lose ~ *of* oneself 자제력을 잃다 / get ~ *of* the air[sea] 제공[제해]권을 쥐다 / He has a fine ~ *of* English. 그는 영어가 능숙하다. **4** Ⓤ (요새지를) 내려다보는 위치[높은 곳](의 점유) ; 조망(眺望), 전망 : The hill has the ~ *of* the whole city. 그 언덕에선 전 시가지를 바라볼 수 있다. **5** Ⓤ 〖軍〗 지배지, 관하[휘하]의 군사《선박·지구 따위》 ; 사령부[관].
at* a person's *command (1) 남의 명령에 따라서(cf. 1). (2) 수중에 있는, 자유로이 쓸 수 있는 (available) : all the money *at* my ~ 내가 마음대로 쓸 수 있는 돈 전부 / He is *at* your ~. 그에게 무엇이든 분부해 주십시오.
at the word of command 명령이 내리는 대로, 구령에 따라서.
in command (***of*...**) (…을) 지휘하여 : General White was *in* ~ *of* the army. 화이트 장군이 그 군의 지휘를 맡았다.
take[***have***] ***command of*** …을 지휘하다.
under (***the***) ***command of*** …의 지휘 아래.
〚OF<L ; ⇨ COMMEND〛
類義語 (1) (*v.*) ⟹ ORDER.

(2) (*n.*) ⟹ POWER.

com·man·dant [kάməndæ̀nt, -dὰ:nt] *n.* (도시·요새 따위의) (방위) 사령관, 지휘관 ;《美》(해병대의) 사령관. 〖F or It. or Sp. (↑)〗

commánd càr *n.* 〖美軍〗 사령관 전용차.

commánd destrúct *n.* 〖宇宙〗 지령 파괴《쏘아올린 로켓의 파괴 시스템》.

com·man·deer [kὰməndíər] *vt.* 〖軍〗 (장정을) 징집하다 ; (마소·식량 따위를) 징발하다 ;《口》(남의 물건을) 멋대로 쓰다.
〖Afrik. <F COMMAND〗

commánd·er *n.* **1** 지휘자, 사령관 ; 〖陸軍〗 지휘관 ; 〖海軍〗 (군함의) 부함장 ; 해군 중령 : a lieutenant ~ 해군 소령. **2** 상급(上級) 훈작사(勳爵士) (cf. KNIGHT 3).
the Commander of the Faithful 대교주(大敎主)《caliph나 sultan의 칭호》.
~·shìp *n.* commander의 직[직위].

commánder in chíef *n.* (*pl.* **commánders in chíef**) 〖陸軍〗 최고 사령관, 〖海軍〗 사령관 ; (나라의) 최고 지휘관《미국은 대통령 ; 略 C.I.C., C. in C., Com. in Chf.》.

commánd·ery *n.* 중세 기사단의 영지 ; (어떤 비밀 결사의) 지부 ; =COMMANDERSHIP.

commánd guídance *n.* 〖空〗 (미사일 따위의) 지령 유도.

commánd·ing *a.* **1** 지휘하는. **2** (태도가) 명령적인 ; (풍채가) 당당한. **3** 조망[전망]이 좋은 ; 지형의 이점(利點)을 차지한(dominating).
~·ly *adv.*

commánding ófficer *n.* 〖美軍〗 (소위에서 대령까지의) 지휘관, 부대장.

commánding shìp *n.* 기함(旗艦).

com·mand·ment [kəmǽ(:)n*d*mənt ; -mά:n*d*-] *n.* 명령, 지령 ; 계율, 계명 ; 명령[지휘]권.

commánd mòdule *n.* (달 착륙선의) 사령선(船) (cf. LUNAR MODULE).

commánd nìght *n.*《英》 어전(御前) 연주[연극]의 밤.

com·man·do [kəmǽ(:)ndou ; -mά:n-] *n.* (*pl.* **~s, ~es**) [때때로 C~]《英》(제2차 세계대전의) 돌격대(원) ; 게릴라 부대(원).
〖Port. ; ⇨ COMMAND〗

commánd pàper *n.*《英》(의회에 대한) 칙령서(勅令書)《略 C., Cmd., Cmnd.》.

commánd perfórmance *n.*《英》 어전(御前) 연극[연주].

commánd pòst *n.* 〖美陸軍〗 (전투) 사령소[지휘소]《略 C.P.》.

commánd sérgeant májor *n.* 〖美陸軍〗 특무상사《first sergeant 위의 하사관》 ; 준위.

commánd sỳstem *n.* (미사일·비행기·우주선·잠수함 따위의) 지령 방식(cf. INERTIAL SYSTEM).

com·méasurable [kə-] *a.* =COMMENSURATE.

com·méasure [kə-] *vt.* …와 동일한 넓이[크기]를 가지다.

com·me·dia del·l'ar·te [kəméidiə delά:*r*ti, -méd-] *n.* (16-18세기 이탈리아의) 즉흥 가면 희극. 〖It. =comedy of art〗

comme il faut [*F* kɔmilfo] *a.* 예의에 맞는, 점잖은. 〖F=as is necessary〗

com·mem·o·ra·ble [kəmémərəbəl] *a.* 기억할 만한 ; 기념할 만한.

com·mem·o·rate [kəmémərèit] *vt.* 축사[의식 따위]에 의해 기념하다, 축하하다(celebrate) ; …의 기념이 되다 : The Monument was erected to ~ the Great Fire of London of 1666. 그 기념탑은 1666년 런던의 대화재를 기념하여 세워졌다.
-rà·tor *n.* 〖L ; ⇨ MEMORY〗

com·mem·o·ra·tion [kəmèməréiʃən] *n.* **1** Ⓤ 축하, 기념 : in ~ of …을 기념하여, …의 기념으로. **2** 축전(祝典), 축제 ; [C~]《英》 Oxford 대학 창립 기념제.

com·mem·o·ra·tive [kəmémərətiv, 美+ -mémərèit-] *a.* 기념하는, 기념의 : a ~ stamp 기념 우표. —— *n.* 기념이 되는 것, 기념물 ; 기념 화폐[우표].

com·mém·o·ra·to·ry [-rətɔ̀:ri ; -rèitəri] *a.* = COMMEMORATIVE.

com·mence [kəméns] *vt.* [+目/+do*ing*/+*to* do] 시작하다, 개시하다 : Work will be ~*d* today. 일은 오늘부터 시작한다 / At the age of eighteen he ~*d* study*ing*[*to* study] law. 그는 18살때에 법률 공부를 시작했다. —— *vi.* **1** [動/+前+名] 시작되다 : The first term ~*s* ***in*** April. 일학기는 4월부터 시작된다. **2** [+補]《英》(M.A. 따위의) 학위를 받다 : I ~*d* M.A. in 1998. 나는 1998년에 문학 석사 학위를 받았다. ㊟ *vt.*, *vi.* 1의 뜻으로는 대신 BEGIN을 쓰는 것이 일반적.
〖OF (*com*-, L INITIATE)〗
類義語 ⟹ BEGIN.

comménce·ment *n.* **1** Ⓤ 개시(beginning). **2** [the ~] (Cambridge, Dublin 및 미국 여러 대학의) 학위 수여식[일(日)] ; (대학 따위의) 졸업식 (cf. GRADUATION 1) : hold the ~ 졸업식을 거행하다.

com·mend [kəménd] *vt.* **1** [+目/+目+*to*+名] 칭찬하다(↔*censure*), 찬양하다(praise) ; 추천하다, 권하다《RECOMMEND 쪽이 보통》: His work ought to be highly ~*ed*. 그의 작품은 큰 찬사를 받을 만하다 / ~ a man ***to*** his employers 한 사람을 그의 고용주에게 추천하다. **2** [+目+*to*+名] 맡기다, 위탁하다, 위임하다(entrust) : He ~*ed* his children ***to*** his brother. 그는 아이들을 형에게 맡겼다.
Commend me to. . . (1)《古》…에게 나의 안부를 전해 주시오(Remember me to...) : *C~ me to* your honorable wife. 부인께 안부 전해 주시오. (2)《反語》(…이라면) …이 제일 좋다.
commend one*self* [it*self*] ***to*** …에게 좋은 인상을 주다, …의 마음을 끌다(attract) : His saying ~*ed* it*self to* us. 그의 말은 우리들을 매료시켰다.
〖L *com*-(*mendo*=*mando* ; ⇨ MANDATE)〗
類義語 ⟹ APPROVE, PRAISE.

comménd·able *a.* 칭찬할 만한, 훌륭한, 기특한 (praiseworthy).
-ably *adv.* 훌륭하게, 기특하게도.

com·men·dam [kəméndæm] *n.* Ⓤ 〖敎會〗 성직록(聖職祿) (benefice) 일시 보유《잉글랜드는 1836년 이래 폐지》 ; 그 성직록.
〖L *in commendam* in trust〗

com·men·da·tion [kὰmendéiʃən, -ən-] *n.* Ⓤ 추천, 칭찬(praise).

com·men·da·to·ry [kəméndətɔ̀:ri ; -təri] *a.* 추천하는, 칭찬하는.

com·men·sal [kəménsəl] *a.* 식사를 같이하는 ; 〖生〗 공생(共生)[공서(共棲)]하는. —— *n.* 식사를 같이하는 사람 ; 〖生〗 공생[공서] 동[식]물.

comménsal·ìsm *n.* 친교 ; 공식(共食) 생활 ; 〖生〗 공생.

com·men·sal·i·ty [kὰmensǽləti] *n.* 식사를 함께 함 ; 그런 사교 모임 ; 친교.

com·men·su·ra·ble [kəménsərəbəl, -ʃə-] *a.* **1** 같은 수로 나눌 수 있는〈*with*〉. **2** (…에) 비례하는(proportionate)〈*to*〉: ~ number[quantity] 〖數〗 공통 인수를 가진 수[양]. **-bly** *adv.* **~·ness** *n.* **com·mèn·su·ra·bíl·i·ty** *n.*

com·men·su·rate [kəménsərət, -ʃə-] *a.* (…과) 같은 양[면적, 크기]의, 동연(同延)의 〈*with*〉; (…와) 비례한〈*to*〉; (…와) 균형잡힌, (…에) 알맞은〈*with*〉. **com·mèn·su·rá·tion** *n.* 같은 양[크기], 동연(同延); 약분(約分), 균형. 〖L; ⇨ MEASURE〗

com·ment** [kάment] *n.* **1** Ⓤ,Ⓒ (시사문제 따위의) 평, 논평(remark), 비평(criticism) 〈*on, upon*〉: No ~. 할 말이 없다. **2** Ⓤ,Ⓒ 주해, 주석, 해설, 설명. **3** Ⓤ (세간의) 소문, 화제(話題)(gossip). —— *vi.* [+*on*+名] 비평[논평]하다, 주석하다: Everyone ~*ed* (up***)***on*** his new poem. 모두 그가 새로 쓴 시를 두고 한마디씩 했다. —— *vt.* (…을) 비평[논평]하다.
~·er *n.* 비평가.
〖L=interpretation, contrivance (neut. p.p.)＜*comminiscor* to devise〗
類義語 ⟹ REMARK.

com·men·tary [kάməntèri; -təri] *n.* **1** 논평; 주석, 주해(서): a ~ *on* the Scriptures 성서 주석[평석(評釋)] / ☞ RUNNING COMMENTARY. **2** [보통 *pl.*] (당사자 자신에 의한) 기록, 회고록(memoires)〈*on*〉: Caesar's *Commentaries on the Gallic War* 시저의 「갈리아 전기(戰記)」. **3** 〖放送〗 실황 해설[방송]: a broadcast ~ *on* a baseball game 야구의 실황 방송.

com·men·tate [kάməntèit] *vi.* **1** 해설자로서 일하다, 해설자가 되다. **2** [+前+名] …의 해설[논평]을 하다〈*on, upon*〉: He ~*d on* the contemporary political situation. 그는 현대의 정치 정세에 대해서 논평했다. —— *vt.* …을 해설[논평]하다; …에 주석을 달다.
còm·men·tá·tion *n.* 주석을 닮; 논평[해설]함.
〖역성(逆成)＜↓〗

cóm·men·tà·tor *n.* **1** 주석자(註釋者). **2** 〖放送〗 시사 해설자; 실황 방송 요원.

***com·merce** [kάmə(:)rs] *n.* Ⓤ **1** 상업, 통상, 교역(交易)(cf. INDUSTRY, TRADE). **2** (사회적인) 교섭, 교제. —— [, kəmə́:rs] *vi.* 《古》 교제[통신]하다〈*with*〉. 〖F or L; ⇨ MERCER〗

cómmerce destròyer *n.* (전시의) 적국 상선 파괴함(艦).

***com·mer·cial** [kəmə́:rʃəl] *a.* **1** 상업상의, 상사(商事)의; 통상[무역]상의: ~ art 상업 미술 / ~ law 상법 / a ~ plane (상업용) 민간기(民間機) / ~ pursuits 상업, 상사(商事) / a ~ school 《英》 상업학교 / a ~ transaction 상(商)거래. **2** 영리적인[본위의]; 돈벌이 위주의: a ~ theater 상업 극장. **3** (화학 약품 따위) 시판용의; 《美》 상업 본위에 의한, 대량 생산의. **4** 〖放送〗 (프로그램 따위) 광고용의, 스폰서가 있는; 민간 방송의. —— *n.* **1** 〖放送〗 광고 방송. **2** 《英》 =COMMERCIAL TRAVELER.

commércial àgency *n.* 《美》 상업 흥신소《회사·개인의 경제 상태를 조사함》.

commércial àgent *n.* 대리상; 무역 사무관.

commércial bánk *n.* 상업 은행.

commércial bìll *n.* 상업 어음.

commércial brèak *n.* 〖放送〗 광고 방송.

commércial bróadcasting *n.* 상업 방송.

commércial còllege *n.* 상과 대학, 상업 전문 학교.

commércial fértilizer *n.* 화학 비료.

commércial hotél *n.* 세일즈맨[외판원]용 호텔《상품의 진열실 따위가 있음》.

commércial·ìsm *n.* **1** Ⓤ 상업주의[본위], 영리주의. **2** Ⓤ 상관습; Ⓤ,Ⓒ 상용어(법).
-ist *n.* 상업[영리] 본위의 사람.

com·mer·ci·al·i·ty [kəmə̀:rʃiǽləti] *n.* Ⓤ 상업주의, 영리주의[본위].

commèrcial·izátion *n.* 상업화, 상품화.

commércial·ìze *vt.* 상업[영리]화하다; 상품화하다.

commércial mèssage *n.* 〖放送〗 광고 방송.
㊟ 영국에서는 보통 CM이라고 생략하지 않음.

commércial mùseum *n.* 상품 진열관.

commércial pàper *n.* 상업 어음.

commércial póol *n.* 〖廣告〗 언제든지 방송할 수 있도록 준비된 특정 상품에 대한 일련의 광고 방송.

commércial rehabilitátion *n.* 〖建〗 상업 시설 재(再)이용 계획《낡은 건물을 개수하여 상업 시설로 이용하는 따위》.

commércial ròom *n.* 《英》 (여관의) 세일즈맨 전용 숙박실.

commércial sátellite *n.* 상업 위성.

commércial tráveler *n.* 《英》 (지방 판매) 외무원, 세일즈맨(=《美》 traveling salesman).

commércial tréaty *n.* 통상 조약.

commércial véhicle *n.* (요금을 받는) 상업[영업]용차, 상품 수송차.

com·mer·cio·génic [kəmə̀:rʃiə-] *a.* 상업적으로 인기 있는, 상업성 위주의.

com·mère [kάmeər] *n.* 여성 사회자.
〖F=godmother〗

com·mfu [kɑmfú:, ⌐-] *n.* 《美空軍俗》 완전한 군사적 실패. 〖dis*comf*iture〗

com·mie[1], **-my**[1] [kάmi] *n.* (진흙으로 만든) 공깃돌.

commie[2], **-my**[2] *n.* [흔히 C~] 《口》 공산당원; 공산주의자, 공산주의 동조자.

com·mi·nate [kάmənèit] *vt., vi.* (신벌(神罰)이 내린다고) 위협하다.
〖역성(逆成)＜↓〗

com·mi·na·tion [kὰmənéiʃən] *n.* 위협; 신벌(神罰)의 선고; 〖英國教〗 대재참회(大齋懺悔).
〖L; ⇨ MENACE〗

com·min·a·to·ry [kάmənətɔ̀:ri, kəmínə-, -máin-; kɔ́minətəri] *a.* 위협적인, 신벌을 선고하는.

com·míngle [kɑ-, kə-] *vt., vi.* 《文語》 혼합하다, 뒤섞이다.

com·mi·nute [kάmənjù:t] *vt.* 잘게 부수다(pulverize); 세분하다. —— *a.* 분쇄[세분]한.
〖L; ⇨ MINUTE[2]〗

còm·mi·nú·tion *n.* 분쇄; 세분; 〖醫〗 복잡 골절(複雜骨折).

com·mis·er·a·ble [kəmízərəbəl] *a.* 가엾은, 불쌍한.

com·mis·er·ate [kəmízərèit] *vt., vi.* [+目/+目+前+名/+前+名] 불쌍히 여기다, 동정하다, 가련하게 생각하다(pity): ~ (***with***) a friend ***on*** his misfortunes 친구의 불행을 불쌍히 여기다. 〖L (*miseror* to pity＜MISER)〗

com·mis·er·a·tion [kəmìzəréiʃən] *n.* **1** Ⓤ 불쌍히 여김〈*upon*〉, 동정(compassion)〈*for*〉. **2** [*pl.*] 동정하는 말.

com·mís·er·à·tive *a.* 불쌍히 여기는, 동정하는.
~·ly *adv.*

com·mis·sar [kάməsὰ:r, ⌐-⌐] *n.* (구소련의) 인

민 위원《1917-46년까지의 제도로서 다른 나라의 장관에 해당》.
〚Russ. <F COMMISSARY〛

com·mis·sar·i·al [kɑ̀məséəriəl, -sǽər-] *a.* 대표자의, 위원의 ; 〔英國敎〕 감독대리의 ; 〔軍〕 병참장교의.

com·mis·sar·i·at [kɑ̀məséəriət, -sǽər-] *n.* **1** 〔軍〕 병참부, 양식(糧食) 경리부. **2** 식량 보급. **3** (구소련의) 인민 위원회《1917-46년까지의 제도(制度)로 다른 나라의 「부(部)」에 해당 ; cf. COMMISSAR》. 〚F and L (↓)〛

com·mis·sary [kɑ́məsèri ; -səri] *n.* **1** 《美》 (광산·재목 벌채장의) 물자 배급소, 판매소, 매점 ; 공급된 식량 ; 《美》 영화[텔레비전] 스튜디오의 식당[휴연실]. **2** 〔軍〕 병참부 (장교) ; 대리 대표자 (deputy) ; =COMMISSAR.
〚L=person in charge ; ⇨ COMMIT〛

cómmissary géneral *n.* (*pl.* **cómmissaries géneral**) 〔軍〕 병참감(兵站監) ; 수석 대표[대리(代理)].

***com·mis·sion** [kəmíʃən] *n.* **1** 위임장 ; 임명 ; 〔軍〕 장교 임명 사령(cf. WARRANT *n.* 3) : get [resign] one's ~ 장교가 되다[를 그만두다]. **2** (직권·임무의) 위임, 위탁 ; (제작 따위의) 의뢰, 주문. **3** Ⓤ (위임된) 임무, 직권 ; 명령, 지령 : go beyond one's ~ 권한 이외의 일을 하다. **4** [집합적으로] 위원회 : a ~ of inquiry 심리 위원회. **5** Ⓤ 〔商〕 대리(권) ; 소개, 중개(agency) ; Ⓒ 수수료, 구전, 커미션 : allow[get] a ~ of 10 percent on sales 매상에 대해서 1할의 수수료를 내다[받다]. **6** Ⓤ (죄를) 범하기, 수행, 범행 ; 〔法〕 작위(作爲) (cf. OMISSION) : be charged with the ~ *of* murder 살인죄로 고소당하다.
in commission (사람이 관직을) 위임받은 ; (장교가) 현역의, (군함이) 취역(就役)중인 ; 《口》 언제나 사용할 수 있는 : put a warship *in* ~ 군함을 취역시키다.
on commission 〔商〕 위탁된, 대리로 : have [sell] goods *on* ~ 상품을 위탁받고 있다[위탁판매하다].
out of commission 퇴역의, 예비의 ; 《口》 사용 불능의.
—— *vt.* **1** [+目/+目+*to* do] …에게 권한을 위임하다 ; (미술가에게) 제작을 의뢰하다 : He ~*ed* the artist *to* paint a portrait for him. 그는 자신의 초상화를 그려 달라고 화가에게 의뢰했다. **2** (장교로) 임명하다 ; (군함을) 취역시키다 ; (기계 따위를) 작동시키다.
〚OF<L ; ⇨ COMMIT〛
類義語 ⟹ AUTHORIZE.

commíssion àgent *n.* 도매상(점), 위탁 매매인, 중매인(仲買人).

com·mis·sion·aire [kəmìʃənéər, -nǽər] *n.* 《英》 (호텔·백화점·극장 따위의 제복을 입은) 수위, 안내원, 문지기 ; 런던의 the Corps of Commissionaire(용무원(用務員)조합)의 회원 ; 중매인.
〚F ; ⇨ COMMISSION〛

commíssion bròker *n.* (거래소의) 중매인.

commíssion dày *n.* 《英》 순회 재판 개정일(開廷日).

com·mís·sioned *a.* 임명된 : a ~ officer 사관(士官), 장교(cf. NONCOMMISSIONED OFFICER, PETTY OFFICER, WARRANT OFFICER) / a ~ ship 취역함(就役艦).

commíssion·er *n.* **1** (정부가 임명한) 위원, 이사(理事) ; 판무관(辦務官) ; (세무 따위의) 감독관, 국장, 장관 ; 《美》 지방 행정관 : ☞ HIGH COMMISSIONER. **2** 《美》 커미셔너《프로 스포츠 경기의 품위·질서 유지를 위한 최고 책임자》.
Commissioner of Education 《美》 각 주의 교육국장.
the Chief Commissioner of the Metropolitan Police 《英》 (런던의) 경찰청장.
the Commissioner of Customs 《美》 관세청장(長).
~·**shìp** *n.* commissioner의 직[지위].

commíssion hòuse *n.* 위탁 판매점, 주식 중매점.

commíssion lìne *n.* 병참선(線).

commíssion mèrchant *n.* =COMMISSION AGENT.

Commíssion of Européan Commúnity *n.* 〔經〕 유럽 공동체 위원회《EC 각료 이사회의 결정의 집행기관》.

Commíssion on Húman Ríghts *n. pl.* 국제연합 인권 위원회.

commíssion plàn *n.* 〔美政〕 위원회 제도《시의 입법·행정 전반을 하나의 위원회가 처리하는 제도(制度)》.

commíssion sàle *n.* 위탁 판매.

com·mis·su·ral [kəmíʃərəl ; kɔ̀misjúərəl] *a.* 접합의, 맞붙인 곳의.

com·mis·sure [kɑ́məʃùər ; -sjùər] *n.* 맞붙인 곳, 이음매 ; 〔解〕 (신경의) 횡(橫)결합[연결], 횡연합(聯合) 신경《기능이 정지된 부분을 이웃 신경과 연결함》. 〚L=junction (↓)〛

***com·mit** [kəmít] *v.* (**-tt-**) *vt.* **1** **a**) [+目+前+名] 위탁하다, 인도하다(entrust) ; (재판에) 회부하다 ; (감옥에) 보내다 ; (조치·기록·기억 따위에) 위임하다, 맡기다, 돌리다 : The boy was ~*ted* **to** the care of his uncle. 소년은 아저씨 손에 맡겨졌다 / The man was ~*ted to* prison. 그 사나이는 투옥되었다 / ~ something *to* memory 어떤 일을 기억해 두다 / ~ one's observations *to* paper[writing] 관찰한 바를 적어두다 / ~ a body *to* the earth[dust] 유해(遺骸)를 매장하다 / ~ ... *to* the fire[flames] …을 불태워 버리다 ; …을 화장하다 / ~ ... *to* the waves …을 수장하다 / The prisoner was ~*ted* **for** trial. 죄수는 재판에 회부되었다. **b**) (의안 따위를) 위원회에 회부[위탁]하다.
2 (죄·과실 따위를) 범하다 : ~ a crime 죄를 범하다 / ~ (a) murder 살인하다 / ~ suicide 자살하다.
3 [+目/+目+前+名/+目+*to* do] [~ one*self* 로] **a**) 몸을 맡기다, 언질(言質)을 주다, 맹세하다, 약속하다 ; 꼼짝 못할 입장에 놓이다 ; 관련하다 : He would not ~ him*self* in the matter. 그는 그 일에 끼어들지 않으려 했다 / I have ~*ted* my*self* **to** sit*ting* on two committees. 나는 2개의 위원회의 위원을 맡게 되었다 / She has ~*ted* her*self to* go at once. 그녀는 당장 가지 않으면 안될 처지가 되었다. **b**) 의견[태도]을 명백히 하다 : He refused to ~ him*self* **on** the subject. 그는 그 문제에 대해서 뚜렷한 태도를 나타내려고 하지 않았다. **c**) 전념하다, 경주(傾注)하다 : He was ~*ted* **to** the cause of world peace. 그는 세계 평화를 위해서 전념했다.
4 [~ one*self* 로도 쓰여] (명성·체면을) 더럽히다, …에 누를 끼치다(compromise).
—— *vi.* 《廢》 잘못을 범하다.
Commit no nuisance. 소변 금지《게시문》.
〚L *com*-(*miss*- *mitto* to send)=to join, entrust〛
類義語 ***commit*** 사람 또는 물건을 안전하게 보관

하고 또는 돌봐주기 위해 다른 장소[사람]에 맡기다 : The patient was *committed* to a state hospital. (그 환자는 주립 병원에 맡겨졌다). ***entrust*** 특히 상대방을 신뢰하고 일·사건 따위를 맡기다 : He *entrusted* the detective with the investigation of the case. (그는 그 탐정에게 사건의 조사를 의뢰했다). ***consign*** 격식을 차린 말 ; 어떤 일을 정식으로 다른 소유·관리에 옮기다 : The governor is *consigned* with the ownership of the building. (지사[장관]는 그 건물의 소유권을 양도받았다). ***confide*** 혈연 관계가 있는 자나 친숙한 자를 신뢰하여 위탁하다 : The family *confided* their property to their solicitor. (가족은 그들의 사무 변호사에게 재산을 위탁했다). ***relegate*** 물리치다, 좌천하다 ; 특수한[낮은] 계급, 상태, 장소 따위로 옮기다《격식 차린 말》.

commít·ment *n.* **1** Ⓤ 위원회 회부, 위임. **2** Ⓤ,Ⓒ 투옥, 구류. **3** Ⓤ,Ⓒ 언질[공약]을 부여하기 ; 언질, 공약, 약속 ; 관련, 관여, 참가 ; Ⓤ 헌신, 열심, 경주(傾注)〈*to*〉. **4** Ⓤ,Ⓒ (죄의) 수행, 범행. **5** 〖法〗 구류 영장. **6** (증권의) 매매 계약.

com·mít·ta·ble *a.* 위탁할 수 있는 ; (죄를) 범하기 쉬운 ; 공판에 회부해야 할.

com·mít·tal *n.* =COMMITMENT ; 매장(埋葬).

com·mít·ted *a.* **1** 경주하고 있는, 전념하는, 헌신적인(devoted) ; 명확한 정치[사회] 의식을 가진《작가·작품 등》. **2** 편견이 있는 ; 경향적(傾向的)인(biased). **3** 약속한.

***com·mit·tee** [kəmíti] *n.* **1** 위원회 (회의) ; [집합적으로] 위원 (전원) : a budget[an executive] ~ 예산[집행] 위원회 / a standing ~ 상설[상임] 위원회 / the *C*~ of Ways and Means (의회의) 세입 위원회 / a ~ meeting 위원회의 한 모임 / appoint a ~ 위원을 임명하다 / discharge a ~ 위원회를 해산하다 / be in ~ 위원회를 열고 있다 / be[sit] *on* a ~ 위원회에 참석하고 있다, 위원의 일원이다 / The House goes into *C*~. 의회가 위원회 활동에 들어간다[으로 바뀐다]. **2** [, kàmətíː] 〖法〗 (정신 병원 따위의) 후견인, 관재인(管財人)〈*for*〉. 〖COMMIT, *-ee*〗

commíttee Énglish *n.* 공문서식 영어.

commíttee·man [-mən, -mæ̀n] *n.* (*pl.* **-men** [-mən, -mèn]) 위원(회의 한 사람).

commíttee ròom *n.* 회의실.

commíttee·wòman *n.* 여성 위원.

com·mix [kamíks, kə-] *vt., vi.* 《文語》 뒤섞다, 혼합하다(mix).

com·mix·ture [kamíkstʃər, kə-] *n.* 혼합(물).

commn. commission.

com·mo[1] [kámou] *n.* (*pl.* **~s**) 《濠俗》 공산주의자(者).

commo[2] *n.* (*pl.* **~s**) 《美俗》 복역수가 교도소의 매점에서 사는 담배나 캔디. 〖? *commod*ity〗

Commo. Commodore.

com·mode [kəmóud] *n.* (서랍 달린) 옷장(chest of drawers) ; 세면대(washstand) ; 실내 변기(便器)(=night ~).
〖F<L *com-*(*modus* measure)=convenient〗

com·mo·di·ous [kəmóudiəs] *a.* (집·방 따위가) 넓은, 널찍하게 자리잡은(spacious) ; 《古》 편리한. **~·ly** *adv.* **~·ness** *n.* 〖F or L (↑)〗

com·mod·i·ty [kəmádəti] *n.* 유용품, 물건 ; [때때로 *pl.*] 필수품, 일용품 ; [*pl.*] 상품 : prices of *commodities* 물가 / household *commodities* 가정용품 / staple *commodities* 중요 상품.
〖OF or L ; ⇨ COMMODE〗

commódity agrèement *n.* (식량·원료에 관한 국제간의) 상품 협정.

commódity dòllar[**mòney**] *n.* 《美》〖經〗 상품 달러[화폐].

commódity exchànge *n.* 상품 거래소.

commódity plástics *n. pl.* 범용(汎用) 플라스틱[수지]《LDPE, HDPE, PP, PS, PVC의 오대(五大) 수지》.

commódity tàx *n.* 물품세.

com·mo·dore [kámədɔ̀ːr] *n.* 〖海軍〗 준장《소장과 대령 사이 ; cf. BRIGADIER GENERAL》; 《존칭》 제독《고참 선장[함장]·요트 클럽 회장》: *C*~ Perry 페리 제독. 〖? Du.<F COMMANDER〗

‡**com·mon** [kámən] *a.* (**more ~, ~·er ; most ~, ~·est**) **1** 공통의, 공동의, 공유의 ; 〖數〗 공통의, 공(公)… (☞ COMMON DENOMINATOR, COMMON DIVISOR, COMMON MULTIPLE, *etc.*) ; 〖文法〗 보통 명사의(cf. PROPER) : by ~ consent ☞ CONSENT 숙어 / Love of fame is ~ *to* all men. 명예욕은 누구에게나 있다 / our ~ friend ☞ MUTUAL friend. **2** 일반적인(general), 공중의, 공공의(public) : a ~ high road 공도(公道) / ☞ COMMON PLEAS / ☞ COMMON ROOM. **3** 보통의, 예사로운, 흔히 있는 : ~ event 흔히 있는 사건 / the ~ people 서민(↔*the quality*) / the ~ daisy 보통 데이지(꽃) / an error ~ among Korean students 한국 학생이 잘 범하는 오류. **4** 평범(平凡)한, 통속적인 ; 비속한, 천한(vulgar) : ~ manners 버릇없는 태도 / a ~ voice 천한 목소리 / a girl who looks ~ 교양이 없어 보이는 여자애 / a girl with ~ clothes 품위없는 옷을 입은 여자애.

common or garden 《口》 흔히 있는, 보통의 : a ~ *or garden* experience 흔히 있는 경험.

make common cause with ☞ CAUSE *n.*

—— *n.* **1** 공통 ; [보통 the ~] (촌락 따위에서의) 공유지(共有地), 공유지(公有地)《울타리를 두르지 않은 황무지 따위》: play cricket on the village ~ 마을 공유지에서 크리켓을 하다. **2** Ⓤ (목장 따위의) 공동 사용권(=right of ~) : ~ of fishery[pasturage] 공동 어업[방목(放牧)]권. **3** [*pl.*] ☞ COMMONS.

in common 공동으로, 공통(共通)되게 ; 보통의[으로] : He and I have nothing *in* ~. 그와 나는 공통되는 점이 아무것도 없다.

in common with …와 같게.

out of the common 보통이 아닌[아니게], 비범한[하게].

~·age *n.* (목초지의) 공동 사용권, 공유 ; 공유지. **~·ness** *n.* 공통 ; 보통, 평범 ; 통속.
〖OF<L *communis* (*munis* serviceable)〗

類義語 (1) ***common*** (거의) 모든 것에 공통된, 흔히 볼 수 있는, 공통의, 예사로운 ; (나쁜 뜻으로는) 질이 떨어지는 : a *common* saying [singer] (평범한 속담[가수]). ***general*** 그 종류의 (거의) 전부에 연관된, 널리 보급된 : *general* welfare(일반적인 복지). ***ordinary*** 일반적인 기준·관습과 일치하는, 평범하여 눈에 띄는 데가 없는 : an *ordinary* tea (보통 차). ***universal*** 예외 없이 모든 경우나 개개의 경우에 적합한 : a *universal* practice among native people(원주민 전체에 적합한 관례). ***familiar*** 통속적인, 있을 수 있는 ; 어떤 일이 자주 발생하고 또 사람들이 이와 늘 접촉하기 때문에 잘 알고 또 쉽게 인정할 수 있는. ***popular*** 일반 대중 사이에 널리 유통되고 있는, 일반인에게 호평을 받고 있는 : a *popular* song(유행가).

vulgar 평민 · 서민에게 공통적 ; 보통 뜻은 집안이 천하다는 것을 내포함.
(2) ⟹ MUTUAL.

cómmon álehouse *n.* 선술집, 대폿집.

com·mon·al·i·ty [kɑ̀mənǽləti] *n.* Ⓤ =COMMONNESS ; [the ~] 평민, 일반 시민. 〖변형(變形) < ↓〗

com·mon·al·ty [kɑ́mənəlti] *n.* [the ~] 서민, 평민 ; 공동체, 법인, 단체 ; 공통의 습관. 〖OF<L ; ⇨ COMMON〗

cómmon-àrea chárge *n.* 《美》 (아파트 따위의) 관리비.

cómmon cárrier *n.* 운수업자《철도 · 기차 · 항공회사 따위》.

cómmon cáse *n.* 〔文法〕 통격(通格)《명사의 소유격 이외의 격과 같이 어형상 주격 · 목적격에 공통되고 있는 것》.

Cómmon Cáuse *n.* 《美》 코먼 코즈《1970년 미국에서 결성된 시민 단체로 국민의 요구 · 호소에 따르는 행정 개혁을 목적으로 함》.

cómmon chórd *n.* 〔樂〕 (3도 · 5도 또는 1 옥타브의) 보통 화음.

cómmon cóld *n.* (보통) 감기.

cómmon córe *n.* (영국 학교의) 필수 과목.

cómmon cóuncil *n.* 시[읍 · 면]의회.

cómmon críer *n.* 광고하러 다니는 사람.

cómmon críminal *n.* 일반[상습] 범죄자.

cómmon denóminator *n.* **1** 〔數〕 공통분모(共通分母) : the least[lowest] ~ 최소 공통분모. **2** 《비유》 공통점《특질 따위》.

cómmon divísor *n.* 〔數〕 공약수(common factor [measure]) : the greatest ~ 최대 공약수.

cómmon·er *n.* 《英》 **1** 평민. **2** 《稀》 하원 의원 : the great ~ 위대한 하원 의원《처음에는 the elder William Pitt의, 후에는 W.E. Gladstone의 별명》/ ☞ FIRST COMMONER. **3** (Oxford 대학 따위의) 자비생, 보통 학생 《fellow, scholar 또는 exhibitioner가 아닌 학생》.

Cómmon Éra *n.* [the ~] 서력 기원(Christian era).

cómmon fáctor *n.* 〔數〕 공통인수(共通因數).

cómmon fráction *n.* 〔數〕 상분수(常分數) (vulgar fraction).

cómmon-gárden *a.* =COMMON-OR-GARDEN.

cómmon gás *n.* 《CB俗》 보통 휘발유.

cómmon génder *n.* 〔文法〕 통성(通性) 《남녀 양성에 다 통용되는 parent 따위》 : 'Child' is (a noun) of ~. child는 통성(명사)이다.

cómmon góod *n.* [the ~] 공익.

cómmon gróund *n.* (의론의) 공통점, 공통적인 입장〈*for*〉: on ~ 공통적인 입장에 (서서).

cómmon infórmer *n.* 직업적 밀고자.

cómmon júry *n.* 〔法〕 보통 배심《일반인으로 구성된 배심》.

cómmon knówledge *n.* 대개의 사람이 알고 있는 것, 상식 : It is ~ that …이라는 것은 상식이다.

cómmon·lànd *n.* Ⓤ =COMMON *n.* 1.

cómmon láw *n.* 관습법, 불문율(不文律) (cf. STATUTORY LAW).

cómmon-làw *a.* 관습법의 ; COMMON-LAW MARRIAGE에 의한.

cómmon-law márriage *n.* 관습법상의 결혼, 내연 관계.

cómmon-law wífe *n.* 관습법상의 아내, 내연의 처.

cómmon léarning *n.* 보통 학식.

cómmon lódging (hòuse) *n.* 간이 숙박소.

cómmon lógarithm *n.* 〔數〕 상용 로그(cf. NATURAL LOGARITHM).

‡cómmon·ly *adv.* **1** 일반적으로, 보통으로, 흔히 (usually) ; 통속적으로 : John is ~ called Jack. 존은 흔히 잭이라고 불린다. **2** 천하게, 싸구려로 : ~ dressed 품위 없는 복장을 한.

cómmon mán *n.* 일반인.

cómmon márket *n.* 공동 시장 ; [the C~ M~] 유럽 공동시장《European Economic Community의 별칭 ; 1958년 발족》.

cómmon marketéer *n.* (특히 영국의) 유럽 공동시장 가입 지지자.

cómmon méasure *n.* **1** 〔樂〕 =COMMON TIME. **2** 〔數〕 =COMMON DIVISOR.

cómmon múltiple *n.* 〔數〕 공배수(公倍數) : the least[lowest] ~ 최소 공배수《略 L.C.M.》.

cómmon náme *n.* 〔文法〕 =COMMON NOUN ; (학명에 대하여) 속명, 속칭.

cómmon nóun *n.* 〔文法〕 보통 명사.

cómmon núisance *n.* =PUBLIC NUISANCE.

cómmon of píscary[físhery] *n.* 입어권(入漁權), 어업 입회권(入會權).

cómmon ópal *n.* 〔鑛〕 보통 단백석(蛋白石).

cómmon-or-gárden *a.* 《英口》 보통의, 흔해 빠진, 일상의 ; 표준형의 : a ~ house 표준형 주택.

cómmon-or-gárden-varíety *a.* 《美口》 = COMMON-OR-GARDEN.

com·mon·place [kɑ́mənplèis] *n.* **1** 흔히 있는 문구, 틀에 박힌 문구 ; 평범한 일[것] : Television is now a ~. 텔레비전은 이제 흔한 물건이다. **2** [the ~] 평범함, 케케묵음.
── *a.* 평범한(ordinary), 진부한 : a ~ topic 평범한 화제[이야깃거리]. **~·ness** *n.*
〖L *locus communis*의 역(譯)〗

cómmonplace bòok *n.* 비망록.

cómmon pléas *n. pl.* 〔法〕 **1** 민사 소송. **2** [the C~ P~ ; 단수 취급] =*the Court of* COMMON PLEAS.
the Court of Common Pleas 〔英史〕 민사 소송 법원《민사 사건에 대해 일반적으로 제1심 관할권을 가지고 있던 관습법(common law) 재판소로 1873년에 폐지 ; 현재 고등 법원의 Queen's Bench Division에 흡수되었음》.

cómmon práyer *n.* **1** Ⓤ 〔英國敎〕 성공회 기도서 《모든 공공 교회 집회의 예배식을 위해서 정한 기도문》. **2** [the C~ P~] =*the Book of* COMMON PRAYER.
the Book of Common Prayer 〔英國敎〕 기도서《교회 의식의 문구나 성서에서 발췌한 책 ; 1662년 Edward 6세 때에 완성》.

Cómmon Práyer Bòok *n.* [the ~] =*the Book of* COMMON PRAYER.

cómmon próperty *n.* (특정 사회의) 공유(共有) 재산 ; 일반 대중의 것이라고 생각되는 사람[것] ; 주지의 사실, 상식.

cómmon rátio *n.* 〔數〕 공비(公比).

cómmon rìght *n.* 공민권.

cómmon ròom *n.* 《주로 英》 (학교 따위의) 교사[학생] 대기실, 휴게실.

com·mons [kɑ́mənz] *n. pl.* **1** 평민, 서민(common people). **2** [때때로 단수 취급] **a)** 공동 식탁(이 있는 식당). **b)** 《英大學》 정식(定食). **c)** [단수 취급] 음식물. **3** [흔히 C~ ; 단수 · 복수 취급] 서민 계급, 하원 의원들.
the House of Commons 《英 · Can.》 하원.
put a person ***on short commons*** 남에게 먹을

것을 충분히 주지 않다, 감식(減食)[절식(節食)]시키다.
cómmon sált *n.* 소금, 식염(salt).
cómmon sàying *n.* 속담.
cómmon schòol *n.* 《美》 공립 국민학교.
cómmon séal *n.* 회사 인장, (법인 따위의) 공인(公印).
cómmon secúrity *n.* 공통의 안전 보장《상대 국가와 상호간에 도모하는 안전 유지》.
cómmon sénse *n.* 상식《인생의 경험으로 몸에 배인 사려 분별》.
cómmon·sénse *a.* 상식적인, 상식이 있는.
cómmon sí·tus pìcketing [-sáitəs-] *n.* 《美》 전(全) 건설 현장 피켓《건설 현장의 한 업자하고만 다투어도 현장 전체에 치는 피켓》.
cómmon stóck *n.* 《美》 보통주(cf. PREFERRED STOCK).
cómmon tíme *n.* 〖樂〗 4분의 4박자.
cómmon tòuch *n.* [the ~] 사람들에게 호감을 주는 성질[재능], 붙임성, 서민성.
cómmon trúst fùnd *n.* 《美》 공동 신탁 기금《은행이나 신탁회사가 소액의 신탁자금을 병합해서 투자함》.
com·mon·weal [kámənwìːl] *n.* Ⓤ 공공의 복지, 공익, 공안(公安); Ⓒ 《古》 공화국.
com·mon·wealth [kámənwèlθ] *n.* **1** 국가(body politic); (특히) 공화국(republic); 연방(聯邦). **2** [the C~ of...] 《美》 주《공식 명칭으로 Massachusetts, Pennsylvania, Virginia, Kentucky, Maryland 각 주(州)와 Puerto Rico에 쓰임》. **3** 단체, 사회: the ~ of learning 학계(學界).
the* (*British*) *Commonwealth of Nations 영연방《영국을 비롯해서 캐나다·오스트레일리아 따위 다수의 독립국 및 자치령·직할 식민지·보호령으로 구성된 결합체; 《英》에서는 지금은 보통 the (British) Commonwealth라고 함》.
***the Commonwealth* (*of Australia*)** 오스트레일리아 연방《영연방의 하나로 Tasmania를 포함》.
***the Commonwealth* (*of England*)** 〖英史〗 잉글랜드 공화국《1649년 Charles 1세의 사형후 1660년의 왕정복고까지의 공화정치 시대의 영국》.
〖COMMON, WEALTH〗
Cómmonwealth Dày *n.* [the ~] 영연방 기념일《5월 24일; Queen Victoria의 탄생일에 연유; cf. EMPIRE DAY》.
Cómmonwealth Gámes *n. pl.* 영연방 경기대회《과거의 영국 식민지를 포함한 영연방 제국의 운동 경기 대회; 4년마다 개최함》.
Cómmonwealth prèference *n.* (영연방 가맹국으로부터의 수입품에 대한) 특혜 관세 제도.
cómmon wòman *n.* 매춘부.
cómmon yèar *n.* (LEAP YEAR에 대해) 평년(平年)《365일》.
com·mo·tion [kəmóuʃən] *n.* Ⓤ,Ⓒ 동요(agitation); 흥분; 소동(riot), 동란, 폭동: be in ~ 동요하고 있다 / create a ~ 소동을 일으키다.
〖OF or L (*com-*)〗
com·move [kəmúːv, ka-] *vt.* 세게 움직이다, 동요케 하다, 흥분시키다.
commr. commander; commissioner.
com·mu·nal [kəmjúːnl, kámjənl; kɔ́mjunl] *a.* **1** 공공의, 자치체[시·읍·면]의; 사회 일반의: a ~ kitchen 공동 취사(장). **2** (파리의) 코뮌(Commune)의. **~·ly** *adv.*
〖F<L; ⇨ COMMUNE²〗
commúnal·ìsm [, ⌐--⌐] *n.* Ⓤ 지방 자치주의; 자기민족 중심주의; 공동체주의.
-ist *n.* **com·mù·nal·ís·tic** *a.*
com·mu·nal·i·ty [kàmju(ː)nǽləti] *n.* Ⓤ 공동체의 상태[특징]; (의견·감정의) 공동체적인 일치[조화].
commúnal·ìze [, ⌐--⌐] *vt.* 지방 자치체의 소유물로 만들다.
commúnal márriage *n.* =GROUP MARRIAGE.
Com·mu·nard [kámjənàːrd] *n.* 〖프史〗 (1871년의) 파리 코뮌 지지자; [c~] COMMUNE²의 거주인(人).
com·mune¹ [kəmjúːn] *vi.* **1** 《文語》 [+前+名/+副] 친하게 교제[이야기]하다: ~ ***with*** nature 자연을 벗삼다, 자연에 친숙해지다 / friends *communing together* 정답게 이야기를 주고받는 친구들. **2** 《美》 성찬[성체(聖體)]을 받다.
— *vt.* 《廢》 서로 이야기하다.
***commune with oneself* [*one's own heart*]** 심사 숙고하다.
— [kámjuːn] *n.* 《文語》 간담(懇談); 친교; 심사(深思).
〖OF *comuner* to share; ⇨ COMMON〗
com·mune² [kámjuːn, kəmjúːn, ka-] *n.* 코뮌《유럽 여러 나라의 최소 행정구》; 공동 생활체.
***the Commune* (*of Paris*)** 파리 코뮌(=Paris C~)《(1) 1792-94년의 부르주아에 의한 혁명적인 파리시 자치제. (2) 프로이센·프랑스 전쟁 후 민중의 혁명에 의해 성립된 파리시 정부(1871년 3월 18일-5월 28일)》.
〖F; ⇨ COMMON〗
com·mu·ni·ca·ble [kəmjúːnikəbəl] *a.* **1** (생각 따위를) 전달할 수 있는, 전할 수 있는. **2** (질병이) 전염성의. **3** 《古》 =COMMUNICATIVE.
-bly *adv.*
com·mu·ni·cant [kəmjúːnikənt] *a.* (…으로) 통하는〈*with*〉. — *n.* **1** 성찬 배수자(拜受者), 교회 회원. **2** 전달[통지]자.
Com·mun·i·care [kəmjúːnəkὲər] *n.* 《英》 광범위한 사회 복지 시설을 갖춘 공공(公共) 서비스 센터.
〖*commun*ity+*care*〗
com·mu·ni·cate** [kəmjúːnəkèit] *vt.* **1** [+目/+目+*to*+名] 전달[통보]하다, (정보·열 따위를) 전하다, 통하다(impart); (질병을) 감염시키다: She ~*d* her suspicion ***to her husband. 그녀는 마음의 의혹을 남편에게 이야기했다 / Heat is ~*d to* a room. 열은 방안에 전달된다. **2** [+目+*with*+名] 배분하다, 함께 하다: ~ a thing ***with*** another person 한 개의 물건을 다른 사람과 나누어 가지다. — *vi.* **1** [+*with*+名] 함께 이야기하다, 통신하다, 서신왕래하다; 연락하다; (방 따위가) 서로 통해 있다: Human beings ~ ***with*** one another by various instruments. 사람은 여러가지 기구를 통하여 (서로) 통신을 주고받는다 / The living room ~*s with* the garden. 거실(居室)은 마당과 통해 있다. **2** 〖宗〗 성찬(聖餐)[성체(聖體)]을 받다.
〖L=to impart, communicate (COMMON, *-ic* factitive suf.)〗
com·mu·ni·ca·tee [kəmjùːnikətíː] *n.* 피전달자.
***com·mu·ni·ca·tion** [kəmjùːnəkéiʃən] *n.* **1** Ⓤ 전달, 보도(하기); (열 따위를) 전달하기, (질병의) 전염: mass ~ 대중 전달, 매스컴. **2** Ⓤ,Ⓒ 통신, 서신 왕래, 정보; 통신문, 서신(書信), 편지, 전언(傳言)(message): mutual ~ 상호 교신 / be in ~ *with* …과 통신하고 있다 / get into ~ *with* … 와 서신 왕래[통신]를 시작하다 / receive a ~

정보를 받다. **3** Ⓤ,Ⓒ 교통, 연락 ; 교통 기관 : a means of ~ 교통 기관 / ~ *by* rail 철도에 의한 연락 / There is no ~ *between* the two places. 그 두 곳 사이에는 교통 수단이 없다. **4** [*pl.*] 보도 기관《라디오 · 텔레비전 · 신문 따위》. **5** [*pl.*] 〖軍〗 (근거지와 일선과의) 연락 (기관) ; 병참 조직 ; 수송 기관.

communicátion còrd *n.* 《英》 (열차 내의) 비상 통보용 줄.

communicátion engineéring *n.* 통신 공학.

communicátion ínterface sỳstem *n.* 〖宇宙〗 대(對)오비터 교신 시스템《略 CIS》.

communicátion lìnes *n. pl.* 〖軍〗 병참선.

communicátions còde wòrd *n.* 통신 용어 《Alfa의 A, Bravo의 B 따위의 Alfa, Bravo》.

communicátion secúrity *n.* 통신 보안.

communicátions gàp *n.* (다른 세대 · 계급 · 당파 사이의) 상호 이해의 결여.

communicátions sàtellite *n.* 통신 위성.

communicátion(s) thèory *n.* 커뮤니케이션 이론, 통신 이론.

communicátions zòne *n.* 〖軍〗 병참 지대.

com·mu·ni·ca·tive [kəmjúːnikətiv, 美+-nəkèitiv] *a.* 이야기를 좋아하는 ; 통신의, 커뮤니케이션의.

commúnicative cómpetence *n.* 〖言〗 전달[의사 소통] 능력.

com·mú·ni·cà·tor *n.* 전달[통보]자 ; 발신기(發信機) ; (열차 내의) 통보기(通報器).

com·mu·ni·ca·to·ry [kəmjúːnikətɔ̀ːri ; -təri] *a.* 통신[전달]에 관한.

com·mu·ni·col·o·gy [kəmjùːnəkálədʒi] *n.* Ⓤ 커뮤니케이션학. **-gist** *n.*

com·mu·nion [kəmjúːnjən] *n.* **1** Ⓤ 친교, (영(靈)적인) 교섭 ; 내성(內省) : hold ~ *with* …와 영적으로 교제하다, (자연 따위를) 마음의 벗으로 삼다. **2** 종교 단체 ; (카톨릭 교회간의) 회원 동지 : in ~ *with* …와 같은 카톨릭교에 소속되어. **3** Ⓤ [C~] 성찬식, 성체 배수(拜受) : go to *C*~ 성찬식에 참석하다.
~ist *n.* 성체 배수자.
〖OF or L=a sharing ; ⇨ COMMON〗

commúnion ràil *n.* 성찬 제단 앞의 난간.

Commúnion Súnday *n.* (프로테스탄트 교회의) 성찬 주일.

commúnion tàble *n.* 성찬대(臺).

com·mu·ni·qué [kəmjúːnəkèi, 美+-⌣-⌣-ˊ] *n.* 코뮈니케, 공보(公報). 〖F=communicated〗

***com·mu·nism** [kámjənìzəm] *n.* [때때로 C~] Ⓤ 공산주의(운동, 정치 체제).
〖F ; ⇨ COMMON〗

***com·mu·nist** [kámjənəst] *n., a.* 공산주의자(의) ; [C~] 공산당원(의). **còm·mu·nís·tic** *a.* 공산주의(자)의. **-ti·cal·ly** *adv.*

Cómmunist Chína *n.* China의 속칭.

Cómmunist Internátional *n.* [the ~] 국제 공산당(☞ the Third INTERNATIONAL).

Cómmunist Manifésto *n.* [The ~] 공산당 선언《Marx와 Engels가 집필했고, 1848년 출판》.

Cómmunist Pàrty *n.* [the ~] 공산당.

com·mu·ni·tar·i·an [kəmjùːnətéəriən, -tǽər-] *n., a.* 공산 사회[단체]의 (일원) ; communalism의 신봉자. **~ìsm** *n.*

***com·mu·ni·ty** [kəmjúːnəti] *n.* **1** (이해 따위를 같이하는) 단체 ; (국가 · 도시 · 읍면 · 학교 · 같은 종교 · 같은 영업 따위의) 공동(생활)체 ; 지역 사회 ; …계(界) : the Jewish[foreign] ~ 유태인[거류 외국인] 사회. **2** [the ~] 공중(the public). **3** (동물의) 군서(群棲), (식물의) 군락(群落). **4** Ⓤ (재산 따위의) 공유, 공용 ; (사상 · 이해 따위의) 공통성, 일치 : ~ of goods[property] 재산 공유.
〖OF<L ; ⇨ COMMON〗

commúnity anténna télevision *n.* 공동 안테나 텔레비전《略 CATV》.

commúnity càre *n.* 《美 · Can.》 지역적 보호 《노령자에 대한 복지 제도의 하나》.

commúnity cènter *n.* 《美 · Can.》 사회 사업 센터[중심 시설], 공회당《교육 · 문화 · 후생 · 사교 따위의 설비가 있음》.

commúnity chèst *n.* 《美 · Can.》 (지역사회의 자선 · 복지를 위한) 공동 모금에 의한 기금.

commúnity chúrch *n.* 《美》 (여러 파 합동의) 지역 교회.

commúnity cóllege *n.* (지역 주민에게 초급 대학 수준의 교육을 베푸는) 지역 사회 대학.

commúnity còuncil *n.* 지역 평의회《지역 이익을 위해 일반인으로 구성된 자문 기관》.

commúnity devélopment *n.* 지역 개발.

commúnity fùnd *n.* =COMMUNITY CHEST.

commúnity hòme *n.* 《英》 소년원.

commúnity mèdicine *n.* 지역 의료(family medicine[practice])《가정의(家庭醫)의 활동을 통한 일반 진료》.

commúnity phàrmacist *n.* 지역[개업] 약사.

commúnity physìcian *n.* (지방 당국이 임명한) 지역 담당 의사.

commúnity própertу *n.* 〖美法〗 (남편과 아내의) 공유 재산.

commúnity relátions *n. pl.* 《美》 지역 사회에 대한 경찰의 방범 홍보 활동.

commúnity schóol *n.* 지역 사회 학교《사회 생활 중에서 과제를 취하여 교육을 행함》.

commúnity sínging *n.* (잘 알려진 노래의) 단체 합창.

commúnity spírit *n.* 공동체 의식.

com·mu·nize [kámjənàiz] *vt.* (토지 · 재산 따위를) 공동 소유로 하다 ; 공산화하다.
còm·mu·ni·zá·tion *n.* 공유화, 공산제(制).

com·mút·able *a.* 전환[금전과 교환]할 수 있는 ; 〖法〗 감형할 수 있는.
com·mùt·abíl·i·ty *n.*

com·mu·tate [kámjətèit] *vt.* 〖電〗 (전류의) 방향을 전환하다, 정류(整流)하다.

com·mu·ta·tion [kàmjətéiʃən] *n.* **1** Ⓤ 교환, 전환(interchange) ; 경감 ; Ⓒ 감액(減額) ; Ⓤ,Ⓒ 〖法〗 감형. **2** Ⓤ 〖電〗 정류(整流) ; 〖數〗 교환. **3** Ⓤ 《美》 정기[회수]권 통근.

commutátion tìcket *n.* 《美》 정기[회수] 승차권(=《英》 season ticket).

cóm·mu·tà·tive [, kəmjúːtətiv] *a.* **1** 교환(적)인 ; 경감의 ; 감액의 ; 〖數〗 교환 가능한, 가환성(可換性)의. **2** 상호적인.

cómmutative cóntract *n.* 〖로法〗 쌍무계약.

cómmutative làw *n.* 〖數 · 論〗 교환법칙.

cóm·mu·tà·tor *n.* 〖電〗 전류 전환기(轉換器), 정류자(整流子) : a ~ motor 정류자 전동기.

com·mute [kəmjúːt] *vt.* **1** [+目/+目+前+名] 바꾸다, 교환하다 ; (지불 방법 따위를) 전환[대체(對替)]하다 : ~ an annuity ***into***[***for***] a lump sum payment 연금제를 일시불로 바꾸다. **2** 〖電〗 (전류의) 방향을 바꾸다. **3** [+目/+目+前+名] 〖法〗 감형하다 : ~ a death sentence ***into***[***to***] life imprisonment 사형을 종신형(刑)으로 감형하

다. —— *vi.* 《원래 美》 [動/+前+名] 정기[회수] 권으로 통근하다 : within *commuting* distance 통근 거리 내에 / Mr. Smith ~*s* ***between*** New York and Philadelphia. 스미스씨는 뉴욕과 필라델피아 사이를 통근하고 있다. —— *n.* 통근 ; 통근 거리.
〖L *com*-(*mutat*- *muto* to change) ; cf. MUTABLE〗

com·mút·er *n.* **1** 정기[회수] 승차권 사용자, 교외 통근자. **2** 〖電〗 =COMMUTATOR. —— *a.* 통근[통학](자)의.

commúter áircraft *n.* 근거리 도시 사이의 왕복 여객기.

commúter áirline *n.* 통근 항공 회사, 정기 승객용 항공 노선.

commúter bèlt *n.* 정기권 통근자의 주택 지대.

commúter cóuple *n.* 별거 결혼한 부부.

commúter·lànd, -dom *n.* (교외의) 정기권 통근자의 주택지역.

commúter márriage *n.* 별거 결혼《직장관계 따위로 별거하는 부부가 주말 따위에 만나는》.

commúter tàx *n.* 통근세《통근지의 시(市)가 통근자에게 부과하는 소득세》.

commúter tràin *n.* 통근 열차.

commúter·vìlle *n.* 통근자 주택지.

commy[1] ☞ COMMIE[1].

commy[2] ☞ COMMIE[2].

Com·ne·nus [kɑmní:nəs] *n.* 6대에 걸친 비잔틴 왕조.

Co·mo [kóumou] *n.* [Lake ~] 코모 호(湖)《이탈리아 북부의 풍경이 수려한 호수》.

co·mónomer *n.* 〖化〗 코모노머《혼성 중합체(重合體) 중의 단위체(單位體)》.

Com·o·ran [kámərən], **Co·mo·ri·an** [kəmɔ́:riən] *a.* 코모로(제도(諸島))의. —— *n.* 코모로(제도)의 주민, 코모로인.

Cóm·o·ro Íslands [kámərou-] *n. pl.* [the ~] 코모로 제도《아프리카 대륙과 마다가스카르 섬 사이에 있는 여러 섬》.

Com·o·ros [káməròuz] *n. pl.* 코모로(이슬람 연방 공화국)《코모로 제도로 이루어진 나라 ; 1975년 프랑스에서 독립 ; 수도 Moroni [məróuni]》.

comp[1] [kámp, kʌ́mp] *n.* 광고 편집 배정도 : a rough ~ 초기단계의 밑그림 도면 / a tight ~ 완성품에 가까운 편집 배정도.

comp[2] *n.* 《口》 식자공(compositor). —— *vi.* 식자공으로 일하다. —— *vt.* (활자를) 식자[조판]하다(compose).

comp[3] *vi.* 〖재즈〗 불규칙적인 리듬으로 반주하다. —— *vt.* …의 반주를 하다. —— *n.* 반주(accompaniment) ; 반주자(accompanist).

comp[4] *vt., vi.* 《美口》 =COMPENSATE.

comp[5] *n.* 《口》 =COMPETITION.

comp[6] *n.* 《美俗》 우대권. 〖*comp*limentary〗

comp. companion ; company ; comparative ; compare ; comparison ; compilation ; compiled ; compiler ; complete ; composer ; composition ; compositor ; compound ; comprehensive ; comprising ; comptroller.

***com·pact**[1] [kəmpǽkt, 美+kámpækt] *a.* **1** (물질이) 치밀한, (결·올이) 촘촘한 ; (차가) 작고 경제적인 ; 소형의. **2** 꽉 들어찬, 밀집되어 있는 ; (체격이) 잘 단련된(well-knit). **3** (문체 따위가) 간결한(concise). **4** (…으로) 이루어진〈*of*〉. —— *vt.* 꽉 채우다, 간결하게 하다 ; 구성하다(compose)〈*of*〉. —— *vi.* (눈 따위) 단단히 굳어지다 ; 〖冶〗 (분말을) 형성하다.

—— [kámpækt] *n.* **1** 콤팩트《휴대용 분·거울·퍼프가 들어있는 화장분갑》. **2** 소형 자동차(=~ càr). **~·ly** *adv.* **~·ness** *n.*
〖L (*pango* to fasten)〗
類義語 ⟹ CLOSE[2].

com·pact[2] [kámpækt] *n.* U,C 계약, 맹약(agreement) : ☞ SOCIAL COMPACT.
general compact 공인(公認), 세론.
—— *vi.* 맹약을 맺다〈*with*〉.
〖L ; ⇨ PACT〗

cómpact cassétte tàpe *n.* (일반적으로) 카세트 테이프.

cómpact dísc *n.* 압축[짜임] (저장) 판, 콤팩트 디스크《레이저 광선으로 재생하는 소형 레코드 ; 略 CD》.

cómpact dísc plàyer *n.* 압축(저장) 판[콤팩트 디스크] 플레이어(CD player)《압축(저장) 판[콤팩트 디스크]을 하이파이 음(音)으로 재생시키는 장치》.

compáct·ed *a.* 꽉 찬 ; 굳게 결부된.

compáct·ible *a.* 굳힐 수 있는.

com·pac·tion [kəmpǽkʃən, kɑm-] *n.* U 꽉 채움, 꽉 찬 상태 ; 간결화 ; 〖地質〗 (퇴적물의) 밀압(密壓) (작용) ; 압축.

com·pác·tor, -páct·er *n.* 굳히는 사람[물건] ; (못자리·노반(路盤)을 만들 때 사용하는) 다지는 기계 ; 쓰레기 분쇄 압축기《부엌용》.

com·pa·dre [kəmpá:drei] *n.* 《美南西部》 친구, 단짝.

com·pa·ges [kəmpéidʒi:z] *n.* (*pl.* ~) (복잡한 부분이 모여서 생긴) 뼈대, 구조.

com·pan·der, -dor [kəmpǽndər] *n.* 〖電子〗 컴팬더, (음량) 압신기(壓伸器).
〖*com*pressor+ex*pander*〗

com·pand·ing [kəmpǽndiŋ] *n.* U 〖電子〗 송신 신호를 압축하여 수신 신호를 늘리기.
〖*compand*er+*ing*〗

‡com·pan·ion[1] [kəmpǽnjən] *n.* **1** 동료, 동지, 상대방(comrade, associate) : a ~ *in* crime 범죄의 한패 / a ~ *of* one's misery 불행을 함께 하는 사람 / ~*s in* arms 전우(戰友) (comrades). **2** 이야기 상대, 마음 맞는 친구 ; (우연한) 벗, 동반자. **3** (함께 살며 보수를 받고) 주부나 어린이의 이야기 상대를 해주는 여자. **4** 조(組)[짝·쌍(雙)]의 한 쪽 : a ~ volume 자매편(姉妹篇). **5** [C~] 최하급 훈작사(cf. KNIGHT 3) : a *C*~ of the Bath 바스 훈등(勳等) 최하급자《略 C.B.》. **6** (책 이름으로서) 안내서(guide), 핸드북, …의 벗 : A Teacher's *C*~ 교사용 지침서〈*to*〉.
—— *vt.* …에 수반하다(accompany).
—— *vi.* 교제하다, 사귀다(consort)〈*with*〉.
〖OF<Rom. *companio* (*com*-, L *panis* bread)〗
類義語 ***companion*** 실제로 어떤 사람과 행동을 같이하고 있는 사람, 개인적인 관계가 친밀하다는 것을 나타냄. ***associate*** 보통 무엇인가 공통적인 일·계획 따위를 위해 때때로 행동을 같이하는 사람. ***colleague*** 특히 직업상의 동료로서 개인적인 친밀 여부는 문제삼지 않음. ***comrade*** 활동·운명을 같이하는 매우 친한 associate.

companion[2] *n.* 〖海〗 **1** (갑판의) 천창(天窓). **2** =COMPANION HATCH. **3** =COMPANIONWAY.
〖Du. *kompanje* quarterdeck<OF<It. (*camera della*) *compagna* pantry ; cf. ↑〗

compánion·able *a.* 친구로서 사귀기 좋은, 사귐성있는, 사교적인(sociable).

compánion·ate [-ət] *a.* 우애적인.

compánionate márriage *n.* 《美》 (산아 제한·이혼을 시인하는) 우애(友愛) 결혼(cf. TRIAL MARRIAGE).
compánion cèll *n.* 〖生〗 반(伴)세포.
compánion hàtch[**hèad**] *n.* 〖海〗 갑판 승강구의 덮개문.
compánion hàtchway *n.* =COMPANIONWAY.
compánion làdder *n.* 〖海〗 갑판 승강구의 사다리[계단].
compánion pìece *n.* (문학 작품 따위의) 자매편(姉妹篇).
compánion sèt *n.* 난로용(用) 기구 세트《난롯가에 세워두는 부삽·쇠꼬챙이 따위》; (쌍으로 된) 촛대.
compánion·shìp *n.* **1** Ⓤ 친구 교제, 사귐: enjoy the ~ of a person 남과 친하게 교제하다. **2** Ⓤ 〖印〗 식자공 동료. **3** Ⓤ.Ⓒ [C~] (나이트(knight) 작(爵)의) Companion 급(級) (cf. COMPANION[1] 5).
compánion·wày *n.* 〖海〗 (갑판에서 아래 선실로 통하는) 갑판 승강구 계단.
‡**com·pa·ny** [kʌ́mpəni] *n.* **1** Ⓤ 교제, 사귐, 사교 (companionship, association); 이야기 상대(가 되는 것): Will you favor me with your ~ at dinner? 함께 식사를 해 주시겠습니까 / Two is ~, (but) three is none. ☞ TWO *n.* 1. **2** Ⓤ 한패, 동아리, 친구들(companions): get into bad ~ 나쁜 친구 동아리에 끼다 / keep good[bad] ~ 좋은[나쁜] 패들과 사귀고 있다 / He joined ~ *with* us. 우리 패로 들어왔다 / He has plenty *of* ~. 많은 사람들과 교제하고 있다. **3** Ⓤ **a)** [집합적으로] 동석한[한자리의] 사람들: present ~ excepted[excluded] ☞ PRESENT[1] 1. **b)** 《口》 손님, 내객(來客): We receive much ~ tonight. 오늘밤 집에 손님이 많다 / have[receive] ~ 손님을 맞이하다, 손님의 방문을 받다. **4** (배우의) 일행, 극단. **5** 조합(guild); 회사, 상회(cf. CORPORATION, FIRM[2]); (회사 명부에 이름이 없는) 사원(partner(s))《略 Co.》: Smith *&* *Co.* [kóu, kʌ́mpəni] 스미스 상회《대표사원 Smith와 다른 사원으로 이루어진 회사라는 뜻》/ a Limited Liability *C*~ 《英》 유한 책임 회사 / parent [subsidiary] ~ 모(母)[자(子)]회사. **6** 〖軍〗 보병[공병] 중대(☞ ARMY 1; cf. BATTERY 1, TROOP 3); [집합적으로] 〖海〗 승무원 전원(ship's company).
bear[***keep***] a person ***company*** 남과 교제하다; 남과 동행하다.
be good[***bad, poor***] ***company*** 사귀어 재미있다[재미없다].
err[***sin***] ***in good company*** 잘난 사람도 똑같은 죄[실수]를 저지르고 있다.
for company 교제삼아: weep *for* ~ 덩달아 [동정하여] 울다.
get[***receive***] one***'s company*** 중대장[대위]이 되다.
give a person one***'s company*** 남과 교제를 하다, 남의 상대를 해주다.
in company 면전에서, 여러 사람 앞에서.
in company with …와 함께.
keep company with …와 친하게 지내다[교제하다].
part company with …와 헤어지다, 손을 끊다.
—— *vi.* 사귀다, 교제하다〈*with*〉. —— *vt.* 《古》 …에 따르다, 곁에 따르다.
〖OF; ⇨ COMPANION[1]〗
類義語 ***company*** 가장 일반적인 말, 여러 가지 목적으로 결속된 일단의 사람들. ***troop*** 1개의 단위, 협동체로 조직된 사람들. ***band*** 공통의 목적 또는 특수한 일을 위해 결속된 소수의 company. ***party*** 공통된 목적을 위해 단기간 같이 있는 한패. ***circle*** 어떤 공통되는 흥미나 목적을 위해 모인 사람들.
cómpany commànder *n.* 〖軍〗 중대장.
cómpany fìrst sérgeant *n.* 중대 선임 하사.
cómpany hòuse *n.* 사택(社宅).
cómpany làw *n.* 《英》 회사법(=《美》 corporation law).
cómpany màn *n.* (파업 따위 때의) 회사편의 종업원; 스파이 종업원.
cómpany mànners *n. pl.* 사람 앞에서의 예의.
cómpany mònkey *n.* 《美陸軍俗》 회사원.
cómpany ófficer *n.* 〖軍〗 위관(尉官).
cómpany sécretary *n.* 《英》 (주식 회사의) 총무 이사, 총무부장.
cómpany sérgeant màjor *n.* 《英》 중대(中隊) 선임 상사.
cómpany's stòpcock *n.* 옥외 지수전(止水栓) 《수도 본관과 각 가정 사이의》.
cómpany stóre *n.* (회사의) 매점, 구매부.
cómpany tòwn *n.* 회사 의존 도시《고용·주택을 거의 한 기업에 의존하는 도시》.
cómpany ùnion *n.* 《美》 (노동 조합에 가입하지 않은) 한 회사내 고용자 조합; 어용 조합.
compar. comparative; comparison.
com·pa·ra·ble [kάmpərəbəl] *a.* (…와) 비교할 수 있는〈*with*〉; (…와) 필적하는〈*to*〉.
-bly *adv.* 비교할 수 있을 만큼; 동등하게.
〖OF<L; ⇨ COMPARE〗
com·par·a·tist [kəmpǽrətəst] *n.* 비교 언어학[문학]자.
com·par·a·tive [kəmpǽrətiv] *a.* 비교적인, 비교하는(↔*absolute*), 비교에 관한; 〖文法〗 비교급의 (cf. POSITIVE, SUPERLATIVE): the ~ degree 비교급. —— *n.* [the ~] 〖文法〗 비교급.
〖L; ⇨ COMPARE〗
compárative ádvertising *n.* 비교 광고《경합하는 타사(他社) 상품과 비교하여 자사(自社) 상품의 우수성을 선전하는 광고》.
compárative làw *n.* 비교 법학.
compárative linguístics *n.* 비교 언어학.
compárative líterature *n.* 비교 문학.
compárative·ly *adv.* 비교적으로, 다소나마, 비교상: ~ speaking 비교해서 말한다면 / ~ good 비교적[꽤] 좋은.
compárative mèthod *n.* 비교 연구법.
compárative philólogy *n.* =COMPARATIVE LINGUISTICS.
compárative psychólogy *n.* 비교 심리학; 민족[종족] 심리학(race psychology).
compárative spót *n.* 비교 스폿 광고《상품·서비스를 타사(他社)의 것과 비교하는 텔레비전·라디오 광고》.
compárative wórth proposìtion *n.* 《美》 동일한 가치의 일에 대해서는 동일한 임금을 지불하라는 제안.
com·par·a·tiv·ist [kəmpǽrətivəst] *n.* =COMPARATIST.
com·par·a·tor [kəmpǽrətər, kάmpərèi-] *n.* 〖機〗 비교 측정기(器)《거리·색채 따위의 정밀 측정용》; 〖電〗 비교기《2개 신호의 일치 여부의 판단용》; 〖컴퓨〗 콤퍼레이터.
‡**com·pare** [kəmpéər, -pǽər] *vt.* **1** [+目+*with*+名 / +目] 비교[대조]하다: The earth is

only a baby when it is ~*d* ***with*** many other celestial bodies. 지구는 다른 많은 천체와 비교하면 마치 갓난애에 지나지 않는다 / cannot be ~*d with*... =cannot ~ *with*... (☞ *vi.*) / Before buying them, I ~*d* the two dictionaries. 사기 전에 두 사전을 비교하여 보았다. ☞ 活用. **2** [+目+*to*+名] (…에) 비기다, 비유하다(liken) : Some people have ~*d* books ***to*** friends. 책을 친구로 비유하는 사람도 있다. ☞ 活用. **3** 〖文法〗 (형용사·부사의) 비교《비교급·최상급》를 나타내다. ── *vi.* [+*with*+名] [보통 부정 또는 의문 구문] 필적하다, 비교되다.
(as) compared with …와 비교하여, …와 비교해 보면.
compare notes ☞ NOTE *n.*
── *n.* [다음 숙어로]
beyond [***past, without***] ***compare*** 비할 바 없는[없이], 무비(無比)의 : The scenery is beautiful *beyond* ~. 그 경치는 비할 바 없이 아름답다.

> **compare의 ○×**
> (×) *Comparing* with his brother, he is not so intelligent.
> (그의 형에 비하면 그는 그다지 머리가 좋지 않다.)
> (○) *Compared* with his brother, he is not so intelligent.
> ☆ 직역의 의미로는 If he is *compared* with his brother와 같다.

〖OF<L (*compar* equal)〗
活用 *vt.* 1에서는 with가 보통이지만 *to*를 쓰기도 함. *vt.* 2의 뜻으로는 *with*는 쓰지 않음.
類義語 ***compare*** 2개 이상의 것에 대해서 그 유사점과 상이점을 비교하여 상대적인 가치를 생각함 : *compare* Beethoven with Brahms (베토벤과 브람스를 비교하다). ***contrast*** 양자간의 상이점을 강조하기 위해 compare하다 : *contrast* Western civilization with Eastern civilization (서양 문명과 동양 문명을 비교하다). ***collate*** 일치점 및 상이점을 알기 위해 상세하게 비판적인 비교를 행하다.

***com·par·i·son** [kəmpǽrəsən] *n.* **1** U,C 비교, 대조 ; 유사 ; 필적(하는 것) : There is no ~ *between* them. 그것[그]들은 (큰 차이가 나서) 비교가 되지 않는다 / The ~ of the heart *to* a pump is a very common one. 심장을 펌프에 비유하는 것은 아주 흔한 비유다. **2** U,C 〖修〗 비유 (cf. SIMILE, METAPHOR). **3** 〖文法〗 (형용사·부사의) 비교(변화).
bear [***stand***] ***comparison with*** …에 필적(匹敵)하다.
beyond [***without***] ***comparison*** = ***out of*** (***all***) ***comparison*** 비할 바 없는[없이], 견주어 볼 것 없이[없는] : It was *beyond* [*out of*] ~ the finest picture in the exhibition. 그것은 전람회에서 발군(拔群)의 명화였다.
by comparison 비교한다면, 비교적.
in comparison with [***to***] …와 비교하면[하여] (compared with) : We are apt to judge our fellowmen *in* ~ *with* ourselves. 우리는 우리 자신과 비교하여 동포를 판단하기 쉽다.
make a comparison (양자를) 비교하다 ⟨*between*⟩.
〖OF<L (↑)〗

compárison shòp *vi.* (백화점의 종업원 등이) 동업 타점의 가격·선전·서비스 따위를 비교하다.

compárison shòpper *n.* (경쟁 상점의 가격·서비스 따위를 조사하는) 정탐(偵探) 사원, 정탐[스파이] 손님.

com·part [kəmpɑ́:rt] *vt.* 구획으로 나누다, 칸을 막다.

com·part·ment [kəmpɑ́:rtmənt] *n.* **1** 구획, 구분 ; 칸막이. **2** (객차·여객선의) 칸막이 방《서로 마주 보고 앉는 좌석이 두 줄 있음》. **3** [보통 watertight ~] (배의) 구획실(室), 분실(分室), 방수격실(防水隔室). ── [-ment, -mənt] *vt.* 구획으로 나누다, 구획[구분]하다.
~·ed *a.* **com·part·men·tal** [kəmpɑ̀:rtméntl, kɑ̀mpɑ:rt-] *a.*
〖F<It.<L ; ⇨ PART〗

compartméntal·ìze *vt.* (상호 관계를 고려하지 않고) 구획[부문]으로 나누다, 구획[구분]하다, 칸을 막다. **compartmèntal·izátion** *n.*

com·part·men·ta·tion [kəmpɑ̀:rtməntéiʃən, -men-] *n.* 구획화, 칸으로 막음, 구분.

compártment plàte [**dìsh, trày**] *n.* 칸막이[구획된] 접시.

***com·pass** [kʌ́mpəs] *n.* **1** 나침반[의(儀)] : the points of the ~ 나침반의 방향. **2** 《비유》 범위, 한계(extent, range) : within the ~ of a lifetime 일생 동안에. **3** 〖樂〗 음역(音域). **4** 둘레, 주위 (circuit) ; 우회로. **5** [보통 *pl.*] 컴퍼스, 양각기(兩脚器) : a pair of ~*es* 컴퍼스 한 자루.
beyond one's ***compass*** = ***beyond the compass of*** one's ***powers*** 힘이 미치지 않는.
box the compass ☞ BOX[1].
fetch [***go***] ***a compass*** (길을) 돌아가다 ; 둘러대어 말하다.
in a small compass 작은 범위에 ; 긴밀하게, 간결하게.
── *vt.* 《文語》 **1** 둘러싸다, 두르다《지금은 ENCOMPASS 쪽이 일반적》. **2** 돌아서 가다(go round). **3** (목적을) 이루다, 달성하다, 성취하다 (accomplish). **4** 기획하다(plot). **5** 이해하다 (comprehend).
── *a.* 구부러진(curved) ; (반)원형의.
~·able *a.* 《古》 둘러쌀 수 있는, 이룰 수[달성할 수] 있는 ; 이해할 수 있는.
〖OF (*compasser* to measure ⟨PACE)〗
類義語 ⟹ RANGE.

cómpass càrd *n.* 나침반의 지침면(指針面).

cómpass còurse *n.* 〖海〗 나침로(羅針路), 컴퍼스 코스《컴퍼스가 가리키는 침로(針路)》.

cómpass hèading *n.* 〖空〗 나침반의 북을 기준으로 한 비행 방향 측정.

***com·pas·sion** [kəmpǽʃən] *n.* U 연민, 동정 (sympathy) : have[take] ~ (*up*) *on* …에 동정하다.
〖OF<L ; ⇨ PASSION〗
類義語 ⟹ PITY.

com·pas·sion·ate [kəmpǽʃənət] *a.* 연민의 정이 깊은, 인정이 많은, 동정적인(sympathetic).
── [-ʃənèit] *vt.* 불쌍히 여기다, 동정하다.
~·ly [-nət-] *adv.*
類義語 ⟹ TENDER[1].

compássionate allówance *n.* 《英》 (규정 외의) 특별 위로금, 특별 수당.

cómpass locàtor *n.* 〖空〗 계기 착륙 시스템의 무선 유도 표지(標識).

cómpass plàne *n.* 〖木工〗 둥근 대패.

cómpass plànt *n.* 〖植〗 컴퍼스 식물, 자석초(草)《잎이 가장 강한 햇빛에 대해 직각, 즉 남북으로 나는 경향이 있는 식물》.

cómpass ròse *n.* **1** 〔海〕 나침도(圖)《해도상(海圖上)의 원형 방위도》. **2** 방사선도(圖), 방위도《장식용으로도 씀》.

cómpass sàw *n.* 둥글게 자르는 (실)톱.

cómpass tìmber *n.* 〔船〕 굽은 재목.

cómpass wíndow *n.* 〔建〕 반원형의 쑥 튀어나온 창문.

com·pat·i·bil·i·ty [kəmpæ̀təbíləti] *n.* Ⓤ 적합[일치]성; 양립성; 서로 성격이 맞음; (컴퓨터 따위의) 호환성.

com·pat·i·ble [kəmpǽtəbəl] *a.* 양립할 수 있는, 모순이 없는, 일치하는(consistent)〈*with*〉; 〔TV〕 (컬러 방송이) 흑백 수상기에 흑백 화상으로 수상되는 방식의; 양립식의; (컴퓨터 따위가) 호환성(互換性)이 있는. **-bly** *adv.* 양립할 수 있게, 모순 없이, 적합하여. 〖F<L; ⇨ COMPASSION〗

compátible cólor sỳstem *n.* 양립식 컬러 텔레비전.

compátible compúter *n.* 호환성 컴퓨터.

com·pa·tri·ot [kəmpéitriət, kɑm-, -ɑ̀t; -pǽt-] *n.* 동포, 같은 나라 사람. —— *a.* 동포의, 같은 나라의. **com·pà·tri·ót·ic** [-ɑ́t-] *a.* 동포적인, 겨레의, 같은 나라(사람)의. 〖F<L *com-* (*patriota* PATRIOT)〗

compd. compound.

com·peer [kɑ́mpiər, -ˊ, kəm-] *n.* 대등한 사람, 동배; 동료. —— *vt.* 《廢》 필적하다. 〖OF (*com-*, PEER[1])〗

*__com·pel__ [kəmpél] *vt.* (-ll-) **1** [+目+*to* do] 강제로[무리하게] …시키다(force): Her illness ~*led* her *to* give up her studies. 그녀는 질병 때문에 공부를 그만두지 않으면 안되었다 / I was ~*led to* confess. 나는 자백을 강요당했다. **2** (복종·존경·침묵 따위를) 강요하다(enforce) (cf. COMPELLING): No one can ~ obedience. 아무도 남에게 복종을 강요할 수는 없다. **com·pél·la·ble** *a.* 강요할 수 있는. **-pél·ler** *n.* 〖L (*puls- pello* to drive)〗

類義語 ***compel*** 남에게 억지로 어떤 일을 시키다, 또는 양보시키다《force보다는 약하고 oblige보다는 강함》: Nothing can *compel* me to do such a thing. (아무것도 내가 그러한 일을 하도록 강요할 수 없다). ***force*** 남의 의사에 반하여 또는 저항을 물리치고 어떤 일을 시키다, 동의시키다; 폭력을 쓰거나 또는 주위에 급박한 사정이 발생했다는 것을 암시함: Circumstances *forced* him to betray his friend. (주위 사정이 그가 친구를 배반하도록 했다). ***oblige*** 어쩔 수 없이[마지못해] 어떤 일을 시키다; 때로는 도덕적 또는 정신적인 필요도 나타냄: We are *obliged* to support him. (우리는 그를 돕지 않으면 안된다). ***constrain*** 상대방의 행동을 제한하여 어떤 일을 하게 하다; 압박·속박 따위의 결과 부자연스러움이 생긴다는 것을 암시함: He was *constrained* to stay at home. (그는 부득이 집에 머물러야만 했다). ***impel*** 강한 욕망·동기·감정에 의해서 어떤 행동에 충동이 생기다: His hunger *impelled* him to steal. (배고픔이 그를 도둑질하게 했다).

com·pel·la·tion [kɑ̀mpəléiʃən, -pe-] *n.* (이름·직함을 부르면서) 말을 걸기; 호칭, 명칭, 경칭(appellation).

com·pél·ling *a.* 강제적인(↔*permissive*); 남을 움직이지 않고서는 못배길, 어쩔래야 어쩔 수 없는(irresistible): a ~ smile 무심코 끌려들게 하는 미소.

com·pend [kɑ́mpend] *n.* =COMPENDIUM.

com·pen·di·ous [kəmpéndiəs] *a.* 간명한, 간결한. **~·ly** *adv.* **~·ness** *n.* 〖OF<L=brief (↓)〗

com·pen·di·um [kəmpéndiəm] *n.* (*pl.* **~s, -dia** [-diə]) 대요(大要), 요약, 개론. 〖L=something weighed together (*pendo* to weigh)〗

com·pen·sa·ble [kəmpénsəbəl] *a.* (특히 상해 따위) 보상 대상이 되는, 보상받을 수 있는.

*__com·pen·sate__ [kɑ́mpənsèit, -pen-] *vt.* **1** [+目/+目+*for*+名] (…에게) 갚다, 보상하다(make up for), 벌충하다; (물가 변동에 대해 금 보유량을 조정하여) 화폐 구매력을 안정시키다: Employers should ~ their workmen ***for*** injuries. 고용주는 근로자의 상해에 대해서 보상하지 않으면 안된다. **2** 〔機〕 보정(補正)하다: a ~*d* pendulum 보정 진자. **3** 《美》 …에게 보수[급료]를 지불하다. —— *vi.* [+*for*+名] (행위·사정 따위가) 보상[보충]하다, 메우다: Industry sometimes ~*s* ***for*** lack of ability. 근면이 무능함을 메워 주는 수가 있다. **cóm·pen·sà·tive** [ˏ, kəmpénsə-; kəmpénsə-] *a.* =COMPENSATORY. 〖L (*pens- pendo* to weigh)〗

類義語 ⟹ PAY.

*__com·pen·sa·tion__ [kɑ̀mpənséiʃən, -pen-] *n.* **1** Ⓤ 보상, 배상, 대상(代償); 메우기. **2** ⓊⒸ 보상[배상]금(recompense); 《美》 보수, 급료(salary): unemployment ~ 실업 수당. **3** 〔機〕 보정(補正): a ~ balance 보정 저울; 보정 톱니바퀴 / a ~ pendulum 보정 진자(振子). ***in compensation for*** …의 보상[보수]으로. **~·al** *a.* 보상의, 보충하는.

compensátion tràde *n.* 구상(求償) 무역.

cóm·pen·sà·tor *n.* **1** 〔機〕 보정기[판(板)]; 〔電〕 보상기(補償器); 〔光〕 보정판(補正板). **2** 배상[보상]자.

com·pen·sa·to·ry [kəmpénsətɔ̀:ri; -təri] *a.* 보상의, 배상의; 보수(報酬)의; 보정하는.

compénsatory léngthening *n.* 〔言〕 대상연장(代償延長)《인접 자음의 소실로 모음이 장음화되는 현상》.

com·pere [kɑ́mpeər] *n.* (카바레 또는 방송 쇼 따위의) 사회자. —— *vt.* (쇼 따위의) 사회를 맡다. —— *vi.* 사회를 맡다〈*to*〉. 〖F=godfather (*com-*, PATER); cf. COMMÈRE〗

*__com·pete__ [kəmpí:t] *vi.* [動/+前+名] 경쟁하다; 필적하다: The boys ~*d* ***with*** each other ***for*** the prize. 소년들은 그 상을 타려고 서로 경쟁했다 / An injury prevented John from *competing* ***in*** the final race. 부상으로 존은 결승전에 출전하지 못했다 / His pictures cannot ~ *in* force *with* those of Henry. 힘차다는 면에서 보면 그의 그림은 헨리의 그림에 필적하지 못한다.

〈회화〉
Will you *compete* with him for the prize? — If I did, I'd certainly win. 「상금을 걸고 그와 겨룰 셈이니」「하면 틀림없이 이길 거야」

〖L (*petit- peto* to seek)〗

類義語 ⟹ CONTEND.

com·pe·tence [kɑ́mpətəns] *n.* **1** Ⓤ [+*to* do] 능력; 적격: There is no doubt of his ~ ***for*** the task[*to* do the work]. 그에게는 확실히 그 일을 해낼 능력이 있다. **2** [a ~] (안락하게 보통의 생활을 할 수 있는) 재산: acquire[amass] *a* ~ 상당한 재산을 모으다 / have[enjoy] *a* small ~ 약간의 재산을 가지고 있다. **3** Ⓤ 권능, 권한:

within[beyond] the ~ of …의 권한 안[밖]의 / exceed one's ~ 월권 행위를 하다.
have competence over …을 관할하다.
cóm·pe·ten·cy *n.* =COMPETENCE.
cómpetency-básed educátion *n.* 〖敎〗 학력 보장(保障) 교육《일정한 수준의 학력을 습득시키기 위한 교육》.
cómpetency-básed téacher educàtion *n.* 〖敎〗 교수 기능 보장을 위한 교사 교육.
cóm·pe·tent** *a.* **1** [+*to* do] 유능한(capable); (충분한) 자격을 갖춘, 감당해 내는 : Jane is ~ ***for teaching[*as* a teacher, *to* teach English]. 제인은 충분히 교사 노릇을 할 수 있다[교사로서 유능하다, 영어를 가르칠 능력이 있다]. **2** 요구에 부합되는, 충분한, 적절한(adequate) : He has a ~ knowledge of English. 충분한 영어 지식이 있다. **3** 〖法〗 (법정) 자격이 있는《재판관·법정·증인 등》; (재판관·법정이) 심리[관할]권을 가진[이 있는]; (행위가) 합법적인, 허용되는〈*to*〉: the ~ authorities 소관 관청 / the ~ minister 주무 장관. **~·ly** *adv.* 유능[충분·적절]하게.
〚OF or L ; ⇨ COMPETE〛
類義語 ⟹ ABLE.
***com·pe·ti·tion** [kàmpətíʃən] *n.* **1** U,C 경쟁 ; 경쟁 상대 : a ~ *with* others *for* a prize 상품의 쟁탈 / a ~ *between* nations 국가간의 경쟁. **2** 경기, 경쟁 시험, 경합 ; 시합.
in competition with …와 경쟁하여.
〚L=rivalry ; ⇨ COMPETE〛
competítion desìgn *n.* 〖建〗 **1** 경쟁 설계《2명 이상의 설계자를 경합시킴》. **2** 경쟁 설계를 위하여 작성된 설계도.
com·pet·i·tive [kəmpétətiv] *a.* 경쟁의, 경쟁적인 ; (가격·제품 따위) 경쟁할 수 있는 : a ~ examination 경쟁 시험 / ~ sports 경기.
~·ly *adv.* 경쟁적으로. **com·pét·i·tò·ry** [; -təri] *a.* 경쟁의.
compétitive édge *n.* 경쟁상의 우위성.
compétitive strátegy *n.* 경쟁 전략.
com·pet·i·tor [kəmpétətər] *n.* (*fem.* **-tress** [-trəs]) 경쟁자[상대].
類義語 ⟹ OPPONENT.
com·pi·la·tion [kàmpəléiʃən] *n.* U 편찬, 편집, 수집 ; C 편찬물, 편집물. **com·pi·la·to·ry** [kəmpáilətɔ̀ːri ; -təri] *a.* 편찬의, 편집의.
com·pile [kəmpáil] *vt.* **1** (책을) 편찬[편집]하다 (make up) ; (자료 따위를) 모으다 : ~ a dictionary 사전을 편찬하다 / ~ an index 색인을 만들어내다. **2** (재산 따위를) 모으다, (표를) 얻다 ; 《英俗》 (크리켓에서) 득점하다(score). **3** 〖컴퓨〗 (기계어 프로그램을) 번역기로 만들다.
〚OF or L *compilo* to plunder, plagiarize〛
com·píl·er *n.* **1** 편집자, 편찬자. **2** 〖컴퓨〗 옮김틀, 번역기, 컴파일러.
compíler lànguage *n.* 〖컴퓨〗 번역기[컴파일러] 언어《ALGOL, FORTRAN 따위》.
compl. complement.
com·pla·cence [kəmpléisəns] *n.* U (자기) 만족 ; 독선.
com·plá·cen·cy *n.* 만족, 충족 ; 자기 만족《위험·부족을 알지 못함》; 만족감을 주는 것.
com·plá·cent *a.* 자기 만족의, 독선적인, 혼자 흐뭇해하는(self-satisfied). **~·ly** *adv.* (스스로) 만족하여, 흐뭇하여.
〚L (*placeo* to please)〛
‡**com·plain** [kəmpléin] *vi.* **1** [+前+名/動] …에 대해 불평하다, 투정하다, 우는소리하다(grumble) ; (아픔·괴로움을) 호소하다 : The child ~*ed* ***of*** hunger and thirst. 그 아이는 배고프고 목마르다고 보챘다 / She ~*ed of* the room be*ing* sordid. 방이 지저분하다고 투덜거렸다 / Some people are always ~*ing*. 언제나 불평만 하는 사람이 있다 / She ~*ed of* a headache. 두통을 호소했다《머리가 아프다고 말했다》. **2** [+前+名] 호소하다, 고충을 말하다 : I ~*ed* ***to*** the police ***about*** my neighbor's dog. 이웃집 개 때문에 고충이 많다고 경찰에 호소했다[신고했다] / She ~*ed to* me ***of*** her husband's delay. 그녀는 남편이 늑장을 부렸다고 나에게 하소연했다. **3** 《詩》 슬픈 듯한 소리를 내다, 신음하다. —— *vt.* 불평하다 ; …라고 호소하다[한탄하다] : He ~*s that* his job gives him no satisfaction. 일에 만족을 못 느낀다고 투덜거린다. **~·ing·ly** *adv.* 불평스러운 듯이, 불만인 듯이.
〚OF<L *com*-(*plango* to lament) =to bewail〛
compláin·ant *n.* 〖法〗 원고, 고소인(plaintiff) ; 《古》 불평[고충]을 말하는 사람.
compláin·er *n.* 불평[불만]을 말하는 사람 ; 불평가 ; 《스코》 원고, 고소인(complainant).
***com·plaint** [kəmpléint] *n.* **1** U,C 불평, 고충, 투정 ; C 불평의 씨 : be full of ~*s about* one's food 음식에 대해 불평이 많다. **2** 〖法〗 고소(accusation), 항고(抗告) ; 《美》 (민사 소송에서) 원고의 최초의 주장[진술] : make[lodge] a ~ *against* …을 고소하다. **3** 질병(ailment) : have [suffer from] a ~ in the chest=have[suffer from] a chest ~ 가슴을 앓고 있다.
〚OF (p.p.) 〈 COMPLAIN〛
com·plai·sance [kəmpléisəns, -zəns ; -zəns] *n.* U 은근함, 공손함(politeness) ; 유순함, 고분고분함.
com·plái·sant *a.* 은근한, 공손한(polite) ; 유순한, 순종하는(compliant). **~·ly** *adv.* 은근하게, 공손히 ; 상냥하게.
〚F (*complaire* to acquiesce to please 〈 COMPLACENT)〛
com·pla·nate [kámplənèit] *a.* 같은 평면에 놓인 ; 고르게 된, 평평해진(flattened).
com·pleat [kəmplíːt] *a.* 《古》 =COMPLETE : *The C~ Angler* 「낚시 대전(大全)」《영국의 수필가 Izaak Walton의 수필》.
com·plect [kəmplékt] *vt.* 함께 엮다, 섞어 짜다.
compléct·ed[1] *a.* 함께 엮은 ; 복잡한.
complected[2] *a.* 《美方·美口》 [복합어를 이루어] 얼굴빛이 …한.
com·ple·ment [kámpləmənt] *n.* **1** 보충하여 완전하게 하는 것(cf. SUPPLEMENT) : Love and justice are ~*s* each *of* the other. 사랑과 정의는 서로 보충됨으로써 비로소 완전해진다《한 편만으로는 불완전하다》. **2** 〖文法〗 보어. **3** 〖數〗 여수(餘數), 여각(餘角) (cf. SUPPLEMENT), 여호(餘弧) ; 〖樂〗 보충 음정. **4** (필요한) 전수(全數)[량(量)] ; 〖海〗 선원 정원 ; (직원·입장 인원의) 정수(定數).
—— *v.* [-mènt] *vt.* 보충하여 완전하게 하다 ; 보족(補足)하다, …의 보족이 되다.
—— *vi.* 《廢》 정식으로 인사를 주고받다.
〚L ; ⇨ COMPLETE〛
類義語 ***complement*** 보충하여 완전케하다 ; 필요 또는 결핍된 것을 보충하다 ; 때로 양자 간에 서로 부족한 것을 상호 보충하는 것을 뜻함. ***supplement*** 보충하다, 부록을 붙이다, 증보하다 ; 비교적 완전한 것을 어떤 방법으로든지 보다 좋게·크게·풍부하게 하다 : a *supplement*

of a dictionary (사전의 증보).

com·ple·men·tal [kàmpləméntl] *a.* 보충의, 보결의. **~·ly** *adv.*

com·ple·men·tar·i·ty [kàmpləmentǽrəti, -mən-] *n.* 〔理·化〕 상보성(相補性).

complementárity prìnciple *n.* 〔原子理〕 상보성 원리.

com·ple·men·ta·ry [kàmpləméntəri] *a.* 보충적인〈*to*〉; 상보(相補)적인; 〔數〕 여[보](餘[補])…; 보색의; 〔遺〕 상보성의: ~ color 여색(餘色), 보색(補色) 《빨강과 파랑은 서로 보색》/ ~ angles 여각.

—— *n.* 서로 보충하여 맞춘 것; 보색.

-ta·ri·ly [-tərəli, 美+-mentérəli] *adv.*

compleméntary cèll *n.* 〔植〕 전충(塡充) 세포.

compleméntary distribútion *n.* 〔言〕 상보(相補)적 분포.

com·ple·men·ta·tion [kàmpləmentéiʃən, -mən-] *n.* Ⓤ 〔數〕 여집합 만들기, 여집합의 결정; 〔言〕 =COMPLEMENTARY DISTRIBUTION; 〔文法〕 보문화(補文化); 〔動〕 (동일종 또는 근연종(近緣種)의 2개체의) 합식(合植)《유합되어 1개체가 되는 일》; 〔遺〕 상보(성).

cómplement fixàtion *n.* 〔免疫〕 보체 결합.

◇**com·plete** [kəmplíːt] *vt.* **1** 완료하다, 끝내다, 마무리하다(finish): ~ the whole course (of a school) 전과정을 수료하다, 졸업하다. **2** 완성하다; (수·양 따위를) 채우다, 갖추다: The good news ~*d* her happiness. 그 좋은 소식을 듣고서 그 여자의 행복은 더욱 바랄 것이 없게 되었다 / I need one volume to ~ my set of Hardy. 한 권만 더 손에 들어오면 나는 하디 전집을 완전히 갖추게 된다.

〈회화〉
When will this bridge be *completed*? — Probably not until next year. 「이 다리는 언제 완성되나요」「아마 내년 이후라야 될걸요」

—— *a.* **1** 전부의(entire): the ~ works of Shakespeare 셰익스피어 전집. **2** 완전한, 전적인(perfect): a ~ failure[victory] 완패(完敗)[완승(完勝)]. **3** 완성된, 갖추어진, 마무리된(finished): His work is ~. 그의 일은 끝났다. **4** 《古》 숙련된, 숙달한(accomplished): a ~ angler 낚시의 명수 / a ~ horseman 승마의 명수. ㊟ complete는 의미상 비교 변화를 하기 어려운 형용사지만, 특히 「완전함」의 정도를 강조하기 위해 비교 변화를 쓰는 경우가 있음: this *more* ~ statement 이 한층 더 완벽한 진술.

~·ly *adv.* 완전하게, 전적으로, 철저하게.

~·ness *n.* 완전, 완성.

〖OF or L COM*plet*- -*pleo* to fill up〗

類義語 (1) (*v.*) ⟹ END.
(2) (*a.*) ⟹ FULL.

compléte blóod cóunt *n.* 〔醫〕 혈산(血算)《略 CBC》.

compléte fértilizer *n.* 완전 배합 비료.

compléte zéro *n.* 《俗》 최저의 사람, 아무 쓸모 없는 사람(zero).

***com·ple·tion** [kəmplíːʃən] *n.* Ⓤ 완성, 완료; 졸업; 만료, 만기; 〔美蹴〕 잘 받아낸 포워드 패스, 패스 성공: bring ... to ~ …을 완성시키다, 마무리하다.

complétion tèst *n.* 〔心〕 완성형 테스트.

com·ple·tist [kəmplíːtəst] *n.* 완전주의자.

—— *a.* 완전주의의.

com·ple·tive [kəmplíːtiv] *a.* 완성적인; 완료를 나타내는.

cómp létter *n.* (기증하는 잡지·서적에 삽입된) 증정 인사장(狀)《광고용》.

***com·plex** [kámpleks, 美+kəmpléks, 美+kəm-] *a.* 복합(체)의(composite) (↔ *simple*); 복잡한(complicated). —— [kámpleks] *n.* **1** 합성물; 〔化〕 복합체. **2** 〔精神分析〕 콤플렉스, 복합; (흔히) 이상 심리: ☞ INFERIORITY COMPLEX / ☞ SUPERIORITY COMPLEX / ☞ ELECTRA COMPLEX / ☞ OEDIPUS COMPLEX. —— [-́-] *vt.* 복잡하게 하다; 합성하다.

~·ly *adv.*

〖F or L (p.p.) ‹ *complector* to embrace, clasp〗

類義語 ***complex*** 복잡하게 뒤엉켜 있어 그것을 이해하거나 조종하는 데에 많은 연구나 지식을 필요로 함: a *complex* system of highways (복잡한 대로망(大路網)). ***complicated*** 매우 complex하기 때문에 분해·이해·해결하는 것이 극히 곤란한: a *complicated* apparatus(복잡한 기계 장치). ***intricate*** 각 부분이 매우 뒤엉켜 있어서 혼란하게 만들거나 따라가기 어려운: an *intricate* maze (복잡한 미로(迷路)). ***involved*** 때때로 질서없이 뒤엉켜 있거나 혼란한 정세 또는 관념에 쓰임: *involved* situations (뒤얽혀 복잡한 상황). ***knotty*** 뒤엉킨; complicated의 뜻에 추가하여 곤란·혼잡스러워 해결이 거의 불가능한.

cómplex fráction *n.* 〔數〕 번분수(繁分數).

com·plex·ion [kəmplékʃən] *n.* **1** 안색, 얼굴빛. **2** (사태의) 외관, 양상(aspect): the ~ *of* the war 전황 / It puts another ~ on the incident. 그로써 사건의 양상이 또 바뀌어진다. 〖OF＜L= a combination (of supposed qualities determining nature of a body); ⇨ COMPLEX〗

com·pléx·ioned *a.* [복합어를 이루어] (…한) 얼굴색의.

compléxion·less *a.* 안색이 나쁜, 핏기 없는; 가냘픈, 기운 없는.

com·plex·i·ty [kəmpléksəti] *n.* Ⓤ,Ⓒ 복잡함, 복잡성; Ⓒ 복잡한 것.

cómplex número *n.* 〔數〕 복소수.

cómplex pláne *n.* 〔數〕 복소평면(複素平面), 가우스 평면.

cómplex sált *n.* 〔化〕 착염(錯塩).

cómplex séntence *n.* 〔文法〕 복문.

cómplex váriable *n.* 〔數〕 복소(複素) 변수.

com·pli·able [kəmpláiəbəl] *a.* =COMPLIANT.

com·pli·ance [kəmpláiəns] *n.* Ⓤ (요구·명령 따위의) 응낙; 추종, 맹종: in ~ *with* …에 따라서, …에 순응하여. **com·plí·an·cy** *n.* = COMPLIANCE.

〖COMPLY〗

complíance òfficer *n.* (명령 따위의) 복종[준수] 확인 담당 직원《미국 FDA 따위의》.

com·plí·ant *a.* 순진한, 고분고분한, 순종하는, 시키는 대로 하는. **~·ly** *adv.* 순진하게, 유순하게.

類義語 ⟹ OBEDIENT.

com·pli·ca·cy [kámplikəsi] *n.* Ⓤ,Ⓒ 복잡(한 것).

***com·pli·cate** [kámpləkèit] *vt.* 복잡[혼잡]하게 하다, 까다롭게 하다: That ~*s* matters. 그로써 일이 복잡해진다. —— [kámplikət] *a.* **1** 〔植〕 (잎이) 접혀 겹쳐진(conduplicate); (곤충의 날개가) 세로로 접혀 겹쳐진. **2** 《古》 복잡한, 뒤얽힌.

〖L (*plico* to fold)〗

***cóm·pli·càt·ed** *a.* 혼잡한, 복잡한, 풀기[알기] 어려운: a ~ machine 복잡한 기계. **~·ly** *adv.*

類義語 ⟹ COMPLEX.

com·pli·ca·tion [kàmpləkéiʃən] *n.* **1** [U,C] 복잡(화), (사건의) 분규(tangle) ; [C] 분규의 원인. **2** 〔醫〕 (여병(餘病)의) 병발, 병발증, 합병증 : He will recover if no ~ sets in. 합병증만 생기지 않으면 그는 회복할 것이다.

com·plic·i·ty [kəmplísəti] *n.* [U] 공모, 공범, 연루(連累) : ~ *with* another *in* crime 공범관계. 〖*complice*+*-ity*〗

complícity sýstem *n.* 연좌제.

com·pli·er [kəmpláiər] *n.* 승낙자, 응낙자.

com·pli·ment** [kámpləmənt] *n.* **1** [+[前]+do*ing*] 경의, 찬사, (사교상의) 아첨의 말, 애교 : Your presence is a great ~. 참석해 주셔서 무한한 영광입니다 / I paid him the ~ ***of consult*ing* him about the affair. 그 일에 대한 의견을 물어 보는 것으로 그에게 경의를 표했다 / make[pay] a ~ ***to*** a person 남에게 알랑거리다, 남을 칭찬하다 / return the ~ 답례하다 ; 보답하다. **2** [*pl.*] 인사(의 말), 축사(greetings) : the ~*s* of the season (크리스마스나 정초의) 문안[축하] 인사 / Give[Send, Present] my ~*s to* …에게 안부 전해 주시오 / make[pay, present] one's ~*s to* a person …에게 인사하다 / With the ~*s* of Mr. A.＝With Mr. A's ~*s.* A로부터 근정[혜존]《증정본의 표지 뒤 따위에 쓰는 문구》.
—— [-mènt] *vt.* **1** [+目 / +目+*on*+[名]] …에게 경의를 표하다, 칭찬하다(praise) ; …에게 아첨의 말을 하다 : The teacher ~*ed* the girl ***on*** her good grades. 선생님은 소녀의 좋은 성적을 칭찬했다. **2** [+目+*with*+[名]] …에게 증정하다(present) : ~ a person ***with*** something 남에게 어떤 물건을 증정하다.
〖F<It.<L ; ⇨ COMPLEMENT〗

com·pli·men·ta·ry [kàmpləméntəri] *a.* **1** (연설 따위가) 칭찬의, 찬사의 : a ~ address 축사. **2** 아첨을 잘하는. **3** 《美》 초대의, 무료의(free) : a ~ copy 증정본 / a ~ ticket (음악회 따위의) 우대권, 초대권〈*to*〉.

compliméntary clóse[clósing] *n.* 편지의 맺음말, 결구(結句)《Sincerely yours 따위》.

cómpliment slìp *n.* 근정(謹呈) 쪽지《저자 등이 저서를 증정할 때「저자 근정」따위를 쓰는 긴 종이 쪽지》.

com·pline [kámplən, -plain], **-plin** [-plən] *n.* 〔카톨릭〕 끝기도(cf. CANONICAL hours) ; 종도. 〖OF (fem. p.p.) ‹*complir* to complete<L COMPLY〗

com·plot [kámplɑt] *n.* 《古》 공모, 음모.
—— [kəmplát, kɑm-] *vt., vi.* (**-tt-**) 공모하다, 음모를 꾸미다.

com·ply [kəmplái] *vi.* [+*with*+[名] / [動]] (명령·요구·규칙에) 따르다, 응하다 : They *complied* ***with*** our request. 우리의 요구를 수락했다. 〖It.<Sp.<L COM*pleo* to fill up〗

com·po [kámpou] *n.* (*pl.* **~s**) [U,C] ＝COMPOSITION 4. —— *a.* 수일분의《식량》. 〖*compo*site〗

com·po·nent [kəmpóunənt, kɑm-, kámpou-] *a.* 구성하고 있는, 성분(成分)의 : ~ parts 구성분자[부분], 성분. —— *n.* 구성 요소, 성분〈*of*〉; 〔理〕 분력(分力). **-nen·tial** [kàmpənénʃəl] *a.*
〖L ; ⇨ COMPOUND[1]〗
[類義語] ⟹ ELEMENT.

componéntial análysis *n.* 〔言〕 성분 분석《말뜻을 구성적 성분으로 기술하는 방법》.

cómpo rátions *n. pl.* 〔軍〕 비상 휴대 식량.

com·port [kəmpɔ́ːrt] *vt.* [~ one*self* 로] 처신하다, 행동하다(behave) : A judge should ~ him*self* with dignity. 재판관은 위엄이 있는 태도를 나타내지 않으면 안된다. —— *vi.* [+*with*+[名]] 어울리다, 적합하다 : Your behavior does not ~ ***with*** your rank. 당신의 행동은 신분에 어울리지 않습니다. 〖L (*porto* to carry)〗

compórt·ment *n.* 처신, 태도, 동작.

com·pose** [kəmpóuz] *vt.* **1** [+目 / +目+*of*+[名]] [보통 수동태로] 조립하다, 구성하다(make up) : Switzerland *is* ~*d* ***of twenty-two cantons. 스위스는 22주로 구성되어 있다. **2** (시·문장을) 짓다 ; 〔樂〕 (곡을) 만들다, 작곡하다 ; 〔美術〕 (그림을) 구도(構圖)하다 : ~ an opera 오페라를 작곡하다 / ~ a song 노래를 작곡하다. **3** 〔印〕 (활자를) 식자하다, 조판하다. **4** [+目 / +目+*to* do / +目+*for*+[名]] **a**) [~ one*self* 로] 기분[마음]을 가라앉히다 : He ~*d* him*self to* read the book. 기분을 가라앉혀 독서하기 시작했다. **b**) (안색을) 부드럽게 하다, (마음을) 가다듬다 : Try to ~ your mind. 마음을 가라앉혀 보십시오 / He ~*d* his thoughts ***for*** the action. 그 행동을 하려고 다짐했다. **5** (분쟁 따위를) 조정하다(adjust). —— *vi.* 작곡[작시(作詩)]하다.
com·pós·ing *n.* 조립 ; 저작, 작곡 ; 〔印〕 식자(植字), 조판. —— *a.* 식자의 ; 진정시키는.
〖F *com*POSE〗

com·pósed *a.* 차분한, 침착한(calm).
-pós·ed·ly [-ədli] *adv.* 차분하게, 침착하게, 냉정하게, 태연하게. **-pós·ed·ness** [-ədnəs] *n.* 차분함, 침착함.
[類義語] ⟹ COOL.

***com·pós·er** *n.* 구성자, 작가, (특히) 작곡가 ; 조정자.

compósing fràme *n.* 〔印〕 식자대.

compósing machìne *n.* 〔印〕 자동 식자기.

compósing ròom *n.* 〔印〕 식자[조판]실.

compósing stànd *n.* ＝COMPOSING FRAME.

compósing stìck *n.* 〔印〕 식자[조판]틀, 식자[조판]용 스틱.

com·pos·ite [kɑmpázət, kəm- ; kɔ́mpə-] *a.* **1** 혼성[합성]의 ; [C~] 〔建〕 혼합식의 : the *C*~ order 혼합 양식 《이오니아 양식(Ionic order)과 코린트 양식(Corinthian order)의 절충 양식》. **2** 〔數〕 소수(素數)가 아닌, 합성수(合成數)의 ; 복합의《가설(假說)》. —— *n.* 합성물, 복합물 ; 혼합객차. —— *vt.* 합성하다. **~·ly** *adv.*
〖F<L (p.p.) ‹COMPOSE〗

compósite cándle *n.* (짐승 기름과 밀랍의) 혼합 양초.

compósite fámily *n.* 〔社〕 복합 가족《부모 가족 및 그 자식 가족이 함께 삶》.

compósite matérial *n.* 〔空〕 복합 재료.

compósite númber *n.* 〔數〕 합성수.

compósite phótograph *n.* 합성 사진, 몽타주사진(montage).

compósite schòol *n.* 《Can.》 종합[혼합] 중[고등]학교《인문·상업·공업 과정을 포함》.

***com·po·si·tion** [kàmpəzíʃən] *n.* **1** [U] 구성, 합성, 혼성, 조립 ; 〔文法〕 복합, 합성 ; 작문(법) ; 작시(作詩)(법) ; 문체 ; 〔樂〕 작곡(법) ; 〔印〕 식자, 조판 ; 구성 내용 : English ~ 영작문 / a ~ book 《美》 작문 연습장 / the ~ of the atom 원자의 구조 / ~ of forces[waves] 〔理〕 힘[파동]의 합성 / What is its ~ ? 그것은 무엇으로 되어 있나요. **2** 구성물 ; (1편의) 작문, 문장 ; 악곡(樂曲) : write a ~ 작문을 쓰다. **3** [U,C] 배합, 배치(arrangement) ; 〔美術〕 구도. **4** [U,C] 혼합물, 합성물, 짜맞춘 것, 모조품(compo) : ~ billiard

balls (당구용) 인조 상아공. **5** Ⓤ 기질, 성질. **6** 타협, 화해〈*with*〉; (채무의) 일부 변제금, 사화(私和)[화해] 돈 : come to a ~ 화해하다, 타협하다 / make a ~ *with* one's creditors 채권자들과 화의를 하다[화해하다].
〖OF<L ; ⇨ COMPOSITE〗

com·pos·i·tive [kəmpázətiv] *a.* 종합적인, 합성의(synthetic). **~·ly** *adv.*

com·pos·i·tor [kəmpázətər] *n.* 〖印〗 식자[조판]공(typesetter).

com·pos men·tis [kámpəs méntəs] *pred. a.* 〖法〗 정신이 건전한. 〖L〗

com·pos·si·ble [kampásəbəl, kəm-] *a.* 양립[공존]할 수 있는〈*with*〉; 동시에 발생할 수 있는.

com·post [kámpoust ; -pɔst] *n.* 혼합물 ; 회반죽 ; Ⓤ 혼합[인조] 비료 ; 배합토, 배양토 ; Ⓒ = COMPOST HEAP. —— *vt.* (토지)에 배합토[퇴비]를 주다 ; (풀 따위를) 썩여서 퇴비로 하다.
〖OF<L ; ⇨ COMPOSITE〗

cómpost hèap *n.* 퇴비, 비료 더미 ;《비유》 물건을 썩여버리는 장소, 불요물의 퇴적장, 불요 서류 두는 곳.

com·po·sure [kəmpóuʒər] *n.* Ⓤ 침착, 평정(平靜) : with ~ 침착하게 / keep[lose] one's ~ 평정을 유지하다[잃다].

com·po·ta·tion [kàmpətéiʃən] *n.* 여럿이 같이 술을 마심, 회음(會飮) ; 주연.

com·po·ta·tor [kámpətèitər] *n.* 회음하는 사람, 술친구.

com·pote [kámpout] *n.* **1** 콤포트《설탕절임한 과일》. **2** (콤포트·과일·과자 따위를 담는) 굽 높은 접시, 콤포트.
〖F COMPOST〗

compote 2

com·po·tier [kàmpətíər] *n.* =COMPOTE 2.

***com·pound**[1] [kámpaund, 美+-́-, 美+kəm-] *a.* 합성의, 혼성의, 복합의 ; 복잡한, 복식의(↔ *simple*) ; 〖化〗 화합한 : a ~ subject 복합 주어.
—— [kámpaund] *n.* **1** 혼합물, 합성물 ;〖化〗 화합물(cf. MIXTURE). **2** 〖文法〗 복합어, 합성어.
—— *v.* [kəmpáund, kam-, 美+-́-] *vt.* **1** [+目/+目+*of*+名] (요소·성분 따위를) 혼합시키다, (약 따위를) 조합[조제]하다(mix) ; 합성하다 : ~ a medicine 약을 조제하다 / This cake has been ~*ed* ***of*** the best ingredients. 이 케이크는 최고의 재료로 만든 것이다. **2** (분쟁·부채 따위를) 사화(私和)하다, 화해하다 ; (예약금을) 일시금으로 지불하다. **3** 〖法〗 (범죄를) 관대히 보아주다 : ~ a felony (금전을 받고) 무거운 죄를 눈감아주다. **4** 늘리다, 증가시키다(increase).
—— *vi.* [+前+名] 타협하다, 절충하다(come to terms) : ~ ***with*** one's creditors ***for*** a consideration 한번 봐달라고 채권자와 타협하다.
〖OF<L COM*pos*- -*pono* to put together ; -*d*는 cf. EXPOUND〗

com·pound[2] [kámpaund] *n.* **1** (동양 등지에서 울타리를 두른) 백인 거류지 구내, 백인 저택《주택·상관(商館) 따위가 있음》. **2** (포로 등의) 수용소. 〖Port. or Du.<Malay〗

cómpound addítion *n.* 여러가지 등수(等數)의 덧셈.

cómpound ánimal *n.* 군체(群體) 동물.

cómpound cólor *n.* 혼화색(混和色).

cómpound-cómplex séntence *n.* 〖文法〗 중복문《종속절을 하나 이상 포함한 중문》.

compound E [-́ íː] *n.* 〖生化〗 복합 E물질(cortisone).

cómpound éngine *n.* 〖機〗 복식(複式) 기관 ; 2단 팽창 기관.

cómpound éye *n.* 〖動〗 겹눈, 복안(複眼) (cf. FACET 3).

compound F [-́ éf] *n.* 〖生化〗 복합(複合) F물질(hydrocortisone).

cómpound flówer *n.* 〖植〗 두상화(頭狀花), 복화(複花), 겹꽃《국화 따위의 집합화(集合花)》.

cómpound fráction *n.* 〖數〗=COMPLEX FRACTION.

cómpound frácture *n.* 〖醫〗 복잡 골절.

cómpound frúit *n.* 〖植〗 복과(複果).

cómpound hóuseholder *n.* 《英》 지방세는 집주인이 물기로 하고 세든 사람.

cómpound ínterest *n.* 복리(複利).

cómpound ínterval *n.* 〖樂〗 복합 음정(音程).

cómpound léaf *n.* 〖植〗 복엽(複葉).

cómpound léns *n.* 〖光〗 복합 렌즈.

cómpound númber *n.* 〖數〗 복명수(複名數), 제등수(諸等數)《5 ft. 3 in. 따위처럼 두 개 이상의 명칭으로[단위로] 표시되는 수》.

cómpound pérsonal prónoun *n.* 〖文法〗 복합(複合) 인칭 대명사《인칭 대명사 뒤에 -self가 붙은 것》.

cómpound rélative prónoun *n.* 〖文法〗 복합 관계 대명사.

cómpound séntence *n.* 〖文法〗 중문(重文)《절을 등위접속사로 연결한 문장 ; cf. SIMPLE[COMPLEX] SENTENCE》.

cómpound subtráction *n.* 〖數〗 여러 등수(等數)의 뺄셈.

cómpound tíme *n.* 〖樂〗 겹[복합]박자.

cómpound wórd *n.* 복합[합성]어《housetop, cupboard 따위》.

cómpound-wóund *a.* 〖電〗 복합으로 감은.

com·pra·dor(e) [kàmprədɔ́ːr] *n.* 매판(買辦)《중국에 있는 외국 상사에 고용된 중국인》: ~ capitalism 매판 자본주의.

Com·preg [kámpreg] *n.* 고압 합판의 일종《합성수지로 접착함 ; 상표명》.

com·preg·nate [kəmprégneit] *vt.* (합성 수지로) 접착시키다.

***com·pre·hend** [kàmprihénd] *vt.* **1** 이해하다 : If you can use a word correctly and effectively, you ~ it. 어떤 말을 정확하고 효과적으로 쓸 수 있다면 그 말을 (올바르게) 이해한 것이 된다. **2** 포함하다, 함축하다. **~·ing·ly** *adv.* 이해하여.
〖OF or L COM*prehens*- -*prehendo* to seize〗
類義語 ⟹ UNDERSTAND, INCLUDE.

com·pre·hen·si·ble [kàmprihénsəbəl] *a.* 이해할 수 있는, 알기 쉬운. **-bly** *adv.*
còm·pre·hèn·si·bíl·i·ty *n.* 이해할 수 있음, 알기 쉬움 ; 포함성.

com·pre·hen·sion [kàmprihénʃən] *n.* **1** Ⓤ 앎 ; 이해, 이해력 : listening[reading] ~ 듣고[읽고] 이해하는 힘. **2** Ⓤ 포함, 함축 ;〖論〗 내포.
be above*[*be beyond, pass*]** one's comprehension*** 이해할 수 없다.
〖F or L ; ⇨ COMPREHEND〗

com·pre·hen·sive [kàmprihénsiv] *a.* **1** 포괄적인, 넓은 : a ~ mind 넓은 마음 / a ~ term 뜻이 광범위한 말. **2** 이해력이 있는, 잘 알아듣는 : the ~ faculty 이해력. **3** 〖論〗 =INTENSIVE.

—— *n.* =COMPREHENSIVE SCHOOL. **~·ly** *adv.* 포괄적으로 ; 알기 쉽게. **~·ness** *n.*

comprehénsive schòol *n.* 《英》 종합 중등 학교《여러 가지 과정이 있음》.

còm·pre·hén·si·vist *n.* (전문 교육보다 넓게 일반적인 교육을 실시해야 한다는) 종합 교육[일반 교양] 제창자 ; 《英》 종합화 추진[제창]자.

com·pre·hen·siv·i·za·tion [kàmprihènsivəzéiʃən ; -vai-] *n.* 《英》 종합화《학생의 능력에 따른 종합적 커리큘럼을 편성할 수 있는 중등 학교로 만드는 일》.

com·press** [kəmprés] *vt.* [+目 / +目+前+名] 압축[압착]하다 ; (사상·언어 따위를) 요약하다 (condense) : ~ cotton ***into bales 솜을 압축하여 짐짝으로 꾸리다. —— *vi.* 줄어들다.

—— [kámpres] *n.* 〖醫〗 압박붕대, 습포(濕布) ; (솜 압착용) 압착기 : a cold[hot] ~ 냉[온]습포. 〚OF or L *com*PRESS[1]〛

com·préssed *a.* 압축[압착]된 ; 간결한 ; 〖植〗 편평(扁平)한 : ~ air[gas] 압축 공기[가스] / ~ lips 굳게 다문 입술.

compréss·ible *a.* 압축할 수 있는, 압축성의. **com·prèss·ibílity** *n.* 압축의 가능성 ; 〖理〗 압축성 ; 압축률.

***com·pres·sion** [kəmpréʃən] *n.* **1** Ⓤ 압축, 압착 ; (사상 따위의) 요약〈*of*〉. **2** Ⓤ (잠함(潛函) (caisson)에 들어가기 전의) 응압(應壓) (시험). **~·al** *a.*

compréssional wáve *n.* 〖理〗 압축파.

compréssion ràtio *n.* 〖機〗 압축비(比)《실린더 내에 흡입된 가스의 용적과 압축된 가스의 용적과의 비(比)》.

com·prés·sive *a.* 압축력이 있는, 압축의.

com·prés·sor *n.* 압축[압착]기, 압착 펌프, 컴프레서 ; 〖醫〗 혈관 압착 : an air ~ 공기 압축기.

com·prise, -prize [kəmpráiz] *vt.* **1** 포함하다, 함유하다 ; (부분)으로 이루어지다(consist of) : The United States ~*s* 50 states. 미합중국은 50주로 이루어져 있다. **2** …의 전체를 형성하다, 구성하다. —— *vi.* 이루어지다〈*of*〉.
〚F (p.p.) ‹ COMPREHEND〛
類義語 ⟹ INCLUDE.

com·pro·mise** [kámprəmàiz] *n.* **1** U,C 타협, 화해, 양보 ; Ⓒ 절충안(middle course), 절충[중간]물 : make a ~ 타협하다〈*with*〉. **2** (명성·신용 따위를) 위태롭게 함. —— *vt.* **1** (분쟁을) 타협시키다, 화해시키다. **2** [~ one*self*로 쓰여] (명성 따위를) 손상시키다, 더럽히다, …에 누를 끼치다 ; (어리석은 짓·폭거(暴擧)에 의해) 위태롭게 하다 : He ~*d* him*self* [his good name]. 평판을 나쁘게 했다[명예를 손상케 했다]. —— *vi.* [動 / +*with*+名] 타협하다, 화해하다 : We ~*d* ***with them *on* the matter. 우리는 그 건에 대해 그들과 타협했다.
cóm·pro·mìs·er *n.* 타협(주장)자.
〚OF<L (p.p.) ‹ *com*PROMISE〛

cóm·pro·mìs·ing *a.* 명예를[평판을] 손상시키는, 의심을 초래하는 : in a ~ situation 의심을 받아도 할 수 없는 상황에 빠져.

còm·províncial *a.* 같은 지방의, 같은 대주교[주교]구의.
—— *n.* 같은 대주교[주교]구의 bishop.

compt. compartment.

compte ren·du [*F* kɔ̃:t rɑ̃dy] *n.* (*pl.* **comptes rendus** [—]) (조사 따위의) 보고(서) ; 〖商〗 지불 청구서.

comp·to·graph [kámptəgræf ; kɔ́mptəgrɑ:f] *n.* 자동 기록 계산기.

comp·tom·e·ter [kɑmptámətər] *n.* 고속도 계산기의 일종 ; [C~] 그 상표명.

Comp·ton [kámptən] *n.* 콤프턴. **1 Arthur Holly** ~ (1892-1962) 미국의 물리학자 ; Nobel 물리학상(1927). **2 Karl Taylor** ~ (1887-1954) 물리학자 ; A.H.의 형.

Cómpton efféct *n.* 〖理〗 콤프턴 효과《X선, γ선 영역의 전자파(電磁波) 방사가 산란됐을 때 파장이 길어지기》.
〚A.H. *Compton*〛

comp·trol·ler [kəntróulər, 美+kámptrou-, 美 +-˝-] *n.* (회계·은행의) 검사관, 감사관. 注 CONTROLLER의 다른 철자.
〚변형(變形) ‹ CONTROLLER ; COUNT[1], L *computus* 와의 잘못된 연상〛

Comptróller Géneral *n.* (*pl.* **Comptróllers Géneral**) 《美》 연방 정부 회계 감사관.

com·pu·fess [kámpju:fès] *n.* (가정에서 컴퓨터로 하는) 카톨릭의 고해(告解).
〚*compu*ter+con*fess*〛

com·pul·sion [kəmpʌ́lʃən] *n.* **1** Ⓤ 강제 : by ~ 강제적으로 / upon[under] ~ 억지로. **2** Ⓤ 〖心〗 강박 현상.
〚F<L ; ⇨ COMPEL〛

com·pul·sive [kəmpʌ́lsiv] *a.* 강제적인, 강요하는, 억지로 시키는 ; 강박감에 사로잡힌. —— *n.* 강제력 ; 강박감에 사로잡힌 사람. **~·ly** *adv.* 강제적으로.

***com·pul·so·ry** [kəmpʌ́lsəri] *a.* 강제된, 강제적인, 의무적인(obligatory) (↔*voluntary*) ; 필수의 (required) (↔*elective, optional*) : ~ measures [means] 강제 수단 / ~ education 의무 교육 / ~ (military) service 의무 병역 / a ~ subject 《英》 필수 과목(=《美》required subject) / ~ winding-up (유한 책임 회사의) 강제 해산.
—— *n.* (체조·피겨 스케이트 따위에서) 규정 연기[과목]. **com·púl·so·ri·ly** *adv.* 강제적으로, 억지로.

com·punc·tion [kəmpʌ́ŋkʃən] *n.* Ⓤ 양심의 가책 [뉘우침], 후회, 회한(悔恨) : without (the slightest) ~ (아주) 천연스럽게, (조금도) 미안하게 생각지 않고, 양심의 가책을 받지 않고.
〚OF<L ; ⇨ POINT〛

com·púnc·tious *a.* 회한의, 후회의, 뉘우치는, 양심에 가책되는.
~·ly *adv.*

com·pur·ga·tion [kàmpərgéiʃən] *n.* 〖英古法〗 (증인의 선서로 무죄를 증명하는) 면책 선서(免責宣誓).

cóm·pur·gà·tor *n.* 〖英古法〗 면책 선서자.

com·pút·able *a.* 계산할 수 있는.

com·pu·ta·tion [kàmpjutéiʃən] *n.* Ⓤ 계산(법) ; 평가 ; 산정 수치(數値). **~·al** *a.*

computátional linguístics *n.* 〖言〗 컴퓨터 언어학.

com·pu·ta·tive [kámpjutèitiv, kəmpjú:tə-] *a.* 산정적인, 계산하기 좋아하는.

com·pute [kəmpjú:t] *vt.* [+目 / +目+*at*+名] 계산[산정]하다, 견적하다(reckon) : We ~*d* the distance ***at*** 300 miles. 우리는 그 거리를 300마일로 산정했다. —— *vi.* 계산하다. —— *n.* 계산, 측정 : be beyond ~ 계산할 수 없다.
〚F or L (*puto* to think, reckon)〛
類義語 ⟹ COUNT[1].

com·pút·ed tomógraphy *n.* 〖醫〗 컴퓨터 단층 촬영《略 CT》.

‡**com·pút·er** *n.* 계산자(者) ; (전자) 계산기, 전산기(電算機), 컴퓨터 : by ~ 컴퓨터에 의해서 / a ~ center 컴퓨터 센터 / ☞ ANALOG COMPUTER / ☞ DIGITAL COMPUTER.

compúter abúse *n.* 〔컴퓨〕 컴퓨터 (시스템의) 부정 이용.

compúter-àided desígn *n.* =CAD.

compúter-bàsed léarning *n.* 컴퓨터를 학습 도구로 이용하는 일《略 CBL》.

compúter-based méssaging sỳstem *n.* 컴퓨터를 사용한 정보 전달 시스템《略 CBMS》.

compúter bréak-in *n.* 컴퓨터에 의한 불법 침해《허가 없이 데이터 뱅크에 침입하여 데이터를 도용하거나 개변(改變)하는 일》.

compúter-enhànced *a.* (천체 사진 따위의) 컴퓨터 처리로 화질(畫質)을 향상시킨.

com·put·er·ese [kəmpjù:tərí:z, -s] *n.* 컴퓨터 (전문) 용어 ; 컴퓨터 기술자의 전문 용어, (컴퓨터의) 프로그램 언어, 기계어.

compúter flùency *n.* 컴퓨터를 자유로이 사용할 수 있음.

compúter gràphics *n.* 전산 그림, 컴퓨터 그래픽스《컴퓨터에 의한 도형 처리》.

compùter·hól·ic *n.* 《口》 =COMPUTERNIK.

compúter illìterate *n.* 컴퓨터 사용에 익숙지 않은 사람, 「컴맹」.

compúter·ìte *n.* =COMPUTERNIK.

compúter·ìze *vt.* 컴퓨터로 처리[관리 · 자동화]하다 ; (정보를) 컴퓨터에 기억시키다 ; (어떤 과정을) 전산화하다. ── *vi.* 컴퓨터를 도입[사용]하다. **compùter·izátion** *n.*

com·pút·er·ìzed áxial tomógraphy *n.* 컴퓨터에 의한 X선 체축(體軸) 단층 촬영《略 CAT》.

compúter jùnkie *n.* 《美俗》 컴퓨터광(狂).

compúter lànguage *n.* 전산기 언어, 컴퓨터 언어.

compúter·lìke *a.* 컴퓨터 같은.

compúter lìteracy *n.* 컴퓨터 언어의 이해 능력, 컴퓨터 사용 능력.

compúter-líterate *a.* 컴퓨터를 사용할 수 있는, 컴퓨터 사용 능력이 있는.

compúter·man [-mən] *n.* 컴퓨터 전문가.

compúter mòdel *n.* 컴퓨터 모델《시스템 · 프로젝트 따위를 묘사한 것으로 그것 자체를 응용한 것이 어떤 결과를 초래할 것인지를 미리 앎》.

compúter nèrd *n.* 컴퓨터광(狂).

compúter nètwork *n.* 〔컴퓨〕 컴퓨터 네트워크, 계산기망《두 대 이상의 계산기를 통신 회선으로 결합하여 서로 이용하는 형태》.

compúter·nìk *n.* 《口》 컴퓨터 전문가 ; 컴퓨터에 관심을 가진 사람, 컴퓨터화 추진자.

compúter·phòbe *n.* 컴퓨터 공포증의[컴퓨터를 싫어하는] 사람.

compúter·phòne *n.* 컴퓨터폰《컴퓨터와 전화를 합친 새로운 통신 시스템》.

compúter revolùtion *n.* 컴퓨터 혁명(革命)《컴퓨터의 발전에 의한 정보 혁명을 중심으로 한 사회 혁명》.

compúter·scàm *n.* (컴퓨터에 관한 정보를 입수하려는) 스파이 (행위).

compúter scìence *n.* 컴퓨터 과학《컴퓨터 설계 · 자료 처리 따위를 다루는 과학》.

compúter scìentist *n.* computer science의 특정 분야의 전문가.

compúter scrèen *n.* 컴퓨터 스크린《컴퓨터로부터의 출력을 나타내는 장치의 화면》.

compúter secùrity *n.* 컴퓨터 보안《컴퓨터를 우연한[악의 있는] 고장 · 파괴 · 범죄 따위로부터 방지하기 위한 보안 대책[조치]》.

compúter·spèak *n.* 컴퓨터어, 컴퓨터 언어.

compúter tỳpesetting *n.* 〔印〕 전산[컴퓨터] 사식(寫植) (automatic typesetting).

com·pút·e·ry *n.* Ⓤ [집합적으로] 컴퓨터(시설) ; 컴퓨터 사용[기술 · 조작].

com·pu·tis·ti·cal [kàmpjətístikəl] *a.* 컴퓨터 집계의 ; 컴퓨터로 통계 처리한.

com·pu·toc·ra·cy [kàmpjutákrəsi] *n.* Ⓤ 컴퓨터 중심의 정치[사회].

com·pu·to·pia [kàmpjutóupiə] *n.* 컴퓨토피아《컴퓨터 발달로 실현되리라는 미래의 이상적 사회》. 〖*compu*ter+u*topia*〗

com·pu·to·po·lis [kàmpju:tápəlis] *n.* 컴퓨터 도

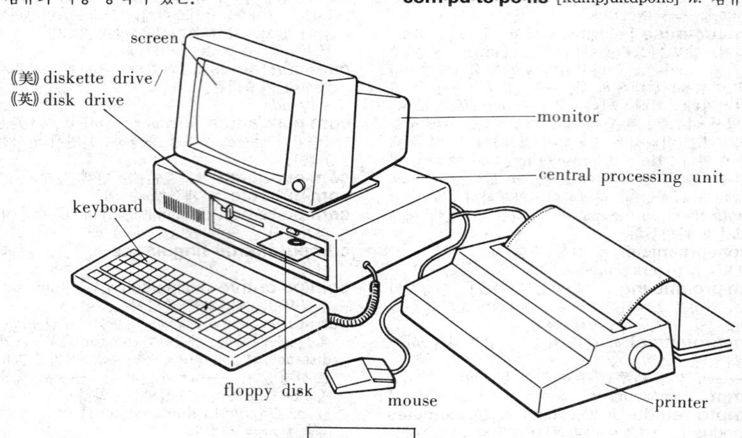

computer

시《컴퓨터 기술로 고도의 정보 기능을 갖는 미래 도시》.

com·pu·tron [kámpjətràn] *n.* 《美俗》 계산 소립자《계산성[정보성]이 있다는 상상의 소립자》.

Comr. Commissioner.

***com·rade** [kámrəd, 美+-ræd, 英+-reid] *n.* 동료, 동지, 친구, 벗, 전우 ; 같은 조합[당파]의 사람 ; [C~] 《口》 공산당원 : ~*s* in arms 전우들. **~·ly** *a.* 동지의[에 걸맞는]. **~·shìp** *n.* 동지로서의 교제, 동료 관계, 우애, 우정 : a sense of ~*ship* 동료의식. 《C16-17 *camrade, camerade*<F<Sp.=roommate ; ⇨ CHAMBER》 類義語 ⟹ COMPANION.

coms [kámz] *n. pl.* 《英口》 =COMBINATION 2.

Com·sat [kámsæt] *n.* 콤샛《미국 통신위성 회사 ; 상표명》; [c~] 콤샛《대륙간 통신 위성》. 《*com*munications *sat*ellite》

COMSEC [kámsèk] *n.* 〖軍〗 통신 보안. 《*com*munication *sec*urity》

Com·so·mol [kámsəmal ; kɔ́msəmɔl] *n.* (구소련의) 청년 공산당.

Com·stock·ery [kámstakəri, kʌ́m-] *n.* [때때로 c~] 풍속을 문란시키는 문학·미술의 철저한 단속. 《Anthony *Comstock* (d. 1915) 미국의 광신적 사회 개혁자》

Com·symp [kámsimp] *n.* 《美口》 공산당 동조자 ; 여행의 길동무. 《*Com*munist+*symp*athizer》

comte [kɔ́:nt] *n.* 백작(伯爵) (count). 《F》

Comte [*F* kɔ̃:t] *n.* 콩트. **Auguste** ~ (1798-1857) 프랑스의 철학자·사회학자.

Comt·ian, -ean [kɔ̃:ntiən, 美+kámptiən] *a.* 콩트의, 콩트 철학의.

Cómt·ism *n.* 실증(實證) 철학(positivism). **-ist** *n.* 실증 철학주의자.

COMTRAC computer-aided traffic control (system) 《컴퓨터가 인간과 대화하면서 열차의 운행을 제어하는 시스템》.

Co·mus [kóuməs] *n.* 〖그·로神〗 코머스《주연·환락을 관장하는 젊은 신》. 《L<Gk. =revel》

con[1] [kán] *adv.* 반대하여 : pro and ~ ☞ PRO[2]. —— *a.* 반대의. —— [kan] *prep.* …에 반대하여. —— *n.* 반대, 반대론(자), 반대투표(자) : the pros and ~*s* ☞ PRO[2]. 《*contra* ; cf. PRO[2]》

con[2] *vt.* (-nn-) 정독하다, 상세히 조사하다 ; 암기하다 ; 숙고하다. 《CAN[1] to come to know》

con[3] *n., vt.* (-nn-) 〖海·空〗 =CONN.

con[4] *a.* 《俗》 사기의, 협잡의 : a ~ game=CONFIDENCE GAME / a ~ man 사기[협잡]꾼. —— *vt.* (-nn-) 속이다. —— *n.* (돈의) 유용, 도용, 횡령 ; 신용사기 ; 사기 ; 사기꾼. 《*con*fidence》

con[5] *n.* 《美俗》 죄수, 전과자, 범죄자 ; 불량.

con[6] *n.* 《俗》 폐결핵. 《*con*sumption》

con[7] [kan] *prep.* 〖樂〗 …을 가지고 〈*with*〉. 《It.》

con. concerto ; conclusion ; connection ; consolidated ; *contra* 《L》 (=against) ; conversation.

Con. Conformist ; Consul.

con- [kən, kan] ☞ COM-.

CONAD [kánæd] *n.* 〖美軍〗 미국 본토 방공군 《육·해·공 3군의 통합군 ; 1975년 폐지》. 《*Con*tinental *A*ir *D*efense》

Con·a·kry, Kon- [kánəkrì: ; *F* kɔnakri] *n.* 코나크리《Guinea의 수도》.

con amo·re [kàn əmɔ́:ri, -rei] *adv.* 애정을 갖고, 상냥하게 ; 열심히, 마음속에서 ; 〖樂〗 애정을 담아서, 부드럽게 (tenderly). 《It. =with love》

cón àrtist *n.* 《美俗》 사기꾼 ; 똑똑한 아이.

co·na·tion [kounéiʃən] *n.* 〖心〗 능동, 의욕.

con brio [kan brí:ou] *adv.* 〖樂〗 활발[쾌활]히, 생기 있게. 《It. =with energy》

conc. concentrate ; concentrated ; concentration ; concerning ; concrete.

con·cat·e·nate [kankǽtənèit, kən-] *vt.* 쇠사슬 모양으로 잇다 ; (사건 따위를) 연결시키다. —— [-nət, -nèit] *a.* 이어진, 연결된. 《L (*catena* chain)》

con·càt·e·ná·tion *n.* U,C 연쇄 ; C (사건 따위의) 연결, 연속, 연루.

con·cave [kankéiv, ∸-] *a.* 오목면의, 요면(凹面)(형)의, 가운데가 오목한, 움푹 들어간(↔ *convex*) : a ~ lens[mirror] 오목 렌즈[요면경(凹面鏡)]. —— [∸-] *n.* 요면(凹面) : the spherical ~ 《詩》 창공. —— *v.* [-∸, ∸-] *vt.* 움푹 들어가게 하다. —— *vi.* 움푹 패다. 《L ; ⇨ CAVE[1]》

con·cav·i·ty [kankǽvəti] *n.* 요면 ; 움푹 들어간 곳, 함몰부(陷沒部) ; U 오목한 상태.

con·cá·vo-concáve [kankéivou-] *a.* =BICONCAVE.

concávo-convéx *a.* 한면이 오목하고 다른 한면은 볼록한, 요철(凹凸)의.

con·ceal** [kənsí:l] *vt.* [+目 / +目+前+名] 숨기다 ; 비밀로 하다(↔*reveal*) : The tree ~*ed* her ***from view. 나무에 가려 그녀의 모습은 보이지 않았다 / He ~*ed* himself ***in*** a cave. 그는 동굴에 잠복했다. 《OF<L (*celo* to hide)》 類義語 ⟹ HIDE[1].

concéal·ment *n.* U 은폐, 은닉 ; 잠복 ; C 숨는 장소 : be in ~ 숨어 있다.

con·cede** [kənsí:d] *vt.* **1** [+目 / +目+*to*+名 / +*that* 節 / +目+*to* do] 양보하다, 용인하다 (yield) ; 승인하다, 인정하다(admit) : He ~*d* the point ***to us[***in*** the debate]. 그는 우리에게[토론에서] 그 점을 인정했다 / Everyone ~*s* *that* lying is wrong. 거짓말을 하는 것이 나쁘다는 것은 누구나가 인정하는 바다 / This is generally ~*d to be* the best edition of the work. 이 판은 저작(著作)의 최우수판으로 일반에게 인정되고 있다. **2** [+目 / +目+*to*+名 / +目+目] (권리·특권 따위를) 부여하다(grant) : Many privileges have been ~*d* ***to*** foreign residents. 외국인 거주자에게는 많은 특전이 부여되고 있다 / He ~*d* us the right to walk through his garden. 우리들에게 그의 정원을 지나갈 권리를 주었다. **3** 《俗》 (시합에) 지다(lose). —— *vi.* 양보하다 ; (경기·선거 따위에서) 패배를 인정하다. 《F or L *con*CEDE》

con·céd·ed·ly *adv.* 《美》 명백하게.

***con·ceit** [kənsí:t] *n.* **1** U 자부심, 자만(심) (↔ *humility*) ; 독단, 개인적인 소견, 사견(私見) : be full of ~ 자만심이 강하다 / She is wise in her own ~. 그 여자는 스스로가 영리하다고 생각하고 있다. **2** 즉흥적인 생각, 기상(奇想) (fanciful notion) ; 변덕스러움(whim).

out of conceit with …에 싫증이 나서.

—— *vt.* 《古》 상상하다(imagine), 생각하다.

—— *vi.* 《方》 생각하다.

《*deceive* : *deceit* 따위의 유추로 CONCEIVE에서》 類義語 ⟹ PRIDE.

concéit·ed *a.* 자만심이 강한, 잘난 체하는 ; 우쭐대는. **~·ly** *adv.* 잘난 체하여.

con·cèiv·abíl·i·ty *n.* 생각할 수 있음, 상상할 수

있음 ; 논리적 가능성.

con·céiv·able *a.* 생각되는, 상상할 수 있는 (possible) : by every ~ means 생각되는 모든 수단으로 / It is the best ~. 그 이상의 것은 생각할 수 없다. **-ably** *adv.* 생각할 수 있는 한, 상상으로는, 혹시나, 아마도(possibly).

con·ceive** [kənsíːv] *vt.* **1 a)** [+*that* 節 / +*wh.* 節 / +目+*to* do] 상상하다(imagine) ; …이라 생각하다(think) : I ~*d that* there must be some difficulties. 무언가 성가신 일이 있음에 틀림없다고 생각했다 / I cannot ~ *how* he made this mistake. 그가 어째서 이런 잘못을 저질렀는지 이해할 수 없다 / Whatever may occur, do what you ~ *to be* your duty. 어떤 일이 일어나더라도 자기의 의무라고 생각하는 바를 행하시오. **b)** (생각·의견·원한 따위를) 품다(entertain), (계획 따위를) 착안(着眼)하다(devise) : He ~*d* love [hatred] for her. 그는 그 여자를 사랑[미워]하게 되었다. **2** [보통 수동태로] 말로 표현하다 : The letter *was* ~*d* in plain terms. 그 편지는 쉬운 말로 쓰여져 있었다. **3** (아이를) 배다. **4** 이해하다. —— *vi.* **1** [+*of*+名] 상상하다 ; 이해하다 : I cannot ~ ***of your allow*ing* a girl to go so far alone. 여자애를 혼자 그렇게 먼 데까지 가게 하다니 이해할 수 없소. **2** 임신하다.
〖OF<L *concept-* *concipio* (*capio* to take)〗

con·célebrant *n.* (미사의) 공동 집행자.

con·célebrate *vt., vi.* 공동 집행자로서 (미사에) 참가하다.

con·celebrátion *n.* (미사의) 공동 집행.

con·cent [kənsént] *n.* 《古》 **1** (소리·음성의) 일치, 조화. **2** 협조.

con·cen·ter [kənséntər, kɑn-] *vt., vi.* 한 점에 모으다[모이다], 집중하다. 〖F (*con-*, CENTER)〗

con·cen·trate** [kánsəntrèit, -sen-] *vt.* **1** [+目 / +目+*on*+名] 한 점에 쏟다[모으다], 집중하다(focus) : You must ~ your attention ***on what you are reading. 읽고 있는 것에 주의를 집중시키지 않으면 안된다. **2** 〖化〗 응집[응축·농축]하다(condense) ; (광석을) 선광하다. —— *vi.* **1** 한 점에 모이다, 집중하다. **2** [+*on*+名] 전력을 기울이다, 전념하다, 열중하다 : ~ ***upon*** a problem 문제에 전력을 기울이다 / ~ ***on*** one's new task 새로운 일에 전념하다. —— *a.* =CONCENTRATED. —— *n.* 농축물, 농축액 ; 〖冶〗 정광(精鑛) ; 농후사료. 〖↑〗

cón·cen·tràt·ed *a.* **1** 집중한 : ~ fire 집중 포화 / ~ hate (응집된) 격렬한 증오. **2** 〖化〗 응집[응축·농축]한 : ~ milk 농축 우유.

***con·cen·tra·tion** [kɑ̀nsəntréiʃən, -sen-] *n.* **1** U,C 집중〈*of*〉. **2** U 한 마음으로 집중하기, 전념(absorption). **3** U 〖化〗 농축, (액체의) 농도.

concentrátion càmp *n.* 〖軍〗 강제 수용소.

cón·cen·trà·tive *a.* 집중적인, 전념하는.

cón·cen·trà·tor *n.* 집중시키는 것[장치] ; 농축기[장치] ; 선광기(選鑛機) ; (탄약통의) 발화 집중 장치.

concentre ☞ CONCENTER.

con·cen·tric, -tri·cal [kənséntrik(əl), kɑn-] *a.* 〖數〗 같은 중심의(↔*eccentric*)〈*with*〉; 집중적인 : ~ circles 동심원(同心圓).
-tri·cal·ly *adv.* 같은 중심[집중적]으로.
〖OF or L ; ⇨ CENTER〗

con·cen·tric·i·ty [kɑ̀nsentrísəti] *n.* 중심이 같음 ; 집중(성).

con·cept [kánsept] *n.* 〖哲〗 개념 ; 생각 ; 구상, 발상 : the ~ 'horse' 「말」이라는 개념 / ~ formation 개념형성.
〖L ; ⇨ CONCEIVE〗
類義語 ⟹ IDEA.

con·cep·tion** [kənsépʃən] *n.* **1** U 개념작용(cf. PERCEPTION) ; [+前+*wh.* 節] 개념, 생각(concept), 사고(思考) (idea) : They should have a clear ~ ***of their duties as citizens. 그들은 시민으로서의 의무를 분명히 알아두어야 할 것이다 / I have no ~ *of what* it is like. 그것이 어떤 것인지 전혀 알 수 없다. **2** 구상, 착상, 창안, 고안 (plan). **3** U 임신, 수태(受胎), 회임.
類義語 ⟹ IDEA.

concéption contròl *n.* 수태 조절, 피임.

con·cep·tive [kənséptiv] *a.* 개념 작용의, 생각할 수 있는 ; 임신할 수 있는.

con·cep·tu·al [kənséptʃuəl] *a.* 개념의 ; 개념 예술의. **~·ly** *adv.*

concéptual árt *n.* 개념 예술《예술가의 제작 이념·과정을 중시함》.

concéptual ártist *n.* 개념 예술가.

concéptual fúrniture *n.* 건축가가 디자인한 가구(家具).

concéptual·ìsm *n.* 〖哲〗 개념론.

concéptual·ist *n.* 개념론자 ; =CONCEPTUAL ARTIST.

concèptual·izátion *n.* 개념화.

concéptual·ìze *vt.* …을 개념화하다.

cóncept vìdeo *n.* 콘셉트 비디오《음악과 그 이미지를 전달하는 영상을 조화시킨 비디오》.

‡con·cern [kənsə́ːrn] *vt.* **1** [+目 / +目+前+名] [때때로 수동태 또는 ~ one*self* 로] …에 관계하다 (relate to), …에 관여하다, …의 이해에 관계하다(affect) : Attend to what ~*s* you. 자기의 일에 유의하라 / Modern history *is* ~*ed* ***with*** the future as well as *with* the past. 근대사는 과거뿐만 아니라 미래도 다룬다 / We *are* all ~*ed with* the facts of everyday life. 우리들은 모두 일상생활의 사실에 관심을 가진다 / I shall not ~ my*self with* his affairs. 그의 일에 관여하지 않겠다 / He *is* ~*ed* ***in*** the real estate business. 부동산 중개업에 관계하고 있다. **2 a)** [보통 수동태 또는 ~ one*self* 로] [+目 / +目+前+名] 걱정시키다, 염려하게 하다 : He *is* very much ~*ed* ***about*** the future of this country. 그는 이 나라의 장래를 매우 염려하고 있다 / You must not ~ your*self about* me. 저의 일로 걱정을 하셔서는 안됩니다 / We *were* ~*ed* ***for*** him when we heard of the accident. 사고 소식을 듣고 우리는 그의 안부를 염려했다 / Everyone *was* ~*ed* ***at*** the news. 그 뉴스에 누구나 불안을 느꼈다. **b)** [+目+*to* do] …에 흥미를 느끼게 하다, (…하고 싶다고) 바라게 하다 : I *am* only ~*ed to* see the back of them. 단지 저 패거리들이 떠나갔으면 하고 바랄 뿐이다.

as concerns …에 관하여서는(concerning).

so [***as***] ***far as*** he [híː] ***is concerned*** 그에 관한한(cf. *as* [*so*] *far as it* GOes).

To whom it may concern. 관계 당사자 귀하《증명서 따위의 일반적인 수신자 앞으로 쓰임》.

〈회화〉
What are they arguing about? — I don't know. It doesn't *concern* me. 「그들은 무엇을 의논하고 있니」「몰라. 나하고는 상관없어」

—— *n.* **1** 관계(relation) ; 이해관계(interest) : I have a ~ *in* the business. 그 사업에 이해관계가 있다[공동 투자자다] / They have no ~ *with*

the dispute. 분쟁과는 아무런 관계도 없다. **2** Ⓤ [또는 a ~] [+*to* do] 관심, 염려, 걱정 (anxiety) : You need feel no ~ ***about*** the matter. 그 일에 대해서는 아무런 걱정을 안해도 된다 / She has deep ~ ***for*** her husband's safety. 남편이 무사하기를 간절히 바라고 있다 / Miss Jane showed great ~ ***in*** her pupils' health. 제인 선생님은 학생들의 건강에 매우 마음을 쓰셨다 / Everyone has a self-centered ~ *to* preserve himself. 누구든지 자신을 보호하려는 자기 중심적인 기질이 있다 / with[without] ~ 걱정하여[하지 않고]. **3** [때때로 *pl.*] 관심사, 사건, 용건 : It is no ~ of mine. 내가 알 바 아니다 / Mind your own ~*s.* 남의 일에 참견하지 마라. **4** Ⓤ 중요성 (importance) : a matter *of* some[utmost] ~ 다소[극히] 중요한 사건. **5** 영업, 사업 (enterprise) ; 회사(firm), 재단(財團), 콘체른 : a going ~ ☞ GOING *a.* 1 / a paying ~ 수지가 맞는 장사. **6** 《口》 (막연하게) 일, 것 : worldly ~*s* 세속적인 일 / The house is a rickety old ~. 그 집은 금방이라도 쓰러질 듯한 낡은 집이다 / The war smashed the whole ~. 전쟁은 모든 것을 망쳐버렸다.
〖F or L (*cerno* to sift, discern)〗
類義語 ⟹ CARE.

con·cérned *a.* **1** 걱정[근심]스러운(anxious) : with a ~ air 걱정스러운 태도로. **2** [후치] 관계하는 : the authorities[parties] ~ 당국[관계]자.

con·cérn·ed·ly [-ədli] *adv.* 걱정[염려]하여.

***con·cern·ing** [kənsə́ːrniŋ] *prep.* …에 대[관]하여 (about) : ~ the matter 그 일에 관하여.
—— *a.* 걱정을 끼치는.

concérn·ment *n.* 《文語》 **1** Ⓤ 중대(함), 중요성 (importance) : a matter of vital ~ 극히 중대한 일. **2** Ⓤ 걱정, 우려(anxiety) 〈*about* a matter, *for* one's welfare〉. **3** Ⓤ 관계, 관여〈*with*〉. **4** 관계하고 있는 일, 업무.

‡con·cert [kánsə(ː)rt] *n.* **1** 음악회, 콘서트, 연주회(cf. RECITAL) ; 합주(合奏) ; 음악적 조화 ; 〖樂〗 협화음(協和音). **2** Ⓤ 협조, 협약, 제휴. ***in concert*** 일제히(all together) ; 제휴[협력]하여〈*with*〉.

〈회화〉
How was the *concert* ? — Well, it was so-so.
「콘서트는 어땠니」「응, 그저 그랬어」

—— *a.* 콘서트용의.
—— [kənsə́ːrt] *vt.* 협조[협정]하다. —— *vi.* 협조하다〈*with*〉.
〖F<It. (*concertare* to harmonize< ?)〗

con·cer·tante [kànsərtáːnti] *n.* (*pl.* **-tan·ti** [-tiː]) 〖樂〗 콘체르탄테《복수의 솔로 악기와 오케스트라가 합주하는 18세기의 교향곡》. —— *a.* 협주곡 형식의, 솔로 악기 연주자에게 고도의 기교를 발휘시키는《악장(樂章)》.
〖It.〗

con·cer·ta·tion [kànsərtéiʃən ; *F* kɔ̃sertasjɔ̃] *n.* 〖프政〗 (이해가 서로 다른 당파 사이의) 협조, 공동 보조.

concért·ed *a.* **1** 협정된, 타협을 본 : take ~ action 일치된 행동을 하다. **2** 〖樂〗 합창[합주]용으로 편곡된.

cóncert·gò·er *n.* 음악회에 자주 가는 사람, 음악 애호가.

cóncert gránd *n.* (연주회용의) 대형 그랜드 피아노.

cóncert hàll *n.* 연주회장, 음악당, 콘서트 홀.

con·cer·ti·na [kànsərtíːnə] *n.* 〖樂〗 콘서티나《6각형(形)의 아코디언 비슷한 악기》.
—— *vt., vi.* 콘서티나 처럼 접다.
〖*-ina*〗

concertina

con·cer·ti·no [kàntʃərtíːnou] *n.* (*pl.* **~s**, **-ti·ni** [-tíːniː]) 〖樂〗 **1** 소(小)협주곡, 콘체르티노. **2** (합주 협주곡의) 독주 악기군(群). 〖It.〗

cóncert·ìze *vi.* 연주회를 열다 ; 연주 여행을 하다.

cóncert·màster, -meis·ter [-màistər] *n.* 〖樂〗(오케스트라의) 수석 연주자, 콘서트 마스터《수석 바이올리니스트로 지휘자의 차석(次席)》.

con·cer·to [kəntʃéərtou] *n.* (*pl.* **-ti** [-tiː], **~s**) 〖樂〗 협주곡, 콘체르토. 〖It. ; ⇨ CONCERT〗

concérto grós·so [-gróusou] *n.* (*pl.* **concérti grós·si** [-gróusi]) 〖樂〗 합주 협주곡, 콘체르토 그로소. 〖It. =big concerto〗

cóncert òverture *n.* 〖樂〗 연주회용 서곡.

cóncert pìtch *n.* Ⓤ **1** 〖樂〗 연주회용 절대 음높이. **2** 《비유》 보통 때보다 더 박차를 가하기[긴장하기] : at ~ 매우 긴장하여.

cóncert rèading *n.* 일제히 낭독(함).

cóncert tòur *n.* 연주 여행.

cóncert wòrk *n.* 일제 작업.

con·ces·sion [kənséʃən] *n.* **1** Ⓤ,Ⓒ 양보, 양여(讓與)(yielding) : make a ~ *to* …에게 양보하다. **2** 양여된 것, (정부로부터 얻는) 면허, 특허, 이권, (공적으로 인정된) 특권(right) : an oil ~ 석유 채굴권. **3** 거류지, 조차지(租借地), 조계(租界). **4** 《美》 매점을 낼 수 있도록 허가된 장소, 매점(賣店). 〖F or L ; ⇨ CONCEDE〗

con·ces·sion·aire [kənsèʃənéər, -nǽər] *n.* (권리의) 양수인(讓受人) ; 특허권 소유자. 〖F〗

concéssion·àry [; -əri] *a.* 양보[양여]의.
—— *n.* =CONCESSIONAIRE.

con·ces·sive [kənsésiv] *a.* 양여의, 양보적인 ; 〖文法〗 양보를 나타내는 : a ~ conjunction 양보접속사 / a ~ clause 양보절. **~·ly** *adv.*

conch [káŋk, kántʃ, kɔ́(ː)nk] *n.* (*pl.* **~s** [-ŋks], **~·es** [-ntʃəz]) **1** 수정고둥 따위의 소라고둥 ; 《詩》 조개(shellfish), 조가비, 조개껍데기. **2** 〖그神〗 Triton의 소라고둥 ; (일반적으로) 소라고둥 《나팔로 씀》. 〖CONCHA〗

conch- [káŋ, kán, kɔ́(ː)ŋ], **con·cho-** [káŋkou, kán-, kɔ́(ː)ŋ-, -kə] *comb. form* 「조개(shell)」의 뜻. 〖Gk.〗

con·cha [káŋkə] *n.* (*pl.* **-chae** [-kiː, -kai]) 〖解〗 귓바퀴, 외이(外耳). **cón·chal** *a.*
〖L=shell<Gk. =mussel etc.〗

con·chie, -chy [kántʃi], **con·shy, -shi** [kánʃi] *n.* 《英俗》 양심적 병역기피자《conscientious objector의 단축형》.

conch·if·er·ous [kaŋkífərəs] *a.* 〖動〗 조가비를 가진 ; 〖地質〗 조가비가 나는[를 함유한].

Con·chi·ta [kantʃíːtə ; kən-] *n.* 여자 이름.

con·chi·tis [kaŋkáitis ; kəŋ-] *n.* 〖醫〗 외이염.

con·choid [káŋkɔid, kán-] *n.* 〖數〗 나사선(螺絲線), 콘코이드.

con·choi·dal [kaŋkɔ́idl, kan-] *a.* 〖地質·鑛〗 조가비 모양의. **~·ly** *adv.*

con·chol·o·gy [kaŋkálədʒi] *n.* 패각학 ; 패류학. **-gist** *n.* 패류학자 ; 조가비 수집가.

conchy ☞ CONCHIE.

con·cierge [kansiéərʒ ; *F* kɔ̃sjɛrʒ] *n.* (*pl.* **~s**

[-ʒ(əz) ; *F*—]) **1** 수위(doorkeeper). **2** (아파트·하숙의) 대리 관리인, 관리인(=《美》 superintendent). 〖F<Rom. =fellow slave〗

con·cil·i·a·ble [kənsíliəbəl] *a.* 달랠[회유할] 수 있는, 화해[조정]할 수 있는.

con·cil·i·ate [kənsílièit] *vt.* **1** (남을) 달래다, (남의) 환심을 사다, (반대자를) 회유하다(win over) : Mrs. Green ~*d* her cook with a present. 그린 부인은 선물을 주어 요리사를 달랬다. **2** (남의 존경·호의를) 얻다. **3** (논쟁 따위를) 화해시키다, 조정하다(reconcile).
〖L=to combine, gain ; ⇨ COUNCIL〗

con·cil·i·a·tion [kənsiliéiʃən] *n.* **1** Ⓤ 달래기, 위로하기 ; 회유. **2** Ⓤ 화해, 조정 : a court of ~ =a ~ court 조정 재판소.

con·cil·i·a·tive [kənsílièitiv ; -ətiv] *a.* = CONCILIATORY.

con·cíl·i·à·tor *n.* 조정자.

con·cil·i·a·to·ry [kənsíliətɔ̀:ri ; -təri] *a.* 달래는 (것 같은) ; 회유적인.

con·cin·ni·ty [kənsínəti] *n.* (문체 따위의) 우아함, 우미, 아취(雅趣).

con·cise [kənsáis] *a.* (때때로 **-cís·er** ; **-cís·est**) 간결한, 간추린, 간명한.
~·ly *adv.* **~·ness** *n.* 〖F or L *concis- concido* to cut up (*caedo* to cut)〗

con·ci·sion [kənsíʒən] *n.* **1** Ⓤ 간결, 간명(簡明) : with ~ 간결하게. **2** Ⓤ 《古》 절단, 분열.

con·clave [kánkleiv] *n.* **1** 추기경(樞機卿)(cardinals)의 교황선거회(의 회장). **2** 비밀 회의.
in conclave 비밀 회의 중인[에].
〖OF<L=lockable room (*clavis* key)〗

con·clude** [kənklú:d] *vt.* **1** [+目 / +目+前+名] 끝내다, …에 결말을 내다(finish) : *C*~*d.* (연재물 따위의) 이번 회[호]로 완결 / To be ~*d.*(연재물 따위에서의) 다음회 완결 / He ~*d* his speech ***by say*ing* …이라고 말하며 연설을 끝냈다 / I will ~ my remarks ***with*** a plea addressed to your president. 의장에게 한 가지 청원을 하고 제 이야기를 마치렵니다. **2** (조약 따위를) 맺다, 체결하다(settle) : ~ (a) peace 강화조약을 체결하다. **3** [+目 / +前+名 / +*that* 節 / +目+*to* do] …이라고 결론을 내리다, 추단(推斷)하다 : We might ~ it ***from*** the premises. 그 전제로부터 이와 같은 결론을 내릴 수가 있겠다 / I ~*d that* the animal was dead as it did not move. 그 동물은 움직이지 않았으므로 죽은 것으로 추정했다 / We ~*d* the animal *to be* a deer. 그 동물을 사슴이라고 단정했다. **4** 《주로 美》 [+*to* do] 결정[결심]하다(resolve) : He ~*d* not *to* come. 그는 오지 않기로 결정했다. —— *vi.* [動 / +前+名] **1** (…으로써) 이야기를 끝맺다(end) : He ~*d* ***by*** quot*ing* a passage from Goethe. 괴테의 말에서 한 절을 인용하곤 이야기를 마쳤다. **2** (글·이야기·회의 따위가) 끝나다 : The letter ~*d* as follows. 편지는 다음과 같은 말로 끝을 맺고 있었다 / The film ~*s* ***with*** a happy ending. 영화는 해피엔딩으로 끝을 맺고 있다. **3** 결론을 내다 ; 합의에 도달하다.
to conclude 결론으로 말한다면.
〖L *conclus- concludo* ; ⇨ CLOSE²〗
類義語 (1) ⟹ END. (2) ⟹ DECIDE. (3) ⟹ INFER.

con·clúd·ing *a.* 최종적인 ; 종결의, 끝맺는 : ~ remarks 끝맺는 말.

***con·clu·sion** [kənklú:ʒən] *n.* **1** U.C 종결, 끝맺음 ; 종국〈*of*〉 : come to a (happy) ~ (순조롭게) 끝나다 / bring ... to a ~ …을 끝내다(finish). **2** U.C [+*that* 節] 추단(推斷) ; 〖論〗 (삼단논법의) 결론, 단안 ; 판정, 결정 : draw a ~ from evidence 증거로써 추단하다 / ☞ FOREGONE CONCLUSION / After reading her letter, I came to the ~ *that* she was a very intelligent person. 그녀의 편지를 읽어 본 후 그녀가 매우 총명한 사람이라는 결론을 내렸다. **3** U.C (조약(條約)의) 체결 〈*of*〉.
in conclusion 끝냄에 있어서, 결론적으로.
try conclusions with …와 결전을 시도하다, 우열을 겨루다.
〖OF or L (CONCLUDE)〗

con·clu·sive [kənklú:siv, 美+-ziv] *a.* 결정적인, 단호한 : a ~ answer 최종적인 회답 / ~ evidence [proof] 확증. **~·ly** *adv.* 결정적으로, 단호히.

con·coct [kənkákt, 美+kan-] *vt.* **1** (수프·음료수 따위를) 섞어서 만들다. **2** (이야기 따위를) 만들어 내다, 조작하다 ; (계획·음모 따위를) 꾸미다(make up), 기도하다. **~·er**, **-cóc·tor** *n.* **con·cóc·tive** *a.* 조합(組合)한, 꾸며낸 ; 음모의. 〖L (*coct- coquo* to cook, boil)〗

con·coc·tion [kənkákʃən, 美+kan-] *n.* **1** Ⓤ 조합, 혼성 ; Ⓒ 조제물(調製物), 수프(broth), 혼합음료, 조합[조제]약. **2** 구성 ; 책략, 음모, 책모(策謀) (scheme), 날조, 꾸며낸 이야기, 조작해낸 일(fiction).

con·col·or·ous [kankʌ́lərəs, kən-] *a.* 단색[같은 색]의.

con·com·i·tance, -cy [kənkámətəns(i), kan-] *n.* Ⓤ 부수, 수반 ; =CONCOMITANT.

con·cóm·i·tant *a.* 상반(相伴)하는, 수반하는, 부수된, 동시에 생기는(concurrent) 〈*with*〉.
—— *n.* 부수물 ; [보통 *pl.*] 부수된 사정.
~·ly *adv.* 부수하여, 부수적으로.
〖L (*comit- comes* companion)〗

con·cord [kánkɔ:rd, káŋ-] *n.* **1** Ⓤ (의견·이해 따위의) 일치(agreement), (사물간의) 조화, 화합(harmony) (↔*discord*) : in ~ with …와 조화[일치·화합]하여 ; …에 따라서. **2** Ⓤ (국제간의) 협조 ; Ⓒ 친선 협약. **3** Ⓤ 〖樂〗 어울림음, 화현(和絃) (↔*discord*). **4** Ⓤ 〖文法〗 (수·성(性)·인칭 따위의) 일치, 호응.
—— [kənkɔ́:rd] *vt.* 일치[조화]시키다.
〖OF<L=of one mind (*cord- cor* heart)〗

Con·cord [káŋkərd] *n.* 콩코드. **1** 미국 New Hampshire 주의 주도. **2** 미국 Massachusetts 주 동부의 도시 ; 독립전쟁의 옛 싸움터.

con·cor·dance [kənkɔ́:rdəns, 美+kan-] *n.* **1** Ⓤ 일치, 동의 : in ~ *with* …에 따라서. **2** (성서·시집 따위의) 용어 색인, 콘코던스〈*to*〉.

con·cór·dant *a.* 조화된(harmonious)〈*with*〉.
~·ly *adv.* 조화[화합]하여. 〖OF (L↓)〗

con·cor·dat [kankɔ́:rdæt, kən-] *n.* 협정, 협약 ; 〖宗史〗 (로마 교황과 각국 국왕·정부간의) 정교(政教) 조약.
〖OF or L CON*cordat- -cordo* to agree〗

Con·corde [kankɔ́:rd] *n.* 콩코드《영국·프랑스 공동 개발의 초음속 제트 여객기》.

Con·cor·dia [kənkɔ́:rdiə, kəŋ-, kan-, kaŋ-] *n.* **1** 여자 이름. **2** 〖로神〗 조화와 평화의 여신.
〖L=harmony ; cf. CONCORD〗

con·cours d'e·le·gance [*F* kɔ̃ku:r delegɑ̃:s] *n.* 콩쿠르 델레강스《실용보다도 외관이나 장비를 겨루는 자동차 쇼》.

con·course [kánkɔ:rs, káŋ-] *n.* **1** (인마(人馬)·물질·분자·하천 따위의) 집합, 합류(점) ;

군중. **2** 《美》 (공원 · 도로의) (중앙) 광장 ; (역 · 공항 따위의) 중앙 홀.
〚OF＜L ; ⇨ CONCUR〛

con·cres·cence [kənkrésəns, kɑn-] *n.* Ⓤ 〔生〕 합생(合生), 유착(癒着).

***con·crete** [kɑ́nkri:t, 美+-́] *a.* **1** 구체적인 ; 구상의, 유형의(↔ *abstract*) : a ~ name[term] 〔論〕 구체(具體) 명사 / a ~ noun 〔文法〕 구상(具象) 명사(↔*abstract noun*). **2** 굳어진, 응결된, 고체의(solid) (cf. GASEOUS, LIQUID). **3** 콘크리트로 된. —— *n.* **1** Ⓤ 콘크리트. **2** 콘크리트 포장도로. **3** [the ~] 구체물 ; 구체 명사, 구상적 관념. **4** 결성체, 응결물.
in the concrete 구체적으로[인].
—— *vt.* **1** …에 콘크리트를 바르다, 콘크리트로 굳히다. **2** [kɑnkrí:t, kən-] 결성시키다, 응결시키다(solidify) ; 구상화하다. —— *vi.* [kɑnkrí:t, kən-] 굳어지다, 응결하다. **~·ness** *n.*
〚F or L *con-*(*cret- cresco* to grow)〛

cóncrete júngle *n.* 콘크리트 정글《인간을 소외시키는 도시》.

cón·crete·ly *adv.* 구체적으로.

cóncrete mìxer *n.* 콘크리트 믹서《시멘트 배합 장치를 적재한 트럭》.

cóncrete músic *n.* ＝MUSIQUE CONCRETE.

cóncrete númber *n.* 〔數〕 명수(名數)《*two* boys, *five* days 따위 ; 그냥 *two*, *five*는 abstract number》.

cóncrete póetry *n.* 구상시(具象詩)《문자 · 단어 · 기호를 회화적으로 배열한 전위시》.

con·cre·tion [kənkrí:ʃən, kɑn-] *n.* 응결 ; Ⓒ 응고물 ; 〔醫〕 결석(結石) ; 〔地質〕 콘크리션《퇴적물 중의 결핵체(結核體)》.

concrétion·àry [; -əri] *a.* 응고하여 생긴 ; 〔地質〕 콘크리션을 함유한.

con·cret·ism [kɑnkrí:tizəm, -́-̀-] *n.* 구체주의, (특히) concrete poetry의 이론[실천].
con·crét·ist *n.*

con·cre·tive [kɑnkrí:tiv] *a.* 응결성의, 응결력이 있는.

con·cret·ize [kɑ́nkri(:)tàiz, 美+kɑnkrí:taiz] *vt., vi.* 응고시키다[하다] ; 구체화하다.

con·cu·bi·nage [kɑnkjú:bənidʒ, kən-] *n.* Ⓤ 축첩(의 풍습), 내연 관계, 첩의 신분. 〚F〛

con·cu·bi·nary [kɑnkjú:bənèri, kən- ; -nəri] *a.* 첩[소실]의, 동거하는, 내연의. —— *n.* 결혼하지 않고 동거하는 사람.

con·cu·bine [kɑ́ŋkjəbàin, kɑ́n-] *n.* 첩, 내연의 처 ; 애인. 〚OF＜L (*cubo* to lie)〛

con·cu·pis·cence [kɑnkjú:pəsəns, kən-] *n.* Ⓤ 색욕, 욕정 ; 〔聖〕 현세욕.
〚OF＜L (*cupio* to desire)〛

con·cú·pis·cent *a.* 색욕이 강한, 음탕한(lustful) ; 탐욕적인.

con·cur [kənkə́:r, kɑn-] *vi.* (**-rr-**) **1** [動 / +前+名] 일치하다, 동의하다(agree) : I ~ ***with*** him ***in*** many points. 그와 여러가지 점에서 의견이 일치하고 있다 / The judges ~*red* ***in*** giv*ing* Bob the first prize. 심사원들은 보브를 일등 입상자로 하는데 의견을 같이했다. **2** [動 / +*to* do] 공동 작용하다, 협력하다(cooperate) : These circumstances ~*red* ***to*** make the boy what he is. 이러한 사정이 모두 작용하여 소년을 오늘과 같이 훌륭하게 만들었다. **3** 한 점에 집중하다, 동시에 일어나다.
〚L (*curro* to run)〛

con·cur·rence [kənkə́:rəns, kɑn- ; -kʌ́r-] *n.* **1** Ⓤ [또는 a ~] 동시에 발생[작용]하기, 병발(併發) ; 협력 : *a* ~ *of* events 사건의 동시 발생. **2** Ⓤ 일치, 동의 : ~ *in* opinion 의견의 일치. **3** Ⓤ 〔數〕 (선 · 면의) 집합.

con·cúr·rent *a.* **1** 동시(발생)의, 수반하는 : ~ insurance 동시 보험. **2** 공동으로 작용하는, 협력의. **3** 겸무의. **4** 일치의, 같은 의견의. **5** (선 · 군중 등이) 동일점에 집합하는. —— *n.* 병발 사정[사태]. **~·ly** *adv.* (…과) 동시에, 함께, 겸임하여〈*with*〉.

concúrrent resolútion *n.* 〔美議會〕 (상하 양원에서 채택된) 동일 결의《법적 효력은 없고 대통령의 서명도 필요하지 않음》.

con·cuss [kənkʌ́s] *vt.* [보통 비유적으로] 세게 흔들다, 격동시키다 ; 뇌진탕을 일으키게 하다 ; 《古》 협박하다.
〚L *con-*(*cuss- cutio*＝*quatio* to shake)〛

con·cus·sion [kənkʌ́ʃən] *n.* **1** Ⓤ,Ⓒ 진동, 격동, 충격(shock) : a ~ fuse 촉발 신관(觸發信管). **2** Ⓤ,Ⓒ 〔醫〕 진탕 : ~ of the brain 뇌진탕.

concússion grenàde *n.* 진탕 수류탄《폭발에 의한 살상이 아니라 맞혀서 기절시키는 것을 목적으로 함》.

con·cús·sive *a.* 충격을 주는 ; 진탕성(震盪性)의.

con·cýc·lic *a.* 〔數〕 (점이) 동일 원상에 있는.

con·demn** [kəndém] *vt.* **1** [+目 / +目+前+名] 비난하다, 나무라다(blame) ; 규탄[매도]하다 : Cruelty to animals should be ~*ed.* 동물 학대는 비난받아야만 한다 / Everyone ~*ed* the Premier ***for his speech attacking a friendly nation. 모두가 우방 국가에 대한 수상의 공격 연설을 비난했다. **2** [+目 / +目+*to*+名 / +目+*to* do] …에 유죄 판결을 내리다 ; 선고하다(sentence) : The prisoner is sure to be ~*ed.* 피고인은 유죄 판결을 받을 것이 틀림없다 / He was ~*ed* ***to*** death[*to* be beheaded]. 그는 사형[참수형] 선고를 받았다. **3** 유죄로 생각하게 하다 : His looks ~ him. 그가 범인이라고 얼굴에 쓰여 있다《용모가 죄인처럼 느껴진다》. **4** [+目+*to*+名 / +目+*to* do] 운명짓다(doom) : He was ~*ed* ***to*** tour*ing* the whole country for a living. 생계를 위해 온 나라 안을 떠돌아다니지 않으면 안되었다 / These housewives were ~*ed to* spend many hours at the kitchen sink. 이들 가정 주부들은 부엌의 설거지통 앞에서 많은 시간을 보내지 않으면 안되도록 되어 있었다. **5** [+目 / +目+*as* 補 / +目+*to* do] (의사가 환자에게) 불치의 선고를 내리다 ; (물품을) 불량품으로 단정하다, 폐기 처분을 선언하다 ; (선박 · 뱃짐 · 암거래 물품 따위를) 몰수 선고하다 ; 《美》 접수(接收)하다 : This bridge has been ~*ed* because it is no longer safe. 이 다리는 더이상 안전하지 못하기 때문에 사용 금지 처분이 내려져 있다 / The meat was ~*ed as* unfit for human food. 그 고기는 식용으로는 부적당하다고 판정되었다 / These five blocks have been ~*ed to* make a park. 이 5개 구역은 공원 부지로 접수되어 있다.
〚OF＜L ; ⇨ DAMN〛
類義語 ⟹ CRITICIZE.

con·dem·na·ble [kəndémnəbəl] *a.* 비난할 만한, 책망해야 할.

con·dem·na·tion [kɑ̀ndemnéiʃən] *n.* **1** Ⓤ 비난. **2** Ⓤ,Ⓒ 유죄 판결, 죄의 선고. **3** 선고[비난]의 근거[이유]. **4** Ⓤ,Ⓒ 불량품이라는 선언 ; 몰수 선고.

con·dém·na·tò·ry [; -təri, kɔ̀ndemnéi-] *a.* 단죄(斷罪)하는, 유죄 언도의 ; 비난의.

con·démned *a.* **1** 유죄를 선고받은 ; 사형수의 :

a ~ cell[ward] 사형수 감방. **2** 불량품으로 선고된; 몰수가 선고된. **3** 저주받은, 구제받을 수 없는(damned).

con·démn·er [-démər], **-dem·nór** [-dèmnɔ́:r] *n.* **1** (죄의) 선고자. **2** 비난자. **3** 폐기(처분) 결정자; 몰수를 선고하는 사람.

con·den·sate [kəndénseit, 美+kɑ́ndənsèit] *n.* 응축액[물], 축합물.

con·den·sa·tion [kɑ̀ndenséiʃən, -dən-] *n.* **1** Ⓤ 응축; 〖理〗 응결, 냉축; 〖化〗 축합(縮合), 액화. **2** Ⓤ,Ⓒ 응축 상태, 응축체. **3** Ⓤ,Ⓒ (사상·표현의) 요약, 간략화.

con·dense** [kəndéns] *vt.* **1** [+目/+目+*into*+名] 압축하다, 응축[농축]시키다(↔*rarefy*) : The steam has been *~d* ***into a few drops of water. 김이 응축되어 몇 방울의 물이 되었다. **2** (렌즈가 광선을) 모으다; (전기의) 강도를 높이다. **3** [+目/+目+*into*+名] (사상·표현 따위를) 요약하다 : *C~* this paragraph ***into*** a few sentences. 이 문단을 몇개의 문장으로 요약해 보라. —— *vi.* [動/+*into*+名] 압축[응축]하다; 집광(集光)하다 : a *condensing* lens 집광 렌즈 / The steam *~ed* ***into*** waterdrops. 김이 응축되어 물방울이 되었다. **con·dèns·abíl·i·ty, -ibíl-** *n.* 응축성(凝縮性), 간략성(簡約性). **con·déns·able, -ible** *a.* 응축[압축]할 수 있는, 요약할 수 있는. 〚F or L; ⇨ DENSE〛

con·dénsed *a.* 농축[응결]된; 요약한, 간결한; 〖印〗 (활자가) 가늘고 긴.

condénsed mílk *n.* 연유(煉乳).

con·déns·er *n.* **1** 응축 장치, 응결기. **2** 〖電〗 축전기, 콘덴서(capacitor). **3** 〖光〗 집광(集光) 장치, 집광 렌즈[경].

con·dén·sery *n.* 연유 제조소.

con·de·scend [kɑ̀ndisénd] *vi.* **1** [+*to* do] 겸손하게 …하다, 으스대지 않고 …해 주다(lower oneself) : The king *~ed to* eat with the minstrels. 왕은 음유(吟遊) 시인들과 함께 식사를 했다. **2** [+*to*+名/+*to* do] (우월감을 의식하면서) 친절히 하다, 생색내다 : He always *~s* ***to*** his inferiors. 그는 언제나 아랫 사람들에게 생색을 내는 듯한 태도를 취한다 / I don't like being *~ed to.* 신세를 지는 것은 싫다 / He often *~ed to* help his friend with the homework. 그는 가끔 친절한 척하면서 친구의 숙제를 도와 주었다. **3** [+*to*+名/+*to* do] 몸을 낮추어 …하다 : He will never ~ ***to*** little things. 시시한 일은 거들떠 보지도 않는다 / He *~ed to* take a bribe. 그는 지조를 버리고 뇌물을 받았다. **4** 《스코》 상세하게 적다.
〚OF<L; ⇨ DESCEND〛

còn·de·scénd·ence *n.* Ⓤ **1** =CONDESCENSION. **2** 《스코》 명세표.

condescénd·ing *a.* **1** (아랫 사람에게) 겸손한, 태도가 정중한. **2** 생색을 내는(patronizing) : a ~ manner 생색을 내는 듯한 태도.

condescénd·ing·ly *adv.* **1** 겸손하게. **2** 생색을 내어.

con·de·scen·sion [kɑ̀ndisénʃən] *n.* **1** Ⓤ (아랫 사람에 대한) 겸손, 정중. **2** Ⓤ 생색을 냄.

con·dign [kəndáin, 美+kɑ́ndain] *a.* (처벌·복수가) 적당한, 당연한. 〚OF<L (*dignus* worthy)〛

con·di·ment [kɑ́ndəmənt] *n.* Ⓤ,Ⓒ 조미료, 양념(seasoning)《고춧가루·후추 따위》.
〚L (*condio* to pickle)〛

con·di·men·tal [kɑ̀ndəméntəl] *a.* 양념의.

còn·discíple *n.* 같은 스승의 제자; 동급생.

‡con·di·tion [kəndíʃən] *n.* **1** Ⓤ 상태, 건강 상태, (경기자의) 컨디션. **2** 신분(rank), 지위(position), 경우(situation) : people of every ~ 온갖 계층의 사람들 / live according to one's ~ 분수에 맞는 생활을 하다 / change one's ~ 새 생활을 시작하다, (특히) 결혼하다. **3** [*pl.*] 주위의 상황, 사정(circumstances) : *under*[*in*] the existing *~s* 현재의 형편으로(서는). **4** 조건, 규정(stipulation), 제약(restriction); 〖法〗 조건; 〖文法〗 조건절; 〖論〗 조건, 전건(前件); [*pl.*] 지불 조건 : a ~ precedent 선행 조건 / the necessary and sufficient ~ 〖數〗 필요 충분 조건 / the *~s of* peace 강화 조건 / *on* this[that, what] ~ 이[그, 어떤] 조건으로 / not ... *on* any ~=*on* no ~ 어떤 조건이든[무슨 일이 있어도] …아닌 / I will let you go only *on* one ~. 한 가지 조건부로 너를 보내주겠다 / make it a ~ that …을 조건으로 하다. **5** 《美》 (가입학·가진급 학생의) 재시험 (과목) : work off *~s* 재시험[추가 시험]을 치르다.

be in good [***bad, poor***] ***condition*** 좋은[나쁜] 상태다; 건강하다[하지 않다]; 파손되어 있지 않다[있다].

be in no condition 적합하지 않다 : He *is in no ~ to* travel. 여행할 수 있는 몸이 못 된다.

in [***out of***] ***condition*** 건강하여[건강이 나빠져], 양호[불량]한 상태로.

on condition that …인 조건으로, 만일 …이라면(if) : He was allowed to go swimming *on ~* (*that*) he kept near the other boys. 다른 아이들 곁을 떠나지 않는다면 수영하러 가도 좋다고 허락 받았다.

—— *vt.* **1** [+*that* 節] (…이라는) 조건을 달다 : It was *~ed* between them *that* they should marry next April. 내년 4월에 결혼한다는 조건이 두 사람 사이에 결정되었다. **2 a**) [+目+*on*+名] (…을) …의 조건으로 하다 : The present to the boy was *~ed* ***on*** his good results. 소년에게 줄 선물은 성적이 올라야 한다는 것을 조건으로 하고 있었다. **b**) [+目+*to*+名] (사람을 …에) 익숙하게 하다 : Poverty *~ed* him *to* hunger. 그는 가난 때문에 배고픔에 익숙해 있었다. **3** [+目/+目+*to* do] (사물이) …의 요건[조건]이 되다, (사정 따위가) …을 결정하다(determine) : My expenditure is *~ed* by my income. 나의 지출은 수입에 좌우된다 / Environment *~ed* the child *to* behave accordingly. 환경이 그 아이로 하여금 그것에 순응하여 행동하도록 만들었다. **4 a**) 〖商〗 (상품(의 품질)을) 검사하다. **b**) 개선하다; (소·말 따위의) 컨디션을 조절하다. **c**) (실내의 공기를) 조절하다. **5** 《美》 [+目/+目+*in*+名] …의 진급에 재시험의 조건을 붙이다, 재시험을 조건으로 해서 …의 입학[가진급]을 허가하다 : John was *~ed* ***in*** mathematics. 존은 수학을 재시험 치른다는 조건으로 진급이 인정되었다. **6** 〖心〗 …에 조건반사를 일으키게 하다.
〚OF<L *con-* (*dict- dico* to say)=to agree〛
類義語 ⟹ STATE.

***condítion·al** *a.* **1** 조건부의, 잠정적인, 가정적인 : a ~ contract 조건부 계약, 가계약 / a ~ clause 조건부 조항; 〖文法〗 조건절《보통 if, unless, provided 따위에 의해서 유도됨》. **2** (…을) 조건으로 한, …에 좌우되는 : It's ~ *on* his ability. 그것은 그의 능력 여하에 달렸다. —— *n.* 〖文法〗 가정 어구, 조건문[절], 조건법. **~·ly** *adv.* 조건부로. **con·dì·tion·ál·i·ty** *n.* 조건부, 조건 제한.

condítional móod *n.* 〖文法〗 조건법.
condítional sále *n.* 조건부 매매《계약 조건 완료시 소유권이 이전됨》.
con·dí·tioned *a.* **1** 조건이 달린, 조건부의 ;《美》 가입학[진급]의 : a ~ reflex[response] 〖心·生理〗 조건반사. **2** (어떤) 상태[형편]에 있는 : well-[ill-]~ 양호[불량]한 상태에 있는. **3** 조절[조정]된 ; =AIR-CONDITIONED.
con·dí·tion·er *n.* **1** 조절하는 사람[것, 장치], 냉[난]방 장치 ; (스포츠의) 코치. **2** (생사 따위의) 품질 검사관.
condítion·ing *n.* Ⓤ 조건부[설정] ; (공기) 조절 ;〖商〗 (상품의) 검사.
condítion pòwder *n.* 동물의 컨디션 조절약.
condítion precédent *n.* 〖法〗 정지 조건.
condítion súbsequent *n.* 〖法〗 해제 조건.
con·do [kάndou] *n.* (*pl.* ~**s**) 《美口》 맨션, 분양 아파트(condominium).
con·dole [kəndóul] *vi.* [+前+名] 문상하다, 조위(弔慰)하다 : His friends ~*d* ***with*** him ***on*** his wife's death. 친구들은 그가 상처한 데에 대해 애도의 뜻을 표했다. —— *vt.* 《古》 (재난·불행 따위를) 애도하다. **con·dó·la·tò·ry** [; -təri] *a.* 문상의, 애도의. **con·dól·er** *n.* 애도자, 문상자.
〚L CON*doleo* to grieve with another〛
con·dó·lence [, kάndə-] *n.* Ⓤ 문상 ; [때때로 *pl.*] 애도의 말, 조사(弔詞) : a letter of ~ 문상 편지 / Please accept my sincere ~*s.* 충심으로 애도의 뜻을 표하는 바입니다.
con·dó·lent *a.* 조위[조사]의, 애도를 표하는.
con·dom [kάndəm, kΛ́n-] *n.* (성병예방·산아 제한용의) 콘돔.
〚C18＜? ; 고안한 Dr. *Condom* or *Conton*(18세기 영국의 의사)에서인가〛
con·do·ma·nia [kὰndəméiniə] *n.* (임대 아파트의) 분양 아파트화(化) 붐.
〚*condo*minium+*mania*〛
con·dom·i·nate [kəndάmənət] *a.* 공동 지배[통치]의.
con·do·min·i·um [kὰndəmíniəm] *n.* (*pl.* ~**s**) **1** 공동 주권(joint sovereignty) ;〖國際法〗 공동 관리(지). **2** 분양 아파트, 맨션.
〚L *dominium* lordship ; cf. DOMINION〛
con·do·na·tion [kὰndounéiʃən, -də-] *n.* Ⓤ 죄의 용서 ;〖法〗 유서(宥恕)《간통에 대한》.
con·done [kəndóun] *vt.* 죄를 관대히 보아주다, 용서하다(overlook) ; (행위가 죄를) 속죄하다, 보상하다(atone for).
〚L (*dono* to give)〛
con·dor [kάndɔːr, -dər] *n.*〖鳥〗 콘도르《남미산의 독수리의 일종》.
〚Sp.＜Quechua〛
con·dot·tie·re [kὰndətjέəri, kandὰtiέəri] *n.* (*pl.* **-ri** [-ri(ː)], ~) 용병대장 ; 사기꾼, 책략가.
〚It.〛
con·duce [kəndjúːs] *vi.* [+前+名] (어떤 결과에) 이르다, 공헌하다(contribute) : Rest ~*s* ***to*** health. 휴식은 건강에 좋다.
〚L ; ⇨ CONDUCT〛
con·dúc·ible *a.* =CONDUCIVE.
con·dú·cive *a.* (…의) 도움이 되는, (…에) 이바지하는 : His behavior is ~ *to* domestic happiness. 그의 행동은 가정의 행복을 증진한다.
***con·duct** [kάndΛkt, -dəkt] *n.* **1** Ⓤ 행위, 품행, 행실, 행동(behavior) : a prize for good ~ 선행상. **2** Ⓤ 지도, 안내, 지휘, 행동방식, 경영, 관리 : under the ~ of …의 안내[지도]로. **3** Ⓤ (무대·극 따위의) 처리법, 각색, 취향.
—— [kəndΛ́kt] *vt.* **1** 지휘하다(direct) : ~ an orchestra 교향악단을 지휘하다. **2** [+目/+目+前+名/+目+副] 유도하다, 안내하다(lead) : The guide ~*ed* me ***to*** a seat. 안내원은 나를 자리로 안내해 주었다 / He ~*ed* the party ***up*** the mountain. 일행을 안내해서 산에 올라갔다 / One of the students ~*ed* her ***in***[***out***]. 학생 한 사람이 그녀를 안으로[밖으로] 안내했다. **3** (업무 따위를) 수행하다, 처리하다, 경영[관리]하다 (manage) : He ~*ed* his business affairs in a careless way. 그는 업무를 부주의하게 처리했다.
4 〖理〗 전도(傳導)하다(transmit).
—— *vi.* (길·도로가 …로) 통하다(lead)〈*to*〉; 전도하다 ; 지휘하다.
conduct one***self*** 행동하다, 몸을 (…하게) 가지다 : He always ~*s* him*self* *well*[*like* a gentleman, *with* judgment]. 그는 언제나 훌륭하게[신사답게, 신중하게] 처신한다.
〚L (*duct- duco* to lead)〛
類義語 (1) ⟹ BEHAVE.
(2) ⟹ MANAGE.
(3) ⟹ GUIDE.
con·duct·ance [kəndΛ́ktəns] *n.* Ⓤ 전도력 ; 전도성 ;〖電〗 컨덕턴스《저항의 역수》.
condúct·ed tòur *n.* 안내인이 딸린.
condúct·ible *a.* 전도성의.
condùct·ibílity *n.* 전도성[력].
con·duc·tion [kəndΛ́kʃən] *n.* Ⓤ (물을 파이프 따위로) 끌어옴, 유도(작용) ;〖理〗 전도(傳導).
condúction bànd *n.* 〖理〗 전도띠.
condúction cùrrent *n.* 전도 전류.
con·duc·tive [kəndΛ́ktiv] *a.* 전도(성)의, 전도력이 있는 : ~ power 전도력(傳導力).
con·duc·tiv·i·ty [kὰndΛktívəti] *n.* Ⓤ 〖理〗 전도성[력·율·도] ;〖電〗 도전율(導電率).
cónduct mòney *n.* 증인 출두비 ; 응모 여비.
‡**con·duc·tor** [kəndΛ́ktər] *n.* **1** 안내자, 지도자. **2** (버스·전차) 차장(bus conductor) ;《美》 열차의 차장(=《英》 guard). **3** 관리인, 경영자 (manager). **4** 〖樂〗 지휘자. **5** 〖理〗 전도체(傳導體), 도체 ; 도선(導線) ; 피뢰침(lightning rod) : a good ~ 양(良)도체.
~·**shìp** *n.* conductor의 직.
condúctor láureate *n.* 명예 지휘자《감독으로 남아 있는 퇴직한 상임 지휘자》.
condúctor ràil *n.* 도체(導體) 레일《전차에 전류를 보내는 데 쓰이는 레일》.
con·dúc·tress *n.* CONDUCTOR의 여성형《《英》에서는 버스·전차의 「여차장」》.
cónduct shèet *n.* 〖英軍〗 (하사관·병사 등의) 품행 기록 카드.
con·duit [kάndət, -djuət] *n.* **1** 도관(導管). **2** 수로, 도랑, 암거(暗渠) ;〖電〗 선거(線渠)《전선을 넣은 파이프》: the ~ system (전차의) 지하 선거식 ; (배선의) 연관식(鉛管式).
〚OF＜L CONDUCT〛
con·dúplicate *a.* 〖植〗 (꽃잎이나 잎이) 두 겹으로 된, 접합상(摺合狀)의.
con·dyle [kάndail, -dl ; -dil] *n.* 〖解〗 (뼈 끝의) 과(顆), 과상(顆狀) 돌기.
〚Gk. =knuckle〛
Cóndy's (flúid) [kάndiz(-)] *n.* 《英口》 콘디 소독액.
〚H. B. *Condy* 19세기의 영국의 제약업자〛
***cone** [kóun] *n.* **1** 원뿔체, 원뿔꼴. **2** 폭풍 경보구(球)(storm cone) ; 뾰족한 산봉우리 ;〖地質〗 화

산원뿔(volcanic cone). **3** 〖植〗 구과(毬果), 솔방울. **4** =ICE-CREAM CONE. —— *vt.* 원뿔꼴로 하다 ; …에 원뿔의 사면처럼 사각을 내다[비스듬히 자르다]. —— *vi.* 구과가 달리다 ; (소용돌이 따위가) 원뿔꼴을 형성하다.
〚F<L<Gk.=pinecone, coneshaped figure〛

Con Ed Consolidated Edison Company《New York 시(市)에 전력·가스 따위를 공급하는 대공익 기업》.

Con·el·rad [kánəlræ̀d] *n.* 〖軍〗 파장(波長) 통제, 코널래드 방식《라디오에 의한 명령 전달 방식 ; 주파수 변경, 불규칙한 전파 발사, 전파 발사의 단속(斷續)에 의해 적기나 적 미사일의 도청 및 이용을 막게 함》.
〚*con*trol of *el*ectromagnetic *rad*iation〛

cóne·nòse *n.* 〖昆〗 (미국 남부 및 서부산) 침노린재과(科)의 흡혈 곤충.

con es·pres·si·o·ne [kɑn èspresióuni] *adv., a.* 〖樂〗 감정을 넣어서[넣은].
〚It. =with expression〛

Con·es·to·ga [kɑ̀nəstóugə] *n.* 《美》 코네스토가 (=~ **wàgon**)《서부 이주자들이 사용한 대형 포장마차》. 〚*Conestoga* Pennsylvania 주(州)의 지명〛

coney ☞ CONY.

Cóney Ísland *n.* 코니 아일랜드《New York 시(市) Long Island 남서단에 있는 유원지》.

conf. *confer* 《L》 (=compare) ; conference ; confessor ; 〖醫〗 confection ; confidential.

con·fab [kánfæb, kənfǽb] *vi.* (**-bb-**) 《俗》 = CONFABULATE. —— *n.* 《俗》 =CONFABULATION.
〚*confab*ulate〛

con·fab·u·late [kənfǽbjəlèit] *vi.* (사이좋게) 담소하다, 한담하다(chat)〈*with*〉. 〚L ; ⇨ FABLE〛

con·fàb·u·lá·tion *n.* Ⓤ,Ⓒ 간담, 담소 ; 격의없는 토론.

con·fáb·u·là·tor *n.* 담소하는 사람.

con·fáb·u·la·tò·ry [; -təri] *a.* 담소하는.

con·fect [kánfekt] *n.* 설탕절임, 당과.
——[kənfékt] *vt.* 《文語》 조제하다, 만들다 ; 조립하다 ; 설탕절임으로 하다, 당과로 만들다.
〚L CON*fect*- -*ficio* to prepare〈*facio* to make〛

con·fec·tion [kənfékʃən] *n.* **1** 과자, 사탕과자 《candy, bonbon 따위》, 설탕절임(preserve). **2** [프랑스 어법] (특히 유행 첨단의) 기성복의 여성용 의상. **3** Ⓤ (잼 따위의) 제조, 합성. —— *vt.* 《古》 (과자·당제(糖劑) 따위를) 조제하다, 만들다(prepare).

conféction·àry [; -əri] *a.* 당과의 ; 과자 제조[판매]의. —— *n.* =CONFECTIONERY.

conféction·er *n.* 사탕과자 제조 판매인 ; 과자 장수 ; 과자 만드는 사람.

conféctioners' súgar *n.* 정제 가루설탕.

conféction·èry [; -əri] *n.* **1** Ⓤ 과자류《pastry, cake, jelly 따위의 총칭》. **2** Ⓤ 과자 제조. **3** 과자[제과]점 ; 《英》 빵 만드는 곳, 빵집(bakery).

Confed. Confederate ; Confederation.

con·fed·er·a·cy [kənfédərəsi] *n.* **1** 연합, 동맹. **2 a)** 동맹[연맹]국(cf. FEDERAL STATES). **b)** [the (Southern) C~] =the CONFEDERATE STATES OF AMERICA. **3** 〖法〗 공모. **4** 도당.
〚OF (↓)〛

con·fed·er·ate [kənfédərət] *a.* **1** 동맹한, 연합한 (allied) ; 공모한. **2** [C~] 〖美史〗 남부 동맹의 (cf. FEDERAL). —— *n.* **1** 동류, 공모자〈*in*〉. **2** 동맹국, 연합국(ally) ; [C~] 〖美史〗 남부 동맹 지지자, 남부파 사람(cf. FEDERALIST).
—— [-dərèit] *vt., vi.* 동맹하다〈*with*〉 ; 동맹하게 하다 ; 공모하다.
〚L ; ⇨ FEDERATE〛

Conféderate Memórial Dày *n.* [the ~] 《美》 (남북 전쟁의) 남군 전몰 용사 추도의 날《남부 각주에서는 법정 공휴일》.

conféderate róse *n.* [때때로 C~] 〖植〗 부용(芙蓉).

Conféderate Státes of América *n.* [the ~] 〖美史〗 아메리카 남부 연합국《남북전쟁에서 남부 동맹에 참가한 11주 ; cf. FEDERAL STATES》.

con·fed·er·a·tion [kənfèdəréiʃən] *n.* **1** Ⓤ 연합, 동맹〈*of, between*〉. **2** 연방, 연합국. **3** [the C~] 〖美史〗 아메리카 식민지 동맹(1781-89).

con·féd·er·a·tive [-rətiv, 美+-rèi-] *a.* 동맹의, 연합의, 연방의.

con·fer [kənfə́:r] *v.* (**-rr-**) *vt.* [+目+*on*+名] **1** (칭호·학위 따위를) 수여하다, 주다(grant) : The king *~red* knighthoods ***on*** several distinguished men. 왕은 공로가 많은 몇 사람에게 기사의 작위를 내렸다. **2** 《廢》 [명령] 비교[참조]하라 (compare) 《略 cf.》.
—— *vi.* [+*with*+名] 의논하다, 협의하다(consult) : The President often *~s* ***with*** his advisers. 대통령은 가끔 고문관들과 협의를 한다.
〚L *collat*- *confero* to bring together, take counsel (*fero* to bring)〛
類義語 ⟹ GIVE, CONSULT.

con·fer·ee, -fer·ree [kɑ̀nfərí:] *n.* **1** 《美》 회의 출석자 ; 평의원 ; 의논 상대. **2** 수여받는 사람, (칭호·메달 따위의) 수령자(↔*conferrer*).

***con·fer·ence** [kánfərəns] *n.* **1** Ⓤ 의논, 협의 ; Ⓒ 회의, 협의회 : be in[hold a] ~ 회의를 하고 있다[개최(開催)하다] 〈*with*〉/ Imperial *C*~ ☞ IMPERIAL. **2** 해운 동맹 ; 《美》 경기 연맹. **3** [, kənfə́:rəns] 수여, 서훈(conferment).

cónference càll *n.* (여럿이 하는) 전화 회의.

cónference lìnes *n. pl.* 〖海〗 해운 동맹 항로《해운업자가 공동 이익을 위해 앞질러 독자적인 서비스를 하지 않기로 한 항로》.

Cónference on Européan Secúrity and Cooperátion *n.* 유럽 안전 보장 협력회의(cf. HELSINKI ACCORDS).

con·fer·en·tial [kɑ̀nfərénʃəl] *a.* 회의[협의회] (conference)의.

con·fér·ment *n.* Ⓤ 수여, 증여, 서훈(敍勳).

con·fér·ra·ble *a.* 수여할 수 있는.

con·fér·ral *n.* =CONFERMENT.

con·fér·rer *n.* 수여자(↔*conferee*).

con·fess** [kənfés] *vt.* **1** [+目/+目+*to*+名/+*that* 節/+目+*to* do] 자백[실토]하다, 고백하다, 자인하다(acknowledge) : He *~ed* his sins. 죄를 자백했다 / He *~ed* ***to me *that* he had taken the money. 그 돈을 훔쳤다고 실토했다 / I ~ I was surprised to hear it. 《口》 솔직히 말하면 나는 그것을 듣고 놀랐어 / He *~ed* the letter *to be* a forgery. 그 편지는 가짜라고 고백했다. **2** 〖카톨릭〗 (신부에게) (죄를) 고해[참회]하다 ; (신부가) …의 고해를 듣다. —— *vi.* **1** [動/+*to*+名] 고백하다, 인정하다 : He refused to ~. 고백을 거부했다 / He *~ed* ***to*** a weakness for whisky. 그는 위스키를 아주 좋아한다고 실토했다 / I ~ *to* be*ing* proud of my son's success. 솔직히 말하자면 나는 아들의 성공에 자부심을 느끼고 있다. **2** 〖카톨릭〗 (신도가) 고해[고백]하다 ; (신부가) 고해를 듣다.
~·able *a.* **~·er** *n.* =CONFESSOR.
〚OF<L *confess*- *confiteor* (*fateor* to declare,

avow)》
類義語 ⟹ ADMIT.
con·féss·ant *n.* 고백자, 고해신부.
con·féssed *a.* (정말이라고) 인정된, 정평이 있는 (admitted), 명백한(evident).
stand confessed as …인 것[의 죄상]이 명백하다.
con·féss·ed·ly [-ədli] *adv.* 자인하는 대로, 자백에 의하면 ; 분명히.
***con·fes·sion** [kənféʃən] *n.* **1** Ⓤ 자백, 실토, 자인. **2** Ⓤ,Ⓒ (신앙의) 고백 ; 〖카톨릭〗 고해, 고백, 참회 : a ~ *of* faith 신앙고백 ; (일반적으로) 신조(信條). **3** 〖法〗 고백서, 진술서.
go to confession (신도가) 고해하러[고백하러] 가다.
hear confessions (신부가) 고해를 듣다.
make (a) confession 실토[자백]하다.
conféssion·al *a.* 자백에 의한 ; 참회[고해]의, 신앙 고백의. —— *n.* **1** 〖카톨릭〗 고해실, 고해 청문석 ; [the ~] 참회 제도. **2** (프랑스 18세기의) 안락 의자.
~·ìsm *n.* 신앙 고백주의, 신조주의.
conféssion·àry [; -əri] *a.* 참회[고백, 고해]의. —— *n.* 《古》 =CONFESSIONAL.
con·fés·sor *n.* **1** 고백하는 사람. **2** [때때로 C~] 증성자(證聖者)《박해에도 굴하지 않고 신앙을 지킨 신도》. **3** 〖카톨릭〗 고해를 듣는 신부. **4** [the C~] 〖英史〗 참회왕(王)《Edward 왕(재위 1042-66)을 말함》.
con·fet·ti [kənféti] *n. pl.* [단수 취급] **1** 색종이 조각, 종이 눈발, 종이 테이프《사육제 · 파티 따위 때에 뿌림》. **2** 사탕과자의 일종.
〖It.=sweetmeats<L ; ⇨ COMFIT〗
con·fi·dant [kánfədæ̀nt, ˌ-ˈ-, 美+-dɑ̀:nt] *n.* (비밀, 특히 연애 문제 따위를 고백할 수 있는) 절친한 친구(bosom friend).
〖18세기에 *confident*로 변함 ; F *confidente* (< CONFIDE)의 음(音)에서인가〗
con·fi·dante [kánfədæ̀nt, ˌ-ˈ-, 美+-dɑ̀:nt] *n.* CONFIDANT의 여성형. 〖F<It.〗
con·fide** [kənfáid] *vi.* [+*in*+名] 신임[신뢰]하다 ; 비밀을 털어놓다 : You can ~ ***in her good faith. 너는 그녀의 성실성을 믿어도 좋다 / Dick always ~*s in* his teacher. 딕은 항상 선생님을 신뢰한다《무엇이든 고백한다》. —— *vt.* [+目+*to*+名] (비밀을) 털어놓다 ; 맡기다(entrust) : He ~*d* his secret ***to*** his friend. 그는 비밀을 자기 친구에게 털어놓았다 / The children were ~*d to* the care of a neighbor. 아이들은 이웃 사람 손에 맡겨졌다.
〖L CON*fido* to trust〗
類義語 ⟹ COMMIT.
con·fi·dence** [kánfədəns, -dèns] *n.* **1** Ⓤ [+*that* 節] 신임, 신뢰 : have one's master's ~ 주인에게 신임을 받다 / He betrayed my ~ ***in him[my ~ *that* he would do it well]. 그는 그에 대한 나의 신뢰[그것을 잘 처리해 줄 것이라는 나의 신뢰]를 배반했다. **2** Ⓤ 자신(self-reliance), 확신〈*in*〉(↔*diffidence*) ; [+*to* do] 대담성, 배짱 : act *with* ~ 자신[확신]을 가지고 행동하다 / He had the ~ *to* deny it. 그것을 배짱좋게 부인했다. **3** Ⓤ (비밀을) 털어놓기 : take a person into one's ~ 남에게 비밀을 밝히다. **4** (실토의) 진술, 비밀, 내밀한 일(secret) : exchange ~*s* (*with...*) (…와) 비밀을 서로 터놓다, (…와) 서로 비밀 이야기를 주고받다〈*about*〉. **5** =CONFIDENCE GAME.
give one's confidence to=***put*** [***have, show, place***] ***confidence in*** …을 신뢰하다.
in confidence 비밀로, 남몰래 : I'll tell you this *in* strict ~. 이것을 너에게 말해 주겠는데 극비야.
in a person***'s confidence*** 남의 신임을 받아, 남의 기밀에 참여하여.
with confidence ☞ 2.

〈회화〉
> Speak with *confidence*. — But I don't know what to say. 「자신을 가지고 말을 하세요」「하지만 무엇을 말해야 좋을지 모르겠어요」

—— *a.* 신용 사기의.
〖L (↑)〗
類義語 ⟹ BELIEF.
cónfidence buílding mèasures *n. pl.* 〖政〗 신뢰 조성 조치.
cónfidence gàme *n.* 《美》 (상대방의 신용을 얻은 다음에 하는) 신용사기.
cónfidence ìnterval *n.* 〖統〗 신뢰 구간(區間).
cónfidence lìmits *n. pl.* 〖統〗 신뢰성 한계.
cónfidence màn[**trìcker**] *n.* 사기꾼, 협잡꾼 (cf. CON MAN).
cónfidence trìck *n.* 《英》 =CONFIDENCE GAME.
cón·fi·dent** *a.* **1 a**) [+*of*+do*ing*/+*that* 節] 확신하는 : They were ~ ***of victory. 그들은 승리를 확신하고 있었다 / He was ~ *of* gain*ing*[~ *that* he would gain] the aim. 목표를 달성할 수 있다고 믿고 있었다. **b**) 자신을 가지는, 자신에 넘친 : ~ *in* oneself 자신을 가지고서 / ~ *in* one's own abilities 자기의 재능에 자신을 가지고. **2** 대담한, 거드름 피우는.
—— *n.* 절친한 친구, 벗(confidant)〈*of*〉.
~·ly *adv.* 확신을 갖고, 대담하게, 자신 만만하게.
~·ness *n.* 〖F<It. ; ⇨ CONFIDE〗
類義語 ⟹ SURE.
***con·fi·den·tial** [kànfədénʃəl] *a.* **1** 심복의, 신임이 두터운, 신뢰할 수 있는(trustworthy). **2** 기밀의, 비밀의(secret) : *C*~ 친전(親展)《편지의 겉봉에 씀》 / a ~ price list 내시(內示) 가격표 / ~ inquiry 비밀조사 / ~ papers 기밀 서류. **3** 비밀을 털어놓는 ; 친밀한 : become ~ *with* strangers 모르는 사람들과 친하게 되다. **~·ly** *adv.* 은밀히, 비밀로 ; 친하게, 터놓고서.
con·fi·den·ti·al·i·ty [kànfədènʃiǽləti] *n.* 비밀[기밀]성.
類義語 ⟹ FAMILIAR.
confidéntial communicátion *n.* 〖法〗 비밀정보《법정에서 증언을 강요당하지 않는 변호사와 의뢰인 · 의사와 환자 · 부부 사이 따위의 정보》.
con·fíd·ing *a.* (쉽사리) 신뢰하는.
con·fig·u·ra·tion [kənfìgjəréiʃən, kɑn-] *n.* **1** (지표 따위의) 형상, 지형, 윤곽(contour) ; 외형. **2** 〖天〗 별의 위치 ; 성군(星群). **3** 〖化〗 (분자 속의 원자) 배열. 〖L ; ⇨ FIGURE〗
configurátion of cúlture *n.* 문화 유형.
con·fig·ure [kənfígjər] *vt.* (어떤 틀에 맞추어) 형성하다〈*to*〉; (어떤 형으로) 배열하다.
con·fine** [kənfáin] *vt.* [+目/+目+前+名] **1** 한정하다, 제한하다 : I will ~ myself ***to mak*ing* a few remarks. 나는 몇 마디만 말하고 그치려고 한다. **2** 가두어 넣다(shut up), 감금하다 (imprison) : A cold ~*d* him ***to*** his house. 감기가 들어 그는 집에 틀어박혀 있었다 / The soldier was ~*d to* the barracks. 그 군인은 외출이 금지되었다 / It is not good to ~ a wild bird ***in*** a

bird cage. 야생의 새를 새장에 가두어 두는 것은 좋지 않다. **3** [수동태로] (부인이) 해산 자리에 눕다 : She expects to *be* ~*d* on Monday. 그녀는 월요일에 몸을 풀 예정이다. —— *vi.* 《古》 인접하다〈*on, with*〉.

—— [kάnfain] *n.* **1** [보통 *pl.*] 경계, 국경(지대) (boundary) ; 범위, 분야, 영역 ; 한계(borderland) : within[beyond] the ~*s* of the country 국내[국외]에서 / on the ~*s* of bankruptcy 파산 일보 직전에. **2** 《古》 감금, 유폐 ; 《廢》 감옥.

con·fín(e)·able *a.* 제한된, 제한할[감금할] 수 있는.

〖F<L=to border, bound (*finis* limit)〗

類義語 ⟹ LIMIT.

con·fíned *a.* 한정된, 비좁은.

be confined to …에 국한되다(be limited to).

confíne·ment *n.* **1** Ⓤ 제한, 국한. **2** Ⓤ 유폐, 감금 : under ~ 감금되어. **3** Ⓤ 틀어박힘 ; Ⓤ,Ⓒ 해산 자리에 눕기, 출산.

con·firm** [kənfə́:rm] *vt.* **1** [+目/+目+前+名/+目+*that* 節] 확실케 하다(make firmer) ; (결심 따위를) 굳히다(fortify) ; (습성·의지·신앙 따위를) 굳게 하다 ; (진술·증거·풍설 따위를) 확인하다, 확증하다 : *C*~ your view by testimony. 고견을 (만일을 위해) 증거로써 한번 확인해 주십시오 / I was ~*ed* ***in my opinions by what you had told me. 말씀해 주신 덕분으로 저의 의견에 한층 자신을 갖게 되었습니다 / These words ~ us *that* we are right in our estimate. 이러한 말들은 우리의 평가가 틀리지 않는다 것을 확실케 한다. **2** 〖法〗 (재가·비준 따위로) 확인하다(ratify) ; 추인하다. **3** 〖宗〗 (사람에게) 견진성사(堅振聖事)[견신례]를 베풀다.

~·able *a.*

〖OF<L ; ⇨ FIRM[1]〗

con·fir·mand [kὰnfərmǽnd] *n.* 〖宗〗 견진 성사[견신례] 지원자.

con·fir·ma·tion [kὰnfərméiʃən] *n.* Ⓤ,Ⓒ **1** 확정, 확립. **2** 확인, 추인 ; 확증 : in ~ of …의 확인[확증]으로서. **3** 〖宗〗 견진 성사[견신례] 《신교에서는 보통 유아 세례를 받은 사람이 성인이 되어 신앙을 고백하고 정(正)교인이 되는 의식》.

con·fir·ma·tive [kənfə́:rmətiv], **-to·ry** [-tɔ̀:ri ; -təri] *a.* 확인의, 확증적인 ; 확실히 하는, 확증하는.

con·fírmed *a.* **1** 확인된, 확립된. **2** 만성이 된, 상습적인(habitual) : a ~ bachelor 쉽사리 결혼하지 않는 남자 / a ~ habit 쉽게 고쳐지지 않는 버릇 / a ~ invalid 만성병 환자. **3** 견진 성사[견신례]를 받은.

con·fir·mee [kὰnfərmí:] *n.* 〖法〗 추인을 받는 사람 ; 〖宗〗 견진 성사[견신례]를 받은 사람.

con·fis·ca·ble [kənfískəbəl] *a.* 몰수할 수 있는.

con·fis·cate [kάnfəskèit] *vt.* 몰수[압류]하다 ; 압수하다 ; 징발하다 : The government has ~*d* the property of all the traitors. 정부는 반역자들의 재산을 압수[몰수]했다. ——[, kənfískət] *a.* 몰수시킨, 징발시킨 ; 재산을 몰수당한.

còn·fis·cá·tion *n.* **cón·fis·cà·tor** *n.*

con·fis·ca·to·ry [kənfískətɔ̀:ri ; -təri] *a.*

〖L ; ⇨ FISCAL〗

con·fi·ture [kάnfətʃùər, -tjùər] *n.* 설탕절임, 잼.

con·fla·grant [kənfléigrənt] *a.* 불타고 있는, 불타는.

con·fla·grate [kάnfləgrèit] *vi.* 불타다. —— *vt.* 불태우다.

con·fla·gra·tion [kὰnfləgréiʃən] *n.* 대화재, 큰불 (great fire) ; =CONFLICT. 〖L ; ⇨ FLAGRANT〗

con·flate [kənfléit] *vt.* 융합하다, 섞다 ; (이본(異本)을) 합성하다. 〖L (*flat*- *flo* to blow)〗

con·fla·tion [kənfléiʃən] *n.* 융접 ; 융합 ; 이문융합(異文融合) 《사본의 이본(異本)을 몇 가지 대교(對校)하여 하나로 정리하기》.

***con·flict** [kάnflikt] *n.* **1** 투쟁(struggle), 전투(fight) : a ~ of arms 교전. **2** (주의 상의) 쟁투, 쟁의 ; 알력. **3** (사상·이해 따위의) 충돌 : a ~ of laws (국가·주(州) 따위의 사이 또는 재판관할 구역 상호의) 법률의 충돌[모순].

come into conflict (***with...***) (…와) 싸우다 ; (…와) 충돌하다 ; (…에) 모순되다.

in conflict (***with...***) (…와) 싸워서, 충돌[모순]되어.

—— [kənflíkt, 美+kάnflikt] *vi.* [動/+*with*+名] 다투다 ; 충돌하다, 서로 용납치 않다, 모순되다 : Your interests ~ ***with*** mine. 당신과 나는 (서로) 이해가 상반된다 / My schedule ~*s with* the lecture (time). 나의 일정은 강연시간과 어긋난다. **con·flíc·tion** *n.* 싸움, 충돌.

con·flíc·tive *a.*

〖L (*flict*- *fligo* to strike)〗

類義語 ⟹ FIGHT.

conflíct·ing *a.* 서로 다투는 ; 상반되는, 모순되는 : ~ emotions 상반되는 감정 / ~ views 대립되는 의견.

conflíct of ínterest *n.* 이해 상반.

con·flu·ence [kάnflu(:)əns, 美+kənflú:əns] *n.* **1** (하천 따위의) 합류(점) (junction)〈*of*〉. **2** 사람의 물결, 인파, 집합, 군중(crowd).

cón·flu·ent *a.* 합류하는, 서로 만나는. —— *n.* 지류, 합류하는 강. 〖L (*fluo* to flow)〗

con·flux [kάnflʌks] *n.* =CONFLUENCE.

con·fócal *a.* 〖數〗 초점이 같은, 초점을 공유하는.

con·form [kənfɔ́:rm] *vt.* [+目+*to*+名] (모범·관례에) 따르게 하다 ; (행위를 법률·풍속 따위에) 적합[순응]하게 하다 : She tried to ~ her habits and tastes ***to*** those of her husband. 그녀는 남편의 습관과 취미에 자기의 습관과 취미를 맞추려고 노력했다 / ~ oneself *to* the ways of the world 시속(時俗)에 따르다. —— *vi.* **1** [+前+名] (사물이 형태에) 따르다, 일치하다(be adapted) ; (사람이 규칙·습성에) 따르다 : Experience does not ~ ***to***[***with***] this rule. 경험은 이 원칙과 일치하지 않는다 / We must ~ *to* the customs of the country. 그 나라의 관습을 따르지 않으면 안된다. **2** 〖英宗史〗 국교를 준봉하다.

—— *a.* =CONFORMABLE.

〖OF<L ; ⇨ FORM〗

類義語 ⟹ AGREE, ADAPT.

confòrm·abílity *n.* Ⓤ 일치(성), 순응성 ; 〖地質〗 (지층의) 정합(整合).

confórm·able *a.* **1** (…에) 따르는, 준거한, 적합한, 일치[상응]하는(corresponding) ; 비슷한〈*to*〉 ; 〖地質〗 정합(整合)의, 정합적인. **2** 순종하는(submissive)〈*to*〉. **-ably** *adv.* 일치하여 ; 순종하여, 순순히.

con·for·mal [kənfɔ́:rməl, kɑn-] *a.* **1** 〖數〗 등각의 ; 공형(共形)의 : ~ geometry 공형 기하학. **2** 〖地質〗 정각(正角)[등각](투영)의 : a ~ map 등각지도.

con·for·mance [kənfɔ́:rməns] *n.* Ⓤ 일치, 적합, 순응〈*to, with*〉.

con·for·ma·tion [kὰnfɔ:rméiʃən, -fər-] *n.* **1** 형태, 구조. **2** Ⓤ 적합, 일치〈*to*〉. **~·al** *a.*

conformátional análysis *n.* 〖化〗 형태 분석.

confórm·er *n.* 순응자, 준봉자.
confórm·ist *n.* 준봉자, 순응주의자 ; [C~] 《英》 영국 국교도(↔*Nonconformist*) (cf. DISSENTER). —— *a.* 체제 순응적인.
con·form·i·ty [kənfɔ́:rməti] *n.* **1** Ⓤ 서로 닮음, 부합 ; 적합, 일치〈*to, with*〉. **2** Ⓤ 준거, 받듦, 협조〈*with, to*〉; 《英》 국교 신봉.
***in conformity with*[*to*]** …에 따라서, …을 받들어서 ; …와 일치해서.
con·found [kənfáund, kɑn-] *vt.* **1** [+目/+目+*with*+名] 혼동하다, 혼란시키다(confuse) : ~ right and wrong 옳고 그름을 혼동하다 / Don't ~ the means ***with*** the end. 수단을 목적과 혼동해서는 안된다. **2** (남을) 곤혹스럽게 하다, 난처하게 하다(perplex) : The shock ~*ed* her. 그 충격으로 그녀는 어리둥절했다 / I was ~*ed* to hear that …라는 말을 듣고 당황했다. **3** 《古》 (적·계획·희망 따위를) 좌절시키다(baffle). **4** [kɑ́nfáund ; kən-, kɔ̀n-] 《口》 제기랄《가벼운 저주의 말》: (God) ~ ! =*C*~ it[you] ! 빌어먹을 !, 망할 놈 !
〚OF<L CON*fus*- -*fundo* to mix up〛
類義語 ⟹ PUZZLE.
confóund·ed *a., adv.* 《口》 울화가 치미는, 터무니없는, 괘씸한[하게], 심한[하게] : a ~ nuisance 몹시 귀찮은 사람 / a ~ long time 지독하게 지루한 시간.
confóund·ed·ly *adv.* 《口》 지독하게, 싫증나게, 심하게(extremely) : It's ~ annoying. 정말 진절머리난다.
còn·fratérnity *n.* (종교·자선사업 따위의) 단체, 협회(society) ; 결사(結社) (brotherhood).
〚OF<L (*con*-)〛
con·frere, -frère [kɑ́nfrὲər, -⌐] *n.* 회원, 조합원 ; 동업자, 동료(colleague).
〚OF<L (*frater* brother)〛
con·front** [kənfrʌ́nt] *vt.* **1** [+目/+目+*with*+名] …에 직면하다, 맞서다(face) ; (법정에서) 대결시키다, …(의 눈앞)에 들이대다 ; (곤란 따위가 사람에게) 일어나다 : They ~*ed* the enemy heroically. 용감하게 적에 대항했다 / On entering the room, he was ~*ed* by a policeman. 방에 들어서자마자 경찰관과 마주쳤다 / The accused was ~*ed* ***with his accuser[*with* the evidence of his guilt]. 피고를 원고와 대질시켰다[피고에게 범죄의 증거가 제시되었다] / I am ~*ed with* enormous difficulties. 엄청난 난관에 직면해 있다. **2** …와 마주 보고 있다 : My house ~*s* hers. 나의 집은 그녀의 집과 마주 보고 있다. **3** 대비[비교]하다(compare). **~·er** *n.* **~·ment** *n.* =CONFRONTATION.
〚F<L (*front*- *frons* face)〛
con·fron·ta·tion [kɑ̀nfrʌntéiʃən] *n.* Ⓤ,Ⓒ 〔法〕 (법정에서의) 대면, 대결 ; (일반적으로) 직면, 대항, 대질 ; 대비, 비교.
in confrontation with …와 대결하여, …에 직면하여.
confrontátion stàte *n.* 인접 적(대)국.
Con·fu·cian [kənfjú:ʃən] *a.* 공자의 ; 유교의. —— *n.* 유생(儒生).
~·ìsm *n.* 유교. **~·ist** *n.* 유가, 유생.
Con·fu·cius [kənfjú:ʃəs] *n.* 공자(552-479 B.C.) 《유교의 창시자》.
con fuo·co [kɑn fwɔ́:kou] *adv., a.* 〔樂〕 정열적으로[인] 〚It. =with fire〛
‡**con·fuse** [kənfjú:z] *vt.* **1** [+目/+目+*with*+名] 혼란시키다 ; 혼동시키다 : Don't ~ liberty ***with*** license. 자유를 방종과 혼동해서는 안된다. **2** [+目/+目+前+名] [보통 수동태로] 난처하게 하다, 당황하게 하다, 어리둥절케 하다(perplex) : I *was*[*got*] ~*d* ***at*** my mistake. 실수를 하고 어찌할 바를 몰랐다. 〚역성(逆成)<↓〛
類義語 (1) ***confuse*** 상대를 방해해서 불안을 느끼게 하거나 당황하게 해서 침착하게 사색하거나 말하거나 행동하는 것을 불가능하게 하다 : She was *confused* by the sudden question. (갑작스런 질문에 그녀는 당황하였다). ***embarrass*** 상대를 불안하게 하거나 어리둥절케 하여 침착성을 잃게 하다 : He was *embarrassed* by the greetings of the strangers. (낯선 사람의 인사를 받고 그는 어리둥절하였다). ***disconcert*** 상대방을 방해하여 또는 어지럽혀서 정신적인 동요를 일게 하다 : The policeman was *disconcerted* by the cry. (비명 소리에 경찰관은 당황하였다).
(2) ⟹ PUZZLE.
con·fused [kənfjú:zd] *a.* 당황한 ; 혼란한, 분간할 수 없는 ; 지리 멸렬한 : a ~ explanation 뜻이 애매한 설명. **-fús·ed·ness** [-ədnəs] *n.* 혼란 (상태). 〚ME ; ⇨ CONFOUND〛
con·fús·ed·ly [-ədli] *adv.* 난잡하게, 엉망진창으로 ; 어찌할 바를 모르고, 당황하여.
con·fús·ing *a.* 혼란시키는 (듯한), 어지럽히는. **~·ly** *adv.*
***con·fu·sion** [kənfjú:ʒən] *n.* **1** Ⓤ 혼란 ; 난잡(disorder) ; 혼동〈*with*〉: Everything is in ~. 모든 것이 엉망진창이다 / The new event threw them into (complete) ~. 새로운 사건으로 인하여 그들은 (대)혼란에 빠져버렸다. **2** Ⓤ 얼떨떨함, 당황. **3** [감탄사적으로 ; C~ !] 제기랄 !, 야단났구나 !
confusion worse confounded 지금까지 이상의 혼란, 혼란에 또 혼란.
類義語 ***confusion*** 사물이 엉망진창으로 되어 있어서 개개의 요소나 부분이 분별되지 않는 혼란 상태. ***disorder, disarray*** 사물의 원래 순서나 배열이 혼란스럽게 되어 있음 ; *disarray* 쪽이 뜻이 강함. ***chaos*** 전면적으로 손을 댈 수 없을 정도로 뒤죽박죽 혼란스럽게 되어 있음. ***jumble*** 조화되지 않는 것들이 무질서하게 뒤섞여 있음. ***muddle*** 서투르거나 무능력으로 인해 생기는 혼란.
con·fu·ta·tion [kɑ̀nfju(:)téiʃən] *n.* Ⓤ 논파, 논박.
con·fu·ta·tive [kənfjú:tətiv] *a.* 논박[설파]의.
con·fute [kənfjú:t] *vt.* (토론에서) 논박하다 ; (남을) 꺽소리 못하게 하다(silence). **con·fút·able** *a.* 설파[논박]할 수 있는. 〚L=to restrain〛
Cong. Congregation(al) ; Congregationalist ; Congress ; Congressional.
con·ga [kɑ́ŋgə] *n.* 콩가《아프리카 원주민 춤에서 발달한 쿠바의 춤》. —— *vi.* (**~ed, ~'d**) 콩가를 추다. 〚Am. Sp.〛
cón gàme *n.* 《口》 =CONFIDENCE GAME ; 《美俗》 유혹 ; 《美俗》 위법[반도덕적]인 것[일] ; 《美俗》 손쉬운 벌이.
con·gé [kɑ́nʒei, -dʒei, kɔ̃:nʒéi] *n.* 해직, 면직(dismissal) ; 작별 인사 ; 작별 ; 출발[퇴거] 허가 : give a person his ~ 남을 면직시키다 / get one's ~ 해직당하다 / ☞ POUR PRENDRE CONGÉ.
〚F (L *commeatus* furlough)〛
con·geal [kəndʒí:l] *vt.* 얼리다(freeze) ; 응결시키다 : His very blood was ~*ed*. (공포로) 전신의 피가 얼어붙었다. —— *vi.* 응결하다.
〚OF<L (*gelo* to freeze<*gelu* frost)〛

con·gee [kάndʒiː] *n.* ＝CONGÉ : take one's ~ 작별 인사를 하다.
—— *vi.* 《稀》 작별 인사를 하다 ; 인사하다.

con·ge·la·tion [kὰndʒəléiʃən] *n.* Ⓤ 동결, 응고 ; Ⓒ 동결물, 응결물(物).

con·ge·ner [kάndʒənər, kəndʒíː-] *n.* 동종[동류]의 것[사람] ; 동속(同屬)의 동물[식물].
—— *a.* ＝CONGENERIC.
〖L ; ⇨ GENUS〗

còn·genéric *a.* 관련이 있는 ; 동속(同屬)의, 동종의, 동류의.

con·gen·er·ous [kəndʒénərəs, -dʒíːn-] *a.* ＝CONGENERIC ; 〔解〕 협동 작용의 : ~ muscles 협동근(協動筋).

con·ge·nial [kəndʒíːnjəl] *a.* **1** 같은 성질[정신·취미]의, 마음이 맞는〈*with, to*〉 : ~ spirits 마음이 맞는 동지 / in ~ society 의기 투합하는 친구들과 어울려서. **2** (건강·취미 따위에) 알맞은, 성미에 맞는 ; 붙임성있는 : a climate ~ *to* one's health 건강에 적합한 풍토. **~·ly** *adv.* 천성에 맞춰 : be ~*ly* employed 천성에 맞는[좋아하는] 일을 하고 있다.
〖*con*-, GENIAL[1]〗

con·ge·ni·al·i·ty [kəndʒìːniǽləti] *n.* **1** U,C (성질·취미 따위의) 일치, 공명〈*in, between*〉. **2** U,C 성미에 맞음, 적합[적응]성〈*to, with*〉.

Congeniálity Awárd *n.* (상공 회의소 따위가 서비스 우수 상점에 주는) 감사장, 우수상《Miss America 콘테스트 따위에서도 줌》.

con·gen·i·tal [kəndʒénətl, kɑn-] *a.* (병·결함 따위) 타고난, 선천적인〈*with*〉 : ~ idiocy 배내천치. **~·ly** *adv.* 선천적으로. **~·ness** *n.*
〖L (*genit- gigno* to beget)〗

cón·ger (éel) [kάŋgər(-)] *n.* 〔魚〕 붕장어.
〖OF<L<Gk. *goggros*〗

con·ge·ries [kɑndʒíəriːz, kάndʒərìːz] *n.* (*pl.* ~) 긁어모음 ; 퇴적, 집괴(集塊). 〖L (↓)〗

con·gest [kəndʒést] *vt.* 혼잡하게 하다 ; 〔醫〕 충혈(充血)[울혈]시키다. —— *vi.* 모이다, 떼짓다 ; 〔醫〕 충혈[울혈]되다. 〖L *con*-(*gest- gero* to bring)＝to heap together〗

congést·ed *a.* **1** 밀집된, 혼잡한 : ~ traffic 혼잡한 교통 / a ~ area[district] 인구 과밀 지역. **2** 〔醫〕 충혈[울혈]된.

con·ges·tion [kəndʒéstʃən] *n.* **1** Ⓤ 밀집, (인구의) 과잉 ; (화물 따위의) 폭주, (도로·교통의) 혼잡. **2** Ⓤ 〔醫〕 충혈, 울혈 : ~ of the brain 뇌충혈(腦充血).

con·gés·tive *a.* 충혈성의.

con·glo·bate [kɑnglóubeit ; ⌐-⌐] *vt., vi.* 공 모양이 되(게 하)다. —— [-bət, -beit] *a.* 공 모양의.

còn·glo·bá·tion *n.* 구형(球形) ; 구상체.

con·globe [kɑnglóub, kən-] *vt., vi.* ＝CONGLOBATE.

con·glo·bu·late [kɑnglóubjulèit] *vi.* 구상(球狀)으로 모이다. **con·glò·bu·lá·tion** *n.* 구상화[체](球狀化[體]).

con·glom·er·ate [kənglάmərət] *a.* 둥글게 뭉친, 집단이 된 ; 밀집한 ; 〔地質〕 역암질(礫岩質)의, 집괴성(集塊性)의. —— *n.* 뭉친 덩어리, 집단, 집성체(集成體), 집합 ; 〔地質〕 역암, 속에 작은 돌이 든 돌 ; (거대) 복합 기업.
—— [-mərèit] *vt., vi.* 둥글게 뭉치다[굳어지다], 덩어리로 뭉치다[응집하다]. **con·glóm·er·a·cy** *n.* (거대) 복합 기업의 형성.
〖L (p.p.) ‹ *con*-(*glomero* ‹ *glomer- glomus* ball)＝to roll together〗

conglómerate integràtion *n.* 〔經營〕 (기업의) 다각적 통합.

con·glom·er·a·teur [kənglὰmərətə́ːr], **-teer** [-tíər] *n.* (거대) 복합 기업 경영자.

con·glom·er·a·tion [kənglὰməréiʃən, kɑn-] *n.* Ⓤ 덩어리로 뭉침 ; Ⓒ 응괴, 집괴(集塊).

con·glu·ti·nant [kənglúːtənənt] *a.* 교착[유착]하는 ; 〔醫〕 (상처의) 치유를[유착을] 촉진하는.

con·glu·ti·nate [kənglúːtənèit, kɑn-] *vi., vt.* (아교 따위로) 붙이다(glue together) ; 유착하다[시키다]. —— *a.* 교착한, 들러붙은.
con·glù·ti·ná·tion *n.* 교착, 유착.
con·glú·ti·nà·tive [; -nə-] *a.* 교착성의.

con·go [kάŋgou] *n.* ＝CONGOU.

Congo *n.* [the ~] **1** 콩고《아프리카 중부에 있는 공화국 ; 수도 Brazzaville》. **2** 콩고 강.

Cóngo dỳe[**còlor**] *n.* 콩고 염료《주로 benzidine에서 유도된 직접 아조 염료(azo dye)》.

Con·go·lese [kὰŋgəlíːz, -s] *a.* 콩고의, 콩고인의. —— *n.* 콩고인 ; 콩고어.
〖F (CONGO, *-ese*)〗

cóngo snàke[**èel**] *n.* 〔動〕 암피우마《미국 남동부산(産)의 대형 도롱뇽》.

con·gou [kάŋguː, -gou] *n.* 중국산 홍차의 일종.

con·grats [kəngrǽts], **con·grat·ters** [kəngrǽtərz] *n. pl., int.* 《口》 축하합니다.

con·grat·u·lant [kəngrǽtʃələnt] *a.* 축하의, 경축하는. —— *n.* (축)하객.

con·grat·u·late** [kəngrǽtʃəlèit] *vt.* [＋目/＋目＋*on*＋名] 축하하다, 축사[축하]를 하다(cf. FELICITATE) : I ~ you ***on your marriage [pass*ing* the examination]. 결혼[시험의 합격]을 축하드립니다.
congratulate one***self*** (***on*** . . .) (…을) 기뻐하다 : He ~*d* him*self* *on* his escape. 그는 무사히 도망친 것을 기뻐했다.

〈회화〉
Let me *congratulate* you on your success. — Thank you. 「당신의 성공을 축하드립니다」「고맙습니다」

〖L (*gratulor* to show joy ‹ *gratus* pleasing)〗

***con·grat·u·la·tion** [kəngræ̀tʃəléiʃən] *n.* **1** Ⓤ 축하, 경축, 경하〈*on, upon*〉 : a speech of ~ 축사 / a matter for ~ 경사스러운 일. **2** [보통 *pl.*] 축사 : offer one's ~*s* 축하의 말을 하다 / Please accept my sincere ~*s* *upon* your success. 당신의 성공을 진심으로 축하하는 바입니다 / *C*~*s* ! 축하합니다 !

con·grát·u·là·tor *n.* (축)하객.

con·grat·u·la·to·ry [kəngrǽtʃələtɔ̀ːri ; -təri] *a.* 축하의 : a ~ address 축사(祝辭) / send a ~ telegram 축전을 치다.

con·gre·gant [kάŋgrigənt] *n.* (남과 함께) 모이는 사람, (특히) 회중(會衆)의 한 사람.

con·gre·gate [kάŋgrigèit] *vi.* [動/＋前＋名] 모이다, 군집하다, 뭉치다 : Pupils ~*d* ***round*** the teacher. 학생들은 선생님 주위로 몰려들었다.
—— *vt.* 모으다.
—— [-gət, -gèit] *a.* 모인 ; 집단적인.
〖L CON*grego* to collect in a flock (*greg- grex* flock)〗

con·gre·ga·tion [kὰŋgrigéiʃən] *n.* **1** 모임, 회합 (assembly). **2** 〔宗〕 회중 ; 집회. **3** [보통 C~] 《英》 (Oxford 대학 따위의) 교직원회. **4** [the C~] 〔聖·유태史〕 (광야를 헤매던 때의) 이스라엘인《전체》, 유태 민족(＝the C~ of the Lord).

5 〖카톨릭〗 (교황청(the Vatican)의) 성성(聖省) 《9개의 성성이 있음》.
congregátion·al *a.* 회중의 ; [C~] 회중파[조합] 교회제의 : the *C*~ Church 조합 교회, 회중파 교회《1972년 잉글랜드・웨일스에서는 United Reformed Church에 합병됨》.
~·ìsm *n.* 조합(組合) 교회주의, 독립 교회제.
~·ist *n.* 조합 교회원 ; 조합 교회주의자.
cón·gre·gà·tive *a.* 집합적인.
~·ness *n.* 집합.
***con·gress** [káŋgrəs ; -gres] *n.* **1** [보통 관사없이 ; C~] (미국 또는 중・남미공화국의) 국회, 의회《the Senate와 the House (of Representatives)로 이루어짐》; 국회 회기(session) (cf. DIET², PARLIAMENT) : a Member of *C*~ (미국의) 하원의원. **2** (대표자・사절・위원 등의 정식) 대회의, 평의원회, 대의원회, 학술대회 : a medical ~ 의학대회 / hold a ~ 회의를 열다.
in Congress 국회 개회 중에.
〚L=coming together (*gress- gradior* to walk)〛
Cóngress càp *n.* [때때로 c~] (인도의) 국민회의파 의원이 쓰는 테없는 흰 모자.
cóngress gàiters[bòots, shòes] *n. pl.* [때때로 C~] 《美》 (안쪽에 고무를 덧댄) 깊숙한 단화(cf. ROMEO).
con·gres·sio·nal [kəngréʃənl, kɑn-] *a.* 회의의 ; 집회의 ; [때때로 C~] 《美》 국회의 : a ~ district 《美》 하원의원 선거구.
the Congressional Medal (of Honor) 《美》 명예훈장《의회의 이름으로 대통령이 특별히 공로가 큰 군인에게 직접 수여하는 최고 훈장 ; the Medal of Honor라고도 함》.
Congréssional Récord *n.* 《美》 국회 의사록.
congréssional stàffer *n.* 《美》 의회 스태프(의 한 사람).
cóngress·man [-mən] *n.* [때때로 C~] 《美》 연방 의회 의원, (특히) 하원 의원(cf. SENATOR, REPRESENTATIVE).
cóngressman-at-lárge *n.* (*pl.* **-men-**) 《美》 (지방 선거구 선출 의원이 아닌) 전주(全州) 선출 연방의회[하원] 의원.
Cóngress Párty *n.* [the ~] 인도 국민회의파 (Indian National Congress).
cóngress·pèrson *n.* (*pl.* **cóngress·pèople**) [때때로 C~] 《美》 연방 의회[하원] 의원《남녀 공통어》.
cóngress·wòman *n.* 《美》 여성 연방 의회[하원] 의원.
con·gru·ence, -cy [káŋgruəns(i), kəngrú:-] *n.* Ⓤ 조화, 일치 ; 〖數〗 합동.
〚L (*congruo* to agree)〛
con·gru·ent [káŋgruənt, kəngrú:-] *a.* =CONGRUOUS.
con·gru·i·ty [kəngrú:əti, kɑn-] *n.* Ⓤ 적합(성), 일치, 조화〈*between, with*〉; 〖數〗 합동.
con·gru·ous [káŋgruəs] *a.* 일치하는, 적합한〈*to, with*〉. **~·ly** *adv.* 일치[적합]하여.
〚L ; ⇨ CONGRUENCE〛
con·ic [kánik] *a.* 〖數〗 원뿔의, 원뿔꼴의.
── *n.* 원뿔 곡선 ; [*pl.*] 〖數〗 원뿔 곡선론(論).
cón·i·cal *a.* 원뿔꼴의. **cón·i·cal·ly** *adv.*
cón·i·cal·ness *n.* 〚L<Gk. ; ⇨ CONE〛
con·i·coid [kánikɔid] *n.* 〖數〗 이차 곡면(曲面).
cónic projéction *n.* 〖地圖〗 원뿔 도법.
cónic séction *n.* 원뿔 곡선 ; [~s ; 단수취급] 원뿔 곡선론[기하학].
co·nid·i·um [kənídiəm, kou-] *n.* (*pl.* **-dia**[-diə]) 〖植〗 (균류의) 분생자(分生子).
co·ni·fer [kánəfər, kóu-] *n.* 〖植〗 구과(毬果) 식물, 침엽수. 〚L=CONE bearing〛
co·nif·er·ous [kənífərəs, kou-, 英+kɔ-] *a.* 솔방울을 맺는 : a ~ tree 침엽수.
có·ni·fòrm [kóunə-] *a.* 원뿔꼴의.
conj. conjugation ; conjunction ; conjunctive.
con·jéc·tur·able *a.* 추측할 수 있는.
con·jéc·tur·al *a.* 추측적인, 확정적이 아닌 ; 지레짐작을 잘하는.
con·jec·ture [kəndʒéktʃər] *n.* Ⓤ,Ⓒ 짐작, 추측 ; 억측(guesswork) ; 판독(判讀) : hazard a ~ 멋대로 짐작을 해보다 / be reduced to ~ 추측해 보는 수 밖에 없다. ── *vt.* **1** [+目/+*that* 節] 짐작하다 ; 억측하다 : Washington ~*d that* at least 300 of the enemy had been killed. 워싱턴은 적병이 최소한 300명은 죽었으리라고 추측했다. **2** 판독하다. ── *vi.* 추측하다, 멋대로 억측하다.
〚OF or L *conjectura* (*jacio* to throw)〛
類義語 ⟹ GUESS.
con·join [kəndʒɔ́in, kɑn-] *vt., vi.* 결합하다, 연접하다, 연합하다(combine).
〚OF<L ; ⇨ JOIN〛
con·joint [kəndʒɔ́int, kɑn-] *a.* 결합한, 연합[합동]의 ; 공동의, 연대의(joint) : a ~ action 공동 동작. **~·ly** *adv.* 결합[공동]하여, 연대로.
〚OF (p.p.) 〈CONJOIN〛
con·ju·gal [kándʒəgəl, 美+kəndʒú:-] *a.* 부부의, 혼인상의 : ~ affection 부부애. **~·ly** *adv.*
〚L (*conjug- conjux* consort)〛
còn·ju·gál·i·ty *n.* Ⓤ 혼인 (상태), 부부임, 부부생활.
cónjugal ríghts *n. pl.* 〖法〗 부부 동거[성교]권.
con·ju·gant [kándʒəgənt] *n.* 〖生〗 접합개체.
con·ju·gate [kándʒəgèit] *vt.* 〖文法〗 (동사를) 활용[변화]시키다(cf. DECLINE *vt.* 3) ; 《古》 결합시키다. ── *vi.* 결합하다 ; 〖生〗 접합하다.
── [-dʒigət, -dʒəgèit] *a.* 결합된 ; 〖生〗 접합의 ; 짝의, 짝을 이루는 《잎》; 〖數・理〗 켤레의 ; 〖文法〗 동근(同根)의, 같은 어원의《peace, peaceful 따위》.
── [-dʒigət, -dʒəgèit ; -dʒu-] *n.* 〖文法〗 동근어(同根語) ; 〖數〗 켤레. **-gà·tive** *a.* **-gà·tor** *n.*
〚L *con-* (*jugo* 〈 *jugum* yoke) =to yoke together〛
cónjugate áxis *n.* 〖數〗 켤레축.
cónjugate cómplex númber *n.* 〖數〗 켤레복소수.
cón·ju·gàt·ed *a.* 〖化〗 두 화합물의 결합으로 된, 복합된 ; 2중 결합이 단(單)결합을 사이에 두고 존재하는, 켤레의.
cónjugate diámeter *n.* 〖數〗 켤레지름.
cónjugated prótein *n.* 〖生化〗 복합 단백질.
cónjugate póint *n.* 〖數・理〗 켤레점(點).
con·ju·ga·tion [kɑ̀ndʒəgéiʃən] *n.* **1** Ⓤ,Ⓒ 〖文法〗 (동사의) 어형 변화, 활용(活用)《인칭・수・시제・태・법에 의한 굴절 ; cf. DECLENSION, INFLECTION》 : the regular[irregular] ~ 규칙[불규칙] 활용 / the strong ~ 강변화《모음이 변하는 것》/ the weak ~ 약변화《-ed, -t의 어미 변화에 의한 것》. **2** Ⓤ,Ⓒ 결합, 연결, 배합 ; 〖生〗 (생식 세포의) 접합.
con·junct [kəndʒʌ́ŋkt, kɑn-, kándʒʌŋkt] *a.* 결합[연결]된, 공동의. **~·ly** *adv.* 결합[연결・공동]하여. 〚L ; ⇨ CONJOIN〛
con·junc·tion [kəndʒʌ́ŋkʃən] *n.* **1** Ⓤ,Ⓒ 결합, 연결〈*of*〉; 합동, 연락 ; (사건 따위의) 동시 발생. **2** 〖文法〗 접속사《略 conj.》 : coordinating ~*s* 등위

[대등]접속사《동격의 어구를 접속하는 and, but 따위》/subordinating ~*s* 종속[종위] 접속사《종속절을 주절에 접속하는 if, though 따위》. **3** 〖論〗 연언(連言) ; 〖天〗 (2행성 따위의) 합(合), (달의) 삭(朔) (cf. OPPOSITION 4).
in conjunction with …와 함께 ; …에 관련[접속]하여.
~·al *a.* **~·al·ly** *adv.*
〖OF<L ; ⇨ CONJOIN〗

con·junc·ti·va [kàndʒʌŋktáivə, kən-] *n.* (*pl.* **~s, -vae** [-viː]) 〖解〗 (안구의) 결막(結膜).
〖L (*tunica*) *conjunctiva* ; ↓〗

con·junc·tive [kəndʒʌ́ŋktiv] *a.* **1** 결합[접합·연결]하는. **2** 〖文法〗 접속하는 : the ~ mood 접속법. —— *n.* 〖文法〗 접속사 ; 접속법. **~·ly** *adv.* 결합[연결]하여 ; 〖文法〗 접속사로서.
〖L ; ⇨ CONJOIN〗

conjúnctive ádverb *n.* 〖文法〗 접속 부사.

con·junc·ti·vi·tis [kəndʒʌ̀ŋktiváitəs] *n.* Ⓤ 〖醫〗 결막염.
〖CONJUNCTIVA〗

con·junc·ture [kəndʒʌ́ŋktʃər] *n.* 국면, 경우 ; (위급한) 때, 위기(crisis) : at[in] this ~ 《文語》 차제(此際)에.

con·ju·ra·tion [kàndʒuréiʃən, kʌ̀n-] *n.* **1** Ⓤ,Ⓒ 마술, 마법, 주문(呪文)(의 글귀) ; 요술. **2** Ⓤ,Ⓒ 기원, 탄원.

con·jure [kándʒər ; kʌ́n-] *vt.* **1** [+目+副/+目+前+名] 마법[요술]으로 …하다, …을 주문을 외워 불러내다 : ~ something *away* 마법으로 무언가[잡것]를 몰아내다 / The juggler ~*d* a rabbit ***out of*** the hat. 마술사는 요술을 부려 모자에서 토끼를 꺼내었다. **2** [kəndʒúər] 《文語》 [+目+*to* do] 기원[탄원]하다, 간청하다 (implore) : He ~*d* them not *to* betray their country. 그는 그들에게 조국을 배신하지 말아달라고 간청했다.
—— *vi.* 마법을[요술을] 부리다 : a name to ~ with 주문에 쓰이는 이름 ; 매력이 풍부한 이름.
conjure up 주문을 외워[마법을 써서] (죽은 영혼·귀신을) 불러내다 ; 상상으로 그리다 : ~ *up* the spirits of the dead 죽은 사람의 영혼을 마법을 써서 불러내다 / ~ *up* the visions of the past 과거의 광경을 눈앞에 떠올리게 하다.
—— *a.* 마법의, 마법을 부리는, 주문을 하는[에 이용되는].
〖OF=to plot, exorcise<L (*juro* to swear)〗

cón·jur·er, -ju·ror *n.* **1** 마법사(magician) ; 요술사, 마술사(juggler). **2** 《口》 무엇이나 잘해내는 사람.

cón·jur·ing *n., a.* 요술(의), 마술(의).

cón·jury *n.* Ⓤ 주술(呪術), 마법 ; 요술, 마술.

conk[1] [káŋk, kɔ́(ː)ŋk] *n.* **1** 《俗》 머리 ; 머리를 때리기. **2** 《美俗》 코. —— *vt.* 《口》 (머리를) 때리다. 〖C19=? CONCH〗

conk[2] *vt.* 《美俗》 (흑인 등이 약품으로) 고수머리를 펴다. —— *n.* (흑인 등의) 고수머리를 편 머리[헤어 스타일]. 〖? *congolene* a hydrocarbon produced from Congo copal (*Congol*ese+-*ene*)〗

conk[3] *vi.* 《口》 (기계가) 고장나다〈*out*〉 ; 늦어지다 ; 멈추다 ; 죽다〈*out*〉 ; 기절하다, 쓰러지다 ; 일을 그만두다, 쉬다 ; 자다〈*off, out*〉.
〖C20<? ; imit. 인가〗

cónked-òut *a.* 《俗》 **1** 고장난, 못쓰게 된. **2** 《美》 잠들어 버린.
〖CONK[3]〗

cónk·òut *n.* 《美俗》 고장.

cónky *a., n.* 《俗》 코가 큰 (사람) ; [C~] 코주부 《별명》.

cón màn *n.* 《美俗》 =CONFIDENCE MAN.

con-man·ner·ism [kánmæ̀nərìzəm] *n.* 사기꾼 같은 행위[태도].

con·man·ship [kánmənʃip] *n.* 《口》 사기꾼의 솜씨[수완].

con mo·to [kan móutou] *adv., a.* 〖樂〗 콘 모토로[의], 생생하게[한], 기운차게[찬].
〖It.=with movement〗

conn [kán] *vt.* (배·비행기 따위)의 조타(操舵)[코스]를 지휘하다.
—— *n.* 조타 지휘 ; 조타 지휘자의 위치.

Conn. Connacht ; Connecticut.

Con·nacht [kánɔːt ; *Ir.* -ət] *n.* 코노트《아일랜드 공화국 북서부의 한 지방 ; 略 Conn.》.

con·nate [káneit, 美+-ˊ] *a.* **1** 타고난, 선천적인. **2** 동시에 발생하는 ; 〖植〗 합생(合生)의.

con·nátural [ka-, kə-] *a.* 타고난, 고유의〈*to*〉 ; 같은 성질의. **~·ly** *adv.*

‡**con·nect** [kənékt] *vt.* **1** [+目/+目+前+名] 잇다, 결합[연결·접속]하다(join) : *C* ~ this rope ***with*** that. 이 밧줄을 저것과 이어라 / The Saharan oases are ~*ed* ***to*** each other by well-marked routes. 사하라 사막의 오아시스는 잘 표시된 통로를 따라서 서로 연결되어 있다. **2** [+目/+目+*with*+名] [보통 수동태로 또는 ~ one*self* 로] (연고상·직무상 따위로) 관계시키다 : She *is* well ~*ed* socially. 사회적으로 아는 사람이 많다 / She *is* ~*ed* ***with*** the family by marriage. 그 가문과 인척관계다《그 가문의 사람과 결혼했다》/ He ~*s* him*self with* the firm. 그 회사와 연관되어 있다. **3** [+目+*with*+名] 연상시키다(associate) : Doctors ~ crime ***with*** insanity. 의사들은 범죄를 정신병과 관련시켜 생각한다. —— *vi.* [動/+*with*+名] 연속하다 ; 이어지다, 접속[연락]되다 ; 관계하다 : This train ~*s* ***with*** another at London. 이 기차는 런던에서 다른 열차와 접속된다.
〖L (*nex- necto* to bind)〗
類義語 ⟹ JOIN.

connéct·ed *a.* 연속되어 있는, 일관된 ; 관계[연락]있는 : a ~ account 일관된 설명 / ~ ideas 상호 연관된 사상.
~·ly *adv.* 관련되어. **~·ness** *n.*

con·néct·er *n.* =CONNECTOR.

Con·nect·i·cut [kənétikət] *n.* 코네티컷《미국 New England의 한 주(州) ; 주도 Hartford ; 略 Conn.》.

connéct·ing *a.* 연결[연락]하는.

connécting lìnk *n.* 사슬이 연결된 부분 ; 〖機〗 연결 링크.

connécting ròd *n.* 〖機〗 (기관의) 연접봉.

***con·nec·tion,** 《英》 **-nex·ion** [kənékʃən] *n.* **1** Ⓤ,Ⓒ 관계, 관련 : the ~ *between* the two ideas 두 관념 사이의 관계 / have a[no] ~ *with* …와 관계가 있다[없다] / make a ~ 관계를 맺다, 관련짓다〈*with*〉. **2** Ⓤ,Ⓒ (배·열차 따위의) 연락, 접속, 잇기 : make ~*s* 잘 접속[연락]되다〈*at*〉 / make[miss] one's ~ (사람이) 연계되는 열차(시간)에 맞추다[늦다] / run in ~ *with* (열차 따위가) 연락되어 발착하다. **3** Ⓤ,Ⓒ (사람과 사람과의) 사이, 관계, 친합, 교분 ; 연고, 연줄, 인척《관계 또는 그 사람》 : of good ~ 훌륭한 친척을 가진 / form a ~ (*with*) (…와) 관계가 생기다 ; (…와) 연줄이 닿다 / form useful ~*s* 유력한 벗을 만들다. **4** 연결하는 것[부분], (기계의) 연접 ;

(전화의) 접속 : You are *in* ~. (전화에서) 연결됐습니다. **5** 단체, 종파, 교파. **6** 단골 거래처[손님] ; 《美俗》 마약 밀매인 : establish a ~ (*with*) (…와) 거래 관계를 트다 / His business has a large ~. 그의 장사에는 단골손님이 많다. **7** U,C 정교(情交) (sexual union) : have[form a] ~ *with* …와 정을 통하다.
in connection with …와 관련하여, …와 연락하여 ; …에 관하여[한].
in this*[*that*] *connection 이[그] 점에 관련하여 : *In this* ~, we will touch on an interesting fact. 말나온 김에, 한 가지 흥미로운 사실에 관해서 언급해 두겠다.
〖L (⇨ CONNECT) ; *-ct-*는 connect에서〗

connéction tìcket *n.* 바꿔 탈 수 있는 차표.

con·nec·tive [kənéktiv] *a.* 접속의, 결합[연접]성의 : ~ tissue 〔解〕 결합조직. —— *n.* **1** 연결물, 연접물, 연계(連繫). **2** 〔文法〕 연결어《접속사·관계사 따위》; 〔論〕 결합 기호. **~·ly** *adv.* 연결하여, 접속적으로.

con·néc·tor *n.* 연결자[물] ; 〔鐵〕 연결수, 연결기 (coupler) ; 〔電〕 접속기, 커넥터.

connexion ☞ CONNECTION.

Con·nie [káni] *n.* 여자 이름《Constance의 애칭》.

cón·ning tòwer [kániŋ-] *n.* (군함의) 사령탑 ; (잠수함의) 전망탑(展望塔).

con·nip·tion [kəníp∫ən] *n.* 《美俗》 히스테리(의 발작) (=~ **fit**) ; 성깔. 〖C19＜?〗

con·niv·ance [kənáivəns] *n.* U 묵과, 보고도 못 본 체하기〈*at, in*〉; (범죄 행위의) 묵인 : with the ~ *of* …의 묵인하에 / in ~ *with* …와 패거리가 되어, 공모하여.

con·nive [kənáiv] *vi.* **1** [+*at*+名] 못본 체하다, 묵인하다, 관대히 봐주다(wink) : The jailer ~*d* ***at*** the escape from prison. 교도관이 탈옥을 묵인했다. **2** [+前+名] 묵계[공모]하다 : ~ ***with*** a person ***in*** crime 남과 공모하여 죄를 범하다.
〖F or L *conniveo* to shut the eyes〗

con·nív·ence *n.* =CONNIVANCE.

con·nív·er *n.* 묵인자, 눈감아 주는 사람.

con·nois·seur [kànəsə́:r] *n.* (미술품 따위의) 감정가, 감식가, 전문가(expert)〈*of, in*〉.
〖F (*connaître* to know) ; cf. RECONNOITER〗

connoisséur·shìp *n.* U 감식안(眼).

con·no·ta·tion [kànətéi∫ən] *n.* U,C 언외(言外)의 뜻, 함축된 뜻 ; 〔論〕 내포(↔*denotation*).

con·no·ta·tive [kánətèitiv, kənóutə-] *a.* 함축적인, (다른 뜻을) 암시하는〈*of*〉; 〔論〕 내포적인(↔*denotative*) : a ~ sense 함축된 뜻. **~·ly** *adv.*

con·note [kənóut, ka-] *vt.* **1** (말이 본래의 의미 외에 다른 뜻을) 암시하다(cf. MEAN[1] 1) : The word 'portly' ~*s* dignity. portly라는 말은 위엄을 암시한다. **2** 〔論〕 내포하다(↔*denote*). **3** (막연히) 의미하다(mean).
〖L *con*NOTE=to mark in addition〗

con·nu·bi·al [kən*j*ú:biəl] *a.* 결혼(생활)의 ; 부부의 ; 남편[아내]의. **~·ly** *adv.* 혼인상 ; 부부로서.
con·nù·bi·ál·i·ty *n.* 혼인, 결혼 생활 ; 부부 관계. 〖L (*nubo* to marry)〗

co·ño [kóunjou] *int.* 《美俗》 젠장, 빌어먹을 (damn, hell). 〖Sp.〗

co·noid [kóunɔid] *a.* 원뿔꼴의. —— *n.* 원뿔곡선체, 첨원체(尖圓體).

co·noi·dal [kounɔ́idl] *a.* =CONOID.

***con·quer** [káŋkər] *vt.* **1** 정복하다, 공략하다 (defeat) ; (격정을) 누르다, (관습 따위를) 타파하다, (곤란 따위를) 극복하다 : ~ a country [an enemy] 나라[적]를 정복하다 / ~ a bad habit 나쁜 습관을 극복하다. **2** (명성 따위를) 획득하다. —— *vi.* 승리를 얻다 : stoop to ~ 지고서 이기다, 굴욕을 참고서 목적을 달성하다.
~·able *a.* 정복 가능한, 이겨낼 수 있는 ; 타파할 수 있는. **~ed** *a.* 정복된, 패한 : the ~*ed* 패자(↔*the conqueror*(*s*)).
〖OF＜L *conquiro* to win (*quaero* to seek, get)〗
類義語 ***conquer*** 육체적·정신적·도덕적인 힘에 의하여 영구히 정복[지배]하다. ***defeat*** 상대를 쳐부수고 승리를 획득하다 : We may be *defeated*, but never conquered. (우리는 질지언정 결코 정복되지 않는다). ***vanquish*** 한 번의 싸움으로 상대를 완전히 압도[타도]하다 : *vanquish* the enemy (적을 완전히 압도하다). ***overcome*** 노력에 의해 상대방을 압도하다, 곤란을 극복하다 : *overcome* difficulties (많은 어려움을 극복하다). ***subdue*** 상대방을 반항심을 말살시킬 정도로 때려 부수다 : *subdue* the enemy (적을 완전히 정복하다). ***overthrow*** 현재 세력을 가지고 있는 것을 폭력을 써서 제거하다 : *overthrow* the government (정부를 뒤집어 엎다).

cónquer·or *n.* **1** 정복자, 전승자(戰勝者) (↔*the conquered*). **2** [the C~] 〔英史〕 정복왕《Normandy 공 William 1세 ; 1066년 영국을 정복함》.
play the conqueror 《口》 (동점자끼리) 결승전을 하다.

***con·quest** [kánkwest, káŋ-] *n.* **1** U 정복〈*of*〉; C 정복하여 얻은 것, 점령지 ; 피정복자 ; 애정의 획득 ; 애정을 얻은 여자《손아귀에 넣은 여자 등》. **2** [the (Norman) C~] 〔英史〕 (Normandy 공 William 1세의) 영국 정복《1066년》.
make*[*win*] *a conquest of …을 정복하다.
〖OF＜Rom. ; ⇨ CONQUER〗
類義語 ⟹ VICTORY.

con·qui·an [káŋkiən] *n.* U 카드놀이의 일종 《rummy와 비슷하며 두 사람이 함》. 〖Mex. Sp.〗

con·quis·ta·dor [kank*w*ístədɔ̀:r, kɔ(:)ŋkí(:)s-, kən-] *n.* (*pl.* **~s, -do·res** [-k*w*ìstədɔ́:riz, -kì(:)s-]) 정복자, 특히 16세기에 멕시코·페루를 정복한 스페인 사람. 〖Sp.〗

Con·rad [kánræd] *n.* 콘래드. **Joseph ~** (1857-1924) 폴란드 태생의 영국 소설가.
〖Gmc. =bold in counsel〗

Con·rail [kánrèil] *n.* 콘레일《미국 동부·중서부 통합 화물 철도 공사》.
〖*Con*solidated *Rail* Corporation〗

cons. consolidated ; consonant ; constitutional ; construction. **cons., Cons.** constable ; Constitution ; Consul ; Conservative.

con·san·guine [kansǽŋgwən, kən-] *a.* =CONSANGUINEOUS.

con·san·guin·e·ous [kànsæŋgwíniəs, -sæn-] *a.* 혈족의, 한 핏줄의, 동족의 : ~ marriage 혈족 결혼.
〖L (*sanguin- sanguis* blood)〗

con·san·guin·i·ty [kànsæŋgwínəti, -sæn-] *n.* U 혈족, 친족 (관계), 동족(cf. AFFINITY).

***con·science** [kán∫əns] *n.* U,C 양심, 본심, 도의심, 선악의 관념 : a good[clear] ~ 떳떳한 마음, 올바른 마음 / a bad[guilty] ~ 떳떳지 못한 마음 / with an easy ~ 마음놓고 / He has no ~. 그는 어떤 나쁜 짓이라도 한다.
for conscience*(') *sake 양심상[을 떳떳이 가지려고], 마음에 걸려 ; 제발.
have. . .on** one'**s conscience …을 꺼림칙하게

생각하다, 떳떳지 않게 생각하다.
have the conscience to do 뻔뻔스럽게도 …하다, 태연히 …하다.
in (all) conscience 공정히, 정당하게(fairly); 확실히.
in conscience 마음에 걸려서: I can't, *in* ~, do such a thing. 그런 짓은 절대로 하고 싶은 마음이 들지 않는다.
liberty of conscience 신앙의 자유.
make...a matter of conscience …을 양심적으로 처리하다.
the court of conscience ☞ COURT *n.*
upon** one**'s conscience 양심에 걸고 맹세하여, 필시.
〖OF<L *con-*(SCIENCE)=to be privy to〗

cónscience clàuse *n.* 〖英法〗 양심조항《신앙의 자유 따위를 허용함》.

cón·science·less *a.* 양심없는; 파렴치한.

cónscience mòney *n.* (탈세자 등이 익명으로 하는) 사죄를 위한 납금(納金), 보상 헌금.

cónscience-smìtten, -strùck *a.* =CONSCIENCESTRICKEN.

cónscience-strìcken *a.* 양심의 가책을 받은, 마음에 걸리는.

con·sci·en·tious [kɑ̀nʃiénʃəs] *a.* (사람·행위가) 양심적인, 성실한, 정성들인.
~·ly *adv.* 양심적으로, 정성껏. **~·ness** *n.*
〖F<L; ⇨ CONSCIENCE〗

consciéntious objéctor *n.* (종교상·도의적 신념에 따른) 양심적 병역 기피자《略 C.O.》.

con·scio·na·ble [kɑ́nʃənəbəl] *a.* 《古》 양심적인, 정당한. **-bly** *adv.*

con·scious** [kɑ́nʃəs] *a.* **1** (고통·감정·추위 따위를) 느끼는〈*of*〉. **2** 지각[제정신·의식]이 있는: become ~ 제정신이 들다. **3** [+*of*+do*ing*/+*that* 節/+(*of*+)*wh.* 節·句] 의식[감지(感知)·자각]하는, 알아차리는(aware): He was not ~ ***of my presence in the room. 방 안에 내가 있는 것을 알아차리지 못했다/He became ~ *of* a rushing sound from below. 밑에서 들려오는 소리에 정신이 쏠렸다/I was ~ *of being* lifted from the ground. 몸이 지면으로부터 들어올려지는 것을 의식하였다/She was ~ *that* her strength was failing. 체력이 점점 쇠약해지는 것을 느끼고 있었다/You are never ~ (*of*) *what* people will think of such conduct. 이러한 행동을 사람들이 어떻게 생각할지 전혀 염두에 두지 않는군. **4** 부자연스런, 의식적인(↔*unconscious*): a ~ smile 억지 웃음/with ~ superiority 우월감을 의식하여. **5** 남앞에 서기를 꺼리는, 기(氣)가 약한(shy, self-conscious): She is too ~. 그녀는 몹시 수줍음을 탄다. **6** [복합어를 이루어] …의식이 있는: class-~ 계급 의식에 눈뜬.
—— *n.* [the ~] 〖心〗 의식.
~·ly *adv.* 의식[자각]하여.
〖L=sharing knowledge (*scio* to know)〗
類義語 ⟹ AWARE.

cón·scious·ness** *n.* **1** Ⓤ [또는 a ~] [+*of*+do*ing*/+*that* 節] 자각, 알아차림: lose[regain] ~ 의식을 잃다[회복하다]/come to ~ 의식하게 되다, 정신이 들다/*a* deep ~ ***of injustice 불공평하다는 것에 대한 깊은 의식/He had *a* dim ~ *of* be*ing* watched[*that* someone was watching him]. 누군가가 자기를 감시하고 있다는 막연한 생각에 젖어 있었다. **2** Ⓤ 〖心·哲〗 의식, 심상(心象).

cónscious·ness-expànd·ing *a.* 의식을 확대하는, 환각(幻覺)을 일으키는: ~ drugs 환각제, LSD.

cónscious·ness-ràising *n.* **1** 자기 발견(법); (사회적 차별 문제에 대한) 의식 고양(법), 의식 확대. **2** [형용사적으로] 의식 고양을 도모하는[위한]. **cónscious·ness-ràiser** *n.*

con·scribe [kənskráib] *vt.* 병적에 등록하다, 징집하다.

con·script [kɑ́nskript] *a.* 징집된. —— *n.* 징병, 신병. —— [kənskrípt] *vt.* 징병하다, 징병으로 뽑다(cf. DRAFT). 〖F<L (CONSCRIPTION); (vt.) 역성(逆成)‹*conscript*ion〗

con·script·ee [kɑ̀nskriptíː] *n.* 《美口》 징모자(徵募者), (특히) 신병.

cónscript fáthers *n. pl.* (고대 로마의) 원로원 의원; (일반적으로) 입법부[국회] 의원.

con·scrip·tion [kənskrípʃən] *n.* Ⓤ 징병(제도), 모병(draft); [집합적으로] 징모병; 징집, 징발: ~ age 징병적령/~ *of* wealth 병역세《징병이 면제된 자에게 부과함》.
〖F<L *con-*(*script- scribo* to write)=to enlist〗

con·scrip·tive [kənskríptiv] *a.* 징병의: the ~ system 징병 제도.

con·se·crate [kɑ́nsəkrèit] *vt.* **1** [+目/+目+*to*+名] 신성하게 하다, 깨끗하게 하다(hallow) (↔*desecrate*); (교회·장소·물건 따위를) 봉헌하다(dedicate): A church is ~*d* ***to*** worship. 교회는 예배장소로 봉헌된 곳이다. **2** [+目+*to*+名] (어떤 목적·용도에) 헌납하다, 바치다(devote): A doctor's life is ~*d* ***to*** the relief of suffering. 의사의 일생은 병고의 구제(救濟)에 바쳐진다. —— *a.* 《古》 신성한.
〖L (*sacro* to dedicate; ⇨ SACRED)〗
類義語 ⟹ DEVOTE.

con·se·cra·tion [kɑ̀nsəkréiʃən] *n.* **1** Ⓤ 신성화, 정화; 헌신, 정진(精進)(devotion): the ~ *of* one's life *to* study 생애를 학문에 바침. **2** Ⓤ,Ⓒ (교회의) 헌당(식), 봉헌(식)(dedication); 성직 수임(식); 성별(식)(聖別(式)).

cón·se·crà·tor *n.* 봉헌자; 성직 수임자.

con·se·cra·to·ry [kɑ́nsəkrətɔ̀ːri; kɔ̀nsikréitəri] *a.* 성별(聖別)의; 봉헌의(dedicatory).

con·se·cu·tion [kɑ̀nsikjúːʃən] *n.* Ⓤ 연속; 논리적 관련, 조리(條理); 〖文法〗 (시제·어법의) 일치(sequence).

con·sec·u·tive [kənsékjətiv] *a.* **1** 연속적인, 잇따른, 일관된(successive): ~ numbers 연속[일련] 번호. **2** 〖文法〗 결과를 나타내는: a ~ clause 결과를 나타내는 부사절《보기 He is so ill *that he can't come.*》. **3** 〖樂〗 평행의. **~·ly** *adv.* 연속적으로, 연속하여. **~·ness** *n.* 연속(성), 일관성.
〖F<L (*secut- sequor* to follow)〗

consécutive íntervals *n. pl.* 〖樂〗 평행 음정.

Con·seil d'É·tat [*F* kɔ̃sɛj deta] *n.* [le ~] (프랑스의) 국무원; (프랑스에서 정부의 행정에 대한 국민의 불만을 조사하는) 행정 감찰관.

con·se·nes·cence [kɑ̀nsənésəns] *n.* 노쇠(老衰), 노폐(老廢).

con·sen·su·al [kənsénʃuəl; -sjuəl] *a.* 〖法〗 합의상의; 〖生理〗 교감성(交感性)의.
~·ly *adv.* 〖↓〗

con·sen·sus [kənsénsəs] *n.* Ⓤ (의견·증언 따위의) 일치, 합의: the ~ *of* opinion 의견의 일치.
〖L=agreement (↓)〗

***con·sent** [kənsént] *vi.* [動/+*to*+名/+*to* do/+

that 節] 동의하다, 승낙하다(agree) (↔*dissent*) : He ~*ed* ***to*** our camp*ing* there. 우리가 그곳에서 캠프하는 것을 승낙해 주었다 / I don't ~ *to* have her come home. 그녀를 집에 데려오는 것은 반대다 / He ~*ed that* the money should be paid immediately. 돈을 즉시 지불할 것에 동의했다.
—— *n.* Ⓤ 동의, 승낙, 허가 ; (의견·감정의) 일치 : He gave his ~ *to* the proposal. 그 제안에 동의했다 / Silence gives ~. 《속담》 침묵은 승낙의 표시.
by common [***general***] ***consent*** = ***with one consent*** 이의없이, 만장일치로.
the age of consent 〖法〗 승낙연령《여자의 결혼이 법적으로 인정됨》.
~·er *n.* **~·ing** *a.* **~·ing·ly** *adv.*
〖OF<L=to agree (*sens- sentio* to feel)〗
類義語 ***consent*** 남의 제안·요청에 자발적으로 동의하다 : My father *consented* to my leaving for America. (아버지는 나의 도미(渡美)에 동의하셨다). ***assent*** 사람의 의견·제안에 동의를 표명하다 : He *assented* to the proposal. (그 제안에 동의를 표했다). ***agree*** 의견의 차이를 해결하여 또는 저항을 배제하여 협정·동의에 이르다 : They *agreed* on the plan. (그 계획에 뜻을 같이했다). ***accede*** 제안·조건 따위에 양보하여 동의하다 : Please *accede* to my request. (나의 요청에 동의해 주십시오).

con·sen·ta·ne·i·ty [kənsèntəní:əti] *n.* Ⓤ 일치성, 합치.

con·sen·ta·ne·ous [kɑ̀nsentéiniəs, -sən-] *a.* (…에) 일치하는, 적합한〈*to, with*〉; 만장일치의 (unanimous). **~·ly** *adv.*

con·sen·tience [kənsénʃəns] *n.* Ⓤ 일치, 동의.

con·sén·tient *a.* (의견 따위가) 일치하는, 동일한 ; 동의하는, 찬동하는〈*to*〉.

consénting adúlt *n.* 《英》 동의(同意) 성인《법적으로 호모 행위가 허용되는 21세 이상의 남자》; 《婉》 호모.

***con·se·quence** [kɑ́nsikwəns, 美+-səkwèns] *n.* **1** 결과, 성과(outcome). **2** 〖論〗 귀결, 결론(conclusion) ; 인과관계. **3** Ⓤ (영향의) 중대성, 중요함(importance) ; 사회적 중요성, 의의 : give ~ to …에 중요성[의의]을 부여하다 / *of* (great) ~ (대단히) 중대한 / *of* little[no] ~ 거의[아주] 보잘것없는 / people *of* ~ 중요 인물, 유력자.
in consequence (***of...***) (…의) 결과로서, (…의) 까닭으로.
take [***answer for***] ***the consequences*** (자기 행위의) 결과를 감수하다[에 책임을 지다].
類義語 ⟹ EFFECT, IMPORTANCE.

cón·se·quent *a.* **1** 결과의, 결과로서 일어나는 〈*on, upon*〉. **2** (논리상) 필연의, 당연한. —— *n.* 당연한[필연적인] 결과 ; 〖論〗 후건(後件) (↔*antecedent*) ; 단안, 귀결 ; 〖數〗 후항(後項), 후율(後率). **~·ly** *adv., conj.* 따라서, 그 결과로서.
〖OF<L ; ⇨ CONSECUTIVE〗

con·se·quen·tial [kɑ̀nsəkwénʃəl] *a.* **1** 결과로서 생기는(resultant) ; 당연한, 필연의. **2** 젠체하는, 거드름 피우는(self-important). **3** 중대한, 중요한. **~·ly** *adv.* 결과로서, 필연적으로 ; 짐짓 젠체하여. **~·ness** *n.* **con·se·quen·ti·al·i·ty** [kɑ̀nsəkwènʃiǽləti] *n.*

consequéntial dámages *n. pl.* 간접 손해.

consequéntial lóss insùrance *n.* 간접 손해 보험.

con·sérv·able *a.* 보존할 수 있는.

con·serv·an·cy [kənsə́:rvənsi] *n.* **1** 《英》 (하천·항만의) 관리 위원회[사무소]. **2** Ⓤ 천연 자원 보호[관리](conservation).
〖18C *conservacy*의 변형(變形) ; ⇨ CONSERVE〗

con·ser·va·tion [kɑ̀nsərvéiʃən] *n.* Ⓤ **1** (자원 및 자연의) 보호 ; 관리 ; 보존, 유지(cf. DISSIPATION) ; 〖理〗 항존, 불변 : ~ of energy 에너지 보존. **2** 자연[조수(鳥獸)] 보호지구 ; 보호 하천, 보안림.

conservátion of náture *n.* 〖環境〗 자연 보호, 자연 환경 보전.

con·ser·va·tism [kənsə́:rvətìzəm] *n.* Ⓤ 보수주의, 보수적 경향 ; [때때로 C~] 보수당의 주의 (cf. TORYISM).

***con·ser·va·tive** [kənsə́:rvətiv] *a.* **1** 보존력이 있는, 보존성(性)의. **2** [C~] 〖政〗 영국 보수당의 (cf. LIBERAL, LABOR). **3** (사람·생각 따위가) 보수적인(↔*progressive*), 전통적인, 고루한. **4** (옷차림이) 수수한 ; (평가 따위가) 온건한, 조심스러운 : a ~ estimate 줄잡은 어림. —— *n.* **1** 보존물, 방부제. **2** Ⓒ [C~] 보수당원(cf. TORY, LABOURITE, LIBERAL). **3** 보수적 경향의 사람, 보수주의자.
~·ly *adv.* 보수적으로 ; 줄잡아 (어림하여).
~·ness *n.* 보존성 ; 보수적 경향[기질].

Consérvative Pàrty *n.* [the ~] 《英》 보수당 (cf. LABOUR PARTY).

consérvative súrgery *n.* 〖醫〗 보존 외과《되도록 절제(切除)를 하지 않음》.

consérvative swíng[**shíft**] *n.* 〖政〗 우경화, 보수화.

con·ser·va·toire [kənsə́:rvətwɑ̀:r] *n.* (프랑스의) 음악[미술·예술] 학교.
〖F<It. ; ⇨ CONSERVATORY〗

con·ser·va·tor [kənsə́:rvətər, -tɔ̀:r, kɑ́nsərvèitər] *n.* (*fem.* **-trix** [-triks]) **1** 보존자, 보호자. **2** (박물관 따위의) 관리자, 관리위원(guardian) ; 《美》 (미성년자·백치·광인 등의) 보호자 : ~*s* of a river 《英》 하천 관리 위원[관리국원] / a ~ of the peace 《英》 치안 위원, 보안관.

con·ser·va·to·ri·um [kənsə̀:rvətɔ́:riəm] *n.* 《濠》 = CONSERVATOIRE.

con·ser·va·to·ry [kənsə́:rvətɔ̀:ri ; -təri] *a.* **1** 보존상[보존성]의. **2** 관리자의. —— *n.* **1** 온실 (greenhouse). **2** = CONSERVATOIRE.
〖L ; ⇨ CONSERVE〗

con·serve [kənsə́:rv] *vt.* 보존[보호]하다, 유지하다 ; 설탕 절임으로 하다 : ~ one's strength 체력을 유지하다 / ~ fruit 과일을 (잼으로 해서) 보존하다.
—— [kɑ́nsə:rv, kənsə́:rv] *n.* [보통 *pl.*] 설탕 절임 ; 잼(jam). 〖OF<L (*servo* to keep)〗

conshy, conshie ☞ CONCHIE.

‡**con·sid·er** [kənsídər] *vt.* **1** [+目/+目+補/+目+*to* do/+*that* 節/+*wh.* 節/+*wh.*+*to* do/+do*ing*] 숙고하다, 고찰하다(examine) ; (…을 …이라고) 간주하다, 여기다(regard as) : We had better ~ their proposal. 그들의 제안을 고려해 보는 것이 좋겠다 / We ~ Shakespeare a great poet. =Shakespeare is ~*ed* a great poet. 누구든지 셰익스피어를 위대한 시인이라고 생각한다 / I ~ myself *to be* lucky. 나는 내가 운이 좋다고 생각한다 / We ~ *that* he ought to help us. 그가 우리를 도와줘야 할 것이라고 생각하고 있다 / We must ~ *whether* it will be worth while. 그것이 그만한 가치가 있는지 없는지를 생각해 보지 않으면 안된다 / He ~*ed what to* do next. 다음에는

무엇을 해야 할 것인가를 궁리했다 / I first ~*ed* writ*ing* to her, but then decided to see her. 처음에는 그녀에게 편지를 쓸 생각이었으나 나중에는 만나보기로 결정했다. 注 We ~ Shakespeare a great poet.와 같은 문장에서 목적보어 앞에 *as*를 안 붙이지만 (cf. We REGARD Shakespeare *as* a great poet.), 다음과 같은 문장에서는 *as*가 쓰임 : We will ~ "Hamlet" *as* an example of a Shakespearian tragedy.「햄릿」을 셰익스피어 비극의 한 전형(典型)으로 생각할 것이다. **2** 고려에 넣다, 참작하다(make allowance for) : ~ (the feelings of) others 남의 감정을 살피다. **3** 《古》 주시하다. ── *vi.* 고려[숙고]하다.

all things considered 모든 것을 고려해서, 이것저것 생각해서.

〖OF<L=to examine〗

活用 =REGARD (1).

類義語 ***consider*** 어떤 것을 이해하거나 결정을 내리기 위해서 미리 생각하다 : We *considered* ways and means to achieve our end. (우리의 목적을 이룰 방법과 수단을 궁리했다). ***study*** consider보다 훨씬 조직적으로 주의력을 집중하여 생각하다 : He *studied* the problem carefully. (세심히 그 문제를 검토했다). ***contemplate*** 어떤 것을 깊이 지속적으로 생각하다 : She *contemplated* going to America after graduation. (그녀는 졸업후 도미(渡美)할 것을 심사숙고했다). ***weigh*** 어떤 것을 결정하기 전에 그것과 상반되는 정세나 의견 또는 가능한 사건 따위를 비교해서 이모저모 생각해 보다 : He *weighed* the idea of becoming a baseball player. (그는 야구 선수가 될 것을 궁리했다). ***reflect*** 어떤 것, 주로 과거의 일을 반성하여 조용히 생각하다 : He was *reflecting* on what he had done. (그는 자신이 저지른 일을 곰곰이 생각하고 있었다).

***con·sid·er·a·ble** [kənsídərəbəl] *a.* **1** (수량이) 꽤 많은, 적지 않은(no small), 상당한(rather large) : a ~ different 상당한 차이 / ~ expense 많은 비용 / a ~ number of students 적지 않은[상당한] 수의 학생. **2** 고려해야 할, 무시할 수 없는 ; 중요한(important) : become a ~ personage 저명한 인물이 되다. ── *n.* 《美口》 다량 : He has done ~ for city. 그는 우리 시를 위해 상당한 공헌을 했다. ── *adv.* 《美方》 =CONSIDERABLY.

***con·síd·er·ably** *adv.* 상당히, 퍽, 꽤 : It's ~ warmer this morning. 오늘 아침은 꽤 따뜻하다.

con·sid·er·ate** [kənsídərət] *a.* [+*of*+名+*to* do] 동정심[인정]이 있는, 잘 생각해 주는 ; 신중한, 사려깊은(prudent) : She is ~ ***of other people's feelings. 남의 기분을 잘 생각해 준다 / They should be more ~ ***toward*** [***to***] the young people. 젊은이들을 보다 더 생각하지 않으면 안된다 / It is ~ *of* you not *to* disturb us. 우리들에게 방해가 되지 않도록 해주시다니 참 생각이 깊으십니다. **~·ly** *adv.* **~·ness** *n.*

〖L (p.p.) <CONSIDER〗

類義語 ⟹ THOUGHTFUL.

***con·sid·er·a·tion** [kənsìdəréiʃən] *n.* **1** Ⓤ 숙려, 고려 ; 고찰, 연구 : give a problem one's careful ~ 문제를 충분히 검토하다. **2** 고려해야 할 일[문제] ; 이유(motive) : That's a ~. 그것은 생각해 보아야 할 문제다 / Money is no ~. 돈은 문제가 아니다. **3** 보수, 팁 : *for* a ~ 보수를 받고서 ; 보수를 바라고. **4** 〖法〗 (계약상의) 약인(約因), 대가(對價). **5** Ⓤ 참작, 통찰, 동정〈*for*〉. **6** Ⓤ 《稀》 존중, 중요성(importance) : It is *of* no ~. 그것은 중요치 않다.

in consideration of …의 보수로서 ; …을 고려하여.

leave...out of consideration …을 도외시(度外視)하다.

on [***under***] ***no consideration*** 결코 …아닌.

out of consideration for …을 참작하여.

take...into consideration …을 고려[참작]하다 : *Taking* all things *into* ~, his attempt is not likely to turn out to be a success. 여러 가지를[모든 것을] 고려해 볼 때 그의 시도는 성공할 것 같지 않다.

under consideration 고려중에[인], 검토하여[중인].

〈회화〉
There is no room for *consideration.* — It's already been decided, then?「고려할 여지가 전혀 없어」「그럼, 벌써 결정이 난 거야」

con·síd·ered *a.* **1** 숙고한 (뒤의), 잘 생각한 뒤의 : in my ~ opinion 여러 가지 생각해 본 바. **2** 존경받는, 존중되는 : a highly ~ scholar 크게 존경받는 학자.

***con·sid·er·ing** [kənsídəriŋ, -⌐(-)-] *prep.* …을 고려하면, …을 생각하면(in view of), …으로서는(for) : He looks young ~ his age. 나이에 비해서 젊어 보인다. ── *conj.* [보통 *that*과 함께] …을 생각하면, …이므로(seeing that...) : He does well, ~ *that* he lacks experience. 경험이 없는데 비해선 잘 한다. ── [-⌐(-)-] *adv.* 《口》 비교적 : That is not so bad, ~. 그런대로 그렇게 나쁘지는 않다《뒤에 the circumstances를 생략한 것》.

con·sign [kənsáin] *vt.* **1** [+目+*to*+名] 교부하다, 건네주다(deliver) ; (…에) 돌리다 ; 맡기다, 위임하다 : ~ the body ***to*** the flames 시체를 화장하다 / ~ one's soul *to* God 영혼을 신에게 맡기다《죽다》/ ~ a letter *to* the post 편지를 우편으로 보내다. **2** [+目/+目+*to*+名] 〖商〗 (상품을) 위탁 (판매)하다 ; (위탁 판매를 위해) 발송하다, 부치다(send) : We will ~ the goods ***to*** him by express. 물품을 그에게 속달로 보내겠다. ── *vi.* 《廢》 동의하다.

~·able *a.* 위탁할 수 있는.

〖F<L=to mark with seal ; ⇨ SIGN〗

類義語 ⟹ COMMIT.

con·sig·na·tion [kɑ̀nsainéiʃən, 美+-sig-] *n.* 위탁, 탁송 ; 교부 : to the ~ of …앞으로, …을 인수인으로 하여.

con·sign·ee [kɑ̀nsainí:, -sə-, kənsai-] *n.* 〖商〗 (판매품의) 수탁자, 수탁 판매자 ; 화물 수취인 (cf. CONSIGNOR).

consigner ☞ CONSIGNOR.

consígn·ment *n.* Ⓤ 〖商〗 위탁 (판매), 탁송 ; Ⓒ 위탁 화물, 적송품(積送品) ; 위탁 판매품.

on consignment 위탁 판매로.

consígnment nòte *n.* (철도·항공편의) 위탁 화물 송장(送狀).

consígnment sàle *n.* 위탁 판매.

consígnment shèet *n.* 화물 인환증.

consígn·or, -er *n.* (판매품의) 위탁자 ; 짐 탁송인, 화주(shipper) (cf. CONSIGNEE).

con·sil·ience [kənsíljəns] *n.* Ⓤ (추론의 결과 따위의) 부합, 일치.

con·sist** [kənsíst] *vi.* **1** [+*of*+名] (부분·요소로) 이루어지다(be made up) : Water ~*s* ***of hydrogen and oxygen. 물은 수소와 산소로 이루어져 있다. **2** [+*in*+名] (…에) 존재하다, 있다

(lie) : Happiness ~*s* ***in*** contentment. 행복은 만족에 있다 / Their duties mainly ~*ed in walking* up and down the streets. 그들의 임무는 주로 거리를 순시(巡視)하는 것이었다. **3** [+*with*+名] (…와) 양립하다, 일치하다 : Learning does not always ~ ***with*** sociability. 학식이 항상[반드시] 사교성과 양립한다고는 할 수 없다.
—— [kánsist] *n.* (석탄의 크기·열차 따위의) 등급[형] 및 배열에 의한 구성[조립].
〖L *con*-(*sisto* to stand, stop)=to exist〗

con·síst·ency, -ence *n.* **1** Ⓤ 일관성, 언행 일치, 모순이 없음〈*of* things, *with* something〉; 〖論〗 정합성(整合性). **2** Ⓤ 견실성, 견고성. **3** Ⓤ 농도, 밀도.

con·síst·ent *a.* **1** (언행·사상 따위가) 일관된, 모순이 없는(compatible)〈*with*〉. **2** 언행 일치된, 견실한(constant). **3** (어리석은 짓 따위에) 철저한 : be ~ *in* one's follies 철저히 바보짓을 하다.
~·ly *adv.* 일관되게 ; 견실하게.

con·sis·to·ri·al [kànsistɔ́:riəl, kən-] *a.* 추기경 회의의 ; 감독 법원(法院)의 ; 장로(長老) 법원의.

con·sis·to·ry [kənsístəri] *n.* 〖宗〗 (카톨릭의) 추기경 회의, (영국 국교의) 감독 법원(=**C~ Cóurt**) ; (장로 교회의) 장로 법원.
〖OF<L ; ⇨ CONSIST〗

con·so·ci·ate [kənsóuʃièit] *vt., vi.* 연합[제휴]하다〈*with*〉. —— [-ʃiət, -èit] *a.* 연합[제휴]한.
—— [-ʃiət, -èit] *n.* 제휴자, 조합원.

con·sò·ci·á·tion *n.* Ⓤ 연합, 제휴 ; Ⓒ 〖宗〗 (조합 교회의) 협의회.

consol. consolidated.

con·sól·able *a.* 위로를 받는, 마음이 가라앉는.

con·so·la·tion [kànsəléiʃən] *n.* Ⓤ 위로, 위자(慰藉) ; Ⓒ 위안이 되는 것[사람] ; =CONSOLATION PRIZE. 〖OF<L ; ⇨ CONSOLE[1]〗

consolátion màtch[**ràce, stàkes**] *n.* 패자 부활전《패자를 위한 시합[경주]》.

consolátion mòney *n.* 위자료.

consolátion prìze *n.* 감투상, 애석상, 위로상.

con·sol·a·to·ry [kənsálətɔ̀:ri ; -təri] *a.* 위로[위문]의.

con·sole**[1] [kənsóul] *vt.* [+目/+目+前+名] 위로하다, 위문하다 : That ~*d* me ***for the loss. 그것이 손실에 대한 위안이 되었다 / He ~*d* himself ***with*** the thought that there might be no other way. 그는 (그 이외에는) 딴 도리가 없을지도 모른다는 생각에 자위(自慰)하고 있었다.
〖F<L ; ⇨ SOLACE〗
類義語 ⟹ COMFORT (*v.*).

con·sole[2] [kánsoul] *n.* **1** 〖建〗 소용돌이형 까치발. **2** (파이프 오르간의) 연주대《건반과 페달을 포함》; (라디오·텔레비전·레코드 플레이어 등의) 콘솔형 캐비닛 ; (컴퓨터의) 콘솔, 제어탁자[조종대]. **3** =CONSOLE TABLE.
〖F<? CONSOLIDATE ; 일설에 OF *consolateur* one that provides support, supporting bracket〗

cónsole mìrror *n.* 까치발로 받쳐 벽에 단 거울.

cónsole tàble *n.* (다리를 까치발(console)식으로 만든 폭이 좁은) 콘솔형 테이블.

con·so·lette [kànsəlét] *n.* (라디오·텔레비전 따위를 넣는) 소형 캐비닛.

con·sol·i·date [kənsálədèit] *vt.* **1** (토지·회사·부채 따위를) 합병 정리하다, 통합하다 : ~ business companies 상사를 합병하다 / ~ debts 부채를 통합하다. **2** 굳히다, 강화하다 : ~ one's position 지위를 굳히다. —— *vi.* **1** 합병하다 : The two banks ~*d* and formed a single, large bank. 그 두 은행이 합병하여 하나의 큰 은행을 만들었다. **2** 굳어지다, 견고하게 되다.
—— *a.* 《古》=CONSOLIDATED.
〖L ; ⇨ SOLID〗

con·sól·i·dàt·ed *a.* 합병 정리된, 통합된 ; 고정[강화]된 : ~ annuities=CONSOLS / a ~ ticket office 《美》 (각 철도의) 연합 매표소 / a ~ school 《美》 합동학교《여러 학군의 아동을 수용함》/ the ~ fund 《英》 정리공채기금《각종의 공채기금을 병합 정리한 것으로 영국 공채 이자 지불의 기금》.

consólidated cárgo *n.* 〖航空〗 혼재 화물(混載貨物)《불특정 다수의 화주에게서 집하된 화물을 동일 지구별로 분류한것》.

consólidated státements *n. pl.* 재무 제표.

con·sol·i·da·tion [kənsàlədéiʃən] *n.* **1** Ⓤ 강화 ; 터닦기. **2** Ⓤ 합동, 합병 ; 통합, 정리 : ~ funds 정리 기금.

con·sól·i·dà·tor *n.* 굳히는[강화하는] 사람[물건] ; 통합 정리자.

con·sól·i·da·tò·ry [; -təri] *a.* 굳게 하는, 강화하는 ; 통합하는.

con·sól·ing *a.* 위안이 되는.

con·sols [kənsálz, kánsalz] *n. pl.* 《英》 콘솔[정리] 공채《1751년 각종 공채를 연 3부 이자로 정리한 것 ; consolidated annuities의 약칭》.

con·som·mé [kànsəméi ; kənsɔ́mei, kɔ́nsəmèi] *n.* Ⓤ,Ⓒ 콩소메, 맑은 수프(cf. POTAGE).
〖F<L CONSUMMATE〗

con·so·nance, -nan·cy [kánsənəns(i)] *n.* **1** Ⓤ 《비유》 일치, 조화 ; (강세가 있는 음절 끝의) 자음의 일치. **2** Ⓤ 〖樂〗 어울림음(↔ *dissonance*) ; 〖理〗 공명(共鳴) (resonance).
in consonance with …와 조화(調和)[일치, 공명]하여.

***con·so·nant** [kánsənənt] *n.* 〖音聲〗 자음, 닿소리 (cf. VOWEL) ; 자음자. —— *a.* **1** (…에) 일치[조화]하는, 어울리는〈*with, to*〉. **2** 〖樂〗 어울림음의. **3** 〖音聲〗 자음의.
〖OF<L (*sono* to sound[1])〗

con·so·nan·tal [kànsənǽntl] *a.* 자음의.

cónsonant shìft *n.* 〖音聲〗 자음 추이(推移)《언어사의 어떤 시기에 일어난 음의 규칙적인 추이》.

con sor·di·no [kàn sɔ:rdí:nou] *adv.* 〖樂〗 콘 소르디노, 약음기(mute)를 끼우고 ; 《비유》 조용히.
〖It.=with the mute〗

con·sort[1] [kánsɔ:rt] *n.* **1** (특히 국왕·여왕 등의) 배우자(spouse) : ☞ QUEEN CONSORT/ ☞ PRINCE CONSORT. **2** 요선, 요함(僚艦), 요정(僚艇) ; 동료, 동아리. —— [kənsɔ́:rt, kánsɔ:rt] *vi.* [+*with*+名] 조화하다(agree) : Pride does not ~ ***with*** poverty. 긍지는 가난과는 걸맞지 않는다[양립하지 않는다].
〖F<L *con*SORT=sharer, comrade〗

con·sort[2] [kánsɔ:rt] *n.* **1 a**) 콘소트《특히 고대 음악의 합주[창]단 ; 또 같은 계통의 연주회용의 악기의 편성》. **b**) 《古》 모임 ; 《古》 연합, 제휴. **2** 《古》 일치, 조화 ; 《古》 음의 협화.
in consort 함께, 협동[연합]하여 〈*with*〉.
—— [kənsɔ́:rt, kánsɔ:rt] *vi., vt.* 《廢》 조화하다[시키다] (agree) 〈*with*〉.
〖CONCERT의 옛 어형〗

con·sor·ti·um [kənsɔ́:rtiəm, -ʃiəm] *n.* (*pl.* **-tia** [-tiə, -ʃiə], **~s**) (국제) 차관단 ; (국제) 협회 ; 기업 연합.
〖L=partnership ; ⇨ CONSORT〗

còn·specífic *a.* 같은 종류의.

con·spec·tus [kənspéktəs] *n.* 개관 ; 적요.
〖L=viewing, survey (↓)〗

***con·spic·u·ous** [kənspíkjuəs] *a.* 똑똑히 보이는 ; 두드러진, 현저한 ; 뛰어난, 눈에 잘 띄는 ; 저명한(eminent) : a ~ example 두드러진 예 / make oneself ~ 유별나게 행동하다, 두드러진 일을 하다, 사람 눈에 띄는 짓을 하다 / He was ~ among the distinguished company. 그는 명사들 속에서도 특히 눈에 띄었다.
be conspicuous by its[one's] ***absence*** 그것이[그 사람이] 없는 것이 오히려 드러나 보이다.
~·ly *adv.* 두드러지게, 눈에 띄게, 빼어나게.
~·ness *n.*
〖L (*spect- specio* to look)〗
類義語 ⟹ NOTICEABLE.

conspícuous consúmption[**wáste**] *n.* 〘經〙 과시적 소비.

con·spir·a·cy [kənspírəsi] *n.* U.C 음모, 모의(plot)〈*against*〉; 음모단 ; (사정 따위의) 겹침 : in ~ 공모하여, 패거리를 만들어.
〖AF<OF *conspiration*<L ; ⇨ CONSPIRE〗

conspíracy of sílence *n.* 묵인[묵살]하자는 약조[결탁].

con·spi·ra·tion [kɑ̀nspəréiʃən] *n.* 모의 ; 협력.

con·spir·a·tor [kənspírətər] *n.* (*fem.* **-tress** [-trəs]) 공모자, 음모자(plotter).

con·spir·a·to·ri·al [kənspìrətɔ́:riəl] *a.* 음모의, 공모의.

con·spire [kənspáiər] *vi.* **1** [動/+前+名/+*to* do] 공모하다, 음모를 꾸미다 : They ~*d* (***with*** each other) ***against*** the Government. 정부를 타도하려고 (상호) 음모를 꾸몄다 / They ~*d to* drive him out of the country. 그들은 그를 국외로 추방하려고 공모했다. **2** [+*to* do] 협력하다, 서로 도와 …하다 ; (사정이) 겹치다 : Events seemed to be *conspiring to* bring about his ruin. 여러가지 사건이 겹쳐서 그의 파멸을 가져올 것 같았다.
—— *vt.* (나쁜 일을) 획책하다 : ~ a person's ruin 남의 파멸을 꾀하다.
〖OF<L *con-*(*spiro* to breathe)=to agree, plot〗
類義語 ⟹ PLOT.

con·spír·er *n.* =CONSPIRATOR.

con·spír·ing·ly *adv.* 음모하여, 공모하여.

con spir·i·to [kɑn spírətòu] *adv., a.* 〘樂〙 기운차게, 활기찬, 활기 있게(with spirit), 활발한.
〖It. =with vigor〗

const. constable ; constant ; constitution(al).

Const. Constantine ; Constantinople.

cons't. consignment.

con·sta·ble [kɑ́nstəbəl, kʌ́n-] *n.* 《英》 경찰관, 순경 : the chief ~ 경찰서장(=《美》 chief of police) / a special ~ (비상시에 치안 판사가 임명하는) 특별 순경.
the (***Lord High***) ***Constable of England*** (영국 중세의) 보안 무관장(武官長) ; (현재는) 시종무관장《대관식 따위의 특별한 의식이 있을 때 임시로 임명함》.
outrun[***overrun***] ***the constable*** 빚을 지다, 경찰을 피해 달아나다.
〖OF<L *comes stabuli* count of the stable〗

con·stab·u·lary [kənstǽbjəlèri ; -ləri] *a.* 경찰관의, 경찰(대)의. —— *n.* 경찰대 ; 경찰 관할 구역 ; [집합적으로] (한 지역의) 경찰관.
con·stáb·u·lar *a.* =CONSTABULARY.
〖L ; ⇨ CONSTABLE〗

Con·stance [kɑ́nstəns] *n.* **1** 여자 이름《애칭 Connie》. **2** [Lake (of) ~] 보덴 호《스위스·오스트리아·독일 국경에 있는 호수, 독일어명은 Bodensee》. 〖F ; ⇨ CONSTANTIA〗

con·stan·cy [kɑ́nstənsi] *n.* **1** U 지조가 굳음 ; 절조, 정절. **2** U 항구성, 불변. 〖L (↓)〗

***cón·stant** *a.* **1** 끊임없는, 부단한 ; 불변의, 일정한 (↔*variable*) : ~ temperature 상온(常溫) / a ~ wind 항풍(恒風). **2** 충실한, 절조가 굳은(faithful). **3** (한 가지를) 끝까지 지키는〈*to*〉; 지조가 굳은, 견실한 : He has remained ~ *to* his principles. 그는 자기의 원칙을 지켜왔다 / I should like to be ~ *in* my devotion to learning. 어디까지나 나 자신(自身)의 학문의 길을 닦아 나가고 싶다. —— *n.* 〘數·理〙 상수(常數), 불변수[량](↔*variable*) ; 율 : the circular ~ 원주율.
〖OF<L (*sto* to stand)〗
類義語 ⟹ CONTINUAL, FAITHFUL.

con·stant·an [kɑ́nstəntæ̀n] *n.* U 콘스탄탄《구리 60%, 니켈 40%로 된 합금 ; 전기의 저항선(抵抗線)으로 씀》.

cónstant compánion *n.* 《美俗·婉》 애인, 연인(lover).

Con·stan·tia [kənstǽnʃiə] *n.* **1** 여자 이름. **2** U (남아프리카 Cape Town 부근에서 나는) 포도주의 일종. 〖L=constancy〗

Con·stan·tine [kɑ́nstəntì:n ; -stəntàin] *n.* **1** 남자 이름. **2** [~ the Great] 콘스탄티누스 대제 (280?-337) 《Constantinople을 건설한 로마 황제 ; 기독교를 공인함》.
〖L=constant or firm (of purpose)〗

Con·stan·ti·no·ple [kɑ̀nstæntənóupəl] *n.* 콘스탄티노플《터키의 Istanbul의 옛 이름 ; 동 로마 제국의 수도》.

cónstant-lèvel ballóon *n.* 정고도(定高度) 기구《일정 기압면 위를 장시간 부유함》.

***cónstant·ly** *adv.* 끊임없이(continually) ; 자주(frequently) : You should be ~ employed at one job. 꾸준히 한 직업에만 종사해야 한다 / I am ~ being asked to make speeches. 나는 연설을 해 달라는 부탁을 줄곧 받고 있다.

con·sta·ta·tion [kɑ̀nstətéiʃən] *n.* 주장(함), 단언, 언명 ; 확인, 증명.

con·stat·ive [kɑ́nstətiv, kənstéitiv] *a.* 〘文法〙 아오리스트(aorist) 용법의 ; 〘論〙 술정적(述定的)인. —— *n.* 〘論〙 술정적 발언, 사실 확인문.

con·stel·late [kɑ́nstəlèit] *vt., vi.* 〘天〙 별자리를 형성하다 ; 떼짓다(cluster).

con·stel·la·tion [kɑ̀nstəléiʃən] *n.* **1** 〘天〙 별자리, 성수(星宿) ; 〘占星〙 성위(星位), 성운(星運). **2** (성장한 신사 숙녀의) 한 무리(galaxy), (멋있는·아름다운 것 따위의) 모임 : a ~ *of* buttercups 화려한 애기미나리아재비의 군생(群生). **3** 형(型), 배열. 〖OF<L (*stella* star)〗

con·ster·nate [kɑ́nstərnèit] *vt.* [보통 수동태로] 사람의 간담을 서늘하게 하다(dismay) : be ~*d* 대경실색하다.
〖L (*sterno* to throw down)〗

con·ster·na·tion [kɑ̀nstərnéiʃən] *n.* U 섬뜩 놀람, 소스라침, 당황.
in[***with***] ***consternation*** 당황하여.
throw a person ***into consternation*** 남을 깜짝 놀라게 하다.

con·sti·pate [kɑ́nstəpèit] *vt.* 〘醫〙 변비증에 걸리게 하다 : The baby is ~*d*. 아기는 변비에 걸려 있다. **-pàt·ed** *a.* 변비증의 ; 융통성이 없는.
〖L (*stipo* to cram, press)〗

con·sti·pa·tion [kɑ̀nstəpéiʃən] *n.* U 〘醫〙 변비

(便祕).

con·stit·u·en·cy [kənstítʃuənsi] *n.* **1** (한 지구의) 선거권자, 유권자, [집합적으로] 선거구민 (voters) ; 선거구, 지반(地盤). **2** [집합적으로] 단골, 고객, 구매자층.

con·stít·u·ent *a.* **1** 조성[구성]하는, 성분[요소]인 : a ~ part 성분. **2** 대의원 선출의 ; (대표자의) 선거[지명]권을 가지는. **3** 헌법 제정[개정]의 권능이 있는 : ☞ CONSTITUENT ASSEMBLY.
—— *n.* **1** (구성) 요소, 성분(component)〈*of*〉; 〖言〗 구성 요소 : ☞ IMMEDIATE CONSTITUENT / ☞ ULTIMATE CONSTITUENT. **2** 선거구민, 선거인(voter). **3** 대리 지정인, (대리인에 대한) 본인(principal).
〖L ; ⇨ CONSTITUTE〗
類義語 ⟹ ELEMENT.

constítuent assémbly *n.* 헌법제정[개정]회의 ; [the C~ A~] 〖프史〗 국민 의회.

constítuent bódy *n.* 선거 모체《유권자의 단체 [총칭]》.

constítuent pówer *n.* 헌법 제정[개정]권.

constítuent strùcture *n.* 〖文法〗 구성소(素) 구조(構造).

***con·sti·tute** [kάnstətjùːt] *vt.* **1 a)** 구성하다, 구성 요소가 되다 : Comprehensiveness alone is not enough to ~ wisdom. 이해력만을 지혜라 하기에는 부족하다. **b)** [+目+副] [특히 수동태로] (…한) 체질[성질]이다 : He *is* not *so* ~*d* that he can accept insults lying down. 그는 남의 모욕을 참을 만한 성품은 못된다. **2** [+目+補] 지명[임명]하다, 지령[지정]하다(appoint) : He ~*d* himself a leader. 그는 스스로 지도자가 되었다 / He was ~*d* representative of the party. 그는 당의 대표자로 지정되었다. **3** 제정하다, 설립[설치]하다 : the ~*d* authorities 당국, 관헌.
〖L CON*stitut*- -*stituo* to establish〗

***con·sti·tu·tion** [kὰnstətjúːʃən] *n.* **1** Ⓤ 구성, 구조, 조직(composition) ; 골자, 본질. **2** 체격, 체질 : have a good[strong, poor, weak] ~ 체질이 건전[강, 빈약, 허약]하다 / have a cold ~ 냉한 체질이다 / suit[agree with] one's ~ 체질에 맞다, 성품에 맞다 / undermine one's ~ 몸을 해치다. **3** 소질, 기질. **4** 〖政〗 헌법, 국헌 ; 기구 ; 정체 : a monarchical[republican] ~ 군주[공화] 정체. **5** Ⓤ 제정 ; 설립, 설치.
by constitution 선천적으로.

constitútion·al *a.* **1** 구성[조직]상의 : a ~ formula 〖化〗 구조식. **2** 체격의, 체질상의 ; 선천적인 : a ~ disease 체질성 질환 / a ~ infirmity [weakness] 타고난 허약성. **3** 헌법(상)의 ; 입헌적인 ; 합법의 : a ~ crisis 헌정의 위기 / ~ law 헌법 / a ~ monarchy[sovereign] 입헌 군주국[군주]. **4** 《口》 보건(상)의, 건강을 위한.
—— *n.* 《口》 보건을 위한 운동, 산책 : take[go for] a ~ 산책하다[하러 가다].

Constitútional Assémbly *n.* [the ~] 헌법 제정 회의《특히 프랑스 혁명 당시의》.

Constitútional Convéntion *n.* [the ~] 〖美史〗 헌법 제정 의회《1787년 5월 Philadelphia에서 개최 ; 미국 헌법의 원문이 기초됨》.

constitútion·al·ìsm *n.* Ⓤ 입헌 정치 ; 헌법 옹호. **-ist** *n.* 헌법론자 ; 헌법학자 ; 입헌주의자.

con·sti·tu·tion·al·i·ty [kὰnstətjùːʃənǽləti] *n.* Ⓤ 입헌성, 합헌[합법]성.

constitútion·al·ìze *vt.* 입헌 제도로[입헌적으로] 하다, …에 헌법을 시행하다. —— *vi.* 보건을 위한 산책[운동]을 하다.

constitútion·al·ly *adv.* **1** 헌법상, 입헌적으로. **2** 선천적으로, 체질적으로 ; 근본적으로.

Constitútion Státe *n.* [the ~] Connecticut주의 별칭.

con·sti·tu·tive [kάnstətjùːtiv] *a.* **1** 구성하는, 구조의 ; 조성분인, 요소를 이루는(constituent) ; 본질적인. **2** 제정[설정]하는.

cón·sti·tù·tor, -tùt·er *n.* 조직[구성]자.

constr. construction ; construed.

con·strain [kənstréin] *vt.* [+目 / +目+*to* do] 강요하다, 무리하게 …시키다(compel) ; 억누르다, 압박하다(repress) ; 유폐하다 : I feel ~*ed to* extend my heartfelt thanks to you. 당신에게 충심으로 감사의 뜻을 표하지 않을 수 없는 바입니다. —— *vi.* 강요하다.
〖OF<L (*strict*- *stringo* to bind)〗
類義語 ⟹ COMPEL.

con·stráined *a.* 강제적인 ; 무리[부자연]한, 거북한, 갑갑한 : a ~ manner 부자연[거북]한 태도 / a ~ voice[smile] (억지로 하는) 괴로운 듯한 목소리[미소]. **con·stráin·ed·ly** [-ədli] *adv.* 억지로, 무리하게, 강제적으로 ; 부자연하게.

con·straint [kənstréint] *n.* **1** Ⓤ 강제, 압박 ; 속박. **2** Ⓤ 거북함, 조심스러움 : feel[show] ~ 거북하게 느끼다, 스스러워하다.
by constraint 무리하게, 강제로.
under*[*in*] *constraint 압박[압력]을 받아, 부득이, 마지 못해.
〖OF (p.p.) ‹CONSTRAIN〗

con·strict [kənstríkt] *vt.* 죄다, 압축하다 ; 수축시키다 : A rubber band ~*s* what it encircles. 고무띠는 둘러맨 곳을 죈다. **~·ed** *a.* 죈, 압축한 ; 거북한 ; 〖生〗 가운데가 잘록한, 잘쏙해진.
con·stríc·tive *a.* 죄는, 긴축하는, 괄약적(括約的)인, 수렴성(收斂性)의.
〖L CONSTRAIN〗

con·stric·tion [kənstríkʃən] *n.* Ⓤ 긴축, 압축 ; 잘록해짐 ; 죄어드는 느낌, 갑갑함.

con·stríc·tor *n.* **1** 죄는[긴축하는] 것 ; 〖解〗 괄약[수축]근 ; (혈관의) 압박기. **2** 먹이를 졸라 죽이는 큰 뱀(boa constrictor).

con·stringe [kənstríndʒ] *vt.* 죄다, 수축시키다, 수렴(收斂)시키다. 〖L CONSTRAIN〗

con·strín·gent *a.* 수렴성의. **-gen·cy** *n.* 수축, 수렴.

con·stru·able [kənstrúːəbəl] *a.* 해석할 수 있는.

con·struct [kənstrʌ́kt] *vt.* 조립하다, 건설[건조]하다(↔*destroy*) ; 〖數〗 작도(作圖)하다, 그리다(draw) ; (문장·논리 따위를) 작성[구성]하다(plan out) : ~ a factory 공장을 건설하다 / ~ a sentence 글을 짓다 / a well-~*ed* novel 구성이 잘된 소설. —— [kάnstrʌkt] *n.* **1** 건조[구조]물 ; 구성. **2** 〖言〗 구문(構文).
〖L (*struct*- *struo* to build, pile)〗
類義語 ⟹ MAKE.

con·struc·tion [kənstrʌ́kʃən] *n.* **1** Ⓤ 건조, 축조, 건설, 가설(架設) ; 구조(構造) ; 건설 공사[작업] : of steel ~ 철골 구조의 / the ~ of a new highway 새로운 고속도로의 건설. **2** 건물, 건조물. **3** Ⓤ 건축 양식, 구조법(structure). **4** Ⓤ 〖數〗 작도(법). **5** (어구·글·법률·행위 따위의) 해석(construing) : bear a ~ 어떤 해석이 되다 / put a false ~ on a person's action 남의 행동을 일부러 곡해하다 / put a good[bad] ~ on …을 선의[악의]로 해석하다. **6** 〖文法〗 (글·어구의) 짓기, 구문, 구조. **7** Ⓤ 〖美術〗 구성.
under*[*in course of*] *construction 건설중에,

공사중에.

〈회화〉
His house is *under construction.* — When will it be finished?「그의 집은 건축중이야」「언제 완성되는데」

~·al *a.* **~·al·ly** *adv.*

constrúction·ist *n.* (법률 따위의) 해석자 ;〖美術〗구성주의의 화가 ; (특수한) 해석을 내리는 사람 : a loose[strict] ~ (특히 헌법을) 융통성있게[엄정하게] 해석하는 사람. **~ìsm** *n.* Ⓤ〖美術〗=CONSTRUCTIVISM.

constrúction pàper *n.* 미술 공작용 색판지.

con·strúc·tive *a.* **1** 건설적인(↔*destructive*) : ~ criticism 건설적[적극적] 비판. **2** 구성하는(formative) ; 구조적인(structural). **3**〖法〗해석에 기초를 둔, 추정적인(inferred) : ~ crime 추정범죄. **4**〖數〗작도(作圖)의. **~ly** *adv.* 건설적으로 ;〖法〗추정상. **~ness** *n.*

con·strúc·tiv·ìsm *n.* Ⓤ〖美術·劇〗구성주의. **-ist** *n.* 구성주의 미술가.

con·strúc·tor *n.* 건설[건조]자, 건축 청부업자 ;〖海軍〗조선 기사.

con·strue [kənstrúː] *vt.* **1** 해석하다, …의 뜻으로 알다[받아들이다](interpret) : Different lawyers may ~ the same law differently. 법률가에 따라서는 같은 법조문이라도 각각 다른 해석을 내리는 수가 있다. **2** (구두로) 직역을 하다. **3**〖文法〗**a**) (문장을) 분석하다(analyze). **b**) [+目+*with*+名] 문법적으로 결부시키다 : "Rely" is ~*d* ***with*** "on". rely는 on과 결합되어 쓰인다. —— *vi.* **1** 구문을 분석하다. **2** (문법상) 분석되다 ; 해석이 되다(cf. CONSTRUCTION 5) : This passage won't ~. 이 절은 분석이 안된다. ——[kánstruː] *n.* 번역[분석] 연습문. 〚L CONSTRUCT〛

con·sub·stan·tial [kànsəbstǽnʃəl] *a.* 동질(同質)의, 동체(同體)의〈*with*〉. 〚L (⇨ SUBSTANCE) ; Gk. *homoousios*의 역(譯)〛

còn·substántial·ìsm *n.*〖神學〗성체 공존론 ; 삼위 일체설. **-ist** *n.*

còn·substantiálity *n.* Ⓤ 동체[동질]임 ;〖神學〗동일 실체성, 동(同)본질성.

còn·substántiate *vt.* 동질[동체]로 결합시키다. —— *vi.* **1** (한몸으로) 합체하다. **2**〖神學〗성체 공존설을 믿다. —— *a.* =CONSUBSTANTIAL.

còn·substantiátion *n.* 성체 공존(설). 〚NL ; *transubstantiation*의 유추〛

con·sue·tude [kánswitjùːd, 美+kənsúə-] *n.* Ⓤ 관습(custom), 관례(usage), 불문율.

con·sue·tu·di·nary [kànswitjúːdənèri, kənsùːə- ; kɔ̀nswitjúːdinəri] *a.* 관습의, 관례상의(customary) : ~ law 관습법, 불문율. —— *n.* 관례서(書), (수도원 따위의) 식례집(式例集).

con·sul [kánsəl] *n.* **1** 영사(領事) : an acting [honorary] ~ 대리[명예] 영사. **2**〖로史〗집정관《정원 2명》;〖프史〗집정《1799-1804의 최고 행정관》. **~·shìp** *n.* Ⓤ 영사의 직[임기, 지위]. 〚L ; cf. L *consulo* to take counsel〛

cónsul·age *n.* Ⓤ〖商〗영사 증명 수수료.

con·sul·ar [kánsələr ; -sjulər] *a.* **1** 영사(관)의 : ~ agent 영사대리 / a ~ assistant 영사관보(補) / a ~ attaché[clerk] 영사관원[서기] / a ~ invoice〖商〗영사 증명 송장. **2**〖史〗집정관의. —— *n.*〖로史〗집정관과 동격의 사람.

con·sul·ary [kánsəlèri ; -sjuləri] *a.* =CONSULAR.

con·sul·ate [kánsələt ; -sju-] *n.* **1** 영사관. **2** Ⓤ =CONSULSHIP. **3** [the C~]〖프史〗프랑스 집정시대(1799-1804). 〚L ; ⇨ CONSUL〛

cónsulate géneral *n.* (*pl.* **cónsulates géneral**) 총영사의 직[공관, 관사, 관구].

cónsul géneral *n.* (*pl.* **cónsuls géneral**) 총영사(總領事).

con·sult** [kənsʌ́lt] *vt.* **1** (전문가에게) 의견을 듣다 ; (의사에게) 진찰을 받다 : ~ one's lawyer 변호사의 의견을 듣다. **2** (참고서·사전류 따위를) 찾아보다 : ~ a dictionary[map] 사전[지도]을 찾아보다. **3** 염두에 두다, 고려에 넣다(consider) : ~ one's own interests[convenience] 자기의 이해[편의]를 염두에 두다 / ~ a person's pleasure 남의 형편을 묻다. —— *vi.* [動 / +*with*+名] 상담[협의]하다 : The doctor ~*ed* ***with his colleagues. 그 의사는 동료 의사와 상의했다. ***consult with*** *one's* ***pillow*** ☞ PILLOW.
——[kánsʌlt, kənsʌ́lt] *n.*《古》협의, 상담 ; 음모 회의.
〚F＜L (freq.)〈*consult- consulo* to take counsel〛
類義語 ***consult*** 중요한 일에 관하여 현명한 충고나 전문적인 의견을 말해주는 사람과 상의하다. ***confer*** 보통 동등한 입장의 사람과 의견이나 정보를 교환하다.

con·sul·tan·cy [kənsʌ́ltənsi] *n.* 컨설턴트업(業), 상담.

con·súl·tant *n.* **1** 의논하는 사람. **2** 상담 상대, 고문《기사·기술자 등》; 고문 의사.

con·sul·ta·tion [kànsəltéiʃən] *n.* **1** Ⓤ 상담, 협의 ; 자문 ; 진찰[감정]을 받기. **2** 전문가의 회의, 협의[심의]회. **3** Ⓤ (서적 따위의) 참고, 참고서를 찾아보기, 참조.

Consultátion on Chúrch Únion *n.* [the ~]《美》교회 합동 협의회.

con·sul·ta·tive [kənsʌ́ltətiv], **-ta·to·ry** [-tɔ̀ːri ; -təri] *a.* 상의[평의, 협의]하는 ; 자문의 : a ~ body 자문 기관.

consúlt·er *n.* (남에게) 상담하는[의견을 묻는] 사람, 협의자.

consúlt·ing *a.* 자문의, 고문 자격의 ; 진찰전문의 : a ~ engineer 고문기사 / a ~ physician 고문의사《동료·환자의 상담에 응하는》/ a ~ room 진찰실 ; 협의실.

consúlting fìrm *n.* 컨설턴트 회사.

con·sul·tive [kənsʌ́ltiv] *a.* =CONSULTATIVE.

con·súl·tor *n.* 상담자, 충고자 ; (특히) 로마 성성(聖省) 고문.

con·súm·able *a.* 소비[소모]할 수 있는 : ~ supplies 소모품. —— *n.* [보통 *pl.*] 소모품.

con·sume** [kənsúːm ; -sjúːm] *vt.* **1** [+目 / +目+前+名] 소비[소모]하다, 써버리다(use up) ; 낭비하다(waste) : He ~*d* much of his time ***in study*ing* every day. 날마다 연구에 많은 시간을 소비했다. **2** 소멸(消滅)시키다, (불이) 태워 버리다(destroy) ; (사람이) 먹어[마셔] 없애다 : I saw the flames *consuming* the whole building. 불길이 건물 전체를 불태우는 것을 보았다. **3** [+目+*with*+名] [수동태로] (질투·증오 따위가) …의 마음에 사무치다 : He *was* ~*d* ***with*** envy[curiosity, ambition, a desire to conquer]. 그는 질투[호기심, 야망, 정복욕]에 불타고 있었다. —— *vi.* **1** 소비되다, 다하다, 소멸하다. **2** 소실하다. **3** [+副 / +*with*+名] 수척해지다, 야위다 : She ~*d away* ***with*** grief. 슬픔으로 인하여 야위었다. 〚L (*sumpt- sumo* to take up)〛

con·súm·ed·ly [-ədli] *adv.*《古》엄청나게, 대단히(excessively).

***con·súm·er** *n.*〖經〗수요자, 소비자(↔*pro-*

ducer) : an association of ~*s*=《美》 a ~*s'* union 소비자 조합[단체].
consúmer crédit *n.* 월부구매자에 대한 신용.
consúmer dúrables *n. pl.* 〔經〕 내구 소비재.
consúmer gòods[ìtems] *n. pl.* 〔經〕 소비재, 소비자 물자.
consúmer·ìsm *n.* Ⓤ 소비자 중심주의 ; 소비자 보호(운동) ; 〔經〕 소비주의《건전한 경제의 기초로서 소비 확대를 주장함》.
-ist *n., a.* 소비자 중심주의자(의).
consùmer·izátion *n.* 〔經〕 소비(확대[증대])화(정책).
consúmer magazìne[prèss] *n.* 소비자 잡지《광고를 보고 상품을 구입할 가능성이 있는 소비자를 대상으로 한 잡지》.
consúmer orientàtion *n.* 〔經〕 소비자 지향.
consúmer príce *n.* 소비자 물가.
consúmer príce ìndex *n.* 〔經〕 소비자 물가 지수《略 CPI》.
Consúmer Próduct Sáfety Àct *n.* 《美》 소비자 제품 안전법《1972년 제정》.
consúmer pròfile *n.* 소비자 프로필.
consúmer reséarch *n.* 소비자 수요 조사.
consúmer resístance *n.* 소비자 저항, 구매 거부, 판매 저항(=《美》 sales resistance).
consúmers' góods *n. pl.* =CONSUMER GOODS.
consúmer stríke *n.* (소비자의) 불매 운동.
Consúmer Ùnion of US [-jù:és] *n.* 《美》 소비자 동맹《세계 최대의 소비자 교육기관》.
con·súm·ing *a.* **1** 소비하는 : the ~ public 일반 소비자. **2** 다 태워버리는 (정도의). **3** 여위게 하는, 애태우는.
con·sum·mate [kánsəmèit] *vt.* 완성[완료]하다 ; 절정에 이르게 하다 : His ambition was ~*d* when he defeated my plan. 그의 야심은 나의 계획을 좌절시키고서야 달성되었다.
—— [kənsʌ́mət, kánsəmət] *a.* **1** 완성된, 더할 나위 없는, 최상의, 완전한(perfect) : ~ happiness 최상의 행복. **2** 순전한, 터무니없는 : a ~ ass 지독한 바보. **consúmmate·ly** [, kánsəmət-] *adv.* 나무랄 데 없이, 완전히 ; 전적으로.
〖L *con*-(*summo* ; ⇨ SUM) =to complete〗
con·sum·ma·tion [kànsəméiʃən] *n.* **1** Ⓤ 마무리, 성취, 완성, 완료 ; 완전(한 경지), 극치 ; (목적·소망 따위의) 달성. **2** Ⓤ 죽음, 종말.
con·sum·ma·tive [kánsəmèitiv] *a.* 완성하는, 끝손질의.
cón·sum·mà·tor *n.* 완성자 ; 실행자 ; (어떤 방면의) 대가, 권위자.
con·sump·tion [kənsʌ́mpʃən] *n.* **1** Ⓤ 소비, 소비고[액](↔*production*) : The ~ of beer goes down when winter comes. 겨울이 되면 맥주의 소비량은 줄어든다 / The speech was meant for foreign[home] ~. 그 연설은 외국인[자기 나라 국민]에게 들려 주기 위한 것이었다. **2** Ⓤ 소진, 소실, 소모. **3** Ⓤ 폐병, 결핵 : pulmonary ~ 폐병.
〖OF<L ; ⇨ CONSUME〗
consúmption crédit *n.* =CONSUMER CREDIT.
consúmption dùty[tàx] *n.* 소비세.
consúmption gòods *n. pl.* =CONSUMER GOODS.
con·sump·tive [kənsʌ́mptiv] *a.* **1** 폐병의, 폐병질(質)의. **2** 소비(성)의 ; 소모[낭비]적인.
—— *n.* 폐병[결핵]환자. **~·ly** *adv.* **~·ness** *n.*
cont. containing ; content(s) ; continent(al) ; continue(d) ; contract ; contrary ; control.
Cont. Continental.
con·ta·bes·cence [kàntəbésns] *n.* 위축, 소모 ; 〔植〕 수술·꽃가루의 위축.
Con·tac [kántæ̀k] *n.* 콘택《감기약 ; 상표명》.
‡**con·tact** [kántækt] *n.* **1** Ⓤ 접촉, 맞닿음(touching). **2** [때때로 *pl.*] 《美》 접근, 친교, 교제(associations)〈*with*〉 ; 연락(을 취하기), 연결(connection). **3** 〔電〕 접촉, 접촉 장치 ; 〔數〕 상접(相接), 접촉 ; 〔空〕 접지(接地) ; (비행기에 의한 지상 전진 부대와의) 연락 ; 〔通信〕 교신. **4** (업무상의 목적으로) 연결되어 있는 사람 ; 《美口》 중계 역할을 할 수 있는 사람. **5** 〔醫〕 접촉(보균)자, 보균 용의자.
break*[*make*] *contact 전류를 단절하다[통하게 하다], 교제를 끊다[시작하다]〈*with*〉.
bring. . .into contact with …을 …에 접촉시키다 : *Bring* the learner *into* direct ~ *with* it. 학습자를 직접 그것과 접촉시켜라.
come in*(*to*) *contact with …와 접촉하다 ; …와 마주치다(come across).
establish* one's *contact with …와 접촉[연락]을 취하다.
in contact with …과 접촉하여 ; …와 연결되어 ; (사람)과 친하여 : teachers *in* daily ~ *with* students 매일 학생들과 접하는 교사들.
keep. . .in contact with …로 하여금 …와 접촉하게 하다[계속 접하다] : Newspapers *keep* us *in* ~ *with* the events of the world. 신문이 있어서 세계에서 일어나는 일에 접할 수 있다.
lose contact with …와 접촉[연락]이 끊기다.
—— [, kəntǽkt] *vt.* (남과) 연락을 취하다, 연결하다, 만나다. —— *vi.* (서로) 접촉하다 ; 〔通信〕 교신하다〈*with*〉.
—— *a.* 접촉의 ; 접촉에 의한 ; 경기자의 몸과 몸이 서로 부딪치는 ; 〔空〕 유시계(有視界) 비행의.
—— *adv.* 〔空〕 유시계 비행으로.
fly contact 〔空〕 접촉[유시계] 비행하다.
〖L *con*-(*tingo*=*tact*- *tango* to touch)〗
cóntact àction *n.* 〔理·化〕 접촉작용.
cóntact àgent *n.* 〔化〕 촉매, 접촉제.
cóntact brèaker *n.* 〔電〕 (자동) 접촉 차단기.
cóntact clàuse *n.* 〔文法〕 접촉절.
cóntact dermatìtis *n.* 〔醫〕 접촉 피부염.
con·tact·ee [kàntæktí:] *n.* 우주인에 접촉된 사람《공상 과학 소설에서》.
cóntact electrìcity *n.* 〔電〕 접촉 전기《상이한 두 물질의 접촉면에 생기는 전기》.
cóntact flìght[flỳing] *n.* 〔空〕 접촉[유시계(有視界)] 비행(↔*blind*[*instrument*] *flying*).
cóntact hìgh *n.* 《美俗》 감염[간접] 도취.
cóntact-inhìbit·ed *a.* 〔生〕 접촉 저지(contact inhibition)에 지배된.
cóntact inhibìtion *n.* 〔生〕 접촉 저지.
cóntact lèns *n.* 콘택트 렌즈.
cóntact màker *n.* (전류의) 접촉기.
cóntact màn *n.* (거래 따위의) 중개인 ; (민간 회사의) 관청 교섭원.
cóntact metamórphism *n.* 〔地〕 접촉 변성(變成) 작용.
cóntact mìne *n.* 촉발 기뢰[수뢰, 지뢰].
con·tac·tor [kántæktər, kəntǽk-] *n.* 〔電〕 접촉기《교직 회로 제어를 위해 사용되는 개폐 장치》.
cóntact pàper *n.* 〔寫〕 밀착(인화)지.
cóntact potèntial *n.* 〔電〕 접촉 전위차.
cóntact prìnt *n.* 밀착 인화.
cóntact pròcess *n.* (황산 제조의) 촉매법.
cóntact shèet *n.* 〔寫〕 밀착 인화지.
cóntact vìsit *n.* 접촉[자유] 면회《교도소에서 면

회자와 악수 · 포옹 따위가 허용됨》.

con·ta·gion [kəntéidʒən] *n.* **1** Ⓤ 접촉전염, 감염 (cf. INFECTION) : Smallpox spreads *by* ~. 천연두는 접촉전염으로 퍼진다. **2** 접촉 전염병 ; 병원균[체] : a ~ ward 전염병동. **3** 《비유》 감화력, 악영향 ; Ⓤ 폐풍 : a ~ *of* fear 공포의 전염. 〖L (*tagio* ‹ *tango* to touch)〗

con·ta·gious [kəntéidʒəs] *a.* (접촉) 전염[감염]성의 (cf. INFECTIOUS, INFECTIVE) ; 전염독이 있는 ; 옮기 쉬운(catching) : ~ disease 접촉 감염증[전염병] / Yawning is ~. 하품은 사람에게 잘 옮는다. **~·ly** *adv.* 전염하여. **~·ness** *n.*

‡**con·tain** [kəntéin] *vt.* **1** (속에) 품다, 포함하다 : This book ~*s* a good bibliography. 이 책에는 훌륭한 참고문헌 목록이 붙어 있다. **2** (얼마가) 들어가다 ; (얼마에) 상당하다 : This pitcher will ~ a quart of milk. 이 물주전자에는 1쿼트의 우유가 들어간다 / A pound ~*s* 16 ounces. 1파운드는 16온스다. **3** [~ one*self* 로도 쓰여] (화나는 감정 따위를) 억누르다, 참다 : ~ one's anger 화를 진정시키다 / She could not ~ her*self* for joy. 기뻐서 어쩔줄을 몰랐다. **4** 〖數〗 (변이 각을) 끼다, (도형을) 둘러싸다(enclose) : a ~*ed* angle 끼인각. **5** 〖數〗 (어떤 수로) 나누어지다, (어떤 수를) 인수(因數)로 가지다 : 10 ~*s* 5 and 2. 10은 5와 2로 나누어진다. **6** 〖軍〗 견제하다 : a ~*ing* attack[force] 견제공격[부대]. —— *vi.* 참다. 〖OF ‹ (*tineo* = *tent-* *teneo* to hold)〗

類義語 ***contain*** 속에 있다, 내용물 · 부분으로서 함유하다 : The building *contains* two restaurants and twenty offices. (그 건물에는 음식점 2개와 사무실 20개가 있다). ***hold*** 속에 넣어 둘 수 있거나 또는 넣어 둘 여지가 있다 ; 때때로 contain과 같은 의미로도 쓰임 : This elevator *holds* nine persons. (이 엘리베이터에는 아홉 명이 탈 수 있다). ***accommodate*** 건물 · 시설 따위가 혼잡 · 불편없이 사람을 수용하다.

con·táined *a.* 자제하는 ; 침착한, 조심스러운.

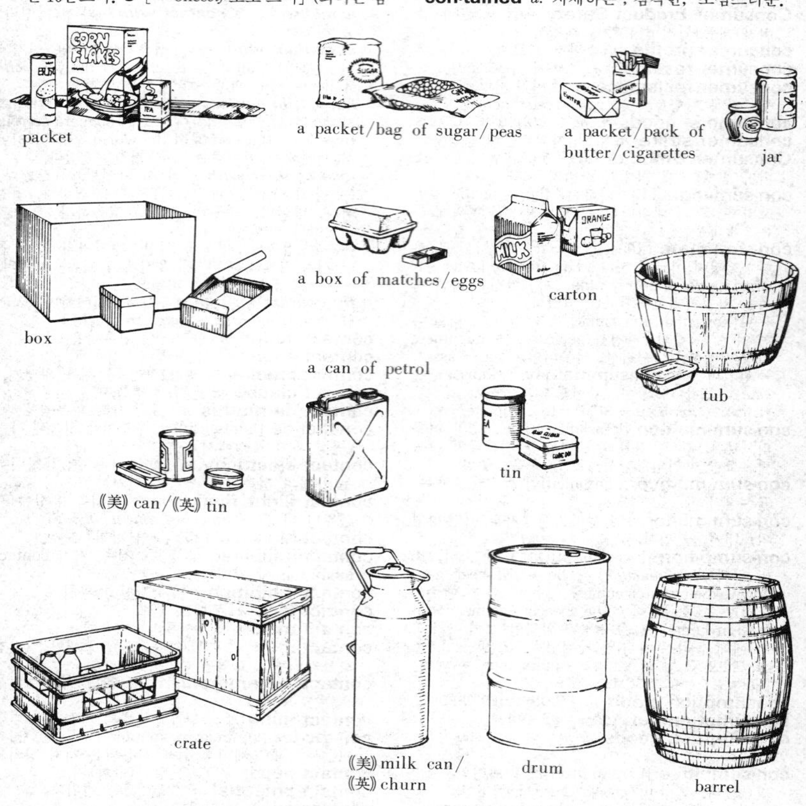

container

contáin·er *n.* 용기, 그릇 ; 컨테이너.
contáin·er·bòard *n.* 골판지, 용기용 판지.
contáiner càr *n.* 컨테이너 차량.
contáin·er·ìze *vt.* (화물을) 컨테이너에 넣다 ; (화물 처리를) 컨테이너로 하다.
contàin·er·izátion *n.* Ⓤ 컨테이너 사용, 컨테이너화(化).
contáin·er·pòrt *n.* 컨테이너항(港)《컨테이너 적하 설비가 되어 있음》.
contáin·er·shìp *n.* 컨테이너선.
contáiner shìpping *n.* (화물(貨物)의) 컨테이너 수송(업).
contáiner sỳstem *n.* 컨테이너 수송 방식.
contáin·ment *n.* Ⓤ 견제, 억제 ; 봉쇄.
contáinment bòom *n.* 오일 펜스(oil fence).
con·tam·i·nant [kəntǽmənənt] *n.* 오염균.
con·tam·i·nate [kəntǽmənèit] *vt.* **1** 더럽히다, 오염시키다(defile) ; 〖軍〗 (독가스·방사능으로) 오염시키다 : The air has been ~*ed by* exhaust fumes. 주위의 공기는 배기가스로 오염되어 있다. **2** 악에 물들게 하다(taint).
—— *a.* 《古》 오염된, 더러워진.
con·tám·i·nà·tive [; -nə-] *a.* 더럽히는, 오염시키는. **-nà·tor** *n.* 더럽히는[오염시키는] 것.
〚L ; cf. CONTAGION〛
con·tam·i·na·tion [kəntæ̀mənéiʃən] *n.* **1** Ⓤ 오염, 더러움 ; 더러운 것 ; Ⓒ 오탁물. **2** Ⓤ (원문·기록·이야기 따위의) 혼합 ; 〖言〗 혼성(混成), 혼성어(blending) **3** Ⓤ 〖軍〗 (독가스·방사능에 의한) 오염.
con·tango [kəntǽŋgou] *n.* (*pl.* ~**s**) 《英》 〖證〗 거래유예금(猶豫金), 이월일변(移越日邊) : the ~ day 《英》 이월 결산일.
〚C19 < ?〛
contd. contained ; continued.
conte [kɔ́ːnt ; *F* kɔ̃t] *n.* (*pl.* ~**s** [-*s* ; *F* —]) 콩트, 단편(소설).
con·temn [kəntém] *vt.* 《文語》 경멸[모욕]하다.
〚OF or L (*tempt- temno* to despise)〛
contemp. contemporary.
con·tem·pla·ble [kəntémpləbəl] *a.* 생각할 수 있는, 꾀할 수 있는.
***con·tem·plate** [kɑ́ntəmplèit, -tem-, kəntémpleit] *vt.* **1** 응시하다, 찬찬히[주의깊게] 보다 : He looked as if *contemplating* something far away. 그는 마치 뭔가 멀리 있는 것을 응시하고 있는 것 같았다. **2** 심사숙고하다, 곰곰이 생각하다(think about). **3** [+目 / +do*ing*] 기대하다 ; 기도하다, …하고자 생각하다[의도하다] (intend) : She is *contemplating* a change of work. 그녀는 일자리를 바꿀 생각을 하고 있다 / He ~*d* go*ing* to some health resort. 그는 어딘가 휴양지에 가려고 생각하고 있었다.
—— *vi.* 명상하다, 심사숙고하다(meditate) : All day he did nothing but ~. 하루 종일 그는 생각에만 잠겨 있었다. 〚L (*templum* place for observation of auguries ; ⇨ TEMPLE[1])〛
類義語 ⟹ CONSIDER.
con·tem·pla·tion [kɑ̀ntəmpléiʃən, -tem-] *n.* **1** Ⓤ 주시, 응시. **2** Ⓤ 묵상 ; 숙고(meditation) ; 관상(觀相) : be lost in ~ 명상에 잠겨 있다. **3** Ⓤ 기대 ; 기도, 계획(중) : be in[under] ~ 계획 중이다 / have something in ~ 어떤 일을 기도하고 있다.
con·tem·pla·tive [kɑ́ntəmplèitiv, -tem-, 美+ kəntémplə-] *a.* 정관(靜觀)[관조]적인, 묵상하는, 명상에 잠기는 : the ~ life (은둔 생활을 하는 사람 등의) 묵상생활(cf. ACTIVE life). —— *n.* 묵상에 잠긴 사람.
類義語 ⟹ PENSIVE.
cón·tem·plà·tor *n.* 숙고하는 사람 ; 묵상자, 깊이 생각하는 사람.
con·tem·po·ra·ne·i·ty [kəntèmpərəníːəti] *n.* Ⓤ 같은 시대[시기]임, 동시대성.
con·tem·po·ra·ne·ous [kəntèmpəréiniəs] *a.* 동시 존재[발생]의, 동시성의 ; (…과) 동시대의 〈*with*〉. ~**·ly** *adv.* ~**·ness** *n.*
〚L (*com-*)〛
類義語 ⟹ CONTEMPORARY.
***con·tem·po·rary** [kəntémpərèri ; -rəri] *a.* **1** 그 당시의 ; (…과) 같은 시대의〈*with*〉 : Elizabethan plays are often presented in ~ costume. 엘리자베스조의 연극은 흔히 그 당시《엘리자베스조》의 의상을 입고 연출시킨다. ☞ 活用. **2** 당대의, 현대의 : ~ literature[writers] 현대문학[작가] / ~ opinion 시론(時論). —— *n.* 같은 시대 사람〈*of*〉 ; 동기생 ; 동년배의 사람 ; 같은 시대의 신문[잡지 따위] : my *contemporaries* at school 나의 동기생들 / our *contemporaries* 우리와 같은 시대의 사람들, 현대인들 / our ~ 〖新聞〗 동업지(同業紙).
〚L (↑)〛
活用 *a.*의 1과 2의 뜻 중에 경우에 따라서는 이것인지 저것인지 애매할 때가 있다. 이를테면 a Restoration play in *contemporary* dress에서는 그 의미가 어느 쪽이든 될 수 있어서 2의 뜻이 될 경우에는 a Restoration play in *modern* dress (현대식 의상으로 연출하는 왕정복고시대의 연극)로 하는 편이 명확하다.
類義語 ***contemporary, contemporaneous*** 둘 다 「같은 시기의」 뜻이지만 앞의 것은 사람이나 작품에, 뒤의 것은 사건에 대해서 말할 때가 많음, 또한 contemporary는 때때로 현대를 지칭할 때도 있음 : *contemporary* novels (현대 소설) / The discovery of America was *contemporaneous* with the fall of Granada. (미대륙 발견과 그라나다의 멸망은 동시대에 일어난 일이었다). ***simultaneous*** 때를 같이 해서, 또는 짧은 간격을 두고서 존재하는[행해지는] : *simultaneous* translation (동시 번역).
***con·tempt** [kəntémpt] *n.* **1** Ⓤ [또는 a ~] 깔봄, 경멸, 모욕(↔*respect*) : beneath ~ 경멸의 대상조차 안 되는 / show ~ 경멸하다 / bring upon oneself the ~ of …의 모욕을 초래하다 / They have a great ~ *for* conventionality. 인습을 지독하게 경멸하고 있다. **2** Ⓤ 치욕, 불명예 (disgrace) : bring[fall] into ~ 창피주다[당하다]. **3** Ⓤ (사법·의회 따위에 대한) 〖法〗 모욕죄 : ~ of court 법정 모욕죄.
hold*[*have*]*...in contempt (남을) 업신여기다, (물건을) 천하게 여기다.
in contempt of …을 경멸하여 : *in* ~ *of* danger 위험을 무릅쓰고.
〚L ; ⇨ CONTEMN〛
con·tempt·ible [kəntémptəbəl] *a.* 천시할 만한, 업신여길 만한, 비열한, 인정머리 없는. **-ibly** *adv.* 비열하게. ~**·ness** *n.* **-tèmpt·ibíl·i·ty** *n.*
con·temp·tu·ous [kəntémptʃuəs] *a.* 남을 업신여기는, 경멸적인 ; (…을) 얕보는〈*of*〉. ~**·ly** *adv.* 업신여겨서. ~**·ness** *n.* Ⓤ 거만, 무례.
con·tend [kənténd] *vi.* [+前+名] 다투다, 항쟁하다, 겨루다 ; 싸우다 ; 논쟁하다 : The first settlers in America had to ~ ***with*** the Indians, sickness, and lack of food. 미국의 최초의 이주

민들은 인디언과 질병 그리고 식량부족과 싸우지 않으면 안 되었다 / They ~*ed with* each other ***for*** the prize. 그들은 그 상을 놓고서 서로 경쟁했다 / He is fond of ~*ing* ***about*** everything. 그는 무엇이든 시비를 걸려 한다. ── *vt.* [+*that* 節] (강력히) 주장하다(maintain) : Columbus ~*ed that* the earth is round. 콜럼버스는 지구가 둥글다고 주장했다.
~·er *n.* 경쟁자, 주창자. **~·ing·ly** *adv.*
類義語 ***contend*** 토론이나 기술에 의해서 상대를 눌러 이기려고 노력하다. ***compete*** 다른 사람과 경쟁해서 이기려고 노력하다, 특히 경쟁의식을 강조함.

***con·tent**[1] [kántent] *n.* **1** [보통 *pl.*] (그릇 따위의) 안에 든 것, 내용물, (서적·문서 따위의) 내용〈*of*〉. **2** [*pl.*] 목차 : the (table of) ~*s* 차례, 목록. **3** U (작품·논문 따위의) 취지, 요지, 진의 ; 〖哲〗 (개념의) 내용 ; (형식에 대하여) 내용(↔*form*). **4** U,C 함유량, 산출량, (용기의) 용량 ; 〖數〗 용적, 면적 : solid[cubical] ~(*s*) 용적, 부피, 체적(volume) / vitamin ~ 비타민 함유량.
〚L ; ⇨ CONTAIN〛

con·tent**[2] [kəntént] *pred. a.* 주 *attrib. a.*로서는 CONTENTED를 씀. **1** [+*to* do / +*with*+do*ing*] 만족한 ; (…하는 것만으로) 만족하는, 감수하는 : Be ~ ***with a small salary at the beginning. 처음에는 적은 급료에도 만족해라 / She is ~ *to* stay here all the year. 그녀는 일년내내 여기에 머물러 있는 것을 만족해 하고 있다 / America was not ~ *with* hav*ing* become the protagonist in the Second World War. 미국은 제 2 차 세계대전의 주인공이 되는 것만으로 만족하지 않았다. **2** 〖英上院〗 찬성하는. 주 yes, no 대신에 ~, not ~라고 함 ; 〖英下院〗에서는 aye, no라고 함.
── *n.* **1** U 만족(↔*discontent, malcontent*) : in ~ 만족하여. **2** [*pl.*] 〖英上院〗 찬성 투표(자) (↔*noncontents*).
to** one**'s heart's content 실컷, 만족할 때까지, 마음껏, 충분히.
── *vt.* **1** …에 만족을 주다, 만족시키다 (satisfy) : Nothing ~*s* her. 그녀에게는 만족이라고는 없다. **2** [+目+*with*+名] [~ one*self* 또는 수동태로] 만족하다[하고 있다], 감수하다[하고 있다] : I ~*ed* my*self* ***with*** a bit of boiled beef. 나는 삶은 쇠고기 한 조각으로 만족했다 / He should have *been* ~*ed with* what he had. 그는 소유하고 있는 것만으로 만족했어야 했다 / I must *be* ~*ed with* say*ing* these words. 나는 이 말을 하는 것만으로 만족해야 한다.
〚OF<L ⇨ CONTAIN〛
類義語 ⟹ SATISFY.

cóntent-addrèss·able mémory *n.* 〖컴퓨〗 연상(聯想) 기억 장치.

cóntent anàlysis *n.* 〖社·心〗 내용 분석《매스커뮤니케이션의 내용·가치·감정 따위에 관한 통계적 연구》.

contént·ed *a.* 만족하고 있는(satisfied), 만족스러운(cf. CONTENT[2] *a.*) : a ~ look[smile] 만족스러운 표정[미소] / He looked very ~ sitting and watching us. 그는 지극히 만족스러운 듯이 앉아서 우리를 보았다. **~·ly** *adv.* 만족하여[스럽게]. **~·ness** *n.* U 만족.

con·ten·tion [kənténʃən] *n.* U 말다툼, 논쟁, 논전(論戰) ; C 논쟁점, 주장 ; 투쟁 : a bone of ~ 다툼의 원인, 불화의 씨.
〚OF or L ; ⇨ CONTEND〛
類義語 ⟹ FIGHT.

con·ten·tious [kənténʃəs] *a.* (사람이) 다투기 좋아하는, 따지기 좋아하는(quarrelsome), 논쟁을 좋아하는 ; (문제 따위가) 이론(異論)이 있는 ; 〖法〗 계쟁(係爭)의 : a ~ case 계쟁[소송] 사건. **~·ly** *adv.* 논쟁적으로. **~·ness** *n.* 논쟁을 좋아함, 싸움하기 좋아함.

contént·ment *n.* U 만족(하기), 안분지족(安分知足) : *C*~ is better than riches. 《속담》 족(足)함을 아는 것은 부(富)보다 낫다.

cóntent sùbject *n.* 〖教〗 내용 교과《실용 과목에 대하여 철학·역사 따위처럼 그 자체를 목적으로 하는 과목 ; cf. TOOL SUBJECT》.

cóntent wòrd *n.* 〖文法〗 내용어《일반의 명사·형용사·동사·부사 따위의 사전적 의미 내용을 가진 말 ; ↔*function word*》.

con·ter·mi·nous [kəntə́:rmənəs, kɑn-] *a.* 상접한, 인접한〈*with, to*〉 ; (공간·시간·의미가) 동일 연장[한계]의. **~·ly** *adv.* **~·ness** *n.*
〚L ; ⇨ TERM〛

***con·test** [kántest] *n.* 경쟁 ; 경기, 경연, 콩쿠르 ; 싸움, 항쟁(strife) ; 논전, 논쟁(debate) : a beauty ~ 미인대회 / a speech ~ 웅변대회.
── *v.* [kəntést, kántest] *vt.* (승리·상·선거 따위를) 겨루다 ; 논쟁하다 : ~ a suit[a seat in Congress] 소송으로[(선거에서) 의석을] 다투다.
── *vi.* [+前+名] 토론을 벌이다 ; 경쟁하다 (contend) : ~ ***with*** one's rival (***for*** a prize) (상을 타려고) 경쟁 상대와 겨루다.
〚L *con-* (*testor*<*testis* witness)=to call to〛
類義語 ⟹ FIGHT.

contést·able *a.* 다툴 수 있는, 논쟁할 수 있는. **-ably** *adv.* **~·ness** *n.*

con·tes·tant [kəntéstənt] *n.* 경기자 ; 논쟁[경쟁]자, 경쟁 상대 ; 이의 신청자.

con·tes·ta·tion [kàntestéiʃən] *n.* U 논쟁(controversy) ; 경쟁, 대항 ; C 논점, 주장(contention).
in contestation 논쟁[경쟁] 중에[인].

contést·ed eléction *n.* 《英》 경쟁선거 ; 《美》 낙선자로부터 무효라는 이의가 있는 선거.

con·test·ee [kàntestí: ; kɔ̀n-] *n.* 《美》 경기자, 경쟁자.

***con·text** [kántekst] *n.* **1** U,C (문장의) 전후 관계, 문맥 : in ~ 문맥상, 문맥 안에서 / out of ~ 문맥을 떠나서, 전후 관계 없이. **2** 《비유》 환경, 배경, 정황 : in the ~ *of* politics 정치라는 면에 있어서(는).
in this context 이 문맥에 있어서는 ; 《비유》 이런 관계[정황]에 있어서(는).
〚ME=weaving together of words<L ; ⇨ TEXT〛

con·tex·tu·al [kəntékstʃuəl] *a.* (문장의) 전후 관계상의, 문맥상의. **~·ly** *adv.* 문맥상, 전후 관계에 있어서(는).

contéxtual·ìsm *n.* 〖哲〗 콘텍스트 이론《언명(言明)이나 개념은 문맥을 벗어나서는 의미를 이루지 못한다는 이론》.

contéxtual·ìze *vt.* …의 상황(狀況)[문맥]을 설명하다, 상황[문맥]에 들어맞게 하다, 맥락화(脈絡化)하다.

con·tex·ture [kəntékstʃər, kɑn-, 美+kántəks-] *n.* U,C (직물의) 짜임새, 감 ; 직물 ; 조직, 구조 ; (문장의) 구성.
〚F<?L ; ⇨ CONTEXT〛

con·ti·gu·i·ty [kàntəgjú:əti] *n.* U 접근(proximity) ; 접촉, 인접 ; 연속 ; 〖心〗 (시간·공간상의) 접근 : in ~ *with* …와 근접하여.

con·tig·u·ous [kəntígjuəs] *a.* 접촉하는, 인접하는〈*to*〉. **~·ly** *adv.* 접촉[인접]하여.
〖L ; ⇨ CONTACT〗

contin. continued.

con·ti·nence, -cy [kάntənəns(i) ; -ti-] *n.* Ⓤ 자제, 극기 ; (특히 성욕의) 절제, 금욕 ; 정절.

‡**con·ti·nent**[1] [kάntənənt] *n.* **1** 대륙 ; 육지, 본토 : *on* the European *C*~ 유럽 대륙에서 / the Dark *C*~ 암흑 대륙《아프리카 대륙의 옛 이름》/ the New *C*~ 신대륙《남북아메리카》/ the Old *C*~ 구대륙《유럽 · 아시아 · 아프리카》. **2** [the C~]《英》(영국 제도에 대하여) 유럽 대륙 ;《美》북미 대륙.
〖L *terra continens* continuous land ; ⇨ CONTAIN〗

continent[2] *a.* **1** 자제심이 있는, 절제를 하는, 극기의. **2** 정절의 ; 성욕을 절제하는, 금욕의 ; 정절을 지키는(chaste) ; 편의를 억제할 수 있는.
—— *n.*《古》용기, 그릇 ; 권화, 축도.
~·ly *adv.* 자제[절제]하여.
〖L ; ⇨ CONTAIN〗

con·ti·nen·tal [kὰntənéntl] *a.* **1** 대륙의, 대륙성[풍]의 : a ~ climate〖氣〗대륙성 기후. **2** [주로 C~]《英》유럽 대륙(풍)의. **3**〖美史〗[C~] (미국 독립전쟁 당시의) 아메리카 식민지의.
—— *n.* **1** 대륙사람 ; [주로 C~]《英》(영국측에서 보아) 유럽대륙 사람. **2**〖美史〗(독립 전쟁의) 아메리카 대륙병(兵). 〖CONTINENT[1]〗

Continéntal Blockáde *n.* [the ~] 대륙 봉쇄《1806년 Napoleon Ⅰ세가 영국에 대하여 행함》.

continéntal bréakfast *n.* (영국식에 대하여) 유럽 대륙식의 간단한 아침 식사《빵과 커피[홍차] 정도》.

continéntal códe *n.* 대륙(大陸)부호, 국제 모스 부호.

Continéntal Cóngress *n.* [the ~]〖美史〗대륙회의《독립 전후 Philadelphia에서 개최된 여러 주 대표의 2차에 걸친 회의 ; 1774, 1775-89》.

continéntal divíde *n.* [the ~] 대륙 분수령 ; [the C~ D~]《美》로키 산맥 분수령.

continéntal dríft *n.* 대륙 이동설.

continéntal ísland *n.* 대륙섬《대륙의 부근에 있는 섬 ; cf. OCEANIC ISLAND》.

continéntal·ìsm *n.* Ⓤ (유럽) 대륙주의, 대륙인 기질 ; 대륙적 특성 ; 대륙 우선주의.
-ist *n.* (유럽) 대륙주의자[심취자], 대륙인.

continéntal·ìze *vt.* 대륙의 관습에 동화시키다.

continéntal quílt *n.*《英》침대 커버 대신에 쓰는 포근하고 두꺼운 이불.

continéntal séating *n.* [때때로 C~ s~]〖劇〗특히 중앙 통로를 두지 않고 좌석 사이를 넓게 잡는 (좌석) 배치 방식.

continéntal shélf *n.*〖地〗대륙붕.

continéntal slópe *n.* 대륙붕 사면(斜面).

continéntal Súnday *n.* [the ~] (휴식 · 예배가 아닌) 레크리에이션으로 보내는 일요일.

Continéntal Sýstem *n.* [the ~]〖史〗대륙 제도, 대륙 봉쇄《1806년 나폴레옹의 영국에 대한 정책》; [c~ s~] =FRENCH SYSTEM.

continéntal térrace *n.* 대륙 단구(段丘)《대륙붕 및 대륙사면(斜面)》.

con·tin·gence [kəntíndʒəns] *n.* 접촉(contact) ; =CONTINGENCY.

con·tín·gen·cy *n.* **1** Ⓤ 우연성, 우발성 : in the ~ 그런 일이 발생하였을 경우에(는) / not...by any possible ~ 설마 …않을 것이다. **2 a**) 우발 사건, 불의의 사고(accident) ; (우발 사건에 따른) 부수사고 : future *contingencies* 장차 일어날지도 모르는 일 / the *contingencies of* war 전쟁에 수반해서 일어나는 일. **b**) 임시비.

contíngency appròach *n.*〖經營〗컨틴전시 어프로치《전통적인 관리 방법에 구애되지 않고 그때마다 변화하는 작업의 내용, 요구되는 기술, 인사관계 따위에 적용한 가장 효율적인 관리 방법》.

contíngency clàuse *n.* (매매 계약의) 우발 사고 조항.

contíngency fùnd *n.* 우발 위험 준비금.

contíngency plàn *n.* 만일의 사태를 대비한 계획, 사전 계획.

contíngency resèrve *n.* 이상[우발(偶發)] 위험 준비금.

contíngency tàble *n.*〖統〗분할표.

contíngency thèory *n.*〖經營〗컨틴전시 이론, 조건이론, 정황 이론.

con·tín·gent *a.* **1 a**) 부수적인 ; (…에) 부수의(incidental)〈*to*〉. **b**) (…)여하에 달린, (…을) 조건으로 하는(conditional) : a fee[remuneration] ~ (*up*) *on* success 성공 사례금[보수]. **2** 일어날지도 모를, 가능한(possible) ; 일정치 않은, 임시의 : ~ expenses 임시 비용. **3** 우발적인, 우연한, 예측 못한(accidental) : a ~ event 우발적인 사건. **4**〖論〗(필연적인 것에 대하여) 우연적인, 경험적인. **5**〖法〗불확정의. —— *n.* **1** 분견대[함대] ; 파견단. **2** 우연 사항, 우발적으로 생긴 일 ; 부수사건. **3** 분담(액). **~·ly** *adv.* 우연하게 ; 부수적으로, 경우에 따라서.
〖L ; ⇨ CONTACT〗

contíngent annúity *n.* 불확정 유기(有期) 연금《장래의 불확정한 사건 발생에 의한 연금》.

contíngent fèe *n.* 성공 사례금, 평가액 의존 보수《승소해서 얻어진 금액의 일정 비율로 지급되는 변호사의 보수》.

contíngent liabílity *n.* 불확정 책임《장래의 사건 발생에 따라 확정되는 책임》.

continua *n.* CONTINUUM의 복수형.

con·tín·u·able *a.* 계속할 수 있는.

***con·tin·u·al** [kəntínjuəl] *a.* 계속적인 ; 자주 일어나는, 빈번한(cf. CONTINUOUS).
類義語 ***continual*** 어떤 일이 장기간에 걸쳐서 끊임없이 계속되는, 또는 반복해서 되풀이하는 : *continual* rain (계속되는 장마). ***continuous*** 시간 · 장소 · 공간이 끝까지 끊어지지 않고 계속되는 : a *continuous* expanse (계속적인 팽창). ***constant*** 계속 또는 반복이 일정불변 · 규칙적임을 강조함 : the *constant* beat of the heart (심장의 계속적인 고동). ***incessant*** 활동 · 운동이 중단 없이 계속하는 : *incessant* chatter (끝날 줄 모르는 잡담). ***perpetual*** 중단 없이 무한히 계속하는, continual보다 뜻이 강함 : the *perpetual* stream of traffic (줄줄이 이어진 차량의 물결).

***con·tín·u·al·ly** *adv.* 계속해서, 빈번히 : The dog was ~ barking during the night. 개가 밤새도록 짖고 있었다.

con·tin·u·ance [kəntínjuəns] *n.* [단수형만으로 쓰여서] **1** 존속 ; 계속, 연속, 지속 ; 체류〈*in*〉; (이야기의) 계속 ; 계속기간 : of long[short, some] ~ 오랫[잠깐, 상당한 기간] 동안 계속하는[된]. **2**〖法〗연기.

con·tín·u·ant *a.*〖音聲〗계속음의《자음에 대하여 말함》. —— *n.* 계속음, 연속음《[f, v, s, z] 따위의 자음 ; cf. STOP *n.* 11》.

con·tin·u·a·tion [kəntìnjuéiʃən] *n.* **1** Ⓤ 잇따름, 계속 ; 연속. **2** (중단 후의) 계속, 재개 ; (이야기

따위의) 이어짐, 후편, 속편(sequel) : *C*～ follows. 이하(以下) 다음호에 계속(To be continued.). **3** Ⓤ 연속함, 지속, 존속(continuance). **4** (선 따위의) 연장(prolongation)〈*of*〉. **5** 〖商〗(결산의) 이연(移延), 이월 거래. **6** 잇대어 짓기, 증축〈*to*〉.

continuátion dày *n.* 이월 결산일(contango day).

continuátion ràte *n.* 이월 일변(日邊).

continuátion schòol[clàss] *n.* (근로 청소년을 위한) 보습(補習) 학교[반] ; (특히 야간의) 성인 학교[클래스].

continuátion shèet *n.* 연속지면《편지 · 문서의 둘째장 이하》.

con·tin·u·a·tive [kəntínjuèitiv, -ətiv ; -ətiv] *a.* **1** 연속적인 ; 계속적인. **2** 〖文法〗 계속 용법의, 비제한적인(nonrestrictive) (↔ *restrictive*) : the ～ use (관계 대명사의) 계속적 용법.
—— *n.* 연속하는 것 ; 계속사《관계대명사 · 접속사 · 전치사 따위》.

con·tín·u·à·tor *n.* 계속하는 사람[것] ; 계승자, 인계받는 사람.

‡**con·tin·ue** [kəntínju(:)] *vt.* **1** [＋目 / ＋*to* do / ＋do*ing*] 계속하다, 지속하다(↔ *stop*) : They ～*d* their journey. 여행을 계속했다 / Prices ～*d to* rise. 물가는 계속해 올랐다 / How long will you ～ work*ing*? 언제까지 일[공부]을 계속할 겁니까. **2** [＋目 / ＋目＋前＋名] (중도에서 다시) 계속하다, (앞에) 이어서 말하다 : "Well", he ～*d*, "what I want to say is...". 그런데, 내가 말하고자 하는 것은 …입니다라고 말을 이었다 / To be ～*d*. 계속, 이하 다음호로 / *C*～*d* ***on***[***from***] page 20. 20페이지에[에서] 계속. **3** [＋目＋前＋名] 계속[존속]시키다 : ～ a boy ***at*** school 소년에게 학업을 계속시키다 / The Home Secretary was ～*d* ***in*** office. 내무부 장관은 유임되었다. **4** 연장하다 ; 〖法〗 연기하다 ; 〖商〗 이월하다, 이연(移延)하다.
—— *vi.* **1** [動 / ＋副 / ＋前＋名] 계속하다, 연속하다(go on) ; 존속[지속]하다(last) ; 머무르다 : The wet weather may ～. 비오는 날씨는 계속될지도 모른다 / The road ～*s* ***for*** miles. 도로는 끝없이 연결되어 있다 / The king's reign ～*d for* thirty years. 왕의 통치는 30년간 계속되었다 / The children must ～ ***in*** school till the end of June. 아이들은 6월말까지 수업을 계속하지 않으면 안된다 / They have ～*d in* the faith of their fathers. 그들은 조상의 신앙을 계속해서 지켜 왔다. **2** [＋補] 잇달아서 …이다 : If you ～ obstinate,... 네가 줄곧 고집을 피운다면… / The play ～*d* an enormous success. 연극은 계속해서 굉장한 성공을 거두었다.
〚OF＜L＝to make or be CONTINUOUS〛
類義語 ***continue*** 어떤 상태 또는 통행이 계속되다 ; 계속되는 기간보다 그 존재 또는 상태가 간격이 없음을 강조함 : The heavy storm *continued* all night. (심한 폭풍우가 밤새껏 계속되었다). ***last*** 특정한 시간 또는 보통 이상으로 길게 계속되다 : These tulip flowers *lasted* for more than a week. (이 튤립꽃들은 1주일 이상 갔다). ***endure*** 외부로부터의 파괴하려는 힘이나 영향에 저항하여 존속하다 : His fame will *endure* forever. (그의 명성은 영원히 계속될 것이다). ***persist*** 예상한 것보다 또는 보통보다도 길게 계속되다 : The snow *persists* throughout the year on the top of the mountain. (눈은 산꼭대기에 일년 내내 있다).

con·tín·ued *a.* 계속된, 잇따른 ; 연속되어 있는, 끊기지 않은 ; 연장된, 지연된.

contínued bónd *n.* 상환 연기 공채[사채].

contínued fráction *n.* 〖數〗 연분수(連分數).

contínued propórtion *n.* 〖數〗 연(連)비례.

con·tín·u·ing *a.* 연속적인 ; 갱신의 필요가 없는, 계속의 ; 영속하는.

contínuing educátion *n.* 계속 교육(과정), 성인 교육《최신 지식 · 기능을 가르치기 위한》.

Contínuing Légal Educátion *n.* 《美》 변호사에게 정기적으로 새 법률 또는 법개정에 대하여 연수시키는 교육 제도.

con·ti·nu·i·ty [kɑ̀ntənjú:əti] *n.* **1** Ⓤ 연속(상태), 연속성 ; 계속 ; (논리적으로) 밀접한 관련 : There is no ～ *of* subject in a dictionary. 사전은 주제의 논리적인 연속성이 없다. **2** 연이음 : a ～ *of* scenes 연이은 장면. **3** Ⓤ,Ⓒ 〖映 · 放送〗 촬영용 대본(script), 방송용 대본 ; 콘티뉴이티 ; (프로그램 사이에 넣는 방송자의) 연결 문구.
〚F＜L ; ⇨ CONTINUOUS〛

continúity gìrl[clèrk] *n.* 〖映〗 필름 편집 담당원, 촬영 기록원.

continúity prògram *n.* 〖商〗 계속 주문《고객의 중지 요청이 없는 한, 상품[서적, 잡지 따위]이 계속 발송됨》.

con·tin·uo [kəntínjuòu] *n.* (*pl.* **-u·òs**) 〖樂〗 통주(通奏) 저음, 콘티누오《화성(和聲)은 변하지만 저음은 일정한 것》.
〚It. *basso continuo* continuous bass〛

con·tin·u·ous [kəntínjuəs] *a.* **1** 끊임없는, 단절없는, 연속적인(uninterrupted) ; 〖數〗 연속의 : a ～ sound 끊임없이 들려오는 소리 / ～ rain 계속적인 비 / a ～ performance (영화 따위의) 잘린데 없는 상영 / ～ function 〖數〗 연속 함수 / a ～ group 〖數〗 연속군(群). **2** 〖植〗 옹이가 없는.
—— *n.* 〖文法〗 계속상(繼續相).
〚L＝uninterrupted＜CONTAIN〛
類義語 ⟹ CONTINUAL.

contínuous bráke *n.* (전(全)차량에 작동하는) 연속 브레이크.

contínuous cúrrent *n.* 〖電〗 직류.

contínuous índustry *n.* 일관 생산업.

con·tín·u·ous·ly *adv.* 끊임없이, 간단없이, 연속적으로, 쉬지 않고 : The enemy was ～ bombarding us from Monday until Friday. 적은 월요일부터 금요일까지 쉬지 않고 우리에게 계속 포격을 가했다.

contínuous spéctrum *n.* 〖理〗 연속 스펙트럼.

contínuous státionery *n.* (컴퓨터용) 연속 인자(印字) 용지.

contínuous wáves *n. pl.* 지속(전)파(持續(電)波) 《略 CW》.

con·tin·u·um [kəntínjuəm] *n.* (*pl.* **-tin·ua** [-njuə], ～**s**) 〖哲〗 연속(체) ; 〖數〗 연속체 : ☞ SPACE-TIME continuum.
〚L (neut.)＜CONTINUOUS〛

con·to [kɑ́ntou] *n.* (*pl.* ～**s**) 콘토《화폐의 계산 단위, 브라질의 1000 cruzeiros, 포르투갈의 1000 escudos》.

con·toid [kɑ́ntɔid] *n.* Ⓒ 음성학적 자음.

con·tor·ni·ate [kəntɔ́:rniət, -èit] *a., n.* 둘레에 깊은 홈이 있는 (메달 · 동전).

con·tort [kəntɔ́:rt] *vt.* [＋目 / ＋目＋前＋名] **1** 비틀다, 뒤틀다, 찌그러뜨리다 : a face ～*ed* ***with*** pain 고통으로 일그러진 얼굴. **2** (말뜻 · 글뜻 따위를) 곡해하다(distort) : ～ a word ***out of*** its ordinary meaning 어떤 낱말을 보통의 의

미에서 곡해하여 해석하다. —— *vi.* 비틀리다, 뒤틀리다. 〖L (*tort-* *torqueo* to twist)〗

con·tor·tion [kəntɔ́ːrʃən] *n.* ⓊⒸ 비틀기, 비뚤어짐, 일그러짐 ; (어구·사실 따위의) 왜곡, 곡해 ; (바위 따위의) 기괴한 모형 : make ~*s of* the face 얼굴을 찡그리다, 찌푸린 얼굴을 하다.

contórtion·ist *n.* (몸을 마음대로 굽히는) 곡예사 ; (말뜻·글뜻 따위를) 곡해하는 사람.
con·tòr·tion·ís·tic *a.*

con·tór·tive *a.* 비뚤어진, 뒤틀린 ; 비틀어지게 하는, 비틀어지기 쉬운.

con·tour [kántuər] *n.* **1** 윤곽, 외형(outline). **2** 윤곽선 ; =CONTOUR LINE. **3** 《美》 개략 ; 형세. **4** 〔圖案〕 (서로 다른 색깔끼리의) 구분선. **5** 〔美術〕 윤곽의 미 ; [흔히 *pl.*] (여성 등의) 몸의 선, 곡선.
—— *a.* 윤곽을 나타내는 ; 등고를 나타내는 ; 윤곽을 덧그리는[에 따른] ; 〔農〕 (빗물 따위에 표토가 유출되지 않도록) 등고선을 따라 고랑이나 두둑을 만든.
—— *vt.* **1** …에 윤곽[외형]을 그리다[붙이다] ; 〔地〕 …에 등고선을 기입하다. **2** (길을) 산허리에 내다. **3** (경사지를) 등고선을 따라 경작하다.
〖F<It. *con-* (TURN) =to sketch in outline〗
類義語 ⟹ FORM.

cóntour chàir *n.* 인체에 딱 맞게 만든 의자.

cóntour chàsing *n.* 〔空〕 (지형의 기복을 따라 나는) 저공 비행.

cóntour fèather *n.* 새의 몸 표면을 덮은 깃털.

cóntour ìnterval *n.* 〔地〕 등고선 간격.

cóntour lìne *n.* 〔地〕 지형선, 등고선(等高線), 등심선(等深線).

cóntour màp *n.* 〔地〕 등고선 지도.

cóntour plòwing[**plòughing**] *n.* 등고선식 경작.

cóntour shèet *n.* 매트리스용 시트.

cóntour tòne *n.* 〔言〕 곡선 음조《높이의 변화를 곡선적으로 나타내는 음조 ; 중국어의 4성 따위》.

contr. contract(ed) ; contraction ; contractor.

con·tra [kántrə] *prep.* …에 (반)대하여 : ~ credit [debit] 대변(貸邊)[차변(借邊)]에 대하여.
—— *adv.* 반대로.
***pro and con*(*tra*)** 찬반 양론에서.
—— *n.* **1** 반대 의견[투표]. **2** 〔簿〕 반대쪽.
pros and con*(*tra*)*s 찬반 양론[투표].
〖L=against〗

con·tra- [kàntrə] *pref.* 역[반, 항]…(against, contrary) ; 〔樂〕 대(對)…(opposite to).
〖L (↑)〗

con·tra·band [kántrəbæ̀nd] *a.* (수출입) 금지[금제]의 : ~ goods (수출입) 금지품 / a ~ trader 밀수상. —— *n.* **1** Ⓤ 밀매매(품), 밀수(품), 수출입 금지품 ; (전시) 금제품 : ~ of war 전시 금제품. **2** 〔美史〕 (남북전쟁 당시 북군쪽으로 도망간) 흑인 노예. **~·ist** *n.* 밀수자, 금제품 매매자.
〖Sp. <It. (*bando* proclamation)〗

con·tra·bass [kántrəbèis ; ⌐-⌐] *n.* 〔樂〕 콘트라베이스(double bass). —— *a.* 최저음의, 콘트라베이스의《보통의 저음보다 1옥타브만큼 낮음》.
~·ist *n.* 콘트라베이스 연주자.

còntra·bassóon *n.* 〔樂〕 콘트라바순(double bassoon).

con·tra·cept [kàntrəsépt] *vt.* 피임하다 : ~ a baby 피임[산아제한]하다.
〖역성(逆成) <↓〗

con·tra·cep·tion [kàntrəsépʃən] *n.* Ⓤ 피임(법).

còn·tra·cép·tive *a.* 피임(용)의. —— *n.* 피임제[용구]. 〖*contra-*+con*ceptive*〗

còntra·clóck·wìse *a., adv.* =COUNTERCLOCKWISE.

***con·tract** [kántrækt] *n.* **1** 계약(서), 약정 : a breach of ~ 계약 위반, 위약 / a verbal[an oral] ~ 구두계약 / a written ~ 서류 계약 / ☞ SOCIAL CONTRACT. **2** 청부 ; 《俗》 살인 청부. **3** 약혼(betrothal). **4** =CONTRACT BRIDGE.
by contract 계약에 의하여 ; 청부로.
make*[*enter into*] *a contract with …와 계약을 맺다.
on contract 청부로 : The work was done *on* ~. 그 일은 청부로 이루어졌다.
put. . . out to contract 청부[하청]를 주다.
under contract 계약을 맺어서, …와 계약하여 ⟨*with*⟩ : They are *under* ~ to finish the work in ten days. 그들은 그 일을 10일 내에 마치도록 계약을 맺고 있다.
—— *v.* [kəntrǽkt] *vt.* **1** [kántrækt] **a**) 계약하다, 청부맡다 : as ~*ed* 계약대로. **b**) [+目/+目+*with*+名] (교분을) 맺다 : ~ a marriage[a friendship] 혼인을 하다[친교를 맺다] / ~ an alliance ***with*** another country 타국과 연맹하다. **2** (버릇이) 되다 ; (병에) 걸리다 ; (빚을) 지다. **3** 죄다, 긴축하다 ; (양미간을) 찌푸리다 : ~ one's eyebrows[forehead] 눈살[이맛살]을 찌푸리다. **4** [+目/+目+前+名] 오그라들게 하다, 좁히다 ; 단축하다 ; 〔文法〕 단축하다 : In talking we ~ "do not" ***to*** "don't". 회화에서는 do not을 don't로 줄인다.
—— *vi.* **1** 오그라들다, 수축되다(↔*expand*). **2** [kántrækt] [+*to* do/+前+名] (청부의) 계약을 하다 : The architect ~*ed to* build the house with a fixed price. 그 건축가는 정해진 값으로 집을 짓기로 계약을 했다 / They ~*ed* ***for*** the supply of meat to the barracks. 그들은 그 막사에 고기를 공급할 것을 계약했다 / I ~*ed* ***with*** the coal merchant *to* buy a ton of coal every month. 나는 석탄 상인과 매달 1톤의 석탄을 사기로 구매계약을 맺었다.
***contract* (*oneself*) *out* (*of. . .*)** 《주로 英》 (계약·협정을) 파기하다, (…에서) 탈퇴하다, …의 적용 제외 계약을 하다.
〖*contract* (a.) contracted<OF (*contractor* to agree upon) <L (*con-*, TRACT[1])〗

cóntract bridge *n.* 〔카드놀이〕 콘트랙트 브리지《AUCTION BRIDGE의 변형》.

cóntract càrrier *n.* 계약[전속] 수송업자.

contráct·ed *a.* **1** 수축된 ; 찌푸린 ; 축약(縮約)한. **2** 도량이 좁은(narrow-minded). **3** [, 美+kántræktəd] 계약한. **4** 약혼한.

contrácted fòrm *n.* 〔文法〕 단축형.

cóntract fàrming *n.* **1** 계약 재배, 위탁 경작. **2** (중국 및 기타 사회주의 국가에서의) 자유 농업《규정된 수확량 이상의 초과분은 개인 소득으로 할 수 있음》.

contráct·ible *a.* 줄어드는, 수축되는 ; 수축성의.
~·ness *n.* **contràct·ibílity** *n.*

con·tract·ile [kəntrǽktl, -tail ; -tail] *a.* 수축성의[있는], 수축하는 : ~ muscles 수축근(收縮筋). **còn·trac·tíl·i·ty** [-tíl-] *n.* Ⓤ 수축성, 신축성. 〖CONTRACT, *-ile*〗

contráctile vácuole *n.* 〔生〕 (원생동물의) 수축포(胞).

contráct·ing *a.* **1** 수축성이 있는. **2** [, 美+kántrækt-] 계약의, 청부의 : ~ parties 계약 당사자 ; 동맹국. **3** 약혼의.

con·trac·tion [kəntrǽkʃən] *n.* **1** Ⓤ 단축, 수축 ;

〖醫〗 (신장·간장·방광 따위의) 수축, 위축(萎縮). **2** Ⓤ 축소 ; 제한 ; (통화·자금 따위의) 제한, 회수, 축소 ; 불황. **3** Ⓤ 〖文法〗 단축《do not을 don't로 하는 따위》; Ⓒ 단축형《can't, dep't 따위 ; cf. ABBREVIATION 1》. **4** Ⓤ (빚을) 지기, (병에) 걸림, (버릇이) 붙음, (교제를) 맺음〈*of*〉.

con·trác·tive *a.* 신축성이 있는.

cóntract màrriage *n.* 계약 결혼(cf. OPEN MARRIAGE, SERIAL MARRIAGE).

cóntract nòte *n.* 계약 보고서 ; 매매 계약서.

cón·trac·tor [ˌ-ˊ-] *n.* **1** 계약자 ; 청부인, 토건업자. **2** 〖解〗 수축근.

con·trac·tu·al [kəntrǽktʃuəl] *a.* 계약(상)의. 〖CONTRACT〗

con·trac·ture [kəntrǽktʃər, -ʃər] *n.* 〖醫〗 (근육·힘줄 따위의) 구축(拘縮), 경축(痙縮). **~d** *a.*

còntra·cýclical *a.* (정책 따위가) 경기(景氣) 조정(형)의.

cóntra dànce *n.* =CONTREDANSE.

***con·tra·dict** [kὰntrədíkt] *vt.* **1** 부정[부인]하다(deny) ; 반박하다 : He ~*ed* me flatly. 그는 단호히 나에게 반대했다. **2** (사실·진술이) …에 모순되다 : The two accounts ~ each other. 그 두 보고는 서로 모순되어 있다 / ~ oneself 모순된 말을 하다. ── *vi.* 반대하다, 부인하다. 〖L (*dict- dico* to say)〗 類義語 ⟹ DENY.

con·tra·dic·tion [kὰntrədíkʃən] *n.* **1** Ⓤ,Ⓒ 부정, 부인 ; 반박, 반대 : in ~ *to* …과 정반대로. **2** Ⓤ,Ⓒ 모순, 자가당착 ; 모순된 행위[사실, 사람] ; 〖論〗 모순 원리, 모순율 : a ~ *in* terms 〖論〗 명사(名辭) 모순《보기 a round square》.

con·tra·dic·tious [kὰntrədíkʃəs] *a.* (사람이) 반박적인, 논쟁적인, 반대하기 좋아하는 ; 《古》 (자기) 모순된.

con·tra·dic·tive [kὰntrədíktiv] *a.* 모순되기 쉬운, 모순을 포함한.

con·tra·dic·to·ry [kὰntrədíktəri] *a.* 모순된, 양립되지 않는, 자가당착의 ; 반항적인 : ~ *to* each other 상호 모순되는. ── *n.* **1** 반박, 부정적 주장 ; 〖論〗 모순 대당(對當). **2** 정반대의 사물. **còn·tra·díc·to·ri·ly** *adv.* 반박하여, 거슬러 ; 모순되게. **-ri·ness** *n.*

còntra·distínction *n.* Ⓤ,Ⓒ 대조구별, 대비(對比) : in ~ *to*[*from, with*] …과 대비하여.

còntra·distínctive *a.* 대조[대비]적인. **~·ly** *adv.*

còntra·distínguish *vt.* 대조[비교]에 의하여 구별하다.

con·trail [kάntreil] *n.* (비행기·로켓 따위가 지나간 뒤에 생기는) 비행운(飛行雲)(vapor trail). 〖*con*densation+*trail*〗

còntra·índicate *vt.* 〖醫〗 (약·요법 따위)에 금기(禁忌)를 나타내다.

còntra·indicátion *n.* Ⓤ 〖醫〗 금기《보통 때는 적절한 요법이지만 그것을 적용할 수 없는 상태》.

còntra·láteral *a.* 반대쪽에 일어나는, 반대쪽의 유사한 부분과 연동(連動)하는, (반(反))대측성(對側性)의.

con·tral·to [kəntrǽltou] *n.* (*pl.* **~s**) Ⓤ,Ⓒ 〖樂〗 콘트랄토(alto)《tenor와 soprano의 중간, 보통 여성 최저음 ; ☞ BASS[1] *n.* 주》; Ⓒ 콘트랄토 가수. ── *a.* 콘트랄토의. 〖It. (*contra-*, ALTO)〗

con·tra mun·dum [kάntrə múndəm] *adv.* 세계에 대하여, 일반의 의견에 반대해서(라도). 〖L〗

còntra·óctave *n.* 〖樂〗 콘트라옥타브, 아래 1점음(點音).

cóntra·pòse *vt.* 대치[대비]하다.

còntra·posítion *n.* Ⓤ,Ⓒ 대치, 대립 ; 〖論〗 환질 환위(법) (換質換位(法)) ; 대우(對偶). ***in contraposition to***[***with***] …에 대치하여, …와 대조해서.

cóntra·pròp *n.* 〖空〗 이중 반전(反轉) 프로펠러.

con·trap·tion [kəntrǽpʃən] *n.* 《口》 새로운 고안, 신안 ; 신연구 ; 기묘한[새로운] 장치. 〖? CONTRIVE ; conceive : conception의 대응과 TRAP[1]과의 연상인가〗

con·tra·pun·tal [kὰntrəpʌ́ntl] *a.* 〖樂〗 대위법의, 대위법적인. **~·ly** *adv.* 〖It.〗

con·tra·pun·tist [kὰntrəpʌ́ntəst] *n.* 대위법(에 능한) 작곡가.

con·tra·ri·e·ty [kὰntrəráiəti] *n.* **1** Ⓤ 반대 ; 불일치. **2** 상반하는 점[사실] ; 모순점. **3** Ⓤ,Ⓒ 〖論〗 반대 대당(對當). 〖OF<L ; ⇨ CONTRARY〗

con·trar·i·ly [kάntrèrəli ; -trəri-] *adv.* **1** 이에 반하여, 반대로. **2** [ˌkəntréərəli] 《口》 심술궂게, 고집스럽게.

con·trar·i·ness [kάntrèrinəs ; -trəri-] *n.* **1** Ⓤ 반대, 모순. **2** [ˌkəntréərinəs] 《口》 외고집, 옹고집, 심술.

con·trar·i·ous [kəntréəriəs] *a.* 《古》 외고집의 (perverse) ; 반대의, 역(逆)의 ; 불리한. **~·ly** *adv.* **~·ness** *n.*

con·trari·wise [kάntreəriwàiz, kəntréəri-] *adv.* **1** 반대로[의 방향으로], 거꾸로. **2** 이에 반하여. **3** 《口》 외고집으로, 심술궂게.

***con·trary** [kάntrèri ; -trəri] *a.* **1** 반대의 (opposed) ; (…에) 반대되는, (…과) 모순되는 : It is ~ *to* rules. 규칙 위반이다. **2** 거꾸로의, 불리한(unfavorable) : ~ weather 나쁜 날씨 / a ~ wind 역풍. **3** [ˌkəntréəri] 《口》 외고집의, 심술궂은. ── *n.* **1** [the ~] 정반대 : Quite *the* ~. 정반대다 / He is neither tall nor *the* ~. 키가 크지도 않고 그 반대도 아니다. **2** [때때로 *pl.*] 상반하는 사물[성질]. **3** 〖論〗 반대 명제[명사].

by contraries 정반대로, 거꾸로 ; 예상과는 달리 : Dreams go *by contraries.* 꿈은 실제와는 반대다.

on the contrary 이에 반하여, 그것은 고사하고 (cf. *on the other* HAND) : I thought it was going to clear up. *On the* ~, it began to rain. 개일 것이라고 생각했는데, 반대로 비가 오기 시작했다.

〈회화〉
Have you finished your homework? — No, *on the contrary*, I haven't even begun it yet. 「숙제 다했니」「웬걸요, 아직 시작도 못했어요」

to the contrary 그와 반대로[의], 거꾸로(인) : evidence *to the* ~ 반증(反證) / I'll expect you on Friday unless I hear *to the* ~. 예정 변경의 통지가 없는 한 금요일에 기다리고 있겠습니다 / I know nothing *to the* ~. 그와 반대되는 일은 아무것도 모른다.

── *adv.* 반대로, 거꾸로, 반하여 : act ~ *to* rules 규칙에 어긋나는 행동을 하다 / ~ *to* one's expectation 예상 외로, 뜻밖에. 〖AF<L *contrarius* ; ⇨ CONTRA〗 類義語 ⟹ OPPOSITE.

cóntrary mótion *n.* 〖樂〗 반(反)진행.

***con·trast** [kάntræ(:)st ; -trɑ:st] *n.* **1** Ⓤ,Ⓒ 대조, 대비〈*of, between*〉 (cf. SYMMETRY) ; Ⓤ 〖修〗 대조법. **2** 차이 ; 대조가 되는 것, 정반대의 물건[사

람] : What a ~ *between* them! 두사람은 정말 다르구나 / be a ~ *to* …와는 꽤 다르다 / form [present] a striking[strange, singular] ~ *to* … 와 현저한[묘한, 기이한] 대조를 이루다. **3** Ⓤ,Ⓒ 〖言〗 대비, 대립.
by contrast 대조[대비]에 의하여, 대조[비교]하면, 대조적으로〈*with*〉.
in contrast with …에 대비하여, …와 대조를 이루어 ; …와는 뚜렷이 달라서.
—— *v.* [kəntrǽ(:)st ; -trɑ́:st] *vt.* [+目 / +目+*with*+名] 대조[대비]시키다, 대조하여 두드러지게 하다 : *C* ~ the character of Charles I ***with*** that of Cromwell! 찰스 1세의 성격을 크롬웰의 성격과 비교해 보라. —— *vi.* [+*with*+名] (…과) 좋은 대조를 이루다 ; (…과) 대조하여 두드러지다 [눈에 띄다] : The scarlet leaves of the maples ~ well ***with*** the dark green of the pines. 빨간 단풍잎은 암녹색의 소나무와 좋은 대조를 이루고 있다.
as contrasted with …과 대조해 보면.
〖F<It.<L (*sto* to stand)〗
類義語 ⟹ COMPARE.
con·trás·tive [, kɑ́ntræs-] *a.* 대조적인〈*to*〉; 〖言〗 대비적인, 대립적인. **~·ly** *adv.*
con·trasty [kɑ́ntræ(:)sti, kəntrǽ(:)sti ; kən-trɑ́:sti] *a.* 〖寫〗 콘트라스트가 강한.
còn·tra·suggést·ible *a.* 〖心〗 피암시성(被暗示性)이 없는[낮은, 적은]. **-suggés·tion** *n.*
con·trate [kɑ́ntreit] *a.* 〖機〗 가로톱니의 : a ~ wheel 가로톱니바퀴.
con·tra·val·la·tion [kɑ̀ntrəvəléiʃən] *n.* 대루(對壘)《포위군이 적의 요새지의 둘레에 쌓는 참호·포루(砲壘)》.
con·tra·vene [kɑ̀ntrəví:n] *vt.* **1** (법률 따위를) 위반[위배]하다, 범하다(go against). **2** (의론에) 반대하다(oppose). **3** (주의와) 모순되다 (conflict with). 〖L (*vent- venio* to come)〗
con·tra·ven·tion [kɑ̀ntrəvénʃən] *n.* **1** Ⓤ 위반, 위배 ; Ⓒ 위반 행위 : in ~ *of* …에 위반하여. **2** Ⓤ,Ⓒ 반대, 반박.
con·tre·coup [kɑ́ntrəkù:] *n.* 〖醫〗 대측(對側) 충격[타격]《충격받은 부분과 반대측 부분에 생기는 뇌 따위의 상해》.
con·tre·danse [kɑ́ntrədæ̀(:)ns ; -dɑ̀:ns ; *F* kɔ̃trədɑ̃:s] *n.* 콘트라댄스, 대무(對舞)(곡).
con·tre·temps [kɑ́ntrətɑ̃:, kɔ̃:ntrətɑ̃:ŋ] *n.* (*pl.* ~ [-*z*]) **1** 뜻밖의 불행[사건], 재난 ; 의외의 고장. **2** 〖樂〗 =SYNCOPATION. 〖F〗
contrib. contribution ; contributor.
con·trib·ute** [kəntríbjət, -bju(:)t] *vt.* [+目 / +目+前+名] (금품을) 기부[기증]하다 ; (원고를) 기고[투고]하다 : He ~*d* a large sum of money ***to the funds. 그 기금에 많은 돈을 기부했다 / Everyone was asked to ~ suggestions ***for*** the party. 누구든지 그 모임에 의견을 제안하도록 요청받았다. —— *vi.* [+前+名] 기여[공헌]하다, (조언 따위를) (해) 주다 ; (…의) 도움[원인]이 되다 ; 기고[투고]하다 : The fair weather ~*d* ***to*** the success of the expeditions. 좋은 날씨가 탐험을 성공시키는 한 요인이었다 / Your help will ~ ***toward*** overcom*ing* the difficulties. 당신의 도움은 어려움을 극복하게 해줄 것입니다.
con·tríb·ut·able *a.* 기부[공헌]할 수 있는. 〖L ; ⇨ TRIBUTE〗
***con·tri·bu·tion** [kɑ̀ntrəbjú:ʃən] *n.* Ⓤ,Ⓒ 기부(금), 기증(물) ; 기고, 투고 ; 공헌, 기여 ; 〖法〗 분담액 ; (사회 보험의) 보험료 ; 〖軍〗 (점령지 주민에게 과하는) 군세(軍稅) : lay the town *under* ~ 주민에게 군세를 과하다.

〈회화〉
Would you like to make a *contribution* to this fund? — I'd be happy to. 「이 기금에 기부를 해 주시겠습니까」「네, 기꺼이 하겠습니다」

con·trib·u·tive [kəntríbjətiv] *a.* 공헌하는 ; (…에) 기여하는〈*to*〉.
con·trib·u·tor [kəntríbjətər] *n.* 기부[공헌]자 ; (원고의) 기고[투고]가 ; 유인(誘因), 한 가지 원인〈*to*〉. **con·trìb·u·tó·ri·al** *a.*
con·trib·u·to·ry [kəntríbjətɔ̀:ri ; -təri] *a.* **1** 기여하는 ; (…에) 공헌하는, (…의) 도움이 되는〈*to*〉. **2** 기부의 ; 의연적(義捐的)인 ; 출자하는 ; 분담하는 ; 기고의. —— *n.* 출자(의무)자 ; 〖英法〗 무한 책임 사원 ; 유인.
contríbutory négligence *n.* 〖法〗 기여[근인(近因), 조성(助成)] 과실(過失).
cón trìck *n.* 《英口》 =CONFIDENCE GAME.
con·trite [kɑ́ntrait, kəntráit] *a.* 죄를 깊이 뉘우치고 있는.
〖OF<L=bruised ; ⇨ TRITE〗
con·tri·tion [kəntríʃən] *n.* Ⓤ 회한(悔恨).
con·triv·ance [kəntráivəns] *n.* **1** Ⓤ 연구, 고안 ; 생각해[안출해] 내는 재간. **2** 장치, 고안품, 발명품. **3** 책략, 계획, 계략(artifice).
con·trive [kəntráiv] *vt.* **1** 고안하다, 연구하다 (devise) ; 설계하다(design) : ~ a new kind of engine 새로운 종류의 엔진을 고안하다.
2 [+*to* do / +目] 꾀하다, (나쁜 일을) 획책하다 : He is *contriving* to kill her[*contriving* her death]. 그는 그녀를 없애버릴 궁리를 하고 있다.
3 a) [+*to* do / +目] 그럭저럭 (…을) 해내다, 용케 …하다(manage) : I ~*d to* arrive in time after all. 나는 갖은 수단을 다 써서 늦지 않게 도착했다 / He ~*d* an escape. 그는 용케 도망쳤다.
b) [+*to* do]《反語》 일부러 (불리한 일을) 저지르다[초래하다] : He ~*d to* get himself disliked. 그는 일부러 미움받을 짓을 했다.
—— *vi.* 고안하다 ; 획책하다 ; 《口》 (가계를) 용하게 꾸려 나가다(get along)〈*well*〉.
cut and contrive ☞ CUT.
con·trív·able *a.* 고안할 수 있는. **con·trív·er** *n.* 고안자 ; 계략을 쓰는 사람 ; 변통을 잘 하는 사람. 〖OF *controver* to find, imagine<L=to compare〗
con·trívéd *a.* 꾸민, 인위적인, 부자연스러운.
‡**con·trol** [kəntróul] *n.* **1** Ⓤ 지배, 단속, 관리, 감독(권) : light ~ 등화관제 / traffic ~ 교통 정리 / *under* the ~ of …의 관리[지배]하에 / fall *under* the ~ of …의 지배를 받게 되다. **2** Ⓤ 억제, 제어 ; 지배력 ; 제구(制球)(력), 컨트롤. **3** 통제[관제] 수단 ; [*pl.*] (기계의) 조종장치, (텔레비전 따위의) 조정용 스위치. **4** 〖生〗 (실험의) 사조규준(査照規準) (cf. CONTROL EXPERIMENT). **5** (자동차 경주 따위의) 경주 서행 구역 ; 연료 보급이나 수리를 위한 정차장, 보급소. **6** Ⓒ 단속자, 관리인. **7** Ⓒ (심령술에서) 영매(靈媒)를 지배하는 영혼. **8** Ⓒ 검문소.
beyond control 억제할 수 없는, 힘에 부쳐서.
bring*[*get*]. . .*under control …을 억제하다, 제어하다 ; (불길을) 잡다.
get out of control 억제할 수 없게 되다.
***have control of*[*over*]** …을 통제하고 있다, 관리하고 있다.
in control of …을 관리하여.

keep. . .under control …을 억누르고 있다, 통제하다.
lose control of …을 제어할 수 없게 되다.
without control 제멋대로.
—— *vt.* (-ll-) **1** 지배하다, 통제[관제]하다, 감독하다 ; 조절하다 ; 조종하다 ; 검사하다 : A captain ~*s* his ship and its crew. 선장은 배와 선원을 통솔한다. **2** 억제[제어]하다 : ~ oneself 자제하다. **3** (어떤 규준에 대하여 실험 따위를) 대조해 보다, 사조(査照)하다(check, verify).
con·tról·la·ble *a.* 관제[관리, 지배]할 수 있는 ; 조종[제어] 가능한.
〖AF<L=copy of accounts as check (*contra*-, ROLL)〗
類義語 (1) (*n.*) ⟹ POWER. (2) (*v.*) ⟹ MANAGE.

contról bòard[pànel] *n.* 제어반(盤).
contról bòoth *n.* 〔라디오 · TV〕 제어실.
contról chàrt *n.* 〔統〕 관리도(管理圖)《특히 제품 품질의》.
contról clòck *n.* 기준 시계(master clock).
contról cólumn *n.* 〔空〕 조종대《차의 핸들식 조종간(操縱桿)》.
contról expèriment *n.* 대조 실험《생물학 따위에서 다른 실험에 사조 규준을 부여하기 위한 실험 ; cf. CONTROL *n.* 4》.
contról grìd *n.* 〔電子〕 (전자관의) 제어 그리드.
contról gròup *n.* 〔電子〕 제어 집단 ; 〔空〕 조종 장치 ; 대조군(對照群)《동일 실험에서 실험 요건을 가하지 않은 그룹 ; 플라세보(placebo)를 복용한 환자 등》.
con·trólled *a.* 지배하의 ; 통제[제어, 관리]된 ; 조심스런.
contróllled circulátion *n.* (잡지 · 신문의) 무료 배포 부수《증정 · 광고 · 권유용》.
contróllled disbúrsement *n.* 《美》 조작에 의한 고의적인 수표의 지연 지불《수취인에게서 멀리 떨어진 은행 앞으로의 수표 발행 따위》.
contróllled ecónomy *n.* 통제 경제.
contróllled súbstance *n.* 《美》 통제[규제] 약물[약품]《사용 및 소지가 규제되는 약물》.
〖the *Controlled Substance* Act (1970)〗
con·tról·ler *n.* **1** (회계 따위의) 감독관, 감사관. 주 관청의 직명으로서는 COMPTROLLER. **2** 지배인, 관리인, 단속자. **3** 〔電〕 (전동기 따위의) 제어기[장치].
the Controller[Comptroller] of the Navy 〔英海軍〕 함정 본부장, 해군 통제관.
~·shìp *n.* Ⓤ controller의 직[지위].
contról lèver *n.* =CONTROL STICK.
con·tról·ling ínterest *n.* 지배적 이권《회사 경영을 장악하기에 충분한 주식의 보유 따위》.
contról·ment *n.* Ⓤ 《古》 지배, 관리, 제어.
contról ròd *n.* (원자로의 작동 상태를 제어하는) 제어봉.
contról ròom *n.* (방송국 따위의) 조정실 ; (원자로 따위의) 제어실.
contról stìck *n.* 〔空〕 조종간(桿).
contról stòrage *n.* 〔컴퓨〕 제어 기억장치.
contról sùrface *n.* 〔空〕 조종 날개면, 조종면.
contról tòwer *n.* 〔空〕 (공항의) 관제탑.
contról ùnit *n.* 〔컴퓨〕 제어 장치《컴퓨터의 중앙 처리 장치의 구성 부분으로 입력 · 기억 · 출력의 모든 장치의 일을 제어하는 장치》.
con·tro·ver·sial [kὰntrəvə́:rʃəl, -siəl] *a.* 논쟁상의, 토론의 ; 논쟁하기 좋아하는. **~·ìsm** *n.* 논쟁적 정신, 논쟁하는 버릇 ; (심한) 논쟁. **~·ist** *n.* 토론가, 논객 ; 논쟁자.
***con·tro·ver·sy** [kɑ́ntrəvə̀:rsi, 英+kəntrɔ́vəsi] *n.* Ⓤ,Ⓒ 논쟁, 논의 ; 논전 : hold[enter into] a ~ *with* …와 논쟁하다[을 시작하다].
beyond[without] controversy 논쟁의 여지가 없이[없는].
〖L (↓)〗
類義語 ⟹ ARGUMENT.

con·tro·vert [kɑ́ntrəvə̀:rt, ⌒-⌒] *vt.* …에 관하여 토론하다, 논쟁하다 ; (증언 따위를) 논박하다, 부정하다. —— *vi.* 논쟁하다. **cón·tro·vèrt·ible** [, ⌒-⌒--] *a.* 논의의 여지가 있는, 논쟁할 수 있는.
〖F<L (*vers- verto* to turn) ; converse : convert 따위의 유추에 의해 *controversed*로 대체된 p.p.〗
con·tu·ma·cious [kὰntjəméiʃəs, -tʃə-] *a.* 반항적인, 경멸적인 ; 〖法〗 관명(官命) 항거의《법정의 소환에 응하지 않는》.
con·tu·ma·cy [kɑ́ntjəməsi, -tʃə-, 美+kəntjú:məsi] *n.* Ⓤ,Ⓒ 《文語》 완고한 불순종 ; (특히) 관명 항거. 〖L *contumax* (? *tumeo* to swell)〗
con·tu·me·li·ous [kὰntjəmí:liəs, -tʃə-] *a.* 오만한, 무례한. **~·ly** *adv.*
con·tu·me·ly [kəntjú:məli, kɑ́ntjəmì:li, -tʃə-, -təm- ; kɔ́ntjumili] *n.* Ⓤ,Ⓒ (말 · 태도의) 오만불손 ; 모욕. 〖OF<L (*tumeo* to swell)〗
con·tuse [kəntjú:z] *vt.* …에게 타박상을 입히다 ; 좌상(挫傷)시키다(bruise). **con·tú·sive** [-siv] *a.* 〖L (*tus- tundo* to thump)〗
con·tu·sion [kəntjú:ʒən] *n.* Ⓤ,Ⓒ 〔醫〕 좌상, 멍듦, 타박상.
co·nun·drum [kənʌ́ndrəm] *n.* 수수께끼(riddle) ; 어려운 문제 ; 수수께끼의 인물[물건].
〖C16< ?〗
con·ur·ba·tion [kὰnə(:)rbéiʃən] *n.* (주변의 여러 도시를 포함하는) 대도시권. 〖L *urbs* city〗
conv. convention(al) ; convertible ; convocation.
con·va·lesce [kὰnvəlés] *vi.* (병후 서서히) 건강을 회복하다, 병이 나아지다(get better).
〖L (*valesco* (incept.) ‹ *valeo* to be well)〗
còn·va·lés·cent *a.* 회복기 (환자)의, 병을 앓고 난 : a ~ hospital (회복기 환자의) 요양소.
—— *n.* 회복기의 환자. **-lés·cence** *n.* Ⓤ 병이 나아감 ; 회복(기).
con·vect [kənvékt] *vi.* 대류(對流)로 열을 보내다. —— *vt.* (따뜻한 공기를) 대류로 순환시키다.
〖역성(逆成) ‹ ↓〗
con·vec·tion [kənvékʃən] *n.* 전달 ; Ⓤ 〔理〕 (열 · 전기의) 대류. **~·al** *a.* 대류(對流)의.
〖L (*vect- veho* to carry)〗
convéction cùrrent *n.* 〔理〕 대류 ; 〔電〕 대류 전류.
con·véc·tive *a.* 대류적인 ; 전달성의.
~·ly *adv.*
con·véc·tor *n.* 대류 난방기.
con·ve·nance [kɑ́nvənɑ̀:ns, kɔ̃:nvənɑ̃:ns ; ⌒-⌒] *n.* (*pl.* **-nanc·es** [-əz]) 적합 ; 관용 ; [보통 *pl.*] 세상의 관례, 인습적인 예의. 〖F (↓)〗
con·vene [kənví:n] *vt.* (모임 · 의회를) 소집하다 ; 소환하다. —— *vi.* 회합하다, 모임을 갖다.
con·vén·able *a.* 소집[소환]할 수 있는.
con·vén·er, -vé·nor *n.* (위원회 따위의) 소집자(召集者), (회의) 주최자 ; (위원회 따위의) 위원장, 의장.
〖L *con*-(*vent- venio* to come)=to assemble, agree, fit〗
類義語 ⟹ CALL.

con·ve·nience** [kənvíːnjəns] *n.* **1** Ⓤ [+前+do*ing*] 형편좋음, 편리, 편의, 편익 ; Ⓒ 편리한 일 : a marriage of ~ 물질을 노린 결혼, 정략 결혼 / the ~ ***of liv*ing* near a railroad station 철도역 가까이에 살고 있는 편리함 / await a person's ~ 남의 편리한 때를 기다리다 / consult one's own ~ 자기의 편의를 고려하다 / if it suits your ~ 형편이 허락하신다면 / It is a great ~ to keep some good reference books in your study. 너의 서재에 좋은 참고 도서들을 비치해 두면 매우 편리하다. **2** 편리한 것[설비], (문명의) 이기 ; [*pl.*] 의식주의 편의(material comforts) : a hotel with modern ~*s* 현대 설비를 갖춘 호텔. **3** 《英》 (공중) 변소(lavatory).
as a matter of convenience 편의상, 형편상.
at one***'s*** (***own***) ***convenience*** 형편이 좋을 때에, 편리한 때에.
at your earliest convenience 형편닿는 대로[될 수 있는 대로] 빨리.
for convenience 편의상 ; 편리하도록.
for convenience(***'***) ***sake*** 편의상[를 위해서].
make a convenience of... (남을) 멋대로[좋을 대로] 이용하다.
〚L (↑)〛

convénience fòod *n.* 인스턴트 식품.
convénience gòods *n. pl.* 일용 잡화 식품.
convénience màrket *n.* 일용 잡화 식료품(品) 시장.
convénience òutlet *n.* 실내 콘센트.
convénience stòre *n.* (종일 또는 장시간 영업하는) 편의점.
con·vé·nien·cy *n.* 《古》 =CONVENIENCE.
***con·vé·nient** *a.* **1** 형편이 좋은 ; 편리한, 요긴한 (↔*inconvenient*) : if it is ~ *to*[*for*] you 형편이 좋으시다면 / It is not ~ *for* me to pay just now. 지금 당장 돈을 치를 형편이 못된다 / This knife is very ~ *for* general purposes. 이 칼은 어디에든 쓸 수 있어 편리하다.

> **convenient의 ○×**
> (×) Come any time when *you* are *convenient.* (아무때고 형편이 좋을 때 오십시오.)
> (○) Come any time when *it* is *convenient for* you.
> ☆ you를 주어로 하면 ...when you find it *convenient*가 된다. 또 ...when it *suits* you라고도 할 수 있다《necessary 참조》.

2 《口》 가까이에 있는(at hand), 손쉽고 간편한(handy)〈*to*〉.
make it convenient to do 형편[계제]을 보아서 …하다.
~·ly *adv.* 편리하게, 형편좋게 : a bus stop ~*ly* placed 편리한 곳에 있는 버스 정류장.

con·vent [kάnvənt, 美+-vent] *n.* 수도회, (특히) 여자 수도회(cf. MONASTERY) ; 수도원, (특히) 여자 수도원(nunnery) (cf. CLOISTER) : go into a ~ 수녀가 되다.
〚OF<L=assembly ; ⇨ CONVENE〛
con·ven·ti·cle [kənvéntikəl] *n.* 〚英史〛 (비국교도 또는 스코틀랜드 장로파의) 비밀집회[예배] ; 그 집회소.
〚L=(place of) assembly (dim.)〈CONVENT〛
***con·ven·tion** [kənvénʃən] *n.* **1** (정치·종교·교육 따위의) 대표자 회의, 정기 대회[총회] ; [집합적으로] 대회 참가자 ; 《美》 (전국·주·군 따위의) 당대회 : ☞ NATIONAL CONVENTION. **2** Ⓤ (의회 따위의) 소집〈*of*〉. **3** 〚英史〛 (1660년과 1688년에 국왕의 소집없이 개최된) 의회. **4** 협정, 협약(agreement) ; (우편·저작권 따위의) 국제협정, 협약. **5** Ⓤ,Ⓒ (사회의) 관습, 풍속, 인습(cf. TRADITION) : *C*~ requires that such meetings (should) open with prayer. 이러한 모임들은 기도로써 개회하는 것이 관례로 되어 있다 / the ~*s* of daily life 일상 생활의 관습 / a slave to ~ 인습의 노예. **6** 약속, 관례 ; 〚카드놀이〛 컨벤션 《경기자끼리 정한 특별한 비드 또는 플레이》 : stage ~*s* 무대상의 약속.
〚OF<L ; ⇨ CONVENE〛
***convéntion·al** *a.* **1 a**) 인습[전통]적인, 상투적인, 판에 박힌(cf. TRADITIONAL) ; 진부한 ; 〚藝〛 (조형 미술에서) 양식화된 : ~ morality 인습 도덕 / ~ phrases 판에 박힌 문구. **b**) [명사적으로 ; the ~] 인습적인 것. **2** (법정(法定)에 대하여) 약정(約定)의, 협정(상)의 : a ~ tariff 협정 세율[요금]. **3** 대회의, 회의의. **4** (무기·전쟁 따위에서) 재래식의, 핵을 사용하지 않는, 비핵의 : ~ weapons (원자 무기가 아닌) 재래식 무기. —— *n.* 〚카드놀이〛=CONVENTION.
~·ly *adv.* 인습[전통]적으로, 진부하게, 판에 박은 듯이.
類義語 ⟹ FORMAL.
convéntional fórces *n. pl.* 통상 전력, 핵으로 장비하지 않은 전력.
convéntion·al·ìsm *n.* **1** Ⓤ 인습존중, 관례 존중주의. **2** 풍습, 관례 ; 판에 박힌[상투적인] 것, 판박이 문구. **-ist** *n.* 인습주의자, 관례 존중자, 관습 답습자.
con·ven·tion·al·i·ty [kənvènʃənǽləti] *n.* **1** Ⓤ 인습[관례, 전통] 존중. **2** [흔히 the conventionalities] 상투, 판박이 ; 인습, 관례 : observe [break through] the *conventionalities* 인습을 지키다[타파하다].
convéntion·al·ìze *vt.* 관례에 따르게 하다, 인습에 따르게 하다 ; 〚藝〛 양식화(樣式化)하다.
convéntional wísdom *n.* 종래의 지혜[생각], 일반 통념.
convéntion·àry [; -əri] *a.* (차지(借地)가 관례상의 것이 아니라) 명문화된 협정에 근거한, 협정상의. —— *n.* 협정 차지(인).
convéntion cènter *n.* 컨벤션 센터《회의 장소나 숙박시설이 집중된 지구 또는 종합 빌딩》.
convèntion·éer *n.* 《美》 대회 참가자[출석자].
convéntion hotèl *n.* 컨벤션 호텔《회의나 연차 대회 따위의 개최장이 되는 호텔》.
Convéntion Reláting to the Státus of Refugées *n.* 〚外交〛 난민 조약(難民條約) 《1954년 발효》.
convéntion tòur *n.* 관광지 따위에서 개최되는 대회·집회 따위에 참석하기 위한 여행.
con·ven·tu·al [kənvéntʃuəl] *a.* (여자) 수도원의[다운]. —— *n.* 수사, 수녀.
con·verge [kənvə́ːrdʒ] *vi., vt.* (선이) 한 점[한 선]에 모이다 ; (선을) 한 점[한 선]에 모으다(↔*diverge*) ; 집중하다 ; (의견·행동 등이) 한데 모아지다 ; 〚理·數·生〛 수렴(收斂)하다.
〚L (*vergo* to incline)〛
con·ver·gence, -cy [kənvə́ːrdʒəns(i)] *n.* Ⓤ 점차로 모임 ; 집중성(↔*divergence*) ; 〚理·數·生〛 수렴 ; 〚生理〛 폭주(輻輳).
con·vér·gent *a.* 한 점으로 향하는, 한 점으로 모이는 ; 포위 집중적인(↔*divergent*) ; 〚數·理·生理〛 수렴성의 ; 〚生〛 수렴의, 2차적 유사(類似)의.
convérgent thínking *n.* 〚心〛 집중적 사고.

con·vérg·er *n.* **1** converge하는 사람[것]. **2** 〖心〗 집중적 사고형의 사람《치밀한 논리적 사고능력을 가진》.

convérg·ing léns *n.* 수렴렌즈.

con·vérs·able *a.* 이야기하기 좋아하는 ; 말붙이기 쉬운 ; 붙임성 있는 ; 담화[사교]에 알맞은. **~·ness** *n.*

con·ver·sant [kənvə́ːrsənt] *a.* **1** (…을) 잘 알고 있는, 정통해 있는〈*with, in, about*〉. **2** 《古》 관심을 갖고 있는, 관계가 있는. **3** (…와) 친교가 있는〈*with*〉. **con·vér·sance, -cy** *n.* Ⓤ 정통(해 있음), 숙지 ; 친교〈*with*〉. **~·ly** *adv.*

‡**con·ver·sa·tion** [kɑ̀nvərséiʃən] *n.* **1** Ⓤ,Ⓒ 대화, 회화, 담화, 좌담〈*between* the two persons, *about* a matter, *on* a subject〉 : English ~ 영어회화 / have[hold] a ~ *with* …와 대화를 하다. **2** 〖外交〗 비공식 회담. **3** 〖컴퓨〗 (컴퓨터와의) 대화. **4** 성교 ; 《古》 친교, 사교. **5** 《古》 행동(行動), 생활 양식.

in conversation with …와 대화 중에.

make conversation (이런저런) 대화를 하다, 잡담하다 : She was *making* ~ while her mother was preparing the tea. 어머니가 차를 준비하는 동안 그녀는 이야기를 나누고 있었다.

〈회화〉
I'm going to an English *conversation* school. —Is your teacher an American? 「나는 영어 회화 학원에 다니고 있어」「선생님은 미국 사람이니」

〖OF<L ; ⇨ CONVERSE¹〗

conversátion·al *a.* **1** 회화(체)의, 좌담식의. **2** 말솜씨가 좋은, 이야기하기 좋아하는 ; 마음을 터놓은. **~·ly** *adv.* 담화로 ; 회화체로.

conversátion·(al·)ist *n.* 대화를 좋아하는 사람 ; 좌담가.

conversátional móde *n.* 〖컴퓨〗 대화 형식《단말장치를 통하여 컴퓨터와 정보를 교환하면서 정보처리를 하는 형태》.

conversátional quálity *n.* (연설·낭독에서) 대화식의[자연스러운] 화술(話術)[낭독법].

conversátion pìece *n.* **1** 풍속화《18세기 영국에서 유행함》. **2** 화제가 되는[사람 눈을 끄는] 물품《가구 따위》.

conversátion pìt *n.* 차분히 대화를 나눌 수 있도록 거실 따위의 바닥 일부를 약간 낮춘 부분.

con·ver·sa·zi·o·ne [kɑ̀nvərsɑ̀ːtsióuni, kòun-] *n.* (*pl.* **~s, -ni** [-niː]) (특히 학자·예술가 등의) 좌담[간담]회. 〖It.<L CONVERSATION〗

con·verse¹ [kənvə́ːrs] *vi.* **1** 《文語》 [動 / +前+名] 담화를 나누다(talk) ; 〖컴퓨〗 대화하다《컴퓨터와 교신하다》 : ~ ***with*** a person 남과 이야기를 나누다 / ~ ***on***[***about***] a matter 어떤 일에 관하여 이야기하다. **2** 정신적으로 교류하다, (자연 따위와) 대화하다 ; 《古》 친하게 지내다 ; 《廢》 성교하다. **3** 종사하다. ── [kɑ́nvəːrs] *n.* Ⓤ 《美·英古》 대화 ; 정신적인 교류 ; 《古·文語》 교제 ; 《廢》 성교. 〖OF<L=to keep company (with) (freq.) 〈CONVERT〗

類義語 ⟹ SPEAK.

con·verse² [kɑ́nvəːrs, 美+kənvə́ːrs] *a.* 거꾸로의, 뒤집은(opposite, contrary).

── [kɑ́nvəːrs] *n.* [a ~, the ~] 반대, 역(逆) ; 거꾸로 말하기 ; 〖論〗 환위 명제 ; 〖數〗 역(逆). **~·ly** *adv.* 반대로, 반대 관계에 있어서 ; 거꾸로 말하면. 〖L (p.p.) 〈CONVERT〗

con·vér·si·ble *a.* 거꾸로[전환]할 수 있는.

con·ver·sion [kənvə́ːrʃən, -ʒən] *n.* **1** Ⓤ,Ⓒ 전환, 변환(changing) ; (총·배·차 따위의) 개조, 개장(改裝) : the ~ *of* goods *into* money 상품의 현금화[환금]. **2** Ⓤ,Ⓒ (주의·신앙 따위의) 전향, 개종, (특히 기독교로의) 귀의(歸依) : the ~ *of* pagans *to* Christianity 이교도의 기독교로의 개종. **3** Ⓤ,Ⓒ 〖論〗 (명제의 주어와 술어의) 환위(법). **4** Ⓤ,Ⓒ 〖金融〗 차환(借換), 이체(移替) ; 태환(兌換). **5** Ⓤ,Ⓒ 〖會計〗 이자의 원금 합산. **6** Ⓤ,Ⓒ 〖法〗 (재산의) 전환, 횡령. **7** 〖컴퓨〗 (데이터 표현의) 변환 ; 이행(移行) 《데이터 처리 시스템[방법]의 변환》 ; 〖數〗 전환법《증명법의 하나》. 〖OF<L ; ⇨ CONVERT〗

convérsion àgent *n.* 〖金融〗 전환 대리기관.

convérsion fàctor *n.* 〖廣告〗 (실제 상품 구매인으로의) 전환율.

convérsion hèater *n.* 《英》 전열기.

convérsion prìce *n.* 〖金融〗 전환 가격.

convérsion ràtio *n.* 〖理〗 전환 비율.

convérsion reàction[**hystèria**] *n.* 〖精神醫〗 전환 히스테리.

convérsion tàble *n.* (이종(異種)의 척도·중량의) 환산표, 변환표.

con·vert** [kənvə́ːrt] *vt.* **1** [+目+*into*+名] **a)** 전환하다(change) ; 개장(改裝)[개조]하다 : The bedroom has been ~*ed* ***into a sitting room. 침실은 거실(居室)로 개조되었다. **b)** 태환(兌換)하다 ; 환산(換算)하다 ; 〖金融〗 차환(借換)하다 : ~ dollars ***into*** won 달러를 원으로 바꾸다 / *C*~ the degrees Fahrenheit *into* Celsius. 화씨 온도를 섭씨 온도로 환산해라. **2** [+目+*to*+名] **a)** 개심[전향]시키다 ; 개종(改宗)시키다 ; (특히 기독교로) 귀의시키다 : The missionaries ~*ed* many Indians ***to*** the Christian religion. 선교사들은 많은 북미 인디언들을 기독교로 개종시켰다. **b)** (공금 따위를) 횡령하다 : The dishonest treasurer ~*ed* the club's money ***to*** his own use. 부정직한 경리가 클럽의 돈을 사적으로 유용했다. **3** 〖論〗 환위하다(cf. CONVERSION 3). **4** 〖럭비〗 트라이로 추가 득점하다. **5** 〖컴퓨〗 변환하다.

── *vi.* **1** 변하다, 새로 바꾸다 : They have ~*ed from* solid fuel *to* natural gas. 그들은 고체 연료를 천연 가스로 바꾸었다. **2** 전향[개심, 개종]하다〈*from, to*〉. **3** 〖럭비·美蹴〗 컨버트가 되다 ; 〖볼링〗 스페어 처리하다.

── [kɑ́nvəːrt] *n.* 개심[전향]자 ; 개종[귀의]자, (새로운) 귀의자 : make a ~ of a person 남을 개종시키다. 〖OF<L *con*-(*vers*- *verto* to turn)= to turn about〗

類義語 ⟹ CHANGE, TRANSFORM.

convertaplane ☞ CONVERTIPLANE.

convért·ed *a.* 전향한, 개종한 ; 개장[개조]한.

preach to the converted 부처에게 설법하다.

convért·er *n.* **1** 개심[개종, 전향]시키는 사람, 교화자(敎化者). **2** [또는 **con·vér·tor**] 〖電〗 변환기(變換器), 변류[변압]기 ; 〖冶〗 전로(轉爐) ; 〖라디오〗 주파수 변환 장치 ; 〖TV〗 채널 변환기 ; 〖컴퓨〗 (데이터 표현의) 변환기 ; 〖理〗 전환로(爐).

convérter reàctor *n.* 전환로(爐), 연료 전환로《원자로의 일종》.

convért·ible *a.* **1** 바꿀 수 있는, 개조[개장(改裝)]할 수 있는〈*into*〉. **2** 〖論〗 환위할 수 있는 ; 바꾸어 말할 수 있는 : ~ terms 동의어(同義語). **3** 〖商〗 차환할 수 있는 ; 태환[환산]할 수 있는〈*into*〉 : a ~ note 태환권 / ~ paper currency 태환지폐. **4** 개종[전향]시킬 수 있는. **5** (자동차

의) 포장이 접어지는. —— *n.* 전환할 수 있는 것 ; 컨버터블《접어지는 포장의 자동차》. **-ibly** *adv.* 바뀔 수 있게 ; 태환할 수 있게. **convèrt·ibílity** *n.* 전환[변환, 개조]할 수 있음 ; 개종(改宗) 가능성 ; 〖金融〗 태환성(兌換性).

convértible bónd *n.* 〖金融〗 전환 사채.

convértible húsbandry *n.* 〖農〗 돌려짓기.

con·vérti·plàne, -vérta- [kənvə́:rtə-] *n.* 〖空〗 전환식 비행기《헬리콥터처럼 수직으로 이착륙하지만 전진시에는 회전 날개축이 앞으로 기울어 프로펠러기처럼 비행함》.

con·vert·ite [kánvərtàit] *n.* 《古》 **1** 개종[귀의]자. **2** (특히) 갱생한 매춘부.

con·vex [kanvéks, ∸-, kənvéks] *a.* 볼록한 (면의) (↔*concave*) : a ~ lens[mirror] 볼록 렌즈[거울]. ——[kánveks] *n.* 볼록면(체), 볼록 렌즈. —— [kánveks, kənvéks] *vt.* 볼록하게 하다. **con·véx·i·ty** *n.* 볼록한 모양, 볼록면(체). **~·ly** *adv.* 〖L=vaulted〗

con·véxo-concáve [kənvéksou-] *a.* 올록볼록한, 요철(凹凸)의.

convéxo-convéx *a.* =BICONVEX.

convéxo-pláne *a.* 한 면은 평평하고 다른 면은 볼록한.

con·vey** [kənvéi] *vt.* **1** [+目 / +目+前+名] (물품·승객 등을) 나르다, 운반하다(transport) ; 《古·婉》 훔치다 ; (뉴스·통신·용건을) 전달하다(transmit), (소리를) 전하다, 알리다(communicate) : Hot water is ~*ed* by a pipe ***from the boiler ***to*** the bath. 뜨거운 물은 보일러에서 파이프를 통해 목욕탕으로 들어간다 / I will ~ the information *to* him. 그 소식을 그에게 전하지요. **2** [+目 / +目+*to*+名] **a**) (말·기술(記述)·몸짓 따위가) 의미하다, 시사하다 : Her words ~ no meaning ***to*** me. 그녀의 말이 무슨 뜻인지 나는 전혀 모르겠다. **b**) 〖法〗 (재산을) 양도하다 (transfer) : The farm was ~*ed* ***to*** his son. 농장은 그의 아들에게 양도되었다.
~·able *a.* 운반[전달, 양도]할 수 있는.
〖OF<L (*via* way)〗
類義語 ⟹ CARRY.

convéy·ance *n.* **1** Ⓤ 운반, 운수. **2** Ⓤ 전달, 통달. **3** 운송 기관, 탈것. **4** Ⓤ 〖法〗 (부동산의) 양도, 교부 ; Ⓒ 양도 증서, 교부서.

con·véy·anc·er *n.* 운반자 ; 운송업자 ; 전달자 ; 〖法〗 부동산 양도 취급인.

con·véy·anc·ing *n.* Ⓤ (부동산) 양도 수속, 양도증명 작성(업).

convéy·er, -or *n.* **1** 운반 장치 ; (유동 작업용) 컨베이어. **2** 운송업자 ; 운반인 ; 전달자. **3** 〖法〗 양도인.

con·vict** [kənvíkt] *vt.* [+目 / +目+*of*+名] **1** 유죄를 입증[선고]하다, 유죄 판결을 내리다 : a ~*ed* prisoner 기결수 / The jury ~*ed* him ***of forgery. 배심원은 그에게 위조죄의 판결을 내렸다. **2** (양심 따위의) 가책을 받게 하다, 잘못을 깨닫게 하다 : a person ~*ed* ***of*** sin 죄의식으로 괴로워하는 사람. ——[kánvikt] *n.* 죄인, (기결)죄수. ——[kənvíkt] *a.* 《古》 죄를 깨달은, 회개한. 〖L (*vict- vinco* to conquer)〗

cónvict còlony *n.* 유형수 식민지.

***con·vic·tion** [kənvíkʃən] *n.* **1** Ⓤ,Ⓒ 〖法〗 유죄 판결(↔*acquittal*) : a summary ~ 즉결 재판. **2** Ⓤ 믿고 복종케 함, 설득 : The argument carries little ~. 그 논쟁은 별로 설득력이 없다 / I am open to ~. 언제든지 도리에 따르겠습니다. **3** Ⓤ,Ⓒ [+*that* 節] 확신, 신념 : He has a strong ~ *that* religion is essential for learning. 그는 학문하는 데는 반드시 믿음이 필요하다고 확신하고 있습니다 / in the full[half] ~ *that* …라고 완전히 믿고서[반신 반의하여].
類義語 ⟹ CERTAINTY, OPINION.

con·vic·tive [kənvíktiv] *a.* 확신을 갖게 하는, 설득력 있는, 잘못을 깨닫게 하는. **~·ly** *adv.*

con·vince** [kənvíns] *vt.* [+目+*of*+名 / +目+*that* 節] 확신시키다, 믿고 복종케 하다, 납득시키다, 깨닫게 하다 ; 《廢》 …의 유죄를 증명하다 : He tried to ~ me ***of his innocence[*that* he was innocent]. 자기의 결백을 나에게 납득시키려고 했다 / I am ~*d of* the truth of my reasoning. 나의 추리가 틀림없음을 확신하고 있다 / You will soon be ~*d that* she is right. 그녀가 옳다는 것을 곧 확신하게 될 것이다.
convince one***self of***[***that***] …을 […라는것을] 확신하다.
con·vín·ci·ble *a.* 설득할 수 있는 ; 이치(理致)에 따르는.
〖L CONVICT〗

con·vínc·ing *a.* (증거 따위가) 설득력이 있는, 납득이 가게 하는. **~·ly** *adv.* 납득이 가도록.

con·vive [kánvaiv] *n.* 식사[연회] 친구.

con·viv·i·al [kənvíviəl, -vjəl] *a.* **1** 연회의 ; 친목을 도모하는 : a ~ party 친목회. **2** 명랑한, 유쾌한(jovial). **~·ly** *adv.* 연회에 들떠서 ; 쾌활하게.
con·viv·i·al·i·ty [kənvìviǽləti] *n.* Ⓤ 주흥, 연회기분, 명랑함, 기분좋음 ; Ⓒ 연회, 왁자지껄함.
〖L *convivium* feast (*vivo* to live)〗

con·vo·ca·tion [kὰnvəkéiʃən] *n.* **1** Ⓤ (회의·의회의) 소집. **2** (소집에 의한) 집회(assembly) ; [C~] 〖영국국교〗 대주교구 회의 ; 《美》 (감독 교회의) 주교구 회의. **~·al** *a.*
〖L ; ⇨ CONVOKE〗

con·vo·ca·tor [kánvəkèitər] *n.* (의회·회의의) 소집자 ; 회의 참가자.

con·voke [kənvóuk] *vt.* (회의·의회를) 소집하다(cf. DISSOLVE). 〖L (*voco* to call)〗
類義語 ⟹ CALL.

con·vo·lute [kánvəlù:t] *a.* **1** 〖植·貝〗 한쪽 감기의, 포선형(包旋形)의, 회선상(回旋狀)의. **2** 둘둘 말린. —— *vt., vi.* 둘둘 말(리)다 ; 회선하다.
—— *n.* 〖植·貝〗 포선체.
〖L ; ⇨ CONVOLVE〗

cón·vo·lùt·ed *a.* 〖植·解〗 소용돌이 모양의 (spiral) ; 뒤엉킨, 매우 복잡한.

cónvoluted túbule *n.* 〖解〗 곡세뇨관(曲細尿管), 곡선 요관.

con·vo·lu·tion [kὰnvəlú:ʃən] *n.* 회선 ; 포선, 소용돌이 ; 〖解〗 뇌회(腦回), (창자·뇌 따위의) 회전부. 〖L (↓)〗

con·volve [kənválv, 美+-vɔ́:lv] *vt., vi.* 감다 ; 감기다 ; 둘둘 말(리)다. **~·ment** *n.*
〖L (*volut- volvo* to roll)〗

con·vol·vu·lus [kənválvjələs, 美+-vɔ́:l-] *n.* (*pl.* **~·es, -li** [-lài, -lì:]) 삼색메꽃. 〖L〗

con·voy [kánvɔi, 美+kənvɔ́i] *vt.* (군함·군대 따위가) 호송하다, 호위[경호]하다(escort) ; 《古》 (귀부인·손님 등을) 안내하다.
——[kánvɔi] *n.* **1** Ⓤ 호송, 호위. **2** 호위대, 경호함 ; 피호송자[선]. 〖OF ; ⇨ CONVEY〗

con·vulse [kənvʌ́ls] *vt.* **1** 진동시키다 ; …에 대소동을 일으키다. **2** [+目 / +目+前+名] [보통 수동태로] 경련을 일으키다 ; 몸부림치게 하다 : He *was* ~*d* ***with*** laughter[anger]. 배꼽이 빠지도록 웃었다[분노로 몸을 부르르 떨었다].

〚L (*vuls- vello* to pull)〛

con·vul·sion [kənvʌ́lʃən] *n.* **1** [보통 *pl.*] 〔醫〕 경련, 경풍. **2** [*pl.*] 웃음의 발작, 감정의 폭발. **3** (자연계의) 격동, 변동; (사회·정계 따위의) 이변, 동란: a ~ of nature 천변지이(天變地異) 《지진·화산 폭발 따위》.
fall into a fit of convulsions 경련을 일으키다; 포복 절도(抱腹絶倒)하다.
throw into convulsions 경련을 일으키게 하다; 포복 절도시키다; (민심을) 동요시키다.

convúlsion·àry [; -əri] *a.* 경련성의; 진동[격동]성의. —— *n.* 경련성의 사람; (종교적 광신에서) 경련을 일으키는 사람.

con·vul·sive [kənvʌ́lsiv] *a.* 경련성의, 발작적인; 격동적인; 급격한: with a ~ effort 필사의 노력으로. **~·ly** *adv.*

co·ny, co·ney [kóuni] *n.* 토끼, (특히) 집토끼; 토끼의 모피; 《古》 멍청이.
〚OF＜L *cuniculus*〛

coo [kúː] *n.* (*pl.* **~s**) 꾸꾸꾸 꾸꾸꾸《비둘기의 울음소리》. —— *vi.* 꾸꾸꾸 하고 울다; (아기가) 옹얼거리며 즐거워하다; (애인끼리) 달콤한 말을 주고받다: bill and ~ (시시덕거리며) 사랑을 속삭이다. —— *vt.* (말을) 달콤하게 속삭이다.
—— *int.* 《英俗》 거참, 허《놀람·의문을 표시》.
〚imit.〛

COO 《美》 chief operating officer 《(기업의) 최고 업무진행 책임자》.

coo·ee, coo·ey [kú(ː)iː] *n., int.* 어어이! 《호주 원주민의 고함소리》. —— *vi.* 어어이하고 외치다.
〚imit.〛

cóo·er *n.* 정답게 속삭이는 사람, 애인.

◇**cook** [kúk] *n.* 요리사, 쿡《여자 또는 남자》; 《俗》 지도자: a good[bad] ~ 요리를 잘[못]하는 사람 / a head ~ 주방장(chef) / a man ~ 남자 요리사 / Too many ~*s* spoil the broth. 《속담》 요리사가 많으면 수프를 망친다, 「사공이 많으면 배가 산으로 올라간다」. ㊟ 가정의 cook(여자 요리사)는 보통 고유 명사적으로 무관사로 씀.

〈회화〉
Who's the best *cook* in your family? — I guess our father is. 「너네 집에서는 누가 요리를 제일 잘하니」 「아버지실 거야」

—— *vt.* **1** [＋目 / ＋目＋目 / ＋目＋*for*＋名] 요리하다, 취사하다: She ~*ed* her husband some sausages[~*ed* some sausages ***for*** her husband]. 그녀는 남편에게 소시지를 요리해 주었다. ㊟ 삶다, 굽다, 튀기다, 볶다의 경우처럼 열을 사용해서 요리할 경우에만 한함(cf. DRESS *vt.* 5, PREPARE *vt.* 1). **2** 《口》 [＋目 / ＋目＋副] (이야기 따위를) 꾸미다(concoct); 적당히 하다; 속이다(falsify): ~ ***up*** a story[an account] 이야기[보고]를 날조하다. —— *vi.* **1** (음식물이) 삶아지다[익다], 구워지다: These apples ~ well. 이 사과는 잘 익는다. **2** 요리사로서 일하다.
cook a person***'s goose*** 《口》 남을 해치우다.
〚OE *cōc*＜L *coquus*; cf. G *Koch*〛

Cook *n.* 쿡. **James** ~ (1728-79) 영국의 항해가; Captain Cook이라고 불렸음.

cóok·able *a.* 요리할 수 있는. —— *n.* 요리하여 먹을 수 있는 것(cf. EATABLE).

cóok·bòok *n.* 《美》 요리책(＝《英》 cookery book).

cóok chéese *n.* 쿡 치즈《탈지유로 만든 치즈》.

cook·ee [kúki, kukíː] *n.* 《美口》 요리사의 조수.

cóok·er *n.* 요리 도구《난로·냄비 따위》; 《口》 요리에 쓰이는 재료.

cóok·ery *n.* Ⓤ 요리법(法); Ⓒ 《美》 요리하는 곳, 주방.

cóokery bòok *n.* 《英》 ＝COOKBOOK.

cóok-géneral *n.* (*pl.* **cóoks-géneral**) 《英》 요리 및 가사 일반을 맡는 하인.

cóok·hòuse *n.* 요리하는 곳; (배의) 취사실(galley); (캠프·전쟁터 따위의) 야외 취사장.

***cook·ie, cooky, cook·ey** [kúki] *n.* **1** 《美》 쿠키, 비스킷(＝《英》 biscuit); 《스코》 롤 빵. **2** 《美俗》 놈, 사내, 사람; 《美俗》 아편 상용자. **3** 《美俗》 매력적인 여자, 귀여운 소녀.
〚Du. (dim.) ‹ *koek* cake〛

cóokie pùsher *n.* 《美俗》 나약하고 소심한 청년; 아첨꾼; (연회 따위의) 간사; (특히 국무부의) 관리, 전통을 고수하는 외교관.

cóokie shèet *n.* 쿠키 시트《과자·빵을 굽는 철판·알루미늄판》.

***cóok·ing** *n.* Ⓤ 요리(를 하기); 요리법.
—— *a.* 요리(용)의: a ~ apple 요리용 사과(cf. an EATING apple).

cóoking tòp *n.* 버너가 넷 달린 캐비닛형(型) 레인지(cooktop).

cóok·òff *n.* 요리 콘테스트.

cóok·òut *n.* 《美》 야외 요리(의 파티).

cóok·ròom *n.* 주방, 부엌; (배의) 취사장.

cóok·shòp *n.* 작은 음식점, 식당(eating house).

Cóok's tóur *n.* 서둘러 하는 관광 여행; 조잡한 개관, 대강 훑어봄.
〚Thomas *Cook* & Son 영국의 여행사〛

cóok·stòve *n.* 《美》 요리용 레인지.

cóok·tòp *n.* ＝COOKING TOP.

cóok·ùp *n.* **1** 조작[날조]한 것. **2** (카리브 지방의) 고기·새우·쌀·야채 따위로 만든 요리.

cóok·wàre *n.* 취사 기구.

cooky ☞ COOKIE.

‡**cool** [kúːl] *a.* **1** 시원한, 서늘한, 시원해 보이는《색은 파랑·녹색; cf. WARM *a.* 4》: get ~ 식다, 시원해지다; 시원한 바람을 쐬다. **2** 열이 없는, 냉담한; 냉정한(calm); 뻔뻔스러운: remain ~ 침착해 있다, 서두르지 않다 / a ~ customer[fish, hand] 《口》 뻔뻔스러운 녀석 / a ~ head 냉정한 두뇌(의 소유자). **3** 《口》 꼭[무려] …, 에누리 없는: a ~ thousand 꼭 1000달러[파운드·원 따위]. **4** 〔사냥〕 (짐승 냄새의 흔적이) 희미한, 약한(cf. WARM *a.* 5 a)). **5** 《口》 멋진, 굉장한(excellent); 《美俗》 이지[정신]적인 감흥을 주는: ☞ COOL JAZZ.
in cool blood ＝ *in cold* BLOOD.
keep (one***self***) ***cool*** 서늘한 바람을 쐬다; 냉정을 유지하다.
leave a person ***cool*** ☞ LEAVE[1].
—— *adv.* 《口》 냉정하게, 침착하게.
play it cool 《俗》 냉정하게 처신하다.
—— *n.* **1** 서늘한 기운, 냉기; 시원한 때[장소]: enjoy the ~ of the evening 저녁나절의 서늘한 바람을 쐬다. **2** 냉정함.
—— *vt.* 식히다; 서늘하게 하다; (열정·노여움 따위를) 식히다, 진정시키다, 가라앉히다: This rain will soon ~ the air. 이 비로 인해서 곧 시원해질 것이다.
—— *vi.* 차지다, 차가워지다; 서늘해지다; 열의가 식다, 흥미를 잃다: His anger hasn't ~*ed* yet. 그의 분노는 아직 가라앉지 않았다.
cool down[***off***] (열정·노여움 따위가) 식다, 가라앉다: His affection for her is ~*ing down.* 그녀에 대한 그의 애정은 식어가고 있다.

cool** one's **heels ☞ HEEL[1].
Keep your breath to cool your porridge. 쓸데없는 말참견을 하지 마라.
〖OE *cōl* ; cf. COLD, G *kühl*〗
類義語 ***cool*** 태도가 침착하여 냉정한《때때로 냉담의 의미를 포함함》. ***composed*** 곤란한 사태에 침착하게 대처할 수 있는. ***collected*** 곤란·위험에 직면해서도 감정을 억누르고 능력을 충분히 발휘하는.
cóol·ant *n.* (마찰열을 덜기 위한) 냉각제. 〖*lubricant*의 유추로 cool에서〗
cóol bàg[**bòx**] *n.* 쿨러《피크닉 따위에 쓰이는 식품을 차게 보관하는 용기》.
cóol càt *n.* 《俗》 (열렬한) 재즈 팬, 재즈통(通).
cóol·er *n.* **1** 냉각기[제(劑)] ; 냉장고 ; 냉방 장치. **2** 청량 음료.
cóol·héad·ed *a.* 냉정한, 침착한.
coo·lie, -ly [kú:li] *n.* (인도·중국 등지의) 날품팔이 인부, 쿨리《중국어 쿠리(苦力)에서》; (저임금으로 혹사시키는) 하급 노동자.
〖Hindi *kulī* 인도의 Gujarat의 주민〗
cóolie còat *n.* =COOLIE JACKET.
cóolie jàcket *n.* 쿨리 재킷(coolie coat) 《누빈 재킷 ; 원래 쿨리가 입던 것과 비슷함》.
cóol·ing *n., a.* 냉각(의) : a ~ room 냉각실.
cóol·ing-òff pèriod *n.* 냉각 기간.
cóoling tìme *n.* =COOLING-OFF PERIOD.
cóoling tòwer *n.* 냉각탑, 냉수탑.
cóol·ish *a.* 약간 시원한[차가운].
cóol jázz *n.* 쿨 재즈《현대 재즈의 한 형식으로 조용한 가락임 ; cf. COOL *a.* 5, HOT *a.* 5》.
cóol·ly, cóoly *adv.* 싸늘하게, 시원[서늘]하게 ; 천연스럽게 ; 냉담하게 ; 뻔뻔스럽게.
cóol·ness *n.* Ⓤ 싸늘함, 서늘함 ; 냉정 ; 냉담성 ; 뻔뻔스러움.
coolth [kú:lθ] *n.* Ⓤ 《口·戱》 =COOLNESS.
coombe, coomb ☞ COMBE.
coon [kú:n] *n.* **1** 《口》 =RACCOON. **2** 《美口》 교활한 녀석, 야비한 사람 ; 《俗·蔑》 검둥이(Negro) : a ~ song 흑인 노래 / a gone ~ ☞ GONE *a.* 5.
go the whole coon 《美口》 철저히 하다.
— *vt.* 《美俗》 훔치다.
〖rac*coon*〗
coon·can [kú:nkæn] *n.* 카드놀이의 일종.
cóon·hòund *n.* 미국너구리 사냥용 사냥개.
cóon's àge *n.* 《美口》 긴 세월(cf. DOG'S AGE).
cóon·skìn *n.* 미국너구리의 털가죽 ; 그 가죽으로 만든 제품.
coon·tie [kú:nti] *n.* 〔植〕 자미아 ; 그 뿌리에서 채취한 녹말. 〖Seminole〗
coop[1] [kú:p, 美+kúp] *n.* **1** 우리, 닭장(hencoop) ; 《英》 (물고기 잡는) 가리. **2** 비좁은 곳 ; 《俗》 감옥.
fly the coop 《美俗》 탈옥하다, 도망치다.
— *vt.* **1** 우리에[둥우리에] 넣다. **2** [+目+副 / +目+前+名] (비좁은 곳에) 가두다 : All day the children were ~*ed* ***up*** (***in*** the house) by the rain. 비 때문에 아이들은 하루 종일 (집 안에) 갇혀 있었다. — *vi.* 《美俗》 (경찰관이) 근무중에 순찰차 속에서 졸다 ; 게으름피우다.
〖ME *cupe* basket＜MDu., MLG＜L *cupa* cask〗
co-op, co·op[2] [kóuɑp, -́-, kú:p] *n.* 《口》 협동[소비] 조합(의 매점).
co-op., coop., coöp. cooperative.
coop·er [kú:pər, 美+kúp-] *n.* **1** 통메장이, 통장이, 통 제조업자. **2** 《英》 술장수(=**wíne** ~)《병에 술을 넣어 팖》. — *vi.* 통장수를 하다.
— *vt.* (통·나무통 따위를) 수선하다, 만들다 ; 통에 넣다. 〖MDu., MLG ; ⇨ COOP[1]〗
cóoper·age *n.* Ⓤ 통 만드는 직업 ; 통장이의 품삯 ; Ⓒ 통장이의 일터.
co·op·é·rant [*F* kɔɔperɑ̃], **co·op·er·ant** [kouάpərənt] *n.* 프랑스의 개발도상국 원조 계획의 참가자《미국의 Peace Corps 단원과 비슷함》.
co·op·er·ate, co-op-** [kouάpərèit] *vi.* **1** [動 / +前+名] 협력[협동]하다 : He ~*d* ***with his colleagues in compiling the dictionary. 그는 사전 편찬하는 일에 동료들과 협력했다. **2** [動 / +*to* do] (사정 따위가) 서로 돕다(contribute) : All these things ~*d* *to* make this work a success. 모든 상황이 합쳐져서 이 일은 성공했다.
〖*co-*〗
***co·op·er·a·tion, co-op-** [kouὰpəréiʃən] *n.* **1** 협력, 협동 ; 〔經〕 (생산·판매 따위의) 협업. **2** 협동 조합 : a consumers'[consumptive] ~ 소비조합 / a producers'[productive] ~ 생산 조합.
in cooperation with …와 협력[협동]하여.
***co·op·er·a·tive, co-op-** [kouάpərətiv, 美+-pərèi-] *a.* 협동적인, 협동의 ; 협동 조합의 : ~ savings 공동 저축 / a ~ movement 협동조합 운동 / a ~ society 협동 조합《소비자·생산자·농업 협동 조합 따위》/ a ~ store 협동 조합의 매점.
— *n.* 협동 조합(의 매점) ; 협동 농장 ; 《美》 협동 조합 집합 주택. **~·ly** *adv.* 협력[협동]하여.
co·op·er·a·tiv·ize [kouάpərətivàiz] *vt.* 협동 조합화(化)하다. **co·òp·er·a·tiv·i·zá·tion** *n.*
co·óp·er·à·tor *n.* 협력자 ; 협동[소비] 조합원.
cóop·ery *n.* =COOPERAGE.
co-opt, 《美》 **co·öpt** [kouάpt] *vt.* (이사회·위원회 따위가 사람을) 신회원[새이사]으로 선출하다 ; 흡수하다 ; 징용하다, 접수하다, 제멋대로 쓰다. **cò·op·tá·tion, co·óp·tion** [-άpʃən] *n.* 신(新)회원 선출. **co-op·ta·tive** [kouάptətiv], **co·óp·tive** [-άptiv] *a.* 신회원 선출의[에 관한] ; 신회원으로 선출된.
〖L *co*-(*opto* to choose)〗
co·or·di·nate, 《美》 **co·ör-** [kouɔ́:rdənət, -nèit] *a.* **1** 동등한, 동격의, 등위(等位)의〈*with*〉. **2** 〔文法〕 등위의(↔*subordinate*) : a ~ clause 등위절(等位節) (cf. SUBORDINATE CLAUSE). **3** 〔數〕 좌표의 ; 〔컴퓨〕 대응시키는, 좌표식의.
— *n.* 동격자, 대등한 것 ; 〔文法〕 등위어구 ; [보통 coor-] 〔數〕 좌표.
— *v.* [-dənèit] *vt.* 대등하게 하다 ; 통합하다, 조정하다(adjust) ; 〔化〕 배위 결합시키다.
— *vi.* **1** 동격[등위]이 되다 ; 〔化〕 배위 결합하다. **2** 서로 정합적으로 작용하다, 조화하다.
~·ly *adv.* **~·ness** *n.* 〖L *ordino* ; ⇨ ORDER〗
coórdinate[**co·ór·di·nàt·ing**] **conjúnction** *n.* 등위 접속사.
co·ór·di·nàt·ed *a.* 단일 목적을 위해 둘 이상의 근육계(筋肉系)를 쓸 수 있는, (근육이) 공동 작용할 수 있는.
coórdinated univérsal tìme *n.* 〔天〕 협정 세계시《略 UTC》.
co·or·di·na·tion [kouɔ̀:rdənéiʃən] *n.* Ⓤ 동등(하게 하기) ; 대등 관계 ; (작용·기능의) 조정 ; (근육 운동의) 협조 ; 〔化〕 배위.
co·or·di·na·tive [kouɔ́:rdənətiv, 美+-dənèi-] *a.* 동등한, 대등의 ; 협조적인 ; 〔文法〕 =COORDINATE 2(↔*subordinative*).
co·ór·di·nà·tor *n.* 동격으로 하는 사람[것] ; 조정[정합]자[물] ; 〔文法〕 등위 접속사.
coot [kú:t] *n.* **1** (*pl.* **~s, ~**) 〔鳥〕 (유럽산) 물

닭 ; (북미산의) 검둥오리. **2** (*pl.* **~s**) 《口》 멍청이, 바보.
(as) bald as a coot 머리가 홀렁 벗겨져서.
(as) stupid as a coot 멍텅구리인.
〚? LG ; cf. Du. *koet* coot〛

coot·ie [kú:ti] *n.* 《美軍俗》 이(louse). 〚? Malay〛

cò·ówn·er *n.* 〔法〕 공동 소유자.

cop[1] [kɑ́p] *n.* 《口》 순경, 경찰관(policeman).
cops and robbers 「탐정과 악한」《술래잡기 같은 어린이 놀이》.
on the cops 《美俗》 경찰관이 되어서.
〚cf. COP² and COPPER²〛

cop[2] *vt.* (**-pp-**) 《英俗》 (범인을) 잡다 ; (상 따위를) 획득하다 ; 훔치다 ; (마약을) 사다 ; (벌 따위를) 받다 ; 이해하다.
cop a mope 《美俗》 도망치다.
cop a plea 《俗》 (중죄를 피하려고 가벼운) 죄를 자백하다.
cop out 《俗》 (싫은 일 · 약속 따위에서) 손을 떼다 ; 《美俗》 붙잡히다 ; 《俗》 (중죄를 모면하기 위하여 가벼운 쪽의) 죄에 대한 벌을 받다(cop a plea) ; 《俗》 단념[항복]하다.
—— *n.* 《英》 체포 : It's a fair ~. 꼼짝없이 붙들렸구나《붙잡힌 범인의 말》.
no[***not much***] ***cop*** 《英》 전혀[거의] 가치가 없는[쓸모 없는], 대수롭지 않은.
〚? *cap* (obs.) to arrest<OF *caper* to seize〛

cop[3] *n.* 〔紡〕 방추에 감은 원뿔 모양의 실.
—— *vt.* (**-pp-**) 방추에 감다. 〚OE *cop* summit〛

cop. copper ; copulative ; copy ; copyright(ed).

Cop. Coptic.

co·pa·cet·ic, -pe·set-, -pa·set- [kòupəsétik, -sí:t-] *a.* 《美俗》 훌륭한, 아주 만족스러운.

co·pai·ba [koupáibə, 美+-péi-], **-va** [-və] *n.* 〔醫〕 코파이바 발삼《점막(粘膜) 질환의 특효약》. 〚Sp. and Port. <Tupi〛

co·pal [kóupəl, -pæl] *n.* Ⓤ 코펄《열대산 수지 ; 니스의 원료》. 〚Sp. <Aztec=incense〛

co·palm [kóupɑ̀:m] *n.* Ⓤ 〔植〕 단풍잎풍나무 《북미산》; 그 수지.

co·párcenary *n.* 〔法〕 토지 공동 상속, 상속 재산 공유(公有) ; 공동 소유.

co·párcener *n.* 〔法〕 (토지) 공동 상속인.

co·pártner *n.* 협동자, 조합원 ; 공범자. **~·shìp** *n.* 협동, 조합제 ; (공동) 조합, 합명회사.

cope**[1] [kóup] *vi.* [+*with*+名] 대처하다 ; 대항하다 ; 《古》 관계하다, 우연히 만나다 ; 《廢》 싸우다 : We cannot ~ ***with the present difficulties. 오늘의 난국을 타개해 나갈 수 없다.
—— *vt.* 《口》 충분히 …에 대처[대항]하다 ; 《古》 (경기 따위에서) …와 만나다 ; 《廢》 …와 우연히 만나다 ; 《廢》 …와 어울리다.
〚OF ; ⇨ COUP¹〛

cope[2] *n.* **1** 법의(法衣), 코프《성직자의 망토형 큰 코트》. **2** 《詩 · 비유》 하늘, 창공 : the ~ of night [heaven] 밤의 장막[푸른 천장]《하늘을 말함》. **3** 〔建〕 갓돌, 두겁대. —— *vt.* **1** …에게 코프를 입히다. **2** …에 갓돌을 싣다. —— *vi.* 덮이다, 내달다〈*over*〉. 〚OE -*cāp*<L *cappa* CAP¹〛

C.O.P.E.C. Conference on Christian Politics, Economics and Citizenship.

copeck ☞ KOPECK.

Co·pen·ha·gen [kòupənhéigən, -hɑ́:-] *n.* 코펜하겐《덴마크의 수도》; [c~] =COPENHAGEN BLUE.

copenhágen blúe *n.* 회청색(灰青色).

co·pe·pod [kóupəpɑ̀d] *n., a.* 〔動〕 요각류(橈脚類)(의)《물벼룩 따위의 수생(水生) 동물》.

cop·er [kóupər] *n.* 《英》 말 장수(horse dealer). 〚*cope* (obs.) to buy<MDu., MLG *kōpen* (G *kaufen*)〛

Co·per·ni·can [koupə́:rnikən] *a.* **1** 코페르니쿠스(설)의, 지동설의(cf. PTOLEMAIC) : the ~ theory 지동설. **2** 획기적인, 근본적인.
—— *n.* 코페르니쿠스 신봉자.

Co·per·ni·cus [koupə́:rnikəs] *n.* 코페르니쿠스. **Nicolaus** ~ (1473-1543) 폴란드의 천문학자 ; 지동설을 주장했음(cf. PTOLEMY).

copesetic ☞ COPACETIC.

Cópe's rùle *n.* 〔生〕 코프의 법칙《비(非)특수형의 법칙 · 체대화(體大化)의 법칙 따위 정향(定向) 진화에 근거한 법칙》.
〚E. D. *Cope* (d. 1897) 미국의 고생물학자〛

cópe·stòne *n.* =COPING STONE.

cop·i·er [kɑ́piər] *n.* 모방자 ; 사자생(寫字生)(copyist) ; 복사하는 사람, 복사기. 〚COPY〛

có·pìlot *n.* 〔空〕 부조종사.

cop·ing [kóupiŋ] *n.* 〔建〕 두겁대, 갓돌, 관석《돌담 또는 벽돌담 꼭대기의 빗물을 내리게 함》. 〚COPE²〛

cóping sàw *n.* 실톱《곡선으로 자르는 U자형 틀에 활줄처럼 날을 단 톱》.

cóping stòne *n.* 〔建〕 갓돌, 관석 ; 《비유》 마지막 손질, 극치.

co·pi·ous [kóupiəs] *a.* 풍부한, 방대한 ; 내용이 풍부한, 정보가 가득찬, 말이 많은 ; (작가가) 다작의. **~·ly** *adv.* **~·ness** *n.*
〚OF or L (*copia* plenty)〛
類義語 ⟹ PLENTIFUL.

co·plánar *a.* 〔數〕 동일 평면상의, 공면(共面)의 《점 · 선 따위》.

co·pólymer *n.* 〔化〕 공중합체(共重合體).

co·pòlymer·izátion *n.* 〔化〕 공중합.

cóp òpera *n.* 《美俗》 경찰관에 관한 극[영화] 《horse opera, space opera를 본뜬 말》.

cóp-òut *n.* 《俗》 (책임 회피의) 구실 ; (일 · 약속 따위에서) 손을 떼기[떼는 사람] ; 회피하는 것[사람], 변절[전향](자) ; (비겁한) 도피, 타협.

***cop·per**[1] [kɑ́pər] *n.* **1** Ⓤ 구리《금속 원소 ; 기호 Cu ; 번호 29》 : red ~ 적동광. **2** 동전《penny 따위》; [*pl.*] 《俗》 잔돈. **3** 취사[세탁]용 보일러《지금은 보통 철제》; [*pl.*] 배의 무쇠 가마. **4** 구리판. —— *a.* 구리(제)의 ; 구릿빛의. —— *vt.* …에 구리를 입히다 ; (배 밑바닥에) 동판을 깔다 ; (야채를) 황산구리로 착색하다 ; 《美俗》 …의 반대에 돈을 걸다. 〚OE *coper*<L *cuprum* < *cyprium aes* Cyprus metal〛

copper[2] *n.* 《俗》 =COP¹ ; 밀고자 ; (모범수 · 밀고자에 대한) 감형. —— *vi.* 경찰관으로 일하다.
〚COP²〛

cop·per·as [kɑ́pərəs] *n.* Ⓤ 〔化〕 황산철, 황산제일철, 녹반(green vitriol).

cópper béech *n.* 〔植〕 유럽너도밤나무.

Cópper Bèlt *n.* [the ~] 구리 산출 지대《중앙 아프리카의 잠비아와 자이르 국경 지대》.

cópper-bóttomed *a.* 밑바닥에 동판을 깐《배》; (재정적으로) 건전한, 건전 경영의 ; 진짜의, 신뢰할 수 있는.

cópper bràcelet *n.* (관절염 · 신경통에 좋다는 건강용의) 구리 팔찌.

cópper-cólo(u)red *a.* 구릿빛의.

cópper glánce *n.* 〔鑛〕 휘동광(輝銅鑛).

cópper·hèad *n.* **1** 〔動〕 미국살무사《적동색을 띰》. **2** [C~] 〔美史〕 남북 전쟁 당시 남부에 동정한 북부인.

cópper Índian *n.* ＝YELLOWKNIFE.
cópper·ish *a.* 구리 같은, 구리를 함유한.
cópper·nòse *n.* (술고래의) 빨간 코.
cópper·plàte *n.* U,C 동판 ; U 동판 조각 ; C 동판 인쇄 : write like ~ 마치 동판 인쇄처럼 깨끗이 쓰다.
—— *a.* 동판의, 동판 인쇄의[와 같은].
—— *vt.* 동판에 새기다, 동판 인쇄로 하다.
cópper pyrítes *n.* 황동[적동]광.
cópper·skìn *n.* ＝REDSKIN.
cópper·smìth *n.* 구리 세공사 ; 구리그릇 제조인.
cópper súlfate[vítriol] *n.* 〔化〕 황산구리.
cópper·wàre *n.* 구리 제품.
cópper wòrks *n. pl.* 구리 공장.
cóp·pery *a.* 구리를 함유(含有)한 ; 구리 같은 ; 구릿빛의.
cop·pice [kápəs] *n.* 잡목림 ; (잡목이) 무성함.
—— *vi., vt.* coppice로 나다[기르다].
〖OF<L ; ⇨ COUP〗
cóppice·wòod *n.* ＝COPPICE.
copr- [kápr], **cop·ro-** [káprə] *comb. form* 「똥」「오물」「추잡」의 뜻.
〖Gk. *kopros* dung〗
cop·ra [káprə, 美＋kóu-] *n.* U 코프라《말린 야자열매 ; 야자유 · 비누 따위의 원료》.
〖Port.<Malayalam＝coconut〗
có-prèsident *n.* 공동 사장(社長).
cò·prodúce *vt.* 협동 생산하다.
-prodúcer *n.* **-prodúction** *n.*
cop·ro·lag·nia [kàprəlǽgniə] *n.* 〔精神醫〕 애분(愛糞)《성도착증의 하나》.
cop·ro·la·lia [kàprəléiliə] *n.* 〔精神醫〕 추언증《똥 · 오줌 따위 배설에 관한 말을 계속 입에 담는 경향》.
cópro·lìte *n.* U 〔地質〕 분석(糞石)《동물의 똥의 화석》.
cop·rol·o·gy [kaprálədʒi] *n.* U 외설 문학[미술].
cop·roph·a·gous [kaprάfəgəs] *a.* (곤충이) 똥을 먹고 사는《딱정벌레 따위》.
còpro·phília *n.* U 〔精神醫〕 호분증(好糞症).
cop·roph·i·lous [kəprάfələs] *a.* (버섯 · 곤충이) 똥에서 자라는.
cò-prospérity *n.* 공영(共榮).
copse [kάps], **cópse·wòod** *n.* ＝COPPICE.
cóp shòp *n.* 《口》 파출소.
copsy [kάpsi] *a.* 잡목림이 많은.
Copt [kάpt] *n.* **1** 콥트 사람《이집트의 원주민》. **2** 콥트교도《이집트의 기독교도》.
〖F or L<Arab.〗
Copt. Coptic.
cop·ter [kάptər] *n.* 《口》 ＝HELICOPTER.
Cop·tic [kάptik] *a.* 콥트인[어]의 ; 콥트 교회의.
—— *n.* U 콥트어.
co·públish *vt.* (다른 회사와) 공동 출판하다.
~·er *n.*
cop·u·la [kάpjələ] *n.* **1** 〔論 · 文法〕 연결동사 (linking verb), 연사(連辭) 《subject와 predicate를 연결하는 be동사》. **2** 〔解〕 접합부(接合部). **3** 〔法〕 (남녀의) 교접.
〖L＝bond, connection〗
cop·u·late [kάpjəlèit] *vi.* 교접(交接)[교미]하다.
——[-lət, -lèit] *a.* 연결한, 결합한.
〖L＝to fasten together (↑)〗
cop·u·la·tion [kὰpjəléiʃən] *n.* U **1** 교접, 교미, 성교. **2** 연결, 결합.
cop·u·la·tive [kάpjəlèitiv ; -lə-] *a.* 연결하는, 결합의 ; 성교의, 교접[교미]의. —— *n.* 〔文法〕 계합사《be 따위》 ; 계합 접속사《and 따위 ; cf. DISJUNCTIVE》. **~·ly** *adv.*
cop·u·lin [kάpjələn] *n.* 〔生化〕 코풀린《암원숭이가 내는 성유인물(性誘引物)》.
‡copy [kάpi] *n.* **1** 사본, 복사 : a fair[clean] ~ 정서 / a foul[rough] ~ 초벌쓰기, 초고 / the original and the ~ 원본과 사본 / make[take] a ~ 복사하다 / keep a ~ of …의 사본을 뜨다. **2** 모사 ; 모방. **3** 《古》 (습자의) 글씨본《대본》 ; 연습 과제(의 시문) : paint from a ~ 대본을 보고 그리다 / a ~ of verses 짧은 시구《작문 연습 과제》. **4** …부, 책, 통(通) : Five thousand *copies* of the book were sold. 그 책은 5000부가 팔렸다. **5** U (인쇄의) 원고 ; 신문의 기삿거리 : follow ~ 원고대로 조판하다 / make good ~ 신문의 좋은 기삿거리가 되다. **6** 〔英法〕 등본, 초본(↔ *script*). **7** 〔映〕 복사 현상. **8** 광고 문안.

〈회화〉
How many *copies* shall I make? — Enough for everyone, please. 「복사는 몇 장이나 할까요」「모든 사람에게 돌아갈 만큼 부탁해요」

—— *vt.* **1** [＋目 / ＋目＋副 / ＋目＋*from*＋名] 베끼다 ; 모사[복사]하다 : *C*~ this letter (***out***). 이 편지를 (꼭 그대로) 베껴 주십시오 / The girls *copied* the sentences ***down from*** the blackboard. 소녀들은 그 글을 칠판에서 베꼈다. **2** (장점 따위를) 흉내내다, 배우다. —— *vi.* **1** [動 / ＋*from*＋名] 복사하다 ; 모방하다 : I want you to ~ carefully ***from*** the original. 주의해서 원문을 베껴 주기 바란다. **2** 《英學生》 학생이 남의 답안이나 책을 보고 베끼다.
〖OF<L *copia* transcript〗
類義語 ⟹ IMITATE.
cópy·bòok *n.* **1** 습자 글씨본, 습자책. **2** 《美》 (편지 · 문서의) 복사부(複寫簿), 비망록.
—— *a.* 인습적인, 진부한, 판에 박힌 ; 정확한, 모범적인 ; 대본대로의, 흔한 : ~ maxims[morality] 진부한 격언[교훈].
cópy·bòy *n.* (신문사의) 원고 담당 사환.
cópy·càt *n.* 《口 · 蔑》 남 흉내를 내는 아이 ; (독창성이 없는) 모방자(imitator).
—— *vt., vi.* 무턱대고 (…의) 흉내를 내다.
cópy·dèsk *n.* 《美》 (신문사 따위의) 편집 데스크.
cópy-èdit *vt.* (원고를) 정리하다.
cópy èditor *n.* ＝COPYREADER.
cópy·gràph *n.* ＝HECTOGRAPH.
cópy·hòld *n.* U 〔英史〕 토지 등본 보유권(에 의한 소유 부동산) (cf. FREEHOLD, HOLD[1]) : in ~ 등본 보유권에 의거하여. —— *a.* 등본 보유권에 의하여 소유하고 있는.
cópy·hòld·er *n.* **1** 〔英史〕 등본 보유권에 의한 토지 소유자. **2** 교정 조수. **3** (타자기의) 원고 누르개 ; (식자공의) 원고 걸이(대).
cópy·ing *n., a.* 복사(용의), 등사(용의) : a ~ book 복사부(簿).
cópying ìnk *n.* 복사용 잉크.
cópying pàper *n.* 복사지.
cópying pèncil *n.* (지워지지 않는) 복사용[카피] 펜슬.
cópying prèss *n.* (압착식) 복사기.
cópying ríbbon *n.* (타자기의) 복사용 리본.
cópy·ist *n.* 베끼는 사람, 필경사 ; 모방자.
cópy·rèad [-rìːd] *vt.* (원고를) 정리하다.
cópy·rèad·er *n.* **1** (신문사 따위의) 원고 정리원(員), 편집부원(＝《英》 subeditor). **2** ＝READER 3 a).

cópy·rèad·ing *n.* 〖出版〗 원고 교열.
cópy·rìght *n.* Ⓤ,Ⓒ 저작권, 판권(cf. PUBLIC DOMAIN 1) : ~ reserved 판권 소유 / hold[own] ~ *on* a book 책의 판권을 소유하다.
—— *a.* 저작권[판권]이 있는, 저작권 소유의, 판권으로 보호된. —— *vt.* 저작권으로 보호하다 ; …의 판권을 취득하다 : Books are usually ~*ed.* 책은 보통 판권이 있다.
~·er *n.* 판권 소유자.
cópyright (depòsit) líbrary *n.* 《英》 납본 도서관《영국 내에서 출판되는 모든 서적을 1부씩 기증받는 권리를 갖는 도서관》.
cópyright pàge *n.* 〖出版〗 판권장, 간기(刊記).
cópy stràtegy *n.* 〖廣告〗 카피 전략 《상품의 유효성을 실증하는 사실·통계·유명인에 의한 보증·구매 의욕을 환기하는 이미지 따위》.
cópy·tàster *n.* 원고 심사원.
cópy·tỳpist *n.* (문서 따위의) 타이프 사본을 만드는 사람.
***cópy·wrìter** *n.* 광고 문안(文案) 작성자.
cópy·wrìting *n.* 광고 문안 작성.
cópy·wròng *n.* 판권 위반의 광고 문안, 해적판.
coq au vin [*F* kɔko vɛ̃] *n.* 〖料〗 코코뱅《볶은 후에 포도주로 삶은 닭고기》.
〚F=cock with wine〛
coque·li·cot [kɑ́klikòu, kóuk-] *n.* =CORN POPPY.
co·quet [koukét, kɑ-] *vi.* (-tt-) [動/+*with*+名] **1** (여자가) 교태를 부리다, 아양떨다, 꼬리치다(flirt) : ~ ***with*** a man 남자에게 아양을 떨다. **2** 심심풀이로 손을 대다(trifle) : ~ ***with*** an affair 사건에 (약간) 손대다.
—— *a.* =COQUETTISH.
—— *n.* =COQUETTE.
〚F=wanton (dim.) ‹ *coq* COCK[1]〛
co·quet·ry [kóukətri, kɑ́k-, koukét-] *n.* Ⓤ 아양떨기, 요염 ; Ⓒ 아양, 교태 ; 《비유》 (문제·제안·정당 따위를) 농락하기.
co·quette [koukét, kɑ-] *n.* 남자에게 아양떠는 여자, 요부(flirt) (cf. PRUDE).
—— *vi.* =COQUET.
〚F (fem.) ‹ *coquet*〛
co·quétt·ish *a.* 요염한 ; 교태부리는.
~·ly *adv.* 요염하게.
co·quille [koukíl ; *F* kɔkij] *n.* 〖料〗 코키유《조가비 (모양의 그릇)에 담아 내놓는 조개 구이 요리 ; 그 그릇》.
〚F=shell〛
co·qui·na [koukíːnə ; kə-] *n.* 패각석회암《조가비와 석회질이 결합한 것》.
〚Sp. =shellfish〛
co·qui·to [koukíːtou ; kɑ-] *n.* (*pl.* **~s**) 〖植〗 칠레야자나무《수액(樹液)에서 시럽을 채취》.
〚Sp.〛
cor[1] [kɔ́ːr] *n.* (*pl.* **cor·dia** [kɔ́ːrdiə]) 〖解·動〗 심장(心臟).
〚L〛
cor[2] *int.* 《英俗》 앗, 이런《놀람·감탄·초조의 발성 ; 하류 계층이 씀》.
〚*God*〛
cor- ☞ COM-.
cor. corner ; cornet ; coroner ; coronet ; corpus.
cor., corr. correct(ed) ; correction ; correlative ; correspondence ; correspondent ; corresponding(ly) ; corrigendum ; corrugated ; corrupt ; corruption.
Cor. 〖聖〗 Corinthians ; Coriolanus ; Corsica.

cor·a·cle [kɔ́(ː)rəkəl, kɑ́r-] *n.* (아일랜드나 웨일스의 강·호수에서 쓰이는 버들가지 뼈대에 가죽을 씌운) 작은 배.
〚Welsh ; cf. CURRACH〛

coracle

cor·a·coid [kɔ́(ː)rəkɔ̀id, kɑ́r-] *n.* 오훼골(烏喙骨) ; (견갑골의) 오훼돌기 (=~ **prócess**). —— *a.* 오훼골[돌기]의.
cor·al [kɔ́(ː)rəl, kɑ́r-] *n.* **1** Ⓤ 산호. **2** 산호 세공, (산호로 만든) 장난감 젖꼭지. **3** Ⓤ 새우의 알《찌면 산호색이 됨》.
—— *a.* 산호제의 ; 붉은[산호]색의.
〚OF<L<Gk.< ? Sem.〛
córal ísland *n.* 산호섬《산호초로 된 섬》.
cor·all- [kɔ́(ː)rəl, kɑ́r-], **cor·al·li-** [kɔ́(ː)rələ, kɑ́r-], **cor·al·lo-** [kɔ́(ː)rəlou, kɑ́r-, -lə] *comb. form* 「산호」의 뜻. 〚NL ; cf. CORAL〛
cor·al·lif·er·ous [kɔ̀(ː)rəlífərəs, kɑ̀r-] *a.* 산호가 있는, 산호가 나는.
cor·al·line [kɔ́(ː)rəlàin, kɑ́r-] *a.* 산호질[모양]의 ; 산호빛의 : ~ware 산호 도자기《17-18세기 이탈리아산(産)》. 〚F or L ; ⇨ CORAL〛
cor·al·lite [kɔ́(ː)rəlàit, kɑ́r-] *n.* **1** 화석(化石) 산호. **2** 산호충의 골격. **3** 붉은 산호빛[산호질]의 대리석.
cor·al·loid [kɔ́(ː)rəlɔ̀id, kɑ́r-], **-loid·al** [kɔ̀(ː)rəlɔ́idl, kɑ̀r-] *a.* 산호 모양의.
córal pínk *n.* 산호색《황색이 도는 핑크색》.
córal rèef *n.* 산호초.
Córal Séa *n.* [the ~] 산호해(海)《오스트레일리아 북동부의 바다》.
córal snàke *n.* 산호뱀《중미산》.
córal trèe *n.* 에리트리나《인도 원산 ; 콩과》.
coram ju·di·ce [kɔ́ːrəm dʒúːdəsìː] *adv., a.* 재판관 앞에서(의). 〚L=before a judge〛
córam pó·pu·lo [-pɑ́pjəlòu] *adv., a.* 대중 앞에서(의), 공공연히[한](in public).
〚L=before the public〛
cor an·glais [kɔ̀ːrɔːngléi, -ɑːn-] *n.* (*pl.* **cors anglais** [—]) 〖樂〗 잉글리시 호른(English horn) 《목관 악기의 일종》. 〚F〛
cor·ban [kɔ́ːrbæn, -bən] *n.* 〖聖〗 제물, 봉납물.
〚Heb.〛
cor·beil, -beille [kɔ́ːrbəl, kɔːrbéi] *n.* 〖建〗 꽃바구니 장식. 〚F<L (dim.) ‹ *corbis* basket〛
cor·bel [kɔ́ːrbəl] *n.* 〖建〗 돌출부의 받침, 까치발, (도리·들보의) 받침나무. —— *v.* (**-l-** | **-ll-**) *vt.* …에 까치발을 달다 ; 받침나무로 받치다 ; 까치발로 돌출시키다〈*out, off*〉. —— *vi.* 내쌓기 받침으로 돌출하다〈*out, off*〉. 〚OF (dim.) ‹ *corp* CORBIE〛
córbel·ing | **-bel·ling** *n.* 〖建〗 초엽 구조.
córbel-stèp *n.* 〖建〗 =CORBIESTEP.
córbel táble *n.* 〖建〗 초엽 선반.
cor·bie [kɔ́ːrbi] *n.* 《스코》 까마귀 ; 갈가마귀 (raven). 〚OF<L *corvus* crow〛
córbie·stèp *n.* 〖建〗 (박공 양쪽에 붙인) 계단(처럼 나온 것).
***cord** [kɔːrd] *n.* **1** Ⓤ,Ⓒ 밧줄, 새끼, 노끈, 끈 《string 보다 굵고 rope 보다 가는 ; cf. CABLE》 ; 〖電〗 코드 : ☞ SILVER CORD. **2** 〖解〗 삭상(索狀) 조직, 인대(靭帶)(chord), 건(腱) : the spinal ~ 척수(脊髓). **3** 골지게 짠 천 ; 이랑지게 짠 천, 코듀로이(corduroy) ; [*pl.*] 코르덴 바지. **4** 코드척

(尺)《장작의 부피 단위 ; 보통 128 세제곱 피트》. ── *vt.* 밧줄[노끈, 끈]로 묶다.
〚OF<L<Gk. *khordē* gut, string〛

córd·age *n.* Ⓤ [집합적으로] 밧줄류(ropes), 삭조(索條)(cords) ; (배의) 삭구(索具).

cor·date [kɔ́:*r*deit] *a.* 〖植〗 심장형의(heart-shaped).

córd-córd·less *a.* (전기 기구가) 교류·충전 양용의 : a ~ shaver 충전이 가능한 전기 면도기.

córd·ed *a.* 끈으로 묶은 ; 이랑지게 짠 ; 코드척 단위로 쌓아올린.

Cor·de·lia [kɔ:*r*dí:ljə] *n.* **1** 여자 이름. **2** 코딜리어《Shakespeare 작 *King Lear* 중의 리어왕의 막내딸》. 〚? Welsh=jewelry of the sea〛

Cor·de·lier [kɔ̀:*r*dəlíə*r*] *n.* 프란체스코회의 수사《계율이 엄격하며 누더기옷에 새끼띠를 매었음》.

cor·delle [kɔ:*r*dél, ⌐-] *n.* (특히 미국·캐나다에서 쓰이는 배를) 끌어당기는 줄. ── *vt.* (배를) cordelle로 끌어당기다. 〚F (dim.) ‹CORD〛

***cor·dial** [kɔ́:*r*dʒəl ; -diəl] *a.* **1** 마음에서 우러난 (hearty), 따뜻한, 성심 성의의(sincere). **2** 강심성의, 원기를 돋우는. ── *n.* 강장제, 강심제 ; = LIQUEUR ; 코디얼《단맛과 향내가 나는 독한 맛의 알코올성 음료》. **~·ness** *n.*
〚L (*cord-* *cor* heart)〛
類義語 ⟹ GOOD-NATURED.

cor·di·al·i·ty [kɔ̀:*r*dʒiǽləti ; -diǽl-] *n.* Ⓤ 진심 ; 지정(至情) ; 따뜻한 우정 ; Ⓒ 진심의 표현.

córdial·ly *adv.* 마음에서 우러나서, 진심으로, 성의를 가지고.
Cordially yours*＝*Yours cordially 여불비례(餘不備禮), 재배, 올림《편지의 맺음말》.

cór·di·fòrm [kɔ́:*r*də-] *a.* 심장형(形)의(heart-shaped).

cor·dil·le·ra [kɔ̀:*r*dəljéərə, -diéər-] *n.* (대륙을 가로지르는) 대산맥, 산계(山系). 〚Sp.〛

córd·ing *n.* Ⓤ 밧줄 ; (천을) 이랑지게 짜기.

córd·ite *n.* Ⓤ 코르다이트《끈 모양의 무연(無煙) 화약》. 〚CORD ; 형태가 유사한 데서〛

córd·less *a.* 줄[끈]이 없는 ; 〖電〗 전선이 필요없는, 건전지를 사용하는.

cor·do·ba [kɔ́:*r*dəbə] *n.* 코르도바《남미 Nicaragua의 화폐 단위 ; 기호 C$: =100 centavos》; 그 은화. 〚F. F. de *Córdoba*〛

Cór·do·ba [kɔ́:*r*dəbə, -və] *n.* **1** 코르도바《(1) 스페인 남부의 도시 ; 옛날 Moor 통치 시대의 수도. (2) Argentina 중부의 도시》. **2** 코르도바. **Francisco Fernández de** ~ (d. 1518) 스페인의 군인·탐험가 ; Yucatán 반도를 발견함.

cor·don [kɔ́:*r*dn, -dɑn] *n.* **1** 〖軍〗 보초선 ; (경찰의) 비상[경계]선(police cordon) ; 방역선(sanitary ~), 교통 차단선 : post[place, draw] a ~ 비상선을 치다 / escape through the ~ 비상선을 돌파하다. **2** (어깨에서 겨드랑이 밑으로 걸치는) 장식 끈[리본](cf. SASH[1]) : the blue ~ 청(靑)수장 / the grand ~ 대수장(大綬章).
── *vt.* …에 비상선을 치다, 교통차단을 하다 ‹*off*›. 〚It. and F ; ⇨ CORD〛

cor·don bleu [*F* kɔrdɔ̃ blø] *n.* (*pl.* **cor·dons bleus** [─]) **1** 청수장(青綬章)《부르봉 왕조의 최고 훈장》. **2** (그 방면의) 일류, (특히) 일류 요리사. ── *a.* 일류의.

cor·don sa·ni·taire [*F* kɔrdɔ̃ sanitɛ:r] *n.* (*pl.* **cor·dons sa·ni·taires** [─]) 방역선 ; (교통) 차단선 ; (정치·사상·경제상의) 완충 지대.

cor·du·roy [kɔ́:*r*dərɔ̀i] *n.* Ⓤ 코듀로이, 코르덴 ; [*pl.*] 코르덴 옷[바지]. ── *a.* **1** 코르덴 제(製)의 ; 골이 진 : ~ trousers 코르덴 바지. **2** (길 따위가) 통나무를 깔아 만든. ── *vt.* 통나무를 깔아 (길을) 만들다. 〚? CORD=ribbed fabric, *duroy* (obs.) coarse woolen fabric〛

córduroy róad *n.* (습지 따위의) 통나무 길.

cord·wain [kɔ́:*r*dwein] *n.* 《古》 코도반 가죽.

córdwain·er *n.* **1** 구두 직공(shoemaker). **2** 《英》 구두 직공 조합원.

córd·wòod *n.* 4피트 길이로 잘라서 파는 장작.

***core** [kɔ́:*r*] *n.* **1** (배·사과 따위의) 속 ; (나무의) 고갱이, (종기 따위의) 근 ; (새끼의) 가운데 가닥 : be rotten *at* the ~ 속이 썩어 있다. **2** 《비유》 핵심, 골자(gist) ; 속마음, 본심. **3** (전기줄 따위의) 심 ; (주물의) 심형(心型). **4** 〖地質〗 (지구의) 중심핵. **5** (도시의) 중심부 ; (원자로의) 노심. **6** (지질의) 채취 샘플. **7** 〖컴퓨〗 알맹이, (자기(磁氣)) 코어, 자심(磁心)(magnetic core), 자심 기억 장치.
to the core 속속들이 ; 철저하게.
── *vt.* …의 심[속]을 없애다‹*out*›.
〚ME<? ; 일설(一說)에 *coren* < *corn*[1]〛

CORE, C.O.R.E. [kɔ́:*r*] 《美》 Congress of Racial Equality(인종 평등 회의).

Co·rea [kərí:ə ; -ríə] *n.* =KOREA.

Co·re·an [kərí:ən ; -ríən] *a., n.* =KOREAN.

córe búsiness *n.* 주력업종.

cò·recípient *n.* 공동 수상자.

córe cìty *n.* 도시의 중심부, 핵도시 ; 구(舊)시가(inner city).

córe currìculum *n.* 〖教〗 코어 커리큘럼《핵심이 되는 과목을 정하여 다른 과목을 그것에 통합하도록 편성한 교과과정》.

cò·reláte *vt.* 《英》 =CORRELATE.

cò·relátion *n.* 《英》 =CORRELATION.

córe·less *a.* 속이 없는 ; 공허한.

cò·relígion·ist *n.* 같은 (종교) 신자.

córe mèmory *n.* 〖컴퓨〗 =CORE STORAGE.

co·re·op·sis [kɔ̀:riɑ́psəs] *n.* 〖植〗 기생초, 금계국. 〚NL<Gk. *koris* bug, *opsis* appearance ; 그 종자의 모양에서〛

córe·quàke *n.* 〖天·地質〗 (행성, 항성 따위) 천체의 중심 핵에서 발생하는 구조적 붕괴.

cor·er [kɔ́:rə*r*] *n.* (사과 따위의) 속 빼는 기구 ; (지질의) 표본 채취기.

córe sègment *n.* 〖宇宙〗 (우주 실험실의) 기밀 작업실(cf. EXPERIMENT SEGMENT).

co-résidence *n.* 《英》 (대학의) 남녀 공동 기숙사 (=《美》 coed dorm).

cò·respóndent *n.* 〖法〗 (이혼 소송의) 공동 피고.

corespóndent shóes *n. pl.* 《英·戲》 2색(色) 신사화.

córe stòrage *n.* 〖컴퓨〗 자심(磁心) 기억 장치.

córe tìme *n.* 코어 타임《flextime(자유 시간 근무제)에서 반드시 근무해야 하는 시간대》.

córe tùbe *n.* (지질 조사용) 코어 튜브, 표본 채취관.

corf [kɔ́:*r*f] *n.* (*pl.* **corves** [kɔ́:*r*vz]) 《英》 석탄 운반용 삼태기 ; 《英》 물고기를 넣어 물에 채워두는 바구니. 〚ME=basket ; cf. CORBEIL〛

Cor·fam [kɔ́:*r*fæm] *n.* 구두에 쓰이는 인조 가죽《상표명》.

cor·gi, cor·gy [kɔ́:*r*gi] *n.* 웨일스산의 작은 개. 〚Welsh (*cor* dwarf, *ci* dog)〛

coria *n.* CORIUM의 복수형.

co·ri·a·ceous [kɔ̀(:)riéiʃəs, kɑ̀r-] *a.* 가죽 같은 (leathery), 튼튼한 ; 가죽으로 만든.

co·ri·an·der [kɔ̀(:)riǽndə*r*, kɑ̀r-, ⌐-⌐-] *n.* 고수

《미나리과의 초본》. 〖OF<L<Gk.〗

Co·rine [kɔ(:)ríːn, kɑ-] *n.* 《美俗》 코카인.

Cor·inth [kɔ́(:)rənθ, kɑ́r-] *n.* 코린트《그리스 남부의 항구 ; 고대 그리스 상업·예술의 중심》.

Co·rin·thi·an [kərínθiən] *a.* **1** (고대 그리스) 코린트(Corinth)의, 코린트 시민과 같은 ; 방탕한 ; 우아한. **2** 〖建〗 코린트식의 : the ~ order 〖建〗 코린트식 기둥. —— *n.* **1** 코린트인. **2** [~s, 단수 취급] 〖聖〗 고린도서(書) (the Epistle of Paul the Apostle to the Corinthians)《신약 성서 중의 한편 ; 전서와 후서가 있음 ; 略 Cor.》.

Co·ri·ó·lis fòrce [kɔ̀ːrióuləs-] *n.* 〖理〗 코리올리의 힘《지구의 자전으로 비행중인 물체에 미치는 편향(偏向)의 힘》.
〖Gaspard G. *Coriolis* (d. 1843) 프랑스의 수학자〗

cò·ripárian *n.* 〖法〗 하안(河岸) 공동 소유자.

co·ri·um [kɔ́ːriəm] *n.* (*pl.* **-ria** [-riə]) 〖解〗 진피(眞皮) (dermis) ; 〖昆〗 (반시초(半翅鞘)의) 혁질부(革質部).

***cork** [kɔ́ːrk] *n.* **1** 〖植〗 코르크나무(cork oak). **2** Ⓤ 코르크《코르크나무의 껍질》: burnt ~ 태운 코르크《눈썹을 그리거나 배우의 분장을 위한》. **3** 코르크 제품, (특히) 코르크 마개, (코르크로 만든) 부표(float) : draw[pull out] the ~ (병의) 코르크 마개를 빼다. **4** 〖植〗 코르크 조직 ; (사과의) 축과병(縮果病).
like a cork 활발하게, 쾌활하게 ; 쉽게 기운을 차리고.
—— *a.* 코르크로 만든.
—— *vt.* **1** …에 코르크 마개를 하다 ; 《비유》 (감정을) 누르다〈*up*〉. **2** …에 태운 코르크를 사용하다. —— *vi.* 〖植·醫〗 코르크화하다 ; 《美俗》 불같이 노하다. 〖Du. and LG<Sp. *alcorque* cork sole< ? Arab.〗

córk·age *n.* Ⓤ (손님이 밖에서 가지고 온 포도주 따위에 대해서 음식점 따위가 청구하는) 병마개 따주고 받는 요금.

córked *a.* 코르크 마개를 한 ; 코르크로 바닥을 댄 ; 태운 코르크로 화장한 ; 코르크 냄새를 풍기는 《술》 ; 《俗》 만취한.

córk·er *n.* **1** (병에 코르크) 마개를 하는 사람[기계]. **2** 《俗》 (토론에서 반박할 여지를 없애는) 결정적인 주장, 치명적인 일격 ; 허풍 ; 경탄할 만한 사람[것], 굉장한 사람[것].

córk·ing *a.* 《美口》 훌륭한, 멋진. —— *adv.* 대단히, 매우. —— *int.* 훌륭하구나, 멋지구나 !

córk jácket *n.* 코르크 재킷《수중 구명 조끼》.

córk òak *n.* 〖植〗 코르크참나무.

córk·scrèw *n.* 마개[코르크] 뽑이, 타래 송곳.
—— *a.* 나선상(螺旋狀)의(spiral) : a ~ dive 〖空〗 나선 강하 / a ~ staircase 나선 계단.
—— *vt.* 빙빙 선회시키다 ; 나선상으로 구부리다.
—— *vi.* 나사 모양으로 (돌아) 나아가다.

córk-tìpped *a.* 《英》 (담배가) 코르크 (모양의) 필터를 단.

córk trèe *n.* 〖植〗 =CORK OAK ; 황벽나무.

córk·wòod *n.* Ⓤ 〖植〗 코르크(처럼 가볍고 구멍이 많은) 목재《balsa 따위》.

córky *a.* **1** 코르크의[같은] ; (포도주가) 코르크 냄새가 나는. **2** 《口》 활발한 ; 들떠있는.

corm [kɔ́ːrm] *n.* 〖植〗 알뿌리, 구경(球莖).
〖NL<Gk. *kormos* lopped tree trunk〗

cor·mo·rant [kɔ́ːrmərənt] *n.* 〖鳥〗 가마우지 ; 《비유》 욕심꾸러기, 대식가. —— *a.* 욕심 많은, 만족할 줄 모르는. 〖OF<L *corvus marinus* sea raven ; *-ant*는 cf. PEASANT, TYRANT〗

ː corn[1] [kɔ́ːrn] *n.* **1** Ⓤ [집합적으로] 곡물, 곡식류《영국에서는 보리·옥수수류의 총칭 ; cf. GRAIN, CEREALS》: grow[raise] ~ 곡식을 재배하다 / Up ~, down horn. 《속담》 곡식 값이 오르면 쇠고기 값이 내린다. **2** Ⓤ (특정한 지방의) 주요 곡물 ; 《英》 밀(wheat) ; 《美·Can.·濠》 옥수수(=《英》 maize, Indian corn) ; 《스코·아일》 귀리(oats). **3** Ⓤ 곡초(穀草)《밀·옥수수 따위》 : a field of ~ 곡물 경작지. **4** 《美》 곡물 소매상. **5** 곡식알, 낟알(grain) : a ~ of wheat 한 알의 밀. **6** 〖스키〗 콘 스노, 싸라기눈. **7** 《美俗》 돈. **8** 진부한 작품[음악].
acknowledge the corn 《美》 자기의 잘못[실패]을 인정하다, 항복하다.
measure another***'s corn by*** one***'s own bushel*** 자기를 표준으로 남의 일을 생각[판단]하다.
—— *vt.* **1** 가루[작은 알]로 만들다. **2** 소금을 뿌리다[에 절이다]. **3** (토지에) 곡물을 심다 ; (가축에) 곡물을 주다. —— *vi.* (곡식 이삭에) 알이 들다, 여물다.
〖OE=grain ; cf. G *Korn* ; GRAIN과 같은 어원〗

corn[2] *n.* (발가락의) 티눈, 못.
tread [***trample***] ***on*** a person***'s corns*** 남의 아픈 데를 건드리다[건드리는 말·행위를 하다], 남의 감정을 해치다.
〖AF<L *cornu* horn〗

-corn [kɔ̀ːrn] *n. comb. form*, *a. comb. form* 「뿔」 「뿔이 있는」의 뜻 : uni*corn*. 〖L (↑)〗

Corn. Cornish ; Cornwall.

córn·bàll *n.* 《俗》 순박한 사람 ; 감상적인[케케묵은] 것. —— *a.* 센티멘탈하여 예스러운.

córn béef *n.* 《美》 =CORNED beef.

Córn Bèlt *n.* [the ~] 《美》 (중서부의) 옥수수 재배 지대《Nebraska, Iowa, Illinois, Indiana 따위의 여러 주》.

córn bòil *n.* 《美》 삶은 옥수수를 먹는 파티.

córn bòrer *n.* 〖昆〗 옥수수들명나방《옥수수·밤 따위의 해충》.

córn·bràsh *n.* 〖地質〗 석회질 사암(砂岩)《곡물 재배에 적합》.

córn brèad *n.* 《美》 옥수수 빵.

córn càke *n.* 《英》 옥수수 과자.

córn chàndler *n.* 《英》 곡물 소매상.

córn chìp *n.* 《美》 콘 칩《옥수수 가루를 반죽하여 튀긴 식품》.

córn·còb *n.* **1** 옥수수의 속대. **2** 《美》 =CORNCOB PIPE.

córncob pípe *n.* 옥수수[콘] 파이프《담배통을 옥수수의 속대로 만든 곰방대》.

córn còckle[**càmpion**] *n.* 〖植〗 보릿잎동자꽃.

córn còlor *n.* 엷은 황색.

córn-còlored *a.* 엷은 황색의.

córn·cràck·er *n.* 《美·蔑》 남부의 가난한 백인.

córn·cràke *n.* 〖鳥〗 (보리밭 따위에 있는) 메추라기뜸부기(land rail).

córn·crìb *n.* 옥수수 창고.

córn dànce *n.* 《美》 옥수수 파종 또는 수확 때에 추는 북미 인디언의 춤.

córn dòdger *n.* 《美》 딱딱하게 구운 옥수수 빵.

córn dòg *n.* 《美》 콘 도그《꼬챙이에 끼운 소시지를 옥수수 빵으로 싼 핫도그》.

cor·nea [kɔ́ːrniə] *n.* 〖解〗 각막(角膜).
cór·ne·al *a.* 각막의.
〖L *cornea* (*tela*) horny tissue ; ⇨ CORN[2]〗

córn èarworm *n.* 〖昆〗 회색담배나방의 애벌레.

corned [kɔ́ːrnd] *a.* 작은 알로 만든 ; 소금에 절인 (salted) ; 《俗》 술취한 : ~ beef 콘 비프(=《美》

corn beef).
Cor·neille [kɔːrnéi] *n.* 코르네유. **Pierre** ~ (1606-84) 프랑스의 극작가.
cor·nel [kɔ́ːrnəl, -nel] *n.* 〖植〗 층층나무속(屬)의 각종 나무. 〚G<L *cornus* horn〛
cor·ne·lian [kɔːrníːljən] *n.* 〖鑛〗 =CARNELIAN.
cor·ne·ous [kɔ́ːrniəs] *a.* 각질(角質)의(horny).
◇**cor·ner** [kɔ́ːrnər] *n.* **1** 귀퉁이(angle); 모퉁이: *at*[《美》 *on*] a street ~ 길모퉁이에(서). **2** 구석, 모서리: *in* the ~ *of* a room 방 구석에 / keep a ~ 작은 장소[귀퉁이]를 차지하다 / leave no ~ unsearched 구석구석 뒤지다 / look (at...) out of the ~ of one's eyes (…을) 곁눈질로 몰래 보다 / put[stand] a child *in* the ~ (벌로서) 아이를 교실 귀퉁이에 세워두다. **3** 외진 곳; 남의 눈에 띄지 않는 곳, 구석진 장소: done in a ~ 남몰래 행해진. **4** 지방, 방면(region): all the (four) ~*s* of the earth 세계의 방방곡곡. **5** 궁지, 곤경: in a tight ~ 궁지에 몰려서 / drive a person into a ~ 남을 곤경에 몰아넣다. **6** 〖商〗 사재기, 매점, 독점: establish[make] a ~ in … 을 매점하다. **7** 〖野〗 (홈플레이트의) 코너; 〖美蹴〗 코너《포메이션의 바깥쪽》; 〖拳·레슬링〗 (링의) 코너; 〖蹴〗 =CORNER KICK.
(a)round the corner 모퉁이를 돈 곳에, 바로 마을 어귀에; 바로 근처에.
cut corners 지름길로 가다; 《비유》 (돈·노력·시간 따위를) 절약하다, 생략하다, 아끼다.
cut (off) a corner 질러가다.
turn the corner 모퉁이를 돌다; 〖競馬〗 최후의 모퉁이를 돌다; (병·불경기가) 고비를 넘기다.
within the four corners of... (문서 따위의) 문면(文面)의 범위 안에서.

〈회화〉
The summer vacation is just round the *corner.* — Yes, I can't wait! 「벌써 곧 여름 방학이군」「응, 기다려지는데」

—— *a.* 귀퉁이의; 길모퉁이의[에 있는]; 모서리[구석]에 적합하게 만든; 〖스포츠〗 코너의.
—— *vt.* **1** [보통 *p.p.*로] …에 모를 내다. **2** 구석에 두다[몰아넣다]; 《비유》 궁지에 빠뜨리다. **3** 〖商〗 매점하다: ~ the market 주식을[(시장의) 상품을] 매점하다. —— *vi.* 〖商〗 매점(買占)하다 〈*in*〉. 〚AF<L; ⇨ CORN²〛
córner·bàck *n.* 〖美蹴〗 코너백《디펜스의 가장 바깥쪽을 지키는 하프백; 좌우 각 1인씩 배치됨》.
córner bèad *n.* 〖建〗 코너 비드《벽의 모서리에 대는 금속 따위의 가는 막대》.
córner bòy *n.* 《아일》 부랑자; 깡패.
córner càbinet *n.* (방구석에 놓는) 삼각장.
cór·nered *a.* 구석진, 모난; 구석으로 몰린, 진퇴유곡의, 옴짝달싹못하는.
córner·er *n.* 매점(買占)상인.
córner kìck *n.* 〖蹴〗 코너 킥.
córner màn *n.* (*pl.* **-men** [-mèn]) 〖商〗 매점자; 거리의 불량배; 《英》 (희극 악단의) 양쪽 끝에 있는 광대.
córner reflèctor *n.* 코너 반사경《입사 광선을 정역(正逆) 방향으로 되돌리는 반사경; 행성간의 거리 측정에 쓰임》.
córner shóp *n.* 작은 상점《슈퍼마켓에 대한》.
córner·stòne *n.* 〖建〗 주춧돌; 귓돌(quoin); 초석(cf. FOUNDATION STONE); 《비유》 기초, 필수적인 것: lay the ~ *of* …의 정초식(定礎式)을 올리다 / the ~ *of* the state 국가의 초석.
córner·wìse, -wàys *adv.* 대각선 모양으로, 비스듬하게.
cor·net [kɔːrnét; kɔ́ːnit] *n.* **1** 〖樂〗 코넷《금관악기》. **2** 코넷 연주자. **3** (오르간 따위의) 코넷 스톱. **4** [kɔ́ːrnət, 美+kɔːrnét] 원뿔형의 종이 봉지; 《英》 (아이스크림을 담는) 원뿔형 웨이퍼. **cor·nét·(t)ist** *n.* 코넷 연주자. 〚OF (dim.) <L CORN²〛

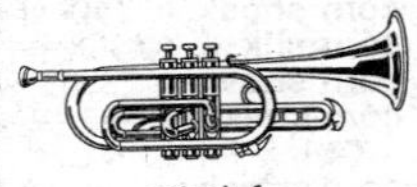
cornet 1

cor·net-à-pis·tons [kɔːrnétəpístənz; kɔ́ːnit-] *n.* (*pl.* **cor·nets-à-** [-nétsə-; -nits-]) 〖樂〗 코넷《오늘날의 것과 달리 피스톤이 달림》. 〚F〛
córn exchànge *n.* 《英》 곡물 거래소.
córn·fàctor *n.* 《英》 곡물 도매상.
córn-fèd *a.* **1** 《英》 (가축 따위를) 보리로 기른, 《美》 옥수수로 기른. **2** 《口》 (여자가) 뚱뚱한; 둔한; 영양이 좋은; 촌스러운.
***córn·field** *n.* 《英》 보리밭; 《美》 옥수수밭.
córnfield mèet *n.* 《美俗》 열차의 정면 충돌.
córn flàg *n.* 〖植〗 노랑꽃창포.
córn·flàkes *n. pl.* 《美》 콘플레이크《옥수수를 눌러 바삭바삭하게 구운 조각; 우유와 설탕을 쳐서 보통 아침 식사용》.
córn flòur *n.* 《英》 =CORNSTARCH.
córn·flòwer *n.* 〖植〗 **1** 도깨비부채(bluebottle). **2** 보릿잎동자꽃.
córn·hùsk *n.* 《美》 옥수수 껍질.
córn·hùsk·ing *n.* Ⓤ 옥수수 껍질 벗기기; Ⓒ =HUSKING BEE.
cor·nice [kɔ́ːrnəs, -niʃ] *n.* 〖建〗 처마 돌림띠(cf. ENTABLATURE); 〖登山〗 벼랑 끝에 얼어 붙은 눈더미《처마 모양의》.
〚F<It.<? L *cornic- cornix* crow〛
cor·níche (ròad) [kɔːrníːʃ(-), ⌐-(-)] *n.* (전망이 좋은) 절벽을 따라 나있는 도로[만들어진 길].
Cor·nish [kɔ́ːrniʃ] *a.* **1** cornwall 지방(산)의. **2** 콘월인[어]의. —— *n.* Ⓤ 콘월어; [the ~, 복수취급] 콘월인.
Córnish bóiler *n.* 코니시 보일러《원통형의 연관(煙管) 보일러》.
Córnish·man [-mən] *n.* 콘월인.
Córnish pásty *n.* 양념을 한 야채와 고기를 넣은 Cornwall 지방의 파이 요리.
córn jùice *n.* 《美俗》 =CORN WHISKEY.
Córn Làws *n. pl.* [the ~] 〖英史〗 곡물 조례《곡물 수입에 무거운 세금을 부과한 법률로 1436년에 실시하여 1846년에 폐지》.
córn lìquor *n.* 《美》 옥수수 위스키.
córn·lòft *n.* 곡물 창고.
córn·mèal *n.* 《美》 (맷돌로 탄) 옥수수 가루(Indian meal); 《英》 보리《따위》의 굵은 가루; 《스코》 =OATMEAL.
córn mìll *n.* 《英》 (밀의) 제분기(flour mill); 《美》 옥수수 빻는 기계.
córn òil *n.* 옥수수 기름.
cor·no·pe·an [kɔ̀ːrnəpíːən, kɔːrnóupiən] *n.* 〖樂〗 코넷(cornet).
córn pìcker *n.* 《美》 옥수수 자동 채취기.
córn plàster *n.* 티눈에 바르는 고약.
córn pòne *n.* 《美南中部》 옥수수 빵《긴 네모꼴의 넓적한 빵; cf. CORN BREAD》.
córn-pòne *a.* 《美俗》 남부풍의.
córn pòppy *n.* 〖植〗 꽃양귀비.
córn rènt *n.* 《英》 곡물로 내는 소작료.
córn·row [-ròu] *n.* [*pl.*] 머리를 가늘고 단단하게

세 가닥으로 땋아 붙인 흑인의 머리형.
—— *vt., vi.* cornrow로 하다.

córn shòck *n.* 《美》 야적해 놓은 옥수수 더미.

córn sìlk *n.* 《美》 옥수수 수염.

córn snòw *n.* 〔스키〕 싸라기눈.

córn·stàlk *n.* 《英》 보릿짚대 ; 《英口》 키다리 ; 《英》 옥수수대.

córn·stàrch *n.* Ⓤ 《美》 콘스타치(=《英》 corn flour)《옥수수의 녹말》.

córn sùgar *n.* 《美》 옥수수당(糖).

córn sỳrup *n.* 《美》 옥수수로 만든 시럽.

cor·nu [kɔ́ːrnjuː] *n.* (*pl.* **-nua** [-njuə]) 뿔(horn) ; 〔解〕 각상(角狀) 돌기. **cór·nu·al** *a.* 〖L〗

cor·nu·co·pia [kɔ̀ːrnjəkóupiə] *n.* **1** 〔그神〕 풍요의 뿔(horn of plenty)《어린 Zeus신에게 젖을 먹였다고 전해지는 염소의 뿔》; 뿔의 장식《뿔 속에 꽃·과일·곡물을 가득 담은 모양으로 물질의 풍요를 상징》. **2** Ⓤ 풍부(plenty) ; 풍부한 저장. **còr·nu·có·pi·an** *a.* 풍부한.
〖L (=horn of plenty) ; ⇨ CORN², COPIOUS〗

cor·nute [kɔːrnjúːt], **cor·nut·ed** [-njúːtəd] *a.* 뿔이 있는, 뿔모양의.

Corn·wall [kɔ́ːrnwɔːl, -wəl] *n.* 콘월《잉글랜드 남서단의 주, 풍광명미(風光明媚)로 유명 ; 주도 Truro ; cf. CORNISH》.

córn whìskey *n.* 《美》 옥수수로 빚은 위스키(cf. BOURBON).

corny¹ [kɔ́ːrni] *a.* **1** 곡류의, 곡물이 많은. **2** 《俗》 구식의, 진부한(hackneyed). 〖CORN¹〗

corny² *a.* 티눈의 ; 티눈이 생긴.
〖CORN²〗

corol(l). corollary.

co·rol·la [kərάlə] *n.* 〔植〕 꽃부리, 화관.
〖L=garland (dim.) ‹CORONA〗

cor·ol·lary [kɔ́ːrəlèri, kάr- ; kərɔ́ləri] *n.* **1** 〔數〕 따름정리. **2** (직접적인) 추론(推論) ; 자연[당연]의 결과〈*of, to*〉. —— *a.* 추론의 ; 당연히 일어나는, 결과로 생기는.
〖L=money paid for garland, gratuity (↑)〗

co·rol·late [kərάleit, -lət], **-lat·ed** [-leitəd] *a.* 〔植〕 꽃부리가[화관이] 있는.

co·ro·na [kəróunə] *n.* (*pl.* **~s, -nae** [-niː]) **1** 〔天〕 코로나 ; 해[달]무리, 광환(光環). **2** (교회당의 천장에 매단) 원형 촛대. **3** 〔建〕 코로나《고대 건축의 코니스(cornice)의 중층부》; 〔解〕 관(冠)(crown) ; 〔植〕 부관(副冠) ; 〔電〕 코로나 방전(= ∽ **dìscharge**).
〖L=crown〗

Coróna Aus·trá·lis [-ɔːstréiləs] *n.* 〔天〕 남쪽왕관자리.

Coróna Bo·re·ál·is [-bɔ̀ːriéiləs, -ǽləs] *n.* 〔天〕 북쪽왕관자리.

cor·o·nach [kɔ́(ː)rənək, -nəx, kάr-] *n.* 《스코·아일》 만가(挽歌).
〖Ir.<Gael.(*comh-* together, *rànach* outcry)〗

co·ró·na·gràph, -no- [kəróunə-] *n.* 〔天〕 코로나그래프《일식 때 이외의 코로나 관측 장치》.

cor·o·nal [kɔ́(ː)rənl, kάr-] *n.* 보관(寶冠) ; 화관, 화환. —— [; kəróunl] *a.* **1** 〔解〕 두정(頭頂)의 ; 〔植〕 부관(副冠)의. **2** 〔天〕 코로나의.

córonal hóle *n.* 〔天〕 코로나의 구멍《태양 코로나의 어둡게 보이는 저밀도(低密度) 부분》.

cor·o·nary [kɔ́(ː)rənèri, kάr- ; -nəri] *a.* (왕)관의 ; 화관의 ; 〔解〕 관상(冠狀)의, 관상 동맥의 : a ~ artery[vein] (심장의) 관상 동맥[정맥] / ~ trouble 심장병.

córonary thrombósis *n.* 〔醫〕 관상 동맥 혈전증(血栓症).

cor·o·nate [kɔ́(ː)rənèit, kάr-] *vt.* …에 관(冠)을 씌우다. —— *a.* 관[관 모양의 것]이 있는 ; 관[화환]을 쓴.

***cor·o·na·tion** [kɔ̀(ː)rənéiʃən, kὰr-] *n.* 대관(戴冠)[즉위]식 ; 대관 : the ~ oath 대관식의 선서.
〖OF<L ; ⇨ CORONA〗

coròna·vírus *n.* 호흡기 감염 증세를 일으키는 코로나 모양의 바이러스.

cor·o·ner [kɔ́(ː)rənər, kάr-] *n.* (변사자 등의) 검시관(檢屍官) (cf. MEDICAL EXAMINER) ; 매장물의 조사관 : a ~'s court 검시 법정 / a ~'s inquest 검시 / a ~'s jury 검시 배심원. **~·shìp** *n.* Ⓤ 검시관의 직[임기]. 〖AF ; ⇨ CROWN〗

cor·o·net [kɔ̀ːrənét, kὰr- ; kɔ́rənit] *n.* **1** (귀족 등의) 보관(寶冠). **2** (여성의) 작은 관 모양의 머리 장식. 〖OF (dim.) ‹CROWN〗

cor·o·nét·(t)ed *a.* 보관을 쓴 ; 귀족의.

coronograph ☞ CORONAGRAPH.

co·rótate *vi.* 동시 회전하다.
cò·rotátion *n.*

co·ro·zo [kəróusou ; -zou] *n.* (*pl.* **~s**) 〔植〕 (남미산) 상아야자나무(ivory palm) ; 그 열매(= ∽ **nùt**)《인조 상아의 원료》. 〖Sp.〗

corp., corpn. corporation.

Corp. Corporal.

corpora *n.* CORPUS의 복수형.

cor·po·ral¹ [kɔ́ːrpərəl] *a.* 신체[육체]의 : ~ pleasure 육체적 쾌락 / ~ punishment 체형(體刑)《주로 태형(笞刑)》. **~·ly** *adv.* 신체상, 육체적으로.
〖OF<L ; ⇨ CORPUS〗
類義語 ⟹ BODILY.

corporal² *n.* 〔基〕 성찬포(布) ; 성체포, 성포.
〖OE<OF or L *corporale* (*pallium*) body cloth〗

corporal³ *n.* 〔軍〕 상병(上兵) : ☞ LITTLE CORPORAL. 〖F<It. *caporale* ; CORPORAL¹과 It. *capo* head의 혼동인가〗

cor·po·ral·i·ty [kɔ̀ːrpərǽləti] *n.* **1** Ⓤ 육체를 갖추고 있음, 유형(有形)(적 존재). **2** Ⓒ 육체 ; [*pl.*] 육체적 욕망.

córporal óath *n.* 《古》 (성서 따위) 성물(聖物)에 손을 대고 하는 선서.

cor·po·rate [kɔ́ːrpərət] *a.* **1** 법인[회사] 조직의 : in one's ~ capacity 법인의 자격으로 / ~ right(s) 법인권 / a ~ town 자치 도시 / a ~ name 법인 명의. **2** 단체의 ; 공동의 ; 집합적인 : ~ property 공동 재산 / ~ responsibility 공동 책임. **3** [흔히 명사 뒤에서] 통합된 : a body ~ =a ~ body 통합체. **~·ly** *adv.*
〖L=to form into a body ; ⇨ CORPUS〗

córporate ádvertising *n.* 〔廣告〕 기업 광고.

córporate cóunty *n.* =COUNTY CORPORATE.

córporate cúlture *n.* 사풍(社風)《회사의 전체적인 분위기》.

córporate éspionage *n.* =INDUSTRIAL ESPIONAGE.

córporate idéntity *n.* 〔經營〕 기업 이미지 통합 전략《회사의 이미지 고양(高揚) 전략》.

córporate ímage *n.* 기업 이미지.

córporate ládder *n.* 〔經營〕 (기업) 승진 단계《하급 관리직에서 최고 경영층에 이르기 까지의 승진 단계》.

córporate ráider *n.* 《美》〔經營〕 기업 매수자.

córporate spý(ing) *n.* 기업 스파이 (활동).

córporate státe *n.* (비인간적인) 법인형 국가 ; =CORPORATIVE STATE.

córporate táx *n.* =CORPORATION TAX.

***cor·po·ra·tion** [kɔ̀ːrpəréiʃən] *n.* **1** 〖法〗 사단 법인, 법인 : a public ~ 공사, 법인, 공동 단체. **2** (시) 자치체 ; 시제(市制) 지구 : a municipal ~ 시 자치단체《시장(mayor)과 시의회 의원(aldermen과 councilors)으로 이루어진 시의회(city council)로 구성됨》. **3** 《美》 유한[주식]회사(=《英》 limited(-liability) company) (cf. COMPANY, FIRM²) : ~ law 회사법(=《英》 company law) / a ~ lawyer[attorney] 회사 고문 변호사 / a joint-stock ~ 주식 회사 / a trading ~ 상사(商事) 회사, 무역 상사.

corporátion ággregate *n.* 〖法〗 사단 법인.

corporátion stòck *n.* 《英》 자치 단체 공채, (특히) 시(市)공채.

corporátion tàx *n.* 법인세.

cor·po·rat·ism [kɔ́ːrpərətìzəm], **-ra·tiv·ism** [kɔ́ːrpərèitəvìzəm, -pərə- ; -pərə-] *n.* 〖政·經〗 협동 조합주의.

cór·po·rat·ist *a., n.*

cor·po·ra·tive [kɔ́ːrpərèitiv, -pərə- ; -rət-] *a.* 법인[단체]의 ; 〖政·經〗 협동 조합주의의.

córporative státe *n.* 조합 국가《파쇼 시대의 이탈리아와 같이 산업·경제 부문의 전조합이 국가의 통제를 받음》.

cor·po·ra·tor [kɔ́ːrpərèitər] *n.* 법인[단체]의 일원, 주주 ; 시정(市政) 기관 구성의 일원.

cor·po·re·al [kɔːrpɔ́ːriəl] *a.* **1** 신체상의, 육체적인(bodily) ; 물질적인(↔*spiritual*) : A ghost has no ~ existence. 유령은 육체적으로는 존재하지 않는다. **2** 〖法〗 유형(有形)의(tangible) : ~ property[movables] 유형 재산[동산].

~·ly *adv.*

〖L ; ⇨ CORPUS〗

類義語 ⟹ BODILY, MATERIAL.

cor·po·re·al·i·ty [kɔːrpɔ̀ːriǽləti] *n.* Ⓤ 육체적임 ; 물질성, 구체성 ; 《戱》 신체.

cor·po·re·i·ty [kɔ̀ːrpəríːəti, -réi-] *n.* Ⓤ 형체가 있음, 유형적 존재 ; 물질성 ; Ⓒ 《戱》 신체.

〖F or L ; ⇨ CORPUS〗

cor·po·sant [kɔ́ːrpəzæ̀nt, -sæ̀nt] *n.* =SAINT ELMO'S FIRE.

〖OSp., Port., It. *corpo santo* holy body〗

corps [kɔ́ːr] *n.* (*pl.* ~[kɔ́ːrz]) **1** [흔히 C~] 〖軍〗 군단, 병단(☞ ARMY 1) ; …대(隊)[부(部)] : the Army Ordnance *C*~ 육군 병기부 / the Army Service *C*~ 육군 수송대 / a flying ~ 항공대. **2** 단체, 단(團) : a diplomatic ~ 외교단.

〖F CORPUS〗

córps àrea *n.* 〖美軍〗 군단 작전 지역 군관구.

corpse [kɔ́ːrps] *n.* (특히 인간의) 시체, 송장(dead body) ; (내)버려진 것 ; 《廢》 (사람·동물의) 몸. —— *vi.* 《俗》 (무대에서) 잘못하다, 실수하다.

〖OF<L CORPUS〗

類義語 ⟹ BODY.

córpse càndle *n.* 도깨비불 ; 《古》 시체[관] 곁에 켜놓는 촛불.

córpse màn *n.* (화장터에서) 시체 태우는 사람.

córpse wàtch *n.* (초상집의) 밤샘, 경야.

corps·man [kɔ́ːrmən, kɔ́ːrz-] *n.* (*pl.* **-men** [-mən]) 〖美軍〗 위생병, 간호병.

córps of commissionáires *n.* 《英》 잡역 고용인조합《수위·잡역부로서의 고용을 목적으로 창설된 제대 군인 등의 조합》.

cor·pu·lence, -cy [kɔ́ːrpjələns(i)] *n.* Ⓤ 뚱뚱함, 비만, 비대(fatness).

cór·pu·lent *a.* 피둥피둥 살찐, 비만한(fat).

〖L ; ⇨ CORPUS〗

cor·pus [kɔ́ːrpəs] *n.* (*pl.* **-po·ra** [-pərə], **~·es**) **1 a)** 〖解〗 몸, 체(體) ; 《주로 戱》 시체. **b)** 본체, 주요부. **2** (문서 따위의) 집성(集成), 전집(全集) ; (연구 따위의) 자료. **3** (이자·수입 따위에 대한) 원금(principal), 기본금, 자금.

〖L *corpor- corpus* body〗

Córpus Chrís·ti [-krísti] *n.* 〖카톨릭〗 성체 축일(聖體祝日)《Trinity Sunday 다음의 목요일》.

〖L=Body of Christ〗

cor·pus·cle [kɔ́ːrpʌsəl, -pəs-], **cor·pus·cule** [kɔːrpʌ́skjuːl] *n.* **1** 〖生理〗 소체(小體), 혈구(血球) (blood corpuscle) : the red[white] ~ 적[백] 혈구. **2** 〖理〗 미립자, 원자(atom), 전자(electron).

cor·pús·cu·lar *a.* 미립자의.

〖L (dim.) <CORPUS〗

corpúscular thèory *n.* 〖理〗 입자설.

córpus de·líc·ti [-dilíktai, -tiː] *n.* (*pl.* **córpora delícti**) 〖法〗 범죄의 주체, 범죄의 근본적 사실 ; 타살 시체. 〖L〗

córpus jú·ris [-dʒúərəs] *n.* (*pl.* **córpora júris**) 법전(法典).

〖L=body of law〗

Córpus Júris Ci·ví·lis [-siváiləs] *n.* 로마법 대전(大全). 〖L〗

córpus lú·te·um [-lúːtiəm] *n.* (*pl.* **córpora lú·tea** [-tiə]) 〖生理〗 (난소의) 황체(黃體).

〖L〗

córpus ví·le [-váili] *n.* (*pl.* **córpora ví·lia** [-víliə]) 실험용에 지나지 않는 무가치한 것[사람].

〖L=worthless body〗

corr. ☞ COR.

cor·rade [kəréid] *vt.* 〖地質〗 (물살이 바위 따위를) 닳게 하다(wear away), 삭마(削磨)하다.

—— *vi.* 닳다, 삭마되다.

cor·ral [kərǽl, -rél ; kɔráːl] *n.* 《주로 美》 (가축용) 둘러막은 우리, 울(pen) ; (코끼리 따위를 사로잡기 위한) 덫우리 ; (야영 때의) 수레로 막은 진(陣). —— *vt.* (**-ll-**) (가축을) 울[우리]에 넣다 ; 가두다 ; (수레로) 둥글게 진을 치다 ; 《美口》 손에 넣다, 잡다, 끌어모으다 ; 《美口》 찾아내다, 찾다.

〖Sp. and Port. ; ⇨ KRAAL〗

cor·ra·sion [kəréiʒən] *n.* 〖地質〗 마식(磨蝕) 《토사, 자갈 섞인 흐르는 물에 의한 침식 작용》.

‡**cor·rect** [kərékt] *a.* **1** 올바른, 틀림없는, 정확한 : a ~ judgment[view] 정확한 판단[견해]. **2** 정당한, 온당[적당]한 ; 품행 단정한(proper) : the ~ thing 《口》 도리에 맞음 / It is not ~ to wear brown shoes with a morning coat. 모닝코트에 갈색 구두를 신는 것은 예의에 어긋난다.

—— *vt.* **1** (틀린 것을) 정정하다 ; 첨삭(添削)하다 ; 교정하다 : *C*~ errors, if any. 틀린 것이 있으면 고쳐라. **2** [+目 / +目+前+名] 교정(矯正)하다 ; 타이르다, 징계하다, 꾸짖다 : The mother ~*ed* the child ***for*** disobedience. 어머니는 말을 듣지 않는다고 아이를 꾸짖었다. **3** 중화(中和)하다(neutralize), 고치다(cure). **4** (계산·관측·기계 따위를) 수정[보정]하다.

—— *vi.* 정정[교정, 보정]하다

stand corrected 정정을 승인하다 : I *stand* ~*ed*. 제가 잘못했습니다.

~·ly *adv.* 정확하게, 바르게. **~·ness** *n.* 바른 것, 정확함 ; (품행의) 방정, 단정, 바름.

〖OF<L (*rect- rego* to guide)〗

類義語 ***correct*** 틀림이 없는 또는 일반적으로 인정되어 있는 관습에 부합된 : *correct* behavior

(품행 방정). ***accurate*** 사실이나 진리에 일치시키기 위하여 적극적으로 주의·노력한 결과로서 정확한 : an *accurate* account (정밀한 계산). ***exact*** 사실·진리·기준에 완전히 부합되어 있는 : the *exact* time (정확한 시간).
precise 미세한 것까지 exact, 때로는 까다로운, 너무 따지고 있는 것을 암시함 : He is *precise* in all his habits. (그의 모든 습관은 꼼꼼하다).

corréct càrd *n.* [the ~] (운동회 따위의) 프로그램 ; 예의 범절.

***cor·rec·tion** [kərékʃən] *n.* **1** U,C 정정, 수정, 바로잡기 ; 첨삭 ; 정오(正誤), 교정(校正). **2** U,C 교정(矯正) ; 《古》 징계, 벌 : a house of ~ ☞ HOUSE[1] 숙어. **3** U,C 〔數·理·光〕 보정(補正), 수정. **4** 중화 ; (가격·경기의) 반락(反落).
under correction 틀렸으면 고치기로 하고 : I speak *under* ~. 내 말이 틀렸을지도 모르지만 말하겠습니다.
~·al *a.*

corréctional[corréction] facílity *n.* 《美》 교화(教化) 시설, 교도소(prison).

corréctional institútion[cénter] *n.* 《美》 교도소.

corréctional ófficer *n.* 《美·婉》 교도관.

corréction flùid *n.* (타자기 따위의) 수정액.

cor·rec·ti·tude [kəréktətjù:d] *n.* U (품행의) 단정, 방정(方正). 〚*correct*+*rectitude*〛

cor·rec·tive [kəréktiv] *a.* 교정하는 ; 조정하는 ; (잘못을) 바로잡는 ; (해독을) 중화하는.
—— *n.* 교정물[책(策)] ; 조정약[책(策)].

corréctive máintenance *n.* 〔컴퓨〕 고장 수리.

corréctive tráining *n.* 〔英法〕 교정 교육 처분 《1948년의 형사 재판법에 의한 처분, 죄인에게 직업 교육과 일반 교육을 받게 함》.

cor·réc·tor *n.* 바로잡는 사람 ; 교정자, 벌주는 사람 ; 〔藥〕 중화제, 조정제.

correl. correlative(ly).

cor·re·late [kɔ́(:)rəlèit, kɑ́r-] *vi.* [動 / +前+名] 서로 관계가 있다, 상관하다 : Form and meaning ~ ***to*** each other. 형식과 의미는 상호 관계가 있다. —— *vt.* [+目 / +目+*with*+名] 서로 관련시키다, …의 상호 관계를 나타내다 : He tried to ~ the knowledge of history ***with*** that of geography. 그는 역사의 지식과 지리의 지식을 관련시키려고 시도했다. —— [-lət, -lèit] *n.* 서로 관계가 있는 사람[물건]. —— *a.* 《稀》 서로 관련이 있는. 〚역성(逆成) < ↓〛

cor·re·la·tion [kɔ̀(:)rəléiʃən, kɑ̀r-] *n.* U,C 상호 관계, 상관(성·관계)〈*with, to, between*〉; 〔地〕 (연대·구조의) 대비 ; 〔生理〕 (기관·기능의) 상호 의존 (관계) ; 〔統〕 상관 (관계).
〚L (*co-*)〛

correlátion coefficient *n.* 〔統〕 상관 계수.

correlátion ràtio *n.* 〔統〕 상관비(比).

cor·rel·a·tive [kərélətiv ; kɔ-] *a.* **1** 상관적인 〈*with, to*〉; 〔數·文法〕 상관의 : ~ conjunctions 〔文法〕 상관 접속사《both...and ; either...or 따위》/ ~ terms 〔論〕 상관 명사(名辭)《「아버지」와 「아들」 등》/ ~ words 〔文法〕 상관어《either와 or, the former와 the latter 따위》. **2** 유사한, 비슷한. —— *n.* 상관물(物), 상호 관계에 있는 것[사람] ; 상관어(語).
~·ly *adv.* 상관적으로. **cor·rèl·a·tív·i·ty** *n.* 상호 관계, 상관성.

cor·re·spond** [kɔ̀(:)rəspɑ́nd, kɑ̀r-] *vi.* **1 a)** [+前+名] 일치하다, 부합하다, 조화하다 : Her white hat and shoes ~ ***with her white dress. 그녀의 흰 모자와 구두는 하얀 옷과 잘 어울린다 / The goods do not ~ ***to*** the samples you sent me. 그 상품은 보내주신 견본과 같지 않습니다. **b)** [+*to*+名] 상당[해당, 대응]하다, 표시하다 : The broad lines on this map ~ ***to*** roads. 이 지도상의 굵은 줄은 도로를 나타내는 것이다. **2** [動 / +*with*+名] 통신[편지 왕래]하다 : I am ~*ing* ***with*** an American schoolboy. 나는 미국 학생과 편지 왕래를 하고 있다.

〈회화〉
This stereo set *corresponds* with my needs. — Then why don't you buy it? 「이 스테레오는 내 요구에 딱 들어맞아」「그럼 사는 게 어때」

〚F<L ; ⇨ RESPOND〛

***còr·re·spón·dence** *n.* **1** U,C 상응(관계), 대응, 일치, 조화 : ~ *between* the two 양자간의 일치 / the ~ *of* one's words *with*[*to*] one's actions 언행일치. **2** U,C 유사, 해당〈*to*〉. **3** U [또는 a ~] 편지 내왕 ; U 통신 ; 왕복 문서, 서면(장) (letters) : commercial ~ 상업 통신문, 상용문 / be in ~ *with* …와 편지 내왕을 하고 있다 ; …와 거래 관계가 있다 / enter into ~ *with* …와 통신을 시작하다 / (let) drop one's ~ *with* …와 통신 연락을 단절하다 / have a great deal of ~ 서신 왕래가 잦다 / keep up a regular ~ 규칙적인 편지 왕래를 계속하다.

correspóndence clèrk *n.* (회사 따위의) 통신 담당자.

correspóndence còlumn *n.* (신문의) 독자 통신란, 투고란.

correspóndence còurse *n.* 통신 교육(과정).

correspóndence depàrtment *n.* 문서과.

correspóndence príncipe *n.* 〔理〕 대응 원리.

correspóndence schòol *n.* 통신 교육 학교 ; (대학 부속의) 통신 교육부.

còr·re·spón·den·cy *n.* =CORRESPONDENCE.

còr·re·spón·dent *n.* **1** 통신자 ; 통신원 ; (신문 독자 통신란의) 투고자 : a good[bad, negligent] ~ 편지 쓰기를 좋아하는[싫어하는] 사람 / a special[war] ~ 특파원[종군 기자]. **2** 〔商〕 (특히 먼 지방의) 거래처. **3** 일치[상응, 대응]하는 것. —— *a.* =CORRESPONDING. **~·ly** *adv.* 부합하여, 일치하도록 ; 상응하게.

correspóndent accòunt *n.* 대리 계좌《작은 은행이 correspondent bank에 개설한 계좌》.

correspóndent bànk *n.* 《美》 대리 은행《소규모 은행의 업무를 대신하는 큰 은행》.

correspónd·ing *a.* **1** 일치하는, 대응하는, 비슷한(similar) : the ~ period of last year 지난해의 같은 시기. **2** 통신 (관계)의 : a ~ clerk [secretary] 통신원 / a ~ member (of a society) (학회의) 통신 회원, 객원(客員).
~·ly *adv.* 부응하여, 서로 맞게, 마찬가지로.

cor·ri·da [kɔ(:)rí:ðə, -də] *n.* U,C 투우(鬪牛).
〚Sp. *corrida* (*de toros*) running (of bulls)〛

***cor·ri·dor** [kɔ́(:)rədɔ̀:r, kɑ́r-, -dər] *n.* **1** 복도 : a ~ train 《英》 복도 달린 열차(=《美》 vestibule train). **2** 회랑지대《내륙국이 타국의 영토를 통해 항구 따위에 다다르는 좁고 길다란 지역》: the Polish *C*~ 폴란드 회랑(1919-39)《발트해에 진출하기 위하여 독일이 폴란드에 할양함》.
〚F<It. ; *corridojo* running place (*correre* to run)과 *corridore* runner와의 혼동〛

córridors of pówer *n. pl.* 권력의 회랑, 정치 권력의 중심《정계·관계의 고관 등》.

cor·rie [kɔ́(:)ri, kάri] *n.* 《스코》 산중턱의 동굴. 〚Gael. =cauldron〛

cor·ri·gen·dum [kɔ̀(:)rədʒéndəm, kὰr-] *n.* (*pl.* **-da** [-də]) **1** 정정해야 할 것, 오식(誤植). **2** [보통 *pl.*] 정오표(正誤表).
〚L (neut. gerund.) ‹ *corrigo* to CORRECT〛

cor·ri·gent [kɔ́(:)rədʒənt, kάr-] *n.* 〔醫〕 교정약(矯正藥)《약의 맛·빛깔·냄새를 고침》.

cor·ri·gi·ble [kɔ́(:)rədʒəbəl, kάr-] *a.* 교정(矯正)할 수 있는, 쉽게 고칠 수 있는; 솔직한.
〚F<L; ⇨ CORRIGENDUM〛

cor·ri·val [kəráivəl, kɔː-, kou-] *n.* 경쟁 상대. —— *a.* 경쟁 상대의, 겨루는.

cor·rob·o·rant [kərάbərənt] *a.* 확증적인; 보강하는. —— *n.* 강장제; 확증적 사실.

cor·rob·o·rate [kərάbərèit] *vt.* (소신·진술 따위를) 확실히 하다, 확인하다, 보강하다, 확증하다 (cf. VERIFY 1). —— [-rət] *a.* 《古》 확증[확인]된; 확인[보강]에 도움이 되는. **-rà·tor** *n.* 확증자[물]. **cor·rób·o·ra·tò·ry** [; -təri] *a.* 확실히 하는, 확증적인.
〚L=to strengthen (*robor- robur* strength)〛

cor·ròb·o·rá·tion *n.* **1** Ⓤ 확실하게 함, 확증: in ~ of …을 확증하기 위하여[확인하여]. **2** Ⓤ 〔法〕 보강 증거.

cor·rób·o·rà·tive [, -rάbərə-] *a.* 확증적인, 뒷받침하는. —— *n.* 《古》 강장제. **~·ly** *adv.*

cor·rob·o·ree [kərάbəri] *n.* (오스트레일리아 원주민의) 코로보리춤[곡], 밤의 잔치; 《濠》 잔치 소동; 《濠》 소란, 폭동. 〚(Austral.)〛

cor·rode [kəróud] *vt.* 부식[침식]시키다 (cf. ERODE); 좀먹다; (마음속에) 파고 들다: Rust has ~*d* the steel rails. 강철 철로가 녹슬어 있다. —— *vi.* 부식하다, 부패하다: This metal will ~, if it is exposed to the weather. 이 금속은 비바람에 노출되면 부식된다.
〚L (*ros- rodo* to gnaw)〛

cor·ro·sion [kəróuʒən] *n.* Ⓤ 부식(작용); 침식, 소모; (근심이) 마음을 좀먹음.

cor·ro·sive [kəróusiv] *a.* 부식성의; (정신적으로) 좀먹는; (말 따위가) 신랄한. —— *n.* 부식시키는 것, 부식제. **~·ly** *adv.* 〚OF; ⇨ CORRODE〛

corrósive súblimate *n.* 염화제이수은.

cor·ru·gate [kɔ́(:)rəgèit, kάr-] *vt.* 물결 모양으로 하다; 주름을 잡다. —— *vi.* 물결 모양이 되다; 주름이 잡히다. —— [-gət, -gèit] *a.* 《古》 물결 모양의, 주름이 잡힌. 〚L (*ruga* wrinkle)〛

cór·ru·gàt·ed íron *n.* 골함석.

córrugated páper *n.* 골판지.

cor·ru·ga·tion [kɔ̀(:)rəgéiʃən, kὰr-] *n.* Ⓤ 물결 모양으로 만들기; Ⓤ,Ⓒ (철판 따위의) 물결 모양; 주름살(wrinkle).

cór·ru·gà·tor *n.* 〔解〕 양미간에 주름살 잡히게 하는 근육, 추미근(皺眉筋).

***cor·rupt** [kərʌ́pt] *a.* **1** 타락한, 부정한, 독직(瀆職)의; 뇌물로 통하는: a ~ judge 수회 판사 / ~ morals 문란한 풍기 / ~ practices (선거 따위의) 매수 행위. **2** (말이) 사투리인, 와전된; (교과서 따위가) 틀리는 데가 많은, 믿을 수 없는: a ~ form of Latin 사투리 라틴어. **3** 부패한(rotten).
—— *vt.* **1** 더럽히다, 타락시키다; (뇌물로) 매수하다: The morals of the young men have never been ~*ed.* 젊은이들의 도의(道義)는 지금까지 한번도 타락한 적이 없었다 / ~ the electorate 유권자를 매수하다. **2** (말을) 와전시키다; (원문을) 개악(改惡)하다, 변조하다. **3** 부패시키다.
—— *vi.* 부패하다; 타락하다; 붕괴하다; (원문이) 개악되다.
〚OF or L (*or-* (RUPTURE); v.는 *corrump* (obs.)를 대신한 것〛

corrúpt·ible *a.* 타락하기 쉬운, 부패하기 쉬운; 매수할 수 있는. **-ibly** *adv.*

cor·rup·tion [kərʌ́pʃən] *n.* **1** Ⓤ 타락, 부패; 퇴폐 풍조; 위법행위; 뇌물을 주고받음; 매수, 독직. **2** Ⓤ (말의) 사투리, 와전; (원문의) 개악, 변조. **3** Ⓤ 부패.
corruption of blood 〔法〕 (중죄에 의한) 혈통 오손(汚損).

corrúption·ist *n.* 증[수]회자(贈[收]賄者); 부패한 관리[정치가].

cor·rup·tive [kərʌ́ptiv] *a.* (…을) 타락시키는 ‹*of*›; 부패성의. **~·ly** *adv.* 타락하여.

corrúpt práctices àcts *n. pl.* 《美》 부패 행위 방지법《선거비용 따위를 규제》.

Cors. Corsica.

cor·sage [kɔːrsάːʒ] *n.* **1** (여성복의) 조끼. **2** (여성복의 허리·어깨 따위에 다는) 꽃다발.
〚OF; ⇨ CORPS〛

cor·sair [kɔ́ːrsεər, -sæər] *n.* **1** (아프리카 Barbary 연안에 출몰한) 사략선(私掠船)《기독교국의 배를 약탈하는 것을 정부에서 승인받고 있던 터키인 등의 일종의 PRIVATEER》. **2** (일반적으로) 해적; 해적선. 〚F; ⇨ COURSE〛

corse [kɔ́ːrs] *n.* 《詩·古》 =CORPSE.

corse·let[1], **cors-** [kɔ́ːrslət] *n.* 허리에 두르는 갑옷 상의. 〚OF (dim.) ‹ CORSET〛

corse·let[2], **-lette** [kɔ̀ːrsəlét; kɔ́ːslit] *n.* 올인원 (=all-in-one)《girdle과 brassiere가 한데 붙은 몸맵시를 나게 하는 여성용 속옷》. 〚상표 Corselette〛

cor·set [kɔ́ːrsət] *n.* 코르셋(stays). —— *vt.* …에 코르셋을 착용시키다; 《비유》 엄하게 단속하다.
〚F (dim.) ‹ *cors* body; cf. CORPSE〛

córset còver *n.* 코르셋 커버《코르셋을 가리는 속옷》.

cór·set·ed *a.* 코르셋을 입은.

cor·se·tiere [kɔ̀ːrsətíər, -tjéər; -setiéər] *n.* 여성 코르셋 제조자[착용자, 판매업자].
cor·se·tier [kɔ̀ːrsətíər] *n. masc.* 〚F〛

Cor·si·ca [kɔ́ːrsikə] *n.* 코르시카《지중해의 프랑스령의 섬; 나폴레옹 1세의 출생지》.

Cór·si·can *a.* 코르시카 섬(인)의. —— *n.* 코르시카 섬 인; Ⓤ 코르시카 사투리.
the (***great***) ***Corsican*** 나폴레옹 1세《속칭》.

cor·tege, cor·tège [kɔːrtéiʒ, ⌐-; kɔːtéiʒ] *n.* 시종, 수행원; (장의·의식의) 행렬. 〚F<It.〛

Cor·tes [kɔ́ːrtez] *n.* (*pl.* ~) [the ~] (스페인 또는 예전의 포르투갈 양원제의) 의회, 국회. 〚Sp.〛

cor·tex [kɔ́ːrteks] *n.* (*pl.* **-ti·ces** [-təsìːz], **~·es**) 〔植〕 피층(皮層); 〔解〕 피질, 외피.
〚L *cortic- cortex* bark〛

cor·ti·cal [kɔ́ːrtikəl] *a.* 외피의; 피질[피층]의.

córtical bráille *n.* 피질 점자법《맹인의 대뇌 시각 조직에 자극을 주어 점자를 알 수 있게 하는 시스템》.

cor·ti·cate [kɔ́ːrtikət, -təkèit], **-cat·ed** [-kèitəd] *a.* 피층[외피]이 있는; 외피 모양의.

cor·ti·co- [kɔ́ːrtikou, -kə] *comb. form* 「피층(皮層)」「피질(皮質)」의 뜻. 〚L; ⇨ CORTEX〛

còrtico·póntine cèll *n.* 〔醫〕 피질교(皮質橋) 세포《대뇌 피질내의 세포로서 시각 자극을 뇌교(腦橋)로 보냄》.

cor·ti·co·tro·pin [kɔ̀ːrtəkoutróupən], **-phin** [-fən] *n.* 〔生化〕 부신피질 자극 호르몬.

cor·ti·le [kɔːrtíːlei] *n.* (*pl.* **-ti·li** [-liː]) 〔建〕 안뜰,

안마당. 〚It.〛

cor·tin [kɔ́ːrtn] *n.* 〔生化〕 코르틴《부신피질(副腎皮質)에서 분비되는 호르몬》.

cor·ti·sone [kɔ́ːrtəsòun, -zòun] *n.* Ⓤ 코르티손《부신피질에서 분비하는 호르몬; 관절염·알레르기 따위의 치료제》.
〚17-hydroxy-11-dehydro*cortico*ster*one*〛

co·run·dum [kərʌ́ndəm] *n.* 〔鑛〕 강옥(鋼玉).
〚Tamil＜Skt. ＝ruby〛

cor·us·cate [kɔ́(ː)rəskèit, kár-] *vi.* 《文語》 번쩍이다, 반짝반짝 빛나다(sparkle); (재치 따위가) 번득이다. 〚L＝to glitter〛

còr·us·cá·tion *n.* 《文語》 **1** Ⓤ,Ⓒ 번쩍임; 광휘. **2** Ⓤ,Ⓒ (재치의) 번득임.

cor·vée [kɔ́ːrvei, 美＋-´] *n.* (봉건 시대의) 부역, 강제 노역; (도로 공사 따위의) 근로 봉사. 〚OF〛

corves *n.* CORF의 복수형.

cor·vette, cor·vet [kɔːrvét] *n.* 〔海〕 코르벳함(艦)《고대의 평갑판·1단 포장(砲裝)의 돛을 단 목조 전함(戰艦); 지금은 수송선 호송용의 작은 쾌속함》.
〚F＜MDu. *korf* 선(船)의 일종, -*ette* (dim.)〛

cor·vine [kɔ́ːrvain] *a.* 까마귀(crow)의[같은].

Cor·vus [kɔ́ːrvəs] *n.* 〔天〕 까마귀자리.

Cor·y·bant [kɔ́(ː)rəbæ̀nt, kár-] *n.* (*pl.* **~s, -ban·tes** [kɔ̀(ː)rəbǽntiːz, kàr-]) **1** 〔그神〕 코리반트《여신 Cybele의 시종》. **2** 코리반트승(僧)《Cybele의 사제승; 소란스러운 주연과 난무로 의식을 행했음》. **3** [c~] 술 마시고 떠드는 사람.
còr·y·bán·tic, -bán·tian [-ʃən], **-bán·tine** [-tən, -tain] *a.* 코리반트승 같은; 광란적인.

Cor·y·don [kɔ́(ː)rədən, -dàn] *n.* (전원시에 나오는 대표적인) 목동; 시골 젊은이.

cor·ymb [kɔ́(ː)rimb, kár-] *n.* (*pl.* **~s** [-mz]) 〔植〕 산방(繖房)꽃차례. **co·rym·bose** [kərímbous, kɔ́(ː)rəm-, kárəm-] *a.*
〚F or L＜Gk.＝cluster〛

cor·y·phae·us [kɔ̀(ː)rəfíːəs, kàr-] *n.* (*pl.* **-phaei** [-fíːai]) **1** (고대 그리스극 따위의) 합창대의 총지휘자. **2** 지도자(leader). 〚L＜Gk.〛

cor·y·phée [kɔ̀(ː)riféi, kàr-] *n.* (발레의) 주역 무희[댄서]; (일반적으로) 코러스걸.
〚F＜L (*koruphē* head)〛

co·ry·za [kəráizə] *n.* Ⓤ 〔醫〕 코감기.

cos[1] [kás] *n.* Ⓤ 〔植〕 꽃상추과의 식물.

cos[2], **'cos** [kaz] *conj.* 《英口》 ＝BECAUSE.

cos [káz] 〔數〕 cosine. **cos., Cos.** companies; counties. **c.o.s., C.O.S.** cash on shipment.

Co·sa Nos·tra [kóuzə nóustrə; kɔ́sə nɔ́strə] *n.* 미국의 마피아형 비밀 범죄 조직. 〚It.＝our thing〛

co·saque [kouzáːk, -zǽk] *n.* ＝CRACKER. 〚F〛

có-scrípt·er *n.* 〔映〕 각본 공동 작가.

cose [kóuz] *vi.* 편히 앉다[쉬다] (cf. COZE).

cosec [kóusek] 〔數〕 cosecant.

co·sécant *n.* 〔數〕 코시컨트《略 cosec》.

co·séismal, -séismic *a.* 등진파권(等震波圈) 위의, 등진선상의. —— *n.* [-mal] 등진선.

co·sey [kóuzi] *a., n.* ＝COZY.

cosh, kosh [káʃ] *n.* 《英口》 (경찰·폭력단체가 쓰는 금속 따위가 든) 곤봉, 경찰봉.
—— *vt.* 곤봉으로 때리다.
〚C19＜?; cf. Romany *kosh* stick〛

cosh·er [káʃər] *vt.* 호강시키다, 응석부리게 하다; 응석받이로 기르다〈*up*〉. —— *vi.* 《아일》 (세든 곳 따위에서) 식객이 되다; 기식하다; 마음을 터놓고 이야기하다. 〚C19＜?〛

co·sie [kóuzi] *a.* ＝COZY.
có·si·ly *adv.* **-si·ness** *n.*

co·sígn *vt., vi.* (약속 어음 따위의) 연대 보증인으로서 서명하다; 연서(連署)하다.
có·sìgn·er *n.* 연서인(連署人).

co·sígnatory *a.* 연서(連署)의: the ~ Powers 연서국(國). —— *n.* 연서인, 연판자(連判者); 연서국.

có·sìne *n.* 〔數〕 코사인《略 cos》. 〚NL (*co*-)〛

cós léttuce [kɔ́(ː)s-, kóus-, kás-] *n.* [때때로 C~] 〔植〕 코스 상추. 〚원산지(原産地) *Kos*〛

cosm- [kázm], **cos·mo-** [kázmou, -mə] *comb. form* 「세계」「우주」의 뜻. 〚Gk.; ⇨ COSMOS〛

-cosm [kàzəm] *n. suf.* 「…세계」「…우주」의 뜻: micro*cosm*. 〚↑〛

cos·met·ic [kazmétik] *a.* 화장용의, 미용의, 미안(美顔)용의; 장식[표면]적인, 겉보기의, 겉꾸미는: a ~ compromise 표면상의 타협.
—— *n.* 화장품; 《비유》 결점을 감추는 것.
〚F＜Gk.; ⇨ COSMOS〛

cos·me·ti·cian [kàzmətíʃən] *n.* 화장품 제조[판매]인; 미용사.

cos·met·i·cize [kazmétəsàiz], **cos·me·tize** [kázmətàiz] *vt.* 외면적으로 아름답게 꾸미다, 화장하다.

cosmétic súrgery *n.* 미용 (성형) 외과(plastic surgery).

cos·me·tol·o·gy [kàzmətálədʒi] *n.* Ⓤ 《美》 미용술. **-gist** *n.* 미용사. 〚F〛

cos·mic [kázmik] *a.* **1** 우주의. **2** 한없이 넓은, 광대무변한. **3** 《稀》 질서있는(↔*chaotic*).

cós·mi·cal *a.* ＝COSMIC; 《古》 지구 세계의.
〚COSMOS〛

cósmic dúst *n.* 〔天〕 우주진(宇宙塵).

cósmic fóg *n.* 〔天〕 성운(星雲).

cósmic jét *n.* 〔天〕 우주 제트《우주 공간의 가스 분출 현상》.

cósmic nóise *n.* 〔宇宙〕 우주 잡음(galactic noise).

cósmic philósophy *n.* ＝COSMISM.

cósmic rádio spectròscopy *n.* 〔宇宙理〕 우주 전파 분광학(分光學).

cósmic ráy *n.* 〔理〕 우주선(線).

cósmic spéed *n.* 〔로켓〕 우주 속도.

cósmic velócity *n.* 우주 속도.

cos·mism [kázmizəm] *n.* Ⓤ 〔哲〕 우주(진화)론.

cos·mo [kázmou] *n.* 《美俗》 외국인 (유)학생.

cosmo- [kázmou, -mə] ☞ COSM-.

cósmo·dòg *n.* (구소련의) 우주견(犬)《생체 실험용(用)》.

cósmo·dròme *n.* (특히 구소련의) 우주선 기지(基地).

cosmog. cosmogony; cosmography.

còsmo·génic *a.* 우주선(線) 기원의.

cos·mog·e·ny [kazmádʒəni] *n.* Ⓤ 우주 창조설.

cos·mog·o·ny [kazmágəni] *n.* **1** Ⓤ 우주[천지] 발생[창조]; 우주 발생론. **2** Ⓤ 〔天〕 우주 진화론. **-nist** *n.* 우주 진화론자.
〚Gk. (COSMOS, -*gonia* begetting)〛

cos·mog·ra·phy [kazmágrəfi] *n.* Ⓤ,Ⓒ 우주 형상지(形狀誌), 우주 구조론.

cos·mol·o·gy [kazmálədʒi] *n.* Ⓤ 〔哲〕 우주론.
-gist *n.* **còs·mo·lóg·ic, -i·cal** *a.* 우주 철학의, 우주론의.

cos·mo·naut [kázmənɔ̀ːt, 美＋-nàːt] *n.* (특히 구소련의) 우주 비행사. **cos·mo·nette** [kàzmənét] *n. fem.*

〖ASTRONAUT의 유추로 *cosmos*에서〗
cos·mo·nau·tics [kɑ̀zmənɔ́ːtiks] *n.* 우주 비행학[술], 우주 항행학.
còsmo·plástic *a.* 우주 생성의, 세계 창조의.
cos·mop·o·lis [kɑzmɑ́pələs] *n.* (세계 여러 나라 사람이 사는) 국제 도시.
cos·mo·pol·i·tan [kɑ̀zməpɑ́lətən] *a.* **1** 세계를 집으로 삼는, 세계주의의, 사해(四海) 동포주의의. **2** 전 세계적인 : a ~ city 국제 도시.
—— *n.* 국제적인 (거주 · 여행 경험이 풍부한) 사람, 국제인 ; =COSMOPOLITE. 〖COSMOPOLITE〗
cosmopólitan·ìsm *n.* Ⓤ 세계주의, 사해 동포주의(主義).
cos·mop·o·lite [kɑzmɑ́pəlàit] *n.* 세계주의자.
—— *a.* =COSMOPOLITAN.
〖F<Gk. (COSMOS, *politēs* citizen)〗
còsmo·polítical *a.* 세계 정책적인, 전세계의 이해에 관계되는. **~·ly** *adv.*
cos·mop·o·lit·ism [kɑzmɑ́pəlàitizəm] *n.* =COSMOPOLITANISM.
cos·mo·rama [kɑ̀zmərǽmə, -rɑ́ː- ; -rɑ́ː-] *n.* 세계 각지의 실제 풍속 요지경(cf. DIORAMA).
cos·mos [kɑ́zməs, -mous, -mɑs ; -mɔs] *n.* **1** Ⓤ (질서와 조화의 표현으로서의) 우주(↔*chaos*) ; 완전 체계 ; 질서, 조화. **2** [美+-məs] (*pl.* ~ [-məs, -z], **~·es**) 〖植〗 코스모스. 〖Gk. *kosmos* order, world, universe ; 「꽃」은 NL<Gk.=ornament〗
cos·mo·tron [kɑ́zmətrɑ̀n] *n.* 코스모트론《양성자 가속 장치의 일종》.
COSPAR, Cos·par [kɑ́spɑːr ; kɔ́us-] Committee on Space Research(국제 우주 공간 연구 위원회).
co·spónsor *n.* 공동 스폰서. —— *vt.* …의 공동 스폰서가 되다 : ~*ed* programs 공동 제공 프로그램.
Cos·sack [kɑ́sæk, -ək] *n.* **1** 코사크[카자흐] 사람[기병]. **2** 〖植〗 내한성 알팔파《목초》. **3** [*pl.*] 바지《상점용어》. —— *a.* 코사크 사람의.
〖F<Russ.<Turk.=nomad, adventurer〗
cos·set [kɑ́sət] *n.* 길들인 새끼양 ; 애완 동물.
—— *vt.* 귀여워하다(pet) ; 응석부리게 하다.
〖(n.)=pet lamb<AF<OE *cot-sǣta* cottager ; ⇨ COT², SIT〗
cos·sie [kɑ́zi] *n.* 《濠口》 수영복.
〖(swimming) costume〗
◊**cost** [kɔ́(ː)st, kɑ́st] *n.* **1** Ⓤ,Ⓒ 대가, 값 ; 원가 : a ~ price 사들여온 가격, 원가 / prime[first, initial] ~ = ~ prime 생산원가 / *at* ~ 원가[사들여온 가격]로 / below ~ 원가 이하로 / free of ~ 무료로. **2** 비용, 출비 ; (시간 · 노력 따위의) 희생, 손해 : *at* a ~ *of* $20,000 2만 달러(의 비용으)로 / *at* a great ~ of life 수많은 목숨을 희생해서 / *at* a heavy ~ 굉장한 손실을 보고 / *at* a person's ~ 남의 비용으로 ; 남에게 손해[폐]를 끼치어 / There is no other amusement that can be obtained *at* so small a ~. 이렇게 적은 비용으로 즐길 수 있는 오락은 달리 없다 / The ~ of war *in* property was great. 전쟁에 의한 재산 손실은 대단했다. **3** [*pl.*] 〖法〗 소송 비용.
at all costs*=*at any cost 어떤 희생을 치르고서라도 ; 무슨 수를 써서라도, 어떻게 해서든지(by all means).
at the cost of …을 희생으로 하여, …을 잃고서 : *at the* ~ *of* one's own life 자기의 생명을 희생하여 / The poor fox escaped from the trap *at the* ~ *of* a leg. 불쌍한 여우는 덫에서 도망쳤으나 그 때문에 한쪽 다리를 잃었다.
count the cost 비용을 어림잡다 ; 앞일을 짚어보다.
to one***'s cost*** …의 부담[지불]으로 ; …에 폐[손해]를 끼쳐서 : I know it *to* my ~. 그것에 몹시 혼이 났다 ; 거기에는 질렸다.
—— *v.* (~) *vt.* **1** [+目 / +目+目] ㊟ 수동태로는 쓰이지 않음. **a**) (비용이 얼마) 들다, 요하다 ; (남에게 얼마를) 쓰게 하다 : How much does it ~ ? 그것은 얼마입니까 / This hat ~ me $10. 이 모자는 10달러였다 / It ~ him £ 100,000 to build the house. 그가 그 집을 짓는 데 10만 파운드가 들었다. **b**) (시간 · 노력 따위가) 걸리다, 소요되다 ; (귀중한 것을) 희생하다, 잃(게 하)다 ; (어떤 고통을) 주다 : Making a dictionary ~*s* much time and care. 사전을 만드는 데에는 많은 시간과 정성을 요한다 / His heedlessness and selfishness ~ the life of his favorite horse. 그의 부주의와 이기심은 자기 애마의 생명을 앗아가게 했다 / The work ~ him his health. 그 일로 그는 건강을 해쳤다. **2** (~, **~·ed**) 〖商〗 (물품의) 원가[생산비]를 견적(見積)하다.
—— *vi.* 〖商〗 원가를 계산[산정]하다.
cost a person ***dear***(***ly***) 남에게 비싼 대가를 치르게 하다, 남을 혼나게 하다.
cost what it may 비용이 얼마가 들든 ; 어떠한 일이 있더라도(at any cost).
〖OF<L *con*-(*sto* to stand)=to stand at a price〗
類義語 ⟹ PRICE.
cost- [kɑ́st], **cos·ti-** [kɑ́sti, -tə], **cos·to-** [kɑ́stou, -tə] *comb. form* 「늑골(costa)」의 뜻.
〖L (↓)〗
cos·ta [kɑ́stə] *n.* (*pl.* **-tae** [-tiː, -tai]) 〖解〗 늑골(肋骨)(rib) ; 〖植〗 엽맥(葉脈). 〖L=rib〗
cóst-accóunt *vt.* (공정 · 계획 따위의) 원가[비용] 계산을 하다.
cóst accòuntant *n.* 원가 계산원.
cóst accòunting *n.* 〖會計〗 원가 계산.
cós·tal *a.* 〖解〗 늑골의[이 있는].
cóst and fréight *n.* 〖商〗 운임 포함 가격《略 C.A.F., C.&F., CF》.
có·stàr *n.* (주역의) 공연자(共演者). —— *vi., vt.* (주역으로) 공연하다[시키다].
〖*co*-〗
cos·tard [kɑ́stərd ; kʌ́s-] *n.* 영국산의 큰 사과.
〖AF (COSTA, *-ard*)〗
Cos·ta Ri·ca [kɑ́stə ríːkə] *n.* 코스타리카《중앙 아메리카의 공화국 ; 수도 San José》.
Cósta Rí·can *a., n.* 코스타리카의 (사람).
cos·tate [kɑ́steit], **-tat·ed** [-teitəd] *a.* 〖解〗 늑골이 있는.
cóst-bénefit *a.* 〖經〗 비용 효과 분석의 : ~ analysis 비용 효과 분석.
cóst bòok *n.* 《英》 (광산의) 회계부 ; 원가 장부.
cóst clèrk *n.* =COST ACCOUNTANT.
cóst-cút *vt.* …의 경비를 삭감하다.
cos·tean, -teen [kɑstíːn] *vi.* 《英》 광맥을 찾기 위해 바위까지 파내려가다.
còst-effèctive *a.* 비용 효율이 높은, 비용상으로 효과적인 : ~ analysis 비용 효과 분석.
~·ness *n.* 비용 효과.
cóst-effícient *a.* =COST-EFFECTIVE.
-effíciency *n.* 비용 효과.
cos·ter [kɑ́stər] *n.* 《英》 =COSTERMONGER.
cóster·mònger *n.* 《英》 (과일 · 어류의) 행상인 (huckster). 〖*costard*+*monger*〗
cóst·frée *a., adv.* 무료의[로].
costi- [kɑ́sti, -tə] ☞ COST-.

cóst inflàtion *n.* =COST-PUSH.
cóst·ing *n.* Ⓤ《英》〔商〕 원가 계산.
cóst, insúrance, and fréight *a.* 〔商〕 운임·보험료 포함 가격의《略 C.I.F.》.
cos·tive [kástiv] *a.* 변비(성)의 ; 변비(便秘) 중에 있는(constipated). **~·ness** *n.*
〖AF<L ; ⇨ CONSTIPATION〗
cóst kèeper *n.* =COST ACCOUNTANT.
***cóst·ly** *a.* **1** 값비싼 ; 돈이 드는, 사치스러운 : ~ jewels 값나가는 보석. **2** 희생[손실]이 큰.
〖COST〗
類義語 ***costly*** 돈이 드는, 보통 훌륭하고 근사한 것이나 진귀한 것을 암시함. ***expensive*** 물건의 가치 또는 사는 사람의 경제력에 비해서 돈이 드는. ***dear*** 보통 또는 정당한 가격 이상의, 터무니없는 가격의. ***valuable*** 값을 비싸게 부를만큼 가치가 있는. ***invaluable*** 보통 이상의 가치가 있어 금전으로는 평가할 수 없는.
cost·mary [kɔ́(:)stmὲəri, kást-] *n.* 〔植〕 쑥갓속의 풀《약제로도 쓰임》.
costo- [kástou, -tə] ☞ COST-.
cóst of líving *n.* 생계비, 생활비.
cóst-of-líving *a.* 생계비의 : ~ allowance 물가 수당.
cóst-of-líving bònus *n.* (소비자 물가 지수에 의한) 생계비 수당.
cóst-of-líving ìndex *n.* (소비자) 물가 지수 (consumer price index).
cos·tot·o·my [kastátəmi] *n.* 〔醫〕 늑골 절제(술(術)).
cóst perfórmance (ràtio) *n.* 〔經〕 비용 대 성능 비율《소비자측이 부담하는 비용과 상품 내지 서비스의 성능과의 대비 ; 보통 컴퓨터를 핵으로 하는 시스템 평가시에 쓰임》.
cóst per thóusand *n.* 〔廣告〕 광고에 사용하는 매체 비교를 위한 경비 효율 지표.
cóst-plús *n.* 《美》 협정 이익 가산 생산비《생산원가에 일정비율의 이익을 가산한 것》 : ~ contract (원가에 대한) 이익 가산 계약.
cóst-pùsh *n.* 〔經〕 코스트 (푸시) 인플레이션《임금 수준과 이에 수반되는 생산비 상승으로 인한 인플레이션》.
cóst rísk anàlysis *n.* 〔컴퓨〕 코스트 리스크 분석《컴퓨터 시스템에서 데이터 상실의 발생 위험을 데이터 보호를 행할 때와 행치 않을 때를 대비하여 코스트적으로 평가하는 일》.
cóst shèet *n.* 〔簿〕 원가 계산표.
***cos·tume** [kástju:m] *n.* **1** Ⓤ (특히 여성의) 복장, 몸치장 ; (국민·계급·시대·지방 따위의 특유한) 복장, 풍속《머리 땋는 법·복장 따위를 포함하여》 ; 〔劇〕 시대 의상(cf. COSTUME PIECE). **2** 여성복, 슈트(suit) ; [복합어를 이루어] …복(服) : a street ~ 외출복 / a hunting ~ 수렵복.
—— [ˌ, 美+-́] *vt.* …에 의상을 입히다 ; (연극의) 의상을 조달하다.
〖F<It.<L ; ⇨ CUSTOM〗
cóstume bàll *n.* 가장무도회(fancy dress ball).
cóstume jéwelry *n.* 인조 장신구.
cóstume pìece[plày] *n.* 시대극《시대 의상을 입고 하는》.
cós·tum·er [ˌ, -́-] *n.* 의상 가게 ; 옷장수 ; (무대 의상 따위의) 의상을 빌려주는 집.
cos·tum·ery [kástju:məri] *n.* [집합적으로] 복장, 의상 ; 복식 디자인.
cos·tum·ier [kastjú:miər, -mièi] *n.* =COSTUMER. 〖F〗
cóst ùnit *n.* 〔簿〕 원가(계산) 단위.

co·supervísion *n.* =WORKER PARTICIPATION.
co·súrety *n.* (채무의) 공동 보증인.
cò-survéillance *n.* =WORKER PARTICIPATION.
cosy ☞ COZY.
cot[1] [kát] *n.* **1** (양·비둘기 따위의) 우리(cote) ; 《詩》 시골 사람, 오두막집. **2** 덮개, 커버, (특히) 손가락에 끼우는 고무색. —— *vt.* (**-tt-**) (양 따위를) 우리에 넣다. 〖OE *cot* cottage, bed-chamber ; COTE와 같은 어원〗
cot[2] *n.* 《美》 간이 침대 ; 《英》 어린이용 흔들 침대 ; (배 안의) 달아맨 침대.
〖Anglo-Ind.<Hindi〗
cot[3] *n.* 《아일》 작은 배. 〖Ir.〗
cot [kát], **co·tan** [kóutæ̀n] 〔數〕 cotangent.
co·tángent *n.* 〔數〕 코탄젠트《略 cot, ctn》.
cót càse *n.* 걷지 못할 정도의[누워만 있는] 환자 ; 《濠戲》 고주망태가 된[취한] 사람.
cót dèath *n.* 《英》 요람사(搖籃死) ; 돌연사(sudden infant death syndrome)《어린애가 (자다가) 갑자기 죽는 병》.
cote [kóut, kát] *n.* (가축·기르는 새 따위의) (둥)우리(cot) ; (특히) 양 우리(sheepcote).
〖OE *cote* ; cf. G *Kote* ; COT[1]과 같은 어원〗
Côte d'Azur [*F* kot dazy:r] *n.* 코트다쥐르《프랑스 남동부의 지중해 연안지대 ; 휴양 지역》.
Côte d'I·voire [*F* kot divwa:r] *n.* 코트디부아르 공화국《Ivory Coast의 프랑스어명(語名)》.
Côte d'Or [*F* kot dɔ:r] *n.* 코트도르《프랑스 Burgundy 지방 북동부의 주》.
cote·har·die [kout*h*á:rdi] *n.* 코트아르디《유럽 중세의 소매가 긴 옷》.
〖OF=bold coat〗
co·temporary etc. ☞ CONTEMPORARY etc.
co·ténant *n.* 공동 차지(借地)[차가]인(人).
co·te·rie [kóutəri(:), 美+koutərí:] *n.* **1** (사교계의) 동료, 동아리, 한패, 친구. **2** (문예 따위의) 동인, 그룹.
〖F=association of tenants ; ⇨ COTE〗
co·ter·mi·nous [koutə́:rmənəs] *a.* =CONTERMINOUS.
co·thur·nus [kouθə́:rnəs] *n.* (*pl.* **-ni** [-nai, -ni:]) **1** (고대 그리스의 비극 배우가 신던) 반장화(buskin). **2** [the ~] 비극 ; 비극조(調).
〖L<Gk.〗
cot·ics [kátiks] *n. pl.* 《美俗》 마약(narcotics).
co·tídal *a.* 〔氣〕 동조시선(同潮時線)의 : a ~ line (지도에 기입된) 동조시선.
co·til·l(i)on [koutíljən, kə-] *n.* 코티용《네 사람 또는 여덟 사람이 추는 프랑스에서 발생한 동작이 격렬한 춤》 ; 그 곡.
〖F=dance<OF=petticoat ; ⇨ COAT〗
cot·quean [kátkwi:n] *n.* 《古》 우락부락한 여자 ; 육아·가사일[여자일]을 좋아하는 남자.
cò·transdúction *n.* 〔遺〕 동시 형질 도입《둘 이상의 유전자가 한 박테리오파지에 의하여 형질 도입되는 일》.
Cots·wold [kátswould] *n.* 몸이 크고 털이 긴 양의 일종.
cot·ta [kátə] *n.* 〔敎會〕 중백의(中白衣)(surplice) ; (성가대원이 입는 소매가 없거나 짧은) 백의(白衣). 〖It.〗
‡cot·tage [kátidʒ] *n.* **1** 작은 집, 시골집, 농가 ; (양치기·사냥꾼 등의) 오두막 ; 《俗》 공중 변소. **2** (시골집처럼 생긴) 소별장 ; (교외의) 외따로 지은 집. **3** 《美》 (피서지 따위의) 별장, 산장. **4** =COTTAGE PIANO.
love in a cottage 가난하지만 단란한 세대.

〚AF ; ⇨ COT[1]〛
cóttage chèese *n.* 《美》 주로 기름을 뺀 우유(skim milk)로 만드는 희고 연한 치즈.
cóttage fármer *n.* 소작농.
cóttage hóspital *n.* 《英》 (전담 의사가 없는) 작은 병원.
cóttage índustry *n.* 가내 공업.
cóttage lòaf *n.* 《英》 크고 작은 두 덩이를 겹쳐 놓은 빵.
cóttage órgan *n.* 작은 리드 오르간.
cóttage piáno *n.* 코티지 피아노《작은 직립형 피아노 ; cf. UPRIGHT PIANO》.
cóttage píe *n.* 시골 파이《으깬 감자로 다진 고기를 싸서 구운 파이》.
cóttage púdding *n.* 시골풍(風)의 푸딩《맛이 없는 케이크에 단 과일 소스를 친 푸딩》.
cót·tag·er *n.* **1** 시골집에 사는 사람. **2** 《美》 (피서지의) 별장객, 별장에 사는 사람.
cóttage wìndow *n.* 아래 창틀보다 위 창틀이 작은 내리닫이 창.
cot·ter[1], -tar [kátər] *n.* 《스코》 (농장에 딸린 오두막에 사는) 날품팔이 농부, 소작인.
〚COT[1] ; -*ar*는 Sc.〛
cotter[2] *n.* 〖機〗 코터, 가로쐐기, 쐐기 마개 ; = COTTER PIN. ── *vt.* 〖機〗 코터로 결합하다.
〚C17＜?〛
cótter drìll *n.* 〖機〗 선회(旋回) 드릴.
cótter pìn[**wày**] *n.* 〖機〗 (코터(cotter)가 빠지는 것을 막는) 코터 핀, 갈름 핀, 쐐기 못.
cot·ti·er [kátiər] *n.* 가난한 농군, 빈농 ; 《아일》 입찰 소작인.
cóttier ténure *n.* 입찰(入札) 소작권.
‡cot·ton [kátn] *n.* **1 a)** 〖植〗 목화나무(=~ plant). **b)** Ⓤ [집합적으로] (작물로서의) 목화(의 나무). **2** Ⓤ 솜, 면화 : ~ in the seed 실면(實綿) / raw ~ 원면, 면화. **3** Ⓤ 면사, 무명실(cf. SEWING COTTON) : a needle and ~ 무명실을 꿴 바늘《단수취급》. **4** Ⓤ 무명, 면직물. **5** Ⓤ 《美》 탈지면(=absorbent ~). **6** Ⓤ (일반 식물의) 솜털, 면모(毛)(cf. KAPOK). **7** [형용사적으로] 면화의, 무명실의 ; 무명(베의) : ~ goods 면제품 / the ~ industry 면직업.

cotter pin

〈회화〉
What's this made of? — It's 100% *cotton.* 「이것은 무엇으로 되어 있습니까」「면 100퍼센트입니다」

── *vi.* 《口》 [+*to*+名 / +副 / +*with*+名] (…이) 좋아지다 ; 친해지다〈*to, with*〉 ; (제안 따위에) 호감을 갖다, 찬성하다〈*to*〉 ; 이해하다〈*to*〉 : I don't ~ ***to*** him at all. 그와는 도저히 친해질 수 없다 / I rather ~*ed* (***on***) *to* the idea. 나는 오히려 그 안(案)이 마음에 들었다 / It was not easy for them to ~ *together* [***with*** each other]. 그들이 타협하기란 쉽지 않았다.
cotton on (***to...***) (1) 《口》 (…이) 좋아지다. (2) 《俗》 (…을) 이해하다, 알게 되다.
cotton up (***to...***) 《口》 (사람과) 가까워지다, 친해지다.
〚OF＜Arab.〛
cótton bátting *n.* 정제면(精製綿)《얇은 켜로 포갠 탈지면 ; 외과·이불솜용》.
Cótton Bèlt *n.* [the ~] (미국 남부의) 면화생산지대《특히 앨라배마, 조지아 및 미시시피》.
cótton bòll *n.* 목화 다래《속에 목화가 생김》.
Cótton Bòwl *n.* [the ~] 코튼볼《(1) Texas 주 Dallas에 있는 미식축구 경기장. (2) 그 곳에서 매년 1월 1일에 열리는 대학 대항 미식축구 경기》.
cótton càke *n.* 목화씨 깻묵(cottonseed cake)《사료용》.
cótton cándy *n.* 솜사탕.
cótton cúrtain *n.* 《美俗》 남부(南部).
〚IRON CURTAIN에 준하여〛
cótton flánnel *n.* 면 플란넬.
cótton frèak *n.* 《美俗》 마약 흡연 상습자.
cótton gìn *n.* 조면기(繰綿機).
cótton gràss *n.* 〖植〗 황새풀.
cótton méal *n.* 목화씨 깻묵으로 만든 가축의 먹이《비료로도 씀》.
cótton mìll *n.* 방적 공장, 면직 공장.
cótton móuth *n.* 《美俗》 (공포·숙취 따위로 인한) 구갈(口渴), 목마름.
cótton·mòuth (**mòccasin**) *n.* = WATER MOCCASIN.
cot·to·noc·ra·cy [kàtənákrəsi] *n.* **1** 《口》 방적왕국《영국 Lancashire 지방의 속칭》. **2** 〖美史〗 (남북전쟁 전의 남부의) 목화 재배자.
Cot·to·nop·o·lis [kàtənápələs] *n.* 《戲》 방적의 도시《영국 Manchester의 별칭》.
cótton pìcker *n.* **1** 목화 따는 사람. **2** 솜 따내는 기계.
cótton-pìck·ing, -pickin' [-pìkin] *a.* 《美俗》 변변찮은, 쓸모없는. ── *adv.* = VERY.
cótton plànt *n.* 목화나무.
cótton pòwder *n.* 면화약(綿火藥).
cótton prèss *n.* 〖機〗 조면(繰綿) 프레스.
cótton ràt *n.* 코튼 랫《미국 남부·중앙 아메리카 원산의 쥐로 실험동물》.
cótton·sèed *n.* Ⓤ,Ⓒ 목화씨, 목화 열매.
cóttonseed càke *n.* 목화씨 깻묵.
cóttonseed mèal *n.* 목화씨 깻묵으로 만든 사료, 면실박(綿實粕)《비료로도 씀》.
cóttonseed òil *n.* 면실유(綿實油).
cótton spìnner *n.* (면사) 방적공 ; 방적업자, 방적공장 주인.
cótton spìnning *n.* 면방적(업).
Cótton Státe *n.* [the ~] 미국 Alabama 주(州)의 속칭.
cótton stùff *n.* 면제품(綿製品).
cótton·tàil *n.* 〖動〗 코튼테일《흰 꼬리가 있는 야생토끼 ; 미국산》.
cótton trèe *n.* 〖植〗 케이폭나무.
cótton wàste *n.* 면섬유 지스러기.
cótton·wèed *n.* 풀솜나무.
cótton·wòod *n.* 〖植〗 사시나무, 포플러, 미루나무《북미산》.
cótton wóol *n.* **1** Ⓤ 목화, 원면. **2** Ⓤ 《英》 정제면, 이불솜(batting) ; 탈지면(=《美》 absorbent cotton).
be [***live***] ***in cotton wool*** 안일에 빠지다, 호사스럽게 살다.
wrap...in cotton wool 《口》 …을 애지중지하다, 소중히 하다.
cótton-wóol *vt.* 소중히 기르다, 애지중지하다.
cót·tony *a.* **1** 솜같은 ; 폭신폭신[부풀부풀]한, 부드러운. **2** 솜털이 있는, 보풀이 인.
cótton yárn *n.* 방적사, 면직사(綿織絲).
Cót·trell precípitator [kátrəl-] *n.* 코트렐 집진기(集塵機), 전기 집진기.
〚Frederick G. *Cottrell* (d. 1948) 미국의 화학자〛

Cóttrell pròcess *n.* 집진법(集塵法)《정(靜)전기를 이용함》.

cot·yl- [kátil], **cot·y·li-** [kátəli], **cot·y·lo-** [kátəlou, -lə] *comb. form* 「잔」「잔 모양의 기관」의 뜻. 〖Gk.〗

-cot·yl [kátl] *n. comb. form* 「떡잎」의 뜻 : di*cotyl*. 〖↓〗

cot·y·le·don [kàtəlí:dən] *n.* 〔植〕 떡잎, 자엽《배(胚)의 초엽(初葉)》; 〔動〕 태반엽, 분엽. **~·ous** *a.* 〔植〕 떡잎이 있는; 떡잎 모양의. 〖L=pennywort<Gk.=cup shaped cavity (*kotulē* cup)〗

cot·y·loid [kátəlɔ̀id] *a.* 〔解〕 구상(臼狀)의, 비구(髀臼)의(acetabular) : ~ joint 구상 관절 / ~ cavity 비구.

couch** [káutʃ] *n.* **1** 잠자는 의자(lounge)《등이 SOFA보다 낮고 팔걸이가 하나임》; 《文語》 소파. **2** 《文語·詩》 잠자리(bed) : retire to one's ~ 잠자리에 들다. **3** 쉬는 곳《풀밭 위 따위》; (짐승의) 숨는 곳, 둥지, 굴(lair). —— *vt.* **1** 《詩·文語》 [*p.p.*로] (몸을) 가로 눕히다, 재우다(lay) : *be* ~*ed* upon the ground 땅위에 몸을 눕히다. **2** 《文語》 [+目+*in*+名] 표현하다(set down) : a refusal ~*ed* ***in polite terms 정중한 말로 나타낸 거절. **3** (창 따위를) 아래로[비스듬하게] 겨누다. **4** (엿기름을) 띄우다. —— *vi.* (짐승이) (숨는 장소에) 드러 눕다, 쉬다; 달려들려고 몸을 굽히다, 웅크리다; (사람이) 숨어 기다리다. 〖OF<L COL*loco* to lay in place〗

couch·ant [káutʃənt] *a.* 〔紋〕 (짐승이) 머리를 들고 몸을 웅크린(cf. DORMANT 3) : a lion ~ 웅크리고 앉아 있는 사자.

cóuch càse *n.* 《口》 정신 장애자.

cóuch dòctor *n.* 《口》 정신과 의사.

cou·chette [ku:ʃét] *n.* 〔鐵〕 (유럽의) 침대차의 칸막이 방; 그 침대. 〖F (dim.) ‹ *couche* bed〗

cóuch gràss [káutʃ-, kú:tʃ-] *n.* 〔植〕 유럽개밀.

cóuch·ing [káutʃ-] *n.* Ⓤ **1** 웅크리기. **2** (자수 따위의) 무늬 수놓기. **3** 〔醫〕 유리체 전이(법).

cou·dé [ku:déi] *a.* (망원경이) 쿠데식인《초점이 극축상에 있는 반사 망원경》; 쿠데식 망원경의[에 관한]. —— *n.* 쿠데식 망원경. 〖F (*coude* elbow); 그 모양에서〗

cou·gar [kú:gər, -gɑ:r] *n.* (*pl.* **~s**, ~) 〔動〕 아메리카표범[퓨마](mountain lion, red tiger) (=《美》 panther). 〖F<Guarani〗

cough** [kɔ́(:)f, káf] *vi.* 기침을 하다 : have[get] a fit of ~*ing* 심한 기침을 하다. —— *vt.* [+目+副] **1** 기침을 하며 말하다, 기침을 하여 뱉어내다 : ~ ***out[***up***] phlegm 기침을 하여 가래를 뱉다. **2** 헛기침을 하여 (어떠한 상태에) 이르게 하다 : The audience ~*ed* the speaker ***down***. 청중은 기침을 하여 연사를 방해했다.

cough up (1) ☞ *vt.* 1. (2) 《俗》 터놓고 말하다; 마지못해 건네주다[지불하다].

—— *n.* 기침, 기침하기; 기침나는 병 : give a slight ~ 가벼운 기침을 하다 / have a (bad) ~ (심한) 기침을 하다. 〖ME *coghe*<imit.; cf. G *keuchen* to wheeze, OE *cohhetan* to make a noise〗

cóugh dròp[**lòzenge**] *n.* 기침을 멎게 하는 드롭스.

cóugh mèdicine *n.* 기침약.

cóugh mìxture *n.* =COUGH MEDICINE.

cóugh sỳrup *n.* 기침 멎게 하는 시럽.

◇**could** [kəd, kùd, kúd] *auxil. v.* CAN¹의 과거형. 注 부정형 **could not,** 단축형 **couldn't.**

> (1) could는 can의 과거형이지만 오늘날 그 직설법은 문맥상 과거임이 분명한 경우에만 사용한다. 문맥상 시제가 분명하지 않을 때에는 was[were] able to *do*, managed to *do*, succeeded in *do*ing 따위를 쓰는 경우가 많다 (☞ CAN¹ 活用 (1); ABLE 活用).
> (2) 과거의 지속적인 능력·가능성을 나타낼 경우에는 could를 쓸 수 있으나 어떤 시점에서의 한 번만의 능력·가능성을 나타낼 때는 could를 쓰지 못한다 : I was *able to beat* him at tennis yesterday. (나는 어제 테니스 경기에서 그를 이길 수 있었다)

—— *auxil. v.* **1** [과거의 사실] : I listened but ~ not (=was unable to) hear any sound. 귀를 기울여 보았으나 아무 소리도 들리지 않았다 / I ~ (=managed to) reach the station in time. 제 시간에 역에 도착할 수 있었다. **2 a)** [시제의 일치에 따라 CAN¹에 준해서 종속절 내에서 쓰임] : He thought he ~ swim across the river. 그는 헤엄을 쳐서 그 강을 건널 수 있다고 생각했다. **b)** [간접 화법에서] : I said (that) I ~ go. 갈 수 있다고 말했다(I said, "I can go."). **3** [가정법에 쓰여서] **a)** [사실의 반대 조건·상상] : [조건절에서] If I ~ go, I should be glad. 갔으면 좋겠는데(실제로는 갈 수 없다) / [소원의 내용을 나타내는 명사절에서] How I wish I ~ go! 정말 가고 싶은데(갈 수 없다). **b)** [귀결절에서] : [현재에 대하여] I ~ do it if I would. 하려고 하면 할 수 있지만(사실은 하지 않는다) / [과거에 대해서] I ~ have done it if I had wished to. 하려고 했으면 할 수 있었을 텐데(사실은 하지 않았다). **c)** [조건절의 내용을 은연중에 포함한 완곡한 표현법] : I ~ not sew. 나는 도무지 바느질을 하지 못한 다《even if I tried를 보 완》/ *C*~ you come and see me tomorrow? 내일 와 주시겠습니까 《*Can* you...? 보다 정중; *Will* you...? 나 *Would* you...? 보다 관용적인 표현법》/ I ~ laugh[~ have danced] for joy. 기뻐서 웃음이 터질 것 같았다[춤추고 싶었다]. 〖*-l-*은 SHOULD, WOULD와의 유추로 16세기경부터〗

‡**couldn't** [kədnt, kùdnt, kúdnt] COULD not의 단축형.

couldst, could·est [kədəst, kùdəst, kúdəst] *auxil. v.* 《古·詩》 THOU¹과 함께 쓸 때의 COULD의 옛 형태.

cou·lee [kú:li], **cou·lée** [ku:léi] *n.* **1** 《美》 깊고 험한 골짜기《미국 서부·캐나다의 대홍수로 된 협곡; 여름에는 물이 마름》. **2** 〔地質〕 용암류(熔岩流). 〖F=flowing〗

cou·leur de rose [ku:lə́:r də róuz; kú:lə(:)-] *n.* 장밋빛. —— *a.* 장밋빛의; 낙관적인. 〖F〗

cou·lisse [ku:lí(:)s] *n.* **1** (수문(水門)을 여닫게 하는) 세로홈이 있는 기둥. **2** (무대의) 옆 배경, [*pl.*] 옆 배경 사이의 공간.

be experienced in the coulisses of …의 소식을 잘 알고 있다.

the gossip of the coulisses 무대 뒤의 소문, 연극계 소식. 〖F (*coulis* sliding); cf. PORTCULLIS〗

cou·loir [ku:lwɑ́:r; ⌐-] *n.* 〔登山〕 산허리의 협곡. 〖F (*couler* to glide; cf. ↑)〗

cou·lomb [kú:lɑm, 美+-⌐] *n.* 〔電〕 쿨롬《전기량의 실용 단위; 略 C》. 〖↓〗

Cou·lomb [kú:lɑm; *F* kulɔ̃] *n.* 쿨롱. **Charles Augustin de** ~ (1736-1806) 프랑스 물리학자.

Cóulomb field *n.* 〔理〕 쿨롱 전기장.
Cóulomb fòrce *n.* 〔理〕 쿨롱의 힘.
Cóulomb's láw *n.* 〔理〕 쿨롱의 법칙.
cou·lom·e·ter [ku:lámətər] *n.* (전해) 전량계(電量計) (voltameter).
cou·lom·e·try [ku:lámətri] *n.* Ⓤ 〔化〕 전량(電量) 분석. **cou·lo·met·ric** [kù:ləmétrik] *a.*
coul·ter, 《美》 **col-** [kóultər] *n.* 쟁기날《쟁기(plow)의 끝에 붙인 날》. 〖OE *culter*<L *culter* knife ; cf. CUTLASS, CUTLER〗
cou·ma·rone, cu- [kú:məròun] *n.* 〔化〕 쿠마론 《인쇄 잉크·도료 제조용》.
cóumarone rèsin *n.* 〔化〕 쿠마론 수지《도료(塗料)·인쇄 잉크 안정제》.
***coun·cil** [káunsəl] *n.* **1** 회의, 평의 ; 협의회, 평의회, 심의회 : the Cabinet *C*~ ☞ CABINET *a.* 1 / ☞ PRIVY COUNCIL. **2** 지방 의회 : a county ~ 《英》 주(州)의회 / a municipal[city] ~ 시의회. **3** 종교 회의 ; (대학 따위의) 평의원회.
a council of war 참모회의 ; 행동 방침의 토의.
—— *a.* 회의용의 ; 《英》 공영의, 공립의.
〖AF<L *concilium* convocation, assembly (*con-, callo* to summon) ; cf. COUNSEL〗
cóuncil bòard[tàble] *n.* 회의 탁자, 의석 ; (개최중인) 회의.
cóuncil chàmber *n.* 회의실.
cóuncil estàte *n.* 《英》 공영 주택 단지.
cóuncil flàt *n.* 《英》 공영 아파트.
cóuncil hòuse *n.* 《英》 의사당, 회의장 ; 《英》 공영 주택 ; 《美》 북미 인디언의 회의소.
cóuncil·man [-mən] *n.* 《美》 시[읍·면] 의회 의원(=《英》 councillor).
cóuncil-mánager plàn *n.* 〔美政〕 시의회 선임 사무 시장 제도《시의회가 City Manager를 선임하여 시정을 맡기는 제도 ; cf. COMMISSION PLAN》.
Cóuncil of Éurope *n.* [the ~] 유럽회의.
coun·cil·or, -cil·lor [káunsələr] *n.* 고문관, 참의(參議) ; (시·읍 의회 따위의) 의원 ; (대사관의) 참사관.
~·shìp *n.* Ⓤ councilor의 직[지위].
〖COUNSELLOR의 council에 준한 변형(變形)〗
cóuncil ròom *n.* =COUNCIL CHAMBER.
cóuncil schòol *n.* 《英》 공립 학교《COUNTY SCHOOL의 옛 이름》.
cóuncil·wòman *n.* COUNCIL의 여성 의원.
***coun·sel** [káunsəl] *n.* **1** Ⓤ 《文語》 상담, 협의, 평의(consultation). **2** Ⓤ,Ⓒ 권고, 조언, 충고(advice) : give ~ 조언하다, 지혜를 베풀다 / ☞ COLD COUNSEL. **3** Ⓤ 의도, 계획(plan) : keep one's (own) ~ 의도를 마음속에 간직하다, 의견을 남에게 밝히지 않다. **4 a)** (한 사람 또는 여러 사람의) 변호인 : (the) ~ *for* the Crown 《英》 검사 / (the) ~ *for* the defense 피고측 변호사 / His ~ *was* efficient. 그의 변호사는 유능했다 / The ~ *were* unable to agree. 변호인단은 의견의 일치를 못 보았다. **b)** 변호사(advocate, barrister) ; 법률 고문 : King's[Queen's] *C*~ 《英》 왕실 고문 변호사《보통의 BARRISTER보다 상위 ; 법정에서는 비단 법복을 입음(cf. SILK 2) ; 略 K.C., Q.C., 성명 뒤에 붙임》. **5** Ⓤ 《古》 사려, 분별 : Deliberate in ~, prompt in action. 숙려단행(熟慮斷行).
darken counsel ☞ DARKEN.
take[hold] counsel 토론심의하다 ; 상담하다, 협의하다〈*together, with*〉 : take ~ of one's pillow ☞ PILLOW *n.* 숙어.
the counsel[counsels] of perfection (1) 〔神學〕 (천국에 들어가고자 하는 자에 대해) 완전한 덕(德)을 갖추라는 권고. (2) [a ~ of perfection] 실현 불가능한 이상안(案).
—— *v.* (**-l-**|**-ll-**) *vt.* [+目 / +do*ing* / +目+*to* do] (…에게) 충고[조언]하다(advise) ; 권하다(recommend) : He ~*ed* act*ing* at once. 곧 행동할 것을 권했다 / He ~*ed* me *to* keep out of the way. 그는 나에게 방해가 되지 않도록 멀리 떨어져 있으라고 일렀다. —— *vi.* 《文語》 상담하다, 협의[심의]하다.
〖OF<L *consilium* consultation, advice ; cf. COUNCIL, CONSUL, CONSULT〗
類義語 ⟹ ADVICE.
coun·se·lee [kàunsəlí:] *n.* 카운슬링(counseling)을 받는 사람.
cóunsel·ing *n.* 〔心〕 카운슬링.
cóunsel·or, -sel·lor *n.* **1** 고문, 상담역, 의논상대(adviser) ; 지도 교관, 카운슬러《연구·취직·신상에 관해 개인적으로 지도하는 교사》 ; 《美》 (여름철 수영장 따위에 두는) 아동 지도원. **2** 《아일·美》 (고문) 변호사(advocate). **3** (대[공]사관의) 참사관.
~·shìp *n.*
類義語 ⟹ LAWYER.
cóunselor-at-láw *n.* (*pl.* **cóunselors-**) 《美》 변호사.
‡count¹ [káunt] *vt.* **1** 세다, 계산하다 : ~ ten 10을 세다 / The votes have not been ~*ed* yet. 투표는 아직 계표(計票)되지 않았다. **2** [+目 / +目+副 / +目+前+名] 수[셈]에 넣다 : There I found fourteen plates, not ~*ing* the cracked ones. 깨진 것을 빼놓고서 14개의 접시가 있었다 / He had an income of £1000 ~*ing* ***in*** extra fees. 임시 보수를 합쳐서 그는 1000파운드의 수입이 있었다 / I no longer ~ him ***among*** my friends. 그를 이제 친구로 생각하지 않는다. **3** [+目+補 / +目+*as* 補 / +目+前+名] 생각하다, 간주하다(consider) : I ~ it folly to do so. 그런 짓은 어리석다고 생각한다 / I ~ myself fortunate in having good health. 내 몸이 건강한 것을 행운으로 생각하고 있다 / Everyone ~*ed* her *as* lost [*for* dead]. 누구나가 그녀가 없어졌다[죽었다]고 여겼다 / You must not ~ his inexperience ***against*** him. 그가 경험 부족이라해서 얕보아서는 안된다. **4** (공적 따위를) 돌리다, (…의) 탓으로 돌리다.
—— *vi.* **1** 수를 세다, 계산하다 : The baby can't ~ yet. 갓난아기는 아직 수를 세지 못한다. **2** [動 / +前+名] 수[셈]에 넣다 ; 꼽히다, 축에 들다, 중요성을 지니다 : Every vote[minute] ~*s.* 한 표[1분]라도 중요한 것이다 / The thing that ~*s* is character. 중요한 것은 인격이다 / The amount is so small that it hardly ~*s.* 그 양은 너무 적어서 거의 문제되지 않는다 / The book ~*ed* ***among*** the best of his works. 그 책은 그의 걸작 중의 하나로 꼽혔다 / Mere cleverness without sound principles does not ~ ***for*** anything. 건전한 신념이 없이 머리만 좋아 가지고서는 아무 쓸모도 없다. **3** [+補] (얼마라고) 세어지다 ; [+*as* 補] (…로) 간주되다 : The bull's-eye ~*s* 5. 과녁 한가운데에 맞으면 5점이 된다 / The book ~*s as* a masterpiece. 그 책은 걸작으로 간주된다. **4** [+*on*+名] 기대하다, 의지하다(rely) : He ~*ed* ***on*** inherit*ing* the fortune. 그 재산을 상속받는 것으로 믿었다 / I ~ *on* you *to* help me. 도와 주시리라고 믿고 있습니다.
count down (9, 8, …1처럼) …의 수를 거꾸로 세

다, (로켓 발사 따위에서) 초(秒)읽기를 하다.
count for much [***little, nothing***] 축에 들다[들지 못하다], 중요하다[하지 않다] (cf. *vi.* 2).
count in 셈에 넣다(cf. *vt.* 2) ; 《口》 (남을) 한패에 끼게 하다(↔*count out*) : *C*~ me *in* if you're going to play the game. 게임을 하려거든 나도 한패에 끼워주시오.
count off (세어서) 똑같이 나누다.
count out (1) (물건을) 세어서 내다 ; (세어서) 따로 놓다 ; 《口》 제외하다(↔*count in*) : *C*~ me *out*. The plan seems a little too dangerous. 나를 빼다오, 아무래도 그 계획은 너무 위험한 것 같아. (2) 〖拳〗 [때때로 수동태로] (선수에게) 녹아웃을 선고하다(cf. COUNT-OUT 2). (3) 《美口》 득표수를 속여서 낙선시키다.
count the House out 〖英下院〗 (의장이) 정족수 부족을 이유로 유회(流會)를 선언하다(cf. COUNT-OUT 1).
count up 하나하나 열거하다, 합계하다(sum up) : ~ the figures *up* 수를 합계하다.

〈회화〉
How often have you been to Disneyland? — Oh, lots of times. More than I can *count*. 「몇 번쯤 디즈니랜드에 갔니」 「여러 번 갔어. 셀 수 없을 만큼」

— *n.* **1** U,C 계산, 셈. **2** 수 ; 합계, 총수. **3** 〖法〗 (기소장의) 소인(charge) ; 문제점, 논점 : He was sentenced to one year's imprisonment *on* five ~*s*. 5가지 소인에 의거 1년간의 금고형에 처해졌다. **4** 〖拳〗 (녹다운된 선수에게) 초를 세기, 카운트 : take the ~ 10초를 세다[셀 때까지 일어서지 못하다], 카운트 아웃(count-out)이 되다. **5** 〖紡〗 (실의 굵기를 나타내는) 번수(番數) 《번호가 클수록 실이 가늚》. **6** U 고려, 숙려《지금은 보통 ACCOUNT》. **7** 〖컴퓨〗 계수.
keep count (***of. . .***) (…의) 수(數)를 기억하고 있다.
lose count (***of. . .***) (…의) 수를 잊어버리다, (…를) 셀 수 없게 되다 : *lose* ~ *of* time 시간이 가는 것을 잊다.
out of count 셀 수 없는, 무수한.
set count on …을 중요시하다, 중히 여기다.
take count [***no count***] ***of*** …을 중요시하다[하지 않다].
take count of …을 세다.
〖OF *co*(*u*)*nter*<L COMPUTE〗
類義語 (1) ***count*** 가장 일반적인 말, 엄밀하게 하나하나 세다. ***calculate*** 고도의 수학을 사용하여 복잡한 계산을 하다 : *calculate* distances between stars (별과 별 사이의 거리를 계산하다). ***compute*** calculate 보다는 간단한 계산으로서 확실한 계산 결과를 가져오다 : *compute* the total (합계를 산출하다). ***estimate*** 미리 대강 양·가격 따위를 어림셈하다 : *estimate* the cost of the building (건축물의 경비를 어림잡다). ***reckon*** compute에 대한 구어 ; 암산으로도 될 만한 간단한 계산을 하다 : *reckon* the days before Christmas (크리스마스까지의 날짜를 꼽아보다).
(2) ⟹ RELY.

count[2] *n.* (영국 이외의) 백작.
〖OF<L *comit- comes* companion〗
活用 comte 《F》, conte 《It.》, graf 《G》 따위를 번역한 것으로서 영국의 EARL에 해당 ; 여성형은 모두 countess.

cóunt·able *a.* 셀 수 있는 : a ~ noun=COUNTABLE *n.* — *n.* 〖文法〗 셀 수 있는 명사, 가산(可算) 명사(↔*uncountable*).

cóunt·dòwn *n.* 초[분] 읽기, 수를 거꾸로 읽어가기(cf. COUNT *down*).

coun·te·nance [káuntənəns] *n.* **1** U,C 얼굴 생김새, 표정 : a sad ~ 슬픈 표정 / change (one's) ~ (분노·실망 따위로) 안색이 변하다 / His ~ fell. 안색이 침울했다《얼굴에 실망의 빛이 떠올랐다》. **2** U (정신적) 원조, 찬조, 지지, 장려 : find no ~ in …의 지지를 얻지 못하다 / give[lend] ~ to …을 지지하다, …의 편을 들다 / in the light of a person's ~ 남의 도움을 입어서. **3** U [또는 a ~] 침착 : keep one's ~ 태연하다, 점잔빼고 있다 / lose ~ 침착성을 잃다, 당황하다 / with a good ~ 아주 침착하게, 태연자약하여.
keep a person ***in countenance*** 남에게 무안을 주지 않다 ; 남의 체면을 세워주다, 남을 당혹시키지 않다.
out of countenance 당황하여, 난처하여 : put a person *out of* ~ 남을 허둥대게 하다 ; 남의 체면을 깎이게 하다 / He stared me *out of* ~. 그가 노려보아서 나는 어쩔 줄을 몰랐다.
— *vt.* …에 호의를 나타내다, 허락하다, 시인하다, 지지하다, 찬성[장려]하다, 묵인하다.
〖OF=bearing ; ⇒ CONTAIN〗
類義語 ⟹ FACE.

***coun·ter**[1] [káuntər] *n.* **1** 세는 사람 ; 계산기 ; (카드놀이 따위의 계산용) 산가지 ; 《비유》 보잘것없는 사람. **2** 모조 화폐. **3** (은행·상점 따위의) 카운터, 계산대, 판매대 : a girl behind the ~ 여점원, 여자 판매원 / pay over the ~ 카운터에 지불하다(cf. *over the* COUNTER[1]) / serve[sit] behind the ~ 점포에서 일하다 ; 작은 가게를 경영하다 / take a person behind the ~ 남을 점원으로 채용하다. **4** (식당의) 기다란 대, 카운터 : ☞ LUNCH COUNTER. **5** 〖컴퓨〗 카운터, 계수기.
nail a lie to the counter ☞ NAIL *v.*
over the counter 〖證〗 (거래소가 아닌 증권업자의) 점포(내)에서.
under the counter 정상적인 루트[거래]에 의하지 않고, 암시세로, 몰래.
〖AF ; ⇒ COUNT[1]〗

counter[2] *a.* [주로 *attrib.*로 사용하여 (cf. COUNTER-)] **1** 반대의, 거꾸로의. **2** (한 쌍의) 한 쪽의, 부(副)의, 버금의. — *adv.* 반대 방향으로.
run [***go***] ***counter to. . .*** (교훈·법칙 따위)에 거스르다, …에 반(反)하다.
— *vt.* **1** [+目 / +目+*with*+名] …에 역행하다, 거스르다(oppose) : I ~*ed* their proposal ***with*** my own. 그들의 제안에 대(對)한 대안(代案)으로 나의 안을 제출했다. **2** (장기·권투 따위) 되받아치다, 역습하다.
— *vi.* 〖拳〗 되받아치다, 카운터를 (한대) 먹이다.
— *n.* **1** 역, 반대의 것. **2** 〖펜싱〗 (칼끝으로 원을 그려서) 받아 막기 ; 〖拳〗 되받아치기, 카운터 ; 〖스케이트〗 역회전. **3** 〖海〗 고물의 돌출부, 카운터. 〖↓〗

coun·ter- [kàuntər] *pref.* 「적대, 보복, 반(反), 역(逆), 부(副)」의 뜻으로 자유로이 동사·명사·형용사·부사에 붙임. 〖OF<L CONTRA〗

còunter·áct *vt.* …에 반대하다, 방해하다 ; …과 반대로 작용하다 ; (반작용으로) 중화하다 ; (계획 따위를) 꺾다, 깨뜨리다. **-áction** *n.* **1** U,C 저지 ; 중화 작용. **2** U,C 반작용, 역작용, 반동.

còunter·áctive *a.* 반작용의 ; 중화성(性)의.
— *n.* 반작용제, 중화약 ; 중화력.

còunter·ádvertising *n.* 반론 광고, 역선전.

còunter·ágency *n.* 반동 작용, 반동력.
còunter·ágent *n.* 반작용제 ; 반대 동인(動因).
cóunter·appròach *n.* [보통 *pl.*] 〔軍〕 (포위된 군대가 포위군의 접근을 막는) 대향(對向) 참호.
cóunter·àrgument *n.* 반론(反論).
cóunter·attàck *n.* 역습, 반격. —— *vt., vi.* (…에) 역습[반격]하다.
còunter·attráction *n.* 반대 인력 ; 대항물.
còunter·bálance [ˌ ˊ-ˊ-] *vt.* 균형을 맞추다, 평형시키다 ; (노력·효과 따위를) 상쇄하다 ; (…의 부족을) 메우다, 보충하다(make up for).
—— [ˊ-ˋ-, ˋ-ˊ-] *n.* **1** 평형량 ; 〔機〕 평형추. **2** 평형력, (다른 것과) 평형을 이루는 힘 ; 대항 세력.
cóunter·blàst *n.* **1** 〔氣〕 반대 기류. **2** 강경[맹렬]한 반대[항의]〈*to*〉.
cóunter·blockàde *n.* 역봉쇄.
cóunter·blòw *n.* 반격, 역습 ; 〔拳〕 카운터블로.
cóunter·bràce *n.* 〔海〕 FORE-TOPSAIL의 바람 불어가는 쪽의 돛줄.
—— *vt.* (활대를) 엇갈리게 방향을 바꾸다.
còunter·búff *n., vt.* 반격[역습](하다).
cóunter·cèiling *n.* 〔建〕 방화[방음] 천장.
cóunter·chànge *vt.* **1** 반대 위치에 놓다, 바꿔놓다. **2** 다채로운 모양을 내다, 다채롭게 하다.
—— *vi.* 엇바뀌다, 교대하다.
cóunter·chàrge *n.* 〔軍〕 반격, 역습 ; 반론 ; 〔法〕 반소(反訴), 맞고소. —— [ˌ 美+ˋ-ˊ] *vt.* 〔軍〕 역습[반격]하다 ; 〔法〕 반소[맞고소]하다.
cóunter·chèck *n.* **1** 대항[방지] 수단, 반대, 방해. **2** 재조회(再照會). —— [ˌ ˋ-ˊ] *vt.* **1** 방해하다, …에 대항하다. **2** 재조회하다.
cóunter·clàim *vi.* 〔法〕 반소(反訴)하다.
—— *vt.* 반대 요구[반소]를 하다. —— *n.* 반대 요구, 반소.
còunter·clóck·wìse *a., adv.* 시계 바늘과 반대의[로], 왼쪽으로 도는[돌게] (↔*clockwise*) : ~ rotation 왼쪽으로 회전하기[돌기].
còunter·condítion·ing *n.* 〔心〕 반대 조건부.
cóunter·còup *n.* 역(逆)쿠데타.
cóunter·cùlture *n.* Ⓤ 반문화《기성 가치관·관습 따위에 반항하는 젊은이의 문화》.
cóunter·cùrrent *n.* 거꾸로 흐름, 역류 ; 〔電〕 역전류(逆電流).
còunter·declarátion *n.* 반대 선언 ; 반박 성명.
cóunter·dèed *n.* 〔法〕 반대 증서《공표되어 있는 증서를 무효화시키는 비밀 증서》.
còunter·démonstrate *vi.* (어떤 시위에 반대하는) 반대 시위를 하다.
còunter·démonstrator *n.*
cóunter·demonstrátion *n.* 반대 시위.
cóunter·drìve *n.* 반격, 역습.
cóunter drùg *n.* 의사의 처방전(處方箋) 없이 판매되는 약.
cóunter·drùg *n.* 〔藥〕 대항약《의존성 물질에서 벗어나게 하는 약제》.
cóunter electromótive fórce *n.* 〔電〕 역(逆)기전력.
còunter·éspionage *n.* Ⓤ 방첩, 역[대항적] 스파이 활동.
còunter·évidence *n.* 반증.
cóunter·exàmple *n.* (공리·명제에 대한) 반례, 반증.
coun·ter·feit [káuntərfìt] *vt.* **1** (화폐·지폐·문서 따위를) 위조[모조]하다(forge). **2** (감정을) 속이다, 가장하다. **3** …과 비슷하다, 꼭 닮다.
—— *n.* 위조물 ; 모조품, 가짜. —— *a.* **1** 위조의, 가짜의(forged) ; 모조의, 닮은 : a ~ diamond 모조 다이아몬드 / a ~ note 위조 지폐 / a ~ signature 가짜 서명. **2** 허위의, 허울만의 : ~ illness 꾀병. **~·er** *n.* 위조자 ; 모조자.
〖OF (*contrefaire* to copy) ; ⇨ FACT〗
cóunter·fòil *n.* 부본(副本) (stub)《수표·영수증을 떼어 주고 남겨두는 부분》. 〖FOIL[1]〗
cóunter·fòrce *n.* 대항 세력, 반대 세력.
cóunter·fòrt *n.* 〔建〕 부벽(扶壁), 버팀벽 ; (산의) 지맥, 돌출부(spur).
cóunter·gìrl *n.* 여점원 ; 여자 사환.
cóunter·glòw *n.* 〔天〕 대일조(對日照).
còunter·indémnity *n.* 손해 보증서.
còunter-inflátionary *a.* 인플레이션 억제의 : ~ measure 인플레이션 억제책.
còunter·insúrgency *n.* 반게릴라 전술 ; 정권 전복 음모의 색출. —— *a.* 반게릴라[반란](용)의.
còunter·insúrgent *n.* 대(對)게릴라 전투원.
—— *a.* 대(對)게릴라 (활동)의.
còunter·intélligence *n.* Ⓤ 방첩(활동), 대적(對敵) 첩보 활동[기관], 대(對)정보활동.
Cóunterintélligence Córps *n.* 〔軍〕 방첩 부대《略 CIC》.
còunter·intúitive *a.* 직관에 반대되는.
còunter·írritant *n.* 〔醫〕 반대 자극제《고추 따위》. —— *a.* 반대[유도] 자극하는.
còunter·írritate *vt.* 반대 자극제로 치료하다.
còunter·irritátion *n.* Ⓤ 〔醫〕 반대 자극(법).
cóunter·jùmp·er *n.* 《口·蔑》 점원, 판매원.
cóunter·lìght *n.* Ⓤ,Ⓒ 역광선.
cóunter·màn [ˌ -mən] *n.* (cafeteria 따위의) 카운터 담당원.
coun·ter·mand [kàuntərmǽ(ː)nd, ˊ-ˋ ; -máːnd] *vt.* **1** (명령·주문을) 취소하다, 철회하다. **2** 반대의 명령을 내려서 소환하다(recall).
—— [ˊ-ˋ] *n.* 주문의 취소 ; 반대[철회]명령.
〖OF<L ; ⇨ MANDATE〗
cóunter·màrch *n.* 〔軍〕 뒤로 (되)돌아가기, 반대 행진 ; 후퇴. —— *vi., vt.* 뒤로 (되)돌아가다[가게 하다] ; 역행하다[시키다].
cóunter·màrk *n.* **1** (화물 따위에 붙이는) 부표(副標), 부가 꼬리표. **2** (금은 세공에 찍는) 극인(極印), 검증 각인. —— *vt.* 부표를 달다, 각인을 찍다.
cóunter márketing *n.* 유해한 식품·제품 따위의 판매를 억제·배제하려는 활동.
cóunter·mèasure *n.* 대항책, 대책 ; 반대[보복] 수단.
cóunter·mìne *n.* **1** 〔陸軍〕 대적갱도(對敵坑道) ; 〔海軍〕 역기뢰(逆機雷). **2** 《비유》 역계(逆計), 대항책. —— *vt.* 대적갱도[역기뢰]로 …에 대항하다[막다] ; …의 계략의 허점을 찌르다.
—— *vi.* 〔陸軍〕 대적갱도를 만들다 ; 〔海軍〕 역기뢰를 부설하다.
cóunter·mòve *n.* 대항 수단, 역습하는 수 ; 대항 운동[동작].
cóunter·mòve·ment *n.* 대항 운동.
cóunter·offènsive *n.* 반격, 역습.
cóunter·òffer *n.* 〔商〕 반대 제의, 카운터오퍼.
cóunter òption *n.* 〔美蹴〕 카운터 옵션《counter play의 타이밍으로 시작되는 option play》.
coun·ter·pane [káuntərpèin] *n.* (장식용) 이불.
〖*counterpoint* (obs.) <OF<L *culcita puncta* quilted mattress ; *-pane*은 *pane* (obs.) cloth로 동화(同化)한 것〗
cóunter·pàrt *n.* **1** 〔法〕 (정부(正副) 2통 중의) 1통, (특히) 사본, 부본, 복제 ; 계인(契印), 할인(割印). **2** 아주 닮은 사람[물건], 한 쌍 중의 한

쪽, 외짝. **3** 상대물, 대조물, 대응하는 것 ; 상대측 ; 〔樂〕 대응부.
〖17세기 OF contrepartie에 따른 것〗

còunter·phóbic *a.* 역공포의, 공포스런 상황[장면]을 스스로 바라는.

cóunter·plàn *n.* 대책.

cóunter plày *n.* 〔美蹴〕 카운터 플레이.

cóunter·plèa *n.* 〔法〕 (부수적) 반대 답변.

cóunter·plòt *n.* 대항책〈*to*〉 ; (문학 따위의) 부주제. —— *vt.* (적의 계략에) 계략으로 대항하다, (계략의) 허점을 찌르다.
—— *vi.* 반대의 계략[대책]을 강구하다.

cóunter·pòint *n.* Ⓤ 〔樂〕 대위법 ; 다성 음악 (polyphony) ; Ⓒ 대위(對位)선율 ; 대조적 요소 ; (문학 따위의) 대위적 수법. —— *vt.* 대위법을 써서 작곡[편곡]하다 ; (대비·병치에 의해) 두드러지게 하다, 강조하다. 〖OF<L=pricked or marked opposite (to the original melody) (*punctus* musical note, melody<POINT)〗

cóunter·pòise *n.* **1** 평형추(counterweight). **2** 세력을 균형시키는 것, 평형력(counterbalance). **3** Ⓤ 균세(均勢), 균형, 안정 : be in ~ 평형을 유지하다[이루고 있다].
—— *vt.* 균형을 잡다, …에 평형을 갖게 하다 (balance) ; …을 메우다, 보상하다(compensate). 〖OF (L *pensum* weight) ; cf. POISE〗

cóunter·pòison *n.* 해독제.

còunter·póse *vt.* 대치(對置)하다.

cóunter·prèssure *n.* Ⓤ 반대 압력, 역압.

còunter·prodúctive *a.* 의도와는 반대의 결과를 초래하는, 역효과의.

còunter·prógram *vi., vt.* 〔TV〕 (다른 방송국의 프로그램에 대항하기 위해) 인기 프로그램을 제작 방송하다.

còunter·prógramming *n.* 〔TV〕 (다른 방송국의 프로에 대항하기 위한) 대항 프로그램 편성.

cóunter·propagánda *n.* 역선전 ; 대항 선전.

cóunter·propòsal *n.* 반대 제안.

cóunter·pùnch *n.* (권투의) 반격, 역습, 카운터 펀치. —— *vi.* 카운터 펀치하다.

còunter·reformátion *n.* Ⓤ,Ⓒ 반대 개혁.

Cóunter Reformátion *n.* [the ~] 반종교 개혁 운동《16세기의 종교개혁에 대응하여 카톨릭 교회 내부에서 일어난 개혁 운동》.

cóunter·replỳ *n.* 대답에 대한 대답 ; 답변.
——[⌐-⌐] *vi., vt.* 말대답하다 ; 반박하다.

còunter·revolútion *n.* Ⓤ,Ⓒ 반혁명. **~·ist** *n.* 반혁명주의자.

cóunter·revolútion·àry [; -əri] *a.* 반혁명의, 반혁명적인. —— *n.* 반혁명 참가계획[선동, 동조]자, 반혁명주의자.

cóunter-ròck·ing túrn, cóunter rócker *n.* 〔스케이트〕 역회전, 카운터(counter).

cóunter·scàrp *n.* 〔築城〕 (해자의) 경사진 외벽, 외안(外岸), 외벽으로 방호된 통로(cf. SCARP). 〖F〗

cóunter·shàft *n.* 〔機〕 중간축(軸), 대축(對軸).

cóunter·sìgn *n.* **1** 암호(password) ; 응답신호 : a sign and ~ ☞ SIGN *n.* 2. **2** 부서(副署).
——[, ⌐-⌐] *vt.* …에 부서[연서(連署)]하다 ; 확인[승인]하다(confirm).

còunter·sígnature *n.* 연서(連署), 부서(副署).

cóunter·sìnk *vt.* (구멍의) 아가리를 원뿔형으로 넓히다 ; (나사못 따위의 대가리를) 구멍에 박아 넣다. —— *n.* 위가 넓은 구멍 ; 원뿔형으로 구멍 파는 송곳.

cóunter·spỳ *n.* 적측 스파이에 대한 스파이, 역(逆)스파이.

cóunter·stàte·ment *n.* 반대 진술, 반박.

cóunter·stèp *n.* 대책.

cóunter·stròke *n.* 되치기, 반격.

cóunter·sùbject *n.* 〔樂〕 대비(對比) 주제.

còunter·téndency *n.* 역(逆)경향.

còunter·ténor [, ⌐-⌐] *n.* 〔樂〕 카운터테너(alto) 《남성의 최고음부》 ; 그 가수. 〖F<It.〗

còunter·térror·ìsm *n.* 반(反) 테러리즘.

cóunter·thrùst *n.* 반발, 역습.

cóunter·tìde *n.* 반조(反潮), 역조(逆潮).

cóunter·tràde *n.* 대응 무역《수입하는 측이 그 수입에 따르는 조건을 붙이는 거래》.

cóunter·tùrn *n.* 역방향 전환, 역회전 ; (이야기 줄거리 따위의) 반전.

cóunter·tỳpe *n.* 반대형 ; 대응형.

coun·ter·vail [kàuntərvéil, 英+⌐-⌐] *vt.* 상쇄하다 ; 보상하다 ; 대항하다 : ~*ing* duties 상쇄관세(關稅). —— *vi.* 대항하는 힘이 있다〈*against*〉. 〖AF<L (*valeo* to have worth)〗

cóunter·vàlue *n.* (특히 전략상의) 동치(同値), 등가(等價).

cóunter·vìew *n.* 반대 의견, 대항, 대조.

cóunter·vìolence *n.* Ⓤ 대항[보복]적 폭력.

còunter·wéigh *vt.* =COUNTERBALANCE.
—— *vi.* 평형력으로 작용하다〈*with, against*〉.

cóunter·wèight *n., vt.* =COUNTERBALANCE.

cóunter·wòrd *n.* 대용어《본뜻 이외에 막연히 쓰이는 통속어 ; affair, awful, fix, job, nice, swell 따위》.

cóunter·wòrk *n.* Ⓤ 대항 작업, 반대 행동 ; 〔軍〕 대루(對壘). —— *n.* [⌐-⌐] *vt.* 대항하다, 이면을 찌르다. —— *vi.* 반대로 작용하다.

count·ess [káuntəs] *n.* **1** 백작 부인[미망인] 《COUNT[2] 및 EARL의 부인》. **2** 여자 백작.
〖OF<L *comitissa* (fem.) 〈COUNT[2]〗

cóunt·ing fràme[ràil] *n.* (아이들에게 계산을 가르치기 위한 주판식) 계산판(板).

cóunt·ing·hòuse *n.* 《주로 英》 (은행·회사 따위의) 회계과[실] ; 회계 사무소[실].

cóunting ròom *n.* 《美》 =COUNTINGHOUSE.

cóunting tùbe *n.* (방사선의) 계수관.

***cóunt·less** *a.* 다 셀 수 없는, 무수한(innumerable). 〖COUNT[1]〗

cóunt nòun *n.* 〔文法〕 가산명사(countable).

cóunt-òut *n.* **1** 〔英下院〕 정족수《40명》 미만에 의한 유회. **2** 〔拳〕 카운트 아웃《녹다운되어 일어설 때까지 규정 시간《10초》이 지나기》, 카운트 아웃의 선고.

cóunt pálatine *n.* 〔史〕 팰러타인 백작《(1) 후기 로마 제국의 최고 사령관. (2) 독일 황제 지배하에서 나누어 받은 자신의 영내(領內)에서 왕권의 일부를 행사할 수 있도록 허가받았던 영주. (3) 잉글랜드 및 아일랜드의 주(州)의 영주》.

coun·tri·fied, -try- [kʌ́ntrifàid] *a.* (사람이) 촌티가 나는, 거친, 상스러운(rustic) ; (경치 따위가) 전원풍의, 시골다운, 야외 풍치가 있는.

◇coun·try [kʌ́ntri] *n.* **1** [때때로 Ⓤ] 지역, 지방, 지대, 토지 : mountainous[open] ~ 산악 지대[넓은 평야] / wooded ~ 산림지방 / That was unknown ~ to him. 그것은 그에게는 미지의 땅이었다. **2** 국토 ; 나라, 국가 : So many *countries,* so many customs. 《속담》 고장마다 풍습이 다르다 / an industrial ~ 공업국. **3** 본국, 조국, 고국 : love of one's ~ 조국애, 애국심 / fight for one's ~ 조국을 위하여 싸우다 / leave the ~ 고국을 떠나다(go abroad) / My ~, right or

wrong! 좋든 싫든 내 조국!《맹목적 애국주의》. **4** [the ~] 국민(the nation) : The ~ was against war. 국민은 전쟁을 반대했다. **5** [one's ~] 모국, 고향, 향리. **6 a)** [the ~] 시골 ; 교외, 전원(田園)(↔*town*) : go (out) into *the* ~ 시골에 가다 / live in *the* ~ 시골에 살다 / town and ~ 도시와 농촌. **b)** [형용사적으로] 시골(풍)의, 촌에서 자란 : ~ life 전원 생활 / a ~ town 시골의 읍 / a ~ boy 시골에서 자란 소년. **7** 〔크리켓〕 외야(外野)(outfield). **8** 〔法〕 배심.
across country (경주 따위에서) 들판을 가로질러, 교외를 가로질러.
appeal [***go***] ***to the country*** 《英》 (국회를 해산하고) 정부의 정책을 여론에 묻다.
put one***self upon*** one***'s country*** 배심 재판을 청구하다.
〖OF<L contrata (*terra*) (land) lying opposite ; ⇨ CONTRA〗

cóuntry and wéstern *n.* 〔樂〕 미국 서부·남부 지방에서 발달한 대중 음악(country music)《略 C and W》.
cóuntry bànk *n.* 지방 은행.
cóuntry-bórn *a.* 시골 태생의 ; 외국 태생의.
cóuntry-bréd *a.* 시골에서 자란.
cóuntry bùmpkin *n.* 시골뜨기, 촌뜨기.
cóuntry clùb *n.* 컨트리 클럽《테니스·골프·수영 따위의 설비가 있는 사교 클럽》.
cóuntry cóusin *n.* 시골의 일가 친척 ; 도시에 처음 온 시골 사람.
cóuntry dámage *n.* 〔保險〕 원산지 손해《원산지·집산지에서의 상품의 훼손》.
cóuntry-dànce *n.* (영국의) 지방춤《두 줄로 늘어선 남녀가 서로 마주 보고 추는 춤》.
countryfied ☞ COUNTRIFIED.
cóuntry·fòlk *n. pl.* **1** 지방민, 시골 사람들(rustics). **2** 동포, 겨레.
cóuntry géntleman *n.* (시골에 넓은 토지를 소유하고 큰 저택에 사는) 신사[귀족] 계급의 사람(cf. COUNTRY HOUSE) ; 지방의 대지주(squire).
cóuntry hòuse *n.* **1** 《英》 시골에 있는 귀족[대지주]의 저택, 시골의 본집(countryseat) (cf. TOWN HOUSE). **2** 《美》 별장.
cóuntry jàke[**jày**] *n.* 《美》 시골뜨기.
cóuntry·lìke *a.* 시골풍의, 촌스러운. ── *adv.* 시골풍으로, 촌스럽게.
cóuntry·man [-mən] *n.* **1** 촌뜨기(rustic) (cf. CITIZEN). **2** [one's ~] 동포, 겨레, 동향인. **3** (어떤) 지방의 주민 : a North[South] ~ 북[남]국 사람.
cóuntry mìle *n.* 《美口》 굉장히 먼 거리, 광대(廣大)한 범위.
cóuntry mùsic *n.* =COUNTRY AND WESTERN.
cóuntry nòte *n.* 《英》 지방 은행권.
cóuntry-orièn·ted róck *n.* 현대 미국을 대표하는 POP MUSIC의 하나.
Cóuntry Pàrty *n.* [the ~] 〔英史〕 지방당《Whig당의 전신》.
cóuntry·pèople *n. pl.* =COUNTRYFOLK.
cóuntry rísk *n.* 〔金融〕 컨트리 리스크, 국가별 위험도《융자 대상국의 신용도》.
cóuntry róck *n.* **1** 〔鑛〕 모암(母岩). **2** 〔樂〕 로큰롤조(調)의 웨스턴 뮤직(rockabilly).
cóuntry·sèat *n.* 《英》 =COUNTRY HOUSE 1.
‡**cóuntry·sìde** *n.* **1** Ⓤ (어떤) 지방, 시골, 전원. **2** [the ~] (어떤) 지방의 주민.
cóuntry sìnger *n.* 컨트리 싱어《country music 가수》.
cóuntry stóre *n.* 시골[휴양지]의 잡화상, 관광 기념품 가게.
cóuntry·wíde *a.* 전국적인(cf. NATIONWIDE).
cóuntry·wòman *n.* **1** 시골 여자. **2** [one's ~] 한 나라[고향]의 여인.
***coun·ty** [káunti] *n.* **1** 《英·아일》 주(州)《행정·사법·정치상의 최대 구획 ; cf. SHIRE》; 《美》 군(郡)《루이지애나와 알래스카를 뺀 각 주의 정치·행정의 최대 행정 구획 ; cf. BOROUGH》. **2** [the ~ ; 집합적으로] 주[군]민 ; 주의 재산가들[사교계]. **3** 〔英史〕 SHERIFF가 주재하는 주(州)의 정기(定期) 사무 회의.
── *a.* **1** 주(州)[군(郡)]의 ; 주[군]가 관리하는. **2** 주의 재산가에 속하는[어울리는], 상류의, 상류티를 내는.
〖OF<L *comitatus* ; ⇨ COUNT²〗
cóunty ágent *n.* 《美》 (연방·주정부 파견의) 농사 고문.
cóunty báll *n.* 《英》 주의 사교계가 주최하는 자선 무도회.
cóunty bórough *n.* 《英》 특별시《인구 5만 이상으로 행정상 county와 동격 ; 1974년 폐지》.
cóunty clérk *n.* 《美》 군 서기.
cóunty cóllege *n.* 《英》 (15-18세의 남녀를 위한) 정시제(定時制)의 보습(補習)학교.
cóunty commíssioner *n.* 《美》 군행정 위원회 위원.
cóunty córporate *n.* 〔英史〕 독립 자치구(=corporate county)《county와 동격의 시·읍》.
cóunty cóuncil *n.* 《英》 주(州)의회, 《美》 군(郡)의회.
cóunty cóurt *n.* 《英》 주 법원 ; 《美》 군 법원.
cóunty-còurt *vt.* 《英口》 (채권자가) 주(州)법원에 고소하다.
cóunty crícket *n.* 《英》 주 대항 크리켓 경기.
cóunty fáir *n.* 《美》 (농산물 따위의) 군 품평회(品評會)《경진 대회》.
cóunty fámily *n.* 《英》 주(州)의 전통있는 집안, 지방의 명문(名門).
cóunty fárm *n.* 《美》 군영(郡營)의 구빈(救貧) 농장.
cóunty hóme[**hóuse**] *n.* 《美》 군영(郡營) 극빈자 구제원.
cóunty schòol *n.* 《英》 공립학교.
cóunty séat[**síte**] *n.* 《美》 군청 소재지, 군의 행정 중심지(cf. COUNTY TOWN).
cóunty séssions *n. pl.* 《英》 주(州)사계(四季) 법원《주 치안판사에 의해 매년 4회 개정되는 형사 재판 법원》.
cóunty shériff *n.* 《美》 =SHERIFF.
cóunty tówn *n.* 《英》 주청(州廳) 소재지, 주의 행정 중심지 ; 《美》 =COUNTY SEAT.
coup [kúː] *n.* (*pl.* **~s** [kúːz]) 불의의 일격 ; (장사 따위의) 크게 수지맞음, 대성공 ; 무력 정변, 쿠데타 : make[pull off] a great ~ 굉장히 수지가 맞다. 〖F<L *colpus* blow〈COPE¹〗
coup de fou·dre [*F* ku də fudr] *n.* (*pl.* **coups de foudre** [—]) 낙뢰 ; 돌발적인 일[사고], 청천벽력 ; 한눈에 반함.
coup de grâce [*F* ku də grɑːs] *n.* (*pl.* **coups de grâce** [—]) 최후의 일격, 치명적인 일격.
coup de main [*F* ku də mɛ̃] *n.* (*pl.* **coups de main** [—]) 〔軍〕 기습.
coup de maî·tre [*F* ku də mɛtr] *n.* (*pl.* **coups de maître** [—]) 멋진 솜씨(masterstroke).
coup d'é·tat [kùːdeitáː ; kúː- ; *F* ku deta] *n.*

(*pl.* **coups d'état** [kùːz-; kúːz-; *F*—]) 쿠데타, 무력 정변(政變) : by ~ 무력 정변[쿠데타]에 의해서.

coup de thé·â·tre [*F* ku də teɑːtr] *n.* (*pl.* **coups de théâtre** [—]) 극(劇) 전개의 의표를 찌르는 급전환 ; 즉석 효과를 노린 연극상의 꾸밈[동작] ; 극의 히트.

coup d'oeil [*F* ku dœj] *n.* (*pl.* **coups d'oeil** [—]) (전반적 사태의) 일별, 개관 ; (사태 판단의) 혜안(慧眼).

cou·pé, -pe [kuːpéi ; ⌐-] *n.* **1** 쿠페《앞에 마부석이 따로 있는 2인승의 상자형 4륜 마차》. **2** [보통 coupe][, 美+kúːp] 쿠페《2인승의 문이 2개인 상자형 자동차》. 〖F (p.p.) ‹ *couper* to cut ; ⇨ COUP〗

cou·pla [kʌ́plə] *a.* 《口》 =a COUPLE of.

‡**cou·ple** [kʌ́pəl] *n.* **1** 한 짝(pair) ; 남녀 한 쌍, (특히) 부부 ; 약혼한 남녀 ; 댄스하는 남녀 한 쌍《등》; 두 개, 두 사람《같은 무리의 물건 또는 사람》, (*pl.* ~) 두 마리씩 맨 사냥개 한 쌍. ㊟ 사람을 나타낼 경우에는 동사가 복수형을 취할 때가 있음 : The ~ *were* dancing. 그 (남녀) 두 사람은 춤추고 있었다. **2** [보통 *pl.*] 사냥개 두 마리를 매는 가죽끈. **3** 〖理〗 짝힘 ; 〖電〗 커플 ; 〖建〗 합장(合掌)《두 재목을 ∧꼴로 붙여 짠 것》; 〖天〗 이중성(星), 복성(複星).

a couple of (1) 두 개의, 두 사람의(two) : The festival lasts *a* ~ *of* days. 축제는 이틀 동안 계속된다. ㊟ 《美口》에서는 of를 생략하는 수도 있음 : *a* ~ years 2개년 / *a* ~ more books 책 두 권 더. (2) 《美口》 몇 개[사람]의, 두세 개[사람]의 (a few) : I had only *a* ~ *of* drinks. 겨우 두세 잔 마셨을 따름이다.

go*[*hunt, run*] *in couples 늘 둘이 함께 하다[다니다] ; 협력하다.

—— *vt.* **1** [+目 / +目+副 / +目+*to*+名] 잇다(link) ; (차량을) 연결기로 연결하다 ; (사냥개를) 두 마리씩 묶다 : ~ ***up*[*on*]** a carriage 객차를 한 대 연결하다 / He had the hounds ~*d* ***to*** each other. 사냥개 두 마리를 서로 묶어놓았다. **2** (두 사람을) 결혼시키다(marry) ; (동물을) 교미시키다. **3** [+目 / +目+*with*+名] 연상하다, 결부시키다(associate) : We ~ the name of Concord ***with*** the American Revolution. 콩코드라는 지명은 미국 독립전쟁을 연상시킨다.

—— *vi.* 교미하다 ; 결혼하다 ; 연결되다, 협력하다 ; 〖化〗 결합하다. 〖OF‹L COPULA〗

類義語 ⟹ PAIR.

cou·pler [kʌ́pələr] *n.* 연결하는 사람 ; 〖鐵〗 연결수 ; 연결기 ; 〖樂〗 (오르간의) 연동 장치.

cou·plet [kʌ́plət] *n.* 〖韻〗 2행 연구(聯句), 대구(對句) : ☞ HEROIC COUPLET. 〖F (dim.) ‹COUPLE〗

cou·pling [kʌ́pliŋ] *n.* U,C 연결(부), 결합(부) ; C 〖機〗 커플링, 연결기[장치].

cóupling súgar *n.* 커플링 슈거《설탕·녹말·효소를 섞어 만든 당의 일종》.

cou·pon [kjúːpɑn ; kúː-] *n.* **1** 〖商〗 (공채증서·채권 따위의) 이자표 : cum ~ = ~ on 이자부(利子附) / ex ~ = ~ off 이자락(利子落). **2** 떼어 쓰는 표, 쿠폰 ; (철도의) 쿠폰식 연락 승차권 ; (회수권의) 한 장, 한 쪽[매]. **3** (판매 광고에 첨부한) 절취(切取) 신청권, 쿠폰 ; (상품에 첨부한) 우대[경품]권. **4** 식품 인환권 ; 배급표 : a food [meat] ~ 식품[고기] 배급표. **5** (당수가 주는) 입후보 공천장. 〖F=piece cut off (*couper* to cut) ; cf. COUPÉ〗

cóupon bònd *n.* 이자부 채권.

cóupon ràte *n.* 채권의 표면 이자율.

‡**cour·age** [kə́ːridʒ, kʌ́r- ; kʌ́r-] *n.* [U 또는 드물게 C] [+*to* do] 용기, 담력 : moral ~ (주의·절조를 관철하고자 하는) 정신적 용기 / physical ~ (육체상의 위험에 맞서는) 육체적 용기 / He had the ~ *to* live his life according to his own belief. 자신의 신념을 평생 지키면서 용기 있게 살았다 / have the ~ of one's convictions[opinions] 자기의 소신[의견]을 단행[주장]하다 / lose ~ 낙담하다 / take[muster up, pluck up, screw up] ~ 용기를 내다[분발하다] / ☞ DUTCH-COURAGE. ㊟ bravery는 행동을, courage는 정신을 강조함.

take* one*'s courage in both hands 필요한 일을 과단성있게 하다, 대담하게 나서다.

〈회화〉
You have a lot of *courage*! — Not really. 「자네는 굉장히 대담하군」「그렇지도 않아」

〖OF (L *cor* heart)〗

***cou·ra·geous** [kəréidʒəs] *a.* 용기있는, 용감한, 대담한. **~·ly** *adv.* 용감하게. **~·ness** *n.*

類義語 ⟹ BRAVE.

cour·gette [kuərʒét] *n.* 《英》 =ZUCCHINI. 〖F (dim.) ‹*courge* gourd〗

cou·ri·er [kúəriər, 美+kə́ːr-] *n.* 사환, 급사, 특사 ; 밀사, 스파이 ; 밀수상 ; (옛날의) 여행의 시중꾼 ; (여행 회사의) 안내원 ; [C~] 「…일보」《신문의 이름》. 〖F‹It.‹L *curs- curro* to run〗

°**course** [kɔ́ːrs] *n.* **1** U,C 진행, 경과(progress) : the ~ of life 인생 행로. **2** 진로, 수로(水路), 항로(航路) ; 노정(路程), 도정(道程) : the upper [lower] ~ of a river 강의 상[하]류 / a ship's ~ 항로 / follow[pursue] her[its] ~ (배가) 일정한 항로로 나아가다 / shape her[its] ~ (배가) 항로를 정하다 / The ship is *on*[*off*] her ~. 배는 항로를 유지하고 있다[항로에서 벗어나 있다]. **3** U 과정, 경과 ; 진행 ; 추세 : the ~ *of* an argument 토의의 순서[진행] / *in* the ~ *of* nature= *in* the ordinary ~ *of* things[events] 자연[일]의 추세로, 저절로, 자연히. **4** 방침[방향] : ☞ MIDDLE COURSE / hold[change] one's ~ 방침을 밀고 가다[바꾸다] / take one's own ~ 독자적인 방침을 취하다, 자기 좋을 대로 하다. **5** 연속 ; (보통 고교 이상의) 과정(課程) : a ~ *of* lectures 연속 강연 / a ~ of study 교과 과정 ; 학습 지도 요령 / an English[a commercial] ~ 영어[상업] 과정 / a summer ~ 하기 강좌[강습] / take a ~ *in* mathematics 수학 과정을 선택하다[이수하다]. **6** 코스《dinner에서 차례로 나오는 한 접시 한 접시로서 보통은 soup, fish, meat, dessert, coffee의 차례》, 접시(dish), 일품 요리 : the fish ~ 생선 요리 / the last ~ 최후의 요리 / the main ~ 주된 요리, 메인 코스 / a dinner of four ~*s*=a four-~ dinner 4가지 요리가 나오는 만찬. **7** (경주·경기의) 코스, (특히) 경마장(racecourse) : a golf ~ 골프 코스 / walk over the ~ (경마의 말이) 여유있게 이기다 / stay the ~ ☞ STAY[1] *v.* 숙어. **8** 〖建〗 (돌·벽돌 따위의) 가로열[층] ; 〖編物〗 코의 가로줄. **9** 〖海〗 큰 가로돛 : ☞ MAIN COURSE 1. **10** [때때로 *pl.*] (나침반의) 포인트. **11** [*pl.*] 《古》 행동, 행실 : mend one's ~*s* 행실을 고치다.

(as) a matter of course ☞ MATTER.

by course of. . . (법률)의 절차를 밟아, …의 관례에 따라서.

in course (1) 《古》 =*in due* COURSE. (2) 《美》 정

규의 과정을 거친 : a degree *in* ~ (명예 학위에 대하여) 정규의 학위.
in course of …중에서 : The building is *in* ~ *of* construction. 그 건물은 건축[건설] 중이다.
in due course 일이 순조롭게 진행되어[되면], 적당한 때에, 때가 오면, 그러는 중에, 머지 않아.
in mid course 도중에, 중간에.
in the course of …을 하는 동안에(during) : *in the* ~ *of* conversation 말하고 있는 동안에 / *in the* ~ *of* this year[a few centuries] 금년[수 세기] 안에.
in* (*the*) *course of time 시간이 경과함에 따라, 불원간, 드디어(finally).
of course 물론, 당연히 : *Of* ~ he'll come. 말할 것도 없이 그는 옵니다 / *Of* ~ not! 물론 아니지요.
run*[*take*] *its course (사태·세월 따위가) 자연의 추세에 따르다 : The years have *run their* ~. 세월이 흘렀다 / You had better let your disease *run its* ~. 병은 (때가 되어) 저절로 나을 때까지 기다리는 것이 좋다 / The law must *take its* ~. 법이 왜곡되어서는 안된다 / Let matters *run*[*take*] *their* ~. 일을 순리(順理)에 맡기자.
stand the course 〖海〗 항로를 바꾸지 않다.
the course of exchange 외환 시세.

〈회화〉

May I come in? — *Of course.* 「들어가도 좋습니까」「물론입니다」

—— *vt.* **1** (말 따위를) 달리게 하다. **2** 사냥개를 써서 (사냥감을) 사냥하다 ; (사냥개를) 쫓아가게 하다. —— *vi.* **1** (사냥개를 써서) 사냥하다. **2** [+前+名] (피가) 순환하다, (눈물이) 끝없이 흐르다, (강이) 거세게 흐르다 : The blood ~*s through* the veins. 혈액은 혈관 속을 흐른다 / Tears ~*d* ***down*** her cheeks. 눈물이 그녀의 뺨을 타고 흘러내렸다.
〖OF<L ; ⇨ COURIER〗

cóurse dìnner *n.* 정식 만찬.

cours·er [kɔ́ːrsər] *n.* **1** 《詩·文語》 준마(駿馬) ; 군마. **2** (사냥개를 써서) 사냥하는 사람 ; 사냥개, (특히) 그레이하운드. 〖OF ; ⇨ COURSE〗

cours·ing [kɔ́ːrsiŋ] *n.* Ⓤ 사냥개를 사용하는 사냥 ; (그레이하운드로 하는) 토끼 사냥.

‡**court** [kɔ́ːrt] *n.* **1** 안마당(courtyard, yard) ; (Cambridge 대학에서) 네모진 마당(quadrangle) ; (박람회·박물관의) 안마당식 구획, …부 ; 《英》 (뒷거리의) 뒷골목, 막다른 골목. **2** (테니스 따위의) 코트. **3** [때때로 C~] 《英》 궁정, 궁중, 왕실 ; [집합적으로] 신하 ; 알현(식), 어전 회의 : *C*~ etiquette 궁중 예법 / a *C*~ officer 궁내관 / a friend at[in] ~ ☞ FRIEND 숙어. **4** 법정, 법원, 재판소 ; [집합적으로] 재판관, 판사 : a civil [criminal] ~ 민사[형사] 법원 / a ~ of appeal 항소 법원 / a ~ of first instance 제1심 법원 / a ~ of justice[law] 법정, 법원 / the High *C*~ (of Justice) 《英》 고등법원 / the Supreme *C*~ (of Judicature) 최고 사법 재판소, 대법원 / ☞ POLICE COURT / order the ~ to be cleared 방청인의 퇴정을 명하다 / bring a prisoner to ~ for trial 심리를 위해 죄수를 법정에 데려오다 / The ~ found him guilty. 법정은 그를 유죄로 판결했다. **5** Ⓤ 추종, 비위맞추기 ; (특히) 여자의 비위를 맞추기, 여자에게 알랑거림, 구애(求愛).
***at court*[*Court*]** 궁정(宮廷)에서 : be received *at* ~ 궁중에서 배알을 윤허받다 / present...*at* ~ (특히 처음 사교계에 나오는 여자들을 위해) 배알의 시중을 들다 / be presented *at C*~ (신임 대사·공사·처음으로 사교계에 나오는 여자들이) 궁중에서 배알을 윤허받다.
go to Court 입궐하다.
***hold a Court*[*court*]** 알현식을 행하다 ; 개정하다, 재판하다.
in court 법정에서 : appear *in* ~ 법정에 나가다, 출정(出廷)하다.
out of court 법정 밖에서, 당사자끼리 ; 각하되어서 ; 일고의 가치도 없는 : settle a case *out of* ~ 사건을 담판으로 해결하다 / laugh...*out of* ~ …을 일소에 부치다, 문제삼지 않다.
pay*[*make*] (*one's*) *court 비위를 맞추다 ; (여자에게) 구애하다〈*to*〉.
put* one*self out of court 남이 상대도 하지 않을 일[말]을 하다.
put. . .out of court …을 문제삼지 않다 ; 무시하다.
take a case into court 사건을 재판에 부치다[옮기다].
the court of conscience (도덕의 심판자로서의) 양심.
the Court of St. James's 성(聖) 제임스 궁정, 영국 궁정 : an ambassador accredited to *the C*~ *of St. James's* 주영 대사(駐英大使) / the American ambassador to *the C*~ *of St. James's* 주영 미국 대사.
—— *vt.* **1** …의 환심을 사다, …의 비위를 맞추다 ; (여자에게) 지싯거리다, 구애하다(woo) ; (남의 지지·칭찬 따위를) 구하다, 얻으려고 애쓰다(seek) : ~ a person's approbation 남의 인정을 바라다 / He has been ~*ing* Kate for more than two years. 2년이 넘게 케이트에게 구애하고 있다. **2** (남을) 꾀다, 유혹하다(allure). **3** (재난·패배 따위를) 초래하다(invite), …을 만나다 : You are ~*ing* disaster. 너는 스스로 재난을 초래하고 있다.
—— *vi.* 구애하다. 〖OF<L *cohort- cohors* yard, retinue ; cf. COHORT〗

cóurt bàron *n.* (*pl.* **cóurts bàron, ~s**) 〖英法史〗 장원(莊園) 재판소《장원내 민사 사건을 영주가 다스린 재판소 ; 1867년 폐지》.

cóurt bóuillon [kúər-] *n.* 쿠르 부용《야채·백포도주·향료 따위로 만든 생선 요리의 국물》. 〖F〗

cóurt càrd *n.* 《英》 트럼프의 그림패(=《美》 face card) 《King, Queen, Knave의 3가지》.

Cóurt Círcular *n.* 《英》 (신문의) 궁정 기사.

cóurt dánce *n.* 궁정 무용(곡).

cóurt dày *n.* 공판일, 개정일.

cóurt drèss *n.* 궁중옷, 입궐복, 대례복.

***cour·te·ous** [kə́ːrtiəs, 英+kɔ́ː-] *a.* 예의바른, 정중한 ; 친절한 : A hostess should be ~ *to* her guests. 안주인은 손님들을 정성스럽게 접대하지 않으면 안된다. **~·ly** *adv.* 예의바르게. **~·ness** *n.* 〖OF (COURT, *-ese*) ; 어미는 *-ous*라는 말에 동화(同化)〗
類義語 ⟹ POLITE.

cour·te·san, -zan [kɔ́ːrtəzən, kə́ːr-, -zæ̀n ; kɔ̀ːtizǽn] *n.* 고급 매춘부 ; (옛 왕후 귀족의) 정부(情婦). 〖F<It. =courtier ; ⇨ COURT〗

cour·te·sy** [kə́ːrtəsi, 英+kɔ́ː-] *n.* **1** Ⓤ,Ⓒ [+前+do*ing*] 예의, 정중, 은근, 친절(↔*discourtesy*) ; 특별한 취급, 우대, 호의(favor) : a ~ letter 예의를 갖춘 편지 / He did me the ~ ***of answer*ing* the question. 친절하게 그는 나의 질문에 답해 주었다. **2** 〖法〗 =CURTESY.
be granted the courtesies*[*courtesy*] *of the

port 《美》 (귀국 선객이 세관에서) 우선적으로 수화물의 검사를 받다.
by courtesy (1) 예의상(의), 관례상(의). (2) 《美》 호의에 의해서〈*of*〉: *by* ~ (=through the ~) *of* the author 저자의 호의에 의하여《전재(轉載)의 경우 따위의 단서 ; cf. CREDIT *n.* 7》.
to return the courtesy 답례를 위하여[로서].
〖OF ; ⇨ COURTEOUS〗

cóurtesy càll[**vìsit**] *n.* 의례적 방문.
cóurtesy càr *n.* (회사·호텔 따위의) 송영(送迎)용 자동차.
cóurtesy càrd *n.* 우대 카드.
cóurtesy lìght *n.* (문을 열면 켜지는) 자동차의 차내등(燈).
cóurtesy rùnner *n.* 〔野〕 대주자(代走者).
cóurtesy tìtle *n.* 관례상의 작위[경칭]《영국에서 귀족의 자녀들 이름 앞에 붙이는 Lord, Lady, The Hon. 따위》.
cóurt fòol *n.* 궁중의 광대(cf. CLOWN).
cóurt guìde *n.* 《英》 저명 인사록《원래는 배알을 허락 받은 사람의 인명록》.
cóurt·hòuse *n.* **1** 법원(lawcourt). **2** 《美》 군청 소재지 ; 《美》 군청사.
cour·ti·er [kɔ́ːrtiər ; -tʃər, -tiər] *n.* **1** 신하. **2** 아첨꾼. **3** 《古》 구애자(求愛者).
〖AF<OF (*cortoyer* to be present at court) ; 어미는 *-ier*에 동화(同化)〗
cóurt·ing *a.* 연애중인, 결혼할 것 같은 : a ~ couple[pair].
cóurt lèet *n.* 〔英史〕 영주 (형사) 재판소.
cóurt·lìke *a.* 궁정풍의 ; 품격이 있는(courtly) ; 우아한, 정중한.
cóurt·ly *a.* **1** 정중한, 고상한 ; 우아한, 기품있는 : ~ manners 품위 있는[우아한] 거동. **2** 아첨하는(flattering). —— *adv.* 궁정식으로 ; 고상하게, 우아하게 ; 아첨하여. **-li·ness** *n.*
cóurt-màrtial [ˌ ⏑⏑] *n.* (*pl.* **cóurts-màrtial, ~s**) 군법 회의. —— *vt.* 《口》 군법 회의에 회부(回附)하다.
cóurt òrder *n.* 법원 명령.
cóurt plàster *n.* 반창고. 〖옛날 여관(女官)이 얼굴 따위에 붙인 검은 헝겊 조각에서〗
cóurt repòrter *n.* 법정 속기사[서기].
cóurt ròll *n.* 재판 기록부 ; 〔英法史〕 장원(莊園) 재판소 보관의 토지 등기부.
cóurt·ròom *n.* 법정.
cóurt·ship *n.* Ⓤ (여자에게의, 또는 동물의) 구혼, 구애(courting) ; 구혼 기간.
cóurt tènnis *n.* 코트 테니스《16-17세기에 행해졌던 실내 테니스의 일종》.
cóurt·yàrd *n.* 안뜰, 안마당.
cous·cous [kúːskuːs] *n.* 고기를 넣고 찐 경단《북아프리카 요리》. 〖F<Arab.〗
***cous·in** [kʌ́zən] *n.* **1** 사촌, 종형제, 종자매 : a ~ german=a first[full] ~ 친사촌《삼촌·고모의 자식 ; cf. COUSIN-GERMAN》/ a (first) ~ once removed 사촌의 자녀들 / a second ~ 재종, 육촌《부모사촌의 자녀》; 《俗》 =a (first) ~ once removed / a third ~=a first ~ twice removed 삼종, 팔촌《재종[육촌]의 자녀》. **2** 친척, 일가. **3** 경(卿)《국왕이 타국의 왕·자국의 귀족에 대하여 쓰는 호칭》 **4** 동류, 같은 계통의 것《민족·문화 따위》; 대응물 ; 등가물.
call cousins (***with***. . .) (…의) 친척이라고 말하다[말하고 나서다].
~·hòod, ~·shìp *n.* Ⓤ 사촌간(의 관계).
〖OF<L *consobrinus* mother's sister's child〗

cóusin·age *n.* 사촌[친척] 관계 ; =COUSINRY.
cóusin-gér·man [-dʒə́ːrmən] *n.* (*pl.* **cóusins-**) 친사촌(cf. GERMAN).
cóusin-in-làw *n.* (*pl.* **cóusins-**) 의(義)사촌《사촌의 아내 또는 남편》.
cóusin·ly *a.* 사촌(간)의, 사촌다운. —— *adv.* 사촌답게.
cóusin·ry *n.* [집합적으로] 사촌들, 친척.
cou·teau [kuːtóu] *n.* (*pl.* **-teaux** [-tóuz]) 양날의 큰 나이프《예전에 무기로서 휴대》. 〖F〗
coûte que coûte [*F* kut kə kut] 어떤 희생을 치르고라도, 기어코.
couth [kúːθ] *a.* 《戱》 고상한, 예의바른. —— *n.* 세련, 고상함. 〖역성(逆成)〈*uncouth*〗
cou·ture [kuːtúər ; *F* kutyːr] *n.* 양재.
〖F=sewing, dressmaking〗
cou·tu·rier [kuːtúərièi, -riər] *n.* 여성복 재단사《남자》. 〖F〗
cou·vade [kuːváːd] *n.* 의만(擬娩). 〖F〗
cou·ver·ture [kùveərtjúər] *n.* 캔디나 케이크에 치는 초콜릿.
cou·zie, -zy [kúːzi] *n.* 《美俗》 (젊은) 계집아이, 처녀.
co·valence, -cy *n.* Ⓤ 〔化〕 공유(共有) 원자가(價) ; =COVALENT BOND.
co·válent *a.* 〔化〕 전자쌍(電子雙)을 공유하는.
coválent bónd *n.* 〔化〕 공유 결합.
co·váriance *n.* Ⓤ 〔統〕 공분산(共分散).
co·váriant *a.* 〔數〕 공변(共變)의[하는]《미분·지수 따위》.
cove[1] [kóuv] *n.* **1** (만 내의) 쑥 들어간 곳, (해안의) 벼랑으로 된 후미. **2** (험한 산의) 골짜기의 길, 산그늘.
〖OE *cofa* chamber, cave ; cf. G *Koben* pigsty〗
cove[2] *n.* 《英俗》 녀석, 자식 ; 《濠俗》 주인, (특히) 양목장(羊牧場)의 지배인.
〖C16<? ; cf. Romany *kova* thing, person〗
cov·en [kʌ́vən, kóuvən] *n.* 마녀 집회 ; 13인의 마녀단. 〖*covent* (〈CONVENT)〗
cov·e·nant [kʌ́vənənt] *n.* **1** 계약, 맹약, 서약(contract). **2** 〔法〕 날인 증서 ; 날인 증서 계약 ; 계약 조항. **3** [the C~] 〔神學〕 (하느님과 이스라엘 민족간의) 성약(聖約) : the Land of the *C*~ 〔聖〕 약속의 땅(Canaan). **4** [the C~] 국제연맹 규약《1919년》. —— *v.* [ˌ -næ̀nt] *vt.* [+目/+*to* do] 계약[서약·맹약]하다 : They ~*ed to* sell only to certain buyers. 특정한 구매자에게만 판매하겠다는 계약을 맺었다. —— *vi.* [+前+名] 계약하다 : ~ ***with*** a person ***for*** a thing 남과 어떤 물건의 계약을 맺다.
〖OF (pres. p.) 〈CONVENE〗
cóvenant·ed *a.* 계약한 ; 계약상의 의무가 있는 ; 신과의 계약에 의해 주어진.
the covenanted service 《英》 서약 근무, 인도 주재 문관 근무.
cov·e·nan·tee [kʌ̀vənəntíː] *n.* 피(被)계약자.
cóv·e·nàn·ter *n.* 맹약[서약]자 ; 계약자.
cóv·e·nàn·tor [ˌ kʌ̀vənæntɔ́ːr] *n.* 〔法〕 계약 당사자, 계약 이행자.
cóvenant theòlogy *n.* 계약 신학(federal theology).
Cóv·ent Gárden [kʌ́vənt-, kάv-] *n.* London 중앙부의 지구 ; 거기에 있는 청과물·화초의 도매시장 ; 거기에 있는 오페라 극장.
Cov·en·try [kάvəntri, kʌ́v-] *n.* : 코번트리《영국 Warwickshire 주의 도시》.
send a person ***to Coventry*** …을 따돌리다, 절

교하다.
〚이전에 Coventry로 파견된 병사들은 주민에게 미움받았다고 함〛

◇**cov·er** [kʌ́vər] *vt.* **1** [＋目／＋目＋前＋名] 덮다；…에 뚜껑을 하다；싸다, 씌우다, (머리에) 모자를 씌우다；덮어 감추다, 가리다：Once vast forests ～*ed* the area. 한 때 방대한 삼림이 그 지역을 덮고 있었다／*C*～ your knees ***with*** this rug. 이 담요로 무릎을 싸세요／The trees are almost ～*ed with* blossoms. 나무들은 거의 꽃으로 덮여 있었다／The man ～*ed* his face ***in*** [*with*] his big hands. 그 사나이는 커다란 손으로 얼굴을 감쌌다.
2 [＋目＋*with*＋名／＋目] **a**) 덮개를 씌우다；…에 표지를 붙이다, 겉을 장식하다；…에 칠하다(coat)：I will have the walls ～*ed* ***with*** good wallpaper. 벽에 좋은 벽지를 바르도록 하겠다／The plates of the battery should be ～*ed* by the electrolyte. 전지의 극판에는 전해물(電解物)을 부착시키지 않으면 안된다. **b**) …에 덮어씌우다, 덮이다, 충만하다：His shoes were ～*ed* ***with*** dust. 구두는 먼지투성이였다. **c**) [수동태 또는 ～one*self* 로] (몸에) 뒤집어쓰다, 걸머지다：She *was* ～*ed* ***with*** confusion[shame]. 그녀는 당황해 하는[창피스러워하는] 기색이었다／He ～*ed* him*self with* glory. 그는 영광을 한몸에 지녔다. **d**) 가리다, 숨기다(hide)：He laughed to ～ his annoyance. 괴로움을 감추려고 그는 웃었다.
3 [＋目／＋目＋前＋名] **a**) 감싸다, 보호하다(protect)；〔軍〕 엄호하다：The cave ～*ed* them ***from*** the snow. 동굴에서 그들은 눈을 피했다. **b**) (포·성루 따위가) 내려다보다(command). **c**) (권총 따위를) …에게 겨누다：He ～*ed* me ***with*** a pistol. 나에게 권총을 들이대었다. **d**) 〔競〕 …의 후방을 지키다, 커버하다；〔테니스〕 (코트를) 지키다.
4 (얼마의 거리를) 가다, (어떤 토지를) 답사(踏査)하다(travel)：This car can ～ 200 miles a day. 이 자동차는 하루에 200마일을 갈 수 있다／The race ～*ed* a distance of twenty-six miles. 경주는 26마일에 걸쳐서 행해졌다.
5 …에 이르다, 걸치다(extend over)；포함하다(include)：The Sahara ～*s* an area of about three million square miles. 사하라 사막은 약 300만 제곱마일의 지역에 걸쳐 있다／The rule ～*s* all cases. 그 규칙은 모든 경우에 해당된다.
6 (비용·손실 따위를) 보상하다[하기에 족하다]；담보에 넣다；…을 보험에 들다：～ shorts [short sales] 〔證〕 공매한 주를 도로 사다[사서 벌충하다].
7 〔新聞·放送〕 (사건·행사 따위를) 보도하다, …을 취재하다：The reporter ～*ed* the accident. 기자는 그 사고를 보도했다.
8 (암탉이 달걀·병아리를) 품다.
── *vi.* **1** (액체 따위) 표면에 퍼지다. **2** 감추다, 숨기다, 현장 부재 증명 제공을 하다；(부재자의) 대리 노릇을 하다, 대신하다.
cover in (구멍·무덤 따위를) 흙으로 덮다, 묻다；(집에) 지붕을 덮다.
cover over (구멍 따위의) 전체를 덮다；(나쁜 일 따위를) 감추다.
cover (***the***) ***ground*** ☞ GROUND[1].
cover up 완전히 덮다[감싸다]；(나쁜 일 따위를) 감싸 얼버무리다, 싸 감추다, 은닉하다.
cover (***up***) ***one's tracks*** ☞ TRACK[1].
── *n.* **1** 덮개, 커버；싸는 것. **2** 뚜껑；표지(cf. JACKET)；겉장식；포장지〈*for*〉；봉투. **3** U,C 숨는 곳, 잠복처(shelter)；사냥감이 숨는 곳《삼림·덤불 따위》：beat a ～ 사냥감이 숨은 덤불을 뒤지다. **4** U 〔軍〕 엄호물, 엄폐물, 차폐물；상공 엄호 비행대(air cover), (폭격기의) 엄호 전투기 편대. **5** U (어둠·밤·연기 따위의) 차폐물；가장, 핑계, 구실. **6** (식탁의) 1인분의 그릇；《美》 ＝COVER CHARGE：*C*～*s* were laid for ten. 식탁에 10인분의 식사가 마련되었다／a dinner of 10 ～*s* 10인분의 식사. **7** 〔商〕 담보물, 보증금(deposit). **8** 〔크리켓〕 후위(의 위치)；〔테니스〕 커버《수비의 범위》；〔卓球〕 커버《공이 탁구대의 가장자리에 스치기》.
break cover (사냥감이) 덤불에서 튀어나오다.
draw a cover ＝*draw a* COVERT.
from cover to cover 전권(卷)을 통하여, 책의 처음부터 끝까지：read a book *from* ～ *to* ～ 책 한 권을 (남김없이) 처음부터 끝까지 읽다.
take cover 〔軍〕 지형[지물]을 이용하여 숨다；(일반적으로) 숨다, 피난하다.
under cover (1) (편지를) 봉함하여；동봉하여. (2) 숨어서；비밀로(in secret)：get *under* ～ 숨다, 피난하다.
under cover to. . . (…)앞으로 보내는 편지에 동봉하여.
under separate[***the same***] ***cover*** 별봉(別封)하여[동봉하여].
under (***the***) ***cover of*** …의 엄호를 받아서；…을 핑계삼아；(어둠 따위를) 이용하여.
〚OF＜L *co*-(*opert*- *operio* to cover)＝to cover completely〛

cóver·age *n.* **1** U,C 적용 범위；〔保險〕 담보(擔保) (범위). **2** U,C 정화(正貨) 준비(금). **3** U,C 보도[취재](규모)；(광고의) 도달 범위；(라디오·텔레비전의) 방송 (범위), 서비스 구역.
cóver·àll *n.* [보통 *pl.*] (상의와 하의가 붙은) 작업복(cf. OVERALLS).
cóver-àll *a.* 전체를 덮는；전반적인, 포괄적인.
cóver chàrge *n.* (레스토랑 따위의) 좌석료, 봉사료.
cóver cròp *n.* 지피작물(地被作物)《겨울 동안에 밭에 심는 클로버 따위》.
cóver drìve *n.* 〔크리켓〕 후위(後衛)를 통과하는 타구.
cóv·ered *a.* 덮어씌운, 뚜껑달린；모자를 쓴[쓰고 있는]；엄호물[차폐물(遮蔽物)]이 있는, 가리워진(sheltered)：a ～ position 〔軍〕 차폐 진지／an ivy-～ college 담쟁이덩굴로 덮인 대학 건물.
cóvered brídge *n.* 지붕 달린 다리.
cóvered-dísh sùpper *n.* 각자가 음식을 지참하는 회식.
cóvered wágon *n.* 《美》 포장 마차《특히 초기 개척자가 사용한》, 포장 트럭；〔英鐵〕 유개 화차；《美俗》 항공 모함.
cóvered wáy *n.* 《美》 (두 건물 사이를 연결하는) 지붕 있는 다리 모양의 복도.
cóver gìrl *n.* 잡지의 표지 모델.
cóver glàss *n.* 커버 글라스《현미경의 슬라이드 위의 표본을 덮는 유리；영사 필름 슬라이드의 보호용 유리》.
cóver·ing *n.* U 덮음, 피복(被覆)；엄호, 차폐；C 덮개, 외피(外被), 커버, 지붕.
── *a.* 덮는, 엄호하는, 감싸는, 숨기는：～ fire 〔軍〕 엄호 사격.
cóvering lètter[**nòte**] *n.* (봉함물의) 설명서, 첨부장；(동봉물·구매 주문서에 붙인) 설명서.
cov·er·let [kʌ́vərlət, -lit], **-lid** [-lìd] *n.* 침대보, 덮개. 〚AF (OF *covrir* to cover, *lit* bed)〛

cóver lìnes *n.* 커버 라인즈《잡지 따위의 표지에 인쇄되는 특집 기사의 타이틀 따위》.
cóver nòte *n.* 〖保險〗 가(假)증서, 보험 인수증 ; =COVERING NOTE.
cóver plàte *n.* 〖建〗 커버 플레이트, 덮개판.
cóver pòint *n.* 〖크리켓〗 후위.
có·versed síne [kóuvəːrst-] *n.* 〖數〗 여시(餘矢).
cóver shòoting *n.* 숲에서 하는 총사냥.
cóver shòt *n.* 광각(廣角) 사진 (촬영).
cóver·slìp *n.* =COVER GLASS.
cóver stòry *n.* 잡지 표지의 그림을 설명하는 이야기나 기사.
cov·ert [kʌ́vərt, 美+kóu-] *a.* 은밀한, 숨은, 비밀의 ; 암암리에 풍기는(↔*overt*) ; 〖法〗 보호받고 있는 : ☞ FEME COVERT. —— [; kʌ́vər] *n.* (사냥감이) 숨는 곳, 잠복 장소(cover) ; [*pl.*] (새의) (비를 막는) 덮깃 : tail ~*s* 꼬리 덮깃.
break covert = *break* COVER.
draw a covert 사냥감을 덤불에서 몰아내다.
~·ly *adv.* 몰래, 살짝 ; 넌지시.
〖OF (p.p.) ‹COVER〗
cóvert áction *n.* (경찰 · 정부 정보부에 의한) 비밀 공작.
cóvert clòth *n.* 커버트《혼방 능직천 ; 운동복 · 코트용으로 방수가 되어 있음》.
cóvert còat *n.* (사냥 · 승마 · 먼지막이용의) 짧고 가벼운 외투.
cov·er·ture [kʌ́vərtʃər, -tʃùər] *n.* **1** Ⓤ,Ⓒ 덮개, 싸는 것, 피복물 ; 가리개, 엄호물 ; 은신처, 피난처. **2** Ⓤ 〖法〗 (남편의 보호를 받는) 처의 신분(cf. FEME COVERT) : under ~ 아내의 신분으로.
cóver-ùp *n.* Ⓤ 숨기 ; 은닉.
cov·et [kʌ́vət] *vt.* (특히 남의 물건 따위를) 무턱대고[몹시] 탐내다, 갈망하다(long to possess) : All ~, all lose. 《속담》 멧돼지 잡으러 갔다가 집돼지까지 잃는다. —— *vi.* [+前+名] (…을) 매우 탐내다〈*for, after*〉 : He has ~*ed* ***after*** the chairmanship for year. 그는 몇년동안 몹시 의장자리를 탐내왔다.
〖OF<L ; ⇨ CUPID〗
cov·e·tous [kʌ́vətəs] *a.* 매우 욕심[탐]내는 ; 탐욕스런 : be ~ *of* another person's property 남의 재산을 탐내다. **~·ly** *adv.* 몹시 탐이 나서 ; 욕심을 부려서. **~·ness** *n.* Ⓤ 탐욕.
cov·ey [kʌ́vi] *n.* (메추라기 · 자고처럼 생후 잠시 어미새와 함께 사는) 새떼(brood) ; (일반적으로) (사람의) 한 무리[일단], 일행.
〖OF<L (*cubo* to lie)〗
cov·in [kʌ́vən] *n.* Ⓤ 마녀의 집회 ; 〖法〗 (제삼자를 사해(詐害)하려는 목적으로 하는) 사해통모(詐害通謀) ; 동맹, 공모 ; 《古》 도당.
◇**cow**[1] [káu] *n.* (*pl.* **~s**) **1** 암소(cf. OX, BULL[1]) ; [*pl.*] 《美》 (사육하는) 소, 축우(cattle) : milch ~ ☞ MILCH. **2** (물소 · 코끼리 · 바다표범 · 고래 따위의) 암컷(㊟ ~ whale 「암고래」처럼 복합어로도 씀 ; ↔*bull*[1]). **3** 《美口》 (살찌고) 주책없는 여자, 보기 싫은 여자 ; 《濠俗 · N. Zeal. 俗》 싫은 놈, 불쾌한 것. 〖OE *cū* ; cf. G *Kuh*, L *bos*〗
cow[2] *vt.* 으르다, 위협[협박]하다(frighten).
〖? ON *kūga* to oppress〗
cow·a·bun·ga [kàuəbʌ́ŋgə] *int.* 〖서핑〗 자 간다《파도위를 탈 때 외치는 소리》 ; 만세, 해냈어 ; 정말이냐.
***cow·ard** [káuərd] *n.* 소심한 사람, 겁쟁이, 비겁한 사람. —— *a.* 소심한, 겁많은, 비겁한 : a ~ blow 비겁한 일격. 〖OF<L *cauda* tail ; 꼬리를 양다리 사이로 숨긴 데서〗

cow·ard·ice [káuərdəs] *n.* Ⓤ 소심, 비겁.
〖OF (COWARD)〗
cóward·ly *a.* 소심한, 겁많은, 비겁한, 비열한(↔*brave*) : a ~ man 겁쟁이 / a ~ lie 비열한 거짓말. —— *adv.* 비겁하게, 소심하게.
-li·ness *n.*
cówardy *a.* 《口》 COWARDLY.
ców·bàne *n.* 〖植〗 독미나리.
ców·bèll *n.* 소의 목에 다는 방울.
ców·bèrry [; -bəri] *n.* 〖植〗 월귤나무.
ców·bìrd, ców bláckbird *n.* 〖鳥〗 손등새《북미산(産)》.
ców·bòy *n.* **1** 목동. **2** 《美 · Can.》 카우보이. **3** 《俗》 무모한 사람, (특히) 무모한 운전자 ; 〖美史〗 영국파 유격 대원《독립 혁명 당시 New York 부근 중립 지대에서 활동 ; cf. SKINNER》. —— *vi.* 《美》 카우보이로 지내다. —— *vt.* 《美俗》 (사람을) 재빠르게[잔인한 방법으로] 죽이다.
cówboy bòot *n.* 카우보이 부츠《굽이 높고 의장을 한 가죽 장화》.
cówboy còffee *n.* 《美俗》 블랙 커피.
cówboy hàt *n.* 《美》 (카우보이가 쓰는) 챙이 넓은 모자(ten-gallon hat).
ców·càtch·er *n.* 《美》 (기관차 · 노면 전차 앞의) 배장기(排障器) (=《英》 plough, fender).
ców cóllege 《美俗》 *n.* 농과 대학 ; 지방의 이름없는 대학.
ców cóuntry *n.* 목우(牧牛) 지대《특히 미서부》.
cow·er [káuər] *vi.* 움츠러들다 ; 위축되다.
〖MLG *kūren* to lie in wait< ?〗
ców·fish *n.* 〖動〗 고래 · 돌고래 무리 ; 〖魚〗 거북복 ; 《稀》 바다소, 듀공(dugong).
ców·gìrl *n.* 《美》 목장에서 일하는 여자.
ców·gràss *n.* 《濠》 〖植〗 붉은토끼풀.
ców·hànd *n.* 《美》 =COWBOY 1, 2.
ców·hèel *n.* 쇠족을 양파 기타 조미료와 함께 젤리 모양으로 조린 요리.
ców·hèrd *n.* 소치는 사람.
ców·hìde *n.* **1** Ⓤ 쇠가죽. **2** 《美》 쇠가죽 채찍. —— *vt.* 《美》 쇠가죽 채찍으로 때리다.
ców·hòuse *n.* 외양간.
co·wínner *n.* 동시 수상[승리]자 ; 공동 수상자.
ców·ish *a.* 소 같은 ; 둔중한 ; 《古》 겁 많은.
cowl[1] [kául] *n.* **1** 카울《수사의 두건 달린 겉옷 ; 또 그 두건》 ; 수사. **2** (고깔 모양의) 굴뚝갓 ; (통풍통 꼭대기의) 집풍기(集風器) ; (기관차 굴뚝 꼭대기의) 불똥막이《쇠그물 바구니》. —— *vt.* (남)에게 카울을 씌우다 ; 수사로 만들다 ; 덮다 ; …에 덮는 장치[부품]를 달다.
〖OE *cugele*<L *cucullus* hood (of cloak)〗

cowl[1] 1

cowl[2] *n.* 《英方》 큰 물통. 〖OF<L (dim.) ‹CUP〗
cowled [káuld] *a.* COWL[1]을 입은[단].
ców·lìck *n.* (이마 위 따위의) 곧추 선 머리털.
ców·l·ing *n.* 〖空〗 비행기의 엔진 커버《유선형으로 되어 있음》.
ców·man [-mən, -mæ̀n] *n.* (*pl.* **-men** [-mən, -mèn]) 소치는 사람 ; 목축 농장 주인, 목축업자(ranchman).
có-wòrk·er *n.* 함께 일하는 사람, 협력자, 동료.
ców pársnip *n.* 〖植〗 어수리《소의 사료》.
ców·pàt *n.* 쇠똥.
ców·pèa *n.* 〖植〗 동부 ; 그 콩.
ców pèeler *n.* 《美俗》 카우보이.

Cow·per [kúːpər, káu-] *n.* 쿠퍼. **William ~** (1731-1800) 영국의 시인.

Ców·per's glànd [káupərz-, kúː-] *n.* 〖解〗 쿠퍼선(腺)《남성의 구(球)요도선》.
〚William *Cowper* (d. 1709) 영국의 외과 의사〛

ców·pìe *n.* 《俗》 쇠똥.

ców·pòke *n.* 《美俗》 =COWBOY.

ców·pòx *n.* Ⓤ 〖醫〗 우두.

ców·pùnch·er *n.* 《美口》 =COWBOY.

cow·rie, -ry [káuri] *n.* 〖貝〗 개오지(조개) ; 그 조개껍데기《아시아·아프리카의 일부에서 옛날에 화폐로 썼음》. 〚Urdu, Hindi〛

ców·shèd *n.* =COWHOUSE.

ców·shòt *n.* 《크리켓俗》 허리를 굽혀서 치는 강타[타구].

ców·skìn *n.*, *vt.* =COWHIDE.

cow·slip [káuslìp] *n.* 〖植〗 노랑꽃구층앵초.
〚OE *cū-sloppe* (*slyppe* slimy substance, i.e. cow dung)〛

ców·slip tèa *n.* cowslip의 꽃을 삶아 우려낸 차.

ców·slip wìne *n.* cowslip 꽃으로 담근 와인.

ców tòwn *n.* 《美》 목우 지대의 중심 도시.

ców trèe *n.* (남미산) 뽕나무과(科)의 젖나무《우유 같은 식용 수액(樹液)이 나옴》.

ców·y *a.* 소의 ; 쇠고기 맛[냄새]이 나는 : fresh ~ milk.

cox [káks] *n.* 《口》 (보트의) 키잡이, 콕스.
── *vt.*, *vi.* (보트의) 키잡이가 되다.

cox·a [káksə] *n.* (*pl.* **cox·ae** [-siː, -sai]) 〖解〗 고관절(股關節) ; 둔부 ; 〖動〗 밑마디《곤충의 다리가 가슴에 접속되는 부분》. **cóx·al** *a.* 밑마디의 ; 둔부의 ; 고관절의. 〚L=hip〛

cox·al·gia [kɑksǽldʒiə], **-al·gy** [-dʒi] *n.* Ⓤ 〖醫〗 고(股)관절통 ; 요통.

cox·comb [kákskòum] *n.* **1** 멋쟁이, 맵시꾼, 젠체하는 사람. **2** 〖植〗 맨드라미. **3** 《古》 (중세 어릿광대의) 볏 모양의 붉은 모자. **cox·comb·i·cal** [kɑkskóumikəl, -kám-] *a.* 멋쟁이의, 젠체하는. **-i·cal·ly** *adv.*
〚=COCK's *comb* ; 「어릿광대(의 모자)」의 뜻〛

cox·comb·ry [kákskəmri, -kòu-] *n.* Ⓤ 맵시내기 ; 젠체함 ; [집합적으로] 젠체하는 사람들.

Cox·sáck·ie vírus [kuksáːki-, kɑksǽki-] *n.* 콕사키 바이러스《호흡기 질환의 원인이 되는 장관계(腸管系) 바이러스》. 〚*Coxsackie* 최초로 환자가 발견된 New York 주(州)의 도시 이름〛

cox·swain, cock·swain [káksən, -swèin] *n.* (보트의) 키잡이, 정장(艇長). ── *vt.*, *vi.* (…의) 키잡이를 하다 ; (…의) 키를 잡다.
~·shìp *n.* Ⓤ 키잡이[정장]의 역할[솜씨].
〚*cock* (cf. COCKBOAT), SWAIN ; cf. BOATSWAIN〛

cox·y [káksi] *a.* 《英口》 =COCKY[1].

coy [kɔ́i] *a.* **1** (소녀가) 수줍어하는 ; 부끄러운 체하는 ; 사양하는 : ~ *of* speech 수줍어서 말도 제대로 못하는. **2** 《古》 (장소가) 사람 눈에 띄지 않는. ── *vi.* 《古》 부끄럽게 여기다. ── *vt.* 《廢》 애무하다. **~·ly** *adv.* 수줍어서 ; 부끄러운 듯이. **~·ness** *n.* 〚OF (L QUIET)〛

coy·ote [káiout, kaióuti ; kɔ́iout, -ˊ, kɔióuti] *n.* (*pl.* **~s**, ~) 〖動〗 코요테《북미의 대초원에 사는 육식동물》; 《美》 악당, 교활한 놈, 비겁한 사내.
〚Mex. Sp. < Aztec〛

Cóyote Státe *n.* [the ~] South Dakota 주(州)의 속칭.

coy·pu, -pou [kɔ́ipuː, -ˊ] *n.* (*pl.* **~s**, ~) 〖動〗 코이푸, 누트리아《남미산 ; 수달피와 모양이 비슷하고 그 모피는 진귀함》.

coz [kʌ́z] *n.* (*pl.* **cóz·(z)es**) 《口》 사촌(cousin).

coze [kóuz] *vi.* 친근하게 이야기하다. ── *n.* 한담[잡담] (cf. COSE).
〚F *causer* to chat〛

coz·en [kʌ́zən] *vt.* 《文語》 **1** [+目/+目+前+名] (남을) 속이다, 기만하다(cheat) : ~ a person ***of*** [***out of***] something 남에게서 어떤 물건을 속여 빼앗다. **2** [+目+前+名] 속여서 …시키다 : He ~*ed* the old man ***into*** sign*ing* the paper. 노인을 속여서 그 서류에 서명을 하게 했다. ── *vi.* 사기를 치다. **~·age** *n.* Ⓤ 속임(수), 기만. **~·er** *n.*
〚C16 (cant) < ? It. (*cozzone* horse trader)〛

co·zy | co·sy [kóuzi] *a.* **1** 안락한(comfortable) ; 아늑한(snug) : a ~ lakeside cabin 평온한 호숫가의 오두막집. **2** 편안한, 유유자적한, 편리한(easy) : I felt ~ watching the hearth fire. 벽난로 속의 불을 보고 있노라니 기분이 느긋해졌다. **3** 신중한. ── *adv.* 신중하게.
── *n.* **1** 보온 커버 : a tea[an egg] ~ 찻그릇[달걀] 보온 커버[싸개]. **2** 차양 달린 2인용 의자.
── *v.* [다음 숙어로]
***cozy* (*along*)** 《口》 안심시키다, 속이다.
***cozy up to*...** 《美口》 …와 친해 지려고 하다, …의 마음에 들고자 하다, …에 유화적 자세를 취하다.
〚Sc. < ?〛
類義語 ⟹ COMFORTABLE.

CP [síːpíː] *n.* [the ~] 공산당(Communist party).
CP'·er [síːpíːər] *n.* 공산당원.

cp. compare ; coupon. **CP** commercial paper. **CP, c.p.** candlepower. **C.P.** Chief Patriarch ; Clerk of the Peace ; Command Post ; Common Pleas ; Common Prayer ; Communist party ; Court of Probate. **cp** centipoise(s). **c.p.** center of pressure ; chemically pure ; circular pitch ; command post ; common pleas. **c/p** charter party. **CPA** 〖컴퓨〗 critical path analysis. **CPA, C.P.A.** certified public accountant (공인 회계사) ; Civil Production Administration (민간 생산 관리국).

CP Air [síːpíː ˊ] *n.* 캐나다 태평양 항공(Canadian Pacific-Air)《캐나다의 민영 항공 회사 ; 본사 Vancouver ; 국제 약칭 CP》.

CPB 《美》 Corporation for Public Broadcasting (공공 방송 협회). **CPBW** charged particle beam weapon. **cpd.** compound. **CPF** counterpart fund(대충 자금). **C.P.F.F.** cost plus fixed fee. **C.P.I.** consumer price index. **Cpl., cpl.** corporal. **CPM** 〖經營〗 critical path method. **CPM, cpm** cost per thousand. **c.p.m.** 〖樂〗 common particular meter ; cycles per minute. **CPM** monitor control program for microcomputers. **CPO, C.P.O.** Chief Petty Officer(해군(海軍)상사) ; compulsory purchase order ; cost per order. **CPR** cardiopulmonary resuscitation (심폐 기능 소생). **C.P.R.** Canadian[Central] Pacific Railway. **C.P.R.E.** Council for the Protection [Preservation] of Rural England. **cps** cycles per second. **C.P.S.** Consumer Price Survey. **CPT** captain. **CPU** Communications Programs Unit. **C.P.U.** 〖컴퓨〗 central processing unit《중앙 처리 장치 ; 컴퓨터의 두뇌에 해당하는 일을 하는 부분》. **CPX** 〖軍〗 Command Post Exercise(지휘소 훈련). **CQ** 《CB俗》 call to quarters ; 〖軍〗 charge of quarters(야간 근무

당번). **C.Q.M.S.** Company Quartermaster Sergeant. **CR** 〖컴퓨〗 carriage return(복귀) ; consciousness-raising. **C.R.** Costa Rica. **Cr** 〖化〗 chromium. **cr.** cathode ray ; credit ; 〖簿〗 creditor (cf. DR.) ; crown.

crab[1] [krǽ(:)b] *n.* **1** 〖動〗 게 ; Ⓤ 게의 살. **2** 〖機〗 윈치 대차(臺車), 크래브. **3** [the C~] 〖天〗 게자리(Cancer). **4** 〖昆〗 사면발이. **5** [*pl.*] (두개의 주사위를 던져서 나온) 두개 다 1이 나온 수 ; 불리, 실패. **6** 〖空〗 (옆바람을 받은 비행기의) 비스듬한 비행.

catch a crab 노를 잘못 저어 균형을 잃다《노를 물 속에 깊이 넣거나 얕게 넣어서》.

turn out [***come off***] ***crabs*** 《口》 실패로 끝나다.

── *vt., vi.* (**-bb-**) **1** 게를 잡다. **2** 모로 기다, 게걸음치다 ; (자동차, 배 따위) 옆으로 밀리게 하다[밀리다], 코스를 벗어나다 ; 〖空〗 (비행기·글라이더 따위를) 경사비행시키다[하다]. **3** 〖染〗 크래빙하다(☞ CRABBING). 〖OE *crabba* ; cf. G *Krabbe, Krebs*, ON *krafla* to scratch〗

crab[2] *n.* =CRAB APPLE ; 심술궂은 사람, 찌까다로운 사람 ; [*pl.*] 《卑》 매독(syphilis). ── *vt., vi.* (**-bb-**) 〖매사냥〗 (매가) 발톱으로 할퀴다 ; 맞붙어 싸우다 ; 《口》 헐뜯다, 흠을 들추어내다 ; 불평하다 ; 《美俗》 하찮은 물건을 후무리다 ; 《美俗》 늘 꾸다 ; 《口》 (행동·상거래 따위를) 망치게 하다, 잡치게 하다 ; 꽁무니 빼다, 손을 떼다〈*out*〉. 〖MLG *krabben* (↑)〗

cráb àpple *n.* 크래브사과《열매·나무 ; cf. CRAB TREE》 ; 《口》 심보가 비뚤어진 사람. 〖CRAB[1]에 동화(同化)한 *scrab*인가(? Scand.)〗

crab·bed [krǽbəd] *a.* **1** 심보가 비뚤어진, 심술궂은 ; 성미가 까다로운. **2** (문체·필적 따위가) 비뚤어진, 난해한, 읽기 힘든. **~·ly** *adv.* **~·ness** *n.*

cráb·ber *n.* **1** 게잡이 어부 ; 게잡이 배. **2** 혹평가, 헐뜯는 사람.

cráb·bing *n.* Ⓤ **1** 게잡이. **2** 〖染〗 모직물이 줄지 않도록 하는 특수 열탕 처리.

cráb blòck *n.* 〖美蹴〗 크래브 블로킹《상대방의 양다리 사이에 넓적다리를 넣어서 한 쪽 다리를 잘 움직이지 못하게 하는 블로킹》.

cráb·by *a.* **1** 게같은 ; 게가 많은. **2** 《稀》 = CRABBED 1.

cráb·gràss *n.* 〖植〗 좀바랭이《포아풀과》.

cráb locomòtive *n.* 동력 윈치를 장비한 소형 광산용 기관차.

cráb lòuse *n.* 〖昆〗 사면발이.

cráb mèat *n.* 게의 살.

Cráb Nèbula *n.* 〖天〗 게성운(星雲)《황소자리(Taurus)의 성운 ; 지구에서 약 5000 광년》.

cráb pòt *n.* (바구니처럼 만든) 게 잡는 덫.

cráb's-èye *n.* [때때로 복수취급] 해안석(蟹眼石)《가재의 위속에 생기는 석회질의 결석(結石)》.

cráb spìder *n.* 게거미과(科)의 거미《옆으로 기어서 다님》.

cráb·stìck *n.* **1** 크래브사과나무(crab tree)로 만든 곤봉[지팡이]. **2** 심술궂은 사람.

cráb trèe *n.* 〖植〗 크래브사과나무.

cráb·wìse, -wàys *adv.* 게처럼, 옆으로, 비스듬하게 ; 신중하게 우회하여[간접적으로].

‡crack [krǽk] *n.* **1** 쪼개진 틈, 갈라진 틈바구니 ; 흠, 금 ; 《비유》 결함 ; (문·창의) 틈새 : *~s in* a cup 찻잔의 금 / Open the window a ~. 창문을 조금만 열어 두십시오. **2** 갑작스런 날카로운 소리, 찌익 !, 땅 !, (우르릉) 쾅쾅 ! 《따위》 : the ~ of thunder 천둥소리. **3** 철썩[퍽] 한번 치기 : give a person a ~ *on* the head 남의 머리를 딱[철썩]하고 치다. **4** 변성, (목소리가) 쉼. **5** 《古·俗》 자만, 허풍 ; 《俗》 경구(警句), 비꼬는 말(wise crack). **6** 《俗》 시도, 기도(attempt) : have a ~ *at* … 을 시도하다. **7** 《英口》 일류의 것[사람], 최상품 ; 명수, 재치꾼 ; 우수한 배. **8** 《俗》 금고털이, 강도. **9** 《口》 순간.

(***at***) ***crack of day*** 《英方·美》 새벽[여명](에).

in a crack 순식간에.

the crack of doom 최후의 심판일의 우레소리 ; (일반적으로) 최후, 말세.

── *vi.* **1** 우지끈 부서지다, 쫙 쪼개지다, 금이 가다 : This plaster may ~ when it has dried. 이 석고는 마르면 금이 갈지도 모른다. **2** 날카로운 폭음을 내다, (채찍이) 휙 소리를 내다, (총이) 탕하고 울리다. **3** (목이) 쉬다 ; 목소리가 변하다 : The boy's voice has not *~ed* yet. 그 소년의 목소리는 아직도 변성되지 않았다. **4** 《口》 기세가 꺾이다, 못쓰게 되다(break down), 굴복하다 : Will he ~ under the strain? 긴장으로 인하여 그도 좌절하고야 말 것인가. **5** 〖化〗 (열) 분해하다. **6** 질주[쾌주]하다.

── *vt.* **1 a**) (유리 그릇 따위에) 금이 가게 하다 ; (단단한 물건을) (쾅하고) 깨다, 부수다 : I have *~ed* the cup, but not broken it. 컵에 금이 가게 했으나 깨지게는 하지 않았다 / a hard nut to ~ ☞ NUT 숙어. **b**) 《口》 (문제·사건 따위를) 해결하다(solve), (장벽을) 타파하다 ; …의 비밀을 밝히다 : ~ a code 암호를 해독하다. **2 a**) …에 날카로운 소리가 나게 하다, (채찍을) 휙 울리다 : ~ a whip[the joints of the fingers] 채찍을 휙[손가락을 탁] 하고 울리다[튀기다]. **b**) 《口》 휙하고 치다. **c**) (술병 따위를) 따서 마시다 : ~ a bottle (of wine). **d**) (농담·익살 따위를) 터뜨리다 : ~ a joke 농담을 마구 하다. **3** (목소리를) 쉬게 하다. **4** (신용 따위를) 추락시키다, 손상하다(☞ CRACKED). **5** 〖化〗 (가압 증류로) 분해하여 (가솔린 따위를) 채취하다, 분류(分溜)하다. **6** 《口》 (금고 따위를) 부수다, (집 따위에) 침입하다 : ~ a crib 강도가 집에 침입하다.

crack down (***on. . .***) 《美口》 (…을) 엄하게 견책[책망·단속]하다, 엄벌에 처하다, 탄압하다.

crack up (1) 《口》 칭찬하다, 치켜 세우다. (2) (비행기가[를]) 박살나다[내다], 분쇄하다(crash) ; 《口》 (육체적·정신적으로) 질리다, 지치다, 기진하다 : The airplane *~ed up*. 그 비행기는 산산조각으로 박살이 났다. (3) (사람·건강 따위가) 약해지다, 못쓰게 되다.

get cracking 《英口》 일을 시작하다.

── *attrib. a.* 《口》 우수한, 일류의(first-rate) (cf. *n.* 7) : a ~ hand 명인, 재주꾼 / a ~ performer 명연기[연주]자 / a ~ shot 명사수.

── *adv.* 날카롭게(sharply), 탕 !, 철썩하고. 〖OE *cracian* to resound〗

類義語 ⟹ BREAK.

crack·a·jack [krǽkədʒæ̀k] *n., a.* =CRACKERJACK.

cráck·bàck *n.* **1** 〖美蹴〗 크랙백《다운필드로 달리기 시작하다가 라인 중앙 방향으로 커트백하는 패스리시버가 범하는 부정(不正) 블로킹》. **2** 《美俗》 (재치있고 재빠른) 말대꾸.

cráck·bràin *n.* 머리가 돈 사람. **~ed** *a.* 정신이 돈(mad) ; 무분별한.

cráck·dòwn *n.* 《口》 갑자기 후려치기 ; 엄한 단속, 단호한 조치 ; 강경조치, 탄압.

cracked [krǽkt] *a.* **1** 부서진, 깨어진 ; 금이 간 ; 갈라진 ; (인격·신용 따위가) 손상된[추락한]. **2** 목소리가 변한, (목소리가) 쉰. **3** 《口》 머리가 돈

(crazy).

cráck·er *n.* **1** 《원래 美》 크래커(=《英》 biscuit; 단맛을 내지 않은 얇고 바삭바삭한 비스킷). **2** 폭죽; 당기면 폭음이 나면서 종이모자·장난감 따위가 나오는 통(=~ **bònbon**). **3** 깨는 도구, 부수는 기구; [*pl.*] 호두까는 기구(=nutcrackers). **4** 《英口》 대단한 것, 아주 기분이 좋은 인물[것]; 《英口》 굉장한 미인. **5** 《俗》 빠른 걸음, 맹렬한 속도; 파멸, 파산.

go a cracker 《俗》 전속력을 내다; 짜부라지다.

cráck·er-bàrrel *a.* 《美》 시골식(式)의, 평범한, 소박한. —— *n.* 《俗》 《비유》 남자들이 허물없이 인생론 따위를 펴는 장소[때].

cráck·er·jàck *n.* 《美俗》 우수품; 일류 인사, 제일인자. —— *a.* 우수한, 일류의, 발군의.

Crácker Jàck *n.* 당밀로 딱딱하게 한 팝콘과 피넛《상표명》.

crack·ers [krǽkərz] *pred. a.* 《英俗》 머리가 돈, 미친(crazy); 열중한: go ~ 머리가 돌다; 열중하다〈*about*〉.

Crácker Státe *n.* [the ~] 미국 Georgia 주(州)의 속칭.

cráck·ing *n.* 〖化〗 열분해, 크래킹; (도장(塗裝)의) 깊이 갈라짐. —— *a.* **1** 우지끈[와당탕] 갈라지는: a ~ noise 와당탕하는 소리. **2** 〖化〗 열분해의: a ~ distillation 〖化〗 분해증류, 분류(分溜) / a ~ plant 분류소(分溜所). **3** 《口》 활발한, 빠른; 철저한, 맹렬한; 뛰어난.

—— *adv.* 《口》 매우(very).

cráck·jàw *a.* 《口》 말[발음]하기 어려운, 이상야릇한. —— *n.* 발음하기 어려운 말[어구].

crack·le [krǽkəl] *vi.* **1** 탁탁[딱딱] 소리내다: A fire ~*d* on the hearth. 벽난로에서 장작불이 탁탁거렸다. **2** (도자기 따위) 잔금이 가다. —— *vt.* 파삭파삭 부수다; 잔금이 가게 하다. —— *n.* **1** Ⓤ 탁탁 울리는 소리. **2** Ⓤ (도자기의) 잔금 무늬.

cráck·ly *a.* 바삭바삭[파삭파삭]한.

〖*-le* (freq.)〗

cráckle·wàre *n.* 잔금이 가게 구운 도자기.

cráck·ling *n.* Ⓤ 탁탁하고 소리를 내기; (과자 따위가) 바삭바삭함; [집합적으로] 《口》 매력적인 여성. —— *a.* 탁탁[딱딱]하는 《소리》.

crack·nel [krǽknl] *n.* 딱딱하게 구운 비스킷; [*pl.*] 《英方·美》 바싹 튀긴 돼지비계.

〖F<MDu.; CRACK〗

cráck·pòt *n.* 《口》 머리가 돈 사람, 괴짜, 미치광이 같은 사람.

cráck·pòt·ism *n.* 《口》 기이한[별난] 행동.

crácks·man [-mən] *n.* 《俗》 밤도둑, 강도, (특히) 금고털이.

cráck·ùp *n.* **1** 부서뜨림, 분쇄; (자동차 따위의) 충돌(collision). **2** 《口》 신경쇠약.

crácky[1] *a.* **1** 금이 간; 깨지기 쉬운. **2** 《口》 미치광이 같은. **3** 《方》 수다스러운.

cracky[2] *int.* =CRIKEY.

-cra·cy [-krəsi] *n. comb. form* 「정체」 「정치」 「사회 계급」 「정치 세력」 「정치 이론」의 뜻: demo*cracy*.

〖F<L *-cratia*<Gk. (*kratos* power)〗

***cra·dle** [kréidl] *n.* **1** 요람, 어린 아이 침대(cot). **2** [the ~] 요람기, 유아시대, 어릴적; [the] 《비유》 (예술·국민 따위를 육성한) 요람지, (문화 따위의) 발상지: It was long disputed whether the ~ *of* Aryan speech was Europe or Asia. 아리안어의 발상지가 유럽이냐 아시아냐 하는 것은 오랫동안 논란의 대상이 되어 왔다. **3** 요람형의 가대(架臺); 〖船〗 (조선·수리용의) 선가(船架); (진수할 때의) 진수대; 〖砲〗 (대포를 얹는) 포안(砲鞍); (전화 수화기를 얹는) 대(臺); 자동차 수리용대; 〖鑛〗 선광기(選鑛器); 〖農〗 낫의 덧살《곡식을 가지런히 베기 위한》; =CRADLE SCYTHE.

from the cradle 어린 아이적부터.

from the cradle to the grave 요람에서 무덤까지, 일생동안《사회 보장의 표어 따위》.

in the cradle 초기[요람기]에 있어: stifle...*in the* ~ 초기에 …을 억누르다 / What is learned *in the* ~ is carried to the tomb. 《속담》 「세 살적 버릇 여든까지 간다」.

rob [***rock***] ***the cradle*** 《口》 자기보다 훨씬 연하의 상대를 고르다[와 결혼하다].

watch over the cradle 발육을 지켜보다, 성장을 지켜보다.

—— *vt.* **1** 《주로 詩》 요람에 넣(어 재우)다; 요람에 넣어 어르다; 육성하다. **2** (배를) 선가(船架)로 받치다, (배를) 진수대(進水臺)에 올려 놓다; (수화기를) 대에 얹다. **3** (사금(砂金)을) 선광기(器)로 씻다. **4** CRADLE SCYTHE로 베다.

—— *vi.* 요람에 눕다; CRADLE SCYTHE로 베다.

〖OE *cradol*; cf. G *Kratte* basket〗

crádle·lànd *n.* 발상지, 요람지.

crádle ròbber *n.* 《口》 (결혼) 상대가 훨씬 연하(年下)인 사람.

crádle scỳthe *n.* 〖農〗 덧살을 댄 낫.

crádle snàtcher *n.* 《口》 훨씬 연하(年下)인 사람과 결혼하는[에게 반한] 사람(baby snatcher)

crádle·sòng *n.* 자장가(lullaby).

crá·dling *n.* Ⓤ 육성(育成); Ⓒ 〖建〗 (곡면 천장의) 반자틀; 〖鑛〗 (사금의) 선광(選鑛).

***craft** [krǽ(:)ft; krɑ́:ft] *n.* **1** Ⓤ 기능, 솜씨(skill); 교묘. **2** (특수한) 기술, 재주; 수공업; 공예: This may be called a fine specimen of the builder's ~. 이것은 그 건축가의 훌륭한 솜씨의 성과라고 해도 좋을 것이다. **3** (특수한 기술을 필요로 하는) 직업: learn a ~ 일[기능]을 몸에 익히다 / workmen *in* the ~ 그러한 직업의 사람들. **4** [the ~] 동업자들; 동업조합. **5** Ⓤ 교활, 못된 꾀, 술책(cunning): a man full of ~ 모사꾼, 책략가. **6** [보통 단·복수동형] **a)** 선박: a seaworthy ~ 내항력(耐航力)이 있는 선박 / The storm warnings have been put up for small ~. 폭풍 경보가 소형 선박에 내려져 있다. **b)** 비행기[선], 항공기(aircraft): all kinds of bombing ~ 온갖 유형의 폭격기.

the craft of the woods =WOODCRAFT.

—— *vt.* 손으로 만들다, 교묘하게 만들다.

〖OE *cræft* strength; cf. G *Kraft*〗

[類義語] ⟹ ART.

-craft *suf.* art, skill, occupation 따위의 뜻: state*craft*.

cráft bròther *n.* 동업자.

cráft guìld *n.* 동업 조합, 직업별 길드.

cráfts·man [-mən] *n.* **1** (숙련된) 장인(匠人). **2** 기예가, 기술자, 명공(名工), 명장(名匠).

cráfts·pèrson *n.* **~·shìp** *n.* Ⓤ (장인의) 솜씨, 기능, 숙련, 기교.

cráft ùnion *n.* 직업별 조합(horizontal union).

cráfty *a.* 교활한(cunning), 간사한; 《口·方》 솜씨좋은, 재주있는. 〖OE; ⇨ CRAFT〗

[類義語] ⟹ SLY.

crag [krǽ(:)g] *n.* **1** 울퉁불퉁한 바위, 험한 바위산. **2** 《英》 〖地質〗 개사층(介砂層). 〖Celt.〗

crag·ged [krǽgəd] *a.* =CRAGGY.

crág·gy *a.* 바위가 많은, 바위투성이의; (바위 모서리가) 울퉁불퉁한. **crág·gi·ness** *n.* 〖CRAG〗

crágs·man [-mən] *n.* 바위 잘 타는 사람, 암벽타기 전문가.
crake [kréik] *n.* 〔鳥〕 각종 뜸부기, (특히) 메추라기뜸부기(corn crake) ; 뜸부기의 울음소리.
—— *vi.* (뜸부기·까마귀 따위가) 귀에 거슬리게 울다. 〖ON (imit.) ; cf. CROAK〗
cram [krǽ(:)m] *v.* (**-mm-**) *vt.* **1** [+目/+目+前+名] 쑤셔넣다(stuff) ; …에게 억지로 먹이다 [채워넣다](overfeed) : He ~*med* all his clothes ***into*** the trunk. 옷들을 전부 트렁크에 쑤셔넣었다 / The hall was ~*med* ***with*** many people standing. 그 홀은 서있는 사람들로 입추의 여지가 없었다 / He ~*med* us *with* good things to eat. 우리들에게 맛있는 것을 배불리 먹여 주었다. **2** 《口》 **a)** [+目/+目+前+名] …에게 (단기간에) 주입식으로 가르치다[공부시키다] : My father ~*med* me ***with*** Latin and Greek. 아버지는 라틴어와 그리스어를 주입식으로 가르쳤다. **b)** [+目/+目+副] (학과를) 건성으로 외다 : The boy is ~*ming* (***up***) history. 소년은 역사를 건성으로 암기하고 있다. —— *vi.* **1** 잔뜩[꾸역꾸역] 먹다. **2** 《口》 [動/+前+名] (시험 따위를 위하여) 주입식 공부를 하다, 벼락 공부를 하다 : The students are ~*ming* ***for*** the terminal examination. 학생들은 학기말 시험 때문에 벼락 공부를 하고 있다.
cram...down a person***'s throat*** (어떤 일을) 남에게 귀찮을 정도로 말하다.
—— *n.* 《口》 **1** Ⓤ 주입식[벼락] 공부 ; 《俗》 시험 공부(용의 참고서《따위》) ; 《俗》 주입식으로 공부를 하는 학생 ; 《俗》 책벌레. **2** (사람이) 꽉 참, 대만원, 붐빔. 〖OE *crammian* to cram ; OE *crimman*과 같은 어원〗
cram·bo [krǽmbou] *n.* (*pl.* **~es**) Ⓤ 운(韻)찾기 놀이《상대방이 내놓은 말과 같은 운의 낱말 찾는 놀이》; 운이 같은 말.
〖L *crambe repetita* cabbage repeated, rhyming game(↑)〗
crám-fúll *a.* 꽉 찬〈*of, with*〉.
crám·mer *n.* 《英》 주입식 교육방법의 교사[학교, 교과서] ; 벼락 공부하는 학생.
crám·ming *n.* Ⓤ 벼락 공부 ; 꽉 참.
crámming schóol *n.* 학원, 입시 준비 학교.
cramp [krǽmp] *n.* **1** Ⓤ [또는 a ~] (근육의) 경련, 쥐 : bather's ~ 헤엄치다가 일어나는 쥐 / be seized with ~ *in* the leg 다리에 쥐가 나다. **2** [*pl.*] 갑작스런 복통(腹痛). **3** 죔쇠, 꺾쇠 ; (구둣방의) 궁형목(弓形木). **4** 구속물 ; 구속, 속박 ; Ⓤ 갑갑함. —— *vt.* **1** …에 경련을 일으키다, (갑자기) 쥐가 나다. **2** 꺾쇠《따위》로 죄다. **3** [+目/+目+副/+目+前+名] (비좁은 곳에) 처박아 넣다 ; 속박[구속]하다 : The livestock was ~*ed* (***up***) ***in*** the barns. 가축들은 축사에 갇혀 있었다 / He was[felt] ~*ed* ***for*** room there. 그는 그곳이 좁아서 갑갑했다. —— *vi.* 경련이 일어나다 ; 급격한 복통이 덮치다.
cramp a person***'s style*** 《口》 남의 활동을 방해하다, 남이 능률을 못내게 하다.
—— *a.* **1** 읽기[알기] 힘든(cramped). **2** 갑갑한, 좁은.
〖OF＜MDu., MLG=bent ; cf. ↓, CRIMP¹〗
cramped [krǽmpt] *a.* **1** 경련을 일으킨 ; (몸이) 뻣뻣해진. **2** 비좁은, 갑갑한. **3** (필적·문체 따위가) 비뚤어진, 읽기[알기] 힘든(crabbed).
~·ness *n.* 〖CRAMP〗
crámp·fish *n.* 〔魚〕 시끈가오리(electric ray).
crámp ìron *n.* 〔建〕 죔쇠, 꺾쇠.
cram·pon [krǽmpən, 美+-pɑn], 《美》 **-poon** [kræmpúːn] *n.* **1** [보통 *pl.*] 쇠갈고리, 쇠집게. **2** [*pl.*] (구두 바닥에 대는) 스파이크창, 쇠갈고리 징, (등산용) 아이젠. 〖F＜Frank. ; ⇨ CRAMP〗

crampon 2

cran [krǽn] *n.* 《스코》 크랜《생(生)청어의 용량단위 : = 37.5갤런》.
cran·age [kréinidʒ] *n.* 기중기 사용권[료].
cran·ber·ry [krǽnbèri, -bəri ; -bəri] *n.* 〔植〕 넌출월귤《조그맣고 키작은 나무 ; 작은 열매는 소스·젤리 따위의 재료》. 〖G *Kranbeere* crane berry ; 17세기 아메리카 이주자에 의한 명명〗
cránberry bùsh[**trèe**] *n.* 〔植〕 인동과(科)의 미국 불두화《북미 원산》.
cránberry glàss *n.* 크랜베리 글라스《청자색(青紫色)이 도는 붉은 빛깔의 투명 유리》.
crane** [kréin] *n.* **1** 〔鳥〕 학, 두루미 ; 《美》 왜가리 ; [the C~] 〔天〕 두루미자리. **2** 기중기(cf. HOIST¹) ; [*pl.*] 〔船〕 (보트 따위를 달아매는) 뱃전의 기중기. **3** (기관차의) 급수관 ; 자재(自在) 갈고리. —— *vt.* **1** (목을) 길게 빼다. **2** 기중기로 움직이다. —— *vi.* **1** 목을 길게 빼다. **2** [+*at*+名] (말이) 정지하여 머뭇거리다 ; (사람이) 뒷걸음질치다 : The horse ~*d* ***at the hedge. 말은 울타리 앞에서 주춤거렸다 / ~ *at* a difficulty 곤란을 당하여 뒷걸음질치다[주저하다]. 〖OE *cran* ; cf. G *Kran, Kranich,* L *grus*〗
cráne flỳ *n.* 〔昆〕 각다귀(daddy longlegs).
cranes·bill, crane's- [kréinzbìl] *n.* 〔植〕 이질풀속(屬)의 식물 ; 〔醫〕 겸자(鉗子), 핀셋.
cra·ni- [kréini], **cra·nio-** [kréiniou, -niə] *comb. form* 「두개(頭蓋)」의 뜻《모음 앞에서는 crani-》. 〖Gk. ; ⇨ GRANIUM〗
cra·nia *n.* CRANIUM의 복수형.
cra·ni·al [kréiniəl] *a.* 두개(頭蓋)의 ; 머리의 : the ~ index 〔人類〕 두개지수(頭蓋指數).
cránial nèrve *n.* 〔解·動〕 뇌신경.
cra·ni·ate [kréiniət, -èit] *a.* 〔動〕 두개(頭蓋)가 있는, 척추 동물의. —— *n.* 두개 동물, 척추 동물.
crànio·fácial *a.* 두개(頭蓋) 및 안면(顔面)의 : ~ index 〔人類〕 두안폭(頭顔幅) 지수《두폭(頭幅)의 안면에 대한 비율》.
cra·ni·ol·o·gy [krèiniálədʒi] *n.* Ⓤ 두개학(頭蓋學). **-gist** *n.* 두개학자. **cra·ni·o·log·i·cal** [krèiniəládʒikəl] *a.* 두개학의.
cra·ni·om·e·ter [krèiniámətər] *n.* 두개(골) 측정기.
cra·ni·om·e·try [krèiniámətri] *n.* Ⓤ 두개(골) 측정(법), 두개(골) 측정학. **crà·ni·o·mét·ric, -ri·cal** *a.* 두개(골) 측정상의.
cra·ni·ot·o·my [krèiniátəmi] *n.* 〔醫〕 개두(술).
cra·ni·um [kréiniəm] *n.* (*pl.* **-nia** [-niə], **~s**) 〔解〕 두개 ; 두개골(skull) ; 《戱》 머리.
〖L＜Gk. *kranion* skull〗
crank¹ [krǽŋk] *n.* **1** 〔機〕 크랭크, L형 핸들. **2** 묘하게 꾸며댐 ; 기이한 생각, 변덕(fad) (cf. CROTCHET) ; 야릇한 행동. **3** 《口》 괴짜, 별난 사람(faddist) ; 성미 괴팍한 사람. —— *vt.* **1** 크랭크 모양으로 구부리다 ; 크랭크로 연결하다. **2** (영화 카메라의) 크랭크를 돌려서 촬영하다 ; 크랭크를 돌려서 (시동을) 걸다〈*up*〉; 《俗》 (일의) 속도를 (노력하여) 올리다〈*up*〉. —— *vi.* (시동을 걸기 위해) 크랭크를 돌리다〈*up*〉. —— *a.* (기계·건물이) 고장난[흔들흔들하는](shaky) ; (사람이) 병약한 ; 〖船〗 (배가) 기울기 쉬운, 뒤집히기 쉬운. 〚OE *cranc* ‹? *crincan, cringan* to fall in battle (‹to curl up) ; n. 2, 3은 *cranky*에서의 역성〛

crank[2] *a.* 《方》 활발한, 기운찬. 〚ME< ?〛

cránk àxle *n.* 〖機〗 크랭크 차축(車軸).

cránk·càse *n.* (내연기관의) 크랭크 실(室).

cran·kle [krǽŋkəl] *vi., vt.* 구부러지다, 구부리다. —— *n.* 굴곡, 구부러짐.

cránk lètter *n.* 익명의 투서, 협박장.

crank·ous [krǽŋkəs] *a.* 《스코》 성미가 까다로운, 성 잘내는.

cránk·pìn *n.* 〖機〗 크랭크핀.

cránk·shàft *n.* 크랭크 축(軸).

cranky [krǽŋki] *a.* **1** 성미가 까다로운, 성 잘내는. **2** 편협한, 괴짜의(eccentric) ; 미친. **3** (기계·건물 따위가) 고장나 있는[흔들흔들하는]. **4** (도로 따위가) 꾸불꾸불한. **5** 〖船〗 (배가) 기울기[뒤집히기] 쉬운. **cránk·i·ly** *adv.* **-i·ness** *n.* 〚? *crank*[1] rogue feigning sickness〛

cran·nog [krǽnəg, krænóug], **-noge** [-nədʒ] *n.* 〖考古〗 (고대 스코틀랜드 및 아일랜드의) 호상(湖上) 인공섬, 호상 주택. 〚Gael.〛

cran·ny [krǽni] *n.* 틈새, 금 : search every ~ 샅샅이 뒤지다. **crán·nied** *a.* 금이 간, 틈이 난. 〚OF *cran* fissure<L *crena* notch〛

crap[1] [krǽp] *n.* =CRAPS ; (craps에서) 2[3, 12]의 수(數). —— *vi.* (**-pp-**) 2[3, 12]가 나오다.
crap out (craps에서) 지다 ; (겁나거나 지쳐서) 그만두다, 포기[단념]하다 ; 쉬다 ; 졸다.
〚CRAPS〛

crap[2] *n.* 《卑》 오물, 똥 ; 쓰레기 ; 허튼 수작 ; 거짓말, 허풍. —— *v.* (**-pp-**) *vt.* 《美俗》 허풍떨다, 거짓말하다 ; (너무 집적거려) 못쓰게 만들다.
—— *vi.* 《卑》 싸다, 배설하다(defecate).
crap around 《美俗》 바보짓하다 ; 일을 피하다 ; (일하기 싫어) 꾀를 부리다.
〚ME=chaff, refuse from fat boiling<Du.〛

crape [kréip] *n.* **1** Ⓤ (검정) 크레이프, 주름진 비단. **2** 검은 크레이프의 상장(喪章)《모자·소매 따위에 두름》 : wear a ~ on one's sleeve 소매에 (애도의) 상장을 두르다. —— *vt.* 크레이프로 싸다[덮다] ; (머리를) 곱슬곱슬하게 하다. **cráped** *a.* 쭈글쭈글한, 곱슬곱슬한 ; (검은) 크레이프를 두른, 상장을 단. 〚*crispe, crespe*<F CRÊPE〛
[活用] 1에서는 요즈음 주로 흑색으로 상복이나 상장에 쓰이고 다른 색깔 또는 유사한 것은 crepe 라고 함.

crápe clòth *n.* 크레이프 비슷한 모직물.

crápe háir *n.* =CREPE HAIR.

crápe·hàng·er *n.* 《美俗》 비관론자.

crápe mỳrtle *n.* 〖植〗 배롱나무[백일홍나무].

crap·pie [krǽpi] *n.* (*pl.* **~s**, ~) 〖魚〗 크래피《북미 중부산》. 〚Can. F〛

cráp·py *a.* 《俗》 진절머리가 나는, 엉망진창인, 시시한.

craps [krǽps] *n.* Ⓤ 《美》 [단수·복수 취급] 크랩스《두 개의 주사위를 던져 첫번째에 7이나 11이 나오면 이기고 2, 3, 12가 나오면 짐 ; 그 이외가 나오면 다시 던져 7이 나오면 지고, 첫번째와 같은 수가 나오면 이김》 : shoot ~ 크랩스를 하다.
〚C19‹? *crab* lowest throw at dice〛

cráp·shòot *n.* 투기적 사업.

cráp·shòot·er *n.* 《美》 크랩스 도박꾼.

crap·u·lent [krǽpjələnt] *a.* 과음·과식하여 거북한[몸을 버린] ; 폭음[폭식]의.
-lence *n.* Ⓤ 과음[과식]으로 인한 몸의 부실[고통]. 〚L *crapula* drunkenness<Gk.〛

crapy [kréipi] *a.* CRAPE 같은, 주름이 진 ; 상장(喪章)을 찬[단].

crases *n.* CRASIS의 복수형.

‡**crash**[1] [krǽ(ː)ʃ] *n.* **1** (물건이 부서지거나 충돌할 때 따위의) 요란한 소리 ; (천둥·대포의) 굉음(轟音) : fall with a ~ 요란한 소리를 내면서 붕괴되다. **2** 《비유》 (정부·상점 따위의) 무너짐, 파멸, 파산, 폭락, 붕괴, 도산 : a sweeping ~ 〖證〗 대폭락. **3** (비행기의) 추락 ; (자동차의) 충돌 : an automobile ~ 자동차의 충돌 사고. **4** 〖컴퓨〗 (시스템의) 고장, 폭주. **5** 《俗》 홀딱 반함. **6** 《俗》 완전한 실패. **7** 《俗》 (하룻밤의) 숙박. —— *vi.* **1** [動/+副/+前+名] 와르르[납작하게] 부서지다[망가지다] ; 요란한 굉음을 내다, 산산 조각나다 ; 무섭게 충돌하다 : The roof *~ed* ***in***. 지붕이 폭삭 무너져 내렸다 / The post fell down *~ing* ***through*** the window. 기둥이 요란한 소리를 내면서 창문을 부수고 쓰러졌다 / The avalanche *~ed* ***down*** the mountainside. 산사태로 산허리가 와르르 무너져 내렸다 / Our train *~ed* ***into*** a goods train. 우리 열차는 화물 열차와 굉음을 내면서 충돌했다 / The dishes *~ed* ***to*** the floor. 접시들이 와장창 하고 마룻바닥에 떨어져 깨졌다. **2** (비행기·비행사가) 기체를 파괴하다, 추락하다 ; (조종사가) 떨어져 죽다 ; (자동차가) 파괴되다. **3** (계획 따위가) 무너지다 ; (사업이) 실패하다. **4** 〖컴퓨〗 (시스템·프로그램이) 갑자기 기능을 멈추다, 폭주하다 ; 재정적으로 갑자기 붕괴하다. **5** 《口》 (초대 받지 않은 파티 따위에) 몰려가다 ; 《俗》 강도질하다 ; 《俗·비유》 억지로 멤버가 되다. **6** 《俗》 자다 ; (공짜로) 묵다 ; 《俗》 취하여 곤드레만드레가 되다. **7** 《俗》 (마약을 먹은 뒤) 정상 상태로 돌아오다, 마약[LSD]의 효과가 끊어지다. —— *vt.* **1** 《稀》 산산이 박살내다, 납작하게 찌부러뜨리다. **2** (비행기를) 불시착시키다, (착륙할 때에 비행기를) 파괴[파손]하다 ; (적기를) 추락시키다. **3** (극장·파티 따위에) 표없이[불청객으로] 들어가다, 숨어들다 ; 《俗》 …에 공짜로 묵다 ; 〖野〗 …을 치다.
crash back to earth 폭락하다.
crash the gate 《俗》 (초대도 받지 않고) 불청객으로 가다, (극장 따위에) 표없이 들어가다(cf. GATE-CRASHER).
—— *adv.* 《口》 요란한 소리를 내며 : go[fall] ~ 무시무시한 소리를 내다[내며 무너져 내리다].
—— *a.* 《口》 몹시 서두르는, 단숨에 해낸, 속성의 : a ~ job 강행 공사 / a ~ program 비상 생산 계획, 대변혁 계획.
〚ME(imit.)〛
[類義語] ⟹ BREAK.

crash[2] *n.* Ⓤ 굵은 삼베《수건·여름옷 따위로 씀》. 〚Russ.=colored linen〛

crásh bárrier *n.* 《英》 (도로·경주로 따위의) 가드레일, 고속 방지턱.

crásh bòat *n.* 조난 구조선, 구명 보트《고속의 소형정(艇)》.

crásh càr *n.* 《美俗》 (범인 그룹의) 도주 엄호차《경찰의 도로 봉쇄 때에 범인의 도주를 돕기 위해 그 봉쇄를 돌파하는 역할을 함》.

crásh còurse *n.* 《口》 속성 과정, 단기 속성 코스, 특별 훈련 과정.

crásh dìve *n.* (잠수함의) 급속 잠항.

crásh-díve *vi.* (잠수함이) 급속히 잠항하다 ; (비행기가 적함·지상 따위를 목표로 하여) 급강하하다. —— *vt.* (비행기가 적함 따위를) 목표로 하여 급강하하다 ; (잠수함)을 급속 잠항시키다.

crashed [kræʃt] *a.* 《俗》 몹시 취한(drunk).
crásh·er *n.* 굉장한 소리를 내는 것 ; 통격 ; 《俗》 = GATE-CRASHER ; 《美俗》 강도.
crásh hàlt *n.* 급정거(crash stop).
crásh hèlmet *n.* (자동차 경주자 등이 쓰는) (안전) 헬멧.
crásh·hòuse *n.* 《CB俗》 병원.
crásh·ing *a.* 《口》 **1** 완전한, 철저한, 최고의. **2** 특별한. **3** 놀라운, 두려운.
a crashing bore 매우 따분한 인물[일].
crásh-lánd *vt., vi.* (기체 파손을 각오하고) 불시착시키다[하다], 동체착륙을 시키다[하다].
crásh·òut *n.* 《俗》 탈옥, 파옥(破獄).
crásh pàd *n.* **1** (자동차 내부의) 방충(防衝)용 패드. **2** 《俗》 무료 숙박소, 임시 숙소.
crásh·pròof *a.* =CRASHWORTHY.
crásh stòp *n.* 급정거(crash halt).
crásh wàgon *n.* 《美俗》 구급차.
crásh·wòrthy *a.* 충돌[충격]에 견디는[강한] : ~ motorcycle helmet. **-wòrthiness** *n.*
cra·sis [kréisəs] *n.* (*pl.* **-ses** [-si:z]) 〖文法〗 모음 축합(縮合) ; 《古》 체질, 기질. 〖Gk.〗
crass [kræ(:)s] *a.* **1** 《文語》 어리석고 둔한, 몹시 어리석은(stupid) ; 심한, 지독한(gross) : ~ ignorance[stupidity] 지독한 무지[우둔]. **2** 《古》 (천이) 두꺼운, 거칠거칠한 ; 순전한. **~·ly** *adv.* **~·ness** *n.* 〖L *crassus* thick〗
cras·si·tude [krǽsətjù:d] *n.* Ⓤ 우둔 ; 조잡.
-crat [kræt] *n. comb. form* 「-CRACY의 지지자[일원]」의 뜻 : aristo*crat*, demo*crat*. ㊟ 형용사형은 -CRATIC(AL). 〖F〗
cratch [krætʃ] *n.* **1** 구유, 여물 시렁(crib). **2** 《古》 여물통. 〖OF CRÈCHE〗
crate [kréit] *n.* (유리·도자기류를 나르는) 나무틀[상자] ; (과일 따위를 나르는) 대나무[버들가지] 바구니 ; 《口》 낡은 자동차[비행기] ; 《美俗》 관(棺). —— *vt.* 나무상자[대바구니]에 차곡차곡 담다. 〖? Du.=basket etc.〗
cra·ter [kréitər] *n.* 분화구, 크레이터 ; 〖軍〗 (폭탄·포탄·지뢰 폭발에 의한) 포탄 구멍, 탄흔 ; [the C~] 〖天〗 컵자리. —— *vt.* (포탄 따위가) …에 구멍을 내다. —— *vi.* (길이) 패다, 구멍이 생기다 ; (표면이) 마모되다 ; 《美俗》 죽다 ; 《비유》 못쓰게 되다.
〖L<Gk.=mixing bowl〗
crá·ter·i·fòrm [kréitərə-] *a.* 분화구 모양의.
cráter làke *n.* **1** (사화산의) 화구호(火口湖). **2** [C~ L~] [ㅗㅗ] **a)** 크레이터 호수《미국 Oregon 주의 화산호》. **b)** (그것을 포함하는 주변의) 크레이터 레이크 국립공원(C~ L~ National Park).
cráter·let *n.* 작은 분화구, (달 표면의) 작은 크레이터.
cráter wáll *n.* 화구벽(火口壁).
-crat·ic, -crat·i·cal [krǽtik(əl)] *a. comb. form* =CRAT.
C ration [sí: ㅗ] *n.* 〖美陸軍〗 휴대 식량의 하나《통조림류》.
cra·ton [kréitɑn, krǽt-] *n.* 〖地質〗 대륙괴(大陸塊)[핵], 크레이톤《지각의 안정 부분》.
〖G *Kraton*<Gk.=strength〗
craunch [krɔ́:ntʃ, 美+krɑ́:ntʃ] *v., n.* =CRUNCH.
cra·vat [krəvǽt] *n.* **1** 넥타이. ㊟ 영국에서는 상용어(商用語), 미국에서는 점잔빼는 말. **2** 《古》 (남자용의) 목도리(neckcloth). **3** 〖醫〗 삼각건《붕대용》. 〖F<Serbo-Croat=Croat〗
crave [kréiv] *vt., vi.* [+目/+前+名] 간청하다 ; 갈망하다 ; 요구하다, 필요로 하다 : He ~*d* mercy. 선처를 빌었다 / The thirsty man ~*d* ***for*** water. 목마른 남자가 물을 달라고 간청했다. 〖OE *crafian* ; cf. ON *krefja* to demand〗
cra·ven [kréivən] *a.* 겁많은, 비겁한(cowardly) ; 《古》 패배한.
cry craven 「졌다 !」하고 외치다 ; 항복하다.
—— *n.* 겁쟁이, 비겁한 사람.
—— *vt.* 《古》 겁주다, 기를 죽이다. **~·ly** *adv.*
〖? OF=defeated<L (*crepo* to burst)〗
crav·en·ette [krævənét, krèi-] *n.* 크래버넷《방수포(防水布)》 ; 방수 외투. —— *vt.* (천)에 방수 가공을 하다. 〖상표〗
crav·ing [kréiviŋ] *n.* 갈망 ; 간청 : have a ~ *for* pleasure 쾌락을 열망하다. —— *a.* 몹시 탐내는, 갈망하는.
craw [krɔ́:] *n.* (동물의) 밥통 ; (새의) 멀떠구니[모이주머니] ; 《俗》 목구멍.
〖MDu., MLG, MHG *krage* neck, throat〗
cráw·fish *n.* =CRAYFISH ; 《美口》 꽁무니빼는 사람. —— *vi.* 《美口》 꽁무니 빼다〈*out*〉 ; 《美俗》 손을 떼다, 취소하다.
〖변형(變形) ‹ *crayfish*〗
‡**crawl**[1] [krɔ́:l] *vi.* **1** [動/+副/+前+名] **a)** 기다, 포복하다 : ~ ***on*** hands and knees[*on* all fours] 네 발로 기다 / A chicken ~*ed* ***off to*** the outside of the pen. 병아리 한 마리가 닭장 밖으로 기어 나갔다 / The boy ~*ed* ***into*** the hole. 그 소년은 굴속으로 기어 들어갔다. **b)** (열차 따위가) 천천히 가다 ; (시간이) 더디 가다 ; (환자가) 살살 걷다 ; 살금살금 걸어다니다 : Some patients were ~*ing* ***about*** (the garden). 환자들이 (마당을) 느릿느릿 걸어다니고 있었다. **2** [+前+名] 살살 비위를 맞추다 : You must not ~ ***to*** your superiors. 상관에게 아첨을 해서는 안된다. **3** [+*with*+名] (장소가 벌레 따위로) 우글우글[득실득실]하다 : The ground was ~*ing* ***with*** ants. 땅에는 개미가 득실거리고 있었다. **4** (살갗이) (벌레가 기는 것처럼) 근질근질하다, 소름끼치다 : My flesh ~*ed* at the sight. 그 광경을 보고서 소름이 끼쳤다. **5** 〖泳〗 크롤로 헤엄치다. —— *vt.* **1** 기다 ; 《俗》 (남자가 여자)와 자다. **2** 《俗》 몹시 비난하다. —— *n.* **1** [a ~] 기기, 기어가기 ; 느릿느릿 걷기, 천천히 가기 : go at a ~ 천천히 걷다 ; 서행하다, (자동차 따위가) 슬슬 달리다 / go for a ~ 어슬렁어슬렁 산책하다. **2** [보통 the ~] 〖泳〗 크롤 수영법. **3** 《美俗》 춤 ; 텔레비전 프로그램 끝에 비추는 스태프 명단. **~·ing·ly** *adv.* 기듯이 ; 느릿느릿.
〖ME<? ; cf. Swed. *kravla*, Dan. *kravle*〗
類義語 ***crawl*** 곤충의 애벌레처럼 배를 땅에 대고 느릿느릿 기다. ***creep*** 네 발로 배를 땅에 대고 기어가다.
crawl[2] *n.* (바닷가의) 물고기를 산 채로 가두어 두는 곳. 〖Afrik.<Du. KRAAL〗
cráwl·er *n.* **1** 기는 사람 ; 기어다니는 동물, 파충류의 동물(reptile) ; 이(louse) ; 《美》 뱀잠자리의 애벌레. **2** 《英口》 손님을 찾아서 서행하는 택시. **3** 앉은뱅이 거지. **4** [주로 *pl.*] (갓난아기의) 겉옷(baby's overalls). **5** 〖泳〗 크롤 수영자.
cráwler tràctor *n.* 무한 궤도(형) 트랙터.
cráwl·er·wày *n.* 로켓·우주선 운반용 도로.
cráwl·ing *n.* 〖美蹴〗 크롤링《넘어진 볼 캐리어가 계속 전진하려고 하는 일》. —— *a.* 《俗》 벼룩이[이가] 뀐.
cráwling pèg *n.* 〖經〗 크롤링 펙《점진적인 평가(平價) 변경 방식》.

cráwl spàce *n.* (지붕·마루밑 따위의 배선·배관을 위한) 좁은 공간 ; =CRAWLERWAY.
cráwl·wày *n.* 기어서만 다닐 수 있는 길《동굴 속 따위의》.
cráy·fish [kréi-], 《濠·N. Zeal.》 **cray** *n.* 가재 ; 닭새우(spiny lobster). 〖OF *crevice* (⇨ CRAB[1]) ; 어미는 *fish*에 동화(同化)〗
cráy·fish·ing *n.* 가재 잡기.
cray·on [kréian, -ən ; kréiən] *n.* **1** 크레용 ; 크레용 그림. **2** (아크등(燈)의) 탄소봉. —— *vt.* **1** 크레용으로 그리다. **2** 《비유》 (계획 따위를) 대충 세우다(sketch)〈*out*〉. **~·ist** *n.* 크레용 화가. 〖F (*craie* chalk)〗
craze [kréiz] *vt.* **1** [+目/+目+前+名] [보통 수동태로] 미치게[열중하게] 하다, 발광시키다 ; 열광하게 하다〈*about, for*〉: She *is ~d* ***about*** the film star. 그녀는 그 영화배우에게 미쳐 있다. **2** (사기그릇을) 잔금이 가게 굽다. —— *vi.* 미치다 ; 잔금이 가다. —— *n.* **1** 광기(insanity). **2** (일시적) 열광(의 대상), 열중(해 있는 것) ; (일시적) 대유행(rage) : It is the ~. 그것은 지금 한창 유행이다. **3** 잔금. **~d** *a.* 미친 ; 잔금이 간《도자기》. 〖ME=to break, shatter < ? ON 《美》 *krasa* (Swed. *krasa* to crunch)〗
‡**cra·zy** [kréizi] *a.* **1** 미친 ; 흥분한 ; 미친듯한 ; 이상한 ; 비현실적인 : Are you ~? 너 미쳤니. **2** 《口》 열광한, 열중한〈*for, about, over*〉. **3** (건물·배 따위가) 흔들흔들하는. **4** 《口》 훌륭한, 최고의. **5** 결함이 많은 ; 《古》 병약한.
like crazy 《口》 무서운 기세로, 맹렬히.

〈회화〉
He's *crazy* about baseball.—I know. That's all he ever talks about. 「그는 야구에 열중하고 있군」 「알고 있어. 그가 말하는 것은 야구 뿐이야」

—— *n.* 《口》 미친 사람 ; 과격한 사람. **crá·zi·ly** *adv.* 미친 듯이, 미친 사람처럼 ; 열중하여. **-zi·ness** *n.* 발광, 열광. 〖CRAZE〗
crázy bòne *n.* 《美》 =FUNNY BONE.
crázy hòuse *n.* **1** 《俗》정신 병원. **2** =FUN HOUSE.
crázy pàving[**pàvement**] *n.* 고르지 못한 돌이나 타일을 깐 보도.
crázy quìlt *n.* 《美》 조각보 이불 ; 쪽모이 세공.
crázy-quìlt *a.* 긁어 모은, 주워 모은.
crázy·wèed *n.* 〖植〗 로코풀(locoweed).
crázy wòrk *n.* 조각보 세공.
CRB 《美》 Central Reserve Bank(중앙 준비 은행). **CRC** camera-ready copy ; Civil Rights Commission.
C.R.E. 《英》 Commander, Royal Engineers.
creak [krí:k] *n.* 삐걱[끼익끼익]거리는 소리, 삐거덕거림. —— *vi., vt.* 삐걱거리(게 하)다, 삐걱 소리를 내다 : The old house *~ed* with the wind. 낡은 집이 바람에 삐거덕거렸다 / *C~ing* doors hang the longest. 《속담》 삐거덕거리는 문일수록 오래 간다, 「쭉정밤 3년 간다」. **~·er** *n.* 《美俗》 폐품, 늙은이. 〖ME (imit.) ; cf. CRAKE, CROAK〗
créaky *a.* 황폐한, 누더기의 ; 삐걱거리는.
◇**cream** [krí:m] *n.* **1** Ⓤ 젖[우유]의 더께, 유지(乳脂), 유피(乳皮)《우유의 위층에 괴는 지방분》. **2** [때때로 *pl.*] 크림《당과(糖菓) ; cf. CHOCOLATE CREAM》 ; Ⓤ,Ⓒ =ICE CREAM ; Ⓤ 크림이 든 요리. **3** Ⓤ 화장용 크림. **4** Ⓤ (액체의) 윗 더께, 상피(上皮). **5** Ⓤ [the ~] 최상의 부분, 정화(精華), 정수(精粹), 진수, (이야기의) 재미있는 대목 : *the ~ of* society 사교계의 꽃 / *the ~ of* the story 그 얘기의 정수 / get *the ~ of* …의 정수[제일 좋은 부분]를 빼내다. **6** Ⓤ 크림색 ; Ⓒ 크림색의 말[토끼 따위].
cream of lime 석회유(石灰乳).
cream of tartar 주석영(酒石英)《요리·청량음료·약용》.
the cream of the cream =CRÈME DE LA CRÈME.
—— *vt.* **1** (우유에서) 크림을 분리[채취]하다, …에서 크림을 떠내다. **2** …의 정수[가장 좋은 부분]를 뽑다. **3** (홍차 따위에) 크림을 넣다. **4** (버터와 설탕 또는 달걀 노른자와 설탕을) 뒤섞어서 크림 모양으로 하다 ; (요리에) 크림 소스를 치다. —— *vi.* (우유에) 크림[유피(乳皮)]이 생기다 ; (액체에) 더께가 생기다, 크림 모양으로 굳어지다. —— *a.* 크림의 ; 크림색의 ; 《美俗》 쾌적한. 〖OF < L *cramum* and *chrisma* CHRISM〗
créam càke [; ⌐⌐] *n.* 《英》 크림 케이크.
créam chèese *n.* 크림 치즈《생우유에 크림을 넣은 부드럽고 맛이 진한 치즈》.
créam-còlored *a.* 크림색의.
créam cràcker *n.* 《英》 크래커.
créam·cùps *n.* (*pl.* ~) 〖植〗 (California산) 양귀비꽃과(科)의 풀.
créam·er *n.* **1** 크림을 떠내는 그릇 ; 크림 분리기. **2** 《美》 크림 통《식탁용》.
créam·ery *n.* **1** 버터·치즈 제조소 ; 낙농장. **2** 우유·크림·버터류 판매점《다방을 겸함》. 〖F *crêmerie*에 준하여 CREAM에서〗
créam-fáced *a.* (무서워서) 새파랗게 질린.
créam hòrn *n.* 크림 혼《원뿔 모양의 크림 과자》.
créam ìce *n.* 《英》 =ICE CREAM.
créam jùg[**pìtcher**] *n.* 크림 통《식탁용》.
créam làid *n.* 《英》 크림색의 격자무늬 종이《필기용지 ; cf. LAID PAPER》.
créam pùff *n.* 크림 퍼프, 슈크림 ; 《비유》 시시한 사람[것] ; 《口》 유약한 남자 ; 《俗》 새것이나 다름없는 중고차.
créam-pùff hìtter *n.* 《野俗》 (타율(打率)이 낮은) 약한 타자.
créam sàuce *n.* 크림 소스(white sauce).
créam sèparator *n.* 크림 분리기.
créam·slìce *n.* 크림[아이스크림]을 떠내는 얇은 나무 주걱.
créam sóda *n.* 소다수(水).
créam téa *n.* 《英》 크림 티《잼과 고형(固形) 크림을 곁들인 빵을 먹는 오후의 차》.
créam wòve *n.* 《英》 크림색의 격자무늬가 있는 종이《필기용지 ; cf. WOVE PAPER》.
créamy *a.* **1** 크림이 들어있는[많은]. **2** 크림 모양의 ; 보드랍고 연한. **3** 크림색의.
créam·i·ly *adv.* **-i·ness** *n.* 크림질(質).
crease[1] [krí:s] *n.* 주름살, 접은 자국, 구김살 ; 〖크리켓〗 투수[타자]의 한계선. —— *vt.* …에 주름을 잡다 ; 구겨지게 하다 ; 접은 자국을 내다. —— *vi.* 주름지다 ; 구겨지다 : This material *~s* easily. 이 재료는 잘 구겨진다. **créas·ing**[1] *n.* 주름, 접은 자국. **~d** *a.* 주름잡힌 ; 구겨진. 〖CREST=ridge in material〗
crease[2] *n.* =KRIS.
créas·er *n.* (재봉·제본 따위의) 주름잡는 사람[기구, 기계].
créase-resìst·ant *a.* (직물이) 구겨지지 않는.
crea·sing[2] [krí:siŋ] *n.* 〖建〗 (굴뚝·담위의) 비 막는 기와.
cre·a·sote [krí(:)əsòut] *n., vt.* =CREOSOTE.
créasy *a.* 주름있는, 구김살 많은.
‡**cre·ate** [kri(:)éit, krí:eit] *vt.* **1** [+目/+目+補]

(신(神)·자연력 따위가) 창조하다 : All men are ~*d* equal. 사람은 누구나 평등하게 창조돼 있다. **2** (독창적인 것을) 창작하다 ; (배우가 어떤 역을) 초연하다, 창조하다 ; (신형을) 고안하다. **3** (국가·회사 따위를) 창립하다 ; (제도·관직 따위를) 창설하다. **4** [+目/+目+補] (귀족이) 되게 하다, (남)에게 위계·작위를 주다 : He was ~*d* a baron. 그는 남작에 봉해졌다. **5** (새로운 사태·소동 따위를) 일으키다(cause), (평판이) 나게 하다 : ~ a sensation ☞ SENSATION 2 b).
—— *vi.* 창조적인 일을 하다 ; 《俗》 법석떨다.
—— *a.* 《古》 창조된.
〚L *creo* to make〛

cre·a·tine [kríːətìːn, -tn] *n.* 〖化〗 크레아틴.

cre·at·i·nine [kri(ː)ǽtənìːn, -nən] *n.* 〖生化〗 크레아티닌《척추동물의 근육·오줌·혈액 속에 함유된 백색 결정》.

***cre·a·tion** [kri(ː)éiʃən] *n.* **1** Ⓤ 창조, [때때로 the C~] 천지 창조, 창세. **2** Ⓤ 창작 ; (국가·제도 따위의) 창설, 건설 ; 작위[지위]의 수여 : a peer of recent ~ 신귀족. **3** Ⓤ (신의) 창조물, 삼라만상, 만물, 우주. **4** (지력·상상력의) 산물, 창작품 ; (배우의) 역(役)의 창조, 초연, 신연출 ; (의상 따위의) 창안, 새로운 의장(意匠).
That beats*[*licks*] *creation. 《美口》 그것 참 놀랍다, 그것 참 유쾌하다.
the creation of peers 《英》 (상원의 반대 억제 수단으로서 정부 지지의) 귀족을 마구 만들어 냄.
the Lord of Creation 만물의 영장, 인간.

creátion·ìsm *n.* Ⓤ 〖神學〗 영혼 창조설《개인의 혼은 수태 또는 출생때 신이 무에서 창조한다고 함》; 〖生〗 특수 창조설(↔*evolutionism*).

***cre·a·tive** [kri(ː)éitiv] *a.* 창조적인, 창조력이 있는, 창작적인, 독창적인(originative) ; (…을) 만들어 내는(productive)〈*of*〉; 건설적인 : ~ writing 창조적 작문(법). —— *n.* 《美口》 창조성이 있는 사람. **~·ly** *adv.* 창조적으로. **~·ness** *n.*

creátive evolútion *n.* 창조적 진화《프랑스의 Bergson 철학의 근본 사상》.

creátive tèam *n.* 〖廣告〗 어떤 광고를 만드는 데 협력하여 일하는 아트 디렉터(art director)와 카피라이터(copywriter).

cre·a·tiv·i·ty [krìː(ː)eitívəti, krìːə-] *n.* Ⓤ 창조적임, 창조성, 독창력.

cre·á·tor *n.* **1** 창조자, 창작자, 창설자 ; 작위 수여자, (의장(意匠)의) 고안자. **2** [the C~] 창조주 ; 조물주(God). **~·shìp** *n.* Ⓤ 창조자임.
cre·á·tress *n. fem.*

crea·tur·al [kríːtʃərəl] *a.* 생물의 ; 동물적인.

‡**crea·ture** [kríːtʃər] *n.* **1** (신의) 창조물. **2** 생물, (특히) 동물 ; 《美》 마소, 가축 : dumb ~*s* 말 못하는 짐승류. **3** 인간, 사람 : fellow ~*s* 동포. **4** [주로 애정·동정·경멸 따위의 형용사를 수반하여] 사람, 놈, 계집, 자식 : Poor ~! 불쌍도 해라 / the[that] ~ 《蔑》 그 놈, 저 녀석 / What a ~! 별난 놈 다 보겠군. **5** 예속자, 부하, 앞잡이(tool). **6** 노예, 종(slave) : a ~ *of* circumstances[impulse] 환경[충동]의 노예. **7** 소산, 산물(product) : a ~ *of* the age 시대의 산물 / a ~ *of* fancy 공상의 산물. **8** [the ~] 《蔑》 강한 술, (특히) 위스키.
〚OF<L ; ⇨ CREATE〛

créature cómfort *n.* [보통 one's ~s] 육체적 쾌락을 주는 것《의식주 따위》.

crèche [kréʃ, kréiʃ] *n.* 보육원, 탁아소(day nursery). 〚F (⇨ CRATCH) ; cf. CRIB〛

cre·dence [kríːdəns] *n.* Ⓤ 신뢰, 신용(belief, credit) ; 신용의 증거 ; 〖카톨릭〗 제구대(祭具臺) : a letter of ~ 신임장(cf. CREDENTIALs) / find ~ *with* …에게 신임받다 / give[refuse] ~ *to* …을 믿다[믿지 않다].
〚OF<L ; ⇨ CREED〛
類義語 ⟹ BELIEF.

cre·den·da [kridéndə] *n. pl.* (*sg.* **-dum** [-dəm]) 〖神學〗 신조, 신앙 조항(articles of faith).
〚L ; ⇨ CREED〛

cre·den·tial [kridénʃəl] *n.* **1** 신용증명서, 보증서 ; [*pl.*] (대사·공사 등에게 주는) 신임장 : present ~*s* 신임장을 바치다. **2** [보통 *pl.*] 자격증명서, 성적[인물] 증명서 ; 《비유》 자격 : a ~ committee 자격 심사 위원회. —— *a.* 자격 인정의, 신임하는 : a ~ letter 신임장.

credéntial·ìsm *n.* 증명서[학력] 편중주의.

cre·den·za [kridénzə] *n.* (르네상스 시대의) 귀중한 식기류를 넣어두는 찬장 ; 그것을 본뜬 찬장[책장] ; 〖카톨릭〗 =CREDENCE. 〚It.=belief〛

cred·i·bil·i·ty [krèdəbíləti] *n.* Ⓤ 믿을 수 있음, 신빙성, 진실성 ; 신용.

credibílity gàp *n.* (정부에 대한) 신빙성의 결여, 불신감 ; (정치가 등의) 언행 불일치 ; (세대간의) 단절(감).

cred·i·ble [krédəbəl] *a.* 신용[신뢰]할 수 있는, 믿을 만한, 확실한(cf. CREDITABLE) : a ~ story / It seems hardly ~ that she has grown so tall in one year. 1년 동안에 그 정도로 키가 컸다는 것은 믿기 어려운 일이다. **-bly** *adv.* **~·ness** *n.* 〚L ; ⇨ CREDO〛

crédible detérrent *n.* 〖軍〗 (적측에게 보여주는) 믿을 만한 억지력(抑止力).

***cred·it** [krédət] *n.* **1** Ⓤ 신용(trust). **2** Ⓤ 명성, 평판 ; 신망, 세력 : a man *of* (the highest) ~ (더 없이) 평판이 좋은 사람 / The president was *in* high ~ *with* the students. 총장은 학생들에게 신망이 높았다. **3** Ⓤ 〖商〗 신용 ; Ⓤ,Ⓒ 외상 거래, 신용대부 ; Ⓒ 〖簿〗 대변(貸邊)《略 cr. ; ↔*debit*》; Ⓤ,Ⓒ 〖簿〗 대월계정, 은행 예금 : long[short] ~ 장기[단기] 신용대부. **4** =*letter of* CREDIT. **5 a)** Ⓤ 면목을 세움, 명예 : take ~ *for* work that has been done by another 남의 업적을 자기의 것으로 해두다 / His proficiency in Latin reflects great ~ *on* his teacher. 그는 라틴어를 잘해서 선생님의 면목을 크게 세워주고 있다. **b)** 명예로운 것[사람] : He is a ~ *to* his family. 그는 가문의 자랑이다 / Your son is a great ~ *to* your training. 댁의 아드님은 과연 당신이 교육시킨 보람이 있군요. **6** 《美》 (어떤 과목의) 이수 증명 ; Ⓤ,Ⓒ 이수 단위. **7** 크레디트《출판물·연극·방송 프로그램 따위에 쓰인 자료 제공자에게 구두 또는 지상(紙上)으로 표하는 경의 ; cf. CREDIT LINE》. **8** (세금 따위의) 공제.
be to the credit of a person=***be to*** a person***'s credit*** …의 명예가 되다, (행위 따위) 참 훌륭하다.
do credit to a person=***do*** a person ***credit*** (누구의) 명예가 되다, 남에게 면목을 세워 주다 : The work *does* you ~. 그 일은 당신의 명예가 됩니다 / This book will *do* great ~ *to* the publisher. 이 책은 발행인의 명성을 크게 떨쳐줄 것이다.
get credit for …의 공로를 인정받다, …을 위하여 면목을 세우다.
give a person ***credit*** 남에게 신용 대부를 하다.
give a person ***credit for...*** (성질 따위를) 사람이 당연히 가지고 있다고 간주하다 ; (행동 따위)를 …에게 돌리다, 남의 공로로 하다[치다] : She

is more thoughtful than you *gave* her ~ *for*. 그녀는 당신이 생각했던 것보다는 생각이 깊은 여자요 / I *gave* her ~ *for* more sense. 그녀가 좀 더 분별있는 여자라고 생각했다.
give credit to... (이야기 따위)를 믿다.
have credit (1) 신용이 있다 : *have* ~ *with* a person 남에게 신용이 있다. (2) 예금이 있다 : *have* ~ *at* a bank 은행에 예금이 있다.
have[***get***] ***the credit of*** …의 영예를 얻다, 명예롭게도 …했다고 인정받다.
letter of credit 〔商〕 신용장《略 L/C》.
No credit. 외상 사절.
on credit 외상으로, 신용 대부로 : deal *on* ~ 신용 거래하다.
to a person***'s credit*** 남의 명예가 되도록 ; 〔簿〕 대변(貸邊)에.

〈회화〉
Did you buy the personal computer on *credit*? — Of course not. I paid cash. 「그 퍼스널 컴퓨터를 외상으로 샀습니까」「천만에요. 현금을 지급하고 샀습니다」

— *vt.* **1** 믿다, 신용하다(believe). **2** [+目+前+名] (…의 성질·감정 따위를) 가지고 있다고 믿다 ; (공로·명예를) …에게 돌리다 ; (…의) 덕으로 치다(ascribe) : ~ a person ***with*** honesty = ~ honesty ***to*** a person 사람이 정직하다고 믿다 / I can hardly ~ you *with* hav*ing* said such things. 네가 그런 말을 했다고는 믿기 어렵다 / They ~ his queerness *to* his solitude. 그가 괴팍한 것은 고독하기 때문이라고 믿고들 있다. **3** [+目+前+名] 〔簿〕 (얼마의 금액을 누구의) 대변에 기입하다 : ~ a sum ***to*** a person = ~ a person ***with*** a sum. **4** 《美》 …에게 이수(履修) 증명[학점]을 주다 ; 평가하다.
〖F<It. or L ; ⇨ CREED〗

créd·it·able *a.* 명예가 되는(honorable) ; 훌륭한, 칭찬할 만한(praiseworthy) (cf. CREDIBLE) : a ~ achievement 찬양할 만한 업적 / It is ~ *to* your good sense. 그것은 너의 양식을 욕되게 하지 않는다, 참으로 훌륭한 분별이다. **-ably** *adv.* 훌륭히, 썩 잘. **~·ness** *n.*
crédit accòunt *n.* 〔商〕 외상 계좌[계정].
crédit àgency *n.* (신용판매를 위한) 신용 조사소[기관].
crédit bùreau *n.* 상업 흥신소.
crédit càrd *n.* 크레디트 카드.
crédit-cárd càlculator *n.* 〔컴퓨〕 **1** 크레디트 카드형 전자식 계산기《크레디트 카드 크기[두께]의 계산기》. **2** 크레디트 카드 겸용 전자식 계산기《두께 0.8mm 정도의 크레디트 카드에 계산기를 내장(內藏)한 것》.
crédit èntry *n.* 〔簿〕 대변 기입.
crédit hòur *n.* 〔美敎〕 (학점 이수) 단위 시간.
crédit inquìry *n.* 신용 조회.
crédit insùrance *n.* (대손(貸損)에 대한) 신용 보험(保險).
crédit lìmit *n.* 신용 한도(credit line).
crédit lìne *n.* 크레디트라인《뉴스·기사·사진·그림 따위에 밝히는 제공자 등의 이름》; 신용 한도액, 신용 한도(credit limit).
crédit lòan *n.* 신용 대부.
crédit màn *n.* 신용 조사원.
crédit mànager *n.* (은행·회사의) 조사 부장 ; = CREDIT MAN.
crédit memorándum *n.* 신용 메모, 신용표《고객에게 발행하는 송장(送狀) 이외의 표》.
crédit nòte *n.* 〔商〕 대변 전표《입금·반품 때에 매도인(賣渡人)측이 보내는 전표 ; ↔*debit note*》.
créd·i·tor *n.* **1** 채권자(↔*debtor*) : a ~'s ledger 매입처 원장(元帳). **2** 〔簿〕 대변《略 cr.》.
crédit ràting *n.* 신용도 책정[등급, 평가].
crédit sàle *n.* 신용 판매, 외상 판매.
crédit sìde *n.* 〔簿〕 대변.
crédit slìp *n.* 《美》 입금표, 크레디트 슬립《백화점 따위에 불량품을 반품하면 매장에서 현금 대신 주는 전표 ; 다른 매장에서 이것으로 물건을 사거나 현금화도 가능》.
crédit squèeze *n.* 금융 긴축.
crédit stànding *n.* (지불 능력의) 신용 상태.
crédit tèrms *n. pl.* 신용 공여(供與) 조건.
crédit tìtles *n. pl.* 크레디트 타이틀《영화나 텔레비전의 배우·원작자·제작관계자·자료 제공자 등의 이름을 나타낸 자막》.
crédit ùnion *n.* 소비자 신용 조합.
crédit·wòrthy *a.* 〔商〕 신용 있는, 지불 능력이 있는. **-wòrthi·ness** *n.*
cre·do [krí:dou, kréi-] *n.* (*pl.* **~s**) **1** 《文語》 신조(creed). **2** [the C~] 〔基〕 사도 신경(=the Apostles' Creed), 니케아 신경(=the Nicene Creed). 〖L=I believe〗
cre·du·li·ty [kridjú:ləti] *n.* Ⓤ 쉽사리 믿음 ; 고지식함, 함부로 믿음.
cred·u·lous [krédʒələs] *a.* **1** (남의 말을) 쉽사리 곧이듣는, 잘 속는(↔*incredulous*). **2** 함부로 믿는 데서 오는, 믿는 데서 연유하는. **~·ly** *adv.* 쉽사리 믿어. **~·ness** *n.* Ⓤ 함부로 믿음.
Cree [krí:] *n.* (*pl.* ~, **~s**) 크리족《원래 캐나다 중앙부에 살았던 아메리칸 인디언》.
creed [krí:d] *n.* **1** (종교상의) 신경(信經) ; [the C~] 사도 신경(cf. CREDO 2) : the Athanasian *C*~ 아타나시우스 신경 / the Apostles' *C*~ 사도 신경. **2** (일반적으로) 신조, 신념, 주의, 강령. 〖OE *crēda*<L *credit*- CREDO to believe〗
***creek** [krí:k, 美+krík] *n.* **1** 《英》 (바다·강·호수의) 작은 후미, …포(浦). **2** 《美·英 식민지 따위》 지류, 샛강, 크리크. **créeky** *a.* creek가 많은. 〖ON *kriki* nook, MDu. *krēke*< ?〗
Creek [krí:k] *n.* 크리크인(人)《Oklahoma 지방에 사는 아메리칸 인디언》.
creel [krí:l] *n.* (낚시꾼의) 고기 바구니 ; 〔紡〕 실꾸리 얹는 대. 〖Sc.< ?〗
creep** [krí:p] *v.* (**crept** [krépt]) *vi.* **1** [動 / +副 / +前+名] 기다, 포복하다(crawl) ; (덩굴·나무 뿌리 따위가) 휘감기다, (얽혀) 퍼지다(spread) : The cat *crept* (up***) ***toward*** the mouse. 고양이는 쥐를 향해 살금살금 기어갔다 / Ivy had *crept* ***along*** the walls. 담쟁이덩굴이 벽을 뒤덮고 있었다. **2** (살갗이) 근질근질하다 ; 섬뜩하다 : The sight made my flesh ~[made me ~ all over]. 그 광경을 보고서 전신에 소름이 끼쳤다. **3** [動 / +副 / +前+名] 살금살금[느릿느릿] 걷다 ; 소리없이[살며시] 걷다 : He crept ***in***[***into*** bed]. 살짝 안으로 들어갔다[침대로 기어들었다]. **4** [+前+名 / +副] (남에게) 어느새 환심을 사다 ; (세월 따위가) 어느덧 다가오다 : ~ ***into*** a person's favor 사람의 호감을 사다 / Age ~*s* ***upon*** us. 모르는 사이에 나이를 먹어간다 / Time *crept* ***on***. 어느새 시간이 지나갔다. **5** 〔海〕 탐해구(探海鉤)(creeper)로 바다밑을 더듬다(drag). — *vt.* 《古·詩》 …위를 기다.
— *n.* **1** 배를 깔고 김 ; 서행(徐行). **2** 《口》 [보통 the ~s] 오싹한 느낌 : It gave me *the* (cold) ~*s*. 그것은 나를 섬뜩하게 했다. **3** 〔地質〕 점동

(漸動). 〖OE *crēopan*〗
[類義語] ⟹ CRAWL[1].

CREEP, Creep [kríːp] *n.* 대통령 재선 위원회《Watergate 사건과 관련된 활동을 한 Nixon 재선 운동 조직을 경멸적으로 일컫는 말》.
〖다음 약어(略語)에서 만든 두문자어(頭文字語) : CRP〈*C*ommittee to *R*eelect the *P*resident〗

créep·er *n.* **1** 기는 것 ; 곤충, 파충류 동물(reptile) ; 〔植〕 덩굴 식물 ; 〔鳥〕 나무에 오르는 새, (특히) 나무발바리. **2** 비열한 사람. **3** 〔海〕 탐해구(探海鉤). **4** [*pl.*] (구두창의) 미끄럼 방지용 얇은 철판. **5** [*pl.*] =CRAWLER 4.
~ed *a.* 담쟁이덩굴로 덮인.

créep·hòle *n.* **1** 기어 들어가는[나오는] 구멍 ; (짐승의) 숨는 구멍. **2** 핑계(excuse).

creep·ie [krí(ː)pi] *n.* 《英方》 낮은 삼각 의자.

créep·ie-péep·ee *n.* (소형의 휴대용) 텔레비전 카메라.

créep·ing *a.* **1** 기어다니는 : ~ plants 덩굴류 식물 / ~ things 파충류. **2** 느릿느릿한, 은근한(slow). **3** 스멀스멀하는, 소름이 끼치는. **4** 살살 비위 맞추는 ; 비열한. **5** 살며시 다가오는, 서서히 진행하는, 잠행성(潛行性)의. —— *n.* (배를 깔고) 기기 ; 〔動〕 포복 ; 서서히[살며시] 움직이기 ; 근질근질[오싹]하는 느낌 ; 〔海〕 탐해(探海) (법).

créeping barráge *n.* =ROLLING BARRAGE.

créeping féaturism [-fíːtʃərìzəm] *n.* 《해커俗》 만능 지향《컴퓨터의 프로그램 따위가 복잡한 것이 더 복잡해지는 일》.

créeping inflátion *n.* 〔經〕 크리핑 인플레이션《물가가 서서히 오르는 인플레이션 ; cf. GALLOPING INFLATION》.

créeping Jésus *n.* 《俗》 숨어 다니는 사람, 비겁자 ; 위선자 ; 아첨꾼.

créep jòint *n.* 《美俗》 밀매 주점 ; 《美俗》 (경찰의 단속을 피하기 위해) 매일밤 장소를 옮기는 도박장.

créepy *a.* **1** 스멀스멀[근질근질]하는 ; 오싹오싹하는, 소름끼치는, 머리털이 곤두서는 듯한. **2** 기어다니는 ; 느릿느릿 움직이는.

créepy-cráwly *a.* =CREEPY 1. —— *n.* 《口》 기어 돌아다니는 곤충[동물].

creese [kríːs] *n.* =KRIS.

cre·mains [kriméinz] *n. pl.* (화장한) 유골.
〖*cre*mated+re*mains*〗

cre·mate [kriméit, 美+kríːmeit] *vt.* **1** (시체를) 화장하다. **2** 소각하다(burn).
〖L *cremo* to burn〗

cre·ma·tion [kriméiʃən] *n.* [U,C] 화장 ; 소각.
~ìsm *n.* (매장에 대한) 화장론(火葬論). **~·ist** *n.* 화장론자.

cré·ma·tor [ˊ, -ˊ-; -ˊ-] *n.* **1** (화장터의) 시체 소각인(人), 화부 ; 쓰레기 소각 인부. **2** 화장로(爐) ; 쓰레기 소각로.

cre·ma·to·ri·um [krèmətɔ́ːriəm, krìːm-] *n.* (*pl.* **-ria** [-riə], **~s**) 《英》 =CREMATORY.
〖NL ; ⇨ CREMATE〗

cre·ma·to·ry [kríːmətɔ̀ːri, krém- ; krémətəri] *a.* 화장의 ; 소각의. —— *n.* 화장로[터] ; 쓰레기 소각로.

crème [krém, kríːm, kréim ; *F* krɛm] *n.* (*pl.* **~s** [krémz, kríːmz ; *F* —]) *n.* **1** =CREAM. **2** =CREAM SAUCE. **3** [U] 크렘《단맛의 리큐어 ; 향료의 이름을 덧붙여 사용》. —— *a.* (리큐어가) 감칠맛이 나는. 〖F=cream〗

crème de ca·cao [ˊ də kəkáːou, -də kóukou] *n.* 초콜릿을 넣은 리큐어. 〖F〗

crème de la crème [*F* krɛm də la krɛm] *n.* 일류의 사람들, 사교계의 꽃(the cream of the cream) ; 최상의 것, 정화(精華).

crème de menthe [ˊ də ménθ, -mínt] *n.* 박하가 든 리큐어. 〖F〗

Cre·mo·na [krimóunə] *n.* **1** 크레모나《이탈리아 북부의 도시》. **2** [또는 c~] 크레모나제(製) 바이올린.

cre·nate [kríːneit], **-nat·ed** [-neitəd] *a.* 〔植〕 (잎의 가장자리 따위가) 무딘 톱니꼴의.

cre·na·tion [krinéiʃən] *n.* 〔植〕 무딘 톱니꼴.

cren·a·ture [krénətʃər, kríː-] *n.* 〔植〕 무딘 톱니꼴 구조.

cren·el [krénl] *n.* 총안(銃眼) ; [*pl.*] 총안이 있는 흉벽. —— *vt.* (**-l-** | **-ll-**) =CRENELLATE.

cren·el·et [krénələt] *n.* 작은 총안(銃眼).

cren·el·(l)ate [krénəlèit] *vt.* (성벽 따위에) 총안을 내다[만들다, 설비하다], 활쏘는 구멍을 만들다. —— *a.* 총안을 낸.
〖F (*crenel* embrasure (dim.) <L *crena* notch)〗

crèn·el·(l)á·tion *n.* [U,C] **1** 총안(을 내기). **2** 톱니꼴의 것.

Cre·ole [kríːoul] *n.* **1** 크리올인(人). **a)** 서인도 제도·모리셔스(Mauritius) 섬·남미 따위에 이주한 백인[특히 스페인 사람]의 자손 ; 《美》 (Louisiana 주의) 프랑스계 이민의 자손. **b)** [c~] 크리올과 흑인의 혼혈. **c)** [c~] 《古》 (서인도 제도·미대륙 태생의) 토착 흑인. **2** [U] 《美》 크리올어(語)《Louisiana 주의 프랑스계 이민들 자손이 사용하는 프랑스어》. —— *a.* 크리올(인) (특유)의 ; 외래종의 ; 〔料〕 각종 향료를 쓴.
〖F<Sp.< ? Port. *crioulo* homeborn slave (*criar* breed〈CREATE)〗

Créole Státe *n.* [the ~] 미국 Louisiana 주(州)의 속칭.

cré·o·lized lánguage [kríːəlàizd-] *n.* 혼성어(語)《Creole 어(語) 따위》.

cre·o·sol [kríːəsɔ̀(ː)l, -sòul, -sàl] *n.* [U] 〔化〕 크레오솔《무색 유상(油狀)의 액체 ; 방부제용》.

cre·o·sote [krí(ː)əsòut] *n.* [U] 〔化〕 크레오소트《의료·목재 방부용》 : ~ oil 크레오소트유(油).
—— *vt.* 크레오소트로 처리하다.
〖G<Gk.=flesh preserver〗

*__crepe, crêpe__ [kréip] *n.* **1** [U] 크레이프, 축면사(縮緬紗). ☞ CRAPE [活用]. **2** =CREPE RUBBER ; =CREPE PAPER. **3** 크레이프《얇게 구운 팬케이크》. —— *vt.* crepe로 덮다[싸다].
〖F=curled<L CRISP〗

crêpe de chine [ˊ də ʃíːn] *n.* (*pl.* **crêpes de chine** [—], **~s**) [흔히 créepe de Chine] 크레이프 드 신《부드럽고 얇은 천의, 특히 비단 크레이프》. 〖F〗

crépe háir *n.* (연극의 가짜 수염·가발용(用)의) 인조털.

crépe·hàng·er *n.* =CRAPEHANGER.

crépe pàper *n.* 크레이프 페이퍼《조화·장식용》.

crépe rùbber *n.* 크레이프 고무《구두창 따위에 사용하는 주름잡힌 고무》.

crèpe su·zétte [-su(ː)zét] *n.* (*pl.* **crèpes suzétte** [krèips su-], **~s** [-su(ː)zéts]) [흔히 C~ S~] 크레이프 수제트《크레이프에 리큐어를 넣은 뜨거운 소스를 쳐서 내놓음 ; 디저트용》. 〖F〗

crep·i·tate [krépətèit] *vi.* 타닥타닥 소리나다(crackle) ; 〔醫〕 염발음(捻髮音)을 내다.
crép·i·tant *a.* 타닥타닥 울리는 ; 〔醫〕 염발음(捻髮音)의. 〖L (freq.)〈*crepo* to creak〗

crèp·i·tá·tion *n.* **1** [U] 타닥타닥함[울리는 소리].

2 Ⓤ 〖醫〗 염발음.
crep·i·tus [krépətəs] *n.* 〖醫〗 CREPITATION.
cre·pon [kréipɑn, krép- ; krépɔ̃:ŋ] *n.* 크레퐁《크레이프 비슷한 두툼한 천》. 〖F〗
***crept** *v.* CREEP의 과거·과거분사.
cre·pus·cu·lar [kripʌ́skjələr] *a.* **1** 《文語》 어스레한, 땅거미진(것 같은) (dim). **2** 《文語》 반(半) 개화의 : a ~ period 반개화 시대. **3** 〖動〗 어스름한 때에 나타나는[활동하는].
〖L *crepusculum* twilight〗
cre·pus·cule [kripʌ́skju:l ; krépəs-], **cre·pus·cle** [kripʌ́səl] *n.* 새벽[해질] 무렵 ; 황혼(twilight, dusk). 〖↑〗
Cres. 《英》 Crescent.
cres(c). crescendo.
cre·scen·do [krəʃéndou] *a., adv.* **1** 〖樂〗 점점 센[세게] ; 점점 큰[크게], 크레센도《略 cres(c). ; 기호＜ ; ↔*decresendo, diminuendo*》. **2** (감정·동작을) 차차 강하게. —— *n.* (*pl.* **~s, ~es**) **1** 〖樂〗 점강음(漸強音), 점강악절. **2** 《비유》 (CLIMAX를 향한) 진전(進展). —— *vi.* (소리·감정이) 점점 세어지다. 〖It. (pres. p)〈↓〗
cres·cent [krésənt] *n.* **1** 초승달, 상현달. **2** 초승달 모양(의 것) ; 〖紋〗 초승달 문장(紋章). **3** (옛 터키 제국의) 초승달 국기 ; 터키 제국[군] ; [the C~] 이슬람교(cf. the CROSS). **4** 《英》 초승달 모양의 광장[가로]《略 Cres.》. **5** 《美》 초승달 모양의 빵. —— *a.* **1** 초승달 모양의(cf. DECRESCENT). **2** 《詩》 점점 차가는[증대하는].
〖OF＜L *cresco* to grow〗
cres·cive [krésiv] *a.* 점차 증대[성장]하는.
~·ly *adv.*
cre·sol [krí:sɔ(:)l, -soul, -sɑl] *n.* Ⓤ 〖化〗 크레졸.
cress [krés] *n.* Ⓤ 〖植〗 후추냉이 : ☞ WATERCRESS. 〖OE *cærse, cressa*, etc. ; cf. G *Kresse*〗
cres·set [krésət] *n.* (화톳불의) 기름통, 화톳불통 《금속제》.
Cres·si·da [krésədə] *n.* 〖그傳說〗 크레시다《트로이의 왕자 Troilus의 애인》. 〖Gk. *Khrusēida* (acc.)〈*Khrusēis* daughter of Chryses〗
***crest** [krést] *n.* **1** 볏(comb) ; 깃털, 관모(tuft of hair). **2** 깃털 장식(plume) ; (투구의) 앞꽂이 장식. **3** 〖紋〗 (방패꼴 바탕무늬의) 꼭대기 장식 ; (봉인(封印)·편지지·접시 따위의) 문장(紋章) ; 가문(家紋). **4** 〖建〗 용마루(장식). **5** (말 따위의) 목 장식 ; 갈기(mane). **6** 꼭대기 ; 산정(山頂) ; (파도의) 봉우리, 물마루(↔*trough*) ; 《비유》 최상, 극치.
one*'s* ***crest falls*** 기가 죽다, 의기 소침하다.
on the crest of the wave 물마루를 타고 ; 《비유》 의기양양하여.
—— *vt.* **1** 〖建〗 …에 용마루 장식을 달다. **2** (산의) 꼭대기에 이르다, (파도의) 물마루를 타다.
—— *vi.* (파도가) 굽이치다, 물마루를 세우다.
〖OF＜L *crista* tuft〗
crést·ed *a.* CREST가 있는.
crést·fàllen *a.* 낙담한 ; 《비유》 풀이 죽은, 기운 없는(dejected) ; 볏이 처진.
crést·ing *n.* Ⓤ 〖建〗 용마루 장식.
crést·less *a.* 용마루 장식이 없는 ; 비천한.
cre·ta·ceous [kritéiʃəs] *a.* 백악질(白堊質)의 (chalky) ; [C~] 〖地質〗 백악기(紀)[계(系)]의.
—— *n.* [the C~] 〖地質〗 백악기[계].
〖L (*creta* chalk)〗
Cre·tan [krí:tn] *a.* 크레타 섬(사람)의.
—— *n.* 크레타 섬사람.
Crete [krí:t] *n.* 크레타 섬《그리스의 남쪽에 위치 ; 그리스 문화 이전에 높은 문화를 가졌음》.
cre·tic [krí:tik] *n.* 〖韻〗 장단장격(長短長格) 《—⏑—》.
cre·ti·fy [krí:təfài] *vt.* 백악[석회]화(化)하다.
cre·tin [krí:tn ; krétin] *n.* 크레틴병 환자.
~·ous *a.* 크레틴병의.
〖F *crétin*＜L CHRISTIAN〗
crétin·ìsm *n.* Ⓤ 〖醫〗 크레틴병(病) 《갑상선 호르몬 부족으로 생기는 병 ; 불구자가 되는 백치병》.
cre·tonne [kritɑ́n, krí:tɑn ; kretɔ́n, ˊ-] *n.* Ⓤ 크레톤 사라사《커튼·의자 커버용》.
〖F (*Creton* Normandy의 지명)〗
Créutz·feldt-Já·kob disèase [*G* krɔ́yts-feltjá:kop- ; *Eng.* krɔ̀itsfeltdʒéikəb-], **Jákob-Créutzfeldt disèase** *n.* 〖醫〗 크로이츠펠트야콥 증후군《기질성 치매나 다양한 신경증상을 나타내는 바이러스성(性) 질환》.
〖Hans G. *Creutzfeldt* (d. 1964), Alfons M. *Jakob* (d. 1931) 독일의 정신과 의사〗
cre·val·le [krivǽli] *n.* 〖魚〗 갈전갱이.
cre·vasse [krivǽs] *n.* **1** (빙하의) 갈라진 틈, 크레바스. **2** 《美》 (둑의) 터진 곳, 파손된 곳.
—— *vt.* 갈라진 틈을 생기게하다.
〖OF ; ⇨ CREVICE〗
crev·ice [krévəs] *n.* (벽·바위 따위의) 갈라진 틈, 균열, 터진 곳. **~d** *a.* 금이 간.
〖OF (*crever* to burst＜L *crepo* to crack)〗
‡**crew**[1] [krú:] *n.* [집합적으로] **1** (손님을 제외한) 배[비행기]의 승무원 전원 ; (고급 선원을 제외한) 선원들 : The ~ are thirty in all. 승무원은 모두 30명 / officers and ~ 고급 및 하급 선원. **2** 《美》 (열차 따위의) 승무원 ; (노무자의) 일단, 조. **3** 《보통 蔑》 한 패, 패거리(set, gang). —— *vt., vi.* 승무원으로서 일하다.
〖OF *creüe* increase(p.p.)〈*croistre* to grow＜L *cresco* to increase〗
crew[2] *v.* 《古》 CROW[1]의 과거형.
créw actívity plànning *n.* (우주선 비행중의) 승무원 작업 계획.
créw cùt *n.* 《美》 크루 컷 ; (남자 머리를) 짧게 깎기, 상고머리.
crew·el [krú:əl] *n.* Ⓤ 크루엘《자수용 털실》; ＝ CREWELWORK. 〖ME＜?〗
créwel·wòrk *n.* Ⓤ 털실 자수.
créw·man [-mən] *n.* 《美》 승무[탑승]원.
créw nèck[nèckline] *n.* 크루 넥《깃이 없는 목 둘레를 둥글게 판 네크라인》.
créw sòck *n.* [보통 *pl.*] 크루 양말《골이 진 두꺼운 양말》.
crib [kríb] *n.* **1** (둘레에 난간이 있는) 아기 침대 (cot). **2** 구유, 여물통(cf. MANGER). **3** 좁은 방[집] ; 《美》 (소금·옥수수 따위의) 저장소, 곳간. **4** [the ~] (CRIBBAGE에서) 선(先)이 가지는 패. **5** 《口》 (남의 작품의) 무단 표절(plagiarism) 〈*from*〉; 절도. **6** (학생의) 자습서 ; 부정행위 쪽지 ; 《俗》 부정행위하는 학생. **7** 방사성 폐기물을 버리는 도랑. —— *v.* (**-bb-**) *vt.* **1** …에 여물통을 두다. **2** 《口》 (남의 작품을) 무단 차용하다 〈*from*〉. **3** (좁은 곳에) 몰아넣어 가두다.
—— *vi.* 여물통을 물다 ; 《口》 부정행위를 하다 ; 자습서를 사용하다 : be caught ~*bing* 부정행위를 하다 들키다.
〖OE *cribb* ; cf. G *Krippe*〗
crib·bage [kríbidʒ] *n.* Ⓤ 카드 놀이의 일종.
〖C17＜?〗
críb·ber *n.* 표절[부정행위]하는 사람 ; 여물통을 무는 버릇이 있는 말.

críb·bing *n.* **1** Ⓤ《口》(남의 작품의) 무단 차용; 부정행위; 자습서 사용. **2** =CRIB BITING.
críb bìting *n.* (말이) 여물통을 물고 침을 흘리는 나쁜 버릇.
críb crìme *n.*《美俗》노인을 노려 습격하는 범죄.
críb dèath *n.*《美》요람사(搖籃死)(=《英》cot death).
críb·ri·fòrm [kríbrə-], **crib·rous** [kríbrəs] *a.*〔解·植〕체 모양의, 소공질(小孔質)의.
críb·wòrk *n.* 통나무를 우물정(井)자로 짜기; 땟목 모양으로 짜기.
crick [krík] *n.* (목·등 따위의) 근육[관절] 경련, (근육의) 쥐: get[have] a ~ in the neck 목에 경련을 일으키다. —— *vt.* …에 경련을 일으키다, …의 근육을 뒤틀리게 하다. 〖ME<?〗
***crick·et**[1] [kríkət] *n.*〔昆〕귀뚜라미; 땅강아지.
(*as*) *merry as a cricket* 아주 쾌활한[명랑한]: The children were *as merry as* ~*s*. 아이들은 몹시 즐거웠다.
〖OF(*criquer* to creak etc.<imit.)〗
***cricket**[2] *n.* **1** Ⓤ 크리켓《영국의 국기(國技)로서 11사람씩 2팀이 하는 옥외 구기》: a ~ match 크리켓 시합. **2** Ⓤ《口》공명정대, 페어 플레이: It's not (quite) ~. 공명정대하지 않다.
play cricket《英》《비유》공명정대하게 하다(play the game).
—— *a.*《口》공명정대한. —— *vi.* 크리켓을 하다.
~·er *n.* 크리켓 경기자. 〖↑〗
cricket[3] *n.*《美》키가 낮은 삼각 의자, 발을 올려놓는 대(footstool). 〖C17<?〗
cri·coid [kráikɔid] *a.*〔解〕고리 모양의, 환상(環狀)의. —— *n.* 환상 연골(軟骨).
cri de coeur [kriː də kɔ́ːr] *n.* (*pl.* **cris de coeur** [kriːz də-]) 열렬한 항의[호소].
〖F=cry from the heart〗
cri·er [kráiər] *n.* **1** (공판정의) 정리(廷吏). **2** (마을 따위에서 포고·새 규칙 따위를) 알리며 다니는 사람(town crier)(cf. OYES); 행상인; 선전·광고를 하는 광대. **3** 외치는[우는] 사람; 잘 우는 아이, 울보. 〖CRY〗
cri·key [kráiki], **crick·ey** [kríki], **crick·ety** [kríkəti] *int.* [때때로 By ~!]《俗》야, 이것 참(놀랐는데). 〖(euph.)<CHRIST〗
crim. con.〔法〕criminal conversation.
‡**crime** [kráim] *n.* **1** Ⓤ,Ⓒ (법률상의) 죄, 범죄, 범행: a capital ~ 사형에 처할 중죄, 사형 죄/worse than a ~ 언어 도단의/a ~ *against* the State 국사범/put[throw] a ~ upon …에게 죄를 뒤집어 씌우다. **2** Ⓤ,Ⓒ (일반적으로) 죄악, 반도덕적 행위(sin). **3**《口》나쁜 짓, 수치스러운 짓. —— *vt.*〔軍〕군사범으로 다스리다.
〖OF<L *crimin-* *crimen* judgement, offence〗
[類義語] ***crime*** 살인·강도 따위 법률에 위배되는 행위, 이것을 범하면 법률에 의해서 처벌을 받는다. ***sin*** 특히 종교상·도덕상의 죄악; 종교적·도덕적으로는 sin이지만 법률적으로는 crime이 되지 않는 행위도 있음. ***offense*** crime보다 무겁지 않지만 광의로 도덕·공공의 이익·법률에 반하는 행위. ***vice*** 부도덕한 습관이나 행위, 과음이나 거짓말을 일삼는 따위.
Cri·mea [kraimíːə, krə-; -míə] *n.* **1** [the ~] 크림《흑해 북쪽 연안의 반도》. **2** 그 반도에 있는 우크라이나 공화국의 자치주.
Cri·mé·an *a., n.*
Criméan Wár *n.* [the ~]〔史〕크림 전쟁(1853-56)《영국·프랑스·터키·사르디니아 연합국과 러시아와의 전쟁》.
críme fiction *n.* 범죄[추리] 소설.
críme làboratory *n.*《美》(경찰의) 과학[화학] 검사실, 과학 수사 연구소.
crime pas·sio·nel [*F* krim pasjɔnɛl] *n.* (*pl.* **crimes pas·sio·nels** [—]) 치정(痴情) 사건《특히 살인》.
crimes [kráimz] *int.* =CHRIST.
críme shèet *n.*〔英軍〕(군기 위반의) 처벌 기록.
críme wàve *n.* 범죄의 일시적 증가.
críme wrìter *n.* 범죄[추리] 소설 작가.
***crim·i·nal** [krímənl, 美+krímnəl] *a.* **1** 범죄(성)의; 형사상의(cf. CIVIL 5): a ~ case 형사 사건/a ~ court 형사 법원/a ~ offense 형사범. **2** 범죄적인; 죄가 있는: a ~ act 범죄 행위. **3**《口》괘씸한, 한심한. —— *n.* 범죄인[자], 죄인, 범인: a habitual ~ 상습범.
the Criminal Investigation Department《英》(런던 경찰청의) 수사과《略 C.I.D.》.
~·ly *adv.* 범죄적으로, 죄를 범하여; 형사[형법]상. 〖L; ⇨ CRIME〗
críminal assáult *n.*〔法〕범죄성 폭행, 강간.
críminal chrómosome *n.*「범죄자 염색체」《극히 일부의 남성에게서 볼 수 있는 여분의 Y염색체》. 〖Chicago에서 8명의 간호사를 살해한 Richard Speck가 이를 가지고 있으며 변호 자료로 사용한데서〗
críminal códe *n.* 형법(의 체계).
críminal contémpt *n.*〔法〕법정 모욕죄.
críminal conversátion[connéction] *n.*〔法〕간통(죄)《略 crim. con.》.
críminal·ist *n.* 형법학자; 범죄학자.
crim·i·nal·is·tics [krìmənəlístiks] *n. pl.* [단수취급] 범죄 수사학.
crim·i·nal·i·ty [krìmənǽləti] *n.* Ⓤ 범죄(행위); 범죄성, 유죄(guiltiness).
críminal·ìze *vt.* …을 법률로 금지하다; (사람·행위를) 유죄로 하다.
crìminal·izátion *n.*
críminal láw *n.* 형법(↔*civil law*).
críminal láwyer *n.* 형사 전문 변호사.
críminal·ly *adv.* 유죄로; 형법에 의하여, 형사[형법]상.
críminal sýndicalism *n.*〔美法〕사회 소란죄, 형사 신디칼리즘《폭력·테러 따위로 사회 변혁을 꾀하는 제정법상의 범죄》.
crim·i·nate [krímənèit] *vt.* **1** …에게 죄를 지우다, 유죄로 하다; …을 고발하다; …에 대해서 유죄의 증언을 하다(incriminate). **2** …을 몹시 비난하다, 책망하다. **crìm·i·ná·tion** *n.*
crim·i·na·tive [krímənèitiv; -nə-], **-na·to·ry** [krímənətɔ̀ːri; -nətəri] *a.* 죄를 지우는; 비난할 만한.
crim·i·ne, -ni, -ny [krímәni] *int.* 이런, 이것 참, 저런《놀람을 나타냄》.
crim·i·nol·o·gy [krìmənάlədʒi] *n.* Ⓤ 범죄학.
-gist *n.* 범죄학자. **crìm·i·no·lóg·i·cal** *a.* 범죄학(상)의. **-i·cal·ly** *adv.*
crim·i·nous [krímənəs] *a.*《古》죄를 범한: a ~ clerk 파계(破戒) 성직자.
crimp[1] [krímp] *vt.* **1** (모발을) 곱슬곱슬하게 하다, (천에) 주름[구김살]을 잡다; (구두 가죽 따위에) 길이 나게 하다, …에 틀을 잡히게 하다. **2** (생선에) 칼자국을 내(어 고기가 오그라들게 하)다. **3**《美口》방해하다, 저지하다;《口》(계획 따위를) 제한을 가하여 망치다;《美口》격하하다.
—— *n.*《美》**1** [*pl.*] 웨이브한 머리(cf. CURLS). **2** 주름, 접은 자국.

put [***throw***] ***a crimp in*** [***into***]... 《美口》 …에 간섭하다, …을 방해하다.
── *a.* 와삭와삭하는, 깨지기 쉬운.
〚? MDu., MLG; cf. OE *crympan* to curl〛

crimp[2] *n.* (사람을 유괴하여 뱃사람·병사로 팔아넘기는) 유괴 알선군. ── *vt.* (선원·병사로 팔기 위하여) 유괴하다, 유괴하여 선원[병사]으로 팔아넘기다. 〚C17<?〛

crimp[3] *n.* 《美俗》 따분하고 재미없는 사람.

crímp·er *n.* 지지는 사람[것], 머리 지지는 아이언 (curling irons).

crímping ìron *n.* 머리 지지는 아이언.

crim·ple [krímpəl] *vt., vi.* 주름을 잡다[이 잡히다], 곱슬곱슬하게 하다. ── *n.* 주름.

Crimp·lene [krímpli:n] *n.* 크림플린《주름이 잘 안가는 합성 섬유; 상표명》.

crímpy *a.* 곱슬곱슬한, 지진(curly): ~ hair 지진 머리.

crim·son [krímzən] *a.* 진홍(색)의; 피비린내 나는. ── *n.* Ⓤ 진홍색 (안료(顔料)). ── *vt., vi.* 진홍색으로 하다[염색하다]; 진홍색으로 되다; (얼굴을) 붉히다(blush).
〚Arab. KERMES〛

crímson láke *n.* 크림슨 레이크《진홍색 안료》.

C-rìng [sí:-] *n.* 좌석이 C형으로 배열된 회의실.

cringe [kríndʒ] *vi.* **1** (무서워·겁나서) 움츠리다 (cower), 위축되다. **2** [動/+前+名] 굽실굽실하다; 아첨하다(fawn): He ~*d* ***to*** his master. 그는 주인에게 굽실거렸다 / The courtiers ~*d* ***before*** the king. 신하들은 왕 앞에서 굽실거리며 비굴한 태도를 보였다. ── *n.* 비굴한 태도, 아첨.
〚OE *cringan, crincan* to yield, fall (in battle); cf. CRANK[1]〛

crin·gle [kríŋgəl] *n.* 〖船〗 (돛의 가장자리나 귀 따위에 단) 눈고리《밧줄을 꿰기 위한 것》.
〚LG (dim.) ‹ *kring* ring〛

cri·nite [kráinait] *a.* 〖動·植〗 연한 털[솜털]이 있는, 머리털 모양의. 〚L〛

crin·kle [kríŋkəl] *vt.* …에 주름지게 하다(wrinkle); 곱슬곱슬하게 하다: ~*d* paper 오글오글한 종이. ── *vi.* 주름지다; 오그라들다(shrink); (종이 따위가) 바삭바삭 소리나다(rustle).
── *n.* 주름; 오글쪼글함; 바스락거리는 소리; 〖植〗 축엽병(縮葉病).
〚(freq.) ‹ CRINGE〛

crín·kly, -kley *a.* **1** (천의 바탕이) 주름진; (머리를) 지진, 곱슬곱슬한. **2** 바삭바삭 소리내는.

crin·kum-cran·kum [kríŋkəmkrǽŋkəm] *a., n.* 《口》 비틀어진 (것), 꼬불꼬불한 (것), 구불구불한 (것); 복잡한 (것).

cri·noid [kráinɔid, krín-] *a.* **1** 백합 같은(lily-shaped). **2** 〖動〗 바다나리류의. ── *n.* 〖動〗 바다나리.

crin·o·line [krínələn] *n.* **1** Ⓤ 크리놀린《여자의 스커트 천으로 쓰이는 말털 따위로 짠 딱딱한 천》. **2** 둥근 테를 넣은 치마(hoopskirt). **3** (군함의) 어뢰 방어망. 〚F<L *crinis* hair, *linum* thread〛

crino·tóxin [krìnə-] *n.* 〖生化〗 크리노톡신《개구리 따위의 몸에서 분비하는 동물독(毒)》.

cripes [kráips] *int.* 《俗》 [때때로 by ~로서] 어머나, 저런!, 이것 참! 〚변형(變形) ‹ *Christ*〛

crip·ple [krípəl] *n.* **1** 앉은뱅이, 절름발이; 불구자, 폐인. **2** (창문 청소용 따위의) 발판. ── *vt.* **1** [+目/+目+前+名] 절름발이로 만들다, 불구자가 되게 하다: The old man was ~*d* ***with*** rheumatism. 노인은 류머티즘에 걸려 보행조차 불편한 몸이 되었다. **2** 해치다, 무능하게 하다; (활동 따위를) 둔하게 하다: The traffic was ~*d* for the day. 그날하루 교통이 두절되었다.
── *vi.* 절름거리다〈*along*〉. ── *a.* 불구[절름발이]의; 능력이 떨어지는.
〚OE *crypel*; cf. G *Krüppel*; CREEP와 같은 어원〛

Crípple Créek *n.* 미국 콜로라도 주(州) 중부의 도시《원래 세계에서 가장 풍부한 금광》.

cris de coeur *n.* CRI DE COEUR의 복수형.

crise de con·fiance [*F* kri:z də kɔ̃fjɑ̃:s] *n.* (특히 정치에서) 신뢰 관계의 위기.
〚F=crisis of confidence〛

crise de con·science [*F* kri:z də kɔ̃sjɑ̃:s] *n.* 양심의 위기. 〚F=crisis of conscience〛

crise de nerf [*F* kri:z də nɛ:r] *n.* (*pl.* **crises de nerf** [*F* —]) 히스테리의 발작.
〚F=crisis of nerves〛

***cri·sis** [kráisəs] *n.* (*pl.* **cri·ses** [-si:z]) 위기, 운명의 갈림길, 중대한 국면; (병의) 고비, 위독상태: a financial ~ 금융[재정] 위기 / bring to a ~ 위기에 빠뜨리다 / come to [reach] a ~ 위기에 달하다 / pass the ~ 고비를 넘기다.
〚L<Gk.=turning point, decision〛
類義語 ⟹ EMERGENCY.

crísis cènter *n.* 위기 관리 센터, 긴급 대책 본부; 전화 긴급 상담소《생명의 전화 따위》.

crísis intervèntion *n.* 〖精神醫·心〗 위기 개입《정신적 위기 상태에 있는 사람에 대한 즉각적인 치료 개입》.

crísis mànagement *n.* 《美》 위기 관리《주로 국제적 긴급 사태에 대처하는 일》.

crísis relocàtion *n.* 〖美軍〗 비상시 소개(疏開).

***crisp** [krísp] *a.* **1** (음식물이) 바삭바삭한; (종이 따위가) 바스락거리는. **2** (공기·날씨 따위가) 상쾌한, 산뜻한(fresh), (거동이) 기운찬, 활발한 (lively), (말씨가) 또렷한; (문체가) 힘찬, 명쾌한. **3** (양배추 잎 따위) 돌돌 말린; (머리가) 곱슬곱슬한(curly); 잔물결 이는. ── *vt., vi.* **1** (머리 따위) 곱슬곱슬하게 하다[해지다]; 물결을 일게 하다[이 일다]. **2** 바삭바삭하게 굽다[구워지다]; (지면 따위가) 꽁꽁 얼게 하다[얼다].
── *n.* [the ~] 《俗》 지폐, 돈뭉치; [*pl.*] 《英》 =POTATO CHIPS.
to a crisp 바삭바삭하게.
〚OE *crisp, crips*<L *crispus* curled〛

cris·pate [kríspeit, -pət], **-pat·ed** [-peitəd] *a.* 〖植·動〗 (가장자리가) 돌돌 말린.

cris·pa·tion [krispéiʃən] *n.* Ⓤ,Ⓒ 오그라짐, 잔물결 모양; 〖醫〗 (근육의 수축으로 인한) 연축성 의 양감(攣縮性蟻痒感); (액체 표면의) 잔물결.

crísp brèad *n.* 《英》 (호)밀가루로 만든 얇고 바삭 바삭한 비스킷.

Cris·pin [kríspən] *n.* **1** 남자 이름. **2** [St. ~] 성 크리스피누스《로마의 전설적인 순교자, 구두장이의 수호 성인》. **3** [c~] 구두장이(shoemaker).
〚L=curly〛

críspy *a.* 바삭바삭한, 부서지기 쉬운; 활발한; 곱슬곱슬한; 상쾌한.

criss·cross [krískrɔ̀(:)s, -kràs] *n.* **1** 열 십 자 (十), 십자꼴; 십자형 교차. **2** 어긋남, 모순.
── *a., adv.* **1** 십자의[에]; 교차한[하여]. **2** 어긋난[나서]: go ~ (일이) 잘 안 되다, 어긋나다.
── *vt.* **1** …에 십자 표시를 하다, 십자 무늬로 하다. **2** (장소 따위를) 교차하다, 종횡으로 움직이다: ~ the globe 동분서주하다.
── *vi.* 교차하다. 〚*Christ's Cross*; 후에 cross의 가중(加重)으로 오해〛

crísscross-rów [-róu] *n.* [the ~] 《古·方》 알

파벳.

cris·sum [krísəm] *n.* (*pl.* **cris·sa** [-sə]) 〖鳥〗 배설강(腔) 주변 부분(의 깃털).

cris·ta [krístə] *n.* (*pl.* **-tae** [-tiː, -tai]) 볏, 계관 ; 〖解·動〗 능(稜), 소릉(小稜)《근육이 뼈에 붙어 있는 융기부분처럼 솟아오른 부분》. 〚L CREST〛

cris·tate [krísteit], **-tat·ed** [-teitəd] *a.* 〖動〗 볏이 있는 ; 〖植〗 볏 모양의.

crit [krít] *n.* 《口》 **1** 비평(criticism), 평론(critique). **2** 〖理〗 임계 질량(critical mass).

crit. critic(al) ; criticism ; criticized.

cri·te·ri·on [kraitíəriən] *n.* (*pl.* **-ria** [-riə], **~s**) (판단의) 표준, 기준〈*of*, *for*〉; 특징.
〚Gk.=means of judging〛
類義語 ⟹ STANDARD.

***crit·ic** [krítik] *n.* **1** 비판자 ; (문예·미술 따위의) 비평가, 평론가, 감정가 : a Biblical[textual] ~ 성서[원전(原典)] 비평가. **2** 혹평가, 흠잡는 사람 (faultfinder). —— *a.* 비판적인.
〚L<Gk. (*kritēs* judge〈*krinō* to decide)〛

***crit·i·cal** [krítikəl] *a.* **1** 비평(criticism)의, 평론의 ; 비판[비평]적인 ; 비판[식별]력이 있는 ; 혹평의, 흠을 잡는〈*about*〉: a ~ essay 평론 / a ~ writer 평론가 / a ~ edition (성서 따위의) 원전 비평 연구판, 교정판(校訂版) / ~ philosophy (칸트 및 그 일파의) 비판 철학 / I am nothing, if not ~. 입바른 것만이 나의 장점이다. **2** 위기(crisis)의, 위급한, 아슬아슬한 ; 결정적인, 중대한 ; (병이) 위독한, 위급한 : a ~ moment 위기 / a ~ situation 중대한 국면[형세] / The patient is in a ~ condition. 환자는 중태다. **3** 〖數·理〗 임계(臨界)의 : the ~ angle 임계각.

crítical apparátus *n.* =APPARATUS CRITICUS.

crit·i·cal·i·ty [krìtikǽləti] *n.* 〖理〗 임계(臨界)《핵분열 연쇄 반응이 일정한 비율로 유지되는 상태》; 위험한 상태.

crítical·ly *adv.* **1** 비평[비판]적으로 ; 혹평하여 ; 정밀하게. **2** 아슬아슬하게, 위험하게 : She is ~ ill. 그녀는 위독하다.

crítical máss *n.* 〖理〗 임계(臨界) 질량 ; 《비유》 바람직한 결과를 얻기 위한 충분한 양.

crítical páth *n.* 임계 경로(經路)《한가지 조작에서 반드시 거쳐야 할 논리적 과정 중 가장 시간이 걸리는 것》.

crítical pàth anàlysis[mèthod] *n.* 임계 경로 분석[법]《컴퓨터를 써서 복잡한 작업의 각 단계를 도식화하여 사전에 계획·관리하는 분석법; 略 CPA[CPM]》.

crítical póint *n.* 〖數·理〗 임계점(臨界點).

crítical préssure[témperature] *n.* 〖理〗 임계(臨界) 압력[온도].

crítical région *n.* 〖統〗 (가설(假設) 검정에서의) 기각역(棄却域), 위험역(危險域).

crítical státe *n.* 〖理〗 임계(臨界) 상태.

crítical velócity *n.* (유체(流體)의) 임계 속도[유속(流速)].

crític·àster *n.* 엉터리 비평가.

crìtic·áster·ìsm *n.* 엉터리 비평.

***crit·i·cism** [krítəsìzəm] *n.* **1** U,C 비평, 비판, 평론 ; 평론[비평]문 ; 비판주의. **2** U,C 비난, 흠잡기. **3** U,C 성서 비평 : ☞ HIGHER CRITICISM / ☞ LOWER CRITICISM / ☞ TEXTUAL CRITICISM. 〚*critic* or L *criticus*, *-ism*〛

***crit·i·cize**, 《英》 **-size** [krítəsàiz] *vt.* **1** 비평하다, 비판하다, 평론하다 : ~ a person[a person's work] 사람[남의 작품]을 비평하다. **2** 혹평하다, 비난하다, …의 흠을 찾다. —— *vi.* 비평하다.

類義語 ***criticize*** 일상 용법으로는 사람이나 사물의 결점을 찾아내어 비난하다 : The policy of the government is *criticized* by the opposition party. (정부의 정책은 야당의 비판을 받는다). ***blame*** 잘못된 일·과실 따위를 비난하고 책임을 묻는 뜻으로서의 일반적인 말 : He was *blamed* for his folly. (그는 바보같은 짓을 해서 비난을 받았다). ***censure*** 권력·권한이 있는 상관 등이 심하게 criticize하다 : His recent work was severely *censured* by the authority. (그의 최근의 작품은 당국으로부터 심한 비평을 받았다). ***condemn*** 심하게 blame하다, 특히 법률적인 결정을 행하는 일이 있다 : The election campaign was *condemned* as waste of money. (선거 운동은 돈의 낭비라고 비난을 받았다). ***denounce*** 공공연히 사람이나 그 행위를 비난하다 : The strike is *denounced* by the public. (파업은 대중의 비난을 받았다).

crit·i·co- [krítikou, -kə] *comb. form* 「비평적」의 뜻. 〚CRITIC, *-o*〛

crit·i·cule [krítəkjùːl] *n.* 엉터리 평론가.

cri·tique [kritíːk] *n.* U,C (문예 작품 따위의) 비평, 비판 ; U 평론, 비평문 ; U 비평법.
—— *vt.* 비평하다.
〚F<Gk. *kritikē* (*tekhnē*) critical art ; 18세기 CRITIC (obs.)에 F 형(形)을 쓴 것〛

crit·ter, **-tur** [krítər] *n.* 《美方》 =CREATURE, (특히) 가축, 소, 말 ; 《蔑》 놈, 녀석 ; 《口》 괴상한 동물《가공의 동물이나 특별히 작은 동물 따위》.

C.R.O. 《英》 Commonwealth Relations Office.

croak [króuk] *n.* **1** (개구리·까마귀 따위의) 개굴개굴[까옥까옥] 우는 소리. **2** 목쉰 소리 ; 울음소리, 불평 ; 불길한 말. —— *vi.* 개굴개굴[까옥까옥] 울다, (사람이) 목쉰 소리로 말하다 ; 침울한 소리로 말하다, 불평을 말하다 ; 불길한 말을 하다 ; 《俗》 죽다(die). —— *vt.* (재앙 따위를) 침울한 소리로 알리다 ; 《俗》 죽이다(kill).
〚ME (imit.) ; cf. OE *crācettan*〛

cróak·er *n.* **1** 개굴개굴[까옥까옥] 우는 것 ; 우는 듯한 소리를 내는 바닷 고기《북미산》. **2** 불평가 ; 비관론자 ; 불길한 예언자.

Cro·at [króuæt ; -ət] *a.*, *n.* =CROATIAN.
〚NL<Serbo-Croat *Hrvat*〛

Cro·a·tia [krouéiʃiə] *n.* 크로아티아《구유고슬라비아에서 독립한 나라 ; 수도 Zagreb》.

Cro·á·tian *a.* 크로아티아의 ; 크로아티아인[어]의. —— *n.* 크로아티아인 ; U 크로아티아어.

croc [krák] *n.* 《口》 =CROCODILE.

cro·chet [krouʃéi ; ⌐-, -ʃi] *n.* 크로셰 뜨개질, 레이스 뜨개질 : a ~ hook[needle] 크로셰 뜨개질의 코바늘. —— *vt.*, *vi.* (…의) 크로셰 뜨개질을 하다. 〚F CROTCHET〛

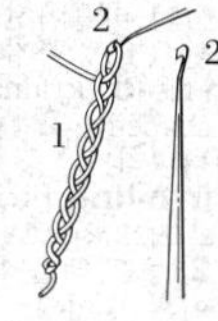

1 crochet
2 crochet hook
crochet

croci *n.* CROCUS의 복수형.

cro·cid·o·lite [krousídəlàit] *n.* 〖鑛〗 푸른 석면.

crock[1] [krák] *n.* 단지, 항아리, 《英方》 (금속(金屬)의) 항아리 ; (화분(花盆)의 밑구멍을 막는) 사금파리.
〚OE *crocc* ; cf. OE *crōg* pitcher〛

crock[2] *n.* **1** 《方》 검댕, 더러움, 때(soot, smut). **2** 비비면 벗겨져 떨어지는 안료. —— *vt.* 《方》 검댕으로 더럽히다. —— *vi.* 안료[색]가 벗겨지다.
〚C17〈? ↑〛

crock[3] *n.* 폐인(廢人) ; 《俗》 불구자, 늙은이, 무능력자, 쓸모없는 것[인간] ; 늙은 암양 ; 낡은 차[배] ; 《美俗》 술 한 병 ; 《美俗》 술 취한 사람 ; 《俗》 거짓말(쟁이), 허풍을 떪 ; 《美俗》 싫은 녀석[여자] ; 《美俗》 놈, 녀석 ; 《美口》 괴짜(geezer) ; 《美俗》 (특히 컴퓨터 프로그램에 대해) 임시 변통의[솜씨가 서툰] 것 ; 복잡한[개조하기 힘든] 것.
crock of shit 《美俗》 바보같은 소리, 허튼소리, 난센스.
—— *vi., vt.* 《口》 폐인이 되(게 하)다, 쓸모없게 하다[되다], 약해지(게 하)다, 결딴나다[내다] ⟨*up*⟩ ; 《俗》 때리다.
〚Sc.＜? Flem.〛

crocked [krákt] *a.* 《俗》 술취한.

cróck·er *n.* 《俗》 (돌팔이) 의사.

cróck·ery *n.* Ⓤ (특히 가정용) 도자기, 오지[질] 그릇. 〚*crocker* potter ; ⇨ CROCK[1]〛

crock·et [krákət] *n.* 〔建〕 크로케트《고딕식(式) 건축의 첨탑(尖塔)이나 천개(天蓋)에 붙이는 잎 모양이나 꽃봉오리 장식》. **~·ed** *a.*
〚OF *crochet* CROTCHET의 AF 변형(變形)〛

Crock·pot [krákpɑt] *n.* 저온 가열의 장시간 요리용 전기 솥《상표명》.

crócky *a.* 늙어빠진, 병약한, 무능한(crocked) ; 노후한.

croc·o·dile [krákədàil] *n.* **1** 〔動〕 크로코다일《아프리카, 아시아산(産)의 악어 ; cf. ALLIGATOR, CAIMAN》 ; (일반적으로) 악어. **2** 악어 가죽. **3** 《英口》 (두 줄로 걸어가는) 학생들의 긴 행렬. **4** 거짓 눈물을 흘리는 사람, 위선자(hypocrite).
—— *vi.* 《美》 (도장이) 금이 가다, 기포가 생기다.
〚OF＜L＜Gk. *krokodilos*〛

crócodile bìrd *n.* 악어물떼새《악어의 입가에서 먹이를 취함 ; 나일강 유역산(産)》.

crócodile tèars *n. pl.* 거짓 눈물 : weep[shed] ~ 거짓 눈물을 흘리다.

croc·o·dil·i·an [kràkədílian, -díljən] *n.* 〔動〕 악어. —— *a.* 악어류의 ; 악어같은 ; 거짓의.

cro·cus [króukəs] *n.* (*pl.* **~·es, cro·ci** [-sai, -kai]) 〔植〕 크로커스 ; 그 꽃《영국에서 봄에 제일 먼저 핌》.
〚ME＝saffron＜L＜Gk.＝crocus＜Sem.〛

Croe·sus [krí:səs] *n.* **1** 크로이소스《Lydia의 대부호인 왕(560-546 B.C.)》. **2** 큰 부자.
(***as***) ***rich as Croesus*** 굉장한 부호인.

croft [krɔ́(:)ft, kráft] *n.* 《英》 **1** (집에 딸린) 소농장. **2** (특히 Scotland의 CROFTER의) 소작지.
—— *vi.* 소작하다.
〚OE *croft* small field＜?〛

cróft·er *n.* (Scotland 고지 등지의) 소작인.

crois·sant [*F* krwɑsɑ̃] *n.* (*pl.* **~s** [*F* -sɑ̃z]) 크루아상, 초승달 모양의 빵. 〚F ; ⇨ CRESCENT〛

Croix de Guerre [*F* krwɑ də gɛ:r] *n.* (프랑스의) 무공 십자 훈장. 〚F＝cross of war〛

cro·jack [krádʒik] *n.* 《俗》 ＝CROSSJACK.

Cro-Mag·non [kroumǽgnən, -mǽnjən ; -mǽnjɔn] *n.* 〔人類〕 크로마뇽인(人)《후기 구석기 시대의 키가 크고 두개골이 긴 원시인》. 〚유골이 발견된 프랑스 Dordogne 주(州)의 동굴명〛

crom·lech [krámlek] *n.* 〔考古〕 **1** ＝DOLMEN. **2** 환상열석(環狀列石). 〚Welsh (*crom* (fem.) ＜*crwm* bent, *llech* flat stone)〛

cró·mo·lyn sódium [króumələn-] *n.* 〔藥〕 크로몰린 나트륨《기관지 확장제》.

Crom·well [krámwel, krʌ́m-, -wəl] *n.* 크롬웰. **Oliver** ~ (1599-1658) 영국의 군인·정치가 ; Charles 1세를 처형하여 영국을 한때 공화국으로 했음. **Crom·wel·li·an** [krɑmwéliən] *a., n.* 크롬웰의 (부하·지지자).

crone [króun] *n.* 쪼그랑 할멈, 노파.
〚? MDu. *croonje* carcass＜OAF CARRION〛

Cro·nin [króunən] *n.* 크로닌. **A**(**rchibald**) **J**(**oseph**) ~ (1896-1981) 스코틀랜드 출신의 의사·작가.

cronk [krɔ́(:)ŋk, kráŋk] *a.* 《濠口》 병의 ; 속임수의 ; (경주에서) 달릴 수 없게 된《말》. 〚C19〛

Cro·nos, -nus, Kro·nos [króunəs, krán-] *n.* 〔그神〕 크로노스《거인(Titans)의 한 사람 ; 아버지의 왕위를 빼앗았으나 뒤에 아들 Zeus에 의해 쫓겨났음 ; 로마신화의 Saturn에 해당》.

cro·ny [króuni] *n.* 친구, 옛 벗(chum).
〚*chrony* (17세기 학생俗)＜Gk. *khronios* long-lasting, chronic (*khronos* time)〛

crook [krúk] *vt.* [＋目/＋目＋副＋名] (갈고리 꼴로) 구부리다, 휘게 하다 : The soldier ~*ed* his finger ***around*** the trigger of his gun. 군인은 총의 방아쇠에 손가락을 걸어 구부렸다. —— *vi.* 굽다, 휘다.
crook the elbow[***the little finger***] 《俗》 한잔하다.
—— *n.* **1** 구부러진 것(hook), 갈고리 ; S자형고리. **2** (양치는 목자의) 손잡이가 구부러진 지팡이 ; ＝CROSIER. **3** (길·강 따위의) 굴절, 굽이(진 곳) : a ~ *in* a stream 강의 굽이진 곳 / have a ~ *in* one's nose[character] 코가[성격이] 비뚤어지다. **4** 《口》 악당, 부랑자 ; 사기꾼 ; 도둑 : a ~ film[play] 갱 영화[연극].
by hook or by crook 무슨 수를 써서라도.
on the crook 《俗》 부정[나쁜 짓]을 하여.
—— *a.* **1** ＝CROOKED. **2** 《濠口》 싫은, 심한, 부정한, 기분 나쁜, 기분이 좋지 않은.
go crook (***at***[***on***] a person) (남에게) 화내다.
〚ON *krókr* hook etc.〛

cróok·bàck *n.* 곱사등이, 꼽추(humpback).

cróok·bàcked *a.* 곱사등이의.

***crook·ed** [krúkəd] *a.* **1** 구부러진, 굴곡한, 비뚤어진 ; 기형의, 허리가 굽은 ; 마음이 비뚤어진, 부정직한 ; 심술궂은 ; 《口》 부정한 수단으로 얻은 ; 사기의. **2** [krúkt] T 자형의 자루가 있는《막대기를 말함》. **~·ly** [-ədli] *adv.* 굽어서 ; 부정하게. **~·ness** [-ədnəs] *n.* 구부러져 있음 ; 부정.

cróok·ed árm [krúkəd-] *n.* 《野俗》 좌완 투수.

cróoked stíck *n.* 《方》 무능한 게으름뱅이, 쓸모없는[트릿한] 사람.

Crookes [krúks] *n.* 크룩스. Sir **William** ~ (1832-1919) 영국의 과학자.

Cróokes dárk spàce, Cróokes spàce *n.* 〔理〕 (진공 방전의) 크룩스[음극] 암부(暗部).

Cróokes gláss *n.* 크룩스 유리《자외선 흡수 유리 ; 보안경용》.

Cróokes ráy *n.* 〔理〕 크룩스선(線), 음극선(cathode ray).

Cróokes túbe *n.* 〔理〕 크룩스관(管)《진공관의 일종》.

cróok·nèck *n.* 《美》 목이 길고 구부러진 호박의 일종《관상용》.

croon [krú:n] *vt.* **1** (감상적으로) 낮은 목청으로 노래하다, 읊조리다 ; 중얼대다 : ~ a lullaby 자장가를 읊조리다. **2** [＋目＋副＋名] 작은 소리로 노래불러 (어떤 상태로) 되게 하다 : She ~*ed* her baby ***to*** sleep. 그녀는 자장가를 불러 아기를 재웠다. —— *vi.* [動/＋副＋名] 작은 소리로 노래하다 : The mother was ~*ing* ***to*** her baby. 어머니는 아기에게 자장가를 들려주고 있었다. —— *n.* 낮

은 목소리로 부르기 ; (낮은 소리로 부르는) 감상적인 유행가.
〚Sc. and north.<MDu., MLG *krōnen* to groan, lament〛

króon·er *n.* 저음으로 감상적인 노래를 부르는 사람[가수].

croot [krúːt] *n.* 《美俗》 (육군의) 신병(recruit).

‡crop [kráp] *n.* **1** 작물 ; [the ~s] (한 지방·한 계절의) 전 농작물 ; 수확량, 생산량 : an abundant ~ 풍작 / a bad[poor] ~ 흉작 / a good ~ of rice 쌀의 풍작 / ☞ CATCH CROP / growing ~ =STANDING CROP / ☞ BLACK CROP / ☞ GREEN CROP / the white ~ 곡류의 작물(作物). **2** (새의) 멀떠구니(craw). **3** 채찍의 자루 ; (끝에 가죽끈 고리가 달린) 사냥용 채찍. **4** (한꺼번에 연달아 나오는) 무리, 집단(group) ; (귀찮은 일 따위의) 발생, 속출 : a ~ *of* questions 잇따른 질문 / a ~ *of* lies (나오는 대로 지껄이는) 많은 거짓말. **5** 막깎기, 몽구리 : have a ~ 막깎다. **6** (광상(鑛床)의) 노두(露頭).
in*[*under*] *crop (땅에) 농작물이 심어져 있는.
neck and crop ☞ NECK *n.*
out of crop 농작물을 심지 않은.
—— *v.* (**-pp-**) *vt.* **1** 자르다, 베어들이다(clip) ; (소유의 표적으로 동물의, 또는 본보기로 사람의 귀의) 끝을 자르다, 잘라내다 ; (책의 가장자리를) 잘라버리다. **2** [+目/+目+補] (동물이 풀 따위를) 뜯어먹다 : The sheep have ~*ped* grass very short. 양이 풀을 밑동까지 잘라먹었다. **3** 《文語》 수확하다, 베어들이다(reap). **4** [+目/+目+前+名] (작물을) …에 심다 : ~ ten acres ***with*** corn 10에이커의 땅에 옥수수[밀]를 심다.
—— *vi.* 작물이 (잘) 되다 : The beans did not ~ so well that year. 그 해에는 콩의 수확이 별로 좋지 않았다.
crop out (1) (광상(鑛床) 따위가) 노출되다(cf. OUTCROP). (2) 나타나다(appear).
crop up (1) 돌연 나타나다[생기다], 일어나다, 발생하다 ; (문제 따위가) 대두되다 : A question has ~*ped up*. 예기치 않은 문제가 발생했다. (2) =CROP *out* (1).
〚OE *cropp* cluster, sprout ; cf. G *Kropf*〛
[類義語] ***crop*** 밭의 작물 및 그의 수확, 가장 일반적인 말. ***yield*** 생산된 crop의 양, 수확고[량]. ***harvest*** 상당히 문어(文語)적 ; 거둬들이는 것 및 그 시기, 어떤 계절의 수확고 따위에 사용.

cróp-dùst *vt., vi.* (밭에 비행기로) 농약을 뿌리다.

cróp dùster *n.* 농약 살포(비행)기.

cróp-dùst·ing *n.* Ⓤ 농약의 공중살포.

cróp-èar *n.* 귀 끝이 잘린 사람[동물].

cróp-éared *a.* 귀 끝을 잘린《가축》; 머리를 짧게 깎은 ; 〔英史〕 (머리를 짧게 깎아) 귀를 드러낸《청교도를 일컬음》.

cróp-fúll *a.* 배가 찬, 만복(滿腹)의 ; 《비유》 아주 만족한, 물린.

cróp·lànd *n.* 농작물 심기에 알맞은 땅, 경작지.

crópped pànts *n. pl.* 〔服〕 무릎 근처에서 짧게 잘라버린 바지.

cróp·per *n.* **1** 농작물을 심어 가꾸는 사람 ; 작물을 거둬들이는 사람 ; 〔機〕 (천·종이 따위의) 가장자리를 자르는 기구. **2** 수확이 있는 작물 : a good [poor] ~ 잘 되는[안 되는] 작물. **3** 《美》 = SHARECROPPER. **4** 《口》 추락, 곤두박질 ; 낙마 ; 대실패 : come[fall, get] a ~ 《口》 털썩 떨어지다 ; 크게 실패하다. 〚CROP〛

crop·pie [krápi] *n.* =CRAPPIE.

cróp·py *n.* **1** 까까중, 몽구리. **2** 〔英史〕 의회당원 (Roundhead) ; 1798년의 아일랜드의 반도(叛徒). **3** 《稀》 청교도.

cróp rotàtion *n.* 〔農〕 돌려짓기, 윤작.

cro·quet [kroukéi ; króukei, -ki] *n.* Ⓤ 크로케 《잔디밭 위에서 나무 망치로 나무 공을 쳐서 쇠로 된 6개의 문(hoop)을 통과하게 하여 승부를 겨루는 놀이》. —— *vt., vi.* (크로케에서 상대의 공을) 밀쳐내다. 〚CROCKET〛

cro·quette [kroukét, 英+krɔ-] *n.* 〔料〕 크로켓. 〚F (*croquer* to crunch)〛

cro·qui·gnole [króukənjòul] *n.* 퍼머넌트 웨이브 세트의 한 방식. 〚F〛

crore [krɔ́ːr] *n.* (*pl.* **~s**, ~) 《인도》 1000만. 〚Hindi<Prakrit<Skt. *koti* apex〛

cro·sier, -zier [króuʒər] *n.* 홀장(笏杖), 주교장(主教杖) (crook) 《bishop 또는 abbot의 직표(職標)》. 〚OF *croisier* CROSS-bearer and *crossier* CROOK-bearer〛

◇cross [krɔ́(ː)s, krás] *n.* **1** 십자형틀, 십자가 : die on the ~ 십자가에 못박혀 죽다. **2** [the ~ ; 흔히 the C~] 그리스도가 못박힌 십자가 ; 그리스도의 수난, 속죄(贖罪) ; 그리스도의 수난상(像)[도] ; (십자가로 상징된) 기독교 (국가) (Christianity, Christendom) (cf. *the* CRESCENT) : *the C~* versus the Crescent 기독교 대 이슬람교 / a preacher of *the C~* 기독교 선교사. **3** 시련(trial), 수난, 고난(affliction) : No ~, no crown. 《속담》 시련없이 영광없다. **4** 십자형, 십자기호《종류는 [주]를 보라》; 열십자 《문맹자의 서명의 대용》; (맹세·축복 따위를 할 때 공중 또는 이마·가슴 위에 긋는) 십자의 표시 : make one's ~ (서명 대신에) 열십자를 쓰다. **5** 십자장(杖), 십자(가가 위에 달린) 지팡이 《archbishop의 권표》. **6** 십자표, 십자탑《묘비 또는 마을의 중심·시장 따위의 표지로 쓰임 ; cf. MARKET CROSS》. **7** 십자(형) 훈장 : the Military *C~* 무공(武功) 십자장《세계 대전 초기 영국에서 제정 ; 略 M.C.》/ ☞ GRAND CROSS / ☞ VICTORIA CROSS. **8** [the C~] 〔天〕 십자성 : the Northern[Southern] *C~* 북[남]십자성. **9** (동·식물의) 이종교배(異種交配) (hybrid) ; 잡종(mongrel) ; 절충, 중간물〈*between*〉. **10** 〔證〕 상대 매매(cross-trade)《한 중개인이 파는 쪽과 사는 쪽의 양쪽 입장을 동시에 취함》.
[주] 십자형(形)의 종류 : St. Andrew's ~=the saltire (~) ×형 십자《특히 푸른 바탕에 흰 것은 Scotland의 기장(旗章)》/ the ~ of St. Anthony=the tau ~ T자형 십자 / the ~ of St. George 흰 바탕에 붉은 정(正) 십자형《잉글랜드의 기장》/ the ~ of St. James 검 모양의 장(長) 십자형 / the ~ of Patrick 흰 바탕에 붉은 ×꼴 십자형《Ireland의 기장》/ the Geneva ~ 적십자 (cf. RED CROSS) / the Greek ~ 그리스 십자, 정(正) 십자형 / the Latin ~ 라틴 십자, 장(長) 십자형 / the Maltese ~ 몰타 십자 / the papal ~ 교황의 십자형.
bear*[*take up*] *one's cross 십자가를 지다 ; 《비유》 수난을 견디다.
a follower of the cross 기독교도.
on the cross 어긋나게 ; 부정하게.
a soldier*[*warrior*] *of the cross 십자군 전사(戰士) ; 기독교 전도의 투사.
take* (*up*) *the cross (1) 〔史〕 십자장을 받다, 십자군에 가담하다. (2) =*bear* one*'s* CROSS.
—— *vt.* **1** 교차시키다, 엇걸다 : ~ one's legs 다

리를 꼬다. **2** [특히 ~ one*self* 로 써서] …에 십자를 긋다《손을 이마에서 가슴, 왼쪽 어깨에서 오른쪽 어깨에 걸쳐》: The priest ~*ed* him*self*. 신부는 십자를 그었다 / ~ one's heart 가슴에 십자를 긋다《진실을 맹세》. **3 a**) …에 가로줄을 긋다 ; 말살하다, 지우다 ; 《英》 (수표에) 횡선을 긋다 : ~ a cheque 횡선 수표로 하다 / ☞ CROSS *out* [*off*]. **b**) (쓴 편지에) 다시 교차시켜 써넣다 (cf. CROSSED 2). **4** 가로지르다, 넘다, (내·다리를) 건너다 : ~ a street 길을 횡단하다 / ~ a river 강을 건너다 / ~ the line ☞ LINE[1] *n.* 17/ Don't ~ the bridge until you come to it. 《속담》 내일 일은 내일 걱정하라. **5** (사람과) 스쳐 지나가다 ; (편지가) …와 엇갈리다(cf. *vi.* 3) : They ~*ed* each other on the way. 그들은 도중에서 서로 스쳐 지나갔다 / His letter ~*ed* hers in the post. 그의 편지는 그녀의 편지와 엇갈려 배달되었다. **6** [+目/+目+前+名] 방해하다, …에 거역하다 : He has been ~*ed* ***in*** his plans[*in* love]. 그의 계획에 방해를 받았다[그는 실연했다]. **7** (동·식물을) 교배하다 ; 잡종으로 하다.

〈회화〉
Be careful while you're *crossing* the road. — Don't worry. I will. 「길을 건널 때에는 조심해라」「걱정 마세요. 조심하겠어요」

—— *vi.* **1** (두 줄이) 교차하다. **2** [+前+名/+副] (길·강을) 건너가다, 건너다, 도항하다 : We ~*ed* (***over***) ***from*** Pusan ***to*** San Francisco. 부산에서 샌프란시스코로 건너갔다. **3** (두 장의 편지가) 서로 엇갈리다(cf. *vt.* 5) : My letter to her and hers to me have ~*ed*. 그녀에게 보낸 나의 편지와 내게로 보낸 그녀의 편지가 서로 엇갈렸다. **4** (동·식물이) 교배하다, 잡종이 되다.

cross a fortuneteller's hand with a piece of money 점쟁이에게 복채를 주다.

cross a person***'s palm*** 《俗》 남에게 뇌물로 돈을 주다.

cross one***'s fingers*** 가운뎃손가락을 굽혀서 집게손가락 위에 포개다《액막이의 뜻으로》; 《비유》 좋은 일을 기대하다.

cross one***'s mind*** (생각이) 마음에 떠오르다.

cross out[***off***] (낱말 따위를) 줄을 쳐서 지우다 ; 말살하다, 셈을 지우다(cancel) : I ~*ed out* three of the words. 그 말들 중에서 세 낱말을 지웠다 / Please ~ my name *off* the program. 프로그램에서 내 이름을 빼 주십시오.

cross the[one***'s***] ***t's*** (t자를 쓸 때에 가로획 긋기를 잊지 않도록) 지나치게 꼼꼼히 주의를 하다 (cf. DOT one's *i's*).

cross a person***'s path***=***cross the path of*** a person 남의 가는 길 앞을 가로지르다, 남과 마주치다 ; 《비유》 남의 계획을 방해하다.

cross swords (***with...***) (…와) 칼을 맞부딪치다 ; 《비유》 (…와) 토론을 하다, 서로 싸우다.

—— *a.* **1** 가로의, 비스듬한, 가로지른, 교차한. **2** 반대의, (…와) 어긋나는, (…에) 반한, 위배되는(opposed)〈*to*〉; 불리한, 무례한. **3** 《口》 시무룩한, 성 잘내는(irritable)〈*with*〉. **4** 《俗》 구부러진, 속이는 ; 부정수단으로 손에 넣은(ill-gotten). **5** 상호의. **6** 이종(異種) 교배의, 잡종의.

(***as***) ***cross as two sticks***[***as a bear*** (***with a sore head***), ***as the devil***] 《口》 매우 성미가 까다로운[기분이 언짢은].

—— *adv.* **1** 가로질러 ; [주로 동사와 연결하여 복합어를 만듦] 교차적으로. **2** 형편이 좋지 못하여, 기대에 반하여. —— *prep.* =ACROSS.

〖OE *cros*<ON<OIr.<L *crucis* CRUX〗

cross- [krɔ́(:)s, krɑ́s], **cros·so-** [krɔ́(:)sou, krɑ́sou, -sə] *comb. form* 「술(fringe)」의 뜻. 〖Gk.〗

cróss áction *n.* 〖法〗 반대 소송, 반소(反訴).

cróss·bàr *n.* **1** (축구의) 골대[골 포스트], (높이뛰기의) 가로대 ; 빗장. **2** 가로줄무늬. —— *vt.* …에 가로대를 설치하다, 가로대로 가리키다.

cróss·bèam *n.* 〖建〗 대들보(girder).

cróss·bèar·er *n.* **1** 십자가를 드는 사람. **2** 십자가를 지는 사람. **3** 〖建〗 가로들보.

cróss bèlt *n.* 어깨에 비스듬히 메는 (탄)띠.

cróss·bènch *n.* [보통 *pl.*] (상하 양원의) 무소속[중립] 의원석《다른 의석과 직각으로 놓여 있음》. —— *a.* 중립의.

have the crossbench mind 당파에 쏠리지 않다, 공평무사하다.

~·er *n.* 무소속[중립] 의원.

cróss·bìll *n.* 〖鳥〗 솔잣새《부리가 교차됨》.

cróss-bìll *n.* 〖法〗 반소장(反訴狀).

cróss bìrth *n.* 〖醫〗 횡위(橫位) 분만.

cróss bònd *n.* (벽돌의) 열십자로 쌓기.

cróss·bònes *n. pl.* 대퇴골 두 개를 교차시킨 도형《죽음의 상징》: ☞ SKULL AND CROSSBONES.

cróss·bòw [-bòu] *n.* 석궁, 쇠뇌《중세의 무기》.

~·man [-mən] *n.* 석궁[쇠뇌]사수.

cróss·bréd *a.* 잡종의, 교잡종의. —— [⌐⌐] *n.* 교잡종.

cróss·brèed *n.* 잡종(hybrid). —— *vt., vi.* 교잡하다, 이종(異種) 교배시키다[하다], 잡종으로 하다[을 만들다].

cróss bùn *n.* 표면에 십자형의 무늬를 넣은 빵《보통 hot ~ 이라고 하며 Good Friday에 먹음》.

cróss-bùs·ing *n.* 《美》 =BUSING.

cróss-búttock *n., vt.* 〖레슬링〗 허리치기(를 하다) ; 불시의 공격(을 하다).

cróss-chànnel *a.* 해협 횡단의, 해협 건너쪽의《특히 영국 해협의》.

cróss-chéck *vt.* (여러 자료를 비교·검토하여) 정확성을 기하다 ; (아이스하키에서) 크로스 체크하다《반칙》.
—— *n.* 정확도 검토 ; 크로스 체크.

cróss cóunter *n.* 〖拳〗 크로스 카운터《상대방이 공격하는 순간 교차적으로 얼굴·배를 치기》.

cróss-cóuntry *a.* (길로 가지 않고) 산과 들을 횡단하는 : a ~ race 크로스컨트리 경주. —— *adv.* 산과 들[나라]을 가로질러. —— *n.* 크로스 컨트리《특히 스키·경마·경주》.

cróss-còusin *n.* 고종[이종] 사촌.

cróss-cúltural *a.* 비교문화의, 이(異)문화간의.

cróss·cúrrent *n.* **1** 역류(countercurrent). **2** [보통 *pl.*] 반대의[상반되는] 경향〈*of*〉.

cróss·cùt *vt.* **1** 옆으로 자르다[끊다] ; 옆으로 켜는 톱으로 자르다. **2** 가로질러 가다 ; (선·면이) 서로 교차하다. **3** (다른 분야)에 개입하다 ; (단결 따위를) 가르다. **4** 〖映〗 (필름을) 교차법에 의해 편집하다. —— *a.* (톱이) 옆으로 켜는 ; 옆으로 자른. —— *n.* **1** 사잇길, 지름길. **2** (재목의) 가로켜기.

cróss-dìsciplinary *a.* =INTERDISCIPLINARY.

cróss-dréss *vi.* 이성(異性)의 옷을 입다.

crosse [krɔ́(:)s, krɑ́s] *n.* 크로스《lacrosse용의 자루가 긴 라켓》. 〖F=hook ; cf. CROSIER〗

cróssed *a.* **1** 열십자로 놓인, 교차한. **2** 가로줄을 그은 ; (편지지를 절약하기 위해) 가로 세로로 글씨를 쓰는 : a ~ cheque 《英》 횡선 수표(↔ *uncrossed cheque*). **3** 방해를 받은 : a ~ ambition 성공하지 못한 야망.

cróss-examinátion *n.* U,C 〖法〗 반대 심문(審問)《증인을 호출한 쪽의 상대방이 주심문에 잇대어서 행하는 증인의 심문》; (일반적으로) 힐문, 준엄한 추궁.

cróss-exámine *vt.* **1** 〖法〗 …에 반대 심문을 하다. **2** 힐문하다, 준엄하게 추궁하다.

cróss-èye *n.* U 사팔뜨기(squint) ; [*pl.*] 사팔뜨기의 눈.

cróss-èyed *a.* 사팔뜨기의, 내사시(內斜視)의 ; 《俗》 약간 돈.

cróss-fáde *vt.* 〖라디오·映〗 페이드인과 페이드 아웃을 동시에 쓰다, 크로스 페이드하다.
—— [⌐⌐] *n.* 크로스 페이드.

cróss-fertilizátion *n.* U 〖生〗 교잡[타가(他家)] 수정(↔*self-fertilization*).

cróss-fértilize *vt., vi.* 〖生〗 교잡[타가] 수정시키다[하다].

cróss-fìle *vt., vi.* 《美》 두 정당 이상의 예비선거에 입후보시키다[하다].

cróss fìre *n.* **1** U 〖軍〗 십자 포화. **2** (질문의) 집중공격. **3** 〖野〗 크로스 파이어《코너를 가로지르는 옆으로 던져 넣는 투구》.

cróss-frontíer *a.* 경계를[영역을] 초월해서 행해지는.

cróss-gàrnet *n.* 《古》 T자형 경첩.

cróss-gràin *n.* (재목의) 불규칙한 결.

cróss-gráined *a.* 나뭇결이 불규칙한 ; 마음이 비뚤어진(perverse).

cróss hàirs *n. pl.* (망원경 따위의 렌즈의) 십자선(cf. RETICLE).

cróss·hàtch *vt.* [+目] (도판(圖版) 따위에) 사교(斜交)[직교(直交)] 평행선의 음영(陰影)을 넣다.
—— *n.* 사교[직교] 평행선 무늬.

cróss·hèad *n.* **1** 〖機〗 피스톤봉(棒)의 머리부분. **2** =CROSSHEADING.

cróss·hèad·ing *n.* 중간 표제《긴 신문 기사의 절을 구분하기 위해 세로 난(欄) 중앙에 둠》.

cróss-hóld·ings *n. pl.* 《英》 (복수(複數) 기업에 의한 주식의) 상호 소유.

cróss-immúnity *n.* U 〖醫〗 교차면역《한 병원균과 그와 비슷한 균에 의한 면역》.

cróss-índex *vt.* (책에) 참조 표시를 하다.
—— *vi.* 참조 표시가 있다.
—— *n.* (책의) 참조 표시.

***cróss·ing** *n.* **1** U,C 횡단 ; 도항(渡航) ; 교차 : have a good[rough] ~ 배로 건너는 데 물결이 잔잔하다[거칠다]. **2** (도로의) 교차점, (철도의) 건널목 ; 십자로 ; 횡단보도(=pedestrian ~) : a ~ gate 건널목 차단기 / a grade ~ 《美》=《英》 a level ~ 교차점, 건널목. **3** U,C (수표의) 횡선 긋기. **4** U,C 잡종 교배, 이종(異種) 교배.

cróssing guàrd *n.* 《美》 (아동 등하교시의) 교통 안전 유도원.

cróss·ing-óver *n.* 〖生〗 (염색체) 교차(交叉).

cróss·jàck [⌐, 《海》 krɔ́(ː)dʒik, krádʒ-] *n.* 〖海〗 뒷돛대의 돛가름대에 다는 큰 가로돛.

cróss kèys *n.* [단수 취급] 〖紋〗 (특히 로마 교황의) 2개의 열쇠가 엇갈린 문장(紋章).

cróss-légged [⌐, -légəd] *a., adv.* 다리를 꼰[꼬아], 책상다리를 한[하여] : sit ~ 책상다리를 하고 앉다.

cróss·let *n.* 〖紋〗 작은 십자가.

cróss lìcense *n.* 상호 특허 사용 허가《두 회사가 서로의 특허를 이용할 수 있는》.

cróss-lícense *vt.* (다른 회사와) 상호 특허 사용 계약을 맺다. —— *vi.* 상호 특허 사용 계약을 하다, 특허권을 교환하다.

cróss·lìght *n.* U **1** 교차광(光), 십자광. **2** 다른 견해.

cróss-lìnk *n.* 〖理·化〗 교차 결합《원자군(原子群)》. —— [⌐⌐] *vt., vi.* 교차 결합시키다[하다].

cróss-lìnk·er *n.* 〖化〗 교차 결합제(劑)《원자 간의 교차 결합에 쓰이는 물질》.

cróss-lòts *adv.* 《美口》 밭[들판]을 지나서, 지름길로.

cróss·ly *adv.* **1** 가로로, 비스듬히. **2** 거꾸로, 반대로. **3** 기분이 뒤틀려서, 심술사납게.

cróss-mátch *vt., vi.* 〖醫〗 (…에) 교차(적합) 시험을 하다.

cróss mátching *n.* 〖醫〗 교차(적합) 시험《수혈 전에 행하는 적합성 검사》.

cróss-modàlity *n.* 〖心〗 감각 영역이 다른 감각을 연합하는 능력. **cróss-módal** *a.*

cróss múltiply *vi.* 두 분수의 각각의 분자에 다른 분수의 분모를 곱하다.

cróss·òver *n.* **1** 건널목, 횡단보도, 육교 ; 〖鐵〗 전철(轉轍)선로《상행선과 하행선을 연락하는》; U자(형 연)관. **2** (가슴에서 교차하는) 여성용 숄의 일종. **3** 〖生〗 (염색체의) 교차(형). **4** 실험 중인 대조 표준집단과 피험(被驗)집단의 교환 ; 지지 정당을 바꾸는 투표자. **5** [the ~] 〖樂〗 크로스오버《재즈와 다른 음악과의 혼합 ; 그 음악이나 연주자》; 〖댄스〗 크로스오버《상대와 위치를 바꾸기 위한 스텝》. **6** 〖볼링〗 크로스오버《오른손으로 던져서 킹 핀의 왼쪽에 맞는 공》. **7** =CROSSOVER NETWORK. —— *a.* **1** 갈림길의, 분기점의, 위기의(critical) : a ~ point 분기점. **2** 〖政〗 지지정당 변경 투표를 인정하는.

cróssover nétwork *n.* 〖電子〗 크로스오버 네트워크《멀티웨이 스피커 시스템에서 주파수 분할용 회로망》.

cróss-ówn·er·shìp *n.* 《美》 (단일 기업에 의한 신문·방송국의) 교차 소유.

cróss·pàtch *n.* 《口》 까다로운 사람 ; 잘 토라지는 여자[아이].

cróss·pìece *n.* 가로장, 가로대.

cróss-plỳ *a.* 코드를 교차시켜 붙인, 크로스 플라이의《타이어》.

cróss-plỳ tíre *n.* =BIAS-PLY TIRE.

cróss-póllinate *vt., vi.* 〖植〗 타가수분(他家受粉)시키다[하다].

cróss-pollinátion *n.* 〖植〗 (바람·곤충 따위에 의해, 또는 때때로 인공에 의한) 타가(他家)수분.

cróss-púrpose *n.* **1** 반대 목적, (의향의) 어긋남. **2** [*pl.*] 조리에 맞지 않는 엉뚱한 문답 놀이.
be at cross-purposes 서로 오해하다 ; 서로 어긋난 짓[말]을 하다, 엇갈리다.
talk at cross-purposes (서로) 조리에 맞지 않는 엉뚱한 것을 말하다.

cróss-quéstion *vt.* (남에게) 반대 심문을 하다, 힐문(詰問)하다(cross-examine).
—— *n.* 반문, 힐문.

cróss·ràil *n.* 가로대, 가로장, 가로쇠.

cróss ràte *n.* 〖商〗 크로스 레이트, 제 3국 환시세, (일반적으로) 영·미의 환시세.

cróss-refér *vi.* (책의) 앞뒤를 참조하다. —— *vt.* (독자)에게 서로 참조시키다.

cróss-réference *n.* (같은 책 속의) 앞뒤 참조.
—— *vt.* (책(의 기재 사항) 따위)에 서로 참조용 어구를 기재하다. —— *vi.* =CROSS-REFER.

cróss·ròad *n.* **1** 교차 도로 ; (간선 도로에 교차하는) 골목길, 샛길(byroad). **2** [때때로 ~s, 단수·복수 취급] 네거리, 십자로《옛날 영국에서는 자살자의 매장터》; 《비유》 기로(岐路) : a ~(*s*)

store 《美》 네거리의 가게《마을 사람들이 모여 잡담하는 잡화점 따위》/ stand[be] at the ~*s* 기로(岐路)에 서다.
cróss·rùff [, ́ ̀] *n.*, *vt.*, *vi.* 〔카드놀이〕 자기편끼리 서로 다른 으뜸패를 내기[내다] ; 조종하다 ; 참고 견디어 내다.
cróss séa *n.* 〔海〕 옆물결, 횡파(橫波), 역풍파.
cróss sèction [, ́ ̀] *n.* 횡단면, 단면도 ; 《비유》 단면, 두드러진 면〈*of*〉.
cróss-séction *vt.* 가로로 자르다[나누다].
cróss-sèction·al *a.* 횡단면의 : a ~ X-ray 단층면 X선.
cróss-sèction páper *n.* 모눈종이.
cróss sèlling *n.* 끼워 팔기《영화와 원(原)작본 따위의》.
cróss shòt *n.* 〔放送〕 크로스 숏《화면에 대하여 비스듬히 찍은 화상》; 〔테니스〕 코트의 대각선 방향으로 치는 공.
cróss-stàff *n.* 〔測〕 직각기(直角器)《직각·반직각의 방향을 찾아내는 기구》.
cróss-stìtch *n.* (X꼴의) 크로스스티치, 십자수(繡)[뜨기]. ── *vt.*, *vi.* 십자뜨기로 뜨다[하다], 십자수를 놓다.
cróss strèet *n.* 교차 도로, (큰 길과 교차하는) 골목길(cf. SIDE STREET).
cróss-sùbsidize *vt.*, *vi.* (채산이 맞지 않는 사업을) 다른 사업의 수익으로 유지하다.
cróss-subsidizátion *n.*
cróss tàlk *n.* **1** Ⓤ 〔通信〕 혼선, 혼신. **2** Ⓤ 《英》 (재담의) 주고 받기. **3** Ⓤ 《美》 (회의 중 따위의) 잡담.
cróss·tìe *n.* 《美》 (철도의) 침목.
cróss-tólerance *n.* 〔醫〕 교차 내성(交叉耐性).
cróss·tówn *a.* 《美》 도시를 가로지르는 : a ~ road 시내 횡단 도로. ── *adv.* 《美》 도시를 가로질러.
cróss-tràde *n.* 〔證〕 상대 매매(相對賣買) (☞ CROSS *n.* 10).
cróss-tràding *n.* 외국 항구간의 선박 수송 ; 삼국간 항로.
cróss·trèes *n. pl.* 〔海〕 돛대 위의 가로장.
cróss-vòting *n.* Ⓤ 교차 투표《자기 당에의 반대, 또는 타당에의 찬성을 허용하는 투표 형식》.
cróss·wàlk *n.* 횡단 보도.
cróss·wày *n.* =CROSSROAD.
cróss·wàys *adv.* =CROSSWISE.
cróss·wìnd *n.* 〔空〕 옆바람.
cróss·wìse *adv.* 열십자로, 엇갈리게 ; 옆으로, 비스듬하게 ; 반대로, 심술사납게. ── *a.* 횡단하는 ; 경사진.

crosstrees

cróss·wòrd (pùzzle) *n.* 크로스워드 퍼즐, 십자낱말 풀이.
crotch [krátʃ] *n.* **1** (사람 몸의) 가랑이 ; (나무의) 아귀, 갈래(fork). **2** 〔海〕 =CRUTCH 3.
~ed *a.* 갈래가 진, 두 가랑이로 갈라진.
〖? ME and OF *croc* (*he*) hook ; ⇨ CROOK〗
crotch·et [krátʃət] *n.* **1** 《英》 〔樂〕 4분음표(cf. BREVE) : a ~ rest 4분 쉼표. **2** 독특한[별난] 짓 ; 별난 생각(whim) (cf. CRANK[1] 2).
〖OF (dim.) ‹ *croc* CROOK〗
crotch·e·teer [kràtʃətíər] *n.* 기묘한 생각을 가진 사람, 괴짜.
crótch·ety *a.* 괴팍한, 변덕스러운, 별난.
cro·ton [króutn] *n.* 〔植〕 크로톤《대극과》.
Cróton bùg *n.* 〔昆〕 바퀴.
〖*Croton* New York 시의 물 공급원인 강〗
cro·tón·ic ácid [kroutánik-] *n.* 〔化〕 크로톤산《합성 수지 제조 따위 유기 합성의 원료》.
cróton òil *n.* 크로톤유(油)《하제(下劑)》.
***crouch** [kráutʃ] *vi.* 구부리다, 쭈그리다 ; 웅크리다(stoop) ; (비굴하게) 허리를 굽히다 : The cat ~*ed*, ready to spring at the mouse. 고양이는 쥐에게 달려들려고 몸을 웅크렸다. ── *vt.* 비하하여[공포 때문에] (머리를) 낮게 수그리다.
── *n.* 웅크림 ; 비굴하게 위축됨.
〖? OF=to be bent<ON ; ⇨ CROOK〗
cróuch stàrt *n.* 〔競〕 크라우칭 스타트《쭈그린 자세에서의 출발 ; ↔*standing start*》.
croup[1] [krú:p] *n.* Ⓤ 〔醫〕 크루프, 위막성후두염(僞膜性喉頭炎)《심한 기침을 수반하는 소아병》.
〖*croup* (dial.) to croak (imit.)〗
croup[2], **croupe** [krú:p] *n.* (말의) 엉덩이 ; 《戲》 (사람의) 궁둥이.
〖OF ; ⇨ CROP〗
crou·pi·er [krú:piər, -pièi] *n.* (도박장의) 물주 ; (연회의) 부사회자《식탁의 아랫자리에 앉는》.
〖F=rider on the CROUP[2]〗
cróup·ous, **cróupy** *a.* 〔醫〕 크루프성(性)의.
crou·ton, **croû-** [krú:tɑn, -́] *n.* 크루통《버터로 구운 빵조각》. 〖F ; ⇨ CRUST〗
crow[1] [króu] *n.* **1** 수탉의 울음 소리(cf. COCKCROW). **2** (갓난 아기의) 기뻐하는 소리. ── *vi.* (영국에서는 과거형으로 **crew** [krú:]도 쓰임) **1** (수탉이) 울다, 때를 알리다 : The cock ~*ed*. 닭이 때를 알렸다. **2** (갓난아기가 즐거워서) 소리를 지르다. **3** [動/+前+名] 환성을 올리다 ; 의기 양양해지다, (적을) 이겨내다 : The winning team ~*ed* ***over*** its victory. 우승팀은 승리의 환성을 올렸다. 〖OE *crāwan*<imit. ; cf. G *krähen*〗
***crow**[2] *n.* **1** 까마귀《영국에서는 보통 carrion crow, rook ; cf. RAVEN[1]》: ☞ WHITE CROW. **2** [the C~] 〔天〕 까마귀자리. **3** =CROWBAR. **4** [C~] **a)** (*pl.* **C~s**, **C~**) 크로족《Montana 주(州) 동부의 인디언》. **b)** Ⓤ 크로어.
as the crow flies*=*in a crow line 일직선으로, 가까운 길로, 직선 거리로는(cf. *in a* BEELINE).
eat (***boiled***) ***crow*** 《美口》 하기 싫은 일을 하다, 굴욕을 참다.
have a crow to pluck[***pull, pick***] ***with*** a person 《口》 남에게 따져야 할 일이 있다.
〖OE *crāwe*< ↑〗
crów·bàr *n.* 쇠지렛대.
crów·bèrry [; -bəri] *n.* 〔植〕 시로미 ; 《美》 넌출월귤의 일종.
crów·bìll *n.* 〔醫〕 부리 모양의 핀셋, 집게《상처에서 탄알 따위를 빼냄》.
‡**crowd** [kráud] *n.* **1** 군중 ; 붐빔 : There was a large ~ *of* people in the garden. 정원에는 많은 사람들로 붐비고 있었다 / The ~ *was*[*were*] dispersed. 군중은 뿔뿔이 흩어졌다《㈜ crowd가 사람들의 한 집합체를 의미할 때에는 단수 동사로 받고 개개의 구성원을 강조할 때에는 복수 동사로 받음》/ He was surrounded by ~*s of* boys. 그는 많은 소년들에게 둘러싸였다 / That may [might, would] pass in a ~. 《口》 그것은 아마 그렇게 눈에 띄게 못하지는 않을 것이다, 보통 정도는 될 것이다. **2** [the ~] 민중, 대중(the masses). **3** 다수, 많음 : a ~ *of* books 많은 책 / in ~*s* 떼지어. **4** 《口》 패거리, 한패, 동료(company, set).

〈회화〉
Look! What a *crowd*! — A famous actress is coming. Didn't you know? 「야아, 굉장히 사람이 많이 모였구나」「유명한 여배우가 온다는데 너 몰랐었니」

—— *vi.* [+前+名/+副] 떼지어 모이다, 붐비다; 밀려들다, 밀치고 들어가다: The boys ~*ed* **(a)round** the baseball player. 소년들은 그 야구 선수 둘레에 모였다 / The guests ~*ed* **into** the room[**through** the gate]. 손님들은 방으로[대문을] 밀치고 들어갔다 / They ~*ed* **in** for seats. 자리를 잡으려고 밀치면서 들어갔다 / Those scenes ~*ed in* **upon** him. 여러 장면들이 한꺼번에 그의 머리에 떠올랐다. —— *vt.* [+目/+目+前+名] …에 꽉 채우다; 밀쳐 넣다: ~ a building **with** people = ~ people **into** a building 건물에 사람들을 가득 밀어 넣다 / The room was ~*ed with* furniture. 방은 가구들로 꽉 차 있었다 / Many people were ~*ed into* the carriage. 많은 사람들이 객차에 꽉 차 있었다.
crowd (on) sail 〖海〗 (풍력이) 가능한 한 많은 돛을 펴다, 돛을 모두 올리다.
crowd out 밀어내다, 밀쳐내다, 내쫓다; …을 묵살하다: Her contribution to the magazine had to be ~*ed out*. 그 잡지에 대한 그녀의 기고는 (지면 관계로) 실리지 못했다.
〖OE *crūdan* to press, drive〗
類義語 **crowd** 많은 숫자의 사람들이 밀집, 질서가 없이 한 사람 한 사람의 구별이 불분명함: A *crowd* was waiting for the President before the White House. (많은 사람들이 백악관 앞에서 대통령을 기다리고 있었다). **throng** 많은 숫자의 사람들이 서로 밀치고 밀리고 있음: There are *throngs* in the streets after the accident. (사고가 난 후에 길거리에는 많은 사람들이 법석대고 있다). **swarm** 큰 집단으로, 끊임없이 움직이고 있음: A *swarm* of demonstrators gathered. (시위 군중이 모여 있었다). **mob** 질서가 없는 난폭한 군중; 나쁜 의미: The *mob* set fire to the building. (군중이 그 건물에 방화했다).

***crówd·ed** *a.* **1** 붐비는, 혼잡한, 만원의: a ~ city 혼잡한 도시 / a ~ train[bus] 만원 열차[버스]. **2** 번잡한, 다사다난한: a ~ life 다사다난한 생활[생애].

crówd pùller *n.* 《口》 인기인[물].

crów·fòot *n.* (*pl.* **-fèet**) Ⓒ **1** (*pl.* 보통 **-fòots**) 〖植〗 미나리아재비, 쥐손이풀《따위》. **2** [보통 *pl.*] 눈가의 잔주름.

Crów Jím *n.* 《美俗》 백인에 대한 인종 차별(cf. JIM CROW). 〖Jim Crow의 역(逆)〗

‡**crown** [kráun] *n.* **1** 왕관, 보관(diadem); [the ~; the C~] 제왕의 신분, 왕위; 임금 또는 여왕, 군주; (군주국의) 주권, 국왕의 지배[통치], 국왕의 영토: an officer of *the* ~ 《英》 관리. **2** (승리의) 화관, 영관; (노력에 대한) 영광, 명예(의 선물)(reward): the martyr's ~ 순교자에 바치는 영예. **3** 왕관의 표지[표]; 왕관표가 붙은 물건; 크라운 화폐《영국의 5실링 은화; 1971년 2월부터 폐지》; Ⓤ 크라운지(紙)《15×20[19]인치; 왕관의 투명한 무늬가 있었음》. **4** 꼭대기(top), 최고부; 정수리; 머리(head); (모자의) 꼭대기; 산꼭대기; 〖齒〗 치관, 금관; 〖建〗 (아치의) 최고부, 중앙부; 〖植〗 = CORONA: the ~ *of* the head 머리 꼭대기, 정수리. **5** [the ~] 절정, 극치(culmination): *the* ~ *of* one's labors 노력의 결정 / *the* ~ *of* the year (일년의 마지막을 장식하는) 추수기, 가을.
crown and anchor 왕관·닻 따위의 표가 붙은 주사위와 판으로 하는 도박.
—— *vt.* **1** [+目/+目+補] (사람·머리에) 관을 씌우다, 왕위에 앉히다: They wanted to ~ Caesar king. 그들은 시저를 왕위에 앉히기를 원했다. **2** [+目/+目+*with*+名] **a**) (영예 따위가) …을 장식하다; (영예를) 지니게 하다: Success has ~*ed* his efforts. 그의 노력은 성공을 거두었다 / The king was ~*ed* **with** glory. 왕은 영예를 지니게 되었다. **b**) 꼭대기에 올려놓다, 정상을 이루다: The hill was ~*ed* **with** a church. 언덕위에 교회가 우뚝 서 있었다. **3** …의 최후를 장식하다, 유종의 미를 거두다. **4** (치아에) 치관(齒冠)을 씌우다. **5** 〖체스〗 (졸개 말이 일정한 선에 나갔을 때) 왕이 되게 하다.
to crown all 결국, 게다가.
〖OF < L CORONA〗
類義語 ⟹ TOP.

crówn cànopy *n.* 〖生態〗 임관(林冠), 숲의 우거진 윗부분.

crówn càp *n.* (맥주병 따위의) 마개, 뚜껑.

crówn cólony *n.* [흔히 C~ C~] 《英》 (국왕) 직할 식민지.

crówn cóurt *n.* 〖法〗 (순회) 형사 법원《잉글랜드·웨일스의》.

Crówn Dérby *n.* 더비 자기(磁器)《왕실 인가의 표로서 왕관표가 붙어 있음》.

crowned [kráund] *a.* **1** 왕관을 쓴, 왕위에 오른; 왕관 장식이 있는: ~ heads 국왕과 여왕(king and queen). **2** [보통 복합어를 이루어] 꼭대기가 …한: high-[low-]~ (모자의) 운두가 높은[낮은].

crówn·er *n.* 관을 씌우는 사람; 명예를 주는 사람[물건]; 완성자; 《口》 (말 위에서) 거꾸로 떨어뜨리기; 《美俗》 수탉; 《英方·古》 = CORONER.

crówn èther *n.* 〖化〗 크라운 에테르《착체(錯體)가 왕관 모양인 폴리에테르》.

crówn fìre *n.* 수관화(樹冠火)《나무의 윗부분을 태우며 급속히 번지는 산불》.

crówn glàss [; ⌐ ⌐] *n.* 크라운 유리.

crówn gràft *n.* 〖園藝〗 근관접(根冠接).

crówn grèen *n.* 양측보다 가운데가 높은 론 볼링(lawn bowling)용(用) 잔디밭.

crówn·ing *a.* 마지막을 장식하는, 더할 나위 없는, 무상(無上)의: a ~ glory 최후를 장식하는 영광 / the ~ folly 지독한 바보 / the ~ moment of my life 내 생애 최고의 순간. —— *n.* 대관(식); 완성; 〖建〗 (아치의) 꼭대기 부분.

crówn jéwels *n. pl.* [the ~] 《英》 대관식에 쓰이는 보석류.

crówn lànd *n.* 《英》 왕실 소유지.

crówn·lànd *n.* (옛 오스트리아·헝가리 왕국의) 주(州).

crówn láw *n.* 《英》 형법(刑法).

crówn láwyer *n.* 《英》 왕실 변호사.

crówn lèns *n.* 크라운 렌즈《crown glass로 만든 렌즈, 특히 색지움 렌즈를 구성하는 볼록 렌즈》.

Crówn Óffice *n.* [the ~] 〖英法〗 (대법관청(Chancery)의) 국새부(國璽部); (고등 법원의) 형사부.

crówn pìece *n.* (영국의) 크라운 은화(銀貨)《옛 5실링》.

crówn·pìece *n.* 정점을 이루는 것.

crówn prínce *n.* (영국 이외 나라의) 황태자.
㊟ 영국 황태자는 Prince of Wales.

crówn príncess *n.* (영국 이외 나라의) 황태자비(妃) ; 여성의 추정(推定) 왕위 계승자.
crówn sàw *n.* 〔機〕 원통톱.
crówn whèel *n.* 〔機〕 크라운 톱니바퀴[휠].
crówn wítness *n.* 《英》 (형사 소추의) 검사[원고]측 증인.
crówn·wòrk *n.* Ⓤ **1** 〔築城〕 관새(冠塞)《보통 위험한 지점을 숨기기 위한 방어 보루》. **2** 〔齒〕 금관(金冠)(기공(技工)), 치관(齒冠) (보철).

crown saw

crów quìll *n.* **1** (까마귀의) 날개깃펜. **2** (제도용의) 촉이 가는 철펜.
crów's-bìll *n.* 〔解·動〕 오훼(烏喙)돌기.
crów's-fòot *n.* (*pl.* **-fèet**) **1** [보통 *pl.*] 눈가의 잔주름. **2** 〔軍〕 =CALTROP. **3** 세 가닥 자수《까마귀 발 모양의 수》.
crów's nèst *n.* 〔海〕 돛대 위의 망대.
crów·stèp *n.* 〔建〕 =CORBIESTEP.
Croy·don [krɔ́idn] *n.* 크로이든《London 남동부의 자치구(1915-59) ; 공항이 있었음》.
crozier ☞ CROSIER.
CRP 《美》 Committee to Reelect the President (대통령 재선 위원회) (cf. creep). **CRS** computerized reservation system(컴퓨터 예약 시스템).
Cr$ cruzeiro(s). **CRT, C.R.T.** cathode-ray tube(음극(선)관, 브라운관).
CRT display [sì:ɑ̀:rtí: ⌐] *n.* 〔電子〕 음극(선)관 표시(기)《음극선관에 문자나 도형을 나타내는 컴퓨터 단말 장치》.
cruces *n.* CRUX의 복수형.
cru·cial [krú:ʃəl] *a.* **1** 결정적인(decisive), 중대한(important) : a ~ experiment (금후의 방향을 정하는) 중대한 실험 / a ~ moment 위기, 결정적인 순간. **2** 엄격한, 고난의(severe, trying) : a ~ experience 매우 쓰라린 경험. **3** 〔解〕 십자형의. **~·ly** *adv.* 결정적으로 ; 엄하게.
〖F ; ⇨ CROSS〗
crú·cian[**crú·sian**] **(cárp)** [krú:ʃən(-)] *n.* 〔魚〕 붕어.
cru·ci·ate [krú:ʃiət, -èit] *a.* 〔動·植〕 십자형의.
cru·ci·ble [krú:səbəl] *n.* 도가니 ; 《비유》 혹독한 시련 : be in the ~ *of* affliction 고통스런 시련을 겪고 있다.
〖L=night-lamp, crucible ‹CROSS〗
crúcible fúrnace *n.* 〔冶〕 도가니로(爐).
crúcible stéel *n.* 〔冶〕 도가니강(鋼).
cru·ci·fer [krú:səfər] *n.* 〔宗〕 =CROSSBEARER ; 〔植〕 겨자과의 각종 식물.
cru·cif·er·ous [kru:sífərəs] *a.* 십자가를 진[로 장식한] ; 〔植〕 겨자과의.
cru·ci·fix [krú:səfiks] *n.* **1** 그리스도 수난의 상(像). **2** (일반적으로) 십자가(cross).
〖OF<L (*cruci fixus* fixed to a cross)〗
cru·ci·fix·ion [krù:səfíkʃən] *n.* **1** Ⓤ (십자가에) 못박음[못박힘] ; [the C~] 그리스도의 못박힘[책형(磔刑)] ; Ⓒ 그 그림. **2** Ⓤ,Ⓒ 《비유》 쓰라린 시련.
crú·ci·fòrm [krú:sə-] *a., n.* 십자형(의).
〖L CROSS, *-form*〗
cru·ci·fy [krú:səfài] *vt.* 십자가에 못박다, 책형에 처하다 ; 《비유》 (욕정 따위를) 억누르다 ; 몹시 괴롭히다, 박해하다.
〖OF<L ; ⇨ CRUCIFIX〗
crud [krʌ́d] *n.* **1** 《俗》 지겨운[불쾌한] 놈[것]. **2** 《俗》 굳어진 침전물 ; 《卑》 말라붙은 정액. **3** 《俗》 부정 수소(不定愁訴), 몸의 부조(不調). **4** 《卑》 성병 ; 매독. **5** 《方》 =CURD. —— *v.* (**-dd-**) 《方》 =CURD. —— *int.* 제기랄, 빌어먹을《불쾌감·실망의 표시》.
crúd·dy *a.* 추접스러운 ; 지독한.
〖ME CURD〗
***crude** [krú:d] *a.* **1** 천연 그대로의, 있는 그대로의 ; 날것의(raw) ; 가공하지 않은, 조제(粗製)의 : ~ material(s) 원료. **2** 미숙한 ; 미소화(未消化)의 ; (병이) 초기인. **3** 생경(生硬)한, 미완성의 ; 조잡한, 소홀히 하는, 대충의(rough) ; 노골적인(bare). **4** (색이) 야한(garish). **5** 〔文法〕 어미 변화가 없는. **6** 〔統〕 분류[분석]하지 않은 채 도표로 한. —— *n.* 원료 ; 원유.
~·ly *adv.* 천연 그대로, 날것으로 ; 미숙하게 ; 거칠게, 노골적으로.
〖L=raw, rough〗
類義語 ⟹ RAW.
crúde óil[**petróleum**] *n.* 원유(原油).
cru·di·ty [krú:dəti] *n.* **1** Ⓤ 날것임, 미숙한 것 ; 생경 ; 조잡 ; 거칢. **2** (예술 따위의) 미숙한 작품 ; 미완성품.
‡**cru·el** [krú:əl] *a.* (~·**er** ; ~·**est** | ~·**ler** ; ~·**lest**) [+*of*+名+*to* do] **1** 잔혹한, 무자비한, 매정한(merciless) ; 비참한, 참혹한 : Don't be ~ ***to*** animals. 동물을 학대해서는 안된다 / It is ~ *of* him *to* beat the dog like that. 그렇게 개를 때리다니 그는 정말 잔인한 남자다. **2** 《口》 대단한, 심한. —— *adv.* 몹시(very). —— *vt.* 《濠俗》 못쓰게 만들다.
~·ly *adv.* 무자비하게, 잔인하게 ; 《口》 몹시.
〖OF<L *crudelis* ; cf. CRUDE〗
類義語 ***cruel*** 남이 괴로워해도 보통인, 또는 그런 것을 보고서 즐거워하는. ***brutal*** 짐승처럼 잔인하고 야만적인. ***inhuman*** 문명인다운 동정·자비로운 마음이 전혀 없이 냉혹한. ***pitiless*** 상대가 괴로워해도 전혀 동정·자비의 마음을 나타내지 않는.
crúel·héart·ed *a.* 무정[잔혹]한.
***cru·el·ty** [krú:əlti] *n.* Ⓤ 잔혹 ; 잔학, 무자비, 잔인성, 참혹함 ; Ⓒ 잔인한 행위, 학대 : He was treated *with* ~. 그는 잔인한 취급을 받았다.
〖OF ; ⇨ CRUEL〗
cru·et [krú(:)ət] *n.* **1** 양념병. **2** 〔宗〕 제단용병《성찬의 포도주·물을 넣는 작은 용기》.
〖AF (dim.) ‹ CROCK[1]〗

cruet 1

cruft [krʌ́ft] *n.* 《해커俗》 **1** (쓰레기·먼지 따위처럼) 불쾌한 것. **2** (컴퓨터 프로그램의) 석연치 않은 부분.
Cruft's [krʌ́fts] *n.* 런던에서 2월초에 열리는 개 전시회(=~ **Dóg Shòw**). 〖Charles *Cruft* (d. 1939) 창시자〗
crufty [krʌ́fti(:)] *a.* 《해커俗》 손대고 싶지 않은, 기분나쁜 ; 너무 복잡한 ; 잘못 만들어진 ; (일반적으로) 불쾌한. —— *n.* 자질구레한 잡동사니[다루기 힘든 데이터 기록].
cruise [krú:z] *vi.* **1** [動/+前+名] (함정이) 순항하다 ; (비행기가) 순항 속도로 날다, (자동차가) 경제속도로 달리다 : The battleships ~*d* ***along*** the shore looking for enemy submarines. 전함은 적의 잠수함을 찾아서 해안을 순항했다. **2** (사람이) 만유(漫遊)하다. **3** (택시·순찰차가) 천천히 달리다, 슬슬 돌아다니다 ; 《俗》 (길 한가운데·붐비는 곳 따위에서) 여자[남자]를 찾아다니다 ; 《美》 삼림지를 답사하다. —— *vt.* (특정 지역을)

순항하다, 천천히 달리다 ;《美》(재목을 견적내기 위해) (삼림을) 답사하다 ;《俗》(붐비는 곳 따위)에서 남자[여자]를 찾아다니다. —— *n.* 순양 항해, 순항 ; 만유, (관광) 여행(trip) : go on[for] a ~ 순항[만유]에 나서다.
〖? Du.=to cross, traverse ; ⇨ CROSS〗

crúise càr *n.* 《美》 =SQUAD CAR.

crúise mìssile *n.* 크루즈[순항] 미사일.

crúise míssile sùbmarine *n.* 크루즈 미사일 잠수함.

cruis·er [krú:zər] *n.* **1** 〖海〗 순양함(艦) : an armored[a belted] ~ 장갑 순양함 / a battle ~ 순양전함 / a converted[light] ~ 개장(改裝)[경(輕)] 순양함. **2** 유람용 모터 보트[요트] ; 순항 비행기 ;《美》 =SQUAD CAR. **3** (손님을 찾아다니는) 자동차. **4** 여행자, 만유자.

crúiser·wèight *n.* 《英》〖拳〗 =LIGHT HEAVY-WEIGHT.

crúise wày *n.* 《英》 보트놀이용의 수로《강이나 운하를 개수한 것》.

crúis·ing ràdius [krú:ziŋ-] *n.* 순항(巡航) 반경《급유없이 왕복할 수 있는 최대 거리》.

crúising spèed *n.* 순항 속도, 경제 속도.

crúising táxi *n.* 손님을 찾아다니는 빈 택시.

crul·ler, krul- [krʌ́lər] *n.* 《美》 살짝튀긴 과자, 도넛 ;《俗》 실패.
〖Du. (*krullen* to curl)〗

crumb [krʌ́m] *n.* **1** [보통 *pl.*] (빵 따위의) 부스러기, 조각〈*of* bread, cake, *etc.*〉; 빵부스러기, 빵가루. **2** Ⓤ 빵의 속(↔*crust*). **3** 조금(bit) : a ~ *of* comfort 다소의 위안. —— *vt.* **1** (빵을) 부스러뜨리다, 가루로 만들다. **2** 빵가루를 묻히다 ; 빵가루를 넣어서 (수프 따위를) 걸게 하다. **3** 《口》 (식탁보 따위에서) 빵부스러기를 털어버리다.
—— *a.* (파이 껍질이) 비스킷 부스러기와 설탕 따위를 섞어 만들어진.
〖OE *cruma* fragment ; cf. G *Krume* ; *-b*는 17세기부터〗

crúmb brùsh *n.* 빵가루를 털어내는 솔《식탁용》.

crúmb·clòth *n.* 빵부스러기받이《식탁 밑의 융단 위에 까는 천》.

crum·ble [krʌ́mbəl] *vt.* (빵 따위를) 부스러기로 만들다, 가루로 만들다, 빻다, 바수다. —— *vi.* [動/+副/+前+名] 산산이 부서지다, 부스러지다 ; (건물·세력·희망 따위가) 붕괴되다, 와해되다, 허무하게 사라지다, 망하다 : The old wall is *crumbling away* at the edges. 낡은 벽은 가장자리에서부터 허물어지고 있다 / His dearest hopes ~*d* ***to*** nothing. 그의 최대의 소망이 수포로 돌아갔다. —— *n.* 잘게 부스러진[부순] 것 ; 크럼블《익힌 과일에 밀가루·쇠기름·설탕을 이겨서 얹은 것》;《方》 =CRUMB.
〖*crimble*<ME (freq.)<OE *gecrymian* to crumble〈CRUMB ; 어형은 CRUMB의 영향〗

crúm·bly *a.* 부스러지기 쉬운, 푸석푸석한.

crumbs [krʌ́mz] *int.* 《英》 어허 참, 거참《놀람·실망을 나타냄》. 〖(euph.)〈CHRIST〗

crúmby *a.* **1** 빵부스러기 투성이의 ; 빵가루를 묻힌. **2** 빵 속 같은, 말랑말랑하고 연한 ; (빵이) 속이 많은(↔*crusty*).

crum·my [krʌ́mi] *a.* **1** =CRUMBY. **2** 《英俗》 (여자가) 포동포동한, 매혹적인(plump), 예쁘장한(comely) ;《美俗》 이 투성이의, 더러운 ; 값싼.
—— *adv.* =BADLY. 〖CRUMBY〗

crump [krʌ́mp] *n.* **1** 빠득빠득하는 소리. **2** 《口》 세게 침(hard hit) ; 털썩 넘어지기. **3** 《軍俗》 폭음 ; 폭렬탄. —— *vi.* 우두둑우두둑 소리를 내다 ;《軍俗》 큰 소리를 내며 폭발하다. —— *vt.* 《口》 (특히 크리켓의 공을) 세게 치다 ; 우두둑우두둑 씹다. 〖imit.〗

crum·pet [krʌ́mpət] *n.* **1** 《英》 일종의 핫케이크. **2** 《俗》 머리(head).
barmy [***balmy***] ***on the crumpet*** 《俗》 머리가 이상한.
〖C17<? ; cf. ME *crompid* (*cake*) curled-up cake, wafer〗

crúmp hòle *n.* 포탄으로 생긴 구멍, 탄공(彈孔).

crum·ple [krʌ́mpəl] *vt.* [+目/+目+副/+目+前+名] 구기다, 구김살지게 하다(crush) : I ~*d* the letter (***up***) ***into*** a ball. 나는 편지를 구겨서 똘똘 뭉쳤다. —— *vi.* 구겨지다, 구김살 지다 : This cloth ~*s* easily. 이 천은 잘 구겨진다.
crumple up 구김살이 지게 하다(cf. *vt.*) ; 압도하다[되다], 붕괴시키다[하다] : They ~*d up* the enemy army. 그들은 적군을 압도했다.
—— *n.* 구김, 쭈글쭈글함.
〖*crump* (obs.) to curl up〗

crúm·pled *a.* (쇠뿔 따위가) 뒤틀린 ; 쭈글쭈글한, 구겨진.

crunch [krʌ́ntʃ] *vt.* 아삭아삭[우적우적] 씹다 ; (자갈길 따위를) 저벅저벅 걷다 : The boy began ~*ing* the crackers. 소년은 크래커를 바삭바삭 먹기 시작했다. —— *vi.* [動/+前+名] 와작와작 바스러지다, 저벅저벅 소리내어 걷다, (수레바퀴가) 삐걱삐걱 소리내다 : The hard snow ~*ed* ***under*** our feet. 굳은 눈이 우리발에 밟혀서 바작바작 소리를 냈다 / The children were ~*ing* ***through*** the snow. 아이들은 빠드득빠드득 눈을 밟고 갔다.
—— *n.* **1** 바작바작 바스러지는 소리 ; 밟아 부스러뜨림. **2** [the ~] 《口》 **a**) 위기 ; 막다른 판 : when[if] it comes to *the* ~ =when *the* ~ comes 위기의[결정할] 때가 올 때 / energy ~ 에너지 위기. **b**) 긴요[중요]한 점.
〖*cra*(*u*)*nch* (imit.) ; 어형은 *munch*의 영향〗

crúnchy *a.* 우두둑우두둑 씹는[소리를 내는] ; 저벅저벅 걷는[소리를 내는].

cru·or [krú:ɔ:r] *n.* 〖醫〗 혈병(血餅) ; 응혈(凝血).

crup·per [krʌ́pər] *n.* 껑거리끈《마구》; 말의 엉덩이(croup) ;《戲》 사람의 엉덩이.
〖OF ; ⇨ CROUP²〗

crura *n.* CRUS의 복수형.

cru·ral [krúərəl] *a.* 〖解〗 다리의, 종아리의, (특히) 대퇴부의.

crus [krʌ́s, krú:s] *n.* (*pl.* **cru·ra** [krúərə]) 〖解〗 다리, 하퇴(下腿).

cru·sade [kru:séid] *n.* **1** [흔히 C~] 〖史〗 십자군《이슬람 교도에게 빼앗긴 성지 Jerusalem을 탈환하기 위해 유럽의 기독교도가 파병한 여러 차례의 원정군 ; 11세기에서 13세기에 걸침》; (종교상의) 성전(holy war). **2** 개혁[숙청·박멸] 운동(campaign) : a temperance ~=a ~ *against* intemperance 금주운동. —— *vi.* 십자군에 참가하다 ; 개혁운동에 참가하다. **cru·sád·er** *n.* 십자군 전사 ; 개혁 운동자.
〖OF *croisade* (F, Sp. CROSS)〗

cru·sa·do [kru:séidou], **-za-** [-zá:dou, -du:] *n.* (*pl.* **~s, ~es**) 포르투갈의 십자가 무늬가 그려진 옛 화폐. 〖Port.=marked with CROSS〗

cruse [krú:z, -s] *n.* 《古》 단지, 항아리(jar).
〖OE *crūse*< ?〗

***crush** [krʌ́ʃ] *vt.* **1** [+目/+目+前+名] 눌러 으스러뜨리다[부수다] ; 쑤셔 넣다, 밀고 나아가다 : Be careful not to ~ this box. 이 상자를 찌부러

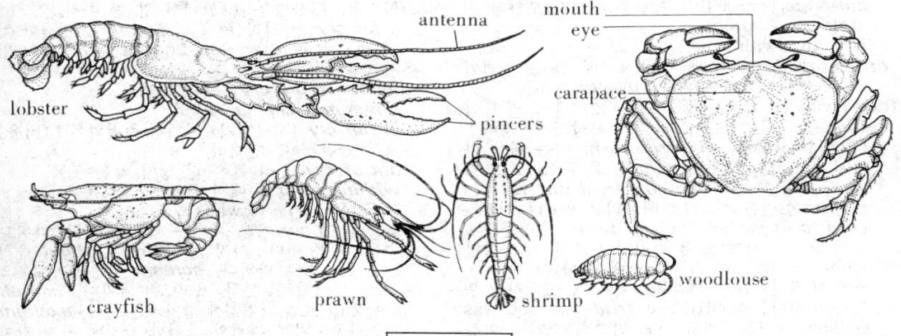

Crustacea

뜨리지 않도록 주의하시오 / The people were *~ed* ***into*** the train. 사람들은 열차 안으로 빽빽이 밀어넣어졌다 / He went on *~ing* his way ***through*** the crowd. 그는 인파를 뚫고 계속 밀고 나아갔다. **2** [+目/+目+副/+目+前+名] 압착하다 ; 바수다, 가루로 만들다 ; 짓구기다(crumple) : make wine by *~ing* grapes 포도를 으깨서 포도주를 만들다 / The juice is *~ed* ***out from*** oranges. 오렌지에서 과즙을 짜낸다 / She *~ed* ***up*** the letter in her hand. 그녀는 편지를 손에 쥐고 짓구겼다. **3** [+目/+目+前+名] 궤멸시키다, 진압하다 ; (정신·희망을) 꺾다(overwhelm) : She was *~ed* ***with*** grief. 그녀는 슬픔으로 침울했다. ── *vi.* **1** [+前+名/+副] 서로 밀치고 들어가다, 쇄도하다 : Some of the audience tried to *~* ***into*** the front seats. 청중 가운데는 다투어 앞자리를 차지하려는 사람들도 있었다 / Please *~* ***up*** a little. 조금 좁혀 주십시오. **2** 으스러지다 ; 쭈글쭈글해지다.

crush a cup of wine 술을 마시다.

crush a fly on the wheel ☞ WHEEL.

── *n.* **1** 눌러 찌그러뜨리기, 압착 ; 분쇄 ; 진압, 압도. **2** 서로 밀침, 붐빔 ; 군중 ; 《口》 북적거리는 연회. **3** 《口》 (사춘기 여자아이 등의) 홀딱 반함, 홀림(infatuation) : have a *~ on* …에게 홀딱 반하다. **4** 과즙(음료), 스쿼시.

〖F=to gnash (teeth), crack< ?〗

類義語 ⟹ BREAK.

crúsh bár *n.* (막간(幕間)에 관객이 이용하는) 극장 안의 바.

crúsh bárrier *n.* 《英》 군중 제지용 철책[장벽].

crúsh·er *n.* **1** 으스러뜨리는 것 ; 분쇄기 ; 돌부수는 기계, 쇄석기. **2** 《俗》 맹렬한 일격 ; 꼼짝 못하게 하는 이론[사실].

crúsh hát *n.* 오페라 해트.

crúsh·ing *a.* 눌러 으스러뜨리는, 눌러 빠개는, 분쇄하는 ; 압도적인, 궤멸적인 ; 두드려 부수는 (듯한). ── *n.* [*pl.*] 으깬 포도[씨 따위].

crúsh-pròof *a.* 찌그러지지 않는《종이 상자 따위》 : a ~ box 찌그러지지 않는 종이 상자.

crúsh-ròom *n.* 《英》 (극장 따위의) 휴게실, 로비.

Cru·soe [krú:sou] *n.* ☞ ROBINSON CRUSOE.

***crust** [krʌ́st] *n.* **1** 빵의 껍질(↔*crumb*) ; [a ~] 굳어진 빵 한 조각《궁색한 음식》 ; [one's ~] 생활의 양식, 생계의 밑천(living) : earn one's ~ 생계를 잇다. **2** U,C (일반적으로) 물건의 견고한 표면, 외피, 딱딱한 껍데기 ; =PIECRUST ; 〔動〕 갑각(甲殼) ; 〖地質〗 지각 ; 《美》 얼어붙은 설면(雪面), 크러스트. **3** 딱지(scab) ; (포도주 따위의) 술 버캐 ; 물때. **4** (사물의) 겉보기, 표면(veneer). **5** U 《俗》 철면피, 대담함, 뻔뻔스러움(impudence). ── *vt.* 겉껍질로 덮다, 껍데기로 싸다 ; 단단한 껍데기로 만들다. ── *vi.* 굳은 외피가 생기다 ; 딱지가 앉다 ; (눈 따위가) 굳어지다〈*over*〉. 〖OF<L *crusta* rind, shell〗

Crus·ta·cea [krʌstéiʃiə] *n. pl.* [the ~] 〔動〕 갑각류. 〖NL ; ⇨ CRUST〗

crus·tá·cean *a., n.* 갑각류의 (동물)《게·새우·가재 따위》.

crus·ta·ceous [krʌstéiʃəs] *a.* 피각질(皮殼質)의 ; 피각 같은 ; 〔動〕 갑각류의.

crúst·al *a.* 외피[외각(外殼), 갑각]의 ; 지각(地殼)의.

crústal móvement *n.* 지각 변동.

crúst·ed *a.* 외피[겉껍질]가 있는 ; (포도주에) 술 버캐가 생긴, 잘 익은(matured) ; 오래된, 묵은 ; 굳어진.

crúst·quàke *n.* (행성(行星) 따위의) 지각성(地殼性) 지진.

crústy *a.* **1** 피각질(皮殼質)의, 외피와 같은 ; (빵의) 껍질 부분이 딱딱하고 두꺼운(↔*crumby*). **2** 까다로운, 성을 잘 내는(irritable) ; 퉁명스러운(surly).

crutch [krʌ́tʃ] *n.* **1** [보통 a pair of ~es] 목발, 협장(脇杖) : walk[go about] *on ~es* 목발을 짚고 걷다[돌아다니다]. **2** 버팀, 의지(prop). **3** 버팀목, 지주(支柱) ; 선미 늑재 ; (보트의) 크러치(cf. OARLOCK). **4** (사람 몸의) 가랑이. **5** 《美俗》 차. ── *vt.* 목발에 의지하다, …에 버팀목을 대다 ; 버티다. ── *vi.* 목발로 걷다.

〖OE *crycc* staff<Gmc.=bend〗

crutched [krʌ́tʃt] *a.* **1** 목발에 의지한 ; 지주로 버틴. **2** (지팡이·의복에) 십자가의 표를 붙인.

Crútched Fríars [, 英+krʌ́tʃəd-] *n. pl.* 십자가 수도회(會)《13-17세기 영국 수도회의 일파 ; 십자가 표지를 지팡이와 옷에 달았음》 ; 런던의 그 수도원 자리.

crux [krʌ́ks, krúks] *n.* (*pl.* **~·es**, **cru·ces** [krú:si:z]) **1 a)** 가장 중요한 점, 핵심, 요점(要點), 포인트 : the ~ *of* the matter[problem] 문제의 핵심. **b)** 난문, (풀기 어려운) 수수께끼. **2** [C~] 〔天〕 남십자성(the Southern Cross).

〖L=cross〗

crúx an·sá·ta [-ænséitə] *n.* (*pl.* **crúces**

an·sá·tae [-ænséitiː]) 윗부분에 고리 모양의 손잡이가 달린 십자가.
〖L=cross with handle〗

cru·zei·ro [kruːzéərou, -ruː] *n.* (*pl.* **~s**) 크루제이로《브라질의 화폐 단위 ; =100 centavos》.

‡cry [krái] *vi.* [動/+副/+前+名] **1** 소리치다(shout), (새·짐승이) 울다, (사냥개가) 짖다 : I could not help *~ing* ***with*** pain. 나는 너무 아파서 소리치지 않을 수 없었다. **2** 큰소리로 부르다, 고함치다 : The boy *cried* ***out for*** his mother. 소년은 큰소리로 어머니를 불렀다 / They *cried* ***to*** us *for* help[*to* help them]. 우리들에게 살려 달라고 외쳤다. **3** 소리내어 울다, 흐느끼다(sob) : ~ ***for*** joy 기쁨에 겨워 울다.
— *vt.* **1** [+目/+*that* 節] 외치다, 큰소리로 부르다[말하다](shout) : She *cried that* she was coming. 그녀는 「지금 가요」라고 큰소리로 외쳤다. **2 a**) 울며 (눈물을) 흘리다 : She *cried* bitter[hot] tears. 그녀는 뼈에 사무친[뜨거운] 눈물을 흘리면서 울었다. **b**) [+目+副/+目+前+名/+目+補] 울어서 (어떤 상태로) 되게 하다 : She *cried* her eyes[heart] ***out***. 그녀는 눈이 퉁퉁 붓도록[흐느끼며] 울었다 / The boy *cried* himself ***to*** sleep. 소년은 울다가 잠이 들었다 / I *cried* myself blind. 눈물이 앞을 가렸다. **3** (새 소식을) 큰소리로 알리다 ; (물건을) 소리쳐 팔다.
cry against …에 반대하여 외치다.
cry down 깎아 내리다(decry) ; 헐뜯다.
cry for... (1) …을 울며[외치며] 요구하다, …을 갈망하다(cf. *vi.* 2). (2) …을 매우 필요로 하다 : The situation *cries for* a remedy. 사태는 긴급한 개선을 요구한다. (3) …한 나머지 울다(cf. *vi.* 3) : ~ *for* the moon ☞ MOON 숙어.
cry halves 절반을 내라고 요구하다〈*in*〉.
cry off (계약 따위에서) 손을 떼다, 포기하다〈*from*〉; 취소하다.
cry out 큰소리로 부르다[외치다], 고함치다, 절규하다(cf. *vi.* 2) ; 비명을 지르다 ; 반대를 부르짖다〈*against*〉; 절규하며 요구하다, 애타게 바라다〈*for*〉.
cry out before one ***is hurt*** 아프기도 전에 고함을 지르다, 지레짐작하여 떠들다, 미리 설치다.
cry over... (불행 따위)를 한탄하다 : It is no use *~ing over* spilt milk. ☞ *spilt* MILK.
cry quarter ☞ QUARTER *n.* 5.
cry quits ☞ QUITS.
cry shame upon …을 극구 비난하다, 맹렬히 공격하다.
cry stinking fish ☞ FISH.
cry up 추켜 올리다, 극구 칭찬하다.
cry wolf ☞ WOLF.
For crying out loud! 《口》 정말 놀랐다!, 당치도 않다!, 어처구니 없다!, 지긋지긋하다!
give ... something to cry for[***about***] 《口》 (별일 아닌 일로 울고 있는 아이 등을) 야단치다, 꾸짖다.
— *n.* **1** 외침, 외치는 소리 ; (새·짐승의) 우는 소리 ; (사냥개 따위의) 짖는 소리 ; (아기의) 울음소리 : give[raise] a ~ 큰소리치다, 외치다. **2** 소리를 내어 욺, 울며 부르짖는 소리 : have a good ~=have a ~ out 실컷 울다, 울 만큼 울다 / She wants a good ~. 그녀는 실컷 울고 싶어한다《한이 풀리도록》. **3** 탄원, 애원. **4** 외치며 파는 소리, 알리는 소리. **5** 함성 ; 표어, 슬로건. **6** 여론(의 소리), 운동〈*for, against*〉.
all cry and no wool=***more cry than wool***=***much***[***a great***] ***cry and little wool*** 헛소동, 태산명동(鳴動)에서 쥐 한 마리.
a far cry 먼 거리〈*to*〉; 엄청난 차이, 현격한 차이〈*to*〉: It is *a far* ~ *to* London. 런던까지는 먼 거리다.
follow in the cry 부화뇌동하다.
a hue and cry ☞ HUE².
in full cry (사냥개가) 일제히 추적하여 ; 《비유》 모두 달려들어, 일제히.
out of cry 소리가[손이] 닿지 않는 곳에.
within cry of …에서 부르면 들리는 곳에.
〖OF < L *quirito* to wail〗
類義語 (1) ***cry*** 기쁨·놀람·괴로움·아픔 따위로 큰소리를 내다 ; 가장 일반적인 말. ***shout*** 목청껏 큰소리로 말하다. ***scream*** 아픔·괴로움으로 찢어지는 듯한 소리로 외치다. ***shriek*** scream 보다 격렬하게 갑자기 외치다. ***exclaim*** 놀라움·기쁨 따위의 강렬한 감정에 쫓겨 갑자기 큰소리를 내다.
(2) ⟹ WEEP.

cry- [krái], **cryo-** [kráiou, -ə] *comb. form* 「한(寒)」「한랭」「냉동」의 뜻. 주 모음 앞에서는 cry-. 〖Gk. *kruos* frost〗

crý·bàby *n.* 울보, 잘 우는 사람 ; (실패 따위에) 투덜대는 사람.

crýbaby clàss *n.* 《美俗》 (여객기의) 비즈니스 클래스.

crý·ing *a.* **1** 외치는 ; 울부짖는. **2** 긴박한, (해악(害惡) 따위를) 내버려 둘 수 없는 ; (나쁜 행실 따위가) 지독한.

crýing ròom *n.* 《美俗》 울음 방《몹시 좌절했다든지 할 때 들어가 우는 가상적인 곳》.

crýing tòwel *n.* 《美俗》 눈물 수건《조그만 실패나 불운에도 우는 소리를 하는 사람에게 내주는 가상적인 수건》.

crỳo·biólogy *n.* Ⓤ 저온[한랭] 생물학.

crỳo·cáble *n.* 〖電〗 극저온 케이블.

crỳo·chémistry *n.* 저온 화학. **-chémical** *a.* **-ical·ly** *adv.*

crỳo·electrónics *n.* (극)저온 전자공학.

cryo·gen [kráiədʒən] *n.* 〖化〗 냉각제, 한제(寒劑), 냉동제(劑).

crỳo·génic *a.* 〖醫〗 저온의, 저온으로 하는, 저온 발생성의 ; 저온 저장을 필요로 하는.

crỳo·gén·ics *n.* 저온학(低溫學).

crýo·lite *n.* Ⓤ 〖鑛〗 빙정석(氷晶石).

cry·om·e·ter [kraiɑ́mətər] *n.* 저온도계.

cry·on·ics [kraiɑ́niks] *n.* 인간[인체] 냉동 보존술《시체를 초저온에서 보존하여 후일 의학이 진보한 때 소생시키려고 함》.

crỳo·preservátion *n.* 저온 보존.

crýo·pròbe *n.* 〖醫〗 저온 존데《조직을 얼려 제거할 때 쓰는 탐침(探針)》.

crỳo·protéct·ant *n.* 동결 방지제. — *a.* = CRYOPROTECTIVE.

crỳo·protéctive *a.* 동결 방지의.

crýo·pùmp *n.* 〖理〗 크라이오펌프《액화 가스를 이용하여 고체 표면에 기체를 응축시키는 진공 펌프》. — *vi.* 크라이오펌프를 작동시키다.

crỳo·resístive *a.* 저항을 줄이기 위해 극단으로 냉각한 : ~ transmission line 극저온 저항 케이블.

crýo·stàt *n.* 저온 유지 장치.

crỳo·súrgery *n.* Ⓤ 〖醫〗 동결[냉동] 외과 ; 저온 수술. **-súrgeon** *n.* **-súrgical** *a.*

crỳo·thérapy *n.* 〖醫〗 한랭[냉동] 요법.

cryo·tron [kráiətrɑ̀n] *n.* 크라이오트론《자기장에 의하여 제어할 수 있는 초전도성 소자(素子) ; 컴퓨터의 연산(演算) 회로용》.

crý-prìnt *n.* 젖먹이·어린아이의 울음 소리의 성문(聲紋)《소아과 진찰용》.

crypt [krípt] *n.* 토굴; (교회당 따위의) 지하실《납골소(納骨所)·예배용의》; 〖解〗 여포선(濾胞腺), 선와(腺窩), 소낭(小囊); 《口》 암호문. 〚L *crypta*<Gk. (↓)〛

crypt- [krípt], **cryp·to-** [kríptou, -tə] *comb. form* 「숨은」「비밀의」「신비스러운」의 뜻. 㽷 모음 앞에서는 crypt-. 〚Gk. (*kruptos* hidden)〛

crỳpt·análysis *n.* 암호문 해독(법).

cryp·tate [krípteit] *n.* 〖化〗 크립테이트《원자가 결합에 관여하고 있지 않은 전자와 함께 금속 이온의 주위를 둘러싸 3차원적인 바구니를 만들고 있는 킬레이트 화합물》.

cryp·tic, -ti·cal [kríptik(əl)] *a.* 숨은, 비밀의, 불가해한, 수수께끼같은; 신비의; 무뚝뚝한; 간결한; 〖動〗 몸을 숨기기에 알맞은: *cryptic* coloring 보호색. **-ti·cal·ly** *adv.* 은밀히, 몰래.

cryp·to [kríptou] *n.* (*pl.* ~**s**) 《口》 (정당의) 비밀 결탁자; 공산당 비밀 당원. 〚CRYPT〛

crypto- ☞ CRYPT-.

crỳpto·biósis *n.* (*pl.* **-ses**) 〖生態〗 (초저온하(下) 따위에서의) 음폐(陰蔽) 생활.

crỳpto·bí·ote [-báiout] *n.* 〖生態〗 음폐(陰蔽) 생활자[생물].

crỳpto·biótic *a.* 〖生態〗 음폐(陰蔽) 생활의《대사 활동 없이도 생존할 수 있는》.

crỳpto-Cómmunist *n.* 공산당 비밀 당원, 공산주의 동조자.

crỳpto·explósion strúcture *n.* 〖地質〗 의사(擬似) 분화 구조《거대한 운석의 충돌로 생겼다고 생각되는 크레이터나 그와 같은 모양의 지질 구조(構造)》.

cryp·to·gam [kríptəgæ̀m] *n.* 〖植〗 은화(隱花) 식물(cf. PHANEROGAM). **crỳp·to·gám·ic** *a.* **cryp·tog·a·mous** [kriptágəməs] *a.* 〖植〗 은화식물의. 〚F<L *cryptogamae* (*plantae*) (Gk. *gamos* marriage)〛

crỳpto·génic *a.* (병 따위가) 원인 불명의.

crýpto·gràm *n.* 암호(문).

crýpto·gràph *n.* =CRYPTOGRAM; 암호 해독법, 암호. —— *vt.* 암호로 하다.

cryp·tog·ra·pher [kriptágrəfər], **-phist** [-fəst] *n.* 암호 사용자; 암호 해독자.

crỳpto·gráphic *a.* 암호(법)의. **-i·cal** *a.* **-i·cal·ly** *adv.*

cryp·tog·ra·phy [kriptágrəfi] *n.* Ⓤ 암호 작성[해독](법).

cryp·tol·o·gy [kriptáləd͡ʒi] *n.* Ⓤ 암호법; 비밀 언어; 변말.

cryp·to·me·ria [krìptəmíəriə, -tou-] *n.* 〖植〗 삼나무.

cryp·to·nym [kríptənìm] *n.* 익명(匿名). **cryp·ton·y·mous** [kriptánəməs] *a.* 익명의(anonymous).

crýpto·phỳte *n.* 〖生態〗 땅속 식물.

crýpto·sỳstem *n.* 암호체계.

cryst. crystalline; crystallized; crystallography.

***crys·tal** [krístl] *n.* **1** Ⓤ 수정(=rock ~); Ⓒ 수정 제품[세공]; (점치는) 수정 구슬; 《口》 수정 점. **2 a**) Ⓤ 컷 유리, 고급 납유리(=~ glass). **b**) 크리스털[컷 유리] 제품; Ⓤ 컷 유리제 식기류; Ⓒ 《美》 (시계의) 유리 뚜껑(=《英》 watch glass). **3** 〖化·鑛〗 결정(체): Salt forms in ~*s.* 소금은 결정을 이룬다. **4** 〖電子〗 검파용(用) 광석: a ~ (radio) set[receiver] 광석 수신기《진공관을 쓰지 않음》.
(**as**) ***clear as crystal*** (맑고) 투명한.
—— *a.* **1** 수정(질·제)의, 크리스털[컷 유리]제의. **2** 수정과 같은, (맑고) 투명한.
〚OE *cristalla*<OF<L<Gk. *krustallos* ice, crystal〛

crýstal báll *n.* (수정 점에 쓰는) 수정 구슬; 점치는 방법[수단].

crýstal-báll *vt., vi.* 《俗》 예언하다, 점치다.

crýstal-cléar *a.* (수정처럼) 아주 맑은, 매우 투명한; 대단히 명백[명료]한.

crýstal clóck *n.* 수정 시계.

crýstal cóunter *n.* 〖電子〗 크리스털 카운터, 결정 계수기《입자 검출기의 일종》.

crýstal detéctor *n.* 광석 검파기; (반도체) 다이오드 검파기.

crýstal gàzer *n.* 수정 점쟁이; 《美俗》 (경마 따위의) 예상자(tipster).

crýstal gàzing *n.* 수정 점 《수정 또는 유리 구슬을 응시하여 환상을 불러 일으켜서 행함》.

crýstal glàss *n.* =CRYSTAL *n.* 2 a).

crys·tall- [krístəl], **crys·tal·lo-** [krístəlou, -lə] *comb. form* 「결정」의 뜻. 〚Gk.; ⇨ CRYSTAL〛

crýstal làser *n.* 〖理〗 결정 레이저《루비·가닛(garnet) 따위 투명한 결정을 사용한 레이저》.

crýstal làttice *n.* 〖結晶〗 결정 격자.

crys·tal·line [krístəlàin, -lən, -lìːn] *a.* **1** 수정 같은, 투명한. **2** 결정(질)의, 결정체로 이루어지는. —— *n.* 결정체; (안구의) 수정체.
〚OF<L<Gk.; ⇨ CRYSTAL〛

crýstalline héaven[**sphére**] *n.* (고대 그리스의 Ptolemy 천문학에서 하늘의 외권(外圈)과 항성계의 사이에 두 개가 있다고 상상되었던) 투명 구체(球體).

crýstalline léns *n.* 〖解〗 (안구의) 수정체.

crys·tal·lite [krístəlàit] *n.* 〖鑛〗 정자(晶子); (섬유의) 미셀(micelle).

crỳs·tal·li·zá·tion *n.* Ⓤ 정화(晶化); 결정체; 구체화.

crys·tal·lize, -tal·ize [krístəlàiz] *vt.* **1** …을 결정(結晶)시키다, 정화시키다. **2** (사상·계획 따위를) 구체화하다. **3** 설탕에 절이다: ~*d* fruit 설탕에 절인 과일. —— *vi.* **1** 결정[정화]하다: Water ~*s* to form snow. 물은 결정하여 눈이 된다. **2** 〖動/+*into*+名〗 구체화되다: My hopes began to ~ (***into*** a fact). 나의 희망이 구체화되기[되어 실현되기] 시작했다.

crystallo- [krístəlou, -lə] ☞ CRYSTALL-.

crys·tal·lo·graph·ic, -i·cal [krìstələgrǽfik(əl)] *a.* 결정학적인, 결정학상의.

crys·tal·log·ra·phy [krìstəlágrəfi] *n.* Ⓤ 결정학(結晶學).

crys·tal·loid [krístəlɔ̀id] *a.* 결정상(狀)의; 결정질(質)의. —— *n.* 〖化〗 결정질(↔*colloid*).

Crýstal Pálace *n.* [the ~] 수정궁《만국박람회(1851)용으로 London의 Hyde Park에 세워져 나중에 교외로 옮겨진 철골 유리로 된 건물; 1936년 불타 없어짐》.

crýstal píckup *n.* (전축의) 크리스털 픽업.

crýstal-sèe·ing *n.* =CRYSTAL GAZING.

crýstal-sèer *n.* =CRYSTAL GAZER.

crýstal sèt *n.* 〖電子〗 광석 수신기.

crýstal vísion *n.* 수정 점(占).

crýstal wédding *n.* 수정혼식《결혼 15주년 기념(記念)》.

Cs 〖化〗 cesium ; 〖氣〗 cirrostratus. **C/S, cs** cases. **CS** customer satisfaction. **C$** cordoba(s). **C.S.** Christian Science[Scientist] ; Civil Service ; Court of Session. **C.S., c.s.** capital stock ; civil service. **C.S.A.** Confederate States of America. **CSAS** 〖空〗 command and stability augmentation system (조정 및 안정성 증대 장치). **C.S.C.** Civil Service Commission (관리임용 위원회) ; Conspicuous Service Cross (수훈 십자 훈장). **csc** cosecant. **CSCE** Conference on Security and Cooperation in Europe (유럽 안전 보장 협력 회의). **C.S.C.S.** Civil Service Cooperative Stores. **CSDS** 〖通信〗 circuit switched digital capability (회선 교환 디지털 기능). **CSE** 《英》 Certificate of Secondary Education. **CSF** 〖解〗 cerebrospinal fluid.

CS gas [síːés ∸] *n.* 최루가스의 일종《군사용 또는 폭동 진압용의》. 〖Ben Carson 및 Roger Staughton (d. 1957), 모두 미국의 화학자〗

C.S.I. Companion of the Star of India. **C.S.I.R.O.** 《濠》 Commonwealth Scientific and Industrial Research Organization. **csk.** cask. **CSM** command and service module (지령 기계선) ; corn, soya, milk (옥수수가루·콩가루·우유의 혼합 식품). **C.S.M.** 《英》 Company Sergeant Major. **C.S.O.** Chief Signal Officer ; chief staff officer (참모장). **CSOC** Consolidated Space Operations Center (통합 우주 작전 센터). **C-SPAN** Cable and Satellite Public Affairs Network (미국의 의회 뉴스 전문 유선 텔레비전국).

C spring [síː ∸] *n.* C자형(字形) 스프링《자동차 따위의》.

C. Ss. R. *Congregatio Sanctissimi Redemptoris* 《L》 (=Congregation of the Most Holy Redeemer). **CST, C.S.T.** 《美》 Central Standard Time. **CT** cell therapy ; 《美·Can.》 〖醫〗 computed[computerized] tomography (컴퓨터 단층 촬영) ; Central time ; 〖美郵〗 Connecticut. **Ct.** Connecticut ; Count ; Court. **ct.** carat(s) ; cent(s) ; certificate ; county ; court. **c.t., C.T.** cock teaser ; cunt teaser. **CTBT** Comprehensive Test Ban Treaty (포괄 핵실험 금지 조약). **C.T.C.** Cyclists' Touring Club ; centralized traffic control (열차 중앙 제어 장치).

cten- [tén, tíːn], **cteno-** [ténou, tíː-, -nə] *comb. form* 「빗」의 뜻. 〖Gk.〗

cte·noid [ténɔid, tíː-] *a.* 〖動〗 빗 모양의. ── *n.* 빗비늘이 있는 물고기.

cténo·phòre *n.* 〖動〗 빗해파리류(comb jelly)《유즐(有櫛) 동물》.

ctf. certificate.

ctg(.), ctge. cartage.

C3, C-3 [síːθríː] *a.* 〖軍〗 건강[체격] 열등의 ; 《口》 최저의, 삼류의.

C³ [síːθríː] 〖軍〗 communications, command, control (통신 및 지휘, 통제[관제(管制)]).

C³-I [síːθríːái] 〖軍〗 command, control, communication and intelligence. **ctn** cotangent. **CTO** 〖貿易〗 combined transport operator (복합 수송업자). **c. to c.** center to center. **CTOL** 〖空〗 conventional takeoff and landing (통상 이착륙). **ctr.** center ; counter. **CTS** crude oil transshipment station (원유 비축 기지) ; central terminal system (원유의 중앙 터미널식 중계 수송 방식) ; cold type system 〖印〗 (사식화(寫植化) 인쇄 방식) ; computerized typesetting (컴퓨터 사식 조판 방식). **cts.** cents. **CTT** 《英》 capital transfer tax. **CTY** 《해커俗》 console TTY (텔레타이프 조작 탁자의 단말 장치).

C-type virus [síːtàip ∸] *n.* C형 바이러스《발암성이라고 함》.

CU close-up. **Cu** 〖化〗 *cuprum* 《L》 (=copper). **cu., cu** cubic.

C.U.A.C. Cambridge University Athletic Club. **C.U.A.F.C.** Cambridge University Association Football Club.

cub [kʌb] *n.* **1** (곰·이리·여우·사자·호랑이 따위 야수의) 새끼 ; 고래[상어]의 새끼. **2** 애송이, 젊은이 : an unlicked ~ 버릇없는 젊은이. **3** = CUB SCOUT. **4** 《口》 수습[풋내기] 기자(cub reporter) ; 경비행기.
── *vt., vi.* (**-bb-**) **1** (사냥철 초에) 여우 새끼 사냥을 하다. **2** (짐승이) 새끼를 낳다.
〖C16< ? Scand. ; cf. Icel. *kobbi* young seal〗

cub. cubic.

Cu·ba [kjúːbə] *n.* 쿠바《(1) 서인도 제도 최대의 섬. (2) 그 섬으로 이루어진 나라 ; 수도 Havana》.

cub·age [kjúːbidʒ] *n.* 부피, 체적, 용적 ; 입체 구적법(求積法). 〖*cube*+*-age*〗

Cú·ban *n., a.* 쿠바(의) ; 쿠바 사람(의).

cub·ane [kjúːbein] *n.* 〖化〗 쿠반《8개의 CH기(基)가 정육면체의 각 모서리에 있는 탄화수소》.

Cúban héel *n.* 쿠반 힐《굵직한 중간 힐》.

Cu·ba·nol·o·gist [kjùːbənálədʒəst] *n.* 쿠바 문제 전문가, 쿠바 학자.

Cúban sándwich *n.* 《美》 쿠바식 샌드위치《햄·소시지·치즈 따위를 충분히 씀》.

cu·ba·ture [kjúːbətʃər, 美+-tʃùər, 美+-tjùər] *n.* Ⓤ 입체 구적법, 체적 계산 ; 부피, 체적, 용적 (cubic content(s)).

cúb·bing *n.* 《英》 =CUB-HUNTING.

cúb·bish *a.* 어린 짐승 새끼 같은 ; 버릇없는 ; 단정치 못한, 지저분한.

cúb·by(·hòle) [kʌ́bi(-)] *n.* 아늑하고 기분좋은 장소 ; 비좁은 방 ; 몸을 숨긴 장소, 잠복처, 은신처 ; 반침. 〖*cub* (dial.) stall, pen<LG〗

C.U.B.C. Cambridge University Boat Club.

***cube** [kjúːb] *n.* **1** 정육면체 ; 입방형의 것《주사위·나무 벽돌 따위》. **2** Ⓤ 〖數〗 세제곱 : 6 feet ~ 6세제곱 피트 / The ~ of 4 is 64. 4의 세제곱은 64다. ── *vt.* **1** (숫자를) 세제곱하다 ; …의 부피를 구하다 : 5 ~*d* is 125. 5의 세제곱은 125다. **2** …에 포석[나무 벽돌]을 깔다 ; 정육면체로 자르다 : ~ carrots 당근을 작은 정육면체로 썰다.
── *a.* 세제곱의, 정육면체의. 〖OF or L<Gk.〗

cu·beb [kjúːbeb] *n.* 〖植〗 쿠베브《자바·보르네오산 후추 열매, 약용 또는 조미료》. 〖OF<Arab.〗

cúbe róot *n.* 〖數〗 세제곱근.

cúbe stèak, cúbed stéak [kjúːbd-] *n.* 큐브 스테이크《직사각형의 값싼 스테이크》.

cúbe sùgar *n.* 각설탕.

cúb·hood *n.* Ⓤ (야수의) 새끼 시절, 어릴 때(의 상태) ; 《비유》 초기.

cúb-hùnt·ing *n.* 여우새끼 사냥.

cu·bic [kjúːbik] *a.* **1** 3차의, 세제곱의 : ~ content(s) 부피, 용적, 체적 / a ~ equation 〖數〗 3차 (방정)식. **2** =CUBICAL 1.
── *n.* 〖數〗 3차 (방정)식 ; 3차 곡선[함수].
〖F or L<Gk. ; ⇨ CUBE〗

cú·bi·cal *a.* **1** 정육면체의. **2** =CUBIC 1.
cub·i·cle [kjú:bikəl] *n.* (기숙사 따위의 칸막이 된) 작은 침실; (도서관 따위의) 개인용 열람석. 〖L (*cubo* to lie down)〗
cúbic méasure *n.* 체적 도량법(度量法) 《단위 또는 단위계(系)》.
cú·bi·fòrm [kjú:bə-] *a.* 입방형의.
cub·ism [kjú:bizəm] *n.* Ⓤ 〔美術〕 입체주의《20세기초엽 프랑스의 Picasso 등이 일으킨 회화의 한 주의》. 〖F; ⇨ CUBE〗
cub·ist [kjú:bəst] *n.* 입체주의 예술가《화가·조각가》. ── *a.* =CUBISTIC; 복잡한 기하학 모양으로 이루어진.
cu·bis·tic [kju:bístik] *a.* 입체주의(풍)의.
cu·bit [kjú:bət] *n.* 〔史〕 큐빗, 완척(腕尺)《팔꿈치에서 가운뎃손가락 끝까지의 길이; 46-56cm》. 〖L *cubitum* elbow, cubit〗
cu·bi·tal [kjú:bətl] *a.* 완척의; 〔解〕 팔꿈치의.
cu·bi·tus [kjú:bətəs] *n.* (*pl.* **-ti** [-tài]) 〔解〕 팔꿈치, 전박(前膊); 척골(尺骨).
cu·boid [kjú:bɔid] *a.* 입방형의, 주사위 모양의: the ~ bone 〔解〕 입방골(立方骨). ── *n.* 〔解〕 입방골; 〔數〕 직평행육면체, 직육면체.
cu·bói·dal *a.* 입방형의; 주사위 모양의. 〖L<Gk.; ⇨ CUBE〗
cúb repórter *n.* 《美》 풋내기[견습] 신문기자.
cúb scòut *n.* [때때로 C~ S~] 어린소년 단원, 컵 스카우트(wolf cub) 《미국은 8-10세, 영국은 8-11세의 소년 단원; ☞ BOY SCOUT》.
cu·ca·ra·cha [kù:kərɑ́:tʃə] *n.* [La C~] 멕시코의 춤[노래]의 일종. 〖Sp.〗
C.U.C.C. Cambridge University Cricket Club.
cu·chi·fri·to [kù:tʃi(:)frí:tou] *n.* (*pl.* **~s**) 쿠치프리토《네모나게 썬 돼지고기 튀김》. 〖Am. Sp.〗
cúck·ing stòol [kʌ́kiŋ-] *n.* 〔史〕 징벌의자.
cuck·old [kʌ́kəld, kúk-] *n.* 《蔑》 서방질한 여자의 남편, 부정한 아내의 남편. ── *vt.* (아내가 남편을 속여) 부정한 짓을 하다; (남편 있는) 아내와 간통하다. **~·ry** *n.* 서방질, 간통. 〖OF (pejorative) ‹ *cucu* cuckoo〗
***cuck·oo** [kú(:)ku:] *n.* (*pl.* **~s**) **1** 〔鳥〕 뻐꾸기; 뻐꾹《뻐꾸기의 울음소리》. **2** 얼간이, 멍청이.
a cuckoo in the nest (어린애에 대한 부모의 사랑을 가로채는) 사랑의 보금자리 침입자; (평지풍파를 일으키는) 방해자, 무단 잠입자.
── *a.* 《俗》 미친(crazy); 어리석은(stupid).
── *vt.* 단조롭게 되풀이하다. ── *vi.* 뻐꾹하고 울다; 뻐꾸기 울음소리 같은 소리를 내다. 〖OF *cucu* (imit.)〗
cúckoo clòck *n.* 뻐꾹 시계《뻐꾸기 소리로 시각을 알리는》.
cúckoo·flòwer *n.* 〔植〕 황새냉이《겨자과(科)》.
cúckoo·lànd *n.* 환상의 나라.
cúckoo·pint [-pìnt, -pàint] *n.* 〔植〕 천남성과(科)의 한 식물.
Cúckoo Sòng *n.* 영국의 가장 오래된 서정시.
cúckoo spìt[spìttle] *n.* 〔昆〕 거품벌레; Ⓤ 거품벌레가 만드는 거품.
cu. cm. cubic centimeter(s).
cu·cul·late [kjú:kəlèit, kju:kʌ́leit, -lət], **-lat·ed** [kjú:kəlèitəd, kju:kʌ́leitəd] *a.* 두건 모양의; 〔植〕 (잎 따위가) 고깔 모양의.
cu·cum·ber [kjú:kʌmbər] *n.* 〔植〕 오이.
(***as***) ***cool as a cucumber*** 태연자약한[하게]. 〖OF<L〗
cúcumber trèe *n.* 〔植〕 목련과(科)의 교목《미국산(産)》.
cu·cur·bit [kju:kə́:rbət] *n.* **1** 〔植〕 박과(科) 식물의 총칭. **2** 《古》 〔化〕 증류병.
cu·cur·bi·ta·ceous [kju:kə̀:rbətéiʃəs] *a.* 〔植〕 박과(科)의.
cud [kʌ́d, 美+kúd] *n.* Ⓤ 되새김질 거리《반추 동물이 제1위(胃)에서 입으로 되내어 씹는 음식》.
chew the cud 되씹다, 반추(反芻)하다; 반성[숙고]하다. 〖OE *cwidu* what is chewed; cf. G *Kitt* cement, putty〗
cud·bear [kʌ́dbèər, -bæ̀ər] *n.* 지의류 이끼에서 채취되는 보랏빛 염료; (그것을 굳힌) 리트머스. 〖Dr. *Cuthbert* Gordon 18세기 스코틀랜드의 화학자(化學者)〗
cud·dle [kʌ́dl] *vt.* 부둥켜 안다, 껴안고 귀여워하다(hug): The little girl ~*d* her doll. 어린 소녀는 인형을 부둥켜 안았다. ── *vi.* [+副/+前+名] 꼭 붙어 자다; 웅크리고 자다: The two puppies ~*d together* in front of the fire. 두 마리의 강아지는 불 앞에서 서로 바짝 붙어서 잤다 / The boy ~*d* ***up to*** his mother to get warm. 소년은 몸을 덥게 하려고 어머니에게 꼭 안겼다. ── *n.* 포옹. **cúddle·some, cúd·dly** *a.* 꼭 껴안고 싶은, 귀여운. 〖C16 ‹ ? *couth* (dial.) snug〗
cud·dy[1] [kʌ́di] *n.* **1** 〔海〕 (작은 배의) 취사실, 요리실(galley); (원래 고물 밑 갑판에 있던) 작은 선실(small cabin). **2** 작은 방, 벽장; 식기실. 〖Du.<OF<?〗
cud·dy[2], **-die** [kʌ́di, 美+kúdi] *n.* 《스코》 당나귀; 바보, 얼간이. 〖CUTHBERT(인명)의 애칭인가〗
cud·gel [kʌ́dʒəl] *n.* 곤봉《옛날 벌을 줄 때 쓴 도구·무기; cf. CLUB》.
take up the cudgels for 곤봉을 들고 싸우다; …을 용감히 싸우다; 강력히 변호하다.
── *vt.* (**-l-** | **-ll-**) 곤봉으로 때리다.
cudgel one***'s brains*** ☞ BRAIN. 〖OE *cycgel*<?; cf. G *Kugel* ball〗
C.U.D.S. Cambridge University Dramatic Society.
cúd·wèed [kʌ́d-, 美+kúd-] *n.* 떡쑥, 풀솜나물.
***cue**[1] [kjú:] *n.* **1** 단서, 암시, 신호, 실마리(hint): give a person the ~ 남에게 암시를 주다; 남에게 행동의 때[방법 따위]를 알리다 / take one's ~ from a person 남을 본받다, 남에게서 실마리를 얻다. **2** 〔劇〕 큐《대사의 마지막 말 또는 연기; 다른 배우의 등장 또는 발언의 신호가 됨》; 〔樂〕 연주 지시 악절. **3** 역할, 임무. **4** 《古》 기분, 비위(mood). ── *v.* (**cú(e)·ing**) *vt.* …에게 신호[지시]하다; 〔劇〕 …에게 큐를 신호하다; 〔樂〕 (…에) 큐를 넣다; (소리·효과 따위를) 삽입하다. ── *vi.* 〔映〕 촬영개시 신호를 내다. 〖C16<?; 대본에 있는 *q* (L *quando* when의 두문자(頭文字)인가)〗
cue[2] *n.* **1** (당구의) 큐. **2** =QUEUE.
── *v.* (**cú(e)·ing**) *vt.* (머리 따위를) 땋다; 큐로 치다. ── *vi.* 줄을 지어 나열하다; 큐로 치다.
~·ist *n.* 당구치는 사람. 〖변형(變形) ‹ *queue*〗
cúe bàll *n.* 〔撞球〕 치는 공《흰 공; ↔*object ball*》.
cúed spéech [kjú:d-] *n.* 귀머거리를 위해 독순술(讀脣術)과 수화(手話)를 조합한 대화 방법.
cues·ta [kwéstə] *n.* 한 쪽이 비교적 가파르고 다른 쪽이 밋밋한 대지(臺地). 〖Sp.〗
cuff[1] [kʌ́f] *n.* (장식용의) 소맷부리; (와이셔츠의)

커프스 ; 《美》 바지의 접어 올린 아랫단(=《英》 turnup) ; [보통 *pl.*] 수갑(handcuffs).
off the cuff 《口》 즉석의[에서], 즉흥적인[으로] ; 비공식으로.
on the cuff 《口》 외상의[으로], 신용판매의[로] (on credit) ; 공짜인[로].
—— *vt.* …에 cuff(s)를 달다 ; 《美俗》 …을 외상으로 하다.
〖ME *cuffe* glove < ?〗

cuff² *n.* 철썩[딱] 때리기 : at ~*s* 서로 주먹다짐하여 / ~*s* and kicks 치고 차고 / go[fall] to ~*s* 서로 치기[싸움을] 시작하다. —— *vt., vi.* (주먹·손바닥으로) 치다, 때리다. 〖C16 < ? ; imit. 인가〗

cúff bùtton *n.* 커프스 단추.

cuf·fee [kʌ́fi] *n.* 《美俗》 흑인.

cúff lìnk *n.* 커프스 단추(sleeve link).

Cu·fic [kjúːfik] *n., a.* (비명(碑銘)에 나타난) 고대 아라비아 문자(로 쓰인).

CUFT 《美》 Center for the Utilization of Federal Technology (상무부내의 연방 기술 이용 센터).

cu. ft. cubic foot[feet].

cui bo·no [kwì bóunou] 그것으로 누가 이익을 얻었는가[얻는가] ; 누구의 짓이냐, 범인은 누구냐 ; 무슨 소용이 있는가, 무엇 때문에.
〖L=for whose benefit〗

cu. in. cubic inch(es).

cui·rass [kwirǽs] *n.* 동체 갑옷 ; (갑옷의) 가슴받이(breastplate). —— *vt.* (남)에게 동체 갑옷[흉갑]을 입히다 ; 장갑하다.
〖OF < L (*corium* leather)〗

cui·rássed *a.* 동체 갑옷[흉갑]을 입은 ; 장갑(裝甲)한.

cui·ras·sier [kwìərəsíər] *n.* (특히 프랑스의) 중기병(重騎兵).

Cui·se·náire (cólored) ród [kwìːzənéər-, -nǽər-] *n.* 퀴즈네르 막대《지름 1cm, 길이 1-10 cm의 색칠한 10개의 막대 ; 산수 교육용(用) ; 상표명(名)》.

cui·sine [kwi(ː)zíːn] *n.* Ⓤ 요리(법) (cooking) ; 요리장, 조리실.
〖F=kitchen < L *coquina* (*coquo* to cook)〗

cui·sine min·ceur [*F* kɥizin mɛ̃sœːr] *n.* 녹말·설탕·버터·크림의 사용을 억제한 저(低)칼로리의 프랑스 요리법. 〖F=slimness cooking〗

cuisse [kwís], **cuish** [kwíʃ] *n.* (갑옷의) 넓적다리 가리개.

cul-de-sac [kʌ́ldisæ̀k, kúl-, ⌐-⌐] *n.* (*pl.* **culs-de-sac** [kʌ́lz-, kúlz-], **~s**) **1** 막힌 길, 막다른 골목. **2** 궁지, 궁경 ; (의론의) 막힘.
〖F=sack bottom〗

-cule [kjùːl], **-cle** [kl] *n. suf.* 「소(小)…」의 뜻 : animal*cule*, parti*cle*. 〖F or L〗

cu·lex [kjúːleks] *n.* (*pl.* **cu·li·ces** [kjúːləsìːz]) (유럽·북미의) 모기. 〖L=gnat, midge〗

cul·i·nary [kjúːlənèri, kʌ́l- ; kʌ́linəri] *a.* 부엌(용)의 ; 요리의 : the ~ art 요리법, 조리 기술 / ~ vegetables[plants] 야채류.
〖L (*culina* kitchen)〗

cull¹ [kʌ́l] *vt.* 《文語》 [+目/+目+*from*+名] (꽃 따위를) 따다, 꺾다, 따 모으다 ; 골라내다, 발췌하다(select), 추려내어 없애다, 도태하다 : extracts ~*ed* ***from*** the best authors 일류 작가들로부터 뽑아모은 (발췌) 선집(選集). —— *n.* 골라냄, 선별 ; (쓰레기·불합격품으로) 추려내서 없앤 것, 쓰레기. 〖OF ; ⇨ COLLECT¹〗

cull² *n.* 《英俗》 =CULLY.

cúll bìrd *n.* 《美俗》 따돌림당한[사회적으로 버림받은] 사람 ; 《學》 학생 클럽에 입회 자격이 인정되지 않는 자.

cullender ☞ COLANDER.

cúll·er *n.* 가려내는 사람 ; 나쁜 것을 선별하는 사람 ; 재목의 부피를 계측하는 사람 ; 《N. Zeal.》 해수(害獸) 구제(驅除) 업자.

cul·let [kʌ́lət] *n.* Ⓤ (재제용(再製用)의) 지스러기 유리. 〖COLLET < It.=little neck〗

cul·ly [kʌ́li] *n.* 《俗》 속기 쉬운 사람, 얼간이 ; 짝패 ; 놈, 자식. —— *vt.* 《古》 속이다.

culm¹ [kʌ́lm] *n.* **1** Ⓤ 가루탄, (특히) 분말 무연탄 ; 하등 무연탄. **2** Ⓤ [C~] 〖地質〗 쿨름층.
〖ME ; cf. COAL〗

culm² *n.* 〖植〗 줄기 ; 대《벼·보리·대나무 따위의 속이 비고 마디가 있는 줄기》. —— *vi.* 줄기가 되다. 〖L=stalk〗

cul·mif·er·ous [kʌlmífərəs] *a.* 줄기[대]가 있는[생기는] ; 〖地質〗 쿨름을 함유한.

cul·mi·nant [kʌ́lmənənt] *a.* 최고점[절정]의 ; 〖天〗 남중(南中)하고 있는, 자오선상의.

cul·mi·nate [kʌ́lmənèit] *vi.* **1 a)** [動/+*in*+名] 최고점[극점·절정]에 달하다 ; 《비유》 최고조에 달하다, 전성의 극에 이르다 : ~ ***in*** power 권세가 극에 이르다. **b)** [+*in*+名] 드디어 (…이) 되다(result) : The Christmas party ~*d* ***in*** the distribution of the presents. 크리스마스 파티는 절정에 다다라 (드디어) 선물을 나눌 단계에 이르렀다. **2** 〖天〗 최고도[자오선]에 이르다, 남중(南中)하다. —— *vt.* 완결시키다, …의 마지막을 장식하다. 〖L (*culmen* top)〗

cùl·mi·ná·tion *n.* **1** 최고점, 정점, 꼭대기 ; 최고조, 전성(全盛), 극치, 완성 : the ~ *of* one's ambition 대망의 절정. **2** 〖天〗 남중(southing).

Cúlm Mèasures *n. pl.* 〖地質〗 쿨름층(Culm).

cu·lo [kúːlou] *n.* (*pl.* **~s**) 《俗》 항문(anus) ; 직장(rectum) ; 궁둥이.

cu·lotte [kjuːlɑ́t, ⌐-- ; kjuːlɔ́t] *n.* (*pl.* **~s** [-ts]) [흔히 *pl.*] 퀼로트《바지식(式) 스커트》.
〖F=knee breeches〗

cul·pa [kʌ́lpə] *n.* (*pl.* **-pae** [-piː]) 〖法〗 과실 ; 죄. 〖L〗

cul·pa·ble [kʌ́lpəbəl] *a.* 과실[허물]이 있는, 나무랄 만한, 괘씸한(blameworthy) : ~ negligence 태만죄, 부주의 / hold a person ~ 남을 나쁘다고 생각하다. **-bly** *adv.* 괘씸하게도, 무법하게도.
cùl·pa·bíl·i·ty, ~·ness *n.* 과실이 있음, 견책해야 할 일 ; 유죄.
〖OF < L (*culpo* to blame < ↑)〗

cul·prit [kʌ́lprit] *n.* [the ~] 범죄자, 범인, 죄인 (offender) ; 〖英法〗 형사 피고인, 미결수(the accused).
〖AF *Culpable* : *prest d'averrer* etc. (You are) guilty : (I am) ready to prove etc. ; 17세기 다음의 formula에서 "Culprit, how will you be tried ?"〗

cult [kʌ́lt] *n.* **1** (종교상의) 제례 ; 숭배, 숭앙, 동경, (어떤 신에 대한) 신앙 : an idolatrous ~ 우상 숭배 / the ~ of Apollo 아폴로 신앙. **2** 예찬 ; 유행, …열(fashion, craze) ; [집합적으로] 예찬자, 열광자 : the ~ *of* beauty 미의 예찬 / the ~ *of* blood and iron 철혈정책의 찬미 / the ~ *of* hiking 하이킹 열. **3** 이교(異教), 이단, 가짜 종교 ; 종파(sect).
〖F or L=worship ; ⇨ CULTIVATE〗

cultch, culch [kʌ́ltʃ] *n.* (굴 양식용의) 굴 껍데기, 부스러기. 〖? *clutch*¹ ; cf. OF *culche*〗

cúlt-figure *n.* 숭배[대중적 인기]의 대상, 교조적

(教祖的)인 사람.
cul·ti·gen [kʌ́ltədʒən] *n.* (원종(原種) 불명의) 배양 변종(變種) ; =CULTIVAR. 〖*culti*vated+-*gen*〗
cúlt·ism *n.* Ⓤ 열광, 헌신 ; 극단적인 종교적 경향. **-ist** *n.* 광신자, 열광자.
cul·ti·va·ble [kʌ́ltəvəbəl] *a.* 경작할 수 있는 ; (과일 나무 따위를) 재배할 수 있는 ; (사람·능력 따위) 계발할 수 있는.
cul·ti·var [kʌ́ltəvɑ̀ːr, 美+-vèər, 美+-vǽər] *n.* 〔植〕 재배 변종, (재배) 품종《略 cv.》.
***cul·ti·vate** [kʌ́ltəvèit] *vt.* **1** 경작하다(till) ; (재배중인 작물을) 사이갈이하다《특히 경운기를 사용해서 ; cf. CULTIVATOR》. **2** 재배하다 ; (특히 물고기·굴 따위를) 양식하다 ; (세균을) 배양(培養)하다. **3** (수염을) 기르다(grow). **4** (재능·품성·습관 따위를) 기르다(develop) ; 교화하다, 계발(啓發)하다 ; (예술·학술 따위를) 장려하다, …의 발달에 힘쓰다 ; (문학·기예를) 닦다, 연마(練磨)하다 : ~ one's mind 정신을 도야하다 / ~ art 기예를 터득하다[에 힘쓰다]. **5** (친구·교제를) 구하다, 돈독(敦篤)히 하다 ; (남과) 교제하려고 하다, …와 가까워지다 : ~ (the acquaintance of) a person 기꺼이 남에게 교제를 청하다.
cúl·ti·vàt·able *a.* =CULTIVABLE.
〖L (*cult*- *colo* to till, worship, inhabit) ; cf. CULT〗
cúl·ti·vàt·ed *a.* **1** 경작[재배·양식]된(↔*wild*) : ~ land 경(작)지 / a ~ plant 재배식물. **2** 교화[세련]된, 교양이 있는(refined), 고상한《취미》.
cul·ti·va·tion [kʌ̀ltəvéiʃən] *n.* **1** Ⓤ **a)** 경작 ; 재배 ; 사이갈이. **b)** 양식 ; 배양. **2** Ⓤ 양성(養成), 교화 ; 수양, 수련 ; 세련, 고상함.
under cultivation 경작되고 있는 : bring land *under* ~ 토지를 개간하다.
cúl·ti·và·tor *n.* **1** 경작자 ; 재배자. **2** 양성자, 개척자, 연구자, 수양인. **3** 〔農〕 경운기, 컬티베이터(cf. CULTIVATE 1).
cul·trate [kʌ́ltreit], **-trat·ed** [-treitəd] *a.* (잎·나이프처럼) 끝이 뾰족한.
cul·tur·able [kʌ́ltʃərəbəl] *a.* =CULTIVABLE.
‡**cul·tur·al** [kʌ́ltʃərəl] *a.* **1** 개척상의, 배양상의, 재배상의. **2** 수양상의, 교양적인 ; 문화의[에 관한] ; 문화적인 ; 인문상의 : ~ studies 교양 과목. **~·ly** *adv.*
cúltural anthropólogy *n.* 문화 인류학.
cúltural crínge *n.* 《濠》 (외국 문화, 특히 영국 문화에 대한) 비굴한 추종.
cúltural exchánge *n.* 문화 교류.
cúltural geógraphy *n.* 문화 지리학.
cúltural lág *n.* 〔社〕 문화적 낙후(落後), 문화적 지체《한 사회의 정신문화가 물질문명의 진전을 따르지 못해 뒤처지는 현상》.
cúltural revolútion *n.* 문화 혁명 ; [the C~ R~] (중국의) 문화 대혁명.
cúltural revolútionary *n.* 문화 혁명 제창[지지]자(者).
cúltural wàrp *n.* 문화적 왜곡《문화가 제자리를 찾지 못하고 있는 현상》.
cul·tur·a·ti [kʌ̀ltʃərɑ́ːtiː] *n. pl.* 교양인 계층, 문화인들.
‡**cul·ture** [kʌ́ltʃər] *n.* **1** Ⓤ 교양, 세련 : a man of ~ 교양인(教養人). **2** Ⓤ,Ⓒ 문화(cf. KULTUR), 정신 문명, 개화 ; 문화사회. **3** Ⓤ 훈련, 수양 : physical ~ 체육. **4** Ⓤ 양식, 재배 : ~ of cotton 면화재배. **5** Ⓤ 배양 ; Ⓒ 배양균 : a ~ medium (세균의) 배양기(培養基). —— *vt.* [주로 *p.p.*로] 교화하다(cultivate) ; (세균을) 배양하다.
〖F or L ; ⇨ CULTIVATE〗
類義語 ⟹ EDUCATION.
cúlture àrea *n.* 〔社〕 문화 지역《어떤 독특한 형태의 문화를 갖는 지역》.
cúlture còmplex *n.* 〔社〕 문화 복합체《문화 특성의 복합체》.
cúl·tured *a.* **1** 교화된, 세련된, 교양[문화]이 있는(↔*vulgar*). **2** 재배[양식]된.
cúlture(d) péarl *n.* 양식 진주.
cúlture flúid *n.* (세균의) 배양액.
cúlture hèro *n.* 문화적 영웅.
cúlture làg *n.* =CULTURAL LAG.
cúlture pàttern *n.* 〔社〕 문화 형태[양식].
cúlture shòck *n.* 문화 쇼크《다른 문화에 처음 접했을 때 받는 충격》.
cúlture tràit *n.* 〔社〕 문화 단위 특성.
cúlture tùbe *n.* 세균 배양관(管).
cúlture-vùlture *n.* 《俗》 문화병자, 사이비 문화인《학문·예술 따위에 분에 넘치는 관심을 보이는 사람》.
cul·tur·ist [kʌ́ltʃərəst] *n.* **1** 재배자, 배양자. **2** 교화자, 문화주의자.
cul·tus [kʌ́ltəs] *n.* 제례(cult). 〖L〗
cul·ver [kʌ́lvər, 美+kúl-] *n.* 비둘기(pigeon, dove).
cul·ve·rin [kʌ́lvərən] *n.* (중세의) 컬버린 소총 ; (16-17세기의) 컬버린 포.
〖OF ; ⇨ COLUBRINE〗
cul·vert [kʌ́lvərt] *n.* **1** 지하 수로, 배수 도랑. **2** 〔電〕 선거(線渠), 암거(暗渠). 〖C18 < ?〗
cum[1] [kʌm, kum] *prep.* …이 붙은, …와 함께[겸용의] (↔*ex*) : ☞ CUM DIVIDEND/☞ CUM LAUDE.
〖L=(together) with〗
cum[2] ☞ COME[2].
Cum., Cumb. Cumberland. **cum.** cumulative.
cum·ber [kʌ́mbər] *vt.* [+目/+目+*with*+名] 방해하다(hinder), 훼방놓다, 성가시게 굴다(trouble) : ~ oneself ***with*** a lot of baggage 짐이 많아서 진땀을 빼다. —— *n.* 방해(물), 골칫거리.
〖? ENCUMBER〗
Cum·ber·land [kʌ́mbərlənd] *n.* 컴벌랜드《영국의 북서부에 위치하며 스코틀랜드에 접하고 있는 옛 주 ; 주도 Carlisle ; 풍광명미(風光明媚)한 Lake District를 포함》.
cúmber·some *a.* 방해가 되는, 귀찮은, 성가신. **~·ly** *adv.* **~·ness** *n.* 〖-*some*〗
cum·brance [kʌ́mbrəns] *n.* 방해, 두통거리.
Cum·bria [kʌ́mbriə] *n.* 컴브리아《옛 Cumberland, Westmorland의 양주로 이루어진 잉글랜드 북부의 주(州) ; 1974년 신설 ; 주도 Carlisle》.
Cúm·bri·an *a., n.* Cumbria[Cumberland]의 (사람).
cum·brous [kʌ́mbrəs] *a.* =CUMBERSOME.
cùm dívidend *a., adv.* 〔證〕 배당(配當)이 붙은[붙어서] (↔*ex dividend*) 《略 c.d.》. 〖L〗
cu·mec [kjúːmek] *n.* 큐멕《유량(流量)의 단위 ; 매초 1세제곱 미터 상당》.
〖*cu*bic *me*ter per*sec*ond〗
cum gra·no (sa·lis) [kʌm grɑ́ːnou (sɑ́ːləs)] *adv., a.* 줄잡아서, 얼마간 할인하여[한].
〖L=with a grain of salt〗
cum·in, cum·min [kʌ́mən] *n.* 〔植〕 커민《미나리과의 식물 ; 열매는 양념·약용으로 쓰임》.
〖OF, < ? Sem.〗
cum lau·de [kum láudei, kʌm lɔ́ːdi] *adv., a.* 우등으로[인]. —— *n.* 《口》 우등으로 졸업한 사람.

〖L=with praise〗

cum·mer [kʌ́mər] *n.* 《스코》 대모(代母) ; 여자 친구 ; 소녀, 계집아이.

cum·mer·bund, kum- [kʌ́mərbʌ̀nd] *n.* 《인도》 폭넓은 띠, 장식띠 ; 허리띠《턱시도를 입을 때 조끼 대신 두름》.
〖Hindi and Pers.=loin band〗

cummin ☞ CUMIN.

cumquat ☞ KUMQUAT.

cum·shaw [kʌ́mʃɔː] *n.* (중국의 부두에서) 팁, 선물. 㖿 「감사」의 뜻. 〖Chin. 간세(感謝)〗

cu·mul- [kjúːmjəl], **cu·mu·li-** [-lə], **cu·mu·lo-** [-lou, -lə] *comb. form* CUMULUS의 뜻. 〖L〗

cu·mu·late [kjúːmjələt, -lèit] *a.* 쌓아올린, 포개어 쌓은. ——[-lèit] *vt., vi.* 쌓(아올리)다 ; 축적하다.
cù·mu·lá·tion *n.* 포개어 쌓기 ; 퇴적, 축적 (accumulation).
〖L ; ⇨ CUMULUS〗

cu·mu·la·tive [kjúːmjələtiv, -lèi-] *a.* 누적(累積) [축적]하는, 누가(累加)하는 : ~ proof 중복 입증 / a ~ deficit 누적 적자 / a ~ medicine 〔醫〕 점가약(漸加藥) / ~ offense 〔法〕 누범, 반복범죄 / ~ voting 누적투표법《후보자와 동수의 표를 선거인에게 주어 그 표 모두를 한 후보자에게 또는 몇 사람에게 나누어 투표해도 되는 것》.
~·ly *adv.* 누적[점증]적으로.

cúmulative évidence *n.* 〔法〕 (이미 증명된 일의) 누적[중복] 증거.

cúmulative fréquency *n.* 〔數〕 누적도수.

cumuli *n.* CUMULUS의 복수형.

cumuli- [kjúːmjələ] ☞ CUMUL-.

cú·mu·li·fòrm [kjúːmjələ-] *a.* 〔氣〕 적운상(積雲狀)의, 쌘구름의.

cùmulo·círrus *n.* 〔氣〕 적권운(積卷雲), 쌘털구름《略 Cc》.

cùmulo·nímbus *n.* 〔氣〕 적란운(積亂雲), 쌘비구름《略 Cb》.

cùmulo·strátus *n.* 〔氣〕 적층운(積層雲), 쌘층구름《略 Cs》.

cu·mu·lus [kjúːmjələs] *n.* (*pl.* **-li** [-lài, -lìː]) **1** 퇴적(堆積), 누적(累積). **2** 〔氣〕 적운, 쌘구름.
cú·mu·lous *a.* 적운성(積雲性)의.
〖L=heap〗

cu·ne·al [kjúːniəl] *a.* 쐐기 같은[모양의].

cu·ne·ate [kjúːniət, -èit] *a.* 〔植〕 쐐기 꼴의 ; (잎이) 손바닥 모양의. **~·ly** *adv.*

cu·ne·i·form [kjuníːəfɔːrm, kjúːniə- ; kjúːni-] *a.* **1** (문자 따위가) 쐐기 모양의(wedgeshaped) : ~ characters 쐐기형 문자, 설형문자(楔形文字), 설상문자(楔狀文字)《고대 바빌로니아·아시리아·페르시아에서 사용됨》. **2** 쐐기형 문자의.
—— *n.* Ⓤ 설형문자(楔形文字).
〖F or L (*cuneus* wedge)〗

cun·ner [kʌ́nər] *n.* 〔魚〕 커너《놀래기과(科)의 작은 식용어》.

cun·ni [kʌ́ni] *n.* 《英俗》 =CUNNILINGUS.

cun·ni·lin·gus [kʌ̀nilíŋgəs], **-linc·tus** [-líŋk-təs] *n.* 외음(外陰) [음핵(陰核)] 핥기, 흡음(吸陰). 〖L (*cunnus* vulva, *lingo* to lick)〗

*__cun·ning__ [kʌ́niŋ] *a.* (흔히 **~·er ; ~·est**) **1** 교활한, 간사한(sly). **2** 교묘한(ingenious). **3** 《古》 노련한 ; 능숙한(skillful). **4** 《美口》 (아이·작은 동물 따위가) 귀여운, (물건 따위가) 그럴듯한(cf. CUTE). —— *n.* **1** Ⓤ 교활, 빈틈없음, 음흉 ; 음흉한 꾀(craft). **2** Ⓤ 《古》 솜씨, 숙련(熟練), 교묘. **~·ly** *adv.*
〖ON *kunnandi* knowledge, knowing ; ⇨ CAN[1]〗
類義語 ⟹ CLEVER, SLY.

cunt [kʌ́nt] *n.* 《卑》 여성 성기 ; 성교 ; 녀석, (특히) 계집, 싫은 여자 ; 비열한 놈. 〖ME *cunte* ; cf. ON *kunta*, MHG *kotze* prostitute〗

cúnt tèaser *n.* 《美俗》 여성을 유혹하면서도 성교는 하지 않는 사내(cf. COCK TEASER).

◇**cup** [kʌ́p] *n.* **1** (홍차·커피용의) 손잡이가 달린 찻잔 : a coffee ~ 커피잔 / a breakfast ~ 조반용 찻잔《보통 것의 두 배》/ a ~ and saucer 받침 접시가 딸린 찻잔. **2** 찻잔 가득(한 분량)(cupful) 《1/2 pint》 : a ~ *of* tea 홍차 한 잔. **3 a**) (흔히 다리 달린) 컵, 양주잔. **b**) 성배, 성찬배(聖餐杯) (chalice) ; 성찬의 포도주. **c**) 우승배 : a ~ event 우승시합. **4** 술잔 모양의 물건 ; (뼈의) 배상와(杯狀窩)(socket) ; 꽃받침(calyx) ; (도토리의) 깍정이 ; 〔골프〕 공을 쳐서 넣는 구멍, 그 구멍에 끼우는 금속통 ; 〔醫〕 =CUPPING GLASS. **5** [*pl.* 또는 the ~] 술(wine) ; 음주(drinking) : He is fond of *the* ~. 술을 좋아한다. **6** 컵《샴페인·포도주 따위에 향료·감미료를 넣어 얼음으로 차게 한 음료》. **7** 《비유》 (성서 속의 여러 문구에서) 운명의 잔 ; 운명(fate), 경험(experience) : a bitter ~ 고배《인생의 쓰라린 경험》/ drain the ~ of sorrow[pleasure, life] to the bottom [dregs] 슬픔의 잔[환락의 감미로운 술, 인생의 괴로움]을 깊이 맛보다 / Her ~ of happiness [misery] is full. 그녀의 행복[불행]이 절정[극도]에 이르고 있다 / My ~ runs over[overflows]. 나는 행복에 넘쳐 있다.
cup and ball 죽방울 ; 죽방울 놀이.
one***'s cup of tea*** ☞ TEA.
have got[***had***] ***a cup too much*** 《口》 술에 몹시 취해 있다.
in one***'s cups*** 거나한 기분으로, 술에 취해서 (drunk).
the cups that cheer but not inebriate 《戱》 차, 홍차.

〈회화〉
Will you have a *cup* of coffee? — I think I'd rather have tea this morning. 「커피 한 잔 드시겠습니까」「오늘 아침에는 홍차를 마시고 싶은데」

—— *vt.* (**-pp-**) **1** 찻잔에 넣다[으로 받다]. **2** 〔醫〕 흡각(吸角)으로 피를 빼내다(cf. CUPPING GLASS). **3** (손바닥을) 찻잔 모양으로 하다, 움푹하게 하다.
〖OE *cuppe* < L *cuppa* cup < ? L *cupa* tub〗

cúp·bèar·er *n.* 〔史〕 (궁정 따위에서) 술을 따라 올리는 사람.

*__cup·board__ [kʌ́bərd] *n.* 찬장 ; 《英》 벽장, 반침.
a skeleton in the cupboard ☞ SKELETON.
〖CUP, BOARD〗

cúpboard lòve *n.* 타산적인 애정.

cúp·càke *n.* 컵케이크《컵 모양의 틀에 넣어 구운 과자》.

cu·pel [kjúːpəl, kju(ː)pél] *n.* 회분(灰粉) 접시《귀금속 분석에 쓰임》. —— *vt.* (**-l-** | **-ll-**) 회분 접시로 분석하다. **cù·pel·lá·tion** *n.* 〔冶〕 회분법(灰粉法). 〖L (dim.) ‹ *cupa* tub〗

cúp fìnal *n.* [the ~] (우승배 쟁탈의) 결승전《특히 영국 축구 연맹배 쟁탈전》.

cúp·fùl *n.* (*pl.* **~s, cúps·fùl**) 한 컵 가득(한 분량) 《약 1/2 pint》 : two ~*s of* milk 두 컵의 우유.

cúp·hòld·er *n.* 우승컵 소지자, 우승자.

Cu·pid [kjúːpəd] *n.* **1** 〔로神〕 큐피드《Venus의 아

들로 연애의 매개신, 날개가 달린 나체의 미소년이 활과 화살을 가진 자태로 그려짐, 그 화살에 맞은 사람은 누구든지 사랑에 빠진다고 함 ; 〖그神〗의 Eros에 해당함》; Ⓒ [c~] 사랑의 사자(使者). **2** 미소년. 〖L (*cupio* to long for)〗

cu·pid·i·ty [kju(:)pídəti] *n.* Ⓤ 물욕, 탐욕. 〖OF or L (*cupidus* desirous)〗

Cúpid's bòw [-bòu] *n.* 큐피드의 활 ; 활 모양의 것《특히 윗 입술의 윤곽을 말함》.

cúp·lìke *a.* CUP 같은.

cu·po·la [kjú:pələ] *n.* **1** 〖建〗 둥근 지붕 ; 둥근 천장(cf. DOME, VAULT[1]). **2** 선회포탑. **3** 〖冶〗 용선로(鎔銑爐). 〖It.<L (dim.) ‹ *cupa* cask〗

cup·pa [kʌ́pə] *n.* 《英口》 한잔의 홍차. 〖*cup of* (tea)〗

cúpped *a.* CUP 모양의.

cúp·per[1] *n.* 〖醫〗 흡각(吸角)을 쓰는 사람. 〖CUP〗

cupper[2] *n.* 《英口》 홍차 한잔(cuppa). 〖*cup of* (tea)〗

cúp·ping *n.* Ⓤ 〖醫〗 흡각방혈법(吸角放血法). 〖CUP〗

cúpping glàss *n.* (원래 방혈에 사용하는) 흡각《유리제품》.

cúp plànt *n.* 엉거시과의 풀《노란꽃이 피며 잎이 줄기를 중심으로 컵 모양을 이룸 ; 북미산》.

cúp·py *a.* CUP 같은 ; (땅바닥 따위가) 작은 구멍이 많은.

cupr- [kjú:pr- ; kjú:-], **cu·pri-** [-prə], **cu·pro-** [-prou, -prə] *comb. form* 「구리」의 뜻 : *cupre*ous. 㑒 자음 앞에서는 cupri-, cupro-가 됨 : *cupri*ferous ; *cupro*nickel. 〖L ; ⇨ COPPER[1]〗

cu·pre·ous [kjú:priəs ; kjú:-] *a.* 구리의[와 같은]. 〖L ; ⇨ COPPER[1]〗

cu·pric [kjú:prik ; kjú:-] *a.* 〖化〗 구리(Ⅱ)의, 제이구리의 : ~ oxide 산화제이구리 / ~ salt 제이구리염(鹽).

cúpric súlfate *n.* 〖化〗 황산구리(Ⅱ), 황산제이구리(copper sulfate).

cu·prif·er·ous [kju:prífərəs ; kju:-] *a.* 〖化〗 구리를 함유한.

cu·prite [kjú:prait ; kjú:-] *n.* 〖鑛〗 적동광(赤銅鑛)《구리의 원광》.

cùpro·níckel *n.* 큐프로니켈《구리와 니켈의 합금》. ── *a.* 구리와 니켈을 함유한.

cu·prous [kjú:prəs ; kjú:-] *a.* 〖化〗 구리(Ⅰ)의, 제일구리의 : ~ oxide 산화제일구리.

cu·prum [kjú:prəm ; kjú:-] *n.* Ⓤ 〖化〗 구리(☞ COPPER[1]).

cúp tìe *n.* 《英》 (특히 축구의) 우승배 쟁탈전.

cúp-tìed *a.* 《英》 (팀 따위가) 우승배 쟁탈전에 나가는[나가기 때문에 다른 시합에 출전 못하는].

cu·pule [kjú:pju:l] *n.* 〖動〗 빨판, 흡반, 그와 비슷한 기관 ; 〖植〗 (도토리 따위의) 깍정이 ; (우산이끼의) 배상체(杯狀體).

cur [kə́:r] *n.* **1** 들개, 똥개. **2** 불량배, 하등 인간. 〖ME *cur-dog* (? ON *kurr* grumbling)〗

cur. currency ; current.

cur·able [kjúərəbəl] *a.* 치료할 수 있는, 고칠 수 있는, 나을 수 있는. **cùr·abíl·i·ty, ~·ness** *n.* 치료 가능성.

cu·ra·çao [kjúrəsòu, -sàu, ⌐-⌐ ; kjùərəsóu], **-çoa** [, -sóuə] *n.* (*pl.* **~s**) Ⓤ 쿠라사우《오렌지 향료가 든 달콤한 술 ; 원산지는 서인도 제도 남부의 Curaçao 섬》.

cu·ra·cy [kjúərəsi] *n.* Ⓤ,Ⓒ CURATE의 직(職)[임기]. 〖CURATE〗

cu·ra·re, -ri [kjuərá:ri], **-ra** [-rə] *n.* 큐라레《남미 원주민이 화살 끝에 바르는 독약》. 〖Carib〗

cu·ra·rine [kjurá:rən ; kjuər-] *n.* 큐라린《큐라레에서 채취하는 독성의 알칼로이드 ; 근육 완화·마취 작용이 있음》.

cu·ra·rize [kjúrəràiz ; kjúərə-] *vt.* (생체해부 따위에서 동물을) 큐라레로 마비시키다.

cu·ras·sow [kjúrəsòu ; kjúərə-] *n.* 보관조(寶冠鳥)《칠면조 비슷한 새》.

cu·rate [kjúərət] *n.* 〖英國敎〗 (교구의) 목사보《rector[vicar]의 대리 또는 조수》; 〖카톨릭〗 보좌신부. 〖L *curatus* ; ⇨ CURE[1]〗

cúrate-in-chárge *n.* 《英》 (교구 목사의 실격·정직 때 따위의) 교구의 목사 대리.

cúrate's égg *n.* [the ~] 《英》 옥석 혼효(한 것), 장단점이 있는 것. 〖*Punch*(1895)에 실린 이야기에서 ; 주교(主敎)에게 초대받은 식사에서 썩은 달걀이 나왔을 때 curate가 난처한 나머지 "Parts of it are excellent!"라고 말했음〗

cu·ra·tive [kjúərətiv] *a.* 병에 듣는, 치료용의, 치유력이 있는. ── *n.* 의약 ; 치료법.

cu·ra·tor [kjuəréitər, 美+kjúərətər] *n.* (박물관·도서관 따위의) 관리자, 관장, 주사. **~·shìp** *n.* curator의 직[신분]. 〖AF or L ; ⇨ CURATE〗

***curb** [kə́:rb] *n.* **1** 재갈쇠[줄]. **2** 구속, 제한, 억제(check) : place a ~ *on* one's expenditure 경비를 제한하다. **3** 우물의 귀틀. **4** 《美》 (보도의) 연석, 갓돌(=《英》 kerb). **5** 《美》 〖證〗 장외 시장(場外市場) (=~ **márket**) ; [집합적으로] 장외 시장 중개인들.

on the curb 《美》 길거리[장외]에서.

── *vt.* **1** (말에) 재갈쇠를 달다. **2** 억제하다(restrain) : ~ one's desires 욕망을 누르다. **3** 《美》 (길에) 연석(緣石)을 깔다. 〖ME=curved piece of wood<OF CURVE〗 類義語 ⟹ RESTRAIN.

cúrb bìt *n.* 재갈.

cúrb bròker *n.* 《美》 장외 주식 거래 중개인.

cúrb chàin *n.* (말의) 재갈 사슬.

cúrb·ing *n.* [집합적으로] 연석(緣石)(curb) ; 연석의 재료.

cúrb ròof *n.* 〖建〗 망사르[물매를 2단으로 낸] 지붕(cf. MANSARD).

cúrb sèrvice *n.* 《美》 배달 서비스《길가에 주차중인 손님에게 음식을 날라다주는》; 특별 봉사.

cúrb·sìde *n.* 《美》 인도, 보도.

cúrb·stòne *n.* 《美》 (보도의) 연석 (=《英》 kerbstone). ── *a.* 장외에서 거래하는 ; 신출내기의, 신참의 ; 《口》 비전문가의.

cúrbstone bròker[òperator] *n.* 《美》 가두 증권상인, 협잡꾼.

cúrbstone opínion *n.* 항간[일반인]의 의견.

cúrb wèight *n.* (자동차의) 차량 전장비 중량《비품·연료·오일·냉각액을 포함》.

cur·cu·lio [kə:rkjú:liòu] *n.* (*pl.* **-li·òs**) 〖昆〗 꿀꿀이바구미.

cur·cu·ma [kə́:rkjəmə] *n.* 〖植〗 심황, 울금. 〖Arab.=saffron〗

cúrcuma pàper *n.* 강황지(薑黃紙).

curd [kə́:rd] *n.* **1** [때때로 *pl.*] 응유(凝乳), 커드《치즈의 원료 ; cf. WHEY》. **2** Ⓤ 응유상(凝乳狀)의 식품 : (soy) bean ~ 두부. ── *vt., vi.* = CURDLE. 〖ME *crud*(*de*), *crod*(*de*)<?〗

cúrd chèese *n.* 《英》 =COTTAGE CHEESE.

cúrd knìfe *n.* 커드 나이프《양조통에서 유장(乳漿)을 걷어내고 치즈 응유(凝乳)를 꺼내는데 쓰는

한벌의 기구》.

cur·dle [kə́:rdl] *vi.* 굳어서 응유가 되다 ; 응결하다 : Milk ~*s* when kept too long. 우유는 오래 두면 응결한다 / The sight made my blood ~. 그 광경을 보고 몸이 오싹했다. —— *vt.* 응유로 굳히다 ; 응결시키다 : ~ the blood 섬뜩[오싹]하게 하다. 〖C16 (freq.) ‹CURD〗

cúrds and whéy *n. pl.* 응유 식품(junket).

cúrd sóap *n.* 염석(鹽析) 비누.

cúrdy *a.* 응유상(凝乳狀)[질]의, 응유분이 많은, 더껑이가 생긴.

‡**cure**[1] [kjúər] *vt.* **1** [+目/+目+*of*+名] **a**) 치료하다, 고치다 : This medicine will ~ your cold. 이 약으로 감기가 나을 것이다 / The doctor ~*d* him ***of*** rheumatism. 의사는 그의 류머티즘을 고쳐 주었다. **b**) (…의 나쁜 버릇을) 교정하다 : ~ bad habits 나쁜 버릇을 고치다 / He tried to ~ his child ***of*** the habit. 그는 자식의 나쁜 버릇을 고치려고 애썼다. **2 a**) (건조·훈제(燻製) 혹은 소금에 절여서) 저장하다(preserve). **b**) (가죽을) 무두질하다. —— *vi.* **1** 치료하다. **2** (고기 따위가) 저장되다.

—— *n.* **1** 치유, 완쾌. **2** (특수한) 치료(법), 의료 ; 치료제, 특효약 ; 요양 ; 구제법, 교정법(矯正法) (remedy) : He hoped to find a ~ *for* rabies. 그는 광견병의 치료법을 발견하고자 했다. **3** 〔宗〕 [때때로 ~ of souls] 영혼의 구제, 신앙의 감독 ; 목사직 ; 관할교구 : obtain[resign] a ~ (어떤 교구의) 목사가 되다[를 사임하다]. **4** (육류·어류의) 저장(법).

cúr·er *n.* 치료자[기] ; 건어[훈제품(燻製品)] 제조인. 〖OF<L *cura* care〗

類義語 ***cure*** 병·상처 따위를 고치다 : I was *cured* of fever. (나는 열이 내렸다). ***heal*** 특히 상처·화상의 경우에 많이 쓰인다 : This medicine will *heal* your burn. (이 약으로 화상이 나을 것이다). ***remedy*** 병·고통 따위를 없애기 위해서 약품 혹은 특별한 방법을 사용하는 것을 암시한다 : Her broken leg was *remedied* by an operation. (그녀의 부러진 다리는 수술로 치유되었다).

cure[2] *n.* 《俗》 별난 사람, 괴짜, 기인(奇人). 〖? *curious* or *curiosity*〗

cu·ré [kjúərei, 美+kjuréi] *n.* (프랑스의) 교구신부, 주임신부(parish priest). 〖F<L ; ⇨ CURATE〗

cúre-àll *n.* 만능약, 만병통치약(panacea).

cúre·less *a.* 치료법이 없는, 불치의, 구제[교정]할 수 없는.

cu·ret·tage [kjùərətɑ́:ʒ, kjuərétidʒ] *n.* U,C 〔醫〕 소파(搔爬)(술) ; 인공 임신 중절.

cu·rette, -ret [kjuərét] *n.* 〔醫〕 퀴레트《소파 수술에 쓰는 숟가락 모양의 날카로운 기구》. —— *vt., vi.* 퀴레트로 긁어내다, 소파하다. 〖F (*curer* to cleanse‹CURE[1])〗

cur·few [kə́:rfju:] *n.* **1** 만종(晩鐘), 저녁종 ; 만종 시각. **2** 〔史〕 중세의 소등령(의 시각) ; 소등의 종(=∼ **bèll**). **3** (계엄령 따위 때의) 소등령, 야간 통행금지 ; 〔美軍〕 귀영시간. 〖OF (COVER, *feu* fire)〗

cu·ria [kjúəriə] *n.* (*pl.* **-ri·ae** [-riì:, -riài]) **1** 〔古로〕 **a**) 쿠리아《행정구》 ; 쿠리아 집회소. **b**) 원로원. **2** 〔英史〕 (노르만 왕조 시대의) 법정. **3** [the C~] 로마 교황청(敎皇廳). 〖L〗

cu·ri·age [kjúəriidʒ] *n.* 〔理〕 퀴리 상수《퀴리로 나타낸 방사능의 강도 ; cf. CURIE》.

Cúria Ro·má·na [-rouméinə, -mɑ́:-] *n.* [the ~] 로마 교황청.

Cu·rie [kjúəri(:), kjurí:] *n.* **1** 퀴리. **Pierre** ~ (1859-1906) 및 **Marie** ~ (1867-1934) 라듐을 발견한 프랑스인 부부. **2** U [c~] 〔理〕 퀴리《방사능 강도의 단위, 기호 C, Ci》.

Cúrie pòint[tèmperature] *n.* 〔理〕 퀴리점(點)[온도]《강(强)자성체의 자기 변태(磁氣變態)가 일어나는 온도》. 〖P. *Curie*〗

Cúrie's láw *n.* 〔理〕 (상자성체(常磁性體)의) 퀴리의 법칙. 〖P. *Curie*〗

cu·rio [kjúəriòu] *n.* (*pl.* **-ri·òs**) 골동품(骨董品). 〖*curio*sity〗

cu·ri·o·sa [kjùərióusə, -zə] *n. pl.* 진품, 진본(珍本), 진서 ; 외설책.

cúrio shòp *n.* =CURIOSITY SHOP.

***cu·ri·os·i·ty** [kjùəriɑ́səti] *n.* **1** U [또는 a ~] [+*to* do] 호기심 : out of ~=from ~ 호기심에서 / stimulate[satisfy] one's ~ 호기심을 유발[만족]시키다 / She has a surprising ~ *to* know everything she can. 그녀에게는 가능한 한 무엇이든 알고 싶어하는 놀라운 호기심이 있다. **2** U 진기, 별스러움. **3** 진기한 물건, 골동품(curio). 〖OF<L ; ⇨ CURIOUS〗

curiósity shòp *n.* 골동품점.

cu·ri·o·so [kjùərióusou] *n.* (*pl.* **~s**) 미술품 애호[감식]가, 골동품 수집가. 〖It.〗

cu·ri·ous** [kjúəriəs] *a.* **1** 알고 싶어하는 ; 호기심이 강한, 공연히 캐보려고 하는 ; [+*to* do/+(前+) *wh.* 節·句] (알고) 싶어하는 : steal a ~ look (at...) (…을) 신기한듯 슬쩍 훔쳐 보다 / She is too ~ ***about other people's business. 다른 사람의 일을 공연히 알고 싶어한다 / He was ~ *to* know everything. 그는 무엇이든지 알고 싶어했다 / I am ~ (***as to***) *how* she will receive the news. 그녀가 그 소식을 듣고 어떻게 생각할 것인지 알고 싶다 / She was ~ *what to* find in the box. 상자 속에 무엇이 있는지 알고 싶어했다. **2 a**) 호기심을 자아내는, 기이한(strange) : It is ~ that he should have asked you that question. 그가 네게 그런 질문을 했다니 이상하다. **b**) 《口》 묘한, 이상한(eccentric) : a ~ fellow 괴짜. **c**) 《婉》 진본(珍本)의《서점 목록에서의 외설 서적》. **3** 《文語》 면밀한, 주의 깊은(exact).

curious to say 이상한 얘기지만.

curiouser and curiouser 《口》 갈수록 기묘한[해지는].

~·ness *n.*

〖OF<L=careful, inquisitive ; ⇨ CURE[1]〗

類義語 (1) ***curious*** 사물에 대해서 매우 알고 싶어하는 ; 건전한 호기심의 경우도 있으며 지나친 호기심의 경우도 있다. ***inquisitive*** 자신에게 관계 없는 일에도 쓸데없이 질문을 하여 듣고 싶어하는. ***prying*** inquisitive의 뜻에 부가해서 남의 일을 알려고 하거나 공연한 참견을 하는 뜻이 포함됨. ***meddlesome*** 남의 일까지 쓸데없이 참견하는.
(2) ⟹ STRANGE.

***cúrious·ly** *adv.* 신기한 듯이, 호기심으로 ; 기묘히[하게도] ; 몹시 : ~ enough 이상한 것[일]은.

cu·ri·um [kjúəriəm] *n.* U 〔化〕 퀴륨《방사성 원소 ; 기호 Cm ; 번호 96》. 〖M. and P. *Curie*〗

curl** [kə́:rl] *vt.* **1** (머리털을) 곱슬곱슬하게 하다, 컬하다 : She has ~*ed* her hair. 머리털을 곱슬곱슬하게 하고 있다. **2** [+目 / +目+副] (말려 올라가는 수염을) 꼬다 ; 비틀다, 구불구불하게 하다 : ~ one's lip(s) (경멸해서) 입을 비쭉거리다 / He had his moustache ~*ed* ***up. 그는 콧수염을 위로 말아 올렸다. ── *vi.* **1** (머리털이) 곱슬곱슬하게 되다 : Her hair ~*s* naturally. 그녀의 머리털은 선천적으로 곱슬곱슬하게 되어 있다. **2** [動/+副] (연기가) 소용돌이치다 ; 비틀려 굽어지다 ; 뒤틀리다 : I saw the smoke ~*ing* ***up***[*upward*] from the mountain cottage. 나는 산속 오두막집에서 연기가 뭉게뭉게 피어 올라가고 있는 것을 보았다. **3** 컬링(curling)을 하다. **4** 《口》 꽁무니 빼다, 망설이다.

curl one***self up*** 몸을 웅크리고 자다, 몸이 오그라들다.

curl up (1) (잎 따위가) 말려 올라가다, 말아 올리다, 오그라들다[들게 하다] (cf. *vi.* 2, *vt.* 2) ; 몸을 웅크리고 자다 : The child ~*ed up* on the sofa. 아이는 소파 위에서 웅크리고 잤다. (2) 《口》 쳐서 넘어뜨리다[넘어지다], 납작하게 하다[해지다] (collapse).

make one***'s hair curl*** 《俗》 남의 간담을 서늘하게 하다(frighten a person).

── *n.* **1** 컬, 고수머리 ; [*pl.*] 곱슬머리가 된 머리털(cf. CRIMPS), (일반적으로) 두발 ; 나선형의 물건, 소용돌이 모양, 꼬인 것 ; 컬된 상태 : hair falling in ~*s* over the shoulders 물결 모양으로 어깨 위로 늘어뜨린 머리털 / a ~ *of* the lip(s) (경멸해서) 입을 비쭉거리기. **2** Ⓤ 곱슬곱슬하게 하는 것, 비틀어 꼬는 것 : keep one's hair in ~ 머리털을 곱슬곱슬하게 해 두다 / go out of ~ 컬이 풀리다. **3** Ⓤ (감자 따위의) 위축병.

── *a.* 《濠俗》 =CURL-THE-MO.

〖*crolled, crulled* ‹ *crolle, crulle* (obs. a.) curly < MDu.〗

curl-a-mo ☞ CURL-THE-MO.

curled [kə́ːrld] *a.* 머리를 곱슬곱슬하게 한 ; 소용돌이 모양의 ; (잎이) 돌돌 말린 ; (감자 따위가) 위축병에 걸린.

cúrl·er *n.* **1** 머리를 컬하는 사람 ; 컬 클립. **2** 컬링의 경기자(cf. CURLING).

cur·lew [kə́ːrljuː] *n.* (*pl.* **~s**, ~) 〖鳥〗 마도요, (일반적으로) 도요. 〖OF (imit.)가 OF *courlieu* courier (*courre* to run, *lieu* place)에 동화〗

curli·cue, curly- [kə́ːrlikjùː] *n.* 소용돌이도형(圖形) ; 소용돌이 꼴의 장식 자체로 쓴 글씨(flourish). ── *vi., vt.* 소용돌이도형을 이루다[으로 장식하다]. 〖*curly*+*cue*² (=pigtail) or Q〗

cúrl·i·ness *n.* Ⓤ 곱슬곱슬함 ; 소용돌이.

cúrl·ing *n.* Ⓤ 《스코》 컬링《얼음판에서 curling stone을 미끄러뜨려서 과녁에 맞히는 놀이》.

cúrling ìrons[**tóngs**] *n. pl.* 컬링용 아이언.

cúrling stòne *n.* 컬링스톤《curling 용의 손잡이가 있는 납작한 원형의 무거운 화강암 ; 15-18kg》.

curling stone

cúrl·pàper *n.* [보통 *pl.*] 컬페이퍼《컬하는 머리털을 단단히 감아두는 종이》.

cúrl-the-mò, -a- *a.* 《濠俗》 훌륭한, 눈부신.

cúrly *a.* **1** 곱슬머리의(wavy), 퍼머넌트 머리의 ; 말기 쉬운. **2** 소용돌이 모양의 ; (잎이) 말려 올라간, 오그라진 ; (뿔 따위가) 비틀린.

cúrly·hèad *n.* =CURLY-PATE ; [~s, 단수·복수취급] 〖植〗 클레마티스《미국 동부산》.

cúrly-pàte *n.* 곱슬머리(인 사람).

cur·mud·geon [kərmʌ́dʒən] *n.* 심술궂은 구두쇠 ; 성미가 까다로운 사람. 〖C16 < ?〗

cur·rach, cur·ragh [kʌ́rəx, kʌ́rə] *n.* 《아일·스코》 =CORACLE ; 《아일》 소택지. 〖Gael.〗

cur·rant [kə́ːrənt, kʌ́r- ; kʌ́rənt] *n.* **1** 씨가 없는 건포도. **2** 〖植〗 까치밥나무 ; 그 열매. 〖ME *raysons of coraunce* < AF (=grapes of CORINTH)〗

cur·ren·cy [kə́ːrənsi, kʌ́r- ; kʌ́rən-] *n.* **1** Ⓤ,Ⓒ 통화 ; 통화 유통액 : (a) metallic[paper] ~ (유통) 경화(硬貨)[지폐] / hard ~ 경화(硬貨) / ~ deflation[inflation] 통화 수축[팽창] / ~ devaluation 화폐 평가 절하 / ~ reform 화폐 개혁. **2** Ⓤ [또는 a ~] 유통, 통용 ; 유포, 유행 ; 통용[유행] 기간 ; 현재성 : be in common[wide] ~ 일반적으로[널리] 통용되고 있다 / accept a person at his own ~ 남을 그 자신이 말하는 대로 인정하다 / gain[lose] ~ with the world 사회에서 신용을 얻다[잃다]. **3** Ⓤ 시세, 시가, 성가(聲價) (general esteem) : gain[lose] ~ 통용되기 시작하다[하지 않게 되다] / give ~ to …을 통용[유포]시키다(circulate).

── *a.* 〖濠史〗 (백인이) 호주 태생인 : ~ lads and lasses 호주 태생인 백인 청년 자녀.

〖L=flowing ; ⇨ CURRENT〗

cúrrency bòx *n.* 손금고《같은 액면의 지폐·동전을 구분해 보관하는 휴대용의》.

cúrrency circulátion *n.* 통화 유통.

cúrrency prìnciple[**dòctrine**] *n.* 통화주의, 통화설.

cúrrency snàke *n.* 공동 변동 환(換)시세제.

***cur·rent** [kə́ːrənt, kʌ́r- ; kʌ́rənt] *a.* **1** 지금의, 현재의 : the 10th ~ [*curt.*] 이 달 10일 / the ~ issue [number] of a magazine 잡지의 최근호《금월[주]호》 / the ~ month[year] 이 달[금년] / the ~ premier 현 수상. **2** 현행의, 통용하는, 유통[유포]되고 있는, 유행하고 있는 : ~ English 시사[현대]영어 / ~ fashions 현재의 유행 / ~ news 시사 뉴스 / the ~ price 시가 / pass[go, run] ~ 일반에 통용되다, 세상에 인정되다. **3** 흘려 쓴, 초서체의(running).

── *n.* **1** 유동, 흐름. **2** 조류, 해류 ; 기류 ; 〖電〗 전류 : a violent ~ of air 세찬 기류. **3** 때의 흐름 ; 경향, 풍조(tendency) : swim with the ~ ☞ SWIM 숙어.

〖OF (pres. p.) ‹ *courre* < L *curs- curro* to run〗

類義語 (1) (*n.*) ⟹ STREAM, TENDENCY.
(2) (*a.*) ⟹ PREVAILING.

cúrrent accóunt *n.* 당좌 계정[예금] ; 경상(經常) 수지.

cúrrent ássets *n. pl.* 유동[단기성] 자산《현금·상품 따위》.

cúrrent brèaker *n.* 〖電〗 전류 차단기.

cúrrent collèctor *n.* 〖電〗 집전(集電) 장치.

cúrrent dènsity *n.* 〖電〗 전류 밀도《기호 J》.

cúrrent evénts *n.* [단수·복수취급] 시사, 시사 문제 연구.

cúrrent expénses *n. pl.* 경상비.

cúrrent·ly *adv.* 일반적으로, 보편적으로(generally) ; 현금(現今), 현재(now).

cúrrent mòney *n.* 통화.

cúrrent ràtio *n.* 유동 비율.

cúrrent shéet *n.* =MAGNETODISK.

cur·ri·cle [kə́ːrikəl, kʌ́r- ; kʌ́r-] *n.* (예전의) 쌍두 이륜 마차. 〖L (↓)〗

cur·ric·u·lum [kəríkjələm] *n.* (*pl.* **-la** [-lə], **~s**) Ⓤ,Ⓒ 교육 과정, 교과 과정, 커리큘럼 ; 이수과정 : the study of ~ 교육 과정 연구.

〖L=course, chariot ; ⇨ CURRENT〗

currículum ví·tae [-wíːtai, -váiti(ː)] *n.* (*pl.*

currícula vítae) 이력(서).
〖L=course of (one's) life〗

cur·ri·er [kə́:riər, kʌ́r-; kʌ́r-] *n.* 제혁공(製革工), 가죽 다루는 사람; 말을 손질하는 사람.
〖OF<L (*corium* leather)〗

cur·ri·ery [kə́:riəri, kʌ́r-; kʌ́r-] *n.* 제혁업[소].

cúr·rish *a.* 들개 같은; 딱딱거리는(snappish); 행실 나쁜(ill-bred).

cur·ry[1], **-rie** [kə́:ri, kʌ́ri; kʌ́ri] *n.* Ⓤ 카레(가루)(= ~ powder); Ⓤ,Ⓒ 카레 요리; 카레 소스: ~ and rice 카레 라이스. —— *vt.* 카레 요리를 하다, …을 카레로 맛을 내다.
〖Tamil *kari* sauce〗

curry[2] *vt.* **1** (말)에 빗질하다(currycomb), (말을) 빗으로 손질하다. **2** (무두질한 가죽을) 끝손질하다.
curry favor with a person 남의 비위를 맞추다, 남에게 아첨하다.
〖OF *coreer* to prepare (L *com-*, READY)〗

cúrry·còmb *n.* 말빗.
—— *vt.* 말에 빗질하다.

cúrry pàste[**sàuce**] *n.* 카레 소스.

cúrry pòwder *n.* 카레 가루.

curse** [kə́:rs] *v.* (~**d** [-t], 《古》 **curst** [kə́:rst]) *vt.* **1** 저주하다(↔*bless*): *C*~ it! 제기랄! **2** [+目/+目+前+名] 욕을 퍼붓다, …에게 악담하다: He ~*d* his servant ***for his stupidity. 그는 하인에게 멍청하다고 욕설을 퍼부었다. **3** [+目+*with*+名] [보통 수동태로] (…로) 괴로워하다, (나쁜 성질 따위를) 가지고 있다(cf. BLESS 4 a)): We *are* ~*d* ***with*** a plague of mosquitoes. 모기 등살에 참 성가시다 / He *was* ~*d with* a short temper. 그는 원래부터 성급했다《화를 잘 냈다》. **4** 〖宗〗 파문하다: ~ with bell, book, and candle ☞ BELL 숙어. —— *vi.* [動/+前+名] 악담하다, 욕설을 퍼붓다: ~ and swear 마구 욕을 퍼붓다 / He often ~*s* ***at*** his servant. 그는 자주 하인에게 욕설을 퍼붓는다. —— *n.* **1** 저주(↔*blessing*): be *under* a ~ 저주를 받고 있다, 재앙을 받고 있다 / call down[lay, put] a ~ *upon* a person =lay a person *under* a ~ 남을 저주하다 / *C*~ (*upon* it)! 제기랄! / *C*~*s*(, like chickens,) come home to roost. 《속담》 남을 해치려하면 나 먼저 해를 입는다, 「누워서 침뱉기」. **2** 저주의 말, 악담, 독설《보기 Damn!, Confound you!, Deuce take it!》. **3** 저주의 대상; 재앙, 재해: the ~ of drink 술의 큰 해독. **4** 〖宗〗 파문(破門). **5** =CUSS *n.* 2.
not care[***give***] ***a curse for...*** 《口》 …따위는 조금도 개의치 않다.
not worth a curse 《口》 조금도 가치가 없는.
the curse of Cain 영원한 유랑[방랑]《카인이 받은 형벌》.
〖OE *curs*< ?〗

curs·ed [kə́:rsəd, -st], **curst** [-st] *a.* **1** 저주받은, 재앙을 받은. **2** 저주할 만한, 지긋지긋한. 주 《口》로는 강조어: a *cursed* nuisance 대단히 성가신 일. **3** [보통 curst] 《古·方》 빙퉁그러진, 짓궂은. —— *adv.* 《口》 =CURSEDLY 2.

cúrs·ed·ly *adv.* **1** 저주를 받아, 천벌을 받아. **2** 《口》 심히, 바보처럼, 터무니없이.

cúrs·ed·ness *n.* Ⓤ 저주[천벌]받고 있는 상태; 괘씸함; 《口》 심술궂음, 비뚤어진 마음보; 옹고집(perversity).

curs·ing [kə́:rsiŋ] *n.* Ⓤ 저주; 악담.

cur·sive [kə́:rsiv] *n., a.* 초서체(의), 흘려 쓴 것(의). 〖L=running; ⇨ CURRENT〗

cur·sor [kə́:rsər] *n.* **1** 커서《계산자, 측량기기 따위의 눈금이 달린 투명한 움직이는 판》. **2** 깜박이, 커서《컴퓨터 따위에 연결된 디스플레이의 스크린 위에서 여러 위치로 이동가능한 빛의 점》.

cúrsor dìsk *n.* 〖컴퓨〗 커서 디스크《키보드의 구석에 있는 원반 또는 4각형의 패드》.

cur·so·ri·al [kə:rsɔ́:riəl] *a.* 〖動〗 뛰어다니기에 적합한: ~ birds 주금류(走禽類)《타조·화식(火食)조 따위》.

cúrsor kèy *n.* 〖컴퓨〗 깜박이(글)쇠《키보드[글쇠판] 상의 키의 하나; 이것을 누르면 커서[깜박이]가 이동하게 됨》.

cur·so·ry [kə́:rsəri] *a.* 서두르는(hurried); 날림의, 엉성한(careless). **-ri·ly** *adv.* 아무렇게나, 날림으로, 조잡하게.
〖L=of running; ⇨ CURRENT〗
類義語 ⟹ SUPERFICIAL.

curst *v.* 《古》 CURSE의 과거·과거분사.
—— *a.* ☞ CURSED.

cur·sus ho·no·rum [kə́:rsəs hɑnɔ́:rəm] *n.* 명예로운 관직의 연속, 엘리트 코스.
〖L=course of honors; 로마 시대의 집정관(consul)에 오르기까지의 관직을 지칭함〗

curt [kə́:rt] *a.* 퉁명스러운, 멋없는(abrupt); (문체가) 간략한; 《文語》 짧은. **~·ly** *adv.* 퉁명스럽게, 멋없이. **~·ness** *n.*
〖L *curtus* cut short〗

cur·tail [kə(:)rtéil] *vt.* [+目/+目+*of*+名] 절약하다; 단축하다, 생략하다; (비용 따위를) 삭감하다; (권리 따위를) 박탈하다, 축소하다, 줄이다(reduce): He ~*ed* his speech. 그는 강연을 단축했다 / We have been ~*ed* ***of*** our expenses. 경비를 삭감당했다. **~·ment** *n.* 단축; 삭감.
〖CURTAL=horse with docked tail<F; ⇨ CURT; 어형은 tail에 동화〗
類義語 ⟹ SHORTEN.

°**cur·tain** [kə́:rtən] *n.* **1** 커튼, 휘장, 막(幕): draw the ~ 막을 당기다《열다·닫다》/ draw the ~*s* (방의) 커튼을 전부 닫(아 어둡게 하)다. **2** (극장의) 막; 개연(開演), 종연; [*pl.*] 《俗》 최후, 죽음: The ~ rises[falls]. 막이 오른다[내린다]. **3** 막 모양의 것; 〖軍〗 탄막. **4** (막 모양의) 칸막이. **5** 〖築城〗 (두 개의 능보(稜堡)·탑 따위를 연결하는) 막벽(幕壁).
behind the curtain 배후에서, 비밀히.
draw a curtain over …에 막을 당겨 가리다; 뒤에 계속되는 말을 하지 않고 (말을) 그치다.
drop[***raise***] ***the curtain*** (극장의) 막을 내리다[올리다], 종막[개막]하다.
lift the curtain 막을 당겨 올리다, 막을 열어 보이게 하다; 터놓고 이야기하다.
ring down[***up***] ***the curtain*** ☞ RING[2].
take a curtain (배우가) 관객의 갈채에 응하여 막 앞으로 나타나다(cf. CURTAIN CALL).
—— *vt.* [+目/+目+副] …에 막[커튼]을 치다; 커튼으로 가리다[차단하다]; 《비유》 가리어 감추다: ~*ed* windows 커튼으로 가린 창문 / That part of the room has been ~*ed* ***off***. 방의 그 부분은 커튼으로 칸막이가 되어 있다.
〖OF<L *cortina*〗

cúrtain càll *n.* 커튼 콜《막이 내린 후 관객이 갈채하여 막 앞으로 배우를 불러 내는 것; cf. *take a* CURTAIN》.

cúrtain·fàll *n.* (연극에서) 막이 내리는 것; (사건의) 결말, 대단원.

cúrtain fìre *n.* 〖軍〗 탄막(彈幕) 포화[사격], 탄막(barrage).

cúrtain lècture *n.* 베갯밑 설교《침실에서 아내가 남편에게 하는 잔소리》.
cúrtain ràiser *n.* 개막극 ; (리그의) 개막전.
cúrtain rìng *n.* 커튼 고리.
cúrtain ròd *n.* 커튼을 거는 막대.
cúrtain spèech *n.* (연극이 끝나고) 막 앞에서 하는 인사말 ; 연극[막·장]의 마지막 대사.
cúrtain tìme *n.* (연극·콘서트 따위의) 개막 시간(時間).
cúrtain wàll *n.* 〔建〕 커튼 벽, 장막벽, 칸막이 벽《건물의 무게를 지탱하지 않는》; 〔築城〕 =CURTAIN.
cur·tal [kə́ːrtl] *n.* 〔樂〕 커틀《저음을 내는 오보에 모양의 악기》. 〖OF ; ⇨ CURT〗
cur·ta·na [kə(ː)rtéinə, -tɑ́ːnə] *n.* 무선도(無先刀), 칼끝 없는 검(劍)《영국왕 대관식 때 자비의 증표로 받듦》. 〖OF〗
cur·te·sy [kə́ːrtəsi] *n.* Ⓤ 〔法〕 환부산(鰥夫産)《아내가 죽은 후 상속할 자식이 있을 때 남편이 물려 받는 재산권 ; 1925년 폐지》.
cur·ti·lage [kə́ːrtəlidʒ] *n.* Ⓤ 〔法〕 대지, 택지. 〖OF (*co*(*u*)*rtil* small court‹COURT)〗
curt·sy, curt·sey [kə́ːrtsi] *n.* (여성이 왼발을 뒤로 당기고 무릎과 상체를 굽히는) 인사, 절 : drop [make] a ~ (여성이) 인사를 하다. ── *vi.* 무릎을 굽혀 인사하다 ‹*to*›. 〖COURTESY〗

curtsy

cu·rule [kjúəruːl] *a.* 〔古로〕 고관 의자에 앉을 자격이 있는 ; 고관의.
cúrule cháir *n.* 〔古로〕 고관의 의자, 대좌(臺座)《옛 로마의 고관이 앉았던 의자》.
cur·va·ceous, -cious [kəːrvéiʃəs] *a.* 《口》 곡선미의, 육체미의《여성에 대한 말》.
cur·va·ture [kə́ːrvətʃər, 美+-tʃùər, 美+-tjùər] *n.* **1** Ⓤ 만곡(彎曲), 굴곡‹*of*›. **2** Ⓤ 〔數〕 곡률, 곡도(曲度)‹*of*›. 〖OF‹L (↓)〗
****curve** [kəːrv] *n.* **1** 곡선 ; [*pl.*] (특히 미인의) 곡선미. **2** 굴곡, 만곡부 : a ~ *in* the road 도로의 커브. **3** 만곡물 ; 곡선자 : a French ~ 운형(雲形)자. **4** 〔統〕 곡선 도표[그래프]. **5** 〔野〕 커브, 곡구(曲球). **6** 책략, 사기, 속임수. **7** 〔教〕 상대평가.
get on to (a person*'s*) ***curves*** 《美俗》 …의 뜻을 알아차리다.
── *vt.* **1** 구부리다, 만곡시키다(bend). **2** 〔野〕 (공을) 커브시키다. **3** 〔教〕 상대 평가하다.
── *vi.* [動/+前+名] 구부러지다, 만곡되다 ; 곡선을 그리다 : The road ~*s* ***(a)round*** the monument. 도로가 그 기념탑 둘레를 지나간다.
── *a.* 《古》 =CURVED.
〖L *curvus* curved ; 원래 *curve line*에서〗
類義語 ***curve*** 곡선을 그리는 것처럼 구부리다. ***bend*** 원래 곧은 것을 힘을 주어 구부리다. ***twist*** 좀처럼 구부러지지 않는 것을 무리하게 비틀어 구부리다.
cúrve·bàll *n.* **1** 〔野〕 커브. **2** 책략.
curved [kəːrvd] *a.* 구부러진, 만곡(彎曲)된, 곡선 모양의. **cúrv·ed·ly** [-ədli] *adv.* 굽어서. **cúrv·ed·ness** [-ədnəs] *n.* 만곡.
cúrve kìller *n.* 《美俗》 우등생.
cur·vet [kə(ː)rvét, 美+kə́ːrvət] *n.* 〔馬〕 등약(騰躍)《앞발이 땅에 닿기 전에 뒷발로 뛰어오르는 멋진 도약》: cut a ~ 도약하다. ── *v.* (**-tt-**, **-t-**) *vi.* (말이) 뛰어오르다. ── *vt.* (기수가 말을) 뛰어오르게 하다. 〖It. (dim.)‹*corva* curve〗
cur·vi- [kə́ːrvə] *comb. form* 「구부러진」의 뜻. 〖L〗
cùrvi·líneal, -línear *a.* 곡선(曲線)의[으로 된] ; 곡선미의 ; 화려한.
〖*curvi-* ; *rectlinear*의 유추〗
curvy [kə́ːrvi] *a.* 굽은 ; 《口》 곡선미의.
cu·sec [kjúːsek] *n.* 큐섹《유량(流量)의 단위 ; 매초 1세제곱 피트 상당》. 〖*cu*bic foot per *sec*ond〗
cush [kúʃ] *n.* 《美俗》 **1** 금전, 현금 ; 주운[훔친] 지갑. **2** 죽 ; 디저트, 단 것.
cush job 쉬우면서 수입이 괜찮은 직업.
〖CUSHY ; 「죽」「단 것」 따위는 cushion에서 인가〗
cush·at [kʌ́ʃət, kúʃ-] *n.* 〔鳥〕 양멧비둘기.
***cush·ion** [kúʃən] *n.* **1** 쿠션, 방석. **2** 쿠션 모양의 것(cf. PINCUSHION) ; (물건을 올려놓는) 받침 방석 ; (머리털 속에 덧넣는) 다리 ; (여자 스커트의) 허리받이. **3** (당구대의) 쿠션. **4** 〔機〕 공기 쿠션《완충용 스프링》. **5** 〔野〕 베이스. **6** 예비 프로그램. ── *vt.* **1** …에 쿠션을 대다 ; 쿠션으로 받치다 ; 〔機〕 공기 쿠션으로 충격을 완화시키다 : ~*ed* seats 쿠션을 댄 좌석. **2** (불평 따위를) 가라앉히다. **3** 〔撞球〕 (공을) 쿠션에 붙여 놓다. 〖OF (L *culcita* mattress)〗
cúshion·cràft *n.* (*pl.* ~) =AIR-CUSHION VEHICLE.
cúshion sòle *n.* 탄력성 있는 고무 구두창.
cúshion stàr *n.* 〔動〕 불가사리.
cúshion tìre *n.* 쿠션 타이어《고무 조각을 채워넣는 자전거 타이어》.
cúsh·iony *a.* 쿠션 같은, 푹신한 ; 즐거운 ; =CUSHY.
cushy [kúʃi] *a.* 《俗》 (일 따위가) 편한, 즐거운. ── *n.* 돈(money).
〖Anglo-Ind.‹Hindi *khūsh* pleasant〗
cusk [kʌ́sk] *n.* (*pl.* **~s**, ~) 〔魚〕 대구과의 식용 물고기《북대서양산》; 모캐(burbot).
cusp [kʌ́sp] *n.* 첨단(尖端) ; 〔天〕 (초승달의) 끝 ; (치아·잎사귀 따위의) 뾰족한 끝.
〖L *cuspid- cuspis* point〗
cus·pid [kʌ́spəd] *n.* 〔解〕 (특히 사람의) 송곳니.
〖역성(逆成)‹*bicuspid*〗
cus·pi·date [kʌ́spədèit], **-dat·ed** [-dèitəd] *a.* 끝이 뾰족한, 뾰족한 끝이 있는 : a ~ tooth 〔解〕 송곳니.
cus·pi·dor, -dore [kʌ́spədɔ̀ːr] *n.* 《美》 타구(唾具)(spittoon). 〖Port.=spitter〗
cúspy *a.* 《해커俗》 (컴퓨터의 프로그램이) 잘된, 기능적인, 편리한(↔*rude, crufty*).
cuss [kʌ́s] *n.* 《口》 **1** 저주의 말, 모독, 악담. **2** 《보통 蔑》 녀석, 놈(fellow) : a queer ~ 이상한 녀석. ── *vt., vi.* =CURSE.
〖CURSE〗
cuss·ed [kʌ́səd] *a.* 《口》 =CURSED ; 심술궂은, 성질이 비뚤어진, 고집센(perverse). **~·ness** *n.*
cúss·wòrd *n.* 《美口》 악담, 저주의 말, 폭백(暴白), 욕지거리.
cus·tard [kʌ́stərd] *n.* U,C 커스터드《우유·계란에 설탕·향료를 넣어 찐[구운·얼게 한] 것》; 커스터드 소스 : ~ pudding 커스터드 푸딩.
〖ME *crusta*(*r*)*de*‹AF ; ⇨ CRUST〗
cústard àpple *n.* 〔植〕 번여지, (특히) 우심리(牛心梨) ; 그 과실 ; 포포(papaw)《북미산》.

cústard glàss *n.* 커스터드 유리《담황색의 불투명 유리》.

cústard-píe *a.* 최하급[공연히 수선떠는] 희극의 (slapstick).
〖초기의 무성 영화에서는 커스터드가 든 파이를 상대의 얼굴을 향해 던지는 일이 자주 있었음〗

cústard pówder *n.* 커스터드 소스용 곡식 가루.

cus·to·di·al [kʌstóudiəl] *a.* 보관(保管)의, 보호의 ; 관리인의.

cus·to·di·an [kʌstóudiən] *n.* 관리인, 보관자 ; 수위(守衛). **~·shìp** *n.* custodian의 임무[자격].
〖*guardian* 등의 유추로 ↓ 에서〗

cus·to·dy [kʌ́stədi] *n.* **1** Ⓤ 보호, 관리 ; (사람의) 보호(감독), 후견(後見) : Parents have the ~ *of* their young children. 부모는 어린 자녀를 보호한다[보호할 의무가 있다]. **2** Ⓤ 구류, 구치(拘置), 감금(imprisonment).
in custody 수감되어, 구류중 : keep a person *in* ~ 사람을 구치[감금]해 두다.
in the custody of …에 보관[보호]되어, …의 관리 아래 두어.
take a person ***into custody*** 사람을 수감[구인]하다(arrest).
〖L (*custod- custos* guard)〗

‡**cus·tom** [kʌ́stəm] *n.* **1** Ⓤ (개인의) 습관, (사회의) 풍습, 관례 ;〖法〗관습법(慣習法) : keep up [break] a ~ 풍습을 지키다[타파하다] / Western[social] ~*s* 서유럽[사회]의 관습 / It is a ~ *for*[*with*] Korean to bow when they meet their acquaintances. 한국 사람은 아는 사람을 만나면 고개숙여 인사를 하는 것이 관례다 / It is my ~ to go for a walk before breakfast. 아침 식사 전에 산책을 하는 것은 나의 습관이다 / It is the ~ for young people to offer their seats to old people in crowded bus. 붐비는 버스에서는 젊은이가 노인에게 자리를 양보하는 것이 관례로 되어 있다 / a slave to ~ 습관의 노예 / *C*~ is (a) second nature. 《속담》 습관은 제 2 의 천성 / So many countries, so many ~*s*. ☞ COUNTRY 2. **2** (상점 따위의) 애호, 후원 ; 고객, 단골 : We should like to have your ~. 성원을 바랍니다 / increase ~ 단골을 늘리다 / lose ~ 고객이 줄다. **3 a**) [*pl.*] 관세. **b**) [~s, 단수취급] 세관(稅關) (cf. CUSTOMHOUSE), 세관 수속 : a ~*s* officer 세관원 / at the London *C*~*s* 런던 세관에서 / pass [get through, go through] (the) ~*s* 세관을 통과하다. —— *attrib. a.* 《美》 주문의, 맞춘 : a ~ suit 주문복(cf. CUSTOM-BUILT, CUSTOMMADE) / a ~ tailor 맞춤 양복점.
〖OF<L *consuetudo* ; cf. CONSUETUDE〗
類義語 ⟹ HABIT.

cústom·able *a.* 관세가 붙는(dutiable).

cus·tom·ar·i·ly [kʌ̀stəmérəli, kʌ́stəmèrə- ; kʌ́stəmərili] *adv.* 습관적으로, 관례상.

cus·tom·ary [kʌ́stəmèri ; -məri] *a.* 습관적인, 통례적인 ;〖法〗관례에 의한, 관습상의 : ~ law 관습법. —— *n.* (한 나라·영역의) 관례집.
類義語 ⟹ USUAL.

cústom-buílt *a.* 《美》 (자동차 따위) 주문하여 만든(cf. CUSTOM *a.*).

cústom-desígn *vt.* 주문에 의해 설계하다 ; 설계를 특별 주문하다.
㊟ 보통 *p.p.*로 형용사적으로 쓰임.

***cústom·er** *n.* **1** (주로 판매업의) 고객(顧客) (client) (cf. GUEST), 단골, 거래처(patron). **2** 《口》 녀석, 놈(fellow) : an awkward ~ (상대로서) 다루기 힘든 녀석, 달갑지 않은 녀석.

cústomer púrchase òrder *n.* 구입 주문서.
㊟ 흔히는 purchase order.

cústomer satisfàction *n.* 고객 만족.

cústomer's bròker[màn] *n.* 증권회사의 고객 담당. ㊟ 현재는 registered representative (등록된 증권 세일즈맨)와 같은 뜻으로 쓰임.

cústom·hòuse, cústoms·hòuse *n.* 세관(cf. CUSTOM *n.* 3 b)).

cústom·ìze *vt.* …을 주문을 받아 만들다, 개인의 희망에 맞추다.

cústom-máde *a.* 《美》 주문품의, 맞춤의(made-to-order) (cf. CUSTOM *a.*).

cústom-máke *vt.* 주문으로 만들다.

cústom òffice *n.* 세관 (사무소).

cústoms clèarance *n.* 통관(通關).

cústoms dùties *n. pl.* 관세.

cústoms·frée *a.* 관세가 안 붙는, 무관세의.

customshouse ☞ CUSTOMHOUSE.

cústoms ùnion *n.* (국가간의) 관세 동맹.

cùstom-táilor *vt.* 특별 주문에 따라 변경[기획·제작]하다.

cústom tàriff *n.* 관세표, 관세율.

cus·tos [kʌ́stɑs] *n.* (*pl.* **cus·to·des** [kʌstóudi:z]) 관리인, 감시인.
〖L=keeper, guard〗

◇**cut** [kʌ́t] *v.* (~ ; **cút·ting**) *vt.* **1** 베다, 자르다, 칼로 상처를 내다 : She ~ her finger with a knife. 그녀는 칼로 손가락을 베었다 / Be careful not to ~ yourself while shaving. 면도를 하다가 얼굴에 상처를 내지 않도록 주의해라.
2 [+目 / +目+副 / +目+前+名 / +目+補 / +目+目] **a**) 절단하다, 잘라내다 : ~ ***away*** the dead branches ***from*** a tree 나무에서 죽은 가지를 잘라내다. **b**) (머리를) 깎다, (나무를) 베다, (풀을) 베다, (풀꽃을) 따다 ; (페이지를) 삭제하다 : I'll go and have my hair ~. 나는 머리를 깎으러 가겠다 / It's time we ~ the hedge. 이제 산울타리를 자를 때가 되었다 / *C*~ the lawn close. 잔디를 짧게 깎으시오. **c**) (고기·빵 따위를) 베어내다(carve) : I ~ the cake ***in*** two [***into*** halves]. 나는 케이크를 둘로[두 조각으로] 잘랐다 / *C*~ me a slice of bread.=*C*~ a slice of bread ***for*** me. 빵을 한 조각 잘라다오.
3 《口》 **a**) …에 대하여 모르는 체하다 : He sometimes ~*s* me dead when he sees me. 그는 때때로 나를 보아도 전혀 모르는 체한다. **b**) (수업 따위에) 빠지다 : ~ history 역사 시간에 안 들어가다 / ~ a lecture 강의에 빠지다.
4 a) 《口》 (각본·영화 따위를) 삭제[편집]하다 ; (비용 따위를) 절약하다(curtail), (가격을) 깎아내리다(reduce) : They ~ his salary *by* 10 percent. 그들은 그의 급료를 10% 깎았다 / You had better ~ your speech in several places. 너의 연설을 몇군데 삭제하는 것이 좋겠다. **b**) (스포츠에서) 기록을 단축시키다 : ~ a record 기록을 경신하다. **c**) (투기 따위에서) 손실의 한도를 정하다 : ~ a loss[one's loss(es)] 손해가 많기 전에 손을 떼다.
5 [+目 / +目+前+名] 잘라서 (구멍을) 내다 ; (보석을) 깎고 다듬다, 깎다 ; (돌·상·이름을) 새기다 ; (옷감·의복을) 재단하다 ; (길 따위를) 내다 : ~ a diamond 다이아몬드를 깎다 / ~ a key 열쇠를 (어떤 형으로) 만들다 / He ~ a hole ***through*** the wall with an ax. 그는 벽을 도끼로 쳐서 구멍을 내었다 / A road had been ~ ***up*** the hillside. 산허리에는 길이 나 있었다 / He ~ his initials ***on*** the board. 그는 판자에 자기 이름

의 첫글자를 새겼다 / There was a figure ~ ***in*** stone. 돌에 새겨진 상(像)이 있었다.
6 (물 따위를) 헤쳐나가다, 돌진하다 ; 교차하다(cross) : A brook ~*s* that field. 시냇물이 벌판을 가로질러 흐른다.
7 (찬바람·서리 따위가) …의 살갗을 에다 ; (매 따위로) 매섭게 때리다 ; …의 마음을 도려내다, 가슴 아프게 하다 : His remark ~ me to the heart [quick]. 그의 말은 나의 가슴에 사무쳤다.
8 a) 〖카드놀이〗 (패를) 떼다, 나누다(divide) (cf. SHUFFLE). **b**) 〖테니스·크리켓〗 (공을) 깎아 치다, 커트하다.
9 《口》 나타내다, 행하다 : ~ capers[a caper] 뛰어다니다 / ~ a joke 농담을 하다.
10 (이를) 나게 하다 : ~ a tooth 이가 나다.

〈회화〉
What did you do, Se-ho? — I *cut* my finger with a knife. 「세호야, 어찌된 거니」「칼에 손을 베었어」

〈회화〉
Did you attend the class yesterday? — No, I *cut* it. 「너 어제 수업에 들어갔었니」「아니, 빼먹었어」

— *vi.* **1** [+前+名] 잘리다, 절단되다 : He ~ ***at*** the tree with the bat. 배트로 나무를 후려쳤다. **2** [+副] (칼날이) 들다 ; 잘라지다 : This knife ~*s well.* 이 칼은 잘 든다 / The butter did not ~ *easily.* 그 버터는 쉽게 잘라지지 않았다. **3** [+前+名] **a**) (쟁기·배 따위가) 헤치며 나아가다, 빠져나가다 : The ship ~*s* ***through*** the waves. 배가 파도를 헤치며 나아간다. **b**) 가로 지르다, 질러가다 : I ~ ***across*** the yard. 마당을 가로질러 갔다 / We ~ ***through*** the woods to get home. 숲속을 가로질러 귀가했다. **4** (살을 에듯이) 아프다, 아리다, 몸에 스며들다 : ☞ CUTTING *a.* **5** 〖카드놀이〗 (패를) 떼다 ; 〖테니스〗 (공을) 깎아 치다. **6** 《口》 [動 / +副] (급히) 떠나가다, 달리다(run) : Now I must ~. 이제 그만 실례합니다 / The boy ~ *away* through the side gate. 소년은 옆문으로 달아났다.
cut across. . . (1) …을 (비스듬히) 가로지르다, 뚫고 가다. (2) …을 가지고 있다, …에 관련이 있다, …에 폭넓게 미치다, …에 영향을 주다. (3) …에 저촉하다. (4) …에 선행하다, …을 초월하다.
cut adrift ☞ ADRIFT.
cut after. . . 《口》 매우 급히 …을 뒤쫓다.
cut and carve 분할하다.
cut and contrive 이럭저럭 꾸려나가다.
cut and run 《口》 황급히[허둥지둥] 도망가다.
cut at. . . (1) …을 (칼로) 내리치다 ; (매로) …을 사정없이 때리다(cf. *vi.* 1). (2) 《口》 (정신적으로) …에게 타격을 주다, (희망 따위를) 꺾다 : That ~ *at* all his hopes. 그것 때문에 그의 희망은 모조리 꺾여버렸다.
cut away (1) 베어버리다 ; 난도질하다. (2) 《口》 도망치다(cf. *vi.* 6).
cut back (꽃나무·과수 따위의 새싹을) 짧게 자르다 ; (생산 따위를) 삭감하다, 축소하다 ; 〖映〗 컷백하다 ; 〖美蹴〗 컷백하다.
cut both ways ☞ both WAY[1].
cut deals with …와 협상하다.
cut down (1) (나무·적 등을) 베어넘기다 ; (병 따위가 사람을) 넘어뜨리다 : The epidemic ~ *down* many of our fellow countrymen. 그 전염병으로 인해 우리 동포가 많이 목숨을 잃었다. (2) (길이·치수 따위를) 줄이다, 작게 하다 ; (비용을) 삭감하다 ; (값을) 깎아내리다 : We must ~ *down* our social expenses. 교제비를 줄이지 않으면 안된다 / ~ *down* smoking 담배를 줄이다.
cut down on (수량 따위를) 줄이다 : ~ *down on* air pollution 대기 오염을 줄이다.
cut in (*vi.*) (1) 끼어들다, 간섭하다, 말을 가로막다(interrupt) ; (자동차 따위가) 앞으로 끼어들다 ; (무도회에서) 다른 사람과 춤추는 여자를 가로채다. (2) (집단에) 들어가다.
cut into …에 끼어들다, (남의 이야기)를 가로막다(break into).
cut it fat 지나치게 하다, 자랑스럽게 남에게 보이다.
cut it fine 《口》 (1) (시간·돈 따위를) 바짝 줄이다[어림하다]. (2) 간신히 맞추다.
cut loose ☞ LOOSE.
cut off (1) (…의 끝을) 잘라내다 : He ~ *off* a small piece of meat and gave it to the dog. 그는 고기를 한 조각 잘라서 개에게 주었다. (2) 중단하다, 끊다 ; (통화·연락 따위를) 차단(遮斷)하다, 가로막다 : ~ *off* the gas[electricity] supply 가스[전기] 공급을 차단하다 / They lived on the island, ~ *off from* the world. 그들은 세상과 단절된 채 섬에 살았다 / I was ~ *off* while talking by telephone. (전화) 통화중에 끊겨버렸다. (3) 인연을 끊다(disinherit) : His father ~ him *off* with a shilling. 그의 아버지는 유산으로 돈 한 푼 안주고 그와 의절했다. (4) (병 따위가) 돌연 …의 생명을 앗아가다, 요절하게 하다 : He was ~ *off* in the prime of manhood. 그는 남자로서 한창 때 쓰러졌다[죽었다].
cut on 《口》 서둘러 가다(hurry on).
cut out (1) 베어내다 ; 《美》 (가축 한 마리를) 무리 가운데서 떼어놓다 : Don't ~ anything *out of* the newspapers. 신문에서 아무것도 오려내지 마. (2) 《口》 약하다, 생략하다(leave out) : We shall ~ *out* unimportant details. 중요하지 않은 사소한 것은 생략합시다. (3) 《口》 그만두다 ; (기관의) 운전을 정지하다, 사용불능하게 하다 : *C*~ it *out*! 그만둬!, 입 다물어! / You must ~ *out* all starchy foods. 녹말성이 있는 음식물은 먹지 말도록 하시오 / The trainer landed with one engine ~ *out*. 연습 비행기는 한쪽 엔진이 멎은 채로 착륙하였다. (4) (길을) 내다 ; (의복을) 재단하다. (5) [*p.p.*로] (일·사람을) 예정하다, 할당하다 : have one's work ~ *out* for one ☞ WORK 숙어 / He has *been* ~ *out for* the job. 그는 그 일에 적임자다[적합하다]. (6) (상대를) 제쳐놓다, 이기다 ; (앞차를 앞지르기 위하여) 좌[우]로 나가 (전방에서 오는 자동차를) 방해하다 ; 〖海軍〗 (방어·탈출의 방법을 끊고) (적선을) 나포하다 : He managed to ~ *out* all the rivals for her affections. 그는 모든 경쟁자를 물리치고 그녀의 사랑을 독차지했다.
cut short ☞ SHORT.
cut. . . to [***in***, ***into***] ***pieces*** …을 갈기갈기 찢다[찢어버리다] ; (적을) 쳐부수다, 괴멸(壞滅)시키다 ; 혹평하다.
cut up (1) (고기 따위를) 잘게 썰다 ; 분할하다 ; (적군을) 괴멸시키다. (2) 《口》 심하게 헐뜯다 ; [보통 수동태로] 매우 슬퍼하게 하다, …의 기분을 상하게 하다 : She *was* badly ~ *up* by the illness of her husband. 그녀는 남편의 병 때문에 몹시 슬퍼하고 있었다. (3) (*vi.*) 《美俗》 장난치다 ; 뽐내다(show off). (4) (*vi.*) 재단되다, 끊을 수 있다 : How many suits will this piece of

cloth ~ *up into*? 이 옷감으로는 몇 벌의 옷을 마를 수 있겠습니까.
cut up rough 《口》 성내다, 난폭하게 굴다.
cut up well [***fat***] (고기가 부피가 커서) 잘라 냄직하다 ; 《口》 (사람이) 많은 재산을 남기고 죽다.
── *a.* **1** 벤, 벤 상처가 있는. **2** 잘라 낸[낸], 잘게 썬 : ~ flowers 꺾은 꽃. **3** 짧게 자른, 잘게 썬 : ~ tobacco 잎담배. **4** 깎고 닦은 ; (눈·코가) 또렷한 : ☞ CUT GLASS. **5** 줄인, 삭감한 : ~ prices 할인가격, 특가 / (at) ~ rates 《美》 할인(으로).
── *n.* **1** 자르기 ; 절단 ; 일격(一擊) ; 〖펜싱〗 내리치기, 한 번 치기(cf. THRUST *n.*) ; (매 따위의) 심한 매질 ; 무정한 처사 ; 신랄한 비꼼 <*at*>. **2** (각본 따위의) 삭제, 컷 ; 삭감, 에누리, 할인, 감가(減價) <*in*>, 임금 인하. **3** 벤 자리(gash), 벤 상처 <*in*> ; 벤 금 ; 새김 눈(notch). **4** 횡단도로 ; 지름길(=short cut) ; 《美》 개착(開鑿), 굴착(掘鑿)(=《英》 cutting). **5** 〖劇〗 무대의 홈《배경을 올리고 내린다》. **6** 벤 조각, (특히) 고기 살점, 베어낸 살(slice) <*from*> ; 《美》 =JOINT 5. **7** (의복의) 재단법, (머리의) 깎는 법, 형, 모양(shape, style). **8** 목판화, 컷(=woodcut) (cf. PLATE *n.* 5). **9** 《口》 (남을) 고의로 피하는 것, 모른 체 하는 것 ; (수업 따위를) 빼먹기, 무단결석. **10** 〖카드놀이〗 패를 떼기 ; 패 떼는 차례 ; 떼어서 나온 패. **11** 〖테니스·크리켓〗 공을 깎아치기. **12** 《美口》 (벌이·약탈품 따위의) 몫, 배당(share). **13** (각본·필름 따위의) 삭제, 컷.
a cut above 《口》 …보다 한 수[층] 높은, …의 한 장 위 ; …을 더럽게 여기는 것.
draw cuts (짧고 긴 막대기·볏짚으로) 제비를 뽑다.
give a person ***the cut direct*** (남과 얼굴을 맞대면서도) 전혀 모르는 체하다.
have [***take***] ***a cut*** 《美》 고기 한 조각으로 식사를 때우다, 간단한 식사를 하다(cf. 6).
the cut of one***'s jib*** [***rig***] 《美》 풍채(風采), 몸차림.
〚ME *cutte, kitte, kette*<OE 《美》 *cyttan*<? Scand. ; cf. Norw. *kutte* to cut, Icel. *kuti* small knife〛
類義語 ***cut*** 자르다란 뜻의 일반적인 말 : *cut* some branches(약간의 가지를 치다). ***chop*** 도끼·식칼 따위로 쳐서 자르다 : *chop* the wood with an ax (도끼로 나무를 패다). ***hack*** 난폭하게 cut 혹은 chop하다.

cùt-and-cóme-agáin *n.* U,C **1** (고기 따위를) 몇 번이고 먹고 싶은 만큼 베어 먹는 일 ; 무진장, 풍부함. **2** 〖植〗 겨자과(科)의 1년생초인 케일의 일종. ── *a.* 마음껏 먹는, 풍부한.
cút-and-dríed, -drý *a.* (연설·계획 따위가) 미리 준비된 대로의 ; 신선미 없는, 무미건조한 ; 활기 없는 ; 틀에 박힌, 평범한.
cút-and-páste *a.* 풀과 가위로 만든[편집한], 스크랩하여 편집한.
cút and thrúst *n.* (펜싱 따위에서) 칼로 베고 찌르기 ; 열띤 논의, 활발한 의론(의 주고받기).
cu·ta·ne·ous [kju(:)téiniəs] *a.* 피부의 ; 피부를 상하게 하는. 〚L ; ⇨ CUTIS〛
cút·awày *a.* (웃옷의 앞자락을 허리 언저리에서) 비스듬히 재단한. ── *n.* =CUTAWAY COAT ; 〖映·TV〗 장면 전환.
cútaway cóat *n.* 모닝 코트(morning coat).
cút·bàck *n.* **1** (생산 따위의) 축소(縮小), 삭감 : Many factories have made ~*s.* 생산을 축소하고 있는 공장이 많다. **2** 〖映〗 컷백《한 장면에서 다른 장면으로 옮겼다가 다시 원장면으로 돌아가기 ; cf. FLASHBACK》. **3** 〖園藝〗 가지치기, 가지를 친 과수(果樹). **4** 〖美蹴〗 컷백.
cut·cha [kʌ́tʃə] *a.* 《인도》 빈약한, 임시 변통의 ; (벽돌 따위를) 햇볕에 말린.
cút·dòwn *n.* 저하, 삭감(reduction), 축소, 단축 ; 〖醫〗 (catheter의 삽입을 위한) 정맥 절개.
***cute** [kjú:t] *a.* **1** 《美口》 (아이·물건 따위가) 예쁜, 귀여운(pretty, dainty) (cf. CUNNING *a.* 4). **2** 《口》 [+*of*+名+*to* do] 영리한, 약삭 빠른(clever), 기민한(shrewd) : It was ~ *of* the boy *to* bring it to me. 그것을 내게 가져다 주다니 그 아이는 영리했다. ── *n.* [the ~s] 깜찍한[건방진] 행동. **~·ly** *adv.* 《口》 귀엽게 ; 약삭 빠르게, 기민하게. **~·ness** *n.*
〚a*cute*〛
cute·sy, -sie [kjú:tsi] *a.* 《美口》 귀엽게 치장한, 태깔스러운.
cutey ☞ CUTIE.
cút gláss *n.* U 컷글라스《조탁(彫琢) 세공 유리(그릇)》.
cút-gràss *n.* 잎 가장자리가 톱니 모양으로 된 풀.
Cuth·bert [kʌ́θbərt] *n.* **1** 남자 이름《애칭 Cuddie》. **2** 《英俗》 (특히 제1차 세계 대전 때 공직을 구실삼은) 징병 기피자.
〚OE=famous+bright〛
cu·ti·cle [kjú:tikəl] *n.* **1** 〖解·動〗 큐티클, 표피(epidermis) ; (손톱 뿌리를 덮은) 엷은 피부. **2** 〖植〗 표피, 외피. **cu·tíc·u·lar** *a.* 표피[상피]의. 〚L (dim.) ‹CUTIS〛
cu·tic·u·la [kju:tíkjələ] *n.* (*pl.* **-lae** [-lì:]) = CUTICLE.
cut·ie, cut·ey [kjú:ti] *n.* **1** 《美口》 《호칭》 귀여운 소녀. **2** 《俗》 상대의 의표를 찌르려는 사람[선수], 모사(謀士) ; 아는 체하는[건방진] 놈 ; 《俗》 교묘한 작전 ; 책략 : He pulled a ~. 그는 교묘한 술책을 부렸다.
〚CUTE, *-ie*〛
cu·tin [kjú:tn] *n.* 〖生化〗 각피소(角皮素), 큐틴질. **cútin·ìze** *vi., vt.* 큐틴화하다.
cút-ìn *a.* 삽입된 ; 짜 넣은 ; 끼어드는. ── *n.* **1** 〖印〗 (삽화·표제를) 맞춰넣기. **2** 〖映〗 삽입 자막. **3** 〖放送〗 삽입 광고.
cu·tis [kjú:təs] *n.* (*pl.* **~·es, -tes** [-ti:z]) 〖解〗 피부, (특히) 진피(眞皮). 〚L=skin〛
cut·lass, -las [kʌ́tləs] *n.* (주로 선원이 사용한 휘어지고 폭이 넓은) 단검(短劍).
〚F<L *cultellus* (dim.) ‹COULTER〛
cut·ler [kʌ́tlər] *n.* 날붙이 장인(匠人), 칼장수.
〚OF (L (dim.) ‹COULTER)〛
cut·lery [kʌ́tləri] *n.* U 날붙이 ; 식탁용 쇠붙이《나이프·포크·스푼 따위》 ; 칼 제조업자.
cut·let [kʌ́tlət] *n.* **1** 커틀릿《기름에 튀긴 것, 불에 구운 것, 가루를 묻힌 것과 그렇지 않은 것이 있음》 ; (커틀릿용의) 얇게 저민 고기 : a veal [pork] ~ 송아지고기[돼지고기] 커틀릿. **2** (다진 고기나 생선 살 따위의) 커틀릿 모양의 크로켓.
〚F (dim.) ‹COSTA〛
cút·lìne *n.* (신문·잡지의 사진 따위의) 설명 문구, 캡션(caption).
cút móney *n.* 《美》 분할 화폐《18-19 세기에 미국의 일부·서인도에서 스페인 화폐를 조각내어 잔돈으로 대용했음》.
cút nàil *n.* 대가리 없는 못.
cút·òff *n.* **1** 절단, 차단, 중단 ; 분리, 구별 <*between*> ; 〖機〗 (증기 따위의 흐름을 막는) 차단 장치 ; 〖樂〗 휴지. **2** 차단시킨 것 ; 《美》 지름길 ;

(고속도로의) 출구. **3** (신청의) 마감(일), (회계상의) 결산일. ── *a.* 차단한 ; 구분의 : the ~ point 분할점.

cút-òff-blòck *n.* 〔美蹴〕 컷오프블록《플레이의 진행 방향이 아닌 곳에서 수비측 선수와 볼캐리어 사이에 위치하여 상대의 추격을 막음》.

cútoff frèquency *n.* 〔電〕 차단 주파수.

cu·tor [kjúːtər] *n.* 《美俗》 검찰관.

cút·òut *n.* **1** 차단(遮斷). **2** [보통 *pl.*] 도려내기[잘라내기] 세공(appliqué) ; [*pl.*] 장난감의 오려내는 그림. **3** (각본·영화 필름의) 삭제 부분. **4** 〔電〕 컷아웃, 안전기(安全器) ; (자동차 기관부의) 전환(장치).

cút·òver *a., n.* 나무를 벌채한 (땅).

cút-prìce *a.* 에누리한, 특가의, (값이) 싼 : ~ goods 특가품.

cút-price sále *n.* 염가 대매출.

cút·pùrse *n.* 소매치기(pickpocket).

cút ráte *n.* 할인 가격[운임·요금], 특가.

cút-ráte *a.* 할인한, 염가 판매의.

cút stòne *n.* (석공의) 곱게 다듬은 돌.

cút·ter *n.* **1** 자르는 사람[것], 재단사, 벌목공 ; 조각가 ; 〔映〕 필름 편집자. **2** 베는 도구, 재[절]단기, (공구의) 날, 커터 ; 〔解〕 앞니(incisor). **3** 《美·Can.》 말이 끄는 소형 썰매《1-2인승》. **4** 〔海〕 커터《군함용 소정(小艇)》 ; 외돛대의 소형 범선의 일종 ; 《美》 (밀수 감시·연안 경비용(用)의) 감시선(監視船).

cútter-lìd *n.* (통조림의) 따개가 붙은 뚜껑.

cút·thròat *n.* 살인자(murderer).
── *a.* 살인의 ; 흉포한(cruel) ; 격렬한(keen), 파괴적인.

cút·ting *n.* **1** U.C 절단 ; 재단 ; 잘라[도려]내기 ; 벌채. **2** (꺾꽂이용의) 꺾꽂이순 : take a ~ 접목하다. **3** 잘라낸 조각 ; 《英》 오려낸 것(=《美》 clipping). **4** 《英》 =CUT *n.* 4. **5** U.C 《口》 떨이[싸구려]로 팔기, 할인. **6** U.C 깎고 갈아서 하는 가공. **7** U.C 〔映〕 필름 편집. ── *a.* (칼 따위가) 예리한, (눈 따위가) 날카로운(sharp) ; (바람 따위가) 살을 에는 듯한 ; 통렬한, 비꼬는 : a ~ remark 신랄한 말. **~·ly** *adv.* 살을 에는 듯이, 날카롭게 ; 비꼬아서.

cútting dìamond *n.* 유리칼.

cútting plìers *n. pl.* [때때로 단수 취급] 절단 플라이어.

cútting ròom *n.* (필름·테이프의) 편집실.

cut·tle [kʌ́tl] *n.* =CUTTLEFISH ; =CUTTLEBONE. 〚OE *cudele* ; cf. *cod* bag, 「먹물주머니」〛

cúttle·bòne *n.* 오징어의 뼈.

cúttle·fìsh *n.* 〔動〕 참오징어 ; (흔히) 오징어.

cut·ty [kʌ́ti] *a.* 《北英》 짧게 자른, 짧은. ── *n.* 짧은 숟가락(=∠ **spòon**) ; (사기로 만든) 파이프(=∠ **pìpe**) ; 개구쟁이[땅딸막한] 소녀 ; 타락한 여자, 말괄량이 ; (흑인 사이에서) 친구, 벗.

cútty sárk *n.* **1** 《스코》 짧은 여성복《여성용 셔츠, 스커트, 슬립 따위》 ; 《스코》 닳고 닳은 여자. **2** [C~ S~] 커티 사크《(1) R. Burns의 이야기시 *Tam o' Shanter*에 나오는 마녀. (2) 스카치위스키의 한 종류 ; 상표명》.

cútty stòol *n.* 형벌대(臺)《옛날 스코틀랜드에서 부정한 아내를 벌줄 때 앉힌 의자》 ; 낮은 의자.

cút·ùp *n.* 《美俗》 장난 꾸러기, 개구쟁이 ; 자만하는 사람.

cút·wàter *n.* (이물의) 물결 헤치는 부분 ; (교각의) 물이 갈라지는 모난 부분.

cút·wòrk *n.* U 오려내기 자수(刺繡).

cút·wòrm *n.* 뿌리를 잘라 먹는 벌레.

cu. yd. cubic yard(s). **C.V.** Common Version (of the Bible). **cv.** convertible. **c.v.** curriculum vitae. **CVA** 〔醫〕 cerebrovascular accident(뇌(腦)졸중). **CVD** chemical vapor deposition(화학적 기상(氣相) 성장법). **CVI** 〔醫〕 common variable immunodeficiency《항체의 수가 감소한 상태》. **C.V.O.** Commander of the Royal Victorian Order(빅토리아 상급 훈작사(士)). **CVR** 〔空〕 Cockpit Voice Recorder (조종실 음성 기록장치). **CVS** computer-controlled vehicle system《컴퓨터 제어에 의한 무인 조정의 새로운 도시내 교통 시스템》 ; convenience store. **CVT** continuously variable transmission《새 자동차 변속 장치의 일종》. **cvt.** convertible.

CW [síːdʌ́bəljùː] *n.* 《口》 =MORSE CODE. 〚*c*ontinuous *w*ave〛

CW, C.W. chemical warfare ; Chief Warrant Officer ; continuous wave(s). **cw.** clockwise. **CWA** Communication Workers of America(미국 통신업 노동 조합). **CWAC** Canadian Women's Army Corps. **Cwlth., C'wealth** Commonwealth.

cwm [kúːm] *n.* 〔地〕 =CIRQUE ; 《英》 =COMBE. 〚Welsh〛

CWO, C.W.O. Chief Warrant Officer. **c.w.o.** cash with order. **CWS** Chemical Warfare Service ; Cooperative Wholesale Society. **cwt.** hundredweight.

-cy [si] *n. suf.* [명사·형용사와 결합하고 주로 불가산 명사를 만듦] (1) 「직(職)·지위·신분」의 뜻 : captain*cy*. (2) 「성질·상태」의 뜻 : bankrupt*cy*. (3) 「행위·작용」의 뜻 : pira*cy*, prophe*cy*. (4) 「집단·계급」의 뜻 : aristocra*cy*. ㊟ 대개 -t, -te, -tic, -nt로 끝나는 형용사에 붙음. 〚L, Gk.〛

CY 〔貿易〕 container yard《컨테이너 새시의 수도(受渡) 보관소》. **Cy.** County. **cy.** capacity ; currency. **cy, cy.** 〔컴퓨〕 cycle(s).

cy·an [sáiæn, -ən] *n., a.* 청록(색의).

cy·an- [sáiən, saiǽn], **cy·ano-** [sáiənou, saiǽnou, -nə] *comb. form* 「남빛」 「시안(화물)」의 뜻. 〚Gk. (*kuanos* dark blue mineral)〛

cy·an·a·mide [saiǽnəməd, -màid ; -màid], **-mid** [-məd] *n.* U 〔化〕 시안아미드.

cy·a·nate [sáiənèit, -nət] *n.* 〔化〕 시안산염(酸鹽)[에스테르].

cy·an·ic [saiǽnik] *a.* 〔化〕 시안의[을 함유하는] ; 〔植〕 청색의 : ~ acid 시안산(酸).

cy·a·nide [sáiənàid, -nəd] *n.* 〔化〕 시안화물(化物). ── [-nàid] *vt.* 〔冶〕 시안으로 처리하다.

cýanide pròcess *n.* 〔製錬〕 시안화법.

cy·a·nine [sáiənìːn, -nən] *n.* U 〔化〕 시아닌, 청색소(靑色素).

cy·a·nite [sáiənàit] *n.* U 〔鑛〕 남정석(藍晶石).

cy·a·nize [sáiənàiz] *vt.* (공중(空中) 질소를) 시안화하다[고정시키다].

cyano- ☞ CYAN-.

cỳano·acétylene *n.* U 시아노아세틸렌《가스상(狀) 성운(星雲) 속에서 발견된 유기(有機) 물질》.

cỳano·bactérium *n.* 시아노박테리아《청록색 세균문(門)의 세균》.

cy·ano·gen [saiǽnədʒən] *n.* U 〔化〕 시아노겐《유독가스》. 〚F〛

cy·a·nom·e·ter [sàiənɑ́mətər] *n.* (하늘의 푸르름을 재는) 시안계(計), 시아노미터.

cy·a·no·sis [sàiənóusəs] *n.* (*pl.* **-ses** [-siːz]) U 〔醫〕 치아노제《산소 결핍으로 혈액이 암자색으로

변하는 것). 〖NL<Gk.=blueness; ⇨ CYAN-〗
cỳ·a·nót·ic [-nát-] *a.* 〔醫〕 치아노제의.
cy·ano·type [saiǽnətàip] *n.* 청사진(법).
Cyb·e·le [síbəlìː] *n.* 〔그神〕 퀴벨레《Phrygia의 대지의 여신; the Great Mother로 불리어지며 곡식의 결실을 상징함; cf. RHEA》.
cý·ber·cùlture [sáibər-] *n.* 사이버네이션 문화.
cỳ·ber·cúltural *a.* 〖*cyber*netics+*culture*〗
cy·ber·nate [sáibərnèit] *vt.* (공정(工程)을) 컴퓨터로 자동 조절하다.
cy·ber·na·tion [sàibərnéiʃən] *n.* Ⓤ 컴퓨터에 의한 자동화.
cy·ber·net·ic, -i·cal [sàibərnétik(əl)] *a.* 인공두뇌학의.
cỳ·ber·nét·i·cist [-nétəsəst], **-ne·tí·cian** [-nətíʃən] *n.* =CYBERNETIST.
cỳ·ber·nét·ics *n.* Ⓤ 사이버네틱스, 인공 두뇌학《제어와 통신을 다루는 학문, 특히 생물체의 통신·제어기구와 전자기구의 공통 원리를 규명하는 학문》. 〖Gk. *kubernētēs* steersman〗
cy·ber·net·ist [sàibərnétəst] *n.* 인공 두뇌학자, 사이버네틱스 전문가.
cỳ·ber·phóbia [sàibər-] *n.* 컴퓨터 공포증[알레르기].
Cý·ber·plùs [sáibər-] *n.* 사이버플러스《멀티프로세서의 일종; 상표명》.
cý·ber·pùnk [sáibər-] *n.* 공상과학 소설; 컴퓨터광(狂).
cý·ber·spàce [sáibər-] *n.* 〔컴퓨〕 가상현실; 컴퓨터 통신망; 가상 사회.
cý·ber·spòrt [sáibər-] *n.* 전자[컴퓨터] 게임, 비디오 게임.
cy·borg [sáibɔːrg] *n.* 사이보그《우주 공간처럼 특수한 환경에서도 살 수 있게 생리기능의 일부가 기계로 대치된 인간·생물체》.
〖*cyb*ernetic+*org*anism〗
cyc., cyclo. cyclopedia; cyclopedic.
cy·cad [sáikæd, -kəd] *n.* 〔植〕 소철류(類).
cy·cl- [sáikl-], **cy·clo-** [sáiklou, sík-, -klə] *comb. form* 「원」「고리」「주기」「회전」「고리식(式)」「모양체」의 뜻. 〖Gk.; ⇨ CYCLE〗
cy·cla·mate [sáikləmèit, -mət, sík-] *n.* 시클라메이트《무영양의 인공 감미료》.
cyc·la·men [síkləmən, sáik-, -mèn] *n.* 〔植〕 시클라멘. ── *a.* 진한 적자색의. 〖L<Gk. (? *kuklos* circle; 그 구근(球根)에서 인가)〗
***cy·cle** [sáikəl] *n.* **1** 순환(기); 주기; 〔數〕 순환; 〔電〕 사이클, 주파: the ~ theory 〔經〕 경기순환설 / ☞ SOLAR CYCLE / move in a ~ 주기적으로 순환하다. **2** 한 시대, 긴 세월. **3** 일단, 한 무리, 전체; (특히) 일련의 사시(史詩)[전설]《따위》: the Arthurian ~ 아서왕 전설 전집 / the Trojan ~ 트로이 전쟁사 시대계(詩大系). **4** [, síkəl] 자전거(bicycle), 삼륜차(tricycle), 모터사이클. **5** 〔理〕 순환 과정, 사이클; 〔컴퓨〕 사이클《(1) 같은 순서로 반복하는 일련의 연산. (2) 일련의 명령을 실행하는 소요시간》; 〔天〕 (천체의) 궤도; 〔化〕 (원자의) 고리. ── *vi.* **1** 순환하다, 회귀(回歸)하다, 주기를 이루다. **2** [, síkəl] 자전거《따위》를 타다(cf. BICYCLE *vi.*), 자전거 여행을 하다.
── *vt.* 순환시키다.
〖OF or L<Gk. *kuklos* circle〗
cýcle·càr *n.* 소형 자동차《삼륜 또는 사륜》.
cýcle crùnch *n.* 《해커俗》 (컴퓨터의) 사이클 부족(不足).
cýcle dròught *n.* 《해커俗》 (컴퓨터의) 사이클 결핍.
cýcle of erósion *n.* (지형의) 침식 윤회.
cý·cler *n.* 《美》 =CYCLIST.
cýcle tíme *n.* 〔컴퓨〕 사이클 타임《기억 장치의 읽는 속도》.
cýcle·tràck, cýcle·wày *n.* 자전거 길.
cy·clic, -cli·cal [sáiklik(əl), sík-] *a.* **1** 순환(기)의; 주기적인(cf. SECULAR 2); 〔化〕 고리식의, 고리 모양의; 〔數〕 원의. **2** [cyclic] (어떤 무리의) 사시(史詩)[전설]의.
cýclic adénosine monophósphate *n.* = CYCLIC AMP.
cýclical plót *n.* 〔劇〕 순환 플롯《플롯이 일관되지 않고 사건의 반복·재현의 형식을 취하는 것》.
cyclic AMP [ˊ- éièmpíː] *n.* 〔生體〕 사이클릭[고리 모양] AMP《동물의 호르몬의 작용 발현(發現)을 중개하는 물질》.
cýclic chórus *n.* 〔古그〕 윤무창(唱)《Dionysus 제단 둘레를 돌며 춤추면서 하는 합창》.
cýclic flówer *n.* 〔植〕 윤생화(輪生花).
cýclic photophosphorylátion *n.* 〔生化〕 순환적 광인산화(光燐酸化).
cýclic póets *n. pl.* 호머에 이어서 트로이 전쟁을 읊은 시인들.
cy·cling [sáikliŋ, sík-] *n.* Ⓤ 자전거 타기[여행], 사이클링: a ~ race 자전거 경기.

〈회화〉
Let's go *cycling.* — Sure. Where would you like to go? 「자전거 타러 가자」「좋아. 어디로 갈건데」

cy·clist [sáikləst, sík-] *n.* 자전거를 타는 사람[선수], 자전거로 여행하는 사람.
cy·clo [sí(ː)klou, sái-] *n.* (*pl.* **~s**) 삼륜 택시.
cyclo- [sáiklou, -klə] ☞ CYCL-.
cýclo-cróss *n.* 크로스컨트리 자전거 경주.
cýclo·dròme *n.* 경륜장(競輪場).
cýclo·gràph *n.* **1** 원호기(圓弧器). **2** 파노라마 사진기. **3** 금속 경도 측정기.
cỳclo·héxane *n.* Ⓤ 〔化〕 시클로헥산《용매(溶媒)·유기 합성용》.
cy·cloid [sáiklɔid] *n.* 〔數〕 사이클로이드. ── *a.* 원형(圓形)의.
cy·clói·dal *a.* 〔數〕 사이클로이드의.
cy·clom·e·ter [saiklámətər] *n.* 원호 측정기(圓弧測定器); 차륜 회전 기록기, (자전거 따위의) 주행 거리계.
cy·clone [sáikloun] *n.* **1** 〔氣〕 사이클론, 저기압《남반구에서는 바람이 우로 북반구에서는 좌로 선회하면서 이동함; ↔*anticyclone*》. ㊟ 온대 저기압과 열대 저기압의 2종류가 있으며 전자에 의한 바람을 「선풍(旋風)」이라고 하고, 열대 저기압(tropical ~)은 폭풍우를 몰고 오는 경우가 많으며, 멕시코 만 방면의 것은 hurricane, 중국해 방면은 typhoon, 인도양 방면은 그저 cyclone이라 일컬어짐. **2** 《俗》 대폭풍(violent windstorm); 《美》 큰 회오리바람(tornado).
cy·clon·ic, -i·cal [saiklánik(əl)] *a.*
〖? Gk. *kuklōma* wheel, coil of snake‹CYCLE〗
cýclone cèllar *n.* 《美》 대폭풍[큰 회오리바람] 대피호(壕)[피난용 지하실].
cy·clo·nite [sáiklənàit, sík-] *n.* 사이클로나이트《고성능 폭약》.
cy·clo·pe·an, -pi- [sàikləpíːən, saiklóupiən] *a.* [때때로 C~] CYCLOPS의; 거대한; 거석(巨石)을 쌓는 식의; 외눈박이의.
cyclopéan percéption *n.* 〔醫〕 편시야 지각.
cy·clo·pe·dia, -pae- [sàikləpíːdiə] *n.* 백과 사

전(encyclopedia). **-dic** [-dik] *a.* 백과 사전의; (지식이) 광범위한.

cỳclo·phós·pha·mide [-fásfəmàid] *n.* 〖藥〗 시클로포스파미드《악성 림프샘종·백혈병 치료제》.

cy·clo·pousse [sì:kloupú:s] *n.* 삼륜 택시. 〚F (*pousse* push, rickshaw)〛

cỳclo·própane *n.* 〖化〗 시클로프로판《흡입 마취약(藥)》.

Cy·clops [sáiklɑps] *n.* **1** (*pl.* **Cy·clo·pes** [saiklóupi:z]) 〖그神〗 키클롭스《Sicily에 살았던 것으로 전해진 외눈박이 거인》. **2** (*pl.* ~) [c~] 외눈박이. 〚L<Gk. (CYCLE, *ōps* eye)〛

cy·clo·ra·ma [sàiklərǽmə, -rá:mə; -rá:mə] *n.* **1** 원형 파노라마. **2** 〖劇〗 파노라마식(式) 배경막(幕). **-ram·ic** [-rǽmik] *a.*

cy·clo·sis [saiklóusəs] *n.* 〖生〗 (세포내에서의) 원형질 환류(環流).

cy·clo·spo·rine [sàikləspɔ́:rən, -ri:n] *n.* 〖藥〗 시클로스포린《장기 이식때의 거부 반응 방지약》.

cy·clo·stome [sáikləstòum, sík-] *a., n.* 둥근 입을 가진, 원구류(圓口類)의 (물고기).

cy·clo·style [sáikləstàil] *n.* 사이클로스타일《끝에 작은 톱니바퀴가 달린 펜을 쓰는 등사기》. —— *vt.* 사이클로스타일로 인쇄하다. 〚STYLE〛

cy·clo·thyme [sáikləθàim, sík-] *n.* 순환기질(循環氣質) 환자.

cy·clo·thy·mia [sàikləθáimiə, sìk-] *n.* Ⓤ 〖醫〗 순환기질.

cy·clo·tron [sáiklətrɑ̀n, sík-] *n.* 〖理〗 사이클로트론《이온 가속기의 일종; 원자핵 파괴 장치에 사용됨; cf. BETATRON, SYNCHROTRON》. 〚*-tron*〛

cy·der [sáidər] *n.* 《英》 =CIDER.

cy·e·sis [saií:səs] *n.* (*pl.* **-ses** [-si:z]) 임신.

cyg·net [sígnət] *n.* 고니[백조]의 새끼. 〚AF (dim.) <OF (↓)〛

Cyg·nus [sígnəs] *n.* **1** [the ~] 〖動〗 고니속(屬). **2** 〖天〗 백조자리(the Swan). 〚L=swan<Gk.〛

cyl. cylinder; cylindrical.

***cyl·in·der** [síləndər] *n.* **1** 〖幾〗 원기둥, 기둥면(面). **2** 원통. **3** (펌프·엔진의) 실린더, 기통; 《英》 온수 탱크; (회전식 권총의) 탄창(cf. REVOLVER). **4** 〖考古〗 원통형 인장. —— *vt.* …에 실린더를 설비하다; 실린더 작용을 받게 하다. 〚L *cylindrus*<Gk. (*kulindō* to roll)〛

cýl·in·dered *a.* 실린더가 있는; [복합어를 이루어] (…개의) 실린더가 부착된, …기통(汽筒)의: a six-~ car 6기통 차.

cýlinder escàpement *n.* (시계의) 역회전 방지 장치.

cýlinder glàss *n.* 판(板)유리.

cýlinder prèss *n.* 〖印〗 원압(圓壓) 인쇄기.

cy·lin·dric, -dri·cal [səlíndrik(əl)] *a.* 원통 모양의, 원기둥 모양의. **-cal·ly** *adv.*

cylíndrical projéction *n.* 〖地圖〗 원통 도법.

cyl·in·droid [síləndrɔ̀id] *n.* 〖數〗 곡선기둥, 타원기둥. —— *a.* 원기둥[원통]형의.

cym- [sáim], **cy·mo-** [sáimou, -mə] *comb. form* 「물결」「집산(集散) 꽃차례」의 뜻. 〚Gk.; ⇨ CYMA, CYME〛

Cym. Cymric.

cy·ma [sáimə] *n.* (*pl.* **cy·mae** [sáimi:], **~s**) 〖建〗 물결 모양으로 판 무늬, 반곡선(反曲線); 〖植〗 =CYME. 〚L<Gk. *kuma* wave〛

cy·mar [səmá:r] *n.* 17-8세기에 유행한 여성용의 가볍고 품이 넉넉한 옷.

cy·ma·tium [siméiʃiəm, -tiəm] *n.* (*pl.* **-tia** [-ʃiə, -tiə]) 〖建〗 반곡(反曲). 〚L (Gk. *kuma* wave)〛

cym·bal [símbəl] *n.* [보통 *pl.*] 〖樂〗 심벌즈《타악기》. **~·ist** *n.* 심벌즈 연주자. 〚L<Gk. (*kumbē* cup)〛

cym·ba·lo [símbəlòu] *n.* (*pl.* **~s**) 쳄발로《망치로 줄을 치는 피아노 비슷한 악기》.

cým·bi·fòrm [símbə-] *a.* 〖動·植〗 보트 모양의.

cyme [sáim] *n.* 〖植〗 집산(集散) 꽃차례. 〚F *cime* summit<L CYMA〛

cymo- [sáimou, -mə] ☞ CYM-.

cýmo·gràph *n.* =KYMOGRAPH.

cýmo·scòpe *n.* 〖電〗 검파기.

cy·mose [sáimous, -z, -́], **-mous** [-məs] *a.* 〖植〗 집산 꽃차례의; 집산꼴의. 〚CYME〛

Cym·ric [kímrik] *a.* 웨일스인(人)의, 웨일스어(語)의(Welsh). —— *n.* Ⓤ 웨일스어(語).

Cym·ry [kímri] *n.* [집합적으로; the ~] 웨일스인(the Welsh).

cyn·ic [sínik] *n.* **1** 비꼬는 사람, 빈정대는 사람, 냉소자. **2** [C~] 견유학파(犬儒學派)의 사람; [the C~s] 퀴닉학파, 견유학파. —— *a.* **1** = CYNICAL. **2** [C~] 견유학파적인. 〚L<Gk. (*kun- kuōn* dog; 별명에서)〛

cýn·i·cal *a.* 비꼬는, 빈정대는, 냉소적인, 세상을 비웃는(sneering). **~·ly** *adv.*

cyn·i·cism [sínəsìzəm] *n.* **1** Ⓤ 냉소, 비꼬는 버릇; Ⓒ 비꼬는 말. **2** Ⓤ [C~] 견유철학, 퀴닉주의《기원전 4-5세기경 그리스에 일어난 철학의 일파; 금욕주의(禁慾主義); cf. CYNIC》.

cyno·ceph·a·lus [sìnouséfələs, sài-; sài-] *n.* 〖動〗 개코원숭이; (전설에 나오는) 개 머리를 한 사람.

cy·no·sure [sáinəʃùər, sín-; sínəzjùər, -ʃùər] *n.* **1 a)** 길잡이가 되는 물건, 지침, 목표. **b)** 만인의 주목[찬미]의 대상, 주목의 초점. **2** [the C~] 《古》 〖天〗 작은곰자리(the Little Bear); 북극성(polestar). 〚F or L<Gk.=dog's tail (*oura* tail)〛

Cyn·thia [sínθiə] *n.* 〖그神〗 킨티아《달의 여신 Artemis의 다른 이름》; 《詩》 달. 〚Gk.=(she) of Mount Cynthus; Artemis를 말함, Cynthus는 Delos섬의 산〛

CYO, C.Y.O. Catholic Youth Organization.

cypher ☞ CIPHER.

cy pres, cy-pres, cy·press [sí:préi, sái-] *n., a., adv.* 〖法〗 CY PRES DOCTRINE(에 의한[의하여]).

cý prés dòctrine *n.* 〖法〗 가급적 근사의 원칙《각종 사정에 따라 재산의 처분이 지정된 방법으로 실행되지 않을 경우 그것에 가장 가까운 방법을 채택한다는 형평법상의 해석》.

cy·press [sáiprəs] *n.* 〖植〗 편백과의 나무; Ⓒ 그 재목(材木); Ⓒ 《詩》 (애도의 상징으로서의) 편백나무(의 작은 가지): the Japanese ~ 〖植〗 노송나무. 〚OF<L<Gk.〛

Cyp·ri·an [sípriən] *a.* **1** 키프로스(Cyprus) 섬의; 키프로스 섬 사람[어]의. **2** 사랑의 여신 Venus (숭배)의. **3** 음란한. —— *n.* **1** 키프로스 섬 사람. **2** Venus의 숭배자. **3** 음란한 여자, (특히) 매춘부.

cy·pri·nid [səpráinəd, síprənəd] *a., n.* 〖魚〗 잉어과의 (물고기).

cyp·ri·noid [síprənɔ̀id, səpráinɔid] *n., a.* 〖魚〗 잉어류(의).

Cyp·ri·ot [sípriət], **Cyp·ri·ote** [sípriòut] *n.* Cyprus 사람[어]. —— *a.* =CYPRIAN.

cyp·ri·pe·di·um [sìprəpí:diəm] *n.* 〘植〙 개불알꽃 《난초과의 초본(草本)》.

cy·prot·er·one [saiprátəròun] *n.* 〘生化〙 시프로테론《웅성(雄性) 호르몬의 분비를 억제하는 합성 스테로이드》.

cypróterone ácetate *n.* 〘藥〙 시프로테론 아세테이트《남성 과잉 성욕 억제제》.

Cy·prus [sáiprəs] *n.* 키프로스《지중해 동부의 섬으로 된 공화국 ; 여신 Venus의 출생지라는 전설이 있음 ; 수도 Nicosia》.

Cyr·e·na·ic [sìrənéiik, sàiərə-] *a.* 북아프리카의 옛 나라 키레나이카의 ; 키레네의 ; 키레네 철학《쾌락 지상주의》의. —— *n.* 키레나이카[키레네] 사람 ; 키레네[쾌락]주의자.

Cyr·il [sírəl] *n.* **1** 남자 이름. **2** [Saint ~] 키릴로스《그리스의 전도자 ; 키릴 문자를 발명했다 함 ; 827-869》.
〚Gk.=lordly〛

Cy·ril·lic [səríIik] *a.* St. CYRIL의 ; 키릴 자모[문자]의. —— *n.* [the ~] 키릴 알파벳.
〚St. *Cyril* (↑)〛

Cyríllic álphabet *n.* [the ~] 키릴 알파벳《그리스 정교를 믿는 슬라브 민족의 자모(字母) ; 현 러시아 자모의 모체》.

cyrt- [sə́:rt], **cyr·to-** [sə́:rtou, -tə] *comb. form* 「구부러진」의 뜻. 〚Gk.〛

Cy·rus [sáiərəs] *n.* 키루스《기원전 6세기경의 페르시아 왕 ; 페르시아 제국 건설자》.
〚Pers.=throne〛

cyst [síst] *n.* **1** 〘動·植〙 포낭, 피낭(被囊) (bladder, sac). **2** 〘解〙 낭종(囊腫), 낭포(囊胞) : the urinary ~ 방광.
〚L<Gk. *kustis* bladder〛

cyst- [síst], **cys·ti-** [sístə], **cys·to-** [sístou, -tə] *comb. form* 「쓸개」「방광」「낭포, 포낭(cyst)」의 뜻. 〚(↑)〛

-cyst [sìst] *n. comb. form* 「낭(囊)」「포낭」의 뜻 : chole*cyst*. 〚NL (↑)〛

cys·te·ine [sístiì:n, -ən] *n.* 〘生化〙 시스테인《아미노산의 하나 ; 산화되어 cystine이 됨》.
cỳs·te·ín·ic *a.*

cysti- [sístə] ☞ CYST-.

cys·tic [sístik] *a.* **1** 포낭이 있는. **2** 〘醫〙 방광의 ; 쓸개의.

cys·ti·cer·coid [sìstəsə́:rkɔid] *n.* 〘動〙 의낭미충(擬囊尾蟲). —— *a.* 낭충(囊蟲)의.

cys·ti·cer·cus [sìstəsə́:rkəs] *n.* (*pl.* **-ci** [-sai]) 〘動〙 낭미충(囊尾蟲), 포충(胞蟲).

cýstic fibrósis *n.* 〘醫〙 낭포성 섬유증(纖維症).

cýsti·fòrm *a.* 낭포(囊胞) 모양의, 낭상(囊狀)[주머니 모양]의.

cys·tine [sísti:n, -tən] *n.* Ⓤ 시스틴《아미노산의 일종》.

cys·ti·tis [sistáitəs] *n.* (*pl.* **cys·tit·i·des** [sistítədì:z]) Ⓤ 방광염.

cysto- [sístou, -tə] ☞ CYST-.

cýsto·cèle *n.* Ⓤ 방광류(瘤).

cys·toid [sístɔid] *a.* 포낭[방광] 비슷한.
—— *n.* 낭종(囊腫) 꼴의 구조[조직].

cýsto·scòpe *n.* 방광경(鏡).

cys·tos·co·py [sistáskəpi] *n.* Ⓤ 〘醫〙 방광경 검사(법).

cys·tot·o·my [sistátəmi] *n.* Ⓤ 〘醫〙 방광[쓸개] 절개(술).

cyt- [sáit], **cy·to-** [sáitou, -tə] *comb. form* 「세포」「세포질」의 뜻.
〚Gk. *kutos* vessel〛

-cyte [sàit] *n. comb. form* 「세포」의 뜻 : leuko*cyte*.
〚Gk. ; ⇨ CYT-〛

Cyth·er·ea [sìθərí:ə] *n.* =APHRODITE.

cyto- [sáitou, -tə] ☞ CYT-.

cỳto·chémistry *n.* Ⓤ 세포 화학. **-chémical** *a.*

cýto·chròme *n.* Ⓤ 〘生化〙 시토크롬《동식물의 세포 안에서 호흡의 촉매 작용을 하는 물질》.

cytochrome c [´- sí:] *n.* [때때로 c~ C] 〘生化〙 시토크롬 c《가장 풍부하고 안정된 시토크롬》.

cýtochrome óxidase *n.* 〘生化〙 시토크롬 산화 효소《세포 호흡에 있어 자동 산화성을 갖는 효소》.

cỳto·ecólogy *n.* 〘生〙 세포 생태학.
-ecológical *a.*

cy·to·ki·nin [sàitəkáinən] *n.* 〘生化〙 시토키닌《식물의 세포분열·조직 분화 따위에 호르몬 비슷한 작용을 하는 천연 화합물》.

cytol. cytology.

cy·tol·o·gy [saitálədʒi] *n.* Ⓤ 세포학. **-gist** *n.*

cy·to·ly·sin [saitáləsən, sàitəlái-] *n.* 〘生〙 세포 용해소.

cy·tol·y·sis [saitáləsəs] *n.* Ⓤ 〘生〙 세포용해(溶解)[융해, 붕괴] (반응).

cỳto·mègalo·vírus *n.* 〘生〙 거(巨)세포[시토메갈로] 바이러스《사람·동물의 타액선에 특히 친화성을 지니며 여러 기관의 거대화 따위를 야기하는 헤르페스 바이러스》.

cỳto·mémbrane *n.* 〘生〙 세포막.

cỳto·morphólogy *n.* Ⓤ 〘生〙 세포 형태학.

cýto·plàsm *n.* 〘化〙 세포질. **-plásmic** *a.*

cy·to·sine [sáitəsì:n, -sən] *n.* Ⓤ 〘生化〙 시토신《핵산의 구성 물질 ; 기호 C》.

cỳto·státic *a.* 세포 증식 억제성의. —— *n.* 〘藥〙 세포 증식 억제제(劑)《특히 암치료에 사용》.
-ical·ly *adv.*

cỳto·taxónomy *n.* Ⓤ 〘生〙 세포 분류학 ; 세포핵의 구조.

cỳto·téch *n.* =CYTOTECHNOLOGIST.

cỳto·technólogist *n.* 〘醫〙 세포 검사 기사.

cỳto·technólogy *n.* 〘醫〙 세포 검사술.

CZ 〘美郵〙 Canal Zone. **C.Z.** Canal Zone(파나마 운하 지대).

czar [zá:r], **tsar, tzar** [zá:r, tsá:r] *n.* **1** 황제, [때때로 C~] 차르, 제정 러시아 황제. **2** 전제군주(autocrat) ; 독재자. **3** 제일인자, 권위, 대가 : a ~ of industry=an industrial ~ 공업왕.
〚Russ.<L *Caesar*〛

czar·das, csar·das [tʃá:rdæ:ʃ, -dɑ:ʃ] *n.* (*pl.* ~) 헝가리의 민속 무용(곡). 〚Hung.〛

czar·e·vitch, -wich [zá:rəvìtʃ] *n.* (제정 러시아의) 황태자. 〚Hung.〛

cza·rev·na [zɑ:révnə] *n.* (제정 러시아의) 황녀[황태자비(妃)].

cza·ri·na [zɑ:rí:nə] *n.* (제정 러시아의) 황후.

czár·ism *n.* Ⓤ (특히 러시아 황제의) 독재[전제] 정치.

czár·ist *n.* 전제[독재] 정치 지지자.
—— *a.* [C~] 러시아 제정(帝政)의 : *C*~ Russia 제정 러시아.

cza·rit·za [zɑ:rítsə] *n.* =CZARINA.

Czech [tʃék] *n.* 체코 사람《Bohemia와 Moravia에 사는 슬라브 민족》; Ⓤ 체코어.
—— *a.* 체코인의 ; 체코어의.
〚Bohemian *Cech*〛

Czéch·ish *a.* =CZECH.

Czer·ny [tʃérni, tʃə́:r- ; tʃə́:ni] *n.* 체르니. **Karl** ~ (1791-1857) 오스트리아의 피아니스트.

D

d, D [díː] *n.* (*pl.* **d's, ds, D's, Ds** [-z]) **1** 디《영어 알파벳의 네번째 글자》. **2** D자형(의 것) : a *D*-trap D자형 트랩《방취(防臭) 장치의 일종》. **3** 네번째(의 것) ; 《美》 D《학업 성적에서 C의 아래 ; 최저 합격 성적》 ; 최저의 것[작품] : He barely passed math with a *D*. 수학에 D를 맞고 간신히 합격했다. **4** 〔樂〕 라음, 라조(調). **5** (로마 숫자의) 500 : *CD*=400 / *DC*=600.

d— [díː, dǽm] ☞ DAMN.

d' [d] 《口》 do의 단축형.

'd [d] 《口》 **1** had, would, should의 단축형《보기 I'*d* [aid]》. **2** did의 단축형《보기 Where'*d* they go?》. **3** -ed의 단축형《어미가 모음일 때 : 보기 fee'*d*》.

-d *v. suf., a. suf.* ☞ -ED.

d- [diː, díː] *pref.* 〔化〕 「우선성(右旋性)의(dextrorotatory)」의 뜻 ; [보통 D-] 「특정 탄소 원자에서 우선성(右旋性) 글리세린 알데히드와 유사한 입체 배치를 보이는」의 뜻. 〖*d*extr-〗

D density ; deuterium ; diameter ; didymium. **D.** December ; Democrat(ic) ; *Deus* 《L》 (=God) ; Dutch. **d** deci- ; deuteron ; dyne. **d.** dated ; daughter ; day ; dead[died] ; degree ; dele ; denarius[denarii] ; density ; dime ; dividend ; dollar(s) ; dose.

da[1] [dáː] *n.* 《口·方》 =DAD.

da[2] *adv.* 다(yes) (↔*nyet*). 〖Russ.〗

DA, D.A., D/A, d.a. days after acceptance ; deposit account ; 〔商〕 documents for [against] acceptance(인수 인도). **da** deca-.

D.A., DA Defence Act ; deputy advocate ; 《美》 District Attorney ; Doctor of Arts ; documents against [for] acceptance ; don't[doesn't] answer ; duck('s) ass《헤어 스타일》. **D/A** digital-to-analog.

dab[1] [dǽb] *v.* (**-bb-**) *vt.* [+目 / +目+前+名] 가볍게 두드리다, 살짝 치듯이 대다, (새 따위가) 가볍게 쪼다, 톡톡 두드려 붙이다 ; 살살 칠하다, 가볍게 문지르다 : ~ one's cheek ***with*** powder [a powder puff] 볼에 분을 토닥토닥 바르다 / ~ one's eyes *with* a handkerchief 눈에 손수건을 살짝 갖다 대다 / He ~*bed* paint ***on*** the wall. 벽에 페인트를 살살 칠했다. —— *vi.* [+前+名] 가볍게 두드리다[털다] : He ~*bed* lazily ***at*** the table ***with*** his brush. 귀찮은 듯이 솔로 책상의 먼지를 털어냈다. —— *n.* **1** 가볍게 두드리기 ; 토닥거리기 ; 가볍게 갖다 대기 ; (페인트·고약 따위를) 칠하[바르]기〈*with*〉 ; 구멍 뚫는[타인(打印)] 기계. **2** 소량(少量) : a ~ *of* peas 한 줌의 완두. **3** [*pl.*] 《俗》 지문(指紋). 〖ME (imit.)〗

dab[2] *n.* 〔魚〕 작은 가자미(flatfish)《특히 문치가자미 따위》. 〖C16< ?〗

dab[3] *n.* 《주로 英口》 명인(名人) (=≃ **hànd**), 명수(expert) : He's a ~ ***at*** chess[mend*ing* tools]. 체스를 잘 둔다[도구를 잘 수리한다]. —— *a.* 매우 잘하는. 〖C17< ?〗

D.A.B., DAB Dictionary of American Biography.

dáb·ber *n.* 가볍게 두드리는 사람[것] ; (잉크·그림 물감·구두약 따위를) 찍어 바르는 사람 ; 칠하는 솔 ; 〔印〕 잉크 방망이《판면(版面)에 잉크를 고르게 바르는 막대기》.

dab·ble [dǽbəl] *vt.* (손·발 따위를) 물을 튀겨서 적시다. —— *vi.* **1** 물을 튀기다[철버덕거리다], 물장난치다. **2** [+前+名] 취미 삼아 하다 : ~ ***at*** painting 취미 삼아서 그림을 그리다 / ~ ***in*** stocks 증권에 손을 대다.

dáb·bler *n.* 물장난치는 사람 ; 취미 삼아 해보는 사람. 〖Du., or DAB[1]+-*le*〗

dáb·chìck *n.* 〔鳥〕 농병아리류(類). 〖C16 *dap*-, *dop*- ; cf. OE *dūfedoppa* (DEEP, DIP) =pelican〗

dáb·ster *n.* 《英口》 서투른 화가 ; 《美口》 솜씨도 없으면서 함부로 덤비는 사람, 취미 삼아 해보는 사람 ; 《方》 =DAB[3].

DAC 《美》 Department of the Army Civilian ; Development Assistance Committee《개발 원조 위원회 ; OECD의 하부 기관》.

da ca·po [daː káːpou] *a., adv.* 〔樂〕 다 카포, 곡 처음부터(의)《略 D.C.》. 〖It. =from (the) head〗

Dac·ca [dǽkə, dáːkə] *n.* 다카《방글라데시의 수도(首都)》.

dace [déis] *n.* (*pl.* ~, ~**s**) 〔魚〕 데이스《황어와 비슷한 잉어과(科)의 민물고기 ; 생식기에 배가 붉어짐》. 〖OF *dars* DART〗

da·cha, dat·cha [dáːtʃə, dǽtʃə] *n.* 다차《러시아의 시골 저택·별장》. 〖Russ.=act of payment〗

dachs·hund [dáːkshùnt, dáksənt, dǽʃhàund ; dǽkshùnd] *n.* (*pl.* ~**s**, **-hun·de** [-hùndə]) 닥스훈트《몸이 길고 다리가 짧은 독일 원산(原産)의 개 ; 오소리·여우 사냥에 쓰임》. 〖G=badger dog〗

da·coit, -koit [dəkɔ́it] *n.* (인도·미얀마의) 무장 갱단의 일원. 〖Hindi〗

da·cóity, -kóity *n.* DACOIT에 의한 약탈.

D/A convérter *n.* 〔電子〕 수치연속변환기[수연변환기]《디지털 신호를 아날로그 신호로 변환하는 전기적 장치》. 〖*d*igital-to-*a*nalog〗

Da·cron [déikran, dǽk-] *n.* Ⓤ 데이크론《합성 섬유의 일종 ; 상표명》.

dac·tyl [dǽktəl] *n.* 〔韻〕 장단단격(長短短格) 《—⏑⏑》, 강약약격(強弱弱格)《´××》 ; (동물의) 손[발]가락. 〖L<Gk. =finger〗

dac·tyl- [dǽktəl], **dac·ty·lo-** [dǽktəlou, -lə] *comb. form* 「손가락」 「발가락」의 뜻. 〖Gk. (↑)〗

-dac·tyl·ia [dæktíliə] *n. comb. form* 「…한[…개의] 손[발]가락이 있는 상태」의 뜻. 〖Gk. (↑)〗

dac·tyl·ic [dæktílik] *a.* DACTYL의. —— *n.* DACTYL의 시구(詩句).

dac·tý·lo·gràm [dæktílə-] *n.* 지문(指紋) (fingerprint).

dac·ty·log·ra·phy [dæ̀ktəlágrəfi] *n.* 지문학(指紋學) ; 지문법.

dac·ty·lol·o·gy [dæktəlɑ́lədʒi] *n.* 수화법(手話法), 지화(指話)법[술].

-dac·ty·lous [dǽktələs] *a. comb. form* 「…한[…개의] 손·발가락이 있는」의 뜻 : mono*dactylous*. 〚Gk. ⇨ DACTYL-〛

-dac·ty·ly [dǽktəli] *n. comb. form* = -DACTYLIA.

‡**dad**[1] [dǽd], **dada**[1] [dǽdæ, dɑ́:dɑ:] *n.* 《口》 아빠(father) (cf. PAPA, MAMMY). 〚유아어 *da, da*의 imit.인가〛

dad[2] *int.* [때때로 D~] 《美口》 =GOD《대개 가벼운 저주의 표현》.

DAD digital audio disc《종래의 LP 레코드가 아날로그 신호를 기록한 데 대해 PCM 신호를 기록한 레코드》.

da·da[2] [dɑ́:dɑ:], **dáda·ism** *n.* Ⓤ [때때로 D~] 다다이즘《제1차 세계 대전 중에 일어난 일종의 허무주의적 예술운동》. **dáda·ist** *n.* 다다이스트. **dà·da·ís·tic** *a.* 〚F=hobbyhorse〛

‡**dad·dy** [dǽdi] *n.* 《口》 =DAD[1].

dáddy lónglegs *n.* (*pl.* ~) **1** 〖昆〗 각다귀(crane fly). **2** 〖動〗 장님거미. **3** 《戲》 다리가 긴 사람.

Dad·dy-o [dǽdiòu] *n.* [때때로 d~] 《俗》 아저씨《일반 남자에 대한 친밀감 있는 호칭》.

D.A.D.M.S. Deputy Assistant Director of Medical Services.

da·do [déidou] *n.* (*pl.* **~es, ~s**) 〖建〗 (실내 벽면 하부의) 징두리널 ; 기둥 뿌리《둥근 기둥 하부의 네모난 데》. —— *vt.* …에 dado를 대다 ; (판자 따위에) 홈을 파다. **dá·do'd** *a.* 징두리널을 댄. 〚It. ; ⇨ DIE[2]〛

DAE, D.A.E. Dictionary of American English ; Dynamic Asian Economics(아시아 신흥 공업국가들).

dae·dal [dí:dl] *a.* 《詩》 (솜씨가) 교묘한 ; 복잡 미묘한 ; 변화가 많은. 〚L<Gk. *daidalos* skillful〛

Dae·da·lian [didéiljən], **-le·an** [, dèdəlí:ən, dì:-] *a.* DAEDALUS 같은 ; 정묘한, 복잡한.

Daed·a·lus [dédələs, dí:- ; dí:-] *n.* 〖그神〗 다이달로스《Crete 섬의 미로(迷路)(labyrinth)를 만든 Athens의 명장(名匠)》. 〚L<Gk. *Daidalos* ; ⇨ DAEDAL〛

daemon ☞ DEMON.

daemonic ☞ DEMONIC.

daff[1] [dǽf] *n.* 《英口》 =DAFFODIL.

daff[2] *vi.* 《스코》 희롱거리다, 새롱거리다(dally). 〚C16 *daff* fool, coward< ? 〛

daf·fa·down·dil·ly [dæ̀fədaundíli] *n.* 《詩·方》 =DAFFODIL.

***daf·fo·dil** [dǽfədìl], **daf·fo·dil·ly** [dǽfədìli] *n.* **1** 〖植〗 나팔수선화《Wales의 국장(國章)》; (널리) 수선화 ; Ⓤ 담황색. **2** 《美俗》 훈계, 격언. 〚C16 *affodilus*<L ASPHODEL〛

daf·fy [dǽfi] 《美口·英俗》 *a.* 어리석은 ; 미친 듯한(crazy). 〚DAFF[2]〛

daft [dǽ(:)ft ; dɑ́:ft] *a.* 《스코·美俗》 어리석은, 우둔한, 얼빠진(silly) ; 미친 ; 신이 나서 떠들어대는 : go ~ 미치다. **~·ly** *adv.* **~·ness** *n.* 〚OE (*ge*)*dæfte* mild, meek〛

dag [dǽ(:)g] *n.* 옷의 가선 장식 ; [보통 *pl.*] = DAGLOCK ; 《濠口》 별난 사람, 괴짜. —— *vt.* (**-gg-**) (옷 따위에) 가선 장식을 하다. 〚ME< ?; 《濠》는 C18< ?〛

dag. decagram(me). **D.A.G.** Deputy Adjutant General.

***dag·ger** [dǽgər] *n.* **1** 단검(短劍), 단도, 비수. **2** 〖印〗 대거, 단검표(obelisk : †)《참조(參照) 또는 사망 연도를 표시하는데 사용함》.
at daggers drawn 적대시(敵對視)하여〈*with*〉; 반목(反目)하여, 매우 사이가 나빠서〈*with*〉.
look daggers at …을 쏘아보다.
speak daggers to a person 남에게 표독스럽게 쏘아대다, 남에게 독설을 퍼붓다.
—— *vt.* 단검[단도]으로 찌르다 ; 〖印〗 …에 대거를 붙이다. 〚? *dag* (obs.) to pierce+-*er*[1] ; cf. OF *dague* long dagger〛

dag·gle [dǽgəl] *vt., vi.* (진창이나 물 속을) 질질 끌며 걷다 ; (옷자락 따위를) 질질 끌어 더럽히다[더럽혀지다].

dág·lòck *n.* (양의 궁둥이 따위의) 더러워진 털, 딱딱하게 뭉쳐진 털.

da·go [déigou] *n.* (*pl.* **~s, ~es**) 《美俗·蔑》 (살결이 거무스름한) 이탈리아인, 스페인인《등》. 〚Sp. *Diego* James〛

da·go·ba [dɑ́:gəbə] *n.* 〖佛敎〗 사리탑(舍利塔). 〚Singhalese〛

Dágo réd *n.* 《美俗》 이탈리아산 붉은 포도주, 싸구려 술, (특히) =CHIANTI.

Da·guerre [*F* dagɛ:r] *n.* 다게르. **Louis Jacques Mandé ~** (1789-1851) 프랑스의 화가·발명가 ; daguerreotype를 발명.

da·guerre·o·type [dəgériətàip] *n.* (초기의) 은판(銀板) 사진(법). —— *vt.* 은판 사진으로 촬영하다. 〚↑〛

Dag·wood [dǽgwud] *n.* 미국 만화 *Blondie*의 남편 ; 《美俗》 여러 층으로 겹친 샌드위치《Dagwood가 큰 샌드위치를 만들어 먹은 데서》.

dah[1] [dɑ́:], **dao** [dɑ́u] *n.* (*pl.* **~s**) 미얀마인의 작은 칼. 〚Burmese〛

dah[2] *n.* 〖通信〗 (모스 부호의) 장점(長點)(cf. DIT). 〚imit.〛

da·ha·be·ah, -bee·yah, -bi·ah [dɑ̀:həbí:ə] *n.* 나일 강의 삼각돛의 여객선. 〚Arab.〛

dahl·ia [dǽljə, dɑ́:- ; déi-] *n.* 〖植〗 달리아 ; Ⓤ 달리아색《청홍색》: blue ~ (푸른 달리아 꽃처럼) 좀처럼 없는 것, 희귀한 것. 〚A. *Dahl* (d. 1789) 스웨덴의 식물학자〛

Da·ho·mey [dəhóumi] *n.* 다호메이《BENIN의 옛 이름》.

Dáil (Éir·eann) [dɔ́:l (éərɔ:n) ; dàil (éərən), dɔ̀il(-)] *n.* [the ~] (아일랜드 공화국의) 하원(cf. SEANAD (ÉIREANN)). 〚Ir.=assembly (of Ireland)〛

‡**dai·ly** [déili] *attrib. a.* 매일의, 일상의 : ~ bread 나날의 양식, 생계 / a ~ girl 통근하는 하녀, 파출부 / ~ installment 일부(日賦) / a ~ (news) paper 일간신문 / one's ~ life 일상 생활.

〈회화〉
Can you handle *daily* conversation in English? — I guess so. 「영어로 일상 회화를 할 수 있습니까」「네, 할 수 있다고 생각합니다」

—— *adv.* 매일(everyday) ; 끊임없이. —— *n.* **1** 일간 신문. **2** 《英口》 통근하는 하녀, 파출부. **-li·ness** *n.* 일상성 ; 일상적인 규칙성. 〚DAY〛

dáily-bréad·er *n.* 《英》 통근자, 근로자, 임금생활자, 월급쟁이.

dáily dóuble *n.* (경마 따위의) 이중승식(二重勝式) 투표 방식《같은 날의 지정된 두 레이스의 우승마 맞히기 ; cf. TWIN DOUBLE》; 연속 수상, 2연승, 두 번 계속된 성공.

dáily dózen *n.* 《口》 [one's ~] 매일 (아침) 하는 체조《원래 12종으로 구성됨》; 정해져 있는 일.

D

dáily spréad *n.* 데일리 스프레드《빵이나 비스킷에 발라서 먹는 유제품의 일종》.

Daim·ler [dáimlər ; déim-] *n.* 다임러《고급 자동차 ; 상표명 ; 현재 Benz사와 합병하여 Daimler-Benz사로 되었고, 거기에서 만들어진 차는 Benz로 불리우고 있음》.

dai·mon [dáimoun] *n.* (*pl.* **-mo·nes** [-mənì:z], **~s**) [때때로 D~] 수호신, 〖그神〗 =DEMON.
dai·mon·ic [daimánik] *a.*

dáin·ti·ly *adv.* 우아하게 ; 섬세하게 ; 풍미(風味) 있게 ; 꼼꼼하게 ; (음식을) 가려서, 까다롭게 : eat ~ 식성이 까다롭다.

dáin·ti·ness *n.* Ⓤ 우아함 ; 맛 좋음 ; 꼼꼼함 ; 사치스런 취미, 까다로운 성격.

***dain·ty** [déinti] *a.* **1** 고상[우아]한 ; 말쑥한 ; 아름다운, 귀여운. **2** 맛 좋은, 풍미(風味)가 있는 : ~ bits 맛있는 것, 진미(珍味). **3** 성미가 까다로운 ; 사치를 좋아하는, …에 열중하는 : be born with a ~ tooth 천성적으로 식성이 까다롭다.
—— *n.* 맛있는 것 ; 진미.
〖OF<L ; ⇨ DIGNITY〗
類義語 (1) ***dainty*** 고상한 취미 때문에 성미가 까다롭고 자기의 세련된 감각에 맞지 않는 것을 물리치는 : He has a *dainty* palate. (그는 기호가 유별나다). ***nice*** 까다로운, 특히 지적(知的)인 면에서 예민한 식별력을 가지고 있는 : It needs a *nice* distinction of meaning. (의미의 세세한 구별이 필요하다). ***particular*** 세세한 점에서 자기 취미에 맞지 않는 것을 불만으로 여기는 : She is *particular* about her clothes. (그녀는 자기가 입는 옷에 대해 까다롭다). ***fastidious*** 취미가 고상하여 조금이라도 열등한 것을 경멸하는 : He has a *fastidious* taste in music. (음악을 까다롭게 가리는 경향이 있다).
(2) ⟹ DELICATE.

dai·qui·ri [dáikəri, dǽk-] *n.* 다이키리《칵테일의 일종 ; 럼 · 설탕 · 레몬즙 따위로 만듦》.
〖쿠바의 도시 *Daiquiri*에서〗

***dairy** [déəri, dǽəri] *n.* **1** (농장 내의) 젖 짜는 곳, 우유 가공소 ; 유제품 판매점[회사]. **2** 낙농(酪農), 유업 ; 낙농장. **3** [집합적으로] 젖소.
〖ME (*deie* maidservant<OE *dǽge* kneader of dough)〗

Dáiry Bèlt *n.* [the ~] (미국 북부의) 낙농 지대.

dáiry càttle *n.* [집합적으로] 젖소.

dáiry crèam *n.* (가공한 것이 아닌) 유지(乳脂) 생크림.

dáiry fàrm *n.* 낙농장(酪農場).

dáiry fàrming *n.* =DAIRYING.

dáiry·ing *n.* Ⓤ 낙농업(酪農業).
〖*dairy* to keep cows, *-ing*〗

dáiry·màid *n.* 낙농장(酪農場)에서 일하는 여자, 젖 짜는 여자(milkmaid).

dáiry·man [-mən, -mæ̀n] *n.* 낙농장에서 일하는 남자 ; 낙농장 주인 ; 우유 장수.

dáiry pròducts *n. pl.* 낙농 제품, 유제품.

da·is [déiəs, dáiəs] *n.* (홀 · 식당의) 상단(上段), 상석 ; (강당의) 연단(演壇) (platform).
〖OF<L DISCUS table〗

dái·sied *a.* 《詩》 데이지가 피어 있는.

***dai·sy** [déizi] *n.* **1** 〖植〗 데이지 ; 프랑스국화. **2** 《俗》 일품(逸品), 썩 좋은 것[사람], 귀여운 여자. **3** =DAISY HAM.
(***as***) ***fresh as a daisy*** 발랄하여, 매우 신선하여, 아주 참신하여.
push up daisies 《俗》 죽다(die) ; 죽어서[살해되어] 매장되다.
under the daisies 《俗》 죽은(dead).
—— *a.* 《俗》 훌륭한, 멋진.
—— *adv.* 《美俗》 굉장히. 〖OE *dæges-ēage* day's eye ; 아침에 개화(開花)하는데서〗

dáisy chàin *n.* 데이지 화환《아이들의 목걸이》; 《美》 이어놓은 것, 하나로 이어짐.

dáisy cùtter *n.* 《俗》 달릴 때 발을 조금밖에 올리지 않는 말 ; (야구 · 크리켓 · 테니스 따위의) 땅을 스치듯이 나아가는 볼.

dáisy hàm *n.* 데이지 햄《뼈를 발라내고 훈제한 돼지의 어깨살》.

dáisy whèel *n.* 데이지 휠《활자가 방사상의 바퀴살 끝에 데이지의 꽃잎처럼 배열된 타이프라이터의 원반형 인자(印字) 엘리먼트》.

dak, dawk [dá:k, dɔ́:k] *n.* 《인도》 (사람 · 말 따위에 의한) 수송, 역전(驛傳) 우편(물). 〖Hindi〗

Dak. Dakota.

Da·kar [dǽka:r, dəká:r ; dǽkər, -a:r] *n.* 다카르《세네갈의 수도》.

dák[dáwk] búngalow *n.* (예전 인도의) 역참(驛站)의 여인숙.

Da·ko·ta [dəkóutə] *n.* **1** 다코타《미국 중부지방, North Dakota 주(州)와 South Dakota 주로 나누어짐 ; 略 Dak.》. **2** [the ~s] 남북 양(兩)다코타주. **3** (*pl.* **~s**, ~) [the ~] 다코타족(族)《북미 인디언의 한 종족 ; ☞ SIOUX》; Ⓤ 다코타어(語). —— *a.* 다코타 족[어]의.

dal ☞ DHAL.

dal decaliter(s).

Dá·lai Láma [dá:lai-, -lei-, dǽl- ; dǽlai-] *n.* 달라이 라마《티베트의 라마교 교주》.

da·la·si [da:lá:si] *n.* (*pl.* ~, **~s**) 달라시《Gambia의 통화 단위 ; =100 bututs ; 기호 D》.
〖(Gambia)〗

dale [déil] *n.* 《詩 · 北英》 (작은) 골짜기.
〖OE *dæl* ; cf. G *Tal*〗

Da·lek [dá:lek] *n.* [때때로 d~] 달렉《1964년 BBC의 SF텔레비전 프로그램 *Dr. Who*에 등장했던 로봇 ; 귀에 거슬리는 단조로운 목소리로 말함》.

dáles·man [-mən] *n.* (특히 북잉글랜드의) 골짜기의 주민.

Da·lian [dá:lién], **Ta·lien** [tá:lién] *n.* 다롄(大連)《중국 랴오닝성의 랴오둥 반도 및 주변 섬으로 이루어진 시》.

Dal·las [dǽləs] *n.* 댈러스《미국 Texas 주 북동부의 도시 ; 1963년 Kennedy 대통령이 암살된 곳》.

dalles [dǽlz] *n. pl.* 《美 · Can.》 (양측의 절벽 사이에 낀) 급류(急流).

dal·li·ance [dǽliəns] *n.* Ⓤ 《文語 · 詩》 (남녀간의) 희롱, 장난 ; (시간의) 낭비. 〖↓〗

dal·ly [dǽli] *vi.* **1** [動 / +*with*+名] 희롱하다, 장난치다(toy) ; 짓궂게 놀리다, (남녀가 서로) 장난하다 : ~ *with* one's glass 유리컵을 갖고 놀다 / ~ *with* a girl 여자와 희롱거리다. **2** 빈들거리다, 우물쭈물하다(cf. DILLY-DALLY) : ~ *over* one's work 시간만 걸리고 일은 진척되지 않다.
—— *vt.* [+目+副] 빈둥빈둥 (시간을) 보내다 ; 우물쭈물하다 놓치다 : ~ *away* the time[a chance] 부질없이 시간을 보내다[기회를 잃다].
〖OF=to chat〗

Dal·ma·tia [dælméiʃiə] *n.* 달마티아《크로아티아 남부의 아드리아 해(海) 연안 지방》.

Dal·má·tian *n.* **1** 달마티아인[어]. **2** [보통 d~] 달마티아 개(=∠ **dóg**)《흰 바탕에 흑색 또는 진한 갈색 반점이 있는 포인터와 비슷한 개》. —— *a.* 달마티아 (주민)의. 〖↑〗

dal·mat·ic [dælmǽtik] *n.* 〖카톨릭〗 제의(祭衣)

의 일종 ; (왕의) 대관식 예복.
〖OF<L (*Dalmatia*)〗

dal se·gno [dɑːl séinjou, dæl-] *adv.* 〖樂〗 달 세뇨《기호 𝄋가 있는 데서 되풀이하여 ; 略 D.S.》.
〖It.=from the sign〗

dal·ton [dɔ́ːltən] *n.* 〖理〗 돌턴《원자 질량 단위》.
〖↓〗

Dalton *n.* 돌턴. **John** ~ (1766-1844) 영국의 물리·화학자.

Dálton·ìsm *n.* Ⓤ [때때로 d~] 〖醫〗 선천성 색맹(色盲), (특히) 적록(赤綠) 색맹. 〖↑〗

Dálton·ìze *vt.* …에 돌턴식 학습 지도법(Dalton system)을 실시하다.

Dálton sỳstem[plàn] *n.* 〖敎〗 돌턴식 교육법《미국 Massachusetts 주(州) Dalton시(市)에서 시작된 학습 방식으로 학생의 능력에 따라 과제가 주어지며, 스스로 예정을 세워서 학습함》.

D

‡dam[1] [dǽ(ː)m] *n.* 댐, 봇둑 ; 둑으로 막은 물 ; 장애. —— *vt.* (**-mm-**) [+目/+目+副] **1** …에 댐을 만들다 ; 댐으로 (흐르는 물을) 막다〈*up, out*〉. **2** 《비유》 가로막다(block), (감정 따위를) 누르다 : ~ ***up*** a person's eloquence 남의 웅변(雄辯)을 가로막다 / ~ back one's tears 눈물을 참다. 〖MLG, MDu.〗

dam[2] *n.* (특히 가축의) 어미(cf. SIRE). 〖DAME〗

dam[3] *a., adv.* =DAMNED.

dam. decameter.

‡dam·age [dǽmidʒ] *n.* **1** Ⓤ 손해, 손상(損傷)(injury) : do ~ to …에 손해를 주다. **2** [*pl.*] 〖法〗 손해 배상(액) : claim ~*s* 손해 배상을 청구하다. —— *vt.* **1** …에게 손해를 입히다 : The church was ~*d* by bombing during World War Ⅱ. 그 교회는 제2차 세계 대전 중에 폭격으로 손상되었다. **2** (명예·체면 따위를) 손상시키다. —— *vi.* 상하다, 손상을 입다. **~·able** *a.* 손해를 입기 쉬운. **dàmage·abílity** *n.* **dámag·er** *n.*
〖OF (*dam*(*me*) loss<L *damnum*)〗
類義語 ⟹ INJURE.

dámage contról *n.* 〖軍〗 피해(被害) 대책 : ~ party 피해 대책반.

dám·aged *a.* 손해를 입은, 손상을 당한 ; 《美俗》 몹시 취한.

dámaged bággage repòrt *n.* 〖空〗 수화물 파손 신고서《항공 회사에 탁송한 수화물이 파손되었을 때 항공회사가 작성하는 조사서》.

dámaged góods *n. pl.* 흠이 있는 것[물건] ; 처녀가 아님.

dámage sùit *n.* 손해 배상 청구 소송.

dám·ag·ing *a.* 손해를 끼치는 ; 해로운 ; (인격을) 손상시키는, 중상적(中傷的)인. **~·ly** *adv.*

dam·a·scene [dǽməsìːn, ⌐-⌐] *vt.* (금속에) 금·은을 상감(象嵌)하다 ; (칼날에) 물결 무늬를 넣다. —— *n., a.* 물결 무늬(가 있는) ; [D~] Damascus의 (사람). **-scèn·er** *n.*
〖*Damascus*〗

Da·mas·cus [dəmǽskəs ; -mɑ́ːs-] *n.* 다마스쿠스《시리아(Syria)의 수도》.
Damascus steel =DAMASK STEEL.

dam·ask [dǽməsk] *n.* **1** Ⓤ 다마스크 비단, 무늬가 있는 단자(緞子)《상보(床褓) 따위를 만듦》. **2** Ⓤ (상감한) 다마스크 강철. **3** Ⓤ 장미색. —— *a.* 다마스크 능직(綾織)의 ; 다마스크 강철의 ; 장미색의. —— *vt.* **1** 무늬를 넣어 짜다 ; 무늬로 장식하다 ; =DAMASCENE. **2** (볼을) 붉히다. **3** 장미색으로 하다.
〖*Damascus*〗

dam·a·skeen [dǽməskìːn ; ⌐-⌐] *vt.* =DAMASCENE.

dámask róse *n.* 다마스크 로즈《향기로운 연분홍색 장미》.

dámask stéel *n.* 다마스크 강철《도검용》.

dám bùster *n.* 〖軍〗 댐 파괴 폭탄.

dame [déim] *n.* **1** 《古·詩·戱》 귀부인(lady) ; 《英》 BARONET[KNIGHT]의 부인《현재는 보통 Lady라 함》 ; [D~] KNIGHT에 상당하는 작위를 수여받은 부인의 경칭 : Sir George and *D*~ Alice Perry. **2** 《古》 [일반적으로] 신분이 높은 부인. 注 지금은 비유적(比喩的)으로만 쓰인다 : *D*~ Fortune[Nature] 운명[자연]의 여신(女神). **3** 중년 여성. **4** 《俗》 여자.
〖OF<L *domina* mistress〗

dáme schòol *n.* (옛날에 여성이 자택에서 가까운 곳의 아이들을 가르치던) 사설 초등교육 시설.

dám·fóol *n.* 《口》 어리석은[우둔한] 녀석.
—— *a.* 어리석은, 우둔한.

dám·fóol·ish *a.* =DAMFOOL.

dam·mit [dǽmət] *int.* 《口》 =DAMN it.

***damn** [dǽ(ː)m] *vt.* **1** (신이 사람을) 벌주다, 지옥으로 떨어뜨리다 ; 파멸시키다. **2** [특히 욕이나 맹세의 뜻에서 감탄사적으로 사용하여 ; 때때로 d—, d—n으로 쓰고, [díː(n), dǽ(ː)m]으로 발음] 저주하다(curse) : Oh, ~! =*D*~ it (all)! 빌어먹을! / *D*~ you!=God ~ you! 에끼, 빌어먹을 놈! / God ~ it! 제기랄!, 젠장! / *D*~ me *but* I'll do it. 《口》 기어이 하고야 말겠다 / I'll be[I am] ~*ed if* it is true. 내가 그런 짓을 할리가 있나! 《죽어도 …따위는 하지 않는다》. **3** 강하게 비난하다[질책하다, 책망하다] ; (비평가가) 깎아내리다, 혹평하다. —— *vi.* 저주하다.
damn with faint praise 칭찬하는 체하면서 도리어 깎아 내리다.
—— *n.* **1** damn이라는 말을 하기. **2** 욕설, 저주, 매도. **3** [부정 구문] 조금도 : *not* care[give] a ~ 조금도 개의치 않다 / *not* worth a ~ 아무런 가치도 없는.
—— *a., adv.* 《口》 =DAMNED.
〖OF<L=to inflict loss on ; cf. DAMAGE〗

dam·na·ble [dǽmnəbəl] *a.* **1** 지옥에 떨어져야 할. **2** 《口》 저주(詛呪)할 만한, 괘씸한, 지독한(confounded). **~·ness** *n.* **-bly** *adv.* 언어 도단으로 ; 《口》 매우, 지독하게.

dam·na·tion [dæmnéiʃən] *n.* **1** Ⓤ 지옥에 떨어뜨림, 천벌 ; 파멸(ruin), 절망 : *D*~ take it [you]! 빌어먹을 놈! **2** Ⓤ 비난, 욕설, 악평(惡評)〈*of*〉. —— *int.* 빌어먹을!, 제기랄!, 아차!, 섭섭한데! (Damn!).

dam·na·tory [dǽmnətɔ̀ːri ; -təri] *a.* 저주받을 만한 ; 파멸적(破滅的)인 ; 저주의, 비난의.

damned [dǽ(ː)md] *a.* (**~·er ; ~·est, dámnd·est**) **1** 영겁(永劫)의 벌을 짊어진, 저주받은 ; [the ~ ; 명사적으로] 지옥의 망령(亡靈)들. **2** 《口》 넌더리나는(odious) ; 《口》 엄청난, 어처구니없는 : You ~ fool! 이 바보 녀석아! 注 때때로 d—d로 쓰고 [diːd]로 발음함. —— *adv.* 《口》 엄청나게, 터무니없이(extremely) : It's ~ hot [funny]. 몹시 덥다[우습다].

dámned·est, dámnd·est [-dəst] *n.* 《口》 최선, 최대한의 노력[기능].
do*[*try*] *one's damnedest 할 수 있는 데까지 하다, 최선을 다하다.
—— *a.* [the ~] 매우 놀라운, 아주 이상한.

dam·ni·fi·ca·tion [dæ̀mnəfəkéiʃən] *n.* Ⓤ 〖法〗 손상 (행위).

dam·ni·fy [dǽmnəfài] *vt.* 〖法〗 손상[침해]하다.
damn·ing [dǽmiŋ] *n.* Ⓤ 저주함. —— *a.* (죄가) 신세를 망치는 ; 파멸적인 ; (증거 따위가) 유죄를 증명하는, 어찌 할 도리가 없는(conclusive).
dam·no·sa h(a)e·re·di·tas [dæmnóusə həréd ətæ̀s] *n.* 이익이 되지 않는 상속물. 〚L=damaging inheritance〛
damn·yan·kee [dæ̀mjǽŋki] *n.* 《口》 =DAMYANKEE.
Dàm·o·clé·an *a.* DAMOCLES의[같은].
Dam·o·cles [dǽməklì:z] *n.* 다모클레스《Syracuse의 왕 Dionysius (d. 367 B.C.)의 신하》.
the sword of Damocles = ***Damocles' sword*** 다모클레스의 검, (영화가 한창일 때에도) 신변에 따라다니는 위험《너무나 왕위의 행복을 칭송하므로 Syracuse왕 Dionysius가 Damocles를 왕좌에 앉히고 그의 머리 위에 머리카락 한 가닥으로 검을 매달아 왕위에 있는 사람의 행복이 얼마나 불안정한 것인가를 보여준 일에서》.
Da·mon and Pyth·i·as [déimən ən*d* píθiəs ; -æ̀s] *n. pl.* 〖그傳說〗 다몬과 피티아스《기원전 4세기경 그리스에서 생사(生死)를 맹세하고 이 맹세를 지켰다고 하는 둘도 없는 친구》 ; 아주 가까운 친구(cf. DAVID *and Jonathan*).
dam·o·sel, -zel [dǽməzèl, ⌐-⌐] *n.* 《古·詩》 = DAMSEL.
***damp** [dæmp] *a.* 습기가 있는, 축축한(moist) ; 《古》 의기 소침한 ; 멍한, 어찌 할 바를 모르는.
—— *n.* **1** Ⓤ 물기, 습기, 안개(fog), 수증기(vapor) : catch a chill in the evening ~ 저녁 습기에 한기(寒氣)를 느끼다. **2** 의기 소침(dejection) ; 낙담(시키는 것) : cast[strike] a ~ over[into] …의 기를 꺾다. **3** Ⓤ 땅의 독기(毒氣) ; 유독 가스 : ☞ BLACKDAMP. —— *vt.* **1** 축축하게 하다. **2** [+目 / +目+副] (불·소리 따위를) 약하게 하다, 끄다 ; (기를) 꺾다, 위축시키다(dampen) : ~ (***down***) a fire 불을 끄다《재를 뿌리거나 난로의 통풍을 막아서》 / ~ a person's enthusiasm 남의 열의(熱意)를 꺾다. **3** 〖理〗 감쇠시키다 ; 〖樂〗 (현(絃)의) 진동을 멈추게 하다.
—— *vi.* 축축해지다 ; 감쇠하다.
damp off (식물이) 입고병이 되다 ; 힘이 쇠해지다, 빛이 바래다.
~·ly *adv.* **~·ness** *n.*
〚MLG=vapor etc., OHG *damph* steam〛
類義語 ⟹ WET.
dámp còurse *n.* 〖建〗 (벽 안의) 방습층.
dámp-drý *vt.* (빨래를) 조금 눅눅하게 말리다.
—— *a.* (말린 빨래가) 조금 눅눅한.
dámp·en *vt.* **1** 축축하게 하다(damp). **2** 저하시키다, 기를 꺾다, 실망시키다. —— *vi.* 축축해지다 ; 기가 꺾이다.
dámp·er *n.* **1** 기[흥]를 꺾는 사람[것] ; 야유, 트집 : cast[put] a ~ on …의 기를 꺾다, …에 대하여 트집을 잡다. **2** (우표 따위를) 축이는 기구. **3** 조절 장치 ; (난로의) 통풍 조절기 ; (기계의) 진동 정지기 ; 〖樂〗 (피아노의) 지음기(止音器), (바이올린 따위의) 약음기(弱音器) ; 〖電〗 제동자(制動子). —— *vt.* 《口》 …에 물을 넣다, …의 흥을 깨다.
dámp·ing *a.* 습기를 주는 ; 〖電〗 진폭(振幅)을 감소시키는. —— *n.* 〖電〗 (진동의) 감쇠.
dámping-óff *n.* Ⓤ 〖植〗 입고병(立枯病).
dámp·ish *a.* 축축한. **~·ly** *adv.* **~·ness** *n.*
dámp·pròof *a.* 방습성(防濕性)의. —— *vt.* …에 방습성을 지니다.
dámp squíb *n.* 《英口》 효과가 없는 것 ; 헛일, 불발로 끝나는 기획.
dam·sel [dǽmzəl] *n.* 《古·文語》 소녀 ; 《古》 귀족의 딸. 〚OF (dim.) ‹ DAME〛
dámsel·flỳ *n.* 〖昆〗 실잠자리, 물잠자리.
dám·sìte *n.* 댐 건설용 부지.
dam·son [dǽmzən] *n.* 인시티티아 자두(나무) ; 암자색. —— *a.* 암자색의. 〚L *damascenum* (*prunum* plum) of Damascus ; cf. DAMASCENE〛
dámson chèese *n.* 인시티티아 자두의 설탕절임.
dam·yan·kee [dæ̀mjǽŋki] *n.* 《美口》 (남부에서 말하는) 북부 주(州)의 사람.
dan [dǽ(:)n] *n.* 부표(浮標) 《심해 어업(深海漁業)에서 표지로 씀 ; dan buoy라고도 함》. 〚C17 < ?〛
Dan *n.* **1** 남자 이름《Daniel의 애칭》. **2** 〖聖〗 단《북부 팔레스타인으로 이주한 이스라엘 12부족의 하나》. **3** 단《팔레스타인 북쪽 끝의 도시》.
from Dan to Beersheba 끝에서 끝까지.
〚Heb.=judge〛
Dan. Daniel ; Danish ; Danzig.
Da Nang, Da·nang [dá:ná:ŋ ; dá:nǽŋ] *n.* 다낭《베트남 중부의 항구 도시》.
◇**dance** [dǽ(:)ns ; dá:ns] *vi.* [動 / +副 / +前+名] **1** 춤추다, 댄스하다 : ~ ***along***[***in, out***] 춤추며 나아가다[들어가다, 밖으로 나가다] / Let me ~ ***with*** you. 저와 함께 춤출까요. **2** 여기저기 뛰어 돌아다니다, 덩실거리다 : I ~*d* ***for***[***with***] joy. 기뻐서 덩실거렸다 / He ~*d with* rage. 화가 나서 펄펄 뛰었다 / ~ ***up*** and ***down*** 껑충껑충 뛰며 돌아다니다. **3** (나뭇잎·파도 따위가) 흔들거리다, 춤추다, 나불거리다 ; (심장·혈액 따위가) 약동하다[고동치다]. —— *vt.* **1** (춤을) 추다 : ~ a waltz 왈츠를 추다. **2** [+目 / +目+前+名] 춤추게 하다 ; (아이를) 어르다(dandle) : ~ a baby ***on*** one's knee 갓난아기를 무릎 위에서 흔들어 어르다 / He ~*d* her ***around*** the room. 그녀의 상대가 되어 춤추며 방안을 돌았다. **3** [+目+副 / +目+前+名 / +目+補] 춤추어 (어떤 상태에) 이르게 하다 : ~ one's worry ***away*** 춤추어서 근심을 잊다 / ~ one's head ***off*** 머리가 어지러울 정도로 춤을 추다 / He ~*d* himself ***into*** her favor. 그는 춤을 추어 그녀의 호감을 샀다 / She ~*d* him weary. 그녀는 그가 녹초가 되도록 함께 춤추었다.
dance attendance (***up***)***on*** a person (곁에 붙어다니며) 남의 비위를 맞추다.
dance on air[***nothing***] = ***dance on a rope*** 교수형(絞首刑)에 처해지다.
dance to another[***a different***] ***tune*** 평소의 태도를 싹 바꾸다.
dance to a person***'s tune***[***pipe, piping***] 남의 장단에 춤추다 ; 《비유》 남이 시키는 대로 하다.
—— *n.* **1** 춤, 댄스, 무도, 무용 : a social ~ 사교춤 / May I have the next ~ (with you)? 다음 춤의 파트너가 되어 주시겠습니까. **2** 댄스[무도]곡. **3** 무도회(ball) : give a ~ 무도회를 열다 / go to a (Saturday night) ~ (토요일 밤의) 댄스 파티에 가다. **4** [the ~] 발레.
lead a person ***a pretty***[***jolly***] ***dance*** 남을 이리저리 끌고 다니며 괴롭히다.
lead the dance 앞장서서 춤을 추다 ; 솔선해서 발언하다.
the dance of death ☞ DANSE MACABRE.
the dance of joy 기쁨의 무도《미국에서 5월 1일의 꽃축제에 야외에서 추는 folk dance의 일종》.
주 dance의 구분 : **folk dance** 민속무용 : 《美》

square dance / 《英》 country-dance, hornpipe, morris / 《스코》 highland fling, reel / 《아일》 jig. **ballroom dance** 사교춤 : cha-cha, fox-trot, rumba, tango, twist, waltz. **stage dance** 무대춤 : tap dance.
〖OF＜Rom.＜?〗

dánce·able *a.* 춤에 알맞은《곡》.

dánce bànd *n.* 댄스 반주를 하는 밴드.

dánce dràma *n.* 무용극.

dánce hàll *n.* 댄스 홀 ; 《美俗》 사형 집행실(의 대기실).

dánce hòstess *n.* 직업으로 댄스 상대를 해주는 여자.

dánce mùsic *n.* 춤곡, 무용곡.

***danc·er** [dǽ(ː)nsər ; dáːn-] *n.* 춤추는 사람 ; 댄서, 무희(舞姬), (전문적인) 무용가.

***danc·ing** [dǽ(ː)nsiŋ ; dáːn-] *n.* Ⓤ 춤(연습), 무도(법).

dáncing gìrl *n.* 댄서, 무희.

dáncing hàll *n.* 《英》 ＝DANCE HALL.

dáncing mània[**plàgue**] *n.* 무도병(病).

dáncing màster *n.* 춤 교사.

dáncing mìstress *n.* 여자 춤 교사.

dáncing pàrty *n.* 댄스 파티.

dáncing ròom *n.* 무도실[장].

dáncing salòon *n.* 《美》 댄스 홀(dance hall).

dáncing schòol *n.* 댄스 교습소, 무용학교.

dáncing shòe(s) *n.* 무용화(舞踊靴).

dáncing stèp[**wìnder**] *n.* 댄스 스텝.

D and C, D & C [díː ənd síː] *n.* 〖醫〗 (자궁 경관) 확장과 (내막) 소파(搔爬), 인공 중절.
〖*d*ilation *and* *c*urettage〗

D & D Death and Dying. **D. & D., D and D** 《美俗》 deaf and dumb ; 《美俗》 drunk *and* disorderly 《취해서 날뛰고 있다 ; 경찰이 말썽부리는 사람을 체포할 때 흔히 하는 말》.

dan·de·li·on [dǽndəlàiən] *n.* 〖植〗 민들레《엉거시과》; 밝은 황색.
〖F *dent-de-lion*＜L＝lion's tooth〗

dándelion còffee *n.* 건조시킨 민들레의 뿌리(로 만든 음료).

dan·der [dǽndər] *n.* Ⓤ (머리의) 비듬 ; 《口》 노여움, 분노, 화.
get one***'s***[a person***'s***] ***dander up*** 화내다[화나게 하다].
〖C19＜? ; cf. DANDRUFF〗

dan·di·a·cal [dændáiəkəl] *a.* 멋쟁이다운, 댄디풍의, 멋을 낸. **~·ly** *adv.*

Dán·die Dín·mont (tèrrier) [dǽndi dínmɑnt(-)] *n.* 다리가 짧고 몸이 긴 terrier의 일종.
〖*Dandie* (Andrew) *Dinmont* : Scott, *Guy Mannering* (1815)에 나오는 2마리의 테리어를 사육하는 농부〗

dan·di·fi·ca·tion [dændifəkéiʃən] *n.* Ⓤ 《口》 멋냄, 치장, 멋부린 모양.

dan·di·fied [dǽndifàid] *a.* 멋부린, 치장한.

dan·di·fy [dǽndifài] *vt.* 멋부리다, 치장하다, 모양내다.

dan·dle [dǽndl] *vt.* (갓난아기를) 흔들어 어르다 ; 응석부리게 하다, 귀여워하다(pet).
〖C16＜?〗

dan·driff [dǽndrəf] *n.* ＝DANDRUFF.

dan·druff [dǽndrəf] *n.* Ⓤ (머리의) 비듬. 〖C16 ; *dand-*＜?, *-ruff*＜? ME *rove* scurfiness＜ON〗

dan·dy[1] [dǽndi] *n.* **1** 멋쟁이, 맵시꾼(fop) ; 옷차림이 멋진 남자. **2** 《美口》 근사한 것. ── *a.* (보통 **-di·er, -di·est**) 멋내는 ; 단정한(trim) ; 《美口》 멋진, 일류의. ── *adv.* 《口》 멋지게.
~·ish *a.* 멋쟁이의, 멋내는, 뽐내는.
〖C18 ; *Jack-a-*DANDY(＝Andrew) 에서인가〗

dandy[2] *n.* ＝DENGUE.

dándy brùsh *n.* 말을 빗기는 솔.

dándy càrt *n.* 《英》 우유 배달차, 스프링이 달린 손수레.

dándy féver *n.* 〖醫〗 ＝DENGUE.

dándy·ìsm *n.* Ⓤ 모양내기, 멋부리기, 뽐내기.

dándy ròll[**ròller**] *n.* (제지(製紙)에서) 투명한 무늬를 박아넣는 롤러.

Dane [déin] *n.* **1** 덴마크인. **2** 〖史〗 데인족(族)의 사람 : the ~*s* 데인족《10세기경 영국에 침입한 북유럽인》. **3** ＝GREAT DANE.
〖ON *Danir* (pl.), L *Dani*〗

dane·geld [déingèld], **-gelt** [-gèlt] *n.* [때때로 D~] **1** 〖英史〗 데인세(稅)《10세기경 데인인에게 바치거나 데인인의 침입을 막기 위한 군비로 부과된 조세 ; 후에는 토지세》. **2** 세금. **3** 뇌물에 의한 아부. 〖OE〗

Dane·law, -lagh [déinlɔ̀ː] *n.* [the ~] 〖英史〗 **1** 데인법(法)《9-11세기경 데인족이 점령한 England 북동부에서 시행된 법률》. **2** 그 법이 시행된 지역.

dang[1] [dǽŋ] *vt., n., a., adv.* 《婉》 ＝DAMN(ED).

dang[2]**, dange** [dǽndʒ] *n.* 《卑》 음경.
── *a.* ＝SEXY.

‡dan·ger [déindʒər] *n.* **1** Ⓤ,Ⓒ [또는 a ~] 위험(상태), 위급(危急) : *D*~ past, God forgotten. 《속담》뒷간에 갈 적 맘 다르고 올 적 맘 다르다 / There is *a* ~ *that* the wording will be misunderstood. 그 표현은 오해받을 위험이 있다. **2** Ⓒ 위험물, 위험한 것, 위험의 원인이 되는 것, 위협 : He is a ~ *to* society. 사회에 위험한 인물이다. **3** Ⓤ 신호, 위험 표시. **4** (도달) 범위 ; 손상. **5** 《古》 힘 ; 권력.
at danger 위험 신호로 나타나 : The signal is *at* ~. 위험[적(赤)]신호다.
in danger 위험하여 ; 위독해서 : His life is *in* ~. 그는 위독하다[그의 생명이 위태롭다].
in danger of …의[…하기 쉬운] 위험에 처하여 : The patient is *in* ~ *of* death[(los*ing*) his life]. 환자의 생명이 위태롭다 / They were *in* ~ *of* be*ing* drowned. 당장에 물에 빠져죽을 것만 같았다.
out of danger 위험을 벗어나.
〖ME＝jurisdiction, power (of a lord)＜OF (L *dominus* lord)〗
類義語 ***danger*** 「위험」의 뜻으로 가장 흔히 쓰는 말. ***peril*** 격식을 차린 말로 절박한 큰 위험 : The earthquake put the people in *peril* of death. (지진으로 사람들이 죽음의 절박한 위험에 빠졌다). ***jeopardy*** 중대한 위험에 처해 있는 상태 : Our liberty is in *jeopardy* under the tyrannical dictator. (우리의 자유가 포악한 독재자 때문에 중대한 위기에 처해 있다). ***hazard*** 예측할 수는 있으나 피할 수 없는 위험 ; 우발적(偶發的)인 것을 강조함 : The life of an aviator is full of *hazards*. (비행사의 생활은 언제 닥칠지 모르는 위험으로 가득 차 있다). ***risk*** 자발적으로 위험을 무릅쓰는 것을 말함 : He saved the girl at the *risk* of his life. (생명의 위험을 무릅쓰고 소녀를 구했다).

dánger lìst *n.* 《口》 (병원의) 중환자 명단 : on the ~ (입원 환자 등이) 중태에 빠진.

dánger mòney *n.* 《英》 위험 수당.

◇dánger·ous *a.* [＋*to* do] 위험한, 위태로운(↔

safe) ; 《方》 위독한 : a ~ bridge 위험한 다리 / a ~ illness 중병 / The river is ~ *to* cross [bathe in]. 그 강은 건너기[헤엄치기]에는 위험하다. **~·ly** *adv.* 위험하게, 위험을 무릅쓰고 : be ~*ly* ill 위독하다. **~·ness** *n.*

dánger sìgnal *n.* 위험 신호, 정지 신호.

dánger zòne *n.* 위험 지대[지구].

dan·gle [dǽŋgəl] *vi.* **1** 축 늘어지다, 매달리다 : The children sat on the high wall, (with) their legs *dangling.* 아이들은 발을 대롱거리며 높은 담 위에 앉아 있었다. **2** [+前+名] (남에게) 붙어다니다, 따라다니다, 뒤를 쫓다 : He is always *dangling* ***after*** [***round, about***] her. 그는 언제나 그녀 뒤를 따라다닌다[주위에 붙어 다닌다].
—— *vt.* [+目 / +目+前+名] 축 늘어뜨리다, 매달다, (상대방의 마음을 끌 수 있는 물건을) 보라는 듯이 내보이다 : They ~*d* their legs. 그들은 발을 대롱거렸다 / The boy ~*d* a bone ***in front of*** the dog. 소년은 개 바로 앞에서 뼈다귀를 보라는 듯이 내보였다 / The bright prospects were ~*d* ***before*** him. 밝은 전망이 그의 눈앞에 어른거렸다.
—— *n.* 축 늘어진 것 ; 《稀》 축 늘어지기, 축 늘어뜨리기.
〖C16 (imit.) ; cf. Swed. *dangla,* Dan. *dangle*〗

dángle-dòlly *n.* 《英》 자동차의 창에 매다는 마스코트 인형.

dán·gler *n.* **1** 매달리는 것, 매달린 부분. **2** 뒤따라다니는 사람, 여자 꽁무니를 쫓아다니는 사내.

dán·gling párticiple *n.* 〖文法〗 현수(懸垂) 분사 《문장의 주어와 문법적으로 결합되지 않은 채 사용되고 있는 분사 ; 보기 *Swimming* in the pond, the car was out of sight. 연못에서 헤엄치고 있었으므로 차가 보이지 않았다》.

Dan·iel [dǽnjəl] *n.* **1** 남자 이름《애칭 Dan》. **2** 〖聖〗 다니엘《유태의 예언자》 ; 다니엘 (the Book of Daniel)《구약성서 중의 한 편 ; 略 Dan.》. **3** Ⓒ 명 재 판 관《Shakespeare 작 *The Merchant of Venice*에서》.
〖Heb.=the Lord is (my) judge〗

da·nio [déiniòu] *n.* (*pl.* **-ni·òs**) 〖魚〗 다니오《작은 관상용 열대어의 일종》. 〖C19< ?〗

Dan·ish [déiniʃ] *a.* 덴마크의, 덴마크인[어]의 ; 데인인[족(族)]의 : the ~ dog=(GREAT) DANE.
—— *n.* Ⓤ 덴마크어(語) ; [the ~, 복수취급] 덴마크인. 〖OF<L ; ⇨ DANE〗

Dánish módern *n.* 장식 없는 단순한 덴마크의 가구 양식.

Dánish pástry *n.* 과일 · 땅콩 따위가 든 파이 모양의 과자빵.

Dánish Wèst Índies *n. pl.* [the ~] 덴마크령 서인도 제도《1917년 미국이 매수하기 전의 Virgin Islands of the United States의 옛 이름》.

dank [dǽŋk] *a.* 습기가 많은, 축축한 (damp). **~·ly** *adv.* **~·ness** *n.*
〖? Scand. ; cf. Swed. *dank* marshy spot〗
類義語 ⟹ WET.

Danl. Daniel.

Dan·ne·brog [dǽnəbrɑ̀ːg ; -brɔ̀g] *n.* 덴마크 국기 ; 덴마크 훈장의 하나.

D'An·nun·zio [dɑːnúːntsiòu] *n.* 다눈치오. **Gabriele** ~ (1863-1938) 이탈리아의 시인 · 소설가 · 극작가.

dan·ny [dǽni], **don·ny** [dáni] *n.* 《英方》 손, (어린아이에게) 손 줘.
〖hand의 유아어(幼兒語) *dandy*에서 인가〗

Dan·ny [dǽni] *n.* 남자 이름.

danse ma·ca·bre [*F* dɑ̃ːs makɑːbr] *n.* (*pl.* **danses ma·ca·bres** [—]) 죽음의 무도《죽음의 신(神)이 가지각색의 인간을 묘지로 이끄는 그림 ; 인생 무상의 상징, 중세 예술에서 흔히 보는 주제(主題)》. 〖F=dance of death〗

dan·seur [*F* dɑ̃sœːr] *n.* 남자 발레 댄서.

dan·seuse [*F* dɑ̃sœːz] *n.* 여자 발레 댄서.

Dan·te [dáːntei, dǽn-, -ti] *n.* 단테. ~ **Alighieri** (1265-1321) 이탈리아의 시인 ; 「신곡(神曲)」(*La Divina Commedia*)의 작자.

Dan·te·an [dǽntiən, dæntíːən] *n.* 단테 연구가 ; 단테 숭배자. —— *a.* 단테(식)의.

Dan·tesque [dæntésk], **-tes·can** [-téskən] *a.* 단테풍(風)의, 장중한.

Dan·tist [dǽntəst, dáːn-] *n.* 단테 연구가.

Dan·ube [dǽnjuːb] *n.* [the ~] 다뉴브강《독일 남서부에서 동으로 흘러 흑해로 들어감》.

Da·nu·bi·an [dænjúːbiən] *a.* 다뉴브 강(江)의.

Dan·zig [dǽntsig, dáːn- ; *G* dántsiç] *n.* **1** 단치히《GDAŃSK의 독일어명》. **2** 단치히《단치히에서 개량한 관상용 비둘기의 한 품종》.

dap [dǽp] *v.* **(-pp-)** *vi.* 낚시 미끼를 살그머니 물에 던지다[던져 낚다] ; (물수제비 따위로 돌멩이가) 수면을 튀다, (공이) 튀다. —— *vt.* (공을) 튀게 하다, (돌멩이로) 물수제비뜨다. —— *n.* (돌멩이가) 수면을 텀 ; (공의) 텀.
〖C17< ? imit. ; cf. DAB[1]〗

Daph·ne [dǽfni] *n.* **1** 여자 이름. **2** 〖그神〗 다프네《Apollo에게 쫓기어 월계수로 변해 버린 요정》. **3** [d~] 〖植〗 계수나무.
〖ME=laurel<Gk.〗

daph·nia [dǽfniə] *n.* 〖動〗 물벼룩속(屬)의 각종 갑각 동물. 〖NL< ? *Daphne*〗

Daph·nis [dǽfnəs] *n.* 〖그神〗 다프니스《Sicily의 목동으로 목가(牧歌)의 발명자》.

Dáphnis and Chlóe *n.* 다프니스와 클로에《2-3세기경 그리스의 목가적인 이야기 속의 순진한 연인들》.

dap·per [dǽpər] *a.* 조촐한, 단정한, 말쑥한 〈*in*〉 ; 몸집이 작고 민첩한. **~·ly** *adv.* 조촐하게, 단정하게, 말쑥하게. **~·ness** *n.*
〖MLG, MDu.=strong, stout〗

dáp·ping *n.* 미끼를 물위로 부침(浮沈)시켜서 낚시질하는 방법.

dap·ple [dǽpəl] *a.* 얼룩진 : the ~ sky 권적운(卷積雲)[털쌘구름]이 낀 하늘. —— *n.* U.C 얼룩, 얼룩무늬 ; Ⓒ 얼룩무늬의 동물. —— *vt.* 얼룩지게 하다. —— *vi.* 얼룩지다.
〖ME *dappled, dappeld* < ? ON ; cf. OIcel. *depill* spot〗

dápple-báy *a., n.* 밤색털에 얼룩이 있는 (말).

dáp·pled *a.* 얼룩진, 반점이 있는 : a ~ deer 얼룩사슴 / ~ shade 아롱지는 그늘.

dápple-gráy *a., n.* 회색에 검정 얼룩이 있는 (말), 회색 돈점박이의 (말).

dápple-gréy *a., n.* 《英》 =DAPPLE-GRAY.

D.A.Q.M.G. Deputy Assistant Quartermaster General. **DAR** 〖美軍〗 Defense Acquisition Regulation(병기 조달 규정) ; Defense Acquisition Radar(방위용 목표 포착 레이더). **DAR, D.A.R.** Daughters of the American Revolution.

darb [dáːrb] *n.* 《美俗》 멋진 사람[것]. 〖? DAB[3]〗

dar·bies [dáːrbiz] *n. pl.* 《英俗》 수갑. 〖*Father Darby's bonds* (가혹한 차용 증서의 하나)에서〗

dar·by [dáːrbi] *n.* (손잡이가 둘 있는 가늘고 긴) 나무 흙손 ; (회반죽을 고르게 하는) 흙손 ; 《美俗》

돈(money).

Dár·by and Jóan *n. pl.* 사이가 좋은 노부부《민요 속의 노부부에서》.

Dar·dan [dɑ́ːrdn] *a., n.* ＝TROJAN. 〖L＜Gk.〗

Dar·da·nelles [dɑ̀ːrdənélz] *n.* [the ~] 다르다넬스 해협《터키와 유럽 사이의 좁은 해협 ; cf. HELLESPONT》.

‡**dare**[1] [déər, dǽər] *auxil. v.* ㊟ 부정·의문에 사용하여 3인칭·단수·현재의 형식은 dare에 -*s*를 붙이지 않고 조동사 *do*를 쓰지 않으며 또 그 다음에 *to*가 없는 부정사(不定詞)가 따른다 ; 부정형(否定形)은 dare not 즉 daren't며 때로는 과거형으로도 쓰인다(☞ DARE² 1 ㊟). 감히[과단성있게·대담하게·뻔뻔스럽게도] …하다(venture) : He ~*n't* tell us. 그는 감히 우리들에게 말할 용기가 없다 / *D*~ he fight? 감히 싸울 용기가 있을까 / How ~ you[he] say such a thing? 네 가[그가] 어떻게 감히 그런 말을 할 수 있느냐 / They ~*d not* look me in the face. 그들은 똑바로 내 얼굴을 쳐다보지도 못했다 / He met her, but he ~*n't* tell her the truth. 그는 그녀를 만났으나 진실을 이야기할 용기가 나지 않았다.

I dare say 아마도 …이겠지요(maybe) ; [흔히 반어적으로] 그렇죠. ㊟ 이 의미에서는 접속사 that을 수반하지 않는다 : *I* ~ *say* that's true. 아마도 그것은 정말이겠지요.

〖OE *durran* ; cf. DURST, OHG *turran* to venture〗

‡**dare**[2] *vt.* (~**d**) ㊟ 조동사 용법과 같은 뜻으로 구문(構文)은 보통 동사와 같이 -*s*, *do*를 사용한다. **1** [+*to* do] 감히[뱃심좋게·용기를 내서·건방지게도] …하다. ㊟ 단, *to*가 없는 부정사를 수반할 때도 있다 : He *does* not ~ *to* tell us. 그는 우리들에게 말할 용기가 없다 / *Do* you ~ *to* ask her? 뱃심좋게 그녀에게 물어볼 수 있습니까 / I have never ~*d* (*to*) speak to him. 그 사람한테는 감히 말을 건넨 적이 없다 / I wonder how she ~*s* (*to*) say that. 그녀가 어떻게 감히 그런 말을 할 수 있을까 / I would do if I ~*d*. 할 수만 있다면 하고 싶은데 (용기가 없어서 못한다) 《~*d*의 뒤에 *to* do가 보충된다》 / Don't you ~ *to* touch me. (건방지게) 나에게 함부로 손을 대지 마라 / On and on he ran, never *daring to* look back. 뒤를 돌아다볼 용기조차 없이 그는 줄곧 앞으로만 달렸다. ㊟ 오늘날에는 dare를 조동사로 He ~*n't* tell us.와 같이 쓰는 것보다는 보통 동사로 He *doesn't* ~ *to* tell us.와 같이 쓰는 경향이 있다. **2** 모험적으로 해보다, (위험을) 무릅쓰다 : I ~ any danger[anything]. 어떠한 위험[일]이라도 무릅쓰고 기어코 해낸다. **3** [+目+*to* do / +目+*to*+名] …에 도전하다, 할 수 있으면 해보라고 말하다 : I ~ you *to* jump across that stream. 저 내를 뛰어넘을 수 있으면 넘어봐라《어림도 없을 걸》 / He ~*d* me ***to*** the fight. 그는 (덤빌테면 덤벼보라고) 나에게 도전했다. ── *n.* 도전, 감히 함 : take a ~ 도전에 응하다.

dáre·dèvil *a., n.* 앞뒤 생각없이 무턱대고 하는 (사람), 무모한 (사람).

***daren't** [déərənt, dǽər- ; déənt] DARE¹ not의 단축형.

darg [dɑ́ːrg] *n.* 《스코》 하루의 일 ; 《濠》 일정량의 일. 〖*day* wo*rk*〗

dar·gah, dur- [dɔ́ːrgɑː] *n.* (이슬람교의) 성인의 묘, 성묘(聖廟). 〖Pers.〗

Da·ri [dɑ́ːriː] *n.* 다리어(語)《아프가니스탄의 타지크인 등이 사용하는 페르시아어의 하나》.

dar·ic [dǽrik] *n.* 다리크《고대 페르시아의 통화 단위·금화》.

***dar·ing** [déəriŋ, dǽər-] *n.* Ⓤ 모험적 기질 ; 대담성. ── *a.* 용감한, 대담한 ; 무모한 ; 뱃심좋은. ~**·ly** *adv.* ~**·ness** *n.*

Da·ri·us [dəráiəs] *n.* 다리우스《옛 페르시아의 왕 ; 550-486 B.C.》.
〖L＜Gk.＜Pers.＝possessing wealth〗

Dar·jee·ling, -ji- [dɑːrdʒíːliŋ] *n.* **1** 다르질링《인도 서벵골 주의 도시》. **2** 다르질링(＝~ **téa**)《다르질링산의 고급 홍차》.

◇**dark** [dɑ́ːrk] *a.* **1** 어두운, 캄캄한(↔*clear, light*). **2** 거무죽죽한, 거무스름한(somber) ; (피부·눈·머리털이) 검은(cf. BRUNETTE ; ↔*fair, blond*) ; (색깔이) 짙은(↔*light*) : ~ green 암녹색 / ~ hair 검은 머리. **3** 뜻이 애매한, 의미가 모호한(obscure). **4** 비밀의, 숨은 ; 일반에게 알려져 있지 않은, 불분명한 : a ~ saying 수수께끼 같은 이야기. **5** 무지 몽매한, 우매한 : the ~*est* ignorance 일자 무식. **6** 뱃속이 검은, 흉악한(evil) : ~ deeds 못된 짓, 비행(非行). **7** 광명이 없는, 음울한(gloomy) : the ~ side (사물의) 어두운 면. **8** (안색이) 어두운, 음침한(cf. CLEAR 3). **9** 방송되지 않은.

keep dark 숨기다 ; (일을) 비밀로 해두다.

〈회화〉
It is getting *dark*.—I'd better be getting home. 「날이 저물었어」「나, 집에 돌아갈래」

── *n.* Ⓤ 어둠 ; 어두운 곳 ; 밤, 땅거미 ; 비밀 ; 불분명 ; 무지(ignorance) ; 〖美術〗 짙은 음영(陰影), 바림, ⓊⒸ 어두운 색.

after[***before***] ***dark*** 어두워진 다음에[어두워지기 전에].

at dark 해질녘에.

in the dark 어둠 속에서 ; 비밀히 ; (사정을) 모르고, 무지하여 : Cats can see *in the* ~. 고양이는 어둠 속에서도 볼 수 있다 / keep a person *in the* ~ about something 어떤 일을 남에게 비밀로 해두다.

── *vi.* 《廢·詩》 어두워지다. ── *vt.* 《古·詩》 어둡게 하다.

〖OE *deorc* ; cf. G *tarnen* to camouflage〗

類義語 ***dark*** 「어두운」의 뜻으로 가장 일반적인 말. ***dim*** 어둠침침하여 물건이 희미하게 보이는 : a *dim* view (희미한 시야). ***dusky*** 저녁 노을과 같이 약간 어두운 것을 나타냄 : a *dusky* autumn evening (어슴푸레한 가을 저녁). ***murky*** 안개나 연기로 인해서 물체가 보이지 않을 정도로 어두운 : the *murky* air (뿌연 공기). ***gloomy*** 어둠침침하여 음산한 느낌이 드는 : a *gloomy* room (음침한 방).

dárk adaptàtion *n.* 〖醫〗 암순응(暗順應).

dárk-adápt·ed *a.* 암순응의.

Dárk Áges *n. pl.* [the ~] 암흑 시대《대략 기원 476-1000년 경 ; 넓은 뜻으로는 중세(Middle Ages)》.

Dárk and Blóody Gróund *n.* [the ~] 어둡고 피비린내 나는 땅《Kentucky의 공상적 번역 ; 초기의 인디언과의 전투와 관련지어진 호칭》.

dárk brówn stár *n.* 〖天〗 암갈색의 별《은하 속에서 발견된 가시광(可視光)을 거의 복사하지 않는 적외선원(源)》.

dárk cómedy *n.* ＝BLACK HUMOR ; ＝BLACK COMEDY.

Dárk Cóntinent *n.* [the ~] 암흑 대륙《유럽인에게 잘 알려지지 않았던 시대의 아프리카 대륙》.

dárk dáys *n. pl.* 실의[비운, 역경]의 시절, 불길한 나날.

dárk·en *vt.* 어둡게 하다; 거무스름하게 하다; 불명료하게 하다; 음침[우울]하게 하다: A cloud has ~*ed* the sun. 태양이 구름에 가려 어두워졌다. —— *vi.* 어두워지다.
darken counsel (사물을) 더욱더 혼란시키다.
darken a person***'s door(s)*** [보통 부정구문] 남을 방문하다: Do*n't*[*Never*] ~ my *door* again. 내 집에 두 번 다시 얼씬도 하지 마라.
darkey, darkie ☞ DARKY.
dárk field *n.* (현미경의) 암시야(暗視野).
dárk-field *a.*
dárk-field illuminátion *n.* 암시야 조명(법)《현미경 시료(試料)의 측면에서 빛을 비추어 시료가 어두운 배경에 도드라져 보이게 함》.
dárk-field mícroscope *n.* =ULTRAMICROSCOPE.
dárk hórse *n.* 다크 호스《경마에서 뜻밖에 우승한 말; 경기·선거 따위에 난데없이 나타난 유력한 경쟁 상대》.
dárk·ish *a.* 어둑어둑한; 거무스름한.
dárk lántern *n.* 차광식 각등(角燈).
dar·kle [dɑ́:rkəl] *vi.* 어두워지다; (기분·안색이) 침울해지다. 〖역성(逆成) < *darkling*〗
dárk·ling *adv., a.* 《文語》 어둠 속에[의]. 〖*-ling*[2]〗
dárk·ly *adv.* **1** 어둡게. **2** 음침하게; 험악하게: He looked ~ *at* her. 음침[험악]한 얼굴을 하고 그녀를 바라보았다. **3** 어둠 속에; 희미하게. **4** 살그머니, 살짝.
dárk mèat *n.* 요리하여 거뭇하게 보이는 고기《닭이나 칠면조의 허벅살 따위》; 《卑》 흑인 여자, 흑인의 성기.
dárk nébula *n.* 〖天〗 암흑 성운(星雲).
***dárk·ness** *n.* **1** Ⓤ 어둠, 검음, 암흑; 어두운 곳[때], 암흑계(↔*light*): deeds of ~ 악행, 범죄. **2** Ⓤ 마음의 어둠, 무지(無知). **3** Ⓤ 엉큼함. **4** Ⓤ 불명료, 애매함. **5** Ⓤ 맹목.
the Prince of Darkness 마왕(魔王)(Satan).
dárk ráys *n. pl.* 암복사선(暗輻射線)《자외선·적외선 따위의 불가시(不可視) 광선》.
dárk reàction *n.* 〖植〗 암반응(暗反應).
dárk·ròom *n.* 〖寫〗 암실(暗室).
dárk·some *a.* 《詩》 어두운, 거무스레한(dark); 음울한(gloomy).
dárk·tòwn *n.* 《蔑》 검둥이 동네, 흑인 거주지구.
dárky, dárk·ey, -ie *n.* 《口·蔑》 검둥이 (Negro).
***dar·ling** [dɑ́:rliŋ] *n.* **1** 귀여운 사람; 가장 사랑하는 사람, 소중한 것(favorite): my ~ (애칭으로) 여보[당신]!; 그대! / the ~ of all hearts 만인의 사랑을 받고 있는 사람 / the ~ of fortune 행운아. **2** 사랑스러운 사람. —— *a.* **1** 가장 사랑하는, 마음에 드는; 갈망하는: her ~ hope 그녀의 숙원(宿願). **2** 《口》 훌륭한, 멋진. 〖OE *dēorling* (DEAR, -ling[1])〗
***darn**[1] [dɑ́:rn] *vt.* 감치다, 짜깁다, 꿰매다. —— *n.* 감치기, 짜깁기; 꿰맨 곳. 〖C16<? *dern* (obs.) to hide; cf. MDu. *dernen* to stop holes in (a dike)〗
darn[2] *vt.* =DAMN(의 대용어): *D*~ it! 제기랄!, 빌어먹을! —— *a.* 터무니없는. —— *n.* [부정구문] 조금도: I *don't* give[care] a ~. 조금도 걱정하지 않는다.
dárned *a.* 《美口》 터무니없는, 괘씸한. —— *adv.* 《美口》 터무니없이, 엄청나게.
dar·nel [dɑ́:rnl] *n.* 〖植〗 독보리, 쥐보리《보리와 비슷한 유독식물》.
〖ME<?; cf. Walloon *darnelle*〗
dárn·er *n.* DARN[1]하는 사람; =DARNING LAST.
dárn·ing *n.* Ⓤ 짜깁기; 사픈 것.
dárning ègg[mùshroom] *n.* 달걀 모양의 사프기[짜깁기]용의 안감 바대.
dárning làst[bàll] *n.* 짜깁기에 쓰는 받침《송이버섯 모양으로 된 목제품》.
dárning nèedle *n.* **1** 짜깁기[사뜨기] 바늘. **2** 《美方》 잠자리.
dar·o·bok·ka [dæ̀rəbɑ́kə] *n.* (북아프리카의) 손바닥으로 두드리는 원시적인 북. 〖Arab.〗
da·ro·g(h)a [dəróugə, dɑːróugɑ:] *n.* 《인도》 관리자, 감독자, (경찰·세무서 따위의) 서장. 〖Hindi〗
DARPA [dɑ́:rpə] *n.* 《美》 (국방성) 방위 고급 연구 계획국. 〖*D*efense *A*dvanced *R*esearch *P*rojects *A*gency〗
***dart** [dɑ́:rt] *n.* **1 a)** 던지는 창[화살]. **b)** (화살 던지기 놀이의) 던지는 화살; Ⓤ [~s] 화살 던지기 놀이《실내 놀이》. **2** 급격한 돌진: make a sudden ~ *on* …에 덤벼들다. **3** (곤충 따위의) 침. **4** 〖裁縫〗 다트. **5** 험상궂은 표정[말].
—— *vt.* [+目/+目+副/+目+前+名] **1** (창·화살 따위를) 던지다, 쏘다. **2** (시선·광선 따위를) 급히[재빨리] 투사하다, 방출하다: The sun ~*ed forth* its beams. 햇빛이 확 비쳤다 / He ~*ed* a quick glance ***at*** me. 그는 재빨리 시선을 나에게 보냈다. —— *vi.* [動/+副/+前+名] (투창처럼) 날아가다; 돌진하다; 날렵하게 움직이다: ~ *away*[*off*] 날쌔게 사라지다 / ~ *at* [(*up*) *on*] an enemy 적(敵)을 향해 돌진하다[습격하다] / The boy ~*ed* ***into*** the room. 소년은 방으로 날쌔게 들어갔다 / A mouse ~*ed* ***out of*** the closet. 쥐가 찬장에서 날쌔게 뛰쳐나갔다 / Birds were ~*ing* ***through*** the trees. 새들이 나무 사이를 쏜살같이 날아 가고 있었다.
〖OF<Gmc. =spear, lance〗
dárt bòard *n.* 다트 보드《화살 던지기 놀이(darts)의 과녁판》.
dárt·er *n.* **1** DART를 던지는[사출하는] 사람[것]. **2** 〖魚〗 (미국산) 화살물고기《화살처럼 날쌔게 헤엄침》; [*pl.*] 〖鳥〗 =SNAKEBIRD.
dárt·ist *n.* 다트 게임을 하는 사람.
dar·tle [dɑ́:rtl] *vt., vi.* 계속 발사하다; 몇 번이고 돌진하다[날다, 던지다].
Dart·moor [dɑ́:rtmuər, -mɔ:r] *n.* 다트무어《영국 Devon 주의 바위가 많은 고원》; 다트무어 교도소; 다트무어종(種)의 양(=∼ **shèep**)《뿔이 없고 털이 긺》.
Dart·mouth [dɑ́:rtməθ] *n.* 다트머스 《영국의 Devon 주의 항구 도시; 해군 사관 학교(Royal Naval College)가 있음》.
dar·tre [dɑ́:rtər] *n.* 〖醫〗 수포진(水疱疹), 헤르페스. **dár·trous** *a.* 〖F〗
Dar·von [dɑ́:rvɑn] *n.* 다르본《진통제; 상표명》.
Dar·win [dɑ́:rwən] *n.* 다윈. **Charles** ~ (1809-82) 영국의 박물학자; 진화론의 제창자.
Dar·win·i·an [dɑ:rwíniən] *a.* 다윈의; 다윈설(說)의. —— *n.* 다윈설 신봉자.
Dárwin·ìsm *n.* Ⓤ 다윈설, 진화론《자연 도태와 적자 생존을 기조로 함》: ☞ SOCIAL DARWINISM. **-ist** *n., a.* =DARWINIAN.
DASD 〖컴퓨〗 direct access storage device 《직접 접근 기억장치; 임의의 정보에 직접 도달함》.
dash** [dǽ(:)ʃ] *vt.* **1** [+目+副/+目+前+名] 내던지다(fling); 때려 부수다(shatter): She ~*ed away* her tears. 그녀는 눈물을 닦아냈다 / I ~*ed* the cup ***to the floor. 나는 컵을 마룻바닥에 내동댕이쳤다 / The boat was ~*ed to* pieces by the floating ice. 보트는 유빙(流氷)에 부딪쳐서 산산

조각이 났다. **2** [+目+前+名] (물 따위를) 끼얹다(sprinkle), …에 튀기다(splash) : *D*~ water ***over*** this dusty road. 먼지투성이인 도로에 물을 뿌리시오 / He ~*ed* some paint ***on*** the canvas. 그는 캔버스에 그림물감을 마구 칠했다 / Be careful not to be ~*ed* ***with*** mud. 흙탕물에 튀기지 않도록 주의하시오. **3** 실망시키다(depress) ; (희망 따위를) 꺾다(destroy) : Our hopes have been ~*ed*. 우리들의 희망은 산산이 부숴졌다. **4** [+目+*with*+名] (액체 따위를 소량) …에 가미하다(tinge), …에 섞다 ; 《俗》 =BRIBE : *D*~ your tea ***with*** a little whiskey. 홍차에 위스키를 좀 타시오 / cream ~*ed with* vanilla 바닐라를 섞은 크림. **5** 《俗》 =DAMN *vt.* 2 《이 말을 'd–'로 생략하는 데서》: *D*~ it! 지긋지긋해 / I'll be ~*ed if* it is so. 만일 그렇다면 내 목을 내놓겠다 《절대로 그럴리 없다》.

— *vi.* **1** [+副 / +前+名] 돌진[매진]하다 : ~ ***by***[***along***] 전속력으로 지나가다[나아가다] / They ~*ed* ***past*** us in a car. 그들은 자동차를 타고 우리 곁을 쏜살같이 지나갔다 / I must ~ ***off to*** London. 런던으로 급히 떠나지 않으면 안된다 / He ~*ed* ***up***[***down***] the stairs. 계단을 뛰어 올라갔다[내려왔다]. **2** (세차게) 충돌하다 : The car ~*ed* ***into*** a wall. 차가 벽에 충돌했다. **3** 힘차게[단숨에] 하다.

dash down[***off***] (1) 던져버리다[날려버리다] ; ☞ *vi.* 1. (2) (문장·그림 따위를) 단숨에 쓰다[그리다], 휘갈겨 쓰다 : I'll ~ *off* a note to John. 존에게 급히 몇자 써야겠다.

— *n.* **1** (액체가) 세차게 부딪치는 소리, 부서지는 소리 : the ~ of the waves on the beach 해변가로 밀려와 부딪치는 파도. **2** 돌진, 돌격(onset) ; (단거리의) 경주 : make a ~ *at* the enemy[*for* shelter] 적을 향하여 돌진하다[은신처를 찾아 내닫다] / the hundredmeter ~ 100미터 경주. **3** 충돌(collision) ; (원기·희망 따위를) 꺾는 것, 장애. **4** 주입(注入) (infusion), 소량의 가미 : tea with a ~ *of* whiskey in it 위스키를 아주 조금 탄 홍차 / red with a ~ *of* blue 약간 푸른기가 도는 빨강. **5** 일필휘지(一筆揮之), 필세(筆勢). **6** 대시《—》. **7** (모스 부호의) 장음, 장점(長點)「쓰—」 (cf. DOT[1]) ;〖樂〗 STACCATO의 기호《▼》. **8** Ⓤ 예기, 기력(vigor) ; 씩씩한 위세[풍채]. **9** 허세(display) : cut a ~ 허세를 부리다, 화려한 옷차림을 하다. **10** 《口》 (자동차의) 계기반(計器盤) (dashboard). **11** (버터 제조의) 교반기(攪拌機).

at a dash 단숨에.

〚ME (? imit.)〛

DASH drone anti-submarine helicopter(대(對) 잠수함 무인 헬리콥터).

dásh-and-dót *a.* =DOT-AND-DASH, 모스식 전신 부호의, 점과 선 식의.

Dash·avey·or [dǽʃəvèiər] *n.* 대셔베이어《내장된 전동 모터로 궤도를 달리는 교통 기관의 일종 ; 상표명》.
〚Stanley E. *Dashew*(고안자)+con*veyor*〛

dásh·bòard *n.* **1** (마차·썰매의) 흙[눈]받기(splashboard) ; 파도[비]를 막는 널빤지. **2** (자동차·비행기의) 계기반.

dáshboard lìght *n.* (자동차 따위의) 계기등.

dashed [dæʃt] *a.*, *adv.* =DAMNED.

da·sheen [dæʃíːn] *n.* 〖植〗 타로토란(taro).

dásh·er *n.* **1** 돌진하는 사람[것]. **2** 교반기(攪拌器). **3** =DASHBOARD 1. **4** 《口》 허세부리는 사람 ; 씩씩한 사람.

da·shi·ki [dəʃíːki, dɑː-], **dai-** [dai-] *n.* 다시키《아프리카의 한 부족 의상을 모방하여 미국 및 카리브해 지방의 흑인이 입는 색채가 화려하고 헐렁한 웃옷》. 〚Yoruba *danshiki*〛

dásh·ing *a.* 위세 당당한, 기운찬, 씩씩한 ; 멋있는, 화려한. **~·ly** *adv.* 위세 당당하게.

dásh·pòt *n.* 〖機〗 대시포트《완충·제동 장치》.

dáshy *a.* 화려한 ; 씩씩한.

das·tard [dǽstərd] *n.* 비겁자, 겁쟁이, 비열한 자. 〚? *dazed* (p.p.), *-ard*, or *dasart* (obs.) dullard+*dotard*〛

dástard·ly *a.* 비겁[비열]한. — *adv.* 비겁[비열]한 방법으로[태도로]. **-li·ness** *n.*

da·stur [dəstúər] *n.* 파르시(Parsi)의 고승(高僧). 〚Hind.〛

dasy- *a. comb. form*「조밀한 …」「거친 …」「털이 많은」의 뜻.

dasy·ure [dǽsijùər] *n.* 〖動〗 주머니고양이《오스트레일리아산》.

DAT differential aptitude test ; digital audio taperecorder. **dat.** dative.

***da·ta** [déitə, dɑ́ːtə, 美+dǽtə] *n.* (*pl.* ~) 자료, 데이터, 논거(論據) ; (관찰이나 실험에 의한) 지식, 정보(information)〈*on*〉; (일반적으로) 사실(facts) ;〖컴퓨〗 데이터. — *vt.* (**~ed**) 《美》 …에 관한 데이터를 수집하다. 〚DATUM의 복수형〛
活用 원래는 DATUM의 복수형이지만, 특히 《美》에서는 때때로 집합 명사로 취급함(cf. AGENDA 活用) : *These data are*[*This data is*] accurate. (이 데이터는 정확하다).

dáta acquisìtion *n.* 〖컴퓨〗 데이터 수집.

dáta bànk *n.* 〖컴퓨〗 자료 은행, 데이터 뱅크. 《(1) =DATA BASE. (2) 데이터를 축적·보관하고 제공하는 기관》

dáta-bànk *vt.* 자료 은행[데이터 뱅크]에 넣다[보관하다].

dáta bàse *n.* 데이터 베이스, 자료틀《컴퓨터 따위로 신속하게 검색·이용할 수 있도록 분류 정리된 용도를 제한하지 않는 대량의 자료[데이터]》.

dáta-bàse índustry *n.* 데이터 베이스[자료틀] 산업《축적된 정보를 고객에게 제공하는 산업》.

dáta bàse manágement sỳstem *n.* 〖컴퓨〗 데이터 베이스 관리 시스템, 자료틀 관리 체계《略 DBMS》.

dáta bàse públishing *n.* 데이터 베이스[자료틀] 출판.

dáta-bàse sèrvice *n.* 데이터 베이스[자료틀] 서비스.

dáta bìnder *n.* 데이터[자료] 바인더《컴퓨터의 프린트 아웃을 수납하는 바인더식 커버》.

dat·able, date·able [déitəbəl] *a.* 시일[연대]을 추정[산정]할 수 있는. **~·ness** *n.*

dáta bòok *n.* 참고 자료서.

dáta bròadcasting *n.* 데이터[자료] 브로드캐스팅《데이터를 전송하는 새로운 방송 서비스》.

dáta càpture *n.* 〖컴퓨〗 데이터[자료] 수집.

dáta carríer *n.* 〖컴퓨〗 데이터[자료] 기억 매체.

dáta collèction *n.* 〖컴퓨〗 데이터[자료] 수집《컴퓨터 단말 장치에서》.

dáta còmm *n.* =DATA COMMUNICATION.

dáta communicátion *n.* 데이터[자료] 통신.

dáta-dríven *a.* 〖컴퓨〗 (프로그램이) 데이터[자료]에 의거하여 처리되는.

dáta encrýption stàndard *n.* 〖金融〗 데이터[자료] 암호화 기준《略 DES》.

dáta fòrmat *n.* 데이터[자료] 형식《컴퓨터에 입력하는 데이터[자료]의 배열》.

dáta-hàndling sỳstem *n.* 데이터 처리 시스템, 자료 처리 체계.
dáta hìghway[**ìnfrastructure**] *n.* 초고속 정보 통신망.
dáta intégrity *n.* 〖컴퓨〗 데이터 보전성《입력된 데이터가 변경·파괴되지 않은 상태》.
dát·al *a.* 날짜[연대]순의 ; (문서 따위) 날짜가 (기재되어) 있는.
dáta lìnk *n.* 〖컴퓨〗 데이터[자료] 링크《컴퓨터 따위와의 통신을 위해 설치된 통신선 ; 略 D/L》.
da·tal·ler [déitələr] *n.* 《英方》 =DAYTALER.
dáta lògger *n.* 데이터[자료] 이력 기록기.
dáta lògging *n.* 〖컴퓨〗 데이터[자료] 이력 기록.
da·ta·ma·tion [dèitəméiʃən, dɑ̀ː-, 美+dæ̀t-] *n.* **1** 자동 데이터[자료] 처리. **2** 데이터[자료] 처리재(材) 제조[판매, 서비스] 회사. 〚*data*+auto*mation*〛
dáta·phòne *n.* 데이터폰《전화 회선을 사용하는 데이터[자료] 전송 장치(傳送裝置)》.
Dáta·póst *n.* 《英》 데이터포스트《Royal Mail의 익일 배달 소포 우편 ; 미국의 Express Mail에 해당함》.
dáta pròcessing *n.* 자료 처리, 데이터 처리, 정보 처리 : the ~ industry 정보 처리 산업.
dáta pròcessor *n.* 데이터[자료] 처리 장치.
dáta provìder *n.* 정보 제공업자.
dáta redùction *n.* 데이터[자료] 정리.
da·ta·ry [déitəri] *n.* 〖카톨릭〗 교황청 장새원(掌璽院)《교황청의 한 부국(部局) ; 유급 성직자의 적격 심사를 함》 ; 장새원 원장.
dáta secúrity *n.* 〖컴퓨〗 데이터 보호.
dáta sèt *n.* 데이터[자료] 세트《데이터[자료] 처리상 한 단위로서 취급하는 일련의 기록 ; 데이터 통신에서 사용되는 아날로그에서 디지털까지 또는 그 역(逆)의 변환기(變換器)》.
dáta shèet *n.* 주요 관련 데이터를 적은 종이.
dáta términal equìpment *n.* 〖通信〗 데이터 단말 장치《略 DTE》.
dáta transmìssion *n.* 〖컴퓨〗 자료 전송, 데이터 전송(傳送).
dáta-ùnder·vóice *n.* 〖通信〗 마이크로파 중계 시스템을 이용한 디지털 정보·음성 동시 전송 방식의 하나.
datcha ☞ DACHA.
◇**date**[1] [déit] *n.* **1** 날짜, 연월일《때때로 장소도 포함함》 ; 기일 : at an early ~ 일간, 머지 않아 / a letter bearing the ~ of June 10 6월 10일자의 편지 / fix the ~ *for* a wedding 결혼 날짜를 정하다. ㊟ [날짜 쓰는 방식] (1) 《美》에서는 일반적으로 July 4, 1996 ; 군부(軍部)·과학 관계 따위에서는 4 July 1996의 형식을 쓴다 ; 메모 따위에 약기(略記)할 때는 7/4/96의 형식을 쓴다. (2) 《英》 기타에서는 4(th) July, 1996, 약(略)하여 4/7/96 또는 4-7, 96처럼 쓰는 경우도 있다. (3) July 4는 보통 July (the) fourth라고 읽지만 구어에서는 July four라고도 읽는다. **2** U,C 연대, 시대 : coins of Roman ~ 로마 시대의 화폐. **3** 《口·원래 美》 **a**) 데이트《특히 이성과 만나는 약속 또는 약속하고 이성과 만나는 일》 : a blind ~ 《美俗》 안면이 없는 남녀의 데이트 / a double ~ 《口》 두 쌍의 남녀 데이트 / a coffee[picnic] ~ 커피를 마시는[피크닉 가는] 데이트 / go on a ~ *with* …와 데이트 가다, …와 데이트하다 / have a ~ *with* …와 데이트가 있다 ; …와 만나다[데이트하다] / make a ~ *with* …와 데이트 약속을 하다 / keep [break] a ~ *with* …와의 데이트 약속을 지키다[어기다]. **b**) 데이트의 상대《이성》. **4** 〖商〗 (상업문의) 당일 ; 《口》 오늘. **5** 만날 약속 ; 출연 계약. **6** [*pl.*] 신문(newspapers).
down to date 《美》 =*up to* DATE.
no date (장서표 따위에) 날짜 없음《略 n.d.》.
of an early date 초기의, 고대의.
out of date 시대에 뒤진, 구식의.
to date 현재까지(till now, as yet).
under date (몇)일부(附)의 : *under* ~ Jan. 5 1월 5일자의.
up to date 오늘(날)까지(till now) ; 최신식으로, 현대적으로(modern) : be *up to* ~ 최신의 것이다 ; (사람이) 생각이 현대적이다.
without date (1) 날짜가 없는 : a letter *without* ~ 날짜가 없는 편지. (2) 《美》 무기한으로.

〈회화〉
What's the *date* today? — It's October 28.
「오늘은 며칠입니까」「10월 28일입니다」

— *vt.* **1** [+目 / +目+補 / +目+前+名] (편지·문서 따위의) 날짜를 적다 : The letter is ~*d* (***from*** London) 16 July. 그 편지는 (런던발(發)) 7월 16일자로 되어 있다. **2** (사건·미술품 따위의) 시일[연대]을 정하다 : Can you ~ this castle? 이 성(城)의 연대를 아십니까 / We cannot ~ accurately the first use of salt as a seasoning for food. 소금이 조미료로 처음 쓰이게 된 연대를 정확히 알 수 없다. **3** 《口·원래 美》 (이성과) 만날 약속을 하다 ; …와 데이트하다.
— *vi.* **1** 날짜가 적혀 있다. **2** [+前+名 / +副] 시작하다, 기산하다 : His house ~*s* ***from*** [*back* ***to***] the 17th century. 그의 집안은 17세기부터 시작되고 있다 / The church ~*s* as far *back* as the reign of Elizabeth. 이 교회의 기원은 멀리 엘리자베스 시대로 거슬러 올라간다. **3** (예술품·문체(文體) 따위가) 특정의 시대물로 인정되다 ; 시대물(時代物)이다, 낡은 것이 되다[것이다] : His car is beginning to ~. 그의 차(車)는 이미 고물(古物)이 되어 가고 있다. **4** 《口·원래 美》 데이트하다 ; [+*with*+名] (…와) 데이트하다 : He ~*d* ***with*** many girls. 그는 많은 여자들과 데이트했다.
〚OF<L *data* (letter) given (at specified time and place) (p.p)<*do* to give〛
date[2] *n.* 〖植〗 대추야자나무(= ~ palm) (의 열매). 〚OF<L<Gk.; ⇨ DACTYL ; 잎의 모양이 비슷한 데서〛
dateable ☞ DATABLE.
dáte·bòok *n.* (중요한 날·사건·약속·지출 따위를 써넣는) 메모장, 수첩.
dat·ed [déitəd] *a.* **1** 날짜가 적힌[있는]. **2** 시대에 뒤진, 구식의.
dáte dànce *n.* 《美》 좋아하는 여성을 동반하는 댄스 파티.
dáte·less *a.* **1** 날짜가 없는 ; 연대[시기]를 알 수 없는. **2** 《詩》 무한의(endless). **3** 태고적부터의. **4** 《美口》 약속이 없는 ; 교제 상대가 없는. **5** 오래됐지만 여전히 흥미가 있는. **~·ness** *n.*
dáte lìne *n.* [the ~] 날짜(변경)선 《international date line이라고도 함》.
dáte·lìne *n.* 날짜(변경)선 ; (신문·잡지 기사 따위의) 발신지와 날짜(를 적는 행). — *vt.* (기사 따위)에 발신지와 날짜를 넣다.
dáte·màrk *n.* 날짜 도장, 일부인(日附印).
— *vt.* …에 날짜 도장을 찍다.
dáte pàlm *n.* 〖植〗 대추야자나무(date).
dáte plùm *n.* 〖植〗 고욤나무《중국 원산으로 한국·일본·중국 등지에 분포》.

D

dat·er [déitər] *n.* 날짜를 기입하는 사람, 날짜 찍는 기계 ; 《口》 데이트하는 사람.
dáte slìp *n.* (도서관 책의) 대출 카드.
dáte stàmp *n.* (우편물 따위의) 소인(消印), 일부인(日附印).
dáte-stàmp *vt.* 소인[일부인]을 찍다.
dat·ing [déitiŋ] *n.* **1** 날짜 기입 ; 〖商〗 선일부(先日附). **2** 《口》 (이성과의) 만남. **3** (고고학 · 지질학 따위의) 연대결정.
dáting bàr *n.* 《美》 독신 남녀용 바.
da·ti·val [deitáivəl, də-] *a.* 〖文法〗 여격(與格)의.
da·tive [déitiv] *n., a.* 〖文法〗 여격(與格) (dative case) (의)《명사 · 대명사가 간접목적어로 되어 있을 때의 격(格) : I gave the *boy* an apple. 에서의 boy》. **~·ly** *adv.* 여격(與格)으로.
〖L (*casus*) *dativus* (*dat- do* to give) ; Gk. (*ptōsis*) *dotikē*의 역(譯)〗
dátive vérb *n.* 〖文法〗 수여동사.
da·to, dat·to [dɑ́:tou] *n.* (*pl.* **~s**) (필리핀 · 말레이시아 등지의 부족의) 족장 ; (BARRIO의) 우두머리. 〖Sp.<Malay〗
da·tum [déitəm, dɑ́:-, 美+dǽt-] *n.* (*pl.* **da·ta** [-tə]) **1** 논거, 자료(㊟ 보통 복수형의 DATA를 사용함 ; ☞ DATA 活用). **2** (*pl.* **~s**) 〖測〗 기준점[선, 면]. **3** 〖心〗 =SENSE-DATUM.
〖L (p.p.) ‹ *do* to give〗
dátum lìne[**lèvel, plàne, pòint**] *n.* 〖測〗 기준선[면, 점].
da·tu·ra [dətjúərə] *n.* 〖植〗 가지과(科) 흰독말풀속(屬)의 각종 풀. 〖Hindi〗
dau. daughter.
daub [dɔ́:b, 美+dɑ́:b] *vt.* **1** [+目 / +目+前+名 / +目+副] (도료 따위를) …에 칠하다, 바르다(coat) ; (그림물감을) 마구 칠하다 : ~ paint ***on*** a wall = ~ a wall ***with*** paint 벽에 페인트를 듬뿍 칠하다 / He ~*ed on* the paint where there was a flaw. 흠집이 있는 곳에 페인트를 칠했다. **2** [+目 / +目+*with*+名] 더럽히다 (soil) : His trousers were ~*ed* ***with*** mud. 그의 양복 바지는 진흙으로 더럽혀져 있었다. **3** 서투르게 그리다. —— *vi.* 서투른 그림을 그리다.
—— *n.* **1** U,C 칠하기, (뒤)바르기 ; C 더러움 ; 오점(smear). **2** (진흙 같은) 도료. **3** 서투른 그림. **~·er** *n.* 칠하는 사람[도구] ; 미장이 ; 《美俗》 원기, 용기. 〖OF<L=whitewash (*de-*, ALB)〗
dáub·ery, dáub·ry *n.* 서투른 그림 ; 아무렇게나 한 일.
dáub·ster *n.* 서투른 화가[그림장이].
dáuby *a.* (보통 **dáub·i·er, -i·est**) 더덕더덕 칠한 ; 지저분하게 그린 ; 끈적끈적한.
◇**daugh·ter** [dɔ́:tər] *n.* **1** 딸(↔*son*) ; 의붓딸, 수양딸. **2** (어느 일족 · 종족의) 부녀자 ; (사건 · 시대의) 소산(所產) ; 부인, (…이) 낳은 여성 : a ~ *of* Abraham 유태 여자(Jewess) / a ~ *of* Eve (이브의 약점을 이어 받아 호기심이 강한) 여자 / ~*s of* the church 교회의 여신도들.
the Daughters of the American Revolution 《美》 미국 애국 여성 단체《회원은 독립전쟁에 참가한 조상의 자손 ; 1890년 창립 ; 略 DAR》.
—— *a.* 딸로서의, 딸다운 ; 딸 같은 관계에 있는 ; 〖理〗 방사성 붕괴에 의해 생긴.
~·ly *a.* 딸다운, 딸로서의.
〖OE *dohtor* ; cf. G *Tochter*〗
dáughter átom *n.* 〖理〗 딸원자《DAUGHTER ELEMENT의 원자》.
dáughter bòard *n.* 《電子俗》 도터 보드《MOTHERBOARD에 삽입되는 회로판》.
dáughter céll *n.* (세포 분열에 의한) 딸세포.
dáughter chrómosome *n.* 〖生〗 딸염색체.
dáughter élement *n.* 〖理〗 딸원소《방사성 원소의 붕괴로 생김 ; cf. PARENT ELEMENT》.
dáughter·hòod *n.* U 딸의 신분 ; 처녀 시절 ; [집합적으로] 딸들.
dáughter-in-làw *n.* (*pl.* **dáughters-**) **1** 며느리, 자부《아들 부모의 입장에서》. **2** (흔히) = STEPDAUGHTER.
dáughter lánguage *n.* 파생(派生) 언어《똑같이 라틴어에서 나온 프랑스어 · 스페인어 따위》.
dáughter núcleus *n.* 〖生〗 딸핵《핵분열에 의해 생긴 세포핵》.
daunt [dɔ́:nt, 美+dɑ́:nt] *vt.* 겁주다, 위압(威壓)하다(intimidate), 위협하다 ; 기가 질리게 하다, …의 기[기력]를 꺾다.
nothing daunted 《文語》 조금도 겁내지[굽히지] 않고(cf. NOTHING *adv.*).
〖OF<L *domito* (freq.)< *domo* to tame〗
類義語 ⟹ DISMAY.
dáunt·less *a.* 겁내지[굽히지] 않는, 대담한, 불굴의. **~·ly** *adv.* 굽히지 않고. **~·ness** *n.*
dau·phin [dɔ́:fən] *n.* 〖史〗 황태자《1349-1830년의 프랑스 황태자의 칭호》. 〖F<L *delphinus* DOLPHIN ; 그의 영지(領地) DAUPHINÉ에서〗
Dau·phi·né [*F* dofine] *n.* 도피네《프랑스 남동부의 지방 · 옛 주(州) ; 주도 Grenoble》.
dáuphin·ess *n.* 〖史〗 프랑스의 황태자비(妃).
DAV, D.A.V. Disabled American Veterans (미국 상이 군인회).
Dave [déiv] *n.* 남자 이름《David의 애칭》.
dav·en·port [dǽvənpɔ̀:rt] *n.* **1** 《英》 작은 책상의 일종《경첩식의 뚜껑을 열면 책상이 됨》. **2** 《美》 침대 겸용의 큰 소파.
〖C19<? ; 발안자(發案者)의 이름인가〗
Da·vid [déivəd] *n.* **1** 남자 이름《애칭 Dave, Davy》. **2** 〖聖〗 다윗(d. 962 B.C.)《이스라엘의 2대 왕 ; 구약성서 시편의 시(詩) 작자라고 함》.
David and Jonathan 〖聖〗 둘도 없는[막역한] 친구.
the City of David 예루살렘 ; 베들레헴.
〖Heb.=beloved〗
da Vin·ci [də víntʃi] *n.* 다 빈치. **Leonardo** ~ (1452-1519) 이탈리아의 화가 · 조각가 · 건축가 · 과학자.
Da·vis [déivəs] *n.* 남자 이름.
〖단축(短縮) ‹ME *Davyson* son of David〗
Dávis apparàtus *n.* 데이비스 장치《잠수함에서의 탈출 장치》.
〖Sir R. H. *Davis* (d. 1965) 영국의 발명가〗
Dávis Cùp *n.* [the ~] 데이비스 컵《1900년 미국의 테니스 선수(후에 정치가) D. F. Davis가 국제 테니스 시합을 위해서 기증한 우승 은배(銀杯) ; 이 시합은 그 후 국제 선수권 시합으로 되어 오늘날에 이름》.
Dávis Stráit *n.* [the ~] 데이비스 해협《Greenland와 캐나다의 배핀 섬 사이의 해협》.
dav·it [déivət, dǽv-] *n.* **1** (보트 · 닻을) 달아올리는 기둥. **2** =FISH DAVIT.
〖OF (dim.) ‹ *Davi* David〗
da·vy [déivi] *n.* 《俗》 =AFFIDAVIT.
take** one's **davy 맹세하다(swear)‹*that...*, *to* a fact›.
Davy *n.* **1** 남자 이름《David의 애칭》. **2** 데이비. Sir **Humphry** ~ (1778-1829) 영국의 화학자 ; Davy lamp를 발명.
Dávy Jónes *n.* 해신(海神), 바다의 악령.

〚C18< ?〛

Dávy Jónes'(s) lócker *n.* 해저(의 밑바다), (특히) 바다의 묘지 : go to ~ 바다에 빠져죽다, 물고기 밥이 되다.

Dávy làmp *n.* (초기의) 탄갱용(炭坑用)의 안전등. 〚Sir H. DAVY〛

daw [dɔ́ː] *n.* =JACKDAW.
〚ME<OE《美》*dāwe* ; cf. OHG *tāha*〛

daw·dle [dɔ́ːdl] *vi.* [動/+前+名] 빈둥빈둥 놀다, 꾸물거리다(idle) : You are *dawdling* **over** your work! 꽤 꾸물거리며 일을 하고 있군.
—— *vt.* [+目+副] (시간을) 허비하다 : He ~*d away* his time[life]. 빈들거리며 시간[일생]을 헛되이 보냈다. —— *n.* =DAWDLER.
〚C17< ? ; cf. DODDLE (dial.)〛
類義語 ⟹ LOITER.

dáw·dler *n.* 게으름뱅이, 빈둥빈둥 노는 사람.

dawg [dɔ́ːg] *n.* 《口》 =DOG.

dawk[1] [dɔ́ːk] *n.* 비둘기파(dove)와 매파(hawk)의 중간파. 〚*d*ove+h*awk*〛

dawk[2] ☞ DAK.

*****dawn** [dɔ́ːn, 美+dɑ́ːn] *n.* **1** Ⓤ 새벽, 동틀녘, 여명(黎明) (daybreak) : It is nearly ~. 이내 날이 밝는다 / at ~ 새벽녘에 / from ~ till dusk 동틀녘부터 해질 때까지. **2** 《비유》 (일의) 시작, 전조(前兆), 서광(曙光) (beginning) : the ~ *of* civilization[this century] 문명의 전조[금세기(今世紀)의 시작]. —— *vi.* **1** 날이 새다, 동트다 : (The) day[morning] is just ~*ing*. 이제 막 날이 밝아오고 있다. **2** [動/+*on*+名] 싹트다, (서서히) 발달하기 시작하다 ; (물건이) 나타나기[보이기] 시작하다 ; (일을) 알기 시작하다 : A new era is ~*ing*. 새로운 시대가 시작되고 있다 / At last it ~*ed* **on** him what his sister really wanted. 드디어 그는 누이동생이 진정으로 무엇을 원하고 있는가를 알게 되었다. 〚역성(逆成)<*dawning*〛

dáwn chòrus *n.* (오로라 따위에 관계가 있는) 새벽의 라디오 전파 장애 ; 새벽의 합창《새벽녘의 새들의 지저귐》.

dáwn·ing *n.* Ⓤ =DAWN ; 동쪽 ; 징조, 시작.
〚ME *dawing* ; *-n-*은 ON 또는 *evening*의 영향 ; cf. DAY, OE *dagian* to *dawn*〛

dáwn màn *n.* [때때로 D~ M~] (절멸한) 원시인 ; =PILTDOWN MAN.

dáwn patròl *n.* 〘軍〙 새벽 정찰 비행 ; (방송국의) 새벽 프로그램 담당자.

◇**day** [déi] *n.* **1** (24시간의) 하루, 일주야(一晝夜), 날(=solar ~) ; (달력상의) 날(cf. MONTH, YEAR) 《略 d.》 : *on* a cold winter ~ 어느 추운 겨울날에 / every ~ 매일 / every other ~ 하루 걸러(every second day) ; 때때로 / one of these (fine) ~*s* 근일중에, 근간(近間)에 / the other ~ 일전에, 요전에 / ☞ SOLAR DAY / ☞ LUNAR DAY / [부사절을 이끌어] He was born *the* ~ (*that*) his father left for Europe. 그는 아버지가 유럽으로 떠난 날에 태어났다 / The longest ~ must[will] have an end. 《속담》 아무리 기나긴 날도 끝이 있는 법이다.
2 Ⓤ 하루종일, 낮(사이) (↔*night*) ; 대낮의 밝음, 일광 : before ~ 날이 새기 전에 / at the break of ~ =at DAYBREAK.
3 (노동[근무] 시간의) 하루 : an eight-hour ~ 하루 8시간 노동.
4 기념일, 축제일 ; Ⓤ …데이 : (*on*) Children's *D*~ 어린이날(에) / ☞ CHRISTMAS DAY / ☞ NEW YEAR'S DAY.
5 기일, 약속한 날, 면회일, 집에 있는 날 : keep one's ~ 기일을 지키다.
6 [때때로 *pl.*] 시대, 당대(epoch), 시기(cf. YEAR 5) ; [the ~] 그 시대, 현대 : the present ~ 현대(cf. PRESENT-DAY) / *in* olden ~*s*=*in* ~*s* of old 옛날에, 옛날에는(formerly) / *in* Shakespeare's ~=*in* the ~ of Shakespeare 셰익스피어의 시대에 / *in* ~*s* gone by[to come] 옛날[장래]에 / *in* his school ~*s* 그의 학창 시절에(는) / *in* the ~(*s*) of Queen Elizabeth 엘리자베스 여왕 시대에 / (*in*) these ~*s* 요즘(엔), 근래(nowadays) 《㊟ in을 쓰는 것은 약간 구식 용법으로 보통은 생략함》 / *in* those ~*s* 그 때[시대]에는, 당시엔(then) 《㊟ 보통 in을 생략하지 않음》 / men *of* other ~*s* 옛날 사람 / the best writer *of* his ~ 당시의 가장 뛰어난 작가 / men *of* the ~ 시대의 인물《당대의 중요인물》.
7 [one's ~(s)] (개인의) 수명, 생애 ; [one's ~] (사람의) 행운, 전성 (시대) (cf. *one's* ~ ☞ 숙어) : end one's ~*s* 일생을 마치다, 죽다 / *on* one's ~ 순조로울 때에(는) / *in* one's ~ 한창[젊을] 때에(는) / She was a beauty *in* her ~. 젊었을 때는 미인이었다.
8 a) [the ~] 어느 날 생긴 일 ; (특히) 싸움, 승부(contest), 승리(victory) : lose[win, carry] the ~ 패배하다[승리하다] / How goes the ~? 전황(戰況)은 어떠한가. **b)** [the D~] 제1차 세계대전 전(前) 독일이 영국에게 승리를 예상했던 전투일《'der Tag' (G)의 번역》 ; 결행의 날.

all day* (*long*)**=all the day*** 온종일, 하루종일 : He worked *all* ~ *long*. 하루종일 일하였다.
(*as*) *clear as day* 낮과 같이 밝은 ; 아주 명백한[분명한].
at that*[*this*] *day 그 무렵[요즈음].
at the present day 요즘.
better*[one*'s best*] *days (과거 또는 장래의) 좋은 시절 : He have seen *better* ~*s*. 한때 좋은 시절이 있었다.
between two days 밤새도록, 밤중에
by day 낮에는, 주간에 (↔*by night*).
by the day 하루당, 하루 단위로 : work[pay] *by the* ~.
call it a day (일 따위를) 마치기로 하다 ; 그만두다 ; 체념하다.
day about 하루 걸러(every other day).
day after day (오늘도 내일도) 매일, 날이면 날마다.
day and night=***night and day*** 밤낮, 밤낮을 가리지 않고, 끊임없이.
day by day 매일 ; 날마다(daily).
day in, day out=***day in and day out*** 해가 뜨나 해가 지나(every day).
from day to day=DAY *by day*.
from this day forth 오늘 이후.
have one***'s day*** 좋은 날을 맞이하다, 전성 시대가 오다 : The game has *had* its ~. 그 놀이는 한때는 성행했었다 / Every dog *has* his ~. 《속담》 누구나 흉사(凶事)만 있는 것은 아니다《언젠가 성공의 기회가 있다》.
if a day ☞ IF.
in a day 하루에 ; 일조 일석에.
in broad day=in broad DAYLIGHT.
in days gone by 지난날에.
in days to come 장차 ; 저승에서.
one day (과거나 미래의) 어느 날.
one***'s day*** 집에 있는 날《1주일에 하루 방문객을 맞는 날》 ; 전성 시대(cf. 7).
some day (보통 미래의) 어느 날엔가, 언젠가,

D

훗날. ㊟ 과거에서 본 미래에도 씀.
***the day after tomorrow*[*before yesterday*]** 모레[그저께]. ㊟ 《美》에서는 흔히 the를 생략함.
the day before*[*after*] *the fair 시기 상조로[너무 늦어서].
(*the*) *time of day* ☞ TIME.
***this day week*[*fortnight, month, year*]** 내주[2주일 후, 내달, 내년]의 오늘 ; 전주[2주일전, 지난달, 작년]의 오늘.
till*[*up to*] *this day 오늘날까지.
to a day 하루도 어기지 않고, 꼭.
to this*[*that*] *day 오늘날[그 당시]까지.
without day 무기한으로, 날짜를 정하지 않고.

〈회화〉
What *day* of the week is it today? — It's Friday. 「오늘은 무슨 요일이니」「금요일이야」

〖OE *dæg* day, lifetime ; cf. G *Tag*〗
活用 ☞ MONTH.

D

Day·ak, Dy·ak [dáiæk] *n.* (*pl.* ~, ~**s**) 다야크족(族)《Borneo 섬 내륙에 사는 비이슬람교 종족》; Ⓤ 다야크어(語).
dáy·bèd *n.* 침대 겸용의 소파.
dáy blìndness *n.* 〖醫〗 주맹증(晝盲症).
dáy bòarder *n.* 《英》 통학생《기숙사에 들어가지 않고 식사만 학교에서 하는 학생》.
dáy·bòok *n.* 일기, 일지 ; 〖簿〗 거래 일기장.
dáy bòy *n.* (특히 영국에서 기숙사가 있는 학교의) 남자 통학생 ; 통근 고용자[점원, 하인].
***dáy·brèak** *n.* Ⓤ 새벽녘(dawn) (cf. BREAK *n.* 9) : at ~ 새벽녘에.
dáy-by-dáy *a.* 나날의, 날마다의.
dáy càmp *n.* 평일 주간에 행하는 어린이를 위한 캠프《밤에는 집에 돌아감》.
dáy càre *n.* 데이 케어《미취학 아동 · 고령자 · 신체 장애자 등의 각 집단에 대해 전문적 훈련을 받은 직원이 가족 대신 주간에만 돌보아 줌》.
dáy-càre *a.* day care에 관한[를 행하는].
dáy·càre *vt.* 데이 (케어) 센터에 맡기다.
dáy-càre cénter *n.* (주간의) 탁아소, 보육원.
dáy cènter *n.* 데이 센터《고령자 · 신체 장애자에 대해 오락 따위를 제공하는 복지 센터》.
dáy-clèan *n.* 《카리브口 · 西Africa口》 새벽녘, 동틀녘.
dáy còach *n.* 《美》 보통 객차(cf. PARLOR CAR).
dáy·drèam *n.* 백일몽, 공상. —— *vi.* 공상에 잠기다. ~·**er** *n.* 공상가.
dáy fìghter *n.* 주간 (작전용의) 전투기.
dáy·flòwer *n.* 피었다가 그날로 시드는 꽃《특히 닭의장풀[닭개비]》.
dáy·flỳ *n.* 〖昆〗 하루살이.
dáy gìrl *n.* (기숙사가 있는 학교의) 여자 통학생.
Dáy-Glo [-glòu] *n.* 데이글로《안료에 첨가하는 형광 착색제 ; 상표명》.
dáy·glòw *n.* 〖天〗 주간 대기광(大氣光).
dáy hòspital *n.* 주간 병원, 외래(환자용) 병원.
dáy in cóurt *n.* 〖法〗 법정 출두일 ; 자기의 주장을 진술할 기회.
dáy làbor *n.* 날품.
dáy làborer *n.* 날품팔이꾼.
dáy lèngth *n.* 〖生〗 광주기(光週期).
dáy lètter[**lèttergram**] *n.* 《美》 (50단어 이하의) 주간 할인 전보《요금이 싸지만 도착이 늦음 ; cf. NIGHT LETTER》.
***dáy·lìght** *n.* **1** Ⓤ 일광, 햇볕, 밝음(light) ; 낮(daytime) : in broad ~ 대낮에, 백주에 ; (백주에) 공공연히. **2** Ⓤ 새벽녘(dawn) : at ~ 동틀 때 / before ~ 동트기 전에. **3** [*pl.*] 《俗》 눈(eyes) ; [*pl.*] 정기(正氣), 의식 ; 활동력, 생명(에 필수적인 기관). **4** (뚜렷이 보이는) 틈, 간격《보트 레이스 중의 양 보트의 간격, 승마자와 안장 사이의 틈, 술과 술잔 가장자리의 사이 따위》: No ~ ! 잔에 가득 따릅시다《건배하기 전에 toastmaster가 하는 말》.
beat*[*knock, scare*] *the* (*living*) *daylights out of a person 《俗》 기절할 정도로 사람을 두들겨 패다[놀라게 하다].
burn daylight 쓸데없는 일을 하다.
see daylight (1) 이해하다 ; 해결[완성]의 서광이 비치다, 앞으로의 예측이 서다〈*into, through*〉. (2) 세상에 알려지다, 공표[출판]되다(see the light).
—— *vt.* **1** …에 햇볕을 쬐다. **2** (교차점 따위)에서 장애물을 제거하여 잘 보이게 하다. —— *vi.* **1** 햇볕을 쬐다. **2** 주간에 근무하다.
dáylight blùe *n.* 주광색(晝光色) ; 주광색(晝光色)의 그림물감.
dáylight làmp *n.* 주광등.
dáylight róbbery *n.* 공공연한 도둑 행위 ; 터무니 없는 대금 (청구), 바가지 씌우기.
dáylight sàving *n.* =DAYLIGHT SAVING TIME. —— *a.* 일광 절약 (시간)의.
dáylight (sáving) tìme *n.* 일광 절약 시간, 서머타임(=daylight saving ; 《英》 summer time)《여름에 시계를 한 시간 빠르게 하고 생활하고 낮 시간을 많이 활용함 ; 보통 4월부터 10월까지》.
dáy lìly *n.* 무릇난과(科) 원추리속의 각종 초본 ; 옥잠화.
dáy·lòng *adv., a.* 하루종일(의).
dáy·màrk *n.* 〖空〗 주간 항공 표지.
dáy mòde *n.* 《美俗》 주간 모드《사람이 주간에 활동하고 야간에 자는 상태》.
dáy nàp *n.* 낮잠.
dáy núrsery *n.* 탁아소, 보육원.
Dáy of Atónement *n.* [the ~] =YOM KIPPUR.
dáy óff *n.* 《口》 비번인 날, 휴일.
Dáy of Júdgment[**Dóom**] *n.* [the ~] = JUDGMENT DAY ; [the ~] =ROSH HASHANAH.
dáy of réckoning *n.* [the ~] 빚을 청산하는 날, 결산일, (널리) 청산해야 할 때 ; [the ~] 자기 잘못의 결과를 깨닫게 되는 때 ; [the ~] = JUDGMENT DAY.
Day 1, Day One [∸ wʌ́n] *n.* 《口》 최초(의 날), 첫날.
dáy óut *n.* 외출일.
dáy òwl *n.* 주행성 올빼미, (특히) 쇠부엉이.
dáy pàck *n.* 당일치기 하이킹 따위에 쓰는 배낭.
dáy pàrt *n.* (방송국 네트워크의) 하루 방송 시간 구분.
dáy relèase *n.* 《英》 연수 휴가 제도《대학에서 전문적인 연수를 하는 근로자에 대해 매주 며칠간의 휴가를 주는 제도》.
dáy retùrn *n.* 당일 왕복 할인 요금[차표].
dáy·ròom *n.* (군대의) 오락실.
days [déiz] *adv.* 《口》 매일[언제나] 낮에(는) : work ~ and go to school nights 매일 낮에는 일하고 밤에는 학교에 가다.
dáy sàiler *n.* (침구 설비가 없는) 소형선(船).
dáy schòlar *n.* 주간 학교 학생 ; (기숙사가 있는 학교의) 통학생.
dáy schòol *n.* (사립)통학학교(cf. BOARDING SCHOOL) ; 주간 학교(↔*night school*).
dáy shìft *n.* (주야 교대제의) 주간 근무 (시간),

일직(日直) ; [집합적으로] 주간 근무자, 주간 근무조(組)(cf. NIGHT SHIFT).
dáy sìde *n.* 〖天〗 (행성(行星)·달의) 햇빛을 받는 측면, 낮쪽.
dáy·sìde *n.* (신문사의) 석간 요원(夕刊要員)(↔ *nightside*).
days·man [déizmən] *n.* (*pl.* **-men** [-mən]) 《古》 중재인, 조정자(arbiter, mediator)《욥기 9 : 33》; 날품팔이꾼.
dáys of gráce *n. pl.* (어음 따위의 기한 직후의) 지불 유예 기간《보통 3일간》.
dáy·sprìng *n.* **1** 《古·詩》 =DAYBREAK. **2** 시초(beginning)〈*of*〉.
dáy·stàr *n.* **1** 샛별, 금성(morning star). **2** [the ~] 《詩》 낮의 별《태양》.
dáy stùdent *n.* (대학·고등학교의 기숙생에 대하여) 통학생.
day·tal·er [déitələr] *n.* 《英》 날품팔이꾼.
dáy tìcket *n.* 《英》 당일에 한한 (할인) 왕복 차표[티켓].
***dáy·tìme** *n.* Ⓤ 낮 동안(↔*nighttime*) : in the ~ 낮에, 낮 사이에(↔*at night*).
dáy-to-dáy *a.* 나날의, 매일의 ; 〖商〗 당좌의.
Day·ton [déitn] *n.* 데이턴《미국 Ohio 주 남서부의 도시》.
dáy tràder *n.* 〖商〗 당일 매매만을 하는 투기자.
dáy-tràde *n., vi., vt.* 당일 매매(를 하다).
dáy trìp *n.* 당일치기 여행.
dáy-trìpper *n.* 당일치기 여행자.
daze** [déiz] *vt.* [+目 / +目+前+名] 어리벙벙하게[얼떨떨하게] 하다, 당혹케 하다 ; (강한 빛으로) …의 눈을 부시게 하다 : I was ~*d* by the blow on my head. 머리를 두들겨 맞고 멍해졌다 / He looked half-~*d* ***with so much whiskey. 위스키를 너무 많이 마셔서 흐리멍덩한 표정을 짓고 있었다. ── *n.* 현혹(眩惑), 어리벙벙한 상태 : be *in* a ~ 멍하니[얼이 빠져] 있다.
〖ME *dased* (p.p) (ON *dasathr* weary)〗
dáz·ed·ly [-ədli] *adv.* 눈이 부셔서, 멍하니.
da·zi·bao [dɑ́:dzi:báu] *n.* (중국의) 벽신문, 대자보(大字報) (wallposter).
***daz·zle** [dǽzəl] *vt.* …의 눈을 부시게 하다, (눈을) 아찔하게 하다 ; 현혹시키다 : Our eyes were ~*d* by those bright lights. 그 밝은 불빛으로 우리는 눈이 부셨다 / I was ~*d* by the richness of my new home. 새 집이 (너무) 화려하여 나는 눈이 아찔할 정도였다. ── *vi.* (광선 따위로) 눈부시다 ; 현혹되다 ; 번쩍이다. ── *n.* Ⓤ 현혹 ; 눈부신 빛.
〖DAZE, -*le*[2]〗
dázzle làmp[**lìght**] *n.* (자동차의) 강렬한 헤드라이트.
dázzle pàint *n.* 〖海〗 (선체 따위에 칠하는) 미채(迷彩), 위장.
dáz·zling *a.* 눈이 아찔할 정도의, 번쩍이는, 눈부신 ; 현혹적인 : ~ advertisement 현혹적인 광고 / ~ sunlight[diamonds] 눈부신 햇볕[반짝이는 다이아몬드]. **~·ly** *adv.*
DB data bank ; data base. **dB, db** decibel(s). **D.B.** Bachelor of Divinity ; Domesday Book. **D.B., d.b.** daybook. **d.b.** double bed ; 〖服〗 double-breasted. **DBA, dba, d.b.a.** doing business as[at]. **D.B.A.** Doctor of Business Administration. **dBa** decibel(s), adjusted. **D.B.E.** 《英》 Dame Commander of (the Order of) the British Empire. **D.B.H., d.b.h.** diameter at breast height. **D.Bib.** Douay Bible. **dbl.** double. **DBMS** data base management system. **DBS** direct-broadcast satellite《직접 방송 통신 위성 ; 각 가정에 설치한 파라볼라 안테나를 향해 직접 텔레비전 전파를 송신하는 인공 위성》. **dbt.** debit. **DC** data communication. **D.C.** da capo ; District of Columbia. **D.C., d.c.** direct current. **DCB** Defense Commission Board. **D.ch.E.** Doctor of Chemical Engineering. **D.C.L.** Doctor of Civil Law. **DCM** 〖宇宙〗 displays and controls module. **D.C.M.** 《英》 Distinguished Conduct Medal. **DCS** 《美》 Defense Communication System ; 〖宇宙〗 display control system. **DD** drunk driver ; drunk(en) driving ; 〖컴퓨〗 double density (배(倍)기록 밀도) ; direct deal(직접 거래). **dd., d/d** delivered.
d—d [dí:d, dǽmd] *a.* =DAMNED.
D.D. Doctor of Divinity. **d.d.** days after date ; demand draft ; *dono dedit* (L) (=gave as a gift). **D.D.A.** 《英》 Dangerous Drugs Act.
D(-)day [dí:-ˋ] *n.* **1** 〖軍〗 공격 개시일(cf. ZERO HOUR, H HOUR) ; (제2차 세계 대전에서 1944년 6월 6일의) 연합군 북프랑스 반격 개시일 ; (일반적으로) 계획 개시 예정일. **2** 재대일(日)《동원 해제일》. 〖*D* for *day*〗
DDC Dewey Decimal Classification.
DDD [dì:dì:dí:] *n.* 〖藥〗 살충제의 일종.
〖*d*ichloro-*d*iphenyl-*d*ichloro-ethane〗
DDD direct distance dialing.
DDE [dì:dì:í:] *n.* 〖藥〗 살충제의 일종《DDT 보다 약함》. 〖*d*ichloro-*d*iphenyl-dichloro-*e*thylene〗
DDG Guided Missile Destroyer《미사일 구축함의 미해군 유별(類別) 기호》. **DDP** 〖컴퓨〗 distributed data processing(분산형 데이터 처리). **DDS** drug delivery system《약물을 필요한 국부에만 작용시키는 방법》; deep diving system(심해 잠수 시스템). **D.D.S.** Doctor of Dental Surgery. **D.D.Sc.** Doctor of Dental Science. **DDT** 〖컴퓨〗 dynamic debugging tool《오류 수정 작업에 쓰이는 프로그램》.
DDT, D.D.T. [dì:dì:tí:] *n.* 〖藥〗 살충제의 일종.
〖*d*ichloro-*d*iphenyl-*t*richloro-ethane〗
DDVP [dì:dì:vì:pí:] *n.* 〖藥〗 살충제의 일종.
〖*d*imethyl+*d*ichlor-+*v*inyl+*p*hosphate〗
DDX 〖컴퓨〗 digital data exchange.
de[1] [di:] *prep.* 「…에서, …로부터, …의, …에 관하여」의 뜻. 〖L=from, down〗
de[2], **De** [də] *prep.* 「…의, …로부터, …에 속한」의 뜻. 〖F (↑)〗
de- [di, də] *pref.* **1** down from, down to의 뜻 : *de*scend, *de*press. **2** off, away, aside 의 뜻 : *de*cline, *de*precate. **3** entirely, completely의 뜻 : *de*claim, *de*nude. **4** in a bad sense의 뜻 : *de*ceive, *de*lude. **5** [di:] UN-의 뜻 : *de*centralize, *de*code. **6** [di:] asunder, apart 의 뜻 : *de*compose.
〖L *de*[1]〗
DE 〖美海軍〗 Destroyer Escort (호위 구축함). **DE, D.E.** Doctor of Engineering. **DEA** Drug Enforcement Administration (마약 단속 기구). **Dea.** Deacon.
dè·accéssion *vt.* (작품·수집품의 일부를 신규 구입 자금을 얻기 위해) 매각하다. ── *n.* 매각.
dea·con [dí:kən] *n.* 〖英國教·카톨릭〗 부제(副祭) ; 〖그正教〗 보제(補祭) ; (신교·장로교 따위의) 집사《신자 중에서 선출되는 임원》. ── *vt.* **1** 《美口》 회중이 노래하기 전에 (찬송가)의 시구를 1행씩 낭송하다 〈*off*〉. **2** 《美古俗》 (과일 따위를)

좋은 것이 위에 오게 채우다[나열하다]; 《美古俗》 (남을 위법이 아닌 범위에서) 교묘히 속이다.
~·ship *n.* Ⓤ 〔宗〕 deacon의 직; [집합적으로] deacon들. 〖OE<L<Gk. *diakonos* servant〗

déacon·ess *n.* (원시 기독교 따위에서 deacon과 비슷한 일을 하는) 여자 집사; (기독교의) 자선 사업 여성 회원.

déa·con·ry *n.* =DEACONSHIP.

de·acquisítion *n.* 처분 예정인 수집품; 수집품의 처분, 매각.

de·áctivate *vt.* 군대를 해산하다, 동원을 해제하다; (포탄 따위의) 폭발장치를 제거하다.
de·activátion *n.*

◇**dead** [déd] *a.* **1** 죽은, 죽어 있는(↔*alive, living*); 시든; (바람이) 잔, 그친: a ~ body 시체(corpse) / shoot a person ~ 남을 쏘아 죽이다 / He has been ~ for two years. 죽은 지 2년이 된다(cf. *He died two years ago.*) / *D*~ men tell no tales. 《속담》 죽은 자는 말이 없다.
2 생명이 없는, 무생물의: a ~ fence 판자 울타리(cf. QUICKSET).
3 (죽은 듯이) 움직이지 않는; 아무 말이 없는; 무감각한, 마비된(benumbed): a ~ faint 실신(失神) / the ~ hours (of the night) 한밤중 / He is ~ *to* pity. 그는 불쌍히 여기는 마음이 전혀 없다.
4 불이 꺼진; 생기[기력·활기]가 없는; (소리·색깔·빛 따위가) 둔탁한, 선명하지 않은, 답답한(dull, heavy); (시장 따위가) 침체한; (음료수가) 김빠진: ~ coals 불꺼진 석탄 / ~ gold 연마(硏磨)하지 않은 금, 광택이 없는 금 / a ~ season (장사 따위의) 침체기, 한산한 기간 / a ~ volcano 사화산(死火山).
5 쇠퇴한, 무효의; 무의미한; 폐기된, 효력을 잃은: a ~ law 폐지된 법률 / a ~ language 사어(死語)《라틴어와 같은》 / a ~ mine 폐갱(廢坑) / ~ forms 허례(虛禮).
6 쓸모가 없는, 비생산적인, 팔리지 않는: ~ capital 유휴 자본 / ~ soil 불모지.
7 출입구가 없는, (앞이) 막힌; 〔軍〕 상대에게 보이지 않는, 사각을 이룬; 《美俗》 가망이 없는: a ~ street 막다른 길.
8 〔競〕 아웃된, 죽은; (공이) 인플레이가 아닌, 데드되어.
9 몹시 피로한, 피로에 지친(worn-out).
10 (죽음처럼) 필연적인, 정확한, 틀림없는, 당돌한: a ~ certainty 필연적인 일.
11 완전한, 절대적인(absolute): a ~ silence 완전한 침묵, 아주 조용한 것 / on a ~ level 전혀 고저가 없는 수평면으로 / in a ~ line 일직선으로 / come to a ~ stop 딱 멈추다 / in ~ earnest 아주 진지하게, 진심으로.
12 (기계 따위) 작동하지 않는; 〔電〕 (전선에) 전류가 통하고 있지 않는, (전지에) 약이 없는; 〔印〕 (조판이) 사용이 끝난; 〔理〕 방사능이 없는.
13 〔골프〕 (공이) 홀(hole) 바로 옆에 있는.
(as) dead as mutton** [**a doornail, a herring, etc.] 아주 죽어버린, 활발치 않은.
dead and gone 죽어서.
make a dead set at ☞ SET *n.*
wait for dead men's shoes ☞ SHOE.
—— *adv.* **1** 전혀, 완전히(absolutely): ~ asleep 정신없이 잠들어 / ~ broke 《俗》 빈털터리로 / ~ drunk 《俗》 만취(滿醉)해서 / ~ sure 《美》 절대로 확실한 / ~ tired 녹초가 되어서. **2** 직접적으로, 똑바로; 정면으로; 갑자기, 뚝: ~ against …에 정반대로.
cut** a person **dead ☞ CUT[1] *vt.* 3 a).
—— *n.* **1** [the ~] 사자(死者)《전체》, 고인(故人)《한 사람》: rise[raise] from *the* ~ 부활하다[시키다]. **2** 죽은 상태; 죽음과도 같이 고요한 때: at ~ of night 한밤중에 / in the ~ of winter 한겨울에.

〈회화〉
The *dead* and the injured amounted to over 10,000. — How terrible! 「사상자가 1만 명 이상이래」「저런, 엄청나군」

—— *vi.* 《美學生俗》 (교실에서) 대답하지 않다, 복창하지 않다.
~·ness *n.* **1** 죽은 상태; 무감각; 생기가 없음. **2** (색의) 칙칙함, (광택의) 흐림; (술 따위의) 김빠짐.
〖OE *dēad*; DIE[1]과 같은 어원; cf. G *tot*〗
類義語 ***dead*** 본래 생명이 있는 사람이나 동식물이 「생명을 잃은」의 뜻을 가진 보통 쓰는 말. ***deceased, departed*** 모두 완곡하게 쓰는 말이며 주로 최근에 죽은 사람에게 쓴다. 전자는 주로 법률용어, 후자는 종교관계에서 쓰인다. ***extinct*** 이미 절멸한 종족 따위에 사용한다: *extinct* species (멸종된 종족). ***inanimate*** 본래가 생명이 없는 것에 사용한다: *inanimate* stones (생명 없는 돌). ***lifeless*** 본래 생명이 있는 것과 없는 것에 모두 쓰인다: a *lifeless* body (사체) / *lifeless* machines (생명 없는 기계).

déad áir *n.* (옥내·갱내 따위에 밀폐된) 정체 공기; (방송 중의) 침묵 시간, 데드 에어.

déad-(and-)alíve *a.* 죽은 듯한, 활기[생기] 없는; 불경기의, 시시한, 단조로운.

déad ángle *n.* 〔軍〕 사각(死角).

déad attráctive *n.* 《美俗》 잘 생긴, 미남인.

déad béat *n.* 《口》 녹초가 된; (몸이) 쇠약한; 빈털터리의; 참패한; 평판이 좋지 않은.

déad·bèat[1] *n.* 《俗》 **1** 빚을 떼어 먹는 놈. **2** 게으름뱅이, 빈둥빈둥 노는 사람(loafer). —— *vi.* 《美俗》 빈둥빈둥 놀고 있다.

déad·béat[2] *a.* 〔機〕 그다지 좌우로 흔들리지 않고 곧 눈금을 가리키는《계기(計器)의 바늘 따위》.

déad·bòrn *a.* 사산(死產)의.

déad cát *n.* **1** 《美俗》 (서커스에서 전시용의) 사자[범·표범 따위]. **2** 엄한 비판, 조소적 비판.

déad cénter *n.* 〔機〕 사점(死點)(dead point); [ᅩᅩ] 〔機〕 (선반(旋盤)의) 부동(不動) 중심.

déad cóloring *n.* (유화(油畫)의) 밑칠.

déad dróp *n.* (스파이의) 연락 정보의 은닉 장소.

déad dúck *n.* 《口》 가망 없는 사람, 쓸모없는 것.

dead·ee [dedí:] *n.* 사진에서 본뜬 고인의 초상화.

déad·en *vt.* (활기·감정 따위를) 꺾다, 죽이다; (소리·고통·광택·속력 따위를) 없애다, 약하게 하다; 둔하게 하다; 무감각하게 하다: This drug will ~ the pain. 이 약은 통증을 없애줄 것이다 / The thick walls ~*ed* street noises. 벽이 두꺼워서 거리의 소음은 들리지 않았다.
—— *vi.* 소멸되다, 둔해지다, 약해지다.

déad énd *n.* **1** (통로 따위의) 막다른 곳; 도망칠 수 없는 골목(blind alley); (철도 지선의) 종점. **2** 《비유》 (행동·상황 따위의) 막다름, 정돈(停頓), 궁지(窮地).

déad-énd *a.* 막다른; 발전성[장래성]이 없는; 빈민가의, 빈민 생활의: a ~ kid 빈민가의 비행 소년 / a ~ street 막다른 골목.
—— *vt., vi.* 더 이상 갈 수 없다[없게 돼 있다]; 막다르다; 앞이 막히다.

déad·en·er *n.* 둔하게[약하게] 하는 사람[것].

déad·en·ing *n.* 방음재[장치]; 광택 없애는 재료.
déad·èye *n.* 〔海〕 세 구멍 도르래; 《俗》 명사수. ── *a.* 《口》 매우 정확한.
déad·fàll *n.* 《美》 **1** 함정. **2** (숲의) 쓰러진 나무.
déad fíre *n.* 성 엘모의 불《폭풍우 치는 밤 돛대나 비행기의 날개 따위에 나타나는 방전 현상으로 죽음의 징조라고 일컬어짐》.
dead fréight *n.* 〔商〕 공하(空荷) 운임.
dead gróund *n.* 사각(死角); 〔電〕 완전 접지.
dead hánd *n.* =MORTMAIN.
déad·hèad *n.* **1** 《口》 무임 승객, (초대권을 지참한) 무료 입장자; 빈차[비행기], 회송차. **2** 《口》 패기가 없는 사람.
── *vt.* 무임으로 승차시키다; (차를) 승객[짐] 없이 달리게 하다, 빈차로 달리게 하다, 회송하다. ── *vi.* 우대권[초대권]을 쓰다; 승객[짐] 없이 달리다. ── *a.* 《美俗》 (차·배·창고 따위) 빈짐의. ── *adv.* 승객[짐] 없이.
dead héat *n.* (경기에서 두 사람 이상이 동점(同點)이 되는) 무승부[비김].
déad·hòuse *n.* 임시 시체 안치소.
dead létter *n.* **1** (법률 따위의) 공문(空文), 사문(死文). **2** 배달 불능 우편물.
dead létter bòx[**dròp**] *n.* =DEAD DROP.
dead líft *n.* (힘에 겨운 중량 따위를) 필사적으로 끌어올리기; (전력을 다해야 하는) 어려운 일.
déad·lìght *n.* 〔海〕 선창(船窓)의 안뚜껑.
déad·lìne *n.* **1** 넘어갈 수 없는 선; 《美》 사선(死線)《죄수가 넘으면 사살됨》. **2** (신문·잡지의) 원고 마감 시간; (일반적으로) 최종 기한.
dead lóad *n.* 정하중(靜荷重), 사하중(死荷重), 자중(自重)《차량 따위의 그 자체 무게》.
dead lóan *n.* 대손금(貸損金).
déad·lòck *n.* (교섭 따위의) 막다름; 교착 (상태), 정돈(停頓): be at[come to] a ~ 교착 상태에 빠지다[에 이르다] / bring a ~ to an end 교착 상태를 타개하다. ── *vt., vi.* 정돈 상태에 빠지게 하다[빠지다].
dead lóss *n.* 전손(全損); 《口》 아주 무능한 사람, 무용지물, 아주 하찮은 것[일], 시간 낭비.
***déad·ly** *a.* **1** 치명적인, 치사(致死)의(fatal): ~ danger 생명에 관계되는 위험 / ~ poison 맹독, 극약 / the seven ~ sins 〔神學〕 지옥으로 떨어질 7가지의 큰 죄. **2** 죽음[죽은 사람]과 같은(deathlike). **3** (적을) 살려둘 수 없는; 집념이 강한. **4** 《口》 심한(excessive): be perfectly ~ 너무 심하다[지독하다] / in ~ haste 몹시 서둘러서. ── *adv.* 죽은 것처럼; 《口》 심하게, 지독하게(extremely).
-li·ness *n.* 치명적인 것; 집념이 강함; 맹렬함. 〖OE *dēadlic*; ⇨ DEAD〗
類義語 ⟹ MORTAL.
deadly níghtshade *n.* 〔植〕 벨라도나.
dead mán *n.* 죽은 사람; (게의) 아가미《먹을 수 없음》; 《口》 (연회 뒤의) 빈 술병; 《美俗·方》 허수아비(scarecrow).
dead màn's flóat *n.* 〔泳〕 엎드려 뜨기《양손을 앞으로 뻗고 엎드려서 뜨는 수영 방법》.
déad·màn's hànd *n.* 《美俗》 〔카드놀이〕 에이스와 8의 투 페어를 갖춘 패; 불운, 불행.
déadman's hándle *n.* 〔機〕 (전차 따위의) 손을 떼면 자동적으로 동력원이 끊어지는 조작 핸들.
dead màrch *n.* (특히 군대의) 장송 행진곡.
dead maríne *n.* 《俗》 빈 술병(dead man).
dead mátter *n.* 〔印〕 필요 없게 된 조판(組版), 폐판(廢版).
dead néttle *n.* 〔植〕 광대수염, 광대나물.
déad-ón *a.* 대단히 정확한.
déad-on-arríval *n.* 병원에 도착했을 때 이미 사망한 사람; 처음 사용했을 때에 작동하지 않는 전자 회로.
dead pán *n.* 무표정한 얼굴(의 사람), 포커 페이스; 아무렇지도 않은 듯한 태도; 시치미를 떼고 하는 연기[희극].
déad·pàn *a., adv.* 무표정한[하게], 시치미를 떼는 태도의[로]. ── *vt., vi.* 무표정한 얼굴을 하다, 무표정하게 말하다, 아무렇지도 않은 듯한[시치미를 떼는] 태도로 말하다.
dead pèdal *n.* 느리게 운전하는 차; 일요 드라이버(Sunday driver).
dead pígeon *n.* 《俗》 =DEAD DUCK.
dead póint *n.* =DEAD CENTER.
dead púll *n.* =DEAD LIFT.
dead réckoning *n.* 〔海·空〕 추측 항법.
dead rínger *n.* 《俗》 똑같이 닮은 사람[것].
dead róom *n.* 무향실(無響室)《음향의 반사를 최소로 줄인 방》.
Déad Séa *n. pl.* [the ~] 사해(死海)《요르단과 이스라엘 국경의 함수호(鹹水湖); 세계에서 가장 낮으며 호면(湖面)은 해면 아래로 400m》.
Déad Sèa ápple[**frúit**] *n.* [the ~] 소돔의 사과(apple of Sodom).
Déad Séa Scròlls *n. pl.* [the ~] 사해(死海) 사본[문서]《사해 북서부의 동굴에서 발견된 구약 성서를 포함한 고사본의 총칭》.
dead sét *n.* **1** (사냥개가 짐승을 노리는) 숨죽인 자세; 단호한 자세. **2** 정면 공격; 필사적인 노력; 열렬한 구애(求愛)〈*at*〉. ── *adv., a.* 단호(한), 단연.
dead shót *n.* 명사수; 명중탄.
déad-smóoth *a.* 대단히 매끄러운, 매우 원활히 움직이는.
dead sóldier *n.* [보통 *pl.*] 《俗》 빈 술병.
dead spáce *n.* 〔生理〕 사강(死腔)《비강(鼻腔)에서 폐포(肺胞)까지의 부분》; 〔軍〕 사각(死角); 〔建〕 (기둥 둘레 따위) 이용할 수 없는 공간; 집회장 따위에서 소리가 들리지 않는 부분.
dead spòt *n.* 《美》 수신 곤란[난청] 지역.
dead stíck *n.* (엔진이 꺼져) 회전을 멈춘 프로펠러; 《卑》 발기하지 않는 페니스.
déad-stìck lànding *n.* 〔空〕 프로펠러 정지 착륙(着陸).
dead stóck *n.* 〔英商〕 팔다 남은 물건, 사장(死藏)[불량] 재고, 체화(滯貨); 〔農〕 농기구(cf. LIVESTOCK).
déad-stráight *adv., a.* 일직선으로[의].
dead tìme *n.* 〔電子〕 (지령을 받고나서 작동하기까지의) 불감 시간, 대기 시간.
dead wàgon *n.* 《美俗》 사체 운반차, 영구차.
dead wàll *n.* 창문 따위가 없는 벽.
dead wáter *n.* **1** 고요한 물, 괸 물. **2** 〔海〕 (항해 중) 배 뒤에 소용돌이치는 물.
déad·wéight *n.* **1** 무거운 물건; 《비유》 (부채 따위의) 무거운 부담〈*of*〉. **2** Ⓤ 〔海〕 중량 화물《무게로 배의 운임을 치름》. **3** =DEAD LOAD. **4** 〔海〕 배에 적재한 물건의 무게《선원·승객·화물·연료 따위》.
déadweight capácity[**tónnage**] *n.* 〔海〕 재화(載貨) 중량 톤수.
déadweight tón *n.* 중량톤《2240파운드》.
dead wínd *n.* 〔海〕 역풍, 맞바람.
déad·wòod *n.* Ⓤ 삭정이, 죽은 나무; 무용지물(無用之物), 쓸모 없는 것[사람]; (관습적으로 사용하는) 무의미한 어구(語句).

D

***deaf** [déf] *a.* **1** 귀가 들리지 않는, 귀머거리의, 귀먹은 : ~ and dumb 귀머거리에다 벙어리인 (deaf-mute) / (as) ~ as an adder[a door, a post, a stone] 귀가 전혀 안들리는 / He is ~ *of* an ear[*in* one ear]. 한 쪽 귀가 들리지 않는다 / None is so ~ as those who won't hear. 《속담》 남의 말을 듣지 않으려는 사람보다 더 귀먹은 사람은 없다. **2** 무정한, 귀를 기울이지 않는, 들으려고 하지 않는 : He is ~ *to* all advice. 그는 어떤 충고도 들으려 하지 않는다.
turn a deaf ear to... ☞ EAR[1].
~·ish *a.* **~·ly** *adv.* **~·ness** *n.*
〖OE *dēaf* deaf, empty ; cf. G *taub*〗

déaf-àid *n.* 보청기(補聽器).

déaf-and-dúmb *a.* 농아자(聾啞者)용의 ; 농아의 : the ~ alphabet 농아자의 지화법(指話法)용 알파벳.

déaf·en *vt.* **1** 귀머거리로 만들다, …의 귀청이 떨어지게 하다 : We were almost ~*ed* by the uproar. 그 소동으로 우리들은 귀가 먹을 정도였다. **2** (큰 소리가 작은 소리를) 안 들리게 하다 ; (벽·마룻바닥 따위에) 방음 장치를 하다. —— *vi.* (소리가) 귀청을 떨어지게 하다.

déaf·en·ing *a.* 귀청이 떨어질 것 같은 : ~ cheers 귀청이 떨어질 것 같은 환성. —— *n.* 방음 재료[장치]. **~·ly** *adv.* 귀청이 떨어질 것 같이.

déaf-mùte *n., a.* 농아(聾啞)(의).

déaf-mùtism *n.* Ⓤ 농아(상태).

déaf nút *n.* 인(kernel)이 없는 견과(堅果) ; 이익이 되지 않는 것.

◇**deal**[1] [dí:l] *v.* (**dealt** [délt]) *vt.* **1** [+目/+目+副/+目+前+名] 나누어 주다(distribute) : A judge ~*s* ***out*** justice. 법관은 공평한 재판을 한다 / The money was ~*t out* fairly ***to*** the poor. 그 돈은 가난한 사람들에게 공평하게 분배되었다. **2** [+目/+目+目] 〖카드놀이〗 (패를) 도르다 : *D*~ the cards. 카드를 돌려라 / He had been ~*t* seven trumps. 그에겐 으뜸패 일곱 장이 들어왔다. **3** [+目+目/+目+前+名] (타격을) 가하다 : ~ a person a blow= ~ a blow ***at*** a person 남에게 일격(一擊)을 가하다 / The prestige of the Western Powers has been ~*t* a heavy blow. 서유럽 제국(諸國)의 위신에 심한 타격이 가해졌다. —— *vi.* **1** [+*with*+名] 처리하다, 다루다, 논하다 : This book ~*s* ***with*** Korea. 이 책은 한국을 주제(主題)로 하고 있다 / The question is how to ~ *with* the increasing amount of traffic in the streets. 문제는 도로의 교통량 증가를 어떻게 처리해야 할 것인가 하는 점이다. **2** [+前+名/+副] (남에게) 행동하다, 다루다, 교제하다 : *D*~ fairly ***with*** your pupils. 학생들을 공평하게 다루시오 / I refuse to ~ *with* him. 그 사람과 사귀는 것은 딱 질색이다 / He is hard[easy] to ~ *with*. 그는 다루기 힘들다[쉽다] / I have been *well*[*badly*] ~*t* ***by***[*with*]. 우대(優待)[냉대]를 받아 왔다. **3** [+前+名] (상품을) 취급하다 ; 거래하다 : The merchant ~*s* ***in*** wool and cotton. 그 상인은 양모(羊毛)와 면화를 취급하고 있다 / Do you ~ ***with*** John the fruiterer? 존이 경영하는 과일 가게와 거래를 합니까. **4** 〖카드놀이〗 (패를) 도르다.
—— *n.* **1 a**) (상업상의) 결정, 계약, 거래 (bargain) : make a ~ *in* grain 양곡 거래를 하다〈*with*〉/ That's a ~. 그렇게 하기로 정하자, 그렇게 결정짓자 / ☞ SQUARE DEAL. **b**) (부정한) 거래, 타협 ; 밀약(密約) : do a ~ *with* a person 남과 거래[타협]하다. **2** 취급, 처사 : a raw ~ 《口》 가혹한 취급, 부당한 처사 / a rough ~ 《口》 괴로움, 곤란, 불운 / ☞ SQUARE DEAL. **3** 〖카드놀이〗 패 도르기, 도를 차례 ; 〖카드놀이〗 한판의 승부 : It's your ~. 당신이 도를 차례입니다. **4** 《원래 美》 (사회·경제상의) 정책, 계획 : ☞ FAIR DEAL / ☞ NEW DEAL.
〖OE *dǣlan* to divide〈 *dǣl* (n.) part ; cf. G *teilen*〗

◇**deal**[2] *n.* 분량(quantity), 액수(額數) (amount) (cf. LOT 6). ㊟ 다음의 숙어에만 사용한다.
a great[***good***] ***deal*** 《口》 (1) 다량, 상당한 양 ; [부사적으로] 많이, 꽤 : He smokes *a good* ~. 담배를 꽤 피운다. (2) [강조구(強調句)로서 more, less, too many, too much, 또는 비교급 앞에 붙여서] 훨씬 (더) : *a great* ~ more[cheaper] 훨씬 많은[싼].
a great[***good***] ***deal of...*** 《口》 다량의…(a lot of) : He spends *a great* ~ *of* money. 돈을 마구 쓴다.

deal[3] *n.* Ⓤ 전나무[소나무] 재목 : a ~ table 전나무[소나무] 재목의 테이블. —— *a.* 전나무[소나무] 재목의. 〖MLG, MDu.=plank〗

***déal·er** *n.* **1** 상인, …상(商) : a wholesale ~ 도매상 / a ~ *in* tea 차 상인. **2** 《美》 딜러《자기 매매를 전문으로 하는 증권업자》(=《英》 jobber) (cf. BROKER). **3** [the ~] 〖카드놀이〗 카드를 도르는 사람, 딜러. **4** 《俗》 (마약의) 판매인.

déaler brànd *n.* =PRIVATE BRAND.

déaler's bànd *n.* 《俗》 팔려는 헤로인 주머니를 손목에 거는 고무 밴드《경찰이 다가오면 즉시 헤로인을 버리려는 장치》.

déal·er·shìp *n.* Ⓤ 판매권[허가권](이 있는 상인) ; 《美》 판매 대리점, 특약점.

déal·ing *n.* **1** [보통 *pl.*] 교섭, 교제, 관계 ; 거래, 매매 : Have no ~*s with* him. 그 놈 하고는 교제[거래]하지 마라. **2** Ⓤ (타인에 대한) 행동 : fair ~ 공평한 처사. **3** 〖카드놀이〗 패를 도르기, 분배 (distribution).

dealt *v.* DEAL[1, 2]의 과거·과거분사.

de·ambulátion *n.* 걸어다님, 산책, 유보(遊步).

de·ámbulatory *a., n.* =AMBULATORY.

dè-Américan·ize *vt.* 비(非)미국화하다, …에 대한 미국의 관여를 줄이다.
dè-Amèrican·izátion *n.*

dean[1] [dí:n] *n.* **1** 〖英國教〗 (cathedral의) 수석 사제(司祭), 사제장, 성당 참사회장 ; 《英》 =RURAL DEAN. **2** (대학의) 학장 ; (미국 대학의) 학생처장 ; (Oxford, Cambridge 대학의) 학생감. **3** (단체의) 최고참자(doyen). 〖OF<L *decanus* chief of group of 10 (*decem* ten)〗

dean[2], **dene** [dí:n] *n.* 《英》 (숲이 있는) 깊은 골짜기. 〖OE *denu* ; DEN과 같은 어원〗

dean[3] ☞ DENE[1].

déan·ery *n.* DEAN[1]의 직위[저택].

déan·ship *n.* DEAN[1]의 직위.

déan's lìst *n.* (미국 대학의 학기말·학년말의) 대학 성적 우등생 명단.

◇**dear** [díər] *a.* **1** 친애하는, 귀여운, 사랑스러운 : ~ Tom / Tommy ~ / hold a person ~ 남을 귀엽게 여기다 / Bow Church is ~ *to* the heart of every Londoner. 보 교회는 모든 런던 사람의 마음에 그리운 곳이다. **2** (상품·점포 따위가) 값이 비싼, 고가(高價)의(↔*cheap*). ☞ 活用. **3** 소중한, 귀중한(precious) : one's ~*est* wish 간절한 소원 / He lost everything that he held ~. 소중히 간직하고 있던 것을 모조리 잃었다.
Dear[***My dear***] Mr.[Mrs., Miss] A (1) 여보시오, A씨《대화에서의 공손한 호칭 ; 때로는 비꼼·

항의의 기분을 나타냄》. (2) 근계(謹啓)《편지 첫머리의 인사 ; 미국에서는 *D*∼...쪽이 My ∼...보다 친밀감이 더하지만 영국은 그 반대임》.
Dear Sir [***Madam***] 근계《윗사람 또는 모르는 사람에 대한 편지의 첫머리 인사》.
Dear Sirs [***Madams***] 근계《회사·단체 따위에 대한 편지의 첫머리 인사》.
for dear life 죽을 힘을 다하여, 필사적으로 : work for ∼ life 열심히 일하다.
—— *n.* 친애하는 사람, 귀여운 사람 ; 애인 : What ∼*s* they are! 얼마나 귀여운 애들이냐! 注 보통 호칭으로서 (my) dear 또는 (my) dearest 가 되어 「얘, 여보, 당신」의 뜻이 됨 ; 이 경우의 최상급은 절대 최상급.
There's [***That's***] ***a dear.*** 착하지 (이것 좀 해줘, 울지 말아라《따위》) ; 착하기도 해라 (잘했다, 울지 말아라《따위》).
—— *adv.* 고가로, 비싸게 (↔*cheap*) (cf. DEARLY 2) ; 큰 대가를 치르고 : I bought[sold] it ∼. 그것을 비싸게 샀다[팔았다] / It will cost him ∼. 그것 비싸게 먹힐 걸, 그것 때문에 그는 혼날 걸 / She may pay ∼ for her ignorance. 그녀는 무식한 탓으로 혼날지도 모른다.
—— *int.* [놀람·동정·초조·당황·경멸 따위를 나타내어] 아이고!, 어머나 : *D*∼, ∼!=*D*∼ me!=Oh, ∼! 야 참!, 저런! / Oh ∼, no! 원 천만에 (그럴 수가)! **∼·ness** *n.*
〖OE *dēore* ; cf. G *teuer*〗
活用 물품의 값이 비싼[싼] 것을 표현할 때는 This book is *dear*[*cheap*]. 라고 함. price를 주어로 할 때에는 The *price* of this book is *high*[*low*]. 라고 하는 것이 보통.
類義語 ⟹ COSTLY.

dearie ☞ DEARY.

Déar Jóhn (lètter) *n.* 《美俗》 (여자가 약혼자에게 보내는) 절교장[편지].

***déar·ly** *adv.* **1** 깊이, 마음으로부터 : She loved him ∼. 그를 진심으로 사랑했다 / We seek peace ∼. 진심으로 평화를 희구한다. **2** 비싸게, 큰 희생을 치르고 : The victory was ∼ bought. 그 승리는 큰 희생의 대가로 얻은 것이었다. 注 보통 sell[buy] DEAR (*adv.*) (비싸게 팔다[사다])에는 *dearly*를 사용치 않음.

déar móney *n.* 고금리(의 돈) (↔ *cheap money*) : ∼ policy 고금리 정책.

dearth [dəːrθ] *n.* Ⓤ [또는 a ∼] 부족, 결핍 ; 기근 : ∼ of water 물 부족 / *a* ∼ of information 정보의 부족. 〖DEAR, -th²〗

deary, dear·ie [díəri] *n.* 《口》 사랑하는 사람 (darling)《보통 호칭으로》. 〖DEAR〗

‡death [déθ] *n.* **1** Ⓤ,Ⓒ 죽음 : an accidental ∼ 사고사(事故死) / a natural ∼ 자연사, 천수(天壽)를 다함 / die a violent ∼ 변사[횡사]하다 / the field of ∼ 전쟁터, 사지(死地) / ☞ CIVIL DEATH / ∼ in life 비참한 생활, 생지옥 / be worse than ∼ 아주 지독하다. **2** [D∼] 사신(死神)《낫(scythe)을 든 해골로 나타냄》. **3** 죽음의 원인, 사인 : be the *D*∼ of ☞ 숙어. **4** Ⓤ 사형. **5** 살인(murder), 유혈(bloodshed). **6** Ⓤ 파멸(destruction), 종말(end) : the ∼ *of* one's hopes[plans] 희망의 종말[계획의 좌절].
(as) pale as death 몹시 창백하여.
(as) sure as death 아주 확실하게.
at death's door 죽음에 직면하여.
be death on. . . 《俗》 (1) …에 대해서는 놀라운 솜씨다 ; …에 잘 듣다 : The cat *is* ∼ *on* rats. 그 고양이는 쥐를 잘 잡는다 / This medicine *is* ∼ *on* colds. 이 약은 감기에 아주 잘 듣는다. (2) …을 매우 싫어하다 : We *are* ∼ *on* humbug. 속이는 것을 몹시 싫어한다.
be in at the death (여우 사냥에서) 사냥개가 여우를 죽이는 것을 지켜보다 ; 《비유》 (사건의) 결말을 끝까지 보다.
be the death of …의 사인(死因)이 되다, …을 죽이다 ; 몹시 괴롭히다, …에게 괴로움을 겪게 하다 : Drink will *be the* ∼ *of* him. 그는 술로 죽게 될 것이다 / He *is the* ∼ *of* his parents. 그는 양친의 애물이다.
die the death ☞ DIE¹.
hang [***hold***] ***on like grim death*** 죽어도 놓지 않다, 늘어붙다.
talk to death (1) 《俗》 쉴새없이 마구 지껄이다. (2) 《美》 폐회 시간까지 토의를 질질 끌어 (의안을) 묵살하다(filibuster, 《英》 talk out) : The Senate *talked to* ∼ a resolution proposing his censure. 상원은 마감 시간이 될 때까지 토의를 거듭하여 그의 탄핵을 요구하는 결의안을 폐기했다.
to death (1) 죽을 때까지 : put a person *to* ∼ 남을 사형에 처하다, 남을 죽이다 / shoot[strike] a person *to* ∼ 남을 쏘아[때려] 죽이다 / be burnt[frozen, starved] *to* ∼ 소사(燒死)[동사(凍死), 아사(餓死)]하다(cf. be DROWNed) 《注 이때 특히 영국에서는 burn a person *dead,* be burnt *dead*라고 하는 수가 많음》 / bleed[be choked] *to* ∼ 출혈이 심하여[질식하여] 죽다. (2) 몹시, 극단적으로, 심하게 : be tired[bored] *to* ∼ …에 지쳐버리다[진절머리나다].
to the death 죽을 때까지, 최후까지 : fight *to the* ∼ 죽을 때까지 싸우다.
〖OE *dēath* ; cf. DEAD, DIE¹, G *Tod*〗

déath àdder *n.* (오스트레일리아산의) 데스 애더《코브라과의 독사》.

déath ágony *n.* 죽음[단말마(斷末魔)]의 고통.

déath àsh *n.* (방사능을 함유한) 죽음의 재.

déath·bèd *n.* 죽음의 자리, 임종 : on[at] one's ∼ 임종에 / ∼ repentance 임종의 회개 ; 《비유》 때늦은 정책 전환 ; 너무 늦은 후회.

déath bèll *n.* 임종을 알리는 종, 조종(弔鐘) ; 귀울음《죽음의 전조라고 함》.

déath bènefit *n.* 〖保險〗 사망의 경우 지불되는 보험금.

déath·blòw *n.* 치명적 타격, 치명상 : a ∼ to his theory 그의 이론에 대한 결정타.

déath cèll *n.* 사형수 감방.

déath certìficate *n.* (의사의) 사망 진단서.

déath chàir *n.* 전기 (사형) 의자.

déath chàmber *n.* 임종의 방 ; 사형실.

déath cùp *n.* 〖植〗 알광대버섯.

déath·dày *n.* 제삿날, 기일(忌日).

déath-dèal·ing *a.* 죽음을 초래하는, 치명적인, 치사의.

déath dùty *n.* 《英》 상속세 (=《美》 death tax).

déath educàtion *n.* 죽음에 관한 교육《죽음과 죽음에 대한 여러 문제점을 다루는 교육》.

déath fèud *n.* 불구대천의 원한.

déath fìre *n.* 도깨비불.

déath from overwórk *n.* 과로사.

déath·ful *a.* **1** 죽음과도 같은(deathly). **2** 《古》 치명적인(fatal).

déath hòuse *n.* 《美》 사형수 감방이 있는 건물, 사형수 동(棟).

déath ìnstinct *n.* 〖心〗 죽음의 본능.

déath knèll *n.* (종말·죽음·파멸의) 전조 ; = PASSING BELL.

déath·less *a.* 불사의, 불멸의, 영원의.
déath·lìke *a.* 죽은 듯한, 죽음과 같은.
déath·ly *a.* **1** =DEATHLIKE. **2** 잔인한. **3** 《詩》 죽음의. ── *adv.* 죽은 것처럼 ; 극단으로 : ~ pale 죽은 듯이 창백한.
déath màsk *n.* 데스 마스크, 사면(死面).
déath pènalty *n.* 사형, 죽을 죄.
déath·plàce *n.* 숨진 곳, 사망지.
déath pòint *n.* 〖生〗 치사점(致死點)《생존 한계 온도》.
déath ràte *n.* 사망률.
déath ràttle *n.* 임종 때 목구멍에서 나는 소리.
déath rày *n.* 살인 광선《가공의 것》 : a ~ weapon 살인 광선 병기.
déath ròll *n.* 사망자 명단.
déath rów *n.* (한 줄로 된) 사형수 감방.
déath sànd *n.* 〖軍〗 방사능 모래《적지(敵地)에 살포함》, 죽음의 재.
déath sèat *n.* 《美俗·濠俗》 (자동차의) 조수석(助手席).
déath sèntence *n.* 사형 선고.
déath's-hèad [déθs-] *n.* 해골(의 그림·모형)《죽음의 상징》.
déath squàd *n.* (라틴 아메리카의 군사 정권하에서 경범죄자·좌파 따위에 대한) 암살대.
Déath Stàr *n.* 죽음의 별《태양계에 있다고 하는 암흑 반성(伴星)》.
déath tàx *n.* 《美》 상속세(=《英》 death duty).
déath thròe *n.* 죽음의 고통.
déath tòll *n.* (사고 따위에 의한) 사망자 수.
déath·tràp *n.* 죽음의 함정《화재 따위로 인명에 위험이 미칠 염려가 있는 건물·상태》.
Déath Válley *n.* 죽음의 계곡《California 주에서 Nevada 주에 걸친 불모지》.
déath wàrrant *n.* **1** 사형 집행 영장. **2** 《비유》 치명적 타격, (의사의) 임종 선고.
déath·wàtch *n.* **1** (초상집의) 밤샘(vigil). **2** 사형수의 감시인 ; 《美》 (중대 성명을 대기하는) 기자단. **3** 빗살수염벌레《옛날에 수컷이 암컷을 부르는 소리를 죽음의 전조라 하였음》.
déath wòund *n.* 치명상.
deb [déb] *n.* 《口》 처음으로 무대에 서는 사람 ; 사교계에 처음으로 나온 사람.
deb. debenture ; debutante.
de·ba·cle, dé·bâ·cle [dibɑ́:kəl, dei-, -bǽk-] *n.* 빙하의 붕괴 ; 산사태 ; 대홍수 ; (정권 따위의) 와해 ; (시장의) 붕괴, 폭락 ; (군대의) 패주.
〚F (*débâcler* to unbar)〛
de·bág *vt.* 《英俗》 (장난·벌로) 바지를 억지로 벗기다 ; 정체를 폭로하다(debunk). 〚BAG[1]〛
de·bár [di-] *vt.* [+目+*from*+名] 제외하다(shut out) ; 금하다, 방해하다(prevent) : His age ~*red* him ***from*** go*ing* abroad. 그는 나이가 많아서 해외에 나갈 수 없었다 / The countries were ~*red from* commerce. 그 나라들은 통상(通商)이 금지되어 있었다. 〚F (*de-*, BAR[1])〛
de·bárk[1] [di(:)-] *vt., vi.* 상륙[양륙]시키다[하다](disembark). **dè·bar·ká·tion** *n.*
de·bárk[2] [di:-] *vt.* (나무의) 껍질을 벗기다.
de·bárk[3] [di:-] *vt.* (개의) 성대를 제거하여 짖지 못하게 하다.
de·bár·ment *n.* U 제외 ; 방지 ; 금지.
de·base [dibéis] *vt.* (품질·가치·품위를) 저하시키다, 떨어뜨리다 ; (인격을) 천하게 하다, 타락시키다 : ~ the coinage 화폐 가치를 저하시키다 / You must not ~ yourself and your character by such actions. 그와 같은 행동으로 품위를 떨어뜨리고 인격을 손상시켜서는 안된다.
de·bás·er *n.* **~·ment** *n.* U (품위·품질의) 저하 ; (화폐의) 가치 저하 ; 악화, 타락.
〚*de-*, ABASE〛
de·bát·able *a.* 논쟁의 여지가 있는, 이의(異議)가 있는, 미해결의 : ~ ground (국경 따위의) 분쟁지 ; 《비유》 논쟁점.
de·bate** [dibéit] *vt., vi.* [+目 / +目+前+名 / +*wh.* 節 / +*wh.*+*to* do / 動 / +前+名] 논쟁[토론]하다 ; 숙고(熟考)하다, 검토하다 : a *debating* society 토론회 / He ~*d* (on***) the subject of life ***with*** his friend. 그는 친구와 인생 문제를 논했다 / We were *debating which* was best. 우리는 어느 것이 제일 좋은가를 토론하고 있었다 / I was *debating* in my mind *whether to* go or not. 갈 것인지 말 것인지 마음 속으로 줄곧 생각하고 있었다.
── *n.* U.C 토론, 논쟁 ; [the ~s] (의회의) 토론 보고서 : a question *under* ~ 논쟁중인 문제 / hold a ~ *on* a subject 어떤 문제에 대하여 토론하다 / open the ~ 토론을 시작하다.
de·bát·er *n.*
〚OF ; ⇨ BATTLE[1]〛
類義語 ⟹ DISCUSS.
de·bauch [dibɔ́:tʃ, 美+-bɑ́:tʃ] *vt.* 타락시키다 ; (여자를) 유혹하다(seduce) ; (취미·판단 따위를) 더럽히다 : We are liable to be ~*ed* by bad companions. 우리는 나쁜 친구 때문에 타락하기 쉽다. ── *vi.* 주색에 빠지다, 방탕에 빠지다.
── *n.* 방탕, 난봉. **~·ment** *n.* 〚F<? ; 일설에 OF *debaucher* to shape (timber) roughly (*bauch* beam<Gmc.)〛
de·báuched *a.* 타락한 ; 방탕한.
de·báuch·ed·ly [-ədli] *adv.*
deb·au·chee [dèbɔ:tʃí:, -ʃí:, di-, -bə-, 美+-bɑ:-] *n.* 방탕자, 난봉꾼.
〚F *débauché* (p.p.) 〈DEBAUCH〛
debáuch·ery *n.* **1** 방탕, 주색에 빠지기, 난봉 : a life of ~ 방탕 생활. **2** [*pl.*] 유흥, 술마시며 흥청대기, 호유(豪遊), 난행(亂行).
deb·by, -bie [débi] *n., a.* 《口》 DEBUTANTE(의[다운]).
Debby, -bie *n.* 여자 이름.
de·ben·ture [dibéntʃər] *n.* 《英》 (일정한 이익분배 계약이 있는) (무담보) 사채(社債), 사채권(=~ **bònd**) ; (세관의) 환세(還稅) 증명서 ; (특히 공무원이 서명한) 부채[채무]증서.
〚L *debentur* are owed (*debeo* to owe) ; 어미는 *-ure*에 동화(同化)〛
debénture stóck *n.* 《英》 무상환 사[공]채.
deb·ile [débəl, 英+dí:bail] *a.* 《古》 허약한, 기력이 약한, 가냘픈.
de·bil·i·tate [dibílətèit] *vt.* 쇠약하게 하다, 약화시키다. 〚L (*debilis* weak)〛
de·bìl·i·tá·tion *n.* U.C 쇠약 ; 허약(화).
de·bil·i·ty [dibíləti] *n.* (특히 육체적인) 약함 ; (생활 기능의) 쇠약 : nervous ~ 신경 쇠약.
deb·it [débət] *n.* 〖簿〗 차변(기입)(↔*credit*) : the ~ side 차변《장부의 좌측》/ a ~ slip 지불 전표.
── *vt.* [+目 / +目+前+名 / +目+目] (…의) 차변에 기입하다 : *D*~ a person ***with*** [his account (*with*)] $700. =*D*~ $700 ***against*** his account [*against* him]. 그의 계정(計定) 차변(借邊)에 700달러를 기입하시오 / ***To*** whom shall I ~ the amount? 이 금액을 누구의 차입(借入)으로 기입해 둘까요. 〚F ; ⇨ DEBT〛
débit càrd *n.* 데비트 카드《은행 예금의 인출·예

입을 직접할 수 있는 카드》.

deb·o·nair(e) [dèbənéər, -nǽər] *a.* 쾌활한, 활기찬, 명랑한 ; 공손한, 상냥한.
〖OF (*de bon aire* of good disposition)〗

de·bóost *vi.* (우주선 따위가) 감속하다.
—— *n.* (우주선 따위의) 감속.

Deb·o·rah [débərə] *n.* 여자 이름 ;〖聖〗 드보라 《이스라엘의 여자 예언자》. 〖Heb.=bee〗

de·bouch [dibáutʃ, 美+-búːʃ] *vi.* [動/+前+名] (강이 넓은 곳으로) 흘러나오다 ; (군대가 평지로) 진출하다 : The river ~*ed* ***into*** the sea. 그 강은 바다로 흐르고 있었다. —— *vt.* (넓은 곳으로) 유출[진출]시키다. —— *n.* =DÉBOUCHÉ.
〖F (*bouche* mouth)〗

dé·bou·ché [dèibuːʃéi] *n.* (요새 따위의) 진출로 ; 출구(出口) (outlet) ; 상품의 판로.
〖F (↑)〗

debóuch·ment *n.* U,C 진출(한 곳) ; (하천의) 유출, 유출구.

De·brett [dəbrét] *n.* 《英口》 데브레트 (영국 귀족 연감)《1803년 발간》.
〖John F. *Debrett* (d. 1822) 발간자〗

de·bride, dé- [dibráid, dei-] *vt.* 〖醫〗 상처에서 이물(異物)을 제거하다. 〖역성(逆成) <↓〗

de·bride·ment, dé- [dibríːdmənt, dei-, -mɑːnt ; *F* debridmɑ̃] *n.* 〖醫〗 상처에서 이물이나 죽은 조직을 수술해서 제거하기.

de·brief [di(ː)bríːf, díːbriːf] *vt.* (특수 임무를 끝낸 비행사·외교관 등에게) 보고를 듣다 ; (공무원 등에게) 이임후 비밀 정보를 공표하지 않도록 명령하다. —— *vi.* (임무에서 돌아온 병사 등이) 보고하다. **~·ing** *n.* debrief 하기.
〖BRIEF〗

de·bris, dé·bris [dəbríː, dei-, déibriː ; déibri, déb-] *n.* (*pl.* ~ [-z]) U (파괴물의) 파편, 잔해, 부스러기 ;〖地質〗 (산이나 절벽 아래에 쌓인) 암석 부스러기 ;〖登山〗 쌓인 얼음 덩어리.
〖F (*briser* to break)〗

‡debt [dét] *n.* **1** U,C 빚, 부채, 채무(liability) : ☞ BAD DEBT / a floating ~ 일시 차입금 / ☞ FUNDED DEBT / ☞ GOOD DEBT / ☞ NATIONAL DEBT / contract[incur] ~*s* 빚을 지다 / get[run] into ~ 빚내다, 빚을 얻다 / get[keep] out of ~ 빚을 갚다[빚 안지고 살다] / Short ~*s* make long friends. 《속담》 빚은 빨리 갚아야 우정이 길다. **2** (남에게) 빚지고 있는 것, 은혜, 신세 : a ~ of gratitude 은혜, 의리.
be in** a person**'s debt 남에게 빚[신세]을 지고 있다.
a debt of honor 신용빚, (특히) 노름빚.
pay** one**'s debt to nature=***pay the debt of nature*** 죽다.
〖OF<L *debit-* *debeo* to owe〗

débt collèctor *n.* 《英》 빚을 거두어들이는[빚 받이] 대행업자.

débt-èquity swáp *n.* 《美》 채무·주식 교환《사채 따위의 회사 채무를 신주식과 바꿈 ; 차액에 과세되지 않는 이점을 노림》.

débt fínancing *n.* 채권금융(에 의한 자금 조달).

débt lìmit *n.* 채무 한계.

***débt·or** *n.* 빚진 사람, 채무자(↔*creditor*) ; 은혜를 입은 사람, 의무를 진 사람 ;〖簿〗 차변(借邊) 《略 dr.》.

débt reschèduling *n.* 〖金融〗 채무의 연기《국제수지의 악화나 재정위기 따위로 채무 변제를 할 수 없게 된 나라가 대출한 상대국에게 변제 시기의 연기를 인정받는 일》.

débtor nàtion *n.* 채무국.

débt sèrvice *n.* 할부 상환 금액《장기 차입금의 금리 지불금 및 원금 상각용 적립금으로서 해마다 계상(計上)하는 충당금의 총액》.

de·búg *vt.* **1** 《주로 美》 해충을 없애다. **2** 《口》(비행기·컴퓨터(프로그램) 따위의) 결함[잘못, 오류]을 찾아 고치다, 벌레 잡다 ; 《口》 (방 따위에서) 도청 장치를 제거하다. —— *n.* 《口》 디버그하는 컴퓨터 프로그램. 〖BUG[1]〗

debúg·ging *n.* 〖컴퓨〗 오류 수정 : a ~ program 디버깅 프로그램.

de·búnk *vt.* 《口·원래 美》 (명사(名士) 등의) 정체를 폭로하다, …의 가면을 벗기다. 〖BUNK[2]〗

de·bús *vt., vi.* 《英》 버스[차]에서 내리다.

de·but, dé·but [déibjuː, -ˊ ; déi-, déb-] *n.* 처음으로 (정식) 사교계에 나가기, 첫 무대[출연], 데뷔 : make one's ~ 데뷔하다. —— *vi.* 데뷔하다, 첫 무대를 밟다 ; 사교계에 처음 나가다. —— *vt.* 청중[관객] 앞에서 처음으로 연기하다.
〖F (*débuter* to lead off)〗

de·bu·tant, dé- [débjutɑ̀ːnt ; débju(ː)tɑ̀ːŋ] *n.* (*fem.* **-tante** [-tɑ̀ːnt]) 첫 무대에 서는 사람 ; [-tante] 사교계에 처음 나서는 아가씨 ; [-tante] 경박한 상류 사교계 아가씨. 〖F (pres. p.) <↑〗

DEC Digital Equipment Corp. **Dec.** December.

dec. deceased ; decimeter ; declaration ; declension ; decrease.

dec- [dék], **deca-** [dékə], **dek(a)-** [dék(ə)] *comb. form* 「10」의 뜻 ; 데카《=10 ; 기호 da ; cf. DECI-》. 〖Gk. *deka* ten〗

dec·a·dal [dékədl] *a.* 열[10]의, 10년간의.

***dec·ade** [dékeid, -əd, dekéid, di-] *n.* **1** 10개 한 벌 ; 10권[편] ; 10년간 : the third ~ of the twentieth century 20세기의 20년대《1921-30년》. **2** [보통 dékəd] 〖카톨릭〗 로사리오 염주《작은 알 10개와 큰 알 1개》. 〖F<L<Gk. (*dec-*)〗

dec·a·dence [dékədəns, dikéi-] *n.* U 쇠퇴, 타락 ; [흔히 D~] 〖藝〗 퇴폐, 데카당스.

déc·a·dent *a.* **1** 퇴폐적인. **2** 〖藝〗 퇴폐기의, 데카당파의. —— *n.* 퇴폐적인 사람 ; [흔히 D~] 데카당파의 예술가[문인].
〖F<L ; ⇨ DECAY〗

de·caf [diːkǽf] *n.* 카페인을 제거한[줄인] 커피[콜라 따위].

de·caf·fein·ate [diːkǽfiənèit] *vt.* (커피 따위에서) 카페인을 제거하다[줄이다].
〖CAFFEINE〗

deca·gon [dékəgɑ̀n] *n.* 〖數〗 10각[변]형.
de·cag·on·al [dəkǽgənl] *a.* 〖L<Gk. (*-gon*)〗

déca·gràm, -gràmme *n.* 데카그램《=10 grams》.

dèca·hédral *a.* 〖數〗 10면이 있는, 10면체의.

dèca·hédron *n.* (*pl.* **-dra, ~s**) 〖數〗 10면체.

decahedron

de·cal [díːkæl, dikǽl, dékəl] *n.* =DECALCOMANIA. —— *vt.* (도안·그림 따위를) 전사하다.
〖*decal*comania〗

de·cálcify *vt.* (뼈에서) 석회질을 제거하다.

de·cal·co·ma·nia [dikæ̀lkəméiniə] *n.* U (유리·사기그릇·금속 따위에 무늬·그림 따위를 넣는) 전사술(轉寫術) ; C 옮겨 넣은 그림[도안].
〖F (*décalquer* to transfer by tracing)〗

déca·lìter | -tre *n.* 데카리터《=10 liters》.

Deca·logue, -log [dékəlɔ̀(ː)g, -lɑ̀g] *n.* [the ~]

〔聖〕(모세의) 십계명(the Ten Commandments). 〖OF or L<Gk. (*dec*-, LOGOS)〗

De·cam·er·on [dikǽmərən] *n.* [The ~] 데카메론《Boccaccio의 작품》.

déca·mèter | -tre *n.* 데카미터《=10 meters》.

deca·metr·ic [dèkəmétrik] *a.* (고주파 전파가) 데카미터파(波)의 : ~ wave 데카미터파《파장 100-10m, 주파수 3-30 MHz》.

de·cámp [di(:)-] *vi.* **1** 야영을 거두다. **2** (갑자기·몰래) 도망치다(run away). **~·ment** *n.* [U] 철영(撤營) ; 도망. 〖F (CAMP[1])〗

dec·a·nal [dəkéinl, 美+dékənl] *a.* DEAN[1](직)의 ; 남쪽 성가대의. 〖L ; ⇨ DEAN[1]〗

de·ca·ni [dikéinai] *a.* =DECANAL ; 〔樂〕(교회에서) 남쪽 성가대가 노래할. —— *n.* 남쪽 성가대. 〖L〗

de·cant [dikǽnt] *vt.* 가만히 따르다 ; (병에 든 포도주를) DECANTER에 옮기다 ; 《비유》 이동시키다. 〖L<Gk. (*kanthos* lip of beaker)〗

de·can·ta·tion [dì:kæntéiʃən] *n.* 가만히 따르기.

de·cant·er [dikǽntər] *n.* 디캔터《마개가 있는 식탁용의 유리병 ; 보통 포도주를 넣음》.

dè·capácitate *vt.* (정자의) 수정능력을 없애다.

dè·capacitátion *n.* (정자의) 수정능력 제거.

de·cap·i·tate [dikǽpətèit] *vt.* …의 목을 베다, 참수(斬首)하다 ; 《美》 해고[추방]하다. **de·cáp·i·tà·tor** *n.* 〖L ; ⇨ CAPUT〗

decanter

de·càp·i·tá·tion *n.* [U] 참수(斬首), 단죄 ; 《美》 해고, 면직.

deca·pod [dékəpàd] *n., a.* 〔動〕 십각류(十脚類)《게·새우 따위》(의) ; 십완류(十腕類)《오징어류(squid, cuttlefish 따위)》(의). 〖F<NL (Gk. *dec*-, *pod*- *pous* foot)〗

de·cárbonate *vt.* …에서 이산화탄소를 제거하다. **de·cár·bon·à·tor** *n.* **de·carbonátion** *n.*

de·càrbon·izátion *n.* 탄소 제거[탈실(脫失)], 탈(脫)탄소.

de·cárbon·ìze *vt.* (내연 기관의 실린더 벽 따위의) 탄소를 제거하다, 탈탄소 처리하다.

de·cárburize *vt.* =DECARBONIZE ; 〔冶〕 탈탄(脫炭)하다.

dec·are [déka:r, 美+-eər, 美+-æər] *n.* 데카르《=10 ares ; 0.247 acre》. 〖F *décare*〗

déca·ròck [dékə-] *n.* =GLITTER ROCK. 〖*deca*dent+*rock*〗

de·càrtel·izátion *n.* 카르텔 해체[해소].

déca·stère *n.* 데카스티어《= 10m^3》.

de·cásual·ìze *vt.* (해고 또는 정식으로 고용하여) 임시 고용[자유 노동자]을 없애다[줄이다].

dèca·syllábic *n., a.* 10음절 (시행(詩行))(의).

déca·sỳllable *n.* 10음절 (시행).

de·cath·lete [dikǽθli:t] *n.* 10종 경기 선수.

de·cath·lon [dikǽθlɑn, -lən] *n.* 10종 경기(cf. PENTATHLON). 〖Gk. (*athlon* contest)〗

dec·a·tron [dékətràn] *n.* 〔理〕 십진계수관《가스 방전(放電)을 이용하여 십진법 계산을 하는 전자관(電子管)》.

***de·cay** [dikéi] *vi.* **1** 썩다, 부식하다, 부패하다 (rot) : Our teeth will ~ if they are not taken care of. 이를 돌보지 않으면 충치가 된다. **2** 쇠하다, 쇠퇴[쇠락]하다(decline) ; 타락[퇴화]하다 (deteriorate) : Spain's power ~*ed* after her Armada was destroyed. 스페인은 무적 함대가 괴멸된 후부터 세력이 쇠퇴했다. **3** 〔理〕(방사성 물질이 자연히) 붕괴하다 ; 〔電子〕(전류·전압이) 감소하다, (전하가) 소실하다 ; (인공 위성 따위의) 궤도 축소를 일으키다. —— *vt.* 부패[붕괴]시키다 ; (이를) 썩게 하다 : a ~*ed* tooth 충치. —— *n.* **1** [U] 부식, 부패(rot) ; 쇠미, 쇠퇴(decline) : the ~ of beauty[a family] 미모가 사라짐[일가(一家)의 쇠퇴] / be in ~ 썩어 있다 / fall into[go to] ~ 썩다, 쇠퇴하다. **2** [U] 〔理〕(방사성 물질의) 자연 붕괴 ; (전류의) 감소 ; (인공 위성 따위의) 궤도 축소. 〖OF<Rom. (L *cado* to fall)〗

Dec·can [dékən, -æn] *n.* [the ~] 데칸《인도 Narbada 강 이남의 반도 지방》; =DECCAN PLATEAU.

Déccan Platéau *n.* [the ~] 데칸 고원《인도 남부 고원 지대》.

***de·cease** [disí:s] *n.* 사망(death). —— *vi.* 사망하다, 죽다(die). 〖OF<L< *de*- (*cess*- *cedo* to go)=to die〗 [類義語] ⟹ DIE[1].

de·céased *a.* 사망한(dead), 고인이 된, 고(故) [망(亡)]… : one's ~ father 망부(亡父). —— *n.* (*pl.* ~) [the ~] 고인. [類義語] ⟹ DEAD.

de·ce·dent [disí:dnt] *n.* 《美》 고인(故人). 〖L ; ⇨ DECEASE〗

decédent estáte *n.* 〔美法〕 유산.

‡**de·ceit** [disí:t] *n.* [U,C] 사기 ; 기만 ; 책략(策略) ; 속이기, 허위, 속임수 : discover (a piece of) ~ 사기 행위를 알아내다. 〖OF (p.p.) ‹DECEIVE〗

decéit·ful *a.* **1** 사람을 속이는, 기만하는 ; 허위의 (false) : a ~ man 신빙성이 없는 남자. **2** 남의 눈을 속이기 쉬운 : Appearances are often ~. 겉모양으로는 잘못 판단하기 쉽다. **~·ly** *adv.* 속여서 ; 사기적으로. **~·ness** *n.*

de·céiv·able *a.* 속아 넘어가기 쉬운 ; 속일 수 있는, 사기 당하기 쉬운.

de·ceive** [disí:v] *vt.* [+目 / +目+前+名] 속이다, 기만하다, 배신하다 ; 현혹시키다, 그르치다 : He was ~*d* ***into believ*ing* that she would come. 그는 그녀가 와 줄 것으로 믿었으나 속았다 / I've been ~*d* ***in*** you. 너를 잘못 보았다[과대 평가했다]. —— *vi.* 사기를 치다, 남을 기만하다 : Advertisements must not ~. 광고에 거짓이 있어서는 안된다.
deceive one***self*** 그릇된[달콤한] 생각을 품다, 오산(誤算)하다, 오해하다.
de·céiv·er *n.* 사기꾼. **de·céiv·ing·ly** *adv.* 〖OF<L *de*- (*cept*- *cipio*=*capio* to take)=to ensnare〗 [類義語] ⟹ CHEAT.

de·cel·er·ate [di:sélərèit] *vt., vi.* (…의) 속도를 늦추다, 감속하다. 〖*de*-+ac*celerate*〗

de·cèl·er·á·tion *n.* [U] 감속, 감속도 : a ~ lane [《英》 strip] (특히 고속도로의) 감속 차선.

◇**De·cem·ber** [disémbər] *n.* 12월《略 Dec.》. 〖OF<L (*decem* ten) ; 초기의 로마력에서는 제 10월〗

de·cem·vir [disémvər] *n.* (*pl.* **~s**, **-vi·ri** [-vərì:, -rài]) 〔로史〕 십대관(十大官)의 한 사람. **de·cém·vi·ral** *a.* 십대관의. 〖L (*viri* men)〗

de·cem·vi·rate [disémvərət] *n.* [U,C] 십대관의 직위[임기] ; 십두(十頭) 정치.

***de·cen·cy** [dí:snsi] *n.* **1** [U] 보기 흉하지 않은 것 ; 품위 ; 체면 : for ~'s sake 체면상. **2 a**) [U] [+

to do] 예의바름, 단정함 ; (언어·거동의) 고상함 : an offense against ~ =a breach of ~ 버릇없음 / He had not the ~ *to* say "Thank you." 그는 감사하다고 말할 만한 예의도 없었다 / *D*~ forbids. (게시문의) 소변 금지《따위》. **b**) [the decencies] 예의, 예절(proprieties) ; 보통 생활에 필요한 것 : observe *the decencies* 예절을 지키다 / secure *the decencies* 인간다운 생활의 필수 조건을 갖추다. 〚L ; ⇨ DECENT〛

de·cen·na·ry [disénəri] *n., a.* 10년간(의).

de·cen·ni·ad [diséniæ̀d] *n.* =DECENNIUM.

de·cen·ni·al [diséniəl] *a.* 10년간[마다]의.
—— *n.* 십주년 기념일 ; 10년제(祭). 〚↓〛

de·cen·ni·um [diséniəm] *n.* (*pl.* **~s, -nia** [-niə]) 10년간(decade).
〚L (*decem* ten, *annus* year)〛

de·cent** [díːsənt] *a.* **1** 보기에 흉하지 않은, 꽤 훌륭한, 상당한 신분의(respectable) : a ~ family 상당한 신분의 가문 / a ~ house 훌륭한 집안. **2** 예의 바른, 고상한 : It is not ~ to laugh at a funeral. 장례식 때 웃는 것은 무례한 짓이다. **3** 《口》 꽤 좋은, 상당한(fair) : He earns a ~ living. 상당한 수입이 있다 / a very ~ fellow 제법 호감이 가는 남자 / get ~ marks (학교에서) 좋은 점수를 따다. **4** 《口》 [+前+do*ing* / +*of*+名+*to* do] 친절한(kind), 관대한, 엄격하지 않은 : My father was very ~ ***about my be*ing* late in coming home. 아버지께서는 내가 늦게 집에 돌아온 것을 조금도 나무라지 않으셨다 / It's awfully ~ ***of*** you *to* come and see me off. 전송 나와 주셔서 대단히 고맙습니다. **~·ly** *adv.* **~·ness** *n.* 〚F or L (*decet* is fitting)〛

de·cèntral·izátion *n.* Ⓤ 분산 ; (중앙)집권 배제 ; 지방분권화.

de·céntral·ìze *vt.* (행정권·산업 조직·인구 등을) 분산시키다 ; …의 집중을 막다, 지방분권으로 하다. —— *vi.* (행정권·인구 따위) 분산화하다.

de·cep·tion [disépʃən] *n.* **1** Ⓤ 속이기, 유혹, 기만 : practice ~ *on* a person[the public] 남[세상]을 속이다. **2** 사기 수단 ; 속임수, 현혹시키게 하는 것 ; 환상 ; 가짜. 〚OF or L ; ⇨ DECEIVE〛

類義語 ***deception*** 남을 속이기《악의로 한 것이 아닐 때에도 씀》. ***deceit*** 고의적인 기만《deception은 행위에 대해서 deceit는 마음의 습성에 대해서》. ***imposture*** 신분·자격을 사칭하여 사람을 속임. ***fraud*** 부정하게 남의 재산·권리 따위를 빼앗는 deception. ***subterfuge*** 어떤 것을 피하거나 어떤 목적을 달성하기 위한 책략. ***trickery*** 사기적으로 속이기 위한 책략. ***chicanery*** 특히 법률적인 행위로서의 작은 trickery, subterfuge. ***guile*** 교활하게 사람을 속이는 언행.

de·cep·tive [diséptiv] *a.* (남을) 속이는, 현혹시키는 ; 믿을 수 없는 ; 미혹시키는(misleading). **~·ly** *adv.* 남을 속여서. **~·ness** *n.* 거짓이 많음, 믿을 수 없음.

de·cern [disə́ːrn] *vt., vi.* 〖스코法〗 (…에게) 판결을 내리다 ; 《稀》 =DISCERN.

de·cértify *vt.* …의 증명[인가, 면허, 인증]을 취소[철회]하다. **de·certificátion** *n.*

de·chlórinate *vt.* 〖化〗 …의 염소를 제거하다. **de·chlorinátion** *n.* 탈염소.

de·chrístian·ìze *vt.* …의 기독교적 특질을 잃게 하다, 비(非)기독교화하다.

deci- [désə] *comb. form* 〖單位〗 데시《=1/10=10^{-1} ; 기호 d ; cf. DEC-》. 〚L〛

déci·àre *n.* 데시아르《=1/10 are, $10m^2$》.

déci·bàr *n.* 〖理〗 데시바《=1/10 bar》.

deci·bel [désəbèl, -bəl] *n.* 〖電·理〗 데시벨《전력[음]의 크기를 측정하는 단위 ; 略 db., dB》.

^◇^**de·cide** [disáid] *vt.* **1** [+*to* do / +*that* 節 / +*wh.* 節 / + *wh.* + *to* do] 결정[결의]하다(resolve) ; 추정하다(infer) : He ~*d to* postpone his departure. 출발을 연기하기로 했다 / It has been ~*d that* the conference shall be held next month. 회의는 내달에 개최하기로 결정되었다 / He ~*d that* what these people wanted was news from abroad. 이 사람들이 바라고 있는 것은 해외로부터의 소식이라고 짐작했다 / Have you ~*d who* shall build the house? 누구에게 집을 짓게 할 것인가를 결정했나요 / She could not ~ *where to* go. 어디로 가면 좋을지 결심이 서지 않았다. **2** [+目+*to* do / +目] (남에게) 결심시키다 : What ~*d* him *to* resign? 무엇 때문에 그는 사직하려고 마음먹게 되었느냐 / That ~*s* me (*to* depart). 그것 때문에 나(는 출발)의 결심이 섰다. **3** (문제점을) 해결하다, (승부를) 정하다 ; 〖法〗 판결하다 : It is for you to ~ the question. 문제를 해결하는 것은 당신이 해야할 일이다 / This event ~*d* his career[fate]. 이 사건이 그의 장래[운명]를 결정지었다.

〈회화〉
What made you *decide* to become a doctor?
—It was father's decision, not mine. 「어째서 의사가 될 결심을 했지」「내가 결정한 것이 아니라 아버지가 결정하셨어요」

—— *vi.* **1** [+前+名 / 動] 결정[결심]하다 : They have not yet ~*d* ***on*** a site for their new house. 새 주택의 부지를 아직 정하지 않았다 / We ~*d* ***against*** a holiday in Hawaii. 휴가 때에 하와이에 가지 않기로 결정했다 / It is difficult to ~ ***between*** the two opinions. 두 의견 중 어느 한 쪽을 정하는 것은 어렵다 / It is for me to ~. 결정은 내가 해야만 한다. **2** [+前+名] 판결을 내리다 : The judge ~*d* ***against***[***for, in favor of***] the defendant. 재판관은 피고에게 불리한[유리한] 판결을 내렸다.
—— *a.* 결정할 수 있는 ; 〖數〗 결정 가능한.
〚F or L *de-*(*cis- cido*=(*caedo* to cut)=to cut off〛

類義語 ***decide*** 결정짓지 못한 일이나 의문[논쟁]에 결말을 내어 이후의 행동이나 진로를 결정하다. ***determine*** decide한 후 다시금 형식·성격·용법·범위 따위를 세밀하게 정하다. 한번 결정하면 변경하지 않는 기분을 암시함 : Our college *decided* on a series of lectures but the speakers and the dates are not yet *determined*. (우리 대학은 (일련의) 강연회를 갖기로 했으나 강사와 날짜는 아직 정해지지 않았다). ***settle*** 중재나 조정(調停)에 의해서 최종적인 결론에 이르러 의혹이나 분쟁이 끝나는 것을 암시함 : The United Nations *settled* the dispute between the two nations. (유엔은 양국간의 분쟁을 타결하였다). ***conclude*** 신중한 조사 또는 추리 끝에 결정하다[결론을 내리다] : The police *concluded* that he was murdered. (경찰은 그가 살해되었다고 결론지었다). ***resolve*** 어떤 일을 실행하겠다[하지 않겠다]고 하는 굳은 결심을 나타냄 : He *resolved* to give up smoking. (담배를 끊기로 결심하였다).

***de·cíd·ed** *a.* **1** 뚜렷한, 명확한(distinct) : His eloquence gave him a ~ advantage. 그의 달변은 그에게 뚜렷한 이점이 되었다. **2** 결정적인, 단호한 ; 과단성 있는(resolute) : a ~ person 과단

성이 있는 사람. **~·ness** *n.*

***de·cíd·ed·ly** *adv.* 확실히, 단연 ; 단호히 : answer ~ 단호하게 대답하다.

de·cíd·er *n.* 결정자, 결재자(決裁者) ; 결승전.

de·cíd·ing *a.* 결정적인, 결승의, 결전의.

de·cid·u·ous [disídʒuəs] *a.* **1** 〔動·植〕 탈락성의 ; 낙엽성의(cf. PERSISTENT, EVERGREEN) : ~ teeth 탈락치(脫落齒), 유치(乳齒). **2** 일시적인, 덧없는.
〖L=falling off (*cade* to fall)〗

déci·gràm[**-gràmme**] *n.* 데시그램《무게의 단위; =1/10 gram ; 기호 dg》.

déci·lìter | **-tre** *n.* 데시리터《용량 단위 ; =1/10 liter ; 기호 dl》.

de·cil·lion [disíljən] *n.* 《美》 1000의 11제곱《1에 0을 33개 붙인 수》; 《英·프》 100만의 10제곱《1에 0을 60개 붙인 수》.

***dec·i·mal** [désəməl] *a.* **1** 〔數〕 십진법(十進法)의, 십진의(cf. CENTESIMAL) ; 소수(小數)의 : ~ arithmetic 십진산(算), 소수산(小數算) / a ~ currency 십진법 통화(제도) / a ~ fraction 소수 / a ~ point 소수점 / ~ notation 십진 기수법(記數法) / the ~ system 십진법. **2** 10부문의 《분류상에서》. —— *n.* 소수 ; [*pl.*] 십진산(算) : a circulating[recurring, repeating] ~ 순환소수 / an infinite ~ 무한소수. **~·ist** *n.* 십진법 주의자. **~·ly** *adv.* 십진법으로 ; 소수로.
〖L=of tenths (*decem* ten)〗

décimal classificàtion *n.* (도서) 십진 분류법(十進分類法).

décimal còinage *n.* 십진 화폐 제도.

dècimal·izátion *n.* Ⓤ 십진법화, 십진법 채용.

décimal·ìze *vt.* 십진법으로 하다.

décimal numeràtion *n.* 십진법.

décimal plàce *n.* 〔數〕 소수자리.

dec·i·mate [désəmèit] *vt.* **1** (특히 고대 로마에서 처벌로) 10명에 1명꼴로 제비뽑아 죽이다. **2** (전염병·전쟁 따위가) 많은 사람을 죽이다 : a population ~*d* by disease 질병으로 격감(激減)된 인구. **3** …의 10분의 1을 거두다[징수하다].
dèc·i·má·tion *n.*많은 사람을 죽임, 다수인의 사망. **-mà·tor** *n.* 〖L=to take the tenth man〗

déci·mèter | **-mètre** *n.* 데시미터《=1/10 meter ; 기호 dm》.

de·ci·pher [disáifər] *vt.* (암호·수수께끼 따위를) 해독하다(decode) (↔*cipher*) ; 판독(判讀)하다. —— *n.* Ⓤ (암호문 따위의) 해독, 번역 ; 판독.
~·able *a.* **~·ment** *n.* 〖CIPHER〗

‡**de·ci·sion** [disíʒən] *n.* **1** Ⓤ,Ⓒ 결정, 해결 ; Ⓒ 결의(문), 판결(문) ; 〔拳〕 판정승 : ~ by majority 다수결 / come to[arrive at, reach] a ~ 해결이 나다, 결정되다 / make[take] a ~ 결정을 내리다. **2** Ⓤ,Ⓒ [+*to* do] 결심, 결의(決意)(resolution) : make a ~ 결심하다 / His ~ *to* resign was to be expected. 사직하겠다는 그의 결심은 예상된 바였다. **3** Ⓤ 결단력, 과단성 : a man of ~ 과단성이 있는 사람 / a man who has [lacks] ~ (of character) 결단력이 있는[부족한] 사람.
—— *vt.* 《口》〔拳〕 …에게 판정승하다.
〖OF or L=a cutting off ; ⇨DECIDE〗

decísion màker *n.* 의사(意思) 결정자.

decísion màking *n.* (정책 따위의) 의사 결정.

decísion-màking *a.* (정책·원칙 따위를) 결정하는 : the ~ process (정책·방향의) 결정 과정.

decísion tàble *n.* 의사 결정표.

decísion trèe *n.* 의사 결정(을 위한) 분지도(分枝圖)《여러 가지의 전략·방법 따위를 나뭇가지 모양의 그림으로 나타낸 것》.

***de·ci·sive** [disáisiv] *a.* **1** 결정적인 : a ~ ballot [vote] 결선(決選) 투표 / ~ evidence[proof] 확증 / be ~ *of* …을 결정짓다, …을 끝장내다. **2** (대답에서) 단호한(cf. DECIDED). **3** 명백한.
~·ly *adv.* 결정적으로 ; 단연코. **~·ness** *n.*
〖F<L ; ⇨ DECIDE〗

déci·stère *n.* 데시스티어《=1/10 stere》.

***deck** [dék] *n.* **1** 〔海〕 갑판 : the forecastle[main, quarter] ~ 앞[주(主), 뒤] 갑판. **2** 갑판 모양의 것 ; (건물의) 층 ; (다리의) 도로면 ; 《美》 (객차의) 지붕 ; (버스·전차 따위의) 바닥, 객실. **3** 《주로 美》 (트럼프 패의) 한 벌(=《英》 pack) : a ~ of cards. **4** 〔컴퓨〕 (특정한 목적을 위해서 구멍을 뚫은) 일련(一連)의 카드.
clear the decks (***for action***) (배에서 갑판을 치우고) 전투 준비를 하다 ; 《비유》 투쟁[활동]의 준비를 하다.
on deck (1) 〔海〕 갑판에 나가서 : be *on* ~ 갑판에 나와 있다 ; 당직이다 / go *on* ~ 갑판으로 나가다 ; 당직을 하다(cf. *go* BELOW). (2) 《美口》 (야구의 타자 등) 다음 차례에[의].
sweep the decks[***deck***] (파도가) 갑판을 쓸다 ; 포화(砲火)가 갑판을 휩쓸다 ; 전승하다.
—— *vt.* **1** [+目 / +目+㊀+㊔ / +目+㊁] 장식하다, 꾸미다, 치장하다 : The room was ~*ed* ***with*** flowers. 그 방은 꽃으로 장식되어 있었다 / They were ~*ed* ***out in*** their Sunday best. 그들은 나들이옷으로 몸치장을 하고 있었다. **2** (배)에 갑판을 대다. **3** 《美俗》 때려 눕히다.
〖ME=covering<MDu.=cover, roof〗

déck bòy *n.* 갑판원(deckhand), 갑판 청소인.

déck brìdge *n.* 〔建〕 상로교(上路橋)《주형(主桁)·주구(主構) 위에 통로가 있는 다리》, 노선교(路線橋) (cf. THROUGH BRIDGE).

déck càbin *n.* 갑판 선실.

déck càrgo *n.* 갑판에 실은 짐.

déck chàir *n.* 갑판 의자, 접의자.

déck depàrtment *n.* 갑판부(部).

deck·el [dékəl] *n.* =DECKLE.

déck·er *n.* 장식자[물] ; 갑판 선원 ; 갑판 선객 ; …층 갑판선 : a three-~ 3층 갑판선.

déck·hànd *n.* 〔海〕 갑판원, (하급) 선원.

déck·hòuse *n.* 〔海〕 갑판실.

deck·le [dékəl] *n.* 〔製紙〕 제지 기계의 정형기(定型器)《종이의 판형을 정함》; =DECKLE EDGE.
〖G *Deckel* cover〗

déckle édge *n.* 뜨기만 하고 아직 도련(刀鍊)하지 않은 종이의 가장자리.

déckle-édged *a.* 도련하지 않은《종이》.

déck·lòad *n.* 갑판의 적재 화물.

déck lòg *n.* 갑판부 (항해) 일지.

déck·man [-mən] *n.* (제재소의) 통나무 운반 인부《특히 갑판에서 제재소까지 나름》.

déck òfficer *n.* 갑판 사관 ; 당직 항해사.

déck pàssage *n.* (선실이 없는 물윗배 따위에서의) 갑판 도항.

déck pàssenger *n.* 〔海〕 갑판[3등] 선객.

déck quòit *n.* (배의 갑판에서 하는) 밧줄[고무]의 고리던지기 놀이.

déck tènnis *n.* 덱 테니스《배 위에서 하는 테니스 비슷한 게임》.

de·claim [dikléim] *vt.* 극적으로[낭랑하게] 낭독[연설]하다. —— *vi.* 열변을 토하다, 연설하다 ; 낭독 연습을 하다 ; 맹렬히 비난[항의]하다, 매도하다〈*against*〉.
~·er *n.* 연설자 ; 낭독자. 〖F or L ; ⇨ CLAIM〗

dec·la·ma·tion [dèkləméiʃən] *n.* Ⓤ 낭독(법) ; Ⓒ 연설, 열변, (형식적인) 인사.
de·clam·a·to·ry [diklǽmətɔ̀:ri ; -təri] *a.* 낭독조의 ; 연설투의 ; (글이) 너무 미사 여구적인.
de·clár·able *a.* 선언[언명]할 수 있는 ; 밝힐[증명할] 수 있는 ; (세관에) 신고해야 할.
de·clar·ant [dikléərənt, -klǽər-] *n.* 신고자 ; 원고(原告) ; 〖美法〗 미국 귀화 신청자.
***dec·la·ra·tion** [dèkləréiʃən] *n.* **1** U.C 선언, 발표, 포고(announcement) ; (사랑의) 고백 ; 선언서(manifesto) : a ~ of war 선전 포고 / a ~ of the poll 선거 투표 결과 공표 / make a ~ of love 사랑을 고백하다. **2** (세관 따위에서의) 신고(서) ; 〖法〗 진술, (증인의) 선언 ; 소장(訴狀) ; (소송에서의) 원고의 최초의 진술(cf. PLEA) : a ~ of income 소득 신고. **3** 〖카드놀이〗 으뜸패 선언 ; 〖크리켓〗 (공격측이 이닝(inning) 중도에서 행하는) 이닝 종료(선언).
the Declaration of Human Rights 세계인권선언《1948년 12월 국제연합에서 채택됨》.
the Declaration of Independence (미국의) 독립선언《1776년 7월 4일》.
de·clar·a·tive [diklǽrətiv, -léər-] *a.* 선언하는, 포고의 ; 신고의, 진술의 ; 서술의 : a ~ sentence 〖文法〗 평서문. **~·ly** *adv.*
de·clar·a·to·ry [diklǽrətɔ̀:ri, -léər- ; -təri] *a.* 선언[신고]하는 ; 진술[단정]적인.
declàratory júdgment *n.* 〖法〗 선언적[확인] 판결《당사자의 권리 또는 법적 문제에 관한 재판소의 의견을 선언할 뿐으로 해야할 일을 명하지는 않음》.
‡**de·clare** [dikléər, -lǽər] *vt.* **1** [+目 / +目+前+名 / +*that* 節 / +目+補 / +目+*to* do] 선언[포고]하다(proclaim) ; 언명[단언]하다(affirm) : ~ the results of an election 선거의 결과를 공표하다 / ~ a dividend ☞ DIVIDEND / ~ war (*up*)***on***[***against***] a country 어떤 나라에 대해 선전 포고하다 / The students ~*d* themselves *against* conscription. 학생들은 징병에 반대한다고 선언했다 / Paul ~*d that* he would never come back to his parents again. 폴은 다시는 부모님에게 돌아오지 않겠다고 단언했다 / ~ a person[oneself] (*to be*) innocent 남이[자기가] 결백하다고 공언하다 / He ~*d* himself king. 그는 자기가 왕이라고 선언했다. **2** (세무서·세관에서) (소득액·과세품을) 신고하다. **3** 〖카드놀이〗 (브리지에서 어떤 패를) 으뜸패라고 선언하다 ; (으뜸패 없음[의 승부]을) 선언하다(cf. NO-TRUMP *n*). **4** [+目+過分] 〖크리켓〗 (팀의 주장이) 중도에서 (이닝의 종료를) 선언하다 : ~ an innings clos*ed* 이닝을 종료한다고 선언하다.

〈회화〉
(세관에서) Do you have anything to *declare*?—No, nothing. 「무언가 신고할 것이 있습니까」「아니오, 없습니다」

—— *vi.* **1** [+前+名 / 動] 선언[단언·언명]하다 ; 〖法〗 (원고로서의) 주장을 진술하다 : ~ ***for*** [***against***] war 주전론(主戰論)[반전론]을 제창하다 / Well, I ~ ! 원 !, 저런 !, 설마 ! **2** 〖크리켓〗 중도에서 이닝의 종료를 선언하다(cf. *vt.* 4).
declare off (…을) 해약[취소]하겠다고 공식적으로 언명하다.
〖L *de-*(*claro*<*clarus* clear)=to make clear, explain〗
類義語 ***declare*** 어떤 일을 공공연하고 힘차게 자신을 가지고 발표하다 ; 때때로 공식으로 언명하는 것을 가리킴 : He *declared* his intention to fight. (그는 싸울 의사를 표명했다). ***announce*** 뭔가 흥미가 있는 일, 특히 시사(時事) 가치가 있는 것을 일반에게 또는 공식으로 발표하다 : *announce* the death of the premier (수상의 사망을 발표하다). ***publish*** 일반 사람이 쉽게 접할 수 있는 인쇄물을 통해서 발표하다. ***proclaim*** 특히 중대한 사건을 정식으로 선언하다 : *proclaim* war (선전 포고하다).
de·clared *a.* **1** 선언[언명]한, 공공연한. **2** 신고한 ; 가격 표기(表記)의.
de·clár·ed·ly [-rədli] *adv.* 공공연히.
de·clár·er *n.* 선언자 ; 신고자 ; 〖카드놀이〗 (브리지 놀이에서) 으뜸패의 선언자 ; NO-TRUMP의 선언자(cf. DECLARE *vt.* 3).
de·cláss *vt.* …의 계급을[사회적 지위를] 낮추다.
dé·clas·sé [*F* deklase] *a., n.* (*fem.* **-sée** [—]) 몰락한 (사람), 영락한 (사람).
de·clássify *vt.* 기밀 취급을 해제하다, (서류·암호 따위를) 기밀 정보 리스트에서 빼다.
de·classificátion *n.*
de·clen·sion [diklénʃən] *n.* Ⓤ 기울어짐 ; 내리막길 ; 타락, 쇠퇴, 퇴화 ; (기준에서의) 일탈, 탈선 ; 〖文法〗 격변화, 어형변화《명사·대명사·형용사의 성·수·격에 의한 굴절》.
〖OF *declinaison*(⇨ DECLINE) ; 어형은 ascension 따위의 유추〗
de·clín·able *a.* 〖文法〗 어형[어미]변화를 하는, 격변화하는.
dec·li·na·tion [dèklənéiʃən] *n.* **1** U.C 기울기, 경사. **2** Ⓤ 편위차(偏位差) ; 〖地〗 (지구자기의) 편각(variation) ; 〖天〗 적위(赤緯). **3** 쇠퇴, 타락, 부패. **4** (정식) 사퇴, 정중한 사절.
~·al *a.* 적위의 ; 편차의.
de·cline** [dikláin] *vi.* **1** 사퇴하다, 거절하다(cf. REFUSE[1] *vi.* 1) : ~ with thanks 고맙다고 하며 거절하다. **2** [動 / +前+名] 기울다, 아래로 향하다 ; (해가 서쪽으로) 기울다(sink) ; 쇠하다(fall off), 타락[퇴보]하다, 감퇴하다 ; (물가가) 떨어지다 : Great nations have risen and ~*d*. 강대국은 흥망(興亡)을 겪어 왔다 / His strength is *declining*. 그의 체력이 쇠약해지고 있다 / We hoped that prices would ~. 물가가 떨어지기를 바랬다 / The hill ~*d* ***to a fertile valley. 그 언덕은 비옥(肥沃)한 골짜기에 이어져 있었다.
—— *vt.* **1** [+目 / +*to* do / +do*ing*] (도전·초대·제의 따위를) 거절하다(↔*accept*) : He ~*d* my offer of help. 나의 원조 제의를 거절했다 / I ~*d* politely *to* accompany him. 그와 동행하는 것을 정중히 거절했다 / She ~*d* join*ing* our party. 그녀는 우리의 모임에 끼는 것을 거절했다. **2** 기울이다, 수그리다 : with his head ~*d* 머리를 수그리고. **3** 〖文法〗 (명사·대명사·형용사를) (격)변화시키다(cf. CONJUGATE).
—— *n.* **1** (해가) 기울기. **2** 내리막, (국가·귀족계급 따위의) 몰락 ; 인생의 말기, 만년 ; 퇴보, 타락. **3** 감퇴 ; (가격의) 하락 : a sharp ~ 폭락, 대폭 인하. **4** 쇠약, 소모성 질환, 《특히》 폐병(consumption) : fall[go] into a ~ (나라·경제 따위가) 쇠퇴하다, 폐병에 걸리다.
on the decline 기울어서 ; 쇠하여.
de·clín·er *n.* 사퇴자, 사절[사양]자.
〖OF<L (*clino* to bend)〗
類義語 ⟹ REFUSE[1].
de·clín·ing *a.* 기우는 ; 쇠약해지는 : ~ fortune 쇠운(衰運) / one's ~ years 만년.
dec·li·nom·e·ter [dèklənámətər] *n.* 〖測〗 편각

계(偏角計), 자침(磁針) 편차계.

de·cliv·i·ty [diklívəti] *n.* Ⓤ,Ⓒ 내리막길 경사, 내리받이(↔*acclivity*). **de·cliv·i·tous** [diklívətəs], **de·cli·vous** [dikláivəs] *a.* 내리받이의, 아래로 경사진.
〖L (*clivus* slope)〗

de·clútch *vi.* (자동차의) 클러치를 떼다.

de·coct [dikákt] *vt.* 조리다, 달이다.
〖L=to boil down (*coct- coquo* to cook) ; cf. CONCOCT〗

de·coc·tion [dikákʃən] *n.* Ⓤ 달이기 ; Ⓒ 달인 즙(汁)[약]. 〖OF or L (↑)〗

de·códe *vt.* (암호를) 해독하다(↔*encode*) ; (부호화된 정보를) 복호(復號)하다 ; (변조된 통신을) 복조(復調)하다. —— *vi.* 암호를 풀다[해독하다].

de·códer *n.* 암호 해독자[해독기] ; (전화 암호의) 자동 해독 장치 ;〖通信〗아군 식별 장치 ;〖컴퓨〗해독기, 디코더, (부호) 복호기.

de·cód·ing *n.* 〖컴퓨〗디코딩《코드[부호]화(化)된 데이터[자료]나 명령을 처리할 수 있도록 해독하는 일》.

de·cóke *vt.* 《英口》 =DECARBONIZE.
—— *n.* =DECARBONIZATION. 〖COKE[1]〗

de·col·late [dikáleit, dékəlèit, dìːkouléit] *vt.* 목을 베다, 참수하다(behead). **de·cól·la·tor** [ˌ--ˌ-] *n.* 참수형 집행리(吏), 망나니.
〖L (*collum* neck)〗

de·col·la·tion [dìːkəléiʃən] *n.* 참수(斬首) ; (특히 세례 요한의) 참수화(畫) ;〖基〗세례 요한의 참수 기념일《8월 29일》.

dé·col·le·tage [deikàlətáːʒ, dèkələ- ; dèikɔltáːʒ] *n.* (목과 어깨를 드러낸) 깊이 판 옷깃.
〖F (*collet* collar of dress)〗

dé·col·le·té [deikàlətéi, dèkələ- ; deikáltei] *a.* 어깨와 목을 드러낸 (여성복을 입은) : a robe ~ 로브 데콜테《여성용의 옷깃 없는 야회복》.
—— *n.* =DÉCOLLETAGE. 〖F〗

de·cólonize *vt.* (식민지에) 자치[독립]를 허락하다. **de·colonizátion** *n.*

de·cólor *vt.* …에서 색을 빼다, 탈색하다, 표백(漂白)하다(bleach).

de·cólorant *n.* 탈색[표백]제.
—— *a.* 탈색성의, 표백하는(bleaching).

de·còlor·izátion *n.* Ⓤ 탈색, 표백.

de·cólor·ìze *vt.* =DECOLOR. —— *vi.* 색을 잃다.

dè·commíssion *vt.* (선박 따위를) 퇴역시키다, (임원 등의) 위임직권을 해제하다.

de·cómmunize *vt.* 비(非)공산화하다.
de·communizátion *n.*

de·cómpensate *vi.* 보상 작용이 상실되다 ;〖醫〗(심장이) 대상 부전(代償不全)이 되다.
dè·compénsatory *a.*

de·compensátion *n.* Ⓤ 보상(補償) 작용의 상실 ;〖醫〗(심장의) 대상 부전(代償不全), 대상 기능 상실, 호흡 곤란.

dè·compóse *vt.* **1** [+目 / +目+前+名] (성분·원소로) 분해시키다, 분석하다 : A prism ~*s* sunlight ***into*** its various colors. 프리즘은 햇빛을 여러가지의 색깔로 분해한다. **2** 부패[변질]시키다. —— *vi.* 분해하다 ; 썩다.
dè·com·pós·able *a.* 분해[분석]할 수 있는.
〖F (*de-*)〗

dè·com·pós·er *n.* 분해하는 사람[것] ;〖生〗분해자《먹이 연쇄에서의 미생물》.

dè·compósite *a.* 재(再)혼합한, 혼합물과 섞인.
—— *n.* 재혼합물 ;〖文法〗이중 복합어《newspaperman 따위》.

de·com·po·si·tion [diːkàmpəzíʃən] *n.* Ⓤ 분해 ; 해체 ; 부패, 변질.

de·com·pound [dìːkəmpáund, 美+-kam-] *vt.* 혼합물과 섞다 ; 분해하다.
—— [ˌ -kámpaund] *a.*, *n.* =DECOMPOSITE.

dè·compréss *vt.* …의 압력을 줄이다, …을 감압(減壓)하다. —— *vi.* 감압되다.

dè·compréssion *n.* Ⓤ 감압(減壓).

decompréssion chàmber *n.* 감압실, 기압 조정실(調整室).

decompréssion sìckness[**ìllness**] *n.*〖醫〗감압증, 케이슨병(caisson disease).

dè·compréssor *n.* (엔진의) 감압장치.

de·cóncentrate *vt.* (중앙에서) 분산시키다 ; (경제력의) 집중을 배제하다. **de·concentrátion** *n.* 분산 ; (경제력의) 집중 배제.

de·con·gest·ant [dìːkəndʒéstənt] *n.*〖醫〗(점막 따위의) 울혈[충혈] 제거제(劑). —— *a.* 울혈[충혈]을 완화[제거]하는.

de·cónsecrate *vt.* (교회 따위를) 속된 일에 사용하다, 속화(俗化)하다.

dè·constrúction *n.*〖文藝〗탈(脫)구축, 해체구축《구조주의 문학이론 이후에 유행한 비평 방법》.

dè·contáminant *n.* 오염제거 장치, 정화[제염(除染)]제.

dè·contáminate *vt.* …의 오염을 제거하다, 정화(淨化)하다 ; …의 독가스[방사능]를 없애다.
dè·contaminátion *n.* Ⓤ 정화 ; (독가스·방사능 따위의) 오염 제거.

dè·contról *vt.* …에 대한 (정부의) 관리를 해제하다, …의 통제를 철폐하다. —— *n.* Ⓤ 관리 철폐, 통제 해제.

de·cor, dé·cor [déikɔːr, -ˊ] *n.* Ⓤ 장식, 실내 장식 ; 무대장치. 〖F (↓)〗

dec·o·rate** [dékərèit] *vt.* [+目 / +目+前+名] **1** 장식하다 ; …에 페인트를 칠하다, 도배하다 : We ~ Christmas trees at Christmas. 크리스마스에는 크리스마스 트리를 장식한다 / The room was ~*d* ***with holly and mistletoe. 그 방은 호랑가시나무와 겨우살이로 꾸며져 있었다. **2** …에게 훈장을 수여하다 : The Queen ~*d* the explorers *for* bravery. 여왕은 탐험가들의 용감성에 대해서 훈장을 수여했다 / He was ~*d* ***with*** the Order of the Bath. 그는 배스 훈장을 수여받았다.
〖L (*decor- decus* beauty)〗
類義語 ***decorate*** 그 자체가 별로 아름답지 않은 물건[사람]에 장식품을 붙여서 아름답게 하다 : *decorate* a hall with pictures (홀을 그림으로 장식하다). ***adorn*** 원래 아름다운 물건[사람]에 다시금 뭔가 아름다운 것을 곁들여 한층 더 아름답게 하다 : Her hair was *adorned* with violets. (그녀의 머리는 제비꽃으로 아름답게 꾸며져 있었다). ***ornament*** 외관(外觀)을 더욱 아름답게 하기 위해 뭔가를 첨가하다, 특히 그 장식을 강조하는 말 : *ornament* a crown with jewels (왕관을 보석으로 장식하다).

déc·o·ràt·ed *a.* 화려하게 꾸민, 장식한 ; 훈장을 받은[단] ; [D~]〖建〗문식식(文飾式)의.

***dec·o·ra·tion** [dèkəréiʃən] *n.* **1** Ⓤ 장식(법), 꾸밈 ; Ⓒ 장식물 : Christmas ~*s* 크리스마스 장식물 / She was dressed in all her bridal ~*s*. 그녀는 신부(新婦) 의상으로 성장하고 있었다. **2** Ⓤ 훈장 수여 ; Ⓒ 훈장, 띠, 리본(ribbon).

Decorátion Dày *n.* 《美》 =MEMORIAL DAY.

dec·o·ra·tive [dékərətiv, 美+dékərèi-] *a.* 장식한, 장식적인 ; (여성복 따위가) 화려한 : ~ art 장식 미술. —— *n.* 장식(물).

~·ly *adv.* ~·ness *n.*
déc·o·rà·tor *n.* 장식자 ; 실내 장식업자(=interior ~) ; 《英》 도배장이, 칠장이 ; (실내) 장식품.
—— *a.* 실내 장식용의.
dec·o·rous [dékərəs] *a.* 예의바른, 단정한 ; 고상한 ; 근엄한. **~·ly** *adv.* 예의바르게. **~·ness** *n.* 〖L *decorus* seemly〗
de·cor·ti·cate [diːkɔ́ːrtəkèit] *vt.* …의 (나무) 껍질을 벗기다 ; 〖醫〗 (뇌 따위의) 피질(皮質)을 제거하다 ; …의 가면을 벗기다, 혹평하다.
——[, -kət] *a.* 외피(外皮)가 없는, 껍질을 벗긴. **-cà·tor** *n.* 박피기(剝皮機).
de·co·rum [dikɔ́ːrəm] *n.* **1** Ⓤ (언동·복장 따위의) 고상함, 단정함. **2** Ⓤ (훌륭한) 예의 범절 ; Ⓒ [때때로 *pl.*] 예절.
〖L (neut.) ‹DECOROUS〗
de·cou·page, dé- [dèikuːpáːʒ] *n.* 오려낸 종이 쪽지를 붙이는 그림 (기법).
〖F (*découper* to cut out)〗
de·cóuple *vt.* 분리하다, 자르다 ; (지하 폭발로 핵폭발의) 충격을 흡수[완화]하다.
de·coy [dikɔ́i, 美+díːkɔi] *vt.* [+目/+目+前+名] 꾀다, 유인시키다 ; 유혹하다 ; 함정에 빠지다 : He succeeded in ~*ing* the ducks ***into*** his net. 오리를 유인하여 그물로 잡는데 성공했다.
—— *vi.* 유인되다 ; 함정에 빠지다.
——[díːkɔi, dikɔ́i] *n.* **1** (오리 따위를) 함정에 꾀어들이는 장치, 미끼로 쓰이는 것(lure). **2** 후림수 ; 미끼로 쓰는 물건[사람], 미끼(bait) : a ~ bird 후림새. **3** (물오리 따위를 잡기 위하여) 꾀어내는 못, 꾀어내는 장소.
〖C17 < ? Du. *de kooi* the decoy (*de* the, *kooi* < L *cavea* cage)〗
類義語 ⟹ LURE.
décoy dùck *n.* 미끼로 쓰는 물오리.
décoy shìp *n.* =Q-BOAT.
de·crease** [dikríːs, díːkriːs] *vi.* [動/+前+名] 줄다, 감소하다(↔*increase*) ; 저하하다 ; 축소하다 ; 쇠약해지다(cf. DIMINISH) : The population of the village has ~*d* ***to 700. 그 마을의 인구는 700명으로 줄어들었다. —— *vt.* 줄이다, 감소[저하]시키다 : ~ pollution 오염을 감소시키다.
——[díːkriːs, dikríːs] *n.* Ⓤ,Ⓒ 감소, 축소 ; Ⓒ 감소량[액] : a gradual ~ *in* population 인구의 점감(漸減).
on the decrease 차츰 감소하여[하고 있는].
〖OF < L (*de-*, *cresco* to grow)〗
類義語 ***decrease*** 크기·수·양 따위가 점점 줄어들다 : The member *decreased* to forty. (회원이 점점 줄어 40명이 되었다). ***dwindle*** 점점 적어[작아]져서 마지막에는 보이지 않게 되다 : Our savings will *dwindle* away to nothing. (우리가 저축한 돈은 야금야금 줄어 무일푼이 될 것이다). ***lessen*** decrease와 같은 뜻이지만, 특히 감소의 정도는 문제로 삼지 않음 : The power *lessened* in a day. (세력[동력]이 하룻동안에 줄었다). ***diminish*** 외부적인 힘에 의하여 크기가 감소되다[하다] : The heat *diminished* as it got dark. (어두워지면서 열기가 줄어들었다). ***reduce*** 「감소」의 뜻 이외에 「저하」의 뜻도 포함 : Old age *reduced* his power to remember. (나이가 들어서 그의 기억력이 감퇴되었다).
de·créas·ing·ly *adv.* 차츰 줄어들어 ; 점감적(漸減的)으로.
decréasing retúrn *n.* 〖經〗 수확 체감.
***de·cree** [dikríː] *n.* **1** 법령, 율령(律令), 포고. **2** (법원의) 명령, 판결 ; 〖宗〗 교령(教令) ; [*pl.*] 교[법]령집. **3** 〖神學〗 신의(神意), 천명 ; 율법(律法). —— *vt.* [+目/+*that* 節] (하늘이) 명하다, (운명이) 정하다 ; 결정하다 : Fate ~*d that* Ulysses should travel long and far. 운명의 신은 율리시스에게 오랫동안 먼 여행을 하도록 했다.
—— *vi.* 법령을 포고하다, 판결하다.
〖OF < L DE*cretum* thing decided (*cerno* to sift)〗
decrée ábsolute *n.* 〖法〗 이혼 확정 판결(cf. DECREE NISI).
decrée ní·si [-náisai, -níːsi(ː)] *n.* 〖法〗 이혼 가(假)판결《기한 (지금은 6주일) 이내에 이혼 반대의 이의가 없을 때 판결이 확정됨》.
dec·re·ment [dékrəmənt] *n.* Ⓤ 감소, 점감 ; Ⓒ 감소량[액](↔*increment*). —— *vt.* 감소를 나타내다. 〖L ; ⇨ DECREASE〗
dec·re·me·ter [dékrəmìːtər, dikrémətər] *n.* 〖通信〗 전자기파 감쇠계(減衰計).
de·crep·it [dikrépət] *a.* **1** 늙어빠진, 비틀거리는 ; (병으로) 쇠약한, 노쇠한. **2** (낡아서) 덜커덕거리는. 〖L (*crepit- crepo* to creak)〗
de·crep·i·tate [dikrépətèit] *vt., vi.* (소금 따위를 [가]) 바작바작 태우다[타다].
de·crep·i·tude [dikrépətjùːd] *n.* Ⓤ 노쇠(의 상태), 망령부리기, 허약, 노후(老朽) ; 황폐.
decresc. 〖樂〗 decrescendo.
de·crescéndo [diː-, dèi-] *a., adv.* 〖樂〗 데크레셴도, 점점 약해지는[여리게](diminuendo)《略 decresc. ; 기호 > ; ↔*crescendo*》. —— *n.* (*pl.* ~s) 데크레셴도(의 악절(樂節)). 〖It.〗
de·créscent [di-] *a.* 차차 감소하는 ; (달이) 하현(下弦)의(cf. CRESCENT).
de·cre·tal [dikríːtl] *a.* 법령의, 법령적인.
—— *n.* 〖카톨릭〗 (교회법 따위의 해석·결정에 권위를 갖는) 로마 교황의 교령[교서] ; [*pl.*] 교황령. 〖L ; ⇨ DECREE〗
de·cre·tist [dikríːtəst] *n.* 교회법 통달자[연구가] ; (중세 대학의) 법학도.
de·cre·tive [dikríːtiv] *a.* 법령의, 법령적인.
de·cri·al [dikráiəl] *n.* Ⓤ,Ⓒ 비난, 욕지거리.
de·críminal·ìze *vt.* 비범죄화하다, 해금(解禁)하다 ; (사람·행위를) 기소[처벌]대상에서 제외하다. **de·crìminalizátion** *n.* 비(非)범죄화.
de·cruit [diːkrúːt] *vt.* 《美》 (고령자 등을) 다른 회사로 배치 전환하다, 격하하다. **~·ment** *n.*
de·cry [dikrái] *vt.* (공연히) 비난하다 ; 깎아내리다, 욕하다 ; (통화 따위의) 가치를 떨어뜨리다 : The mayor *decried* gambling in all its forms. 시장은 어떠한 종류이건 간에 도박은 나쁘다고 비난했다. **de·crí·er** *n.* 비난하는 사람.
〖CRY ; F *décrier*에 준한 것〗
de·crypt [diːkrípt] *vt.* (암호 따위를) 해독하다.
dec·u·man [dékjəmən] *a.* 열번째의 ; (파도가) 거대한《10번째의 파도가 가장 크다고 생각했던 데서》. 〖L=of the tenth〗
de·cum·ben·cy [dikʌ́mbənsi], **-bence** [-bəns] *n.* Ⓤ,Ⓒ 눕기, 누운 자세.
de·cum·bent [dikʌ́mbənt] *a.* 드러 누운 ; 〖植〗 땅을 따라 뻗고 끝이 선《줄기·가지》.
dè·cumulátion *n.* 누적된 것의 처분.
dec·u·ple [dékjəpəl] *n., a.* 10배(의)(tenfold) ; 10개 단위(의). —— *vt.* 10배로 하다. —— *vi.* 10배가 되다. 〖L (*decem* ten)〗
dec·u·plet [dékjəplət] *n.* (같은 종류인 것의) 10체(體) 1조.
de·cur·rent [dikə́ːrənt ; -kʌ́r-] *a.* 〖植〗 (잎이) 줄기 아래까지 뻗은.

de·cus·sate [dikʌ́seit, dékəsèit] *vt., vi.* X자 모양으로 교차하다[되다]. ── [, dikʌ́sət] *a.* 교차한, 직각으로 엇갈린, X자꼴의 ; 〖植〗 (잎·가지가) 십자(十字) 마주나기의. 〚L (*decem* ten)〛

de·cus·sa·tion [dèkəséiʃən, dìːkʌ-] *n.* X자형[십자형] 교차.

ded. dedicated ; dedication.

D.Ed. Doctor of Education.

de·dal [díːdl] *a.* ＝DAEDAL.

De·da·li·an [didéiliən] *a.* ＝DAEDALIAN.

de·dans [*F* dədɑ̃] *n.* (*pl.* ~ [-*z*]) 〖테니스〗 선수 뒤쪽의 관람석 ; [the ~] 테니스의 관중. 〚F＝inside〛

ded·i·cate** [dédikèit] *vt.* **1** [＋目／＋目＋*to*＋名] 봉납[헌납]하다 ; 〖法〗 (토지 따위를) 공용으로 제공하다 : ~ a new church building 신축 교회의 헌당식(獻堂式)을 올리다 / ~ a shrine ***to a deified hero 영웅을 모시기 위해서 사당을 짓다. **2** [＋目＋*to*＋名] (시간·생애를) 바치다 : ~ one's time[oneself] ***to*** business[politics] 사업[정치]에 전념하다 / ~ one's life *to* the service of one's country 조국을 위하여 일생을 바치다. **3** [＋目＋*to*＋名] (저서·작곡 따위를) 헌정(獻呈)하다(cf. INSCRIBE 1 b)) : ***To*** my wife I ~ this volume in token of affection and gratitude. 사랑과 감사의 표시로 이 책자를 아내에게 헌정한다 / *D*~*d to* A. (이 책자를) A에게 바칩니다. **4** (공공 건물을) 개관하다, (기념비의) 제막식을 하다. ── [-kət] *a.* (신에게) 몸을 바친. 〚L (*dico* to declare)〛 類義語 ⟹ DEVOTE.

déd·i·càt·ed *a.* **1** (이상·정치·목표 따위에) 일신을 바친, 헌신적인 : a ~ artist 헌신적인 예술가. **2** (장치 따위가) 오로지 특정한 목적을 위한, 전용의. **~·ly** *adv.*

dédicated énemy *n.* 불구대천의 원수.

ded·i·ca·tee [dèdikətíː] *n.* 헌정받는 사람.

ded·i·ca·tion [dèdikéiʃən] *n.* Ⓤ 봉헌(奉獻), 봉납, 기증 ; Ⓤ 헌신 ; Ⓒ 헌당식 ; Ⓤ 헌정, Ⓒ 헌정사(獻呈辭) (cf. INSCRIPTION) ; 《美》 개관(식), 개통(식), 제막(식).

ded·i·ca·tive [dédikèitiv, -kə-] *a.* ＝DEDICATORY.

déd·i·cà·tor *n.* 헌납자, 봉헌자 ; 헌정자 ; 헌신자.

ded·i·ca·tory [dédikətɔ̀ːri ; -təri] *a.* 봉납[헌납]의[을 위한] ; 헌정의.

de·duce [didjúːs] *vt.* **1** [＋目／＋目＋*from*＋名／＋*that* 節] 연역(演繹)[추론(推論)]하다(infer) (↔*induce*) : ~ unknown truths ***from*** principles already known 이미 아는 원리에서 미지의 진리를 추론하다 / *From* this fact it may be ~*d that* he was the first European to discover America. 이 사실에서 그가 아메리카를 최초로 발견한 유럽인이라는 것을 추론할 수 있다. **2** [＋目＋前＋名] …의 계통[기원]을 더듬다, …의 유래를 밝히다 : ~ the annals ***from*** 1620 연대기(年代記)의 시초를 1620년까지 거슬러 올라가다 / ~ a lineage ***to*** the present time 가계(家系)를 더듬어서 현대에 이르다. **de·dúc·ible** *a.* 추론할 수 있는. 〚L *de-*(*duct- duco*)＝to lead away〛 類義語 ⟹ INFER.

de·duct [didʌ́kt] *vt.* [＋目／＋目＋*from*＋名] 빼다, 공제하다 ; 연역하다 : ~ 10% ***from*** the salary 봉급에서 1할을 공제하다. ── *vi.* (…을) 줄이다 ⟨*from*⟩ : That does not ~ *from* his merit. 그 때문에 그의 진가가 떨어지지는 않는다. 〚L ; ⇨ DEDUCE〛

dedúct·ible *a.* 공제할 수 있는. ── *n.* 〖保險〗 공제[면책] 조항《손해가 일정한도 이하의 경우는 보험 회사가 손해 보증을 하지 않는 것을 정한 것》; 공제 조항이 있는 보험 증권.

de·duc·tion [didʌ́kʃən] *n.* **1** Ⓤ 뺌, 공제 ; Ⓒ 빼내는 금액, 공제액. **2** 추론 ; Ⓤ 〖論〗 연역(법) (↔ *induction*).

de·duc·tive [didʌ́ktiv] *a.* 추론적인 ; 〖論〗 연역적인(↔*inductive*) : ~ reasoning 연역법. **~·ly** *adv.* 연역적으로.

dee [díː] *n.* D자 ; D자형의 것.

***deed** [díːd] *n.* **1** 행위, 행동(action) ; 공적(exploit) ; Ⓤ,Ⓒ 사실(reality) : a good ~ 선행 / *D* ~ *s* are better than words. 말보다 실천 / in ~ as well as in name 명실공히 / in word and in ~ 언행 일치하여. **2** 〖法〗 (정식 조인한) 증서, 날인 증서.
in* (*very*) *deed 실제(로) (cf. INDEED).
── *vt.* 《美》 증서를 작성하여 (재산을) 양도하다. 〚OE *dǣd* ; cf. DO[1], G *Tat*〛 類義語 ⟹ ACT.

déed·bòx *n.* (증서 따위의) 서류 보관 금고[함].

déed póll *n.* (*pl.* **déeds póll**) 〖法〗 (당사자의 한쪽만이 작성하는) 단독 날인 증서.

dee·jay [díːdʒèi] *n.* ＝DISK JOCKEY.

deem [díːm] *vt.* 《文語》 [＋目＋補／＋*that* 節] (…라고) 생각하다, 간주하다(consider) : I ~ it an honor[~ *that* it is an honor] to serve you. 당신을 모시게 된 것을 영광으로 생각합니다. ── *vi.* [＋前＋名] 생각하다 : ~ highly ***of*** a person's conduct 남의 행위를 존경하다[높이 사다]. ── *n.* 《廢》 판단, 의견. 〚OE *dēman* to judge etc. ; cf. DOOM〛

de·émphasize *vt.* 덜 강조하다, 별로 중요시하지 않다.

deem·ster [díːmstər] *n.* (영국 Man섬의) 재판관(裁判官). 〚DEEM〛

◇deep [díːp] *a.* **1** 깊은(↔*shallow*), 깊숙한 : a ~ well 깊은 우물 / take a ~ breath 심호흡을 하다. **2** 깊숙이 속으로 들어간 ; 두께가 (꽤) 되는 ; 깊이[세로의 길이] …의 : a pond 5 feet ~ 깊이 5 피트의 연못 / a lot 50 feet ~ 안길이 50피트의 부지 / ankle-[knee-, waist-]~ in mud 흙탕 속에 발목[무릎, 허리]까지 빠져서 / drawn up six [eight] ~ 6[8]줄로 정렬하여 / The snow lay three feet ~ on the street. 거리에 눈이 3피트 쌓여 있었다. **3** 이해하기 어려운, 난해한, 심원한 (profound) ; 뿌리 깊은, 심한 ; 깊이 몰두[골몰]하고 있는 : a ~ book 난해한 책 / a ~ drinker 술고래 / ~ *in* thought 깊이 생각에 잠겨. **4** 강렬한(intense), 충심에서의(heartfelt) : ~ sorrow 침통한 슬픔. **5** 엉큼한(sly) : a ~ one 《口》 엉큼한 녀석. **6** (음향·소리 따위가) 굵고 낮은, 장중한(grave) ; (색깔 따위) 짙은(cf. FAINT 1, THIN 5) : a ~ brown 짙은 갈색.
go* (*in*) *off the deep end ☞ END *n.*
***in deep water*(*s*)** (빚 따위로) 매우 곤경에 빠져 ; 슬픔에 잠겨.
a ship deep in the water 흘수(吃水)가 깊은 배.

⟨회화⟩
How *deep* is this river? — I guess it's about three meters *deep*. 「이 강은 얼마나 깊을까」 「글쎄, 한 3미터쯤 되리라고 생각되는군」

── *adv.* 깊이, 깊게(cf. DEEPLY) : I dug ~ before I found water. 물이 보일 때까지 깊이 파

내려갔다 / work ~ into the night 한밤중까지 일하다 / Still waters run ~. 《속담》 깊은 강물은 소리없이 흐른다, 「현자는 과묵하여 말이 없다」/ drink ~ 과음하다 / breathe ~ 심호흡하다.
—— *n.* **1** 깊이 ; 깊은 곳 ; 심연(深淵) (abyss) ; 깊숙한 곳 ; 해연(海淵). **2** [the ~] 《詩》 바다, 대양(大洋) : monsters[wonders] of *the* ~ 대양의 괴물[경이]. **3** [the ~] 《文語》 한가운데, 한창 (the depth) : in *the* ~ *of* night[winter] 한밤중[한겨울]에. 〖OE *dēop* ; cf. DIP, G *tief*〗

déep bàck *n.* 〖美蹴〗 =DEFENSIVE BACK.

déep-brówed *a.* 이마가 넓고 시원한《이지(理智)적임을 나타냄》.

déep-chést·ed *a.* 가슴이 두툼한 ; (소리가) 가슴속에서 우러나오는.

déep cóver *n.* (첩보원 등의 신분·소재의) 은폐, 위장, 비밀로 하기.

déep-dráw *vt.* 판금을 다이스에 밀어넣고 컵[상자, 원뿔] 모양으로 가공하다.

déep-dráwn *a.* 판금을 deep-draw한.

déep-dýed *a.* [흔히 경멸적으로] 진하게 물든 ; 철저한 ; 속속들이 악습에 젖은.

déep èarth nátural gás *n.* 심층 천연 가스.

déep·en *vt.* **1** 깊게[진하게·굵게·낮게]하다. **2** (인상·지식 따위를) 심화(深化)하다, (우울·슬픔 따위를) 심각하게 하다. —— *vi.* 깊어지다, 진해지다, 심각해지다 : The darkness *~ed* in the woods. 숲속의 어둠이 깊어져 갔다.

déep-félt *a.* 깊이 느낀, 마음속에서의.

déep fréeze *n.* 《비유》 (계획·활동 따위의) 동결 상태 ; 《俗》 (특히 동맹자에 대한) 냉대.

déep-fréeze *vt.* (식품을) 급속 냉동하다 ; 급속 냉동 냉장고에 보존하다.
—— *n.* =DEEP FREEZER ; 급속 냉동 냉장고에 의한 보존 ; =DEEP FREEZE.

Déep·fréeze *n.* 급속 냉동 냉장고《상표명》.

déep fréezer *n.* 급속 냉동 냉장고[실].

déep frý *vt.* 운두가 높은 냄비에 기름을 많이 넣고 튀기다. **déep-fríed** *a.*

déep frýer[fríer] *n.* 운두가 높은 튀김 냄비.

déep-gó·ing *a.* 근본적인, 기본적인.

deep·ie [dí:pi] *n.* 《口》 입체 영화(3-D).

déep ìn *n.* 〖美蹴〗 디프 인《러닝 백이 리시버가 되었을 때의 패스 코스의 하나 ; 밖으로 돌아 직진하고 20야드쯤 달린 지점에서 안쪽으로 향함》.

déep kíss *n.* 격렬한 키스(soul kiss).

déep-láid *a.* (음모를) 비밀리에 교묘하게 꾸민 ; 꿍꿍이속의.

***déep·ly** *adv.* 깊게 ; 진하게 ; (음조가) 굵고 낮게 ; 철저하게, 심각하게 ; 남몰래 꾸미어, 교묘하게 : her ~ tanned face 몹시 햇볕에 그을린 그녀의 얼굴 / I ~ regret your misfortune. 당신의 불운을 심히 유감으로 생각합니다 / He is ~ in debt. 큰 빚이 있다 / read ~ in a book 책을 정독하다 / be ~ read in history 역사에 정통하다. ㈜ 주로 비유적인 의미로 쓰임.

déep-míned *a.* 깊은 갱 속에서 파낸《석탄 따위 ; cf. OPENCUT》.

déep móurning *n.* 정식 상복(喪服)《전부가 검고 광택이 없음 ; cf. HALF MOURNING》.

déep·móuthed [-ðd, -θt] *a.* (사냥개의) 짖는 소리가 낮고 굵은.

déep penetràtion *n.* 장기 잠행 스파이《적국의 정부나 정보 기관에서 장기간 암약함》.

déep pòst páttern *n.* 〖美蹴〗 디프 포스트 패턴《리시버의 코스의 하나 ; 상대측 깊숙이 달려가 끝내는 상대측 골대쪽으로 방향을 취함》.

déep-réad [-réd] *a.* 학식이 깊은, 정통한(cf. WELLREAD, UNREAD)〈*in*〉.

déep recèiver *n.* 〖美蹴〗 =LONG MAN.

déep-róot·ed *a.* 깊이 뿌리 박은, 뿌리 깊은.

déep séa *n.* 심해.

déep-séa *a.* 심해의, 원양(遠洋)의 : ~ fishery 원양 어업.

déep-sèa chéf *n.* 《美俗》 접시 닦는 기계.

déep-sèa léad *n.* 심해 측연(測鉛).

déep-séat·ed *a.* **1** 뿌리 깊은 ; 완고한, 확고한 : a ~ disease 만성병. **2** 심층(深層)의.

déep-sét *a.* 깊이 집어 넣은 ; (눈이) 움푹하게 들어간 ; 뿌리깊은.

déep síx *n.* 《美俗》 매장, (특히) 바다의 수장 ; 《俗》 묘지.

déep-síx *vt.* 《俗》 배에서 바다로 내던지다 ; 내던져 버리다, 폐기하다.
〖cf. *six feet deep* : 표준적인 묘혈(墓穴)의 깊이〗

Déep Sóuth *n.* [the ~] 《美》 최남부《Georgia, Alabama, Mississippi, Louisiana의 여러 주 ; 때로 South Carolina 주도 포함》.

déep spáce *n.* (지구의 중력이 미치지 않는 태양계 밖을 포함하는) 심연 우주[공간].

déep spàce nétwork *n.* 〖宇宙〗 심연 우주 통신망(通信網).

déep stríke *n.* 심공(深攻) 작전.

déep strúcture *n.* 〖文法〗 심층 구조《변형생성문법에서 표현 생성의 근원이 되는 기본 구조》.

déep-thìnk *n.* 《美俗》 극도의 견고함 ; 극단적으로 학구적[현학적]인 생각.

déep thróat *n.* 《美·Can.》 내부 고발자, 밀고자《특히 정부의 범죄 정보를 제공하는 고관》.

déep-vóiced *a.* 목소리가 저음인.

déep·wáter *a.* 수심이 깊은 ; =DEEP-SEA.

‡**deer** [díər] *n.* (*pl.* ~, ~**s**) **1** 〖動〗 사슴(cf. VENISON). ㈜ 「수사슴」 stag, hart, buck ; 「암사슴」 hind, doe, roe ; 「새끼 사슴」 calf, fawn ; 형용사 cervine. **2** 《古》 (일반적으로) 동물, (특히) 작은 포유동물. 〖OE *dēor* animal, deer ; cf. G *Tier* animal ; 「일반적인 동물」의 뜻은 beast, animal로 바뀌었음〗

déer·hòund *n.* 디어하운드《greyhound종의 일종으로 사슴 사냥개》.

déer lìck *n.* 사슴이 소금기를 핥으러 오는 염분이 있는 샘[늪].

déer mòuse *n.* 〖動〗 비단털쥐과의 흰발쥐《북미산》.

déer párk *n.* 녹원(鹿苑), 사슴 사냥터.

déer shòt *n.* 사슴을 쏘는 총알.

déer·skìn *n.* 사슴 가죽. —— *a.* 사슴 가죽제의.

déer·stàlk·er *n.* 사슴 사냥꾼(cf. STALK² *v.*).

déer·stàlk·ing *n.* Ⓤ 사슴 사냥.

de-éscalate *vt., vi.* 점감(漸減)시키다 ; 단계적으로 줄이다. **de-escalátion** *n.* (단계적) 축소.

deet [dí:t] *n.* 《美》 디트《무색·유상(油狀)의 방충제》. 〖*d.t.* ‹ *d*iethyl *t*oluamide〗

def [déf] *adv.* 《美俗》 확실히, 참으로.
—— *a.* 멋진, 모양 좋은.

def. defective ; defendant ; defense : deferred ; defined ; definite ; definition.

de·fáce [di-] *vt.* …의 외관(外觀)을 보기 흉하게 하다 ; 마멸(摩滅)시키다, 마손시켜 읽기 곤란하게 하다 ; 《비유》 닦아내다, 문질러 지우다(obliterate) : Scribbled pictures and remarks had *~d* the pages of the book. 낙서한 그림과 글자 때문에 그 책의 페이지들을 읽어 볼 수 없었다.
~·ment *n.* Ⓤ 파손 ; Ⓒ 파손물.

〚F (*de-*)〛

de fac·to [di fǽktou, dei-] *adv., a.* 사실상(의) (↔*de jure*). 〚L〛

de·fal·cate [difǽlkeit, -fɔ́:l-, défəlkèit; dí:fæl-kèit] *vi.* 위탁금을 써버리다[유용(流用)하다]. ― *vt.* 《古》 줄이다, 삭감하다.
-ca·tor [ˌ ⌐-⌐-] *n.* 위탁금 횡령자.
〚L (*falc- falx* sickle)〛

de·fal·ca·tion [dì:fælkéiʃən, -fɔ:l-, di-, dèfəl-] *n.* Ⓤ 위탁금 횡령, 유용(流用); Ⓒ 부당 유용액; 약속 불이행, 배임.

def·a·ma·tion [dèfəméiʃən] *n.* 명예훼손, 비방, 중상: ~ of character 명예훼손, 중상.

de·fam·a·to·ry [difǽmətɔ̀:ri; -təri] *a.* 명예 훼손의, 중상적인 (slanderous).

de·fáme [di-] *vt.* 중상하다, …의 명예를 훼손하다; 모욕하다. 〚OF<L=to spread evil report〛

de·fáng *vt.* …의 엄니를 뽑다.

de·fát *vt.* 지방질을 제거하다, 탈지하다.
~·ted *a.* 지방(脂肪)을 뺀.

de·fault [difɔ́:lt] *n.* **1** Ⓤ 태만, 불이행 (neglect); 〖法〗 채무 불이행. **2** (법정에의) 궐석; 〖競〗 불참, 중도 이탈, 기권: make ~ 〖法〗 궐석하다. **3** Ⓤ 부족(lack)〈*of*〉. **4** 〖컴퓨〗 애초, 생략성《이미 예상한 설정이나 사전에 정한 데이터[자료]》.
by default 태만[부주의]에 의해서; 〖法〗 궐석에 의해서: judgment *by* ~ 궐석 재판.
in default of …이 없을 때는; …이 없으므로.
― *vi.* 의무를 게을리하다; 약속[계약·채무]을 이행하지 않다; (재판에) 궐석하다. ― *vt.* 궐석 재판에 회부하다; (경기에서) 부전패가 되다.
〚OF; ⇨ FAIL〛

defáult·er *n.* **1** 태만자; 채무[계약, 의무, 약속] 불이행자; 배임 행위자; 위탁금 횡령자. **2** (재판의) 궐석자. **3** (경기의) 결장자, 중도 이탈자. **4** 〖英軍〗 군기 위반자.

defáult válue *n.* 〖컴퓨〗 애초 값, 생략성 값《이용자가 어떤 것에 대해 값을 지정하지 않는 경우 컴퓨터가 자동적으로 선택하는 값》.

DEFCON [défkɑ̀n] *n.* 〖美軍〗 방위 준비 태세《전투 적응 태세를 나타내는 기준; 1부터 5까지의 단계로 나뉨》. 〚*Def*ense *Con*dition〛

de·fea·sance [difí:zəns] *n.* 무효로 함, 파기, 폐기; 〖法〗 계약 해제 조건[증서].
〚OF *de-*(*faire* to make)=to undo〛

de·fea·si·ble [difí:zəbəl] *a.* 무효로 할 수 있는, 해제[취소·폐기]할 수 있는. **-bly** *adv.*
de·fèa·si·bíl·i·ty *n.* Ⓤ 폐기[파기] 가능성.
〚AF (↑)〛

‡de·feat [difí:t] *vt.* **1** [+目/+目+前+名] **a)** 쳐부수다, 패배시키다(beat): Mr. Smith has been ~*ed* ***in*** the recent election. 스미스씨는 이번 선거에서 패배했다. **b)** (계획·희망 따위를) 깨뜨리다, 꺾다: ~ one's own purpose 자기의 목적에 어긋나다/~ one's hopes 희망을 좌절시키다. **2** 〖法〗 무효로 하다(annul). ― *n.* **1** Ⓤ 타파: our ~ of the enemy 우리들이 적을 패배시킨 일. **2** U,C 짐, 패배(↔*victory*): acknowledge ~ 패배를 인정하다, 졌다고 말하다. **3** U,C 좌절, 실패: the ~ *of* one's plans[hopes] 계획의 실패[희망의 좌절]. **~·ism** *n.* Ⓤ 패배주의; 패배주의적 행동. **~·ist** *n., a.* 패배주의자(의), 패배주의의[적인]. 〚AF<OF (p.p.)<*desfaire* to undo<L (*dis-*, FACT)〛
類義語 ⟹ CONQUER.

de·féature [di-] *vt., n.* 겉 모양을 손상시키다[시키기].

def·e·cate [défikèit] *vt.* 깨끗이 하다, (더러움 따위를) 없애다, 정화하다. ― *vi.* 불순물[더러움]이 없게 되다; 배변(排便)하다. **dèf·e·cá·tion** *n.* Ⓤ 맑게 하기, (오물의) 배제, 배변. 〚*defecate* (obs.) purified<L (*faec- faex* dregs)〛

déf·e·cà·tor *n.* 정제기, 정화기, 여과 장치.

***de·fect** [dí:fekt, difékt] *n.* **1** 결함, 결점; 단점, 약점; 흠(blemish): Everyone has the ~*s* of his qualities[virtues].《속담》 사람은 누구에게나 장점에 따르는 결점이 있게 마련이다. **2** 결손, 부족; 부족액; 〖化〗 (구조상의) 결함.
in defect 부족하여.
in defect of …이 없는 경우는; …이 없으므로.
― [difékt] *vi.* (자기 나라·주의·당으로부터) 탈주하다, 이탈하다, 탈당하다〈*from*〉, (다른 나라·다른 당으로) 도망치다, 망명하다〈*to*〉.
〚L DE*fect- -ficio* to fail〛
類義語 ***defect*** 사람이나 물체의 불완전한 곳·결점을 나타내는 가장 보편적으로 쓰는 말: a *defect* in eyesight (시력의 결함). ***flaw*** 구조 또는 실질(實質)이 불완전하다는 것을 나타내며 문자 대로는 「금·균열」, 비유적으로는 인격상의 결함 따위를 나타낸다: *flaws* in chinaware (도자기에 생긴 금).

defect. defective.

de·fec·tion [difékʃən] *n.* **1** U,C (주의·당파 따위를) 버리고 떠나기, 도망, 탈락, 변절, 탈당, 탈회(脫會)〈*from, to*〉. **2** U,C 의무 불이행, 태만. **3** 부족, 결여, 결함.

***de·fec·tive** [diféktiv] *a.* **1** 결점[결함]이 있는, 불완전한. **2** 부족한(wanting)〈*in*〉. **3** 〖文法〗 (동사 활용이) 결여되어 있는.
― *n.* (심신에) 결함이 있는 사람; 불량품; 〖文法〗 결여어(cf. DEFECTIVE VERB). **~·ly** *adv.* 불완전하게. **~·ness** *n.*

deféctive vérb *n.* 〖文法〗 결여동사《변화 어형이 불완전한 shall, will, can, may, must 따위; AUXILIARY VERB의 일부》.

de·fec·tol·o·gy [dì:fektɑ́lədʒi, difek-] *n.* 결함[결점] 연구, 결함학.

de·féc·tor *n.* 탈주자, 탈당자; 배반자.

de·féminize *vt.* 남성화시키다.

***defence** ☞ DEFENSE.

‡de·fend [difénd] *vt.* **1** [+目/+目+前+名] 막다, 지키다, 방어[방위]하다(↔*attack*): ~ one's country (***against*** enemies) (적으로부터) 나라를 지키다/~ a person ***from*** harm 남에게 해(害)가 미치지 않도록 지키다/*D*~ me *from* my friends! 알랑쇠들은 딱 질색이야! **2** (언론에서) 옹호하다; 〖法〗 변호[항변·답변]하다: ~ oneself 자기의 입장을 변호하다/~ one's ideas 자기의 사상을 옹호하다/~ a suit 소송을 변호하다. ― *vi.* 지키다, 막다, 방어[변호]하다.
God defend! (그런 일은) 절대로 없다!, 있을 수 없다!
〚OF<L DE*fens- -fendo* to ward off; cf. OFFEND〛
類義語 ***defend*** 위험이나 공격에 대하여 적극적으로 저항하여 이것을 배제하고 안전을 유지하다: *defend* the country against invasion (침략에 대항하여 나라를 방위하다). ***guard*** 주의 깊게 감시하여 안전을 유지하다: *guard* the palace (궁전을 경비하다). ***protect*** 뭔가 방어에 도움이 되는 물건을 써서 위험이나 해(害)로부터 지키다: *protect* flowers from frost (꽃들이 서리를 안 맞도록 가려 보호하다). ***shield*** protect와 같은 뜻이나 절박한 위험이 있는 것을 암시함: *shield* one's eye against strong

sunshine (강한 태양 광선으로부터 눈을 보호하다). ***preserve*** 침범하려고 하는 것에 대하여 보호·안전을 꾀하다 : *preserve* freedom of speech (언론의 자유를 지키다).

defénd·ant *n.*, *a.* 피고(의) (↔*plaintiff*).

defénd·er *n.* **1** 방어[옹호]자 ; 〖競〗 선수권 보유자(↔*challenger*). **2** 〖法〗 피고(被告).
the Defender of the Faith 신앙의 옹호자《영국 왕의 전통적 칭호》.

defénd·ing *a.* 타이틀을 방어하는 : a ~ champion 선수권을 방어하는 챔피언.

de·fen·es·tra·tion [di:fènəstréiʃən] *n.* (사람·물건을) 창 밖으로 내던지기, 창밖 방출.
〚Defenestration of the Prague (30년 전쟁의 계기가 된) 프라하의 창밖 방출 사건(1618)에서 연유한 조어(造語)〛

***de·fense** | **de·fence** [diféns, (offense와 대응하여) dí:fens] *n.* **1** U,C 방어, 방위, 수비(↔*offense, attack*)〈*against*〉: legal ~ 정당방위 / national ~ 국방 / offensive ~ 공격적 방어 / ~ in depth ☞ DEPTH / put oneself in the state of ~ 방어 태세를 갖추다 / Offense is the best ~. 공격은 최선의 방어다. **2 a)** 방어물 ; [*pl.*] 〖軍〗 방어 시설. **b)** 〖競〗 수비측(의 팀), 수비수(의 수비 위치), 수비 체제. **3** U 변명 ; U,C 〖法〗 변호, 변론, 답변(서) ; [the ~] 피고측《피고와 그 변호사 ; ↔*prosecution*》.
in defense of …을 지키기 위하여 : speak *in* ~ *of* …의 변호를 하다.
the science [***art***] ***of*** (***self-***)***defense*** 호신술《권투·유도 따위》.
— *vt.* 《口》 (게임·스포츠에서 공격을) 저지하다, 방어하다.
〚OF<L ; ⇨ DEFEND〛

defénse capabílities *n. pl.* 방위력, 국방력.

defénse·less *a.* **1** 방비가 없는, 무방비의 : a ~ city 무방비 도시. **2** 방어할 수 없는.
~·ness *n.* U 무방비 (상태).

defénse mèchanism *n.* 〖心〗 방위기제(防衛機制) (cf. ESCAPE MECHANISM) ; 〖生理〗 방위기구《병원균에 대한 자기 방위 반응》.

defénse spènding *n.* 국방 지출, 국방비.

de·fén·si·ble *a.* 방어[변호]할 수 있는. **~·ness** *n.* **-bly** *adv.* **de·fèn·si·bíl·i·ty** *n.* 방어[변호]의 가능성.

de·fen·sive [difénsiv] *a.* 방어적인, 자위(自衛)의 ; 수세[수비측]의(↔*aggressive, offensive*) ; 변호적인 : take ~ measures 방어책을 강구하다.
— *n.* [the ~] 방어(책) ; 수세(守勢)(↔*offensive*) ; 변호 : assume the ~ 수세를 취하다 / be[stand, act] on the ~ 수세를 취하다.
~·ly *adv.* 방위적으로[수세로]. **~·ness** *n.*

defénsive bàck *n.* 〖美蹴〗 수비팀의 후열 위치로서 좌우의 코너백과 세이프티맨의 총칭.

defénsive drìving *n.* 《美》 (경찰의) 방위적 운전법, 방어 운전《범인의 추적·체포에서》.

defénsive hàlfback *n.* 〖美蹴〗 =CORNERBACK.

defénsive hòlding *n.* 〖美蹴〗 패스 리시브나 블록으로 나가려는 공격측 선수를 수비측 선수가 잡는 것으로 반칙 행위.

defénsive líne *n.* 〖美蹴〗 수비(守備) 라인《수비의 최전열》.

defénsive mèdicine *n.* (의사의) 자위적(自衛的) 의료《의료 과오 소송을 피하려고 과잉 검사·진단을 지시하는 일》.

defénsive tàctics *n. pl.* 《美》 (경찰의) 호신술.

Defénsor Fìdei *n.* =FIDEI DEFENSOR. 〚L〛

de·fen·so·ry [difénsəri] *a.* =DEFENSIVE.

de·fer[1] [difə́:r] *v.* (**-rr-**) *vt.* [+目 / +do*ing*] 늦추다, 연기하다(postpone) ; 《美》 징병 유예하다 : ~ one's departure for a week 출발을 1주일 늦추다 / He often ~*s* mak*ing* a decision. 그는 가끔 결심을 미룬다. — *vi.* 시간을 벌다, 우물쭈물하다. 〚DIFFER〛
類義語 ⟹ DELAY.

defer[2] *v.* (**-rr-**) *vt.* …을 맡기다, …의 결정을 부탁하다. — *vi.* [+*to*+名] (남에게 경의를 표하여) 양보하다, 따르다(yield) : ~ ***to*** one's elders [*to* a person's opinions] 연장자(年長者)를 [남의 의견에] 따르다. 〚F<L DE*lat*- -*fero* to carry away (*fero* to bring)〛

def·er·ence [défərəns] *n.* U 복종 ; 존경, 경의 : blind ~ 맹종 / pay[show] ~ *to* a person 남에게 경의를 표하다 / with all due ~ *to* you 지당한 말씀이긴 하오나, 미안하오나.
in deference to …을 존중하여, …에 순종하여.
out of deference to …에 경의를 표해, …을 존중해.
〚F (↑)〛
類義語 ⟹ HONOR.

def·er·ent[1] [défərənt] *a.* =DEFERENTIAL.

def·er·ent[2] [défərənt, -er-] *a.* 〖解〗 수송[배설]의, 수정관의 : ~ duct 〖解〗 수정관(輸精管). 〚DEFER[2]〛

def·er·en·tial [dèfərénʃəl] *a.* 경의를 표하는, 공경하는(respectful). **~·ly** *adv.* 경의를 표해서, 공손하게.
〚PRUDENTIAL 따위의 유추로 *deference*에서〛

defér·ment *n.* U 연기 ; 미루기 ; 거치(据置) ; 《美》 징병 유예. 〚DEFER[1]〛

de·fér·ra·ble *a.*, *n.* 연기할 수 있는 ; 《美》 징병 유예될 수 있는 (사람).

de·fér·ral *n.* =DEFERMENT.

de·férred *a.* 연기한 ; 거치(据置)한 : a ~ telegram 간송(間送) 전보《발신이 미루어지지만 요금이 싸다》/ on ~ terms ☞ TERM *n.* 4.

deférred annúity *n.* 거치 연금.

deférred ássets *n. pl.* 〖簿〗 이연(移延) 자산.

deférred ínsurance *n.* 거치 보험.

deférred páy *n.* 《英》 거치 급료《사병 등의 급여 일부를 제대·해고·사망시까지 보류시킴》.

deférred páyment *n.* 연불, 분할급 : on a ~ basis 연불로.

deférred sávings *n. pl.* 거치 저금.

deférred séntence *n.* 〖法〗 선고 유예《형사 피고인에게 일정기간 유죄 선고 또는 형의 선고를 유보함 ; cf. SUSPENDED SENTENCE》.

deférred sháre[**stóck**] *n.* 《英》 〖證〗 후배주(後配株)《우선주·보통주에 배당을 끝낸 뒤에 이익이 있으면 배당하는 주식》.

de·féudalize *vt.* …의 봉건제를 철폐하다.
de·feudalizátion *n.* 봉건 제도 철폐.

***de·fi·ance** [difáiəns] *n.* U 도전[반항]적 태도 ; 무시 ; 도전(challenge).
bid defiance to. . . =***set. . .at defiance*** …에게 대들다 ; …을 무시하다.
in defiance of …을 무시하고, 개의치 않고.
〚OF ; ⇨ DEFY〛

de·fí·ant *a.* 도전적인, 반항적인, 싸움투의 ; 오만한(insolent), (…을) 무시하고〈*of*〉.
~·ly *adv.* **~·ness** *n.*

de·fi·cien·cy [difíʃənsi] *n.* **1** U,C 부족, 결핍

〈*of*〉; 영양 부족, 영양소 결핍, 결핍증. **2** 부족분[량·액]; 정신적·육체적 결함.

defíciency disèase *n.* 〖醫〗 결핍증, 결핍성 질환《비타민 결핍증; 영양실조 따위》.

defíciency pàyment *n.* 《주로 英》 (농산물 가격 안정을 위해 정부가 농가에 지불하는) 부족액(不足額) 지불.

***de·fi·cient** [difíʃənt] *a.* 부족한〈*in*〉, 불충분한; 불완전한, 결함이 있는(defective). —— *n.* 불완전한 것[사람]: a mental ~ 정신 박약자. **~·ly** *adv.* 불충분하게; 불완전하게. 〖L (pres.p.) 〈DEFECT〗

def·i·cit [défəsət, 英+difís-] *n.* 결손, 부족(액), 적자(↔*surplus*); 불리한 입장[조건]: trade ~*s* 무역 적자. 〖F<L (3 sg. pres.) 〈DEFECT〗

déficit fináncing *n.* (특히 정부(政府)의) 적자 재정 (정책).

déficit spénding *n.* (적자 공채 발행에 의한) 적자 재정 지출.

defier ☞ DEFY.

def·i·lade [dèfəléid, défəlèid, -lɑ̀:d] *n., vt.* 〖軍〗 차폐(遮蔽)(하다).

de·file[1] [difáil] *vt.* [+目/+目+前+名] 더럽히다, 불결하게 하다; …의 신성을 모독하다; (여성의) 순결을 빼앗다: ~ a river ***by***[***with***] refuse 강(물)을 쓰레기로 오염시키다 / ~ a holy place *with* blood 성지(聖地)를 피로 더럽히다. **-fíl·er** *n.* 더럽히는 사람[것], 모독자. 〖*defoul*<OF *defouler* to trample down, outrage (⇨ FOIL); *-file*은 *befile*(obs.)<OE *befȳlan*(*be-, fūl* FOUL)에 동화(同化)〗

de·file[2] [difáil, dí:fail] *vi., vt.* 〖軍〗 (일렬) 종대로 행진하다[시키다]. —— *n.* 애로(隘路), 좁은 골짜기, (특히 산골짜기의) 작은 길. 〖F (⇨ FILE[2])〗

de·fín·able *a.* 한정[정의]할 수 있는.

***de·fine** [difáin] *vt.* **1** 정의를 내리다, (말의) 뜻을 명확히 하다: A dictionary ~*s* words. 사전은 단어의 정의를 내린다. **2** (참뜻·본분·입장 따위를) 밝히다. **3** (경계·범위를) 한정하다; …의 윤곽을 명료하게 나타내다; (권리·의무 따위를) 명확히 정하다, 규정하다: Boundaries between countries should be clearly ~*d*. 나라와 나라와의 경계는 명확하게 정해지지 않으면 안된다. —— *vi.* 정의를 내리다. 〖OF<L *de-*(*finit- finio* to finish〈*finis* end)〗

***def·i·nite** [défənət] *a.* **1** 한정된, 일정한. **2** 명확한: a ~ answer 확답. **3** 〖文法〗 한정적인, 한정하는. **~·ly** *adv.* 한정적으로; 명확[명백]히; 《口》 확실히, 틀림없이, [대답으로] 그렇고말고(certainly).

〈회화〉
Is he coming to our party? — *Definitely*! 「그는 우리들의 파티에 오겠지」「물론이지」

~·ness *n.* 〖L; ⇨ DEFINE〗

définite árticle *n.* 〖文法〗 정관사(the).

définite pólicy *n.* 〖保險〗 확정 보험 증권.

def·i·ni·tion** [dèfəníʃən] *n.* **1** Ⓤ 한정; 명확; Ⓤ,Ⓒ 명확한 뜻, 설명, 정의, (사전에서 말하는) 어의(語義). **2** Ⓤ (렌즈·텔레비전·필름 따위의) 해상력(解像力), 선명도, (무전의) 감응도. ***by definition (1) 정의에 의하면[의해서]; 당연히: An adverb *by* ~ modifies adjectives, verbs, and other adverbs. 정의에 따르면 부사는 형용사·동사 및 다른 부사를 수식한다. (2) 《풍자》 정의상으로는, 당연히: A painter *by* ~ paints pictures. 화가(畫家)인 이상 당연히 그림을 그려야겠지. **~·al** *a.* **~·al·ly** *adv.* 본래, 아무래도. 〖OF<L; ⇨ DEFINE〗

de·fin·i·tive [difínətiv] *a.* **1** 한정적인; 정의적인. **2** 결정적인; 최종적인(final): a ~ edition 결정판. **3** 일정한, 명확한. **4** 완성된, 최종의. **5** (우표가) 보통 우표로 발행된. —— *n.* 〖文法〗 한정사《the, this, all, no 따위》; 보통 우표. **~·ly** *adv.* 명확히, 결정적[궁극적]으로. **~·ness** *n.*

defínitive hóst *n.* 〖生〗 종결[고유(固有)] 숙주《기생충의 성충기의 숙주》.

de·fin·i·tude [difínətjù:d] *n.* 명확성, 정확성.

def·la·grate [défləgrèit, dí:f-] *vt.* 확 태우다; 〖化〗 갑자기 타게 하다, 폭연(爆燃)시키다. —— *vi.* 확 타다.

def·la·gra·tion [dèfləgréiʃən, dì:f-] *n.* 〖化〗 폭연(작용). 〖L (*flagro* to burn)〗

de·flate [difléit, dì:-] *vt.* **1** (타이어·기구(氣球)·축구공 따위의) 공기[가스]를 빼다, 오므라들게 하다; (자신·희망 따위를) 꺾다. **2** 〖經〗 (통화를) 수축시키다(↔*inflate*), (물가를) 내리다: ~ the currency (팽창한 통화를) 수축시키다. —— *vi.* 공기가 빠지다; 자신을 잃다; (물가가) 떨어지다, (통화가) 수축하다. **de·flá·tor** *n.* 〖經〗 디플레이터. 〖*de-*, INFLATE〗

de·fla·tion [difléiʃən, dì:-] *n.* **1** Ⓤ 공기[가스]를 빼기; (기구의) 가스 방출. **2** Ⓤ 작아지기, 수축; 〖經〗 통화 수축, 「디플레이션」(↔*inflation*; cf. REFLATION). **~·àry** [; -əri] *a.* 통화 수축의. **~·ist** *n.* 통화 수축론자.

deflátionary spìral *n.* 〖經〗 악성 디플레이션.

de·flect [diflékt] *vt.* [+目/+目+*from*+名] (광선 따위를 한쪽으로) 빗나가게 하다, 편향(偏向)시키다, 비뚤어지게 하다: ~ a bullet ***from*** its course 탄환을 탄도(彈道)에서 벗어나게 하다. —— *vi.* [動/+前+名] 빗나가다, 편향(偏向)하다, 비뚤어지다: The ball ~*ed* ***to*** the left. 공이 왼쪽으로 빗나갔다. 〖L (*flex- flecto* to bend)〗

de·flec·tion | -flex·ion [diflékʃən] *n.* Ⓤ,Ⓒ 빗나감, 비뚤어짐, 기울기; 〖理〗 편향; (계기 바늘의) 편의(偏倚), 편차; (탄환의) 편류(偏流); 〖工〗 휨; (빛의) 굴절. **de·fléc·tive** *a.* 편향적인, 휜.

de·fléc·tor *n.* (공기·가스 따위의) 전향(轉向) 장치; 〖海〗 편침의(偏針儀).

de·flo·rate [di:flɔ́:reit] *vt.* =DEFLOWER.

de·flo·ra·tion [dèfləréiʃən, dì:-; dì:flɔ:-] *n.* Ⓤ 꽃을 따기; 아름다움[순결]을 빼앗기; 처녀 능욕.

de·flówer *vt.* …의 꽃을 따다[떨어뜨리다]; …의 아름다움을 빼앗다; (처녀를) 욕보이다(violate). 〖OF<L; ⇨ FLOWER〗

de·fócus [di-] *vt.* (렌즈 따위의) 초점을 흐리게 하다. —— *vi.* 초점이 흐려지다. —— *n.* 초점의 흐림; (일부러) 흐리게 한 영상.

De·foe, De Foe [difóu] *n.* 디포. **Daniel** ~ (1660-1731) 영국의 소설가, *Robinson Crusoe*의 작자.

de·fóg *vt.* (자동차 유리의) 김[물방울]을 제거하다. **de·fóg·ger** *n.*

de·fo·li·ant [di(:)fóuliənt] *n.* 고엽제(枯葉劑).

de·fo·li·ate [di(:)fóulièit] *vi., vt.* 낙엽이 지다[지게 하다]. —— [-ət] *a.* 낙엽이 진. 〖L; ⇨ FOIL[2]〗

de·fò·li·á·tion *n.* Ⓤ 잎이 떨어지기; 낙엽; 낙엽기(期); 〖軍〗 고엽(枯葉) 작전.

de·fórce *vt.* 〖法〗 (남의 재산, 특히 토지를) 불법으로 점유하다.

de·fórest *vt.* 수목을 베어내다, 산림을 벌채[개척]하다(disforest) (↔*afforest*).

de·forestátion *n.* Ⓤ 삼림 벌채, 산림 개척; 남

벌(濫伐).
de·form [difɔ́:rm, di:-] *vt.* 변형시키다 ; 볼품없게[기형으로] 하다[만들다] ; 추하게 하다 ;〖美術〗데포르메하다 ;〖理〗외력의 작용으로 변형시키다 : Anger ~*s* the face. 화내면 얼굴이 보기 싫게 일그러진다. —— *vi.* 변형되다 ; 추하게 되다 ; 기형이 되다. 〖OF<L ; ⇨ FORM〗
defórm·able *a.* 변형할 수 있는.
de·for·ma·tion [dì:fɔ:rméiʃən, 美+dèfər-] *n.* **1** Ⓤ 모양없이 되기 ; 변형 ;〖神學〗개악(改惡). **2** Ⓤ 기형, 불균형, 추함 ;〖理·地〗변형 ;〖美術〗데포르마시옹《소재나 대상을 작자의 주관에 따라 변형하거나 과장하여 묘사함으로써 인상을 강하게 하려는 수법》. **~·al** *a.*
de·for·ma·tive [difɔ́:rmətiv] *a.* deform하는 (경향[성질]이 있는).
de·fórmed *a.* 기형의, 불구의(crippled) ; 추한, 볼품없는 ; 싫은, 불쾌감을 주는 : a ~ baby 기형아 / a ~ imagination 불쾌한 상상(의 소산).
de·for·mi·ty [difɔ́:rməti] *n.* **1** Ⓤ 모양이 이상함. **2** Ⓤ 기형, 불구 ; 기형인 사람[것] ; ⓊⒸ 추한 것, 불쾌감. **3** ⓊⒸ (인격·제도 따위의) 결함.
de·fraud [difrɔ́:d] *vt.* [+目/+目+*of*+名] …에게서 속여 빼앗다, 사취[편취]하다, 횡령하다 : They ~*ed* him ***of*** his property. 그의 재산을 편취했다. —— *vi.* 사기행위를 하다.
~·er *n.* **de·frau·da·tion** [dì:frɔ:déiʃən] *n.* 속이기, 사취. 〖OF or L ; ⇨ FRAUD〗
de·fray [difréi] *vt.* (비용을) 지불[부담]하다, 지출하다(pay).
~·able *a.* 지불 가능한. **~·er** *n.*
〖F (*frai* cost<L *fredum* fine for breach of peace)〗
de·fróck *vt.* 성직(聖職)을 빼앗다.
de·fróst [di-, di:-] *vt.* …의 서리[얼음]를 제거하다 ; (고기·야채 따위의) 언 것을 녹이다 ; …의 동결을 해제하다. —— *vi.* 서리[얼음]가 없는 상태가 되다 ; 해동 상태가 되다. **~·er** *n.* 서리 제거 장치, 제빙(除氷) 장치. 〖*de-*〗
deft [déft] *a.* 솜씨좋은, 능숙한, 재주 있는(skillful) : ~ *of* hand 손재주가 있는.
~·ly *adv.* **~·ness** *n.*
〖DAFT=mild, meek〗
deft. defendant.
de·funct [difʌ́ŋkt] *a.* **1** 죽은, 고인이 된(dead, deceased). **2** 소멸한, 폐지된, 현존하지 않는(extinct) ; 효력을 잃은. —— *n.* [the ~] 고인 ; [the ~] 죽은 사람들.
〖L *de-*(*funct- fungor* to perform)=dead〗
de·func·tive [difʌ́ŋktiv] *a.* 고인의 ; 장례의.
de·fúse, -fúze *vt.* (폭탄·지뢰 따위의) 신관[도화선]을 제거하다, 폭발 불능케 하다 ; 무해하게 하다, 긴장을 완화시키다, 위기를 해소하다 ; …의 영향력을 약화시키다.
de·fús·er, -fúz- *n.* 〖*de-*〗
***de·fy** [difái] *vt.* **1** 문제삼지 않다, 무시하다, 얕보다 ; (공공연히) 반항하다 : ~ one's superiors 상관에게 대들다 / He has a constitution that *defies* any climate. 그는 어떠한 기후에도 끄떡없는 체질이다. **2** (사물이 해결·경쟁·기도(企圖) 따위를) 허용치 않다(baffle) : It *defies* description[every criticism]. 이루 다 말할 수 없다[비평의 여지가 없다] / The fortress *defied* every attack. 아무리 공격하여도 그 요새는 함락되지 않았다. **3** [+目+*to* do] …에 도전하다 : I ~ you *to* do this. 할 수 있거든 해봐라《이것을 네가 감히 할 수 있나》. —— [ˌ, 美+dí:fai] *n.* 《美口》 도전, 공연(公然)한 반항. **de·fí·er** *n.*
〖ME =to renounce faith in<OF<Rom. (L *fides* faith)〗
deg, deg. degree(s).
dé·ga·gé [dèigɑ:ʒéi ; *F* degaʒe] *a.* (*fem.* **-gée** [—]) 느긋한, 마음 편한 ; 초연한《태도 따위》.
〖F=disengaged〗
de·gás *vt.* …에서 가스를 없애다[빼다] ; 독가스를 제거하다.
De·gas [dəgɑ́:, 英+déigɑ: ; *F* dəgɑ] *n.* 드가. **Hilaire Germain Edgar** ~ (1834-1917) 프랑스의 인상파 화가.
de Gaulle [də góul, -gɔ́:l ; *F* də go:l] *n.* 드골. **Charles** ~ (1890-1970) 프랑스의 장군·정치가 ; 제2차 세계 대전 중의 자유 프랑스(Free France) 정부의 수석(1940-45) ; 대통령(1959-69).
de·gáuss *vt.* (자기(磁氣) 기뢰를 막기 위하여 군함에) 배자(排磁) 장치를 달다.
de·génder *vt.* (언어 따위에서) 성(gender)에 의한 구별을 없애다, 비성화(非性化)하다.
de·gen·er·a·cy [didʒénərəsi] *n.* Ⓤ 퇴화(退化), 퇴보 ; 타락(deterioration) ; 쇠망 ; 변성 ; 성적 도착, 변태.
de·gen·er·ate** [didʒénərèit] *vi.* [動/+*into*+名] 타락하다 ; 퇴보하다, 나빠지다 ;〖生〗퇴화하다 ;〖醫〗변질하다 : What causes young men to ~? 청년들이 타락하는 원인은 무엇이냐 / Liberty is apt to ~ ***into lawlessness. 자유는 방종으로 흐르기 쉽다. —— [-nərət] *a., n.* 타락한 (사람) ; 퇴화된 (것·동물) ; 변질한 (것) ; 변질자. 성욕도착자.
~·ly *adv.*
〖L *de-*(*gener* ‹ *gener- genus* race)=ignoble〗
de·gen·er·a·tion [didʒènəréiʃən] *n.* **1** Ⓤ 타락 ; 퇴보 ; 퇴폐(退廢). **2** Ⓤ〖生〗퇴화 ;〖醫〗변성(變性), 변질.
de·gen·er·a·tive [didʒénərèitiv, -nərə-] *a.* 퇴화적인, 퇴행성의 ; 타락한 ; 변질[변성]의.
de·glítch *vt.* (기계의) 고장을 고치다.
de·glu·ti·tion [dì:glu:tíʃən, dèg-] *n.* Ⓤ 삼키기, 연하(嚥下) ; 삼키는 작용 ; 삼키는 힘.
de·grád·able *a.* 〖化〗감성(減成) 가능한, 분해 가능한.
deg·ra·da·tion [dègrədéiʃən] *n.* **1** Ⓤ 좌천, 면직. **2** Ⓤ 타락, 퇴폐 ; 저락, 하락 : live in ~ 타락한 생활을 하다. **3**〖生〗(기능) 퇴화. **4**〖地質〗(풍화작용·침식작용에 의한 암석의) 붕괴. **5**〖化〗분해, 감성(減成).
de·grade** [digréid] *vt.* **1** [+目/+目+前+名] …의 지위를 낮추다, 좌천시키다, 면직하다 : ~ a soldier ***for drunkenness 취태(醉態)로 병사를 강등(降等)시키다. **2** …의 품위[가치]를 떨어뜨리다 ; 면목을 잃게 하다 : You should not ~ yourself by telling such a lie. 그런 거짓말로 자기의 품위를 떨어뜨려서는 안된다. **3**〖生〗퇴화시키다 ;〖地質〗붕괴시키다 ;〖化〗(화합물을) 분해하다, 감성하다. —— *vi.* 타락하다, 품위가 떨어지다 ;〖生〗퇴화하다.
de·grád·er *n.* degrade하는 사람.
〖OF<L ; ⇨ GRADE〗
de·grád·ed *a.* 타락[부패]한, 퇴화[퇴행]한 ; 저하(低下)[비속화]된.
~·ly *adv.* **~·ness** *n.*
de·grád·ing *a.* 품위[자존심]를 떨어뜨리는 (것과 같은), 저열한, 면목이 서지 않는.
~·ly *adv.* **~·ness** *n.*
‡de·gree [digrí:] *n.* **1** ⓊⒸ 정도(extent) ; 등급

(grade) : That is a matter of ~. 그것은 정도의 문제다 / The risks differ only in ~. 위험은 다만 정도가 다를 뿐이다 / *To* what ~ is he interested in fishing? 그는 낚시에 어느 정도나 흥미를 가지고 있니 / She was worried *to* such a ~ that she could not sleep. 잠을 못잘 정도로 걱정했다. **2** 〖法〗 등친(等親), 촌수 ; 〖美法〗 (범죄의) 등급 : a relation[murder] *in* the first ~ 1등친[제1급 살인] / prohibited[forbidden] ~*s* (of marriage) 결혼 금지의 등친《1등친부터 3등친까지》. **3** Ⓤ 계급, 신분 ; Ⓒ 〖敎〗 학위, 칭호 : a man of high[low] ~ 신분이 높은[낮은] 사람 / He took the ~ of Master of Arts. 문학석사의 학위를 취득했다 / the ~ of doctor 박사학위. **4** (경도·위도·온도계 따위의) 도, 각도율 ; 〖樂〗 도(度) ; 〖數〗 차(次) (수) : 45 ~*s* 45도 / ~*s* of latitude 위도. **5** 〖文法〗 급(級) : the positive [comparative, superlative] ~ 원급[비교급·최상급].
by degrees 차차, 점점.
...degrees of frost 영하 …도 : We had five ~*s of frost*. 영하 5도였다.
in a*[*some*] *degree 약간은, 어느 정도.
in its degree 각기 분수에 맞게.
not in the slightest*[*least, smallest*] *degree 조금도 …않다 : Her beauty has *not* faded *in the smallest* ~. 그녀의 미모(美貌)는 조금도 변함이 없다.
the third degree ☞ THIRD DEGREE.
to a degree 《口》 매우, 대단히 ; 다소, 얼마간 (somewhat).
to the last degree 극도로.
〖OF<Rom. (L GRADE)〗
degrée dày *n.* (대학의) 학위 수여일.
degrée-dáy *n.* 디그리데이《하루의 평균 온도와 표준 온도와의 차이》.
degrée mìll *n.* 《口》 학위 제조소《학위를 남발하는 교육기관》.
degrée of fréedom *n.* 〖理·化〗 자유도.
de·gres·sion [digréʃən, diː-] *n.* Ⓤ,Ⓒ 점감(漸減), 하강 ; 세율의 체감(遞減). **de·grés·sive** *a.* 체감적인. **-sive·ly** *adv.*
〖L (*gress- gredior=gradior* to walk)〗
de haut en bas [*F* də oːtɑ̃ bɑ] *a., adv.* 얕보는[거만한] (태도로), 무례한 (태도로).
〖F=from above to below〗
de·héad *vt.* (새우 따위의) 머리를 떼다.
de·híre *vt.* 《美》 (특히 요직에 있는 사람을) 해고시키다(fire).
de·hisce [dihís] *vi.* 입을 벌리다 ; 〖植〗 (과피(果皮) 따위가) 터져 벌어지다, 열개하다.
〖L (*hisco* (incept.) ‹ *hio* to gape)〗
de·hís·cence *n.* 〖植〗 열개 ; 〖醫〗 (봉합의) 파열.
de·hís·cent *a.* 〖植〗 열개성의.
de·hórn *vt.* …의 뿔을 베어 내다 ; (나무의 큰 가지를) 밑동에서 자르다 ; 《軍俗》 =DEFUZE.
—— *n.* 《美俗》 술고래, 모주꾼.
de·hort [diːhɔ́ːrt] *vt.* 《古》 단념하도록 설득하다 (dissuade). **de·hor·ta·tion** [dìːhɔːrtéiʃən] *n.* 말림 ; 간언(諫言).
de·hor·ta·tive [dihɔ́ːrtətiv], **-ta·to·ry** [-tətɔ̀ːri ; -təri] *a.* 말리는, 간언의.
de·húman·ìze *vt.* …의 인간성을 빼앗다, 짐승처럼 만들다. **de·hùman·izátion** *n.* 인간성 말살, 비인간화(非人間化).
dè·humídify *vt.* (대기에서) 습기를 없애다, 건조시키다. **dè·humidificátion** *n.* 습기 제거.
dè·hu·míd·i·fi·er *n.* 탈습기[장치], 제습기.
de·hydr- [diːháidr], **de·hy·dro-** [-drou, -drə] *comb. form* 「탈수(脫水)」 「탈수소(脫水素)」의 뜻. 〖*de-*+*hydr-*〗
de·hýdrate *vt.* 탈수시키다, 건조시키다 ; 《비유》 보잘것 없게 하다 : ~*d* vegetables[eggs] 건조 야채[계란]. —— *vi.* 탈수되다, 수분이 빠지다.
dè·hydrátion *n.* 탈수, 건조 ; 〖醫〗 탈수(증).
de·hýdrator *n.* 탈수기[장치] ; 탈수[건조]제(劑). 〖Gk. *hudōr* water〗
de·hýdro·frèezing *n.* Ⓤ 건조 냉동법《부분건조 후 급속 냉동시켜 식품을 저장함》.
dè·hydrógenate *vt.* 〖化〗 (수소 화합물에서) 수소를 제거하다. **dè·hydrogenátion** *n.* 탈수소.
de·hýdrogen·ìze *vt.* 〖化〗 =DEHYDROGENATE.
de·hýpnotize *vt.* 최면 상태에서 깨어나게 하다, 최면술을 풀다.
de·íce *vt.* 제빙하다, (비행기 따위에) 제빙[방빙] 장치를 하다. **de·íc·er** *n.* 제빙 장치 ; 제빙제.
de·i·cide [díːəsàid, déiə-] *n.* Ⓤ 신(神)을 죽이기 ; Ⓒ 신을 죽이는 사람.
deic·tic [dáiktik, déi-] *a.* 〖論〗 직증적(直證的)인 ; 〖文法〗 지시적인. —— *n.* 〖文法〗 대상 지시어[용법]. 〖Gk. (*deiktos* capable of proof)〗
de·if·ic [diːífik] *a.* 신격화하는 ; 신과 같은.
de·i·fi·ca·tion [dìːəfəkéiʃən, dèi-] *n.* Ⓤ 신으로 모시기[숭배하기], 신격화 ; 신성시(神聖視).
dé·i·fì·er *n.* 예배자.
dé·i·fòrm [díːə-] *a.* 신의 모습인 ; 신과 같은.
de·i·fy [díːəfài, déi-] *vt.* 신으로 모시다 ; 신처럼 숭배하다, 신성시하다. —— *vi.* 신성해지다.
〖OF<L (*deus* god)〗
deign [déin] *vt.* **1** [+*to* do] [보통 부정구문으로] 황송[황공]하게도 …하여 주시다, 자신을 낮추어[수치를 참고·긍지를 버리고] …하다(condescend) : They would never ~ *to* notice me. 그들은 나 같은 사람은 거들떠보지도 않을 것이다. **2** 하사하다, 내려주다. —— *vi.* (지위나 체면에 구애되지 않고) 친절하게[쾌히] …하다 : The Queen ~*ed to* grant us an audience. 여왕은 황송하게도 우리에게 배알을 허락하셨다.
〖OF<L=to deem worthy (*dignus* worthy)〗
Dei gra·tia [díːiː grɑ́ːtiɑ̀ː, díːai gréiʃiə] *adv.* 신의 은총으로. 〖L=by the grace of God〗
deil [díːl] *n.* 《스코》 =DEVIL ; 쓸모없는 사람.
de·indivídual·ìze *vt.* =DEPERSONALIZE.
dè·indùstrial·izátion *n.* (특히 패전국의) 산업 조직[잠재 세력]의 축소[파괴], 산업공동화 ; (복지의) 탈시설화, 비시설화《노인이나 장애자를 지역사회 속에서 배려하는 것이 가장 바람직하다고 하는 사회 사상이 배경에 있음》.
de·institútion·al·ìze *vt.* 비(非)제도화하다 ; (사회) 시설에서 해방[복귀]시키다《수형자·입원 환자 등》.
de·íon·ìze *vt.* 〖化〗 …을 탈(脫)이온화하다.
de·ism [díːizəm, déi-] *n.* Ⓤ 〖哲〗 이신론(理神論), 자연신론[교]《세계는 신이 창조한 것이지만 신의 지배를 떠나 자연의 이법(理法)에 의하여 움직인다고 하는 사상 ; 18세기의 사상가가 제창했음 ; cf. ATHEISM, THEISM[1]》. **dé·ist** *n.* 이신론자(理神論者). **de·ís·tic, -ti·cal** *a.* 이신론의, 이신론적인, 자연신교의[적인]. 〖L *deus* god〗
de·i·ty [díːəti, déi-] *n.* **1** Ⓤ 신위(神位), 신격, 신성. **2** (다신교의) 신(god) ; [the D~] (일신교의) 신, 조물주, 천제(天帝) (God) : a pagan ~ 이교(異敎)의 신.
〖OF<L ; Gk. *theotēs* (*theos* god)의 역(譯)〗

dé·jà en·ten·du [*F* deʒa ɑ̃tɑ̃dy] *n.* 이미 이해한[들은, 본] 적이 있다는 인식.

dé·jà lu [*F* deʒa ly] *n.* 이미 읽은[경험한] 적이 있다는 인식.

dé·jà vu [dèiʒɑː vjúː ; *F* deʒa vy] *n.* 〖心〗 기시감(旣視感)《일종의 착각》; 매우 흔한[진부한] 것. 〖F=already seen〗

de·ject [didʒékt] *vt.* (사람을) 낙담시키다, 기를 죽이다. —— *a.* 《古》 =DEJECTED. 〖L (*ject- jicio*＜*jacio* to throw)〗

de·jec·ta [didʒéktə] *n. pl.* 배설물, 대소변.

***de·jéct·ed** *a.* 낙담한, 풀이 죽은, 기가 죽은(in low spirits) : look ~ 풀이 죽은 표정을 짓다 / He went home, ~ in his heart. 몹시 기가 죽어서 집으로 돌아갔다. **~·ly** *adv.* 기운없이.
[類義語] ⟹ SAD.

de·jec·tion [didʒékʃən] *n.* Ⓤ 낙담, 실의 ; 우울 ; 〖醫〗 대소변, 배설물 ; 〖醫〗 변통(便通) : in ~ 낙담하여.

dé·jeu·ner [déiʒənèi ; *F* deʒœne] *n.* (늦은) 조반 ; (정식의) 오찬《유럽 대륙에서》.

de ju·re [diː dʒúəri, dei júəri] *adv., a.* 정당[적법]하게[한], 법률상(의) (↔*de facto*). 〖L〗

dek(a)- ☞ DEC-.

dek·ko [dékou] *n.* (*pl.* **~s**) 《英俗》 한번 보기, 엿보기. 〖Hindi〗

Del. Delaware. **del.** delegate ; delegation ; 〖校正〗 delete ; delivery ; *delineavit* 《L》 (=he [she] drew it).

De·la·croix [*F* dəlakrwa] *n.* 들라크루아. **Ferdinand Victor Eugène** ~ (1798-1863) 프랑스 낭만주의의 대표적 화가.

de·laine [dəléin] *n.* Ⓤ 메린스《얇은 모직물》. 〖F (*mousseline*) *de laine* woollen (MUSLIN) (L *lana* wool)〗

de·láminate *vt., vi.* 얇은 조각[층]으로 가르다[갈라지다] ; 〖發生〗 엽렬(葉裂)하다.

de·laminátion *n.* Ⓤ **1** 얇은 조각[층]으로 갈라지기. **2** 〖發生〗 엽렬(葉裂).

De·lá·ney amèndment[cláuse] [diléini-] *n.* 《美》 (식품·의약품·화장품법의) 델레이니 수정[조항]《발암성 물질의 첨가를 전면 금지함》. 〖James J. *Delaney* (1901-) 미국의 국회의원으로 이 조항의 기초자〗

de·late [diléit] *vt.* 고소하다 ; 널리 알리다.
de·lá·tion *n.* 고소, 고발. **-lá·tor** *n.* 고소인. 〖L ; ⇨ DEFER²〗

Del·a·ware [déləwὲər, -wæ̀ər, 美 + -wər] *n.* 델라웨어《미국 동부의 주 ; 주도 Dover ; 略 Del.》.

‡de·lay [diléi] *vt.* **1** 지연시키다 : Ignorance ~*s* progress. 무지(無知)는 진보를 더디게 한다 / The accident ~*ed* the train (for) two hours. 사고로 열차는 두 시간 지연되었다. **2** [+目 / + do*ing*] 미루다, 연기하다 : ~ a party for a week 파티를 1주일 연기하다 / Why have you ~*ed* writ*ing* to him? 왜 그에게 편지 쓰는 것을 미루었니. —— *vi.* 우물쭈물하다, 지체하다 : He often ~*s* on his errands. 흔히 심부름 가면 지체를 많이 한다. —— *n.* Ⓤ,Ⓒ 지체, 지연 ; 유예(猶豫), 연기 : admit of no ~ 일각의 유예도 허락하지 않다 / after several ~*s* 몇 번이고 지체한 뒤에 / without (any) ~ 지체없이, 즉각(at once). 〖OF (? *des-* DIS-¹, *laier* to leave) ; cf. RELAY〗
[類義語] ***delay*** 어떤 이유로 빨리 해야 할 일을 어느 시기까지 또는 때로 무기한 연기하다 : *delay* one's departure (출발을 늦추다). ***defer*** 보다 더 좋은 기회가 올 때까지 연기하다 ; 다소 형식에 치우친 말 : I will *defer* going till I have more money. (돈이 더 생길 때까지 가는 것을 연기하겠다). ***postpone*** 어떤 사정으로 장래의 어느 일정한 시기까지 연기하다 : I *postponed* going till next month. (가는 것을 다음달까지 연기했다).

de·láy(ed) áction *n.* (로켓 폭탄 따위의) 연기[지연] 작동 ; (카메라의) 시한(時限) 셔터식.
deláy(ed)-áction *a.* 연기[지연, 시한]식의 : *delayed-action* bomb 시한(時限) 폭탄.

deláyed néutron *n.* 〖理〗 지발[지체] 중성자.

deláyed stéal *n.* 〖野〗 투수의 투구 순간이 아니라 타이밍을 늦춰서 하는 도루.

deláyed tariffication *n.* 관세화 유예.

deláyed tíme sỳstem *n.* 〖電子〗 시간 지연[축적] 처리 방식(↔*real-time system*).

deláy·ing àction *n.* 지연 전술.

deláy machìne *n.* 딜레이 머신《echo chamber의 일종으로 음성 신호를 임의로 지연시켜 재생하는 장치》.

deláy of gáme *n.* 〖美蹴〗 부정한 경기 지연《반칙》.

del cre·de·re [del kréidəri] *a., adv.* 〖商〗 매주(買主)[팔 상대] 지불 (능력) 보증의[으로] : a ~ account 보증금 계정 / a ~ agent 매주(買主) 지불 능력 보증 대리인. —— *n.* 매주 신용보증(료). 〖It.〗

de·le [díːli(ː)] *vt.* 〖校正〗 [명령법으로] (지시한 부분을) 삭제하라, 빼라《보통 그 부분에 하선(下線)을 긋고 난(欄) 밖에 표시한다 ; cf. DELETE》; …에 삭제 기호를 붙이다. —— *n.* 삭제 기호. 〖L ; ⇨ DELETE〗

de·lec·ta·ble [diléktəbəl] *a.* [흔히 풍자·반어적으로] 유쾌한, 즐거운 ; 맛있는. —— *n.* 즐거운[맛있는] 것. **-bly** *adv.* 〖OF＜L ; ⇨ DELIGHT〗

de·lec·ta·tion [dìːlektéiʃən] *n.* Ⓤ 《古·戱》 환희, 기쁨 ; 쾌락 : for one's ~ 재미로.

de·lec·tus [diléktəs] *n.* (특히 그리스·라틴 글의) 발췌서(拔萃書), (교과서용) 초본(抄本). 〖L=selection〗

del·e·ga·ble [déligəbəl] *a.* (책무 따위가) 대리인에게 위임할 수 있는.

del·e·ga·cy [déligəsi] *n.* **1** 대리인 지정 ; Ⓤ 대표 임명[파견] ; 대표권. **2** 대표단, 사절단.

de·légal·ìze *vt.* …의 법적 인가를 취소하다, 비합법화하다.

del·e·gate** [déligət, -gèit] *n.* **1** 대표(자), 사절, 파견 단원(deputy) : They were ~*s from* India *to* the U.N. 인도의 유엔 대표였다. **2** 《美》 (하원 Territory 선출의) 대(代)의원《발언권은 있으나 투표권은 없음》. —— [-gèit] *vt.* **1** [+目+*to*+名 / +目+*to* do] (대리인으로서) 특파[파견]하다(depute) : He was ~*d* ***to the convention. 회의에 파견되었다 / Each party ~*d* one member *to* attend the general meeting. 각 당(黨)은 총회에 대표 한 명씩을 출석시켰다. **2** [+目+*to*+名] (권한을 대표에게) 위임[부여]하다 : The belligerents should ~ the solution of the conflict ***to*** the United Nations. 교전국(交戰國)은 분쟁의 해결을 유엔에 위임하여야 한다. **3** 〖美法〗 …에게 채무를 전부(轉付)하다. —— *vi.* 권한[책임]을 위임하다. 〖L ; ⇨ LEGATE²〗

dél·e·gàt·ed legislátion *n.* (영국 의회의) 위임 입법.

del·e·ga·tion [dèligéiʃən] *n.* **1** Ⓤ 대표[대리인] 임명 ; (권한 따위의) 위임. **2** Ⓤ 대표 파견. **3** 대표[파견]단, 대의원단, 대리인단 ; 《美》 각 주

(州) 선출 국회의원단.

de·lete [dilíːt] *vt.* 삭제하다, 지우다(erase)《교정 용어 ; 略 del. ; cf. DELE》. 〚L *delet- deleo* to efface〛

del·e·te·ri·ous [dèlətíəriəs] *a.* 유해한, 유독한 ; 독이 있는. **~·ly** *adv.* **~·ness** *n.* 〚L<Gk.=noxious〛

de·le·tion [dilíːʃən] *n.* U,C 삭제(부분).

delft [délft], **délft·wàre, delf** [délf] *n.* U (네덜란드 델프트산(産)의) 델프트 도기(陶器)《일종의 채색 도기》.

Del·hi [déli] *n.* 델리《인도 북부의 도시 ; Mogul 제국의 옛 수도로, 원래는 영국의 인도 정청(政廳) 소재지》.

Délhi bélly *n.* 《俗》 델리 설사《여행자가 인도에서 감염되는 설사》.

deli [déli] *n.* (*pl.* **dél·is**) 《美口·濠口》 =DELICATESSEN.

De·lia [díːliə, -ljə] *n.* 여자 이름. 〚Gk.=(she) of the island of Delos (i.e. Artemis)〛

***de·lib·er·ate** [dilíbərət] *a.* **1** 신중한, 사려 깊은. **2** 유유한, 침착한 : An old man walks with ~ steps. 노인은 차분한 걸음걸이로 걷는다. **3** 계획적인, 고의적인 : ~ murder 계획적인 살인.
—— [dilíbərèit] *vt., vi.* [+目/+*wh.* 節/+*wh.*+*to* do/動/+前+名] 숙고하다 ; 숙의[심의·토의]하다 : We are still *deliberating* (***upon*** [***over***]) the question. 아직도 그 문제를 심의중이다 / They were *deliberating how* it should be done[*whether to* buy a new motorcar]. 그것을 어떻게 하면 좋을 것인지[새 자동차를 사도 좋을 것인지] 깊이 생각중이었다.
〚L *de*-(*libero* to weigh‹*libra* balance)=to weigh in mind〛
類義語 (1) (*a.*) ⟹ SLOW, VOLUNTARY.
(2) (*v.*) ⟹ THINK.

***delíberate·ly** *adv.* 신중히 ; 고의로, 일부러, 의식적으로 ; 천천히.

delíberate·ness *n.* U 숙고 ; 신중 ; 고의 ; 유장(悠長)함.

de·lib·er·a·tion [dilìbəréiʃən] *n.* **1** U 숙고, 숙려, 생각 ; U,C 심의, 토의 : after deep ~ 숙고한 끝에. **2** U 고의. **3** U 신중성 ; (동작의) 완만, 누긋함 : with great ~ 매우 신중[침착]하게.

de·lib·er·a·tive [dilíbərèitiv, -ərətiv ; -ərətiv] *a.* 신중한 ; 심의하는 : a ~ assembly 심의회. **~·ly** *adv.* 심의해서, 숙고한 끝에, 신중히.

de·líb·er·à·tor *n.* 숙고자 ; 심의자.

***del·i·ca·cy** [délikəsi] *n.* **1** U (색깔 따위의) 아름다움 ; (용모 따위의) 우아함, 고상함 : the ~ of a flower 꽃의 아름다운 모양. **2** U 정교(精巧), 미묘(한 아름다움) ; (감각 따위의) 섬세, 민감 ; (계기(計器) 따위의) 민감도. **3** U 신중성 ; (문제의) 미묘함, 다루기 힘듦 ; 취급을 잘함, 묘미(妙味) : a matter of great ~ 매우 미묘한 일[문제]. **4** U [또는 a ~] (남의 감정에 대한) 동정 ; 근신(謹愼) : feel *a* ~ about …에 대해서 마음이 쓰이다, …을 어렵게 여기다 / give a proof of one's ~ 동정심이 있음을 보이다〈*about, in*〉. **5** U 연약, 섬약(纖弱), 허약 : ~ of health 병약 / The ~ of roses generally makes them unfit for the northern climate. 장미는 약해서 일반적으로 북쪽 기후에는 맞지 않는다. **6** 맛있는 것 ; 별미, 진미(dainty) : the *delicacies* of the seasons 계절마다의 진미(珍味).

***del·i·cate** [délikət] *a.* **1** 우아한(fine) ; 섬세한, 연약한, 여린(frail), 허약한(feeble) : the ~ skin of a baby 갓난아기의 연약한 피부 / The child was in ~ health. 그 아이는 허약했다. **2** (색깔이) 묘한, (색조가) 부드러운, 은은한(soft). **3** (기계 따위가) 정교한 ; 예민한, 민감한 : He has a ~ ear for music. 음악에 대하여 섬세한 귀를 가지고 있다. **4** (차이가) 미묘한(subtle) : a ~ difference 미묘한 차이. **5** 다루기 힘든, 말하기[하기] 어려운, 세심한 주의[솜씨]가 필요한 : a ~ situation 어려운 입장 / a ~ operation 힘든 수술. **6** 솜씨가 좋은, 교묘한 : The pianist played with a ~ touch. 그 피아니스트는 오묘한 터치로 연주했다. **7** (취미·언어 따위가) 고상한(refined). **8** 동정심이 있는(considerate) ; 자상한 : ~ attention 배려. **9** (음식이) 부드럽고[담백하고] 맛있는. —— *n.* delicate한 사람[것] ; 《古》 진미 ; 《廢》 즐거움, 기쁨, (특히) 오감의 기쁨 ; 《廢》 쾌락가. **~·ly** *adv.* 우아하게, 섬세하게 ; 미묘하게 ; 정교(精巧)하게 ; 고상하게. **~·ness** *n.* 〚OF or L< ?〛
類義語 ***delicate*** 고상하고 우아한 ; 질이 고급이어서 고상한 취미에 맞는, 또는 감각에 상쾌한 기분을 주는 ; 섬세·미묘 또는 연약함을 암시한다 : Roses have a *delicate* fragrance. (장미는 향기가 좋다). ***dainty*** delicate와 흡사하나 소형(小型), 완전성, 눈 따위의 감각에 호소하는 미(美)를 암시한다 : Her children wear *dainty* dresses. (그녀의 아이들은 고운 옷을 입고 있다). ***exquisite*** 사물이 매우 교묘하고 세련되게 만들어져 있기 때문에, 특히 감각이 예민하고 섬세한 사람만이 감상할 수 있는 : an *exquisite* piece of music (절묘한 음악 작품).

del·i·ca·tes·sen [dèlikətésən] *n.* **1** U [단수·복수 취급] 조제(調製) 식품《손쉽게 식탁에 차릴 수 있는 고기·샐러드·훈제어(燻製魚)·소시지·통조림 따위》. **2** C (*pl.* **~s**) 조제 식품 판매점. **3** 《美俗》 탄환, 소총탄(bullets). **4** 《美廣告俗》 일터, 작업장.
〚G (pl.) ‹*Delikatesse* dainty<F ; ⇨ DELICATE〛

***de·li·cious** [dilíʃəs] *a.* **1** 참으로 맛있는, 맛좋은(sweet-tasting). **2** 향기로운 ; 상쾌한, 기분이 좋은 ; 매우 즐거운. —— *n.* [D~] 딜리셔스《미국산 붉은 사과의 일종》. **~·ly** *adv.* 매우 맛있게 ; 매우 즐겁게[상쾌하게] ; 매우 재미나게. **~·ness** *n.* 진미(珍味) ; 쾌미(快味) ; 묘미.
〚OF<L (*deliciae* delight)〛

de·lict [dilíkt, 英+díːlikt] *n.* 〔法〕 불법[위법] 행위, 범죄.
in flagrant delict 〔法〕 현행범으로, 범행 중에.
〚L (p.p.) ‹*delinquo* ; ⇨ DELINQUENT〛

‡de·light [diláit] *n.* U 기쁨, 즐거움, 환희 ; C 낙(樂)(이 되는 것), 기쁜 것 : give ~ to …을 기쁘게 하다.
in delight 기뻐서.
take delight in …을 기뻐하다, …을 즐기다, …을 재미로 삼다.
to one*'s* ***delight*** 기쁘게도, 즐겁게도 : *To his* great ~, his design won the prize. 매우 기쁘게도 그의 디자인이 상을 탔다.
with delight 기꺼이.
—— *vt.* (매우) 기쁘게 하다, 즐겁게 해주다 ; 기쁨에 넘치도록 하다 ; …을 재미로 삼다 : It ~*s* the eye. 눈을 즐겁게 한다, 눈요기가 된다.
—— *vi.* [+前+名/+*to* do] 기뻐하다, 즐기다 : Children ~ ***in*** surprises. 아이들은 깜짝 놀랄만한 것을 재미있어 한다 / Tom ~*s in* pull*ing* the dog's tail. 톰은 개의 꼬리를 잡아당기는 것을 매우 즐긴다 / Why do you ~ *to* torture me? 나를

괴롭혀서 뭐가 즐겁냐. ~·**er** *n.*
〖OF *delit, delitier*＜L *delecto* ; 어형은 *light* 따위의 영향〗
類義語 ⟹ PLEASURE.

delíght·ed** *a.* [＋*to* do / ＋前＋do*ing* / ＋*that* 節] 매우 기뻐하는(greatly pleased) : He was much ~ ***with this idea. 이 고안을 매우 기쁘게 여겼다 / The old man seemed ~ *to* have company. 노인은 말동무가 생겨서 기쁜 듯했다 / He was ~ *that* you were well again. 당신이 완쾌(完快)된 것을 (매우) 기뻐하였습니다 / He was ~ ***at*** receiv*ing* so many letters and telegrams. 아주 많은 편지와 전보를 받고서 기뻐했다.

〈회화〉
Why don't you come to my cottage this weekend? — Thank you very much. I'd be *delighted* to come.「주말에 별장에 오시지 않겠습니까」「고맙습니다. 기꺼이 가겠습니다」

~·**ly** *adv.* ~·**ness** *n.*

***delíght·ful** *a.* 매우 기쁜, 즐거운, 아주 유쾌한 ; 매력적인, 애교 있는.
~·**ly** *adv.* ~·**ness** *n.*

delíght·some *a.* 《詩·文語》 ＝DELIGHTFUL.

De·li·lah [diláilə] *n.* **1** 〖聖〗 들릴라《Samson의 애인, Samson을 배신함》. **2** (일반적으로) 배신한 여자, 요부.
〖Heb.＝delicate〗

de·límit [di-], **de·lim·i·tate** [dilímətèit] *vt.* …의 범위[한계·경계]를 정하다 ; 명확히 기술하다.

de·lìm·i·tá·tion *n.* **1** Ⓤ 한계[경계] 결정. **2** 한계, 분계(分界).

delímit·er *n.* 〖컴퓨〗 구분 문자《자기(磁氣) 테이프 따위에서 데이터의 시작[끝]을 나타내는 문자[부호]》.

de·lin·e·ate [dilínièit] *vt.* 선으로 그리다, …의 윤곽을 그리다(depict) ; 그림으로 표현하다 ; (말로) 상세히[명확히] 묘사[서술]하다.
〖L ; ⇨ LINE[1]〗

de·lin·e·a·tion [dilìniéiʃən] *n.* Ⓤ 묘사 ; 서술 ; Ⓒ 도면 ; 설계, 도해(圖解) ; (재봉용) 본.

de·lín·e·à·tive [; -ətiv] *a.* 묘사의, 도해의 ; 서술하는 ; 묘사하는.

de·lín·e·à·tor *n.* 묘사하는 사람[것] ; 윤곽을 그리는 기구 ; (재봉용) 신축 자재의 형지(型紙).

de·lin·quen·cy [dilíŋkwənsi, -lín-] *n.* Ⓤ 의무 불이행, 직무 태만 ; U,C 체납(금), 연체 ; 과실, 범죄, 비행 : ☞ JUVENILE DELINQUENCY.

de·lín·quent *a.* 의무 불이행의, 직무 태만의, 비행(非行)의 ; 체납의. —— *n.* 의무 불이행자, 직무 태만자 ; 과실자 ; 비행자, 범죄자 : ☞ JUVENILE DELINQUENT. ~·**ly** *adv.*
〖L (pres. p.) ‹ *delinquo* to offend ; cf. DELICT〗

delínquent sùbculture *n.* 〖心〗 비행성(非行性) 저(低)문화《비(非)공리성·집단 맹종성·찰나적 쾌락주의 따위》.

del·i·quesce [dèlikwés] *vi.* 용해하다 ; 〖化〗 조해(潮解)하다 ; 〖生〗 융화하다 ; 〖植〗 가지가 분지(分枝)하다. 〖L ; ⇨ LIQUID〗

dèl·i·qués·cence *n.* Ⓤ 용해 ; 〖化〗 조해(성) ; 조해액 ; 〖生〗 융화 ; 〖植〗 가지 분지.

de·lir [dilíər] *vi.* 섬망(譫妄)상태가 되다, 가위눌리다. 〖역성(逆成) ‹ *dilir*ium〗

del·i·ra·tion [dèləréiʃən] *n.* 《稀》 ＝DELIRIUM.

de·lir·i·ous [dilíəriəs] *a.* 섬망성의 ; 헛소리하는 ; 광란(狂亂)상태의, 열광한 ; 흥분한.
~·**ly** *adv.* 정신 착란을 일으켜 ; 열광적으로. ~·**ness** *n.* 〖↓〗

de·lir·i·um [dilíəriəm] *n.* (*pl.* ~**s**, **-ia** [-iə]) **1** Ⓤ 섬망(譫妄)상태, 일시적 정신착란, 의식의 혼탁(한 상태), 헛소리 : lapse into ~ 헛소리를 하다. **2** U,C 격렬한 흥분(상태), 광란, 광희(狂喜). 〖L＝be deranged (*de-*, *lira* ridge between furrows)〗

delírium trémens [-trí:mənz, -trém-] *n.* 〖醫〗 (알코올 중독에 의한) 진전 섬망증(振顫譫妄症) 《略 d.t.('s), D.T.('s)》.
〖L＝trembling delirium〗

de·líst *vt.* …을 명부에서 빼다 ; (어떤 증권을) 상장표에서 빼다, 상장을 폐지하다.

del·i·tes·cence [dèlətésəns] *n.* 잠복(潛伏)(기) ; (증상의) 돌연 소실. **del·i·tés·cent** *a.* 《稀》 잠복해 있는.

‡**de·liv·er** [dilívər] *vt.* **1** [＋目 / ＋目＋前＋名] (물품·편지를) 배달하다, (전언 따위를) 전하다 ; 〖法〗 (정식으로) 교부하다 : The postman ~*s* letters. 우편 집배원은 편지를 배달한다 / Goods (may be) ~*ed* ***at*** any address. 상품은 어느 곳이라도 배달해 드립니다 / ~ milk *at* the door 우유를 문간에다 배달하다. **2** (연설·설교 따위를) 하다(utter) ; (평결(評決)을) 내리다 : He ~*ed* a course of lectures on world affairs. 세계 정세에 관하여 연속 강연을 했다 / The jury ~*ed* its verdict. 배심(陪審)원은 평결을 내렸다. **3** (타격·공격 따위를) 가하다(aim) ; (공을) 던지다(pitch) : ~ a blow in the cause of freedom 자유를 위해 운동을 전개하다 / ~ battle 공격을 시작하다. **4** [＋目 / ＋目＋副 / ＋目＋*to*＋名] 인도[명도]하다(give up) ; 넘겨주다(hand over) : ~ ***up*** stolen goods 도난품을 인도하다 / ~ (*up*) a fortress ***to*** the enemy 요새를 적에게 넘겨주다 / ~ ***over*** one's property *to* one's son 재산을 아들에게 양도하다. **5** [＋目＋*from*＋名] 구출하다(rescue), 해방하다 : *D*~ us ***from*** evil. 〖聖〗 우리를 악에서 구하옵소서. **6** [＋目＋*of*＋名] [보통 수동태로] …의 분만(分娩)을 돕다 ; 분만케 하다 ; 출산하다 : She *was* ~*ed* ***of*** a child. 아이를 낳았다 / He *was* ~*ed of* a sonnet. 14행시(行詩)를 지었다. **7** 《美口》 (어떤 후보자·정당 따위를 위해 표를) 모으다, 확보하다.
—— *vi.* 분만하다, 분만을 돕다 ; 상품을 배달하다 ; (약속 따위를) 이행하다, 지키다.
deliver one***self of...*** (의견 따위)를 말하다.
deliver the goods 물품을 인도하다 ; 《비유》 약속을 이행하다, 기대에 어긋나지 않게 하다.
—— *a.* 《古》 민첩한, 활발한(active).
~·**able** *a.* 구출[교부]할 수 있는.
〖OF＜L (*liber* free) ; cf. LIBERATE〗
類義語 ⟹ SAVE[1].

delíver·ance *n.* **1** Ⓤ 구출, 구조〈*from*〉 ; 석방, 해방(release). **2** (공식) 견해[의견·결정]. **3** 〖法〗 (배심의) 평결(verdict).

de·lív·ered *a.* 〖商〗 …인도의 : ~ to order 지정인 인도 / ~ on rail 화차 적화 인도.

delívered príce *n.* 〖商〗 인도(引渡) 가격.

delíver·er *n.* **1** 구조자 ; 석방자. **2** 인도인, 교부자 ; 배달인.

***de·liv·ery** [dilívəri] *n.* **1** U,C (화물·우편물 따위의) 배달(물품) ; Ⓒ 배달 (횟수), …편 ; U,C 인도, 교부 : express ~ 《英》＝《美》 special ~ 속달 / We have three *deliveries* every day. 매일 배달이 세 번 있다 / Your letter arrived by the first ~. 편지는 제1편(便)으로 받았습니다 / take ~ of goods 물품을 인수하다. **2** Ⓤ [또는 a ~]

말투, 강연(태도), 연설 : *a* good[poor] ~ 능란한[서투른] 연설 / *a* telling ~ 효과적인 화술(話術). **3** U,C 방출, 발사 ; 배급, 배수(配水) ; 투척, U 〔球技〕 투구법(投球法). **4** U,C 분만, 출산 : an easy[a difficult] ~ 순산[난산]. **5** U,C 구출, 해방.

on delivery 배달할 때[과 동시]에, 현품과 교환으로 : cash *on* ~ ☞ CASH *n.* 숙어.

〖AF (p.p.) ‹DELIVER〗

delívery bòy *n.* (상점의) 배달인[소년], 점원 ; 신문배달 소년.

delívery·màn [, -mən] *n.* (*pl.* **-men** [-mèn, -mən]) (상품의) 배달인.

delívery mònth *n.* 〔商〕 기한 달《정기 내지 선물(先物) 거래를 정산하는 기한》.

delívery nòte *n.* (상품 배달) 수령증.

delívery ròom *n.* **1** (병원의) 분만실. **2** (도서관의) 도서 대출실.

delívery sỳstem *n.* 〔軍〕 운반 수단[시스템] : nuclear ~ 핵운반 수단.

delívery trùck *n.* 배달용 트럭.

delívery vèhicle *n.* (미사일 따위의) 운반(運搬) 로켓.

dell [dél] *n.* (산간의) 작은 골짜기.

〖OE *dell* hollow ; cf. DALE, G (dial.) *Telle*〗

Del·la [délə] *n.* 여자 이름.

Dél·lin·ger phenómenon [déləndʒər-] *n.* 〔理〕 델린저 현상《태양 활동에 따른 통신 전파의 이상 감쇠》.

〖J. H. *Dellinger* (d. 1962) 미국의 물리학자〗

del·ly, del·lie [déli] *n.* 《口》 =DELI.

Del·már·va Península [delmáːrvə-] *n.* [the ~] 델마바 반도《미국 동부 Chesapeake만(灣)과 Delaware만 사이의 반도》.

〖*Del*aware+ *Mar*yland+ *V*irgini*a*〗

de·lòcal·izátion *n.* 지방색(色) 배제 ; 비(非)국지화(化).

de·lócal·ìze *vt.* 본래의 장소에서 옮기다 ; 〔理〕 (전자를) 특정한 위치에서 분리시키다 ; 장소를 바꾸어 지방색을 없애다.

de·lóuse *vt.* …에서 이를 잡다 ; …으로부터 유해물을 제거하다.

Del·phi [délfai] *n.* 델포이《그리스의 옛 도시 ; 신탁으로 유명한 Apollo 신전이 있었음》.

Del·phi·an [délfiən] *a.* =DELPHIC. —— *n.* 델포이 주민.

Del·phic [délfik] *a.* Delphi의 ; 델포이의 Apollo 신전[신탁소]의 ; 아폴로의 ; 신탁[예언]의[같은] ; 의미가 애매한, 난해한.

Délphic óracle *n.* [the ~] 델포이 신탁소《아폴로 신전에 있었으며 난해한 신탁으로 유명》.

Del·phin [délfən] *a.* 프랑스 황태자(dauphin)의 ; Delphin classics의.

Délphin clássics *n.* [the ~] 프랑스 황태자판(版)《Louis 14세 때 왕자의 교육을 위해 편집된 라틴 문집》.

Del·phine [delfíːn] *n.* 여자 이름.

del·phin·i·um [delfíniəm] *n.* 〔植〕 참제비고깔.

〖L<Gk.=larkspur ; ⇨ DOLPHIN〗

Del·phi·nus [delfáinəs, -fíː-] *n.* 〔天〕 돌고래자리 (the Dolphin).

Délphi pòll *n.* 델포이식 투표《한 문제에 대하여 두번 투표 기회가 주어지는 방식》.

Del·phol·o·gy [delfálədʒi] *n.* (특히 과학 기술분야에서의) 미래 예측 방식의 연구, 미래학 방법론.

del·ta [déltə] *n.* **1** 델타《그리스 자모의 네번째 글자 ; Δ, δ ; 영자(英字)의 D, d에 해당》 ; 시험 성적 제4급의 표시. **2** Δ자형의 것 ; (특히 하구의) 삼각주, 델타. **3** [D~] 문자 d를 표시하는 통신용어 ; [D~] 〔天〕 델타성(星)《별자리중 네번째로 밝은 별》 ; [D~] 델타《미국의 인공위성을 쏘아 올리는 로켓》 ; 〔數〕 델타《변수의 증가분 ; 기호 Δ》.

〖Gk.<Phoenician〗

Délta Áir Línes *n.* 델타 항공《미국 항공 회사 ; 국제 약칭 DL》.

Délta blùes *n.* [단수·복수 취급] 델타 블루스《블루스의 영향을 받은 컨트리 뮤직》.

〖Mississippi *delta*〗

Délta Fórce *n.* 《美》 델타 부대《미육군 소속의 테러 대책 특별 부대》.

del·ta·ic [deltéiik] *a.* 델타의[같은] ; 삼각형의 ; 삼각주의.

délta mètal *n.* 〔冶〕 델타 메탈《구리·아연·철의 합금》.

délta rày *n.* 〔理〕 델타선(線)《고속도의 β선과 구별한 속도가 느린 전자선》.

délta wàve[**rhỳthm**] *n.* 〔生理〕 (뇌파의) 델타파[리듬]《깊은 수면 상태를 나타냄》.

délta wíng *n.* (제트기 따위의) 삼각 날개.

délta-wìng(**ed**) *a.* (제트기가) 삼각 날개인.

del·ti·ol·o·gy [dèltiálədʒi] *n.* (취미로서의) 그림엽서 수집. **-gist** *n.*

del·toid [déltɔid] *a.* 델타 글자(Δ) 모양의, 삼각형의 ; 삼각주 모양의. —— *n.* 〔解〕 삼각근(筋).

de·lude [dilúːd] *vt.* **1** [+目 / +目+前+名] 속이다, 미혹(迷惑)시키다. **2** [~ one*self* 로] 잘못 생각하다 ; 자기를 속이다 ; 망상에 사로잡히다 : She ~*d* her*self* ***with*** empty dreams. 헛된 꿈에 사로잡혀 있었다. **3** (사람을) 속여서 …하게 하다 : You must not ~ him ***into*** believ*ing* it. 그가 그것을 믿게끔 현혹시켜서는 안된다.

de·lúd·er *n.* **de·lúd·ing·ly** *adv.*

〖L *de*-(*lus*- *ludo* to play)=to mock〗

del·uge [délju:dʒ] *n.* **1 a)** 대홍수, 범람 ; 호우(豪雨) : a ~ of fire 불바다 / After me[us] the ~. 나중에야 (홍수가 나든 말든) 될 대로 돼라. **b)** [the D~] 〔聖〕 노아(Noah)의 대홍수. **2** (편지·방문객 등의) 쇄도(殺到) ‹*of*›. —— *vt.* **1** 홍수에 잠기게 하다, 범람시키다(flood). **2** [+目+*with*+名] …에 쇄도하다, 압도하다(overwhelm) : We were ~*d* ***with*** applications. 우리들에게 신청(申請)이 쇄도했다.

〖OF<L *diluvium* ‹ *diluo* to wash away〗

de·lu·sion [dilúːʒən] *n.* **1** U 미혹(迷惑), 기만. **2** U,C 갈피를 못잡음, 당혹, 망상(妄想) (↔ *reality*) ; 잘못된 생각 : ~ of persecution [grandeur] 피해[과대] 망상 / be [labor] under a ~ 망상에 시달리다. **~·al** *a.* 망상적인.

〖L ; ⇨ DELUDE〗

類義語 ⟹ ILLUSION.

de·lu·sive [dilúːsiv, 美+-ziv] *a.* 속임수의 ; 기만적인 ; 망상적인(illusional), 가공의 ; 남을 잘못 인도하는(misleading).

~·ly *adv.* **~·ness** *n.*

de·lu·so·ry [dilúːsəri, -zə-] *a.* =DELUSIVE.

de·luxe [dəlúks, -lʌ́ks, -lúːks] *a.* 호화로운, 사치스러운 : a ~ edition 호화판 / articles ~ 사치품 / a ~ train=a train ~ 특급 열차.

—— *adv.* 사치스럽게.

〖F *de luxe* of luxury〗

delve [délv] *vi.* [+前+名] 탐구하다, 깊이 파고들다 : ~ ***for*** facts[***into*** a set of documents] 사실[한 묶음의 서류]을 조사하다. —— *vt.* 《古·方》 파다(dig). —— *n.* 파기 ; 《古》 동굴(den), 움푹

팬 곳. **délv·er** *n.* 탐구자 ; 파는 사람. 〚OE *delfan* to dig ; cf. OHG *telban* to dig〛

dely., delvy. delivery.

dem [dém] *v., n.* 《英俗》 =DAMN.

Dem. Democrat ; Democratic.

dem- [dí:m], **de·mo-** [dí:mou, -mə] *comb. form* 「민중」「대중」「인민」「서민」「인구」의 뜻. 〚Gk. DEMOS〛

de·mágnet·ìze *vt.* …에서 자기(磁氣)를 없애다 ; (자기(磁氣) 테이프의) 녹음을 지우다. **-ìz·er** *n.* 소자(消磁) 장치. **de·màgnet·izá·tion** *n.* 소자(消磁) ; (자기 테이프의) 소음(消音).

de·mágnify *vt.* (영상(映像)·전자 빔 따위를) 축소하다, 마이크로화(化)하다.

dem·a·gog·ic, -i·cal [dèməgágik(əl)] *a.* 민중 선동가의, 선동적인, 데마고기의.

dem·a·gog·ism, -gogu·ism [déməgàgizəm] *n.* =DEMAGOGUERY.

dem·a·gogue, 《美》 **-gog** [déməgàg] *n.* **1** 선동 정치가, 민중 선동가. **2** (옛날의) 민중[군중]의 지도자. —— *vt.* demagogue로 행동하다. 〚Gk.=people leader (*dem-*, *agōgos* leading)〛

dem·a·gogu·ery [déməgàgəri] *n.* Ⓤ 데마고기를 퍼뜨리기 ; 선동(주의).

dem·a·gogy [déməgàgi, -gàdʒi, 美+-gòudʒi] *n.* **1** Ⓤ 민중 선동(民衆煽動), 데마고기, 악선전. **2** demagog(ue)의 일단.

de·mán [di:-] *vi., vt.* 《英》 감원[해고, 면직]하다 ; 《美》 …의 남자다움을 빼앗다.

‡**de·mand** [dimǽ(:)nd ; -má:nd] *vt.* **1** [+目/+目+前+名/+*to* do/+*that* 節] 요구하다(ask for) ; 힐문하다, 대답을 강요하다 : A highwayman ~*ed* the traveler's money. 노상 강도는 나그네에게 돈을 내놓으라고 강요했다 / The gatekeeper ~*ed* my business. 수위는 용건이 뭐냐고 물었다 / He ~*ed* an apology ***from*** me. 나에게 사과할 것을 요구했다 / She ~*ed* too high a price ***of*** him. 그에게 터무니없는 값을 요구했다 / The sentry sharply ~*ed to* know why I was there. 보초는 내가 왜 그곳에 있었는지 캐물었다 / Her husband ~*ed that* she (should) tell him the whole truth. 남편은 그녀에게 모든 진실을 털어놓으라고 강요했다. 注 demand는 사람을 목적어로 하지 않음. **2** 필요로 하다 : Keeping a diary ~*s* patience. 일기를 쓰는 데는 인내가 필요하다 / The matter ~*s* great caution. 그 일은 세심한 주의를 요한다. **3** 〖法〗 소환하다, …에게 출두를 명하다.

〈회화〉
He *demanded* money from me.—Did you give it to him?「그는 나에게 돈을 요구했어」「그래서 그에게 돈을 주었니」

—— *vi.* 요구하다 ; 힐문하다.

—— *n.* **1** 요구(claim) ; 청구(request) ; 요구물(物) ; 조회 ; 강요〈*for*〉; 〖法〗 청구(권) : He has many ~*s* ***on*** his time. 그는 여러 가지로 시간을 뺏기는 일이 많다. **2** Ⓤ [또는 a ~] 수요, 판로 : supply and ~ = ~ and supply 수요 공급 / There is *a* great[*a* poor, little] ~ *for* this article. 이 물품의 수요가 많다[적다].

in demand 수요가 있는 : Interpreters were *in* great ~ *for* the Olympics. 올림픽 때문에 통역이 대단히 많이 필요했다《서로 끌어가려고 했다》/ These goods are *in* little ~. 이들 상품의 수요는 적다.

on demand 요구[수요]가 있는 대로.

demand의 ○×

(×) They *demand* that the company *pays* them more.
(그들은 회사가 급료를 올려 주기를 원한다.)
(○) They *demand* that the company *pay* [*should pay*] them more.
☆ 명령이나 요구를 나타내는 동사 다음에 오는 that절에는 가정법 현재형을 쓰든지 should를 쓴다.
(⇨ order) 다음의 구별에도 주의.
He *ordered* that she (should) go. (○)
He *ordered* her *to* go. (○)
(그는 그녀에게 갈 것을 명령했다.)
He *demanded* that she (should) go. (○)
He *demanded* her *to* go. (×)
(그는 그녀에게 갈 것을 요구했다.)
☆ demand는 [demand+目+*to* do]의 형태로는 쓰지 않는다.

~·able *a.* 요구[청구]할 수 있는. **~·er** *n.* 요구자, 청구자.
〚OF<L=to entrust ; ⇨ MANDATE〛

類義語 ***demand*** 필요한 것을 요구하다, 권위적으로 또는 명령조로 단호히 요구하다 : *demand* an explanation (설명을 요구하다). ***claim*** 자기가 당연히 소유할 권리가 있다고 생각하고 있는 사람이 어떤 것을 요구하다 : The prince *claimed* the crown. (왕자는 왕위를 요구했다). ***require*** 다급한 사정이 있어서 어떤 것을 필요로 하다 또는 의무·법률·규칙에 입각하여 요구하다 : *require* the presence of the members (회원의 참석을 요구하다).

demánd·ant *n.* 요구자 ; 질문자 ; 〖法〗 원고.

demánd bìll[dràft] *n.* 요구불 어음(=《美》 sight draft).

demánd bùs *n.* 디맨드 버스《정해진 노선이 없이 일정 구역내의 이용자로부터 전화 따위의 요청에 의해 지정 장소로 손님을 태우러 가는 버스》.

demánd depòsit *n.* 〖銀行〗 요구불 예금, 당좌예금(cf. TIME DEPOSIT).

demánd inflàtion *n.* 수요 과잉 인플레이션.

demánd·ing *a.* (너무) 많은 것을 요구하는, (사람이) 요구가 지나친 ; (일이) 큰 노력을 요하는.

demánd lòan *n.* =CALL LOAN.

demánd nòte *n.* 요구불 약속어음, 일람불 어음 ; 《英》 청구서.

demánd-órient·ed *a.* 〖經〗 수요에 중점을 둔.

demánd-pùll (inflátion) *n.* 〖經〗 =DEMAND INFLATION.

demánd-sìde económics *n.* 수요 중시(重視)의 경제학(cf. SUPPLY-SIDE ECONOMICS).

de-Màoizátion [di:-], **de-Mào·ifi·cá·tion** [-əfəkéiʃən] *n.* 비(非)모(택동)화(化), 탈(脫)모(택동)화, 모(택동)색채 일소.

de·mar·cate [dimá:rkeit, dí:ma:rkèit ; dí:ma:kèit] *vt.* …의 한계를 정하다[표시하다] ; 분리하다, 구별하다. 〚역성<↓〛

de·mar·ca·tion, -ka- [dì:ma:rkéiʃən] *n.* **1** 경계, 분계. **2** Ⓤ 경계[한계] 설정 ; 구분. 〚Sp. ; ⇨ MARK[1]〛

dé·marche, de- [deimá:rʃ, di-, déima:rʃ] *n.* 처치, 조치, 대책 ; (특히 외교상의) 수단 ; 전환책, 신(新) 정책. 〚F=gait (*demarcher* to take steps) ; cf. MARCH[1]〛

de·márket·ing *n.* 반(反)마케팅《물건이 달리는

상품의 수요를 억제하기 위한 선전 활동》.

de·másculinize *vt.* …의 남성다움을 없애다.
de·masculinizátion *n.*

dè·matérial·ìze *vt., vi.* 비물질화(非物質化)하다, 안보이게 하다[되다].
dè·matèrial·izátion *n.*

deme [díːm] *n.* **1** (고대 그리스 Attica의) 시구(市區). **2** (현대 그리스의) 시(市), 지방 자치제. 〖Gk. *dēmos* people〗

de·mean[1] [dimíːn] *vt.* [~ one*self* 로] 품위[신분]를 떨어뜨리다 : He ~*ed* him*self* by begging for food and clothing. 그는 의식(衣食)을 구걸함으로써 품위를 떨어뜨렸다.
〖MEAN[2] ; DEBASE에 준한 것〗

demean[2] *vt.* [+目+副] 《文語》 [보통 ~ one*self* 로] 행동하다, 처신하다(behave) : He ~*ed* him*self* ill[well, like a man]. 잘못[훌륭하게, 남자답게] 처신했다. ── *n.* 《古》 =DEMEANOR.
〖OF (L *mino* to drive animals ‹ *minor* to threaten)〗
類義語 ⟹ BEHAVE.

***de·mean·or | -our** [dimíːnər] *n.* Ⓤ 행실, 품행 ; 거동, 태도(bearing) ; 표정.
類義語 ⟹ MANNER.

de·ment [dimént] *vt.* 《稀》 발광케 하다, …의 이성을 빼앗다. ── *n.* 《稀》 미친 사람. ── *a.* 미친. 〖F or L (↓)〗

de·ment·ed [diméntəd] *a.* 발광한, 정신 착란 상태의 ; 치매에 걸린.
~·ly *adv.* **~·ness** *n.*
〖(p.p.) ‹ *dement* <OF<L (*ment-* *mens* mind)〗

dé·men·ti [deimáːnti ; *F* demɑ̃ti] *n.* (*pl.* **~s** [-z ; *F* —]) 〖外交〗 (풍문에 대한) 공식 부인.

de·men·tia [diménʃiə] *n.* Ⓤ 〖精神醫〗 치매(癡呆) ; 광기, 정신 이상 : senile ~ 노인성 치매.
〖L=madness ; ⇨ DEMENTED〗

deméntia práe·cox[**pré-**] [-príːkɑks] *n.* (*pl.* **de·men·ti·ae prae·co·ces** [-iìː príːkəsìːz]) 〖精神醫〗 조발성 치매《정신 분열증(schizophrenia)의 옛 이름》. 〖NL=precocious dementia〗

Dem·e·rara [dèməréərə, -rǽərə, -ráːrə] *n.* [the ~] 데메라라 강(江)《가이아나 중부의 강》 ; [d~] 데메라라《사탕수수에서 채취하는 연한 갈색의 조당(粗糖)》.

de·merge [diməːrdʒ], **de·merg·er** [diməːrdʒər] *vt., vi.* (사업부·자회사 따위) 본사에서 분리하다[분리되다].

de·mer·it [dimérət] *n.* **1** 과실, 결점(↔*merit*) : the merits or[and] ~*s* of …의 장단점(長短點)[득실·공죄]. **2** =DEMERIT MARK. ── *vt.* (남)에게 벌점을 주다.
〖OF or L *demerit-* *demereor* to deserve ; ⇨ MERIT ; 본래 「공죄(功罪)」의 뜻 ; 현재의 뜻은 강조(強調)의 *de-*가 부정의 *de-*로 잘못된 것〗

demérit màrk *n.* 〖敎〗 벌점(罰點).

Dem·er·ol [déməròː(ː)l, -ròul, -rɑ̀l] *n.* 〖藥〗 데메롤《meperidine의 상표명》.

de·mer·sal [diməːrsəl] *a.* 〖動〗 해저[호수 밑](부근)의[에 사는] : ~ fish 바다 밑에 사는 물고기.

de·mesne [diméin, -míːn] *n.* **1** Ⓤ 〖法〗 토지의 소유 : hold estates in ~ 토지를 영유(領有)하다. **2** 소유지 ; 장원(莊園) : a royal ~=a ~ of the Crown 왕실 소유지(crown lands). **3** 저택 부속지 ; [보통 *pl.*] 토지(estates). **4** 지방(district) ; 활동범위, 영역(domain), 분야〈*of*〉.
〖OF=belonging to a lord<L *dominicus* (*dominus* lord) ; *-s-*는 AF의 다른 형〗

de·met·al·lize [diːmétəlàiz] *vt.* (메탈화 적층(積層) 필름 구성층의 하나인) 금속박층의 일부를 벗기다.

De·me·ter [dimíːtər] *n.* 〖그神〗 데메테르《농업·풍요·결혼·사회 질서의 여신 ; 〖로神〗의 Ceres에 해당함》.

De·me·tri·us [dimíːtriəs] *n.* 남자 이름.
〖Gk.=of Demeter〗

demi- [démi-] *pref.* 「반(半)…」 「부분적…」의 뜻 (cf. BI-[1], HEMI-, SEMI-).
〖F<L *dimidius* half〗

démi·gòd *n.* (*fem.* **~·dess**) **1** 〖神〗 반신반인(半神半人)《신과 인간 사이에서 태어난 자》. **2** 숭배 받는 인물 ; 신격화된 영웅.

demi·john [démidʒɑ̀n] *n.* 데미존《보통 채롱에 든 목이 가는 큰 병 ; 1-10갤런들이 ; cf. CARBOY》.
〖F *dame-jeanne* Lady Jane ; *demi-*, *John*에서 동화〗

demijohn

de·mílitarize *vt.* 비무장화하다 ; 비군사화하다 ; 군국주의에서 해방하다 ; 군정(軍政)에서 민정(民政)으로 옮기다 : a ~*d* zone 비무장 지대《略 DMZ》.
de·militarizátion *n.* 비무장화, 비군사화.

démi·lùne *n.* 초승달, 반달 ; 〖築城〗 반월보(半月堡) ; 〖生理〗 (타액선 따위의) 반달(세포).

démi-míni *a., n.* 미니보다 짧은 (스커트·드레스), 초미니 스커트(의).

demi·mon·daine [dèmimɑndéin, ⌐-⌐-] *n., a.* 화류계 여자(의), 매춘부(의). 〖F〗

demi·monde [démimɑ̀nd ; ⌐-⌐] *n.* [the ~] 고급 매춘부들(의 세계), 화류계.
〖F=half-world ; Dumas fils의 조어〗

de·míneral·ìze *vt.* …에서 광물질을 제거하다, 탈염(脫鹽)하다 : ~*d* water 탈염[탈(脫)이온]수.

démi·official *n.* 《인도》 공사(公事)에 관한 사한(私翰).

de·mi-pen·sion [*F* dəmipɑ̃sjɔ̃] *n.* **1** (하숙·호텔 따위의) 1박 2식제(=《英》 half board) ; 그 요금. **2** =MODIFIED AMERICAN PLAN.

demi·rep [démirèp] *n.* 품행이 좋지 못한 여자 ; 매춘부. 〖*rep*robate〗

de·mis·able [dimáizəbəl] *a.* 양도할 수 있는, 유산으로 물릴 수 있는.

de·mise [dimáiz] *n.* **1** 붕어(崩御) ; 서거(逝去), 별세(death), 사망 ; 소멸, 종말. **2** 〖法〗 (유언 또는 대차(貸借)에 의한) 권리 양도[설정]. **3** (왕위의) 계승 : the ~ of the Crown (사망 또는 퇴위에 의한) 왕위 계승. ── *vt.* 〖法〗 양도하다 ; 유증(遺贈)하다. ── *vi.* 통치권[왕위] 계승을 하다 ; 사망하다.
〖AF (p.p.) <OF DISMISS〗

dèmi·sémi·quàver [; ⌐-⌐-⌐-] *n.* 《英》 〖樂〗 32분 음표(=《美》 thirty-second note).

de·mis·sion [dimíʃən] *n.* Ⓤ,Ⓒ 사직, 퇴직 ; 《古》 해임.

de·míst *vt.* 《英》 (차창의) 성에를 닦아내다. **~·er** *n.* 《英》 demist하는 장치(defroster).

de·mit [dimít] *vt., vi.* (**-tt-**) 《古·스코》 (직을) 사퇴하다, 사직하다 ; 해임[해고]하다.

demi·tasse [démitæ̀s, 美+-tɑ̀ːs] *n.* 데미타스《식후에 쓰는 소형 커피 잔 ; 이 잔으로 마시는 설탕을 넣지 않은 커피》. 〖F=half-cup〗

démi·tìnt *n.* 〖美術〗 간색(間色) ; (그림의) 흐릿하

게 한 부분.

demi·urge [démiə:rdʒ, dí:mi-] *n.* **1** (플라톤 철학에서의) 데미우르고스《세계의 형성자》; (그노시스파 철학에서의) 창조신《상제 아래에서 우주를 창조한 하급신》; 창조력을 가진 것. **2** (고대 그리스의 일부 도시 국가의) 집정관, 행정 장관. **dèmi·ur·geous** *a.* **dèmi·úr·gic, -gi·cal** *a.* **-gi·cal·ly** *adv.* 〖Gk.=worker for the people〗

démi·vòlt(e) *n.* Ⓤ 〔馬〕 (말이 두 앞발을 들고) 반회전하기.

démi·wòrld *n.* [the ~] 화류계 (demimonde).

demo [démou] *n.* (*pl.* **dém·os**) 《口》 **1** 데모, 시위운동(demonstration); 실물 선전용 제품(demonstrator). **2** 가수[연주가] 지망자가 레코드 회사 따위에 보내는 녹음[레코드]. **3** [D~] 《美》 =DEMOCRAT.

demo- [démou, -mə] ☞ DEM-.

de·mob [di(:)mάb] *n.* 《口》 =DEMOBILIZATION; 복원병[자]. —— *vt.* (**-bb-**) 《口》 =DEMOBILIZE.

de·móbilize [di(:)-] *vt.* 〔軍〕 동원해제하다, 해대하다(disband); 제대시키다. —— *vi.* (군대 따위) 해산하다. **-mobilizátion** *n.* 〔軍〕 동원 해제, 제대(除隊). 〖F (*de-*)〗

***de·moc·ra·cy** [dimάkrəsi] *n.* **1** Ⓤ 민주주의; 민주제, 민주정치, 민주정체; Ⓒ 민주(주의) 국가, 민주국[사회]. **2** [D~] 《美》 민주당(의 정강). **3** [the ~] 평민계급, 민중. 〖F<L<Gk.; ⇨ DEMOS〗

***dem·o·crat** [déməkræ̀t] *n.* **1** 민주주의자, 민주정체론자. **2** [D~] 《美》 민주당원(員)(cf. REPUBLICAN). 〖F *démocrate* (↑); *aristocracy*: *aristocrat*의 유추〗

***dem·o·crat·ic** [dèməkrǽtik] *a.* **1** 민주정체[주의]의; 민주적인; [D~] 《美》 민주당의(cf. REPUBLICAN). **2** 대중적인, 평민적인. **-i·cal·ly** *adv.* 민주적으로. 〖F<L<Gk.; ⇨ DEMOCRACY〗

Democrátic párty *n.* [the ~] 《美》 민주당《the Republican party와 더불어 현재 미국의 2대 정당; ☞ DONKEY》.

Democrátic-Repúblican párty *n.* [the ~] 〔美史〕 민주 공화당《19세기 초기 연방 정부의 권한 확대를 부정하고 Federalist party와 대립한 정당; 현 민주당의 전신》.

de·moc·ra·tism [dimάkrətìzəm] *n.* Ⓤ 민주주의 이론[제도, 원칙].

democratizátion mòvement *n.* 민주화(化) 운동.

de·moc·ra·tize [dimάkrətàiz] *vt., vi.* 민주화하다, 민주[평민]적으로 하다. **de·mòc·ra·ti·zá·tion** *n.* 민주화.

De·moc·ri·tus [dimάkrətəs] *n.* 데모크리토스 (460?-?370 B.C.)《그리스의 철학자》.

dé·mo·dé [dèimoudéi; *F* demɔde] *a.* 시대에 뒤진, 구식의(outmoded, out-of-date). 〖F (p.p.) ‹ *démoder*; ⇨ MODE〗

de·mod·ed [di:móudəd] *a.* =DÉMODÉ.

de·módulate *vt.* 〔通信〕 복조(復調)하다, 검파(檢波)하다.

De·mo·gor·gon [dì:məgɔ́:rgən, ⌐-⌐-] *n.* 〔神〕 데모고르곤, 마신(魔神)《그리스 신화 이전의 원시적 창조의 신》.

de·mo·graph·ic [dì:məgrǽfik] *a.* 인구 통계학의, 인구 통계학적인.

demográphic characterístics *n. pl.* 〔出版〕 (성별·연령 따위에 의한 잡지 독자의) 인구 통계적 특성.

demográphic edìtion *n. pl.* 〔出版〕 공통의 인구 통계적 특성을 지닌 독자층별 판《기사는 같고 광고의 일부가 다른 경우가 많음》.

de·mo·graph·ics [dì:məgrǽfiks, dèmə-] *n. pl.* 인구 통계.

demográphic segmentátion *n.* (마케팅에서) 인구 통계학적 세분화.

demográphic transítion *n.* 인구학적 천이(遷移)《출생률·사망률의 주된 변화》.

de·mog·ra·phy [dimάgrəfi] *n.* Ⓤ 인구 통계학, 인구학(cf. VITAL STATISTICS). **-pher** *n.* 인구 통계학자. 〖Gk. DEMOS〗

dem·oi·selle [dèmwəzél, dəmwα:-] *n.* 소녀; 〔鳥〕 쇠재두루미; 〔昆〕 실잠자리, 물잠자리. 〖F〗

de·mol·ish [dimάliʃ] *vt.* **1** (건물·계획·지론 따위를) 번복하다, 파괴하다, 분쇄하다. **2** 《戯》 모조리 먹어 버리다, 먹어 치우다(eat up). 〖F<L (*molit-* *molior* to construct ‹ *moles* mass)〗

dem·o·li·tion [dèməlíʃən, dì:-] *n.* Ⓤ,Ⓒ 해체, 파괴; 폭파; 분쇄, (특권 따위의) 타파‹*of*›; [*pl.*] (전쟁용) 폭약.

demolítion bòmb *n.* 〔軍〕 파괴용 폭탄.

demolítion dèrby *n.* 자동차 파괴 경기, 스턴트 카레이스《고물 자동차를 서로 충돌시켜 주행 가능한 마지막 한 대가 우승함》.

de·mon, dae- [dí:mən] *n.* (*fem.* **~·ess**) **1** 악마(devil), 악령, 악귀, 마신; 〔宗〕 정령: the little ~ (*of* a child) 장난꾸러기. **2** 《口》 악의 화신, 극악 무도한 사람[것], 사악한 감정[성벽, 영향력]; 정력가, 명수, …의 귀신: a ~ *for* work[*at* golf] 일하는 데 귀신[골프의 명수]. **3** [보통 dae-] 〔그神〕 다이몬《신과 인간 사이에 위치하는 초자연적 존재》. **4** (사람·토지 따위에 있는) 수호신. **5** 《濠口》 (사복) 경찰, 형사. —— *a.* =DEMONIAC. 〖L<Gk. *daimōn* deity〗

de·mon- [dí:mən], **de·mo·no-** [dí:mənou, -nə] *comb. form* 「악마」의 뜻.

de·mónetize *vt.* …의 본위 화폐로서의 자격을 박탈하다; (화폐·우표의) 통용을 폐지하다. **de·monetizátion** *n.*

de·mo·ni·ac [dimóuniæ̀k] *a., n.* 악마와 같은 (사람); 귀신[악령] 들린 (사람), 흉포한 (사람). **de·mo·ni·a·cal** [dì:mənáiəkəl] *a.* 〖OF<L (Gk. (dim.) ‹DEMON)〗

de·mon·ic, -i·cal, dae- [dimάnik(əl)] *a.* **1** 악마의[같은]. **2** [보통 dae-] 악령에게 홀린(듯한), 신통력[마력]을 가진, 초인적인.

démon·ìsm *n.* Ⓤ 마신(魔神) 신앙, 사신교; 악령학[론]. **-ist** *n.* 마신 신앙자.

démon·ìze *vt.* 악마로 만들다; 귀신들리게 하다. **dèmon·izátion** *n.*

demono- ☞ DEMON-.

de·mon·oc·ra·cy [dì:mənάkrəsi] *n.* 마신[귀신]의 지배; 지배하는 악마 집단.

de·mon·ol·a·try [dì:mənάlətri] *n.* Ⓤ 마신[귀신] 숭배.

de·mon·ol·o·gy [dì:mənάlədʒi] *n.* Ⓤ 악령학[론], 악마 연구; 꺼림칙한 적[유해한 사람]의 일람표. **-gist** *n.* 귀신학[론]자.

dèmono·phóbia *n.* 귀신 공포(증).

de·mo·nop·o·lize [dì:mənάpəlaiz; -nɔ́-] *vt.* 전매권을 해제하다.

demonst. demonstrative.

de·mon·stra·ble [dimάnstrəbəl, démən-] *a.* 논증[증명, 명시]할 수 있는 ; 명백한. **-bly** *adv.* 논증[증명]에 따라 ; 명백하게. **~·ness** *n.* **de·mòn·stra·bíl·i·ty** *n.* 논증 가능성.

de·mon·strant [dəmάnstrənt] *n.* =DEMONSTRATOR.

***dem·on·strate** [démənstrèit] *vt.* **1** [+目/+that 節] 논증[증명]하다 ; (사물이) …의 증거가 되다(prove) ; (상품을) 실물(實物) 선전하다, 실연(實演) 광고하다 ; (모형·실험을 통해서) 설명하다, …의 실지 교수를 하다 : He ~*d* new car. 새 차의 실물을 보이며 선전하였다 / He ~*d that* the earth is round. 지구가 둥글다는 것을 증명했다. **2** (감정·의사 따위를) 표시하다, 내색하다 : ~ one's emotions 감정을 겉으로 나타내다.
—— *vi.* **1** [動/+前+名] 시위 운동[데모]을 하다 : ~ ***against*** a racial prejudice 인종 차별에 항의해서 데모를 하다. **2** 〖軍〗 견제하다, 양동작전을 하다. **3** 실지 교수로 가르치다[설명하다]. 〚L (*monstro* to show)〛

***dem·on·stra·tion** [dèmənstréiʃən] *n.* **1** U,C 논증, 입증 ; 증거, 확증 ; 〖數〗 증명. **2** U,C 실례에 의한 설명, 실연(實演), 실물[실험] 교수 ; (상품의) 실물 선전 : give a ~ of …을 실연해 보이다. **3** U,C (감정의) 표명〈*of*〉. **4** U,C 시위 운동, (가두)시위. **5** U,C 〖軍〗 (군사력의) 과시, 양동 (작전).
to demonstration 명확히, 결정적으로.
~·al *a.* 시위 (운동)의. **~·ist** *n.* 시위 운동 (참가)자.

demonstrátion reàctor *n.* 시험로.

de·mon·stra·tive [dimάnstrətiv] *a.* **1** 지시적인 ; 〖文法〗 지시의 : a ~ adjective [adverb, pronoun] 지시 형용사[부사, 대명사]. **2** 예증적(例證的)인, 논증할 수 있는. **3** 표현적인, 노골적인 ; (…을) 노골적으로 나타내는〈*of*〉. **4** 시위적인. —— *n.* 〖文法〗 지시사《that, this 따위》.
~·ly *adv.* 지시[논증]적으로. **~·ness** *n.*

dém·on·strà·tor *n.* **1** 논증자, 증명자. **2** (화학·해부학 따위의) 실지 교수자, 실험(수업)의 조수 ; (상품·기기의) 실지 설명자, 실물 선전원 ; 실물 선전용의 제품. **3** 시위 운동자, 데모 참가자.

de·móral·ìze [di-, di:-] *vt.* (cf. MORALE) **1** …의 풍기를 문란케 하다, 타락시키다 : The drug habit ~*s* people. 마약 상용(常用)은 사람을 타락시킨다. **2** (군대의) 사기를 꺾다. **3** 갈피를 못잡게 하다, 당황하게 하다(bewilder). **4** (시장 따위를) 혼란시키다, 붕괴시키다(upset, destroy).
de·mòral·izátion *n.* 풍기 문란, 타락, 퇴폐 ; 사기 저하 ; 혼란. 〚F〛

démo rèel *n.* 〖廣告〗 =SAMPLE REEL.

de mor·tu·is nil ni·si bo·num [dei mɔ́:rtuì:s nì:l nísi: bɔ́:num] 죽은 사람에 대해서는 좋은 것만 말하라, 죽은 사람을 채찍질하지 마라. 〚L=of the dead (say) nothing but good〛

de·mos [dí:mɑs] *n.* (*pl.* **~·es, de·mi** [dí:mai]) U (고대 그리스의) 시민 ; 민중, 대중. 〚Gk. *dēmos*〛

De·mos·the·nes [dimάsθənì:z] *n.* 데모스테네스 (384 ?-322 B.C.)《그리스의 웅변가·정치가》.
De·mos·then·ic [dimɑsθénik] *a.* 데모스테네스 같은 ; 웅변의, 열변을 토하는.

de·mote [dimóut, 美+dí:mout] *vt.* 《美》 …의 계급[지위]을 떨어뜨리다 ; 강등(降等)시키다(↔ *promote*). **de·mó·tion** *n.* 《美》 하급으로 떨어뜨림 ; 강등(降等) (↔*promotion*). 〚*de-*+pro*mote*〛

de·móth·bàll *vt.* (전투에 사용키 위해 군함)의 격납을 해제하다, 현역에 복귀시키다.

de·mot·ic [dimάtik] *a.* 민중의, 통속적인 ; (고대 이집트의) 민중 문자의 ; 데모틱의. —— *n.* (고대 이집트의) 민중 문자 ; 데모틱《현대 그리스어의 구어체라고도 할 수 있음》. 〚Gk. ; ⇨ DEMOS〛

de·mót·ics *n.* 민중과 사회의 연구, 민중학.

de·mótivate *vt.* …에게 동기를 잃게 하다, (남)의 의욕을 잃게 하다.
de·motivátion *n.* 의기 소침.

de·móunt *vt.* (대(臺) 따위에서) 떼어내다, (기계를) 분해하다. —— *vi.* =DISMOUNT.

de·móunt·able *a.* 떼어낼 수 있는 ; 해체 가능한. —— *n.* 해체 가능한 건물.

de·mul·cent [dimʌ́lsənt] *a.* 〖醫〗 자극을 완화하는, 진통(鎭痛)의. —— *n.* 완화제, 진통제.

de·mur [dimə́:r] *vi.* (-**rr**-) **1** [+前+名] 이의를 말하다, 반대하다(object) : ~ ***to*** a demand 요구에 반대하다 / The workers ~*red* ***at*** work*ing* overtime without extra pay. 근로자들은 특별수당도 받지 못하고 초과근무를 하는 것에 이의를 제기했다. **2** 〖法〗 항변하다. —— *n.* U 이의 (제기) : without ~ 이의없이. 〚OF<L (*moror* to delay)〛 類義語 ⟹ OBJECT².

de·mure [dimjúər] *a.* (**de·múr·er ; -múr·est**) **1** 얌전빼는, 새침한, 고상한 체하는. **2** 착실한, 진지한 ; 아주 침착한. **~·ly** *adv.* 착실하게 ; 점잔빼고. **~·ness** *n.* 〚? OE (p.p.)〈 *demorer* to remain〈 ↑ ; OF *meür*<L *maturus* ripe도 영향인가〛 類義語 ⟹ SHY.

de·mur·ra·ble [dimə́:rəbl, -mʌ́r- ; -mʌ́r-] *a.* 〖法〗 항변할 수 있는, 이의를 말할 수 있는.

de·mur·rage [dimə́:ridʒ, -mʌ́r- ; -mʌ́r-] *n.* 〖商〗 (화물선의) 초과 정박 ; 지체, 유치 ; 체선료(滯船料)《정박일수 초과에 따라 더 내는 요금》; 철도 차량 유치료(留置料) ; (잉글랜드 은행의) 지금(地金) 인환료. 〚OF ; ⇨ DEMUR〛

de·mur·ral [dimə́:rəl, -mʌ́r- ; -mʌ́r-] *n.* 이의 신청 ; 지체.

de·mur·rant [dimə́:rənt, -mʌ́r- ; -mʌ́r-] *n.* 〖法〗 이의 신청인.

de·mur·rer¹ [dimə́:rər, -mʌ́r- ; -mʌ́r-] *n.* 〖法〗 법률 효과 불발생 답변, 방소 항변(妨訴抗辯) ; 이의 : put in a ~ 이의를 신청하다. 〚OF *demorer* (v.) ; ⇨ DEMUR〛

de·mur·rer² [dimə́:rər] *n.* 항변자, 이의를 신청하는 사람. 〚DEMUR〛

de·my [dimái] *n.* U 디마이판(判)《인쇄 용지 치수는 17½×22½인치 ; 필기 용지 치수는 미국에서는 16×21 인치, 영국에서는 15½×20인치》; C (Oxford 대학의 Magdalen College의) 장학생. 〚변형(變形)〈DEMI-〛

de·mýstify *vt.* …의 신비성을 제거하다, 수수께끼를 풀다, 명백하게 하다 ; (사람)의 편견을 없애다.
de·mystificátion *n.*

de·mýthicize *vt., vi.* 비(非)신화화하다, (…의) 신화적 요소를 없애다.
de·mythicizátion *n.*

de·mýthify *vt.* =DEMYTHICIZE.

dè·mythólogize *vt., vi.* 신화성(神話性)을 없애다, (특히 그리스도의 가르침·성서를) 비신화화하다. **dè·my·thòl·o·gi·zá·tion** *n.* (성서의) 비(非)신화화.

***den** [dén] *n.* **1** (야수가 사는) 굴 ; 구멍, 동굴 ;

(동물원의) 우리. **2** 밀실, (도적의) 소굴 : a gambling ~ 노름방. **3** 사실(私室)《서재·작업실 따위》. **4** 컵 스카우트의 분대. —— *v.* (**-nn-**) *vi.* 동굴에서 살다[에 틀어박히다]. —— *vt.* (동물을) 집[굴]에서 쫓아내다. 〖OE *denn* ; cf. G *Tenne* threshing floor ; DEAN²와 같은 어원〗

Den. Denmark.

de·nar·i·us [dinέəriəs, -nǽər-] *n.* (*pl.* **-nar·ii** [-riài, -riìː]) 데나리우스《고대 로마의 은화(銀貨) ; 신약성서에 penny라고 적혀 있는 것》. 주 이 略 d.를 영국에서는 옛 통화 단위인 penny, pence의 기호로 사용하였음. 〖L=(coin) of ten asses (↓, AS²)〗

den·a·ry [díːnəri, dén-] *a.* 십진(十進)의(cf. BINARY). 〖L (*deni* by tens, *decem* ten)〗

de·nátional·ìze *vt.* **1** …에서 독립 국가로서의 자격을 박탈하다 ; 비국유화하다 ; 국제화하다 ; …의 국민성을 빼앗다. **2** …에게서 국민으로서의 특권을 박탈하다, …의 국적을 박탈하다. **de·nàtional·izátion** *n.* 〖F (*de-*)〗

de·nátural·ìze *vt.* **1** …의 원래의 성질[특질]을 바꾸다, 변성(變性)시키다 ; 부자연스럽게 하다. **2** …의 귀화권[국적·시민권]을 박탈하다. **de·nàtural·izátion** *n.*

de·na·tur·ant [diːnéitʃərənt] *n.* 변성제(變性劑). 〖↓〗

de·náture *vt.* …의 본성을 없애다, (특히 에틸 알코올·천연 단백질·핵연료를) 변성(變性)시키다 ; =DEHUMANIZE. —— *vi.* (단백질이) 변성되다. 〖F〗

de·nátured álcohol *n.* 변성(變性) 알코올《음료로는 부적당함》.

de·názify *vt.* 비(非)나치스화(化)하다, …에서 나치의 영향을 배제하다. **de·nazificátion** *n.* 비(非)나치스화.

dén chìef *n.* 《美》 cub scout의 분대장.

dén dàd *n.* 《美》 cub scout의 감독.

dendr- [déndr], **den·dro-** [déndrou, -drə] *comb. form* 「수목(tree)」의 뜻. 〖Gk. *dendron* tree〗

dén·dri·fòrm [déndrə-] *a.* (구조가) 나무 모양의.

den·drite [déndrait] *n.* 〔鑛〕 모수석(模樹石) ; 수지상(樹枝狀) 결정 ; 〔解〕 (신경세포의) 수상돌기(樹狀突起). **den·drít·ic** [-rít-] *a.* 모수석 (모양)의 ; 수지상의.

dèndro·chronólogy *n.* 연륜(年輪) 연대학.

den·droid [déndrɔid] *a.* 나무 모양의.

den·dro·lite [déndrəlàit] *n.* 나무의 화석.

den·drol·o·gy [dendrɑ́lədʒi] *n.* 수목학.

den·drom·e·ter [dendrɑ́mətər] *n.* 측수기(測樹器)《나무의 높이·지름을 잼》.

-den·dron [déndrən] *n. comb. form* 「수목」 「수지상(樹枝狀) 구조」 「줄기」의 뜻.

dene¹, **dean** [díːn] *n.* 《英》 (바닷가의) 모래밭[언덕], 사구(砂丘). 〖? LG *düne*, Du. *duin* ; cf. DUNE〗

dene² ☞ DEAN².

Den·eb [déneb, -əb] *n.* 〔天〕 데네브《백조자리의 α성》. 〖Arab.〗

De·neb·o·la [dinébələ] *n.* 〔天〕 데네볼라《사자자리의 β성》.

den·e·ga·tion [dènigéiʃən] *n.* 거절, 부인.

de·nest [diːnést] *vt.* (차례로 포개지면서 맞물린 것에서) 빼내다.

de·néutral·ìze *vt.* (국가·영토 따위를) 비중립화(非中立化)하다.

D.Eng. Doctor of Engineering.

dén·gue (fèver) [déŋgi(-), 美+-gei(-)] *n.* 〔醫〕 뎅그열(熱)《관절이나 근육에 심한 통증을 수반하는 열대성 전염병》. 〖W. Ind. Sp.<Swahili ; Sp. *dengue* fastidiousness에서 동화〗

Deng Xiao·ping [dʌ́ŋʃiáupíŋ], **Teng Hsiao-ping** [; téŋsjáupíŋ] *n.* 덩샤오핑(鄧小平), 등소평(1904?-97)《중국 공산당의 지도자》.

de·ni·able [dináiəbəl] *a.* 부인[부정]할 수 있는. **de·nì·abíl·ity** *n.* 법적 부인권《대통령 등 정부 고관은 불법 활동과의 관계를 부인해도 됨》.

***de·ni·al** [dináiəl] *n.* **1** U,C 부정, 부인 ; 거부, 불찬성 : make a ~ of …을 부정[거부]하다 / take no ~ 싫다는 말을 못하게 하다. **2** U 극기(克己)(self-denial). 〖DENY〗

de·nícotinize *vt.* (담배의) 니코틴을 제거하다.

de·ni·er¹ [dináiər] *n.* 부정[거부]하는 사람. 〖DENY〗

de·nier² *n.* **1** [dəníər, dənjéi] 《古》 프랑스의 옛 은화 ; 몇 푼 되지 않는 돈. **2** [dénjər, -nièi] 데니어《생사(生絲)·인조견사 따위의 굵기를 재는 단위 ; 길이 450m의 실이 무게 0.05g일 때 1데니어라고 함》. 〖OF<L ; ⇨ DENARIUS〗

den·i·grate [dénigrèit] *vt.* (남을) 모욕하다, …의 명예를 훼손하다, …의 인격을 손상시키다 ; 검게 하다, 더럽히다. **-grà·tor** *n.* **dèn·i·grá·tion** *n.* 더럽힘, 명예 훼손. 〖L (*niger* black)〗

den·im [dénəm] *n.* U 데님《능직(綾織)의 두꺼운 무명 ; cf. JEAN》 ; [*pl.*] 데님제(製) 작업복, 오버올(overall). 〖F (*serge*) *de Nîmes* (serge) of NÎMES 최초로 만들어진 옷감〗

Den·is, -ys [dénəs ; *F* dəni] *n.* **1** 남자 이름. **2** [Saint ~] 성(聖)드니《3세기 Paris의 초대 주교 ; 프랑스의 수호 성인, 축일 10월 9일》. 〖OF<Gk.=of Dionysus〗

De·nise [dəníːs, -z] *n.* 여자 이름. 〖F (↑)〗

de·nítrate *vt.* …에서 질산을 제거하다. **dè·nitrátion** *n.*

de·nitrificátion *n.* (특히 박테리아에 의한) 탈(脫)질소 작용.

de·nítrify *vt.* 질소[질화물(窒化物)]를 제거하다, 탈질소하다.

den·i·zen [dénəzən] *n.* **1** 주민 ; 거주자. **2** (숲·하늘 따위의) 서식자《조수·수목 따위》 〈*of*〉. **3 a**) 《英》 (공민권을 얻은) 거류민, 귀화(歸化) 외국인. **b**) 귀화 동[식]물, 외래어《따위》. —— *vt.* …에 귀화를 허가하다 ; 이식(移植)하다. **~·shìp** *n.* 공민권. 〖AF<OF (L *de intus* from within)〗

Den·mark [dénmɑːrk] *n.* 덴마크《수도 Copenhagen》.

go to Denmark 《美俗》 성전환 수술을 받다 《초기의 전환자가 이 나라에서 수술받은 데서》.

dén mòther *n.* 《美》 cub scout 분대(den)의 여성 지도자.

dén·ner *n.* 《美》 cub scout 분대(den)의 지도자.

Den·nis [dénəs] *n.* 남자 이름. 〖OF ⇨ DENIS〗

Dénnis the Ménace *n.* 개구쟁이 데니스《미국 만화의 주인공》.

de·nom·i·nate [dinɑ́mənèit] *vt.* 명명(命名)하다(name) ; (…이라고) 칭하다, 부르다(call). —— [-nət] *a.* 특정한 이름이 있는. 〖OF or L (*nomen* name)〗

de·nom·i·na·tion [dinɑ̀mənéiʃən] *n.* **1** U 명명 ; U 명칭 ; 명의(name, title). **2** 계급, 파, 종

류 ; (특히) 종파, 교파(sect) : clergy of all ~*s* 각 종파의 목사. **3** (화폐·척도·우표 따위의) 단위명 ; 액면 금액 : reduce the yards, feet, and inches to one ~ 야드, 피트, 인치를 한 단위 명칭으로 하다 / money of small ~*s* 잔돈.

denominátion·al *a.* 종파의, 종파적인, 교파의 ; (학교가) 종파에 속하는 : ~ education 특정 종파의 교의에 기초한 교육 **~·ly** *adv.*

denominátion·al·ìsm *n.* 교파심(教派心) ; 분파[파벌]주의[제].

de·nom·i·na·tive [dinámənətiv] *a.* **1** 명칭적인. **2** 〔文法〕 명사[형용사]에서 나온. —— *n.* 〔文法〕 명사[형용사] 유래어《특히 동사 ; 보기 to *eye*, to *man*, to *open*, to *warm*》.

de·nóm·i·nà·tor *n.* **1 a)** 〔數〕 분모(cf. NUMERATOR) : ☞ COMMON DENOMINATOR. **b)** 공통적인 성질[요소], 공통점. **2** 명명자(命名者).

de nos jours [*F* də no ʒuːr] *a.* [후치] 당대[현대]의 : the problems ~ 오늘의 제문제.
〖F=of our days〗

de·no·ta·tion [dìːnoutéiʃən] *n.* **1** U,C 표시, 지정 ; 표(mark) ; 명칭. **2** U,C 〔論〕 외연(外延) (↔*connotation*) ; 〔言〕 (명시적) 의미. **~·al** *a.*

de·no·ta·tive [dinóutətiv, 美+díːnoutèi-] *a.* 표시적인, 지시하는⟨*of*⟩ ; 〔論〕 외연적(外延的)인 (↔*connotative*). **~·ly** *adv.* **~·ness** *n.*

de·note [dinóut] *vt.* **1** [+目 / +*that* 節] 표시하다, 나타내다(indicate) ; …의 표시다 ; 뜻하다 : A fever usually ~*s* sickness. 열은 보통 병이 났다는 표시다 / These signs ~ the approach of a crisis[~ *that* a crisis is approaching]. 이러한 징조는 위기가 다가오고 있음을 나타낸다. **2** 〔論〕 …의 외연(外延)을 나타내다(↔ *connote*). **~·ment** *n.* 표시. **de·nó·tive** *a.* **de·nót·able** *a.* 지시[표시]할 수 있는.
〖F or L ; ⇨ NOTE〗

de·noue·ment, dé- [dèinuːmáːŋ ; -´-] *n.* **1** (연극 따위의) 대단원(大團圓), (사건의) 고비. **2** (사건·분쟁 따위의) 해결, 낙착, 종국, 끝장.
〖F (*dénouer* to unknot ⟨NODE)〗

de·nounce** [dináuns] *vt.* **1** [+目 / +目+*as* 補 / +目+前+名] (공공연히) 비난하다, 탄핵(彈劾)하다, 규탄하다, 매도하다 ; 고발하다 : ~ a heresy 이교(異教)를 비난하다 / Somebody ~*d* him ***to the military police *as* a spy. 누군가가 그를 간첩이라고 헌병대에 신고했다. **2** (조약·휴전 따위의) 종료를 통고하다. **~·ment** *n.* = DENUNCIATION. **de·nóunc·er** *n.* 〖OF<L (*nuntio* to make known ⟨*nuntius* messenger)〗
類義語 ⟹ CRITICIZE.

de nou·veau [*F* də nuvo] *adv.* =DE NOVO.

de no·vo [diː nóuvou, dei-] *adv.* 처음부터, 새로이. 〖L〗

***dense** [déns] *a.* **1** 밀집(密集)한 ; (인구가) 조밀한(↔*sparse*) ; 농후한 ; 〔寫〕 (현상한 음화(陰畫)가) 불투명한 : a ~ fog 짙은 안개 / a ~ forest 밀림 / a ~ population 조밀한 인구. **2** 머리가 나쁜, 우둔한(stupid) ; (어리석음 따위가) 심한, 극단적인 : a ~ brain 둔한 머리 / ~ ignorance 지독한 무식. **3** (문장이) 치밀한, 이해하기 어려운. **~·ly** *adv.* 짙게, 빽빽하게, 밀집하여. **~·ness** *n.*
〖F or L *densus* thick〗
類義語 ⟹ CLOSE².

den·si·fy [dénsəfài] *vt.* …의 밀도를 높이다, (목재를) 강화 처리하다. **dén·si·fi·er** *n.*

den·sim·e·ter [densímətər] *n.* 비중[밀도]계.

den·si·tom·e·ter [dènsətámətər] *n.* =DENSIMETER ; 〔光〕 농도계.

***den·si·ty** [dénsəti] *n.* **1** U 밀도, 농도 ; (안개 따위의) 짙음 ; (인구의) 밀도, 조밀 : traffic ~ 교통량. **2** U 〔理〕 밀도 ; 〔電〕 밀도 ; 〔寫〕 (음화의) 농도. **3** U 우둔함.
〖F or L ; ⇨ DENSE〗

den·som·e·ter [densámətər] *n.* 〔製紙〕 덴소미터《공기를 압송하여 종이의 다공성을 재는 기구》; =DENSIMETER.

dent[1] [dént] *n.* (물체에 부딪쳐 생기는) 움푹 팬 곳, 눌린[두드린] 자국 ; (약화·감소시킨) 효과, 영향.
make a dent in …을 움푹 들어가게 하다 ; 《비유》 …에 영향[감명]을 주다.
—— *vt.* 움푹 패게 하다 ; 《비유》 약하게 하다, 맥을 못추게 하다, 푹 들어가게 하다. —— *vi.* 움푹 패다, 눌려 들어가다. 〖ME⟨? INDENT〗

dent[2] *n.* 〔機〕 (빗·톱니바퀴 따위의) 살, 이.
〖F<L *dent- dens* tooth〗

dent. dental ; dentist ; dentistry.

dent- [dént], **den·ti-** [-tə], **den·to-** [-tou, -tə] *comb. form* 「이」「치(齒)」의 뜻. 〖L (DENT²)〗

den·tal [déntl] *a.* **1** 이의 ; 치과(용)의. **2** 〔音聲〕 치음(齒音)의 : a ~ consonant 치음. —— *n.* **1** 치음《자음 [t, d, θ, ð] 따위》; 치음자(字)《d, t, n 따위》. **2** 치골(齒骨).
~·ly *adv.* **den·tal·i·ty** [dentǽləti] *n.*
〖L ; ⇨ DENT²〗

déntal flòss *n.* 치과용 견사(絹絲).

déntal hygíene *n.* 치과 위생.

déntal hygíenist *n.* 치과 위생사(士).

déntal·ìze *vt.* 〔音聲〕 치음화하다.

déntal mechànic *n.* 치과 기공사(技工士).

déntal pláque *n.* 치석, 치태(齒苔).

déntal pláte *n.* 의치상(義齒床) ; 〔動〕 (물고기 따위의) 치판(齒板).

déntal púlp *n.* 치수(齒髓).

déntal súrgeon *n.* 치과 의사, (특히) 구강(口腔) 외과 의사.

déntal súrgery *n.* 치과 외과(학(學)), 구강 외과(학(學)).

den·tate [dénteit] *a.* 〔動〕 이가 있는 ; 〔植〕 (잎이) 톱니 모양의. **~·ly** *adv.*

den·ta·tion [dentéiʃən] *n.* U,C 이 모양의 구조[돌기] ; 〔植〕 톱니 모양.

denti- [déntə] ☞ DENT-.

dénti·càre *n.* 《Can.》 (정부에 의한) 어린이 무료 치과 치료.

den·ti·cle [déntikəl] *n.* 〔動〕 작은 이, 작은 이 모양의 돌기 ; =DENTIL.

den·tic·u·lar [dentíkjələr] *a.* 작은 이 모양의.

den·tic·u·late [dentíkjələt, -lèit], **-lat·ed** [-lèitəd] *a.* 〔動〕 작은 이가 있는 ; 〔植〕 작은 이 모양의 돌기가 있는 ; 〔建〕 이 모양의 장식이 있는.

den·tic·u·la·tion [dentìkjəléiʃən] *n.* U,C 작은 이 모양의 돌기 ; U 작은 이 ; C 〔建〕 이 모양의 장식 ; [보통 *pl.*] 한 틀의 작은 이.

dénti·fòrm *a.* 이 모양의.

den·ti·frice [déntəfrəs] *n.* U 치마분(齒磨粉), 치약《tooth powder, toothpaste 따위의 상용어(商用語)》. 〖L (*dent-, frico* to rub)〗

den·tig·er·ous [dentídʒərəs] *a.* 이가 있는.

den·til [déntl, -til ; -til] *n.* 〔建〕 이 모양의 장식.

dènti·lábial *a., n.* 〔音聲〕 순치음(脣齒音)(의)《[f, v] 따위》.

dènti·língual *a., n.* 〔音聲〕 설치음(舌齒音)(의) 《[θ, ð] 따위》.

den·tin [déntn], **-tine** [dénti:n, -́-] *n.* Ⓤ (이의) 상아질(象牙質).
den·tin·al [déntənl, dentí:nl] *a.*
***den·tist** [déntəst] *n.* 치과 의사. 〖F; ⇨ DENT²〗
den·tis·try [déntəstri] *n.* Ⓤ 치과학; 치과 의술[업(業)].
den·ti·tion [dentíʃən] *n.* **1** Ⓤ 치아(齒牙) 발생(의 경과); 이가 나는 시기. **2** (특히) 치열. **3** [집합적으로] (개인의) 치아.
den·toid [déntɔid] *a.* 이 모양의.
dént-resístant *a.* 함몰을 방지하는, 충격을 흡수하는.
den·ture [déntʃər] *n.* (한 벌·일부분의) 의치(plate) (cf. BRIDGE¹ 3). 〖F; ⇨ DENT²〗
den·tur·ist [déntʃərəst] *n.* 의치 기공사(技工士).
de·nùclear·izátion *n.* 비핵화; 핵실험 금지.
de·núclear·ìze *vt.* …의 핵(核)무장을 금지하다, 비핵화하다: a ~*d* zone 비(非)핵무장 지대.
de·núcleate *vt.* (원자·분자·세포의) 핵(核)을 제거하다. **de·nucleátion** *n.*
de·nu·date [dí:nju:dèit, dénju-, dinjú:deit] *vt.* 벌거벗기다(denude); 노출시키다. ── *a.* 벌거벗은; 노출된.
de·nu·da·tion [dì:nju:déiʃən, dènju-] *n.* **1** Ⓤ 벌거벗기기; 벌거숭이 (상태), 노출. **2** Ⓤ 〖地質〗 삭박(削剝). **~·al** *a.*
de·nude [dinjú:d] *vt.* **1** [+目+*of*+名] 벌거벗기다, 노출시키다; …에서 (껍질을) 벗기다(strip); …에서 박탈하다(deprive): Most trees are ~*d* ***of*** their leaves in winter. 겨울에는 대부분의 나뭇잎들이 모두 떨어진다 / He was ~*d* by the robbers *of* every cent he had. 그는 강도들에게 가지고 있던 돈을 모조리 털렸다. **2** 〖地質〗 (하안(河岸) 따위를) 표면 침식하다, 삭박(削剝)하다. **de·núd·er** *n.* 〖L (*nudus* naked)〗
de·nun·ci·ate [dinʌ́nsièit] *vt.* 공연히 비난하다, 탄핵하다(denounce). 〖L; ⇨ DENOUNCE〗
de·nun·ci·a·tion [dinʌ̀nsiéiʃən] *n.* Ⓤ,Ⓒ 공공연한 비난, 탄핵, 고발; 위협(threat); 경고적[위협적] 선언; (조약 따위의) 폐기 통고.
de·nún·ci·à·tive [, 英+-siə-] *a.* =DENUNCIATORY. **~·ly** *adv.*
de·nún·ci·à·tor *n.* 탄핵[고발]자.
de·nun·ci·a·to·ry [dinʌ́nsiətɔ̀:ri; -təri] *a.* 비난의, 탄핵적인; 위협적인.
Den·ver [dénvər] *n.* 덴버《미국 Colorado 주(州)의 주도》.
Dénver bòot *n.* 《美》 (주차 위반차를 움직이지 못하게 하는) 바퀴 고정구(固定具).
de·ny** [dinái] *vt.* **1** [+目 / +do*ing* / +*that* 節 / +目+*to* do] 부인[부정]하다(↔*affirm*): ~ a political party 정당과의 관계를 부인하다 / ~ one's signature 자기의 서명이 아니라고 말하다 / The prisoner *denied* the charges against him. 피고는 고소당한 죄상을 부인했다 / He *denied* hav*ing* done any such thing. 그러한 짓을 안했다고 잡아뗐다 / He *denied that* he was intending to leave town. 마을을 떠나려는 생각은 없다고 말했다 / I don't ~ (*but*) *that* he may have thought so. 그가 그렇게 생각했을 수도 있다는 것을 부인하지는 않겠다(《주》 but은 don't deny라는 이중 부정에 끌려서 첨가된 것, 현재는 접속사 but을 빼고 that 만을 쓰는 것이 올바른 용법으로 간주됨) / I ~ this *to be* so[~ that this is so]. 이것은 그렇지는 않다. **2** [+目+目 / +目+*to*+名] (요구 따위를) 거절하다, (사람에게 주어야 할 것을) 주지 않다: He *denies* his child nothing. =He *denies* nothing ***to his child. 아이가 요구하는 것은 무엇이든 들어준다. 《주》 수동태에서는: The benefits *were denied* us. =We *were denied* the benefits. 우리들에겐 그러한 혜택이 부여되지 않았다 / He *was denied* access to the Queen. 여왕에의 알현(謁見)을 거절당했다.
deny* one*self 자제(自制)하다, (쾌락)을 단념하다: He *denied* him*self* all luxuries. 그는 일체의 사치품을 멀리했다.
deny* one*self to …에의 면회를 사절하다: The urgent business forced Mr. Smith to ~ him*self to* all callers. 급한 용무로 스미스씨는 모든 방문객의 면회를 사절할 수 밖에 없었다.
~·ing·ly *adv.* 〖OF<L; ⇨ NEGATE〗
[類義語] ***deny*** 분명하게 부정하다. ***contradict*** 상대방이 한 말을 분명하게 부정할 뿐만 아니라, 그 반대의 것이 옳다[진실이라]고 주장하다: He *contradicts* my statement. (그는 내가 한 말을 반박하고 있다).
deoch an dor·is [dɔ́:x ən dɔ́:rəs, dɔ́:k-] *n.* 《스코·아일》 =DOCH-AN-DORRACH.
de·o·dar [dí:ədà:r], **-da·ra** [dì:ədá:rə] *n.* 〖植〗 설송(雪松). 〖Hindi<Skt.=divine tree〗
de·ódorant [di-] *a.* 방취(防臭)의 (효과가 있는). ── *n.* 방취제(deodorizer), (특히) 액취(腋臭)를 막는 약제.
de·ódor·ìze [di-] *vt.* …의 냄새를 없애다.
de·òdor·izátion *n.* 냄새 제거 (작용), 방취.
de·ódor·ìz·er *n.* 방취제.
Deo gra·ti·as [dèiou grá:tià:s] *adv.* 하느님 은혜로, 천행으로《略 D.G.》. 〖L=thanks to God〗
de·on·tic [di:ántik] *a.* 의무의, 의무에 관한: ~ logic 의무 논리학《의무·허가·금지 따위의 개념을 다룸》.
de·on·tol·o·gy [dì:antálədʒi] *n.* 〖哲〗 의무론. **-gist** *n.* 의무론자.
de·órbit *vi., vt.* (인공 위성 따위가) 궤도에서 벗어나다, (인공 위성 따위를) 궤도에서 벗어나게 하다. ── *n.* 궤도에서 벗어나기[벗어나게 하기].
Deo vo·len·te [dèiou voulénti, dì:-] *adv.* 하느님[신]의 뜻이라면, 사정이 허락하면《略 D.V.; cf. GOD *willing*》. 〖L=God being willing〗
de·ox·i·date [di:áksədèit] *vt.* =DEOXIDIZE.
de·oxidátion, -oxidizátion *n.* 〖化〗 탈산(소)(脫酸(素)).
de·óxidize *vt.* 〖化〗 …에서 산소를 제거하다; (산화물을) 환원하다.
de·óxidizer *n.* 탈산제(脫酸劑); 환원제.
de·ox·y- [di:áksi], **de·sox·y-** [dezáksi, -sák-] *comb. form* 〖化〗「유사한 화합물보다 분자중의 산소가 적은」의 뜻. 〖*de-*+*oxy*gen〗
deòxy·chólic ácid *n.* 〖生化〗 디옥시콜산(酸).
deòxy·corticósterone, desòxy- *n.* 〖生化〗 디옥시코르티코스테론《부신피질에서 단리(單離)된 스테로이드 호르몬; 略 DOC; 합성하여 부신기능 저하에 씀》.
de·óxygenate *vt.* (물·공기 따위에서) 산소를 제거하다.
deòxy·rìbo·núclease *n.* 〖生化〗 디옥시리보뉴클레아제《DNA를 가수 분해하여 뉴클레오티드로 하는 효소》.
deòxy·rìbo·nucléic ácid, desòxy- *n.* 〖生化〗 디옥시리보핵산《세포핵 염색체의 기초 물질로 유전 정보를 가짐; 略 DNA》.

deòxy·ríbose, desòxy- *n.* 〖生化〗 디옥시리보오스《디옥시리보핵산의 주요 성분》.

dep. depart(ed) ; department ; departs ; departure ; deponent ; deposed ; 〖銀行〗 deposit ; depot ; deputy.

de·pálletize *vt.* 《美》 (화물용 팰릿으로 창고에 일시 수납한 물품을) 그 팰릿에 실은 채 끄집어내다.

de·part** [dipá:rt] *vi.* **1** [動/+前+名] **a**) (사람·열차 따위가) 출발하다(start) (↔*arrive*) : The train ~*s* at 7 : 15. 그 열차는 7시 15분에 출발한다 / I ~*ed* ***from my home. 나는 고향[집]을 떠났다 / He ~*ed* ***for*** South Africa with his father and mother in 1995. 1995년에 양친과 함께 남아프리카로 떠났다. **b**) 《古·詩》 죽다 : ~ ***from*** this life 세상을 떠나다. **2** [+*from*+名] (상도(常道)·습관 따위에서) 벗어나다(deviate), 그만두다(desist) : ~ ***from*** one's usual way of working 평상시의 작업 방식을 그만두다 / ~ *from* one's plans 계획을 변경하다 / ~ *from* one's promise 약속을 어기다 / ~ *from* tradition 전통에 어긋나다. —— *vt.* (장소를) 떠나다《특히 다음 구에서 사용함》 : ~ this life 이 세상을 하직하다, 죽다. —— *n.* 《古》 출발, (저승에의) 여행길, 죽음. 〖OF<L *dispertio* to divide〗
類義語 ⟹ GO.

depárt·ed *a.* **1** 죽은(deceased) ; 과거의(bygone) : ~ glory 옛날의 영광. **2** [명사적으로 ; the ~] 고인《한 사람》 ; 사자(死者)《전체》.
類義語 ⟹ DEAD.

de·part·ee [dipɑ:rtí:] *n.* 조국[지역]을 떠나는 사람 ; 《美俗》 연극의 막간에 가버리는 사람.

‡**de·part·ment** [dipá:rtmənt] *n.* **1** 부문, …부(部) ; (회사 따위의) 국, 과 : the personnel ~ 인사과. **2 a**) 《美》 (행정조직의) 부(部) : the *D*~ of Commerce [Defense, the Interior, State, the Treasury] 《美》 상무(商務)[국방, 내무, 국무, 재무]부 / 《美》 the *D*~ of Education 교육부. **b**) 《英》 (관청의) 국 ; 부. **3 a**) (대학의) 학부, 과 : the literature ~ 문학부, 문과. **b**) (백화점의) 매장. **4** (프랑스) 주(州)《최대의 행정구 ; cf. ARRONDISSEMENT, CANTON》. **5** 〖軍〗 군관구(軍管區). 〖F ; ⇨ DEPART〗

de·part·men·tal [dipɑ:rtméntl, dì:- ; dì:-] *a.* 부문(별)[부·국·주]의. **~·ism** *n.* 부문주의, 분과제(分課制) ; 《蔑》 관료적 형식주의, 관청식. **~·ly** *adv.*

departméntal·ìze *vt.* 각 부문으로 나누다, 세분하다. **departmèntal·izátion** *n.*

Depártment for Educátion *n.* [the ~] 《英》 교육부.

Depártment of Tráde *n.* [the ~] 《英》 상무부(商務部).

***depártment stòre** *n.* 《원래 美》 백화점, 디파트먼트 스토어(=《英》 stores).

***de·par·ture** [dipá:rtʃər] *n.* **1** U.C 출발 ; 떠남(↔*arrival*) : a point of ~ (토론 따위의) 출발점 / take one's ~ 출발하다, 집을 떠나다. **2** U.C (방침 따위의) 새 발전 : a new ~ 새로운 발전, 신기축(新機軸). **3** U.C 이탈, 배반 : a ~ *from* ordinary ways 일상 습관으로부터의 일탈(逸脫). **4** U 〖海〗 (출발점에서서의) 동서거리, 경거(經距). 〖OF ; ⇨ DEPART〗

depárture plàtform *n.* (열차의) 발차 승강장.

depárture stàtement *n.* 귀국 성명.

de·pàssional·izátion *n.* 비정열화(化).

de·pásturage [di(:)-] *n.* 방목(권).

de·pásture [di(:)-] *vt.* 방목하다(pasture) ; (토지)의 목초를 다 뜯어먹다 ; (토지가 가축에) 목초를 공급하다 ; 《古》 (토지를) 목장으로 사용하다. —— *vi.* 풀을 뜯어먹다.

de·pau·per·ate [dipɔ́:pərèit] *vt.* 가난하게 하다 ; 쇠약하게 하다. —— [-rət] *a.* 〖植〗 발육이 불완전한, 위축된. **de·pàu·per·á·tion** *n.* 빈곤화 ; 쇠약 ; 〖植〗 위축 ; 변질.

de·pau·per·ize [dipɔ́:pəràiz] *vt.* 가난에서 구제하다, 가난하지 않게 하다.

dé·pay·sé [*F* depeize] *a.* 정들지 않는, 있기가 불편한.
〖F=removed from one's own country〗

‡**de·pend** [dipénd] *vi.* **1** [+*on*+名] **a**) 의지하다 : Pupils ~ ***on*** their teachers. 학생들은 선생님을 의지한다 / We all ~ ***upon*** many people ***for*** our happiness. 우리 모두는 자신의 행복을 많은 사람들에게 의존한다. **b**) 기대하다, 신뢰하다(rely) : You can ~ ***on*** the timetable *to* tell you when trains leave. 발차 시각을 알려면 시간표를 보면 된다 / You may ~ ***upon*** her consenting [~ *upon it that* she will consent]. 그녀가 동의해 주리라고 믿어도 좋다[그녀가 동의해 줄 것은 틀림없다]. **2** [+*on*+名/+*wh.* 節/動] (…에) 의하다, (…에) 달려 있다 : The success of our exploration will ~ entirely ***upon*** the weather. 우리들의 탐험(探險)이 성공하느냐 못하느냐는 오로지 날씨에 달려 있다 / Everything ~*s on whether* you pass the examination. 모든 것은 네가 시험에 합격하느냐 못하느냐에 달려 있다 / It all ~*s* (*on*) *how* you handle it. 모든 것은 네가 그것을 어떻게 다루느냐에 달려 있다《注 《口》에서는 때때로 how 따위 앞의 전치사가 생략됨》/ That (all) [It all] ~*s.* 때와 장소[그때그때의 사정]에 따라 다르다. 注 다음에 *on* circumstances 가 생략된 상투적 문구. **3** (소송·의안 따위가) 미결이다(cf. PENDING). **4** 《古·詩》 매달리다.
depend upon it [문장 첫머리 또는 문장 끝에 사용하여] 틀림없이… : *D*~ *upon it,* he'll come. 틀림없이 그는 올 것이다(cf. 1 b)).
〖OF<L (*pendeo* to hang)〗
類義語 ⟹ RELY.

depénd·able *a.* 의지[의뢰]할 수 있는, 신뢰할 수 있는. **-ably** *adv.* **depènd·abílity** *n.* 의지[기대]가 되는 것.
類義語 ⟹ RELIABLE.

de·pen·dant [dipéndənt] *n.* =DEPENDENT.
〖F (pres. p.) 〈DEPEND〗

***de·pén·dence, de·pén·dance** *n.* **1** U 의지하기 ; 의존[종속] 상태〈(*up*) *on*〉 (↔*independence*). **2** U 신뢰, 신용〈(*up*) *on*〉. **3** U 의지가 되는 것[사람]. **4** U (인과(因果) 따위의) 의존관계. **5** U 〖法〗 미결.

depéndence éffect *n.* 의존 효과.

de·pén·den·cy *n.* **1** U 의존 (상태). **2** 의존물, 종속물 ; 속국, 보호령(保護領).

depéndency-pròne *a.* 마약 의존 경향이 있는.

***de·pén·dent** *a.* **1** (남에게) 의지하고 있는, 부양되고 있는〈(*up*) *on*〉 ; 종속 관계의, 예속적인(↔*independent*). **2** (…에) 의한, (…에) 달려 있는 : Crops are ~ *upon* the weather. 농작물은 날씨에 좌우된다. **3** 《古·詩》 매달리는. —— *n.* 남에게 의지하여 생활하는 사람, 하인, 수행원 ; 부양가족 ; 의존[종속]물. **~·ly** *adv.* 남에게 의지하여, 의존[종속]적으로.
〖ME DEPENDANT〗

depéndent cláuse *n.* 〖文法〗 종속절(subordinate clause).

depéndent váriable *n.* 〖數〗 종속 변수.
de·péople *vt.* =DEPOPULATE.
de·pèrson·al·izátion *n.* 비(非)개인화, 객관화 ; 비개성화.
de·pérson·al·ìze *vt.* 비(非)인격화[인간화]하다, 비인간적으로 만들다 : a mechanistic society which is *depersonalizing* its members 구성원에게서 인간성을 빼앗아가는 기계적인 사회.
de·phósphorize *vt.* (광석에서) 인(燐)을 제거하다.
de·pict [dipíkt] *vt.* 그리다, 묘사[서술]하다, 표현하다 : Biblical scenes had been ~*ed* in the tapestry. 성서 장면이 벽걸이 융단에 묘사되어 있었다. **~·er, de·píc·tor** *n.* **de·píc·tion** *n.* 묘사, 서술. **de·píc·tive** *a.* 묘사적인.
〖L ; ⇨ PICTURE〗
de·pic·ture [dipíktʃər] *vt.* =DEPICT.
〖*depict*+*picture*〗
dep·i·late [dépəlèit] *vt.* …에서 털을 뽑내다. **-là·tor** *n.* 털뽑는 사람[기계]. **dèp·i·lá·tion** *n.* 발모, 탈모.
〖L (*pilus* hair)〗
de·pil·a·to·ry [dipílətɔ̀ːri ; -təri] *a., n.* 탈모(脫毛)의 (효과가 있는) ; 탈모제.
de·pláne *vi., vt.* 비행기에서 내리(게 하)다(↔ *enplane*). 〖*plane*[1]〗
de·plénish [di-] *vt.* 비우다.
de·plete [diplíːt] *vt.* (세력·자원 따위를) 고갈시키다(exhaust), 다 써버리다 ; 〖醫〗 방혈하다. **de·plét·able** *a.* **-plé·tive, -plé·to·ry** *a.* 고갈시키는 ; 혈액[수분]을 감소시키는.
〖L (*plet*- *pleo* to fill)〗
de·ple·tion [diplíːʃən] *n.* Ⓤ 고갈, 소모 ; 〖醫〗 방혈 ; 〖生態〗 소모《수자원·삼림 자원 따위의 회복을 초과한 소비》.
deplétion devìce *n.* 〖電子〗 디플리션형 소자《gate전압이 제로라도 drain 전류가 흐르는 형의 전기장 효과 트랜지스터》.
deplétion of the ózone làyer *n.* 오존층(層) 파괴.
de·plòr·abílity *n.* 통탄스러움, 비통함, 비참함.
***de·plór·able** *a.* 한탄스러운 ; 애처로운, 처참한. **-ably** *adv.* 한탄스럽게 ; 처참하게.
***de·plore** [diplɔ́ːr] *vt.* (죽음·과실 따위를) 탄식하다, 애도하다 ; 한탄하다, 후회하다 : ~ the death of a close friend 친구의 죽음을 애도하다.
〖F or It.<L (*ploro* to wail)〗
de·ploy [diplɔ́i] *vt.* 〖軍〗 전개시키다 ; (부대·장비를 전략적으로) 배치하다 ; (인구 등을) 분산시키다. —— *vi.* 전개하다. —— *n.* 전개, 산개, 배치. **~·ment** *n.*
〖F<L *dis*-(*plico* to fold) =to unfold, scatter〗
dè·plu·má·tion *n.* Ⓤ **1** 깃털을 뽑음, 깃털의 제거. **2** (명예·재산 따위의) 박탈.
de·plúme *vt.* 깃털을 잡아 뽑다 ; (명예·재산을) 박탈하다.
de·pòlar·izátion *n.* 〖電·磁〗 분극(分極) 방지 작용, 복극(復極), 소극(消極)(된 것) ; 〖光〗 편광(偏光)의 소멸.
de·pólar·ìze *vt.* 〖電·磁〗 복극(復極)[소극(消極)]하다 ; 〖光〗 …의 편광(偏光)을 없애다. **de·pó·lar·ìz·er** *n.* 복극[소극]제(劑).
dè·políticize *vt.* …에서 정치적 색채를 없애다, 비정치화하다.
dè·pollúte *vt.* …의 오염을 제거하다, 정화하다. **dè·pollútion** *n.*
de·pólymer·ìze [diː-, dìːpəlím-] *vt., vi.* 〖化〗 단위체(單位體)로 분해하다, 해중합(解重合)하다.
de·pone [dipóun] *vt.* 〖法〗 선서하고 증언하다.
de·po·nent [dipóunənt] *n.* 〖法〗 (특히 문서에 의한) 선서 증인 ; 〖文法〗 =DEPONENT VERB.
—— *a.* 〖文法〗 이태(異態)의.
〖L *depono* to put down, lay aside〗
depónent vérb *n.* 이태 동사《그리스·라틴어에서 수동형이면서 능동의 뜻을 갖는 동사》.
de·pop·u·late [diːpápjəlèit] *vt.* …의 주민수를 줄이다 : The country has been ~*d* by the war. 전쟁으로 인해서 나라의 인구가 감소됐다.
—— *vi.* 인구가 줄다.
—— *a.* 《古》 인구가 감소한, 주민이 준.
〖L (*populor* to ravage〈*populus* people)〗
de·pòp·u·lá·tion *n.* Ⓤ 주민을 줄이는 일 ; 인구감소[절멸] ; (인구의) 과소화(過疏化).
de·póp·u·là·tor *n.* 인구를 감소[절멸]시키는 것《사람·전쟁·기근 따위》.
de·port [dipɔ́ːrt] *vt.* **1** (국외로) 추방하다, 유형(流刑)에 처하다 ; (사람을) 나르다, (강제) 이송하다. **2** [+目+副 / +目+前+名] [~ one*self* 로] 처신하다 ; 행동하다(behave) : The boys are being trained to ~ them*selves like* gentlemen. 소년들은 신사답게 행동하도록 훈련받고 있다 / ~ one*self* prudently[***with*** dignity] 신중하게[위엄있게] 행동하다. —— *n.* 《廢》 =DEPORTMENT. 〖OF<L (*porto* to carry)〗
類義語 ⟹ BANISH.
de·por·ta·tion [dìːpɔːrtéiʃən, -pər-] *n.* Ⓤ 국외추방, 강제 추방〈*to*〉 ; 이송(移送), 수송 : a ~ order 퇴거 명령.
de·port·ee [dìːpɔːrtíː, di-] *n.* 추방당한 사람.
depórt·ment *n.* Ⓤ 처신, 태도, 거동, 행동, 행실 ; 품행 ; 《英》 (젊은 여성의) 행동거지.
de·pós·al *n.* 폐위(廢位) ; 면직.
de·pose [dipóuz] *vt.* **1** (높은 지위에서) 면직시키다, (왕을) 폐하다(dethrone). **2** [+*that* 節] 〖法〗 …라고 선서 증언하다, 진술하다 : He ~*d* *that* he had seen the boy on the day of the fire. 그는 화재가 난 날 그 소년을 보았다고 증언했다.
—— *vi.* [+*to*+名] 선서 증언하다 : He ~*d* ***to*** hav*ing* seen it. 그는 그것을 보았다고 증언했다.
de·pós·able *a.* 폐위[퇴위]시킬 수 있는 ; 증언할 수 있는.
〖OF<L (*posit*- *pono* to put)〗
de·pos·it** [dipázət] *vt.* **1** [+目 / +目+前+名] (특정 장소에) 놓다(place) ; (알을) 낳다 ; (동전을) 넣다 : These insects ~ their eggs ***in the ground. 이 곤충들은 땅속에 알을 낳는다. **2** [+目 / +目+前+名] 침전[퇴적]시키다 : The flood ~*ed* a layer of mud ***on*** the farm[***in*** the street]. 그 홍수로 농장[거리]에 진흙이 쌓였다. **3** [+目 / +目+前+名] 맡기다, 공탁하다 ; 예금하다 : ~ money ***in*** a bank 은행에 예금하다 / ~ papers ***with*** one's lawyer 변호사에게 서류를 맡기다. **4** 착수금으로 지불하다 ; 〖政〗 (비준서를) 기탁하다. —— *vi.* 침전[퇴적]하다 ; 예금[공탁]되다. —— *n.* **1** 침전물, 퇴적물 ; (광석·석유·천연 가스 따위의) 매장물, 광상 : oil ~*s* 석유 매장량. **2** (낳아 놓은) 알. **3** Ⓤ 맡김, 기탁 ; Ⓒ 적립금, 증거금, 기탁물 ; 공탁금, 예금(액) : a current[fixed] ~ 당좌[정기]예금 / a trust ~ 공탁 예금 / have[place] money *on* ~ 금전을 맡다[맡기다]. **4** 《주로 美》 =DEPOSITORY 1 ; =DEPOT 1. 〖L (*posit*- *pono* to put)〗
depósit accòunt *n.* 《英》 저축 예금 계좌(=《美》 savings account) ; 《美》 예금 계좌.

de·pos·i·tary [dipázətèri ; -təri] *n.* **1** 맡는 사람, 보관인, 수탁자. **2** =DEPOSITORY 1.
depósitary recèipt *n.* 예탁 증권《외국에서 증권을 유통시킬 때 원 주권은 발행국에 보관하고 이것을 보증으로 매매하는 대체증권》.
depósit insúrance sỳstem *n.* 예금 보험 제도(制度).
dep·o·si·tion [dèpəzíʃən, dì:-] *n.* **1** Ⓤ 관직 박탈, 파면 ; 폐위. **2** U,C 《法》 선서증언[증서] ; Ⓒ 증언[진술] 조서. **3** Ⓤ 부착, 침전 ; Ⓒ 부착물, 침전물. **4** Ⓤ (유가증권 따위의) 공탁 ; Ⓒ 공탁물. **~·al** *a.*
depósit mòney *n.* 공탁금 ; 보증금.
de·pós·i·tor *n.* **1** 예금[공탁]자. **2** 침전기(沈澱器) ; 전기 도금기(鍍金器).
de·pos·i·to·ry [dipázətɔ̀:ri ; -təri] *n.* **1** 공탁[수탁]소, 보관소, 창고 ; 《비유》 (학문 따위의) 보고(寶庫). **2** =DEPOSITARY 1.
depósitory líbrary *n.* 관청 출판물 보관(保管) 도서관.
depósit recèipt *n.* 예금 증서.
depósit slìp *n.* 《美銀行》 예입 전표.
de·pot [dépou, 美+dí:-] *n.* **1** 저장소, 창고. **2** 《軍》 병참부, 보급소 ; 《英》 연대 본부 잔류 부대 ; 보충 부대 ; 포로 수용소. **3** [dí:pou, dép- ; dép-] 《美》 정거장, 역(railroad station) ; 버스 발착지, 공항 ; 버스 차고.
〖F *dépôt*<L ; ⇨ DEPOSIT〗
dépot shìp *n.* 모함(母艦).
depr. depreciation ; depression.
dep·ra·va·tion [dèprəvéiʃən, 美+dì:prei-] *n.* Ⓤ 악화 ; 부패, 타락.
de·prave [dipréiv] *vt.* 나쁘게 하다(debase), 악화시키다 ; 타락[부패]시키다 : The habit of lying sometimes ~*s* a child's character. 거짓말하는 버릇이 어린이의 인격을 해치는 수가 있다.
〖OF or L (*pravus* crooked)〗
de·práved *a.* 타락한, 비열한, 불량한 : ~ persons 타락한 사람들 / ~ tastes 비열한 취미.
de·prav·i·ty [diprǽvəti] *n.* Ⓤ 타락, 부패 ; Ⓒ 악행. 〖*de-*+*pravity* (obs.)<L ; ⇨ DEPRAVE〗
dep·re·cate [déprikèit] *vt.* **1** [+目 / +do*ing*] 비난하다, …에 강력히 반대하다 : We all ~*d* war. 우리는 모두 전쟁을 강력히 반대했다 / Some of the members ~ pass*ing* the bill. 의원들 중에 그 법안을 통과시키는데 반대하는 사람들이 있다. **2** (남의 분노를) 모면하기를 바라다. **3** = DEPRECIATE *vt.* 1. —— *vi.* 가격[가치]이 떨어지다. **dép·re·cà·tive** [, -kə-] *a.* =DEPRECATORY.
〖L=to ward off by entreaty ; ⇨ PRAY〗
dép·re·càt·ing·ly *adv.* 비난하듯 ; 애원[탄원]조로 ; =DEPRECIATINGLY.
dèp·re·cá·tion *n.* U,C **1** 불찬성, 반대 ; 비하, 겸손. **2** 애원 ; (재해를) 면하기를 바라는 기원.
dep·re·ca·to·ry [déprikətɔ̀:ri ; -təri, -kèit-] *a.* **1** 애원[탄원]조의, 변명의 : a ~ letter 변명의 편지. **2** 비난의, 불찬성의. **3** 얕보는, 깎아내리는, 경시의.
de·pre·ci·ate [diprí:ʃièit] *vt.* **1** …의 (시장) 가치를 떨어뜨리다[낮추다](↔*appreciate*) ; (통화의) 구매력을 감소시키다. **2** 경시하다, 얕보다(belittle) : We should not ~ the value of exercise. 운동의 가치를 얕봐서는 안된다.
—— *vi.* 가격이 내리다(↔*appreciate*) : A car begins to ~ from the moment it is bought. 자동차는 팔린 순간부터 가치가 떨어지기 시작한다.
de·pré·ci·àt·ing·ly *adv.* 업신여겨서 ; 깔보고.
-ci·à·tor *n.* 가치를 떨어뜨리는 사람 ; 경시하는 사람. 〖L=to lower the PRICE〗
de·prè·ci·á·tion *n.* **1** U,C 가치[가격] 하락 ; (화폐 가치의) 절하. **2** U,C 《商》 감가 상각(減價償却)(액), 감가 견적(액). **3** Ⓤ 경시 : in ~ (of) (…을) 경멸하여.
depreciátion accòunting *n.* 감가(減價) 상각비 계산.
depreciátion expènse *n.* 감가 상각비.
depreciátion insùrance *n.* 감가 상각비 보험.
depreciátion resèrve *n.* 감가 상각 준비금.
de·pré·ci·à·tive [, -ətiv] *a.* =DEPRECIATORY.
de·pré·ci·a·tò·ry [; -təri, -ʃièit-] *a.* 감가적인 ; 하락세의 ; 얕보는, 경시의.
dep·re·date [déprədèit] *vt., vi.* 약탈하다(plunder). **dép·re·dà·tor** [, diprédə-] *n.*
〖F<L ; ⇨ PREY〗
dep·re·da·tion [dèprədéiʃən] *n.* Ⓤ 약탈, 강탈 ; 침식 ; Ⓒ [보통 *pl.*] 약탈 행위, 파괴의 흔적.
dep·re·da·to·ry [diprédətɔ̀:ri, dépridə- ; dépridèitəri, diprédətəri] *a.* 강탈[약탈]적인.
***de·press** [diprés] *vt.* **1** 풀이 죽게 하다, 의기 소침하게 하다(dispirit) : She is ~*ed* by the wet weather. 계속 비가 와서 그녀는 울적해 있다. **2** 내리누르다 ; 저하시키다 ; (소리 · 기능 · 힘 따위를) 떨어뜨리다 : ~ the keys of a piano 피아노의 건반을 누르다[두드리다]. **3** 약하게 하다, 쇠퇴(衰退)시키다, 불경기가 되게[부진하게] 하다 ; (시세를) 떨어뜨리다 : Business is ~*ed.* 경기가 부진하다. **~·ible** *a.*
〖OF<L ; ⇨ PRESS[1]〗
de·prés·sant *a.* 《醫》 진정 작용[효과]이 있는. —— *n.* 진정제(sedative).
***de·préssed** *a.* **1** (의기) 소침한. **2** 불경기의, 부진(不振)한 ; (주가(株價)가) 하락한. **3** 억압된. **4** (동 · 식물이) 평형(平形)의, 납작한.
類義語 ⟹ SAD.
depréssed área *n.* 쇠퇴 지역, 궁핍 지구.
depréssed clásses *n. pl.* [the ~] (인도의) 최하층 카스트에 속하는 사람들.
de·préss·ible *a.* 내리누를 수 있는, 낮출 수 있는 ; 낙심되는.
de·préss·ing *a.* 답답한, 우울한 ; 억압적인 : ~ news 우울한 소식. **~·ly** *adv.*
***de·pres·sion** [dipréʃən] *n.* **1** Ⓤ 억압, 침하(沈下), 저하, 부진, 감퇴. **2** U,C (지반의) 함몰(陷沒) ; Ⓒ 움푹한 땅. **3** Ⓤ 의기소침, 우울(증) : nervous ~ 신경쇠약. **4** U,C 불경기, 불황(기). **5** 《氣》 저기압 : an atmospheric[a barometric] ~ 저기압.
de·pres·sive [diprésiv] *a.* =DEPRESSING.
—— *n.* 우울한 상태인 사람, 억울한 사람《특히 조울병 환자》.
de·prés·sor *n.* 억압물, 억압자 ; 《醫》 압박 기구 ; 《解》 하제근(=∠ **mùscle**) ; 《生理》 감압 신경(=∠ **nèrve**) ; 혈압 강하제 ; 《化》 억제제.
de·préssurize *vt.* …의 기압을 내리다, 감압하다.
de·priv·al [dipráivəl] *n.* 박탈.
dep·ri·va·tion [dèprəvéiʃən, dì:prai-] *n.* **1** U,C (특권 따위의) 박탈, 면직. **2** U,C (상속인의) 폐제(廢除) ; (성직의) 파면. **3** U,C 상실(loss) 〈*of*〉 ; (아까운) 손실. **~·al** *a.*
deprivátion stràin *n.* 한직(閑職) 우려(증), 한직 스트레스.
de·prive** [dipráiv] *vt.* **1** [+目+*of*+名] (남에게서 어떤 것을) 빼앗다, 박탈하다 : The high building ~*d* their house ***of sunlight. 그 높은

빌딩 때문에 그들의 집에 햇볕이 들지 않게 되었다 / They were ~*d* *of* their civic rights. 시민권을 박탈당했다. **2** 면직[파면]하다, 성직을 박탈하다. **3** (소유·사용·행사 따위를) 거절하다 ; 주지 않다 : They ~*d* me of permission to enter the house. 그들은 내가 그 집에 들어가는 것을 허락하지 않았다.

> **deprive**를 이용한 문장 전환
> I was so astonished that I could hardly speak. (너무 놀라서 거의 말을 할 수 없었다.)
> → Astonishment almost *deprived* me *of* speech. (직역 : 놀라움이 거의 나로부터 말할 능력을 빼앗아 버렸다.)
> ☆ 이 문장은 다음과 같이 바꿔써도 된다. Astonishment almost made[rendered] me speechless. (직역 : 놀라움이 나를 거의 말할 수 없는 상태로 만들었다.)

de·prív·able *a.* 빼앗을 수 있는. 〖OF<L ; ⇨ PRIVATION〗

de·prived *a.* **1** 혜택을 받지 못한, 가난한, 불우한 : culturally ~ children 문화적으로 혜택받지 못한 아이들. **2** [명사적으로 ; the ~] 가난한 사람들《전체》.

dè·proféssion·al·ìze *vt.* …의 프로 지향을 약화시키다, 탈(脫)프로화하다.

de pro·fun·dis [dèi proufúndis, -fʌ́n-] *adv., n.* (슬픔·절망 따위의) 구렁텅이에서(의 외침[절규]). 〖L〗

de·prógram *vt.* (사람)의 신념[(특히) 신앙]을 (강제적으로) 버리게 하다, 깨닫게 하다.
de·prógrammer *n.*

dept. department ; deponent ; deputy.

‡**depth** [dépθ] *n.* (*pl.* ~**s** [dépθs, dépts]) **1** U,C 깊이 ; 심도(深度) : The pond was about five feet *in* ~. =The pond had a ~ *of* about five feet. 연못은 약 5피트의 깊이였다(cf. *in* DEPTH) / Snow fell to a considerable ~. 눈이 상당히 쌓였다. **2** U,C (건물 따위의) 안길이, 깊숙한 정도 : the ~ *of* a room 방의 안길이. **3** [보통 *pl.*] 깊은 곳, 깊음, 구렁텅이, 타락의 늪 ;《文語》심연(深淵) (abyss) ; 깊은 바다, 바다 : the ~*s of* the ocean 바다의 깊은 곳 / the ~*s of* despair 절망의 구렁텅이. **4** [the ~ ; 때때로 *pl.*] **a**) 한창때, 한가운데 : *in the* ~ *of* winter 한겨울에. **b**) 깊숙한 곳, 오지(奧地) (inmost part) ; 수심 : *in the* ~(*s*) *of* the forest 숲 속 깊숙이. **5** U (인물·성격 따위의) 깊이 ; (학식의) 심원(深遠)함 (profundity), 심오함 ; [또한 a ~] (감정의) 심각성, 강도(強度) (intensity) ; 중대함 ; 완전함 : with *a* ~ *of* feeling 깊은 감정을 품고. **6** U (빛깔 따위의) 짙음, 농도(濃度) ; (음의) 저조(低調) ; 선수층이 두꺼움, 팀의 여력.
be beyond [***out of***] ***one's depth*** ⑴ (물 속에서) 깊어서 키가 모자라다, 설 수 없다. ⑵ 이해[역량]가 미치지 못하다.
be in one's depth (물 속에서) 설 수 있는 곳에 있다, 키가 충분하다.
in depth ⑴ ☞ 1. ⑵ (넓은) 지역에 깊이 골고루 미치는[미쳐서] ; (연구 따위) 철저한[하게], 심층적(深層的)인[으로] : defense *in* ~ 〖軍〗 심층 방어《여러 겹으로 쌓은 저항선》.
── *a.* 철저한. **~·less** *a.* 재기 어려울 정도로 깊은 ; 깊이가 없는, 얕은.
〖ME (DEEP, -*th*²)〗

dépth chàrge[**bòmb**] *n.* 수중폭뢰(爆雷)《잠수함 폭파용》.

dépth finder *n.* 〖海〗 음향 측심기.

dépth gàuge *n.* 〖機〗 측심기, 깊이 게이지.

dépth·ie *n.*《美俗》입체 영화(deepie).

dépth ìnterview *n.* 심층(적) 면접, 뎁스 인터뷰《개인적 견해·감정 따위를 깊이 파고 들어 조사하는 면접법》.

dépth-múltiplex recòrding *n.* 〖비디오〗 심층 기록 방식.

dépth psychòlogy *n.* 심층(深層) 심리학《무의식의 내용 연구 ; cf. PSYCHOANALYSIS》.

dépth recòrder *n.* 〖海〗 자기 심도계.

dep·u·rant [dépjərənt] *n.* 청정제(清淨劑).

dep·u·rate [dépjərèit] *vt., vi.* 정화(淨化)하다[되다], 깨끗이 하다, 깨끗해지다.

dep·u·ra·tion [dèpjəréiʃən] *n.* 정화 (작용), 정혈(淨血) (작용).

dép·u·rà·tive [ˊ, 英+-rə-] *a.* 정화하는. ── *n.* 정화제(劑).

dép·u·rà·tor *n.* 정화기[장치] ; 정화제.

de·púrge *vt.* …의 추방을 해제하다.

de·purg·ee [dìpəːrdʒíː] *n.* (…에서) 추방이 해제된 사람.

dep·u·ta·tion [dèpjətéiʃən] *n.* **1** 대리 (행위), 대표 ; 대리 파견. **2** 대리 위원단, 대표단.

de·pute [dipjúːt] *vt.* **1** [+目/+目+*to* do] (남을) 대리자로 하다 : Our teacher ~*s* one of us *to* take charge of the classroom when she is away. 우리 선생님은 교실을 비울 때 우리 중 한 사람을 대리로 지명해서 학급일을 보살피도록 하신다. **2** [+目/+目+*to*+名] (작업·직권을) 위임하다 : ~ one's work ***to*** a substitute 작업을 대리에게 위임하다. 〖OF<L *de*-(*puto* to consider) =to regard as, allot〗

dep·u·tize [dépjətàiz] *vi.* 대리를 보다, 대행(代行)하다〈*for*〉. ── *vt.*《美》…에게 (공식으로) 대리를 명하다, 대행시키다.

***dep·u·ty** [dépjəti] *n.* **1** 대리(인), 대표자, 사절(使節). **2** [D~] (원래 프랑스 등지의) 대(代)의원 : the Chamber of *Deputies* (원래 프랑스의) 하원《현재는 National Assembly라고 함》. **3** 대리역, 부관.
by deputy 대리로(by proxy).
── *a.* 대리의, 부(副)의(acting, vice-) : a ~ chairman 의장[회장] 대리, 부의[회]장 / a ~ consul 부영사 / a ~ judge[procurator] 예비 판사[검사] / a ~ premier[mayor] 부수상[부시장] / the *D*~ Speaker (영국 하원의) 부의장.

députy lieuténant *n.*《英》주(州) 부지사.

députy shériff *n.* 군(郡) 보안관 대리.

deque [dék] *n.* 〖컴퓨〗 데크《양끝의 어느 쪽에서든 데이터를 출입할 수 있게 된 데이터의 행렬》. 〖*d*ouble-ended *que*ue〗

der. derivation ; derivative ; derive(d).

de·rácial·ìze *vt.* …에서 인종적 특성을 제거하다 ; 인종 차별을 없애다.
de·ràcial·izátion *n.*

de·rac·i·nate [diræ̀sənèit] *vt.* 뿌리째 뽑다, 근절하다. **de·ràc·i·ná·tion** *n.* 근절.

dé·ra·ci·né [deiræ̀sinéi] *n.* (*fem.* **-née** [—]) 본래의 환경에서 격절된 사람, 고향을 상실한 사람.
── *a.* 본래의 환경에서 격절된, 고향을 상실한.
〖F (*racine* root)〗

de·rádical·ìze *vt.* 급진적인 입장을 버리게 하다.

de·ráil [di-] *vt.* [보통 수동태로] (기차 따위를) 탈선시키다 : The train *was*[*got*] ~*ed.* 열차는 탈선했다. ── *vi.*《稀》탈선하다. ── *n.*《美》(차

량의) 탈선기(脫線器). **~·ment** *n.* 탈선. ⟦F (*de-*, RAIL[1])⟧

de·rail·leur [diréilər] *n.* (자전거의) 변속장치 ; 변속장치가 달린 자전거. ⟦F⟧

de·range [diréindʒ] *vt.* **1** 어지럽히다, 혼란시키다 : The plans were ~*d* by a storm. 폭풍우로 계획이 어긋났다. **2** [*p.p.*로] 발광시키다 : Her mind is ~*d.* =She is mentally ~*d.* 그녀는 머리가 돌았다[발광했다]. ⟦F ; ⇨ RANK[1]⟧

de·ránged *a.* 혼란된, 미친.

de·ránge·ment *n.* Ⓤ 교란, 광기(狂氣), 혼란 ; 발광 : mental ~ 정신착란.

de·ráte *vt.* …을 감세(減稅)하다 ; 〖電〗 …의 정격출력을 낮추다.

de·rátion *vt.* (식료품 따위) 배급제를 해제하다.

de·ràt·izátion *n.* 〖海〗 (특히 상선(商船)내의) 쥐 구제(驅除).

Der·by [dɑ́ːrbi ; dɑ́ː-] *n.* **1** 더비《영국 Derbyshire의 특별시》. **2** [the ~] 더비 경마《영국 Surrey 주 Epsom Downs 에서 매년 보통 6월 첫 수요일에 네 살짜리 말로 행함 ; cf. CLASSIC RACES》; 대경마《《美》에서는 Kentucky 주 Churchill Downs 에서 거행되는 것》. **3** [d~] (누구나 참가할 수 있는) 경기, 레이스. **4** [d~] 《美》 =DERBY HAT.

Dérby Dày *n.* 《英》 더비 경마일.

Dérby dòg *n.* 경마장 안을 어슬렁거리는 개 ; 귀찮은 방해자[물].

dérby hát *n.* [때때로 D~] 《美》 중산(中山) 모자 (=《英》 bowler hat).

Derby·shire [-ʃiər, -ʃər] *n.* 더비셔《영국 중부의 주(州) ; 주도 Matlock》.

de·realizátion *n.* (분열증 따위로 인한) 현실감 상실.

de·récognize *vt.* (국가)에 대한 승인을 취소하다.
de·recognítion *n.*

de·régister *vt.* …의 등록을 취소[말소]하다.
de·registrátion *n.*

de règle [*F* də rɛgl] *pred. a.* 규정대로, 규정에 따라. ⟦F=of rule⟧

de·regulátion *n.* 규칙[제한] 폐지, 통제 해제, 규제 철폐[완화] ; 인허가 규제 철폐.
de·régulate *vt.*

de·re·ism [diːríːizəm] *n.* Ⓤ 〖心〗 비현실성.

dè·re·ís·tic *a.* 비현실적인.

Der·ek [dérik] *n.* 남자 이름《Theodoric의 애칭》.

der·e·lict [dérəlìkt] *a.* **1** 유기된. **2** 《美》 의무 태만의, 무책임한. —— *n.* **1** 유기물, (특히) 해상에 내버려진 배 ; 버림받은 사람, 낙오자, 부랑자. **2** 《美》 직무 태만자. **3** 〖法〗 해수 감퇴(海水減退) 지역. **~·ly** *adv.* **~·ness** *n.* ⟦L ; ⇨ RELINQUISH⟧

der·e·lic·tion [dèrəlíkʃən] *n.* Ⓤ,Ⓒ 포기, 유기 ; (직무) 태만〈*of*〉; 결점, 단점 ; 〖法〗 해수 감퇴에 의한 지역 취득.

dè·représs *vt.* **1** 〖遺〗 (유전자 단백질 합성을) 폐색 상태에서 해방하여 활성화하다. **2** 〖生化〗 (산소의) 합성억제를 해제하다.
dè·représsion *n.* 억제 해제.

dè·représsor *n.* 〖發生〗 억제 해제 인자 ; 〖遺〗 유도자, 유도 물질(inducer).

de·requisítion [di- ; dìː-] *vt.* 접수(接收)를 해제하다. —— *n.* (군대에서 민간으로의) 접수 해제.

de·restríct *vt.* …에 대한 통제를 해제하다, (특히 도로)의 속도 제한을 철폐하다.
dè·restríction *n.*

de·ride [diráid] *vt.* 비웃다, 조소하다, 조롱하다 (mock). **de·ríd·er** *n.* **de·ríd·ing·ly** *adv.* = DERISIVELY. ⟦L (*ris- rideo* to laugh)⟧

de ri·gueur [də rigə́ːr] *a.* 예절상 필요한 ; 유행의. ⟦F=of strictness⟧

de·ris·i·ble [dirízəbəl] *a.* 웃음거리가 되는.

de·ri·sion [diríʒən] *n.* **1** Ⓤ 비웃음(contempt), 조소(嘲笑). **2** 조소의 대상, 웃음거리 : He became the ~ *of* the whole town. 그는 온 마을의 웃음거리가 되었다.
be in derision 조롱받고 있다.
bring into derision 웃음거리로 만들다.
hold* [*have*]** a person ***in derision 남을 비웃다, 조롱하다.
⟦OF<L ; ⇨ DERIDE⟧

de·ri·sive [diráisiv, -ziv, 英+-ríziv, 英+-rís-] *a.* 조소[우롱(愚弄)]적인(mocking), 조소[조롱]하는 ; 비웃을 만한 ; 어리석은(ridiculous).
~·ly *adv.* 비웃듯이, 조롱하여. **~·ness** *n.*

de·ri·so·ry [diráisəri, -zə-] *a.* =DERISIVE.

deriv. derivation ; derivative ; derive(d).

de·rív·able *a.* 유도[연역·추론]할 수 있는〈*from*〉.

der·i·va·tion [dèrəvéiʃən] *n.* **1** Ⓤ (다른 물체·근원에서) 이끌어 내기, 유도(誘導). **2** 유래, 기원(origin). **3** Ⓤ 〖言〗 (낱말의) 파생, 어원(의 연구) ; Ⓒ 파생어 ; 〖論·數〗 도출(導出) ; 〖數〗 미분 : a word of Latin ~ 라틴어에서 파생된 말. **4** Ⓤ 파생 ; Ⓒ 파생물.

de·riv·a·tive [dirívətiv] *a.* (근원에서) 이끌어낸 ; 파생적인(cf. ORIGINAL *a.* 1) ; 〖法〗 전래적(傳來的)인. —— *n.* **1** 파생물 ; 〖言〗 파생어(cf. PRIMITIVE). **2** 〖化〗 유도체 ; 〖經〗 유도품 ; 〖醫〗 유도제 ; 〖數〗 도(導)함수 ; 미분계수.
~·ly *adv.* 파생적으로. **~·ness** *n.*

de·rive** [diráiv] *vt.* [+目+*from*+名] **1** (다른 물체·근원에서) 이끌어 내다, 얻다(get) : We ~ knowledge ***from read*ing* books. 독서에서 지식을 얻는다 / An immense income may be ~*d from* advertising. 광고에서 막대한 수입이 얻어질 수도 있다. **2** (추리에 의하여) 끌어내다, 추론(推論)하다(deduce) ; 〖化〗 유도하다. **3** [때때로 수동태로] (언어·습관 따위의) 유래를 캐다(trace) ; 〖言〗 …의 어원을 나타내다[찾다] : A large part of English vocabulary *is* ~*d* ***from*** Latin sources. 영어 단어[어휘]의 대부분은 라틴어에서 파생되었다. —— *vi.* [+*from*+名] (…에) 기원을 두다, 유래[파생]하다, (…에서) 나오다 : These English words ~ ***from*** Greek. 이 영어 단어들은 그리스어(語)에서 유래한다.
de·ríved *a.* 파생한 : ~*d* words 파생어.
⟦OF *deriver* to spring from or L (*rivus* stream)⟧
類義語 ⟹ RISE.

derived fúnction *n.* 〖數〗 도함수(導函數).

derived prótein *n.* 〖生化〗 유도 단백질.

derived únit *n.* 〖理·化〗 유도 단위.

derm [dɑ́ːrm] *n.* 〖解〗 진피(眞皮).

derm- [dɑ́ːrm], **der·ma-** [-mə], **der·mo-** [-mou, -mə] *comb. form* 「피부」의 뜻. ⟦Gk. DERMA⟧

-derm [dɔ̀ːrm] *n. comb. form* 「피부(skin)」의 뜻 : blasto*derm*, ecto*derm*, endo*derm*. ⟦↑⟧

der·ma [dɑ́ːrmə] *n.* 〖解〗 진피(眞皮), 피부. ⟦Gk. *dermat- derma* skin⟧

-der·ma [dɑ́ːrmə] *n. comb. form* (*pl.* **~s, -ma·ta** [-tə]) 「피부」「피부병」의 뜻 : sclero*derma*. ⟦↑⟧

der·mal [dɑ́ːrməl] *a.* 피부의, 진피의.

der·mat- [dɑ́ːrmət], **der·ma·to-** [dɑ́ːrmətou, -tə, dəːrmǽtə] *comb. form* 「피부의」의 뜻.

〖derm-〗
-dermata *n. comb. form* -DERMA의 복수형.
der·ma·ti·tis [də̀ːrmətáitəs] *n.* 피부염.
der·mat·o·gen [dəːrmǽtədʒən] *n.* 〖植〗 원표피(原表皮).
der·ma·tol·o·gist [də̀ːrmətɑ́lədʒəst] *n.* 피부병 학자 ; 피부과 전문의.
der·ma·tol·o·gy [də̀ːrmətɑ́lədʒi] *n.* 피부병학.
dèrmato·my·o·sí·tis [-màiəsáitəs, dəːrmæ̀tə-] *n.* 〖醫〗 피부근염(筋炎).
dèrmato·páthia [, dəːrmæ̀tə-], **der·ma·top·a·thy** [də̀ːrmətɑ́pəθi] *n.* Ⓤ 피부병.
dérmato·plàsty [, dəːrmǽtə-] *n.* 〖醫〗 (식피(植皮) 따위에 의한) 피부 형성(술).
der·ma·to·sis [də̀ːrmətóusəs] *n.* (*pl.* **-ses** [-siːz]) 〖醫〗 피부병.
dèrmato·thérapy [, dəːrmæ̀tə-] *n.* 〖醫〗 피부병 치료.
-der·ma·tous [də́ːrmətəs] *a. comb. form* 「…한 피부를 가진」「…피증(皮症)의」의 뜻 : sclero*dermatous*. 〖*dermat-*〗
der·mic [də́ːrmik] *a.* =DERMAL.
der·mis [də́ːrməs] *n.* 진피 ; 피부. 〖DERMA〗
-der·mis [də́ːrməs] *n. comb. form* 「피층」「섬유층」의 뜻 : exo*dermis*. 〖DERMA〗
der·moid [də́ːrmɔid] *a.* 피부 모양의.
dèrmo·trópic *a.* 피부에 모이는, 피부로 들어오는, 피부향성(皮膚向性)의 《바이러스 따위》.
der·ni·er [də́ːrniər] *a.* 최후의(last, final) ; 최근의. 〖F〗
der·nier cri [deərnjéi kríː ; *F* dɛrnje kri] *n.* 마지막[결정적인] 말 ; 최신 유행. 〖F=last cry〗
der·nier re(s)·sort [*F* dɛrnje rəsɔːr] *n.* 최후의 수단(last resort).
de·ro [dérou] *n.* (*pl.* **~s**) 《濠俗》 낙오자, 부랑자 ; 《戱》 놈, 녀석(person). 〖*derelict*〗
der·o·gate [dérəgèit] *vi.* **1** [+*from*+名] (명성 · 품위 · 가치 따위를) 떨어뜨리다, 훼손시키다 : Summoning the parliament *~d* ***from*** the king's authority. 의회의 소집은 왕의 권위를 떨어뜨리는 것이 되었다. **2** 꼴사나운 짓을 하다 ; (표준 · 원칙에서) 일탈하다, 타락하다. —— *vt.* 《稀》 깎아내리다 ; 《古》 제거하다〈*from*〉. 〖L *de*-(*rogo* to ask)=to repeal some part of a law〗
der·o·ga·tion [dèrəgéiʃən] *n.* Ⓤ (명성 · 가치 따위의) 손상, 감손, 저하 ; 타락 ; 비난, 경멸.
de·rog·a·tive [dirɑ́gətiv, dérəgèi-] *a.* 가치[명예]를 훼손시키는〈*to, of*〉. **~·ly** *adv.*
de·rog·a·to·ry [dirɑ́gətɔ̀ːri ; -təri] *a.* **1** (명예 · 품격 · 가치 따위를) 손상시키는 (것과 같은) ; 가치를 떨어뜨리는 : ~ remarks 욕 / conduct ~ *to* his reputation 그의 명성을 손상시키는 행위 / These remarks are ~ *from* his authority. 이러한 말은 그의 권위를 떨어뜨리는 것이다. **2** (말의 뜻이) 경멸적인. **de·ròg·a·tó·ri·ly** [; -rɔ́gətərili] *adv.* **-róg·a·tò·ri·ness** [; -tərinəs] *n.*
der·rick [dérik] *n.* **1** 데릭《배에 짐을 달아올리는 기중기》. **2** (유전(油田)의) 유정탑(油井塔). —— *vt.* (데릭으로) 달아올리다 ; 《美俗》 (투수를) 강판시키다.
〖=(obs.) hangman, gallows ; *Derrick* 1600년경 London의 교수형을 집행했던 관리〗
der·ri·ere, -ère [dèriéər] *n.* 《口》 엉덩이 (buttocks). 〖F〗
derrière-garde [-gɑ́ːrd] *n.* =ARRIÈRE-GARDE.
der·ring-do [dériŋdúː] *n.* (*pl.* **dér·rings-dó**) 《古》 불굴의 용기, 대담한 행동, 만용.
〖ME *dorring don* daring to do의 전화(轉化) ; 현재의 의미는 Spenser와 Scott의 오용에서〗
der·(r)in·ger [dérəndʒər] *n.* 데린저식 권총《구경이 크고 총신이 짧음》.
〖Henry *Derringer* 19세기 미국의 발명가〗
der·ris [dérəs] *n.* 〖植〗 데리스 뿌리《살충제》.
〖L<Gk.=leather covering ; 그 꼬투리에서〗
der·ry[1] [déri] *n.* (고대 가요의) 무의미한 후렴구 ; 민요(ballad). 〖*derry-down*〗
derry[2] *n.* 《濠》 혐오.
have a derry on …을 싫어하다.
〖? DERRY[1]〗
derry[3] *n.* 《俗》 폐옥(廢屋)《특히 부랑자나 마약 중독자가 삶》. 〖*derelict*〗
de·rúst *vt.* …의 녹을 제거하다.
derv [də́ːrv] *n.* 《英》 디젤용 연료유(油).
〖*d*iesel *e*ngined *r*oad *v*ehicle〗
der·vish [də́ːrviʃ] *n.* 〖이슬람敎〗 데르비시《신비주의 교단(敎團)의 수사 ; 그 교단의 규정에 따라 격렬한 춤이나 기도로 법열상태에 들어감》; 미친 듯이 춤추는 사람.
〖Turk.<Pers.=poor, a mendicant〗
des- [des, -z] *pref.* 〖化〗 =DE-.
DES Data Encryption Standard(데이터 암호화(化) 규격).
de·sa·li·nate [diːsǽlənèit, -séi-] *vt.* =DESALT.
〖SALINE〗
de·sálinize *vt.* =DESALT.
de·salinizátion *n.*
de·sált *vt.* 탈염(脫鹽)하다 ; 바닷물을 담수화(化)하다.
de·scále *vt.* …에서 물때를 제거하다.
des·cant [déskænt, -ˊ, dis-] *vi.* **1** [+*on*+名] 상세히 설명하다(dwell) : He *~ed* (***up***)***on*** his adventures in Africa. 아프리카에서의 모험담을 상세히 설명했다. **2** 〖樂〗 데스캔트를 노래[연주]하다. —— [déskænt, 英+dís-] *n.* **1** 《詩》 가곡(melody, song), 가락. **2** 〖樂〗 데스캔트《(1) 중세 · 르네상스의 다성 음악으로 테너의 정선율 위에 노래하는 대위선율. (2) 대위 성부 서법(書法). (3) 다성 악곡의 최고 성부, 소프라노》. **3** 상설, 논평. —— *a.* 《英》〖樂〗 소프라노의 ; 최고음부의 : ~ recorder 소프라노 리코더《최고음의 것》.
〖OF<L (*dis-, cantus* song, CHANT)〗
Des·cartes [deikɑ́ːrt] *n.* 데카르트. **René ~** (1596-1650) 프랑스의 철학자, 수학자.
de·scend** [disénd] *vi.* **1** [動 / +前+名] 내려가다, 내리다(↔*ascend*) : An angel *~ed* ***from heaven. 천사가 하늘에서 내려왔다 / The stream *~ed* ***to*** the sea. 그 내는 바다로 흘러갔다. **2** 내리받이가 되다, (아래쪽으로) 경사지다 : The road *~s* steeply. 그 길은 가파른 내리받이다. **3** [+前+名] **a**) (성질 · 재산 따위가) 전해지다, 유전하다 : This land has belonged to our family for more than a century, *~ing* ***from*** father ***to*** son. 이 토지는 아버지로부터 아들에게 전해지면서 100년 이상 우리 가족의 소유로 되어 있다. **b**) 《稀》 (사람이) 계통을 잇다《*vt.* 2의 용법이 일반적》. **4** [+*to*+名] 타락하다, 비굴하게 (…)하다 : He never *~s* ***to*** such meanness. 그는 그런 비열한 짓을 할 사내가 아니다. **5** [動 / +*to*+名] 감소[축소]하다 ; (소리가) 낮아지다 ; (개론에서 각론으로) 옮기다, 미치다 : We shall ~ ***to*** particulars. 세목(細目)[본론]으로 들어가기로 하자. **6** [+*on*+名] 급습하다, (돌연히) 밀어닥치다 : The pirates *~ed* ***on*** the people. 해적들은 그 사람들을 급습했다 / His anger *~ed* ***upon*** me. 그

의 노여움이 내게로 향했다. **7** 〖印〗 (활자가) 정렬한 선보다 아래로 삐져나오다. ── *vt.* **1** 내리다, 내려가다(go down) (↔*ascend*) : We went on ~*ing* the hill. 언덕을 줄곧 내려갔다. **2** [+目+*from*+名] [수동태로] (자손으로서) 계통을 잇다 : He is ~*ed* ***from*** a respectable family. 그는 훌륭한 가문(家門) 출신이다.
〖OF<L (*scando* to climb)〗

***descénd·ant** *n.* 자손, 후손(↔*ancestor, forefathers*). ── *a.* =DESCENDENT.
〖F (pres. p.) 〈↑〗

descénd·ed *a.* 전래한, 유래한〈*from*〉.
be descended from …의 자손이다.

descénd·ent *a.* 하행성(下行性)의, 강하[낙하]하는 ; 전래의, 세습적인.

descénd·er *n.* **1** 내리는[내려가는] 사람, 내려가는 것. **2** (높은 곳에서 아래로 운반하는) 직립(直立) 컨베이어. **3** 〖印〗 디센더《(1) 기선(基線)보다 밑으로 처진 부분. (2) 이러한 활자 : p, q, j, y 따위 ; ↔*ascender*》.

descénd·ible, -able *a.* (자손에게) 전할 수 있는, 유전되는, 유증(遺贈)할 수 있는.

descénd·ing *a.* 내려가는, 강하적(降下的)인, 하향의(↔*ascending*) : ~ powers 〖數〗 내림차.

descénding létter *n.* =DESCENDER 3.

***de·scent** [disént] *n.* (↔*ascent*) **1** U,C 강하, 하산(下山). **2** 내리막길 ; 전락(轉落). **3** 내습, 급습〈*on, upon*〉; (경찰관 등의) 돌연한 검문, 임검(臨檢)(raid)〈*on, upon*〉: make a ~ *on* …을 급습하다. **4** U 가계(家系), 계보, 가문, 혈통(ancestry)〈*from*〉: a man of high ~ 문벌가 / of Irish ~ 아일랜드계(系)의. **5** U 〖法〗 세습, 상속 ; 유전 : lineal[direct] ~ 직계 비속 / by ~ 상속에 의하여 / in direct ~ *from* …부터의 직계(直系)로. **6** (계통 중의) 한 세대.
〖OF ; ⇨ DESCEND〗

de·schóol *vt.* (사회)에서 (전통적인) 학교를 없애다, 탈학교화하다.

deschóol·er *n.* 탈(脫)학교론자《의무 교육을 폐지하고 자주적으로 공부할 수 있는 교육기관의 설치를 주장하는 사람》.

‡**de·scribe** [diskráib] *vt.* **1** [+目 / +目+前+名] (…의 특징을) 말하다, 기술[묘사]하다 : Words cannot ~ the scene. 말로써는 그 광경을 표현할 수 없다 / Can you ~ the thief ***to*** me? 도둑의 인상 착의를 말해줄 수 있습니까. **2** [+目+*as* 補] (…라고) 평하다, (…라고) 말하다 : We might ~ her *as* a good-natured woman. 그녀는 성품이 좋은 여자라고 말할 수 있다 / My decision has been ~*d as* arbitrary. 나의 결정은 독단적이라는 평을 받았다 / He ~*d* the ghost *as* drag*ging* a heavy chain. 그 유령이 무거운 쇠사슬을 질질 끌고 있었다고 말했다. **3** (선·도형을) 그리다(draw) ; (천체가 어떤 도형을) 그리며 운행하다 : ~ a circle[parabola] 원[포물선]을 그리다.

〈회화〉
Try to *describe* exactly what happened, Tom. ―Oh, it's beyond description. 「톰, 무슨 일이 있었는지 정확히 말해 봐」「도저히 말로는 할 수가 없어」

de·scríb·able *a.* 기술할 수 있는, 묘사할 수 있는. **-ably** *adv.* **de·scríb·er** *n.*
〖L (*script- scribo* to write)〗

***de·scrip·tion** [diskrípʃən] *n.* **1** U,C 기술, 서술, 묘사, 기재 ; 〖數〗 작도 : excel in ~ 묘사를 잘하다 / give a brief[full] ~ *of* …을 간결하게[자세히] 묘사하다. **2** 서사문 ; (물품의) 설명서, 해설 ; 인상서(人相書) : answer to the ~ 인상서에 꼭 들어맞다. **3** 종류, (상품의) 종목(kind) ; 등급(class) : motorcars *of* every ~ 온갖 종류의 자동차 / There was no food *of* any ~. 어떤 종류의 음식도 없었다.
beyond description 형용하기 어려운[어려울 정도로] : The English countryside is beautiful *beyond* ~. 영국의 전원은 형용할 수 없을 정도로 아름답다.

description을 이용한 문장 전환
The scenery is too beautiful to be described in words.
(경치는 말로 표현할 수 없을 만큼 아름답다.)
→ The beauty of the scenery is *beyond description.*

***de·scrip·tive** [diskríptiv] *a.* 기술[서술]적인, 설명적인, 기사체의 ; 도형 묘사의 ; (…을) 기술[묘사]한〈*of*〉: ~ grammar 기술(記述) 문법 / ~ anatomy 기관(器官) 기술 해부학 / ~ bibliography 기술 서지학(書誌學) / ~ geometry 도형[화법(畵法)] 기하학 / ~ linguistics 기술 언어학.
~·ly *adv.* 서술적으로. **~·ness** *n.*

de·scrip·tiv·ism [diskríptivìzəm] *n.* 〖哲〗 경험주의, 기술(記述)[사실]주의 ; 〖言〗 기술주의.

de·scrip·tor [diskríptər] *n.* 〖컴퓨〗 서술자(敍述子)《정보의 분류·색인에 사용하는 어구[영숫자(英數字)]》.

des·cry [diskrái] *vt.* 어렴풋이 알아보다, 발견하다 ; (관측·조사하여) 찾아내다 : He *descried* an island far away on the horizon. 수평선 저 멀리에 있는 섬을 발견했다.
des·crí·er *n.* 발견자.
〖ME=to proclaim, DECRY<OF ; ⇨ CRY〗
類義語 ⟹ SEE[1].

des·e·crate [désikrèit] *vt.* …의 신성함을 모독하다(↔*consecrate*) ; (신성한 것을) 나쁘게 이용하게 하다. **dés·e·crà·tor, -cràt·er** *n.* 신성(神聖)함을 더럽히는 사람, 모독자(冒瀆者).
dès·e·crá·tion *n.* 신성 모독.
〖*de-*+consecrate〗

de·séed *vt.* (…의) 씨를 받다.

de·ségregate *vt.* 《美》 (학교 따위의) 인종 차별 대우를 폐지하다(cf. INTEGRATE, SEGREGATE).
── *vt.* …에 관한 차별을 그만두다.

de·segregátion *n.* U 《美》 인종 차별 대우 폐지(cf. INTEGRATION, SEGREGATION).

dè·seléct *vt.* 《美》 …을 연수 계획에서 빼다, 연수 기간 중에 해고하다.

de·sénsitize *vt.* 〖寫〗 …의 감(광)도를 낮추다 ; 둔감하게 하다 ; 탈감각시키다 ; 〖生〗 민감성을 줄이다, 과민성을 줄이다[없애다].
de·sénsitizer *n.* 〖寫〗 감감제(減感劑).

***des·ert**[1] [dézərt] *n.* 사막 ; 황야(wilderness) ; 《비유》 (사막과도 같은) 적막한 상태 ; 《비유》 무미건조한 화제(話題)[시대], 지적·정신적인 자극이 없는 장소[환경] : the *D*~ of Sahara=the Sahara *D*~ 사하라 사막. ── *a.* 사막과 같은 ; 불모의(barren) ; 사람이 살지 않는, 적막한 : a ~ island 무인도.
〖OF<L (p.p.)〈DESERT[2]〗
類義語 ⟹ WASTE.

***de·sert**[2] [dizə́:rt] *vt.* **1** 저버리다 ; (군인·선원 등이) 탈주하다 : ~ one's wife and children 처자

를 버리다 / ~ a friend in need 곤경에 빠진 친구를 저버리다 / ~ the army[a ship] 군대[배]에서 도망치다 / ~ one's post 직장을 버리다 / The road was completely ~*ed* at that time of night. 밤의 그 시각에는 사람이라고는 한 사람도 그 길을 지나가지 않았다. **2** (신념 따위가) 사라지다 : His self-assurance ~*ed* him. 그는 자신을 잃었다. —— *vi.* 의무[직무]를 버리다, (무단으로) 지위[직장]를 떠나다 ; 〖軍〗 탈영하다.
〚F<L (*desert- desero* to leave, forsake)〛
類義語 ⟹ ABANDON.

de·sert³ [dizə́ːrt] *n.* **1** 상[벌]을 받을 만한 가치[자격], 공죄 ; 공적, 장점. **2** [흔히 *pl.*] 당연한 보답, 응분의 상[벌] : get[meet with] one's ~*s* 응분의 상[벌]을 받다.
〚OF ; ⇨ DESERVE〛

desért·ed *a.* **1** 사람이 살지 않는, 황폐한 : a ~ street 인적이 끊어진 거리 / a ~ village 황폐해진 마을. **2** 버림 받은.

desért·er *n.* 도망자, 탈영병, 탈선자(脫船者) ; (의무·가족 등을) 버린 사람, 유기자, 직장 이탈자 ; 탈당자.

de·ser·ti·fi·ca·tion [dèzəːrtəfəkéiʃən], **dèsert·izátion** *n.* 사막화(砂漠化).

de·ser·tion [dizə́ːrʃən] *n.* **1** Ⓤ 내버림 ; 유기, 직장 이탈, 탈주, 탈함(脫艦), 탈당 ; 〖法〗 (처자) 유기. **2** Ⓤ 황폐 (상태).

‡de·serve [dizə́ːrv] *vt.* [+目 / +*to* do] …할 만하다 ; …할[될] 가치가 있다, 마땅히 받을 만하다 : The question ~*s* your attention. 그 문제는 당신이 주의를 기울일 만하오 / He has done nothing to ~ death. 사형을 받을 만한 일은 아무것도 하지 않았다 / You ~ praise[~ *to* be praised]. 당신은 마땅히 칭찬을 받을 만하오. —— *vi.* [+*of*+名 / +副] 가치가 있다, 상당하다 : He ~*s well* [*ill*] ***of*** his country. 나라에 공로가 있다[나라로부터 벌을 받을 만하다].
〚OF<L (*servio* to serve)〛

de·sérved *a.* 응분의, 당연한 : a ~ increase in salary 응분의 봉급 인상.

de·sérv·ed·ly [-ədli] *adv.* 당연히, 정당하게 : He was ~ punished. 당연한 벌을 받았다.

de·sérv·er *n.* 적격자, 유자격자.

de·sérv·ing *a.* **1** (…을) 마땅히 받을 가치가 있는, (…에) 상당하는(worthy) ; 공적이 있는, 훌륭한 : His conduct is ~ *of* the highest praise [the heaviest penalty]. 그의 행위는 최고의 상[형벌]을 받을 만하다. **2** (경제상의) 원조를 받을 만한 : needy and ~ students 도와줄 만한 가치가 있는 빈곤한 학생. —— *n.* 당연한 상벌 ; 공과(功過) **~·ly** *adv.* 공로가 있어서, 당연히.

de·séx *vt.* 거세하다 ; …의 난소를 제거하다 ; …의 성적 특징을 없애다, 성적 매력을 잃게 하다 ; (용어 따위) 성차별을 배제하다.

de·séxual·ìze *vt.* =DESEX.

des·ha·bille [dèsəbíːl, -bíl ; dèizæbíːl] *n.* =DISHABILLE. 〚F=undressed〛

desi [déziː] *n.* 〖野〗 지명 대타, DH(designated hitter).

des·ic·cant [désikənt] *a.* 건조시키는 (힘이 있는). —— *n.* 건조제.

des·ic·cate [désikèit] *vt.* 건조시키다 ; (식품을) 건물(乾物)로 하다, 탈수(脫水)시켜 가루로 만들다 ; 고갈시키다, 무기력하게 하다 : ~*d* milk 분유 / a ~*d* woman《비유》 (바짝 말라) 매력[기운·활기]이 없는 여자.

dès·ic·cá·tion *n.* 건조(작용), 탈수 ; 고갈.

dés·ic·cà·tor *n.* 건조 장치, 건조기.
〚L (*siccus* dry)〛

dés·ic·cà·tive [, disíkətiv ; désikətiv, disík-] *a.*, *n.* =DESICCANT.

de·sid·er·ate [disídərèit, -zíd-] *vt.* 희망하다, 아쉬워하다. **de·sìd·er·á·tion** *n.* 바람 ; 갈망, 열망. 〚L (⇨ DESIRE) ; cf. CONSIDER〛

de·síd·er·à·tive [; -rətiv] *a.* 원망(願望)의[을 나타내는] ; 〖文法〗 원망(형)의. —— *n.* 〖文法〗 (동사의) 원망형 ; 원망 동사.

de·sid·er·a·tum [disìdərá:təm, -zìd-, -réi-] *n.* (*pl.* **-ta** [-tə]) 절실히 필요한 것 ; 절실한 요구.
〚L (p.p.) ‹DESIDERATE〛

de·sign** [dizáin] *n.* **1** Ⓤ 의장(意匠), 디자인 ; 설계 ; Ⓒ 도안, 밑그림, 소묘(素描), 데생 ; 설계도 ; 무늬, 본(pattern) : machine ~ 기계설계 / the art of ~ 의장술 / a ~ *for* an advertisement 광고도안 / a vase with a ~ of roses (*on* it) 장미꽃 무늬가 있는 꽃병. **2** Ⓤ (예술품의) 구상, 착상, 줄거리. **3** 계획, 목적, 의도 ; [*pl.*] 음모, 모략, 속셈 : harbor ~*s against* a person's life 남의 목숨을 노리고 있다 / have[harbor] ~*s upon* [*against*] a person 남에게 살의(殺意)를 품다. ***by design 목적을 가지고, 계획적으로, 고의로 (↔*by accident*).

〈회화〉
There's something wrong with the *design* of this house, I think. — Not really!「이 집의 설계는 어딘가 잘못되었다고 생각해」「그럴 리가 없어」

design

—— *vt.* **1** …의 밑그림[도안]을 그리다, 디자인하다 ; 설계하다 : ~ a dress 의복을 디자인하다 / ~ a garden 정원을 설계하다. **2** [+目 / +*to* do / +*that* 節] 계획하다, 입안(立案)하다 (plan) ; 꾀하다, 뜻을 두다(intend) : The author ~*ed* a good plot. 작자는 좋은 줄거리를 고안했다 / He ~*ed to* be a lawyer. 법률가가 되

려고 뜻을 품었다 / I did not ~ *that* you should have heard it. 당신에게 들려주려고 작정하지는 않았어요. **3** [＋目＋*for*＋名 / ＋目＋*to* do / ＋目＋*as* 補] (어떤 목적으로) 예정하다(destine) : His father ~*s* the child ***for*** the ministry[*to* be a minister]. 그의 아버지는 그 아이를 목사가 되게 할 작정이다 / This plot is ~*ed for*[*as*] a garden. 이 작은 땅을 정원으로 만들 작정이다. —— *vi.* [動 / ＋前＋名] 설계하다 ; 의장[도안]하다, 디자인하다 : He is ~*ing* ***for*** a safety brake. 안전 브레이크를 고안 중이다 / She ~*s for* a firm of dressmakers. 그녀는 의상실의 디자이너로 있다. 〖F<L *de*-(*signo*‹*signum* mark)＝to mark out〗
類義語 ⟹ INTEND, PLAN.

desígn·able[1] *a.* 설계[입안]할 수 있는.

des·ig·na·ble[2] [dézignəbəl ; dizáin-] *a.* 《古·稀》 (확실히) 지시[구별]할 수 있는.

des·ig·nate** [dézignèit] *vt.* **1** (명확히) 나타내다, 명시하다, 지적하다 : On this map red lines ~ main roads. 이 지도에서 붉은 선은 주요 도로를 나타내고 있다. **2** [＋目＋*as* 補 / ＋目＋前＋名] 지명하다, 선정하다 ; 임명하다 : The President has ~*d* him *as* the next Secretary of State. 대통령은 그를 차기 국무장관으로 지명했다 / The officer was ~*d* ***for[***to***] the command. 그 장교는 지휘관으로 임명되었다. **3** [＋目＋補] 이름붙이다, 부르다(call) : The ruler of the country was ~*d* king. 그 나라의 통치자는 왕이라고 불려졌다. —— [-nət, -nèit] *a.* [후치] 지명을 받은, 지정된(designated) : a bishop ~ 임명된 주교 《아직 취임하지 않음》. **dés·ig·nà·tive** *a.* 지시[지명]하는. **dés·ig·nà·tor** *n.* 지명[지정]자. **dés·ig·na·tò·ry** [; dèzignéitəri] *a.*
〖L (p.p.) ‹DESIGN〗

dés·ig·nat·ed *a.* 지정된, 지정의 ; 관선의.

désignated hítter *n.* 〖野〗 지명 타자《略 DH, dh》.

des·ig·na·tion [dèzignéiʃən] *n.* **1** Ⓤ 지시 ; 지정 ; Ⓤ 지명, 임명, 선임. **2** 명칭, 호칭 ; 칭호 (title) ; (명칭 따위의) 의미.

de·sígned *a.* 계획적인, 고의의(intentional) ; 설계[도안]에 의한.

de·sígn·ed·ly [-ədli] *adv.* 고의로, 일부러, 계획적으로(↔*accidentally*).

des·ig·nee [dèzigní:] *n.* 지명된 사람, 피지명인.

desígn engineèr *n.* 설계 기사.

***desígn·er** *n.* **1** 설계자 ; 의장 도안가, 디자이너 : a dress ~ (의상) 디자이너. **2** 《美俗》 음모자 (plotter).
—— *a.* 유명 디자이너의 이름이 붙은, 디자이너 브랜드의.

desígner brànd *n.* 〖服〗 디자이너 브랜드《유명 디자이너 이름·상표가 붙은 상품》.

desígn·ing *n.* **1** Ⓤ 설계 ; 의장, 도안. **2** Ⓤ 계획 ; 음모(plotting).
—— *a.* **1** 설계의, 도안의. **2** 계획적인 ; 음모가 있는, 속셈이 있는.

desígn wèight *n.* 설계 무게.

de·sílt *vt.* (강)에서 침니(沈泥)를 제거하다, (강 따위를) 준설(浚渫)하다.

de·sílver·ìze *vt.* …에서 은을 없애다[제거하다].

des·i·nence [désənəns] *n.* **1** 시의 끝, 끝행. **2** 〖文法〗 어미(ending), 접미사(suffix).

de·sip·i·ence, -cy [disípiəns(i)] *n.* Ⓤ 《文語》 어처구니 없는 일, 터무니 없는 일.

***de·sir·able** [dizáiərəbəl] *a.* 바람직한, 호감이 가는 ; 타당한 ; 매력적인 ; 탐나는 : It is ~ that we should provide for the poor at Christmas. 크리스마스에 가난한 사람들에게 자선을 베푸는 것은 바람직한 일이다. —— *n.* 호감이 가는 사람[것]. **-ably** *adv.* 바람직하게, 탐나게. **~·ness** *n.* **de·sìr·abíl·i·ty** *n.* 바람직한 것.

‡de·sire [dizáiər] *vt.* **1** [＋目 / ＋*to* do / ＋目＋*to* do / ＋*that* 節] 욕구하다, 바라다 ; 원하다, 희망하다(wish) : We all ~ happiness and health. 우리는 모두 행복과 건강을 바라고 있다 / It leaves much[nothing] to be ~*d*. 그것은 유감스러운 점이 많다[나무랄 데가 없다] / I ~ *to* stay here until my death. 죽을 때까지 이곳에 있고 싶다 / What do you ~ me *to* do? 내가 무엇을 해 주기를 원합니까 / We soon believe what we ~. 《속담》 원하는 것은 믿기 쉽다《뭔가를 바라면 곧 그렇게 될 것으로 믿어버리게 된다》 / She ~*d that* all the letters (should) be burnt after her death. 죽은 후에는 그 편지를 모조리 태워주기를 바라고 있었다《㊟ should를 생략하는 것은 주로 《美》》. **2** [＋*that* 節] 요구[요망]하다(request) : It is ~*d that* this rule shall be brought to the attention of the staff. 이 규칙을 전(全)직원이 준수할 것이 요망되고 있다. **3** (성적으로) 욕구하다. —— *vi.* 욕망을 가지다[느끼다].
—— *n.* **1** Ⓤ,Ⓒ [＋*to* do / ＋前＋do*ing* / ＋*that* 節] 욕망, 욕구, …심(心)[욕(慾)] ; 기호 ; 정욕 (lust) : He has a[no] ~ ***for*** fame. 명성을 갈망한다[바라지 않는다] / Most people have a ~ *to* collect things. 대부분의 사람들에게는 수집욕이 있다 / Her ~ is *to* travel. 그녀의 소원은 여행이다 / His ~ ***of*** return*ing* to his family was natural. 그가 가족한테로 돌아오고 싶어하는 소망은 당연한 것이었다 / I appreciate his ~ *that* we should come to an early settlement. 빠른 해결을 바라는 그의 소원은 이해할 만하다. **2** Ⓤ 희망, 요구(request) : *at* a person's ~＝*at* the ~ of … …의 희망에 따라, …의 희망대로 / *by* ~ 요구에 응하여. **3** 바라는 것 : get one's ~ 희망이 이루어지다, 희망대로 되다. **-sír·er** *n.* 욕구자.
〖OF<L DESIDERATE〗
類義語 ⟹ WANT.

de·síred *a.* 욕구된 ; 바람직한, 올바른.

de·sir·ous [dizáiərəs] *pred. a.* [＋*of*＋do*ing* / ＋*to* do / ＋*that* 節] 원하는, 탐내는 : She was ~ ***of*** her son's success. 아들의 성공을 원했다 / He is very ~ *of* visit*ing* France. 몹시 프랑스에 가고 싶어한다 / I was ~ *to* know further details. 좀더 자세한 것을 알고 싶었다 / He was ~ *that* nothing (should) be said about it. 그것에 대하여 일체 언급(言及)하지 않기를 바라고 있었다《㊟ should를 생략하는 것은 주로 《美》》.
〖F ; ⇨ DESIRE〗

de·sist [dizíst, -síst] *vi.* 《文語》 [動 / ＋*from*＋名] 그만두다, 단념하다 : They were ordered to ~ ***from*** violat*ing* the law. 법률을 위반하지 않도록 명령을 받았다. **de·sís·tance** *n.* 중지, 단념. 〖OF<L DEsisto to stand apart (redupl.) ‹ *sto* to stand〗

de·si·tion [dizíʃən, -síʃ-] *n.* 존재하지 않게 됨, 소멸(消滅).

◊desk [désk] *n.* **1 a)** 책상, 공부용 책상, 사무용 책상 : He found the money *in* his ~. 그 돈을 책상 (서랍) 속에서 찾았다. **b)** 《美》 성서대, 설교단 ; 〖樂〗 악보대. **c)** (여관 따위의) 카운터(cf. FRONT 2). **2** [the ~] 사무, 문필업. **3** [the ~] 《美》 (신문사의) 편집부, 데스크 ; 편집 주임. **4** [형용

사적으로] 책상의 ; 탁상용의 ; 책상에서 행하는 : a ~ dictionary[fan, lamp, telephone] 탁상용 사전[선풍기, 스탠드, 전화] / a ~ set 탁상용 문방구 한 벌.

be*[*sit*] *at* one*'s*[*the*] *desk 글을 쓰고 있다 ; 사무를 보고 있다.

go to* one*'s desk 집무(執務)를 시작하다.

—— *vt.* (활동적인 직장에서 나와서) 사무직에 취직하다. 〖L DISCUS table〗

désk·bòund *a.* 책상에 얽매인[앉아 일하는] ; 내근의 ; (전투 요원이 아니고) 사무 요원으로 있는.

désk clèrk *n.* 《美》 (호텔의) 프런트 담당.

de·skíll *vt.* (자동화 · 분업화로) 일을 단순 작업화하다.

désk jòckey *n.* 《美俗 · 戲》 사무원, 데스크에만 앉아서 일하는 직원.

désk·màn [, -mən] *n.* 〔新聞〕 데스크《뉴스를 정리하여 원고를 쓰는 사람 ; 보통 편집 차장》; 사무원 ; 관리자, 운영자.

désk·màte *n.* (교실의) 짝.

désk pàd *n.* (책상 위의) 필기 받침 ; 메모첩.

désk polìceman *n.* 내근 경찰관.

désk sécretary *n.* 《美》 (협회 따위의) 내근 직원(cf. FIELD SECRETARY).

désk stùdy *n.* 《英》 (현장 조사나 실험을 수반하지 않는) 탁상 연구.

désk·tòp *a.* 탁상용의, 소형의 : a ~ calculator 탁상용 계산기.

désktop pùblishing *n.* 전자[탁상] 출판.

désktop-sìze *a.* (컴퓨터 따위가) 책상에 놓을 수 있는 크기의, 탁상용의.

désk wòrk *n.* 책상에서 하는 일, 사무 ; 문필업.

D. ès L. *Docteur ès Lettres* 《F》 (=Doctor of Letters).

desm- [dézm], **des·mo-** [dézmou, -mə] *comb. form* 「띠」「결합」의 뜻. 〖Gk. *desmōs* band, chain〗

de·sòcial·izátion *n.* 비(非)사회화 ; (기업 · 정부의) 비사회주의화. **de·sócial·ìze** *vt.*

***des·o·late** [désələt, déz-] *a.* **1** 황폐한, 황량한, 사는 사람이 없는 ; 쓸쓸한. **2** 돌보지 않는, 흔적도 없는, 처참한, 비참한. **3** 고독한, (사람이) 적막한, 외로운. ——[-lèit] *vt.* **1** 황폐하게 만들다 ; (사람을) 살지 못하게 하다. **2** [+目 / +目+*to* do] 허전하게 하다, 쓸쓸하게 하다 : She was ~*d to* hear that Tom was going to marry. 톰이 결혼할 것이라는 말을 듣고 마음이 허전해졌다. **~·ly** *adv.* 황폐하여 ; 외롭게. **dés·o·làt·er, -là·tor** *n.* 황폐하게 하는 것[사람]. 〖L (p.p.) ‹ *de*-(*solo* ‹ *solus* alone) =to leave alone〗

dés·o·làt·ed *a.* (사람이) 쓸쓸한, 외로운, 허전한 : She is ~ without you. 그녀는 당신이 없어서 외로워하고 있오.

des·o·la·tion [dèsəléiʃən, dèz-] *n.* **1** Ⓤ 황폐시킴, 황폐화, 황폐 ; 황량(荒涼)한 곳, 폐허(ruin). **2** Ⓤ 쓸쓸함, 슬픔, 처참.

de·sorb [disɔ́ːrb, -zɔ́ːrb] *vt.* 흡수제로부터 (흡수된 물질을) 제거하다, 탈착(脫着)하다.

—— *vi.* 탈착(脫着)되다.

de·sorp·tion [disɔ́ːrpʃən] *n.* 탈착.

***de·spair** [dispέər, -spǽər] *n.* **1** Ⓤ 절망(↔ *hope*) : abandon oneself[give oneself up] to ~ 자포 자기하다 / drive a person to ~ =throw a person into ~ 남을 절망에 빠뜨리다. **2** 절망시키는 것 : He is my ~. 그에게는 나도 두 손 들었다《구제하기 어렵다는 뜻》; 그에게는 도저히 당할 수가 없다《너무 뛰어나 상대가 안된다는 뜻》/ The child is *the* ~ *of* his parents. 그 아이에게는 부모도 손을 들었다[포기했다]. **3** [보통 *pl.*] (갑자기 엄습하는) 절망감.

in despair 절망하여 : They gave up the experiment *in* ~. 절망하여 실험을 포기했다.

—— *vi.* [動 / +*of*+名] 절망하다 : Never ~. 결코 절망해서는 안된다 / At last I ~*ed* ***of*** be*ing* rescued. 결국 구조될 희망도 잃었다 / His life is ~*ed of*. 그는 살아날 가망이 없다. —— *vt.* 《古》 …의 희망을 잃다.

〖OF‹L (*spero* to hope)〗

類義語 ***despair*** 희망을 아주 잃고 낙담하는 상태가 되어 있는 것 : He was in *despair* over losing his wife. (그는 처를 잃고 절망에 빠져 있었다). ***desperation*** despair한 결과 자포자기의 행동[수단]으로 나오는 것 : He lost his wife and committed suicide in *desperation.* (그는 처를 잃고 자포자기가 되어 자살했다).

despáir·ing *a.* 절망하고 있는, 절망적인 ; 필사(必死)의. **~·ly** *adv.* 절망적으로.

類義語 ⟹ HOPELESS.

despatch ☞ DISPATCH.

des·per·a·do [dèspərɑ́ːdou, -réi-] *n.* (*pl.* **~es, ~s**) 무법자, 물불을 가리지 않는 놈. 〖↓ +-*ado*〗

***des·per·ate** [déspərət, 美+-pərt] *a.* **1** 자포자기의, 무모한 ; 목숨을 아끼지 않는, 필사적인, 생명을 건 : a ~ measure 궁여지책, 비상수단 / Hunger makes men ~. 굶주리게 되면 누구나 자포자기하게 된다 / They made ~ efforts to reach the shore. 해안(海岸)에 이르고자 필사의 노력을 했다. **2** (…하고 싶어) 못견디는 : I was ~ *for* a glass of water. 물 한 잔 마시고 싶어 죽을 지경이었다. **3** (사태나 질병이 좋아질) 가망이 없는, 절망적인(beyond hope) : *D*~ diseases must have ~ remedies. 《속담》 중병에는 비상한 요법(療法)이 필요하다. **4** 맹렬한, 지독한.

—— *adv.* 《口 · 方》 =DESPERATELY. **~·ness** *n.* 〖L ; ⇨ DESPAIR〗

類義語 ⟹ HOPELESS.

désperate·ly *adv.* 필사적으로[자포자기로] ; 무모하게 ; 절망적으로 ; 생각다 못해 ; 《口》몹시, 지독하게(excessively).

des·per·a·tion [dèspəréiʃən] *n.* Ⓤ 자포자기, 절망, 실의 ; 필사적임.

drive a person ***to desperation*** 사람을 절망에 빠뜨리다, 필사적이 되게 하다 ; 《口》사람을 분통 터지게 하다 : Hunger *drives* men *to* ~. 굶주림에 허덕이면 누구나 자포자기하게 된다.

in desperation 절망에 빠져 ; 필사적으로.

類義語 ⟹ DESPAIR.

de·spi·ca·ble [dispíkəbəl, déspik-] *a.* 비루한(contemptible), 경멸할 만한, 비열한(mean), 야비한. **~·ness** *n.* **-bly** *adv.* 비열하게, 비루하게, 치사하게. 〖L ; ⇨ DESPISE〗

de·spín *vt., vi.* 〔宇宙〕 (인공 위성 · 항공기 기체의) 회전을 정지하다, 회전 속도를 늦추다.

***de·spise** [dispáiz] *vt.* 경멸하다, 얕보다 : Liars are ~*d* by honest people. 거짓말쟁이는 정직한 사람으로부터 경멸당한다. **~·ment** *n.* **de·spís·er** *n.* 〖OF‹L *de*-(*spicio* =*spect*-*specio* to look at) =to look down upon〗

類義語 (1) ***despise*** 매우 불쾌한 생각을 가지고 감정적으로 경멸하다 : *despise* a liar (거짓말쟁이를 경멸하다). ***scorn*** 분노와 강한 혐오감(嫌惡感)을 가지고 심히 경멸하다 : *scorn* a bribery case (증[수]회 사건을 경멸하다). ***disdain*** 자

기보다 가치가 낮은 것 또는 뒤지는 것을 거만한 태도로 경멸하다 : *disdain* flattery (감언이설을 경멸하다).
(2) ⟹ HATE.

***de·spite** [dispáit] *prep.* …에도 불구하고 (in spite of) : He is very well ~ his age. 노령에도 불구하고 매우 건강하다.

> **despite**를 이용한 문장 전환
> He attended the meeting *despite* his illness.
> → He attended the meeting *though* he was ill.
> (그는 아팠으나 모임에 참석했다.)

—— *n.* Ⓤ 무례 ; 위해 (危害) ; 악의, 원한 ; 《古》 경멸.
(*in*) ***despite of*** …을 무릅쓰고 ; …에도 불구하고. ㊟ 이 뜻으로 despite 또는 in spite of가 일반적임.
—— *vt.* 《古》 경멸하다 ; 《廢》 성나게 하다.
〖OF<L ; ⇨ DESPISE〗

despíte·ful *a.* 《古》 =SPITEFUL. **~·ly** *adv.*

de·spoil [dispɔ́il] *vt.* [+目/+目+*of*+名] (사람·장소)에서 빼앗다, 약탈하다 (rob) : ~ a person ***of*** his rights 남에게서 권리를 박탈하다 / ~ a village 마을을 약탈하다.
~·er *n.* **~·ment** *n.* Ⓤ 약탈 (掠奪).
〖OF<L=to rob (esp. of clothing) ; ⇨ SPOIL〗

de·spo·li·a·tion [dispòuliéiʃən] *n.* 약탈.

de·spond [dispɑ́nd] *vi.* [動/+*of*+名] 낙담하다, 풀이 죽다 : ~ ***of*** the future 장래를 비관하다. ——[, déspɑnd] *n.* Ⓤ 《古》 낙담, 실망 (despondency).
〖L DE*spondeo* to give up ; ⇨ SPONSOR〗

de·spón·den·cy, -dence *n.* 낙담, 실망, 의기소침 : fall into *despondency* 의기 소침하다.

de·spón·dent *a., n.* 기운이 없는 (사람), 의기 소침한 (사람). **~·ly** *adv.* 힘없이, 실망[낙담]하여, 기가 꺾여.

despónd·ing *a.* =DESPONDENT.
~·ly *adv.*

des·pot [déspət, -pɑt] *n.* 폭군 (tyrant) ; 전제 군주, 독재자. 〖F<L<Gk. *despotēs* master〗

des·pot·ic, -i·cal [despɑ́tik(əl), dis-] *a.* 전제[독재]적인 ; 횡포한. **-i·cal·ly** *adv.* 전제적으로 ; 포학하게.

despótic mónarchy *n.* 〖政〗 전제 군주제[국].

des·po·tism [déspətìzəm] *n.* **1** Ⓤ 전제 정치, 독재제 ; 압제 (壓制) (tyranny). **2** 전제국가 ; 전제정부. **-tist** *n.* 전제주의자.

des·qua·mate [déskwəmèit] *vi.* (피부가) 벗겨지다, 박리 (剝離)하다. **dès·qua·má·tion** *n.* 표피 박리 (表皮剝離). 〖L *squama* scale〗

***des·sert** [dizə́:rt] *n.* Ⓤ,Ⓒ 디저트《식사의 마지막 코스》. ㊟ 미국에서는 과자류·아이스크림·과일 따위가 나옴 ; 영국에서는 식사 후에 과자류 (sweets) 뒤에 나오는 과일류.
〖F DES*servir* to clear the table (*dis*-, SERVE)〗

dessért fòrk *n.* 디저트용 포크.

dessért knìfe *n.* 디저트용 나이프《table knife보다 소형》.

dessért ràisin *n.* 디저트용 고급 건포도.

dessért sèrvice *n.* 디저트용 식기 (한 벌).

dessért·spòon *n.* 디저트용 스푼《teaspoon과 tablespoon의 중간 크기》.

dessért·spòon·fùl *n.* (*pl.* **~s**) 디저트용 스푼 가득한 분량.

dessért wìne *n.* 디저트 포도주《디저트나 식사 중에 나오는 단맛이 나는 포도주》.

de·stábilize *vt.* 불안정하게 하다, 동요시키다.
de·stabilizátion *n.*

de·stàlin·izátion, de-Stàlin- *n.* 비 (非)스탈린화 (化). **de·stálin·ìze, de-Stá-** *vt.* 비 (非)스탈린화 (化)하다.

de·stérilize *vt.* (유휴 물자를) 활용하다 ; 《美》 (금 따위의) 봉쇄를 해제하다.
de·sterilizátion *n.*

***des·ti·na·tion** [dèstənéiʃən] *n.* **1** 목적지, 행선지, 도착지[항] ; 〖商〗 (주문품을) 보낼 곳[항구] : The ship reached its ~ in safety. 배는 무사히 목적지에 도착했다. **2** Ⓤ,Ⓒ 용도, 목적 ; 예정, 지정 : the port of ~ 목적항, 지정 항구.

> 〈회화〉
> What's the *destination* of this train? — It's Boston. 「이 기차는 어디로 갑니까」「보스톤입니다」

des·tine [déstən] *vt.* [+目+*to* do/+目+前+名] [보통 수동태로] (어떤 용도·목적에) 예정해두다 ; 운명짓다 (doom) : He *was* ~*d* never *to* meet her again. 그녀와 두 번 다시 만나지 못할 운명이었다 / He *was* ~*d to* enter the Church [~*d* ***for*** the Church]. 성직자가 될 운명이었다 / a man ~*d for* high office 틀림없이 높은 지위에 오를 사람 / He *is* ~*d* ***to*** the gallows. 그가 교수형 (絞首刑)이 될 것은 틀림없다.
〖F<L *de*-(*stino*=*sto* to stand)=to make fast, fix〗

***des·ti·ny** [déstəni] *n.* **1** Ⓤ,Ⓒ 운명, 숙명. **2** Ⓤ [D~] 하늘, 신의 (神意) (Providence) ; [the Destinies] 〖神〗 운명의 3여신 (the Fates).
the man of destiny 운명을 지배하는 사람《Napoleon 1세와 같은 사람》.
〖OF<Rom. (p.p.)<↑〗
類義語 ⟹ FATE.

***des·ti·tute** [déstətjù:t] *a.* **1** 빈곤한, 가난[빈궁]한 (poor) ; [명사적으로 ; the ~] 빈곤한 사람들. **2** (…이) 결핍된, 없는 (in want) : people ~ *of* sympathy 동정심이 없는 사람들.
〖L (p.p.)<*de*-(*stitut*- *stituo*=*statuo* to place)=to leave alone, forsake〗

des·ti·tu·tion [dèstətjú:ʃən] *n.* Ⓤ 극빈, 빈곤, 궁핍 ; 결핍 (상태).
類義語 ⟹ POVERTY.

de·stra [déstrɑ:] *n.* 〖樂〗 오른손.
〖It. ; ⇨ DEXTER〗

déstra má·no [-mɑ́:nou] *n.* =MANO DESTRA.

de·stréss *vt.* …의 중압[압박]을 제거하다.

des·trier [déstriər, 美+destríər] *n.* 《古》 군마 (軍馬) ; (중세 기사의) 승마, 말.

‡de·stroy [distrɔ́i] *vt.* **1** 파괴하다 (↔*construct*) ; 파기 (破棄)하다 ; 멸망시키다, 궤멸[박멸]하다 ; 죽이다 ; 없애버리다 : The invaders ~*ed* the whole town. 침입자들은 그 마을 전체를 파괴했다 / The tidal wave ~*ed* over 30,000 lives. 그 해일 (海溢)은 3만명 이상의 인명을 앗아갔다 / The house was ~*ed* by fire. 그 집은 소실 (燒失)되었다. **2** (학문 따위를) 논파 (論破)하다, 무효로 하다. —— *vi.* 파괴되다.
〖OF<L (*struct*- *struo* to build)〗
類義語 ⟹ SPOIL.

destróy·er *n.* 파괴[파기]자 ; 박멸자 ; 구축함 (驅逐艦) (torpedo-boat destroyer).

destróyer èscort *n.* 《美》 (대 (對) 잠수함용) 호송 구축함.

destróyer lèader *n.* 향도(嚮導) 구축함.
destróy·ing ángel *n.* 〖植〗 알광대버섯.
de·struct [distrʌ́kt] *vt.* (미사일을 고의로) 파괴하다, 폭파시키다. ── *vi.* (미사일 따위) 자동적으로 파괴되다, 자폭하다. ── [, 美+dí:strʌkt] *n.* (미사일의) 공중 폭파, 파괴. ── *attrib. a.* (미사일 장치 따위) 파괴용의.
〖L (⇨ DESTROY), or 역성(逆成) ‹*destruct*ion〗
de·strúc·ti·ble *a.* 파괴[궤멸·구제(驅除)]할 수 있는. **de·strùc·ti·bíl·i·ty** *n.*
***de·struc·tion** [distrʌ́kʃən] *n.* **1** Ⓤ 파괴; (문서의) 파기(죄); 절멸, 구제; 멸망(ruin), 도궤(倒潰), 타파: bring...to ~ …을 파괴하다, 파멸시키다. **2** 파멸의 원인: Drinking was his ~. 술이 그의 파멸의 원인이었다. **~·ist** *n.* 파괴[무정부]주의자. 〖F<L; ⇨ DESTROY〗
類義語 ⟹ RUIN.
***de·struc·tive** [distrʌ́ktiv] *a.* **1** 해로운, 해를 끼치는‹*of, to*›. **2** 파괴적인, 파괴주의적인(↔*constructive*): ~ criticism 파괴적 비평.
── *n.* 파괴력. **~·ly** *adv.* **~·ness** *n.*
destrúctive distillátion *n.* 〖化〗 분해 증류, 건류(乾溜).
destrúctive réading *n.* 〖컴퓨〗 파괴성 읽기《데이터를 한번 읽어내면 그 데이터가 파괴됨》.
de·struc·tiv·i·ty [di:strʌktívəti, dì:-] *n.* 파괴 능력, 파괴성.
de·strúc·tor *n.* 파괴자; 폐기물[쓰레기] 소각로(爐)(incinerator); (궤도를 벗어난 미사일의) 파괴[폭파] 장치.
de·súblimate *vt.* …에서 (본능적 욕구를) 승화시키는 능력을 빼앗다.
de·suete [diswí:t] *a.* 시대[유행]에 뒤진.
〖F<L (*suet- suesco* to be accustomed)〗
des·ue·tude [déswitjù:d, 美+disú:ə-, 英+disjú:i-] *n.* Ⓤ 폐지(상태), 폐절, 무용(지물): fall[pass] into ~ 폐절되다. 〖F or L〗
de·súlfur·ìze *vt.* …으로부터 유황분을 제거하다, 탈황(脫黃)하다.
des·ul·to·ry [désəltɔ̀:ri; -təri] *a.* 산만한, 일관성이 없는; 변덕스러운, 종작없는, 주제를 벗어난, 탈선적인: ~ reading 산만한 독서, 남독 / a ~ talk 만담. **dès·ul·tó·ri·ly** [; désəltərili] *adv.* 만연히, 산만히. **-ri·ness** *n.*
〖L=superficial; ⇨ SALLY〗
類義語 ⟹ RANDOM.
det. detached; detachment; detail; determine.
DET diethyltryptamine(속효성(速效性) 환각제).
de·tach** [ditǽtʃ] *vt.* **1** [+目/+目+*from*+名] 떼어내다, 잡아떼다, 분리하다(remove)(↔*attach*): I ~*ed* my watch ***from the chain. 쇠줄에서 시계를 떼어냈다 / Some of them ~*ed* themselves *from* the party. 그들 중에는 당(黨)을 떠나는 자도 있었다. **2** [+目/+目+*to* do] (군대·군함을) 파견하다(dispatch): The soldiers were ~*ed to* guard the left flank. 그 병사들은 좌익(左翼) 부대를 경호하기 위해서 파견되었다.
~·able *a.* 〖F (*de-*, ATTACH)〗
de·táched *a.* **1** 분리된, 고립된(isolated); 파견된: a ~ force 파견대, 별동대 / a ~ house 외딴 집(cf. SEMIDETACHED) / a ~ palace 별궁. **2** (사람·의견 따위에) 구애받지 않는, 사심(私心)이 없는, 공평한; 초연한: a ~ view 구애받지 않는[공평한] 견해. **-tách·ed·ly** [-tǽtʃədli, -tǽtʃtli] *adv.* 떨어져서; 사심 없이, 공평하게; 초연하게.
類義語 ⟹ INDIFFERENT.
detáched sérvice *n.* 〖軍〗 파견 근무.
***detách·ment** *n.* **1** Ⓤ 분리, 이탈. **2** Ⓤ (세속·이해 따위에) 초연(超然)함, 공평. **3** 분견(함)대; (특명에 의한) 파견, 분견.
‡**de·tail** [ditéil, dí:teil] *n.* **1** Ⓤ,Ⓒ 세부(細部), 세목, 항목(item); 사소한 일(trifle); 상설(詳說), 상기(詳記); [*pl.*] 상세(particulars): give a full ~ of …을 상설하다 / go[enter] into ~(*s*) 상술하다 / a matter of ~ 자세한 사항. **2 a)** 정교한 장식; Ⓤ 〖建·美術〗 세부 (묘사). **b)** = DETAIL DRAWING. **3** 〖軍〗 **a)** 행동 명령. **b)** 분견, 선발대, (소수의) 특파 부대《미국에서는 경찰대·기자단에도 사용함》. **c)** 특별 임무.
defeat*[*beat*] *in detail 〖軍〗 각개 격파(하다).
in detail 상세히; 세부에 걸쳐: explain the matter *in* ~ 그 일을 상세히 설명하다.
── *vt.* **1** [+目/+目+*to*+名] 상술하다; 열거하다: The adventurer ~*ed* ***to*** the audience the story of his escape. 모험가는 청중에게 자기가 탈출한 이야기를 자세히 말했다. **2** [+目/+目+*to* do] 선발[분견]하다: About 300 policemen were ~*ed to* hold back the crowd demonstrating against the act. 법안(法案)을 반대하는 데모대(隊)를 제지하기 위해서 약 300명의 경찰이 파견되었다. ── *vi.* 상세한 그림을 그리다.
〖F (*de-*, TAIL²)〗
類義語 ⟹ ITEM.
détail dràwing *n.* 〖建·機〗 상세도(圖).
de·táiled *a.* **1** 상세한: a ~ report 상보(詳報). **2** 분견된. **~·ly** *adv.* **~·ness** *n.*
détail màn *n.* (의사·병원 따위에 새로운 약을 설명·소개하는 제약 회사의) 세일즈맨.
***de·tain** [ditéin] *vt.* **1** (남을) 만류하다, 기다리게 하다; 《古》 억류해두다, 보류하다: This question need not ~ us. 이 문제 때문에 우리가 지체할 필요는 없다. **2** 유치[구류·감금]하다: The police ~*ed* the suspected thief for further questioning. 경찰은 심문을 더 하기 위해 절도 용의자를 구류했다. **~·ment** *n.* =DETENTION.
〖OF<L *de-*(*tent- tineo*=*teneo* to hold)=to keep back〗
de·tain·ee [dì:teiní:, di-] *n.* (정치적인 이유에 의한) (외국인) 억류자.
detáin·er *n.* 만류하는 사람; 〖法〗 불법 유치, 불법 점유; 〖法〗 구속 기간 갱신 영장.
***de·tect** [ditékt] *vt.* **1** 찾아내다, 간파하다(discover); 발견하다, 인지하다: He could ~ an escape of gas in the corner of the room. 방 구석에서 가스가 새고 있는 것을 알아냈다. **2** 〖電子〗 검파(檢波)하다; 〖化〗 검출하다. **~·able, ~·ible** *a.* 찾아낼 수 있는, 탐지할 수 있는.
〖L *de-*(*tect- tego* to cover)=to uncover〗
de·téct·a·phòne [ditéktə-] *n.* (전화) 도청기.
de·tec·tion [ditékʃən] *n.* Ⓤ,Ⓒ 간파(看破), 탐지, 발각‹*of*›; 발견; 검출(檢出); 〖電子〗 검파: a ~ station (핵실험의) 감시소.
***de·tec·tive** [ditéktiv] *a.* 탐정의; 검출[검파]용의: a ~ story[novel] 탐정[추리] 소설 / a ~ agency 비밀 탐정사, 흥신소. ── *n.* 탐정, 형사: a private ~ 사립 탐정.
de·téc·tor *n.* **1** 간파자, 발견자. **2** 〖電子〗 검파기; (누전의) 검전기; 〖化〗 검출기: a crystal ~ 광석 검파기 / a lie ~ 거짓말 탐지기.
detéctor càr *n.* 〖鐵〗 (선로의 균열을 찾아내는) 디텍터 차.
de·tent [ditént, dí:tent] *n.* 〖機〗 (시계·기계의) 멈춤쇠.

dé·tente, de- [deitɑ́:nt ; *F* detɑ̃:t] *n.* (국제 관계 따위의) 데탕트, 긴장 완화. 〖F=relaxation〗

de·ten·tion [diténʃən] *n.* **1** Ⓤ 만류하기, 저지. **2** Ⓤ 구류, 유치, 구금 ; (벌로서) 방과 후 잡아두기 : a house of ~ 유치장, 미결감 / under ~ 구류되어.
〖F or L ; ⇨ DETAIN〗

deténtion bàrrack *n.* 〔英軍〕 영창.

deténtion càmp *n.* 포로 임시 수용소, 억류소 ; (정치범·불법 입국자의) 수용소 ; (전시의 적국인) 강제 수용소.

deténtion cènter *n.* 《英》 비행 청소년 단기 수용소 ; =CONCENTRATION CAMP.

deténtion hòme *n.* 소년 감화원.

deténtion hòspital *n.* 격리 병원.

de·ter [ditə́:r] *vt.* (**-rr-**) [+目 / +目+*from*+名] (기를 꺾어) 그만두게 하다, 단념시키다, 방해하다, 저지하다, 억지하다 : The extreme cold ~*red* him ***from*** go*ing* downtown. 너무 추워서 그는 시내에 나갈 것을 단념했다.
〖L (*terreo* to frighten)〗

de·terge [ditə́:rdʒ] *vt.* (상처 따위를) 깨끗이 하다, 세정(洗淨)하다. 〖F or L *de*-(*ters- tergeo* to wipe) =to wipe off, cleanse〗

de·tér·gen·cy, -gence *n.* 세정력(洗淨力).

de·tér·gent *a.* 깨끗하게 하는. —— *n.* Ⓤ,Ⓒ (금속 세정(洗淨)용의) 청정제, 세정제 ; (세탁용의) (중성) 세제 : synthetic ~*s* 합성 세제.

de·te·ri·o·rate [ditíəriərèit] *vt.* (가치·품질을) 나쁘게 하다 ; 열등케 하다, 저하시키다(↔*ameliorate*) ; 타락시키다. —— *vi.* 나빠지다, 악화[저하]되다 ; 타락[퇴폐]하다 : The finest machine will ~ if it is not given good care. 아무리 정교한 기계라도 잘 손질하지 않으면 성능이 떨어진다.
de·tè·ri·o·rá·tion *n.* 악화 ; 퇴보 ; 퇴폐.
de·té·ri·o·rà·tive *a.* 나빠지는 경향이 있는 ; 타락적인.
〖L (*deterior* worse)〗

de·tér·ment *n.* Ⓤ 제지(制止)(하는 것).

de·tér·min·able *a.* 확정[결정]지을 수 있는.

de·ter·mi·nant [ditə́:rmənənt] *a.* 결정력이 있는 ; 한정적인. —— *n.* 결정 요인[요소] ; 〔數〕 행렬식(行列式) ; 〔論〕 한정사(辭) ; 〔生〕 결정 인자, 유전자(gene).

de·ter·mi·nate [ditə́:rmənət] *a.* 한정된, 명확한 ; 확정된, 일정한 ; 결정적인, 단호한 ; 〔數〕 기지수의. **~·ly** *adv.* 확정[결정]적으로. **~·ness** *n.*
〖L (p.p.) ‹DETERMINE〗

de·ter·mi·na·tion** [ditə̀:rmənéiʃən] *n.* **1** Ⓤ [+*to* do] 결심, 결의 ; 결단력 ; 재단(裁斷) : his ~ *to* master English 영어를 철저하게 배우려는 그의 결의 / carry out a plan *with* ~ 단호히 계획을 실행하다 / *with* an air of fixed ~ 굳게 결의한 태도로 / It needs more ~. 보다 더 결단력이 필요하다 / come to a ~ 결심이 서다. **2** Ⓤ [+(前+) *wh.* 節·句] 결정, 확정 : The ~ ***of a name[*of what* name we should adopt] for the club took a very long time. 클럽의 이름을 결정하는 데 꽤 오랜 시간이 걸렸다. **3** Ⓤ 〔論〕 한정 ; 〔理〕 측정(법), 정량(定量) ; 〔法〕 판결, 종결 : the ~ of (the amount of) gold in a sample of rock 암석의 표본에서의 금(金) 함유량의 측정 / the ~ of a word's meaning 단어의 뜻의 한정.

de·tér·mi·nà·tive [, -mənə- ; -nə-] *a.* 결정력이 있는, 확정적인 ; 한정적인.
—— *n.* Ⓤ,Ⓒ 결정[한정]인(因) ; Ⓒ 〔文法〕 = DETERMINER 2. **~·ly** *adv.* **~·ness** *n.*

‡de·ter·mine [ditə́:rmən] *vt.* **1 a)** [+*to* do / +*that* 節] 결심[결의]하다(decide) : He ~*d* never *to* live above his income. 수입 이상의 생활은 결코 하지 않겠다고 결심했다(☞ DETERMINED 活用) / I ~*d that* nothing should be changed. 아무것도 바꾸지 않겠다고 결심했다. **b)** [+目+*to* do / +目+前+名] …에게 결심시키다(cf. DETERMINED 1) : What ~*d* you *to* oppose the plans? 무엇 때문에 그 계획에 반대하려는 마음이 생겼나요 / This letter ~*d* him not *to* see her again[~*d* him ***against*** see*ing* her again]. 이 편지를 보고 그는 그녀를 다시는 만나지 않겠다고 결심했다.
2 [+目 / +*wh.* 節 / +*wh.*+*to* do] 결정[확정]하다 : My course has not yet been ~*d*. 나의 방침은 아직 정해지지 않았다 / Have you ~*d what* (you are going) *to* do during the holidays? 휴가 중에 무엇을 할 것인지 결정했습니까 / I must now ~ *whether to* go abroad or not. 외국에 갈 것인지 안 갈 것인지를 지금 결정하지 않으면 안된다.
3 (의미를) 정확히 정하다, 한정하다 ; 측정하다 ; 〔數〕 …의 위치를 결정하다 ; 〔法〕 소멸시키다, 종결짓다 : The meaning of a word is ~*d* by its concrete use in a sentence. 낱말의 뜻은 문장 안에서의 구체적인 용법에 의하여 정확하게 알 수 있다 / The captain ~*s* the latitude and longitude of his ship's position. 선장은 배 위치의 경도와 위도를 측정한다.
4 [+目 / +目+*for*+名] (날짜·가격 따위를) 정하다 : ~ a date ***for*** a meeting 회합 날짜를 정하다.
—— *vi.* **1** [+*on*+名] 결정하다 ; 결심하다 : She ~*d* ***on*** an early start[starting early in the morning]. 아침 일찍이 떠나기로 했다. **2** 〔法〕 (효력 따위가) 종료[소멸]되다(expire).
〖OF‹L *de*-(*terminat- termino* ‹TERMINUS)=to set boundaries to〗
類義語 ⟹ DECIDE.

de·tér·mined** *a.* **1** [+*to* do / +前+do*ing*] 굳게 결심한 ; 결의가 굳은, 단호한(resolute) : a ~ character 단호한[과단성 있는] 성격(의 소유자) / I am ~ *to* go. 어떻게 하든 갈 결심이다(☞ 活用) / The boy was firmly ~ ***on becom*ing* a painter. 소년은 화가가 되려고 굳게 결심하고 있었다《注 The boy was firmly ~ *to* become a painter.로 바꿔 쓸 수 있음》. **2** 결정[확정]한, 한정된.

〈회화〉
What's up? You look full of spirit today. — I am *determined* to propose to her. 「왜 그러니. 오늘은 몹시 긴장된 얼굴을 하고 있으니」「그녀에게 프로포즈할 결심을 했거든」

~·ly *adv.* 결연히, 단호히. **~·ness** *n.*
活用 *have determined to* do(☞ DETERMINE *vt.* 1 a))는 행위의 완료를 강조하는 데 대하여, *be determined to* do는 결과로서의 심적 상태를 나타냄 : He has[*is*] *determined to* go abroad. (외국에 가려고 결심했다[하고 있다]).

de·tér·min·er *n.* **1** 결정하는 사람[것]. **2** 〔文法〕 한정사《a, the, this, your 따위》.

de·ter·mi·nism [ditə́:rmənìzəm] *n.* Ⓤ 〔哲〕 결정론. **-nist** *n.*, *a.* 결정론자(의) ; 결정론의.
de·tèr·mi·nís·tic *a.* 결정론적인.

de·ter·rence [ditə́:rəns, -tér- ; -tér-] *n.* **1** Ⓤ 제지, 만류 ; 전쟁 저지 ; (핵 따위의) 억지력. **2** 방

해물, 고장.
de·tér·rent *a.* 방해하는, 제지하는, 만류하는, 기를 꺾는 ; 전쟁 저지의 ; 억지력이 있는. —— *n.* 방해물, 고장, 억지하는 것 ; (전쟁) 저지력 ; 전쟁을 저지시키는 것 ; 핵무기 : nuclear ~ 핵무기. 〖DETER〗
de·ter·sive [ditə́ːrsiv, -ziv] *a., n.* 깨끗하게 하는 ; 세정제(洗淨劑).
***de·test** [ditést] *vt.* [+目 / +do*ing*] 몹시 싫어하다, 혐오하다(abhor) : My brother ~*s* spiders. 남동생은 거미를 아주 싫어한다 / I ~ be*ing* interrupted. 누가 도중에 내 말을 가로막는 것을 아주 싫어한다. **~·er** *n.* 〖L *de-*(*testor* to call to witness＜*testis* witness)〗
類義語 ⟹ HATE.
detést·able *a.* 증오할 만한, 몹시 싫은 : be ~ *to* …에게 미움받다. **-ably** *adv.* 밉살스럽게.
de·tes·ta·tion [dìːtestéiʃən, di-] *n.* **1** Ⓤ 증오(憎惡), 혐오(嫌惡) (hatred). **2** 몹시 싫은 것.
be in detestation (남에게) 미움을 받고 있다.
have [***hold***] ***. . . in detestation*** …를 몹시 싫어하다.
de·thréad *vt.* (카메라에서 필름을) 빼내다.
de·thróne [di-] *vt.* (왕을) 물러나게 하다, 퇴위시키다 ; 《비유》 권위있는 지위에서 몰아내다.
~·ment *n.* 폐위 ; 강제 퇴위(退位).
det·i·nue [détənjùː] *n.* 〖法〗 불법 점유 : an action of ~ 불법 점유 (동산) 반환 청구 소송. 〖OF (p.p.) ＜DETAIN〗
det·o·nate [détənèit] *vt.* 작렬[폭발]시키다 (explode) : ~ the dynamite 다이너마이트를 폭발시키다 / a *detonating* cap 뇌관(雷管) / a *detonating* hammer (총기의) 공이. —— *vi.* 작렬[폭발]하다 : The bomb ~*d.* 폭탄은 작렬했다. 〖L (*tono* to thunder)〗
det·o·na·tion [dètənéiʃən] *n.* Ⓤ,Ⓒ 폭발, 폭음.
dét·o·nà·tor *n.* 뇌관(雷管), 폭발 신관, (폭탄의) 기폭부(起爆部) ; 기폭약.
de·tour [díːtuər] *n.* 우회(迂廻) ; 돌아가는 길, 우회로 : make a ~ 우회하다.
—— *vi., vt.* 멀리 돌아가다[가게 하다]. 〖F＝change of direction ; ⇨ TURN〗
de·tox [diːtáks] *n.* 《美》 해독(detoxification).
—— *a.* 해독(용)의. —— *vt.* 해독하다(detoxify).
de·tóxicant *a.* 해독성의. —— *n.* 해독약[제].
de·tox·i·cate [diːtáksəkèit] *vt.* …에서 제독(除毒)하다, 해독하다.
de·tòx·i·cá·tion *n.* 제독, 해독.
de·tox·i·fy [diːtáksəfài] *vt.* …의 독성을 제거하다, 해독하다 ; …의 힘을 약하게 하다, 완화하다.
de·tòx·i·fi·cá·tion *n.* 무독화(無毒化), 해독.
de·tract [ditrǽkt] *vt.* (주의를) 딴 데로 돌리다 ; 《古》 비방하다 ; (가치·신용·이익·명예 따위를) 감소시키다, 떨어뜨리다. —— *vi.* [+*from*+名] 제거되다, 감소되다(cf. ADD *to*) ; 비방하다 : The bad ventilation ~*ed* ***from*** the pleasure of the exhibition. 환기(換氣)가 잘 되어 있지 않아서 전람회의 즐거움이 덜했다. 〖L (*tract- traho* to draw)〗
de·trac·tion [ditrǽkʃən] *n.* Ⓤ,Ⓒ **1** 욕, 비난 (slander). **2** 감손(減損)〈*from*〉.
de·trac·tive [ditrǽktiv] *a.* 덜하는, 감손적인 ; 욕하는, 비난하는. **~·ly** *adv.*
de·trác·tor *n.* (명예 훼손을 목적으로) 욕[비방]하는 사람, 중상자.
de·trac·to·ry [ditrǽktəri] *a.* ＝DETRACTIVE.
de·tráin *vi., vt.* 열차에서 내리다[내리게 하다] (↔ *entrain*). **~·ment** *n.*
de·trásh *vt.* (쓰레기 따위 여분의 것을) 없애다 (remove).
de·tríbal·ìze *vi., vt.* (타문화와의 접촉에 의해) …로부터 부족 고유의 의식[풍습, 조직]을 없애다[잃게 하다], 부족 사회를 버리게 하다.
det·ri·ment [détrəmənt] *n.* **1** Ⓤ 손해, 손상, 해(害) (damage) : to the ~ of …에 손해를 끼쳐서 / without ~ to …에 손해 없이. **2** Ⓒ 유해물, 손해의 원인.
〖OF or L ; ⇨ TRITE〗
det·ri·men·tal [dètrəméntl] *a.* 유해한, 손해되는 〈*to*〉 : Smoking is ~ *to* health. 흡연은 건강을 해친다. —— *n.* 이롭지 못한[달갑지 않은] 사람[물건] ; 《俗》 (여자에게) 탐탁지 않은 구혼자《원래는 차남 등》. **~·ly** *adv.*
de·tri·tal [ditráitl] *a.* 쇄암질(碎岩質)의, 암설(岩屑)의.
de·tri·tion [ditríʃən] *n.* Ⓤ 마멸(작용), 마모.
de·tri·tus [ditráitəs] *n.* (*pl.* ~ [ˌ-tuːs]) 〖地質〗 바위 부스러기, 암설(岩屑) ; 부스러기 (더미).
〖F＜L＝wearing down ; ⇨ DETRIMENT〗
De·troit [ditrɔ́it] *n.* 디트로이트《미국 Michigan 주(州)의 공업도시 ; 자동차 공업으로 유명함》.
de trop [də tróu] *a.* 필요 이상의, 쓸데없는. 〖F＝excessive〗
de·trude [ditrúːd] *vt.* 밀어내다 ; 내팽개치다.
de·trúncate *vt.* (…의) 일부를 잘라내다 ; 《비유》 단축하다.
dè·tuméscence *n.* Ⓤ 〖醫〗 종창(腫脹)이 가라앉기[낫기].
dè·tuméscent *a.*
Deu·ca·lion [djuːkéiljən] *n.* 〖그神〗 데우칼리온 《Prometheus의 아들 ; 아내 Pyrrha와 홍수에서 함께 살아남아 인류의 조상이 됨 ; cf. NOAH》.
deuce¹ [djúːs] *n.* **1** (카드 놀이의) 2의 패 ; (주사위의) 2의 눈. **2** Ⓤ 〖競〗 듀스《테니스 따위에서는 다음에 계속 2점을 얻으면 이김》. **3** 《美俗》 2달러 ; 겁쟁이 ; 《美俗》 2년형(刑).
deuce of clubs 《美俗》 두 주먹.
—— *vt.* 〖競〗 (경기를) 듀스로 만들다.
deuce it 《美俗》 두번째가 되다 ; 둘이서 하다, 약혼하다, 데이트하다.
〖OF＜L *duos* (acc.)＜*duo* two〗
deuce² *n.* **1** Ⓤ 《口》 액운, 악운(bad luck) ; 재앙, 재앙신 ; 귀찮은 존재 ; [the ~] 악마 (devil) : *The* ~ take it! 망할것!, 아차!, 제기랄! / *The* (very) ~ is in them! 에이, 빌어먹을 놈들 같으니. **2** Ⓤ 《口》 **a**) [보통 the ~ ; 감탄사적으로] 빌어먹을! **b**) [the ~ ; 의문사를 강조해서] 도대체 : What[Who] *the* ~ is that? 도대체 그것은 무엇[누구]이냐 / Where *the* ~ is she? 그녀는 도대체 어디에 있니. **c**) [부정] 전혀[하나도·한 사람도] 없다(not at all) : (the) ~ a bit 조금도 …하지 않다 / (The) ~ knows. 아무도 모른다 / The ~ it is [you are, *etc.*]! 그것이[네가] 그런 줄은 몰랐다[참으로 심하다, 괘씸하다, 설마]! 주 위의 용례(用例) 및 아래 숙어에서는 DEVIL을 대용할 수 있음.
a [***the***] ***deuce of a. . .*** 굉장한…, 지독한….
go to the deuce 파멸하다, 영락(零落)하다 ; [명령] 뒈져라, 꺼져라(be off).
like the deuce 기를 쓰고, 맹렬한 기세로.
play the deuce with …을 망쳐버리다.
the deuce and all 이것 저것 모두 ; 아무것도 [쓸만한 것이] 없다.
the deuce to pay 장차 일어날 말썽 : There

will be *the* ~ *to pay.* 후환이 있을걸.
〖LG *duus* two ; 주사위의 제일 나쁜 눈〗

déuce-àce *n.* (두 개의 주사위를 던져서 나온) 2점과 1점《가장 나쁜 것》;《古》불운.

deuc·ed [djúːsəd, -st] *a.*《口》참으로 지독한, 괘씸한 : in a ~ hurry 급히 서둘러. —— *adv.* 지독하게, 엄청나게 (very) : a ~ fine girl 매우 예쁜 처녀. **~·ly** *adv.*

de·us ex ma·chi·na [déiəs eks mάːkinə, -nὰː, -mǽkənə] *n.* (*fem.* **déa ex máchina** [déiə-]) 데우스 엑스 마키나《(1) 고대 연극에서 절박한 장면을 해결하기 위해 등장하는 공중에 띄운 신(神). (2) 희곡 따위의 곤란한 장면에 갑자기 나타나 부자연스럽게 억지로 해결을 가져오는 인물·사건》. 〖다음의 라틴어 역 Gk. *theos ek mēkhanēs* god from the machinery〗

Deut. 〔聖〕 Deuteronomy.

deut- [djúːt], **deu·to** [djúːtou, -tə] *comb. form* 「제2의」「재(再)」의 뜻. 〖↓〗

deu·ter-[1] [djúːtər], **deu·te·ro-** [-tərou, -rə] *comb. form* 「제2의」「재(再)」의 뜻.
〖Gk. *deuteros* second〗

deu·ter-[2] [djúːtər], **deu·te·ro-** [-tərou, -rə] *comb. form* 「중수소(重水素)」의 뜻.
〖DEUTERIUM〗

deu·ter·ag·o·nist [djùːtərǽgənəst] *n.* 〔그劇〕 제2역《주역(protagonist) 다음 가는 배역》.

deu·ter·an·ope [djúːtərənòup] *n.* 제2색맹(色盲)인 사람, 녹색맹자.

deu·ter·an·opia [djùːtərənóupiə] *n.* 〔醫〕 제2색맹, 녹(綠)색맹.

deu·ter·ate [djúːtərèit] *vt.* 〔化〕 (화합물)에 중수소를 넣다.
dèu·ter·á·tion *n.* 중수소화(化).

deu·ter·ide [djúːtəràid] *n.* 〔化〕 중수소화물.

deu·te·ri·um [djuːtíəriəm] *n.* Ⓤ 〔化〕 중수소(重水素), 듀테륨(heavy hydrogen).
〖L (Gk. *deuteros* second)〗

deutérium óxide *n.* 〔化〕 산화중수소(重水素).

deu·ter·og·a·my [djùːtərάgəmi] *n.* 재혼(再婚). **-mist** *n.* 재혼자.

deu·ter·on [djúːtərὰn] *n.* 〔理〕 중양자(重陽子)《중수소의 원자핵》.

Dèu·ter·ón·o·mist *n.* 〔聖〕 신명기(申命記)의 작자[편자].

Deu·ter·on·o·my [djùːtərάnəmi] *n.* 〔聖〕 신명기(申命記)《구약 성서 중의 한 편》. 〖L<Gk.= second law (*nomos* law) ; Heb.의 오역〗

deut·sche mark, Deut·sche·mark [dɔ́itʃəmὰːrk] *n.* (*pl.* **~, ~s**) 독일 마르크《독일의 화폐 단위 ; =100 pfennigs ; 기호 DM》; 독일 마르크 화폐.
〖G=German MARK[2]〗

Deut·sches Reich [*G* dɔ́ytʃəs ráiç] *n.* (제2차 대전 전의) 독일《공식 명칭》.

Deutsch·land [*G* dɔ́ytʃlant] *n.* 독일(Germany).

deut·zia [djúːtsiə] *n.* 〔植〕 말발도리나무속(屬)의 각종 관목. 〖J. *Deutz* (d. 1782?) 네덜란드의 식물학 연구의 후원자〗

deux-che·veaux [*F* døʃvo] *n.* 2마력의 소형 승용차《프랑스의 시트로엔사제(社製)》.
〖F=two horses〗

deux·ième [*F* døzjɛm] *n.* (*pl.* **~z** [—]) 제2회 공연(公演).

Dev., Devon. Devonshire.

de·va [déivə] *n.* **1** [D~] 〔힌두教·佛教〕 제파(提婆) ; 천신(天神), 범천(梵天)(왕). **2** 〔조로아스터教〕 악신(惡神). 〖Skt.〗

de·váluate *vt., vi.* =DEVALUE.

de·valuátion *n.* 〔經〕 평가 절하(平價切下).
~·ist *n.* 평가절하론자.

de·válue *vt.* 가치를 떨어뜨리다 ; 〔經〕 (화폐의) 평가(平價)를 절하하다(↔ *revalue*) : ~ the pound 파운드의 평가를 절하하다. —— *vi.* 평가절하를 하다.

dev·as·tate [dévəstèit] *vt.* (국토를) 유린하다, 황폐시키다 ; 압도하다, 질리게 하다(overwhelm) : The border towns had been ~*d* by the long war. 국경 도시들은 오랜 전쟁으로 황폐되어 있었다. **dév·as·tà·tive** *a.* **-tà·tor** *n.* 약탈[파괴]자.
〖L (*vasto* to lay waste)〗

dév·as·tàt·ing *a.* **1** 황폐시키는, 파괴적인. **2** 《口》 (의론·매력 따위가) 압도적인, 통렬한, 항거하기 어려운 : a ~ reply 통렬한 우승. **3** 《口》 매우 훌륭한, 굉장한, 효과적인 ; 지독한, 형편없는 : ~ charm 넋을 잃게 할 정도의 매력.
~·ly *adv.*

dev·as·ta·tion [dèvəstéiʃən] *n.* Ⓤ 유린 ; 황폐(상태) ; [*pl.*] 약탈(掠奪)의 흔적, 참해.

‡de·vel·op, -ope [divéləp] *vt.* **1** [+目/+目+前+名] 발달[발전]시키다, 발육시키다 ; 〔生〕 발생시키다 ; 계발하다 ; 개발하다 ; (광산 따위) 발굴하다 : Swimming will ~ many different muscles. 수영은 몸의 여러 근육을 발달시킨다 / ~ the natural resources of a country 나라의 천연자원을 개발하다 / The modern electronic computer has been ~*ed* ***from*** the simpler calculating machine. 현대의 전자 계산기는 단순한 계산기로부터 발달했다. **2** (계획·의논 따위를) 전개하다, 진전시키다(evolve) : We ~*ed* a plan for a new youth club. 새 청년회관 설립의 안(案)을 추진해 나갔다. **3** (경향을) 나타나게 하다[드러내다], 발휘하다 ; 《美》 (새 사실을) 밝히다 ; (새로운 것을) 만들어내다 : She has ~*ed* a good taste in dress. 복장에 대한 취미가 점차 고상해졌다 / The old man ~*ed* cancer[fever]. 그 노인은 암(癌)에 걸렸다[열이 났다] / The detective's inquiry did not ~ any new facts. 그 형사의 조사는 아무런 새로운 사실도 밝히지 못했다. **4** 〔軍〕 (공격을) 개시[전개]하다 ; 〔樂·數〕 전개하다. **5** 〔寫〕 현상하다 : All the films we have ~*ed* will be printed. 우리가 현상한 필름은 모두 인화(印畫)합니다 / a ~*ing* tray[tank] 〔寫〕 현상 쟁반[탱크].
—— *vi.* **1** [動/+前+名] 발달[발육]하다 ; 발전[진전]하다 ; 〔生〕 발생하다 : Plants ~ ***from*** seeds. 식물은 씨에서 발육한다 / London ~*ed* ***into*** the general mart of Europe. 런던은 유럽의 상업 중심지로 발전했다. **2** 《美》 명백해지다, 나타나다 : Symptoms of cancer ~*ed.* 암(癌)의 증상이 나타났다. **3** 〔寫〕 현상되다 : This film will ~ in twenty minutes. 이 필름은 20분내에 현상됩니다. **de·vél·op·able** *a.*
〖F (*veloper* to wrap)<Rom.<? ; cf. ENVELOP〗

Devélop-and-Impórt Schème *n.* 개발 수입 방식(方式).

de·vél·oped *a.* (국가 따위가) 고도로 발달한, 공업화한, 진보된, 선진의 : ~ countries 선진국 / a highly ~ industry 고도로 발달된 산업.

de·vél·op·er *n.* **1** 개발자 ; 택지 개발[조성]업자. **2** 〔寫〕 현상액 ; 현상자 ; 〔染〕 현색제(顯色劑).

de·vél·op·ing *a.* 발전[발달] 중인 ; (나라·지역 따위가) 개발도상의[에 있는] : ~ countries 개발

도상국(cf. UNDERDEVELOPED countries).

***de·vél·op·ment, -ope-** *n.* **1** ⓊⒸ 발달, 발육, 성장(growth), 진전, 발전 ⟨*of*⟩; 〖生〗 발생; 개발, 조성: economic ~ 경제 발전[개발]. **2** 진화[발전]의 결과, 새로운 사실[사태]. **3** Ⓤ 〖數〗 전개; 〖寫〗 현상; 〖染〗 현색(顯色); ⓊⒸ 〖樂〗 전개(부). **4** 《美》 =HOUSING DEVELOPMENT.

bring...under development (토지 따위를) 개발하다.

de·vel·op·men·tal [divèləpméntl] *a.* 개발[계발]적인; 발달[발육]상의; 발생의.

developméntal biólogy *n.* 발생 생물학.

developméntal disabílity *n.* 〖心〗 발달 장애 《정신 지체·뇌성 마비 따위에 의한》.

devélopment àrea *n.* 《英》 개발 촉진 지역, 산업 개발 지역.

Devélopment Décade *n.* [the ~] 유엔 개발의 10년《제3세계의 경제적·사회적 발전을 촉진하려는 개발 계획》.

devélopment thèory[hypòthesis] *n.* 〖生〗 (Lamarck의) 진화론.

de·vi·ant [díːviənt] *a.* 기준[상도]에서 벗어난, 일탈한. —— *n.* (지능·사회적응·성행동에서의) 이상한 사람.

de·vi·ate [díːvièit] *vi.* [+*from*+名] 벗어나다, 빗나가다, 동떨어지다, 일탈하다; 편향하다: His remarks usually ~ ***from*** the truth. 그의 말은 으레 사실과는 동떨어진다. —— *vt.* 일탈시키다 ⟨*from*⟩. —— [-ət, -èit] *n.* 《美》 이상자, 〖心〗 (성적) 이상자, 변질자; 〖統〗 편차값. —— [-ət, -èit] *a.* 기준에서 벗어난, 상궤를 일탈한.

dé·vi·à·tor *n.* 〖L (*via* way)〗

類義語 ***deviate*** 정확한[정상적인] 또는 규정된 코스·표준·주의에서 어느 방향으로 약간 빗나가다: *deviate* from the doctrine (교리에서 벗어나다). ***swerve*** 진로에서 갑자기 또는 예리한 각도로 벗어나다: The car *swerved* to avoid a collision. (충돌을 피하기 위해 그 차는 급선회했다). ***veer*** 원래는 배나 바람이 여기저기로 방향을 바꾸는 것으로서 비유적으로는 방침이나 의견이 변하는 것: The talk *veered* to her romance. (화제는 그녀의 로맨스로 바뀌었다). ***diverge*** 본도(本道) 또는 이제까지의 코스에서 Y자처럼 별개의 방향으로 둘로 나누어지다: Our paths *diverged* when we left school. (학교를 졸업한 후 우리들은 가는 길이 달라졌다). ***digress*** 담화나 이야기가 본 줄거리에서 고의 또는 일시적으로 빗나가다: The story *digressed* from the main subject. (그 얘기는 본론에서 벗어났다).

de·vi·a·tion [dìːviéiʃən] *n.* **1** ⓊⒸ 탈선, 일탈 ⟨*from*⟩. **2** (자침(磁針)의) 자차(自差), 편향(偏向); 〖統〗 편차(값); 〖生〗 (진화상의) 편향; 〖海〗 항로 변경.

~·ìsm *n.* (정당 따위의) 노선 이탈. **~·ist** *n.* (정당 따위의) 노선 이탈자, 분파자.

***de·vice** [diváis] *n.* **1** 장치, 고안물, 조종하는 장치⟨*for*⟩: a safety ~ 안전 장치. **2** 궁리, 방책, 취향; [때때로 *pl.*] 음모, 책략, 지혜. **3** 의장(意匠), 도안, 무늬; 상표. **4** 가문(家紋); 제명(題銘), 명구(銘句). **5** [*pl.*] 의지, 희망, 욕망, 제멋대로 함.

leave a person ***to*** his ***own devices*** (충고나 원조를 하지 않고) 남을 제멋대로 하게 두다.

〖OF; ⇨ DEVISE〗

***dev·il** [dévəl] *n.* **1** 악마, 악귀, 마신; [the ~, 흔히 the D~] 마왕(魔王), 사탄(Satan): Talk of *the* ~, and he will[is sure to] appear. 《속담》 호랑이도 제말하면 온다 / The ~ take the hind(er)most. 《속담》 늦는 놈은 악마의 밥이나 돼라[아무렇게나 돼라], 빠른 놈이 덕을 본다 / Needs must when the ~ drives. 《속담》 사흘 굶어 도둑질 아니할 놈 없다. **2** 괴이한 우상(偶像), 사신(邪神). **3** 극악한 사람; 정력적이고 무모한 사람; [보통 a poor ~] 가엾은[불쌍한] 사람. **4** 다루기 고약한 동물. **5** 하청(下請) 문필업자; =PRINTER'S DEVIL. **6** (악덕의) 화신(化身): the ~ *of* greed 욕심꾸러기. **7** 《口》 투쟁심, 공격력. **8** 〖機〗 절단기, 파쇄기; (건축·주물용의) 휴대 화로. **9** (고추·겨자 따위를 많이 친) 매운 요리. **10 a**) [the ~; 저주·놀람의 뜻으로] 제기랄!, 설마! **b**) [the ~; 의문사를 강조하여] 도대체: Who *the* ~ is he? 저녀석은 대체 누구냐. **c**) [때때로 the ~; 강한 부정] 결코 …않다: (*the*) ~ a bit 조금도[전혀] …아니다 / (*the*) ~ a one 아무도 없다, 하나도 없다 / *The* ~ he is. 그는 절대로 그렇지 않다. 주 DEUCE의 숙어에서는 (the) deuce를 the devil로 바꿔도 된다(cf. BLAZE[1] *n.* 4, HELL 3).

a*[*the*] *devil of a... 굉장한, 지독한: There was *a* ~ *of a* noise. 굉장히 시끄러웠다.

(*as*) *black as the devil* 새까만.

(*as*) *cross as the devil* ☞ CROSS *a.*

be a devil for …광(狂)이다: He *is a* ~ *for* golf. 그는 골프광(狂)이다.

between the devil and the deep* (*blue*) *sea 진퇴 양난에 빠져.

give the devil his due 아무리 보잘것없는[마음에 안드는] 사람에게도 공평하게 대하다.

go to the devil 영락[몰락]하다; [명령] 뒈져라!, 꺼져 버려라!

have the devil's* (*own*) *luck (악인이) 한때 번영하다.

***It's the devil* (*of it*).** 큰일났다, 정말 못견디겠는 걸.

like the devil ☞ LIKE[1] *adv.*

paint the devil blacker than he is 한술 더 떠서 나쁘게 말하다.

play the devil with …을 엉망으로 만들다.

raise the devil 크게 소란을 피우다.

the devil and all 이것저것 모두 다; 모든 나쁜 일; 무엇이건 전부.

the devil to pay 앞으로 닥칠 큰 곤란: There will be *the* ~ *to pay.* 나중에 혼난다, 후환이 두렵다.

—— *v.* (**-l-** | **-ll-**) *vt.* **1** 《美口》 괴롭히다, 지분거리다, 학대하다. **2** [보통 *p.p.*로] (고기 따위에) 겨자를 많이 쳐서 굽다(☞ DEVILED).

—— *vi.* (저술가 등의) 하청 일을 하다⟨*for*⟩.

〖OE *dēofol* < L < Gk. *diabolos* accuser, slanderer; Heb. SATAN의 역(譯); cf. G *Teufel*〗

dévil-dòdger *n.* 《口》 (큰소리를 내는) 설교사, 군목(軍牧).

dévil dòg *n.* 《美口》 해병대원(marine)《별명》.

dévil·dom *n.* 악마의 나라; Ⓤ 악마의 지배(력)[신분]; [집합적으로] 악마.

dév·iled, dév·illed *a.* 맵게 맛을 들인(cf. DEVIL *vt.* 2): ~ ham 맵게 양념한 햄 / ~ eggs 데블드 에그.

dévil·fìsh *n.* 〖魚〗 쥐가오리, 아귀; 낙지, 문어.

dévil·ish *a.* 악마 같은; 흉악한, 극악한, 비인도적인; 《口》 지독한, 심한(extreme).

—— *adv.* 《俗》 [강조적으로] 엄청나게, 무섭게.

~·ly *adv.*

dévil·ìsm *n.* Ⓤ **1** 마성(魔性) ; 악마 같은 짓. **2** 악마 숭배.

dévil·kin [-kən] *n.* 작은 악마.

dévil-may-cáre *a.* 무모한 ; 무관심한.

dévil·ment [-mənt, -mènt] *n.* **1** Ⓤ,Ⓒ 악마의 행적 ; (심술궂은) 나쁜 장난 ; 기괴한 고안 : up to some ~ or other 뭔가 장난을 쳐서. **2** Ⓤ 양기(陽氣), 원기 : full of ~ 원기 왕성하여.

dévil·ry, -try [-tri] *n.* Ⓤ,Ⓒ 악마의 짓, 마법 ; 극악무도한 행동 ; 무모한 장난, 대담무쌍한 행위. 〚*-try*는 잘못하여 HARLOTRY 따위에 준한 것〛

dévil's ádvocate *n.* 〖카톨릭〗 악마의 변호인《성인 후보자의 덕행에 대한 반증(反證) 제출관(官)》; 험구가, 트집쟁이, (의론이나 제안의 타당성을 시험하기 위해) 일부러 반대의견을 말하는 사람 : play the ~ 일부러 반대 입장을 취하다.

dévil's bédpost *n.* 《口》 (카드의) 클로버의 4의 패《재수가 없다고 함》.

dévil's Bíble *n.* [the ~] 트럼프.

dévil's bònes *n. pl.* 주사위(dice).

dévil's bóoks *n. pl.* [the ~] =DEVIL'S PICTURED BOOKS.

dévil's dárning nèedle *n.* 〖昆〗 (실)잠자리.

dévil's dòzen *n.* 《口》 13, 13개.

dévil's fòod (càke) *n.* 초콜릿이[코코아가] 든 케이크. 〚ANGEL FOOD *cake*에 준한 것〛

Dévil's Ísland *n.* 악마섬《프랑스령 Guiana 앞바다의 옛 유형(流刑) 섬》.

dévil's pìcture(d) bòoks[pìctures] *n. pl.* [the ~] 《口》 카드패(playing cards).

dévil's tattóo *n.* 손가락이나 발로 책상·마루 따위를 똑똑 두드리기《흥분·초조 따위의 표시》: beat the[a] ~ 톡톡 치다.

Dévil's Tríangle *n.* [the ~] 마(魔)의 삼각 수역(水域) (Bermuda Triangle).

de·vi·ous [dí:viəs] *a.* 우회한, 꾸불꾸불한 ; 정도를 벗어난, 길 잃은 ; 솔직[순진]하지 않은, 속임수의, 교활한.

~·ly *adv.* 꾸불꾸불 돌아서, 정도를 벗어나, 속임수로. **~·ness** *n.*

〚L=off the road (*via* way) ; cf. DEVIATE〛

de·vis·al [diváizəl] *n.* 궁리, 고안.

***de·vise** [diváiz] *vt.* **1** [+目/+*wh.*+*to* do] (방법을) 궁리하다, 고안[안출]하다 ; 발명하다 : We must ~ a scheme for earning money during the vacation. 휴가중에 돈을 벌 계획을 생각해 내지 않으면 안된다 / I ~*d how to* catch flies. 파리잡는 법을 궁리했다. **2** 〖法〗 (부동산을) 유증(遺贈)하다. —— *vi.* 궁리하다, 안출하다. —— *n.* Ⓤ 〖法〗 (부동산) 유증 ; 유증 재산 ; Ⓒ (유언장의) 증여(贈與) 조항. **de·vís·able** *a.*

〚OF<L ; ⇨ DIVIDE〛

de·vi·see [dèvəzí:, divai-] *n.* 〖法〗 (부동산) 수유자(受遺者) (↔*devisor*).

de·vís·er *n.* **1** 고안[안출]자. **2** =DEVISOR.

de·vi·sor [diváizər, dèvəzɔ́:r, divai-] *n.* 〖法〗 부동산 유증자(↔*devisee*).

de·vítal·ìze *vt.* …의 생명[활력]을 빼앗다[약화시키다]. **de·vìtal·izátion** *n.* Ⓤ 활력[생명] 상실 ; 활력[생명]을 빼앗기.

de·vítamin·ìze *vt.* …에서 비타민을 없애다.

de·vit·ri·fy [di:vítrəfài] *vt.* 〖化〗 …의 광택과 투명성을 없애다, (유리를) 불투명하게 하다.

—— *vi.* 실투(失透)하다.

de·vìt·ri·fi·cá·tion *n.* Ⓤ 실투(현상·작용).

de·vócal·ìze *vt.* 〖音聲〗 (유성음을) 무성음화(無聲音化)하다. **de·vòcal·izátion** *n.* 무성음화.

de·vóice *vt.* =DEVOCALIZE.

de·void [divɔ́id] *a.* 결핍된, …이 없는 : He is ~ *of* humor. 그에게는 유머가 없다.

〚(p.p.) 〈*devoid* (obs.) <OF ; ⇨ VOID〛

de·voir [dəvwá:r, dévwa:r] *n.* 본분 ; 의무 ; [*pl.*] 경의의 표시《인사·작별인사 따위》.

pay** one**'s devoirs to (방문하여) …에게 경의를 표하다.

〚OF (L *debeo* to owe) ; cf. DEBT〛

de·vo·lu·tion [dèvəlú:ʃən ; dì:-] *n.* **1** Ⓤ,Ⓒ 상전(相傳) ; 〖法〗 (권리·의무·지위 따위의) 상속인으로의 이전. **2** Ⓤ,Ⓒ (관직·권리·의무의) 이전 ; 〖議會〗 위원회 회부. **3** Ⓤ 〖生〗 퇴화(退化) (↔*evolution*). 〚L (↓)〛

de·volve [divɔ́(:)lv, -válv] *vt.* [+目+*on*+名] (권리·의무·직위를) 양도하다, 맡기다, 넘기다, 이전시키다 : The duties have been ~*d* ***upon*** him. 그 임무는 그에게 맡겨져 있었다. —— *vi.* [+*on*+名] 이전되다, 양도되다, (재산 따위가) 넘어가다(pass), (직책 따위가) 귀속하다(fall) ; 의존하다 : When the President is unable to do his duties, they ~ ***(up)on*** the Vice-President. 대통령이 직무를 수행할 수 없을 때는 그 직무는 부통령에게로 넘어간다.

〚L *de*-(*volut*- *volvo* to roll)=to roll down〛

Dev·on [dévən] *n.* **1** 데번《잉글랜드 남서부의 주 ; 略 Dev.》. **2** 데번종(種) (의 소)《육유(肉乳) 겸용의 붉은 소》.

De·vo·ni·an [divóuniən] *a.* **1** (잉글랜드의) Devon 주의. **2** 〖地質〗 데본기(紀)의. —— *n.* **1** Devon 주의 사람. **2** [the ~] 〖地質〗 데본기[계].

Dévon·shire [-ʃìər, -ʃər] *n.* =DEVON.

dé·vot [*F* devo] *n.* (*fem.* **-vote** [*F* devɔt]) 신앙이 깊은 사람(devotee) ; (일·스포츠 따위에) 열중하는 자 ; 열광적인 지지자[팬].

de·vote** [divóut] *vt.* [+目+*to*+名] **1** (일신·노력·시간·돈을) 바치다, 맡기다, 충당하다 : He intends to ~ his life ***to cur*ing* the sick in India. 그는 자기 생애를 인도에서 병자의 치료에 바칠 생각이다 / Most of his spare time was ~*d to* the translation of these works. 그의 여가의 대부분은 이들 작품의 번역에 충당되었다. **2** [~ one*self* 또는 수동태로] 일신을 바치다[고 있다], 전념하다[하고 있다], 열애(熱愛)하다[하고 있다] : She ~*d* her*self* [*was* ~*d*] *to* her children. 자식들을 위해서 자기 몸도 돌보지 않았다《자식들을 사랑했다[하고 있었다]》.

—— *a.* 《古》 =DEVOTED.

〚L (*vot*- *voveo* to vow)〛

類義語 ***devote*** 맹세를 하고 자기 자신을 바치다, 또는 어떤 고상한 목적을 위해 다른 것을 버리고 열심히 노력과 시간을 소비하다 : *devote* oneself to the cause of peace (평화라는 대의(大義)를 위해 자신을 바치다). ***dedicate*** 종교의식 따위에서 물건을 어떤 중대한[신성한] 목적을 위해서 바치다 : This shrine is *dedicated* to Jupiter. (이 신전은 주피터 신에게 봉헌된 것이다). ***consecrate*** 물건을 종교상의 신성한 용도를 위해서 보관해 두다 : *consecrate* the burial ground for the church (교회를 위하여 묘지를 마련해 두다).

***de·vót·ed** *a.* **1** 헌신적인 ; 맹세한 ; 열심인 ; 열애하고 있는, 애정이 깊은 : the queen's ~ subjects 여왕에게 충성을 맹세한 신하 / a ~ friend 충실한 벗 / his ~ wife 그의 헌신적인 아내. **2** 운명지어진. **~·ly** *adv.* 헌신적으로 ; 한마음으로.

dev·o·tee [dèvətí:, 美+-téi] *n.* (광신적) 신봉

자 ; 열성가, 열애자, 집착이 강한 사람〈*of*〉. 〚-*ee*〛

de·vo·tion [divóuʃən] *n.* **1** Ⓤ 헌신, 한마음 한뜻 ; 애착 ; 귀의(歸依), 신앙심 : the ~ of a mother for her child 자식에 대한 어머니의 헌신적 애정. **2** [*pl.*] 기도, 근행(勤行) : be at one's ~*s* 기도를 드리고 있다.

devótion·al *a.* 믿음의 ; 기도의 ; 헌신적인. —— *n.* [흔히 *pl.*] 짧은 기도. **~·ism** *n.* Ⓤ 경건주의 ; 광신. **~·ist** *n.* 경건주의자 ; 광신자. **~·ly** *adv.* 믿음을 갖고, 경건하게.

***de·vour** [diváuər] *vt.* **1** (동물·사람이) 게걸스럽게 먹다, 먹어 치우다 : The hungry dog was ~*ing* the meat. 굶주린 개는 게걸스럽게 그 고기를 먹고 있었다. **2** (질병·화재 따위가) 망치다 ; (바다·어둠 따위가) 삼켜 버리다(swallow up) : The fire ~*ed* two hundred houses. 그 불은 200가구를 삼켜 버렸다. **3** 탐독하다 ; 뚫어지게[쏘아]보다 ; 열심히 듣다 : He ~*ed* hungrily the books of the library. 그는 도서관의 책들을 탐독했다. **4** [수동태로] (호기심·걱정 따위가) 열중케 하다, 압도하다 : I *am* ~*ed* by anxiety. 걱정이 되어 죽겠다[간이 타는 듯하다]. 〚OF<L (*voro* to swallow)〛

de·vóur·ing *a.* 게걸스럽게 먹는 ; 사람을 괴롭히는, 사람을 열중시키는 ; 열렬한, 격렬한. **~·ly** *adv.*

de·vout [diváut] *a.* 믿음이 깊은 ; 헌신적인(devoted) ; 진심으로부터의, 열렬한. **~·ly** *adv.* **~·ness** *n.* 〚OF<L ; ⇨ DEVOTE〛

類義語 ***devout*** 신앙에 전념하는. ***pious*** (교회에 열심히 나가는 따위) 신에 대한 종교상의 일을 양심적으로 지키는《믿음이 두터운 태도·행동을 강조하며 나쁜 뜻으로는 위선을 암시함》. ***religious*** 어떤 특정한 종교를 믿으며 그 교리에 충실한. ***sanctimonious*** 일반적으로 빈정대어 「믿는 체하는」, 「눈꼴사납게 젠체하며 거만한」 (↔*impious*).

***dew** [djúː] *n.* **1** Ⓤ 이슬 ; 《美俗》 =WHISKEY ; 《美俗》 마리화나 ; [*pl.*] 《美俗》 10달러 : drops of ~ 이슬 방울 / wet with ~ 이슬에 젖은 / The grass is wet with ~. 풀이 이슬에 젖어 있다. **2** Ⓤ 《詩》 신선미, 상쾌한 맛(freshness) : the ~ *of* sleep 상쾌한 수면. **3** 《詩》 (눈물·땀의) 방울 : her ~-lit eyes 눈물어린 그녀의 눈. —— *vi.* 《古》 [it을 주어로 하여] 이슬이 내리다 : *It* was beginning to ~. 이슬이 내리기 시작했다(Dew was beginning to fall.). —— *vt.* 《詩》 (이슬로) 적시다(bedew). **~·less** *a.* 〚OE *dēaw* ; cf. G *Tau*〛

DEW[1] [djúː] distant early warning (원거리 조기 경계).

DEW[2] *n.* 〔軍〕 에너지 지향형 병기《SDI(전략방위 구상) 계획에서 유력시되는 주력 무기》. 〚*d*irected *e*nergy *w*eapon〛

de·wan, di- [diwáːn] *n.* 《인도》 고관, 주(州) 재무장관 ; (독립주의) 수상 ; (원래 이슬람 정권하의) 주(州) 재무장관. 〚Hindi〛

Dew·ar [djúːər] *n.* 듀어. Sir **James** ~ (1842-1923) 스코틀랜드 태생인 영국의 화학·물리학자.

Déwar (flàsk[vèssel]) *n.* 듀어 병《사이를 진공으로 한 이중벽의 (실험용) 단열병 ; 액화 가스 따위를 넣음》. 〚↑〛

déw·bèrry [, -bəri] *n.* 〔植〕 나무딸기의 일종.

déw·clàw *n.* (개·사슴 따위의 땅에 닿지 않는) 발가락, 발굽 ; (그 발가락 끝의) 며느리발톱.

déw·dròp *n.* 이슬 방울.

Dew·ey [djúːi] *n.* 듀이. **1 John** ~ (1859-1952) 미국의 철학자·교육자. **2 Melvil** ~ (1851-1931) 미국의 도서관 학자 ; 도서십진 분류법 창시자. **3 Thomas E(dmund)** ~ (1902-71) 미국의 법률가·정치가. 〚OWelsh=beloved one ; cf. DAVID〛

Déwey (décimal) classificàtion[sỳs-tem] *n.* 〔圖書館學〕 듀이식 10진(進) 분류법.

déw·fàll *n.* Ⓤ,Ⓒ 이슬 맺힘 ; 이슬내릴 무렵, 해질 무렵.

déw·làp *n.* (소 따위의 턱밑의) 처진 살, 목정 ; 《俗》 (비대(肥大)한 사람의) 턱밑의 늘어진 살, 군턱. **-làpped** *a.* 군턱이 있는.

DEW line [djúː ⌐] *n.* 듀 라인《미국이 북쪽 국경에 설치한 원거리 조기 경보 레이더망》.

déw pòint *n.* 〔氣〕 이슬점《이슬이 맺히는 온도》.

déw pònd *n.* 《英》 이슬못《영국 남부 초구지대(草丘地帶)의 인공적인 못》.

déw·rèt *vt.* (삼 따위를) 비·이슬에 맞혀 부드럽게 하다.

DEWS [dúːz ; djúːz] 《美》 distant early warning system (원거리 조기 경계망).

déwy *a.* 이슬에 젖은, 이슬맺힌 ; 이슬이 내리는 ; 이슬 같은 ; 《詩》 (눈이) 눈물에 젖은 ; 《詩》 (잠 따위의) 상쾌한. **déw·i·ly** *adv.* 이슬처럼, 조용히, 덧없이. **-i·ness** *n.* 〚OE *dēawig* (DEW, -*y*[4])〛

déwy-èyed *a.* 순진한, 순정의, 앳된.

dex [déks] *n.* 《俗》 덱스《dextroamphetamine의 정제》.

dexa·meth·a·sone [dèksəméθəsòun] *n.* 〔藥〕 덱사메타존《염증 치료제》.

dexed [dékst] *a.* 《俗》 덱스에 취한.

dex·ie [déksi] *n.* 《俗》 =DEX.

dex·ter [dékstər] *a.* **1** 오른쪽의(right). **2** 〔紋〕 (방패의) 오른편의《보는 사람 쪽에서는 왼편 ; ↔*sinister*》. **3** 《古》 운[재수] 좋은. —— *adv.* 오른쪽으로. 〚L *dexter, dextra* on or to the right, fortunate〛

dex·ter·i·ty [dekstérəti] *n.* **1** Ⓤ 좋은 솜씨, 영리함 ; 기민(機敏). **2** Ⓤ 《稀》 오른손잡이. 〚OF ; ⇨ DEXTER〛

dex·ter·ous [dékstərəs] *a.* **1** [+前+do*ing*] 솜씨가 좋은 ; 교묘한, 능란한 : a ~ pianist 능란한 피아니스트 / The manager was ~ ***in*** handl*ing* his men. 그 지배인은 종업원을 다루는 솜씨가 능란했다. **2** 기민한, 재기 발랄한 ; 빈틈없는. **3** 《稀》 오른손잡이의. **~·ly** *adv.* **~·ness** *n.* 〚DEXTER〛

類義語 ***dexterous*** 천성적인 또는 습득한 숙련에 의해서 교묘하고 정확하게 해내는 솜씨가 있는. ***adroit*** dexterous하고도 영리하며 발명적인《보통 지적인 능력을 말하며 육체적인 데는 쓰지 않음》. ***deft*** dexterous한데다 솜씨가 신속 정확한. ***handy*** 훈련은 받지 않았으나 자잘한 많은 일에 익숙한 솜씨가 있는(↔*clumsy, awkward*).

dextr- [dékstr], **dex·tro-** [dékstrou, -trə] *comb. form* 「우측의, 오른쪽의」의 뜻 ; [보통 dextro-] 〔生化〕「우선성의」의 뜻. 〚L ; ⇨ DEXTER〛

dex·tral [dékstrəl] *a.* 오른쪽의, 오른손의, 오른손잡이의(righthanded) (↔*sinistral*). —— *n.* 오른손잡이인 사람. 〚L ; ⇨ DEXTER〛

dex·tran [dékstrən, 美+-træn] *n.* Ⓤ 덱스트란《혈장(血漿) 대용이 되는 다당류》.

dex·trin [dékstrən], **-trine** [-triːn, -trən] *n.* Ⓤ 덱스트린《다당류의 하나》.

dextro- [dékstrou, -trə] ☞ DEXTR-.

dèxtro·amphétamine *n.* 〖藥〗 덱스트로암페타민《각성제 및 식욕 억제약으로 사용 ; cf. DEX》.

dex·trorse [dékstrɔːrs, -ˊ] *a.* 〖植〗 (덩굴 따위가) 왼쪽에서 오른쪽으로 감아 올라가는.

dex·trose [dékstrous, -z] *n.* Ⓤ 〖化〗 덱스트로오스, 포도당.

dex·trous [dékstrəs] *a.* =DEXTEROUS.

dey [déi] *n.* 〖史〗 (옛 알제리, 튀니스, 트리폴리 따위의) 태수의 칭호. 〚F<Turk.〛

D.F., DF Dean of Faculty ; *Defensor Fidei* 《L》 (=Defender of the Faith) ; damage free. **DF, D/F, D.F.** direction finder (방위 측정 장치) ; direction finding. **D.F.C.** Distinguished Flying Cross. **DFDR** 〖空〗 digital flight data recorder. **D.F.M.** 《英》 Distinguished Flying Medal. **dft.** defendant ; draft. **D.G.** *Dei gratia* 《L》 (=by the grace of God) ; *Deo gratias* 《L》 (=thanks to God) ; Director General ; 《英》 Dragoon Guards (근위 용기병). **dg.** decigram(s). **d.h.** *das heisst* 《G》 (=that is ; namely). **DH, dh** 〖野〗 designated hitter (지명 타자) ; dirham(s). **D.H.** Doctor of Humanities. **DHA** dehydroacetic acid(탈수소아세트산).

d(h)al [dáːl] *n.* 〖植〗 나무콩 ; (향신료를 넣은) 나무콩 요리. 〚Hindi〛

dhar·ma [dáːrmə, dɔ́ːr-] *n.* Ⓤ 〖힌두教〗 (지켜야 할) 규범, 계율, 덕(virtue) ; 〖佛教〗 법(法) ; [D~] 달마《선종(禪宗)의 시조》. **dhár·mic** *a.* 〚Skt.=decree, custom〛

dho·bie, -bi [dóubi] *n.* 《인도》 세탁인, 세탁부(夫)《하층계급》. 〚Hindi〛

dhóbie[dhóbie's] ítch *n.* 도비 양진(痒疹)《dhobi가 세탁할 때 쓰는 액체에 의한 알레르기성 접촉 피부염》.

dhole [dóul] *n.* 《인도》 〖動〗 돌《인도 Deccan 지방의 사나운 들개》.

dhooly ☞ DOOLY.

dho·ti [dóuti], **dhoo·ti(e)**, **dhu·ti** [dúːti] *n.* 《인도》 허리에 두르는 천《남자용》. 〚Hindi〛

d(h)ow [dáu] *n.* 다우《아라비아해 따위에서 쓰이는 대형 삼각돛을 단 연안 항행용 범선》. 〚C19<? Arab.〛

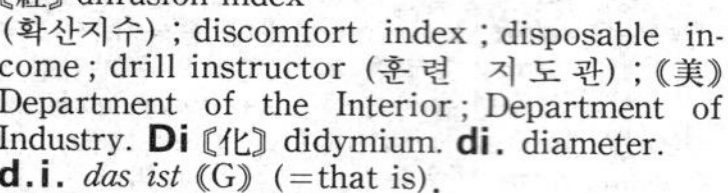
d(h)ow

D.H.Q. Division Headquarters.

D.Hy. Doctor of Hygiene.

D.I. 《英》 Defence Intelligence. **DI** 〖經〗 diffusion index (확산지수) ; discomfort index ; disposable income ; drill instructor (훈련 지도관) ; 《美》 Department of the Interior ; Department of Industry. **Di** 〖化〗 didymium. **di.** diameter. **d.i.** *das ist* 《G》 (=that is).

di [di(ː)] *prep.* [이탈리아인의 이름 앞에 써서] …(출신)의.

di-[1] [dái] *comb. form* 〖化〗 「2(중)의」의 뜻 : *di*archy. 〚Gk. (*dis* twice)〛

di-[2] [də, dai] *pref.* 「분리」의 뜻 : *di*gest, *di*lute. 〚DIS-[1]의 단축형〛

di-[3] [dái] *pref.* =DIA- : *di*optric, *di*electric.

dia. diameter.

dia- [dáiə] *pref.* 「…을 통하여」 「…을 가로질러」 「…로 이루어진」 따위의 뜻. 〚Gk. (*dia* through)〛

di·a·base [dáiəbèis] *n.* 〖地質〗 휘록암(輝綠岩).

di·a·be·tes [dàiəbíːtiːz, -təs] *n.* (*pl.* ~) Ⓤ 〖醫〗 당뇨병. 〚L<Gk.=siphon (*diabainō* to go through)〛

diabétes in·síp·i·dus [-insípədəs] *n.* 〖醫〗 요붕증(尿崩症)《갈증과 다량의 배뇨가 특징》.

diabétes mel·lí·tus [-məláitəs, -mélətəs] *n.* 〖醫〗 진성(眞性) 당뇨병.

di·a·bet·ic [dàiəbétik] *a.* 당뇨병의 ; (음식물이) 당뇨병 환자용의. ── *n.* 당뇨병 환자.

di·a·be·tol·o·gist [dàiəbətálədʒəst] *n.* 당뇨병 전문의사.

di·a·ble·rie, -ry [diáːbləri(ː), -ǽb-] *n.* Ⓤ 악마의 소행 ; 마법 ; 심한 장난 ; 악마의 전설 ; 악마의 영역. 〚F (*diable* DEVIL)〛

di·ab·ol- [daiǽbəl, di-], **di·ab·o·lo-** [-lou, -lə] *comb. form* 「악마」의 뜻. 〚Gk. ; ⇨ DEVIL〛

di·a·bol·ic, -i·cal [dàiəbálik(əl)] *a.* **1** 악마의[와 같은], 마성의. **2** [보통 -ical] 악마적인, 극악무도한. **-i·cal·ly** *adv.* 악마와 같이, 극악무도하게. **-i·cal·ness** *n.* 〚OF or L ; ⇨ DEVIL〛

di·ab·o·lism [daiǽbəlìzəm] *n.* **1** Ⓤ 마술, 요술(sorcery) ; 악마와 같은 소행[성질]. **2** Ⓤ 악마주의[숭배], 마도(魔道).

di·áb·o·list *n.* 악마주의자, 악마 신앙가 ; 악마 연구가.

di·ab·o·lize [daiǽbəlàiz] *vt.* 악마화하다 ; 악마적으로 (표현)하다.

di·ab·o·lo [diǽbəlòu] *n.* (*pl.* ~**s**) Ⓤ 디아볼로《팽이를 두 개의 막대로 돌림》 ; Ⓒ 공중팽이.

diabolo

dì·a·cáustic *a.* 〖數·光〗 굴절 화선[초선](屈折火線[焦線])의, 굴절 화면(火面)[초면(焦面)]의. ── *n.* 굴절 화선[초선], 굴절 화면[초면].

dia·chron·ic [dàiəkránik] *a.* 〖言〗 통시적(通時的)인《언어 사실을 그 역사적 발달에 따라 각 시기를 통하여 변천 과정을 동적[종적]으로 연구하는 방법을 말함 ; ↔ *synchronic*》. 〚F<Gk. (*khronos* time)〛

di·ach·y·lon [daiǽkəlàn, -lən] *n.* 〖藥〗 단연 경고(單鉛硬膏).

di·ach·y·lum [daiǽkələm] *n.* (*pl.* **-la** [-lə]) = DIACHYLON.

di·ácid *a.* 〖化〗 2산(酸)의 : a ~ base 2산 염기. ── *n.* 2염기산.

dì·acídic *a.* =DIACID.

di·ac·o·nal [daiǽkənl, diː-] *a.* deacon의.

di·ac·o·nate [daiǽkənət, -nèit, diː-] *n.* **1** Ⓤ 〖教會〗 deacon의 직[임기]. **2** deacons의 단체 ; [집합적으로] =DEACONS.

di·a·crit·ic [dàiəkrítik] *a.* =DIACRITICAL ; 〖醫〗 =DIAGNOSTIC. ── *n.* =DIACRITICAL mark.

dì·a·crít·i·cal *a.* 구별하기 위한, 구별[분간]할 수 있는 : a ~ mark[point, sign] 발음 구별 부호《ā, ă, ä, â의 ¯ ˘ ¨ ˆ 따위》. 〚Gk. ; ⇨ CRITIC〛

di·ac·tin·ic [dàiæktínik, dàiək-] *a.* 〖理〗 화학선(線)의 투과(透過) 성능이 있는.

di·ac·tin·ism [daiǽktənìzəm] *n.* 화학선 투과성(透過性).

di·a·dem [dáiədèm, -dəm] *n.* 왕권, 주권 ;《文語·詩》왕관(crown) ; (동양의 왕·여왕의 머리에 두른) 머리띠. —— *vt.* 왕관으로 장식하다 ; …에게 왕관[영예]을 주다. **~ed** *a.* 왕관을 쓴. 〖OF＜L＜Gk. (*deō* to bind)〗

díadem spíder *n.*〔動〕왕거미류(類).

di·aer·e·sis, di·er- [daiérəsəs] *n.* (*pl.* **-ses** [-sìːz]) **1** (음절의) 분절(分節). **2** 분음(分音) 부호(coöperate처럼 문자 위에 붙이는¨). 〖L＜Gk.＝separation〗

diag. diagonal ; diagram.

di·ag·nose [dáiignòus, -z, ⌐--⌐, -əg- ; -z] *vt.* [＋目／＋目＋*as* 補]〔醫〕진단하다 ; (문제 따위의) 원인을 찾아내다, 조사 분석하다, 판단하다 : The doctor ～*d* his case *as* malaria. 의사는 그의 증상을 말라리아라고 진단했다. 〖역성(逆成)＜↓〗

di·ag·no·sis [dàiignóusəs, -əg-] *n.* (*pl.* **-ses** [-siːz]) U,C〔醫〕진단(법) ; (문제·상황 따위의) 원인[실태] 분석, 판단 ;〔生〕기상(記相)(특징의 기술) ; 식별. 〖NL＜Gk. (*gignōskō* to know)〗

di·ag·nos·tic [dàiignástik, -əg-] *a.* 〔醫〕진단(상)의 ; 증상을 보이는 ; 원인[실태] 분석을 위한 ;〔生〕특징적인. —— *n.* 특수 증상 ; 특징, 특질 ; ＝DIAGNOSTICS. **-ti·cal·ly** *adv.*

di·ag·nos·ti·cian [dàiignastíʃən, -əg-] *n.* 진단 전문 의사, 진단 의사.

diagnóstic imàzing *n.* 화상 진단.

diagnóstic routìne *n.*〔컴퓨〕진단 경로(다른 프로그램의 잘못을 추적하거나 기계의 고장난 곳 따위를 찾기 위한 프로그램).

dì·ag·nós·tics *n.* U 진단학[법].

di·ag·o·nal [daiǽgənl, -ǽgnəl] *n., a.* 대각선(의) ; 비스듬한, 사선(斜線)(의) ; 줄무늬의 ; 능직(綾織). **~·ly** *adv.* 대각선으로, 비스듬히, 어긋나게. 〖L＜Gk. (*gōnia* angle)〗

diágonal clòth *n.* 능직.

diágonal·ìze *vt.*〔數〕(행렬을) 대각행렬로 하다, 대각선화하다. **-ìz·able** *a.*

diágonal mátrix *n.*〔數〕대각행렬(對角行列).

***di·a·gram** [dáiəgræ̀m] *n.* 그림, 도형, 도표, (기하학적) 도식 ; 도해(圖解) ; 다이어그램 ; 일람표. —— *vt.* (**-m-**｜**-mm-**) 그림[도표]으로 나타내다. 〖L＜Gk. (*-gram*)〗

di·a·gram·mat·ic, -i·cal [dàiəgrəmǽtik(əl)] *a.* 도표[도식]의 ; 윤곽만의, 개략의.

di·a·gram·ma·tize [dàiəgrǽmətàiz] *vt.* 도표로 작성하다, 도해하다.

día·gràph *n.*〔測〕분도척(分度尺) ; 작도기(作圖器), 원도(原圖) 확대기.

‡**di·al** [dáiəl] *n.* **1** (시계·나침반 따위의) 지침면(指針面), 문자반 ; (라디오·자동 전화기 따위의) 회전 눈금판, 다이얼 ; 숫자판 ; 번호판. **2** [보통 sundial] 해시계. —— *v.* (**-l-**｜**-ll-**) *vt.* (다이얼을 돌려) 라디오[텔레비전]의 파장에 맞추다 ; …에 (자동식) 전화를 걸다 ; dial로 재다[표시하다]. —— *vi.* 다이얼을 돌리다. 〖ME＝sundial＜L *diale* clock dial (*dies* day)〗

dial. dialect(al) ; dialectic(al) ; dialogue.

dial-a- [dáiələ] *comb. form*「전화 호출」의 뜻 : *dial-a-*bus 전화 호출 버스 / *dial-a-*story 전화로 이야기를 들을 수 있는 도서관의 서비스 / *dial-a-*soap 연속극 줄거리를 알려주는 서비스. 〖상표 *Diala*phone〗

díal-a-pòrn *n.* 텔레폰포르노(전화에 의한 음담 패설 따위의 서비스).

***di·a·lect** [dáiəlèkt] *n.* U,C 방언 ; 사투리, 지방 사투리 ; 계급[직업 따위] 특유의 방언, 통용어 ; (어파의 일부를 이루는) 언어 ; (개인의) 말투, 표현법, 문체 : the Scottish ～ 스코틀랜드 방언 / a poem written in ～ 방언으로 쓴 시(詩) / Latin and English are Indo-European ～*s.* 라틴어와 영어는 인도 유럽어족의 언어다. 〖F or L＜Gk.＝discourse (*legō* to speak)〗

di·a·lec·tal [dàiəléktl] *a.* 방언의, 방언적인 ; 방언 특유의 ; 사투리의. **～·ly** *adv.*

díalect àtlas *n.* 방언 지도(linguistic atlas).

di·a·lec·tic [dàiəléktik] *a.* **1** 변증(법)적인 ; 변증(辨證)에 능한. **2** ＝DIALECTAL. —— *n.* **1** [때때로 *pl.*] 논리(logic), 논리적 토론(술). **2** U〔哲〕변증법. **3** (변증법적) 대립. 〖OF or L＜Gk.＝(the art) of debate〗

dì·a·léc·ti·cal *a.* **1** ＝DIALECTIC. **2** ＝DIALECTAL. **～·ly** *adv.*

dialéctical matérialism *n.* 변증법적 유물론.

dialéctical theólogy *n.* 변증법적 신학.

di·a·lec·ti·cian [dàiəlektíʃən] *n.* 변증가 ; 논법가(論法家)(logician) ; 방언 연구자.

di·a·lec·tol·o·gy [dàiəlektálədʒi] *n.* U 방언학, 방언 연구, 방언적 특징. **-gist** *n.*

díal·ing *n.* 다이얼 제작 ; 다이얼에 의한 측정.

díaling còde *n.* (전화의) 국번 ; 지역 번호.

díaling tòne *n.*《英》＝DIAL TONE.

dialog ☞ DIALOGUE.

DIALOG [dáiəlɔ̀(ː)g, -lɑ̀g] *n.* 다이얼로그(미국의 DIALOG Information Service사 및 동사(同社) 제공의 데이터 베이스 시스템의 명칭).

di·a·log·ic, -i·cal [dàiəládʒik(əl)] *a.* 문답(체)의, 대화(체)의.

di·al·o·gist [daiǽlədʒəst, 美＋dáiəlɔ̀ːgəst, 美＋-lɑ̀g-] *n.* 문답자, 대화자 ; 문답체 작가.

di·al·o·gize [daiǽlədʒàiz] *vi.* 대화하다.

***di·a·logue,**《美》**-log** [dáiəlɔ̀(ː)g, -lɑ̀g] *n.* 문답, 대화 ; (공통의 이해를 얻기 위한) 의견 교환 ; U 대화체 ; C 문답 형식의 작품, 대화극 ; U (극·소설 따위의) 대화의 부분 : a ～ of Plato 플라톤의 대화편. —— *vi., vt.* 대화하다 ; 대화체로 표현하다. 〖OF＜L＜Gk. (*legō* to speak)〗

dia·logue des sourds [*F* djalɔg de suːr] *n.* 상대의 의견을 들으려고 하지 않는 사람끼리의 의논 ; 입씨름.

Díalogue Màss *n.*〔카톨릭〕대화 미사.

díalogue of the déaf *n.* ＝DIALOGUE DES SOURDS.

díal tèlephone *n.* 다이얼식 (자동) 전화.

díal tòne *n.*〔美電話〕발신음(수화기를 들면 들리는 통화 가능을 알리는 연속음).

díal-ùp *a.* 다이얼 호출의(전화 회선으로 컴퓨터의 단말기 따위와 연락하는 경우에 대해서 말함).

di·al·y·sis [daiǽləsəs] *n.* (*pl.* **-ses** [-sìːz]) U,C 분리, 분해 ;〔化·理〕투석(透析).

di·a·lyt·ic [dàiəlítik] *a.*〔化·理〕투석(透析)의 ; 투막성(透膜性)의. 〖L＜Gk. (*luō* to set free)〗

di·a·lyze｜**-lyse** [dáiəlàiz] *vt., vi.*〔化·理〕투석하다. **-lỳz·able** *a.*

dí·a·lỳz·er *n.* 투석기[장치].

diam. diameter.

día·màgnet *n.*〔理〕반자성체(反磁性體).

dìa·magnétic *a.*〔理〕반자성(反磁性)의. —— *n.* 반자성체. **-ical·ly** *adv.*

dìa·mágnet·ìsm *n.* U〔理〕반자성(학) ; 반자성력 ; 반자성 현상.

di·a·man·té [dìːəmɑːntéi ; dàiəmǽnti, dìə-] *a.*, *n.* 반짝이는 모조 다이아몬드·작은 유리알 따위를 점점이 박은 (장식) ; 그 장식의 직물[드레스] 《이브닝 드레스 따위》.
〖F=like a DIAMOND〗

***di·am·e·ter** [daiǽmətər] *n.* **1** 지름 : 3 inches *in* ~ 지름이 3인치. **2** (렌즈의) 배율 : magnify 1000 ~*s* 1000배로 확대하다.
〖OF<L<Gk. DIA*metros* (*grammē* line) measuring across (-*meter*)〗

di·am·e·tral [daiǽmətrəl] *a.* 지름의.

di·a·met·ric, -ri·cal [dàiəmétrik(əl)] *a.* 지름의 ; 정반대의, 대립적인.

diamétrical·ly *adv.* 정반대로 ; 바로(exactly), 전혀 : ~ opposed 정반대로.

‡di·a·mond [dáiəmənd ; dáiə-] *n.* **1** U,C 다이아몬드, 금강석 ; 다이아몬드 장신구 : ☞ BLACK DIAMOND / *D* ~ is the hardest substance known. 다이아몬드는 알려진 물질 가운데서 가장 단단한 것이다 / Inferior ~*s* are used to cut glass. 하급 다이아몬드는 유리를 자르는데 사용된다. **2** [보통 glazier's ~, cutting ~] 유리칼. **3** 다이아몬드꼴, 마름모꼴 ; 〔카드놀이〕 다이아몬드패 ; [*pl.*] 다이아몬드패들 : a small ~ 〔카드놀이〕 점수가 낮은 다이아몬드패 / the ten of ~*s* 다이아몬드 10의 패. **4** U 〔印〕 다이아몬드체(體) 활자 《4 1/2포인트 ; ☞ TYPE 5 注》. **5** 〔野〕 내야(內野)(infield), (널리) 야구장. **6** [*pl.*] 《俗》 불알(testicles).
diamond cut diamond 격전을 벌이는[불꽃 튀기는] 호적수의 대결, 막상막하의 경기.
diamond in the rough ☞ ROUGH DIAMOND.
a diamond of the first water 1등 광택[최고급]의 다이아몬드 ; 일류 인물.
—— *a.* 금강석(제)의, 다이아몬드를 박은 ; 금강석이 (많이) 나는 ; 마름모꼴의 ; 60[75]주년의.
—— *vt.* 다이아몬드(와 비슷한 것으)로 장식하다.
〖OF<L ; ADAMANT의 변형(變形)인가〗

díamond annivérsary *n.* 60주년[때로는 75주년] 기념일[축제].

díamond·bàck *n.*, *a.* (나비·뱀·거북처럼) 등에 마름모꼴의 무늬(가 있는).

díamondback móth *n.* 다이아몬드흰나방.

díamondback ráttlesnake *n.* 〔動〕 마름무늬방울뱀《미국 남부산》.

díamondback térrapin *n.* 〔動〕 다이아몬드테라핀《북미 원산인 민물 거북 ; 고기맛이 좋음》.

díamond-cút *a.* 마름모꼴로 자른[간].

díamond-cùtter *n.* 다이아몬드 연마공(工).

díamond dríll *n.* 〔鑛〕 다이아몬드 시추기.

díamond dùst *n.* 다이아몬드 가루《연마용》.

díamond fìeld *n.* 다이아몬드 산출 지역.

Díamond Hèad *n.* 다이아몬드 헤드《Hawaii 주 Oahu 섬 남동부의 곶을 이루는 사화산(232 m)》.

di·a·mon·dif·er·ous [dàiəməndífərəs ; dàiə-] *a.* 다이아몬드를 함유[산출]하는《토지 따위》.

díamond ínterchange *n.* (고속 도로의) 다이아몬드형 입체교차(로).

díamond jubilée *n.* 60[75]주년 축전 ; [D~ J~] 빅토리아 여왕의 즉위 60주년 축전 《1897년》.

díamond pòint *n.* 날 끝에 다이아몬드를 붙인 커터 ; [*pl.*] 〔鐵〕 마름모꼴 교차.

Díamond Státe *n.* [the ~] 미국 Delaware 주의 속칭《주의 크기가 작은 데서 유래한 별명》.

díamond wédding *n.* 다이아몬드 혼식(婚式) 《결혼 60 또는 75주년 기념 ; cf. SILVER[GOLDEN] WEDDING》.

Di·an [dáiən] *n.* 《詩》 =DIANA.

Di·ana [daiǽnə] *n.* **1** 〔로神〕 디아나《달의 여신으로 처녀성과 사냥의 수호신 ; 〔그神〕의 Artemis에 해당함 ; cf. LUNA, PHOEBE》. **2** 《詩》 달(moon). **3** 여자 사냥꾼 ; 독신을 지키는 여자 ; 젊고 아름다운 여성. **4** 여자 이름.
〖IE에서 'shine'의 뜻인가〗

di·a·net·ics [dàiənétiks] *n.* 다이어네틱스《유해한 심상(心象)을 없앰으로써 신체 증상을 치료하고자 하는 심리 요법》.

di·an·thus [daiǽnθəs] *n.* 〔植〕 패랭이속의 각종 식물. 〖Gk. (*Dios* of Zeus, *anthos* flower)〗

di·a·pa·son [dàiəpéizən, -sən] *n.* **1** 〔樂〕 화음(harmony) ; 선율(melody). **2** 〔樂〕 (음성 또는 악기의) 음역, 표준조(調). **3** 〔樂〕 (파이프오르간의) 다이어페이슨 스톱 ; =TUNING FORK ; 전범위, 전영역(scope) 〈*of*〉 : closed[stopped] ~ 폐구(閉口) 스톱 / open ~ 개구 스톱. **~·al** *a.*
〖ME=octave<L<Gk.=through all (notes)〗

dia·pause [dáiəpɔ̀ːz] *n.* 〔生〕 휴면《곤충·뱀 따위의 또는 종자·싹 따위의 생장·활동의 일시적 정지》. —— *vi.* 휴면하다. 〖Gk. (*dia-*, PAUSE)〗

di·a·per [dáiəpər ; dáiə-] *n.* **1** U 마름모꼴 무늬가 있는 천《보통 삼베》. **2** (마름모꼴의) 생리대(生理帶) ; 《美》 (갓난아기의) 기저귀(=《英》 nappy). **3** U 마름모꼴 (장식) 무늬, 나무쪽 세공(細工)의 무늬. —— *vt.* 마름모꼴 무늬로 꾸미다. 〖OF<L<Gk. (*aspros* white)〗

dí·a·pered *a.* 마름모꼴 무늬가 있는, 마름모꼴 무늬 비슷한.

díaper ràsh *n.* 기저귀를 차서 생기는 홍반(紅斑), 기저귀 피부염.

díaper sèrvice *n.* 기저귀 대여업(貸與業).

di·aph·a·nog·ra·phy [diæ̀fənágrəfi] *n.* 〔醫〕 (흉부암 따위의) 철조(徹照) 검사(법).

di·aph·a·nous [daiǽfənəs] *a.* 투명한(transparent) ; 어렴풋한.
〖L<Gk. (*dia-*, *phainō* to show)〗

día·phòne *n.* 다이어폰《2 음의 무적(霧笛)》 ; 〔音聲〕 유음(類音)《동일음의 개인적·지방적·문화적 변종의 총칭, 예를 들면 home, go의 모음 [oː] [ou] [ɔu] [əu] [ʌu] 따위》.

di·a·pho·re·sis [dàiəfəríːsəs, daiæ̀fə-] *n.* (*pl.* **-ses** [-siːz]) 〔醫〕 발한(發汗) ; 발한 요법.

di·a·pho·ret·ic [dàiəfərétik, daiæ̀fə-] *a.* 땀나게 하는, 발한을 촉진하는. —— *n.* 발한제(發汗劑).
〖L<Gk. (*diaphorēsis* perspiration<*phoreō* to carry)〗

di·a·phragm [dáiəfræ̀m] *n.* **1** 〔解〕 횡경막. **2** (일반적으로) 격벽, 격막 ; (조개류 따위의) 분벽. **3** (기계류의) 격반(隔盤), 격판(隔板), (수화기의) 진동판 ; 〔光·寫〕 렌즈의 조리개(stop).
—— *vt.* …에 diaphragm을 달다 ; (렌즈를) 조리개로 조르다.
di·a·phrag·mat·ic [dàiəfrəgmǽtik, -fræg-] *a.* 횡경막의 ; 격벽(상(狀))의.
〖L<Gk. (*phrat- phragma* fence)〗

dìa·pósitive *n.* 〔寫〕 투명양화(陽畫)《슬라이드 따위》.

diarchy ☞ DYARCHY.

di·ar·i·al [daiéəriəl, -ǽər-] *a.* 일기(체)의.

di·a·rist [dáiərəst] *n.* 일기를 쓰는 사람, 일지(日誌) 담당자 ; 일기 작가.

di·a·ris·tic [dàiərístik] *a.* 일기식(式)[체]의.

di·ar·rhea, -rhoea [dàiəríːə ; -ríə] *n.* U 〔醫〕 설사. **-rh(o)e·al** [-ríːəl ; -ríəl], **-rh(o)e·ic** [-ríːik], **-rh(o)et·ic** [-rétik] *a.* 설사의.

〚L<Gk. (*rheō* to flow)〛

◇**di·a·ry** [dáiəri ; dáiə-] *n.* 일기, 일지(cf. JOURNAL) ; 일기장 : keep a ~ 일기를 쓰다.
〚L (*dies* day)〛

Di·as, -az [díːɑːʃ, -əs] *n.* 디아스. **Bartholomeu** ~ (1450?-1500) 포르투갈의 항해가(航海家) ; 희망봉 발견자.

día·scòpe *n.* 다이어스코프, 투영경(投影鏡)《투명체의 화상(畫像)을 영사하는 장치》; 〖醫〗 유리압진기(壓診器).

Di·as·po·ra [daiǽspərə] *n.* **1** [the ~] 디아스포라《Babylon 유수 후의 유태인의 분산》; 분산된 유태인(cf. DISPERSION). **2** Palestine 이외의 지역에 살던 초기 유태인 기독교도. **3** [d~] (한 나라의 문화 따위의) 전파, 이주 ; 국외 이산.
〚Gk. (*speirō* to scatter)〛

di·a·stase [dáiəstèis, -z] *n.* Ⓤ 〖化〗 디아스타아제, 녹말 당화 효소(酵素). 〚F<Gk.=separation〛

di·a·stat·ic [dàiəstǽtik] *a.* 〖化〗 디아스타아제의.

di·as·to·le [daiǽstəliː ; -li] *n.* Ⓤ 〖生理〗 심장 이완[확장](기)(cf. SYSTOLE).
di·a·stol·ic [dàiəstálik] *a.* 심장 이완[확장](기)의. 〚L<Gk. (*stellō* to place)〛

diastólic préssure *n.* 〖醫〗 확장기 혈압《최저 혈압》.

di·as·tro·phism [daiǽstrəfìzəm] *n.* 〖地質〗 지각 변동, 지각 변형.

di·a·tes·sa·ron [dàiətésərən, -rɑ̀n] *n.* 〖神學〗 공관(共觀) 복음서《4복음서의 기사를 한 책으로 간추린 것》.

dia·ther·man·cy [dàiəθə́ːrmənsi] *n.* 〖理〗 열이 통함, 투열성(透熱性).

dia·ther·ma·nous [dàiəθə́ːrmənəs] *a.* 〖理〗 투열성의, 열을 통하는.

dia·therm·ic [dàiəθə́ːrmik] *a.* 디아테르미 요법의 ; 〖理〗 투열성의.

dia·ther·my [dáiəθə̀ːrmi] *n.* 디아테르미《고주파를 이용한 전기 치료기[법]》.

di·ath·e·sis [daiǽθəsəs] *n.* (*pl.* **-ses** [-sìːz]) 〖醫〗 병적 소질[체질, 특이질]. **di·a·thet·ic** [dàiəθétik] *a.* 소질상의, 특이체질의.

di·a·tom [dáiətɑ̀m, -təm] *n.* 〖植〗 규조(硅藻)류에 속하는 현미경적 식물.
〚NL<Gk.=cut in half (*temnō* to cut)〛

di·a·to·ma·ceous [dàiətəméiʃəs, daiæ̀tə-] *a.* 규조류의 ; 〖地質〗 규조토(硅藻土)의.

dì·atómic *a.* 〖化〗 2원자(성)의 ; 2가(價)의 (bivalent).

di·at·o·mite [daiǽtəmàit] *n.* 〖地質〗 Ⓤ 규조토.

dia·ton·ic [dàiətɑ́nik] *a.* 〖樂〗 온음계의 : the ~ scale 온음계. **-i·cal·ly** *adv.*
〚F or L<Gk. ; ⇨ TONIC〛

di·a·tribe [dáiətràib] *n.* 통렬히 비난하는 연설[문장] ; Ⓤ,Ⓒ 통렬한 비난[공격, 비평](invective) 〈*against*〉, 험담.
dí·a·trìb·ist *n.* 통렬한 비난자[욕설가].
〚F<L<Gk.=pastime, discourse (*tribō* to rub)〛

di·az- [daiǽz, -éiz], **di·azo-** [daiǽzou, -éi-, -zə] *comb. form* 〖化〗 「디아조기(基)를 함유한」의 뜻. 〚*diazo*〛

di·az·e·pam [daiǽzəpæ̀m] *n.* Ⓤ 디아제팜《신경안정제의 일종》.

di·a·zine [dáiəzìːn, daiǽzən] *n.* 〖化〗 다이아진.

di·ázo *a.* 〖化〗 2질소의 ; 〖化〗 디아조기(基)를 함유한 ; diazotype의 : ~ group[radical] 디아조기(基). —— *n.* 디아조 화합물, (특히) 디아조 염료 ; =DIAZOTYPE.

diázo dýe *n.* 〖化〗 디아조 염료《면 · 레이온용》.

di·a·zo·ni·um [dàiəzóuniəm] *n.* 〖化〗 디아조늄《디아조늄염(鹽) 중 1가(價)의 양이온 원자단》.

diázo pròcess *n.* 디아조법(法)《디아조 화합물로 처리한 종이를 사용하는 복사법》.

di·ázo·tỳpe *n.* 디아조타이프《사진 인화법의 하나》; =DIAZO PROCESS.

dib[1] [díb] *vi.* (**-bb-**) (낚시질에서) 수면에서 미끼를 살짝살짝 위아래로 흔들다(dap). 〚? DAB[1]〛

dib[2] *n.* **1** (lawn bowling의) 표적용 작은 백구(白球)(jack). **2** 《美俗》 몫 ; 《美俗》 1달러. 〚↑〛

di·básic *a.* 〖化〗 2염기(鹽基)(성)의 : ~ acid 2염기산.

dib·ber [díbər] *n.* =DIBBLE.

díbber bòmb *n.* 활주로 폭탄《활주로 폭파용》.

dib·ble [díbəl] *n.* 구멍 파는 연장, 작은 삽《땅에 조그만 구멍을 내어 씨를 뿌림》. —— *vt.* dibble로 구멍을 파서 심다〈*in*〉. —— *vi.* dibble로 구멍을 파다, 파종하다. 〚ME<? ; cf. DIB[2]〛

díb·bler *n.* dibble하는 사람[것, 기계] ; 〖動〗 오스트레일리아산(産)의 주머니맛쥐.

dibbuk ☞ DYBBUK.

dibs [díbz] *n. pl.* **1** [단수취급] 《英》 =JACKS《아이들 놀이》; =JACKSTONE ; (카드놀이의) 뼛조각으로 만든 산가지. **2** 《俗》 푼돈 ; 받을[쓸] 권리, 우선권〈*on*〉: I have[put] ~ *on* the magazine. 이번은 내가 잡지를 읽을 차례다.
—— *int.* 《주로 兒》 내 몫이다[차례다].
〚C18=pebbles for game‹*dib stones*‹? DIB[2]〛

dice [dáis] *n.* **1** (*pl.* ~ ; cf. *sg.* DIE[2]) 주사위 (놀이) ; 도박 : one of the ~ 주사위 하나《보통 2개를 함께 씀으로 a die 대신에 이렇게 말함》/ play ~ 주사위를 던지다《놀이 또는 노름을 하다》.
2 (*pl.* ~, ~**s**) 작은 정육면체, 주사위의 네모진 꼴 : Cut meat[potatoes] into ~. 고기[감자]를 네모지게 썰어라. —— *vi.* 주사위로 놀다〈*with*〉.
—— *vt.* **1** 노름으로 잃다〈*away*〉. **2** (야채나 고기를) 네모지게 썰다 ; 주사위 모양으로 장식하다.
〚(pl.)‹*de* DIE[2]〛

díce·bòx *n.* 주사위 통《원형의 통 ; 여기에 dice를 흔들어 던짐》.

Díce Cíty *n.* 《美俗》 네바다 주의 라스베이거스 (Las Vegas).

di·céphalous *a.* 머리가 둘 있는, 쌍두의.

díce·plày *n.* 주사위 놀이 ; 노름.

dic·er [dáisər] *n.* 주사위 놀이꾼[노름꾼] ; 《俗》 (남자의) 모자.

dic·ey [dáisi] *a.* (**díc·i·er ; -i·est**) 《口》 위험한, 아슬아슬한 ; 불확실한, 모호한. 〚DICE〛

dich- [dáik], **di·cho-** [dáikou, -kə] *comb. form* 「둘로(나뉘어)」의 뜻. 〚Gk. (*dikho*- apart)〛

di·chlor- [daiklɔ́ːr], **di·chlo·ro-** [-klɔ́ːrou, -rə] *comb. form* 「염소 2원자를 함유한」의 뜻. 〚Gk.〛

di·chlóride *n.* 〖化〗 2염화물(bichloride).

di·chlòro·phenòxy·acétic ácid *n.* 디클로로페녹시아세트산《이것의 나트륨염은 제초제(除草劑)로서 2, 4-D라고도 함》.

dicho- [dáikou, -kə] ☞ DICH-.

di·chog·a·my [daikágəmi] *n.* 〖植〗 자웅이숙(雌雄異熟)《수술과 암술의 성숙하는 시기가 다름 ; ↔*homogamy*》.

dich·otic [daikóutik] *a.* (소리의 높이 · 세기가) 좌우의 귀에 다르게 들리는. **-óti·cal·ly** *adv.*
〚*dich-*+-*otic*[2]〛

di·chot·o·mize [daikátəmàiz] *vt., vi.* 이분하다 ; 이분되다.

di·chót·o·miz·ing sèarch *n.* 〖컴퓨〗 이분(二

分)탐색법(binary search).

di·chot·o·mous [daikátəməs] *a.* 둘로 갈라진; 〖植〗 (가지가) 두 갈래로 된. **~·ly** *adv.*

di·chot·o·my [daikátəmi] *n.* **1** Ⓤ 〖論〗 이분[양단]법(cf. TRICHOTOMY); Ⓒ 이분(二分), 양분 〈*into, between*〉. **2** Ⓤ,Ⓒ 〖植·生〗 이차 분지(二叉分枝), 대생(對生); 〖天〗 반달. 〖NL<Gk.〗

di·chro·ism [dáikrouìzəm] *n.* 이색성《결정이 다른 각도에서 보면 색이 다르게 보이는 성질 또는 액체가 다른 농도에서 색이 변하는 성질》.

di·chrómate *n.* Ⓤ 〖化〗 중(重)크롬산염(酸鹽).

dì·chromátic *a.* 이색성(二色性)의, 두 색깔을 갖는. **dì·chromáticism** *n.* =DICHROMATISM.

di·chro·ma·tism [daikróumətìzəm] *n.* Ⓤ 이색성(二色性), 이변색성(二變色性); 〖醫〗 이색성[형] 색각(色覺).

di·chrómic *a.* 〖化〗 중크롬산의; =DICHROMATIC.

dic·ing [dáisiŋ] *n.* =DICEPLAY; 〖製本〗 (가죽 표지의) 마름모꼴 장식; 주사위꼴로 자르기.

dick[1] [dík] *n.* 《俗》 사전. 〖*dictionary*〗

dick[2] *n.* 《英俗》 맹세, 선언: take one's ~ 맹세하다〈*to*〉.

up to dick 우수한, 상당한; 빈틈없는.

〖*declaration*〗

dick[3] *n.* 《美俗》 형사, 탐정. 〖? *detective*〗

dick[4] *n.* 《英口》 놈, 녀석; 《卑》 =PENIS.

Dick *n.* 남자 이름《Richard의 애칭; 남자의 일반적 명칭》.

dicked [díkt] *a.* 《美俗》 (성공할 것이) 확실한; 용의주도한.

dick·ens [díkənz] *n.* 《口》 =BLAZE[1] 4, DEUCE[2] 2, DEVIL 8 《강조적 의미의 완곡한 말》: The ~! 이런!, 빌어먹을! / What the ~ is it? 도대체 뭐냐. 〖C16<? *Dickens* (devil의 완곡)〗

Dickens *n.* 디킨스. **Charles** ~ (1812-70) 영국의 소설가.

Dick·en·si·an [dikénziən, -si-] *a.* 디킨스식[풍]의《서민 계급의 특이한 인물을 해학과 진실성을 가지고 묘사》.

dick·er[1] [díkər] *n.* 《美》 Ⓤ,Ⓒ 물물 교환(barter); (값을 흥정해서 하는) 거래(去來). ── *vi.* [動 / +前+名] (흥정하여) 거래하다, 값을 깎다(haggle); 물물교환하다; 정치 거래를 하다; 주저하다: ~ ***with*** a person ***for*** a thing 남과 흥정하여 물건값을 에누리하다. ── *vt.* 교환하다. 〖?*dicker*[2]〗

dicker[2] *n.* 〖商〗 10개; 모피(毛皮) 10매; 10개 한 벌; 약간의 수량.

〖ME; cf. L *decuria* quantity of ten〗

dick·ey[1], **dicky, dick·ie** [díki] *n.* **1** (뗄 수도 있는) 와이셔츠의 가슴판; (와이셔츠의) 높은 칼라. **2** (가죽으로 된) 앞치마; 턱받이; (여성복의) 앞장식. **3** 《英》 (마차 안의) 마부석. **4** 작은 새. **5** 《英》 (수놈의) 당나귀(donkey).

〖*Dicky* (dim.) < *Richard*〗

dickey[2], **dicky** *a.* 《英口》 비틀비틀하는, 위태로운, 약한; 덜커덩거리는, 망가질듯한: very ~ on one's pins 다리가 휘청거려. 〖C19<?; 다음 구에서 인가 *as queer as Dick's hatband*〗

díckey·bìrd, dícky- *n.* 《兒》 작은 새; 《英口》 (말) 한마디.

díck·hèad *n.* 《俗》 =COCKHEAD.

Dick·in·son [díkənsən] *n.* 디킨슨. **Emily (Elizabeth)** ~ (1830-86) 미국의 여류 시인.

Díck strìp *n.* 우송 잡지용 주소명이 인쇄된 롤지.

Díck tèst *n.* 〖醫〗 성홍열 피부 테스트.

〖G. F. *Dick* (d. 1967) 미국의 의사 부부〗

Díck Trá·cy [-tréisi] *n.* 딕 트레이시《미국 만화의 주인공인 비정한 형사》.

dickty ☞ DICTY.

dicky ☞ DICKEY[1,2].

di·cli·nous [daikláinəs, dáiklə-] *a.* 〖植〗 자웅 이화(雌雄異花)의; (꽃이) 단성(單性)의.

di·cotylédon *n.* 〖植〗 쌍떡잎[쌍자엽] 식물(cf. MONOCOTYLEDON). **~·ous** *a.*

di·cou·ma·rin [daikú:mərən], **-rol** [-rɔ̀(:)l, -ròul, -ràl] *n.* 〖藥〗 다이쿠머린 《혈액 응고 방지제의 일종; 혈전(血栓) 치료제》.

di·crot·ic [daikrátik] *a.* 〖醫〗 중박맥(重搏脈)의.

dict. dictated; dictation; dictator; dictionary.

dicta *n.* DICTUM의 복수형.

díc·ta·bèlt [díktə-] *n.* 구술(口述) 녹음기용 녹음 벨트. 〖*dicta*tion+*belt*〗

díc·ta·gràph [díktə-] *n.* =DICTOGRAPH.

Díc·ta·phòne [díktə-] *n.* 딕터폰《속기용 구술(口述) 녹음기; 상표명》. 〖*dicta*te+*phone*〗

dic·tate** [díkteit, -́-; -́-] *vt.* [+目 / +目+*to*+名] **1** 받아쓰게 하다, 구술(口述)하다: ~ a passage of English ***to the class 영어의 한 구절을 (불러주어) 반 학생들에게 받아쓰게 하다 / ~ a letter *to* one's typist 타이피스트에게 편지를 받아쓰게 하다. **2** (권위로써) 명령하다, 지시하다: The victorious country ~*d* the terms of peace ***to*** the defeated country. 승전국은 패전국에게 강화 조건을 명령했다. ── *vi.* [+*to*+名] **1** 요건을 받아쓰게 하다: ~ ***to*** one's secretary 비서에게 요건을 받아쓰게 하다. **2** 지시하다: No one shall ~ ***to*** me. =I won't be ~*d* *to*. 남의 지시는 받지 않겠다. ── [-́-] *n.* [보통 *pl.*] (신·이성·양심 따위의) 명령, 지시.

〖L *dicto* (freq.)<*dico* to say〗

dic·tát·ing machìne *n.* 구술 녹음기.

***dic·ta·tion** [diktéiʃən] *n.* **1** Ⓤ 구술, 구수(口授); 받아쓰기; Ⓒ 구술하는[받아쓰게 하는] 한 절: write from[under] a person's ~ 남이 말하는 것을 받아쓰다 / give[have] ~ 받아쓰게 하다[받아쓸 것이 있다] / take a ~ 말하는 것을 받아쓰다. **2** Ⓤ 명령, 지시; 분부: do something *at* the ~ of …의 지시에 따라 어떤 일을 하다.

~·al *a.*

dic·ta·tor [díkteitər, -́-; -́-] *n.* (*fem.* **-tress** [-trəs]) **1** 독재자, 절대권력자; (일반적으로) 위압적인 사람, 실력자, 권위자. **2** 받아쓰게 하는 사람, 구수자(口授者). 〖L; ⇨ DICTATE〗

dic·ta·to·ri·al [dìktətɔ́:riəl] *a.* 독재자의, 독재적인; 전제적(專制的)인; 오만한, 거드름 피우는. **~·ly** *adv.* 독재적으로, 오만하게. **~·ness** *n.*

類義語 ***dictatorial*** 언행이 독재자답게 고압적이고 거만한. ***arbitrary*** 자기 권리·권한을 자기 의지나 욕망에 따라 멋대로 행사하는. ***dogmatic*** 종교상의 교리 따위를 논의의 여지가 없는 절대적인 진실이라고 주장하는 태도 따위. ***doctrinaire*** 추상적인 교리나 이론을 엄격히 고집하는.

dictátor·shìp [ˌ 美+-́--] *n.* Ⓤ 독재(권), 절대권; 독재 정권[정부, 국가]; 독재자의 직[임기]: live under a ~ 독재 정권하에서 살다.

dic·ta·ture [diktéitʃər] *n.* =DICTATORSHIP.

dic·tion [díkʃən] *n.* **1** Ⓤ 용어의 선택 배열, 말투, 어법, 말씨: poetic ~ 시어(詩語)(법). **2** Ⓤ 《美》 발성법, 화법(話法)(elocution). **~·al** *a.* **~·al·ly** *adv.* 〖F or L *dictio* speaking, style (*dict*- *dico* to say)〗

◇**dic·tio·nary** [díkʃənèri; -ʃənri, -ʃənəri] *n.* 사전,

사서, 옥편 : an English-Korean ~ 영한사전 / a medical ~ 의학 사전 / consult[see] a ~ 사전을 펴보다 / look up a word in a ~ 어떤 낱말을 사전에서 찾아보다 / a walking[living] ~ 살아있는 사전, 박식한 사람.
〖L=wordbook ; ⇨ DICTION〗

díctionary càtalog *n.* 〖圖書〗 사서체(辭書體) 목록《모든 저자명·책명·주제·내용 설명 따위를 ABC순으로 정리한 것》.

díctionary Énglish *n.* 딱딱한[까다로운] 영어.

Díc·to·gràph [díktə-] *n.* 딕토그래프《실내용 고감도 전화기 ; 도청용 또는 녹음용 ; 상표명》.
〖*dict*ation, *-o-*, *-graph*〗

dic·tum [díktəm] *n.* (*pl.* **-ta** [-tə], **~s**) **1** (권위자·전문가의) 공식견해, 의견, 언명 ; 〖法〗 = OBITER DICTUM. **2** 격언, 금언.
〖L (p.p.) ‹ *dico* to say〗

dic·ty, dick·ty [díkti] *a.* 《美俗》 고급의 ; 훌륭한, 상류인 체하는, 거만한. —— *n.* 귀족, 부자.
〖C20 < ?〗

dic·ty- [díkti], **dic·tyo-** [díktiou, -tiə] *comb. form* 「그물(net)」의 뜻. 〖Gk.〗

Di·cu·ma·rol [daikú:mərɔ̀(:)l, -ròul, -rɑ̀l] *n.* 디쿠마롤《dicoumarin의 상품명》.

◇**did** *v.* DO¹의 과거형.

DID densely inhabited district(인구 밀집 지구).

di·dact [dáidækt] *n.* 도학자(같은 사람).
〖역성(逆成) ‹ ↓〗

di·dac·tic, -ti·cal [daidǽktik(əl), də- ; di-] *a.* 교훈적인, 설교적인(instructive).
〖Gk. (*didaskō* to teach)〗

di·dac·ti·cism [daidǽktəsìzəm, də-] *n.* Ⓤ 교훈[계몽]주의, 교훈벽(癖).

di·dác·tics *n.* [단수·복수 취급] 교수법 ; 교훈.

di·dap·per [dáidæpər] *n.* 〖鳥〗 (소형의) 농병아리. 〖*dive dapper* < OE *dūfedoppa* ; ⇨ DIVE, DIP〗

did·dle¹ [dídl] *vt.* 《口》 **1** [+目+*out of*+名] 속이다, …에서 속여 빼앗다(cheat) : He was ~*d* ***out of*** the money. 그 돈을 사취당했다. **2** (시간을) 낭비하다(waste) 〈*away*〉.
〖? 영국의 극작가 James Kenny (d. 1849)의 *Raising the Wind* (1803)중의 J. *Diddler*〗

diddle² *vt., vi.* 《口》 급속히 앞뒤[상하]로 움직이게 하다[움직이다] ; 만지작거리다〈*with*〉; 《卑》 …와 성교하다 ; 수음하다.
〖C17 ‹ ? *doderen* to tremble, totter ; cf. DODDER¹〗

did·dly [dídli] *a.* 《美俗》 변변찮은, 하잘것없는.

díd·dly-bòp *vi.* 《美俗》 (잡담을 하여) 시간을 허비하다 ; 재미있는 일을 하다, 즐기다. —— *n.* 디들리밥《가볍고 리드미컬한 음》, 즐거움, 기분풀이. —— *a.* 김빠진 듯한, 가벼운.

díddly-hòp *n.* 《美俗》 (갱단에서) 가장 거친 남자 ; 비행 소년 집단의 두목.

díddly-pòo *n.* 《兒》 똥.

díddly-shìt *a.* 《美俗》 시덥잖은, 하찮은. —— *n.* 값싼 것 ; 난센스 ; 지겨운 놈.

did·dy [dídi] *n.* 《俗·方》 유방, 젖꼭지 ; 모유.
〖TITTY〗

díddy-bòp *vi.* 《美俗》 춤추듯이 가볍게 리듬을 맞추어 걷다.

did·i·coy, did·di- [dídikɔ̀i], **did·a·kai** [dídikài] *n.* 《俗·方》 (영국에서) 캐러밴 생활을 하면서 스크랩 따위를 팔며 지방을 순회하는 사람《집시족은 아님》.

di·die, di·dy [dáidi] *n.* 《兒·口》 기저귀(diaper).

*****did·n't** [dídnt] did not의 단축형(☞ DO¹).

di·do [dáidou] *n.* (*pl.* **~es, ~s**) 《美口》 농담, 장난, 소동 ; 《俗》 불평, 반대 ; 하찮은 것(trinket).
cut* (*up*) *dido*(*e*)*s 장난치다.

Dido *n.* 〖그神〗 디도《카르타고를 건설했다고 하는 여왕》.

didst [didst] *v.* 《古》 DO¹의 2인칭 단수(thou) DOEST의 과거형 : thou ~=you did.

didy ☞ DIDIE.

di·dym·i·um [daidímiəm, di-] *n.* Ⓤ 〖化〗 디디뮴《원래 원소의 하나라고 생각되었으나 neodymium과 praseodymium의 혼합물 ; 기호 Di》.

◇**die**¹ [dái] *vi.* (**dý·ing**) **1** [動 / +前+名 / +補 / +目] 죽다 ; (식물·꽃이) 시들다 : His father ~*d* in 1980. 그의 아버지는 1980년에 돌아가셨다 / I thought I should[would] have ~*d*. (너무나 우스워서·맛있어서) 죽을 지경이었다[어쩔 수 없었다] / ~ ***at*** one's post 순직하다 / ~ ***by*** violence 비명(非命)에 가다 / ~ ***for*** one's country 순국(殉國)하다 / ~ ***in*** battle 전사하다 / Mr. Black ~*d* ***of*** pneumonia today in the hospital. 블랙씨는 오늘 폐렴(肺炎)으로 병원에서 사망하였다 / He ~*d of* laughing. 자지러지게 웃었다 / Many birds ~ ***from*** eat*ing* the poisons on fruits and seeds. 과실이나 열매에 묻은 독약을 먹고 죽는 새가 많다《㊟ 보통 die *of*는 질병·굶주림·노령 따위에 의해서 die *from*은 외상(外傷)·부주의에 기인하는 죽음을 나타내는데 후자의 경우라도 *of*를 쓰는 수가 있다》/ He was born poor and ~*d* poor[but ~*d* rich]. 가난하게 태어나서 가난하게 죽었다[죽을 때는 부자였다] / She ~*d* young. 젊었을 때 죽었다 / He ~*d* a beggar. 걸식(乞食)하다가 죽었다[객사(客死)했다]. ㊟ 동족 목적어를 수반하여 : He ~*d* the death of a hero[~*d* a glorious death]. 영웅답게[훌륭하게] 죽었다[영광스런 죽음을 택했다].
2 〖聖〗 정신적으로 죽다, 죽음의 고통을 맛보다.
3 [動 / +副 / +前+名] (제도·예술·명성 따위가) 사라지다, 없어지다 ; (불이) 꺼지다 ; (소리·빛 따위가) 희미해지다, 약해지다 ; 무감각[무관심]해지다 : The sound ~*d away*. 소리가 약해졌다 / The secret ~*d* ***with*** him. 비밀은 그의 죽음과 함께 사라졌다《그는 죽을 때까지 그 비밀을 지켰다》.
4 《口》 [+前+名 / +*to* do] [보통 be dying으로] (…이) 탐이 나서[하고 싶어서] 견딜 수 없다, 안달이 나다 : I'm *dying* ***for*** a drink[*to* know it]. 한 잔하고 싶어서[그것을 알고 싶어서] 죽겠다 / She is *dying to* go on the stage. 몹시 배우가 되고 싶어한다.
die away (바람·소리 따위가) 차츰 약해지다 (☞ 3) ; 아찔해지다(faint).
die down (소리·빛 따위가) 사라지다(fade) ; (소리·폭풍·흥분 따위가) 가라앉다 ; (초목이) 시들어 쓰러지다 : The noisy conversation ~*d down* suddenly when the teacher came into the room. 선생님이 방에 들어오자 떠들썩하던 말소리가 갑자기 그쳤다.
die hard (끝까지 완강히 저항하며) 여간해서 죽지 않다 ; (습관 따위가) 쉽사리 없어지지 않다.
die in one***'s boots***[***shoes***]=***die with*** one***'s boots***[***shoes***] ***on*** 변사[횡사, 급사]하다, 교수형에 처해지다(cf. *die in* one*'s* BED).
die off (가문(家門)·종족 등이) 죽어서 대가 끊기다 ; 차례로 말라죽다 ; (소리 따위가) 점점 사라지다 : The buds are *dying off*. 싹은 점차로 시들어가고 있다.
die on one***'s feet*** ☞ FOOT.
die out (종족·가문이) 죽어서 끊어지다 ; (풍

속·습관 따위가) 쇠퇴하다, (불 따위가) 꺼지다.
die the death 《古》 죽다; 처형되다.
die to [***unto***]. . . 《文語》 …을 초월하다, …에 무감각해지다: ~ *to* shame 수치를 잊다 / ~ *to* the world 세상을 버리다 / ~ *unto* sin 죄악을 초월하다, 죄를 개의치 않다.
Never say die! 죽는[약한] 소리 하지 마라, 비관하지 마라.
—— *n.* 《美俗》 죽음(death).
〖ME< ? ON *deyja*; cf. DEAD, DEATH, STARVE〗
類義語 ***die*** 「죽다」라는 뜻의 가장 보편적인 말. ***decease, expire***는 모두 die에 대한 완곡한 말 (***pass away***도 《口》에서는 완곡한 말투로 잘 쓰인다). *decease*는 법률 용어. ***perish*** 외부로부터의 폭력·굶주림·추위·화재 따위와 같은 고통스러운 상황하에서 죽다: Hundreds of people *perished* in starvation. (수백명의 사람이 아사(餓死)했다).

die² *n.* (*pl.* 1, 2, 3에서는 **dice**, 4에서는 **dies**) **1** 주사위, 주사위 모양의 것: The ~ is cast. 주사위는 던져졌다(☞ RUBICON). **2** [*pl.*] 주사위 노름, 주사위 놀이 (☞ DICE). **3** 주사위 모양으로 네모지게 자른 것. **4** 철인(鐵印); 거푸집; 찍어내는 본, 형판(型板); 다이스 압천대(壓穿臺)《수나사를 깎는 기구》.
(***as***) ***straight*** [***level, true***] ***as a die*** 똑바른, 정직한, 결코 잘못이 없는.
—— *vt.* …을 나사틀로 깎다; 거푸집으로 만들다; 틀로 찍어내다. 〖OF<L *datum* (p.p.) ‹ *do* to give, play; 'given by fortune'의 뜻인가〗

díe-awày *a.* 힘 없는, 초췌한, 번민하여 여윈, (병 따위가) 오래 끄는: a ~ look 초췌한 표정 / a ~ disease 오래 끄는 병. —— *n.* (소리·영상 따위의) 점차적인 사라짐[멀어짐].

díe-càst *vi.* 〖冶〗 다이캐스트 방법으로 주조[제조]하다. —— *a.* 다이캐스트 방법으로 주조[제조]된.

díe càsting *n.* 〖冶〗 다이 캐스팅, 다이 주물(법).

diecious ☞ DIOECIOUS.

díe-cùt *vt.* …을 형판(型板)쇠로 눌러 떼어내다.

díe·hàrd *n.* 끝까지 버티는 사람; 보수당 속의 강경파.

díe-hàrd *a.* 최후까지 저항하는[버티는], 완강하게 저항하는; 완고한(cf. DIE¹ *hard*). **~·ism** *n.* 완고한 보수주의.

díe-ìn *n.* 참가자가 죽은 듯이 가로눕는 시위 행동.

di·el [dáiəl, -el] *a.* 〖生態〗 일주야(晝夜)의, 하루 주기적인. —— *n.* 일주야《야간을 포함한 24시간》.

diel·drin [díːldrən] *n.* Ⓤ 〖化〗 디엘드린《살충제》. 〖*Diel*s-Al*der* reaction〗

dì·eléctric *a.* 〖電〗 부전도성(不傳導性)의; 유전성(誘電性)의. —— *n.* 절연체, 유전체. 〖*di-*³〗

Dien Bien Phu [djèn bjèn fúː] *n.* 디엔비엔푸《베트남 북서부의 라오스와의 국경 근처에 있는 도시; 1954년 이 곳의 프랑스군 기지가 월맹군에게 함락됨》.

-di·ene [dáiiːn, ⌐⌐] *n. suf.* 〖化〗 「2중 결합이 두개 있는 유기 화합물」의 뜻. 〖*di-*¹+*ene*〗

dieresis ☞ DIAERESIS.

di·es [díːeis, dáiiːz] *n.* (*pl.* ~) 날, 일(日). 〖L〗

die·sel [díːzəl, -səl] *n.* 《英俗》 레스비언의 남자역으로 특히 남자 같은 여자.

Diesel *n.* **1** 디젤. **Rudolf** ~ (1858-1913) 디젤 기관을 발명(1892)한 독일인 기계 기사. **2** [d~] =DIESEL ENGINE; 디젤 기관차[트럭, 배 따위]; 《口》 =DIESEL OIL. —— *a.* [d~] 디젤 엔진의. —— *vi.* [d~] (가솔린 엔진이) 스위치를 끈 뒤에도 회전을 계속하다, 디젤링하다.

dìesel-eléctric *a.* 디젤 (엔진) 발전기의[를 장비한]. —— *n.* 디젤 전기기관차.

díesel èngine [**mòtor**] *n.* 디젤식 (내연) 기관.

díesel·ing *n.* (가솔린 엔진의) 디젤링《스위치를 끈 뒤에도 엔진 내의 과열점에 의해 회전을 계속하는 일》.

díesel·ìze *vt.* (철도 따위에) 디젤 엔진을 부착하다, 디젤화하다.

díesel òil [**fùel**] *n.* 디젤유(油).

díe·sìnk·er *n.* 극인(極印)[거푸집] 만드는 사람, 형공(型工).

di·es irae [díːeis íːrei, -íːrai; díːeiz íərai] *n.* **1** 분노의 날. **2** [D~ I~] 최후의 심판일; 죽은 사람을 위한 미사 중의 Dies Irae로 시작되는 부분. 〖L=day of wrath〗

di·es non (**ju·ri·di·cus**) [díːeis nóun (juːrídikəs), dáiiːz nɑ́n(-)] *n.* (*pl.* **dies nons** [-nz], **dies non ju·ri·di·ci** [-kiː]) 〖法〗 휴정일; 휴업일. 〖L=non (juridical) day〗

die·so·hol [díːzəhɔ̀(ː)l, -hɑ̀l] *n.* 디젤유와 알코올의 혼합물《디젤 엔진의 연료》. 〖*dies*el+alc*ohol*〗

díe stàmping *n.* (형판(型板)에 의한) 도드라지게 하는 가공.

***di·et¹** [dáiət] *n.* **1** 일상의 음식물: a meat [vegetable] ~ 육[채]식. **2** (치료·체중 조절을 위한) 규정식, 특별식; 식이 요법: on a ~ 규정식을 먹고, 식이 요법으로 / put a person on a ~ 남에게 규정식을 먹도록 하다.

〈회화〉
I'm getting too fat these days. — You should go on a *diet*. 「요즘 살이 너무 쪄요」「다이어트를 하렴」

—— *vt.* (의사가) …에게 규정식을 먹게 하다: ~ oneself 규정식을 하다. —— *vi.* 규정식을 먹다. 〖OF<L<Gk. life〗

***diet²** *n.* [the D~] (예전의 덴마크·스웨덴·헝가리·일본·프로이센 따위의) 국회, 의회(cf. PARLIAMENT, CONGRESS); 《스코》 개정일.
~·al *a.* 〖L *dieta* day's work, wages, etc.〗

di·etary [dáiətèri; -təri] *a.* 음식(물)의; 규정식의; 식이 요법의: a ~ cure 식이 요법.
—— *n.* 규정식; (식사의) 규정량.
dì·etár·i·ly [; dáiətərili] *adv.*

díetary físber *n.* 식물(食物) 섬유.

díetary làw *n.* (유태교의) 음식(물)의 적합·부적합을 정한 계율.

Díet Cóke *n.* 저(低)칼로리의 합성 감미료를 넣은 콜라《상표명》.

díet·er *n.* 규정식을 먹는 사람, 식이요양자.

di·e·tet·ic, -i·cal [dàiətétik(əl)] *a.* 식이(성)의, 영양(상)의. **-i·cal·ly** *adv.*

di·etét·ics *n.* Ⓤ 식이[식사] 요법학.

díet fòod *n.* 다이어트 식품.

di·èthyl·stilbéstrol *n.* 〖生化〗 디에틸스틸베스트롤, DES(stilbestrol) 《합성여성 발정호르몬중의 하나》.

díet·ist *n.* =DIETITIAN.

di·e·ti·tian, -ti·cian [dàiətíʃən] *n.* 영양학자; 영양사.

díet kìtchen *n.* (병원 따위의) 규정식[치료식] 조리실.

díet lìst *n.* (식이 요법용의) 규정 식단.

díet pìll *n.* 《美》 다이어트정(錠), 살빼는 약《호르몬·이뇨제 따위의 복합제》.

dif- [dif] *pref.* =DIS-¹ 《f 앞에 올 때》.

dif., diff. difference; different; differential.

dif·fer** [dífər] *vi.* [+前+名 / 動] **1** 다르다, 틀리다 : His opinion doesn't ~ much ***from mine. 그의 의견은 나의 의견과 아주 다르지는 않다 / The two countries ~ ***in*** religion and culture. 그 양국은 종교와 문화가 다르다 / Tastes ~. (사람에 따라서) 기호(嗜好)가 다르다. **2** 의견을 달리 하다(↔ *agree*) ; 《古》 논쟁하다, 다투다 〈*with*〉 : I ~*ed* ***from***[***with***] him ***in*** the solution he offered. 그가 제안한 해결책에 대하여 의견을 달리했다 / She never ~*ed with* my plans. 그녀는 한 번도 나의 계획을 반대한 적이 없었다 / I beg to ~ (*from* you). 죄송한 말씀이지만 나의 생각은 다릅니다 / agree to ~ ☞ AGREE 숙어.
〖OF<L *dilat- differo* to bear apart, scotter〗

◇**dif·fer·ence** [dífərəns] *n.* **1** U,C 다름, 차이, 상위[차이]점 ; 뚜렷한 특징 ; 구별 : a ~ *in* appearance [quality] 외관[질]의 차이 / the ~ *between* the two[*between* A and B] 양자(兩者)간의[A와 B와의] 다른 점 / a distinction without a ~ 쓸데없는 구별 / His was a style with a ~. 그의 문체(文體)는 어딘가 색다른 점이 있었다[독특한 것이었다] / What's the ~ ? (그렇다고 하더라도) 무슨 차이가 있단 말이냐, 상관없지 않느냐. **2** U,C 차액 ; (주가(株價)의 고저의) 차 ; 〖數〗 차 ; 〖論〗 차이 : meet[pay] the ~ 차액을 보상하다[지급하다] / It is a ~ *of* a few dollars. 2, 3 달러의 차[차이]다. **3** U,C 의견의 차이, 불화, 다툼 ; [때때로 *pl.*] (국제간의) 분쟁. **4** 〖紋〗(분가(分家) 따위를 나타내기 위한) 문장에 대한 변경[추가].
make a [***no***] ***difference*** 차이가 나다[나지 않다], 효과[영향]를 가져오다[가져오지 못하다], 중요하다[하지 않다] ; 차별하다[하지 않다] 〈*between*〉 : It *makes no*[little] ~ (*to* me) whether it is large or small. 그것이 크건 작건 (나에겐) 문제가 아니다[아무래도 상관없다].
split the difference 차액의 중간을 취하다 ; (쌍방이) 양보하다, 절충하다, 타협하다.
—— *vt.* **1** =DIFFERENTIATE. **2** …사이의 차를 계산하다. **3** 〖紋〗 (문장)에 분가(分家) 따위를 나타내는 표시를 달다.

◇**dif·fer·ent** [dífərənt] *a.* **1** 틀린, 다른, 별도의 ; 같지 않은 : ~ people with the same name 동명이인(同名異人) / The goods delivered were widely ~ *from* the sample. 배달된 상품은 견본과 아주 차이가 있었다. ☞ 活用. **2** [복수명사에 붙어서] 여러 가지의(various) : They are made in ~ sizes. 각종 다른 크기의 것이 만들어져 있다. **3** 《美》 색다른, 독특한(unusual).
—— *adv.* 《口》 =DIFFERENTLY.
〖OF<L ; DIFFER〗
活用 different from …이라고 하는 것이 보통이지만 《英口》에서는 *to,* 《美口》에서는 *than*을 붙이는 수도 있다 ; 수식어로는 much, far, very 따위를 앞에 둔다.
類義語 ***different*** 사람·물체가 닮지 않은, 다른, 개성 또는 대조를 암시한다 : *different* colors (서로 다른 색). ***diverse*** 상위점이 더 한층 뚜렷한 것을 나타낸다 : *diverse* opinions (상위한 의견). ***distinct*** 둘 이상의 것이 확실하게 구별될 수 있도록 다른 것과 서로 다른 : two *distinct* signals (두 가지의 서로 다른 신호). ***various*** 종류·형(型)이 각양 각색이어서 여러 점에서 다른 : *various* cars (각양 각색의 자동차들).

dif·fer·en·tia [dìfərénʃiə] *n.* (*pl.* **-ti·ae** [-ʃiìː, -àiː]) 상위점 ; (특히) 본질적 차이 ; 〖論〗 종차(種差), 특이성.
〖L DIFFERENCE〗

dif·fer·en·ti·a·ble [dìfərénʃiəbəl] *a.* 구별[차별]할 수 있는, 변별(辨別) 가능한 ; 〖數〗 미분 가능한. **dìf·fer·èn·ti·a·bíl·i·ty** *n.*

dif·fer·en·tial [dìfərénʃəl] *a.* **1** 특이한. **2** 차별적인. **3** 〖數〗 미분의(cf. INTEGRAL). **4** 〖理·機〗 차동(差動)의, 시차(示差)의 : ~ gear[gearing] 차동(差動) 기어[장치].
—— *n.* **1** 〖商〗 협정 임금차 ; 차액 ; 운임차 ; 〖理〗 (양의)차 ; 〖生〗 특이형태. **2** U 〖數〗 미분. **3** 〖理·機〗 차동 장치. **~·ly** *adv.* 특이하게, 차별적으로, 별도로.

differéntial ánalyzer *n.* 〖電子〗 미분 해석기(機) 《아날로그 계산기의 하나》.
differéntial cálculus *n.* 〖數〗 미분학.
differéntial coeffícient *n.* 〖數〗 미분계수.
differéntial equátion *n.* 〖數〗 미분방정식.
differéntial geómetry *n.* 〖數〗 미분 기하학.
differéntial quótient *n.* 〖數〗 미분몫.
differéntial ráte *n.* 임금 격차 ; 차액을 가감한 운임률, 특정 저(低)운임률.

dif·fer·en·ti·ate [dìfərénʃièit] *vt.* [+目 / +目+*from*+名] **1** …에 구별을 두다, 차별[식별]하다 ; …에 차별을 인정하다 : What ~*s* the rat ***from*** the mouse ? 들쥐와 집쥐는 무엇으로 구별되느냐. **2** 특수화[분화]시키다 ; 〖數〗 미분하다.
—— *vi.* [動 / +前 +名] **1** 구별이 생기다 ; (기관(器官)·종자·언어 따위가) 특수화[분화]되다 : This genus of plants ~*s* ***into*** many species. 이 속(屬)의 식물은 많은 종(種)으로 나누어진다. **2** 차별을 시인하다〈*between*〉.
類義語 ⟹ DISTINGUISH.

dif·fer·en·ti·a·tion [dìfərènʃiéiʃən] *n.* **1** U,C 차별(을 인정하기), 판별(判別) ; 차별 대우. **2** U,C 분화(分化), 특수화, 파생 ; 〖數〗 미분법(cf. INTEGRATION).

díf·ferent·ly *adv.* **1** 다르게, 틀리게 ; 같지 않게. **2** 그렇지 않고(otherwise).

dif·fi·cile [dìːfisíːl ; dəfísəl] *a.* 어려운 ; 까다로운, 다루기 힘든.
〖F ; ⇨ DIFFICULTY〗

◇**dif·fi·cult** [dífikʌ̀lt, -kəlt ; dífikəlt] *a.* [+*to* do] **1** 곤란한, 성가신, 어려운 ; …하기 힘든(↔ *easy*) : a ~ problem 어려운 문제 / He was placed in ~ circumstances. 그는 곤경에 빠져 있었다[괴로움을 당하고 있었다] / The task is ~ ***for*** me. 그 일은 내게는 힘이 든다 / It is ~ to convince him. 그를 설득하는 것은 어렵다 / It is ~ *for* me[I find it ~] to stop smoking. 내가 담배를 끊는다는 것은 어려운 일이다 / The place is ~ *to* reach[***of*** access]. 그 장소는 다다르기에 힘든 곳이다.

difficult와 **difficulty**

(1) difficult의 ○×
(×) He was *difficult* to solve the problem. (그는 그 문제를 풀기가 어려웠다.)
(○) It was *difficult* for him to solve the problem.
(○) He found it *difficult* to solve the problem.
(○) He had *difficulty* in solving the problem.

(2) difficult, difficulty의 문장 전환
She found it *difficult* to understand him.
→ She had *difficulty* in understanding him.
(그녀로서는 그를 이해하기가 힘들었다.)

2 (사람이) 성미가 까다로운, 완고한 ; (일이) 다루기 힘든 ; 재정난의 : They are ~ people *to* get on with[are ~ *to* deal with]. 그들은 사귀기 힘든 사람들이다 / Don't be so ~. 그렇게 까다롭게 굴지 마시오. **~·ly** *adv.*
〖역성(逆成)＜↓〗
類義語 ⟹ HARD.

‡dif·fi·cul·ty [dífikʌ̀lti, -kəl- ; -kəlti] *n.* **1** Ⓤ [+前+do*ing*] 곤란(↔*ease, facility*) ; Ⓒ 어려운 일, 난국, 어려움 : I have ~ (***in***) remember*ing* names. 사람들의 이름이 잘 기억되지 않는다 / He found no ~ *in* solv*ing* the problem. 수월하게 그 문제를 풀 수가 있었다 / You must not underrate the ~ ***of*** climb*ing* this mountain. 이 산을 오르는 어려움을 과소 평가해서는 안된다 / Another ~ arises here. 또 하나의 난점이 여기에 생긴다. **2** [보통 *pl.*] 곤경, (특히) 재정 곤란 : be in *difficulties for* money 돈에 궁색하다. **3** 지장, 애로, 이의(異議)(objection) ; 다툼, 갈등(quarrel) : make a ~ = make[raise] *difficulties* 고충[애로]을 말하다, 난색(難色)을 표하다 / labor *difficulties* 노동 쟁의.
with difficulty 가까스로, 간신히(↔*easily*).
without (***any***) ***difficulty*** (아무런) 고통도 없이, 수월하게.
〖L *difficultas* ; ⇨ FACULTY〗
類義語 ***difficulty*** 참거나 극복하기가 매우 어려운 것 : We find *difficulty* in securing work. (취직을 하는 것이 어렵다는 것을 안다). ***hardship*** difficulty보다 의미가 강하고 극히 견디기 힘든 고통·번민 : Hunger, cold and sickness were the *hardships* we experienced. (굶주림·추위·질병이 우리가 겪었던 고통이었다).

dif·fi·dence [dífədəns, 美+-dèns] *n.* Ⓤ 자신이 없음 ; 기가 죽음(shyness) ; 망설임, 수줍음(modesty) (↔*confidence*) : *with* nervous ~ 몹시 조심스럽게 / *with* seeming ~ 조신하게.

díf·fi·dent [, 美+-dènt] *a.* [+前+do*ing*] 자신이 없는 ; 망설이는, 수줍어 하는, 소심(小心)한 : speak in a ~ manner 몹시 망설이는 어조(語調)로 말하다 / I was ~ ***about*** say*ing* so. 그렇게 말하는 것이 망설여졌다. **~·ly** *adv.* 머뭇머뭇, 자신 없게. 〖L *dif*-(*fido* to trust) = to distrust〗
類義語 ⟹ SHY.

dif·flu·ence [dífluəns] *n.* Ⓤ 흐름, 유출(流出) ; 유동성 ; 용해, 융해.

dif·fract [difrǽkt] *vt.* 분산시키다, 분해하다 ; 〖理〗 (광파·음파·전파 따위를) 회절(回折)하다. ── *vi.* 분산[회절]하다. 〖역성(逆成)＜↓〗

dif·frac·tion [difrǽkʃən] *n.* Ⓤ 〖理〗 회절(回折) : a ~ grating 〖理〗 회절 격자(回折格子).
〖L DIF*fringo* ; ⇨ FRACTION〗

dif·frac·tive [difrǽktiv] *a.* 회절(回折)시키는, 회절성의. **~·ly** *adv.*

dif·fu·sate [difjú:zeit] *n.* 〖化〗 투석물(透析物) ; 〖原子理〗 확산체.

***dif·fuse** [difjú:z] *vt.* **1** (빛·열·냄새 따위를) 발산[방산(放散)]하다. **2** (지식을) 넓히다, 보급시키다, (정서 따위를) 충만시키다, 퍼뜨리다 : His fame is ~*d* through the city. 그의 명성은 시중에 널리 퍼져 있다. **3** 〖理〗 (기체나 액체를) 확산시키다. ── *vi.* **1** 퍼지다, 보급되다. **2** 〖理〗 확산(擴散)되다.
── [difjú:s] *a.* 퍼진 ; (문체 따위) 산만한, 장황한, 널리 퍼진 ; 〖植〗 활짝 핀. **~·ly** *adv.* 산만하게, 장황하게 ; 널리 (보급되어). **~·ness** *n.* Ⓤ 산만, 장황 ; 확산(성). 〖F or L ; ⇨ FOUND²〗

dif·fúsed *a.* 확산된, 널리 퍼진, 널리 흩어진, 보급된 : ~ light 산광(散光) / ~ knowledge 보급된 지식.

diffúsed júnction *n.* (반도체 접합의) 확산(擴散) 접합.

dif·fús·er *n.* **1** 유포[보급]하는 사람. **2** (기체·광선 따위의) 확산기, 방산기, 산광기 ; 살포기.

dif·fus·ibil·i·ty [difjù:zəbíləti] *n.* 보급[분산]력 ; 〖理〗 확산율[성].

dif·fús·ible *a.* 퍼지는 ; 보급[확산]할 수 있는 ; 〖理〗 확산성의.

dif·fu·sion [difjú:ʒən] *n.* **1** Ⓤ 살포(撒布), 보급 〈*of*〉 ; (문체 따위의) 산만 : nuclear ~ 핵(核)(무기) 확산 / ~ furnace 확산로(爐)《반도체 제조 장치의 하나》. **2** Ⓤ 〖理〗 확산(작용)〈*of*〉 ; 〖寫〗 (초점의) 흐림. **~·al** *a.*

diffúsion ìndex *n.* 〖經〗 확산 지수, 경기 동향 지수《주가·생산지수·도매물가 따위의 움직임에서 산출해 낸 경기 지수》.

diffúsion pùmp *n.* 〖理〗 확산 펌프《가스의 확산을 이용한 고도의 진공 펌프》.

dif·fu·sive [difjú:siv, -ziv] *a.* 널리 퍼진, 보급되기 쉬운, 보급력(普及力)이 있는 ; 확산성의 ; 산만[장황]한 ; 수다스러운(copious). **~·ly** *adv.* 흩날려서 ; 산만하게. **~·ness** *n.*

dif·fu·siv·i·ty [dìfju:sívəti] *n.* 〖理〗 확산율.

dif·fú·sor *n.* = DIFFUSER.

‡dig [díg] *v.* (**dug** [dʌ́g] ; **díg·ging**) *vt.* [+目 / +目+前+名 / +目+副] **1** (땅·밭 따위를) 파헤치다[갈다] ; (구멍·우물·무덤 따위를) 파다, 파서 만들다 ; 파내다 : ~ the ground 땅을 파다 / ~ a hole 구멍을 파다 / ~ trenches 참호를 파다 / ~ clams[potatoes] 대합[감자]을 캐내다 / A tunnel has been *dug* ***through*** the hill. 그 언덕을 뚫어서 터널이 만들어졌다 / ~ a pit for... ☞ PIT¹ 숙어. **2** 《口》 찌르다, (손가락 끝·칼 따위를) 처넣다[찔러서 꽂다] ; (사람을) 손가락[팔꿈치]으로 쿡 찌르다 : He *dug* his fork ***into*** the apple. 포크로 사과를 찔렀다 / The rider *dug* the horse ***with*** his spurs[*dug* his spurs *into* the horse, *dug* his spurs ***in***]. 기수(騎手)는 말에 박차(拍車)를 가했다 / The man *dug* him *in* the ribs. 그 남자는 그의 옆구리를 찔렀다. **3** 탐구하다 ; 조사하다 : They *dug* ***out*** some interesting facts about her. 그녀에 관한 흥미있는 사실을 찾아냈다. **4** 《美俗》 **a**) 이해하다(understand). **b**) 마음에 들다(like).
── *vi.* **1** (연장·손 따위로) 흙을 파다. **2** [+前+名] 파나가다, 굴진(掘進)하다 : ~ ***through*** a wall of clay. 흙벽을 파서 뚫다 / ~ ***under*** a mountain 산 밑바닥을 파나가다. **3** [+前+名] 탐구[연구]하다, 정사(精査)하다(search) : ~ ***for*** information 정보를 탐지하다 / ~ ***into*** the works of an author 어떤 작가의 작품을 세밀히 조사하다. **4** 《口》 꾸준히 공부하다〈*at*〉. **5** 《口》 하숙하다, 셋방살이하다. **6** 《俗》 이해하다 ; 《俗》 주목하다.
dig in (1) 파서 (비료 따위를) 파묻다, 섞다. (2) 처넣다[찔러서 꽂다](cf. *vt.* 2). (3) 구멍[참호]을 파다. (4) 《口》 의견[입장]을 고수하다. (5) 《口》 열심히 공부하다.
dig into. . . (1) ☞ *vt.* 2, *vi.* 3. (2) 《口》 …을 열심히 공부[일]하다. (3) 《口》 …을 덥석 물다 : ~ *into* a pie 파이를 덥석 물다.
dig one*self* ***in*** 구멍[참호]을 파서 몸을 숨기다 ; 《口》 (장소·일 따위에서) 자리를 잡다, 지위[입장]를 지키다.

dig** one's **heels in 《口》 자기의 입장[의견]을 고수하다.
dig out 파내다 ; 찾아내다(cf. *vt.* 3) ; 땅을 파서 (여우를) 몰아내다 : He was *dug out* from under the avalanche. 그는 눈사태 밑에서 발견되었다 / documents *dug out* of archives 고문서(古文書) 속에서 찾아낸 기록.
dig over 파서찾다 ; 재고하다.
dig up (1) (황무지를) 파서 일구다 : The land has been *dug up for* a new garden. 새 정원을 만들기 위해 그 땅을 파서 일구었다. (2) 파내다[파서 뚫다] : ~ a tree *up* by the roots 나무를 뿌리째 파내다. (3) 발굴하다 ; 발견하다 : ~ *up* an old Greek statue 고대 그리스의 조상(彫像)을 발굴하다.
—— *n.* **1** 《口》 (한 번) 파(내)기 ; 쿡 찌르기 ; 《비유》 빈정댐 : give a person a ~ in the ribs 남의 옆구리를 쿡 찌르다 / have a ~ *at* a person 남에게 빗대어 빈정대다 / That's a ~ *at* me. 그것은 나에 대한 트집이다. **2** 《口》 발굴작업, 발굴지, (고고학상의) 발굴물, 유적. **3** [*pl.*] 《英口》 하숙(diggings). **4** 《美口》 쉬지 않고 착실히 공부하는 학생.
〖ME *diggen* < ? OE 《美》 *dīcigian* (*dīc* DITCH) < ? imit.〗

dig. digest《책의》.

di·gam·ma [daigǽmə] *n.* 디감마《초기 그리스 문자의 F ; 발음은 [w]》.

dig·a·my [dígəmi] *n.* 재혼. **-mist** *n.* 재혼자.
díg·a·mous *a.*

di·génesis *n.* 〔生〕 이생(二生)생식 ; 세대 교번(世代交番).
dì·genétic *a.* 이생 생식의, 세대 교번의.

***di·gest** [daidʒést, də-] *vt.* **1** 소화하다 ; (약·포도주 따위가 음식의) 소화를 돕다[촉진하다] : Food is ~*ed* in the stomach. 음식물은 위 속에서 소화된다. **2** (…의 뜻을) 잘 음미하다, 터득하다 ; 숙고하다. **3** (새 영토 따위를) 동화(同化)하다. **4** 정리[분류]하다, 간추리다, 요약하다. **5** 〔化〕 쪄서 부드럽게 하다, 침지(浸漬)하다.

〈회화〉
Could you *digest* his lecture for me? — Certainly. 「그의 강연을 요약해 주시지 않겠습니까」 「네, 좋습니다」

—— *vi.* [動 / +副] 소화되다, 소화하기 쉽다 : This meat does not ~ *well*[*easily*]. 이 고기는 소화가 잘 안된다.
—— [dáidʒest] *n.* **1** 적요(摘要), 요약 ; (문학 작품·시사 문제 따위의) 개요, 다이제스트 ; 법령 전집. **2** 소화물.
〖L=collection of writings (p.p.) < *di-*²(*gest-gero* to carry)=to distribute, dissolve, digest〗

di·gés·tant *n.* 〔醫〕 소화(촉진)제.

digést·ed·ly *adv.* 질서정연하게, 규칙적으로.

digést·er *n.* 편집자 ; 소화(촉진)제 ; 〔料〕 수프끓이는 냄비 ; 찌는 그릇 ; 압력솥 ; 〔化〕 침지기(浸漬器), 온침기(溫浸器).

digést·ible *a.* 소화할 수 있는, 삭이기 쉬운 ; 간추릴 수 있는.
digèst·ibílity *n.* Ⓤ 소화성[율].

***di·ges·tion** [dədʒéstʃən, dai-] *n.* **1** Ⓤ [또한 a ~] 소화(작용), 삭임, 소화력 : easy[hard] of ~ 소화하기 쉬운[힘든] / have a strong[weak, poor] ~ 위가 튼튼하다[약하다]. **2** Ⓤ (정신적인) 동화 흡수[이해](력) ; 동화력(同化力) ; 〔化〕 침지(浸漬). **~·al** *a.*

di·ges·tive [dədʒéstiv, dai-] *a.* **1** 소화를 돕는, 소화력이 있는 : ~ organs[juice, fluid] 소화 기관[액]. **2** 〔化〕 침지(浸漬)의. —— *n.* 소화제.
~·ly *adv.* 소화되기 쉽게, 소화 작용으로.
~·ness *n.*

díg·ger *n.* **1** 파는 사람[동물, 도구, 기계], (특히 금광의) 광부. **2** 《俗》 (제1·2차 세계 대전중의) 오스트레일리아[뉴질랜드] 사람[군인]. **3** 〔昆〕 땅벌, 나나니벌.
the Diggers 나무뿌리를 먹고사는 미국 서부의 인디언.
〖DIG〗

díg·ging *n.* **1** Ⓤ 파기 ; 채굴, 채광 ; 〔法〕 발굴(물). **2** [*pl.*] 채굴장[지], (특히 금광의) 채광지. **3** [*pl.*] 《英口》 하숙(digs) ; 《口》 주거, 거처.

dight [dáit] *vt.* (~, **~·ed**) [주로 *p.p.*로] 《古·詩》 차리다, 꾸미다(clothe) ; 갖추다, 정리하다, 준비하다, 수선하다. 〖OE〗

dig·it [dídʒət] *n.* **1** 사람의 손가락[발가락], 〔動〕 발가락 ; 손가락 표시. **2** 손가락 폭《약 3/4인치》. **3** 아라비아 숫자《0-9 중의 하나 ; 원래 손가락으로 수를 센 데서》. 〖L *digitus* finger, toe〗

dig·i·tal [dídʒətl] *a.* 손가락 (모양)의 ; 손가락이 있는 ; 숫자(digit)를 쓰는, 숫자로 표시[계산]하는 ; 〔電子〕 디지털 방식의. —— *n.* **1** 손가락. **2** (피아노·오르간의) 키[건(鍵)] ; 디지털 시계[온도계]. **~·ly** *adv.* 숫자로, 디지털 방식으로.

dígital àudio *n.* =PCM AUDIO.

dígital bròadcasting *n.* 디지털 방송.

dígital clóck[wátch] *n.* 디지털 시계.

dígital communicátion *n.* 〔컴퓨〕 디지털 통신《디지털 신호를 사용하는 통신 체계》.

dígital compúter *n.* 〔컴퓨〕 디지털 컴퓨터, 수치형 전산기(cf. ANALOGUE COMPUTER).

dígital dìsc *n.* 디지털 디스크.

dígital flíght dáta recòrder *n.* 〔空〕 디지털 비행 기록 장치《略 DFDR》.

dígital ímage *n.* 디지털 화상(画像)《화상을 화소(画素)(pixel)라고 하는 작은 이산적인 점의 집합으로 분할하고 게다가 각 화소에서의 색조·농담의 수치도 이산적인 수치로 표현한 것》.

dígital ímage procèssing *n.* 〔電子〕 디지털 화상 처리《컴퓨터에 알맞도록 화상 정보를 디지털화(化)한 것》.

dig·i·tal·is [dìdʒətǽləs, -téi-; -téi-] *n.* 〔植〕 디기탈리스(foxglove) ; 디기탈리스의 마른 잎《강심제로 씀》 ; Ⓤ 디기탈리스 약제. 〖NL ; ⇨ DIGIT〗

dig·i·ta·lize [dídʒətəlàiz] *vt.* 〔컴퓨〕 (디지털 컴퓨터로 정보를) 숫자로 표시하다(digitize), 디지털[수치]화(化)하다.

dígital plótter *n.* 디지털 플로터《컴퓨터에서 보내오는 디지털 신호에 따라 그림·표 따위를 그리는 출력 장치》.

dígital recórding *n.* 디지털 녹음.

dígital subtráction angiògraphy *n.* 〔醫〕 말초 정맥에 소량의 조영제(造影劑)를 주입하여 컴퓨터 처리로 동맥의 협소화나 폐색 따위를 찾아내는 방법《略 DSA》.

dígital sýstem *n.* 〔電子〕 디지털 시스템.

dígital télephone[phóne] *n.* 디지털 전화.

dígital télevision *n.* 디지털 텔레비전.

dig·i·tate [dídʒətèit], **-tat·ed** [-tèitəd] *a.* 〔動〕 손가락이 있는 ; 손가락 모양의 ; 〔植〕 (잎이) 손바닥 모양의. **-tàte·ly** *adv.*

dig·i·ta·tion [dìdʒətéiʃən] *n.* Ⓤ 〔生〕 손가락 모양의 분열 ; 손가락 모양의 조직[돌기].

dig·i·tech [dídʒətèk] *n.* 〔電子〕 디지털 기술《디지

털 신호를 취급하는 기술》.

dig·i·ti- [dídʒətə] *comb. form* 「손가락」의 뜻. 〚L ; ⇨ DIGIT〛

dígiti·fòrm *a.* 손가락 모양의.

dígiti·gràde *a.* 〔動〕 발가락으로 걷는, 지행성(趾行性)의. —— *n.* 〔動〕 지행동물《개·고양이·말 따위》.

dig·i·tize [dídʒətàiz] *vt.* =DIGITALIZE.
-tìz·er *n.* 수치기, 기계로는 읽을 수 없는 데이터를 디지털 형식으로 변환하는 장치.
dìg·i·ti·zá·tion *n.* 디지털화(化).

dígitized spéech *n.* 디지털 신호화한 음성 ; 합성 음성.

di·glot [dáiglɑt] *a.* 2개 국어의. —— *n.* 2개 국어로 된 책.

díg·ni·fied *a.* 위엄이 있는 ; 고귀한, 품위가 있는 (noble) : a ~ old gentleman 품위가 있는 노신사. **~·ly** *adv.*

dig·ni·fy [dígnəfài] *vt.* [+目 / +目+前+名] **1** 위엄을 갖추다, 위엄있게 하다, 존엄[고귀]하게 하다(ennoble) : The farmhouse is *dignified* by the great elms around it. 그 농가는 주위가 큰 느릅나무로 에워싸여 엄숙하게 느껴진다. **2** …을 그럴듯하게 하다 : ~ a school ***with*** the name of an academy 학교를 아카데미라고 그럴 듯한 이름으로 부르다.
〚F<L (*dignus* worthy)〛

dig·ni·tary [dígnətèri ; -təri] *n.* 지위가 높은 사람, 고위인사, 고관 ; (특히) 고위 성직자. —— *a.* 위엄의, 존엄한 ; 명예 있는.
-tar·i·al [dìgnətéəriəl, -tǽər-] *a.*
〚PROPRIETARY 따위의 유추로 *dignity*에서〛

***dig·ni·ty** [dígnəti] *n.* **1** Ⓤ 위엄 ; 존엄, 품위 : the ~ *of* labor[the Bench] 노동[재판관]의 존엄. **2** Ⓤ (태도의) 묵직함, 장중(莊重) : a man *of* ~ 관록이 붙은 사람. **3** 위계(位階), 작위. **4** 《古》 고위[고관]의 사람 ; 고위 성직자 ; [집합적으로] 고위층.
be beneath one***'s dignity*** 품위를 떨어뜨리다, 체면이 손상되다.
stand [***be***] ***upon*** one***'s dignity*** 점잔빼다, 뽐내다, 거만하게 굴다.
with dignity 위엄있게 ; 점잔빼고.
〚OF<L (*dignus* worthy)〛

di·graph [dáigræ(:)f, -grɑ:f] *n.* 2자 1음, 이중 글자《두자로 한 소리를 나타냄 ; 보기 sh [ʃ], ea [i:, e]》 ; 합자(合字). 〚*di*-[1]〛

di·gress [daigrés, də-] *vi.* [動 / +*from*+名] (말이나 의제에서) 옆으로 빗나가다, 본제(本題)를 벗어나다, 지엽적인 데로 흐르다 : ~ ***from*** the main subject 주제(主題)를 벗어나다. **~·er** *n.*
〚L *di*-[2](*gress*- *gredior*=*gradior* to walk)〛
類義語 ⟹ DEVIATE.

di·gres·sion [daigréʃən, də-] *n.* Ⓤ,Ⓒ 지엽적으로 흐르기, 여담(餘談), 탈선 : to return from the ~ 본제(本題)로 되돌아가서. **~·al** *a.*

di·gres·sive [daigrésiv, də-] *a.* 본론 이외의, 지엽적인. **~·ly** *adv.* 본론을 벗어나서.

di·hal- [daihǽl], **di·halo-** [-hǽlou, -lə] *comb. form* 「2개의 할로겐 원자를 함유한」의 뜻. 〚*di*-[1]+*hal*-〛

di·hédral *a.* 두 개의 평면의[으로 된] ; 이면각(二面角)의 ; 〔空〕 상반각(上反角)의 (날개를 가진). —— *n.* 〔數〕 =DIHEDRAL ANGLE ; 〔空〕 상반각.

dihédral ángle *n.* 〔數〕 이면각 ; 〔空〕 =DIHEDRAL.

di·hydr- [daiháidr], **di·hy·dro-** [-drou, -drə] *comb. form* 「수소 원자 2개와 결합한」의 뜻. 〚*di*-[1]+*hydr*-〛

di·hỳdro·strèpto·mýcin *n.* Ⓤ 〔藥〕 디히드로스트렙토마이신《결핵 특효약》.

dik-dik [díkdìk] *n.* 〔動〕 딕딕《아프리카산의 작은 영양(羚羊)》. 〚(East Africa)〛

dike, dyke [dáik] *n.* **1** 도랑(ditch), 수로(水路) (watercourse). **2** 제방 ; 둑길(causeway). **3** 《비유》 방벽(防壁) ; 방어 수단 ; 장벽, 장애물 ; 〔地質·鑛〕 암맥(岩脈). **4** [dyke] 《俗》 소변소 ; =DUNNY. —— *vt.* …에 둑을 쌓다 ; …에 수로를 만들다. 〚ON or MLG=ditch, dam〛

dik·tat [diktɑ́:t ; ˊ-] *n.* (패자 등에 대한) 절대적 명령, 일방적 결정, 강권 정책. 〚G=DICTATE〛

dil. dilute.

Di·lan·tin [dailǽntn, də-] *n.* Ⓤ 〔藥〕 딜란틴(=~ **Sódium**) 《간질약 ; 상표명》.

di·lap·i·date [dəlǽpədèit] *vt.* **1** (건물을) 헐어빠지게 하다, 황폐시키다, (가구·의복 따위를) 파손[손상]시키다. 주 지금은 보통 *p.p.*로 사용함. **2** 《古》 (재산을) 낭비하다, 탕진하다. —— *vi.* 황폐하다 ; 파손되다. **-dà·tor** *n.*
〚L *di*-[2](*lapido* to throw stones< *lapis* stone)=to squander〛

di·láp·i·dàt·ed *a.* 헐어빠진, 황폐한, 허물어진 ; (가옥 따위가) 기울어진, (가구 따위가) 낡아빠진 ; (복장이) 남루한.

di·lap·i·da·tion [dəlæ̀pədéiʃən] *n.* Ⓤ 황폐(荒廢) (ruin), 부패, 산사태 ; Ⓤ,Ⓒ 붕괴되어 떨어진 것 《암석 따위》 ; 낭비.

di·la·tan·cy [dailéitənsi, də-] *n.* 《美》 〔理〕 다일레이턴시《(1) 입상(粒狀)물질이 변형에 의하여 팽창하기. (2) 현탁물(懸濁物)이 고화(固化)하는 성질. (3) 지하수의 수압에 의하여 암석이 팽창하기》.

di·lá·tant *a.* 팽창성의, 확장성의 ; 〔理〕 다일레이턴시의[를 나타내는]. —— *n.* 확장성의 것 ; 〔化〕 다일레이턴트 ; 〔醫〕 확장기(器).

di·la·ta·tion [dìlətéiʃən, dài-] *n.* Ⓤ 팽창, 확장 ; 부연 ; 〔醫〕 비대[확장](증) ; 〔理〕 팽창도.

di·la·ta·tive [dailéitətiv, də-] *a.* =DILATIVE.

di·late [dailéit, ˊ- ; dailéit, də-] *vt.* **1** 넓히다, 팽창시키다(expand) : The horse ~*d* its nostrils. 그 말은 콧구멍을 벌름거렸다 / with ~*d* eyes 눈을 부릅뜨고. **2** 《古》 부연(敷衍)하다. —— *vi.* **1** 퍼지다, 팽창하다 : The pupils of his eyes ~*d* as it became dark. (주위가) 어두워짐에 따라 그의 눈동자가 커졌다. **2** [+*on*+名] 상세히 말하다[쓰다], 부연하다 : If I had time, I could ~ (***up***)***on*** this topic. 시간이 있으면 이 화제에 대해 자세히 말할 수 있을 텐데.
di·làt·abíl·i·ty *n.* Ⓤ 팽창성[률].
di·lát·able *a.* 부푸는, 퍼지는, 팽창성의.
〚OF<L *di*-[2] (*lato*<*latus* wide)=to spread out〛
類義語 ⟹ EXPAND.

di·la·tive [dailéitiv, də-] *a.* 팽창성의.

dil·a·tom·e·ter [dìlətɑ́mətər, dài- ; dài-] *n.* 팽창계(計).

di·lá·tor *n.* 확장[팽창]시키는 사람[것] ; 〔醫〕 확장기(擴張器), 확장약 ; 〔解〕 확장근(擴張筋).

dil·a·to·ry [dílətɔ̀:ri ; -təri] *a.* [+*in*+do*ing*] 꾸물거리는, 느린(slow) ; 더딘(belated) ; 시간을 끄는 : a ~ measure 지연책 / You are more ~ than I ***in*** answer*ing* letters. 당신쪽이 나보다 편지 답장을 내는 것이 늦군요.
dìl·a·tó·ri·ly [; dílətərili] *adv.* 꾸물거리며, 느지막이. **díl·a·tò·ri·ness** [; -tə-] *n.* Ⓤ 지연, 지체, 꾸물거림. 〚L *dilatorius* ; ⇨ DIFFER〛

Di·laud·id [diláudid] *n.* 〔藥〕 염산 히드로모르폰 약제《진통·진해(鎭咳)제 ; 상표명》.

dil·do, -doe [díldou] *n.* (*pl.* **~s**) 옛 시가(詩歌)의 후렴구에 나오는 의미없는 말 ;《卑》 대용남근(代用男根)《성구(性具)》;《美俗》 멍청이, 바보.

***di·lem·ma** [dəlémə, dai-] *n.* **1** 〔論〕 딜레마, 양도 논법(兩刀論法). **2** 진퇴 양난, 궁지 : be in a ~ 진퇴양난[진퇴 유곡]에 빠지다.

be on the horns of a dilemma 진퇴 양난에 빠지다.

〚L<Gk. *di-*² (*lēmma* premiss, assumption)〛

類義語 ⟹ PLIGHT¹.

dil·em·mat·ic, -i·cal [dìləmǽtik(əl), dài-] *a.* 딜레마의, 딜레마 같은, 딜레마에 빠진 ; 양도 논법적인.

dil·et·tante [dìlətáːnti, -tǽnti, ⌐-⌐(-)] *n.* (*pl.* **~s, -ti** [-tiː]) 문학·예술의 애호가 ; 아마추어 평론가, 호사가(好事家), 딜레탕트(cf. AMATEUR). ── *a.* 아마추어 예술의. **-tánt·ish, -tán·te·ish** [-tiiʃ] *a.* 취미삼아 하는, 딜레탕트적인.

dìl·et·tánt·ism, -tán·te·ìsm *n.* Ⓤ 아마추어 예술, 도락(道樂).

〚It. (pres. p.)<*dilettare* to DELIGHT〛

dil·i·gence¹ [dílədʒəns] *n.* Ⓤ 근면, 부지런함 ⟨*in*⟩; 노력 ; 〔法〕 (당연히 해야 할) 주의.

〚DILIGENT〛

dil·i·gence² [díləʒàːns, -dʒəns ; *F* diliʒɑ̃ːs] *n.* (프랑스·스위스 따위의) 합승 마차 ; 합승 자동차. 〚F *carrosse de diligence* coach of speed〛

***dil·i·gent** [dílədʒənt] *a.* 근면한 ; 열심히 노력하는 ⟨*in*⟩(↔*idle, lazy*) ; (일에) 힘쓰는, 애쓰는.

⟨회화⟩
What is he like? — He is very *diligent.* 「그는 어떤 사람이야」「아주 근면한 사람이야」

~·ly *adv.* 부지런히, 꾸준히.

〚OF<L (*diligo* to value, love)〛

類義語 ⟹ BUSY.

dill [díl] *n.* 〔植〕 딜[소회향(小茴香)]《미나리과(科)의 식물, 열매·잎은 향미료 ; 성서의 anise》: ~ pickles 소회향 열매로 맛들인 오이 초절임.

〚OE *dile*<? ; cf. G *Dill*〛

Díllon's Rúle [dílənz-] *n.* 〔美法〕 딜론의 원칙《지방 자치제의 권한은 주(州)헌법 또는 법률에 정해진 것에 한정된다는 원칙》.

〚John F. *Dillon* (d. 1914) 미국의 법률학자〛

dil·ly [díli] *n.* 〔植〕 적철과(赤鐵科)의 작은 나무《서인도산 ; 가구용》. 〚sapo*dila*〛

dílly bàg *n.*《濠》 (짚·나무 껍질 따위로 엮은) 바구니, 망태기, 자루.

dil·ly·dal·ly [dílidæ̀li] *vi.*《口》 꾸물[빈둥]거리다 (cf. DALLY 2). 〚가중(加重)<DALLY〛

dil·u·ent [díljuənt] *a., n.* 묽게 하는 ; 희석액(稀釋液)[음료] ;〔醫〕 (혈액의) 희석제.

di·lute [dailúːt, də-] *vt.* [+目/+目+with+名] 묽게[약하게] 하다, 희석하다 : ~ wine ***with*** water 포도주에 물을 타다[물을 타서 묽게 하다]. ── *vi.* 엷어지다, 수분이 많아지다. ── *a.* 희석한, 엷은 ; 수분이 많은. **~·ness** *n.* **di·lút·er, -lú·tor** *n.* **di·lú·tive** *a.* 희석하는 ; 주(株)당 수입을 줄이는.

〚L *di-*²(*lut- luo* to wash)=to wash away〛

dil·u·tee [dìluːtíː] *n.* (숙련공의 일을 임시로 대신하는) 미숙련공.

di·lu·tion [dailúːʃən, də-] *n.* **1** Ⓤ 묽게 하기, 희석(稀釋) ; 희박 ; 〔化〕 희석도, 희석용액 ; 박약화(薄弱化) ; Ⓒ 희석물 ; 노동 희석《그다지 숙련이 필요하지 않은 일에 임시로 숙련공 대신 미숙련공을 쓰기》. **2** (주식 따위의) 실질적 가치의 저하.

diluvia *n.* DILUVIUM의 복수형.

di·lu·vi·al [dəlúːviəl, dai-], **-vi·an** [-viən] *a.* (특히 Noah의) 홍수로 생긴 ; 〔地質〕 홍적세의, 홍적기의 : ~ formations 홍적층.

〚L ; ⇨ DELUGE〛

dilúvial théory *n.* 〔地質〕 홍수설《노아의 홍수를 지구 역사상의 사실로 보며 화석은 홍수에 의해 사멸된 생물의 유체로 봄》.

di·lu·vi·um [dəlúːviəm, dai-] *n.* (*pl.* **~s, -via** [-viə]) 〔地質〕 홍적층.

***dim** [dím] *a.* (**dím·mer ; dím·mest**) **1** 어둠침침한 : His eyesight is getting ~. 그의 시력은 점차 약해지고 있다. **2** 어슴푸레한, 희미한 ; (기억 따위가) 어렴풋한, 애매한 : My recollection grew ~. 나의 기억은 희미해졌다. **3** 광택이 나지 않는, 흐린, 뿌연. **4**《口》 (사람의 머리가) 둔한. **5**《口》 가망성이 희박한, 실현될 것 같지 않은.

take a dim view (***of. . .***)《口》 (…을) 비관적으로 보다, 의심하다.

── *v.* (**-mm-**) *vt.* 어둠침침하게 하다, 흐리게 하다 ; (눈을) 침침하게 하다. ── *vi.* 어둠침침해지다, 희미해지다.

dim out《美》 전등을 어둡게 하다, 등화 관제하다(cf. DIMOUT).

── *n.* (자동차의) 감광 라이트《근거리용 헤드라이트 또는 주차 표시등》;《古·詩》어슴푸레한 빛, 어스레함 ;《美俗》 석양, 밤.

~·ly *adv.* 희미[어슴푸레]하게. **~·ness** *n.* 어스름 ; 불명료.

〚OE *dimm*<? ; cf. OHG *timber* dark〛

類義語 ⟹ DARK.

dim. dimension ; 〔樂〕 diminuendo ; diminutive.

***dime** [dáim] *n.*《美·Can.》 10센트 은화, 다임 (cf. NICKEL, PENNY, QUARTER)《略 d.》; [*pl.*]《美》 돈, 벌이 ;《美俗》 10달러 : a ~ museum 간이 박물관 ; 값싼 구경거리 / ☞ DIME STORE.

a dime a dozen 싸구려의, 평범한 ; 흔해빠진.

not care a dime 조금도 개의치 않는.

── *vi.* [다음 숙어로]

dime on a person《美俗》 남을 가리키다.

dime up《美俗》 10센트를 내고 구걸하다.

〚ME=tithe<OF<L *decima* (*pars*) tenth (part)〛

díme nóvel *n.*《美》 싸구려[삼류] 소설(cf. SHILLING SHOCKER).

***di·men·sion** [dəménʃən] *n.* **1** (길이·폭·두께의) 치수 ; 〔數·理〕 차원 : of one ~ 1차원의, 선(線)의 / of two[three] ~*s* 길이와 폭의[길이와 폭과 두께의], 평면[입체]의 / the fourth ~ 제 4차원. **2** [보통 *pl.*] 넓이, 면적 ; [보통 *pl.*] 용적, 크기 (size) ; [*pl.*]《口》 여성의 치수(measurements)《버스트·웨이스트·히프의 순》; [보통 *pl.*]규모, 범위, 정도 ; [보통 *pl.*] 중요성 : of great ~*s* 매우 큰 ; 극히 중요한. **3** [때때로 *pl.*] 특성, 특질 (characteristic) ; 요인, 요소(factor) ; 면, 상(相) (aspect). ── *a.* 특정한 치수로 자른《목재·석재 따위》. ── *vt.* 필요한 크기로 하다 ; (제도 따위)에 크기를 나타내다.

〚OF<L (*mens- metior* to measure)〛

diménsion·al *a.* 치수의 ; (…)차원의 : a three-~ picture 입체 영화(3-D picture) / four-~ space 4차원 공간. **~·ly** *adv.*

diménsion·less *a.* **1** 크기가 없는《길이·폭·두께가 없는 「점(點)」의》; 미소한, 하잘것없는. **2** 무한의, 막대한.

dim·er·ous [dímərəs] *a.* 두 부분으로 나누어지는[으로 이루어진] ; (곤충이) 두 관절의 발목마디를 가진 ; 〖植〗 (꽃이) 이수성(二數性)의 기관을 가진 : a ~ flower 이수화(二數花).

díme stòre *n.* 《美》 =FIVE-AND-TEN.

dim·e·ter [dímətər] *n.* 〖韻〗 이보격(步格)(의 시) 《각운(脚韻) 두개로 이루어진 시행(詩行)》. 〚L<Gk. (*di-*[1], *-meter*)〛

di·méthyl *a.* 〖化〗 두개의 메틸기(基)를 함유한, 디메틸….

di·mèthyl·nitrósamine *n.* 〖化〗 디메틸니트로사민《담배 연기 따위에 함유된 발암 물질》.

di·mèthyl·sulfóxide *n.* 〖化〗 디메틸술폭시드 《용제 또는 진통·항염증제 ; 略 DMSO》.

di·mèthyl·trýptamine *n.* 〖化〗 디메틸트립트아민《환각제 ; 略 DMT》.

di·mid·i·ate [dəmídiət, -èit] *a.* 둘로 나눈, 절반의. ── [-èit] *vt.* 《古》 둘로 나누다.

dimin. diminuendo ; diminutive.

***di·min·ish** [dəmíniʃ] *vt.* **1** 줄이다, 감소시키다, 적게 하다(lessen) (↔*increase* ; cf. DECREASE) ; (남)의 명예[권위 따위]를 손상시키다, 깎아내리다 : Illness had seriously *~ed* his strength. 병으로 그의 체력은 몹시 쇠약해졌다. **2** 〖樂〗 반음 내리다. **3** 〖建〗(기둥 따위의) 끝을 가늘어지게 하다. ── *vi.* 감소[축소]되다 ; 〖建〗 끝이 가늘어지다(taper) : The heat *~ed* as the sun went down. 해가 짐에 따라 더위가 누그러졌다.
~·able *a.* 줄일 수 있는, 감소[축소] 할 수 있는.
~·ment *n.*
〚*minish*(<OF MINCE)와 *diminue*(<OF<L *di-*[2] (MINUTE[2]) =to break up small)의 혼성〛
類義語 ⟹ DECREASE.

di·mín·ished *a.* 감소[감손]된 ; 권위가[위신이] 떨어진 ; 〖樂〗 반음 내림의, 내린 음정의.
hide* one's *diminished head 작아져 움츠러들다 ; 기운 없이 물러가다.

dimínished responsibílity *n.* 〖法〗 한정 책임능력《정신 장애 따위로 시비 선악의 식별 능력대로 행위할 능력이 현저히 감퇴된 상태 ; 감형의 대상이 됨》.

dimínished séventh (chórd) *n.* 〖樂〗 감7화음(減七和音).

dimínish·ing *a.* 점감(漸減)하는.
(*the law of*) *diminishing returns* 〖經〗 수확체감(의 법칙).
~·ly *adv.*

di·min·u·en·do [dimìnjuéndou] *a., adv.* 〖樂〗 디미누엔도의[로], 점점 여린[여리게](decrescendo)《略 dim. ; 기호 > ; ↔*crescendo*》.
── *n.* (*pl.* **~, ~es**) 디미누엔도(의 악절(樂節)). 〚It. (pres. p.) 〈*diminuire* to diminish〛

dim·i·nu·tion [dìmənjúːʃən] *n.* Ⓤ 감소, 감손(減損), 축소 ; Ⓒ 감소액. **~·al** *a.*
〚OF<L ; ⇨ DIMINISH〛

di·min·u·ti·val [dəmìnjətáivəl] *a.* 감소하는 ; 〖文法〗 지소사[성(性)]의. ── *n.* 지소형 어미.

di·min·u·tive [dimínjətiv] *a.* **1** 작은, 소형의, 자그마한 ; (특히) 아주 작은〈*in* stature〉, 작은 몸집의. **2** 〖文法〗 지소(指小)의(cf. AUGMENTATIVE) : a ~ ending 지소어미[접미사].
── *n.* **1** 〖文法〗 지소사(指小辭)《-ie, -kin, -let, -ling 따위》; 지소어《birdie, Jackie, duckling 따위》. **2** 축소형, 애칭《Tom, Dick 따위》. **3** 아주 작은 사람[것]. **~·ly** *adv.* 축소적으로 ; 지소사로.
~·ness *n.* 〚OF<L ; ⇨ DIMINISH〛
類義語 ⟹ SMALL.

dim·is·so·ry [díməsɔ̀ːri ; dimísəri] *a.* 떠나게 하는, 퇴직시키는 ; 떠나는 것을 허락하는 : ~ letter 〖敎會〗 (감독이 내는) 목사 전임 허가장.

dim·i·ty [díməti] *n.* Ⓤ 디미티《줄무늬를 도드라지게 짠 두꺼운 무명》.
〚It. or L<Gk. (*di-*[1], *mitos* warp thread)〛

dím·mer *n.* 어둠침침하게 하는 사람[물건] ; (조명용의) 조광기(調光器), 제광(制光) 장치 ; [*pl.*] (자동차의) 주차 표시등, 근거리용 헤드라이트 ; 《美俗》 전등. 〚DIM〛

dím·mish *a.* 어스름한, 희미한.

di·morph [dáimɔːrf] *n.* 〖結晶〗 동질 이정(同質二晶)의 한 쪽의 결정형(結晶形).

di·mórphic *a.* 〖植·生〗 두 형태의 ; 〖鑛〗 동질 이상(二像)의.

dím·òut *n.* (등불을) 흐리게 하는 것 ; 경계 등화 관제(cf. BLACKOUT).

dim·ple [dímpəl] *n.* 보조개 ; 약간 움푹 패인 곳 ; 잔물결. ── *vi., vt.* 보조개가 생기다[를 생기게 하다], 움푹 들어가다, 움푹 들어가게 하다 ; …에 잔물결을 일으키다. **dím·pled** *a.* 보조개가 생긴 ; 잔물결이 일고 있는. 〚? OE 《美》 *dympel* ; cf. OHG *tumphilo* deep place in water ; OE *dyppan* dip, *dēop* deep의 비음(鼻音)화인가〛

dím·ply *a.* 보조개가 있는 ; 움푹 들어간 ; 잔물결이 이는.

dím-sìghted *a.* 시력이 약한.

dim sum [dím sʌ́m] *n.* 뎬신(點心)《고기·야채 따위를 밀가루 반죽에 싸서 찐 중국 요리》. 〚Chin.〛

dím·wìt *n.* 《口》 멍청이.

dím-wítted *a.* 《口》 얼간이[바보]의.

din [dín] *n.* Ⓤ [또는 a ~] (귀가 멍할 정도의) 시끄러운 소리, (끊임 없는) 소음 : make (*a*) ~ 시끄러운 소리를 내다. ── *v.* (**-nn-**) *vt.* **1** 소음이 (귀를) 먹먹하게 만들다. **2** [+目+前+名] 떠들썩하게 말하다[되풀이하다] : He was always *~ning* ***into*** our ears the importance of hard work. 그는 언제나 되풀이해서 우리들에게 근면의 중요성을 강조했다. ── *vi.* [+前+名] (귀가 멍할 정도로 크게) 울려 퍼지다 : The sounds were still *~ning* ***in*** his ears. 그 소리는 아직도 그의 귓전에 울리고 있었다.
〚OE *dyne* ; cf. ON *dynja* to rumble down〛
類義語 ⟹ NOISE.

din- [dáin], **di·no-** [dáinou, -nə] *comb. form* 「두려운」의 뜻. 〚Gk *deinos* terrible〛

DIN Deutsche Industrie-Norm 《G》 (=German Industry Standard) (독일 공업 표준 규격).

Di·na [dáinə] *n.* 여자 이름. 〚⇨ DINAH〛

Di·nah [dáinə] *n.* 여자 이름.
〚Heb.=judged, dedicated〛

di·nar [dináːr, díːnɑːr] *n.* 디나르《이라크·요르단·튀니지 따위의 화폐 단위》.
〚Arab. and Pers.<Gk.<L DENARIUS〛

dinch [díntʃ] *vt.* (담배 따위를) 비벼 끄다.

***dine**[1] [dáin] *vi.* 정찬[만찬]을 들다《have dinner가 일반적임》: I ~ in town. 시내에서 저녁을 먹는다. ── *vt.* **1** (남에게) 정찬을 제공하다, 만찬에 초대하다 : How many can you ~ in this hall? 이 홀에서는 몇 사람이 저녁을 먹을 수가 있니. **2** (방·식탁 따위가 몇 사람) 식사시킬 수 있다 : This table *~s* twelve comfortably. 이 식탁은 12사람이 편히 식사할 수 있다.
***dine off* [*on*]** …을 만찬으로 먹다 : We *~d off* [*on*] a steak with vegetables. 비프스테이크에 야채를 곁들여 만찬을 들었다.
dine out 밖에서 저녁 식사를 하다(cf. DINER-

OUT).
dine with Duke Humphrey 《英古》 끼니를 거르다《dinner 시간에 돈이 없는 사람들이 London 세인트폴 대성당의 Duke Humphrey's Walk를 서성거린 데서 유래한 말》.
—— *n.* 《스코》 =DINNER.
〖OF＜Rom. (*dis-* JEJUNE)=to break one's fast〗
dine² *n.* 《美俗》 =DYNAMITE.
din·er [dáinər] *n.* **1** 식사하는 사람, 정[만]찬의 손님. **2** 식당차(dining car). **3** 《美》 식당차풍(風)의 간이 식당.
díner-òut *n.* (*pl.* **díners-òut**) (사교상) 밖에서 만찬을 하는 사람.
Díners (Cárd) *n.* 다이너스 (카드)《미국 Diners Club의 국제적인 크레디트 카드》.
Díner's Clúb *n.* [the ~] 다이너스 클럽《회원제(會員制)의 신용 판매 조직》.
di·nette [dainét] *n.* 약식(略式) 식당.
di·néutron *n.* 〔原子理〕 중중성자(重中性子).
ding [díŋ] *vi.* 땡땡 울리다, 계속 울리다. —— *vt.* 《口》 중언부언(重言復言)하다. —— *n.* 땡땡《종소리》. 〖? imit.〗
díng-a-lìng *n.* 《美口》 괴짜, 미치광이.
Ding an sich [*G* díŋ an zíç] *n.* (*pl.* **Din·ge an sich** [*G* díŋə-]) 〔哲〕 물(物)자체(thing-in-itself) 《Kant의 철학 용어》.
ding·bat [díŋbæt] *n.* 《美口》 팔매질에 알맞은 것《돌·나무토막 따위》; 《口》 묘안, 고안(물).
ding-dang [díŋdæŋ] *vt.* 《美俗》 =DAMN.
ding·dong [díŋdɔ̀(:)ŋ, -dɑ̀ŋ; ╶╶] *n.* Ⓤ 땡땡[뎅뎅] 《종소리》. —— *adv.* 땡땡[뎅뎅] 울려서.
go*[*be, hammer away*] *at it dingdong 《口》 열심히 일하다.
—— *a.* 격전(激戰)의 : a ~ race 앞서거니 뒤서거니 하는 경주. —— *vi.* 땡땡[뎅뎅] 울리다 ; 단조롭게[끈덕지게] 반복하다. —— *vt.* 땡땡 울리다 ; 싫증날 정도로 반복하다. 〖C16＜imit.〗
dinge [díndʒ] *n., a.* 《美俗》 흑인(의).
ding·er [díŋər] *n.* 《美俗》 결정적 요소, 결정타 ; 〔野〕 홈런 ; 방랑자, 쓸모없는 인간 ; 아는 체하는 사람.
ding·ey [díŋgi] *n.* 《美俗》 소형 기관차[트럭], 짧은 열차 ; 《古》 =DINGHY.
din·ghy [díŋgi] *n.* 작은 보트, 거룻배 ; 경주용 작은 보트. 〖Hindi〗
din·gle [díŋgəl] *n.* 수목이 우거진 작고 깊은 골짜기(dell), 계곡. 〖ME=abyss＜?〗
díngle-dàngle *a., adv.* 축 늘어진[늘어져서].
din·go [díŋgou] *n.* (*pl.* **~es**) 〔動〕 오스트레일리아산의 들개 ; 《濠俗》 비겁한 사람, 배신자. —— *vi., vt.* 《濠俗》 비겁한 짓을 하다 ; 손을 떼다, 빼다, (남을) 배반하다〈*on* a person〉. 〖(Austral.)〗

dingo

díng-swízzled *a.* 《美俗》 = DAMNED.
din·gus [díŋgəs] *n.* 《俗》 장치, 고안 ; 고안물 ; (…라 하는) 물건(thing).
〖Du. *dinges* ; cf. G (gen.) 〈*Ding* thing〗
din·gy¹ [díndʒi] *a.* (**-gi·er** ; **-gi·est**) **1** 거무스름한 ; 그을은, 구중중한, 더러운, 볼품없는. **2** 평이 좋지 않은.
dín·gi·ly *adv.* **-gi·ness** *n.*
〖C18＜? ; cf. DUNG〗
din·gy² [díŋgi] *n.* =DINGHY.
din·ing [dáiniŋ] *n.* 정찬《오찬 또는 만찬》; 식사.
díning càr *n.* 식당차.
díning hàll *n.* (기숙사에서 정찬에 쓰는) 대식당.
◇**díning ròom** *n.* 식당《가정·호텔의 식사를 전용으로 하는》.
díning tàble *n.* 식탁(dinner table).
di·ni·tro- [dainàitrou, -trə] *comb. form* 〔化〕「2개의 니트로기(基)를 가진」의 뜻. 〖*di-*¹+*nitr-*〗
di·nìtro·bénzene *n.* 〔化〕 디니트로벤젠《매염제(媒染劑)》.
dink¹ [díŋk] *a.* 《스코》 산뜻한, 깔끔한 옷차림의.
—— *vt.* …한 옷차림을 갖추다, 치장하다, 꾸미다(deck). 〖C16＜?〗
dink² *n.* 《美》 (대학 1학년생용) 작은 모자.
〖? 역성(逆成)〈*dinky*¹〗
dink·ey [díŋki] *n.* (*pl.* **~s, dínk·ies**) 《口》 작은 것 ; (구내 작업용의) 소형 기관차[전차].
din·kum [díŋkəm] *n.* 《濠俗》 진짜임 ; 큰 일, 노동. —— *a.* 순수한, 진짜의 ; 진정의. —— *adv.* 진짜로. 〖C19＜?〗
dínkum óil *n.* [the ~] 《濠俗》 틀림 없는 사실.
dínky¹ *a.* 《美口》 작은, 소형의, 하찮은 ; 《英口》 예쁘장한 ; 귀여운 ; 산뜻한. —— *n.* =DINKEY.
〖DINK¹〗
dinky² *n.* =DINGHY.
din·ky·di(e) [díŋkidái] *a.* 《濠俗》 =DINKUM.
◇**din·ner** [dínər] *n.* **1** Ⓤ [종류를 말할 때 Ⓒ] 정찬(正餐)[정식]《하루 중의 주요한 식사》, (지금은 보통) 만찬 ; (때로는) 오찬 : ask a person to ~ 남을 정찬에 초대하다 / at[before, after] ~ 식사중[전, 후] / an early[a late] ~ 오[만]찬 / have ~ 정[만]찬을 들다, 식사하다(dine) / make a good[poor] ~ 충분한[부족한] 식사를 하다. ㈜ 영·미의 노동·중·하류 계급에서는 흔히 breakfast—(midmorning lunch)—(midday) dinner—tea—supper ; 유한·상류 계급에서는 흔히 breakfast—(midday) lunch—tea—(evening) dinner의 순. **2** 만찬회(dinner party) : give a ~ in a person's honor[for a person] 남을 주빈으로[남을 위해서] 만찬회를 열다. **3** 정식(table d'hôte) : Four ~*s* at $5 a head. 1인당 5달러의 정식 4인분. **4** [형용사적으로] 정찬(용)의 : a ~ lift 식품 운반용 승강기 / ~ time 식사 시각 / ~ claret[sherry] 정찬용 적[백]포도주 / a ~ service[set] 정찬용 식기 한 벌 / the ~ hour 정찬 시간, 저녁식사 시간. 〖F ; ⇨ DINE¹〗
dínner bèll *n.* 정찬[식사]을 알리는 종.
dínner càll *n.* 식사의 알림 ; (만찬 초대에 대한) 답례 방문.
dínner clòth *n.* 정찬용 식탁보.
dínner clòthes *n. pl.* (정찬용의) 정식 야회복.
dínner còat *n.* (남자의) 약식 야회복(tuxedo) 《여성의 dinner dress[gown]에 해당함》.
dínner drèss[gòwn] *n.* 여성용 약식 야회복《남자의 dinner coat에 해당함》.
dínner fòrk *n.* 메인 코스용 포크.
dínner jàcket *n.* 《英》 =DINNER COAT.
dínner knìfe *n.* 정[만]찬용의 (식탁) 나이프.
dínner pàrty *n.* 만[오]찬회, 축하회 : give a ~ 만찬회를 열다.
dínner plàte *n.* 정찬용의 (비교적 큰) 접시.
dínner tàble *n.* 식탁(dining table).
dínner thèater *n.* 극장식 식당.
dínner wàgon *n.* 이동식 식기·음식 운반대《2단 내지 3단의 선반이 있고 요리·식기를 나름 ; cf. TEA WAGON》.

dínner·wàre *n.* 식기류.

dino- [dáinou, -nə] ☞ DIN-.

di·noc·er·as [dainásərəs] *n.* 〖古生〗 공각수(恐角獸)《신생대 제3기의 포유동물》.

di·no·saur [dáinəsɔ̀ːr] *n.* 〖古生〗 공룡.
dì·no·sáu·ri·an *n.*, *a.* 공룡(의).
〚NL (Gk. *deinos* terrible, *-saurus*)〛

dínosaur wìng *n.* [the ~] 《美俗》 (정당의) 극우익(極右翼).

di·no·there [dáinəθìər] *n.* 〖古生〗 공수(恐獸)《신생대 제3기 후기의 포유 동물》.

DINS 〖空〗 digital inertial navigation system (디지털식 관성 항법 장치).

dint [dínt] *n.* Ⓤ 힘 ; Ⓒ (쳐서 생긴) 움푹 들어간 자리, 움푹 패인 곳(dent), 《비유》 상처 ; Ⓒ 《古》 타격.
by dint of …의 힘으로, …에 의하여 : He got the prize *by* ~ *of* hard work. 그는 열심히 일한 결과 상을 받았다.
—— *vt.* (쳐서) 움푹 들어가게 하다.
〚OE *dynt* and ON *dyntr* < ?〛

dioc. diocesan ; diocese.

di·oc·e·san [daiásəsən] *a.* diocese의.
—— *n.* 교구 주교.

di·o·cese [dáiəsəs, -sìːz, -sìːs] *n.* 감독[주교] 관구. 〚OF<L<Gk. *dioikēsis* administration〛

di·ode [dáioud] *n.* 〖電子〗 2극(極) (진공)관, 다이오드(cf. TRIODE). 〚*di-*[1]〛

di·oe·cious, di·e- [daiíːʃəs] *a.* 자웅 이체의.

di·oe·cism [daiíːsizəm] *n.* 〖生〗 자웅 이체.

di·oéstrum *n.* (암짐승의) 발정기.

Di·og·e·nes [daiádʒənìːz] *n.* 디오게네스 (412?-?323 B.C.)《고대 그리스의 철학자》.

Di·o·mede [dáiəmìːd], **-med** [-mèd] *n.* 〖그神〗 디오메데스《트로이 전쟁에서의 그리스측의 용사》.

Di·o·me·des [dàiəmíːdiːz] *n.* =DIOMEDE.

Di·o·ny·sia [dàiəníziə, -siə, -ʒiə, -ʃiə] *n. pl.* Dionysus 제(祭), 주신제(酒神祭).

Di·o·nys·i·ac [dàiəníziæk, -nís-, -níʒ-, -níʃ-] *a.* 디오니소스(제(祭))의 ; 디오니소스적(的)인.
—— *n.* 디오니소스 숭배자 ; 디오니소스적 인물.

Di·o·ny·sian [dàiənízian, -nís-, -níʒ-, -níʃ-] *a.* 디오니시우스(Dionysius)의 ; 디오니소스 숭배의 ; 디오니소스(Dionysus)적인, 분방한, 격정[충동]적인 ; 자제심이 없는.

Di·o·nys·i·us [dàiənísiəs, -níʃi-, -náisi-] *n.* 디오니시우스(430?-367 B.C.)《Syracuse의 지배자》.

Di·o·ny·sus, -sos [dàiənáisəs, -níː-] *n.* 〖그神〗 디오니소스《술의 신(神) ; 〖로神〗의 Bacchus》.

Di·o·phán·tine equátion [dàiəfǽntain-, 美+ -fǽntn-] *n.* 디오판토스 방정식, 부정 방정식.

di·op·side [daiápsaid] *n.* 〖鑛〗 투휘석(透輝石).

di·op·ter | -tre [daiáptər] *n.* 〖光〗 디옵터《렌즈의 굴절률 단위》. **di·óp·tral** *a.*

di·op·tric, -tri·cal [daiáptrik(əl)] *a.* 굴절 광학의 ; 광선 굴절 응용의, 시력 교정용의《렌즈 따위》. **-tri·cal·ly** *adv.*

di·óp·trics *n.* 굴절 광학.

di·o·ra·ma [dàiərǽmə, -ráː- ; -ráː-] *n.* 디오라마, 투시화(透視畫) (cf. COSMORAMA, PANORAMA) ; 입체 소형 모형에 의한 실경(實景) ; 디오라마관(館). **dì·o·rám·ic** [-rǽm-] *a.* 디오라마적인.
〚*di-*[3], Gk. *horaō* to see〛

di·o·rite [dáiəràit] *n.* 〖鑛〗 섬록암(閃綠岩).

Di·os·cu·ri [dàiəskjúərai, daiáskjəràì] *n. pl.* [the ~] 〖그神〗 디오스쿠로이《「Zeus의 쌍둥이 아들」의 뜻》.

di·óxide *n.* 〖化〗 이산화물(物).

di·ox·in [daiáksən] *n.* Ⓤ 〖化〗 디옥신《독성이 강한 유기 염소 화합물 ; 제초제 따위》.

dip** [díp] *v.* (**dípped, dipt** [dípt] ; **díp·ping**) *vt.* **1** [+目 / +目+前+名] 살짝 적시다 : He ~*ped* his pen ***into the ink. 잉크에 펜을 살짝 찍었다 / She ~*ped* her handkerchief ***in*** the cool water. 손수건을 그 찬물에 적셨다. **2** (의복을) 담가서 염색하다 ; (양(羊)을) 살충액에 담가서 씻다 : ~ candles (녹은 초에 「심지」를 넣어서) 양초를 만들다. **3** [+目 / +目+副 / +目+前+名] (무엇인가를 떠내기 위해서 손·스푼 따위를) 넣다 ; (손바닥·국자 따위로) 떠내다 : *D*~ ***up*** a bucketful of water ***from*** the well. 우물에서 물을 한 양동이 길으시오 / She ~*ped* ***out*** the soup with a ladle. 국자로 수프를 떠냈다 / He is always ~*ping* his hand ***into*** his trouser pocket. 언제나 바지주머니에 손을 넣고 있다. **4** (기(旗)를) 잠깐 내렸다가 다시 올리다《경례의 뜻으로 ; cf. DIP *the flag*》 ; (헤드라이트를) 밑으로 기울이다《맞은편 차의 운전자에게 빛이 바로 비치지 않도록》. **5** 《口》 [보통 수동태로] …에게 빚을 지게 하다 : I *am* slightly ~*ped.* 나에겐 빚이 약간 있다.
—— *vi.* **1** 잠깐 잠기다[침수되다, 잠수하다]. **2** [動 / +前+名] 가라앉다, 일시적으로 내려가다 ; 〖空〗 (상승 전에) 갑자기 내려가다 : The bird ~*ped* in its flight. 새는 날아 내려갔다 / The sun ~*ped* ***below*** the sea. 해는 바다 밑으로 졌다. **3** 가볍게 무릎을 굽혀 인사하다. **4** [動 / +前+名] (도로 따위가) 완만하게 비탈지다 ; (자침(磁針)이) 아래쪽으로 기울다 ; 〖地質〗 침강하다 : The land ~*s* sharply[gently] ***to*** the south. 토지가 남쪽으로 가파르게[완만하게] 경사져 있다. **5** [+*into*+名] (얼핏) 들여다보다 ; (대충) 조사하다, 대충 읽다 : ~ deep ***into*** the future 장래를 깊이 생각해 보다 / ~ *into* a book 책을 대충 읽다.
dip into one***'s purse*** 돈을 물쓰듯 쓰다.
dip the flag 기(旗)를 약간 내렸다가 다시 올리다(cf. *vt.* 4) 《상선이 군함을 만났을 때》.
—— *n.* **1** 담그기, 잠시 적시기 ; 《口》 한번 미역감기 : have[take] a ~ in the sea 바닷물에 한바탕 미역을 감다. **2** (수프 따위의) 한 번 푸기, 한 번 떠내기. **3** Ⓤ 침액(浸液), (특히) 세양액(洗羊液). **4** (실심지를 넣은) 양초. **5** (토지·도로 따위의) 침하(沈下), 경사, 움푹 들어감 ; 내리막길 ; (전선의) 늘어진 정도 ; 일시적 감소 : a ~ *in* the ground 지면의 침하 / a ~ *in* price 값의 하락. **6** 〖測〗 (자침(磁針)의) 복각(伏角), (지평선의) 안고차(眼高差), 눈높이. 〚OE *dyppan* ; cf. G *taufen* to baptize ; DEEP과 같은 어원〛
類義語 ***dip*** 일부 또는 전부를 잠깐 액체에 넣었다가 다시 곧 꺼내다 : *dip* a pen in ink (펜으로 잉크를 찍다). ***plunge*** 갑자기 또는 거칠게 액체 속에 던지다[밀어 넣다] : *plunge* potatoes into boiling water (끓는 물에 감자를 처넣다). ***immerse*** 완전히 액체가 스며들 때까지 푹 담그다 : *immerse* the washing in soapy water (빨랫감을 비눗물 속에 푹 담그다).

DIP [, díp] 〖電子〗 dual in-line package 듀얼 인라인 패키지《본체에서 지네형(形)으로 리드선(線)이 나와 있는 IC 용기》. **Dip., dip.** diploma.
Dip. A.D. 《英》 Diploma in Art and Design.

di·par·tite [daipáːrtait] *a.* 부분으로 나누어진[갈라진].

díp cìrcle *n.* 복각계(伏角計).

di·pétal·ous *a.* 〖植〗 두 개의 꽃잎이 있는, 두 꽃잎의.

dí·phàse, di·phásic *a.* 〖電〗 이상성(二相性)의.
Di·phet·amine [daifétəmiːn, -mən] *n.* 〖藥〗 디페타민《amphetamine계 약물로 임상적으로는 정신과나 외과 영역에서 쓰임》.
di·phósphate *n.* 〖化〗 이인산염[에스테르].
diph·the·ria [difθíəriə, dip-] *n.* Ⓤ 〖醫〗 디프테리아. 〖NL<F<Gk. *diphthera* skin, hide〗
diph·thong [dífθɔ(:)ŋ, -θɑŋ, díp-] *n.* **1** 〖音聲〗 이중 모음, 중모음《[ai, au, ɔi] 따위 ; cf. TRIPHTHONG》. **2** =LIGATURE 4.
—— *vi., vt.* =DIPHTHONGIZE.
diph·thon·gal [difθɔ́(:)ŋgəl, -θɑ́ŋ-, dip-] *a.* 이중 모음(성)의.
〖F<L<Gk. (*di*-[1], *phthoggos* voice)〗
díphthong·ìze [-ŋg-] *vt.* 〖音聲〗 (단모음을) 이중 모음화하다, 이중 모음으로 발음하다. —— *vi.* 이중 모음화(化)하다. **dìphthong·izátion** *n.*
diphy- [dífi], **diph·yo-** [dífiou, -fiə] *comb. form* 「2중의」「2배의」「두 잎으로 이루어지는」의 뜻. 〖Gk.〗
di·phy·odont [daifáiədɑ̀nt, difíə-] *a., n.* 〖動〗 일환치성(一換齒性)《이를 한 번 갊》의 (동물).
dipl- [dípl], **dip·lo-** [díplou, -lə] *comb. form* 「이중(二重), 중(重)」의 뜻. 〖Gk. *diplous* double〗
dipl. diplomacy ; diplomat ; diplomatic.
di·plex [dáipleks] *a.* 〖通信〗 이중 통신의, 이신(二信)의 : ~ operation 일방이로 통신법.
dìplo·blástic *a.* 〖動〗 이배엽(二胚葉) (동물)의.
dìplo·cóccus *n.* 〖菌〗 쌍구균(雙球菌).
di·plod·o·cus [dəplɑ́dəkəs, dai-] *n.* 〖古生〗 쥐라기(紀)의 거대한 초식성 공룡.
dip·loid [díplɔid] *a.* 이중의 ; 〖生〗 (염색체가) 배수(倍數)의. —— *n.* 〖生〗 배수 염색체.
di·plo·ma [dəplóumə] *n.* (*pl.* **~s**) **1** (학위·자격) 수여증 ; 졸업[수료(修了)] 증서 ; 특허장 (charter). **2** (*pl.* 때때로 **-ma·ta** [-tə]) 공문서 ; 상장, 감사장 ; 고문서. —— *vt.* (남)에게 diploma 를 주다. 〖L<Gk. *diplōmat*- *diplōma* folded paper (*diplous* double)〗
***di·plo·ma·cy** [dəplóuməsi] *n.* Ⓤ 외교(술) ; 외교적 수완.
diplóma·ìsm *n.* Ⓤ 학력주의, 학력 편중.
diplóma mìll *n.* 《美口》 졸업 증서 제작소《충분한 교육이 이루어지지 않는 양산의 학교·대학》.
***dip·lo·mat** [dípləmæ̀t] *n.* **1** 외교관. **2** =DIPLOMATIST 2. 〖F 역성(逆成) ‹ *diplomatique*〗
dip·lo·mate [dípləmèit] *n.* (의사·변호사·기술자 등의) 면허[특허]를 가진 사람.
***dip·lo·mat·ic** [dìpləmǽtik] *a.* **1** 외교의, 외교상의 : the ~ corps[body] 외교단 / ~ immunity 외교관의 면책 특권《관세·체포·가택 수사·휴대품 검사 따위의 면제》/ the ~ service 외교관 근무 ; [집합적으로] 대[공]사관원. **2** 외교적 수완이 있는, 교제술이 능한(tactful) ‹*in*›. **3** 고문서 연구의. **4** 면허장의. —— *n.* =DIPLOMATICS.
-i·cal·ly *adv.* 외교상, 외교적으로, 외교적 수완을 가지고. 〖F and NL ; ⇨ DIPLOMA〗
diplomátic bàg *n.* =DIPLOMATIC POUCH.
diplomátic chánnel *n.* (막후 교섭이 아닌) 외교 경로[채널].
diplomátic cóurier *n.* 외교 문서 운반자《재외 공관과 본국 정부 사이의 외교 연락 문서를 운반하는 대사관 직원》.
diplomátic póuch *n.* 외교용 우편낭《대사[공사]관과 본국 정부와의 통신 문서를 넣어서 나름》.
diplomátic prívileges *n. pl.* 외교 특권.
dìp·lo·mát·ics *n.* 고문서학 ; 《古》 외교술.
diplomátic shúttle *n.* (왕복 외교에서의) 왕복.
di·plo·ma·tist [dəplóumətəst] *n.* **1** 《英》 =DIPLOMAT 1. **2** 외교가, 대인관계가 능숙한 사람.
di·plo·ma·tize [diplóumətàiz] *vi., vt.* 외교술을 쓰다, 외교적 수완을 발휘하다.
dip·lont [díplɑnt] *n.* 〖生〗 이배체(二倍體) ; 복상(複相) 생물.
dip·lo·pia [diplóupiə] *n.* 〖醫〗 복시(複視) (증)《물체가 겹쳐 보이는 것》.
díp[dípping] nèedle *n.* 〖測〗 복각 자침.
dip·no·an [dípnouən] *a.* 〖動〗 폐어류(肺魚類)의 《물고기》. —— *n.* 폐어(肺魚).
di·pólar [ˌ, 美+ˊˊˊ] *a.* 쌍극성의, 양쪽성의《자석·분자 따위》.
dí·pòle *n.* 〖理·化〗 이중극자(二重極子), 쌍극자(雙極子)《전자·자기 따위의》.
díp·per *n.* **1** 담그는 사람[물건]. **2** 퍼[떠]내는 도구, 국자, 건져내는[떠내는] 물건 ; (준설기 따위의) 버킷 ; (헤드라이트의) 감광장치. **3** (물총새·물까마귀 따위의) 물 속을 자맥질하는 새. **4** 《美》 〖天〗 **a**) [the (Big) D~] 북두칠성(the Plow) 《큰곰자리(the Great Bear)의 7성(星) ; cf. CHARLES'S WAIN》. **b**) [the (Little) D~] 소북두칠성《작은곰자리(the Little Bear)의 7성 ; 북극성(the North Star)을 포함》.
~·ful *n.* 국자 가득함. 〖DIP〗
dípper drèdge[shòvel] *n.* 디퍼 준설선.
dípper-mòuth *n.* 《美俗》 입이 큰 사람.
díp·ping *n.* Ⓤ **1** (특히 염색액에) 담그기. **2** 침액(浸液). **3** 〖醫〗 강압(強壓)을 가하여 행하는 촉진(觸診).
dípping bàll *n.* 〖테니스〗 디핑 볼《네트를 아슬아슬하게 넘어 상대 코트에 낮게 떨어지는 드롭 샷》.
dip·py [dípi] *a.* 《俗》 열중한, 환장한, 정신이 빠진 ‹*about, for*› ; 터무니없는, 바보 같은.
díp·pi·ly *adv.* **díp·pi·ness** *n.*
dip·py·dro [dípidròu] *n.* (*pl.* **~s**) 《美俗》 늘 변덕스러운 사람, 변덕쟁이.
di·pro·pyl·phypt·amine [daipròupəlfíptəmiːn] *n.* 디프로필핍트아민《환각제로 LSD와 비슷하나 1-2시간밖에는 지속하지 않고 LSD보다 안전》.
dip·so, dyp- [dípsou] *n.* (*pl.* **~s**) 《口》 알코올 중독자, 술고래. —— *a.* 알코올 중독의.
dip·so·mánia [dìpsə-] *n.* 〖醫〗 갈주증(渴酒症), 알코올 중독 ; 음주광. **-máni·ac** *n.* 갈주증 환자. 〖Gk. *dipsa* thirst〗
díp·stìck *n.* (자동차의 크랭크케이스 안의 기름양(量)을 재는) 계심봉(計深棒), 계량봉.
díp swìtch *n.* 《英》 (헤드라이트의) 감광(減光) 스위치, 딥 스위치.
dip·sy-do, -doo [dìpsidúː] *n.* (*pl.* **~s**) 《野俗》 치기 어려운 커브공 ; 속임수, 트릭.
dìpsy-dóodle *n.* 《美俗》 〖野〗 치기 어려운 커브(를 던지는 피처) ; 사기꾼 ; 속임수. —— *vt., vi.* 속이다, 걸려들다.
dipt *v.* DIP의 과거·과거분사.
Dip·tera [díptərə] *n. pl.* 〖昆〗 쌍시목[류].
dip·ter·al [díptərəl] *a.* 〖昆〗 쌍시류의 ; 〖建〗 이중 열주당의《양쪽으로 날개 같은 부속 건물[복도]이 있는》.
dip·ter·an [díptərən] *a., n.* 〖昆〗 쌍시류의(곤충).
dip·ter·os [díptərɑ̀s] *n.* (*pl.* **-ter·oi** [-rɔ̀i]) 〖建〗 이중 열주당(列柱堂).
dip·ter·ous [díptərəs] *a.* 〖昆〗 쌍시(류)의 ; 〖植〗 (종자가) 쌍익의. 〖NL<Gk. (*pteron* wing)〗
dip·tych [díptik] *n.* 〖古로〗 둘로 접게 된 물건, (고대의) 둘로 접은 책자[서판(書板)].

〚L<Gk.=pair of writing tablets (*ptukhē* fold)〛
dir., **Dir.** Director.
dire [dáiər] *a.* (**dír·er**; **dír·est**) **1** 무서운, 무시무시한(terrible); 비참한(dismal), 불길한. **2** (필요성이) 절박한(urgent); (빈곤이) 극심한, 극단적인(extreme).
the dire sisters 복수의 3여신(the Furies).
〚L〛
‡di·rect [dərékt, dai-] *vt.* **1** 지도[지배]하다(govern), 감독하다(control): as ~*ed* 지시[처방]대로 / There was no teacher to ~ the class. 그 반을 지도할 교사가 없었다.
2 [+目 / +目+*to* do / +*that* 節] 지시하다, …에 명하다(order): A professor ~*s* the work of his students. 교수는 학생들의 학업을 지도한다 / The captain ~*ed* his men *to* advance. 중대장은 부하에게 전진을 명령했다 / He ~*ed* barricades *to* be built[~*ed that* barricades (should) be built]. 그는 바리케이드[방색(防塞)]를 쌓도록 지시했다.
3 [+目+*to*+名 / +目] …을 지시하다, 길을 가리켜 주다: Can you ~ me ***to*** the station? 역으로 가는 길을 가리켜 주시겠습니까 / He must have ~*ed* us wrongly. 그는 우리에게 길을 잘못 가리켜 준 것이 틀림없다.
4 [+目+*to*+名] (시선·주의·노력 따위를) 기울이다, 쏟다; (…을 향하여) 말하다, 쓰다; (사람을 …에) 집중시키다: ~ one's[a person's] attention ***to*** …에 주의를 기울이다[집중시키다] / His efforts were ~*ed to* keep*ing* his rivals down. 그는 경쟁 상대들을 거꾸러뜨리기 위하여 노력을 집중하였다 / I have been ~*ed to* you for further information. 당신을 만나서 더욱 자세한 것을 듣도록 지시를 받았습니다 / They ~*ed* their course[steps] ***toward*** home. 그들은 집을 향해 길을 재촉했다.
5 [+目 / +目+*to*+名] (편지·소포에) 수취인의 주소·성명을 쓰다(address): *D*~ this letter ***to*** his business address[home address]. 이 편지는 그의 근무처 주소[자택 주소]로 해주시오.
── *vi.* 〔樂〕 지도[지휘]하다, 〔劇·映〕 연출하다(give direction); 안내하다: Who will ~ at tomorrow's concert? 내일의 연주회는 누가 지휘를 하게 되나요.
── *a.* **1** 똑바른; 직행하는, 직사적(直射的)인, 직계의(↔*indirect*): a ~ descent 직계 비속(卑屬) / a ~ hit 직격(直擊) / a ~ shot 직격[명중]탄 / a ~ train 직행 열차. **2** 직접의(immediate): a ~ influence 직접적인 영향. **3** 정면의; 절대적인(absolute): the ~ opposite[contrary] 정반대. **4** 솔직한[노골적인], 단도 직입적인: a ~ question[answer] 단도 직입적인 질문[대답]. **5** 〔文法〕 직접적인(↔*indirect*): the ~ question 직접의문문 / ☞ DIRECT OBJECT / ☞ DIRECT NARRATION[SPEECH, DISCOURSE]. **6** 〔天〕 순행하는, 서쪽에서 동쪽으로 움직이는; 〔數〕 정의; 〔電〕 직류의; 〔樂〕 (음정·화음이) 평행의.
── *adv.* 똑바로; 직접(으로); 직행적으로. ☞ 活用. **~·ness** *n.*
〚L *direct- dirigo* (*di-*², *rect- rego* to guide, put straight)〛
活用 부사로서의 direct와 directly는 비유적인 것이 아니고 「똑바로」「중간에 아무것도 개입치 않고」와 같은 뜻일 때는 어느 쪽이나 사용된다: *direct*[*directly*] from producer to consumer (생산자로부터 소비자에게 직접으로) / go *direct*[*directly*] to Paris (파리로 직행하다). 단 비유적으로 「직접으로」「바야흐로」「(조금도 지체 않고) 곧장」 따위의 뜻으로는 DIRECTLY 쪽을 택한다: *directly* contradict a statement (성명을 정면으로 반박하다) / go to Paris *directly* (곧(장) 파리로 가다).
類義語 ⟹ MANAGE, COMMAND.
diréct áccess *n.* =RANDOM ACCESS.
diréct àccess stórage devìce *n.* 〔컴퓨〕 직접 접근 기억 장치(略 DASD).
diréct áction *n.* (파업 또는 태업 따위에 의한) 직접 행동[작용].
diréct-bróadcast sàtellite *n.* 직접 방송 통신 위성.
diréct cóst *n.* 〔經〕 직접비, 주요 비용(원가에서 생산에 직접 관계가 있는 원료비·임금 따위; ↔*indirect cost*).
diréct cúrrent *n.* 〔電〕 직류(直流) (cf. ALTERNATING CURRENT).
diréct débit *n.* 직접 차변 기입 처리(채권자가 지급인의 구좌에서 직접 지급을 요구할 수 있음).
diréct díscourse *n.* =DIRECT SPEECH.
diréct dístance dìaling *n.* 《美》 구역외 직통 다이얼 통화(略 DDD).
diréct distribùtion[**sàle**] *n.* 직도매.
diréct·ed *a.* 유도된, 지시받은, 규제(規制)된: ~ economy 통제 경제.
diréct·ed-énergy wèapon *n.* =BEAM WEAPON.
diréct évidence *n.* 〔法〕 직접 증거(넓게 증언과 증서를 포함한 공술 증거(供述證據)를 말함; ↔*circumstantial evidence*).
diréct examinátion *n.* 〔法〕 직접 심문(審問)(examination in chief)(증인을 내세운 당사자가 행하는 심문).
diréct fáre *n.* (여객기의) 직행 운임.
diréct gránt schòol *n.* 《英》 직접 보조 학교(정부의 직접 보조금으로 일정수의 학생을 수업료 면제로 교육하는 사립 학교).
diréct héating *n.* 직접 난방(열원(熱源)이 실내에 있음).
diréct illuminátion *n.* 〔電〕 직접 조명.
diréct inítiative *n.* 〔政〕 직접 발의권.
diréct invéstment *n.* 〔經〕 직접 투자(경영 참가나 합병 회사 따위를 설립하기 위해 행하는 기업에의 투자).
‡di·rec·tion [dərékʃən, dai-] *n.* **1** 지휘, 지도; Ⓤ 감독, 관리; 〔劇〕 연출, 감독; (악단의) 지휘: under the ~ of …의 지도[지휘]하에. **2** [보통 *pl.*] 지시, 훈령, 지령; 주의 요강; 〔樂〕 지시(기호): ~*s* for use 사용법. **3** (우편물의) 수령인 주소 성명. **4** 방향; Ⓤ 방위(方位): a sense of ~ 방향 감각 / in all ~*s* =in every ~ 사방 팔방으로, 각 방면에 / in the ~ of …쪽에[을 향하여] / in the opposite ~ 반대 방향으로. **5** (사상·행동의) 방면; 경향.

〈회화〉
How do you do this? — Just follow the *directions.* 「이것은 어떻게 하지」「다만 지시대로 하기만 하면 돼」

diréction·al *a.* 방향[방위](상)의; 지향적인; 지도적인; 〔通信〕 지향성(指向性)의, 방향탐지의.
── *n.* [*pl.*] (자동차의) 방향 지시기.
diréctional lìght *n.* (자동차의) 방향 지시등.
diréction fìnder *n.* 〔通信〕 방향 탐지기, 방위(方位) 측정기.
diréction ìndicator *n.* 〔空〕 방향[방위] 지시

기, 방향계.

di·rec·tive [dəréktiv, dai-] *a.* **1** 지시하는 ; 〔通信〕 지향(식)의. **2** 지도[지배]적인. —— *n.* 지령. **~·ly** *adv.* **~·ness** *n.*

di·rec·tiv·i·ty [dərektívəti, dài-] *n.* 방향성 ; 〔通信〕 지향성.

diréct·ly *adv.* ☞ DIRECT 活用. **1** 똑바로, 일직선으로〈*at, toward,* etc.〉. **2** 직접적으로 ; 〔數〕 정비례로 ; 바로 ; 전적으로 : ~ opposite 정반대로/He was ~ responsible for it. 그는 그것에 대한 직접적인 책임자였다. **3** [흔히 dərékli] 《英》 즉시, 곧(at once) (cf. DIRECT) ; 《美》 머지 않아 (presently).

—— [흔히 drékli] *conj.* 《주로 英口》 …하자마자 곧(as soon as) : He married ~ he left the university. 대학을 나오자마자 곧 결혼했다.

diréct máil *n.* 《美》 다이렉트 메일《소비자에게 개인별로 우송하는 광고 우편물 ; 略 DM》.

diréct méthod *n.* [the ~] 직접(교수)법《모국어를 쓰지 않는 외국어 교수법》.

diréct mótion *n.* 직진 운동 ; 〔天〕 순행(順行).

diréct narrátion[**spéech, díscourse**] *n.* 〔文法〕 직접 화법.

diréct óbject *n.* 〔文法〕 직접 목적어《예컨대 He gave his son a watch. 의 a watch》.

Di·rec·toire [direktwɑ́:*r*] *n.* 총재 정부《프랑스 혁명 때의 내각(1795-99)》. —— *a.* 총재 정부 시대풍(風)의《의상·가구 따위》.

diréct óperating còst *n.* 〔空〕 직접 운항비《항공 회사의 운항비 안에서 직접 항공기의 운항에 들어가는 경비》.

***di·rec·tor** [dərékt*ə*r, dai-] *n.* **1** 지휘자, 지도자. **2 a)** 관리자 ; 장관, 국장 ; 이사 ; 중역, 전무이사 ; (고등학교 정도의) 교장, 주사(主事) : a board of ~*s* 중역회, 이사회, 간부회. **b)** 〔映〕 감독, 디렉터 ; 〔劇〕 =STAGE DIRECTOR ; 《주로 美》(연극의) 연출가(producer). **c)** 〔樂〕 지휘자. **3** (프랑스 혁명 정부의) 총재. **4** 〔機〕 지도자 ; 〔外科〕 유구탐침(有溝探針) ; 〔軍〕 전기조준기. 〚AF＜L=governor ; ⇨ DIRECT〛

diréctor·ate *n.* **1** Ⓤ 관리자(등)의 직. **2** [집합적으로] 중역회, 이사회, 간부회.

diréctor géneral *n.* (*pl.* **diréctors géneral, ~s**) 총재, 사장, 회장, 장관.

di·rec·to·ri·al [dərektɔ́:riəl, dai-, dìrek-, dài-] *a.* **1** 지휘[지도]상의 ; 지휘자[이사, 주사, 중역회]의. **2** [D~] (프랑스) 총재 정부의.

diréctor's chàir *n.* 좌석과 등에 즈크를 댄 접었다 폈다하는 식의 가벼운 팔걸이 의자《영화 감독들이 사용한 데서》.

director's chair

di·réc·tor·shìp *n.* Ⓤ DIRECTOR의 직[임기].

di·rec·to·ry [dərékt*ə*ri, dai-] *n.* **1** (특정 지구의) 주소 성명록 ; 상공인 명단(business directory) ; 지령[훈령]집 : a telephone ~ 전화부. **2** =DIRECTORATE. **3** 〔컴퓨〕 디렉토리. —— *a.* 지휘하는, 지도적인 ; 〔法〕 훈령적인.

diréct prímary *n.* 〔美政〕 직접 예비 선거《정당원의 직접 투표에 의한 정당의 후보자 선출》.

diréct propórtion *n.* 〔數〕 정비례.

di·rec·tress [dəréktrəs, dai-], **di·rec·trice** [dərektrí:s, -ˊ-ˊ] *n. fem.* DIRECTOR의 여성형.

di·rec·trix [dəréktriks, dai-] *n.* (*pl.* **~·es** [-əz], **-tri·ces** [-rəsì:z]) **1** 《古》 =DIRECTRESS. **2** 〔數〕 준선(準線). **3** 〔軍〕 주선(主線)《사계(射界)의 중심선》.

direct speech ☞ DIRECT NARRATION.

diréct táx *n.* 직접세.

diréct-vísion spèctroscope *n.* 〔理〕 직시 분광기(直視分光器).

diréct wríting *n.* 〔電子〕 직접 묘화(描畫)《전자선(電子線)을 가늘게 만들어서 미세한 도형[회로 패턴]을 실리콘 웨이퍼상에 직접 그리는 것》 : a ~ electron-beam system 직접 묘화 전자선 장치.

díre·ful *a.* 무서운 ; 비참한. **~·ly** *adv.*

dir·et·tis·si·ma [dìrətísəmə] *n.* 〔登山〕 수직 등반《암벽·빙벽·폭포 따위를 우회하지 않고 곧바로 오르는 것》. 〚It.=most direct〛

dirge [də́:*r*dʒ] *n.* 장송가, 애도가, 비가(悲歌).

dírge·ful *a.* 장송의, 슬픈.

dir·ham [dərǽm ; díəræm], **dir·hem** [də*r*hém] *n.* 디르햄《쿠웨이트·모로코·튀니지의 화폐단위 ; 기호 DH》. 〚Arab. ; ⇨ DRACHMA〛

di·ri·gi·ble [dírədʒəbəl, dərídʒə-] *a.* 조종할 수 있는 : a ~ balloon 비행선. —— *n.* 기구(氣球), 비행선. **dìr·i·gi·bíl·i·ty** [ˌ, dərìdʒə-] *n.* Ⓤ 조종가능(성). 〚DIRECT〛

di·ri·gisme [*F* diriʒism] *n.* 통제 경제 정책.

dir·i·ment [dírəmənt] *a.* 무효로 하는.

díriment impédiment *n.* 〔法〕 (혼인을 처음부터 무효로 하는) 절대적 혼인 장애.

dirk [də́:*r*k] *n.* (스코틀랜드 고지(高地) 사람의) 단도 ; (해군 사관후보생의) 단검. —— *vt.* 단도[단검]로 찌르다.
〚C17＜? ; cf. Sc. *durk,* G *Dolch* dagger〛

dirn·dl [də́:*r*ndl] *n.* (Tyrol 농민식의) 여성복 ; 꼭 맞는 조끼에 허리를 죈 넓은 스커트.
〚G (dial.) (dim.) ‹ *Dirne* girl〛

‡dirt [də́:*r*t] *n.* **1** Ⓤ 진흙(mud), 먼지, 쓰레기 ; 때 ; 오물(filth) ; 배설물 ; 흙(soil). **2** Ⓤ 더러운[비열한] 사람[것], 무가치한 것. **3** Ⓤ 욕설 ; 비열(한 행위) : fling[throw] ~ at …에게 욕을 퍼붓다. **4** Ⓤ 《美》 잡담, 소문, 음담, 스캔들. **5** Ⓤ 《美俗》 푼돈 : yellow ~ 《蔑》 돈, 황금.

(***as***) ***cheap as dirt*** 굉장히 싼, 싸구려로(dirt cheap).

eat dirt 굴욕을 참다.

〚ON *drit* excrement〛

dírt bèd *n.* 〔地質〕 더트층(層).

dírt bìke *n.* (비포장 도로용) 모터 사이클.

dírt chéap *a., adv.* 《口》 아주 싼[싸게].

dírt-èat·ing *n.* Ⓤ (아프리카 원주민의) 흙을 먹는 풍습 ; (아이의) 식토증(食土症).

dírt fàrm *n.* 《美口》 (낙농장(dairy farm) 따위에 대하여) 보통의 농장, 밭.

dírt fàrmer *n.* 《美口》 실제로 직접 농사짓는 농부(↔*gentleman farmer*) ; (낙농업자(酪農業者) 등에 대하여) 보통의 농부.

dírt flòor *n.* 봉당(封堂).

dírt·hèap *n.* 쓰레기 더미.

dírt pìe *n.* (아이들이 만드는) 진흙 만두.

dírt póor *a.* 아주 가난한.

dírt ròad *n.* 《美》 포장되지 않은 길, 진창길, 자갈길(↔*pavement*).

dírt tràck *n.* 진흙[석탄재]을 깐 트랙《모터사이클 따위의 경주로》.

dírt wàgon *n.* 《美》 청소차, 쓰레기 운반차(dust cart).

◇**dirty** [də́ːrti] *a.* **1** 더러워진, 더러운, 불결한(↔*clean*) ; (길이) 진창인 ; (상처가) 곪은 : a ~ house[face] 더러운 집[얼굴] / a ~ wound 곪은 상처. **2** (색이) 우중충한, 칙칙한. **3** 상스러운, 호색적(好色的)인 ; (행동 따위가) 부정한, 야비한 (base, mean) ; 불쾌한, 싫증이 나는 : ~ money [gains] 부정한 돈[돈벌이] / a ~ story 음담(淫談). **4** (날씨가) 사나운(stormy) : a ~ night 비바람이 몰아치는 밤. **5** 방사성 강하물이 많은, 대기 오염률이 높은(↔*clean*) : a ~ bomb 방사능진이 많이 떨어지도록 만든 수소 폭탄. **6** 공정하지 못한, 교활한 ; 〘競〙 난폭한 플레이나 반칙이 많은, 거친 ; (변동 환시세가) 정부의 개입을 받은.
do the dirty on. . . 《俗》 …에게 비열한[더러운] 짓을 하다.
—— *adv.* **1** 더럽게, 부정하게, 비열하게 : fight ~ 비열하게 싸우다. **2** 《俗》 지독하게.
—— *vt.* 더럽히다. —— *vi.* 더러워지다 : White cloth *dirties* easily. 하얀 천은 쉽게 더러워진다.
—— *n.* dirty한 사람.
〖DIRT〗
dírt·i·ly *adv.* 불결하게 ; 더럽게 ; 천하게.
dírt·i·ness *n.* 불결 ; 천함 ; 비열.
[類義語] ***dirty*** 때문은, 더러운 것이 붙어 있는 ; 가장 보편적으로 쓰는 말 : a *dirty* room (더러운 방). ***filthy*** 비위가 상할 만큼 더럽혀져 있는 : a *filthy* pigpen (더러워진 돼지 우리). ***foul*** filthy의 정도가 강하며 썩어서 악취를 풍기고 매우 불쾌감을 주는 : *foul* odor (썩은 냄새).

dírty dóg *n.* 《俗》 비열한 놈, 지겨운 놈, 호색한.
dírty-fàced *a.* 얼굴이 더러워진.
dírty flòat *n.* 〘經〙 당국이 과도하게 시장 개입하는 변동 시세제.
dírty línen *n.* 집안의 수치, 창피스러운 일.
wash one***'s dirty linen in public*** 남 앞에서 집안 싸움을 하다[집안의 수치를 드러내다].
dírty-mínd·ed *a.* 속마음이 더러운, 치사한.
dírty-nèck *n.* 《美俗》 노무자 ; 농부 ; 시골 사람 ; 이주민.
dírty óld mán *n.* 《口》 색골 영감.
dírty póol *n.* 《美俗》 치사한[부정한] 짓.
dírty sháme *n.* 극히 유감스러운 일, 실로 억울한[불운한] 상황 : That's a ~. 그것은 아주 치사한 일이다.
dírty síde *n.* 《CB俗》 동해안《특히 New York, Pennsylvania, New Jersey》.
dírty trìck *n.* 비겁한 짓 ; [*pl.*] (선거 운동의 방해·정부의 전복 따위를 목적으로 한) 부정(不正) 공작.
dírty wórd *n.* 외설스런[추잡한] 말 ; 금구(禁句), 해서는 안될 말.
dírty wórk *n.* 더러운 일 ; 싫은 일 ; 《口》 부정행위, 속임수, 속임 : ~ at the crossroads 《俗》 모략 ; 《俗》 성행위 / do a person's ~ for him 남을 위해 하기 싫은 일을 하다.
Dis [dís] *n.* 〘로神〙 디스《지하계(地下界)의 신 ; 〘그神〙의 Pluto에 해당 ; cf. HADES》 ; 저승, 지옥 (the lower world).
dis-[1] [dis, dís] *pref.* **1** [동사에 붙여] 「반대의 동작」을 나타냄 : *dis*arm. **2** [명사에 붙여] 「없애다」「벗기다」「빼앗다」 따위의 뜻을 가진 동사를 만듦 : *dis*mantle. **3** [형용사에 붙여] 「불(不)…하게 하다」란 뜻의 동사를 만듦 : *dis*able (불가능하게 하다). **4** [명사·형용사에 붙여] 「불(不)…」「비(非)…」 「무(無)…」의 뜻 : *dis*trust ; *dis*agreeable. **5** 「분리」의 뜻 : *dis*continue. **6** 부정을 강조함 : *dis*annul.
〖OF *des-* or L ; cf. DI-[1], DIF-〗
dis-[2] [dis] *pref.* DI-[2]의 변형 : *dis*syllable.
dis. discharge ; disciple ; discipline ; discontinue, discontinued ; discount ; distance ; distant ; distribute.
dìs·abílity *n.* 무능, 무력 ; 불구(不具), 폐질(廢疾), 질병 ; Ⓤ (법률상의) 행위 무능력, 무자격 ; 불리한 점, 제약.
disabílity lèave *n.* 《美》 일시적인 노동 불능 휴가(休暇).
dis·áble [, diz-] *vt.* **1** [＋目 / ＋目＋前＋名] 무능[무력]하게 하다 ; 손상하다, 불구자로 만들다 (maim) : Her illness ~*d* her ***from*** follow*ing* her vocation. 병으로 그녀는 직무에 종사할 수 없게 되었다 / It ~*s* him ***for*** military service. 그것으로 인해서 그는 군복무를 할 수 없게 되었다. **2** (법률상) 무능력[무자격]하게 하다.
~d *a.* 불구가 된, 무능력하게 된 : a ~*d* list 〘野〙 부상 결장(缺場) 선수 리스트 / a ~*d* soldier 상이군인 / a ~*d* car 고장난 차. **~·ment** *n.*
〖*dis-* not＋*able*〗
dìs·abúse [-z] *vt.* [＋目 / ＋目＋*of*＋名] …의 미혹을 풀어 주다 : ~ a person ***of*** his superstition 남의 미신을 깨우치다, 남의 미혹(迷惑)을 풀어 주다, (그릇된 생각을) 바로잡아 주다.
di·sac·cha·ri·dase [daisǽkərədèis, -z] *n.* 〘生化〙 디사카리다아제《이당류(二糖類)를 가수 분해하는 효소》.
di·sáccharide, -sáccharose *n.* 〘化〙 이당(류)(二糖(類))《sucrose, lactose, maltose 따위》.
dis·ac·cord [dìsəkɔ́ːrd] *n.* 불화, 불일치, 충돌.
—— *vi.* 일치[화합]되지 않다, 충돌하다〈*with*〉.
〖F〗
dìs·accrédit *vt.* (…의) 자격을 박탈하다, (신분) 증명을 취소하다 ; 권위를 박탈하다.
dìs·accústom *vt.* 습관을 버리게 하다.
be disaccustomed of do*ing* …하는 버릇이 없어지다.
dìs·adápt *vt.* 적응 못하게 하다.
***dis·ad·van·tage** [dìsədvǽ(ː)ntidʒ ; -vɑ́ːn-] *n.* Ⓤ 불리, 불이익 ; 손실, 손해 ; Ⓒ 불리한 입장, 불편(한 사항).
at a disadvantage 불리한 입장에서 : take a person[be taken] *at a* ~ 남에게 불의의 타격을 가하다[받다].
sell. . .to disadvantage (물건 따위를) 불리한 조건에서[손해를 보고] 팔다.
to a person***'s disadvantage*** 남에게 불리해지도록.
under disadvantages 불리한 조건에서.
—— *vt.* (남)에게 손해를 주다, 불리한 입장에 두다. 〖OF (*dis-*[1])〗
dis·advantágeous *a.* 불리한, 손해되는 ; 형편상 나쁜〈*to*〉. **~·ly** *adv.* 불리하게, 손해나게 ; 형편상 나쁘게. **~·ness** *n.*
dìs·afféct *vt.* 불만을 품게 하다 ; (정부에) 반감을 가지게 하다.
dìs·afféct·ed *a.* (정부 따위에) 불만을 품은, 만족스럽지 못한, 이반(離反)한〈*toward*〉.
dìs·affèction *n.* Ⓤ 불평, (특히 정부에 대한) 불만, (인심의) 이반(離反).
dìs·affíliate *vt.* 제명하다. —— *vi.* 제명되다, 유대[인연]를 끊다 : ~ one*self from* …와 인연을 끊다.
dìs·affírm *vt.* (앞서 한 말을) 부정하다 ; 〘法〙 (전(前)판결을) 파기하다, 부인하다, (채무·계약 따위)의 이행을 거부하다.

dìs·affírm·ance, dìs·affirmátion *n.*
dìs·affórest *vt.* **1** 〖英法〗(삼림법 적용을 면제하여) 보통의 땅으로 하다. **2** 숲의 나무를 다 베어 버리다. **dìs·afforestátion, ~·ment** *n.*
dis·ággregate *vt., vi.* 성분[구성 요소]으로 분해하다[되다]《집적물 따위》. —— *a.* 낱낱의. **dis·aggregátion** *n.*
dis·ággregative *a.* 구성 요소로 나누어진; 개별 단위의.
dis·ag·ree** [dìsəgríː] *vi.* **1** [動/+前+名] 일치하지 않다, 의견이 맞지 않다(differ); 사이가 나쁘다, 다투다, 사이가 틀어지다(quarrel): The accounts ~. 설명이 맞지 않다[어긋난다] / The witnesses ~*d* ***with each other ***about*** the exact time of the accident. 사건 발생의 정확한 시각에 대해 증인들의 의견이 달랐다. **2** [+*with*+名] (풍토나 음식이) 체질에 맞지 않다: This climate ~*s*[Peaches ~] ***with*** him. 이 기후[복숭아]는 그의 체질에 맞지 않는다.
agree to disagree ☞ AGREE.
〖OF (*dis-*[1])〗
活用 ☞ AGREE (2).
***dìs·agréeable** *a.* **1** 불쾌한. **2** 마음에 들지 않는, 싫은, 사귀기 힘든. —— *n.* [보통 *pl.*] 불쾌한 일, 마음에 안드는 일: the ~*s* of life (이 세상의) 싫은 일. **-ably** *adv.* 불쾌하게, 기분 나쁘게. **~·ness** *n.* Ⓤ 불쾌.
dìs·agrée·ment *n.* **1** Ⓤ 불일치, 부조화, 의견의 차이; 불화, 다툼, 논쟁. **2** Ⓤ (체질에) 맞지 않는 일, 부적합.
dis·al·low [dìsəláu] *vt.* 용서하지 않다, 인정하지 않다, 금하다, (요구를) 각하(却下)하다(reject). **~·ance** *n.* Ⓤ 불인가, 각하(却下). **~·able** *a.* 〖OF〗
dìs·ambíguate *vt.* (문장·서술 따위의) 애매한 점을 없애다, 명확하게 하다.
-ambiguátion *n.*
dìs·aménity *n.* 《英》(장소 따위의) 불쾌, 불편, 부적당; [*pl.*] 불쾌한 표정.
dìs·annúl *vt.* 취소하다, 무효로 하다. **~·ment** *n.*
dìs·appéar** *vi.* [動/+前+名] 보이지 않게 되다, 소실되다, 소멸되다(↔*appear*); 〖法〗실종되다: He has ~*ed* ***from his home[***into*** the night]. 그는 집에서 나가[밤의 어둠속으로] 자취를 감춰 버렸다. —— *vt.* 보이지 않게 하다, 소멸시키다.
類義語 ***disappear*** 갑자기[차츰] 보이지 않게 되다[없어지다]《일반적인 말》. ***vanish*** 갑자기[완전히] 없어지다 《disappear 보다 품위 있는 말》. ***fade*** 특히 빛깔이나 빛이 차츰 엷어져 완전히[부분적으로] 사라지다(↔*appear, loom*).
***dìs·appéar·ance** *n.* Ⓤ 소실, 소멸; Ⓤ.Ⓒ 실종: ~ from home 가출(家出).
‡**dis·ap·point** [dìsəpɔ́int] *vt.* **1** 실망시키다: The book ~*ed* him. 그 책에 그는 실망했다 / Don't ~ me. 나를 실망시키지 마라. ㊟ 때때로 *p.p.*로서 형용사적으로 사용함 [+*to* do / +前+do*ing* / +*that* 節]: I'll try to do better so that he may not be ~*ed* ***in*** me. 그의 기대에 어긋나면 안되니까 보다 더 노력해야겠다 / He was ~*ed* ***with*** the result. 그 결과에 실망했다 / I was ~*ed to* learn that he was away from home. 그가 부재중(不在中)인 것을 알고 실망했다 / He was ~*ed* ***at*** not be*ing* invited. 초대받지 못해 낙심했다 / She was ~*ed in* love. 실연(失戀)했다 / He was ~*ed* ***of*** his purpose. 목적하던 바가 어긋났다 / She was ~*ed that* he should have failed her in that way. 그렇게 그에게 버림을 받고 낙심했다 / I am agreeably ~*ed*. 기우(杞憂)에 그쳐서 기쁘다. **2** (사람의 기대를) 어긋나게 하다; (계획 따위) 좌절시키다(upset): The weather ~*ed* our plans. 날씨 때문에 우리들의 계획은 수포로 돌아갔다. —— *vi.* 남을 실망시키다. **~·er** *n.* 〖OF〗
***disappóint·ed** *a.* 실망한, 기대에 어긋난, 낙담한; 실연한.

〈회화〉
I was *disappointed* in him. — Maybe you expected too much of him.「그에게 실망했어」「아마 기대가 너무 컸었기 때문일 거야」

~·ly *adv.* 실망하여, 낙담해서.
disappóint·ing *a.* 실망시키는, 뜻밖의, 시시한: The weather this summer has been ~. 이번 여름 날씨는 기대에 어긋났다.
***disappóint·ment** *n.* **1** Ⓤ 실망, 기대에 어긋남: *To* my ~, the book was out of print. 실망스럽게도 그 책은 절판(絶版)되었다《그 책이 절판된 것에 실망했다》. **2** 실망시키는 것, 의외로 시시한 사람[일, 것]: The drama was a ~. 그 연극은 의외로 시시했다.
dìs·approbátion *n.* =DISAPPROVAL.
dìs·appróbatory, dis·ápprobative *a.* 불만[비난]의 (뜻을 나타내는).
***dìs·appróval** *n.* Ⓤ 불가(不可)라고 하기, 불찬성; 반대 의견, 불만; 비난: frown in ~ 찬성할 수 없다고 얼굴을 찡그리다.
dìs·appróve *vt.* 불가(不可)라고 하다; …에 불만을 나타내다; (안(案)을) 승인하지 않다: The judge ~*d* the verdict. 재판관은 그 (배심원의) 평결을 인정하지 않았다. —— *vi.* [+*of*+名] 안 된다고 하다; 찬성하지 않다, 난색을 보이다: Father ~*d* ***of*** my go*ing* to the mountains in the summer. 아버지께서는 내가 여름에 산에 가는 것을 찬성하지 않으셨다. **dìs·ap·próv·er** *n.*
dìs·appróving·ly *adv.* 마땅치 않게; 불찬성하여; 비난하여.
dis·arm [disɑ́ːrm, diz-] *vt.* **1** [+目/+目+*of*+名] (…에게서) 무기를 빼앗다, …의 무장을 해제하다(cf. REARM); (폭탄·지뢰 따위를) 안전화하다: The police ~*ed* the gangsters (***of*** their revolvers). 경찰은 그 폭력단에게서 권총을 빼앗았다. **2** (위해(危害) 따위를) 무력하게 하다; (분노·의심 따위를) 누그러지게 하다: ~ criticism 비난을 진정시키다 / The speaker's frankness ~*ed* the angry mob. 연설자의 솔직함에 분노에 찬 군중의 마음이 누그러졌다. —— *vi.* 무장을 해제하다, 군비를 축소[폐지]하다. 〖OF (ARM[2])〗
dis·ar·ma·ment [disɑ́ːrməmənt, diz-] *n.* Ⓤ 무장 해제; 군비 축소(cf. REARMAMENT): a ~ conference 군축 회의.
Disármament Commìssion *n.* 군축 위원회 《UN 안전 보장 이사회의 보조 기관》.
disárm·ing *a.* (상대방의) 경계심을 풀게 하는, 안심시키는, 흥분[분노·공포·적의(敵意) 따위]을 진정시키는; 호감을 주는, 붙임성 있는.
~·ly *adv.*
dìs·arránge *vt.* 어지럽히다, 혼란시키다: The wind ~*d* her hair. 바람 때문에 그녀의 머리가 흐트러졌다. **~·ment** *n.* Ⓤ 교란(攪亂), 혼란; 난맥(亂脈).
dis·ar·ray [dìsəréi] *n.* Ⓤ 혼란, 난잡; 단정치 못한 복장: walk in ~ 단정치 못하게 걷다. —— *vt.* **1** 혼란시키다, 어지럽히다(disarrange). **2** 《詩》 …에게서 옷을 벗기다; 《古》 …에게서 강제로 빼앗다(strip)〈*of*〉.

類義語 ⟹ CONFUSION.

dìs·artículate *vt., vi.* 관절을 빠지게 하다[관절이 빠지다], 관절이 어긋나다 ; 해체하다.
dìs·articulátion *n.* 관절 이단(離斷)[탈구].
dìs·assémble *vt.* 떼어내다, 분해하다(take to pieces). —— *vi.* 분해되다, 뿔뿔이 해체되다 ; (군중 등이) 흩어지다.
dìs·assémbly *n.* 분해, 해체.
dìs·assímilate *vt.* 〘生理〙 분해[이화(異化)]하다. **dìs·assimilátion** *n.* 분해.
dìs·assóciate *vt., vi.* =DISSOCIATE.
dìs·associátion *n.* =DISSOCIATION.
***di·sas·ter** [dizǽ(:)stər, dis- ; -zɑ́:s-] *n.* **1** 천재, 재앙, 재해(calamity) ; Ⓤ 불행, 재난. **2** 대실패(fiasco). **3** 《廢》 (별의) 불길한 상(相), 흉조. 〚F or It. (L *as- trum* star)〛
類義語 ***disaster*** 돌연한 혹은 큰 재해로 생명·재산을 잃게 하는 것. ***calamity*** 개인 또는 많은 사람들을 괴롭히고 슬프게 하는 극히 큰 재해. ***catastrophe*** 돌이킬 수 없을 정도의 치명적인 대재해.
disáster àrea *n.* 《美》 재해[피재(被災)] 지역 ; 비상 재해 지역(cf. DISTRESSED area).
disáster fìlm[**mòvie**] *n.* 패닉 영화《대재해를 주제로 한 영화》.
di·sas·trous [dizǽ(:)strəs ; -zɑ́:s-] *a.* 대재해의, 비참한, 손해가 큰, 파멸적인 ; 《古》 불길한, 불운한. **~·ly** *adv.* **~·ness** *n.*
dis·avow [disəváu] *vt.* …에 대해 자기는 책임이 없다[관계가 없다, 찬성하지 않는다]고 말하다, 거부[부인]하다 : He *~ed* any share in the plot. 그 음모에 자기는 아무 관계가 없다고 말했다.
~·al *n.* 〚OF (*dis*-[1])〛
dis·band [disbǽnd] *vt.* 해산[해대(解隊)]하다, (…의 군인을) 제대시키다 : All the army has been *~ed*. 군대가 전부 해산되었다. —— *vi.* 해산되다. **~·ment** *n.* Ⓤ 해산, 해제, 제대.
〚F (*dis*-[1])〛
dis·bár *vt.* 〘法〙 …에게서 변호사(barrister)의 자격[특권]을 박탈하다, 법조계[변호사회]에서 제명하다. **~·ment** *n.* 변호사 자격의 박탈. 〚BAR[1]〛
dìs·belíef *n.* Ⓤ 믿지 않으려고 하기, 불신임, 불신용, 의혹〈*in*〉; 불신앙(cf. UNBELIEF).
類義語 ⟹ UNBELIEF.
dìs·belíeve *vt., vi.* [+目/動/+*in*+名] 믿지 않다, 신용[신임]하지 않다 : ~ him 그의 말을 믿지 않다 / ~ ***in*** the existence of God 신의 존재를 믿지 않다.
dis·bénch *vt.* 《英》 법학원 간부(bencher)의 특권을 박탈하다.
dis·bénefit *n.* 불이익, 손실.
dis·bósom *vt.* 터놓고 이야기하다, 고백하다.
dis·bóund *a.* 철(綴)한 것이 파손되어 책에서 떨어진《인쇄물》.
dis·bránch *vt.* 가지를 잘라내다, 가지를 치다.
dis·búd *vt.* (쓸데없는) 싹[봉오리]을 따내다.
dis·búrden *vt.* **1** [+目/+目+*of*+名] …의 짐을 내리다(unload) ; (사람을) 한숨 돌리게 하다(relieve) : She *~ed* herself[her heart] ***of*** the secret. 그 비밀을 털어놓아서 마음이 후련했다. **2** [+目+*to*+名] (마음속을) 속속들이 드러내다, 털어놓다 : Dick *~ed* his mind ***to*** the teacher by confessing what he had done. 딕은 자기가 한 일을 솔직담백하게 선생님께 털어놓았다. —— *vi.* 한숨 돌리다. **~·ment** *n.*
dis·burse [disbə́:rs] *vt., vi.* 지급하다, 지출하다(pay out) ; 분배하다, 나누어주다.
dis·búrs·a·ment *n.* Ⓤ 지급, 지출 ; Ⓒ 지급금. 〚OF (*dis*-[1], BOURSE)〛
DISC Domestic International Sales Corporation
disc ☞ DISK.
disc- [dísk], **dis·ci-** [dískə], **dis·co-** [dískou -kə] *comb. form* 「원반」「레코드」의 뜻. 〚L DISCUS〛
disc. discount ; discover(ed) ; discoverer.
dis·caire [diskέər] *n.* (디스코의) 레코드 담당.
dis·cal [dískəl] *a.* 원반 (모양)의.
dis·calced [diskǽlst], **-cal·ce·ate** [-kǽlsiət, -èit] *a.* (특히 종교 의식에서) 맨발의.
〚L *calc- calx* heel〛
dis·cant [*n.* dískænt ; *v.* -´] *n., vi.* =DESCANT.
dis·card [diskɑ́:rd, ´-] *vt.* 버리다, 폐기하다 ; 해고하다 ; 〘카드놀이〙 (소용없는 패를) 버리다 : ~ old beliefs 오랜 신앙을 버리다 / ~ one's winter underclothing 겨울 속옷가지를 처분하다.
—— *vi.* 〘카드놀이〙 (소용없는 패를) 버리다.
—— [´-] *n.* **1** Ⓤ 〘카드놀이〙 (소용없는 패를) 버리기 ; Ⓒ 버린 패. **2** 버려진 물건[사람] ; (도서관의) 폐기(廢棄) 서적. **3** Ⓤ 포기.
go into the discard 버림받다, 폐기되다.
in the discard 버려져서, 버림을 받아.
throw [***put***] ***. . .into the discard*** …을 포기[폐기]하다.
~·able *a.* **~·er** *n.* 〚CARD[1]〛
dis·car·nate [diskɑ́:rnət, -neit] *a.* 육체가 없는, 실체가 없는.
dis·cept [disépt] *vi.* 의논[논쟁]하다, 이의를 제기하다.
dis·cern** [disə́:rn, diz-] *vt.* [+目/+目+*from*+名/+*wh.* 節] 똑똑히 분간하다, 분명히 인식하다, 식별하다 : ~ a distant figure 멀리 있는 형체를 알아보다 / It is often difficult to ~ good and bad [good ***from bad]. 선과 악을 분간하는 일이 때로는 어렵다 / You can ~ *what* changes must be made in this case. 이 경우에 어떠한 변경을 하지 않으면 안된다는 것을 잘 알 수 있으리라.
—— *vi.* [+*between*+名] 식별하다, 분간하다 : ~ ***between*** good and bad 선과 악을 분간하다.
~·ible, ~·able *a.* 인정할 수 있는 ; 인식[식별]할 수 있는. **-ibly** *adv.*
〚OF<L (*cret- cerno* to separate)〛
類義語 ***discern*** 사람이나 물건을 눈 또는 마음으로 식별하다 : *discern* between the true and the false (진실과 거짓을 구별하다). ***perceive*** 오감(五感)으로 알아내다, 잠깐 동안에 사물을 간파(看破)하는 힘 또는 예리한 이해력을 나타냄 : *perceive* a change in a person's attitude (남의 태도 변화를 간파하다). ***distinguish*** 눈이나 귀로 똑똑히 구별하다 : *distinguish* the voice of his friend among a crowd (군중 속에서 친구의 목소리를 식별하다). ***notice, observe*** 다소라도 주의하여 어떤 사람[물건]을 분간하다 ; 시각으로 분간하는 것이 보통, *observe* 쪽이 형식적인 말.
discérn·ing *a.* 통찰력이 있는, 총명한.
discérn·ment *n.* Ⓤ 식별, 인식 ; 총명, 통찰력, 간파력(看破力), 안식(眼識).
dis·cerp·ti·ble [disə́:rptəbəl, diz-] *a.* 분리할 수 있는. **dis·cèrp·ti·bíl·i·ty** *n.*
dis·cerp·tion [disə́:rpʃən, diz-] *n.* 분리 ; 분리된 조각.
***dis·charge** [distʃɑ́:rdʒ, ´-] *vt.* **1** (배에서 짐을) 내리다, 양륙(揚陸)하다〈*from*〉: ~ a ship 배에서 짐을 양륙하다. **2** [+目/+目+*into*+名] (물

따위를) 방출하다, 뿜어내다 ; (총포를) 발사하다 ; 〔電〕 (전기를) 발산하다, 방전(放電)하다 ; 〔建〕 (하중(荷重)을) 지지부에 분산하다 : ~ electricity 방전하다 / A river ~*s* its water[itself] ***into*** the sea or a lake. 강물은 바다나 호수로 흘러들어간다. **3** 배출[배설]하다(eject) ; (종기의 고름을) 나오게 하다 : ~ pus (상처에서) 고름을 짜내다/ ~ hormones (내분비선이) 호르몬을 분비하다. **4** [+目 / +目+前+名] (속박·의무·근무 따위에서) 해방하다(set free) ; 해산시키다 ; (채무자를) 면책시키다, 제대[퇴원]시키다, (죄수를) 방면(放免)하다 ; 해고[면직]하다 (dismiss) : a ~*d* bankrupt 채무를 이행하고 자유의 몸이 된 파산자 / The members of the jury were[The jury was] ~*d*. 배심원은 임무를 수행하고 해산되었다 / The patient was ~*d* ***from*** (the) hospital as cured. 환자는 완쾌되어 퇴원했다 / They ~*d* their servant ***for*** be*ing* dishonest. 정직하지 못하다는 이유로 하인을 해고시켰다. **5** (부채를) 청산하다 ; (직무 따위를) 수행하다, (perform), (약속·채무를) 이행하다(fulfill). **6** 〔染〕 (천을) 탈색하다, 바래다. **7** 〔法〕 (법정의 명령을) 취소하다(cancel) ; (잉크 따위가) 번지다. —— *vi.* **1** (배에서) 짐을 부리다, 짐을 풀다. **2** [+*into*+名] (강이) 흘러들어가다 : The river ~*s* ***into*** the sea. 그 강은 바다로 흘러들어간다. **3** 배출되다 ; (고름이) 나오다. **4** 탈색되다 (blur) ; 〔電〕 방전되다. **5** 방면[해방]되다.
—— [ˊ-, -ˊ] *n.* **1** Ⓤ 양륙(揚陸)[짐풀기] : ~ afloat 해상에서 짐부리기. **2** 발사, 발포 ; 〔電〕 방전 ; 토해내기 ; 방출, 유출 ; 배출물 ; 분비물 ; 유출량[률] : a ~ *from* the ears[eyes, nose] 귀지[눈곱, 콧물]. **3** Ⓤ 해방, 면제〈*from*〉; 방면, 퇴원, 면책, 책임 해제 ; (채무·계약 따위의) 소멸. **4** Ⓤ 제대, 해직, 면직, 해고〈*from*〉; Ⓒ 해임장, 제대 증명서 ; 〔法〕 (명령의) 취소. **5** Ⓤ (의무의) 수행 ; (채무의) 이행, 상환. **6** Ⓤ 탈색 ; Ⓒ 탈색제, 표백제. **~·able** *a.* 〖OF (*dis-*¹)〗

dis·charg·ee [dìstʃɑːrdʒíː] *n.* discharge되는[하는] 사람.

díscharge làmp *n.* 방전 램프《수은등 따위》.

dis·chárg·er *n.* **1** 짐을 부리는 사람[기구] ; 방면자 ; 방출자 ; 이행자 ; 사수(射手). **2** 배출[사출, 방출] 장치 ; 〔電〕 방전기(放電器), 방전 장치, 방전차(叉) ; 〔染〕 탈색제, 표백제.

díscharge tùbe *n.* 〔電〕 방전관.

dísc hàrrow *n.* 디스크 해로《트랙터용(用) 원판 쟁기》.

dísc hìller *n.* 원판 배토기(圓板排土機)《(흙을) 북주는 농기구》.

disci- [dískə] ☞ DISC-.

dis·ci·ple [disáipəl] *n.* 제자, 문하생, 신봉자 ; (특히) 그리스도의 12사도(the Apostles)의 한 사람 ; [D~] 디사이플 교회 신도 : the (twelve) ~*s* (그리스도의) 12사도. —— *vt.* 《古》 제자로 삼다 ; 《廢》 가르치다, 훈련시키다.
~·shìp *n.* Ⓤ 제자의 신분[기간].
〖OE *discipul* < L (*disco* to learn)〗
類義語 ⟹ FOLLOWER.

Discíples of Chríst *n.* [the ~] 사도[디사이플]교회《1811년 미국에서 조직된 한 종파》.

dis·ci·plin·able [dìsəpláinəbəl, dísəplə-] *a.* 훈련할 수 있는 ; (죄 따위) 벌 받아야 할.

dis·ci·pli·nar·i·an [dìsəplənéəriən, -nǽər-] *n.* 규율을 엄수하는 사람, 엄격한 사람.
—— *a.* =DISCIPLINARY.

dis·ci·plin·ary [dísəplənèri ; -nəri] *a.* **1** 훈련상의, 훈육의 ; 훈계의. **2** 규율상의 ; 징계의 : a ~ committee 징계 위원회 / ~ punishment 징계 처분. **3** 학과의, 학과[학문]로서의.

dis·ci·pline** [dísəplən] *n.* **1** Ⓤ,Ⓒ 훈련(training), 단련, 수업(修業), 도야 ; 억제(control), 자제(自制), 극기 : keep one's passions under ~ 정욕을 억제하다. **2** Ⓤ 교련(drill) ; 《廢》 교육(instruction) : military[naval] ~ 군기(軍紀). **3** Ⓤ 예절, 규율(order) ; 통제. **4** Ⓤ 징계, 징벌(chastisement) ; 〔宗〕 고행(苦行)(penance) ; (고행에 쓰이는) 매. **5** 학과(subject), 학문 (분야). —— *vt.* **1** (제자·정신을) 훈련[단련]시키다. **2** [+目 / +目+前+名] 징계하다 : ~ a child ***for bad behavior 행실이 나쁘다고 하여 어린아이를 벌주다. **3** (집단을) 통제하다 ; 정리하다 ; 징계하다. **dís·ci·plin·al** *a.* 훈련상의 ; 규율[풍기]상의 ; 징벌의. **dís·ci·plin·er** *n.* 훈련[징계]하는 사람.
〖OF < L=teaching ; ⇨ DISCIPLE〗

dís·ci·plined *a.* 훈련[단련]된 ; 예의바른 ; 잘 통제된.

dísc jòckey *n.* 디스크 자키《가벼운 화제·광고 방송 따위를 삽입한 레코드 음악 프로그램을 담당하는 진행자 ; 略 DJ, D.J.》.

dis·claim [diskléim] *vt.* **1** (권리 따위를) 포기하다, 기권하다 ; …의 요구[권한]를 거부하다. **2** (책임·관계 따위를) 부인하다(disavow) : ~ responsibility for an accident 사고의 책임을 부인하다. —— *vi.* **1** 권리 따위를 포기하다, 기권하다. **2** 《廢》 자기와의 관계를 부인하다, 관계없다고 하다. 〖AF (*dis-*¹)〗

dis·claim·er [diskléimər] *n.* **1** 〔法〕 포기, 기권 ; (권리) 포기 문서 ; 〔法〕 부인(denial). **2** 부인[거부, 포기]하는 사람. 〖AF〗

dis·cla·ma·tion [dìskləméiʃən] *n.* (권리의) 포기 ; (책임·관계 따위의) 부인.

dis·clímax *n.* Ⓤ 〔生態〕 방해 극상(妨害極相)《사람이나 가축의 끊임없는 방해를 받아 생물 사회의 안정이 무너지기》.

dis·close** [disklóuz] *vt.* [+目 / +目+*to*+名 / +*that* 節] 나타내다, 노출시키다 ; 폭로[적발]하다 ; 밝히다, 발표하다 : The secret was ~*d* ***to the public. 비밀은 대중에게 밝혀졌다 / The principal ~*d* ***that*** he had submitted his resignation. 교장은 사표를 냈다는 것을 밝혔다.
—— *n.* 《廢》 =DISCLOSURE. **dis·clós·er** *n.*
〖OF (*dis-*¹)〗
類義語 ⟹ REVEAL.

dis·clo·sure [disklóuʒər] *n.* Ⓤ 폭로, 발각 ; 발표 ; Ⓒ 발각된 사실 ; 숨김없이 털어놓은 이야기.

dis·co [догkou] *n.* (*pl.* **~s**) 《口》 디스코(discotheque) ; Ⓤ 디스코 음악[춤] ; 디스코의 레코드 재생 장치. —— *vi.* 디스코를 추다.

disco- [догkou, -kə] ☞ DISC-.

dísco-bèat *n.* (팝스의) 디스코비트《디스코 음악에 공통되는 비트》.

dísco bíscuit *n.* 《美俗》 디스코 비스킷《강력한 진통·최면약인 Quaalude의 속칭》.

dis·cob·o·lus, -los [diskɑ́bələs] *n.* (*pl.* **-li** [-lài, -lìː]) (고대 그리스 등지의) 원반 던지기 선수 ; 원반을 던지는 사람의 상(像) ; [D~] 원반을 던지는 남자 《고대 그리스의 조각가 미론이 조각한 상(像)》. 〖L < Gk. (DISCUS, *ballō* to throw)〗

dis·cog·ra·phy [diskɑ́grəfi] *n.* 디스코그래피《(1) 수집가가 하는 레코드 분류(법) ; (2) (분류한) 레코드 목록, (특히) 특정의 작곡가[연주가 등]의 레코드 일람표. (3) 레코드 음악사》.

-pher *n.* 디스코 그래피 작성자(作成者). **dìs·co·gráph·i·cal, -gráph·ic** *a.* **-i·cal·ly** *adv.*

dis·coid [dískɔid] *a.* 원반 모양의; 둥글납작한, 원형의. —— *n.* 원반 모양의 것.

dis·coi·dal [diskɔ́idl] *a.* 원반 모양의; 〖貝〗 납작한 소용돌이 모양의《걸껍질》; 〖動〗 원반 모양으로 융털이 난.

dísco jòckey *n.* 디스코 자키《디스코의 사회자·아나운서》.

dis·col·or [diskʌ́lər] *vt.* 변색[퇴색]시키다, …의 색깔을 더럽히다: The building was ~*ed* by smoke. 건물은 연기로 인해서 변색돼 있었다. —— *vi.* 변색되다, 색깔이 더러워지다: The rug has ~*ed* in strong sunlight. 융단은 강한 햇빛을 받아 변색됐다. **~·ment** *n.* 〖OF or L〗

dis·colorátion *n.* Ⓤ 변색, 퇴색; Ⓒ 얼룩.

dis·com·bob·u·late [dìskəmbɑ́bjəlèit], **dis·com·bob·e·rate** [dìskəmbɑ́bərèit] *vt.* 《美俗》 혼란시키다, 갈팡질팡하게 하다. **dìs·com·bòb·u·lá·tion** *n.*

dis·com·fit [diskʌ́mfət] *vt.* **1** …의 계획[목적]을 뒤집(어 엎)다, 의표를 찌르다(frustrate); 허둥거리게 하다, 쩔쩔매게 하다, 당황[곤혹]케 하다(disconcert). **2** 《古》 (전투에서) 패배시키다, 패주(敗走)시키다. —— *n.* 《古》 패배(defeat). **~·er** *n.* 〖ME *disconfit*<OF (*dis*-[1], CONFECTION)〗

dis·com·fi·ture [diskʌ́mfətʃər, -tʃùər] *n.* Ⓤ 계획의 실패, 좌절; 허둥거리기, 당황, 곤혹, 낭패; ⓊⒸ 대패주(大敗走).

***dis·com·fort** [diskʌ́mfərt] *n.* Ⓤ 불쾌, 불안; Ⓒ 싫은 일; 불편, 곤란. —— *vt.* 불쾌[불안]하게 하다, …에게 불편을 끼치다, 곤란하게 하다. **~·able** *a.* 《古》 =UNCOMFORTABLE. 〖OF〗

discómfort ìndex *n.* 불쾌 지수《略 DI》.

dis·com·mode [dìskəmóud] *vt.* 불편[부자유]하게 하다; 곤란하게 하다, 괴롭히다: His late arrival ~*d* us. 그가 늦게 왔기 때문에 난처했다.

dìs·commódity *n.* **1** 〖經〗 비(非)상품, 비(非)재화《인간에게 불편이나 손해를 주는 것; 병·지진·화재·상품 획득을 위한 수고 따위》. **2** 《古》 불리, 불편.

dis·cómmon *vt.* 〖法〗 (공유지를) 사유지로 하다; 《英大學》 (상인에게) 재학생과의 거래를 금지시키다.

dìs·compóse *vt.* …의 (마음의) 침착성을 잃게 하다, 불안하게 하다; 《稀》 교란하다(disarray). 類義語 ⟹ DISTURB.

dìs·compósed *a.* 침착성[안정감]을 잃은, 안절부절못하는: a ~ countenance 심란한 표정. **~·ly** *adv.*

dìs·compósing·ly *adv.* 심란해지도록, 불안해지도록.

dìs·compósure *n.* Ⓤ 마음의 동요, 불안, 허둥지둥함, 당황.

dis·con·cert [dìskənsə́ːrt] *vt.* **1** 당황케 하다, 어리둥절케 하다(embarrass). ㊟ 때때로 *p.p.*로 형용사적으로 사용함[+*to* do]: He was ~*ed to* discover that he had lost the papers. 그 서류를 분실한 것을 알아차리고 당황했다. **2** (계획 따위를) 뒤집어 엎다, 혼란케 하다. **~·ing** *a.* **~·ing·ly** *adv.* 〖F (*dis*-[1])〗 類義語 ⟹ CONFUSE.

dìs·con·cért·ed *a.* 당황한, 어리둥절한; 불안한. **~·ly** *adv.* **~·ness** *n.*

dis·con·cer·tion [dìskənsə́ːrʃən] *n.* 당황, 어리둥절함; 교란; 혼란(confusion); 좌절.

dìs·confírm *vt.* …의 부당성을 증명하다; (명령을) 거절하다. **dìs·confirmátion** *n.*

dìs·confórm·able *a.* 〖地質〗 비정합(非整合)의 [에 관한].

dìs·confórmity *n.* Ⓤ **1** 〖地質〗 (지층의) 평행 부정합(不整合). **2** 《古》 =NONCONFORMITY.

dìs·connéct *vt.* [+目/+目+*from*+名] …의 연락[접속]을 끊다, 분리하다, 자르다, 떼다(separate); (전원·전화를) 끊다: I ~*ed* the electric fan by pulling out the plug. 플러그를 뽑아 선풍기를 껐다 / They ~*ed* themselves ***from*** the movement. 그 운동에서 손을 뗐다. —— *vi.* 연락을 끊다; 떨어지다, 물러나다.

dìs·connéct·ed *a.* 끊긴; 따로따로 떨어진, 토막토막의; 연결이 안된, 일관성이 없는: He could only give a ~ account of the accident. 그는 그 사고에 관하여 단편적인 얘기밖에 할 수 없었다. **~·ly** *adv.* 뿔뿔이, 단편적으로. **~·ness** *n.*

dìs·connéction | -connéxion *n.* Ⓤ 단절; 연락이 없음, 분리; 〖電〗 절단, 단선(斷線).

dis·con·so·late [diskɑ́nsələt] *a.* 울적하여 마음이 즐겁지 못한, 외로운, 서글픈(inconsolable). **~·ly** *adv.* 울적하여, 외롭게. **~·ness** *n.* **dis·consolátion** *n.* 마음의 위안이 없는 상태. 〖L (*dis*-[1], SOLACE)〗

dìs·contént *n.* Ⓤ 불평, 불만; Ⓒ 불평의 원인; Ⓤ 〖法〗 불복; 불평 분자, 불복한 사람. —— *vt.* [+目/+目+前+名] [보통 *p.p.*로 쓰여] 불만[불평]을 품게 하다, 비위를 거슬리다(displease): He was ~*ed* ***with*** his salary. 급료에 불만을 품고 있었다. —— *a.* =DISCONTENTED 〈*with*〉.

dìs·contént·ed *a.* 불평이 있는, 불만의, 기분이 좋지 않은: ~ workers 불만을 품고 있는 노동자들. **~·ly** *adv.* 불평을 품고, 좋지 않은 기분으로. **~·ness** *n.*

dìs·contént·ment *n.* Ⓤ 불평, 불만.

dìs·contíguous *a.* 접촉[인접]되어 있지 않은, 떨어진.

dìs·contínuance *n.* Ⓤ **1** 정지, 중지; 단절. **2** 〖法〗 (소송의) 철회[취하], (점유의) 중단.

dìs·continuátion *n.* Ⓤ =DISCONTINUANCE.

dis·con·tin·ue [dìskəntínju(ː)] *vt.* [+目/+do*ing*] (계속하는 것을) 그만두다(stop); 정지하다, 중지[중단]하다(interrupt), 일시 휴지(休止)하다, 잠깐 쉬다; 〖法〗 (소송을) 철회[취하]하다: ~ (one's subscription to) a newspaper 신문(의 구독)을 중지하다 / The early train has been ~*d*. 새벽 열차는 운행이 중단되었다 / He had to ~ (pay*ing*) those weekly visits. 그는 주(週)마다 하던 방문을 중지할 수 밖에 없었다. —— *vi.* 중지[휴지]되다, 중단되다; (잡지 따위) 폐간[휴간]되다; 끝나다: Publication of the newspaper will ~ at the end of June. 그 신문의 발행은 6월말로 끝난다. 〖OF<L (*dis*-[1])〗

dìs·continúity *n.* Ⓤ 불연속(성); 지리 멸렬(支離滅裂); Ⓒ 끊어진 곳, 갈라진 곳; 중단, 단절; Ⓤ 〖數〗 불연속점; 〖地〗 불연속(면): a line of ~ 〖氣〗 불연속선.

discontinúity làyer *n.* **1** 〖地質〗 불연속층《지각과 맨틀 사이의 불연속면》. **2** 변온층(變溫層)(thermocline)《해수 따위의 온도가 급격히 떨어지는 불연속면》.

dìs·contínuous *a.* 끊어진, 중단된; 〖數〗 불연속의; 일관성이 없는《문체》. **~·ly** *adv.* 띄엄띄엄, 불연속적으로.

dísco·phìle, -phìl *n.* 레코드 수집[연구]가, 레코드 음악 팬.

*__dis·cord__ [dískɔːrd] *n.* **1** Ⓤ 불일치, 불화(↔*harmony*) ; Ⓤ,Ⓒ 알력, 내분(↔*concord*). **2** Ⓤ,Ⓒ 〖樂〗 안어울림음(↔*accord, concord, harmony*) (cf. CHORD) ; Ⓤ 소음, 잡음.
—— [, -ˊ] *vi.* 일치하지 않다, 사이가 좋지 않다, 충돌하다〈*with, from*〉; 〖樂〗 협화하지 않다, 어울리지 않다. 〖OF<L (*dis-*[1], *cord- cor* heart)〗
類義語 ***discord*** 사람끼리의 싸움, 사물끼리의 충돌, 소리의 부조화 따위. ***strife*** 상대방에 이기려는 투쟁. ***contention*** 논쟁·반박 따위의 말다툼. ***dissension*** 의견의 차이, 보통 한 단체 안에서의 반대파끼리의 다툼(↔*harmony, agreement*).

dis·cor·dance [diskɔ́ːrdəns], **-dan·cy** [-si] *n.* Ⓤ 부조화, 불일치 ; 〖樂〗 안어울림 ; 〖地質〗 (지층의) 부정합(不整合).

dis·cór·dant *a.* **1** 조화[일치]되지 않는 ; 사이가 좋지 않은. **2** (음성이) 가락이 맞지 않는, 귀에 거슬리는, 안어울리는. **3** 〖地質〗 부정합의.
~·ly *adv.* 어울리지 않게 ; 귀에 거슬리게.

dis·co·theque, -thèque [dískətèk, ˊ-ˋ] *n.* 디스코(텍)《레코드 음악에 맞춰 춤추는 나이트클럽 따위》. —— *vi.* 디스코를 추다.

*__dis·count__ [dískaunt, -ˊ] *vt.* **1** [+目/+目+前+名] 할인하다 : That store ~*s* three percent ***on*** all bills paid when due. 저 점포에서는 기일 내에 지불하는 청구서에 대해서는 3퍼센트의 할인을 해준다. **2 a**) (이야기를) 에누리하여 듣다[생각하다] : We must ~ half of what he says. 그가 말하는 것은 절반으로 에누리해서 들어야 한다. **b**) 무시하다(ignore). **3** …(의 가치·효과)를 감소시키다. **4** 〖商〗 (어음을) 할인하여 팔다[사다].
—— *vi.* **1** 할인하다. **2** 참작하다〈*for*〉.
—— [ˊ-] *n.* 할인, 감가(減價) (deduction) (cf. PREMIUM) ; 〖商〗 할인액 ; 할인율 ; 이자를 공제한 대차(貸借) ; =DISCOUNT RATE : a banker(s) [cash] ~ 은행[현금]할인 / make[give, allow] a 5% ~ *on* cash purchases 현금으로 살 때는 5퍼센트 할인을 하다 / accept a story *with* some ~ 이야기를 조금 에누리하여 듣다.
at a discount (액면 이하로) 할인하여(below par) ; 값이 내려 ; (물건이) 팔리지 않아서 ; 인기가 떨어져 : He[Conservatism] is now *at a* ~. 그[보수주의]는 이제 인기가 없다.
〖F or It. (*dis-*[1], COUNT[1])〗

díscount·able [, -ˊ-] *a.* 할인할 수 있는.

díscount bànk *n.* 할인 은행.

díscount bònd *n.* 〖金融〗 할인 채권《표면 이율이 제로로 액면보다 낮은 가격으로 발행된 채권》.

díscount bròker *n.* 어음 할인 중개인.

díscount còmpany *n.* 《美口》 채권 계정을 할인하는 회사.

dis·cóuntenance *vt.* …에게 언짢은 눈치를 보이다, 찬성하지 않다 ; 창피를 주다, 당황하게 하다.
—— *n.* Ⓤ 불찬성, 반대.

díscount·er [, -ˊ-] *n.* =DISCOUNT HOUSE ; 싸게 파는 사람.

díscount hòuse *n.* 《美》 (상품을 대량으로 구입하여 정가보다 싸게 파는) 할인 상점.

díscount màrket *n.* 할인 시장.

díscount ràte *n.* 〖金融〗 (어음) 할인율.

díscount stòre[shòp] *n.* 《美》 싸게 파는 상점, 염가 판매점(discount house).

*__dis·cour·age__ [diskə́ːridʒ, -kʌ́r- ; -kʌ́r-] *vt.* (↔*encourage*) **1** 낙담시키다, …의 용기를 잃게 하다 : Repeated failures ~*d* him. 실패를 거듭하여 그는 용기를 잃었다. **2** [+目/+目+*from*+名] …을 방해하다, 훼방놓다 ; (계획·사업 따위를) 단념케 하다(deter) : Lack of recognition ~*d* him ***from*** publish*ing* more novels. 인정을 받지 못하여 그는 더 이상 소설을 출판하려는 의욕을 잃었다 / The bad weather ~*d* us *from* climb*ing* the mountain. 우리들은 날씨가 나빠서 등산을 단념했다.
dis·cóur·ag·er *n.* **~·able** *a.* 〖OF (*dis-*[1])〗

dis·cóur·aged *a.* 낙담한, 낙심한 ; 《美俗》 술에 취한.

〈회화〉
Why do you look so *discouraged*? — I failed my exam. 「어째서 그렇게 낙담한 얼굴을 하고 있니」「시험에 떨어졌어」

discóurage·ment *n.* **1** Ⓤ 낙담 ; 실망시키는 것. **2** 지장, 방해〈*to*〉.

dis·cóur·ag·ing *a.* 낙담시키는, 맥이 풀린, 뜻대로 안되는(↔*encouraging*). **~·ly** *adv.*

dis·course [dískɔːrs, -ˊ] *n.* **1** 강의, 강연 ; 논설, 논문〈*upon, on*〉. **2** Ⓤ 《古》 회화, 담화, 설교, 이야기(conversation) : in ~ *with* 이야기를 나누어 / hold ~ *with* …와 이야기하다. **3** Ⓤ 〖文法〗 화법(narration) ; Ⓤ,Ⓒ 〖言〗 담화《발언(utterance)의 연속체》. —— [-ˊ, ˊ-] *vi.* 《文語》 얘기하다, 말하다 ; 연설[강연, 설교]하다 ; 논술하다〈*upon, on, of*〉. —— *vt.* (음악을) 연주하다 ; 《古》 논술하다. 〖L =running to and fro, conversation ; ⇨ DISCURSIVE〗
類義語 ⟹ SPEAK.

dis·cóurteous *a.* 실례되는, 버릇없는, 무례한. **~·ly** *adv.* **~·ness** *n.*

dis·cóurtesy *n.* Ⓤ 무례, 실례(↔*courtesy*) ; 버릇없음 ; Ⓒ 무례한 언행.

◊**dis·cov·er** [diskʌ́vər] *vt.* **1** [+目/+*that* 節/+目+*to* do/+*wh.* 節] 발견(發見)하다(find out) ; 알다, 깨닫다(realize), …(의 존재)를 알아채다 : Hudson ~*ed* a large bay which now bears his name. 허드슨은 오늘날 그의 이름을 딴 큰 만(灣)을 발견했다 / I ~*ed* too late *that* he was unreliable. 그가 신뢰할 수 없는 인간이라는 것을 너무 늦게 알았다 / He ~*ed* the girl *to be* his real daughter. 그 소녀가 자기의 친딸이라는 것을 알았다 / It was never ~*ed* when he died. 그가 언제 죽었는지 결코 알 수가 없었다. **2** 《古》 (당황한 빛을) 보이다, (비밀 따위를) 밝히다 (disclose).
discover check 〖체스〗 장군 부르다.
〖OF<L (*dis-*[1])〗

dis·cóv·er·able *a.* 발견할 수 있는 ; (효과 따위가) 인정되는.

dis·cóv·er·er *n.* 발견자 ; [D~] 미국 공군의 인공위성.

dis·cóv·er·ist *a.* 발견 학습 추진파(推進派)의 (cf. DISCOVERY METHOD).

dis·cóvert *a.* 〖法〗 남편이 없는 신분의(not under coverture)《미혼녀·과부·이혼녀를 말함》.

*__dis·cov·ery__ [diskʌ́vəri] *n.* **1** Ⓤ 발견 ; Ⓒ 발견물 (cf. INVENTION) : the ~ of America by Columbus 콜럼버스의 미 대륙 발견 / make a ~ 발견을 하다. **2** Ⓤ (연극 따위의 구상[줄거리]의) 전개 (unfolding). **3** 〖法〗 (사실·서류의) 개시 ; 표시 (display) ; 《古》 발각, 폭로(disclosure).
〖DISCOVER ; *recover* : *recovery*의 유추〗

Discóvery Dày *n.* =COLUMBUS DAY.

discóvery mèthod *n.* 발견 학습《학습자가 결론이 완성되는 과정에 참가함》.

dis·crédit *vt.* **1** 의심하다, 신용하지 않다 : These theories were ~*ed* by later research. 이 학설들은 그 후의 연구에 밀려 인정받지 못했다. **2** [+目/+目+*with*+名] …의 평판을 나쁘게 하다, …의 신용을 손상시키다 : Such conduct ~*ed* him ***with*** the public. 그러한 행위로 그는 세상 사람들의 신용을 잃었다. ―― *n.* **1** Ⓤ 불신용, 불신임 ; 의혹(doubt) : fall into ~ 평판이 나빠지다 / This will bring the story into ~. 이것 때문에 그 이야기는 신용을 받지 못할 것이다 / That brought ~ on his name. 그것 때문에 그의 명예가 손상되었다 / Such looseness throws ~ upon the whole work. 이러한 날림은 일 전체를 믿지 못하게 만든다. **2** 수치스러운 사람[것], 불명예 : a ~ *to* the family 한 집안의 수치.

dis·crédit·able *a.* 신용을 떨어뜨리는 ; 평판이 나빠지는, 수치스러운, 창피한.
-ably *adv.* 수치스럽게(도).

*__dis·creet__ [diskríːt] *a.* [+前+do*ing*] 깊이 생각하는, 분별이 있는 ; 신중한《특히 입이 무겁거나 비밀을 누설하지 않는 따위》; 조심성이 많은 : He is ~ ***in*** his behavior[*in* choos*ing* his friends]. 그는 태도가[친구의 선택에 있어서] 신중하다.
注 discrete와는 동음 이의어.
~·ly *adv.* 깊이 생각하여, 신중히. **~·ness** *n.*
〚OF<L ; ⇨ DISCERN〛
類義語 ⟹ CAREFUL.

dis·crép·ance *n.* 《稀》 =DISCREPANCY.

dis·crép·an·cy *n.* Ⓤ,Ⓒ (진술이나 계산의) 모순, 불일치, 차이, 어긋남.
〚L *dis*-(*crepo* to creak)=to be discordant〛

dis·crep·ant [diskrépənt] *a.* 서로 어긋나는, 모순된, 앞뒤가 안맞는(inconsistent). **~·ly** *adv.*

dis·crete [diskríːt] *a.* 분리된, 별개의, 개별적인, 따로따로의 ; 불연속의 ; 〖數〗 이산(離散)의 : a ~ quantity 〖數〗 분리[이산(離散)]량. 注 discreet와는 동음 이의어. ―― *n.* (시스템의 일부를 이루는) 독립된 장치 ; (스테레오의) 컴포넌트.
~·ly *adv.* 개별적으로 ; 불연속적으로. **~·ness** *n.* Ⓤ 분리성 ; 불연속, 비연관(非聯關).
〚L ; ⇨ DISCERN〛

*__dis·cre·tion__ [diskréʃən] *n.* **1** Ⓤ [+*to* do] 행동[판단, 선택]의 자유, (자유) 재량, 임의(任意), 적절히 처리함 : Everything is left to his own ~. 모든 것이 그 사람 자신의 재량에 맡겨져 있다 / I shall use my own ~. 내가 적절히 처리하겠소 / It is within your ~ *to* settle the matter. 그 일의 해결은 너의 재량으로 할 수 있다 / You have full ~ *to* act. 너에게는 충분히 행동의 자유가 있다. **2** Ⓤ [+前+do*ing*] 사려 분별, 신중(prudence) : act with ~ 신중하게 행동하다 / You must show proper ~ ***in*** carry*ing* out the plan. 계획을 실시하는 데는 신중을 기하지 않으면 안된다 / *D*~ is the better part of valor. 《속담》 신중은 용기의 태반이다《때때로 비겁한 행동의 핑계로 씀》.
at discretion 임의로 ; 무조건으로 : surrender *at* ~ 무조건 항복하다.
be at the discretion of …의 생각에 달려있다.
the age[***years***] ***of discretion*** 분별 연령《영국·미국의 법률에서는 14세》.
~·al *a.* =DISCRETIONARY. **~·al·ly** *adv.*
〚OF<L ; ⇨ DISCREET〛

discrétion·àry [; -əri] *a.* 임의의, 자유 재량의 : ~ orders 〖商〗 임의 주문 / ~ powers to act 임의로 행동을 취할 수 있는 권능 / ~ principle 독단주의.

discrétionary fùnd *n.* 특정한 사람이 자기의 재량으로 쓸 수 있는 기밀 자금.

dis·crim·i·na·bil·i·ty [diskrìmənəbíləti] *n.* 구별[식별]할 수 있기[하는 능력].

dis·crim·i·na·ble [diskrímənəbl] *a.* 구별[식별]할 수 있는.

dis·crim·i·nance [diskrímənəns] *n.* 판별 수단[방법].

dis·crim·i·nant [diskrímənənt] *a.* =DISCRIMINATING. ―― *n.* 판별 수단 ; 〖數〗 판별식.
dis·crim·i·nan·tal [-krìmənǽntl] *a.*

*__dis·crim·i·nate__ [diskrímənèit] *vi.* [+*between*+名+*and*+名] **1** 식별하다, 구별하다 ; 〖電子〗 판별하다 : We often fail to ~ ***between*** a mere exaggeration ***and*** a deliberate falsehood. 단순한 과장(誇張)과 계획적인 허위(虛僞)를 구별할 수 없을 때가 있다. **2** [+*against*+名] 차별을 두다, 차별 대우하다 : You should not ~ ***against*** any race or creed. 어떤 인종이나 신조(信條)에 대해서도 차별 대우해서는 안된다. **3** 잘 구별하다, 식별력이 있다.
―― *vt.* [+目+*from*+名] 식별하다, 구별하다 ; 〖電子〗 (필요한 주파수를) 판별하다 : Studying literature enables us to ~ good books ***from*** poor ones. 문학을 공부하면 양서(良書)와 무가치한 책을 구별할 수 있게 된다.
discriminate against[***in favor of***] …을 냉대[후대]하다.
―― [-nət] *a.* 식별력이 있는 ; 식별된 ; 차별적인 ; 《古》 명확한.
~·ly [-nət-] *adv.*
〚L *discrimine* to divide ; ⇨ DISCERN〛
類義語 ⟹ DISTINGUISH.

dis·crím·i·nàt·ing *a.* 구별할 수 있는 ; 식별력이 있는 ; 차별적인(differential) : a ~ palate 맛을 식별하는 혀 / a ~ tariff 차별 세율. **~·ly** *adv.*

*__dis·crim·i·na·tion__ [diskrìmənéiʃən] *n.* **1** Ⓤ 구별 ; 식별[판별](력), 안식(眼識), 혜안 ; 〖電子〗 판별 ; Ⓒ 《古》 차이점, 특징. **2** Ⓤ 차별(대우) : racial ~ 인종 차별 / without ~ 차별없이, 평등하게.

dis·crim·i·na·tive [diskrímənèitiv, -krímənətiv ; -nətiv] *a.* **1** 구별적인, 차별적인 ; 식별[판별]력이 있는. **2** 《古》 (다른 것과의) 구별을 나타내는, 특색이 있는(distinctive), 특징적인(characteristic). **~·ly** *adv.* **~·ness** *n.*

dis·crím·i·nà·tor *n.* 식별[차별]하는 사람[것] ; 〖電子〗 판별기[장치]《주파수·위상(位相) 따위를 판별함》.

dis·crim·i·na·to·ry [diskrímənətɔ̀ːri ; -təri] *a.* =DISCRIMINATIVE, (특히) 차별적인 : a ~ attitude 차별적인 태도 / a ~ price (지역적·시간적 따위의) 차별가격.

dis·crówn *vt.* …의 왕관을 빼앗다, 퇴위(退位)시키다 ; 《비유》 …의 우월성[권위 따위]을 빼앗다.

disct. discount.

dis·cur·sion [diskə́ːrʃən] *n.* 두서없는 이야기, 벗어난 이야기, 만담 ; 지리 멸렬, 산만함.

dis·cur·sive [diskə́ːrsiv] *a.* **1** 광범위한 ; 산만한, 갈피를 못잡는(digressive). **2** 〖哲〗 추론적(推論的)인(↔*intuitive*). **~·ly** *adv.* 산만하게, 만연히. **~·ness** *n.* Ⓤ 산만, 만연(漫然).
〚L (*curs*- *curro* to run)〛

dis·cur·sus [diskə́ːrsəs] *n.* 논리 정연한 토의[설명].

dis·cus [dískəs] *n.* (*pl.* **~·es, dis·ci** [dískai]) (경기용의) 원반 ; [the ~] 원반던지기.

〖L<Gk.〗

‡**dis·cuss** [diskʌ́s] *vt.* **1** [+目/+目+前+名/+*wh.*+*to* do/+*wh.* 節] 논의[심의]하다, 토론하다(debate) : I ~*ed* the problem ***with*** my friends. 친구들과 그 문제를 토론했다 / We ~*ed* the best road to take [~*ed which* road *to* take]. 어느 길을 가는 것이 제일 좋은가를 서로 의논했다 / They ~*ed how* the problem could be solved. 어떻게 그 문제를 풀 것인가 서로 의논했다. **2** 《稀》 (음식을) 즐기며 맛보다[마시다] (enjoy) : ~ a bottle of wine 포도주를 즐겨 마시다. **3** 《廢》 내쫓다(dispel).

> **discuss의 ○×**
> (×) We *discussed about* the matter.
> (우리는 그 문제에 대하여 논의했다.)
> (○) We *discussed* the matter.
> ☆ discuss는 타동사이므로 직접 목적어를 취하여 전치사는 필요 없음《mention 참조》. talk의 용법과 구별한다.
> (○) We *talked about* the matter.
> (우리는 그 문제에 대하여 의논했다.)

—— *vi.* 토의[상담]하다.
~·er *n.* 의논하는 사람, 토론자. **~·ible, ~·able** *a.* 논의[토의]할 수 있는.
〖*discuss- discutio* to disperse (*quatio* to shake)〗
類義語 ***discuss*** 어떤 문제를 여러 각도에서 따지다, 여러 가지로 다른 의견을 건설적으로 토의하여 문제를 해결하거나 금후 방침 따위를 정하다 ; 우호적인 분위기 속에서의 대화에 사용함 : *discuss* the next policy (다음 정책을 논하다). ***argue*** 자기의 생각을 주장하고 상대편의 지론을 반박하기 위해 이유나 증거를 들어 논의하다 : *argue* about the justice of the war (그 전쟁의 정당성을 주장하다). ***debate*** 공공(公共)의 문제를 찬·반으로 갈라 공개 석상에서 공식으로 토론하다 : *debate* on the problem of armament (군비 문제를 토론하다). ***dispute*** 양자 사이에 의견의 대립이 있고 열광하거나 격분하여 의논하는 것을 암시함 : *dispute* the problem of rearmament (재무장(再武裝) 문제를 따지다).

dis·cus·sant [diskʌ́snt] *n.* (토론회의) 토론자.

‡**dis·cus·sion** [diskʌ́ʃən] *n.* **1** U,C 논의, 토의, 심의 ; 〖數〗 음미 ; 〖法〗 변론, 토론 : a question *under* ~ 토의[심의]중인 문제 / be down *for* ~ 토의 사항에 올려져 있다. **2** 논문, 논고(論考) 〈*on*〉. **3** 《稀》《비유》(술 따위의) 상미(賞味).

díscus thròwer *n.* 원반던지기 선수.

díscus thròw(ing) *n.* 원반던지기(discus).

dis·dain [disdéin] *vt.* [+目/+*to* do/+do*ing*] 경멸하다(look down on) ; (…하는 것을) 수치로 여기다 : I ~*ed* the offer of the bribe. 뇌물을 준다는 것에 아는 체도 안했다 / He ~*ed to* reply to the insult. 그는 그 모욕에 대꾸하는 것조차도 수치로 여겼다 / The soldier ~*ed* shoot*ing* an unarmed enemy. 병사(兵士)는 무장하고 있지 않은 적병을 쏘는 것을 수치로 여겼다. —— *n.* U 경멸(감), 멸시(하는 태도[표정]) ; 오만.
〖OF<L (*de-*, DEIGN)〗
類義語 ⟹ DESPISE.

disdáin·ful *a.* 거만한(haughty), 경멸(輕蔑)적인(scornful) ; (…을) 경멸[무시]하는〈*of*〉.
~·ly *adv.* 거만하게, 경멸하여. **~·ness** *n.*
類義語 ⟹ PROUD.

‡**dis·ease** [dizíːz] *n.* **1** U,C (사람·동식물의) 병, 질병, 질환(illness) (↔*health*) : die of ~ 병으로 죽다 / Rats spread ~. 쥐는 질병을 퍼뜨린다 / catch[suffer from] a ~ 병에 걸리다 / a bad [foul] ~ (성병 따위의) 고약한 병 / a family ~ 유전병 / an inveterate[a confirmed] ~ 난치병 / a serious ~ 중병 / ~*s* of the mind 정신병. **2** U,C (정신·사회 상태 따위의) 불건전(한 상태), 병폐, 폐해. **3** U (술의) 변질 : ~*s* of wines 포도주의 변질. —— *vt.* 병들게 하다.
〖OF (*dis-*[1])〗
類義語 ***disease*** 일반적으로 「병」《병의 상태 또는 특정한 병》. ***illness*** 병의 상태를 말하는 일반적인 말. ***sickness*** 《美》=illness《영국에서는 문어에서나 또는 특정한 병·메슥거리는 기분에 씀》. ***affection*** 특수기관[부분]의 탈. ***malady*** 특히 난치병으로 종종 생명에 관계 있는 만성병《문어적인 말》. ***ailment*** 몸의 만성적인 탈《보통 그리 심하지 않은 것 ; 문어적인 말》.

dis·éased *a.* **1** 병에 걸린 : the ~ part 환부(患部). **2** 병적인(morbid).

diséase detèctive *n.* 〖醫〗 질병 조사원, 역학자(疫學者) (epidemiologist).

diséase gèrm *n.* 병원균.

dis·ecónomics *n.* 마이너스가 되는 경제 정책, 불경제 성장, 부(負)의 경제학.

dìs·ecónomy *n.* U 불경제 ; 비용 증대(의 요인).

dis·édge *vt.* …의 모서리를 없애다, 무디게 하다.

díse-dràg [dáis-] *n.* 《美俗》 화차(貨車).

dis-eléction *n.* 낙선.

dis·em·bar·go [dìsembáːrgou] *vt.* (선박의) 억류를 해제하다 ; 출항[입항] 금지를 해제하다 ; 통상을 재개하다.

dis·em·bark [dìsembáːrk] *vt.*, *vi.* 양륙(揚陸)하다, (짐을) 내리다, 상륙시키다[하다] (land) 〈*from*〉. **dis·embarkátion, ~·ment** *n.* 양륙, 상륙.

disembarkátion càrd *n.* (여행자 등의) 입국(入國) 카드.

dìs·embárrass *vt.* [+目/+目+*of*+名] 곤경에서 해방시키다(free), (근심·무거운 짐 따위를 남)에게서 없애다(rid), 안심시키다(relieve) : ~ oneself ***of*** a burden 무거운 짐을 내리다, 부담에서 벗어나다, 안심하다.
~·ment *n.* U 해방, 이탈.

dìs·em·bód·ied *a.* 육체가 없는, 육체에서 분리된 ; 실체가 없는, 현실에서 유리된 : a ~ spirit (육체에서 빠져 나온) 영혼.

dìs·embódy *vt.* (영혼 따위를) 육체에서 분리시키다 ; (개념·이론 따위)에서 현실성[구체성]을 없애다. **-embódiment** *n.* U (영혼의) 육체에서의 이탈.

dis·em·bogue [dìsəmbóug] *vt.* 흘러 들어가다, 유출하다. —— *vi.* (강물이 바다·호수 따위로) 흘러 들어가다. **~·ment** *n.*

dìs·embósom *vt.* (비밀 따위를) 털어놓다 : ~ one*self of* a secret 비밀을 털어놓다.

dìs·embówel *vt.* …의 창자를 빼내다 ; [~ one*self* 로] 할복(割腹)하다. **~·ment** *n.* U 창자를 꺼냄 ; 할복 : commit ~*ment* 할복하다.
〖*dis-* utterly〗

dìs·embróil *vt.* …의 얽힌 것을 풀다, …의 혼란을 진정시키다.

dìs·empláne *vi.* 비행기에서 내리다.

dìs·emplóyed *a.* (기술 따위가 없어서) 직업이 없는, 실업(失業)중인.

dìs·enáble *vt.* 무능력하게 하다(disable) ; …에서 자격을 박탈하다(disqualify).

dis·en·chant [dìsentʃǽ(:)nt ; -intʃɑ́:nt] *vt.* …의 마법을 풀다, 환상에서 깨어나게 하다 ; 미몽(迷夢)에서 깨어나게 하다(disillusion). **~·ment** *n.* Ⓤ 미몽에서의 각성, 눈뜸. 〚F (*dis-*[1])〛

dis·en·cum·ber [dìsənkʌ́mbər] *vt.* [+目 / +目+*of*+名] (고생거리·방해물에서 남을) 해방시키다, 골칫거리를 없애다 : He had been ~*ed* ***of*** his armor. 그는 갑옷을 벗어버렸다.

dìs·endów *vt.* (특히 교회의) 기금(基金)을 몰수하다. **~·ment** *n.* 기금 몰수. **~·er** *n.*

dìs·enfránchise *vt.* =DISFRANCHISE. **~·ment** *n.*

dis·en·gage [dìsəngéidʒ] *vt.* [+目 / +目+*from*+名] **1** (의무·속박에서) 해방하다, 자유롭게 하다(cf. DISENGAGED). **2** 풀다, 떼다, 끄르다(detach) : The mother ~*d* her hand ***from*** that of the sleeping child. 어머니는 잠든 아이의 손에서 자기의 손을 뗐다. **3** 〖化〗 유리(遊離)시키다. **4** 〖軍〗 (부대를) 철수하다. ── *vi.* 떨어지다, 절연되다〈*from*〉; 〖軍〗 철수하다, 이탈하다 ; 〖펜싱〗 검끝을 상대의 검 반대쪽으로 돌리다. ── *n.* 〖펜싱〗 disengage하는 동작.

dìs·engáged *a.* **1** 약속[예약]이 없는, 용무가 없는, 한가한, 혼약을 해소한 ; (장소가) 비어 있는. **2** 풀린, 이탈된 ; 떨어져 있는.

dìs·engáge·ment *n.* Ⓤ 해방 ; 해약, (특히) 파혼(破婚) ; 이탈, 철수〈*from*〉; 유리 ; 해방 상태, 자유 ; 한가함 ; (공약 따위의) 철회 ; 〖펜싱〗 = DISENGAGE.

dìs·en·gág·ing àction *n.* 〖軍〗 교전(交戰) 회피, 자발적 철퇴《때로는 「퇴각」에 대한 완곡어로도 쓰임》.

dìs·entáil *vt.* 〖法〗 (재산을) 한사(限嗣) 상속에서 해제하다(free from entail). ── *n.* 한사 봉토권 폐제.

dìs·entángle *vt.* …의 얽힌 것을 풀다 ; (얽힌 것을) 풀어놓다〈*from*〉; (분규를) 해결하다. ── *vi.* 풀리다, 해결되다. **~·ment** *n.* Ⓤ 풀어놓기 ; 분규의 해결 ; 이탈〈*from*〉.

dìs·enthrál(l) *vt.* (노예 등을) 해방시키다(set free). **~·ment** *n.* 해방.

dìs·en·thróne *vt.* =DETHRONE. **~·ment** *n.*

dìs·entítle *vt.* …에게서 권리[자격]를 박탈하다.

dìs·en·tómb *vt.* 무덤에서 꺼내다 ; 발굴하다(disinter). **~·ment** *n.*

dìs·entránce *vt.* 황홀감에서 깨어나게 하다. **~·ment** *n.*

dìs·en·twíne *vt., vi.* …의 얽힌 것을 풀다 ; 풀어지다, 풀리다.

dìs·equílibrate *vt.* …의 균형[평형]을 무너뜨리다, 불안정하게 하다. **dìs·equilibrátion** *n.*

dis·equilíbrium *n.* (경제의) 불균형, 불안정.

dìs·estáblish *vt.* …의 제도를 폐지하다 ; …의 관직을 해제하다 ; (교회의) 국교제(國敎制)를 폐지하다. **~·ment** *n.* Ⓤ 제도 폐지 ; 국교 폐지.

dìs·establishmentárian *n.* [흔히 D~] 국교 제도 폐지론자. ── *a.* 국교 제도 폐지론의.

dìs·estéem *vt.* 얕보다, 멸시하다(slight). ── *n.* Ⓤ 경멸, 냉대. **dis·estimátion** *n.*

di·seur [*F* dizœ:r] *n.* (*pl.* **~s** [─]) (연예의) 만담가. **di·seuse** [*F* dizø:z] *n. fem.* (*pl.* **~s** [─]).

dis·fa·vor [disféivər] *n.* **1** Ⓤ 푸대접, 냉대 ; 불찬성(disapproval) ; 싫어함. **2** Ⓤ 인기가 없음, 눈밖에 남 : be[live] in ~ 눈 밖에 나 있다, 환영을 받지 못하다 / fall[come] into ~ 인기를 잃다, 미움을 사다. **3** 불이익. ── *vt.* 꺼리다, 냉대하다, 싫어하다.

dis·féature *vt.* =DISFIGURE.

dis·fig·ure [disfígjər ; -gər] *vt.* …의 미관[매력]을 떨어뜨리다, …의 가치를 손상시키다 : Large billboards have ~*d* the countryside. 큰 게시판 때문에 시골의 미관(美觀)이 손상되고 있다. **~·ment, dis·figurátion** *n.* Ⓤ,Ⓒ 미관 손상(하는 것) ; 보기 싫게 만들기 ; 결함, 상처〈*to*〉. 〚OF〛

dis·flúency *n.* 눌변(訥辯) ; 말더듬이.

dis·fórest *vt.* =DEFOREST.

dis·fránchise *vt.* (개인)에게서 공민권[선거권, 공무원 취임권]을 빼앗다 ; (지구(地區))에서 (국회) 의원 선거권을 박탈하다 ; (법인 따위) 에서 특권을 박탈하다 : A ~*d* person cannot vote or hold office. 공민권이 박탈된 사람은 선거도 할 수 없고 공직에 취임할 수도 없다. **~·ment** *n.* Ⓤ 공민[선거]권 박탈.

dis·fróck *vt.* =UNFROCK.

disfunction ☞ DYSFUNCTION.

dis·fur·nish [disfə́:rniʃ] *vt.* (소유물을 사람)에게서 빼앗다, (설비를 건물)로부터 떼어내다. **~·ment** *n.* 〚OF〛

dis·gorge [disgɔ́:rdʒ] *vt.* 토해내다 ; (강이 물을) 방출하다 ; 《비유》(훔친 물건 따위를) 게워내다 ; 〖낚시〗(낚시를) 물고기 입에서 빼내다. 〚OF (*dis-*[1])〛

***dis·grace** [disgréis] *n.* **1** Ⓤ 불명예, 수치(dishonor), 치욕(shame) ; 눈 밖에 남, 인기가 없음(disfavor) : bring ~ on one's family 가문(家門)을 더럽히다. **2** 망신거리 : These dirty floors and passages are a ~ *to* the school. 이렇게 마루와 복도가 더러운 것은 학교의 망신이다.

fall into disgrace 총애를 잃다〈*with*〉.

in disgrace 면목을 잃어, 미움받아 : The child cried so much that he was sent to bed *in* ~. 그 아이는 너무 울어서 결국 미움을 받아 침실로 쫓겨났다.

── *vt.* **1** 망신시키다, (이름을) 더럽히다(dishonor) : ~ one*self* 창피를 당하다 / You should not ~ your family name. 가문(家門)을 욕되게 해서는 안된다 / a ~*d* man 면목을 잃은 사람. **2** 총애를 잃게 하다 ; (지위에서) 물러나게 하다, (벌로서) 면직시키다. 〚F<It.〛

類義語 ***disgrace*** 타인의 존경이나 호의를 잃는 일 ; 자기 자신의 행위 또는 타인에 의한 굴욕. ***dishonor*** 자기 자신의 행위에 의해서 명예·자존심을 잃는 일. ***shame*** disgrace보다 뜻이 강하고 남의 존경을 잃고 굴욕을 느끼는 것을 강조. ***infamy*** 큰 shame에 의해 세상에 악명이 높아진 것. ***ignominy*** disgrace를 생기게 한 원인이 매우 경멸적임을 나타냄.

disgráce·ful *a.* 창피한, 불명예스러운, 수치스러운. **~·ly** *adv.* 수치스럽게도, 불명예스럽게도. **~·ness** *n.* Ⓤ 불명예, 수치.

dis·gre·gate [dísgrəgèit] *vt., vi.* 떼다, 떨어지다(separate) ; 분리하다 ; 분해시키다[하다](disintegrate) ; 분산시키다[하다](scatter). **dis·gre·gá·tion** *n.*

dis·grúnt *vt.* 내뱉듯이 말하다.

dis·grun·tle [disgrʌ́ntl] *vt.* 기분을 상하게 하다, …에게 불만을 품게 하다. **~·ment** *n.*

dis·grún·tled *a.* 불만을 품은 ; 시무룩한, 기분이 언짢은(moody).

dis·guise** [disgáiz] *vt.* **1** [+目 / +目+*as* 補 / +目+前+名] 변장하다, 위장하다 : ~ one's voice 꾸민 목소리를 내다 / He ~*d* himself *as* a beggar. 거지로 변장(變裝)했다 / a door ~*d* *as* a bookcase 책장처럼 꾸며진 문 / He was ~*d* ***with a false beard. 가짜 수염으로 변장하고 있었다 / He was ~*d* ***in*** female attire. 그는 여장(女裝)을 하고 있었다. **2** [+目 / +目+前+名] 속이다, (사실을) 숨기다, (의도·감정을) 감추다 (hide) : ~ one's sorrow[feelings] 슬픔[감정]을 감추다 / ~ a fact ***from*** a person 사실을 남에게 숨기다. —— *n.* **1** U,C 변장, 가장(假裝). **2** U (사람 눈을 속이는) 거짓, 속임수 : make no ~ of one's feelings 감정을 노출시키다. **3** U 핑계 ; C 구실.

in disguise 변장하고[한] : a fraud *in* ~ 허울 좋은 사기 행위 / a blessing *in* ~ ☞ BLESSING.

in[***under***] ***the disguise of*** …라고 속여서, …을 핑계삼아.

throw off one'***s disguise*** 가면을 벗어 버리다, 정체를 드러내다.

without disguise 조금도 숨김없이.

〚OF (*dis*-[1])〛

dis·gust** [disgʌ́st] *n.* U (메스꺼울 정도로) 싫은 느낌, 넌더리나기, 혐오감〈*at, for, toward, against*〉: *To* my ~, I had covered only half of the way. 진절머리나게도[지루하게도] 겨우 갈 길의 절반밖에 가지 못하고 있었다 / *in* ~ 싫어져서, 넌더리가 나서. —— *vt.* [+目 / +目+前+名] (남에게) 메스껍게 하다 ; …에게 넌더리나게 하다, 정(나미) 떨어지게 하다 : Everybody was ~*ed* by his behavior. 모든 사람이 그의 행동에 진절머리를 냈다 / I am ~*ed* ***with life. 인생이 아주 싫어졌다 / He was ~*ed* ***at*** your cowardice. 그는 네가 겁이 많은 것에 넌더리를 냈다.

~·ed *a.* 정떨어진 ; 넌더리가 나는. **~·ed·ly** *adv.* 정떨어져서 ; 진절머리가 나서, 넌더리가 나서.

〚OF or It. (*dis*-[1], GUSTO)〛

類義語 ⟹ AVERSION.

disgúst·ful *a.* 메스꺼운, 진절머리 나는, 기분이 나쁜 ; 넌더리날 정도의, 참으로 싫은. **~·ly** *adv.*

‡**disgúst·ing** *a.* =DISGUSTFUL. **~·ly** *adv.* 구역질 나도록 ; 정나미가 떨어져서.

◇**dish** [diʃ] *n.* **1** 큰 접시 ; 사발 ; (움푹한) 접시《금속제 또는 도자기로 된 큰 접시로 요리를 담는 것 ; 따로 따로 덜어먹는 접시는 plate라고 함》; [the ~es] 식탁용 접시류《보통 은기(銀器)·유리 그릇은 포함하지 않음》: clear away *the* ~*es* (식탁의) 접시류를 치우다. **2** 한 접시(의 요리) ; (접시에 담은) 음식, 식품, 요리 : a nice ~ 맛있는 요리 / the main ~ 주된 요리(the main course) / a made ~ ☞ MADE / a standing ~ ☞ STANDING. **3** 주발 모양의 물건 ; (차바퀴 따위 중심의) 팸(정도) ; 〖電子〗 포물면 반사기(反射器). **4** 《古》 찻잔, 컵(cup) : a ~ *of* tea 차 한 잔. **5** 《口》 매력있는[귀여운] 여자 ; [one's ~] 《口》 자신이 좋아하는[장기로 하는] 것. **6** 《野俗》 홈베이스.

—— *vt.* **1** [+目 / +目+副] 사발[접시]에 담다[담아 내놓다] : ~ (***up***) the dinner 만찬을 대접하다. **2** 사발 모양으로 움푹 들어가게 하다. **3** 《口》 (상대편을) 지게 하다, 꼭뒤지르다 ; 골탕 먹이다 ; 〖政〗 상대편의 정책을 선수를 써서 꺾다. **4** 《美俗》 이야기하다, 폭로하다. —— *vi.* **1** 움푹 패다. **2** 《美俗》 잡담하다.

dish it out 《口》 벌주다, 해치우다, 패배시키다 ; 꾸짖다.

dish out (음식을 사발에서 퍼서) 나누다, 나누어주다 ; 덜어내다 ; 《口》 분배하다, 공급하다.

dish up (1) ☞ *vt.* 1. (2) 《비유》 (사실을 어떤 형식으로) 꾸며내다, (이야기 따위를) 꺼내다, 그럴듯하게 꾸며대다 : ~ *up* an old story (*in* a new form) 옛날 이야기를 (새로 꾸며서) 재미있게 얘기하다.

〚OE *disc* plate, bowl＜L DISCUS〛

dìs·habílitate *vt.* =DISQUALIFY.

dis·ha·bille [dìsəbíːl, -sæ-, -bíl] *n.* **1** U 약장(略裝), 약복(略服) ; 평상복 ; 실내복 : *in* ~ 평상복으로. **2** (심신의) 혼란.

dìs·habítuate *vt.* (…의) 습관을 버리게 하다.

dis·hállow *vt.* …의 신성(神聖)을 더럽히다, 모독하다(profane).

dìs·hallucinátion *n.* 착각[환각] 파괴 ; 환멸.

dísh anténna *n.* 〖通信〗 접시형(形) 안테나《공중(空中) 경계 관제기의 레이더 수신용 ; DBS 전파 수신용》.

dis·harmónic *a.* 〖生〗 부조화된 ; =DISHARMONIOUS.

dìs·harmónious *a.* 조화되지 않은, 불협화의.

dis·hármonize *vt.* …의 조화를 깨뜨리다[어지럽히다] ; 부조화하게 하다.

—— *vi.* 부조화하다.

dis·hármony *n.* U 부조화[불일치], 조화되지 않는 것[상황] ; 안어울림(음), 가락이 맞지 않음.

dísh·clòth *n.* (접시 닦는) 행주 ; 《英》 =DISH TOWEL.

díshcloth góurd *n.* 〖植〗 수세미.

dísh còver *n.* 접시 덮개.

dis·héart·en *vt.* [+目 / +目+前+名] 낙담시키다 : Don't be[get] ~*ed* ***at*** the sight[news]. 그것을 보고[그 소식을 듣고] 낙담해서는 안된다.

~·ment *n.* 낙담, 실망. **~·ing** *a.* 낙담시키는, 기를 꺾는. **~·ing·ly** *adv.* 실망하여, 낙담해서.

dished [díʃt] *a.* (접시처럼) 오목한 ; 《俗》 지친, 기진맥진한 ; 낡아빠진.

di·shev·el [diʃévəl] *vt.* (**-l-** | **-ll-**) (머리 따위를) 헝클어 놓다, (옷을) 단정치 못하게 입다 ; 난잡하게 하다, 흩뜨리다 ; (남)의 옷차림[머리]을 흩뜨리다. **~·ment** *n.* U 머리가 흐트러짐, 난발(亂髮) ; 옷차림이 단정치 못하기.

〚OF (*dis*-[1], *chevel* hair＜L *capillus*)〛

di·shev·eled | **-elled** [diʃévəld] *a.* (머리가) 헝클어진[텁수룩한], 빗질을 하지 않은 ; 봉두 난발의 ; (옷차림이) 단정치 못한.

dísh·fùl *n.* 접시[사발] 하나 가득한 양.

dísh gràvy *n.* 요리한 고깃국물.

***dis·hon·est** [disɑ́nəst] *a.* 부정직한, 성의가 없는, 부정(不正)한 ; (일 따위) 되는 대로 하는 ; (사상이) 진실성이 결여된[되어 있는].

~·ly *adv.* 부정직하게, 불성실하게. 〚OF〛

類義語 ***dishonest*** 거짓말을 하거나 속이거나 도둑질을 하는. ***deceitful*** 겉꾸밈·사기 따위의 수단으로 참되지 않은 것을 참된 것처럼 여기게 하려는. ***lying*** 습관적[일시적]으로 거짓말을 하는. ***untruthful*** (특히 진술·보고 따위가) 거짓된(↔*honest, just, open*).

dis·hónesty *n.* U 부정직, 불성실 ; C 부정 행위, 사기 ; 거짓말.

***dis·hon·or** | **-honour** [disɑ́nər] *n.* **1** U 불명예, 수치 ; C 치욕이 되는 것, 망신거리〈*to*〉; U 굴욕, 치욕(shame), 모욕(insult), 능욕 : live in ~ 수치스러운[굴욕적인] 생활을 하다. **2** 〖商〗 (어음의) 인수[지급] 거절, 부도. —— *vt.* **1** …의 명예를 더럽히다, …에게 치욕을 주다(disgrace) ; (여자를) 욕보이다. **2** (약속 따위를) 어기다 ; 〖商〗 부도를 내다(↔*accept*) : a ~*ed* check 부도 수표. **~·er** *n.* 〚F (*dis*-[1])〛

類義語 ⟹ DISGRACE.

dis·hon·or·able [disɑ́nərəbəl] *a.* 명예스럽지 못한, 창피한, 망신스러운(shameful) ; 도의에 어긋나는, 도리가 아닌 ; 비열한(base). **~·ness** *n.* **-ably** *adv.* 불명예스럽게, 비열하게. 〖OF〗

dishónorable díscharge 〔美軍〕 *n.* 불명예 제대《bad conduct discharge보다 무거운 벌》; 불명예 제대 증명서.

dis·hórn *vt.* (짐승의) 뿔을 자르다.

dis·hóuse [-háuz] *vt.* (사람을) 집에서 쫓아내다 ; (토지에서) 집을 철거시키다.

dísh·pàn *n.* 접시 씻는 용기, 설거지통.

dísh·ràg *n.* =DISHCLOTH.

dísh-sháped *a.* 접시 모양의.

dísh tòwel *n.* 《美》 (접시닦는 데 쓰는) 행주(=《英》 dishcloth).

dísh·wàre *n.* Ⓤ 움푹 들어간 접시류.

dísh·wàsh *n.* =NONSENSE ; 《古》 =DISHWATER.

dísh·wàsh·er *n.* 접시 씻는 사람[기계].

dísh·wàter *n.* Ⓤ (식기를 씻는) 개숫물 ; 《口》 멀건 차[커피], 싱거운 음료 ; 《口》 내용없는 이야기 : (as) weak as ~ (차(茶)가) 싱거운 / (as) dull as ~ 몹시 지루한.

díshy *a.* 《俗》 매력적인 ; 성적 매력이 있는. 〖DISH=attractive person〗

dìs·illúsion *n.* Ⓤ,Ⓒ 미몽을 깨우치기, 각성 ; 환멸. —— *vt.* …의 미몽[환상]을 깨우치다, 각성시키다, 제정신 나게 하다 ; …에 환멸을 느끼게 하다 : You are apt to become ~*ed* as you grow old. 누구나 나이를 먹으면 환멸을 느끼기 쉽다. **~·ment** *n.* Ⓤ 환멸(감).

dìs·illúsion·àry [; -əri], **dìs·illúsive** *a.* 환멸적인.

dìs·illúsion·ìze *vt.* =DISILLUSION.

dìs·impáction *n.* 〔醫〕 매복(埋伏) 골편 제거.

dìs·impássioned *a.* 냉정한, 침착한.

dìs·imprísón *vt.* 석방하다, 출옥시키다. **~·ment** *n.* Ⓤ 석방, 출옥.

dìs·incéntive *a., n.* 행동을 억제하는 (것), 의욕을 꺾는 (것), (특히) 경제 성장[생산성 향상]을 저해하는 (것).

dis·inclinátion *n.* [a[some] ~ 또는 one's ~] [+*to* do] 싫증, 별로 마음이 내키지 않음 : He has *a* ~ ***for*** work. 그는 일하기를 싫어한다 / She was worried by her husband's ~ *to* meet people. 그녀는 남편이 사람을 만나기 싫어하는 것이 걱정이었다.

dìs·inclíne *vt.* [+目+*to* do / +目+前+名] [보통 수동태로] …에게 싫증나게 하다, 마음 내키지 않게 하다 : He *was* ~*d to* go. 그는 가고 싶지 않았다 / The hot weather ~*s* me ***for*** meat [work]. 이 더위때문에 고기도 먹고 싶지 않다[일도 하기 싫다]. —— *vi.* 싫증나다

dìs·inclíned *a.* 그다지 …하고 싶지 않은, 마음이 내키지 않는(reluctant)〈*for, to, to* do〉: be ~ *to* work 일할 마음이 내키지 않다.

類義語 ⟹ RELUCTANT.

dìs·incórporate *vt.* …의 법인 자격을 해제하다, 법인 조직을 해산하다 ; …에서 합동[공동]성을 박탈하다.

dìs·inféct *vt.* (살균) 소독하다 ; …에서 마음에 들지 않는 요소를 없애다〈*of*〉. **dìs·inféctor** *n.* 소독기구 ; 소독제 ; 소독하는 사람. 〖F (*dis*-[1])〗

dìs·inféctant *a.* 살균성의, 소독의 효력이 있는. —— *n.* 살균[소독]제.

dìs·inféction *n.* Ⓤ 소독(법), 살균 (작용).

dìs·infést *vt.* (집 따위)에서 해충[쥐 따위]을 없애다. **dis·infestátion** *n.* 살충, 구서(驅鼠).

dìs·infláte *vt.* (물가의) 인플레이션을 완화[억제]하다.

dìs·inflátion *n.* Ⓤ 〔經〕 디스인플레이션《인플레이션의 완화[억제]》. **dìs·inflátion·àry** [; -əri] *a.* 인플레이션 완화에 도움이 되는 ; 디스인플레이션의.

dìs·infórm *vt.* …에게 허위[역] 정보를 흘리다.

dìs·informátion *n.* Ⓤ 허위 정보《특히 적의 첩보망을 속이기 위한》, 역(逆)정보.

dìs·ingénuous *a.* 엉큼한, 음흉한 ; 솔직하지 못한, 부정직[불성실]한(dishonest). **~·ly** *adv.* **~·ness** *n.*

dìs·inhérit *vt.* 〔法〕 …의 상속권을 박탈하다, 폐적(廢嫡)하다, (자식과의) 인연을 끊다 ; …의 자연권[인권]을 무시하다. **dìs·inhéritance** *n.* Ⓤ 폐적(廢嫡). 〖*inherit* (obs.) to make heir〗

dìs·inhibítion *n.* 〔心〕 탈(脫)억제, 탈(脫)제지.

dis·in·sect·iza·tion [dìsinsèktəzéiʃən ; -tai-], **dis·in·sec·tion** [dìsinsékʃən] *n.* (비행기 따위에서 실시하는) 곤충[해충] 구제(驅除), 구충. 〖*dis*-[1]+*insect*+-*ization*〗

dis·íntegrant *n.* 정제(錠劑) 분해 물질, 붕괴제.

dis·íntegrate *vt.* 붕괴[분해]시키다, 허물다 : Rocks are ~*d* by frost and rain. 암석은 서리나 비로 인해서 풍화(風化)된다. —— *vi.* [動 / +*into*+名] 붕괴[분해]되다 : The house is gradually *disintegrating* with age. 그 집은 오랜 세월에 걸쳐 차츰 허물어져가고 있다. **dis·íntegrable** *a.* 붕괴[분해]할 수 있는. **dis·íntegrative** *a.*

dis·integrátion *n.* Ⓤ 분해, 붕괴, 분열 ; 분산 ; 〔理〕 (방사성 원소의) 붕괴 ; 〔地質〕 풍화 작용 ; 〔生態〕 붕괴 통합 ; 〔社〕 불통합(不統合).

dis·íntegrator *n.* 분해[붕괴]작용을 일으키는 것, 붕괴제, (원료 따위의) 분쇄기.

dìs·intér *vt.* (시체 따위를) 파내다, 발굴하다 ; 햇빛을 보게 하다, 파헤치다. **~·ment** *n.* Ⓤ 발굴(물). 〖F〗

dis·ínterest *n.* 이해 관계가 없음, 사리 사욕이 없음, 공평무사 ; 무관심(indifference) ; 불이익. —— *vt.* …에게 이해 관계[사심(私心), 관심]를 없애다(cf. DISINTERESTED).

dis·ínterest·ed *a.* **1** 사심(私心)[사욕, 편견]이 없는, 공평한(unselfish), 이해 관계가 없는(cf. UNINTERESTED) : a ~ decision 공평한 결정 / A judge should be ~. 재판관은 공평 무사하지 않으면 안된다. **2** 《口》 흥미가 없는, 무관심한, 냉담한(uninterested). **~·ly** *adv.* 사심없이, 공평하게. **~·ness** *n.*

주 비표준적 용법으로, uninterested가 일반적.

類義語 ⟹ INDIFFERENT.

dis·ìnter·mediátion *n.* 《美》 (증권 시장에 직접 투자하기 위한) 은행 예금에서의 고액 인출. **-ìnter·médiate** *vt.*

dìs·intóxicate *vt.* 술을 깨게 하다 ; (마약·알코올 중독자의) 중독 증상을 고치다, 의존 상태에서 벗어나게 하다. **-intoxicátion** *n.*

dìs·invést·ment *n.* 〔經〕 (해외) 투자회수. **dìs·invést** *vt., vi.*

dis·ject [disdʒékt] *vt.* (사지 따위를) 잡아찢다 ; 흐트러뜨리다, 산란시키다.

dis·jec·ta mem·bra [disdʒéktə mémbrə] *n. pl.* (문학 작품의) 단편(fragments) ; 단편적인 인용. 〖L ; Horace의 *disjecti membra poetae* limbs of a dismembered poet의 변형〗

dis·join [disdʒɔ́in] *vt., vi.* 분리시키다[되다]. **~·able** *a.*

dis·joint [disdʒɔ́int] *vt.* **1** …의 관절을 삐게 하다, 탈구(脫臼)시키다 ; 낱낱이 뜯어 헤치다, 해체하다 : ~ a chicken 닭뼈를 발라내다. **2** 지리 멸렬하게 하다, 뒤죽박죽이 되게 하다. —— *vi.* 관절이 삐다 ; 낱낱이 해체되다. —— *a.* 〔數〕 공통의 요소[원소]를 갖지 않은, 서로 소의 《집합》; 《廢》 해체된.

disjóint·ed *a.* 관절을 삔 ; 해체된 ; (사상·문체 따위) 지리 멸렬한 : His speech was stumbling and ~. 그의 말은 더듬거렸으며 횡설수설 종잡을 수가 없었다. **~·ly** *adv.* **~·ness** *n.*

dis·junct [disdʒʌ́ŋkt] *a.* 분리된(disconnected) ; 〔樂〕 도약의 ; 〔昆〕 (머리·가슴·배의 세 부분이) 분리된, 분획(分劃)된. —— [ˊ-, -ˊ] *n.* 〔論〕 선언지(選言肢) ; 〔文法〕 이접사(離接詞).

dis·junc·tion [disdʒʌ́ŋkʃən], **-ture** [-tʃər] *n.* U,C 분리, 분단, 분열, 괴리 ; 염색체 분리 ; 〔論〕 선언(選言)[이접(離接)] (명제) : a ~ between thought and action 사상과 행동과의 괴리.

dis·junc·tive [disdʒʌ́ŋktiv] *a.* 분리성의 ; 〔文法〕 이접적(離接的)인 ; 〔論〕 선언(選言)적인, 이접적인 : a ~ concept 선언 개념. —— *n.* 〔文法〕 이접 접속사《but, or, yet 따위》; 〔論〕 선언명제. **~·ly** *adv.* 분리적으로.

***disk, disc** [dísk] *n.* **1** 편편한 원반 (모양의 것) ; 평원형의 표면 ; (아이스하키의) 퍽(puck) ; 《古》 (경기용) 원반 : the sun's ~ 태양면. **2** [흔히 disc] 디스크, 레코드 ; (사식기의) 원형 격자, 디스크 ; 〔컴퓨〕 디스크(=magnetic ~)《자성 재료로 덮여 있는 원판으로 된 기억 장치》. **3** 〔植〕 원반상 조직, 화반(花盤) ; 〔解·動〕 원판, 반(盤), (특히) 추간판 : ~ herniation 추간판 헤르니아. **4** (터빈의) 날개 바퀴 ; (주차한 차의) 주차 시간 표시판(=parking ~) ; =DISK BRAKE. —— *vt.* 평원형[상(狀)]으로 만들다 ; 원판(圓板) 쟁기로 갈다 ; [흔히 disc] 레코드에 취입하다, 녹음하다. **~·like** *a.* 〖F or L DISCUS〗

disk- ☞ DISC-.

dísk bràke *n.* (자동차 따위의) 원판 브레이크.

disk·ette [dísket, -ˊ] *n.* 〔컴퓨〕 디스켓(floppy disk).

dísk flòwer[flòret] *n.* 〔植〕 중심화(中心花).

dísk hàrrow *n.* =DISC HARROW.

dísk jòckey *n.* =DISC JOCKEY.

dísk magazìne *n.* 디스크 매거진《종래의 종이 대신에 플로피 디스크를 매체로 한 잡지》.

dísk operáting sỳstem *n.* 〔컴퓨〕 디스크[저장판] 운영 체계(運營體系)《略 DOS》.

dísk pàck *n.* 〔컴퓨〕 디스크 팩《뗐다 붙였다 할 수 있는 한 벌의 자기 디스크》.

dísk pàrking *n.* 디스크 주차제.

dísk whèel *n.* (자동차의) 원판 차륜 ; (터빈의) 날개바퀴.

dis·líkable, -líke·able *a.* 혐오를 일으키는 듯한, 싫은 느낌이 드는.

dis·líke** *vt.* [+目 / +do*ing* / +目+*to* do] 싫어하다, 좋아하지 않다 : Take care not to get yourself ~*d*. 남에게 미움을 사지 않도록 주의해라 / I ~ living in a large city. 대도시에 사는 것을 싫어 한다 / Mother ~*s* my read*ing* this book. 어머니는 내가 이 책을 읽는 것을 싫어하신다 / I ~ you *to* disturb her. 네가 그녀를 방해하는 것은 싫다. —— *n.* [+前+do*ing*] 싫음, 혐오, 반감 : I have a ~ ***of [***for***] alcoholic drinks. 술 종류는 싫어한다 / He has taken a strong ~ ***to*** me. 그는 나를 몹시 싫어하고 있다 / Her ~ *to* liv*ing* in the Far East became stronger from day to day. 극동(極東)에 살고 싶지 않다는 그녀의 마음은 날이 갈수록 강해졌다 / one's likes and ~*s* [díslaiks] 좋아하는 것과 싫어하는 것. 〖LIKE²〗

類義語 ⟹ HATE.

dis·lík·ing *n.* 싫음 : take a ~ *to* …을 싫어하다.

dis·lo·cate [dísloukèit, -lə-, dislóukeit] *vt.* **1** 탈구(脫臼)시키다 : ~ one's jaws 턱이 빠지다 / The football player fell and ~*d* his shoulder. 그 축구선수는 넘어져서 어깨뼈를 삐었다. **2** …의 위치를 바꾸다 ; 혼란시키다 : Traffic was ~*d* by the snowstorm. 눈보라 때문에 교통이 혼잡했다. **3** 〔地〕 …에 단층(斷層)을 생기게 하다, 전위(轉位)시키다. 〖? 역성(逆成) < ↓〗

dis·lo·ca·tion [dìsloukéiʃən, -lə-] *n.* U,C (관절 뼈의) 탈구(脫臼), 전위(轉位) ; 전치(轉置), 전위 ; 질서의 붕괴, 혼란 ; 〔地〕 (암석의) 전위 ; 단층 ; 〔晶〕 전위 : suffer a ~ 탈구하다. 〖OF or L (*dis*-¹)〗

dis·lodge [dislɑ́dʒ] *vt.* [+目 / +目+*from*+名] (고정 위치에서) 무리하게 이동시키다, 제거하다(remove) ; 몰아[쫓아]내다, 격퇴하다(drive) : He used a crowbar to ~ a heavy stone ***from*** the wall. 쇠지렛대를 써서 무거운 돌을 담에서 옮겼다 / Heavy gunfire ~*d* the enemy *from* the fort. 맹렬한 포화로 인해 적은 성채를 버리고 퇴각했다. —— *vi.* 숙소에서 나오다, 이동하다. 〖OF (*dis*-¹)〗

dis·lódg(e)·ment *n.* 쫓아냄, 몰아냄.

dis·loy·al [dislɔ́iəl] *a.* 불충실한, 부실한 ; 불신의 〈*to*〉. **~·ist** *n.* 불충자, 배신자〈*to*〉. **~·ly** *adv.* 불충실하게. 〖OF (*dis*-¹)〗

dis·loy·al·ty [dislɔ́iəlti] *n.* U 불충(실), 배신 행위 ; 불신, 불신 행위.

***dis·mal** [dízməl] *a.* **1** 음침한, 음산한 ; 우울한, 어두운 : ~ weather 음침한 날씨 / a ~ song 슬픈 노래. **2** 무시무시한, 기분나쁜, 무서운. **3** 《古》 비참한 ; 《廢》 불길한 —— *n.* [the ~s] 우울, 침울 ; 음침한 것 ; 《美南部》 (연안 지방의) 소택지 ; [*pl.*] 《廢》 상복. **~·ly** *adv.* 음침하게, 우울하게 ; 기분 나쁘게. **~·ness** *n.* 〖AF<L *dies mali* unlucky days〗

dísmal Jímmy *n.* 《英口》 음침한 사람.

dísmal scíence *n.* [the ~] 《古》 음침한 학문 《경제학을 일컬음 ; Carlyle의 말》.

Dísmal Swámp *n.* [the ~] 디즈멀 대습지 《Virginia 주 남동부에서 North Carolina주 북동부에 걸친 연안 습지대》.

dis·man·tle [dismǽntl] *vt.* **1** [+目 / +目+*of*+名] …에서 장비[설비]를 제거하다, 없애다 ; …의 지붕을 벗기다 ; (요새)의 방비를 철거하다 ; (배의) 의장(艤裝)을 풀다 : The house had been ~*d* ***of*** its walls and roofs. 그 집은 벽과 지붕이 벗겨져 있었다. **2** …의 옷을 벗기다 ; 파괴하다, 소멸시키다 ; (기계 따위를) 분해하다, 해체하다. **~·ment** *n.* 〖OF (*dis*-¹)〗

dis·másk *vt., vi.* 《古》 =UNMASK.

dis·mást *vt.* (폭풍 따위가 배의) 돛대를 부러뜨리다, 돛대를 떼어내다. **~·ment** *n.*

dis·may** [disméi, diz-] *n.* U 당황, 낭패 ; 놀람 ; 실망, 환멸, 낙담 : be filled with ~ 몹시 당황하다 / She flopped down ***in ~. 그녀는 놀라서 털썩 주저 앉았다 / We saw the sight *with* ~. 우리는 어리둥절하여 그 광경을 보았다.

to one***'s dismay*** 크게 낭패한 것은 : *To his* ~, he found the money missing. 그는 돈이 없어진 것을 알고 당황했다.

── *vt.* [+目/+目+前+名] 당황케 하다, 깜짝 놀라게 하다, 어쩔줄 모르게 하다 ; 낙담[환멸]하게 하다, 절망으로 몰아넣다 : We were ~*ed* ***at*** the news. 우리는 그 뉴스를 듣고 당황했다. 〚OF<Gmc. (*dis-*¹, MAY¹)〛

類義語 (1) (*v.*) ***dismay*** 두렵게 하다, 특히 곤란하거나 해결할 자신이 없는 문제를 앞에 놓고 의기가 상실되다 : I was *dismayed* at the problem. (그 문제를 풀 자신이 없었다). ***appall*** 공포 또는 쇼크를 느끼게 하거나 혹은 크게 당황하게 하다 ; dismay보다는 뜻이 강함 : I was *appalled* at the news. (나는 그 뉴스를 듣고 크게 놀랐다). ***horrify*** 사람에게 쇼크를 줄 정도의 강한 공포나 혐오감을 느끼게 하다 : I was *horrified* at the sight of a snake. (나는 뱀을 보고 기겁을 했다). ***daunt*** 뭔가 용기를 필요로 하는 사태가 벌어졌을 때 뒤로 물러나며 용기가 꺾이다 : He was *daunted* by the difficulty. (그는 어려움을 당하자 용기가 꺾였다).
(2) (*n.*) ⟹ FEAR.

dis·mem·ber [dismémbər] *vt.* …의 손발을 절단하다[잡아떼다] ; (국토 따위를) 분할(分割)하다 ; 촌단(寸斷)하다 **~·ment** *n.* 〚OF (*dis-*¹)〛

dis·miss** [dismís] *vt.* **1** 퇴거시키다, …에게 퇴거를 허가하다 ; 해산시키다 : The teacher ~*ed* the class at noon. 교사는 정오에 그 학급을 해산시켰다. **2** [+目/+目+*from*+名/+目+目] 해고[해임]시키다, 면직하다(discharge), 쫓아내다(expel) : They ~*ed* the cook because of her poor cooking. 요리가 서툴다는 이유로 요리사를 해고시켰다 / The principal ~*ed* the bad boy ***from school. 교장 선생님은 그 불량 학생[소년]을 퇴학 처분했다. ☞ 活用. **3** (생각 따위를) 버리다, (깨끗이) 잊어버리다(banish) ; (고려 따위에서) 제외하다 : ~ one's troubles 걱정거리를 말끔히 씻다. **4** (토의 중인 문제 따위를) 간단히 처리하다, 종결짓다 ; 〔法〕 (소송 사건을) 각하하다 : The subject is not lightly to be ~*ed*. 그 문제는 소홀히 처리되어서는 안된다. **5** 〔크리켓〕 (타자·팀을) 아웃시키다. ── *vi.* 〔軍〕 해산하다, 〔구령〕 헤쳐! ── *n.* [the ~] 〔軍〕 해산 ; 《古》 =DISMISSAL.
~·ible *a.* 해고할 수 있는.
〚OF<L=sent away (*miss- mitto* to send)〛

活用 *vt.* 2의 뜻의 dismiss가 [+目+目]의 문형(文型)에 쓰이는 것은 수동태의 경우에 한함 ; 다음과 같은 구문에서는 때때로 from이 생략된다 : The officer was *dismissed* (*from*) the army. (그 장교는 제대했다).

dismíss·al *n.* **1** Ⓤ 퇴거, 해산. **2** Ⓤ 해방 ; 퇴학 ; 퇴회. **3** Ⓤ 면직, 해고⟨*from*⟩ ; 해고 통지. **4** Ⓤ 〔法〕 (소송의) 각하, (상소의) 각하.

dis·mis·sion [dismíʃən] *n.* Ⓤ =DISMISSAL.

dis·mis·sive [dismísiv] *a.* 퇴거시키는, 그만두게 하는 ; 거부하는 ; 무정한 ; 교만한, 경멸적인.

dis·mis·so·ry [dismísəri] *a.* 해고 통지의.

dis·mount [dismáunt] *vi.* [動/+*from*+名] (말·자전거에서) 내리다 : ~ ***from*** one's horse[bicycle] 말[자전거]에서 내리다.
── *vt.* **1** 말《따위》에서 내리게 하다 ; (사람을) 말에서 떨어뜨리다. **2** 선반《따위》에서 밑으로 내리다 ; (대포를) 포차(砲車)에서 떼어놓다 ; (그림을) 액자에서 떼어내다 ; (보석 따위를) 빼내다 : The cannons were ~*ed* for shipping. 대포는 선적하기 위해 포차에서 떼어졌다. **3** (기계 따위를) 분해하다. ── *n.* 내리기. **~·able** *a.* 〚MOUNT¹〛

Dis·ney [dízni] *n.* 디즈니. **Walt** ~ (1901-66) 미국의 (만화) 영화 제작자.

Dìsney·ésque *a.* 디즈니의 만화 영화 같은, 디즈니의 만화 영화풍의.

Dísney·lànd *n.* 디즈니랜드《미국 Los Angeles시 근교의 유원지 ; W. Disney가 설립》.

Dísney Wòrld *n.* 디즈니 월드《미국 Florida 주의 대유원지》.

dìs·obé·di·ence *n.* Ⓤ 불순종, 반항⟨*to*⟩ ; (명령·법률·규칙의) 불복종, 위반, 반칙⟨*to*⟩.

dis·obe·di·ent [dìsəbíːdiənt] *a.* 순종하지 않는, 반항적인⟨*to*⟩ ; 위반하는⟨*to*⟩. **~·ly** *adv.* 제멋대로. 〚OF〛

***dis·obey** [dìsəbéi] *vt.* (분부·명령·상관·규칙 따위를) 따르지 않다, 위반하다, 거스르다 : The command was not to be ~*ed*. 명령은 어길 수 없는 것이었다. ── *vi.* 반칙하다, 어기다.
~·er *n.* 〚OF〛

dis·ob·lige [dìsəbláidʒ] *vt.* …에게 불친절하게 하다, …의 뜻을 거스르다, …에게 폐를 끼치다, 노하게 하다 : I'm sorry to ~ you. 당신 뜻을 거슬러서 미안합니다.
〚F<Rom. (*dis-*¹)〛

dìs·oblíging *a.* (사람이) 불친절한, 인정머리 없는 ; 무례한, 폐를 끼치는. **~·ly** *adv.*

di·sódium phósphate *n.* 〔化〕 인산(수소 2) 나트륨《분석시약, 첨가제, 매염제, 의약용》.

di·sómic *a.* 〔生〕 2염색체적인.

dis·operátion *n.* 〔生態〕 (생물간의) 상해(相害) 작용.

***dis·or·der** [disɔ́ːrdər] *n.* **1** Ⓤ 무질서, 혼란 ; 난잡 : be in ~ 혼란상태에 있다 / fall[throw] into ~ 혼란에 빠지다[빠뜨리다]. **2** 불온(不穩), 소동. **3** Ⓤ,Ⓒ (심신 기능의) 이상, 장애 ; 질병(disease) : a ~ of the digestive organs 소화기관의 병 / a functional ~ 기능 장애 / mental ~*s* 정신병. ── *vt.* 어지럽히다, 난잡하게 하다 ; (심신을) 탈나게 하다, 병나게 하다 : Bad food ~*s* the stomach. 상한 음식을 먹으면 위가 탈난다.
── *vi.* 혼란에 빠지다, 이상이 생기다, 장애를 일으키다, 미치다. 〚ME *disordain*<OF (*dis-*¹, ORDAIN) ; 어형은 *order*에 동화〛

類義語 ⟹ CONFUSION.

dis·ór·dered *a.* 혼란한, 어지러운, 난잡한 ; 이상이 생긴 ; 병에 걸린 ; 《廢》 부도덕한 : a ~ digestion 소화 불량.

dis·or·der·ly [disɔ́ːrdərli] *a.* **1** 무질서한, 혼란한. **2** 난폭한 ; 떠들썩한. **3** 〔法〕 치안 방해의, 풍기 문란한 : ~ conduct 〔法〕 치안[풍기] 문란 행위《경범죄》/ ~ house 〔法〕 치안 문란 장소《특히 매음굴·도박장》. ── *adv.* 《古》 무질서하게.

disórderly pérson *n.* 〔法〕 치안 문란자.

dis·òr·ga·ni·zá·tion *n.* 조직의 파괴, 해체, 분열 ; 혼란, 무질서.

dis·or·ga·nize [disɔ́ːrgənàiz] *vt.* …의 조직[질서]을 문란케 하다, 혼란시키다 : The train schedule was ~*d* by the heavy snowstorms. 심한 눈보라 때문에 열차의 운행 예정이 틀어졌다.
dis·ór·ga·nìzed *a.* 무질서한, 지리멸렬한.
-ór·ga·nìz·er *n.* 〚F〛

dis·ori·ent [disɔ́ːriənt, 美+-ènt] *vt.* (…에게) 방향을 잃게 하다 ; 혼란시키다, 갈피를 못잡게 하다 ; 〔精神醫〕 시간·공간의 감각을 잃게 하다 ; 동

향(東向)이 되지 않게 (성당·교회를) 짓다. 〖F〗
dis·órientate *vt.* =DISORIENT.
dis·orientátion *n.* 〔精神醫〕 방향 감각의 상실.
dis·ówn *vt.* (저작 따위를) 자기 것이 아니라고 말하다, 자기 것으로 인정하지 않다 ; …의 자기와의 관계를 부인하다 ; (자식과) 인연을 끊다 ; …의 합법성[권위]을 인정하지 않다 : He ~*ed* his wicked son. 그는 행실이 나쁜 자식과 의절했다. **~·er** *n.* **~·ment** *n.*
disp. dispensary.
dis·par·age [dispǽridʒ] *vt.* 깔보다, 업신여기다 ; 헐뜯다, 비방[비난]하다, 나쁘게 말하다 ; …의 명예를 훼손시키다. **dis·pár·ag·er** *n.* **~·ment** *n.* 경멸 ; 비난 ; 불명예의 원인.
dis·pár·ag·ing *a.* 깔보는, 업신여기는 ; 비난의. **-ag·ing·ly** *adv.* 경멸하여 ; 비난하여.
〖OF=to marry unequally (*dis*-[1], *parage* equality of rank<PAR[1])〗
dis·pa·rate [díspərət, 美+dispǽrət] *a.* (본질적으로) 다른, 공통점이 없는, (완전히) 이종(異種)의. —— *n.* [*pl.*] 전혀 비교할 수 없는 것《언어 개념 따위》 ; 다양한 사람들. **~·ly** *adv.* **~·ness** *n.*
〖L (p.p.) ‹ *dis*-[1](*paro* to prepare)=to separate ; 어의상 L *dispar* unequal의 영향있음〗
dis·par·i·ty [dispǽrəti] *n.* U,C 부동(不同), 부등(不等)(inequality), 어울리지 않음, 불균형 : ~ *in* age[position] 연령[지위]에 어울리지 않음. 〖F<L (*dis*-[1])〗
dis·párk *vt.* (개인의 정원·사냥터를) 개방하다.
dis·part [dispɑ́:rt] *vt., vi.* 《古》 분열시키다[하다], 분할하다[되다], 분리하다.
dis·pássion *n.* 냉정(calmness) ; 공평 무사.
dis·pássionate *a.* 감정에 좌우되지 않는, 냉정한(calm) ; 공평 무사한.
~·ly *adv.* 침착하게 ; 공평하게. **~·ness** *n.*
dis·patch, des- [dispǽtʃ] *vt.* **1** [+目/+目+*to*+名/+目+*to* do] (공무·특별 임무 따위로) 급파[특파]하다, 파견하다 ; (급신을) 발송하다 : A cruiser was ~*ed* ***to*** the island *to* restore order. 치안을 회복하기 위해 순양함 한 척이 그 섬에 급파되었다. **2** (일을) 재빨리 해치우다, 신속히 처리하다 ; 《口》 (식사를) 재빨리 마치다(eat up). **3** 처치하다, 죽이다(kill). —— *vi.* 《古》 서두르다 ; 《廢》 처리하다. —— *n.* **1** U 급송, 발송, 발신 ; 급파, 특파, 파견 ; C (급송의) 공문서 ; 전보, 속달 ; 〔新聞〕 특보. **2** U (처리 따위의) 신속성 ; U,C 재빠른 조치 : with ~ 지급으로, 재빠르게, 신속히. **3** 살해 : ☞ HAPPY DISPATCH. **4** 《英》 운송점(cf. EXPRESS *n.* 3).
be mentioned [***receive a mention***] ***in dispatches*** 《英》(군인이) 수훈자(殊勳者) 보고서에 이름이 오르다(cf. CITATION *n.* 2).
〖It. *dispacciare* or Sp. *despachar* to expedite〗
類義語 (1) (*v.*) ⟹ KILL[1].
(2) (*n.*) ⟹ HASTE.
dispátch bàg *n.* 속달 행낭(行囊).
dispátch bòat *n.* (옛날의) 공문서 송달용 배.
dispátch bòx[**càse**] *n.* (공문서의) 송달함 ; 서류 케이스[가방].
dis·pátch·ed wòrkers *n. pl.* 파견 노동자.
dis·pátch·er, des- *n.* **1** 발송담당원, 급파하는 사람 ; (열차·자동차 따위의) 배차[발차, 조차]원 ; (항공기의) 운항 관리자. **2** [*pl.*] 《美俗》 조작해 놓은 주사위.
dispátch mòney *n.* 에누리한 돈 ; 선적[양륙] 할인 환급금.
dispátch nòte *n.* (외국 우편) 소포 송장.
dispátch rìder *n.* 전령, 급사(急使).
dispátch tùbe *n.* (압축 공기로 급한 서신을 보내는) 기송관(氣送管).
dis·péace *n.* 불화, 불안, 동요.
dis·pel [dispél] *v.* (**-ll-**) *vt.* 쫓아 버리다 ; (걱정·공포·불안 따위를) 떨쳐 버리다, (의심 따위를) 풀다 ; 일소하다(disperse) : Work ~*s* boredom. 일을 하면 지루한 줄 모른다 / Her husband's cheerful laughter ~*led* her fears. 남편이 쾌활하게 웃었기 때문에 그녀의 근심도 사라져 버렸다. —— *vi.* 떨어지다, 흩어지다, 없어지다.
dis·pél·la·ble *a.* **-pél·ler** *n.*
〖L (*pello* to drive)〗
類義語 ⟹ SCATTER.
dis·péns·able *a.* **1** 없어도 되는 ; 중요하지 않은(↔*indispensable*). **2** 베풀[나누어 줄] 수 있는 ; 〔카톨릭〕 관면(寬免)할 수 있는《죄》 ; 적용 면제할 수 있는, 구속력이 없는.
dis·pèns·abíl·i·ty *n.* U 없어도 됨 ; 〔카톨릭〕 관면 가능성. **~·ness** *n.*
dis·pen·sa·ry [dispénsəri] *n.* (병원 따위의) 약국, 조제실 ; 시약소(施藥所), 시료원(施療院) ; (공장·학교 따위의) 의무실, 양호실 ; 《美南部》 주류 판매점.
dis·pen·sa·tion [dìspenséiʃən, -pən-] *n.* **1** U 분배(물), 시여(施與). **2** (의약의) 처방, 조제. **3** U 처리. **4** 하늘이 내린 것, 하늘의 배제(配劑), (신의) 섭리. **5** 통치, 제도, 체제(regime) : under the new ~ 신(新)제도하에서. **6** U 〔神學〕 천계법(天啓法)(시대) ; 〔法〕 법의 적용 면제 ; C 〔카톨릭〕 관면(장). **7** U 없는 대로 견딤, …없이 지냄〈*with*〉(cf. DISPENSE *with*) : Christian ~ 기독교 천계법(天啓法) 시대 / Mosaic ~ 모세의 율법(시대). **~·al** *a.*
dis·pen·sa·tor [díspənsèitər] *n.* 《古》 분배[분여]하는 사람(distributor) ; 지배자(manager) ; DISPENSE하는 사람.
dis·pen·sa·to·ry [dispénsətɔ̀:ri ; -təri] *n.* 처방법[약품] 해설서 ; 《古》 =DISPENSARY.
*__dis·pense__ [dispéns] *vt.* **1** [+目/+目+前+名] 분배[시여(施與)]하다(distribute) ; 베풀다, 시행하다(administer) : ~ justice 법을 시행하다 / The Red Cross ~*d* food and clothing ***to*** the sufferers. 적십자사는 이재민에게 식량과 의류를 나누어 주었다. **2** 조제하다, 투약하다 : Medicines are ~*d* by druggists. 약은 약사가 조제한다. **3** [+目+*from*+名] (남)의 의무를 면하다(exempt) ; 〔카톨릭〕 …을 관면하다 : ~ a person ***from*** his obligations 남의 의무를 면제하다. —— *vi.* **1** [+*with*+名] **a**) 소용없게 하다, 수고를 덜다 : Machinery ~*s* ***with*** much labor. 기계는 많은 일손을 덜어준다. **b**) …없이 지내다[때우다](do without) : Let's ~ ***with*** this constant complaining. 이렇게 늘 불평하는 것은 그만두기로 하자 / His services cannot be ~*d* with. 그의 신세를 지지 않을 수는 없다. **c**) 면제하다 ; 〔카톨릭〕 관면하다 : ~ ***with*** the rule 종규(宗規)의 적용을 면제하다. **2** 조제하다.
—— *n.* 《廢》 지출(expense).
〖OF<L (freq.) *dis*-[1] (*pens*- *pendo* to weigh)=to weigh or pay out〗
類義語 ⟹ DISTRIBUTE.
dis·péns·er *n.* **1** 약사, 조제사. **2** 시여자(施與者), 분배자. **3** 자동판매기.
dis·péns·ing chémist *n.* 《英》 조제사.
dispénsing glàss *n.* 삼각 메저링 실린더, 원뿔 미터 글라스, 조제 글라스.

dis·péople *vt.* …의 주민을 절멸시키다, …의 인구를 감소시키다(depopulate). **~·ment** *n.*

dis·per·sal [dispə́ːrsəl] *n.* 분산 (작용) (dispersion) ; 〖生〗 (개체의) 산포(散布) ; 소개(疎開) ; [the D~] =DIASPORA.

dispérsal príson *n.* 가장 엄중한 경비를 요하는 수형자를 수용하는 교도소.

dis·per·sant [dispə́ːrsənt] *n.* 분산제(分散劑). —— *a.* 분산성의.

***dis·perse** [dispə́ːrs] *vt.* 흩뜨리다, 산란시키다, 흩어지게 하다(scatter) ; (적을) 쫓아 흩어버리다, 패주시키다 ; (군중을) 해산시키다 ; (군대를) 분산시키다, 분산 배치하다 ; (질병·지식 따위를) 퍼뜨리다, 넓히다(diffuse) ; 〖理·化〗 분산시키다 ; (구름·안개 따위를) 소산(消散)시키다 ; (환영(幻影) 따위를) 쫓아버리다 : The wind *~d* the fog. 바람은 안개를 흩뜨렸다 / The troops *~d* the rebels. 군대는 반란군을 쫓아 분산시켰다 / The soldiers were too much *~d.* 병사들은 너무 분산 배치되어 있었다. —— *vi.* 흩어지다, 산재하다 ; 분산[해산]하다 ; 소산(消散)하다 : The rebels *~d* at the sight of the troops. 반란군은 군대를 보자 뿔뿔이 흩어졌다. —— *a.* 〖理·化〗 분산된. **dis·pérsed** *a.* 흩어진, 분산된. **dis·pérs·ed·ly** [-ədli, -st-] *adv.* 분산하여, 흩어져, 뿔뿔이. **-pérs·er** *n.* **-pérs·ible** *a.*
〖L *dispergo* (*di-*[1], SPARSE)〗
類義語 ⟹ SCATTER.

dis·per·sion [dispə́ːrʒən, -ʃən ; -ʃən] *n.* **1** Ⓤ 산포 ; 산란(散亂), 이산. **2** 〖理·化〗 분산 ; 〖光〗 분산, 분광 ; 〖電子〗 산란, 산포[분산]도 ; 〖統〗(평균값 따위와의) 편차, 산포도(度) ; 〖軍〗 (폭탄 따위의) 탄착 산포 패턴 ; 〖空〗 디스퍼전《미사일 따위의 예정로(路)에서의 편차》. **3** [the D~] 유태인(人)의 이산(Diaspora).

dis·per·sive [dispə́ːrsiv, 美+-ziv] *a.* 산포적인 ; 분산적인. **~·ly** *adv.* **~·ness** *n.*

dis·per·soid [dispə́ːrsɔid] *n.* 〖理·化〗 분산질.

di·spír·it [di-] *vt.* [보통 *p.p.*로] …의 기력[의기]을 꺾다, 낙심시키다(dishearten).
〖*di-*[1]〗

di·spír·it·ed *a.* 기가 죽은, 낙담한 : He looked *~ed.* 그는 아주 풀이 죽어 있었다. **~·ly** *adv.* 맥없이, 의기소침하여. **~·ness** *n.*

dis·pit·e·ous [dispítiəs] *a.* 《古》 무자비[잔혹]한.

dis·place** [displéis] *vt.* **1** 바꾸어 놓다, 옮기다 ; 〖化〗 치환(置換)하다 ; (함선·엔진이) 배수[배기]량이 …이다 : The new tanker *~s* 260,000 tons. 그 새 탱커는 배수량이 26만톤이다. **2** (공무원을) 해직[해임]하다. **3** [+目 / +目+前+名] …대신 들어서다(replace) : The horse-drawn carriage has practically been *~d* by the automobile. 마차는 거의 자동차로 바뀌어졌다 / He *~d* me ***in Betty's affections. 내가 받던 베티의 사랑을 이제 그가 받았다. **~·able** *a.*
〖*dis-*[1] or F〗

dis·pláced hómemaker *n.* 《美》 (이혼·별거·남편의 사망·무능력 따위로) 생활 수단을 잃은 주부(主婦).

displáced pérson *n.* (전쟁 따위로 인해서 고국을 잃은) 난민, 유랑민《略 D.P.》.

displáce·ment *n.* Ⓤ 바꾸어 놓음 ; 〖化〗 치환(置換) ; 〖製藥〗 여과 ; 〖地質〗 (단층면에 연한) 이동, 전이 ; 〖精神分析〗 감정 전이 ; 〖天〗 (천체의) 시(視) 운동 ; 배제 ; 해직 ; 퇴거 ; 〖理·電〗 변위(變位) ; (보통 군함의) 배수량[톤](cf. TONNAGE 1, TON[1] 3 e)) ; 〖機〗 배기량.

displácement cùrrent *n.* 변위 전류.

displácement hùll *n.* 〖海〗 배수형(型) 선체.

displácement tònnage *n.* 〖海〗 배수 톤수.

dis·plác·er *n.* (조제용) 여과기(percolator) ; 배제하는 사람[것].

dis·play** [displéi] *vt.* **1** (기·날개·돛·신문을) 펼치다 ; 표시[표명]하다, (능력 따위를) 발휘하다(show) ; (감정을) 표출하다 ; (지식 따위를) 과시(誇示)하다(show off) : The flag is *~ed* on the 4th of July. (7월 4일의) 독립기념일에는 국기가 게양된다 / The governor *~ed* his sincerity by answering all those questions. 지사(知事)는 그 모든 질문에 답변하여 성의를 표했다. **2** [+目 / +目+前+名] 전시하다, 진열하다, 장식하다(exhibit) : Various styles of suits are being *~ed* ***in the shopwindows. 여러 가지 모양의 옷이 쇼 윈도에 진열되어 있다. **2** 〖印〗 (어떤 낱말을) 특수 활자 따위를 사용하여 눈에 띄게 하다.

〈회화〉
Will you *display* those dresses in the window?
— Yes, with pleasure. 「저 드레스들을 진열장에 전시 좀 해 주시겠습니까」「네, 그러지요」

—— *vi.* 전시[과시]하다 ; (번식기의 수새 따위가) 디스플레이를 하다.
—— *n.* **1** 펼친 것, 게양된 것 ; 전시, 진열(show) ; 전시[진열]물 : the ~ of national flags 국기 게양 / the ~ of fireworks 불꽃놀이 / the pictures on ~ 진열되어 있는 그림. **2** U.C 표명 ; 표시. **3** U.C 자랑삼아 보임, 과시 ; 외관 ; (감정 따위의) 표현 : be fond of ~ 허식(虛飾)을 좋아하다 / make a ~ of …을 과시하다 / out of ~ 여봐란듯이. **4** 〖動〗 디스플레이《번식기의 수새 따위가 깃을 넓게 펴는 과시 행동》. **5** 〖印〗 특히 눈에 띄는 조판(에 의한 인쇄물), 디스플레이. **6** 〖컴퓨〗 화면 표시, 디스플레이《출력 표시 장치》. —— *a.* (표제·광고용의) 대형 활자의, 디스플레이의. **~·er** *n.*
〖OF<L (*plico* to fold) ; cf. DEPLOY〗
類義語 ⟹ SHOW.

displáy àd *n.* 《口》 (신문·잡지의) 디스플레이 광고.

displáy àdvertising *n.* (신문·잡지의) 디스플레이 광고《특히 주의를 끌도록 고안된 인쇄》.

displáy àrtist *n.* (실내·쇼윈도의) 디스플레이 광고 제작자.

dis·pláyed *a.* 〖紋〗 (새가) 날개와 다리를 펼친.

displáy kèy *n.* (호텔 객실의) 안전 내부 열쇠.

dis·pláy·man [-mən] *n.* =DISPLAY ARTIST.

displáy tỳpe *n.* 디스플레이 타이프《표제·광고용 활자》.

displáy wìndow *n.* (상점의) 정면 진열창.

dis·please** [displíːz] *vt.* [+目 / +目+前+名] [때때로 수동태로] 불쾌하게 하다, 비위 상하게 하다, 화나게 하다(offend) : She *is ~d* ***with you. 그녀는 너에게 화가 나 있다 / He *was ~d* ***at*** his son's conduct. 그는 아들의 행동을 못마땅해 했다. —— *vi.* (날씨 따위가) 불쾌감을 주다.
〖F (*dis-*[1])〗

dis·pléas·ing *a.* 불쾌한, 싫은〈*to*〉, 마음에 들지 않는. **~·ly** *adv.* 불쾌하게.

dis·pleasure [displéʒər, 美+-pléi-] *n.* Ⓤ 불쾌, 불만 ; 기분이 좋지 않음, 성냄 : feel[show] ~ 불쾌감을 갖다[보이다] / incur the ~ of …의 기분을 상하게 하다.
—— *vt.* 《古》 =DISPLEASE.
〖OF ; ⇒ DISPLEASE ; 어형은 *pleasure*에 동화〗

類義語 ⟹ OFFENSE.

dis·plúme *vt.* 《詩》 깃털을 뽑다 ; (명예·재산 따위를) 박탈하다.

di·sport [dispɔ́:rt] *vt.* [~ one*self*로] 놀다, 장난치다(frolic) : The bears were ~*ing* them*selves* in the water. 곰들은 물속에서 장난치고 있었다. —— *vi.* 놀다, 장난치다. —— *n.* 잠시 쉼, 놀이. 〖AF (*porter* to carry<L)〗

dis·pós·able *a.* 처분할 수 있는, 팔아 넘길 수 있는 ; 자유로이 되는[쓸 수 있는] ; (종이 상자 따위) 버려도 좋은[좋게 만들어진], 일회용의, 한 번 쓰고 버리는. —— *n.* 한번 쓰고 버리는 것《용기 따위》. **dis·pòs·abíl·i·ty** *n.*

dispósable (pérsonal) íncome *n.* 〖經〗 가처분 (개인) 소득《세금 따위를 공제한 소득》.

***dis·pós·al** *n.* **1** Ⓤ 처분, 정리, 처리 방식《양도·매각 따위》: garbage ~ 부엌의 쓰레기처리 / ~ by sale 매각 처분. **2** Ⓤ 처분의 자유, 생각대로 하기 ; 처분권. **3** Ⓤ 배치, 배열.

at*[*in*] a person*'s disposal 남의 뜻대로 되는, 마음대로 쓸 수 있는 : The money[His library] was *at* my ~. 그 돈[그의 장서]은 내 마음대로 쓸 수 있었다 / My services are *at* your ~. 무슨 일이든 제게 부탁하십시오.

put*[*place, leave*] *...at a person***'s disposal*** …을 남의 자유 처분에 맡기다.

dispósal bàg *n.* (비행기·호텔에 비치된) 오물 처리 주머니.

dis·pose** [dispóuz] *vt.* **1** 배열하다, (군대·함대를) 배치하다 : The battleships were ~*d* in a straight line. 전함(戰艦)은 일직선으로 배치되었다. **2** 《古》 처리하다. **3** [+目+*to* do / +目+前+名] (…할 마음이) 내키게 하다 ; (…을) 하고 싶게 하다 : The chance of promotion ~*d* him *to* accept the offer. 승진할 가망이 있었으므로 그는 그 제의(提議)를 받아들일 마음이 생겼다 / Getting your feet wet ~*s* you ***to catch*ing* cold. 발이 젖으면 감기에 걸리기 쉽다. **4** (사무·문제 따위를) 처리하다, …의 결말을 짓다. —— *vi.* **1** 일의 되어 가는 형편[일의 성패]을 정하다 : Man proposes, God ~*s.* 《속담》 모사(謀事)는 재인(在人)이요, 성사(成事)는 재천(在天)이라. **2** [+*of*+名] 처리하다, 처치[처분]하다, 끝맺음[결말]을 짓다 ; 팔아버리다 ; (음식을) 먹어치우다, 다 마셔 버리다 ; 죽이다 : ~ ***of*** waste 쓰레기를 처리하다 / ~ *of* one's property 재산을 처분하다 / ~ *of* ten bottles of beer 맥주를 10병 들이켜다 / That ~*s of* your point. 그것으로 너의 주장은 해결된다 / ~ *of* oneself 처신하다.

—— *n.* 《廢》 =DISPOSAL ; =DISPOSITION ; =DEMEANOR. 〖OF *dis* POSE[1] to set in order〗

dis·pósed *a.* **1** 배치된. **2** …할 마음이 있는, …하고 싶어하는, …의 기질[경향]을 가진 : I am not ~ *to* agree with you. 너에게 찬성하고 싶은 마음이 없다 / Do you feel ~ *for* a card game? 카드 놀이를 하고 싶습니까. **3** [합성어로] …한 기분의, …한 성질의 : well-~ 호의를 가지고 있는 ; 성품이 좋은 / ill-~ 악의를 품고 있는 ; 성품이 나쁜.

dis·pós·er *n.* 《古》 처리자, 감독자(manager, director) ; 《古》 =DISPENSER ; 디스포저《개수대의 찌꺼기를 분쇄하여 처리하는 기계》.

***dis·po·si·tion** [dìspəzíʃən] *n.* **1** 배열, 배치 ; 대비 ; [*pl.*] 작전 계획 : the ~ of troops 군대의 배치 / make one's ~*s* 만사에 대비하다. **2** Ⓤ 처분, 정리(disposal), 폐기 ; 결착 ; 〖法〗 양도, 증여 ; 처분권, 재량권 : the ~ of Providence 하늘의 섭리(攝理)[배제(配劑)], 신의 뜻 / God has the supreme ~ *of* all things. 신은 만물의 최고 지배권을 가진다. **3** [+*to* do] 성벽(性癖), 기질, 성향(inclination) ; 경향(tendency) ; 의향 ; 〖醫〗 소인(素因) : He has[is *of*] a cheerful ~. 그는 쾌활한 성격이다 / He had a ~ *to* do gambling. 그에게는 노름하는 버릇이 있었다 / She has a natural ~ *to* catch cold. 그녀는 감기에 잘 걸리는 체질이다 / He was *in* a ~ *to* admire everything. 그는 무엇이든 칭찬을 하고 싶은 기분이 들었다.

at*[*in*]** a person's disposition*** 남의 뜻대로, 제멋대로.

〖F<L ; ⇨ DISPOSE〗

類義語 ***disposition*** 원래의 보통 성질. ***temperament*** 행동이나 사고에 나타나는 특유한 성질. ***temper*** 감정면으로 본 성질《특히 성난 것을 암시》. ***character*** 개인의 특성에 관련된 도덕적 성질의 총화(總和). ***personality*** 신체·정신·감정적 특질의 총화 ; 남의 눈에 비치는 용모·동작 따위를 포함한 그 사람의 개성·인격.

dis·pos·i·tive [dispázətiv] *a.* (사건·문제 따위의) 방향을 결정하는.

dis·pos·sess [dìspəzés, 美+-sés] *vt.* [+目+前+名 / +目] (남에게서 재산을) 빼앗다 ; (남을 토지에서) 퇴거(退去)시키다 ; …에게서 박탈하다(deprive) ; 내쫓다(oust) : The king was ~*ed* ***of*** his crown after the Revolution. 혁명후 왕은 왕위를 빼앗겼다 / The tenant was ~*ed* for not paying his rent. 그 차가인(借家人)은 집세를 내지 않아서 쫓겨났다. 〖OF (*dis*-[1])〗

dìs·pos·sés·sed *a.* 재산[지위]을 빼앗긴 ; 쫓겨난 ; 좌절된, 소외된 : Modern man is spiritually ~. 현대인은 정신적 파산자(破産者)다.

dìs·pos·sés·sion *n.* Ⓤ 쫓아냄 ; 강탈, 탈취 ; 〖法〗 부동산 불법 점유.

dis·praise [dispréiz] *vt.* 헐뜯다, 비방하다, 비난하다(blame). —— *n.* 헐뜯기, 비난 : speak in ~ of …을 헐뜯다. **dis·práis·er** *n.*

dis·práis·ing·ly *adv.* 헐뜯어, (사실보다) 나쁘게. 〖OF〗

di·spréad [di-] *vt., vi.* 펼치다(spread out). **~·er** *n.* 〖*di*-[1]〗

dis·próduct *n.* 유해(有害) 제품.

dis·próof *n.* **1** Ⓤ 반증(反證)을 드는 것(disproving), 논박, 반박. **2** 반증 (물건). 〖OF (*dis*-[1])〗

dìs·propórtion *n.* Ⓤ 어울리지 않음, 불균형. —— *vt.* …의 균형을 깨뜨리다, 어울리지 않게 하다. **~·al** *a.* =DISPROPORTIONATE.

dìs·propórtion·ate [-ət] *a.* 어울리지 않는, 불균형의〈*to*〉. —— [-eit] *vt.* 〖化〗 …에 불균형을 일으키다. —— *vi.* 〖化〗 불균형이 일어나다. **~·ly** *adv.* 균형을 잃고, 어울리지 않게. **~·ness** *n.*

dìs·propòrtion·átion *n.* 〖化〗 불균등화 (반응).

dis·próve *vt.* …의 반증(反證)을 들다, 논박[반박]하다, 논파(論破)하다(refute).

dis·próv·able *a.*

類義語 ***disprove*** 증거의 제시나 조리 있는 이론으로 상대방의 주장 따위가 잘못임을 예증(例證)하다. ***refute*** disprove의 경우보다도 증거를 충분히 갖추고 신중히 이론을 전개하다. ***confute*** 이론·증거로 상대방의 거짓·부정을 증명하다. ***controvert*** 진술·주장 따위를 반박하려고 논쟁하다. ***rebut*** 토론·법정 수속 따위에서 격식을 갖춘 주장이나 증거로 반대하다《딱딱한 말》 (↔*prove, demonstrate*).

dis·pút·able *a.* 논쟁(論爭)의 여지가 있는, 의논

[의문]의 여지가 있는. **-ably** *adv.* **~·ness** *n.*
dis·pùt·abíl·i·ty *n.* Ⓤ 의론의 여지가 있는 일, 확실치 않은 일.
dis·pu·tant [dispjú:tənt, díspjə-] *n.* 논쟁자 ; 의론가. —— *a.* 논쟁의 ; 논쟁중인.
dis·pu·ta·tion [dìspjətéiʃən] *n.* Ⓤ,Ⓒ 논쟁, 쟁론(爭論), 토론 ; (형식 논리를 쓰는 변론술의 연습을 위한) 연습 토의 ; 《廢》 회화, 담화.
dis·pu·ta·tious [dìspjətéiʃəs] *a.* 논쟁적인, 논쟁투의 ; 논쟁을 좋아하는 ; 논쟁의 대상이 되는.
~·ly *adv.* **~·ness** *n.*
dis·pu·ta·tive [dispjú:tətiv] *a.* =DISPUTATIOUS.
dis·pute** [dispjú:t] *vt.* [動/+前+名] 논쟁(論爭)하다, 말다툼하다 : We *~d* ***with them ***on*** the subject for hours. 그들과 그 주제(主題)를 놓고 여러 시간 동안 논쟁했다 / There is no *disputing* ***about*** tastes. 취미란 좋고 나쁨을 따질 수 없는 것이다.
—— *vt.* **1** [+目/+*wh.* 節/+*wh.*+*to* do] 논하다(discuss), (…의 진위·가부를) 문제삼다 ; 논박하다(argue against) : He *~d* (the truth of) the statement. 그 진술의 진위(眞僞)를 논의했다 / We *~d* the election results. 선거의 결과에 이의(異議)를 제기했다 / They *~d* *what* were the best methods. 최선의 방법이 무엇인가를 토의했다 / We *~d* *what to* do next. 다음에 무엇을 할 것인가를 논의했다. **2** …와 항쟁(抗爭)하다, 저지하려고 하다, …에 저항하다(oppose) ; (우위(優位)·승리 따위를) 얻으려고 다투다, 경쟁하다(contend for) : ~ the landing by the enemy 적의 상륙을 저지하려고 하다 / Our team *~d* the victory until the very end of the game. 우리 팀은 승리를 목표로 시합이 끝날 때까지 힘껏 싸웠다 / The soldiers *~d* every inch of ground. 병사들은 한 치의 땅도 뺏기지 않으려고 항전했다. ——[, ⌐-] *n.* Ⓤ 논쟁, 논의(argument) ; 말다툼, 싸움(quarrel).
beyond* [*past, without, out of*] *dispute 논쟁[의문]의 여지 없이, 명백하게.
in dispute 논쟁중의[에], 미해결의[로] : a point *in* ~ 논쟁점.
dis·pút·ed *a.* **dis·pút·er** *n.* 논쟁자.
〖OF<L *dis-*[1](*puto* to reckon)=to estimate〗
類義語 (1) (*v.*) ⟹ DISCUSS.
(2) (*n.*) ⟹ ARGUMENT.
dis·qualificátion *n.* **1** Ⓤ 자격 박탈, 실격 ; 무자격, 결격. **2** 실격 사유, 결격 조항.
dis·quál·i·fied *a.* 자격을 잃은, 실격[결격]된.
dis·quálify *vt.* [+目/+目+前+名] 실격시키다, 실격자[부적격]로 판정하다 ; (법률상) 결격자로 선고하다 ; 〖競〗 …의 출장[수상] 자격을 박탈하다 : His color blindness *disqualified* him ***for*** the job. 그는 색맹(色盲)이기 때문에 그 직무에는 실격되었다 / He was *disqualified* ***from*** tak*ing* part in the competition. 그는 경기에 참가할 자격을 잃었다. **-quálifiable** *a.*
dis·quíet *vt.* 불안하게 하다, …의 평정을 잃게 하다, …의 마음을 어지럽히다(disturb) : Rumors of war *~ed* the people. 전쟁이 일어난다는 소문이 국민을 불안하게 했다. —— *n.* Ⓤ 사회적 불안, 불온 ; 마음의 불안, 마음이 뒤숭숭함, 걱정.
—— *a.* 《古》 불온한, 불안한, 걱정스런.
~·ly *adv.* **~·ness** *n.*
dis·quíetude *n.* Ⓤ 불안한 상태, 동요 ; 걱정.
dis·qui·si·tion [dìskwəzíʃən] *n.* Ⓤ 《古》 (조직적인) 탐구〈*into*〉 ; Ⓒ 긴 논문, 논고〈*on*〉.
〖F<L (*quisit- quaero* to seek)〗

Dis·rae·li [dizréili] *n.* 디즈레일리. **Benjamin** ~ (1804-81) 영국의 보수당 정치가·소설가 ; 수상 (1868, 1874-80) (cf. PRIMROSE DAY).
dis·ráte *vt.* 〖海〗 (사람·배의) 등급[계급]을 낮추다, 격하시키다, 강등시키다.
dìs·regárd *vt.* 무시하다, 경시하다, 소홀히 하다 (ignore) : They *~ed* my objections to the proposal. 그 제안에 대한 나의 이의(異議)를 무시했다. —— *n.* Ⓤ 무시, 경시(neglect), 무관심 (indifference) 〈*of, for*〉.
~·ful *a.* 무시하는, 경시하는.
類義語 ⟹ NEGLECT.
dis·rélish *n.* Ⓤ [또는 a ~] 싫어함, 혐오 : have *a ~ for* …이 싫다. —— *vt.* …을 싫어하다, 꺼리다(dislike).
dìs·remémber *vt., vi.* 《口·方》 생각나지 않다, 기억하지 못하다, 잊어버리다.
dìs·repáir *n.* Ⓤ (수리·손질의 부족에 의한) 파손(상태), 황폐 : in ~ 황폐되어 / fall into ~ 파손되다, 황폐해지다.
dis·réputable *a.* 평판이 나쁜, 믿음직하지 못한 ; 꼴사나운, 불명예의, 초라한(shabby). —— *n.* 평판이 나쁜 사람. **-bly** *adv.* 평판이 나쁘게, 불명예스럽게. **~·ness** *n.* **dis·reputabílity** *n.* 악평, 불평.
dìs·repúte *n.* Ⓤ 불평, 악평 : fall into ~ 평판이 나빠지다 / hold...in ~ …에 호의를 보이지 않다, …을 좋지 않다고 생각하다.
dìs·respéct *n.* 무례, 실례, 경시, 경멸〈*for*〉 ; 실례의 말[행위]. —— *vt.* 경시[경멸]하다.
dìs·respéct·able *a.* 존경할 가치가 없는. **-ably** *adv.* **~·ness** *n.* **dìs·respèct·abílity** *n.*
dìs·respéct·ful *a.* 경시하는, 실례되는, 무례한 〈*of*〉. **~·ly** *adv.* 무례하게도, 실례하여, 경멸하여. **~·ness** *n.*
dis·robe [disróub] *vt.* [+目+*of*+名/+目] …의 옷을 벗게 하다(undress) ; …에서 빼앗다 (strip), …의 지위[권위]를 박탈하다 : In winter most trees are *~d* ***of*** their leaves. 겨울에는 대부분의 나뭇잎들이 진다 / ~ oneself 예복 《따위》을 벗다. —— *vi.* 옷을 벗다. 〖OF〗
dis·róot *vt.* 뿌리째 뽑다(uproot) ; 제거하다.
dis·rupt [disrʌ́pt] *vt.* **1** (제도·국가 따위를) 분열시키다, 붕괴시키다, 분쇄하다 ; 혼란에 빠뜨리다 : The conflict seemed likely to ~ the government. 그 싸움으로 정부는 분열될 것만 같았다. **2** (교통·통신 따위를) 중단시키다, 두절시키다.
—— *vi.* 《稀》 부서지다. —— *a.* 분열된, 분쇄된 ; 중단된. 〖L ; ⇨ RUPTURE〗
dis·rup·tion [disrʌ́pʃən] *n.* Ⓤ,Ⓒ 파열 ; 분열, 붕괴 ; 중단, 두절 ; 혼란 : in ~ 분열하여 ; 두절하여 / environmental ~ 환경 파괴.
the Disruption 스코틀랜드 교회 분열《1843년 영국 국교에서 독립하여 자유 교회를 조직함》.
dis·rup·tive [disrʌ́ptiv] *a.* 분열[붕괴]시키는, 파괴적인 ; 분열[붕괴]에 의하여 생긴.
~·ly *adv.* **~·ness** *n.*
disrúptive díscharge *n.* 〖電〗 파열 방전.
diss. dissertation.
dis·satisfáction [dis-] *n.* Ⓤ 불만, 불평 ; Ⓒ 불만의 씨.
dis·satisfáctory [dis-] *a.* 불만을 품게 하는, 만족하지 못한(unsatisfactory)〈*to*〉.
dis·sát·is·fied [dis-] *a.* 만족하지 못한 ; (표정이) 불만스러운 : a ~ look 불만스러운 표정.
dis·sátisfy [dis-] *vt.* [+目/+目+前+名] [보통 수동태로] …에게 불만을 품게 하다, 불평하게

하다 : He *was dissatisfied* ***with*** his treatment[***at*** getting no better treatment]. 그는 대우에[더 좋은 대우를 받지 못해] 불만이었다.

dis·sáve [dis-] *vi.* (예금·자본금을 인출하여) 수입 이상의 돈을 쓰다. **-sáv·er** *n.* **-sáv·ing** *n.*

dis·séat [dis-] *vt.* 《古》 =UNSEAT.

dis·sect [disékt, dai-, dáisekt] *vt., vi.* 절개(切開)하다 ; 해부하다 ; 상세히 분석[음미]하다. **~·ing** *a.* 절개용의 : a *~ing* room 해부실. 〖L ; ⇨ SECTION〗

dis·séct·ed *a.* 절개된, 해부된 ; 〔植〕 전열(全裂)의, 잎 가장자리가 깊이 갈라진 ; 〔地質〕 개석(開析)된 : ~ leaves 끝이 갈라진 잎.

dis·sec·tion [disékʃən, dai-, dáisek-] *n.* **1** Ⓤ 절개 ; 해부, 해체 ; Ⓒ 해부체[모형]. **2** Ⓤ 정밀한 음미. **dis·séc·tive** *a.*

dis·séc·tor *n.* 해부(학)자 ; 해부 기구.

dis·seise, -seize [dissí:z] *vt.* 〔法〕 …에게서 (부동산의) 점유권을 불법으로 빼앗다〈*of*〉. 〖AF (*dis-*[1], SEIZE)〗

dis·seis·ee, -seiz- [dìssi:zí:] *n.* 〔法〕 (부동산 점유) 피침탈자.

dis·sei·sin, -zin [dissí:zən] *n.* 〔法〕 (부동산) 점유 침탈.

dis·séi·sor, -zor *n.* 〔法〕 (부동산 점유) 침탈자.

dis·sem·blance[1] [disémbləns] *n.* 《古》 닮지 않음, 상이(相異). 〖*dis-*[1]+*semblance*〗

dissemblance[2] *n.* 《古》 거짓, 위장, 시치미떼기. 〖↓+*-ance*〗

dis·sem·ble [disémbəl] *vt.* **1** [+目/+目+前+名] (성격·감정 따위를) 숨기다, 감추다, 속이다 ; 가장(假裝)하다(disguise) : I tried to ~ an interest I didn't feel. 재미도 없는 것을 있는 것처럼 가장하려 했다 / She *~d* her anger ***with*** a smile. 웃음으로 화를 감추었다. **2** 《古》 못본[모르는] 체하다, 무시하다. —— *vi.* 진실[진의]을 숨기다, 시치미떼다, 모르는 척하다.
dis·sém·bler *n.* 위선자, 음흉한 사람.
dis·sém·bling·ly *adv.* 속여, 시미치떼어.
〖*dissimule* (obs.) <OF<L (*dis-*[1], SIMILAR) ; 어형은 SEMBLANCE 따위의 유추〗

dis·sem·i·nate [disémənèit] *vt.* (학설·의견을) 보급시키다(diffuse) ; (씨를) 흩뿌리다 ; 살포하다, 널리 퍼뜨리다 : Missionaries ~ Christian beliefs all ***over*** the world. 선교사는 기독교를 세계 도처에 전파한다.
—— *vi.* 널리 흩어지다, 퍼지다.
dis·sém·i·nà·tor *n.* 파종자 ; 선전자 ; 살포기.
dis·sèm·i·ná·tion *n.* Ⓤ 씨뿌리기, 파종 ; 살포 ; 보급, 선전(propagation) ; 〔醫〕 파종, 전염.
dis·sém·i·nà·tive *a.* 파종성의.
〖L (*dis-*[1], SEMEN)〗

dis·sen·sion, -tion [disénʃən] *n.* Ⓤ 의견의 차이[충돌], Ⓒ 불화(不和)의 씨 ; 알력, 분쟁.

dis·sent [disént] *vi.* **1** [動/+*from*+名] 의견을 달리하다(disagree) (↔*consent*) ; 동의하지 않다, 반대하다 : One of the judges *~ed* ***from*** the decision of others. 심사원 한 명이 다른 심사원의 판정에 반대했다. **2** 《英》 국교에 반대하다.
—— *n.* **1** Ⓤ 동의를 하지 않음, 의견의 차이, 이의(異議) 표시〈*from*〉; 〔法〕 =DISSENTING OPINION. **2** Ⓤ 《英》 국교 반대 ; [집합적으로] = DISSENTERS.
〖L (*dis-*[1], *sentio* to feel)〗

dissént·er *n.* 불찬성자, 반대자 ; [보통 D~] 《英》 비국교도, 국교 반대자, 디센터(Nonconformist) 《특히 프로테스탄트 ; ↔ *conformist*》.

dis·sen·tient [disénʃiənt] *a., n.* 의견을 달리하는 (사람), 반대하는 (사람). **-tience** *n.* **~·ly** *adv.*

dissént·ing *a.* **1** 이의가 있는, 반대 의견의 : The resolution passed without a ~ voice. 그 결의안은 한 사람의 이의도 없이 통과되었다. **2** [때때로 D~] 《英》 국교에 반대하는 : a ~ minister 비국교파 목사. **~·ly** *adv.*

dissénting opínion *n.* 〔法〕 (합의 법정에서 다수 의견으로 정한 판결에 대한) 반대 의견.

dissention ☞ DISSENSION.

dis·sen·tious [disénʃəs] *a.* (당파 따위의) 싸우기[논쟁]를 좋아하는(quarrelsome, factious). **~·ly** *adv.*

dis·sep·i·ment [disépəmənt] *n.* 〔動·植〕 격막, 격벽(隔壁), (특히 식물의) 씨방 격벽. **dis·sèp·i·mén·tal** [-mén-] *a.*

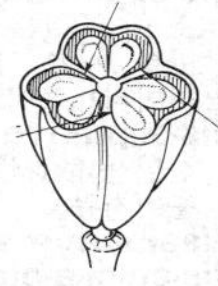
dissepiment

dis·sert [disə́:rt] *vi.* 논하다, 연설하다(discourse).

dis·ser·tate [dísərtèit] *vi.* = DISSERT.
-tà·tor *n.*

dis·ser·ta·tion [dìsərtéiʃən] *n.* 논문, (특히) 학위 논문《略 diss.》; 논술 : a doctoral ~ 박사 논문. **~·al** *a.* 〖L (*disserto* to discuss (freq.) < *dissert- dissero* to examine)〗

Dissertátion Àbstracts *n. pl.* 《美》 교육 기관의 학위 논문 정보를 제공하기 위한 온라인 데이터 베이스.

dis·sérve [dis-] *vt.* …에게 이롭지 못한 짓을 하다, 해를 입히다(do harm to).

dis·sérvice [dis-] *n.* Ⓤ [또는 a ~] 가혹한 처사 ; 해(害) : do a person *a* ~ 남에게 가혹한 처사를 하다.

dis·sev·er [disévər] *vt., vi.* 분리시키다[되다] (separate), 분할하다[되다] (divide).
~·ance, ~·ment *n.* 분리, 분할.

dis·si·dence [dísədəns] *n.* Ⓤ (의견·성격 따위의) 차이, 불일치, 상이(相異) ; 부동의(不同意), 이의. ㊟ dissent보다 강경한 반대《적대의 뜻까지 내포》.

dís·si·dent *a., n.* 의견을 달리하는 (사람), 반체제의 (인사). **~·ly** *adv.* 〖F<L=to sit apart, disagree (*dis-*[1], *sedeo* to sit)〗

dis·símilar [dis-] *a.* (…와) 닮지 않은, 다른 〈*to, from*〉. **~·ly** *adv.*

dis·similárity [dis-] *n.* Ⓤ 닮지 않은 것 ; 부동성(不同性) ; Ⓒ 차이점(difference)〈*between*〉.

dis·sim·i·late [disímәlèit] *vt.* 같지 않게 하다 ; 〔生〕 이화(異化)하다 ; 〔音聲〕 이화(異化)하다《한 낱말 중의 같은 두음을 서로 다른 음으로 전화(轉化)시킴 ; ↔*assimilate*》. —— *vi.* 같지 않게 되다.
-là·tive [; -lə-] *a.* **-la·tò·ry** [; -təri] *a.*
〖L (*dis-*[1], SIMILAR) ; 어형(語形)은 ASSIMILATE의 유추〗

dis·sim·i·la·tion [disìməléiʃən, dìsim-] *n.* Ⓤ,Ⓒ 부동화 ; 〔生〕 이화 (작용) ; 〔音聲〕 이화 (작용).

dis·simílitude [dìs-] *n.* Ⓤ 부동(不同), 상위(相違) ; Ⓒ 상위점.

dis·símulate [di-] *vt.* (의지·감정 따위를) 시치미떼고 감추다(dissemble). —— *vi.* 시치미떼다.
-là·tive *a.* 〖L *dis-*[1] (SIMULATE)〗

dis·simulátion [di-] *n.* Ⓤ,Ⓒ 짐짓 모르는 체하기, (감정의) 위장(僞裝) ; 거짓, 위선.

dis·símulator [di-] *n.* =DISSEMBLER.

dis·si·pate [dísəpèit] *vt.* **1** (구름·안개 따위를)

흩뜨리다 ; (군중 따위를) 쫓아 해산시키다, 흩어버리다 ; (열 따위를) 발산시키다 ; (슬픔·공포 따위를) 사라지게 하다, 없애다 : The sun soon ~*d* the mists. 햇빛이 비쳐 이내 안개가 걷혔다. **2** 낭비하다(waste) : The prodigal son ~*d* his father's fortune. 방탕한 아들은 자기 아버지의 재산을 탕진했다. —— *vi.* **1** (구름 따위가) 흩어져 사라지다(vanish) : The mist soon ~*d*. 안개는 곧 흩어져 사라졌다. **2** 방탕하다, (방탕하여) 재산을 낭비하다.
-pàt·er, -pà·tor *n.* 낭비자 ; 방탕자.
〖L (*dis-*¹, *sipo* to shake)〗

dís·si·pàt·ed *a.* 방탕한, 주색에 빠진 ; 낭비된 ; 흩어진 : lead[live] a ~ life 방탕한 생활을 하다.
~·ly *adv.* **~·ness** *n.*

dis·si·pa·tion [dìsəpéiʃən] *n.* Ⓤ **1** 소산(消散), 소실〈*of*〉 (↔ *conservation*). **2** 낭비〈*of*〉. **3** Ⓤ,Ⓒ 방탕, 난봉, 유흥. **4** Ⓤ,Ⓒ 기분 전환. **5** 〖理〗 (에너지의) 흩어지기 ; 《古》 분열, 붕괴.

dis·si·pa·tive [dísəpèitiv] *a.* **1** 소산(消散)하는, 산일성(散逸性)의. **2** 낭비적인. **3** 〖理〗 에너지가 흩어지는.

díssipative strùcture *n.* 산일(散逸) 구조.

dis·so·ci·a·ble [disóuʃiəbəl, -siə-] *a.* **1** 분리[구분]할 수 있는. **2** [-ʃəbəl] 비사교적인, 무뚝뚝한 ; 조화되지 않은.
dis·sò·cia·bíl·i·ty *n.* **~·ness** *n.*

dis·só·cial [dis-] *a.* 비사교적인(unsocial) ; 교제를 싫어하는 ; 제멋대로 구는, 버릇없는.

dis·só·cial·ìze [dis-] *vt.* 비사교적이 되게 하다, 교제를 싫어하게 하다, 이기적으로 되게 하다.

dis·so·ci·ate [disóuʃièit, -si-] *vt.* **1** [+目+*from*+名] 떼어놓다, 분리하다(separate) ; 분리해서 생각하다(↔*associate*) : We can hardly ~ Mr. Brown ***from*** his work. 브라운씨를 그 사업과 분리해서 생각하기는 어렵다 / I want to ~ myself *from* my companions. 나는 친구들과 절교하고 싶다. **2** 〖精神醫〗 (의식을) 분리시키다. **3** 〖化〗 해리(解離)하다. —— *vi.* 교제[연합]를 그만두다 ; 분리하다 ; 〖生〗 (박테리아가) 해리하다.
—— *a.* 분리[분열]된.
〖L (*dis-*¹, ASSOCIATE)〗

dissóciat·ed personálity *n.* 〖精神醫〗 분리성(分離性) 인격.

dis·so·ci·a·tion [disòusiéiʃən, -ʃi-] *n.* Ⓤ 분리(작용·상태) ; 〖精神醫〗 (의식·인격의) 분리 ; 〖化〗 해리 ; 〖生〗 (박테리아의) 해리.
dis·só·ci·à·tive [, -ʃə- ; -siə-, -ʃə-] *a.*

dis·sol·u·ble [disáljəbəl] *a.* 분해할 수 있는, 용해성의 ; 해산할 수 있는 ; 해제[해소]할 수 있는.
-bly *adv.* **~·ness** *n.* **dis·sòl·u·bíl·i·ty** *n.*
〖F or L *dis-*¹ (SOLUBLE)〗

dis·so·lute [dísəlù:t, -lət] *a.* 자포자기한, 흐리터분한, 멋대로 놀아난 ; 방탕한, 몸을 버린. **~·ly** *adv.* **~·ness** *n.* 〖L (p.p.) 〈DISSOLVE〗

dis·so·lu·tion [dìsəlú:ʃən] *n.* **1** Ⓤ,Ⓒ (의회·단체·조합 따위의) 해산 ; (결혼·계약 따위의) 파혼, 해소〈*of*〉. **2** Ⓤ,Ⓒ (기능의) 소멸, 사멸. **3** Ⓤ,Ⓒ 분리, 분해, 해체. **4** Ⓤ,Ⓒ 〖理〗 용해. **5** 방자(profligacy).

dis·solve** [dizálv, -zɔ́(:)lv] *vt.* **1** [+目/+目+前+名] 녹이다, 용해하다 ; 분해시키다 : Water ~*s* salt. 물은 소금을 녹인다 / She ~*d* the sugar ***in hot water. 설탕을 더운 물에 녹였다. **2** (의회·단체 따위를) 해산하다(↔ *convoke*) ; (관계 따위를) 종료시키다, 해소하다, 취소하다, 해제하다(undo) ; 소멸시키다 ; 〖法〗 무효로 하다 ; (마력 따위의) 효력을 잃게 하다 : ~ a partnership 조합을 해산하다 / ~ Parliament 《英》 의회를 해산하다. **3** 〖映·TV〗 (화면을) 디졸브시키다. **4** 풀다, 해결하다. **5** 어찌할 바를 모르게 하다. —— *vi.* **1** [動/+前+名] 녹다, 용해되다 ; 분해되다 : Salt or sugar ~*s* ***in*** water. 소금이나 설탕은 물에 녹는다. **2** 해소하다 ; 힘을 잃다, 실효(失效)되다 ; 소멸되다 ; 《英》 (의회가) 해산을 선언하다 : Parliament has ~*d*. 의회는 해산했다. **3** [動/+前+名] (환영 따위가) 차츰 희미해지다(fade away) : His courage ~*d* in the face of the danger. 그 위험에 직면하여 그의 용기는 꺾였다 / The glorious vision ~*d* ***in*** the darkness. 그 장엄한 광경은 어둠 속으로 사라져 갔다. **4** 〖映·TV〗 디졸브하다 : *dissolving* views 디졸브 화면. **5** 어찌할 바를 모르다 : ~ into grief 비탄에 잠기다.
be dissolved in tears*＝*dissolve into tears 울음을 터뜨리다, 하염없이 울다.
—— *n.* 〖映·TV〗 디졸브(lap dissolve)《한 화면에 용명(fade-in)의 숏과 용암(fade-out)의 숏을 겹쳐 때의 경과나 장면 전환을 나타내는 기법》.
dis·sólv·able *a.* **dis·sólv·er** *n.*
〖L (*dis-*¹, *solut- slovo* to loosen)〗
類義語 ⟹ MELT.

dis·sólved gás *n.* 유용성(油溶性) 가스《원유에 용해되어 있는 천연 가스》.

dissólved óxygen *n.* 용존 산소량(溶存酸素量)《물에 용해된 산소》.

dis·sol·vent [dizálvənt, -zɔ́(:)l-] *a.*, *n.* ＝SOLVENT〈*of*〉.

dís·so·nance, -cy *n.* **1** Ⓤ,Ⓒ 〖樂〗 안어울림(음) (↔*consonance*) ; Ⓤ 〖理〗 비공진(非共振). **2** Ⓤ 불일치, 부조화, 불화(discord).

dis·so·nant [dísənənt] *a.* **1** 〖樂〗 안어울림(음)의. **2** 조화되지 않는, 서로 용납치 않는, 양립하지 않는. **~·ly** *adv.* 불협화적으로 ; 조화됨이 없이. 〖OF or L *dis-*¹(*sono* to SOUND¹)＝to be discordant〗

dis·suade [diswéid] *vt.* [+目/+目+*from*+名] …에게 단념시키다, (타일러) 그만두게 하다 (cf.PERSUADE) : She tried to ~ her son ***from*** going to sea. 그녀는 아들이 선원이 되려는 것을 단념시키려 했다. **dis·suád·er** *n.*
〖L (*suas- suadeo* to advise)〗

dis·sua·sion [diswéidʒən] *n.* Ⓤ 단념시킴, 충고, 간하여 말림. 〖L (↑)〗

dis·sua·sive [diswéisiv, 美+-ziv] *a.* 단념시키는, 간하여 말리는.
~·ly *adv.* **~·ness** *n.*

dissyllable, etc. ☞ DISYLLABLE, etc.

dis·sýmmetry [dis-] *n.* Ⓤ 불균형, 비대칭(非對稱) ; 반대[좌우] 대칭《좌우 양손처럼 모양은 같고 방향은 반대인 경우 ; ↔*symmetry*》.
dìs·symmétric, -rical *a.* **-rical·ly** *adv.*

dist- [díst], **dis·to-** [dístou, -tə], **dis·ti-** [dístə] *comb. form* 「원위(遠位)의」「말단의」의 뜻.
〖DISTANT〗

dist. distance ; distant ; distilled ; distinguish ; distinguished ; district.

dis·taff [dístæ(:)f ; -tɑ:f] *n.* (*pl.* **~s** [-fs, -vz]) **1** 실패 ; 물레. **2** [the ~] **a**) 물레질 ; 여자의 일[분야]. **b**) [집합적으로] 여성, 여자 ; 모계, 외가쪽 ; 여성 상속인.
—— *a.* 여성의, 여자의 ; 모계의.
〖OE *distæf* (? LG *diesse*, MLG *dise*(*ne*) bunch of flax,STAFF¹)〗

dístaff sìde *n.* [the ~] 모계(母系), 외가쪽 (cf.SPEAR SIDE, SPINDLE SIDE) : *on the* ~ 외가의, 모계의.

dis·tain [distéin] *vt.* 《古》 =STAIN ; …에 치욕을 안겨주다.

dis·tal [dístl] *a.* 〔解·植〕 원위(遠位)의, 말초(末梢)(부)의, 말단의(terminal) (↔*proximal*).
~·ly *adv.*

◇**dis·tance** [dístəns] *n.* **1** U,C 거리, 노정(路程) ; 간격 : be some[no] ~ 약간 멀리에[바로 가까이에] 있다 / Germany is a great ~ away[off]. 독일은 매우 먼 곳에 있다 / They had to walk a short ~ to the hotel. 호텔까지 조금 걷지 않으면 안되었다 / *D*~ lends enchantment to the view. ☞ VIEW *n.* 3. **2** U,C 원거리, 먼 곳 ; 〔畫〕 원경(遠景) : the middle ~ (풍경화의) 중경(中景). **3** (시일의) 사이, 경과 ; [the (full) ~] 할당된 시간 : at this ~ of time (오랜 시일이 지난) 지금에 와서는[와서도]. **4** (신분 따위의) 격차, 차이, 현격(懸隔)〈*between*〉; 〔樂〕 음정(音程). **5** U,C (태도의) 소원(疎遠), 격의(隔意) ; 인연이 멂, 《廢》 불화, 내분(discord). **6** 《美》〔競馬〕 주정 거리《골과 주정표의 사이》; 《英》〔競馬〕 골의 240야드 전방의 지점 ; 〔競〕 장거리. **7** 구역, 공간, 넓이 ; 〔競〕 주로(走路).
at a distance 어떤 거리를 두고, 약간 떨어져서 : *at a* ~ *of* 5 meters 5미터 떨어져서.
from a distance (꽤) 먼 데서.
go [***last***] ***the*** (***full***) ***distance*** 끝까지 해내다, 〔拳〕 마지막 라운드까지 싸우다, 〔野〕 완투하다 ; 〔美蹴〕 터치다운하다.
in the (***far***) ***distance*** (훨씬) 먼 곳에(far away).
keep at a distance (사람을) 멀리하다 : *Keep at a* ~! 가까이하지 마라.
keep one***'s distance*** 거리를 두다, 가까이하지 않다 : make a person *keep* his ~ 남을 가까이 하지 못하게 하다.
know one***'s distance*** 분수를 알다[지키다].
take distance 《美口》 멀리 가다.
to a distance (꽤) 먼 데로.
within striking [***hailing, hearing, walking***] ***distance*** 뻗으면 손이 닿는[부르면 들리는, 걸어갈 수 있는] 곳에.

〈회화〉
What is the *distance* from here to New York? —It's about 500 miles. 「여기에서 뉴욕까지의 거리는 얼마나 됩니까」「약 오백 마일입니다」

— *vt.* 사이[간격]를 두다, 멀리하다 ; (경주·경쟁에서) 앞지르다, 추월하다(outstrip), (멀리) 떼어놓다《outdistance가 일반적》.

dístance pòle [《英》 **pòst**] *n.* 〔競馬〕 주정표.

‡**dis·tant** [dístənt] *a.* **1** (거리가) 먼, 멀리 떨어진(far-off) ; 먼 데로의 ; 떨어져 있는 : The place is six miles ~ [is ~ six miles] *from* the sea. 그곳은 바다에서 6마일 떨어져 있다. **2** (유사성(類似性) 따위가) 먼, 희미한(faint). **3** (시간적으로) 먼《시대》; (친척 등) 촌수가 먼 : at no ~ date 머지 않아, 조만간에. **4** (태도 따위가) 서먹서먹한, 경원(敬遠)하는, 쌀쌀한, 냉담한(cold)〈*toward*〉; (표현이) 에두른, 완곡한 : a ~ air 냉담한 태도. **~·ness** *n.*
〖OF or L (pres. p.)〈DI-[2]*sto* to stand apart〗
類義語 ⟹ FAR.

Dístant Éarly Wárning *n.* 원거리 조기 경계 《略 DEW[1]》.

Dístant Éarly Wárning lìne *n.* =DEW LINE.

dís·tant·ly *adv.* **1** 멀리, 떨어져서. **2** 냉담하게, 서먹서먹하게. **3** 완곡하게, 넌지시.

dístant sígnal *n.* 〔鐵〕 원거리 신호기.

dis·táste *n.* U [또는 a ~] (음식물에 대한) 싫증, 혐오(嫌惡) ; 염증(dislike) ; 《廢》 불쾌(annoyance, discomfort) : in ~ 싫어서《얼굴을 외면하는 따위》/ He has *a* ~ *for* music[work]. 음악[일]을 싫어한다. — *vt.* 《古》 싫어하다 ; 《古》 불쾌하게 하다.

dis·táste·ful *a.* 맛없는 ; 싫은(disagreeable)〈*to*〉; 염증[불쾌감]을 나타내는.
~·ly *adv.* **~·ness** *n.*

Dist. Atty. District Attorney.

dis·tem·per[1] [distémpər] *n.* **1** 〔獸醫〕 디스템퍼《강아지의 전염병 ; 말의 선역(腺疫) (strangles)》. **2** U (심신의) 질병, 이상, 불건전 ; 불만. **3** U 사회적 불안, 소란. — *vt.* 《古》 [보통 *p.p.*로] 병적으로 하다, 탈나게 하다 : a ~*ed* fancy 병적인 공상. 〖L *dis*-[1](*tempero* to mingle correctly)〗

distemper[2] *n.* **1** U 디스템퍼《아교와 난황(卵黃) 따위를 이용한 그림 물감》, 진흙같이 생긴 그림 물감, 아교 그림 물감, 수성 도료(水性塗料). **2** U 디스템퍼 화(법) : paint in ~ 디스템퍼 화법으로 그리다. **3** 템페라 그림(tempera) ; 《古》 템페라 화법. — *vt.* …을 혼합하여 디스템퍼를 만들다 ; …에 디스템퍼를 칠하다 ; 디스템퍼로 그리다.
〖OF or L=to soak, macerate (↑)〗

dis·témperature *n.* (심신의) 부조(不調) ; 《古》 절도[중용]의 결여.

dis·tend [disténd] *vt., vi.* (내부 압력에 의하여) 팽창시키다[하다] ; 넓히다, 넓어지다 ; 과장하다.
~·er *n.* 〖L (TEND[1])〗

dis·ten·si·bil·i·ty [distènsəbíləti] *n.* U 팽창성.

dis·ten·si·ble [disténsəbəl] *a.* 팽창되는[시킬 수 있는], 팽창성의.

dis·ten·sion, -tion [disténʃən] *n.* 팽창, 확대.

disti- [dístə] ☞ DIST-.

dis·tich [dístik] *n.* 〔韻〕 2행 연구(聯句), 대구(對句) (couplet). 〖L<Gk. *di*-[2](*stikhos* line)〗

dis·ti·chous [dístikəs] *a.* 〔植〕 마주나기[대생(對生)]의 ; 〔動〕 이분(二分)된. **~·ly** *adv.*

dis·till, -til | **-til** [distíl] *v.* (**-ll-**) *vt.* **1** [+目 / +目+副/+目+前+名] 증류(蒸溜)하다, 증류하여 (위스키·진 따위를) 만들다(cf. BREW) : ~ ***off*** the impurities 증류하여 불순물을 없애다 / Crude oil is ~*ed* ***into*** gasoline. 원유를 정제하여 가솔린으로 만든다 / Whiskey is ~*ed* ***from*** grain. 위스키는 곡식에서 증류된다. **2** (…의 정수(精髓)를) 뽑다, 추출하다(extract) ; (문체 따위를) 세련되게 하다, 순화하다 : ~ the meaning of a poem 시(詩)의 의미를 캐내다. **3** [+目 / +目+前+名] 방울져 떨어지게 하다, 적하(滴下)하다 : Iago ~*ed* poison ***into*** Othello's mind. 이아고는 오셀로의 마음에 독을 흘려 넣었다. — *vi.* **1** 증류되다. **2** 방울져 떨어지다, 유출(溜出)하다 ; 점점 드러나다[나타나다], 스며나오다. 〖L (*de*-, *stillo* to drip)〗

dis·til·land [dístəlæ̀nd] *n.* 증류물.

dis·til·late [dístəlèit, -lət] *n.* **1** 유출(溜出)물, 증류액 ; 석유제품. **2** 정수(精粹).

dis·til·la·tion [dìstəléiʃən] *n.* U 증류(법) ; U,C 유출물, 증류액 ; 정수 : dry ~ 건류(乾溜).

dis·til·la·to·ry [distílətɔ̀:ri ; -təri] *a.* 증류(용)의. — *n.* 증류기(still).

dis·tílled *a.* 증류해서 얻은.

distílled líquor *n.* 증류주(酒) (hard liquor).

distílled wáter *n.* 증류수.

distíll·er *n.* **1** 증류하는 사람 ; 증류주 제조업자, 주조가(酒造家). **2** 증류기 ; (증류장치의) 응결기(凝結器).

distíll·ery *n.* 증류소 ; 증류주 제조장.

distílling flàsk *n.* 증류(용) 플라스크.

***dis·tinct** [distíŋkt] *a.* **1** 별개의(separate), 독특한(individual), (…와는) 성질이 [종류가] 다른 ⟨*from*⟩. **2** 똑똑한, 명료한(clear) (↔*vague*) ; 명확한, 틀림없는(definite) ; 똑똑히 식별하는《시력 따위》; 〔論〕 판명(判明)된. **~·ly** *adv.* 명료[뚜렷]하게. **~·ness** *n.* 〖L (p.p.)‹DISTINGUISH〗

類義語 ⟹ DIFFERENT.

***dis·tinc·tion** [distíŋkʃən] *n.* **1** Ⓤ 구별, 식별 ; 차별 ; Ⓒ 구별짓기 ; 대비(對比), 대조 : a ~ without a difference 쓸데없는 구별짓기 / draw a ~ [make no ~] *between* …의 사이에 구별을 두다 [두지 않다] / in ~ *from*[*to*] …와 구별하여, 대조적으로 / without ~ (*of* rank) (신분의) 차별 없이, 무차별로. **2** U,C 차이(점) (difference), (구별이 되는) 특질, 특징, 특이성 ; 〔言〕 변별. **3** Ⓤ 우수[비범]함, 탁월성. **4** U,C 수훈(殊勳) ; 영예(honor) ; 영예의 표시《칭호·학위·직위·훈장·포상 따위》; (시험 따위에서의) 우등 : gain[win] ~*s* 수훈을 세우다, 이름을 떨치다 / with ~ 뛰어난 성적으로. **5** Ⓤ 저명, 고귀. **6** Ⓤ (문체 따위의) 특징, 개성 ; 기품 있는 풍채[태도] ; 눈에 띄는 외관 : His style lacks ~. 그의 문체는 특징이 없다. **7** Ⓤ (텔레비전의) 선명도. **~·less** *a.* 〖OF‹L ; ⇨ DISTINGUISH〗

***dis·tinc·tive** [distíŋktiv] *a.* 구별[차별]을 나타내는 ; 특유의, 특징적인(characteristic) ; 〔言〕 변별적인, 시차적(示差的)인 : ~ features 뚜렷한 특징 ; 〔言〕 변별적[시차적] 특징. **~·ly** *adv.* 구별하여, 똑똑히, 눈에 띄게 ; 특별히, 뛰어나게, 두드러지게. **~·ness** *n.* Ⓤ 특수성 ; 〔言〕 변별성, 시차성.

dis·tin·gué [dì(ː)stæŋgéi, distǽŋgei] *a.* (*fem.* **-guée** [—]) (태도·용모·복장 따위) 고귀한, 기품이 있는, 훌륭한, 특별한. 〖F (p.p.)‹↓〗

dis·tin·guish** [distíŋgwiʃ] *vt.* **1** [+目/+目+*from*+名] 식별[변별]하다(discern) ; 구별하다 ; 분류하다⟨*into*⟩ : It was too dark for me to ~ anything. 너무 캄캄해서 아무것도 식별할 수가 없었다 / It is hard to ~ him ***from his brother. 그와 그의 형[동생]을 분간하기는 어렵다. **2** [+目+*from*+名] (특징 따위가) …의 구별이 되다 ; …의 특색을 나타내다 ; 〔言〕 변별하다 : Reason ~*es* man ***from*** animals. 인간은 이성(理性)에 의하여 동물과 구별된다. **3** [+目/+目+前+名] [~ one*self* 로] 돋보이게 하다, 현저하게 하다 (cf. DISTINGUISHED) : Tom ~*ed* him*self* ***in*** the examination. 톰은 시험에서 뛰어난 성적을 냈다 / She ~*ed* her*self* ***by*** winning three prizes. 그녀는 세 개 부문의 상을 타고 유명해졌다.

—— *vi.* [+*between*+名] 식별[변별]하다 : The color-blind cannot ~ ***between*** colors. 색맹인 사람은 색깔을 구별하지 못한다. **~·able** *a.* 구별할 수 있는. **~·ably** *adv.* **~·abílity** *n.*

〖F or L (*di-*², *stinct- stinguo* to extinguish) ; cf. EXTINGUISH〗

類義語 (1) ***distinguish*** 어떤 물건의 특색·특성을 간파하여 그것과 다른 것을 구별하다 : *distinguish* one's friend in the crowd (군중 속에서 친구를 식별하다). ***discriminate*** 유사한 것들 중에서 세밀하거나 미묘한 차이를 식별하다 : *discriminate* various shades of meaning (의미의 여러가지 변화를 구별하다). ***differentiate*** 동일 종류의 물체의 특성·특색을 각각 세밀하게 비교하면서 검토하다 : *differentiate* natural pearls from artificial ones(진짜 진주와 모조(模造) 진주를 구별하다).

(2) ⟹ DISCERN.

***dis·tín·guished** *a.* 현저한, 탁월한, 유명한(eminent) ; 수훈(殊勳)의 ; 품위가 있는(distingué) : a ~ scholar 저명한 학자 / He is ~ *for* his knowledge of linguistics[*by* the novelty of his views, *as* an economist]. 그는 언어학의 지식으로[독창적인 견해로서, 경제학자로서] 유명하다 : *D*~ Conduct Medal 〔英陸軍〕 공로장(功勞章)《略 D.C.M.》/ *D*~ Flying Cross 〔空軍〕 공군 무공[공전 수훈] 십자 훈장《略 D.F.C.》/ *D*~ Service Cross 〔美陸空軍·英海軍〕 (청동의) 수훈 십자 훈장《略 D.S.C.》/ *D*~ Service Medal 〔軍〕 수훈장《略 D.S.M.》/ *D*~ Service Order 〔英軍〕 수훈장《略 D.S.O.》/ ~ services 수훈.

類義語 ⟹ FAMOUS.

dis·tín·guish·ing *a.* 특징 있는, 특기할 만한.

distn. distillation.

disto- [dístou, -tə] ☞ DIST-.

dis·to·ma [dístəmə] *n.* 〔動〕 디스토마(fluke).

di·stome [dáistòum] *a.*, *n.* 〔動〕 이세대류(二世代類)의 (흡충), 디스토마.

dis·to·mi·a·sis [dìstəmáiəsəs] *n.* Ⓤ (간의) 디스토마증, 흡충증(吸蟲症).

dis·tort [distɔ́ːrt] *vt.* **1** (얼굴을) 찡그리다, (손·발을) 비틀다 ; (소리·영상을) 일그러뜨리다 : His face was ~*ed* by rage. 그의 얼굴은 분노로 일그러졌다. **2** (사실·진리 따위를) 왜곡하다 ; 곡해하다 : He seemed to have ~*ed* the facts of the accident. 그 사고의 실상을 왜곡해서 보고한 것 같았다 / You have ~*ed* my speech. 너는 나의 말을 바르게 전하지 않았다. **~·er** *n.* 〖L (*tort- torqueo* to twist)〗

distórt·ed *a.* 찌그러진, 비틀어진 : ~ views 편견 / ~ vision 난시(亂視).

~·ly *adv.* 곡해하여. **~·ness** *n.*

dis·tor·tion [distɔ́ːrʃən] *n.* Ⓤ 찌그러뜨리기, 찌그러짐, 비틀림, 뒤틀림, 비뚤어짐 ; (사실 따위의) 왜곡, 곡해(曲解) ; U,C 왜곡된 상태[부분·이야기] ; (신체·골격 따위의) 만곡(彎曲), 변형(變形), 일그러짐, 염좌(捻挫) ; 〔精神分析〕 왜곡 ; (전화·라디오의) 소리의 변조(變調) ; Ⓒ 찌그러진 형(形)[상(像)]. **~·less** *a.*

dis·tór·tion·al *a.* 찌그러진, 변형된.

dis·tór·tion·ist *n.* 만화가 ; (몸을 마음대로 구부릴 수 있는) 곡예사.

distr. distribute ; distribution ; distributor.

dis·tract** [distrǽkt] *vt.* **1** [+目/+目+*from*+名] (정신·주의를) 산란하게 하다, 딴 데로 쏠리게 하다, 흩뜨리다 ; (기분) 전환시키다(divert) (↔*attract*) : The noise ~*ed* his attention ***from studying. 그 소음 때문에 그는 공부에 주의를 기울일 수가 없었다. **2** [+目/+目+前+名] [주로 수동태로] (마음을) 괴롭히다(perplex) ; 혼란시키다, 미치게 하다(cf. DISTRACTED) : Her mind *is* ~*ed* by grief. 그녀는 슬픔으로 심란해 있다 / She *was* ~*ed* ***with*** cares[***at*** the occurrence]. 근심으로[그 일로] 정신이 어지러웠다 / He *was* ~*ed* ***between*** hope and fear. 희망과 불안으로 마음이 뒤숭숭했다. **3** (불화로) 분열시키다. —— [, ˊ-] *a.* 《古》 미친.

distráct·er, dis·trác·tor *n.* **1** distract하는 사람. **2** (선다형 시험 중의) 틀린 선택지. **~·ible** *a.*

~·ibílity *n.*
〖L (*dis-*¹, *tract- traho* to draw)〗

distráct·ed *a.* 정신이 산란한, 미친 듯한(mad) : drive a person ~ 남을 미치게 하다 / I was almost ~. 거의 미칠 것만 같았다. **~·ly** *adv.* 정신이 산란하여, 미친 듯이. **~·ness** *n.*

dis·trac·tion [distrǽkʃən] *n.* **1** Ⓤ 정신이 산란함, 주의 산만. **2** 기분 전환, 오락(amusement). **3** 미칠 듯함, 미친 짓(madness) ; 불화 ; 소동. ***to distraction*** 미칠 듯이.

dis·trác·tive *a.* 미치게 하는 (듯한).

dis·train [distréin] *vt., vi.* [+目 / +*upon*+名] 〖法〗 압류하다 : ~ ***upon*** a person's furniture for rent 집세 대신에 가재도구를 압류하다. 注 타동사의 용법은 《美》. **~·able** *a.* **dis·train·ee** [dìstreiníː] *n.* 〖法〗 피(被)압류인. **dis·tráin·er, dis·trái·nor** [; dìstreinɔ́ːr] *n.* 〖法〗 (동산) 압류인, 압류자. **~·ment** *n.* =DISTRAINT.
〖OF<L *di-*¹(*strict- stringo* to draw tight)〗

dis·traint [distréint] *n.* Ⓤ 〖法〗 동산 압류.
〖CONSTRAINT에 준하여 ↑에서〗

dis·trait [distréi] *a.* (*fem.* **-traite** [-tréit]) (근심 따위로 인해서) 방심한, 멍한, 건성의(absent-minded). 〖OF (p.p.) 〈DISTRACT〗

dis·traught [distrɔ́ːt] *a.* **1** (마음의) 평정을 잃은, 정신이 산란한(distracted) : ~ ***with*** grief 슬픔으로 마음이 짓눌려서. **2** 머리가 돈, 발광한 (crazed). **~·ly** *adv.*

***dis·tress** [distrés] *n.* **1** Ⓤ 고민(worry), 한탄 (grief) ; Ⓒ 고민거리〈*to*〉. **2** Ⓤ 고통(pain) ; Ⓒ 피로. **3** Ⓤ 빈곤, 곤궁. **4** Ⓤ 고난, 재난, 불행 ; 〖海〗 조난 : a ship *in* ~ 난파선 / a signal of ~ 조난 신호. **5** 〖法〗 (자구(自救)적) 동산 압류, 압류물.
in distress (돈 따위에) 궁하여〈*for*〉; (배가) 조난하여[한] (cf. 4).
—— *a.* 출혈 판매의 ; 투매품이 있는.
—— *vt.* **1** 괴롭히다(afflict), 고민하게 하다, 슬프게 하다 ; 궁색하게 하다 ; 쇠약하게 하다, 지치게 하다(exhaust) : This cough ~*es* me. 이 기침 때문에 괴롭다 / Don't ~ yourself. 과히 걱정하지 마라. 注 때때로 *p.p.*로 형용사적으로 씀 [+*to* do / +前+do*ing*] : I am much ~*ed to* hear the news. 그 소식을 듣고 몹시 걱정했다 / She was ~*ed* ***at*** the sight[*at* see*ing* them unhappy]. 그 광경을 보고[그들의 불행한 처지를 보고] 마음이 아팠다 / He is ~*ed* ***for*** money[***with*** debts, ***about*** the matter]. 그는 돈 때문에[빚으로, 일로] 고민하고 있다. **2 a)** 괴롭혀 …하게 하다. **b)** 《古》 =DISTRAIN.
〖OF<Rom. ; ⇨ DISTRAIN〗
類義語 ***distress*** 정신적 · 육체적인 고통 · 고민 따위 ; 일반적으로 회복될 수 있는 상태를 말함. ***suffering*** 고통 · 고민을 현재 참고 있다는 것을 강조. ***agony*** 정신 또는 육체의 견디기 어려울 정도의 심한 고통을 말함. ***anguish*** agony와 같으나 보통은 급격한 정신적인 고통을 말함.

distréss càll *n.* 조난 신호, 위급 호출, 구원 요청《SOS 따위》.

dis·tréssed *a.* 곤궁한 ; 투매(投賣)의 : ~ area 《美》 (태풍 · 홍수 따위로 인한) 자연 재해 지역 ; 《주로 英》 (실업자가 많은) 궁핍[불황] 지역.

distréss flàg *n.* 조난 신호기(旗)《마스트 중간에 걸거나 거꾸로 걺》.

distréss·ful *a.* 고민이 많은, 괴로운, 비참한 ; 궁핍한 : the ~ country 아일랜드《별명》.
~·ly *adv.* 괴롭게, 비참하게. **~·ness** *n.*

distréss gòods[《美》 **mèrchandise**] *n.* 투매품, 덤핑 상품.

distréss gùn *n.* 조난 신호포.

distréss·ing *a.* 고민을 주는(것 같은), 비참한. **~·ly** *adv.* 비참하게, 애처롭게(도).

distréss ròcket *n.* 〖海〗 조난 신호 불꽃.

distréss sàle[**sèlling**] *n.* 투매.

distréss sìgnal *n.* 〖海 · 空〗 조난 신호.

distréss wàrrant *n.* 〖法〗 압류 영장.

dis·trib·u·tary [distríbjətèri ; -bjutəri] *n.* 분류, 지류(支流) (cf. TRIBUTARY).

‡**dis·trib·ute** [distríbjuːt, -bjət, 英+dístribjùːt] *vt.* **1** [+目 / +目+前+名] 나누다, 배당하다, 분배하다 ; 배포[배급]하다 ; 배송[배달]하다 : They ~*d* the prizes ***to*** the victors. 상품을 승자에게 배분했다 / Here alms are evenly ~*d* ***among*** the poor. 여기서는 구호물자를 빈민에게 평등하게 나눠준다. **2** [+目+前+名] 살포하다, 분포하다 : ~ manure ***over*** a field 밭 전체에 비료를 뿌리다 / ~ paint *over* a wall 벽 전체에 페인트를 칠하다. **3** [+目 / +目+*into*+名] 분해하다 ; 배치하다 ; 분류하다(classify) : ~ plants ***into*** twenty-two classes. 식물을 22강(綱)으로 분류하다. **4** 〖論〗 확충[주연(周延)]하다 ; 〖印〗 해판(解版)하다. —— *vi.* 분배[배포]를 하다.
dis·tríb·ut·able *a.*
〖L (*tribut- tribuo* to allot, assign)〗
類義語 ***distribute*** 일정한 양[금액]을 어떤 계획에 따라서 몇 사람에게 분배하다 : *distribute* textbooks among students (교과서를 학생들에게 분배하다). ***dispense*** 물건을 주의깊게 생각하여[셈하여] 분배하다 : *dispense* medicines (의약품을 골고루 나눠주다). ***divide*** 전체를 몇 개의 부분으로 분할하다 : The fortune was *divided* among the six children. (그 재산은 여섯 명의 아이들에게 분할되었다).

dis·tríb·ut·ed *a.* 〖統〗 …의 분포를 한.

dis·trib·u·tee [distrìbjətíː] *n.* 〖法〗 (무유언(無遺言) 사망자의) 유산 상속권자.

dis·tríb·ut·ing *a.* 분배의, 배급의, 분포의 : a ~ center 집산지 / a ~ station 배전소 ; 배급소.

***dis·tri·bu·tion** [dìstrəbjúːʃən] *n.* **1** Ⓤ,Ⓒ **a)** 배분, 배급, 배포, 배당 ; Ⓒ 배급물 ; 배포량. **b)** Ⓤ 〖經 · 法〗 분배 ; (상품의) 판매, 유통 (기구) : the ~ *of* wealth 부(富)의 분배 / a ~ upheaval 유통 혁명(流通革命). **c)** 〖機〗 배수(配水) ; 〖電〗 배전 ; 배기(配氣). **2** Ⓤ,Ⓒ 배치〈*of*〉. **3** Ⓤ (우편의) 구분, 분류〈*of*〉. **4** Ⓤ,Ⓒ (동식물 · 언어 따위의) 분포 (구역 · 상태) ; 〖統〗 (도수(度數)) 분포 : have a wide ~ 널리 분포하고 있다. **5** Ⓤ 〖論〗 확충, 주연(周延). **6** 〖印〗 해판(解版). **7** 〖數〗 초(超)함수. **~·al** *a.*

distribútion chánnel *n.* 유통 경로.

distribútion coeffícient[**ràtio**] *n.* 〖化〗 분배[분포] 계수.

distribútion còst *n.* 유통[판매] 경비.

distribútion cùrve *n.* 〖統〗 분포 곡선.

distribútion fùnction *n.* 〖統〗 분포 함수.

distribútion ríghts *n. pl.* 〖出版〗 (서적의) 판매 지역의 권리.

distribútion sàtellite *n.* 배급위성《지상국(局)으로 신호를 다시 보내는 소형 통신 위성》.

distribútion strùcture *n.* 유통 구조.

dis·trib·u·tive [distríbjətiv] *a.* 분배의[에 관한] ; 〖文法〗 배분적인 ; 〖論〗 확충적(擴充的)인 : a ~ singular 〖文法〗 배분 단수(配分單數) 《복수의 관념을 개별적으로 배분하여 가리키는 단수형 ;

보기 We have *a nose.*에서의 a nose》.
—— *n.* 〖文法〗 배분사(配分詞), 개별적[배분] 대명사[형용사]《each, every 따위》. **~·ly** *adv.* 분배적으로. **dis·trìb·u·tív·i·ty** *n.*

distríbutive educátion *n.* 산학(產學) 협동 교육《학교 수업과 현장 실습을 병행》.

dis·tríb·u·tor, -ut·er *n.* 분배[배포·배급·배달]자 ; (특히) 도매업자 ; 〖印〗 해판공 ; 〖機〗 (가솔린 엔진의) 배전기(配電器).

distríbutor·shìp *n.* 독점판매권(을 갖는 상사[영업소]).

‡**dis·trict** [dístrikt] *n.* **1** (행정·사법·선거·교육 따위의 목적으로 구분한) 지구, 구역, 관구, 행정구, 시구, 군구 : a judicial[police] ~ 법원[경찰] 관할구 / a postal ~ 우편구(cf. ZONE 3) / a school ~ 학구(學區). **2** 《美》 (하원의원) 선거구 (congressional district) (cf. DIVISION 9) ; (주의회 의원) 선거구(election district). **3** (일반적으로) 지방, 지역(region, area) : an agricultural [a coal] ~ 농업[탄광] 지방 / ☞ LAKE DISTRICT. **4** 《英》 교구(敎區) (parish)의 한 구역. **5** (관청 따위의) 부국(部局), 국, 부. —— *vt.* 지구[관구]로 나누다.
〚F<L= (territory of) jurisdiction ; ⇨ DISTRAIN〛

dístrict attórney *n.* 《美》 지방 검사《略 D.A.》.

dístrict chéck *n.* (스코틀랜드식의) 체크 무늬 (의 직물).

dístrict cóuncil *n.* 《英》 지방자치구[준 자치 도시] 의회.

dístrict cóurt *n.* 《美》 지방 법원《(1) 연방 제1심 법원. (2) 여러 주의 하급 법원》.

dístrict héating *n.* 지역 난방《어떤 지역 내의 여러 건물의 난방을 한 기관실에서 조작함》.

dístrict júdge *n.* 《美》 지방 법원 판사.

dístrict léader *n.* 《美》 (정당의) 지구당 위원장.

dístrict núrse *n.* 《英》 지구 간호사, 보건원《특정 지구에서 환자의 가정을 방문함》.

dístrict státion *n.* 《美》 (경찰의) 지구서(地區署)《도시나 자치단체의 경찰에 속함》.

dístrict superinténdent *n.* (메서디스트 교회의) 교구 감독(자).

dístrict vísitor *n.* 《英》 교구 목사를 보좌하는 여성.

dis·trin·gas [distríŋgæs] *n.* 〖法〗 (전에 sheriff에게 발부된) 간접 강제적 압류영장 ; 〖英史〗 (주장관에 의한) 동산 압류장 ; =STOP ORDER.

dis·trúst *vt.* 신용[신뢰]하지 않다 ; 의심하다, 수상히 여기다(cf. MISTRUST) : ~ one's own eyes 자기 눈을 의심하다. —— *n.* Ⓤ [또는 a ~] 불신 ; 의혹, 의심 : with ~ 의심의 눈길로 (보는), 수상히 여겨 / have *a* ~ of …을 신용하지 않다. **~·er** *n.*
類義語 ⟹ DOUBT.

dis·trúst·ful *a.* **1** 의심이 많은, (쉽사리) 믿지 않는(suspicious), 회의적인 ⟨*of*⟩. **2** 《古》 의심스러운(doubtful). **~·ly** *adv.* 의심스럽게, 수상히 여겨서. **~·ness** *n.*

*__dis·turb__ [distə́ːrb] *vt.* [+目 / +目+前+名] 흐트러뜨리다 ; 소란케 하다, 불안하게 하다 ; 방해하다, 성가시게 굴다 : ~ the peace 치안을 방해하다 / Don't ~ the baby, he is asleep. 갓난아기를 성가시게 하지 마세요, 지금 잠들어 있으니까요 / Someone has ~*ed* the papers on my desk. 누군가 내 책상 위의 서류를 흐트러뜨렸다 / He was ~*ed* ***in*** his work by the noise outside. 밖이 소란해서 일에 방해가 되었다.

〈회화〉
Will you play a game with me? — Don't *disturb* me. I'm studying for the exam.
「게임하지 않을래」「방해하지 마. 시험 공부 중이니까」

—— *vi.* (사람의 수면·휴식 중 따위에) 성가시게 하다 : Do not ~ (until 10 o'clock)! (열시까지) 깨우지 마시오《호텔 같은 데서 방문 밖에 써서 붙임》. **~·er** *n.*
〚OF<L *dis-*¹(*turbo* to confuse<*turbo* tumult)〛
類義語 ***disturb*** 정상적인 정신의 안정이나 집중력을 고민·방해물 따위로 흐트러지게 하다 : I was *disturbed* by callers. (방문객으로 마음이 흐트러졌다). ***discompose*** 침착성이나 자신을 잃게 하여 산란하게 하다 : The news *discomposed* him. (그 소식은 그의 마음을 산란케 했다). ***perturb*** 난처하거나 깜짝 놀라는 기분에 젖게 하다 ; disturb 보다도 강한 마음의 동요·불안을 나타냄 : The accident *perturbed* him. (그 사고는 그에게 충격을 주었다). ***agitate*** 정신적 또는 감정적으로 심히 흥분시키다 : The crowd was *agitated* by the speaker. (그 연사(演士)는 군중을 흥분의 도가니로 몰아넣었다).

*__dis·tur·bance__ [distə́ːrbəns] *n.* Ⓤ,Ⓒ 어지럽히기 [떠들어 대기], 혼란 ; 불안, 근심 ; 방해, 소동 : ~ of public peace 치안 방해 / a nervous[digestive] ~ 신경[위장] 장애 / cause[make, raise] a ~ 소동을 일으키다 / repress a ~ 소동을 진압하다. 〚OF ; ↑〛

dis·túrbed *a.* 흐트러진 ; 소란한, 불안한 ; 방해하는 ; 신경증 증세가 있는.

dis·túrb·ing *a.* 불온한, 교란시키는. **~·ly** *adv.*

di·style [dáistail, dís-] *a., n.* 〖建〗 이주(二柱)식의 (앞 현관).

di·súlfate *n.* 〖化〗 이황산염 ; =BISULFATE.

di·súlfide *n.* 〖化〗 이황화물(二黃化物).

dis·únion *n.* 분리, 분열 ; 불통일 ; 불화, 알력.

dis·únion·ist *n.* 분열[분파]주의자 ; 〖美史〗 (남북전쟁 당시의) 분리주의자.
dis·únion·ìsm *n.* Ⓤ 분리주의.

dìs·uníte *vt., vi.* 떼다, 떨어지다, 분열[분리]시키다[되다].

dis·únity *n.* =DISUNION.

dis·use [disjúːz] *vt.* …의 사용을 중지하다.
—— [disjúːs] *n.* Ⓤ 쓰이지 않음, 폐지 : fall into ~ 폐지되다, 쇠퇴하다. 〚OF (*dis-*¹)〛

dis·úsed *a.* 쓰이고 있지 않는, 폐지된, 쇠퇴한 : a ~ meaning 쓰이지 않게 된 의미.

dìs·utílity *n.* 〖經〗 비(非)효용.

dis·válue *n.* 부정적인 가치 ; 경시, 무시.
—— *vt.* 《古》 경시하다.

di·syl·la·ble [dáisìləbəl, ˊ-ˋ--, disíləbəl, ˊˋ---], **dis·syl-** [dissíl-, díssìl-, dáisìl-, -ˊ--] *n.* 2 음절(어). **di·syllábic, dis·syl-** [dài-, dìs-] *a.*
〚F<L<Gk. (*di-*²)〛

dit [dít] *n.* 〖通信〗 (모스 부호의) 단음. 〚imit.〛

di·ta [díːtə] *n.* 〖植〗 디타나무《협죽도과(科) ; 동아시아산》. 〚Tagalog〛

*__ditch__ [dítʃ] *n.* **1** 도랑, 시궁창, 배수구 ; 개골창 ; (천연의) 수로(watercourse). **2** [the D~] 《英空俗》 영국 해협 ; 북해.
be driven to the last ditch 궁지에 몰리다, 진퇴양난이 되다.
die in a ditch 객사하다(cf. *die in* one'*s* BED).
die in the last ditch 끝까지 싸우다 쓰러지다.
—— *vt.* **1** …에 도랑을 파다[두르다]. **2** [때때로

수동태로] (차를) 도랑에 빠뜨리다 : His car *got* ~*ed*. 그의 차는 도랑에 빠졌다. **3** 《美》 (열차를) 탈선시키다 ; (육상 착륙 비행기를) 바다에 불시착시키다. **4** 《俗》 숨기다 ; (사람을) 따돌리다 ; (일·책임 따위에서) 꽁무니빼다. **5** (학교 따위를) 꾀부려 빠지다(get away from). —— *vi.* 도랑을 파다[개수하다] : hedging and ~*ing* ☞ HEDGE *vi.*
〖OE *dīc* < ? ; cf. DIKE, G *Teich*〗

dítch·dìgger *n.* 도랑 치는 일꾼 ; 중노동자 ; 도랑 파는 기계(ditcher).

dítch·er *n.* 도랑 파는 사람[인부], 도랑치는 인부 ; 도랑 파는 기계.

dítch·wàter *n.* Ⓤ 도랑에 괸 물.
(*as*) ***dull as ditchwater*** 침체할 대로 침체하여, 시시하기 짝이 없는.

dít-dà àrtist[**jòckey, mònkey**] *n.* 《美俗》 단파 무선 오퍼레이터.

di·the·ism [dáiθi(ː)ìzəm, -⌐-] *n.* 이신교, 선악 이신론(二神論). **-ist** *n.* **dì·the·ís·tic** *a.*

dith·er [díðər] *vi.* (걱정·흥분 따위로) 몸이 떨리다(tremble) ; 허둥대다, 안절부절 못하다, 갈피를 못잡다 ; 《口》 주저하다, 당황하다.
—— *n.* 떨림 ; 《口》 (걱정·흥분으로) 허둥대기, 당황, 안절부절 못하는 상태, 혼란 : all of a ~ 《口》 (몸을) 부들부들 떨며 / have the ~*s* 《口》 몸을 떨다. **~y** *a.* 〖변형 ‹ *didder* DODDER[1]〗

díth·ered *a.* 당황한, 허둥대는.

di·thi- [daiθái], **di·thio-** [daiθáiou, -θáiə] *comb. form* 〖化〗「(2산소 원자인 곳에) 2황 원자를 함유하는」의 뜻. 〖*di-*[2], *thi-*〗

di·thi·ol [daiθáiɔ(ː)l, -oul, -ɑl] *a.* 〖化〗 (황과 수소로 이루어진) SH기 2개를 함유한.

dì·thiónic ácid *n.* 〖化〗 디티온산(酸).

dith·y·ramb [díθiræ̀mb] *n.* (*pl.* **~s** [-ræ̀mz]) [보통 *pl.*] 〖古그〗 바커스(Bacchus)의 찬가 ; 열광적인 시가[연설·문장]. 〖L<Gk.〗

dìth·y·rám·bic [-bìk] *a.* dithyramb의 ; 열광적인, 열렬한. —— *n.* =DITHYRAMB.
-bi·cal·ly *adv.*

di·tránsitive *a.* 〖言〗 직접목적어와 간접목적어를 취하는《동사》.

dit·ta·ny [dítəni] *n.* 〖植〗 꽃박하의 일종 ; (북미산의) 박하의 일종. 〖OF<L<Gk.〗

dít·tied *a.* DITTY로서 작곡된[노래 불려지는].

dit·to [dítou] *n.* (*pl.* **~s, ~es**) **1** Ⓤ 위와 같음, 앞과 같음(the same)《略 do., d°, 또 일람표 따위에서는 ″(ditto mark) 또는 — 로 대용함》 : 2 felt hats, 1 straw *d°* 펠트 모(帽) 두 개, 동(同) 밀짚제(製) 한 개. **2** 《口》 복사(複寫)(close copy) : He is the ~ *of* his father. 그는 아버지와 꼭 닮았다. **3** 사본(copy), 복제(duplicate). **4** [*pl.*] 아래 위 같은 감의 옷 : be in (a suit of) ~*s*=in a ~ suit 상하 같은 옷감의 옷을 입고 있다.
say ditto to... 《口》 …에 동의[찬성]하다.
—— *a., adv.* 《口》 (전과) 같이[같게].
—— *vt., vi.* **1** (…의) 사본을 뜨다, 복사하다. **2** ″표시로 반복을 표시하다 ; 반복하다.
〖It.<L ; ⇨ DICTUM〗

dít·to·gràph [dítou-] *n.* (잘못 베낀) 중복 문자[문구], 중복어.

dit·tog·ra·phy [ditɑ́grəfi] *n.* Ⓤ 중복 오사《보기 literature를 literat*at*ure로 쓰는 따위》.
dit·to·gráph·ic [dìtə-] *a.*

dítto machìne *n.* 복사기(複寫機).

dítto màrk *n.* 「위와 같음」이란 뜻의 부호《″ ; cf. DITTO 1》.

dit·ty [díti] *n.* 소가곡(小歌曲) ; 민요(folksong). 〖F *dité* composition<L (p.p.) ‹ DICTATE〗

dítty bàg[**bòx**] *n.* (선원·병사가 실·바늘 따위를 넣는) 잡낭(雜囊).

di·ure·sis [dàijərí:səs ; -juə-] *n.* (*pl.* **-ses** [-si:z]) Ⓤ 〖醫〗 이뇨(利尿).

di·uret·ic [dàijərétik ; -juə-] *a.* 이뇨(利尿)의, 배뇨(排尿)촉진의. —— *n.* 이뇨제. **-i·cal·ly** *adv.* 〖OF or L<Gk. (*di-*[3], *oureō* to urinate)〗

di·ur·nal [daiə́:rnl] *a.* 매일의, 일간의 ; 주간의, 낮 동안의(↔*nocturnal*) ; 〖植〗 낮에만 피는 ; 〖動〗 낮에 활동하는 ; 날마다의(daily) ; 〖天〗 일주(日周)의. —— *n.* 주간(晝間) 성무일과서《시간마다의 기도문을 쓴 기도서》 ; 《古》 일기, 일간신문(daily newspaper). **~·ly** *adv.* 날마다 ; 대낮에. 〖L *diurnus* daily (*dies* day) ; cf. JOURNAL〗

diúrnal pàrallax *n.* 〖天〗 일주 시차.

div 〖數〗 divergence. **div.** diversion ; divide(d) ; dividend ; divine ; divinity ; division ; divisor ; divorce(d).

di·va [dí:və] *n.* (*pl.* **~s, de·ve** [-vei]) (오페라의) 프리마돈나(prima donna), 주역 여가수. 〖It.<L=goddess〗

DIVAD [dívæ̀d] *n.* 〖美軍〗 대공자주포(對空自走砲). 〖*Div*isional *A*ir *D*efense〗

di·va·gate [dáivəgèit, dív-] *vi.* 《文語》 **1** 헤매다, 방황하다(stray). **2** (이야기가) 옆으로 빗나가다, 일탈(逸脫)하다 ; 분리하다.
dì·va·gá·tion *n.*
〖L (*di-*[2], *vagōr* to wander)〗

di·válent [, ⌐⌐-] *a.* 〖化〗 이가(二價)의.
-válence *n.*

di·van [dáivæn, divǽn, -vɑ́:n, dai-] *n.* **1** 벽에다 댄 긴의자 ; (일반적으로) 잠자는 긴의자, 소파(couch, sofa). **2** (호텔 따위에서 divan을 비치한) 흡연 휴게실. **3** (터키·이란 등지의) 추밀원(樞密院) ; 의사실(議事室) ; 법정 ; 알현실(謁見室). **4** (한 시인의) 작품집《특히 아라비아·페르시아의》 ; (이슬람 법에서) 회계부.
〖F or It.<Turk.<Arab.<Pers.=anthology, register, court, bench〗

di·var·i·cate [daivǽrəkèit, də-] *vi., vt.* 두 갈래로 갈라지다, 분기(分岐)하다. ——[-kət] *a.* 〖動〗 분기한. **~·ly** *adv.*

di·vàr·i·cá·tion *n.* Ⓤ,Ⓒ 분기(점), 의견의 대립[차이] ; 손발을 펴고 벌리기.

dive**[1] [dáiv] *vi.* (**~d,** 《美》 **dove** [dóuv] ; **~d**) **1** [動 / +前+名] (물속에) 뛰어들다 ; 다이빙하다, (잠수함이) 잠수하다 : ~ ***for pearls 잠수하여 진주를 캐다. **2** [+前+名] 갑자기 모습을 감추다, (덤불속으로) 파고들다 : I saw a rabbit ~ ***into*** its hole. 토끼가 굴 속으로 뛰어드는 것을 보았다. **3** [+*into*+名] 손을 쑤셔넣다 : Tom ~*d* ***into*** his pockets and fished out a cent. 톰은 호주머니에 손을 넣어 1센트를 끄집어냈다. **4** 〖空〗 급강하하다. **5** [+*into*+名] (연구·사업·오락 따위에) 몰두하다, 온 힘을 기울이다 : He has been *diving* ***into*** the history of civilization. 그는 문화사의 연구에 온 힘을 쏟고 있다. —— *vt.* (비행기를) 급강하시키다 ; (잠수함을) 잠수시키다 ; (손 따위를) 쑤셔 넣다‹*into*›. —— *n.* **1** 잠수 ; (수영의) 다이빙 ; 〖空〗 급강하, 다이브, 급격한 저하, 급락 : a fancy ~ 곡예 다이빙 / a nose [steep] ~ 급강하. **2** (요리점·여관 따위의) 특수한 품목을 파는 지하층. **3** 《美口》 값싼 요리점, 싸구려 술집 ; 사창굴.
〖OE *dūfan* (vi.) to dive, sink, *dȳfan* (vt.) to

immerse ; DEEP, DIP과 같은 어원〗

dive² *n.* DIVA의 복수형.

díve-bòmb *vt., vi.* 급강하 폭격하다. **~·ing** *n.*

díve-bòmb·er *n.* 급강하 폭격기.

díve bràke *n.* =AIR BRAKE.

***div·er** [dáivər] *n.* 물에 뛰어드는[잠수하는] 사람, 다이빙선수 ; 잠수부 ; 〖鳥〗 잠수하는 새《아비, 농병아리, 바다쇠오리 따위》; 《俗》 잠수함 ; 〖空〗 급강하 폭격기.

di·verge [dəvə́ːrdʒ, dai-] *vi.* [動 / +*from*+名] (길·선 따위가) 분기(分岐)하다, (방사상으로) 펼쳐지다(↔*converge*) ; (상궤(常軌)에서) 벗어나다, 빗나가다 ; (의견 따위가) 갈라지다, 다르다 ; 〖理·數〗 발산하다 : Our paths *~d* at the fork in the road. 우리가 가는 길은 도로의 분기점에서 두 갈래로 나 있었다 / ~ ***from*** the beaten track 상도(常道)를 벗어나다. —— *vt.* 딴 데로 돌리다. 〖L (*di-*¹, *vergo* to incline)〗

類義語 ⟹ DEVIATE.

di·ver·gence [dəvə́ːrdʒəns, dai-] *n.* **1** U,C 분기 ; 일탈(逸脫) (deviation) ; (의견 따위의) 엇갈림. **2** U 〖數·理〗 발산 ; 〖植〗 (잎의) 개도(開度) ; 〖生〗 분기(分岐). **3** 방산성[발산성](↔ *convergence*). **4** 〖醫〗 (사시(斜視)·탈구·마비 따위에서의) 개산(開散). **-gen·cy** *n.*

di·vér·gent *a.* 분기하는(↔*convergent*) ; 서로 다른, 불일치의 ; 규준에서 벗어난 ; 〖數·理〗 발산(성)의 ; 〖醫〗 개산(開散)성의 : ~ opinions 이론(異論). **~·ly** *adv.*

di·vérg·er *n.* DIVERGE하는 사람[것] ; 〖心〗 확산적 사고형의 사람《광범위한 상상력을 구사하는 사고에 뛰어난 사람》.

di·vérg·ing *a.* =DIVERGENT.

di·vers [dáivərz] *a.* =DIVERSE 2. 〖OF<L (↓)〗

***di·verse** [daivə́ːrs, də-, dáivəːrs] *a.* **1** 별종의, 다른(different)〈*from*〉. **2** 몇 개의(several), 갖가지의(varied), 다양한(multiform). **~·ly** *adv.* 가지가지로, 다양하게. **~·ness** *n.* 〖OF<L (*di-*¹, *vers- verto* to turn)〗

類義語 ⟹ DIFFERENT.

di·ver·si·fi·ca·tion [dəvə̀ːrsəfəkéiʃən, dai-] *n.* U 다양화(多樣化) ; 잡다한 상태 ; C 변화, 변형.

di·vér·si·fied *a.* 변화가 많은, 잡다한(varied).

di·vér·si·fòrm [dəvə́ːrsə-, dai-] *a.* 다양한, 여러가지 모양의.

di·ver·si·fy [dəvə́ːrsəfài, dai-] *vt.* 변화시키다, 다양화하다, …의 단조로움을 깨뜨리다 : The skyline is *diversified* by the skyscrapers. 스카이라인은 그 고층 빌딩에 의해서 여러가지 변화 있는 형태를 이루고 있다. —— *vi.* 다종 다양한 것을 만들다, (특히) 다양한 작물[제품]을 만들다, 사업을 다각화하다. **di·vér·si·fi·able** *a.* **-fi·er** *n.* 〖OF<L ; ⇨ DIVERSE〗

di·ver·sion [dəvə́ːrʒən, -ʃən, dai- ; daivə́ːʃən, di-] *n.* **1** U,C 다른 쪽으로 쏠리게[돌리게] 하기, 전환 ; (자금의) 유용(流用). **2** U,C 기분 전환, 오락(recreation). **3** U,C 〖軍〗 견제[양동](작전). **4** 《英》 우회하기, 우회로.

divérsion·àry [; -əri] *a.* 주의[관심]를 딴 데로 쏠리게 하는 ; 〖軍〗 견제를 위한, 양동의.

di·ver·si·ty [dəvə́ːrsəti, dai-] *n.* U 동일하지 않음, 차이(점) ; 각종, 잡다 ; 변화(variety), 다양성, 분기도.

di·vert** [dəvə́ːrt, dai-] *vt.* **1** [+目 / +目+前+名] 전환하다, 다른 곳으로 돌리다(turn aside) : ~ the course of a river = ~ a river ***from its course 강의 흐름을 바꾸다. **2** [+目 / +目+*from*+名] (주의를) 돌리다 ; …의 기분을 전환시키다, 즐겁게 하다(amuse) : He was greatly *~ed* by the play. 마음껏 그 연극을 즐겼다 / The band *~ed* our attention ***from*** the game. 우리들의 주의는 시합보다도 그 악대로 쏠렸다 / The boy was *~ing* himself ***in*** find*ing* a pretty pebble or shell. 소년은 예쁘장한 조약돌이나 조가비를 찾으며 즐거워하고 있었다. **3** 〖軍〗 견제하다 ; 유용[전용]하다. —— *vi.* 빗나가다. 〖F<L *di-*¹(*vers- verto* to turn)〗

類義語 ⟹ AMUSE.

di·ver·ti·men·to [divə̀ːrtəméntou, -vèərt-] *n.* (*pl.* **-ti** [-tiː], **~s**) 〖樂〗 희유곡(嬉遊曲). 〖It.〗

divért·ing *a.* 기분전환이 되는, 즐거운, 재미나는(amusing). **~·ly** *adv.* 기분풀이로, 즐겁게. **~·ness** *n.*

di·ver·tisse·ment [divə́ːrtəsmənt, -əz- ; *F* divɛrtismɑ̃] *n.* **1** (극·오페라 따위의) 막간의 여흥(entr'acte), (특히) 짤막한 발레. **2** 오락, 연예(entertainment) ; 기분 전환.

Di·ves [dáiviːz] *n.* 〖聖〗 부자, 부호.

di·vest [daivést, də-] *vt.* [+目+*of*+名] **1** (…에게 옷을) 벗게 하다(strip) : They *~ed* the pretended policeman ***of*** his uniform. 가짜 경찰관의 제복을 벗겼다. **2** …에게 빼앗다 ; 없애다 ; 〖法〗 박탈하다 : The citizens were *~ed* ***of*** their right to vote. 시민들은 투표권을 박탈당했다 / I cannot ~ myself *of* fear. 나는 공포심을 없앨 수가 없다.

di·vés·ti·ble *a.* **~·ment** *n.* =DIVESTITURE. 〖*devest* (16-19세기)<OF<L (*dis-*¹, VEST)〗

di·ves·ti·ture [daivéstətʃər, -tʃùər, də-], **di·ves·ture** [daivéstʃər, də-] *n.* U 박탈, 빼앗기 ; 권리 탈취[상실] ; 탈의(脫衣).

divi ☞ DIVVY.

‡di·vide [dəváid] *vt.* **1** [+目 / +目+前+名 / +目+副] 나누다, 쪼개다(split up) ; 분리[격리]하다 ; 분류[유별(類別)]하다 : Stars are *~d* ***into*** groups called constellations. 별은 별자리라고 불리는 집단으로 나눠져 있다 / The Nobel prize was *~d* ***between*** A and B. 노벨상(賞)은 A 와 B 두 사람이 공동으로 받게 되었다 / The fence *~s* my land ***from*** his. 그 울타리는 내 땅과 그의 땅의 경계가 된다 / How did they ~ the profits ***up***? 그들은 이익을 어떻게 분배했느냐. **2** [+目+前+名] 분배하다(distribute) ; 똑같이 나누다(share) : The children *~d* the candy ***among*** them(selves). 아이들은 그 사탕을 자기들끼리 나누었다 / They *~d* the profits ***with*** the workmen. 이익금을 직공들과 똑같이 나눠 가졌다. **3** [+目 / +目+前+名] …의 사이를 갈라놓다 ; (의견·관계 따위를) 분열시키다 ; (마음을) 어지럽히다 : Jealousy *~d* the girls. 질투심 때문에 소녀들은 사이가 갈라졌다 / We are *~d* ***in*** our opinions. 우리들은 의견이 분분하다 / Opinions are *~d* ***on*** the issue of taxes. 과세(課稅) 문제로 의견이 갈라져 있다 / The party was *~d* ***against*** itself. 그 정당은 내분되어 있다(cf. a house *~d* against itself ☞ 숙어) / United we stand, *~d* we fall. ☞ UNITE *vt.* 1. **4** [+目 / +目+前+名] 《英》 (의회·회합을) 두 파로 나누다《찬부의 결정을 짓기 위해서》: ~ the House ***on*** the point 그 건(件)을 의회의 찬부표결에 부치다. **5** 〖數〗 **a**) [+目+前+名] 나누다 : *D*~ 6 ***by*** 2, and you get 3. =6 *~d by* 2 is [gives, equals] 3. 6 나누기 2는 3. **b**) 나눠지다 : 9 *~s* 36. 36은 9로 나눠진다. **6** 〖機〗 …에 눈금

을 긋다.
—— *vi.* **1** [動 / +前+名 / +副] 나누어지다, 갈라지다 : Here the river ~*s* ***into*** two branches. 여기서 그 강은 둘로 갈라진다 / They ~*d* ***over*** the question of salary. 급료 문제로 그들은 의견이 갈라졌다 / The settlers have usually ~*d* ***up*** according to language and culture. 이주민들은 보통 언어와 문화에 의해서 각각의 집단으로 나누어졌다. **2** 《英》 표결하다(cf. *vt.* 4) : At length the House ~*d.* 드디어 의회는 표결했다 / *D*~! *D*~! 표결 !, 표결 ! **3** 〖數〗 **a)** 나눗셈을 하다. **b)** [+副+名] 나누어지다 : 36 ~*s* ***by*** 9. 36은 9로 나누어진다.
a house divided against itself 스스로 분쟁하는 집안[당파 · 국가《따위》] 《성구(聖句)에서》.
—— *n.* **1** U,C 분할(division). **2** 분계(分界) ; 《美》 분수령, 분수계(分水界)(watershed). **3** 분할점[선] ; 《비유》 경계선, 분기점. **4** 분배 ; 나눗셈, 〖컴퓨〗 나눗셈.
divide and rule 분할 통치(정책), 각개(各個) 격파(擊破). 注 원래 라틴어의 영어번역 ; divide와 rule은 명령형의 동사로 원뜻은 「분할하여 통치하라」.
〖L *divis- divido*〗
類義語 ⟹ DISTRIBUTE, SEPARATE.

di·vid·ed *a.* **1** 분할된, 갈라진 ; 분리한 : ~ ownership (토지의) 분할 소유 / ~ payment 분할지급. **2** 각기 다른. **3** 분열한. **4** 〖植〗 (잎이) 깊이 갈라진, 열개(裂開)한. **~·ly** *adv.*

divíded híghway *n.* 《美》 중앙 분리대가 있는 (고속) 도로.

divíded skírt *n.* 바지 모양의 치마(culottes)《원래 여성 승마용》.

divíded úsage *n.* 분할 어법《sing의 과거 sang, sung처럼 언어의 동일 레벨에 다른 철자 · 발음 · 구문 따위가 존재하는 경우》.

div·i·dend [dívədènd, -dənd] *n.* **1** (주식의) 이익배당, 배당금 ; (상호 저축 은행의) 예금 이자 : a high[low] ~ 높은[낮은] 배당 / declare a ~ 배당을 발표하다 / pay a ~ 배당을 지급하다, 배당이 붙다 ; 《비유》 (노력 · 사업 따위가) 이익을 낳다, 이득이 되다⟨*in*⟩ / pass a ~ 무배당으로 하다, 배당이 없다 / ~ on[off] 《美》 〖證〗 배당부(附)[락(落)](=《英》 cum[ex] ~). **2** 〖數〗 피제수(被除數)(↔*divisor*). **3** 몫 ; 특별한 덤[이익, 은혜].
〖AF<L ; ⇨ DIVIDE〗

dívidend accòunt *n.* 배당금 계정.

dívidend chèck[《英》 **chèque**] *n.* 배당 수표.

dívidend strìpping *n.* 배당 과세의 면제.

dívidend wàrrant *n.* 배당금 지급증, 배당권.

di·vid·er *n.* **1** 분할[분배]하는 사람. **2** 분열의 원인 ; 이간질하는 사람. **3** [(a pair of) ~s] 분할 컴퍼스, 양각기(兩脚器), 디바이더.

di·vid·ing *a.* 나누는, 구분하는 ; 〖機〗 눈금용의 : ~ bars 문살 / a ~ ridge 분수령. —— *n.* 〖機〗 (계기 따위의) 눈금.

di·vi·di·vi [dìvidívi, dìːvidíːvi] *n.* (*pl.* **~, ~s**) 〖植〗 열대 아메리카산 콩과 실거리나무속의 상록 교목《꼬투리는 무두질 · 염색용》. 〖Sp.<Carib〗

di·vid·u·al [divídʒuəl] *a.* 갈라진 ; 분리할 수 있는. **~·ly** *adv.*

Di·vi·na Com·me·dia [diví:nə kɑmméidjə] *n.* [La ~] 신곡(神曲)《Dante 작》. 〖It.〗

div·i·na·tion [dìvənéiʃən] *n.* **1** U 점(占), 역점(易占). **2** 예언 ; 예견, 선견 지명.
di·vin·a·to·ry [dəvínətɔ̀:ri, -vái-, dívənə- ; divínətəri] *a.*

***di·vine**[1] [dəváin] *a.* (**-vín·er ; -est**) **1** 신(神)의(↔*human*) ; 신성(神性)의, 신학상의 ; 신이 주신, 천부의 : the ~ Being[Father] 신, 천제(天帝) / ~ grace 신의 은총 / ~ nature 신성(神性) / a ~ power 신통력(神通力). **2** 신에게 바친 ; 신성한(holy) ; 종교적인(religious). **3** 신과 같은 ; 신성한 ; 비범한 : ~ beauty[purity] 신성한 아름다움[순결]. **4** 《口》 굉장한.
—— *n.* **1** 신학자 ; 성직자, 목사. **2** [the D~] 신 ; [the D~, 때때로 the d~] 인간의 신적인 측면. **~·ly** *adv.* 신의 힘[덕]으로 ; 신과 같이, 신성하게 ; 《口》 훌륭하게.
〖OF<L *divinus* (*divus* godlike)〗
類義語 ⟹ HOLY.

divine[2] *vt.* [+目 / +*wh.* 節] 점치다, 미리 알다, 예언하다, (직관적으로) 예시(豫示)하다 ; (남의 마음속을) 간파하다, 알아맞히다 : He ~*d* my plans. 나의 계획을 간파했다 / The fortune-teller ~*d what* would happen next year. 그 점쟁이는 내년에 어떠한 일이 일어날 것인가를 점쳤다.
—— *vi.* 점치다. 〖↑〗

Divíne Cómedy *n.* [The ~] =DIVINA COMMEDIA.

Divíne Mínd *n.* 〖크리스천 사이언스〗 신(神).

di·vín·er *n.* **1** 점치는 사람, 예언자 ; 점지팡이(에 의한 수맥[광맥]의 탐지자) (cf. DIVINING ROD). **2** 예측자.

divíne ríght *n.* 〖史〗 신수(神授)한 왕권 ; (일반적으로) 신수한 권리.

divíne sérvice *n.* 예배식.

div·ing [dáiviŋ] *n.* U 잠수(潛水) ; 〖泳〗 다이빙, 뛰어들기. —— *a.* 물속에 들어가는 ; 잠수용[성]의 ; 강하[침하]용의.

díving bèetle *n.* 〖昆〗 물방개.

díving bèll *n.* 범종 모양의 잠수기, 잠수종(鐘).

diving bell

díving bòard *n.* =SPRINGBOARD.

díving equìpment *n.* 잠수장비[기기].

díving hèlmet *n.* 잠수모.

díving rèflex *n.* 〖生理〗 잠수 반사《사람 · 포유동물에서 볼 수 있는 생리적 반응》.

díving sáucer *n.* 잠수 원반《해양 조사(調査)용 잠수정(艇)》.

díving símulator *n.* 잠수 시뮬레이터《육상에 설치한 모의(模擬) 심해 잠수 장치》.

díving sùit[**drèss**] *n.* 잠수복.

díving sýstem *n.* 잠수 시스템《잠수 심도와 작업 목적에 따른 잠수 기재 및 감압 스케줄을 포함한 운용 소프트웨어로 구성되는 시스템》.

díving technólogy *n.* 잠수 기술[공학].

di·vin·ing [dəváiniŋ] *n.*, *a.* 점(의).

divíning ròd *n.* (수맥 · 광맥 탐지에 사용하는) 점지팡이(cf. DIVINER).

di·vin·i·ty [dəvínəti] *n.* **1** [the D~] =GOD, DEITY ; [a ~] (이교(異敎)의) 신 ; 천사 ; 성스러운 사람. **2** U 신성(神性)(↔*the flesh*) ; 신력(神力), 신위(神威), 신덕(神德). **3** U 신학(theology) ; (대학의) 신학부 : a Doctor of *D*~ 신학 박사《略 D.D.》.
〖OF<L ; ⇨ DIVINE〗

divínity càlf *n.* 〖製本〗 신학 서적 표지[장정]《표

지에 암갈색의 송아지 가죽을 쓰고 책이름 따위는 금[은]박을 하지 않음 ; 신학 서적에 많음》.
divínity cìrcuit (bìnding) *n.* 〖製本〗 앱형 제본(=yapp binding)《가죽 표지의 가장자리가 밖으로 나와 책을 덮도록 함》.
divínity schòol *n.* 신학교.
div·i·nize [dívənàiz] *vt.* 신성화하다 ; 신으로 숭배하다. **dìv·i·ni·zá·tion** *n.*
di·vìnyl·bénzene *n.* 〖化〗 디비닐벤젠《합성 고무·이온 교환 수지 제조용》.
di·vis·i·bil·i·ty [dəvìzəbíləti] *n.* Ⓤ 나눌 수 있음, 가분성 ;〖數〗 나누어 떨어짐, 정제할 수 있음.
di·vis·i·ble [dəvízəbəl] *a.* 나눌 수 있는, 가분(可分)의 ;〖數〗 나누어 떨어지는〈*by*〉. **-bly** *adv.* 분할할 수 있도록 ; 완전히 나누어질 수 있도록.
***di·vi·sion** [dəvíʒən] *n.* **1** 분할 ; 분배 ;〖生〗 분열 ;〖園藝〗 포기 나누기 ;〖數〗 나눗셈(↔*multiplication*) : long[short] ~ 긴[짧은] 나눗셈《13 이상[12 이하]으로 나누다》/ the ~ of labor 분업. **2** 구분, 부분 ; 구(區), 부, 단(段), 절(節). **3** 경계선 ; 구획, 칸막이(벽) ; 눈금. **4** U,C 분류 ; C 〖植〗 (분류학상의) 문(門)《목(目)·과(科)·속(屬) 따위 ; cf.CLASSIFICATION》. **5** 〖陸軍〗 사단(☞ ARMY 1) ;〖海軍〗 분(함)대. **6** U,C 불일치, 불화, (의견 따위의) 분열. **7** (찬반 양파로 갈라지는) 표결(表決) : take a ~ *on* a motion 동의(動議)의 표결을 하다. **8** 《美》 (관공서의) 과(課)《BUREAU의 아래》. **9** 《英》 (하원의원) 선거구(constituency)《주[자치도시]의 일부 ; cf. DISTRICT 2》. **10** (학교·교도소 따위의) 반, 조(組)(class) : 1st[2nd, 3rd] ~ 《英》 교도소의 미죄(微罪)[경죄·중죄]의 조.
〖OF＜L ; ⇨ DIVIDE〗
類義語 ⟹ PART.
divísion·al *a.* **1** 분할상의, 구분적인 ;〖數〗 나눗셈의. **2** 부분적인. **3** 〖軍〗 사단(師團)의 : a ~ commander 사단장. **~·ly** *adv.* 분할적으로, 구분적[부분적]으로 ; 나눗셈으로.
Divísional Áir Dèfense *n.* =DIVAD.
divísion àlgebra *n.* 〖數〗 다원체(多元體).
divísion·àry [; -əri] *a.* =DIVISIONAL.
divísion bèll *n.* 표결 실시를 알리는 벨.
divísion·ìsm *n.* [때때로 D~] 〖美術〗 (신인상주의의) 분할 묘사법(cf. POINTILLISM). **-ist** *n., a.*
divísion lóbby *n.* 〖英議會〗 투표 대기 복도.
divísion of pówers *n.* 〖政〗 (입법·행정·사법의) 삼권분립 ;〖美政〗 (연방과 주의) 주권분립.
divísion sìgn[màrk] *n.* 〖數〗 나눗셈 부호(÷) ; 분수(分數)를 나타내는 사선(斜線)(/).
di·vi·sive [dəváisiv] *a.* 불화가[분열이] 생기는, 대립을 낳는 ;《古》 구분된, 구별을 하는, 분석적인. **~·ly** *adv.* **~·ness** *n.* 대립, 분열.
di·vi·sor [dəváizər] *n.* 〖數〗 제수(除數)(↔*dividend*) ; 약수(約數) : ☞ COMMON DIVISOR.
***di·vorce** [dəvɔ́:rs] *n.* **1** U,C 〖法〗 이혼. **2** 분리, 절연〈*between*〉.
—— *vt.* [+目 / +目+*from*+名] **1** (법관이) 이혼[이별]시키다 ; (아내·남편과) 이혼하다 : Mrs. John ~*d* her husband. 존 부인은 남편과 이혼했다 / They have been ~*d*. 두 사람은 이혼했다. **2** (밀접한 것을) 분리하다(separate) : In sports, exercise and play are not ~*d*. 스포츠에서는 운동과 놀이가 분리되어 있지 않다 / ~ Church ***from*** State 교회와 국가를 분리하다. —— *vi.* 이혼하다. **~·ment** *n.* U,C 이혼 ; 분리. **~·able** *a.*
〖OF＜L ; ⇨ DIVERSE〗
di·vor·cé [dəvɔ:rséi, -ˊ-] *n.* 이혼한 남자. 〖F〗
divórce còurt *n.* 이혼 법정.
div·ot [dívət] *n.* **1** 《스코》 (한 조각의) 뗏장(sod). **2** (골프 클럽·말굽에) 뜯겨진 잔디.
〖C16＜?〗
di·vul·gate [dəvʌ́lgeit, dai-] *vt.* 《古》 =DIVULGE.
dìv·ul·gá·tion *n.* U,C 비밀 누설 ; (비밀 따위의) 폭로, 적발.
di·vulge [dəvʌ́ldʒ, dai-] *vt.* [+目 / +目+*to*+名] (비밀 따위를) 누설하다(reveal), 밝히다 : The traitor ~*d* the secret plans ***to*** the enemy. 그 반역자는 비밀 계획을 적에게 누설했다.
di·vúlg·er *n.*
〖L *divulgo* to publish (*vulgus* common people)〗
divúlge·ment *n.* =DIVULGENCE.
di·vúl·gence *n.* U,C 폭로, 들추어 냄.
di·vul·sion [daivʌ́lʃən, də-] *n.* 잡아 뗌[찢음].
div·vy, divi [dívi] *vt., vi.* 《口》 나누다, 분배하다〈*up*〉. —— *n.* 분할, 분배 ; 배당. 〖*divi*dend〗
diwan ☞ DEWAN.
Dix [díks] *n.* 《美俗》 10달러 지폐.
Dix·i·can [díksikən] *n.* 《美》 남부의 공화당원.
dix·ie, dixy [díksi] *n.* 《英》 캠프용 물끓이는 주전자, 반합(飯盒).
〖Hind.=cooking pot＜Pers. (dim.)〈*deg* pot〗
Dixie *n.* **1** =DIXIELAND 1. **2** Ⓤ 딕시《남북전쟁 당시 남부에서 유행한 경쾌한 노래》. —— *a.* 미국 남부 여러 주의. 〖C19＜?〗
Díxie·cràt *n.* 《美》 미국 남부의 민주당 탈당파의 사람. **Dìx·ie·crát·ic** *a.*
Díxie Cùp *n.* 종이 컵《상표명》.
Díxie·lànd *n.* **1** Ⓤ [집합적으로] (미국) 남부의 여러 주(州)(Dixie). **2** Ⓤ 딕실랜드《미국 New Orleans시에서 시작된 재즈 음악》.
Díxie Lànd *n.* =DIXIELAND 1.
dixy ☞ DIXIE.
D.I.Y., d.i.y. 《주로 英》 do-it-yourself.
di·zen [dáizən, 美+dízən] *vt.* 치장하다, 성장(盛裝)하다(deck)〈*out, up*〉.
***diz·zy** [dízi] *a.* **1** 현기증(眩氣症) 나는(giddy) ; 아찔아찔하는. **2** (운동·높은 곳·야심·성공 따위) 눈이 빙빙도는 듯한. **3** 《口》 분별이 없는, 경솔한, 얼빠진(stupid). —— *vt.* 현기증 나게 하다, 현혹(眩惑)시키다. **díz·zi·ly** *adv.* 현기증이 나게, 눈이 핑핑 돌게. **díz·zi·ness** *n.* Ⓤ 현기증. **~·ing·ly** *adv.*
〖OE *dysig* foolish, ignorant〗
diz·zy-wiz·zy [díziwìzi] *n.* 《美俗》 알약, 환약.
DJ, D.J. district judge ; *Doctor Juris* 《L》(=Doctor of Law). **DJ, D.J., d.j.** dinner jacket ; disc jockey ; dust jacket.
Djakarta ☞ JAKARTA.
djel·la·ba(h) [dʒəlɑ́:bə] *n.* 젤라바《아랍인의 긴 겉옷 ; 소매가 넓고 두건이 달려 있음》.
〖F＜Arab.〗
Dji·bou·ti, Ji·b(o)u- [dʒəbú:ti] *n.* 지부티《아프리카 동부의 공화국 ; 수도 Djibouti》.
~·an *a., n.*
djin(n) [dʒín], **djin·ni** [dʒíni] *n.* =JINN.
dk. dark ; deck ; dock. **D. K.** don't-know. **dl, dl.** deciliter(s). **D.L.** Deputy Lieutenant ; Doctor of Law. **D/L** 〖컴퓨〗 data link ; demand loan. **DLA** 《美》 Defense Logistics Agency(방위 군수국).
D layer [dí: ˊ-] *n.* D층(層)《전리층의 최하층》.
DLF 《美》 Development Loan Fund《개발 차관 기금 ; 1961년 AID에 흡수》. **D. Lit., D. Litt.** Doctor of Literature[Letters]. **DLM** 〖樂〗 dou-

ble long meter.

dlr. dealer. **dlvy.** delivery. **dm, dm.** decameter(s); decimeter(s). **DM** 〖軍〗 adamsite; direct mail. **DM, D-mark** Deutsche mark.

D.M. Daily Mail; Doctor of Mathematics; Doctor of Medicine. **D.M., d.m.** 〖樂〗 destra mano. **DMA** 〖컴퓨〗 direct memory access (기억 직접 접근); designated market area. **D.M.D.** *Dentariae Medicinae Doctor* 《L》(= Doctor of Dental Medicine). **DME** distance measuring equipment(거리 측정 장치). **DMMA** Direct Mail Marketing Association. **DMN(A)** dimethylnitrosamine. **DMOS** double diffused metal oxide semiconductor (이중 확산 금속 산화물 반도체). **D. M. S.** 《英》 Diploma in Management Studies; Doctor of Medical Science(s). **DMSO** [dìːèmèsóu] dimethylsulfoxide. **DMSP** Defense Meteorological Satellite Program(방위 기상(氣象) 위성 계획). **DMT** [dìːèmtíː] dimethyltryptamine. **D. Mus.** Doctor of Music. **DMZ** demilitarized zone(비무장지대). **DN., D/N** debit note. **D.N.** Daily News.

d—n [díːn, dǽm] =DAMN.

DNA [dìːènéi] *n.* 〖生化〗 =DEOXYRIBONUCLEIC ACID.

DNA Defense Nuclear Agency (미국 방위 원자력국).

DNA probe [dìːènéi ⌐] *n.* 〖生化〗 DNA 프로브 《화학적으로 합성한 사슬 길이 10 내지 20의 특정 염기배열을 갖는 한 줄 사슬 올리고머》.

DN·ase [dìːénèis, -z], **DNA·ase** [dìːènéièis, -z] *n.* 〖生化〗 DN(A)아제 (deoxyribonuclease).

DNA synthesizer [dìːènéi ⌐] *n.* 〖生化〗 DNA 합성기《DNA의 올리고머를 자동 내지 반자동적으로 화학합성하는 연구용 기기》.

DNB, D. N. B. Dictionary of National Biography(영국 인명 사전). **DNC** 〖컴퓨〗 direct numerical control(직접 수치 제어). **DNF** did not finish.

Dnie·per [níːpər; dníː-] *n.* [the ~] 드네프르 강 《우크라이나 공화국의 중요한 강; 흑해로 흐름》.

D notice [díː ⌐] *n.* 《英》 D 통고《기밀 유지를 위해 보도를 금지하는 취지를 보도 기관에 요청하는 정부 통고》.
〚*d*efence NOTICE〛

DNS Dacom-Net Service(데이콤 국제 정보 통신 서비스).

◇do[1] [dúː] *v.* (**did** [díd], **done** [dʌ́n]; 3인칭 단수 직설법(直說法) 현재형 **does** [dʌ́z])

> (1) do의 조동사로서의 용법 세 가지(변화형은 현재형과 과거형뿐)
> ① 부정문을 만든다: I *do not* [*don't*] know him.
> ② 의문문을 만든다: *Do* you understand?
> ③ 동사를 강조한다: I *do* remember it very well.
> (2) 대동사(代動詞)로서 ① 앞서 나온 동사를 반복하는 대신에: He thinks as I *do* (=as I think).
> ② 의문의 답으로: Do you *love* him?—Yes, I *do* (=I love him).
> (3) 본동사로서 일반동사와 같은 구문으로 쓰인다: What do [did] you *do*?

—— *vt.* **1 a)** 하다, 행하다; 수행하다(carry out); 다하다(perform): What are you *doing*? 무엇을 하고 있는 중입니까 / I've got nothing to *do*. 나는 아무것도 할 일이 없다 / She was afraid she had been *doing* something wrong. 그녀는 뭔가 잘못을 저지르고 있는 것이 아닌가 하는 생각이 들었다 / *Do* your duty. 너의 본분[의무]을 다하라 / Try what kind words will *do*. 친절하게 말을 걸어 (그 효과를) 보아라. **b)** [+目/+do*ing*] [보통 have *done*, be *done*의 형으로] 끝마치다(finish) (cf. *vi.* 2): I'*ve done* it. 해치웠다 / Now you *have done* it. 《口》 거봐, 바보짓을 했지 / The work *is done*. 일이 끝났다. ㊟ 주로 결과로서의 상태를 나타냄; cf. The work *has been done*. 《완료를 강조함》 / What *is done* cannot be undone. 《속담》 끝난 일은 돌이킬 수 없다, 「엎지른 물은 다시 담을 수 없다」 / I *have done* shop*ping* and am going home now. 쇼핑을 끝내고 지금 집으로 돌아가는 길입니다(cf. *do* the shopping ☞ 5 b)).

2 [+目/+目+目/+目+*to*+名] (남에게 경의 따위를) 표하다; (해를) 끼치다; 가져다 주다: Bad books *do* (us) great harm. 나쁜 책은 (우리에게) 큰 해를 끼친다 / The medicine will *do* you good. 약을 복용하면 좋아질 겁니다 / Will you *do* me a favor? 내 부탁 좀 들어주시겠습니까 / The suggestion *does* you credit. 그런 제안을 하다니 당신은 훌륭해 / The book *did* credit ***to*** the writer. 그 책으로 말미암아 저자는 명성을 떨쳤다.

3 a) 처리하다(deal with); (…의 서평 따위를) 담당하다. **b)** (방을) 정돈하다(clean); (접시 따위를) 닦다; (꽃을) 꽂다; 단정히 하다(cf. DO *up* (1)): The maid was told to *do* the bathrooms. 하녀는 욕실을 청소하라는 지시를 받았다 / Jane was *doing* the dishes. 제인은 접시를 닦고 있었다 / Mother will *do* the flowers. 꽃꽂이는 어머니가 하신다 / Tell her to go and *do* her hair and nails. 가서 머리와 손톱을 깨끗이 하라고 그녀에게 말해라. **c)** (학과를) 공부[전공]하다: My son has been *doing* electronics at Princeton University. 내 아들은 프린스턴 대학에서 전자공학을 전공하고 있다. **d)** (문제를) 풀다(solve), (계산을) 하다: Will you *do* this sum for me? 이것을 계산해 주시겠습니까. **e)** [+目/+目+目/+目+前+名] (그림을) 그리다; (영화를) 제작하다; (사본을) 뜨다, 복사하다; (작품 따위를) 번역하다: Walt Disney *did* a movie about the seven dwarfs. 월트 디즈니는 「일곱 난쟁이」라는 영화를 만들었다 / How many copies shall I *do*? 몇 장 복사할까요 / We asked her *to do* us a translation[*do* a translation ***for*** us]. 그녀에게 번역해 달라고 부탁했다 / He *did* Homer ***into*** English. 호머를 영역(英譯)했다. **f)** (힘 따위를) 내다, 전력을 다하다(exert): I can only *do* my best. 오직 전력을 다할 따름이다.

4 [+目/+目+*for*+名] (남에게) 소용되다, …에 쓸만하다, …에 충분하다(cf. *vi.* 4): That will *do* me very well. 그것으로 나는 충분합니다 / Worms will *do* us ***for*** bait. 지렁이는 미끼가 된다.

5 a) (연극을) 상연하다, 연출하다; …의 역(役)을 맡아 하다: They were *doing* Hamlet. 햄릿을 상연중이었다 / He *did* Macbeth well. 맥베스의 역을 훌륭히 해냈다 / She always *does* the hostess admirably[very well]. 언제나 여주인역을 척척 잘해낸다. **b)** [주로 the+do*ing*을 목적어로 하여] (…의 역을) 하다: *do the* shop*ping* 쇼

핑을 하다 / She is a person we have to *do the* wash*ing*. 그녀는 우리가 세탁을 맡기고 있는 고용인입니다. **c**) [the+형용사를 목적어로 하여]《口》 …처럼 행동하다 : *do the* agreeable[amiable] 상냥하게 행동하다 / A gentleman should *do the* polite. 신사는 예의바르게 행동하지 않으면 안 된다.

6《口》 구경[참관]하다(visit) : *do* (=see) the sights (of...) (…의) 명승을 구경하다 / Have you *done* the Tower (of London) yet? 런던탑 구경을 벌써 끝마쳤습니까.

7 a) (요리를) 만들다(prepare) : The roast beef will be *done* soon. 로스트 비프는 곧 됩니다. **b**) [+目+副] (알맞게) 요리하다(cook) : ☞ HALF-DONE, OVERDONE, UNDERDONE / I like my meat very *well done*. 고기는 잘 구워진[삶아진] 것이 좋다 / The steak has been *done* to a turn. 비프스테이크는 알맞게 구워져 있다(cf. *to a turn* ☞ TURN *n.* 숙어).

8《英口》[+目+副] (사람을) 대접하다, 환대(歡待)하다(treat) ; 사치를 하다 : They *do* you very *well* at that restaurant. 저 식당에서는 손님 대접이 매우 좋다 / He *does* himself fairly *well*. 그는 꽤 호화롭게 지낸다.

9 답파하다(cover) ; 여행하다 : We[Our car] *did* 70 miles in an hour. 우리[우리 차]는 1시간에 70마일을 나아갔다[달렸다] / They *did* the trip in four hours. 4시간으로 여정을 끝냈다.

10《口》[+目 / +目+前+名] 속이다(cheat) ; 지게 하다 : Sorry, I've been *done*. 억울하게도 감쪽같이 속았어 / He once *did* me ***out of*** a large sum of money. 그는 언젠가 나에게서 거액의 돈을 사기쳤다.

11《口》(형기를) 살다, 복역하다.

〈회화〉
What *do* you *do* after school? — I usually play tennis. 「방과후에는 무엇을 하니」「보통 테니스를 쳐」

— *vi.* **1** 행하다(act) ; 행동하다, 활동하다(work) ; 거동하다(behave) : *Do* wisely. 현명하게 행동하시오 / You *did* well[right] to refuse. 네가 거절한 것은 잘한 일이었다.

2 [+*with*+名 / 動] [완료형으로] 해치우다, 마치다(cf. *vt.* 1 b), *have done with* ☞ 숙어) : *Have* you *done* ***with*** this book? 이 책을 다 보셨습니까 / I'd like to get this *done with* (=finished). 《口》이것을 해치우고 싶다 / *Have done*! 그만둬라!, 아서라!

3 [+副] 살아가다(get along) ; (일이 순조롭게[어렵게]) 되어가다, 진척하다 ; (식물이) 자라다(grow) : Flax *does well* after wheat. 밀을 갈고 난 후에는 아마가 잘 자란다 / He is *doing splendidly*[very *well*] at the Bar. 그는 변호사로서 훌륭히 일하고 있다 / Mother and child are both *doing well*. 모자(母子)가 모두 건강하다 / *How* do you *do*? 어떻게 지내십니까 ; 처음 뵙겠습니다《초면의 인사 ; cf. MEET[1] 1 d)》.

4 a) [+*for*+名 / 動] 적합하다, 쓸모가 있다, 소용에 닿다, 충분하다(serve) : This box will *do* ***for*** a seat[*do for* us *to* sit on]. 이 상자는 의자로 쓸 수 있다 / This room is not large enough ; but we'll make it *do*. 이 방은 약간 좁지만 그런대로 지낼만 해. **b**) 좋다, 충분하다 : That will *do*. 그만하면 됐다[됐으니까 그만두자] / That won't[doesn't] *do*. 그것으로는 안되겠다.

5 [to가 붙은 부정사형 · 현재 분사형에서 수동의 의미를 포함하여] 일어나(고 있)다(happen) : What's *to do* (=to be done)? 어쩔 것이냐 ; 어찌된 일이냐(What's the matter?) / What's *doing* (=being done) here? 이게 웬일이냐 / Nothing *doing*! ☞ NOTHING 숙어.

be done with... ☞ *have done with...*.

do away with …을 없애다, 배제하다, 폐지하다(get rid of) ; (사람을) 죽이다(kill) : This practice should be *done away with*. 이 관행은 폐지되어야 한다.

do by …에 대하여 행동하다, …을 대우하다(do to *or* toward) : He *does* well *by* his friends. 친구에게 잘 한다 / Do as you would *be done by*. 남에게 대접을 받고자 하는 대로 너희도 남을 대접하라(☞ GOLDEN RULE).

do for... (1) …의 대역(代役)을 하다(act for) (cf. *vi.* 4 a)) ; …을 위하여 (수고를) 하다 ;《英口》…을 위해 주부 노릇[가정부 노릇]을 하다 : What can I *do for* you? (점원이 손님에게) 무엇을 드릴까요, 무슨 용무십니까 / Mary *does for* her father and brother. 《英口》메리는 아버지와 오빠를 위해서 뒤치다꺼리를 하고 있다. (2) [보통 수동태로]《口》해치우다, 죽이다(kill) ; 못쓰게 하다(ruin) : I'm afraid these gloves *are done for*. 아무래도 이 장갑은 이제 못쓰겠다 / The scandal has *done for* our party. 그 추문으로 우리 당은 완전히 매장됐다 / I'm *done for*. 이젠 끝장이다 ; (두)손 들었다 ; 몹시 지쳤다.

do in 파멸시키다 ; 속이다(cheat) ; 지치게 하다 ;《俗》죽이다.

do it[***the trick***] 주효(奏效)하다, 성취시키다 : Gently[Dogged] *does it*. 점진적으로[악착스럽게] 하는 것이 중요하다[비결이다].

do or die 쓰러질 때까지 노력하다, 죽을 각오로 하다(cf. DO-OR-DIE).

do over (1) 되풀이하다, 다시하다. (2) (실내(室內)에) 마무리칠을 하다 : Her room was *done over* in pink. 그녀의 방은 핑크색으로 새로 칠해져 있었다.

do up (1) 손질하다(repair), 무늬를 바꾸다, 다른 색으로 칠하다 ; (머리를) 땋다(cf. *vt.* 3 b)) : This house must be *done up*. 이 집은 손질하지 않으면 안된다 / Kate is *doing up* her hair[face] in front of the mirror. 케이트는 거울 앞에서 머리를 손질하고[화장하고] 있다. (2) 꾸리다 ; 꾸러미로 만들다 : The postman *did* the parcel *up* for me. 집배원이 나에게 소포를 꾸려 주었다. (3) …의 단추[훅]를 채우다 ; (옷이) 단추[훅]로 채워지다 : She *did up* the zip on her dress and sat down. 그녀는 웃옷의 지퍼를 채우고 앉았다 / My dress *does up* at the back. 내 옷은 뒤에서 단추를 채우도록 되어 있다. (4) …에 옷을 입히다(dress) : She is *done up* in fine costume. 그녀는 화려한 복장을 하고 있다. (5)《口》[보통 수동태로] 몹시 피로하게 하다(tire out) : I'*m done up*. 피로에 지쳐 버렸다《몹시 피로하다》/ My horse *was done up* after the long ride. 내 말은 오래 달려서 피로에 지쳐 있었다.

do with... (1) [의문대명사 what을 목적어로 하여] (어떻게) …을 처리하다 : *What* did you *do with* my book? 내 책을 어떻게 했습니까 / *What* did you *do with* yourself yesterday? 어제는 어떻게 지냈습니까 / We felt so happy that we did not know *what* to *do with* ourselves. 우리들은 너무나 기뻐서 어떻게 하면 좋을지 모를 정도였다. (2) …와 이럭저럭 꾸려나가다(get on with) ; …을 참다(tolerate) : We find our neighbor very difficult to *do with.* 우리는 이웃 사람이 참으로 사귀기 힘든 사람이라는 것을 알았다. (3) [can, could를 수반하여] …으로 만족하다 [참다] (be content with) : *Can* you *do with* cold meat for dinner? 저녁식사는 냉육(冷肉)으로 때워도 괜찮습니까. (4) [보통 could를 수반하여] …을 했으면 좋을 텐데, …이 있으면 좋겠다 : I *could do with* a good night's rest. 하룻밤 푹 쉬었으면 좋겠다 / That man *could do with* haircutting. 저 남자는 머리를 깎으면 좋을 텐데《실은 깎지 않고 있음》.

do without …없이 지내다, …없어도 괜찮다 : I can't *do without* this dictionary. 이 사전 없이는 일을 할 수 없다 / The prisoners found it very hard to *do without* tobacco. 포로들은 담배가 없는 것이 참으로 괴로웠다 / [without이 부사] The store hasn't any ; so you will have to *do without.* 가게에서 팔고 있지 않으므로 그냥 지낼 수 밖에 없습니다.

have* [*be*] *done with …을 끝내버리다, …와 이제 관계가 없다(cf. *vi.* 2) : *Have* you *done with* the paper? 신문은 이제 다 봤습니까 / *I've* [*I'm*] *done with* him for the future. 이제부터 그 녀석하고는 관계가 없다 / Let's *have done with* it. 이제 그 일과는 손을 끊기로 합시다.

have to do with …와 관계를 맺고 있다, …을 다루다 : A teacher *has to do with* all sorts of pupils. 교사는 온갖 부류의 학생을 다룬다.

have...to do with …와 (어떠한) 관계[교섭]가 있다 : He *has* something[nothing] *to do with* the Government. 그는 정부와 뭔가 관계가 있다[전혀 관계가 없다] / This kind of specialized knowledge *has* very little *to do with* wisdom. 이 방면의 전문지식은 지혜와는 거의 관계가 없다 / Smoking *has* a great deal *to do with* cancer. 흡연은 암과 크게 관계가 있다.

—— [dúː] *pro-verb* (대동사) [be, have 이외의 동사 반복을 피하는데 사용함] **1** [동일한 동사 (및 그것을 포함한 어군(語群))의 반복을 피하여] : The moon shines when the sun light strikes it, just as a mirror *does* (=shines). 달은 일광을 받으면 마치 거울이 빛나는 것처럼 빛난다 / You play the piano as well as he *did* (=played it). 그와 마찬가지로 당신도 피아노를 잘 칩니다 / Streetcars or buses go by. So *do* automobiles, carrying people from place to place. 전차나 버스가 지나가고 있다. 또한 자동차도 사람들을 태우고 여기저기 달리고 있다 / *do* so ☞ SO[1] 5 b). **2** [부가(附加) 의문문 중에서] : He lives in New York, *does*n't he? 그는 뉴욕에 살고 있지요, 그렇지 않습니까 / So you don't want to be a teacher, *do* you? 그럼 너는 교사가 되고 싶지 않은 거군, 그렇지. **3** [회답·비평의 글에서] : Who saw it? —I *did* (=saw it). 누가 그것을 보았느냐 — 접니다《I를 강조한다》/ Does she like apples? — Yes, she *does.* 그녀는 사과를 좋아합니까 — 네, 좋아합니다 / He doesn't speak German. — Nor[Neither] *does* his brother. 그는 독일어를 쓰지 않는다 — 그 동생도 쓰지 않는다.

—— [(자음의 앞) də, (모음의 앞) du, dùː, dúː] *auxil. v.* (**did** [did, dìd, díd] ; 3인칭 단수 직설법 현재형 **does** [dəz, dʌ̀z, dʌ́z]) **1** [부정문을 만듦 ; 변칙 정동사 이외의 동사로 *not*을 수반할 경우] : I *do not*[*don't*] see. 나는 모른다 / I *did not*[*didn't*] know. 나는 몰랐다 / *Don't* go! 가지 마라 / *Don't* be afraid. 무서워하지 마라. **2** [주어+술어 동사의 어순(語順)을 전도하는 경우] **a)** [의문문을 만듦] : *Do you* hear? 들립니까 / *Did you* strike her? 그녀를 때렸느냐 / When *does he* leave? 그는 언제 떠납니까. **b)** [강조·균형 따위를 위해 술어(의 일부)를 문장 첫머리에 둘 때]《文語》: Never *did* I see such a fool. 이제까지 한 번도 그런 바보자식을 본 일이 없다(cf. *I never saw such a fool.*) / Not only *did* he understand it, but he remembered it. 그것을 이해했을 뿐만 아니라 기억까지도 했다 / Only after weeks of vain effort *did* the right idea occur to me. 헛된 노력을 몇 주일 동안이나 한 후에야 겨우 적절한 생각이 떠올랐다.
3 [긍정문을 강조하여]《항상 *do* [dúː], *does* [dʌ́z], *did* [díd]라고 강하게 발음한다》: I *dó* think it's a pity. 참으로 애석하다고 생각한다 / *Dó* tell me. 꼭 들려주세요 / *Dó* be quiet! 조용히 하라니까 / I *díd* go, but didn't see her. 가기는 갔으나 그녀는 만나지 않았다 / If we *díd* keep a record, we might find out how often there is a new moon. 기록만 해둔다면 초승달이 몇 번 있는가를 알 수 있을 것이다 / He doesn't often visit me, but when he *dóes* visit me, he stays for hours. 그는 자주 찾아오는 편은 아니지만, 한번 오면 몇 시간이고 머문다. ㈜ do 이외의 변칙 정동사의 경우에는 그 정동사 자체를 강조한다 : You *áre* working hard. 당신은 정말로 열심히 공부하고 있군요.
⟦OE *dōn* to do, put ; cf.DEED, DOOM, G *tun*⟧

do[2] [dúː] *n.* (*pl.* **~s, ~'s**) **1**《俗》속임수, 사기, 협작 ;《英俗》축연, 파티 ; 전투 ;《方》법석, 대소동 ; 의무, 책무 : It's all a *do.* 순전한 속임수다. **2** [*pl.*] 몫 ;《戲》「…해야 한다는 주의 사항」, 명령 사항(cf. DON'T *n.*) : the *do*'s and don'ts *of* table manners 식사 예법에 대한 주의 사항 / Fair *~s*! 공평하게 나누어라. **3**《濠俗》성공 (success) ;《美俗》머리형(hairdo) ;《俗》배설물, 똥 : make a *do* of …을 제것으로 만들다, …에 성공하다. ⟦↑⟧

do[3] [dóu] *n.* (*pl.* **~s, ~'s**) 〖樂〗(도레미파 창법의) 「도」《온음계적 장음계의 제1음 ; cf. SOL-FA》. ⟦It. *do*⟧

DO dissolved oxygen《용존 산소량 ; 물속에 녹아있는 산소의 양》. **DO, D.O.** defense order. **do., d°** ditto. **D/O, d.o.** delivery order. **D.O.A.** dead on arrival (도착시 이미 사망). ㈜ 의사 용어.

dó·able *a.* 할[행할] 수 있는.

dó-àll *n.* 허드레꾼, 잡역부(factotum).

doat [dóut] *vi.* =DOTE. **~·er** *n.*

dob [dáb] *vi.* (**-bb-**)《濠俗》배신하다, 밀고하다 ⟨*in*⟩ : ~ in 헌금하다.

DOB date of birth.

dob·ber [dábər] *n.*《美方》낚시찌(bob), 부표(浮漂) ;《濠俗》=DOBBER-IN.

dòbber-ín *n.*《濠俗》밀고자, 배신자.

dob·bin [dábən] *n.* 복마(卜馬), 농마(農馬).

dob·by [dábi] *n.*《方》(가정에 나타나는) 작은 요정 ;《英方》얼간이 ; 〖織〗도비《직기의 개구(開口) 장치》; 도비직. ⟦cf. *dovie* (dial.) stupid⟧

do·be, do·bie, do·by [dóubi] *n.*《美口》= ADOBE.

Do·ber·man(n) (pin·scher) [dóubərmən (pínʃər)] *n.* 도베르만 핀셔《군용·경찰견》. ⟦L. *Doberman* 19세기 독일의 사육가, G *Pinscher* terrier⟧

Do·bro [dóubrou] *n.* (*pl.* **~s**) 도브로《금속 반향판이 붙은 어쿠스틱 기타 ; 상표명》.

dob·son [dábsən] *n.* ＝HELLGRA(M)MITE.
dóbson·flỳ *n.* 〖昆〗 뱀잠자리《애벌레는 낚싯밥에 쓰임》.
doc[1] [dák] *n.* [주로 소리질러 부를 때 사용하여] 《口》 ＝DOCTOR.
doc[2] *n.* 《俗》 ＝DOCUMENT.
DOC 〖生化〗 deoxycorticosterone. **Doc.** Doctor. **doc.** document(s).
do·cent [dóusənt, dousént] *n.* 《美》 (대학의) 강사 ; (미술관·박물관 따위의) 안내원.
~·shìp *n.* Ⓤ docent의 자격[직무].
doch-an-dor·rach [dáxəndɔ́:rəx], **-dor·ris** [-dɔ́:rəs] *n.* 《스코·아일》 이별의 술잔(stirrup cup). 〖Gael.＝drink at the door〗
doc·ile [dásəl, -ail ; dóusail] *a.* 순진한, 유순한, 가르치기 쉬운, 다루기 쉬운. **~·ly** *adv.* 〖L (*doceo* to teach)〗
類義語 ⟹ OBEDIENT.
do·cil·i·ty [dousíləti, dɑ-] *n.* Ⓤ 온순함, 유순, 가르치기 쉬움.
Doc-in-the-Box [dákinðəbὰks] *n.* 《俗》 긴급 의료센터. 〖*doc*tor＋jack-*in-the-box*〗
***dock**[1] [dák] *n.* **1 a**) 독, 선거(船渠) : a dry [graving] ~ 건식(乾式) 독《흔히 일반적으로 말하는 「독」》/ a floating ~ 부(浮)선거 / a wet ~ 계선(繫船)독. **b**) [때때로 *pl.*] 독 지대, 조선소(dockyard). **2** 《美》 파지장(波止場), 방파제, 선창, 선착장, 부두(wharf). **3** 〖英鐵〗 독《선로의 종점으로 3면이 플랫폼으로 되어 있음》. **4** 《美》 (트럭·화차 따위의) 짐부리는 장소 ; 〖空〗 기체 검사[정비, 수리]소 ; 격납고. **5** (극장의) 무대 장치 창고(scene dock).
in dock 수리공장[독]에 들어가 (있는) ; 《英口》 입원하여[한].
in dry dock 《口》 실직하여.
── *vt.* **1** (수리·하역·승하선을 위해) (배를) 독[선거(船渠)]에 넣다, 부두에 대다. **2** (우주선을 조종하여) 다른 우주선에 붙이다, 도킹시키다.
── *vi.* **1** (배가) 독[선거]에 들어가다, 부두에 닿다. **2** (우주선이) 도킹[결합]하다 <*with*>.
〖Du. *docke*＜?〗
dock[2] *n.* (형사 법정의) 피고석 : be in the ~ 피고석에 앉아 있다, 재판을 받고 있다 ; 《비유》 심판을 받고 있다. 〖Flem. *dok* cage＜?〗
dock[3] *n.* 꼬리의 속부분 ; 짧게 자른 꼬리 ; (급료의) 감액(액수). ── *vt.* **1** (꼬리·털 따위를) 짧게 자르다. **2** [＋目 / ＋目＋前＋名 / ＋目＋目] 바짝 줄이다, 삭감하다, (…이 있는 부분을) 깎다 : They will ~ your wages if you are absent. 결근하면 임금은 공제될 것이다 / The soldiers were ~*ed* ***of*** their rations. 병사들의 급식이 줄었다 / The boss ~*ed* him a day's pay. 사장은 그의 급료를 하루분 감했다.
〖ME＜? OE 《美》 *docca* ; cf. MLG *dokke* bundle of straw, OHG *tocka* doll〗
dock[4] *n.* 〖植〗 소리쟁이《마디풀과 소리쟁이속(屬)의 속칭》. 〖OE *docce*〗
dóck·age[1] *n.* 독 사용료.
dockage[2] *n.* 잘라냄 ; 줄임, 삭감, 감액 ; 곡물에 섞인 잡물.
dóck·er[1] *n.* 독 작업원, 부두[항만] 노동자, (특히) 하역인부.
docker[2] *n.* 바짝 줄이는 사람[것] ; (가축의) 꼬리를 자르는 사람[장치].
dock·et [dákət] *n.* **1** 〖美法〗 (미결의) 소송 사건 일람표 ; 〖英法〗 판결[변론] 적요록(摘要錄). **2** (서류나 소포에 붙이는) 내용 적요, 부전(附箋) ; 화물의 꼬리표(label). **3** 《美》 (사무상의) 처리 예정표, (회의·토론 따위의) 협의 사항(agenda) ; 일건 서류 : items *on* the ~ 예정표에 실려있는 사항. ── *vt.* **1** (판결 따위를) 적요서에 기입하다. **2** (문서에) 부전을 붙이다 ; (소포에) 꼬리표를 달다. 〖C15＜?〗
dóck glàss *n.* 큰 술잔《포도주 시음용》.
dóck·ing *n.* 독에 들어감, 독에 넣음 ; (두 우주선의) 결합, 도킹. ── *a.* 입거의.
dócking adàpter *n.* 도킹 어댑터《도킹한 우주선의 연락 통로》.
dóck·ize *vt.* (강·항만 따위에) 독[선거(船渠)]을 설치하다.
dóck làborer *n.* 부두[항만] 노동자(docker[1]).
dóck·lànd *n.* 《英》 부두 지역 ; 그 부근의 쇠퇴한 주택지.
dóck·màster *n.* 독[선거] 현장 주임.
dóck·sìde *n., a.* 부두가(의), 독 주변(의).
dóck-tàiled *a.* 꼬리가 잘린.
dóck·wàllop·er *n.* 《美俗》 부두의 임시 노동자[부랑자].
dóck wàrrant *n.* 《英》 항만 창고 증권.
dóck·yàrd *n.* (독이나 창고도 포함한) 조선소 (cf.SHIPYARD) ; 《英》 해군 공창(工廠) (＝《美》 naval shipyard).
◇**doc·tor** [dáktər] *n.* **1 a**) 의사, 의원(醫員)(cf. PHYSICIAN) ; [D~] 《호칭》 선생《略 Doc.》. 注 영국과는 달리 미국에서는 외과의사(surgeon), 치과의사(dentist), 수의사(veterinary)에게도 사용 : see a ~ 의사에게 보이다 / send for a ~ 의사를 부르러 사람을 보내다 / call a ~ 의사를 부르다 / be one's own ~ 자기가 자신의 병을 치료하다[고치다]. **b**) 주술사. **2** 박사, 박사학위 ; 의학박사《略 Dr.》 : a *D*~ of Divinity[Law, Medicine] 신학[법학, 의학] 박사. **3** 《古》 학자 : Who shall decide when ~*s* disagree? 학자들의 의견이 구구해서 결정할 도리가 없다《Alexander Pope, *Moral Essays*에서》. **4** 《口》 수리하는 사람.

〈회화〉
My family *doctor* is a woman. — Really? There are more and more female *doctors* these days, aren't there?
「내 주치의는 여자분이야」「정말, 하기는 최근에는 여의사가 점점 늘고 있으니까」

be under the doctor 의사의 치료를 받고 있다, 가료(加療)중이다.
── *vt.* 《口》 **1** (사람·병을) 치료하다 : ~ oneself 자신이 병을 치료하다[고치다], 손수 치료하다. **2** (기계 따위를) 손질[수선]하다(mend). **3** (음식물 따위에) 다른 것을 섞다 ; (술 따위에) 마취제를 넣다 <*with*>. **4** (보고서·증거 따위를) 손질하다, 마음대로 고치다 ; 부정하게 변경하다, 조작하다, 속이다. ── *vi.* 《口》 의사 노릇을 하다 ; 약을 먹다, 치료를 받다.
~·hòod *n.* **~·less** *a.* **~·shìp** *n.* 박사학위 ; doctor임.
〖OF＜L (*doct- doceo* to teach)〗
dóctor·al *a.* 박사의 ; 대학자의 ; 권위가 있는 (authoritative) : a ~ dissertation 박사 논문.
dóctor·ate *n.* 박사 학위 : take (out) a ~ 박사학위를 취득하다.
dóctor bòok *n.* 가정용 의학서.
Dóctor of Philósophy *n.* 박사 학위《대학원에서 수여하는 법학·의학·신학을 제외한 학문의 최고 학위》 ; (이를 취득한) 박사《略 Ph. D., D. Phil.》.

Dóctor of the Chúrch *n.* 교회 박사《초기 기독교의 학덕이 높은 (8인의) 성부(聖父)·신학자·교사의 칭호》.

dóc·tor's *n.* (*pl.* ~) ＝DOCTOR'S DEGREE.

Dóctors' Cómmons *n.* 《古》 (런던의) 민법 박사회《1857년까지 유언·결혼·이혼 사무 따위를 취급 ; 지금은 이 건물이 있던 장소의 지명이 되어 있음》.

dóctor's degrèe *n.* (명예) 박사 학위.

dóctor's stúff *n.* 《蔑》 약.

dóctor tèst *n.* 휘발유 정제 용해 테스트.

doc·tress [dáktrəs] *n.* 《稀》 여의사 ; 여주술사.

doc·tri·naire [dàktrənéər, -nǽər] *n., a.* (실제 문제를 별로 고려하지 않는) 순이론가(의), 공론가(空論家)(의), 교조(敎條)주의자(의) ; 현실적이 아님.
〖F DOCTRINE, *-aire* -ARY〗

doc·tri·nal [dáktrənl ; dɔktrái-] *a.* 교의(教義)상의 ; 학리상의 : ~ theology＝DOGMATICS.
~·ly *adv.* 교의상 ; 학리적으로.

doc·tri·nar·i·an [dàktrənéəriən, -nǽər-] *a., n.* ＝DOCTRINAIRE.

***doc·trine** [dáktrən] *n.* **1** Ⓤ,Ⓒ 교의, 교리. **2** Ⓤ,Ⓒ 주의, (정치·종교·학문상의) 신조, 원칙 ; 학설, 이론(cf. THEORY) ; 공식 (외교) 정책 : ☞ MONROE DOCTRINE.
〖OF＜L *doctrina* teaching ; ⇨ DOCTOR〗

dóc·trin·ìsm *n.* Ⓤ 교리 지상 주의.
-ist *n.*

dócu·dràma [dákjə-] *n.* 다큐멘터리 드라마.
~·tist *n.*
〖*docu*mentary〗

***doc·u·ment** [dákjəmənt] *n.* **1** 문서, 서류, 조서 ; 공문서 ; 증서(deed) ; 증권 : ☞ HUMAN DOCUMENT / an official[a public] ~ 공문서 / classified ~ 〖軍〗 기밀문서. **2** [*pl.*] **a**) 선적(船積) 서류. **b**) 선박 서류(☞ SHIP *n.* 1). **3** ＝DOCUMENTARY. —— [-mènt] *vt.* **1** …에 증거[필요] 서류를 제공[첨부]하다. **2** …을 문서[증거서류]로 증명하다, 실증하다 ; (기록 따위에) 전거(典據)[문헌]를 제시하다[부기하다]. **3** (상세히) 보도[기록]하다 ; (작품을) 사실관계를 상세히 재현하는 수법으로 구성[제작]하다.
〖OF＜L＝proof ; ⇨ DOCTOR〗

doc·u·ment·al [dàkjəméntl] *a.* ＝DOCUMENTARY.

documéntal·ist *n.* 다큐멘털리스트《documentation의 전문가》.

doc·u·men·tar·i·an [dàkjəməntéəriən, -men-] *n.* (특히 사진, 영화 따위에서) 다큐멘터리적 수법의 주창자, 기록(사실)주의자 ; 다큐멘터리의 작가[프로듀서, 감독].

***doc·u·men·ta·ry** [dàkjəméntəri] *a.* **1** 문서의, 서류[증서]의, 기록 자료가 되는[에 있는, 에 의한] : ~ evidence 〖法〗 증거서류, 서증(書證). **2** 〖映〗 사실을 기록한. —— *n.* 기록영화, 다큐멘터리 ; 〖放送〗 기록물 ; 기록소설[극].
dòc·u·men·tár·i·ly [ˌ, -men-, ˊ-ˌ-ˊ-ˌ- ; dɔ̀kjuméntərili] *adv.*

documéntary bíll *n.* 화물환(貨物換).

documéntary crédit *n.* 화물환 신용장.

documéntary dráft *n.* 화물환 어음.

doc·u·men·ta·tion [dàkjəmentéiʃən, -men-] *n.* Ⓤ **1** 문서[증거 서류] 조사 ; 증거 서류 제출 ; 전거(典據)[참고자료] 부기. **2** 문서 자료의 분류 정리, 문서화. **3** (선박의) 선적 서류 비치(備置).
~·al *a.*

documentátion mèeting *n.* 문서 작성 회의 ; 〖證〗 주식발행 관계 문서 작성 회의.

dóc·u·ment·ed discóunt nòtes [-tid-] *n.* 《美》 신용장부(信用狀附) 상업 어음, 은행 지급 보증부 상업 어음.

dócument·less òffice *n.* 〖電子〗 ＝PAPERLESS OFFICE.

dócument pròcessing *n.* 〖컴퓨〗 도큐먼트 프로세싱, 문서처리.

DOD Department of Defense(미국방성).

do·dad [dú:dæ̀d] *n.* 《美俗》 ＝DOODAD.

dod·der[1] [dádər] *vi.* 《口》 [動 / ＋副] (중풍이나 노령으로) 비틀거리다 ; 휘청거리다 : The man ~*ed* ***along***[***about***] as if he were ninety years old. 그 사나이는 마치 90세 먹은 할아버지처럼 비틀거리며 걸어갔다[돌아다녔다].
~·ing *a.* (늙어서) 비틀거리는.
〖*dadder* (obs. dial.)의 변형(變形) ; cf. DITHER〗

dodder[2] *n.* 〖植〗 새삼.
〖ME＜? ; cf. MHG *toter*〗

dód·dered *a.* (떡갈나무 따위의 큰 나무가 오래되어) 썩은, 고목이 된 ; 가냘픈 ; 노쇠한.

dód·dery *a.* ＝DODDERING ; ＝DODDERED.

dod·dle [dádl] *n.* 《英口》 쉽사리 할 수 있음, 식은 죽 먹기.

do·deca- [doudékə ; dəudekə], **do·dec-** [doudék ; dəudek] *comb. form* 「12」의 뜻.
〖Gk. *dōdeka* twelve〗

do·deca·gon [doudékəgàn, -gən] *n.* 12변[각]형. **do·de·cag·o·nal** [dòudekǽgənl] *a.*

do·deca·hédron [dòudekə-, doudèkə-] *n.* (*pl.* **~s, -dra**) 〖結晶〗 12면체.

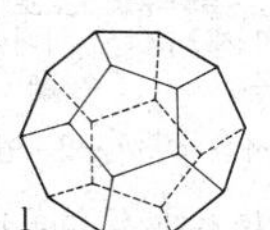

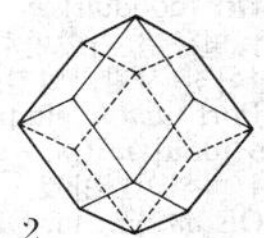

1 pentagonal dodecahedron
2 rhombic dodecahedron

dodecahedron

do·deca·pho·ny [doudékəfəni, dòudikǽfə- ; dəudekəfə́uni] *n.* 12음(音) 음악.
-phon·ic [dòudekəfánik, doudèkə-] *a.*

dodèca·sýllable *n.* 12음절의 시행[단어].

***dodge** [dádʒ] *vt.* **1** 회피하다, 피하다, 날쌔게 몸을 피하다(avoid) : ~ a blow 때리는 것을 살짝 피하다 / She ~*d* him in the crowd. 그녀는 군중 속으로 그를 피했다. **2** 뚫고 빠져나가다, 교묘하게 속이다 ; 농락하다 : Don't ~ the issue! 문제를 피하지 마라 / He ~*d* the military service. 그는 교묘히 병역을 기피했다. **3** 〖寫〗 (화면(의 일부))에 그늘을 짓다, 도지하다.
—— *vi.* [動 / ＋副 / ＋前＋名] **1** 날쌔게 몸을 피하다 : Tom ~*d* cleverly when a stone was thrown at him. 톰은 돌이 자기에게 날아왔을 때 살짝 몸을 피했다 / The little boy ~*d* ***about***. 그 어린 소년은 재빠르게 요리조리 몸을 피했다 / ~ ***through*** heavy traffic 혼잡한 교통 속을 몸을 피해가며 나아가다 / He ~*d* ***behind*** a tree. 그는 재빠르게 나무 뒤에 숨었다. **2** (능청맞게) 둘러대다, 속이다.
—— *n.* **1** 살짝 몸을 피하기 : make a ~ 몸을 피

하다. **2** 《口》 [+*to* do] 속임수, 둘러댐 : That's a ~ *to* win your confidence. 그것은 너의 신용을 얻기 위한 속임수다. **3** 《口》 [+*for*+do*ing*] 궁리, 묘계(妙計) ; 새 취향, 새로 고안한 기구 : a ~ *for* catch*ing* flies 파리 잡는 기구.

on the dodge 《俗》 경찰의 눈을 피하여, 부정을 저질러, 속여서.

〚C16<?〛

Dodge *n.* 도지《미국 Chrysler사 Dodge 사업부가 제조하는 중급 승용차의 총칭》.

dódge bàll *n.* 도지 볼《2조로 나누어 상대편이 던지는 공을 피하면서 보다 많이 상대를 맞히는 쪽이 이기는 놀이》.

dódge chàin *n.* 강삭(鋼索) 사슬《쇠사슬 고리 사이에 분리시킬 수 있는 베어링 로크가 있음》.

dodg·em [dádʒəm] *n.* 소형 자동차의 충돌 놀이 시설《유원지 따위에 있는》.

〚DODGE, 'EM〛

Dodg·'em [dádʒəm] *n.* [때때로 (the) ~s] 도젬《BUMPER CAR의 상표명》.

dodg·er [dádʒər] *n.* **1** 날쌔게 몸을 피하는 사람 ; 책임을 회피하는 사람. **2** 보통 수단으로는 다룰 수 없는 사람 ; 사기꾼. **3** 《美南部》 옥수수 빵[과자] (corn dodger) ; 《俗·方》 샌드위치, 빵, 음식. **4** (배 bridge의) 파도막이 벽 ; 《美·濠》 작은 전단, 광고 쪽지.

dodg·ery [dádʒəri] *n.* (책임 따위의) 회피, 발뺌, 속임수.

dodgy [dádʒi] *a.* **1** 교묘히 몸을 피하는, 잘 얼버무리는 ; 속임수의, 교활한. **2** 교묘한 ; 믿지 못하는, 다루기 어려운. **3** 《英口》 위험한.

〚DODGE, -y[4]〛

do·do [dóudou] *n.* (*pl.* **~s, ~es**) 〔鳥〕 도도《지금은 멸종된 거위만한 크기의 새》 ; 《口》 시대에 뒤떨어진 사람, 얼간이, 바보.

〚Port. *doudo* simpleton〛

doe [dóu] *n.* (*pl.* **~s, ~**) (사슴·토끼·양·염소·쥐 따위의) 암컷.

〚OE *dā*<? ; cf. OE *dēon* to suck, G (dial.) *te*〛

Doe ☞ JOHN DOE.

DOE 《美》 Department of Energy ; 《英》 Department of the Environment.

doek [dúk] *n.* 《南아口》 두크《여성이 머리에 쓰는 사각 천》.

dó·er *n.* 행위자, 실천가.

〚DO[1]〛

°**does** *v.* DO[1]의 3인칭 단수 직설법 현재형.

dóe·skìn *n.* **1** 암사슴의 가죽 ; Ⓤ 암사슴의 무두질한 가죽. **2** Ⓤ 도스킨《암사슴 가죽 비슷한 모직물》 ; [*pl.*] 양가죽 장갑.

‡**does·n't** [dʌ́znt]DOES not의 단축형.

do·est [dúːəst] *v.* 《古·詩》 DO[1]의 주어가 2인칭 단수 thou일 때의 직설법 현재형 : thou ~=you do.

do·eth [dúːəθ] *v.* 《古·詩》 DO[1]의 3인칭 단수 직설법 현재형(cf. DOTH) : he[she] ~=he[she] does.

doff [dáf, dɔ́(ː)f] *vt.* 《古》 **1** (옷을) 벗다, (모자를) 벗다(↔*don*). **2** (풍습 따위를) 버리다, 폐지하다(abandon). **~·er** *n.*

〚DO[1] off〛

do·fun·ny, doo- [dúːfʌ̀ni] *n.* 《美口》 부속품, 기계 장치(gadget).

°**dog** [dɔ́(ː)g, dág] *n.* **1** 개 ; 개과(科)의 동물《늑대·승냥이 따위》 : Every ~ has his day. 《속담》 쥐구멍에도 볕들 날이 있다 / Give a ~ a bad[an ill] name and hang him. 《속담》 한번 쓴 누명은 벗기 어렵다《누명은 무서운 것》 / Love me, love my ~. 《속담》 나를 사랑하면 나의 개도 사랑하라 / Let sleeping ~*s* lie. ☞ SLEEPING DOG 숙어. **2** 수캐(↔*bitch*) ; (개과(科) 동물의) 수컷 : a ~ wolf 늑대 수놈. **3** 시시한 인간, 건달 ; 실패작 ; 무익한 것 ; (욕으로) 빌어먹을! ; [보통 cunning, jolly, lucky, sad, sly 따위의 형용사를 수반하여] 《蔑·戲·애칭》 놈(fellow) : a *sad* [*jolly*] ~ 형편없는[유쾌한] 녀석. **4** 쇠갈고리, 꺾쇠, 쇠로 된 집게 ; =ANDIRON. **5** [the D~] 〔天〕 **a**) 큰개자리(the Great Dog) ; 작은개자리(the Little Dog). **b**) =SIRIUS. **6** [the ~s] 《口》 =GREYHOUND RACING. **7** 《美口》 핫 도그(hot dog). **8** 《美·濠俗》 밀고자, 배반자, 개 ; 《美俗》 매력[인기] 없는 여자 ; 《俗》 창녀. **9 a**) (학업 성적의) D. **b**) 가격만큼 가치가 없는 채권[주식] ; 약속어음. **c**) 《美俗》 (대학의) 신입생 ; 풋내기 노동자 ; 자동차 점검원. 주 「작은 개」 puppy, whelp ; 「개 집」 kennel ; 「짖는 소리」 bark, bay, bowwow ; growl, howl, snarl ; whine, yap, yelp ; 형용사 canine.

die a dog's death=***die the death of a dog*** 치욕스러운[비참한] 죽음을 하다.

Dog eats dog. 동족이 서로 살상함, 동족상잔.

a dog in the manger ☞ MANGER.

a hair of the dog that bit a person ☞ HAIR.

eat dog 《美》 굴욕을 참다(eat dirt).

go to the dogs 《口》 몰락하다, 영락하여 초라해지다, 파멸하다 ; 타락하다 ; 실패하다.

pull dog, pull cat ☞ PULL.

put on (***the***) ***dog*** 《美口》 젠체하다, 뽐내다, 허세를 부리다.

teach an old dog new tricks 《비유》 노인에게 새로운 지식[사상]이나 일을 가르치다《할 수 없다는 뜻》.

the dogs of war 《비유》 전쟁의 참화.

throw [***give***]. . .***to the dogs*** …을 내버리다 ; …을 희생하다.

── *v.* (-gg-) *vt.* **1** 미행(尾行)하다(shadow) ; (재난·불행 따위가) …에 붙어다니다 : The police ~*ged* the thief[the thief's footsteps] until they caught him. 경찰은 도둑의 뒤를 쫓아 끝내 체포했다. **2** 〔機〕 쇠갈고리로 걸다. ── *vi.* 《古》 (재난·불행 따위가) 끝까지 따라다니다.

── *adv.* [복합어를 이루어] 완전히 : *dog*-cheap, *dog*-tired.

〚OE *docga*<?〛

dóg and póny shòw *n.* 겉만 번지르르한 선전[PR] ; 《美俗》 시시한 서커스.

dóg àpe *n.* =BABOON.

dog·ate [dóugeit] *n.* 〔史〕 공화국 총독의 직.

dóg·bàne *n.* 〔植〕 개정향풀《dog's-bane 이라고도 함 ; 협죽도과(科)》.

dóg bàr *n.* (도시 길가의) 개 물마시는 곳.

dóg·bèrry [ˌ-bəri] *n.* 〔植〕 식용에 적합지 않은 까치밥나무·돌배 따위.

dóg bìscuit *n.* 개가 먹는 비스킷 ; 《美俗》 (야전용) 건빵.

dóg·bòlt *n.* 도그볼트《두 개의 기재(機材)를 직각으로 고정시키는》.

dóg bòx *n.* 《英》 개 수송용 화차.

dóg·càrt *n.* 개가 끄는 수레 ; 경장(輕裝) 2[4]륜 마차《등을 맞대고 있는 두 개의 좌석이 있고 원래는 그 밑에 사냥개를 태웠음》.

dóg·càtch·er *n.* 들개 사냥꾼.

dóg-chéap *a., adv.* 《美》 엄청나게 싼[싸게].

dóg clùtch *n.* 〔機〕 서로 맞물리게 된 클러치.

dóg còllar *n.* **1** 개 목걸이. **2** 《俗》 세운 칼라《주

bloodhound
boxer
bulldog
bullterrier
collie
cocker spaniel
dachshund
foxhound
fox terrier
German shepherd (dog)
Great Dane
pointer
Pomeranian
poodle
pug
greyhound
mastiff
setter
St. Bernard
Scottish terrier
spitz
Peckingese

dogs

로 성직자용》.

dóg dàys *n. pl.* 복중(伏中), 삼복 더위철《7월초부터 8월 중순까지 Dog Star가 태양과 함께 출몰하는 시기》; 침체[정체·부진]기; (여자의) 생리기간: in the ~ 한여름에.
〖L *dies caniculares*의 역(譯)〗

doge [dóudʒ] *n.* 〖史〗 도지《고대 Venice, Genoa 공화국의 총독》.
〖F<It.<L *duc- dux* leader〗

dóg-èar *n., vt.* =DOG'S-EAR.

dóg-èared *a.* =DOG'S-EARED; 보잘 것 없는, 닳아서 떨어진.

dóg-eat-dóg *a.* 냉혹하게 사리 사욕을 추구하는, 앞을 다투는, 자제하지 못하는, 덕의가 없는.
—— *n.* 냉혹한 사리사욕 추구, 앞을 다투는 경쟁, 동족 상잔.

dóg ènd *n.* 《俗》 담배 꽁초.

dóge·shìp *n.* Ⓤ DOGE임[의 신분].

dóg·fàce *n.* (특히 2차 대전 때의) 미 육군의 보병; 인기가 없는 남자.
〖처음 미 해군 수병이 경멸적으로 불렀음〗

dóg-fàced *a.* 얼굴이 개처럼 생긴.

dóg fàll *n.* (특히 레슬링에서) 무승부(로 이끌어가기).

dóg fàncier *n.* 애견가; 개장수.

dóg fènnel *n.* 〖植〗 엉거시과의 풀.

dóg·fìght *n.* (개 싸움과 같은) 치열한 싸움, 격전; 《口》 (소형 전투기의) 공중전, 접근전, 혼전(混戰). —— *vi.* 혼전을 이루다. —— *vt.* …와 공중전을 하다.

dóg·fìsh *n.* 〖魚〗 두룹상어과·악상어과·곱상어과의 각종 상어.
〖ME *dokefyche*〗

dóg fòod *n.* 개밥; 《美俗》 콘 비프의 범벅.

dóg fòot *n.* 《美軍俗》 보병.

dóg fòx *n.* 수여우.

dog·ged [dɔ́(:)gəd, dág-] *a.* 완고한, 완강한, 집요한, 끈질긴: with ~ determination 끝까지 버틸 각오로 / It's ~ (as[that]) does it. 《속담》 지성이면 감천이다.
~·ly *adv.* 완고하게, 완강히. **~·ness** *n.*
〖DOG〗
類義語 ⟹ STUBBORN.

dog·ger [dɔ́(:)gər, dág-] *n.* 쌍돛대의 네덜란드 어선(漁船).
〖MDu.=trawler〗

Dógger Bánk *n.* [the ~] 도거 뱅크《북잉글랜드의 동쪽, 북해 중앙부에 있는 얕은 바다; 유명한 대어장》.

dog·ger·el, dog·grel [dɔ́(:)gərəl, dág-] *n.* (운율 부정(不整)으로 내용이 조잡한) 광시(狂詩), 서투른 시. —— *a.* (시가) 익살스러운(comic); 서투른, 졸렬한(crude).
〖DOG *Latin* 따위의 용법에서 인가〗

dog·gery [dɔ́(:)gəri, dág-] *n.* **1** Ⓤ (개 같은) 야비한 짓. **2** [집합적으로] 개; 하층민; 《美俗》 선술집.

doggie ☞ DOGGY.

dóggie bàg *n.* (먹다 남은 음식을) 넣는 주머니《개에게 주는 데서》.

dóg·gish *a.* **1** 개의. **2** 개 같은; 무뚝뚝한, 우악스러운. **3** 《口》 사치한, 멋부리는.

dog·go [dɔ́(:)gou, dág-] *adv.* 《俗》 숨어서: lie ~ 꼼짝 않고 (숨어) 있다.
〖? DOG〗

dog·gone [dággán, dɔ́(:)ggɔ́(:)n] *a.* 《美俗》 저주할, 괘씸한, 비참한. —— *adv.* 실로, 완전히.
—— *int.* 제기랄, 빌어먹을, 에잇! —— *vt.* (~**d**; **-gón·ing**) [보통 *p.p.*로] (…을) 저주하다: I'll be ~*d* if I'll go. 나는 절대 가지 않겠다.
—— *n.* =DAMN.
〖? *dog on it*=God damn it〗

dóg·góned *a., adv.* 《美俗》 =DOGGONE.

dóg gràss *n.* 〖植〗 개밀.

dog·gy, -gie [dɔ́(:)gi, dági] *a.* **1** 개의, 개와 같은]. **2** 개를 좋아하는, 개에 관하여 잘 아는.
—— *n.* 강아지; 《兒》 멍멍이. **dóg·gi·ness** *n.* 개 같음; 개를 좋아하기; 개의 냄새.
〖*-ie*〗

dóg·hòle *n.* Ⓤ 개구멍, 작은 구멍; 좁고 누추한 곳[거처]; 《美俗》 (탄광 따위의) 작은 구멍.

dóg·hood *n.* Ⓤ 개의 성질[특성].

dóg·hòuse *n.* 개집; DOGHOLE; (요트의) 작은 선실; (유리 용해로의) 원료 투입구; (미사일·로켓 따위의 과학 기기 수납용의) 돌출부; 《俗》 콘트라베이스: in the ~ 체면을 잃어.

dóg·hùtch *n.* 개집; =DOGHOLE.

do·gie, -gy [dóugi] *n.* 《美西部》 (목장의) 어미 잃은 송아지.

dóg kìller *n.* 광견 도살자.

dóg Làtin *n.* 격식을 무시한 라틴어.

dóg lèad [-lìːd] *n.* 개 줄, 개 사슬.

dóg·lèg *n.* (개의 뒷다리처럼) 굽은 것; (도로 따위의) 급 커브; 「<」 모양으로 꺾인 길[층계].
—— *a.* (개의 뒷다리처럼) 「<」 모양으로 굽은.
—— *vi.* 지그재그로 나아가다.

dóg·lég·ged [-gəd, -gd] *a.* 개의 뒷발 같은, 「<」 모양으로 구부러진《계단 따위》.

dóg-lètter *n.* =DOG'S LETTER.

dóg·lìke *a.* 개 같은; 충실한.

dóg lòuse *n.* 개 이《기생충》.

***dog·ma** [dɔ́(:)gmə, dág-] *n.* (*pl.* **~s, -ma·ta** [-tə]) **1** Ⓤ,Ⓒ **a**) 교의, 교리(doctrine); Ⓤ [집합적으로] 교조(教條), 신조. **b**) 정론, 정칙, 정설. **2** Ⓤ,Ⓒ 독단, 독단적 주장[견해], 도그마.
〖L<Gk. (*dogmat- dogma* opinion)〗

dóg·man [-mən] *n.* 애견가; 《濠》 크레인 작업 지휘자.

dog·mat·ic, -i·cal [dɔ(:)gmǽtik(əl), dɑg-] *a.* **1** 교의(教義)상의, 교리에 관한. **2** 〖哲〗 독단주의의. **3** 독단적인. —— *n.* 독단가. **-i·cal·ly** *adv.* 독단적으로; 교의적으로. **-i·cal·ness** *n.*

dog·mát·ics *n.* [단수 또는 복수취급] 〖宗〗 교리[신조]론, 교의학(教義學).

dog·ma·tism [dɔ́(:)gmətìzəm, dág-] *n.* Ⓤ 독단론; 독단주의, 독단적 태도; 교조(教條)주의.
-tist *n.* 독단가; 독단론자.

dog·ma·tize [dɔ́(:)gmətàiz, dág-] *vi.* 독단적으로 단정하다[진술하다]〈*on*〉. —— *vt.* …을 독단적으로 말하다[주장하다], (주의 따위를) 교의[교리]로서 나타내다.
-tìz·er *n.* **dòg·ma·ti·zá·tion** *n.*

dog·nap [dɔ́(:)gnæ̀p, dág-] *vt.* (**-p-, -pp-**) 《美俗》 (실험용으로 팔기 위해) 개를 훔치다.
dóg·nàp·(p)er *n.*
〖*dog*+kid*nap*〗

dó-gòod *a.* (공상적으로) 사회 개량을 꾀하는[지향하는]. **~·er** *n.* 공상적 사회 개량가. **~·ism** *n.* **~·ing** *n., a.* **~·y** *a.*

dóg pàddle *n.* 개헤엄. **dóg-pàddle** *vi.*

dóg-póor *a.* 몹시 가난한.

dóg ràcing[ràce] *n.* 개 경주, 도그 레이스.

dóg ròse *n.* 〖植〗 유럽찔레나무.

dóg's àge *n.* 《口》 오랫동안.

dóg sàlmon *n.* 〖魚〗 연어.
dóg's-bàne *n.* =DOGBANE.
dógs·bòdy *n.* 《英海軍俗》 하급 사관 ; 말단, 힘드는 일을 맡은 사람.
dóg's brèakfast *n.* 《口》 엉망진창(dog's dinner).
dóg's chànce *n.* [보통 부정구문으로] 《口》 아주 희박한 가망성.
not stand*[*have*] *a dog's chance 도저히 가망이 없다.
dóg's dìnner *n.* 《口》 먹다 남은 음식, 남은 것 ; 엉망진창(mess).
like a dog's dinner 멋지게, 화려하게 : be dressed[done up] *like a* ~ 몸치장을 하고 있다.
dóg's-èar *n., vt.* 책장 귀의 접힘 ; 책장 귀를 접다.
dóg's-èared *a.* 책장의 귀가 접힌.
dóg's gràss *n.* =DOG GRASS.
dóg·shòre *n.* 〖船〗 (진수(進水) 때까지 배를 떠받치는) 버팀 기둥.
dóg shòw *n.* 개 전시회.
dóg-sìck *a.* 몹시 기분이 나쁜.
dóg·skìn *n.* 개가죽《장갑용》.
dóg·slèd, dóg slèdge *n.* 개 썰매.
dóg·slèep *n.* Ⓤ 선잠, 풋잠 ; 꾀잠.
dóg's lètter *n.* 견음(犬音) 문자《r자의 속칭 ; r음이 개가 으르렁거리는 소리와 비슷한 데서》.
dóg's lìfe *n.* 비참한 생활 : lead[lead a person] a ~ 비참한 생활을 하다[남에게 비참한 생활을 하게 하다].
dóg's mèat *n.* 개 먹이로 주는 고기《말고기 따위 ; cf. CAT'S-MEAT》.
dóg's nòse *n.* 진과 맥주의 혼합주.
dóg spìke *n.* (철도 레일 고정용) 큰 대갈못.
dóg's·tàil (gráss) *n.* 〖植〗 빗살새《포아풀과》.
Dóg Stàr *n.* [the ~] 〖天〗 천랑성(Sirius).
dóg·stìck *n.* 바퀴멈춤대(sprag).
dóg's-tòngue *n.* =HOUND'S-TONGUE.
dóg's tòoth *n.* 〖建〗 견치적층(犬齒積層)《벽돌 귀퉁이가 잇따라 돌출하게 쌓은 층》 ; =HOUNDS-TOOTH CHECK.
dóg's-tooth víolet *n.* 〖植〗 얼레지[가재무릇].
dóg tàg *n.* 개 목걸이의 쇠장식《소유주의 주소·성명 따위가 있음》 ; 《軍俗》 (군번을 적은) 인식표.
dóg·tàil *n.* **1** =DOG'S TAIL. **2** =DOGTAIL TROWEL.
dógtail trówel *n.* 벽돌 흙손《하트형으로 된 작은 흙 손》.
dóg tìck *n.* 개진드기.
dóg-tíred *a.* 《口》 피로에 지친, 몹시 피로한.
dóg·tòoth *n.* 송곳니(canine tooth).
dógtooth víolet *n.* =DOG'S-TOOTH VIOLET.
dóg tòur *n.* 〖劇〗 지방 순회 공연.
dóg tràin *n.* 《Can.》 개썰매.
dóg·tròt *n.* 종종걸음 ; 《美》 (가옥 따위의 두 부분을 잇는) 복도, 통로. —— *vi.* 종종걸음 치다.
dóg wàgon *n.* 전차[버스]를 개조한 식당.
dóg wàlker *n.* 개를 산책시키는 사람.
dóg·wàtch *n.* 〖海〗 반(半) 당직《오후 4-6시 및 6-8시의 각 2시간 교대의 당직(當直)》.
dóg-wéary *a.* 몹시 지친(very weary).
dóg whìp *n.* 개채찍.
dóg·wòod *n.* 〖植〗 산딸나무류(類)(cornel), (특히) 층층나무, 미국말채나무.
dogy ☞ DOGIE.
doi·ly, doy-, doy·ley [dɔ́ili] *n.* (디저트용) 작은 냅킨《식탁에서 손 씻는 그릇 따위의 밑에 놓음》 ; (레이스 따위로 만든) 탁상용 작은 깔개. 〖*Doiley, Doyley* : 18세기 London의 포목상〗
◇**dó·ing** *n.* **1** Ⓤ 하기, 행하기, 수행(遂行). **2** [*pl.*] 《口》 행함, 행동 ; 행위, 소행 ; 몸가짐 ; 사건, 행사. **3** 꾸짖음, 질책.
doit [dɔ́it] *n.* (네덜란드의 옛) 동전.
not care a doit 조금도 개의치 않다.
not worth a doit 한 푼의 가치도 없는.
doit·ed [dɔ́itəd] *a.* 《스코》 노망한 ; 멍청한, 바보의.
do-it-your·self [dùːətʃərsélf] *attrib. a.* (수리·조립 따위) 자기 손으로 하는, 「일요일이면 하는 집안 목수일」의 : a ~ kit for building a radio 비전문가용의 라디오 조립 재료 한 벌. —— *n.* Ⓤ 일요일에 목수일을 하기, 일요 목수일의 취미. **~·er** *n.* 일요일이면 목수일을 하는 사람. **~·ery** *n.* 일요 목수일. **~·ìsm** *n.*
dol. dollar(s).
Dol·by [dɔ́(ː)lbi, dóul-] *a.* 돌비 방식[녹음]의 : ~ noise reduction 돌비식 잡음 제거 / the ~ sound 돌비 사운드《돌비식에 의한 재생음》. —— *n.* 《口》 =DOLBY SYSTEM.
Dol·by·ize [dɔ́(ː)lbiàiz, dóul-] *vt.* 돌비 (방식으로) 녹음하다.
Dólby Sỳstem *n.* 돌비 방식《테이프 리코더로 재생시 잡음 요소를 없애는 방식 ; 상표명》. 〖Ray *Dolby* (1933-) 고안한 미국인〗
dol·ce [dóultʃei ; dɔ́ltʃi] *a.* 〖樂〗 아름다운, 감미로운, 부드러운. —— *adv.* 부드럽게, 아름답게. —— *n.* (*pl.* **dol·ci** [-tʃiː]) 돌체의 지시 ; 돌체《오르간의 플루트스톱의 일종》. 〖It.〗
dol·ce far nien·te [dóultʃi fàːr niénti] *n.* 무위의 즐거움, 안일. 〖It.=sweet doing nothing〗
dol·ce vi·ta [dóultʃi víːtaː] *n.* [흔히 the[la] ~] 나태하고 방종한 생활, 달콤한 생활. 〖It.=sweet life〗
dol·drums [dɔ́(ː)ldrəmz, dóul-, dál-] *n. pl.* **1** 〖海〗 (특히 적도 부근 해상의) 열대 무풍지대 ; 무풍상태. **2** 《비유》 침울, 의기 소침, 우울 ; 침체, 정체 상태[기간], 부진.
in the doldrums (배가) 무풍지대에 들어가서 ; 《비유》 침울해져서.
〖*dull*+*tantrum*인가〗
dole[1] [dóul] *n.* **1** 시주하는 재물 ; 분배물 ; 근소한 것, 조금씩 나누어 주는 것. **2** [the ~] 《英에서는 口》 실업수당. **3** 《古》 운(destiny) : Happy man may be his ~! 그가 행복하기를.
be on the dole 실업수당을 받고 있다.
dole out …을 조금씩 주다.
go on*[*draw*] *the dole 실업수당을 받다.
—— *vt.* (가난한 사람에게) 나눠주다, 아까운 듯이 조금씩 내주다〈*out*〉.
〖OE *dāl* sharing ; cf. DEAL[1]〗
dole[2] *n.* Ⓤ 《古》 슬픔(woe), 비탄 : make one's ~ 비탄(悲嘆)에 잠기다. —— *vi.* 한탄하며 슬퍼하다. 〖OF<L (*doleo* to grieve)〗
dóle-dràw·er *n.* 실업수당을 받는 사람.
dóle·ful *a.* 서글픈, 슬픈(sad), 수심에 잠긴, 비탄에 빠진, 슬퍼 보이는 ; 음울한.
~·ly *adv.* **~·ness** *n.*
dol·er·ite [dálərài t] *n.* 〖鑛〗 조립 현무암(粗粒玄武岩). **dòl·er·ít·ic** [-rít-] *a.*
〖F (Gk. *doleros* deceptive)〗
dóles·man [-mən] *n.* (*fem.* **-wòman**) 보시[시주]를 받는 사람.
dóle·some *a.* =DOLEFUL.
dol·ich- [dálik], **dol·i·cho-** [dálikou, -kə] *comb. form* 「긴」의 뜻. 〖Gk. *dolikhos* long〗
dòlicho·cephálic *a.* 〖解〗 장두(長頭)의《머리폭

이 길이의 76% 이하 ; ↔*brachycephalic*》.

do·li·ne, -na [dəlíːnə] *n.* 〖地質〗 돌리네《석회암 지역의 구덩이》. 〖Russ.〗

dó·lìttle *n., a.* 게으름뱅이, 나태한 (사람).

◇**doll** [dál, dɔ́(ː)l] *n.* **1** 인형. **2** 아름답지만 어리석은[인정미가 없는] 여자[어린아이] ; 《美俗》 소녀, 여자. ── *vt.* 《口》 [＋目＋副/＋目＋前＋名] 예쁘게 차려 입다 : She was all ~*ed* ***up***[***out***] ***in*** furs and jewels. 모피와 보석으로 치장하고 있었다 / ~ oneself *up* 치장하다. ── *vi.* [＋副] 예쁜[화려한] 복장을 하다 : You'd better ~ ***up***. 산뜻한 복장을 하는 것이 좋다. 〖↓〗

Doll *n.* 여자 이름《Dollya라고도 함 ; Dorothea, Dorothy의 애칭》.

‡**dol·lar** [dálər] *n.* **1** 달러《미국·캐나다·라이베리아·에티오피아·홍콩·말레이시아·싱가포르·오스트레일리아·뉴질랜드 등지의 화폐단위 : ＝100 cents ; 기호 $》 ; 1달러화(貨) (cf. BUCK[1] 5) : $105 105달러. **2** [the ~s] 금전(money). **3** 《英俗》 5실링 은화(crown) (cf. SHILLING) : half a ~＝HALF-A-CROWN. 〖LG *daler*＜G *Taler*〗

dóllar àrea *n.* [the ~] 달러 지역《달러 또는 달러 교환비율이 확정된 통화의 유통지역》.

dóllar-a-yéar màn *n.* 《美》 원 달러 맨《거의 무보수로 연방 정부에서 일하는 민간인》.

dóllar còst àveraging *n.* 〖證〗 정액 정기매입《시세에 관계없이 정기적으로 일정 총액의 증권을 매입하는 투자법》.

dóllar crísis *n.* 〖經〗 달러 위기.

dóllar diplòmacy *n.* 달러 외교.

dóllar·fìsh *n.* 〖魚〗 버터피시《병어과의 물고기 ; 미국 대서양 연안산》.

dóllar gàp[**shòrtage**] *n.* 〖經〗 달러 부족.

dóllar impérialism *n.* 달러 제국주의《달러화의 구매력에 의한 외국에의 지배력 확장》.

dóllar-óver·hàng *n.* 〖經〗 (국제 금융시장에서의) 달러 과잉상태.

dóllar sìgn *n.* 달러 기호《$ 또는 $》.

dóllar spòt *n.* 〖植〗 달러 스폿《갈색 부분이 서서히 퍼져가는 잔디의 병》.

dóllar wàtcher *n.* 검약가(儉約家).

dóllar·wìse *adv.* **1** 달러로, 달러로 환산하여. **2** 금전적으로, 재정적으로 (보아).

dóllar-wìse *a.* 돈 쓰는 법을 알고 있는, 허비하지 않는, 검약한. ── *adv.* ＝DOLLARWISE.

dóll càrriage *n.* 인형의 탈것.

dóll·hòuse *n.* **1** 인형의 집, 장난감 집. **2** (오두막집·이동 주택 따위) 살기 좋은 아담한 집.

dóll·ish *a.* 인형 같은, 아름답지만 지능이 낮은.

dol·lop [dáləp] *n.* 《口》 (버터·젤리·점토 따위 부드러운 것의) 덩이 ; 소량의 액체《특히 주류》 ; (일반적으로) 소량, 조금 : a ~ of 소량의, 몇 방울의. ── *vt.* (먹을 것을) 잔뜩 나누어주다 ; (버터 따위를) 듬뿍 바르다.
〖C16＜? Scand. (Norw. (dial.) *dolp* lump)〗

dóll's hòuse *n.* 《英》 ＝DOLLHOUSE.

dol·ly [dáli, dɔ́(ː)li] *n.* **1** 《兒》 아기인형《애칭》 ; 《英口》 매력적인[귀여운] 처녀 ; 《口》 계집아이. **2** (짐 나르는) 작은 트럭 ; 〖映·TV〗 카메라 이동대차. ── *a.* 《口》 매력적인, 귀여운《처녀》.
── *vt.* 〖映·TV〗 카메라를 dolly에 실어 이동시키다. ── *vi.* 〖映·TV〗 카메라를 dolly에 실어 이동하다 ; (카메라가) dolly로 이동되다.
〖DOLL, -*y*[3]〗

Dolly *n.* 여자 이름.

dólly dàncer *n.* 《美軍俗》 장교에 빌붙어 편하게 지내는 사병.

dólly gìrl *n.* 《英口》 젊고 귀엽게 생긴 여자.

dólly shòp *n.* (선원 상대의) 고물상《전당포를 겸함 ; 간판은 검은 인형》.

dólly shòt *n.* 〖映·TV〗 카메라 이동대차(dolly)에서 하는 촬영.

Dólly Vár·den [-váːrdn] *n.* 돌리 바덴《여성용의 꽃무늬의 사라사복과 모자 ; 19세기 스타일》.
〖Dickens, *Barnaby Rudge*(1841) 속의 인물〗

dol·man [dɔ́(ː)lmən, dóul-, dál-] *n.* (*pl.* **~s**) **1** 돌먼《여성용의 케이프식 소매가 달린 망토》. **2** 터키의 긴 겉옷. 〖Turk.〗

dólman sléeve *n.* 진동이 넓고 소맷부리 쪽으로 차츰 폭이 좁아지는 여성복의 소매.

dol·men [dɔ́(ː)lmen, dóul-, dál-] *n.* 〖考古〗 돌멘, 고인돌, 지석묘(支石墓) (cf. CROMLECH).
〖F＜? Corn. *tolmēn* hole of stone ; cf. O Breton *dol* table〗

do·lo·mite [dóuləmàit, dál- ; dɔ́l-] *n.* Ⓤ 〖鑛〗 백운석[암(岩)]. **dò·lo·mít·ic** [-mít-] *a.* 〖D. G. de *Dolomieu* (d. 1801) 프랑스의 지질학자〗

do·lor | **-lour** [dóulər, dál-] *n.* Ⓤ 《詩》 슬픔, 탄식(grief).
the dolors of Mary[***the Virgin***] 성모 마리아의 (일곱 가지의) 슬픔.
〖OF＜L (*dolor* pain)〗

Do·lo·res [dəlɔ́ːrəs] *n.* 여자 이름.
〖Sp.＜L＝sorrows (of the Virgin Mary)〗

do·lo·rim·e·ter [dòulərímətər, dàl-] *n.* 〖醫〗 통각계(痛覺計).

do·lo·rim·e·try [dòulərímətri, dàl-] *n.* 〖醫〗 통각측정.

do·lo·rol·o·gy [dòulərálədʒi] *n.* Ⓤ 〖醫〗 통각학, 동통학.

do·lo·rous [dóulərəs, dál-] *a.* 《詩·戲》 슬픈, 음울한, 애처로운 ; 괴로운. **~·ly** *adv.*
〖OF＜L ; ⇨ DOLOR〗

do·los·se [dəlásə] *n.* (*pl.* **~s**, **~**) ＝TETRAPOD.

dol·phin [dálfən, dɔ́(ː)l-] *n.* **1** 〖動〗 돌고래 ; 〖魚〗 ＝DORADO. **2** [the D~] 〖天〗 돌고래자리. **3** 〖船〗 계선주, 계선부표.
〖L＜Gk. *delphin*- *delphis*〗

dol·phi·nar·i·um [dàlfənéəriəm, -nǽər-, dɔ̀(ː)l-] *n.* 돌고래 수족관.

dólphin kíck *n.* 〖泳〗 돌핀 킥《손은 버터플라이, 발은 크롤 수영법》.

dólphin strìker *n.* 〖船〗 돌핀 스트라이커《돛단배의 이물쪽 사장(斜檣) 아래에 붙인 창 모양의 둥근 나무》.

dols. dollars.

dolt [dóult] *n.* 얼뜨기, 멍청이.
〖? *dol* dull, *dold* dulled, stupid (p.p.)＜ME *dollen, dullen* to DULL〗

dólt·ish *a.* 얼뜬, 우둔한. **~·ly** *adv.*

Dom [dám] *n.* **1** 〖카톨릭〗 베네딕트회 따위의 수사의 호칭. **2** [dõũ] 포르투갈·브라질에서 귀족·고위 성직자 이름 앞에 붙이는 존칭. 〖DOMINUS〗

dom. domain ; domestic ; dominion.

-dom [dəm] *n. suf.* **1** 「…의 지위·계급」 「…권(權)」「…의 세력 범위」「…영(領)」「…계(界)」 : Christen*dom*, king*dom*. **2** [추상적 관념] 「…의 상태」 : free*dom*, martyr*dom*. **3** [원래의 명사의 복수와 같은 뜻 ; 흔히 경멸적] 「…사회」, 「…기질」 : official*dom*, squire*dom*.
〖OE -*dōm* ; 본래 독립된 DOOM〗

DOM [dìːòuém] *n.* 〖藥〗 환각제의 일종.
〖*d*imeth*o*xy-＋*m*ethyl〗

DOM dirty old man.

***do·main** [douméin, də-] *n.* **1 a)** 영지, 영토(territory) ; (개인의) 소유지, 토지(estate). **b)** 관할, 세력범위 : ☞ PUBLIC DOMAIN. **2** (지식·사상·활동 따위의) 영역, 분야, …계(界)(province, sphere) : Dr. S. is a leader *in* the ~ of English literature. S박사는 영문학계의 대가다 / Chemistry is *out of* my ~. 화학은 나의 영역 밖이다. **3** Ⓤ 〖法〗 (토지의) 완전 소유권 : ~ of use 지상권(地上權)《땅을 빌린 사람의 토지 소유권》/ ☞ EMINENT DOMAIN. **4** 〖數〗 변역(變域) ; 〖論〗 영역 ; 〖理〗 자구(磁區).
〖F (OF *demeine* DEMESNE) ; DOMINUS와의 연상에 의한 변형〗

do·ma·ni·al [douméiniəl] *a.* 영지의, 소유지의.

***dome** [dóum] *n.* **1** (반구상(半球狀)의) 둥근 지붕, 돔 ; 둥근 천장(vault). **2** 둥근 지붕 모양의 물건 ; (산·수목 따위의) 둥근 꼭대기, 돔형의 산정(山頂) ; 반구형 건물 ; 종 모양의 덮개 ; 《美口》 머리(head) : the ~ of the sky 대 공(大空). **3** 《詩》 웅장한 건물, 대 저택(mansion).
— *vt.* …에 돔[둥근 지붕]을 올리다 ; 반구형(半球形)으로 하다. — *vi.* 반구형으로 부풀다.
〖F<It.=cathedral, dome<L *domus* house〗

dóme càr *n.* 〖鐵〗 돔 카, 전망차《천장에 돔이 있는 객차》.

domed [dóumd] *a.* 둥근 지붕[천장]의 ; 반구형의 : a ~ forehead 튀어나온 이마, 뒷박 이마.

dóme lìght *n.* (자동차 따위의) 차내 등.

domes·day [dú:mzdei, dóumz-] *n.* 《古》 = DOOMSDAY ; [D~] =DOMESDAY BOOK.

Dómesday Bòok *n.* [the ~] (중세 영국의) 토지대장《영국왕 William 1세가 1086년에 만들게 한 것, 라틴어로 쓰였음》.

***do·mes·tic** [dəméstik] *a.* **1** 가정의, 가사의 : ~ affairs 가사(家事) / a ~ drama 가정극(家庭劇) / ~ industry 가내공업(cf. FACTORY SYSTEM). **2** 가정적인, 외출을 싫어하는. **3** 길들여진(tame) (↔*wild*) : ~ animals 가축. **4** 자기 나라의, 국내의(↔*foreign*) ; 국내산(產)[제(製)]의, 자가제(自家製)의(homemade) : ~ policy 국내정책 / ~ postage[mail] 국내우편요금[우편물] / ~ production 가내[국내]생산.

〈회화〉
Where was your watch made? — This is a *domestic* watch.
「네 시계는 어디 제품이니」「국산이야」

— *n.* **1** 하인, 종(servant). **2** [*pl.*] 국산품, 자가제품 ; 가정용 리넨류, 수직물(手織物).
〖F<L (*domus* home)〗

do·mes·ti·ca·ble [dəméstikəbəl] *a.* 길들이기 쉬운 ; 가정에 정들기 쉬운.

do·més·ti·cal·ly *adv.* 가정적으로, 가정에 알맞게 ; 국내용으로.

do·mes·ti·cate [dəméstikèit] *vt.* **1** (야생 동물을) 길들이다(tame) ; (야만인을) 교화하다(civilize). **2** [때때로 *p.p.*로] (사람을) 가정[토지]에 정들게 하다 ; 가정에 알맞도록 하다, 가정적이 되게 하다 : a ~*d* woman 가정적인 여자 / Marriage has ~*d* him. 결혼하여 그는 가정적이 되었다. **3** (외국의 습관·말 따위를) 자기 집[나라]에 받아들이다. — *vi.* 《古》 **1** 함께 살아가다. **2** 가정에 길들여지다 ; 주거를 정하다.
do·mès·ti·cá·tion *n.* Ⓤ 길들이기 ; 교화.

doméstic consúmption *n.* 국내[내정]에 대한 발언.

doméstic-còntent bíll *n.* 《美》 국내 부품 조달 법안(法案).

doméstic demànd *n.* 〖經〗 내수(內需).

doméstic dùck *n.* 집오리.

doméstic ecónomy *n.* 가정, 가정관리.

doméstic fówl *n.* 가금(家禽), (특히) 닭.

do·mes·tic·i·ty [dòumestísəti, -məs-, dàm-] *n.* **1** Ⓤ 가정생활 ; 집안에만 있기. **2** Ⓤ 가정적이기 ; 가정에의 애착. **3** [*pl.*] 가사(家事) (domestic affairs).

doméstic relátions còurt *n.* 가정법원.

doméstic scíence *n.* 가정학.

doméstic sýstem *n.* 가내 공업 제도(cf. FACTORY SYSTE).

doméstic vìolence *n.* 〖社〗 가정내 폭력.

dom·ic, -i·cal [dóumik(əl), dám-] *a.* 돔식의, 둥근 지붕[천장]이 있는.

dom·i·cile [dáməsàil, -səl] *n.* **1** 〖法〗 주소 ; 주거(abode), 집 : one's ~ of choice[origin] 〖法〗 기류[본적]지. **2** 〖商〗 어음 지급 장소. — *vt.* **1** …의 주소를 정하다. **2** 〖商〗 (어음의) 지급 장소를 지정하다〈*in, at*〉. — *vi.* 거주[정주]하다(reside).
〖OF<L ; ⇨ DOME〗

dóm·i·cìled [, -səld] *a.* (어음의) 지급장소가 지정된 : a ~ bill 지급지 지정 어음.

dom·i·cil·i·ary [dàməsílièri, dòu- ; dòmisíliəri] *a.* 주소의, 가택의 ; 지급 장소의 : a ~ search

domestic bird

[visit] 가택 수색.

domicíliary règister *n.* 호적.

dom·i·cil·i·ate [dὰməsílièit, dòu-] *vt.* =DOMICILE *vt.* 1. —— *vi.* 주거를 정하다, 살다.

dòm·i·cìl·i·á·tion *n.* Ⓤ 주소를 정하기 ; 정주.

dóm·i·nance, -nan·cy *n.* Ⓤ 우세, 우월 ; 지배 ; 기능적 불균형(不均衡)《오른손잡이 · 왼손잡이 따위》; 〔生態〕 (식물 군락(群落)에서의) 우점종(優占種), (동물 개체간에서의) 우위 ; 〔遺〕 우성(優性).

***dom·i·nant** [dάmənənt] *a.* **1** 권력을 쥔, 지배적인 ; 가장 유력한, 우세한 : the ~ party 제1[다수]당. **2** 우위를 차지하고 있는, 현저한 ; 〔遺〕 우성(優性)의(cf. RECESSIVE) : a ~ character =DOMINANT *n.* 2. **3** (뛰어나게) 높은, 우뚝 솟은 : a ~ cliff 우뚝 솟은 벼랑. **4** (음계의) 제5도(度)의, 딸림음의. —— *n.* **1** 주요[우세]한 것. **2** 〔生〕 우성형질, 우성. **3** 〔樂〕 (음계의) 딸림음. **~·ly** *adv.* 〖F ; ⇨ DOMINATE〗

類義語 ***dominant*** 지배력이 가장 강한, 최대의 영향력 · 효력 · 권력을 가지고 있는 : the *dominant* party (다수당). ***predominant*** 그 때, 그 장소에서 가장 힘이 세든가 또는 중요한, dominant보다 뜻이 강함 : Love of peace is the *predominant* feeling of many people. (평화에 대한 사랑은 만인의 지배적인 감정이다). ***paramount*** 중요성 · 권력 따위가 제1위에 있는, 따라서 가장 우수한 : It's of *paramount* importance to end the war. (전쟁을 종결짓는 것이 무엇보다도 가장 중요하다). ***preeminent*** 발군(拔群)의, 뛰어나게 우수하여 눈에 띄는 : a *preeminent* writer of the age (그 시대의 가장 뛰어난 작가).

dóminant géne *n.* 〔遺〕 우성 유전자(優性遺傳子) (↔*recessive gene*)《대립 유전자(allele) 가운데서 상대를 맞아 발현하는 유전자》.

dom·i·nate** [dάmənèit] *vt.* **1** 지배[위압]하다 ; …보다 우위를 차지하다, 좌우하다 : A man of strong will often ~*s* others. 의지가 굳은 사람은 흔히 타인을 지배한다 / His heart was ~*d* by ambition. 그의 마음은 야심으로 꽉차 있었다. **2** (산 따위가) …에 우뚝 솟아 있다, 내려다보다 : A tall pine ~*d* the landscape. 높다란 소나무가 전경에 우뚝 솟아 있었다 / The old castle ~*s* the whole city. 오래된 성이 전 시가를 내려다보고 있다. **3** 〔言 · 數〕 지배하다. —— *vi.* [+*over*+名] 지배력을 휘두르다, 위압하다, 우위를 차지하다 : The strong ~ ***over the weak. 강자는 약자를 지배한다.

dóm·i·nàtive [; -nə-] *a.* 지배적인, 우세한.

dóm·i·nà·tor *n.* 지배자(ruler).

〖L *dominor* ; ⇨ DOMINUS〗

dom·i·na·tion [dὰmənéiʃən] *n.* **1** Ⓤ 통치, 지배, 군림, 제압(rule)〈*over*〉. **2** Ⓤ 우세. **3** [*pl.*] 주(主) 천사《9천사 중의 제4위 ; cf. HIERARCHY》.

dom·i·neer [dὰmənίər] *vi.* [動/+*over*+名] 권력을 휘두르다, 제압하다 ; 높이 솟다 : She ~*ed* ***over*** the servants. 하인들에게 권세를 부렸다. —— *vt.* 맹위를 떨치다, 좌지우지하다 ; …위에 우뚝 솟다. 〖Du.<F ; ⇨ DOMINATE〗

dominéer·ing *a.* 횡포한, 교만한, 오만한(arrogant) : a very ~ sort of fellow 괜히 남에게 뻐기고 싶어하는 사내. **~·ly** *adv.* 횡포하게, 오만하게. **~·ness** *n.*

Dom·i·nic [dάmənik] *n.* **1** 남자 이름. **2** [Saint ~] 성(聖) 도미니크(1170-1221)《스페인의 성직자, 도미니크회의 창립자》. 〖L=of the Lord〗

Dom·i·ni·ca [dὰməní:kə, dəmínəkə] *n.* **1** 여자 이름. **2** 도미니카(연방)《서인도 제도 Lesser Antilles의 섬 ; 1978년 독립한 영연방에 속하는 나라 ; 수도 Roseau》. 〖↑〗

do·min·i·cal [dəmínikəl] *a.* 주[그리스도]의 (Lord's) ; 주일(主日)의, 일요일의 : the ~ day 주일, 일요일. 〖F or L ; ⇨ DOMINUS〗

domínical létter *n.* 주일 문자《교회력의 일요일을 가리키는 일곱 글자인 A부터 G까지 중의 한 자, 예컨대 그 해의 1월3일이 일요일에 해당하면 C, 5일이 일요일이면 E가 됨 ; 주로 Easter의 날을 결정하는 데에 씀》.

domínical yéar *n.* 서력(the Christian era).

Do·min·i·can [dəmínikən] *a.* **1** 성(聖) 도미니크의 ; (카톨릭교의) 도미니크회(會)의 : the ~ order 도미니크회. **2** 도미니카 공화국의. —— *n.* 도미니크회의 수사(Black Friar) ; 도미니카 공화국 사람.

Domínican Repúblic *n.* [the ~] 도미니카 공화국《서인도 제도의 HISPANIOLA 섬의 동쪽 절반 ; 수도 Santo Domingo》.

dom·i·nie [dάməni, dóu-] *n.* **1** 《스코》 선생 (schoolmaster). **2** 《美》 성직자(clergyman).

***do·min·ion** [dəmínjən] *n.* **1** Ⓤ 지배[통치]권[력], 주권 ; Ⓤ,Ⓒ 지배, 통제〈*over*〉: exercise ~ *over* …에게 지배권을 휘두르다 / be under the ~ of …의 지배하에 있다. **2** 영토(territory). **3** [D~] (대영 제국의) 자치령 : the D~ (of Canada) 캐나다 자치령. 注 원래 영국 영토권에 속하면서 독자적인 내각과 의회가 있는 나라인 캐나다, 뉴질랜드, 스리랑카 따위를 Dominion이라고 칭했으나 지금은 완전 독립국이 되어 영연방 (the British Commonwealth of Nations)을 구성하고 있다.

〖OF<L ; ⇨ DOMINUS〗

Domínion Dày *n.* (캐나다의) 자치(自治) 기념일《7월 1일》.

Dom·i·nique [dάmənik, -nì:k] *n.* **1** 여자 이름 《Dominica라고도 함》. **2** Ⓒ 미국산 닭의 한 품종. 〖F ; ⇨ DOMINIC〗

dom·i·no [dάmənòu] *n.* (*pl.* **~es, ~s**) **1** 도미노 가장복(假裝服)《무도회에서 입는 두건과 작은 가면이 붙은 겉옷》, 그 착용자 ; 도미노 가면(假面) 《얼굴 상반부, 특히 눈 부분을 가림》. **2** (뼈 · 상아로 만든) 도미노패(牌) ; [~es, 단수 취급] 도미노 놀이《28개의 패로 점수를 맞추는 놀이》. **3** 《俗》 타도의 일격, 최종적 행위[순간]. **4** [*pl.*] 《俗》 피아노의 건반 ; 《口》 (연주중의) 실수.

〖F<? L DOMINUS ; cf. L *benedicamus Domino* let us bless the Lord〗

dómino effèct *n.* 도미노 효과《하나의 사건이 다른 일련의 사건을 야기시키는 연쇄적 효과》.

dómino pàper *n.* (벽지 · 책 면지로 쓰이는) 무늬 종이.

dómino thèory *n.* [the ~] 도미노 이론《어느 한 지역이 공산화되면 그 인접지역도 차례로 공산화된다는 이론》.

Do·mi·nus [dάmənəs] *n.* (*pl.* **-ni** [-nì:, -nài]) 신(神), 주(主). 〖L=lord, master〗

dom·sat [dάmsæ̀t] *n.* 〔로켓〕 국내 통신(용) 인공위성. 〖*dom*estic *sat*ellite〗

domy [dóumi] *a.* 돔(dome) 모양의, 돔의.

don[1] [dάn] *n.* **1** [D~] …군(君), …씨, …선생《스페인에서 세례명(洗禮名)앞에 붙이는 경칭, 옛날엔 귀인의 존칭 ; cf. DOÑA, SEÑOR 1》: ☞ DON JUAN / ☞ DON QUIXOTE. **2** 스페인 신사 ; (일반적으로) 스페인 인(人) (Spaniard). **3** 명사, 위

인 ;《口》명인(名人)〈at〉. **4** (영국 Oxford, Cambridge 대학에서 college의) 학감(head), 개인 지도 교사(tutor), 특별 연구원(fellow) ; (일반적으로) 대학 교수. 〖Sp.<L DOMINUS〗

don[2] *vt.* (**-nn-**)《古》(옷·모자·구두 따위를) 몸에 걸치다, 입다, 쓰다, 신다(put on) (↔*doff*). 〖DO[1] on〗

Don *n.* **1** 남자 이름《Donald의 애칭》. **2** [the ~] 돈 강(江)《Azov해(海)로 흐르는 러시아 연방 서부의 강》.

do·na [dóunə, dɔ́:nɑ:] *n.* =DOÑA. 〖Port.〗

do·ña [dɔ́:njɑ:, dóunjə] *n.* 귀부인 ; [D~] …부인(夫人)《스페인에서 귀부인의 세례명 앞에 붙이는 경칭 ; cf. DON[1]》. 〖Sp. (fem.)〈DOMINUS〗

do·na(h) [dóunə] *n.*《英俗》여자 ; 정부(情婦).

Don·ald [dánəld] *n.* 남자 이름《애칭 Don》. 〖Celt.=world+power, ruler〗

Dónald Dúck *n.* 도널드 덕《Disney 만화 영화 중의 주인공인 오리》.

Dónald Dúck effèct *n.* 〔宇宙〕도널드 덕 효과《우주 비행중에 생기는 음성의 고음화 현상》.

do·nate [dóuneit, -ˊ; -ˊ] *vt.* [+目 / +目+*to*+名] 증여하다 ; 기부[기증]하다《㊟ give, contribute가 일반적》: ~ blood 헌혈하다 / Mr. Brown has ~*d* this library ***to*** our school. 브라운씨가 우리 학교에 이 장서를 기증하셨습니다. 〖역성(逆成)<*donat*ion〗

類義語 ⟹ GIVE.

do·na·tion [dounéiʃən] *n.* Ⓤ (공공 복지를 위한) 기부, 기증 ;〔法〕증여 ; Ⓒ 기증물, 기부금 : ~*s to* the Red Cross 적십자사에의 기부금 / ~ land《美》(정부가 개간 장려를 위해 무상(에 가까운 조건)으로) 양도한 토지. 〖OF<L (*dono* to give〈*donum* gift)〗

類義語 ⟹ PRESENT[2].

donátion pàrty *n.*《美》손님에게서 선물을 받는 파티.

don·a·tive [dóunətiv, 美+dán-] *n.* =DONATION ; (교회의) 직수 성직록(直授聖職祿). ── [美+dóuneitiv, 美+-ˊ-] *a.* 기부(금)의, 기부에 의한 ; (성직록이) 직수의(cf. PRESENTIVE).

dó·na·tor [, -ˊ-; -ˊ-] *n.*《美》기부[기증]자(cf. DONOR).

don·a·to·ry [dánətɔ̀:ri ; -təri] *n.* 《스코》 = DONEE.

Dón Còssack *n.* Don 강 유역에 거주하는 동부계 코사크[카자흐] 사람.

◇**done** [dʌ́n] *v.* DO[1]의 과거분사. ── *a.* **1** [*pred.*로 쓰여] 끝난, 완료한 : *D*~! (내기에 맞서) 그래 하자(Agreed!) / Well ~! 잘했다, 훌륭하다! **2** [보통 복합어를 이루어] (음식물이) 잘 익은[구워진] : This meat is ~. 이 고기는 잘 구워졌다 / ☞ HALF-DONE, OVERDONE, UNDERDONE, WELL-DONE. **3** 소용이 없는 ;《口》녹초가 된, 다 써버린(exhausted) ; 관례[예의, 좋은 취미]에 맞는. ── *adv.* 완전히, 거의.

do·nee [douní:] *n.* 수증자(受贈者), 기증 받는 사람(↔*donor*).

dong [dɔ́(:)ŋ, dáŋ] *n.* 댕, 땡《큰 종 따위의 소리》. 〖imit.〗

don·ga [dɔ́(:)ŋgə, dáŋ-] *n.* (남아프리카의) 협곡, 산골짜기(ravine, gully). 〖Afrik.<Bantu〗

don·jon [dándʒən, dʌ́n-] *n.* 아성(牙城), 내성(內城) (keep of a castle). 〖DUNGEON의 고형(古形)〗

Don Juan [dan *h*wá:n, -dʒú:ən ; -dʒú:ən] *n.* 돈후안《방탕 생활을 했던 스페인의 전설적 귀족》; Ⓒ 방탕자, 난봉꾼.

***don·key** [dáŋki, dʌ́ŋ-, dɔ́(:)ŋ-] *n.* **1** 당나귀《ASS보다 일반적으로 쓰는 말》. ㊟ 미국에서는 만화로 만들어 민주당의 상징으로 함(cf. ELEPHANT). **2** 바보, 멍청이. **3** =DONKEY ENGINE. 〖C18 (? DUN[2] or *Duncan*) ; cf. NEDDY, DICKY, MONKEY〗

dónkey bòiler *n.* 보조(補助) 보일러.

dónkey èngine *n.* (특히 선박의) 보조 기관.

dónkey jàcket *n.* (노동자용의 방한·방수용의) 두꺼운 재킷 ; =REEFER[1].

dónkey's yèars[**èars**] *n. pl.*《口》매우 오랜 동안(cf. DOG'S AGE).

dónkey vòte *n.*《濠》(순위 지정 연기(連記)투표에서) 용지에 인쇄된 대로 번호를 매긴 표.

dónkey·wòrk *n.* 단조롭고 힘든 일(drudgery).

don·na [dánə, 美+dɔ́:-] *n.* (*pl.* **don·ne** [-nei]) **1** (이탈리아에서의) 숙녀, 귀부인 ; [D~] …부인(夫人)《이탈리아에서 귀부인의 이름 앞에 붙이는 경칭》. **2** [D~] 여자이름. 〖It.<L *domina* mistress, lady ; cf. DON[1]〗

dón·nish *a.* (영국 대학의) 학감(don)의[같은] ; 위엄을 차리는. **~·ly** *adv.* **~·ness** *n.*

don·ny·brook [dánibrùk] *n.* =DONNYBROOK FAIR 2. 〖↓〗

Dónnybrook Fáir *n.* **1** 도니브룩의 시장《아일랜드의 Dublin 근처의 Donnybrook에서 1855년까지 매년 열리던 시장 ; 싸움과 소동이 많았음》. **2** 흥청거리며 법석댐, 난장판.

do·nor [dóunər, -nɔ:r] *n.* 기증자, 증여자(↔ *donee*) ;〔醫〕(장기(臟器) 따위의) 제공자, 도너, 헌혈자, 급혈자(=blood donor). **~·shìp** *n.* 〖AF<L ; ⇨ DONATION〗

dónor càrd *n.* (장기(臟器) 제공자가 휴대하고 다니는) 도너 카드.

dó-nòthing *a.* 태만한 ; 현상 변경에 소극적인, 전향적으로 행동치 않는. ── *n.* 게으른 사람 ; 현상 변경에 소극적인 사람. **~·ìsm** *n.* 게으른 버릇 ; 무사 안일주의. **~·er** *n.*

Don Qui·xote [dàn ki(:)*h*óuti, dàŋ-, dan kwíksət] *n.* 돈키호테《스페인 작가 Cervantes의 풍자 소설 ; 그 주인공 ; cf. SANCHO PANZA》; Ⓒ 현실을 무시하는 이상주의자.

◇**don't** [dóunt] DO[1] not의 단축형 : You know that, ~ you? 너는 그것을 알고 있지 (그렇지) / Oh, ~! 아아!, 아서라 (그러지 마라)! ── *n.* [보통 *pl.*]《戲》금지(cf. DO[2]).

dón't-càre *n.* 부주의[무관심]한 사람.

dón't-knòw *n.* 태도 보류자 ; (설문조사에서)「모른다」고 응답하는 사람, (특히) 부동표 투표자.

don·to·pe·dal·o·gy [dàntoupedǽlədʒi] *n.* 《戲》되는 대로[엉터리로] 말하는 재주.

do·nut [dóunət, -nʌ̀t] *n.* =DOUGHNUT.

doo·bie [dú:bi] *n.*《美俗》마리화나 담배.

doo·dad [dú:dæd] *n.*《美口》겉만 번지르르한 싸구려 물건, 시시한 것 ; 장치.

doo·da(h) [dú:də] *n.* 흥분, 당혹 ; =DOODAD. ***all of a dooda(h)*** 당황하여, 흥분하여. 〖C20<?〗

doo·dle [dú:dl] *n.*《口》(뭔가 생각에 골몰하고 있을 때 목적없이 하는) 낙서(하기). ── *vi.* (회의 따위를 할 때 뭔가 생각하면서) 낙서를 하다 ;《口》멋대로 연주하다. **dóo·dler** *n.* 〖C17=foolish person ; 의미상 DAWDLE의 영향 있음 ; cf. LG *dudelkopf* simpleton〗

dóodle·bùg *n.*《美》개미귀신 ; =DIVINING ROD ;《英俗》=BUZZ BOMB.

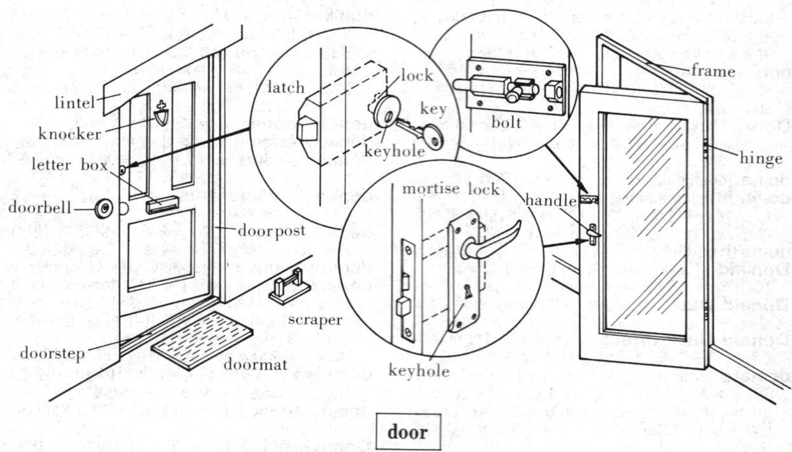

door

doo·doo [dú:dú:], **-die**, **-dy** [-dí:] *n.* 《兒》 응가.
doofunny ☞ DOFUNNY.
doo·fus [dú:fəs] *n.* 《美俗》 바보.
doo·hick·ey [dú:hìki] *n.* Ⓤ 《美口》 거시기《이름을 모르거나 잊었을 때 쓰는 말》; 여드름. 〖*doo*dad+*hickey*〗
doo·jee [dú:dʒì:] *n.* 《美俗》 헤로인(heroin).
doo·jig·ger [dú:dʒìgər] *n.* 《美俗》 자질구레한[싸구려] 물건.
doo·lie[1] [dú:li] *n.* 《美俗》 공군사관학교 1학년생. 〖You are *duly* appointed...에서 인가〗
doo·ly, **-lie**[2], **dhoo·ly** [dú:li] *n.* 《인도》 가마, 들것. 〖Hindi=litter〗
doom** [dú:m] *n.* **1** Ⓤ (보통 나쁜) 운명(fate); 파멸(ruin), 죽음: know one's ~ 자기의 운명을 알다 / meet[go to] one's ~ 멸망하다, 죽다. **2** 〖法〗 재판, 판결. **3** (신이 내리는) 최후의 심판: the crack of ~ ☞ CRACK 숙어 / the day of ~ =DOOMSDAY. —— *vt.* **1** [+目/+目+*to*+名/+目+*to* do] [특히 *p.p.*로] (보통 나쁘게) 운명짓다(fate), …의 운명을 정하다(destine): The plan was ~*ed* ***to failure[~*ed to* fail]. 그 계획은 실패로 끝날 운명이었다 / ~*ed to* oblivion 결국 잊혀질 것으로. **2** [+目+*to*+名] (죄로) 규정하다, 《古》 (형을) …에게 선고하다(condemn): The prisoner was ~*ed* ***to*** death. 피고는 사형을 선고받았다. 〖OE *dōm* statute<Gmc. 《美》 *dōmaz* that which is set; cf. DO[1]〗
類義語 ⟹ FATE.
doomed [dú:md] *a.* 운이 다한, 불운한.
dóom·sày·er *n.* 재액(災厄) 예언자.
dooms·day [dú:mzdèi] *n.* **1** 최후 심판의 날, 세상이 끝나는 날(the Last Judgment). **2** 《古》 판결의 날, 운명이 결정되는 날.
till doomsday 세상 끝날 때까지, 영구히(forever).
Dóomsday Bòok *n.* [the ~] =DOMESDAY BOOK.
dóoms·dày·er *n.* =DOOMSAYER.
Dóomsday Machìne *n.* 인류를 파멸시키는 흉기《핵에 의한 파괴를 작동시키는 저지 불가능한 가상의 장치》.
doom·ster [dú:mstər] *n.* 재판관; =DOOMSAYER.
dóom·wàtch *n.* Ⓤ (특히 환경의) 현재 상황과 그 미래에 대한 비관론, 환경 멸망론; 환경 파괴 방지를 위한 감시. **~·er** *n.* 이 세상의 현재·미래를 비관하는 사람. **~·ing** *n.*
◇**door** [dɔ́:r] *n.* **1** 문, 문짝, 도어. **2** 문간, 현관, (문짝을 갖춘) 출입구(doorway): *at* the ~ 문간에서 / There is someone *at* the ~. 현관에 누군가 (방문객이) 와 있다 / *in* the ~ (=door way) 출입구에서 / ☞ FRONT DOOR / ☞ STREET DOOR. **3** 한 집, 호(戶): next ~ (to...) ☞ NEXT 숙어. **4** 《비유》 문호(門戶), (…에 이르는) 길[관문]: ☞ OPEN DOOR / throw open the ~ *to*... ☞ OPEN *a.* 숙어 / be at death's ~ 죽음에 직면해 있다.
at** one**'s door = ***at the door of*** …의 책임[탓]으로: The fault lies *at* my ~. 이 과실은 나의 책임입니다 / lay the fault *at* his ~ 과실을 그의 책임으로 돌리다.
close [***shut***] ***the door*** (***up***)***on...*** 문을 닫아 …를 들이지 않다; 《비유》 …에게 문호를 폐쇄하다(make impossible).
darken a person***'s door*** ☞ DARKEN.
from door to door 집집마다.
in doors 옥내에서[로](in(to) the house)(cf. INDOORS).
open the [***a***] ***door to*** [***for***] …에게 문호를 개방하다(make possible), 편의를 주다.
out of doors 집 밖에서, 옥외에서(outdoors): Children like playing *out of* ~*s.* 어린아이는 밖에서 놀기를 좋아한다.
show a person ***the door*** 문을 가리키며 (밖으로) 내쫓다.
turn a person ***out of doors*** 남을 쫓아내다.
within [***without***] ***doors*** 실내[실외]로, 옥내[옥외]에서.
〖OE *duru*; cf. G *Tür*〗

dóor alàrm *n.* 대문에 단 경보 장치.
dóor·bèll *n.* 문간의 초인종.
dóorbell púsher *n.* 《俗》 호별 방문자《선거 운동원·세일즈맨 등》.
dóor·càse *n.* 문틀.
dóor chàin *n.* 도어 체인《문을 열 때의 경계를 위해서 매단 쇠사슬 ; cf. CHAIN *n.* 1》.
dóor chèck[clòser] *n.* 도어 체크《문이 천천히 닫히도록 하는 자동 장치》.
dó-or-díe *a.* 필사적인 ; (싸움 따위의) 죽기 아니면 살기식의.
dóor·fràme *n.* =DOORCASE.
dóor hàndle *n.* 《英》 =DOORKNOB.
dóor·jàmb *n.* (문 양쪽의) 문설주.
dóor·kèep·er *n.* 문지기, 수위(porter).
dóor-kèy chìld *n.* 부모가 맞벌이하는 집 아이《열쇠를 갖고 밖에서 노는 데서》.
dóor·knòb *n.* 문의 손잡이.
dóor-knòck·er *n.* 현관문에 달린 문두드리는 쇠, 노커(knocker).
dóor·less *a.* 문이 없는.
dóor-lòck *n.* 문 자물쇠.
dóor·màn [, -mən] *n.* (호텔, 클럽 따위의) 현관의 안내원《짐을 나르고 택시를 불러 주는 일 따위를 함》.
dóor·màt *n.* (현관에서) 신발 흙을 터는 매트, 도어매트.
dóor mìrror *n.* 자동차의 도어 미러.
dóor mòney *n.* 입장료.
dóor·nàil *n.* (옛날 문에 박던) 대갈못《장식·보강용(用)》.
(*as*) ***dead*** [***deaf***] ***as a doornail*** 완전히 죽어서[귀가 먹어] ; 작동하지 않는.
dóor·òpen·er *n.* (잠긴) 문을 여는 기구 ; 《口》 외판원이 방문 판매의 수단으로 주는 선물.
dóor·plàte *n.* (금속제의) 문패.
dóor·pòst *n.* =DOORJAMB.
dóor prìze *n.* 입장 때 받은 추첨권으로 당첨되어 타는 상품.
dóor·pùll *n.* 문 손잡이, 문고리.
dóor róller *n.* (미닫이의) 호차(戶車).
dóor·scràper *n.* (출입구에 놓는) 신발 흙털개.
dóor·sìll *n.* 문지방(threshold).
dóor stàrter *n.* (유개화차의) 도어 시동 장치.
***dóor·stèp** *n.* **1** 문간의 층대. **2** 《俗》 두껍게 자른 빵. —— *a.* 《英》 호별 방문의. —— *vi.* 《英》 호별 방문하다 ; 문간의 계단에서 기다리다.
dóor·stòne *n.* (문간의) 섬돌.
dóor·stòp[-stòp·per] *n.* 문버팀쇠《문이 덜컹거리거나 닫히는 것을 막기 위한》.
dóor-to-dóor *a.* 집집마다의, 호별(戶別)의 ; 각 가정으로 배달해 주는.
dóor tràck *n.* 미닫이의 레일.
dóor tràp *n.* (조수 생포용의) 여닫이문이 있는 덫.
***dóor·wày** *n.* **1** 문간, 현관 입구, 출입구 : Don't stand in the ~. 문간에 서 있지 말아라. **2** 《비유》 (…에 이르는) 길, 관문〈*to*〉.
dóorway stàte *n.* 〖理〗 (핵반응이 단순한 것에서 복잡한 것으로 이행(移行)할 때의 이론상의) 중간 상태.
dóor wìndow *n.* (문에 있는) 내다보는 창.
dóor·yàrd *n.* 《美》 (현관의) 앞뜰 ; 집 주위의 뜰.
doo-wop [dú:wɑ̀p] *n.* 〖樂〗 두왑《흑인의 리듬 앤드 블루스의 코러스의 한 형태》.
doo·zer [dú:zər], **doo·zy, -sy, -zie** [dú:zi] *n.* 《美俗》 출중한 것. 〚? 변형(變形) ‹ *daisy*〛
D. O. P. 〖寫〗 developing-out paper (현상 인화지).
do·pa [dóupə, -pɑ:] *n.* 〖生化〗 도파《아미노산의 하나》. 〚*d*ihydr*o*xy*p*henyl*a*lanine〛
do·pa·mine [dóupəmì:n] *n.* 〖生化〗 도파민《뇌속의 신경 전달 물질》. 〚*dopa*+*amine*〛
dop·ant [dóupənt] *n.* 〖理〗 도핑을 위해 반도체에 첨가하는 소량의 화학적 불순물.
dope [dóup] *n.* **1** 《俗》 마약(narcotic) ; (경마 말 따위에게 마시게 하는) 흥분제. **2** 기계유 ; 〖寫〗 현상액 ; 〖空〗 도프 도료(塗料)《비행기 날개 천에 바르는 일종의 니스》. **3** 《俗》 (경마말에 관한) 정보, 소식 ; (일반적으로) (비밀) 정보 : spill the ~ 정보를 흘리다. **4** 《俗》 마약 중독자 ; 얼간이. **5** 《美俗》 커피 ; 궐련 ; 각성제. —— *a.* 《美俗》 얼간이의. —— *vt.* **1** …에 도프 도료를 칠하다. **2** 《俗》 …에게 마약을 먹이다 ; (경마말 따위에) 흥분제를 먹이다. **3** (반도체 따위에) 불순물을 첨가하다. —— *vi.* 《俗》 마약을 먹다.
dóp·er *n.* 마약 상용자.
〚Du.=sauce (*doopen* to DIP)〛
dópe chèck *n.* 도핑 검사.
doped [dóupt] *a.* 《俗》 마약 중독인, 마약의 효과가 나타나고 있는.
dópe fiend *n.* 마약 상용자(drug addict).
dópe pùsher[pèddler] *n.* 《俗》 마약 밀매자.
dópe·shèet *n.* 경마신문《출장하는 말·기수에 관한 모든 정보를 수록》; 《放送俗》 도프시트《촬영을 위한 상세한 지시서》.
dópe·ster *n.* (선거·경마의) 예상가 ; 예언자.
dópe stòry *n.* (신문의) 시사 해설물, 칼럼 ; 의도적인 누설 기사.
dópe tèst *n.* 도프 테스트《흥분제 검사》.
dop·ey, dopy [dóupi] *a.* (**dóp·i·er ; -i·est**) 《俗》 마취된 ; 얼빠진, 바보 같은.
〚DOPE〛
dop·ing [dóupiŋ] *n.* **1** 도핑《운동 선수 등이 흥분제 따위를 복용하는 일》. **2** 〖理〗 도핑《반도체 속에 소량의 불순물을 첨가하여 필요한 전기적 특성을 얻는 일》.
dop·pel·gäng·er, -gang- [dɑ́pəlgèŋər, dɔ́:-, dʌ́pəlgæ̀ŋ-, ⌐-⌐-] *n.* 생령(生靈)《특히 본인에게만 보이는 자기의 생령》. 〚G=double goer〛
Dop·pler [dɑ́plər] *n.* 도플러.
Christian Johann ~ (1803-53) 오스트리아의 물리학자·수학자.
Dóppler effèct *n.* 〖理〗 도플러 효과《관측자와 파원(波源)의 상대운동 때문에 관측되는 파동의 길이가 변하는 현상》. 〚↑〛
Dóppler Lídar Sỳstem *n.* 도플러 효과를 이용한 광학식 속도계《상표명》.
Dóppler rádar *n.* 도플러 레이더《도플러 효과를 이용하여 목표의 속도를 측정함》 : ~ navigation system 도플러 레이더 항법 장치.
Dóppler shíft *n.* 〖理〗 도플러 이동(移動)《도플러 효과에 의한 진동수의 변화량》.
Dóppler-shíft, Dóppler·shíft *vt.* 〖理〗 (주파수 따위)에 도플러 이동을 일으키다.
dor, dorr [dɔ́:r] *n.* 〖昆〗 윙윙[붕붕] 소리를 내며 나는 곤충. 〚OE *dora* < ? imit.〛
Do·ra [dɔ́:rə] *n.* 여자 이름《Dorothea, Dorothy, Theodora의 애칭》.
D.O.R.A., DORA Defence of the Realm Act 《영국의 전시 국토 방위법(1914-21)》.
do·ra·do [dərɑ́:dou] *n.* (*pl.* **~s**) **1** 〖魚〗 만새기, 황새치. **2** [D~] 〖天〗 황새치자리(the Goldfish [Swordfish]).
〚Sp.=gilt<L *de*-(*auratus* ‹ *aurum* gold)〛

dór·bèetle *n.* =DOR.
Dor·cas [dɔ́:rkəs] *n.* **1** 여자 이름. **2** 〔聖〕 도르가《빈민에게 의복을 지어준 부인 ; 사도행전 9 : 36-41》. 〖Gk.=gazelle〗
Dórcas socìety *n.* 도르가회(會)《빈민에게 옷을 만들어 주는 교회의 자선 부인회》.
Dor·ches·ter [dɔ́:rtʃəstər, -tʃes-] *n.* 도체스터《영국 남부의 도시 ; DORSET 주의 주도》.
do-re-mi [dòureimí:] *n.* 《美俗》 돈.
Do·ri·an [dɔ́:riən] *a.* 고대 그리스의 Doris(사람[방언])의 : ~ love 《俗》 미소년[소녀]의 동성애. ── *n.* 도리스 사람.
Dórian Gráy *n.* 도리언 그레이《O. Wilde의 소설 *The Picture of Dorian Gray*의 주인공인 미남 청년 ; 쾌락을 찾아 온갖 못된 짓을 함》.
Dórian mòde *n.* 〔樂〕 도리아 선법(旋法)《그리스 선법 또는 교회 선법의 하나》.
Dor·ic [dɔ́(:)rik, dɑ́r-] *a.* **1** 도리스(Doris) 지방의, 도리스 사람의(Dorian). **2** 〔建〕 도리스식의 : the ~ order 〔建〕 도리스 양식《가장 오래된 그리스식 건축 양식》. ── *n.* **1** Ⓤ (고대 그리스의) 도리스 지방어. **2** Ⓤ (영어의) 방언, 시골 사투리 : in broad ~ 순 시골 사투리로. **3** Ⓤ 〔建〕 도리스 양식. 〖L<Gk. (DORIS²)〗
Dor·is¹ [dɔ́(:)rəs, dɑ́r-] *n.* **1** 〔그神〕 도리스《해신(海神) Nereus의 아내로 Nereids의 어머니》. **2** 여자 이름. 〖Gk.=Dorian woman〗
Doris² *n.* 도리스 지방《그리스 중부에 있었던 고대의 나라》.
dork [dɔ́:rk] *n.* 《美卑》 음경, 자지 ; 《美俗》 유행에 뒤진[촌스러운] 사람 ; 바보, 얼간이.
Dor·king [dɔ́:rkiŋ] *n.* 도킹종(種)의 닭. 〖잉글랜드 Surrey 주(州)의 도시〗
dorm [dɔ́:rm] *n.* 《口》 =DORMITORY.
dor·man·cy [dɔ́:rmənsi] *n.* Ⓤ 〔植·動〕 휴면 (상태) ; 잠복 ; 수면 상태, 휴지, 정지.
dor·mant [dɔ́:rmənt] *a.* **1** 잠자는 듯한 ; 수면 상태의 ; (동물이) 동면중인, (식물이) 휴면중인 : a ~ snake 동면중인 뱀 / a ~ plant 휴면중인 식물. **2** 휴식 상태에 있는, 잠복(潛伏)의(↔ *active*) ; 부동의, 고정적인, (자금 따위가) 놀고 있는, (권리 따위가) 발동되지 않은 : a ~ volcano 휴화산(休火山). **3** 〔紋〕 (사자 따위가) 머리를 앞발에 얹고 휴면 자세를 취한(cf. COUCHANT). ***lie dormant*** 동면[하면(夏眠)]중이다 ; 휴지 [잠복]하고 있다 ; 사용되지 않고 있다.
〖ME=fixed, stationary<OF (pres.p.) ‹ *dormir*<L *dormit- dormio* to sleep〗
類義語 ⟹ LATENT.
dórmant pártner *n.* =SLEEPING PARTNER.
dórmant wíndow *n.* =DORMER.
dor·mer [dɔ́:rmər] *n.* 지붕창(=∼ **wíndow**)《다락방의 채광(採光)을 위한》.
dor·meuse [dɔ:rmə́:z ; *F* dɔrmø:z] *n.* 《英》 침대차(寢臺車).
dormice *n.* DORMOUSE의 복수형.
dor·mie, -my [dɔ́:rmi] *a.* 〔골프〕 (매치 플레이에서) 나머지 홀(hole)의 수만큼 점수를 이기고 있는, 도미의. 〖C19<?〗
dor·mi·to·ry [dɔ́:rmətɔ̀:ri ; -təri] *n.* **1** 공동침실 ; (학교나 수도원 따위의) 기숙사, 합숙소. **2** 교외 주택지, 베드 타운(bed town)《대도시 주변의 주택 지역》. **3** (정신적인) 안식처.
〖L ; ⇨ DORMANT〗
dórmitory càr *n.* (승무원용) 침대있는 객차.
dórmitory shìp *n.* 숙박 시설이 있는 배《학생의 단체 여행 따위에 쓰임》.
dórmitory sùburb[**tòwn**] *n.* 주택 도시《낮에는 대도시로 통근하기 때문에 야간 인구가 많은 중소 도시》.
Dor·mo·bile [dɔ́:rmoubì:l] *n.* 《英》 도모빌《생활설비가 있는 여행용 라이트 밴 ; 상표명》.
〖*dor*mitory+auto*mobile*〗
dor·mouse [dɔ́:rmàus] *n.* (*pl.* **-mice** [-màis]) 〔動〕 겨울잠쥐《동면을 함》; 《비유》 잠꾸러기.
〖ME<? (OF *dormir* to sleep+MOUSE)〗
dormy ☞ DORMIE.
do·ron [dɔ́:rɑn] *n.* 유리 섬유제 방탄복.
Dor·o·thea [dɔ̀(:)rəθí:ə, dɑ̀r- ; -θíə], **Dor·o·thy** [dɔ́(:)rəθi, dɑ́r-] *n.* 여자 이름《애칭 Doll, Dolly, Dora, Dot, Dotty》.
〖Gk.=gift of God〗
Dórothy bàg *n.* (손목에 걸고 다니는 아가리를 끈으로 조이는) 여성용 손가방.
Dórothy's frìend *n.* 동성 연애자.
dorp [dɔ́:rp] *n.* 《南아》 작은 촌락.
dorr ☞ DOR.
dors- [dɔ́:rs], **dor·si-** [dɔ́:rsə], **dor·so-** [dɔ́:rsou, -sə] *comb. form* 「등」의 뜻.
〖L ; ⇨ DORSUM〗
Dors. Dorset(shire).
dorsa *n.* DORSUM의 복수형.
dor·sal [dɔ́:rsəl] *a.* 〔解·動〕 등(부분)의(cf. VENTRAL) ; 〔植〕 등에서 나는. ── *n.* 등지느러미 ; 척추. **~·ly** *adv.* 등(부분)에[으로].
〖F or L ; ⇨ DORSUM〗
dórsal fín *n.* 〔動〕 (물고기 따위의) 등지느러미.
dórsal vértebra *n.* 〔解〕 흉추(胸椎).
d'or·say [dɔ:rséi] *n.* 도르세이《발목 양측면이 V자형으로 쭉 째진 여성용 펌프스》.
〖Count Alfred *d'Orsay* (d. 1852) 프랑스의 장군으로 사교계·패션계의 주도자〗
Dor·set [dɔ́:rsət] *n.* 도싯《잉글랜드 남서부의 주(州)로 1974년 3월까지의 Dorsetshire ; 주도 Dorchester》.
Dórset·shire [-ʃìər, -ʃər] *n.* 도싯셔(☞ DORSET).
dorsi- [dɔ́:rsə] ☞ DORS-.
dorso- [dɔ́:rsou, -sə] ☞ DORS-.
dor·sum [dɔ́:rsəm] *n.* (*pl.* **-sa** [-sə]) 〔解·動〕 등 부분. 〖L=back〗
dor·ter, -tour [dɔ́:rtər] *n.* 〔史〕 (수도원 따위의) 요사(寮舍), 승방, 합숙소.
do·ry¹ [dɔ́:ri] *n.* 도리《밑이 평평한 작은 어선》.
〖C18<?〗
dory² *n.* 〔魚〕 달고기(John Dory).
〖F *dorée* gilded (p.p.) ‹ *dorer* to gild ; cf. DORADO〗
DOS 〔컴퓨〕 disk operating system.
dos-à-dos [dòuzədóu] *adv.* 《古》 등을 맞대고. ── *n.* (*pl.* ~) 등을 맞대고 앉는 긴 의자 ; 서로 등지고 앉게 된 좌석이 있는 마차. ── *a.* (두권의 책이) 등을 맞댄. ── *vt., vi.* =DO-SI-DO.
〖F〗
dos·age [dóusidʒ] *n.* **1** Ⓤ 투약, 조제. **2** Ⓤ,Ⓒ 1회분의 투약[복용]량, 적량 ; (전기·X선 따위의) 적용량 ; (방사선의) 선량(線量) ; (포도주·샴페인의) 첨가 향미료.
***dose** [dóus] *n.* **1** (약의) 1회분 ; 복용량(의 1회분), 투여량 : Take one ~, Three times a day. 정량을 하루에 3회 복용하시오. **2** 《비유》 (형벌·(불)유쾌한 경험 따위의) 1회분, 소량 : give a person a ~ *of* flattery 남에게 아첨을 좀 하다. **3** 《俗》 성병, (특히) 임질. ── *vt.* **1** [+目/+

目+*with*+名] …에 투약하다, 복용시키다 : The doctor ~*d* the girl ***with*** quinine. 의사는 소녀에게 퀴닌을 복용시켰다. **2** [+目+副/+目+前+名] (약을) 조제하다, 적량으로 나누다 : ~ ***out*** aspirin ***to*** patients 환자들에게 아스피린을 조제해 주다. **3** [+目+*with*+名] (포도주에) 섞다 : ~ wine ***with*** sugar 포도주에 설탕을 섞다. ── *vi.* 약을 먹다.
〚OF<L<Gk. *dosis* gift〛

do-si-do, do-se-do [dòusiːdóu] *n.* (*pl.* **~s**) 도시도《등을 맞대고 돌며 추는 스퀘어 댄스》; 《美俗》(링 위에서 빙빙 돌기만 하는) 시시한 권투 경기. ── *vt.* (상대방)의 주위를 등을 맞대고 돌다. ── *vi.* 도시도를 추다. 〚DOS-À-DOS〛

do·sim·e·ter [dousímətər], **dóse·mèter** *n.* 물약 계량기, 약량계(藥量計); 〔理〕 방사선량계(放射線量計).

do·sím·e·try *n.* Ⓤ 약량(藥量) 측정(법); (X선 따위의) 방사선량 측정.

doss [dás] *n.* 《英俗》 (싸구려 여인숙의) 침대, 잠자리; 잠. ── *vi.* 싸구려 여인숙에서 잠자다; 아무 데나 적당한 곳에서 자다〈*down*〉.
〚OF<L *dorsum* back; 'seat back cover'의 뜻인가〛

dos·sal, -sel [dásəl] *n.* (제단 뒤쪽 또는 성가대석 주위에 치는) 휘장, 장막. 〚L DORSAL〛

dos·ser¹ [dásər] *n.* (등에 지는) 큰 바구니, (말 등에 얹는) 짐 바구니; (의자의) 장식 등씌우개; 수놓은 벽걸이. 〚ME<AF; ⇨ DORSUM〛

dosser² *n.* 《英俗》 싸구려 여인숙에 자면서 방랑하는 사람; =DOSS HOUSE; 《英方》 게으름뱅이. 〚DOSS〛

dóss hòuse *n.* 《英俗》 싸구려 여인숙.

dos·si·er [dɔ́(ː)sièi, -sjei, -siər, dás-] *n.* 일건 서류(file)《특정한 인물·문제에 관한 서류 전체》.
〚F (*dos*‹DORSUM); 이면의 라벨에서〛

dossy [dási] *a.* 《英口》 멋진, 맵시 있는.

dost [dəst, dʌst, dʌ́st] *v. auxil.* 《古》 DO¹의 2인칭 단수 직설법 현재형.

Dos·to·ev·ski, -yev-, -sky [dàstəjéfski, -jév-] *n.* 도스토예프스키. **Feodor Mikhailovich** ~ (1821-81) 러시아의 소설가.

‡dot¹ [dát] *n.* **1** 점, 작은 점《i나 j의 점; 모스 부호의 점 따위》; 〔樂〕 점, 부점(附點)《음표 또는 쉼표 뒤에 붙여서 1/2만큼 음을 길게 하는 것을 나타냄》: Make a ~ on the paper. 종이 위에 점을 찍으시오. **2** 소량; 점과 같이 작은 것, 꼬마(아이); 《口》 규정시간[량] : a mere ~ of a child 아주 작은 꼬마. **3** 〔服〕 물방울 무늬.
dots and dashes 점과 선[막대], 전신부호(cf. MORSE CODE).
dots per inch 인치당 도트.
off one***'s dot*** 《英俗》 얼빠진, 미쳐서.
on the dot 《口》 제시간에, 정각에.
to a dot 《口》 완전히, 정확히.
── *v.* (**-tt-**) *vt.* **1** …위에 점을 찍다; 점으로 표시하다; 〔樂〕 (음표에) 부점을 찍다 : ~ an 'i' i에 점을 찍다 / ~ and carry one 《古》 (덧셈에서 10이 되면) 점을 찍어 한 자리 위로 올리다. **2** [+目/+目+*with*+名] 점점이 산재시키다 : a field ~*ted* ***with*** sheep 양이 점점이 흩어져 있는 들판 / The sea was ~*ted with* circles of foam. 해상에는 동그란 포말이 점점이 무리를 이루고 있었다. ── *vi.* 점을 찍다.
dot the[one***'s***] ***i's*** (i를 쓸 때 그 점을 찍는 것을 잊지 않을 만큼) 매우 신중[세심]하다(cf. CROSS one*'s t's*).
dot the[one***'s***] ***i's and cross the***[one***'s***] ***t's*** 끝까지[더욱더] 신중을 기하다; 상세히 적다[설명하다].
〚C16 (<? OE *dott* head of boil); cf. OHG *tutta* nipple〛

dot² *n.* 아내의 (결혼) 지참금(dowry).
〚F<L *dot- dos*〛

Dot *n.* 여자 이름《Dorothea, Dorothy의 애칭》.

DOT 《美》 Department of Transportation; 《美》 Department of the Treasury.

dot·age [dóutidʒ] *n.* **1** Ⓤ 망령, 노망(senility) : be in one's[fall into] ~ 노망이 나다[들다], 망령들다. **2** Ⓤ 맹목적 애정. 〚ME; ⇨ DOTE〛

dót-and-dásh *a.* 〔通信〕 점과 선식(式)의《모스(Morse)식 전신 부호》. ── *vt.* 점과 선으로 송신하다[기록하다]

dot·ard [dóutərd] *n.* 노망든 사람. 〚DOTE〛

dote [dóut] *vi.* **1** 노망나다, 망령들다, (나이가 들어) 분별이 없어지다. **2** [+*on*+名] 지나치게 귀여워[사랑]하다 : He ~*s* (***up***) ***on*** his grandson. 손자를 분별없이 귀여워한다. **3** (입목·재목이) 썩어가다. ── *n.* (입목·재목이) 썩기.
〚ME<?; cf. MDu. *doten* to be silly〛

doth [dəθ, dʌθ, dʌ́θ] *v. auxil.* 《古》 DO¹의 3인칭 단수 직설법 현재형.

dot·ing [dóutiŋ] *a.* 사랑에 빠진, (아이를) 분별없이[지나치게] 사랑하는; (망령들어) 주책없는 : ~ parents 아이를 맹목적으로 사랑하는 부모.
~·ly *adv.* 사랑에 빠져; 주책없이.

dót mátrix *n.* 〔컴퓨〕 점 행렬, 도트 행렬.

dót·ted *a.* 점을 찍은; 점선이 들어간 : a ~ crotchet 〔樂〕 점(點) 4분 음표《1/2만큼 음이 길어짐》/ a ~ note 〔樂〕 점음표.

dótted líne *n.* 점선; [the ~] (서명할 자리를 표시하는) 점선; [the ~] 예정 코스.
sign on the dotted line 문서에 서명하다; (서명하여) 정식으로 승낙하다, 지시에 따르다.

dottel ☞ DOTTLE.

dót·ter *n.* 점찍는 사람[것], (특히) 점찍는 기구; 〔砲〕 (조준 연습 장치의) 점적기(點的器).

dot·ter·el, -trel [dátərəl] *n.* 〔鳥〕 작은부리물떼새; 《英方》 바보.
〚DOTE, *-rel*; 바로 붙잡히는 데서〛

dot·tle, -tel [dátl] *n.* (파이프에 남은) 피우다 만 담배 찌꺼기, 꽁초. 〚DOT¹〛

dót·ty¹ *a.* 점이 있는; 점같은; 점점이 산재하는. 〚DOT¹〛

dotty² *a.* **1** 《口》 비틀거리는, 발이 휘청거리는, 연약한 : be ~ on one's legs 다리가 휘청거리다. **2** 《英口》 머리가 돈, 미친; 열중한, 제정신을 잃은; 희롱거리는, 우스꽝스러운.
〚DOT¹; cf. *dot* (dial.) to confuse〛

Dotty *n.* 여자 이름《Dorothea, Dorothy의 애칭》.

dót whèel *n.* (점선을 그리는) 점륜(點輪).

doty [dóuti] *a.* (나무가) 썩은.

douane [dwáːn; du(ː)áːn] *n.* (국경의) 세관. 〚F〛

Douáy Bíble[**Vérsion**] [duːéi-, ⌐--; *F* dwe-] *n.* 두에 성서(聖書)《16-17세기 카톨릭 교도를 위해서 프랑스에서 간행된 라틴어의 Vulgate 성서의 영역(英譯)성서》.

◇dou·ble [dʌ́bəl] *a.* **1** (수량이) 두 배의(cf. SINGLE, TRIPLE, TREBLE); (질이) 두 배의 가치[성능·농도·강도 따위]가 있는 : a ~ portion 두 배[갑절]분 / ~ pay 두 배의 급료 / ~ width 두 배의 폭(幅) / do ~ work 두 배의 일을 하다 / at ~

the speed 두 배의 속도로 / pay ~ the price 배액(倍額)을 지불하다. ㊟ 마지막 두 가지 보기의 double은 원래 명사(cf. *n.* 1)로 뒤에 of가 생략된 용법에서 온 것임. **2** 이중의, 두 겹의(twofold) ; 한 쌍의(doubled) ; 둘로 접은 ; 2인용의 ; 일인 이역의 : a ~ bed 2인용 침대, 더블 베드 / a ~ blanket 두 장을 이은 담요 / a ~ boiler 이중 솥[냄비] / a ~ character[personality] 이중 인격 / a ~ chin 이중턱 / a ~ collar 밖으로 넘기도록 만든 옷깃 / a ~ door 쌍바라지 문 / a ~ edge 양쪽 날 / a ~ lock 이중 자물쇠 / a ~ play 〖野〗 병살, 더블 플레이 / a ~ role 일인 이역 / ~ window 이중창(二重窓) / have a ~ advantage 이중의 이익이 있다 / perform a ~ service 갑절의 활동[두가지 역]을 하다. **3** (꽃 따위가) 겹친 꽃잎의(↔*single*) : a ~ flower[daffodil] 겹꽃[수선화]. **4** 표리[두 마음]가 있는, 음흉한 ; (뜻을) 두 가지로 볼 수 있는, 애매한 : ☞ DOUBLE-DEALING / wear a ~ face 표리 부동하다, 겉과 속이 다르다 / a ~ meaning 애매한 뜻. **5** (악기가) 1옥타브 낮은 음을 내는 ; 두 박자의. **6** (위스키 따위) 더블의, 2배의 양[세기]의.

***work double tides*[*shifts*]** 밤낮으로 일하다.

—— *adv.* 두 배로 ; 이중으로, 갑절로 ; 짝을 이루고 : play ~ 이중으로 행동하다, 양쪽과 내통하다 / ride ~ 두 사람이 같이 타다 / see ~ (술에 취하여) 사물이 둘로 보이다 / sleep ~ 두 사람이 함께 자다.

—— *n.* **1** 배, 두 배(의 수 · 양) : pay ~ 배액을 지불하다《pay ~ the price의 略 ; cf. *a.* 1》. **2** 이중 ; 겹침 ; 〖印〗 이중 인쇄 ; 접기, 주름(fold). **3** (…와) 아주 닮은 사람[것](duplicate) ; 〖映〗 대역 ; 일인 이역을 하는 배우. **4** [*pl.*] 〖競〗 복식 시합(cf. SINGLES) : ☞ MIXED DOUBLES. **5** 〖野〗 2루타 ; (브리지 따위에서 점(點)의) 배가(倍加) ; 〖競馬〗 복식. **6** (몰린 짐승 · 물살 따위의) 급회전, 역주(逆走)(cf. *vi.* 3) ; 〖軍〗 =DOUBLE TIME. **7** 〖樂〗 변주곡.

at*[《美》 *on*] *the double 《口》 구보로 ; 급속히, 빠르게 ; 당장, 즉각.

***double or quits*[*nothing*]** 빚지고 있는 쪽이 지면 빚이 두 배가 되고 이기면 빚이 없어지는 내기 ; 이에 의한 갬블(gamble) 게임.

—— *vt.* **1** 두 배로 하다 : I will ~ your salary. 급료를 배로 드리지요. **2** [+目/+目+副] 이중으로 하다, 겹치다, 둘로 접다 ; (주먹을) 불끈 쥐다(clench) : She ~*d* her slice of bread to make a sandwich. 빵조각을 겹쳐서 샌드위치를 만들었다 / He ~*d* his fists in anger. 그는 화가 나서 주먹을 불끈 쥐었다 / Don't ~ ***over*** a leaf to mark the page. 페이지를 표시하기 위해 책장을 접지 마라. **3** [+目 / +目+*with*+名] …의 두 가지 역을 하다 ; 대역을 맡다 : In the play she ~*d* the parts of a maid and a shopgirl[~*d* the part of a maid ***with*** that of a shopgirl]. 그 연극에서 그녀는 하녀와 점원의 두 가지 역을 했다. **4** (배가 곶(串) 따위를) 돌다, 회항(回航)하다 : The ship ~*d* the Cape of Good Hope. 배는 희망봉(希望峰)을 돌았다. **5** (브리지에서 상대편의 득점[벌점] 수를) 배로 하다.

—— *vi.* **1** 두 배가 되다 : The noise ~*d* when the rumor spread. 그 소문이 퍼지자 소동은 갑절로 불었다. **2** 〖軍〗 구보로 가다, 달리다 : *D*~! 〖구령〗 구보! **3** [動 / +副 / +前+名] (토끼 따위가 추적자를 따돌리기 위해서) 급회전하다, 갑자기 되돌아 서다 ; (길 따위가) 갑자기 구부러져 뻗다 : The rabbit ~*d* (*back*) ***on*** his tracks. 토끼는 갑자기 되돌아 처음에 왔던 쪽으로 도망쳤다. **4** [動/+*as* 補 / +*for*+名] 두 가지 역[대역]을 맡아하다 ; 겸용(兼用)이 되다 : The living room ~*s* ***as*** a dining area. 거실은 식당도 겸한다 / He ~*d* ***for*** the hero in the swimming scene. 그는 수영 장면에서 주인공의 대역을 했다.

double back (1) 접어 젖히다. (2) 갑자기 몸을 되돌려 뛰다(cf. *vi.* 3).

double up (1) 둘로 접다[접어 젖히다, 접어 개다] : This carpet is too thick to ~ *up* neatly. 이 융단은 두꺼워서 반듯하게 접어 갤 수 없다. (2) (고통 · 웃음 따위가) 몸을 굽히게 하다 ; 몸이 둘로 겹쳐질 만큼 구부리다 : The ball hit him in the stomach and ~*d* him *up*. 그 공에 배를 맞고 그는 몸을 구부렸다 / He ~*ed up* with pain[laughter]. 그는 고통으로[우스워서] 몸을 굽혔다. (3) 한 집에 두 세대가 살다, 남[가족]과 같은 방에서 지내다[침대 따위를 같이 쓰다]. (4) 〖軍〗 서두르다, 달리다 : Come on, ~ *up*! 어서, 서둘러라.

〚OF *doble, duble*<L DUPLE〛

dóuble acróstic *n.* 각 행의 처음과 끝 글자를 맞추면 뜻이 있는 어구가 되도록 지어진 유희시.

dóuble-áct·ing *a.* 복동(複動)(작용)의, 복동식의 : a ~ engine 복동 기관.

dóuble ágent *n.* 이중 간첩.

dóuble áx *n.* 양날 도끼.

dóuble-bàgger *n.* 《美俗》 추녀 ; 추남.

dóuble-bánk *vi., vt.* =DOUBLE-PARK ; 《濠》 (말 · 자전거에) 둘이 함께 타다.

dóuble-bánked *a.* **1** 좌석이 둘인 《보트》. **2** (범선식 군함에) 이단식의 포열(砲列)이 있는.

dóuble bár *n.* 〖樂〗 (악보의) 겹세로줄.

dóuble-bárrel *n.* 쌍발총.

—— *a.* =DOUBLE-BARRELED.

dóuble-bárreled | **-relled** *a.* **1** 쌍발식(式)의 ; (쌍안경이) 쌍통식(雙筒式)의. **2** 이중 목적의 ; 이중의 뜻을 가진, 애매한. **3** (성(姓)이) 둘 겹친《보기 Forbes-Robertson》.

dóuble báss [-béis] *n.* =CONTRABASS.

dóuble bassóon *n.* 더블 바순《보통 바순보다도 1옥타브 낮은 음이 나오는 최저음 목관 악기》.

dóuble-bèdded *a.* (방 따위) 2인용[부부용] 침대가 있는(cf. DOUBLE *bed*).

dóuble bíll *n.* (영화 · 연극의) 동시 상영[상연].

dóuble bínd *n.* 〖精神醫〗 이중 구속[속박]《유년기에 특히 부모로부터 서로 모순되는 두 개의 명령을 동시에 계속적으로 받을 경우에 생기는 심리적 위기 상황 ; 분열증의 소지가 됨》; 딜레마.

dóuble-blínd *a.* 〖醫〗 (약물이나 치료법의 효과를 조사할 경우의) 이중 맹식(二重盲式)의《실험중에는 피험자에게도 실험자에게도 누가 약이나 치료법을 받고 있는지를 알리지 않고 하는 방법》: ~ test 이중 맹검법.

—— *n.* 이중 맹검법.

dóuble-bógey *n.* 〖골프〗 더블보기《표준 타수(par)보다 2타 더 치는 일》.

dóuble bónd *n.* 〖化〗 이중 결합.

dóuble-bóok *vt.* (한 방)에 이중으로 예약을 받다《호텔에서 예약 취소에 대비하여》.

dóuble bóttom *n.* (상자 · 함선의) 이중 밑창.

dóuble bránd *n.* 더블 브랜드《하나의 상품에 메이커와 판매업자 쌍방의 상표가 사용되는 일》.

dóuble-bréast·ed *a.* (앞가슴에) 단추가 두 줄 있는, (양복 저고리가) 더블의.

dóuble bùffalo *n.* 《美俗》 (자동차의) 시속 55마일 제한.

dóuble búrden *n.* 〖社〗 이중 부담《여자가 가사

와 직장 일을 동시에 부담하는 일》.
dóuble-chéck *vt.* (재차) 확인하다, 재검사하다.
dóuble-chínned *a.* 이중턱인.
dóuble clóth *n.* 겹으로 짠 피륙, 이중직(織).
dóuble-clútch *vi.* 《美》 더블클러치를 밟다, 클러치를 두 번 밟다.
dóuble cónsonant *n.* 〖音聲〗 이중 자음.
dóuble-cóver *vt.* =DOUBLE-TEAM.
dóuble créam *n.* 《英》 더블 크림《유지방 농도가 높은 크림》.
dóuble-cróp *vt.* 그루갈이하다.
dóuble cróss *n.* 《美口》 (내기에서) 질 것을 약속해놓고 이김, 동료를 배신하는 것 ; (일반적으로) 배반(betraying).
dóuble-cróss *vt.* 《美口》 (지기로 한 약속을 어기고 경기에 이겨) (동료를) 배신하다 ; (일반적으로) 배반하다. **~·er** *n.* 배신자.
dóuble dágger *n.* 〖印〗 더블 대거, 쌍칼표(‡).
dóuble dáte *n.* 《美口》 두 쌍의 남녀간 데이트.
dóuble-dáte *vi., vt.* 《美口》 (…와) 더블 데이트를 하다.
dóuble-déal *vi.* 속이다.
dóuble-déal·er *n.* 언행에 표리가 있는 사람, 두 마음을 가진 사람.
dóuble-déal·ing *a., n.* 표리가[두 마음이] 있는 (언행), 속임수.
dóuble-déck *a.* 이층식의, 이층으로 되어 있는 : a ~ bus 이층 버스.
dóuble-déck·er *n.* **1** 이중 갑판의 배. **2** 이층으로 된 객차《버스 · 전차 · 여객기》.
dóuble-de·clútch *vi.* 《英》 =DOUBLE-CLUTCH.
dóuble decomposítion *n.* 〖化〗 복(複)분해.
dóuble depréssion *n.* 〖精神醫〗 이중 억울증《기존의 울병 상태에서 일어나는 새로운 억울증상의 발현》.
dóuble-dígit *a.* (인플레이션 · 실업률 따위) 10% 이상의, 두 자릿수의.
dóuble-dìp *vi.* (퇴역 군인 등이 연금과 급료의) 이중 벌이를 하다.
dóuble dípping *n.* 《美口》 연금과 급료의 이중 취득《퇴역 군인 · 퇴직 공무원이 연금을 받으면서 다른 정부 기관에서 일을 하여 급료도 받는 것》.
dóuble-dòme *n.* 《美俗》 지식인, 인텔리겐치아 (=EGGHEAD).
dóuble-dóoring *n.* (호텔에서의) 무전 숙박《정문으로 들어와 체크인하여 묵고 나갈 땐 뒷문으로 도망침》.
dóuble Dútch *n.* 《口》 통 알아들을 수 없는 말 (cf. GREEK *n.* 3 b), HEBREW *n.* 2 b)).
dóuble-dúty *a.* 두 가지 역할[기능]을 가진.
dóuble-dýed *a.* **1** 두 번 염색한. **2** 죄악에 깊이 빠진 ; 철저한, 소문난.
dóuble éagle *n.* 〖紋〗 쌍두(雙頭) 독수리 ; 《美》 (옛날의) 20달러 금화 ; 〖골프〗 더블이글《한 홀에서 PAR[1] 또는 BAGEY보다 3타 적은 스코어》.
dóuble-édged *a.* **1** 쌍날의. **2** 《비유》 좋은 의미로도 나쁜 의미로도 취할 수 있는 ; 이중 목적[효과]의 ; 애매한 : a ~ compliment (칭찬하는 것인지 얕보는 것인지) 두가지로 해석할 수 있는 아첨의 말.
dóuble-énd·ed *a.* 두 가지 목적을 얻는 ; 앞뒤가 똑같은《전차 · 배 따위》.
dóuble-énd·er *n.* 앞뒤로 운행할 수 있는 차량 《배 · 전차 따위》.
dou·ble en·ten·dre [dú(ː)bəl ɑːntɑ́ːndrə, dʌ́-bəl- ; *F* dubl ɑ̃tɑ̃ːdr] *n.* (*pl.* **~s** [-*z*]) 두가지 뜻을 가진 어구 · 발음(의 사용)《그 중 하나는 흔히 천한 뜻》 ; 이중의 의미.
〚F=double understanding〛
dóuble éntry *n.* 〖簿〗 복식 기장법(cf. SINGLE ENTRY) : bookkeeping by ~ 복식 부기.
dóuble expósure *n.* 〖寫〗 이중 노출[노광](에 의한 사진).
dóuble-fáced *a.* **1** 양면이 있는 ; (직물 따위) 안팎을 같이 쓰게 짠. **2** 딴 마음이 있는, 불성실한 (insincere) ; 위선적인(hypocritical).
dóuble fáult *n.* 〖테니스〗 더블 폴트《두 번 계속된 서브의 실패 ; 1 포인트를 잃음》.
dóuble-fáult *vi.*
dóuble féature *n.* (영화 따위의) 동시 상영.
dóuble-fígure *a.* 《英》 두 자릿수의.
dóuble fírst *n.* 《英大學》 두 과목 수석 : He took a ~. 그는 두 과목에서 수석을 하였다.
dóuble flát *n.* 〖樂〗 겹내림표(♭♭) ; 겹내림음.
dóuble-gáit·ed *a.* 《美俗》 양성(兩性)의, 남녀 공용의.
dou·ble·gang·er [dʌ́bəlgæ̀ŋər] *n.* =DOPPELGÄNGER.
dóuble glázing *n.* 복층 유리《단열 · 방음용》.
dóuble hárness *n.* **1** Ⓤ 쌍두마차용 마구. **2** Ⓤ 《비유》 공동, 협력 ; 결혼 생활 : trot in ~ 《美口》 (부부가) 사이좋게 살아가다 / work[run] in ~ 협력하여 일하다, (특히) 부부가 맞벌이하다.
dóuble·héad·er *n.* **1** 《美》〖野〗 더블 헤더. **2** 기관차가 두 대 붙은 열차. ── *a.* 《美俗》 두가지를 함께[양쪽] 손에 넣으려고 하는, 이중으로 잘 돼 가는.
dóuble-héart·ed *a.* 두 마음이[표리가] 있는.
dóuble-hélical *a.* 〖生化〗 이중 나선의.
dóuble hélix *n.* 〖生化〗 (염색체의 DNA분자 중) 이중 나선 구조.
dóuble hóuse *n.* (두 채로 된) 연립 가옥 ; 입구의 양쪽에 방이 있는 집.
dóuble-húng *a.* (창문이) 오르내리식인.
dóuble ímage *n.* 더블 이미지《하나의 화상(畫像)이 동시에 다른 화상으로도 보이는 일 ; 산이 잠자는 사자로 보이는 따위》.
dóuble insúrance *n.* 중복 보험.
dóuble jéopardy *n.* 〖法〗 이중의 위험《동일 범죄로 피고를 재차 재판에 회부하기》 : prohibition against ~ 일사 부재리.
dóuble-jóbber *n.* 《英》 (정규의 급료를 보충하기 위해) 부업을 하는 사람. **dóuble-jóbbing** *n.*
dóuble-jóint·ed *a.* 이중 관절이 있는《손가락 · 팔 · 발 따위》.
dóuble knít *n.* 겹[이중]으로 짠 편물.
dóuble-knít *a.* 이중으로 짠.
dóuble-léad·ed [-lédəd] *a.* 〖印〗 (인테르를 끼워) 행간을 2배로 넓힌.
dóuble létter *n.* 〖印〗 합자(合字)《æ, fi 따위》.
dóuble-lóck *vt.* 이중으로 자물쇠를 채우다 ; 엄중히 문단속을 하다.
dóuble-mínd·ed *a.* 결단을 못 내리는 ; 딴 마음을 먹은(deceitful).
dóuble negátion[**négative**] *n.* 〖文法〗 이중 부정. ㈜ (1) [속어체에서의 부정] I do*n't* know *no*thing. (=I know *no*thing. / I do*n't* know anything). (2) [완곡한 긍정] *not un*common(=common).
dóuble·ness *n.* Ⓤ **1** 중복성. **2** 이중, 두 배 크기. **3** (행동의) 표리(duplicity).
dóuble níckel *n.* 《CB俗》 시속 55마일《미국에서 1973년 이래 전국적으로 시행되고 있는 간선 도로의 제한 속도》.

dóuble nóte *n.* 〖樂〗 겹온음표.
double-o, double-O [ˊ-óu] *n.* (*pl.* **~s**) 엄밀한 조사 ; 시찰 여행. —— *vt.* 엄밀한 조사를 하다. 〚*o*nce-*o*ver〛
dóuble (òrgan) tránsplant *n.* 〖醫〗 이중 장기 이식《동시에 두 개의 장기를 이식하는 일》.
dóuble páddle *n.* 더블 패들《양끝이 넓고 편평한 노》.
dóuble-pàge *a.* 두페이지 크기의.
dóuble-pàge spréad *n.* =DOUBLE SPREAD.
dóuble-párk *vt.* 《美》 다른 차와 나란히 주차시키다《보도의 연석(緣石)과 평행으로 다른 자동차의 옆에 세움》.
dóuble pneumónia *n.* 〖醫〗 양측 폐렴.
dóuble posséssive *n.* 〖文法〗 이중 소유격.
dóuble precísion *n.* 〖컴퓨〗 두배 정밀도, 배정도(倍精度).
dóuble-quìck *n.* =DOUBLE TIME. —— *vt., vi.* =DOUBLE TIME. —— [ˊˊ] *a., adv.* 급히 서두르는[서둘러서], 잰 걸음의[걸음으로].
dóuble quótes *n. pl.* 큰따옴표(“ ”).
dóuble réed *n.* 〖樂〗 더블 리드《오보에 · 바순 따위 처럼 리드가 두개 있는 악기》; 더블 리드 악기.
dóuble-réed *a.* 더블 리드의.
dóuble-refíne *vt.* 두번 정련(精鍊)하다.
dóuble refráction *n.* 〖光〗 복굴절(複屈折).
dóuble revérse *n.* 〖美蹴〗 더블 리버스《두번 reverse를 되풀이 하는 공격측의 트릭 플레이》.
dóuble rhýme *n.* 〖韻〗 이중 압운《inviting, exciting처럼 행 끝 두 음절이 압운하는 것》.
dóuble rífle *n.* 복식 라이플총.
dòuble-rípper, -rúnner *n.* 《美》 두 대를 이은 썰매.
dóuble róom *n.* 더블 베드가 있는 2인용 방.
dóuble sált *n.* 〖化〗 복염(鹽).
dóuble-séat·er *n.* =TWO-SEATER.
dóuble shárp *n.* 〖樂〗 겹올림표《× 또는 ※》.
dóuble shúffle *n.* 〖댄스〗 좌우의 발을 두번씩 급히 질질 끌 듯이 하는 스텝 ; 《美俗》 분명하지 않은 말씨, 어수선한 회견, 도망칠 궁리를 하기, 속이기, 기화로 삼기.
dóuble-spáce *vi., vt.* 한 줄 띄어서 타자치다.
dóuble·spèak *n.* 애매한 말 ; 거짓말, 속임수. —— *vi.* 거짓말하다, 속이다 ; 본의와는 반대의 뜻으로 말하다.
dóuble spréad *n.* (신문 따위의) 두페이지 크기의 광고, 양면 광고(double-page spread).
dóuble stándard *n.* 이중 기준《여성보다 남성에게 관대하도록 설정한 성도덕 기준》; 〖經〗 = BIMETALLISM.
dóuble stár *n.* 〖天〗 이중성(星), 쌍성(雙星)《접근해 있으므로 육안으로는 하나처럼 보임》.
dóuble stéal *n.* 〖野〗 더블 스틸, 이중 도루.
dóuble stém *n.* 〖스키〗 감속을 위해 양쪽 스키 뒤쪽을 벌리는 자세(cf. SINGLE STEM).
dóuble-stóp *vt.* 〖樂〗 (두줄 이상의 현을 동시에 켜서 악기)로 중음(重音)을 내다[연주하다]. —— *vi.* 중음을 내다. —— *n.* 중음.
dóuble súgar *n.* 〖化〗 이당류(disaccharide).
dóuble súmmer tìme *n.* 《英》 더블 서머 타임《표준시보다 2시간 빠른 서머 타임》.
dou·blet [dʌ́blət] *n.* **1** 〖史〗 허리가 잘록한 남자의 웃옷《15-17세기경 유행한 남자 경장(輕裝) 'doublet and hose'의 한쪽 ; cf. SINGLET》. **2** 흡사한 것의 한쪽 ; 짝의 한편 ; [*pl.*] 쌍둥이. **3** 쌍을 이룬 것(pair, couple). **4** 〖言〗 이중어, 자매어《같은 어원이나 낱말의 형태나 뜻이 분화한 말 ; 보기 fashion—faction ; hospital—hostel—hotel》. **5** 〖印〗 같은 말 · 구가 중복된 오식(誤植). **6** 〖物〗 (스펙트럼의) 이중항(二重項), 이중선(二重線) ; (현미경 따위의) 이중 렌즈. 〚F ; ⇨ DOUBLE〛
dóuble táckle *n.* 이중 도르래.
dóuble tàke *n.* (처음은 웃고 넘겼으나 곧) 말뜻을 깨닫고 깜짝 놀란 체 (동작을) 하는 연기《흔히 희극 배우가 하는 동작》; 다시 보기.
dóuble-tàlk *n.* Ⓤ 허튼 소리로 남을 어리둥절하게 따돌리는 화술(話術)[문체(文體)] ; 앞뒤가 맞지 않는 이야기 ; 실없는 소리(nonsense). —— *vi.* double-talk하다. —— *vt.* double-talk로 지껄여대다.
dóuble-tèam *vt.* (축구 · 농구 따위에서) 동시에 두명의 선수로 방해[방어]하다.
Dóuble Tén[**Ténth**] *n.* [the ~] 대만의 쌍십절 《10월 10일》.
dóuble·thìnk *n.* Ⓤ 이중 사고(思考). 〚G. Orwell의 조어(造語)〛
dóuble tìme *n.* **1** 〖軍〗 구보 : at ~ 구보로. **2** (휴일 노동 따위의) 임금 배액 지급.
dóuble-tìme *vt., vi.* 구보시키다[하다].
dou·ble·ton [dʌ́bəltən] *n.* 〖카드놀이〗 손에 잡은 두 장만 짝이 맞는 패(cf. SINGLETON). 〚SINGLETON에 따라 *double*에서〛
dóuble-tòngue *vi., vt.* 〖樂〗 (취주 악기로 빠른 템포의 스타카토 악절을) 복절법(複切法)으로 연주하다. **-tònguing** *n.* 복절법.
dóuble-tóngued *a.* 일구 이언하는, 거짓말하는. 〚ME〛
dóuble tráck *n.* 〖鐵〗 복선 ; 〖空〗 한 노선에 복수의 항공 회사가 경합하여 하는 운항.
dóuble-tráck *vt.* 〖鐵〗 복선으로 하다 ; 〖空〗 한 노선을 복수의 항공회사가 경합 운행하다.
dóuble tráiler *n.* 더블 트레일러《두대의 연접식 트레일러》.
dóuble·trèe *n.* 수레 · 쟁기의 가로대. 〚cf. SINGLETREE〛
dóuble-tróuble *n., a.* 《美》 더블 트러블《농장의 흑인 노동자 사이에서 시작된 댄스 스텝》; 《美俗》 매우 귀찮은 (일), 몹시 곤란한 (일), 아주 번거로운 (일).
dóuble trúck *n.* (신문 따위의) 좌우 양면 광고[기사].
dóuble wédding *n.* 두 쌍의 합동 결혼식.
dóuble wíng(**back formàtion**) *n.* 〖美蹴〗 더블윙(백 포메이션)《양끝 날개에 한 사람씩 백을 배치한 공격 대형》.
dou·bling [dʌ́bliŋ] *n.* Ⓤ **1** 배가(倍加), 배증(倍增). **2** 이중으로 하기 ; 접기, 접어넣기 ; 주름(잡기) ; [*pl.*] 〖紋〗 (옷 따위의) 안 ; 〖紡〗 한데 꼬기. **3** (추적을 피하기 위한) 급회전 ; 회항(回航).
dou·bloon [dʌblúːn] *n.* 옛날의 스페인의 금화 《5-16달러》; [*pl.*] 《俗》 돈(money). 〚F or Sp. ; ⇨ DOUBLE〛
dou·bly [dʌ́bəli] *adv.* 두 배로 ; 이중으로, 두 가지로 ; 《廢》 거짓말로.
‡**doubt** [dáut] *vt.* **1** [+目 / +*wh.* 節 / +*that* 節 / +do*ing*] 의심하다, 이상히 여기다, …에 의혹을 품다 : I ~ the truth of his words. 그의 말이 정말인지 아닌지 의심스럽다 / I ~*ed* my own eyes. 내 눈을 의심했다 / I ~ *whether*[*if*] she will be present. 그녀가 참석할는지 의심스럽다 / I don't ~ *that* he means well. 그가 선의(善意)를 품고 있는 것에 의심할 여지가 없다 / Do you ~ *that* he will succeed? 그가 성공하리라는 것을 의심합

니까 / No one of us ~*ed* be*ing* able to arrive in time. 우리들 중에 제시간에 도착할 수 있다는 것을 의심하는 사람은 아무도 없었다. **2** 《古·方》 염려하다, (…이 아닌가 하고) 생각하다(be afraid)〈*that*〉: I ~ we are late. 우리가 늦지나 않을까 걱정된다.

> **doubt의 문장 전환**
> I *doubt* the truth of the statement.
> (그 진술의 진실성을 의심하고 있습니다.)
> → I *doubt* if[whether] the statement is true.
> (그 진술이 사실인지 아닌지를 의심하고 있습니다.)

── *vi.* [+*of*+名] 의심하다, 의혹을 품다, 미심쩍게 여기다 : They have never ~*ed* ***of*** success. 그들은 성공을 믿어 의심치 않는다.

── *n.* [+前+do*ing*/+*that* 節/+(前+) *wh.* 節·句] U,C 의심, 불확실성 : throw ~ on a person's veracity 남의 성실성에 의심을 품다 / No one could have ~*s* ***as to*** his success[*as to* this be*ing* true]. 아무도 그의 성공[이것이 진실이라는 것]에 의심을 품는 이는 없을 것이다 / I make no ~ ***of*** it [no ~ *that* they will soon send us good news]. 그것을[그들이 이내 기쁜 소식을 전해 줄 것을] 믿어 의심치 않는다 / There is no ~ *of* his ability[*of* his be*ing* guilty]. 그의 재능[그가 유죄라는 것]은 의심할 여지가 없다 / There seems to be no ~ *that* Dick has done his job well. 딕이 일을 잘했다는 것에는 의심할 여지가 없는 듯하다 / There is no ~ *as to who* will be elected. 누가 선출되는 가는 뻔한 일이다 / I have my ~*s* ***about*** her honesty[my ~*s whether* she is honest]. 그녀가 정직한지 어떤지는 의심스럽다.

beyond [***out of***] (***all***) ***doubt*** (전혀) 의심할 여지도 없이.

in doubt 의심하여, 망설여 ; 불확실하여(not certain) : I'm *in* ~ (*about*) *what to* do. 어떻게 하면 좋을지 망설이고 있다 / When *in* ~ *about* the meaning, ask it of your teacher. 그 의미가 의심스러울 때는 선생님에게 물어보시오 / The matter hangs *in* ~. 그 일은 아직 확실치 않다.

no doubt (1) 의심할 것 없이, 물론(certainly) : *No* ~ she'll help us. 물론 그녀는 우리들을 도와줄 것이다. (2) 《口》 필경, 아마(도) (probably) : He meant to come, *no* ~. 아마도 그는 오려고 했을 것이다.

past (***a***) ***doubt*** (전혀) 의심치 않고, (전적으로) 확실하게.

without (***a***) ***doubt*** = *no* DOUBT (1).

〚OF *douter*<L *dubito* to hesitate ; *-b-*는 15세기에 L의 영향으로 삽입〛

活用 doubt, doubtful과 이것 뒤에 오는 whether, if, that의 관계에 대하여 다음 사항에 주의하여야 함.

(1) 긍정 : i) doubt *v.*의 뒤에서 정식 표현으로는 whether, 비공식 표현《구어적 표현》으로는 if를 사용한다 : I *doubt whether*[*if*] she meant it that way. (그러한 의도에서 그렇게 말했는지의 여부는 의심스럽다). ii) doubt *n.*, doubtful의 뒤에는 whether가 보통 : There is a *doubt* [It is *doubtful*] *whether* she meant it that way. (그녀가 그러한 의도에서 그렇게 말했는지 어떤지는 의심스럽다).

(2) 부정·의문 : that이 가장 보통이나《文語》에서는 but that을, 《口》에서는 but what을 쓰는 수도 있다(cf. BUT *conj.* 2 c)) : I didn't *doubt that*[*but that*] he would be surprised. (그는 필경 놀랄 것이라고 생각했다).

類義語 ***doubt*** 확실한 증거 따위가 없어 확신을 가질 수 없고 결정[결론]을 내릴 수 없는 것 : There is *doubt* about his ability. (그의 재능에 대해 의심스럽다). ***distrust*** 특히 남에게 신뢰[신용]가 없어서 거짓이나 죄의 의심이 있는 것 : Even his wife felt *distrust* of him. (그의 아내조차도 그를 불신했다). ***suspicion*** 불충분한 증거이긴 하나 어떤 사람의 죄·비행·속임수 따위를 의심하는 것 : He was under *suspicion* of murder. (그는 살인 혐의를 받았다).

dóubt·ful** *a.* **1** [+前+do*ing*/+(前+) *wh.* 節·句] 의심을 품고 있는, 확실하지 않은(uncertain) : He was ~ ***of the outcome. 그 결과에는 자신이 없었다 / I am ~ ***about*** keep*ing* my promise. 약속을 지킬 수 있을지 어떨지는 확실하지 않다 / I feel ~ (*about*) *what* I ought to do. 무엇을 해야 할 것인가 망설이고 있다. **2** (사물이) 의심스러운, 미심쩍은, 어찌 될는지 불분명한 : The outcome is ~. 결과는 불분명하다 / It is ~ whether the rumor is true or not. 그 소문이 사실인지 아닌지는 모르는 일이다. **3** 믿음직하지 않은(suspicious) : a ~ character 수상쩍은 인물. **~·ness** *n.*

活用 ☞ DOUBT.

類義語 ***doubtful*** 증거나 확신이 없어서 의심을 품게 되는 : I am *doubtful* about his sincerity. (그 사람의 성실성이 의심스럽다). ***dubious*** doubtful만큼 의미가 강하지 않고 막연한 의혹 또는 망설임을 나타낸다 : I am *dubious* about the possibility of his success. (그의 성공이 가능할는지 의심스럽다). ***questionable*** 엄밀하게 뭔가 충분히 의심할 만한 이유가 있으나, 완곡하게 생각하여 강한 의혹 때로는 부정까지도 암시할 때가 있다 : a woman of a *questionable* reputation (이상한 풍문이 돌고 있는 여자). ***suspicious*** 의심을 품게 하는, 수상한 ; 때때로 나쁜 일이나 범죄를 암시한다 : a *suspicious* person (의심스러운 사람).

***dóubt·ful·ly** *adv.* 의심스럽게 ; 확실치 않게.

dóubt·ing *a.* 의혹을 품고 있는, 불안한. **~·ly** *adv.*

dóubting Thómas *n.* 의심이 많은 사람, (확실한 증거가 없으면) 무엇이든 의심하는 사람 《Thomas가 그리스도의 부활을 의심하여, 예수를 볼 때까지 믿지 않았던 데서 ; 요한 복음 20 : 24-29》.

***dóubt·less** *adv.* **1** 필시, 아마도(no doubt, probably) : I shall ~ see you tomorrow. 필시 내일 뵙게 될 것입니다. **2** 의심없이, 확실히(undoubtedly, certainly). 注 지금은 주로 양보의 문맥에 쓰인다 : You are ~ aware.... 필시 알고 있겠지만…. ── *a.* 의심할 여지가 없는, 확실한. **~·ly** *adv.* 《稀》 의심할 여지가 없이. **~·ness** *n.*

douce [dúːs] *a.* 《주로 스코》 조용한, 침착한. 〚OF<L *dulcis* sweet〛

dou·ceur [duːsə́ːr] *n.* 위로금, 사례금, 팁 ; 뇌물. 〚F=pleasantness ; ⇨ DOUCE〛

douche [dúːʃ] *n.* **1** (주로 의료상의) 주수(注水), 세척, 관주(灌注)(법) : a ~ bath 관수욕(灌水浴), 샤워. **2** 관주기(器). ── *vt.* …에 주수하다. ── *vi.* 관수요법을 받다. 〚F<It.=pipe<L ; ⇨ DUCT〛

Doug [dʌ́g] *n.* 남자 이름《Douglas의 애칭》.

***dough** [dóu] *n.* **1** U (빵 따위의) 밀가루 반죽 ;

(도토(陶土) 따위의) 반죽 덩어리 ; 도《밀가루와 물 따위를 섞어서 반죽한 굽기 전의 덩어리》: My cake is ~. ☞ CAKE *n.* 1. **2** Ⓤ《俗》금전, 현금 ;《口》보병. 〖OE *dāg* ; cf. G *Teig*〗

dóugh·bòy *n.* **1**《英口》찐 만두. **2**《美口》보병 (infantryman).

dóugh·fàce *n.*《美》줏대 없는[나약한] 사람.

dóugh-fáced *a.*《美》무표정한 ; 푸르퉁퉁한 ; 나약한, 줏대 없는.

dóugh·fòot *n.* (*pl.* **~s, -fèet**) 《美軍俗》보병 (infantryman).

dóugh·hèad *n.*《美俗》바보, 멍텅구리 ; 빵장수.

***dough·nut** [dóunət, -nʌ̀t] *n.* 도넛 ; 도넛 모양의 물건,《美》차의 타이어 ;〖理〗도넛(관(管))《전자를 가속》.

dóughnut fàctory[**fòundry, hòuse, jòint**] 《美俗》*n.* 싸구려 식당, 경식당 ; 공짜로 식사할 수 있는 곳.

dough·ty [dáuti] *a.* 강한(strong), 대담한(bold), 용맹스런. **dóugh·ti·ly** *adv.* **-ti·ness** *n.* 〖OE *dohtig* (*dyhtig*의 변형(變形))〗

doughy [dóui] *a.* **1** 밀가루 반죽의[같은] ; 설구운(half-baked). **2** 푸르퉁퉁한 ; (지능이) 둔한. **3** (소리가) 둔하고 또렷하지 않은 ; (문체가) 긴장미가 없는.

Doug·las [dʌ́gləs] *n.* 남자 이름《애칭 Doug》. 〖Sc.=black water, dark gray〗

Dóuglas bág *n.* 더글러스 백《호흡 가스 측정을 위한 호기(呼氣) 채집 주머니》. 〖C. G. *Douglas* (d. 1963) 영국의 생리학자〗

Dóuglas fír[**hémlock, píne, sprúce**] *n.* 〖植〗미송《미국산 소나무과(科)의 큰 나무》. 〖D. *Douglas* (d. 1834) 스코틀랜드 태생인 미국의 식물학자〗

Dou·kho·bor, Du- [dú:kəbɔ̀:r] *n.* 두호보르, 영혼의 전사《18세기 후반 남러시아의 무정부주의적·무교회적 분파의 기독교도》.

douma ☞ DUMA.

dóum (pàlm) [dú:m(-)] *n.* 둠야자《열대 아프리카 산(産)》.

dour [dáuər, dúər ; dúər] *a.* **1** 음울한(gloomy), 음침한, 뚱한, 성미가 까다로운(sullen). **2**《스코》엄격한 ; 완고한. **~·ly** *adv.* **~·ness** *n.* 〖? Gael. *dúr* stupid, obstinate < ? L *durus* hard〗

dou·ro(u)·cou·li [dùrəkú:li, dù:ru:-] *n.* 〖動〗올빼미원숭이《열대 아메리카산의 야행성》. 〖(S. Am.)〗

douse[1], **dowse** [dáus] *vt.* 물에 처박다〈*in*〉; …에 물을 끼얹다, 흠뻑 젖게 하다. ── *vi.* 물에 떨어지다[잠기다] ; 미역감다. ── *n.* 억수 ; 흠뻑 젖음. 〖? *douse*[2]〗

douse[2] [dáus] *vt.* **1**《口》(등·불을) 서둘러 끄다 : ~ the glim 등불을 끄다. **2**《口》(구두·의복·모자 따위를) 벗다. **3**〖海〗(돛을) 급히 내리다 ; (밧줄을) 느슨히 하다 ; (현창(舷窓)을) 닫다. ── [dú:s, dáus ; dáus] *n.*《英方》일격. 〖C16 < ? ; cf. MDu., LG *dossen* to strike〗

douse[3] ☞ DOWSE[2].

***dove**[1] [dʌ́v] *n.* **1** 비둘기. 㘴 pigeon과 같은 뜻이나 특히 조그만 종류를 가리키는 수가 많다. **2** (평화·순진·온순·유화 따위의 상징으로서의) 비둘기, 평화의 사자 : a ~ of peace〖聖〗평화의 비둘기. **3** [D~] 성령(Holy Spirit). **4** 순결한[순진한·유순한] 사람 ;《호칭》귀여운 사람 : my ~. **5**《美口》(분쟁 따위에서 타협적인 태도를 취하는) 비둘기[온건]파의 사람, 평화론자(↔*hawk*). 〖ON *dúfa* (cf. G *Taube*) ; 일설에 ? imit.〗

***dove**[2] [dóuv] *v.*《美》DIVE의 과거형.

dóve còlor *n.* 비둘기색《자줏빛이 도는 회색》.

dóve-còlored *a.* 비둘기색의.

dóve·còte, -còt *n.* 비둘기장.

***flutter*[*cause a flutter in*] *the dovecote*(*s*)** 평화로운 사람들[생활]을 소란케 하다, 평지 풍파를 일으키다.

dóve-èyed *a.* (비둘기처럼) 눈매가 유순한[부드러운].

dóve gràу *n.* 자줏빛이 도는 회색.

dóve·hòuse *n.* 비둘기장.

dóve·let *n.* 작은 비둘기.

dóve·lìke *a.* 비둘기 같은 ; 온순한, 유순한.

Do·ver [dóuvər] *n.* 도버《영국 남동부의 항구 ; 유럽 대륙에 가장 가까운 지점으로 대안(對岸)에 프랑스의 항구 Calais가 있음》.

the Strait*(*s*) *of Dover 도버 해협.

Dóver's pówder *n.* 〖藥〗도버산(散), 아편 토근산(吐根散)《진통·발한제》. 〖Thomas *Dover* (d. 1742) 영국의 의사〗

dóve's-fòot *n.* 〖植〗쥐손이풀류(類)의 들풀.

dóve·tàil *n.* 〖建〗열장장부촉. ── *vt.* 열장장부촉으로 맞추다 ; 꼭 들어맞추다 ; 빈틈없이 적합시키다. ── *vi.* [動 / +前+名] (긴밀히) 연결되다, 꼭 들어맞다 : Our scheme ~*ed* ***with*** theirs. 우리들의 계획은 그들의 계획과 꼭 들어맞았다 / The stones ~*ed* ***into*** each other. 그 돌들은 서로 꼭 끼어 있었다.

dóvetail jóint *n.* 〖建〗 열장장부촉이음.

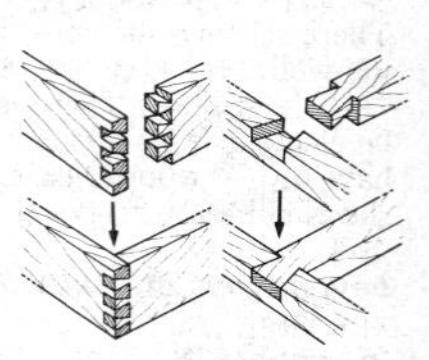
dovetail joint

dov·ish [dʌ́viʃ] *a.* 비둘기의, 비둘기같은 ; 비둘기파적(的)인.

dóvish·ness *n.* 비둘기 파(派)적인 성격, 평화 애호 성향.

dow ☞ DHOW.

Dow [dáu, dóu] *n.* =DOW-JONES AVERAGE.

DOW., dow. dowager.

dow·a·ger [dáuidʒər] *n., a.* **1** 〖法〗망부(亡夫)의 칭호·재산을 물려받은 미망인(의) : a ~ duchess (영국의) 공작(公爵) 미망인 / an empress ~ (제국의) 황태후(皇太后) / a princess ~ 친왕(親王) 미망인 / a queen ~ 태후《왕과 사별한 왕비》. **2**《口》(위엄이 있는) 중년 귀부인, 풍채가 좋은 노부인. 〖OF ; ⇨ DOWER〗

Dów Chémical Co. *n.* [the ~] 다우 케미컬《미국의 화학제품 메이커》.

dowdy [dáudi] *a.* (**dówd·i·er ; -i·est**) (여자의 옷차림이) 단정치 못한, 헙수룩한, 유행에 뒤진, 촌스러운, 초라한, 천한. ── *n.* 초라한[천한] 여자 ; =PANDOWDY. **dówd·i·ly** *adv.* **-i·ness** *n.* **~·ish** *a.* 단정치 못한, 촌스러운. 〖ME *dowd* slut < ?〗

dow·el [dáuəl] *n.* 맞춤못, 장부촉 ; 지벨《못을 박기 위해 벽의 구멍을 메우는 나뭇조각》. ── *vt.* (**-l-** | **-ll-**) 맞춤못으로 이어붙이다. 〖MLG ; cf. THOLE[2]〗

dow·er [dáuər] *n.* **1** Ⓤ.Ⓒ 〖法〗과부산(寡婦產)《남편의 유산 가운데 미망인이 받는 부분》;《古·詩》=DOWRY 1. **2** 천부의 재능, 타고날 때부터의 자질(natural gift). ── *vt.* 미망인에게 유산을 주다 ; (재능 따위를) …에게 부여하다(endow)

⟨*with*⟩. 〖OF<L (*dot- dos* dowry)〗

dow·itch·er [dáuitʃər] *n.* 〔鳥〕 큰부리도요《북미 동해안산》. 〖Iroquoian〗

Dów-Jónes àverage[ìndex] [dáudʒóunz-] *n.* [the ~] 〔證〕 다우존스 평균(주가)[지수]. 〖C. H. *Dow* (d. 1902) and E. D. *Jones* (d. 1920) 미국의 금융 통계학자〗

Dów-Jónes indústrial àverage *n.* [the ~] 〔證〕 다우존스 공업주 평균(주가)[지수].

dow·las [dáuləs] *n.* Ⓤ 《英》 올이 굵은 리넨[무명]. 〖ME *douglas*<*Daoulas* 프랑스 Brittany의 지명〗

◇**down**[1] [dáun]

> (1) 기본 뜻 : 「낮은 쪽으로」
> (2) 주로 전치사와 부사로 쓰이는 소위 전치사적 부사(prepositional adverb)의 하나다. 반의어인 up과 짝을 이루는 중요한 기능어다.
> (3) break, get, put, set, take 따위의 동사와 함께 갖가지 동사구(動詞句)를 이룬다.

—— *adv.* (↔*up*) [1-6은 「이동」, 7-9는 「정지 위치」를 나타냄] **1** 내려가서, 내려서, 아래로[에·를], 아래쪽에[으로], (…하여) 내려서 ; (똑바로 선 자세에서) 누워서, (선 것을) 땅으로, (밑으로) 내려, 낮추어, 넘어뜨려서 : look ~ 내려다 보다 / run ~ 달려 내려가다.
2 [명령] =GET[PUT, LIE, *etc.*] ~! : *D*~! (개를 향하여) 앉아! / *D*~ oars! 노를 내려!
3 a) 아래(쪽)에 ; (흐름을 따라) 하류로 ; (상위에서) 하위로 ; (도시에서) 시골로, (중심에서) 멀리 ; 상가(商街)로(cf. DOWNTOWN) ; (북에서) 남쪽으로. **b**) 무대 앞쪽으로(cf. DOWNSTAGE). **c**) 《英》 (대학에서) 물러나서, 졸업하여, 퇴학하여 (cf. GO *down* (3)) : He has come ~ (*from* the University). 그는 (대학에서) 집으로 돌아왔다 / He was sent ~. 그는 퇴학 처분을 당했다.
4 [감소·소실·종지·완료 상태로] : boil ~ 바짝 졸이다 / die ~ (소리·바람 따위가) 자다 / grind ~ 잘게 빻다 / hunt ~ 막다른 곳까지 몰아치다[몰아세우다] / The wind has gone[died] ~. 바람이 잠잠해졌다[잤다].
5 [강조적으로] 완전히(completely) : ~ to the ground ☞ GROUND 숙어 / wash ~ a car 차를 깨끗이 닦다.
6 [순서] (위로는 …에서부터) 아래로는 …에 이르기까지 ; (이른 시기부터) 후기에 ; (후대로) 죽 내려와, (초기) 이후 : from King ~ *to* cobbler 위로는 왕에서부터 아래로는 구두 수선하는 사람(에 이르기)까지 / from Chaucer's time ~ *to* the time of Elizabeth 초서 시대부터 엘리자베스 시대까지.
7 내려서 ; (2층에서) 내려와 있어 ; (문 따위가) 내려져 (있어) ; (해가) 져서, (배가) 가라앉아서 ; (조수(潮水)가) 빠져서 ; (온도가) 내려가 (있어) : He is up, and ~. 그는 잠자리에서 일어나 아래층으로 내려와 있다 / He left the blinds ~. 그는 창문 차양(遮陽)을 내린 채로 놓아 두었다.
8 쓰러져, 엎드려 ; 병으로 누워 ; (사람이) 쇠약해져, (건강이) 나빠져 ; (의기 따위가) 꺾여 : He was ~ on his back. 그는 뒤로 쓰러져 있었다 / She is ~ *with* influenza[flu]. 그녀는 유행성 감기에 걸려 자리에 누워 있다 / He felt ~ *about* his failure. 그는 실패하여 맥이 풀려 있었다 / ~ in the mouth ☞ MOUTH 숙어.
9 a) (물건이) 밑으로 처져, 아래쪽으로 기울어 [늘어뜨려·내밀어] : The flag is ~ on the left side. 기(旗)가 왼쪽으로 기울어 있다. **b**) (가격이) 내려 ; (질이) 떨어져, (신분·지위·인기 따위가) 떨어져 ; (운이) 기울어 : Bread is ~. 빵값이 내렸다 / come ~ in the world ☞ COME *down* (2).
10 즉석에서 ; 현금으로 : pay ~ ☞ PAY 숙어.
11 쓰여져, 기록되어 : take ~ ☞ TAKE[1] 숙어.
12 〔野〕 아웃이 되어(out) : one[two] ~ 원[투] 아웃이 되어.
13 〔美蹴〕 볼이 땅위에 놓여져 있어, (시합이) 정지하여.
14 예정되어, …하기로 돼 있어(on program) : The committee is ~ for Thursday. 위원회는 목요일에 열릴 예정이다 / I am ~ to speak at the meeting. 그 모임에서 연설을 하기로 돼 있다.
down and out (*adv.*) (1) 아주 몰락해서, 생계가 곤란하여(cf. DOWN-AND-OUT). (2) 〔拳〕 녹다운되어.
down at (***the***) ***heel*** ☞ HEEL[1].
down East ☞ EAST *n.*
down on one***'s luck*** ☞ LUCK.
down on the nail =*on the* NAIL.
down under (1) (지구의) 정반대쪽에[에서] ; 《口》 (영국에서 보아) 오스트레일리아[뉴질랜드]에[에서]. (2) [명사적으로 ; 때때로 D~ U~] 《口》 대척지(對蹠地) ; 오스트레일리아, 뉴질랜드 ; 오스트레일리아·뉴질랜드 지역.
down (***up***)***on***... 《口》 …에 성내어, …에게 원한을 품고 ; …을 공격[혹평]하여 : He is ~ *on* me. 그는 나에게 나쁜 감정[원한]을 품고 있다 / come ~ (*up*) *on* ☞ COME 숙어.
down with... (1) (병)으로 자리에 누워(cf. 8). (2) [명령] …을 당장 내놔라 ; 때려 부숴라! : *D*~ *with* your money. 돈을 내놔라 / *D*~ *with* the tyrant! 폭군 타도.
up and down ☞ UP[1].

> 〈회화〉
> Where is the bus stop? — It's just *down* the street. 「버스 정류장은 어디 있습니까」「이 거리로 죽 내려 가세요」

——[–, ⌐] *prep.* **1** [이동] …을 내려가, 아래쪽으로, (길)을 따라(along) : ~ the wind ☞ WIND[1] 숙어 / go ~ a hill 언덕을 내려가다 / drive[ride, run, walk] ~ a street 거리를 차로[말로, 달려서, 걸어서] 지나가다. **2** [정지 위치] …의 아래에, …의 바로 아래에 (있는) : ~ the Thames 템스 강 하류에 / further ~ the river 강을 훨씬 아래로 내려간 곳에. **3** [때] …이래(죽) : ~ the ages 옛날부터.
down town 도심지로 (가는), 상가(商街)에 있는(☞ DOWNTOWN).
—— *a.* **1** 아래로의 : a ~ leap 뛰어내림. **2** 내려가는, 내리받이의 : ☞ DOWNGRADE. **3** (열차 따위) 내려가는, 하행선(下行線)의 : the ~ platform 하행선 플랫폼. **4** 즉석의, 당장의, 맞돈의 ; 즉석에서 지불하는, 계약금의 : ~ payment 계약금의 지불. **5** 〔컴퓨〕 다운된, 고장난.
—— *vt.* 《口》 내리다 ; 아래에 놓다 ; (비행기를) 격추하다 ; 던져[때려]눕히다 ; 굴복시키다 ; 삼키다(swallow), 마시다(drink) : He ~*ed* the medicine at one swallow. 그는 그 약을 단숨에 마셨다. —— *vi.* 《稀》 내리다 ; (개 따위) 앉다 ; 《美俗》 진정제를 먹다.
—— *n.* **1** 하위(下位), 내려가기 ; [*pl.*] 쇠운(衰運), 몰락 : ups and ~*s* ☞ UP[2] 숙어. **2** 〔美蹴〕 다운《공을 땅에 대는 것》. **3** 《美俗》 진정제. **4**

《口》 원한, 증오.
〚OE *dūne* ‹ *adūne* ADOWN (*off*, *dūn* down[3], hill)〛

down[2] *n.* Ⓤ (새의) 솜털 ; (솜털 비슷한) 부드러운 털 ; 배내털 ; (민들레·복숭아 따위의) 솜털, 관모, 보풀 : a bed of ~ ☞ BED 숙어.
〚ON *dúnn*〛

down[3] *n.* **1** [보통 *pl.*] (널리) 고원지 ; [D~] 다운《잉글랜드 남부 고원지산(産)의 양》. **2** 《古》 (해안의) 사구(砂丘) (dune).
〚OE *dūn* ; cf. DUN[3], DUNE〛

dówn-and-dírty *a.* (성(性)·정치 문제 따위가) 타락하고 더러운, 부도덕한.

dówn-and-óut *a., n.* 아주 쇠약한(사람) ; 아주 영락(零落)해 버린 (사람) (cf. down and out ☞ DOWN[1] *adv.* 숙어).

dówn-at-héel(s), **dówn-at-the-héel(s)** *a.* 초라한, 영락한.

dówn·bèat *n.* 〔樂〕 센박, 지휘봉을 위에서 밑으로 내려서 센 박자를 지시하는 동작 ; 감퇴(減退), 쇠퇴. ── *a.* 《口》 비관적인, 우울한, 비참한 ; 온화한.

dówn·càst *a.* (눈을) 내리깐 ; 풀이 죽은, 의기소침한. ── *n.* 파멸, 멸망 ; 눈을 내리깔기, 우울한 표정.

dówn·còmer *n.* 강수관(降水管), (물건 따위를) 아래로 보내는 파이프.

dówn·cỳcle *n.* (경제 따위의) 하강 사이클.

dówn·dràft | **-dràught** *n.* (굴뚝 따위의) 하향 통풍(通風) ; 하강 기류.

dówn éast *a., adv.* [때때로 D~ E~] 《美》 미국 동부《New England, 특히 Maine 주》의[로].

dòwn éaster *n.* 《美》 **1** [때때로 D~ E~] 뉴잉글랜드 사람《특히 Maine 주 사람》. **2** (19세기에) 동부 연안 지방에서 만든 범선 ; Maine 주에서 출범하는 배.

dówn·er *n.* 《俗》 진정제, (특히) 바르비투르제(劑) ; 맥이 풀리는 듯한 경험[장면], 따분한 인물 ; (강도(強度) 따위의) 감퇴.

dówn·fàll *n.* **1** Ⓤ,Ⓒ (급격한) 낙하, 전락(물) 〈*of*〉. **2** (비·눈 따위의) 퍼부음. **3** 함락, 몰락, 멸망, 실패.

dówn·fàllen *a.* 몰락[함락]한.

dówn·fíeld *a., adv.* 〔美蹴〕 (스크럼선을 넘어) 상대방 골라인 쪽의[으로].

dówn·flòw *n.* 낮은 쪽으로 흐르기 ; 하강 기류.

dówn·gràde *a., adv.* (↔*upgrade*) 《美》 내리막의[에서] ; 퇴보의[에서], 운이 기운[기울어].
── *n.* 내리막 경사, 내리받이 : on the ~ 내리받이에 (있는) ; 《비유》 몰락해서, 망해서[가는].
── *vt.* (봉급이 낮은 직위로) 격하시키다, 강등시키다 ; (물품의) 등급을 떨어뜨리다.

dówn·hàul *n.* 〔海〕 다운홀, 내림밧줄.

dówn·héart·ed *a.* 낙심하고 있는, 기가 죽은.

dówn·hìll *n.* 내리막길 ; 〔스키〕 활강. ── *a.* 내리막길의 ; 한층 나빠진(worse). ──[ˊˊ] *adv.* 내리받이(길)로, 내려가서, 기슭 쪽으로.
go downhill 비탈을 내려가다 ; 《비유》 한층 나빠지다, 쇠퇴하다, 망해가다〈*in*〉.

dówn·híll·er *n.* 〔스키〕 활강 선수.

dówn·hòld *n., vt.* 《美》 삭감(하다).

dówn·hòle *adv.* 땅속으로, 파내려가.

dówn-hóme *a.* 《美口》 남부의, 남부적인, 남부 특유의 ; 시골풍의, 서민적인, 수수한 ; 상냥한, 붙임성있는, 스스럼없는.

Dówn·ing Strèet [dáuniŋ-] *n.* 다우닝가(街) 《London의 Whitehall에서 St. James's Park까지의 관청가 ; 수상·재상(財相) 관저 따위가 있으므로 「영국 정부」라는 뜻으로 쓰임 ; cf. No. 10 ~ ☞ NUMBER 숙어》 : find favor in ~ 영국 정부의 호평을 받다.
〚Sir George *Downing* (d. 1684) 영국의 정치가〛

dówn jàcket *n.* 다운 재킷《솜털·깃털이 든》.

dówn-lèad [-lìːd] *n.* 〔通信〕 다운리드《안테나의 실내 도입선》.

dówn·lìnk *n.* (우주선·위성에서의) 지상으로의 데이터 송신.

dówn·lìnk dáta *n.* (우주선·위성에서) 지구로 송신해 오는 정보.

dówn·lòad *vt.* 〔컴퓨〕 상위의 컴퓨터에서 하위의 컴퓨터로 데이터[자료]를 전송하다.

dówn-màrket *a.* 《英》 저소득자[대중] 상대의 ; 싸구려의, 조악한.
── *adv.* 대중 상대로 ; 값싸게.

dówn·pìpe *n.* 《英》 =DOWNSPOUT.

dówn·plày *vt.* 《美口》 …을 중시하지 않다, 경시하다.

dówn·pòur *n.* 억수, 폭우(heavy fall) : a ~ *of* rain 호우(豪雨).

dówn·prèss *vt.* 억압하다, 종속 상태에 두다.

dówn quárk *n.* 〔理〕 다운 쿼크《소립자를 구성한다고 생각되는 기본 입자 쿼크의 일종》.

dówn·ránge *adv., a.* (유도탄 따위가) 예정 비행 경로를 따라서[따른].

dówn·ràte *vt.* 중시하지 않다, 얕보다.

dówn·rìght *a.* **1** 곧은, 노골적인, 솔직한 : a ~ sort of man 솔직한 성질의 사람. **2** 철저한, 솔직 명확한 : ~ nonsense 터무니없는 소리 / a ~ lie 새빨간 거짓말. ── *adv.* 철저하게, 전혀, 완전히. **~·ness** *n.* Ⓤ 솔직 ; 철저함.

Downs [dáunz] *n. pl.* [the ~] 다운즈《잉글랜드 남동부를 동서로 뻗은 남북 두 줄의 낮은 초지성(草地性) 구릉》.

dówn·scále *a.* 가난한, 저(低)소득의, 저소득층에 속하는. ── *n.* 저소득층, 하층 그룹.

dówns hèad *n.* 《俗》 진정제[마약]에 지나치게 의존하는 사람.

dówn·shìft *vt., vi., n.* (자동차 운전에서) 저속기어로 바꾸다[바꾸기].

dówn·sìde *n.* 아래쪽 ; (그래프 따위의) 하강 부분 : on the ~ 아래쪽에 ; 내림세에 / ~ up 거꾸로 되어, 뒤집혀서. ── *a.* 아래쪽의 ; 하강의.

dówn·sìze *vt.* 《美》 …을 축소하다, (자동차 따위를) 소형화하다. ── *a.* 소형화한, 소형 저연비의, 사이즈다운한.

dówn·sìzing *n.* (자동차의) 소형화.

dówn·slìde *n.* 저하, 하락.

down sóuth[**Sóuth**] *adv.* 《美》 (일반적으로) 남부 여러 주에.

dówn·spòut *n.* 수직 홈통.

Dówn's sỳndrome *n.* 다운 증후군(症候群).
〚John L. H. *Down* (d. 1896) 영국의 의사〛

dówn·stáge *adv., a.* 〔劇〕 무대 앞쪽으로[을 향하여] ; 무대 앞쪽의(↔*upstage*).
──[ˊˊ] *n.* 무대 앞쪽.

dówn·stàir *a.* =DOWNSTAIRS.

‡**dówn·stáirs** *adv.* (↔*upstairs*) 계단을 내려가서 ; 아래층으로 : go ~ 아래층으로 내려가다.
──[ˊˊ] *a.* 아래층의 : a ~ room 아래층의 방.
──[ˌ ˊˊ] *n.* [단수·복수취급] 아래층(lower floor[floors]).

dówn·státe *n., adv.* 《美》 주(州) 남부[에, 로].
──[ˊˊ] *a.* 주 남부의[에 있는].

dówn·stréam *a., adv.* 하류의[에서], 흐름을 따른[따라 아래로] (down the stream).

dówn·stròke *n.* (피스톤 따위의) 위에서 아래로의 움직임 ; (지휘봉 따위의) 내리긋기 ; (운필(運筆)의) 아래로 내리긋는 일필.
dówn·swèep *vt., vi.* 아래로 구부리다[구부러지다], 아래쪽으로 휘게 하다[휘다].
dówn·swìng *n.* (골프·야구 따위의) 내려치기 ; 내림 시세, (사업·출생률 따위) 하강 경향.
dówn-the-líne *a.* 정책에 충실한.
—— *adv.* 성의있게, 전적으로, 전폭적으로.
dówn·thròw *n.* 전도(轉倒) ; 전복, 실추(失墜), 멸망(overthrow) ; 〔地質〕 (지반의) 강하, 함몰.
dówn·tìck *n.* 〔證〕 전회의 종가보다 싼 거래.
dówn·tìme *n.* (사고·수리 따위로 인한 공장·기계 따위의) 비(非)가동 시간, 작업 중지 시간.
dówn-to-éarth *a.* 《美口》 철저한, 더할 나위 없는 ; 현실적인, 실제적인.
dówn·tówn *n.* 《美》 도심지 ; 중심가, 상가.
—— *adv.* (↔*uptown*) 도심지에[에서, 로] ; 중심가[상가]에[에서, 로] : live ~ 도심지에 살다.
—— [ˊˋ] *a.* 도심지의 ; 중심가[상가]의 : ~ Chicago 시카고의 번화가. **~·er** *n.*
dówn·tràin *n.* 하행 열차.
dówn·trènd *n.* 하향 경향, 하락세.
dówn·tròd *a.* 《古》 =DOWNTRODDEN.
dówn·tròdden *a.* 짓밟힌, 유린된 ; 억압된.
dówn·tùrn *n.* (경기 따위의) 하강(下降), 하락, 내림세(decline) ; 침체 ; 활발치 못함.
〖TURN *down*〗
‡**down·ward** [dáunwərd] *a.* 아래쪽으로의, 아래로 향한 ; 아래로 가는 ; (시세 따위가) 내림세의 ; 《비유》 내리받이의, 쇠퇴하는, 타락하는 : a ~ slope 내리막길 / start on the ~ path 타락[하락]하기 시작하다. —— *adv.* 아래쪽으로, 아래로 향해서 ; 《비유》 내려가서, 타락하여 ; (…)이후, 이래 : He was looking ~ to the bottom of the valley. 그는 골짜기의 아래쪽을 내려다보고 있었다 / The custom has continued from the 16th century ~. 그 풍습은 16세기부터 줄곧 지속되어 왔다. 〖OE *adūnweard*〗
dówn·wards *adv.* =DOWNWARD.
dówn·wàrp *n.* Ⓤ 〔地〕 향사(向斜).
dówn·wàsh *n.* 〔空〕 세류(洗流)《비행기 날개가 아래로 밀어젖히는 하향 기류》 ; (산에서 밀려 내려가는) 토사.
dówn·wínd *adv.* 바람을 따라, 순풍으로.
—— *a.* 바람을 따라가는 ; 바람 불어 가는 쪽에 있는(↔*upwind*).
dówny[1] *a.* 배내털[솜털]로 덮인 ; 배내털[텁수룩한 털]과 같은, 부드러운 ; 푹신푹신한 ; 솜털을 넣은. —— *n.* 《俗》 침대. 〖DOWN[2]〗
downy[2] *a.* 고원(高原)의 ; 고원[구릉]이 많은.
〖DOWN[3]〗
dówny míldew *n.* 〔植·菌〕 노균(露菌)(병).
dow·ry [dáuəri] *n.* **1** (신부의) 지참금(marriage portion). **2** 천부의 재능(natural talent).
〖AF=F *douaire* DOWER〗
dówry dèath *n.* 《인도》 지참금 살인《신부측의 지참금 지급 불이행을 이유로 행해지는 남편 또는 그 가족에 의한 신부 살해》.
dowse[1] ☞ DOUSE[1].
dowse[2], **douse** [dáuz] *vi.* 점치는 지팡이로 수맥[광맥]을 찾다(cf. DIVINING ROD). —— *vt.* (수맥을) 점치는 지팡이로 찾다.
〖C17< ?〗
dows·er [dáuzər] *n.* 점치는 막대기로 수맥[광맥]을 찾는 사람.
dóws·ing ròd [dáuziŋ-] *n.* =DIVINING ROD.

Dów thèory [dáu-] *n.* 다우 이론《시장의 가격 변동에 의거한 주식 시세의 예상법》.
〖DOW-JONES AVERAGE〗
dox·ol·o·gy [dɑksɑ́lədʒi] *n.* 〔宗〕 송영가(頌詠歌), 찬가 ; (특히) 영광의 찬가《Glory be to the Father의 구절로 시작함 ; 예배 끝에 노래함》.
dòx·o·lóg·i·cal *a.* 〖L<Gk. (*doxa* glory)〗
doxy[1], **dox·ie** [dɑ́ksi] *n.* (특히 종교상의) 설, 교리. 〖ortho*doxy*, hetero*doxy*〗
doxy[2] *n.* 《古俗》 음탕한 여자, (특히) 첩, 정부.
〖C16< ? ; cf. MFlem. *docke* doll〗
doy·en [dɔ́iən, dɔ́ijen ; *F* dwajɛ̃] *n.* (단체의) 고참자, 장로 ; 수석자 ; (전문 분야의) 일인자 : the ~ of the corps diplomatique 외교단 수석.
〖F ; ⇨ DEAN[1]〗
doy·enne [dɔijén ; *F* dwajɛn] *n.* 《F》 DOYEN의 여성형.
Doyle [dɔ́il] *n.* 도일. Sir **Arthur Conan** [kóunən, kɑ́n-] ~ (1859-1930) 영국의 추리 소설가 ; 명탐정 Sherlock Holmes를 창조했음.
doyley, -ly ☞ DOILY.
doz. dozen(s).
doze**[1] [dóuz] *vi.* [動/+副/+前+名] 졸다, 선잠자다, 꾸벅꾸벅 졸다(yield to sleep) : Some of the students ~*d* ***off during the lecture. 학생들 중에는 강의 중에 조는 사람도 있었다 / He was *dozing* ***over*** a book. 그는 책을 읽으면서 꾸벅꾸벅 졸고 있었다. —— *vt.* (시간을) 졸며 보내다 〈*away*〉. —— *n.* 졸기, 풋잠, 선잠(nap) ; (목재가) 썩음 : have a ~ 꾸벅꾸벅 졸다 / fall[go off] into a ~ (무심코) 깜빡 졸다. **dóz·er** *n.*
〖C17< ? ; cf. Dan. *døse* to make drowsy〗
doze[2] *vt.* (흙·쓰레기 따위를) 불도저로 옮기다.
〖역성(逆成) ‹DOZER〗
‡**doz·en** [dʌ́zən] *n.* (*pl.* **~s**, ~) 《略 doz., dz.》 **1** 다스, 12(개). ㊟ (1) a ~ of eggs 보다는 a ~ eggs 와 같이 dozen을 형용사적으로 쓰는 것이 보통임. (2) 수사 또는 그 상당어《some 이외》를 수반하여 형용사 또는 명사로 쓰일 때는 대개 단수·복수 동형임 (cf. HUNDRED, THOUSAND) : two[several] ~ eggs 2[몇]다스의 달걀 / five ~ *of* these eggs 이 달걀 5다스 / some ~*s of* eggs 달걀 몇 다스 (cf. *some* ~ (*of*) eggs 달걀 약 한 다스) / a full [round] ~ 꼭[완전히] 한 다스. **2** [*pl.*] 수십, 다수 : ~*s of* people 수십 명이나 되는 사람들 / I went there ~*s* (and ~*s*) *of* times. 그곳에는 수십 번이나 갔다.
a baker's [***long***] ***dozen*** 13개.
by the dozen (1) 다스 단위로 : Eggs are sold *by the* ~. 달걀은 다스에 얼마로 판다. (2) 수십 개씩으로.
in dozens 한 다스씩 : Pack the bottles *in* ~*s.* 그 병을 한 다스씩 꾸리시오.
talk nineteen [***thirteen***] ***to the dozen*** 《英》 끊임없이 지껄이다.
〖OF<L *duodecim* twelve〗
doz·er [dóuzər] *n.* **1** 《口》 =BULLDOZER. **2** 《美俗》 주먹 한 대 ; 《美俗》 화려한 것.
dózy *a.* 졸리는, 졸음이 오는 ; (목재가) 썩은.
dóz·i·ly *adv.* **dóz·i·ness** *n.* 〖DOZE[1]〗
DP, D.P. [dí:pí:] *n.* (*pl.* **~'s, ~s**) =DISPLACED PERSON.
DP, D.P. 〔컴퓨〕 data processing ; 〔化〕 degree of polymerization (중합도(重合度)) ; double play ; durable press. **D.P., D/P** 〔商〕 documents against[for] payment(지급 인도 조건).
DPAS 〔英〕 Discharged Prisoners Aid Soci-

ety. **DPE** developing, printing, enlarging(필름의 현상·인화·확대). **D.P.E.** Doctor of Physical Education. **D.P.H., DPH** Diploma of Public Health; Doctor of Public Health. **D. Ph(il).** Doctor of Philosophy. **D.P.I.** Director of Public Instruction. **dpm** 〖理〗 disintegrations per minute. **dpt.** department; deponent. **D.P.W.** Department of Public Works.

d quark [dí: ∸] *n.* 〖理〗 =DOWN QUARK.

***Dr., Dr** debit; debtor; Doctor. **Dr.** Drive. **dr.** debit; debtor; drachma(s); dram(s); drawer. **D.R., D/R, d.r.** dead reckoning; deposit receipt.

drab[1] [drǽ(:)b] *n.* Ⓤ (충충한) 다갈색; 단조로움. —— *a.* (**dráb·ber; dráb·best**) (충충한) 담갈색의, (산뜻하지 않은) 다갈색의; 단조로운, 지루한, 재미없는. **~·ness** *n.*
〖? *drap* (obs.) cloth<OF<L<? Celt.〗

drab[2] *n.* 행실 나쁜 여자; 매춘부. —— *vi.* (**-bb-**) 매춘부와 관계하다.
〖? Celt.; cf. Sc. Gael. *drabag* dirty woman, LDu. *drabbe* mire, Du. *drab* dregs〗

drab[3] *n.* 소량(少量). 〖? DRIB〗

drab·bet [drǽbət] *n.* 《英》 황갈색의 거친 천.

drab·ble [drǽbəl] *vt.* (옷자락 따위를) 질질끌어 흙탕으로 더럽히다. —— *vi.* 흙탕을 튀기며 가다; 주낙으로 낚다. 〖MLG〗

dra·cae·na [drəsí:nə] *n.* 〖植〗 드라카에나《용설란과(科)의 관상식물》.

drachm [drǽm] *n.* **1** =DRACHMA. **2** =DRAM.

drach·ma [drǽkmə] *n.* (*pl.* **~s, -mae** [-mi:, -mai], **-mai** [-mai]) **1** 드라크마《현대 그리스의 화폐단위; 기호 Dr》. **2** (고대 그리스의) 드라크마 은화. 〖L<Gk.〗

Dra·co[1] [dréikou] *n.* **1** 〖天〗 용자리(the Dragon). **2** [d~] 〖動〗 날도마뱀.

Draco[2], **Dra·con** [dréikɑn] *n.* 드라콘《기원전 7세기말의 Athens의 입법가; 그의 형법은 매우 가혹했음》.

dra·co·ni·an [dreikóuniən, drə-] *a.* [흔히 D~] 드라콘(Draco)류(流)의, 엄격한(rigorous), 가혹한. **~·ìsm** *n.* 엄격[엄벌]주의. 〖DRACO[2]〗

dra·con·ic[1] [dreikɑ́nik, drə-] *a.* 용의[과 같은]; [D~] 용자리(Draco)의. 〖DRACO[1]〗

dra·con·ic[2] [drəkɑ́nik] *a.* [때때로 D~] = DRACONIAN. 〖DRACO[2]〗

Drac·u·la [drǽkjələ] *n.* 드라큘라《Bram Stoker의 소설(1897)의 주인공; 백작으로 흡혈귀》.

draff [drǽ(:)f; drǽ(:)f, drɑ́:f] *n.* 침전물(沈澱物), 앙금, 찌꺼기, 재강; 폐물.
dráffy *a.* 찌꺼기의, 폐물의; 무가치한.
〖ME; cf. MDu. *draf*〗

***draft | draught** [drǽ(:)ft; drɑ́:ft] *n.* ㊟ 영국에서 draught를 쓰는 자리에 미국에서는 자주 draft를 씀. **1** Ⓤ,Ⓒ 샛바람, 통풍; Ⓒ 바람을 통하게 하는 장소, (스토브 따위의) 통기 조절장치. **2** 설계도면; 도안; 밑그림; [보통 draft] 초고; 초안: make out a ~ of …의 초안을 잡다. **3** [draft] 《英》 분견[특파]대. **4** Ⓤ 《美》 징병(제), 징모; 〖스포츠〗 신인 선수 선발 제도, 드래프트제(制). **5** Ⓤ (수레 따위를) 끌기; 견인량(牽引量): a beast of ~ ☞ BEAST 숙어. **6** [보통 draught] 한 그물의 어획량. **7** Ⓤ (그릇에서 그릇으로) 따르기, 술통에서 따르기. **8** Ⓤ [보통 draft] 〖商〗 어음 발행; Ⓒ 환어음, (특히 은행의 한 지점에서 다른 지점 앞으로의) 수표, 지불 명령서; Ⓤ,Ⓒ 어음 따위에 의한 금전의 인출: a ~ on demand 요구[일람]불 환어음 / draw a ~ on …앞으로 어음을 발행하다. **9** Ⓤ 〖海〗 (배의) 흘수(吃水). **10** [보통 draught] 빨아들이기, 한 모금, 한 번 마시기, (물약의) 1회분; (들이마신) 1회분의 공기[연기 따위]: drink at a ~ (단숨에) 얼른 마시다. **11** Ⓤ [draughts] 《英》 =CHECKERS. **12** [형용사적으로] **a**) 견인용(牽引用)의: a ~ animal 짐수레를 끄는 동물《말·소 따위》. **b**) 나무통에서 따른: ☞ DRAFT BEER. **c**) 초안된, 초안의: a ~ bill (법안의) 초안.

make a draft (up) on... (1) (은행)에서 예금을 찾다. (2) 《비유》 …을 강요하다: *make a* great ~ (*up*) *on* one's confidence[friendship] 신뢰[우정]를 강요하다.

on draft (술을) 통에서 따르는: beer *on* ~ = DRAFT BEER.

—— *vt.* **1** 초안[입안]하다; (설계도·그림 따위의) 초벌 그림[밑그림]을 그리다: ~ a speech 강연의 초고를 쓰다. **2** 선발하다, 특파하다; 《美》 징병[소집]하다(conscript): He was ~*ed* ***into*** the army. 그는 육군에 징집되었다. —— *vi.* 제도공으로서의 기술을 닦다; (자동차 레이스에서 받는 풍압을 줄이기 위해) 앞차 바로 뒤를 달리다.
〖*draft* 는 DRAUGHT (ME *draht*<? ON *drahtr*, *dráttr*)의 발음 철자; cf. DRAW〗

dráft·able *a.* 끌 수 있는; 징병 자격이 있는.

dráft allòwance *n.* 중량 감소의 공제《운반 중에 흘리거나 건조되어 주는 중량에 대한》.

dráft bèer *n.* 생맥주(beer on draft) (cf. BOTTLED beer).

dráft bòard *n.* 《美》 징병 선발 위원회.

dráft càrd *n.* 《美》 징병 카드.

dráft chàir *n.* (뒷바람을 막는) 일종의 안락 의자.

dráft dòdger *n.* 《美》 징병 기피자.

draft·ee [drǽ(:)ftí:; drɑ:f-] *n.* 《美》 (병역을 위한) 피소집자.

dráft èngine *n.* 배수(排水) 기관.

dráft·er *n.* 초안[입안]자; 밑그림 그리는 화공(畫工); 짐수레말.

dráft fùrnace *n.* 통풍로(通風爐).

dráft gèar *n.* (차량의) 연결기.

dráft hòle *n.* 통풍 구멍.

dráft hòrse *n.* 짐수레용 말.

dráft·ing *n.* **1** Ⓤ,Ⓒ (문서·의안의) 기초(방법): a ~ committee 기초 위원회. **2** Ⓤ 제도(製圖). **3** Ⓤ 《美》 징집.

dráfting pàper *n.* 제도 용지.

dráfting ròom *n.* 《美》 제도실(=《英》 drawing room).

dráft nèt *n.* 끌그물, 후릿그물, 예인망(曳引網).

dráft propòsal *n.* 국제 규격 원안《ISO(국제 표준화 기구)의 용어》.

dráfts·man [-mən] *n.* **1** 제도사(製圖士)[공]; 도안자. **2** 초안[입안]자. **~·shìp** *n.* Ⓤ 제도[기안]술[법].

dráft tùbe *n.* (물 터빈의) 흡출관(吸出管).

dráfty | dráughty *a.* **1** 외풍(外風)이 있는; 통풍이 잘 되는. **2** (몸집이) 짐말에 알맞은.

‡drag [drǽ(:)g] *v.* (**-gg-**) *vt.* **1** [+目/+目+副/+目+前+名] (무거운 짐을) 끌다(haul); (발·꼬리 따위를) 질질 끌다: The ship ~*ged* its[her] anchor all night. 배는 밤새도록 닻을 끌고 갔다《닻이 걸리지 않았다》/ She could not ~ her feet another step. 그녀는 더 이상 한 발짝도 떼어 놓을 수가 없었다 / A number of men were ~*ging* a big log ***out of*** the forest. 남자 몇사람이 숲속에서 큰 통나무를 끌어내고 있었다. **2** [+目/+

目+前+名] (그물·닻으로) 물밑을 뒤지다, (물밑을) 훑다 : ~ a pond ***for*** fish[a drowned person's body] 물고기[익사자의 시체]를 찾아 못을 훑다. **3** [+目+*into*+名/+目+副] (회화나 문장에 화제를) 억지로 끌어들이다 : He always ~*s* his Ph. D. ***into*** a discussion. 그는 어떠한 토론에서나 자기의 박사학위를 들먹인다 / ~ *in* (by the head and shoulders) ☞ 숙어. **4** (땅을) 써레로 고르다(harrow). **5** (차바퀴에) 브레이크를 걸다. **6** 〖野〗 드래그 번트를 하다. **7** 《美俗》 파티에 여자를 데리고 가다. —— *vi.* **1** (발·닻·쇠사슬 따위가) 질질 끌리다 ; (배의 닻이) 걸리지 않다 : This door ~*s.* 이 문은 뻑뻑하다 / They walked with ~*ging* feet. 그들은 발을 질질 끌며 느리게 걸었다 / The ship's anchor is ~*ging.* 배의 닻이 질질 끌리고 있다. **2** [動/+副/+前+名] (시간·작업·행사 따위가) 느릿느릿하게 진행되다, 질질 오래 끌다 ; 가락이 (처져서) 늦어지다 : Time ~*ged* ***on toward*** Thanksgiving. 그럭저럭 시간이 흘러 추수 감사절이 다가왔다. **3** (그물 따위로) 물밑을 뒤지다[훑다](dredge). **4** 〖樂〗 저음으로 길게 뽑다. **5** 《美俗》 동반해서 파티에 가다.

drag in (***by the head and shoulders***) (쓸데없는 일을) (…에) 억지로 끌어들이다 : Whatever we talk about, you ~ *in* stamp collecting. 우리가 어떠한 이야기를 하든 결국 너는 모두 우표수집 이야기로 끌어 들인다.

drag on 지루하게 계속되다[계속하다], 질질 오래 끌다[오래 끌게 하다](cf. *vi.* 2).

drag one***'s feet***[***heels***] 발을 질질 끌면서 걷다(cf. *vt.* 1) ; 《비유》 일부러[고의로] 꾸물대다[늑장을 부리다].

drag out 끌어내다(cf. *vt.* 1) ; (토론·시간 따위를) 오래 끌게 하다, (말을) 오래 끌다.

drag up (이야기에) 끌어넣다(drag in) ; 《口》 (아이를 정식으로 교육시키지도 않고) 거칠게 키우다[되는 대로 기르다].

—— *n.* **1** 끌기 ; 끌리는 물건 ; 네가닥난 닻 ; 저인망(底引網) ; 무겁고 큰 써레 ; (무거운 것을 나르는) 견고한 썰매(sledge). **2** (차바퀴의) 브레이크 ; 《비유》 방해물, 걸리적거림(burden) : a ~ *on* a person 남에게 걸리적거림 / a ~ *on* one's career[*on* development] 남의 출세[진보]를 방해하는 것. **3** (저항에 의한) 전진의 지연(lag) ; 느릿느릿한 동작. **4** Ⓤ [또는 a ~] 《美俗》 사람을 움직이는 힘(influence) 《설득력·영향력》, 연고(緣故)(pull) ; 편듦(favor) : have[enjoy] a ~ *with* one's master 주인의 마음에 들다. **5** (담배를) 빨기(puff) : take a ~ *at* a cigarette 담배를 (한 모금) 빨다. **6** 《美》 (특히 hot rods에 의한) 자동차 스피드 경주. **7** 〖사냥〗 (여우 따위의) 냄새 자국 ; 인공적으로 낸 짐승 냄새(cf. DRAG HUNT). **8** 이성의 복장, (특히 호모의) 여자 복장 ; 여장 파티 ; 댄스 파티 ; (일반적으로) 의복 ; (동반한) 여자 친구. —— *adv.* 여성을 데리고. —— *a.* 《口》 이성 동반의 ; 《俗》 복장 도착(倒錯)의, 남자가 여장[여자가 남장]을 한.

〖OE *dragan* or ON *draga* to DRAW〗

類義語 ⟹ PULL.

drág ànchor *n.* =SEA ANCHOR.

drág búnt *n.* 〖野〗 드래그 번트《배트를 뒤로 약간 당겨 쳐서 공의 힘을 죽임》.

drág chàin *n.* (차량의) 연결 사슬 ; 차바퀴를 멎게 하는 쇠사슬 ; 《비유》 방해물, 장애물.

dra·gée [dræʒéi] *n.* 설탕을 입힌 과일 ; 당과(糖菓) ; 〖藥〗 당의정(糖衣錠). 〖F ; cf. DREDGE²〗

drág·ging *a.* **1** 극도로 피곤한, 느릿느릿한 ; 지루한, 오래 끄는. **2** 끄는[끌어올리는]데 쓰는《밧줄 따위》. —— *n.* 《美俗》 드래그 레이스를 하기.

drág·gin' wàgon [drǽgin-] *n.* 《美俗》 레커차(車) (=tow car[truck]).

drag·gle [drǽgəl] *vt.* 질질 끌어 더럽히다[적시다]. —— *vi.* **1** 옷자락을 질질 끌다. **2** 터벅터벅 나아가다, 뒤에서 느릿느릿 가다, 늦어지다, 뒤에 처지다(lag behind). **~d** *a.* 질질 끌린 ; (질질 끌려) 더러운. 〖DRAG, *-le*²〗

drággle-tàil *n.* (치맛자락을 질질 끄는) 단정치 못한 여자 ; [*pl.*] 질질 끌리는 긴 치마.

drággle·tàiled *a.* (여자가) 치마를 질질 끄는 ; 단정치 못한.

drág·gy *a.* 《口》 굼뜬, 지루한, 활기없는.

drág hùnt *n.* 〖사냥〗 인공적인 냄새를 써서 하는 사냥 (클럽).

drág·lìne *n.* =DRAGROPE.

drág·nèt *n.* **1** 저예망(底曳網), 저인망. **2** 《비유》 (경찰의) 수사[검거]망 ; 비상선.

drag·o·man [drǽgəmən] *n.* (*pl.* **~s, -men** [-mən]) (아라비아·터키·이란 등지의) 통역(겸 안내원).

***drag·on** [drǽgən] *n.* **1** (날개·날카로운 발톱이 있고 입에서 불을 내뿜는다는 전설의) 용, 드래건 ; [the D~] 〖天〗 용자리. **2** (젊은 여자의) 엄중한 시중[감시자]《용이 「보물의 수호자」라는 전설에서 ; cf. CHAPERON》 ; 매우 엄격한 사람. **3** [the (old) D~] 마왕(Satan). **4** 용기총(龍騎銃)《옛날의 짧은 기병총(carbin) ; cf. DRAGOON》. **5** 〖動〗 날도마뱀.

〖OF<L<Gk.=serpent〗

drag·on·et [drӕgənét, drǽgənət ; drǽgənət] *n.* 작은 용, 새끼용 ; 남미산 도마뱀의 일종 ; 〖魚〗 돛양태.

drágon·flỳ *n.* 〖昆〗 잠자리.

drágon làdy *n.* [흔히 D~ L~] 《口》 (동양의) 맹렬여성.

drag·on·nade [drӕgənéid] *n.* [*pl.*] 〖프史〗 신교도 박해《Louis 14세가 신교도가 사는 곳에 용기병을 주둔시켜 박해하였음》 ; 무력박해.

—— *vt.* 무력으로 박해하다.

drágon's blòod *n.* 기린혈(麒麟血)《dragon tree 열매에서 채취한 적색 수지(樹脂) ; 예전엔 약용, 지금은 니스 따위의 착색제》.

drágon's tèeth *n. pl.* **1** 분쟁의 씨 [원인] 《CADMUS가 퇴치해서 평야에 뿌린 이빨이 무장한 남자들로 변해 서로 죽이며 싸웠다는 그리스 신화에서》 : sow ~ 분쟁의 씨를 뿌리다. **2** (쐐기 모양의 콘크리트 구조물의) 대(對)전차용 장애물.

drágon trèe *n.* 〖植〗 용혈수(龍血樹).

dra·goon [drəgúːn, dræ-] *n.* 〖史〗 용기병(龍騎兵)《용기총을 가진 기마 보병 ; cf. DRAGON 4》 ; 《英》 (근위) 용기병 연대의 병사.

—— *vt.* **1** 용기병으로 공격하다. **2** [+目+*into*+名] …에게 압박을 가하여 …시키다 : He was ~*ed* ***into*** attend*ing* the party. 그는 강요당하여 파티에 참석했다. 〖C17=carbine<F *dragon* DRAGON ; 불을 내뿜는데서〗

drág-òut *n.* 《口》 오래 끎, 길게 계속됨 ; 《美口》 댄스 파티.

drág pàrachute *n.* 〖空〗 (비행기 뒤의) 착륙용 감속 낙하산.

drág pàrty *n.* 《美俗》 이성의 복장을 입고 하는 파티 ; 호모 파티.

drág quèen *n.* 《美俗》 (여장(女裝)을 좋아하는) 호모.

drág ràce *n.* 드래그 레이스《특히 hot rod에 의한 가속 경주》.

drág·ròpe *n.* (포차(砲車)·기구(氣球) 따위의) 끄는 밧줄.

drag·ster [drǽgstər] *n.* 《美俗》 드래그 레이스용 자동차.

drág strìp *n.* 드래그 레이스용의 똑바르고 평탄한 직선 코스.

drags·ville [drǽgzvil] *n.* 《俗》 지루한 것.

drág·wày *n.* 《美》 드래그 레이스의 코스.

drail [dréil] *n.* (바닥을 훑어 물고기를 낚는) 트롤 어업용 낚시; (농마(農馬)를 매기 위한) 쟁기 자루에 나와 있는 쇠로 된 돌기. —— *vi.* 트롤 어업용 낚시로 낚다.

drain** [dréin] *vt.* **1** [+目/+目+副/+目+前+名] (물을) 빼내다, (물기를) 빼다[없애다]: dig a trench to ~ water *away*[off***] 배수(排水)하기 위해 도랑을 파다 / That ditch ~*s* water ***from*** the swamp. 저 도랑으로 늪의 물이 빠진다. **2** 배수[방수]하다; …에 배수시설을 하다; (땅을) 간척하다: a well-~*ed* city 배수시설이 잘된 도시 / We should ~ the swamps to get more land for crops. 수확을 올릴 수 있는 땅을 확장하려면 소택지를 간척해야 한다. **3** (술·술잔을) 단숨에 들이켜다[비우다]. **4** [+目+*of*+名/+目+補] 《비유》 (자산·자원·인재 따위를 국외로) 유출시키다, (힘 따위를) 소모시키다(exhaust), 고갈시키다: The war ~*ed* the country ***of*** its people and money. 전쟁으로 인해 그 나라는 재산과 인명의 피해를 입었다 / He was ~*ed of* his strength. 그는 힘이 다 빠졌다 / That ~*ed* him dry. 그것[일]에는 그도 지칠 대로 지쳤다. **5** 〔醫〕 (고름을) 짜내다. **6** 여과하다(filter).

—— *vi.* **1** [+副/+前+名] (물이) 빠지다, 줄줄 흘러나오다[없어지다]: The water soon ~*ed away*. 물은 곧 빠졌다 / The street ~*s* ***into*** the sewer. 그 거리의 물이 하수도로 빠진다. **2** [動/+前+名] (토지가) 배수되다; (소택지가) 간척되다, (젖은 해면·천 따위가) 물기가 없어져 마르다: She left the dishes to ~. 그녀는 접시를 말리기 위해 그대로 놓아두었다 / This plain ~*s* ***into*** the lake. 이 평야의 물은 그 호수로 흘러들어간다. **3** [+副] 《비유》 (체력 따위가) 차츰 쇠약해지다: His life is slowly ~*ing away* after a long illness. 오랜 질병으로 그의 생명은 서서히 다해가고 있다.

drain. . .to the dregs ☞ DREG.

—— *n.* **1** 하수구, 방수로(放水路), 하수도(sewer); [*pl.*] 하수 (시설). **2** 배수(관); 〔醫〕 배농관(排膿管). **3** 배출; (화폐 따위의) 끊임없는[점차적인] 유출, 고갈(의 원인), 낭비, 비용(expenditure): a ~ *on* the national resources 국가의 자원을 고갈시키는 것 / the ~ of specie *from* a country 정화(正貨)의 국외 유출 / ☞ BRAIN DRAIN. **4** 《俗》 (술의) 한 모금; [*pl.*] (잔 속의) 마시다 남은 것(dregs).

go down the drain 《口》 잃어버리다; 점점 나빠지다.

put down the drain 《口》 소비하다, 무익하게 하다(waste).

〖OE *drēahnian*; cf. DRY〗

dráin·age *n.* **1** Ⓤ 배수(排水)(draining), 방수(放水); 배수법; 〔醫〕 배액[배농(排膿)](법): a ~ cannal[ditch] 배수로[구(溝)]. **2** 배수 장치; (도시 따위의) 배수[하수]로, 배수 구역[유역]. **3** Ⓤ 하수, 구정물(sewage).

dráinage bàsin[**àrea**] *n.* (강물의) 배수 분지 지역, 유역.

dráinage tùbe *n.* 〔醫〕 배액[배농]관.

dráinage wòrk *n.* 배수 공사.

dráin·bòard *n.* 《美》 (설거지대 옆의) 물기 빼는 판(=《英》 draining board); (고무로 된) 물기 빼는 매트.

dráin còck *n.* (보일러의) 배수 마개.

dráined wèight *n.* 고형물 중량《통조림의 정미(正味) 중량에서 물·기름의 중량을 뺀 것》.

dráin·er *n.* 하수 (배관) 공사인(人); 배수기; 배수거(排水渠); 물기 빼는 기구.

dráin·ing *n.* 배수(작용·공사).

dráining bòard *n.* 《英》 =DRAINBOARD.

dráin·less *a.* 배수 시설이 없는; 《詩》 무진장한.

dráin·pìpe *n.* 배수관, 하수관.

dráinpipe tròusers *n. pl.* 1950년대 TEDDY BOY*s*의 좁고 꽉 끼는 바지.

dráin pùmp *n.* 배수 펌프.

dráin tràp *n.* (수채의) 냄새를 막는 구부러진 관.

drake[1] [dréik] *n.* 오리의 수컷(male duck). 〖ME<?; LG *drake, drache*〗

drake[2] *n.* **1** 하루살이; 하루살이 모양의 제물 낚시. **2** 〔史〕 (17-18세기의) 소형 대포. **3** 《古》 = DRAGON. 〖OE *draca* DRAGON〗

dram [drǽ(:)m] *n.* **1** 드램《〔度量衡〕 1/16상용(常用) 온스=1.772g; 〔藥局衡〕 1/8약용 온스=3.888g》. **2** 드램《1/8액량 온스=0.0037 리터》. **3** (위스키 따위의) 미량(微量), 한 모금; (일반적으로) 조금(a bit); 음주(drinking): He is fond of a ~. 그는 술을 즐긴다 / She has not one ~ of learning. 그녀에게는 학식이 조금도 없다.

—— *v.* (**-mm-**) *vi.* 《古》 술을 조금씩 마시다.

—— *vt.* 《古》 (남)에게 한잔 마시게 하다.

〖OF or L *drama*; ⇨ DRACHM〗

DRAM *n.* 〔電子〕 동적 막기억 장치, 동적 램《기억 보지(保持) 동작이 필요한 수시 읽기 기록 기억 장치》. 〖*d*ynamic *r*andom *a*ccess *m*emory〗

dram. dramatic; dramatist.

***dra·ma** [drɑ́:mə, 美+drǽmə] *n.* **1** 희곡, 각본(play): a poetic ~ 시극 / a radio[TV] ~ 라디오[텔레비전] 드라마. **2** Ⓤ [때때로 the ~] 극문학, 극, 극작, 연극, 신파극(新派劇)(cf. FICTION, POETRY): Elizabethan ~ 엘리자베스조(朝)의 극 / a student of (the) ~ 극(劇)연구가 / the historical[musical] ~ 사극[악극]. **3** 극적 사건; Ⓤ 극적 상황[효과].

〈회화〉

Which do you like better, music or *drama*? — I like *drama* better. 「음악과 연극 중 어느 쪽을 좋아하십니까」「연극을 더 좋아합니다」

〖L<Gk. *dramat- drama* (*draō* to do)〗

Dram·a·mine [drǽməmì:n] *n.* Ⓤ 드라마민《항(抗)히스타민제, 뱃멀미 예방약; 상표명》.

***dra·mat·ic** [drəmǽtik] *a.* **1** 희곡의, 각본의; 연극의[에 관한]: a ~ critic (연)극 비평가 / a ~ performance (극의) 상연 / a ~ piece 한 편의 희곡, 각본. **2** 극적인; 눈부신; 신파(新派)조의; 표정이 풍부한: a ~ event 극적 사건.

-i·cal·ly *adv.* 연극적으로; 극적으로.

〖L<Gk.; ⇨ DRAMA〗

dramátic írony *n.* 〔劇〕 극적 아이러니《관객은 알지만 등장 인물은 모르고 있는 것처럼 되어 있는 미묘한 상황》.

dramátic mónologue *n.* 〔詩學〕 극적 독백《관계 인물 중의 한 사람이 말로 상황을 연극적으로 제시하는 기법》.

dra·mát·ics *n.* **1** Ⓤ [단수·복수취급] 연극, 연출법, 연기. **2** [복수취급] (학생 등의) 아마추어 연극.

dramátic únities *n. pl.* [the ~] 〖劇〗 (시간·장소·행동의) 3일치《특히 프랑스 고전파가 지킨 구성법으로서 한 연극에서 시간은 24시간을 넘지 않고 장소는 한 곳에 한하며 하나만의 줄거리를 관철해야 한다고 함》.

dra·ma·tis per·so·nae [drǽmətəs pərsóuni:, drɑ̀:-, -nai; drɑ̀:-] *n. pl.* 등장인물; [단수취급] 배역표《略 dram. pers.》; (사건 따위의) 주요 관계자. 〖L=characters of the play〗

dram·a·tist [drǽmətəst, 美+drɑ́:-] *n.* 극작가, 각본[희곡] 작가(playwright).

dràm·a·ti·zá·tion *n.* Ⓤ,Ⓒ 각색, 극화(劇化).

dram·a·tize [drǽmətàiz, 美+drɑ́:-] *vt.* **1** (사건·소설 따위를) 극으로 만들다, 각색하다: ~ a novel 소설을 각색하다. **2** 극적으로 표현하다. ── *vi.* 극이 되다, 각색되다; 연기하다: The story would ~ well. 그 이야기는 좋은 연극이 될 것이다.

dram·a·turge [drǽmətə̀:rdʒ], **-tur·gist** [-dʒəst] *n.* 극작가(dramatist).
〖?역성 ‹DRAMATURGY; cf. F *dramaturge*〗

dràm·a·túr·gic, -gi·cal *a.* 극작의, 희곡[각본] 연출상의.

dram·a·tur·gy [drǽmətə̀:rdʒi, 美+drɑ́:-] *n.* Ⓤ 극작술[법]; 각본·극의 상연[연출]법.

drám drìnker *n.* 홀짝홀짝 마시는 사람.

dram. pers. dramatis personae.

drám·shòp *n.* 《古》 술집, 선술집.

drámshop làw *n.* 〖美法〗 주류 제공자 책임법.

◇**drank** *v.* DRINK의 과거형.

drap [drǽp] *n.* 《美俗》 스커트.
〖F=cloth; ⇨ DRAPE〗

drape [dréip] *vt.* **1** [+目+前+名/+目] (옷·포장 따위를) 우아하게 드리우다, 예쁘게 걸치게 하다: She ~*d* the robe ***around*** her daughter's shoulders. 그녀는 겉옷을 딸의 어깨에 예쁘게 걸쳐 주었다. **2** [+目+*with*+名] 옷[포장]으로 덮다[장식하다]: The hall is ~*d* ***with*** red and white curtains. 그 홀은 홍백의 커튼으로 드리워져 있다. **3** 싸다, 휘감다(enfold). **4** (스커트 따위에) 주름을 잡아 늘어지게 하다, …을 주름으로 두르다. ── *vi.* (주름이 잡혀) 예쁘게 늘어지다.
── *n.* **1** (주름이 잡혀 드리워진) 포장, 덮는 천; 《美》 커튼. **2** (스커트 따위의) 늘어진 모양, 드레이프.
〖OF‹L *drappus* cloth〗

dráp·er *n.* 《주로 英》 직물상, 피륙상, 포목상: a linen[wool(l)en] ~ 리넨[모직물] 상인 / a ~'s (shop) 양복점.

drap·ery [dréipəri] *n.* **1** [때로 *pl.*] (포장·휘장 따위의) 부드러운 천의 우아한 주름(graceful folds); Ⓤ,Ⓒ 주름이 잡힌 포장·커튼·양복《따위》. **2** Ⓤ,Ⓒ 피륙류, 직물(textile fabrics); Ⓤ 《英》 포목상, 양복업; Ⓒ 양복점(draper's shop). **3** Ⓤ 〖美術〗 (조각·그림속 인물이) 입은 옷; 그 미술적 기법. 〖OF (*drap* cloth)〗

drápe sùit *n.* 《俗》 드레이프 슈트《긴 웃옷과 좁은 바지》.

***dras·tic** [drǽstik] *a.* 격렬한, 맹렬한(violent); (약효(藥效)가) 강한; 철저한, 과감한, 대담한: apply ~ remedies 약효가 강한 치료를 하다 / adopt ~ measures 과감한 수단을 쓰다.
── *n.* 극약, (특히) 하제(下劑).
-ti·cal·ly *adv.* 철저하게, 과감하게.
〖Gk. *drastikos*; ⇨ DRAMA〗

drat [drǽt] *vt.* (**-tt-**) 《俗》 저주하다, 꾸짖다《여성용어》: *D*~ it! 제기랄!, 빌어먹을! / *D*~ the child! 빌어먹을 녀석! 〖(*Go*)*d rot*〗

D ration [dí: ㄹ] *n.* 〖美陸軍〗 (긴급용) 휴대 식량.

draught, draughty ☞ DRAFT, DRAFTY.

dráught·bòard *n.* 《英》 =CHECKERBOARD.

draughts [drǽ(:)fts; drɑ́:fts] *n.* [단수·복수취급] 《英》 =CHECKERS.

dráughts·man [-mən] *n.* (*pl.* **-men** [-mən]) 《英》 **1** =DRAFTSMAN. **2** 체커의 말.

drave *v.* 《古》 DRIVE의 과거형.

Dra·vid·i·an [drəvídiən] *a.* 드라비다인의.
── *n.* 드라비다인《인도 남부에 사는 비(非)아리안계(系)의 종족》; Ⓤ 드라비다어(語).

Dra·vid·ic [drəvídik] *a.* =DRAVIDIAN.

◇**draw** [drɔ́:] *v.* (**drew** [drú:]; **drawn** [drɔ́:n]) *vt.*
1 [+目/+目+副/+目+前+名] **a)** 끌다, 당기다, 끌어당기다, 견인하다, 잡아 끌다(pull) (cf. PUSH): The wagon was being ~*n* by two horses. 그 짐수레를 두 마리의 말이 끌고 있었다 / He *drew* me *aside*. 나를 한쪽으로 끌어당겼다《뭔가 비밀을 이야기하기 위해》/ *D*~ the chairs (***a***)***round***. 의자를 끌어당겨 둘러 앉아라 / *D*~ your chair ***up to*** the fire. 불쪽으로 의자를 바싹 끌어당기시오 / The man *drew* the boat ***on to*** the beach. 그 남자는 보트를 해변가로 끌어올렸다 / with his hat ~*n* ***over*** his eyes 모자를 푹 눌러 쓰고. **b)** 끌어당기다(haul); (고삐·재갈 따위를) 잡아 끌다: ~ one's rein 고삐를 끌어당겨 말을 멈추게 하다 / ~ a belt tighter 벨트를 졸라매다. **c)** (활을) 잡아당기다(bend): He *drew* his bow to shoot an arrow. 그는 화살을 쏘려고 활을 잡아당겼다. **d)** (계속) 끌다, 끌어[잡아]당겨 내리다[올리다]: ~ a curtain (***over*** [***across***] a window) (창문에) 커튼을 치다 / ~ ***down*** the blinds 차양을 내리다.
2 [+目/+目+前+名/+目+副] **a)** 잡아 빼다, 잡아 뽑다; (칼·권총 따위를) 뽑다, (칼집에서) 빼들다: Go to the dentist's to have your tooth ~*n*. 치과의사에게 가서 이를 빼고 오너라 / He *drew* the sword ***from*** its scabbard. 칼집에서 칼을 뽑았다 / Will you ~ the nails *from* this board? 이 판자에서 못을 뽑아 주시겠습니까 / He *drew* ***out*** a handkerchief *from* his trouser pocket. 바지 주머니에서 손수건을 꺼냈다. **b)** …의 창자를 빼내다: ~ a chicken (요리하기 전에) 닭의 창자를 빼내다. **c)** (트럼프의 패를) 빼다, 잡다: ~ a card ***from*** the pack 한 벌의 트럼프에서 한 장 빼다[배당되다]. **d)** (제비를) 뽑다, 당첨되다: ~ lots 제비뽑다 / ~ the winner 제비뽑아 맞히다. **e)** 몰아내다(drag); (덤불에서) 몰아대다: ~ a covert 덤불에서 사냥감을 몰아대다 / ~ a fox ***from*** a lair 굴에서 여우를 몰아내다.
3 [+目/+目+前+名/+目+目] (두레박으로) 물을 퍼올리다(raise); (그릇에서 액체를) 따라내다; (근원에서) 이끌어 내다, 얻다(derive); (공급을) 받다; (피를) 나게 하다, 뽑다; (차를) 끓이다(cf. *vi.* 5): ~ one's salary 급료를 받다 / ~ money ***from*** a bank 은행에서 돈을 찾다 / ~ water *from* a well 우물에서 물을 퍼올리다 / He *drew* me a glass of beer *from* the barrel. 그는 나에게 통에서 맥주를 한 잔 따라 주었다.
4 (결론 따위를) 이끌어 내다(deduce); (이야기에서 교훈을) 얻다: You can ~ a moral *from* this story. 이 이야기에서 교훈을 얻을 수 있다.

5 [+目/+目+前+名] (마음·주의·이목 따위를) 끌다(attract); (손님을) 끌다, …의 인기를 끌다; 유혹하다(entice): The show *drew* a great many spectators. 그 쇼[구경거리]는 많은 구경꾼을 모았다 / He *drew* my attention ***to*** this point. 그는 이 점에서 내 주의를 끌었다 / I don't feel ~*n* ***toward*** her. 나는 그녀에게 매력을 느끼지 못한다.
6 [+目+*on*+名] (파멸·결과 따위를) 초래하다(bring): He *drew* ruin ***on*** himself. 그는 스스로 파멸을 초래했다.
7 (숨을) 들이쉬다(inhale); (한숨을) 쉬다: ~ a deep breath 심호흡하다 / ~ a long sigh 긴 한숨을 쉬다.
8 [+目/+目+副/+目+前+名] (사람을) 꾀어내어 말하게 하다[감정을 나타내게 하다]; (눈물을) 자아내다; (갈채를) 받다: Her fine performance *drew* enthusiastic applause. 그녀의 훌륭한 연기는 열광적인 갈채를 받았다 / Try and ~ him ***out*** if you want to know his adventures. 그의 모험담을 듣고 싶거든 그가 말하도록 구슬려 보아라 / The students *drew* the teacher ***on*** the subject of world peace. 학생들은 선생님에게 세계 평화에 대한 의견을 말해 달라고 했다 / Her sad account of herself *drew* tears ***from*** the audience. 그녀 자신의 처참한 신세에 대한 얘기는 청중의 눈물을 자아냈다.
9 〖醫〗 (고약 따위가 피·고름 따위를) 빨아내다, 빨리 곪게 하다.
10 a) [+目/+目+目] (선을) 긋다, 베끼다; (그림을) 그리다(cf. PAINT *vt.* 2, WRITE *vt.* 1); (말로) 묘사하다: ~ a straight line 직선을 긋다 / ~ the line ☞ LINE[1] 숙어 / ~ a diagram 도형(圖形)을 그리다 / I'll ~ you a rough map. 약도를 그려 드리지요. **b)** [+目/+目+*between*+名] (비교·구별을) 설정하다, (유사점을) 지적하다: ~ a distinction (***between***...) (…사이의) 차이점을 지적하다 / ~ a comparison (*between*...) …을 비교하다 / ~ a parallel (*between*...) (…사이의) 유사점을 나타내다.
11 [+目/+目+副/+目+前+名/+目+目] (문서를) 작성하다; 〖商〗 (어음 따위를) 발행하다: ~ a deed[bill] 증서[어음]를 작성하다[발행하다] / ~ ***up*** a document[contract] 문서[계약서]를 작성하다 / ~ a check ***on*** a person ***for*** 100,000 won 남에게 10만원권의 수표를 발행하다 / I'll ~ him a check. 내가 그에게 수표를 발행하겠다.
12 (승부·시합을) 무승부로 하다: The game was ~*n*. 경기는 무승부가 되었다 / drawn game ☞ DRAWN 2.
13 [+目/+目+副/+目+*into*+名] 잡아늘이다(stretch); 오래 끌게 하다: The battle was long ~*n* ***out***. 전투는 꽤 오래 끌었다 / Molten glass is ~*n out* through rollers ***into*** sheet glass. 용해된 유리를 롤러를 통해 잡아늘여 얇은 판(板)유리로 만든다.
14 [보통 *p.p.*로] [+目/+目+前+名] 오그라들게 하다, (얼굴을) 찡그리다(distort): His face was ~*n* ***with*** pain. 그의 얼굴은 고통으로 일그러져 있었다.
15 (배가 …피트) 흘수(吃水)하다: a ship ~*ing* 20 feet of water 흘수 20피트의 배.
—— *vi.* **1** 끌다, 끌리다, 끌어당기다(pull): The horses *drew* abreast. 말은 나란히 끌었다. **2** 칼[검·권총]을 빼다. **3** [+副/+前+名] 다가오다, 모여들다; (시간이) 다가오다: *D*~ *near*, please. 가까이 오십시오 / The crowd *drew back* in alarm. 군중은 놀라서 뒤로 물러났다 / They *drew* (***a***)***round*** the fire. 그들은 불 둘레에 모여들었다 / The day *drew* ***to*** its close. 날도 거의 저물었다 / Like ~*s to* like. 《속담》 유유상종(類類相從). **4** (굴뚝이) 바람을 통하다, (담배·굴뚝 따위의) 연기가 통하다, (펌프가) 물을 빨아들이다; (돛이) 바람을 타다: This pipe ~*s* well [badly]. 이 파이프는 잘 빨린다[안 빨린다]. **5** (차가) 우러나다: The tea has not ~*n* well. 차가 잘 우러나지 않았다. **6** 사람의 눈[주의]을 끌다, 인기를 끌다: "Hamlet" at the Old Vic is ~*ing* well. 올드 빅 극장에서 상연중인 「햄릿」은 꽤 인기가 좋다. **7** 선을 긋다, 그리다, 그림을 그리다, 제도(製圖)하다: She ~*s* very well for a six-year-old girl. 그 소녀는 여섯살치고는 그림을 아주 잘 그린다. **8** 제비를 뽑다〈*for*〉. **9** (승부·시합이) 비기다: The teams *drew*. 양 팀은 무승부가 되었다. **10** (새끼줄이 당겨져) 팽팽해지다; 〖海〗 (돛이) 펴지다.

draw* (*a*) *blank ☞ BLANK *n.* 2.
draw away (1) (내밀었던 손을) 빼다, 떼다, 떼게 하다; (군대를) 철수시키다; 떨어지다. (2) 《口》 (경주 따위에서) 앞지르다, 떼어놓다: He quickly *drew away from* his competitors. 그는 재빠르게 경쟁자들을 앞질렀다.
draw back (1) (커튼 따위를) 열어 젖히다: He *drew back* the curtain. 그는 커튼을 열어 젖혔다. (2) 물러서다, 주춤하다(☞ *vi.* 3); (기획 따위에서) 손을 떼다: It's too late to ~ *back*. 이제 와서 뒤로 물러설 수는 없다.
draw in (*vt.*) (1) 끌어들이다; (그물을) 끌어당기다, (고삐를) 바짝 죄다; (촉각 따위를) 움추리다: ~ *in* one's horns ☞ HORN 숙어. (2) 빨아들이다, (사람을) 꾀어들이다(entice). (*vi.*) (3) (해가) 짧아지다(cf. DRAW *out* (6)); (날이) 저물어가다: The days were ~*ing in*. 해가 점점 짧아지고 있었다 / It's still long before the day ~*s in*. 해가 저물려면 아직도 멀었다.
draw it mild 《口》 조심스럽게[온건하게] 말하다; 과장해서 말하지 않다.
***draw level* (*with*...)** (…와) 대등하게 되다; (경주에서) 따라붙다: The two boats *drew level*. 두 척의 보트는 한 줄로 나란히 달렸다.
draw near 접근하다: ☞ *vi.* 3 / The summer holidays are ~*ing near*. 여름 방학이 점점 가까워지고 있다.
draw off (1) (장갑·양말 따위를) 벗다(cf. DRAW *on* (1)); (액체를 파이프 따위로) 빼내다, 퍼내다, 토하게 하다; (주의를) 다른 데로 돌리다: ~ one's gloves *off* 장갑을 벗다. (2) (군대가[를]) 철수하다[시키다]: The enemy *drew off*. 적은 철수했다.
draw on (*vt.*) (1) 끌어올리다(cf. *vt.* 1 a)); (장갑·양말 따위를) 끼다[신다](cf. DRAW *off* (1)): The lady began to ~ *on* her white gloves. 그 숙녀는 흰 장갑을 끼기 시작했다. (2) (사람을) 꾀어들이다(allure); (일을) 일으키다(lead to): Our encouragement *drew* him *on* to speak freely. 우리들의 격려에 힘입어 그도 서슴없이 말하게 되었다. (3) (어음을) …앞으로 발행하다(cf. *vt.* 11). (*vi.*) (4) (근원을) …에서 찾다, …을 참고로 하다; …에 의지하다, …을 이용하다; …에게 요구하다: ~ *on* one's savings[father] 저금에서 인출하다[아버지에게서 받아내다] / He *drew on* his experiences[imagination] *for* the details of his story. 그는 이야기 가운데 세밀한 점은 경험

[상상력]을 빌어 말했다. (5) …에 다가가다, 육박하다(approach) : The favorite began to ~ *on* the other runners. 우승이 예상되는 말이 다른 경주마들을 따라붙기 시작했다.

draw** one**self up 꼿꼿이 서다 ; 바르게 앉음새를 고치다.

draw out (*vt.*) (1) 끄집어내다, 뽑아내다(cf. *vt.* 2 a)). (2) (사람을) 꾀어내다, (구슬려서) …에게 말하게 하다(cf. *vt.* 8). (3) 잡아늘이다, (금속을) 두드려 펴다 ; 오래 끌게 하다(cf. *vt.* 13) : The author has *drawn* the story *out* so much that it is boring in many parts. 저자는 이야기를 너무 길게 끌고 있으므로 지루한 곳이 많다. (4) (문서를) 작성하다 ; (안을) 세우다, 그리다, 묘사하다 : ~ *out* a scheme 세밀하게 계획을 세우다. (5) (군대를) 파견하다, 병력을 정돈하다. (*vi.*) (6) 잡아 늘여지다, 오래 끌리다 ; (해가) 길어지다(cf. DRAW *in* (3)) : The days have begun to ~ *out.* 해가 길어지기 시작했다.

draw up (*vt.*) (1) 끌어올리다[당기다](cf. *vt.* 1 a)). (2) (문서를) 작성하다(cf. *vt.* 11) : ~ *up* a contract 계약서를 작성하다. (3) (군대를) 정렬시키다. (4) (차를) 멈추게 하다. (*vi.*) (5) (군대가) 정렬하다. (6) 육박하다, 몰려들다〈*to*〉; 따라붙다〈*with*〉. (7) (마차 따위가) 멈추다 : The taxi *drew up at* the station entrance. 택시는 역의 입구 앞에서 섰다.

—— *n.* **1** 끌기, 끌어당기기 ; 잡아 빼기 ; (권총 따위를) 뺌 : quick on the ~ 권총《따위》을 빼는 것이 재빠른. **2** 군중을 끌어당기는 것, 인기를 끄는 것 ; (사람을) 유혹함 : The new film was a great ~. 새로 만든 영화는 대인기였다 / It was meant as a ~, but he did not rise to it. 유도하려고 그렇게 말했으나 그는 걸려들지 않았다. **3** (승부 따위의) 비김 : end in a ~ 무승부로 끝나다. **4** 제비뽑기, 추첨. **5** 《美》 (도개교(跳開橋)의) 개폐부(開閉部) (cf. DRAWBRIDGE).

〖OE *dragan* ; cf. DRAFT, DRAG, G *tragen* to carry〗

類義語 ⟹ PULL.

DRAW 〔電子〕 direct-read-after-write《재생 전용이었던 종래의 video disc에 대하여 녹화 가능한 비디오 디스크 방식》.

dráw-and-fíre *n.* (권총을 번개처럼 쏘는) 속사.

dráw·bàck *n.* **1** 결점, 불이익〈*in*〉; 장애, 고장〈*to*〉. **2** U,C 공제〈*from*〉; U 환불금, 환불 세금, 관세 환급(還給) : ~ cargo 관세 환급 화물. **3** 철거, 철회(withdrawal).

dráwback lòck *n.* =NIGHT LATCH.

dráw·bàr *n.* 인장 막대, 견인봉《기관차나 차량의 연결봉 ; 트랙터의 연결봉》.

dráw·brìdge *n.* 가동교(可動橋), 도개교 ; (성 밖의 해자에 설치된) 들어올리는 다리.

Draw·can·sir [drɔːkǽnsər] *n.* **1** 드로캔서《G. Villiers작의 희극 *The Rehearsal*에 나오는 인물 ; 최후에 적과 자기편 모두를 죽임》. **2** 허세부리는 난폭자.

dráw·càrd *n.* =DRAWING CARD.

dráw cùrtain *n.* (극장의) 가로닫이 막.

dráw·dòwn *n.* **1** (저수지 따위의) 수위 저하 ; 소모, 고갈 ; 《美》 삭감, 축소. **2** 〔印〕 잉크의 색을 정하기 위해 잉크를 종이 위에 한 방울 떨어뜨려 주걱으로 문질러 펴기.

draw·ee [drɔːíː] *n.* 어음의 수취인(↔*drawer*).

***dráw·er** *n.* **1** DRAW하는 사람 ; (특히) 제도가 ; 〔商〕 어음 발행인(↔*drawee*) : Refer to ~. ☞ REFER 숙어. **2** [drɔ́ːr] 서랍 ; [*pl.*] 장롱 : ☞ CHEST OF DRAWERS / ☞ BOTTOM DRAWER. **3** [drɔ́ːrz] [*pl.*] 팬츠, 바지 안에 입는 속옷, 드로어즈 : a pair of ~*s* 드로어즈 한 벌.

〈회화〉
Where are the rubber bands ? — In the *drawer* on the left. 「고무 밴드는 어디에 있어요」「왼쪽 서랍에 있어」

***dráw·ing** *n.* **1** U 제도(製圖) ; C (연필·펜·크레용·목탄 따위로 그린) 그림, 도화(cf. PAINTING) : a lineal[line] ~ 선화(線畫) / a water-color ~ 수채화 / make a ~ 그림을 그리다, 스케치를 하다. **2** U (금전의) 인출 ; 〔商〕 (수표·어음의) 발행 ; [*pl.*] 《英》 (상점의) 매상액. **3** U (철사 따위를) 잡아늘이기. **4** U,C 칼[검]을 빼기, 권총을 뽑기 ; (카드패를) 뽑기 ; 추첨. **5** U,C (차 따위를) 끓여내기 : a ~ of tea 차를 끓이기.

drawing in (은행권 따위의) 회수.

drawing out (예금의) 인출(引出).

in drawing 화법(畫法)에 맞추어, 정확히 그려져.

out of drawing 화법에 반(反)하여, 잘못 그려서 ; 《비유》 조화되지 않게.

dráwing accòunt *n.* 〔商〕 인출금 계정 ; (세일즈맨을 위한) 경비·급료 따위의 가불금을 기입하는 계정 ; 《美》 =CURRENT ACCOUNT.

dráwing blòck *n.* (떼어 쓰게 된) 스케치 북.

dráwing bòard *n.* 화판(畫板), 제도판 : still on the ~ 아직 계획 단계로서.

dráwing càrd *n.* 대성황이 틀림없는 연극, 인기 연예인《등》; 인기있는 시합 ; 이목을 끄는 광고.

dráwing còmpasses *n. pl.* 제도용 컴퍼스.

dráwing ìnstruments *n. pl.* 제도 기계.

dráwing knìfe *n.* =DRAWKNIFE.

dráwing màster *n.* 미술 교사.

dráwing pàper *n.* 도화지 ; 제도 용지.

dráwing pèn *n.* (제도용) 펜.

dráwing pìn *n.* 《英》 제도용 핀, 압정(=《美》 thumbtack).

***dráwing ròom**[1] [, 英+drɔ́iŋ rùm] *n.* **1** 객실《dinner 후 여자 손님들이 식당에서 물러나와 쉬는 방》, 응접실 ; (객실에 모인) 손님들. **2** 〔美鐵〕 특별 전용 객실. **3** (궁정에서의 공식) 회견, 접견(cf. LEVEE[2]) : hold a ~ 공식 회견을 하다.

〖with*drawing room*〗

dráwing ròom[2] [drɔ́ːiŋ-] *n.* 《英》 제도실(=《美》 drafting room).

dráwing-ròom *a.* **1** 객실(식)의 : a ~ car 《美》 (drawing room이 있는) 특별객차. **2** 상류 사회에 알맞은[를 다룬], 고상한.

dráwing strìng *n.* =DRAWSTRING.

dráwing tàble *n.* 제도용 테이블.

dráw·knìfe *n.* (양쪽에 손잡이가 있는) 앞으로 당겨 깎는 대패.

drawknife

drawl [drɔ́ːl] *vi., vt.* [動 / +副 / +目 / +目+副] (일부러) 느리게 말하다, 쓸데없이 모음을 길게 발음하여 말하다 : The lecturer ~*ed* ***on*** [*away*]. 그 강연자는 느릿느릿한 어조로 말을 계속했다 / He ~*ed* (***out***) a reply. 그는 일부러 천천히 대답했다. —— *n.* 느린 말투 : the Southern ~ 《美》 남부 사람 특유의 느린 말투.

〖LG, Du. *dralen* to delay, linger〗

dráwl·ing *a.* (말투, 발음이) 느릿느릿한, 질질 끄는, 굼뜬 ; 께느른한. **~·ly** *adv.* **~·ness** *n.*

draw·man [drɔ́:mən] *n.* 플라스틱 성형 조립공.

◊**drawn** [drɔ́:n] *v.* DRAW의 과거분사. —— *a.* **1** (칼집에서) 칼을 빼낸, 뽑은(naked). **2** 무승부의, 비긴(cf. DRAW *vt.* 12) : a ~ game 무승부. **3** (생선 따위) 창자를 빼낸. **4** 잡아늘인. **5** 확대된 ; 일그러진(cf. DRAW *vt.* 14) : a ~ face (고통 따위로) 일그러진 얼굴.

dráwn-and-íron·ed *a.* (플라스틱이나 금속용기 제조에서) 사출하는, 이음매 없는.

dráwn bútter *n.* (소스용의) 녹인 버터.

dráw·nèt *n.* (눈이 성긴) 새그물.

dráwn gláss *n.* 압연한 판유리.

dráwn-ìn ínfield *n.* 〖野〗 전진 수비의 내야.

dráwn-óut *a.* (길게) 지연된, 지루한.

dráwn-thréad *a.* 올을 뽑아 엮은.

dráwn·wòrk, dráwn-thréad wòrk *n.* 드론워크《올을 뽑아 그 자리에 여러 무늬를 떠서 넣은 자수》.

dráw·plàte *n.* (철사 제조용) 다이스 철판.

dráw plày *n.* 〖美蹴〗 드로 플레이《패스하는 척하고 후퇴하여 직진(直進)하는 자기편 백(back)에게 공을 넘겨주는 플레이》.

dráw·shàve *n.* =DRAWKNIFE.

dráw·shèet *n.* (환자가 누워 있어도 쉽게 빼낼 수 있는) 폭이 좁은 시트.

dráw shòt *n.* 〖撞球〗 드로 샷《목적한 공을 맞히고 자기 앞으로 되돌아오도록 큐볼(cueball)의 밑부분을 치기》.

dráw·spàn *n.* (도개교(跳開橋)의) 개폐부.

dráw·strìng *n.* (자루의 아가리나 옷의 끝 따위를) 졸라매는 끈.

dráw wèll *n.* 두레 우물.

dráw wòrks *n.* [단수취급] 유정(油井)의 굴착 장치의 주체를 이루는 권양(卷揚) 장치.

dray[1] [dréi] *n.* (네 바퀴가 낮은) 큰 짐마차 ; 운반용 썰매(sledge) ; 화물 자동차. —— *vt.* dray로 운반하다. —— *vi.* dray로 끌다.
〖OE *dræge* dragnet, *dragan* to DRAW〗

dray[2] ☞ DREY.

dráy hòrse *n.* 짐마차의 말.

dray·man [dréimən] *n.* 짐마차꾼.

***dread** [dréd] *vt.* [+目 / +do*ing* / +*to* do / +*that* 節] 두려워하다, 무서워 떨다, 걱정하다 : People ~ fall*ing* ill[*to* fall ill]. 사람은 병에 걸리는 것을 두려워한다 / I ~ *to* think of it. 그것을 생각하면 무서워진다 / She ~*ed that* the child might be taken from her. 그녀는 아이를 빼앗기지나 않을까 두려워했다. —— *vi.* 두려워하다 ; 걱정하다. —— *n.* Ⓤ [또는 a ~] 공포(fear) ; 불안 ; 우려 ; Ⓒ 무서운 것, 공포[두려움]의 대상 : They are[live] in daily ~ *of* the earthquake. 매일 지진의 공포 속에서 생활하고 있다 / *an* object of ~ 공포를 느끼게 하는 것 / have *a* ~ *of*…을 두려워하다, …을 싫어하다. —— *a.* **1** 매우 무서운. **2** 끔찍한(awful). **~·able** *a.* **~·ly** *adv.* 〖OE (*on*)*drǣdan*〗
類義語 ⟹ FEAR.

***dréad·ful** *a.* **1** 무서운, 두려운, 무시무시한 : a ~ accident 무시무시한 사고 / Something ~ may have happened. 뭔가 무서운 일이 생겼는지도 모른다. **2** 《口》 아주 싫은, 지긋지긋한 : a ~ bore 몹시 따분한 사람. —— *n.* 《英》 저속한 선정적 소설[잡지](=penny ~). **~·ness** *n.*

dréad·ful·ly *adv.* **1** 무섭게, 무시무시하게 ; 겁에 질려. **2** 《口》 지독히, 지긋지긋하게(very badly) : a ~ long speech 지긋지긋하게 긴 연설.

dréad·nòught, -nàught *n.* **1** 두려움을 모르는 사람. **2** [D~] 《英》 드레드노트형 (군함) ; 노급(弩級)전함《20세기 초기의 최대 최강의 전함》.

◊**dream** [drí:m] *n.* **1** 꿈 : a bad ~ 흉한 꿈, 악몽(nightmare) / a ~ of home 고향의 꿈 / dream a (horrible) ~ ☞ *vt.* 1 / have a (curious) ~ (이상한) 꿈을 꾸다 / read a ~ 해몽을 하다 / (I wish you) sweet ~*s*! 편히 주무세요! **2** 꿈결(같은 기분), 백일몽(白日夢), 몽상(夢想) (=day ~) : a waking ~ 백일몽, 몽상, 공상(reverie) / the ~*s* of youth 청춘의 꿈 / be[live, go about] in a ~ 꿈결같이 지내다. **3** [+前+do*ing*] (실현시키고 싶은) 이상, 「꿈」: It was a ~ of his to have a house of his own by the lake. 호숫가에 자기 집을 갖는 것이 그의 꿈이었다 / She realized her ~ ***of*** becom*ing* a nurse. 그녀는 간호사가 되겠다는 꿈을 실현했다 / He had ~*s* ***of*** sail*ing* across the Pacific in a yacht. 그는 요트로 태평양을 횡단해 보고 싶다는 꿈을 품고 있었다 / ☞ AMERICAN DREAM. **4** 꿈인가 싶을 정도의[굉장한·아름다운·매력적인] 것 : It's a ~ of a house! 대단히 아름다운 집이다. **5** [형용사적으로] 꿈같은, 멋진, 환상적인 : a display of ~ cars 멋진 자동차의 전시.

go to** one's **dreams 《詩》 꿈길에 들다, 잠자다.

the Gate of Dreams ☞ GATE *n.*

the land of dreams 《詩》 꿈나라, 잠.

—— *v.* (~**t** [drémt], ~**ed** [drí:md ; drémt]) *vi.* [動 / +前+名] **1** 꿈꾸다, 꿈에 보다 : He says he seldom ~*s*. 그는 그다지 꿈꾸는 일이 없다고 말하고 있다 / ~ ***of***[***about***] something[someone] 어떤 일[어떤 사람]을 꿈에 보다 / You must have been ~*ing*. 너는 꿈을 꾸고 있었음에 틀림없다. **2** 꿈꾸는 기분에 젖다 ; 몽상하다, 환상에 젖다 ; [부정 구문] 꿈에도 생각지 않다 : I should*n't* ~ ***of*** do*ing* such a thing. 그런 일을 할 생각은 꿈에도 없다 / *Little* did I ~ [I *little* ~*ed*] *of* meet*ing* her. 그녀를 만날 줄은 꿈에도 생각지 못했다.

—— *vt.* **1** [+目 / +*that* 節] 꿈꾸다 ; 몽상하다 ; [부정 구문] 꿈에도 생각지 않다 : He must have ~*ed* it. 그가 꿈을 꾸고 있었음에 틀림없다《그런 일이 있었을 리가 만무하다》/ [동족 목적어를 붙여] That night he ~*ed* a horrible dream. 그날 밤 그는 무서운 꿈을 꾸었다 / I ~*t* (*that*) he was home. 그가 돌아온 꿈을 꾸었다 / I little ~*ed that* I should have offended her. 그녀의 감정을 상하게 했다고는 꿈에도 생각지 않았다(cf. *vi.* 2). **2** [+目+副] [보통 ~ away[out]] 꿈처럼[헛되이] 지내다 : ~ *away* one's life 일생을 헛되이 보내다[허송세월하다].

dream up 《口》 (상상력으로) 만들어내다, 창작하다.
〖OE *drēam* joy, song, noise ; cf. G *Traum*〗

dréam anàlysis *n.* 〖精神分析〗 꿈 분석.

dréam bàit *n.* 《美俗》 매력적인 이성(異性), 알맞은 데이트 상대.

dréam·bòat *n.* 《美俗》 **1** 매력적인 이성[것] ; =DREAM BAIT. **2** 공상(상의 것).

dréam·er *n.* 꿈꾸는 사람 ; 공상가.

dréam fàctory *n.* 영화 스튜디오 ; 영화 산업.

dréam·ful *a.* 꿈 많은. **~·ly** *adv.* **~·ness** *n.*

dréam·lànd *n.* **1** Ⓤ,Ⓒ 꿈나라, 유토피아(never-never land). **2** Ⓤ 수면(sleep).

dréam·less *a.* 꿈이 없는, 꿈꾸지 않는.

dréam·lìke *a.* 꿈 같은, 몽상적인 ; 비현실적인.

dréam machìne *n.* 텔레비전 방송산업.

dréam rèader *n.* 해몽가.

dréam·scàpe *n.* 꿈과 같은[초현실적인] 정경(의 그림).

dréam·stìck *n.* 《美俗》 아편정(錠).

◇**dreamt** *v.* DREAM의 과거·과거분사.

dréam·wòrld *n.* =DREAMLAND ; 꿈의 세계, 공상의 세계.

dréamy *a.* **1** 꿈이 많은. **2** 꿈꾸는 듯한 ; 환상에 빠진. **3** 꿈과 같은, 덧없는 ; 몽롱한.

drear [dríər] *a.* 《詩》 =DREARY.
〖역성(逆成) ‹DREARY〗

dréar·i·some *a.* =DREARY.

***dreary** [dríəri] *a.* **1** 쓸쓸한, 처량한, 침울한(gloomy) ; 황량한(dismal) ; (시간 따위) 따분한, 무료한 ; (얘기 따위가) 지루한(dull). **2** 《古》 서글픈(sad). —— *n.* 따분한 사람[작가]. —— *vt.* 따분하게 하다, 재미 없게 하다. **dréar·i·ly** *adv.* **dréar·i·ness** *n.* 〖OE *drēorig* bloodstained, grievous, sad (*drēor* gore) ; OE *drēosan* to drop 과 같은 어원〗

dreck, drek [drék] *n.* 《俗》 똥 ; 쓰레기, 잡동사니 ; 누더기 (옷) ; [감탄사적으로] 제기랄, 빌어먹을. 〖Yid.〗

dredge[1] [drédʒ] *n.* **1** 준설(浚渫) 삼태기, 준설기[선]. **2** 저인망(底引網)의 일종《물 밑으로 끌어 굴 따위를 훑어 잡음》. —— *vt.* **1** (항만, 하천을) 준설하다, 훑다 ; (진흙 따위를) 제거하다 : ~ a channel[harbor] 강바닥[항구]을 준설하다 / ~ (*up*) mud 진흙을 훑어 올리다. **2** (그물로 물밑을 훑어 굴 따위를) 잡다. —— *vi.* 물 밑바닥을 훑다 ; 저인망으로 채취하다 ; (물밑을 쳐내듯이) 샅샅이 찾다 : ~ for oysters 굴을 채취하다.
〖C15 Sc. *dreg* < ? ; cf. MDu. *dregghe*〗

dredge[2] *vt.* [+目+前+名] (가루를) …에 뿌리다 ; (밀가루 따위를) 뿌리다(sprinkle) : ~ meat ***with*** flour 고기에 밀가루를 묻히다 / ~ sugar ***over*** a cake 케이크에 설탕을 뿌리다.
〖*dredge* (obs.) sweetmeat < OF *dragée* < ? Gk. *tragēmata* spices〗

drédg·er[1] *n.* **1** 준설 인부 ; 준설기(浚渫機)[선(船)]. **2** 저인망(底引網) 사용자. **3** 굴따는 배[어부].

dredger[2] *n.* (조미료 따위를 넣어 두는) 구멍 뚫린 통(flour dredge).

drédg·ing *n.* 준설.

drédging machìne *n.* 준설기(dredge).

dree [dríː] *vt.* 《古·스코》 참다, 견디다 : ~ one's weird 운명을 달게 받다. —— *a.* =DREICH.

dreep [dríːp] *n.* 《口》 신통치 못한 사람, 따분한 녀석(drip).

dreg [drég] *n.* [보통 *pl.*] **1** 찌꺼기, 앙금. **2** 《비유》 쓰레기 ; 하찮은 것 : the ~*s* of society 사회의 쓰레기.
drink [***drain***] ***. . . to the dregs*** (1) …을 남김없이 마시다. (2) (세상의 쓴맛·단맛을) 다 맛보다.
not a dreg 조금도 …없다.
〖? ON *dreggjar*〗

drég·gy *a.* 찌꺼기가 있는[많은] ; 탁한, 더러운.

D region [díː ⌐] *n.* 〖理〗 (전리층(電離層)의) D 영역(領域), (때로) D층(D layer)《최저층》.

dreich, dreigh [dríːx] *a.* 《스코》 어쩐지 쓸쓸한, 음울한 ; 오래 끄는, 시간이 걸리는, 지루한 ; (빛 갚는 데) 태만한.

Drei·ser [dráisər, -zər] *n.* 드라이저. **Theodore** ~ (1871-1945) 미국의 소설가.

drek ☞ DRECK.

drench** [dréntʃ] *vt.* [+目/+目+前+名] **1** 흠뻑 젖게 하다 ; 물에 푹 담그다(soak) : We were ~*ed* to the skin. 우리는 흠뻑 젖었다 / The campers were ~*ed* ***with[***by***] rain. 야영자(野營者)들은 비를 맞아 흠뻑 젖었다 / flowers ~*ed* *with* dew 이슬에 젖은 꽃. **2** (소·말에) 물약을 먹이다. —— *n.* **1** 흠뻑 젖기[젖게 하는 것] : a ~ of rain 억수 같은 비. **2** (소·말에게 먹이는) 물약. 〖OE *drencan* ; ⇨ DRINK〗
類義語 ⟹ WET (2).

drénch·er *n.* **1** 《口》 호우, 큰비. **2** (소·말에) 물약 먹이는 기구.

drénch·ing *n.* Ⓤ [또는 a ~] 흠뻑 젖기 : get *a* ~ 흠뻑 젖다.

Dres·den [drézdən] *n.* **1** 드레스덴《독일 동부의 도시》. **2** =DRESDEN CHINA. —— *a.* 드레스덴 도자기풍의, 고상하고 아름다운.

Drésden chìna[**pòrcelain, wàre**] *n.* 드레스덴 도자기《18세기 독일 Saxony 지방산》.

◇**dress** [drés] *n.* **1** Ⓤ 복장, 의복(clothing), 의상(costume) : 19th century ~ 19세기풍의 의상 / Oriental ~ 동양인의 복장 / a Chinese girl *in* her native ~ 민족 고유의 의상을 입은 중국 소녀 / She spends too much on ~. 그녀는 의복에 돈을 너무 낭비한다. **2** Ⓤ 남자의 정장(正裝) : ☞ EVENING DRESS / ☞ FULL DRESS / ☞ MORNING DRESS / No ~. 정장까지 안해도 무방합니다《평복으로도 좋다는 초대장의 문구》. **3** (원피스인) 여성복, 드레스(gown, frock), (원피스인) 아동복 : She has a lot of ~*es*. 그녀는 많은 옷을 가지고 있다. **4** Ⓤ (새 날개·수목의 가지나 잎 따위의) 장식 ; 외관, 외견. **5** [형용사적으로] 정장을 필요로 하는 ; 공식적인 : It's a ~ affair. 정장을 필요로 하는 행사[모임]다.
—— *vt.* **1** [+目/+目+*in*+名] **a**) …에 의복[옷]을 입히다(clothe) ; (사람·극 따위에) 옷[의상]을 갖추어 입다 : She was ~*ing* her child. 그녀는 아이에게 옷을 입히고 있었다 / He ~*ed* himself carefully ***in*** his Sunday best. 그는 나들이옷으로 정성스럽게 치장했다. **b**) [수동태로] 복장[몸치장]을 하고 있다 : Most of the people *were* plainly ~*ed*[~*ed* much alike]. 그 사람들은 대체로 소박한[거의 동일한] 복장을 하고 있었다 / She *was* ~*ed* ***in*** white[furs]. 그녀는 흰[모피 제품의] 옷을 입고 있었다. **2** [+目/+目+*with*+名] (진열창 따위를) 예쁘게 꾸미다(adorn) : They are ~*ing* the shopwindows for Christmas. 진열창에 크리스마스용 장식물을 꾸미고 있는 중입니다 / The streets were ~*ed* ***with*** flags. 거리는 깃발로 장식되어 있었다. **3** [+目/+目+副] (머리를) 손질하다, 머리를 땋다 ; (말의) 털을 빗기다 : He was ~*ing* ***down*** his horse. 그는 말을 빗겨주고 있었다. **4** (상처·부상자에) (붕대·고약 따위로) 치료를 하다 : The doctor cleaned and ~*ed* the wound. 의사는 상처난 데를 소독하고 붕대를 감았다. **5** (가죽·직물·석재 따위를) 끝손질하다 ; (음식물을) 조리하다, 마무리하다(cf. COOK, PREPARE *vt.* 1, DRESSING 2) ; (정원의 나무를) 쳐서 다듬다(prune) ; (땅을) 갈다, …에 비료를 주다(manure) : ~ leather 가죽을 무두질하여 마무리하다 / ~ a chicken (털·내장을 빼내고) 닭을 요리하다 / ~ a salad (드레싱(dressing)을 쳐서) 샐러드를 만들어내다. **6** 〖軍〗 정렬시키다 : The soldiers ~*ed* their ranks. 병사들은 횡대(橫隊)로 정렬했다. **7** (광석을) 가려내다, 선광한다.
—— *vi.* **1** 옷을 입다, 몸치장을 하다 : I got up quickly and ~*ed*. 나는 급하게 일어나서 옷을 입었다 / ~ well[badly] 복장이 훌륭하다[나쁘다].

2 [動/+副/+前+名] 정장하다, 야회복을 입다 : We had scarcely ~*ed* (***up***) before the first guest was announced. 우리들이 정장을 하자마자 첫손님이 왔다는 것을 알려왔다 / We don't ~ ***for*** dinner these days. 요즈음은 만찬회에 야회복을 입지 않는다. **3** [動/+副] 〖軍〗 정렬하다 : Right — ~! 〖구령〗 우(右)로—나란히! / ~ *back*[*up*] 정돈하기 위해서 뒤로 물러나다[앞으로 나가다].
dress down (1) (말을 빗솔 따위로) 빗겨주다 (cf. *vt.* 3). (2) 《口》 (사람을) 호되게 꾸짖다 (scold), 회초리로 때리다(thrash), 철저하게 패배시키다(cf. DRESSING DOWN).
dress out 화려한 복장을 입게 하다[입다], 치장하다[시키다] : (상처)에 치료를 하다.
dress up (1) 정장[성장]하다(cf. *vi.* 2) ; (극·모임 따위에서) 특별한 복장을 하다[시키다], 분장(扮裝)하다[시키다] : My uncle ~*ed* (himself) *up as* Father Christmas. 아저씨는 산타클로스로 분장했다. (2) 〖軍〗 ☞ *vi.* 3.
〚OF<L ; ⇨ DIRECT〛

dres·sage [drəsɑ́:ʒ, dre- ; drésɑ:ʒ] *n.* Ⓤ (말의) 조교(調教), 조마(調馬) ; 마장 마술.
〚F (*dresser* to train)〛

dréss càp *n.* 〖軍〗 정장용 군모.

dréss círcle *n.* 《英》 극장의 특등석《2층 정면석 ; 원래 이 좌석에서는 야회복(evening dress)을 입는 관례가 있었음》.

dréss cóat *n.* 연미복《남자 예복의 웃옷》.

dréss-dòwn *n.* 질책, 호된 꾸지람.

dressed [drést] *v.* DRESS의 과거·과거분사.
— *a.* **1** 양복[옷]을 입은. **2** 손질[화장]을 한 : ~ brick 장식 벽돌. **3** (닭·생선 따위가) 언제라도 요리할 수 있게 준비된.

dréss·er[1] *n.* **1** (어떤 특별한) 복장을 한 사람 : a smart ~ 멋쟁이, 맵시꾼 / a careless ~ 옷에 무관심한 사람. **2** 옷 입히는 사람, (극장의) 의상(衣裳) 담당자 ; (쇼윈도의) 장식을 하는 사람. **3** 《英》 외과 (수술) 조수, 붕대를 감아주는 사람. **4** 조정자 ; 마무리하는 일꾼. **5** 마무리용의 기구.
〚DRESS〛

dresser[2] *n.* **1** 《美》 화장대 ; 경대(=《英》 dressing table). **2** 찬장, 조리대.
〚F (*dresser* to prepare)〛

drésser sèt *n.* 화장 도구 한 벌《빗·브러시·거울 따위》.

dréss fòrm *n.* (양재에서) 몸체의 모형.

dréss gòods *n.* [단수·복수취급] (여성·아동용) 옷감.

dréss guàrd *n.* (여성용 자전거 따위의) 의복 보호 장치.

dréss impròver *n.* (여성복의) 허리받이.

dréss·i·ness *n.* Ⓤ 복장이 멋짐.

dréss·ing *n.* **1** ⓊⒸ 마무리 (재료) ; 〖鑛〗 선광(選鑛). **2** ⓊⒸ 〖料〗 소스, 드레싱 (소스) ; (새 요리의) 속(stuffing). **3** ⓊⒸ 외상용 치료 재료, 고약(ointment), 붕대(bandage). **4** Ⓤ 비료(manure). **5** Ⓤ 옷 매무새 ; 의복(dress). **6** (장식적인) 손질. **7** =DRESSING DOWN.

dréssing bàg[**càse**] *n.* (여행용) 화장품 넣는 가방.

dréssing bèll[**gòng**] *n.* (만찬에 참석키 위해) 옷차림 할 것을 알리는 벨.

dréssing dówn *n.* 《口》 꾸지람 ; 혼내주기 : He wants a ~. 그는 혼내줄 필요가 있다 / I gave him a good ~. 나는 그를 호되게 꾸짖었다.

dréssing glàss *n.* 경대 거울.

dréssing gòwn[**ròbe**] *n.* 화장옷《잠옷 위에 걸치는 가운 ; cf. BATHROBE》.

dréssing jàcket *n.* =DRESSING SACK.

dréssing màid *n.* 옷·화장을 맡아보는 시녀.

dréssing ròom *n.* **1** 화장실《침실 옆》. **2** (극장 따위의) 분장실《출연자용 ; cf. GREENROOM》.

dréssing sàck[**sàcque**] *n.* 《美》 (여성용) 짧은 화장옷.

dréssing stàtion *n.* =AID STATION.

dréssing tàble *n.* 화장 테이블, 경대.

dréss lèngth *n.* (드레스) 한 벌분의 천 ; 옷길이.

dréss·màker *n.* 드레스메이커, (여성·아동복의) 재봉사(cf. TAILOR) ; [형용사적으로] (여성복이) 모양 있고 공들인(cf. TAILOR-MADE).

***dréss·màking** *n.* Ⓤ 여성복 제조(업), 양재 : a ~ school 양재 학교.

dréss paràde *n.* 〖軍〗 정장 열병식, 사열식.

dréss presèrver[**shìeld**] *n.* (여성 속옷의 겨드랑이에 대는) 땀받이.

dréss rehéarsal *n.* 〖劇〗 드레스 리허설《무대 의상을 입고 행하는 무대 총연습》.

dréss shírt *n.* 예복용 와이셔츠.

dréss shóes *n. pl.* 예복용 구두.

dréss súit *n.* (남성용) 예복, 야회복.

dréss swórd *n.* 예복용 패검(佩劍).

dréss tíe *n.* 예복용 넥타이.

dréss úniform *n.* 〖軍〗 정장용 군복, 예장.

dréss-ùp *a.* 정장할 필요가 있는 : a ~ dinner.

dréssy *a.* 《口》 **1** 복장에 공들이는, 의상도락의. **2** 옷차림에 마음을 쓰는[이 화려한], 옷맵시가 좋은 (stylish) ; (복장이) 말쑥한, 화려한, 멋진 : a ~ woman 옷맵시를 내는 여자, 화려한 것을 좋아하는 여자. **dréss·i·ly** *adv.* **-i·ness** *n.*

drest *v.* 《古·詩》 =DRESSED.

◇**drew** *v.* DRAW의 과거형.

Drew [drú:] *n.* 남자 이름《Andrew의 애칭》.
〚OF<Gmc. ; ⇨ ANDREW〛

drey, dray [dréi] *n.* 다람쥐집.

Drey·fus affàir [dráifəs-, dréi- ; *F* drɛfys-] *n.* [the ~] 드레퓌스 사건《1894년 프랑스에서 유태계 대위 Dreyfus가 기밀 누설의 혐의로 종신 금고된 데 대하여 작가 Zola 등이 탄핵하자 군과 우익이 이에 반론하여 국론이 이분되기도 했음 ; 뒤에 진범이 나타나서 1906년 무죄》.

drib [dríb] *v.* (-**bb**-) *vi.* 방울져 떨어지다(dribble). — *vt.* 《廢》 조금씩 내다 ; (화살을) 과녁에 빗나가게 쏘다.
— *n.* [보통 *pl.*] (액체의) 한 방울 ; 소량 ; 단편.
dribs and drabs 《口》 소량, 소액 : in[by] ~*s and drabs* 조금씩.
〚변형(變形) ‹ *drop*〛

drib·ble [dríbəl] *vt.* **1** 똑똑 떨어뜨리다. **2** 〖球技〗 (공을) 드리블하다《공을 치거나 조금씩 차며 몰고 나아가다》. — *vi.* **1** [動/+前+名] 똑똑 떨어지다(trickle) : Gasoline ~*d* ***from*** the leak in the tank. 가솔린이 탱크의 새는 구멍에서 똑똑 떨어졌다. **2** 군침을 흘리다. **3** 〖球技〗 공을 드리블하다. — *n.* **1** 똑똑 떨어지기, 적하(滴下) ; 소량, 적은 분량, 소액 ; 가랑비. **2** 〖球技〗 드리블.
dríb·bler *n.* **dríb·bly** *a.* 〚(freq.) ‹ ↑〛

dríb·let, dríb·blet *n.* 작은 (물)방울 ; 소량, 소액, 근소⟨*of*⟩ : by[in] ~*s* 조금씩. 〚DRIB〛

◇**dried** [dráid] *v.* DRY의 과거·과거분사. — *a.* 건조한 : ~ fish 건어물 / ~ eggs 건조란(卵) / ~ goods 말린 것《특히 말린 생선》.
cut and dried ☞ CUT[2].
〚DRY〛

dríed béef *n.* 말린 쇠고기, 쇠고기포.

dríed mílk *n.* (수분을 5퍼센트 정도 함유한) 건조 우유, 분유(powdered milk) (cf. DRY MILK).
dríed-óut *a.* 《俗》 마약을 완전히 끊은.
dríed-úp *a.* 바싹 마른 ; (나이들어) 쭈글쭈글한.
***drí·er** *a.* DRY의 비교급. ── *n.* 건조시키는 사람 ; (세탁물 따위의) 건조기 ; 건조제 ; 드라이어.
drift** [dríft] *vi.* **1** [動 / +副 / +前+名] 표류(漂流)하다, 떠내려가다 : The raft was ~*ing* ***out to sea. 뗏목이 바다로 떠내려가고 있었다 / A small boat is ~*ing* ***down*** the stream. 조그만 배 한 척이 강하류 쪽으로 떠내려가고 있다. **2** [動 / +前+名] 주관없이 나아가다 ; 여기저기로 직장[거소]을 바꾸다 ; 방랑하다 ; 부지중에 빠지다 : Let things ~. 일은 될 대로 내버려 둬라 / ~ ***into*** war 차츰[어느새] 전쟁에 말려들다 / Some people just ~ ***through*** life. 일생을 오직 빈둥빈둥 (보람없이) 지내는 사람도 있다 / The country was ~*ing* ***toward*** ruin. 그 나라는 파탄의 길로 빠져들어가고 있었다. **3** 흩날려 쌓이다 : The snow is ~*ing* badly. 눈이 심하게 휘몰아쳐 쌓이고 있다. ── *vt.* **1** [+目 / +目+副 / +目+前+名] 표류시키다, 떠내려 보내다 : The current ~*ed* the boat *downstream.* 조류로 인해 조그만 배는 강 아래쪽으로 떠내려갔다 / They ~ the logs ***down*** the river ***to*** the sawmills. 그 통나무들을 강아래의 제재소까지 떠내려보낸다. **2** (정처없이) 떠돌게[헤매게] 하다 ; (바람이) 휘몰아쳐서 날려 보내다[모으다], 불어 닥치다 ; (들·길을) 휘몰아치는 눈[낙엽 따위]으로 덮다 : The wind is so strong that it is ~*ing* the snow. 바람이 세게 불어 눈이 흩날려 쌓이고 있다. **3** 〘通信〙 파장(波長)이 교란되다 ; (물의 작용이) 퇴적시키다.
drift apart 떠돌아 제각기 흩어지다 ; 소원해지다 ; (특히 남녀가) 마음이 맞지 않게 되다.
── *n.* **1** U,C 떠내려가기, 표류(drifting) ; 흐름의 방향. **2** U 되는 대로 맡기기 : a policy of ~ 되는 대로 두는 방책, 방임주의. **3** U,C (사건·국면 따위의) 동향, 경향, 대세(tendency)〈*of*〉; 〘言〙 정향변화(定向變化)《일정한 정향을 갖는 언어 변화》. **4** U,C 주의(主意), 취지(tenor)〈*of*〉. **5** (비·눈·흙모래 따위의) 휘몰아침, 흩날려 쌓인 것〈*of*〉; 표류물 ; 〘地質〙 표적물(漂積物). **6** (바람의 힘에 의한) 완만한 흐름 ; (조류·기류의) 이동률 ; 표류거리 ; 〘海·空〙 편류(偏流) ; 〘通信〙 파장의 난조(亂調) : the ~ of a current 유속(流速). **7** 〘鑛〙 연층갱도, 수평갱도 ; 〘機〙 (금속에 구멍을 내는) 드리프트, 확공기. **8** (소유자를 결정하기 위해 방목 가축을) 몰아 한데 모으기.
on the drift 《美西部》 (직업이 없이·직업을 구하려) 방랑하여.
〚ON and MDu.=movement of cattle ; ⇨ DRIVE〛
類義語 ⟹ TENDENCY.
dríft·age *n.* **1** U 표류작용. **2** U 떠내려가는 거리, (배의) 표정(漂程) ; (바람에 의한 탄환의) 편차(偏差) (windage). **3** 표류물.
dríft ànchor *n.* =SEA ANCHOR.
dríft àngle *n.* 〘海·空〙 편류각(角)《배의 앞뒤선과 선체 운동 방향[비행기 축과 비행 방향]과의 이루는 각》.
dríft bòat *n.* =DRIFTER 2 a).
dríft bòttle *n.* 해류병, 방류병(放流瓶)《해류 연구용 또는 표류자의 조난 통신용》.
dríft cùrrent *n.* 풍조(風潮)《바다나 호수에서 바람 때문에 일어나는 느린 흐름》.
dríft·er *n.* **1** 표류자[물] ; 방랑자, 떠돌이. **2 a**) 유망(流網) 어선. **b**) (유망이 달린) 소해정(掃海艇). **3** 대형 착암기.
dríft ìce *n.* 유빙(流氷).
dríft ìndicator *n.* 〘空〙 편류계(偏流計), 항로 편류 측정기.
dríft·ing míne *n.* 부류(浮流) 기뢰.
dríft mèter *n.* =DRIFT INDICATOR.
dríft nèt *n.* 흘림그물, 유망(流網).
dríft sànd *n.* 표사(漂砂), 유사(流砂).
dríft·wày *n.* 〘海〙 조류 또는 풍력에 의한 배의 유정(流程), 편류(偏流) ; 〘鑛山〙 갱도 ; 《英·美方》 가축을 모는 길.
dríft·wèed *n.* U 표류 해초《다시마 따위》.
dríft·wòod *n.* U 유목(流木), 부목(浮木) ; 부랑민(浮浪民).
drífty *a.* 떠내려가는, 표류성의 ; 표적물(漂積物)의 ; 바람에 날리고 있는[날려 쌓인].
drill**[1] [dríl] *n.* **1** 송곳, 착공(鑿孔)[착암]기, 드릴. **2** U,C 교련 ; 엄격한 훈련[연습], 드릴 : a ~ *in* English sentence patterns 영어문형(文型)의 반복 연습. **3** 《英口》 올바른 방법[수순] : What's the ~? 어떻게 하는 겁니까? ── *vt.* **1** (송곳 따위로) 구멍을 뚫다 ; 꿰뚫다. **2** [+目 / +目+前+名] 교련[훈련]하다 ; …에게 엄격하게[반복 연습을 시켜] 가르치다 : a well ~*ed* crew 충분히 훈련을 쌓은 승무원 / He ~*s* the boys ***in grammar. 그는 학생들에게 엄격하게 문법을 가르치고 있다. **3** 《美口》 (공을) 강타하다, 라이너를 치다 ; 《美俗》 총알로 꿰뚫다, 쏴 죽이다. ── *vi.* **1** 구멍을 뚫다〈*through*〉. **2** 교련을 받다 ; 맹연습을 하다, 반복연습을 하다. 〚MDu. *drillen* to bore < ? ; cf. OHG *drāen* to turn〛
類義語 ⟹ PRACTICE.
drill[2] *n.* 조파기(條播機) ; (씨를 뿌리는) 작은 이랑, (뿌린 씨앗·농작물의) 줄[고랑]. ── *vt.* 조파기로 씨를 뿌리다, 씨를 줄뿌림하다.
〚C17 < ? *drill* (obs.) rill < ?〛
drill[3] *n.* U 〘織〙 굵은 능직(綾織) 무명 또는 리넨. 〚*drill*ing < G *Drillich* < L *trilic- trilix* having three threads (*licium* thread)〛
drill[4] *n.* 〘動〙 드릴《서아프리카산으로 mandrill보다 작음》. 〚(W. Afr.)〛
dríll bìt *n.* 〘機〙 (천공기·착암기 따위의) 날끝, 송곳의 끝.
dríll bòok *n.* 연습장 ; 〘軍〙 훈련 교본.
dríll gròund *n.* 연병장.
dríll·ing[1] *n.* **1** U 교련 ; 훈련, 연습. **2** U 송곳질, 구멍 뚫기 ; [*pl.*] 송곳밥.
drilling[2] *n.* (씨앗의) 조파법(條播法).
dril·ling[3] [dríliŋ] *n.* =DRILL[3].
drílling machìne *n.* 드릴링 머신 ; 시추기.
drílling mùd *n.* 〘石油〙 굴착 이수(泥水)《유정(油井) 굴착중에 구멍에 흘려 넣는 현탁액》.
drílling rìg *n.* 드릴링 리그《해양 석유의 굴착 장치》.
dríll instrùctor *n.* 〘軍〙 (행진·총기 취급법 따위를 지도하는 하사관인) 훈련교관, 조교.
dril·lion [dríljən] *n., a.* 《美俗》 막대한 수(의).
dríll·màster *n.* **1** 교련 교관 ; (군대식) 체육교사. **2** 엄격히 가르쳐 주입시키는 사람, 규율을 엄하게 다스리는 사람.
dríll prèss *n.* 〘機〙 (입형(立型)) 드릴 프레스.
dríll sèrgeant *n.* 교련[훈련] 담당 하사관.
dríll·shìp *n.* (유전 탐사·개발용의) 해저 굴착선, 시추선.
dríll tèam *n.* 〘軍〙 (특별 훈련을 받은) 열병 행진 부대.
drily ☞ DRYLY.

drin·amyl [drínəmìl] *n.* 〔藥〕 드리나밀《암페타민과 바르비탈산염을 합성한 각성제 ; 일반적으로는 purple heart, French blue로 알려짐》.

◇**drink** [dríŋk] *v.* (**drank** [drǽŋk] ; **drunk** [drʌ́ŋk], 《詩》 **drunk·en** [drʌ́ŋkən]) *vt.* **1** [+目/+目+副] 마시다 ; (잔을) 다 비우다(empty) : A person or animal must ~ water in order to stay alive. 사람이든 동물이든 살아가기 위해서는 물을 마시지 않으면 안된다 / He *drank* ***off***[***up***] a glass of wine. 그는 포도주를 한 잔 죽 들이켰다. **2** (급료 따위를) 술을 마셔 없애다, 술에 소비하다. **3** [+目+前+名/+目+補] [특히 ~ one*self*로] 마셔서 (어떤 상태·장소에) 이르게 하다 : He *drank* him*self* ***to*** death[***into*** illness]. 그는 과음으로 죽었다[병이 났다] / You will ~ your*self* ***out of*** your job. 너는 술로 인해서 직업도 잃게 될 것이다 / The young man *drank* him*self* unconscious. 그 젊은이는 의식을 잃을 때까지 술을 마셨다. **4** [+目/+目+前+名] …을 위해 축배하다(cf. *vi.* 3) : ~ a person's health 남의 건강을 위해서 축배하다 / ~ success ***to*** a person[an enterprise] 남[사업]의 성공을 빌며 축배하다. **5** [+目/+目+副] (수분을) 흡수하다(absorb) : The moisture had been *drunk* ***in***[***up***] by the parched soil. 말라붙은 흙에 습기가 흡수되어 버렸다.

—— *vi.* **1** 음료수[(특히) 술]를 마시다 ; [+前+名] (샘 따위에서) 물을 마시다 : The traveler tried to ~ ***from*** the bubbling spring. 나그네는 퐁퐁 솟아나는 샘물을 마시려 했다. **2** (상습적으로) 술을 많이 마시다 : ~ hard[heavily] 술을 많이 마시다(= ~ like a fish) / He ~*s* too much. 그는 술을 지나치게 마신다 / He smokes, but doesn't ~. 그는 담배는 피우지만 술은 안 마신다. **3** [+*to*+名] 건배하다, 축배를 들다(cf. *vt.* 4) : Let's ~ ***to*** his health[success]. 그의 건강[성공]을 위해 건배합시다. **4** [+補/+副] 마시면 …한 맛이 나다 : This ~*s* like tea. 차맛이 난다 / This wine ~*s* flat. 이 포도주는 맛이 없다[마시면 김빠진 맛이다].

drink away 술 때문에 (이성(理性)·재산을) 잃다 ; 술을 마시며 (밤을) 새우다 : They *drank* the night *away.* 그들은 그날 밤을 술로 지새웠다.

drink deep 다량으로 마시다〈*of*〉 ; 대주가다.

drink down 다 마셔 버리다 ; (슬픔·걱정 따위를) 술로 잊다 ; =DRINK a person *under the table.*

drink in (1) 들이마시다(cf. *vt.* 5). (2) …하는 말에 열중(熱中)하다, 넋을 잃고 보다[듣다] : The traveler *drank in* the beauty of the scene. 나그네는 그 아름다운 경치를 넋을 잃고 보았다.

drink like a fish ☞ FISH.

drink the cup of pain[***agony***] 고배(苦杯)를 마시다.

drink a person ***under the table*** (음주 시합을 하여) (상대편을) 곯아떨어지게 하다(cf. *vt.* 3).

—— *n.* **1** U.C 음료수, 마실 것 : food and ~ 먹을 것과 마실 것, 음식물 / bottled ~*s* (맥주·사이다 따위의) 병에 담은 음료 / make a ~ 마실 것을 만들다 / ☞ SOFT DRINK / They serve only ~*s* at the shop. 그 가게는 음료수만 내놓는다. **2** (마실 것의) 한 모금[한 번 마시기], 한 잔 : a ~ *of* water[milk] 한 잔의 물[우유] / drink *at* one ~ 단숨에 마시다 / have[take] a ~ (특히 술을) 한 잔 하다. **3** U 주류(酒類) ; 음주, 대주, 폭주 : be fond of ~ 술을 좋아하다 / be given[addicted] to ~ 술에 빠져 있다 / take to ~ 술을 마시기 시작하다, 마시는 버릇이 생기다. **4** [the ~] 《口》 물《강·호수·바다 따위》, (특히) 큰 바다 : go in[into] *the* ~ 《俗》 바다에 불시착하다, 헤엄치다.

be on the drink 늘 술을 마시고 있다.

in drink=***the worse for drink*** 술에 취하여.

〚OE *drincan* ; cf. G *trinken*〛

drínk·able *a.* 마실 수 있는, 마시기에 적합한. —— *n.* [보통 *pl.*] 음료 : eatables and ~*s* 음식물. **-ably** *adv.*

drínk·er *n.* **1** 마시는 사람 ; (특히) 술꾼 : a hard[heavy] ~ 대주가. **2** (가축용의) 급수기.

Drínker rèspirator *n.* 드링커 인공 호흡기, 철의 폐(iron lung). 〚Philip *Drinker* (d. 1972) 미국의 공중 위생 기사〛

drínk·ery *n.* 《口》 술집.

drínk·ing *n.* U 마시기, 음용 ; 음주 : give up ~ 술을 끊다. —— *a.* 음용의, 음주의, 마시기에 적합한 : a ~ driver 음주 운전자.

drínking bòut *n.* 주연(酒宴) ; 술마시기 내기.

drínking compànion *n.* 술친구.

drínking cùp *n.* 술잔.

drínking fòuntain *n.* 분수식의 물 마시는 곳.

drínking hòrn *n.* 뿔잔.

drínking sòng *n.* 술자리에서 하는 노래.

drínk·ing-úp tìme *n.* 《英》 (폐점 시간후의 법적으로 허용되어 있는) 마지막 술을 다 마시기 위한 짧은 영업 연장 시간.

drínking wàter *n.* 음료수.

drínk mòney[**pènny**] *n.* 《古》 술값.

drínk òffering *n.* 제주(祭酒).

drip** [dríp] *v.* (**drípped, dript** [drípt] ; **dríp·ping**) *vi.* **1** [動/+前+名] (액체가) 방울지다, 뚝뚝 떨어지다 ; 물방울이 듣다(cf. DROP *vi.* 1) : The tap is ~*ping.* 꼭지에서 물이 똑똑 떨어지고 있다 / The rain was ~*ping* ***from the eaves. 빗방울이 처마에서 뚝뚝 떨어지고 있었다. **2** 《비유》 (음악 따위가) 조용히 흐르다.

—— *vt.* **1** …을 뚝뚝 떨어뜨리다 : His right arm was ~*ping* blood. 그의 오른팔에서 피가 뚝뚝 떨어지고 있었다. **2** (커피를) 드립식으로 만들다. **3** 《비유》 대량으로 발하다.

—— *n.* **1** U.C 방울져 떨어짐, 적하(滴下) : in a ~ 방울져서, 젖어서(dripping). **2** [흔히 *pl.*] 물방울 ; 떨어지는 국물 ; 〔醫〕 점적(제). **3** U 물방울 소리《뚝뚝 떨어지는 소리》. **4** 〔建〕 (문·창문 위의) 빗물받이 돌. **5** 《俗》 지겨운 놈, 따분한 놈 ; 군소리, 실없는 말.

〚OE *drincan* ; cf. OE *drypp*(*an*)<DROP〛

dríp clòth *n.* 빗물 막이《빗물이 매달린 바구니에 흐르는 것을 방지하기 위해 기구(氣球)의 둘레에 두른 천》.

dríp còffee *n.* 드립 커피《커피 가루에 뜨거운 물을 부어 여과시켜서 마시는 커피》.

dríp-drìp, -dròp *n.* (뚝뚝 떨어지는) 물방울 ; 끊임없이 방울져 떨어짐.

dríp-drý *vt.* (셔츠 따위를) 젖은 채로 널어 두어 말리다. —— [美+⌐⌐] *a.* 젖은 채로 널어 두면 곧 마르는 : a ~ shirt. —— *n.* U 젖은 채로 널어 두는 건조법.

dríp·fèed *n., a.* 《英》 점적(點滴) (의), 점적 주입(注入) (의). —— *vt.* (환자)에게 점적 주입하다.

dríp grìnd *n.* (드립 커피용의) 곱게 간 커피콩.

dríp irrigàtion *n.* =TRICKLE IRRIGATION.

dríp jòint *n.* 〔建〕 (지붕을) 단을 지어 잇기.

dríp·less *a.* 물방울[촛농]이 흐르지 않는《양초 따위》.

dríp màt *n.* 컵 받침.

Drip·o·la·tor [drípəlèitər] *n.* 드립식 커피 포트 《상표명》. 〖*drip*+percolator〗

dríp pàinting *n.* 그림 물감을 흘리거나 튀겨서 그리는 그림《행동 회화의 일종》.

dríp pàn *n.* **1** (가스 레인지·내연 기관 따위의) 기름 받이. **2** =DRIPPING PAN.

dríp·ping *n.* **1** Ⓤ 적하(滴下), 방울져 떨어짐. **2** [흔히 *pl.*] 방울지는 것, 물방울 ; [흔히 *pl.*] 육즙(肉汁). ── *a.* **1** 빗방울이 떨어지는. **2** [부사적으로도 써서] 흠뻑 젖은[젖도록] : She is ~ wet. 그녀는 흠뻑 젖었다.

drípping pàn *n.* 불고기 팬 ; (불고기의) 떨어지는 국물을 받는 그릇.

dríp pòt *n.* 드립식 커피 포트.

dríp·py *a.* 방울방울 떨어지는《수도꼭지 따위》; 비가 자주 오는, 부슬비 내리는《날씨 따위》; 《口》 눈물 짜내는 ; 감상적인.

dríp·stòne *n.* 〔建〕 (처마처럼 내민) 빗물받잇돌.

***dript** *v.* DRIP의 과거·과거분사.

◇**drive** [dráiv] *v.* (**drove** [dróuv], 《古》 **drave** [dréiv] ; **driv·en** [drívən]) *vt.* **1** [+目 / +目+副 / +目+前+名] 몰다, 쫓다 ; (소·말을) 쫓다, (새·짐승·적을 숲 따위에서) 몰아내다 ; 몰아넣다 : *D*~ the dog *away*. 그 개를 쫓아버려라 / He *drove* the cattle ***to*** the fields. 그는 가축을 들판으로 몰고 갔다 / They *drove* ~ the enemy ***from*** the country. 그들은 적을 국외(國外)로 몰아냈다.

2 [+目 / +目+副 / +目+前+名] (차를) 몰다, 운전[조종]하다, 드라이브하다 ; (마차의 말을) 부리다 ; 차로 나르다 : ~ one's own car 차를 자기가 운전하다, 자가용 차를 몰다 / He *drove* his car ***round*** the corner[*with* caution]. 그는 길모퉁이를 돌아서[조심스럽게] 차를 몰았다 / I will ~ you *home*[***to*** the station]. 댁에까지[역까지] 차로 전송해드리지요.

3 [보통 수동태로] (증기·전기 따위가 기계를) 운전시키다 : The machinery *is* ~*n* by electricity[steam, compressed air]. 그 기계는 전기[증기, 압축공기]로 가동된다.

4 [+目+副 / +目+前+名] (바람이) 휘몰아치다, (물에) 떠내려보내다 : The gale *drove* the ship ***on to***[***upon***] the rocks. 질풍이 휘몰아쳐서 배가 암초에 걸렸다 / We heard the wind *driving* the rain ***against*** the windowpanes. 바람이 비를 유리창에 휘몰아치는 소리를 들었다.

5 [+目+前+名 / +目+*to* do / +目+補] 할 수 없이[무리하게] (어떤 상태로) 밀어내다, …시키다(compel) : His wife's death *drove* him ***to*** despair. 아내의 죽음으로 그는 절망에 빠졌다 / That *drove* her ***out of*** her senses. 그 일로 그녀는 광란 상태에 빠졌다 / I was ~*n to* resign. 나는 부득이 사직할 수밖에 없었다 / This alarming news might ~ him mad[*to* his wits' end]. 이 놀라운 소식을 들으면 그는 미쳐 버릴거야[당황하겠지].

6 [+目 / +目+前+名 / +目+副] (못·말뚝 따위를) 때려박다 ; (머리에) 주입시키다 ; (터널·우물 따위를) 파다(bore), (철도를) 부설하다 : *D*~ the nails (*home*) ***into*** the plank. 그 널빤지에 못을 (단단히) 박아 주게 / ~ a lesson *into* a person's head 교훈을 남의 머리에 주입시키다 / ~ a tunnel ***through*** a hill 산에 터널[갱도]을 파다 / ~ a tunnel ***under*** a river[the sea] 강[바다] 밑으로 터널을 파다 / ~ a railway ***across***[*through*] a desert 사막에 철도를 개통시키다.

7 a) 혹사하다 : They were hard ~*n*. 그들은 혹사당했다. **b**) (펜을) 갈겨쓰다 : ~ a quill [a pen] 쓰다(write) (cf. QUILL DRIVER).

8 (장사 따위를) 활발하게 해나가다[경영하다] (carry on) ; (거래 따위를) 성립시키다(conclude) : ~ a roaring trade 장사가 번창하다 / ~ a good[bad] bargain 이익이 많은[적은] 거래를 하다.

9 [+目 / +目+前+名] (골프 따위에서) (공을) 멀리 치다 ; 〖테니스〗 (공에) 드라이브를 걸다 ; 〖野〗 (안타나 희생타로 주자를) 진루시키다, (…점을) 득점시키다, 쳐내다 : The batter *drove* the ball ***into*** the bleachers. 타자는 공을 외야석으로 날려 보냈다.

10 [+目+*to*+名] 연장시키다, 연기하다 : He *drove* the decision ***to*** the last minute. 그는 결정을 마지막 순간까지 미뤘다《질질 끌었다》.

── *vi.* **1** [動 / +副 / +前+名] 차를 몰다[부리다·운전하다] ; 차를 타고 가다, 드라이브하다, 마차[자동차 따위]로 여행하다(cf. RIDE *vi.* 1 a)) : Shall we walk or ~? 걸어갈까, 그렇지 않으면 차를 타고 갈까 / I *drove* by map as *far* as the woods. 지도를 의지하여 그 숲까지 차를 몰았다 / We are just *driving* ***through***. 우리들은 (멈추지 않고) 그냥 지나갈 뿐이다 / They *drove* ***up in*** a large American car. 그들은 커다란 미제(美製) 차를 타고 왔다. **2** [+前+名] (차·배 따위가) 질주[돌진]하다 ; (구름이) 떠가다 ; 세차게 부딪치다 : Motorcars were *driving* ***along*** the road. 자동차가 도로를 달리고 있었다 / The ship *drove* ***on*** the rocks. 배는 좌초(坐礁)되었다 / The clouds *drove* ***before*** the wind. 구름은 바람을 타고 흘러갔다 / The rain was *driving* ***in*** his face. 비가 그의 얼굴을 세차게 내리치고 있었다. **3** 《口》 [+*at*+名 / +副] 부지런히 일하다 : He *drove away* ***at*** his work. 그는 그의 일을 열심히 했다. **4** 공을 힘차게 치다 ; 잘 겨누어 치다〈*at*〉 : let ~ at ☞ 숙어.

drive at... (1) ☞ *vi.* 3, 4. (2) 《口》 [진행형으로] …을 추구하다, …을 할 작정이다(intend) : I wonder what he *is driving at*. 그는 도대체 무엇을 하려고[말하려고] 하는 것일까.

drive away 쫓아내다 ; 차를 몰고 떠나다.

drive home (1) 차로 집에 돌아가다[까지 보내다] (cf. *vt.* 2). (2) (못 따위를) 깊숙하게 때려박다(cf. *vt.* 6) ; (토론·사실을) 납득[통감]시키다.

drive** a person **into a corner ☞ CORNER *n.*

drive out (1) 추방하다, 배격하다 ; …으로 바꿔치다 : The automobile has ~*n out* the horse. 자동차는 말을 몰아냈다. (2) 차로 외출[드라이브]하다.

let drive at …을 겨누어 던지다[때리다·마구 쏘다] : He *let* ~ *at* me *with* a book[*with* his fist]. 그는 나를 향해 책을 던졌다[나를 주먹으로 때렸다].

── *n.* **1** Ⓤ (차를) 몰기 ; Ⓒ (자동차 따위의) 드라이브 : take[go for] a ~ 드라이브하러 가다. **2** Ⓒ 차도, 큰 길 ; (저택의 정류장으로 통하는) 사설차도 ; (경승지를 달리는) 드라이브 길. **3** Ⓒ (마차·자동차로 가는) 노정(路程) : an hour's ~ 자동차로 한 시간 걸리는 거리. **4** Ⓤ [+*to* do] 추진력, 정력(energy) ; 〖心〗 동기, 동인(動因), 충동, 본능적 욕구 ; (군대의) 대공세, 맹공격 : The feat of Apollo 11 was a triumph of men's fundamental ~ *to* explore their environment. 아폴로 11호의 위업은 외계를 탐색하려고 하는 인간의 기본적 욕구의 승리였다. **5** 《원래 美》 (모금

따위의) 조직적인 운동(campaign) ; Ⓤ 대선전, 대대적인 판매 : a Red Cross ~ 적십자 모금 운동 / a membership ~ 회원 모집 운동. **6** Ⓤ (시세 따위의) 유동(drift), 경향(tendency). **7** (사냥감·적을) 몰아내기 ; (가축떼를) 몰고 가기. **8** Ⓤ,Ⓒ 〔골프〕 강타, 장타(長打), 드라이브 ; 〔테니스〕 드라이브《공이 속력을 내게 치는 법》 ; 〔野〕 라인드라이브(liner). **9** (자동차의) 구동(驅動) 장치 ; 〔컴퓨〕 돌리개, 구동 장치《자기 테이프·자기 디스크 따위의 대체 가능한 자기 기억 매체를 작동시키는 장치》. **10** (자동차의 자동 변속기의) 드라이브[주행] 위치《略 D》.
full drive 전속력으로(at full speed).
—— *a.* 구동(장치)의.
〖OE *drīfan* ; cf. G *treiben*〗

drìve·abílity, drìv·abíl·i·ty *n.* (자동차의) 운전 용이도(容易度).

dríve-ìn *a.* 《美》 (자동차에 탄 채로 물건사기·식사·영화구경 따위를 할 수 있는) 드라이브인식(式)의 : a ~ bank 자동차에 탄 채로 들어가 일을 마칠 수 있는 은행《특별 창구가 있음》/ a ~ theater 드라이브인(영화) 극장《야외》.
—— *n.* 드라이브인.

driv·el [drívəl] *v.* (**-l-** | **-ll-**) *vi.* **1** 침[군침]을 흘리다(slaver), 콧물을 흘리다 ; 군침처럼 흐르다. **2** [動 / +副 / +前+名] 실없는 소리를 하다 : a *~ing* idiot 천치, 얼간이 / That old woman always *~s* ***on***[*away*]. 저 노파는 언제나 아이들처럼 분별없이 허튼 소리만 계속 지껄인다 / What are you *~ing* ***about***? 무슨 철없는 소리를 지껄이고 있느냐. —— *vt.* [+目+副] (시간·정력 따위를) 허비하다(waste foolishly) : Don't ~ *away* your energy. 정력을 허비하지 마라.
—— *n.* **1** Ⓤ 《稀》 침[군침]. **2** Ⓤ 실없는 소리, 허튼 소리. **~·er** *n.*
〖OE *dreflian* ; cf. DRAFF〗

◇**driv·en** [drívən] *v.* DRIVE의 과거분사.
—— *a.* **1** 바람에 날린 : ~ snow 눈보라 ; 바람에 날려 쌓인 눈. **2** 매우 노력한 흔적이 있는. **3** (감정이) 극에 달한.

dríven wéll *n.* 땅을 깊이 판 우물.

dríve-òff *a.* 〔貿易〕 (직접 운전을 해서) 자동차를 싣거나 부리는 방식의《자동차 전용 수송선에서의 자동차 하역 방식》.

dríve-òn *a.* (배가) 자동차 수송이 가능한, 차를 탄 채로 들어가는.

***driv·er** [dráivər] *n.* **1** (마차의) 마부 ; 운전사(cf. CHAUFFEUR), 조종자, 《英》 기관사. **2** 소몰이, 마부, 말몰이꾼(drover). **3** (노예·인부 등을 부리는) 감독, 십장. **4** 〔골프〕 드라이버《타구부(打球部)가 목제인 장타봉(長打棒)》. **5** (말뚝을) 때려박는 기계 ; 드라이버, 나사 돌리개 ; 〔機〕 동력 전도부, 구동체. **~·less** *a.* 〖DRIVE〗

dríver ànt *n.* 〔昆〕 =ARMY ANT《특히 아프리카·아시아 열대산》.

dríver's lìcense *n.* 운전면허(증).

dríver's pérmit *n.* 《美》 가(假)면허증.

dríver's sèat *n.* 운전석.
in the driver's seat 지배적 지위[위치]에 있는, 권력의 자리에 있는.

dríve shàft *n.* 〔機〕 구동축(驅動軸), 원동축(原動軸).

dríve-thròugh *a.* 자동차에 탄 채 구경할 수 있게 된《동물원 따위》.

dríve-ùp wìndow *n.* 《美》 차내에 있는 채로 서비스를 받을 수 있는 창구.

dríve·wày *n.* **1** 《주로 美》 (건물·차고 따위에서 도로까지의) 사설차도 ; 차도, 자동차 길. **2** 말 따위를 모는 길.

***driv·ing** [dráiviŋ] *a.* **1** 추진하는, 동력전도(傳導)의, 구동의 : ~ force 구동력, 추진력. **2** 질주하는, 휘몰아치는 : a ~ rain 휘몰아쳐 내리는 비 / in ~ snow 눈보라 속에서. **3** 정력적인(energetic) : a ~ personality 정력가.
—— *n.* Ⓤ 몰기 ; 추진, 구동 ; 때려박기 ; (자동차 따위의) 운전, 조종 ; (차바퀴의) 전동력(傳動力) ; 〔골프〕 티에서 공을 장타하기 : take ~ lessons 자동차 운전을 배우다.

dríving àxle *n.* 〔機〕 (기관차 따위의) 구동축.

dríving bèlt[**bànd**] *n.* (기계의) 주동(主動) 벨트[띠].

dríving bòx *n.* **1** 마부석. **2** 〔機〕 동륜축함(動輪軸函).

dríving clòck *n.* 조속기(調速機)《시계 따위처럼 규칙적인 운동을 진행시키는 장치》; 운동 시계《적도의(赤道儀)가 일주(日周) 운동에 따라 자동적으로 회전하도록 진행시키는 기구》.

dríving gèar *n.* (기관의) 구동 장치[기어].

dríving ìron *n.* 〔골프〕 드라이빙 아이언, 1번 아이언(클럽).

dríving lìcence *n.* 《英》 운전 면허(증).

dríving mìrror *n.* 《英》 =REARVIEW MIRROR.

dríving rànge *n.* 골프 연습장.

dríving schòol *n.* 자동차 운전 교습소.

dríving shàft *n.* 〔機〕 공작 기계의 구동축, 운전축.

dríving tèst *n.* 운전 면허 시험.

dríving whèel *n.* 〔機〕 동륜 ; (자동차의) 구동륜(驅動輪).

driz·zle [drízəl] *n.* Ⓤ 이슬비, 가랑비, 보슬비.
—— *vi.* [때때로 it을 주어로 하여] 가랑비가 내리다 : *It* *~d* on and off. 이슬비가 오락가락했다.
—— *vt.* 가랑비처럼 내리게 하다 ; 가느다란 물방울에 적시게 하다.
dríz·zly *a.* 이슬비가 내리는. **dríz·zling·ly** *adv.*
〖? ME *drēse*<OE *drēosan* to fall〗

drízzle pùss *n.* 《美俗》 따분한[재미없는] 사람.

dro·gher [dróugər] *n.* 서인도 제도에서 사용되는 속력이 느린 돛단배.

drogue [dróug] *n.* **1** (고래잡이용의) 작살줄에 달린 부표(浮標) ; =SEA ANCHOR. **2** (비행장의) 풍향(風向) 기드림(wind sock) ; =DROGUE PARACHUTE. **3** 〔空〕 드로그《비행기의 공중 급유용의 원통형 기구》. 〖C18 *drug*‹*drag*〗

drógue párachute *n.* 〔空〕 보조 낙하산《착륙시 감속용(減速用)》.

droit [drɔ́it, drəwɑ́:] *n.* 〔法〕 권리 ; 소유권 ; 권리의 대상 ; [*pl.*] 세금, 관세. 〖F〗

droit du sei·gneur [*F* drwa dy sɛɲœ:r], **droit de seigneur** [-də-] *n.* **1** (신하의 신부에 대한) 영주(領主)의 초야권(初夜權). **2** 《비유》 강력[불합리]한 권리.

droll [dróul] *a.* 익살맞은, 우스꽝스러운. —— *n.* 익살꾸러기, 어릿광대 ; 익살. —— *vi.* 익살맞은 짓을 하다, 희롱거리다 ; 단조롭게 말하다.
dról·ly *adv.* 〖F<? MDu. *drolle* little man〗

dróll·ery *n.* Ⓤ,Ⓒ 익살맞은 짓 ; 농담, 해학.

drome [dróum] *n.* 《口》 비행장, 공항(airport).

-drome [dròum] *n. comb. form* 「경주로」「광대한 시설」의 뜻 : hippo*drome*, air*drome*. —— *a. comb. form* 「가는」「달리는」의 뜻 : home*drome*.
〖F<L (Gk. *dromos* course, running)〗

drom·e·dary [drɑ́mədèri, drʌ́m- ; -dəri] *n.* 단봉(單峰)낙타(=Arabian camel)《아라비아산 ; cf.

BACTRIAN CAMEL》.
〚OF or L<Gk. *dromad- dromas* runner〛
drom·ond [drάmənd, drΛ́m-], **drom·on** [drάmən, drΛ́m-] *n.* (중세에 주로 지중해에서 사용되었던) 노가 달린 고속의 대형 목조 범선(帆船).
〚AF<Gk.〛
-d·ro·mous [drəməs] *a. comb. form* 「가는」「달리는」의 뜻 : cata*dromous*. 〚-DROME〛
drone [dróun] *n.* **1** (꿀벌의) 수펄(cf. WORKER) ; 게으름뱅이(idler). **2** Ⓤ 윙윙 울리는 소리, 단조로운 저음 ;〔樂〕지속저음 ; =BAGPIPE, 그 저음(관). **2** (무선 조종의) 무인 비행기[선박, 미사일]. —— *vt.* **1** [+目+副] 빈둥빈둥 지내다, 게으르게 살다(idle) : ~ *away* one's life 일생을 허송세월하다. **2** [+目/+目+副] 낮고 단조롭게 노래하다[이야기하다, 말하다], 청승맞은 소리로 말하다 : The clergyman began *droning* (***out***) the Psalms. 목사는 시편(詩篇)을 낮고 단조로운 어조로 낭독하기 시작했다. —— *vi.* [動/+前+名] 윙윙거리다[낮고 단조로운 소리를 내다] : Bees ~*d* among the flowers. 벌들이 꽃속에서 윙윙거리고 있었다 / The parson ~*d* ***through*** his sermon. 목사는 시종 낮고 단조로운 목소리로 지루한 설교를 했다.
〚OE *drān* ; cf. G *Drohne*〛
dróne bèetle *n.*〔昆〕금풍뎅이.
drón·ing·ly *adv.* **1** 낮은 소리로, 단조롭게, 나른하게. **2** 게으르게.
droob [drú:b] *n.*《濠俗》딱한 녀석, 불쌍한 사람.
droog [drú:g] *n.* 갱(gang)의 일원.
droog·ie [drú:gi] *n.* 갱소년, 비행소년.
drool [drú:l] *vi., vt., n.*《英方·美》=DRIVEL.
〚*driule*(변형)<DRIVEL〛
dróoly *a.* 침[군침]을 흘리는 ;《美俗》매우 매력적인, 인기가 뛰어난, 멋진 ;《美俗》(옷·차 따위) 군침이 날 정도의, 굉장한. —— *n.*《美俗》매력적인[인기가 있는] 남자.
***droop** [drú:p] *vi.* **1** 수그러지다, 늘어지다 ; 눈을 내리깔다 : Her head[eyes] ~*ed* sadly. 그녀는 슬픈듯이 고개를 숙였다[눈을 내리깔았다]. **2** (초목이) 시들다, (꽃이) 시들다 ; (몸이) 쇠약해지다, 약해지다 ; 의기 소침하다, 풀이 죽다, 맥이 풀리다 : His spirits have apparently ~*ed* these days. 요즘 그의 건강이 눈에 띄게 쇠약해졌다. —— *vt.* (목·눈 따위를) 수그리다, 늘어뜨리다, 숙이다. —— *n.* Ⓤ 늘어뜨림 ; 수그림 ; 의기 소침 ; (가락의) 늘어짐(fall)〈*of*〉.
〚ON *drúpa* to hang the head ; ⇨ DROP〛
dróop·ing *a.* 수그러져 있는, 고개 숙이는, 힘없는. **~·ly** *adv.*
dróop nòse *n.*〔空〕드루프 스누트《착륙시 시야를 넓히기 위해 숙일 수 있는 기수(機首)》.
dróop snòot *n.*〔空〕=DROOP NOSE(의 비행기).
dróopy *a.* 수그러진, 축 늘어진 ; 의기 소침한.
◇**drop** [drάp] *n.* **1** 물방울. **2** 한 방울의 분량 ; (물약의) 적량(滴量) ; [*pl.*] 점적약(點滴藥), 적량약(滴量藥) ; 미량, 소량(small quantity) ; 소량[한 잔]의 술 : ~ by ~ 한 방울씩, 조금씩 / to the last ~ 마지막 한 방울까지 / There was not a ~ of water. 물은 한 방울도 없었다 / take a ~ 술을 한 잔 마시다 / take a ~ too much 만취(滿醉)하다. **3** 물방울 모양의 것 ; 펜던트에 박은 보석《진주 따위》, (귀고리에 달린) 장식 구슬 ; (과자의) 드롭스. **4** 방울져 떨어짐(dropping) ; 급강하 ; (가격 따위의) 하락, (온도의) 강하〈*in*〉; 영락(零落)〈*in*〉; 낙하(거리), 낙차 ; (지면의) 함몰(陷沒)(의 깊이). **5**〔럭비〕=DROPKICK ;〔野〕드롭. **6** 떨어지는 장치, 함정 ; (교수대의) 발판 ; (우체통의) 넣는 구멍 ; 열쇠구멍 덮개. **7** =DROP CURTAIN.
a drop in the bucket[***the ocean***] 바다의 물 한 방울, 「구우일모(九牛一毛)」.
at the drop of a hat《美》신호가 있을 때 ; 즉시 ; 기꺼이(willingly).
get[***have***] ***the drop on. . .***《美俗》(상대)보다 빨리 권총을 들이대다 ; (남의) 기선(機先)을 제압하다, …보다 유리한 입장에 서다.
—— *v.* (**dropped, dropt** [-t]) *vi.* **1** 방울지다, 똑똑 떨어지다, 물방울이 떨어지다(cf. DRIP *vi.*). **2** [動/+前+名] (물건이) 떨어지다(fall), (꽃이) 지다 : It was so quiet (that) you might have heard a pin ~. 핀이 떨어지는 소리조차 들릴 것 같은 정적이었다 / A bomb ~*ped* ***among*** the crowd. 폭탄이 군중 가운데로 떨어졌다 / Tears ~*ped* ***from*** his eyes. 그의 눈에서 눈물이 쏟아졌다 / The purse has ~*ped* ***out of*** my pocket. 지갑이 호주머니에서 떨어졌다.
3 [動/+副/+前+名/+補] (픽) 쓰러지다, 피로로 쓰러지다, 녹초가 되다 : The tramp ~*ped* (***on***) ***to*** his knees. 그 방랑자는 힘없이 주저앉았다 / I ~*ped* ***into*** the chair. 나는 쓰러지듯 의자에 주저앉았다 / I am ready to ~ ***with*** fatigue[*with* sleep]. 피로해서[졸려서] 이제라도 쓰러질 것만 같다 / The soldier ~*ped* dead. 그 병사는 픽 쓰러져서 숨을 거뒀다.
4 [動/+前+名] (사람이) 날쌔게 내리다, 뛰어내리다(cf. FALL *vi.* 1) ; (언덕·강물 따위를) 내려가다 : He ~*ped* ***from*** the window (***on***) ***to*** the garden. 그는 창문에서 뜰로 뛰어내렸다 / The logs ~*ped* ***down*** the river. 통나무는 강을 따라 흘러갔다.
5 (교통 따위가) 끊어지다 ; (일이) 중단되다(cf. *vt.* 8) : The conversation[correspondence] has ~*ped*. 대화[편지 왕래]가 끊어졌다 / The matter is not important, let it ~. 그 일은 중요하지 않다, 중단하기로 하자.
6 [動/+前+名] (바람이) 자다 ; (가격·음조 따위가) 내려가다 ; (온도가) 내리다 : The wind seems to have ~*ped*. 바람이 잔 것 같다 / Her voice ~*ped* ***to*** a whisper. 그녀의 목소리는 낮아져서 속삭임이 되었다.
7 [+*into*+名/+補] 자연히 (어떤 상태로) 빠지다 : ~ ***into*** reveries 공상에 빠지다 / He soon ~*ped* asleep. 그는 이내 잠이 들었다.
8 [+*from*+名] (말이) 무심코 새어나오다 : The remark ~*ped* ***from*** him. 그 말이 무심코 그의 입에서 새어나왔다.
9 (사냥개가) 사냥감을 보고 웅크리다.
—— *vt.* **1** 방울져 떨어지게 하다, 떨어뜨리다, 흘리다 : ~ tears 눈물을 흘리다.
2 [+目/+目+前+名] (물건을) 떨어뜨리다 (let fall), 손에서 (쥐었다가) 떨구다 ; (우편물을 우체통에) 넣다 : I ~*ped* the envelope ***into*** the mailbox. 나는 그 봉함 편지를 우체통에 넣었다.
3 [+目+副/+目+前+名] (손님·화물을 도중에) 내리다 : *Where* shall I ~ you? — *D*~ me ***at*** the next corner, please. 어디서 내려드릴까요—다음 길모퉁이에서 내려 주십시오.
4 [+目/+目+前+名] (땅위로) 투하(投下)하다 ; 잘라[쳐서] 쓰러뜨리다, (새를) 쏘아 떨어뜨리다 : They ~*ped* the supplies by parachute. 그들은 식량을 낙하산으로 투하했다 / The ball was ~*ped* ***to*** the back of the court. 공은 (테니스) 코트 뒤쪽으로 떨어졌다.

5 (닻·낚싯줄·막 따위를) 내리다[내려뜨리다]; (눈을) 아래로 떨구다, 내리깔다; (소리를) 낮추다: ~ (the) anchor ☞ ANCHOR 1 / ~ the curtain ☞ CURTAIN 숙어 / ~ a curts(e)y ☞ CURTS(E)Y / ~ a line 낚싯줄을 드리우다 / When he reads aloud, he ~*s* his voice at the end of a sentence. 그는 소리를 내어 책을 읽을 때 문장 끝에 가서 소리를 낮춘다.
6 (h나 ng의 g, 또는 어미의 철자 따위를) 빠뜨리다, (단어를) 생략하다(omit): He ~*s* his h's. 그는 h를 빠뜨리고 발음한다《hat를 'at로 발음하는 따위; Cockney의 특징》/ He ~*ped* a line when he rewrote the poem. 그 시를 베껴 쓸 때 한 행을 빠뜨렸다 / *D*~ the "e" in "take" before adding "ing". take의 e를 빼고 ing을 붙여라.
7 [+目/+目+目] 우연히 입 밖에 내다, 무심코 말하다; (짤막한 편지 따위를) 써 보내다: He ~*ped* (me) a hint. 그는 (나에게) 힌트를 주었다 / *D*~ me a few lines. 몇자 소식을 주시오.
8 (습관 따위를) 버리다(give up); (토론 따위를) 중단하다, 그만두다(cf. *vi.* 5); (벗과) 절교하다: ~ a bad habit 나쁜 습관을 버리다 / She ~*ped* her work and rushed to the window. 일을 멈추고 창가로 달려갔다 / The subject has been ~*ped*. 그 화제는 끝내기로 했다 / He has ~*ped* some of his friends. 그는 몇몇 친구들과 절교했다 / *D*~ it!《口》그만둬!
9 [+目+*from*+名]《美》해고(解雇)하다, 퇴학시키다, 탈회(脫會)시키다, 제명하다(dismiss): Several members who did not pay dues were ~*ped* ***from*** the club. 회비를 내지 않은 회원이 몇 사람 제명됐다.
10 (달걀을) 끓는 물에 넣어 요리하다(poach).
11 (특히 양이 새끼를) 치다[낳다].
12 (특히 노름·주식에서) (돈을) 잃다, 날리다.
13 〖럭비〗 DROPKICK으로 공을 (골에) 넣다《1점을 올림》: ~ a goal ☞ GOAL 숙어.
drop across... (1) 우연히 …을 만나다, (물건 따위) 우연히 발견하다. (2) (사람을) 꾸짖다, 벌주다(drop on).
drop astern ☞ ASTERN.
drop away (가족·회원 등이) 한 사람씩 떠나가다, 줄다, (어느 틈에) 사라지다(drop off): The attendance at this class never ~*s* ***away***. 이 반의 출석수는 결코 주는 일이 없다.
drop behind (…에서) 낙오하다: The youngest boy ~*ped behind* the other hikers. 가장 나이 어린 소년이 그 하이킹 일행에서 낙오되었다.
drop by 불쑥 들르다.
drop in (1) 느닷없이 방문하다, 잠깐 들르다: He often ~*s in on* me[*at* my house]. 그는 곧잘 느닷없이 나를[내 집을] 찾아온다 / Yesterday some friends ~*ped in to* tea. 어제 몇몇 친구들이 티타임에 불쑥 찾아왔었다. (2) (한 사람씩) 들어오다.
drop like stones 곤두박질치다.
drop into... (1) …에 (무너져) 떨어지다(cf. *vi.* 3). (2) (습관 따위)에 (자연히) 빠지다(cf. *vi.* 7). (3) (장소)에 들르다, …에 기항(寄港)하다. (4) (사람)을 질책하다, 비난하다.
drop off (1) (차츰) 사라지다, 보이지 않게 되다, 줄어들다(drop away): Business ~*ped off* drastically in the third quarter. 삼사분기에는 거래가 뚝 떨어졌다 / Sales have ~*ped off*. 매상고가 줄어들었다. (2) 잠들다(fall asleep); 졸다(doze); 쇠약해져서 (…이) 되다; 죽다: Many students ~*ped off* during the long lecture. 많은 학생이 긴 강의중에 꾸벅꾸벅 졸았다 / She finally ~*ped off to* sleep. 그녀는 마침내 잠이 들었다.
drop on = DROP *across* (2).
drop out (1) 사라지다, 없어지다, 생략되다: A letter has ~*ped out*. (인쇄에서) 글자가 한 자 빠졌다. (2) (경기의 출전 선수가) 모자라다; (단체 따위에) 참가하지 않다, 빠지다: One runner twisted his foot and ~*ped out*. 경주자의 한 사람이 발을 삐어 못나왔다. (3) 중도 퇴학하다, 중퇴하다; 탈락하다; 낙오하다.
drop out of... (1) …에서 (흘러) 떨어지다(cf. *vi.* 2). (2) …에서 손을 떼다, …을 탈퇴하다; …에서 낙오[중퇴]하다: Dick has ~*ped out of* the eleven. 딕은 (크리켓) 팀을 탈퇴했다.
drop over《美口》= DROP *in* (1): *D*~ *over to* our house for a visit sometime. 근일중에 우리 집에 들러 주시오.
drop through (기획 따위가) 전혀 소용없게 되다, 아주 형편없이 되다.
drop to …에 떨어지다, 빠지다(cf. *vi.* 3, 4, 6);《口》…을 우연히 알다, …을 냄새맡다.
let drop 떨어뜨리다; 누설하다; (토론·행동을) 중단하다(cf. *vi.* 5).
〖OE *dropa*; cf. DPIP, DROOP〗

dróp-bỳ *n.*《美》(정치가·의원 등을 초대하는) 접대회.

dróp càke[còoky, còokie] *n.* 스푼으로 반죽을 떠서 번철 위에 떨어뜨려 구운 과자.

dróp cèiling *n.* 달아 맨 천장.

dróp clòth *n.* (페인트칠을 할 때 바닥·가구 따위가 더러워지는 것을 막기 위해) 까는[덮는] 천[시트·종이 따위].

dróp cùrtain *n.* (무대의) 현수막.

dróp-déad *a.* 깜짝 놀라게 하는, 넋을 잃게 하는.

dróp déad lìst *n.*《美口》(퇴학·해고 따위의) 처분 예정자 명부.

dróp fòlio *n.* 〖印〗 하단에 인쇄된 페이지 숫자.

dróp fòrge *n.* 낙하 단조(鍛造) 장치(=drop hammer).

dróp-fórge *vt.* 〖冶〗 낙하 단조로 성형(成形)하다.

dróp fòrger *n.* 낙하 단조공.

dróp fòrging *n.* 〖冶〗 낙하 단조.

dróp frònt *n.* 여닫게 된 책장 뚜껑《책상 겸용》.
dróp-frònt *a.*

dróp gòal *n.* 〖럭비〗 드롭 골《골을 향해 찬 drop kick의 성공; 득점은 3점》.

dróp hàmmer *n.* (단조용의) 드롭 해머.

dróp·hèad *n.* **1**《英》(자동차의) 접는 식 포장(convertible). **2** 집어 넣게 된 재봉틀[타자기]의 대(臺)《틀을 집어 넣으면 테이블이 됨》.

dróp-ìn *n.* **1** 불쑥 들른 사람[장소];《俗》집합소; (누구나 마음 편히 들를 수 있는) 격식을 차리지 않는 사교적 모임. **2** 체제에서 이탈한 사고방식·생활을 지닌 채 체제에 되돌아온 사람.
—— *a.* 삽입식의, 삽입만 하면 되는.

dróp-ìn cènter *n.* 10대의 젊은이들을 위한 레크리에이션·교육·카운슬링 시설이 있는 센터.

dróp·kìck *n.* 〖럭비·美蹴〗 드롭킥《공을 땅에 떨어뜨려서 튀어오를 때에 차는 방법; cf. PUNT³, PLACEKICK》.

dróp-kíck *vt.* 드롭킥으로 득점하다; 드롭킥하다.

dróp lèaf *n.* 현수판《책상 옆에 경첩으로 매달아 접어 내리게 된 판》.

dróp-lèaf *a.* (테이블 따위가) 현수판식의.

dróp·let *n.* 작은 물방울, 비말(飛沫).

dróplet infèction *n.* 〖醫〗 비말(飛沫) 감염.

dróp lètter *n.* 《美》 접수 우체국에 수취인이 찾으러 오는 우편물 ; 《Can.》 접수 우체국 배달 구역내 우편물.
dróp·lìght *n.* (벽·천장의) 이동식 램프등[전등].
dróp lìne *n.* (낚싯대를 쓰지 않는) 손 줄낚싯줄.
dróp mèter *n.* (물약의) 계량계(計量計) (dosimeter).
dróp-òff *n.* 급경사면, 단애(斷崖) ; 감소, 하락 ; 《口》 인도(引渡).
dróp-óff pòint *n.* **1** 배달품을 보내는 장소. **2** (유괴 사건 따위에서) 몸값을 갖다 놓는 장소.
dróp·òut *n.* **1** 낙후(落後), 탈락 ; (기성 사회로부터의) 이탈[도피]자《과격파·히피 등》. **2** 구소련에서 출국하여 이스라엘로는 가지 않고 미국 따위로 이주하는 유태인. **3** 〔럭비〕 드롭아웃《touchdown후 시합을 다시 시작하기 위하여 25야드선 안에서 하는 드롭킥》. **4** 드롭아웃《녹음 테이프·자기 디스크의 신호의 일부가 표면에 낀 먼지나 자성체(磁性體)의 결함 따위로 지워진 부분》 ; 〔印〕 하이라이트판(版).
drop·page [drápidʒ] *n.* (익기 전의 과실의) 낙하량 ; (사용 중·수송 도중 따위의) 감량(減量).
drópped égg *n.* 수란(poached egg).
drópped gòal *n.* ＝DROP GOAL.
drópped séat *n.* 가운데를 조금 움푹 패게 한 의자의 앉는 자리.
drópped shóulder *n.* 〔服〕 드롭 숄더《어깨의 선을 팔 쪽으로 처지게 한 소매 스타일》.
dróp·per *n.* 떨어뜨리는 사람[것] ; (안약 따위의) 점적기(點滴器).
drópper-ìn *n.* 불쑥 나타나는 방문객(drop-in).
dróp·ping *n.* **1** 적하(滴下) ; 낙하. **2** [*pl.*] 낙하물, 적하물, 촛농 ; (새·짐승의) 똥(dung).
drópping gròund[**zòne**] *n.* ＝DROP ZONE.
dróp prèss *n.* ＝DROP HAMMER.
dróp scène *n.* **1** ＝DROP CURTAIN. **2** (연극 따위의) 마지막 장면.
dróp scòne *n.* 《英》 드롭 케이크, 핫 케이크 (griddle cake).
dróp sèat *n.* (자동차의) 보조 의자.
dróp shìpment *n.* 〔商〕 생산자[산지] 직송(直送)《도매상의 주문에 따라 생산 현장에서 소매점으로 직송하는 것》.
dróp·shòt *n.* 〔테니스〕 드롭 샷《볼이 네트를 넘자마자 급강하하게 치는 타법》.
dróp shùtter *n.* (초기 카메라의) 수직으로 떨어지는 셔터.
drop·si·cal [drápsikəl] *a.* 수종(水腫)의 ; 수종성의. **~·ly** *adv.* 수종처럼.
dróp·sied *a.* 수종에 걸린.
drop·sonde [drápsànd] *n.* 〔氣〕 투하(投下)[낙하] 존데《비행기에서 낙하산으로 투하하는 라디오존데》. 〖*drop*＋radio*sonde*〗
dróp stèp *n.* 〔美蹴〕 드롭스텝《공격측 선수가 타이밍을 재느라 발을 조금 끄는 동작》.
dróp-sùlfur *n.* (녹여서 물속에 떨어뜨려 작은 알맹이가 된) 입자상(粒子狀) 황.
drop·sy [drápsi] *n.* Ⓤ 〔醫〕 수종(증), (특히) 전신 수종. 〖hy*dropsy*〗
dropt *v.* DROP의 과거·과거분사.
dróp tàble *n.* 접어 내리게 된 테이블《사용하지 않을 때는 접어 놓음》.
dróp tèst *n.* 낙하 시험[테스트].
dróp-tèst *vt.* 낙하 시험을[테스트를] 하다.
dróp tìn *n.* (녹여서 물속에 떨어뜨려 작은 알맹이가 된) 입자상(粒子狀) 주석.
dróp wìndow *n.* (열차 따위의) 내리닫이창.
dróp·wòrt *n.* 〔植〕 여섯꽃잎터리풀 ; 북미산의 미나리.
dróp zòne *n.* (낙하산에 의한) 투하[강하] 지대.
drosh·ky [dráʃki], **dros·ky** [dráski] *n.* **1** 드라슈키《러시아의 지붕 없는 4륜 마차》. **2** (드라슈키식(式)의) 2[4]륜 마차.
dro·som·e·ter [drousámətər] *n.* 노량계(露量計) 《표면의 이슬 양을 측정》.
dro·soph·i·la [drousáfələ, dra-] *n.* (*pl.* **~s, -lae** [-lìː]) 〔昆〕 초파리.
dross [drás, 美＋drɔ́ːs] *n.* **1** Ⓤ 〔冶〕 쇠찌꺼기, 쇠똥 ; (특히) 뜬 찌끼, 불순물. **2** Ⓤ 《비유》 무가치한 것. **dróssy** *a.* 뜬 찌끼가 많은 ; 무가치한. 〖OE *drōs* ; cf. MDu. *droese* dregs〗
***drought** [dráut], **drouth** [dráuθ] *n.* **1** Ⓤ,Ⓒ 가뭄, 한발 ; Ⓒ 《稀》 (장기간에 걸친) 부족 (scarcity)〈*of*〉, 결핍. **2** Ⓤ 《古》 건조(dryness). 〖OE *drūgath* (*drȳge* DRY)〗
dróughty, dróuthy *a.* 한발의, 가뭄의 ; 건조 상태의. **dróught·i·ness** *n.* Ⓤ 가뭄 ; 건조(되어 있는 것).
◇**drove**[1] [dróuv] *v.* DRIVE의 과거형.
drove[2] *n.* **1** (소·돼지·양의) 느릿느릿 움직이는 떼(cf. FLOCK[1]) ; 느릿느릿 움직이는 군중 : in *~s* 떼를 지어, 느릿느릿하게. **2** (석공의) 거칠게 깎는 끌(=∠ **chìsel**) ; (돌의) 거칠게 다듬은 표면 (=∠ **wòrk**). ── *vt.* **1** 《英》 (가축 떼를) 쫓아버리다. **2** 《英》 (돌)에 거칠게 깎게하다. ── *vi.* 《英》 DROVER로 일하다. **dróv·ing** *n.* 〖OE *drāf* ; ⇨ DRIVE〗
類義語 ⟹ GROUP.
dro·ver [dróuvər] *n.* 가축 무리를 시장까지 몰고 가는 사람 ; 가축상인.
dróve ròad[**wày**] *n.* 가축을 모는 길.
‡**drown** [dráun] *vt.* **1** 물에 빠지게 하다, 익사(溺死)시키다 : ~ kittens 고양이 새끼를 강에 버리다 / a *~ed* body 익사체 / be *~ed* (dead[to death]) 익사하다(cf. *to* DEATH) / The man was [got] *~ed*. 그 남자는 익사했다 / She attempted to ~ herself. 그녀는 투신 자살을 꾀하였다. **2** (시끄러운 소리가 조그만 소리를) 없애다 : The boom of the jet plane *~ed* what the teacher was talking to us. 제트기(機)의 굉음(轟音)으로 선생님이 우리에게 하는 말이 들리지 않았다. **3** [＋目 / ＋目＋前＋名] 물에 잠기게 하다 : Her eyes were *~ed* ***in*** tears. 그녀의 눈은 눈물에 젖어 있었다. **4** [＋目＋*in*＋名] (근심·걱정을) 잊다, 달래다 ; (자신을) 망각케 하다, 압도하다 : He tried to ~ his sorrow ***in*** excitement. 그는 흥분 속에서 슬픔을 잊으려 애썼다 / The beggar was *~ed in* sleep. 거지는 깊은 잠에 빠져 있었다 / Don't ~ yourself *in* drink. 슬픔에 빠져서는 안된다. ── *vi.* 물에 빠지다, 익사하다《주 이 뜻은 be [get] *~ed*를 쓰는 것이 보통 ; ☞ *vt.* 1》 : death by *~ing* 물에 빠져죽기, 익사 / A *~ing* man will catch at a straw. 《속담》 물에 빠진 사람은 지푸라기라도 붙잡는다.
drown out (1) [보통 수동태로] (홍수가 사람을) 떠나게 하다 : The villagers *were ~ed out*. 마을 사람들은 홍수 때문에 마을을 떠났다. (2) 《美》 (소음을) 없애다, 들리지 않게 하다.
〖ME *drun(e), droun(e)* < ? OE 《美》 *drūnian* ; cf. ON *drukna* to drowned〗
drówn·ing *a.* 《美俗》 혼란한 ; (기세가) 꺾인 ; 이해할 수 없는.
drówn·pròof·ing *n.* (자연 부력과 특별 호흡법에 의한) 익사 방지법.

drowse [dráuz] *vi.* 깜빡 졸다, 꾸벅꾸벅 졸다 (doze) : I ~*d* but didn't quite fall asleep. 꾸벅꾸벅 졸긴 했지만 잠들지는 않았다. ── *vt.* **1** 졸게 하다, …에게 졸음이 오게 하다. **2** [+目+副] 비몽사몽간(非夢似夢間)에 지내다 : He ~*d away* the warm afternoon. 그는 따뜻한 오후를 꾸벅꾸벅 졸면서 보냈다. ── *n.* Ⓤ [또는 a ~] 꾸벅꾸벅 졸기, 선잠, 졸음(sleepiness) : in *a* ~ 꾸벅꾸벅 졸면서, 선잠을 자며.
〖OE *drūsian* to be languid or slow, sink ; cf. OE *drēosan* to fall〗

drow·si·head [dráuzihèd], **-hood** [-hùd] *n.* 《古》 =DROWSINESS.

***drowsy** [dráuzi] *a.* **1** 졸린 ; 조는 듯한. **2** 꾸벅꾸벅 조는, 졸리게 하는. **3** 잠을 청하는 ; 잠자는 듯한. **dróws·i·ly** *adv.* 졸린 듯이, 꾸벅꾸벅. **-i·ness** *n.* 졸음, 졸린듯함 ; 〖醫〗 기면(嗜眠) 상태, 졸림. 〖DROWSE ; 어미는 cf. DREARY〗

drówsy-héad *n.* 졸린 듯한 사람 ; 잠꾸러기.

Dr. Strangelove ☞ STRANGELOVE.

drub [drʌ́b] *v.* (**-bb-**) *vt.* **1** (몽둥이로 계속) 치다, 때리다(beat) ; (발을) 구르다. **2** [+目+前+名] (생각을) 철저히 주입시켜 가르치다[짜내게 하다] : ~ an idea ***into***[***out of***] a person 생각을 남에게 주입시키다[남의 머리에서 짜내다]. **3** (경기에서) 쳐부수다, 크게 격파하다. ── *vi.* 쳐서 소리를 내다, 밟아 소리내다. ── *n.* 《古》 구타.
〖Arab. *daraba* to beat〗

drúb·bing *n.* Ⓤ,Ⓒ 몽둥이로 때리기 ; 격파.

drudge [drʌ́dʒ] *n.* (단조롭고 고된 일을) 꾸준하게[부지런히] 하는 사람, 노예처럼 노동을 강요 당하는 사람. ── *vi.* [動 / +*at*+名] 빠빠지게 일하다, 싫은[괴로운] 일을 꾸준히 하다(toil) : ~ and slave 꾸준히 일하다 / ~ ***at*** some monotonous work 단조로운 일을 꾸준히 하다. ── *vt.* (남)에게 단조롭고 힘드는 일을 시키다.
drúdg·ing *a.* **drúdg·ing·ly** *adv.*
〖C15< ? ; cf. DRAG, OE *dreogan* to work〗

drúdg·er *n.* =DRUDGE.

drudg·ery [drʌ́dʒəri] *n.* Ⓤ 단조롭고 힘이 드는 일 (slavery).

***drug** [drʌ́g] *n.* **1** 약, 약제, 약종. **2** 마(취)약 (narcotic). **3** [*pl.*] 《美》 위생 약품《치약 따위》 : a ~ in[on] the market 팔리지 않고 남아 있는 물건, 체화(滯貨).
── *v.* (**-gg-**) *vt.* **1** …에 약품을 섞다 ; (음식물에) 독약[마취제]을 섞다. **2** …에게 약《특히 마취제》을 먹이다 ; (술 따위가) 취해 마비시키다, 마취시키다. ── *vi.* 마약을 상용하다[에 중독되다]. 〖OF *drogue*< ? Gmc.〗

drúg àddict[**fiend**] *n.* 마약 상용[중독]자.

drúg búster *n.* 《美》 마약 단속자.

drúg depèndence *n.* 약물 의존증.

drúg desìgn *n.* 〖藥〗 약제(藥劑) 설계《유효성을 높이기 위한 종합적 개발 검토》.

drúg dròp *n.* 마약을 주고받는 곳.

drúg-fàst *a.* 약품에 강한[견디는].

drúg·ger *n.* 약제사. **drúg·gery** *n.* [집합적으로] 의약품 ; 약방, 약국.

drug·get [drʌ́gət] *n.* Ⓤ,Ⓒ (인도산의) 거친 융단, 옛날 나사(羅紗)의 일종.
〖F< ? ; OF *drogue* trash, drug의 (dim.)인가〗

drúg·gist *n.* **1** 약장수, 의약품판매상. **2** 《美》 약제사(pharmacist) (=《英》 chemist) ; 드러그스토어의 주인.

drúg·gy *n.* 《美口》 마약 상용자. ── *a.* 마약 (사용)의.

drúg hàbit *n.* (마약을) 상용하는 버릇.

drúg interáction *n.* 〖藥〗 약물 상호 작용《약물의 작용이 다른 약물에 의해 변화하는 현상》.

drúg intoxicátion *n.* 약물 중독.

drug·o·la [drəgóulə] *n.* 《美俗》 마약 판매를 묵인해 주도록 경찰이나 당국에 주는 뇌물.

drúg·pùsh·er *n.* 《口》 마약 밀매인(pusher).

drúg·ster *n.* 마약 상용자.

***drúg·stòre** *n.* 《美》 **1** 약국(pharmacy) (=《英》 chemist's shop). **2** 드러그스토어. ㊟ 드러그스토어에서는 약 이외에 화장품·담배·책·문방구 따위도 팔며 또 soda fountain을 겸하고 있는 곳이 많았으나 지금은 슈퍼마켓이나 fast food점에 밀려 성행하지 않음.

drúgstore cówboy *n.* 《美俗》 옷차림만의 카우보이 ; drugstore 따위를 배회하는 건달.

dru·id [drúːəd] *n.* **1** [때때로 D~] 드루이드 성직자《기독교로 개종하기 전의 Gaul, Britain의 켈트족의 성직자로 예언자·재판관·시인·요술쟁이 등을 포함함》. **2** [D~] (런던의) 드루이드 공제회의 회원. **3** (웨일스의) 시인 대회(eisteddfod)의 임원. **dru·id·ic, -i·cal** [druːídik(əl)] *a.* **~·ism** *n.* Ⓤ 드루이드교. 〖F or L<Celt.〗

‡drum[1] [drʌ́m] *n.* **1** 북, 드럼(cf. KETTLEDRUM, SNARE DRUM) ; [*pl.*] (오케스트라 또는 악대의) 드럼 파트 : a bass[side] ~ (오케스트라용의) 큰[작은]북 / beat[play] a ~ 드럼을 치다 / with ~*s* beating and colors flying 북을 치고 기를 휘날리며《입성할 때 따위》. **2** 〖軍〗 =DRUMMER. **3** 드럼소리, 그것과 흡사한 소리 ; 알락해오라기(bittern)의 울음소리. **4** (중이(中耳)의) 고실(鼓室), 고막(=eardrum) ; 〖機〗 몸통, 원통형부(圓筒形部). **5** 드럼통. **6** 〖컴퓨〗 =MAGNETIC DRUM. **7** 《俗》 집, 하숙집, 나이트클럽, 매춘굴 ; 유치장(prison).
── *v.* (**-mm-**) *vi.* **1** [動 / +前+名] 북을 치다 ; (모병(募兵) 따위를 위하여) 북을 치며 돌아다니다 ; 《美》 (지방을) 외판하며 다니다(cf. DRUMMER 2), 권유하며 다니다 : ~ ***for*** customers 악기로 흥을 돋우어 손님을 끌다. **2** [+前+名] (책상·마룻바닥 따위를) 쿵쿵 치다[구르다], 쾅쾅[똑똑] 두드리다 : Stop ~*ming* ***on*** the floor ***with*** your heels. 발꿈치로 마루를 쿵쿵 구르지 마시오 / My brother is ~*ming* ***on*** the piano. 동생은 피아노를 쾅쾅 두드리고 있다 / Somebody was ~*ming* ***at*** the door. 누군가 문을 쾅쾅 두드리고 있었다. **3** (새·곤충이) 윙윙 날개소리를 내다. ── *vt.* **1** (곡을) 북으로 연주하다. **2** [+目 / +目+*with*+名] (책상·마루 따위를) 탕탕[쿵쿵] 치다[두드리다, 구르다] : Don't ~ the floor ***with*** your feet. 발로 쿵쿵 마루를 굴러 소리내지 마시오. **3** [+目+*into*+名] (귀가 아플 정도로) 되풀이해서 (…에게) 하다 ; 엄하게 말하여 가르치다 : ~ a person ***into*** apathy 남에게 자꾸 잔소리하여 무감각해지게 하다 / You must ~ lessons *into* Tom. 톰에게는 학과를 거듭 되풀이하여 가르쳐야 한다.
drum a person ***out of***. . . 북을 치며 (군대)에서 남을 추방하다 ; (단체 따위)에서 남을 추방[제명]하다 : Bob was ~*med out of* school. 보브는 퇴학 처분을 당했다.
drum up 북을 쳐서 불러 모으다 ; 매우 애써서[특히 선전을 해서] 획득하다 ; 창출하다, 짜내다.
〖*drombslade, drombyllsclad* (obs.) < LG *trommelslag* drumbeat (*trommel* drum, *slag* beat)〗

drum[2] *n.* **1** 《스코·아일》 폭이 좁고 긴 구릉[지붕]. **2** 〖地質〗 =DRUMLIN.

〖Gael. and Ir. *druim* ridge〗
drúm·bèat *n.* 북소리 ; 큰 소리로 주창하는 주의[주장].
drúm·bèat·er *n.* 《美俗》 광고[선전]하는 사람 (advertiser) ; 〖라디오·TV〗 광고를 읽는 아나운서 ; (어떤 사상의) 열성[골수] 분자.
drúm·bèat·ing *n.* 요란하게 주창하는 일 ; 선전, 광고.
drúm bràke *n.* 원통형 브레이크.
drúm còrps *n.* 고수대(鼓手隊), 군악대.
drúm·fire *n.* Ⓤ 〖軍〗 연속 집중 포화 ; Ⓒ 《비유》 (질문 따위의) 집중 공세.
drúm·fish *n.* 〖魚〗 (북 같은 소리를 내는) 민어과의 물고기.
drúm·hèad *n.* **1** 북의 가죽. **2** 고막(eardrum). **3** 캡스턴(capstan)의 머리, 동체(胴體) 꼭대기. ── *a.* 약식의.
drúmhead cóurt-martial *n.* (전장의) 임시[즉결] 군법 회의.
drum·lin [drʌ́mlən] *n.* 〖地質〗 빙퇴구(氷堆丘) 《빙하의 퇴적물로 된 언덕》.
drúm màjor *n.* (군악대의) 고수장(鼓手長)[악장(樂長)]《행렬의 선두에서 지휘봉을 휘두름》; 《美》 행진 악대의 리더.
drúm majorétte *n.* 여자 군악대장.
drúm·mer *n.* **1** (특히 군악대의) 고수(鼓手). **2** 《美》 지방 순회 상인《원래 북을 울려 손님을 모았음》, 외판원(commercial traveler).
drúm prìnter *n.* 〖컴퓨〗 드럼 프린터.
drúm prìnting *n.* 드럼 프린팅《따로따로 드럼에 감긴 날실 따위를 드럼이 회전해 나가며 날염하는 방법》.
drúm·ròll *n.* 〖樂〗 드럼롤《드럼에서의 트레몰로(tremolo)》.
drúm·stìck *n.* **1** 북채 ; 북채 모양의 것. **2** 〖料〗 닭다리《북채 비슷함》.
drúm tàble *n.* 회전식 서랍이 달린 원탁.
drúm·tìght *a.* 물샐틈없는.
◇**drunk** [drʌ́ŋk] *v.* DRINK의 과거분사 ; 《古》 과거형. ── *a.* **1** [*pred.*로 써서(cf. DRUNKEN)] **a)** 취한, 만취된(intoxicated) : be ~ (*with* whiskey) (위스키에) 취하다 / get ~ 취하다 / beastly [blind, dead] ~ 곤드레만드레 취하여 / He came home ~. 그는 만취되어 귀가했다 / ~ and incapable 너무 취해서 움직이지 못하여, 술이 곤드레만드레 취해서. **b)** 도취되어, 열중하여 : She is ~ *with* joy[success]. 그녀는 기쁨[성공]에 도취되어 있다. **2** [*attrib.*로 써서] 《口》 =DRUNKEN 1, 3.
(***as***) ***drunk as a fiddler***[***lord, fish***] 곤드레만드레 취하여.
── *n.* 《口》 취객(醉客), 술 취한 사람(drunken person) ; 주연, 떠들고 마시는 잔치(spree) : a good[bad] ~ 술버릇이 좋은[나쁜] 사람.
drúnk·ard *n.* 술고래, 모주꾼. 〖↑〗
drúnk drìver *n.* 〖法〗 음주 운전자 : a ~ trap 음주 운전 단속 검문소.
drúnk dríving *n.* 〖法〗 음주 운전.
***drunk·en** [drʌ́ŋkən] *v.* 《古》 DRINK 의 과거분사. ㊟ 지금은 다음과 같이 형용사로만 사용함.
── *a.* [보통 *attrib.*로(cf. DRUNK *a.* 1)] **1** 취한, 만취된(↔*sober*) : a ~ man 주정뱅이. **2** 술고래의, 모주꾼의 : her ~ husband 그녀의 주정뱅이 남편 / [*pred.*로 써서] He was ~ and wasteful. 그는 술꾼에다 낭비가였다. **3** (행동 따위) 술에 취하여 하는, 술김의 : a ~ brawl[quarrel] 술김에 하는 싸움 / ~ driving 음주 운전.
~·ly *adv.* 술에 취해서, 술김에. **~·ness** *n.* Ⓤ 명정(酩酊) ; 취태.
drunk·o·me·ter [drʌŋkɑ́mətər] *n.* =BREATHALYZER.
drúnk tànk *n.* 《俗》 (술이 깰 때까지 가두어 두는) 주정뱅이 수용소.
dru·pa·ceous [druːpéiʃəs] *a.* 〖植〗 핵과성(核果性)의, 다육과(多肉果)의 ; 핵과를 맺는.
drupe [drúːp] *n.* 〖植〗 핵과, 다육과(stone fruit) 《복숭아·매실·편도(扁桃) 따위》.
〖L<Gk.=olive〗
drúpe·let, dru·pel [drúːpəl] *n.* 〖植〗 소핵과(小核果).
Drú·ry Láne (**Théatre**) [drúəri-] *n.* [The ~] 드루어리 레인 극장《17세기에 창립한 London의 대극장》.
Druse, Druze [drúːz] *n.* 드루즈파《이슬람교 시아파의 과격파인 이스마일파에서 나온 한 종파 ; 시리아와 레바논의 산악지대에 본거지가 있음》.
druth·ers [drʌ́ðərz] *n.* 《方·口》 좋아함, 자유 선택 : If I had my ~, I'd go skating. 좋을 대로 해도 된다면 스케이트를 타러 가겠다.
〖(*I*) *would rather*〗
◇**dry** [drái] *a.* (**drí·er** ; **-est**) **1** 마른, 물기 없는(↔*wet*) ; 말린, 마른 것으로 만든 : a ~ towel / ~ wood 마른 목재 / ☞ DRY LAND / ~ fish 건어물 / The clothes are ~ now. 옷이 이제 말랐다 / get ~ 마르다 / keep ~ 말려[물기가 없게] 두다. **2** 건성(乾性)의 ; (상품이) 고체인(solid) (cf. LIQUID, GASEOUS) : a ~ cough 마른 기침 / ☞ DRY BATTERY / ~ provisions 건조식품《밀가루·설탕·소금·커피 따위》/ ☞ DRY GOODS / ☞ DRY ICE / ☞ DRY MEASURE. **3** 가뭄이 계속되는 ; 건조성의 ; 갈수(渴水)의, 말라붙은 ; 물이 마른《우물·샘》, 젖이 안나오는 《소 따위》; 《口》 목이 마른 ; 《美》 술이 나오지 않는《파티 따위》: ~ weather 가뭄이 계속되는 날씨 / a ~ season 건조기, 갈수기(渴水期) / feel ~ 목이 마르다 / ~ work 목이 타는 일. **4** (포도주 따위가) 쌉쌀한 맛이 나는(↔*sweet*). **5** 인정이 메마른, 무미 건조한 ; 실제적인 ; (사실 따위) 적나라한, 꾸밈이 없는 ; 무뚝뚝한 : a ~ lecture 지루한 강연 / a ~ answer 무뚝뚝한 대답 / ~ thanks 상투적인 인사(의 말) / ~ humor[sarcasm] 시치미 떼고[모르는 척하고] 하는 익살[풍자]. **6** 〖美術〗 선이 딱딱한, (색채에) 따뜻한 맛이 없는. **7** 금주의, 금주법 실시[찬성]의, 금주파의(↔*wet*) : a ~ state 금주법을 시행하는 주(州) / go ~ 금주법을 시행하다. **8** 버터를 바르지 않은 : ~ bread 버터를 바르지 않은 빵.
(***as***) ***dry as a bone***[***as a chip, as tinder***] 말라붙어서, 바싹 말라서(cf. BONEDRY).
die a dry death (익사나 유혈사가 아닌) 자연사를 하다, 제명에 죽다.
run dry (1) (강·우물 따위가) 마르다, 물이 나오지 않다 ; (우유·잉크 따위가) 나오지 않다. (2) (비축 따위가) 부족[결핍, 고갈]되다.
with dry eyes 눈물 한 방울 흘리지 않고, 냉정하게.
── *vt.* [+目 / +目+副 / +目+前+名] 말리다, 건조시키다, 건물(乾物)로만들다 ; 잘 씻어서 말리다 : ~ (*away*) one's tears 눈물을 닦아내다 ; 탄식을 그치다 / ~ oneself 몸을 닦다 / Don't ~ your hands ***on*** your apron. 에이프런에다 손을 닦지 마라. ── *vi.* 마르다 ; (물이) 바닥나다, 말라붙다 : Your clothes will soon ~. 옷은 곧 마를 겁니다.

dry off 바싹 말리다[마르다], 충분히 닦다.

dry up (1) 마르게 하다, 바싹 말리다[마르다], (우물의) 물이 바닥나(게 하)다 : All the streams may soon ~ *up* in this hot weather. 이 더운 날씨에는 곧 냇물이 모조리 마르게 될는지도 모른다. (2) (사상이) 고갈되다 : His imagination has *dried up*. 그의 창의력은 바닥나버렸다. (3) 《口》 말을 중단하다, 말을 그치다 : *D~ up!* 닥쳐!, 그만둬! (4) 〖劇〗 (배우가) 대사를 잊어버리다.

—— *n.* **1 a)** Ⓤ 한발(旱魃) (drought) ; 건조상태 (dryness). **b)** (*pl.* **dríes**) 〖氣〗 건조기(期). **2** (*pl.* **~s**) 《美口》 금주(법 찬성)론자(↔*wet*).

in the dry (비 따위에) 젖지 않고 ; (해상이 아니라) 육상에서, 뭍에서. 〖OE *drӯge* ; cf. G *trocken*〗

dry·ad [dráiəd, -æd] *n.* (*pl.* **~s**, **-a·des** [-ədìːz]) 드리아드《나무의 요정(妖精), 숲의 선녀 ; cf. NAIAD, NYMPH, OREAD, UNDINE)》. 〖OF<L<Gk. (*drus* tree)〗

drý área *n.* 〖建〗 지하실 외벽에 채광·통풍·방습을 위해 파놓은 공간.

dry·as·dust [dráiəzdʌ̀st] *a.* 무미 건조한.
—— *n.* [때때로 D~] 학구적이나 재미가 없는 학자《고고학자·통계학자 등》. 〖dry as DUST〗

drý ávalanche *n.* (지진·사태 따위로 인한) 토석류(土石流), 암설류(岩屑流), 산사태.

drý bàttery[cèll] *n.* 건전지.

drý bòb *n.* (Eton교(校)의) 크리켓[럭비] 부원 (cf. WET BOB).

drý-bòned *a.* 말라빠진.

drý-bònes *n.* 말라빠진 사람.

drý-bùlb *a.* 건구식(乾球式)의.

drý-búlb thermómeter *n.* 건구식 온도계.

drý-clèan *vt.* (의류를) 드라이 클리닝으로 세탁하다. **~·able** *a.* 〖역성(逆成) ‹DRY CLEANING〗

drý cléaner *n.* 드라이 클리닝업자 ; 드라이 클리닝용 약품《벤진·나프타 따위》.

drý cléaning *n.* 드라이 클리닝 ; 드라이 클리닝한 세탁물.

drý-cléanse *vt.* =DRY-CLEAN.

drý-cúre *vt.* (고기·생선 따위를) 소금에 절여 말리다, 말려서 저장하다(cf. PICKLE).

drý cúring *n.* 건염법(乾鹽法).

Dry·den [dráidn] *n.* 드라이든. **John ~** (1631-1700) 영국의 시인·극작가·비평가.

drý distillátion *n.* 건류(乾溜) (destructive distillation).

drý dòck *n.* 건선거(乾船渠)《배바닥을 노출시키는 「독」; cf. WET DOCK》.

drý-dòck *vt., vi.* 건선거에 넣다[들어가다].

drý dýeing *n.* (섬유의) 건식(乾式) 염색.

drý·er *n.* =DRIER.

drý-èyed *a.* 울지 않는, 눈물을 흘리지 않는 ; 냉정한.

drý èyes *n.* 〖醫〗 건조성 각(角)결막염.

drý fàrm *n.* 건지(乾地) 농장.

drý-fàrm *vt.* (토지를) 건지농법(乾地農法)으로 경작하다.

drý fárm·er *n.* 건지농법으로 경작하는 농부.

drý fárming *n.* 건지농법《수리(水利)가 잘 안되거나 비가 부족한 토지의 경작법》.

drý-flỳ físhing *n.* 물위에 띄워서 하는 파리낚시.

drý fóg *n.* 건무(乾霧).

drý·fòot *adv.* 발을 적시지 않고.

drý gás *n.* 건성[드라이] 가스《메탄·에탄 따위》.

drý gòods 1 직물·의류. **2** 《英》 곡류 ; 건물(乾物)류《잡곡·잡화》.

drý-gùlch *vt.* **1** 《美》 조용한 곳에서 매복하고 기다렸다가 죽이다 ; 높은 곳에서 밀어 떨어뜨려 죽이다. **2** 《美口》 (갑자기 태도를 바꾸어) 배반하다 ; 때려 눕히다.

drý hòle *n.* 마른 우물 ; 〖石油〗 석유[가스]의 분출량이 적어 경제성이 없는 유정(油井).

drý·hòuse *n.* 건조소[실].

drý íce *n.* 드라이 아이스《이산화탄소를 압착하여 고체로 만든 냉동제》. 〖*Dry Ice* 상표〗

drý·ing *n.* Ⓤ 건조. —— *a.* 말리는, 건조시키는 ; 건조용의 ; 건조성의 : a ~ machine 건조기 / a ~ wind 세탁물이 잘 마르는 바람.

drý·ish *a.* 아직 덜 마른, 약간 마른.

drý kìln *n.* (목재의) 건조 가마, 건조실.

drý lánd *n.* **1** (강우량이 적은) 건조한 땅, 건조지역. **2** Ⓤ (바다에 대하여) 육지.

drý làw *n.* 《美》 금주법, 주류 판매 금지법.

drý líght *n.* 그림자 없는 광선 ; 편견 없는 견해.

drý lòdging *n.* 식사 없는 하숙.

drý·ly, drí·ly *adv.* 건조하여 ; 무미 건조하게 ; 냉담하게.

drý másonry *n.* (담을 시멘트·모르타르를 쓰지 않고) 돌로만 쌓기.

drý méasure *n.* 건량(乾量)《곡물 따위의 계량 ; cf. LIQUID MEASURE》.

drý mílk *n.* 분유(powdered milk).

drý mòp *n.* 자루 달린 걸레(dust mop).

drý·ness *n.* Ⓤ 건조 (상태) ; 가뭄(의 연속) ; 무미건조 ; 냉담 ; (술의) 씁쌀한 맛.

drý nùrse *n.* (젖을 먹이지 않는) 보모(cf. WET NURSE) ; (미숙한 상관의) 보좌역.

drý-nùrse *vt.* (어린 아이를) 보살펴 키우다 ; (미숙한 상관을) 보좌하다.

drý píle *n.* 건전지의 일종.

drý plàte *n.* 〖寫〗 건판.

drý·pòint *n.* 조침(彫針), 드라이포인트 ; 드라이포인트에 의한 오목판화(版畫) ; Ⓤ 드라이포인트 오목판 조각법.

drý rehèarsal *n.* 〖TV〗 카메라 촬영없이 하는 총연습.

drý rót *n.* **1** Ⓤ (목재의) 건조 부패. **2** Ⓤ 《비유》 (도덕적·사회적인) 퇴폐, 부패〈*in*〉.

drý-rót *vt.* 건조 부패시키다 ; (사회 따위를) 부패[타락]시키다.

drý rún *n.* 〖軍〗 실탄 없이 하는 사격[폭격] 연습 ; 시운전, 모의 회의 ; 《美》 연습 비행 ; (일반적으로) 예행 연습(豫行演習). —— *vt.* 《口》 …의 예행 연습을 하다.

drý-sàlt *vt.* =DRY-CURE.

drý·sàlt·er *n.* 건물(乾物) 장수 ; 《英》 화학 제품상《약품·물감·고무제품 또는 기름·통조림 따위를 취급함》.

drý sháve *n.* 물을 쓰지 않는 면도《전기 면도기로 하는 면도 따위》.

drý-shòd *a., adv.* 신[발]을 적시지 않는[않고].

drý-skí *a.* 실내[인공눈 위]에서 타는 스키의.

drý skíd *n.* (자동차 따위의) 마른 노면(路面)에서의 미끄러짐.

drý-skìd *vi.* (자동차 따위가) 마른 노면에서 미끄러지다.

drý-snàp *vt.* (권총을) 공포로 쏘다 ; 탄창을 비운 채로 방아쇠를 당기다.

drý stóve *n.* 〖園藝〗 건조 온실《선인장 따위의 건조 식물을 보존하기 위함》.

drý wáll *n.* 《美》 건식 벽체(壁體)《회반죽을 쓰지 않은 벽》. **drý·wàll** *a.*

drý wáres *n.* 잡곡류.

drý wàsh *n.* (다리미질하기 전의) 마른 세탁물.

drý wàters *n.* 《美》 (연안 3마일의) 영해.
drý wéight *n.* 〖宇宙〗 건조 중량《연료·승무원·소모품을 제외한 우주선·로켓의 중량》.
drý-wít·ted *a.* 상냥하지 못한, 무뚝뚝한, 비사교적인.
DS data set. **Ds** 〖化〗 dysprosium; defense support(방위 지원). **D/S, d.s.** 〖商〗 days after sight. **D.S.** 〖樂〗 dal segno; detached service; dental surgeon; 〖證〗 depositary shares (예탁주식[증권]); disseminated sclerosis; document signed; Doctor of Science; drop siding. **d.s.** daylight saving. **DSA** 〖醫〗 digital subtraction angiography. **D. Sc.** Doctor of Science. **D.S.C.** 〖軍〗 Distinguished Service Cross. **DSCS** 〖軍〗 Defense Satellite Communications System. **DSL** deep scattering layer (심해 음파 산란층). **D.S.M.** 〖軍〗 Distinguished Service Medal. **DSN** 〖宇宙〗 deep space network. **D.S.O.** 〖英軍〗 Distinguished Service Order. **DSR** debt service ratio(채무상환 비율); 〖醫〗 dynamic spatial reconstructor 《동적 공간적 재구성 장치; 체내의 심장·폐 따위의 장기를 입체표시하는 장치》. **DSRV** Deep Submergence Rescue Vehicle (심해 구조 잠수정). **DSS** 〖컴퓨〗 decision support system《(의사) 결정 지원 시스템; 경영 의사 결정을 돕기 위한 정보 제공 시스템》. **D.S.T.** Daylight Saving Time.
'dst [dst] hadst, wouldst의 단축형.
D.T. the Daily Telegraph; delirium tremens. **d.t.** diethyl toluamide. **DTE** data terminal equipment(데이터 단말(端末) 장치). **D.Th., D. Theol.** Doctor of Theology. **DTP** desktop publishing.
D.T.'s., d.t.'s [dì:tí:z] *n. pl.* 《口》 =DELIRIUM TREMENS.
DU depleted uranium《감손 우라늄; 원자로 연료의 우라늄이 핵분열을 마치고 남은 것》. **Du.** Duke; Dutch.
du·ad [djú:æd] *n.* 두 개로 한 쌍이 되는 것(pair); 〖化〗 =DYAD.
du·al [djú:əl] *a.* 둘의; 이중의(double, twofold); 이체(二體)의; 이원적인; 〖文法〗 양수(兩數)의: ~ flying 동승 비행 / a ~ pump 복식 펌프.
—— *n.* 〖文法〗 양수(형)《옛 영어의 *wit*(=we two) 따위》. —— *vt.* (도로를) 왕복이 분리된 도로로 만들다. **~·ly** *adv.* 이중 자격으로; 두 가지 형태로. 〚L (*duo* two)〛
dúal-áspect *a.* 양면성을 지닌.
dúal-caréer còuple *n.* 중요한 직업에 종사하는 맞벌이 부부.
dúal cárriageway *n.* 《英》 왕복 분리 도로《중앙분리대로 갈라짐》.
dúal cítizenship *n.* 이중 시민권; 이중 국적 (dual nationality).
dúal contról *n.* 이중 관할; 2국 공동 통치; 〖空〗 이중 조종 (장치).
du·al·in [djú:ələn], **du·al·ine** [-lì:n, -lən] *n.* 니트로글리세린·질산칼륨·톱밥을 혼합해서 만든 폭약.
dúal·ìsm *n.* Ⓤ 이중성, 이원성; 〖哲·宗·神學〗 이원론(cf. MONISM, PLURALISM).
-ist *n.* 이원론자.
dù·al·ís·tic *a.* 이원(二元)의, 이원적인; 이원론적인: the ~ theory 이원설; (화학 결합상의) 양성설(兩性說). **-ti·cal·ly** *adv.*
du·al·i·ty [dju:ǽləti] *n.* Ⓤ,Ⓒ 〖理〗 이중성; 이원성; 〖數〗 쌍대(성)(雙對(性)).
dúal·ìze *vt.* 이중으로 하다; 겹치다, 이원적으로 간주하다.
Dúal Mónarchy *n.* [the ~] 〖史〗 이중 제국 《오스트리아-헝가리 제국(1867-1918)》.
dúal nationálity *n.* 이중 국적.
dúal númber *n.* 〖文法〗 양수(형)《둘 또는 한 쌍을 나타냄; cf. SINGULAR, PLURAL》.
du·a·logue [djú:əlɔ̀(:)g, -lɑ̀g] *n.* 대화, 문답 (dialogue).
dúal personálity[cháracter] *n.* 〖心〗 이중(二重) 인격.
dúal prícing *n.* 이중 가격 표시《제품 가격과 단위 중량당 가격을 표시함》.
dúal-pùrpose *a.* 이중 목적의; 일석이조의: ~ breed 겸용종(兼用種)《육우(肉牛)겸 젖소 따위》.
dúal slálom *n.* =PARALLEL SLALOM.
du·ar·chy [djú:ɑrki] *n.* 이두(二頭) 정치.
dub[1] [dʌb] *v.* (**-bb-**) *vt.* [+目+補] **1** (국왕이 칼로 어깨를 가볍게 두드리고) (사람에게) 나이트 작위를 수여하다(cf. ACCOLADE): The king ~*bed* him (a) knight. 왕은 그에게 나이트 작위를 수여했다[나이트로 삼았다]. **2** (사람에게 새 이름·지위 따위를) 주다, (사람을 …라고) 부르다, 칭하다(call), (사람에게) 별명을 붙이다(nickname): Bill is ~*bed* 'Fatty' because he is so stout. 빌은 매우 살이 쪄서 「뚱뚱보」라는 별명이 붙어 있다. **3** (가죽에) 기름을 먹이다. **4** 《골프俗》 서투르게 치다; (일반적으로) 실수하다. —— *vi.* 찌르다, 쪼다〈*at*〉; 《俗》 실수하다.
dub out (나뭇조각·슬레이트 따위 울퉁불퉁한 면을) 반반하게[매끈하게] 다듬다.
—— *n.* **1** 둥하고 울리는 소리; 둔탁한 소리를 내며 찌름. **2** 《俗》 서투른[손재주가 없는] 녀석, 신참(新參) (duffer).
flub the dub 《美俗》 사보타주하다; 느릿느릿하다, 우물쭈물하다; 실수하다, 망치다.
dúb·ber[1] *n.* 〚AF *duber*, *aduber* to equip with armor, repair < ?; cf. OE *dubbian*〛
dub[2] *vt.* (**-bb-**) 〖映〗 (필름에) 새로운 녹음을 하다 《외국 영화를 자국어로 녹음하기 위해서》, …에 추가 녹음을 하다; 〖映·TV·라디오〗 (필름·테이프에) 음향효과를 넣다; (다른 레코드·테이프에) 재녹음[더빙]하다; (복수의 사운드트랙을) 합성하다. —— *n.* 더빙. **dúb·ber**[2] *n.* 〚*double*〛
dub[3] *vi.* (**-bb-**) 《俗》 [다음 숙어로]
dub in[up] 불입하다, 돈을 내다.
〚C19 < ?〛
dub[4] *n.* 《주로 스코》 웅덩이; 늪.
〚C16; cf. MLG *dobbe*, G *Tümpel* pond, puddle〛
dub. dubious. **Dub.** Dublin.
dub-a-dub [dʌ́bədʌ̀b] *n.* =RUB-A-DUB. 〚imit.〛
Du·bai [dəbái, du:-] *n.* 두바이《아랍에미리트 연방 북동부의 수장국(首長國); 수도 Dubai》.
dub·bin [dʌ́bən] *n.* Ⓤ 가죽에 바르는 방수유.
—— *vt.* (구두 따위)에 dubbin을 바르다.
dúb·bing[1] *n.* **1** 나이트 작위 수여. **2**=DUBBIN.
dubbing[2] *n.* 〖映〗 더빙, (필름·테이프의) 재녹음; 합성 녹음.
du·bi·e·ty [dju(:)báiəti] *n.* Ⓤ 의혹, 의심, 반신반의; Ⓒ 의심스러운 것[일]. 〚L; ⇨ DUBIOUS〛
du·bi·ous [djú:biəs] *a.* **1** [+前+do*ing* / +(前+) *wh.* 節·句] (사람이) 반신 반의하는: He has never been ~ ***of*** success. 그는 성공을 의심해 본 적이 없다 / He was a little ~ ***about*** sign*ing* his name. 그는 서명하는 것을 약간 망설

이고 있었다 / I feel ~ (*about*[**as to**]) *what* I should do[*what to* do] next. 다음에 무엇을 해야 할 것인가 확실치 않다. **2** 수상한 : a ~ character 수상한 인물. **3** (진의가) 애매한, 불명한 ; (결과 따위가) 미덥지 않은, 미심쩍은, 의심스러운, 마음 놓이지 않는, 불안한, 어떻게 될지 모르는 : a ~ answer 애매한 대답 / a ~ compliment 애매한 찬사 / The result remains ~. 결과는 여전히 확실하지 않다. **~·ly** *adv.* **~·ness** *n.* 〖L (*dubium* doubt)〗

類義語 ⟹ DOUBTFUL.

du·bi·ta·ble [djúːbətəbəl] *a.* 의심스러운.

du·bi·ta·tion [djùːbətéiʃən] *n.* U,C **1** 의심 (doubt). **2** 반신 반의.

du·bi·ta·tive [djúːbətèitiv ; -tə-] *a.* 의심스러운, 의심을 나타내는. 〖F or L (*dubito* to doubt)〗

Dub·lin [dʌ́blən] *n.* 더블린《아일랜드 공화국(the Irish Republic)의 수도》.

du·cal [djúːkəl] *a.* 공작(公爵) (duke)의 ; 공작령(領)의 ; 공작다운. 〖F ; ⇨ DUKE〗

duc·at [dʌ́kət] *n.* (옛날 유럽 대륙에서 사용된) 금[은]화 ; [*pl.*] 금전 ; 《美俗》 표, 입장권 ; 《美俗》 조합원증. 〖It. or L *ducatus* DUCHY〗

du·ce [dúːtʃei ; -tʃi] *n.* 수령(chief) : ☞ IL DUCE. 〖It.〗

Du·chénne dỳstrophy [duːʃén-] *n.* 〖醫〗 뒤셴형 근(筋)위축증. 〖Guillaume A. *Duchenne* (d. 1875) 프랑스의 신경학자〗

duch·ess [dʌ́tʃəs] *n.* **1** 공작 부인[미망인] (cf. PRINCESS 3). **2** 여자 공작(公爵), (공국(公國)의) 여공(女公) (cf. DUCHY, DUKEDOM). 〖OF<L *ducissa* ; ⇨ DUKE〗

duchy [dʌ́tʃi] *n.* **1** 공국(公國), 공작령(領) (dukedom)《duke 또는 duchess의 영지》. **2** 영국 왕실의 직할영지《Cornwall 및 Lancaster》. 〖OF<L ; ⇨ DUKE〗

***duck**[1] [dʌ́k] *n.* **1** 오리, 집오리(cf. DUCKLING) ; 오리[집오리]의 암컷(↔*drake*) ; U 오리[집오리] 고기 : ☞ WILD DUCK / raise ~*s* 집오리를 사육하다 / shoot ~ 오리 사냥을 하다. **2** 《口》 (애칭·호칭으로) 귀여운 사람(darling), 애인. **3** 《英》 =DUCK'S EGG. **4** =LAME DUCK. **5** 《美口》 사람, (특히) 별난 녀석.

***duck*(*s*) *and drake*(*s*)** 물수제비뜨기《얇고 둥근 돌을 물위에 던져 튀어가게 함》.

a fine day for young ducks 비오는 날, 우천.

in two shakes of a duck's tail ☞ SHAKE *n.* 5.

like a* (*dying*) *duck in a thunderstorm 눈이 휘둥그래져서, 어리둥절하여 ; 매우 슬픈 듯이.

like water off a duck's back 아무런 감명[효과]도 없이, 마이동풍(馬耳東風)격으로.

make ducks and drakes of money*=*play ducks and drakes with money 돈을 물쓰듯 하다.

take to...like a duck to water 극히 자연스럽게 …에 친숙해지다[익숙해지다] ; …을 무엇보다도 좋아하다.

〖OE *dūce* diver (↓)〗

duck[2] *vi.* **1** 물속에 쑥 잠기다, 머리를 쑥 물속에 처박다 ; 쑥 잠겼다가 곧 나오다. **2** 머리를 휙 숙이다, 재빨리 몸을 굽히다 ; 《口》 (재빨리 몸을 굽혀) 도망치다, 몸을 피하다(dodge)〈*out*〉.
—— *vt.* **1** [+目 / +目+前+名] (사람의) 머리를 (물속에) 밀어 넣다, 쑥 처박다, 쑥 (물에) 담그다 : Bob ~*ed* his little brother ***in*** the swimming pool. 보브는 동생의 머리를 풀의 물속에 처박았다. **2** (머리를) 살짝 숙이다, (몸을) 약간 굽히다 : He ~*ed* his head to avoid being hit. 그는 맞지 않으려고 머리를 휙 숙였다. —— *n.* **1** 머리[전신]를 숙이기[굽히기]. **2** 쑥 물속에 잠기기. 〖OE 《美》 *dūcan* to dive ; cf. G *tauchen* to dive〗

duck[3] *n.* U 즈크, 황마(黃麻)로 짠 두꺼운 천 ; [*pl.*] 《口》 즈크제의 양복 바지《따위》. 〖Du. < ?〗

duck[4] *n.* 수륙 양용 트럭. 〖암호명 *DUKW*에서〗

dúck·bìll *n.* =PLATYPUS. —— *a.* 오리 같은 주둥이를 가진 ; 오리 주둥이 모양의 차양이 있는.

dúck·bìlled *a.* 오리 같은 주둥이를 한[가진].

dúck·bòard *n.* [흔히 *pl.*] (진흙바닥에 깐) 디딤널판대기.

dúck bùmps *n. pl.* 《俗》 소름(gooseflesh).

dúck còurse *n.* 《美學生俗》 학점을 쉽게 딸 수 있는 대학의 수업 과목.

dúck·er *n.* **1** 잠수부 ; 잠수조(鳥)《특히 농병아리 따위》. **2** 집오리를 기르는 사람 ; 오리 사냥꾼.

dúck hàwk *n.* **1** 《美》〖鳥〗 매. **2** 《英》〖鳥〗 개구리매.

dúck hòok *n.* 〖골프〗 덕 훅《코스에서 크게 벗어나는 좌향 공》.

dúck·ing *n.* **1** U 오리사냥. **2** U,C 물속에 처박기 ; 흠뻑 젖는 것 ; 머리를[몸을] 살짝 굽히기 ; 〖拳〗 (머리나 몸을) 갑자기 굽히기 : give a person a ~ 남을 물속에 처박다.

dúcking stòol *n.* (장대 끝에 매달아 연못에 담그던) 물고문 의자《옛날 수다스럽고 부정(不貞)한 여자를 징계하는 데 사용했음》.

dúck-légged *a.* 오리처럼 걷는 ; 다리가 짧은.

dúck·ling *n.* 오리새끼, 집오리 새끼.

dúck·mòle *n.* 〖動〗 오리너구리.

dúck·pìn *n.* 덕핀즈용의 핀 ; [~s, 단수취급] 덕핀즈《공을 던져 핀을 쓰러뜨리는 십주희 비슷한 놀이》. 〖모양이 비슷한 데서〗

dúck('s) àrse[àss] *n.* 《俗》 =DUCKTAIL.

dúck's disèase *n.* 《俗》 짧은 다리.

dúck('s) ègg *n.* 《英》 (크리켓에서의) 영점(=《美》 goose egg)《영(0)을 달걀로 보고》.

dúck shòt *n.* 오리 사냥용 총알.

dúck sóup *n.* 《美俗》 아주 쉬운 일, 누워서 떡먹기 ; 잘 속는 사람.

dúck·tàil *n.* 덕테일《머리의 양옆을 길게 하여 뒤로 모아붙이는 10대 소년의 머리 모양》.

dúck·wèed *n.* 〖植〗 개구리밥, (특히) 좀개구리밥《오리의 먹이가 되는 물풀》.

dúcky, dúck·ie *a.* 《俗》 훌륭한 ; 대단히 기쁜, 아주 즐거운 ; 귀여운, 사랑스러운. —— *n.* 새끼오리 ; 《英俗》 =DARLING《애칭》.

duct [dʌ́kt] *n.* 송수관 ; 〖解〗 도관(導管), 수송관 ; 〖植〗 물관, 맥관(脈管) ; 〖建〗 암거(暗渠) ; 〖電〗 전선거(渠). 〖L *auctus* aqueduct (*duct- duco* to lead)〗

-duct *n. suf.* 「…관(管)」의 뜻 : aque*duct*.

duc·tile [dʌ́ktl, -tail ; -tail] *a.* **1** (금속이) 두들겨 펼 수 있는. **2** (진흙 따위가) 어떠한 모양으로도 되는, 말랑말랑한. **3** 순진한, 유순한 ; 시키는 대로 하는. 〖OF or L ; ⇨ DUCT〗

duc·til·i·ty [dʌktíləti] *n.* **1** U 연성(延性), 전성(展性) ; (아스팔트의) 신도(伸度). **2** U 유연성, 말랑말랑하기 ; 순진한 성질(docility).

dúct·less *a.* 도관(導管)이 없는.

dúctless glánd *n.* 〖解〗 무도관선(無導管腺), 내분비선(腺)《갑상선 따위》.

dud [dʌ́d] *n.* 《口》 **1** [보통 *pl.*] 옷(clothes). **2** 쓸모없는 것[사람] ; 실패 ; 불발탄. —— *a.* 쓰지 못할, 쓸모가 없는, 가짜의 : ~ coin 《美》 위조 화

폐, 가짜 돈. 〖ME< ?〗

dude [djúːd] *n.* 《美俗》 젠체하는 사람, 멋쟁이, 맵시꾼(dandy) ; 《美西部》 도회지 사람, (특히 동부에서 온) 관광객. —— *vi.* 《口》 맵시내다.

dúd·ish *a.* 《美俗》 젠체하는, 빼기는 ; 멋내는. 〖? G (dial.) *dude* fool〗

du·deen, du·dheen [duːdíːn] *n.* 《아일》 짧은 사기 담배 파이프.

dúde rànch *n.* 《美》 관광 목장《관광객용의 승마 시설이 있는 미국 서부의 목장[농장]》.

dud·geon[1] [dʌ́dʒən] *n.* Ⓤ 노여움, 화. ㊟ 지금은 보통 다음 숙어로.

in high [***great, deep***] ***dudgeon*** 매우 화나서. 〖C16< ?〗

dudgeon[2] *n.* 《古》 (회양목 따위로 만든) 나무 자루가 있는 단도(短刀) ; 《廢》 그 목재[자루]. 〖ME ; cf. AF *digeon*〗

due** [djúː] *a.* **1** 마땅히 지불해야 할, 지불 기일이 된, 만기가 된 : fall[become] ~ (어음 따위) 만기가 되다 / The bill is ~ on the 1st of next month. 그 어음은 내달 1일이 지불 기일로 되어 있다 / He took out his fifty cents and handed me the balance ~ (*to*) me. 그는 자기몫의 50센트를 공제하고 내가 받을 차액을 주었다《㊟ due 뒤에 전치사 to를 생략하는 것은 《美口》》. **2** 당연히 주어야 하는 ; 정당한, 당연한, 상당한 : The discovery is ~ *to* Newton. 그 발견은 뉴턴에 의한 것이다 / receive the ~ reward of one's deeds 행위의 당연한 보답을 받다 / after[upon] ~ consideration 충분히 고려한 다음에 / in ~ course 순서를 따라 / in ~ form 정식으로 / in ~ (course of) time (그 동안에) 때가 와서[오면], 곧. **3** [+*to*+do*ing*] (원인을 …에) 돌려야 할 : The delay is ~ ***to shortage of hands. 지연된 것은 일손이 부족하기 때문이다 / The accident was ~ *to* the driver's fail*ing* to give a signal. 그 사고는 운전자가 신호를 하지 못했기 때문이었다. **4 a**) 도착 예정인 : The train is ~ *in* London *at* 5 p.m. 그 열차는 오후 5시에 런던에 도착할 예정이다 / They are coming over on the Queen Mary, ~ *in* New York. 그들은 퀸 메리호를 타고 뉴욕에 오기로 되어 있다. **b**) [+*to* do] (언제 …하기로) 되어 있는 : He is ~ *to* speak tonight. 그는 오늘 밤 연설할 예정이다.

due to... [전치사적으로] 《口》 …때문에. ☞ 活用.

〈회화〉
> When do you expect him back ? — He's *due* back in a few days. 「그는 언제 돌아옵니까」 「2, 3일 있으면 돌아올 예정입니다」

—— *n.* 마땅히 지불되어야[주어져야] 할 것 ; [보통 *pl.*] 부과금, 세(稅), 요금, 회비, 조합비, 수수료, 사용료, 분담금 : club ~*s* 클럽의 회비.

give a person his ***due*** 남을 공평하게 다루다 : *give* the devil *his* ~ ☞ DEVIL 숙어.

—— *adv.* [방위(方位) 앞에 붙여서] 똑바로, 정(正)··· (exactly) : go ~ south 정남쪽으로 가다. 〖OF (p.p.)< *devoir* <L *debeo* to owe〗

活用 격식을 갖춘 문체에서는 due to...의 사용을 피하여, *Due to* the rain, the game was put off. (비로 인해서 시합은 연기되었다)와 같은 문장은 다음과 같이 바꿔 쓸 수 있다 : *Owing to* [*Because of*] the rain, the game was put off. 또는 The postponement of the game was *due to* the rain. (cf. *a.* 3).

dúe bìll *n.* 《美》〔商〕 차용 증서《약속 어음과 같은 지명식이 아님》, 외상 청구서.

dúe dàte *n.* (어음의) 지급 기일, 만기일.

du·el [djúːəl] *n.* **1** 결투 ; [the ~] 결투법 : fight [have] a ~ with …와 결투하다. **2** (두 사람 사이의) 투쟁 ; 《美》 운동 경기, 시합 : a ~ of wits 재치[지혜] 겨루기. —— *vi., vt.* (**-l-** | **-ll-**) (…와) 결투하다. 〖It. *duello* or L *duellum* (고형(古形)) ‹ *bellum* war〗

du·en·de [duːéndei] *n.* 이상한 매력, 마력(魔力). 〖Sp.〗

du·en·na [djuːénə] *n.* **1** (스페인이나 포르투갈 가정에서) 자녀를 지도하는 나이 지긋한 여성. **2** (보통) 여성 가정 교사(governess) ; =CHAPERONE. 〖Sp. <L *domina* mistress ; ⇨ DON[1]〗

dúe prócess[**cóurse**] (**of láw**) *n.* 정당한 법의 절차《개인의 권리 · 자유를 지키기 위한 행정권에 대한 제한》.

du·et [djuːét] *n.* 〔樂〕 이중창, 이중주(二重奏), 이중창[주]곡(cf. DUO) ; 듀엣 무곡. ☞ SOLO ㊟. —— *vt.* (**-tt-**) duet로 연주하다[연기하다].

du·ét·tist *n.*

〖G or It. (dim.) ‹ *duo* <L *duo* two〗

du·et·to [djuːétou] *n.* (*pl.* **~s, du·et·ti** [-ti]) = DUET. 〖It.〗

duff[1] [dʌ́f] *n.* (자루에 밀가루를 넣어 찐) 굳은 푸딩(pudding) ; 밀가루 반죽 ; 분탄 ; 〔生態〕 썩은 낙엽더미. 〖변형(變形) ‹DOUGH〗

duff[2] *n.* 《俗》 궁둥이, 엉덩이(buttocks). 〖DUFF[1]〗

duff[3] *vt.* 《俗》 새것처럼 보이게 하다 ; 《俗》 (가축을) 훔쳐 그 낙인을 고치다 ; 속이다 ; 〔골프〕 클럽(club)이 공에 못미쳐 땅에 맞아 헛치다.

—— *a., n.* 《英》 시시한 (것), 가짜인 (것). 〖(v.)? 역성(逆成) ‹ *duffer* ; (n., a.)? =DUFF[1]〗

duf·fel, -fle [dʌ́fəl] *n.* **1** Ⓤ 성기게 짠 나사(羅紗)의 일종. **2** [보통 duffle] 《美》 캠프용품 한벌. 〖*Duffel* 벨기에의 지명〗

dúffel[**dúffle**] **bàg** *n.* (군대용 · 캠프용의) 즈크로 만든 원통형의 큰 자루, 더플 백.

duf·fer [dʌ́fər] *n.* **1** 《俗》 바보, 서투른[우둔한] 사람. **2** 쓸모없는 것, 가짜 ; 쓰지 못할 것. 〖Sc. (dial.) *duffar, dowfart* dullard〗

dúffle[**dúffel**] **còat** *n.* 더플 코트《두건이 달린 무릎까지 오는 방한 코트》.

‡**dug**[1] [dʌ́g] *v.* DIG의 과거 · 과거분사.

dug[2] *n.* (어미 짐승의) 젖통이(udder), 젖꼭지(teat). 〖C16< ? ; cf. Dan. *dægge* to coddle, OSwed. *dæggia* to suckle〗

du·gong [dúːgɑŋ, 美+-gɔːŋ] *n.* 〔動〕 듀공(sea cow) 《인도양의 포유동물》. 〖Malay〗

dúg·òut *n.* **1** 방공[대피]호, 참호, 호 ; 〔野〕 더그아웃《야구장의 선수 대기소》. **2** 통나무배. **3** 《俗》 재복무하는 퇴역장교. 〖DUG[1], OUT〗

D.U.I. driving under the influence(음주 운전).

dui·ker [dáikər] *n.* 〔動〕 다이커《작은 영양 ; 남아프리카산(産)》.

〖Afrik. =diver ; 쫓겨서 수풀에 처박는 데서〗

dui·ker·bok [dáikərbɑ̀k], **-buck** [-bʌ̀k] *n.* = DUIKER.

du·ka, duk·ka [dúːkə] *n.* (케냐 · 아프리카 동부의) 소매점, 가게. 〖Swahili〗

dúka·wàllah *n.* DUKA의 주인.

***duke** [djúːk] *n.* **1** 《英》 공작(公爵) (*fem.* DUCHESS ; cf. NOBILITY 2, PRINCE 3) : a royal ~ 왕족의 공작 / the Iron *D*~ ☞ IRON *a.* 숙어. **2** 〔史〕 (유럽의 공국(公國) 또는 작은 나라의) 군주, 공(公) ; 대공(大公). **3** 듀크종의 버찌. **4** [*pl.*]

《俗》 주먹(fists), 손(hands). —— *vi., vt.* 《美俗》 때리다; 건네다; 손에 넘겨 팔아치우려 하다; 악수하다.
〚OF<L *duc- dux* leader〛
Duke *n.* 남자 이름. 〚L (↑)〛
dúke·dom *n.* **1** 공작령(領), 공국(duchy). **2** Ⓤ 《英》 공작의 지위[신분].
dúke-òut *n.* 《美俗》 서로 치고 받기.
dúkes-ùp *a.* 《美俗》 툭하면 싸우는, 호전적인 (pugnacious).
Dukhobor ☞ DOUKHOBOR.
DUKW, Dukw [dʌ́k] *n.* 〔美軍〕 =DUCK⁴.
dulce ☞ DULSE.
dul·cet [dʌ́lsət] *a.* 듣기[보기]에 상쾌한, (음색이) 감미로운, 아름다운; 《古》 맛이 좋은.
〚*doucet*<OF (dim.) ‹ *doux*<L *dulcis* sweet〛
Dul·cie [dʌ́lsi] *n.* 여자 이름. 〚L=sweet〛
dul·ci·fy [dʌ́lsəfài] *vt.* (기분 따위를) 유쾌하게[부드럽게] 하다(appease).
dul·ci·mer [dʌ́lsəmər] *n.* 〔樂〕 둘시머《조그만 두 개의 망치로 금속현을 두드려 소리를 내는 사다리꼴의 악기; 피아노의 전신(前身)》. 〚OF; 일설에 L 《美》 *dulce melos* sweet song에서〛
Dul·cin [dʌ́lsən] *n.* 〔상표〕 둘신《인공 감미료》.
Dul·cin·ea [dʌ̀lsəní(:)ə, dʌlsíniə] *n.* 둘시네아《DON QUIXOTE가 사모한 시골 처녀의 이름》; [d~] (이상적인) 애인(sweetheart). 〚Sp.; ⇨ DULCIE〛
dul·ci·tol [dʌ́lsətɔ̀(:)l, -tòul, -tɑ̀l] *n.* 〔化〕 둘시톨 《6가(價)의 알코올》.
dul·ci·tone [dʌ́lsətòun] *n.* 〔樂〕 둘시톤《첼레스타와 비슷한 건반 악기》.
du·lia [djuːláiə, djúːliə] *n.* Ⓤ 〔카톨릭〕 성인(聖人) 숭배, 성인에 대한 예배. 〚L〛
‡**dull** [dʌ́l] *a.* **1** (날이) 무딘, 잘 들지 않는(blunt) (↔*keen, sharp*). **2** (색깔·빛·소리 따위가) 흐릿한, 똑똑하지 않은(dim) (↔*vivid, bright*); (날씨가) 찌푸린, 흐린(cloudy), 침울한(gloomy); (통증 따위가) 뻐근한, 무지근한: a ~ pain 무지근한 통증. **3** 우둔한, 둔감한(stupid); (동작이) 느린(slow): a ~ child[pupil] 우둔한 아이[학생]. **4** (감각이) 둔한, 예민하지 않은; (무생물이) 감각이 없는(insensible): He is ~ *of* hearing[apprehension]. 그는 귀가 어둡다[이해가 더디다]. **5** (이야기·책 따위가) 지루한, 재미없는, 단조로운(tedious): We never had a ~ moment. 지루한 줄 전연 몰랐다. **6** (장사가) 활기가 없는, 침체한, 부진(不振)한(slack) (↔*brisk*); (상품, 재고품이) 팔리지 않는: Trade is ~. 불경기다.
(as) dull as ditchwater ☞ DITCHWATER.
—— *vt.* **1** 둔하게 하다, 무디게 하다; 흐릿하게 하다, 희미하게 하다. **2** (아픔 따위를) 누그러뜨리다; (격한 감정 따위를) 완화시키다; (지능·시력 따위) 나빠지게 하다. —— *vi.* 둔해지다.
dull the edge of …의 날을 무디게 하다; …의 느낌[쾌감]을 덜하게 하다: ~ *the edge of* one's appetite 모처럼의 식욕을 잃게 하다.
〚MLG, MDu.; OE *dol* stupid와 같은 어원〛
類義語 (1) ***dull*** 사람 또는 물체가 이전의 예민성을 잃었거나 혹은 원래 있어야 할 예민성이 없는: a *dull* knife (무딘 나이프). ***blunt*** 애초부터 예리하게 하는 것이 목적이 아니라는 것을 암시한다: the *blunt* side of a knife (칼의 잘 들지 않는 쪽).
(2) ⟹ SILLY.
dul·lard [dʌ́lərd] *n.* 바보, 멍청이.
—— *a.* 둔(감)한.
dúll-bràined *a.* 머리가 둔한.
dúll-èyed *a.* 눈에 생기가 없는.
dulls·ville [dʌ́lzvil] *n.* 《美俗》 [때때로 D~] 매우 지루한 것[일, 곳]. —— *a.* 매우 지루한.
dúll-wìtted *a.* 머리가 둔한[나쁜](stupid).
dul·ly [dʌ́lli] *adv.* 둔하게, 느리게, 흐리멍덩하게 (stupidly), 활기가 없이; 따분하게, 답답하게, 굼뜨게(sluggishly).
dulse, dulce [dʌ́ls] *n.* 〔植〕 덜스《홍조류(紅藻類)의 일종; 식용 해조》.
*__du·ly__ [djúːli] *adv.* **1** 바르게, 당연히; 정식으로, 순서대로; 적당히. **2** 충분히(sufficiently). **3** 시간에 맞게(punctually).
duly to hand 〔商〕 정히 영수함.
〚DUE〛
du·ma, dou- [dúːmə, -mɑː] *n.* **1** [흔히 D~] 러시아 제국의회. **2** (1917년 이전의) 대의원회, 의회. 〚Russ.〛
Du·mas [djuːmɑ́ː, ⌐-; *F* dyma] *n.* 뒤마. **Alexandre** ~(*Dumas père* [pɛːr] 대(大) 뒤마 (1802-70); *Dumas fils* [fis] 소(小)뒤마 (1824-95)) 프랑스의 소설가·극작가인 이름이 같은 부자(父子).
*__dumb__ [dʌ́m] *a.* **1 a**) 말 못하는(mute), 벙어리의; 벙어리나 다름없는: ~ animals 말 못하는 (불쌍한) 동물 / the ~ millions (정치적 발언권이 없는) 무언의 대중, 민중. **b**) [명사적으로; the ~] 벙어리: the deaf and ~ 농아자(聾啞者). **2** 입을 열지 않는; 말이 없는: ☞ DUMB SHOW / The audience remained ~. 청중은 잠자코 있었다 / The English are a ~ people. 영국인은 과묵(寡默)한 국민이다. **3** (감정·생각 따위) 말로는 나타낼 수 없는; (기겁을 해서) 말도 못할 정도의: ~ despair 말로 표현할 수 없을 정도의 절망 / She was struck ~. 그녀는 아연 실색(啞然失色)했다. **4** 소리가 나지 않는, 소리가 들리지 않는: ☞ DUMB PIANO / This piano has some ~ notes. 이 피아노에는 소리가 나지 않는 건반이 몇 개 있다. **5** 《美口》 얼간이의, 바보 같은(stupid).
—— *vt.* 침묵케 하다. —— *vi.* 침묵하다〈*up*〉.
~·ly *adv.* **~·ness** *n.* 벙어리임(muteness); 무언, 침묵(silence). 〚OE *dumb* dumb, silent<?; cf. G *dumm* stupid〛
類義語 ***dumb*** 말하는 능력이 없는; 동물에 쓰이는 경우가 많다: *dumb* animals (말 못하는 동물). ***mute*** 원래의 음성기관에는 이상이 없으나 청각 장애로 인해서 말을 하지 못하는 사람에게 씀: *mute* persons (말 못하는 사람). ***speechless*** 놀라거나 흥분하여 일시적으로 말이 나오지 않는 상태에 씀: I was *speechless* with horror. (공포에 질려 말이 나오지 않았다). ***voiceless*** 선천적으로 또는 질병 따위로 전혀 목소리를 낼 수 없는: He became *voiceless* because of an operation. (그는 수술을 받고서 벙어리가 되었다).
dúmb áct *n.* (보드빌에서) 대화가 없는 막.
dúmb bárge *n.* 《英》 돛이 없는 배, 무동력선; (Thames 강의) 조류를 이용하여 움직이는 배.
dúmb·bèll *n.* **1** 아령: a pair of ~*s* 아령 한 벌. **2** 《美俗》 멍청이.
dúmb blónde *n.* 멍청한 금발의 미인.
dúmb búnny *n.* 《俗》 좀 모자라는 녀석.
dúmb chúm *n.* =DUMB FRIEND.
dúmb clúck *n.* 《口》 얼간이, 멍청이.
dúmb cráft *n.* 《英》 =DUMB BARGE.
dúmb dúck *n.* 《美口》 얼간이.
dumb·er [dʌ́mər] *n.* 《美俗》 바보, 천치.
dum(b)·found [dʌmfáund], **-found·er** [-ər]

vt. 말도 못할 만큼 깜짝 놀라게 하다, 아연 실색케 하다 : He was ~*ed* by the discovery. 그는 그 발견에 아주 놀랐다[아연 실색했다].
dúmb frìend *n.* 애완 동물.
dúmb·hèad *n.* 《美俗》 =BLOCKHEAD.
dúmb ìron *n.* 〖機〗 (자동차의) 스프링 받침.
dum·bo [dʌ́mbou] *n.* (*pl.* **~s**) 《美俗》 바보, 얼간이 ; 어리석은 잘못, 실수.
Dumbo *n.* **1** 덤보(Walt Disney의 만화 영화(1941)의 주인공 ; 큰 귀를 갖고 하늘을 나는 아기 코끼리). **2** [d~] 〖空〗 덤보 ; 해난 구조기.
dúmb óx *n.* 《口》 (몸집이 큰) 바보, 얼간이.
dúmb piáno *n.* 무음 피아노(손가락 연습용).
dúmb shòw *n.* 무언극, (신파극의) 대사 없는 연극 ; Ⓤ 무언의 손짓[몸짓].
dúmb·strùck, -strìcken *a.* 놀라서[어이없어서] 말을 못하는.
dúmb·wáit·er *n.* **1** 《美》 식품·식기용 엘리베이터, 화물용 소형 엘리베이터. **2** 《英》 (식탁용의 회전식) 식품대.
dúmb wèll *n.* 괸 물을 빼내기 위해 판 우물.
dum·dum [dʌ́mdʌ̀m] *n.* 덤덤탄(=∼ **bùllet**)(명중하면 상처를 확대시킴). 〖탄환이 처음 제조된 인도 Calcutta 부근의 군수 공장명에서〗
du·met [dú:met] *n.* 진공관이나 백열등의 필라멘트에 쓰이는 구리 피막선(철과 니켈의 합금).
dumfound(er) ☞ DUMBFOUND.
dum·my [dʌ́mi] *n.* **1** (양복점 따위의) 동체(胴體), 마네킨, 장식 인형, (머리 모양 따위의) 모형대 ; 〖製本〗 가제본 ; (사격 연습용) 표적(標的) 인형. **2** 《口》 바보, 얼간이. **3** 대역(代役), 〖映〗 대역 인형 ; 모조품 ; (갓난아기의) 고무 젖꼭지, 장난감(갓난아기에게 빨림). **4** 《비유》 꼭두각시, 간판 구실하는 사람, (남의) 앞잡이, 로봇, 바보. **5** 〖카드놀이〗 더미(whist나 bridge에서 declarer의 파트너로 자기 패를 보여주어 declarer에게 플레이하게 함 ; 그 패).
—— *a.* 가짜의, 모조(模造)의(sham) ; 간판뿐인, 이름뿐인, 장식의 ; 가공의 ; 〖카드놀이〗 더미의 : a ~ director 이름뿐인 중역 / a ~ cartridge 공포(空包) / a ~ horse 목마(木馬) / sell the ~ 〖럭비〗 공을 패스하는 체하면서 상대를 속이다.
—— *vt.* 〖製本〗 가제본을 만들다⟨*up*⟩ ; 모조품으로 보이다⟨*in*⟩. —— *vi.* **1** 《口》〖蹴球〗 패스하는 척하며 속이다. **2** 《俗》 전혀 입을 열지 않다, 전혀 입을 떼지 않다. 〖DUMB〗
dúmmy héad *n.* 더미 헤드(두 귀 부분에 마이크를 단 사람 머리 모양의 녹음 장치).
dúmmy rún *n.* 공격[상륙] 연습 ; 시연(試演), 예행 연습.
*__dump__[1] [dʌmp] *vt.* **1** [+目 / +目+前+名] (쓰레기를) 내버리다, (내버리는 곳에) 털썩 떨어뜨리다(cf. DUMP TRUCK), (버려서) 쌓아 두다 ; 《口》 (일반적으로) 털썩 내리다 : The truck ~*ed* the gravel ***on*** the road. 트럭은 자갈을 도로에 털썩 쏟아 부었다. **2** 〖商〗 (상품을 외국시장에) 투매(投賣)[덤핑]하다. **3** (과잉 인구를) 외국으로 보내다. —— *vi.* **1** 털썩 떨어지다. **2** 쓰레기를 버리다. —— *n.* **1** 털석[쿵]하는 소리(thud). **2 a**) 쓰레기 버리는 곳(=∼ **yàrd**) ; 쓰레기 더미, 산더미처럼 버려진 돌 ; (식량·탄약 따위의) 임시 집적소(集積所)(=**ámmunition** ∼). **b**) 《美》 = DUMP TRUCK. **3** 《俗》 더러운[불결한] 장소.
〖? Scand. ; cf. Dan. *dumpe*, Norw. *dumpa* to fall suddenly〗
dump[2] *n.* **1** 《英》 굵고도 짧은 것 ; 《古》 땅딸보. **2** 《英》 납으로 만든 산가지[장난감] ; 오스트레일리아의 옛 화폐, 돈.
not care a dump 《英俗》 조금도 개의치 않다.
not worth a dump 《英俗》 조금도 가치가 없다.
〖? LUMP[1]〗
dump[3] *n.* **1** [*pl.*] 《口》 우울, 침울, 의기소침. **2** 《廢》 슬픈 멜로디 ; 《廢》 곡 ; 《廢》 독특한 리듬의 느린 템포의 댄스.
(***down***) ***in the dumps*** 울적하여, 우울하여, 기분이 좋지 않아서.
〖? LG or Du. <MDu. *domp* haze, mist ; cf. DAMP〗
dúmp bòdy *n.* 덤프 카나 덤프 트레일러의 차체.
dúmp càr *n.* 〖鐵〗 덤프 차(차체를 기울여 짐을 부리는 화차).
dúmp·càrt *n.* 《美》 기울여 쏟게 된 쓰레기 버리는 수레.
dúmp·er *n.* **1** 쓰레기를 치는 인부. **2** =DUMP CAR, DUMPCART ; =DUMP TRUCK. **3** 투매(投賣)하는 사람.
dúmp·ing *n.* **1** Ⓤ (쓰레기 따위를) 쏟아버리기 : a ~ ground 쓰레기 버리는 곳. **2** Ⓤ 〖商〗 투매(投賣), 덤핑 : a ~ field 투매 시장.
dúmp·ish *a.* 우울한, 풀이 죽은(dejected).
~·ly *adv.* **~·ness** *n.*
dúmp·ling *n.* **1** 사과[고기]를 넣고 찐[구운] 경단(고기·수프를 곁들여 내놓음). **2** 《口》 뚱뚱보.
〖? (dim.) ⟨DUMP[2]〗
dúmp·ster *n.* 대형 쓰레기 수거기.
dúmp trùck *n.* 《美》 덤프 트럭, 덤프 카(=《英》 trip lorry).
dúmpy *a.* 땅딸막한. —— *n.* 《英》 다리가 짧은 닭(스코틀랜드산). **dúmp·i·ly** *adv.* **-i·ness** *n.*
〖DUMP[2]〗
dúmpy lèvel *n.* 〖測〗 망원경 달린 수준기(器).
dun[1] [dʌ́n] *vt.* (**-nn-**) …에게 심한 빚 독촉을 하다 ; 집요하게 요구하다, 귀찮게 굴다(pester).
—— *n.* 빚 독촉장 ; 독촉이 심한 채권자, 채귀(債鬼). 〖*dun*kirk (obs.) privateer ; ⇨ DUNKIRK〗
dun[2] *a.* **1** 암갈색의. **2** 《詩》 어둠침침한, 음울한 (gloomy). —— *n.* **1** Ⓤ 암갈색. **2** 암갈색[밤색]의 말. —— *vt.* (**-nn-**) 암갈색으로 하다 ; 어둡게 하다. 〖OE *dunn* ; cf. OS *dun* nut-brown〗
dun[3] *n.* (특히 성(城)이 있는) 언덕(hill).
〖Sc. Gael.〗
Dun·can [dʌ́ŋkən] *n.* 남자 이름.
〖Sc.=brown head, brown soldier〗
dunce [dʌ́ns] *n.* 저능아, 열등생, 바보, 천치.
dúnce càp, dúnce's càp *n.* 바보 모자(기억력이 나쁘거나 태만한 학생에게 벌로 씌우는 원뿔형의 종이 모자).
Dun·dee [dʌndí:] *n.* 던디(스코틀랜드 동부의 Tay 만(灣)(Firth of Tay)에 면한 항구 도시로 Tayside 주(州)의 주도 ; 주트(jute) 제조(製造)의 중심지).
Dúndee màrmalade *n.* 던디 마멀레이드(원래 스코틀랜드의 Dundee에서 제조된 마멀레이드의 일종 ; 상표명).
dún·der·hèad, -pàte [dʌ́ndər-] *n.* 멍청이, 바보, 얼간이. 〖C17<? ; cf. *dunner* (dial.) resounding noise ; 일설에 Du. *donder* thunder+HEAD〗
dun·drea·ries [dʌndríəriz] *n. pl.* [흔히 D~] 긴 구레나룻. 〖Tom Taylor의 희극 *Our American Cousin* (1858)의 주인공 Lord *Dundreary*에서〗
dun·dréary whískers *n. pl.* [때때로 D~] = DUNDREARIES.
dune [djú:n] *n.* (해변의) 모래 언덕.

〖F＜MDu. ; ⇨ DOWN³〗

dúne bùggy *n.* 모래 언덕·해변의 모래밭을 달릴 수 있게 설계된 소형 자동차(beach buggy).

dúne·mobìle *n.* ＝DUNE BUGGY.

dún flỳ *n.* 거무스름한 제물낚시의 털바늘.

dung [dʌ́ŋ] *n.* Ⓤ (특히 소·말 따위의) 똥 ; 거름, 비료(manure). ── *vt.* (땅에) 거름을 주다. 〖OE *dung*＜? ; cf. ON *dyngja* manure heap〗

dun·ga·ree [dʌ̀ŋgəríː, ⌐-⌐] *n.* Ⓤ 덩거리천《올이 굵은 무명천》; [*pl.*] 덩거리천으로 만든 양복 바지 [작업복]. 〖Hindi〗

dúng bèetle[**chàfer**] *n.* 〖昆〗 쇠똥구리.

dúng càrt *n.* 분뇨 운반차.

dun·geon [dʌ́ndʒən] *n.* **1** (성(城) 안의) 지하 감옥. **2** 아성(牙城), 내성(內城) (donjon).
── *vt.* 지하 감옥에 가두다[처넣다]〈*up*〉.
〖OF＝DONJON＜L ; ⇨ DON¹〗

Dúngeons and Drágons *n. pl.* 던전과 드래건《중고교생 대상의 모의 게임의 일종 ; 현재는 비디오 게임으로도 되어 있음》.

dúng flỳ *n.* 〖昆〗 똥파리.

dúng fòrk *n.* 거름 쇠스랑.

dúng·hìll *n.* **1** 똥[거름] 더미(cf. COCK¹ *n.* 1). **2** 지저분한 장소[사람].
a cock of the dunghill ☞ COCK¹.

dúnghill còck[**hèn**] *n.* (투계와 구별하여) 농가에서 기르는 보통 닭.

dúngy *a.* 똥같은 ; 더러운.

du·ni(e)·was·sal [dúːniwɑ́səl] *n.* 《스코》 (고지의) 중류신사, 명문의 차남 이하의 아들.

dunk [dʌ́ŋk] *vt.* (빵 따위를 먹을 때 커피·홍차 따위에) 적시다, (일반적으로) 담그다(dip) ; (농구에서 공을) 덩크 샷하다. ── *vi.* 액체에 담그다 ; 물에 잠기다 ; 덩크 샷을 하다. ── *n.* 담금 ; ＝DUNK SHOT. 〖Penn. G＝to dip (G *tunken*)〗

Dun·kirk, -kerque [dʌ́nkəːrk, ⌐⌐] *n.* **1** 됭케르크《프랑스 북부의 항구 도시, Dover 해협에 면함 ; 제2차 세계 대전에서 영국군이 독일군의 포위 공격을 무릅쓰고 여기에서 철수했음》. **2** Ⓒ (패배에 의한) 필사적인 철수 ; 위기, 긴급 사태.

Dúnkirk spírit *n.* [the ~] 됭케르크 혼(魂) 《위기에서의 불굴의 정신》. 〖↑〗

dúnk shòt *n.* 〖籠〗 덩크 샷《점프하여 바스켓 위에서 공을 내리꽂듯 하는 샷》.

dun·lin [dʌ́nlən] *n.* (*pl.* ~, ~**s**) 〖鳥〗 민물도요. 〖? DUN², *-ling*¹〗

Dun·lop [dʌ́nlɑp, ⌐⌐] *n.* 던롭 타이어《Dunlop tyre 라고도 함, John Boyd Dunlop(d. 1921)이 발명》; 던롭 치즈《스코틀랜드 Dunlop 지방산》.

dun·nage [dʌ́nidʒ] *n.* **1** Ⓤ 수화물, 휴대품(baggage). **2** Ⓤ 〖海〗 짐 깔개《짐 밑에 깔거나 사이에 대는 거적·톱밥 따위》. 〖AL *dennagium*＜?〗

dún·ner *n.* 빚 독촉인, 재촉하는 사람(dun).

dun·nite [dʌ́nait] *n.* 고성능 폭약의 일종.

dun·no [dʌnóu] 《口》 ＝(I) don't know.

dun·nock [dʌ́nək] *n.* ＝HEDGE SPARROW. 〖DUN², *-ock*〗

dun·ny [dʌ́ni] *n.* 《英方·濠俗·N. Zeal. 俗》 (옥외) 변소 ; 《스코》 (낡은 아파트의) 지하 통로[실].

dúnny càrt *n.* 《濠》 분뇨 운반차(night cart).

dunt [dʌ́nt] *n.* 《스코》 쾅 때리기[치기] ; 그 상처. ── *vt., vi.* 둔탁한 소리를 내며 치다.

duo [djúːou] *n.* (*pl.* **dú·os, dui** [djúːiː]) 〖樂〗 이중주(二重奏)《두 개의 다른 악기를 위한 악곡 ; 두 개의 같은 악기를 위한 작품은 DUET》; 이중창. **2** (연예인의) 2인조. 〖It.＜L＝two〗

du·o- [djúːou, -ə] *comb. form* 「둘」의 뜻. 〖↑〗

duo·dec·i·mal [djùːədésəməl] *a.* 12분의 1의, 12를 단위로 하는 ; 12진법(進法)의 : the ~ system (of notation) 12진법. ── *n.* **1** 12분의 1. **2** [*pl.*] 12진법. 〖L (*duodecim* twelve)〗

du·o·dec·i·mo [djùːədésəmòu] *n.* (*pl.* ~**s**) **1** 12절판(twelvemo) 《각 페이지 약 $7\frac{1}{2}\times4\frac{1}{2}$인치 ; cf. FOLIO ; ☞ FORMAT》, (소위) 4·6판(判). **2** 4·6판 책. 〖L (*in*) *duodecimo* in a twelfth (↑)〗

du·o·den- [djùːədíːn], **du·o·de·no-** [-nou, -nə] *comb. form* 「십이지장」의 뜻. 〖*duodenum*〗

du·o·de·nal [djùːədíːnəl] *a.* 〖解〗 십이지장(十二指腸)의.

duodénal úlcer *n.* 〖醫〗 십이지장궤양.

du·o·den·a·ry [djùːədénəri, -díː-] *a.* 12의, 12배의 ; 12진(進)의.

du·o·de·ni·tis [djùːoudənáitəs] *n.* 〖醫〗 십이지장염(炎).

du·o·de·num [djùːədíːnəm, 美＋dju(ː)ɑ́dənəm] *n.* (*pl.* **-na** [-nə], ~**s**) 〖解〗 십이지장. 〖L (*duodeni*) ; ⇨ DUODECIMAL〗

dúo·gràph *n.* 〖印〗 ＝DUOTONE.

duo·logue [djúːəlɔ̀(ː)g, -lɑ̀g] *n.* (두 사람의) 대화 (cf. MONOLOGUE) ; (두 사람의) 대화극. 〖*duo*＋mono*logue*〗

duo·mo [dwɔ́ːmou, dwóu-] *n.* (*pl.* ~**s**, **-mi** [-miː]) (이탈리아의) 대교회당, 대성당. 〖It.〗

du·op·o·ly [djuɑ́pəli] *n.* Ⓤ 〖經〗 복점(複占)《두 회사에 의한 판매 시장의 독점》; 양대 강국에 의한 패권(霸權).

dúo·ràil *n.* 이궤(二軌) 철도《모노레일에 대해 일반 철도를 가리킴》.

dúo·tòne *a.* 2색[도]의. ── *n.* 2색, 2색 망판, 더블톤 ; 더블톤 인쇄물 ; 그라비어 인쇄물.

dup. duplex ; duplicate.

dupe [djúːp] *n.* 잘 속는 사람, 흐리멍덩한 사람, 봉, 얼간이. ── *vt.* 속이다, 기만하다(deceive).
dúp·able *a.* 속기 쉬운. 〖F＝hoopoe〗

dup·ery [djúːpəri] *n.* Ⓤ,Ⓒ 속이기, 사기.

du·ple [djúːpəl] *a.* 두 배의, 이중의 ; 〖樂〗 2박자의 : ~ time 〖樂〗 2박자. 〖L *duplus* (*duo* two)〗

du·plex [djúːpleks] *a.* 중복된, 2연식의, 이중의 ; 〖機〗 복식의 ; 〖通信〗 이중 통신 방식의, 동시 송수화식의 : a ~ hammer 양면(兩面) 망치.
── *n.* ＝DUPLEX APARTMENT ; ＝DUPLEX HOUSE ; 〖樂〗 2연음부 ; 양면의 색이 다른 종이.
── *vt.* 이중으로 되다.
〖L＝double (*duo* two, *plic-* to fold)〗

dúplex apártment *n.* (상하 이층의 방으로 한 세대분을 이루는) 중층형 아파트.

dúplex hóuse *n.* 《美》 두 세대 주택.

dúplex sỳstem *n.* 〖컴퓨〗 설치한 2대의 컴퓨터 중 하나는 예비용으로 하는 시스템.

du·pli·cate [djúːplikət] *a.* **1** 중복된 ; 이중의 ; 한 쌍의(cf. TRIPLICATE). **2** 완전히 같은, 꼭 닮은, 똑같은 : a ~ key 여벌의 열쇠(cf. PASSKEY). **3** 복제(複製)의, 부(副)의, 복사된 : a ~ copy 부본 ; (그림의) 복제품. ── *n.* **1** (동일물의) 두 통 중의 하나, 부본 ; 사본, 복사(複寫), 복제 ; 복제물. **2** 보관표, 전당표. **3** 유의어(類義語), 동의어(synonym).
done[***made***] ***in duplicate*** 정부(正副) 두 통으로 작성된.
── [-kèit] *vt.* **1** 이중으로[두 배로] 하다(cf. TRIPLICATE, QUADRUPLICATE). **2** 복사하다(reproduce), 정부(正副) 두 통으로 만들다, 같은 일을 되풀이하다. ── *vi.* 〖生〗 (염색체가) 둘로 분열하다. 〖L (p.p.)＜*duplico* ; ⇨ DUPLEX〗

dú·pli·càt·ing machìne *n.* 복사기.
dúplicating pàper *n.* 복사지.
dù·pli·cá·tion *n.* **1** Ⓤ 두 배, 이중, 중복. **2** Ⓤ 복제, 복사 ; Ⓒ 복제[복사]물.
dú·pli·cà·tor *n.* **1** 복사기. **2** 복사하는 사람.
du·plic·i·ty [djuːplísəti] *n.* **1** Ⓤ 겉과 속이 다름, 표리 부동, 불성실(double-dealing). **2** Ⓤ 이중성, 중복. 〚OF or L ; ⇨ DUPLEX〛
Du Pont [djuːpánt, ˈ-ˌ- ; *F* dypɔ̃] *n.* 뒤퐁. **Eleuthère Irénée** ~ (1771-1834) 프랑스 태생의 미국 실업가, 화학 공업 중심의 재벌이 됨.
Dur. Durham.
*__du·ra·ble__ [djúərəbəl] *a.* 영속적인, 항구성(恒久性)의 ; 오래 견디는, 내구력이 있는, 튼튼한. —— *n.* [*pl.*] =DURABLE GOODS. ~**·ness** *n.* **-bly** *adv.* 영속[항구]적으로, 튼튼하게. **dù·ra·bíl·i·ty** *n.* Ⓤ 내구성[력]. 〚OF<L (*duro* to endure<*durus* hard)〛
dúrable góods *n. pl.* 내구 (소비)재《주택·차·가구 따위 ; ↔*nondurable goods*》.
dúrable préss *n.* 형태 고정 가공《화공 약품으로 의류의 주름 따위를 영구 가공하는 방법 ; 略 DP》.
du·ral[1] [djúərəl] *n.* =DURALUMIN.
dural[2] *a.* 〔解〕 경뇌막(硬腦膜)의.
du·ral·u·min [djurǽljəmən] *n.* Ⓤ 두랄루민《알루미늄 합금》. 〚*Duralumin* 상표〛
du·ra ma·ter [djúərə méitər, -máː-] *n.* 〔解〕 경뇌막(硬腦膜) (cf. PIA MATER). 〚L=hard mother ; Arab.에서의 역(譯)〛
du·ra·men [djuəréimən] *n.* 〔植〕 심재(心材), 목질(木質)이 붉은 부분.
du·rance [djúərəns] *n.* Ⓤ 《詩》 감금, 구금, 수감(imprisonment) ; 지속. ㊟ 보통 다음 숙어에 씀. ***in durance* (*vile*)** (부당하게) 감금되어, (저주스럽게도) 유폐(幽閉)되어. 〚F<L ; ⇨ DURABLE〛
du·ra·tion [djuəréiʃən] *n.* Ⓤ 지속, 지속기(持續期), 존속 (기간) : of long[short] ~ 장기[단기]의 / ~ of flight 〔空〕 항속(航續)[체공] 시간. ***for the duration*** 전쟁 기간 중 ; 《비유》 미정의 기간 중, 언제까지라도. 〚OF<L ; ⇨ DURABLE〛
du·ra·tive [djúərətiv] *a.* 계속중인, 미완의 ; 〔文法〕 계속상(相)의《keep, I am reading. 따위와 같이 동작·상태가 얼마간 계속됨을 나타내는 동사의 상(aspect)》. —— *n.* 계속상(의 동사).
dur·bar [də́ːrbaːr, ˌ-ˈ-] *n.* (인도 제후(諸侯)·인도 총독 등의) 공식 접견(실). 〚Hindi〛
du·ress [djuərés] *n.* **1** Ⓤ 구속, 감금 ; 강요. **2** Ⓤ 〔法〕 협박(脅迫) : ~ of imprisonment 감금하겠다는 협박. ***under duress*** 협박당하여, 강요되어. 〚OF<L (*durus* hard)〛
Du·rex [djúəreks] *n.* 듀렉스《(1) 콘돔. (2) 《濠》 접착 테이프 ; 상표명》.
Dur·ham [də́ːrəm, dʌ́r-, dúr- ; dʌ́rəm] *n.* 더럼《영국 북동부의 주 ; 略 Dur.》; 더럼《이 주의 주도》; Ⓒ 이 주 원산의 식용우(食用牛).
du·ri·an, -on [djúəriən, -àːn] *n.* 〔植〕 두리안《말레이 반도에서 나는 교목 ; 그 맛좋은 열매》. 〚Malay (*dūri* thorn)〛
◇**dur·ing** [djúəriŋ] *prep.* …의 동안, …사이에, …중 (cf. FOR 9 ; THROUGH(OUT)) ; …중의 언젠가 : The sun shines ~ the day. 태양은 낮에 빛난다 / He came ~ my absence. 그는 내가 없을 때 찾아왔다. 〚(pres.p.)<*dure* (obs.) to continue<OF<L ; ⇨ DURABLE〛

dur·mast [də́ːrmæ̀st, -màːst] *n.* 〔植〕 유럽산 참나무의 일종(sessile oak) (=ˈ~ **òak**)《건축재로서 귀중함》. 〚*dur*-(*dun*²의 잘못?)+*mast*²〛
durn [də́ːrn] *vt., a., n.* 《美口》 =DARN².
Dú·roc(-Jérsey) [djúərɑk(-)] *n.* 두록(저지)《미국산의 암적색 돼지 ; 성장이 빠르고 강대함》.
dur·ra [dúərə] *n.* 〔植〕 팥수수. 〚Arab.〛
durst [də́ːrst] *auxil. v.* 《古》 DARE의 과거형.
dú·rum (whèat) [djúərəm(-)] *n.* Ⓤ 듀럼《마카로니 따위를 만드는데 적합한 경질(硬質) 밀》. 〚L=hard (wheat)〛
*__dusk__ [dʌ́sk] *n.* Ⓤ 땅거미, 어스름, 황혼(twilight) ; 그늘(shade), 암흑(gloom) : at ~ 해질 무렵에. —— *a.* 《詩》=DUSKY. —— *vi., vt.* 《詩》 어둑어둑해지다[하다], 해가 지다. 〚음위(音位) 전환<OE *dox* dark haired, dusky, *doxian* to darken in color ; cf. OS *dosan* brown〛
dúsky *a.* **1** 어스레한 ; 음울한(gloomy). **2** 거무스름한(cf. SWARTHY). **dúsk·i·ly** *adv.* **-i·ness** *n.*
類義語 ⟹ DARK.
Düs·sel·dorf [djúsəldɔ̀ːrf ; *G* dýsəldɔrf] *n.* 뒤셀도르프《독일 라인 강가의 항구 도시》.
‡**dust** [dʌ́st] *n.* **1** Ⓤ 먼지, 티끌 ; [the ~, a ~] 이는 먼지[티끌] : The rain has laid the ~. 비가 내려 먼지가 가라 앉았다 / What a ~ ! 참으로 심한 먼지군 / *D*~ thou art, and unto ~ shalt thou return. 〔聖〕 너는 흙이니 흙으로 돌아갈 것이니라《창세기 3 : 19》. **2** Ⓤ 《英》 티끌, 쓰레기(refuse). **3** Ⓤ 분말 ; 가루차(=ˈ~ **tèa**) ; 꽃가루(pollen) : ☞ GOLD DUST. **4** 《文語》 흙, 지면. **5** [the ~] 《詩·文語》 시체(dead body) ; 인체 ; 인간(man). **6** Ⓤ 《俗》 돈(money) ; 《美俗》 담배 ; 가루 마약, 코카인. **7** 소란, 혼란. **8** 더스트《혜성에 함유되어 있는 고체 미립자》.
(as) dry as dust 무미 건조한.
bite*[*eat, lick*] *the dust 《文語》 거꾸러지다 ; 죽다 ; 굴욕을 당하다, 패배하다 ; (특히 전쟁에서) 죽다 ; 낙마하다.
in the dust 죽어서 ; 모욕을 당하여.
kick up*[*make, raise*] *a dust 먼지를 일게 하다, 소동을 일으키다, 진실을 은폐하다.
kiss the dust ☞ KISS.
make the dust fly ☞ FLY¹.
out of dust 먼지 속에서 ; 《비유》 굴욕적인 상태에서.
raise a dust =*kick up a* DUST.
shake the dust off one***'s feet***=***shake off the dust of*** one***'s feet*** 자리를 박차고[분연히] 가버리다.
throw dust in a person***'s eyes***=***throw dust in the eyes of...*** (진실을 보는) 남의 눈을 어둡게 하다, 남을 속이다[기만하다].
—— *vt.* **1** …의 먼지[티]를 털다 : She was ~*ing* the chairs. 의자의 먼지를 털고 있었다. **2** [+目+前+名/+目+副] (먼지·분말 따위를) 뿌리다, 끼얹다(sprinkle) ; 《美口》 (비행기에서 밭 따위에 살충제를) 살포하다(sprinkle) : ~ a cake ***with*** sugar= ~ sugar ***on to*** a cake 케이크에 설탕을 뿌리다. —— *vi.* **1** (새가) 사욕(沙浴)을 하다. **2** 먼지를 털다.
dust a person***'s jacket*[*coat*] (*for* him)** 남을 구타하다, 남을 갈기다.
dust off (1) ☞ *vt.* 1. (2) 〔野〕 (투수가) 타자(의 몸쪽 가까이)를 목표로 투구(投球)하다(cf. DUSTER 5).
dust the eyes of …을 속이다.

~·less *a.* ~·lìke *a.*
〚*OE dūst*; cf. MDu. *dūst* (meal) dust. G *Dunst* vapor〛
dúst bàg *n.* (전기 청소기의) 먼지 주머니.
dúst bàth *n.* (새의) 사욕(沙浴)《모래 목욕》.
dúst·bìn *n.* 《英》 쓰레기통[휴지통] (cf. GARBAGE CAN).
dúst·bìn·man [-mən] *n.* 청소원; 청소업자.
dúst bòwl *n.* 모래 폭풍 지대; 《美》 황진(黃塵) 지대《미시시피 서부의 평원 지대》.
dúst bòx *n.* 쓰레기통.
dúst·brànd *n.* 〖植〗 (보리의) 깜부기병, 흑수병(黑穗病).
dúst càp *n.* 렌즈 뚜껑.
dúst càrt *n.* 《英》 쓰레기 운반[수거]차(=《美》 garbage truck).
dúst chàmber *n.* 집진기(集塵器).
dúst chìldren *n. pl.* 동남아시아에서 현지여성과 백인 병사 사이의 혼혈아.
dúst chùte *n.* 더스트 슈트《고층 건물 따위에서 쓰레기를 위에서 내려 아래에서 모으는 장치》.
dúst clòak *n.* 《英》 =DUSTER 3.
dúst·clòth *n.* (가구 따위의) 먼지막이 천(dust cover); 먼지 닦는 헝겊.
dúst clòud *n.* 우주 먼지 구름.
dúst·còat *n.* 《英》 =DUSTER 3.
dúst còlor *n.* 엷은 갈색.
dúst còunter *n.* 계진기(計塵器).
dúst·còver *n.* (가구·비품 따위의) 먼지 방지용 커버; =DUST JACKET.
dúst dèvil *n.* (흙먼지 따위를 일으키는) 작은 회오리바람.
dúst disèase *n.* 《口》 =SILICOSIS.
dúst-dúst *n.* 《美俗》 갓 진급한 하사관.
dúst·er *n.* **1** 먼지를 터는 사람, 청소원. **2** 총채, 먼지떨이; 행주, 걸레. **3** 《주로 美》 먼지 막이로 껴입는 겉옷. **4** (후춧가루·설탕 따위) 치는 기구, (살충제의) 살포기. **5** 〖野〗 타자 몸 가까이 지나는 투구(cf. DUST *off*).
dúst guàrd *n.* 먼지막이 (장치), 흙받기.
dúst hèad *n.* 《美俗》 합성 헤로인(angel dust)의 상용자.
dúst hòle *n.* 《英》 쓰레기 버리는 곳[구멍].
dúst·i·ly *adv.* 먼지를 뒤집어쓰고, 먼지투성이가 되어. **-i·ness** *n.* 먼지투성이; 무미건조.
dúst·ing *n.* **1** Ⓤ 쓰레기 청소. **2** 《俗》 구타; 폭풍우(로 인해 해상에서 흔들리기). **3** 가루 뿌리기, 살포.
dústing pówder *n.* (상처 소독용) 살포제; 땀띠약[분].
dúst jàcket *n.* 책 커버(book jacket).
dúst·man [-mən] *n.* 《英》 **1** 쓰레기 청소원(=《美》 ashman), 쓰레기 운반하는 인부. **2** = SANDMAN.
dúst mòp *n.* 먼지 닦는 긴 자루 걸레.
dúst·òff *n.* 《美軍俗》 =MEDEVAC.
dus·toor, -tour [dʌstúər] *n.* =DASTUR.
dúst·pàn *n.* 쓰레받기.
dúst·pròof *a.* 먼지를 막는.
dúst shèet *n.* 먼지 방지용 천.
dúst shòt *n.* 아주 작은 산탄(散彈).
dúst stòrm *n.* (사막 따위의) 모래 바람.
dúst tàil *n.* 〖天〗 (혜성의) 더스트 꼬리.
dúst tràp *n.* 먼지를 모으는 것.
dúst·ùp *n.* 《口》 소동, 난투, 싸움.
dúst wràpper *n.* =DUST JACKET.
***dústy** *a.* **1** 먼지가 많은, 먼지[티끌] 투성이의. **2** 무미 건조한, 시시한; 애매한(vague). **3** 먼지 색깔의, 회색의(gray). **4** 분말 모양의(powdery).
not so dusty 《英俗》 그다지 나쁘지 않은, 제법 좋은(fairly good).
—— *n.* [때때로 D~] 《俗》 키가 작음, 치수가 모자람. 〚OE *dūstig*; ⇨ DUST〛
dústy míller *n.* 〖植〗 흰 솜털로 뒤덮인 잎이 있는 꽃; 제물낚시의 일종; 《美》〖昆〗 날개에 가루가 있는 나방.
dutch [dʌ́tʃ] *n.* 《俗》 (흔히 행상인의) 아내, 마누라: my old ~ 우리 마누라. 〚*duch*ess〛
***Dutch** *a.* **1** 네덜란드의. **2 a)** 네덜란드인[어]의; 《美方·俗》 독일의. **b)** 네덜란드제(製)[산]의. **3** 네덜란드풍의, 《蔑》 네덜란드인식(式)의.
go Dutch 《口》 비용을 각자 부담하다〈*with*〉(cf. DUTCH TREAT).
—— *n.* **1** Ⓤ 네덜란드어(語)《略 Du.》; 《美口》 독일어: High ~ =HIGH GERMAN / Low ~ =LOW GERMAN / ☞ PENNSYLVANIA DUTCH / ☞ DOUBLE DUTCH. **2** [the ~로 복수취급] 네덜란드인, 네덜란드 국민; 네덜란드군(軍).
beat the Dutch 《口》 사람을 깜짝 놀라게 하다[경탄시키다]: That *beats the* ~. 그것은 정말 놀라운 걸.
in Dutch 《美俗》 면목을 잃어; 말썽을 일으킨.
—— *vt.* 〖競馬〗 (내기를) 잘못하다; [d~] 《美俗》〖競馬〗 (출전한 각 말)에 골고루 걸다.
〚Du.=Hollandish, Netherlandish, German〛
Dútch áct *n.* [the ~] 《美俗》 자살: do *the* ~ 자살하다.
Dútch áuction *n.* 《口》 값을 깎아 내리는 경매.
Dútch bárgain *n.* 《口》 술 좌석에서 맺는 매매 계약, 한잔 하면서 맺는 계약.
Dútch bárn *n.* (기둥에다) 지붕만 이은 헛간《건초 따위를 넣어 둠》.
Dútch bríck[**clínker**] *n.* 네덜란드 벽돌《흡수율이 적고 아주 단단함》.
Dútch bútter *n.* 인조 버터.
Dútch cáp *n.* **1** 네덜란드 모자《레이스가 달린 삼각형의 여성모자》. **2** 페서리의 일종.
Dútch chéese *n.* (네덜란드의 명산물인) 빨갛고 둥근 치즈.
Dútch clóver *n.* 〖植〗 토끼풀.
Dútch cómfort[**consolátion**] *n.* 《口》 전혀 달갑지 않은 위로.
Dútch cóncert *n.* 《俗》 (네덜란드식의) 혼성 합창《각자 다른 노래를 동시에 부름》; 소음.
Dútch cóurage *n.* 《口》 술김에 내는 용기; 술.
Dútch dóll *n.* 이음매가 있는 나무 인형.
Dútch dóor *n.* **1** 상하 2단식 도어《따로따로 개폐할 수 있음》. **2** (잡지 속의) 접어 끼운 광고《펼쳐서 봄》.

Dutch door 1

Dútch East Índies *n. pl.* [the ~] 네덜란드령(領) 동인도 제도《지금은 독립하여 인도네시아 공화국(the Republic of Indonesia)이 되었음》.
Dútch élm disèase *n.* 〖植〗 (자낭균(子囊菌)에 의한) 느릅나무잘록병(病).
Dútch góld[**fóil, léaf, métal**] *n.* 네덜란드 금박(金箔)《구리와 아연의 합금인 모조 금박》.
Dútch hóe *n.* 괭이의 일종.
Dútch intérior *n.* 네덜란드식의 방이나 집의 풍

경을 그린 풍속화.
Dútch líquid[**óil**] *n.* 네덜란드액(液)《이염화에틸렌》.
Dútch lúnch[**súpper**] *n.* 《美口》 비용을 각자 부담하는 점심[저녁] 회식.
Dútch·man [-mən] *n.* (*pl.* **-men** [-mən]) **1** 네덜란드인(人)(Hollander). **2** 네덜란드 선박(船舶) : ☞ FLYING DUTCHMAN. **3** 《美口》 독일인. **4** 〖建〗(이음새 따위에 끼우는) 나무쐐기, 메움나무.
I'm a Dutchman. 《口》[자기 말을 강조할 때 쓰는 말] : It is true, or *I'm a* ~. 그것은 틀림없어, 만일 거짓이라면 나는 사람이 아니다 / *I'm a* ~ if it's true. 그게 정말이라면 내 목을 주마.
Dútchman's-bréeches *n.* (*pl.* ~) 〖植〗 북미 동부 원산 양꽃주머니과의 금낭화의 일종.
Dútch óven *n.* 고기 굽는 기구[냄비].
Dútch rúsh *n.* 〖植〗 속새.
Dútch schóol *n.* 《美》 네덜란드화파(畫派).
Dútch tréat[**párty**] *n.* 《美口》 비용을 각자 내는 연회, 각자 부담하는 회식(會食).
Dútch úncle *n.* 《口》 거침없이 마구[엄하게] 비판[비난]하는 사람 : talk to a person like a ~ 남을 엄하게 타이르다[꾸짖다].
Dútch whíte *n.* 네덜란드 흰 물감《연백(鉛白)과 중정석(重晶石)으로 됨》.
Dútch wífe *n.* 죽부인(竹夫人)《열대지방에서 시원하게 자기 위하여 손발을 얹어 쉴 수 있게 만든 대나무 기구》.
Dútch·wòman *n.* 네덜란드 여자[부인].
du·te·ous [djú:tiəs] *a.* 《詩·文語》 본분을 지키는, 순종하는(dutiful). **~·ly** *adv.* 본분을 지켜서. **~·ness** *n.* 충실, 유순.
〖DUTY ; cf. BEAUTEOUS〗
du·ti·able [djú:tiəbəl] *a.* 관세를 물어야 할《수입품 따위》, 세금이 붙는(↔*duty-free*) : ~ goods 과세품, 유세품.
dú·ti·ful *a.* 본분을 지키는[다하는], 충실[유순]한 ; 예의바른, 공손한 : a ~ son 효자(孝子) / ~ respect 공경. **~·ly** *adv.* 충실하게. **~·ness** *n.* Ⓤ 충실, 성실.
〖↓〗
‡du·ty [djú:ti] *n.* **1** Ⓤ 본분, 의무, 의리 ; Ⓤ,Ⓒ [+前+do*ing*] [때때로 *pl.*] 직무, 직책, 직분, 임무 : a sense of ~ 의무감 / one's post of ~ 부서, 직위 / military ~ 병역의무 / the *duties* of a teacher[policeman] 교사[경찰관]의 직책 / do [perform] one's ~ 의무를 수행하다, 본분을 다하다 / fail in one's ~ 본분을[의무·직무를] 게을리하다 / take a person's ~ 남의 임무를 대신하다 / It is your ~[the ~ of every citizen] to obey the laws. 법률에 따르는 것은 너의[모든 시민 의] 의무다 / The ~ ***of*** car*ing* for the dog fell upon me. 개를 돌보는 일을 내가 맡게 되었다. **2** Ⓤ《文語》 존경, 경의 : pay[send, present] one's ~ to a person 남에게 삼가 경의를 표하다. **3** 세금, 관세(關稅)(cf. TAX) : customs *duties* 관세 / ☞ DEATH DUTY / excise *duties* 소비세 / export[import] *duties* 수출[수입]세.
as in duty bound 의무가[본분이] 명하는 대로, 의무상.
be (***in***) ***duty bound to*** do …할 의무가 있다.
do duty for …의 대용이 되다, …의 구실을 하다 : An old sofa *did* ~ *for* a bed. 낡은 소파가 침대 대용이 되었다.
off[***on***] ***duty*** 비번[당번]으로, 비당직[당직]이어서, 근무 시간외[중]에.

〈회화〉
Who is on *duty* today? — It is my turn to sweep today. 「오늘 당번은 누구니」「오늘은 내가 청소 당번이야」

—— *a.* 의무로 행하는. 〖AF ; ⇨ DUE〗
類義語 (1) ***duty*** 본인의 정의감·도덕심 또는 양심이 명하는 바에 의하지 않으면 안된다고 생각되는 의무 : a *duty* to one's country (국가에 대한 의무). ***obligation*** 어떤 약속·계약·사회적인 요구를 달성하기 위하여 하지 않으면 안되는 것 : Every citizen has *obligations* to his community. (모든 시민은 자기 집단에 대한 의무가 있다). ***responsibility*** 자기가 맡고 있는 특별한 일이나 또는 신뢰를 받고 일임된 일 : The sweep of the room was her *responsibility*. (방 청소는 그녀가 할 일이다).
(2) ⟹ FUNCTION.
dúty-frée *a., adv.* 면세(免稅)의[로].
dúty of disclósure *n.* 〖保險〗 고지의무.
dúty-páid *a., adv.* 납세필의[로].
du·um·vir [dju(:)ʌ́mvər] *n.* (*pl.* **~s, -vi·ri** [-vərài, -rì:]) 〖古로〗 연대(連帶) 직무를 가진 두 관리[이두(二頭) 정치에 종사한 정치가] 중의 한 사람. 〖L (*duum* two+*vir* man)〗
du·um·vi·rate [dju(:)ʌ́mvərət] *n.* (고대 로마의) 2인 연대의 직(의 임기) ; 이두 정치.
du·vay [dju:véi] *n.* 《英》 깃털 이불.
du·vet [dju:véi, ⌐-] *n.* (오리의) 솜털 이불. 〖F〗
du·ve·tyn(**e**) [djú:vətì:n, dʌ́vti:n] *n.* 명주실[무명실]을 섞어 짠 모직물의 일종. 〖F (↑)〗
DV delivery verification (통관 증명서).
D.V. *Deo volente* 《L》(=God willing) ; Douay Version (of the Bible). **D.V.M.**(**S.**) Doctor of Veterinary Medicine (and Surgery).
Dvo·řák [(də)vɔ́:rʒɑ:k, -ʒæk ; dvɔ́:-] *n.* 드보르자크. **Anton** ~ (1841~1904) 구체코슬로바키아의 작곡가.
D.W., d.w. distilled water ; dust wrapper.
dwale [dwéil] *n.* 〖植〗 =BELLADONNA.
***dwarf** [dwɔ́:*r*f] *n.* (*pl.* **~s, dwarves** [dwɔ́:*r*vz]) **1** 난쟁이(pygmy) : a ~ of a man 난쟁이 같은 사람. **2** 특별히 작은 동[식]물, 왜소(矮小)성 식물 ; 분재(盆栽). **3** 〖北유럽 神〗 난쟁이 금속 세공사. —— *attrib. a.* 조그마한, 소형의(↔*giant*) ; (식물이) 왜소한 ; 위축된(stunted) : the ~ birch 왜소성의 자작나무. —— *vt.* **1** (식물의) 발육[성장, 발달]을 방해하다, 작게 하다 ; 위축시키다 : ~*ed* trees 분재《화분에 가꾼 나무》. **2** 작아 보이게 하다 : The new building ~*s* all the other ones. 그 새 빌딩이 생긴 후로 다른 건물은 모두 작게 보인다. —— *vi.* 작아지다, 왜소해지다, 위축되다. 〖OE *dweorg* ; cf. G *Zwerg*〗
類義語 ***dwarf*** 평균 크기보다 훨씬 작은 사람, 때로는 기형 또는 몸 각 부분의 불균형적인 크기(특히 머리가 이상하게 큰 것)을 암시한다. ***midget*** 몸 각 부분은 일반 사람과 같이 균형이 잡혀 있으나 키가 작은 사람. ***pygmy*** 원래는 아프리카 등지의 난쟁이족을 가리키지만 넓은 뜻에서 dwarf 또는 midget의 뜻으로도 사용된다.
dwárf·ish *a.* 난쟁이 같은 ; 보통 키보다 작은, 왜소한, 위축된(stunted). **~·ly** *adv.* **~·ness** *n.*
dwárf·ism *n.* Ⓤ 위축 ; (동식물의) 왜소성 ; 〖醫〗 왜소 발육증.
dwárf stár *n.* 〖天〗 왜성(矮星).
***dwell** [dwél] *vi.* (**dwelt** [dwélt], **~ed** [-d, -t]) **1** 《文語》 거주하다, 살다(live)〈*at, in, near*〉. **2**

[+on+名] **a)** (…에) 마음을 쓰다 ; (…을) 곰곰이 생각하다, 자세히 말하다, 장황하게 얘기하다[쓰다], 강조[역설]하다 ; (…의 발음을) 길게 끌다 : He *dwelt* ***upon*** the memory of his mother. 그는 어머니에 대한 추억에 잠겼다 / The lecturer *dwelt* ***on*** the complexities of modern life. 그 강사는 현대 생활의 복잡성에 대해서 장황하게 얘기했다. **b)** 《文語》 (…에) 머물다, 얽히다 : This incident has *dwelt* ***on*** my memory about him. 이 사건은 그에 대한 나의 추억과 관련있다.
—— *n.* **1** 휴지 ; 〖機〗 드웰《운전중인 기계의 일시 운전 정지》. **2** (도약 전의 말의) 주저, 망설임. 〖OE *dwellan* to lead astray ; cf. OHG *twellen* to tarry〗

dwéll·er *n.* 주민, 거주자(inhabitant) : city ~*s* 도시 생활자 / ☞ CAVE DWELLER.

dwéll·ing *n.* Ⓤ 거주 ; Ⓒ 주거, 주소, 사는 집.

dwélling hòuse *n.* (점포나 사무소에 대하여) 주택, 주거.

dwélling plàce *n.* 주소.

***dwelt** *v.* DWELL의 과거 · 과거분사.

D.W.I. driving while intoxicated(음주 운전).

Dwight [dwáit] *n.* 남자 이름. 〖? Gmc.=white〗

DWIM 《해커俗》 Do what I mean《이용자의 실수를 자동 보충하는 컴퓨터 명령》.

dwin·dle** [dwíndl] *vi.* [動 / +前+名 / +副] 점점 작아지다 ; 차츰 감소되다(diminish) ; 야위다 ; (명성 따위가) 쇠퇴하다, (품질이) 저하[하락]되다 : The population is *dwindling.* 인구가 점점 감소되고 있다 / The novel ~*s away* ***to a most unsatisfactory ending. 그 소설은 점점 시시하게 되어 아주 시원치 않게 끝나고 있다.
—— *vt.* 차츰 줄이다. 〖(freq.) ‹ ↓〗
類義語 ⟹ DECREASE.

dwín·dler *n.* (영양 부족으로) 성장 상태가 나쁜 사람[동물].

DWT deadweight tonnage. **dwt.** *denarius weight* 《L》 (=pennyweight).

DX, D.X. [dìːéks] *n., a.* 〖通信〗 원거리(의) (distance, distant) ; (해외 방송 따위의) 원거리 수신(의). —— *vi.* 《俗》 상업 방송을 듣다.

dy- [dái], **dyo-** [dáiou, -ə] *comb. form* 「2」의 뜻. 〖L<Gk. (*duo* two) ; cf. DUO〗

Dy 〖化〗 dysprosium ; delivery.

d'ya [djə] do you의 단축형.

dy·ad [dáiæd, -əd] *n.* (한 단위로서의) 둘, 이수(二數), 한쌍, 이원 일위(二元一位) ; 〖化〗 2가 원소 ; 〖生〗 이분(二分) 염색체. —— *a.* =DYADIC. 〖L<Gk. (*duo* two)〗

dy·ad·ic [daiǽdik] *a.* 이수의 ; 〖化〗 2가 원소의.

dy·ar·chy, di- [dáiɑːrki] *n.* 양두 정치(兩頭政治) 《특히 인도에서 통치 기구를 중앙과 주(州)로 나누어 관할한 제도(1921-37)》. **di·ár·chic, -chi·cal, -ár·chal** *a.* 〖MONARCHY에 준한 것〗

dyb·buk, dib- [díbək] *n.* (*pl.* **dyb·bu·kim** [dìbukíːm], **~s**) (유태 민속에서) 산 사람에게 붙는 죽은 사람의 혼, 유령(幽靈). 〖Heb.〗

***dye** [dái] *n.* **1** Ⓤ,Ⓒ 염료(染料), 염액(染液) : acid[alkaline] ~*s* 산성[알칼리성] 염료 / synthetic ~*s* 합성 염료. **2** Ⓤ,Ⓒ 염색, 색조(色調) : a crime[scoundrel] of (the) blackest[deepest] ~ 《비유》 극악한 범죄[악당]. —— *v.* (~**·ing**) *vt.* [+目 / +目+補] **1** 염색하다, 착색하다 : have a cloth ~*d* 천을 염색시키다 / She has ~*d* her hair brown. 그녀는 머리를 갈색으로 물들였다. **2** 물들이다, …을 물들게 하다 : The wounded driver's blood ~*d* the ground red. 부상당한 운전자의 피가 땅바닥을 붉게 물들였다. —— *vi.* [+副] 물들다 : This cloth ~*s well*[*badly*]. 이 천은 염색이 잘 된다[잘 안된다].
dye…in grain[***in the wool***] (직물을 짜기 전에) 물들이다 ; 《비유》 (사상 따위를) 철저하게 주입시키다.
〖OE *dēagian*< ? ; cf. OHG *tugōn* to change〗

dýe·bàth *n.* 〖染〗 염욕(染浴)《염색용 용액》.

dýed-in-the-wóol [dáid-] *a.* (짜기 전에) 실을 물들인 ; 《비유》 순수한, 철저한.

dýe·hòuse *n.* 염색집[공장].

dýe·ing *n.* Ⓤ 염색 ; 염색업 ; Ⓒ 염색한 빛깔.

dy·er [dáiər] *n.* 염색공, 염색업자.

dýer's bróom *n.* 녹색을 띤 황색.

dýer's-bróom *n.* 〖植〗 일엽금작나무.

dýer's bùgloss *n.* 〖植〗 알카나《유럽산(産) 지치과의 식물, 그 뿌리에서 붉은 물감을 채취함》.

dýer's-wèed *n.* 물감의 원료가 되는 각종 식물 《weld, woad 따위》.

dýe·stùff, dýe·wàre *n.* 염료.

dýe tránsfer pròcess *n.* 〖寫〗 다이 트랜스퍼법《컬러 프린트를 만드는 방법의 하나》.

dýe·wòod *n.* 물감을 채취하는 각종 목재.

dýe·wòrks *n.* (*pl.* ~) 염색(물) 공장.

◇**dy·ing** [dáiiŋ] *v.* DIE[1]의 현재분사. —— *a.* **1** 죽어가는 ; 임종의, 말기의 ; 《비유》 빈사 상태의, (이제 곧) 꺼지려고 하는, 저물어가는 : a ~ swan 빈사(瀕死)의 백조《죽음에 직면하여 비로소 노래한다고 함 ; cf. SWAN SONG》 / one's ~ bed[wish, words] 임종의 자리[소원, 유언] / till[to] one's ~ day 죽는 날까지, 평생. **2** 죽어야 할(mortal), 멸망해야 할(perishable).
—— *n.* Ⓤ 죽음, 임종(death). 〖DIE[1]〗

dyke ☞ DIKE.

dý·na·gràph [dáinə-] *n.* 〖鐵〗 궤도 시험기.

dy·nam- [dáinəm], **dy·na·mo-** [dáinəmou, -mə] *comb. form* 「힘」「동력」의 뜻. 〖Gk. ; ⇨ DYNAMIC〗

dynam. dynamic.

dy·nam·e·ter [dainǽmətər] *n.* (망원경의) 배율계(倍率計).

dy·nam·ic [dainǽmik] *a.* **1** 동력의, 동적(動的)인(↔ *static*) ; 역학(상)의 ; 동태(動態)의 ; 에너지가[원동력 · 활동력이] 생기는, 기동적(起動的)인, 다이내믹한 : ~ economics 동태 경제학. **2** (사람이) (활)동적인, 정력적인, 다이내믹한(energetic). **3** 〖醫〗 기능적인(functional) : a ~ disease 기능적 질병. **4** 〖컴퓨〗 다이내믹한[동적인]《기억 장치》. **5** 〖哲〗 역본설(力本說)의. **6** 〖樂〗 강약법의. —— *n.* Ⓤ [또는 a ~] 힘, (원)동력. 〖F<Gk.=powerful (*dunamis* power)〗

dy·nám·i·cal *a.* =DYNAMIC. **~·ly** *adv.* 역학적으로, 역학상 ; 다이내믹하게.

dynámic allocátion *n.* 〖컴퓨〗 동적 할당.

dynámic electrícity *n.* 〖電〗 동전기, 전류.

dynámic immobílity *n.* 적극적 정관 태도.

dynámic meteorólogy *n.* 기상 역학.

dynámic obsoléscence *n.* (자동차 디자인의) 계획적 폐기.

dynámic posítioning *n.* 〖海〗 (컴퓨터에 의한) 자동 위치 제어[정점(定點) 유지].

dynámic préssure *n.* 〖理〗 동압(動壓)《로켓이 대기 중을 날 때에 받는 압력》.

dynamic RAM [´- rǽm] *n.* 〖電子〗 컴퓨터 기억 소자(素子)의 하나.

dynámic ránge *n.* 〖音響〗 녹음 · 재생 가능한 최강음과 최약음의 차.

dy·nám·ics *n.* **1** Ⓤ 〔理〕 역학 ; 동역학(↔ *statics*) : rigid ~ 강체(剛體) 역학. **2** [복수취급] (물리적·정신적인) 원동력, 발동력, 힘. **3** [복수취급] (사회 문화적인) 변천[변동, 발달] (과정). **4** 〔樂〕 강약법.

dy·na·mism [dáinəmìzəm] *n.* **1** 활력, 패기, 세력, 박력. **2** 〔哲〕 역본설(力本說), 역동설.

dy·na·mi·tard [dáinəmətɑ̀ːrd] *n.* (특히 혁명적·폭력적인) 다이너마이트 사용자.

dy·na·mite [dáinəmàit] *n.* Ⓤ **1** 다이너마이트. **2** 《口》 **a**) (깜짝 놀랄 만한) 굉장한 것[사람] : That news story is really ~. 그 뉴스 내용은 정말 대단하다. **b**) (충격적인) 위험을[위기를] 내포한 것. ── *attrib. a.* 《美俗》 뛰어난, 훌륭한. ── *vt.* 다이너마이트로 폭파하다.
〖Gk. *dunamis, -ite* ; 발명자 Nobel이 명명〗

dý·na·mìt·er *n.* 다이너마이트를 사용하는 사람 《특히 테러리스트 등》.

dỳ·na·mít·ic [-mít-] *a.* 다이너마이트적인.

dý·na·mìt·ism [-mài-] *n.* (다이너마이트를 사용하는) 과격적 혁명주의.

dy·na·mo [dáinəmòu] *n.* (*pl.* **~s**) 다이너모, 발전기 : an alternating[a direct] current ~ 교류[직류] 발전기. 〖*dynamo*electric machine〗

DYNAMO [dáinəmòu] *n.* 〔컴퓨〕 다이너모《시뮬레이터의 일종》. 〖*dyna*mic *mo*dels〗

dynamo- [dáinəmou, -mə] ☞ DYNAM-.

dỳnamo·eléctric, -tri·cal *a.* 역학적 에너지와 전기적 에너지의 변환에 관계[상관]되는.

dy·námo·gràph [dainǽmə-] *n.* 동력 기록기, 검력계, 자기(自記) 동력계.

dy·na·mom·e·ter [dàinəmɑ́mətər] *n.* **1** 동력계(計), 검력계, 역량계. **2** (망원경의) 배율계(倍率計). **dỳ·na·móm·e·try** *n.* Ⓤ 동력 측정법. **dỳ·na·mo·mét·ric** *a.* 〖F〗

dy·na·mo·tor [dáinəmòutər] *n.* (직류) 발전동기(發電動機)《발전기와 전동기를 겸함》.

dy·nap·o·lis [dainǽpələs] *n.* 간선 도로를 따라 발전하도록 계획된 도시.

dy·nast [dáinæst, -nəst ; dínəst, -æst] *n.* 왕조(王朝)의 군주, (세습적인) 주권자.
〖L<Gk. (*dunamai* to be able)〗

dy·nas·tic, -ti·cal [dainǽstik(əl) ; di-] *a.* 왕조의, 왕가의.

dy·nas·ty [dáinəsti ; dín-] *n.* 왕조, 왕가 : the Tudor ~ 튜더 왕조. 〖F or L<Gk.=lordship〗

dy·na·tron [dáinətrɑ̀n] *n.* **1** 〔電〕 다이너트론《2차 방전(放電)을 이용하는 4극 진공관》. **2** 〔理·化〕 중간자(meson).

dyne [dáin] *n.* 〔理〕 다인《1그램의 물체에 작용하여 $1cm/sec^2$의 가속도를 생기게 하는 힘》.
〖F<Gk. *dunamis* force, power〗

Dy·nel [dainél] *n.* Ⓤ 다이넬《양털과 흡사한 화학 섬유 ; 상표명》.

d'you [dʒu] =do you.

dypso ☞ DIPSO.

dys- [dis] *pref.* 「악화」「불량」「곤란」 따위의 뜻(↔ *eu-*). 〖Gk. *dus-* bad〗

dys·bar·ism [dísbərìzəm] *n.* Ⓤ 〔醫〕 감압병(減壓病), 잠함병(潛函病)《기압의 급격한 저하로 인한 인체의 증상》.

dys·en·tery [dísəntèri ; -tri] *n.* Ⓤ 〔醫〕 이질 ; 《口》 설사병. **dỳs·en·tér·ic** *a.*
〖OF or L<Gk. (*entera* bowels)〗

dys·fúnction, dis- *n.* 〔醫〕 기능 부전[이상] ; 〔社〕 역기능(逆機能). ── *vi.* 기능 부전(機能不全)에 빠지다, 정상으로 기능하지 않다. **~·al** *a.*

dys·gen·ic [disdʒénik] *a.* 〔生〕 열성(劣性)의, 비우생학적인(↔*eugenic*).

dys·gén·ics *n.* Ⓤ 열생학(劣生學), 종속 퇴화학(種屬退化學) (↔*eugenics*).

dys·graph·ia [disgrǽfiə] *n.* Ⓤ 〔醫〕 서자(書字) 장애.

dys·lex·ia [disléksiə] *n.* Ⓤ 〔醫〕 실독증(失讀症), 난독증(難讀症), 독서 불능. **-léx·ic** *a., n.* 실독증(失讀症)의 (사람). 〖G (Gk. *lexis* speech)〗

dys·lo·gis·tic [dìslədʒístik] *a.* 비난하는.

dys·men·or·rhea [dìsmenəríː(ː)ə] *n.* 〔醫〕 월경불순, 월경 곤란.

dys·met·ria [dismétriə] *n.* 〔醫〕 측정 장애.

dys·mor·pho·lo·gy [dìsmɔːrfɑ́lədʒi] *n.* 〔醫〕 기형학(畸形學).

dys·pep·sia [dispépʃə, -siə], **-pep·sy** [-pépsi] *n.* Ⓤ 〔醫〕 소화 불량, 위약(胃弱) (↔*eupepsia*).
〖L<Gk. (*peptō* to digest)〗

dys·pep·tic [dispéptik] *a.* 소화 불량(성)의 ; 기력이 없는 ; 우울한(gloomy). ── *n.* 소화 불량인 사람. **-ti·cal·ly** *adv.*

dys·pha·sia [disféiʒiə, -ziə] *n.* 〔醫〕 부전 실어(증) (不全失語(症)). **dys·phá·sic** [-féi-] *a., n.* 부전실어증인 (사람).

dys·phe·mism [dísfəmìzəm] *n.* 〔修〕 위악(僞惡) 어법《짐짓 불쾌한 표현으로 나타내는 것 ; butter 대신 axle grease라고 하는 따위》.
〖*dys-*+eu*phemism*〗

dys·pho·nia [disfóuniə] *n.* 〔醫〕 발음 곤란, 언어[음성] 장애.

dys·pla·sia [displéiʒiə, -ziə] *n.* 〔醫〕 형성 이상(증), 이형성(증) (異形成(症)).
-plas·tic [-plǽstik] *a.*

dysp·nea, -noea [dispníːə, díspniə] *n.* 〔醫〕 호흡 곤란.

dysp·né·al, -ic, -nóe- *a.* 호흡 곤란성의.

dys·pro·si·um [dispróuziəm, -ʒi-, -si-, -ʃi- ; -si-] *n.* Ⓤ 〔化〕 디스프로슘《자성(磁性)이 강한 희토류 원소(稀土類元素)의 하나 ; 기호 Dy, 번호 66》. 〖NL (Gk. *dusprositos* hard to get at)〗

dys·to·nia [distóuniə] *n.* 〔醫〕 (근(筋)의) 실조(증) (失調(症)), 디스토니.
dys·ton·ic [distɑ́nik] *a.*

dys·to·pia [distóupiə] *n.* (utopia에 대하여) 암흑[결함] 사회, 살기 어려운 곳.
dys·tó·pi·an *a.* dystopia의.

dys·tro·phi·ca·tion [dìstrəfəkéiʃən] *n.* 〔生態〕 (호소(湖沼)·하천의) 부영양화, 영양 오염.

dys·tro·phy [dístrəfi], **dis·tro·phia** [distróufiə] *n.* Ⓤ 〔醫〕 이(異)영양(증) ; 영양 실조, 영양 장애. **dys·troph·ic** [distróufik, -trɑ́f-] *a.*
〖NL (Gk. *-trophia* nourishment)〗

dys·uria [disjúriə ; -sjúər-] *n.* 〔醫〕 배뇨(排尿) 곤란[장애].

dz. dozen(s).

Dzer·zhinsk [dərʒínsk] *n.* 제르진스크《러시아 연방 공화국 서부 고리키 시 서쪽의 오카 강(江)에 면한 항구 도시》.

Dzun·gar·ia, Zun- [dzuŋgéəriə, -gǽər-, dzʌŋ-] *n.* 중가리아, 준가얼 분지《중국 서부 신장웨이우얼 자치구 북부의 분지》.

E

e, E [iː] *n.* (*pl.* **e's, es, E's, Es** [-z]) **1** 이《영어 알파벳의 다섯번째 글자》. **2** E자형(의 것). **3** 〖樂〗 마음 ; 마조(調). **4** 〖論〗 전칭부정(全稱否定). **5** (Lloyd's 선박 등급에서의) 제2등급 ; 《美》 (학업 성적에서의) 조건부 합격, 낙제, (때로는) 우수(excellent). **6** 〖컴퓨〗 (16진수의) E《십진법으로는 14》.

E, E. East ; east(ern) ; Easter ; English. **E.** Earl ; Earth ; Engineer ; excellent. **e.** east(ern) ; eldest ; end ; engineer(ing) ; 〖劇〗 entrance ; 〖理〗 erg ; errors ; 〖野〗 error(s) ; export.

e- *pref.* EX-²(=out of)의 단축형 : *e*gress, *e*mit, *e*vict.

ea. each.

EA., E.A. educational age 〖心〗 (교육 연령).

E.A.A. Engineer in Aeronautics and Astronautics.

EAA 《美》 Export Administration Act(수출 관리법). **EAB** 《美》 Ethics Advisory Board(윤리 권고 위원회). **EAC** East African Community(동아프리카 공동체). **EAEC** East African Economic Community (동아프리카 경제 공동체) ; European Atomic Energy Community.

◇each [iːtʃ]

> (1) 기본 뜻 : 「각각(의)」
> (2) each는 형용사 · 대명사 · 부사로 쓰인다.
> (3) each 앞에는 the, one이나 수식어를 쓰지 않는다.
> (4) each는 단수 취급이 원칙이다.
> (5) every는 전체를 고려한 하나하나를 가리키는 데 쓰고, each는 전체와는 무관한 하나하나를 나타낸다.
> (6) 형용사로서의 each는 단수 명사에 걸리지만 대명사로서는 복수의 명사 · 대명사를 뒤에서 동격적으로 수식할 수 있다.
> (7) 부정문에는 each를 쓰지 않고 no one이나 either를 쓴다.

── *a.* 제각기[각각]의, 각자의, 각…(cf. EVERY 1 주) : ~ one of us 우리들 각자 / on ~ occasion 그때마다 / at ~ side of the gate 문의 양쪽에 모두 / *E*~ pupil has a desk. 학생은 제각기 책상이 있다(cf. *Every* pupil has a desk. 책상이 없는 학생은 한 사람도 없다).

each time (1) 매번, 언제나. (2) [접속사적으로] …할 때마다 : She smiled ~ *time* she met me. 그녀는 나를 만날 때마다 생긋이 웃었다.

── *pron.* 각자, 제각기 : We ~ have our opinions. =*E*~ of us *has his* opinion. =《美口》 *E*~ of us *have our* opinions. 우리는 제각기 의견을 가지고 있다. ☞ 活用 (1).

each and all 제각기 모두, 각자가 모두.

each other 서로(one another) : They love ~ *other*. 그들은 서로 사랑하고 있다 / He and I saw [looked at] ~ *other's* face. 그와 나는 서로의 얼굴을 바라 보았다. ☞ 活用 (2).

each to each 제각기 서로 : The sides of the two triangles are equal ~ *to* ~. 두 개의 삼각형의 대응(對應)하는 변은 서로 같다.

── *adv.* 한 사람[한 개]에 대하여, 하나하나에 (apiece) : They sell oranges, two pence ~. 오렌지를 한 개에 2펜스에 판다.

〖OE *ǣlc* (*ā* always, *gelīc* alike)〗

活用 (1) each other가 그대로 문장의 주어가 되는 일은 없으며 다음과 같이 each와 the other는 구별하여 배치됨 : We *each* know what the *other* wants. (서로가 상대편의 요구를 알고 있다). (2) each other는 둘 사이에, one another는 셋 이상에 쓴다고는 하지만, 현재는 이러한 구별이 엄밀하게 지켜지지 않고 있음.

‡ea·ger¹ [iːgər] *a.* **1 a)** 열망[갈망]하는 : He is ~ ***for*** the prize[***after*** fame, ***about*** his progress]. 상[명성, 진보]을 열망한다. **b)** [+*to* do] 몹시 …하고 싶어하는(impatient) : The child is ~ *to* have the plaything. 그 어린애는 그 장난감을 몹시 가지고 싶어한다 / They were ~ ***for*** the game *to* begin. 경기가 시작되기를 애타게 기다리고 있었다. **2** [+前+do*ing*] 열심인 : one's ~ looks 열심인 얼굴 모습[모양] / He is very ~ ***in*** his studies. 공부에 매우 열심이다 / They did not appear very ~ *in* compet*ing*. 그들은 경쟁에는 그렇게 열심인 것 같지 않았다. **3** (추위 따위가) 매서운, 살을 에는 듯한.

> 〈회화〉
> You look *eager* to get started. — I am. I've waited two years for this trip. 「빨리 떠나고 싶어서 못견디는 것 같군」「그래요. 이 여행을 2년 동안이나 기다려 온 걸요」

~·ly *adv.* 열망하여 ; 열심히.

〖OF<L *acer* keen, sharp〗

類義語 ***eager*** 열심인 ; 어떤 일에 대한 희망 · 추구에 대단히 열심인[열중하고 있는] ; 때때로는 성급함을 뜻함 : He is *eager* to be rich. (그는 몹시 부자가 되고 싶어한다). ***anxious*** 결과에 대하여 걱정을 하면서도 희망하고 있는 : They were anxious to do their best. (그들은 최선을 다하고 싶었다). ***keen*** 어떤 일을 하려고 하는 강한 흥미 또는 욕망에 의해서 정력적으로 움직이고 있는 ; eager보다도 뜻이 강함 : The family are *keen* on having their own house. (그 가족은 자기들의 집을 가지려고 애를 쓴다). ***avid*** eager의 뜻에 더하여 어떤 것을 소유하려는 강한 욕망이 있는 ; 때로는 탐욕을 뜻함 : be *avid* for power(권력욕이 강하다).

éager béaver *n.* 《口》 열심히 일하는 사람, 일벌레, (승진을 노리는) 노력가. **éager-béaver** *a.*

éa·ger·ness *n.* Ⓤ 열심, 열렬, 열망 : with ~ 열심히, 열렬하게 / one's great ~ *for* wealth 부에 대한 강한 열망 / in one's ~ *to* do …하고 싶은 나머지 / be all ~ *to* do …하고 싶어서 못 견디다.

***ea·gle** [iːgəl] *n.* **1** 〖鳥〗 수리, 독수리 : *E*~*s* catch no flies. 《속담》 독수리는 파리를 잡지 않는

다《작은 일에는 상관않는다》. **2** 독수리표《미국·제정(帝政) 시대의 오스트리아·프랑스·독일·러시아 따위의 국장(國章)》, 독수리표가 든 국기[문장(紋章)]. **3** (미국의) 옛 10달러 금화. **4** 〖골프〗 이글《표준타수보다 2타 적게 쳐서 홀에 넣기; cf. BIRDIE 2》. **5** [the E~] 〖天〗 독수리자리. **6** [E~] 〖宇宙〗 아폴로 11호의 달 착륙선 이름. **7** 《美軍俗》 (전투기의) 베테랑 파일럿; 《美學俗》 (학업 성적의) E. 〚OF<L *aquila*〛

éagle bòat *n.* 소형 대잠수함 군함.

éagle dày *n.* 《美軍俗》 급료일《급료 봉투의 독수리 표시에서》.

Éagle defénce *n.* 〖美蹴〗 이글 디펜스《수비 대형의 하나》.

éagle èye *n.* 날카로운 눈, 형안(炯眼); 눈이 날카로운 사람; 탐정.

keep an eagle eye on …에서 눈을 떼지 않다, …을 주의 깊게 지켜보다.

éagle-èyed *a.* 눈이 날카로운, 형안(炯眼)의.

éagle frèak *n.* 《美俗·蔑》 자연 보호론자, 야생동물 보호주의자.

éagle-hàwk *n.* 〖鳥〗 **1** 독수리와 매의 중간 크기의 열대 아메리카산의 각종 맹금. **2** 큰검독수리《호주산》. —— *vi.* 《濠俗》 죽은 양의 털을 뽑다.

éagle òwl *n.* 〖鳥〗 수리부엉이.

éagle rày *n.* 〖魚〗 매가오리.

éagle scòut *n.* 《美》 21개 이상의 공훈 배지를 받은 보이스카우트 단원.

ea·glet [íːglit] *n.* 독수리 새끼. 〚*-et*〛

ea·gre, ea·ger[2] [íːgər; éigər] *n.* 큰 밀물, 만조(滿潮), 해소(海嘯)《특히 잉글랜드 Humber, Trent, Severn 따위 강어귀의》. 〚C17<?; cf. OE *ēagor* flood〛

EAL Eastern Air Lines.

Éames chàir [íːmz-] *n.* (합판·플라스틱제의) 머리받이와 푹신한 발판이 달린 안락 의자. 〚Charles *Eames* (d. 1978) 미국의 디자이너〛

EAN European article number.

-ean ☞ -AN[1].

E. & O.E. errors and omissions excepted (오기(誤記)와 탈락은 제외함).

E. and P. extraordinary and plenipotentiary (특명 전권의).

◇**ear**[1] [íər] *n.* **1** 귀; (특히) 외이(外耳): the external[middle, internal] ~ 외[중(中)·내(內)]이 / I would give my ~*s for* a thing[*to* do...] …을 얻을 수 있으면 […할 수 있으면] 어떠한 희생도 불사하겠다 / A word in your ~. 잠깐 귀 좀 빌립시다, 한 마디 할 말이 있다. **2** 청각, 청력; 소리를 듣는[구별하는] 힘: a keen[nice] ~ 예민한 청력 / a good ~ 밝은 귀 / have an[no] ~ *for* music 음악을 알다[모르다]. **3** 경청, 주의: bend an ~ 귀를 기울여 듣다〈*toward*〉. **4** 귀 모양을 한 것; (물병·항아리의) 손잡이(handle), (종 따위의) 꼭지; [*pl.*] 《美俗》 CB 무선기.

be all ears 《口》 열심히 귀를 기울이다.

be by the ears 사이가 나쁘다, 불화(不和)하다 (cf. *set...by the* EARS).

bow down[***incline***] one***'s ears to*** 〖聖〗 = *lend an* EAR *to*....

bring a hornets' nest about one***'s ears*** ☞ HORNET.

catch[***fall on, come to***] one***'s ears*** 귀에 들어오다, 들려 오다.

fall on deaf ears 귀를 기울여 주지 않다, 돌아보지 않다.

fall together by the ears 격투[싸움]를 시작하다.

gain the ear of …의 경청을 받다.

give ear to …에 귀를 기울이다.

go in (***at***) ***one ear and out*** (***at***) ***the other*** 아무런 인상[감명]도 주지 못하다; 「마이동풍(馬耳東風)」.

have[***win, gain***] a person***'s ear*** 남의 주의를 끌다.

lend an ear[one***'s ear***(***s***)] ***to*** …에 귀를 기울이다, …에 귀를 기울여 주다.

over (***head and***) ***ears***=***up to the***[***one's***] ***ears*** 〈*in* love, the conspiracy, debt〉 (연애[음모]에) 열중하여; (빚으로) 어쩔 수가 없는.

play[***sing***] ***by ear*** 악보없이 연주[노래]하다.

prick up one***'s ears to*** …에 귀를 기울이다, …을 엿듣다.

set...by the ears (남들 사이에) 싸움을 일으키다.

stop[***close***] one***'s ear to...*** = *turn a deaf* EAR *to*....

turn a deaf ear to …에는 조금도 귀를 기울이지 않다, …을 전혀 들으려고 하지 않다.

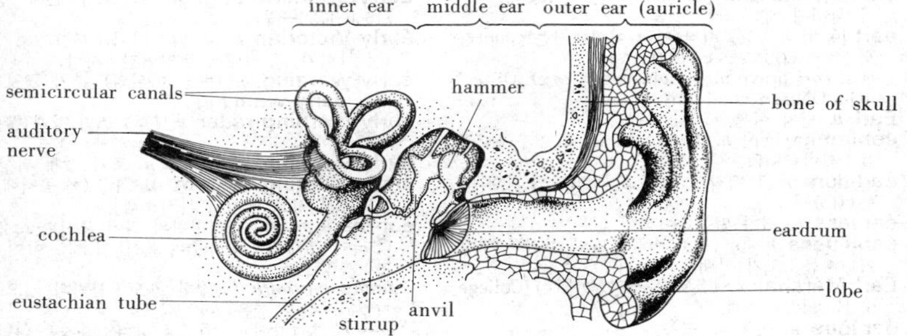

ear

〈회화〉
How did you learn English so quickly? — I have an *ear* for languages.「어떻게 영어를 그리 빨리 배웠지」「언어 감각이 있기 때문이죠」

〚OE *ēare*; cf. G *Ohr*, L *auris*〛

***ear²** *n.* (보리 따위의) 이삭; (옥수수 따위의) 암술《열매·포엽을 포함함》.
be in* (*the*) *ear 이삭이 나와 있다.
come into ear 이삭이 패다.
— *vi.* 이삭이 되다, 이삭이 나오다〈*up*〉.
〚OE *ēar*; cf. G *Ähre*, L *acus* husk〛

éar·àche *n.* U,C 귀앓이: I'm suffering from (the) ~. 귀가 몹시 쑤신다.

éar bànger *n.*《俗》아첨꾼, 떠버리.

éar·bàsh *vt.*《濠口》…에게 계속 지껄여 대다. — *vi.* 계속해서 지껄이다.

éar·bènd·er *n.*《美口》수다쟁이, 쉴새없이 지껄이는 사람.

éar·càp *n.*《英》(방한용) 귀덮개가 달린 모자.

éar-càtch·er *n.* 귀를 솔깃하게 하는 것; 외기 쉬운[듣기 좋은] 노래[곡].

éar-dèaf·en·ing *a.* 귀청이 떨어질 것 같은.

éar·dròp *n.* 귀고리(earring); 푸크시아(fuchsia) 꽃; [*pl.*]〖醫〗점이액(點耳液)《귓구멍에 떨어뜨리는 물약》.

éar·drùm *n.* 중이(中耳), 고막(鼓膜).

éar dùster *n.*《美俗》소문, 떠버리; (야구에서) 타자의 머리를 스치는 투구.

eared¹ [íərd] *a.* 귀가 있는, 귀가 달린; 귀가 …한: long-~ 긴 귀의. 〚EAR¹〛

eared² *a.* 이삭이 나온; (…한) 이삭이 있는: golden-~ 황금빛의 이삭이 팬. 〚EAR²〛

éar·flàp *n.* (모자의) 방한용 귀가리개.

earflap

éar·ful *n.*《美口》(진저리나도록 많이) 들은 것; 놀랄 만한 소식; 잔소리, 꾸지람.

éar·hòle *n.* 귓구멍, 이도.
on the earhole《俗》야바위[사기]를 쳐서.
— *vt.* …을 듣다; 엿듣다: The boy ~*d* the argument between his mother and father. 그 소년은 부모님의 말다툼을 그만 엿듣고 말았다.

ear·ing, ear·ring [íəriŋ] *n.*〖海〗가로돛의 윗귀를 활대에 매는 작은 밧줄.

earl [ə́ːrl] *n.*《英》백작《영국 이외에서는 count라 함; ☞ COUNTESS, NOBILITY》.
〚OE *eorl* brave man, nobleman < ?; cf. OS *erl* man, ON *jarl* chieftain〛

Earl *n.* 남자 이름.

ear·lap [íərlæ̀p] *n.* **1** =EARFLAP. **2** 귓부리, 귓불; 외이(外耳).

éarl·dom *n.* **1** 백작령(領). **2** U 백작의 지위[신분(身分)].

éar·less *a.* 귀가 없는; 이삭이 없는.

éar·li·ness *n.* U (특히 식물·과일 따위의 생장이) 빠름; 조기(早期).

Éarl Márshal *n.*《英》문장원(紋章院) (College of Heralds) 총재.

éar·lòbe *n.* 귓부리, 귓불.

◇**ear·ly** [ə́ːrli] *adv.* (**-li·er**; **-li·est**) **1** 일찍, 일찍이, 일찍부터, 일찌감치; 초기에(↔*late*): ~ in the day[morning] 아침 일찍이 / ~ in life 아직 젊을 때 / get up ~ 아침 일찍 일어나다 / as ~ as May[1980] 일찍이[이미] 5월[1980년]에 / as ~ as possible 될수록 빨리. **2** 가까운 장래에, 얼마 안 있어 (곧) (soon).
earlier on 일찌감치, 미리(previously), 벌써부터(before) (↔*later on*).
early and late (아침) 일찍부터 (밤) 늦게까지, 조석으로, 자나 깨나.
early or late 조만간, 이르거나 늦거나.
early to bed, early to rise 일찍 자고 일찍 일어남.
— *a.* (**-li·er**; **-li·est**) **1 a**) (시각·계절 따위) 이른, 빠른, 조기(早期)의 (↔*late*): an ~ death 요절(夭折) / ~ habits 일찍 자고 일찍 일어나는 습관 / an ~ riser 일찍 일어나는 사람 / an ~ visit(or) 이른 아침의 방문(자) / at an ~ hour 아침 일찍이. **b**) 올되는, 철 이른: ~ fruits, peaches, *etc.* **2** 초기의; 처음의: from the *earliest* times 아주 옛날부터. **3** 가까운 장래의: at an ~ date 머지 않아, 가까운 시일 내에.
at the earliest 이르더라도, 빨라야.
at your earliest convenience ☞ CONVENIENCE.
***in one's early days*[*years*]** 젊을 때에.
keep early hours 일찍 자고 일찍 일어나다.
〚OE (adv.) *ǣrlīce* (ERE, -*ly*¹)〛

Éarly Américan *n.* (건축·가구 따위가) 미국의 초기[영국 식민지 시대]에 건축[제작·사용]된; 초기 아메리칸 양식(의).

éarly bìrd *n.* **1**《口》일찍 일어나는 사람; (회의 따위에) 정각보다 먼저 나오는 사람, 남보다 먼저 일을 하는 사람;《口》첫 열차, 시발편: It is the ~ that catches the worm. =The ~ catches the worm.《속담》일찍 일어나는 새가 벌레를 잡는다. **2** [E~ B~] 얼리버드《북미·유럽주 사이의 통신위성》.

éarly-bìrd *a.*《口》이른 아침의; 일찍 오는 사람을 위한.

Éarly Chrístian *n.* 초기 기독교 미술[건축]의.

éarly clósing *n.*《英》(일정한 요일의 오후에 실시하는) 조기 폐점(일) (=**éarly clósing dày**).

éarly dóor *n.* (극장의) 일찍 여는 문《특별 요금으로 정각보다 손님을 일찍 입장시키는 문》.

Éarly Énglish (stýle) *n.* [the ~] 초기 영국 건축 양식《1175-1275년경의 초기 고딕식》.

éarly léaver *n.* (학교에서의) 중도 퇴학자, 낙오자, 탈락생(dropout).

Éarly Módern Énglish *n.* 초기 근대 영어《1500-1750년경의》.

éarly-Victórian *a., n.* 빅토리아조(朝) 초기의 (사람[작가]); 시대에 뒤떨어진 (사람).

éarly wárning *n.* (방공 따위의) 조기 경보[경계]. **éarly-wárn·ing** *a.*

éarly-wárning ràdar *n.*〖軍〗조기 경계(警戒) 레이더.

éarly-wárning sátellite *n.* 조기 경계 위성.

éarly-wárning sỳstem *n.*〖軍〗(핵 공격에 대한) 조기 경보 레이더망[시스템].

éar·màrk *n.* 귀표《양 따위의 귀에 표시한 소유주의 낙인(烙印)》; 소유주의 표시[기호], 이어 마크; 특징.
under earmark (특정한 용도·사람의 것으로) 지정된, 갈라 놓은〈*for*〉.
— *vt.* **1** (양에게) 귀표를 하다; 특징을 나타내다. **2** [+目+*for*+名/+目+*to* do] (자금 따위를 특정한 용도에) 책정하다, 지정하다, 배당하다, 충당하다: Two thousand dollars is ~*ed* ***for*** research[*to* buy books for the library]. 2000달

러가 연구비로[도서 구입비로] 지정되어 있다.

éar·mínd·ed *a.* 청각형(聽覺型)의 (cf. EYE-MINDED).

éar·mùffs *n. pl.* 《美》 방한용 귀가리개.

‡**earn** [ə́ːrn] *vt.* **1 a)** 벌어서[일하여] 얻다, 벌다 : He ~*s* fifty dollars a day. 하루에 50달러 번다 / He ~*s* his living[livelihood, (daily) bread] by doing odd jobs. 임시 일을 하여 생계를 꾸려가고 있다. **b)** 〖野〗 (상대편의 에러에 의하지 않고) 득점하다. **2** (명성·비판 따위를) 얻다, 받다. **3** (감사 따위를) 받을 만하다(deserve) : She did not know what she had done to ~ the praise. 그녀는 자기가 그 칭찬을 받을 만한 어떤 일을 했는지 몰랐다. **4** [+目+目 / +目+*for*+名] (이익 따위를) 낳다, 받게 하다, 가져오다(bring) : Your untiring efforts will ~ (***for***) you the respect of all who know you. 당신의 지칠줄 모르는 노력을 보고서는 당신을 알고 있는 모든 사람은 존경하지 않을 수 없을 것입니다.

earn *one's* ***way through college*** 고학으로 대학을 나오다.

〖OE *earnian* to win, labor for ; cf. OE *esne* laborer, servant〗

éarned íncome [ə́ːrnd-] *n.* 근로 소득(↔ *unearned income*).

Éarned Íncome Tàx *n.* 근로 소득세.

éarned pòint *n.* 〖스포츠〗 언드 포인트《상대방의 실책에 의하지 않고, 자기의 플레이에 의하여 얻은 접수》.

éarned rún *n.* 〖野〗 자책점(自責點)《상대방 실책에 의하지 않고 투수의 책임인 안타·포볼 따위로 얻는 득점》 : an ~ average (투수의) 방어율.

éarned súrplus *n.* 이익 잉여금.

***ear·nest**[1] [ə́ːrnəst] *a.* **1** 성실한, 진심인 ; 열렬한 : an ~ pupil 근면한 학생 / He was very ~ *over* his son's education. 그는 아들의 교육에 매우 열심이었다. **2** 진지하게 고려해야 할, 중대한.

── *n.* 성실 ; 진심. ㊟ 다음 숙어로 쓰여.

in earnest 진실하게, 진심으로 ; 본격적으로(cf. *in* JEST) : Are you *in* ~? 진정으로 하는 말이냐 / It began raining *in* ~. 본격적으로 비가 쏟아지기 시작했다.

in good[***real, sober***] ***earnest*** 매우 진지하게, 성실하게, 정색을 하고.

~·ly *adv.* **~·ness** *n.*

〖OE *eornost* ; cf. G *ernst*, ON *ern* vigorous〗

類義語 ⟹ GRAVE[2].

earnest[2] *n.* [an ~] 착수금, 증거금 ; 보증, 저당(pledge) ; 징조, 전조(前兆). 〖ME *ernes* 변형(變形) ?‹ *erles, arles* < ? L (*arrha* pledge)〗

類義語 ⟹ PLEDGE.

éarnest mòney *n.* 계약금, 보증금.

***éarn·ing** *n.* **1** (일해서) 벎, 획득 : the ~ of one's honor 영예의 획득. **2** [*pl.*] 소득, 벌이 ; 임금 ; 이득 ; (투자에서 생기는) 배당 소득, 이자 소득.

éarning pòwer *n.* 〖經〗 수익(능)력.

éarnings pèr sháre *n.* 〖證〗 1주당(株當) 이익《순이익을 발행된 보통 주식의 평균 주수(株數)로 나눈 것 ; 略 EPS》.

éarnings-relàted *a.* 소득에 따른 : an ~ pension 소득액 비례 지급 연금.

Éarnings Relàted Súpplement[**Bénefit**] *n.* 《英》 보험 급부금《전년도 소득에 의해서 실업자[환자]에게 6개월간 지급됨》.

éarnings yìeld *n.* 〖證〗 이율《주당(株當)수익을 주가로 나눈 수치》.

EAROM [, íərɑm] 〖컴퓨〗 erasable and alterable read-only memory 《소거(消去) 재기입 롬(ROM) ; 기억시킨 데이터를 전기적(電氣的)으로 개서(改書)할 수 있는 롬 ; cf. ROM》.

Earp [ə́ːrp] *n.* 어프. **Wy·att** [wáiət] (**Berry Stapp**) ~ (1848-1929) 미국 서부의 연방 보안관으로 권총의 명수.

éar·phòne *n.* 이어폰, (라디오 따위의) 리시버, 수화기(受話器) (cf. HEADPHONE).

éar pìck *n.* 귀이개.

éar·pìece *n.* 수화기 ; 귀가리개《방한용》.

éar·pìercing *a.* (비명 따위로) 귀청이 떨어질 정도의, 고막이 째지는 듯한.

éar·plùg *n.* (소음 방지용) 귀마개.

***éar·rìng** *n.* 귀고리, 귀 장식품.

éar shèll[**snàil**] *n.* 〖貝〗 전복(abalone).

éar·shòt *n.* Ⓤ 소리가 들리는 거리.

out of[***within***] ***earshot*** 불러서 들리지 않는[들리는] 곳에.

éar-spècial·ist *n.* 이과의(耳科醫), 귀 전문의.

éar·splìtting *a.* (소리·음성 따위가) 귀청이 찢어질 정도의, 매우 요란한.

◊**earth** [ə́ːrθ] *n.* **1** [the ~] (하늘에 대하여) 땅, 대지 ; (바다에 대하여) 육지 : bring a bird to the ~ 새를 쏘아 땅에 떨어뜨리다. **2** [the ~] (천국·지옥에 대하여) 이 세상(this world) ; Ⓤ 세속적인 일, 속세의 일. **3 a)** Ⓤ,Ⓒ (암석에 대하여) 토양, 흙(soil). **b)** 〖化〗 토류(土類). **4** [the ~, (the) E~] 지구(the globe) ; 지구상의 주민 : the whole ~ 온 세계의 사람. **5** 여우[토끼 따위]의 굴. **6** 《英》 〖電〗 어스, 접지선(接地線)(=《美》 ground) : an ~ plate 어스판(板). **7** Ⓤ 흙《고대 철학에서의 우주 형성의 4대 요소(four elements)의 하나》. **8** 《古》 막대한 양.

come back[***down***] ***to earth*** (몽상(夢想)에서) 현실 세계로 돌아오다.

down to earth 《口》 아주, 완전히, 철저하게 ; 현실적인.

go the way of all the earth 〖聖〗 죽다.

like nothing on earth ☞ NOTHING *n.*

on earth (1) 땅위에(살아 있는) ; [최상급을 강조하여] 무릇 세상에 있는 : the great*est* man *on* ~ 이 세상에서 가장 위대한 사람. (2) [의문문을 강조] 도대체 …? : *What on* ~ is the matter? 도대체 무엇이 문제냐 / *Why on* ~ are you sitting there? 도대체 왜 그런 곳에 앉아 있는 거냐. (3) [부정을 강조] 전혀, 조금도(at all) : It's *no* use *on* ~. 전혀 쓸모가 없다.

〈회화〉

Where *on earth* have you been? — I was at my friend's house. 「도대체 어디에 갔었어」「친구네 집에요」

put. . . to earth 〖電〗 …을 어스[접지]시키다.

run (. . .) ***to earth*** (여우 따위가) 굴로 도망가다 ; 《비유》 추궁하다 ; 철저히 조사하다[밝히다].

take earth=***go to earth*** 굴로 도망치다.

── *vt.* **1** (나무 뿌리·야채 따위에) 흙을 덮다 〈*up*〉. **2** (여우 따위를) 굴로 몰아넣다. **3** 〖電〗 접지(接地)시키다.

── *vi.* (여우 따위가) 굴로 도망가다.

~·lìke *a.* 〖OE *eorthe* ; cf. G *Erde*〗

類義語 ***earth*** 행성(行星)의 하나로서의 지구로, 태양·달·별이나 때로는 하늘에 대(對)하여 쓰임. ***world*** 인류가 사는 장소로서의 세계, 인간의 여러 가지 활동과 연관을 지어 생각되어짐. ***globe*** 인간이 사는 세계로서의 지구, 특히 둥글다는 것을 강조함.

éarth antènna *n.* 접지(接地) 안테나.
éarth àrt *n.* 《美》 어스 아트(land art)《지형·경관 따위를 소재로 하는 공간 예술》.
éarth·bòrn *a.* **1** 땅에서 태어난. **2** 이 세상에 태어난, 인간적인. **3** 속세의, 현세의.
éarth·bòund *a.* **1** 땅에 고착되어 있는; 세속[현세]적인, 저속한. **2** (우주선 따위) 지구로 향하고 있는. **3** 상상력이 결여된, 산문적인, 평범한.
éarth·brèd *a.* 땅위에서 자란, 비천한.
éarth cìrcuit *n.* 접지 회로(接地回路).
éarth clòset *n.* (흙으로 덮는) 토사 살포식(土砂撒布式)의 변소(↔*water closet*).
éarth còlor *n.* 〖服〗 어스 컬러《흙색 계통으로 붉은 색에서부터 다갈색 계통까지 광범위함》.
éarth-cóupled *a.* (파이프 따위가) 지중(地中) 접속의.
éarth cùrrent *n.* 〖電〗 지전류(地電流).
éarth·dày *n.* 〖天〗 지구일(日)《다른 천체(天體)나 인공 위성 따위의 시간 환산에 쓰이는 지구상의 24시간》.
Éarth Dày *n.* 지구의 날《환경 보호일, 4월 22일; cf. EARTH WEEK》.
éarth·en *a.* 흙으로 만든, 도제(陶製)의.
éarth·en·wàre *n., a.* 토기(土器), 도기(陶器) (cf. POTTERY, STONEWARE, PORCELAIN); 흙[오지]으로 만든.
éarth-gòd *n.* (*fem.* **-gòddess**) 대지의 신, 풍요의 신.
éarth hòuse *n.* 흙속의 주거; 진흙으로 만든 집; (픽트족(Picts)의) 지하 주거.
éarth·ian *n.* [때때로 E~] 지구인.
—— *a.* 지구의.
éarth·i·ness *n.* 토질(土質), 토성(土性); 세속적임; 현실주의적인[사실적인] 성질.
éarth·ing *n.* 접지(接地).
éarth·lìght *n.* 〖天〗 지구(반사)광(光), 지구 반영.
éarth·li·ness *n.* 현세적임, 속됨; 덧없음.
éarth·ling *n.* 인간; 속인(俗人).
éarth·lùbber *n.* 지구 밖으로 나가 본[우주 비행을 한] 적이 없는 사람; (우주에서 본) 지상 생활자; 우주 비행사가 아닌 사람. 〖cf. LANDLUBBER〗
***earth·ly** [ə́:rθli] *a.* **1** 지구[지상(地上)]의. **2** 이 세상의, 속세의, 이승의(worldly) (↔*heavenly*). **3** 《口》 [강조어] **a**) [부정] 전연, 조금도(at all): There is *no* ~ use for it. 전혀 쓸모가 없다. **b**) [의문] 도대체: *What* ~ purpose can it serve? 도대체 그것은 어떤 쓸모가 있는가.
have not an earthly 《英俗》 전혀 가망성이 없다《chance를 보충하여 해석》.
[類義語] ***earthly*** 현실의 세상과 관계있는; heavenly에 대하는 말로 쓰임: *earthly* affairs (세상일). ***terrestrial*** earthly보다 격식을 차린 학문적인 말로 celestial에 대하여 행성(行星)으로서의 지구에 관한 이라는 뜻: *terrestrial* magnetism (지자기(地磁氣)). ***worldly*** spiritual에 대하여 쾌락·입신출세·허영 따위 인생의 물질적인 면과 관계있는: *worldly* pleasures (현세의 즐거움). ***mundane*** 흔히 worldly와 같은 뜻으로 특히 인생의 평범함·덧없음 또는 실제적인 면을 강조하는 말: *mundane* affairs (세속적인 일).
éarthly-mínd·ed *a.* 세속적인.
éarth·màn [, -mən] *n.* 지구인(人).
éarth mòther *n.* 만물의 근원(인 대지).
éarth·mòver *n.* 땅고르는 기계.
éarth·nùt *n.* 낙화생, 땅콩(peanut).
éarth òrbit *n.* 지구 궤도.
éarth-òrbit·ing spáce stàtion *n.* 〖宇宙〗 지구 궤도 우주 정거장.
éarth pìllar *n.* 〖地質〗 흙기둥《빗물의 침식으로 암석을 떠받친 기둥 모양의 흙덩이》.
***earth·quàke** *n.* 지진(地震) (cf. SEISMOLOGY); 《비유》 (사회적인) 대변동: felt[palpable] ~ 느낄 수 있는 지진 / ~ intensity 진도(震度).
éarthquake actìvity *n.* 지진 활동.
éarthquake cénter *n.* 진앙(震央), 진원지.
éarthquake fíre *n.* 지진 화재.
éarthquake hàzard *n.* 지진 위험도.
éarthquake insùrance *n.* 지진 보험.
éarthquake lìghts[lìghtning] *n.* 〖地〗 지진 때의 발광현상.
éarth·quàke-pròof *a.* 내진(耐震)의.
éarthquake séa wàve *n.* 지진 해일(海溢).
éarthquake shóck *n.* 지진(의 진동).
éarthquake sóund *n.* 땅울림.
éarthquake swàrm *n.* 군발(群發) 지진.
éarth resóurces sàtellite *n.* 지구 자원 탐사 위성(衛星).
éarth·rìse *n.* (우주공간·달에서 본) 지구의 떠오름, 지구돋이. 〖cf. SUNRISE, MOONRISE〗
éarth sátellite *n.* 인공 위성.
éarth·scàpe *n.* 《美》 (우주선 따위에서 본) 지구 모양[모습].
éarth scìence *n.* 지구 과학.
éarth·shàking *a.* (신념 따위를) 뿌리째 흔들어 놓는, 근본적으로 뒤엎는; 극히 중대한.
éarth·shìne *n.* =EARTHLIGHT.
éarth·shòck *n.* 지변(地變); 천재 지변.
éarth slìde *n.* 사태, 산사태(landslide).
éarth sòunds *n. pl.* 땅울림.
éarth stàtion *n.* (우주 통신용의) 지상국(局).
éarth tàble *n.* 〖建〗 근석(根石)《건물 토대 위에 불쑥 튀어나온 층》.
éarth·tìme *n.* 지구 시간《지구 자전의 시간을 계측 기준으로 하는 시간; 천체 현상을 지구상에서 관측하는 데 쓰임》.
éarth trèmor *n.* 약한 지진.
éarth·ward, -wards *adv., a.* 땅쪽으로 (향한), 지면(地面)을 향한(cf. HEAVENWARD).
Éarth·wàtch *n.* [흔히 e~] 지구 감시망《지구의 환경 오염을 감시하기 위한》.
Éarth Wèek *n.* 지구 (보호) 주간《환경 보호 주간, 1971년 4월 18일 부터 24일까지 일주일간 실시; cf. EARTH DAY》.
éarth·wòrk *n.* Ⓤ 토목(작업); Ⓒ 토루; [*pl.*] 대지 예술《흙·돌·모래 따위를 소재로 함》.
éarth·wòrm *n.* **1** 땅속에 사는 벌레, (특히) 지렁이. **2** 《古》 벌레 같은[비열한] 인간.
éarthy [, 美+-ði] *a.* **1** 흙의, 토양성의, 흙과 같은: an ~ smell 흙 냄새. **2** 지계(地界)의; 땅(속)에 사는: an ~ spirit 땅의 정령(精靈). **3** (heavenly에 대하여) 지상의; (spiritual에 대하여) 세속적인; 조잡한; 투박한; 현실적인, 실제적인; 소박한, 꾸밈없는.
of the earth, earthy 〖聖〗 흙에서 나서 흙으로 돌아가는; 세속적인 냄새가 물씬 풍기는.
éarth·yèar *n.* 지구년《지구의 365일의 1년》.
éar trùmpet *n.* 나팔형 보청기(補聽器).
éar·wàx *n.* Ⓤ 귀지.
éar·wìg *n.* 〖昆〗 집게벌레. —— *vt.* (남에게) 슬쩍 암시해 주다, (은근히) 아첨하다.
éar·wítness *n.* 청문 증인(聽聞證人) (cf. EYEWITNESS).
***ease** [i:z] *n.* **1** Ⓤ (몸의) 편안, 안락; 안정; (아

픔이) 가심, 경감(relief)〈*from* pain〉. **2** Ⓤ 마음 편함, 안심. **3** Ⓤ (태도·상태 따위의) 딱딱하지 않음, 불편하지 않음, 느긋함. **4** (생활의) 안락 ; 안이, 안일. **5** Ⓤ (의복·구두 따위) 느슨함, 넉넉함. **6** Ⓤ 쉬움, 용이(↔*difficulty*).

at (one**'s**) ***ease*** 마음 편하게 ; 편안하게, 자유스럽게 : be [feel] *at* ~ 안심하다, 마음이 편해지다 / live *at* ~ 안락하게 살다 / do a task *at* one*'s* ~ 마음에 드는 일을 하다 / put a person *at* his ~ 남을 편안하게 해주다 / sit *at* ~ 편히[편한 자세로] 앉다.

ill at ease (불안하여) 안절부절못하는.

march at ease 〖軍〗 평보(平步)로 행진하다.

stand at ease 〖軍〗 쉬어 자세를 취하다(↔*stand at attention*).

take one**'s** ***ease*** 몸을 편하게 하다, 편한 자세로 쉬다.

with ease 용이하게, 쉽게(easily).

── *vt.* **1** (고통·마음의 괴로움 따위를) 완화시키다, 덜다 : The medicine ~*d* her pain. 그 약으로 그녀의 고통은 가라앉았다 / ~ one's leg 쉬는 자세를 취하다. **2** [+目+*of*+名] **a**) (무거운 짐을 벗게 하고) 남을 편하게 하다, 안심시키다 : He ~*d* me ***of*** the burden. 그는 나의 무거운 짐을 덜어주었다. **b**) 《戲》 (남에게서 물건을) 빼앗다(rob) : I was ~*d* ***of*** my wallet. 돈지갑을 빼앗겼다. **3** [+目/+目+副] 느슨하게 하다, 늦추다(loosen) ; (속도 따위를) 줄이다 : I ~*d* the belt a little. 허리띠를 조금 늦추었다 / He ~*d* (***down***) the car[the speed of the car]. 그는 차의 속도를 줄였다. **4** [+目/+目+前+名] (물건을) 조심해서 움직이다, 천천히 …하다 : He ~*d* the big box ***through*** the narrow door. 큰 상자를 가만히 움직여서 좁은 문 안으로 밀어넣었다.

── *vi.* 완화하다, 늦추어지다 : The tension has ~*d* ***off***. 긴장이 풀렸다.

ease off [***up***] (아픔·기세·긴장 따위를) 가볍게 하다, 떨어지게 하다, 태도를 완화하다, 엄하지 않게 하다 ; 경감하다, 떨어져 가다.

ease one***self*** 안심하다(=~ one's mind) ; 기분을 풀다 ; 대·소변을 보다.

〖OF<L ; ⇨ ADJACENT〗

類義語 ***ease*** 곤란한 일·괴로움·고민 기타 모든 압박에서 벗어나 마음놓고 편안하게 있는 상태 : a life of *ease* in the country(시골의 편안한 생활). ***comfort*** 모든 긴장·고통·곤란·불행한 일이 없이 쾌적하며 만족한 상태 : I want to have *comfort* in my old age. (늙어서는 편안히 살고 싶다). ***easiness*** 보통 객관적으로 일 자체의 쉽고 평이함. ***facility*** ease가 상태·동작에 대해서 쓰이며 주관적인 의미를 나타내고 문어적임.

éase·ful *a.* 마음 편한, 안락한, 평안한 ; 태평한, 안일한. **~·ly** *adv.*

ea·sel [íːzəl] *n.* 화가(畫架), 이젤 ; (칠판 따위의) 틀 : an ~ picture[piece, painting] 화가에 얹고 그린 그림. 〖Du. *ezel* ass¹=G *Esel*〗

éase·less *a.* 마음이 편하지[안정되지] 않은, 거북한, 불안한.

éase·ment *n.* Ⓤ 〖法〗 지역권(地役權) ; Ⓤ,Ⓒ (고통·부담 따위의) 경감(輕減).

〖OF ; ⇨ EASE〗

‡eas·i·ly [íːzəli ; -zili] *adv.* **1** 용이하게, 쉽게, 선뜻(↔*with difficulty*) ; 손쉽게 : win ~ 쉽게 이기다 / let a person off ~ (별다른 처벌도 가하지 않고) 남을 쉽게 용서하다. **2** 원활하게, 슬슬(smoothly) : The engine was running ~. 엔진은 잘 작동하고 있었다. **3** 느슨하게, 편하게, 안락하게(comfortably) : I like a suit that fits ~. 나는 느슨한 옷을 좋아한다. ㊟ 《口》에서 이 뜻으로 easy를 쓰는 일도 있다 ; ☞ EASY 活用. **4 a**) 확실하게, 물론 : It is ~ the best (hotel). 그것이 단연 최고(의 호텔)이다. **b**) [can, may 따위를 수반] 아마도, 다분히(probably) : The plane *may* ~ be late. 비행기는 아마도 늦어질 것이다 / Such a thing *could* ~ happen. 그런 일이 일어날지도 모른다.

éas·i·ness *n.* **1** Ⓤ 쉬움, 평이(平易). **2** Ⓤ 마음 편함, 편안함 ; 안정〈*of* manner〉.

◇east [iːst] *n.* **1** [보통 the ~] Ⓤ 동쪽, 동방 ; 동녘(略 e., E, E. ; ↔*west* ; ☞ NORTH 1). **2** [the E~] **a**) 《英》 동양(the Orient) : ☞ FAR EAST / ☞ MIDDLE EAST / ☞ NEAR EAST. **b**) [보통 the E~] (어떤 지역의) 동부지방[지역] ; 《美》 동부지방(Mississippi 강에서 대서양 해안까지의 지방). **3** (교회의) 동쪽 끝, 제단쪽. **4** 《詩》 동풍(東風).

down East New England(특히 Maine 주)(로[에·에서·쪽으로]).

east by north 동미(微)북(略 EbN).

east by south 동미남(略 EbS).

in the east of …의 동부에.

on the east of …의 동쪽(끝)에.

to the east of …의 동쪽에 (해당되는).

── *a.* **1** 동쪽의 ; 동쪽에 있는 ; 동쪽을 향한 ; (교회의 본당에서) 제단쪽의. **2** [E~] 동부의. **3** (바람이) 동쪽에서 오는 : an ~ wind 동풍.

── *adv.* 동쪽에[으로], 동부에[로] : due ~ 정동(正東)에[으로] / lie ~ (of...) (…의) 동쪽에 있다 / lie ~ and west 동서에 걸쳐 있다.

east by north[***south***] 동미(微)북[남]으로.

── *vt.* 동진하다 ; 동쪽으로 방향을 바꾸다.

〖OE *ēast* ; cf. G *Ost*〗

éast·abòut *adv.* =EASTWARD.

Éast Áfrican Commúnity *n.* [the ~] 동아프리카 공동체(略 EAC).

Éast Ánglia *n.* (영국 Norfolk와 Suffolk를 포함한) 동부지방 ; 옛날 그곳에 있었던 Anglo-Saxon 7 왕국의 하나.

Éast Berlín *n.* 동베를린(통일전 동독 수도).

Éast Blòc *n.* 동유럽 블록[공산권].

éast·bòund *a.* 동쪽으로 가는[을 향한](bound for east) (略 EB) : an ~ train 동향(東向) 열차.

Éast Chína Séa *n.* [the ~] 동(東)중국해.

Éast Énd *n.* [the ~] 이스트엔드(가난한 사람들이 많이 사는 런던 동부 지역 ; cf. WEST END).

éast·er *n.* 동풍, (특히) 동쪽에서 불어오는 폭풍[강풍].

***Eas·ter** [íːstər] *n.* **1** Ⓤ (크리스트교의) 부활절. ㊟ 3월 21일의 만월(滿月), 그날이 만월이 아니면 그후의 만월 후 첫번째 일요일 ; 이날을 ~ Day [Sunday]라고 말하며, 기독교국가에서는 크리스마스 다음 가는 중요한 축제일. **2** Ⓤ = EASTERTIDE.

〖OE *ēastre*, (pl.) *ēastron* ; cf. G *Ostern* ; 원래 봄의 여신(女神) Eostre의 제일(祭日)〗

Éaster càndle *n.* 부활절 축제에 쓰는 초.

Éaster càrd *n.* 이스터 카드(부활절에 친구·친척들 사이에서 주고받는 인사용 그림 엽서 ; 크리스마스의 Christmas card에 해당).

Éaster dày *n.* 부활절 축제일(Easter Sunday).

Éaster dùes *n. pl.* 부활절 헌금.

Éaster ègg *n.* 부활절의 달걀(부활절 때의 선물 ; 초콜릿 따위를 넣은 것도 있음).

E

Éaster éve[**éven**] *n.* [the ~] 부활절 전야.
Éaster lìly *n.* (부활절 때 장식하는) 흰백합.
east·er·ling [íːstərliŋ] *n.* 동쪽 나라의 주민.
east·er·ly [íːstərli] *a.* 동쪽으로의 ; 동방의 ; (바람이) 동쪽에서 부는. —— *adv.* 동쪽에[으로], 동방으로 ; (바람이) 동쪽에서. —— *n.* 동풍, [*pl.*] 편동풍.
Éaster Mónday *n.* 부활주일(Easter Sunday) 다음날 (월요일).
‡**east·ern** [íːstərn] *a.* **1** 동쪽으로 향한. **2** 동쪽의, 동방의(east, easterly) ; [E~] 《美》 동부의 : the *E*~ States 《美》 동부의 여러 주. **3** [E~] 동양의(Oriental) ; 동양풍의 : the *E*~ question 동방문제《터키·발칸 지방 따위에 관한 문제》.
—— *n.* [E~] **1** 동방의 주민, 동양인. **2** 동방교회 신자. 〖OE〗
Éastern Áir Lìnes *n.* 이스턴 항공《미국의 민영 항공 회사 ; 略 EAL》.
Éastern Chúrch *n.* [the ~] 동방 교회《그리스 정교회 ; ☞ GREEK CHURCH》.
Éastern·er *n.* 《美》 동부 지방[여러 주]의 주민, 동부 출신인 사람.
Éastern Estáblishment *n.* 동해안 주류파《미국 동해안의 명문교 하버드, 예일, 컬럼비아 따위의 출신으로 재계·정계의 중추를 이루는 인맥》.
Éastern Hémisphere *n.* [the ~] 동반구.
éastern·mòst *a.* 가장 동쪽의.
Éastern Órthodox Chúrch *n.* [the ~] 동방 정교회(Orthodox Eastern Church).
Éastern Ríte Chúrch *n.* [the ~] 동방 전례(典禮) 교회《그리스·시리아 등지의 카톨릭교회 ; 성직자가 가정을 가질 수 있음》.
Éastern (**Róman**) **Émpire** *n.* [the ~] 동로마 제국(395-1453).
éastern (**stándard**) **tìme** *n.* 《美》 동부 표준시《略 E.(S.)T.》.
Éaster Súnday *n.* =EASTER DAY.
Éaster térm *n.* **1** U.C 〖英法〗 (원래) 부활절 개정기《4월 15일부터 약 3주간》. **2** U.C **a**) 《英大學》 (원래) 부활절 학기《부활절부터 약 6주간》. **b**) 봄학기《크리스마스부터 부활절까지》.
Éaster·tìde *n.* U 부활절 계절《부활절부터 40-57일간》 ; =EASTER WEEK.
Éaster wéek *n.* 부활절 주간《Easter Sunday로 시작되는 1주간》.
Éast Germánic *n.* 동부 게르만어(語)《Gothic과 없어진 Burgundian 및 Vandal어》.
Éast Gérmany *n.* (통일전) 동독《수도 East Berlin ; cf. WEST GERMANY》.
Éast Índia Còmpany *n.* [the ~] 동인도회사 (1600-1858).
Éast Índian *a., n.* 동인도의 (주민).
Éast Índies *n. pl.* [the ~] **1** 동인도《인도, 인도차이나 및 말레이 반도의 총칭 ; cf. *the* WEST INDIES》. **2** 동인도 제도《말레이 제도(the Malay Archipelago)의 별칭》.
éast·ing *n.* 동항(東航)거리, 동행 항정(東行航程) ; (천체·바람의) 동진(東進) ; 동향(東向), 동쪽 방위(方位).
East·man [íːstmən] *n.* 이스트먼. **George** ~ (1854-1932) 미국의 코닥 사진기 발명자.
éast-nòrth·éast *n., a., adv.* 동북동《略 ENE, E.N.E.》 ; 동북동의[으로].
Éast Pákistan *n.* 동파키스탄《인도의 동쪽에 있었던 옛 파키스탄의 일부 ; 지금은 Bangladesh》.
Éast Ríver *n.* New York의 Manhattan과 Long Island 사이의 해협.
Éast Síde *n.* [the ~] 이스트 사이드《New York의 Manhattan섬 동부, 원래 하층 서민들이 사는 지역(地域)》.
éast-sòuth·éast *n., a., adv.* 동남동《略 ESE, E.S.E.》 ; 동남동의[으로].
Éast Sússex *n.* 이스트서식스《잉글랜드 남부의 주 ; 주도는 Lewes ; 1974년 신설》.
***éast·ward** *adv.* 동쪽에[으로].
—— *a.* 동쪽으로의, 동쪽편의 ; 동쪽으로 향한.
—— *n.* [the ~] 동방 : to[from] *the* ~ 동방에[으로]. **~·ly** *a., adv.* 동쪽으로(의), 동쪽에서 오는 ; (바람이) 동쪽에서 부는.
éast·wards *adv.* =EASTWARD.
◇**easy** [íːzi] *a.* **1** [+*to* do] 쉬운, 수월한, 평이(平易)한(↔ *difficult, hard*) : an ~ task 쉬운 일 / an ~ problem 평이한 문제 / on ~ terms ☞ TERM *n.* 4 / Sparrows are ~ *to* catch. 참새는 잡기 쉽다 / It is ~ *to* get there. 그곳에는 쉽게 갈 수 있다 / ~ of access ☞ ACCESS 1. **2** 편안한, 마음 편한, 안락한(at ease) : be in ~ circumstances 안락[부유]한 생활을 하다. **3** (의복 따위가) 느슨한, 넉넉한. **4** 태평한(= ~going) ; 단정치 못한〈*in* one's morals〉. **5** [+*to* do] (담화·문체 따위가) 딱딱하지 않은, 부드러운, 유창한(cf. LABORED) ; (기분·태도 따위가) 너그러운, 여유가 있는(frank) : ~ manners 너그러운 태도 / ~ grace 여유가 있어 보이는 점잖음 / Be ~ ! 마음을 푹 놓으시오, 염려 마십시오 / He is ~ ***in*** conversation. 그는 부드러운 말씨로 이야기한다 / He is ~ *to* get on with. 그는 사귀기 쉽다. **6** (속도·움직임 따위가) 느릿한. **7** 〖商〗 (상품의 수요가) 풍부한 ; (거래가) 한산한 ; (물가가) 약세인, 떨어질 듯한.
on[***in***] ***Easy Street*** 《口》 부유하게 살고 있는.
—— *adv.* ☞ 活用. 쉽게, 마음 편안하게, 용이하게, 자유롭게, 천천히 : It's *easier* said than done. 말하는 것은 쉽지만 행하기는 어렵다 / *E*~ come, ~ go. 《속담》 쉽게 얻은 것은 쉽게 나가게 마련 / go ~ ; stand ~ ; take it [things] ~ ☞ 숙어.
Easy! 몸조심 해라!, 주의해라! ; 염려 마라!
free and easy ☞ FREE.
go easy (***on...***) (…을) 마음 편히[한가롭게, 신중하게] 하다.
Stand easy! 〖구령〗 쉬어! 《《美》에서는 보통 At ease!》.
Take it easy! 《美口》 너무 어렵게 생각하지 마 ; 모든 것을 태평하게[여유있게] 생각해《흔히 헤어질 때의 인사로 쓰임》.
take things easy=***take it easy*** 한가로이 지내다[여기다] ; 매사를 대범하게 여기다, 화내지[서두르지, 덤비지] 않다.
—— *n.* 《俗》 휴식, (노젓기 따위) 잠깐의 휴식.
take an easy 쉬다.
〖F (p.p.) 〈 *aisier* to EASE, *-y*[4]〗
活用 easy *adv.*는 구어체의 관용적 표현에만 쓰임. 현재로는 본문의 용례 이외의 부사적 용법은 일반적으로 《英》에서는 관용적이 아니고, 《美》에서는 점잖 빼는 표현으로 생각됨. 따라서 He finished the work *easily*. (그 일을 쉽게 해치웠다)와 같은 문장에서 easy를 쓰는 것은 적당치 않음.
類義語 ***easy*** 육체적·정신적인 노력을 과히 필요로 하지 않는, 쉬운 : This book is *easy* to read. (이 책은 읽기 쉽다). ***simple*** 장치·설비 따위가 간단하고 다루기 쉬운 : a *simple* problem to solve(해결하기 쉬운 문제). ***effortless***

E

본인이 경험이나 기술을 갖고 있으므로 겉보기로는 매우 쉬워 보이는 : *effortless* performance of a pianist(피아니스트의 무리없는 연주). **facile** easy보다 문어적인 말. 동작이 쉽고 신속한, 때로는 깊이나 완전도가 결여된 것을 뜻하기도 함 : a *facile* victory (손쉬운 승리). **smooth** 불규칙・장애・곤란 따위가 전혀 없기 때문에 행동이 쉽게 되어지는 : a *smooth* path to success (평탄한 성공의 길).

èasy-dóes-it *a.* 서두르지 않는, 태평한.

éasy·gó·ing *a.* **1** 한가로운 ; 타성적인. **2** (말 따위) 천천히 걷는, 걸음이 느린.

éasy·lìke *adv.* 쉽게, 점잖게, 신중히.

éasy máke *n.* 《俗》 **1** =EASY MARK. **2** 몸가짐이 헤픈 여자, 아무와도 자는 여자.

éasy màrk *n.* 《口》 속이기 쉬운 사람, 봉.

éasy méat *n.* 《英口》 **1** 속이기 쉬운 사람, 만만한 사람, 봉. **2** 쉬운 일, 손쉽게 손에 들어오는 것.

éasy móney *n.* 이자가 싼 자금 ; 쉬운 돈벌이 ; 쉽게 생긴 돈, 부정하게 얻은 돈.

éasy rìder *n.* 《美俗》 기타(guitar) ; 연인《남자》 ; 매춘부의 정부.

éasy strèet *n.* [흔히 E~ S~] 《口》 유복한 환경, 돈에 쪼들리지 않는 처지.

éasy-to-úse *a.* 사용하기 편한[쉬운].

éasy vírtue *n.* 몸가짐이 헤픔 : a lady[woman] of ~ 방종한 여자, (특히) 창녀.

◇**eat** [iːt] *v.* (**ate** [éit ; ét, éit], 《英方》 **eat** [ét] ; **eat·en** [íːtn]) *vt.* **1** 먹다, (수프・죽 따위를) 훌짝이다, 들이마시다 : ~ good food 좋은 음식을 먹다 / be good to ~ 먹을 수 있다, 식용이 되다 / Well, don't ~ me! 《戱》 그렇게 잡아먹을 듯이 하지 말게, 말로 하게. **2** 파괴하다, 침식하다 ; (벌레・좀 따위가) 구멍을 내다, 슬다. **3** [+目+補] [~ one*self* 로] 과식하여 (어떤 상태로) 되다[빠지다] : He *ate* him*self* ill[sick]. 그는 과식하여 병이 났다.

〈회화〉

What do you want to *eat* ? — Let's have pizza.
「무엇이 먹고 싶니」「피자가 먹고 싶어」

—— *vi.* **1** 음식을 먹다 ; 식사를 하다 : ~ and drink (음식을) 먹고 마시다 / ~ well 잘 먹다. **2** 《口》 [+副 / +補] (음식이) 먹을 수 있다, (…한) 맛이 나다 : ~ *well* 맛있게 먹다, 먹음직스럽다 / This cake ~*s* crisp. 이 과자는 바삭바삭하다.

eat away 파먹다, 마구 먹다 ; 처넣다 ; (녹슨 것 따위가) 부식하다 ; 침식하다.

eat in 부식하다.

eat into …을 파먹어 들어가다 ; …을 부식하다 ; (재산을) 소모하다.

eat of. . . 《文語》 (좋은 음식을) 먹게 되다 ; …을 조금 먹다.

eat off 물어떼다 ; 먹어치우다.

eat its[*one's*] ***head off*** ☞ HEAD.

eat one***'s fill*** 양껏 먹다, 배불리 먹다.

eat one***'s heart out*** (동경 따위로) 남 모르게 마음 아파하다[고민하다]〈*with*〉.

eat one***'s terms***[***dinners***] 《英》 (법정) 변호사(barrister)가 되기 위해 수업(修業)하다. ㊟ barrister의 자격을 얻으려면 법학원에서 여는 회식에 매학기 3번 이상 출석하지 않으면 안 됨.

eat one***'s words*** 앞서 한 말을 취소하다.

eat out (1) 먹어치우다 ; 침식하다. (2) 《美》 외식하다, 밖에서 사먹다.

eat out of a person***'s hand*** 남이 말하는 대로 하다[되다].

eat a person ***out of house and home*** 남의 재산을 들어먹다.

eat up (1) 먹어치우다 ; 소비하다. (2) 열중시키다, 마음을 쏠리게 하다 : be ~*en up* with pride 자만에 빠져 있다. (3) 《美俗》 …에 열중하다, 마음을 쏟다 ; (인사치레 말을) 곧이 듣다.

I'll eat my hat[***hands, boots***] ***if. . . .*** 《口》 만일 …이면 나는 사람이 아니다[내 목을 주겠다] (I'm a Dutchman if…).

—— *n.* [*pl.*] 《口》 음식물(food).

〖OE *etan* ; cf. G *essen*〗

EATA East Asia Travel Association.

éat·able *a.* **1** 먹을 수 있는, 식용에 적합한 (edible) : Meat that is too tough is not ~. 너무 질긴 고기는 먹을 수 없다. **2** 맛있게 먹는, 맛좋은. —— *n.* [보통 *pl.*] 식용이 되는 것, 식료품 : ~*s* and drinkables 음식물.

◇**eaten** *v.* EAT의 과거분사.

éat·er *n.* 먹는 사람 ; 부식물[제] : a large [heavy] ~ 대식가 / a small[light] ~ 소식가.

éat·ery *n.* 《口》 간이 식당, 레스토랑.

éat-ìn *n.* **1** 《美口》 (1960년대에) 흑인들이 인종차별을 하는 식당에 몰려가서 식사를 한 차별 항의 운동. **2** 《美口》 (1980년대에) 검소한 회식을 하고 그 회비의 일부를 좋은 일에 기부하는 운동. **3** 《美俗》 오럴 섹스를 하는 난잡한 파티.

éat·ing *n.* **1** Ⓤ 먹음 ; 먹는 일 : an ~ apple 식용 사과(cf. a COOKING apple). **2** Ⓤ 먹을 수 있는 것, 음식(물) : be good[bad] ~ 맛있는[없는] 음식이다. —— *a.* 먹어 들어가는, 파먹어 가는, 부식성의 ; 식용의, (특히) 날로 먹을 수 있는.

éating-disòrders clínic *n.* (병원의) 이상 식욕 항진증 외래환자 진료소.

éating hòuse[**plàce**] *n.* 음식점, 작은 요리점.

Éa·ton àgent [íːtən-] *n.* 〖生〗 이턴 인자(因子) 《mycoplasma의 옛 이름》.

〖Monroe D. *Eaton* (1904-) 미국의 세균학자〗

eau [óu ; *F* o] *n.* (*pl.* **eaux** [óu ; *F* o]) 물.

eau de co·logne [òu də kəlóun] *n.* (*pl.* **eaux de co-** [òuz-]) Ⓤ 오드콜로뉴《독일 쾰른 원산의 향수》. 〖F=water of Cologne〗

èau de níl(**e**) [-níːl] *n.* (*pl.* **èaux de níl**(**e**) [òuz-]) 엷은 초록색. 〖F=water of the Nile〗

èau-de-víe [-víː] *n.* (*pl.* **èaux-de-** [òuz-]) 오드비(brandy). 〖F=water of life〗

eau su·crée [*F* o sykre] *n.* (*pl.* **eaux sucrées** [—]) 설탕물. 〖F=sugared water〗

eaves [íːvz] *n.* [단수・복수 취급] (집의) 처마, (처마에 내어 댄) 차양, (일반적으로) 차양처럼 돌출한 테두리.

〖OE *efes* brim, brink : 원래 단수형〗

éaves·dròp *vi.* 엿듣다, 도청하다《처마밑 창 밖에서 안의 말을 듣는 데서》. —— *n.* (처마밑에서 떨어지는) 낙숫물 ; 그 흔적. **-dròpper** *n.* 엿듣는 [도청하는] 사람. **-dròpping** *n.* Ⓤ 엿듣기, 도청(하기).

Eb 〖化〗 erbium.

EB eastbound.

E. B. Encyclopedia Britannica(대영 백과사전).

***ebb** [éb] *n.* 썰물, 간조(干潮) (↔*flood*, *flow*) ; 《비유》 감퇴, 감쇄(기)〈*of* life〉 : The boats went out *on* the ~. 배는 썰물을 타고[이용하여] 난바다로 나왔다.

be at an[***a low***] ***ebb***=***be at the ebb*** 썰물이 되다 ; (사물이) 쇠퇴기[부진 상태]에 있다.

the ebb and flow (조수(潮水)의) 간만〈*of*〉 ; (사업・인생의) 성쇠, 부침〈*of*〉.

E

── *vi.* **1** 썰물이 되다, 빠지다(↔*flow*). **2** [動/+副]《비유》(힘 따위가) 줄다, 약해지다, (가산 따위가) 기울다(decline); (빛이) 희미해지다: His life was ~*ing away.* 그의 생명은 서서히 꺼져 가고 있었다.
ebb back 회복하다, 만회하다: His courage ~*ed back* again. 그는 용기를 되찾았다.
〖OE *ebba*; cf. MDu. *ebbe*〗

ébb tìde *n.* 썰물, 간조(↔*flood tide*); 쇠퇴(기): on the ~ 썰물을 타고.

EBCDIC [épsidìk, éb-]〔컴퓨〕extended binary coded decimal interchange code(확장(擴張) 이진화(二進化) 십진(十進) 코드).

Eb·e·ne·zer [èbəní:zər] *n.* 남자 이름. 〖Heb. =stone of help〗

Eb·la·ite [ébləàit, í:b-] *n.* 에블라어(語)《시리아 북부의 고대 유적에서 출토된 설형(楔形)문자 문서에 기록된 고대 셈어(語)》. ── *a.* 에블라어[왕국]의.

Eb·lan [éblən, í:b-] *a.* =EBLAITE.

EBM electron beam melting. **EbN** east by north (동미북).

E-boat [í:-] *n.*《英》(나치스 독일의) 쾌속 어뢰정. 〖*enemy boat*〗

Ebó·la vìrus [ibóulə-] *n.*〔醫〕에볼라 바이러스《고열과 내출혈을 일으킴》. 〖*Ebola* 자이르 북부의 강〗

eb·on [ébən] *a., n.*《詩》=EBONY. 〖OE<L<Gk.〗

eb·on·ite [ébənàit] *n.* Ⓤ 에보나이트, 경질(硬質)[경화]고무(vulcanite). 〖EBONY+-*ite*〗

ébon·ìze *vt.* 흑단처럼 검게 하다.

eb·o·ny [ébəni] *n.* Ⓤ 흑단(黑檀); Ⓒ 흑단나무; 흑단색, 칠흑.
── *a.* 흑단으로 만든; 새까만, 칠흑(漆黑)의. 〖*hebeny*‹(*h*)*eben*(*e*) EBON; 어미는 IVORY의 유추인가〗

EBR《美》Experimental Breeder Reactor (실험용 증식로(增殖爐)).

EBRD European Bank for Reconstruction and Development(유럽 부흥 개발 은행).

EBRI Employee Benefit Research Institute (고용자 이익 연구소).

ebri·e·ty [i(:)bráiəti] *n.* =INEBRIETY.

EbS east by south (동미남).

ebúl·lience, -cy *n.* Ⓤ 비등(沸騰); (감정 따위의) 격발, 솟구침; 폭발.

ebul·lient [ibʌ́ljənt, ibúl-] *a.* 비등하는(boiling); 위세가 좋은, 기력이 넘치는, (원기·감정 따위) 솟구치는, 용솟음치는(exuberant)〈*with*〉. 〖L E*bullit*- -*bullio* to BOIL[1] out〗

eb·ul·lism [ébjəlìzəm] *n.* (급속한 기압 강하로 인한) 체액 비등(體液沸騰).

eb·ul·li·tion [èbəlíʃən] *n.* Ⓤ 비등; Ⓤ,Ⓒ 격발, 용솟음침, 분출, 돌발(outburst)〈*of* anger, war〉.

ec [ék] *n.* Ⓤ《俗》경제학(economics).

ec-[1] [ék, í:k], **eco-** [í:kou, ék-, -kə] *comb. form* 「집안 살림」「경제」「서식지」「환경」「생태(학)」의 뜻. 〖*eco*logy〗

ec-[2] [ek, ik] *pref.* 「바깥」「바깥쪽」의 뜻. 〖Gk. *ex*-[2]〗

EC European Communities(유럽 공동체).

E.C. East Central《London의 동(東) 중앙 우편구(區)》;《英》Established Church (영국 국교회).

ECA Economic Commission for Africa((국제연합) 아프리카 경제 위원회);《美》Economic Cooperation Administration《MSA의 옛 이름》.

ecad [í:kæd, ékæd] *n.*〔生態〕적응형(適應型)《환경에 적응해서 변화된 생물》.

ECAFE *E*conomic *C*ommission for *A*sia and the *F*ar *E*ast((국제 연합) 아시아 극동 경제 위원회, 에카페).

écar·té [èika:rtéi; -́-́] *n.* 카드놀이의 일종《32장의 패로 2명이 함》. 〖F=discarded〗

ECB European Central Bank(유럽 중앙 은행).

ec·bol·ic [ekbálik] *a.*〔醫〕분만[유산]을 촉진하는. ── *n.* (자궁의 수축을 촉진하는) 분만 촉진제, 낙태약.

ec·ce [ékei, éksi:,〔카톨릭〕étʃei] *int.* 보라《박해를 받은 사람에게 주의를 환기시킬 때에 쓰는 경우가 많음》. 〖L=behold〗

écce hó·mo [-hóumou] *n.* [흔히 E~ H~] 엑세호모《가시 면류관을 쓴 그리스도의 초상화; 'Behold the man!' 「보라! 이 사람이로다」라는 뜻; 요한복음 19:5》. 〖L=behold the man〗

***ec·cen·tric** [ikséntrik, ek-] *a.* **1** (사람·행동 따위가) 보통이 아닌, 상도(常道)를 벗어난, 별난, 괴짜의: an ~ person 별난 사람; 괴짜. **2**〔數〕(원이 다른 원과) 중심을 달리하는, 편심(偏心)의(↔*concentric*);〔天〕(궤도가) 편심적인; (천체가) 편심궤도[이심권(離心圈)]를 이동하는.
── *n.* **1** 별난 사람, 괴짜. **2**〔機〕편심기(偏心器); 이심원[권](離心圓[圈]).
-tri·cal·ly *adv.* 별나게; 편심적으로.
〖L<Gk. (*ec*-[1], CENTER)〗

ec·cen·tric·i·ty [èksəntrísəti, -sen-] *n.* **1** Ⓤ (복장·행동 따위가) 별남, 기발함; Ⓒ 기행(奇行), 기벽(奇癖). **2** 편심;〔機〕편심률(率), 이심률(離心率).

ec·chy·mo·sis [èkəmóusəs] *n.* (*pl.* **-ses** [-si:z]) (타박으로 인한 피하의) 반상(斑狀) 출혈.

eccl(es). ecclesiastic; ecclesiastical(ly); ecclesiology. **Eccl(es).**〔聖〕Ecclesiastes.

ec·cle·si- [iklí:zi], **ec·cle·sio-** [-ziou, -ziə] *comb. form* 「교회」의 뜻. 〖Gk. ↓〗

ec·cle·sia [iklí:ziə, -ʒiə] *n.* (*pl.* **-si·ae** [-ziì:, -ʒi-]) 고대 아테네의 시민 의회;〔宗〕교회(당). 〖Gk. *ekklēsia* assembly, church‹*ekklētos* summoned out (*ek* out, *kaleō* to call)〗

Ec·cle·si·as·tes [iklì:ziǽsti:z] *n.*〔聖〕전도서《구약 성서 중의 한편; 略 Eccl(es).》. 〖Gk. =public speaker, preacher; ⇨ ECCLESIA〗

ec·cle·si·as·tic [iklì:ziǽstik] *n.* (기독교의) 성직자(clergyman). ── *a.* =ECCLESIASTICAL. 〖F or L<Gk.; ⇨ ECCLESIA〗

ec·clè·si·ás·ti·cal *a.* (기독교) 교회에 관한; 성직의(↔*secular*): an ~ court 교회 재판소/~ history 교회사. **~·ly** *adv.* 교회의 입장에서, 교회법[종교 규칙]상으로.

ec·cle·si·as·ti·cism [iklì:ziǽstəsìzəm] *n.* Ⓤ 교회 법규[의식]에 대한 고집, 교회(중심)주의.

Ec·cle·si·as·ti·cus [iklì:ziǽstikəs] *n.* 집회서《경외(經外) 성서[외전(外典)](Apocrypha) 중의 한 편》. 〖L=of (i.e. to be read in) church; ⇨ ECCLESIASTIC〗

ec·cle·si·ol·o·gy [iklì:ziálədʒi] *n.* 교회학; 교회 건축학.

Ecclus. Ecclesiasticus. **ECCM**〔軍〕electronic counter-countermeasure《대전자(對電子) 대책; 전자 대책(ECM)에 대항하는 수단의 총칭》.

ec·crine [ékrən, 美+-rain, 美+-ri:n] *a.*〔生理〕누출 분비의: ~ gland 누출 분비선(腺).

ec·cri·nol·o·gy [èkrənálədʒi] *n.*〔醫〕분비 배설

학, 분비선학(分泌腺學).

ECCS Emergency Core Cooling System((원자로의) 긴급 노심(爐心)냉각 장치).

ec·dys·i·ast [ekdíziæ̀st] *n.* =STRIPTEASER.

ec·dy·sis [ékdəsəs] *n.* (*pl.* **-ses** [-sìːz])〖動〗(뱀 따위의) 허물 벗기, 탈피 ; 그 껍질, 허물.

ec·dy·sone [ékdəsòun, 英+ekdáisoun], **-son** [ékdəsɑ̀n] *n.* 엑디손《곤충 따위의 탈피(脫皮)를 촉진하는 호르몬》.

ECE Economic Commission for Europe ((국제연합) 유럽 경제 위원회).

ece·sis [isíːsəs] *n.*〖動·植〗토착(establishment).

ECG electrocardiogram. **ech.** echelon.

ech·e·lon [éʃəlɑ̀n] *n.* **1** (군대·비행기의) 사다리꼴[제형(梯形)]편대, 제진(梯陣), 제단(梯團) ; (부대·진지 따위의) 제형 배치. **2** (권한·임무·실력 따위의) 단계, 계층, 급 : *on* a low ~ 낮은 계층에서.

in echelon 사다리꼴 대형을 이루어.

—— *vt.* 제열(梯列)[제진(梯陣)]로 하다.

—— *vi.* 사다리꼴로 위치를 차지하다.

~·ment *n.* 제형 진지.

〖F=rung of ladder (*échelle* ladder‹SCALE³)〗

echid·na [ikídnə ; e-] *n.*〖動〗(오스트레일리아산(產)) 바늘두더지. 〖L<Gk. =viper〗

echin- [ikáin, e-, ékən], **echi·no-** [ikáinou, e-, -nə] *comb. form*「가시」「침」「성게」의 뜻.

〖Gk. ; ⇨ ECHINUS〗

ech·i·nate [ékənèit, -nət], **-nat·ed** [-nèitəd] *a.* 가시로 뒤덮인, 가시가 있는(spiny, prickly).

echíno·dèrm *n.*〖動〗극피(棘皮) 동물.

〖Gk. *dermat- derma* skin〗

echi·noid [ikáinɔid, ékənɔ̀id] *a.*〖動〗성게류의 ; 성게 비슷한. —— *n.* 성게(류).

echi·nus [ikáinəs] *n.* (*pl.* **-ni** [-nai]) **1**〖動〗성게. **2**〖建〗에키너스《도리아식 건축양식의 기둥머리를 이루는 쇠시리형》.

〖L<Gk.=hedgehog, sea urchin〗

***echo** [ékou] *n.* (*pl.* **éch·oes**) **1** 반향(음), 울림, 메아리 ; 에코《녹음 따위에 첨가시킨 반향 효과음》;〖樂〗에코《악절의 조용한 반복》; (시적·수사적 효과를 위한) 동일음[음절·단어]의 반복, 반향. **2** (동조적) 반응, (파급적) 영향 ; (세론 따위의) 반향, 공명 ; 되풀이되기, 흉내, 모방. **3** 부화뇌동(자), 모방자. **4**〖電〗(레이더 따위에 쓰이는) 전자파(電磁波)의 반사, 에코. **5**〖通信·라디오·TV〗에코《한번 수신한 무선전파가 다른 경로에 의해 다시 들림》.

cheer. . . to the echo …에게 대갈채를 보내다.

—— *vi.* [動/+前+名] 반향하다, 울려 퍼지다, 산울림하다 : The valley ~*ed* as he shouted. 그가 소리치자 골짜기엔 메아리가 일었다 / The wood ~*ed* ***with*** their laughter. 숲은 그들의 웃음소리로 메아리쳤다 / The shot ~*ed* ***through*** the cave. 총소리는 동굴에 메아리쳤다. —— *vt.* **1** [+目/+目+副] (음향을) 반향시키다 : The cave ~*ed back* the shot. 동굴에 총성이 메아리쳤다. **2** (남의 말을) 그대로 되풀이하다, (남의) 흉내를 내다 ; (감정을) 반영(反映)하다.

~·er *n.* **~·ey** [-i] *a.* **~·less** *a.* 〖OF or L<Gk.〗

Echo *n.*〖그神〗에코《공기와 흙 사이에서 태어난 nymph ; Narcissus에게 반하여 상사병으로 죽고 목소리만 남았다고 함》;《美》기상통신위성.

ECHO *n.*〖醫〗초음파 검사법《초음파를 이용하여 체내 장기의 이상을 조사하는 방법》.

écho·cárdio·gràm *n.*〖醫〗초음파 심장 진단도.

écho·cardiógraphy *n.* Ⓤ〖醫〗초음파 심장 검진(법).

écho chàmber *n.* (방송국 따위의) 잔향음실(殘響音室).

écho chèck *n.*〖通信〗에코 체크《데이터 전송에서 전송된 데이터를 송신측에 반송하여 원래의 데이터와 비교하는 체크 방법》.

écho effèct *n.* 메아리 효과, 반복 현상, 일시 지연 현상《어떤 사건이 뒤늦게 되풀이되거나 그 결과가 늦게야 나타나는 현상》.

ècho·encephalógraphy *n.*〖醫〗초음파 뇌검사(법), 뇌(腦) 에코 검사(법).

écho·gràm *n.*〖海〗음향 측심도표(音響測深圖表)《음향 측심기로 바다의 깊이를 측정한 기록》.

echo·ic [ekóuik] *a.* 산울림 같은, 반향성(反響性)의 ;〖言〗의성(擬聲)적인(onomatopoeic).

écho·ìsm *n.* Ⓤ,Ⓒ =ONOMATOPOEIA.

echo·la·lia [èkouléiliə] *n.*〖心〗반향 언어《남의 말을 그대로 흉내내는 행동》; 유아의 음성 모방.

èchoˑlál·ic [-lǽl-, -léi-] *a.*

èchoˑlocátion *n.* 반향 정위(定位)《박쥐 따위가 자기가 발산한 초음파의 반사를 잡아 물체의 존재를 측정하는 능력》;〖電子〗반향 위치 결정법 ; 음파 탐지, 음향 탐지법. **èchoˑlócate** *vt., vi.*

écho machìne *n.*〖電子〗반향 장치《인공적으로 반향을 만드는 전자 장치》.

écho rànging *n.* 음향 거리 측정법《음향 반향에 의한 거리 측정》.

écho sòunder *n.*〖海〗음향 측심기(測深器).

écho sòunding *n.* 음향 측심(測深).

écho·vìrus, ÉCHO vìrus [ékou-] *n.* 에코 바이러스《인간의 장내(腸內)에서 증식(增殖)하며 수막염(髓膜炎)의 원인이 되기도 함》.

〖*e*nteric *c*ytopathogenic *h*uman *o*rphan *virus*〗

echt [*G* ɛ́çt] *a.* 진정한, 진짜의.

ECL〖電子〗emitter coupled logic《이미터 결합 논리 ; bipolar digital IC의 한 형식으로 고속 동작이 가능하기 때문에 대형 컴퓨터의 중앙 처리 장치(CPU)부(部)에 채용되고 있음》. **ECLA** Economic Commission for Latin America((국제연합) 라틴 아메리카 경제 위원회).

éclair [eikléər, ´-] *n.* 에클레어《케이크의 일종》.

〖F=lightning〗

éclair·cisse·ment [*F* eklɛrsismɑ̃] *n.* 설명, 해명 ; 석명(釋明).

ec·lamp·sia [iklǽmpsiə] *n.*〖醫〗자간(子癎), (어린애의) 경기(驚氣).

éclat [eiklɑ́ː, ´-] *n.* Ⓤ 대성공 ; 갈채, 명성 : with (great) ~ (대)갈채 속에서 ; 화려하게, 성대히.

〖F (*éclater* to burst out)〗

ec·lec·tic [ikléktik, ek-] *a.* **1** 취사 선택하는(selecting). **2** 절충주의의, 절충적인 ; (취미·의견 따위) 넓은. **3**〖哲·美學〗절충학[화]파의.

—— *n.* **1** 절충학파의 철학자. **2** 절충주의자. **3** [the E~s] (이탈리아의) 절충화파의 사람들.

-ti·cal·ly *adv.* 〖Gk. (*eklegō* to pick out)〗

ec·lec·ti·cism [ikléktəsìzəm, ek-] *n.* 절충주의.

Ecléctic Schóol *n.* [the ~] 절충학파 ; 절충화파《16세기 말 이탈리아의 볼로냐 화파 ; 또는 19세기 초의 프랑스화의 일파》.

***eclipse** [iklíps] *n.* **1**〖天〗(태양·달의) 식(蝕) ; (별의) 엄폐(掩蔽) : a partial[total, entire] ~ 부분[개기(皆旣)]식 / a solar[lunar] ~ 일[월]식. **2** 빛의 소멸. **3** (명예·명성 따위의) 떨어짐, 빛을 잃음, 쇠퇴, 실추.

in eclipse (태양·달이) 일그러져 ; 빛을 잃고 ; (새가) 구애용(求愛用)의 아름다운 깃털을 잃고.

—— *vt.* **1** (천체가 다른 천체를) 가리다, 덮어씌

우다(hide) ; (빛·등불을) 어둡게 하다. **2** (명성 따위를) 흐리게 하다, 안색을 잃게 하다, (경쟁 상대를) 능가하다(surpass).
〖OF<L<Gk. (*ekleipō* to fail to appear)〗

eclip·sis [iklípsəs] *n.* (*pl.* **-ses** [-si:z], **~·es**) 〔言〕 (문장 일부의) 생략《드물게 ellipsis로 씀》; (선행어의 영향을 받은) 어두 자음의 음성 변화.

eclip·tic [iklíptik] *a.* 〔天〕 식(蝕)(eclipse)의 ; 황도(黃道)의. ── *n.* 황도. **-ti·cal** *a.*
〖L<Gk. ; ⇨ ECLIPSE〗

ec·logue [éklɔ(:)g, -lɑg] *n.* 목가(牧歌), 전원시(詩), 목가시《대화체의 짧은 시》.
〖L<Gk.=selection ; ⇨ ECLECTIC〗

eclo·sion [iklóuʒən] *n.* Ⓤ 〔昆〕 우화(羽化), 부화(孵化). 〖F<L EXCLUDE〗

ECLSS 〔宇宙〕 environmental control and life support system《환경 제어·생명 유지 시스템 ; 우주 왕복선 안에서 비행사의 생명 유지와 쾌적한 생활을 위한 시스템》.

ECM 〔軍〕 electronic countermeasure《전자 (병기) 대책 ; 적의 미사일 유도 장치를 혼란시켜서 미사일을 무효화하는 장치》; European Common Market《유럽 공동 시장 ; cf. EEC》.

E

ECNR European Council of Nuclear Research (유럽 원자력 조사 위원회).

eco- [í:kou, ékou, -kə] ☞ EC-¹.

èco·áctivist *n.* 환경 보호 운동가.

èco·actívity *n.* 생태계 보전 활동, 환경 오염 방지 운동.

èco·catástrophe *n.* (환경 오염 따위에 의한) 대규모의[세계적인] 생태계 이변(異變).

éco·cìde *n.* Ⓤ (환경 오염에 의한) 환경 파괴, 생태계 파괴, 생태적 집단 살륙. **èco·cíd·al** *a.*
〖*eco*logy+geno*cide*〗

éco·clìmate *n.* 생태 기후.

èco·devélop·ment *n.* 환경 보존과 조화를 유지하는 경제 개발[발전].

éco·dòom *n.* Ⓤ 생태계의 대규모적인 파괴.

èco·dóomster *n.* ecodoom을 예언하는 사람.

éco·fàllow *n.* 〔農〕 농지 휴한(休閑) 농법, 순환경(順環境) 농법.

éco·frèak *n.* 《俗·蔑》 열광적인 자연 보호론자, 자연 보호광(狂).

èco·geográphical, -ic *a.* 생태 지리적인.
-ical·ly *adv.*

ecol. ecological ; ecology.

école [*F* ekɔl] *n.* =SCHOOL.

E. co·li [ì:kóulai] *n.* 대장균(Escherichia coli).

eco·log·i·cal, -ic [ì:kəlɑ́dʒik(əl), èkə-] *a.* (사회) 생태학의[적인].

ecológical állergy *n.* 〔醫〕 생태학적 알레르기.

ecológical árt *n.* 환경 예술, 생태학적 예술.

ecológical effíciency *n.* 〔生態〕 생태 효력, 생태적 효율.

ecológical pýramid *n.* 〔生態〕 생태 피라미드.

ecológical succéssion *n.* 〔生態〕 생태 천이(生態遷移).

ecol·o·gy, oe·col- [ikɑ́lədʒi] *n.* Ⓤ 생태학 ; 사회 생태학. **-gist** *n.* 생태학자 ; 사회 생태학자.
〖G<Gk. *oikos* house〗

ecólogy frèak *n.* [때때로 경멸적으로] 환경문제에 지나칠 정도로 신경질이 되는 사람.

E-COM [í:kɑ̀m] *n.* 《美》 전자(電子) 우편 서비스 (Electronic Computer-Originated Mail).

eco·mone [ékoumòun] *n.* (자연계(自然界)의 조화·균형에 영향을 미치는) 생태 호르몬, 생태 환경 호르몬. 〖*eco*logy+hor*mone*〗

econ. economic(s) ; economical ; economist ; economy.

éco·nìche *n.* 생태적 지위.

econo·met·rics [ikɑ̀nəmétriks] *n.* 계량(計量) 경제학, 통계 경제학.

***ec·o·nom·ic** [ì:kənɑ́mik, èk-] *a.* **1** 경제학의 : ~ theory 경제학설. **2** 경제(상)의 ; 재정[가계](상)의 : an ~ policy[blockade, crisis] 경제 정책[봉쇄, 위기] / ~ development 경제 개발 / ~ growth 경제 성장 / ~ independence 경제 자립 / the *E*~ Counsel Board 경제 기획원 / the *E*~ Decentralization 경제력 집중 배제법 / ~ geography 경제 지리(학) / the *E*~ Report (미국 대통령의) 경제보고《연초에 상하 양원에 보내는》. **3** 실리적인, 실용상의(practical) ; 《英》 이익을 올리는, 벌이가 되는, 유리한 ; 《口》 값이 싼 ; 《稀》 절약이 되는 : ~ botany 실용 식물학. **4** 《稀》 =ECONOMICAL 1.
〖OF or L<Gk. ; ⇨ ECONOMY〗

***èc·o·nóm·i·cal** *a.* **1** 경제적인, 절약하는(saving), 검약의(thrifty) ; (문체가) 군더더기가 없는, 간결한 : an ~ car (저연비의) 경제적인 차 / be ~ *of* …을 절약하다. **2** =ECONOMIC 1, 2.
類義語 ⟹ THRIFTY.

èc·o·nóm·i·cal·ly *adv.* 경제(학)상, 경제(학)적으로 ; 경제적[절약적]인 면에서.

Económic and Sócial Cóuncil *n.* [the ~] (국제 연합) 경제 사회 이사회《略 ECOSOC》.

económic ánimal *n.* 경제 동물《경제 대국인 일본을 야유하는 호칭》.

económic assístance *n.* 대외 경제 협력.

económic críme *n.* 경제 범죄《공금 횡령·수회·부정 축재·밀수 따위 ; 특히 공산권·제3세계의 국가들에서 행해지는》.

económic fórecast *n.* 경기 예측.

económic índicator *n.* 경제 지표.

económic mán *n.* 경제인《경제 원리에 합치된 합리적 행동의 사람》.

económic módel *n.* 〔經〕 경제 모델.

***èc·o·nóm·ics** *n.* **1** Ⓤ 경제학(political economy) : *E*~ deals with the problems of labor, wages, and capital. 경제학은 노동·임금·자본의 문제를 다룬다. **2** [보통 *pl.*] (한 나라의) 경제 상태.

económic sánctions *n. pl.* 경제 제재《국제법을 위반한 나라 또는 국제적 의무를 이행하지 않는 나라에 대하여 경제상의 조치나 압박을 가하여 그것을 위반을 못하게 하거나 의무를 이행하게 하는 일》.

económic strúctural adjùstment *n.* 경제 구조 조정.

económic zóne *n.* 경제 수역.

ecónomies of scále *n.* 규모 경제[이익]《생산 규모가 커짐에 따라 단위당 생산 비용이 체감(遞減)하는 일》.

ecónomies of scópe *n.* 〔經〕 복수 이상의 상품 생산 또는 서비스를 동시에 행함으로써 얻는 경제적인 공과[효과].

econ·o·mism [ikɑ́nəmìzəm] *n.* 경제(편중)주의.

***econ·o·mist** [ikɑ́nəməst] *n.* **1** 경제학자, 경제 전문가. **2** 가계(家計)를 맡아 보는 사람, (금전) 관리자 ; 경제가(家) ; 절약하는 사람⟨*of*⟩.

econ·o·mize [ikɑ́nəmàiz] *vt.* 경제적으로 쓰다 ; 절약하다 ; (시간·금전 따위를) 유익하게 쓰다.
── *vi.* 검약하다, 낭비를 피하다⟨*in, on*⟩.
ecòn·o·mi·zá·tion *n.* 절약, 경제적 사용.

ecón·o·mìz·er *n.* **1** 절약하는 사람, 경제가. **2**

(화력·연료 따위의) 절약 장치.
***econ·o·my** [ikánəmi] *n.* **1 a)** Ⓤ 절약, 검약(frugality); 아껴 쓰기⟨*of* time, labor⟩: practice[use] ~ 절약하다. **b)** [*pl.*] 절약의 실례[방안]; 효율적 사용; =ECONOMY CLASS. **2** Ⓤ 경제; (역사적) 경제 제도; 《古》 가계, 재정: domestic ~ 가정 경제, 가정(家政) / ☞ POLITICAL ECONOMY. **3** 경제 기구; (자연계 따위의) 이법(理法), 질서; (유기적인) 조직. **4** Ⓤ 〖神學〗 (하늘의) 섭리, 경륜.
economy of truth 진리를 적절하게 조절함[하여 말함], 있는 그대로 말하지 않음.
viable economy 자립 경제.
—— *a.* 돈이 절약되도록 설계[계획]한, 경제적인.
〚F or L<Gk. =household management (*oikos* house, *-nomos*<*nemō* to manage)〛
ecónomy clàss *n.* (여객기 따위) 2등(좌석).
ecónomy-sìze *a.* 이코노미 사이즈의, 경제적 크기의《대량 포장으로 값이 싼》.
éco·nùt *n.* 《俗·蔑》 =ECOFREAK.
èco·physiólogy *n.* 환경 생리학.
-physiológi·cal *a.* **-gist** *n.*
éco·pòlicy *n.* 자연환경[생태] 정책.
éco·pòlitics *n.* 경제 정치학; 환경 정치[정책]학.
èco·pornógraphy *n.* 환경 문제에 대한 일반의 관심을 이용한 선전.
ECOSOC Economic and Social Council((국제연합) 경제 사회 이사회).
éco·spècies *n.* 〖生〗 생태종(生態種).
éco·sphère *n.* 호흡 대기권《해발 13,000 feet까지의 자연 호흡이 가능한 대기층》.
éco·sỳstem *n.* 〖生〗 생태계.
eco·tage [ékətɑ̀ːʒ] *n.* 환경오염 반대 파업《환경 오염 방지·자연보호를 위한》. 〚*eco-*+sabo*tage*〛
eco·tec·ture [ékətèktʃər] *n.* 환경 우선 건축 디자인《실용적인 요청보다 환경상의 요인에 중점을 두는 건축 디자인》. 〚*eco-*+archi*tecture*〛
éco·tòne *n.* 〖生態〗 이행대(移行帶), 추이대(推移帶)《인접하는 생물(生物) 군집간(群集間)의 이행부(移行部)》.
éco·tỳpe *n.* 〖生〗 생태형(生態型).
ECR electronic cash register (전자식 금전(金錢) 등록기).
écru [ékruː, éikruː] *n., a.* 아마색(의), 담갈색(의). 〚F=unbleached〛
ECSC European Coal and Steel Community (유럽 석탄·철강 공동체).
ec·sta·size [ékstəsàiz] *vt., vi.* 황홀하게 하다; 황홀해지다.
***ec·sta·sy** [ékstəsi] *n.* **1** 무아지경, 황홀경(rapture) ⟨*of*⟩; 환희, 광희(狂喜); (시인 등의) 몰아(沒我), 황홀; 법열(法悅). **2** 〖心〗 황홀 상태.
go*[*be thrown*] *into ecstasies* (*over the toys) (장난감에) 정신이 팔리다[빠져있다].
in an ecstasy*=*in ecstasies 무아지경이[도취]되어: I skipped about the room *in an* ~. 기뻐서 방안을 춤추며 돌아다녔다 / He was *in ecstasies over* the victory. 그는 승리에 도취되어 있었다.
〚OF<L<Gk. *ekstasis* standing outside oneself〛
類義語 ⟹ RAPTURE.
ec·stat·ic [ekstǽtik] *a.* 황홀한, 몰두해 있는; 무아지경의, 열중해 있는. —— *n.* 열중하는 사람; [~s] 망아(忘我), 희열, 환희. **-i·cal·ly** *adv.* 무아지경으로, 황홀경이 되어. 〚F<Gk. (↑)〛
ect- [ékt], **ec·to-** [éktou, -tə] *comb. form* 「외부」의 뜻(↔*end-*). 〚Gk. *ektos* outside〛
E.C.T., ECT electroconvulsive therapy (전기 충격 요법).
écto·blàst *n.* 〖生〗 =EPIBLAST.
ec·to·crine [éktəkrən, -krìːn, -kràin] *n.* 〖生〗 엑토크린, 외부대사(代謝) 산물; 〖生化〗 외분비물.
écto·dèrm *n.* 〖生〗 외배엽(cf. ENDODERM, MESODERM).
ècto·énzyme *n.* 〖生化〗 외효소(外酵素), 체외(體外) 효소.
ècto·hórmone *n.* 〖生化〗 외분비[엑토]호르몬 (pheromone). **ècto·hormónal** *a.*
écto·mòrph *n.* 마르고 키가 큰 사람.
ècto·mórphic *a.* 〖生〗 외배엽형의《야위고 허약한 체격의; cf. ENDOMORPHIC, MESOMORPHIC》.
écto·mòrphy *n.* 외배엽형(型).
-ec·to·my [éktəmi] *n. comb. form* 「절제(술)」의 뜻. 〚Gk. *ektomē* excision〛
ècto·párasite *n.* 〖動〗 외부 기생충.
ec·top·ic [ektápik] *a.* 〖醫〗 정상적인 장소에 있지 않은, 이소성(異所性)의: ~ pregnancy 자궁외 임신.
écto·plàsm *n.* **1** 〖生〗 세포 외막, 외질(外質), 외부 원형질. **2** 〖心〗 (영매(靈媒)의 몸에서 나온다고 하는) 심령체(體), 엑토플라즘.
éc·tỳpe *n.* 모형(模型).
ecu, ECU [eikúː, ìːsìːjúː] *n.* 유럽 통화 단위, 에큐. 〚*E*uropean *C*urrency *U*nit〛
ECU 〖宇宙〗 electrical control unit (전자제어 유니트). **E.C.U.** English Church Union.
Ecua. Ecuador.
Ec·ua·dor [ékwədɔ̀ːr] *n.* 에콰도르《남미 북서부의 공화국; 수도 Quito》.
Èc·ua·dór·an, -dór·ian, -dór·ean *a., n.* 에콰도르의 (사람).
〚Sp.=equator〛
ec·u·men·ic [èkjəménik, ìːkju-] *a.* =ECUMENICAL.
èc·u·mén·i·cal, òec·u- *a.* **1** 〖宗〗 전(全) 기독교회의; 교회 일치 운동의: an *ecumenical* council 〖카톨릭〗 (로마 교황이 소집하는) 바티칸 공의회(公議會) / the *ecumenical* movement 교회 일치 운동. **2** 전반적인(general), 보편적인, 세계적인(universal).
〚L<Gk. *oikoumenikos* of the inhabited earth〛
ecuménical·ism *n.* Ⓤ (교파를 초월한) 세계 교회주의, 교회 일치주의[운동].
ecuménical pátriarch *n.* (동방 정교회의) 총(總)대주교《최고위의 주교》.
ec·u·me·nism [ekjúːmənìzəm, ékjə-, èkjəménizəm] *n.* Ⓤ (교파를 초월한) 세계 교회주의[운동]; 전(全)종교간 협력[상호 이해]추진주의[운동]. **-nist** *n.*
ecu·me·nop·o·lis [èkjəmənápələs, ekjúː-] *n.* 세계 도시(都市).
ECWA Economic Commission for Western Asia ((국제연합) 서아시아 경제 위원회).
ec·ze·ma [igzíːmə, égzə-, éksə-; éksi-] *n.* Ⓤ 〖醫〗 습진(濕疹). 〚L<Gk.〛
Ed [éd] *n.* 남자 이름《Edgar, Edmund, Edward, Edwin의 애칭》.
-ed [(d 이외의 유성음 뒤) d; (t 이외의 무성음 뒤) t; (d, t의 뒤) əd] *suf.* **1** [규칙 동사의 과거·과거분사를 만듦]: call>call*ed*, call*ed* [-d]; talk>talk*ed*, talk*ed* [-t]; mend>mend*ed* [-əd], mend*ed*. **2** [명사에서 형용사를 만듦] …을 가진, …을 비치한, …에 걸린: armor*ed* 갑옷을 입은, 장갑(裝甲)한 / wing*ed* 날개가 달린 /

E

diseas*ed* 병에 걸린. ㊟ 형용사의 경우 [t, d]이외의 소리 다음에도 [-əd]로 발음되는 것이 있음 : AGED, BLESSED, (two-) LEGGED. 〖OE〗

ED environmental disruption ; extra duty (할증세(割增稅)) ; 〔藥〕 effective dose (약의 유효량). **E.D.** ex dividend. **ed.** edited ; edition ; editor ; educated ; education.

eda·cious [idéiʃəs] *a.* 대식하는, 탐욕하는.

edac·i·ty [idǽsəti] *n.* 탐식, 대식 ; 탐욕.

Edam (chéese) [íːdəm(-), -dæm(-) ; -dæm(-)] *n.* Ⓤ 에담 치즈《겉을 빨갛게 착색한 치즈》. 〖네덜란드의 원산지 마을 Edam에서〗

edaph·ic [idǽfik] *a.* 〔生態〕 토양(土壤)의[에 관련된] ; (기후보다) 토양의 영향을 받는 ; 토착의 (autochthonous). **-i·cal·ly** *adv.*
〖G<Gk. *edaphos* ground〗

E-Day [íː-] *n.* (영국의) EC참가 기념일《1973년 1월 1일》.

EDB 〔化〕 ethylene dibromide (이브롬화에틸렌).

Ed.B.[D.] Bachelor[Doctor] of Education.

ed·biz [édbìz] *n.* 《美俗》 교육산업.
〖*ed*ucation+*biz*iness〗

EDC, E.D.C. European Defense Community (유럽 방위 공동체).

E/D cárd [íːdìː-] *n.* 출입국 카드.
〖*e*mbarkation and *d*isembarkation *card*〗

EDCF Economic Development Cooperation Fund(대외 경제 협력 기금).

ed.cit. the edition cited. **E.D.D.** English Dialect Dictionary.

Ed·da [édə] *n.* [the ~] 에다《북유럽의 신화·시가집(詩歌集)》: the Elder[Poetic] ~ 고(古)에다 《1200년경에 나온 북유럽의 신화·전설집》/ the Younger[Prose] ~ 신(新)에다《1230년경에 나온 시작(詩作) 안내서》.
〖ON 시(詩) 속의 이름, 또는 ON *óthr* poetry〗

Ed·die [édi] *n.* =ED.

Ed·ding·ton [édiŋtən] *n.* 에딩턴. Sir **Arthur Stanley** ~ (1882-1944) 영국의 천문학자·물리학자.

Éddington('s) lìmit *n.* 〔天〕 에딩턴 한계《일정 질량의 천체가 낼 수 있는 최대한의 밝기》. 〖↑〗

ed·dy [édi] *n.* 소용돌이, 선풍(旋風) ; (바람·먼지·안개·연기 따위의) 소용돌이. ── *vi.* 소용돌이가 일다. ── *vt.* 소용돌이치게 하다.
〖? OE *ed-* again, back ; cf. ON *itha*〗

éddy cúrrent *n.* 〔電〕 맴돌이 전류.

edel·weiss [éidlvàis, 美+-wàis] *n.* 〔植〕 에델바이스《솜다리류(類)의 일종 ; 고산(高山)식물》.
〖G=noble white〗

edelweiss

ede·ma, oe·de·ma [idíːmə] *n.* (*pl.* **-ma·ta** [-tə]) Ⓤ.Ⓒ 〔醫〕 부종(浮腫), 수종(水腫).

edem·a·tous, oe·dem- [idémətəs] *a.* 부종(성)의, 부종에 걸린.
〖L<Gk. (*oideō* to swell)〗

Eden [íːdn] *n.* 에덴 동산《인류의 시조 Adam과 Eve가 살았다고 하는 낙원》; 낙토, 낙원 ; 극락.
〖L<Gk.<Heb.=delight〗

eden·tate [iːdénteit] *a.* 이가 없는 ; 〔動〕 (앞니와 송곳니가 없는) 빈치류(貧齒類)의. ── *n.* 빈치류의 동물《개미핥기·나무늘보 따위》.
〖L (*dent- dens* tooth)〗

EDF European Development Fund ; emergency decontamination facility (긴급 정화 시설).

Ed·gar [édgər] *n.* 남자 이름《애칭 Ed》.
〖OE=rich, happy+spear〗

◇**edge** [édʒ] *n.* **1 a)** 칼날, 날(cf. BLADE *n.* 1) ; (칼의) 날카로움, 예리함 : This razor has no ~. 이 면도칼은 날이 무디다. **b)** 《비유》 격렬함(intensity), 힘, 효력(force) ; 열의, 열성 : the keen ~ *of* desire[sarcasm] 격렬한 욕망[신랄한 풍자]. **2 a)** 가, 가장자리, 모서리, 귀퉁이, 언저리, 변두리, (지붕·산봉우리 따위의) 등성이(crest) : put an ~ on a knife 칼의 날을 세우다 / *at* the water's ~ 물가에서. **b)** 《비유》 위기, 위태로운 지경. **3** 《美口》 강점, 우세(advantage) : have an[the] ~ *on*[*over*] a person …에게 대해 강점을 가지고 있다[우세하다].

be all on edge 〈*to* do〉 (하고 싶어서) 안달하다, 안절부절못하다.

by the edge of the sword 칼을 들이대서 강제적으로.

give an edge to... (식욕 따위를) 자극하다[돋우다].

give the edge of one***'s tongue to*** …을 호되게 야단치다[꾸짖다].

not to put too fine on edge upon it (말을 꾸미지 않고) 솔직히 말하면.

on edge (1) (물건이) 가로 서서(cf. *on* END). (2) 초조[불안]하여(cf. *set...on* EDGE).

on the edge of …의 가장자리에, …하려는 참에, …에 임박하여〈do*ing*〉.

put a person ***to the edge of the sword*** 남을 베어 죽이다.

set an edge on[***to***]... (식욕을) 자극하다.

set...on edge (1) …을 가로 세우다. (2) …을 예리하게 하다, …을 불안[초조]하게 하다 : *set* one's nerves *on* ~ 신경을 곤두세우다 / *set* one's [the] teeth *on* ~ (소음 따위가) 불쾌하여 이를 갈게 하다, 이를 갈 만큼 싫어하게 하다.

take the edge off... (칼날의) 날을 무디게 하다, …을 둔하게 하다 ; 기세를 꺾다, (식욕 따위를) 잃게 하다.

── *vt.* **1** (칼날의) 날을 세우다 ; 예리하게 하다 (sharpen). **2** [+目/+目+前+名] …에 모서리[가장자리]를 달(게 하)다, 가장자리를 꾸미다 ; (언덕 따위가) …의 가장자리가 되다 : She ~*d* the pillowcase ***with*** lace. 그녀는 베개 커버에 레이스로 테두리를 달았다 / The path was ~*d* *with* grass. 작은 길 양쪽에는 풀이 돋아나 있었다. **3** [+目+副/+目+前+名] 비스듬히 나아가게 하다 ; 조금씩 나아가게 하다[움직이다] : ~ oneself[one's way] ***through*** a crowd 군중 사이를 (몸을 옆으로 하여) 헤치고 나아가다 / He ~*d* his chair ***nearer to*** the fire. 그는 의자를 불 곁으로 조금씩 끌어당겼다.

── *vi.* [+副/+前+名] 비스듬히[조금씩] 나아가다 : The dog ~*d* ***down upon*** his rival. 그 개는 상대 개에게 조금씩 다가갔다 / Christianity was *edging away* ***from*** oppressions. 기독교는 차츰 핍박에서 벗어나고 있었다 / He ~*d* ***along*** the cliff [***through*** the crowd]. 그는 벼랑을 따라서 조금씩[군중을 헤치고] 나아갔다.

edge in (1) 〔海〕 (배가) 차츰차츰 접근하다 〈*with*〉. (2) (말) 참견하다, 끼어들다 : He didn't let me ~ *in* a word[~ a word *in*]. 그는 나에게 한마디도 참견을 못하게 했다.

edge a person ***on*** 남을 격려하다[부추기다]〈*to*, *to* do〉(cf. EGG²).
〖OE *ecg* ; cf. G *Ecke*〗

類義語 ⟹ BORDER.

édge·bòne *n.* ＝AITCHBONE.

edged [édʒd] *a.* 날이 있는 ; (풍자 따위) 통렬한 ; 가장자리[테]가 있는 : single-[double-]～ 외[쌍]날의.

édge·less *a.* 날이 없는, 무딘 ; 가장자리[테·모]가 없는.

édge-of-the-séat *a.* 자신도 모르게 자리에서 몸을 일으킬 정도의《영화·광경 따위》.

édg·er *n.* 가장자리 장식에 쓰는 연장.

édge tòol *n.* 칼붙이, 날붙이.

play[jest] with edge(d) tools 위험한 짓을 하다[아슬아슬한 농담을 하다].

édge·wàys, -wìse *adv.* **1** 칼[가장자리·테두리]을 바깥쪽을 향하게 하여(cf. FLATWAYS) ; 가장자리[가]를 따라서. **2** (두개의 물건이) 가장자리를 접하여.

get a word in edgeways (틈을 보아) 말참견하다, 옆에서 한 마디하다.

edg·ing [édʒiŋ] *n.* Ⓤ 가장자리[테두리]를 달기, 테 두르기 ; Ⓒ 가장자리[테두리] 장식, (꽃밭 따위의) 가장자리(border) ; Ⓤ 바싹 다가섬, 점진. ── *a.* 가장자리를 두른[장식용의].

édging shèars *n. pl.* 전정[전지] 가위.

edgy [édʒi] *a.* **1** 날[가장자리·테]이 예리한, 통렬한 ; 초조한 ; 가시 돋친. **2** (그림 따위의) 윤곽(선)이 너무 예리한.

edh, eth [éð] *n.* 고(古)(대)영어의 ð자《현재에는 발음 기호의 [ð]에 쓰이고 있음 ; cf. THORN 4》.

EDI electronic data interchange(전자 정보[데이터] 교환).

***ed·i·ble** [édəbəl] *a.* 먹을 수 있는, 식용에 적합한(eatable) : ～ fat[oil] 식용 유지[기름] / Toadstools are not ～. 독버섯은 먹을 수 없다.
── *n.* [보통 *pl.*] 식용품, 음식물.

ed·i·bil·i·ty [èdəbíləti] *n.* Ⓤ 식용에 알맞음.
〚L (*edo* to eat)〛

edict [í:dikt] *n.* 포고(decree), 명령 ; 칙령.
〚L *e*-(*dict- dico* to say)＝to proclaim〛

Édict of Nántes [-nǽnts] *n.* [the ～] 〖프史〗 낭트 칙령《1598년 Henry 4세가 신교도에 대해 신앙상·정치상의 자유·평등을 일부 보장한 칙령 ; 1685년 Louis 14세가 폐지》.

ed·i·fi·ca·tion [èdəfəkéiʃən] *n.* Ⓤ (덕성(德性) 따위의) 함양 ; 계발(啓發), 교화, 사상선도.

ed·i·fice [édəfəs] *n.* **1** 건물, (특히) 큰 건조물 : a holy ～ 대성당. **2** 《비유》 (지적) 구성물, 조직 : build the ～ of knowledge 지식 체계를 구축하다. 〚OF＜L (*aedis* dwelling, -*ficium*‹*facio* to make)〛

類義語 ⟹ BUILDING.

édifice còmplex *n.* 거대 건축 지향(志向)《행정계획이나 건축가의 구상 따위에서의》.

ed·i·fy [édəfài] *vt.* 《때때로 戲》 교화하다, 계발하다 ; 《古》 건설[건립]하다.
〚OF＜L (*aedifico* to build)〛

édify·ing *a.* 《때때로 戲》 계발하는, 교훈적인 : a highly ～ book 극히 유익한 책.
～·ly *adv.* 계발적으로, 유익하게.

edile ☞ AEDILE.

Ed·in·burgh [édnbə̀:rə, -bʌ̀rə, -bərə ; édinbərə] *n.* 에든버러《스코틀랜드의 수도》.

the Duke of Edinburgh (영국 여왕 Elizabeth 2세의 남편) 에든버러공(公) (1921-).

Ed·i·son [édəsən] *n.* 에디슨. **Thomas Alva** ～ (1847-1931) 미국의 발명가.

***ed·it** [édət] *vt.* **1** 편집하다 ; 교정(校訂)하다, (신문의 내용 따위를) 수정하다 : He ～*s* books for use in schools. 그는 여러 가지 책을 학습용으로 편집하고 있다. **2** (신문·잡지·영화 따위를) 편집(발행)하다. ── *n.* 편집 ; 사설, 논설.
〚F ; ⇨ EDITION ; 일부 역성(逆成) ‹ *editor*〛

edit. edited ; edition ; editor.

Edith [í:diθ] *n.* 여자 이름.
〚OE＝rich, happy＋war〛

***edi·tion** [idíʃən] *n.* **1 a**) (초판·재판의) 판《같은 판으로 인쇄한 발행 서적 총부수》: the first [second] ～ 초[재]판 / go through ten ～*s* 10판을 거듭하다[찍다]. **b**) 《誤用》＝IMPRESSION 3. **2** (보급판·호화 장정의) 판(版) : a cheap [library, pocket, popular] ～ 염가[도서관용·포켓용·보급]판 / a limited ～ 한정판 / a deluxe ～ ＝EDITION DELUXE / a revised[an enlarged] ～ 개정[증보(增補)]판. **3** 총서(叢書). **4** 《비유》 복제(複製) : an inferior ～ of his father 아버지만 못한 사람.

〈회화〉
(서점에서) Is there a paperback *edition* of *Gone with the Wind* ?—It's now out of stock.
「바람과 함께 사라지다의 페이퍼백 판(版)이 있습니까」「지금은 품절입니다」

〚F＜L *editon- editio* ‹ *e*-(*dit- do* to give)＝to put out, publish〛

edítion·al·ìze *vi.* (신문을 1판·2판(版)하는 식으로) 판(版)을 거듭해서 발행하다.

edítion bìnding *n.* 미장(美裝) 제본《종종 가죽을 사용함》.

édi·tion de luxe [*F* edisjɔ̃ də lyks] *n.* 호화(장정)판.

edi·tio prin·ceps [eidítiòu príŋkeps, idíʃiòu prínseps] *n.* (*pl.* **edi·ti·o·nes prin·ci·pes** [eidìtióuneis príŋkəpèis, idìʃióuni:z prínsəpì:z]) 초판, 제1판. 〚L〛

***ed·i·tor** [édətər] *n.* **1** 편집자, 교정자. **2** (신문·잡지의) 편집장[주간] ; (각 편집 부문의) 책임자, 부장 : a financial ～ 《美》 경제 부장 / a managing ～ 편집(編輯) 국장 / ☞ CITY EDITOR / ☞ SPORTS EDITOR. **3** 논설 위원(＝《美》 editorial writer, 《英》 leader writer). **4 a**) (영화 따위의) 편집자. **b**) (영화 필름·녹음 테이프용의) 편집기.

the chief editor＝the editor in chief 편집 주간, 주필(cf. SUBEDITOR).
〚L＝producer, exhibitor ; ⇨ EDITION〛

***ed·i·to·ri·al** [èdətɔ́:riəl] *n.* 《원래 美》 사설(社說), 논설(leading article, leader). ── *a.* **1** 편집장[주필]의. **2** 편집자의, 편집(상)의 : an ～ office 편집실 / the ～ staff 편집부. **3** 논설[사설]의 : an ～ article 사설 / an ～ paragraph[note] 사설란의 소론(小論)[단평(短評)] / *E*～ "we" ☞ WE 2 ㊟. **～·ly** *adv.* 편집 주간으로서, 주필[편집장]의 자격으로 ; 사설로서.

editórial àdvertising *n.* 〖新聞〗 기사체 광고.

editórial desìgn *n.* 편집 디자인.

editórial·ist *n.* 사설 편집자, (신문의) 논설위원(editorial writer).

editórial·ìze *vi., vt.* 사설조로 논하다, 사설로[을] 쓰다‹*on, about*›.

editórial máttter *n.* 〖廣告〗 편집 기사면《신문·잡지의 기사에서 광고를 제외한 것》.

éditor·shìp *n.* Ⓤ 편집자[장]의 지위[직] ; 편집상의 솜씨 ; 교정.

ed·i·tress [édətrəs] *n.* EDITOR의 여성형.

E

-edly, -edness *suf.* -ED로 끝나는 말의 부사[명사] 어미. 주 -ed가 [d], [t]로 발음되는 단어에 -ly, -ness를 덧붙이는 경우 그 앞의 음절에 강세가 있을 때에는 흔히 [id-, əd-]로 발음됨 : deservedly [dizə́ːrvidli] (cf. HURRIEDLY).

Edm. Edmond ; Edmund.

Ed. M. Master of Education (교육학 석사).

Ed·mond, Ed·mund [édmənd] *n.* 남자 이름(애칭 Ed, Ned). 〖OE=protector of wealth (rich, happy+protection)〗

Ed·na [édnə] *n.* 여자 이름. 〖Heb.=renewal, delight〗

EDP, E.D.P., e.d.p. electronic data processing. **EDPM** 〔컴퓨〕 electronic data processing machine(전자 정보 처리 기계).

EDPS 〔컴퓨〕 electronic data processing system (전자 자료 처리 시스템).

EDR European Depository Receipt (유럽 예탁 증권).

eds. editors ; editions.

E.D.S. English Dialect Society.

EDT, E.D.T. 《美》 Eastern daylight time (동부 여름 시간).

EDTV extended definition television(고해상도 텔레비전).

educ. educated ; education ; educational.

ed·u·ca·ble [édʒəkəbəl, édjə-] *a.* 교육[훈련]할 수 있는, (특히) 어느 정도는 학습능력이 있는, 교육 가능한. —— *n.* 정신지체아, 교육 가능아. **èd·u·ca·bíl·i·ty** *n.* 교육 가능성.

ed·u·cand [édʒəkæ̀nd, édjə-] *n.* 피교육자.

‡**ed·u·cate** [édʒəkèit, édjə-] *vt.* **1** [+目 / +目+前+名] 교육하다, 육성하다(bring up) ; 학교에 보내다 ; (정신을) 훈육하다(cultivate) : ~ the mind of a child 어린이의 지능을 키우다 / ~ oneself 독학[수양]하다 / He was ~*d* ***at*** Harrow and Oxford University. 해로교(校)와 옥스퍼드 대학에서 교육을 받았다 / I was ~*d* ***for*** (the) law[the church]. 법률가[목사]가 되도록 교육받았다. **2** [+目 / +目+前+名 / +目+*to* do] (특수 능력·취미 따위를) 기르다 ; 훈련하다 (train) ; (동물을) 길들이다, 훈련시키다 (train) : ~ one's taste in painting 그림의 취미를 기르다 / ~ the ear *to* music 음악에 대한 감상력을 기르다 / They were ~*d* to be patient. 그들은 인내심을 기르는 훈련을 받았다. —— *vi.* 교육[훈련]하다. **éd·u·càt·a·ble** *a.* 〖L *educat- educo* to rear ; cf. EDUCE〗 類義語 ⟹ TEACH.

***éd·u·càt·ed** *a.* **1** 교육을 받은, 교양이 있는. **2** 《美》 경험[자료]에 기인한, 근거가 있는 : an ~ guess 경험에서 나온 추측. **~·ly** *adv.* **~·ness** *n.*

‡**ed·u·ca·tion** [èdʒəkéiʃən, èdjə-] *n.* **1** U,C 교육, 교육법 : compulsory[higher] ~ 의무[고등] 교육 / intellectual[moral, physical] ~ 지(知)[덕(德)·체(體)]육 / university[vocational] ~ 대학[직업] 교육 / the Department[Ministry] of *E*~ 교육부 / get[give] a good ~ (좋은) 교육을 받다[시키다]. **2** U (품성·능력 따위의) 훈육, 양성. **3** U 교육학, 교수법. **4** (교육의 결과로서의) 지식, 학력, 교양, 덕성《따위》 : a man with classical[legal] ~ 고전[법률]에 소양이 있는 사람. **5** (벌·박테리아 따위의) 사육, 배양.

類義語 ***education*** 가르침, 배움에 의해서 얻어지는 지식·능력·훈련 : A person with *education* knows how to speak, write, and read well. (교육을 받은 사람은 훌륭히 말하고, 쓰고, 읽을 수가 있다). ***enlightenment*** education의 결과 얻어지는 넓은 식견과 이해력, 편견이 없음을 나타냄 : A person with *enlightenment* knows the value of liberty. (식자(識者)는 자유의 가치를 안다). ***culture*** 충분한 education과 enlightenment의 결과에 의한 감정과 취미의 고상함을 나타냄 : A person with *culture* appreciates good music and art. (교양이 있는 사람은 훌륭한 음악이나 예술의 가치를 안다).

***educátion·al** *a.* 교육상의 ; 교육 분야의 ; 교육적인 : an ~ age 〔心〕 교육 연령《略 E.A., EA》 / ~ films 교육 영화. **~·ly** *adv.* 교육상, 교육적으로. **~·ist** *n.* =EDUCATIONIST.

educátion·al-indústrial cómplex *n.* 산학(産學) 협동.

educátion(al) pàrk *n.* 《美》 (학교를 대규모로 집중시켜 모든 교육 시설을 공용케 하는) 교육 공원[단지], 학교 도시.

educátional psychólogy *n.* 교육 심리학.

educátion(al) technólogy *n.* 교육 공학.

educátional télevision *n.* **1** 교육 방송. **2** 학습용 텔레비전《略 ETV》.

educàtion·ése *n.* 교육 관계자 용어[어법].

educátion·ist *n.* **1** 《주로 英》 교육자(educator). **2** 교육학자.

educátion tàx *n.* =DIPLOMA TAX.

ed·u·cat·ive [édʒəkèitiv, édjə- ; édjukət-] *a.* 교육적인, 교육상 유효한, 교육이 되는.

éd·u·cà·tor *n.* 교육 전문가, 교육자, 교직자 ; 교육 행정 종사자.

ed·u·ca·to·ry [édʒəkətɔ̀ːri, édjə- ; édjukətəri, èdjukéitəri] *a.* 교육에 도움이 되는, 교육적인 ; 교육(상)의.

educe [idjúːs] *vt.* **1** (잠재적인 성능 따위를) 끌어내다(cf. EDUCATE). **2** (추론(推論)을) 끌어내다, 추단(推斷)하다 ; 연역(演繹)하다. **3** 〔化〕 추출하다. **edúc·ible** *a.* 끌어낼[추출할] 수 있는 ; 추단[연역]할 수 있는. 〖L *e-*(*duct- duco* to lead)=to draw out〗 類義語 ⟹ EXTRACT.

edu·crat [édʒəkræ̀t] *n.* 《美》 교육 행정가[전문가], 교육관료.

educt [íːdʌkt] *n.* 〔化〕 추출물(抽出物) ; 추단, 추론의 결과 ; 〔論〕 =INFERENCE.

educ·tion [idʌ́kʃən] *n.* 끌어냄 ; 배출(排出) ; 계발(啓發) ; 추단 ; 추론의 결과 : ~ pipe[port, valve] 배기관(管)[구·밸브]. 〖EDUCE〗

educ·tive [idʌ́ktiv] *a.* 끌어내는, 추출[추단]하는 ; 연역적인.

edul·co·rate [idʌ́lkərèit] *vt.* 신[쓴·떫은] 맛을 빼다, 달게 하다 ; 〔化〕 산·염분[가용성 물질]을 씻어내다, 세정하다 ; (남)의 난폭함을 없애다, 마음을 진정시키다. —— *vi.* 즐겁게 하다. **edùl·co·rá·tion** *n.*

Edw. Edward.

Ed·ward [édwərd] *n.* **1** 남자 이름《애칭 Ed, Eddie, Ned, Neddy, Ted, Teddy》. **2** 에드워드 증성왕(證聖王). ~ **the Confessor** (1004-66) 잉글랜드왕(1042-66). 〖OE=guardian of wealth (rich, happy+guardian)〗

Ed·war·di·an [edwɑ́ːrdiən, -wɔ́ːrd- ; -wɔ́ːd-] *a.* (영국의) Edward 7세 시대(1901-10)의 ; 화려하고 자기 만족적인(cf. TEDDY BOY[GIRL]). —— *n.* Edward 7세 시대의 사람.

Édwards Áir Fórce Bàse *n.* 《美》 에드워드 공군 기지《캘리포니아 소재 ; 항공 테스트 센터가

있음).
Ed·win [édwən] *n.* 남자 이름(애칭 Ed, Ned).
〖OE=rich, happy+friend〗
Ed·wi·na [edwí:nə, -wínə] *n.* 여자 이름.
〖(fem.) ; ↑〗
'ee [i:] *pron.* 《俗》 ye(=you)의 단축(短縮)형 : Thank'*ee*=Thank you.
-ee[1] [í:] *n. suf.* **1** 「행위를 받는 사람」「피(被)…자」의 뜻 : appoint*ee*, employ*ee*, grant*ee*, train*ee*. **2** 「행위자」의 뜻 : escap*ee*. **3** 「…한 상태에 있는 사람」의 뜻 : absent*ee*. **4** 「…보유자」의 뜻 : patent*ee*. 〖F (p.p.) -*é* 또는 이에 준한 것〗
-ee[2] *n. suf.* **1** 「…의 작은 것」의 뜻 : boot*ee*, coat*ee*. **2** 「…에 관계가 있는 사람」의 뜻 : barg*ee*, town*ee*. **3** 「…과 비슷한[닮은] 것」의 뜻 : goat*ee*. 〖-*ie*〗
E.E. Early English ; Electrical Engineer ; electrical engineering ; electric eye. **e.e.** errors excepted. **EEA** European Economic Area. **E.E. & M.P.** Envoy Extraordinary and Minister Plenipotentiary. **EEC** European Economic Community ; electronic engine control (전자 제어 기화기). **EEE** 구두의 폭이 가장 넓은 것을 나타내는 기호(記號).
eeek [i:k] *int.* 이크, 아이쿠! 〖imit.〗
EEG 〔醫〕 electroencephalogram (뇌파).
ee·jay [í:dʒèi] *n.* =ELECTRONIC JOURNALISM 《略 EJ》.
eel [í:l] *n.* **1** 뱀장어 ; 《비유》 미끈미끈하여 붙잡을 수 없는 것. **2** =EELWORM.
(as) slippery as an eel (뱀장어처럼) 미끈미끈한, 미끄러운 ; 《비유》 붙잡을 수 없는, 잘 빠져나가는 ; (미꾸라지처럼) 잘 잡을 수 없는.
〖OE *ǣl*<? ; cf. G *Aal*〗
éel bùck *n.* 《英》 =EELPOT.
éel·gràss *n.* 《美》 거머리말 ; 나사말(해초).
éel·pòt *n.* 《美》 (상자 모양의) 뱀장어 잡는 통발.
éel·pòut *n.* 〔魚〕 등가시치류(類).
éel spèar *n.* 뱀장어를 찌르는 작살.
éel·wòrm *n.* (식초 따위 속에 생기는 뱀장어 모양의) 선충류(線蟲類)의 벌레.
éely *a.* 뱀장어 같은 ; 미끈미끈한 ; 잘 빠져나가는.
e'en [i:n] *adv.*, *n.* 《詩》 =EVEN[1,3].
-een[1] [í:n] *n. suf.* 「…비슷한 직물」의 뜻 : velvet*een*.
-een[2] *n. suf.* 《아일》 「…의 작은 것」「…한 귀여운 녀석」 「…한 자그마한 놈」의 뜻 : buck*een*, squir*een*. 〖Ir. -*in*〗
ee·nie, mee·nie, mi·nie, moe [i:ni mì:ni máini mòu] 누구로[어느 것으로] 할까(본래 술래잡기에서 술래를 정할 때 하는 말).
éen·sy-wéensy [í:nsi(:)-] *a.* 《兒》 조금, 얼마 안되는.
EENT eye, ear, nose and throat. **EEOC** 《美》 Equal Employment Opportunity Commission.
EEPROM 〔電子〕 Electrically Erasable and Programmable ROM(기억된 정보를 전기적으로 소거하고 새로이 프로그램을 할 수 있는 ROM ; cf. PROM). **EER** energy efficiency ratio (에너지 효율비).
e'er [éər, ǽər] *adv.* 《詩》 =EVER.
-eer [íər] *n. suf.* 「…관계자」「…취급자」「…제작자」의 뜻 : auction*eer*, mountain*eer* ; 《蔑》 sonnet*eer*, profit*eer*. —— *v. suf.* 「…에 관계하다」의 뜻 : election*eer*. 〖F -*ier*<L -*arius* 또는 이에 준한 것 ; cf. -IER, -ARY〗
ee·rie, ee·ry [íəri] *a.* (**ée·ri·er** ; **-ri·est**) **1** 등골이 오싹하는, 섬뜩한, 무시무시한(weird), 기분 나쁜. **2** 《스코》 (미신적으로) 두려워하는, 겁을 내는(timid). **3** 《口》 기묘한, 기괴한. **ée·ri·ly** *adv.* **-ri·ness** *n.* 〖ME=timid<OE *earg* cowardly ; cf. G *arg* bad〗
E.E.T.S. Early English Text Society(초기 영어 텍스트 협회). **EEZ** exclusive economic zone (배타적 경제 수역).
ef- [if, əf, ef] *pref.* =EX-[2] 《f-의 앞의 형》 : *ef*fect, *ef*fort.
eff [éf] *vt.*, *vi.* 《俗》 =FUCK ; 금기어를 입에 담다.
eff and blind 《俗》 쉴새없이 욕지거리하다, 추잡한 말씨를 쓰다.
eff off 《俗》 떠나다, 사라지다.
eff up 《俗》 엉망으로 만들다.
Eff you! 《俗》 뒈져라.
〖EF<*f*uck〗
eff. efficiency.
ef·fa·ble [éfəbəl] *a.* 《古》 말할 수 있는, 표현[설명]할 수 있는. 〖OF<L (E*ffor* to speak out)〗
ef·face [iféis] *vt.* 지우다, 삭제하다 ; 《비유》 (회상·인상 따위를) 씻어버리다 ; (남을) 눈에 안띄게 하다, …의 존재를 희미하게 하다(eclipse).
efface oneself 자신을 매장하다, (표면에서) 물러나다.
~·ment *n.* Ⓤ,Ⓒ 말소 ; 소멸. 〖F (*ex*-[1], FACE)〗
‡ef·fect [ifékt] *n.* **1** Ⓤ 결과(consequence) (↔ *cause*) : cause and ~ 원인과 결과, 인과(因果). **2** Ⓤ,Ⓒ 효과 ; 영향 ; (법률 따위의) 효력 ; (약 따위의) 효능, 효험 : stage ~ 무대 효과 / have [produce] a good[an evil] ~ *on* …에 좋은[나쁜] 결과가[영향을] 생기다[미치다] / Our warning did not have much ~ *on* him. 우리의 경고는 그에게 별로 효과가 없었다 / The medicine had a miraculous ~. 그 약은 불가사의한 효험을 나타냈다. **3** Ⓒ (색채·형태의 배합에 의한) 효과, 취향, 광경, 감명, 인상 : The sunset on the sea made a wonderful ~. 해상의 저녁놀은 참으로 멋있는 광경이었다 / for ~ ☞ 숙어. **4** Ⓤ 외양, 겉보기, 체재 : love of ~ 외양[겉치레]을 좋아함. **5** Ⓤ 취지, 의미(purport, meaning) 〈*of* a passage〉. **6** [*pl.*] 동산 물건 : household ~*s* 가재(家財) / ☞ PERSONAL EFFECTS.
bring...to effect*=*carry...into effect …을 실행[수행]하다.
come into effect 유효하게 되다, 실시되다, 발효되다.
for effect (보는 사람·듣는 사람에 대한) 효과를 노리고 : be calculated *for* ~ (행위 따위) 남의 이목을 끌 것을 의도하고 있다, (장식 따위) 남의 눈에 쉽게 띄도록 고안되어 있다.
give effect to …을 실행[실시]하다.
in effect (1) 사실상, 실제에 있어서, 요컨대(virtually) : The reply was, *in* ~, a refusal. 그 회답은 사실상 거절을 의미했다. (2) (법률 따위) 효력이 있는, 실시[시행]되고 있는 : The law is already *in* ~. 그 법률은 이미 시행되고 있다.
no effects 재산이 없음, 예치금 없음(부도 수표에 기입하는 문구 ; 略 NE, N/E).
of no effect*=*without effect 무효로(useless).
take effect (1) =*come into* EFFECT. (2) (약이) 듣다, 효험이 있다.
to no effect 아무런 효험도 없이, 무효로 : I spoke to him *to no* ~. 그에게 이야기했으나 허사였다.
to the effect (that...) (…이라는) 취지로

[의] : *to* this[the same] ~ 이와 같은 취지로 / I received a letter *to the* following ~. 나는 다음과 같은 뜻[취지]의 편지를 받았다.
with effect 효과적으로, 힘차게.
—— *vt.* (변화 따위를) 초래하다 ; (목적 · 계획 따위를) 다하다, 이루다 : ~ a reform 개혁을 단행하다 / ~ an escape (용하게) 도망쳐 버리다 / ~ a sale 판매하다.
effect an entrance 강제로 들어가다.
effect an insurance 보험에 들다.
~·ible *a.* **~·less** *a.*
〖OF or L *ef*-(*fect*- *ficio*=FACT)〗
類義語 (1) (*n.*) ***effect*** 어떤 행동 · 순서 · 원인 따위에 따라 직접 발생한 결과나 효과 ; cause의 반의어(反意語) : The *effect* of disregarding traffic signals is a number of accidents. (수많은 교통사고의 원인은 교통 신호를 무시한 결과다). ***consequence*** 어떤 일에 의해 발생한[잇따라 일어난] 것 ; 반드시 밀접한[직접적인] 원인 · 결과의 관계를 뜻하지는 않음 : the temptation and its tragic *consequences* (유혹과 그 비극적인 결말). ***result*** 어떤 행동이나 순서의 effect 또는 consequence로서 최종적으로 발생한 것 : the *result* of the general election (총선거의 결과). ***issue*** 곤란이나 싸움으로 발생한 결과 : bring a matter to an *issue* (사물의 귀결[마무리]을 짓다). ***outcome*** 의심스러웠던 사물의 결과 ; issue 보다는 「최종」적인 뜻이 약하고 때로 구체적으로 뚜렷하지 않은 result를 말함 : The tragedy is the *outcome* of jealousy. (그 비극은 질투의 결과다). ***upshot*** 최후의 결과 ; result의 뜻에 더하여 클라이맥스 또는 피하기 어려운 결론을 암시하는 말 : the *upshot* of the efforts (노력의 성과).
(2) ⟹ PROPERTY.
(3) (*v.*) ⟹ PERFORM.

E

***ef·fec·tive** [iféktiv] *a.* **1** 효력이 있는, 유효한 : ~ measures 유효한 수단 / the ~ range (항공기의) 유효 항속 거리, (총포의) 유효 사정 거리 / become ~〖法〗효력을 발생하다, 실시되다. **2** 유력한, 유능한 ; 효과적인, 눈에 띄는 : an ~ speech 감명을 주는 연설. **3**〖軍〗실제 병력의, 실전에 쓸 수 있는 : the ~ strength of an army 일군(一軍)의 전투력. **4** 실제의, 사실상의 (actual) : ~ money[coin] 유효 화폐, 경화(硬貨) (↔*paper money*). —— *n.* **1** [보통 *pl.*]〖軍〗실병력, 실제 병력수 ; 군대의 정예. **2**〖經〗= EFFECTIVE money. **~·ness** *n.*
類義語 ***effective*** 어떤 뚜렷한 효과 또는 결과가 발생하는 ; 기대[예상]하고 있던 효과나 결과가 있는 것을 나타냄 : The law becomes *effective* at once. (그 법률은 곧 효력을 발생한다). ***efficacious*** 희망한 효과나 결과가 발생하는, effective 보다 뜻이 강함 : an *efficacious* remedy (효험있는 치료). ***effectual*** 목적으로 하는 효과를 발생 또는 산출하는 힘을 가지고 있는 : an *effectual* measure (효과적인 방법). ***efficient*** 시간과 노력을 헛되이 하지 않고 일의 목적을 이룰 능력이 있는 : an *efficient* typist (유능한 타이피스트).
efféctive áperture *n.* (렌즈·반사경의) 유효 구경(口徑).
efféctive demánd *n.* = EFFECTUAL DEMAND.
ef·féc·tive·ly *adv.* 유효하게 ; 효과적으로 ; 유력하게 ; 실제로, 사실상.
ef·féc·tor *n.* **1** 실시[수행]하는 사람[것], 실행자. **2**〖生理〗효과기(效果器), 작동체《신경 자극을 받아서 활동하는 기관이나 조직》.
ef·fec·tu·al [iféktʃuəl] *a.* 유효한, 효과가 있는, 충분한. **~·ly** *adv.* 유효하게, 효과적으로.
類義語 ⟹ EFFECTIVE.
efféctual demánd *n.*〖經〗유효 수요.
ef·fec·tu·ate [iféktʃuèit] *vt.* 유효하게 하다, (목적 따위를) 이루다, 완수하다. **ef·fèc·tu·á·tion** *n.* Ⓤ 달성, 수행 ; (법률 따위의) 실시.
ef·fem·i·na·cy [ifémənəsi] *n.* Ⓤ 사내답지 못함, 여자다움, 나약, 유약 ; 우유부단.
ef·fem·i·nate [ifémənət] *a.* 사내답지 못한, 나약한. —— *n.* 나약한 사람, 연약한 사내.
—— [-nèit] *vt., vi.* 나약하게 하다[되다]. **~·ly** *adv.* 사내답지 못하게, 나약하게. **~·ness** *n.*
〖L (p.p.) ‹ *ef*- (*femino* ‹ *femina* woman)〗
ef·fen·di [eféndi, i-] *n.* (터키에서) 관리 · 학자 · 의사 등에 대한 존칭 ; effendi의 존칭을 가진 사람《Sir, Master에 해당》. 〖Turk.〗
ef·fer·ent [éfərənt, 美+í:fe-] *a.*〖解〗(혈관 따위) 수출성(輸出性)의 ; 배출하는 ; (신경 따위) 원심성(遠心性)의. —— *n.*〖解〗수출관(管) ; 원심 신경 ; 호수[못]에서 흘러내리는 물줄기.
ef·fer·vesce [èfərvés] *vi.* **1** (탄산수 따위가) 비등하다, 거품이 일다 ; (가스 따위가) 거품이 되어 나오다. **2** (사람이) 흥분하다‹*with*›.
èf·fer·vés·cence, -cen·cy *n.* Ⓤ 비등, 거품이 일기 ; 감격, 흥분, 활기.
〖L ; ⇨ FERVENT〗
èf·fer·vés·cent *a.* **1** 비등성의 : ~ drinks 비등성 음료. **2** 흥분한 ; 활기가 있는.
ef·fete [ifí:t, e-] *a.* 정력이 다한, 무력해진, 쇠잔한 ; (동식물이나 토지 따위가) 생산력이 없는, 고갈된 ; 시대에 뒤진. **~·ly** *adv.* **~·ness** *n.*
〖L=worn out by bearing young ; cf. FETUS〗
ef·fi·ca·cious [èfəkéiʃəs] *a.* 효능이 있는, 효력[효험]이 있는(effective) : ~ *against* heart disease 심장병에 효력있는. **~·ly** *adv.* **~·ness** *n.*
〖L *efficax* ; ⇨ EFFICIENT〗
類義語 ⟹ EFFECTIVE.
ef·fi·ca·cy [éfəkəsi] *n.* Ⓤ 효능, 효험 ; 유효.
***ef·fi·cien·cy** [ifíʃənsi] *n.* **1** Ⓤ 효력, 능률 : ~ wages 능률급(給). **2** Ⓤ〖理 · 機〗능률, 효율. **3** =EFFICIENCY APARTMENT.
effíciency apàrtment *n.* (독신자나 신혼 부부를 위한 실용적인) 간이 아파트.
effíciency engineèr[èxpert] *n.*《美》능률 기사《기업 따위의 생산성 향상을 지도함》.
effíciency ráting sỳstem *n.* 근무 평정.
effíciency tèst *n.* 효율 시험.
***ef·fi·cient** [ifíʃənt] *a.* **1** 효과가 있는, 유효한 : the ~ cause 동력인(動力因), 작용인(作用因)‹*of*›. **2** 유능한, 효율적인, 민완한(competent) : an ~ secretary[teacher] 유능한 비서[교사].
~·ly *adv.* 능률적으로, 유효하게.
〖L=EFFECTING〗
類義語 ⟹ EFFECTIVE.
effícient márket hypòthesis *n.*〖證〗효율적 시장 가설(假說)《주가(株價)는 항상 모든 정보가 완전히 수용(受容)된 상태며 새로운 정보의 주가에 대한 반응은 거의 동시적이라는 가설》.
Ef·fie [éfi] *n.* 여자 이름.
ef·fig·i·al [ifídʒiəl] *a.* 초상[인형]의, 초상[인형]을 닮은.
ef·fi·gy [éfədʒi] *n.* 초상, 화상(畫像) (portrait) ; 상(像) (image) ; 우상(偶像), 허수아비.
burn[hang] a person ***in effigy*** (악인 · 증오의 대상자의) 허수아비를 만들어 대중 앞에서 불사르

다[목매달다].
〖L *effigies* (fingo to fashion)〗
efflor. efflorescent.
ef·flo·resce [èflərés ; -lɔ:-] *vi.* 《文語》 꽃이 피다 ; (문명 따위가) 개화하다, 번영하다〈*into*〉; 〖化〗 풍화(風化)[정화(晶化)]하다 ; (땅·벽 따위의 표면에) 염분(鹽分)이 스며 나오다 ; 〖醫〗 발진하다. 〖L (incept.)〈*floreo* ; ⇨ FLOWER〗
èf·flo·rés·cence *n.* 개화(開花) ; 개화기[상태] ; 절정, 전성, 최고조 ; 〖化〗 풍화(물) ; 발진.
èf·flo·rés·cent *a.* 개화하고 있는 ; 〖化〗 풍화성(風化性)의.
ef·flu·ence [éflu:əns, eflú:- ; éflu-] *n.* Ⓤ (광선·전기·액체 따위의) 방사, 방출(放出) (flowing forth) (↔*affluence*) ; 방사[유출·방출]물 ; 유(출)수(水).
éf·flu·ent *a.* 유출[방출]하는. —— *n.* 유출물 ; (강·호수 따위에서 흐르는) 물줄기, 유수(流水) ; (특히 공장 따위에서 나오는) 폐수.
〖L (*flux- fluo* to flow)〗
ef·flu·vi·um [iflú:viəm] *n.* (*pl.* **-via** [-viə] [흔히 단수취급], **~s**) 발산, 증발 ; 취기(臭氣), 악취. **-vi·al** *a.* 악취의. 〖L (↑)〗
ef·flux [éflʌks], **ef·flux·ion** [eflʌ́kʃən] *n.* Ⓤ 유출(↔*influx*) ; =EFFLUENCE. 〖L ; ⇨ EFFLUENT〗
‡**ef·fort** [éfərt] *n.* **1** Ⓤ,Ⓒ [때때로 *pl.*] 노력, 분투, 수고 : It didn't need much ~ [much of an ~]. 그렇게 많은 노력을 요하지 않았다 / My ~*s* were rewarded with success. 노력한 덕분으로 성공했다 / He gave up smoking with a great ~ of will. 대단한 의지로 그는 담배를 끊었다. **2** 노력의 결과 ; 노작(勞作), 역작 : his latest ~ 그의 최근의 역작 / That's quite a good ~. 그것은 참으로 잘 되었다. **3** 《英》 (모금 따위의) 운동.
in an effort to do …하려고 노력하여.
make an effort = ***make efforts*** [動 / +*to* do] 애쓰다, 수고하다 : We shall *make* every ~ *to* hasten the delivery of the goods. 물품 배달을 빨리 끝내도록 최선의 노력을 하겠습니다.
without [***with an***] ***effort*** 편안하게[애써서].

〈회화〉
How soon can I learn English? — That depends on your *efforts.* 「얼마나 배우면 영어를 터득할 수 있습니까」「당신의 노력에 달려 있습니다」

〖F<Rom. (L *fortis* strong)〗
類義語 ***effort*** 어떤 목적을 이루기 위한 의식적인 노력이나 수고 ; 보통은 한번의 행위 또는 일련의 활동을 말함 : He made an *effort* to appear as democratic as possible. (그는 가능한한 민주적으로 보이려고 노력했다). ***endeavor*** effort 보다 상당히 장기에 걸친 진지하고 지속적인 노력 ; effort 보다 격식을 차린 말 : exert all *endeavor* in one's power (힘이 닿는 데까지 노력하다). ***exertion*** 일정한 목적과는 관계 없이 행해지는 격심한 계속적인 노력 : He was exhausted by his *exertions.* (그는 과도한 노력을 기울인 탓에 지쳐버렸다).
éffort·ful *a.* 노력한 ; 힘이 드는. **~·ly** *adv.*
éffort·less *a.* 힘쓰지[노력하지] 않는, 애쓰지 않는, 수고를 하지 않는 ; 편한. **~·ly** *adv.* 노력하지 않고, 편안하게.
類義語 ⟹ EASY.
éffort sỳndrome *n.* 〖醫〗 노력 증후군(cardiac neurosis).
ef·fron·tery [ifrʌ́ntəri, e-] *n.* Ⓤ [+*to* do] 뻔뻔스러움 : The politician had the ~ *to* ask the people he had insulted to vote for him. 그 정치가는 모욕을 준 사람들에게 뻔뻔스럽게도 자기에게 투표해 달라고 부탁했다.
〖F<L *ef*-(*front- frons* forehead)=shameless〗
ef·fulge [ifʌ́ldʒ, e-] *vt., vi.* 《稀》 빛을 발하다, 찬란히 빛나다, 번쩍이다.
ef·ful·gence [ifʌ́ldʒəns, e-, -fúl-] *n.* Ⓤ 광휘(光輝), 광채.
ef·fúl·gent *a.* 빛나는, 눈부신, 찬란한.
~·ly *adv.* 눈부시게, 찬란하게.
〖L (*fulgeo* to shine)〗
ef·fuse [ifjú:z, e-] *vt.* (액체·빛·향기 따위를) 발산시키다, 스며나오게 하다 ; 유출시키다.
—— *vi.* 발산[유출]하다, 흘러나오다.
—— [ifjú:s, e-] *a.* 〖植〗 (이끼 따위가) 불규칙한 모양으로 퍼진 ; (꽃차례가) 듬성듬성 퍼진.
〖L *e-, fus- fundo* to pour〗
ef·fu·sion [ifjú:ʒən, e-] *n.* **1** Ⓤ 유출, 스며나옴 〈*of* blood〉 ; Ⓒ 유출물. **2** Ⓤ 토로, 발로(發露) ; Ⓒ 《때때로 蔑》 토로한 말[시문(詩文)].
ef·fu·sive [ifjú:siv, e-, -ziv] *a.* **1** 심정을 토로하는, (감정이) 넘쳐 흐를 정도의 : be ~ *in* one's gratitude 감사의 마음이 복받쳐 오르다. **2** 분출성의 : ~ rocks 분출암.
~·ly *adv.* 넘쳐흐르듯이, 과장되게.
eft[1] [éft] *n.* =NEWT ; 도롱뇽. 〖OE *efeta*<?〗
eft[2] 《古》 *adv.* 다시 (again) ; 나중에 (afterward).
〖OE *eft* ; cf. AFT(ER)〗
EFTA, Ef·ta [éftə] European Free Trade Association (유럽 자유 무역 연합[지역]).
EFT(S) electronic funds transfer (system) (전자식 대체 결제 시스템).
eft·soon(s) [eftsú:n(z)] *adv.* 《古》 또다시 ; 곧이어, 머지 않아. 〖OE (EFT[2], SOON)〗
Eg. Egypt ; Egyptian ; Egyptology.
e.g. [í:dʒí:, 美+fərigzǽ(:)mpəl, 英+-zɑ́:m-] *adv.* 예를 들면(for example). 〖EXEMPLI GRATIA〗
egad [i(:)gǽd], **egadz** [-dz] *int.* 빌어먹을!
〖*Ah God*〗
egal [í:gəl] *a.* 《廢》 =EQUAL.
egal·i·tar·i·an [igæ̀lətéəriən, -tǽər-] *a.* 평등주의의. —— *n.* 평등주의자. **~·ìsm** *n.* Ⓤ 평등주의. 〖F (*égal* equal)〗
éga·li·té [*F* egalite] *n.* (사회적·정치적) 평등.
Eg·bert [égbərt] *n.* 남자 이름.
〖OE=sword+bright〗
egest [i(:)dʒést] *vt.* 몸에서 배설하다(↔*ingest*).
eges·ta [i(:)dʒéstə] *n. pl.* 배설물.
eges·tion [i(:)dʒéstʃən] *n.* 배설(작용).
◇**egg**[1] [ég] *n.* **1 a)** 알 ; 달걀, 계란 : a boiled ~ 삶은 달걀 / a fried ~ 프라이한 달걀 / a new-laid ~ 갓난 달걀 / a poached ~ 끓는 물에 반숙으로 익힌 달걀 / a raw ~ 날계란 / a scrambled ~ 휘저어 볶은 달걀 / a soft-boiled ~ 반숙한 계란 / lay an ~ 알을 낳다 / sit on ~*s* (닭이) 알을 품다 / I eat an ~ at breakfast. 아침 식사 때 계란을 (하나) 먹는다. **b)** Ⓤ (요리한) 계란의 일부분 : He had (some[a bit of]) ~ on his face. 그의 얼굴에 계란이 (좀) 묻어 있다. **2** =EGG CELL. **3** 《俗》 놈, 녀석, 사내(fellow) : a good ~ 멋있는 녀석 / a bad ~ 나쁜 놈, 건달.
(***as***) ***full as an egg*** 꽉 차서, 가득 차서(cf. *as full of...as an ~ is of* MEAT).
(***as***) ***sure as eggs are*** [***is***] ***eggs*** 《口》 확실히 (for certain).
golden eggs 큰 (돈)벌이, 횡재(☞ *kill the*

GOOSE *that lays the golden eggs*).
have [***put***] ***all*** one***'s eggs in one basket*** 한 가지 일[사업]에 모든 것을 바치다[투자하다].
in the egg 미연에, 초기에[중에] : crush a plot *in the* ~ 음모를 미연에 분쇄하다 / a thief *in the* ~ 풋내기 도둑.
teach one***'s grandmother to suck eggs*** 부처님에게 설법하다.
tread (***up***)***on eggs*** 《비유》「살얼음판 위를 밟는」 것 같다, (아주) 신중해야 할 입장에 있다, 신중하게 거동하다.
── *vt.* 〖料〗 …에 달걀을 풀어 섞다 ; 《口》 …에 달걀을 내던지다. ── *vi.* 새알을 채집하다.
〖ON ; cf. OE *æg* egg〗

egg² *vt.* [＋目＋副 / ＋目＋*to* do] 선동하다, 부추기다, 충동질하다, 격려하다(incite) (cf. EDGE a person *on*) : The other boys ~*ed* him ***on*** *to* fight. 다른 사내애들이 그를 충동질하여 싸움을 시켰다. 〖ON ; ⇨ EDGE〗

égg-and-spóon ràce *n.* 스푼 레이스《달걀을 주걱 위에 올려 놓고 달리는 경주》.

égg àpple *n.* ＝EGGPLANT.

égg·bèat·er *n.* 달걀 교반기(攪拌器).

égg-bòund *a.* (새·물고기 따위가) 알을 몸에서 떼지 않는, 알을 낳아 떨어뜨리지 않은.

égg·bòx *n.* 달걀 상자 ; 《英口》 (같은 간격으로 칸막이를 하고 장식이 없는) 달걀 상자 모양의 빌딩[아파트]. ── *a.* 《英》 ＝EGGCRATE.

égg cèll *n.* 〖生〗 난(卵)세포, 난자(ovum).

égg contàiner *n.* (플라스틱제 따위의) 달걀 용기, 계란판《달걀 용기의 총칭》.

égg còzy [**còsy**] *n.* 《英》 삶은 달걀의 보온(保溫) 커버.

égg·cràte *a.* (전등 빛의 분산을 위해) 격자형의 비늘살 덮개판이 있는.

égg crèam *n.* 우유 · 초콜릿 시럽 · 소다수를 섞어 만든 음료.

égg·cùp *n.* (식탁용) 삶은 달걀 담는 그릇.

égg cústard *n.* 에그 커스터드《달걀·설탕·우유·밀가루로 만든 과자》.

égg dànce *n.* 달걀 춤《달걀을 흩어놓고 그 사이에서 눈을 가리고 추는 옛날 영국의 춤》; 《비유》 매우 어려운 일.

egg·er, egg·ar [égər] *n.* 〖昆〗 솔나방《영국에 흔하며 애벌레는 수목의 해충》.

égg flìp *n.* ＝EGGNOG.

ègg fóo yóng [**yóung**] *n.* 《美》 에그 푸 영《양파 · 새우 · 돼지고기·야채 따위를 넣고 만든 중국식의 달걀 요리》.

égg·hèad *n.* 《美口》 지식인, 인텔리겐치아 ; 《蔑》 인텔리겐치아인 체하는 사람.
〖1952년 대머리인 Adlai Stevenson이 미국 대통령 후보에 나설 때에 지지한 지식인에게 붙여진 별명에서 인가〗

égg·héad·ed *a.* 《俗》 지식인의, 인텔리겐치아의.

égg·hèad·ism *n.* 인텔리겐치아성(性).

égg·nòg *n.* U,C 에그노그《계란 · 우유 · 설탕을 섞은 데다 술을 탄 음료》.

égg·plànt *n.* 〖植〗 가지 ; 가지색.

egg ròll *n.* 달걀 말이《다진 고기 · 야채 따위를 넣어 돌돌 말아 프라이한 것》.

egg ròlling *n.* 부활절에 Easter eggs를 굴리는 놀이《깨지 않고 굴리는 사람이 이김》.

égg sèparater *n.* 난황(卵黃) 분리기.

égg-shàped *a.* 달걀 모양의.

égg·shèll *n.* 달걀 껍데기 ; 깨지기 쉬운 것.
── *a.* 얇고 깨지기 쉬운 : ~ china[porcelain] 얇은 도자기[자기].

égg slìce *n.* 오믈렛을 뜨는 기구.

égg spòon *n.* 달걀 숟가락《삶은 계란 먹는 데 사용함》.

égg stànd *n.* 에그 스탠드《몇벌의 EGGCUPS와 EGGSPOONS로 이루어짐》.

égg sùcker *n.* 《俗》 아첨꾼, 간살쟁이.

égg tìmer *n.* 달걀 삶는 시간을 재는 (모래)시계.

égg tòoth *n.* 난치(卵齒) 《새·파충류 새끼가 알을 깨고 나올 때 쓰는 부리 끝의 작은 돌기》.

égg trànsfer *n.* 〖醫〗 난자 이식 수술.

égg whìsk *n.* 《英》 달걀 교반기(eggbeater).

égg whìte *n.* (알의) 흰자위, 난백(卵白).

egis ☞ AEGIS.

eg·lan·tine [égləntàin, 美＋-tì:n] *n.* ＝SWEETBRIER. 〖OF (L *acus* needle)〗

ego [í:gou, égou] *n.* (*pl.* ~**s**) **1** 〖哲〗 자아(自我) (the 'I') : absolute[pure] ~ 〖哲〗 절대[순수]아(我). **2** 《口》 자만, 자부 ; 아욕(我慾).
〖L＝I〗

ègo·céntric *a.* 자기 중심의, 자기 본위의(self-centered) ; 이기적인(egoistic). ── *n.* 자기 중심인 사람.
〖GEOCENTRIC 따위의 유추로 *center*에서〗

ègo·céntrism [-séntrizəm] *n.* egocentric 한 상태[하기] ; 〖心〗 (아이들의) 자기 중심성.

égo idèal *n.* 자아 이상(理想) ; 《俗》 양심.

*__égo·ìsm__ *n.* **1** U 〖倫〗 이기주의, 이기설(說) (↔ *altruism*). **2** U 이기심, 아욕(我慾), 자기 멋대로 하기(selfishness). 〖F<NL ; ⇨ EGO〗
類義語 ⟹ EGOTISM.

égo·ist *n.* **1** 〖倫〗 이기주의자. **2** 자기 본위의 사람, 제멋대로 하는 사람(↔*altruist*).

ego·is·tic, -ti·cal [ì:gouístik(əl), ègou-] *a.* 이기주의의(↔*altruistic*) ; 자기 본위의, 제멋대로 구는, 아욕(我慾)이 강한 : ~ altruism 주아적(主我的) 이타주의, 겸애설(兼愛說). **-ti·cal·ly** *adv.* 이기(주의)적으로 ; 자기 멋대로.

egoístic hédonism *n.* 〖倫〗 개인적 쾌락설《행위를 결정하는 동기는 주관적 쾌락에 있다는 설》.

ègo·mánia *n.* U 병적인 자기 중심성향 ; 극단적인 자만.

ègo·mániac *n.* 병적[극단적]으로 자기 중심적인 사람 ; 극단적으로 자존심이 강한 사람.

égo·sphère *n.* 자아 영역.

égo-stàte *n.* 〖心〗 (교류 분석에서의) 자아 상태.
〖1967년 E. Berne (d. 1970) 캐나다 태생인 심리학자의 조어(造語)〗

ego·tism [í:gətìzəm, égə-] *n.* U **1** 자기 중심벽(癖)《I, my, me 따위를 지나치게 쓰는 일》; 자만(self-conceit). **2** ＝EGOISM 2.
〖*ego*＋*-ism* ; *-t-*는 L *idiotismus*에 따른 삽입자(插入字)〗
類義語 ***egotism***과 ***egoism***과는 다음과 같이 구별지어지기도 함. *egotism* 자만, 자존, 이기심 따위를 강조하고 자기나 자기에게 관련된 일만을 화제로 삼아 주위의 관심을 끌려고 하는 일 : Mary has few friends because of her *egotism*. (메리는 그녀의 자만심 때문에 친구가 거의 없다). *egoism* 자기 중심으로 무엇이나 자기와 이해 관계가 있을 때만 관심을 갖고 그 외에는 무관심한 것을 강조하지만 반드시 자만 또는 이기적인 것을 뜻하지는 않음 : The *egoism* of an artist sometimes seems natural. (예술가의 자만심은 때로는 자연스럽게 보인다).

égo·tist *n.* 자기 본위의 사람, 이기주의자(者).

ego·tis·tic, -ti·cal [ì:gətístik(əl), ègə-] *a.* 자기

본위[중심]의, 제멋대로의, 이기적인 ; 자부심이 강한. **-ti·cal·ly** *adv.*

ego·tize [í:gətàiz, égə-] *vi.* 《稀》 제자랑하다, 자기 일만 이야기하다.

égo trìp *n.* 《口》 자기 중심적인[방자한] 행동, 자기만족을 위한 행동, 자기 선전.

égo-trìp *vi.* 《口》 방자하게 굴다, 이기적[자기 중심적]으로 행동하다, 자기 만족[선전]을 하다. **~·per** *n.*

egre·gious [igrí:dʒəs, -dʒiəs] *a.* 참으로 심한, 언어 도단의, 지독한, 터무니 없는, 악명 높은, 얼토당토않은(flagrant) : a ~ liar 유명한 거짓말쟁이. **~·ly** *adv.* 얼토당토않게.
〚L *e-*(*gregius*‹*greg-* *grex* flock)＝standing out from the flock, illustrious〛

egress [í:gres] *n.* **1** Ⓤ (특히 울 안에서) 빠져나감. **2** 출구(exit), (연기 따위의) 배출구 ; 밖으로 나갈 권리(↔*ingress*). —— [-ˊ] *vi.* 밖으로 나가다(go out) ; (우주선에서) 탈출하다.
〚L Egress- -*gredior* to walk out〛

egres·sion [i(:)gréʃən] *n.* 외출, 출타.

egret [í:grət, ég-, í:gret] *n.* **1** 〔鳥〕 (유럽·미국산) 큰 해오라기 ; (그 밖의 여러) 왜가리(heron) ; 해오라기의 깃털 ; 우모(羽毛)장식(aigrette). **2** (엉겅퀴·민들레 따위의) 관모(冠毛).
〚변형(變形)＜F *aigrette*〛

***Egypt** [í:dʒəpt] *n.* 이집트《아프리카 북부의 공화국(國) ; 수도 Cairo》. 〚Heb.＝black〛

Egyp·tian [idʒípʃən] *a.* 이집트(인·어)의 ; 이집트 문화의. —— *n.* **1** 이집트인 ; Ⓤ 이집트어. **2** 이집트 궐련.

Egýptian cótton *n.* 〔植〕 이집트목화.

Egýptian·ìze *vt., vi.* 이집트화하다 ; 이집트의 소유로 하다. **Egỳptian·izátion** *n.* 이집트화(化).

Egyptian PT [ˊ pì:tí:] *n.* 《英俗》 낮잠.
〚PT (*p*hysical *t*raining)〛

Egypto- [i(:)dʒíptou] *comb. form* EGYPT의 뜻.

Egyptol. Egyptologist ; Egyptology.

Egyp·tol·o·gy [ì:dʒiptálədʒi] *n.* Ⓤ 이집트학《고대 이집트의 문물 연구》. **-gist** *n.* 이집트 학자.

eh [(상승조(上昇調)로) éi, é, ǽi ; éi] *int.* [가벼운 놀람·의심 ; 또는 동의를 구하여] 뭐?, 뭐라고?, …그렇지? 〚ME *ey* (imit.)〛

EHF, E.H.F., e.h.f. extremely high frequency(초고주파). **EHP, e.h.p.** electric horsepower (전기 마력) ; effective horsepower (유효 마력).

Ehr·lich [*G* é:rliç] *n.* 에를리히. **Paul** ~ (1854-1915) 독일의 세균학자 ; 살바르산을 발견.

EHV extra high voltage. **E.I.** East India(n) ; East Indies. **EIB** European Investment Bank ; Export-Import Bank.

ei·der [áidər] *n.* 〔鳥〕 (북유럽 연안산) 솜털오리(＝ˊ **dùck**) ; Ⓤ ＝EIDERDOWN 1. 〚Icel.〛

éider·dòwn *n.* **1** Ⓤ eider의 솜털. **2** (그) 날개깃 이불.

ei·det·ic [aidétik] *a.* 눈앞에 선하게 떠오르는, 선명한, 직관적(直觀的)인. —— *n.* 직관상을 볼 수 있는 사람. 〚G＜Gk. (EIDOS＝form)〛

ei·do·graph [áidəgræ̀f ; -grɑ:f] *n.* 벨트식 축도[확대]기《pantograph의 일종》.

ei·do·lon [aidóulən ; -lɔn] *n.* (*pl.* **~s, -la** [-lə]) 유령, 환영 ; 이상(상), 이상적 인물. 〚IDOL〛

Éif·fel Tówer [áifəl-] *n.* [the ~] 에펠탑《건축기사 Eiffel이 만국 박람회를 위해 1889년 파리에 세운 높이 320미터의 철탑》.

ei·gen- [áigən] *comb. form* 「고유의」의 뜻. 〚G〛

éigen·vàlue *n.* 〔數〕 고유값.

◇eight [éit] *a.* 여덟의, 8개의, 8명의 ; [*pred.* 로 쓰여] 8세인 : ~ days 8일 / an ~ day clock 8일 만에 감는 시계. —— *pron.* [복수취급] 8개, 8명, 8. —— *n.* **1** 8, 8개, 8명 ; Ⓤ 8시, 8살 ; 8달러[파운드·센트《따위》] : a piece of ~ ☞ PIECE 숙어. **2** 8의 기호《8, viii, VIII》. **3** 8개[사람] 한 조가 되는 것, 노가 8개 있는 보트, 8명이 한 조가 된 경조(競漕), 에이트 ; [the E~s] Oxford 대학과 Cambridge 대학 대항 보트 경주 ; 8기통의 자동차. **4** (카드놀이 따위에서의) 8.
a figure of eight 8자 비슷한 도형 ; 〔스케이트〕 8자형 활주.
have one over the eight 《英俗》 한 잔 들어가 얼큰히 취해 있다.
〚OE *eahta* ; cf. OCTAVO, OCTOBER, G *acht*〛

éight bàll *n.* 《美》〔撞球〕 8자가 적힌 검은 당구알, 그 공을 중심으로 하는 공놀이 ; 《俗·蔑》 흑인 ; 《俗》 요령이 없는 녀석, 실수가 많은 군인, 얼빠진 놈, 바보 ; 〔電子〕 무지향성 마이크.
behind the eight ball 《美俗》 위험[불리]한 입장에(서).

eíght bít compúter *n.* 〔컴퓨〕 8비트 컴퓨터.

◇eigh·teen [éitì:n] *a.* 18의, 18개의, 18명의 ; [*pred.*로 쓰여] 18살인 : in the ~ fifties 1850년대에. —— *pron.* [복수취급] 18, 18개, 18명. —— *n.* 18, 18개, 18명 ; 18의 기호《18, xviii, XVIII》; 18번째의 것. 〚OE *eahta-, tīene*〛

éightéen·mo [-mou] *n.* (*pl.* **~s**) 18절.

‡eigh·teenth [éitì:nθ] *a.* 제18(번)의 ; 18분의 1의. —— *n.* **1** [the ~] 제18 ; (월(月)의) 18일. **2** 18분의 1.
the Eighteenth Amendment 미국 헌법 수정 제 18조《금주법》.
~·ly *adv.* 제18에, 제18번째로.

éighteen whéeler *n.* 《CB 俗》 트레일러 트럭.

éight·fòld *a., adv.* 8개의 부분[면]을 가진 ; 8배의[로], 8겹의[으로]. 〚OE *eahtafeald*〛

éightfold wáy *n.* [the ~] 〔原子理〕 팔도설(八道說)《소립자 분류법의 하나》.

éight-fóur *a.* 〔美教〕 8-4 제도의《초등학교 8년, 중학교 4년제(制)》.

◇eighth [éitθ, 《비표준》 éiθ] *a.* **1** 제8[8번째]의. **2** 8분의 1의 : an ~ part 8분의 1.

〈회화〉
On what floor do you live? — On the *eighth* floor. 「너는 몇 층에 살고 있니」「8층이야」

—— *n.* (*pl.* **~s** [éitθs]) **1** [the ~] 제8 ; (월(月)의) 8일. **2** 8분의 1. **3** 〔樂〕 8도, 8도 음정 : an ~ note 〔樂〕 8분 음표(quaver). **~·ly** *adv.* 제8에, 8번째로.

éight-hòur *a.* 8시간제의 : ~ labor 8시간 노동 / the ~ law 8시간 노동법 / the ~(*s'*) day 1일 8시간 노동제(制).

éighth rèst *n.* 〔樂〕 8분 쉼표.

***eight·i·eth** [éitiiθ] *a.* 제 80(번)의 ; 80분의 1의. —— *n.* [the ~] 제 80 ; 80분의 1.

éight·pénce *n.* 《英》 8펜스.

éight·pénny *a.* 8펜스의.

eights [éits] *n. pl.* 《CB俗》 통화 끝(sign-off).

éight·scóre *n.* 160.

éight·some *n.* 《스코》 8명이 추는 춤.

éight-tràck, 8-track [éitˊ] *n.* 에이트트랙, 8트랙 녹음 테이프.

◇eighty [éiti] *a.* 80의, 80개의, 80명의 ; [*pred.* 로 써서] 80세의. —— *pron.* [복수취급] 80, 80개,

80명. —— *n.* **1** 80, 80개, 80명. **2** 80의 기호《80, lxxx, LXXX》. **3** [the eighties] (세기의) 80년대 ; [one's eighties] (연령의) 80대. 〖OE〗

Éighty Clúb *n.* [the ~] 80년 클럽《1880년에 창설된 영국 자유당의 클럽》.

éighty-éight *n.* 《美俗》 피아노《건반수 88에서》.

éighty·fòld *a., adv.* 80배의[로].

éighty-síx, 86 *vt.* 《美俗》 (바·식당 따위에서) 손님에게 식사 제공을 거절하다 ; (사람을) 배척하다, 거절[무시]하다.
〖*nix*¹과 압운속어(押韻俗語) ; 주문을 받은 요리가 다 떨어졌다는 것을 나타내는 요리사의 은어에서〗

éighty-twó, 82 *n.* 《美俗》 한 잔의 물.

eikon ☞ ICON.

-ein, -eine [ìːn] *n. suf.* 〖化〗 [*-in, -ine*형 화합물과 구별하여] 「…화합물」의 뜻.
〖*-in, -ine*〗

E Ind(.) East Indian.

Ein·stein [áinstain] *n.* 아인슈타인. **Albert** ~ (1879-1955) 미국에 귀화한 유태계 독일인으로 물리학자.

Ein·stein·ian [ainstáiniən] *a.* 아인슈타인의 ; 상대성 원리의.

ein·stein·i·um [ainstáiniəm] *n.* Ⓤ 〖化〗 아인시타이늄《방사성 원소 ; 기호 Es ; 번호 99》.

Ei·re [έərə, ǽərə, 美+áiərə] *n.* 에이레《아일랜드 공화국의 게일어명·옛 이름》.

ei·ren·ic, -i·cal [airíːnik(əl), -ré-] *a.* 평화를 촉진하는 ; 중재의.

ei·ren·i·con, iren- [airénikàn ; -ríː-] *n.* 평화[중재] 제의 ; (특히 교회의) 평화 문서.
〖Gk. (*eirēne* peace)〗

eis·ege·sis [àisədʒíːsəs] *n.* (*pl.* **-ses** [-siːz]) (성서의) 자기 해석.

Ei·sen·how·er [áizənhàuər] *n.* 아이젠하워. **Dwight David** ~ (1890-1969) 미국의 육군 원수, 제34대 대통령(1953-61).

ei·stedd·fod [aistéðvɑd, ei-, -stédfəd] *n.* (*pl.* **~s, -fod·au** [àisteðvɑ́dai, èi-]) (Wales에서 해마다 개최되는) 시인·음악가 대회 ; (어떤 지방의) 음악 경연 대회《따위》.
〖Welsh=session (*eistedd* to sit)〗

°**ei·ther** [íːðər, áiðər ; áiðər] (↔*both* ; *neither*)

> (1) 기본 뜻 : 「어느 한 쪽」
> (2) 주요 용법은 ① 부정어와 함께 써서 「…도 않다」 ② 둘 중의 하나 ③ or와 함께 써서 상관접속사(correlative conjunction). ①은 긍정의 too에 ②는 부정의 neither… nor…에 대응한다.
> (3) 형용사로서 either가 「양쪽의」의 뜻으로는 특히 side, end, hand 등과 결합할 때 쓰이는데, 다음 예문처럼 both(+복수명사)나 each(+단수명사)를 쓸 때도 많다 : There were chairs at *each* end of the long table.

—— *a., pron.* **1 a**) [긍정] (둘 중) 어느 한편[쪽](의 …)이라도 : Sit on ~ side. 어느 쪽에라도 앉으십시오 / *E*~ (of them) will do. 어느 편이라도 좋습니다. ☞ 活用 (1). **b**) [부정] (둘 중) 어느 편(의 …) 이라도 : I don't know ~ (boy). 어느 편 아이도 모른다. **c**) [의문·조건] (둘 중) 어느 편(의 …) : Did you see ~ of the boys[~ boy] ? 어느 편의 아이라도 만났는가. **2** 《文語》 양쪽(의), 제각기(의), 각각의 : of ~ sex 양성(兩性)의 / curtains hanging on ~ side of the window 창문 양쪽에 드리워져 있는 커튼. ☞ 活用 (2).

either way 어느 쪽으로 해도 ; 어느 쪽에도.

in either case 어느 경우에라도.

> 〈회화〉
> Which plan do you support ? — *Either* one is okay. 「자네는 어느 계획을 지지하나」 「어느 쪽이든 다 좋아」

—— *adv.* [부정적 구문] **1** [either…or로 상관 접속사로서] …(이)든가 또는 …든가 (어느쪽이라도, 어느 것이라도) : *E*~ you *or* I must go. 자네든 나든 어느 한 사람이라도 가지 않으면 안되네 / You may take ~ the apple *or* the pear. 사과든 배든 어느 것이나 가져도 좋다 / *E*~ you must obey my order *or* you must leave here. 내 명령을 따르지 않으려면 여기서 나가주게. ☞ 活用 (3). **2** …도 또한 (…않다[아니다]) (cf. ALSO, TOO) : If you do not go, I shall *not* ~ (=neither shall I). 네가 가지 않으면 나도 안가겠어 / *Nor* I ~. 나도 (…)하지 않는다 / I won't do such a thing. — I wo*n't* do it(,) ~ . (=Neither do I.) 나는 그런 일은 하지 않겠어 — 나도 하지 않을래.

> **either의 문장 전환**
> I don't like baseball.
> (나는 야구를 좋아하지 않는다.)
> — I don't like it, *either*.
> (나도 그렇습니다.)
> → I don't like baseball. — *Neither* [*Nor*] do I.
> ☆부정문을 받아서 「…도 또한 …그렇지 않다」라고 할 때는 이처럼 either를 사용하며 긍정문을 받을 때의 too와 구별한다.
> I like flowers.
> (나는 꽃을 좋아합니다.)
> — I like them, *too*.
> (나도 그렇소.)
> → I like flowers. — *So* do I.

3 《口》 (앞의 진술을 수정하여) …이라고 해도, 그것도 : There was once a time, and not so long ago ~ …. 어느 때의 일인지 그리 먼 옛날 일은 아니었는데….
〖OE *ǣgther*, *ǣghwæther* ; cf. AYE², EACH, WHETHER〗

活用 (1) either는 보통 단수 취급 : *Either is* capable of performing *his* duty. ((두 사람 중의) 어느 쪽이라도 그 의무를 다할 수 있다) ; 그러나 친밀한 표현, 특히 either of…의 형을 취할 경우에는 복수 취급을 할 때도 있다 : I'm sure *either of* the two boys *are* able to climb the hill. (두 소년 다 꼭 그 산에 오를 수 있을 거예요).
(2) i) either…or…에 대한 동사는 보통 뒤의 주어와 일치함 : *Either* he *or* I *am* to blame. (그이나 나 어느 쪽인가가 나쁘다) ; 그러나 이 같은 표현은 말투가 어색하기 때문에, *Either* he is to blame, *or* I am. 으로 하는 경우가 많음.
ii) either…or…는 같은 품사 또는 동일 구조의 말·어군을 연결함. 따라서 다음과 같은 어법은 부적당 : You must *either* obey my order *or* you must leave here.
(3) *adv.* 2의 경우, (not) either에 의한 어법쪽이 neither를 쓴 표현법보다 약간 구체적인 표현 ; 이 구문에서는 either 앞의 콤마가 있어도 좋고 없어도 좋음.

èither-ór *a.* 양자 택일의. —— *n.* 양자 택일 ; 서

로 배타적인 두 종류의 분류.

EJ electronic journalism[journalist].

ejac·u·late [idʒǽkjəlèit] *vt.* **1** 갑자기 소리지르다, 별안간 외치다. **2** (액체를) 사출하다, (특히 오르가슴에서) (정액을) 사정하다. ── *vi.* **1** 갑자기 뛰어나가다 ; 체액을 사출하다, (특히) 사정하다. **2** 갑자기 소리지르다. ── [-lət] *n.* (한번의) 사정액.
〚L (Ejaculor to dart out〈*jaculum* javelin)〛

ejac·u·la·tion [idʒæ̀kjəléiʃən] *n.* 〖生理〗 (체액의) 사출, (특히) 사정 ; 갑작스런 외침.

ejác·u·là·tor *n.* 갑자기 외치는 사람 ; 〖解〗 사출근(射出筋).

ejac·u·la·to·ry [idʒǽkjələtɔ̀:ri ; -təri, -lèitəri] *a.* 사출하는, 내던지는, 방출하는 ; 사출[사정](용)의 ; 절규적인, 분출하는.

ejáculatory dúct *n.* 〖解〗 사정관(管).

eject [idʒékt] *vt.* 쫓아내다, 추방하다(expel)〈*from*〉; 〖法〗 철거[퇴거]시키다 ; (액체·연기 따위를) 분출하다, 배출하다 ; (비행기에서) (파일럿을) 사출하다 ; (자기의 동기나 성격을) 다른 데로 돌리다. ── [í:dʒekt] *n.* 〖心〗 =PROJECTION.
〚L Ejict- -*jicio* to throw out〛

ejec·ta [idʒéktə] *n.* [단수·복수 취급] (화산 따위의) 분출물 ; 배설물.

ejec·tion [idʒékʃən] *n.* U,C 방출, 분출, 배출 ; C 방출물, 분출물 ; U,C 〖法〗 (토지·가옥으로부터의) 추방, 쫓아냄.

ejéction càpsule *n.* (비행기·우주 로켓의) 사출 캡슐.

ejéction sèat *n.* 〖空〗 (긴급 탈출용의) 사출 좌석(=ejector seat).

ejec·tive [idʒéktiv] *a.* 방출하는 ; 내뿜는 ; 몰아내는. ── *n.* 〖音聲〗 방출음《성문(聲門) 폐쇄를 수반함》.

ejéct·ment *n.* U,C 방출, 축출, 추방〈*from*〉; 〖法〗 부동산 (점유) 회복 소송.

ejéc·tor *n.* 방출자, 추방자 ; 배출[방사]기(器)[관·장치].

ejéctor sèat *n.* =EJECTION SEAT.

eka- [èkə] *comb. form* 〖理·化〗 [(미지의) 원소명에 써서] 「주기율표의 동족란에서 …의 밑의 빈자리에 들어가는 원소」의 뜻 : *eka*cesium 에카세슘 《현 francium》/ *eka*hafnium 에카하프늄(=ELEMENT 104) / *eka*lead 에카납《원자번호 114가 되는 원소》/ *eka*element 에카원소. 〚Skt.〛

eke[1] [i:k] *vt.* 《古·方》 더하다, 크게 하다, 길게 하다, 늘리다.
eke out (1) (불충분한 것)의 부족분을 보충하다, 채우다 : ~ *out* butter *with* margarine (부족한) 버터를 마가린으로 보충하다 / He ~*d out* his regular wages *by* work*ing* evenings and Sundays. 그는 밤이나 일요일에도 근무하여 정규 급료의 부족한 분을 보충했다. (2) 가까스로 (생계를) 유지해가다 : ~ *out* a scanty livelihood 겨우 생계를 유지해 나가다.
〚OE *ge-ȳcan*, *ēcan*, *ēacian* to increase〛

eke[2] *adv.* 《古》 또한(also), …도 역시 ; 더구나.
〚OE *ē(a)c* ; cf. G *auch*〛

EKG, E. K. G. *Elektrokardiogramm* 《G》(=electrocardiogram).

ekis·tics [ikístiks] *n.* 인간 정주의 과학, 인간 거주학.

Ék·man drédge [ékmən-] *n.* 에크만 드레지《해저 표본 채취기》.
〚V. W. *Ekman* (d. 1954) 스웨덴의 해양 학자〛

Ékman làyer *n.* 에크만층(層)《바람 방향에 직각으로 흐르는 해수층(海水層)》. 〚↑〛

el [él] *n.* **1** [흔히 EL] 《美口》 고가 철도(elevated railroad). **2** =ELL[2].

el- *pref.* =EN- 《l-의 앞에 올 때의 형》.

EL electronic learning ; 〖電〗 electroluminescence.

el. elected ; elevation ; element.

*__elab·o·rate__ [ilǽbərèit] *vt.* 정성들여 만들다, 애써서 이루어 놓다 ; 정교하게 만들어 내다 ; (문장·고안 따위를) 짜다, 퇴고(推敲)하다 : I ~*d* my plans. 나는 계획을 짰다. ── *vi.* [+*on*+名] 잘 다듬다, 한층 정밀하게 하다 : The lecturer went on *elaborating* (***up***)***on*** the subject. 강사는 더욱 그 문제를 자세하게 설명해 갔다. ── [ilǽbərət] *a.* 정성들여 만들어 낸, 애써서 한 ; 복잡한 ; 정교한. **eláb·o·rà·tive** [; -rət-] *a.* 공들인, 정교한, 애써서 한. **eláb·o·rà·tor, -ràt·er** *n.* 공들여 만드는 사람, (문장을) 다듬는 사람, 퇴고하는 사람. **~·ly** *adv.* **~·ness** *n.*
〚L=worked out (*e*-, LABOR)〛
類義語 ***elaborate*** 세부에 걸쳐 세심한 주의를 기울여 해낸 : an *elaborate* dinner (애써서 장만한 만찬). ***studied*** 미리 치밀하게 준비하고 특히 「일부러」 그것 때문에 자세한 데까지 주의하여 행한 : *Studied* politeness is insulting. (억지로 하는 정중은 무례한 짓이다). ***labored*** 많은 노력을 기울인 ; 긴장된 비상한 노력을 강조함 : a *labored* excuse for a delay (지연에 대한 극구 변명).

elab·o·ra·tion [ilæ̀bəréiʃən] *n.* U 애써서 만듦, 공들여 만들기[다듬기] ; (완성하기 위한) 고심(苦心), 퇴고(推敲) ; 복잡함, 정교 ; C 애써 만든 작품, 노작(勞作) ; 상술, 상세.

el·ae·om·e·ter [èliɑ́mətər ; èliɔ́mi-] *n.* 지방 비중계(脂肪比重計), 올리브기름 계기(計器).

EL AL (**Israel Airlines**) [él ǽl (⌐⌐)] *n.* 엘알 이스라엘 항공《이스라엘 항공 회사》.

Elam [í:ləm] *n.* 엘람《이란에 있었던 고대 왕국》.

Elam·ite [í:ləmàit] *n.*, *a.* 엘람(의), 엘람인(의), 엘람어(의).

élan [eilɑ́:n, -lǽn ; *F* elɑ̃] *n.* U 돌진 ; 기력, 예기(銳氣), 열정. 〚F (*élancer* to launch)〛

eland [í:lənd, -lænd] *n.* (*pl.* ~, ~**s**) 〖動〗 일런드《남아프리카산 ; 대형의 영양(羚羊)》.
〚Du.=elk〛

élan vi·tal [*F* elɑ̃ vital] U 〖哲〗 생명의 비약, 삶의 약동《프랑스의 Bergson이 쓴 말》.

*__elapse__ [ilǽps] *vi.* 《文語》 (때가) 지나다, 경과하다(pass away) : Days ~*d* while I remained undecided. 내가 뜻을 정하지 못하고 있는 사이에 며칠이 지났다. ── *n.* (때의) 경과.
〚L Elaps- *elabor* to slip away〛

elápsed tíme [ilǽpst-] *n.* 경과 시간《보트·자동차가 일정 코스를 주파하는 데 소요되는 시간》.

elas·mo·branch [ilǽzməbræ̀ŋk, ilǽs-] *n.*, *a.* 〖動〗 연골어류(의), (특히) 판새류(瓣鰓類)(의) 《상어 따위》.

*__elas·tic__ [ilǽstik] *a.* **1** 탄(력)성의, 탄력이 있는(springy), 신축 자재의, 잘 휘는 : an ~ string [cord, tape] 고무줄[탄성코드·탄성테이프]. **2** 반발력이 있는 ; 활달한, 쾌활한 ; 융통[적응]성이 있는 : an ~ treatment 융통성 있는 조치. ── *n.* U,C 고무줄, 고무 고리 ; [*pl.*] 양말 대님. **-ti·cal·ly** *adv.* 탄력적으로, 신축 자재로.
〚NL=expansive<Gk. *elastikos* propulsive〛
類義語 ***elastic*** 굽히거나 잡아당기거나 한 후에 부서지지 않고 원상태로 되돌아오는 : A sponge is an *elastic* substance. (스펀지는 탄력성 있는

E

물질이다). ***flexible*** 꺾이지[부서지지] 않고 굽히거나 휠 수 있는 ; 원상태로 돌아오거나 돌아오지 않거나 상관 없음 : a *flexible* rubber stick (잘 휘는 고무 막대기). ***supple*** 부서지거나 깨지지 않고 굽히거나 휘거나 접거나 할 수 있는 : *supple* leather (부드러운 가죽).

elas·ti·cate [ilǽstəkèit] *vt.* (신축성 있는 실[부분]을 짜넣어) (옷감·옷 따위)에 신축성을 지니게 하다. **elás·ti·càt·ed** *a.*

elástic bánd *n.* 고무 밴드(rubber band).

elástic cláuse *n.* 〔美憲法〕 신축 조항《의회의 잠재적 권한에 헌법상의 근거를 주는 조항》.

elástic collísion *n.* 〔理〕 탄성 충돌.

elástic deformátion *n.* 〔理〕 탄성 변형《응력이 제거되면 원형으로 복귀하는 변형》.

elas·tic·i·ty [ilæstísəti, ì:læs-] *n.* Ⓤ 탄력, 탄성 ; 신축성 ; 융통성, 순응성〈*of* youth, mind〉 ; 쾌활함(buoyancy), 반발력.

elástic límit *n.* 〔理〕 탄성 한계(limit of elasticity).

elástic módulus *n.* 〔理〕 탄성률(modulus of elasticity).

elástic sìdes *n. pl.* (고무 장화의) 양쪽에 댄 고무천 ; 고무 장화.

elástic tíssue *n.* 〔解·生〕 탄성 조직.

elas·tin [ilǽstən] *n.* 〔化〕 엘라스틴, 탄력소(素)《단백질의 일종》.

elàs·to·hỳdro·dynámics [ilæ̀stou-] *n.* 유체 탄성 역학, 가압(加壓) 액체 탄성학.

elas·to·mer [ilǽstəmər] *n.* 〔化〕 탄성 중합체《실리콘 고무와 같은 합성 고무 따위》.
〖ISOMER에 준하여 *elastic*에서〗

elas·tom·e·ter [ilæstámətər] *n.* 탄성률계(計), 탄력계.

elate [iléit] *vt.* [+目/+目+前+名] [특히 *p.p.*로] …에게 기운을 북돋아 주다, 기운나게 하다, 원기를 돋구어 주다 ; 고무[뽐내게] 하다(cf. ELEVATE *v.* 4), …을 득의 양양하게 하다 : They were ~*d* ***at*** the news[by their success]. 그들은 그 소식으로[성공으로] 크게 고무되었다[뽐내었다]. —— *a.* 《古·文語》 =ELATED.
〖L E*lat*- EF*fero* to lift up〗

elát·ed *a.* 원기 왕성한, 의기 양양한(exultant, proud). **~·ly** *adv.* 원기 왕성하게, 의기 양양하게. **~·ness** *n.* Ⓤ 원기 왕성, 의기 양양.

el·a·ter [élətər] *n.* **1** 〔植〕 탄사(彈絲). **2** 〔昆〕 방아벌레.

ela·tion [iléiʃən] *n.* Ⓤ 의기 양양, 자신 만만, 왕성한 원기.

E layer [í: ⌐] *n.* 〔氣·通信〕 E층(層)《지상 95km 부근의 전리층에서 중장파의 전파를 반사함》.

El·ba [élbə] *n.* 엘바 섬《지중해 Corsica섬과 이탈리아 사이의 작은 섬 ; 1814-15년 Napoleon 1세가 최초로 유배된 곳》.

El·be [élbə, élb ; élb] *n.* [the ~] 엘베 강《독일의 강, 북해로 흐름 ; 하구에 Hamburg 시가 있음》.

El·bert [élbə(:)rt] *n.* 남자 이름. 〖⇨ ALBERT〗

El·ber·ta [elbə́:rtə] *n.* 여자 이름. 〖(fem.) ; ↑〗

‡**el·bow** [élbou] *n.* 팔꿈치 ; 팔꿈치형 파이프(=∠ **pìpe**) ; 팔꿈치형 이음쇠(=∠ **jòint**) ; 팔걸이(elbow rest) ; 팔꿈치 모양의 굴곡 ; (하천·도로 따위의) 급한 굴곡[굽이].
at one***'s***[***the***] ***elbow*** 팔닿는 곳에, 가까이(close at hand).
bend[***crook, lift, raise, tip***] ***an elbow*** 술을 마시다, (특히) 과음하다.
from one***'s***[***the***] ***elbow*** 가까운 곳에 없는.
jog a person***'s elbow*** …의 팔꿈치를 슬쩍 찌르다《주의·경고 따위를 위해》.
More[***All***] ***power to your elbow!*** 기운내라!
out at elbows (옷이) 팔꿈치가 떨어져서, 해어져서 ; (사람이) 초라한 복장인 ; (경제적으로) 곤궁하여, 가난하여.
rub[***touch***] ***elbows with...*** (저명 인사 등과) 교제하다[사귀다].
up to the[one***'s***] ***elbows*** 몰두하여〈*in* work〉.
—— *vt.* [+目+前+名/+目+副] 팔꿈치로 찌르다[밀다] ; 팔꿈치로 밀어 헤치고 나아가다 : She saw him ~*ing* his way ***through*** the crowd. 그녀는 그가 군중 속을 헤치며 나아가는 것을 보았다 / ~ one*self* ***into*** …로 사람을 헤치고 들어가다 / ~ a person ***out of*** the way 방해가 되지 않도록 남을 밀어내다 / ~ people ***aside***[***off***] 사람들을 밀치다. —— *vi.* **1** 밀치고 나아가다. **2** L자처럼 굽다. **3** 《美俗》 (남과) 친구처럼 교제하다.
〖OE *el* (*n*) *boga* (ELL, BOW³) ; cf. G *Ellenbogen*〗

élbow-bènd·er *n.* 《美俗》 **1** 술마시는 사람, 술꾼. **2** 사교적인 사람, 명랑한 사람.

élbow bènding *n.* 《美口》 음주.
élbow-bènd·ing *a.* 《美口》 과음하는.

élbow·bòard *n.* (팔꿈치를 괼 수 있는) 창문턱.

élbow chàir *n.* 팔걸이 의자.

élbow grèase *n.* 《戱》 힘을 들여 닦기, 힘으로 하는 일(에 쏟는 정력), 핸드워크(handwork).

élbow ràil *n.* (차체(車體)의) 손잡이[가로대].

élbow rèst *n.* (객차 따위의) 팔걸이.

élbow·ròom *n.* Ⓤ 팔꿈치를 자유로이 쓸 수 있을 만큼의 여지(餘地) ; (활동[생각]할 충분한) 여유 ; 자유 행동 범위.

el chea·po [el tʃí:pou] *a.* 《美俗》 값싼, 하찮은.

eld [éld] *n.* 《古·詩》 지난날, 옛날 ; 노년 ; 노인.
〖OE OLD〗

eld. eldest.

‡**el·der**¹ [éldər] *attrib. a.* [OLD의 비교급] **1** (형제 등 혈연 관계로) 손위인, 연상의, 연장(年長)의(=《美》 older) (↔*younger*) : one's ~ brother[sister] 형[누나] / Which is the ~ of the two? 두 사람 중에 누가 형[누나]입니까. **2** [the E~] [사람 이름 앞 또는 뒤에 덧붙여] (동본 또는 동성의 사람·부자·형제 등의) 손위 쪽의(↔ *the Younger*) : *the E*~ Pitt=Pitt *the E*~ 대 피트《아버지인 피트》. **3** 고참의, 선배의. —— *n.* **1** 연장자, 연상인 사람 ; 노인 ; [*pl.*] 선배, 손윗 사람(↔*youngers*) : He is my ~ by two years. 그는 나보다 두살 위다. **2** [*pl.*] 《古》 조상, 선조(ancestor). **3** 원로(원 의원). **4** (특히 장로 교회의) 장로.
〖OE *eldra* ; ⇨ OLD〗

elder² *n.* 〔植〕 딱총나무속의 각종 관목[소교목].
〖OE *ellærn*〗

élder·bèrry [⌐ -bəri] *n.* 〔植〕 딱총나무의 열매《흑자색》 ; =ELDER².

élder bróther *n.* (*pl.* **élder bréthren**) 수로 안내협회(Trinity House)의 간부회원.

élder·càre *n.* 《美》 (민영의) 고령자[노인] 의료 보장.

élder hánd *n.* =ELDEST HAND.

élder·ly *a.* **1** 연세가 지긋한, 초로(初老)의 ; [the ~ ; *pl.*] 연배의 사람들. **2** 시대에 뒤진.
-li·ness *n.* Ⓤ 연세가 지극함, 초로.
[類義語] ⟹ OLD (1).

élderly depéndency ràtio *n.* 노령자 (피)부양율《정년 퇴직한 고령자가 경제 활동을 하고 있는 사람들에게 의존하는 비율》.

E

élder·shìp *n.* Ⓤ 연장[선배]임 ; 〖敎會〗 장로의 지위[집단] ; 장로직.
élder státesman *n.* 장로 ; 원로.
‡**el·dest** [éldəst] *attrib. a.* [OLD의 최상급] 맏아들의 ; 제일 손위인(=《美》 oldest) (cf. ELDER[1]) : one's ~ brother[sister, child] 큰 형[누나·아들] / one's ~ son[daughter] 장남[장녀].
〚OE ; ⇨ OLD〛
éldest hánd *n.* 〖카드놀이〗 (패 도르는 사람 왼쪽의) 첫번째 사람.
E.L.D.O., ELDO, El·do [éldou] European Launcher Development Organization (유럽 우주 로켓 개발 기구).
El Do·ra·do, El·do·ra·do [èl dərɑ́:dou, -réi-] *n.* **1** Ⓤ 엘도라도《남미 아마존 강 연안에 있다고 상상했던 황금의 나라》. **2** (*pl.* ~**s**) [때때로 eldorado] (일반적으로) 보물 더미, 보물산(山)[섬]. 〚Sp. *el dorado* the gilded〛
El·dred [éldrəd] *n.* 남자 이름.
〚OE=old in counsel〛
el·dritch, -drich [éldritʃ] *a.* 《스코》 굉장한, 무시무시한.
〚C16< ? OE 《美》 *elfrîce* fairy realm ; cf. ELF〛
Elea [í:liə] *n.* 엘레아《이탈리아 남서부에 있던 그리스의 고대 도시 ; 엘레아학파 철학의 본거지》.
El·ea·nor, El·i·nor [élənər, -nɔ̀:r], **El·e·a·no·ra** [èliənɔ́:rə] *n.* 여자 이름《Helen의 변형 ; 애칭 Nell, Nellie, Nelly, Nora》.
〚⇨ HELEN〛
El·e·at·ic [èliǽtik] *a., n.* 〖哲〗 엘레아 학파(學派)의 (사람).
elec., elect. electric(al) ; electricity.
el·e·cam·pane [èlikæmpéin] *n.* 〖植〗 목향(木香)《엉거시과의 식물》 ; 그 뿌리에서 채취한 향료로 맛을 낸 과자.
〚L *enula* elecampane, *compana* of the fields〛
eléc-pòwered *a.* 전동의.
‡**elect** [ilékt] *vt.* **1** [+目 / +目+補 / +目+*as* 補 / +目+前+名 / +目+*to* do] 선거하다 : We'll ~ the chairman tomorrow. 우리는 내일 의장을 선출합니다 / Clinton was ~*ed* President of the United States. 클린턴이 미합중국의 대통령으로 선출되었다 / I wonder whom they will ~ *as* mayor. 누가 시장으로 선출될지 궁금하군 / ~ a man ***to*** the presidency[*to* be president] …을 총재[회장·대통령《등》]로 선출하다[뽑다] / In 1775 Franklin was ~*ed* ***for*** Pennsylvania *to* serve in the Continental Congress. 1775년에 프랭클린은 펜실베이니아 주의 대표로서 대륙회의의 의원으로 선출되었다. **2** [+目 / +*to* do] 고르다, 정하다, 선택하다(choose) : He ~*ed to* remain at home. 그는 집에 있기로 정했다. **3** 〖神學〗 (하느님이) 선택하다(cf. *the* ELECT). —— *a.* 선발[선정]된 ; [보통 명사 뒤에 하이픈과 함께 두어] 선거[선임]된 : the President-~ 대통령 당선자《아직 취임하지 않은 경우》. —— *n.* **1** 선출된[뽑힌] 사람. **2** [the ~] 신(神)의 선민(選民)《이스라엘 백성 ; ↔ *the reprobate*》.
〚L E*lect*- -*ligo* to pick out〛
類義語 ⟹ CHOOSE.
elect·ee [ilektí:] *n.* 뽑힌 사람, 당선자.
***elec·tion** [ilékʃən] *n.* **1** Ⓤ,Ⓒ 선거, 선임 ; 당선 ; 투표, 표결 : a general ~ 총선거 / off-year ~*s* 《美》 중간 선거 / hold[conduct] an ~ 선거를 행하다 / carry an ~ 당선되다. **2** 선택, 선정 ; Ⓤ 〖神學〗 신의 선택(↔*reprobation*) ; 선택권. 주 선거 관계 용어 : preliminary election 예비 선거 / election campaign 선거 운동 / national election=general election 총선 / electorate 유권자 / election expenses 선거비 / special election 《美》 보궐 선거(=《英》 by-election) / election convention (대통령 후보 선출) (정당) 대의원 대회 / local election 지방의원 선거 / municipal election 시의원 선거.
eléction administrátion commìttee *n.* 선거 관리 위원회.
eléction crimes *n. pl.* 선거 범죄.
eléction dày *n.* [흔히 E~ D~] **1** 《美》 대통령 선거일《11월 첫 월요일 다음의 화요일》. **2** 선거일, 투표일.
elec·tion·eer [ilèkʃəníər] *vi.* 선거 운동을 하다. —— *n.* 《英》 선거운동원. **~·er** *n.* **~·ing** *n., a.* Ⓤ 선거 운동(의).
eléction retùrns *n. pl.* (선거의) 개표 결과 보고(서).
elec·tive [iléktiv] *a.* **1** 선거에 의한《직(職)·권능 따위》 (↔*appointive*) ; 선거의[에 관한] ; 선거를 하기 위한, 선거권이 있는 : an ~ body 선거 단체. **2** 《美》 (과목이) 선택의 (=《英》 optional) (↔*compulsory, required*) : an ~ course 선택 과정 / an ~ subject 선택 과목 / an ~ office 민선 관직 / an ~ system 선택 과목 제도. —— *n.* 《美》 선택 과목(=《英》 optional).

〈회화〉
I have three *electives* to finish. — You're lucky. I have six. 「선택 과목을 세 개 더 끝내야 해」「너는 좋겠다. 나는 여섯 개나 남았다구」

~·ly *adv.* 선택적으로(by choice) ; 선거에 의해.
eléctive affínity *n.* 〖化〗 선택 친화력.
eléc·tor [, -tɔ:r] *n.* 선거인, 유권자 ; [E~] 〖史〗 선제후(選帝侯), 선거후(侯)《신성 로마 제국에서 황제 선정권을 갖고 있었음》.
eléctor·al *a.* **1** 선거의 ; 선거인의 : an ~ district 선거구. **2** [E~] 〖史〗 선제후(侯)의 : an ~ Prince=ELECTOR.
eléctoral cóllege *n.* [때때로 E~ C~] 선거인단《선거인은 각주를 대표하여 대통령 및 부통령을 선출함》.
eléctoral róll[régister] *n.* 선거인 명부.
eléctoral vóte *n.* 《美》 대통령 선거인에 의한 투표《형식적인 것》.
eléctor·ate *n.* [집합적으로] 선거인, 유권자 ; 〖史〗 선제후의 직[관할] ; 선제후령(領).
electr- [iléktr], **elec·tro-** [iléktrou, -trə] *comb. form* 「전기」「전해(電解)」「전자」의 뜻.
〚NL ; ⇨ ELECTRIC〛
Elec·tra [iléktrə] *n.* 〖그神〗 엘렉트라《Agamemnon의 딸 ; 동생 Orestes를 설득하여 어머니 Clytemnestra와 그 정부를 살해케 하여 아버지의 원수를 갚음》.
Eléctra còmplex *n.* 〖精神分析〗 엘렉트라 콤플렉스, 친부복합(複合)《딸이 아버지에게 품는 무의식적인 성적 사모 ; cf. OEDIPUS COMPLEX》.
elec·tress [iléktrəs] *n.* 여자 유권자 ; [E~] 선제후(侯)의 부인[미망인].
‡**elec·tric** [iléktrik] *a.* **1** 전기의, 전기를 띤 ; 발전하는, 발전용의 ; 전기 작용의, 전기로 움직이는 : an ~ appliances[apparatus] 전기 기구 / an ~ bulb 전구 / an ~ circuit 전기 회로 / an ~ clock 전기 시계 / ~ conductivity 전기의 전도성 / ~ discharge 방전 / an ~ fan 선풍기 / an ~ iron 전기 다리미 / an ~ lamp 전등 / an ~ motor 전동기 / an ~ railroad[railway] 전기 철

도 / an ~ range 전기 풍로 / an ~ refrigerator 전기 냉장고 / an ~ sign 전광(電光) 간판 / an ~ spark 전기 불꽃 / an ~ washing machine 전기 세탁기. **2** 전기와 같은 ; 전격적인, 자극적인, 흥분시키는, 감동적인(thrilling) ; (분위기 따위가) 긴장된.

—— *n.* **1** 전기로 움직이는 것 ; [*pl.*] 전기 장치 ; 전차 ; 전기(자동)차. **2** 《古》 (호박·유리 따위의) 기전(起電) 물체 ; [흔히 *pl.*] 전등(의 불빛). 〚L＜Gk. *ēlektron* amber ; 비비면 정전기가 일어나는 데서〛

‡e·léc·tri·cal *a.* **1** 전기에 관한 : ~ transmission (사진)전송. **2** 전기 과학[전기의 이용]과 관련이 있는. **3** ＝ELECTRIC.

eléctrical enginéer *n.* 전기(공학) 기사, 전기 기술자.

eléctrical enginéering *n.* 전기 공학.

eléctrical·ly *adv.* 전기(작용으)로, 전기에 의해 ; 전기학상 ; 전격적으로.

eléctrical stórm *n.* ＝ELECTRIC STORM.

eléctrical transcríption *n.* 〔放送〕 녹음반 ; 녹음 방송 ; ⓊⒸ 녹음.

E

eléctric béll *n.* 전령(電鈴) ; 전(기)종.

eléctric blánket *n.* 전기 담요.

eléctric blúe *n.* 강청색(鋼青色).

eléctric bóogie *n.* (robot, wave 따위) 팬터마임풍(風) 춤의 총칭.

eléctric cár *n.* 전기 자동차.

eléctric chàir [; ⌐⌐] *n.* (사형용) 전기 의자 ; [the ~] 전기 사형(electrocution) : be sent to *the* ~ (전기 의자로) 사형에 처해지다.

eléctric chárge *n.* 전하(電荷).

eléctric cúrrent *n.* 전류(電流) ; 전류 효율.

eléctric éel *n.* 〔魚〕 (남미산) 전기뱀장어.

eléctric éye *n.* 광전관(光電管), 광전지(光電池) ; (라디오 따위의) 매직아이.

eléctric fíeld *n.* 전기장(電氣場).

eléctric fúrnace *n.* 전기로(爐).

eléctric guitár *n.* 전기 기타.

eléctric háre *n.* (개 경주에서 개에게 쫓게 하는) 전동식 모형 토끼.

eléctric héater *n.* 전기 난로.

***elec·tri·cian** [ilektríʃən, ìː-] *n.* 전기학자 ; 전기 기사 ; 전공, 전기담당자.

‡elec·tric·i·ty [ilektrísəti, ìː-] *n.* **1** Ⓤ 전기 : frictional ~ 마찰 전기 / magnetic ~ 자(磁)전기 (magnetism) / negative[positive] ~ 음[양]전기 / thermal ~ 열전기 / an ~ company 전력회사. **2** Ⓤ 전류(공급) ; 전하 ; (전등용·전열용 따위의) 공급 전력 : install ~ 전기를 끌다. **3** Ⓤ 전기학. **4** 감정적 긴장 ; 열광.

eléctric líght *n.* 전광, 전등빛 ; 전등《백열등, 형광등 따위》.

eléctric néws tàpe *n.* 전광(電光) 뉴스.

eléctric órgan[piáno] *n.* 전기[전자] 오르간[피아노].

eléctric poténtial *n.* 전위(電位).

eléctric pówer *n.* 전력.

eléctric ráy *n.* 〔魚〕 시끈가오리.

eléctric rócket *n.* 〔로켓〕 전기 추진 로켓.

eléctric shóck *n.* 전기 쇼크, 감전.

eléctric shóck thèrapy *n.* 〔醫〕 전기 충격[쇼크] 요법.

eléctric stéel *n.* 〔冶〕 전로강(電爐鋼).

eléctric stórm *n.* 〔氣〕 전광·천둥 소리·강우(降雨)를 수반한 돌발적인 심한 폭풍우, 세찬 뇌우(雷雨).

eléctric tórch *n.* 《英》 휴대[회중]전등.

eléctric tówel *n.* (화장실 따위의 손·얼굴을 말리는) 전기 온풍기, 전기 타월.

eléctric véhicle *n.* 전기 자동차.

eléctric wáve *n.* 전파, 전자파.

eléctric wíre *n.* 전파 ; 전선.

elec·tri·fi·ca·tion [ilèktrəfəkéiʃən] *n.* Ⓤ 대전(帶電), 감전 ; 충전 ; (철도·가정 따위의) 전화(電化). **2** 강한 흥분[감동, 충격](을 주기).

elec·tri·fy [iléktrəfài] *vt.* **1** (물체)에 전기를 통하게 하다, 대전(帶電)시키다 ; (사람을) 감전시키다 ; 충전하다. **2** 전력화(電力化)하다 : ~ a railroad (철도를) 전철화하다. **3** …에 전기 쇼크를 주다 ; 《비유》 깜짝 놀라게 하다(startle), 감동시키다(excite).

elec·tro [iléktrou] *vt., n.* (*pl.* **~s**) 《口》 ＝ELECTROPLATE ; ＝ELECTROTYPE.

electro- [iléktrou, -trə] ☞ ELECTR-.

elèctro·acóustics *n.* 전기 음향학.

elèctro·análysis *n.* Ⓤ 〔化〕 전기 분석, 전해(電解). **-analýtic, -ical** *a.*

eléctro·báth *n.* 전기 도금 용액(鍍金用液) ; 전해조(電解槽).

elèctro·cárdio·gràm *n.* 〔醫〕 심전도(心電圖) 《略 ECG》.

eléctro·cárdio·gràph *n.* 〔醫〕 심전계.

elèctro·chémical *a.* 전기 화학의.

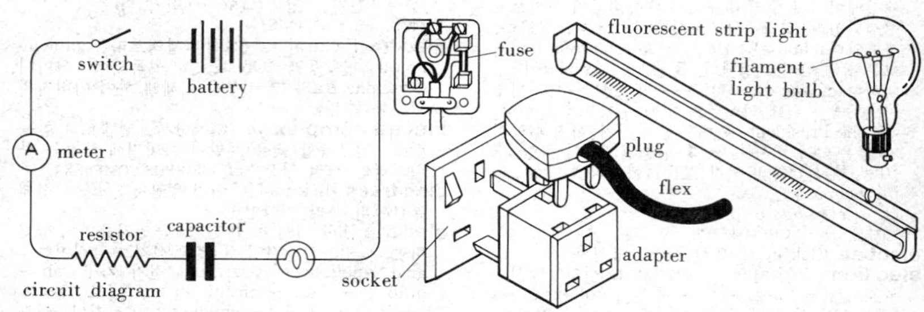

electricity

~·ly *adv.* 전기 화학적으로.
elèctro·chémistry *n.* Ⓤ 전기 화학.
elèctro·chróno·gràph *n.* 전기 기록 시계.
elèctro·convúlsive *a.* 〖醫〗 전기 경련의[에 관한](electroshock) : ~ therapy 전기 충격 요법《略 ECT》.
elèctro·cóoling *n.* 전자 냉방.
elèctro·córtico·gràm *n.* 〖醫〗 뇌파(腦波)(도), 뇌피질 전도《전극을 직접 뇌에 접촉시켜 만드는 뇌전도》.
elèctro·cor·ti·cóg·ra·phy [-kɔ̀ːrtikágrəfi] *n.* (대뇌 피질에 직접 전극을 접촉시켜서 하는) 뇌파 측정법.
elec·tro·cute [iléktrəkjùːt] *vt.* 전기 사형에 처하다 ; 전기(사고)로 죽이다, 감전사시키다. **elèc·tro·cú·tion** *n.* Ⓤ 전기 사형, 감전사. 〚exe*cute*〛
elec·trode [iléktroud] *n.* 〖電〗 전극. 〚*electr-*+*-ode*〛
elec·tro·del·ic [ilèktrədélik] *a.* 전광[조명]으로 환각적 효과를 내는. 〚*electro-*+psyche*delic*〛
elèctro·depósit *vt.* 전착(電着)시키다. —— *n.* 전착물.
elèctro·deposítion *n.* 전착(電着), 전해석출(電解析出).
elèctro·dynámic, -ical *a.* 전기역할의.
elèctro·dynámics *n.* Ⓤ 전기 역학(力學).
elèctro·dynamómeter *n.* 전류력계(형 계기), 동력 전류계, 전기 동력계.
elèctro·encéphalo *n.* 〖醫〗 뇌파 기록 장치.
elèctro·encéphalo·gràm *n.* 전위(轉位)의 측정 기록, 뇌파도.
eléctro·fìsh·ing *n.* Ⓤ 전기 어로법《수중의 직류 전원(電源)의 집어(集魚) 효과를 이용》.
eléctro·fòrm *vt.* 전기 주조(鑄造)하다.
elèctro·gálvanize *vt.* 전기 아연 도금하다.
elèctro·génesis *n.* 〖生·生理〗 생물 (조직) 발전(發電)《생체의 세포 조직에 일어나는 발전》.
elèctro·génic *a.* 〖生〗 (살아있는 세포·조직이) 기전(起電)성의, 전기를 일으키는.
eléctro·gràph *n.* 전기 기록(기) ; 전기 조각기 ; 사진 전송기 ; X선 사진.
elec·trog·ra·phy [ilektrágrəfi, ìː-] *n.* 전위 기록[전기 조각·사진 전송]술.
Eléctro Gýro-Càtor *n.* 〖電子〗 전자 자이로케이터《달리는 자동차의 위치를 지도로 나타내고 목적지까지의 최단거리를 한눈에 볼 수 있는 장치》.
elèctro·hydráulic *a.* 전기 수력학적인.
elèctro·hydráulics *n.* 전기 수력학(水力學)적으로 충격파를 일으키는 일.
elèctro·kinétic *a.* 동전기의.
elèctro·kinétics *n.* Ⓤ 동전기학(動電氣學) (cf. ELECTROSTATICS).
elèctro·kýmo·gràph *n.* 〖醫〗 (X선에 의한) 심장 파동 기록기.
elec·tro·lier [ilèktrəlíər] *n.* 매어 다는 식의 전등 ; (특히) 꽃 전등, 전기 샹들리에.
elèctro·luminéscence *n.* (형광체의) 전기장[전압] 발광 ; 전자 발광.
elec·trol·y·sis [ilektrálәsәs, ìː-] *n.* Ⓤ 〖化〗 전기분해, 전해(電解) ; 〖醫〗 전기 분해 요법.
eléctro·lỳte *n.* 〖電·化〗 전해물[질·액(液)].
electrolýte líquid *n.* 이온 음료.
elèctro·lýtic *a.* 전해의[에 의한] ; 전해질[액]의[을 함유한].
electrolýtic céll *n.* 〖化〗 전해조.
electrolýtic dissociátion *n.* 〖化〗 전리《전해질이 물에 녹아 그 분자가 전기를 띤 음양의 이온으로 분해되는 일》.
elec·tro·lyze [iléktrəlàiz] *vt.* 전기 분해하다. **-lỳz·er** *n.* 전해조(槽). **elèc·tro·ly·zá·tion** *n.* 〖化〗 전기 분해.
elèctro·mágnet *n.* 전자석(電磁石).
elèctro·magnétic *a.* 전자기(電磁氣)의 ; 전자석의 : the ~ theory 전자기 이론. **-ical·ly** *adv.*
electromagnétic compatibílity *n.* 〖電子〗 전자 환경 정합성(整合性)《외부의 잡음에 영향을 받거나 주지 않는 일 ; 略 EMC》.
electromagnétic fíeld *n.* 〖理〗 전자기장.
electromagnétic fórce *n.* 〖理〗 전자기력.
electromagnétic indúction *n.* 〖理〗 전자기 유도(誘導) ; 전자 유도.
electromagnétic interáction *n.* 〖理〗 전자기적 상호작용.
electromagnétic interférence *n.* 전자 방해《전자(電子) 기기가 다른 기기를 방해하는 잡음 ; 略 EMI》.
electromagnétic oscillátion *n.* 〖理〗 전자기적 진동.
electromagnétic púlse *n.* 전자기 펄스《지구 상공의 핵폭발에 의한 고농도의 전자기 복사》.
electromagnétic radiátion *n.* 〖理〗 전자기 복사(輻射).
electromagnétic spéctrum *n.* 〖理〗 전자기 스펙트럼.
electromagnétic únit *n.* 〖理〗 전자기 단위《略 emu》.
electromagnétic wáve *n.* 〖理〗 전자기파(波) ; 전자파.
elèctro·métallurgy [ˌ 英+-mətǽl-] *n.* Ⓤ 전기 야금(학).
elec·trom·e·ter [ilektrámətər, ìː-] *n.* 전기계, 전위계(電位計).
eléctro·mobìle *n.* 전기 자동차《석유 절약·무공해 자동차》.
elèctro·mótive *a.* 기전(起電)의. —— *n.* 전기 기관차(cf. LOCOMOTIVE).
electromótive fórce *n.* 기전력《略 E.M.F.》.
elèctro·mótor *n.* 발전기 ; 전동기, 전기 모터.
elèctro·mýo·gràm *n.* 〖醫〗 근전도(筋電圖)《略 EMG》.
elèctro·mýo·gràph *n.* 〖醫〗 근전계(筋電計).
***elec·tron** [iléktran] *n.* 〖理〗 전자, 일렉트론 : ~ emission 전자 방출 / ~ mobility 전자이동도 / ~ orbit 전자 궤도 / ~ specific charge 전자의 비전하(比電荷) / the ~ theory 전자설. 〚*electr*ic+*-on*〛
eléctron affínity *n.* 전자 친화력[도(度)].
elèctro·narcósis *n.* 전기 마취(요법).
eléctron béam *n.* 전자빔, 전자선(電子線).
eléctron béam mèlting *n.* 〖金屬〗 전자빔 용해법《略 EBM》.
eléctron-béam resìst *n.* 〖電子〗 전자빔 레지스트《전자빔 (beam)에 감응하여 화학적 성질이 바뀌어 기판(基板) 에칭시의 보호막이 되는 내(耐)가공성 물질》.
eléctron clòud *n.* 〖理〗 전자 구름.
elèctro·négative *a.* **1** 음전기의 ; 음전기를 띤 ; 음전성의. **2** 산성의. **3** 비금속의. —— *n.* 〖化〗 (전기) 음성 물질(↔*electropositive*).
eléctron gás *n.* 〖理〗 전자 기체.
eléctron gùn *n.* 〖TV〗 (음극선관의) 전자총.
***elec·tron·ic** [ilektránik, ìː-] *a.* **1** 전자(공학)의 : an ~ industry 전자 산업 / ~ engineering 전자

공학 / an ~ flash 〖寫〗 전자 플래시 / an ~ calculator =ELECTRONIC COMPUTER. **2** 전기로 소리 내는 《악기 따위》.
—— *n.* 전자 회로 ; 전자 장치, 전자 기기, 전자부품 ; 전자식.
-i·cal·ly *adv.* 전자(공학)적으로.
electrónic árt *n.* 전자 예술.
electrónic bánking *n.* 전자화된 은행 업무.
electrónic bráin *n.* 전자두뇌, 컴퓨터.
electrónic cámera *n.* 전자 카메라.
electrónic chúrchman *n.* 텔레비전이나 라디오 따위의 매체를 이용하여 대중에게 설교하는 성직자(者).
electrónic compúter *n.* 전자 계산기, 컴퓨터.
Electrónic Compúter-Oríginated Máil (Sèrvice) *n.* 《美》 컴퓨터 발신형 전자 우편.
electrónic configurátion *n.* 〖理〗 전자 배치.
electrónic cóp *n.* 《美俗》 전자 형사(刑事) 《범죄 관계의 파일을 보관하고 그 데이터를 이용하는 컴퓨터 시스템》.
electrónic cóttage *n.* 전자화 주택《재택(在宅) 근무(telecommuting)에 필요한 전자 기기를 완비한 생활양식의 하나》.
electrónic cóuntermeasure *n.* 〖軍〗 (적 미사일의) 유도 방향 교란 전자 장치《略 ECM》.
electrónic dáta prócessing *n.* 전자 정보 처리《略 EDP》.
Electrónic Diréctory *n.* 전자 전화 번호부 《전화국 컴퓨터에 축적된 전화번호를 간이 단말기로 검색하는 시스템》.
electrónic fíle *n.* 전자 파일《대량의 문서·자료 따위를 전기신호 형식으로 보관함》.
electrónic fúnds trànsfer *n.* 전자식 자금 이행 결제.
electrónic gàme *n.* =VIDEO GAME.
electrónic jóurnalism *n.* 《美》 텔레비전 보도.
electrónic léarning *n.* 전자 학습《컴퓨터를 이용한 학습 ; 略 EL》.
electrónic líbrary *n.* 전자 도서관.
electrónic màil *n.* 전자 우편《略 EM》.
electrónic média *n.* 전자 미디어[매체].
electrónic méeting *n.* 전자 회의(cf. TELECONFERENCE).
electrónic músic *n.* 전자 음악.
electrónic óffice *n.* 전자식 사무실《전자기기로 사무처리를 자동화하는》.
electrónic órgan *n.* 전자 오르간.
electrónic póst *n.* 《英》 전자 우편.
electrónic públishing *n.* 전자 출판.
***elec·trón·ics** [, iː-] *n.* 전자 공학.
electrónic shèll *n.* 〖理〗 전자 껍질.
electrónic shópping *n.* =TELESHOPPING.
electrónic smóg *n.* 전파 스모그《건강에 해를 끼치는 텔레비전 · 라디오 따위의 전파》.
electrónic spéech cìrcuit *n.* 음성 합성 회로 《음성을 전기적으로 만들어내는 회로》.
electrónic swéetening *n.* =LAUGH TRACK.
electrónic tránsfer *n.* 전자식 금전 출납.
electrónic tùbe *n.* =ELECTRON TUBE.
Electrónic Univérsity *n.* 전자 대학《가정의 퍼스널 컴퓨터와 전국 각지의 대학과를 결합시킨 교육 시스템》.
electrónic vídeo recòrder 전자식 녹화기《略 EVR》.
electrónic vóice *n.* =SYNTHETIC SPEECH.
electrónic wárfare *n.* 〖軍〗 전자전(電子戰).
Electrónic Yéllow Páges *n. pl.* 전자식 직업전화부《직업별 전화부 정보를 온라인으로 제공》.
elec·tron·i·ture [ilektránitʃər] *n.* 전자식 사무용 가구《컴퓨터 · 워드프로세서 따위의 전자 기기 사용에 편리하도록 제작된》.
eléctron lèns *n.* 전자 렌즈.
eléctron mìcroscope *n.* 전자 현미경.
elec·tróno·gràph [ilektránə-] *n.* 전자 사진.
eléctron òptics *n.* 전자 광학.
eléctron pàir *n.* 전자쌍(雙).
eléctron-pàir annihilátion *n.* 〖理〗 전자쌍(電子雙) 소멸.
eléctron-pàir prodúction *n.* 〖理〗 전자쌍(電子雙) 생성.
eléctron spìn rèsonance *n.* 전자 스핀 공명(共鳴)《略 ESR》.
eléctron stòrage rìng *n.* 〖理〗 전자 축적 링.
eléctron tèlescope *n.* 전자 망원경.
eléctron tùbe *n.* 전자관《진공관의 일종》.
eléctron vòlt *n.* 전자 볼트《略 EV, eV》.
elèctro-óptics *n.* 전기 광학.
eléctro·pàint *vt., vi.* (금속에) 전착 도장(電着塗裝)하다. —— *n.* 전착 도장에 쓰이는 도료(塗料).
elèctro-pathólogy *n.* 전기 병리학.
elec·trop·a·thy [ilèktrápəθi ; -trɔ́p-] *n.* = ELECTROTHERAPY.
eléctro·phòne *n.* 전기 보청기 ; 전자 악기.
elèc·tro·phón·ic [-fán-] *a.* 전기 발성의.
electrophónic músic *n.* =ELECTRONIC MUSIC.
elec·tro·pho·rese [ilèktrəfəríːz] *vt.* 〖理 · 化〗 …에 전기 이동[영동]을 시키다.
elèctro·phorésis *n.* Ⓤ 〖理 · 化〗 전기 이동[영동](법)《단백질 따위 분석법의 하나》.
elec·troph·o·rus [ilektráfərəs, iː-] *n.* (*pl.* **-ri** [-rài]) 〖理〗 전기 쟁반.
elèctro·photógraphy *n.* 전기 사진, 건식(乾式) 사진. **-phóto·gràph** *n.* 〖醫〗 전기 진단 사진술.
elèctro·phrénic respirátion *n.* 〖醫〗 전기 인공 호흡(법).
eléctro·plàte *vt.* …에 전기 도금하다. —— *n.* 전기 도금한 것. **-plàting** *n.* Ⓤ 전기 도금(법).
eléctro·plexy [-plèksi] *n.* 《英》 〖醫〗 전기 충격 요법(electroconvulsive therapy).
eléctro·pòp *n.* 전자팝(synthesizer 따위의 전자음을 사용한 팝뮤직》.
elèctro·pósitive *a.* **1** 양(陽)전기의 ; 양전기를 띤 ; (전기) 양성의. **2** 염기성의(basic). **3** 금속의(metallic) (↔ *electronegative*). —— *n.* 〖化〗 (전기) 양성 물질.
eléctro·pùlt *n.* 〖空〗 (비행기 발진용의) 전기 캐터펄트(catapult). 〚*electro*+cata*pult*〛
elèctro·rétino·gràph *n.* 〖眼〗 망막 전기 측정기.
eléctro·scòpe *n.* 검전기(檢電器).
elec·tro·scop·ic [ilèktrəskápik] *a.*
elèctro·sénsitive *a.* 전기 감광(感光)성의.
eléctro·shòck *n.* Ⓤ,Ⓒ 〖醫〗 전기 쇼크 ; 전기 충격 요법(=∠ **thèrapy**[**trèatment**]).
eléctro·slàg remélting *n.* 일렉트로슬래그 재용해법《베어링 강철 같은 고급강의 정련법》.
eléctro·slèep *n.* 〖醫〗 전기 수면《뇌에 약한 전류를 보내어 하는》.
elèctro·státic *a.* 정(靜)전기의 ; 정전기학의 : an ~ generator 정전(靜電) 발생 장치.
electrostátic precipitátion *n.* 전기 집진(集塵) 《연기 · 먼지 · 기름 따위 속에 부유하는 고체나 액체입자를 제거 · 채집함》.
electrostátic precípitator *n.* 전기 집진 장치.
elèctro·státics *n.* 정전기학.

elèctro·téchnics *n.* 전기 공학.
elèctro·thérapy, -therapéutics *n.* 〖醫〗 전기 요법. **elèctro·thérapist** *n.* 전기 요법 의사. **-therapéutic** *a.*
elèctro·thérmal *a.* 전열(電熱)의, 전기와 열과의 ; 열전학적인, 열전학상의.
eléctro·tòme *n.* 자동 차단기.
elec·trot·o·nus [ilektrátənəs, ìː-] *n.* Ⓤ 〖生理〗 전기 긴장《전류를 통하였을 때의》.
eléctro·tỳpe *n.* 〖印〗 전기판(版) (제작법), 전기 제판(製版). —— *vt.* 전기판으로 뜨다. —— *vi.* 전기 제판에 의한 복제를 하다 ; 전기판을 뜨다.
eléctro·typ·er [-tàipər] *n.* 전기판을 뜨는 사람.
eléctro·typy [-tàipi] *n.* Ⓤ 전기판 제작법, 전기 제판.
elèctro·válence, -válency *n.* 〖化〗 전기 원자가(價).
elec·trum [iléktrəm] *n.* Ⓤ 호박금(琥珀金)《금과 은의 합금》; 양은. 〚L<Gk.〛
elec·tu·ary [iléktʃuèri ; -əri] *n.* (벌꿀 또는 시럽을 섞은) 연약(煉藥) ; 핥아먹는 약.
el·e·doi·sin [èlədɔ́isən] *n.* 〖藥〗 엘레도이신《문어의 타액선에서 채취하는 혈관 확장제·강압제》.
el·ee·mos·y·nary [èlimásənèri, -máz- ; èlii:-mɔ́sinəri] *a.* (은혜를) 베푸는, 자선의 ; 적선받는, 자선에 의지하는. 〚L ; ⇨ ALMS〛
el·e·gance [éligəns] *n.* **1** Ⓤ 우미, 고상. **2** 우아한[품위 있는] 말씨[태도]. **3** 과학적인 정밀함과 간결함.
el·e·gan·cy [éligənsi] *n.* [보통 *pl.*] =ELEGANCE.
***él·e·gant** *a.* **1** (인품 따위가) 기품 있는, 품위 있는(graceful) ; (취미·습관·문체 따위가) 우아한, 세련된 : life of ~ ease 여유 있고 우아한 생활. **2** (물건 따위가) 풍아한, 아취가 있는 ; (문체 따위가) 격조 높은 : ~ furnishings 고상한 가구. **3** (과학적으로) 정밀한, 정연한. **4** 《口》 멋있는, 훌륭한(fine, nice) : an absolutely ~ wine 천하의 명주. —— *n.* 취미나 태도가 까다로운 사람, (옷차림·태도가) 세련된 사람. **~·ly** *adv.*
〚F or L ; ⇨ ELECT〛
類義語 ***elegant*** 후천적으로 사람의 품성이나 취미가 세련됨을 나타냄. ***graceful*** 선천적으로 잘 길러진 우아함·고상함을 나타냄.
el·e·gi·ac [èlədʒáiək, 美+-æk, 美+ilíːdʒiæ̀k] *a.* 만가(挽歌)의, 애가(哀歌)의, 비가의 ; 만가 형식의, 애가조(調)의 ; 구슬픈, 애수적인. —— *n.* [*pl.*] 만가[애가] 형식의 시가. **èl·e·gí·a·cal** *a.* 〚F or L<Gk. ; ⇨ ELEGY〛
elegíac cóuplet[**dístich**] *n.* 〖韻〗 애가체의 2행 연구(聯句)《6시각(六詩脚) 및 5시각으로 이루어지는 강약약격(強弱弱格)의 대구(對句)》.
elegíac stánza *n.* 애가조의 연(聯)《약강조 5보격의 abab와 압운(押韻)되는 4행 연구》.
el·e·gist [élədʒəst] *n.* 애가(哀歌)의 작자, 애가조(調) 시인.
el·e·gize [élədʒàiz] *vt., vi.* 비가로 노래하다 ; 만가[애가]로 쓰다 ; 애가를 짓다〈*upon*〉.
el·e·gy [élədʒi] *n.* 비가(悲歌), 엘레지, 애가, 만가, 비가 ; 만가조의 시.
〚F or L<Gk. (*elegos* mournful poem)〛
elem. element(s) ; elementary.
***el·e·ment** [éləmənt] *n.* **1** 〖理·化〗 원소(元素). **2** 요소, 성분, (구성) 분자 : There is an ~ of truth in what you say. 자네의 말에도 일리가 있어. **3** 〖電〗 (히터의) 전열선 ; 〖電〗 전지(電池) ; 전극(電極) ; 〖通信〗 (안테나의) 소자. **4 a**) 〖古哲〗 (만물의 근원을 이루고 있다고 옛사람이 믿었던) 사대(四大) 원소의 하나 : the four ~*s* 사대 원소《earth, water, air, fire》/ the devouring ~ (모든 것을 태워 없애는) 불. **b**) [the ~s] (기후에 나타나는) 자연의 힘 ; 폭풍우 : the fury of *the* ~*s* 자연력의 맹위(猛威) / a strife[war] of *the* ~*s* 대폭풍우《따위》. **c**) (생물의) 고유의 영역(領域)《새·짐승·물고기·벌레 따위가 제각기 사는 곳》; (사람의) 본령(本領), 제분수(에 맞는 분야), 적소(適所). **5** 〖軍〗 (소(小))부대, 분대 ; 〖美空軍〗 전투기의 소편대. **6** [*pl.*] (학문의) 원리(principles), 초보(ABC) 〈*of*〉. **7** [E~s] 〖神學〗 성찬식의 빵과 포도주.
be in one*'s* ***element*** (물고기가 물속에 있는 것 같이) 본래의 활동 범위에 있다.
be out of one*'s* ***element*** (물을 벗어난 물고기 같이) 자기의 영역 밖에 있다[마음대로 못하다].
〚OF<L=first principle〛
類義語 ***element*** 가장 뜻이 넓은 보편적인 말 ; 구체적 또는 추상적인 것의 일부 ; 필수거나 또는 기초적인 요소를 말하기도 함 : the *elements* of science (과학의 요소). ***component, constituent*** 다 같이 복합물 또는 복잡한 조직을 갖는 것의 구성 분자 : Copper and zinc are *components* of brass. (구리와 아연은 놋쇠의 구성 요소다). constituent는 또한 그것 자체가 단순히 전체의 일부일 뿐만 아니라 전체를 형성하는 데에 없어서는 안 되는 것을 나타냄 : Salt is a *constituent* of seawater. (소금은 바닷물의 성분이다). ***ingredient*** 식품·약품을 만들 때 뒤섞는 성분 : the *ingredients* of a cocktail (칵테일의 원료). ***factor*** 어떤 복합체의 성질의 결정 작용을 하는 component : Hard study was a *factor* in his success. (열심히 공부한 것이 그의 성공 요인이었다). ***integrant*** 전체를 구성하기 위해 필요한 component : the *integrant* of blood (혈액의 성분).
el·e·men·tal [èləméntl] *a.* **1** 원소의[같은] ; 요소가 되는 ; 기본[본질]적인 ; 원리의. **2** 사대(四大) (원소)의, 자연력의(cf. ELEMENT *n.* 4 a)) : ~ spirits 사대 원소를 불러일으키는 정령(精靈) / the ~ strife 사대의 투쟁, 대폭풍우 / ~ worship 자연력 숭배 / ~ forces 자연력 / ~ tumults 폭풍우. **3** 자연력과 비슷한, 절대적인. **4** 초보의. ㊟ 이 뜻으로는 지금은 ELEMENTARY가 보통. —— *n.* [보통 *pl.*] 기본 원리.
~·ly *adv.* 요소적으로, 기본적으로.
eleméntal área *n.* 화소(畫素)《텔레비전화면의 직사각형 구역》.
eleméntal díet *n.* 〖醫〗 기본식, 성분 영양.
***el·e·men·ta·ry** [èləméntəri] *a.* **1** 기본의, 초보의, 초등교육의(introductory) ; 〖數〗 (함수가) 초등의 : ~ education 초등교육. **2** 〖化〗 (단)원소의 : ~ substances 단체(單體). **3** =ELEMENTAL 2. **-ta·ri·ness** *n.*
類義語 ⟹ PRIMARY.
eleméntary párticle *n.* 〖理〗 소립자 ; 〖生〗 기본 입자.
eleméntary schòol *n.* 《美》 초등학교《연한은 6년 또는 8년 ; cf. PRIMARY SCHOOL》.
élement of the séntence *n.* 문장의 요소.
element 105 [⌐ wʌ́n hʌ́ndrəd fáiv] *n.* 〖化〗 105번 원소(hahnium)《인공 원소의 하나》.
element 104 [⌐ wʌ́n hʌ́ndrəd fɔ́ːr] *n.* 〖化〗 104번 원소(rutherfordium, kurchatovium)《12번째의 초(超)우라늄 원소로 인공 방사성 원소》.
element 107 [⌐ wʌ́n hʌ́ndrəd sévən] *n.* 〖化〗 107번 원소《15번째의 초(超)우라늄 원소로 인공 방

사성 원소》.

element 106 [∸ wʌ́n hʌ́ndrəd síks] *n.* 〖化〗 106번 원소《14번째의 초우라늄 원소로 인공 방사성 원소》.

element 126 [∸ wʌ́n hʌ́ndrəd twénti síks] *n.* 〖化〗 126번 원소《자연 속에 존재한다고 생각되는 아주 무거운 화학 원소》.

el·e·mi [éləmi] *n.* 열대 지방산의 방향수지(芳香樹脂)《니스·고약 따위에 씀》.

Ele·na [əléinə, élənə] *n.* 여자 이름. 〖⇨ HELEN〗

elen·chus [iléŋkəs] *n.* (*pl.* **-chi** [-kai, -kiː]) 〖論〗 비난법(非難法) ; 논란(論難), 논박 : Socratic ~ 소크라테스의 문답법. **elenc·tic, elench·tic** [iléŋktik] *a.* 논박의, 논박적인. 〖L<Gk.=refutation〗

‡**el·e·phant** [éləfənt] *n.* **1** 코끼리 : ☞ WHITE ELEPHANT. 㐰 (1) 수코끼리 bull ~ / 암코끼리 cow ~ / 코끼리 새끼 calf ~ / 코끼리의 울음소리 trumpet / 코끼리의 코 trunk / 상아(象牙) ivory. (2) 미국에서는 이것을 만화화하여 공화당의 상징으로 함(cf. DONKEY). **2** Ⓤ《주로 英》엘레펀트형(도화지) 《28×23인치 크기》: double ~ 엘레펀트 배형지(倍型紙) 《40×26½ 인치》.
see the elephant*=*get a look at the elephant 《美俗》 세상 구경을 하다, 세상 물정을 알다, 인생을 경험하다.
〖ME *olifaunt* etc.<OF<L<Gk. *elephant- elephas* ivory, elephant〗

el·e·phan·ta [èləfǽntə] *n.* (인도 남서부) 말라바르 해안에 부는 강풍《9-10월》.

élephant bìrd *n.* 〖古生〗 융조(aepyornis).

élephant èars *n. pl.* 《口》 미사일 외각의 두꺼운 금속판《마찰열의 분산과 궤도 이탈 방지용》.

el·e·phan·ti·a·sis [èləfəntáiəsəs, -fæn-] *n.* (*pl.* **-ses** [-siːz]) Ⓤ 〖醫〗 상피병(象皮病). 〖L<Gk. ; ⇨ ELEPHANT〗

el·e·phan·tine [èləfǽntain, -ti(ː)n, éləfəntìːn, -tàin] *a.* 코끼리의 ; 코끼리 같은, 거대한 ; 보기 흉한(clumsy) ; 느린, 묵직한, 둔한 : ~ humor 멋적은 유머 / ~ movements 둔한 동작.

élephant sèal *n.* 〖動〗 해마(海馬).

élephant('s) èar *n.* 〖植〗 =BEGONIA, (특히) 아름답고 큰 잎의 베고니아 ; =TARO.

El·eu·sin·i·an [èljusíniən] *a.* ELEUSIS의.

Eleusínian mýsteries *n. pl.* 엘리우시스 제전《엘레우시스에서 Demeter 및 Persephone를 위해 지낸 신비적 의식》.

Eleu·sis [ilúːsəs] *n.* 엘레우시스《아테네 북서부에 있던 고대 아티카의 도시》.

elev. elevation.

el·e·vate** [éləvèit] *vt.* **1** 올리다, 높이다, 들어올리다(raise) ; 〖카톨릭〗 (미사에서) (성체를) 거양하다 : ~ a gun 포신(砲身)을 올리다. **2** [+目 / +目+*to*+名] (남을) 승진시키다, 등용(登用)하다(exalt) : He was ~*d* ***to the peerage. 그는 귀족으로 봉해졌다. **3** (품성·지성을) 고상하게[높은 수준에 오르게] 하다, 향상시키다 : Reading good books ~*s* your mind. 좋은 책을 읽음으로써 정신이 고양(高揚)된다. **4** 《口》 …의 사기를 왕성하게 하다(cf. ELATE). **5** 《美俗》 (총을 들이대어) …에게서 약탈하다. ── *vi.* 품성[지성]을 향상시키다 ; 《美俗》 (총을 들이대어) 두 손을 들다. ── *a.* 《古》 =ELEVATED.
elevate the Host 〖카톨릭〗 성체를 거양하다.
〖L (*levo* to lift<*levis* light)〗
類義語 ⟹ HOIST.

él·e·vàt·ed *a.* **1** 높이 올려진, 높은, 고가(高架)의. **2 a)** 지[도덕]적으로 정도가 높은, 고상[고결]한, 기품 있는(noble) : ~ thoughts 고상한 사상. **b)** 위엄있는, 딱딱한 ; 교만한, 거만한. **3** 의기양양한 ; 《口》 한 잔 들이킨.
── *n.* 《口》 고가 철도.

élevated ráilroad[ráilway] *n.* 《美》 고가철도 (=《英》 overhead railway) (cf. EL, L).

el·e·va·tion [èləvéiʃən] *n.* **1** Ⓤ 높이, 해발(海拔) (altitude) ; Ⓒ 높직한 곳, 높은 곳(height). **2** Ⓤ 고상하게 함, 향상 ; (사고·문체 따위가) 기품이 있음, 고상〈*of* thought, style, *etc.*〉. **3** Ⓤ 높이[들어올리·올리]기 ; Ⓒ 등용, 승진〈*to* the peerage〉. **4** 올려본각(角), 고도. **5** 〖建〗 입면도, 정면도(正面圖) (cf. PLAN 2) ; 입면 ; 정면, 전면(前面) (front). **6** [the E~ (of the Host)] 〖카톨릭〗 (미사 중의) (성체) 거양.
類義語 ⟹ HEIGHT.

‡**él·e·và·tor** *n.* **1** 물건을 올리는 사람[것, 장치] ; 양곡기(揚穀機), 양수[토(土)]기(機) ; 퍼담아 올리는 기계《따위》. **2** 《美》 엘리베이터, 승강기(=《英》 lift) (cf. CAGE) : an ~ operator 《美》 승강기 운전자(=《英》 liftman) / ☞ SERVICE ELEVATOR. **3** 《美》 대형 곡물창고(=grain ~) 《양곡기를 갖춘》. **4** 〖空〗 승강타(昇降舵) : an ~ angle 승강타 편의각(角).

el·e·va·to·ry [éləvətɔ̀ːri ; élivèitəri] *a.* 올리는, 높이는.

◇**elev·en** [ilévən] *a.* 11의, 11개의, 11명의 ; [*pred.* 로 써서] 11살로. ── *pron.* [복수 취급] 11, 11개, 11명. ── *n.* **1** 11, 11개, 11명 ; Ⓤ 11시 ; 11살 ; 11달러[파운드, 센트《따위》]. **2** 11의 기호 《11, xi, XI》. **3 a)** 11개[명]가 한조가 되는 것《특히 축구 또는 크리켓의 팀》: be in the ~ (11인조의) 선수의 한 사람이다. **b)** [the E~] 그리스도의 11사도 《12사도 중에 유다(Judas)를 제외함》. **4** [*pl.*] 《英口》 =ELEVENSES.
〖OE *endleofon* etc. ; 'one *left* over (ten)'의 뜻인가 ; cf. G *elf*〗

eléven o'clóck *n.* 《英方》 (11시경에 먹는) 간단한 식사.

eléven-plús (examinátion) *n.* (11살 이상이 응시할 수 있는) 중등학교 진학 선발 시험.

elev·ens·es [ilévənzəz] *n. pl.* 《英口》 아침 11시경의 간식(용) 다과(茶菓).

◇**elév·enth** [-θ] *a.* **1** 제11(번째)의. **2** 11분의 1의 : an ~ part 11분의 1. ── *n.* **1** [the ~] 제11 ; (달의) 제11일. **2** 11분의 1. **~·ly** *adv.*

eléventh hóur *n.* 최후의 순간, 최종 기한인 때.
at the eleventh hour 마지막 순간에, 아슬아슬한 고비[때]에.

el·e·von [éləvɑ̀n] *n.* 〖空〗 승강타 (겸용) 보조날개. 〖*elev*ator+ailer*on*〗

elf [élf] *n.* (*pl.* **elves** [élvz], **~s**) **1** 작은[꼬마] 요정《숲·동굴에 산다고 함》. **2** 꼬마, 난쟁이 (dwarf). **3** 장난꾸러기, 개구쟁이 : play the ~ 나쁜 짓[장난]을 하다.
〖OE ; cf. G *Alp* nightmare〗

ELF, Elf, elf 〖通信〗 extremely low frequency 《초(超)저주파 ; 파장 100-1000 ㎞ 정도》. **ELF** Eritrean Liberation Front.

élf àrrow[bòlt, dàrt] *n.* (꼬마 요정의) 돌 화살촉.

élf chìld *n.* =CHANGELING.

élf fìre *n.* 도깨비불(ignis fatuus).

elf·in [élfən] *a.* 꼬마 요정의[같은]. ── *n.* 꼬마 요정 ; 개구쟁이(urchin).

élf·ish *a.* 꼬마 요정의[같은]; (작고) 장난을 좋아하는. —— *n.* 꼬마 요정의 말. **~·ly** *adv.* 꼬마 요정같이; 장난을 잘 쳐서. **~·ness** *n.*
élf·lànd *n.* Ⓤ (작은[꼬마]) 요정의 나라(fairyland).
élf·lòck *n.* 헝클어진 머리, 난발.
élf-strùck *a.* 귀신 들린.
El·gin [élgən] *n.* 엘긴《스코틀랜드 북동부의 옛 주(州); 그 주도》.
Élgin márbles *n. pl.* [the ~] (대영 박물관 소장 고대 그리스의) 대리석 조상(彫像).
El Giza, El Gizeh ☞ GIZA.
El Gre·co [el grékou] *n.* 엘 그레코(1541-1614) 《Crete섬 태생의 스페인 화가》.
el·hi [élhài] *a.* 초등학교에서 고등학교까지의. 〚〈*el*ementary school+*hi*gh school〛
Eli[1] [íːlai] *n.* 남자 이름. 〚Heb.=height, the highest〛
Eli[2] *n.* 《美俗》 예일 대학(Yale University).
Elia [íːliə] *n.* Charles LAMB의 필명(筆名).
Eli·as [iláiəs] *n.* **1** 남자 이름《애칭 Eliot》. **2** = ELIJAH. 〚Gk.; ⇨ ELIJAH〛
elic·it [ilísət] *vt.* (보이지 않는 것·잠재적인 것 따위를) 명백하게 나타나게 하다; (진리 따위를) 끌어내다; (사실·대답·웃음소리 따위를) 유도해 내다. **~·able** *a.* **elí·i·tor** *n.* 〚L *e*-(*licit*- *licio*=*lacio* to deceive)〛 類義語 ⟹ EXTRACT.
elic·i·ta·tion [ilìsətéiʃən, 美+ìːli-] *n.* 끌어냄; 자아냄.
elide [iláid] *vt.* 〘文法〙 (모음·음절을) 생략하다 《보기 *th'*(=the) inevitable hour》; 떼어내다, 제거하다; 무시하다; 삭감하다, 단축하다. —— *vi.* 〘文法〙 생략되다. 〚L E*lis*- -*lido* to crush out〛
el·i·gi·bil·i·ty [èlədʒəbíləti] *n.* Ⓤ 적임, 적격, 유자격.
eligibílity rùle *n.* 자격 규정.
el·i·gi·ble [élədʒəbəl] *a.* 적격인, 자격이 있는 〈*for, to* do〉; 바람직한(desirable), 알맞은(suitable), (특히 결혼 상대로) 적당한: a man ~ ***for*** an office[*for* membership in a society] 직무상의 적임자[회원으로서의 적격자] / seek for an ~ young man *for* one's daughter 사윗감으로 적합한 청년을 물색하다 / He is not ~ *to* enter the game. 그는 경기에 출전할 자격이 없다. —— *n.* 적임자, 적격자, 유자격자〈*for*〉. **-bly** *adv.* 선택될 수 있게; 적당하게. 〚F<L; ⇨ ELECT〛
éligible recéiver *n.* 〘美蹴〙 유(有)자격 포구자(捕球者).
El·i·hu [éləhjùː, iláihjuː] *n.* 남자 이름. 〚Heb.=whose God is〛
Eli·jah [iláidʒə] *n.* **1** 남자 이름《애칭 Eliot》. **2** 〘聖〙 엘리야《헤브라이의 예언자》.
elim·i·na·ble [ilímənəbəl] *a.* 제거[배제]할 수 있는; 〘數〙 소거(消去)할 수 있는.
elim·i·nant [ilímənənt] *n.* 〘數〙 소거식(消去式).
elim·i·nate** [ilímənèit] *vt.* [+目 / +目+*from*+名] 제거하다, 삭제하다; (한 성분을) 배제하다(expel); 〘生理〙 배출하다; 〘競〙 예선에서 탈락시키다, 떨어뜨리다; 〘數〙 소거하다; 무시하다: *E*~ all unnecessary words ***from your essay. 당신의 논문에서 불필요한 말은 모두 삭제하시오. **elím·i·nà·tive** [; -nət-] *a.* 제거되는; 〘數〙 소거되는; 〘生理〙 배출[배설] (작용)의. **elím·i·na·tò·ry** [; -nèitəri] *a.* 〚L=turned out of doors (*limin*- *limen* threshold)〛 類義語 ⟹ EXCLUDE.
elim·i·na·tion [ilìmənéiʃən] *n.* Ⓤ,Ⓒ 제거, 삭제, 배제, 배출, 쫓아냄; 무시; 〘數〙 소거(법); 〘競〙 예선; 〘生理〙 배출; [*pl.*] 배출[배설]물: an ~ contest[match, race] 〘競〙 예선 시합.
elím·i·nà·tor *n.* ELIMINATE하는 사람; 제거자; 배제기(器); 〘電〙 일리미네이터; 교류용 수신기 《전등선으로부터 전류를 받는 라디오 장치》.
El·i·nor [élənər] *n.* 여자 이름《Eleanor의 변형》. 〚⇨ ELEANOR〛
el·int, ELINT [ilínt] *n.* Ⓤ (고성능 정찰장비를 갖춘) 정보 수집선[기(機)](spy ship[plane]); 그에 의한 정보수집 활동, 전자정찰; 그 정보. 〚*el*ectronic *int*elligence〛
El·i·ot [éliət] *n.* **1** 남자 이름《Elijah, Elias의 애칭》. **2** 엘리엇. **George** ~ (1819-80) 영국의 여류 소설가 Mary Ann Evans의 필명(筆名). **3** 엘리엇. **T.S.** ~ (1888-1965) 미국 태생의 영국의 시인·평론가. 〚⇨ ELIAS〛
Elis·a·beth [ilízəbəθ] *n.* **1** 여자 이름. **2** 〘聖〙 엘리사벳《세례 요한의 모친》. 〚⇨ ELIZABETH〛
Eli·sha [iláiʃə] *n.* **1** 남자 이름. **2** 〘聖〙 엘리사《헤브라이의 예언자로 Elijah의 후계자》. 〚Heb.=the Lord is salvation〛
eli·sion [ilíʒən] *n.* Ⓤ,Ⓒ (음(音)의) 생략. 〚L; ⇨ ELIDE〛
elite [ilíːt, ei-] *n.* **1** [집합적으로; 보통 the ~] [단수 취급] 뽑힌 사람들, 선량(選良)(choice people), 정예(精銳), 엘리트; (사회의) 중추 〈*of*〉: *the* ~ *of* society 상류 인사, 명사(名士) / ☞ POWER ELITE. **2** Ⓤ (타자기의) 엘리트 활자 《10포인트; cf. PICA》. —— *a.* 엘리트의[다운]; 뽑아낸, 극상의. 〚F (p.p.)〈ELECT〛
elit·ism [ilíːtizəm, ei-] *n.* 엘리트 의식[주의].
elít·ist *a.* 엘리트주의의. —— *n.* 엘리트주의자; 엘리트.
elix·ir [ilíksər] *n.* **1** 연금약액(鍊金藥液)《비금속을 황금으로 바꾼다고 함; cf. PHILOSOPHER'*s stone*》; 불로 불사의 영약(=∠ **lífe**). **2** (일반적으로) 만능약(cure-all). **3** 《稀》 정수, 본질. 〚L<Arab. (*al* the, *iksīr*<? Gk. *xērion* desiccative powder for wounds〈*xēros* dry)〛
Eli·za [iláizə] *n.* 여자 이름《Elizabeth의 애칭》.
***Eliz·a·beth** [ilízəbəθ] *n.* **1** 여자 이름《애칭 Bess, Bessie, Bessy, Beth, Betty, Eliza, Elsie, Lily, Lise, Lizzie》. **2** 엘리자베스. **a)** ~ **I** (1533-1603) 영국 여왕(1558-1603). **b)** ~ **II** (1926-) 영국 여왕(1952-). 〚Heb. =God has sworn (God+oath)〛
Eliz·a·be·than [ilìzəbíːθən, 美+-béθ-] *a.* Elizabeth의; 엘리자베스 1세[때로 2세] 여왕 시대의: ~ drama 엘리자베스조 연극. —— *n.* 엘리자베스 여왕 시대의 사람, 엘리자베스조의 문인[정치가].
Elizabéthan sónnet *n.* 엘리자베스조풍의 단시(短詩)[소네트].
elk [élk] *n.* (*pl.* **~s**) **1** (*pl.* ~) 〘動〙 큰사슴《북유럽·아시아·북미산》. **2** Ⓤ (스포츠화(靴)를 만드는 소의) 무두질한 가죽. **3** [E~] 《美俗》 시대에 뒤진 사람; [E~] 《美》 엘크 회원《미국의 자선·우애 단체인 Benevolent and Protective Order of Elks에서》. 〚ME<? OE *eolh*; cf. G *Elch*〛
ell[1] [él] *n.* (옛 치수인) 엘《영국에서는 45인치》: Give him an inch and he'll take an ~. 《속담》

한 치를 주니까 한 자를 달란다(「봉당을 빌려 주니 안방까지 달란다」).
〖OE *eln* forearm ; cf. ULNA, G *Elle*〗

ell² *n.* **1** (알파벳의) L[l]. **2** L자형의 것 ; 안채에 L자로 붙은 건물. 〖ME *ele* wing ; cf. AISLE〗

el·lipse [ilíps, e-] *n.* 〖數〗 길쭉한 원, 타원 ; 타원주(周).
the Ellipse 미국 백악관 앞의 광장.
〖F<L<Gk. *elleipsis* deficit〗

el·lip·sis [ilípsəs, e-] *n.* (*pl.* **-ses** [-si:z]) U,C 〖文法〗 생략(법) ; (비논리적인) 비약 ; C 〖印〗 생략 부호(—, …, *** 따위). 〖L<Gk.=omission〗

el·líp·so·gràph [ilípsə-, e-] *n.* 타원을 그리는 컴퍼스.

el·lip·soid [ilípsɔid, e-] *n.* 〖數〗 장[타]원체[면(面)]. —— *a.* =ELLIPSOIDAL.

el·lip·soi·dal [ilipsɔ́idl, èl-] *a.* 장[타]원체 (모양)의 : an ~ solid 타원체.

el·lip·tic, -ti·cal [ilíptik(əl), e-] *a.* **1** 장[타]원(형)의 : ~ trammels 타원 컴퍼스. **2** 생략법의, 생략적인. —— *n.* =ELLIPTICAL GALAXY.
-ti·cal·ly *adv.* 장[타]원형으로 ; 생략적(구문)으로. 〖Gk.=defective ; ⇨ ELLIPSE〗

ellíptical gálaxy *n.* 〖天〗 타원 성운[은하].

el·lip·tic·i·ty [iliptísəti, èlip-] *n.* 타원율(率), (특히) 지구 타원율.

El·lis [éləs] *n.* 남자 이름. 〖⇨ ELIAS〗

Éllis Ísland *n.* 엘리스 섬(뉴욕만의 작은 섬 ; 원래 이민 검역소가 있었음).

***elm** [élm] *n.* 〖植〗 느릅나무 ; U 느릅나무 재목. 〖OE=OHG *elm*〗

El·ma [élmə] *n.* 여자 이름(미국에 많음).
〖Gk. =amiable〗

El·mer [élmər] *n.* 남자 이름.
〖⇨ AYLMER〗

élmy *a.* 느릅나무가 많은.

El Ni·ño Current [el ní:njou ⌐] *n.* 엘니뇨 조류(남미 페루 연안에 몇 년마다 남하하는 난류로 안초비의 떼죽음을 초래함). 〖Sp.=the (Christ) child ; 크리스마스경에 오는데서〗

el·o·cute [éləkjù:t] *vi.* 《戱》 연설하다, 말솜씨를 발휘하다. 〖역성(逆成)<↓ ; *execute*따위의 유추〗

el·o·cu·tion [èləkjú:ʃən] *n.* U 발성법 ; 연설법 ; 웅변술, 낭독법 ; 과장된 변론. **~·àry** [; -əri] *a.* **~·ist** *n.* 웅변가 ; 연설[낭독]법 교사.
〖L (*locut- loquor* to speak)〗

éloge [*F* elɔ:ʒ] *n.* 찬사 ; 추도 연설(특히 프랑스 학사원 회원의 장례식 때 하는).

Elo·him [èlouhím, elóuhim ; elóuhi:m, èlouhí:m] *n.* (헤브라이인의) 신(神).

El·o·ise [èləwí:z ; éloui:z] *n.* 여자 이름.
〖OF<Gmc.=healthy+ample〗

E. long. East longitude.

elon·gate [ilɔ́:ŋgeit, iláŋ-, í:lɔ:ŋgèit, -laŋ- ; í:lɔŋgèit] *vt.* 연장하다, 잡아늘이다(lengthen).
—— *vi.* 늘어지다, 〖植〗 신장(伸長)하다.
—— *a.* 〖動·植〗 신장한, 가늘고 긴.
〖L (*longus* long)〗

elon·ga·tion [ì:lɔ:ŋgéiʃən, ì:laŋ-, ilɔ:ŋ-, ilaŋ- ; ì:lɔŋ-] *n.* U,C 연장선(線), 신장(부), 늘어남.

elope [ilóup] *vi.* (사랑하는 사람과) 집을 뛰쳐 나가다〈*with* a lover〉 ; 도망치다(abscond).
elóp·er *n.* 눈맞아 (애인과) 도망간 사람 ; 도망자 ; 가출자. **~·ment** *n.* U,C 가출 ; 도망.
〖AF< ? ME 《美》 *alope* (p.p.) 〈《美》 *alepe* to run away (*a-*³, LEAP)〗

***el·o·quence** [éləkwəns] *n.* U 웅변, 능변 ; 웅변법, 수사법(修辭法) (rhetoric) ; 《비유》 이성(理性)에 호소하는 힘, 감정을 움직이는 무기.

***él·o·quent** *a.* 웅변의, 능변의 ; (변론·문체 따위가) 남을 움직이는 힘이 있는, 감명을 주는, (…을) 잘 표현하는〈*of*〉 : Eyes are more ~ than lips. 눈은 입보다 더 호소력이 있다. **~·ly** *adv.* 웅변[능변]으로. 〖OF<L ; ⇨ ELOCUTION〗

El Paso [el pǽsou] *n.* 엘패소(미국 Texas 주 서부의 도시).

El·sa [élsə ; *G* ɛ́lza] *n.* 여자 이름.

El Sal·va·dor [el sǽlvədɔ̀:r, -⌐-⌐] *n.* 엘살바도르(중앙 아메리카의 나라 ; 수도 San Salvador).
〖Sp. =the Saviour〗

El·san [élsæn] *n.* 엘산(화학약품으로 살균·탈취 처리를 하는 이동식 변소 ; 상표명).

◇**else** [éls] *adv.* **1** [부정 대명사·의문 대명사 따위를 수반하여] ☞ 活用 (1). **a**) 그밖에, 이외에, 달리(besides) : *who ~'s=whose ~* 그밖에 다른 사람의 / Do you want *anything ~* ? 그밖에 무엇이 필요합니까. **b**) 그 누군가 다른, 대신으로(서) (instead) : *somebody ~'s* hat 그 누군가 다른 사람의 모자 / If you can't find my umbrella, *anyone ~'s* will do. 저의 우산을 찾을 수 없다면 다른 누구의 것이라도 좋습니다. ☞ 活用 (2) / There is *no one ~* to come. 달리 올 사람은 아무도 없다. **2** [보통 or ~ ; 단독으로는 《稀》] …이 아니면, 그렇지 않으면 (if not, otherwise) : He must be joking, *or ~* he is mad. 그는 장난하고 있음에 틀림없다, 그렇지 않으면 미친 것이다 / Start early, (*or*) ~ you won't be able to see him. 빨리 출발하시오, 그렇지 않으면 당신은 그를 만날 수 없을 겁니다 / Hand it over, *or ~*. 그것을 이쪽으로 건네줘, 그렇지 않으면(재미 없어 라는 협박).
***nothing else than*[*but*]. . .** 단지 …할 뿐, …에 지나지 않다. ☞ NOTHING *pron.* ☞ 活用 (3).
〖OE *elles* ; cf. *alius*〗

活用 (1) 부정 대명사·의문 대명사·관계 부사 따위를 수반하여 something else, little else, who-(ever) else, where else 와 같이 일종의 복합어를 만들고 현재에서는 *What* did he say *else*?와 같이 분리된 형보다도 *What else* did he say?의 형이 보통.
(2) 소유격은 else에만 apostrophe(')를 붙여 someone *else's* 따위의 형이 되며 뒤의 명사를 생략하는 독립 용법도 있음. someone*'s else* 따위의 형은 《美》에서 보어로 쓰이기도 함 : This watch is somebody *else's*[somebody*'s else*]. (이 시계는 누구인지 다른 사람의 것이다). 또 who else의 소유격은 whose else와 who else's의 두 가지가 있다 : *Who else's*[*Whose else*] is this book? (이 책은 다른 누구의 것일까요).
(3) else but은 문어로 쓰이는 일이 있지만 현재로는 else than이나 또는 else 없이 but을 쓰는 것이 보통임 : A ferret is *nothing else but* a trained weasel. (흰 담비는 훈련을 받은 족제비에 지나지 않는다)는 A ferret is *nothing than* a trained weasel. 또는 A ferret is *nothing but* a trained weasel. 혹은 단순히 A ferret is *merely*[*only, simply*] a trained weasel.로 하는 편이 좋음.

***élse·whère** [; ⌐⌐] *adv.* 어딘가 다른 곳에[으로] ; 다른 경우에.
here as elsewhere 다른 경우와 같이 이 경우에도.

El·sie [élsi] *n.* 여자 이름(Alice, Alicia, Elizabeth, Eliza 따위의 애칭).

ELSS 〘宇宙〙 extravehicular life support system (선외(船外) 생명유지 장치). **ELT** 〘空〙 emergency landing transmitter (불시착 발신 장치) ; English Language Teaching.

El Tor [el tɔ́ːr] *n.* 〘菌〙 (콜레라균의) 엘 토르 균주(菌株).
〚Sinai 반도에 있는 이집트 검역소의 이름에서〛

elu·ci·date [ilúːsədèit] *vt.* (사실·의도·설명 따위를) 명료하게 하다 ; 뚜렷이 하다, 밝히다, 설명하다(explain). **-dà·tor** *n.* 설명[해명]자. **-dà·tive, -da·to·ry** [-dətɔ̀ːri ; -dèitəri] *a.* 밝히는, 설명적인. **elù·ci·dá·tion** *n.* U,C 설명, 해명.
〚L ; ⇨ LUCID〛

elude [ilúːd] *vt.* (교묘하게) 몸을 비켜 피하다, 벗어나다 ; (법률·의무·지급 따위를) 회피하다(evade) ; …의 눈을 피하다, …에게 발견되지 않다(baffle) : ~ the law 법망을 벗어나다 / ~ observation 남의 눈을 속이다, 남의 눈을 피하다[꺼리다] / ~ one's grasp (붙잡으려고 해도) 붙잡히지 않다 / The meaning ~*s* me. 그 뜻을 나는 모르겠다. 〚L (*lus- ludo* to play)〛
類義語 ⟹ ESCAPE.

elu·sion [ilúːʒən] *n.* U 회피, 도피.
〚L=deception ; ⇨ ELUDE〛

elu·sive [ilúːsiv, -ziv] *a.* (교묘하게) 도망다니는, 회피하는, 이해하기 어려운, 걷잡을 수 없는. **~·ly** *adv.* 걷잡을 수 없이, 포착하기 어렵게, 알 수 없게. **~·ness** *n.* U (교묘하게) 도망함, 포착하기 어려움, 애매함.

elu·so·ry [ilúːsəri] *a.* =ELUSIVE.

elute [i(ː)lúːt] *vt.* 뽑다, 추출하다 ; 〘化〙 용리(溶離)하다, 용출하다.

elu·tion [i(ː)lúːʃən] *n.* 〘化〙 용리, 용출.

elu·tri·ate [ilúːtrièit] *vt.* 씻어서 깨끗이 하다 ; (비중을 이용하여) 수선(水選)하다.

elu·vi·ate [ilúːvièit] *vi.* 용탈(溶脫)하다.

el·van [élvən] *n.* 〘鑛〙 맥반암(脈斑岩) ; 맥반암의 큰 암맥(岩脈).

el·ver [élvər] *n.* 〘魚〙 뱀장어 새끼《바다에서 강으로 올라온 뱀장어 새끼》.
〚*eel*-FARE=brood of young eels〛

elves *n.* ELF의 복수형.

El·vi·ra [elváiərə, -víərə] *n.* 여자 이름.
〚Sp.<Gmc.=elf counsel〛

el·vish [élviʃ] *a., n.* =ELFISH. 〚ELF〛

Ely [íːli] *n.* 일리《잉글랜드 동부의 옛 the Isle of Ely 주의 도시 ; 유명한 대성당이 있음》.

Ély·sée [èiliːzéi] *n.* [the ~] 엘리제(궁), 프랑스 대통령 관저 ; [the ~] 프랑스 정부.

Ely·sian [ilí(ː)ʒən, -ziən] *a.* ELYSIUM의[같은] ; 지복의 ; 기쁨에 찬 : ~ joy 낙원[극락 정토(極樂淨土)]의 즐거움.

Elýsian fíelds *n. pl.* =ELYSIUM 1.

Ely·si·um [ilí(ː)ʒiəm, -zi-] *n.* (*pl.* **~s, -sia** [-iə]) **1** 〘그神〙 극락 ; 이상향, 낙원(paradise). **2** U 《비유》 최상의 행복. 〚L<Gk.〛

el·ytr- [élətr], **el·y·tri-** [-trə], **el·yt·ro-** [-trou, -trə] *comb. form* 「시초(翅鞘)」의 뜻. 〚Gk.〛

el·y·tron [élətrɑ̀n], **-trum** [-trəm] *n.* (*pl.* **-tra** [-trə]) (풍뎅이류의) 시초(翅鞘), 겉날개(wing case). 〚Gk.=sheath〛

El·ze·vir, -vier [élzəvìər, -vər] *a.* 네덜란드의 인쇄업자 Elzevir가(家)에서 출판한.
—— *n.* Elzevir판의 책 ; Elzevir 활자(체).

em[1] [ém] *n.* M의 글자 ; 〘印〙 전각(全角)(cf. EN).

em[2], **'em** [əm] *pron. pl.* 《口》 =THEM《역사적으로는 hem(=them)의 h가 탈락》: I know'*em*.
〚ME, *hem*(=them)의 두음소실형(頭音消失形)〛

EM 〘美陸軍〙 enlisted man[men] ; electron microscope ; educational manual.

Em. 〘化〙 emanation.

em-[1,2] [əm] ☞ EN-[1,2].

EMA European Monetary Agreement (유럽 통화 협정).

ema·ci·ate [iméiʃièit ; -si-] *vt.* 수척하게 만들다, 야위게 하다 ; 약하게 하다, 약화시키다.
—— *vi.* 약해지다. **emá·ci·àt·ed** *a.* 야윈, 쇠약해진 ; 빈약한 ; (땅이) 메마른.
〚L (*macies* leanness)〛

ema·ci·a·tion [imèiʃiéiʃən ; -si-] *n.* U 야윔, 쇠약함 ; 초췌.

em·a·nate [émənèit] *vi.* [+*from*+名] (빛·열·소리·증기·향기 따위가) 방출[방사·발산]하다(come out), (소문 따위가) 퍼지다 : A subtle influence ~*d* ***from*** the professor. 미묘한 영향력이 교수에게서 풍겨나왔다. —— *vt.* 발산시키다. 〚L (*mano* to flow)〛

em·a·na·tion [èmənéiʃən] *n.* **1** U 방출, 발산, 방사 ; 감화력 ; C 발산물, 방사물 : an ~ *from* a flower 꽃에서 발산되는 향기. **2** U 〘化〙 에머네이션《방사성 물질의 방출 기체 ; 略 Em.》.

ém·a·nà·tive [; -nət-] *a.* 발산[방사]하는.

***eman·ci·pate** [imǽnsəpèit] *vt.* (정치적·사회적·도덕적·지적 속박에서) 해방하다〈*from*〉; 〘法〙 (아이를) 부권(父權) 따위에서 해방(하여 법적인 성인으로) 하다. **-pàt·ed** *a.* 해방된 ; 전통[인습]에 구애되지 않는, 자주적인, 자유로운. **-pà·tive** *a.* =EMANCIPATORY. 〚L=to free from possession (*manus* hand, *capio* to take)〛
類義語 ⟹ FREE.

eman·ci·pa·tion [imæ̀nsəpéiʃən] *n.* U,C (노예·부권 따위로부터의) 해방〈*of*〉; 이탈, 면제되기〈*from*〉. **~·ist** *n.* (노예) 해방론자.

Emancipátion Proclamátion *n.* [the ~] 〘美史〙 노예 해방령《1862년 9월에 Lincoln 대통령이 선언, 1863년 1월 1일 발효》.

emán·ci·pà·tor *n.* 해방자, (노예) 해방론자.
the Great Emancipator 위대한 해방자《Abraham Lincoln을 이름》.

eman·ci·pa·to·ry [imǽnsəpətɔ̀ːri ; -pətəri] *a.* 해방하는.

Eman·u·el [imǽnjuəl] *n.* 남자 이름.
〚Heb.=God is (with) us〛

emar·gi·nate [imɑ́ːrdʒənèit, -nət], **-nat·ed** [-nèitəd] *a.* 〘植·動〙 가장자리가 깔쭉깔쭉한.

emas·cu·late [imǽskjəlèit] *vt.* 거세하다(castrate) ; 무기력하게 하다, 약하게 하다 ; (문장·법률 따위의) 골자를 빼다. ——[-lət, -léit] *a.* 거세당한 ; 무기력한 ; 골자를 뺀.
-là·tive [, -lət-], **-là·tor** *n.* 거세하는 사람[도구]. **emàs·cu·lá·tion** *n.* U 거세(된 상태) ; 무력화. **-la·to·ry** [imǽskjələtɔ̀ːri ; -lətəri] *a.* 거세하는 ; 골자를 빼버리는 ; 무기력하게 하는.
〚L ; ⇨ MALE〛

em·bálm *vt.* (시체를) 향료를 채워서 방부 보존하다, 미라로 만들다 ; 《비유》 오래 기억에 남기다 ; (방안에) 향기를 채우다. **~ed** *a.* 《美俗》 (술에) 취한. **~·ment** *n.* U 시체 보존, 미라로 만듦 ; C 시체 방부제. 〚OF (*en*-[1])〛

em·bánk *vt.* (하천 따위를) 둑[제방]으로 둘러싸다, …에 둑[제방]을 두르다. 〚*en*-[1], BANK[1]〛

em·bánk·ment *n.* U 둑을 쌓기 ; C 둑, 제방, 철도 둑, (제방 같이) 쌓아올린 흙더미 ; [the E~] London의 Thames 강가의 도로.

embarcation ☞ EMBARKATION.

em·bar·go [embɑ́ːrgou] *n.* (*pl.* ~**es**) **1** (선박의) 억류, 출[입]항 금지. **2** (특정 품목에 대한) 통상 정지. **3** 금지(prohibition), 금제(禁制), 제한 : an ~ *on* the export of gold=a gold ~ 금수출 금지.
lay [***put, place***] ***an embargo on*** . . . =***lay*** . . . ***under an embargo*** (선박 따위를) 억류하다 ; (통상 따위를) 정지하다.
lay an embargo upon …을 억압하다.
lift [***take off, remove***] ***an embargo*** (***on*** . . .) (…의) 출항 정지를 해제하다 ; (…을) 해금하다.
under an embargo (배가) 억류되고 (있는) ; (수출이) 금지되고 (있는).
── *vt.* (배에) 출[입]항 금지를 명하다 ; (통상을) 정지하다 ; (배·화물을) 징발[몰수]하다.
〖Sp. (*embargar* to arrest) ; ⇨ BAR[1]〗

em·bark** [embɑ́ːrk, im-] *vt.* **1** [+目/+目+*for*+名] 승선(乘船)시키다, (화물 따위를) 실어 넣다(↔*disembark*) : They ~*ed* more troops ***for Israel. 이스라엘에 군대를 더 파견했다. **2** [+目+前+名] (사업에 남을) 나서게 하다 ; 착수시키다 ; (사업에 사람을) 끌어들이다, (사업에 돈을) 투자하다 : ~ oneself ***in*** …에 착수하다 / He ~*ed* lots of money *in* the scheme. 그 계획에 거액의 돈을 투자했다. **3** 출국하다. ── *vi.* **1** [動/+前+名] 배에 타다 ; 배가 떠나다 : Many people ~ ***for*** Europe in New York. 유럽으로 떠나는 많은 사람들이 뉴욕에서 배를 탄다. **2** [+前+名] 착수하다, 종사하다(engage) : He ~*ed* ***on*** a new enterprise. 새로운 사업에 착수했다 / After leaving college, George ~*ed* ***upon*** a business career. 대학을 졸업하자 조지는 실업계에 들어갔다 / They ~*ed* ***in*** matrimony. 두 사람은 결혼 생활을 시작했다.
〖F (BARK[3])〗

em·bar·ka·tion, -ca- [èmbɑːrkéiʃən, -bər-] *n.* Ⓤ 승선(乘船), 비행기에 타기, 탑승, 탑재 ; 탑재물 ; (사업에의) 착수.

embarkátion càrd *n.* 출국 카드(↔*disembarkation card*).

embárk·ment *n.* =EMBARKATION.

em·bar·rass** [imbǽrəs, em-] *vt.* **1** [+目/+目+前+名] 어리둥절하게 하다, 당황하게 하다 ; [*p.p.* 로] (금전상) 곤란하게 하다 : Meeting strangers ~*es* Tom. 낯선 사람을 만나면 톰은 당황하고 만다 / He was ~*ed* ***in his domestic economy. 그는 집안 사정으로 어려운 처지에 놓였다. **2** (행동·진행 따위를) 방해하다, 훼방놓다 ; (소화·호흡 따위)의 기능을 저해하다 ; (문제 따위의) 분규를 일으키다. ── *vi.* 두근두근하다, 멋적은[쑥스러운] 생각을 하다.
~·able *a.*
〖F<Sp.<It. (*imbarrare* to bar in<BAR[1])〗
類義語 ⟹ CONFUSE.

embárrass·ing *a.* 난처하게 하는, 성가신, 어려운. **~·ly** *adv.* 어렵게, 어려운 처지에.

embárrass·ment *n.* **1** Ⓤ 당황, 난처함 ; (남 앞에서) 기가 죽음, 쑥스러워함. **2** [보통 *pl.*] 재정 곤란, 궁핍. **3** 방해가 되는 것, 골칫거리.
financial embarrassments 재정 곤란.

em·bas·sa·dor [embǽsədər] *n.* =AMBASSADOR.

***em·bas·sy** [émbəsi] *n.* **1** 대사관(cf. LEGATION, AMBASSADOR) : the British *E*~ in Seoul 서울 주재 영국 대사관. **2** 대사관원 전원 ; 대사 일가[일행]. **3** 대사의 임무[사명]. **4** 사절(단)(일행) ; (사절의) 사명(mission) : go on an ~ 사절로서 가다.
〖C16 *ambassy*<OF ; ⇨ AMBASSADOR〗

em·báttle *vt.* **1** 〖OF (*en*-[1])〗 (군대 따위의) 진용[전투준비]을 갖추다. **2** 〖*en*-[1], OF *bataillier* ; cf. BATTLEMENT〗 (건물·성벽에) 총안(銃眼)이 있는 흉벽(胸壁)을 설치하다.

em·báttled *a.* **1** 진용을 갖춘, 싸울[전투] 준비가 된 ; 한창 전투 중에 있는 ; 전쟁[논쟁]을 한. **2** 총안 흉벽이 있는 ; 〖紋〗 선(線)에 총안 모양의 요철(凸凹)이 있는.

em·báttle·ment *n.* =BATTLEMENT.

em·báy *vt.* **1** (배를) 만(灣) 안으로 들이다 ; (바람이 배를) 만 안으로 들어오게 하다. **2** (선대(船隊)를) 만 안으로 넣은 것 같이 수비하다[지키다] ; 가두어 넣다(shut in), 포위하다 ; 만 모양으로 하다.

em·báy·ment *n.* Ⓤ,Ⓒ 만 (모양의 것) ; 만을 이룸, 만입.

em·béd *vt.* [+目/+目+*in*+名] [특히 *p.p.* 로] 끼워 넣다, 파묻다 ; (마음·기억 따위에) 깊이 새겨두다 : Pebbles were ~*ded* ***in*** the rock. 자갈이 바위에 박혀 있었다 / The scene was ~*ded in* his memory. 그 장면은 그의 기억 속에 새겨져 있었다. ── *vi.* 끼워 넣다.

em·bel·lish [imbéliʃ, em-] *vt.* [+目/+目+*with*+名] (꾸며서) 아름답게 하다(beautify), 장식하다(adorn) ; (문장을) 꾸미다, (이야기 따위를) 윤색[각색]하다 ; 〖樂〗 (멜로디 따위)에 장식음을 달다 : He ~*ed* his story ***with*** details. 그는 이야기에 살을 붙여서 재미있게 했다.
〖OF (*bel*〈BEAU)〗

embéllish·ment *n.* Ⓤ 장식 ; 윤색[각색·덧꾸미는 일]하기 ; Ⓒ 장식물 ; 〖樂〗 장식음.

em·ber[1] [émbər] *n.* [보통 *pl.*] 타다 남은 불, 등걸불 : rake (up) hot ~*s* 등걸불을 긁어모으다.
〖OE *æmyrge* ; -*b*-는 cf. SLUMBER〗

ember[2] *a.* 〖카톨릭〗 (일년 4계절 각 3일간씩 금식 및 기도하는) 사계 대재일의.

émber dàys *n. pl.* 〖카톨릭〗 사계 대재일(大齋日). 〖OE *ymbren* (n.)〈? *ymbryne* period, circuit (*ymb* about, *ryne* course)〗

émber wèek *n.* 〖카톨릭〗 사계 대재 주간.

em·bez·zle [embézəl, im-] *vt.* (위탁금·돈 따위를) 써버리다, 횡령[착복]하다. **~·ment** *n.* Ⓤ,Ⓒ 써버리기, 횡령, 착복.
〖AF (*en*-[1], *besiler*=OF *besillier* to maltreat, ravage<?)〗

em·béz·zler *n.* 횡령[착복]자.

em·bítter *vt.* 쓰라리게 하다, (마음을) 비참하게 하다, (감정을) 해치다 ; (유한(遺恨)·재화(災禍) 따위를) 한층 더 심하게 하다 ; 분격시키다. **~ed** *a.* 적의[악감정]를 품은. **~·ment** *n.* Ⓤ (고통 따위의) 심각화 ; (원한 따위의) 격화, 격분.

em·bláze[1] *vt.* 호화롭게 꾸미다 ; 《古》 문장(紋章)으로 장식하다(emblazon).

emblaze[2] *vt.* …에 점화하다, 타오르게 하다 ; 《古》 (불꽃으로) 밝게 비추다, 빛나게 하다. 〖BLAZE[1]〗

em·bla·zon [imbléizən, em-] *vt.* 문장(紋章)으로 꾸미다(blazon) ; (아름다운 빛깔로) 그리다, 꾸미다 ; 칭찬하다. **~·er** *n.* **~·ment** *n.* [보통 *pl.*] 문장(紋章) ; Ⓤ,Ⓒ 장식 ; 칭찬. **~·ry** *n.* Ⓤ 문장 묘화(법)(紋章猫畫(法)) ; [집합적으로] 문장 ; Ⓒ 아름다운 장식.

em·blem [émbləm] *n.* 상징, 표상(表象)(symbol) 〈*of* peace〉 ; (미덕 따위의) 전형적인 인물 ; 상징적인 무늬[문장], 기장(記章)(badge) ; 전형(典

型), 귀감(龜鑑) (type) 〈*of* honesty〉.
—— *vt.* 《稀》 상징하다. 〖L<Gk.=insertion〗
類義語 ⟹ SYMBOL.

em·blem·at·ic, -i·cal [èmbləmǽtik(əl)] *a.* 상징적인; (…을) 표상하는〈*of*〉.
-i·cal·ly *adv.* 상징적으로, 전형적으로.

em·blem·a·tist [emblémətəst] *n.* 표장(標章)[휘장] 고안자[제작자]; 우화 작가.

em·blem·a·tize [emblémətàiz], **émblem·ìze** *vt.* 상징하다; 상징으로 나타내다.

émblem bòok *n.* 우의화집(寓意畫集).

em·ble·ments [émbləmənts] *n. pl.* 〖法〗 인공 농작물; 그것에 의한 수익; (차지인의) (농)작물 수득권.

em·bod·i·ment [imbádimənt, em-] *n.* **1** Ⓤ 구체화, 체현(體現). **2** 구체적 표현; (미덕 따위의) 화신(化身), 권화(權化) (incarnation): an ~ *of* beauty 미의 화신 / He is the ~ *of* courage. 그는 용기의 화신이다. **3** 조직화, 체계화.

em·body** [imbádi, em-] *vt.* [+目/+目+*in*+名] **1** (정신에) 형태를 부여하다; (사상·감정 따위를 예술 작품·말 따위로) 구체적으로 표현하다, 구체화(化)하다, 체현(體現)하다: The statue *embodies* the sentiment of the sculptor. 그 조각은 조각가의 정서를 구현하고 있다 / He *embodied* the idea ***in his painting. 그는 그 이념을 그림 속에서 구체적으로 나타내었다. **2** 합체시키다, 포괄하다; 포함하다, 수록(收錄)하다.

em·bóg *vt.* 수렁에 빠뜨리다; 꼼짝 못하게 하다.

em·bol- [émbəl], **em·bo·li-** [-lə], **em·bo·lo-** [-lou, -lə] *comb. form* 「색전, 전자」의 뜻. 〖L〗

em·bóld·en *vt.* [+目/+目+*to* do] 대담하게 하다, 용기를 주다: This ~*ed* me *to* ask for more help. 이로써 용기를 얻어 더 원조해 달라고 부탁했다.

em·bol·ic [embálik, im-] *a.* 〖醫〗 색전증(塞栓症)의.

em·bo·lism [émbəlìzəm] *n.* (달력에) 윤일(閏日) [윤달]을 넣기; 윤일, 윤달; 〖醫〗 색전증.
〖ME=intercalation<L<Gk.〗

em·bo·lus [émbələs] *n.* (*pl.* **-li** [-lài]) 〖醫〗 전자(栓子), 색전물; 《古》 삽입물《주사기의 피스톤 따위》. 〖L=piston<Gk.=peg, stopper〗

em·bon·point [*F* ɑ̃bɔ̃pwɛ̃] *n.* 《婉》 (주로 여성의) 뚱뚱함, 비만. —— *a.* 뚱뚱한.
〖F=in good condition〗

em·bósom *vt.* **1** [+目/+目+前+名] [*p.p.*로] (수목(樹木)·언덕 따위가) 둘러[에워]싸다(surround): The farmhouse was ~*ed* ***in***[***with***] trees. 그 농가는 나무로 둘러싸여 있었다. **2 a)** 가슴에 품다, 껴안다(embrace). **b)** 소중히 하다.

em·boss [imbás, em-, 美+-bɔ́:s] *vt.* [+目/+目+*with*+名] …에 양각(陽刻)으로 새기다, 돋을새김을 하다; (무늬·도안을) 도드라지게 하다; (금속에) 양각하다: an ~*ed* address on one's notepaper 편지지에 양각으로 인쇄한 주소 / Coins are ~*ed* ***with*** letters and figures. 동전에는 문자나 숫자가 양각되어 있다.
〖OF (BOSS²)〗

em·bóssed *a.* 양각으로 새긴, 돋을새김을 한; 무늬를 도드라지게 한.

embóss·ment *n.* Ⓤ 양각으로 함; Ⓒ 돋을새김; 도드라지게 함[한 무늬].

em·bou·chure [àmbuʃúər] *n.* 하구, 강[골짜기] 어귀; 〖樂〗 관악기의 취구(吹口); (취주 악기에) 입술을 대는 법. 〖F (*bouche* mouth)〗

em·bówel *vt.* =DISEMBOWEL.

em·bówer *vt.* (푸른 잎 따위로) 울창하게 덮다, 나무 그늘로 가리다; 나무로 에워싸다〈*in, with*〉.

em·brace**¹ [imbréis, em-] *vt.* **1** 포옹하다; 껴안다(hug): She ~*d* her baby. 갓난애를 껴안았다 / They ~*d* each other. 둘은 서로 껴안았다. **2** (기회를) 포착하다, (신청 따위에) 기꺼이 응하다; (주의(主義) 따위를) 채용하다, 교리(敎理)를 받들다(adopt); (직위에) 취임하다, (…한 생활로) 들어가다: The settlers ~*d* the Christian religion. 그 개척민들은 기독교를 신봉했다. **3** [+目/+目+*in*+名] 포함하다(include): Many subjects are ~*d* ***in an encyclopedia. 백과 사전에는 수많은 항목이 포함되어 있다. **4** (산맥 따위가) 둘러싸다(surround). **5** 알아차리다, 깨닫다(take in). —— *vi.* 서로 껴안다: They shook hands and ~*d*. 둘은 서로 악수를 하고 껴안았다.
—— *n.* **1** 포옹; [흔히 *pl.*] 《婉》 성교; 둘러쌈, 포위. **2** (주의 따위의) 채용, 용인, 신봉. **~·ment** *n.* =EMBRACE¹; (특히) 채용, 용인, 신봉.
〖OF<L (BRACE)〗
類義語 ⟹ INCLUDE.

embrace² *vt.* 〖法〗 (법관·배심원 등을) 매수하다, 포섭하다. 〖역성(逆成)<↓〗

embráce·or, em·brác·er *n.* 포옹하는 사람; 〖法〗 (법관·배심원을) 매수하는 사람.

em·brác·ery *n.* Ⓤ 〖法〗 배심원의 매수죄(罪).

em·bránch·ment *n.* Ⓤ,Ⓒ 분지(分枝), 분기(分岐), 지류; 〖動〗 문(門).

em·bran·gle [imbrǽŋgəl, em-] *vt.* 혼란케[헝클어지게] 하다(entangle).

em·bra·sure [imbréiʒər, em-] *n.* 〖建〗 (문·창 둘레의) 나팔꽃 모양(의 구멍); 안쪽으로 넓어진 문[창]; 〖築城〗 (안쪽이 바깥쪽보다 좁게 된) 흉벽 총안(胸壁銃眼). 〖F (*embraser* to splay<?)〗

em·bríttle *vt., vi.* 무르게 하다, 무르다, 취약화시키다[하다]. **~·ment** *n.*

em·bro·cate [émbroukèit, -brə-] *vt.* 〖醫〗 (환부)에 물약을 바르다, 찜질하다〈*with*〉.

em·bro·ca·tion [èmbroukéiʃən, -brə-] *n.* Ⓤ,Ⓒ 물약의 도찰(塗擦), 찜질; 도찰제(劑)[액].
〖F or L (Gk. *embrokhē* lotion)〗

em·bro·glio [embróuljou] *n.* (*pl.* **~s**) =IMBROGLIO.

em·broi·der** [imbrɔ́idər, em-] *vt.* **1** [+目/+目+前+名] …에 자수를 놓다; (무늬 따위를) 수놓다: She ~*ed* her initials ***on the handkerchief. 그녀는 손수건에 자기 이름의 머리글자를 수놓았다. **2** (이야기를) 윤색하다(embellish), 꾸미다, 과장하다. —— *vi.* **1** 수놓다. **2** (이야기 따위를) 윤색하다〈*on, upon*〉. **~·er** *n.* 수놓는 사람.
〖AF<Gmc.〗

em·broi·dery [imbrɔ́idəri, em-] *n.* **1** Ⓤ 자수, 수놓기; Ⓒ 자수품(品). **2** Ⓤ 분식(粉飾); Ⓤ,Ⓒ 윤색.

em·broil [imbrɔ́il, em-] *vt.* [+目/+目+前+名] **1** (분쟁·전쟁 따위에) 휘말리게 하다(entangle): They did not wish to become ~*ed* ***in*** the disputes. 그 분쟁에 휘말려 들지 않기를 바랐다. **2** 혼란[분규]시키다, 얽히게 하다. **3** 반목(反目)시키다: ~ a person ***with*** another 어떤 사람을 다른 사람과 반목시키다. **~·ment** *n.* Ⓤ,Ⓒ 혼란, 분규, 분쟁, 소동; 휘말림. 〖F (BROIL²)〗

em·brówn, im- *vt.* 갈색이 되게 하다; 거무스름하게 하다.

embrue ☞ IMBRUE.

embrute ☞ IMBRUTE.

em·bry- [émbri], **em·bryo-** [-briou, -ə] *comb.*

form EMBRYO의 뜻. 〖L〗
em·bryo [émbriòu] *n.* (*pl.* **-bry·òs**) **1** (임신 8주 말까지의) 태아(cf. FETUS); 〔動·植〕 배(胚); 애벌레; 씨눈. **2** 징조; (발달의) 초기의 것.
in embryo 미발달의[상태의], 초기의, 아직 형태를 갖추지 않은.
—— *a.* =EMBRYONIC.
〖L<Gk. *en-*[2] (*bruō* to grow)〗
émbryo frèezing *n.* 수정란의 동결 보존《액체 질소로 냉동 보존》.
ém·bry·òid *n.* 〔生〕 배양체(胚樣體).
embryol. embryology.
em·bry·ol·o·gy [èmbriálədʒi] *n.* Ⓤ 발생학; 태생학(胎生學). **-gist** *n.* 발생[태생]학자.
em·bry·o·log·ic, -i·cal [èmbriəládʒik(əl)] *a.* 발생[태생]학(상)의.
em·bry·on- [émbriən], **em·bry·o·ni-** [-ni] *comb. form* EMBRYO의 뜻. 〖L〗
em·bry·on·ic [èmbriánik] *a.* 배(胚)에 관한; 태아의, 태생의; 배[태아]와 같은; 미발달의.
émbryo sàc *n.* 〔植〕 배낭(胚囊).
émbryo trànsfer *n.* 〔醫〕 배이식(胚移植)《분열 초기의 수정란(受精卵)을 외과적 수단으로 다른 자궁으로 옮기는 일; cf. EGG TRANSFER》.
em·bús *vt., vi.* 〔軍〕 버스[트럭]에 태우다, 버스[트럭]에 타다.
em·bus·qué [*F* ɑ̃byske] *n.* (*pl.* **~s** [—]) 관직에 있어 병역이 면제되는 사람.
EMC electromagnetic compatibility.
em·cee [émsíː] *n.* 《口》 사회자. —— *vt., vi.* 사회를 보다, 사회하다. 〖*m*aster of *c*eremonies〗
EMCF European Monetary Cooperation Fund (유럽 통화 협력 기금).
emeer, emeerate ☞ EMIR, EMIRATE.
Emeline ☞ EMMELINE.
emend [iménd] *vt.* (문서·서적의 본문 따위를) 교정[수정]하다; 《古》 …의 결점을 없애다, 고치다. **~·able** *a.* 〖L *e-*(*mendo*‹*menda* fault)=to free from faults〗
emen·date [íːmendèit, -mən-, émən-, iméndeit] *vt.* =EMEND.
emen·da·tion [ìːmendéiʃən, -mən-, èmən-, èmen-] *n.* Ⓤ 교정, 수정; Ⓒ 교정[수정]한 곳.
emén·da·tò·ry [; -təri] *a.* 교정[수정]의.
émen·dà·tor *n.* 교정자, 수정자.
em·er·ald [émərəld] *n.* **1** 〔鑛〕 에메랄드, 취옥(翠玉). **2** Ⓤ 에메랄드 빛깔, 선녹색(鮮綠色). **3** Ⓤ 《英》〔印〕 에메랄드《6½포인트 활자; ☞ TYPE 5 注》. —— *a.* **1** 에메랄드(제(製))의; 에메랄드가 박힌. **2** 에메랄드 빛깔의, 선녹색의. 〖OF<L<Gk. *smaragdos*〗
émerald gréen *n.* 선녹색, 에메랄드 그린.
em·er·al·dine [émərəldìːn, -dàin] *n.* 암록색 염료(暗綠色染料). —— *a.* 에메랄드 빛깔의, 선녹색(鮮綠色)의.
Émerald Ísle *n.* [the ~] 아일랜드《속칭》.
emerge** [imə́ːrdʒ] *vi.* [動/+*from*+名] **1** (물속·어둠 속 따위에서) 나오다, 나타나다(appear): The sun soon *~d* ***from behind the cloud. 태양이 곧 구름 뒤에서 나타났다. **2** (빈곤·낮은 신분 따위에서) 벗어나다, 떠오르다, 빠져 나오다(come out) 〈*from*〉; 〔生〕 ((창발적) 진화에 의하여) 출현[발생]하다. **3** (새로운 사실 따위가) 나타나다, 밝혀지다; (문제·곤란 따위가) 발생하다(arise): Some important facts *~d* as a result of the investigation. 몇몇 중요한 사실이 조사 결과 드러났다. 〖L (MERGE)〗
emer·gence [imə́ːrdʒəns] *n.* 출현; 부상; 〔地〕 (해저) 상승, 융기; 발생; 〔哲·生〕 (진화의 과정에서의) 창발.
***emér·gen·cy** *n.* Ⓤ,Ⓒ 비상시, 비상 사태, 위급, 긴급, 응급, 돌발 사태: an ~ act[ordinance] 긴급 법령 / an ~ man 임시 고용인; 후보 선수 / ~ ration 〔軍〕 비상 휴대 식량 / ~ measures 응급 조치 / ~ stairs 비상 계단 / a national ~ 국가 비상시 / in an[in case of] ~ 비상시에는, 일단 유사시에는 / declare a state of ~ 비상 사태를 선포하다.

〈회화〉
May I speak to Tom? — He's busy now. — But it's an *emergency.* 「톰과 얘기할 수 있을까」「그는 지금 바빠」「하지만 긴급한 일인데」

類義語 ***emergency*** 예기치 않았던 갑작스런 사태에 따라 즉시 어떠한 행동을 취할 것인가의 대책을 세우지 않으면 안되는 것. ***exigency*** 사태의 긴급성 또는 그 대책의 필요성을 강조하는 것. ***pinch*** 무슨 행동·대책을 취할 필요는 있지만 emergency나 exigency 만큼은 심각하지 않은 것. ***crisis*** 어떤 사태가 사람이나 나라의 생사에 관한 것으로 그 운명을 좌우할 만큼 중대한 것. ***strait*** 탈출하기가 아주 어려운 괴로운 사태.
emérgency bràke *n.* (자동차의) 비상 브레이크《주차용·비상용》.
emérgency càll *n.* 비상 소집.
emérgency dòor[èxit] *n.* 비상구.
emérgency fùnd *n.* 우발(偶發) 손실 준비금.
emérgency lánding fìeld *n.* (항공기의) 비상 착륙장.
emérgency wárning sỳstem *n.* 긴급 경보 방송.
emér·gent *a.* **1** 나타나는, 출현하는; 신생의, 신흥의: an ~ nation 신흥국. **2** 불의에 일어나는; 긴급한(urgent). **3** 〔哲·生〕 창발(創發)적인, 갑작스런: ~ evolution 창발적 진화.
—— *n.* emergent한 것; 〔生態〕 거대목.
emérg·ing *a.* 최근 만들어진[생겨난]; 새로 독립국이 된: an ~ industry 신흥 산업 / ~ countries 신흥 독립국.
emer·i·tus [imérətəs] *a.* 명예…, 명예 퇴직의: an ~ professor=a professor ~ 명예 교수.
—— *n.* (*pl.* **-ti** [-tài, -tìː]) 퇴직전의 칭호를 그대로 써도 되는 사람《명예 교수 등》.
〖L (p.p.)‹*e-*(*mereor* to earn)=having earned discharge〗
emersed [i(ː)mə́ːrst] *a.* (물속 따위에서) 나온, 나타난.
emer·sion [i(ː)mə́ːrʃən, 美+-ʒən] *n.* 출현(emergence); Ⓤ,Ⓒ 〔天〕 (일[월]식 후 또는 엄폐(掩蔽) 후의 천체의) 재현(再現)(reappearance).
Em·er·son [émərsən] *n.* 에머슨. **Ralph Waldo** ~ (1803-82) 미국의 평론가·시인·철학자.
Em·er·so·ni·an [èmərsóuniən] *a.* 에머슨의[같은]; 에머슨식의. —— *n.* 에머슨 숭배자.
~·ìsm *n.* 〔哲〕 에머슨주의, 초월주의.
em·ery [éməri] *n.* Ⓤ 금강사(金剛砂).
〖F<It.<Gk.=polishing powder〗
Emery *n.* 남자 이름.
〖Gmc.=industrious ruler (work+rule)〗
émery bàg *n.* 금강사를 넣은 작은 주머니.
émery bòard *n.* (매니큐어용) 손톱줄.
émery clòth *n.* 금강사로 만든 사포(砂布)《금속 연마용》.
émery pàper *n.* 금강사로 만든 사지(砂紙).

émery pòwder *n.* 금강사 (가루).
émery whèel *n.* 금강사 회전 숫돌.
E-meter [íː-] *n.* 피부의 전기 저항 변동을 측정하는 검류계《거짓말 탐지기 비슷한 장치》. 〚*E*lectro*meter*〛
emet·ic [imétik] *a.* 구토를 일으키게 하는 ; 《비유》 구역나는. —— *n.* 구토제(劑). 〚Gk. (*emeō* to vomit)〛
emeu [íːmjuː] *n.* =EMU.
émeute [*F* emøːt] *n.* (*pl.* **~s** [—]) 폭동, 소요.
EMF European Monetary Fund(유럽 통화기금). **EMF, emf** electromotive force. **EMG** 〔醫〕 electromyogram ; electromyograph. **EMI** electromagnetic interference.
-e·mia, -ae·mia [íːmiə], **-he·mia, -hae·mia** [híːmiə] *n. comb. form* 「…한 혈액을 가진 상태」 「혈액 속에 …이 있는 상태」의 뜻 : septic*emia*, ur*emia*. 〚NL<Gk. ; ⇨ HEM-〛
emic [íːmik] *a.* 〔言〕 이미크적(的)인《언어·인간 행동의 분석·기술에서 기능면을 중시하는 관점에 관하여 말함 ; cf. ETIC》. 〚phon*emic*〛
emic·tion [imíkʃən] *n.* 배뇨(排尿) (urination).
***em·i·grant** [éməgrənt] *n.* 이민(移民), (다른 나라로의) 이주자, 외국으로 돈벌이 가는 사람(cf. IMMIGRANT). —— *a.* **1** (다른 나라로) 이주하는. **2** 이민의 : an ~ ship 이민선.
emigrant bird 철새.
em·i·grate** [éməgrèit] *vi.* [動/+前+名] **1** (다른 나라로) 이주하다(cf. IMMIGRATE) : They ~*d* ***from Korea ***to*** Brazil. 그들은 한국에서 브라질로 이주했다. **2** 《英口》 전거(轉居)[이전]하다. —— *vt.* 이주시키다, 이민으로 내보내다. 〚L (MIGRATE)〛
em·i·gra·tion [èməgréiʃən] *n.* **1** Ⓤ (다른 나라로의) 이주(cf. IMMIGRATION). **2** [집합적으로] 이주자, 이민(emigrants).
emigrátion tàx *n.* =EXIT TAX.
em·i·gra·to·ry [éməgrətɔ̀ːri ; -təri, -grèitəri] *a.* 이주의 ; 이주하는, 이동성의(migratory).
émi·gré, emi·gré [éməgrèi, ⌐-⌐] *n.* 이주자 ; (특히 1789년 프랑스 혁명이나 1917년 러시아 혁명 때의) 망명자. 〚F (p.p.) < *émigrer* ; ⇨ EMIGRATE〛
Emil [íːmil, éi-] *n.* 남자 이름. 〚Gmc.=industrious ; cf. L *Aemilius*〛
Emile [eimíːl] *n.* 남자 이름. 〚F (↑)〛
Emi·lia [imíliə, -ljə], **Em·i·lie, Em·i·ly** [éməli] *n.* 여자 이름《애칭 Millie》. 〚Gmc.<L (fem.) ; ⇨ EMIL〛
em·i·nence [émənəns] *n.* **1** Ⓤ (지위·신분 따위의) 높음, 고위, 고귀(loftiness) ; (학식·덕망 따위의) 탁월〈*in* science〉; 고명, 저명(celebrity) : win[reach] ~ *as* a scientist 과학자로서 명성을 떨치다. **2** [His *or* Your E~] 〔카톨릭〕 예하《cardinal에 대한 존칭》. **3** 높은 곳, 언덕.
émi·nence grise [éiminɑːnsə gríːz] *n.* (*pl.* **-nences grises** [—]) 배후의 인물[세력] ; 심복 앞잡이. 〚F=gray cardinal ; 원래 17세기 Cardinal Richelieu의 비서(祕書) Père Joseph에서〛
***ém·i·nent** *a.* **1** (지위·신분이) 높은(lofty) ; 저명한(famous) : She was ~ *for* her piety. 신앙심이 깊기로 유명했다 / He is ~ *as* a painter. 화가로서 명성이 있다. **2** 뛰어난, 탁월한(distinguished) ; (자질 따위) 현저한, 특수한, 빼어난(outstanding) : a man of ~ virtue 아주 덕망이 높은 사람. **~·ly** *adv.* 높게, 현저하게, 뛰어나게. 〚L *emineo* to jut out〛 類義語 ⟹ FAMOUS.
éminent domáin *n.* 〔法〕 수용권《정부가 소유주의 승낙없이 사유재산을 공익을 위해 수용하는 권리》.
em·i·o·cy·to·sis [èmiːousaitóusəs] *n.* 〔生〕 토세포(吐細胞)[세포토(細胞吐)] 현상. **èm·i·o·cy·tót·ic** [-tɑ́t-] *a.*
emir, amir, emeer, ameer [imíər, e-, ei-] *n.* **1** 아라비아·아프리카·아시아 일부의 이슬람교국의 왕족[토후]. **2** 군의 사령관[대장], 이전의 터키 고관의 칭호. **3** 마호메트의 딸 Fatima의 자손에 대한 존칭. 〚F<Sp.<Arab.=commander〛
emir·ate, emeer- [imíərət, e-, ei-, -reit] *n.* emir의 관할구역[지위, 통치] ; 아랍토후국.
Em·i·scan [èməskǽn] *n.* 에미스캔《종양(腫瘍)의 유무를 찾아내기 위해 컴퓨터화한 방사선 조직 검사기 ; 상표명》.
em·is·sary [éməsèri ; -səri] *n.* **1** 사자(使者) (messenger), 특사, (특히) 밀사. **2** 밀정, 스파이. —— *a.* 사자의, 밀사의. 〚L=scout, spy ; ⇨ EMIT〛
emis·sion [imíʃən] *n.* Ⓤ (빛·열·향기 따위의) 방사, 발사, 발산〈*of*〉; 방사물 ; (굴뚝·자동차 엔진 따위에서의) 배기, 배출 ; 악취 ; 〔生理〕 분비(액) ; 사정 ; (지폐·증권 따위의) 발행 ; 《古》 (저작 따위의) 간행. 〚L ; ⇨ EMIT〛
emíssion lìne *n.* 〔理〕 (스펙트럼의) 휘선.
emíssion spèctrum *n.* 발광 스펙트럼.
emis·sive [imísiv] *a.* 방출적인, 방사성의.
em·is·siv·i·ty [èməsívəti, ì(ː)mi-] *n.* 〔理〕 방사율(率).
emit [imít] *vt.* (**-tt-**) (빛·열·향기 따위를) 방사[발산]하다(give out) ; (물 따위를) 분출하다 ; (소리를) 발하다(utter) ; (신호를) 보내다 ; (의견을) 토로하다 ; (지폐·어음 따위를) 발행하다 (issue) ; (법령 따위를) 발포하다 : The ship was ~*ting* black smoke from her funnels. 배는 굴뚝에서 검은 연기를 내뿜고 있었다 / The patient ~*ted* a groan. 환자는 신음 소리를 냈다. 〚L *e*-(*miss*- *mitto* to send)〛
emít·ter *n.* 〔理〕 이미터《운반체나 입자를 방출하는 것》; (트렌지스터의) 이미터.
EMK emergency medical kit (구급낭). **EML** electromagnetic launcher.
Em·ma [émə] *n.* 여자 이름《애칭 Emmie》. 〚Gmc.=whole, universal〛
Em·man·u·el [imǽnjuəl, e-, -èl] *n.* 남자 이름. 〚⇨ EMANUEL〛
Em·me·line, Em·e- [éməliːn, 美+-làin] *n.* 여자 이름.
em·men·a·gogue [əménəgɑ̀g, əmíːn-, e-] *n.* 〔藥〕 월경 촉진약, 통경제(通經劑). —— *a.* 월경을 촉진하는.
em·met [émət] *n.* 《古·方》 개미(ant). 〚OE *ǣmette* ANT〛
em·me·tro·pia [èmətróupiə] *n.* 정시안(正視眼) (cf. HYPERMETROPIA).
Em·my[1], **-mie** [émi] *n.* 여자 이름《Emily, Emilia, Emma의 애칭》.
Emmy[2] *n.* (*pl.* **~s, -mies**) 에미상(賞) 《미국의 텔레비전 예술과학 아카데미가 우수한 텔레비전의 연기자·작가·프로듀서에게 매년 수여하는 작은 조상(彫像)》.
EmnE(.), EMnE(.) Early Modern English.
emol·lient [imɑ́ljənt] *a.* (피부를) 부드럽게 하는,

완화적인(soothing). —— *n.* 〖藥〗 (자극) 연화약(軟化藥), 완화제(劑). 〚L (*mollis* soft)〛

emol·u·ment [imɑ́ljəmənt] *n.* (관직·지위 따위에서) 생기는 이득, 이익(profits)〈*of*〉; [보통 *pl.*] 보수, 수당, 급료, 봉급. 〚OF or L; 'payment for corn grinding' (L *molo* to grind)의 뜻인가〛

emote [imóut] *vi.* 《口》 허풍떨다, 연기하다; 감정을 과장해서 나타내다. 〚역성(逆成)〈↓〛

***emo·tion** [imóuʃən] *n.* Ⓤ,Ⓒ 감격, 감동; 〖心〗 정서(情緖), (희로애락의) 감정. 〚F (*émouvoir* to excite); F에서의 MOVE, MOTION의 유추〛 類義語 ⟹ FEELING.

***emótion·al** *a.* 감정의; 감정에 사로잡히기 쉬운; 감정적인, 정에 끌리기 쉬운, 감격하기 쉬운; 감정에 호소하는; 흥분한: an ~ actor 감정 표현을 잘하는 배우.

emòtion·ál·i·ty *n.* 감동성, 정서적임.

emótion·al·ìsm *n.* Ⓤ 감격성; 감동하기 쉬움; 주정주의(主情主義).

emótion·al·ist *n.* 감정적인 사람, 감정가.

emótion·al·ìze *vt.* 감정에 호소하듯 처리[표현, 해석]하다; 감정적으로 다루다. —— *vi.* 감정적인[비이성적인] 언동을 하다.

emótion·less *a.* 무표정한, 무감동적인, 감정이 나타나지 않는.

emo·tive [imóutiv] *a.* 감정의, 감정을 나타내는; 감정에 호소하는, 감동적인. **~·ly** *adv.* 감정적으로. **emo·tiv·i·ty** [ìːmoutívəti, imou-] *n.*

EMP electromagnetic pulse. **Emp.** Emperor; Empire; Empress.

em·pánel *vt.* =IMPANEL.

em·paque·tage [*F* ɑ̃paktaːʒ] *n.* 패키지 (예술) 작품《캔버스 따위로 물건을 포장하는 개념 예술(conceptual art)의 한 수법》. 〚F=packaging, package〛

em·path·ic [empǽθik, im-] *a.* 〖心〗 감정 이입의.

em·pa·thize [émpəθàiz] *vt., vi.* 감정 이입하다〈*with*〉.

em·pa·thy [émpəθi] *n.* 〖心〗 감정 이입, 공감. 〚Gk. *empatheia* (PATHOS)에 준한 G *Einfühlung* (*ein* in, *fühlung* feeling)의 역(譯)〛

em·pen·nage [ɑ̀ːmpənɑ́ːʒ, èm-; empénidʒ] *n.* 〖空〗 꼬리 부분, 꼬리[보조] 날개.

***em·per·or** [émpərər] *n.* (*fem.* **empress**) **1** 황제, 제왕, 천황(cf. MAJESTY 3): the ~ system 황제 제도 / ~ worship 황제[천황] 숭배《신(神)으로서의》. 注 the Emperor Nero (네로 황제)와 같이 보통 정관사를 붙임. **2** 〖史〗 동[서]로마 황제: the Holy Roman *E*~ 신성 로마 황제. 〚OF<L *imperator* (*impero* to command)〛

émperor pénguin *n.* 〖鳥〗 황제펭귄《최대종》.

em·pery [émpəri] *n.* 《詩》 황제의 영토[통치권]; 광대한 영토[권력].

***em·pha·sis** [émfəsəs] *n.* (*pl.* **-ses** [-sìːz]) **1** Ⓤ (감정·표현 따위의) 강도; (어떤 사실·사상 따위에 대한) 강조, 중요성, 무게: dwell on a subject *with* ~ 차근차근[알기 쉽게] 역설하다 / lay[place, put] (great, much) ~ (*up*) *on* ··· 에 (매우) 역점을 두다, ···을 (특히) 강조[역설]하다. **2** Ⓤ,Ⓒ 〖音聲〗 강세, 어세(語勢) (accent)〈*on* a syllable〉; 〖修〗 강성법(強聲法); 〖畫〗 (윤곽·색채의) 강조. 〚L<Gk. *em*-[2](*phainō* to show) =to exhibit〛

***em·pha·size** [émfəsàiz] *vt.* **1** [+目/+*that* 節] (사실 따위를) 강조하다, 역설하다(stress): He ~*d* the necessity for taking strong measures. 강경 수단을 취해야 할 필요성을 강조했다 / The author ~*s that* many of the figures quoted are just estimates. 저자는 인용한 숫자의 대부분이 어림셈에 지나지 않는다는 것을 강조하고 있다. **2** (어구를) 강조하다; 강조하여 노래부르다; 〖畫〗 (···의 윤곽·색채 따위를) 강조하다: ~ a word 낱말을 강조하여 말하다[발음하다].

ém·pha·sìz·er *n.* 〖電子〗 강조 회로.

em·phat·ic [imfǽtik, em-] *a.* **1** (표현상의) 강세가 있는, 어조가 강한, (표현이) 힘있는. **2** 강조된, 강세를 가진. **3** 현저하게 눈에 띄는. **-i·cal·ly** *adv.* 강조하여; 힘차게; 단호히; 전연. 〚L<Gk.; ⇨ EMPHASIS〛

em·phy·se·ma [èmfəsíːmə, -zíː-] *n.* 〖醫〗 기종(氣腫), (특히) 폐(肺)기종. **èm·phy·sém·a·tous** [-sém-, -síː-] *a.* 〚L<Gk. (*emphusaō* to puff up)〛

***em·pire** [émpaiər] *n.* **1** 제국(帝國); Ⓤ,Ⓒ 제왕(帝王)의 영토; (해외의) 판도, 식민지. **2** Ⓤ 제왕의 주권, 황제의 통치; (절대) 지배권, 주권〈*over*〉. **3** [the E~] =the BRITISH EMPIRE; 〖史〗 (보통) 신성 로마 제국(=the Holy Roman E~); (나폴레옹 시대의 프랑스의) 제1[제2] 제정(帝政).

the Empire of the East [***West***] =***the Eastern*** [***Western***] ***Empire*** 동[서]로마 제국.

—— *attrib. a.* [E~] (가구·복장 따위) 제1차[제2차] 프랑스 제정 양식의. 〚OF<L *imperium* dominion; cf. EMPEROR〛

émpire buìlder *n.* 제국 건설자.

Émpire Cíty *n.* [the ~] New York 시의 속칭.

Émpire Dày *n.* 전영제국 경축일《Victoria 여왕의 탄생일에서 연유한 5월 24일; 1958년 이후는 Commonwealth Day로 공칭되고 있음》.

Émpire Státe *n.* [the ~] New York 주(州)의 별칭.

Émpire Státe Buìlding *n.* [the ~] 엠파이어 스테이트 빌딩《1931년 New York시에 완성된 고층 빌딩으로 102층, 449m; 1950년 그 위에 67.7 m의 텔레비전탑을 설치》.

em·pir·ic [empírik, im-] *a.* =EMPIRICAL. —— *n.* 경험에만 의존하는 사람; 경험주의 과학자[의사]; 《古》 경험에만 의존하는 돌팔이 의사. 〚L<Gk. (*emperia* experience〈*en*-[2], *peiraō* to try)〛

em·pír·i·cal *a.* **1** 경험적인, 경험[실험]상의(↔*theoretical*): an ~ formula 〖化〗 실험식. **2** (의사 등) 경험주의의. **~·ly** *adv.* 경험적으로; 경험에 기인하여.

em·pir·i·cism [empírəsìzəm, im-] *n.* **1** Ⓤ 경험주의[론](cf. RATIONALISM). **2** Ⓤ 경험적[비과학적] 치료; 돌팔이 의사와 같은 치료. **-cist** *n.* 경험주의자; =EMPIRIC.

em·pláce *vt.* (포상(砲床)을) 설치하다. 〚역성(逆成)〈↓〛

em·pláce·ment *n.* Ⓤ (포상(砲床) 따위를) 설치하기, 정치(定置); Ⓒ 포상. 〚F (*en*-[1], PLACE)〛

em·pláne *vt.* 비행기에 태우다, (짐을) 싣다. —— *vi.* =ENPLANE. 〚PLANE[1]〛

◇**em·ploy** [emplɔ́i, im-] *vt.* **1** [+目/+目+前+名] (사람을) 쓰다, 고용하다, 부리다; (동물을) 사역(使役)하다: the ~*ed* 피(被)고용인, 근로자 / I am ~*ed* ***in*** a bank[***at*** the gas works]. 은행[가스 공장]에 근무하고 있다. **2** (공사가 사람에게) 일자리[직(職)]를 주다: The work will ~ 60 men. 이 일에는 60명이 필요하다. **3 a)** (물건을) 쓰다, 사용하다(use); (시간·정력 따위를)

소비하다, 쓰다(spend). **b**) [+目+*in*+名] [~ one*self* 또는 수동태로] (…에) 종사하다[하고 있다] : Instead of wasting time, I *~ed* my*self* ***in*** read*ing*. 시간을 허비하지 않고 책을 읽기로 했다 / He *was ~ed in* copy*ing* letters. 그는 편지의 사본들을 만들고 있는 중이었다.

〈회화〉
Did you get a new job? — Yes, I'm *employed* as a taxi driver. 「새로운 일자리는 얻었니」 「응, 택시 운전사가 되었어」

—— *n.* **1** U 고용(employment) ; 《古·詩》 직, 직업 : be *in* a person's ~ = be *in* the ~ *of* a person 남에게 고용되어 있다 / have many persons *in* one's ~ 많은 사람을 고용하고 있다. **2** 《古》 용도, 목적.

in [***out of***] ***employ*** 취직[실직]하여.

〚OF < L *implicor* to be involved ; cf. IMPLICATE〛

類義語 (1) ***employ, hire*** 다같이 돈을 주고 사람을 고용한다는 뜻인데 *employ* 쪽이 격식을 차린 느낌이며 권한이나 권력이 있는 고용자가 규칙적으로[정식으로] 사람을 고용하다 : The company *employs* 500 workers. (이 회사 종업원은 500명이다). *hire* 는 보다 개인적이며 가족적인 뜻 : She *hired* a gardener. (그녀는 정원사를 고용했다).
(2) ⟹ USE[1].

em·ployé [emplɔ́iiː, ⌐-⌐ ; ɔmplɔ́iei] *n.* (*fem.* **em·ploy·ée** [—]) = EMPLOYEE. 〚F〛

***em·ploy·ee,** 《美》 **-ploye** [emplɔ́iiː, ⌐-⌐] *n.* 고용된 사람, 직원, 종업원(↔*employer*). 〚*-ee*〛

***emplóy·er** *n.* 고용주(主), 주인, 사용자(使用者) (↔*employee*) : *~s* and employed 고용주와 피고용인, 노사.

***emplóy·ment** *n.* **1** U (노력·노동자의) 사용, 고용 ; 사역(使役) : full ~ 완전 고용(cf. UNDER-EMPLOYMENT) / persons *in the ~ of* the government 정부의 관리들. **2** U,C 작업, 일, 직업(work, occupation) : a public ~ stabilization office 공공 직업 안정소.

in [***out of***] ***employment*** 취직[실직]하여 (있는) : throw a person *out of* ~ 남을 해고하다.

類義語 ⟹ OCCUPATION.

emplóyment àgency *n.* 직업 소개소.

emplóyment bùreau *n.* **1** = EMPLOYMENT AGENCY. **2** (학교의) 취업과, 취직 상담소.

emplóyment exchànge *n.* 《英》 직업 안정국 《지금은 Employment Service Agency라고 함》.

emplóyment òffice *n.* 《英》 직업 소개소.

Emplóyment Sèrvice Àgency *n.* [the ~] 《英》 직업 안정국, 고용 서비스청.

em·póison *vt.* 《古》 독을 넣다 ; 《古》 (마음을) 더럽히다, 타락시키다 ; 분격하게 하다〈*against*〉.

em·po·ri·um [empɔ́ːriəm, im-] *n.* (*pl.* **~s, -ria** [-riə]) **1** 중앙 시장(mart) ; 상업의 중심지. **2** 백화점, 대형 상점.
〚L < Gk. (*emporos* merchant)〛

em·pówer *vt.* 《文語》 [+目+*to* do] …에게 권한[권능]을 부여하다, (…해야 할) 권력을 위임하다(authorize) ; (…에게 …할 것을) 위임[위탁]하다(enable) : He *~ed* the secretary *to* sign certain contracts. 어떤 계약서는 비서에게 서명할 수 있는 권한을 부여했다.

***em·press** [émprəs] *n.* **1 a**) 황후. **b**) 여황제, 여왕(cf. MAJESTY 3). **2** 여왕같은 존재 ; 절대적인 권력을 가진 여성. 〚OF (fem.)〈EMPEROR〛

em·presse·ment [*F* ɑ̃prɛsmɑ̃] *n.* (환영 따위의) 열의, 열성.

em·prise, -prize [empráiz] *n.* 《古》 기획, 사업 ; U,C 《古》 장도(壯圖), 모험 ; U 《古》 용맹(prowess).

◇**emp·ty** [ém*p*ti] *a.* **1** 빈 ; 사는 사람이 없는 ; 가진 것이 없는 ; 사람의 왕래가 없는 : an ~ house 빈 집 / an ~ purse 비어 있는 지갑, 무일푼 / an ~ street 인적이 없는 거리 / smoke on an ~ stomach 공복에 담배를 피우다. **2** 없는, 빠져있는 (devoid) : words ~ *of* meaning 무의미한 말. **3** (마음 따위) 공허한, 허탈한 ; 믿을 것이 못되는 ; 무의미한(meaningless) ; (내용·가치 따위가) 없는, 보잘것없는 ; 성의가 없는 : an ~ promise 말뿐인 약속. **4** 《口》 배고픈, 공복의(hungry) : feel ~ 시장하다.

return [***come away***] ***empty*** 헛되이 돌아오다, 빈손으로 돌아오다.

send away a person ***empty*** 남을 빈손으로 돌려보내다.

〈회화〉
Don't walk along the *empty* streets in New York at night. — Why not? 「사람이 없는 뉴욕의 밤거리를 나다니지 말아요」 「왜요 (어째서 안 되지요)」

—— *n.* 《口》 빈 통, 빈 상자, 빈 병, 빈 차, 빈 트럭, 빈 택시 ; 빈 방.

—— *vt.* [+目/+目+前+名/+目+副] **1** (용기(容器) 따위를) 비우다, 비게 하다 : He *emptied* his glass. 그는 잔을 비웠다 / She *emptied* the bottle of milk ***into*** a cup. 병의 우유를 컵에 따라 비웠다 / He *emptied* his bag ***on*** the tray. 가방 속의 것을 쟁반 위에 쏟았다 / He *emptied* the closet ***of*** all its things. 벽장 속의 것을 모두 끄집어 냈다 / I had to ~ ***out*** the drawer to find the papers. 서류들을 찾으려고 서랍을 다 비워야 했다. **2** (속의 것을 다른 용기 따위에) 옮기다 (transfer) : ~ the water of a glass ***into*** another 컵의 물을 다른 컵으로 옮기다 / The rain poured down as if someone were *~ing* it ***out of*** great buckets. 비는 누군가가 큰 양동이의 물을 쏟아 붓는 것처럼 억수로 쏟아졌다.

—— *vi.* 비(게 되)다.

empty (it***self***) ***into*** …으로 흘러들다 : The Ohio *empties* (it*self*) *into* the Mississippi. 오하이오 강은 미시시피 강으로 흘러든다.

émp·ti·ly *adv.* 헛되이, 공허하게. **émp·ti·ness** *n.* (텅) 빔 ; (사상·마음의) 공허 ; 덧없음 ; 무가치 ; 공복 ; 무지 ; 무의미.

〚OE *ǣm*(*et*)*tig* unoccupied (*ǣmetta* leisure)〛

類義語 ***empty*** 속에 아무것도 없는, 텅 빈 : an *empty* box (빈 상자). ***vacant*** 원래 또는 습관적으로 들어가 있거나 살고 있는 사람[것]이 없는 : a *vacant* house (빈 집). ***blank*** 표면에 아무것도 쓰여 있지 않은, 공백의 : a *blank* wall (흰 벽).

émpty cálorie *n.* 공(空) 칼로리《단백질·무기질·비타민이 없는 음식물 칼로리》.

émpty-hánd·ed *a.* 맨손의, 빈손의, 빈[맨]손으로 하는.

émpty-hánded fáke *n.* 〖美蹴〗 쿼터백이 빈손으로 백에게 공을 던지는 시늉을 하기.

émpty-héad·ed *a.* 생각이 없는, 머리가 텅 빈, 무지한.

émpty néster *n.* 《口》 자식이 없는 부부, (자식들이 슬하를 떠나) 둘만 남게 된 허전한 부부.

émpty nést sỳndrome *n.* 자식들이 떠난 노부부들에게 나타나는 우울증을 수반한 허탈감.

émpty sét *n.* 〖數〗 공집합(null set).

em·púrple *vt.* 자줏빛으로 하다[물들이다].

em·py·e·ma [èmpaiíːmə, -pi-] *n.* (*pl.* **-ma·ta** [-tə], **~s**) 〖醫〗 축농증, (특히) 농흉.

em·py·re·al [èmpairíːəl, -pə-, empíriəl] *a.* 최고천(最高天)의, 천상계(天上界)의 ; 정화(淨火)의[로 이루어진] ; 천공(天空)의 ; 최고의.

em·py·re·an [èmpairíːən, -pə-, empíriən] *n.* **1** (고대 천문학의 5천중(天中)의) 최고천(最高天) 《불과 빛의 세계로 후에는 신과 천사의 거처로 여겨졌음》. **2** 천공, 하늘. —— *a.* =EMPYREAL. 〖L<Gk. (*pur* fire)〗

EMR educable mentally retarded (교육이 가능한 지진아). **EMS** European Monetary System ((EC의) 유럽 통화 제도). **EMT** emergency medical technician (구급 의료 기사).

emu [íːmjuː] *n.* 〖鳥〗 에뮤《타조 비슷한 오스트레일리아산의 날개 없는 큰 새》. 〖Port. ; cf. EMEU〗

EMU extravehicular mobility unit(우주선 밖 활동용 우주복(服)). **EMU., e.m.u., emu** electromagnetic unit(s).

em·u·late [émjəlèit] *vt.* …와 경쟁하다, 우열을 다투다, 서로 겨루다, …에게 지지 않으려고 애쓰다 ; …에 필적하다(rival) ; 본받다, 흉내내다 (imitate) ; 〖컴퓨〗 에뮬레이트하다, 대리 실행하다. 〖L ; ⇨ EMULOUS〗

em·u·la·tion [èmjəléiʃən] *n.* Ⓤ 경합, 경쟁, 대항 ; 흉내, 모방 ; 〖컴퓨〗 에뮬레이션, 대리 실행 《다른 컴퓨터의 기계어 명령대로 실행할 수 있는 기능》 : a spirit of ~ 경쟁심.

ém·u·là·tive [; -lət-] *a.* 경쟁하는, 지지 않으려는, 대항하는. **~·ly** *adv.* 경쟁하여.

ém·u·là·tor *n.* 경쟁자 ; 〖컴퓨〗 에뮬레이터, 대리 실행기《에뮬레이션을 하는 장치·프로그램》.

emul·gent [imʌ́ldʒənt] *n., a.* 짜냄[내는], 착출성(搾出性)(의) ; 신장 정맥(腎臟靜脈)(의).

em·u·lous [émjələs] *a.* **1** 경쟁하는, 경쟁심이 강한 ; 경쟁심으로부터의. **2** (…에게) 지지 않으려고 하는, (…을) 본받는 ; 열망하는(desirous) : I was ~ *of* his skill. 그의 솜씨를 보고 배우려고 했다 / She was ~ *of* the pianist. 그녀는 그 피아니스트처럼 되기를 열망했다 / The youth is ~ *of* fame[success]. 그 청년은 명성[성공]을 간절히 바라고 있다. **~·ly** *adv.* (앞을) 다투어서, 경쟁하여. 〖L (*aemulus* rival)〗

emúl·si·fi·er *n.* 유화하는 사람[것], 유화제(劑).

emul·si·fy [imʌ́lsəfài] *vt.* 젖같이[유제로] 만들다 : *emulsified* oil 유화 기름.

emùl·si·fi·cá·tion *n.* Ⓤ 유상(乳狀)[유제(乳劑)]화(化), 유화(乳化)작용.

emul·sion [imʌ́lʃən] *n.* Ⓤ,Ⓒ 〖化〗 유제(乳劑) ; 유상액(液) ; 〖寫〗 감광 유제 ; =EMULSION PAINT. —— *vt.* EMULSION PAINT로 바르다.

emúl·sive *a.* 유제질(質)의, 유액 같은 ; 유액(물질)을 내는 ; 짜서 기름을 내는. 〖F or NL (*mulgeo* to milk)〗

emúlsion chàmber *n.* 〖理〗 에멀션 체임버《원자핵 건판을 연판(鉛版) 사이에 끼워 조립하는 하전입자 비적(飛跡) 측정기》.

emúlsion pàint *n.* 에멀션 페인트[도료]《바르면 윤이 없어짐》.

emunc·to·ry [imʌ́ŋktəri] *n.* (피부·신장·폐 따위의) 배설기(관). —— *a.* 배설의(excretory) ; 배설기(관)의.

en[1] [én] *n.* N자 ; 〖印〗 반각(半角), 이분(二分).

en[2] [en, ɑːŋ, ɑːn ; *F* ɑ̃] *prep.* …에 있어서, …로, …으로서(in, at, to, like).

en-[1] [en, in ; in, en], **em-** [em, im ; im, em] *pref.* ㊟ 이 접두사가 약하게 발음될 때 일상어나 스스럼없는 이야기에서는 [in, im], 비교적 드물게 쓰이는 말이나 다소 격식을 차린 경우는 [en, em]이 되는 경향이 있다. 따라서 이 사전에서는 하나만을 쓰는 경우가 많음. **1** [명사에 붙여] **a**) 「…의 안에 넣다[들다]」「…에 싣다[타다]」「…으로 덮다」라는 뜻의 동사를 만듦 : *en*case, *en*shrine ; *en*train, *em*busy ; *en*robe. **b**) 「…을 주다」라는 뜻의 동사를 만듦 : *en*courage, *em*power. **2** [명사·형용사에 붙여] 「…이 되게 하다」「…으로 하다」라는 뜻의 동사를 만듦 : *en*dear, *en*slave, *em*bitter. ㊟ 이 경우에는 접미사 -en이 덧붙여지기도 함 : *em*bold*en*, *en*light*en*. **3** [동사에 붙여] 「안(쪽)에 …하다」「완전히 …하다」라는 뜻의 동사를 만듦 : *en*fold, *en*shroud. 〖F<L *in-*〗

en-[2], **em-** *pref.* 「가운데」「속」의 뜻 : *en*demic, *en*zootic, *em*pathy. 〖Gk.〗

en-[3] *comb. form* 〖化〗 「불포화의」「이중 결합이 하나인」의 뜻 : *en*amine. 〖*-ene*〗

-en[1] [ən], **-n** *v. suf.* [강변화 불규칙 동사의 과거분사 어미] : spok*en*, swor*n*. 〖OE *-an*〗

-en[2], **-n** *a. suf.* [물질 명사에 붙여] 「…질[성](質[性])의」「…으로 이루어지는」「…제(製)의」의 뜻 : ash*en*, silver*n*, wheat*en*. 〖Gmc.〗

-en[3] *v. suf.* [형용사·명사에 붙여] 「…으로 하다[…이 되다]」의 뜻(☞ EN-) : dark*en*, sharp*en*, height*en*, length*en*. 〖OE *-an*〗

-en[4] *n. suf.* [지소 명사(指小名詞) 어미] : chick*en*, kitt*en*, maid*en*. 〖Gmc.〗

-en[5] *n. suf.* [복수 명사 어미] : ox*en*, childr*en*. 〖OE *-an*〗

-en[6] *n. suf.* [여성 명사 어미] : vix*en*. 〖Gmc.〗

***en·able** [enéibəl, in-] *vt.* [+目+*to* do] (남에게) …을 할 수 있게 하다, …을 가능하게 하다 ; (…할) 힘[권한]을 주다 : Money ~*s* one *to* do a lot of things. 돈이 있으면 여러 가지 일을 할 수가 있다 / His deep insight into human nature ~*d* him *to* become one of the greatest writers in England. 인간성에 대한 깊은 통찰력이 있어서 그는 영국에서 가장 훌륭한 작가의 한 사람이 될 수가 있었다.

> **enable을 이용한 문장 전환**
>
> As he was in good health, he could work hard. (그는 건강했으므로 열심히 일할 수 있었다.)
> → Good health *enabled* him *to* work hard. (직역 : 건강이 그가 열심히 일하는 것을 가능케 했다.)
>
> possible을 쓰면 이 문장은
> Good health *made* it *possible* for him to work hard.로 바꿔 쓸 수 있다.

〖*en-*[1]〗

en·ábl·ing *a.* 〖法〗 권능을 부여하는.

enábling áct[**státute**] *n.* 〖法〗 권능 부여 조례(條例).

en·act [enǽkt, in-] *vt.* **1** (법률을) 제정하다, 규정하다 : as by law ~*ed* 법률이 규정하는 대로. **2 a**) (연극·어떤 장면을) 상연하다(act), (…의 역할을) 연기하다(play) : ~ a play[a scene, Macbeth] 극[장면·맥베스]을 연기하다. **b**) [주로 수동태로] 《비유》 (사건이) 행해지다, 일어나다(take place) : The murder was ~*ed* in public. 그 살인은 사람들이 보는 앞에서 행해졌다.

enáct·ing cláuse *n.* 〘法〙 신규정의 조항《법률안 또는 제정법의 두서 문구》.

en·ac·tion [enǽkʃən, in-] *n.* ＝ENACTMENT.

en·ac·tive [enǽktiv, in-] *a.* 법률 제정의 ; 제정권이 있는, 설정하는.

enáct·ment *n.* Ⓤ (법의) 제정 ; Ⓒ 법령, 법규.

enam·el [inǽməl] *n.* Ⓤ 에나멜, 법랑(琺瑯), (오지 그릇의) 잿물 ; 에나멜제(劑), 광택제 ; (치아 따위의) 에나멜질(質) ; 사기 입힌 그릇.
— *vt.* (-l- | -ll-) **1** …에 에나멜을 입히다[칠하다], 잿물을 바르다, 오짓물을 칠하다 : ~*ed* leather 에나멜을 입힌 가죽. **2** (무늬 따위를) 잿물[오짓물]로 그리다 ; 아름답게 채색하다, 오색으로 채색하다. 〚AF<Gmc.〛

enámel·wàre *n.* Ⓤ 법랑 그릇, 사기 입힌 그릇.

en·amine [énəmìːn, enǽmiːn] *n.* 〘化〙 엔아민《이중 결합 탄소를 가진 아민》.

en·am·or | **-our** [enǽmər, in-] *vt.* [＋目/＋目＋*of*＋名] [주로 수동태로] 반하게 하다 ; 매혹하다 (charm) : The prince *was*[became] ~*ed* ***of*** the girl. 왕자는 소녀에게 매혹당했다[반했다]. 〚OF (*amour* love)〛

enan·tio- [inǽntiou, -tiə] *comb. form* 「대칭(對稱)」「상대」「반(反)」의 뜻. 〚NL<Gk.〛

enántio·mòrph *n.* 〘化〙 거울상(이성질)체, 좌우상(左右像)《좌우 대칭의 결정》.

èn·arthrósis *n.* (*pl.* **-ses**) 〘解〙 구상(球狀)[구와(球窩)] 관절.

en at·ten·dant [*F* ɑ̃natɑ̃dɑ̃] *adv.* 기다리는 사이에 (while waiting) ; 그 사이에.

en bloc [*F* ɑ̃ blɔk] *adv.* 일괄하여, 총괄적으로 (in a body) : resign ~ 총사퇴[총사직]하다.

enc. enclosed ; enclosure ; encyclopedia.

en·cae·nia [ensíːnjə, -niə] *n.* (도시·교회의) 창립 기념제 ; [E~] 《英》 Oxford 대학 창립 기념제. 〚L<Gk. (*kainos* new)〛

en·cáge *vt.* 새장[둥우리]에 넣다(cage) ; 가두어 넣다(confine).

en·cámp *vi., vt.* 〘軍〙 야영하다[시키다] ; 주둔하다[시키다].

en·cámp·ment *n.* Ⓤ 진을 침 ; Ⓒ 야영(지) ; [집합적으로] 야영자.

en·cap·si·date [inkǽpsədèit] *vt.* 〘生化〙 (세포 안에서 바이러스 입자를) 단백질의 막으로 싸다[고정시키다].

en·cap·su·late [inkǽpsəlèit], **en·cápsule** *vt., vi.* 캡슐에 넣다[들다] ; 캡슐로 싸다[싸이다] ; 요약하다.

en·cáse *vt.* 용기에 넣다, 포장하다.

en·cásh *vt.* 《英》 (어음 따위를) 현찰로 바꾸다, 현금화하다, 현금으로 받다. **~·ment** *n.*

en·caus·tic [inkɔ́ːstik] *n.* 엔코스틱《밀랍과 수지를 안료에 혼합하여 만든 도료》 ; 납화법《엔코스틱으로 그려서 열로 고정시키는 화법》 ; Ⓒ 납화.
— *a.* encaustic의 ; 납화[가열]법을 써서 만든 ; (벽돌·타일 따위)가 색(色)점토를 아로새겨서 구워 붙인. **-tic·cal·ly** *adv.* 〚L<Gk. (CAUSTIC)〛

-ence [əns] *n. suf.* 「…하기[행위]」「…한 성질[상태]」의 뜻 : sil*ence*, prud*ence*. 〚F<L〛

en·ceinte[1] [enséint ; ɔnsǽnt ; *F* ɑ̃sɛ̃t] *a.* 임신한. 〚F *in-*[1] (*cincta* ‹ CINCTURE)〛

enceinte[2] *n.* 〘築城〙 성곽, 본곽 ; 담, 울 ; 구내, 경내. 〚F *in-*[2] (*cincta* ‹ CINCTURE)〛

en·ceph·al- [inséfəl, en-], **en·ceph·a·lo-** [-lou, -lə] *comb. form* 「뇌」의 뜻. 〚Gk. ; ⇨ ENCEPHALIC〛

en·ce·phal·ic [ènsəfǽlik] *a.* 뇌[머리]의. 〚Gk. *egkephalos* brain (*kephalē* head)〛

en·ceph·a·li·tis [insèfəláitəs, en-] *n.* (*pl.* **-lit·i·des** [-lítədìːz]) Ⓤ 〘醫〙 뇌염.
en·cèph·a·lít·ic [-lít-] *a.* 뇌염의. 〚*-itis*〛

encephalítis le·thár·gi·ca [-ləθɑ́ːrdʒəkə, -le-] *n.* 〘醫〙 기면성(嗜眠性) 뇌염.

en·ceph·a·li·to·gen [insèfəláitədʒən, en-] *n.* 뇌염 유발 물질.

encèphal·izátion *n.* 〘生〙 대뇌화(大腦化)《피질 중추에서 피질(皮質)로의 기능의 이동》.

encephalizátion quòtient *n.* 〘生〙 대뇌화(大腦化) 지수《체중과 뇌중량과의 관계 지수》.

encéphalo·gràm, -gràph *n.* 대뇌 촬영도.

en·ceph·a·log·ra·phy [insèfəlɑ́grəfi, en-] *n.* Ⓤ 뇌의 뢴트겐 촬영법.

en·ceph·a·lo·ma [insèfəlóumə, en-] *n.* (*pl.* **-ma·ta** [-tə], **~s**) 〘醫〙 뇌종류(腦腫瘤).

encèphalo·ma·lá·cia [-məléiʃiə] *n.* 〘醫〙 뇌연화증(腦軟化症).

encèphalo·myelítis *n.* 〘醫〙 뇌척수염.

encèphalo·myo·cardítis *n.* 〘醫〙 뇌심근염(腦心筋炎).

en·ceph·a·lon [inséfəlɑ̀n, -lən, en-] *n.* (*pl.* **-la** [-lə]) 〘解〙 뇌수(腦髓) (brain).

en·ceph·a·lop·a·thy [insèfəlɑ́pəθi, en-] *n.* 〘醫〙 뇌장애, 뇌증(腦症). **en·cèph·a·lo·páth·ic** *a.*

en·cháin *vt.* 쇠사슬로 매다 ; (주의·흥미를) 끌다. 〚F (*en-*[1])〛

en·chant** [intʃǽ(ː)nt, en- ; -tʃɑ́ːnt] *vt.* [＋目/＋目＋前＋名] …에게 마법(魔法)[요술]을 걸다 (bewitch) ; 매혹적인 것으로 하다 ; 황홀하게 하다, …의 마음을 빼앗다, 매혹하다(charm) : The prince was ~*ed* ***by[***with***] the gifts. 왕자는 그 선물이 몹시 마음에 들었다. 〚F (*en-*[1])〛
類義語 ⟹ ATTRACT.

enchánt·ed *a.* 마법[요술]에 걸린 ; 마력[요술의 힘]을 갖는 : an ~ castle 마법의 성(城).

enchánt·er *n.* 마법사, 요술쟁이 ; 매혹하는 사람.

enchánter's níghtshade *n.* 〘植〙 털이슬.

enchánt·ing *a.* 매혹적인, 황홀하게 하는 (것 같은). **~·ly** *adv.* 매혹적으로, 황홀하게.

enchánt·ment *n.* Ⓤ 마법을 쓰기, 요술을 부리기 ; 마법, 요술, 마술(魔術) ; 매력, 매혹 ; Ⓒ 황홀하게 하는 것 ; 큰 기쁨, 환희.

enchánt·ress *n.* 여자 마법[요술]사, 마녀 ; 매혹적인 여자.

en·chase [intʃéis, en-] *vt.* [＋目/＋目＋前＋名] **1** …에 돋을새김[상감(象嵌)·조각]을 하다, 아로새기다, 새겨 넣다 : The crown was ~*d* ***with*** gold and silver. 왕관에는 금과 은이 박혀 있었다. **2** 박아 넣다(set), 상감하다(inlay) ; (무늬·글자 따위를) 조각하다 : ~ diamonds ***in*** gold 금에 다이아몬드를 박아 넣다.

en·chi·la·da [èntʃəlɑ́ːdə] *n.* 고추로 양념한 멕시코 요리의 일종. 〚Am. Sp. (*enchilar* to season with chili)〛

en·chi·rid·i·on [ènkaiərídiən] *n.* (*pl.* **-rid·ia** [-rídiə], **~s**) 편람, 안내서(handbook).

-en·chy·ma [éŋkəmə] *n. comb. form* (*pl.* **-en·chy·ma·ta** [əŋkímətə], **~s**) 「세포 조직」의 뜻. 〚L〛

en·ci·na [insíːnə, en-] *n.* 〘植〙 ＝LIVE OAK.

en·cípher *vt.* (통신 내용을) 암호로 고치다[개작(改作)하다] (↔*decipher*).

en·círcle *vt.* **1** [＋目/＋目＋前＋名] (둘러)싸다 (surround) : The pond is ~*d* by trees. 연못은 나무로 둘러싸여 있다 / The ancient city was

~d **with** walls. 그 옛 도시는 성벽으로 둘러싸여 있었다. **2** 일주(一周)하다. **~·ment** *n.* Ⓤ 둘러싸기, 포위; Ⓒ 일주(一周).

en clair [*F* ɑ̃ klɛːr] *adv., a.* (외교용 전보가) 암호가 아닌 보통 말로[의].

en·clásp *vt.* 걸쇠[고리]로 죄다; 껴안다.

en·clave [énkleiv] *n.* 다른 나라 영토로 둘러싸인 영토 자기 나라 안으로 들어와 있는 다른 나라 영토(cf. EXCLAVE); (타민족 속에 고립된) 소수 민족 집단; (특정 문화권에 고립된) 이종 문화권. 〖F (L *clavis* key)〗

en·clit·ic [enklítik] *a.* 〔文法〕 전접(前接)(적)인 《자체에 악센트가 없고 바로 앞말의 일부처럼 발음되는 것; ↔*proclitic*》. —— *n.* 전접어(語) 《보기 I'll의 *'ll*, cannot의 *not* 따위》. **-i·cal·ly** *adv.* 〖L<Gk. (*klinō* to lean)〗

***en·close** [inklóuz, en-] *vt.* [+目/+目+前+名] **1** 둘러싸다, (울타리·벽 따위로) 싸다(surround); (공유지를 사유지로 하기 위해) 둘러막다: The garden is ~d **with** a high brick wall. 정원은 높은 벽돌 담으로 둘러싸여 있다 / ~ common land 공유지를 둘러싸서 사유화(私有化)하다(cf. ENCLOSURE 1). **2** 동봉(同封)[봉입(封入)]하다: ~ a check **with** a letter 편지에 수표를 동봉하다 / *E*~d please find a check for 100 dollars. 100달러의 수표를 동봉하니 받아 주십시오. **3** 집어넣다, (챙겨) 넣다(shut up): *E*~ the word **in** quotation marks. 그 단어에 인용 부호를 붙이시오. 〖OF<L; ⇨ INCLUDE〗

en·clo·sure [inklóuʒər, en-] *n.* **1** Ⓤ,Ⓒ 울타리를 침《특히 공유지(commonland)를 사유지로 만들기 위해서》〈*of*〉; 〔經〕 목양지(牧羊地)로 둘러침, 인클로저《소작지나 마을의 공유지를 회수 또는 매수하여 울타리를 둘러치고 목양지로 했던 일; 영국에서는 15-19세기까지 계속되었음》. **2** 울타리를 둘러친 땅, 구내; 울《울타리·벽 따위》. **3** 동봉한 것, 봉입물(封入物). 〖AF and OF (↑)〗

Enclósure Àcts *n. pl.* 《英》 공유지의 사유지화 법령.

en·clóthe *vt.* 옷을 입히다.

en·clóud *vt.* 구름으로 덮다, 흐리게 하다.

en·códe *vt.* (정보 따위를) 암호[기호]로 바꾸다, 부호화하다, 부호 매기다(↔*decode*).

en·cód·er *n.* 암호기(器); 〔컴퓨〕 부호 매김기, 부호기(符號器), 인코더(corder) (↔*decorder*).

en·co·mi·ast [enkóumiæ̀st, -miəst] *n.* 찬사를 보내는 사람, 찬미자; 아첨하는 사람.
en·co·mi·as·tic [enkòumiǽstik] *a.* 찬미의; 추종하는, 빌붙는; 칭찬하는. 〖Gk.; ⇨ ENCOMIUM〗

en·co·mi·um [enkóumiəm] *n.* (*pl.* **~s, -mia** [-miə]) 칭찬하는 말, 찬사. 〖L<Gk. (*kōmos* revelry)〗

en·cómpass *vt.* **1** 둘러싸다, 에워싸다, 포위하다(surround). **2** 포함하다, 내포하다(contain). **3** 달성하다, 이루다(accomplish). **~·ment** *n.* Ⓤ,Ⓒ 에워싸기, 포위.

en·core [ɑ́ŋkɔːr, ɑ́n-; ɔŋkɔ́ːr] *int.* (재연(再演)을 청하여) 재청이오!, 앙코르! —— *n.* **1** 앙코르(Encore!)의 외침, 재연[재청]의 요구. **2** (앙코르에 응하는) 연주[재창(再唱)], 재연. —— *vt.* (앙코르를 외치며 가수·연주자·가곡 따위)의 재연주[재창]를 요구하다: ~ the singer[song] 가수에게[노래의] 앙코르를 요청하다. 〖F=once again〗

***en·coun·ter** [inkáuntər, en-] *vt.* …와 (우연히) 만나다, 마주치다, …을 찾아내다; (위험·곤란 따위에) 부닥치다(meet with); (적과) 조우하다, 싸우다, 대결하다; (토론 따위에서 상대에게) 대항하다(oppose): Such obstacles have never been ~*ed* before. 이와 같은 장애에는 아직까지 부닥쳐 본 적이 없다. —— *vi.* (우연히) 만나다; 적대[대결]하다〈*with*〉. —— *n.* 만남, 조우〈*with*〉; 조우전(戰), 충돌〈*with*〉; 대결, 적대; (천체에의) 접근. 〖OF (CONTRA)〗
類義語 ⟹ BATTLE.

encóunter gròup *n.* 〔精神醫〕 집단 감수성 훈련 그룹. **encóunter gròup·er**[**gròup·ie**] *n.* 집단 감수성 훈련 그룹의 참가자.

‡en·cour·age [inkə́ːridʒ, en-, -kʌ́r-; -kʌ́r-] *vt.* (↔*discourage*) **1** [+目/+目+前+名/+目+*to* do] 용기[원기]를 북돋우다(hearten); 격려하다, 장려하다(incite): He was ~*d* **at** his success. 그는 성공으로 용기를 얻었다 / She has always ~*d* me **in** my studies. 언제나 나의 연구를 격려해 주었다 / I ~*d* her *to* tell me what had happened. 그녀를 재촉하여 자초 지종을 이야기하게 했다 / ~ agriculture 농업을 장려하다. **2** (발달 따위를) 촉진하다, 조장하다(promote): The Olympic Games ~ the development of sports. 올림픽 게임은 스포츠의 발전을 촉진한다. 〖F (*en-*)〗

***encóurage·ment** *n.* **1** Ⓤ [+*to* do] 격려, 장려, 촉진: grants for ~ of research 연구 장려금 / shouts of ~ 격려의 외침 소리 / He gave us great ~ *to* carry out the plan. 그는 우리가 그 계획을 실행하도록 크게 격려해 주었다. **2** 격려가 되는 것, 자극(stimulus)〈*to* the young〉.

〈회화〉
Let me offer you some *encouragement.* — Thank you. I need it. 「기운을 내세요」「고마워요. 그래야죠」

en·cóur·ag·ing *a.* 격려[장려]하는, 기운을 돋우는, 격려가 되는(↔*discouraging*), 유망한. **~·ly** *adv.* 격려하여, 기운을 돋워.

en·crímson *vt.* 진홍색으로 하다[물들이다].

en·cri·nite [énkrənàit] *n.* 〔動〕 바다나리; 바다나리의 화석(化石).

en·croach [inkróutʃ, en-] *vi.* [+前+名] (다른 나라·남의 토지 따위를) 침략하다, 침입하다(intrude); (바다가) 침식하다; (남의 권리 따위를) 침해하다(infringe): The sea has ~*ed* **upon** the land. 바다가 육지를 침식했다 / A good salesman will not ~ **on** his customer's time. 숙련된 외판원은 고객의 시간을 빼앗지 않는다. **~·ment** *n.* Ⓤ,Ⓒ 잠식, 침략; 침식; 불법 확장, 침해; 침식지(浸蝕地). 〖OF (*croc* CROOK)〗
類義語 ⟹ TRESPASS.

en·crúst *vt.* [+目/+目+*with*+名] 껍질로 덮다, …에 피각(皮殼)을 형성하다, 씌우다; 상감(象嵌)하다, 아로새기다: The inside of the kettle is ~*ed* **with** lime. 주전자 안쪽에는 석회가 입혀져 있다 / The silver box was ~*ed with* jewels. 은상자에는 온통 보석이 박혀 있었다. —— *vi.* 외피[표피, 피각]를 형성하다. 〖F (*en-*[1])〗

en·crýpt *vt.* =ENCODE.
en·crýp·tion [-krípʃən] *n.* 암호화, 부호 매김.
-crýp·tor *n.* 암호화하는 사람.

encrýption àlgorithm *n.* 〔컴퓨〕 부호 매김 풀이법, 암호화 알고리듬《정보 해독 불능을 위해 수학적으로 기술된 법칙의 모음》.

en·culturátion *n.* 〖社〗 문명[문화]화, 문화 적응.

en·cum·ber [inkʌ́mbər, en-] *vt.* [+目/+目+前+名] 방해하다, 훼방놓다, …을 거추장스럽게 하다(hinder) ; (방해물로 장소를) 가리다, 막다(choke up) ; 번거롭게 하다, (남에게 부채 따위를) 지게 하다(burden) : Her long skirt ~*ed* her while running. 그녀의 스커트가 길어서 달리는 데 거추장스러웠다 / The room was ~*ed* ***with*** old furniture. 방에는 낡은 가구가 어수선하게 놓여져 있었다 / His estate is ~*ed with* a heavy mortgage. 그의 땅은 거액의 저당에 잡혀 있다. 〖OF=to block up<Rom.〗

en·cum·brance [inkʌ́mbrəns, en-] *n.* **1** 방해물, 장애물〈*to*〉. **2** 〖法〗 (재산상의) 부담《저당권·채무 따위》. **3** 계루(繫累), 거치적거리는 것, (특히) 자식 : be without ~*s* 자식이 없다.

-en·cy [ənsi] *n. suf.* 「…한 성질」「…한 상태」의 뜻 : consist*ency*, depend*ency*.
〖L -*entia* ; cf. -ANCY〗

ency., encyc., encycl. encyclopedia.

en·cyc·li·cal, -cyc·lic [ensíklik(əl), -sái-] *n.* 회장(回章), (특히) 회칙(回勅)《특히 로마 교황이 주교들에게 보내는 동문통달》. ── *a.* 회람의, 일반에게 보내는, 회송의.
〖L<Gk. (CYCLE)〗

***en·cy·clo·pe·dia** | **-pae-** [ensàikləpí:diə] *n.* 백과 사전 ; 전문 사전 ; [the E~] 〖프史〗 백과 전서《Diderot, d'Alembert 등이 편집 ; 계몽사상의 집대성》.
〖NL<spurious Gk.=all-round education ; ⇨ CYCLE〗

en·cy·clo·pe·dic, -di·cal | **-pae-** [ensàikləpí:dik(əl)] *a.* 백과[전문] 사전적인 ; 지식이 광범한, 박식한 : *encyclopedic* knowledge.

en·cy·clo·pe·dism | **-pae-** [ensàikləpí:dizəm] *n.* 백과 사전적 지식, 박식.

en·cỳ·clo·pé·dist | **-páe-** *n.* **1** 백과[전문] 사전 편집자 ; [흔히 E~] 〖프史〗「백과 전서」의 편집자, 「백과 전서」파. **2** 박식한 사람.

en·cýst *vt., vi.* 〖生〗 포낭(包囊)으로 싸다, 포낭에 싸이다.

◇**end** [énd] *n.* **1** 끝, 마지막, 최후(close) (↔*beginning*) ; (이야기 따위의) 결말, 끝맺음(conclusion) : the ~ of a day[an hour, a year] 하루[한 시간·한 해]가 끝날 때 / one's journey's ~ ☞ JOURNEY 숙어 / And there is the ~ (of the matter). 그것으로 끝이다. **2** 끝, 말단, 가장자리 ; (가로(街路) 따위의) 변두리 ; (방 따위) 막다른 곳 ; (나무막대 따위) 선단 ; (편지·책 따위의) 말미(末尾) : the person at the other ~ of the line 전화의 상대(방). **3** 한계, 한정, 제한, 한도(limit) ; [the (absolute) ~] 《口》 인내의 한계 : There is no ~ *to* it. 한정이 없다. **4** 목적(aim) : the ~(*s*) of human life 인생의 목적 / a means to an ~ 목적 달성의 한 수단 / gain[attain] one's ~(*s*) 목적을 달성하다 / have an ~ in view (…할) 의도가 있다 / The ~ justifies the means. 《속담》 목적은 수단을 정당화한다, 「거짓말도 한 방편이 된다」. **5** 결말, 결과(result). **6** 종지(終止) ; 종국 ; 파국, 파멸(destruction) ; 최후, 죽음 ; 죽음[파멸·멸망]의 원인 : He is near[is nearing] his ~. 그는 죽을 때가 다가왔다, 죽어가고 있다 / hasten one's ~ 죽음을 재촉하다 / come to an untimely ~ 일찍[젊어서] 죽다. **7** [*pl.*] 나부랭이, 쪼가리, 동강이 ; [*pl.*] 궁둥이(buttocks) ; [*pl.*] 《美俗》 구두(shoes) : cigaret(te) ~*s* 담배 꽁초 / odds and ~*s* ☞ ODDS 숙어. **8** 《美》(사업 따위의) 부문, 면(面), 분야 : the sales ~ of the manufacturing industry 제조 공업의 판매 부문. **9** 《美口》 (노획물 따위의) 몫(share) ; [*pl.*] 《美俗》 돈(money). **10** 〖美蹴〗 엔드, 날개《전위(前衛)의 양쪽끝 선수》.

all ends up 완전히, 철저하게.

at a loose end ☞ LOOSE END.

at an end 다하여, 끝나서 : be *at an* ~ 다하다, 끝나다.

at loose ends ☞ LOOSE END.

at the end 마지막에, 끝날 때에(는) (at last).

begin[***start***] ***at the wrong end*** 시작부터 잘못하다.

bring . . . to an end …을 끝내다, 마치다.

come to an end 끝나다(cf. 6) : *come to a* happy ~ 무사히 끝마치다.

end for end 양끝을 거꾸로, 반대로 : turn a thing ~ *for* ~ 어떤 것을 거꾸로 뒤집다.

end on 끝을 앞으로 (향하게) 하고.

end to end 끝과 끝을 (세로로) 이어서.

end up 한(쪽)끝을 위로 하여, 직립(直立)하여.

from end to end 끝에서 끝까지.

get[***have***] ***hold of the wrong end of the stick*** ☞ STICK[1].

go (***in***) ***off the deep end*** 《口》 위험을 무릅쓰다, 위험한 짓을 하다 ; 자제력을 잃다《「풀의 깊은 곳으로 들어가다」의 뜻에서》.

in the end 드디어, 결국, 마침내(cf. *in the* BEGINNING).

keep one***'s end up***=***keep up*** one***'s end*** 자기가 할 일을 빈틈없이 해내다, 끝까지 해내다.

make an end of . . . =*put an* END *to* ….

make both[***two***] ***ends meet***=***make ends meet*** 수지를 맞추다, 수입에 맞게 생활하다.

meet one***'s end*** 최후를 마치다, 죽다.

no end 《口》 몹시, 대단히 ; 《口》 쭉 계속하여 : I'm *no* ~ glad. 대단히 기쁘다 / She helped him *no* ~. 그녀는 그에게 큰 힘이 되었다.

no end of . . . 《口》 (제)한이 없는, 무척 많은 ; 대단한, 심한 ; 훌륭한, 멋진 : *no* ~ *of* a fool 대단한 바보 / *no* ~ *of* a fellow 아주 멋있는 녀석.

on end (1) 곧추서서, 직립(直立)하여(upright) (cf. *on* EDGE) : put a thing *on* ~ 물건을 곧추세우다 / make one's hair stand *on* ~ (공포 따위로) 머리카락이 곤두서다. (2) 잇달아, 계속하여, 연거푸 : It rained for three days *on* ~. 3일 동안 계속하여 비가 내렸다.

play both ends against the middle ☞ PLAY.

put an end to …을 끝내다, 그만두다.

right[***straight***] ***on end*** 《口》 계속하여 ; 곧바로 (at once).

the end of the world (1) 세상의 종말《파멸》. (2) =*the* ENDs *of the earth.*

the ends of the earth 세상[땅]의 끝, 맨 끝의 땅, 멀리 떨어진 곳.

to no end 헛되게, 무익하게 : I labored *to no* ~. 헛수고를 했다, 쓸데없는 일을 했다.

to the end 끝[마지막]까지 : He persisted *to the* ~. 그는 끝까지 버텼다.

〈회화〉
I swear to love you to the *end* of time. — You are kidding me. 「영원히 당신을 사랑한다고 맹세해요」「농담이겠죠」

to the end that …하기 위하여, …하려고 (in order that…).
to the very [***bitter***] ***end*** 최후까지, 끝까지 (cf. BITTER-ENDER).
to this [***that, what***] ***end*** 이것[그것, 무엇]을 위해.
without end 끝이 없는 (endless) ; 끝없이, 영구히, 언제까지나 (forever).
—— *a.* 최후의, 최종적인 ; 《美俗》 가장 좋은, 베스트의, 최고의.
—— *vt.* 끝내다, 마치다, 그만두다, 결말내다 : ~ a quarrel[war] 싸움[전쟁]을 끝내다[그만두다].
—— *vi.* [動/+副/+前+名] 끝나다, 마치다 ; 결말이 나다 : School starts when the vacation ~*s.* 방학이 끝나면 학교가 시작된다 / World War I ~*ed* in 1918. 제 1차 세계 대전은 1918년에 끝났다 / The footprints ~*ed there.* 발자국은 거기서 끊겼다. ☞ 活用.
end in . . . 끝이 …으로 되다 (☞ 活用) ; (결과로서) …으로 끝나다, …으로 귀착[귀결]되다 : Their enterprise ~*ed in* failure. 그들의 기획은 실패로 끝났다 / The game ~*ed in* a draw. 게임은 무승부로 끝났다 / ~ *in* smoke ☞ SMOKE *n.* 3.
end off (연설·책 따위를) 끝맺다, 끝내다 (conclude) ; 끝나다 : The author ~*s off* his story *with* a moral. 저자는 교훈을 끝으로 이야기를 맺고 있다.
end or mend ☞ MEND.
end up (경과의 최종 단계로서) 끝나다, 최후에는 (…으로) 되다 : He started as an office boy and ~*ed up* as a director of the firm. 그는 사환으로 출발하여 마지막에는 그 회사의 중역까지 되었다 / The gangsters ~*ed up in* prison. 그 갱들은 마침내 징역을 살게 되었다 / The party ~*ed up with* some entertainments. 파티는 여흥으로 끝을 맺었다.
〚OE *ende* ; cf. G *Ende*〛
活用 end *in*은 종지점(終止點)을 나타내고, end *by*는 종지의 단서가 되는 어떤 행동을 가리키고 뒤에 동명사를 수반하며, end *with*는 어떤 사물과 동시에 종지(終止)하는 경우에 씀 : The lane *ends in* a field. (그 작은 길은 밭으로 이어져 있다) / I *end,* as I began, *by* thank*ing* you. (마지막으로 다시 감사의 말씀을 드리겠습니다) / The concert *ended with* the playing of the National Anthem. (음악회는 국가 연주를 끝으로 막을 내렸다).
類義語 (1) (*v.*) ***end*** 지금까지 해오던 것을 완료하거나 또는 도중에서 그만두다 ; 가장 단순한 의미의 말 : *end* a discussion (토론을 끝내다). ***close*** 열었던 것을 닫다, 끝내다 : The meeting was *closed* by the chairman's speech. (회합은 의장의 연설로 폐회되었다). ***conclude*** 때때로 어떠한 결정에 따라 정식으로 끝나게 하다 : *conclude* negotiations (협상을 끝내다). ***finish*** 특히 마지막 마무리를 함으로써 희망한 대로의 결과를 맺게 하거나 완성하다 : *finish* one's homework (숙제를 끝내다). ***complete*** 불충분한 점, 모자라는 부분을 보충하여 완성시키다 : *complete* a program (프로그램을 완성하다). ***terminate*** 종말·한계·경계로 이끌어 가다[오다] : *terminate* the cooperation (협력에 종지부를 찍다).
(2) (*n.*) ⟹ INTENTION.

END European Nuclear Disarmament.

end- [énd], **en·do-** [éndou, -də] *comb. form* **1** 「내(부)…」의 뜻(↔*ect-, exo-*). **2** 「흡수」의 뜻. **3** 「고리의 내부의 두 원자 사이에 다리를 형성하고 있는」의 뜻.
〚Gk. *endon* within〛

énd-áisle *a.* (슈퍼마켓·소매점 안의) 통로 모퉁이의, 통로 끝의.

énd-àll *n.* 궁극의 목적, 종국 : ☞ BE-ALL (AND END-ALL).

en·dámage *vt.* =DAMAGE.

ènd·amóeba, -amé- *n.* 〔生〕 엔드아메바《적리의 병원체》.

en·dánger *vt.* 위험에 빠뜨리다[빠지게 하다], 위태롭게 하다 : Fire ~*ed* the hotel's guests. 불이 나서 호텔의 투숙객은 위험에 빠졌다.
~·ment *n.*

énd aròund *n.* 〔美蹴〕 엔드 어라운드《엔드가 스크리미지 라인 뒤쪽에서 쿼터백에게 핸드오프를 받아 상대편의 사이드로 돌아 들어 가는 플레이》.

end·ar·ter·ec·to·my [endɑ̀ːrtəréktəmi] *n.* 〔醫〕 동맥 내막(內膜) 절제(술).

énd àrticle *n.* 최종 제품.

én dàsh *n.* 〔印〕 이분 대시《반각의 대시》.

énd-blòwn *a.* 입을 대고 부는 주둥이가 세로로 달린《클라리넷 따위》 : an ~ instrument.

énd consùmer *n.* (제품의) 말단[최종] 소비자 (end user).

en·déar *vt.* [+目+*to*+名] 그리워하게 하다, 사모하게 하다 : His kindness of heart ~*ed* him ***to*** all. 그는 마음씨가 상냥하므로 모두가 사랑하였다 / She ~*ed* herself *to* everyone. 그녀는 누구에게나 사랑을 받았다.

en·déar·ing *a.* 남의 마음을 끄는, 귀여운, 사랑스러운 (attractive) ; 친근한 정을 나타내는 ; 애정을 표시하는 : an ~ smile 귀여운 미소.
~·ly *adv.*

en·déar·ment *n.* Ⓤ 친애 ; Ⓒ (행위·말로 하는) 애정의 표시, 귀여움, 애무.
a term of endearment 애칭, 친하게 부르는 말 《Benjamin, Elizabeth 대신에 Ben, Beth 따위》.

***en·deav·or** | **-our** [indévər, en-] *n.* [+*to* do] 노력 (effort), (계획 목표를 정하는) 진지한 노력[활동] : do[make] one's (best) ~*s* 전력을 다하다 / We make every ~ *to* satisfy our customers. 우리들은 손님이 만족하도록 최선을 다하고 있다 / My ~*s to* bring about a settlement were in vain. 화해시키려고 애를 쓴 보람도 없이 실패로 끝났다.
—— *vi.* [+*to* do/+前+名] 노력하다 (try hard) : The hunter ~*ed to* call back his dog. 사냥꾼은 그의 개를 불러서 돌아오게 하려고 애썼다 / ~ ***after*** wealth[happiness] 부귀[행복]를 얻으려고 노력하다. —— *vt.* 《古》 …을 달성하려고 노력하다.
〚(put oneself) *in* DEVOIR〛
類義語 (1) (*n.*) ⟹ EFFORT.
(2) (*v.*) ⟹ TRY.

en·dem·ic [endémik] *a.* (질병이) 특정 민족[나라] 특유의, 풍토성의 (cf. EPIDEMIC) ; (동·식물 따위가) 어떤 특정 지방 특유의 (indigenous) (↔ *exotic*). —— *n.* 지방병, 풍토병 ; 〔生〕 고유종.
en·dém·i·cal *a.* =ENDEMIC. **-i·cal·ly** *adv.*
〚F or NL<Gk.=native ; ⇨ DEMOS〛

en·de·mic·i·ty [èndəmísəti] *n.* =ENDEMISM.

en·de·mism [éndəmìzəm] *n.* Ⓤ 지방의 특성, 고유성, 지방적임 ; 풍토성.

en·dénizen *vt.* …에게 시민권을 부여하다, 귀화시키다.

end·er·gon·ic [èndərgɑ́nik] *a.* 〔生化〕 에너지 흡

수성의.
en·der·mic [endə́ːrmik] *a.* 〖醫〗 피부를 통해 작용하는, 피부에 바르는 : ~ liniment 도포(塗布)제.
en dés·ha·bil·lé [*F* ɑ̃ dezabije] *adv.*, *a.* 평복으로[인], 약식 복장으로[인].
énd gàme *n.* (체스 따위의) 종반 ; (전쟁 따위의) 막판 ; 〖軍〗 엔드 게임《적의 탄도 미사일 방위(BMD) 시스템을 기만하는 수단의 하나》.
énd·gàte *n.* (트럭의) 적재함 뒷단이.
***énd·ing** *n.* **1** 종지(終止), 종결(conclusion) ; 종국, 결말, 결미(結尾) : a happy ~ 해피 엔딩. **2** 최후, 마지막 ; 죽음(death) ; 파멸, 멸망. **3** 〖文法〗 (활용) 어미 ; (일반적으로) 낱말의 어미 《shadow의 -*dow* 따위》.
en·disked [endískt] *a.* 레코드에 녹음된.
en·dístance *vt.* (연극 따위가 관객에게) 거리감을 갖게 하다, (관객을) 이화(異化)하다.
en·dive [éndaiv] *n.* 〖植〗 꽃상추, 네덜란드상추 (=《美》 chicory)《샐러드용》.
〖OF<L *endivia*<Gk.〗
énd·lèaf *n.* =ENDPAPER.
***énd·less** *a.* **1** 끝이 없는 ; 영구히 계속되는, 무한의(infinite) ; (너무 길어서) 끝없는 ; 끊임없는 (incessant) : an ~ sermon 장황한 설교. **2** 무수한, 지극히 많은. **3** 〖機〗 순환의 : an ~ belt 이음매 없는 피대 / an ~ chain 순환 체인 / an ~ saw 띠톱. **~·ly** *adv.* 무한하게, 끝없이. **~·ness** *n.* Ⓤ 무한, 끝이 없음. 〖OE *endelēas* (END)〗
énd lìne *n.* 말단[한계, 경계]을 나타내는 선 ; 〖競〗 엔드 라인.
énd·lòng *adv.* 《古》 세로로, 똑바로.
énd màn *n.* 열 끝에 있는 사람 ; 《美》 엔드맨 《minstrel show에서 한쪽 끝에서 사회자역과 익살 문답을 하는 사람》.
énd màtter *n.* =BACK MATTER.
énd·mòst *a.* 제일 가장자리[끝]의, 말단의.
〖HINDMOST에 준하여 *end*에서〗
énd·nòte *n.* 말미[권말(卷末)·끝장(章)]의 설명·수정 따위를 위해 단 주(註).
en·do [éndou, -də] *n.* 모터사이클의 뒷바퀴를 들고 앞바퀴만으로 달리기(cf. WHEELIE).
endo- [éndou, -də] ☞ END-.
èndo·biótic *a.* 〖生〗 숙주의 조직내에 기생하는, 생물체 내생의.
éndo·blàst *n.* 〖生〗 =ENDODERM.
èndo·cár·di·al [-káːrdiəl], **èndo·cárdiac** *a.* 심장 내의.
èndo·cardítis *n.* 〖醫〗 심내막염(心內膜炎).
èndo·cárdium *n.* (*pl.* **-dia**) 〖解〗 심내막.
éndo·càrp *n.* 〖植〗 내과피(內果皮)(stone) (☞ PERICARP).
éndo·càst *n.* 두개강(頭蓋腔) 따위의 안 모양을 나타내는 형(型)[인상].
èndo·céntric *a.* 〖言〗 내심적(內心的)인《중심어[중심 구성소]가 어군[어(語)]전체와 같은 기능을 함 ; ↔*exocentric*》 : an ~ construction 내심 구조《보기 the blue sky》.
en·do·crine [éndəkrən, -kràin, -krìːn] *a.* 〖生理〗 내분비의 ; 내분비선의 ; 호르몬의. —— *n.* 내분비선(=~ **glànd**) ; 내분비물, 호르몬(hormone).
èn·do·crí·nal [-kráinəl], **èn·do·crín·ic** [-krín-], **en·doc·ri·nous** [endɑ́krənəs] *a.* 내분비의. 〖Gk. *krinō* sift〗
en·do·cri·nol·o·gy [èndəkrinɑ́lədʒi, -krai-] *n.* 내분비학(學). **-gist** *n.* 내분비학자.
èn·do·crìn·o·lóg·ic, -i·cal [-krin-, -kràin-] *a.* 내분비(선)의 ; 내분비학의.
èndo·cy·tóse [-saitóuz] *vt.* 〖生〗 (물질을) 세포막의 함입으로 외계로부터 끌어들이다.
en·do·cy·to·sis [èndəsaitóusəs] *n.* (*pl.* **-ses** [-siːz]) 〖生〗 엔도시토시스《세포막의 함입으로 외계로부터 물질을 끌어들이는 작용》. **èn·do·cýt·ic** [-sít-, -sái-], **èn·do·cy·tót·ic** [-saitɑ́tik] *a.* 〖生〗 세포 이물 흡수의.
éndo·dèrm *n.* 〖生〗 내배엽(內胚葉)(cf. ECTODERM, MESODERM).
èndo·dérmis *n.* Ⓤ 〖植〗 내피(內皮).
èndo·énzyme *n.* 〖生化〗 내생(內生) 효소.
èndo·ér·gic [-ə́ːrdʒik] *a.* 〖理·化〗 에너지를 흡수하는, 흡열의 : an ~ reaction 흡열(吸熱) 반응.
ènd-of-dáy glàss *n.* 여러가지 색이 섞인 유리잔(spatter glass)《장식용》.
énd-of-tápe màrker *n.* 〖電子〗 테이프 끝의 표시《자기(磁氣) 테이프 끝을 나타내는 표시》.
en·dog·a·my [endɑ́gəmi] *n.* Ⓤ 동족(同族) 결혼 (↔ *exogamy*), 족내혼. **en·dóg·a·mous, èndo·gámic** *a.* 동족 결혼의.
en·do·gen [éndədʒən, -dʒèn] *n.* 〖植〗 외떡잎식물, 내장경(內長莖) 식물.
èndo·génic *a.* =ENDOGENOUS ; 〖地〗 내인성(內因性)의.
en·dog·e·nous [endɑ́dʒənəs] *a.* 〖生·植〗 내생(內生)의 ; 〖地質〗 내인성(內因性)의 ; 내부로부터 성장하는, 내부적 원인에 의한.
en·dog·e·ny [endɑ́dʒəni] *n.* 〖生〗 내생.
èndo·glós·sic [-glɑ́sik] *a.* 〖言〗 국내 언어의 : an ~ official language 국내 언어 공용어.
éndo·lỳmph *n.* 〖解〗 내(內) 림프(액).
èndo·metrítis *n.* 〖醫〗 자궁내막염.
èndo·mé·tri·um [-míːtriəm] *n.* (*pl.* **-tria** [-triə]) 〖解〗 자궁 내막. **-mé·tri·al** *a.*
èndo·mitósis *n.* Ⓤ,Ⓒ 〖生〗 핵내 유사 분열(核內有絲分裂).
éndo·mòrph *n.* 〖鑛〗 내포(內包)광물 ; 땅딸막한 사람 ; 〖心〗 내배엽형(內胚葉型)의 사람.
èndo·mórphic *a.* 〖鑛〗 내포 광물의 ; 〖鑛〗 내변(內變)의 ; 〖心〗 내배엽형의.
éndo·mòrphy *n.* 내배엽형.
èndo·mórphism *n.* 〖鑛〗 혼성(混成)(작용), 내변(內變)《관입 화성암 속에서 일어나는 변화》 ; 〖數〗 자기 준동형(自己準同型).
èndo·párasite *n.* 〖動〗 내부 기생체, 체내 기생충 (↔*ectoparasite*).
èndo·péptidase *n.* 〖生化〗 엔도펩티다아제《펩티드의 가수(加水) 분해를 촉매하는 효소》.
èndo·peróxide *n.* 〖生化〗 엔도페록시드《prostaglandin의 합성 원료인 고산화(高酸化) 화합물의 총칭》.
en·doph·a·gous [endɑ́fəgəs] *a.* 〖生〗 내식성(內食性)의《음식물 내부에 들어가 먹는》.
èndo·phílic *a.* 〖生態〗 인간(환경)과 관계가 있는.
éndo·phỳte *n.* Ⓤ 내부 기생 식물.
éndo·plàsm *n.* 〖生〗 (세포질(細胞質)의) 내질(內質), 내부 원형질.
èndo·plás·mic [-plǽzmik] *a.*
endoplásmic retículum *n.* 〖生〗 세포질 망상(網狀) 구조, 소포체(小胞體), 원형질망.
éndo·proct [-prɑ̀kt] *n.* 〖動〗 내항(內肛)동물.
énd òrgan *n.* 〖生理〗 종말 기관(終末器官).
en·dor·phin [endɔ́ːrfən] *n.* 〖生化〗 엔도르핀《내인성(內因性)의 모르핀 같은 펩티드 ; 진통 작용이 있음》.
en·dorse [indɔ́ːrs, en-] *vt.* **1** (서장(書狀)·수표·어음 따위에) 이서(裏書)[배서(背書)]하다 ;

(설명・비평 따위를 서류 이면에) 써넣다；《英》(자동차 운전 면허증・선술집 따위의 면허증의) 뒤에 위반 사항을 적어 넣다：~ a check 수표에 이서하다 / His driving licence had been ~*d*. 《英》그의 운전 면허증에는 위반 사항이 적혀져 있었다. **2** (남의 말 따위를) 뒷받침하다, 보증하다；시인[찬성]하다, 지지하다.
endorse over (어음 따위에) 이서하여 권리를 양도하다〈*to*〉.
en·dórs·er, en·dór·sor *n.* 배서(양도)인.
〚*endoss* (obs.)<OF<L (*dorsum* back)〛
類義語 ⟹ APPROVE.

en·dors·ee [èndɔːrsíː, in-] *n.* 피(被)이서인, 양수인(讓受人), 수취인.

endórse·ment *n.* U,C 이서[배서](하기)；(문서・수표 따위의) 이서；운전 면허증에 기입된 교통 위반 기록； 이서 [배서] 조항；보증, 시인(approval), 승인, 지지, 추천의 말.

éndo·sarc [-sɑ̀ːrk] *n.* U =ENDOPLASM.

éndo·scòpe *n.* 〔醫〕 (장내(腸內)・요도 따위의) 내시경(內視鏡)；(진주 따위의 진위(眞僞)를 가리는) 검사경.

en·dos·co·py [endɑ́skəpi] *n.* 내시경 검사.

èndo·skéleton *n.* 〔解〕 내골격(內骨格).

ènd·osmósis *n.* 내(內)침투, 침입.

éndo·spèrm *n.* 〔植〕 내유(內乳), 내배유(內胚乳)《종자 식물의 배주 속에 있어서, 배(胚)의 발아에 필요한 양분을 저장하고 있는 조직》.

end·os·te·um [endɑ́stiəm] *n.* (*pl.* **-tea** [-tiə]) 〔解〕 골내막(骨內膜).

en·do·the·li- [èndəθíːli], **en·do·the·lio-** [-liou, -liə] *comb. form* 「내피」의 뜻. 〚Gk.〛

en·do·the·li·o·ma [èndouθìːlióumə] *n.* (*pl.* **-ma·ta** [-tə], **~s**) 〔醫〕 내피종(內皮腫).

èndo·thé·li·um [-θíːliəm] *n.* (*pl.* **-lia** [-liə]) 〔解〕 내피, (세포의) 내복(內覆) 조직 (cf. EPITHELIUM)；〔植〕 내종피(內種皮).

éndo·thèrm *n.* 〔動〕 내온[온혈] 동물.

èndo·thérmic *a.* (화학 변화가) 흡열(吸熱)의 (↔ *exothermic*)；흡열을 수반한[에 의한]；〔動〕 내온성의.

èndo·tóxin *n.* 내독소(內毒素).

èndo·tóxoid *n.* 〔生化〕 (균체) 내독소에서 얻는 변성 독소의 총칭.

énd·òver *n.* 〔스케이트보드〕 180°의 스핀을 연속하며 하는 직진.

en·dow** [indáu, en-] *vt.* [+目/+目+*with*+名] **1** …에 재산을 보내다[남기다]； …의 기금으로 기부하다：an ~*ed* school 기본 재산을 가진 학교, 재단 법인 조직의 학교 / He ~*ed* the new hospital ***with a large sum of money. 그는 그 새 병원에 거액의 돈을 기부했다. **2** [주로 *p.p.*로] (재능・특권 따위를) 부여하다(furnish)：The boy was ~*ed* by nature ***with*** genius. 소년은 천부적인 재질을 타고났다. **~·er** *n.*
〚AF (*en*-[1], DOWER)〛

endów·ment *n.* **1** U 기증, 기부；C 기본 재산；기부금. **2** [보통 *pl.*] 재질, 재능：natural ~*s* 천부의 재질.

endówment insùrance[《英》 **assùrance**] *n.* 양로 보험.

endówment pòlicy *n.* 양로 보험증권.

énd·pàper *n.* 〔製本〕 (책 앞뒤의) 면지.

énd plàte *n.* 끝이 넓적한 널[구조]；〔生〕 엔드플레이트, 〔解〕 (운동 신경 섬유의) 종판(終板)[단판(端板)].

énd pòint *n.* 종료점(終了點), 종점；〔化〕 (적정(滴定)의) 종점；=ENDPOINT.

énd·pòint *n.* 〔數〕 끝점《선분이나 사선(斜線)의 끝을 나타내는 점》.

énd pròduct *n.* 최종 생산물；(일련의 변화의) 최종 결과；〔原子理〕 최종 원소, 최종 생성물(生成物)《일련의 붕괴에 따른》.

énd rhỳme *n.* 《詩》 각운(脚韻).

en·drin [éndrən] *n.* 〔藥〕 엔드린《살충제》.

énd rùn *n.* 〔美蹴〕 공을 가지고 상대편의 측면을 돌아 후방으로 나감；회피책.

énd-rùn *vt.*, *vi.* 《美口》 잘 피해서 지나가다, 교묘히 피하다；…을 꾹뒤지르다, (중간을) 건너뛰고 일을 진척시키다.

énd stòp *n.* 마침표《종지・의문・감탄부호》.

énd-stòpped *a.* 〔韻〕 행말을 맺는；(발레 따위의 동작의 끝을) 포즈로 인상짓는, (동작이) 끝난 (cf. RUN-ON).

Ends·ville [éndzvil] *a.*, *n.* 《美俗》 최고의 (것) 《약간 고풍스런 말투》：New York is ~. 뉴욕은 최고다.

énd tàble *n.* (소파・의자 옆에 놓는) 탁자.

énd-to-énd *a.* 끝과 끝을 이은.
—— *adv.* 끝과 끝이 맞닿게.

en·due [indjúː, en-] *vt.* 《文語》 **1** [+目+*with*+名] [보통 수동태로] (천성・재능 따위를) 부여하다(endow)：The greatest scholar is not ~*d* ***with*** perfect wisdom. 아무리 훌륭한 학자라도 완전한 지혜를 갖춘 것은 아니다. **2** [+目+*with*+名] (남에게) 입히다(clothe)：~ a person ***with*** robes 남에게 의복을 입히다. **3** 착용하다(put on).
〚OF<L；⇨ INDUCE；의미는 L *induo* to put on (clothes)의 영향〛

en·dúr·able *a.* 견딜 수 있는, 참을 수 있는.
-ably *adv.* 견딜 수 있게, 참을 수 있게.

***en·dúr·ance** *n.* **1** U ENDURE하기；지구력, 인내성. **2** U 인내, 참음, 견딤(patience)；내구력：beyond[past] ~ 참을 수 없을 만큼.
類義語 ⟹ PATIENCE.

endúrance lìmit *n.* =FATIGUE LIMIT.

endúrance tèst *n.* (재료의) 내구(耐久) 시험.

***en·dure** [endjúər, in-] *vt.* **1** [+目/+*to* do/+do*ing*] [특히 부정어와 함께] 견디어 내다, 참아내다(bear)：I can*not* ~ the sight. 나는 그 광경을 차마 볼 수 없다 / He could *not* ~ *to* see her tortured. 그는 그녀가 괴로워 하는 것을 볼 수 없었다 / I can*not* ~ be*ing* disturbed in my work. 나는 일을 방해당하면 참을 수 없다. **2** (곤란 따위를) 당하다, 견디다(suffer)：We ~*d* much pain. 우리는 많은 고통을 견디어 냈다.
—— *vi.* **1** 견디어 내다(hold out)；지속하다, 유지하다(last)：His fame will ~ forever. 그의 명성은 영원히 사라지지 않을 것이다. **2** 참다, 견디다：They ~*d* to the end. 그들은 최후까지 견디었다.
〚OF<L *in*-[2](*duro* to harden〈*durs* hard)〛
類義語 ⟹ BEAR[1], CONTINUE.

en·dúr·ing *a.* 영속하는, 영구적인(lasting)；인내심[참을성]이 강한(patient)：an ~ fame 불후의 명성 / an ~ peace 항구적 평화. **~·ly** *adv.* 영속적으로. **~·ness** *n.*

en·duro [indjúərou] *n.* (*pl.* **~s**) 《美》 (자동차 따위의) 장거리 내구(耐久) 경주.
〚변형(變形)〈*endurance*〛

énd ùse *n.* 〔經〕 (생산물의) 최종 용도.

énd ùser *n.* =END CONSUMER.

énd·wàys, énd·wìse *adv.* 끝을 앞[위]으로 하

여, 세워서 ; 두 끝을 맞대고.
En·dym·i·on [endímiən] *n.* 〖그神〗 엔디미온《달의 여신(Selene)에게 사랑받던 미소년》.
énd zòne *n.* 〖美蹴〗 엔드 존《골 라인과 엔드 라인 사이의 구역》.
ENE, E.N.E., e.n.e. east-northeast (동북동).
-ene [iːn] *n. suf.* **1** 「불포화 탄소 화합물」의 뜻 : acetyl*ene*, benz*ene*. **2** 「…에서 태어난[사는] 사람」의 뜻. 〚Gk. *-ēnē* (fem. suf.) ‹*-ēnos*〛
en·e·ma [énəmə] *n.* (*pl.* **~s, -ma·ta** [-tə]) 〖醫〗 관장제(灌腸劑)[액] ; 관장기(器). 〚L<Gk.〛
◇**en·e·my** [énəmi] *n.* **1 a**) 적 ; 원수 : a lifelong [mortal, sworn] ~ 평생의[용서 못할] 원수[적]. **b**) [형용사적으로] 적의, 적성(敵性)의, 적대하는 : an ~ (air)plane 적기(敵機) / an ~ ship 적선(船). **2** [the ~, 단수·복수취급] 적군, 적함대, 적국 : The ~ was driven back. 적(군)은 격퇴되었다 / The ~ are in great force. 적은 막강하다. **3** (…에게) 해를 주는 것, 반대자(↔ *friend*) : an ~ *of* freedom 자유의 적 / the ~ *of* health 건강을 해치는 것.
be an enemy to …을 미워하다 ; …을 해치다. ***be*** one***'s own enemy*** 스스로 자신의 몸을 해치다, 자해(自害)하다.
the (***old***) ***Enemy*** 악마(the Devil).
〚OF<L (*in-*¹, *amicus* friend)〛
類義語 ⟹ OPPONENT.
énemy álien *n.* 적성(敵性) 외국인.
***en·er·get·ic, -i·cal** [ènərdʒétik(əl)] *a.* 정력적인, 활기에 찬, 원기 왕성한, 강력한.
-i·cal·ly *adv.* 정력적으로, 힘차게.
〚Gk. ; ⇨ ENERGY〛
類義語 ⟹ ACTIVE.
èn·er·gét·ics *n.* 에너지학[론].
en·er·gid [énərdʒəd, -dʒìd] *n.* 〖生〗 에너지드《한 개의 핵과 그 작용 범위내의 세포질》.
en·er·gism [énərdʒìzəm] *n.* Ⓤ 〖倫〗 정력[활동]주의.
en·er·gize [énərdʒàiz] *vt.* …에 정력을 주다, 격려하다 ; 〖電〗 …에 전압을 가하다. —— *vi.* 정력을 내다 ; 정력적으로 활동하다.
en·er·gu·men [ènərgjúːmən, -men] *n.* 귀신들린 사람 ; 광신자 ; 열광자.
***en·er·gy** [énərdʒi] *n.* **1** Ⓤ 힘, 세력(power, force) ; (말·문체 따위의) 표현력 ; 정력, 기력, 끈기, 활기, 원기(vigor) : full of ~ 정력이 왕성하여. **2** [흔히 *pl.*] (개인 등의) 활동력, 행동력, 능력(powers) ; 활동(activities) : brace one's *energies* 힘[원기]을 불러일으키다 / devote one's *energies* to …에 정력을 기울이다. **3** Ⓤ 〖理〗 에너지, 세력 : kinetic[motive] ~ 운동 에너지 / latent[potential, static] ~ 잠재 에너지, 잠재력 / conservation[dissipation] of ~ 에너지의 보전[소멸].
〚F or L<Gk. (*ergon* work)〛
énergy àudit *n.* (에너지 절감을 위한) 에너지 감사[진단].
énergy bùdget *n.* 생태계의 에너지 수지.
énergy bùsh *n.* 에너지원(源) 삼림(森林).
énergy crìsis *n.* (특히 석유 따위의 공급 부족으로 인한) 에너지 위기.
énergy flòw *n.* 생태계의 에너지 순환.
énergy índustry *n.* 에너지 산업.
énergy-inténsive *a.* 생산에 많은 에너지를 소비하는, 에너지 집약적[형]인.
énergy lèvel *n.* 〖理〗 에너지 준위(準位).
énergy pàrk *n.* 에너지 단지, 에너지 자원 공동 이용지《에너지 절감을 위해 여러 에너지 생산 설비를 1개소에 통합한》.
énergy plantàtion *n.* 에너지가 되는 식물(植物)을 키우는 에너지 대농장 제도.
énergy-sàving *a.* 에너지를 절약하는 : an ~ device 에너지 절약 장치.
en·er·vate [énərvèit] *vt.* …의 기력[정신력, 지력, 체력]을 약화시키다, 힘[원기]을 빼앗다 (weaken) : an *enervating* climate 사람을 무기력하게 하는 것 같은 풍토. —— *a.* 체력[지력, 정신력, 기력]이 모자라는. 〚L ; ⇨ NERVE〛
èn·er·vá·tion *n.* Ⓤ 원기[기력] 상실, 쇠약 ; 유약(柔弱).
en·fáce *vt.* (서류·어음 따위의) 표면에 기입[날인·인쇄]하다. **~·ment** *n.*
en fa·mille [*F* ɑ̃ famij] *adv.* 자기 집에서 ; 가족적으로, 집안끼리 ; 소탈하게, 약식으로.
en·fant ché·ri [*F* ɑ̃fɑ̃ ʃeri] *n.* (*pl.* **en·fants ché·ris** [—]) 《비유》 총아(寵兒), 애지중지하는 아이.
en·fant gâ·té [*F* ɑ̃fɑ̃ gɑte] *n.* (*pl.* **en·fants gâ·tés** [—]) 응석받이 ; 버릇이 없는 사람 ; 부추김을 받은 사람.
en·fant ter·ri·ble [*F* ɑ̃fɑ̃ tɛribl] *n.* (*pl.* **en·fants ter·ri·bles** [—]) **1** 깜찍한 아이《어른을 난처하게 하는 말을 하거나 묻거나 함》. **2** 분별 없는[무책임한] 사람. 〚F=terrible child〛
en·féeble *vt.* 약하게 하다(weaken).
~·ment *n.* Ⓤ 쇠약. 〚OF (*en-*¹)〛
en·féoff *vt.* 〖法〗 세습지를 주다, 영지를 주다, 봉토(封土)를 주다 ; (몸을) 맡기다. **~·ment** *n.* 영지 수여 ; 영지 하사(下賜) 증서 ; 봉토, 영지.
en fête [*F* ɑ̃ fɛt] *adv., a.* 외출복으로 차려 입고[입은] ; 축제 기분으로[인].
en·fétter *vt.* 족쇄(足鎖)를 채우다 ; 속박하다, 노예로 삼다.
en·féver *vt.* 열광시키다.
en·fi·lade [ènfəléid, 美+´--] *n.* 〖軍〗 종사(縱射) (당하기 쉬운 위치). —— *vt.* 종사하다.
〚F (FILE²)〛
en·fóld *vt.* =INFOLD.
en·fórce** *vt.* **1** (법률 따위를) 실시[시행]하다(put in force). **2** [+目/+目+*on*+名] 강제하다, 억지로 하게 하다(compel) : ~ obedience 복종을 강요하다 / ~ a course of action (up***)***on*** a person 남에게 어떤 행동을 강요하다. **3** (요구·의견 따위를) 강하게 주장하다 ; 강화[보강]하다.
~·abílity *n.* **~·ment** *n.* Ⓤ 시행, 실시, 집행 ; 강제. **en·fórce·able** *a.* 실시할 수 있는 ; 강요할 수 있는.
en·fórced *a.* 강제적인, 강요된 : ~ education 의무 교육 / ~ insurance 강제 보험.
en·fórc·ed·ly [-sədli, -stli] *adv.*
enfórcement òfficer *n.* 《美》 (법률(法律) 따위의) 시행관.
en·fórc·er *n.* ENFORCE 하는 사람 ; 〖아이스하키〗 상대팀에게 겁을 주려고 거친 플레이를 하는 선수 ; 《美俗》 암흑가의 관례를 강요하는 악한.
〚OF (FORCE¹)〛
en·fráme *vt.* 액자에 끼우다, 틀에 박다.
en·fran·chise [infrǽntʃaiz, en-] *vt.* …에 참정[선거]권을 주다 ; 해방하다, 자유민이 되게 하다 ; (도시에) 자치권을 주다, 선거구로 하다.
〚OF *en-*¹ (*franchir* ‹FRANK¹)〛
en·frán·chise·ment [-tʃəz-, 美+-tʃaiz-] *n.* Ⓤ 참정[선거]권 부여 ; 해방, 석방.

ENG electronic news gathering《소형 비디오 일체 텔레비전 카메라에 의한 뉴스 취재》.

eng [éŋ] *n.* 〖音聲〗 엥《발음 기호 [ŋ]의 명칭》.

Eng. England ; English. **eng.** engine ; engineer(ing) ; engraved ; engraver ; engraving.

en·gage** [ingéidʒ, en-] *vt.* **1** [+目/+目+*to*+名] [보통 수동태로] 약혼시키다 : *Are* they ~*d* yet? 둘은 벌써 약혼했느냐 / I *am* ~*d* ***to her. 그녀와 약혼중이다. **2** [+目/+目+*in*+名/+目+do*ing*] [보통 수동태로] 종사시키다(occupy), 분주하게[바쁘게] 하다(cf. *vi.* 2) ; (시간 따위가) 짜여져 있다, 차 있다 : Just then I had my time fully ~*d.* 마침 그 때쯤 나의 시간은 전부 차 있었다 / (The) number[line] *is* ~*d.* 《英》 (전화에서) 통화중입니다(cf. 《美》 Line's BUSY.) / The ship *is* ~*d* ***in*** foreign trade. 그 배는 외국 무역에 사용되고 있다 / He *was* ~*d in* medical researches. 의학 연구에 종사하고 있었다 / He *was* busily ~*d* (*in*) writ*ing* letters. 편지를 쓰느라고 바빴었다 / They were ~*d* *on*[*upon*] a new project. 새로운 기획에 착수하고 있었다. **3** (주의 따위를) 끌다(attract) : All of the child's attention was ~*d* by the new toy. 그 애는 새로운 장난감에 온 정신이 팔렸다. **4** [+目/+目+*as* 補] (하인 등을) 고용하다(employ) ; (방·자리를) 신청하다, 예약하다《reserve라고 하는 쪽이 보통》; (택시 따위를) 부탁하다, 전세내다《hire로 하는 편이 보통》: The seat is ~*d.* 그 좌석은 예약이 되었습니다 / I ~*d* young woman *as* a temporary secretary. 젊은 여성을 임시 비서로 고용했다. **5** (적군과) 교전하다 ; (군대를) 교전시키다. **6** 〖機〗 (톱니바퀴 따위를) 맞물리게 하다 ; 《口》〖펜싱〗 (검을) 상대방의 검과 교차시키다.

—— *vi.* **1** [+*to* do/+*that* 節/+*for*+名] 약속하다, 장담[맡아]하다, 보증하다(cf. ENGAGE one*self to* do) : You had better not ~ *to* do the work unless you have time. 시간이 없으면 일을 맡지 않는 편이 좋다 / I will ~ *that* he will keep his promise to the letter. 그가 약속을 꼭 지킨다는 것을 굳게 보증합니다 / That's more than I can ~ ***for***. 그것은 보증하기 어렵습니다. **2** [+*in*+名] 종사하다, (일에) 관계하다, (손을 대어) 적극적으로 나서다(embark) (cf. *vt.* 2) : After graduating from college, he ~*d* ***in*** business. 대학을 졸업하자 그는 실무에 들어갔다 / They were ready to ~ *in* the contest. 그들은 경기에 참가할 준비가 돼 있었다. **3** 교전하다〈*with*〉. **4** (톱니바퀴 따위가) 걸리다, 맞물다, 연동하다〈*with*〉.

engage one***self in*** …에 종사하다(cf. *vt.* 2).

engage one***self to*** …와 약혼하다(cf. *vt.* 1) ; (회사 따위와) 계약을 맺다.

engage one***self to*** do …할 것을 약속하다(cf. *vi.* 1) : He ~*d* him*self to* pay the money by the end of the month. 그는 월말까지 그 돈을 지급하기로 약속했다.

〚F (GAGE[1])〛

***en·gáged** *a.* **1** 약속을 한, 예약한. **2** 약혼중인 : an ~ couple 약혼중인 남녀. **3** 바쁜, 여가가 없는 ; (전화·변소 따위) 사용중인, 쓰고 있는 : The line is ~[busy]. 통화중입니다. **4** 교전중인. **5** 〖機〗 맞물리는, 연동(連動)의. **6** 종사하고 있는, 관계하는.

〈회화〉
How long have you been *engaged*?—Just three weeks today. 「약혼한지 얼마나 됐니」「오늘로 꼭 3주일 됐어」

engáged tóne *n.* 《英》 (전화의) 통화중 신호 (busy signal).

***engáge·ment** *n.* **1** (회합 따위의) 약속, 계약 : a previous ~ 선약(先約) / under an ~ 계약하에 / break off an ~ 해약하다, 파약하다 / make an ~ 약속[계약]을 하다. **2** [*pl.*] 채무 : meet one's ~*s* 채무를 청산하다. **3** 약혼. **4** 볼 일, 용무. **5** 고용(employment) ; 고용 기간, 사용[업무] 시간. **6** 교전(交戰). **7** 개입, 관여. **8** 〖哲〗 관련성, 연대성. **9** 〖機〗 연동 상태.

類義語 ⟹ BATTLE.

engágement bòok *n.* (면회·초대 따위의) 예정부(簿).

engágement rìng *n.* 약혼 반지.

en·gág·ing *a.* 남을 끌어당기는, 매력이 있는, 애교가 있는(winning) : an ~ manner 애교 있는 태도 / an ~ young man 매력적인 청년.

~·ly *adv.* 매력적으로, 애교 있게(attractively).

~·ness *n.*

en garçon [*F* ɑ̃ garsɔ̃] *adv.* (남자가) 독신으로 ; 남자 아이처럼.

en·gárland *vt.* 꽃다발을 씌우다[두르다], 꽃다발로 장식하다.

Eng. D. Doctor of Engineering.

En·gel [éŋəl] *n.* 엥겔. **Ernst** ~ (1821-96) 독일의 통계학자.

Engel's coefficient 엥겔 계수.

Engel's law 〖經〗 엥겔의 법칙.

Eng·els [éŋgəlz ; *G* éŋəls] *n.* 엥겔스. **Friedrich** ~ (1820-95) 독일의 사회주의자 ; Marx의 협력자로 Marx의 사후 그의 저작을 편집·출판했음.

en·gen·der [indʒéndər, en-] *vt.* (사태·감정 따위를) 생기게 하다, 발생시키다(produce) ; 낳다 : Pity often ~*s* love. 동정에서 흔히 사랑이 싹튼다. —— *vi.* 일어나다, 생기다.

~·ment *n.*

〚OF<L ; ⇨ GENERATE〛

en·gíld *vt.* 《古》 도금하다 ; 닦다.

engin. engineer ; engineering.

‡en·gine [éndʒən] *n.* **1** (복잡하고 정교한) 기계, 기관, 엔진 ; 증기 기관(=steam ~) ; 발동기. **2** 기관차 ; 소방차. **3** 《古》 수단(means), 방법, 도구. **4** 무기, 병기(兵器) (=~ of war).

—— *vt.* …에 (증기) 기관을 설치하다.

〚OF<L=talent, device ; ⇨ INGENIOUS〛

éngine còmpany *n.* 소방서.

éngine depàrtment *n.* (선박의) 기관실.

éngine drìver *n.* 《英》 기관사(cf. ENGINEER).

en·gi·neer** [èndʒəníər] *n.* **1** 공학자 ; 기술자, 기사 ; 토목 기사 ; 기관[엔진] 제작자 : a civil ~ 토목 기사 / a naval[marine] ~ 조선(造船) 기사. **2** 〖陸軍〗 공병 ; 〖海軍〗 기관 장교 ; 〖船〗 기관사 ; 《美》 (철도의) 기관사(=《英》 engine driver) ; 기계공(工) (mechanic) : a chief ~ (배의) 기관장 / a first ~ 1등 기관사. **3** 교묘하게 일을 처리하는 사람 ; 인간 공학의 전문가. —— *vt.* **1** …의 건설공사를 감독[설계]하다 ; …의 진전[진로]을 감시[유도]하다. **2** 《口》 [+目/+目+副/+目+前+名] 교묘하게 처리하다 ; 공작하다, 기도하다 : He ~*ed* his plan ***through to general approval. 그는 교묘히 꾀를 써서 자기의 기획안을 모두가 승인하도록 했다. —— *vi.* 기사로서 일하다 ; 교묘하게 처리하다.

〚OF *engigneor*<L (⇨ ENGINE) ; 어미는 -*eer*에 동화〛

Engineér Còrps *n.* 《美》 공병단(團).

èn·gi·néered fóod *n.* 강화(보존) 식품.

èngineer·ése *n.* 기술 용어, 전문 용어.

***enginéer·ing** *n.* **1** 공학 ; 기관학 ; 토목 공사 : civil[electrical, mechanical] ~ 토목[전기·기계] 공학 / military ~ 공병학(工兵學) / mining ~ 광산[채광] 공학 / an ~ college 공과 대학. **2** 교묘한 공작[처리].

enginéering plástics *n.* 산업용[공업용] 수지.

enginéer òfficer *n.* 〖海軍〗 기관 장교 ; 〖陸軍〗 공병 장교.

enginéer's degrèe *n.* 〖美教育〗 (몇몇 저명한 대학에서) 공학계 대학원 수료자에게 주는 학위로 석사와 박사의 중간 학위.

éngine·hòuse *n.* (소방차·기관차 따위의) 차고(車庫).

éngine làthe *n.* 선반(旋盤).

éngine·màn [, -mən] *n.* 철도 기관사.

éngine ròom *n.* (기선(汽船) 따위의) 기관실.

éngine·ry *n.* Ⓤ 기계류(machines), 기관[엔진]류(engines) ; [집합적으로] 병기 ; 책략.

éngine shèd *n.* 기관차 차고(車庫).

éngine tùrning *n.* 로제트 무늬《시계 딱지·증권 따위에 새겨 넣는 줄무늬》.

en·gírd, en·gírdle *vt.* 띠로 감다[두르다] ; 둘러싸다.

◇**Eng·land** [íŋglənd, íŋlənd] *n.* **1** [좁은 뜻] 잉글랜드《Great Britain 섬의 남부》. **2** [넓은 뜻] 영국, 영국 본국(Britain). **~·er** *n.* 《稀》 잉글랜드인 영국인(Englishman).
〚OE=the land of the ANGLES〛

◇**Eng·lish** [íŋgliʃ, íŋliʃ] *a.* **1** 잉글랜드(England)의 ; 잉글랜드 인의. **2** 영국인의 ; 영국의(British). **3** 영어의.

〈회화〉
Which *English* conversation class are you in? —I'm in the beginners' class. 「어느 영어 회화반에 들어 있니」「초급반이야」

— *n.* **1** Ⓤ 영어(=the ~ language) : American[British] ~ 미국[영국]식 영어 / the ~ of the gutter 빈민가에서 쓰는 영어 / the ~ for *mugunghwa* 「무궁화」에 대한 영어 / (the) King's [Queen's] ~ 올바른 영어, 표준 영어 / *in* plain ~ 쉽게[쉬운 영어로] 말하면 / It is not ~. 그것은 참된 영어식의 표현이 아니다 / Give me the ~ of it. 조금 더 쉬운 말로 말해주게 / ☞ OLD ENGLISH / ☞ MIDDLE ENGLISH / ☞ MODERN ENGLISH. **2** [the ~, 복수취급] 영국인, 영국민 ; 영국군 : The ~ are a law-abiding people. 영국인은 법을 지키는 국민이다. **3** Ⓤ 〖印〗 잉글리시《14포인트 활자 ; ☞ TYPE 5 [주]》. **4** Ⓤ 《美》 [때때로 e~] 〖撞球〗 비틀어 치기(=《英》 side).
— *vt.* **1** [때때로 e~] 《英古·美》 영어로 번역하다 ; (발음·철자 따위를) 영어식으로 하다, (외국어를) 영어로 받아들이다. **2** 《美》〖撞球 따위〗 (공)을 비틀어치다. **~·ly** *adv.* 영국인식으로.
〚OE *englisc, ænglisc* (ANGLE, *-ish*)〛

Énglish bréakfast *n.* 영국식 아침 식사《bacon and eggs, 마멀레이드를 곁들인 토스트와 홍차 따

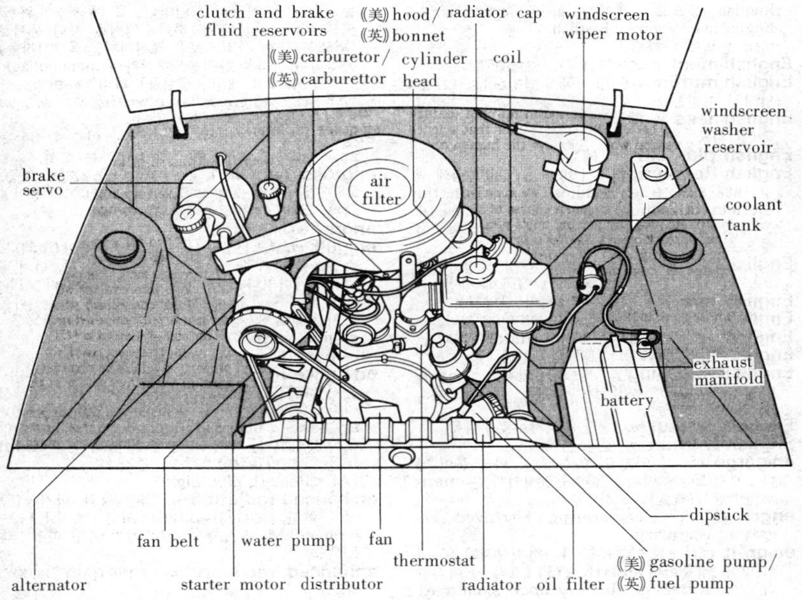

engine

위 ; cf. CONTINENTAL BREAKFAST》.

Énglish Canádian *n.* **1** 영국계 캐나다인. **2** 영어를 사용하는 캐나다인.

*__Énglish Chánnel__ *n.* [the ~] 영국 해협《영국과 프랑스를 가름 ; 길이 565km, 폭 30-160km ; the Channel이라고도 함》.

Énglish Chúrch *n.* [the ~] 영국 국교회.

Énglish dáisy *n.* 《美》〖植〗 데이지.

Énglish diséase *n.* [the ~] 영국병《노동자 태업에 의한 생산성 저하 따위의 현상》; 《古》 구루병, 기관지염.

Énglish Énglish *n.* 영국(식) 영어(British English).

Énglish·er *n.* 영국 국민 ; 외국어를 영어로 번역하는 사람.

Énglish flúte *n.* 〖樂〗 (옛날) 플루트의 일종(recorder).

Énglish gálingale *n.* 〖植〗 방동사니.

Énglish hórn *n.* 잉글리시 호른《oboe 계통의 목관 악기》.

English horn

Énglish·ìsm *n.* 영국식, 영국풍 ; 영국주의 ; 영국식 어법.

Énglish ívy *n.* 〖植〗 서양담쟁이덩굴[아이비].

Énglish·ìze *vt.* 영국식으로 하다, 영국화하다.

◇**Énglish·man** [-mən] *n.* 잉글랜드인 ; 영국인 ; 영국선(船). [주] [ʃ], [tʃ]로 끝나는 국민의 명칭(English, French, Irish 등)에서는 국민의 총체는 the English 등으로, 개인은 an Englishman, some Englishmen 등으로 나타냄.

Énglish·ment *n.* 영어역(譯), 영역판(版).

Énglish múffin *n.* 《美》 영국식 머핀《이스트가 든 납작한 머핀》.

Énglish·ness *n.* 영국풍임, 영국(인)적 특징, 영국(인)다움.

Énglish plántain *n.* 〖植〗 창질경이.

Énglish Revolútion *n.* [the ~] 〖英史〗 명예 혁명(1688-89) (the Bloodless Revolution, the Glorious Revolution)《Stuart 왕가의 James 2세를 추방하고 William과 Mary를 맞이하여 왕·여왕으로 삼음》.

Énglish·ry *n.* 영국인임, 영국 태생 ; [집합적으로] 영국인, (특히 아일랜드의) 영국계 사람.

Énglish sétter *n.* 영국종의 세터《사냥개》.

Énglish síckness *n.* =ENGLISH DISEASE.

Énglish sónnet *n.* =ELIZABETHAN SONNET.

Énglish spárrow *n.* 〖鳥〗 영국참새.

Énglish-spéak·ing *a.* 영어를 말하는 : ~ peoples 영어(사용) 국민《영국·미국·캐나다·오스트레일리아인 등》.

Énglish wálnut *n.* 〖植〗 페르시아호두나무.

*__Énglish·wòman__ *n.* 영국 여자.

en·górge *vi., vt.* 억지로 쑤셔 넣다, 마구 틀어 넣다 ; 게걸스럽게 먹다 ; 〖醫〗 충혈시키다. **~·ment** *n.* [U] 탐식(貪食), 포식 ; 충혈.

engr. engineer ; engineering ; engraved ; engraver ; engraving.

en·gráft *vt.* [+目+[前]+[名]] **1** (접지(接枝)를) 끼워 넣다, 접붙이다(insert) ; 〖醫〗 (조직을) 이식하다 : Peach trees can be *~ed* ***upon*** plum trees. 복숭아나무는 자두나무와 접붙일 수 있다. **2** (사상·덕 따위를) 주입하다, 심어 넣다(implant) : Thrift is *~ed* ***in*** his character. 검약이 그의 성격 속에 배어 있다. **3** 합체(合體)시키다〈*into*〉; 부가하다〈*upon*〉.

en·grail [ingréil, en-] *vt.* 가장자리를 깔쭉깔쭉하게[톱날처럼] 하다.

en·gráin *vt.* =INGRAIN ; 나뭇결처럼 물들이다. 〖OF=to dye in GRAIN〗

engráined *a.* 깊이 스며든 ; (버릇 따위) 뿌리 깊은 ; (악당 등) 철저한.

en·gram | **-gramme** [éngræm] *n.* 〖心〗 기억의 흔적《신경 세포 안에 생긴다고 생각되는》; 〖生理〗 인상(印象).

en grande te·nue [*F* ɑ̃ grɑ̃nd təny] *adv.* 정장(正裝)을 하고, 정장으로.

*__en·grave__ [ingréiv, en-] *vt.* [+目 / +目+[前]+[名]] **1** (금속·나무·돌 따위에) 파다, 조각하다 ; (사진판·동판 따위에) 새기다, (그림 따위를) 판(版)으로 하다 : He had his initials *~d* ***on*** the back of the watch. 그는 자기 이름의 첫 글자를 시계 뒤쪽에 새기게 했다 / The stone is *~d* ***with*** designs. 그 돌에는 무늬가 새겨져 있다. **2** (마음에) 새겨 넣다 : The scene is *~d* ***on*** my memory. 그 광경은 내 기억 속에 새겨져 있다. 〖GRAVE[3]〗

en·gráv·er *n.* 조각사, (특히) 조판공.

en·gráv·ing *n.* [U] 조각(술), 조판술(彫版術) ; [C] (동판·목판 따위의) 판목(版木), 각판 ; 판화.

en·gross [ingróus, en-] *vt.* **1** [+目+[前]+[名]] [특히 *p.p.*로] (남을) 열중하게 하다 ; (이야기 따위를 혼자서 떠들며) 남이 말못하게 하다 ; (주의·시간을) 빼앗다 ; (남이) 곁눈질도 못하게 하다 : He was *~ed* ***in*** the exciting story. 그는 그 재미있는 이야기에 열중하고 있었다. **2** (문서를) 큰 글씨로 쓰다, 정서(淨書)하다 ; 격식을 차린 문체로 [법조문(法條文)식으로] 표현하다. **3** (시장을) 독점하다, (곡물 따위를) 매점하다(monopolize) : ~ the market 매점 (행위를) 하다. **~·er** *n.* 〖AF ; *en* in, *grosse* large writing과 *en gros* wholesale에서〗

engróss·ing *a.* 마음을 사로잡는, 열중케 하는 : an ~ novel 재미있어서 열중케 하는 소설.

engróss·ment *n.* **1** [U] 전심(專心), 몰두, 열중. **2** [U] 정서체로 크게 쓰기, 정서(淨書) ; [C] 정서물(物). **3** [U.C] 독점, 매점(買占).

engrs. engineers.

en·gúlf *vt.* [+目 / +目+*in*+[名]] (심연(深淵)·소용돌이 따위 속으로) 삼켜[빨아]들이다, 던져 넣다 ; 삼켜버리다(swallow up), 감아들이다 : The ship was *~ed* ***in*** the mounting seas. 배는 휘몰아치는 파도에 삼켜졌다.

engulf one***self in*** (일 따위에) 투신하다.

~·ment *n.*

en·hance [inhǽ(:)ns, en-, 美+-hɑ́:ns] *vt.* (질·능력 따위를) 높이다, 늘리다 ; 강화하다, 향상시키다 ; (가격을) 올리다 ; 과장하다 : This discovery has *~d* his reputation. 이 발견으로 그의 명성이 높아졌다. —— *vi.* 높이다, 늘리다. **~·ment** *n.* [U.C] 고양(高揚), 향상 ; 증강 ; 등귀. 〖AF<Rom. (L *altus* high)〗

en·hánced radiátion *n.* 〖軍〗 강화 방사능《중성자 폭탄의 고(高)에너지에 의한 ; 略 ER》: ~ weapon 강화 방사능 무기《중성자 폭탄 따위 ; 略 ERW》.

enhánced recóvery *n.* =TERTIARY RECOVERY.

enhánced sérvice *n.* 고도 서비스.

èn·harmónic *a.* 〖樂〗 반음 이하 음정의 ; 딴 이름 한소리의.

en·héart·en *vt.* …의 용기를 북돋우다, 마음 든든하게 하다.

en·i·ac, ENIAC [í:niæ̀k, én-] *n.* 에니악(미국에서 만들어진 최초의 본격적 컴퓨터 ; 상표명). 〖*e*lectronic *n*umerical *i*ntegrator *a*nd *c*omputer [*c*alculator]〗

Enid [í:nid] *n.* 여자 이름. 〖Welsh=pure ; wood lark〗

enig·ma [inígmə] *n.* (*pl.* **~s, -ma·ta** [-tə]) 수수께끼(riddle) ; 수수께끼 같은 사람, 불가사의한 것, 정체를 알 수 없는 것. 〖L<Gk. *ainigmat- ainigma*〗 類義語 ⟹ MYSTERY.

enig·mat·ic, -i·cal [ènigmǽtik(əl)] *a.* 수수께끼의[같은], 풀기 어려운 ; (인물의) 정체를 알 수 없는, 불가사의한. **-i·cal·ly** *adv.* 수수께끼같이, 불가사의하게.

enig·ma·tize [inígmətàiz] *vt.* 수수께끼로 하다 ; 알 수 없게 하다.

en·ísle *vt.* 《文語》 섬으로 만들다 ; 섬에 갖다 놓다 ; 고립시키다.

En·i·we·tok [èniwí:tɑk] *n.* 에니위탁 환초(環礁) (미국의 핵무기 실험장).

en·jamb·ment, -jambe- [indʒǽmmənt, -dʒǽmb-, en- ; *F* ɑ̃ʒɑ̃bmɑ̃] *n.* Ⓤ 〖詩學〗 뜻이 다음 행 또는 연구(連句)에 계속되기. 〖F=encroachment (*jamber* ‹ *jambe* leg)〗

en·join [indʒɔ́in] *vt.* **1** [+目+前+名] (침묵·순종(順從) 따위를) 요구[지시]하다(demand) : Teachers ~ regular preparations ***on*** their pupils. 선생은 학생에게 규칙적으로 예습해 오도록 이른다. **2** [+目+*to* do / +*that* 節] 명령하다(order), 요구하다(require) : The judge ~*ed* the man *to* be silent. 판사는 그 사람에게 조용히 하라고 명령했다 / Discipline ~*s that* rules (should) be strictly observed. 규율을 유지하기 위해서는 규칙을 엄중히 지키지 않으면 안된다(이런 종류의 *that*절에서 should를 생략하는 것은 주로 《美》). **3** 〖法〗 금하다. 〖OF<L *in-*[2] (*jungo* to join)=to attach〗 類義語 ⟹ ORDER.

◇**en·joy** [indʒɔ́i, en-] *vt.* **1** [+目 / +do*ing*] 향락하다, 즐기다, 기뻐하다 : They are ~*ing* a quiet and easy life. 조용하고 편안한 나날을 즐기고 있다 / I ~*ed* the party a great deal. 파티는 대단히 즐거웠다 / I hope you'll ~ your visit to our country. 우리 나라의 방문을 즐겁게 보내시기 바랍니다 / We ~*ed* driv*ing* along the new expressway. 새 고속 도로를 즐겁게 드라이브했다. **2 a)** 향수(享受)[향유(享有)]하다, (좋은 것을) 가지고 있다 : ~ a good income 좋은[상당한] 수입이 있다 / ~ the confidence of one's friends 친구의 신뢰를 받다 / He ~*ed* health and vigor. 그는 건강과 정력이 넘쳤다. **b)** 《戲》 (나쁜 것을) 가지고 있다 : He ~*s* the bad reputation of being a slanderer. 그는 중상가라는 나쁜 평판을 받고 있다.
enjoy** one**self 유쾌하게 지내다, 즐기다. 〖OF *en-*[1](*joier*<*joie* joy)=to give joy to 또는 OF *en-*[1](*joir*<L *gaudeo* to rejoice)〗

***enjóy·able** *a.* **1** 재미있는, 즐거운, 유쾌한 : have an ~ time 즐거운 한 때를 보내다, 즐겁게 지내다. **2** 향유[향수]할 수 있는. **-ably** *adv.* 즐겁게, 유쾌하게. 類義語 ⟹ PLEASANT.

enjóy·ment** *n.* **1** Ⓤ 향유, 향수 : He is *in* the ~ *of* good health. 그는 건강을 누리고 있다 / Laws protect the ~ *of* our rights. 법은 우리들의 권리 행사를 옹호해 주고 있다. **2** Ⓤ [+前+do*ing*] 향락(享樂), 유쾌(delight) : He *took* great ~ ***in teas*ing* his little sister. 그는 어린 여동생을 놀리는 것을 아주 재미있어 했다. **3** 유쾌한 느낌을 주는 것, 즐거움, 기쁨. 類義語 ⟹ PLEASURE.

en·keph·a·lin [inkéfələn, en-] *n.* 〖生化〗 엔케팔린(뇌하수체에서 만드는 진통작용의 물질).

en·kíndle *vt.* (연료 따위를) 불붙게 하다(kindle) ; (정열·욕정을) 자극하다, 불러일으키다(inflame) ; (전쟁 따위를) 일으키다.
—— *vi.* 타오르다.

enl. enlarge(d) ; enlisted.

en·láce *vt.* 레이스로 장식하다 ; 단단히 감다 ; 둘러싸다 ; 서로 얽히게 하다. **~·ment** *n.* 〖OF<Rom. (LACE)〗

***en·lárge** *vt.* **1** 커지게 하다 ; (책을) 증보(增補)하다 ; (사진을) 확대하다 : an ~*d* photograph 확대한 사진 / a revised and ~*d* edition 개정 증보판(版). **2** (사업 따위를) 확장하다(expand) ; (마음·견해 따위를) 넓히다 : Knowledge ~*s* the mind. 지식은 마음을 넓게 한다. **3** 《美·古》 방면(放免)하다.
—— *vi.* **1** 넓어지다, 커지다 ; (사진이) 확대되다. **2** [+*on*+名] (더욱) 자세하게 진술하다 : The writer ~*s* (***up***) ***on*** the point. 저자는 그 점을 부연(敷衍)하고 있다.
en·lárg·er *n.* 〖寫〗 확대기(機). 〖OF (LARGE)〗 類義語 ⟹ INCREASE.

en·lárge·ment *n.* **1** Ⓤ 확대, 증대, 확장. **2** 증보 ; 증축 ; (사진의) 확대.

en·líght·en** *vt.* **1** [+目 / +目+前+名] 계발(啓發)[계몽]하다, 교화하다(instruct) ; (남의) 의문을 풀다, …에게 가르치다 : ~ the ignorant 무지한 사람들을 계몽하다 / ~ the heathen 이교도(異教徒)를 교화하다 / He ~*ed* me ***on the question. 그는 그 문제에 대해서 나를 깨우쳐 주었다. **2** 《古·詩》 …에 빛을 비추다, 빛나게[비추게] 하다(illuminate). 〖*en-*[1]〗

en·líght·ened *a.* 계발[계몽]된 ; 탁 트인, 깨인, 개화된 : an ~ age 문명의 시대.

en·líght·en·ing *a.* 계발[계몽]적인 ; 뚜렷하게 하는, 깨우치는.

en·líght·en·ment *n.* **1** Ⓤ 계발[계몽] ; 개명(開明), 개화. **2** Ⓤ 〖哲〗 계몽 ; [the E~] (18세기의 유럽, 특히 프랑스에서의 합리주의적) 계몽 운동. 類義語 ⟹ EDUCATION.

en·línk *vt.* 연결하다 〈*with, to*〉.

en·líst *vt.* **1** 병적(兵籍)에 올리다 ; (신병을) 모집하다. **2** [+目+*in*+名 / +目+*to* do] …의 찬조[지지·협력]를 얻다 : He tried to ~ people's sympathy ***in*** the cause of charity. 그는 자선 사업을 위해 사람들의 공감을 얻으려고 애썼다 / The board of education ~*ed* the mayor of the city *to* work for more schools. 교육 위원회는 시장에게 호소하여 학교 증설에 협력을 구했다. —— *vi.* **1** [動 / +*in*+名] 징병(徵兵)에 응하다, 응모하다 : He ~*ed* as a volunteer ***in*** the army. 그는 지원병으로 입대했다. **2** [+*in*+名] (주의·사업 따위에) 협력하다, 참가하다 : ~ ***in*** a cause 어떤 주의[주장]에 가담하다. 〖*en-*[1]〗

enlísted màn *n.* 《美》 단기 하사관, 사병, 응모병(cf. PRIVATE *n.* 1) 《略 EM》.

en·list·ee [inlistí:, èn-] *n.* 지원병 ; 단기 하사관.

en·líst·er *n.* 징병관, 모병관.

en·líst·ment *n.* Ⓤ 병적 편입(기간) ; 모병(募兵) ; 응소(應召), 입대.

en·liv·en [inláivən] *vt.* …에 활기를 띠게 하다, 원기를 돋우다(cheer up) ; (광경·담화 따위를) 활발하게 하다, 쾌활하게 하다 ; (장사를) 경기 좋게 하다.

en masse [*F* ã mas] *adv.* 무리를 이루어, 집단으로, 대거 ; 통틀어서, 한꺼번에, 한몫에 ; 전반적으로.

en·mésh *vt.* [+目 / +目+*in*+名] 그물에 걸리게 [얽히게] 하다, …에 말려들게 하다 ; (곤란 따위에) 빠지게 하다 : ~ a person ***in*** difficulties 남을 어려운 처지에 빠지게 하다. **~·ment** *n.*

***en·mi·ty** [énməti] *n.* Ⓤ 적의, 악의, 원한(ill will), 증오 ; 대립, 반목(antagonism) : have [harbor] ~ *against* …에 대하여 원한을 품다 / at ~ *with* …와 불화(不和)하여.
〖OF<Rom. ; ⇨ ENEMY〗

en·nea- [éniə] *comb. form* 「9」의 뜻. 〖Gk.〗

en·ne·ad [éniæ̀d] *n.* **1** (서적·시 따위의) 아홉으로 한 조[벌]를 이루는 것. **2** [E~] (이집트 신화의) 구주신(九柱神). 〖Gk.=nine〗

en·nea·gon [éniəgɑ̀n ; -gən] *n.* 9각형, 9변형.

èn·nea·hédron *n.* 〔數〕 9면체.

en·nóble [i-, e-] *vt.* 작위를 부여[수작(授爵)]하다, 귀족으로 봉하다 ; 고귀[고상]하게 하다. **~·ment** *n.* 〖F (*en*-¹)〗

en·nui [ɑːnwíː, ´-- ; *F* ãnɥi] *n.* Ⓤ 권태, 지루함, 심심함(boredom). 〖F ; ⇨ ANNOY ; cf. ODIUM〗

en·nuyé [*F* ãnɥije] *a., n.* (*fem.* **-nuy·ée** [—] ; *pl.* **~s**, (*fem.*) **-nuy·ées** [—]) 권태를 느끼고 있는 (사람), 지루해 하는 (사람).

Enoch [íːnək ; -nɔk] *n.* **1** 남자 이름. **2** 〔聖〕 에녹《Methuselah의 아버지》.
〖Heb.=initiated ; teacher, follower〗

Eno·la Gay [enóulə gèi] *n.* 에놀라 게이《1945년 8월 6일 최초의 원폭을 투하한 미국 B-29의 애칭》.

enol·o·gy, oe·nol- [iːnɑ́lədʒi] *n.* 포도주(양조)학[연구]. 〖Gk. *oinos* wine〗

enor·mi·ty [inɔ́ːrməti] *n.* Ⓤ 무법 ; 극악성(極惡性), 극악무도 ; Ⓒ 범죄 행위, 대죄(大罪) ; 거대[광대]함. 〖F<L (↓)〗

***enor·mous** [inɔ́ːrməs] *a.* **1** (규모·수·정도가) 거대한(huge), 막대한(immense), 엄청난 : an ~ difference 대단한 차이. **2** 무법적인, 극악의 (outrageous). **~·ly** *adv.* 막대하게, 터무니없이, 엄청나게. **~·ness** *n.*
〖L E*normis* (NORM)〗
類義語 ⟹ HUGE.

eno·sis [inóusəs] *n.* Ⓤ 합병 ; Ⓒ (특히) 그리스·키프로스의 합병 운동. **enó·sist** *n.* 〖Mod. Gk.〗

◇**enough** [inʌ́f] *a.* **1** 충분한, 필요한 만큼의 (sufficient) : Thank you, that's ~. 고맙소, 그만하면 충분하오 / ~ eggs[butter]=eggs[butter] ~. 注 명사의 앞에나 뒤에나 다 올 수 있는데 앞에 올 때가 강조적. **2** (…하기에) 부족함이 없는 ; [+*to* do] (…하기에) 족한, (…할) 만큼의 : time ~ ***for*** the purpose 목적을 달성하는데 충분한 시간 / He hasn't ~ sense[sense ~] *to* realize his mistakes. 그는 자기의 잘못을 깨달을 만한 분별이 없다.

more than enough 아주 충분하여[충분한].

—— *n.* **1** [+*to* do] (…할 만큼의) 충분(한 양·수) : We have had ~ *of* everything. 이것저것 두루 잔뜩 먹었습니다 / Five men are ~. 5명이면 족하다 / A thousand won is ~. 1000원이면 충분하다 / *E*~ is as good as a feast. 《속담》 배부르면 진수 성찬 부럽지 않다 / He earns just ~ *to* live upon. 그는 먹고 살아갈 만큼은 벌고 있다. **2** (이제) 충분함 ; 너무 많음(too much) : I *have had* quite ~ *of* your impudence. 뻔뻔한 것도 너무하다《이제 더 참을 수 없다》/ *E*~ *of* that! 이제 그만!, 그만해라 / Cry '~'! 이제 그만이라고[손들었다고] 말해!

enough and to spare 차고 넘칠 만큼(의 것) : They had ~ *and to spare* (*of* the food). 그들은 (먹을 것은) 차고 넘칠 만큼 가지고 있었다. 注 원래는 성서에 있는 구절로, They have bread ~ *and to spare.* (그들은 차고 넘칠 만큼의 빵을 가지고 있다)와 같이 형용사구를 이룬 것.

have enough to do to do 겨우[가까스로] … 하다 : I *had* ~ *to do to* catch the tram. 간신히 전차(탈 시간)에 댈 수 있었다, 겨우 전차를 탈 수 있었다.

〈회화〉
Won't you have another cup of coffee? — I've had *enough*, thank you. 「커피 한 잔 더 하시겠습니까」「아니오, 많이 마셨습니다」

—— *adv.* 注 형용사·부사 또는 형용사적 명사의 뒤에 옴. **1** 필요한 만큼 ; [+*to* do] (…하기에 족할) 만큼 : Is it large ~? 그 크기면 되겠느냐 / It isn't good ~. 이것으로는 안돼《모자란다》/ It is good ~ ***for*** me. 나는 그것으로 족합니다 / He is not old ~ *to* drink coffee. 그는 아직 커피를 마실 나이가 안되었다 / It is warm ~ *for* you *to* play (=It is so warm that you can play) out of doors. 따뜻하니까 너도 밖에 나가 놀 수 있단다(cf. It is TOO cold *for* you to play....) / I was fool (=foolish) ~ *to* believe him. 어리석게도 그가 말하는 것을 신용했다《注 fool은 형용사적으로 쓰여서 관사를 붙이지 않음》.

enough의 문장 전환
She was kind *enough to* show me the way. (그녀는 친절하게도 나에게 그 길을 가르쳐 주었다.)
→ She was *so* kind *as to* show me the way.
→ She *had the kindness to* show me the way.

2 충분히(fully) : We are ready ~. 만반의 준비가 되어 있다 / I know well ~ what he is. 그가 어떤 사람인가는 내가 잘 알고 있다 / The meat is done ~. 고기가 잘 구워졌다. **3** 그런대로, 우선은, 상당히, 꽤(passably) : She paints well ~. 그 여자의 그림은 그런대로 괜찮다.

be kind [***good***] ***enough to*** do 친절하게도 … 하다 : *Be good* ~ *to* lend me the book. 그 책을 좀 빌려 주십시오.

cannot . . . enough 아무리 …해도 모자라다 : I *can never* thank you ~. 뭐라고 감사해야 할 지 모르겠습니다.

oddly [***curiously, strangely***] ***enough*** 참으로 이상하게도, 기묘하게도.

sure enough ☞ SURE *adv.*
〖OE *genōg* ; cf. G *genug*〗
類義語 ⟹ SUFFICIENT.

enounce [ináuns] *vt.* 선언[발표]하다, 성명하다 ; 발언[발음]하다. 〖F (⇨ ENUNCIATE) ; 어형은 *announce, pronounce*의 유추〗

enow [ináu] *a., n., adv.* 《古·詩》 =ENOUGH.

en pan·tou·fles [*F* ã pãtufl] *adv.* 슬리퍼를 신고 ; 마음 편히.

en pas·sant [ɑ̀ːn pæsɑ́ːnt] *adv.* …하는 김에, 그런데 말이지, 말이 났으니 말이지. 〖F=in passing〗

en pen·sion [*F* ɑ̃ pɑ̃sjɔ̃] *adv., a.* 삼식 식사 제공으로 숙박하고 (있는), (식사를 제공하는) 하숙집 식으로 ; (일정한) 하숙비를 내고 (있는) ; 방값·식비 포함으로[의] : live ~ 하숙 생활을 하다.

en·pláne *vi.* 비행기에 타다(emplane) (↔*deplane*).

en plein [*F* ɑ̃ plɛ̃] *adv., a.* (룰렛 따위에서) 한 수(數) 따위에 전부 걸고[건]. 〖F=in full〗

en plein air [*F* ɑ̃ plɛnɛːr] 집 밖에서, 야외에서.

en plein jour [*F* ɑ̃ plɛ̃ ʒuːr] 대낮에[의].

en poste [*F* ɑ̃ pɔst] *a.* (외교관이) 부임[주재(駐在)]하여.

en·quête [*F* ɑ̃kɛt] *n.* 앙케트, 여론조사.

en·quire [inkwáiər] *v.* =INQUIRE.

***en·qui·ry** [inkwáiəri, ˊ--, 美+énkwəri] *n.* = INQUIRY.

en·rage** *vt.* [+目/+目+前+名] 화나게 하다, 격분시키다 : He was ~*d* ***with me[***at*** the insult]. 그는 나에게[그 모욕에] 화를 내었다. 〖F(*en-*[1])〗

en rap·port [ɑ̀ːn ræpɔ́ːr ; *F* ɑ̃ rapɔːr] *adv., a.* 일치[조화]되어 (있는), 마음이 맞아[맞는], 공명(共鳴)하여 (있는)〈*with*〉.

en·rápt *a.* 황홀한, 무아지경이 된.

en·rápture *vt.* [+目/+目+前+名] 황홀하게 하다, 미칠듯이 기쁘게 하다 : I was ~*d* ***with*** the stroke of good fortune. 나는 그 뜻밖의 행운에 어쩔줄 몰랐다.

en·rávish *vt.* =ENRAPTURE.

en·régiment *vt.* 연대로 편성하다 ; 훈련하다.

en règle [*F* ɑ̃ rɛgl] *a., adv.* 순서를 밟아서, 규칙에 따라[따르는] ; 정연하게(된). 〖F=in rule〗

en·rích** *vt.* [+目/+目+前+名] 부유하게 하다(make rich), 풍부하게 하다 ; (맛·향기·색채 따위를) 진하게[짙게] 하다, (광물질이나 비타민을 첨가하여 식품(食品) 따위를) 강화하다, …의 영양가를 높이다 ; (가치 따위를) 높이다, (토지를) 비옥하게 하다 ; 〔理〕(우라늄 따위를) 농축하다 : ~ soil ***with manure 비료로 토지를 비옥하게 하다 / He ~*ed* his experiences *with* the foreign travel. 그는 해외 여행으로 견문을 넓혔다. **~·ment** *n.* Ⓤ 풍부하게 함 ; Ⓒ 장식. 〖OF (*en-*[1])〗

en·ríched *a.* 〔生〕(실험 환경 따위가 생체에 대하여) 많은 자극을 주는.

enríched fóod *n.* (인공적으로 영양가를 높인) 강화 식품.

enríched ísotope *n.* 〔化〕농축 동위 원소.

enríched uránium *n.* 농축 우라늄.

en·róbe *vt.* 옷을 입히다.

en·roll, -rol [inróul, en-] *vt.* (-ll-) [+目/+目+前+名] (이름을) 명부에 기재하다, 회원이 되다 ; 입학[입회]시키다 ; 병적(兵籍)에 올리다 ; (등록부에) 등록하다 : About 500 students were newly ~*ed* ***in*** the school. 약 500명의 학생이 새로이 학적부에 등록되었다《입학이 허용되었다》. —— *vi.* 등록하다 ; 입학[입회, 제대]하다. **~·ment** *n.* Ⓤ,Ⓒ 기재 ; 등록, 입학, 입대 ; 등록부, 등록자 명부 ; 등록자수. 〖OF (*en-*[1])〗

en·roll·ee [inroulíː, -róuli] *n.* 등록 학생.

en route [ɑːn rúːt ; *F* ɑ̃ rut] *adv., a.* 도중(途中)에, 도상에서〈*to, for*〉.

ens [énz] *n.* (*pl.* **en·tia** [énʃiə]) 〔哲〕존재, 실재(물) ; 실체. 〖L=being〗

Ens., ENS Ensign.

ENSA, En·sa [énsə] *n.*《英》(군대 위문의) 위안 봉사회(Entertainments National Service Association) (1939-45).

en·sámple *n.*《古》=EXAMPLE.

en·sánguine *vt.* 피투성이가 되게 하다, 피에 젖게 하다, 진홍색으로 하다. **~d** *a.* 피투성이가 된, 피로 물든.

en·sconce [inskɑ́ns] *vt.* 감추다, 숨기다 ; (몸을) 편안히 앉게 하다, 안좌시키다, 안치하다. ***ensconce*** one***self in*** …에 편히 앉다, 자리를 차지하다 : The cat ~*d* it*self in* the armchair. 고양이는 편안히 안락 의자에 앉아 있었다. 〖SCONCE[2]〗

en se·condes noces [*F* ɑ̃ səgɔ̃ːd nɔs] 재혼(再婚)으로.

en·sem·ble [ɑnsɑ́ːmbəl] *n.* **1** 전체적인 취향, 전체적 효과(=tout [tuːt] ~). **2** 〔樂〕앙상블《중창(重唱)과 합창을 혼합한 대합창·합주곡(合奏曲)》. **3** 앙상블《코트와 스커트가 갖추어진 한 벌의 여성복》. **4** 〔劇〕전극단원(의 등장). **5** 〔數·理〕집합, 집단. —— *adv.* 전부 함께[동시에]. 〖F<L (*in-*[2], *simul* at the same time)〗

ensémble ácting[pláying] *n.* 〔劇〕앙상블 연출(법)《전 배우의 통일성 있는 연기로 종합적 효과를 노림》.

en·shríne *vt.* [+目/+目+*in*+名] **1** 신전(神殿)[성당]에 모시다, 안치(安置)하다 : The sacred treasures are ~*d* ***in*** this temple. 이 신전에는 신기(神器)가 안치되어 있다. **2** (기억 따위를) 간직하다, 소중히 하다 : Her memory is ~*d in* his heart. 그녀에 대한 추억은 그의 가슴에 간직되어 있다. **~·ment** *n.*

en·shróud *vt.* [+目/+目+前+名] 수의(壽衣)를 입히다, 싸다, 덮어 가리다(envelop) : The hills were ~*ed* ***in*** mist. 구릉은 안개로 덮여 있었다.

én·si·fòrm [énsə-] *a.* 〔生〕칼 모양의.

en·sign [énsain,《軍》-sən] *n.* **1** 기(旗)(flag) ; 〔海軍〕군기(軍旗) : the blue ~ (영국 해군의) 예비함기(艦旗) / the national ~ 국기 / the red ~ 영국 상선기(商船旗) / the white ~ 영국 군함기. **2**《英古》기수(旗手) ;《美》해군 소위. **3** 기장(記章)(badge). **~·cy, ~·shìp** *n.* 〔軍〕ensign의 지위[역할]. 〖OF INSIGNIA〗

en·si·lage [énsəlidʒ, insáilidʒ] *n.* Ⓤ 목초(牧草)를 신선하게 저장하는 법 ; (신선하게 저장한) 목초, 저장 목초(cf. SILO). —— *vt.* =ENSILE.

en·sile [ensáil, ˊ-] *vt.* (목초 따위를) 사일로에 넣어 저장하다. 〖F<Sp.(*en-*[1], SILO)〗

en·sláve *vt.* **1** 노예로 삼다. **2** [+目+*to*+名]《비유》사로잡다 : He was ~*d* ***to*** superstition. 그는 미신에 사로잡혔다. **~·ment** *n.* Ⓤ 노예화함 ; 노예 상태.

en·sláv·er *n.* Ⓒ 노예로 삼는 사람 ; 남자를 호리는 여자.

en·snáre *vt.* 덫[올가미]에 걸리게 하다 ; 함정에 빠뜨리다 ; 유혹하다(allure). **~·ment** *n.*

en·sor·cell, -cel [ensɔ́ːrsəl] *vt.* (-ll-, -l-) …에 마법을 걸다 ; 매료하다(bewitch). 〖OF ; SORCERER의 이화(異化)〗

en·sóul *vt.* 영혼을 불어넣다 ; 마음에 새기다.

en·sphére *vt.* 싸다, 둘러싸다 ; 구(球)로 만들다.

en·sue** [insjúː, en-] *vi.* 뒤이어[계속하여] 일어나다(happen later), 계속하다 ; [+前+名] (…의) 결과로서 일어나다(result) : What will ~ ***from [***on***] this? 이제부터 무슨 일이 일어날까.

—— *vt.* 《古》 …의 실현[달성]되도록 노력하다; 《廢》 …뒤에 계속하다.
〚OF<Rom. (L *sequor* to follow)〛
類義語 ⟹ FOLLOW.

en·sú·ing *a.* **1** 다음의, 계속되는(following): the ~ months 그 후 몇 개월. **2** 계속하여[연달아] 일어나는, 결과로서 계속되는: the war and the ~ disorder 전쟁과 그 뒤에 계속되는 혼란. **~·ly** *adv.*

en suite [*F* ɑ̃ sɥit] *adv., a.* 계속해서[된], 연속적으로[인]; 한 조[벌]로[의]. 〚F=in sequence〛

en·sure** [enʃúər, in-] *vt.* **1** [+目+前+名] 안전하게 하다: ~ oneself ***against[***from***] risks 위험에서 몸을 지키다. **2** [+目/+do*ing*/+*that* 節/+目+目/+目+前+名] (성공 따위를) 확실하게 하다, 보증하다; (지위 따위를) 확보하다: Careful preparations ~ success. 준비에 소홀함이 없으면 성공은 확실하다/They ~*d* his obtain*ing* the prize[*that* he will obtain the prize]. 그가 반드시 그 상을 획득할 것이라고 보증했다/This letter of reference will ~ you an interview with him. 이 소개장이 있으면 꼭 그 사람과 면회가 될 것이다/I cannot ~ you a post [~ a post ***for*** you]. 자네에게 일자리를 보장할 수는 없네/A fixed income has been ~*d* (***to***) her. 그녀에게는 고정된 수입이 보장되어 있다. **3** 《古》 =INSURE. 〚AF; ⇨ ASSURE〛

en·swáthe *vt.* 둘둘 말다, 꾸리다, 싸다.

E.N.T., ENT ear, nose, and throat (이비인후(耳鼻咽喉)(과)).

ent- [ént], **en·to-** [éntou, -tə] *comb. form* 「안의」「내부의」의 뜻. 〚Gk.〛

-ent [ənt] *n. suf.* 「…하는 사람[것]」의 뜻: resid*ent*, solv*ent*. —— *a. suf.* 「(…하도록) 행하는[행동하는, 존재하는]」의 뜻: insist*ent*, rever*ent*, subsequ*ent*. 〚L〛

en·tab·la·ture [entǽblətʃər] *n.* 〔建〕 돌림띠《기둥(columns) 윗 부분에 가로 지른 수평부(水平部)로 위에서부터 cornice, frieze, architrave의 세 부분으로 이루어짐》.
〚It. (*intavolare* to put on TABLE)〛

en·táble·ment *n.* 조상대(彫像臺), 대좌(臺座).

en·tail [intéil] *vt.* **1** [+目/+目+*on*+名] (폐해(弊害) 따위를) 남기다, (필연적으로) 수반하다; (노력·비용 따위가) 들게 하다, 부과(賦課)하다(impose): Liberty ~*s* responsibility. 자유는 책임을 수반한다/The undertaking ~*ed* great expense ***upon*** the government. 그 사업은 정부에 많은 비용이 들게 했다/This disease will be ~*ed* on posterity. 이 질병은 자손에게 유전된다. **2** 〔法〕 상속인을 한정하여 양도하다.
—— *n.* **1** Ⓤ 〔法〕 한사 상속(限嗣相續), 계사(繼嗣) 상속; Ⓒ 한사 상속 재산: cut off the ~ 한사 상속의 제한을 해제하다. **2** Ⓤ (관직 따위의) 계승 예정 순위. **~·ment** *n.* Ⓤ 계사(繼嗣) 한정; Ⓒ 세습 재산. 〚*en*-[1], AF TAIL[2]〛

ènt·amóeba [ènt-] *n.* 〔生·醫〕 체내 기생성 아메바.

en·tángle** *vt.* [+目/+目+前+名] **1** 엉키게 하다; 헝클리게 하다: Loose string is easily ~*d*. 흐트러진 실은 엉키기 쉽다. **2** 얽히어 감기게 하다, 걸리게 하다(catch): The fishline got ~*d* ***in the bushes. 낚싯줄이 덤불숲에 걸렸다. **3** (함정·곤란 따위에) 빠뜨리다, 말려들게 하다(entrap): ~ a person ***in*** an evil scheme 남을 나쁜 책략에 빠뜨리다/He ~*d* himself *in* debt. 그는 부채로 옴짝달싹 못하게 되었다/He was ~*d* ***with*** a shady character. 그는 수상한 인물과 복잡한 관계에 말려들었다.

en·tángle·ment *n.* Ⓤ 얽히게 함; 뒤얽힘; (사태의) 분규; Ⓒ [*pl.*] 〔軍〕 녹채(鹿砦), 철조망.

en·ta·sia [entéiʒiə] *n.* 〔生理〕 긴장성[강직성] 경련(痙攣).

en·ta·sis [éntəsəs] *n.* (*pl.* **-ses** [-sìːz]) 〔建〕 흘림기둥, 엔타시스《원기둥의 중앙 부분을 불룩하게 한 건축 양식》. 〚Gk.〛

en·tel·e·chy [entéləki] *n.* (아리스토텔레스 철학의) 현실, 실재; (생기론의) 생명력.

en·tel·lus [entéləs] *n.* 〔動〕 엔텔루스[하누만]원숭이《인도산의 꼬리 긴 원숭이》.

en·tente [ɑntɑ́nt] *n.* **1** (정부간의) 협약, 협상. 주 TREATY, PACT (조약) 만큼 정식적이 아닌 것을 말함. **2** 협상국(國).
〚F=understanding; ⇨ INTENT〛

enténte cor·diále [-kɔːrdjɑ́ːl] *n.* (두 나라 사이의) 화친(和親) 협상. 〚F〛

◇**en·ter** [éntər] *vt.* **1** …에[으로] 들어가다(cf. *vi.* 1 주): He ~*ed* the room. 방으로 들어갔다. **2** (가시·총알 따위가 몸 따위에) 들어가 박히다. **3** (생각 따위가 머리에) 떠오르다(occur to): The idea never ~*ed* his head. 그는 그런 생각을 전혀 하지 못했다. **4** (군대·교회에) 들어가다, 입학[가입·입회]하다: ~ the Army[the Church] 군인[목사]이 되다/~ school 입학하다. **5** [+目/+目+前+名] **a**) 입학[가입·입회]시키다, 편입하다: Parents ~ their children ***in*** school. 부모는 자녀를 학교에 입학시킨다. **b**) (이름·날짜 따위를) 기입하다; 명부에 기재하다, 수록(收錄)하다: He ~*ed* the sum ***in*** his account book. 그는 그 금액을 회계 장부에 기입했다/He ~*ed* his horse ***for*** the race. 그는 그 경마에 자기 말을 참가시켰다. **6** 〔法〕 (소송을) 제기하다. **7** (개·말을) 조련하다, 길들이다. **8** (선박·선하(船荷)를 세관에) 신고하다(report).
—— *vi.* **1** 들어가다: Let them ~. 들어가도록 하시오/~ ***at*** the door 문으로 들어가다. 주 ~ *into* a room, house, train, *etc.*는 낡은 용법이며, 지금은 ~ a room, *etc.* 이라고 하는 쪽을 씀(cf. *vt.* 1). **2** 〔劇〕 등장하다《각본의 지시 사항으로서는 보통 3인칭 가정법으로 씀; ↔*exit*》: *E*~ *Hamlet.* 햄릿 등장《원래 *Let Hamlet enter.* 라는 뜻》. **3** [+*into*+名] **a**) (일·담화·교섭 따위를) 시작하다, (…에) 종사하다; (깊이) 관여하다, (…을) 다루다; (관계·협약 따위를) 맺다: We ~*ed* ***into*** negotiations with them. 그들과 교섭을 시작했다. **b**) (계정·계획 따위의) 속에 들어가다, (…에) 가담하다: That didn't ~ ***into*** their calculations. 그 일은 그들도 생각해 보지 못했다. **c**) (감정·생각 따위에) 관여하다, 공명(共鳴)하다; (재미 따위를) 알다: I tried to ~ ***into*** the spirit of the occasion. 그때의 기분에 잠기려고 노력했다. **4** [+*on*+名] **a**) (…을) 시작하다(begin); (새 생활 따위에) 들어가다; (문제를) 선택하다, 골라잡다: He ~*ed* (***up***)***on*** his duties at the office. 그는 (그 자리에) 취임했다. **b**) (…의) 소유권을 얻다: ~ (***up***)***on*** one's inheritance 유산을 이어 받다. **5** [+*for*+名] (경기 따위에) 참가 신청을 하다(cf. ENTER one*self for*): ~ ***for*** a contest[*for* an examination] 경기에[수험(受驗)에] 참가 신청을 하다.

enter an appearance 출두하다.

enter a protest 〔英上院〕 항의를 제출하다; (일반적으로) 항의를 신청하다.

enter one***self for*** …에의 참가를 신청하다, …에

응모하다(cf. *vi*. 5) : He decided to ~ him*self* *for* the examination. 그는 그 시험에 응시하기로 결심했다.
enter up (장부에 …을) 기입하다, …에 기입을 끝내다 ; 〖法〗 (재판) 기록에 실리다 : ~ *up* an account *in* a ledger 원장에 셈을 기입해 넣다 / ~ *up* a ledger 원장에 전부 기입하다.
〚OF<L (*intra* within)〛

en·ter- [éntər], **en·tero-** [éntərou, -rə] *comb. form* 「장(腸)」의 뜻. 〚Gk. ; ⇨ ENTERON〛

entera *n.* ENTERON의 복수형.

en·ter·ic [entérik] *a.* 장(腸)의 : an ~ capsule 장용 캡슐. ── *n.* Ⓤ 《英》 =ENTERIC FEVER. 〚Gk. ; ⇨ ENTERON〛

entéric féver *n.* 장열(腸熱)《typhoid fever의 옛 이름》.

en·ter·i·tis [èntəráitəs] *n.* Ⓤ 〖醫〗 장염(腸炎).

èntero·cóccus *n.* 장구균(腸球菌).

èntero·crí·nin [-kráinin] *n.* 엔테로크리닌《소화 촉진 호르몬》.

èntero·gás·trone [-gǽstroun] *n.* 〖生化〗 엔테로가스트론《위액(胃液) 분비를 억제하는 호르몬》.

èntero·kínase *n.* Ⓤ 엔테로키나아제《장내 효소의 일종》.

en·ter·on [éntərɑ̀n] *n.* (*pl.* **-tera** [-tərə], **~s**) 〖動·解〗 (특히 배(胚)·태아의) 소화관(消化管), 장관(腸管). 〚Gk.=intestine〛

en·ter·op·a·thy [èntərɑ́pəθi] *n.* 장질환.

en·ter·ot·o·my [èntərɑ́təmi] *n.* 〖外科〗 장(腸) 절개(술).

èntero·tóxin *n.* 장독소(腸毒素), 엔테로톡신《식중독의 원인이 됨》.

èntero·vírus *n.* 장내(腸內) 바이러스, 엔테로바이러스.

***en·ter·prise** [éntərpràiz] *n.* **1** (중대[곤란, 위험]한) 계획, 기획, 기도 ; 일, 기업 ; (특히) 모험적인 사업 ; 회사, 기업체 : a government ~ 공(公)기업(체) / a private ~ 사(私)기업(체). **2** Ⓤ 기업심, 모험심, 적극[자주]성 : a spirit of ~ 기업심, 진취의 기상.
〚OF (p.p.)〈*entreprendre*〈*emprendre* (L *prehendo* to grasp)〛

én·ter·prìs·er *n.* 사업가, 기업가.

énterprise zòne *n.* 기획 사업 지대《불황 지역으로서 세법상의 특별 조처 따위가 있음》.

én·ter·prìs·ing *a.* **1** (사람이) 기업적인, 기업심[진취적인 기상]이 풍부한, 적극적인, 의욕적인. **2** (행동이) 진취적인, 자주적인. **~·ly** *adv.* 기업적으로, 모험적으로.
類義語 ⟹ AMBITIOUS.

en·ter·tain** [èntərtéin] *vt.* **1** [+目 / +目+前+名] **a)** 즐겁게 해주다, 위안하다(amuse) : He ~*ed* us ***with music. 음악으로 우리를 즐겁게 해주었다. **b)** 접대하다, 환대하다 : She ~*ed* six people ***at*** [《英》 ***to***] tea. 6명의 손님을 다과회에 초대했다 / We were ~*ed* ***with*** refreshments. 다과 대접을 받았다. **c)** 〖競〗 (상대팀을) 자기팀 근거지로 맞아들여 시합을 하다. **2** (제의 따위를) 호의를 갖고 받아들이다, 수락하다. **3** (감정·의견·희망 따위를) 품다(harbor) ; 《古》 유지하다.
── *vi.* 접대하다, 환대하다 ; 즐겁게 하다 : The Greens ~ a good deal. 그린씨 집에서는 손님을 자주 초대한다.
〚ME=to hold mutually<F<Rom. (*teneo* to hold)〛
類義語 ⟹ AMUSE.

entertáin·er *n.* 환대자 ; (오락·여흥(餘興) 따위의) 예능인, 연예인 : a professional[public] ~ 연예[예능]인.

entertáin·ing *a.* 유쾌한, 재미있는(amusing). **~·ly** *adv.* 재미있게, 유쾌하게.

***entertáin·ment** *n.* **1** Ⓤ 환대, 접대(hospitality) : ~ expenses 접대비 / a hotel famous for its ~ 접대를 잘한다고 소문난 호텔. **2** Ⓤ 위로, 오락(amusement) ; Ⓒ 오락거리 : provide ~ for one's guests 손님을 무료하지 않게 접대하다 / much to one's ~ 매우 재미있게도. **3 a)** 주연, 연회, 파티 : give an ~ (to...) (…을 초대하여) 파티를 열다[열어 접대하다]. **b)** 오락물, 여흥, 연예 : a dramatic[theatrical] ~ 연예, 연극 / a musical ~ 음악회, 음악의 여흥 / an ~ tax 《英》 흥행세.
a house of entertainment 여관 ; 술집《따위》.

entertáinment compùter *n.* 오락용 컴퓨터.

en·thal·pi·met·ry [enθælpəmétri, -pímə-] *n.* 〖化〗 엔탈피 계측(법) ; 총열량 측정법.

en·thal·py [énθælpi, -θəl-, enθǽl-] *n.* 〖理〗 엔탈피《열역학 특성 함수의 일종 ; 기호 H》.

en·thral(l) | **-thral** [inθrɔ́:l, en-] *vt.* (**-ll-**) 노예로 만들다(enslave) ; …의 마음을 사로잡다, 매혹시키다, 사로잡다(captivate). **~·ment** *n.* Ⓤ 노예화 ; 노예 상태 ; 마음을 사로잡음, 매혹.

en·thróne *vt.* **1** 왕위에 앉히다 ; 〖宗〗 BISHOP 의 자리에 앉히다. **2** [+目 / +目+前+名] 《비유》 …에게 왕좌[우위]를 차지하게 하다, 존경[숭상]하다, 떠받들다, 비장(祕藏)하다 : the ruler ~*d* ***in*** the hearts of his subjects 신하의 존경과 사랑을 받는 지배자. **~·ment** *n.* Ⓤ,Ⓒ 즉위(식) ; 주교 추대[취임](식).

en·thròn·izá·tion, **in-** *n.* =ENTHRONEMENT.

en·thuse [inθjú:z, en-] *vi.*, *vt.* 《口》 열중[열광·감격]하다[시키다]. 〚역성(逆成)〈↓〛

***en·thu·si·asm** [inθjú:ziæ̀zəm, en-] *n.* **1** Ⓤ 감격 ; 열중, 열광 ; 열의, 열성〈*for*, *about*〉 ; Ⓒ 열중시키는 것. **2** Ⓤ 《古》 종교적 열광, 광신.
with enthusiasm 열중하여, 열심히.
〚F or L<Gk. (*entheos* inspired by god)〛
類義語 ⟹ PASSION.

en·thu·si·ast [inθjú:ziæ̀st, en-] *n.* **1** 열심인 사람, 열광자, …팬(fan), 광(狂) : an ~ *about* politics 정치에 미친 사람 / an ~ *for* sports 스포츠 팬. **2** 《古》 광신자.

***en·thu·si·as·tic** [inθjù:ziǽstik, en-] *a.* **1** 열렬한, 열광적인〈*about*, *over*〉, 열심인〈*for*〉. **2** 《古》 광신적인.
-ti·cal·ly *adv.* 열광적으로, 매우 열심히.

en·thy·meme [énθimì:m] *n.* Ⓤ 〖論〗 생략 삼단논법, 생략 추리법.

entia *n.* ENS의 복수형.

en·tice [intáis, en-] *vt.* [+目+副 / +目+前+名 / +目+*to* do] 꾀다, 유혹하다 ; 부추겨서 …시키다 : The smell of fish ~*d* the cat ***into*** the kitchen. 생선 냄새에 유혹되어 고양이가 부엌으로 들어갔다 / He tried to ~ the child ***away from*** its home. 그는 그 애를 집에서 꾀어내려고 했다 / He ~*d* her *to* leave home. 그는 그녀를 꼬드겨 가출하게 했다. **~·ment** *n.* Ⓤ 유혹 ; Ⓒ 유혹물, 미끼(allurement).
〚OF=to incite (L *titio* firebrand)〛
類義語 ⟹ LURE.

en·tíc·ing *a.* 마음을 호리는, 유혹적인. **~·ly** *adv.*

en·tire [intáiər, en-] *a.* **1** 전체의(whole), 완전한(complete) ; (소장품 따위) 원상태로의, 손대지 않은 ; (물건이) 흠없는 ; 《廢》 순수한, 균질

의 ; (한벌의 물건이) 완전히 갖추어진[갖추어져 있는], 완비된. **2** 순전한(utter). **3** 〖植〗 (잎이) 전연(全緣)의. **4** 거세당하지 않은《말》.
—— *adv.* ＝ENTIRELY. —— *n.* **1 a)** 전체, 완전 ; 〖郵〗 엔타이어《사용된 우표가 붙어 있는 주소·성명·소인 따위가 완전한 봉투[엽서]》. **b)** 거세하지 않은 말. **2** 순수한 것 ; 품질이 균등한 물건. **~·ness** *n.* Ⓤ 완전 (무결) ; 순수.
〖OF<L ; ⇨ INTEGER〗
類義語 ⟹ FULL.

***entíre·ly** *adv.* 전혀, 전적으로, 오로지.

entíre·ty *n.* **1** Ⓤ 완전, 그대로임[인 상태]. **2** [the ~] 전체, 전액(全額)〈*of*〉.
in its entirety 고스란히 그대로, 완전히, 모두 : 'Hamlet' *in its* ~ 「햄릿」 전막(全幕) (상연).

En·ti·sol [éntaisɔ̀(:)l, -sòul, -sɑ̀l] *n.* 〖地質〗 엔티솔《층위(層位)를 거의 또는 전혀 볼 수 없는 토양》.
〖? *entire*＋-*sol* (<L *solum* soil)〗

en·ti·tle** [intáitl, en-] *vt.* **1** [＋目＋補] …의 칭호를 부여하다, …이라 칭하다 ; …으로 제목을 붙이다 : The book was ~*d* "The Wealth of Nations." 그 책은 「국부론(國富論)」이라는 제목이 붙었다. **2** [＋目＋*to*＋名 / ＋目＋*to* do] …에게 권리[자격]를 부여하다 : Your long experience ~*s* you ***to the respect of the young people. 다년간 경험을 쌓은 사람으로서 당신은 젊은 사람에게서 존경 받을 자격이 있오 / Nothing can ~ you *to* ask such personal questions. 그런 개인적인 일을 물어볼 권리는 전혀 없다. **~·ment** *n.*
〖AF<L<(TITLE)〗

en·ti·ty [éntəti] *n.* **1** Ⓤ 실재, 존재. **2 a)** 실재물, 실체. **b)** 자주 독립체 : a political ~ 국가.
〖F or L ; ⇨ ENS〗

ento- [éntou, -tə] ☞ ENT-.

énto·blàst *n.* 〖生〗 내배엽(內胚葉).

énto·dèrm *n.* ＝ENDODERM.

entom. entomological ; entomology.

en·tom- [éntəm], **en·to·mo-** [éntəmou, -mə] *comb. form* 「곤충」의 뜻.
〖Gk. ; ⇨ ENTOMOLOGY〗

en·tómb *vt.* 무덤에 넣다 ; 장사 지내다(bury) ; (암석 따위가) …의 무덤이 되다.
~·ment *n.* Ⓤ 매장 ; 매몰. 〖OF (TOMB)〗

en·tom·ic [entɑ́mik] *a.* 곤충의[에 관한].

en·to·mol·o·gize [èntəmɑ́lədʒàiz] *vt.* 곤충학을 연구하다 ; 곤충을 채집하다.

en·to·mol·o·gy [èntəmɑ́lədʒi] *n.* Ⓤ 곤충학.
-gist *n.* 곤충학자. **èn·to·mo·lóg·i·cal, -lóg·ic** *a.* **-i·cal·ly** *adv.*
〖F or NL (Gk. *entomon* INSECT)〗

en·to·moph·a·gous [èntəmɑ́fəgəs] *a.* 식충성(食蟲性)의, 곤충을 먹이로 하는.

en·to·moph·i·lous [èntəmɑ́fələs] *a.* 〖植〗 충매(蟲媒)의 : an ~ flower 충매화.

en·to·pia [entóupiə] *n.* 실현할 수 있는 장소, 실현 가능한 계획지(地).

en·to·proct [éntəprɑ̀kt] *n.* 〖動〗 내항(內肛) 동물. —— *a.* 내항동물문의.

en·tou·rage [ɑ̀nturɑ́:ʒ] *n.* **1** [집합적으로] 측근자(attendants), 수행원 ; 동료. **2** 주위, 환경(environment). 〖F (*entourer* to surround)〗

en·tout-cas [ɑ:ntu:kɑ́:] *n.* (*pl.* ~) **1** 앙투카《우산겸 양산》. **2** [En-Tout-Cas] 앙투카《배수용 벽돌 가루 따위로 포장된 전천후 테니스 코트 ; 상표명》 : an ~ court (테니스의) 앙투카 코트.
〖F＝in any case〗

ènto·zóa *n. pl.* (*sg.* **-zó·on** [-zóuɑn]) 〖動〗 [때때로 E~] 체내 기생충류.

en·tr'acte [ɑntrǽkt] *n.* 막간 ; 막간의 연예[무용] ; 간주곡(interlude).
〖F (*entre* between, *acte* act)〗

en·trails [éntreilz, 美＋-trəlz] *n. pl.* 내장(內臟), 창자(bowels) ; 내부(內部).
〖OF<L *intralia* (*intra* within)〗

en·tráin[1] *vt., vi.* 기차[열차]에 태우다[타다] (↔ *detrain*). **~·ment**[1] *n.* 〖*en*-[1]〗

entrain[2] *vt.* **1** 함께 끌고 가다, 질질 끌다 ; 〖化〗 (유체(流體)가 작은 물방울·입자 따위를) 부유시켜 운반하다, 비말동반(飛沫同伴)하다 : ~*ed* air 연행(連行) 공기. **2** (미세한 기포(氣泡)를) 콘크리트 속에 혼입시키다. **3** …의 단계[주기]를 결정[한정]하다 ; 〖生〗 (생체의 주기(周期) 리듬을) 다른 일주(日周) 주기에 동조시키다.
~·er *n.* **~·ment**[2] *n.* 〖化〗 비말동반 ; 〖生〗 동조화(同調化). 〖F *en*-(*traîner* to drag<TRAIN)〗

en·trámmel *vt.* …에 그물을 치다 ; 속박하다, 방해하다.

‡**en·trance**[1] [éntrəns] *n.* **1** 입구 ; 출입구, 현관 : the main[back] ~ 정면[뒤쪽] 입구 / the ~ *to* a city[*into* a bay] 시(市)[만(灣)]의 입구. **2** Ⓤ,Ⓒ 들어가기 ; 입장, 입항 ; (배우의) 등장(↔ *exit*) ; 입학〈*into, to*〉, 입사(入社), 입회〈*into*〉 ; (새 생활·새 직업 따위에) 들어가기, 새 출발, 취임, 취업 : an ~ examination 입학[입사] 시험 / one's ~ *on* the stage 등장 / one's ~ *upon* office 취임 / an ~ *into* a new life 새 생활로의 출발 / make[effect] one's ~ 들어가다, 다 들어가다. **3** Ⓤ,Ⓒ 들어갈 기회[권리], 입장권. **4** Ⓤ 입장료 ; 입회금, 입학금 : an ~ fee[money] 입장료.
Entrance Free. 《게시》 입장무료.
have free entrance to …로의 자유로운 출입이 허용되어 있다.
No Entrance. 《게시》 입장금지, 무단출입금지.
〖OF ; ⇨ ENTER〗

en·trance[2] [entrǽ(:)ns, in- ; -trɑ́:ns] *vt.* [＋目 / ＋目＋前＋名] 비몽사몽간이 되다, 망아(忘我) 상태[무아지경·황홀경]에 빠지다(enrapture), (기쁨 따위가) 압도하다(overwhelm) : I was ~*d* ***with*** the music[*with* joy]. 그 음악을 듣고 황홀경에 빠졌다[기쁨에 무아지경이 되었다] / He stood ~*d* ***at*** the wonderful sight. 그는 그 멋있는 광경에 넋을 잃고 서 있었다.
~·ment *n.* Ⓤ 실신 상태, 무아 지경, 황홀경 ; 망아[황홀] 상태 ; 광희(狂喜) ; Ⓒ 넋을 잃게[황홀하게] 하는 것. 〖*en*-[1]〗

éntrance háll *n.* (특히 큰 건물의) 현관 홀.

éntrance·wày *n.* 입구(의 통로).

en·tránc·ing *a.* 혼을 빼앗는, 황홀하게 하는, 매혹적인. **~·ly** *adv.* 무아지경으로, 황홀하게.

en·trant [éntrənt] *n.* 들어가는 사람 ; 신입자[생·회원] ; 참가자.
〖F (pres. p.) <*entrer* to ENTER〗

en·tráp *vt.* [＋目 / ＋目＋*into*＋名] 덫에 걸리게 하다, 함정에 빠뜨리다 ; (남을) 모함하다, 속여서 …시키다 : He was ~*ped into* undertaking the work. 그는 속아서 그 일을 맡았다.
~·ment *n.* 덫에 걸리게 함 ; 함정 수사.
〖OF *en*-[1](*traper* <TRAP[1])〗

en·treat** [intrí:t, en-] *vt.* **1** [＋目＋*to* do / ＋目＋前＋名 / ＋目＋*that* 節] 탄원[간청]하다, 간절히 바라다 : I ~*ed* him *to* show mercy. 선처를 베풀어 달라고 그에게 탄원했다 / He ~*ed* me ***for assistance. 그는 나에게 원조를 청했다 / I ~ this favor ***of*** you. 부디 이 부탁을 들어주십시오 /

E~ her *that* she may come back to me. 제발 나에게로 돌아와 달라고 그녀에게 부탁해 주시오. **2** ⦅古⦆ 다루다(treat) : evil ~ a person ⦅古⦆ 〖聖〗 남을 학대하다. ── *vi.* **1** 간원[탄원]하다. **2** ⦅廢⦆ 교섭하다. **~·ing** *a.* 간청의, 애원의. **~·ing·ly** *adv.* 간절히, 애원하듯이.
〚OF (*en-*[1], TREAT)〛
[類義語] ⟹ BEG.

en·tréaty *n.* [U,C] 간청, 탄원, 애원 : a look of ~ 애원의 눈초리 / deaf to all *entreaties* 온갖 탄원에도 끄떡하지 않는.

en·tre·chat [*F* ɑ̃trəʃa] *n.* 〖발레〗 뛰어오르는 동안에 다리를 교차시키며 때로는 발뒤꿈치를 맞부딪치는 동작.

en·tre·côte [*F* ɑ̃trəkoːt] *n.* 〖料〗 갈비뼈 사이에 있는 스테이크용 고기. 〚F=between rib〛

en·trée, en·tree [ɑ́(ː)ntrei, -ˊ] *n.* **1** [U,C] 출장, 입장(허가), 입장권 : have the ~ of a house 집에 자유롭게 출입이 허용되어 있다 / make one's ~ *into* …으로 들어가다. **2** 〖料〗 앙트레⦅⦅英⦆ 생선 요리와 고기요리 사이에 나오는 요리⦆ ; ⦅美⦆ (불고기 외의) 주요 요리. 〚F=entry〛

en·tre·mets [ɑ́(ː)ntrəmèi ; *F* ɑ̃trəmɛ] *n.* (*pl.* ~ [-z ; *F* —]) 〖料〗 주요 요리 사이에 곁들여 내는 요리 ; 디저트.

en·trénch *vt.* **1** (도시 · 진지(陣地) 따위를) 참호로 둘러싸다 ; [~ one*self* 로] 참호를 파고 (몸을) 숨기다[두다] : The enemy were ~*ed* beyond the hill. 적들은 언덕 너머에 참호를 구축하고 있었다 / The army ~*ed* them*selves* near the shore. 군대는 해안 가까이에 참호를 파고 숨었다. **2** [~ one*self* 로] (…에 대하여) 몸을 지키다, 자기의 입장을 굳히다. **3** 확고하게 하다, (관례 따위를) 확립하다(establish). ── *vi.* **1** 참호를 파다. **2** (남의 권리를) 침해하다⟨*upon*⟩.

en·trénch·ment *n.* [U] 참호 구축 작업 ; [C] 성채, 요새, 참호.

en·tre nous [*F* ɑ̃trə nu] *adv.* 우리끼리 얘기지만. 〚F=between ourselves〛

en·tre·pôt [*F* ɑ̃trəpo] *n.* 창고(storehouse) ; (항구의) 화물 집산지, 중앙 시장.
〚F (*entre-* INTER-, *poser* to place)〛

en·tre·pre·neur [ɑ̀ːntrəprənə́ːr ; *F* ɑ̃trəprənœːr] *n.* 기업가(enterpriser) ; 흥행주(興行主), 프로모터(promoter) ; 중개(업)자(intermediary). **~·ship** *n.* 기업가 정신.
〚F ; ⇨ ENTERPRISE〛

en·tre·sol [ɑ́ntrəsɑ̀l, éntər- ; *F* ɑ̃trəsɔl] *n.* 〖建〗 중이층⦅1층과 2층 사이의 낮은 중간층⦆.

en·tro·py [éntrəpi] *n.* **1** [U] 〖理〗 엔트로피⦅열역학상의 상태 함수(函數)의 추상적인 양의 단위⦆. **2** [U] 일양화(一樣化), 동질(성), 무변화.
〚G<Gk. (*tropē* transformation)〛

en·trúst** *vt.* [+目+前+名] (…에게 임무를) 위임하다, 위탁하다, 맡기다 : We ~*ed* the newly elected treasurer ***with all our money. 신임 회계원에게 돈을 전부 맡겼다 / The duty of protecting London was ~*ed* ***to*** a number of watchmen. 런던 방위의 임무는 몇 명의 감시원에게 위임되었다. 〚*en-*[1]〛
[類義語] ⟹ COMMIT.

***en·try** [éntri] *n.* **1** 들어감, 입장, 입학, 입회(entrance) ; 들어갈 자유[권리, 특권] : Korea's ~ *into* the UN 한국의 국제 연합 가입 / The army made an ~ *into* the city. 군대는 그 도시에 진주했다. **2** 들어가는 길(approach)⟨*to*⟩ ; 입구, 문(entrance) ; (특히) 현관 ; 하구(河口). **3** 등록, 등기, 기입, 기재 사항(cf. BOOKKEEPING) : make an ~ *of* an item 사항을 기입[등록]하다 / ☞ DOUBLE ENTRY / ☞ SINGLE ENTRY. **4** (의논 · 경기 따위의) 참가자(entrant)⟨*for*⟩ ; 참가자 명부. **5** 〖法〗 (토지 · 가옥으로의) 침입, 점거 ; 〖法〗 가택 침입 : an illegal ~ 불법침입. **6** (배우의) 등장. **7** 〖商〗 통관 수속. **8** =ENTRY WORD ; (표제어로 시작되는) 항목 (전체).
〚OF<Rom. ; ⇨ ENTER〛

éntry-lèvel *a.* 초보적인.

éntry pèrmit *n.* 입국 허가.

éntry vìsa *n.* 입국 사증.

éntry·wày *n.* 현관의 통로.

éntry wòrd *n.* (사전 따위의) 표제어.

Ent. Sta. Hall Entered at Stationer's Hall (판권 등록 필).

en·twíne *vt.* [+目/+目+前+名] 얽히게 하다 ; 감겨들게 하다, 휘감기게 하다(wreathe) ; (화환 따위를) 엮다 ; 에워싸다(embrace) : ~ an oak ***with*** ivy 오크나무에 담쟁이덩굴이 감기게 하다 / A creeper was ~*d* (***a***)***round*** [***about***] the pillar. 기둥에는 덩굴식물이 감겨져 있었다. ── *vi.* 서로 얽히다 ; 휘감기다.

en·twíst *vt.* 꼬다, 꼬아서 합치다(twist together) ⟨a thing *with* another⟩.

enu·cle·ate [injúːklièit, ìː-] *vt.* **1** 명백히 하다(clear up). **2** 〖醫〗 떼어내다, 적출(摘出)하다 ; 〖生〗 …에서 세포핵을 떼어버리다.
── [-kliət, -èit] *a.* 탈핵(脫核)한⦅세포⦆.
enù·cle·á·tion *n.* 〖生〗 탈핵 ; 〖醫〗 적출(술).

enu·mer·ate [injúːmərèit] *vt.* [+目/+目+*to*+名] 낱낱이 들다, 열거하다 ; 하나하나 세어 나가다(count up) : Can you ~ the capitals of the 50 states? (미국의) 50주의 주도를 모두 댈 수 있습니까 / He ~*d* ***to*** me the advantages of traveling by train. 그는 나에게 기차 여행의 장점을 하나하나 열거했다. 〚L ; ⇨ NUMBER〛

enù·mer·á·tion *n.* [U] 낱낱이 셈, 열거 ; [C] 목록, 세목, 일람표(list).

enú·mer·à·tive [, -rət-] *a.* 열거하는 ; 열거의 ; 계수상(計數上)의.

enú·mer·à·tor *n.* 수를 세는 사람, 국세 조사원.

enun·ci·ate [inʌ́nsièit, -ʃi-] *vt.* **1** (이론 · 주의 따위를) 선언하다(declare), 공표하다 ; 명확히 계통을 세워서 설명[진술]하다. **2** (확실하게) 발음하다(pronounce) : ~ one's words clearly 말을 똑똑히 발음하다. ── *vi.* 명확하게 발음하다 : ~ correctly 올바르게 발음하다.
enún·ci·à·tive [; -siətiv] *a.* 언명의, 선언적인 ; 발음(상)의. **-à·tor** *n.* 선언자 ; 발음자.
〚L (*nuntio* to announce<*nuntius* messenger)〛

enùn·ci·á·tion *n.* **1** [U,C] 발음(하는 투). **2** [C] 언명, 선언, 발표.

en·ure [enjúər] *vt., vi.* =INURE.

en·ure·sis [ènjuríːsəs] *n.* 〖醫〗 요실금(尿失禁), 유뇨증(遺尿症).

env. envelope.

en·vel·op [invéləp, en-] *vt.* [+目/+目+*in*+名] 싸다, 덮다, 덮어가리다, 에워싸다 ; 감추다(hide, conceal) ; 〖軍〗 포위하다 : Fog ~*ed* the village. 안개가 그 마을을 완전히 뒤덮고 있었다 / She ~*ed* the baby ***in*** blankets. 그녀는 갓난아기를 담요로 쌌다 / The subject is still ~*ed in* mystery. 그 문제는 아직껏 신비에 싸여 있다.
── *n.* =ENVELOPE.
〚OF (*en-*[1]) ; cf. DEVELOP〛

‡en·ve·lope [énvəlòup, ɑ́n-] *n.* **1** 봉투, 주머니

모양의 것. **2** 싸개, 씌우개 ; 〖植〗 외피(外皮), (기구(氣球)의) 기낭(氣囊) (gas bag) ; 〖天〗 혜성을 싸는 가스체. 〖F (↑)〗

envélop·ment *n.* Ⓤ 쌈, 봉하기 ; 〖軍〗 포위 ; Ⓒ 싸개, 포장지, 덮개.

en·ven·om [invénəm] *vt.* …에 독약을 넣다[바르다] ; 《비유》 …에게 독기[적의·증오]를 띠게 하다(embitter) : an *~ed* tongue 독설(毒舌). 〖OF (VENOM)〗

en·ven·om·ate [envénəmèit] *vt.* (뱀·독충 따위가) 독물[독액]을 주입하다.

en·vèn·om·átion *n.* (독사 따위의) 독물 주입.

en·vènom·izátion *n.* 독사·독충의 자상(刺傷)에서 생기는 중독.

Env. Extr. Envoy Extraordinary.

en·vi·able [énviəbəl] *a.* 부러워하는[하게 하는], 샘내는, 시샘하는, 욕심이 나게 하는(cf. ENVIOUS) : an ~ school record 부러워할 만큼의 학업 성적. **~·ness** *n.* **-ably** *adv.* 부러울 만큼, 샘이 날 만큼. 〖ENVY〗

en·vi·er [énviər] *n.* 부러워하는 사람, 시샘하는 사람.

***en·vi·ous** [énviəs] *a.* 부러운 마음을 품고 있는, 질투심이 강한(cf. ENVIABLE) ; 부러운 듯한, (…을) 시샘하는 : ~ looks 시샘하는 듯한 눈초리 / I am neither ~ *of* you nor *of* your success. 나는 자네도 자네의 성공도 부러워하지 않네.

~·ly *adv.* 부러운 듯[시샘하듯]이, 질투하여, 시기하여. 〖OF ; ⇨ ENVY〗

en·vi·ro [enváirou] *n.* 《美俗》 =TREE HUGGER. 〖*enviro*nmentalist lobbying on Capitol Hill〗

en·vi·ron [inváiərən, 美+-váiərn] *vt.* [+目/+目+前+名] 에워싸다, 포위하다, 둘러싸다 : a town *~ed* ***by*** [***with***] forests 숲으로 둘러싸인 마을. —— *n.* 《口》=ENVIRONS. 〖OF (*environ* surroundings) ; cf. ENVIRONS〗

en·vi·ron·ics [invaiərániks] *n.* 환경 관리학.

***envíron·ment** *n.* **1** Ⓤ,Ⓒ 주위, 외계 ; 사방의 정세, 환경(surroundings) : social ~ 사회적인 환경. **2** Ⓤ,Ⓒ 포위, 에워 싸기.

en·vi·ron·men·tal [invàiərənméntl, 美+-vàiərn-] *a.* 주위의, 환경의 ; 환경예술의. **~·ly** *adv.*

environméntal árt *n.* 환경 예술《관객을 포함하는 종합 예술》.

environméntal asséssment *n.* 환경 사전 조사, 환경 영향 평가.

environméntal biólogy *n.* 환경 생물학《생물과 환경의 상호 관계를 연구함》.

environméntal cátalyst *n.* 환경 정화 촉매.

environméntal desígn *n.* 환경 디자인.

environméntal disrúption *n.* 환경 파괴.

environméntal enginéer *n.* 환경 공학자《환경 보전의 전문 기술자》.

environméntal enginéering *n.* 환경 공학.

environméntal éthics *n.* 환경 윤리학.

environméntal ímpact stàtement *n.* 환경 영향 평가 보고 ; 환경 변화 예상 보고.

environméntal·ìsm *n.* Ⓤ 환경 결정론 ; 환경 보전주의[오염 반대 운동].

environméntal·ist *n.* 환경 보호론자[보호주의자], 환경 문제 전문가.

environméntal pollútant *n.* 환경 오염 물질.

environméntal pollútion *n.* 환경 오염.

Environméntal Protéction Àgency *n.* [the ~] 《美》 환경 보호청《略 EPA》.

environméntal psychólogy *n.* 환경 심리학.

environméntal scíence *n.* 환경 과학.

environméntal stréss *n.* 환경 스트레스.

environméntal tobácco smòke *n.* 간접 흡연《略 ETS》.

en·vi·ron·men·tol·o·gy [invàiərənmentálədʒi, 美+-vàiərn-] *n.* Ⓤ 환경학, 환경 문제 연구.

envíron·pòlitics *n.* 환경 (보전) 정책.

en·vi·rons [inváiərənz, énvərənz, 美+inváiərns] *n. pl.* (도시의) 주위, 교외, 근교(近郊) : London and its ~ 런던 및 그 근교. 〖OF=round about (*en* in, *viron* circuit, neighborhood<VEER)〗

en·vis·age [invízidʒ] *vt.* **1** (어떤 입장에서) 관찰하다 ; 마음에 그리다(visualize) ; 예상하다(foresee). **2** (위험·사실 따위를) 정시(正視)[직시(直視)]하다(face). 〖F (VISAGE)〗

en·vísion *vt.* (장래의 일 따위를) 마음에 그리다, 상상[공상]하다(visualize) ; 기도하다(contemplate).

en·voy[1] [énvɔi, 美+án-] *n.* (발라드와 같은 고체시(古體詩)에 있는) 결구(結句) ; (시·문장의 제일 뒤에 부기하는) 발문. 〖OF〗

envoy[2] *n.* 외교 사절, (특히) 특명 전권 공사(公使) ; (일반적으로) 사절 : an ~ extraordinary (and minister plenipotentiary) 특명 전권 공사 / a peace ~ 평화 사절. 〖F (p.p.)<↑〗

***en·vy** [énvi] *n.* **1** Ⓤ 시기, 질투, 부러워함 : filled with ~ *at* [*of*] a person's success 남의 성공을 시기하는 마음이 가득하여. **2** Ⓒ 시기의 원인, 선망의 대상 : Her new dress was the ~ *of* (=an object of ~ to) all. 그녀의 새옷은 모두의 선망의 대상이었다.

in envy of …을 부러워하여.

out of envy 시기하여, 질투한[부러운] 나머지 : She did it *out of* ~. 그녀는 그것을 시기심에서 했다.

—— *vt.* [+目/+目+前+名/+目+目] 부러워하다 ; 시샘하다, 질투하다 : How I ~ you! 정말로 당신이 부럽군요 / I don't ~ you ***for*** your good luck. 당신 운이 좋다고 해서 부러워하지는 않아요 / He *envied* me my trip around the world. 그는 나의 세계 여행을 부러워했다.

—— *vi.* 《廢》 부러워하다, 시샘하다.

〖OF<L *invidia*<*in*-[2](*video* to see)=to look askance, envy〗

類義語 ***envy*** 부러워 하다, 시기[시샘]하다 ; 다른 사람이 가진[한] 것을 자기도 갖[하]고 싶다고 열심히 바란 나머지 그 사람에게 악의·증오·질투 또는 불만을 품다 : I *envy* you for your good fortune. (자네의 행운이 부럽다).

grudge, begrudge 주거나[허락]하는 것을 싫어하다 ; 때로 이기심·비열한 마음으로 또는 인색하여 남이 필요로 하거나 당연히 소유해도 되는 것을 주기 싫어함. grudge 쪽이 한층 더 일반적임 : She is so stingy that she *begrudges* her dog a bone. (그 여자는 매우 인색해서 개에게 뼈다귀 하나 주는 것도 아까워한다).

covet 간절히 바라다 ; 특히 남이 소유한 것을 함부로 또는 불법적으로 갖고 싶어하다. 욕심뿐 아니라 envy의 감정을 암시할 때도 있음 : He *covets* fame. (그는 명성을 탐내고 있다).

en·wéave *vt.* =INWEAVE.

en·wínd [-wáind] *vt.* (**-wóund** [-wáund]) 감기다, 휘감기다.

en·wómb *vt.* 깊이 매장하다 ; 둘러싸다, 싸다.

en·wráp *vt.* 싸다, 감싸다〈*in*〉 ; 열중하게 하다.

en·wréathe *vt.* 꽃다발로[같이] 감다 ; 서로 얽히게 하다.

En·zed [énzéd] *n.* 《濠口》 =NEW ZEALAND(ER).
en·zo·ot·ic [ènzouátik] *n., a.* (동물의 병이) 풍토병(의).
en·zy·mat·ic [ènzaimǽtik, -zə-] *a.* 효소의.
en·zyme [énzaim] *n.* 〖化〗 효소(cf. YEAST).
〚G (Gk. *en* in, *zumē* leaven); cf. ZYMOTIC〛
énzyme detèrgent *n.* 효소 세제(洗劑).
énzyme engineering *n.* 효소 공학《효소(작용)의 농공업에의 응용》; (농업·공업 따위에서) 효소를 이용한 처리 기술.
en·zy·mol·o·gy [ènzaimálədʒi, -zə-] *n.* 효소학.
EO, E.O. Education officer; Executive Order.
e.o. ex officio.
eo- [íːou, -ə] *comb. form* 「원시」「가장 이른[오래된](earliest)」의 뜻. 〚Gk.; ⇨ EOCENE〛
Éo·cène *a.* 〖地質〗 (제3기(紀)) 에오세(世)의: the ~ epoch 에오세. ── *n.* [the ~] 에오세.
〚Gk. *ēos* dawn, *kainos* new〛
EOD explosive ordnance disposal(폭발물 처리).
EOF 〖컴퓨〗 end of file《파일 끝에 붙이는 표시》.
èo·híppus *n.* 〖古生〗 에오히푸스《미국 서부의 제3기 에오세(世)의 지층에서 발견된 가장 원시적인 몸집이 작은 말의 화석》.
eo·li·an [i(ː)óuliən] *a.* 〖地質〗 풍성의; [E~] =AEOLIAN. ── *n.* [E~] =AEOLIAN.
eol·ic [i(ː)álik] *a.* =EOLIAN; [E~] =AEOLIC: an ~ deposit 풍성층(層). ── *n.* [E~] =AEOLIC.
éo·lìth *n.* 〖考古〗 원시 석기(石器).
〚Gk. *ēos* dawn, *lithos* stone〛
Èo·líthic *a.* 〖地質·考古〗 원시 석기 시대의.
〚F (↑)〛
e.o.m., E.O.M. 〖주로 商〗 end of (the) month (월말(月末)).
eon, eonian ☞ AEON, AEONIAN.
eon·ism [íːənìzəm] *n.* =TRANSVESTISM.
〚Chevalier d'*Éon* (d. 1810) 프랑스의 스파이〛
EOR explosive ordnance reconnaissance (폭발물 수색).
Eos [íːɑs] *n.* 〖그神〗 에오스《여명의 여신; 로마 신화의 Aurora에 해당함》.
tears of Eos 《詩》 아침 이슬.
〚Gk.=dawn〛
eo·sin [íːəsən], **-sine** [-sən, -sìːn] *n.* Ⓤ 〖化〗 에오신《선홍색의 산성 색소; 세포질의 염색에 씀》.
eo·sín·o·phìl [ìːəsínə-], **-phìle** *n.* 〖解〗 에오신 호성(好性) 백혈구, 호산구(好酸球); 〖生〗 에오신 호성(好性)의 세포[조직, 미생물 따위].
── *a.* 에오신 호성(好性)의(eosinophilic).
eo·sin·o·phília [ìːəsìnə-] *n.* 〖醫〗 호산구(好酸球) 증가(증).
eo·sin·o·phílic [ìːəsìnə-] *a.* 에오신 호성(好性)의, 호산성(好酸性)의; 호산구(好酸球) 증가증(症)(성)의.
-eous [iəs, jəs] *a. suf.* 「…과 같은」「…와 비슷한」의 뜻. 〚L〛
Eo·zo·ic [ìːəzóuik] *n., a.* 〖地質〗 PRECAMBRIAN의 옛 이름(의).
EP [íːpíː] *n.* 이피판《한쪽 3-4분간 회전을 6-8분간 회전으로 시간을 증가시킨 매분 45회전의 레코드; cf. LP》: an ~ record 이피 레코드[음반].
〚extended *p*lay〛
ep- [ep, ip] *pref.* =EPI-《모음 및 h앞에 올 때의 형》: *ep*isode, *ep*och.
EP, E.P. electroplate; European plan. **Ep.** Epistle. **EPA** 《美》 Environmental Protection Agency (환경 보호국).
epact [íːpækt, ép-] *n.* 태양력과 태음력의 1년의 날짜수의 차《태양력이 약 11일 더 많음》; 세수월령(歲首月齡)《1월1일의 월령》.
〚F<L<Gk.=intercalated〛
Epam·i·non·das [ipæ̀mənándəs, e-] *n.* 에파미논다스(418?-362 B.C.) 《고대 그리스 테베의 정치가·군인》.
ep·arch [épɑːrk] *n.* (고대 그리스의) 주(州)지사; (근대 그리스의) 군수(郡守); (그리스 정교회의) 수도(首都) 대주교, 주교.
ep·archy [épɑːrki] *n.* (고대 그리스의) 주(州); (근대 그리스의) 군(郡); (그리스 정교회의) 주교구(區).
ep·ar·chi·al [epáːrkiəl] *a.*
ep·au·let(te) [épəlèt, -lət, èpəlét] *n.* 어깨를 장식[보호]하는 것; (장교 정복의) 견장(肩章).
win** one**'s epaulets (하사관이) 장교로 승진하다.
〚F (dim.) ‹ *épaule* shoulder; ⇨ SPATULA〛
E.P.B. 《英》 Environmental Protection Board.
EPC European Political Community(유럽 정치 공동체).
Ép·cot Cènter [épkət-] *n.* 《美》 (Florida 주 소재의 제2 디즈니랜드의) 미래 도시.
E.P.D. Excess Profits Duty(초과 이득세).
épée, epee [épei, eipéi] *n.* 〖펜싱〗 에페《끝이 뾰족한 시합 칼; cf. FLEURET, SABER》.
〚F=sword; ⇨ SPATHE〛
épée·ist *n.* épée를 잘 쓰는 선수.
ep·en·the·sis [epénθəsəs] *n.* (*pl.* **-ses** [-sìːz]) 〖言·音聲〗 삽입 문자, 삽입음.
epergne [ipə́ːrn, epéərn] *n.* (꽃 따위를 놓는) 식탁 중앙의 장식대. 〚C18<?; cf. F *épargne* treasury〛

epergne

ep·exegésis [ep-] *n.* (*pl.* **-géses**) 〖修〗 보어(補語); 보충, 보족(補足); 보족적 해설.
eph- [ef, if] ☞ EPI-.
Eph. 〖聖〗 Ephesians; Ephraim.
ephah, epha [íːfə, éfə] *n.* 에파《고대 헤브라이의 용량 단위》. 〚Heb.〛
ephed·rine [ifédrən, 《化》 éfədrìːn], **-rin** [-rən] *n.* Ⓤ 〖化〗 에페드린《백색결정성 알칼로이드; 천식, 감기 따위의 약으로 씀》.
ephem·era [ifémərə] *n.* (*pl.* **-er·as, -er·ae** [-əriː]) 아주 단명한 것; 〖昆〗 하루살이.
〚L<Gk.=lasting only a day (*epi* on, *hēmera* day)〛
ephem·er·al [ifémərəl] *a.* 하루(만의) 목숨의, 하루[며칠]만 사는《곤충·잡초 따위》; 단명(短命)한(short-lived), 잠시 동안의, 덧없는. ── *n.* 극히 단명한 것[생물]; (며칠 내에 생장·개화·고사하는) 단명한 식물. **~·ly** *adv.* 덧없이.
ephem·er·al·i·ty [ifèmərǽləti] *n.* 덧없음, 하루살이 같은 목숨; [*pl.*] 덧없는 것.
ephèmeral·izátion *n.* 단명한 상품의 생산, (상품의) 단명화.
ephem·er·id [ifémərəd] *n.* 〖昆〗 하루살이.
ephem·er·is [ifémərəs] *n.* (*pl.* **eph·e·mer·i·des** [èfəmérədìːz]) 〖天〗 천체력(曆)《천체의 위치 추산력(曆)》.
ephem·er·on [ifémərɑ̀n, -rən] *n.* (*pl.* **~s, -era** [-rə]) 하루살이; =EPHEMERAL.

Ephe·sian [ifíːʒən] *a.* EPHESUS의.
—— *n.* [the ~s ; 단수취급] 〘聖〙 에베소서(書) (the Epistle of Paul the Apostle to the Ephesians) 《신약 성서 중의 한 편 ; 略 Eph.》.
Eph·e·sus [éfəsəs] *n.* 에페수스《소아시아 서부의 옛 도시, 세계 7대 불가사의의 하나인 Artemis [Diana] 신전의 소재지》.
eph·od [íːfɑd, e-] *n.* 유태 제사장의 법의. 〖Heb.〗
eph·or [éfɔːr, éfər] *n.* (*pl.* **~s**, **-o·ri** [-ərài]) 민선 장관《고대 그리스 Sparta의 5대 장관의 하나》; 근대 그리스의 관리, (특히) 공공사업의 감독관. 〖Gk.〗
Ephra·im [íːfriəm ; íːfreiim] *n.* **1** 남자 이름. **2** 〘聖〙 에브라임《Joseph의 차남, 창세기 41 : 52》. **3** 에브라임족(族)《이스라엘 부족의 하나》. **4** 〘史〙 이스라엘 (북)왕국((北)王國). 〖Heb.=(very) fruitful〗
epi- [épə, -i], **ep-** [ep, ip], **eph-** [ef, if] *pref.* 「위」「그 위」「그 밖」 따위의 뜻 : *epi*stle, *epi*thet. 〖Gk.〗
épi·blàst *n.* 〘生〙 배반(胚盤)엽상층, 외배엽.
ep·ic [épik] *n.* **1 a)** 서사시, 사시(史詩)《영웅의 모험·업적·민족의 역사 따위를 노래한 시 ; cf. LYRIC》. **b)** 서사시적 장편작품《소설·극·영화 따위》. **2** (영화·소설 따위의) 대작.
—— *a.* 서사시의 ; 서사시적인 ; 영웅적인 ; 웅장한 : an ~ poet 서사시인.
〖L<Gk. (*epos* song)〗
ép·i·cal *a.* =EPIC. **~·ly** *adv.* 서사시적으로 ; 서사체(敍事體)로 ; 웅장하게.
èpi·cályx *n.* (*pl.* **~·es**, **-yces**) 〘植〙 꽃받침 모양 총포(總苞).
èpi·cárdium *n.* (*pl.* **-dia**) 〘解〙 심장 외막.
épi·càrp *n.* 〘植〙 외과피(外果皮).
épic dráma *n.* 에픽 드라마《관객의 이성에 호소하여 사회 전반의 문제에 대한 비판적 사고를 촉구하는 서사극》.
ep·i·cede [épəsìːd], **ep·i·ce·di·um** [èpəsíːdiəm, 美+-sidáiəm] *n.* (*pl.* **ep·i·ce·des** [épəsìːdiːz], **ep·i·ce·dia** [èpəsíːdiə]) 애가(哀歌), 만가.
ep·i·cene [épəsìːn] *a.* 〘文法〙 (그리스·라틴 문법에서) 통성(通性)의 ; 남녀 양성(兩性)을 갖춘.
—— *n.* 양성을 갖춘 사람[것], 남녀추니 ; 통성어.
〖L<Gk. *epi-*(*koinos* common)=common to many〗
épi·cènter *n.* **1 a)** 〘地質〙 (지진의) 진앙(震央), 진원지. **b)** 《美》 (권력 따위의) 중심(中心)(점(點)) (center)〈*of*〉. **2** (원자 폭탄 따위의) 폭심(爆心)(지). **èpi·céntral** *a.* 진앙의.
〖Gk. (CENTER)〗
èpi·céntrum *n.* 〘地質〙 =EPICENTER.
ep·i·cist [épəsəst] *n.* 서사 시인.
ep·i·cle·sis, -kle- [èpəklíːsəs] *n.* (*pl.* **-ses** [-siːz]) 〘그正教〙 성령 강림 기도.
èpi·continéntal *a.* 대륙[대륙붕]의 위에 있는.
epic·ri·sis [ipíkrəsəs] *n.* (특히 병력(病歷)의) 비판적[분석적] 연구[평가]. 〖Gk.=judgment〗
epi·crit·ic [èpəkrítik] *a.* 〘生理〙 (피부 감각 따위의) (정밀) 식별[판별]성의.
épic símile *n.* 서사시적 비유《주제의 웅대함에 걸맞는 느낌을 내기 위해 쓰이는 비유》.
ep·i·cure [épikjùər] *n.* 쾌락주의자 ; (특히) 식도락가, 미식가(美食家). 〖EPICURUS〗
ep·i·cu·re·an [èpikjuəríːən, 美+-kjúriən] *a.* **1** 쾌락 취미의 ; 식도락의, 미식가적인. **2** [E~] 에피쿠로스(학파)의. —— *n.* [때로 E~] 미식가 (epicure) ; [E~] 에피쿠로스(학파)의 학도.
Epicuréan·ism [, 美+-------] *n.* Ⓤ 〘哲〙 (에피쿠로스 (학파)의) 쾌락주의 ; [e~] =EPICURISM.
ep·i·cur·ism [épikjuərìzəm] *n.* Ⓤ 식도락, 미식주의.
Ep·i·cu·rus [èpikjúərəs] *n.* 에피쿠로스(341-270 B.C.)《그리스의 철학자 ; 에피쿠로스파의 시조》.
epi·cy·cle [épəsàikəl] *n.* 〘數〙 주전원(周轉圓).
epi·cy·cloid [èpəsáiklɔid] *n.* 〘數〙 외전(外轉) 사이클로이드, 외파선(外擺線).
ep·i·cy·cloi·dal [èpəsaiklɔ́idəl] *a.* 〘數〙 외(전)(外(轉)) 사이클로이드의.
***ep·i·dem·ic** [èpədémik] *a.* **1** 유행[전염]성의(cf. ENDEMIC). **2** 유행하고 있는(prevalent). —— *n.* **1** 유행[전염]병 ; (질병의) 유행 ; (사상 따위) 돌발적인 유행. **2** 일정 지역내의 급격히 팽창한 생물 개체군, 이상 발생. 〖F (L<Gk. *epidēmia* prevalence of disease ; ⇨ DEMOS)〗
èp·i·dém·i·cal *a.* =EPIDEMIC.
epidémic encephalítis *n.* 〘醫〙 유행성 뇌염.
epidémic meningítis *n.* 〘醫〙 유행성 수막염.
epidémic parotítis *n.* 〘醫〙 유행성 이하선염(耳下腺炎), 항아리 손님.
ep·i·de·mi·ol·o·gy [èpədìːmiɑ́lədʒi, 美+-dèmi-] *n.* 전염병학, 유행병학. **-gist** *n.* 전염병학자.
epi·derm- [épədə̀ːrm], **epi·der·mo-** [-də̀ːr-mou, -mə] *comb. form* 「표피」의 뜻. 〖Gk. ; ⇨ EPIDERMIS〗
epi·der·mal [èpədə́ːrməl], **-mic** [-mik], **-mi·cal** [-mikəl], **-mous** [-məs] *a.* 상피(上皮)[표피(表皮)]의.
epi·der·min [èpədə́ːrmən] *n.* 〘生化〙 에피데르민《동식물 표피의 주성분인 섬유상 단백질》.
epi·der·mis [èpədə́ːrməs] *n.* 〘解·動·植〙 표피. 〖L<Gk. (*derma* skin) ; ⇨ DERMIS〗
epi·der·moid [èpədə́ːrmɔid], **-der·moi·dal** [-dərmɔ́idəl] *a.* 〘解·植·動〙 유표피(類表皮)의.
èpi·día·scòpe *n.* (투명체·불투명체의 화상(畫像)을 영사하는) 환등기. 〖*epi-*, *dia-*, *-scope*〗
epi·did·y·mis [èpədídəməs] *n.* (*pl.* **-di·dym·i·des** [-didímədìːz]) 〘解〙 부정소(副精巢), 부고환(副睾丸).
ep·i·dote [épədòut] *n.* 녹렴석(綠簾石). 〖F<Gk.=given besides ; 그 긴 수정(水晶)에서〗
èpi·dúral *a.* 〘解·醫〙 경막외(硬膜外)의.
—— *n.* =EPIDURAL ANESTHESIA.
epidúral anesthésia *n.* 〘醫〙 경막외(硬膜外) 마취(법).
epi·gas·tri·um [èpigǽstriəm] *n.* (*pl.* **-tria** [-triə]) 〘解〙 상복부《위(胃)의 윗부분》. **-gás·tric** *a.*
epi·ge·al [èpidʒíːəl], **-ge·an** [-dʒíːən] *a.* 〘植〙 지표상의[에 생기는] ; 〘昆〙 지표 (가까이)에 사는 : ~ stems 땅 위 줄기.
ep·i·gene [épidʒìːn] *a.* 〘地質〙 (암석이) 지표 가까이에 생성된, 외력적(外力的)인 ; (결정(結晶)이 형성된 후) 화학적으로 변질한. 〖F〗
èpi·génesis *n.* 〘生〙 후성(後成), 후성설(後成說)《생물의 발생은 점차적으로 분화한다는 설》; 〘地質〙 (암석의) 후생.
èpi·genétic *a.* 〘生〙 후성의, 후성적인 ; 〘地質〙 (광상(鑛床)·구조가) 후생적인 ; =EPIGENE : ~ deposits 후생 광상.
epig·e·nous [ipídʒənəs] *a.* 〘植〙 표면에 생기는, (특히) 잎의 표면에 생기는.
èpi·glóttis *n.* 〘解〙 후두개(喉頭蓋), 회염 연골(會厭軟骨) ; 〘昆〙 상인두. **-glóttal**, **-glóttic** *a.*

〖Gk. (*glōtta* tongue)〗

ep·i·gone [épəgòun], **-gon** [-gὰn] *n.* **1** 자손, 후손. **2** 〔文藝〕 모방자, 아류(亞流), 후계자, 후진(後進)《특히 열등한》.
〖F<L<Gk.=born after〗

ep·i·gram [épəgræ̀m] *n.* **1** 경구(警句). **2** (경구적인) 풍자시(詩). **3** 경구적인 표현.
〖F or L<Gk. (*-gram*)〗

ep·i·gram·mat·ic, -mat·i·cal [èpəgrəmǽtik(əl)] *a.* 경구적인 ; 풍자시의, 풍자시적인.
-máti·cal·ly *adv.* 풍자시적으로.

ep·i·gram·ma·tism [èpəgrǽmətìzəm] *n.* 경구적 표현[문체] ; 경구적 풍자성(性).

èp·i·grám·ma·tist *n.* 경구가(家) ; 풍자시 작가.

ep·i·gram·ma·tize [èpəgrǽmətàiz] *vt., vi.* 경구로 짓다, 풍자시 투로 쓰다.

ep·i·graph [épəgræ̀(:)f ; -grὰ:f] *n.* **1** 제명(題銘), 비명(碑銘), 비문(碑文) (inscription). **2** (권두·장(章))의 제사(題辭), 표어(motto).
〖Gk. (*-graph*)〗

epig·ra·pher [ipígrəfər, e-] *n.* =EPIGRAPHIST.

ep·i·graph·ic, -i·cal [èpəgrǽfik(əl)] *a.* epigraph의, epigraphy의.

epig·ra·phist [ipígrəfəst, e-] *n.* 금석학(金石學) 전문가.

epig·ra·phy [ipígrəfi, e-] *n.* [집합적으로] 비문, 비명(碑銘) ; Ⓤ 비명 연구, 금석학(金石學).

epig·y·nous [ipídʒənəs, e-] *a.* 〔植〕 (웅예(雄蕊)·화판(花瓣)·악편(萼片)이) 자방(子房) 위의, (꽃이) 자방 아래의.

epil. epilepsy ; epileptic ; epilog(ue).

ep·i·lep·sy [épəlèpsi] *n.* Ⓤ 〔醫〕 간질, 지랄병.
〖F or L<Gk. *epi-*(*lambanō* to seize)=to attack〗

ep·i·lept- [èpəlépt], **ep·i·lep·ti-** [-tə], **ep·i·lep·to-** [-tou, -tə] *comb. form* 「간질」의 뜻.
〖↓〗

ep·i·lep·tic [èpəléptik] *a.* 간질(성)의 ; 지랄병이 있는. —— *n.* 간질병 환자.
〖F<L<Gk. ; ⇨ EPILEPSY〗

epil·o·gist [ipílədʒəst] *n.* epilog(ue)의 작자[낭독자].

ep·i·logue, 《美》 **-log** [épəlɔ̀(:)g, -lὰg] *n.* (↔ *prologue*) **1** (문예 작품의) 발문(跋文), 끝맺음말〈*to*〉. **2** 〔劇〕 에필로그, 종막(終幕), (보통 운문(韻文)으로 된) 폐막사 ; 〔樂〕 =CODA. **3** 《비유》 (사건 따위의) 종결, 결말〈*to*〉. **4** 《英》〔放送〕 그날의 마지막 (종교) 프로그램.
—— *vt.* …에 epilogue를 달다.
〖F<L<Gk.=peroration of speech LOGOS〗

epi·neph·rine [èpənéfrən, -ri:n], **-rin** [-rən] *n.* 〔生化〕 에피네프린《부신(副腎)에서 나오는 호르몬, adrenaline이라고도 함》.

Epiph. Epiphany.

Epiph·a·ny [ipífəni, e-] *n.* 〔카톨릭〕 [the ~] (동방의 3박사(Magi)의 베들레헴 내방이 상징하는) 구세주의 현현(顯現) ; Ⓤ 공현(公顯)의 대축제일 《1월 6일, Christmas후 제 12일 째 ; Twelfth Day 라고도 함》. 〖OF<L<Gk. (*phainō* to show)〗

èpi·phenómenon *n.* (*pl.* **-na, ~s**) 부대(附帶) 현상, 수반 현상 ; 〔醫〕 부대 징후.

épi·phỳte *n.* 〔植〕 착생[기생] 식물.
èpi·phýt·ic [-fít-], **-phýt·al** [-fáitl] *a.* 〔植〕 기생 식물의.

ep·i·phy·tol·o·gy [èpəfaitάlədʒi] *n.* 식물 기생 병학 ; 식물병 발생의 모든 요인.

Epi·rus, Epei- [ipáiərəs] *n.* 에페이로스《그리스 북서부 지역 ; 그 지역과 현재의 알바니아 남부에 걸쳐 있었던 고대 국가》.

Epis(c). Episcopal.

epis·co·pa·cy [ipískəpəsi] *n.* **1** Ⓤ (교회) 비숍 제도《bishops, priests, deacons의 3직(職)을 포함한 교회 정치 형태》. **2** Ⓤ 주교[감독·사교]의 직[임기]. **3** [the ~] 주교[감독·사교]단(團).
〖PRELACY의 유추(類推)로 *episcopate*에서〗

***epis·co·pal** [ipískəpəl] *a.* **1** 주교[감독·사교]의 ; 비숍 제도의. **2** [E~] 감독 교회파의, 영국 국교파의(cf. PRESBYTERIAN) : the *E*~ Church 영국 성공회《영국 국교》; 미국 성공회 / the Protestant *E*~ Church 미국 성공회의 옛 이름.
—— *n.* =EPISCOPALIAN. **~·ly** *adv.*
〖F or L ; ⇨ BISHOP〗

Epis·co·pa·lian [ipìskəpéiljən] *a.* =EPISCOPAL 2 ; [e~] 영국 국교의, 감독 교회파의.
—— *n.* 감독교회 신도 ; [e~] 감독제주의자.

epis·co·pate [ipískəpət, -pèit] *n.* Ⓤ 비숍[감독]의 지위[계급·임기] ; [the ~] 주교[감독]단.

épi·scòpe *n.* 환등기《불투명체의 화상(畫像)을 스크린에 영사함》.

èpi·sémeme *n.* 문법 의미소(素).

***ep·i·sode** [épəsòud] *n.* **1** (소설·연극 따위의) 삽화(插話). **2** 삽화적인 일, 에피소드. **3** (연속물의 방송 프로그램·소설 따위의) 한 편 ; 1회분(의 이야기) ; 〔樂〕 삽입곡, 간주. **4** 〔醫〕 (재발성 질환의) 증상 발현. 〖Gk. =coming in addition (*eisodos* entrance, entry)〗

ep·i·sod·ic, -i·cal [èpəsάdik(əl), -zάd-] *a.* 에피소드풍의, 삽화적인(incidental) ; (몇 개의) 에피소드로 이루어진 ; 일시적인 ; 그다지 중요하지 않은 ; 이따금의, 변덕스러운.

épi·sòme *n.* 〔生〕 에피솜.

ep·i·spas·tic [èpispǽstik] *a.* 〔醫〕 발포성(發疱性)의, 피부 자극성의. —— *n.* 발포제(劑).

épi·spòre *n.* 〔植〕 (포자(胞子)·아포(芽胞)의) 외막(外膜), 상막(上膜) ; 외생 포자(exospore).

Epis. Epistle(s).

epis·ta·sis [ipístəsəs] *n.* (*pl.* **-ses** [-sì:z]) **1 a)** 액체의 상막(上膜) ; 〔醫〕 (요표본(尿標本)의) 부사(浮渣). **b)** 〔醫〕 (출혈 따위의) 울체(鬱滯). **2** 〔遺傳〕 상위(성)(上位(性)), 에피스타시스《어떤 유전자(遺傳子)에 의해 다른 자리에 있는 유전자의 발현을 억지시킴 ; 발현형(發現型)이 나타나는 유전자를 epistatic(상위의), 억지되는 것을 hypostatic(하위의)라고 함》.
ep·i·static [èpəstǽtik] *a.* 〖Gk. =stoppage〗

epis·ta·sy [ipístəsi] *n.* 〔遺傳〕 =EPISTASIS.

ep·i·stax·is [èpəstǽksəs] *n.* (*pl.* **-stax·es** [-stǽksi:z]) 〔醫〕 코피(nosebleed).

ep·i·ste·me [èpəstí:mi:] *n.* 지식, 인식.

ep·i·ste·mic [èpəstí:mik, -stém-] *a.* 지식의[에 관한], 인식(론)의[에 관한].

epis·te·mo·log·i·cal [ipìstəməlάdʒikəl] *a.* 인식론의[적인].

epis·te·mol·o·gy [ipìstəmάlədʒi] *n.* Ⓤ 〔哲〕 인식론. **-gist** *n.* 인식론(학)자.
〖Gk. *epistēmē* knowledge〗

epis·tle [ipísəl] *n.* **1** 《稀·戲》 (특히 격식을 차린) 서한(書翰), 편지 ; (옛날의) 서한체식의 시문(詩文). **2 a)** [the E~] 〔聖〕 (신약 성서 중의) 사도(使徒) 서한, 사도서(書) : The *E*~ of Paul to the Romans 로마서. **b)** [the E~] 성한(聖翰) 《사도서의 발췌》 : *the* ~[*E*~] side (교회 제단의) 남쪽《부사제(副司祭)가 성한(聖翰)을 낭독하는 쪽 ; cf. the GOSPEL side》.

〚OF<L<Gk. *epistolē* (*stellō* to send)〛

epis·to·lary [ipístəlèri ; -ləri] *a.* **1** 서신[서한·성한(聖翰)]의 ; 편지[서신]에 의한. **2** 서한문용의 : an ~ style 서한문체.
〚F or L ; ⇨ EPISTLE〛

epis·to·ler [ipístələr] *n.* 서한[편지]의 필자 ; [보통 E~] (미사의)(사도(使徒)) 성한(聖翰) 낭독자(cf. GOSPELER).

epis·tro·phe [ipístrəfi:] *n.* 〖修〗 결구(結句) 반복, 후렴의 되풀이.

epi·style [épəstàil] *n.* =ARCHITRAVE.

ep·i·taph [épətæ̀(:)f ; -tɑ̀:f] *n.* 비명(碑銘), 비문(碑文) ; 비명체의 시[문(文)]〈*upon*〉; 최종 판단[평가]. 〚OF<L<Gk. *epi-*(*taphion* ‹ *taphos* tomb)=funeral oration〛

epitáxial transístor *n.* 〖電子〗 에피택시얼(형(型))트랜지스터《메사형(型) 트랜지스터를 고주파용으로 개량한 것》.

ep·i·taxy [épətæ̀ksi] *n.* 〖理〗 에피택시《어떤 결정(結晶)이 다른 결정 표면에서 특정 방위 관계를 가지면서 성장하는 일》.
èp·i·táx·i·al *a.*

ep·i·tha·la·mi·on [èpəθəléimiən] *n.* (*pl.* **-mia** [-miə]) =EPITHALAMIUM.

ep·i·tha·la·mi·um [èpəθəléimiəm] *n.* (*pl.* **~s, -mia** [-miə]) 결혼[혼례]의 노래, 결혼 축가.
〚L<Gk.=nuptial〛

ep·i·the·li·al [èpəθí:liəl] *a.* 상피(上皮)의 ; 상피 세포의.

ep·i·the·li·oid [èpəθí:liɔ̀id] *a.* 상피와 비슷한.

ep·i·the·li·o·ma [èpəθì:lióumə] *n.* (*pl.* **-ma·ta** [-tə], **~s**) 〖醫·獸醫〗 상피종(腫).

ep·i·the·li·um [èpəθí:liəm] *n.* (*pl.* **-lia** [-liə]) 〖解〗 상피(上皮), (세포의) 피복(皮覆) 조직(cf. ENDOTHELIUM) ; 〖植〗 신피, 상피, 피막 조직.
〚L (Gk. *thēlē* teat)〛

ep·i·thet [épəθèt] *n.* **1** (특징을 나타내는) 형용어구, 형용사(辭) ; 별명, 통칭《보기 Richard the First (리처드 1세) 대신에 Richard the *Lion-Hearted* (사자왕 리처드) 따위》. **2** 모멸[질책]하는 말, 욕 ; 《廢》 말투, 표현.
── *vt.* (…을) 형용하여 …라고 하다.
〚F or L<Gk. (*tithēmi* to place)〛

ep·i·thet·ic, -i·cal [èpəθétik(əl)] *a.* 형용어구의 ; 별명의. **-i·cal·ly** *adv.*

epit·o·me [ipítəmi] *n.* **1** 발췌, 개략 ; 대략, 대요, 요약, 초록(抄錄)〈*of*〉. **2** 《비유》 (…의) 축도〈*of*〉, 전형 : man, the world's ~ 세계의 축도인 인간.
in epitome 축도로서 ; 대강.
〚L<Gk. *epi-*(*temnō* to cut)=to abridge〛

epít·o·mist *n.* 요약자.

epit·o·mize [ipítəmàiz] *vt.* …의 발췌[개요]를 만들다 ; 요약[초록]하다.

epi·tope [épətòup] *n.* 에피토프《항원(抗原) 결정기(基)》.

epi·zo·ic [èpəzóuik] *a.* 〖動·植〗 동물체 표생(動物體表生)의. **èpi·zó·ism** *n.* 동물체 표생. **-zó·ite** [-ait] *n.* 동물체 표생물.

epi·zo·on [èpəzóuɑn] *n.* (*pl.* **-zoa** [-zóuə]) 〖動〗 체외 기생충[물], 외부 기생충.

epi·zo·ot·ic [èpəzouɑ́tik] *a., n.* (병이) 동시에 동종의 동물간에 전염 발생하는 (유행병).

e plu·ri·bus unum [i: plúərəbəs jú:nəm, ei-] 다수로 이루어진 하나 ; 많은 주가 연합을 이룬 하나의 정부.
〚L=one out of many〛

EPMA electron probe microanalysis《물질에 전자선을 쬐어 원자를 들뜨게 하여 발생하는 특성 X선을 분석함으로써 물질의 정량 원소 분석을 행하는 방법》.

EPN [i:pì:én] *n.* 이피엔《유기인제(有機燐劑)》.
〚*e*thyl *p*ara-*n*itro-phenyl〛

EPNdB effective perceived noise decibels 《실효(實效) 감각 소음 데시벨 ; 소음 불쾌도를 나타냄》. **EPNL** effective perceived noise level《실효 감각 소음 레벨 ; 소음 강도, 특성 따위와 인간의 반응을 고려한 소음 측정법》. **E.P.N.S.** electroplated nickel silver (전기 도금 양은).

***ep·och** [épək, -ɑk ; í:pɔk] *n.* **1** 신기원(新紀元)〈*in* history, one's life〉; 획기적인 사건, 중요한 사건 : make[mark, form] an ~ 신기원을 이루다 / the ~*s* of one's life 인생의 획기적인 일. **2** (중요한 사건이 일어났던) 시대(period)〈*of* revolution〉. **3** 〖地質〗 세(世).
〚NL<Gk. =pause〛
類義語 ⟹ PERIOD.

épоch·al *a.* 신기원의 ; 획기적인 ; 전대 미문의, 유례가 없는.

épоch-màking *a.* 획기적인.

ep·ode [époud] *n.* 〖古韻〗 길고 짧은 행이 번갈아 있는 서정시형 ; 가요의 제 3 단《종결부》.
〚F or L<Gk. (*epi-*, ODE)〛

ep·o·nym [épənìm] *n.* 이름의 시조《국민·토지·건물 따위 이름의 기원이 된 인명(人名) ; 보기 Rome의 근원인 Romulus 따위》.
〚Gk. (*onoma* name)〛

epon·y·mous [epɑ́nəməs] *a.* 이름의 시조가 되는 ; 시조의 이름을 딴.

ep·o·pee [épəpì: ; épəu-], **ep·o·pea, -peia** [èpəpí:ə] *n.* 서사시, 사시(史詩).

ep·os [épɑs] *n.* 초기의 구전 서사시(口傳敍事詩) ; 서사시.
〚L<Gk.〛

ep·oxy [epɑ́ksi, 美+épɑk-] *a.* 〖化〗 에폭시의《산소 원자가 동일 분자 내의 2원자의 탄소와 결합하고 있는 구조의 기(基)를 가진》; 에폭시 수지(樹脂)의. ── *n.* =EPOXY RESIN.
── *vt.* 에폭시 수지로 접착하다.

epóxy rèsin *n.* 〖化〗 에폭시 수지(樹脂).

E-prime [í:-] *n.* be 동사를 쓰지 않는 영어.
〚*E*nglish-*prime*〛

épris [*F* epri] *a.* (*fem.* **éprise** [*F* epriz]) …에 반한(enamored)〈*with, of*〉.

EPROM [í:prɑm] *n.* 〖컴퓨〗 이프롬《PROM의 일종으로 일단 기억시킨 내용을 소거(消去)하고 딴 데이터를 기억시킬 수 있는 LSI》.
〚*e*rasable *p*rogrammable *r*ead-*o*nly *m*emory〛

EPS 〖宇宙〗 electrical power system (전력(電力) 시스템).

ep·si·lon [épsəlɑ̀n, -lən, 英+epsáilən] *n.* 엡실론《그리스어 알파벳의 제 5 자 E, ε ; 영어의 단음 E, e에 해당》.
〚Gk.=bare E (*psilos* bare)〛

Ep·som [épsəm] *n.* 엡솜《영국 Surrey 주의 도시, London 남쪽 25km》; 엡솜 경마장《Derby 및 Oaks의 경마가 행해짐》.

ep·som·ite [épsəmàit] *n.* 〖鑛〗 (천연) 사리염(瀉利鹽).

Épsom sàlts *n. pl.* [단수취급] 사리염(瀉利鹽)《하제용 ; Epsom salt라고도 함》.

Ep·stein [épstain] *n.* 엡스타인. Sir **Jacob** ~ (1880-1959) 미국 태생인 영국의 조각가.

Épstein-Bárr vìrus [-bɑ́:*r*-] *n.* 엡스타인-바

바이러스, E-B 바이러스《인간의 갖가지 암에 관계된다고 생각됨》. 〖Michael Anthony *Epstein* and Y. M. *Barr* 20세기의 영국의 병리학자〗

ept [épt] *a.* 솜씨 있는, 효율적인, 유능한.

ep·ti·tude [éptətjù:d] *n.* 〖in*ept*〗

E.P.T. early pregnancy test (초기 임신 검사구 ; 상표명) ; Excess Profits Tax. **EPU** European Payment Union (유럽 결제 동맹). **EQ** educational quotient 《교육 지수 ; cf. IQ》; encephalization quotient. **eq.** equal ; equation ; equator ; equivalent.

eq·ua·ble [ékwəbəl, í:k-] *a.* **1** 균일한, 균등한, 고른(even). **2** (마음이) 평정한, 평온한, 침착한(tranquil). **~·ness** *n.* =EQUABILITY. **-bly** *adv.* 균일하게 ; 평온하게. **èq·ua·bíl·i·ty** *n.* 균등성, 한결같음 ; (기분·마음의) 평정, 침착. 〖L ; ⇒ EQUATE〗

:equal [í:kwəl] *a.* ☞ 活用. **1** 같은(equivalent) 〈*to*〉, 동등의〈*with*〉: Twice 3 is ~ *to* 6. 3의 2배는 6. **2** (…에) 필적하는 ; [+*to*+do*ing* / +*to* do] 견디는 ; 합당한 ; 감당할 수 있는 : His acquisitions were not ~ ***to*** his desires. 그가 얻은 것은 그의 욕망을 충족시켜 줄 만한 것이 못되었다 / I am not ~ *to*(=worthy of) the honor. 그런 영예를 받을 만한 자격이 없다 / He was ~ *to* the occasion. 그 경우에도 동요하지 않았다 / I am not ~ *to* the task. 나는 그 일을 감당해낼 힘이 없다 / She is very weak and not ~ *to*[*to* mak*ing*, *to* make] a long journey. 몸이 약해서 오랜 여행은 견디지 못한다. **3** 평등한, 대등한, 균등한 ; 호각(互角)의 : ~ opportunity 기회 균등 / on ~ terms (*with*...) (…와) 동등한 조건으로, 대등하게 / All men are created ~. 인간은 모두 평등하게 태어났다 / The two are ~ *in* ability. 양자(兩者)의 능력은 호각을 이룬다. **4** (마음 따위가) 평정한, 혼란하지 않은. **5** 《古》 올바른(just), 공평한. **6** 《古》 평평한(level).

other things being equal 다른 일[조건]이 같다고 하고[같다면].

—— *n.* **1** 같은[대등한] 사람 ; 동배(同輩) ; [*pl.*] 동등한 사물. **2** [+前+do*ing*] 맞먹는 것[사람], 필적자, 비교할 만한 것 : Henry was the ~ of his brother ***in*** knowledge. 박식한 면에서 헨리는 형과 맞먹었다 / I am not your ~*in* strength. 체력면에서는 자네와 맞먹을 수 없네 / She has no ~ *in* cook*ing*. 요리에 있어서는 그 여자와 견줄 만한 사람은 없다.

be the equal of one***'s word*** 약속을 지키다.

without (***an***) ***equal*** 필적할 만한 것이 없어.

—— *vt.* (**-l-** | **-ll-**) **1** …와 같다(be equal to) : Two and two ~*s* four. 2 더하기 2는 4. **2** [+目 / +目+*in*+名] …에 필적하다, …에 떨어지지 않다(be as good as) : Nobody can ~ him ***in*** intelligence. 총명한 점에서는 그에게 필적할 자가 없다.

〖L (*aequus* even)〗

活用 *a.* 에는 의미의 내용상, 비교 변화는 보통 없지만「평등에 보다 가까운(more nearly equal)」「보다 공정한(more equitable)」의 뜻으로는 *more*(때로는 *most*) equal의 형태가 쓰임 : They demanded a *more equal* share. (그들은 보다 공정한 분배를 요구했다). ☞ PERFECT 活用.

類義語 ⟹ SAME.

équal-área *a.* (지도가) 등적(等積)(투영)의, 정적(正積)(도법)의.

équal-caréer còuple *n.* =DUAL-CAREER COUPLE.

Équal Crédit Opportúnity Àct *n.* 《美》 (은행의) 크레디트 차별 철폐법《略 ECOA》.

Équal Emplóyment Opportúnity Commìssion *n.* 《美》 공정 고용기회 위원회.

equal·i·tar·i·an [ikwὰlətέəriən, -tǽər-] *a.*, *n.* =EGALITARIAN.

~·ìsm *n.* =EGALITARIANISM.

***equal·i·ty** [ikwάləti] *n.* Ⓤ 같음 ; 평등함, 동등, 균등 ; 균일성 : the sign of ~ 이퀄 표시, 등호(等號) / ~ *between* the sexes 남녀 동등권.

on an equality with... (사람이) …와 대등하여 ; (사물이) …와 동등[동격]으로.

equálity sìgn *n.* =EQUAL SIGN.

Equálity Stàte *n.* [the ~] 미국 Wyoming 주(州)의 속칭《여성 참정권을 최초로 인정함》.

équal·ìze *vt.* 같게 하다, 동등[평등]하게 하다, 균일하게 하다〈*to*, *with*〉; 〖電子〗 등화(等化)하다. —— *vi.* 《주로 英》 (경기에서 상대방과) 동점이 되다. **èqual·izátion** *n.* 평등[균일]화 ; 〖電子〗 등화(等化).

équal·ìz·er *n.* 동등[평등]하게 하는 것[사람] ; (경기에서) 동점이 된 득점 ; 《俗》 권총 ; 〖電〗 균압선(均壓線) ; 평형(平衡)장치.

***équal·ly** *adv.* 같게 ; 평등하게 ; 균일하게, 균등하게 ; 같은 정도로 : These shoes are ~ useful for country and city wear. 이 구두는 시골에서나 도시에서나 모두 신을 수 있다.

活用 The Opposition are *equally as* guilty *as* the Government. (야당은 정부와 마찬가지로 책임이 있다)와 같은 용법은 as와 뜻이 중복되므로 다음과 같이 하는 것이 좋다 : The Opposition are *just as* guilty *as* the Government. 또는 The Opposition and the Government are *equally* guilty.

équal opportúnity *n.* (고용의) 기회 균등.

équal opportúnity emplòyer *n.* 기회 균등 고용주《인종, 피부, 종교, 성, 국적 따위에 차별을 두지 않는 고용주 ; 신문 광고 따위에 명시됨 ; M=Male (남성), F=Female (여성), H=Handicapped (신체 장애자), V=Veterans (퇴역 군인) 등의 생략어로 특히 명시하는 일도 있음》.

équal páy *n.* (남녀의 동일 노동에 대한) 동일 임금(賃金).

Équal Ríghts Amèndment *n.* 《美》 남녀 평등 헌법 수정안《略 ERA》.

équal(s) sìgn *n.* 등호《=》.

équal tìme *n.* 《美》 (정견(政見) 방송에서) 평등한 방송시간 배정 ; 평등한 발언 기회.

équal tìme provísions *n. pl.* 《美》 균등시간 조항《정견 방송에 관한 법조항》.

equa·nim·i·ty [ì:kwənímәti, èk-] *n.* **1** Ⓤ (마음의) 평정, 침착, 차분함 ; 운명의 감수 : *with* ~ 침착하게. **2** 안정된 배열, 평형, 균형. 〖L (*aequus* even, *animus* mind)〗

equan·i·mous [i:kwǽnəməs] *a.* (마음이) 차분한, 침착한.

~·ly *adv.* **~·ness** *n.*

equate [ikwéit] *vt.* [+目 / +目+前+名] **1** 동등하다고 생각하다, 동등시하다 : ~ A ***to***[***with***] B A와 B를 동일시하다. **2** 동등하게 하다 ; 평균 수준에 맞도록 가감[보정]하다 : They ~*d* seriousness ***to***[***with***] simple honesty. 그들은 성실을 정직과 같은 것으로 생각했다. **3** 〖數〗 등식화하다, 방정식으로 나타내다. —— *vi.* 필적하다, 동등하다〈*with*〉.

〖L *aequat-* *aequo* to make EQUAL〗

***equa·tion** [ikwéiʒən, -ʃən] *n.* **1** Ⓤ 똑같게[동등하게] 하기, 동일시 ; 균분법(均分法) (balancing) 〈*of* supply and demand〉. **2** Ⓤ 동등한 상태, 평균 상태. **3** 〖數〗 방정식, 등식(等式) ; 〖化〗 방정식, 반응식 ; 〖天〗 오차, 균차(均差) : an ~ of the first[second] degree 1[2]차 방정식 / a chemical ~ 화학 방정식 / an identical ~ 항등식(恒等式) / a personal ~ (관측상의) 개인 오차 / a simple ~ 1원 1차 방정식 / simultaneous ~*s* 연립 방정식.

equátion·al *a.* **1** equation의[을 이용한, 을 동반한] ; 평균의 ; 방정식의. **2** 〖生〗 2차 세포 분열의. **~·ly** *adv.*

equátion of státe *n.* 〖化〗 상태(방정)식《압력·온도와 기체[액체]의 비체적(比體積) 관계를 나타내는 방정식》.

equátion of tíme *n.* 〖天〗 (평균 태양시와 진태양시와의) (균)시차((均)時差).

***equa·tor** [ikwéitər, iːkwei-] *n.* [the ~] 적도(赤道) ; 주야 평분선(平分線), 균분원(均分圓) : *the* magnetic ~ 자기(磁氣) 적도. 〖OF or L (⇨ EQUATE) ; equinoxes를 포함하는 데서〗

eq·ua·to·ri·al [èkwətɔ́ːriəl, ìːk-] *a.* 적도의 ; 적도 부근의 ; 〖天〗 적도 의식의 ; 〖化〗 적도 결합의 : ~ air mass 적도 기단(氣團) / ~ coordinates 적도 좌표 / ~ front 적도 전선(前線) / ~ low 적도 저압대 / ~ orbit 적도 궤도 / ~ undercurrent 적도 잠류(潛流). —— *n.* 〖天〗 적도의(赤道儀). **~·ly** *adv.*

Equatórial Cóuntercurrent *n.* 적도 반류.

Equatórial Cúrrent *n.* 적도 해류.

Equatórial Guínea *n.* [the ~] 적도 기니《아프리카 서단의 공화국 ; 수도 Malabo》.

equatórial pláne *n.* 〖天〗 (특히 지구의) 적도면 ; 〖生〗 적도면《세포의 양극에서 등거리의 면》.

equatórial pláte *n.* 〖生〗 적도판(板)《핵분열 중기에 방추체(紡錘體) 내의 염색체가 적도면에 모여서 생기는 평면》 ; =EQUATORIAL PLANE.

eq·uer·ry [ékwəri, ikwéri] *n.* (옛날의) 왕실[귀족]의 말을 관리하던 관리 ; (영국 왕실의) 시종 무관(侍從武官). 〖C18 *esquiry*＜F *escurie* stable＜? ; 영어에서 잘못하여 L *equus* horse로 연상(聯想)〗

eques [ékwes, íːkwiːz] *n.* (*pl.* **eq·ui·tes** [ékwətìːz]) 〖로史〗 기사. 〖L (*equus* horse)〗

eques·tri·an [ikwéstriən] *a.* 마술(馬術)의, 승마의 : ~ skill 마술(horsemanship) / an ~ statue 승마상(像). —— *n.* (*fem.* **eques·tri·enne** [ikwèstrién]) 승마자(cf. PEDESTRIAN) ; 기수(騎手) ; 곡마사(曲馬師). **~·ism** *n.* 마술. 〖L *equestris* (↑)〗

equi- [íːkwə, -kwi, ék-] *comb. form* 「같은」 「동등한(equal)」의 뜻 : *equi*valent. 〖L ; ⇨ EQUAL〗

èqui·ángular *a.* 등각(等角)의.

èqui·dístant *a.* 같은[등]거리의〈*from*〉. **~·ly** *adv.* **-dístance** *n.* 등거리.

equidístant diplòmacy *n.* 등거리 외교.

èqui·grávisphere *n.* (지구와 달 사이 또는 두 천체 간의) 중력 평형권.

èqui·láteral *a., n.* 등변(等邊)(의) ; 등변형(形) : an ~ triangle 등변 삼각형.

equil·i·brant [ikwíləbrənt] *n.* 평형력.

equil·i·brate [ikwíləbrèit, ìːkwəláibreit] *vt.* (두 개의 물건을) 평형시키다, 균형잡게 하다. —— *vi.* 평형이 되다, 균형이 잡히다.

equi·li·bra·tion [ìːkwiləbréiʃən ; -laib-] *n.* Ⓤ 평형, 균형 잡기 ; 평형 상태.

equíl·i·brà·tor *n.* 균형[평형]을 유지시키는 것 ; 안정(安定) 장치.

equil·i·brist [ikwíləbrəst, ìːkwəlíb-] *n.* 줄타는 사람, 곡예사.

equi·lib·ri·um [ìːkwəlíbriəm] *n.* (*pl.* **~s, -ria** [-riə]) Ⓤ 균형 잡기, 평형 ; 안정, (마음의) 평정 ; 〖理·化〗 평형(balance) : ~ point 평형점 / ~ state 평형 상태 / ~ of force 힘의 평형 / ~ concentration 평형 농도 / ~ constant 평형상수(常數) / ~ internuclear distance 평형 원자핵간 거리. 〖L (*equi-*, LIBRA)〗

èqui·múltiple *n.* 등배수, 등배량.

equine [íːkwain, ék-] *a.* 말의[같은], 말에 관한. —— *n.* 〖動〗 말(horse). 〖L (*equus* horse)〗

equi·noc·tial [ìːkwənákʃəl] *a.* **1** 주야 평분시(晝夜平分時)《춘분(春分) 또는 추분(秋分)》의 ; 주야 평분의. **2** =EQUATORIAL. —— *n.* **1** [the ~] 천구 적도 ; 주야 평분선. **2** [때때로 *pl.*] 추분[춘분] 때의 모진 바람(=∼ **stórm**[**gáles**]). 〖OF or L ; ⇨ EQUINOX〗

equinóctial círcle[**líne**] *n.* [the ~] 주야 평분선 ; 천구 적도(天球赤道).

equinóctial póint *n.* [the ~] 분점(分點), 주야 평분점.

the vernal*[*autumnal*] *equinoctial point 춘분[추분]점.

equinóctial yéar *n.* =TROPICAL YEAR.

equi·nox [íːkwənɑ̀ks] *n.* 주야 평분시(時), 춘[추]분 ; 〖天〗 분점(分點) : the autumnal[vernal, spring] ~ 추[춘]분. 〖OF＜L (*noct- nox* night)〗

equip** [ikwíp] *vt.* (**-pp-**) **1** [+目+前+名] (…에게 필수품을) 갖추게 하다(provide) ; (선박·군대를) 장비하다[시키다](fit out) : ~ a fort ***with guns and ammunition 요새에 총과 탄약을 장비하다 / The ship was ~*ped* ***for*** a voyage. 그 배는 항해할 수 있게 의장(艤裝)되었다. **2** [+目+前+名] 몸차림시키다, 차려입히다(dress) : He has ~*ped* himself ***for*** a trip. 여행을 떠날 채비를 끝냈다 / He is ~*ped* ***with*** full dress. 예복을 차려입고 있다. **3** [+目+*with*+名] 가르쳐 주다, 갖추게 하다(supply) : He ~*ped* all his children ***with*** a good education. 아이들에게는 모두 훌륭한 교육을 받게 했다. **4** [+目+*to* do] (…할 수[될 수] 있도록 남을) 교양[훈육]시키다 : He wanted to ~ his son *to* have a broad outlook on world affairs. 그는 아들을 세계 정세에 넓은 시야를 갖도록 교육시켰으면 하고 생각했다 / The applicant was well ~*ped to* study in an American college. 그 지원자는 미국의 대학에서 공부하는 데 필요한 소양을 갖추고 있었다. 〖F＜?ON *skipa* to man SHIP〗 類義語 ⟹ PROVIDE.

equip. equipment.

eq·ui·page [ékwəpidʒ] *n.* **1** 장비, 장구(裝具) ; 필요한 물건 한 벌《가정용 기구·화장 도구 따위》 : a tea ~ 차도구 한 벌. **2** (말·마부·장비를 포함한) 마차. 〖F ; ⇨ EQUIP〗

èqui·partítion (**of énergy**) *n.* 〖理〗 에너지 등분배(等分配).

equipe [eikíːp] *n.* 스포츠 팀과[동료와] 장비.

***equíp·ment** *n.* **1** Ⓤ 준비, 채비. **2** Ⓤ [때때로 *pl.*] 비품, 설비, 장구, 장비 ; 〖鐵〗 차량(rolling stock) : laboratory ~*s* 실험실 비품 / military ~*s* 군비 / a soldier's ~ 병사의 장비 / the cost of ~ 설비비(費). **3** Ⓤ (일하는 데 필요한) 소질,

자질, 소양, 지식, 기술 : intellectual ~ 지적인 능력 / linguistic ~ 어학의 소양.

eq·ui·poise [ékwəpɔ̀iz, íː-] *n.* **1** Ⓤ 균형, 평형(平衡), 균형 잡기. **2** 평형추(錘) (counterpoise). —— *vt.* 균형잡게 하다.

equi·pol·lence, -cy [ìːkwəpáləns(i), èk-] *n.* 힘의 균형 ; 등가치(等價値).

èqui·pól·lent *a.* 힘이 같은 ; 가치가 같은. —— *n.* =EQUIVALENT.

equi·pon·der·ant [ìːkwəpándərənt, èk-] *a., n.* 무게가 같은 (것). **-ance, -an·cy** *n.* 평형, 균형.

equi·pon·der·ate [ìːkwəpándərèit, èk-] *vt.* …의 무게를 같게 하다, 평형[균형]을 이루게 하다. —— *vi.* (힘·무게가) 균형을 이루다.

èqui·poténtial *a.* 같은 힘[잠재력]을 가진 ;〔理〕등위(等位)의, 등(等)퍼텐셜의 ;〔電〕등전위(等電位)의. —— *n.*〔理〕퍼텐셜선[면] ;〔電〕등전위선[면].

èqui·próbable *a.* 같은 정도의 확률이 있는.

eq·ui·se·tum [èkwəsíːtəm] *n.* (*pl.* **~s, -ta** [-tə]) 〔植〕속새속(屬)식물, 쇠뜨기.

eq·ui·ta·ble [ékwətəbəl] *a.* **1** 공정[공평]한 ; 정당한. **2**〔法〕형평법(衡平法)상의 (cf. LEGAL) ; 형평법상 유효한. **-bly** *adv.* 공평[정당]하게.

eq·ui·ta·tion [èkwətéiʃən] *n.* 마술(馬術) ; 승마. 〖F or L (*equito* to ride horse‹ *equus* horse)〗

eq·ui·tes [ékwətìːz] *n.* EQUES의 복수형 ;〔로史〕기사단 ; 특권계급.

éq·ui·time póint [ékwətàim-] *n.*〔空〕행동[진출] 한계점.

eq·ui·ty [ékwəti] *n.* **1** Ⓤ 공평, 공정 (fairness) ; 정당. **2** Ⓤ〔法〕형평법《공평과 정의란 점에서 common law의 미비점을 보충하는 법률 ; cf. CHANCERY 2》; 형평법상의 권리 ; (주식 회사의) 지분, 순자산액《담보·세금 따위를 공제한 가격》; 주식 소유권 ; [*pl.*] 보통주. 〖OF‹L *aequitas* ; ⇨ EQUAL〗

équity càpital *n.*〔經〕납입 자본 (venture capital).

équity fínancing *n.*〔經〕주식 금융.

équity márket *n.* 주식 시장.

équity mórtgage *n.*〔經〕지분 저당《융자받는 자가 가옥 매각 때 얻는 이익의 일정률을 지급키로 하고 동률의 금리를 경감받는 가옥저당 계약》.

equiv. equivalency ; equivalent.

equiv·a·lence, -cy [ikwívələns(i)] *n.* **1** Ⓤ 동등, 동 가치 ; 같은 뜻 ; Ⓒ 동등[동 가치]의 물건. **2** Ⓤ〔化〕(원자의) 등가, 당량(當量).

equív·a·lent** *a.* [+前+do*ing*] 같은, 동등한, 같은 가치의, 동량(同量)의 ; 상당[대응]하는 ; 같은 뜻의 ;〔化〕동가[등가(等價)]의 : What is $3 ~ ***to in Korean *won*? 3달러는 한국의 「원」으로 얼마에 상당합니까 / Nodding your head is ~ *to* agreement[say*ing* yes]. 머리를 끄덕이는 것은 동의한다는 것[「네」라고 하는 것]과 같다 / These two words are ~ ***in*** meaning. 이 두 단어는 뜻이 같다. —— *n.* **1** 동등한 것, 등가[량]물‹*of*›. **2** 동의어(同義語) ;〔文法〕상당(하는) 어구 : noun ~*s* 명사 상당 어구《예를 들면 *The rich* are not always happier than *the poor.* 에서의 the rich, the poor 따위》. **3**〔化〕당량. **~·ly** *adv.* 동등하게, 서로 같게. 〖OF‹L ; ⇨ VALUE〗 類義語 ⟹ SAME.

equívalent círcuit *n.*〔電〕등가 회로.

equívalent wéight *n.*〔化〕당량(當量).

equiv·o·cal [ikwívəkəl] *a.* **1** 두 가지 뜻으로 해석되는, 애매한, 다의성(多義性)의. **2** 불확실한, 뚜렷하지 않은. **3** (인물·행동 따위가) 수상쩍은, (말씨 따위가) 애매한. **~·ly** *adv.* 애매하게, 다의적(多義的)으로. 〖L=ambiguous (*voco* to call)〗 類義語 ⟹ OBSCURE.

equívocal generátion *n.* =ABIOGENESIS.

equiv·o·cal·i·ty [ikwìvəkǽləti] *n.* 두 가지 뜻으로 해석됨, 애매함 ; 수상쩍음.

equiv·o·cate [ikwívəkèit] *vi.* 두 가지 뜻으로 취할 수 있는 말을 쓰다, 애매한 말을 쓰다 ; 얼버무리다, 속이다. **-càt·ing·ly** *adv.*

equiv·o·ca·tion [ikwìvəkéiʃən] *n.* Ⓤ,Ⓒ 애매한 말(을 쓰기) ; (말씨의) 속임수.

equív·o·cà·tor *n.* 애매한 말을 쓰는 사람, 모호한 말로 속이는 사람.

eq·ui·voque, -voke [ékwəvòuk, íːk-] *n.* 뜻이 둘 있는 말, 애매한 말 ; 재담, 신소리.

er [ə́(ː)r] *int.* 저, 에, 아《주저하거나 또는 말이 막혔을 때 내는 소리》. 〖imit.〗

-er[1] [ər] *n. suf.* **1** [동사와 명사에서 동작자 명사 (agent noun)를 만듦] **a**) …하는 것[사람] : hunt*er* ; creep*er* ; (gas) burn*er*, (pen) hold*er*. **b**) (어떤 지방)의 사람, …거주자 : London*er*, villag*er*. **c**) …에 종사하는 사람 ; …제작자 ; …상(商) ; … 연구자, … 학자 : farm*er* ; hatt*er* ; fruiter*er* ; geograph*er*. **2**《口》[원어에 관계가 있는 동작 또는 물건을 나타냄] : breath*er* (=breathing time) ; din*er* (=dining car). **3** [다른 어미를 가진 명사의 속어화] : foot*er* (=football), rugg*er* (=Rugby football). 〖OE *-ere* one who has to do with ; cf. G *-er*〗

-er[2] [ər] *a. suf., adv. suf.* [비교급을 만듦] : rich*er*, lazi*er*, likeli*er*. 〖OE (a.) *-ra*, (adv.) *-or*〗

-er[3] [ər] *v. suf.* [반복을 나타내는 동사를 만듦] : wand*er*‹wend, wav*er*‹wave ; [의성(擬聲)에서] chatt*er*, twitt*er*, glitt*er*. 〖OE *-(e)rian* ; cf. G *-ern*〗

ER〔野〕earned run ; en route ;〔理〕enhanced radiation ;〔醫〕emergency room (응급 치료실).

Er〔化〕erbium. **E.R.** *Elizabeth Regina*《L》(=Queen Elizabeth).

ERA Emergency Relief Administration ;〔野〕earned run average. **ERA, E.R.A.**《美》Equal Rights Amendment.

***era** [íərə, 美+érə, 美+íːrə] *n.* **1** 기원 ; 연대, 시대, 시기 (epoch) : the Christian ~ 그리스도[서력] 기원 / the cold war ~ 냉전 시대. **2**〔地質〕…대(代), …기(紀). **3** (성장·발달 따위의) 단계. 〖L=number expressed in figures (pl.)‹*aer-aes* money〗 類義語 ⟹ PERIOD.

era·di·ate [iréidièit] *vt.* (광선·열을) 복사하다.

erà·di·á·tion *n.* (광선·열의) 복사.

erad·i·ca·ble [irǽdəkəbəl] *a.* 근절할 수 있는.

erad·i·cant [irǽdəkənt] *n.* (기생물의) 근절제.

erad·i·cate [irǽdəkèit] *vt.* 뿌리째 뽑다 (root up) ; 박멸하다, 근절하다 (root out). 〖L *e-*(*radico*‹RADIX)=to uproot〗

eràd·i·cá·tion *n.* Ⓤ 근절, 박멸, 절멸.

erád·i·cà·tive [; -kə-] *a.* 근절[근치]하는.

erád·i·cà·tor *n.* 근절[제거]하는 것 ; 잉크 지우개, 얼룩 빼는 약.

ERAM〔軍〕extended range anti-tank mine (원거리 대(對)전차 지뢰).

erásable bònd *n.* 이레이저블 본드지《글씨를 쉽게 지울 수 있도록 겉을 코팅한 본드지》.

erásable stòrage *n.* 〔컴퓨〕 말소성(抹消性) 기억 장치.

erase** [iréis ; -z] *vt.* [+目/+目+*from*+名] **1** (글씨 따위를) 지우다(wipe out), 닦아내다 (rub out) ; (칠판의 글씨 따위를) 지우다 ; 삭제하다 ; 《俗》 죽이다, 없애다 : He wants to ~ his name ***from the list. 그는 자기 이름이 그 리스트에서 삭제되기를 바라고 있다. **2** (테이프의 녹음·컴퓨터 기억 정보 따위를) 지우다. **3** (어떤 일 따위를) 씻어낸 듯이 잊어버리다. ── *vi.* 지우다, 없애다 ; 기호[신호 따위]를 없애다.
erás·able *a.* **eràs·abíl·i·ty** *n.*
〚L (*ras- rado* to scrape)〛

***eras·er** [iréisər ; -zər] *n.* 지우는 사람[것] ; 칠판[석판, 고무] 지우개, 잉크 지우개《따위》.

era·sion [iréiʒən] *n.* 말소, 삭제 ; 〔外科〕 (환부조직의) 절제, (소파에 의한 태아의) 제거.

Eras·mus [irǽzməs] *n.* 에라스무스. **Desiderius** ~ (1466?-1536) 네덜란드의 인문학자·신학자 ; 문예 부흥 운동의 선각자.
〚Gk.=beloved〛

Eras·tian [irǽstiən, -tʃən] *a.* Erastus식의.
── *n.* 에라스투스 설을 신봉하는 사람.
~·ìsm *n.* 에라스투스 설[주의]《종교는 국가에 종속되어야 한다는 설》.

Eras·tus [irǽstəs] *n.* 에라스투스. **Thomas** ~ (1524-83) 스위스의 의사·신학자.

era·sure [iréiʃər, -ʒər] *n.* Ⓤ (닦아) 지우기, 소거, 말소 ; Ⓒ 삭제한 곳[어구], 지운 자국.

Er·a·to [érətòu] *n.* 〔그神〕 에라토《서정시·연애시를 관장하는 Muse》. 〚Gk.〛

Er·a·tos·the·nes [èrətάsθəniːz] *n.* 에라토스테네스(276?-?194 B.C.) 그리스의 지리학자·천문학자·수학자.

er·bi·um [ə́ːrbiəm] *n.* Ⓤ 에르븀《희토류 원소 ; 기호 Er ; 번호 68》.
〚Ytt*er*by 스웨덴의 발견지〛

ERDA [ə́ːrdə] 《美》 Energy Research and Development Administration 《에너지 연구 개발국 ; 1974-77》.

ere [éər, ǽər] *prep.* 《詩·古》 …의 앞에 (before).
ere long 얼마후, 머지않아, 곧(before long).
── *conj.* 《詩·古》 **1** …하기 전에, …하기에 앞서(before). **2** (…하기 보다는) 도리어, 차라리.
── *adv.* 《스코》 빨리 ; 곧.
〚OE *ǽr* ; cf. G *eher*〛

Er·e·bus [érəbəs] *n.* 〔그神〕 에레보스《죽은 사람이 저승(Hades)에 들어가기 전에 지나는 암흑계(界)》. 〚L<Gk.〛

***erect** [irékt] *a.* **1** 직립(直立)한 (upright) : stand ~ 똑바로 서다 / with ears ~ 귀를 쫑긋 세우고. **2** (머리털이) 곤두선. **3** 〔光〕 (상이) 정립한. **4** 〔生理〕 발기한. **5** 《古》 위를 향한. **6** (동작·태도가) 굳어진, 경직된. **7** 《古》 의기양양한.
── *vt.* **1** 직립시키다, 세우다 ; 〔光〕 (상을) 정립시키다 : ~ oneself 몸을 일으키다, (똑바로) 일어서다. **2** 구축하다, 건설하다(construct) ; (기계를) 조립하다. **3** 《古》 창설하다(establish).
── *vi.* 직립하다 ; 〔生理〕 발기하다. **~·able** *a.* **~·er** *n.* **~·ly** *adv.* 똑바로, 꼿꼿이 (서서), 수직으로. **~·ness** *n.* 직립하는 힘, 수직성.
〚L (E*rect*- -*rigo* to set up)〛

erec·tile [iréktl, -təl, -tail] *a.* 똑바로 세울 수 있는 ; 〔生理〕 발기하는.

erec·tion [irékʃən] *n.* **1** Ⓤ 직립, 기립. **2 a**) Ⓤ.Ⓒ 건설 ; 조립. **b**) 건설물, 건물. **3** 〔生理〕 발기 ; 발기한 음경.

erec·tive [iréktiv] *a.* 똑바로 (일어)설 힘이 있는.

eréc·tor *n.* 건설자 ; 설립자.

Eréctor sèt *n.* 《美》 이렉터 세트《금속[플라스틱] 부품으로 된 조립 세트의 일종 ; 상표명》.

E region [íː ⌐] *n.* E층《(1) 지상 약 65-145 km에 나타나는 전리층으로 주간의 E layer나 스포라딕 E layer를 포함하는 층. (2)=E LAYER》.

ere·lóng *adv.* 《詩·古》 머지않아(ere long).

er·e·mite [érəmàit] *n.* 은둔자, 은자《보통 초기 기독교의》 ; 속세를 떠난 사람.
èr·e·mít·ic, -i·cal [-mít-] *a.*
〚OF ; ⇨ HERMIT〛

er·e·thism [érəθìzəm] *n.* 〔醫〕 (기관·조직·기분 따위의) 과민증, 이상 흥분.

ere·whíle(s) *adv.* 《古》 조금 전[이전]에.

erg[1] [ə́ːrg] *n.* 〔理〕 에르그《에너지의 단위 ; cf. JOULE, WORK *n.* A 6》. 〚Gk. *ergon* work〛

erg[2] *n.* (*pl.* **~s, areg** [ərég]) 〔地〕 (사하라 사막의) 유사(流砂) 지역. 〚F<Arab.〛

erg- [ə́ːrg], **er·go-** [ə́ːrgou, -gə] *comb. form* 「일」의 뜻. 〚Gk. ; ⇨ ERG[1]〛

ERG electroretinogram ; electroretinograph.

er·gás·to·plàsm [ərgǽstə-] *n.* 〔生〕 에르가스토플라즘《호염기성의 세포질, 특히 소포체(小胞體)》. **er·gàs·to·plás·mic** *a.*

er·gate [ə́ːrgeit] *n.* 〔動〕 일개미.

er·ga·tive [ə́ːrgətiv] *a.* 〔文法〕 능격(能格)의.
── *n.* 능격《에스키모어나 Basque어 따위 자동사의 주어와 타동사의 목적어가 동일한 격인 언어에서 타동사의 주어의 격을 말함》.

er·ga·toc·ra·cy [əːrgətάkrəsi] *n.* 노동자 정치.

er·go [ə́ːrgou, éər-] *adv.* 《戱》 그것[이] 때문에, 그런고로(therefore). 〚L〛

ergo-[1] [ə́ːrgou, -gə] ☞ ERG-.

er·go-[2] [ə́ːrgou, -gə] *comb. form* 「맥각」의 뜻.

érgo·gràph *n.* 작업 기록기, 에르고그래프《근육의 작업능력, 피로도 따위의 계측 기록기》.

er·gom·e·ter [əːrgάmətər] *n.* 측력계(測力計), 에르그 측정기.

er·gon [ə́ːrgαn ; -gɔn] *n.* 〔理〕 열의 일당량.

er·go·nom·ics [əːrgənάmiks] *n.* [단수 또는 복수 취급] 인간공학 ; =BIOTECHNOLOGY.
èr·go·nóm·ic, -i·cal *a.* **er·gon·o·mist** [əːrgάnəməst] *n.*
〚ECONOMICS에 준하여 Gk. *ergon* work에서〛

er·gos·ter·ol [əːrgάstərɔ̀(ː)l, -ròul, -ràl] *n.* Ⓤ 〔生化〕 에르고스테롤《자외선을 쬐면 비타민 D_2로 변화함》.

er·got [ə́ːrgət, -gαt] *n.* Ⓤ 맥각병(麥角病), 에르고틴 중독, (약으로 쓰는) 맥각.
〚F=cock's spur ; 그 외견에서〛

érgot·ìsm *n.* 〔醫〕 맥각 중독.

Er·ic [érik] *n.* 남자 이름.
〚Scand.=sole ruler (ever+king)〛

ERIC educational resources information center.

er·i·ca [érikə] *n.* 〔植〕 에리카《철쭉과(科) 에리카속의 히스(heath)의 일종》.
〚L<Gk.=heath〛

Erica *n.* 여자 이름. 〚(fem.) ; ⇨ ERIC〛

er·i·ca·ceous [èrəkéiʃəs] *a.* 〔植〕 철쭉과(科)의.

Er·ics·son mèthod [ériksən-] *n.* [the ~] 에릭슨법《인공 수정법의 하나》.

Erie [íəri] *n.* **1** 이리《미국 Pennsylvania 주, Erie 호반의 항구 도시》. **2** [Lake ~] 이리 호《미국 중동부 ; 5대호(the Great Lakes)의 하나》.

Er·in [érən ; íər-, éər-] *n.* 《詩》아일랜드(Ireland)의 옛 이름 : sons of ~ 아일랜드 사람. 〖Ir.〗
Erin·y·es [iríniiːz] *n. pl.* (*sg.* **Erin·ys** [irínəs, irái-]) 〔그神〕복수의 여신(cf. FURY).
Eris [íris, ér-] *n.* 〔그神〕 에리스《불화의 여신》. 〖Gk.=discord〗
ERIS [éris] *n.* 대기권 밖에서의 재돌입체 요격 시스템. 〖*e*xoatmospheric *r*e-entry vehicle *i*nterceptor *s*ystem〗
ERISA [érisə, ìːɑ̀ːràièséi] *n.* 〔美法〕 종업원 퇴직 소득 보증법. 〖*E*mployee *R*etirement *I*ncome *S*ecurity *A*ct of 1974〗
eris·tic [erístik] *a.* 논쟁의, 논쟁을 위한 ; 논쟁을 좋아하는. —— *n.* 논쟁법 ; 논쟁가(家). 〖Gk. ERIS〗
Er·i·trea [èrətríːə, -tréiə] *n.* 〔地〕 에리트레아《에티오피아 북동부의 나라》. **Èr·i·tré·an** *a., n.*
erk, irk [ə́ːrk] *n.* 《英空軍俗》 보충병, 신병(recruit) ; 《英俗》 보잘것 없는[바보 같은] 사람. 〖C20<? ; *A.C.* (=aircraftman)인가〗
Er·lang [ə́ːrlæŋ] *n.* 〔通信〕 얼랭《전화 제도에서의 통화량의 단위》. 〖Agner K. *Erlang* (d. 1829) 덴마크의 수학자〗
erl·king [ə́ːrlkìŋ] *n.* 〔北유럽神〕 요정의 왕《어린애를 해친다고 함》. 〖G *Erlkönig* alder-king ; Dan. *ellerkonge* king of the elves의 오역(誤譯)〗
er·mine [ə́ːrmən] *n.* (*pl.* ~, ~**s**) **1** 〔動〕 어민, 흰족제비《족제비 비슷한 동물 ; 겨울철에 꼬리의 검은 데를 제외하고 희게 되는 털가죽을 사용해서 외투를 만듦 ; cf. STOAT》. **2** 어민의 털가죽 ; 《비유》 판사의 직위 ; 귀족의 신분《흰족제비의 모피로 가장자리를 두른 옷을 입은 데서》. **3** 〔紋〕 흰 바탕에 검은 점을 흩뜨린 무늬.

ermine 1

wear [***assume***] ***the ermine*** 재판관의 직위에 있다[앉다].
—— *a.* 어민의 ; 어민 털가죽의 ; 《詩》 순백의. 〖F<? L (*mus*) *Armenius* Armenian (mouse)〗
ér·mined *a.* **1** 흰족제비의 털가죽으로 가장자리[속]를 댄. **2** (판사 · 귀족이) 흰족제비의 털가죽 옷을 입은(cf. ERMINE 2) ; 판사에 임명된, 귀족에 선임된.
-ern [ərn] *a. suf.* 「…(한) 쪽의」의 뜻 : east*ern*, west*ern*. 〖OE *-erne*〗
erne, ern [ə́ːrn, 美+éərn] *n.* 〔鳥〕 독수리, (특히) 흰꼬리수리. 〖OE *earn* ; cf. G *Aar*〗
Er·nest [ə́ːrnəst] *n.* 남자 이름. 〖OE=earnest, grave〗
Er·nes·tine [ə́ːrnəstìːn] *n.* 여자 이름. 〖(fem.) ; ↑〗
Er·nie[1] [ə́ːrni] *n.* 남자 이름《Ernest의 애칭》.
Ernie[2] *n.* 《英》 할증금 붙은 채권의 당첨 번호를 정하는 컴퓨터. 〖*e*lectronic *r*andom *n*umber *i*ndicator *e*quipment〗
erode [iróud] *vt.* 벌레먹다, (산(酸) 따위가) 부식하다(corrode) ; (파도 · 물줄기가 지표(地表)를) 침식하다(wear away). —— *vi.* 부식하다, 썩다 ; 침식되다. **eród·ible** *a.* **eròd·ibíl·i·ty** *n.* 〖F or L (*ros- rodo* to gnaw)〗
erog·e·nous [irɑ́dʒənəs], **ero·génic** [èrə-] *a.* 〔醫〕 성욕을 자극하는, 발정의 ; 성적 만족을 주는 ; 성적 자극에 민감한 : the ~ zones 성감대(帶). 〖*ero*tic+*-genous*〗
-er·oo [ərúː] *n. suf.* 《美俗》 「…하는 사람」의 뜻.
Eros [íərɑs, éər-] *n.* **1** 〔그神〕 에로스《Aphrodite의 아들로서 연애의 신 ; 〔로神〕의 Cupid에 해당》. **2** [때때로 e~] 성애(性愛), 성적 욕구 ; 열망, 갈망. 〖L<Gk. *erōt- erōs* sexual love〗
EROS earth resources observation satellite (지구 자원 관측 위성).
erose [iróus] *a.* (물어 뜯어낸 것처럼) 불규칙한《잎 따위》; 〔植〕 들쭉날쭉한. 〖L ; ⇨ ERODE〗
ero·sion [iróuʒən] *n.* U,C 부식 ; 침식 : wind ~ 풍화[풍식(風蝕)] 작용. 〖ERODE〗
erósion pròcess *n.* 〔地質〕 침식 작용.
ero·sive [iróusiv] *a.* 부식(腐蝕)성의 ; 침식성의.
erot·ic [irɑ́tik], **-i·cal** [-kəl] *a.* 성애적인, 색정적인, 호색적인.
—— *n.* 연애시[론] ; 호색가. 〖F<Gk. ; ⇨ EROS〗
erot·i·ca [irɑ́tikə] *n.* 성애 문학[예술].
erot·i·cism [irɑ́təsìzəm] *n.* U 에로티시즘, 호색(好色)성, 욕정, 정욕 ; 〔心〕 성적흥분.
erot·i·cize [irɑ́təsàiz] *vt.* (책 · 그림을) 도색화하다, 에로틱하게 하다 ; 성적으로 자극하다. **eròt·i·ci·zá·tion** *n.*
er·o·tism [érətìzəm] *n.* =EROTICISM.
ero·to- [iróutou, irɑ́tou, -tə] *comb. form* 「성욕」의 뜻. 〖NL<Gk. ; ⇨ EROS〗
eròto·génic *a.* 성감 발생의 ; =EROGENOUS.
er·o·tol·o·gy [èrətɑ́lədʒi] *n.* U 호색 문학[예술]. **-gist** *n.* **èr·o·to·lóg·i·cal** *a.*
eròto·mánia *n.* 〔醫〕 색정광(色情狂).
eròto·phóbia *n.* 〔醫〕 색정 공포증. **-phóbic** *a.* 성애 표현[행위]을 기피하는, 색정 공포(증)의.
ERP European Recovery Program 《유럽 부흥계획 ; 1948-51》.
err** [əːr, 美+éər] *vi.* **1** [動 / +前+名] 잘못하다, 그르치다 ; 실수하다, 틀리다, 정도(正道)에서 벗어나다 : To ~ is human, to forgive divine. 잘못하는 것은 사람의 일이요, 용서하는 것은 신의 일이다《시인 Pope의 구(句)》/ ~ ***from the truth 진리에서 벗어나다 / He ~*ed* ***in*** believ*ing* that I had said that. 그는 내가 그것을 말한 것이라고 잘못 믿고 있었다 / It is best to ~ ***on*** the safe side. 설사 잘못할지라도 조심하는 편이 낫다 / ~ in good company ☞ COMPANY 숙어. **2** 잘못을 저지르다, 죄[오류]를 범하다. 〖OF<L (*errat- erro* to stray, wander)〗
er·ran·cy [éransi, ə́ːr-] *n.* 잘못, 그르침 ; 과오를 범함.
***er·rand** [érənd] *n.* **1** 심부름, 잔일 ; (심부름의) 내용, 용건, 용무 : send a servant *on* an ~ 하인을 심부름 보내다 / He has gone *on* an ~ for me. 내 심부름을 갔다 / I have an ~ (to do) in town. 시내에 볼일이 있다. **2** 《古》 (특수한) 사명(mission) : *on* an ~ *of* …의 사명을 띠고.
go on a fool's errand 헛심부름을 하다, 헛수고를 하다.
go [***run***] (***on***) ***errands*** 심부름을 하다.

〈회화〉
Would you go to the store for me on an *errand* ? — Sure. What do you want? 「가게에 심부름 좀 갔다 와라」「네. 뭘 사올까요」

〖OE *ǣrende* ; cf. OE *ār* messenger, ON *erendi* message〗
érrand bòy *n.* 심부름하는 소년, 사환 ; (상점 ·

회사의) 심부름꾼.

er·rant [érənt] *a.* **1** (모험을 찾아) 편력하는; (무술 수업 따위를 위한) 모험적인 편력의. **2** (생각이) 망설여지는, (행위가) 잘못되어 있는; 정도를 벗어난. **3** (바람 따위가) 방향이 불규칙한.
—— *n.* =KNIGHT-ERRANT.
〖OF<L *itinero* (*iter* journey)와 ERR, *-ant*〗

érrant·ry *n.* Ⓤ 무술 연마(여행), (수도를 위해) 여러 나라를 여행하기.

er·ra·ta [irɑ́:tə, iréi-, er-] *n.* **1** ERRATUM의 복수형. **2** (*pl.* **~s**) 정오표(正誤表).

er·rat·ic [irǽtik] *a.* **1** (마음이) 산만한, 불안정한, 변덕스러운; 일정하지 않은; (행동 따위가) 엉뚱한. **2** 〖地質〗 표이성(漂移性)의: an ~ boulder 표석(漂石). —— *n.* 기인(奇人), 괴짜. **-i·cal·ly** *adv.* 산만하게, 엉뚱하게, 유별나게.
〖OF<L; ⇨ ERR〗

errátic stàr *n.* 행성.

er·ra·tum [irɑ́:təm, iréi-, e-] *n.* (*pl.* **-ta** [-tə]) (정정을 요하는) 틀림, 오자(誤字), 오사(誤寫), 오식(誤植). 〖L; ⇨ ERR〗

érr·ing *a.* 잘못되어 있는, 몸을 망치는; (특히) 죄를 범한: an ~ wife 부정한 아내. **~·ly** *adv.*

er·ro·ne·ous [iróuniəs, er-] *a.* 잘못한, 틀린.
~·ly *adv.* 잘못되어, 틀려서.
〖OF or L (*erron-* *erro* vagabond〈ERR)〗

‡er·ror [érər] *n.* **1** 잘못, 틀림(mistake): an ~ *in* spelling[*of* judgment] 철자[판단]의 잘못 / a clerical ~ 잘못 쓰기, 오사(誤寫) / printer's ~*s* 오식(誤植) / commit[make] an ~ 잘못을 저지르다 / Correct[Point out] ~*s*, if any. 만일 잘못이 있으면 바로 잡아라[지적하라] / trial and ~ ☞ TRIAL 숙어. **2** Ⓤ 생각을 잘못하기(delusion): be[stand] *in* ~ (생각이) 잘못되어 있다. **3** 과실, 죄(sin): an ~ of commission[omission] 과실[태만]죄. **4** 〖數〗 오차; 〖法〗 착오, 오심(誤審): a personal ~ 개인(오)차. **5** 〖野〗 에러, 실책. **6** 〖컴퓨〗 착오, 에러, 프로그램상의[하드웨어의] 오류, 오차. **7** 〖郵〗 에러《도안·문자 따위가 잘못된 우표》. **~·less** *a.*
〖OF<L; ⇨ ERR〗

類義語 ***error*** 「잘못·틀림」을 나타내는 일반적인 말. ***mistake*** 부주의·오해에서 생긴 잘못; 강한 비난의 뜻은 아님. ***blunder*** 멍청함이나 실수 따위에 의한 잘못으로 때때로 남의 비웃음의 대상이 됨. ***slip*** 이야기하는[쓰고 있는] 도중에 일어난 약간의 가벼운 잘못[실수].

érror catàstrophe *n.* 〖生化〗 에러 카타스트로피《결함 단백질 증가에 의한 세포 기능 쇠퇴로 노화한다는 설》.

érror mèssage *n.* 〖컴퓨〗 착오 복구, 프로그램에 오류가 있을 때 출력되는 메시지.

érror of méasurement *n.* (측정) 오차.

ERS emergency radio service (긴급무선).

er·satz [éərzɑts, -zæts, ə́:r-, -ˊ] *n., a.* 대용(代用)의(substitute); 대용품. 〖G=replacement〗

Erse [ə́:rs] *n.* Ⓤ 에르스어(語)《스코틀랜드 고지의 켈트어》. —— *a.* (스코틀랜드 고지 따위의) 켈트족의; 에르스어의.
〖early Sc. *Erisch* IRISH〗

erst [ə́:rst] *adv.* 《古》 이전에, 일찍이.
〖OE *ǣrest* (superl.)〈ERE〗

érst·whìle *adv., a.* 《古·文語》 예전의[에], 옛날(의)(of old).

ERTS [ə́:rts] *n.* 어츠《미국의 지구 자원 탐사 위성 제1호; 후에 Landsat으로 개칭됨》.
〖*E*arth *R*esources *T*echnology *S*atellite〗

er·u·bes·cent [èrubésənt] *a.* 붉어지는; 붉은빛을 띤, 홍조를 띤. **-bés·cence, -cen·cy** *n.*

erú·cic ácid [irú:sik-] *n.* 〖化〗 에루크산(酸).

eruct [irʌ́kt], **eruc·tate** [irʌ́kteit] *vi.* 트림을 하다; (화산 따위가) 분출하다. **-ta·tion** [irʌktéiʃən, ì:rʌk-] *n.* 트림, 트림하기; 토출(吐出), 분출(물). 〖L *e-*(*ructo* to belch)〗

er·u·dite [érjədàit] *a.* 학식이 있는, 박식한; 현학적인. —— *n.* 박식한 사람.
~·ly *adv.* 박식하게.
〖L *Erudit-* *-rudio* to instruct, train; ⇨ RUDE〗

er·u·di·tion [èrjədíʃən] *n.* Ⓤ 박학, 박식; 학식.

erupt [irʌ́pt] *vi.* **1** (화산재·간헐천(間歇泉) 따위가) 분출하다; (화산이) 폭발하다, 분화(噴火)하다; (이가) 나다. **2** (피부가) 발진(發疹)하다; (발진이) 부풀어 오르다; (폭동 따위가) 발발하다. —— *vt.* 분출시키다; (명령 따위를) 갑자기 폭발적으로 발하다.
〖L *Erupt-* *-rumpo* to break out〗

***erup·tion** [irʌ́pʃən] *n.* **1** Ⓤ,Ⓒ (화산의) 폭발, 분화; (용암·간헐천 따위의) 분출. **2** Ⓤ,Ⓒ (진노·웃음의) 폭발; (질병 따위의) 발생. **3** Ⓤ,Ⓒ 〖醫〗 발진. **~·al** *a.* 분화의.

erup·tive [irʌ́ptiv] *a.* **1** 폭발적인, 폭발성의; 분화에 의한, 분출성의: ~ rocks 분출암, 화성암. **2** 〖醫〗 발진성의: ~ fever 발진성 열병《발진티푸스 따위》. —— *n.* 분출암, 화성암.

E.R.V. English Revised Version (영어 개역판(改譯版)).

ERW 〖軍〗 enhanced radiation weapon.

Er·win [ə́:rwən] *n.* 남자 이름. 〖⇨ IRVING〗

-ery [əri], **-ry** [ri] *n. suf.* **1** [성질·행위·습관을 나타냄]: brav*ery*, fool*ery*. **2** …상(商), …업(業), …술(術): pott*ery*, fish*ery*, arch*ery*. **3** …제조소, …점(店): bak*ery*, brew*ery*, groc*ery*. **4** …류(類): drap*ery*, jewel*ery*, machin*ery*.
〖OF<L〗

er·y·sip·e·las [èrəsípələs, 美+ìərə-] *n.* Ⓤ 〖醫〗 단독(丹毒)(St. Anthony's fire).
〖L<Gk.〗

er·y·the·ma [èrəθí:mə] *n.* 〖醫〗 홍반, 홍진(紅疹). 〖L<Gk. (*eruthros* red)〗

er·y·thor·bate [èrəθɔ́:rbeit] *n.* 〖化〗 에리토르브산염[에스테르]《식품에 첨가되는 항산화제》.

er·y·thór·bic ácid [èrəθɔ́:rbik-] *n.* 〖化〗 에리토르브산(酸).

erythr- [iríθr], **eryth·ro-** [-rou, -rə] *comb. form* 「적(赤)」「적혈구」의 뜻.
〖Gk.; ⇨ ERYTHEMA〗

eryth·ri·tol [iríθrətɔ̀(:)l, -tòul, -tɑ̀l] *n.* 〖化〗 에리트리톨《무색 주상(柱狀) 결정의 4가 알코올; 혈관 확장용》.

erýthro·blàst *n.* 〖解〗 적아(赤芽)세포.
erỳthro·blástic *a.*

erýthro·cỳte *n.* Ⓤ 〖解〗 적혈구.
erỳth·ro·cýt·ic [-sít-] *a.*

erỳthro·cy·tóm·e·ter [-saitɑ́mətər] *n.* 〖醫〗 적혈구계(計).

erỳthro·leukémia *n.* 〖醫〗 적백혈병.

erỳthro·mýcin *n.* Ⓤ 〖藥〗 에리트로마이신《항생물질》.

er·y·thron [érəθrɑ̀n] *n.* 〖生理〗 에리트론《골수내의 적혈구와 그 전신》.

erỳthro·phóbia *n.* 〖精神醫〗 적색 공포(증); 적면(赤面) 공포(증).

erỳthro·poiésis *n.* 〖生理〗 적혈구 생성, 적혈구 조혈. **-poiétic** *a.*

erỳthro·pói·e·tin [-pɔ́iətən] *n.* 〖生化〗 에리트로포이에틴《조혈(造血) 촉진 인자》.

es- *pref.* EX-¹의 변형 : *es*cheat, *es*cape.

-es¹, -s [(s, z, ʃ, ʒ, tʃ, dʒ 다음에는) əz, iz ; (기타의 유성음 다음에는) z ; (기타의 무성음 다음에는) s] *n. pl. suf.* **1** [명사의 복수형을 만듦] : box*es* [-əz] ; dog*s* [-z] ; cup*s* [-s]. **2** [《美》 습관적 반복을 나타내는 부사로 기능하는 명사의 복수형을 만듦] : Christmas*es* we go to grandmother's. ; Sunday*s*=on every Sunday ; morning*s*=most mornings. 〖OE *-as*〗

-es², -s *v. suf.* [일반 동사의 제3인칭・단수・현재형을 만듦] : match*es* [-iz, -əz] ; play*s* [-z] ; look*s* [-s]. 〖OE (dial.)〗

Es 〖化〗 einsteinium. **E.S.** engine-sized. **ESA** European Space Agency.

Esau [íːsɔː] *n.* **1** 〖聖〗 에서《Isaac의 장남 ; 창세기 25 : 21-34》. **2** 눈앞의 이익에 급급한 사람. 〖Heb.=hairy〗

ESB electrical stimulation of the brain (뇌전기 자극).

es·bat [ésbæt] *n.* 마녀의 집회. 〖OF=diversion〗

ESC Economic and Social Council((유엔) 경제 사회 이사회) ; 〖컴퓨〗 escape character (확장문자). **Esc** escudo(s).

es·ca·drille [èskədríl, ⌐-⌐ ; *F* ɛskadrij] *n.* 소함대(小艦隊)《보통 8척으로 편성》; 비행대《프랑스에서는 보통 6대로 편성》.

es·ca·lade [èskəléid] *n.* 〖軍〗 (사닥다리로) 성벽을 기어오르기. —— *vt.* 사닥다리로 기어오르다. 〖F<It. ; ⇨ SCALE¹〗

es·ca·late [éskəlèit] *vt.* [+目/+目+*into*+名] (임금・물가・전쟁 따위를) 단계적으로 확대[증가・강화]하다 : ~ a war 전쟁을 확대하다 / ~ a conventional war ***into*** an annihilating atomic war 재래식 전쟁을 모든 것을 말살하는 원자력전으로 확대하다. —— *vi.* **1** [動/+*into*+名] 단계적으로 확대[증가・강화]하다 : Even a small war may ~ ***into*** a big one. 작은 전쟁이라도 큰 전쟁으로 확대되는 수가 있다. **2** 에스컬레이터를 타고 오르다.
〖역성(逆成) ‹ *escalator*〗

es·ca·la·tion [èskəléiʃən] *n.* U,C (임금・물가・전쟁 따위의) 자동적인 조정, 단계적인 확대, 확전(擴戰), 에스컬레이션‹*of*›.

***és·ca·là·tor** *n.* **1** 에스컬레이터, 자동(식) 계단 (moving staircase). **2** (에스컬레이터 같은) 단계적 상승[하강]의 길, 《美》 출세 코스. **3** = ESCALATOR CLAUSE. 〖*escala*de+eleva*tor*〗

éscalator clàuse *n.* 에스컬레이터 조항《노동협약에서 임금 증감의 신축규정(伸縮規定) ; cf. SLIDING SCALE》.

éscalator scále *n.* 에스컬레이터 조항에 의한 임금 체계.

es·ca·la·to·ry [éskələtɔ̀ːri ; -lèitəri, -lə-] *a.* (특히 전쟁의) 규모 확대와 연관된.

es·cal·(l)op [eskάləp, -kǽl-] *n., vt.* =SCALLOP ; 〖料〗 =SCALLOPINI.

ESCAP Economic and Social Commission for Asia and the Pacific《아시아 태평양 경제사회 위원회 ; 종래의 ECAFE를 1974년에 개칭》.

es·ca·pade [éskəpèid, ⌐-⌐] *n.* 탈선(행위) ; 엉뚱한 행동, 모험 ; (짓궂은) 장난(prank) ; 《古》 도피, 탈출. 〖F<Prov. or Sp. ; ↓〗

‡es·cape [iskéip, es-] *vi.* [動/+前+名] **1** 달아나다, 도망치다, 탈출하다, 탈주하다(get free), (죄를) 면하다, (위험・병 따위에서) 헤어나다(☞ *vt.* 1) : ~ with bare life 목숨만 건지고 도망치다 / One of the prisoners has ~*d*. 죄수 중의 한 사람이 탈주했다 / The soldier ~*d* ***from*** the enemy's camp. 그 병사는 적의 수용소로부터 탈출했다 / The bird ~*d from* the cage. 새는 새장에서 날아가 버렸다. **2** (액체・가스 따위가) 새어 나오다(flow away). **3** (재배 식물이) 야생으로 돌아가다.
—— *vt.* **1** [+目/+do*ing*] 벗어나다, 탈출하다, 면하다(avoid) : He ~*d* death[punishment]. 죽음[형벌]을 면했다 / She ~*d* infection[pneumonia]. 감염되지[폐렴에 걸리지] 않았다 / They tried to ~ the floods by making the banks higher. 그들은 둑을 더 높게 하여 홍수의 화를 모면하려고 했다 / He narrowly ~*d* be*ing* hurt in the accident. 그는 그 사고로 하마터면 상처를 입을 뻔했다. 주 보통 escape *from*... (☞ *vi.* 1)은 자기를 현실적으로 붙잡고[뒤쫓고] 있는것에서 벗어난다는 뜻으로 사용되는 데 대해, 타동사로서의 용법은 그런 것에서 미연에 벗어난다는 것을 뜻함 : ~ *from* (a) prison 탈옥하다 / ~ prison 교도소에 들어가는 것을 모면하다 / ~ *from* pursuit [pursuers] 추적에서 벗어나다. **2** (남의 주의 따위에서) 벗어나다, 도망하다 ; (기억을) 잃다 (elude) : His name ~*s* me[my memory]. 그의 이름이 생각나지 않는다 / Nothing ~*s* you! 너는 어떤 일이든지 잘 생각해 낸다 / I'm afraid your point ~*s* me. 이야기의 요점을 잘 모르겠습니다. **3** (말이나 미소 따위가 사람의 입술에서) 새어 나오다 : A cry ~*d* his lips. 그의 입에서 뜻하지 않은 고함 소리가 새어 나왔다.
—— *n.* **1 a)** U,C 탈출, 도망, 도피‹*from*› ; 벗어나기, 면제되기‹*from*› : have[make] an ~ 도망하다, 벗어나다 / have a narrow[hairbreadth] ~ 구사일생하다, 위기일발에서 살아나다 / make (good) one's ~ (용케) 도망치다 / *E*~ *from* the prison is very difficult. 그 교도소를 탈출하는 것은 매우 어렵다 / There was no ~ *from* the enemy. 적으로부터 도망칠 수는 없었다 / There have been few ~*s from* it. 지금까지 도망친 경우는 거의 없었다. **b)** U 현실 도피 : literature of ~ =ESCAPE LITERATURE. **2** 도망치는 수단 ; 피난 장치 ; 도망치는 방책, 배출로 : ☞ FIRE ESCAPE. **3** (가스・물 따위의) 새어 나옴 : There is an ~ *of* gas. 가스가 새고 있다. **4** 야생으로 돌아간 재배 식물. **5** 〖經〗 부채 조합. **es·cáp·able** *a.* 도망칠[피할] 수 있는. 〖AF<Rom.=to remove one's cloak, free oneself (L *cappa* CAPE²)〗

類義語 ***escape*** 긴박한 위험 또는 속박에서 벗어나다 : *escape* danger (위험에서 벗어나다). ***avoid*** 좋지 않은 것・위해를 가할 염려가 있는 것을 의식적으로 피하다 : *avoid* the creditor (빚쟁이를 피하다). ***evade*** 계략에 의해 교묘하게 escape 또는 avoid하다 : *evade* pursuit (추적을 피하다). ***elude*** 교묘하게 몸을 피하면서 붙잡히지 않도록 도망치다 ; 우물우물 추적(追跡) 따위를 피하다 : The murderer *eluded* the police. (살인범은 경찰의 추적을 피했다). ***shun*** avoid 보다 강하고 피하는 사람[것]에 대해서 강한 혐오의 감정을 품고 있는 것을 암시 : *shun* danger (위험을 피하다).

escápe àrtist *n.* 묶은 밧줄[통]에서 빠져 나가는 곡예사 ; 탈옥의 명수.

escápe clàuse *n.* 면책[도피] 조항 ; 제외 조항.

es·cáped *a.* 도망친 : an ~ convict[fugitive] 도주범.

es·cap·ee [iskeipíː, èskei-, èskə-] *n.* (특히 공산권으로부터의) 도피자, 도망자 ; 탈옥수.

escápe hàtch *n.* (배·비행기·엘리베이터 따위의) 긴급 피난구 ; (일반적으로) (곤란 따위로부터) 도피구[수단].

escápe lìterature *n.* 도피 문학.

escápe mèchanism *n.* 〖心〗 도피 기제(機制)[기구] (cf. DEFENSE MECHANISM).

escápe·ment *n.* **1** (시계의) 톱니바퀴의 방탈(防脫) 장치, 속도 조절 장치. **2** 탈출구, 배출구(outlet). **3** (타이프라이터의) 문자 이송 장치.

escápe pìpe *n.* (증기·가스 따위의) 배출구.

escápe ròad *n.* 긴급 피난 도로.

escápe vàlve[còck] *n.* 안전 밸브의 일종.

escápe velòcity *n.* 〖理〗 탈출 속도《입자(粒子)·로켓 따위가 행성(行星) 따위의 중력장(重力場)에서 탈출하기 위한 최저 속도》.

escápe whèel *n.* 에스케이프 휠《간헐 운동을 하는 시계 장치의 부품》.

es·cap·ism [iskéipizəm] *n.* Ⓤ 현실도피(벽(癖)). **-ist** *n., a.* 도피주의적인 (사람).

es·ca·pol·o·gist [iskeipálədʒəst, èskə-] *n.* 《英》 포박(捕縛) 탈출 곡예사 ; 탈출의 명인 ; 현실 도피 주의자.

es·cap·ol·o·gy [iskeipálədʒi, èskə-] *n.* 《英》 둔주술(遁走術) ; 탈출술.

es·car·got [èskɑːrgóu ; *F* ɛskargo] *n.* (*pl.* **~s** [-*z* ; *F* —]) 식용 달팽이.

es·ca·role [éskəròul] *n.* 〖植〗 꽃상추. 〚F〛

es·carp [iskɑ́ːrp, es-] *n., vt.* 〖築城〗 =SCARP.

es·carp·ment [iskɑ́ːrpmənt, es-] *n.* 〖築城〗 (내안(內岸)의) 급한 경사지 ; 절벽, 급사면. 〚F<It. ; ⇨ SCARP〛

-esce [és] *v. suf.* 「…하기 시작하다」「…이 되다」「…화하다」의 뜻 : coal*esce*, efferv*esce*. 〚L〛

-es·cence [ésns] *n. suf.* 「…하는 작용[경과·과정·변화]」「…상태」의 뜻 : efferv*escence*. 〚F<L〛

-es·cent [ésnt] *a. suf.* 「…기(期)의」「…성(性)의」「…하기 시작하는」「…의 빛을 내는[반사하는]」의 뜻 : adol*escent*, conval*escent*. 〚F<L〛

esch·a·lot [éʃəlɑ̀t, ⌐–⌐] *n.* =SHALLOT.

es·cha·tol·o·gy [èskətɑ́lədʒi] *n.* 〖神學〗 종말론, 내세론(來世論). **-gist** *n.* 〚Gk. *eskhatos* last〛

es·cheat [istʃíːt, es-] *n.* 〖法〗 귀속(歸屬), 몰수 《상속인이 없는 토지·재산 따위가 국가·국왕·귀족에게 귀속되는 일》 ; 귀속 재산 ; 복귀권.
—— *vi., vt.* 〖法〗 귀속하다[시키다] ; 몰수하다. 〚OF<L *ex*-[1](*cado* to fall)〛

eschéat·age *n.* Ⓤ 〖法〗 (부동산) 복귀권(權) (escheat).

eschéat·or *n.* 몰수지[복귀지] 관리관.

es·chew [istʃúː, es-] *vt.* 피하다(avoid), 삼가다 (abstain from). **~·al** *n.* 피하기, 삼가기. 〚OF<Gmc. ; ⇨ SHY[1]〛

esch·scholt·zia [eʃóultsiə ; iskɔ́lʃə] *n.* 〖植〗 금영화(金英花). 〚J.F. von *Eschscholtz* (d. 1831) 독일의 식물학자〛

Es·co·ri·al [eskɔ́ːriəl ; èskɔriɑ́ːl] *n.* [the ~] 에스코리알《Madrid 북서쪽에 있는 유명한 건축물》.

***es·cort** [éskɔːrt] *n.* **1** 호위자[대], 호송자[대], 호송차 ; 호위함, 호송선(船) ; Ⓤ 호위 : an ~ carrier 호송용 소형 항공모함 / an ~ fighter (폭격기의) 호위 전투기 / under the ~ of …의 호위 아래 / under police ~ 경관에게 호위되어. **2** (여성에 대한) 동반한 남성 ; 고용되어 사교장 따위에 동반하는 사람[(특히) 젊은 여성].
—— [iskɔ́ːrt, es-, éskɔːrt] *vt.* [+目/+目+副/+目+前+名] 호위[경호]하다 ; 호송하다 ; …에 수행하다 : George offered to ~ Mrs. Green *home.* 조지는 그린 부인을 집에까지 바래다 주겠다고 제의했다 / She ~*ed* the guests ***to*** the table. 그녀는 손님들을 식탁으로 안내했다. 〚F<It. (*scorgere* to conduct)〛
類義語 ⟹ ACCOMPANY.

éscort àgency *n.* 사교장 따위에 동반할 젊은 남녀를 소개하는 조직.

escribe [eskráib] *vt.* 〖數〗 (원을) 방접(傍接)시키다 : an ~*d* circle 방접원.

es·cri·toire [èskrətwɑ́ːr, ⌐–⌐] *n.* (서류 분류 상자와 서랍이 달린) 덮개를 여닫을 수 있는 책상. 〚F<L SCRIPTORIUM〛

es·crow [éskrou, -⌐] *n.* 〖英法〗 조건부 날인 증서 《일정 조건이 성취된 경우에 증서로서 효력을 발생케하는 것으로 제3자에게 인도되어 보관되는 것》 ; 제3자 기탁금 : in ~ (증서가) 제3자에게 보관되어. —— *vt.* escrow로 제3자에게 기탁하다. 〚AF=scroll, <Gmc.〛

es·cu·do [eskúːdou] *n.* (*pl.* **~s**) 에스쿠도《포르투갈의 화폐 단위 ; =100 centavos ; 기호 Esc》. 〚Sp. and Port. <L *scutum* shield〛

es·cu·lent [éskjələnt] *a.* 먹을 수 있는, 식용의.
—— *n.* 먹을 수 있는 것, 야채. 〚L (*esca* food)〛

es·cutch·eon [iskʌ́tʃən, es-] *n.* **1** 〖紋〗 방패 (모양)의 바탕 ; 문장(紋章)이 달린 방패. **2** 방패 모양의 것.
a* (*dark*) *blot on the escutcheon 불명예, 오명(汚名). 〚AF (L *scutum* shield)〛

Esd. Esdras.

Es·dras [ézdrəs ; -dræs] *n.* 경외(經外) 성서 (Apocrypha)의 맨 처음의 두 편 중의 하나.

-ese [iːz, iːs] *a. suf.* [국명·지명에 붙여서] 「…의」「…기원의」「…어(語)[방언]의」「…사람의」의 뜻 ; [작가 이름에 붙여서] 「…풍의」의 뜻 : Chin*ese*<China ; Portugu*ese*<Portugal ; London*ese*<London ; Carlyl*ese*, Johnson*ese*.
—— *n. suf.* (*pl.* ~) [국명·지명에 붙여서] 「…사람」「…의 주민」「…어(語)」의 뜻 ; [지명·인명·집단명에 붙여서, 보통 경멸적으로] 「…특유의 화법[어법, 문체]」의 뜻 : Chin*ese*, Portugu*ese* ; Brooklyn*ese*, Carlyl*ese*, journal*ese*, official*ese*. 〚OF *-eis*<L〛

ESE, E.S.E., e.s.e. east-southeast.

Es·ki·mo [éskəmòu] *n.* (*pl.* **~, ~s**) 에스키모인(人) ; =ESKIMO DOG ; Ⓤ 에스키모어. —— *a.* 에스키모의. **Ès·ki·mó·an** *a.* 에스키모(인·어)의. 〚Dan.<F<Algonquian〛

Éskimo dòg *n.* 에스키모견(犬) ; (흔히) 미국 원산의 썰매 개.

Éskimo Pìe *n.* 에스키모 파이《초콜릿을 입힌 아이스 캔디 ; 상표명》.

Es·ky [éski] *n.* 《濠》 에스키《찬 음료를 넣는 휴대용기 ; 상표명》. 〚? *Eskimo*〛

ESL [ésəl] English as a second language. **ESN** educationally subnormal. **ESO** electrical spinal orthosis (전기 척추 교정). **ESOL** [ésəl] 《美·Can.》 English for Speakers of Other Languages.

ESOP [íːsɑp, ìːèsòupíː] *n.* 종업원 지주(持株) 제도. 〚*E*mployee *S*tock *O*wnership *P*lan〛

esoph·ag- [iːsɑ́fəg], **esoph·a·go-** [-gou, -gə] *comb. form* 「식도(食道)」의 뜻. 〚Gk.〛

esóphago·scòpe *n.* 〖醫〗 식도경.
esoph·a·gos·co·py [isɑ̀fəgɑ́skəpi] *n.* 식도경 검사(법).
esoph·a·gus, oe·soph- [i(:)sɑ́fəgəs] *n.* (*pl.* **-gi** [-dʒài, -gài], **~·es**) 〖解·動〗 식도(食道)(gullet). **-ge·al** [i(:)sɑ̀fədʒí(:)əl] *a.* 〚Gk.〛
es·o·ter·ic [èsətérik] *a.* **1** (선택된 소수의 사람들에게만 전해지는) 비법의, 비전(祕傳)의(↔ *exoteric*) ; 비법을 터득한 : *E*~ Buddhism 밀교(密敎). **2** 비밀의(secret) ; 심오한, 난해한.
— *n.* 비법을 전수받은 사람 ; [*pl.*] 비전(祕傳). **ès·o·tér·i·cal** *a.* **-i·cal·ly** *adv.*
〚Gk. (*esōterō* (compar.) ‹ *esō* within)〛
es·o·ter·i·ca [èsətérikə] *n. pl.* (극히 일부의 사람 밖에는) 이해하기가 어려운 것 ; 진귀한 것.
ESP English for Special Purposes ; extrasensory perception. **esp.** especially.
es·pa·drille [éspədril, ⌐-⌐] *n.* 에스퍼드릴《끈을 발목에 매는 즈크제의 샌들》.
〚F<Prov. ; ⇨ ESPARTO〛
es·pal·ier [ispǽljər, es-] *n.* 〖園藝〗 과수용(果樹用) 틀《창살 모양으로 얽어서 가지가 옆으로 퍼지도록 한 것》; 과수 시렁에 세워 가꾼 나무.
— *vt.* 과수 시렁을 세우다[세워 가꾸다].
〚F<It. (*spalla* shoulder)〛
Es·pa·ña [espɑ́:njɑ:] *n.* 에스파냐《Spain의 스페인어명》.
es·pa·ñol [èspɑ:njɔ́:l] *n.* (*pl.* **-ño·les** [-njɔ́:les]) 스페인인 ; 스페인어. — *a.* 스페인(인[어])의. 〚Sp.〛
es·par·to [espɑ́:rtou] *n.* (*pl.* **~s**) 〖植〗 아프리카나래새《밧줄·바구니·배·종이 따위의 원료 ; 스페인·북미산》.
〚Sp.<L<Gk. *sparton* rope〛
es·pe·cial [ispéʃəl, es-] *a.* 특별한, 각별한(exceptional) ; 특히 …한(particular) : a thing of ~ importance 특별히 중대한 일 / my ~ friend 나의 특별한[특히 친한] 친구 / for your ~ benefit 특히 당신을 위해서.
in especial 각별히, 특히(especially).
〚OF<L SPECIAL〛
類義語 ⟹ SPECIAL.
‡es·pé·cial·ly *adv.* 특히, 유별나게, 따로 ; 각별히, 주로 : Repairs are needed in the house, ~ in the kitchen. 그 집은 수리가 필요하다, 특히 부엌이.

〈회화〉
Are you busy this evening? — Not *especially.* 「오늘밤에 바쁘니」「아니 별로」

類義語 ***especially*** 다른 모든 것보다도 특히 : This dictionary is designed *especially* for high school students. (이 사전은 특히 고등학교 학생을 위해 만들어졌다). ***specially*** especially에 대하여 구어로 다소 뜻이 약함. ***particularly*** 일반적인 진술을 할 경우, 같은 종류 중에서 특히 현저한 예를 골라 내어 말할 때 씀 : This problem is *particularly* difficult. (이 문제는 유난히 어렵다). ***principally*** 다른 것[경우]보다 더 많이, 주로 : This kind of accident occur *principally* on rainy days. (이런 사고는 주로 비오는 날에 일어난다). ***chiefly*** principally와 같은 뜻이며 그것보다는 일반적인 말 ; 대개의 경우는 그렇다는 것을 나타냄 : Owls fly *chiefly* at night. (부엉이는 대개 밤에 날아다닌다).

Es·pe·ran·tist [èspərǽntəst, -rɑ́:n-] *n.* 에스페란토어 학자[사용자].
-tism *n.* 에스페란토(어) 사용.
Es·pe·ran·to [èspərǽntou, -rɑ́:n-] *n.* Ⓤ 에스페란토어《폴란드의 Zamenhof가 창안한 국제어》.
〚L *spero* to hope ; 고안자의 필명 Dr. *Esperanto* (=Hoping one)에서〛
es·pi·al [ispáiəl, es-] *n.* Ⓤ 탐정, 정찰, 관찰 ; 발견 ; 스파이 활동.
〚OF ; ⇨ ESPY〛
es·piè·gle [*F* ɛspjɛgl] *a.* 장난치기 좋아하는, 장난꾸러기의. 〚F〛
es·pi·o·nage [éspiənɑ̀:ʒ, ⌐-⌐] *n.* Ⓤ 스파이 활동, 정찰 ; 스파이망[조직]. 〚F ; ⇨ SPY〛
es·pla·nade [èsplənéid, -nɑ́:d, ⌐-⌐] *n.* (특히 해안이나 호반의) 산책길(promenade), 드라이브길. 〚F<Sp.<L *ex-*[1](*plano* ‹ *planus* level) = to make level〛
ESPN Entertainment and Sports Programming Network《미국의 오락·스포츠 전문의 유료 유선 텔레비전망》.
es·pous·al [ispáuzəl, es-] *n.* **1** [매매로 *pl.*] 약혼식 ; 결혼식. **2** Ⓤ (주의 따위의) 지지, 옹호.
es·pouse [ispáuz, es-] *vt.* **1** 《古》 아내로 맞다, 장가들다 ; 시집보내다, 결혼시키다(marry). **2** (주의·설을) 신봉하다, 지지하다. **3** (사회 문제 따위에) 경도(傾倒)하다 ; 주의로[방침으로] 채택하다.
〚OF<L (*spons-* *spondeo* to betroth)〛
es·pres·so [esprésou] *n.* (*pl.* **~s**) Ⓤ 에스프레소 커피《가루에 증기를 통하게 하여 만드는 진한 커피》; Ⓒ 에스프레소 커피숍.
〚It. = pressed out〛
es·prit [esprí:, is-] *n.* Ⓤ 정신 ; 기지(機知), 재치 ; [E~] 남자 이름.
〚F ; ⇨ SPIRIT〛
ESPRIT European Strategic Program for Research and Development in Information Technology (유럽 정보기술 연구개발 전략계획).
esprit de corps [⌐ də kɔ́:r] *n.* Ⓤ [또는 an ~] 단체 정신, 단결심《군대 정신·애교심·애당심(愛黨心) 따위》. 〚F〛
esprit fort [⌐ fɔ́:r] *n.* 의지가 강한 사람 ; 자유 사상가. 〚F〛
es·py [ispái, es-] *vt.* (보통 멀리 있어서 찾기 어려운 것을) 찾아내다 ; (결점 따위를) 발견하다 ; 정찰[관찰]하다. 〚OF ; ⇨ SPY〛
類義語 ⟹ SPY.
Esq., Esqr. Esquire.
-esque [ésk] *a. suf.* 「…의 양식인」「…풍(風)의」의 뜻 : arab*esque*, pictur*esque*.
〚F<It.<L *-iscus*〛
Es·qui·mau [éskəmòu] *n.* (*pl.* **-maux** [-z], ~) = ESKIMO.
es·quire [iskwáiər, es-, éskwaiər] *n.* **1** 《英》 [E~] 《존칭》 …님, …씨《편지의 수취인 성명 뒤에 붙임, 공문서 이외는 보통 Esq., Esqr. 따위로 줄임 : 《英》 Thomas Jones, *Esq.* =《美》 Mr. Thomas Jones》. ㊟ 미국에서는 변호사에 한하여 쓰는 수도 있음. **2** 《古》 = SQUIRE.
— *vt.* 《稀》 = ESCORT.
〚OF<L *scutarius* shield bearer (*scutum* shield)〛
ESR electron spin resonance (전자 스핀 공명) ; electroslag remelting. **ESRANGE** [esréindʒ] European Sounding Rocket Launching Range《스웨덴에 있는 유럽 관측 로켓 발사장》.
E.S.R.O., ESRO [í:zrou] European Space Research Organization (유럽 우주 조사 기구).
ess [és] *n.* S자(형의 것).
-ess[1] [əs, is, ès] *n. suf.* [여성을 나타내는 명사 어

미] (cf. -ER, -OR, -IX) : actr*ess*, princ*ess*. 〖F<L<Gk. *-issa*〗

-ess[2] [és] *n. suf.* [형용사에서 추상명사를 만듦] : larg*ess*, dur*ess*. 〖F<L *-itia* ; cf. -ICE〗

ESSA 《美》 Environmental Science Services Administration《환경 과학 업무국 ; 상무부의 옛 국(局)》; environmental survey satellite.

***es·say** [ései] *n.* **1** 소론(小論) ; 평론 ; 수필, 에세이〈*on, upon*〉: a critical ~ 평론 / a familiar ~ 수필. **2** [ˌ eséi] 시도(attempt)〈*at*〉.
── [eséi, ⌐-] *vt., vi.* 《文語》 [+目/+*to* do/動] 꾀하다 ; 시도하다(try, attempt) ; 해보다, 시험하다 : He ~*ed* escape. 그는 도주를 시도했다 / I ~*ed to* speak, but his gesture choked me. 이야기해 보려고 했으나 그의 몸짓을 보고 입을 다물었다. 〖F (L *exigo* to weigh) ; cf. ASSAY〗

éssay examinátion *n.* 〖敎〗 논문[문장]체 테스트[시험].

essay·ist [éseiəst] *n.* 수필가 ; 논평가.

es·say·is·tic [èseiístik] *a.* 수필의[같은], 소론의[적인], 에세이적인 ; 설명적인.

éssay quéstion *n.* 논문식 문제[설문].

éssay tést *n.* 논문[문장]체 테스트(essay examination).

es·se [ési] *n.* 존재, 실재 ; 실체(實體) : in ~ 존재[실재]하여. 〖L〗

***es·sence** [ésəns] *n.* **1** Ⓤ 본질, 진수, 정수 ; 핵심, 근본적 요소〈*of*〉: Health is the ~ *of* happiness. 건강은 행복의 본질이다. **2** Ⓤ,Ⓒ 정(精), 익스트랙트(extract)〈*of* beef〉; 정유(精油) ; 향수(香水) (perfume). **3 a**) 〖哲〗 실재, 실체. **b**) 영적 실재 : God is an ~. 하느님은 실재한다.
in essence 본질에 있어서, 본질적으로(essentially).
of the essence of …에 불가결의.
〖OF<L=the being (*esse* to be)〗

Es·sene [ési:n, ⌐-] *n.* 고대 유태의 금욕·신비주의를 주장한 종파(의 사람). 〖L<Gk.〗

***es·sen·tial** [isénʃəl] *a.* **1** 본질의 ; 본질적인(distinctive) ; 없어서는 안되는, 필수의(indispensable), 매우 중요한 : ~ qualities 본질, 특질 / an ~ proposition 〖論〗 본질적 명제 / Sleep and good food are ~ *to* health. 수면과 영양은 건강에 꼭 필요하다. **2** 정(精)[익스트랙트]의, 정을 모은. **3** 〖樂〗 악곡의 화성진행 구성에 필요한, 주되는 : an ~ note 으뜸음 / ~ harmonies 〖樂〗 주요 화음. **4** 완전한, 순수한 : ~ happiness 이상적 행복. **5** 〖醫〗 본태성의 : ~ anemia 본태성 빈혈.
── *n.* [보통 *pl.*] 본질적 요소 ; 주요점 ; 〖樂〗 으뜸음 : be the same *in* ~(*s*) 요점은 같다.
〖L ; ⇨ ESSENCE〗
類義語 ⟹ NECESSARY.

esséntial amíno ácid *n.* 〖化〗 필수 아미노산.

esséntial drúg *n.* 〖藥〗 필수 약물[약품].

esséntial fátty ácid *n.* 〖化〗 필수 지방산.

esséntial hyperténsion *n.* 본태성 고혈압.

esséntial·ìsm *n.* **1** 〖美敎〗 본질주의, 에센셜리즘(cf. PROGRESSIVISM). **2** 〖哲〗 실재론 ; 본질주의(cf. EXISTENTIALISM). **-ist** *n.*

es·sen·ti·al·i·ty [isènʃiǽləti] *n.* **1** Ⓤ 본성, 본질 ; 불가결성. **2** [*pl.*] 요점, 요건, 골자.

esséntial·ly *adv.* 본질적(的)으로, 본질상(in essence) ; 본래.

esséntial óil *n.* 〖化〗 정유《방향(芳香)의 휘발성 기름 ; ↔*fixed oil*》.

es·sen·tic [eséntik] *a.* 감정을 밖으로 드러내는.

Es·sex [ésiks] *n.* 에식스《잉글랜드 남동부의 주 ; 주도 Chelmsford》.

Es·sie [ési] *n.* 여자 이름《Esther의 애칭》.

est [ést] *n.* 심신통일 훈련, 에스트《자기 발견과 자기 실현을 위한 체계적 방법》.
〖*E*rhard *S*eminars *T*raining ; 미국(美國)의 기업가 Werner Erhard가 1971년에 시작한 것〗

EST, E.S.T., e.s.t. 《美》 Eastern Standard Time ; electroshock therapy[treatment].

est. established ; estate ; estimate(d) ; estuary.

-est[1] [əst, ist] *a. suf., adv. suf.* [형용사·부사의 최상급을 만듦] : hard*est*, clever*est*. 〖OE〗

-est[2] [əst, ist], **-st** [st] *v. suf.* 《古》 [THOU[1]에 수반되는 동사《2인칭·단수·현재형 및 과거형》를 만듦] : thou sing*est*, did*st*, can*st*. 〖OE〗

estab. established.

‡es·tab·lish [istǽbliʃ, es-] *vt.* **1 a**) 설치[설립]하다, 개설[창립]하다, (제도·법률 따위를) 제정하다(constitute) : The institutions have been ~*ed* by law. 그 제도는 법률에 의하여 제정되었다. **b**) (교회를) 국(國)교회로 하다. **2** [+目+前+名 / +目+*as* 補] (남을 위치·직업에) 앉히다, 자리잡게 하다, 정착시키다(install) : They were completely ~*ed* ***in*** their new house. 이제 새 집에 완전히 정착했다 / Mr. White was ~*ed as* mayor of our city. 화이트씨는 우리 시의 시장자리에 앉았다. **3** (선례·습관·소신·명성 따위를) 수립[확립]하다 : ~ one's credit 신용(의 기초)를 굳히다. **4** [+目/+*that* 節] (사실·학설 따위를) 확증[입증]하다, 확립하다 : Einstein ~*ed* the theory of relativity. 아인슈타인은 상대성 이론을 확립했다 / It has been ~*ed that* he was not there when the murder occurred. 살인이 벌어졌을 때 그가 그 장소에 없었다는 것이 입증되었다.
establish** it**self [one***self***] 확립되다, 설립되다 ; 정착하다, 자리를 잡다[에 앉다] ; (…으로서) 입신하다, 개업하다 : ~ one*self as* a lawyer 변호사 개업을 하다 / A new doctor has ~*ed* him*self* on this street. 새로 온 의사가 이 거리에서 개업했다.
〖OF<L ; ⇨ STABLE[1]〗

es·táb·lished *a.* **1** 확정된, 확정의 : an ~ fact 기정 사실 / an old ~ shop 역사가 오래된 점포 / an ~ invalid 만성 병자, 불치의 환자 / a person of ~ reputation 정평이 있는 사람 / ~ usage 확립된 관용법. **2** 국립의, 국교의 : the ~ church [religion] 국교(國敎) (the state church) / the *E*~ Church (특히) 영국 국교(the Church of England). **3** 기성(체제)의, 보수적인. **4** 〖生態〗 (동식물이 새 토지에) 정착한.

***estáblish·ment** *n.* **1** Ⓤ 설립, 창립 ; 제정(制定)〈*of*〉; (교회의) 국립, 국정 : the (Church) *E*~ =the ESTABLISHED Church. **2** Ⓤ 확립, 확정(settlement)〈*of*〉. **3** (공공 또는 사설의) 설립물《학교·병원·회사·영업소·여관 따위》. **4 a**) [the E~] (행정제도로서의) 관청, 육군, 해군《따위》: the Civil Service *E*~ 일반 관청 / the Military[Naval] *E*~ 육[해]군. **b**) Ⓤ (관청·육해군 따위의) 상설[상비] 편제(編制), 상주[상치(常置)] 인원 : peace[war] ~ 평시[전시]편제. **5** [the E~] 《원래 英》 (기성) 체제, 지배층[계급·단체]. **6** Ⓤ (결혼 따위로) 안정되기, 자리를 잡기 ; Ⓒ 세대(世帶), 가정(household). **7** 고정 수입(fixed income). **8** 〖動·植〗 정착, 토착(ecesis).
be on the establishment 고용되어 있다.
keep a large establishment 큰 살림을 꾸려

나가고 있다 ; 큰 공장[회사]을 가지고 있다.
keep a second*[*separate*] *establishment 《婉》 첩살림을 차리다, 소실을 두고 있다.

es·tab·lish·men·tar·i·an [istæ̀bliʃməntέəriən, es-, -tǽər-] *a.* (영국) 국교주의의. —— *n.* 국교 신봉자, 국교주의의 지지자.

es·ta·mi·net [*F* εstaminε] *n.* (*pl.* **~s** [*F* —]) (맥주·와인·커피 따위를 마시는) 작은 술집 (bar), 카페.

***es·tate** [istéit, es-] *n.* **1** (보통 크거나 넓은) 땅, 부동산(landed property) : buy an ~ 땅을 사다 / He has large ~*s* in the country. 지방에 많은 땅을 갖고 있다. **2** Ⓤ 〖法〗 재산, 유산 ; 재산권, 부동산물권 : landed ~ 부동산 / personal ~ 동산(movables) / real ~ 부동산. **3** Ⓤ (인생의) 시기(時期) : reach man's[woman's] ~ 성년기에 달하다. **4** Ⓤ (생존의) 상태, 상황. **5** (정치·사회상(上)의) 계급 : ☞ THIRD ESTATE / ☞ FOURTH ESTATE. **6** Ⓤ 《古》 지위, 신분, 지체 : the (holy) ~ of matrimony 남편[아내] 있는 몸. **7** 《英》 단지(團地) : a housing[an industrial] ~ 주택[공장] 단지.
〚OF ; ⇨ STATUE〛

estáte àgent *n.* 《英》 부동산 업자(=《美》 Realtor) ; (부동산의) 지배인 ; 토지 관리인.

es·tát·ed *a.* 재산[부동산]이 있는.

estáte dùty *n.* 《英》 =DEATH DUTY.

estáte of the réalm *n.* (정치·사회상의) 계급 (estate).

Estátes Géneral *n.* [the ~] 프랑스 혁명 이전의 프랑스 국회.

estáte tàx *n.* 〖美法〗 유산세(cf. INHERITANCE TAX).

***es·teem** [istí:m, es-] *vt.* **1** 존중하다(respect), 중히 여기다, 소중[귀중]히 여기다 : He is highly ~*ed* in business circles. 실업계에서는 매우 존경을 받고 있다 / your ~*ed* letter 귀함(貴函). **2** [+目+補/+目+*as* 補] (…을 …이라고) 생각하다, 여기다(consider) : I ~ it (*as*) an honor to address this audience. 여러분에게 이야기할 수 있는 것을 영광으로 생각합니다 / He was ~*ed* trustworthy. 그는 신뢰할 수 있는 사람으로 여겨졌다. **3** 《古》 평가하다. —— *n.* Ⓤ [또는 an ~] 존중, 존경(regard, respect) ; 《古》 가치 ; 《古》 평가, 감정, 판단 : They all had *a* great ~ *for* his learning. 그들은 모두 그의 학식에 대단한 경의를 품고 있었다.
hold a person ***in*** (***high***) ***esteem*** 남을 (매우) 존중[존경]하다.
〚OF＜L ESTIMATE〛
類義語 ⟹ APPRECIATE, RESPECT.

es·ter [éstər] *n.* Ⓤ 〖化〗 에스테르.
〚G ; *Essig* vinegar+*Äther* ether인가〛

es·ter·i·fy [estérəfài] *vt., vi.* 〖化〗 에스테르화하다. **es·tèr·i·fi·cá·tion** *n.* 에스테르화.

Esth. 〖聖〗 Esther ; Esthonia.

Es·ther [éstər] *n.* **1** 여자 이름《애칭 Essie》. **2** 〖聖〗 에스더(the Book of Esther)《구약 성서 중의 한 편 ; Esth.》. 〚Heb.＜? Pers.=star〛

es·the·sia, aes- [esθí:ʒiə, i:s-, -ziə] *n.* Ⓤ 감각, 지각(력), 감수성.

es·the·sio-, aes- [esθí:ziou, -ə] *comb. form* 「지각」「감각」「촉각」의 뜻. 〚Gk.〛

esthèsio·physiólogy *n.* 감각 생리학.

esthete, esthetic, etc. ☞ AESTHETE, AESTHETIC, etc.

Esthonia(n) ☞ ESTONIA(N).

est·i·an [ésti:ən, -tʃi-] *a., n.* 심신통일 훈련(est)의 (신봉자).

est·ie [ésti(:)] *n.* 심신통일 훈련을 받는 사람.

es·ti·ma·ble [éstəməbəl] *a.* **1** 존중[존경]할 만한, 경의를 표해야 할. **2** 평가[견적]할 수 있는.

***es·ti·mate** [éstəmət, -mèit] *n.* **1** 견적(見積), 어림셈, 개산(서)(概算(書)), 추정(액) : a written ~ 견적서. **2** (인물 따위의) 평가, 가치 판단 (judgment, opinion). **3** [the E~s] 《英》 세출 세입 예산《재무 장관이 의회에 제출함》.
by estimate 개산으로.
form*[*make*] *an estimate of …의 견적을 내다, …을 평가하다.
—— [éstəmèit] *vt.* **1** [+目+*at*+名 / +*that* 節/+目+*to* do] 평가하다, 견적하다, 어림셈하다 : He ~*s* his losses ***at*** ₩200,000,000. 손실을 2억원으로 추산하고 있다 / They ~ *that* the repair will take two years. 수리하는 데는 2년이 걸릴 것이라고 추정하고 있다 / I ~*d* the room *to be* 20 feet long. 그 방의 길이는 20피트 된다고 보았다. **2** [+目+副] (인물 따위를) 평가하다 : You ~ his intellect too *highly*. 그의 지력(知力)을 너무 높이 평가하고 있다. —— *vi.* [+*for*+名] 견적을 내다, 견적서를 작성하다 : ~ ***for*** the repair of a building 건물 수리의 견적을 내다.
és·ti·mà·tive *a.* 평가할 수 있는 ; 평가의, 평가에 의한. **és·ti·mà·tor** *n.* 평가[견적]인(人).
〚L *aestimo* to fix price of ; cf. ESTEEM, AIM〛
類義語 (1) ***estimate*** 자기의 지식이나 경험에 의해서 물건의 가치나 수량에 대하여 개인적인 판단을 내리다 ; 그 평가가 정확하지 않을 수도 있다는 것을 암시함 : *estimate* the loss (손실을 추산하다). ***appraise*** 전문적 지식에 의해 정확히 평가(評價)해서 의문의 여지가 없는 것을 암시함 : The city *appraised* the property for taxation. (시 당국은 과세를 위해 그 재산을 사정했다). ***evaluate*** 물건 또는 사람의 가치에 대해서 정확한 판단을 내리고자 하다, 금전적인 평가에는 쓰지 않음 : Don't *evaluate* people by their dresses. (사람의 옷으로 그 사람을 평가하지 마라).
(2) ⟹ COUNT[1].

és·ti·màt·ed *a.* 견적한, 어림잡은, 추측한 : an ~ sum 견적액 / the ~ crop for this year 금년도의 예상 수확고.

es·ti·ma·tion [èstəméiʃən] *n.* **1** Ⓤ (가치의) 판단 (judgment), 평가, 의견(opinion) : *in* my ~ 내가 보는 바로는 / *in* the ~ of the law 법률상의 견해로는. **2** Ⓤ 존중, 존경(respect) : hold a person *in* (high) ~ 남을 (매우) 존경하다 / stand high *in* ~ 매우 존경[높이 평가]을 받다. **3** 추정, 견적, 추산 ; 평가 가치, 견적액, 추정액, 추정 규모.

estival ☞ AESTIVAL.

estivate ☞ AESTIVATE.

Es·to·nia [estóuniə, -njə], **-tho-** [-tóu-, -θóu-] *n.* 에스토니아《발트 해(海)에 면한 나라 ; 수도 Tallinn [tǽlən, tá:-]》.

Es·tó·ni·an, -thó- *a., n.* 에스토니아(인)의 ; 에스토니아인 ; Ⓤ 에스토니아어.

es·top [estáp, is-] *vt.* (**-pp-**) 〖法〗 금반언(禁反言)으로 막다[금지하다]. **es·tóp·page** *n.* 금지, 저지. 〚OF ; ⇨ STOP〛

es·top·pel [estápəl, is-] *n.* 〖法〗 금반언《일단 행한 주장[행동]에 상반되는 주장[행동]을 금지하는 원칙》 ; 금지, 방지. 〚OF=bung ; ⇨ ESTOP〛

es·to·vers [estóuvərz] *n. pl.* 〖法〗 (법적으로 인

정된) 필요물《차지인(借地人)이 그 땅에서 얻을 수 있는 장작·가옥 수리용 재목 따위》. 〖AF〗

estr-, oestr- [éstr, 英+í:str], **es·tro-, oes·tro-** [éstrou, -trə, 英+í:s-] *comb. form* 「발정」의 뜻. 〖Gk.; ⇨ ESTRUS〗

es·trade [estrɑ́:d] *n.* (마룻바닥보다 약간 높은) 단, 연단, 교단, 강단. 〖F<Sp.〗

es·tra·di·ol, oes- [èstrədáiɔ(:)l, -oul, -ɑl] *n.* 〖生化〗 에스트라디올《estrogen의 일종》.

es·trange [istréindʒ] *vt.* [+目/+目+*from*+名] 사이가 나빠지게 하다, 이간하다(alienate), 정떨어지게 하다, 소원[서먹서먹]하게 하다, …의 애정에 흠이 가게 하다: The affair has ~*d* him ***from*** his family. 그 일이 있고 나서부터 그는 가족과 사이가 나빠졌다 / They were[became] ~*d* *from* each other. 서로가 소원하게 되었다[사이가 나빠졌다] / He ~*d* himself *from* politics. 그는 정계에서 물러났다. **~·ment** *n.* 소원(疎遠)함, 이간, 사이가 나빠지기〈*from, between, with*〉; 소외. 〖OF<L=to treat as a STRANGER; cf. EXTRANEOUS〗

es·tráng·er *n.* 낯선 사람.

es·tray [istréi] *n.* 떠도는 사람, 굴러다니는 물건; 〖法〗 (소유자 불명의) 길 잃은 가축.
—— *a.* 헤매는; 떨어진. —— *vi.* 《古》 헤매다, 떠돌다.

es·treat [istrí:t] *n.* 〖法〗 (벌금 따위에 관한) 재판 기록의 등본[초본]. —— *vt.* (고발하기 위해) 등본[초본]을 만들다; (벌금 따위를) 징수하다.

es·tri·ol, oes- [éstriɔ̀:l, -òul, -ɑ̀l, 英+í:s-, 美+estrái-] *n.* 〖生化〗 에스트리올《성(性) 호르몬의 일종》.

es·tro·gen, oes- [éstrədʒən, 英+í:s-] *n.* Ⓤ 〖生化〗 에스트로겐《여성 호르몬의 일종》.

es·tro·genic [èstrədʒénik, 英+ì:s-] *a.* 〖生化〗 발정성(發情性)의, 성욕을 자극하는.

Es·tron [éstrɑn] *n.* 에스트론《cellulose acetate로 만든 합성 섬유》, 아세테이트사(絲).

es·trone, oes- [éstroun, 英+í:s-] *n.* 〖生化〗 에스트론《여성 호르몬의 일종》.

es·trous, oes- [éstrəs, 英+í:s-] *a.* (암컷의) 발정(기)의.

éstrous cỳcle *n.* 〖動〗 발정 주기, 성주기.

es·trus, oes- [éstrəs, 英+í:s-], **es·trum, oes-** [éstrəm, 英+í:s-] *n.* 〖動〗 (암컷의) 발정기; 발정 주기. 〖NL<L=gadfly, frenzy<Gk.〗

es·tu·ary [éstʃuèri; -tjuəri] *n.* (폭이 넓은) 강어귀; 내포(內浦)(inlet).
〖L=tidal channel (*aestus* tide)〗

esu, e.s.u., ESU electrostatic units (정전(靜電) 단위).

esu·ri·ent [isúriənt; isjúər-] *a.* 굶주린, 걸신들린. **~·ly** *adv.* **-ence, -cy** *n.* 탐욕.

ESV earth satellite vehicle; experimental safety vehicle (안전 실험차(車)). **ESWL** 〖醫〗 extracorporeal shock wave lithotripter《체외 충격파 쇄석기; 신장에서 결석을 파괴하는 기계》.

ET 〖宇宙〗 external tank; extra-terrestrial (지구외 생물, 외계인). **ET, E.T.** Eastern Time; Easter term; elapsed time. **E.t.** 〖化〗 ethyl.

-et [ét, èt, ət, it] *n. suf.* 「…의 작은 것」「…의 집단」의 뜻: bull*et*, fill*et*, sonn*et*.
〖OF -*et* (masc.), -*ete* (fem.)〗

eta [éitə, í:tə; í:tə] *n.* 에타《그리스어 알파벳의 제7자 H, η; 영어의 장음 E, e에 해당》. 〖Gk.〗

ETA, E.T.A. estimated time of arrival (도착 예정 시간).

ETACCS European Theater Air Command and Control Study(유럽 전역 항공·지휘 통제 연구).

et al. [et ǽl, -ɔ́:l, -ɑ́:l] *et alibi* 《L》 (=and elsewhere); *et alii* 《L》 (=and others).

éta méson *n.* 〖理〗 에타(η) 중간자.

ETC European Travel Commission; export trading company.

***etc., & c.** [ən sóu fɔ̀:rθ, et sétərə; it sétrə] = ET CETERA. ㊟ 상용문(商用文)이나 참조에 주로 쓰이며 앞에 comma를 찍음《명사가 하나일 때는 반드시 필요하지는 않음》. 〖↓〗

et cet·era [et sétərə; it sétrə] 기타, …등등, 따위(and so forth[on])《略 etc., & c.》. 〖L〗

et·cét·era *n.* 그밖의 갖가지 것[여러 사람]; [*pl.*] 잡동사니, 잡품.

etch [étʃ] *vt.* **1** (그림 따위를) 에칭으로 그리다; (동판 따위에) 에칭[식각(蝕刻)]을 하다. **2** 《비유》 선명하게 그리다, 새기다, 인상지우다, 명기(銘記)하다(imprint).
—— *vi.* 에칭을 하다. —— *n.* 부식(작용[효과]), 식각; 부식액, 에칭액. **~·er** *n.* (에칭에 의한) 동판화공(畫工); 에칭[동판]화가. 〖Du. *etsen*<G; Gmc.에서 EAT의 causative〗

étch·ant *n.* 부식액(腐蝕液).

étch·ing *n.* Ⓤ 에칭, 부식(腐蝕) 동판술(術)《약품에 의하여 동판 따위의 표면을 부식시키고 오목판을 만드는 화법》; Ⓒ (에칭에 의한) 동판화[도(圖)]·인쇄물]; 〖齒〗 부식《에나멜질이 파괴된 상태》: ~ needle[point] 에칭 바늘 / ~ printing 동판 인쇄.

étch pìt *n.* 〖天〗 에치 피트《화성 표면의 조그마한 웅덩이》.

ETD, E.T.D. estimated time of departure (출발 예정 시간).

Ete·o·cles [ití:əklì:z] *n.* 〖그神〗 에테오클레스《Oedipus와 Jocasta의 아들; 아우 Polynices와 Thebes의 왕위를 다투다 모두 죽음》.

***eter·nal** [itə́:rnl] *a.* **1 a)** 영원한, 구원의(everlasting) (↔ *temporary*); 불후의, 불멸의(immutable): ~ life 영원한 생명 / ~ truth 영원한 진리. **b)** [명사적으로; the E~] 영원한 것, 신(神)(God). **2** 《口》 끝없는; 한없는; 끊임없는 (incessant): ~ chatter 그칠 줄 모르는 수다 / the ~ feminine 영원한 여성, 여성의 본질.
~·ly *adv.* 영원[영구]히(forever); 불후(不朽)로; 《口》 끊임없이, 한없이, 늘(constantly).
〖OF<L *aeternus* (*aevum* age)〗

Etérnal Cíty *n.* [the ~] 영원한 도시《Rome의 별칭》.

etérnal·ìze *vt.* =ETERNIZE.

etérnal recúrrence *n.* 〖哲〗 (니체 철학의) 영겁회귀(永劫回歸).

etérnal tríangle *n.* (남녀의) 삼각 관계.

eterne [itə́:rn] *a.* 《古·詩》 =ETERNAL.

***eter·ni·ty** [itə́:rnəti] *n.* **1** Ⓤ 영원, 영구; 영원한 생명; 불멸[불후]의 명성. **2** Ⓤ (죽은 후에 시작되는) 영원한 세계, 내세: through all ~ 미래 영겁(永劫)토록 / between this life and ~ 이승과 저승 사이를, 생사의 기로를. **3** [the eternities] 영원 불변한 것《진리·사실》. **4** [an ~] (끝없이 여겨지는) 오랜 시간: It seemed *an* ~ before she appeared. 그녀가 나타나기까지 일각이 삼추 같은 생각이 들었다.
〖OF<L; ⇨ ETERNAL〗

etérnity rìng *n.* 둘레에 보석을 박은 반지.

eter·nize [itə́:rnaiz; i(:)-] *vt.* 영원하게 하다, 불후의 것으로 하다.

ete·sian [itíːʒən] *a.* 해마다 일어나는 ; 계절풍의 : *E*~ winds 북서 계절풍(지중해에서 여름철에 약 40일간 계속됨).

eth ☞ EDH.

eth- [éθ], **etho-** [éθou, éθə] *comb. form* 〖化〗 「에틸」의 뜻.

-eth[1] [əθ, iθ], **-th** [θ] *v. suf.* 《古》 동사의 3인칭 단수 현재형을 만듦(현재는 -(e)s로 바뀌었음) : go*eth*, think*eth*, ha*th*, sai*th*. 〖OE〗

-eth[2] ☞ -TH[1].

eth. ethical ; ethics.

Eth. Ethiopia.

eth·a·crýn·ic ácid [èθəkrínik-] *n.* 〖藥〗 에타크린산(수종(水腫) 치료용 이뇨제).

eth·ám·bu·tol (hydrochlóride) [eθǽmbjutɔ̀ːl(-), -tòul(-), -tɑ̀l(-)] *n.* 〖藥〗 에탐부톨(합성 항결핵약).

eth·ane [éθein] *n.* Ⓤ 〖化〗 에탄(무색·무취(無臭)의 가스 ; 연료·냉각제(劑)용).
〖*ether*+*-ane*〗

eth·a·nol [éθənɔ̀(ː)l, -nòul, -nɑ̀l] *n.* 〖化〗 에탄올 (alcohol)(IUPAC의 용어).

eth·a·nol·amine [èθənɑ́ləmìːn, -nóu-] *n.* 〖化〗 에탄올아민(탄산가스 따위의 흡수제·페놀 추출용제).

Eth·el [éθəl] *n.* 여자 이름. 〖OE=noble〗

Eth·el·bert [éθəlbəːrt] *n.* 남자 이름.
〖OE=noble+bright〗

eth·ene [éθiːn] *n.* 〖化〗 =ETHYLENE.

eth·e·phon [éθəfɑ̀n] *n.* 〖農〗 에테폰(식물 생장 조정제).

ether, ae·ther [íːθər] *n.* **1** [the ~] 《詩》 하늘, 창공 ; (옛 사람이 상상한) 대기 밖의 정기, 영기(靈氣). **2** 〖理〗 에테르(빛·열·전자기의 방사 현상의 가상적 매체) ; 〖化〗 에테르(유기 화합물 ; 마취제). **3** [the ~] 《口》 라디오.
〖OF or L<Gk. (*aithō* to burn, shine)〗

ethe·re·al, -ri·al, ae·the- [iθíəriəl] *a.* **1** 공기와 같은(airy), 아주 가벼운 ; 희박한 ; 미묘한, 영묘한. **2** 《詩》 하늘의, 천상(天上)의. **3** 〖理·化〗 에테르의 ; 에테르성(性)의 : ~ oil=ESSENTIAL OIL. **ethe·re·al·i·ty** [iθìəriǽləti] *n.* 에테르 같은 성질 ; 아주 가벼움 ; 영묘함.

ethéreal bódy *n.* 에테르체(단순한 물질적 형태로서의 육체에 생명을 부여하는 생명체).

ethéreal·ize *vt.* 영묘(靈妙)하게 하다 ; 에테르화하다. **ethèreal·izátion** *n.*

éther èxtract *n.* 〖化〗 에테르 추출물.

etherial ☞ ETHEREAL.

ether·i·fy [iθérəfài, íːθər-] *vt.* 〖化〗 (알코올 따위를) 에테르화하다.

éther·ìze *vt.* **1** 〖醫〗 …에 에테르 마취를 하다. **2** 〖化〗 에테르화하다. **èther·izátion** *n.* 에테르 마취(법) ; 에테르로 변화함.

eth·ic [éθik] *a.* 《古》 =ETHICAL. —— *n.* =ETHICS 2 ; 도덕론. 〖OF or L<Gk. ; ⇨ ETHOS〗

***éth·i·cal** *a.* **1** 도덕상의 ; 윤리적인 : an ~ movement 윤리화 운동. **2** 윤리학적인, 윤리학상의. **3** (약품이) 의사에 의하여 처방된 : an ~ drug 처방약. —— *n.* ethical한 의약. **~·ly** *adv.* 윤리(학)적으로.
類義語 ⟹ MORAL.

éthical dátive *n.* 〖文法〗 심성적(心性的) 여격(與格)(감정을 강조하기 위해 첨부하는 여격의 me 또는 you : Knock me at the door. (노크해 주시오.)에서의 me).

eth·i·cist [éθəsəst], **ethi·cian** [eθíʃən] *n.* 도덕가, 윤리학자.

eth·i·cize [éθəsàiz] *vt.* 윤리적으로 하다[이라고 생각하다] ; …에 윤리성을 부여하다.

***éth·ics** *n.* **1** Ⓤ 윤리학 ; 윤리, 도덕 : practical ~ 실천 윤리학, 도덕론. **2** [보통 *pl.*] (개인·어떤 사회·직업의) 도덕 원리, 윤리, 도의, 덕의(德義) : Medical ~ forbid doctors to reveal their patients' confidences. 의사는 도리상 환자가 고백한 말을 누설할 수 없다.

Éthics in Góvernment Áct *n.* 《美》 (1978년의) 정부 윤리법(워터게이트 사건의 반성에서 제정된 연방정부 고관의 윤리 기준법).

ethíd·i·um (brómide) [eθídiəm(-)] *n.* 〖生化〗 에티듐 브롬화물(DNA의 염색 따위에 사용하는 색소(色素)).

eth·i·on [éθiɑ̀n] *n.* 〖藥〗 에티온(살충제, 특히 진드기 구충제).

eth·i·on·amide [èθiɑ́nəmàid] *n.* 〖藥〗 에티온아미드(항결핵제의 하나).

Ethi·op [íːθiɑ̀p], **-ope** [-òup] *n.*, *a.* 《古》 = ETHIOPIAN.

Ethi·o·pia [ìːθióupiə] *n.* 에티오피아(이집트 남방의 공화국 ; 원래 왕국이었으나 1975년 전복되어 공화국이 됨 ; 略 Eth. ; 수도 Addis Ababa ; cf. ABYSSINIA). —— *a.* 에티오피아의.

Èthi·ó·pi·an *a.* 에티오피아의 ; 에티오피아인[족]의 ; 《古》 흑인의. —— *n.* 에티오피아인 ; 에티오피아어 ; 《古》 (아프리카의) 흑인.

Ethiópian Órthodox Chúrch *n.* [the ~] 〖基〗 에티오피아 정교회(4세기에 설립).

Ethi·op·ic [ìːθiɑ́pik] *a.* =ETHIOPIAN ; 고대 에티오피아어(語)의 ; 에티오피아어군의. —— *n.* 에티오피아어군 ; 고대 에티오피아어.

eth·moid [éθmɔid] *a.* 〖解〗 사골(篩骨)의[에 인접한] : an ~ bone 사골. —— *n.* 사골.
eth·mói·dal *a.* 〖Gk.〗

ethn. ethnology.

eth·narch [éθnɑːrk] *n.* (한 민족·지방·종족의) 지배자. **éth·nar·chy** *n.* ethnarch의 통치권[관할권]. 〖Gk. ; ⇨ ETHNOS〗

eth·nic, -ni·cal [éθnik(əl)] *a.* **1** 인종[종족·민족]적인 ; [보통 -nical] 민족학(상)의(ethnologic) : an ~ nation 민족 / ~ psychology 민족심리학. **2** 이방인의, 이교도의(↔*Jewish*, *Christian*). —— *n.* [-nic] 《美》 소수 민족의 일원 ; [*pl.*] 민족적 배경. **-ni·cal·ly** *adv.*
〖L<Gk.=heathen ; ⇨ ETHNOS〗

éthnic cléansing *n.* 민족 정화.

éthnic cónflict *n.* 민족 분쟁.

éthnic gróup *n.* 〖社〗 종족, 민족, 인종 집단.

eth·ni·cism [éθnəsìzəm] *n.* 민족성 중시주의, 민족 분리주의 ; 《古》 이교적 특징.

éthnic lóok *n.* 〖服〗 에스닉 룩(민족의상의 특색을 살려 세련된 색채를 쓴 치장).

eth·ni·con [éθnəkɑ̀n] *n.* 종족[종족적 집단·민족·국민]의 명칭(Hopi, Ethiopian 등).

éthnic púrity *n.* (지역·집단내 소수 민족의) 민족적 순수성.

éth·nics *n.* =ETHNOLOGY ; 《美》 소수파 민족계 시민(의 총칭).

éthnic víolence *n.* 민족간 폭력.

eth·no [éθnou] *n.* 〖樂〗 에스노(아시아·아프리카 따위의 민족음악 요소를 채용한 록의 총칭).

ethno- [éθnou, -nə] *comb. form* 「인종」「민족」의 뜻. 〖Gk. ; ⇨ ETHNOS〗

èthno·archeólogy *n.* 민족 고고학(특정 민족의 문화를 연구하는).

èthno·céntric *a.* 민족 중심적인 ; 자(自)민족 중심주의의. **èthno·céntrical·ly** *adv.* **èthno·centrícity** *n.*

èthno·cén·trism [-séntrizəm] *n.* 자민족 중심주의《자기 민족의 표준에서 다른 민족을 평가·배척하며 자기 민족이 우월하다는 사고방식》.

éthno·cìde *n.* (문화적 동화정책으로서) 특정 민족집단의 문화파괴[말살].

èthno·génesis *n.* 〘社〙 민족 문화의 형성[발생, 발전].

èthno·genétic *a.* 민족 문화 발생의[를 형성하는] ; 민족 문화에 특징적인.

eth·nog·e·ny [eθnádʒəni] *n.* 인종 기원학.

eth·nog·ra·phy [eθnágrəfi] *n.* Ⓤ 기술(記述)인종학, 민족(지(誌))학. **-pher, -phist** *n.* 민족지학자. **eth·no·graph·ic, -i·cal** [èθnəgrǽfik(əl)] *a.* 민족지(학)적인. **-i·cal·ly** *adv.*

ethnol. ethnologic(al) ; ethnology.

èthno·linguístics *n.* 민족 언어학.

eth·nol·o·gy [eθnálədʒi] *n.* Ⓤ 민족학, 인종학. **-gist** *n.* 민족학자. **eth·no·log·ic, -i·cal** [èθnəládʒik(əl)] *a.* 민족학적인. **-i·cal·ly** *adv.*

èthno·psychólogy *n.* 민족 심리학.

eth·nos [éθnɑs] *n.* Ⓒ 민족《인종·문화·역사적 견지에서의 집단》. 〚Gk.=nation〛

èthno·scíence *n.* 민족과학, 민족지(誌)학. **-scíentist** *n.* **-scientífic** *a.*

étho·gràm [éθə-] *n.* 에소그램《동물 행동의 상세한 기록》.

ethol·o·gy [eθálədʒi, i:- ; i:-] *n.* 인성학(人性學), 품성론 ; 〘動〙 생태학. **-gist** *n.* 〚Gk. ; ⇨ ETHOS〛

ethos [í:θɑs] *n.* (특정의 민족·사회·시대·문화 따위의) 기풍, 정신, 사상, 특질, 에토스. 〚L<Gk. *ēthos* (settled) character〛

eth·ox·ide [i:θáksaid] *n.* 〘化〙 에톡시드, 에틸레이트(ethylate)《에틸알코올의 수산기의 수소를 금속으로 치환한 화합물》.

eth·yl [éθəl] *n.* Ⓤ 〘化〙 에틸. 〚G (ETHER+-*yl*)〛

éthyl ácetate *n.* 〘化〙 에틸 아세테이트, 아세트산 에틸.

éthyl álcohol *n.* 〘化〙 에틸알코올《보통 말하는 알코올 ; cf. METHYL ALCOHOL》.

eth·yl·ate [éθəlèit] *n.* 〘化〙 에틸레이트(ethoxide). ── *vt., vi.* (화합물)에 에틸기(基)를 도입하다, 에틸화하다. **èth·y·lá·tion** *n.* 에틸화.

eth·yl·ene [éθəlì:n] *n.* Ⓤ 〘化〙 에틸렌《탄화 수소》 : ~ gas 에틸렌 가스.

éthylene glýcol *n.* 〘化〙 에틸렌 글리콜《부동액에 쓰임》.

éthylene gròup *n.* 〘化〙 에틸렌기(基).

ethy·nyl, ethi- [eθáinl, éθənìl] *n.* 〘化〙 에티닐(기(基)).

et·ic [étik] *a.* 〘言〙 에틱적인《언어·행동의 기술(記述)에서 기능면을 문제삼지 않는 관점에 대해 말함 ; cf. EMIC》. 〚phon*etic*〛

-et·ic [étik] *a. suf.* 「…의」「…와 같은」「…한 성질의」의 뜻. 〚L〛

eti·o·late [í:tiəlèit] *vt.* (햇빛을 차단하여 식물을) 희어지게 하다 ; (얼굴 따위를) 창백해지게 하다. ── *vi.* 희어지다, 창백해지다. 〚F (L *stipula* straw)〛

eti·o·la·tion [ì:tiəléiʃən] *n.* (햇빛을 차단하여 식물을) 희어지게 하기 ; 황화(黃化) ; 창백해지게 하기, 퇴색 ; 말라 시듦.

eti·ol·o·gy, ae·ti- [ì:tiálədʒi] *n.* 원인[기원]의 추구 ; 원인론[담(譚)] ; 〘醫〙 병인(학(學)). 〚L<Gk. (*aitia* cause)〛

etio·pàtho·génesis [ì:tiou-] *n.* 〘醫〙 (질병·이상 상태의) 발생 ; 원인 병리론.

*__et·i·quette__ [étikət, -kèt, ètikét] *n.* **1** Ⓤ 예절, 예법, 예의 범절, 에티켓 : a breach of ~ 버릇없음, 예절에 어긋남. **2** Ⓤ (동업자 사이의) 예의, 신의. 〚F=TICKET, memorandum〛

Et·na, Aet·na [étnə] *n.* **1** 에트나《Sicily 섬의 활화산》. **2** Ⓒ [e~] 알코올로 물을 끓이는 기구.

Eton [í:tən] *n.* **1** 이튼《London 남서쪽의 도시, Eton College의 소재지》. **2** 이튼교(校) ; [*pl.*] 이튼교 제복 : go into ~*s* 처음 이튼교 제복을 입다, 이튼교에 입학하다.

Éton blúe *n.* 밝은 청록색《이튼교의 교색》.

Éton cóllar *n.* 이튼 칼라《상의 깃 위에 씌우는 폭 넓은 칼라》.

Éton Cóllege *n.* 이튼교《영국의 유명한 public school ; 1440년 창립, Eton에 있음》.

Éton cróp *n.* (여성 머리의) 치켜 깎은 단발.

Eto·ni·an [i(:)tóuniən] *a., n.* Eton(교)의 ; 이튼교 학생[졸업생] : an old ~ 이튼교의 동창.

Éton jácket[**cóat**] *n.* 이튼교식(校式)의 상의《깃이 넓으며 기장이 짧음》.

Eton jacket

etor·phine [itɔ́:rfi:n] *n.* 〘藥〙 에토르핀《모르핀 비슷한 마약성 진통제》.

étran·ger [*F* etrɑ̃ʒe] *n.* 외국인, 이방인 ; 타인, 나그네, 모르는 사람.

étri·er [*F* etrije] *n.* 〘登山〙 에트리에《등반용의 짧은 줄사닥다리》. 〚F=stirrup〛

Etrog [i:trág] *n.* 〘映〙 에트로그상《캐나다 우수영화상》. 〚Sorel *Etrog* 디자인한 조각가〛

Etru·ria [itrúəriə] *n.* 에트루리아《이탈리아 서부에 있었던 옛 나라》.

Etrú·ri·an *a., n.* =ETRUSCAN.

Etrus·can [itrʌ́skən] *a.* 에트루리아의 ; 에트루리아인[어]의. ── *n.* 에트루리아인[어].

ETS [ì:tì:és] *vi.* 《美軍俗》 만기 제대하다. 〚*E*stimated *T*ime of *S*eparation〛

ETS 《美》 Educational Testing Service.

et seq., et sq. *et sequens* 《L》 (=and the following one).

et seqq., et sqq. *et sequentes*[*sequentia*] 《L》 (=and those that follow).

-ette [ét, èt, ət, it] *n. suf.* **1** [지소사(指小辭) 어미] : cigar*ette*. **2** [여성형을 만듦] : suffrag*ette*. **3** 〘商〙 …모조, …대용품 : leather*ette*. 〚F ; cf. -ET〛

étude [éitju:d ; *F* etyd] *n.* 〘樂〙 연습곡 ; (회화·조각 따위의) 습작. 〚F=study〛

etui, etwee [eitwí:, et-, étwi] *n.* (바늘·이쑤시개·화장품 따위를 담는) 작은 상자. 〚F〛

-e·tum [-í:təm] *n. suf.* (*pl.* **-e·ta** [-tə], **~s**) 「…수원」「…화원」의 뜻. 〚L〛

ETV Educational Television. **ETX** 〘컴퓨〙 end of text (텍스트 종결(문자)).

ety., etym., etymol. etymological ; etymology.

et·y·mo·log·i·cal, -ic [ètəməládʒik(əl)] *a.* 어원(語源)적인, 어원(학)상의 : an *etymological* dictionary 어원 사전. **-i·cal·ly** *adv.* 어원상, 어원적으로.

et·y·mol·o·gize [ètəmálədʒàiz] *vt., vi.* 어원을 조사[명시(明示)]하다.

et·y·mol·o·gy [ètəmálədʒi] *n.* **1** Ⓤ 어원 연구 ; 어원학. **2** (어떤 말의) 어원, 어원의 설명[추정(推定)]. **-gist** *n.* 어원학자.
〚OF<L<Gk. (↓)〛
et·y·mon [étəmàn] *n.* (*pl.* **~s**, **-ma** [-mə]) (파생어의 바탕이 되는) 낱말의 원형, 어근(語根).
〚L<Gk.=literal meaning or original form of a word (*etumos* true)〛
Eu 〔化〕 europium.
EU European Union (유럽 연합).
eu- [ju(:)] *comb. form* 「양(良)…」 「호(好)…」 「상태의」 「선(善)…」 따위의 뜻(↔ *dys-*) : *eu*genics, *eu*logy, *eu*phony. 〚Gk.〛
eu·caine [ju:kéin] *n.* 유케인《국부 마취제》.
eu·ca·lyp·tus [jù:kəlíptəs] *n.* (*pl.* **~es**, **-ti** [-tai]) 〔植〕 유칼리나무《오스트레일리아 원산의 상록 거목(巨木)》 : ~ oil 유칼리유(油).
〚L (*eu-*, Gk. *kaluptos* covered) ; 개화 전의 꽃이 덮여 있는 데서〛
eu·cary·ote, **-kary-** [ju:kǽriòut, -iət] *n.* 〔生〕 진핵(眞核) 생물. **eu·càry·ót·ic** [-át-] *a.*
eucaryótic cèll *n.* 〔生〕 진핵 세포.
Eu·cha·rist [jú:kərəst] *n.* [the ~] 〔宗〕 성찬, 성체 배령(聖體拜領) (cf. SACRAMENT) ; 성체 원소, 성찬 원료《빵과 포도주》 : give[receive] the ~ 성찬을 주다[받다], 성체를 주다[배령(拜領)하다].
〚OF<L<Gk.=thanksgiving〛
Eu·cha·ris·tic, 《古》 **-ti·cal** [jù:kərístik(əl)] *a.* 성찬의 ; [e~] 감사를 표명하는.
eu·chlo·rine [ju:klɔ́:ri:n], **-rin** [-rən] *n.* 〔化〕 유클로린《염소와 이산화염소의 혼합 기체》.
〚CHLORINE〛
eu·chre [jú:kər] *n.* Ⓤ 〔카드놀이〕 유커《미국·오스트레일리아에서 널리 행해지고 있는 놀이의 일종 ; cf. BOWER[3]》. —— *vi.* (유커에서) 상대의 실수를 이용하여 이기다 ; 《口·비유》 (속임수로) 앞지르다. 〚C19<?〛
eu·chrómatin *n.* 〔遺〕 진정 염색질(cf. HETEROCHROMATIN). **èu·chromátic** *a.*
eu·chrómo·sòme *n.* 진정 염색체(autosome).
Eu·clid [jú:kləd] *n.* **1** 유클리드《기원전 300년경의 Alexandria의 기하학자》 : ~'s Elements 유클리드 기하학. **2** Ⓤ 유클리드 기하학 ; (흔히) 기하학(geometry).
Eu·clid·e·an, **-i·an** [ju:klídiən] *a.* 유클리드의 ; (유클리드) 기하학의.
Euclídean álgorithm *n.* 〔數〕 (유클리드의) 호제법(互除法).
Euclídean geómetry *n.* 유클리드 기하학.
eu·coe·lo·mate [ju:sí:ləmèit] *n.* 〔生〕 진체강(眞體腔).
eu·dae·mo·nia, **-de-** [jù:dimóuniə], **-dai-** [-dai-] *n.* 행복.
〚Gk.=happiness ; ⇨ DAIMON〛
eu·dae·mon·ic, **-de-**, **-i·cal** [jù:dimánik(əl)] *a.* 행복을 가져오는 ; 행복 (추구) 주의의.
èu·dae·món·ics, **-de-** *n.* =EUDAEMONISM ; 행복론.
eu·dae·mo·nism, **-de-** [ju:dí:mənìzəm], **-dai-** [-dái-] *n.* 〔哲·倫〕 행복주의, 행복설.
eu·di·om·e·ter [jù:diámətər] *n.* 〔化〕 물[가스] 전량계, 유디오미터.
Eu·gene [ju:dʒí:n ; ju:ʒéin, jú:dʒi:n], **Eu·gène** [ju:ʒéin] *n.* 남자 이름《애칭 Gene》.
〚(F<)Gk. =well-born〛
eu·gen·ic, **-i·cal** [ju:dʒénik(əl)] *a.* 〔生〕 우생(학)의, 우생학적인(↔*dysgenic*) ; 우수한 형질을 이어받은. **-i·cal·ly** *adv.* 우생학적으로.
〚*eu-*+Gk. *gen-* to produce〛
eu·gen·i·cist [ju:dʒénəsəst], **eu·gen·ist** [jú:dʒənəst] *n.* 우생학자 ; 우생학 추진론자, 인종 개량론자.
eu·gén·ics *n.* **1** Ⓤ 우생학(cf. EUTHENICS) (↔ *dysgenics*). **2** Ⓤ 생물 개량학(cf. MENDELISM).
eu·gle·na [ju:glí:nə] *n.* 유글레나, 연두벌레.
eu·gle·noid [ju:glí:nɔid] *a.*, *n.* 〔生〕 유글레나 무리의 (각종 편모충).
eu·hédral *a.* 〔地質〕 자형(自形)의.
Eu·ler [ɔ́ilər] *n.* 오일러. **Leonhard** ~ (1707-83) 스위스의 수학자·물리학자.
Éuler's fórmula *n.* 〔數·力學〕 오일러의 공식.
eu·lo·gist [jú:lədʒəst] *n.* 찬사를 보내는 사람, 찬양자.
eu·lo·gis·tic, **-ti·cal** [jù:lədʒístik(əl)] *a.* 찬미하는, 찬양하는. **-ti·cal·ly** *adv.* 찬미[찬양]하여.
eu·lo·gi·um [ju:lóudʒiəm] *n.* (*pl.* **~s**, **-gia** [-dʒiə]) =EULOGY.
eu·lo·gize [jú:lədʒàiz] *vt.* 칭찬하다, 찬미하다.
eu·lo·gy [jú:lədʒi] *n.* **1** Ⓤ 칭찬, 찬양(praise) : chant the ~ *of* …을 칭찬하다. **2** 찬사 ; (죽은 사람에 대한) 송덕문(頌德文) : pronounce a ~ (*up*) *on* the dead 고인에게 찬사를 보내다.
〚L *eulogium*<Gk. *eulogia* praise〛
Eu·men·i·des [ju:ménədi:z] *n. pl.* 〔그神〕 에우메니데스(Furies).
Eu·nice [jú:nəs] *n.* 여자 이름.
〚Gk.=happy victory〛
eu·nuch [jú:nək, -nik] *n.* 거세된 사나이 ; (옛날 동양의) 환관(宦官) ; 내시 ; 유약한 남자.
〚L<Gk.=bed keeper (*eunē* bed)〛
eu·pep·sia [ju:pépʃə, -siə], **-sy** [-si] *n.* Ⓤ 〔醫〕 소화 정상[양호](↔*dyspepsia*).
〚Gk. (*peptō* to digest)〛
eu·pép·tic *a.* 소화가 양호한 ; 명랑한, 낙천적인.
euphem. euphemism ; euphemistic(ally).
Eu·phe·mia [ju(:)fí:miə] *n.* 여자 이름.
〚Gk.=(of) good repute〛
eu·phe·mism [jú:fəmìzəm] *n.* **1** Ⓤ 완곡한 어법. **2** 완곡 어구 : "Be no more" is a ~ *for* "be dead." 〔修〕 이제는 없다는 죽었다를 완곡하게 말한 것이다. 〚Gk. (*phēmē* speaking)〛
éu·phe·mist *n.* 완곡한 어투를 쓰는 사람.
èu·phe·mís·tic, **-ti·cal** *a.* 완곡한 어법의 ; 완곡한. **-ti·cal·ly** *adv.* 완곡하게.
eu·phe·mize [jú:fəmàiz] *vt.*, *vi.* 완곡하게 말하다, 완곡한 말투를 쓰다.
eu·phen·ics [ju:féniks] *n.* 인간 개조학《장기 이식·보철 공학 따위에 의한》.
eu·phóbia *n.* 《廢》 길보[낭보] 공포《뒤에 나쁜 소식이 이어진다 하여》.
eu·phon·ic, **-i·cal** [ju:fánik(əl)] *a.* **1** 음편(音便)상의 : ~ changes 음편. **2** =EUPHONIOUS. **-i·cal·ly** *adv.*
eu·pho·ni·ous [ju:fóuniəs] *a.* 음조가[듣기에] 좋은 ; 조화된. **~·ly** *adv.* 음조가 좋게.
eu·pho·ni·um [ju:fóuniəm] *n.* 유포늄《놋쇠로 만든 저음 관악기의 일종》.
〚*euph*ony+harm*onium*〛
eu·pho·nize [jú:fənàiz] *vt.* 음조(音調)[어조]를 좋게 하다.
eu·phony [jú:fəni] *n.* 듣기 좋은 소리, 듣기 좋은 음조(音調)(↔*cacophony*) ; 발음상의 편의.
〚F<L<Gk. (*phōnē* sound)〛
eu·phor·bia [ju:fɔ́:rbiə] *n.* 〔植〕 대극과(大戟科)

의 식물. 〖L *euphorbea*＜*Euphorbus* 1세기경의 모리타니의 의사〗
eu·pho·ria [ju:fɔ́:riə] *n.* Ⓤ 〖心〗 다행증(多幸症), 행복감 ; 《俗》 마약에 의한 도취(감).
eu·phór·ic *a.* 큰 기쁨의. 〖Gk. *eu*-(*phoros*＜*pherō* to bear) =well-bearing〗
eu·pho·ri·ant [jufɔ́:riənt] *a.* 다행(증)의, 다행감을 주는.
—— *n.* 〖醫〗 도취약.
eu·pho·ri·génic [jufɔ̀:rə-] *a.* 다행감[도취]을 일으키는.
eu·pho·ry [jú:fəri] *n.* =EUPHORIA.
eu·phra·sy [jú:frəsi] *n.* 〖植〗 좁쌀풀. 〖L＜Gk.=cheerfulness〗
Eu·phra·tes [ju:fréiti:z] *n.* [the ～] 유프라테스강《서아시아 서부의 강 ; 하류 유역은 고대 문명의 발상지》.
Eu·phros·y·ne [ju:frásənì: ; -frɔ́zi-] *n.* 〖그 神〗 에우프로시네《기쁨의 여신 ; cf. GRACE *n.* 10》.
eu·phu·ism [jú:fju:ìzəm] *n.* Ⓤ (16-17세기에 유행한) 멋을 부린 화려체 ; 미사 여구. 〖*Euphues*, John Lyly (d. 1606) 작의 소설(류의 쓰는 법) ; Gk.=well-endowed by nature〗
éu·phu·ist *n.* 미사 여구의 사용자, 화려한 문체를 즐기는 문장가.
èu·phu·ís·tic, -ti·cal *a.* 미사 여구를 즐기는, (문체가) 화려한, 멋을 부린 : *euphuistic* phrases 미사 여구.
-ti·cal·ly *adv.*
eup·nea, -noea [ju:pní:ə, jú:pniə] *n.* 〖醫〗 호흡 정상(正常) (↔*dyspn*(*o*)*ea*).
eu·po·tam·ic [jù:pətǽmik] *a.* 〖生態〗 담수[민물]에서 자라는[서식하는].
Eur- [júər], **Eu·ro-** [júərou, -rə] *comb. form* 「유럽」의 뜻. 〖*Europe*〗
Eur. Europe ; European.
Eur·áfrican [juər-] *a.* 유럽과 아프리카의.
Éu·rail·pàss [júəreil-] *n.* 유레일 패스《유럽 철도 주유권》. 〖*Eur*opean *rail*road *pass*〗
Èur·américan, Èuro-Américan *a.* 유럽과 아메리카의.
Eur·ásia [juər-] *n.* 유라시아.
Eur·ásian *a.* **1** 유라시아의 : the ～ Continent 유라시아 대륙. **2** 유럽과 아시아의 혼혈(종)의.
—— *n.* 유럽과 아시아의 혼혈아 ; 유라시아인.
Eu·rat·om [juərǽtəm] *n.* 유라톰, 유럽 원자력 공동체. 〖*Eur*opean *Atom*ic Energy Community〗
EURCO European Composite Unit (유럽 계산 단위).
eu·re·ka [juərí:kə] *int.* 알았다!, 신난다!, 됐다! ㊟ 아르키메데스가 왕관의 금의 순도를 재는 방법을 발견했을 때 외친 말 ; 미국 California 주의 표어. 〖Gk.=I have found (it) !〗
EUREKA European Research Coordination Agency(유럽 공동 기술개발 기구).
eurhythmics ☞ EURYTHMICS.
eurhythmy ☞ EURYTHMY.
Eu·rip·i·des [juərípədì:z] *n.* 에우리피데스(480?-406? B.C.)《그리스의 비극 시인》.
eu·ro [júərou] *n.* (*pl.* **～s**) 〖動〗 월러루(wallaroo) 《캥거루의 일종》. 〖(Austral.)〗
Euro *a.* 유럽의. —— *n.* 유로 화폐 단위《현재 제안되고 있는 유럽 공통 화폐 단위》.
Euro-American ☞ EURAMERICAN.
Éuro·bànk *n.* [보통 *pl.*] 유로뱅크《유럽 공동 시장에서 금융거래를 하는 유럽의 은행업 기관》.
Éuro·bànk·er *n.* 유로뱅크 은행가(家) ; 유로뱅크 은행.
Éuro·blènd *n.* 유로블렌드《독일 이외의 유럽에서 제조한 포도주를 혼합한 독일의 테이블 포도주》.
Éuro·bònd *n.* 유로채(債).
Éuro·céntric *a.* 유럽 (사람) 중심의.
Éuro·chèque *n.* 《英》 유로체크《유럽에서 사용되는 신용 카드》.
Éuro·clèar *n.* 유럽 공동 시장의 어음 교환소.
Éuro·cómmunism *n.* Ⓤ 프랑스·이탈리아를 중심으로 한 서유럽 공산주의.
Eu·roc·racy [juərákrəsi] *n.* [집합적으로] 유럽 공동체의 행정관(Eurocrats).
Éuro·cràt *n.* 유럽 공동시장 행정관, 유로 크랫, 유럽 관료. **Èuro·crátic** *a.* 유럽 공동시장 행정의, 유럽 관료의.
Éuro·crèdit *n.* 유로크레디트《유로뱅크에 의한 대출(貸出)》.
Éuro·cùrrency *n.* 유로머니《유럽에서 쓰이는 각국의 통화》.
Éuro·dòllar *n.* 유로달러《유럽에서 국제 결제에 쓰이는 미국 dollar》.
Éuro·gròup *n.* 유로그룹《프랑스·아이슬란드를 제외한 유럽의 NATO 가맹국 국방장관 그룹》.
Éuro·màrket, Éuro·màrt *n.* =EUROPEAN COMMON MARKET.
Éuro·mìssile *n.* 유로미사일《구소련의 SS-20 중거리 탄도 미사일 배치에 대항하여 미국이 NATO 각국에 배치한 전역(戰域) 핵미사일의 총칭》.
Éuro·mòney *n.* =EUROCURRENCY.
Éuro·nèt *n.* 유로네트《EEC가 관리하는 컴퓨터에 의한 과학·공업에 관한 정보 교환망》.
Eu·ro·pa [juəróupə] *n.* 〖그 神〗 에우로파 《Phoenicia의 왕녀로 Zeus의 사랑을 받음》.
Éuro·pàtent *n.* 유럽 특허《전유럽 내에서 유효한 특허》.
‡**Eu·rope** [júərəp] *n.* 유럽(주) ; (영국과 구별하여) 유럽 대륙 ; 유럽 공동 시장 : join ～ 유럽공동 시장에 가입하다. 〖L *Eurōpa*＜Gk. *Eurōpē*＜? Sem.=the land of the setting sun〗
‡**Eu·ro·pe·an** [jùərəpí:ən] *a.* 유럽의 ; 유럽인의.

〈회화〉
You look *European*. — Actually I am from Canada. 「당신은 유럽 사람 같군요」「실은 캐나다 출신입니다」

—— *n.* 유럽인 ; 유럽 공동 시장 주의자[가맹국]. 〖F＜L (↑)〗
Européan árticle nùmber *n.* (유럽에서 쓰이는) 상품 코드《UPC(통일 상품 코드)의 유럽판 ; 略 EAN》.
Européan Commìssion *n.* =COMMISSION OF THE EUROPEAN COMMUNITY.
Européan Cómmon Márket *n.* [the ～] 유럽공동 시장《European Economic Community의 별칭 ; 略 ECM》.
Européan Commúnity *n.* [the ～] 유럽 공동체《略 EC》.
Européan Cónference for Secúrity and Cooperátion *n.* 전유럽 안보협력 회의《1975년 헬싱키에서 알바니아를 제외한 동서 유럽 제국과 미국·캐나다의 35개국 수뇌가 조인함 ; 일명 Helsinki Conference》.
Européan Cóuncil *n.* 〖經〗 유럽 이사회《EC가맹국 수뇌회의》.

Européan Cúrrency Ùnit *n.* 유럽 통화 단위《略 ECU》.

Européan Económic Área *n.* 유럽 경제 지역《略 EEA》.

Européan Económic Commúnity *n.* [the ~] 유럽 경제 공동체《略 EEC》.

Européan Frée Tráde Associàtion *n.* [the ~] 유럽 자유 무역 연합《略 EFTA》.

Européan Invéstment Bànk *n.* [the ~] 유럽 투자은행《略 E.I.B., B.E.I.》.

Européan·ìsm *n.* Ⓤ 유럽주의[정신, 풍]; 유럽 공동 시장 주의[운동]. **-ist** *a.*, *n.* 유럽 공동 시장 주의의[운동을 지지하는] (사람).

Européan·ìze *vt.* 유럽식으로 하다, 유럽화하다. **Europèan·izá·tion** *n.* 유럽화.

Européan Mónetary Sỳstem *n.* [the ~] 유럽 통화 제도《略 EMS》.

Européan Núclear Disármament *n.* 유럽 핵무기 완전 철폐 운동《略 END》.

Européan Párliament *n.* 유럽 의회《EC가맹국 국민의 직접 선거로 의원을 선출함》.

Européan plàn *n.* 《美》 [the ~] 유럽 방식《투숙비와 식비를 따로 계산하는 호텔 요금제; cf. AMERICAN PLAN》.

Européan Recóvery Prògram *n.* [the ~] 유럽 부흥계획《略 ERP; 통칭 Marshall Plan》.

Européan Secúrity and Disármament Cònference *n.* [the ~] 유럽 군축회의《1984년 스톡홀름에서 제1회 회의 개최》.

Européan Spáce Àgency *n.* 유럽 우주기관《프랑스, 독일, 이탈리아, 네덜란드, 스위스, 영국 따위의 10개 참가국; 略 ESA》.

Européan Trável Commìssion *n.* 유럽 여행 위원회《유럽의 22개국 참가》.

Européan Union *n.* 유럽 연합, 유럽 공동체.

eu·ro·pi·um [juəróupiəm] *n.* Ⓤ 〖化〗 유로퓸《희토류 원소; 기호 Eu; 번호 63》.

Éuro·plùg *n.* 〖電〗 유로플러그《유럽 제국의 각종 소켓에 공용되는 플러그》.

Eu·ro·po·céntric [juəròupə-] *a.* 유럽 중심(주의)의. **-cén·trism** *n.*

Eu·ro·port [júərəpɔ̀:rt] *n.* 유로포트《유럽 공동체의 수출입항》.

Èuro·rádio *n.* 유로라디오《서유럽 제국의 공동 경영 라디오 방송국》.

Éuro·sàt *n.* 유로샛《유럽 통신 위성 회사》.

Éuro·spàce *n.* 유로스페이스《유럽 우주(宇宙)산업 연합회》.

Éuro·tùnnel *n.* 유로터널《영국과 프랑스간 해협 터널》.

Èuro·vísion *n.* 서유럽 텔레비전 방송망.

Eu·ryd·i·ce [juərídəsi:] *n.* 〖그神〗 에우리디케《Orpheus의 아내》.

eu·ryth·mic, -rhyth-, -mi·cal [juəríðmik(-əl)] *a.* 조화와 균형이 잡힌; (음악 따위) 기분 좋은 리듬을 지닌, 율동적인; eurythmics의; eurythmy의.

eu·rýth·mics, -rhýth- *n.* 유리드믹스《음악 리듬을 몸놀림으로 표현하는 리듬 교육법》.

eu·ryth·my, -rhyth- [juəríðmi] *n.* 율동적 운동, 조화가 잡힌 움직임; 균형; 유리드미《리듬에 맞춘 신체표현으로 육체적 결함을 극복케 하려는 치료적 성격의 교육법》.

eu·sol [jú:sɔ(:)l, -soul, -sɑl] *n.* 〖藥〗 유솔《표백분·붕산의 용액; 살균 방부제》.

Eus·tace [jú:stəs] *n.* 남자 이름.

〚L<Gk.=steadfast; rich in harvest〛

Eu·stá·chian tùbe [ju:stéiʃiən-, -kiən-] *n.* 〖解〗 유스타키오관(管)《중이(中耳)에서 인후로 통하는 관》. 〚↓〛

Eu·sta·chio [èiustɑ́:kiòu] *n.* 에우스타키오. **Bartolmmeo ~** (1524?-74) 이탈리아의 해부학자.

eu·stele [jú:sti:l, jùstí:li] *n.* 〖植〗 진정 중심주(柱), 참 중심주.

eu·stress [jú:strès] *n.* 〖心〗 유스트레스《힘차게 살기 위한 원동력, 최적 목표를 향한 노력 따위의 상쾌한 스트레스》. ㈜ 불쾌한 스트레스는 distress 라 함.

eu·tec·tic [ju:téktik] *a.* 〖化〗 (합금·용액이) 극소 녹는점을 갖는, 공융(共融)의; 공정(共晶)의: a ~ mixture 공융 혼합(混合)물 / the ~ point [temperature] 공융[공정]점[온도]. —— *n.* 공정《공융 혼합물》; 공융점.

Eu·ter·pe [ju:tə́:rpi] *n.* 〖그神〗 에우테르페《음악·서정시의 여신; Nine Muses의 하나》. **~·an** *a.* Euterpe의; 음악의.

eu·tha·na·sia [jù:θənéiʒiə, -ziə] *n.* Ⓤ 안락사, 안락사술.

eu·tha·nize [jú:θənàiz] *vt.* 안락사시키다.

eu·then·ics [ju:θéniks] *n.* 우경학(優境學), 환경 우생학, 생활 개선학. **eu·thé·nist** [, jú:θənəst] *n.* 환경 우생학자.

eu·tróphic *a.* (하천·호수가) 부영양(富營養)의.

eu·troph·i·cate [ju:trɑ́fəkèit] *vi.* 〖生態〗 (호수 따위) 부영양화하다, (처리 폐수 따위로) 영양 오염하다. **eu·tròph·i·cá·tion** *n.* 부영양화, 영양 오염; 부영양수(水).

éu·tro·phied *a.* (호수·강 따위의) 부영양화한, 영양 오염된.

eu·tro·phy [jú:trəfi] *n.* Ⓤ (호수의) 부영양 상태.

E.V. English Version (of the Bible). **EV, eV, ev, e.v.** electron volt.

Eva [í:və] *n.* 여자 이름. 〚It., Sp., G; ⇨ EVE〛

EVA 〖化〗 ethylene vinylacetate copolymer (에틸렌 아세트산 비닐 공중합체(共重合體)); extravehicular activity. **evac.** evacuation.

evac·u·ant [ivǽkjuənt] *a.* 비우는; 〖醫〗 배설[설사] 촉진의. —— *n.* 설사약, 하제.

evac·u·ate [ivǽkjuèit] *vt.* **1** (사람을) 피난[대피]시키다, (군대를) 철수시키다〈*from, to*〉; (집 따위에서) 물러나다: Police ~*d* the theater. 경찰은 사람들을 극장에서 대피시켰다 / ~ a building 건물에서 물러나다. **2** (용기·장(腸) 따위를) 비우다, 공기[가스, 물 따위]를 빼다〈*of*〉; (내용물 따위를) 제거하다, 빼다, 배출하다, 배설하다〈*of*〉: ~ the bowels 배변하다 / ~ a vessel *of* air= ~ air *from* a vessel 용기를 진공상태가 되게 하다. —— *vi.* 피난[철수]하다; 배설하다, (특히) 배변하다. **-à·tor** *n.* **evác·u·à·tive** [; -ətiv] *a.* 〚L; ⇨ VACUUM〛

evàc·u·á·tion *n.* **1** Ⓤ,Ⓒ 비움, 배출, 배기; 비우고 떠나기; 철수, 소개(疎開), 피난, 대피; 〖軍〗 철퇴, 철군. **2** Ⓤ,Ⓒ 배설; Ⓒ 배설[배출]물.

evac·u·ee [ivæ̀kjuí:, 美+-ˊ-ˋ] *n.* (공습에서의) 피난자, 대피자; (전쟁터에서의) 피난[철수]민.

evád·able *a.* (회)피할 수 있는.

***evade** [ivéid] *vi.* 교묘하게 피하다; 《稀》 도망치다, 몰래 떠나다. —— *vt.* **1** (교묘하게) 피하다,

비키다, 벗어나다(elude) : ~ a blow 타격으로부터 몸을 피하다 / ~ one's pursuers 추적자의 눈을 피하다. **2** [+目 / +do*ing*] (질문 따위를) 회피하다, 교묘히 피하다(dodge) ; (의무·지불 따위를) 회피[기피]하다 ; (특히) (세금)의 탈세를 하다 ; (법률·규칙을) 교묘히 피하다 : The witness tried to ~ an embarrassing question. 증인은 곤란한 질문을 회피하려고 했다 / ~ military service 병역을 기피하다 / ~ pay*ing* one's debts 교묘히 빚을 갚지 않다. **3** (사물이 노력 따위를) 헛되게[보람없게] 하다(baffle).
〖F<L *e-*(*vas- vado* to go)=to escape〗
類義語 ⟹ ESCAPE.

eval·u·ate [ivǽljuèit] *vt.* 평가하다, 어림잡아 값을 매기다(estimate) ; 〘數〙 …의 수치를 구하다. —— *vi.* 평가를 하다. **evál·u·à·tive** [; -ətiv] *a.* **-à·tor** *n.* 〖역성(逆成)<↓〗
類義語 ⟹ ESTIMATE.

eval·u·a·tion [ivæ̀ljuéiʃən] *n.* Ⓤ 평가(valuation) ; 〘數〙 수값을 구하기.
〖F ; ⇨ VALUE〗

Ev·an [évən] *n.* 남자 이름. 〖Welsh ; ⇨ JOHN〗

ev·a·nesce [èvənés, ⌐-⌐] *vi.* (차차) 사라져가다, 소실(消失)하다.
〖L ; ⇨ VANISH〗

èv·a·nés·cent *a.* **1** (차차) 사라져가는 ; 잠깐 사이의, 덧[속절]없는(transitory). **2** 곧 시드는. **~·ly** *adv.* (차차로) 사라져서 ; 속절[덧]없이. **-cence** *n.* 소실 ; 덧없음.

evang. evangelical.

evan·gel [ivǽndʒəl] *n.* 《古》 **1** [보통 E~] 복음(福音) (Gospel) ; 〘聖〙 (신약 성서 중의) 복음서 ; [the E~s] 〘聖〙 4복음서《Matthew, Mark, Luke, John의 4편》. **2** 길보(吉報), 낭보(good news). **3** (정치 따위의) 기본적 지도원리 ; 강령(綱領), 신조, 주의.
〖OF<L<Gk.=good news ; ⇨ ANGEL〗

evan·gel·ic [ì:vændʒélik, èvən-] *a.* 복음(서)의, 복음 전도의.

èvan·gél·i·cal *a.* **1** =EVANGELIC. **2 a)** [때때로 E~] 복음주의[신교(新教)]의《영국에서는 Low Church「저(低)교회파」에, 미국에서는「신교 정통파」에 대해 말함》. **b)** =EVANGELISTIC 2. —— *n.* [E~] 복음주의자, 복음파의 사람. **~·ism** *n.* Ⓤ 복음주의. **~·ly** *adv.* 복음에 의하여.

Evangélical Fríends Allíance *n.* 복음 프렌드 조합《퀘이커 교도라는 뜻》.

Evan·ge·line [ivǽndʒəlì:n] *n.* 여자 이름.
〖Gk.=(one) bringing good news〗

evan·ge·lism [ivǽndʒəlìzəm] *n.* Ⓤ 복음 전도(에 열중하기) ; 복음주의《기독교 신교의 한 파로 형식보다도 신앙을 중히 여김》.

eván·ge·list *n.* [흔히 E~] 복음서의 저자《Matthew, Mark, Luke, John》; 복음 전도자 ; 순회 설교자, (속인의) 복음 선전자.

evan·ge·lis·tic [ivæ̀ndʒəlístik] *a.* **1** 복음서 저자의 ; 복음 전도(자)의, 전도하는. **2** (복음) 전도적 열의에 불타는 ; 열렬한.

evan·ge·lize [ivǽndʒəlàiz] *vt., vi.* (…에게) 복음을 설교하다 ; (…에게) 전도하다. **-lìz·er** *n.* **evàn·ge·li·zá·tion** *n.* 복음 전도, 복음 설교.

evan·ish [ivǽniʃ] *vi.* 《詩》 사라지다, 소실하다. **~·ment** *n.* 소실, 소멸.

evap·o·ra·ble [ivǽpərəbəl] *a.* 증발성의.

***evap·o·rate** [ivǽpərèit] *vt.* **1** 증발시키다 : Heat ~*s* water. 열은 물을 증발시킨다. **2** (과일 따위를) 건조시키다 : ~*d* milk 농축 우유(cf. LIQUID *milk*) / ~*d* apples 건조(시킨) 사과. **3** 소산(消散)[소멸]시키다. **4** (필름·금속에) 증착(蒸着)시키다. —— *vi.* **1** 증발하다 : Water ~*s* when it is boiled. 물은 끓으면 증발한다. **2** 소산[소멸]하다, 꺼지다, 없어지다(disappear), 헛되이 사라지다 ; 《戱》 죽다, 사라져가다.
〖L=dispersed in VAPOR〗

eváp·o·ràt·ing dìsh[**bàsin**] *n.* 〘化〙 증발(蒸發) 접시.

evàp·o·rá·tion *n.* U,C **1** 증발(작용) ; 발산. **2** 증(발)기(蒸(發)氣). **3** 증발 탈수법(脫水法), 증발 건조. **4** 소실(消失).

eváp·o·rà·tive [; -pərə-] *a.* 증발의, 증발을 일으키는, 증발시키는.

evàp·o·ra·tív·i·ty [; -pərə-] *n.* 증발성(性) ; 증발도[율].

eváp·o·rà·tor *n.* 증발기(器) ; (과일 따위의) 증발건조기.

evap·o·rim·e·ter [ivæ̀pərímətər], **-rom-** [-rám-] *n.* 증발계(計)(atmometer).

evap·o·rite [ivǽpəràit] *n.* 〘地質〙 증발(잔류)암(蒸發(殘留)岩).

evapo·transpirátion [ivæ̀pou-] *n.* 〘氣〙 증발산 ; 증발산량《지구에서 대기로 환원되는 수분의 총량》.

eva·sion [ivéiʒən] *n.* U,C (책임·의무 따위의) 회피, 기피 ; (특히) 탈세 ; 탈출(escape) ; 변명, 발뺌 : take shelter *in* ~*s* 핑계를 대어 빠지다.

〈회화〉
There's a lot of tax *evasion* lately. — Yes, society seems to be going downhill, doesn't it? 「최근에 탈세가 많아졌어」「맞아, 사회가 나빠지고 있는 것 같애」

〖OF<L ; ⇨ EVADE〗

eva·sive [ivéisiv] *a.* 회피적인, 포착하기 어려운(elusive) ; (회답 따위) 핑계를 대는, 발뺌하는. **~·ly** *adv.* 회피적으로, 핑계를 대어, 애매하게. **~·ness** *n.* 포착하기 어려움, 애매함 ; (발뺌하는) 교활함.

***eve** [i:v] *n.* **1** 《古》 밤, 저녁, 저녁때(evening). **2** 축제일 전날 밤 : ☞ CHRISTMAS EVE / New Year's *E*~ ☞ NEW YEAR. **3** (중요한 사건 따위의) 직전, 전야(前夜) : *on* the ~ *of* victory 승리의 직전에.
〖ME EVEN ; *-n*의 소실(消失)은 cf. MAID〗

Eve *n.* 〘聖〙 이브, 하와《Adam의 아내 ; 하느님이 창조하신 최초의 여자》.
〖OE *Ēfe*<L<Heb.=life, living〗

evec·tion [ivékʃən] *n.* 〘天〙 출차(出差)《태양의 작용에 의한 달 운행의 주기적 차이》.

Ev·e·li·na [èvəláinə, -lí:- ; -lí:-] *n.* 여자 이름.
〖It. (dim.) ; ⇨ EVE〗

Eve·line [évəlàin, -lì:n ; í:vlin] *n.* 여자 이름.
〖↓〗

Eve·lyn [évəlin ; í:vlin] *n.* 여자 이름 ; 《英》 남자 이름. 〖OF<Gmc. (dim.) ; ⇨ EVE〗

◇even[1] [í:vən]

(1) 기본 뜻 :「강조」
(2) even은 부사·형용사·동사로 쓰인다. 특히 부사로서「…조차도, …까지도」의 용법이 중요하다.
(3) 부사로서 even은 대개 피수식어 앞에 놓이지만 전치사나 일반 부사와는 달리 문장 속의 여러 요소《품사와 격에 관계없이》와 결합할 수

가 있다.
(4) 구문·수식 관계에 있어서는 only와 공통점이 많다.

—— *adv.* **1 a)** [(대)명사를 수식하며 말하는 이의 주관적 기분을 강조] …조차도, …(이)라도, …까지도(cf. *not so much as*) : *E*∼ now it's not too late. 지금이라도 늦지 않다 / He disputes ∼ the facts. 그는 (추론뿐만 아니라) 사실까지도 간섭한다 / *E*∼ a child can answer it. 어린아이라도 대답할 수 있다 / I *never* ∼ heard of it. 그것은 들어보지도 못했다 / You were right ∼ in that case. 그 경우에서도 자네가 옳았네. **b)** [비교급을 강조하여] 보다 더, 더한층, 더욱(still) : This book is ∼ better than that. 이 책은 저 책보다 더 좋다. **c)** …에도 불구하고(in spite of) : *E*∼ with his head start, I soon overtook him. 그가 먼저 출발했지만, 나는 곧 그를 앞질렀다. **2 a)** 《古》 바로, 마침(just) ; 즉, 다시 말하면(that is) : It happened ∼ *as* I expected. 바로 예측한 대로 일어났다 / *E*∼ *as* I reached the doorway, a man came darting out of it. 마침 내가 문에 당도했을 때 한 남자가 문으로 뛰쳐나왔다 / This is Our Master, ∼ Christ. 〖聖〗 우리들의 주(主), 즉 그리스도이시니라. **b)** 내내, 아주(fully) : He was in good spirits ∼ to his death. 그는 죽을 때까지 내내 의기왕성했다. **3** 서로, 호각으로(evenly) : The two horses ran ∼. 2필의 말은 서로 뒤지지 않고 나란히 달렸다. **4** 평평하게 ; 한결같이, 똑같게 : The road ran ∼. 길은 평탄하게 뻗어 있었다 / The motor runs ∼. 모터는 원활하게 작동된다.

even if = ***even though*** 비록[설사] …이라 할지라도(although) : I shan't mind ∼ *if*[*though*] she doesn't come. 설사 그녀가 오지 않더라도 괜찮습니다 / They couldn't, ∼ *if* they would, get out of trouble by themselves. 설사 그들의 힘으로 곤란을 모면하려 해도 안될 것이다.

even now (1) 지금이라도, 당장에라도(cf. 1 a)). (2) 《詩》 바로 지금(cf. 2).

even so 비록[가령] 그렇지라도 ; 《古》 바로 그대로(quite so) : He has some faults ; ∼ *so* he is a good man. 그는 결점이 있으나 비록 그렇지라도 착한 사람이다.

even then 그 때에라도 ; 그렇더라도, 그래도.

—— *a.* (∼·**er** ; ∼·**est**) **1** (면(面)이) 평평한, 평탄한(flat, level) ; 매끄러운(smooth). **2** 수평인, (…와) 평행한 : ∼ *with* the ground 지면과 같은 높이의. **3** (빛깔 따위) 고른, 고르게 된 : an ∼ color 고른 빛깔. **4** 동등한(equal), 동일한(identical). **5** (동작이) 규칙적인, 똑같은, 정연(整然)한(regular) : an ∼ tempo 똑같은 템포[속도]. **6** 짝수[우수]의(↔*odd*) ; 우수리가 없는, 꼭 맞는 : an ∼ number 짝수 /an ∼ page 짝수 페이지 / an ∼ hundred 꼭 100. **7** 균형이 잡힌, 대등한, 호각(互角)의 : an ∼ bargain 손익(損益)이 없는 거래 / an ∼ chance ☞ CHANCE *n.* 2 / on ∼ ground 대등하게[한 입장에서] / This will make all ∼. 이로써 대차(貸借)가 없어진다 / The chances[odds] are ∼. 승산은 반반이다. **8** (마음·기질이) 한쪽으로 기울지 않는, 평정(平靜)한, 침착한, 차분한(calm). **9** (재판 따위가) 공정한, 공평한(fair). **10** 단조로운, 평범한(monotonous).

***be*[*get*] *even with*. . .** (남에게) 앙갚음하다 ; 《美》 빚이 없다[없게 되다].

break even ☞ BREAK *v.*

of even date 〖法·商〗 (서면(書面)이) 같은 날짜의.

on an even keel (배가) 수평으로.

—— *vt.* **1** [+目 / +目+副] 평평하게 하다, 평탄하게 하다(level) ; 평등[동등]하게 하다, 평형(平衡)시키다(balance) : ∼ ***up*** accounts (거래) 장부 대차(貸借)를 맞추다 / That will ∼ things *up*. 그것으로(써) 일의 균형이 잡힌다. **2** …와 동등하게 다루다〈*to*〉. —— *vi.* 평등하다, 호각이 되다〈*out, up, off*〉.

***even up on*[*with*]. . .** 《美》 (남에게) 보답하다[앙갚음하다].

〖OE *efen* ; cf. G *eben*〗

類義語 ⟹ LEVEL, STEADY.

even[2] *n.* 《古·詩》 저녁, 밤(evening).
〖OE *ǽfen* ; cf. G *Abend*〗

événe·ment [*F* evɛnmɑ̃] *n.* 사건, (특히) 사회적·정치적 대사건.

éven·fàll *n.* 《詩》 황혼, 저녁, 땅거미질 무렵.

éven fúnction *n.* 〖數〗 짝함수(函數).

éven·hánd·ed *a.* 공평한, 공명 정대한(impartial). ∼·**ly** *adv.* ∼·**ness** *n.* 공평, 공정.

◇**eve·ning** [íːvniŋ] *n.* **1** 해질 무렵, 밤, 저녁, 저녁나절《일몰에서 취침시까지 ; 略 evg.》 : early[late] *in* the ∼ 저녁 일찍이[늦게]《주 이것이 in the early[late] ∼ 보다 일반적인 표현》 / *on* the ∼ of the 3rd = in the ∼ on[of] the 3rd 3일 저녁에 / *on* Sunday ∼ 일요일 저녁에 / the next[following] ∼ [부사구로도 쓰여] 다음날 저녁 / this [yesterday, tomorrow] ∼ [부사구로도 쓰여] 오늘[어제, 내일] 저녁 / *of* an ∼ (흔히) 저녁에(cf. OF 11) / [형용사적으로] ∼ bell 저녁 종, 만종(晩鐘). 주 다음과 같은 구나 표현법에서는 U (cf. MORNING 1, DAY 2, NIGHT 2) : *by* ∼ 저녁까지는 / ∼ *by* ∼ 저녁마다 / *toward* ∼ 저녁쯤에, 저녁때에 / *E*∼ was just falling. 마침 땅거미가 지고 있었다 / *at* ∼ 《古·詩》 저녁에. **2** (…의) 저녁, (…의) 밤(soiree) : a musical ∼ 음악의 밤. **3** [the ∼] 《비유》 만년, 말로(末路), 쇠퇴기(期) : *in* the ∼ *of* life 만년에 / the sad ∼ *of* life 슬픈 만년 / the ∼ *of* one's glory 영광의 말로.

good evening ☞ GOOD EVENING.

〈회화〉
Come and see me on Saturday *evening*. — Thanks for inviting me, but I have to finish my report by Monday. 「토요일 밤에 놀러와」 「초대해 줘서 고마워. 하지만 월요일까지 레포트를 끝내지 않으면 안돼」

〖OE *ǽfnung* (gerund.) 〈 *ǽfnian* ; ⇨ EVEN[2]〗

évening clàss *n.* 야학, 야간 학급[수업].

évening clòthes *n. pl.* = EVENING DRESS.

évening cóat *n.* = DRESS COAT.

évening drèss *n.* **1** (여성용의) 야회복, 이브닝드레스(evening gown). **2** U (남성용의) 야회용 예복, 야회복(cf. WHITE TIE).

évening edítion *n.* 석간(evening paper).

évening glów *n.* 저녁놀.

évening gòwn *n.* (여성용) 야회복.

évening páper *n.* = EVENING EDITION.

évening párty *n.* 저녁 파티, 야회(夜會).

évening práyer *n.* [흔히 E∼ P∼] 저녁 기도(evensong).

évening prímrose *n.* 〖植〗 달맞이꽃.

éve·nings *adv.* 저녁에, 매일 저녁[밤]에.
〖*-es*[1]〗

évening schòol *n.* 야간학교 : attend[go to] ∼

야간학교에 다니다.
évening spòt *n.* 밤의 유흥장.
évening stár *n.* [the ~] 태백성, 개밥바라기 《일몰후 서쪽에 보이는 행성, 특히 금성(Venus); cf. HESPERUS, VESPER, MORNING STAR》.
évening sùit *n.* (한 벌의) 야회복.
éven·ly *adv.* 평평하게, 평탄하게; 평정(平靜)히; 공평하게: The property was ~ divided among the children. 재산은 자식들에게 균등하게 분배되었다.
éven-mínd·ed *a.* 마음이 편안한, 차분한(calm). **~·ness** *n.*
éven móney *n.* (내기에서) 쌍방 같은 액수의 돈 걸기; 돈걸기와 동액의 배당금; 동등한 가능성, 반반의 승률.
éven·ness *n.* Ⓤ 수평; 평등; 균등성; 공평(성); 평정(平靜).
éven permutátion *n.* 〖數〗 짝순열.
evens [íːvənz] *adv., a.* 《英》 (도박에서) 평등하게[한], 균등하게[한], 동액 배당으로[의].
—— *n.* [단수취급] =EVEN MONEY.
éven·sòng *n.* [때때로 E~] 〖英國敎〗 저녁 기도; 〖카톨릭〗 만과(晩課), 만도(晩禱); 《古》 저녁 기도 시간, 저녁나절.
éven(-)stéphen, éven(-)stéven *a.* [흔히 e~(-)S~] 《口》 승산이 반반인; 동점인, 비기는.
ᶻevent [ivént] *n.* **1** (특히 중대사의) 발생; 사건, (우발적으로) 생긴 일[사건](incident); (원자로·발전소 따위의) 사고, 고장, 대사건: His visit was quite an ~. 그의 방문은 아주 큰 사건이었다 / Coming ~*s* cast their shadows before. 《속담》 일이 일어나려고 할 때에는 그 징조가 있게 마련. **2** 결과, 성과(result). **3** 〖스포츠〗 경기종목, 한 게임, 시합: an athletic ~ 경기종목 / a main ~ 주요한 경기[시합]. **4** 〖理〗 사상(事象), 〖數〗 사건(事件).
at all events 아무튼, 좌우간.
in any event 좌우간, 어쨌든간에.
in either event 어찌되었든, 여하간에.
in that event 그 경우에는.
in the event 결국, 종국에는, 마침내(finally).
in the event of... (만일) …한 경우에는: *in the ~ of* his not coming 그가 오지 않을 경우에는《㈜ 격식을 차린 표현으로는 보통 *if* he does [should] not come 따위를 씀》.
in the event that... (만일) …인 경우에는《㈜ 격식을 차린 표현법; ☞ *in the* EVENT *of* ㈜》.
〖L=outcome (*vent-* *venio* to come)〗
類義語 ⟹ OCCURRENCE.
éven-témpered *a.* 마음이 차분한, 냉정한, 침착한, 평정한.
evént·er *n.* 종합 마술(馬術) (eventing)에 참가하는 사람.
evént·ful *a.* **1** 사건[파란]이 많은, 다사 다난한: an ~ day[year, life] 다사 다난한 하루[한해, 일생]. **2** (사건 따위가) 중대한.
~·ly *adv.* 다사 다난하게. **~·ness** *n.*
evént horìzon *n.* 〖天〗 사상(事象)의 지평선 《black hole의 가장자리》.
éven·tìde *n.* Ⓤ 《詩》 땅거미질 무렵.
evént·ing *n.* 《英》 〖馬〗 종합 마술《마장 마술, 내구 경기, 장애물 넘기의 3종목을 통상 사흘간 행하는 승마 경기》.
evént·less *a.* 평온한, 평범한, 사건이 없는.
evént trèe *n.* (장치·계통의) 사고[고장] 결과 예상 계통도(cf. FAULT TREE).
even·tu·al [ivéntʃuəl] *a.* **1** 결과로서[언젠가는] 와야 할; 최후의. **2** 경우에 따라[간혹] 생길 수 있는, 만일의. 〖ACTUAL의 유추로 *event*에서〗
even·tu·al·i·ty [ivèntʃuǽləti] *n.* 예측지 못한 사건, 만일의 경우; 궁극, 결말.
***evéntual·ly** *adv.* 결국, 마침내(finally).
even·tu·ate [ivéntʃuèit] *vi.* **1** [+副 / +前+名] (…의) 결과가 되다(turn out), 결국 (…으로) 끝나다(end): The program ~*d well*[*in* a failure]. 그 계획은 좋은 결과[실패]로 끝났다. **2** 《美》 일어나다, 생기다《㈜ 이 뜻으로는 happen, occur 따위 쪽이 일반적》.
〖*actuate*의 유추로 *event*에서〗
◇ev·er [évər]

> (1) 기본 뜻: 「언제나」
> (2) ever는 in any way, at all(어쨌든, 도대체), at any time (언제라도) 따위와 뜻이 거의 같다.
> (3) ever는 하는지, 일어났는지의 유무를 말하는 부사로서 사물의 유무를 말하는 형용사·대명사인 any에 대응한다.
> (4) 의문문·조건문·부정문에 많이 쓰인다.
> (5) 비교급이나 최상급 뒤에 놓여 「일찍이 없었던」 이라는 뜻을 나타낸다: He is the greatest poet *ever*. =He is the greatest poet that *ever* lived. (그는 일찍이 없었던 가장 위대한 시인이다.)

—— *adv.* **1** 언제나, 전에, 이제까지(at any time). **a**) [부정] 전에 (…한 일이 없는); 결코 (…하지 않는) (cf. NEVER): Nobody ~ comes to this part of the country. 이 지방에는 아무도 오는 사람이 없다. **b**) [의문·조건]: Have you ~ seen[Did you ~ see] a tiger? 호랑이를 본 적이 있습니까(cf. *Did you* EVER? ☞ 숙어) / Did you ~ see him while you were in Pusan? 부산에 있을 때에 그를 만났었니 / How can I ~ thank you? 참으로 어떻게 감사의 말씀을 드려야 할지 모르겠습니다 / If you (should) ~ come this way, never fail to call on us. 혹시 이쪽으로 오실 일이 있으시면 꼭 우리를 방문해 주세요 / If I ~ catch him! 그놈을 붙잡기만 해봐라! (가만히 놔두지 않겠다).
2 [긍정] 《古·詩·文語》 언제나, 항상, 늘 (always); 끊임없이 (되풀이하여) (repeatedly): He repeated ~ the same words. 그는 언제나 같은 말을 되풀이했다 / work *as* hard *as* ~ 언제나 변함없이 공부하다 / work hard*er than* ~ 더 열심히 공부하다 / ~ after(ward) 그후 늘[언제나] / ~ since(...) 그후[…이래] 줄곧. ㈜ 이상과 같은 구 이외에서는 지금은 ALWAYS쪽이 일반적 (cf. ALWAYS 類義語); 또 지금은 평서문(平敍文)의 현재 완료형에는 쓰지 않음(cf. 1 b)).
3 [강조어] **a**) [as...as를 강조하여]: *as* much [little] *as* ~ I can 될수록 많이[적게] / Be *as* quick *as* ~ you can! 가급적 서둘러라! **b**) [so, such를 강조하여] (☞ EVER so 숙어): ~ *such* a nice man 참으로 좋은 사람. **c**) [의문사를 강조] 도대체: *What* ~ is she doing? 그녀는 도대체 무엇을 하고 있느냐 / *Who* ~ can it be? 도대체 누구일까 / *Why* ~ did you not say so? 도대체 왜 그렇게 말하지 않았느냐 / *Which* ~ way did he go? 도대체 그는 어느 길로 갔느냐. ㈜ 의문사에 붙여서 한 단어로도 됨; ☞ WHATEVER *pron.* 3 ㈜. **d**) [비교급·최상급 뒤에서 그 말을 강조하여]: It is raining *harder* than ~. 일찍이 없었던 호우다. **e**) [동사+주어 뒤의 형용사를 강

조하여] 매우, 대단히, 아주(immensely) : Was she ~ proud of it! 그것을 뽐내는 폼이라니! (못봐주겠다).

Did you ever ? 이것 참 놀랬다(Did you ever see[hear] the like?; cf. 1 b)), 설마.

ever and again =《古》***ever and anon*** 때때로, 가끔.

ever so (=《古》never so)《口》대단히, 매우(very), 얼마라도(cf. 3 b)) : if I were ~ *so* rich 내가 아무리 부자라도 / I like it ~ *so* much. 그것을 대단히 좋아한다 / Thank you ~ *so* much. 참으로 고맙다 / That is ~ *so* much better. 그편이 훨씬 낫다 / Home is home, be it ~ *so* humble (=however humble it may be). 아무리 초라해도 자기 집만큼 좋은 곳은 없다.

for ever (1) 영원히(eternally). (2) 언제까지나(always). ㊟《美》에서는 FOREVER라고 한 마디로 씀.《英》에서는 (1)에는 두 마디, (2)에는 한마디로 하는 수가 있음.

for ever and ever = ***for ever and a day*** 영원히, 언제까지나.

hardly [***scarcely***] ***ever*** 거의[좀처럼] …(하지) 않다(seldom).

rarely [***seldom***] ***if ever*** (설혹 있다손 치더라도) 극히 드문(rarely[seldom] or never) : My father *rarely if* ~ smokes. 아버지가 담배를 피시는 일은 거의 없다.

Yours ever 언제나 당신의 친구인 (누구 누구)《친한 사이에서 쓰이는 편지의 끝맺는 글귀; cf. YOURS 4》.

〖OE *ǣfre* < ?〗

[類義語] ⟹ ALWAYS.

Ev·e·rard [évərɑ̀ːrd] *n.* 남자 이름.
〖Gmc.=boar+hard〗

èver-cháng·ing *a.* 늘 변화하는, 변화 무쌍한.

Ev·er·est [évərəst] *n.* [Mount ~] 에베레스트 산《Himalayas의 세계 최고봉; 8848 m》.

ev·er·ett [évərət] *n.* (남자용) 실내화.

Everett *n.* 남자 이름.
〖⇨ EVERARD〗

ev·er·glade [évərglèid] *n.* **1**《美》습지, 소택지(沼澤地). **2** [the E~s] 에버글레이즈《미국 Florida 주(州) 남부의 큰 소택지; 그 남서부는 에버글레이즈 국립 공원(**É~ Nátional Párk**)을 이룸》.

Éverglade Státe *n.* [the ~] 미국 Florida 주(州)의 속칭.

éver·grèen *a.* 상록의(cf. DECIDUOUS); 항상 신선한, 불후의《작품》. —— *n.* 상록수; [*pl.*] 상록수의 가지《장식용》; 언제까지나 신선한 것《명작·명화·명곡 따위》.

Évergreen Státe *n.* [the ~] 미국 Washington 주의 속칭.

èver·lást·ing *a.* **1** 영원히 계속되는, 불후의. **2** 영속성의, 내구성(耐久性)의(durable). **3** 한없는, 끝없는, 지루한(tiresome) : ~ jokes 밤낮 똑같은 농담.
—— *n.* **1** Ⓤ 영원, 영구(eternity) : from ~ to ~ 영원 무궁토록, 영원하게[토록]. **2** [the E~] 영원한 것《신(神)》.
~·ly *adv.* 영원히; 한없이, 끝없이.

everlásting flówer *n.*〖植〗영구화《말라도 빛깔·모양이 오래 변치 않는 꽃이 피는 보릿짚국화·떡쑥 따위》.

èver·móre *adv.* 늘, 항상, 언제나(always); 영원히(forever) : for ~ 영원토록.

éver-nòrmal gránary *n.* (미국 정부가 보관하는) 잉여 농산물.

éver-réady *a., n.* 언제라도 쓸 수 있는 (것), 항상 대기하고 있는 (사람[것]), 상비의 (대원).

ever·si·ble [ivə́ːrsəbəl] *a.* 뒤집을 수 있는.

ever·sion [ivə́ːrʒən, -ʃən; -ʃən] *n.*〖生理〗(눈꺼풀·내장(內臟) 따위를) 뒤집음, 외번(外飜).

evert [ivə́ːrt] *vt.*〖生理〗(눈꺼풀·내장 따위를) 뒤집다, 뒤집어 보다.〖L〗

evér·tor *n.*〖解〗외전근(外轉筋).

◇ev·ery [évri]

> (1) each에는 형용사·대명사의 용법이 있으나 every에는 형용사 용법 뿐이다.
> (2) each와 every는 둘 다 집단의 구성 요소를 긍정하지만 each는 2개 이상의 요소에, every는 3개 이상의 요소에 쓰인다. every는「모조리, 깡그리」라는 뉘앙스가 강하다.
> (3) every 뒤에 2개의 명사가 오더라도 단수 취급한다 : *Every* boy and girl works very hard. (소년 소녀 모두 아주 열심히 공부한다.)
> (4) every 앞에 관사는 붙지 않으나 격식 차린 표현에서는 명사·대명사의 소유격은 붙는다 : *Tom's every* word (=Every word of Tom's) was true. (톰이 한 말은 다 진실이었다.) / *His every* wish (=All his wishes) came true. (그의 소원은 다 이루어졌다.)

—— *a.* **1** 모든, 하나도 남김없는, 일체의, 어느 …이나, 온갖, 어떤 …도 다(each of all) : *E*~ word of it is false. 한 마디 한 마디 모두가 거짓이다 / I enjoyed ~ minute of the concert. 연주회를 처음부터 끝까지 정말 즐겁게 들었다 / I have ~ reason to believe …이라고 믿는 이유가 충분히 있다. ㊟ 단수 구문을 취함; 많은 것을 개개로 보고 이것을 총괄하며 따라서 all이나 개별적인 each보다 뜻이 강함(☞ EACH). **2** [not을 수반하여 부분 부정] 모두가[누구나] 다 …이라고는 할 수 없는 : *E*~ man can*not* be an artist. =*Not* ~ man can be an artist. 누구나 다 예술가가 될 수 있다고는 할 수 없다. **3** [추상명사를 수반하여] 할 수 있는 한 모든 것의(all possible) : He showed me ~ kindness. 그는 내게 온갖 친절을 다 보였다 / I have ~ confidence in him. 나는 그를 전폭적으로 신임하고 있다. **4** [뒤에 "서수(序數)+단수명사" 또는 "기수(基數)+복수명사"를 수반하여] 매(每)…, …마다(each) : ~ *second* [*other*] week 2주일마다 / ~ *fifth* day = ~ *five* days 5일마다, 4일 걸러서 / ~ few days[years] 며칠[몇 년]마다 / *E*~ *third* man has a car. 세 명에 한 명꼴로 차를 가지고 있다 / *E*~ *ten* years there is a census of the people of the United States. 미국에서는 10년에 한 번씩 인구 조사가 행해진다.

at every step 한 발자국마다, 끊임없이.

every bit 어느 모로 보나; 전혀, 아주(quite).

every day [***week, year***] 매일[주, 년].

every day [***week, year***] ***or two*** 1, 2일[주, 년]마다.

every inch ☞ INCH.

every man Jack 누구나 모두.

every moment [***minute***] 매순간마다, 시시 각각으로.

every mother's son of them [강조] 한 사람도 남김없이, 누구나 다.

every now and then [***again***] = ***every once in a while*** [***way***] 때때로, 가끔(occasionally).

every one (1) [évri wʌ̀n] 모두, 누구나 다

(everybody). 注 이 뜻으로는 보통 EVERYONE이 라고 한 마디로 쓰임. (2) [évri wʌ́n] 이것이나 저것이나 모두 다(each)《특히 one의 뜻을 강조하여 ; 물건을 가리키기도 함》: They were killed ~ *one of* them. 그들은 한 사람도 남김없이 피살되었다 / You may take ~ *one* on the shelf. 선반 위의 어느 것이나 가져도 좋다.

every other (1) 기타 다른 모든 : He was absent ; ~ *other* boy was (=all the other boys were) present. 그는 결석했으나 다른 학생은 모두 출석했다. (2) 하나 걸러서 : on ~ *other* line 1행(行) 걸러 / ~ *other* day 격일(隔日)(로), 하루 걸러(every second day).

every so often=EVERY *now and then.*

every thing [thing에 강세를 넣어] 온갖 것, 모든 것(cf. EVERYTHING) : *E~ thing* that he touched turned gold. 그가 손을 댄 것은 모두 황금으로 변했다.

every time (1) [접속사적으로] (…할) 때마다(whenever) : *E~ time* I looked at him, he was yawning. 그를 볼 때마다 그는 하품을 하고 있었다. (2)《口》즉시, 예외없이.

every which way《口·원래 美》사방으로, 흩어져서, 산란하여(in disorder).

(***in***) ***every way*** 온갖 방법을 다하여 ; 어느 점으로 보아도 ; 전혀, 전적으로(quite).

〈회화〉
My father always complains about the youth of today. — *Every* generation does.「아버지는 언제나 요새 젊은이들에 대해 불평을 하셔」「어느 세대나 다 그런 거야」

〚OE *ǣfre ǣlc* EVER EACH〛

‡ev·ery·body [évribɑ̀di, -bədi] *pron.* 각자가 모두, 누구나 (다), 누구든지 (모두), 사람마다 : ~ else 그 밖의 모든 사람 / *E~* cannot be a hero. 누구나 (다) 영웅이 될 수 있는 것은 아니다《될 수 있는 이도 있고 될 수 없는 이도 있다》.

活用 (1) everyone보다 약간 구체적인 표현법. (2) everybody, everyone은 단수형이며 그것에 대한 술어 동사도 보통은 단수형이지만, 특히《口》에서는 인칭대명사 they[them, their, *etc.*]로 받는 일이 많음 : *Has everybody* [*everyone*] eaten as much as *they* want? (누구든지 먹고 싶은 만큼 먹었습니까) / *Everybody* [*Everyone*] *has* a way of *their* own. (누구에게나 독특한 버릇이 있는 법이다).

***évery·dày** *a.* **1** 매일의, 나날의(daily). **2** 일상(용)의, 평상시의(usual) ; 흔히 있는, 평범한 (commonplace) : ~ affairs 일상적인 (사소한) 일 / ~ clothes[wear] 평상복(服) (cf. SUNDAY clothes) / ~ English 일상 영어 / ~ life 일상 생활 / an ~ occurrence 흔히 있는 일 / ~ words 상용어(常用語) / the ~ world 실사회, 속세, 사바(娑婆)세계.

évery·màn *pron.* =EVERYBODY.
—— *n.* [E~] 보통 사람《15세기 영국의 권선징악극 *Everyman*의 주인공》; [흔히 E~] 보통 사람 : Mr. ~ 평범한 사람.

‡évery·óne [ˌ -wən] *pron.* =EVERYBODY(cf. EVERY *one*).
活用 ☞ EVERYBODY.

évery·plàce *adv.* =EVERYWHERE.

◇évery·thìng *pron.* **1** 무엇이나 모두, 모든 일[것], 만사(cf. EVERY *thing*) : *E~* has its drawback. 결점이 없는 것은 없다 / I will do ~ in my power to assist you. 저의 힘이 미치는 한도와 드리겠습니다. 注 이 말을 수식하는 형용사는 뒤에 놓임 : There was ~ *necessary* for us. 우리들에게 필요한 것은 모두 있었다. ☞ ANYTHING 活用 (1), NOTHING 活用, SOMETHING 活用 (2). **2** 가장 요긴한[소중한] 것[일](cf. NOTHING) : He is ~ to me. 그 만큼 나에게 소중한 사람은 없다 / Money is ~. 돈이면 다다 / Money is *not* ~. 돈이 만능은 아니다(☞ EVERY 2).

and everything 기타 무엇이든지.

before everything 만사 제쳐놓고, 무엇보다도.

like everything《美口》전력으로, 열심히, 무엇보다 더(like anything).

évery·wày *adv.* 어디로 보나, 어느 모로 보나.

‡évery·whère *adv.* **1** 어디든지, 도처에, 곳곳에. **2** [접속사적으로] 어디에[로] …하든지(wherever) : *E~* we go, people are much the same. 어디를 가나 사람은 대개 같다.

Évery·wòman *n.* 전형적인 여성, 여성의 본보기 (cf. EVERYMAN).

Éve's púdding *n.*《英》제일 밑이 과일층으로 된 스펀지 케이크.

evg. evening.

Ev·geni, -nii [ivgéni, -géi-] *n.* 남자 이름. 〚Russ.〛

evict [ivíkt] *vt.* [+目/+目+前+名] (차지인(借地人) 등을) 철거[퇴거]시키다, 쫓아내다 (expel) ; …의 점유를 회복하다, (토지·물권(物權)을) 되찾다(recover) : ~ a person ***from*** the land 토지로부터 사람을 쫓아내다 / ~ the property ***of*** [*from*] a person (남에게서) 소유권을 되찾다.

evíc·tion *n.* 퇴거시킴, 쫓아냄 ; 도로 찾음.

evíc·tor *n.* 쫓아내는 사람.

〚L *Evict-* -*vinco* to conquer〛

evict·ee [iviktíː, 美+-ˈ-] *n.* 내쫓긴 사람.

ev·i·dence** [évədəns] *n.* **1** Ⓤ **a)**〔法〕증거 ; 증언 : ☞ CIRCUMSTANTIAL EVIDENCE / verbal ~ 구두(口頭) 증거, 증언. **b)** [+*that* 節/+前+do*ing* / +*to* do] 증거 : Is there any ~ ***of [***for***] this? 이에 대한 무슨 증거가 있는가 / There is no ~ *that* he is guilty[no ~ *of* his be*ing* guilty]. 그가 범인이란 증거는 전혀 없다 / There wasn't enough ~ *to* show the cause of his death. 그의 사인(死因)을 밝힐 증거가 충분치 못했다. **c)** 믿을 만한 근거[자료]. **2** Ⓤ 명백, 명료. **3** 흔적, 자국(sign) : There were ~*s of* foul play. 부정 행위를 한 흔적이 있었다.

call a person ***in evidence*** 사람을 증인으로 소환하다.

give evidence 증거 사실을 말하다, 증언하다.

give [***bear***] ***evidence of*** …의 흔적이 있다.

in evidence (1) 눈에 띄어 ; 뚜렷이 나타나서, 두드러지게 : Very few Americans were *in* ~ at the hotel. 그 호텔에는 미국 사람이 거의 눈에 띄지 않았다[없었다] / Pessimism was very much *in* ~ in the later stages of the war. 전쟁이 끝날 무렵에는 비관론이 눈에 띄게 나타났다 / The U.S. president was very much *in* ~ at the peace conference. 미국 대통령은 그 강화 회의에서 눈에 띄는 활동을 했다. (2) 증거로서 : Some letters were submitted *in* ~. 몇 통의 편지가 증거로서 제출되었다 / ☞ *call* a person *in* EVIDENCE.

on evidence 증거가 있어서 : The prisoner was convicted *on* sufficient ~. 피고는 충분한 증거에 의해서 유죄 판결을 받았다.

take evidence 증인 조사를 하다.

turn King's[*Queen's,* 《美》 *State's*] *evidence* 공범에게 불리한 증언을 하다.
—— *vt.* **1** (증거에 의하여) 증명하다. **2** 명시하다, …의 증거가 되다(show clearly).
類義語 ⟹ PROOF.

*__év·i·dent__ *a.* 명백한, 분명한(plain): with ~ satisfaction 자못 만족스러운 듯이 / It was ~ that they liked her. 그들이 그녀에게 호의를 갖고 있던 것이 명백했다. 〖OF<L (*video* to see)〗
類義語 ⟹ OBVIOUS.

ev·i·den·tial [èvədénʃəl] *a.* 증거의 ; 증거가 되는, 증거에 의거한.

ev·i·den·tia·ry [èvədénʃəri, 美+-ʃièri] *a.* = EVIDENTIAL.

*__évident·ly__ [, 美+⁓⁓⁓] *adv.* 분명하게, 명백하게, 의심없이 ; 본 바로는 : He had ~ been working very hard. 그는 분명히 열심히 공부하고 있었다.

‡**evil** [íːvəl] *a.* (**more** ~, **most** ~ ; 때때로 **évil·(l)er, évil·(l)est**) **1** 나쁜(bad), 사악[흉악]한(wicked) : an ~ countenance 험상궂은 인상 / ~ devices 흉계(凶計) / an ~ tongue 독설(毒舌) ; 중상자 / the *E*~ One 마왕(the Devil) / an ~ spirit 악령, 악마 / ~ ways 비행(非行) / of ~ repute 평판이 나쁜. **2** 상서롭지 못한, 불길한, 흉한 : ~ news 흉보, 비보 / fall on ~ days 불운을 만나다 / in an ~ hour ☞ HOUR 숙어. **3** 싫은, 불쾌한 : an ~ smell[taste] 역겨운 냄새[맛]. **4** 《美俗》 환멸을 느낀, 낙심한 ; 골이 난 ; 멋진, 벅차게[황홀케] 하는.
—— *n.* **1** Ⓤ 악, 부도덕, 사악(wickedness) ; 죄악(sin) : good and ~ 선악 / do ~ 나쁜 짓을 하다 / return good for ~ 악을 선으로 갚다. **2** Ⓤ 재해(災害)(disaster) ; 불운, 불행(ill luck) ; 나쁜 질병. **3** 악한 일, 해악, 악폐 : a necessary ~ 어쩔 수 없는[피할 수 없는] 폐해, 필요악.
—— *adv.* 《지금은 稀》 나쁘게(ill) : speak ~ *of* …을 나쁘게 말하다 / ~ entreat a person ☞ ENTREAT 2.
~**·ness** *n.* 〖OE *yfel* ; cf. G *Übel*〗
類義語 ⟹ BAD.

évil-dispósed *a.* 악한 기질을 가진, 질이 나쁜.

évil·dò·er *n.* 나쁜 짓을 하는 사람, 악인(惡人)(↔ *well-doer*).

évil·dò·ing *n.* Ⓤ 나쁜 짓, 악행(惡行)(↔*well-doing*).

évil éye *n.* 악의에 찬 눈초리 ; [보통 the ~] 독기 서린 흉악한 눈(을 가진 사람)《이런 눈을 가진 사람이 노려 보면 재난이 온다고 함》.

évil-éyed *a.* 악마의 눈을 가진, 독살스런[무서운] 눈초리의.

évil-lóok·ing *a.* 인상이 나쁜.

evil·ly [íːvəlli ; íːvili] *adv.* 사악하게, 흉악하게 : be ~ disposed 악의를 품고 있다.

évil-mínd·ed *a.* 나쁜 마음이 있는, 속이 검은, 심술 사나운(malicious).

évil-stárred *a.* 운수 나쁜, 재수 없는, 불행한.

évil-témpered *a.* 기분이 언짢은.

evince [ivíns] *vt.* 명시하다 ; (감정 따위를) 나타내다, 표시하다 : The dog ~*d* its dislike of strangers by growling. 개는 낯선 사람들에게 으르렁거리며 혐오를 나타냈다.
〖L ; ⇨ EVICT〗

evínc·ible *a.* 나타낼 수 있는, 표명[증명]할 수 있는(demonstrable).

evin·cive [ivínsiv] *a.* 명시적인 ; 증명하는.

evi·rate [íːvərèit] *vt.* 거세하다(castrate) ; 연약하게 하다(emasculate).

evis·cer·ate [ivísərèit] *vt.* …에서 창자[내장]를 빼다 ; (토론 따위에서) 골자를 빼내다. —— *vi.* (내장이) 절개구에서 튀어나오다. —— *a.* 창자를 뺀 ; 내장을 적출(摘出)한.
evìs·cer·á·tion *n.* (내)장을 빼냄, 내장 적출(摘出) ; 골자를 빼냄. 〖L (VISCERA)〗

ev·i·ta·ble [évətəbəl] *a.* 피할 수 있는(avoidable).

evite [iváit] *vt.* 《古》 피하다.

ev·o·cate [évəkèit, íːvou-] *vt.* 《古》 =EVOKE.

ev·o·ca·tion [èvəkéiʃən, ìːvou-] *n.* Ⓤ,Ⓒ (영혼 따위를) 불러냄, 초혼(招魂) ; 환기(喚起) ; 〖法〗(다른 법원으로의) 소송 이송. 〖EVOKE〗

evoc·a·tive [ivákətiv, -vóu-] *a.* 불러내는 ; 환기시키는.

evoke [ivóuk] *vt.* [+目 / +目+*from*+名] (죽은 자의 영혼 따위를) 불러내다(call up) ; (감정·기억 따위를) 일깨우다, 환기하다 ; (웃음·갈채 따위를) 자아내다 ; 〖法〗 상급 법원에 이송하다 : Witty humor ~*s* a laugh. 재치있는 유머는 남의 웃음을 자아낸다 / ~ spirits ***from*** the other world 저승에서 영혼을 불러내다.
〖L (*voco* to call)〗
類義語 ⟹ EXTRACT.

evóked poténtial *n.* 〖生理〗 (감각기관의 자극에 의해 뇌피질에 일어나는) 전기적 유발.

ev·o·lute [évəlùːt, 美+íː-] *n.* 〖數〗 축폐선(縮閉線). —— *a.* 축폐한. —— *vt., vi.* 진화[발전]하다[시키다]. 〖v.는 역성(逆成)<↓〗

*__ev·o·lu·tion__ [èvəlúːʃən, ìː- ; ìː-] *n.* **1** Ⓤ 전개, 발전, 진전(進展) ; (사회적·정치적·경제적인) 점진적 변화 ; Ⓒ 전개한 것 ; 고안, 안출 ; 〖數〗 개방(開方), 거듭제곱근풀이(↔*involution*). **2** Ⓤ 〖生〗 진화(↔*devolution*), 진화론 ; Ⓒ 진화한 것 : the theory[doctrine] of ~ 진화론 / ☞ CREATIVE EVOLUTION / emergent ~ ☞ EMERGENT. **3** (열·광선 따위의) 방출, 복사. **4** (군대의) 기동 연습. **5** (댄스 따위의) 전개 동작, 선회 ; (기계의) 선회. **6** 〖天〗 (은하의) 진화. **7** (열·빛 따위의) 방출, 방산.
〖L *evolutio* unrolling ; ⇨ EVOLVE〗

èv·o·lú·tion·al *a.* 진화(론)[전개]적인.

evolútion·àry [; -əri] *a.* =EVOLUTIONAL.

evolútion·ism *n.* Ⓤ 〖生〗 진화론(進化論)(↔ *creationism*). **-ist** *n., a.* 진화론자(의).

èv·o·lù·tion·ís·tic *a.* 진화론자의[적인].

ev·o·lu·tive [évəlùːtiv, íː- ; íː-] *a.* 진화의, 발전의, 진화(론)적인 경향의.

*__evolve__ [ivάlv] *vt.* **1** 발전시키다 ; 전개시키다 ; 진화[발달]시키다 ; (이론 따위를) 끌어내다 : ~ a new theory 새 학설을 발전시키다. **2** (열·광선·가스 따위를) 방출[복사]하다.
—— *vi.* 서서히 발전[전개]하다, 점진적으로 변화하다 ; (이야기 따위 줄거리가) 진전되다 ; 진화하다 : The British constitution ~*d*. 영국의 입헌제(立憲制)는 서서히 이루어졌다.
evolve...from one's ***inner consciousness*** 《때때로 戱》 …을 상상으로 꾸며내다.
evólv·able *a.* ~**·ment** *n.* 전개 ; 진화 ; 진전.
〖L (*volut- volvo* to roll)〗

EVP executive vice president (전무 이사).

EVR Electronic Video Recorder[Recording].

evul·sion [ivʌ́lʃən] *n.* 끌어내기, 뽑아내기.

ev·zone [évzoun] *n.* (그리스군의) 정예 보병부대원《제복으로 스커트를 입음》.

EW electronic warfare ; 〖醫〗 emergency ward (구급 치료실) ; enlisted woman[women].

ewe [júː, 美+jóu] *n.* 암양(cf. RAM, SHEEP). 〖OE *ēowu*; cf. OHG *ouwi*〗

éwe làmb *n.* 암양 새끼 : one's (little) ~ 〖聖〗 작은 암양 새끼《사무엘하 12 : 3》

éwe-nèck *n.* (말·개의) 목이 가늘고 빈약한 발육 부전의 목. **~ed** *a.*

ew·er [júːər] *n.* (주둥이가 넓은) 주전자, 물항아리(pitcher) : a ~ and basin (침실용의) 주전자와 세면기. 〖AF<Rom. (L *aqua* water)〗

ewer and basin

ewig·keit [*G* éːviçkait] *n.* 영원.
into*[*in*] *the ewigkeit 《戱》 흔적[자취]도 없이, 허공으로.

ex[1] [éks] *prep.* **1** …으로부터(from). **2** 〖商〗 **a)** …에서 팔아넘김(sold from) : ~ bond 보세 창고 인도(引渡) / ~ pier 부두 인도 / ~ rail 철도 인도 / ~ ship 본선 인도 / ~ store 창고 인도. **b)** 〖證〗 …락(落), …없음(↔*cum*) : ~ coupon 이자락(利子落) / ☞ EX DIVIDEND. **3** 《美大學》 …년도 중퇴의 : ~ 1996 1996년도 중퇴한. 〖L=out of〗

ex[2] *n.* 《美口》 전남편[처]. —— *a.* 《口》 이전의, 먼저의 ; 시대에 뒤진. 〖*ex-*[1] 2〗

ex[3] *n.* X, x의 글자 ; X자 모양의 것.

ex[4] *n.* =EXPENSE(☞ EXES).

ex[5] *n.* =EXAMINATION.

Ex. 〖聖〗 Exodus. **ex.** examination ; examined ; example ; except ; exception ; exchange ; excursion ; executed ; executive ; exempt ; exercise ; exhibit ; exit ; export ; express ; extra ; extract ; extremely.

ex-[1] *pref.* **1** [iks, eks] 「외(外)」 「무(無)」 「비(非)」「초과(超過)」「철저」「상승」의 뜻 : *ex*clave, *ex*patriate, *ex*pel ; *ex*stipulate, *ex*animate ; *ex*alt. **2** [éks] [보통 하이픈이 붙은 복합어를 만들어] 「앞의」 「전(前)…(former)」의 뜻 : *ex*-husband 전남편 / *ex*-wife 전처(前妻) / *ex*-GI 《美口》 제대 군인. 〖L=out of〗

ex-[2] [eks] ☞ EXO-. 〖Gk.〗

exa- [éksə] *comb. form* 엑사(《$=10^{18}$; 기호 E》) : *exa*meter 엑사 미터(《$=10^{18}$m》). 〖C20 ; *exo-* outer의 변형(變形)인가〗

ex·ac·er·bate [igzǽsərbèit, iksǽs-] *vt.* (고통·질병·원한 따위를) 악화시키다, 더욱 나쁘게[깊게] 하다 ; (남을) 격분시키다. **ex·àc·er·bá·tion** *n.* (나쁜 감정 따위의) 격화, (병세(病勢) 따위의) 악화 ; 격분(irritation). 〖L ; ⇨ ACERB〗

‡**ex·act** [igzǽkt] *a.* **1** 정확한, 틀림없는(accurate). **2** 엄중한 ; 엄격한(severe). **3** 정밀한, 엄밀한(precise) : an ~ account 정밀한 기술(記述) / ~ sciences 정밀 과학《수학·물리학 따위》. **4** [+前+do*ing*] 착실하고 꼼꼼한(strict) : He is ~ ***in*** his work[*in* keep*ing* appointments]. 일에 착실하고 꼼꼼한[약속을 잘 지키는] 사람이다.
to be exact 엄밀하게 말하면.
—— *vt.* **1** [+目 / +目+前+名] (복종 따위를) 강요하다, 조르다(insist upon) ; (세금 따위를) 강제 징수하다(extort) : ~ taxes ***from*** people 사람들에게서 세금을 강제 징수하다 / He ~*ed* obedience *from*[***of***] the students. 그는 학생들을 억지로 굴복시켰다. **2** (사정이) 강요하다, 필요로 하다(demand). —— *vi.* 《古》 강요하다, 강제 징수하다. **~·able** *a.* 강요할 수 있는, 강제로 거두어 들일 수 있는. **~·er** *n.* =EXACTOR.
~·ness *n.* 정확, 정밀(exactitude). 〖L *exact-exigo* to drive out, require (*ago* to drive)〗
類義語 ⟹ CORRECT.

ex·ac·ta [igzǽktə] *n.* 《美》 연승 단식《경마의 1·2착을 도착 순서대로 맞히는 내기》.

exáct·ing *a.* 억지로 징수하는 ; 가혹한, 엄한(severe) ; 힘이 드는, 고된(arduous) : an ~ master 엄격한 주인 / ~ labor 고된 노동.
~·ly *adv.* 착취하듯이, 엄하게, 가혹하게.

ex·ac·tion [igzǽkʃən] *n.* **1** Ⓤ 강요, 강제 징수 〈*of*〉 ; (부당한) 가혹한 요구. **2** 강제 징수금, 가혹한 세금.

ex·ac·ti·tude [igzǽktətjùːd] *n.* Ⓤ,Ⓒ 정확함, 정밀도 ; 엄정(嚴正) ; 엄격, 꼼꼼함.

***exáct·ly** *adv.* **1** 정확하게, 엄밀하게(precisely) : Repeat ~ what he said. 그가 말한 것을 그대로 되풀이해 봐라. **2** 꼭, 조금도 틀림없이, 바로 그대로, 마침(just, quite) : ~ at six o'clock 정각 6시에 / That was ~ what she intended. 그것은 바로 그녀가 의도한 대로의 일이었다. **3** [yes의 대용(代用)] 아무렴, 과연 그렇고 말고.
not exactly 반드시 …는 아니다 : He is *not* ~ learned, but he has read widely. 반드시 학자라고는 할 수 없으나 책을 폭넓게 읽어 왔다.

〈회화〉
(역에서) Do you mean to say that was the last train to London? — *Exactly.* 「저것이 런던행 마지막 열차였습니까」「그렇습니다」

exác·tor *n.* 강요자 ; (특히) 가혹하게 징수하는 사람[세리(稅吏)].

***ex·ag·ger·ate** [igzǽdʒərèit] *vt.* **1** 허풍치다(overstate), 과장하다 ; 너무 강조하다 : It is impossible to ~ the fact. 그 사실은 아무리 강조해도 지나치지 않다. **2** 과대시하다 : ~ one's own importance 거만떨다 ; 자만하다. **3** [주로 *p.p.*로] (기관의 크기를) 병적으로 확장시키다 ; (질병 따위를) 악화시키다 : His heart is greatly ~*d* by disease. 그의 심장은 병으로 몹시 비대해져 있다. —— *vi.* 과장하다, 크게 부풀려 말하다. 〖L (*aggero* to heap up<*agger* heap)〗

ex·ág·ger·àt·ed *a.* 과장된, 지나친 ; 병적으로 비대한. **~·ly** *adv.* 과장하여 ; 과도하게.

ex·àg·ger·á·tion *n.* **1** Ⓤ 과장 ; 과대시(視) : without ~ 과장없이 / It is no ~ to say that … 이라고 말해도 결코 과언은 아니다. **2** 과장적 표현 : a story full of ~*s* 과장에 찬 이야기.

ex·ág·ger·à·tive [; -rə-] *a.* 과장적인, 침소봉대(針小棒大)하는.
~·ly *adv.* 과장하여.

ex·ág·ger·à·tor *n.* 과장하여 말하는 사람 ; 과장적인 것.

ex·alt** [igzɔ́ːlt] *vt.* **1** [+目 / +目+*to*+名] (신분·지위·권력 따위를) 올리다, 오르게 하다(promote) : He was ~*ed* ***to the most eminent station. 그는 최고의 지위까지 올라갔다. **2** 높이다, 고상하게 하다(ennoble) ; 칭찬하다, 찬양하다(extol) ; (음조(音調)·색조(色調) 따위를) 강하게 하다(intensify) ; 몹시 기쁘게 하다, 의기양양하게 하다. —— *vi.* 마음을 고양시키다.
exalt** a person **to the skies 《文語》 남을 극구 칭찬하다.
〖L (*altus* high)〗

ex·al·ta·tion [ègzɔːltéiʃən] *n.* **1** Ⓤ 높이기, 올리기, 고양(高揚)(elevation). **2** Ⓤ 승진(promotion) ; 찬양, 찬미. **3** Ⓤ 기고만장, 의기양양 ; 아주 기쁨 ; 광희(狂喜). **4** 〖醫〗 (기능) 항진(亢進), 심적고양(心的高揚).

ex·al·té [*F* ɛgzalte] *a.*, *n.* (*fem.* **-tée** [—]) 흥분[득의만면, 의기양양]한 (사람).

exált·ed *a.* **1** 지위[신분]가 높은, 고귀한 : a person of ~ rank 고위층의 사람, 귀인(貴人). **2** 고양된, 고상한, 기품있는. **3** 기고만장한 ; 의기양양한, 우쭐한. **~·ly** *adv.* 고상하게 ; 의기양양하게. **~·ness** *n.*

ex·am [igzǽm] *n.* 《口》 시험(examination).

exam. examination ; examined ; examinee ; examiner.

ex·a·men [igzéimən] *n.* 〖카톨릭〗《口》 규문(糾問) ; 검토, 심사, 조사, 심리 ; 비평[분석]적 연구. 〚L *examin- examen* tongue of balance〛

ex·am·i·nant [igzǽmənənt] *n.* 심사원 ; 시험관 ; 조사관.

‡**ex·am·i·na·tion** [igzæ̀mənéiʃən] *n.* **1** Ⓤ,Ⓒ 조사, 검사, 심사(하기) ; (학설·문제 따위의) 고찰, 음미 ; 진찰(medical examination) : ☞ PHYSICAL EXAMINATION / make an ~ of …을 검사[심사]하다. **2** 시험, 성적고사 : an ~ *in* English 영어 시험 / go in[up] for one's ~ 시험을 보다 / take[sit for] an ~ 시험을 치르다. **3** Ⓤ,Ⓒ 〖法〗 (증인) 심문〈*of*〉; 심리(審理) : a preliminary ~ 예비 심문.
(an) examination in chief 〖法〗 주심문(主審問), 직접 심문(direct examination)《증인을 불러낸 측이 그 증인에 대하여 행함 ; cf. CROSS-EXAMINATION》.
under examination 검사[조사] 중의[에].
(up)on examination 검사[조사]한 후에, 시험 본 뒤에 ; 조사해 본즉.
〚OF<L ; ⇨ EXAMINE〛
類義語 ⟹ INVESTIGATION.

examinátion pàper *n.* 시험 문제 ; 시험 답안.

examinátion quèstion *n.* 시험 문제.

ex·am·i·na·to·ri·al [igzæ̀mənətɔ́:riəl] *a.* 시험관의, 시험 위원의 ; 심사원의.

‡**ex·am·ine** [igzǽmən] *vt.* **1** [+目 / +*wh.* 節] 검사[조사·심사]하다(inspect, investigate) ; 고찰[음미(吟味)]하다 : ~ old records 옛날의 기록을 조사하다 / ~ oneself 반성하다 / She ~*d* by tasting *whether* the food was poisonous or not. 그녀는 그 음식물을 먼저 맛보아 독(毒)의 유무를 검사했다. **2** [+目 / +目+前+名] 시험[시문(試問)]하다 : ~ pupils ***in*** history 학생들에게 역사 시험을 보게 하다 / ~ students ***(up)on*** their knowledge of the laws 학생들의 법률지식을 테스트하다. **3** 〖法〗 (증인을) 심문하다 ; 심리(審理)하다. **4** 진찰하다 : have one's eyes ~*d* 눈을 진찰받다. —— *vi.* [+*into*+名] 조사[심리·음미]하다(inquire) : I'll ~ ***into*** the details. 자세한 것을 조사해 보겠습니다.
〚OF<L ; ⇨ EXAMEN〛
類義語 ⟹ INSPECT.

ex·am·in·ee [igzæ̀məníː] *n.* 수험자 ; 심리(審理)를 받는 사람.

exámine-in-chíef *vt.* 〖法〗 …에게 주신문(主訊問)[직접 신문]하다.

ex·ám·in·er *n.* 시험 위원 ; 심사원, 검사관 ; 〖法〗 증인 심문관.

◇**ex·am·ple** [igzǽ(:)mpəl ; -záːm-] *n.* **1** 실례, 예증(instance) ; 견본, 표본(specimen, sample) ; 〖數〗 예제(例題) : give an ~ 예를 들다 / This is a good ~ of his poetry. 이것은 그의 시의 좋은 예다 / *E*~ is better than precept. 실례는 교훈보다 낫다. **2** 본, 모범(model) : follow the ~ of a person = follow a person's ~ 어떤 사람의 본을 따르다, 어떤 사람을 모범삼다 / set[give] a good ~ to others 다른 사람들에게 좋은 본을 보이다. **3** 전례(precedent). **4** 본보기, 훈계(warning) : make an ~ of a person 어떤 사람을 본보기로 징계하다.
beyond[***without***] ***example*** 전례가 없는.
by way of example 예(증으)로서, 한 예로서(as an example).
for example 예를 들면(for instance).
take example by another 어떤 사람의 본을 따르다, 어떤 사람을 본보기로 삼다.
to give[***take***] ***an example*** 한 예를 든다면.
—— *vt.* **1** [보통 *p.p.*] 예시하다, 전형으로서 보이다. **2** 《古》 …에 본을 보이다.
〚OF<L *exemplum* ; ⇨ EXEMPT〛
類義語 ⟹ INSTANCE, MODEL.

ex·an·i·mate [egzǽnəmət] *a.* 죽은 ; 기력 없는, 낙담한.

ex an·i·mo [eks ɑ́:nəmòu] *adv.*, *a.* 충심으로, 성심 성의로[의]. 〚L=from the soul〛

ex an·te [eks ǽnti] *a.* 〖經〗 사전의, 사전적(事前的)인(↔*ex post*) : ~ saving 사전 저축.
〚L=from before〛

ex·an·them [egzǽnθəm, eksǽn-, 美 + éksænθèm], **ex·an·the·ma** [ègzænθíːmə, èksæn-] *n.* (*pl.* **~s**, **-them·a·ta** [-θémətə, -θíː-]) 〖醫〗 발진 ; 피진(皮疹) ; 발진성 열병.

ex·arch [éksɑːrk] *n.* (비잔틴 제국의) 태수(太守), 총독 ; (그리스 정교의) 총주교(總主教) ; 주교. **éxarch·àte, éx·ar·chy** *n.* exarch의 직위[권한] ; exarch의 관구(管區).
〚L<Gk. (*arkhō* to rule)〛

ex·as·per·ate [igzǽ(:)spərèit ; -záːs-] *vt.* **1** [+目 / +目+前+名] 화나게 하다, 격분시키다 : He was ~*d* ***at***[***by***] (the negligence of) the officials. 관리(의 태만)에 화를 내었다. **2** [+目+*to* do / +目+前+名] 화나게 하여[…의 마음을 자극하여] …시키다(provoke) : The repeated delays of the streetcar ~*d* me *to* get off and take a taxi. 전차가 자꾸 섰기 때문에 화가 나서 전차를 내려 택시를 탔다 / ~ a person ***to*** ill 남을 선동하여 나쁜 짓을 하게 하다. **3** (감정·질병 따위를) 악화[격화]시키다. —— [-pərət] *a.* **1** 〖生〗 (잎 따위가) 거칠거칠한, 단단한 돌기로 덮인. **2** 《古》 화난.
-àt·ed·ly *adv.* 화를 내어, 홧김에.
-àt·er *n.* 격노[격앙]시키는 사람.
〚L EX[1] *aspero* to make rough ; ⇨ ASPERITY〛
類義語 ⟹ IRRITATE.

ex·ás·per·àt·ing *a.* 화나게 하는, 울화가 치밀어 오르는, 약이 오르는. **~·ly** *adv.*

ex·as·per·a·tion [igzæ̀(:)spəréiʃən ; -zàːs-] *n.* 몹시 애를 태움 ; (특히) 격앙(激昻), 분격 ; 격화, 악화 : in ~ 격분하여.

exc. excel ; excellency ; excellent ; excepted ; exception ; *excudit* 《L》 (=he[she] engraved (it)) ; excuse.

Exc. Excellency.

Ex·cal·i·bur [ekskǽləbər] *n.* 아서왕의 마법의 검(劍). 〚OF *Escalibor*<L<Welsh〛

ex·car·di·na·tion [ekskɑ̀ːrdənéiʃən] *n.* (성직자의) 교구 제적[이전].

ex ca·the·dra [eks kəθíːdrə] *adv.*, *a.* 명령적으로, 권위를 가지고, 권위있는 ; 〖카톨릭〗 성좌(聖

座) 선언의. —— *n.* 〔카톨릭〕 (교황의) 성좌 선언. 〖L=from the (teacher's) chair〗

ex·ca·vate [ékskəvèit] *vt.* 구멍을 파다, 파내다, 뚫어내다, 구멍을 뚫다; 개척하다; (묻힌 것을) 발굴하다, 파내다(dig out).
〖L EX¹ *cavo*; ⇨ CAVE¹〗

ex·ca·va·tion [èkskəvéiʃən] *n.* U,C 구멍을 파기[파내기]; 뚫기; 〔齒〕 잇속 긁어내기; C 구멍, 동굴; 함몰(陷沒); 수로; 움푹한 곳, 파서 만든 길; U,C (기초 공사의) 땅파기; U,C 〔考古〕 발굴; C 발굴물, 유적.
類義語 ⟹ HOLE.

éx·ca·và·tor *n.* 굴착자[기]; 개착(開鑿)자[기]; 〔齒〕 엑스커베이터《잇속 긁어내는 기구》.

ex·ceed** [iksí:d] *vt.* **1** (한도를) 넘다: You have ~*ed* your authority. 자네는 월권 행위를 했네. **2 a**) [+目/+目+*by*+名] 초과하다(be greater than): 20 ~*s* 17 ***by 3. 20은 17보다 3이 많다. **b**) [+目/+目+*in*+名] 탁월하다, …보다 우월하다(surpass): London ~*s* New York ***in*** size. 런던은 뉴욕보다도 크기에서는 더 위다.
—— *vi.* [動/+*in*+名] 우월[탁월]하다: They ~*ed* ***in*** number. 그들은 수적으로 우월했다.
〖OF<L EX¹*cess*- -*cedo* to go beyond〗

excéed·ing *a.* 과도한; 대단한.
—— *adv.* 《古》 =EXCEEDINGLY.

excéed·ing·ly *adv.* 굉장히, 몹시.

ex·cel** [iksél] *v.* (-ll-) *vt.* [+目/+目+前+名] (남을) 따라잡다, …보다 능가하다(be superior to): Dick ~*s* all his classmates ***in mathematics [***at*** sports]. 딕은 수학[스포츠]에서는 학급에서 제일 뛰어나다. —— *vi.* [+前+名/+*as*補] 뛰어나다, 탁월하다(surpass others): He ~*s* ***in*** diligence[*in* play*ing* the violin, ***at*** sports, *as* an orator]. 그는 근면성에서[바이올린 연주에서, 스포츠에서, 웅변가로서] 뛰어났다/Poetry is the art *in* which England ~*s*. 영국에서의 시(詩)는 탁월한 예술이다.
〖L *excello* to be eminent (cf. *celsus* lofty)〗
類義語 ⟹ SURPASS.

ex·cel·lence [éksələns] *n.* U 탁월, 우수〈*at, in*〉; C 장점, 미점, 미덕: a moral ~ 도덕상의 미점.
by excellence 뛰어나게, 유달리.

éx·cel·len·cy *n.* **1** 《古》 =EXCELLENCE. **2** [E~] 각하《장관·대사 등에 대한 경칭》.
His[***Her***] ***Excellency*** (간접적으로) 각하[각하[영] 부인].
Your Excellency (직접 호칭으로) 각하(부인).
㊟ 받는 동사는 3인칭 단수형을 씀; 복수형은 Their[Your] *Excellencies*.

‡**éx·cel·lent** *a.* 우수한(very good); 뛰어난, 탁월한(splendid): He is ~ *in* English composition. 그는 영작문이 아주 우수하다. **~·ly** *adv.* 우수하여; 뛰어나서. 〖OF; ⇨ EXCEL〗

ex·cel·si·or [iksélsiər, ekskélsiɔ̀:r] *int.* (표어로) 더욱 높이!, 보다 높은 것을 목표로!《미국 New York 주(州)의 표어》. —— *n.* **1** U 《美》 대팻밥《포장할 때 속을 채우는 데 씀》. **2** 〔印〕 3포인트 활자.
(***as***) ***dry as excelsior*** 《美》 바싹 마른.
〖L=higher〗

Excélsior Stàte *n.* [the ~] New York 주(州)의 속칭.

éx·cènter [éks-] *n.* 〔數〕 방심(傍心).

ex·cen·tric [ikséntrik] *a.* =ECCENTRIC, (특히) 편심(偏心)의. 〖*ex*-¹〗

◇**ex·cept** [iksépt] *vt.* [+目/+目+前+名] 빼놓다, 제외하다(exclude): Any candidate who has passed the first test may be ~*ed* ***from*** the second. 1차 시험에 합격한 수험생은 2차 시험을 면제받을 수 있다. —— *vi.* 이의(異議)를 제기하다(object)〈*to, against*〉.
nobody excepted 한 사람의 예외도 없이.
present company excepted 여기 (모인) 여러분은 제외하고.
—— [iksèpt, -ˊ] *prep.* …을 제외하고는, …이외는(but): Everyone is ready ~ you. 당신 이외에는 다들 준비가 되었다.
㊟ (1) BUT (*prep.*)보다 「제외」라는 뜻이 강하며 적극적임. (2) cf. EXCEPT *for*; EXCEPTING. (3) cf. BESIDES 2; BEYOND 4.
except for …(이란 점)을 제외하고는, …이 없다면, …이 있을 뿐으로(cf. BUT *for*): This book is interesting ~ *for* a few errors. 이 책은 틀린 곳은 더러 있지만 재미있다. ㊟ 주로 긍정문의 경우에 쓰이며 부정문의 경우에는 보통 단독적인 except를 씀: This book has *no* blunders ~ a few mistakes. 이 책은 틀린 곳이 조금 있지만 큰 잘못은 없다.
—— [-ˊ, -ˊ] *conj.* **1** [~ that으로] …이라는 것을 제외하고는, …인 것 이외에는, …이기는 하지만: That will do ~ *that* it is too long. 너무 길기는 하지만 그만하면 됐다. **2** 《古》 …이 아니라면.
〖L EX¹*cept*- -*cipio* to take out〗

excépt·ing *prep.* [문장 첫머리 또는 not, without, always 뒤에 쓰여] =EXCEPT: *E*~ the mayor, all were present. 시장 이외에는 모두 참석했었다/We must all obey the law, *not* ~ the king. 모두 법률을 지키지 않으면 안된다, 왕도 마찬가지다. —— *conj.* =EXCEPT.

***ex·cep·tion** [iksépʃən] *n.* **1** U,C 제외(exclusion). **2** 제외하는 예(例), 예외, 이례(異例): There are some ~*s to* every rule. 어떠한 규칙에도 예외는 있다/The ~ proves the rule.《속담》 예외가 있다는 것은 곧 규칙이 있다는 증거다. **3** U 이의(異議); 〔法〕 이의 신청[제기].
make an exception (***of...***) (…을[은]) 예외로 하다, 특별 취급하다.
make no exception(***s***) 특별 취급하지 않다.
take exception 이의를 제기하다, 불평을 말하다〈*to, against*〉; 화를 내다〈*at*〉.
without exception 예외 없이[가 없는]: No rule *without* ~. 예외 없는 법칙은 없다.
with the exception of[***that...***] …을 제외하고는, …밖에는, …이외에는(except).

excéption·able *a.* 이의를 제기할 수 있는, 비난의 여지가 있는, 바람직하지 못한.

***excéption·al** *a.* **1** 예외적인, 이례적인. **2** 이상한, 드문(unusual, rare): This warm weather is ~ for January. 1월 날씨가 이렇게 따뜻한 것은 드문 일이다. **~·ly** *adv.* 예외적으로, 특별히; 대단히: an ~*ly* hot day 몹시 더운 날. **~·ness** *n.* **ex·cèp·tion·ál·i·ty** *n.*

excéptional chíld *n.* 〔教〕 특수아동《능력우수·심신장애 따위로 특별한 교육을 요하는 아동》.

ex·cep·tive [ikséptiv] *a.* 예외의, 예외적인; 〔文法〕 예외를 도입하는: ~ conjunction 〔文法〕 제외 접속사《unless 따위》.

ex·cerpt [éksə:rpt] *n.* 발췌, 초록(抄錄), 인용구〈*from*〉; (논문 따위의) 발췌 인쇄(offprint).
—— [iksə́:rpt; ek-] *vt.* [+目/+目+*from*+名] 발췌하다, 인용하다: ~ a passage ***from*** a book 책에서 한 구절을 발췌하다. —— *vi.* 발췌하다. **~·er**, **ex·cérp·tor** *n.* **~·ible** *a.*

〚L *ex-*[1](*cerpt- cerpo = carpo* to pluck) = to pick out〛

ex·cerp·tion [iksə́ːrpʃən ; ek-] *n.* Ⓤ,Ⓒ 발췌, 초록(抄錄).

***ex·cess** [iksés, ékses] *n.* **1** Ⓤ [또는 an ~] 과다, 과잉(too much) ; 과도 ; Ⓒ 초과(량·액), 여분 : ~ *of* blood 혈액 과다, 일혈(溢血) / an ~ *of* kindness 과도한 친절, 과잉 친절 / an ~ *of* exports (*over* imports) 수출 초과액[량]. **2** Ⓤ 지나침, 불근신(不謹愼), 월권. **3** Ⓤ 무절제(intemperance)〈*in*〉; [*pl.*] 폭음, 폭식 ; [보통 *pl.*] 지나친 행위, 옳지 못한 행적, 난폭.
carry. . .to excess …을 지나치게 하다.
go*[*run*] *to excess 극단으로 달리다, 지나치게 하다.
in*[*to*] *excess 과도하게.
in excess of …을 초과하여[하는], …이상의, …보다 많은[많게](more than).
── [ékses, iksés] *a.* 제한 초과의, 여분의 : ~ baggage[luggage] (항공기 따위에서 무료 수송의 규정량을 초과하여 초과료를 무는) 초과 수화물.
── [iksés] *vt.* 《美》 (공무원을) 휴직시키다.
〚OF<L ; ⇨ EXCEED〛

éxcess chàrge *n.* 주차시간 초과요금.

éxcess demánd *n.* 〘經〙 수요 초과[과잉].

éxcess-demánd inflàtion *n.* 수요(需要) 인플레이션.

éxcess fàre *n.* (철도의) 거리 초과요금, (윗 등급차로) 갈아탈 때의 추가요금.

***ex·ces·sive** [iksésiv] *a.* 과도의(cf. MODERATE), 과대한, 극단적인 : ~ charges 터무니없는 대금[요금]. **~·ness** *n.* 과도.
類義語 ***excessive*** 적당한 또는 보통의 분량[정도]을 넘고 있는 : *excessive* demands (과도한 요구). ***exorbitant*** excessive한 정도가 강하여 불합리한 ; 특히 부당한 요구·욕망·값 따위에 쓰임 : an *exorbitant* demand (부당한 요구). ***extravagant, immoderate*** 억제력과 신중함이 결여되어 있기 때문에 excessive하게 된것을 나타냄 : *extravagant* in expenditure (돈 씀씀이가 헤픈) / *immoderate* behavior (버릇없는 행위). ***inordinate*** 사회의 습관 또는 양식의 한계를 벗어난 : an *inordinate* rent (과도한 소작료).

ex·ces·sive·ly *adv.* 과도하게 ; 《口》 대단히, 몹시 : She is ~ fond of music. 그녀는 음악을 몹시 좋아한다.

éxcess liquídity *n.* 〘經〙 과잉 유동성《금융시장에서 통화공급이 수요를 상회하는 상태》.

éxcess pòstage *n.* (우표) 부족 요금.

éxcess-prófits tàx *n.* 초과 이득세.

éxcess resèrves *n. pl.* (은행의) 초과 준비금.

éxcess supplý *n.* 〘經〙 공급 초과[과잉].

exch. exchange(d) ; exchequer.

‡ex·change [ikstʃéindʒ] *vt.* **1** [+目/+目+*for*+名] 교환하다, 환전(換錢)하다, (물건을) 교역하다(barter) ; (다른 물건과) 바꾸다 : We found that we had ~*d* umbrellas. 우리는 우산이 서로 바뀐 것을 알게 되었다 / Please ~ this one dollar ***for*** four quarters. 이 1달러를 25센트짜리 4개로 바꿔 주십시오. **2** [+目/+目+*with*+名] 서로 교환하다, 주고받다(interchange): ~ glances 시선을 교환하다, 서로 눈길을 주고받다 / ~ views 의견을 교환하다 / They ~*d* blows[greetings]. 서로 치고 받고 했다[인사를 교환했다] / Will you ~ seats ***with*** me? 저와 자리를 바꾸어 주시지 않겠습니까 / Pasteur often ~*d* letters *with* his little friends. 파스퇴르는 종종 어린 친구들과 편지를 주고받곤 했다.

〈회화〉
Let's *exchange* books. — OK. If you want to.
「네 책과 내 책을 교환하자」「좋아, 네가 원한다면」

── *vi.* [+前+名] **1** 교환하다, 교역하다 ; 교대하다 : He ~*d* ***from*** a regiment ***into*** another. 그는 한 연대에서 다른 연대로 전근되었다. **2** (화폐가) 환전되다〈*for*〉. ── *n.* **1** Ⓤ,Ⓒ 교환, 주고받기 ; 언쟁, 논쟁 : ~ of gold *for* silver 금과 은의 교환 / ~ of prisoners 포로(의) 교환 / ~ of gifts 선물을 주고받기 / an ~ of words 말을 (서로) 주고받기, 응수 / make an ~ 교환하다 / *E*~ is no robbery. 《戱》 교환은 강탈이 아니다《때때로 부당한 교환을 강요할 때 하는 말》. **2** 교환품, 주고받는 물건. **3** Ⓤ 환전 ; 환(換) ; 환시세 : a bill of ~ 환어음 / par of ~ ☞ PAR / the rate [course] of ~ (외국) 환시세. **4** 거래소(cf. CHANGE *n.* 4) : the grain ~ 《美》=《英》 the corn ~ 곡물 거래소 / the stock ~ 증권 거래소. **5** (전화의) 교환국(telephone exchange, 《美》 central). **6** 〘電〙 교환기 ; 〘理〙 (핵자간 입자의) 교환 ; 《英》 직업 안정소.
in exchange (***for. . .***) (…와) 교환으로, 교환 조건으로 : Would you send me some American stamps? I'll let you have some Korean ones *in* ~. 미국 우표를 보내 주십시오, 대신 한국의 우표를 보내드리겠습니다.
〚AF ; ⇨ CHANGE〛

exchánge·able *a.* 교환[교역]할 수 있는〈*for*〉.
exchànge·abílity *n.* 교환[교역]할 수 있음 ; 교환 가치.

exchánge bànk *n.* 외국환 은행.

exchánge bròker *n.* 환(換)중개인, 증권 거래소 중개인.

exchánge chèck[**chèque**] *n.* 상품권.

exchánge còntract *n.* 선물환 계약

exchánge contròl *n.* 환관리.

ex·chang·ee [èkstʃeindʒíː, iks-ˊ, 美+iksˊ-] *n.* (교환 계획에 의하여) 교환되는 사람《교환 교수·학생 등》.

exchánge fòrce *n.* 〘理〙 교환력.

exchánge màrket *n.* 환시장.

exchánge òrder *n.* 항공권 교환증《항공회사나 그 대리점이 발행함 ; 略 XO》.

exchánge pàrity *n.* 〘經〙 환평가.

exchánge profèssor *n.* 교환 교수.

exchánge quotàtion *n.* 외국환 시세표.

ex·cháng·er *n.* 교환을 맡은 것[사람, 장치] ; 환전상(商) ; 〘理〙 교환기, 이온 교환체, 열교환기.

exchánge ràte *n.* 환율(換率).

exchánge-ràte méchanism *n.* 유럽 환율 조정 장치.

exchánge reàction *n.* 〘理〙 교환 반응.

exchánge stabilizátion fùnd *n.* 환안정(換安定) 자금.

exchánge stùdent *n.* 교환 (유)학생.

exchánge tèacher *n.* 교환 교사.

exchánge tìcket *n.* (뉴욕 증권 거래소의) 매매 주식 확인표.

exchánge vàlue *n.* 〘經〙 교환 가치.

ex·che·quer [ikstʃékər, 美+ékstʃekər] *n.* **1** [the E~] 《英》 재무부(財務部). **2** 국고(national treasury). **3** Ⓤ 《口》 (개인·회사 따위의) 재원(財源), 재력, 자력(資力) ; [흔히 the

E~] (영국의) 국고금, 국고 예금 : My ~ is low. 내 재정은 어렵다.
the Chancellor of the Exchequer ☞ CHANCELLOR.
〖OF<L *scaccarium* chessboard ; 그 위에서 계산한 chequered tablecloth에서 ; *ex*-는 *exchange* 따위의 *ex*-[1]과의 잘못된 연상〗

exchéquer bìll *n.* 《英》 (옛날의) 재무부 증권.

exchéquer bònd *n.* 《英》 국고 채권.

ex·ci·mer [éksəmər] *n.* 〔化〕 엑시머《들뜬 상태에서 존재하는 이합체(二合體)》.

ex·cís·able[1] *a.* 과세할 수 있는.

excisable[2] *a.* 잘라낼 수 있는.

ex·cise[1] [éksaiz, 英+-ˊ] *n.* **1** (국내) 소비세, 물품세(=ˊ~ **tàx**)《술·담배 따위의 상품의 생산·판매 또는 소비에 대한 과세》; (영업 따위의) 면허세(=ˊ~ **tàx**) : There is an ~ *on* tobacco. 담배에는 소비세가 붙어 있다. **2** [the E~] 《英》 간접세무국《현재에는 the Board of Customs and E~라고 함》.
—— [iksáiz] *vt.* …에 소비세를 부과하다, (특히) 중세를 과하다 ; …에 엄청난 대금을 청구하다.
〖Du. *excijs*< ? Rom. (L CENSUS tax)〗

ex·cise[2] [iksáiz] *vt.* 절제하다, 잘라내다.
〖L EX[1]*cis*- -*cido* to cut out〗

éxcise làws *n. pl.* 소비세법 ; [the ~] 《美》 주류 제조 판매 규제법.

éxcise·màn [ˌ-mən] *n.* 《英》 (예전의) 소비세 징수 세무관.

ex·ci·sion [eksíʒən] *n.* Ⓤ 절단, 절제 ; 삭제 ; Ⓒ 절제물. 〖EXCISE[2]〗

ex·ci·sion·ase [eksíʒənèis, -z] *n.* 〔生化〕 제거효소《바이러스 효소의 하나》.

ex·cít·able *a.* 격분하기 쉬운, 흥분성의(↔ *sedate*). **-ably** *adv.* 격분하기 쉽게, 흥분하도록.

ex·cìt·abíl·i·ty *n.* 격분[욱]하기 쉬운 성질, 흥분성.

ex·cit·ant [iksáitənt, éksətənt] *a.* 자극성의, 흥분시키는.
—— *n.* 자극성 ; 흥분제(劑) ; (특히) 각성제.

ex·ci·ta·tion [èksaitéiʃən, -sə-] *n.* Ⓤ 자극(하기) ; 흥분(의 원인) ; 〔電〕 여자(勵磁) ; 〔理〕 들뜨기, 여기(勵起).

ex·cit·ative [iksáitətiv], **ex·cit·ato·ry** [-tɔ̀:ri ; -təri] *a.* 자극하는, 흥분시키는.

‡**ex·cite** [iksáit] *vt.* **1** [+目/+目+前+名] 자극하다, 흥분시키다(stimulate) ; 성적으로 흥분시키다 : ~ oneself 흥분하다 / He gets easily ~*d* ***to*** anger. 그는 화를 잘 낸다. 注 흔히 *p.p.*로 형용사적으로 쓰임[+*to* do] : I was ~*d* by the news[***at*** the disclosure, ***about*** something, *to* hear it]. 보도에[그것이 폭로되어, 어떤 일로, 그것을 듣고] 흥분했다. **2** [+目/+目+前+名] (남에게 감정 따위를) 일으키게 하다, (주의를) 환기하다, (흥미·호기심을) 자극하다(awaken) (cf. INCITE) : His brother's success ~*d* envy ***in*** him [~*d* him ***to*** envy]. 형의 성공을 보고 그는 몹시 부럽다고 생각했다. **3** (폭동 따위를) 선동하다, 야기하다(bring about). **4** 〔電·磁〕 여자(勵磁)하다, (전류를) 일으키다 ; 〔理〕 들뜨게 하다, 여기(勵起)시키다. —— *vi.* 《口》 흥분하다.
〖OF or L (freq.)〈*ex*-[1](*cieo* to stir up)〗

*__ex·cít·ed__ *a.* 흥분한 ; 활발한, 활기 띤 ; 〔理〕 들뜬 상태의. **~·ly** *adv.* **~·ness** *n.*

excíted átom *n.* 들뜬 원자.

excíted státe *n.* (원자·분자의) 들뜬 상태.

‡**excíte·ment** *n.* **1** Ⓤ 흥분(상태) ; Ⓒ (기쁨의) 소동, (인심의) 동요(agitation) : in ~ 흥분하여, 긴장되어. **2** 자극하는 것 : the ~*s* of city life 도시 생활의 자극.

ex·cít·er *n.* 자극하는 사람[것] ; 여자기(勵磁機) ; 〔醫〕 자극[흥분]제.

*__ex·cít·ing__ *a.* **1** 자극적인, 흥분시키는, 아슬아슬한, 손에 땀을 쥐게 하는, 생동하는 : an ~ story 재미가 있는[아슬아슬한] 이야기. **2** 〔電〕 여자(勵磁)의 ; 〔理〕 들뜨게 하는. **~·ly** *adv.* 자극적으로, 대단히 재미나게.

ex·ci·ton [éksətɑ̀n, -sai-] *n.* 〔理〕 엑시톤, 여기자(勵起子).

ex·cí·tor *n.* 〔生理〕 흥분[자극] 신경 ; 《古》 = EXCITER.

excl. exclamation ; exclamatory ; excluded ; excluding ; exclusive(ly).

*__ex·claim__ [ikskléim] *vi.* [動/+前+名] (감탄하여) 외치다 ; 소리높이 외치다, 소리쳐 말하다 : ~ ***against*** oppressions 소리 높여 압박에 반대하다, 압박을 큰소리로 비난하다. —— *vt.* [+目/+*that* 節] 소리쳐 말하다 : "Well done, Tom!" the teacher ~*ed.* 톰, 잘했어 하고 선생님이 외쳤다 / He ~*ed that* I should not leave without him. 그는 자기를 두고 가지 말라고 소리쳤다.
〖F or L (CLAIM)〗
類義語 ⟹ CRY.

exclam. exclamation ; exclamatory.

*__ex·cla·ma·tion__ [èkskləméiʃən] *n.* **1** Ⓤ 절규, 감탄 ; Ⓒ 외침 ; 격한 항의[불만]의 소리. **2** 〔文法〕 감탄사 ; 감탄문 ; 감탄 부호.
***a note*[*point*] *of exclamation*=*an exclamation mark*[*point*]** 감탄 부호《!》.
〖OF or L ; ⇨ EXCLAIM〗

ex·clam·a·to·ry [iksklǽmətɔ̀:ri ; -təri] *a.* 감탄조의 : ~ sentence 감탄문.

ex·claus·tra·tion [èksklɔ:stréiʃən] *n.* 수도(修道) 생활에서 속세로 되돌아오기, 환속(還俗).

ex·clave [éksklеiv] *n.* 본국에서 떨어져서 다른 나라 안에 들어 있는 영토(cf. ENCLAVE).

ex·clo·sure [iksklóuʒər] *n.* 《美》 (동물·해충 따위의 침입을 막으려고) 울[담]로 둘러막은 곳.

*__ex·clude__ [iksklú:d] *vt.* **1** [+目/+目+*from*+名] 내쫓다, 제외하다(shut out) (↔*include*) ; 배제하다(expel) ; (특히 출산이나 부화 때에) 방출하다, 빼다 : The immigrants were ~*d* ***from*** the country. 이민들은 그 나라에서 쫓겨났다. **2** 고려하지 않다, 무시하다, (증거 따위를) 채택하지 않다, 물리치다(reject). **3** (가능성·가망·의심을) 전혀 용납하지 않다, 여유를 주지 않다.
〖L EX[1]*clus*- -*cludo* to shut out〗
類義語 ***exclude*** 어떤 장소·어떤 패거리 따위에 들어가거나 가담하지 못하게 하다 : He was *excluded* from the club. (그는 클럽에서 쫓겨났다). ***eliminate*** 이미 (조직 속에) 존재하는 것을 좋지 않다거나 관계[필요]가 없다는 이유로 제거하다 : *eliminate* politics from the talk (회담에서 정치 문제를 제외시키다). ***suspend*** 규칙 따위를 위반하여 일시적으로 제외[제명]하다 : *suspend* six students from school (학생 6명을 정학시키다).

ex·clúd·ed míddle *n.* 〔論〕 배중률(排中律).

ex·clúd·ing *prep.* …을 제외하고(↔*including*).

ex·clu·sion [iksklú:ʒən] *n.* Ⓤ,Ⓒ 제외, 배제〈*from*〉; 이민 입국 금지 ; 배제[제외]된 것.
exclusion clause 〔保險〕 단서 조항《보험금이 지급될 수 없는 경우 따위를 정한 것》.
to the exclusion of …을 제외하고.

~·àry [; -nəri] *a.* 배타적인. **~·ìsm** *n.* 배타주의. **~·ist** *a., n.* 배타적인 (사람) ; 배타주의자. 〚L ; ⇨ EXCLUDE〛

exclúsionary rúle *n.* [the ~] 〔美法〕 (위법 수집증거) 배제의 원칙.

***ex·clu·sive** [iksklú:siv] *a.* **1** 제외[배타]적인 (↔ *inclusive*). **2** 독점적인, 폐쇄적인 : ~ privileges 독점권 / ~ rights 점유권 / an ~ use 전용(專用). **3** 전문적인 ; 유일한(sole). **4** 독특한 ; (친구·회원 등을) 엄선하는 ; (호텔·상점 따위의) 고급의 ; 멋이 있는(stylish). **5** [부사적으로] 제외하여 : from 10 to 21 ~ 10에서 21까지《단, 10과 21은 제외》.
exclusive of …을 제외하고, …을 넣지 않고.
—— *n.* 배타적인 사람 ; 독점 기사[상품·영화].
~·ness *n.* 제외, 배타(성) ; 독점.
〚L ; ⇨ EXCLUDE〛

exclúsive distribútion *n.* 〔마케팅〕 독점적[배타적] 유통.

exclúsive económic zòne *n.* 배타적 경제수역《略 EEZ》.

exclúsive físhing zòne *n.* 어로 전관수역.

exclúsive ínterview *n.* 단독회견.

exclúsive·ly *adv.* 배타적으로 ; 독점적으로, 폐쇄적으로 ; 전적으로, 오로지 …(뿐) (solely, only).

exclúsive ÓR cìrcuit[**gàte**] *n.* 〔컴퓨〕 배타적 논리합회로(排他的論理合回路)[게이트].

ex·clú·siv·ìsm *n.* 배타주의 ; 독점주의.

ex·cog·i·tate [ekskɑ́dʒətèit] *vt.* 숙고하다 ; 고안하다, 창안[안출]하다. —— *vi.* 숙고하다.
ex·còg·i·tá·tion *n.* 숙고, 숙려, 고려 ; 안출, 고안(물), 창안. 〚L (COGITATE)〛

ex·com·mu·ni·cate [èkskəmjú:nəkèit] *vt.* 〔宗〕 파문(破門)하다 ; 축출하다, 제명하다.
—— [-nikət, -nəkèit] *a., n.* 파문[축출·제명]된 (사람). **-cà·tor** *n.* 파문하는 사람.
〚L=to put out of the community ; ⇨ COMMON〛

ex·com·mu·ni·ca·tion [èkskəmjù:nəkéiʃən] *n.* **1** U,C 〔宗〕 파문(선고). **2** U,C 제명, 추방.

èx·com·mú·ni·cà·tive [, -nikə- ; -kə-] *a.* 파문(선고)의.

èx·com·mú·ni·ca·to·ry [-kətɔ̀:ri ; -kèitəri] *a.* 파문(선고)의 ; 파문의 원인이 되는.

éx-cón, éx-cónvict *n.* 전과자.

ex·co·ri·ate [ikskɔ́:rièit] *vt.* (사람의) 피부를 벗기다 ; 표피를 벗기다, 껍질을 까다 ; 《비유》 통렬히 비난하다. —— [, -riət] *a.* (피부가) 스쳐 벗겨진 ; (피복이) 벗겨진. **ex·cò·ri·á·tion** *n.* (피부의) 벗겨짐 ; 벗겨진 데 ; 통렬한 비난.
〚L (*corium* hide)〛

ex·cre·ment [ékskrəmənt] *n.* U 배설물 ; [때때로 *pl.*] 대변, 똥(feces). **èx·cre·mén·tal** [-méntl], **-men·tí·tious** [-mentíʃəs, -mən-] *a.* 배설물의 ; 대변의. 〚F or L ; ⇨ EXCRETE〛

ex·cres·cence [ikskrésəns] *n.* (동식물체의) 이상[병적] 생성물《군살·혹·사마귀 따위》; 《비유》 무용지물 ; 《稀》 자연적인 성장물《손톱·머리털 따위》; 파생(된 것).

ex·crés·cent *a.* (병적으로) 융기(隆起)한 ; 군은[군더더기] 살의, 혹의 ; 군더더기의, 쓸데없는.
〚L (*cresco* to grow)〛

ex·cre·ta [ikskrí:tə] *n. pl.* 배설물, 선(腺) 분비물《땀·때 따위》, (특히) 분뇨. **ex·cré·tal** *a.*
〚L (p.p.) < ↓〛

ex·crete [ikskrí:t] *vt.* 〔生理〕 배설하다.
ex·cré·tive *a.* 배설의, 배설을 촉진하는, 배설력(排泄力)이 있는.
〚L EX[1]*cret*- -*cerno* to sift out〛

ex·cre·tion [ikskrí:ʃən] *n.* U 〔生理〕 배설(작용) (cf. SECRETION) ; U,C 배설물.

ex·cre·to·ry [ékskrətɔ̀:ri ; ekskrí:təri] *a.* 배설(성)의 : ~ organs 배설 기관.
—— *n.* 배설 기관(器官).

ex·cru·ci·ate [ikskrú:ʃièit] *vt.* (육체적 또는 정신적으로) 고통을 주다 ; 심히 괴롭히다.
〚L EX[1]*crucio* to torment (*crux* cross)〛

ex·crú·ci·àt·ing *a.* **1** 고문을 당하는 (것 같은) ; 몹시 괴로운. **2** 《美》 (번잡하여) 참기 어려운.
~·ly *adv.* 몹시 괴롭게, 견딜 수 없게.

ex·cru·ci·a·tion [ikskrù:ʃiéiʃən] *n.* 몹시 괴롭힘, 고문 ; 격렬한 고통.

ex·cul·pate [ékskʌlpèit, ikskʌ́lpeit] *vt.* [+目 / +目+*from*+名] 무죄로 하다 ; 무죄라고 변명하다, …의 무고함을 밝히다(clear) ; (증거·사실 따위가) …의 죄를 면하게 하다, 변명이 되다 : ~ a person ***from*** a charge 남에 대한 고소가 무고함을 증명하다 / ~ oneself *from* (…에서) 결백함을 밝히다. **èx·cul·pá·tion** *n.* 무죄로 함 ; 무죄의 증명 ; 변명, 변호.
〚L=freed from blame (*culpa* blame)〛

ex·cúl·pa·tò·ry [; -pətəri] *a.* 무죄를 증명하는, 무죄 변명의 ; 변명의, 해명적인.

ex·cúrrent *a.* 흘러나오는, 유출성(流出性)의 ; 〔植〕 줄기가 하나로 된 ; (주엽맥(主葉脈)이) 연장하여 뻗어나온 ; 〔動〕 유출구(流出口)가 되는.

ex·curse [ekskə́:rs ; iks-] *vi.* 《비유》 옆길로 새다 ; 소풍가다, 단거리 유람여행을 하다.

***ex·cur·sion** [ikskə́:rʒən, -ʃən] *n.* **1** 소풍 ; 수학여행, 유람(여행) : go on[for] an ~ 소풍을 가다 / make[take] an ~ to[into] …으로 소풍을 가다. **2** 소풍[유람·여행] 단체. **3** 옆길로 빗나가기, 탈선. **4** 〔機〕 행정(行程) ; 진폭(振幅) ; 왕복 운동. **5** 《古》 출격, 습격. **6** 〔理〕 편위(偏位), 편위 운동 ; 〔理〕 고속 증식로 안에서의 무제한 핵분열 연쇄반응, (원자로의) 폭주(暴走)《출력이 사고로 급격히 증대함》; 〔天〕 (궤도로부터의) 편의(偏倚). **~·ist** *n.* 소풍을 가는 사람 ; 유람 여행자. 〚L EX[1]*curs*- -*curro* to run out〛
類義語 ⟹ TRAVEL.

excúrsion tìcket *n.* (할인) 유람권(券).

excúrsion tràin *n.* 유람 열차.

ex·cur·sive [ikskə́:rsiv] *a.* 지엽적인 ; 산만한, 종잡을 수 없는 : ~ reading 난독(亂讀).
~·ly *adv.* 막연히, 산만하게.

ex·cur·sus [ekskə́:rsəs] *n.* (*pl.* **~·es, ~**) (책 뒤에 붙이는) 부기(附記), 부록(附錄) ; 본론에서 빗나감.

ex·cús·able *a.* 허용되는 ; 용서해도 좋은, 변명이 되는. **-ably** *adv.*

ex·cus·a·to·ry [ikskjú:zətɔ̀:ri ; -təri] *a.* 변명의, 해명의.

◇**ex·cuse**[1] [ikskjú:z] *vt.* **1** [+目 / +目+前+名 / +do*ing*] 용서하다, 용서해 주다(forgive) : He ~*d* my carelessness. 나의 부주의를 너그러이 봐주었다 / *E*~ me ***for*** not hav*ing* answered your letter sooner. 답장이 늦어진 것을 용서해 주십시오 / Please ~ me *for* be*ing* late[~ my be*ing* late]. 늦어서 죄송합니다. **2** 변명하다, 해명하다 (apologize) ; (사정이) …의 변명이 되다, …을 용서하다(justify) : Ignorance of the law ~*s* no man. 《속담》 누구든지 법을 알지 못했다고 해서 죄를 면할 수는 없다. **3** [+目+*from*+名] (의무 따위를) …에서 면하다(exempt) : I cannot ~ you ***from*** attend*ing* my classes. 나의

강의에 결석하는 것을 인정할 수 없다. **4** …없이 견디게 하다(dispense with) : My presence has been *~d.* 나는 출석하지 않아도 괜찮기로 되어 있다. —— *vi.* 용서를 빌다, 용서하다 ; 변명하다.
Excuse me. [흔히 skjú:z mi:] 죄송합니다, 실례합니다.
Excuse me, (***but***) . . . 실례지만….

〈회화〉
Excuse me, but will you tell me the way to the station? — With pleasure. 「실례지만, 역으로 가는 길을 가르쳐 주십시오」「그러세요」

excuse one***self*** (1) 변명하다〈*for* one's conduct〉. (2) 사퇴하다, 하지 못하겠다고 양해를 구하다 : I should like to ~ my*self from* attend*ing* the meeting. 실례지만 회의에 참석하지 못하겠습니다.
If you'll kindly excuse me. . . 대단히 죄송하지만….
〚OF<L *ex-*[1](*cuso*<*causa* accusation)〛
[類義語] ⟹ PARDON.

‡**ex·cuse**[2] [ikskjú:s] *n.* Ⓤ,Ⓒ [+前+do*ing*] 변명, 해명, 사과(apology) ; (과실 따위의) 이유 ; 핑계, 구실(pretext) ; 용서, 사면(pardon) : You have no ~ *for* be*ing* lazy. 게으른 데 대해서는 할말이 없겠지 / Ignorance of the law is no ~. 《속담》 법을 몰랐다는 것은 변명이 안된다.
in excuse of …의 구실로, …의 변명으로서.
make an excuse (***for. . .***) (…의) 변명을 하다, (…을) 해명하다.
without (***good***) ***excuse*** (정당한) 이유없이 : You should not be absent *without good* ~. 정당한 이유없이 결석은 안됩니다.
〚↑〛

excúse-mè (**dánce**) *n.* 남의 파트너와 춤을 추어도 되는 댄스.

ex de·lic·to [èks dəlíktou] *a., adv.* 불법의 ; 불법행위에 의해.
〚L=of or by reason of a wrong〛

èx-diréctory *a.* 《英》 전화번호부에 올라 있지 않은(unlisted) : go ~ 전화번호부에 전화번호를 올리지 않(고 두)다.

ex div. ex dividend.

èx dívidend *a., adv.* 〔證〕 배당락(落)의[으로] (↔*cum dividend*)《略 ex div.》. 〚L〛

ex·e·at [éksiæ̀t] *n.* 《英》 (학교·수도원이 주는) 결석허가, 외박허가. 〚L=let him[her] go out (3rd sg. pres, subj.)〈*ex-*[1](*eo* to go)〛

ex·ec [igzék] *n.* 《口》 =EXECUTIVE (OFFICER).

exec. executed ; execution ; executive ; executor.

EXEC 〔컴퓨〕 executive control program《전체를 제어하는 주(主)프로그램》.

ex·e·cra·ble [éksikrəbəl] *a.* 저주할, 밉살스러운 ; 지긋지긋한. **-bly** *adv.* 저주할 만큼 ; 지긋지긋하게. **~·ness** *n.*

ex·e·crate [éksəkrèit] *vt.* 싫어하다, 몹시 싫어[혐오]하다, 지긋지긋해 하다(abhor) ; 비난하다(denounce) ; 《古》 …을 저주하다(curse).
—— *vi.* 저주하다. **éx·e·crà·tor** *n.*
〚L *ex*(*s*)*ecror* to curse ; ⇨ SACRED〛

ex·e·cra·tion [èksəkréiʃən] *n.* Ⓤ 저주, 몹시[지긋지긋하게] 싫어하기 ; Ⓒ 주문(呪文), 저주의 말 ; 저주받은 사람[것], 아주[몹시] 싫음.

éx·e·crà·tive, ex·e·cra·to·ry [éksəkrətɔ̀:ri ; -krèitəri] *a.* 저주의 ; 저주하기 쉬운.

ex·ec·u·tant [igzékjətənt] *n.* 실행자, 집행자 ; 〔樂〕 연주자. —— *a.* 연주자의 ; 집행하는.

*__ex·e·cute__ [éksikjù:t] *vt.* **1** (계획·명령 따위를) 실행[달성]하다(carry out) ; (직무 따위를) 수행하다, 다하다(fulfill) ; (계약 따위를) 이행하다 ; (법률·판결 따위를) 실시하다, 집행하다 : All orders will be promptly *~d.* 모든 주문에 언제라도 신속하게 응해 드립니다 / Congress makes the laws ; the President *~s* them. 국회는 법을 제정하고 대통령은 그것을 집행한다. **2** …에게 사형을 집행하다, 처형하다. **3** (미술품 따위를) 완성하다, 제작하다 ; (역할을) 맡아하다 ; (악곡을) 연주하다. **4** 〔法〕 (증서 따위를) 작성하다 ; 《英》 (재산을) 양도하다. **éx·e·cùt·able** *a.* 집행[실행]할 수 있는. **-cùt·er** *n.*
〚OF<L (*secut- sequor* to follow)〛
[類義語] ⟹ PERFORM, KILL[1].

*__ex·e·cu·tion__ [èksikjú:ʃən] *n.* **1** Ⓤ (직무·판결·유언 따위의) 집행, 실행(enforcement) ; (특히) 강제 집행[처분] ; Ⓒ 처형, 사형 집행. **2** Ⓤ 주효(奏效), (특히 무기 따위의) 효과 : do ~ 효과를 나타내다, 위력을 발휘하다. **3** Ⓤ (미술 작품의) 제작, 솜씨, 수법 ; 완성된 정도 ; (배우의) 연기 ; 〔樂〕 연주(performance), 연주 솜씨. **4** Ⓤ 마무리, 완성(accomplishment) ; 〔法〕 (증서의) 작성(완료) : the ~ *of* a task[*of* a plan] 일의 완성[계획의 달성].
carry. . .into[***put. . .in***(***to***)] ***execution*** …을 마무리하다, …을 실행하다.
forcible execution 〔法〕 강제 집행.
writ of execution 〔法〕 강제 집행 영장.
〚OF<L ; ⇨ EXECUTE〛

Execútion Dòck *n.* [the ~] 〔英史〕 해적 처형장《London 동부 Thames 강 기슭에 있었음》.

execútion·er *n.* **1** 실행[집행]자. **2** 사형 집행인, 암살자.

*__ex·ec·u·tive__ [igzékjətiv] *a.* **1** 실행[수행, 집행]의 ; 행정상의 ; 행정부에 속하는 : an ~ committee 실행[집행] 위원회 / the ~ branch of the legislature 입법의회의 행정부. **2** 관리직의, 이사[중역, 임원]의. **3** 중역용의 ; 중역[경영자, 행정기관의 장]에 어울리는 ; 호화로운 ; 취미가 세련된 : an ~ airplane 중역 전용기. —— *n.* **1** 행정관 ; [the ~] 행정부 ; 《美》 행정 기관의 장, 최고 행정관《대통령·주지사·시장 등》: the chief ~ 주지사 / *E~* office of the President 《美》 대통령 직속 기관. **2** (사장·중역·지배인 등) 간부, 관리직, 경영진, 임원 ; (정당·노조 따위의) 집행부, 집행 위원회. **3** 《주로 美》 지배인.
〚L ; ⇨ EXECUTE〛

exécutive agréement *n.* 《美》 (다른 나라와의) 행정 협정.

exécutive bránch *n.* 행정부 ; 전투 지휘부.

exécutive clémency *n.* 《美》 (대통령·주지사 등에 의한) 감형, 특별 사면(권).

exécutive commíssion *n.* 집행 위원회.

Exécutive Mánsion *n.* [the ~] 《美》 대통령 관저(the White House) ; 주지사 관저.

Exécutive Óffice Búilding *n.* 《美》 (행)정부 청사.

exécutive ófficer *n.* 행정관 ; 집행관 ; 병과 장교, (군함의) 부함장.

exécutive órder *n.* [때때로 E~ O~] 《美》 대통령 명령, 행정 명령.

exécutive prívilege *n.* 《美》 (기밀 유지에 관한) 행정부 특권, 대통령 특권.

exécutive séarch *n.* (사장급 인재의) 스카우트업.

exécutive sécretary *n.* 사무국장, 사무총장.

exécutive séssion *n.* 《美》 (정당의 당수 사이의) 비밀회의.

ex·ec·u·tor [igzékjətər] *n.* **1** 〖法〗 지정 유언 집행자 : a literary ~ (고인의 유언에 의한) 유저(遺著)의 관리자. **2** [, 美+éksəkjù:-] 집행자. **~·shìp** *n.* U 유언 집행자의 자격[직무].

ex·ec·u·to·ri·al [igzèkjətɔ́:riəl] *a.* 〚AF<L ; ⇨ EXECUTE〛

ex·ec·u·to·ry [igzékjətɔ̀:ri ; -təri] *a.* 행정상의 ; 〖法〗 미(未)이행[확정]의, (계약·유언 따위가) 미래에 효력을 발생하는.

ex·ec·u·trix [igzékjətriks] *n.* (*pl.* **~·es, -tri·ces** [igzèkjətráisi:z]) 〖法〗 여자 지정 유언 집행자.

ex·e·ge·sis [èksədʒí:səs] *n.* (*pl.* **-ses** [-si:z]) (특히 성서의) 설명, 해설, 주석, 평석, 해석. 〚Gk. *ex-*²(*hēgeomai* to lead)=to interpret〛

ex·e·gete [éksədʒì:t], **ex·e·get·ist** [èksədʒétəst] *n.* (성서) 해석학자.

ex·e·get·ic, -i·cal [èksədʒétik(əl)] *a.* 주석의. **-i·cal·ly** *adv.* 주석적으로.

èx·e·gét·ics *n.* (특히 성서·경전의) 주석학, 해석학.

ex·em·plar [igzémplər, -plɑ:r] *n.* 모범, 본보기 ; 전형(典型), 본 ; 견본 ; 유례(類例). 〚OF<L ; ⇨ EXAMPLE〛

ex·em·pla·ry [igzémpləri] *a.* **1** 모범[전형]적인, 훌륭한. **2** 본보기의, 징계의(punitive) : ~ damages 〖法〗 징벌적(懲罰的) 손해 배상(금)《실제의 손해 이상의 액》. **-ri·ness** *n.*

ex·em·pli·fi·ca·tion [igzèmpləfəkéiʃən] *n.* **1** U 예증, 모범. **2** 표본, 적절한 예. **3** 〖法〗 (인증(認證)) 등본(謄本).

ex·em·pli·fy [igzémpləfài] *vt.* **1** 예증하다, 예시하다 ; (사물이) …의 좋은 예가 되다. **2** 복사하다 ; 〖法〗 …의 (인증) 등본을 만들다.

ex·em·pli gra·tia [egzémplai gréiʃiə, igzémpli: grɑ́:tiɑ̀:] *adv.* 예컨대, 예를 들면(for example)《略 e.g. 또는 ex. g(r).》. 〚L〛

ex·em·plum [igzémpləm] *n.* (*pl.* **-pla** [-plə]) **1** (도덕적) 교훈담, 일화. **2** =EXAMPLE. 〚L ; ⇨ EXAMPLE〛

ex·empt** [igzémpt] *vt.* [+目+*from*+名] (남의 의무를) 면제하다(release) : He was *~ed* ***from military service[the examination]. 그는 병역[시험]을 면제받았다. —— *pred. a.* **1** 면제된(freed)〈*from*〉. **2** 면역의〈*from*〉. —— *n.* (의무를) 면제받은 사람 ; (특히) 면세자(免稅者). 〚L (EX¹*empt- -imo* to take out)〛

ex·emp·tion [igzémpʃən] *n.* U,C (의무의) 면제 〈*from*〉 ; 면제된 사람[것] ; (소득) 공제.

ex·en·ter·ate [igzéntərèit] *vt.* 〖外科〗 (안와(眼窩)·골반 따위)의 내용을 제거하다 ; (원래) …의 내장을 제거하다. —— [-rət] *a.* 내장을 제거한. **ex·èn·ter·á·tion** *n.* 내용 제거(술)

ex·e·qua·tur [èksəkwéitər] *n.* (주재국 정부에서 타국의 영사나 상무관에게 주는) 인가장 ; (교황의 교서·법령의 포고에 대한) 주권자의 인가서. 〚L=he may perform (his duties)〛

ex·e·quy [éksəkwi] *n.* [보통 *pl.*] 장의(葬儀), 장례식(葬禮式), (때로는) 장례 행렬. 〚OF<L *exsequiae* (EX¹*sequor* to follow after)〛

◇**ex·er·cise** [éksərsàiz] *n.* **1** U (신체의) 운동, 체조 : outdoor ~ 야외운동 / lack of ~ 운동부족 / take ~ 운동하다. **2** 연습, 실습, 수련, 교련 ; [*pl.*] 연습(演習), 군사교련(military exercises) : gymnastic *~s* 체조 / *~s in* debate 토론연습 / an ~ *in* articulation 발음 연습 / *~s on* the cello 첼로 연습 / five-finger *~s* (피아노의) 5지(指) 연습. **3** 연습 문제[교재], 과제 : *~s in* composition[grammar] 작문[문법]의 연습 문제 / a Latin ~ 라틴어의 연습 문제 / do one's ~ 연습 문제를 하다 ; 운동을 하다. **4** U,C (정신력 따위를) 움직이게 하기, 작용시키기, 행사, 사용〈*of*〉 ; (미덕·역할의) 실행(practice)〈*of*〉 : Will power is strengthened by ~. 의지력은 그것을 사용함으로써 강해진다. **5** [*pl.*] (학위 청구에 필요한) 수업 과정. **6** [보통 *pl.*] 종교 의식(religious exercises), (특히) 예배, 근행(勤行)(service) : *~s* of devotion 근행. **7** 《美》 (학교) 행사(school exercise) ; [*pl.*] 식(式)(의 차례), 의식 : commencement[opening] *~s* 졸업[개회]식. —— *vt.* [+目 / +目+前+名] **1** (말·개 따위에게) 운동시키다 ; 훈련시키다(drill) ; (손발을) 움직이다 : ~ boys ***in*** swimming 소년들에게 수영 연습을 시키다 / ~ oneself *in* fencing 펜싱 연습을 하다. **2** (기관·기능 따위를) 움직이게 하다, 작용시키다, 쓰다(employ) ; (권력 따위를) 행사하다, (위력 따위를) 발휘하다(exert) ; (직무·역할을) 다하다, 이행하다(discharge) ; (착한 일 따위를) 행하다(practice) : The judge *~s* the duties and powers of his office. 판사는 임무를 수행하고 직권을 행사한다 / ~ authority ***over*** people 사람들에게 권위를 떨치다 / Your judgments will ~ a great influence ***on*** them all. 당신의 판단이 그들 모두에게 대단한 영향을 미칠 것이다. **3** [수동태로] (마음·남을) 번거롭게 하다, 괴롭히다(worry) : He *was* greatly *~d* ***about*** the future. 그는 장래의 일로 매우 염려했다. —— *vi.* 연습하다 ; 운동하다.

éx·er·cìs·able *a.* 〚OF<L *ex-*¹(*erceo*=*arceo* to restrain)=to keep busy〛

類義語 ⟹ PRACTICE.

éxercise bòok *n.* 공책 ; 연습 문제[곡]집.

éxercise héad *n.* 〖軍〗 연습 탄두.

éx·er·cìs·er *n.* exercise하는[시키는] 사람[것] ; 운동용구[기구].

ex·er·ci·ta·tion [egzə̀:rsətéiʃən] *n.* 실습, 연습 ; 문장[연설]의 연습 ; 논문, 토론 ; 예배.

Ex·er·cy·cle [éksərsàikəl] *n.* 엑서사이클《페달을 밟기만 하는 실내 운동 기구 ; 상표명》.

ex·ergue [éksə:rg, igzə́:rg ; eksə́:g] *n.* (화폐·메달 뒷면의) 의장(意匠)의 하부와 가장자리의 사이《연월일·주조소 이름 따위를 찍은 데》 ; 그 부분의 각인(刻印). 〚F〛

ex·ert** [igzə́:rt] *vt.* [+目 / +目+前+名] (힘 따위를) 쓰다, 작용시키다 ; (위력 따위를) 떨치다, 미치다 : ~ all one's powers 전력을 다하다 / ~ pressure ***on a person 남에게 압박을 가하다. ***exert*** one***self*** [動 / +*to* do / +前+名] 노력하다 : He *~ed* him*self to* win the race. 그는 경기에 이기려고 분투했다 / *E~* your*self* ***for*** that single object. 그 한 가지 일을 목표삼아 노력하라. 〚L *ex-*¹(*sert- sero* to bind)=to put forth〛

***ex·er·tion** [igzə́:rʃən] *n.* **1** U,C 노력, 진력(盡力)(effort, endeavor) ; (힘의) 발휘 : It is no ~ to him to do so. 그렇게 하는 것은 그에게는 아무것도 아니다 / use[make, put forth] *~s* 노력하다, 진력하다, 분발하다. **2** U (권력의) 행사, 발휘.

exért·ive *a.* 힘을 발휘하는 ; 노력[진력]하는.

ex·es [éksəz] *n. pl.* 《英口》 비용(expenses). 〚EX⁴의 복수〛

Ex·e·ter [éksətər] *n.* 엑서터《잉글랜드 남서부의 Devon 주의 주도》.

ex·e·unt [éksiənt, -ʌnt] *vi.* 〖劇〗 퇴장하다《2명 이상일 때; 각본의 지시에서는 3인칭 가정법으로 씀; cf. EXIT[2]》. 〖L=they go out〗

éxeunt óm·nes [-ámni:z] 〖劇〗 전원 퇴장(하다)《각본의 지시》. 〖L=they all go out〗

éx fáctory *n.* 공장도(渡).

ex·fíltrate *vi., vt.* 《美軍俗》 (적의 전선에서) 몰래 탈출하다[시키다]. 〖*ex*-[1]+in*filtrate*〗

ex·fo·li·ate [eksfóulièit] *vi.* (나무껍질 따위가) 벗겨 (떨어)지다. —— *vt.* (나무 껍질 따위를) 벗겨 떼다. 〖L (*folium* leaf)〗

ex·fò·li·á·tion *n.* 벗겨 떨어짐, 박락(剝落).

ex. g(r). exempli gratia.

ex grá·tia [eks gréiʃiə] *adv., a.* 호의로서(의), 친절에서(의), 임의로(의). 〖L=from favor〗

ex·ha·la·tion [èks*h*əléiʃən, ègzə-] *n.* **1** Ⓤ 발산, 증발; 숨을 내쉬기, 내뿜음(↔*inhalation*). **2** Ⓤ,Ⓒ 증발기《수증기·안개·향기 따위》; 발산물. **3** (분노 따위의) 가벼운 폭발〈*of*〉.

ex·hale [ekshéil, igzéil] *vt.* [+目/+目+前+名] (숨·말 따위를) 내쉬다, 내뱉다(↔*inhale*); 발산[방출]하다; 《古》 증발시키다: A man ~*s* air ***from*** the lungs. 인간은 폐로 숨을 내쉰다. —— *vi.* [動/+前+名] 발산[증발]하다; 소산(消散)하다: a bad smell *exhaling* ***from*** the kitchen 부엌에서 새어나오는 고약한 냄새. 〖OF<L (*halo* to breathe)〗

***ex·haust** [igzɔ́:st] *vt.* **1** 다 써버리다(use up); (그릇을) 비우다(empty); (우물물을) 다 퍼내다. **2** (자원·국고(國庫)를) 고갈시키다; (체력·인내력 따위를) 소모하다(consume); (나라를) 피폐시키다, (사람을) 지치게 하다(tire out): ~ oneself 지쳐버리다, 기진맥진해지다 / We were ~*ed* by the climb up the hill. 그 언덕을 오르느라고 기진맥진해졌다. **3** (연구·문제 따위를) 철저히 연구[논술]하다. **4** (공기·가스 따위를) 배기하다, 배출하다(draw off). —— *vi.* (엔진이) 배기하다; (가스·증기 따위가) 배출되다. —— *n.* (기체의) 배출; 배기(排氣)장치: an ~ pipe[valve] 배기관[밸브] / ~ gas 배기 가스.
exhàust·ibílity *n.* **~·ing** *a.* 소모적인; (심신을) 지치게 하는. **~·ly** *adv.*
〖L (*haust*- *haurio* to drain)〗

exháust·ed *a.* **1** 다 써버린, 소모한, 고갈된; (우물물 따위를) 다 퍼낸, 물이 마른. **2** 지쳐버린, 기진맥진한: We felt quite ~ *with* the toil. 우리는 노역(勞役)으로 몹시 지쳐버렸다.
類義語 ⟹ TIRED[1].

exháust·er *n.* 배기 장치[배기기(機)](를 조작하는 사람); (통조림 식품의) 탈기(脫氣) 담당자.

exháust fàn *n.* 배기 팬, 환풍기.

exháust fùmes *n. pl.* 배기 가스, 매연.

ex·háust·ible *a.* 고갈시킬 수 있는, 다할 수 있는.

ex·haus·tion [igzɔ́:stʃən] *n.* **1** Ⓤ 다 써버리기, 소모, 고갈〈*of* wealth, resources〉. **2** Ⓤ (극도의) 피로, 기진맥진. **3** Ⓤ 〖機〗 배기.

ex·haus·tive [igzɔ́:stiv] *a.* 고갈시키는, 소모적인; 철저한; 남김 없는: ~ inquiries[research] 철저한 조사[연구] / an ~ list 완전한 명부.
~·ly *adv.* 남김없이, 철저하게. **~·ness** *n.*

exháust·less *a.* 무진장의(inexhaustible).
~·ly *adv.*

exháust mànifold *n.* 〖機〗 (내연 기관의) 배기 매니폴드.

exháust velòcity *n.* 〖로켓〗 배기 속도.

exhbn. exhibition.

ex·hib·it** [igzíbət] *vt.* **1** 보이다, (감정 따위를) 밖으로 나타내다(show): The tree ~*ed* signs of decay. 그 나무는 썩을 징조를 보이고 있었다 / She ~*ed* no interest. 아무런 흥미도 나타내지 않았다. **2** [+目/+目+前+名] 전시하다, 출품하다, 진열하다: ~ paintings ***in an art gallery 화랑(畫廊)에 그림을 출품하다 / ~ flowers ***at*** a flower show 화초 품평회에 꽃을 전시하다. **3** 〖法〗 (증거물로서) 제시하다(submit). **4** 〖醫〗 (약제를) 투여하다, 시료(施療)하다(administer). —— *vi.* 전시회에 출품하다. —— *n.* **1** 출품물, 진열품. **2** (서류 따위의) 공시(公示), 공개, 전람(display); 전시회. **3** 〖法〗 증거 물건[서류].
on exhibit 진열되어서(on show).
〖L *exhibit*- *exhibeo* (*habeo* to hold)〗
類義語 ⟹ SHOW.

***ex·hi·bi·tion** [èksəbíʃən] *n.* **1** [단수로만 쓰여] 전시(展示), 공개, 전람, 공표(公表): an ~ match[game] 모범 시합, 시범 경기 / a good opportunity for an ~ *of* one's talents 재능을 보일[나타낼] 좋은 기회. **2** (예술 작품·산업 업적·농산물 따위에 대한) 전람회, 전시회, 진열회, 박람회(cf. EXHIBIT (*n.*), EXPOSITION); 구경거리: a competitive ~ 품평회. **3** 출품물, 진열품(exhibits); 《美》 학예회, 발표회. **4** 《英》 장학금(cf. SCHOLARSHIP 2 a)). **5** Ⓤ 〖醫〗 투약(投藥). **6** Ⓤ 〖法〗 제출.
make an[***a regular***] ***exhibition of*** one***self*** (어리석은 짓을 하여) 비웃음거리가 되다.
on exhibition=*on* EXHIBIT.
~·er *n.* 《英》 장학생; =EXHIBITOR.
類義語 ***exhibition*** 대규모적인 특히 국제적인 규모로 미술품·공업 제품·진기한 물건·상품 따위의 공개, 또는 학생·회원·동호인이 스포츠·체조·웅변·음악 따위의 기량·용기를 공개하기: the art *exhibition* at Tŏksu Palace (덕수궁에서의 미술 전람회). ***exposition*** 많은 나라·주 따위가 참가하는 대규모의 exhibition에 대한 전문어. ***show*** 매상 촉진·현상 따위를 위해 개최되는 보통 소규모의 exhibition; 격식을 차리지 않은 말: win a medal at a cattle *show* (가축 전람회에서 상패를 받다) / a fashion *show* (유행 의상 전시회). ***fair*** 정기시(定期市), 견본시(市); 보통 소규모적으로 날짜를 잡아 개최하는 것을 말하나 때때로 대규모적인 것에 대해 말할 때도 있음: a world *fair* (만국 박람회).

exhibítion·ìsm *n.* Ⓤ 남의 눈에 띄는 일을 하고 싶어하기; 자기 선전벽(癖), 과시벽(誇示癖); 〖醫〗 노출증.
-ist *n., a.* 자기 선전을 하는 사람(의); 노출증 환자(의).

ex·hib·i·tive [igzíbətiv] *a.* (…을) 표시하는, 나타내는〈*of*〉.

ex·híb·i·tor, -it·er *n.* 출품자, 전람[공진]회 출품자; 〖法〗 (물건의) 제출자.

ex·hib·i·to·ry [igzíbətɔ̀:ri; -təri] *a.* 전람의; 전시용의.

ex·hil·a·rant [igzílərənt] *a.* 힘을 북돋우는. —— *n.* 힘을 북돋우는 것; 흥분제(劑).

ex·hil·a·rate [igzílərèit] *vt.* …의 기분을 들뜨게 하다, 명랑[쾌활]하게 하다. **ex·híl·a·rà·tive** [;-rə-] *a.* 〖L; ⇨ HILARIOUS〗

ex·híl·a·ràt·ed *a.* 명랑한, 쾌활한, 기분이 좋은, 들떠 있는.

ex·híl·a·ràt·ing *a.* 기분을 들뜨게 하는, 명랑[쾌활]하게 하는, 활력을 주는: ~ news 명랑한[밝은] 뉴스. **~·ly** *adv.*

ex·hil·a·ra·tion [igzìləréiʃən] *n.* Ⓤ 기분을 들뜨게 하기 ; 쾌활, 명랑, 들뜬 기분 ; 흥분.

ex·hort [igzɔ́:rt] *vt.* [+目/+目+*to* do/+目+*to*+名] 열심히 설득하다[타이르다], 권하다(urge) ; 권고[훈계]하다(admonish) : The teacher ~*ed* his pupils *to* work harder[***to*** good deeds]. 선생님은 학생들에게 더욱 더 공부[착한 일을] 하도록 권고했다. ── *vi.* 권고[경고, 훈계]하다 ; 열심히 호소하다[설명하다].
~·er *n.* 권고[훈계]자.
〖OF or L EX[1]*hortor* to encourage〗
類義語 ⟹ URGE.

ex·hor·ta·tion [ègzɔ:rtéiʃən, èks-] *n.* U,C 열심히 권하기, 권장, 장려 ; 권고, 훈계, 설교.

ex·hort·a·tive [igzɔ́:rtətiv] *a.* 권고[훈계]적인, 타이르는.

ex·hort·a·to·ry [igzɔ́:rtətɔ̀:ri ; -təri] *a.* =HORTATORY.

ex·hu·ma·tion [èkshju(:)méiʃən, ègzju:-] *n.* U,C 발굴(發掘), (특히) 사체 발굴.

ex·hume [igzjú:m, ekshjú:m] *vt.* (특히 사체를) 발굴하다 ; (무덤을) 파헤치다 ; 《비유》 공개하다, 세상에 내놓다. 〖F<L (*humus* ground)〗

éx·i·gence *n.* =EXIGENCY.

ex·i·gen·cy [éksədʒənsi, igzídʒ-] *n.* **1** U,C 급박, 위급, 긴급(emergency) : in this ~ 이 위급한 때에. **2** [보통 *pl.*] 급박[절박]한 사정, 화급(火急), 급무(急務).
類義語 ⟹ EMERGENCY, NEED.

ex·i·gent [éksədʒənt] *a.* **1** 위급한(critical), 급박한(pressing). **2** 다급하게[다그쳐] 요구하는 ⟨*of* rest⟩. **3** 살아가기 힘든, 세상살이가 어려운(exacting). **~·ly** *adv.* 〖L (*exigo* to EXACT)〗

ex·i·gi·ble [éksədʒəbəl, égzə-] *a.* 강요[요구]할 수 있는.

ex·ig·u·ous [igzígjuəs, ik-] *a.* 근소한, 얼마 안되는 ; 소규모의, 빈약한.
~·ly *adv.* **ex·i·gu·i·ty** [èksəgjú:əti] *n.*

***ex·ile** [égzail, éks-] *n.* **1** Ⓤ (국외) 추방, 유형(流刑), 귀향, 망명 ; 국외방랑, 유랑, 고향을 등짐. **2** 추방인, 유형자, 망명객 ; 방랑[유랑]자. **3** [the E~] (기원전 6세기에 일어났던 유태인의) 바빌론 유수(幽囚) (the Captivity).
go into exile 추방당한[유랑의] 몸이 되다.
in exile 추방되어, 유랑의 신세로.
── *vt.* [+目/+目+前+名] (국외로) 추방하다(banish), 유형(流刑)에 처하다 : ~ oneself (다른 나라에서) 유랑하다, 망명하다 / He was ~*d* ***from*** his own country. 그는 고국에서 추방당했다. 〖OF<L=banishment〗
類義語 ⟹ BANISH.

ex·il·i·an [egzíliən], **ex·il·ic** [egzílik] *a.* 추방(민)의《특히 바빌론에 갇혔던 유태인을 말함》.

ex·il·i·ty [egzíləti] *n.* Ⓤ 미소, 빈약 ; 가냘픔.

Ex·im·bank, Ex-Im Bank [éksímbæŋk] *n.* 미국 수출입 은행. 〖*Ex*port-*Im*port *Bank*〗

ex int. ex interest (이자락(落)).

‡ex·ist [igzíst] *vi.* **1** 존재[현존(現存)]하다 : People believed that ghosts ~*ed.* 유령이 존재한다고 사람들은 믿고 있었다. **2** [+前+名] (특수한 조건 또는 장소에) 있다, 존재하다, 나타나다(be, occur) : Such things ~ only ***in*** fancy. 그런 것은 단지 공상 속에나 존재할 뿐이다. **3** [動/+前+名] 생존[존속]하다, 살아있다(live) : We cannot ~ without air. 공기 없이는 살아갈 수 없다 / The old man found it difficult to ~ ***on*** his pension alone. 노인은 연금만으로는 살아가기가 어렵다는 것을 알았다. 〖? 역성(逆成)<↓〗

***ex·ís·tence** *n.* **1** Ⓤ 존재, 실재, 현존(being) ; 생존, 생활 : the struggle for ~ 생존 경쟁. **2** 생활(life) : lead a happy[miserable] ~ 즐거운[비참한] 생활을 하다. **3** U,C 존재물, 실재물, 실체.
bring*[*call*]*...into existence …을 생기게 하다, 낳다 ; …을 성립시키다.
come into existence 생기다 ; 성립하다.
in existence 현재 있는, 존재하는 : the oldest church *in* ~ 현존하는 제일 오래된 교회.
put...out of existence …을 전멸시키다, 죽이다.
〖OF or L (*existo* (redupl.) ‹ *sto* to stand)〗

ex·ís·tent *a.* 현존하는 ; 현행의, 목하의(current) : the ~ circumstances 현재의 사정.
── *n.* 존재하는 것[사람].

ex·is·ten·tial [ègzisténʃəl] *a.* 존재에 관한 ; 실존의 ; 생활[경험]에 기초한 ; 〘哲〙 실존주의(자)의. 〖L ; ⇨ EXISTENCE〗

existéntial·ìsm *n.* 〘哲〙 실존주의(實存主義).
-ist *n., a.* 실존주의자(의) ; 실존주의의 ; 실존적인(existential). **èx·is·tèn·tial·ís·tic** *a.*
-ti·cal·ly *adv.* 〖G (↑)〗

existéntialist dráma *n.* 〘劇〙 실존극《실존철학에 의거한 20세기 연극의 하나》.

ex·íst·ing *a.* 현존하는, 현재의 : under the ~ circumstances 현상태로는.

***ex·it**[1] [égzət, éks-] *n.* 출구(=《英》 way out) ; 《美》 (고속도로 따위의) 출구 ; (배우의) 퇴장(↔*entrance*) ; (정치가 등의) 퇴진 ; 외출(의 자유) ; 나가기 ; 사망(death) : make one's ~ 퇴거[퇴장]하다 ; 죽다.

〈회화〉
Where is the *exit* ?—It's over there. 「출구는 어딥니까」「저쪽입니다」

── *vi.* 나가다, 떠나다 ; 죽다.
〖L (*exit- exco* to go out)〗

exit[2] *vi.* 〘劇〙 퇴장하다《한 명일 때 ; 각본의 지시에서는 3인칭 가정법으로 쓰임 ; ↔*enter* ; cf. EXEUNT》 : *E* ~ Hamlet. 햄릿 퇴장.
〖L (3rd sg. pres. ind.)<↑〗

éxit pèrmit *n.* 출국 허가(증).

éxit pòll *n.* 출구 조사.

éxit tàx *n.* (구소련 체제에서 국외 이주자에게 부과하는) 출국세.

éxit vìsa *n.* 출국 사증.

ex lib. ex libris.

ex li·bris [eks lí:brəs, -láibrəs] *n.* (*pl.* ~) 장서표(藏書票)《略 ex lib.》. ── *adv., a.* …의 장서에서(의). 〖L=from the books (of)〗

ex·li·brist [ekslí:brəst, -lái-] *n.* 장서표 수집가.

èx néw *adv., a.* 〘證〙 신주락(新株落)으로[의]《略 x.n.》.

ex ni·hi·lo [eks ní:həlòu] *adv., a.* 무(無)에서(의). 〖L=from nothing〗

exo- [éksou, -sə], **ex-** [éks] *comb. form* 「외(부)」의 뜻(↔*endo-*). 〖Gk. *exō* outside〗

èxo·átmosphere *n.* 외기권(exosphere).
-atmosphéric *a.*

èxo·biólogy *n.* 외계(外界)[우주] 생물학.

éxo·càrp *n.* 〘植〙 외과피(外果皮).

èxo·céntric *a.* 〘言〙 외심적(外心的)인《중심어[중심 구성소]가 어군[어] 전체와 기능을 달리함 ; ↔*endocentric*》 : an ~ construction 외심 구조《보기 in the blue sky》.

Ex·o·cet [*F* ɛgzɔsɛ] *n.* 엑조세《프랑스제(製) 대함

(對艦) 미사일》.

exo·crine [éksəkràin, éksou-, -krən] *a.* 〖生理〗 외분비를 하는 ; 외분비선의 : ~ gland 외분비선(腺). ── *n.* 외분비물. 〖Gk. *krinō* to sift〗

ex·o·cri·nol·o·gy [èksəkrinálədʒi, -krai-] *n.* 외분비학.

Exod. 〖聖〗 Exodus.

èxo·dérmis *n.* 〖植〗 외피.

ex·odon·tia [èksədánʃiə], **ex·odon·tics** [-dántiks] *n.* 〖齒〗 발치술(拔齒術).

ex·o·dus [éksədəs] *n.* **1** (많은 사람의) 이주 ; (이민 따위의) 출국 ; 출발. **2 a**) [the ~, the E~] (이스라엘인들의) 이집트 탈출. **b**) [E~] 〖聖〗 출애굽기《구약 성서 중의 한 편 ; 略 Ex., Exod.》. 〖L<Gk. EX²*odus* (*hodos* way)〗

èxo·eléctron *n.* 엑소전자《응력(應力) 하에서 금속 표면으로부터 방출되는 전자》.

ex of·fi·cio [èks əfíʃiòu] *adv., a.* 직권상 ; 직권에 의한, 직권상 다른 직[지위]을 겸하는. 〖L=from office〗

ex·og·a·my [ekságəmi] *n.* Ⓤ 이족(異族) 결혼, 족외혼 ; 〖生〗 이계(異系) 교배(↔*endogamy*).
ex·óg·a·mous *a.* **ex·o·gam·ic** [èksəgǽmik] *a.* 이족 결혼의 ; 이계 교배의.

ex·o·gen [éksədʒən] *n.* 〖植〗 외생(外生) 식물《쌍떡잎 식물(dicotyledon)의 옛 이름》.

ex·og·e·nous [eksádʒənəs] *a.* 〖生〗 외생적(外生的)인 ; 〖地質〗 외인성(外因性)의 ; 〖植〗 쌍떡잎 식물의. **~·ly** *adv.*

ex·on [éksɑn] *n.* 〖生化〗 엑손《진핵(眞核) 생물의 mRNA의 정보 배열》.

ex·on·er·ate [igzánərèit] *vt.* [+目 / +目+*from*+名] (남을) 무죄로 하다(free), 결백을 증명하다 ; (남을 의무·책임에서) 해방하다, 면제하다(release) : ~ a person ***from*** blame[duty] 남의 무고한 죄를 밝히다[의무를 면제하다]. 〖L (*oner- onus* load)〗

ex·òn·er·á·tion *n.* Ⓤ 무고한 죄를 밝히기, 면죄 ; 의무의 면제, 책임의 해제.
ex·ón·er·à·tive [; -rət-] *a.*

èxo·nú·mia [-njúːmiə] *n. pl.* 화폐·지폐 이외의 메달·레테르·쿠폰류(類)(의 수집품).

èxo·nú·mist [-njúːməst, ⌐-⌐-] *n.* exonumia 전문가[수집자].

ex·o·nym [éksənìm] *n.* 외국어 지명《한 지명에 대해 각국에서 부르는 다른 이름》. 〖*ex*-¹, *-onym*〗

èxo·phílic *a.* 생태적으로 인간의 환경에서 독립한, 외친성(外親性)의.

ex·oph·thal·mos [èksɑfθǽlmɑs, 美+-məs], **-mus** [-məs], **-mia** [-miə] *n.* Ⓤ 〖醫〗 안구(眼球) 돌출(증).

èxo·plásm *n.* 〖生〗 외층, 외부 원형질《세포층의 가장 바깥층》.

ex·or·bi·tant [igzɔ́ːrbətənt] *a.* (욕망·요구·값 따위가) 터무니없는, 엄청난, 과대한(excessive) 〈*in*〉. **~·ly** *adv.* 터무니없이, 엄청나게.
ex·ór·bi·tance, 《古》 **-cy** *n.* Ⓤ 터무니없음, 과대, 부당. 〖L ; ⇨ ORBIT〗
類義語 ⟹ EXCESSIVE.

ex·or·cise, -cize [éksɔːrsàiz] *vt.* [+目 / +目+前+名] (악마·고민 따위를) 쫓아내다, 내쫓다, 제거하다 ; (사람·장소를) 정결하게 하다, …의 액막이를 하다 : ~ an evil spirit ***from***[***out of***] a person= ~ a person ***of*** an evil spirit 남에게서 악마를 쫓아내다. 〖F<L<Gk. (*horkos* oath)〗

ex·or·cism [éksɔːrsìzəm] *n.* Ⓤ 악마[마귀]를 쫓아내기, 액막이 ; Ⓒ 악마를 쫓아내는 기도(식).

éx·or·cist *n.* 악마를 쫓아내는 기도사, 무당 ; 〖카톨릭〗 구마(사)(驅魔(師)).

ex·or·di·um [igzɔ́ːrdiəm ; eks-] *n.* (*pl.* ~**s**, **-dia** [-diə]) (강연·설교 따위의) 머리말, 서론.
ex·ór·di·al *a.* 〖L EX¹*ordior* to begin〗

exor(s). executor(s).

èxo·skéleton *n.* 〖動〗 (굴·새우 따위의) 외골격(外骨格), 갑각(甲殼), 껍데기.

éxo·sphère *n.* 〖空〗 외기권, 극외권《대기권 중 고도 약 1000km 이상의 부분》.

ex·o·ter·ic, -i·cal [èksətérik(əl)] *a.* **1** 〖宗·哲〗 문외한(門外漢)도 이해할 수 있는(↔*esoteric*). **2** 개방적인, 공개적인 ; 통속적인(popular), 평범한(simple). ── *n.* 초심자, 문외한 ; [*pl.*] 일반 대중[초심자]도 알기 쉬운 교리[설교, 논문].
-i·cal·ly *adv.* 개방적으로.

èxo·thérmic *a.* 〖化〗 발열(성)의(↔*endothermic*).

***ex·ot·ic** [igzátik] *a.* **1** 외국산의, 외래의(foreign)(↔*indigenous, endemic*). **2** 이국(異國) 정서의, 이국풍의 ; 별스러운, 낭만적인.
── *n.* (*pl.* ~**s**, **-i·ca** [-kə]) 외래 식물, 외래 취미, 외래어 ; 이국풍의[별스러운] 것[사람]. 〖L<Gk. (*exo*-)〗

exotic bird

ex·ot·i·ca [igzátikə] *n. pl.* 이국적인[진기한] 것 ; 이국 취미의 문학[미술] 작품 ; 기습(奇習). 〖L (neut. pl.)〈↑〗

exótic dáncer *n.* 스트립[벨리] 댄서.

ex·ot·i·cism [igzátəsìzəm], **ex·o·tism** [égzətìzəm, 美+éksə-] *n.* **1** Ⓤ (예술상의) 이국 취미(趣味) ; 이국 정서. **2** 이국의 특유한 어법[표현].

exótic márket *n.* 이국적 시장.

èxo·tóxin *n.* 〔生化〕 (균체) 외독소(外毒素).

exp. expense(s) ; experiment(al) ; expired ; exponential ; exportation ; exported ; export ; exporter ; express.

ex·pand** [ikspǽnd] *vt.* **1** 펴다, 펼치다(spread out) : The eagle ~*ed* its wings before flying. 독수리는 날기 전에 날개를 펼쳤다. **2** (용적 따위를) 팽창시키다 ; (가슴을) 부풀게 하다. **3** [+目/+目+*into*+名] (범위 따위를) 확장[확대]하다(enlarge) ; (의론 따위를) 발전시키다(develop) ;〔數〕 전개하다 : He was trying to ~ his business. 사업을 확장하려고 하고 있었다 / *E*~ this one sentence ***into a paragraph. 이 한 문장을 한 문단으로 늘리시오. **4** (마음을) 넓히다, 넓게 하다. —— *vi.* **1** [動/+前+名] 퍼지다 ; 팽창하다(↔*contract*) ; (봉오리·꽃이) 피다 : The buds[roses] have ~*ed* in the sun. 봉오리[장미]가 양지쪽에서 피어 났다 / Mercury ~*s* ***with*** heat. 수은은 열을 가하면 팽창한다 / The mind ~*s with* experience. 정신은 경험에 의해서 넓어진다. **2** [動/+*into*+名] 발전하다(develop) : The small college has ~*ed* ***into*** a big university. 그 작은 단과 대학이 발전하여 지금은 큰 종합 대학이 되었다. **3** [動/+前+名] (얼굴이) 밝아[환해]지다 ; (사람이) 상냥해지다 : He said so with his face ~*ing* ***in*** a bland smile. 그는 얼굴에 부드러운 미소를 지으면서 그렇게 말했다. **4** 자세하게 말하다, 부연(敷衍)하다(expatiate)〈*on, upon*〉.
〖L (*pans- pando* to spread)〗
類義語 ***expand*** 가장 뜻이 넓은 말 ; 크기·양 따위가 증대하다 ; 내부로부터 넓어질 경우나 외부의 힘으로 넓혀질 경우에도, 열릴 때에 부풀어지는 경우에도 쓰임. ***swell*** 내부의 압력에 의해 보통의 크기 이상으로 부풀다[부풀어오르다]. ***dilate*** 둥근 것, 속이 빈 것이 팽창하다. ***distend*** 내부로부터의 압력에 의해 밖으로[이상하게] 부풀다. ***inflate*** 공기나 기타 가스를 사용하여 부풀게 하다[넓히다].

expánd·ed *a.* 확대된, 팽창된 ;〔印〕 (활자가) 자폭이 좀 넓은, 평체의 ; (날개가) 펼쳐진 ; 발포(發泡)시킨《플라스틱》.

expánded cínema *n.* =INTERMEDIA.

expánded métal *n.* 망상 금속판(網狀金屬板)《휴지통·모르타르 벽 따위의 바탕용》.

expánded plástic *n.* 발포(發泡) 플라스틱.

expánded ténse *n.* 〔文法〕 확충(擴充) 시제, 진행형(progressive form).

expánded týpe *n.* 〔印〕 평체(平體) 활자.

expánd·er *n.* 확대[확장]시키는 사람[것, 장치], 확포기(擴布機) ;〔電子〕 신장기(伸張器) ;〔醫〕 증량제(增量劑) ; 익스팬더《근육을 단련하기 위한 기구》.

expánd·ing fólder *n.* 주름상자처럼 신축되는 뚜껑 달린 서류철[끼우개].

expánding úniverse *n.* 〔天〕 팽창하는 우주(宇宙).

expánding úniverse thèory *n.* 〔天〕 팽창 우주론(論).

ex·panse [ikspǽns] *n.* **1** (육지·하늘·바다 따위의) 넓음 ; 널따란 장소 ; [the ~] 창공 : an ~ *of* water[snow] 광대한 수면[펼쳐진 눈 벌판] / the boundless ~ *of* the Pacific 끝없이 넓은 태평양. **2** 팽창, 확장.
〖NL (p.p.)〈EXPAND〗

ex·pàn·si·bíl·i·ty *n.* Ⓤ 신장(伸張)력[성], 팽창력 ; 발전성[력].

ex·pán·si·ble *a.* 신장[전개]할 수 있는, 팽창할 수 있는[하기 쉬운] ; 발전성이 있는.

ex·pan·sile [ikspǽnsail, -səl] *a.* 확장[확대]하는, 확장[확대]할 수 있는, 팽창성의.

***ex·pan·sion** [ikspǽnʃən] *n.* **1** Ⓤ,Ⓒ 팽창 ;《비유》 발전(development) ; 확대(enlargement) ;〔商〕 거래의 확장 ; 영토 확장. **2** Ⓤ,Ⓒ 팽창 ; 신장, 전개〈*of* the wings〉: a (triple) ~ engine (3단(계)) 팽창 기관. **3** Ⓤ,Ⓒ 넓어짐, 널따란 표면(expanse). **4** Ⓤ,Ⓒ 〔數〕 전개(식).
〖L ; ⇨ EXPAND〗

expánsion·àry [; -əri] *a.* 확대성의, 팽창성의 : an ~ economy 팽창 경제.

expánsion·ìsm *n.* Ⓤ (영토·경제 따위의) 확장론[정책].

expánsion·ist *n.* 확장론자 ; 영토 확장론자.
—— *a.* 확장론(자)의.

expánsion of désert *n.* 사막화 현상.

expánsion rátio *n.* 〔로켓〕 팽창비(比).

ex·pan·sive [ikspǽnsiv] *a.* **1** 팽창력이 있는, 팽창성의 ; 확장의 ; 전개의 ;〔機〕 팽창[신장]을 응용하는. **2** 널따란, 광대한(broad) ; 마음이 넓은, 포용력[도량]이 큰 ; 대범한, 쩨쩨하지 않은, 솔직한(unreserved).
~·ly *adv.* 팽창적으로 ; 발전적으로, 널따랗게 ; 대범하게, 솔직하게. **~·ness** *n.* Ⓤ 팽창성 ; 발전성 ; 광대함 ; 대범함.

ex·pan·siv·i·ty [èkspænsívəti] *n.* expansive 한 성질[상태] ; 팽창[신장]력 ;〔理〕 팽창 계수(膨脹係數).

ex par·te [eks pá:rti] *a., adv.* 〔法〕 당사자 한쪽에만 편중된[되어] ; (단독 소송 행위 따위를) 당사자의 일방적인[으로].
〖L〗

ex·pa·ti·ate [ikspéiʃièit] *vi.* [+*on*+名] 상세하게 말[이야기]하다 : He began *expatiating* (***up***)***on*** his thrilling adventures. 그는 스릴에 넘친 모험담을 이야기하기 시작했다.
ex·pà·ti·á·tion *n.* Ⓤ,Ⓒ 상세한 설명, 부연.
〖L *ex*-[1] (*spatior* to walk about〈*spatium* SPACE)〗

ex·pá·ti·a·tò·ry *a.* 설명이 자상한 ; 장황한 ; 부연적인.

ex·pa·tri·ate [ekspéitrièit ; -pǽt-] *vt.* 국외로 추방하다(banish). —— *vi.* 모국을 떠나다 ; 모국의 국적을 이탈하다.
expatriate one***self*** (외국으로) 이주하다(emigrate) ; (특히 귀화하기 위해서) 국적을 버리다.
—— [-triət, -trièit] *a., n.* 추방된 (사람), 국외추방자, 국적 상실자.
〖L (*patria* native land)〗
類義語 ⟹ BANISH.

ex·pà·tri·á·tion *n.* Ⓤ,Ⓒ 국외 추방 ; 본국 퇴거 ;〔法〕 국적 이탈.

‡ex·pect [ikspékt] *vt.* **1** [+目/+目+前+名/+*to* do/+目+*to* do/+*that* 節] 예기[예상]하다, 기대하다, 기다리다 : I shall not ~ you till I see you. 오고싶을 때 와 주십시오 / I ~*ed* the worst. 최악의 경우를 예상했다 / The scenery was not so fine as we ~*ed*[as was

~*ed*]. 그 경치는 기대한 만큼[의외로] 아름답지 않았다 / She was ~*ing* a remittance ***from*** home. 고향으로부터의 송금을 기대하고 있었다 / He ~*ed to* take a vacation in May. 5월에 휴가를 얻을 수 있으리라고 예상하고 있었다 / I ~ him *to* come.=I ~ (*that*) he will come. 그가 올 것으로 예상하고 있다. **2** [+目/+目+*to* do/+*that* 節/+目+前+名] (당연한 일로서) 기대하다, (…할 것을) 예기[예측]하다; 바라다: I ~ your obedience.=I ~ you *to* obey. 나는 자네가 (당연히) 점잖게[얌전히] 굴기를 바라네 / Candidates will be ~*ed to* have had experience of teaching. 수험자(受驗者)는 교사의 경험이 있는 사람이어야 한다 / They ~*ed that* the plan would be given instant approval. 그 계획은 즉시 승인될 것이라고 그들은 생각했다 / I will do what is ~*ed* ***of*** me[my duty]. 기대에 어긋나지 않을[본분을 다할] 각오입니다 / As might be ~*ed of* a gentleman, he was as good as his word. 과연 기대한 대로 그는 신사답게 훌륭히 약속을 지켰다 / We didn't ~ such kindness ***from*** them. 그들에게 그렇게 친절하게 대우 받으리라곤 생각하지 못했다. **3** [+*that* 節] 《口》 (…이라고) 생각하다(think): I ~ (*that*) you have been to Europe. 당신은 유럽에 가보신 적이 있으시지요 / Will[Has, Did] he come?—I ~ so[I don't ~ so=I ~ not]. 그가 올[와 있을, 왔을]까 — 아마 그렇겠지[그렇지 않겠지] (cf. AFRAID 3, FEAR *vt.* 2, HOPE *vt.*).

〈회화〉
I'll call on you about three. — I'll be *expecting* you. 「세 시쯤에 찾아 뵙겠습니다」「기다리고 있겠습니다」

— *vi.* 기대하다; 《口》 [진행형으로] 임신중이다: His wife *is* ~*ing*. 그의 부인은 (근간) 해산할 예정이다.
〚L ex-[1](*specto* to look)=to look forward to〛
活用 ☞ ANTICIPATE.
類義語 ***expect*** 어떤 일이 일어날 것을 상당한 확신을 가지고 기다리다; 좋은 일에 쓰이는 경우가 많으나 나쁜 일에도 쓰임: *expect* some guests to dinner (손님 몇분을 만찬에 초대하고 기다리다). ***anticipate*** 어떤 일을 기쁨[고통]을 갖고 예측하고 그것에 대처할 것을 생각해 두다: *anticipate* an accident (사고에 대비하다). ***hope*** 어떤 일이 일어날 것을 희망하며 확신을 가지고 기다리다: I *hope* for his success. (나는 그의 성공을 희망한다). ***await*** 오는 것이 확실한 사람 또는 물건을 기다리다, 또는 그것을 맞이할 채비를 하다: They *awaited* me at the entrance. (그들은 입구에서 나를 기다렸다). 注 await의 《口》는 wait for. ***look for*** 확신을 나타내지는 않으나 기대·신중한 태도를 암시하는 말: I am *looking for* his return tonight. (그가 오늘 밤 돌아올 것을 기대하고 있다). ***look to*** 어떤 일을 기대하다; 때때로 expect보다 강한 뜻을 나타냄: They *look to* profit by their investment. (그들은 투자에 의한 이익을 기대하고 있다).

expéct·ancy, -ance *n.* **1** U 가망, 예기; 〖法〗 장래 재산권; (통계에 의한) 예측 수량: ☞ LIFE EXPECTANCY. **2** U 기대; 대망; 확신〈*of*〉.

expéct·ant *a.* **1** (…을) 기대하는, 기다리고 있는 〈*of*〉: an ~ mother 임산부. **2** 되어가는 것을 기다리는, 대기하는: an ~ treatment[method] 〖醫〗 기대요법, 대증요법, 자연요법 / an ~ policy 기회주의적인 정책 / an ~ attitude 관망적 태도. **3** 〖法〗 추정 상속인인: an ~ heir 추정 재산 상속인. — *n.* **1** 기대자, 예기자; 기다리는[대망하는] 사람; (관직 따위의) 채용 예정자. **2** 〖法〗 추정 재산 상속인.
~·ly *adv.* 예기적으로, 기대하여.

ex·pec·ta·tion** [èkspektéiʃən] *n.* **1** U [또는 an ~] [+前+do*ing* / +*that* 節] 예상, 예기; (좋은 일의) 기대; 가망성(probability): according to ~ 예상한 대로 / against[contrary to] ~ 예상한 것에 반하여 / beyond ~ 예상외로 / I have no ~ ***of be*ing* able to repay the debt. 그 부채는 변제할 만한 가망성이 없다 / He had *an* ~ *that* he would reach home in the evening. 그는 저녁에는 집에 돌아올 수 있을 것으로 예상하고 있었다. **2** 대망의 목표; [*pl.*] 장래의 가망성, (특히) 유산 상속의 가능성: have brilliant ~*s* 멋진 일이 있을 것 같다 / have great ~*s* 많은 유산이 굴러들어올 것 같다.
come up to one***'s expectations*** 기대에 어긋나지 않다[합당하다], 예상한 대로 되다.
expectation of life = LIFE EXPECTANCY.
fall short of one***'s expectations*** 기대에 어긋나다, 예상외다.
in expectation 예상하여, 기대하여, 내다보고: The boy sat, with his head down, *in* ~ *of* be*ing* punished. 소년은 금방 벌을 받을 줄 알고 머리를 숙인 채로 앉아 있었다.

ex·pect·a·tive [ikspéktətiv] *a.* 기대의, 대망의. — *n.* 기대되는 것.

expécted válue *n.* 〖統〗 기대값.

ex·pec·to·rant [ikspéktərənt] *a.* 〖醫〗 가래를 나오게 하는, 거담성의. — *n.* 가래를 나오게 하는 약, 거담제(祛痰劑).

ex·pec·to·rate [ikspéktərèit] *vt.* (가래·피를) 토해내다. — *vi.* 침을 뱉다(spit).
〚L (*pector-* *pectus* breast)〛

ex·pèc·to·rá·tion *n.* U 가래[침]를 뱉기; C 뱉어[토해]낸 것《가래·피·침 따위》.

ex·pe·di·en·cy, -ence [ikspíːdiəns(i)] *n.* **1** U 편의, 형편에 좋음; 편의주의; 사리(私利)(self-interest). **2** =EXPEDIENT.

ex·pé·di·ent** *a.* [보통 *pred.*로 써서] 편의의, 형편에 좋은, 편리한(convenient), 합당한(advisable); 방편적인, 정책[정략]적인(politic); 사리를 꾀하는: It is ~ that he should go. 그가 가는 편이 합당하다. — *n.* [+*of*+do*ing*] 수단, 방편, 편법, (임시 변통적인) 조치: a temporary ~ 일시적인 방책, 미봉책(彌縫策) / resort to an ~ 편법을 강구하다 / I adopted the ~ ***of quoting some concrete instances. 나는 몇 가지의 구체적인 사례를 드는 편법을 썼다.
~·ly *adv.* 편의상, 방편으로(서).
〚L; ⇒ EXPEDITE〛
類義語 ⟹ RESOURCE.

ex·pe·di·en·tial [ikspìːdiénʃəl] *a.* 편의상의, 편의주의의, 방편적인.

ex·pe·dite [ékspədàit] *vt.* **1** 진척시키다, 촉진하다(speed up); 빨리 해치우다(dispatch). **2** 급송(急送)하다, 발송하다. — *a.* 《古》 지장 없는; 신속한[급속한].
〚L EX[1]*pedit-* *-pedio* (*ped-* *pes* foot) = to free the feet, put in order〛

éxpedite bággage *n.* 〖空〗 급송 수화물(rush baggage).

éx·pe·dìt·er, -dì·tor *n.* 원료 공급 담당자; (공사 따위의) 독촉 담당자; 보도(報道) 담당자.

***ex·pe·di·tion** [èkspədíʃən] *n.* **1 a**) 원정(遠征); (탐험·학술 연구 따위의 일정한 목적을 가진) 긴 여행[항해], 장정: an exploring ~ 탐험 여행 / go on an ~ 탐험[원정] 여행을 떠나다 / make an ~ 원정하다, 탐험하러 가다. **b**) 원정대, 탐험대. **2** Ⓤ 신속, 급속: use ~ 급히 서둘다 / *with* ~ 신속하게, 재빨리.

expedítion·àry [; -əri] *a.* 원정의: an ~ force 원정군(軍).

ex·pe·di·tious [èkspədíʃəs] *a.* 신속한, 급속한 (prompt): an ~ messenger 급사(急使). **~·ly** *adv.* **~·ness** *n.*

ex·pel** [ikspél] *vt.* (**-ll-**) [+目 / +目+*from*+名] **1** 쫓아내다[버리다], 구축하다(drive out); 발사하다(discharge): We managed to ~ the enemy ***from the trench. 우리는 겨우[가까스로] 적을 참호에서 쫓아낼 수 있었다. **2** 추방[면직]하다(dismiss), 파면하다: The boy was *~led* ***from*** school. 소년은 퇴학당했다. 注 from을 뺀 다음과 같은 수동 구문은 지금은 《稀》: He *was ~led* the school.
〚L (*puls- pello* to drive)〛

ex·pél·lant, -lent *a.* 내쫓는 (힘이 있는); 구제(驅除)의. —— *n.* 구제약.

ex·pel·lee [èkspelíː, 美+iks-] *n.* 추방된 사람; 국외 추방자.

ex·pél·ler *n.* 추방하는 사람; (콩·옥수수 따위의) 착유기(搾油器).

ex·pend** [ikspénd] *vt.* [+目 / +目+前+名] (시간·노력·금전 따위를) 쓰다, 들이다, 소비하다(use up): Large sums were *~ed* ***on model farms. 모범 농장에 막대한 비용이 들었다 / We *~ed* a great deal of time and care ***in*** do*ing* the work. 우리는 그 일을 하는데 막대한 시간과 신경을 썼다.
〚L (*pens- pendo* to weigh)〛
類義語 ⟹ SPEND.

expénd·able *a.* 소비해도 좋은; 〖軍〗 소모용의; (전략을 위한 병력·자재 따위를) 소모시킬 만한. —— *n.* [보통 *pl.*] (작전상 시간을 벌기 위한) 소모품《병력 또는 물자》.

***ex·pend·i·ture** [ikspénditʃər, 美+-dətʃùər, 美+-dətjùər] *n.* **1** Ⓤ 소비; 지출, 지출비, 경비, 비용(expense): annual ~ 세출(歲出) / current [extraordinary, contingent] ~ 경상[임시]비 / revenue and ~ 수지(收支). **2** Ⓤ,Ⓒ 소비량, 지출액: a large ~ of money *on* armaments 다액의 군사비(費).
〚*expenditor* (obs.)에 준하여 EXPEND에서〛

***ex·pense** [ikspéns] *n.* **1** (돈·시간 따위를) 낭비하기, 지출; 지출비, 비용(expenditure). **2** [보통 *pl.*] **a**) 지출금, …비(費); 수당: school *~s* 학비 / traveling *~s* 여비. **b**) (봉급 외의) 교제비, 소요경비(cf. EXPENSE ACCOUNT). **3** 소비[지출]의 원인, 소요; (무형의) 손실, 폐: A car can be a considerable ~. 자동차를 가지고 있으면 상당한 비용이 들어 갈 수가 있다.
at any expense 아무리 비용이 들더라도, 어떠한 희생을 치르고라도(at any cost).
at a person*'s* ***expense*** 남의 비용으로; 남에게 손해[폐]를 끼쳐, 남을 희생하여: They laughed [amused themselves] *at* his ~. 그를 조롱하며 웃었다[재미있어 했다].
at one*'s* (***own***) ***expense*** 자비(自費)로; 자기를 희생하여: He published the book *at his own* ~. 그는 그 책을 자비로 출판했다.
at the expense of... (남이) 비용을 부담하여, …의 부담으로; …을 희생해서: He did it *at the ~ of* his health. 그는 건강을 희생시키며 그것을 했다 / *at the ~ of* repetition 중복을 고려하지 않고.
go to great expense (*to* do) (…하는 데에) 큰 돈을 쓰다.
meet one*'s* ***expenses*** 비용을 지출하다.
put a person ***to expenses*** 남에게 비용을 부담하게 하다.
—— *vt.* 필요 경비를 청구하다; 비용을 계산하다; 필요 경비에서 줄이다.
〚OF<L; ⇨ EXPEND〛

expénse accòunt *n.* (봉급 외의) 교제비[수당]; 비용계정《업무상의 필요 경비를 회사·고용주가 환불해 주는 계정》; 필요 경비.

expénse-accòunt *a.* 비용계정의, 교제비의, 사용족(社用族)의.

‡**ex·pen·sive** [ikspénsiv] *a.* 비용이 드는; 값비싼, 비경제적인(costly) (↔*inexpensive*): come ~ 비용이 많이 들다.

〈회화〉
How are the prices at that store? — Pretty *expensive.* 「저 가게의 물건 값은 어때」「꽤 비싼 편이야」

~·ly *adv.* 비용을 들여서, 값비싸게. **~·ness** *n.* Ⓤ 고가(高價), 비경제.
類義語 ⟹ COSTLY.

‡**ex·pe·ri·ence** [ikspíəriəns] *n.* **1** Ⓤ [+前+do*ing*] 경험, 체험: know *by* [*from*] ~ that... 경험에 의해 …이라는 것을 알다 / He learned the lesson *through* the repeated ~ ***of*** find*ing* himself at others' mercy. 그는 남의 뜻에 좌우되는 경험을 되풀이하는 중에 그 교훈을 배웠다 / *E*~ teaches. 사람은 경험으로 지혜로워진다. **2** Ⓤ [+前+do*ing*] 경험 내용《경험에 의해 얻은 지식·능력·기능》: gain one's ~ 경험을 쌓다 / a man of ripe ~ 풍부한 경험자 / He has no [not much] ~ ***in*** salesmanship [*in* teach*ing* English]. 그는 외판원[영어를 가르친] 경험이 없다[그다지 많지 않다]. **3** 체험한 사건: have a pleasant [trying] ~ 재미있는[쓰라린] 경험을 하다. **4** [*pl.*] 경험담. —— *vt.* **1** 경험[체험]하다: ~ great hardships 대단한 곤란을 겪다. **2** 《文語》 경험하여 알다〈*that*〉.
experience religion 회심(回心)하다, 신앙 생활에 들어가다.
〚OF<L (EX[1]*pert-* -*perior* to try, prove)〛

***ex·pé·ri·enced** *a.* **1** 경험을 한[쌓은]: an ~ teacher 노련한 교사 / I am not yet ~ *in* teaching. 나는 아직 교직 경험이 없다. **2** 노련한, 숙달된(skillful): have an ~ eye 식견이 높다, 안식이 높다.

expérience mèeting *n.* 〖教會〗 신앙 좌담회.

expérience tàble *n.* 〖保險〗 경험 사망표.

ex·pe·ri·en·tial [ikspìəriénʃəl] *a.* 경험(상)의, 경험에 기인한, 경험적인(empirical): ~ philosophy 경험 철학. **~·ly** *adv.*
〚*inferential* 따위의 유추로 EXPERIENCE에서〛

experiéntial·ìsm *n.* Ⓤ 〖哲〗 (인식론의) 경험주의. **-ist** *n., a.*

‡**ex·per·i·ment** [ikspérəmənt] *n.* **1** (과학상의) 실험(experimentation); (실지적인) 시험, 시도(trial) 〈*of*〉: *in* a medical ~ 의학상의 실험에서 / make [conduct, do, carry out] an ~ *in* chemistry 화학 실험을 하다 / an ~ *with* models 모형에 의한 실험 / He made *~s on* animals. 그

는 동물 실험을 했다 / We did it as an ~. 우리는 시험삼아 해보았다. **2** 실험[측정] 장치.
by experiment 실험에 의해서.

〈회화〉
We did a chemical *experiment.* — Was it successful? 「화학 실험을 했어」「잘됐니」

—— [ikspérəmènt] *vi.* [動 / +前+名] 실험하다 ; 시험[시도]하다 : ~ ***on*** electricity 전기 실험을 하다 / ~ *on* animals 동물 실험을 하다 / ~ ***with*** chemicals 화학 약품을 시험하다 / He ~*ed with* new methods of teaching. 새로운 교수법을 시험해 보았다 / She ~*ed with* different kinds of lipstick. 여러 가지 립스틱을 발라 보았다.
-mènt·er, -mèn·tor *n.* 실험자.
〚OF or L ; ⇨ EXPERIENCE〛
類義語 ⟹ TRIAL.

***ex·per·i·men·tal** [ikspèrəméntl] *a.* **1** 실험에 기인한, 실험의[적인] : ~ psychology 실험 심리학 / ~ science 실험 과학. **2** 실험용의 : ~ animals 실험용 동물 / an ~ farm 시험 농장 / an ~ theater 실험 극장. **3** 경험에 기인하는, 경험적인 (experiential) (cf. OBSERVATIONAL) : ~ knowledge 경험적 지식. **~·ìsm** *n.* Ⓤ 실험주의 ; 경험주의 (empiricism). **~·ist** *n.* 실험[경험] 주의자. **~·ly** *adv.* 실험적으로, 경험상.

experiméntal·ìze *vi.* 실험하다.

ex·per·i·men·ta·tion [ikspèrəmentéiʃən] *n.* Ⓤ 실험, 실지 연습 ; 실험법.

expériment sègment *n.* 〖宇宙〗 (space lab의) 기밀 실험실.

expériment stàtion *n.* (농업·광업 따위의) 시험장 : an agricultural ~ 농업 시험장.

***ex·pert** [ékspəːrt] *n.* 숙련자, 익숙한 사람, 명수, 전문가 (specialist) : a linguistic ~ 어학 전문가 / a mining ~ 광산 기사 / an ~ *in* economics 경제학 전문가 / an ~ *at* skiing 스키의 명수 / an ~ *on* the population problem 인구문제 전문가. —— *vt.* **1** …을 위해 전문적 조언[지도]을 하다. **2** 《口》 전문가로서 …을 연구[조사]하다. —— *vi.* (…의) 전문가다[로서 활동하다].
——[, 美+ikspə́ːrt] *a.* **1** [+前+do*ing*] 숙련된, 익숙한, 노련한 (skillful) ; 전문가인 : an ~ surgeon 외과 전문의 / He has become ~ ***at*** figures[***in*** driv*ing* a motorcar, ***with*** a rifle]. 그는 계산에[자동차 운전에, 소총 취급에] 익숙해졌다. **2** 숙련자[전문가]에 의한 ; (제작품 따위) 교묘한 : ~ evidence 감정가(鑑定家)의 증언.
~·ly *adv.* 능숙하게, 교묘하게.
~·ness *n.* Ⓤ 능숙, 숙달.
〚OF<L ; ⇨ EXPERIENCE〛

ex·per·tise[1] [èkspərtíːz, 美+-s] *n.* Ⓤ 전문적인 의견[기술, 지식] (cf. KNOW-HOW). 〚F (↑)〛

éxpert·ìsm *n.* Ⓤ 전문 기술[지식] ; 숙련.

éxpert·ìze, -ìse[2] *vt.* (충분히 검토하여) 전문적 의견을 기술하다. —— *vt.* …을 연구한 후에 전문적 판단을 내리다.

ex·pi·a·ble [ékspiəbəl] *a.* 보상할 수 있는.

ex·pi·ate [ékspièit] *vt.* (죄를) 보상하다, 속죄하다. —— *vi.* 보상하다. **-à·tor** *n.*
〚L ex[1]- (*pio* to seek to appease 〈PIOUS) 〛

ex·pi·a·tion [èkspiéiʃən] *n.* Ⓤ 속죄하기, 죄를 보상하기, 갚아주기 ; 보상 : in ~ *of* one's sin [crime] 속죄하기 위해.

ex·pi·a·to·ry [ékspiətɔ̀ːri ; -təri] *a.* 속죄하는 ; 보상의.

ex·pi·ra·tion [èkspəréiʃən] *n.* **1** Ⓤ 숨을 내쉬기, 내쉬는[호기(呼氣)] 작용(↔*inspiration*). **2** Ⓤ (기간·권리 따위의) 만기 (termination)〈*of*〉: at the ~ *of* one's term of office[service] 임기 만료 때에.

expirátion dàte *n.* (약·식품 따위의) 유효 기한《라벨·용기 따위에 표시함》.

ex·pir·a·to·ry [ikspáiərətɔ̀ːri ; -təri] *a.* 숨쉬는, 호기(呼氣)의, 숨을 내쉬는.

ex·pire [ikspáiər] *vi.* **1** 만기가 되다, 종료(終了)되다, 기한이 되다, 만료되다 ; (권리 따위가) 소멸되다 : My driving license ~*s* next month. 내 운전 면허는 다음달에 만료된다. **2** 《文語》 숨이 끊어지다, 죽다 ; (등불 따위가) 꺼지다. **3** 숨을 내쉬다(↔*inspire*).
—— *vt.* (숨을) 토해내다〈*from*〉.
ex·pír·er *n.* 〚OF<L (*spiro* to breathe)〛
類義語 ⟹ DIE[1].

ex·pír·ing *a.* 만료[종료]의 ; 숨을 거두려 하는《사람·동물》, 임종 때의《말》, 꺼져가는《불꽃》; 숨을 내쉬는. **~·ly** *adv.* 다 죽어가는 사람처럼.

ex·pi·ry [ikspáiəri, 美+ékspəri] *n.* Ⓤ (기한·기간의) 만료, 종료, 만기 : at the ~ *of* the term 만기가 되어서, 만기가 될 때에.

°**ex·plain** [ikspléin] *vt.* **1** [+目 / +目+*to*+名 / +*that* 節 / +*wh.* 節 / +*wh.*+*to* do] (사실·입장 따위를) 설명하다, 명백하게 하다 ; (장(章)·구(句) 따위를) 해석하다 : The teacher ~*ed* the meaning of the word. 선생은 그 단어의 뜻을 설명했다 / Will you ~ the rule ***to*** me? 그 규칙을 저에게 설명해 주시지 않겠습니까 / I ~*ed* (*to* them) *that* we could stay no longer. (그들에게) 더 이상 머무를 수 없다고 설명했다 / Father has ~*ed* why the moon shows different shapes. 아버지는 왜 달이 여러 가지 모양으로 보이는가를 설명해 주셨다 / Please ~ *where to* begin and *how to* do it. 어디서 시작하여 어떻게 하는지 가르쳐 주십시오.

explain의 ○×
(×) She *explained* me what had happened. (그녀는 나에게 무슨 일이 일어났는지를 설명했다.)
(○) She *explained to* me what had happened.
☆ explain은 간접 목적어를 취하지 않기 때문에 to가 필요하다(⇨ apologize, suggest)

2 (행위 따위를) 해명하다.
—— *vi.* 설명[변명]하다.
explain away (곤란한 입장 따위를) 잘 해명하다, 변명하다.
explain one***self*** 입장을 변명하다 ; 마음을 터놓고 이야기하다.
~·er *n.*
〚L *explano* to flatten (*planus* flat) ; 어형은 PLAIN[1]에 동화〛
類義語 ***explain*** 상대방이 모르는 것, 이해하지 못하는 것을 뚜렷이 알기 쉽게 설명하다 : *explain* the cause of the trouble (트러블의 원인을 설명하다). ***expound*** 전문적인 지식을 가진 사람이 계통적으로 철저하게 설명하다 : *expound* a theory (어떤 이론을 설명하다). ***explicate*** 학문적으로 세밀한 데까지 자세히 설명하다 : *explicate* a Biblical passage (성서의 한 구절을 설명하다). ***interpret*** 의미가 뚜렷하지 않은 어려운 것[일]을 특수한 지식이나 상상력 따위로 분명하게 하다 : How do you *interpret* her smile? (그녀의 미소를 어떻게 해석할 것인가).

ex·pláin·able *a.* 설명[해석, 변명]할 수 있는.
‡ex·pla·na·tion [èksplənéiʃən] *n.* **1** U,C 설명; 해석; 해명, 변명: by way of ~ 설명으로서 / in ~ *of* one's conduct 자기 행위에 대한 설명[해명]으로 / Not much ~ is needed. 많은 설명은 필요 없다 / I want to get a lucid[satisfactory] ~. 명쾌한[만족할 만한] 설명을 해주시오. **2** (오해나 견해 차이를 풀기 위한) 의논; 화해.
ex·plan·a·tive [iksplǽnətiv] *a.* =EXPLANATORY.
ex·plan·a·to·ry [iksplǽnətɔ̀ːri; -təri] *a.* 해석상의, 설명적인; (…의) 설명[해석]에 도움이 되는 〈*of*〉: ~ notes 주석 / an ~ title (영화의) 자막.
ex·plánt [eks-] *vt.* 〔生〕(동식물의 산 세포군·조직편을) 외식(外植)[체외 배양]하다.
—— [⌐⌐] *n.* 외식체(體), 체외 배양체.
ex·ple·tive [éksplətiv; ikspliːtiv] *a.* 단순히 보충적인; 부가적인. —— *n.* (보충적인) 조사(助辭), 허사(虛辭)《*It* rains. / *There* is no doubt…의 it, there 따위》; 무의미한 감탄사《O dear! 따위》; (강조만 하며 무의미한) 욕설《Damn!, My goodness! 따위》.
〖L (EX[1]*plet-* -*pleo* to fill out)〗
éxpletive deléted *n.* 《美》 비어[외설어] 삭제《인쇄물 따위의 외설적 어구가 삭제되었음을 나타냄》; 《美俗》 젠장 맞을, 빌어먹을(fucking).
ex·ple·to·ry [éksplətɔ̀ːri; ikspliːtəri] *a.* =EXPLETIVE.
ex·pli·ca·ble [iksplíkəbəl, éksplikə-] *a.* 설명[해명]이 될 수 있는(↔*inexplicable*).
〖L (EX[1]*plicit-* -*plico* to unfold)〗
ex·pli·cate [éksplәkèit] *vt.* (논지(論旨)·원리 따위를) 분명하게 하다, 해명하다; 설명하다.
類義語 ⟹ EXPLAIN.
èx·pli·cá·tion *n.* **1** U,C 해명; 설명, 해설. **2** U,C (꽃 따위가) 피기.
ex·pli·ca·tive [iksplíkətiv, 美+éksplәkèitiv] *a.* 해설적인, (…의) 설명[해설]이 되는〈*of*〉.
ex·pli·ca·to·ry [éksplikətɔ̀ːri; iksplíkətəri] *a.* =EXPLICATIVE.
ex·plic·it[1] [iksplísət] *a.* (↔*implicit*) 명시된, 뚜렷한, 명백한(clear); 흉허물없는, 숨김없는(outspoken): ~ faith (교리 따위를 이해한 다음의) 명시적 신앙. **~·ly** *adv.* 명쾌하게, 흉허물없이. **~·ness** *n.* U 명백함; 솔직함.
〖F or L; ⇨ EXPLICABLE〗
ex·pli·cit[2] [éksplәsit, iksplísət] *n.* 끝, 완(完)《고서(古書) 끝에 쓴 말》.
〖L=unfolded, i.e. here ends〗
explícit fúnction *n.* 〔數〕 양함수(陽函數)(↔*implicit function*).
ex·plode** [iksplóud] *vt.* **1 a)** 폭발[폭렬, 파열]시키다(↔*implode*): ~ a bombshell ☞ BOMBSHELL. **b)** (잘못·흠 따위를) 폭로하다(expose); (미신을) 타파하다, 논파하다. **2** 〔音聲〕 파열음으로 발음하다. —— *vi.* **1** 폭발[파열]하다. **2** [動/+前+名] (감정이) 격발하다, (감정이 격하여) 이성을 잃다(burst forth): His anger ~*d*. 그의 분노가 폭발했다 / He ~*d* ***with rage. 울컥 화를 내었다 / The students ~*d with* laughter. 학생들은 웃음을 터뜨렸다. **3** 〔音聲〕 파열음으로 발음되다. 〖L EX[1]*plos-* -*plodo* to hiss off the stage; ⇨ PLAUDIT〗
ex·plód·ed *a.* 폭발한; 논파[타파]된《이론·미신·풍습 따위》; 기계를 분해하여 그 부품의 올바른 배열·상호 관계를 나타내는: an ~ view of a carburetor 기화기(氣化器)의 분해 부품 배열도(配列圖).
ex·plód·er *n.* 폭발 장치, 뇌관(雷管): a magneto ~ 휴대용 전기 폭발 장치.
ex·ploit[1] [éksplɔit, 美+iksplɔ́it] *n.* 공훈, 공적, 공(功), 위업.
〖ME=outcome, success‹↓〗
類義語 ***exploit, feat, achievement*** 모두가 훌륭한[위대한] 행위. *exploit* 커다란 모험을 무릅쓰고 이룩한 용기를 강조함. *feat* 그것을 이룩한 뛰어난 기술·능력을 강조함. *achievement* 장기에 걸친 끊임없는 노력을 강조함. ***merit*(*s*)** 보수 또는 감사를 받을 자격이 있는 공적[무훈(武勳), 공훈].
***ex·ploit**[2] [iksplɔ́it, 美+éksplɔit] *vt.* **1** (자원 따위를) 개발[개척]하다, 촉진하다: ~ a mine 광산을 개발하다 / ~ the qualities of a substance 어떤 물질의 성질을 활용하다. **2** (고용인 등을) 이기적으로 이용하다, 미끼삼다, 착취하다: The boss ~*ed* his men (for his own ends). 사장은 (자기 자신의 목적을 위해) 직원들을 이용했다.
~·er *n.* (이기적인) 이용자, 착취자.
〖OF‹L; ⇨ EXPLICABLE〗
ex·plóit·able *a.* 개발[개척]할 수 있는; (유리하게) 이용할 수 있는.
explóit·age *n.* =EXPLOITATION.
ex·ploi·ta·tion [èksplɔitéiʃən] *n.* **1** U 개발, 개척; (광산의) 발굴 작업. **2** U 이기적 이용, 착취.
ex·ploit·ative [iksplɔ́itətiv] *a.* 자원을 개발하는; 자원을 황폐시키는; (남을) 착취하는.
ex·ploit·ive [iksplɔ́itiv] *a.* =EXPLOITATIVE.
***ex·plo·ra·tion** [èkspləréiʃən, 美+-plɔː-] *n.* U,C (실지) 답사, 탐험 (여행); (문제 따위의) 탐구(inquiry); 〔醫〕 진찰, 촉진(觸診), (상처 따위를) 찾아내기: a voyage of ~ 탐험 항해 / the ~ *of* the new continent 신대륙 탐험 / They are making ~*s into* the cultural problems of South Africa. 그들은 남아프리카의 문화 문제를 탐구하고 있다.
ex·plor·ative [iksplɔ́ːrətiv] *a.* =EXPLORATORY.
~·ly *adv.*
ex·plor·ato·ry [iksplɔ́ːrətɔ̀ːri; -təri] *a.* (실지) 답사의, 탐험[탐사]의; 조사[탐구]를 위한; 〔醫〕 검진[탐사]의; 예비적인, 입문적인.
***ex·plore** [iksplɔ́ːr] *vt.* **1** 탐험[답사]하다. **2** (문제 따위를) 탐구하다, 조사하다(examine): Medical men are *exploring* every new possibility of cancer treatment. 의학자들은 새로운 암 치료법의 모든 가능성을 탐구하고 있다 / ~ every avenue ☞ AVENUE 4. **3** 〔醫〕 세밀하게 진찰하다, (상처를) 찾아내다(probe).
—— *vi.* 탐험을 하다; 조사하다〈*for*〉.
〖F‹L EX[1]*ploro* to search out〗
***ex·plór·er** *n.* **1** 탐험하는 사람, 탐험가. **2** 《美》 연장(年長)대원, 익스플로러《14-17세의 보이 스카우트; 탐험 계획에 참가함; ☞ BOY SCOUT》. **3** (상처·구멍 따위를 찾는) 탐침(探針). **4** [E~] 익스플로러《미국 최초의 과학 위성》.
***ex·plo·sion** [iksplóuʒən] *n.* **1** U,C **a)** 폭발, 폭렬, 파열; (분노·웃음 따위의) 격발, 폭발: an ~ of rage 분노의 폭발. **b)** 폭발적[급격한] 증가: a population ~ =an ~ of population 인구의 급증. **2** U,C 폭음, 폭성(爆聲). **3** U,C 〔音聲〕 (폐쇄음의) 파열(↔*implosion*).
〖L *explosio* act of driving off by clapping; ⇨ EXPLODE〗
explósion shòt *n.* 〔골프〕 벙커(bunker)에서 공을 빼낼 때의 대표적인 숏.

*__ex·plo·sive__ [iksplóusiv] *a.* 폭발(성)의, 폭발적인 ; 폭발에 의해 작동하는 ; 폭발의 충격을 이용하는 ; 〖音聲〗 파열음의 : an ~ increase 폭발적[급격한] 증가. ── *n.* **1** 폭발물, 폭약 : a high ~ 고성능 폭약. **2** 〖音聲〗 파열음(↔*implosive*). **~·ly** *adv.* 폭발적으로.

explósive bòlt *n.* 폭발 볼트《우주선의 분리 부분 따위에 쓰임》.

explósive evolútion *n.* 〖生〗 폭발적 진화《어떤 유(類)에서 단기간에 폭발적으로 다수의 유(類)가 생기는 진화 현상》.

ex·po [ékspou] *n.* (*pl.* **~s**) 전람회, 박람회 ; [보통 E~] 만국 박람회 : Taejŏn *E~* 대전 엑스포. 〖*exposition*〗

Expo. Exposition.

ex·pon·ence [ikspóunəns, 美+ékspou-] *n.* 〖言〗 구현(具現) (cf. EXPONENT).

ex·pó·nent [, 美+ékspou-] *n.* **1** 설명자, 해석[해설]자〈*of*〉; (음악의) 연주자. **2** 전형적[상징적]인 사람[것] ; 〖言〗 구현형《범주의 구체형 ; 명사에 대한 boy 따위》: The scientist is a well-known ~ *of* space research. 그 과학자는 우주 연구로 유명한 대표적인 인물이다. **3** 〖數〗 지수. ── *a.* 설명[해석, 해설]적인.
〖L EX[1]*pono* to put out, EXPOUND〗

ex·po·nen·tial [èkspounénʃəl, 美+-pə-] *a.* 〖數〗 지수(指數)의 ; (변화의 상관성이) 지수함수적인 ; 해설자[창도자]의 : an ~ equation 지수방정식. ── *n.* 〖數〗 지수함수.

*__ex·port__ [ikspɔ́ːrt, ékspɔːrt] *vt.* 수출하다(↔*import*). ──[ékspɔːrt] *n.* **1** [흔히 *pl.*] 수출품[용역] ; [보통 *pl.*] 수출(총)액 ; [형용사적으로] 수출(용)의. **2** Ⓤ 수출(exportation) : the ~ trade[business] 수출 무역[업] / an ~ duty 수출세(稅). **ex·pórt·able** *a.* 수출할 수 있는, 수출용의. 〖L *ex*-[1](*porto* to carry)〗

Éxport Administrátion Áct (of 1979) *n.* 《美》 수출 관리법《대통령이 수출제한을 명할 수 있게 함》.

ex·por·ta·tion [èkspɔːrtéiʃən] *n.* Ⓤ 수출 ; Ⓒ 수출품(↔*importation*).

expórt·er *n.* 수출업자.

éxport-ímport bànk *n.* 수출입은행 ; [E~-I~ B~ (of the United States)] 미국 수출입 은행.

éxport rèject *n.* 〖經〗 수출 기준 불합격품《수출 기준에 미달하여 제조국에서 팔리는 상품》.

Éxport Tráding Cómpany Áct *n.* [the ~] 《美》 수출 상사법《1982년 10월 실시》.

*__ex·pose__[1] [ikspóuz] *vt.* **1** [+目+*to*+名] **a)** (햇볕·비·바람에) 쐬다 : Don't ~ the baby ***to*** the draft. 갓난아기를 틈새기 바람에 쐬지 마라 / a situation *~d to* every wind 바람받이의 위치. **b)** (공격·위험 따위에 몸을) 드러내다, 노출하다 (subject) : You must not ~ yourself ***to*** ridicule. 남의 비웃음 받을 짓을 해서는 안된다 / They had to be *~d to* the enemy's gunfire. 그들은 적의 포화에 노출되지 않을 수 없었다. **c)** (작용·영향 따위에) 닿게[접촉하게] 하다, …에 (…을) 받게 하다 : ~ children ***to*** good books 아이들에게 양서(良書)를 가까이하게 하다 / He was *~d to* new impressions. 그는 새로운 인상을 받았다. **2** [+目 / +目+前+名] (팔 것을) 점포에 내놓다, 진열하다(exhibit) : ~ goods ***for*** sale 상품을 팔려고 진열하다. **3** (비밀 따위를) 폭로하다, 들추어내다(disclose), (나쁜 사람의) 가면[정체]을 벗기다(unmask). **4** (어린애를) 버리다. **5** 〖寫〗 노출[노광(露光)]하다. **6** 〖카드놀이〗 (패를) 보이다, 젖히다.
〖OF＜L (*pono* to put)〗
類義語 ⟹ SHOW.

ex·po·sé, ex·po·se[2] [èkspouzéi, -spə-; ikspóuzei] *n.* (추한 사실·추문(醜聞)의) 폭로, 들추어내기(exposure)〈*of* a gossip〉.
〖F (p.p.)〈↑〗

ex·pósed *a.* (위험 따위에) 드러나 있는 ; 노출된, 폭로된 ; 비바람을 맞는 ; (필름 따위) 노출[노광]한 ; 〖카드놀이〗 (패가) 보여진.
~·ness *n.*

ex·po·si·tion [èkspəzíʃən] *n.* **1** (성유물 따위의) 공개, 개장, 현시(顯示) ; 전시회, 전람회 ; (산업의 발달 따위에 관한) 박람회(exhibition) : a world ~ 만국 박람회. **2** Ⓤ,Ⓒ 설명, 해설.
〖OF or L ; ⇨ EXPOSE[1]〗

ex·pos·i·tive [ikspázətiv] *a.* =EXPOSITORY.

ex·pos·i·tor [ikspázətər] *n.* 해설자, 해명[설명]하는 사람.

ex·pos·i·to·ry [ikspázətɔ̀ːri ; -təri] *a.* 설명[해설]적인.

ex post fac·to [éks pòust fǽktou] *a., adv.* 〖法〗 사후의[에] ; 소급적인[으로] : an ~ law 소급 처벌법. 〖L=from what is done afterwards〗

ex·pos·tu·late [ikspástʃəlèit ; -tju-] *vi.* [動 / +前+名] 설유(說諭)하다, 간(諫)하다, 타이르다 : He *~d* ***with*** me ***on*** the improper conduct. 그는 그런 행동이 옳지 않다고 나를 타일렀다 / I *~d with* my son ***about*** the foolishness of leaving school. 나는 아들에게 학교를 그만둔다는 것은 어리석은 짓이라고 타일렀다. **ex·pós·tu·là·tor** *n.* 간하는 사람, 충고자.
〖L (POSTULATE)〗
類義語 ⟹ OBJECT[2].

ex·pòs·tu·lá·tion *n.* Ⓤ 충고 ; [때때로 *pl.*] 충고하는 말, 간언(諫言).

ex·pos·tu·la·to·ry [ikspástʃələtɔ̀ːri ; -tjulətəri] *a.* 타이르는, 충고하는.

*__ex·po·sure__ [ikspóuʒər] *n.* **1 a)** Ⓤ,Ⓒ (햇빛·비바람 따위에) 드러내기, 노출하기〈*to*〉; 〖寫〗 노출[노광(露光)] (시간), (필름의) 한 화면 : an ~ meter 노광계, 노출계(計) / double ~ 2중 노출[노광] / a roll film of 36 *~s* 36매짜리 (롤) 필름. **b)** Ⓤ,Ⓒ (위험·공격 따위에) 몸을 드러내기〈*to*〉. **c)** (작용·영향 따위에) 닿게 하기, 접촉하기〈*to*〉. **2** Ⓤ,Ⓒ (비밀스런 일·악한 일 따위의) 들키기, 발각, 폭로, 적발〈*of*〉. **3** (집·방의) 방향, 방위 : a house with a southern ~ 남향집. **4** Ⓤ,Ⓒ (아이 등의) 유기(遺棄). **5** Ⓤ (상품의) 진열. **6** 〖카드놀이〗 패를 보이기 ; 〖宗〗 (성체(聖體)의) 현시(顯示).
〖*enclosure* 따위의 유추로 EXPOSE[1]에서〗

expósure ìndex *n.* 〖寫〗 노출 지수.

ex·pound [ikspáund] *vt.* 자세하게[세밀히] 말하다 ; (특히 성전(聖典)을) 설명하다, 해석[해설]하다(interpret) ; (의견 따위를) 진술하다 ; 변론에 의해 옹호하다. ── *vi.* 의견을 진술하다 ; 설명[해설]하다. **~·er** *n.*
〖OF＜L (*posit-pono* to place)〗
類義語 ⟹ EXPLAIN.

èx-président *n.* (현존하는) 전(前)대통령[회장, 학장, 총장 등].

◇**ex·press** [iksprés] *vt.* **1** [+目 / +目+*to*+名 / +*wh.* 節] (감정 따위를) 나타내다, 표시하다 (show, reveal) ; (부호로) 나타내다 ; (사상 따위를) 표현하다(represent) : Words cannot ~ it. 말로는 표현할 수 없다 / She *~ed* the wish ***to*** me. 그 희망을 나에게 표명했다 / I cannot ~ *how* glad I am. 내가 얼마나 기쁜가를 말로는 다 나타낼 수 없다. **2** 《美》 운송(運送)편으로 보내다, 급송하다(cf. *n.* 3). **3** (즙 따위를) 짜내다, (공기 따위를) 내어 보내다〈*from, out of*〉.

express** one**self (1) 자기가 생각한 바를 말하다 ; (어떤) 말씨를 쓰다 : ~ one*self in* good English 훌륭한 영어로 말하다 / He ~*ed* him*self* strongly *on* the subject. 그는 그 사항에 대해서 강경하게 의견을 말했다. (2) (예술 따위로) 자기를 표현하다.

—— *a.* **1** 명시된(expressed) (↔*implied*) ; 명확한(definite), 명백한(clear) : an ~ command 명시된 명령 / an ~ consent 명백한 승낙. **2** 특히 명시한, 특수한 : for the ~ purpose of …을 위해 특히[일부러]. **3** 꼭 그대로의, 바로 그대로인(exact). **4** 특별히 (주문하여) 마련한 ; 급행의(cf. LOCAL), 지급편(至急便)의 ; 《美》 운송편(運送便)의 : ~ charges 《美》 운송료 / an ~ office 《美》 통운[운송] 회사 / an ~ fee 특별 배달 요금 / an ~ highway＝EXPRESSWAY / an ~ ticket 급행권 / an ~ train 급행 열차.

—— *n.* **1** 《英》 Ⓤ 속달편(express delivery) ; Ⓒ 급사(急使) : send by ~ 속달편으로 발송하다. **2** 급행 열차(express train), 급행 버스, 고속엘리베이터《따위》 : travel by ~ 급행으로 가다《㊟ 보통 train은 생략》. **3** 《美》 Ⓤ 운송편 ; 운송 화물 ; Ⓒ 《美》 지급편 통운 회사(express company) (cf. DISPATCH *n.* 5) : by ~ 운송편으로.

—— *adv.* 급행(열차[버스])로(by express) ; 《英》 지급편으로, 속달로 ; 《美》 운송편으로(by express) : send a parcel ~ 소포를 속달로 보내다 / travel ~ 급행으로 여행하다.

〖OF＜L EX-[1](*press- primo*＝*premo* to press)＝to squeeze out〗

expréss·age *n.* 《美》 **1** Ⓤ 운송업 ; 속달 우편 취급. **2** Ⓤ 운송료 ; 급행[속달] 요금.

expréss cár *n.* 급행 화물용 화차.

expréss cómpany[ágency] *n.* 《美》 지급편 통운[운송] 회사.

expréss delívery *n.* **1** Ⓤ 《英》 속달(＝《美》 special delivery) : ~ post 속달 우편. **2** Ⓤ 《美》 통운 회사의 배달편.

expréss élevator *n.* 《美》 고속 엘리베이터 (＝《英》 express lift).

ex·préss·ible, -able *a.* 표현할 수 있는 ; 짜낼 수 있는.

‡**ex·pres·sion** [ikspréʃən] *n.* **1** Ⓤ 표현 : give ~ *to* one's feelings 감정을 표현하다[나타내다] / His ideas found ~ *in* art. 그의 생각은 예술로 표현되었다. **2** (말의) 표현, 어법 ; 어구, 언사(言辭) : a happy ~ 교묘한 표현, 능란한 말씨. **3** Ⓤ,Ⓒ (얼굴·눈 따위의) 표정〈*of*〉 : facial ~ (얼굴의) 표정. **4** Ⓤ (음성의) 가락, 음조, 어조 ; (음악 따위의) 발상, 표현 : The poet read his own poems *with* ~. 시인은 자기의 시를 표현을 풍부하게 해서 읽었다. **5** 〖數〗 식(式) : a numerical ~ 수식. **6** Ⓤ 압착, 짜내기.

beyond [***past***] ***expression*** 이루 다 말할 수 없을 만큼, 표현할 수 없을 만큼.

expréssion·al *a.* 표현의 ; 표정의 : ~ arts 표현 예술《음악·연극 따위》.

expréssion·ìsm *n.* Ⓤ 표현주의.

-ist *a., n.* 표현주의의 (작가).

expréssion·less *a.* 무표정한, 표정이 결여된(↔ *expressive*). **~·ly** *adv.*

expréssion màrk *n.* 〖樂〗 나타냄표, 발상(發想) 기호.

ex·pres·sive [iksprésiv] *a.* **1** 표현의 ; (감정 따위를) 나타내는(expressing) : be ~ *of* feeling [gratitude] 감정[감사의 뜻]을 나타내다. **2** 표현[표정]이 풍부한 ; 의미 심장한(significant) (↔ *expressionless*) : an ~ silence 의미 심장한 침묵.

~·ly *adv.* 표정이 풍부하게, 뜻있게.

~·ness *n.* Ⓤ 표현성[력].

[類義語] ***expressive*** 의미나 감정 따위를 분명하고 생생하게 표시함 : an *expressive* look (뜻있는 눈길). ***significant*** 깊은 뜻이 포함되어 있으나 그 전부는 표시되지 않음. 단순히 어떠한 뜻이 포함되어 있는 것을 나타내기만 하는 수도 있음 : This is one of the most *significant* days in our school. (이 날은 우리 학교에서 가장 뜻깊은 날이다). ***suggestive*** 포함되어 있는 뜻의 일부만 전하거나 또는 암시만 하는데 그쳐 간접적으로 뜻이 있다는 것을 표시함 : a *suggestive* gesture (암시적인 몸짓).

ex·pres·siv·i·ty [èkspresívəti] *n.* Ⓤ 표현[표정]이 풍부함 ; (유전자의) 표현도(度).

expréss lètter *n.* 《英》 속달.

expréss lìft *n.* 《英》 ＝EXPRESS ELEVATOR.

expréss·ly *adv.* **1** 명백하게, 명확하게. **2** 특별히, 일부러.

Expréss Màil *n.* 《美》 익스프레스 메일《미국 우편공사가 취급하는 익일 배달편 서비스》.

expréss·màn [ˌ-mən] *n.* (*pl.* **-mèn** [ˌ-mən]) 《美》 소화물 집배원, 운송 회사원.

expréss rìfle *n.* 속사총(速射銃)《근거리용 엽총의 일종》.

expréss tráin *n.* 급행 열차.

expréss wàgon[《英》 **wàggon**] *n.* 속달 편지[소포] 운반차.

expréss·wày *n.* 《美》 고속도로(cf. FREEWAY, MOTORWAY, SUPERHIGHWAY, TURNPIKE).

ex·pro·bra·tion [èksproubréiʃən] *n.* 《古》 비난, 책망, 질책.

ex·pro·pri·ate [eksprόuprièit] *vt.* [＋目 / ＋目＋*from*＋[名]] (남)에게서 소유권을 빼앗다, (토지 따위를) 수용(收用)[징수]하다(dispossess) ; (재산을) 몰수하다(take away) : ~ a person ***from*** his estate 남에게서 토지를 몰수하다.

〖L (*proprium* property)〗

ex·pro·pri·a·tion [ekspròupriéiʃən] *n.* (토지 따위의) 수용(收用), 징수 ; (재산 따위의) 압수.

expt(.) experiment ; expert ; export.

exptl(.) experimental.

ex·pulse [ikspʌ́ls] *vt.* ＝EXPEL.

ex·pul·sion [ikspʌ́lʃən] *n.* 쫓아내기, 추방, 방출, 배제, 구축 ; 제명(dismissal) : the ~ *of* a member *from* a society 어떤 회의 회원의 제명.

〖L ; ⇨ EXPEL〗

expúlsion òrder *n.* (외국인(外國人)에 대한) 국외 퇴거 명령.

ex·pul·sive [ikspʌ́lsiv] *a.* 구축력이 있는 ; 추방하는, 배제성의.

ex·punc·tion [ikspʌ́ŋkʃən] *n.* 말소, 말살.

ex·punge [ikspʌ́ndʒ] *vt.* 지우다, 깎다, 삭제하다, 말소하다〈*from*〉 ; 씻어 없애다. 〖L EX[1] *punct- -pungo* to prick out (for deletion)〗

ex·pur·gate [ékspə(:)rgèit, 美＋ikspə́:rgeit] *vt.* (책·각본 따위의 온당치 않은 곳을) 사전에 삭제하다, 지워 없애다. **-gà·tor** *n.* 삭제자(削除者).

〖L ; ⇨ PURGE〗

èx·pur·gá·tion *n.* Ⓤ,Ⓒ (온당치 않은 곳의) (사전) 삭제.

ex·púr·ga·tò·ry [; -təri] *a.* 삭제하는, 순화(純化)시키는.

expy(.) expressway.

***ex·quis·ite** [ikskwízət, ékskwizət] *a.* **1** 더할 나위 없이 훌륭한[맛좋은, 아름다운], 절묘한. **2** 정교한(delicate); 우아한, 섬세한(nice): a man of ~ taste 우아한 취미를 가진 사람. **3** 예민한(keen); 격렬한(acute): ~ pain[pleasure] 강렬한 통증[쾌감]. —— *n.* 취미가 까다로운 사람, 멋쟁이(dandy). **~·ly** *adv.* 절묘하게; 정교하게; 극히. **~·ness** *n.*
〚L EX[1]*quisit-* -*quiro* to seek out〛
類義語 ⟹ DELICATE.

exr(.) executor. **exrx**(.) executrix. **exs.** examples.

ex·san·gui·nate [ekssǽŋgwənèit] *vt.* 출혈시키다, …의 피를 마르게 하다. —— *vi.* 출혈로 죽다.

ex·san·guine [ekssǽŋgwən] *a.* 피가 없는; 피를 잃은, 빈혈성의.

ex·scind [eksínd] *vt.* 잘라내다, 절단하다.

ex·sect [eksékt] *vt.* 잘라내다.

ex·sec·tion [eksékʃən] *n.* 절제(切除), 절취.

ex·sert [eksə́ːrt] *vt.* 내밀다, 돌출시키다, 내놓다. —— *a.* 돌출한, 내민(=~·**ed**).
ex·sér·tion *n.* 돌출.

èx-sérvice *a.* 《英》 (군인이) 퇴역한.

èx-sérvice·màn *n.* (*pl.* **-mèn**) 《英》 퇴역 군인(=《美》 veteran).

éx shíp *n.* 〔商〕 본선 인도(本船引渡).

ex·sic·cate [éksəkèit] *vt.* 말리다, 건조시키다. —— *vi.* 마르다. 〚L (*siccus* dry)〛

éx·sic·cà·tive *a.* 마르는, 건조시키는.

ex si·len·tio [èkssəlénʃiòu, -sai-] *adv., a.* 반증이 없어서[없음으로 인한]. 〚L=from silence〛

ex·stípulate [eks-] *a.* 〔植〕 턱잎이 없는.

éx stóre *n.* 〔商〕 창고 인도.

ext. extension; external(ly); extinct; extra; extract.

ex·tant [ékstənt, ekstǽnt] *a.* (옛 문서·기록 따위가) 아직도 남아 있는, 현존하는.
〚L *ex*(*s*)*to* to exist〛

ex·tem·po·ral [ikstémpərəl] *a.* 《古》 =EXTEMPORANEOUS.

ex·tem·po·ra·ne·ous [ikstèmpəréiniəs] *a.* 즉석의, 즉시의; 미봉책의, 임시 변통의(makeshift). **~·ly** *adv.* **~·ness** *n.*

ex·tem·po·rary [ikstémpərèri; -rəri] *a.* 즉석의, 즉흥적인. **-rar·i·ly** [ikstèmpərérəli; -témpərərili] *adv.* 즉석에서, 임시로, 임시 변통으로.

ex·tem·po·re [ikstémpəri] *adv., a.* (원고·복안 따위의) 준비없이[는], 즉석에서[의], 즉흥적으로[인], 임시 변통으로[의](impromptu).
〚L=out of time (*tempus* time), on the spur of the moment〛

ex·tem·po·ri·za·tion [ekstèmpərəzéiʃən; -rai-] *n.* Ⓤ 즉석에서 만들기; Ⓒ 즉흥작, 즉석 연설; 즉흥 연주《따위》.

ex·tem·po·rize [ikstémpəràiz] *vt., vi.* 즉석에서 만들다; 즉석에서 연설[작곡, 연주]하다.

ex·ten·ci·sor [eksténsaizər] *n.* 손가락·손목 강화기구, 악력(握力) 강화기. 〚*extensor*+*exciser*〛

ex·tend** [iksténd] *vt.* **1** [+目/+目+前+名] **a**) (손·발 따위를) 뻗다, 펴다(stretch out); (밧줄·철사 따위를) 치다, 건너지르다(stretch): ~ a rope ***across the street 길을 가로질러 밧줄을 치다 / ~ a wire ***from*** post ***to*** post 기둥에서 기둥으로 철사를 치다 / ~ a helping hand *to*... 《비유》 …으로 구원의 손길을 뻗치다(cf. d)). **b**) 연장하다, (기간을) 늘이다(prolong). **c**) (범위·영토 따위를) 넓히다, 확장하다(enlarge): ~ one's domains ***to*** the sea[***across*** the ocean] 영토를 바다까지[대양 저쪽까지] 확장하다. **d**) (은혜·친절 따위를) 베풀다: They always ~ sympathy and kindness ***to*** their neighbors. 그들은 언제나 이웃 사람들에게 동정과 친절을 베풀고 있다. **2** 〔軍〕 산개(散開)시키다. **3** (속기를) 보통 글자로 풀어쓰다. **4** 〔英法〕 (토지 따위를) 평가하다(assess); (토지 따위를) 압류하다. **5** [보통 수동태 또는 ~ one*self* 로] 〔競〕 (경주마·경기자에게) 전력을 내게 하다《말이 달릴 때 네 다리를 쭉 뻗고 뛰는 데서》; (일반적으로) 온갖 노력을 다하게 하다, 분발시키다: He did not ~ him*self* sufficiently. 그는 충분히 힘을 내지 않았다.

〈회화〉
Can't you *extend* your stay a few days more?
— I wish I could, but I have to get back.
「2, 3일 더 묵을 수 없겠습니까」「가능하면 그러고 싶지만 돌아가지 않으면 안됩니다」

—— *vi.* **1** [+前+名/+副] **a**) 넓어지다, 늘어나다, 펴지다(stretch); 도달하다, 이르다(reach): The Sahara ~*s* ***from*** the Mediterranean southward ***to*** the Sudan, and *from* the Red Sea westward *to* the Atlantic Ocean. 사하라 사막은 지중해 연안에서 남쪽 수단 지방으로, 홍해 연안에서 서쪽으로 대서양 연안에까지 이르고 있다 / The river ~*s* (***for***) miles and miles. 그 강은 몇 마일에나 걸쳐서 흐르고 있다 / The plains ~ *far* and *wide*. 평원이 광활하게 펼쳐져 있다. **b**) (시간이) 계속되다, 걸치다(last): The committee meeting ~*s* ***for*** three days[***from*** Thursday ***to*** Saturday]. 위원회는 3일간[목요일에서 토요일]에 걸쳐서 열린다. **2** 〔軍〕 산개(散開)하다.
〚L EX[1]*tens-* -*tendo*; ⇨ TEND[1]〛
類義語 ⟹ LENGTHEN.

exténd·ed *a.* **1** 뻗친; 펼친, 널리 펼쳐진; 광범위한; 확장한; (기간을) 연장한. **2** 장기간에 걸친, 긴: an ~ discussion 긴 토론 / make an ~ stay 장기간 체류하다. **3** 〔軍〕 산개한: ~ order 산개 대형(↔*close order*). **~·ly** *adv.*

exténded cóverage *n.* 〔保險〕 확장 담보《보험계약의 담보 범위를 확장하는 추가 약관》.

exténded facílity *n.* (IMF의) 확대 신용(信用) 공여 제도.

exténded fámily *n.* 확대 가족《핵가족 이외에 근친을 포함함; cf. NUCLEAR FAMILY》.

exténded pláy *n.* (45회전의) 도넛판 레코드《略 EP》.

exténded precísion *n.* 〔컴퓨〕 확장 정도(精度)《컴퓨터가 본래 다루는 자릿수의 2배 이상의 자릿수를 다룸》.

exténd·er *n.* extend하는 사람[것]; 제품에 덧붙여 주는 경품; 《英》 대학의 공개 강좌의 강사.

ex·ténd·ible, -able *a.* =EXTENSIBLE.

ex·ten·si·ble [iksténsəbəl] *a.* 펼칠 수가 있는, 뻗칠 수 있는, 신장성이 있는. **ex·tèn·si·bíl·i·ty** *n.*

ex·ten·sile [eksténsail, 美+-səl] *a.* 돌출할 수 있는, 신장성의.

extensimeter ☞ EXTENSOMETER.

***ex·ten·sion** [iksténʃən] *n.* **1 a**) Ⓤ 신장(伸張), 펼치기, 늘이기〈*of*〉; 확장(enlargement), 연장〈*of*〉; Ⓒ 신장[연장, 확장] 부분; (선로·전화의) 연장선, 내선(內線); 증축(增築), 증축한 부

분 : build an ~ *to* a hospital 병원을 증축하다. **b**) [형용사적으로] 이어 붙인, 신축자재(伸縮自在)의, 확장의 ; 대학 공개의 : an ~ course 대학 공개 강좌 / an ~ ladder 신축식 사닥다리 / an ~ lecture[lecturer] 대학 공개 강좌[강사] / an ~ table 신축 자재식 테이블. **2** Ⓤ 신장량(量)[도(度)], 신장력(力). **3** Ⓤ,Ⓒ 순연(順延), 연기. **4** Ⓤ 〔理〕 전충성(塡充性)《물체가 공간을 차지하는 성질》; 〔解〕 신장(cf. FLECTION 3). **5** Ⓤ (어의(語義) 따위의) 확충, 부연(敷衍) ; 〔論〕 외연(外延) (denotation) (↔*intension*).

〈회화〉
May I have an *extension* on my term paper? — I'm sorry but your paper is already late. 「학기말 논문제출 기한을 연기해 주시지 않겠습니까」「안됐지만 자네의 논문은 벌써 마감 시한을 넘겼네」

〚L ; ⇨ EXTEND〛

ex·ten·sion·al [iksténʃənəl] *a.* extension의 ; 〔論〕 외연적(外延的)인 ; 객관적 현실에 의거한 : ~ definition[logic] 외연적 정의[논리학] / an ~ meaning 외연적 의미.
~·ly *adv.* **ex·tèn·sion·ál·i·ty** *n.*

exténsion còrd *n.* (전기 기구의) 연장[이음, 접속] 코드.

ex·ten·si·ty [iksténsəti] *n.* 확장[신장]성 ; 〔心〕 공간성, 연장성, 퍼짐.

***ex·ten·sive** [iksténsiv] *a.* **1** 넓은, 광대한(spacious). **2** 광범위에 걸친, 광범한(↔*intensive*), 대규모의(far-reaching) : ~ agriculture[farming] 조방(粗放)농업[농법] / an ~ order 대량주문 / ~ reading 다독(多讀). **3** 〔論〕 외연적(外延的)인. **~·ly** *adv.* 넓게, 광범위하게. **~·ness** *n.* Ⓤ 광대 ; 대규모.

ex·ten·som·e·ter [èkstensámətər], **-sim-** [-sím-] *n.* 〔機〕 (재료 시험으로 시험 조각의 변형량을 측정하는) 신장계.

ex·ten·sor [iksténsər] *n.* 〔解〕 신근(伸筋) (=~ **mùscle**) (cf. FLEXOR).

exténsor tóne *n.* 〔醫〕 신전(伸展) 상태.

***ex·tent** [ikstént] *n.* **1** Ⓤ,Ⓒ 넓이, 크기(size) ; 퍼짐, 넓어짐 ; 넓은 지역 : the whole ~ *of* Korea 한국 전역(全域). **2** 범위(scope), 정도(degree), 한도(limit) : the ~ *of* one's patience 참는 한도 / *to* a considerable ~ 상당한 정도까지 / *to* a great ~ 대부분, 크게(largely) / *to* some[a certain] ~ 어느 정도까지, 약간(partly) / *to* this[that] ~ 이[그] 정도까지, 이[그] 점에서.
in extent 크기[넓이]는 : The open ground was several acres *in* ~. 그 빈터는 넓이가 수 에이커에 달했다.
to the extent of …의 정도[범위]까지 ; …의 한도까지 : *to the* (full) ~ *of* one's power 힘이 있는 한, 있는 힘을 다하여.
to the extent that …이라고 하는 정도까지, …이라는 점에서 ; …인 한에는, …이기 때문에(so far as) : *To the ~ that* we are a democracy we share a responsibility in what our country does. 민주국가인 이상, 우리들은 국가가 하는 일에 대해서 책임을 분담하고 있는 셈이다.

〈회화〉
To what *extent* is that true? — It's completely true. 「어느 정도까지가 참말이죠」「전부가 참말이예요」

〚AF<L (p.p.) 〈EXTEND〛

ex·ten·u·ate [iksténjuèit] *vt.* **1** (죄과 따위를) 가볍게 하다, 정상을 참작하다 ; (가볍게 하려고) 변명하다 ; (사정이) 정상 참작의 구실이 되다 : Nothing can ~ such cruelty. 그와 같은 잔인성에는 어떤 정상 참작의 여지도 없다. **2** 《古》 (농도를) 엷게 하다, 감하다, 덜다.
〚L (*tenuis* thin)〛

ex·tén·u·àt·ing *a.* (사정 따위) 정상을 참작할 수 있는.

ex·ten·u·a·tion [ikstènjuéiʃən] *n.* Ⓤ 정상참작, (죄의) 경감 ; Ⓒ 참작해야 할 사정.
in extenuation of …의 정상을 참작하여.

ex·tén·u·a·tò·ry [; -təri] *a.* 경감하는, 정상을 참작하는.

***ex·te·ri·or** [ikstíəriər] *a.* **1** 밖의, 외부의(↔*interior*) ; 〔數〕 (각(角)이) 외측(外側)의, 외각(外角)의 : the ~ covering 외피(外被) / ~ influences 외부의 영향 / an ~ angle 〔數〕 외각. **2** 외면의, 외관상의 ; 외계(外界)의 ; 관계없는 : ~ *to* one's real character 본성(本性)과는 관계없는. **3** 대외적인, 외교상의. —— *n.* **1** 외부, 외면(外面) (outside) ; 외형〈*of*〉. **2** 외모(外貌), 외관 : a good man with a rough ~ 외모는 거칠지만 마음씨는 좋은 사람. **~·ly** *adv.*
〚L (compar.)<*exterus* outside〛

ex·te·ri·or·i·ty [ikstìəriɔ́(:)rəti, -ɑ́rə-] *n.* = EXTERNALITY.

extérior·ìze *vt.* 구상화하다, 외면화하다 ; 〔醫〕 (내장·내부 조직을) 노출시키다《관찰·수술 따위를 위해서》.

ex·tér·mi·na·ble *a.* 근절할 수 있는.

ex·ter·mi·nate [ikstə́:rmənèit] *vt.* 근절[절멸]하다, 전멸시키다, 멸종시키다. 〚L ; ⇨ TERMINUS〛
類義語 ***exterminate*** 근절[절멸]하다 ; 존재시켜 두고 싶지 않은 사람[동물] 또는 사물을 완전히 절멸[파괴]시키다 : This poison will *exterminate* rats. (이 독약을 쓰면 쥐는 절멸된다). ***extirpate*** 어떤 사람, 동·식물 또는 관습 따위를 신중히 또한 완전히 파괴하여 재생할 수 없게 하다 ; eradicate보다는 뜻이 강하지만 exterminate보다는 온화한 말. ***eradicate*** 때로 자연의 과정 또는 조직적인 계획으로 이루어지며 extirpate 만큼 폭력적이지는 않음 ; 특히 해로운 식물을 근절하다. ***uproot*** eradicate와 같은 뜻이지만 비유적인 색채가 강하며 폭풍우가 나무를 뿌리채 뽑는(root up) 것과 같은 난폭한 방법을 암시한다.

ex·tèr·mi·ná·tion *n.* Ⓤ,Ⓒ 근절, 절멸, 전멸, 멸종 ; 구제(驅除).

ex·tér·mi·nà·tor *n.* 근절시키는 사람[것] ; Ⓤ (해충 따위의) 구제제(劑).

ex·tér·mi·na·tò·ry [; -təri] *a.* 근절의 ; 근절 작용이 있는.

ex·tern [ékstə:rn, ikstə́:rn] *n.* 외래자 ; 통학생 ; (병원의) 통근 의사(cf. INTERN[2]).
—— [ikstə́:rn] *a.* 《古》 바깥쪽의[에 있는].

***ex·ter·nal** [ikstə́:rnl] *a.* **1** 외부의, 밖의, 외면(적)인(↔*internal*) ; 〔醫〕 외용(外用)의 : ~ application[use] (약의) 외용 / the ~ ear 외이(外耳) / ~ evidence 외적 증거, 외증(外證). **2** 〔哲〕 외계의, 현상(現象)[객관]계(界)의 ; 〔宗〕 형식상의 : ~ objects 외계물《외계에 존재하는 사물》 / the ~ world 외계. **3** 〔政〕 대외적인 : ~ trade 대외 무역 / an ~ debt 외채(外債). **4** 우연한, 부대적인. —— *n.* **1** 《古》 외부(outside). **2** [*pl.*] 외형, 외관, 외모 ; 외계의 사정 : the ~*s* of religion 종교의 외면적인 형식《의식 따위》 / judge

by ~*s* 외모로 판단하다.
〚L (*externus* outer)〛
extérnal-combústion *a.* 〔機〕 외연(外燃)의 : an ~ engine 외연 기관.
extérnal fertilizátion *n.* 〔動〕 (수서 동물의 일반적인) 체외 수정 ; (사람 등의 인공적인) 체외 수정(in vitro fertilization).
extérnal gálaxy *n.* 〔天〕 외부 은하.
extérnal·ìsm *n.* Ⓤ 외형주의 ; (특히 종교상의) 형식 존중주의 ; 〔哲〕 실재론, 현상론(現象論).
extérnal·ist *n.* 형식 존중론자 ; 현상론자.
ex·ter·nal·i·ty [èkstə(:)rnǽləti] *n.* **1** Ⓤ 외부[외면]적 성질. **2** 외계, 외형, 외관. **3** Ⓤ 형식주의. **4** 〔哲〕 외계[객관적] 존재성, 외재성.
extèrnal·izátion *n.* 외적인 표현, 구체화.
extérnal·ìze *vt.* **1** 외면화하다, 객관화하다 ; 외면[구체]적으로 다루다. **2** (자기를) 외부로 향하게 하다.
extérnal lóan *n.* 외채(外債)《외국 자본 시장에서 모집되는 공채》.
ex·tér·nal·ly *adv.* 외부적으로, 외부에서, 외면상, 외면적으로.
extérnal mémbrane *n.* 〔解〕 외막(外膜).
extérnal scréw *n.* 〔機〕 수나사(male screw).
extérnal stórage *n.* 〔컴퓨〕 외부 기억장치.
extérnal tànk *n.* 〔宇宙〕 외부 연료 탱크《略 ET》.
ex·tero·cep·tor [èkstərouséptər, -rə-] *n.* 〔生理〕 외부 자극 수용기, 외수용기(外受容器)《눈·귀·코·피부 따위 ; cf. INTEROCEPTOR》.
èx·territórial *a.* =EXTRATERRITORIAL.
èx·territoriálity *n.* =EXTRATERRITORIALITY.
extg. extracting.
***ex·tinct** [ikstíŋkt] *a.* **1** (불·희망 따위가) 꺼진, 끊어진(extinguished) ; (생명이) 종식한 ; 끝장이 난 ; 죽어 없어진, 절멸한 : an ~ volcano 사화산(死火山) (cf. ACTIVE volcano). **2** (가계(家系) 따위가) 단절된, 소멸한, (관직·제도 따위가) 폐지된. —— *vt.* 《古》 =EXTINGUISH.
〚L EX[1]*stinct*- -(*s*)*tinguo* to quench〛
類義語 ⟹ DEAD.
ex·tinc·tion [ikstíŋkʃən] *n.* U,C 소화(消化), 진화(鎭火) ; 흡광(吸光) ; 종식 ; 사멸, 절멸 ; (가계 따위의) 단절, 폐절(廢絕) ; 〔法〕 (권리·부채 따위의) 소멸.
ex·tinc·tive [ikstíŋktiv] *a.* 소멸성의, 소멸적인 : ~ prescription 소멸 시효.
***ex·tin·guish** [ikstíŋgwiʃ] *vt.* **1** (불·빛 따위를) 끄다, 끊다(put out) ; 절멸시키다(destroy) ; (정열·희망 따위를) 잃게 하다 : Water can ~ fire. 물로 불을 끈다 / Our hopes have been ~*ed* by those failures. 우리들의 희망도 그 실패로 사라졌다. **2** (남을) 압도하다, (반대자 등을) 침묵시키다(silence). **3** 〔法〕 (부채를) 상각(償却)하다, (권리를) 소멸시키다. —— *vi.* 《古》 꺼지다.
~·able *a.* 끌 수 있는 ; 절멸시킬 수 있는.
〚L EXTINCT ; cf. DISTINGUISH〛
extínguish·ant *n.* 소화물(消火物)《물·소화제(消火劑) 따위》.
extínguish·er *n.* 끄게 하는 것, 촛불 끄는 기구, (램프의) 소등기(消燈器)《모자같이 생김》; 소화기(消火器) (fire extinguisher).
extínguish·ment *n.* 소멸, 절멸 ; 소화(消火) ; 〔法〕 소멸.
ex·tir·pate [ékstərpèit, 美+ikstə́:rpeit] *vt.* 근절하다(root out) ; 〔醫〕 적출(摘出)[절제(切除)]하다 ; 근절[절멸]시키다. **èx·tir·pá·tion** *n.*
éx·tir·pà·tive [ˌ, 美+ikstə́:rpei-] *a.* 근절하는 (힘이 있는). **éx·tir·pà·tor** [ˌ, 美+ikstə́:rpei-] *n.* 근절자. 〚L *ex*(*s*)*tirpo* (*stirps* stem of tree)〛
ex·tol, 《美》 **-toll** [ikstóul] *vt.* (**-ll-**) (미덕·업적 따위를) 칭찬하다, (남을) 격찬하다.
extol a person ***to the skies*** ☞ SKY.
ex·tól(l)·ment *n.* Ⓤ 《古》 격찬.
〚L (*tollo* to raise)〛
ex·tort [ikstɔ́:rt] *vt.* [+目 / +目+*from*+名] **1** 간청하다(exact) ; (약속·자백 따위를) 억지로 시키다, 강요하다 ; 강탈하다 : The blackmailer tried to ~ a large sum of money ***from*** him. 그 협박범은 그에게서 막대한 돈을 긁어내려고 했다. **2** (뜻 따위를) 억지로 갖다 붙이다(force) : ~ a meaning ***from*** a word 낱말에 무리한 해석을 달다. —— *vi.* 《古》 강탈하다.
~·er *n.* 강요[강탈]하는 사람.
〚L (*tort*- *torgueo* to twist)〛
類義語 ⟹ EXTRACT.
ex·tor·tion [ikstɔ́:rʃən] *n.* **1** U,C 강요, 강탈, 억지로 빼앗기 ; 〔法〕 (관리의) 직책상의 (금전·유가물의) 부당 취득. **2** 터무니없는 가격 청구.
~·er, ~·ist *n.* 강탈[강요]자 ; 착취자.
extórtion·àry [; -əri] *a.* 강요하는 ; 착취하는 ; 우려먹는.
extórtion·ate *a.* **1** 강요하는, 강탈하는. **2** 터무니없는, 폭리의.
extórt·ive *a.* 강요[강탈]하는.
***ex·tra** [ékstrə] *a.* **1** 여분의(additional), 임시의 ; 추가요금의, 별도계정에 의한 : ~ news 호외(號外) / ~ pay 임시 수당[급여] / an ~ train 임시[증설(增設)] 열차 / Dinner costs $ 10, and wine (is) ~. 만찬은 10달러며 포도주값은 별도임 / an ~ edition 임시 증간(增刊), 특별호. **2** 특별한, 각별한, 극상의, 특별히 고급인. —— *n.* 여분의[특별한] 것 ; 추가 요금, 할증금(割增金) ; 특별 프로그램 ; 과외 강의 ; 호외, 임시 증간 ; 임시 고용, 엑스트라(배우) ; 극상품. —— *adv.* **1** 여분으로 : You have to pay ~ *for* an express train. 급행 열차는 따로 돈을 더 치르지 않으면 안된다. **2** 특별히, 각별히(specially) : ~ good wine 극상품 포도주《㊟ extra가 형용사인 경우와 명확히 구분하기 위해 ~-good wine 이라고도 쓰임》/ try ~ hard 특별히 정성들여 해보다.
〚C18< ? *extra*ordinary〛
ex·tra- [èkstrə] *pref.* 「밖의」「…외의」「…범위 외의」의 뜻 : *extra*mural ; *extra*curricular.
〚L *extra* outside〛
èxtra-atmosphéric *a.* 대기권 밖의.
éxtra-báse hít *n.* 〔野〕 장타(長打)《2[3]루타·홈런》.
èxtra·chromosómal *a.* 〔遺〕 염색체 외의, 비염색체의 : ~ inheritance 염색체[유전자] 외 유전.
èxtra·corpóreal *a.* 〔生理·醫〕 몸밖의 : medicine for ~ application 외용약.
ex·tract** [ikstrǽkt] *vt.* [+目 / +目+*from*+名] **1** (이 따위를) 뽑다, 뽑아내다. **2** (정분(精分) 따위를) 추출하다, 증류하여 빼내다. **3** (원리 따위를) 끌어[얻어]내다〈*from*〉; (쾌락을) 얻다. **4** [ˌ, 美+ékstrækt] **a**) (장(章)·구절을) 발췌하다 ; (책에서) 초록(抄錄)하다 : He has ~*ed* a great many examples ***from the grammar book. 그는 그 문법책에서 많은 용례를 인용하고 있다. **b**) (문서의) 초본(抄本)을 만들다. **5** 〔數〕 (수(數)의) 근(根)을 구하다.
—— [ékstrækt] *n.* **1** U,C 추출물 ; 달여낸[짜낸] 즙(汁), 익스트랙트, 정제(精劑) : ~ of beef 쇠

고기 익스트랙트. **2** 발췌, 인용구(引用句).
〖L (*tract- traho* to draw)〗
類義語 ***extract*** 나오기 어려운 것을 끄집어내다, 빼내다 ; 비유적으로도 씀 : *extract* the juice of an orange (오렌지의 즙을 짜내다). ***educe*** 본래 숨겨져 있는 것, 발달이 안된 것을 끄집어 내어 발전시키다 : *educe* and cultivate what is best in children (어린이의 소질을 찾아내어 키우다). ***elicit*** 매몰되어 있는 것이나 숨겨져 있는 것을 애를 써서 또는 기술을 써서 끄집어내다 : *elicit* truth from the answer (회답에서 진실을 찾아내다). ***evoke*** 감정이나 흥미 따위를 자극하여 어떤 것의 상(像)이나 기억을 불러일으키다 : The scene *evoked* a memory of my childhood. (그 장면은 내 소년시절의 기억을 회상케 했다). ***extort*** 폭력이나 협박을 해서 억지로 상대방으로부터 무엇인가를 얻어내다 : *extort* a confession from a person (남을 억지로 자백시키다).

extráct·able, -ible *a.* 꺼낼[뽑을] 수 있는 ; 추출할 수 있는.

ex·tráct·ant *n.* 〖化〗 용액에서의 용질 제거약.

ex·trac·tion [ikstrǽkʃən] *n.* **1** U.C 뽑아내기, 빼내기, 적출(摘出)(법). **2** 〖化〗 추출(抽出) ; (약 따위를) 달여내기 ; (즙·기름 따위를) 짜내기. **3** 뽑아낸 것 ; 발췌 ; 익스트랙트. **4** U 혈통, 계통 : a family of ancient ~ 오래된 가문의 가족, 구가(舊家) / an American of Korean ~ 한국계 미국인. **5** U 〖數〗 (근(根)의) 개방[풀이].

ex·trac·tive [ikstrǽktiv, ékstræktiv] *a.* 발췌의, 추출할 수 있는. —— *n.* 추출물 ; 익스트랙트 ; 달여낸 즙.

ex·trác·tor *n.* **1** 추출자 ; 발췌자. **2** 추출 장치[기(器)] ; 뽑아내는 연장.

èxtra·curricular, -curriculum *a.* 《美》 교과 과정 이외의, 과외의. —— *n.* [-lar] 과외 활동.

extracurrícular actívity *n.* **1** 과외 활동. **2** 《俗》 부정[부도덕] 행위 ; 정사, 바람기 ; 바람난 상대의 여자.

éx·tra·dìt·able *a.* (도주 범인이) 인도[송환]되어야 할, (도주 범인을) 인도해야 할.

ex·tra·dite [ékstrədàit] *vt.* **1** (외국으로 도주한 범인 등을 재판권이 있는 본국 관헌에게) 인도하다, 송환하다〈*to*〉. **2** 넘겨 준 것을 인계받다, 인수하다. 〖역성(逆成) 〈↓〗

ex·tra·di·tion [èkstrədíʃən] *n.* U 〖法〗 (도망쳐 온) 외국 범인의 인도, 본국 송환.
〖F (TRADITION)〗

éxtra dívidend *n.* 특별 배당금.

ex·tra·dos [ekstréidɑs, 美+ékstrədɑ̀s] *n.* (*pl.* ~, ~·es) 〖建〗 외륜(外輪), 아치의 바깥 둘레, 외호면(外弧面). 〖F (*dos* back)〗

éxtra drý *a.* (음료가) 거의[전혀] 달지 않은.

èxtra·esséntial *a.* 본질에서 벗어난 ; 주요하지 않은.

èxtra·galáctic *a.* 은하계(銀河界) 밖의.

èxtra·ínning gáme *n.* 〖野〗 연장전.

èxtra·judícial *a.* 법정 외의, 법의 관할 외의 ; 법률에 어긋나는.

èxtra·légal *a.* 법률 외의, 법률로 처리하기 어려운, 법의 지배를 받지 않는.
~·ly *adv.*

ex·tral·i·ty [ekstrǽləti] *n.* 《口》 =EXTRATERRITORIALITY.

èxtra·lúnar *a.* 달 밖의[에 있는].

èxtra·márital *a.* 혼외(婚外) 정사의 ; 불륜의.

èxtra·múndane *a.* 이 세상 밖의, 물질계 밖의 ; 우주 밖의.

èxtra·múral *a.* **1** 성(城) 밖의, (도시의) 성곽 외의. **2** 대학 구외(構外)의 ; 《美》 (대학간의) 비공식 대항 시합의(↔*intramural*). **~·ly** *adv.*

ex·tra·ne·ous [ikstréiniəs] *a.* **1** (고유한 것이 아닌) 외래의, (바깥에) 부착한, 외생(外生)의, 이질(異質)의. **2** 관계없는(unrelated)〈*to*〉.
~·ly *adv.* 외래적으로, 외부적으로 ; 관계없이.
~·ness *n.* 〖L ; ⇨ STRANGE〗

èxtra·núclear *a.* 핵 외부의《세포 부분》 ; (원자의) 핵 외의.

ex·traor·di·naire [ikstrɔ̀ːrdənέər] *a.* 극히 이례적인, 뛰어난, 비범한, 보통 이상의. 〖F〗

ex·traor·di·nar·i·ly [ikstrɔ̀ːrdənérəli, èkstrəɔ́ːrdənèrə- ; -dənəri-] *adv.* 이상하게, 이례적으로, 특별히, 터무니없이, 엄청나게.

***ex·traor·di·nary** [ikstrɔ́ːrdənèri, èkstrəɔ́ːr- ; -dənəri] *a.* **1** 이상한, 비범한, 보통이 아닌(exceptional) ; (풍채 따위가) 별스러운(peculiar), 특출한(eccentric). **2** 임시의(additional) ; 특파의, 특명의 : ~ expenditure[revenue] 임시 세출[세입] / an ~ general meeting 임시 총회 / an ~ ambassador = an ambassador ~ 특명 (전권) 대사. —— *n.* 《古》 보통이 아닌 것 ; [*pl.*] 《英古》 (군대의) 특별 수당. —— *adv.* 《古》=EXTRAORDINARILY.
-nà·ri·ness [; -nəri-] *n.* 비상[대단]함 ; 비범.
〖L (*extra ordinem* out of usual course)〗

extraórdinary rày *n.* 〖光·結晶〗 이상 광선.

èxtra·paróchial *a.* 교구(敎區) 외의 ; 교구와 관계없는.

éxtra póint *n.* 〖美蹴〗 엑스트라포인트《터치다운한 후에 주어지는 추가 득점》.

ex·trap·o·late [ikstrǽpəlèit, ékstrəpə-] *vt.* 〖統〗 (미지의 변수(變數) 값을) 외삽법(外插法)에 의해 추정하다 ; 《비유》 (미지의 일을) 이미 아는 사실에서 추정[유추(類推)]하다(conjecture).
—— *vi.* 〖統〗 외삽[보외(補外)]법을 행하다 (↔*interpolate*). 〖*extra-*+inter*polate*〗

ex·tràp·o·lá·tion *n.* U 〖統〗 외삽법, 보외법(↔*interpolation*) ; 추정 ; 연장 ; 부연(敷衍).

èxtra·posítion *n.* 바깥쪽에 놓음 ; 〖文法〗 외치(外置) 변형.

éxtra séc *a.* (샴페인이) 쌉쌀한《1.5-3%의 당분을 함유》.

èxtra·sénsory *a.* 지각(知覺)이 미치지 못하는 ; 초감각적인 : ~ perception 〖心〗 초감각적 지각《천리안·투시·정신 감응 따위 ; 略 ESP》.

èxtra·sólar *a.* 태양계 밖의.

éxtra spécial *a.* 《口》 극상의.

èxtra-stréngth *a.* 초강력의《약품이나 세제》.

èxtra·terréstrial *a.* 지구권 밖의, 지구 대기권 밖(의 공간)의. —— *n.* 지구 (대기권) 밖의 생물, 우주인(宇宙人).

èxtra·territórial *a.* 치외법권(상)의.

èxtra·territoriálity *n.* U 치외법권.

éxtra tíme *n.* 〖競〗 (로스 타임을 보충하는) 연장(延長) 시간.

èxtra·úterine *a.* 〖解·醫〗 자궁외의 : ~ pregnancy 자궁 외 임신.

ex·trav·a·gance [ikstrǽvəgəns] *n.* **1** U 사치, 낭비 ; 무절제, 방종〈*in* behavior〉. **2** 방종한 언행[생각]. **-gan·cy** *n.*

***ex·tráv·a·gant** *a.* **1** 낭비하는, 사치스러운. **2** 엉뚱한, 과도한(excessive) ; (요구·대가 따위) 터무니없는, 엄청난(exorbitant). **~·ly** *adv.* 사치스럽게 ; 터무니없이, 엄청나게. 〖L (*extra* out of

bonds, *vagor* to wander) ; cf. ASTRAY〗
類義語 ⟹ EXCESSIVE, LAVISH.

ex·trav·a·gan·za [ikstræ̀vəgǽnzə] *n.* U,C 광시문(狂詩文), 광상곡(曲), 해학적인 연극 ; 미친 것 같은 언사, 광태(狂態).
〖It. *estravaganza* ; *extra-*에 동화(同化)〗

ex·trav·a·sate [ikstrǽvəsèit] *vt.* (혈액 따위를) 혈관 밖으로 일혈시키다 ; (용암 따위를) 분출하다. —— *vi.* (혈액 따위가) 일혈(溢血)[내출혈]하다 ; 용암이 분출하다. —— *n.* 유출물, 삼출물, 분출물《혈액·용암 따위》.
〖L *extra* outside, *vas* vessel〗

ex·tràv·a·sá·tion *n.* (혈액·용암 따위가) 넘쳐흐름 ; 넘쳐흐른 것.

èxtra·vehícular *a.* 〖空〗 (우주선의) 선외(船外)(용)의 : ~ activity 선외활동《특히 월면(月面) 활동 ; 略 EVA》/ an ~ suit 선외 활동용 우주복(宇宙服).

extravehícular mobílity ùnit *n.* 〖宇宙〗 우주선밖 활동용 우주복.

ex·tra·ver·sion [èkstrəvə́:rʒən, -ʃən ; -ʃən] *n.* 〖心〗 =EXTROVERSION.

ex·tra·vert [ékstrəvə̀:rt] *n., a., vt.* =EXTROVERT.

Éxtra Vísion *n.* 엑스트라 비전《미국의 CBS가 전미국을 향해 서비스를 시작한 텔레텍스트(teletext)의 명칭》.

***ex·treme** [ikstrí:m] *a.* **1** 극도의, 비상한 ; 최대의, 최고의 : ~ old age 고령(高齡) / the ~ penalty (of law) 극형(極刑). **2** 극단적인, 과격한, 급격한(cf. MODERATE) : an ~ case 극단적인 경우[예(例)] / the ~ Left[Right] 극좌[우]파. **3** 끝의, 가장자리의, 선단(先端)[말단]의(outermost, endmost) : the ~ end of a village 마을의 가장 변두리. **4** 《古》 최종의, 최후의(last, final) : ☞ EXTREME UNCTION / in one's ~ moments 임종할 때에. **5** 〖氣〗 대륙성 기후의. —— *n.* **1** 끝[가장자리]에 있는 것, 처음[마지막]의 것 ; [*pl.*] 양(兩)극단을 이루는 것 : *E*~*s* meet. 《속담》 양 극단은 (서로) 일치한다. **2** 극단 ; 극도. **3** [보통 *pl.*] 극단적인[과격한] 수단. **4** 극단적인 태도, (특히) 궁지, 곤경. **5** 〖數〗 외항(外項)《비례식의 첫항 또는 끝항》; 〖論〗 (명제의) 주사(主辭) 또는 빈사(賓辭).
carry. . . (in) to extremes …을 극단적(的)으로 하다.
go to extremes*＝*run to an extreme 극단으로 흐르다.
go to the extreme of …이라는 극단적인 수단에 호소하다.
in the extreme 극단으로, 극도로(extremely).
—— *adv.* 《古》 =EXTREMELY.
〖OF<L (superl.)<*exterus* outward〗

***ex·tréme·ly** *adv.* **1** 극단(적)으로, 극히, 더없이 : It pains me ~ to have to leave you. 당신과 헤어져야 한다는 것은 더없이 고통스러운 일입니다. **2** [강조적으로] 아주, 대단히, 유난히, 몹시(very) : It was an ~ fine day in May. 그 날은 5월의 아주 맑은 날이었다.

extrémely hígh fréquency *n.* 〖通信〗 초(超) 고주파.

ex·tréme·ness *n.* U 극단성, 과격성.

extréme únction *n.* 〖카톨릭〗 병자성사(病者聖事), 종부(終傅) 성사《중병자에게 행하는 도유식(塗油式) ; ☞ SACRAMENT 1 b)》.

ex·trem·ism [ikstrí:mizəm] *n.* **1** U 극단적으로 치우치기. **2** U 극단론[주의] ; 과격주의, 급진주의(radicalism).

ex·trém·ist *n.* 극단론자, 과격론자, 극단적인 사람. —— *a.* 극단[과격]론(자)의.

***ex·trem·i·ty** [ikstréməti] *n.* **1** 선단(先端), 말단 : *at* the eastern ~ *of* an island 섬의 동쪽 끝에. **2** [단수형에만 쓰여] 극도 ; 궁지(窮地), 다급한 상태, 곤경, 난국(難局) : an ~ *of* joy 환희의 절정 / suffer an ~ *of* pain 극도의 고통을 맛보다 / be *in* a dire ~ 비참한 궁지에 빠지다 / *in* one's ~ 궁지에 빠져서, 더욱더 곤란하여. **3** [보통 *pl.*] 극단적인 방책, 과격한 행동, 비상수단, 강경수단, 궁여지책 : proceed[go] to *extremities* 최후의[극단적인] 수단에 호소하다, 극단적인[최후의] 수단을 취하다. **4** [*pl.*] 사지(四肢), 수족(limbs) : be frozen to the *extremities* 손발까지 얼어버리고 말다. **5** 《古》 임종, 죽음.
be driven*[*reduced*] *to extremity 궁지에 빠지다.
in extremities 모든 방책을 다 써버려, 절박하여 ; 죽음에 임하여.
to the last extremity 최후까지, 죽을 때까지.
〖OF or L ; ⇨ EXTREME〗

ex·tre·mum [ikstrí:məm] *n.* (*pl.* **-ma** [-mə], **~s**) 〖數〗 극값《극대값과 극소값》. 〖L〗

ex·tri·cate [ékstrəkèit] *vt.* **1** [＋目 / ＋目＋*from*＋名] (위험·곤란에서) 구출하다, 해방하다, 탈출시키다(set free) : The boy ~*d* the bird ***from*** the net. 그 소년은 그물에서 새를 구해주었다 / ~ oneself *from* difficulties 궁지를 벗어나다. **2** 〖化〗 유리시키다. **3** 식별하다, 구별하다. **ex·tri·ca·ble** [ékstrəkəbəl, 美＋ikstrík-] *a.* 구출할 수 있는, 탈출할 수 있는, 해방할 수 있는(↔*inextricable*).
〖L (*tricae* perplexities)〗

èx·tri·cá·tion *n.* **1** U 구출, 해방, 탈출. **2** U 〖化〗 유리.

ex·trin·sic [ekstrínzik, iks-, -sik] *a.* **1** 외부(로부터)의(external). **2** 외래적인, 부대적인, 비본질적인 ; 〖生理〗 (근육 따위) 외인성의, 외래성의. **-si·cal·ly** *adv.* 부수적인, 비본질적인〈*to*〉(↔*intrinsic*).
〖L *extrinsecus* outwardly (*secus* beside)〗

extrínsic semicondúctor *n.* 〖理〗 외인성(外因性) 반도체, 불순물 반도체.

ex·tro- [ékstrou, -trə] *pref.* =EXTRA-. 〖L〗

ex·trorse [ékstrɔ:rs, -ˊ] *a.* 〖植〗 외향(外向)의(↔*introrse*). **~·ly** *adv.* 외향으로.

ex·tro·ver·sion [èkstrouvə́:rʃən, -strə-, 美＋-ʒən, ˌ-ˊ-] *n.* U 외전(外轉) ; 〖醫〗 외반(外反) ; 〖心〗 외향성(↔*introversion*).

ex·tro·vert [ékstrouvə̀:rt, -strə-] *n.* 〖心〗 외향적인 사람(extravert) (↔*introvert*). —— *a.* 외향적인, 외향성이 강한. —— *vt.* (마음을) 외부로 향하게 하다, 외향적이게 하다.

ex·trude [ikstrú:d] *vt.* 밀어내다, 밀쳐내다 ; 쫓아내다(expel) 〈*from*〉. —— *vi.* 밀어[밀쳐, 쫓아]내다 ; 밀어내어 성형시키다 ; 돌출하다 ; 〖地質〗 (용암 따위가) 분출하다.
〖L EX[1]*trus-* *-trudo* to thrust out〗

ex·tru·sion [ikstrú:ʒən] *n.* U 밀어내기, 밀쳐내기, 추방, 구축(↔*intrusion*) ; 〖地質〗 (용암 따위의) 분출(물). 〖L ; ⇨ EXTRUDE〗

ex·tru·sive [ikstrú:siv] *a.* 밀려난 ; 〖地質〗 분출성(噴出性)의(↔*intrusive*) : ~ rocks 〖地質〗 분출암(岩). —— *n.* 〖地質〗 분출괴[암].

ex·u·ber·ance, -an·cy [igzú:bərəns(i) ; -*zjú:*-] *n.* U [또는 an ~] 풍부, 넘쳐흐름 ; 무성 : *an* *exuberance of* delight[high spirits] 넘치는 기쁨[원기].

ex·ú·ber·ant *a.* **1** 풍부한(abundant). **2** 무성한, 번성한(luxuriant). **3** 원기왕성한; (기쁨·기력·건강 따위가) 넘쳐흐르는, 넘쳐흐를 것 같은(overflowing). **4** (상상력·천분(天分) 따위) 풍부한; (언어·문체 따위) 화려한. **~·ly** *adv.* 풍부하게; 무성하여. 〖F<L EX-¹(*ubero* to be abundant〈*uber* fertile)〗

ex·u·ber·ate [igzúːbərèit; -zjúː-] *vi.* 풍부하다, 넘쳐흐르다; 무성하다; 마음껏 즐기다; (…에) 빠지다〈*in*〉.

ex·u·date [éksjudèit, -ʃu-] *n.* 삼출물(物).

ex·u·da·tion [èksjudéiʃən, -ʃu-] *n.* Ⓤ 삼출(滲出); 배출(discharge); Ⓒ 삼출물[액].

ex·ude [igzúːd; -zjúːd] *vi.* [動/+前+名] 스며[배어, 새어] 나오다(ooze out); 발산하다: Sweat ~*s* ***from***[***through***] the pores. 땀은 털구멍에서 스며 나온다. —— *vt.* (땀 따위를) 스며[배어] 나오게 하다; 발산시키다; 차차 나타내다. 〖L (*sudo* to sweat)〗

ex·ult [igzʌ́lt] *vi.* **1** [動/+前+名/+*to* do] 기뻐 날뛰다, 크게 기뻐하다: He ~*ed* ***in*** his victory[***at*** the happy change, *to* find that he had succeeded]. 그는 승리에[호전(好轉)에, 성공한 것을 알고] 기뻐 날뛰었다. **2** [動/+*over*+名] 이겨서 뽐내다(triumph): ~ ***over*** one's rival 경쟁 상대에게 이겨 뽐내다.
~·ing·ly *adv.* 기뻐 날뛰어.
〖L *ex(s)ulto* (*salt- salio* to leap)〗

exúlt·ant *a.* 기뻐 날뛰는; 크게 자랑하는, 이겨 뽐내는(triumphant). **~·ly** *adv.* 크게 자랑하여, 기뻐 날뛰어, 의기 양양하여. **exúlt·ance, -ancy** *n.* (몹시) 기뻐 날뜀.

ex·ul·ta·tion [ègzʌltéiʃən] *n.* 환희, 광희(狂喜), 기뻐 들뜸.

ex·urb [éksəːrb] *n.* 준교외(準郊外).
ex·úrban *a.*

ex·ur·ban·ite [eksə́ːrbənàit] *n.* 준교외 거주자.

ex·ur·bia [eksə́ːrbiə] *n.* [집합적으로] 준교외 지구(地區).

ex·u·vi·ae [igzúːviìː, -viài; -zjúː-] *n. pl.* (*sg.* -via [-viə]) (뱀·곤충 따위의) 허물; 탈피한 껍질; 《비유》 잔해(殘骸). **ex·ú·vi·al** *a.*

ex·u·vi·ate [igzúːvièit; -zjúː-] *vi., vt.* 〖動〗 탈피하다, (허물을) 벗다(molt).
ex·ù·vi·á·tion *n.* 〖動〗 탈피, 허물벗기.

ex-vo·to [eksvóutou] *adv., a.* 맹세에 의거하여 (바치는), 봉납(奉納)의(votive). —— *n.* (*pl.* ~s) 봉납물(奉納物). 〖L=according to a vow〗

exx. examples.

-ey¹ [i] *a. suf.* [어미가 y일 때 또는 묵음 e이외의 모음일 때의 형(形)] =-Y⁴: clay*ey*, ski*ey*, mosquito*ey*.

-ey² *suf.* =-Y³: Charl*ey*.

ey·as, ey·ess [áiəs] *n.* (둥지에서 잡은) 매 새끼; 새 새끼.
〖*a nyas*의 이분석(異分析)<OF *niais* nestling〗

◇**eye** [ái] *n.* **1** 눈《눈동자·홍채(虹彩)·눈언저리에도 말함》: a girl with blue ~*s* 푸른 눈의 아가씨 / an artificial ~ 의안(義眼) / a black ~ (맞아서 눈두덩이) 멍든 눈 / a glass ~ 유리 의안 / the compound ~*s* (곤충의) 겹눈 / with dry ~*s* 눈물을 조금도 안 흘리고; 《비유》 태연히, 아무렇지도 않은 듯이 / hit a person[give a person one] in the ~ 눈언저리에 한 대 먹이다 / *E*~*s* front! 〖구령〗 주목, 바로! / *E*~*s* right[left]! 〖구령〗 우로[좌로] 봐! / Where are your ~*s*? 눈을 어디에 붙이고 다녀《똑똑히 봐》/ His ~*s* are bigger than his belly. 다먹지도 못하면서 욕심만 낸다.
2 시각, 시력(視力)(eyesight); 관찰력, 안식(眼識)(discernment): have good ~*s* 눈이 좋다 / have sharp[weak] ~*s* 보는 눈이 예리하다[약하다] / lose (the sight of) one[an] ~ 한쪽 눈을 실명하다 / have an ~ [a good ~] *for* pictures 그림을 보는 안목이 있다 / have the ~ of a painter 화가와 같은 안식을 갖고 있다.
3 [때때로 *pl.*] 눈의 표정, 눈초리(look): ☞ EVIL EYE / ☞ GLAD EYE / He looked at the man with a tranquil ~. 그는 그 사내를 차분한 눈으로 바라보았다.
4 [때때로 *pl.*] 주목, 주시(注視)(glance, gaze): catch a person's ~(*s*) 남의 눈길을 끌다 / fix one's ~*s on* …에 눈길을 돌리다, …을 주시하다 / have all one's ~*s* about one 빈틈없이 주위를 살피다 / have an ~ (*up*) *on* …에서 눈길을 떼지 않고 (경계하고) 있다 / have ~*s* only *for* …만을 보고[바라보고] 있다 / All ~*s* were on her. 모두의 시선이 그녀에게 집중되었다 / He was all ~*s.* 그는 (온 신경을 눈에 집중하여) 열심히 주시했다 / The change in scenery failed to attract my weary ~*s.* 경치가 바뀐 것도 나의 지친 눈길을 끌게 할 수는 없었다.
5 [때때로 *pl.*] 견지(見地), 견해(point of view); 판단(judgment): *in* my ~*s* 내가 보는 바로는 / *in* the ~(*s*) of the law 법률상으로는 / *In* his ~*s* all men were equal. 그의 생각으로는 인간은 모두 평등했다.
6 (감자 따위의) 싹, 눈; (공작새 꽁지의) 눈알 모양의 반점; (바늘의) 귀, (훅·단추끼우는) 작은 구멍, (밧줄·새끼줄 끝의) 고리(loop); (꽃·소용돌이 또는 회전 따위의) 중심; 〖氣〗 태풍의 눈; (안경의) 알; (표적의) 둥근 복판의 표시(bull's-eye); 광전지(光電池)(electric eye).

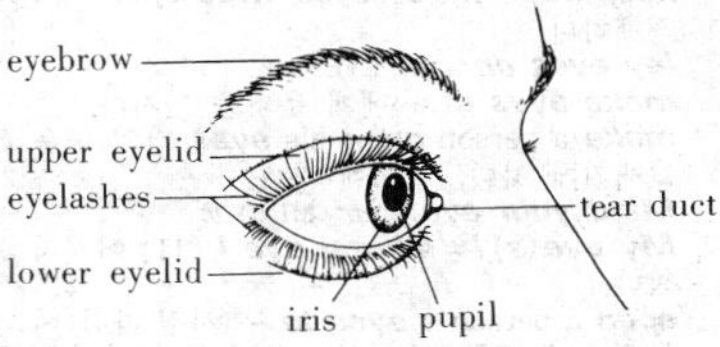

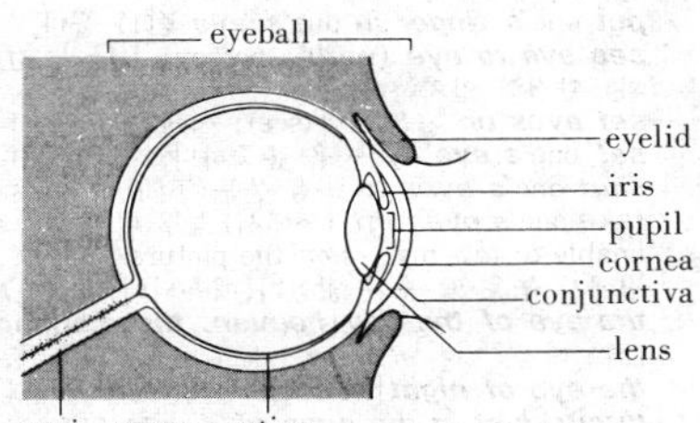

eye

7 탐정 : a private ~ 사립 탐정.
8 《美軍俗》 레이더 수상(受像) 장치.
All my [(***in***) ***the***] ***eye !*** 《英俗》 어림없는 소리 마라!, 허튼 수작 마라!
an eye for an eye 〔聖〕 눈에는 눈으로, 같은 수단[방법]을 써서 하는 보복.
by (***the***) ***eye*** 눈대중으로(cf. EYE MEASURE).
cast sheep's eyes at ☞ SHEEP.
cry one***'s eyes out*** ☞ CRY *vt.* 2 b).
do a person ***in the eye*** 《口》 남을 속이다 (cheat a person).
give an eye to …에 주목하다, …을 주의하다, …을 돌보아주다.
half an eye 반쯤 뜬 눈, 약간의 지각력 : with *half an* ~ 힐끗 보기만 하고 ; 쉽게 / see...with *half an* ~ …을 힐끗 보다 ; …이 쉽게 보이다 / if you had *half an* ~ 조금이라도 눈치가 있다면[주의력이 있다면].
have an eye in one***'s head*** 안식(眼識)이 있다 ; 실수[빈틈]가 없다.
have an eye to …에 눈독을 들이다, …에 유의하고 있다 ; …을 목표로 삼고 있다.
have eyes at the back of one***'s head*** 매우[끊임없이] 경계하다.
have. . .in one***'s eye*** …을 안중에 두다, …을 생각해내다 ; …을 꾀하다.
have one***'s eye on. . .*** = *keep an* EYE *on*....
in one***'s mind's eye*** ☞ MIND.
in the eye of the wind = ***in the wind's eye*** 바람을 안고.
in the eye(***s***) ***of*** …의 보는 바로는(cf. 5).
in the public eye ☞ PUBLIC.
keep an[one***'s***] ***eye on*** …에서 눈을 떼지 않고 있다, …을 감시하다, …에 주의를 기울이다 : The farmer can easily *keep an* ~ *on* what is happening in the yard. 농부는 뜰에서 벌어지는 일을 쉽게 지켜볼 수 있다.
keep an eye out 늘 경계하고 있다〈*for*〉.
keep both[one***'s***] ***eyes wide open*** 정신차려 경계하다.
lay eyes on = *set* EYES *on*.
make eyes at …에게 추파를 던지다.
make a person ***open*** his ***eyes*** 남의 눈을 휘둥그래지게 하다, 놀라게 하다.
Mind your eye. ☞ MIND *v.*
My eye(***s***) ***!*** = ***Oh my eye !*** 《口》 어쩐지 수상쩍다.
open a person***'s eyes to*** …(사실 따위)에 남의 눈을 뜨게 해주다, 남의 그릇된 생각[환영(幻影)]을 깨닫게 하다.
put one***'s finger in*** one***'s eye*** 《口》 울다.
see eye to eye (***with*** a person) (남의 견해와) 완전히 일치하다.
set eyes on …을 보다(see), …에 눈을 돌리다.
set one***'s eye by*** …을 존중하다, 귀여워하다.
shut one***'s eyes to*** …을 불문(不問)에 부치다.
take one***'s eyes off*** (…에서) 눈을 떼다 : I was unable to *take* my ~*s off* the picture. 나는 그 그림에서 눈을 뗄 수가 없었다《매혹되어 버렸다》.
the eye of the day[***heaven, the morning***] 《詩》 태양.
the eye of night[***heaven***] 《詩》 별.
throw dust in the eyes of. . . ☞ DUST.
to the eye 겉보기로는, 표면상으로는.
under one***'s*** (***very***) ***eyes*** (바로) 눈앞에서.
up to one***'s***[***the***] ***eyes*** (일에) 몰두하여〈*in*〉; (빚 따위에) 쪼들려〈*in*〉.
wipe a person***'s eye*** ☞ WIPE.
with an eye to …을 목적으로, …을 꾀하여.
with half an eye ☞ *half an* EYE.
—— *v.* (**éy**(**e**)**·ing**) *vt.* 빤히[주의 깊게] 보다 : He ~*d* me suspiciously. 그는 나를 수상쩍은 듯이 보았다. —— *vi.* 《廢》 …인 것처럼 보이다.
〖OE *ēage*, (pl.) *ēagan*(ME *eyen*) ; -*s* 복수형은 14세기 말부터 : cf. G *Auge*〗

éye appèal *n.* 《美口》 눈을 끄는 힘, 돋보임, 매력 ; 아름다움.
éye-appéal·ing *a.* 《美口》 눈에 띄는, 아름다운, 매력적인《미인 등》.
éye·bàll *n.* 눈알, 안구(眼球). —— *vt.* 《美俗》 가만히[예리하게] 응시하다.
éye·bàll-to-éye·bàll *a.* 《口·戲》 = FACE-TO-FACE〈*with*〉: an ~ confrontation 정면(正面) 대립[대결].
éye bànk *n.* 안구 은행.
éye·bàr *n.* 〔機·建〕 아이바《끝에 구멍 뚫린 강철봉·강판 따위》.
éye·bàth *n.* 《英》 = EYECUP.
éye·bèam *n.* 눈길, 일별.
éye·blàck *n.* 마스카라(mascara).
éye·bòlt *n.* 〔機〕 아이볼트.
éye·brìght *n.* 〔植〕 좁쌀풀.
***éye·brow** [-bràu] *n.* 눈썹 : knit the ~*s* 눈썹을 찡그리다 / raise an ~[one's ~*s*] 눈썹을 치켜 올리다《놀람·의혹 따위의 표정》.
up to the eyebrows = *up to* one's[*the*] EYES.
éyebrow pèncil *n.* (연필 모양의) 눈썹그리개, 아이브라우 펜슬.
éye-bùg·ging *a.* 경이적인, 놀라운.
éye-càtch·er *n.* 《美俗》 아름다운 것 ; 남의 눈길을 끄는 것 ; 젊고 매력적인 여자.
éye-càtch·ing *a.* 《美俗》 남의 눈길을 끄는.
éye chàrt *n.* 시력 검사표(cf. TEST TYPE).
éye còntact *n.* (서로의) 시선이 마주침, (친근한 표시로) 서로 지그시 쳐다봄 ; (겁을 주는 수단으로서의) 서로 노려보기.
éye·cùp *n.* (유리제) 세안용(洗眼用) 컵.
eyed [áid] *a.* **1** [복합어를 이루어] (…한) 눈을 한 ; 눈이 …같은 : blue-~ 푸른 눈을 한 / ☞ GREEN-EYED / eagle-~ 독수리 같은[날카로운] 눈을 한. **2** (바늘 따위가) 귀가 있는 ; 눈 모양의 반점 무늬가 있는.
éye dìalect *n.* 시각(視覺) 사투리《women 을 *wimmin*으로 쓰는 따위》.
éye dòctor *n.* 안과 의사.
éye·dròp *n.* 눈물(tear).
éye·dròpper *n.* 《美》 점안기, 안약병.
éye dròps *n. pl.* 눈약, 안약.
éye fàke *n.* 〔美蹴〕 쿼터백이 패스하려는 쪽과는 딴데로 시선을 주어 수비측을 속이는 플레이.
éye-fìll·ing *a.* 《美口》 (보기에) 굉장한, 멋진, 아름다운.
éye·fùl *n.* 《美口》 **1** 한눈에 바라볼 수 있는 것 ; 충분히 보기 : get an ~ 실컷 보다. **2** 남의 눈길을 끄는 사람[것].
éye·glàss *n.* **1** 안경의 렌즈. **2** 단안경(單眼鏡), 외알 안경(monocle) ; [*pl.*] 안경(spectacles). **3** 대안(對眼)[접안(接眼)] 렌즈(cf. OBJECT GLASS). **4** = EYECUP.
éye-gràb·ber *n.* 강하게 눈을 끄는 것.
éye·hòle *n.* **1** = EYE SOCKET. **2** 들여다보는 구멍(peephole) ; (바늘 따위의) 귀.
éye in the ský *n.* 《CB俗》 경찰 헬리콥터.
éye-in-the-ský *n.* (*pl.* **éyes-**) (인공위성·항공

기의) 공중 정찰 장치.

éye·làsh *n.* 속눈썹《하나 또는 한 줄》;《비유》=HAIRBREADTH.

éye lèns *n.* 대안(對眼) 렌즈.

éye·less *a.* 눈이 없는, 장님의 ; 맹목적인.

éyeless síght *n.* 무안(無眼) 시각, 촉(觸)시각《손가락에 의한 색·문자의 판별 능력》.

éye·let *n.* **1** (천의) 작은 구멍, (구두 따위의) 끈을 꿰는 작은 구멍 ; (돛 따위의) 밧줄 구멍 ; 끈을 꿰기 위한 작은 구멍(의 쇠고리). **2** 들여다보는 구멍(eyehole), 총안(銃眼)(loophole).
—— *vt.* (**-t-, -tt-**) …에 들여다보는 구멍을 내다.
〖OF (dim.) ‹ *oil* eye<L *oculus*〗

eye·le·teer [àilitíər] *n.* eyelet을 뚫는 송곳.

éye-lèvel *n.* 눈높이.

éye·lìd *n.* 눈까풀.
hang on by the[one's] ***eyelids*** 간신히 매달려 있다《위험에 처해 있다》.

éye·lìner *n.* 아이라이너《(1) 눈의 윤곽을 두드러지게 하는 화장품. (2) 이를 칠하는 붓》.

éye lòtion *n.* 안약.

éye mèasure *n.* 눈대중.

éye-mínd·ed *a.* 시각형(視覺型)의.

éye-òpen·er *n.*《美口》괄목할 만한 사건[행위, 이야기, 사람] ; 폭로적[계발적]인 새로운 사실.

éye-òpen·ing *a.* 괄목할 만한.

éye·pàtch *n.* 안대(眼帶).

éye·pìece *n.* 대안[접안] 렌즈[안경].

éye·pìt *n.* 안와(眼窩)(eye socket).

éye-pòpper *n.*《美俗》굉장한 것, 깜짝 놀랄 만한 일.

éye-pòpping *a.*《美俗》굉장한, 깜짝 놀랄 만한.

éye·rèach *n.* 시야, 시계.

éye rhỳme *n.*《詩》시각운(韻)《move, love 처럼 철자상으론 운이 맞으나 모음의 발음은 다른 것》.

éye-sèrvant *n.* 표리 있는 고용인.

éye-sèrvice *n.* 표리 있는 근무 태도, 눈 앞에서만 일하기 ; 우러러보는 눈빛.

éye·shàde *n.* 보안용 차양《테니스를 할 때나 전등불 밑에서 독서할 때에 씀》.

éye shàdow *n.* 아이 섀도《눈꺼풀에 음영을 주는 화장품》.

éye·shòt *n.* Ⓤ 눈이 닿는 곳, 시계.
beyond[***out of***] ***eyeshot*** (***of...***) (…에서) 눈이 닿지 않는 곳에, 안 보이는 곳에.
in[***within***] ***eyeshot*** (***of...***) (…에서) 눈이 닿는[보이는] 곳에.

éye·sìght *n.* **1** Ⓤ 시각, 시력(vision) ; 보기 : a man with good[poor] ~ 시력이 좋은[나쁜] 사람 / lose one's ~ 실명(失明)하다. **2** Ⓤ《古》시야, 시계 : *in* a person's ~ 남의 눈앞에서.

éye sòcket *n.* 안와(眼窩).

éye·some *a.* 보기에 아름다운.

éyes-ónly *a.*《美》(정보·문서가) 최고 기밀의《메모·복사 따위가 금지됨》.
〖for your *eyes only*〗

éye·sòre *n.* 눈에 불쾌감을 주는 것, 눈에 거슬리는 것.

éye splìce *n.*〖海〗(밧줄 끝을) 고리 모양으로 만든 이음매.

éye·spòt *n.* (하등 동물의) 감광기관 ; (공작새 꽁지의) 눈알 모양의 반점.

éye·stàlk *n.*〖動〗(새우·게 따위의) 눈이 달려있는 눈자루.

éye·stràin *n.* Ⓤ 눈의 피로.

éye·strìngs *n. pl.*《古》눈의 근육[신경, 힘줄].

éye·tòoth *n.* (특히 위턱의) 송곳니, 견치(犬齒)(canine tooth).
cut one***'s eyeteeth*** 세상 물정을 알게 되다《철이 들다》.
give one***'s eyeteeth for*** …을 얻기 위해서 희생을 무릅쓰다.

éye·wàll *n.*〖氣〗태풍의 눈 주위의 깔때기 모양의 난층운(亂層雲)의 벽(wall cloud).

éye·wàsh *n.* **1** 안약, 세안수(洗眼水). **2** Ⓤ《俗》속임수, 엉터리.

〈회화〉
Why are you using an *eyewash*? — I've got an eye infection.「왜 안약을 넣고 있니」「유행성 결막염에 걸렸어」

éye·wàter *n.* 안약, 세안수 ; (눈의) 수양액(水樣液) ; 눈물.

éye·wèar *n.* 안경류.

éye·wìnk *n.* (눈을) 깜박임 ; 일순간.

éye·wìnk·er *n.* 속눈썹 ; 눈을 깜박이게 하는 것《눈의 티 따위》.

éye·wìtness *n.* 목격자 ; 실증인(cf. EARWITNESS). —— *vt.* 목격하다.

eyot [éiət ; áit, éit] *n.*《英》=AIT.

EYP Electronic Yellow Pages.

eyre [éər, ǽər] *n.*〖史〗순회 ; 순회 재판.
〖OF *erre* journey〗

ey·rie, ey·ry [áiəri, éri, íəri] *n.* =AERIE.

Ez., Ezr.〖聖〗Ezra.

Ezek.〖聖〗Ezekiel.

Eze·ki·el [izí:kjəl, -kiəl] *n.* **1** 남자 이름. **2 a)** 에스겔《기원전 6세기경의 유태의 대(大)예언자》. **b)**〖聖〗에스겔(the book of Ezekiel)《구약성서 중의 한 편 ; 略 Ezek.》.
〖Heb.=God strengthens〗

Ez·ra [ézrə] *n.* **1** 남자 이름. **2**〖聖〗에스라《구약성서 중의 한 편 ; 略 Ez., Ezr.》.
〖L<Heb. =help(er)〗

F

f, F [éf] *n.* (*pl.* **f's, fs, F's, Fs** [éfs]) **1** 에프《영어 알파벳의 여섯번째 글자》. **2** F자형(의 것) ; (연속된 것의) 여섯번째(의 것). **3** 〖樂〗 바음, 바조(調) : *F* sharp 올림 바음《F#》. **4** 《美》 (학업 성적에서) 미달 학점, 낙제 점수(failure). **5** 〖컴퓨〗 (16진수의) F《10진법의 15》.

F filial generation ; fine ((연필의) 심이 가는) ; fluorine ; French ; Folio《F_1=First Folio ; F_2=Second Folio》; 〖數〗 function.

f. farad ; farthing ; fathom ; feet ; female ; feminine ; filly ; folio ; following ; foot ; 〖樂〗 *forte* 《It.》 (=loud) ; 〖野〗 foul(s) ; franc(s) ; from.

F. Fahrenheit ; February ; France ; French ; Friday.

F- fighter (plane) : *F*-15.

fa, fah [fáː] *n.* 〖樂〗 (도레미파 창법의) 「파」《온음계중 장음계의 제 4 음 ; cf. SOL-FA》.
〖ME *fa*<L *famuli* ; cf. GAMUT〗

FA factory automation. **FA, F. A.** Field Artillery ; 〖野〗 fielding average ; Fine Arts ; Football Association ; 〖畜産〗 forage acre ; Frame Aerial.

F.A.A., FAA 《美》 Federal Aviation Administration [《원래》 Agency] ; 〖海上保險〗 free of all average(전손 부담(全損負擔)).

F. A. A. A. S. Fellow of the American Academy of Arts and Sciences(미국 예술 과학 협회 회원) ; Fellow of the American Association for the Advancement of Science(미국 과학 진흥회 회원).

fab [fǽ(ː)b] *a., int.* 《英口》 믿을 수 없을 만큼의, 굉장한, 놀랄 만한. 〖*fab*ulous〗

Fa·bi·an [féibiən] *a.* 고대 로마의 장군 Fabius식의, (싸우지 않고 적을 지치게 하는) 지구책(持久策)의. ── *n.* 페이비언 협회 회원.
~·ism *n.* Ⓤ 페이비언주의. **~·ist** *n.* 페이비언주의자. 〖L〈FABIUS〗

Fábian Socíety *n.* [the ~] 페이비언 협회《1884년 Sidney Webb, Bernard Shaw 등이 London에서 창립한 영국의 점진적 사회주의 사상 단체》.

Fa·bi·us [féibiəs, -bjəs] *n.* 파비우스. **Quintus ~ Maximus Verrucosus** (c. 275-203 B.C.) 로마의 장군 ; 지구전법(持久戰法)으로 Hannibal을 괴롭힌 데서 후대 'Cunctator'(천연가(遷延家))라는 별명이 붙었음. 〖L=? bean grower〗

***fa·ble** [féibəl] *n.* **1** 우화(寓話)《동물 따위를 의인화(擬人化)한 것》: Aesop's *F*~*s* 이솝 우화. **2** Ⓤ [집합적으로] 전설, 신화(myths) (↔*fact*) : be celebrated in ~ 전설로 유명하다. **3** 지어낸 이야기, 꾸며낸 일(fiction) ; Ⓒ 거짓말(lie) ; 잡담 : old wives' ~*s* 객담, 잡담. **4** 《古》 (연극·사시(史詩) 따위의) 줄거리(plot). ── *vi., vt.* 《古》 우화로[를] 쓰다 ; 지어낸 이야기를 하다.
fá·bler *n.* 우화 작가 ; 거짓말쟁이.
〖OF<L *fabula* discourse〗

fa·bled [féibəld] *a.* 우화[전설]의[에 나오는], 우화[전설]로 알려진 ; 가공의(fictitious).

fab·li·au [fǽbliòu] *n.* (*pl.* **-aux** [-òuz]) (중세 프랑스·영국의) 해학적이며 때로는 천한 운문 우화. 〖F (dim.)〈FABLE〗

Fa·bre [*F* fabr] *n.* 파브르. **Jean Henri ~** (1823-1915) 프랑스의 곤충학자.

***fab·ric** [fǽbrik] *n.* **1** Ⓤ,Ⓒ 구조, 조직(structure) ; 기본 구조 : the ~ of society 사회 구조. **2** 구조물, 건물(building) ; 직물, 편물(編物) ; (직물의) 짜는 법, 천의 바탕(texture) : silk [cotton, woolen] ~*s* 견(絹)[면·모(毛)]직물.
〖F<L (*faber* metal worker)〗

fab·ri·ca·ble [fǽbrikəbəl] *a.* 만들[구성할] 수 있는. **fàb·ri·ca·bíl·i·ty** *n.*

fab·ri·cant [fǽbrikənt] *n.* 《古》 제작자, 제조업자(manufacturer).

fab·ri·cate [fǽbrikèit] *vt.* **1** 만들다, 제작하다 ; (부분품 따위를) 조립하다 ; 규격 부품으로 만들다. **2** (전설·거짓 따위를) 지어내다, 꾸며내다, 날조하다 ; (문서를) 위조하다. 〖L ; ⇨ FABRIC〗
類義語 ⟹ MAKE.

fáb·ri·càt·ed fóod *n.* 합성 가공 식품.

fàb·ri·cá·tion *n.* **1** Ⓤ 제작, 구성 ; 위조 ; 조립. **2** 꾸며낸 일, 거짓 ; 위조물[문서](forgery) ; 조립 부품.

fáb·ri·cà·tor *n.* 제작자 ; 조립하는 사람 ; 거짓말쟁이.

fábric scúlpture *n.* 섬유 조각《여러가지 직물을 소재로 한 입체 예술》.

Fab·ri·koid [fǽbrəkɔ̀id] *n.* (가죽·천 대용의) 방수(防水) 직물《상표명》.

Fá·bry's disèase [fáːbriz-] *n.* 〖醫〗 파브리병《유전성 지질(脂質) 대사 이상증》.
〖Johannes *Fabry* (d. 1930) 독일의 피부과 의사〗

fab·u·la·tion [fæ̀bjəléiʃən] *n.* Ⓤ 우화 비슷하게 환상적 요소를 가미한 소설 작풍(作風).

fab·u·la·tor [fǽbjəléitər] *n.* fabulation의 경향을 지닌 작가.

fab·u·list [fǽbjələst] *n.* 우화 작가 ; 거짓말쟁이.
〖F ; ⇨ FABLE〗

fab·u·los·i·ty [fæ̀bjəlɑ́səti] *n.* 전설적임 ; 《古》 꾸며낸 일[이야기].

fab·u·lous [fǽbjələs] *a.* **1** 우화로 알려진, 전설상의, 전설적인, 사실적(史實的)이 아닌(legendary) : a ~ hero 전설상의 영웅. **2** 이야기에 있는 것 같은, 믿을 수 없는, 거짓말 같은, 터무니없는 ; 《口》 굉장한, 멋있는, 대단한 : a ~ sum of money 막대한 금액.
~·ly *adv.* 터무니없이, 놀랄 만큼, 대단히.
~·ness *n.* 〖F or L ; ⇨ FABLE〗

FAC 〖軍〗 Fast Attack Craft《대형의 PT boat》; forward air controller (전방 공중 정찰자[기(機)]). **fac.** factor ; factory. **fac., facsim.** facsimile.

fa·çade, -cade [fəsáːd, fæ-] *n.* 〖建〗 (건물의) 정면(front), 앞면 ; (사물의) 겉면, 허울, 겉보기, 외관. 〖F ; ⇨ FACE〗

face [féis] *n.* **1** 얼굴 ; 안색, 얼굴 표정(look) : a sad ~ 슬픈 표정. **2** [때때로 *pl.*] 찌푸린 얼굴(grimace). **3** (물건의) 겉면(right side), 표면(surface) ; (화폐·메달 따위의) 표면 ; (시계 따위의) 문자반 ; (서류의) 문면(文面) ;〖商〗 액면(가격), 권면액(= ~ value) ;〖印〗 (활자의) 자면(字面) ; 인쇄판 ; (책의) 겉장 ;〖採鑛〗 채벽(採壁)《광석·석탄 따위의 채굴장》: lie on its ~ ☞ 숙어. **4** (기구 따위의) 사용하는 면, (망치의) 두들기는 면 : a ~ hammer 넓적한 망치. **5** (건물 따위의) 정면(front). **6** 겉모양 ; 외관, 외면 ; 지형, 지세 ; (서류의) 문자 그대로의 뜻. **7** 침착한 표정 ; 냉정함 ;《口》 태평(太平)한[아무렇지도 않은] 얼굴 ; [+*to* do] 뻔뻔스러움(effrontery) : How can you have the ~ *to* say such a thing? 어떻게 너는 뻔뻔스럽게도 그렇게 말할 수 있느냐. **8** Ⓤ 면목, 낯 : lose (one's) ~ 면목을 잃다, 체면을 잃다 / save (one's) ~ 면목이 서다, 체면을 잃지 않다(cf. FACE-SAVING). **9**《俗》 사람, 저명한 인사 ;《黑人俗》 백인.

at[***in, on***] ***the first face*** 얼핏 보기에는.
do one***'s face*** 화장하다.
face down 얼굴을 숙이고 ; 겉이 보이지 않게 엎어서 : lay one's cards ~ *down* on the table 카드를 테이블 위에 엎어 놓다.
face on 얼굴을 그쪽으로 향하여 ; 엎드려.
face to face 마주 바라보고, (남과) 마주 대하여〈*with*〉(cf. NOSE *to nose*) ; 직면하여.
fly in the face of... ☞ FLY[1] *v.*
have two faces 표리(表裏)가 있다, 딴 마음을 품다 ; (말이) 두 가지 뜻으로 해석되다.
in a person***'s face*** 정면으로 ; 면전에서, 공공연하게 : have the wind *in* one's ~ 바람을 정면으로 받다.
in (***the***) ***face of*** …와 마주보고, …을 맞대놓고, …에 정면으로 ; …을 문제삼지 않고, …에도 불구하고(in spite of) : *in the* ~ *of* the world 대외적 체면에도 불구하고 / He succeeded *in* (*the*) ~ *of* many difficulties. 많은 어려움(이 있었음)에도 불구하고 성공하였다 / *In the* ~ *of* great misfortune, they never surrendered to despair. 커다란 불행(이 있었음)에도 불구하고 결코 절망에 빠지지 않았다.
in the (***very***) ***face of day***[***the sun***] 대낮에 당당히, 공공연히, 공개적으로.
lie on its face (카드 따위가) 엎어져 있다.
lie[***fall***] ***on*** one***'s face*** 엎어지다[쓰러지다].
look a person ***in the face*** = ***look in*** a person***'s face*** 정면으로[겁내지 않고] 남의 얼굴을 보다 : He was unable to *look* me *in the* ~. 그는 내 얼굴을 정면으로 쳐다보지 못했다.
make[***pull***] ***faces***[***a face***] 얼굴을 찌푸리다 : She *made a* ~ *at* the clouded sky. 흐린 하늘을 바라보고 얼굴을 찌푸렸다 / The child was *making* ~*s in* the mirror. 그 아이는 거울을 보고 여러 가지 표정을 지어 보고 있었다.
meet a person ***in the face*** 남과 얼굴을 마주치다, 남과 맞닥뜨리다.
on the face of... (문서 따위의) 문면으로는.
on the face of it 얼핏 보아서는, 표면상으로는(seemingly) ; 분명하게(obviously).
pull[***make, wear***] ***a long face*** 진지한 (듯한) 얼굴을 하다, 상을 찡그리다, 탐탁지 않은 얼굴을 하다.
put a bold[***brave, good***] ***face on*** …을 태연[대담]하게 밀고 나가다, …에 태연스럽다 ; …의 겉치레를 하다 ; …을 애써 참다.
put a new face on …의 면모를 일신하다.
set[***put***] one***'s face against*** …에 단호히 반항[반대]하다.
set one***'s face to***[***toward***] …쪽으로 향하다 ; …에 뜻을 두다 ; …에 착수하다.
show one***'s face*** 얼굴을 보이다, 나타나다 : He hasn't *shown* his ~ yet this morning. 그는 오늘 아침엔 아직 얼굴을 보이지[오지] 않았다.
to a person***'s face*** 남을 맞대놓고[마주보고], 공공연히 : accuse a person *to* his ~ 남을 맞대놓고 비난하다.
turn face about 홱 돌아보다 ; 방향을 바꾸다.

— *vt.* **1** …으로 향하다, …에 면하다(look toward) : The building ~*s* the square. 그 건물은 광장에 면해 있다 / The illustration ~*s* page 15. 그 삽화는 15페이지에 있다. **2 a**) …에 똑바로 맞서다, 대항하다(confront) ; (재난 따위에) 용감히 맞서다(brave) ; (사실·사정 따위에) 직면하다, 직시(直視)하다 / ~ the music ☞ MUSIC 숙어. **b**) [+目+*with*+名] 마주보게 하다 : If our numbers increase as they are doing, we shall be ~*d* ***with*** a world famine before this century ends. 인구가 지금과 같은 상태로 증가되어 간다면 우리는 금세기가 끝나기 전에 세계적인 기근에 직면하게 될 것이다. **3** (카드의 패를) 겉이 나오게 하다. **4** [+目 / +目+*with*+名] (벽 따위를) 겉칠하다, …에 겉치장[겉 바르기]을 하다 ; (석재(石材) 따위를) 연마하다, 다듬다 ; (옷의) 단을 대다, …에 장식을 붙이다 : a wooden house ~*d* ***with*** brick 바깥 쪽을 벽돌로 쌓아서 지은 목조 가옥 / a coat ~*d with* silk 명주로 단을 댄 웃옷. **5** [+目+副]〖軍〗 방향 전환시키다 : He ~*d* his men *about*. 병사들을 뒤로 돌아가게 했다. **6**〖아이스하키 따위〗 (심판이 퍽(puck) 따위를) 마주 향한 두명의 선수 사이에 떨어뜨리다.

— *vi.* **1** [+副 / +*to*+名] (건물이 어떤 방향으로) 향하다, 면하다(look) : *How* does his house ~? — It ~*s north*[***to*** the north]. 그의 집은 어느 쪽을 향하고 있습니까? — 북향입니다. **2**〖軍〗 방향 전환을 하다 ;〖아이스하키 따위〗 (페이스오프로) 시합을 개시[재개]하다 : About ~!〖구령〗 뒤로 돌아! / Left[Right] ~!〖구령〗 좌향 좌[우향 우]!

face a person ***down*** 남을 무섭게 을러대다, 남에게 당당히 맞서다, 남을 위압하다.
face the matter out = ***face it out*** 일을 대담하게[시치미를 떼고] 밀고 나가다.
face the music ☞ MUSIC.
face up to …에 정면으로 다가가다, …에 겁내지 않고 맞서다 : ~ *up to* dangers 위험에 주저하지 않고 맞서 나가다.

〚OF < L *facies* form, face〛

[類義語] ***face*** 「얼굴」을 나타내는 가장 보편적인 말로 주로 외면적인 것에 대해 말함 : The girl has a pretty *face*. (그 소녀의 얼굴은 예쁘다). ***countenance*** 정서나 감정의 표현으로서의 얼굴, 표정 : He had a happy *countenance*. (행복한 표정이었다). ***visage***《文語》 얼굴 또는 표정을 뜻하는데 특히 기질·성격을 나타내는 것으로서의 얼굴을 말할 때가 있음 : a man of stern *visage* (위엄있는 얼굴을 한 사람).

fáce-àche *n.* Ⓤ,Ⓒ 안면 신경통 ;《口》 몹시 추함[추한 사람] ;《俗》 슬픈 표정을 짓고 있는 사람.
fáce blòck *n.*〖美蹴〗 얼굴로 상대방에게 부딪치는 방해 행위.
fáce brìck *n.*〖建〗 외장[치장] 벽돌.
fáce càrd *n.* (카드의) 그림패(court card).

F

fáce·clòth *n.* ＝WASHCLOTH；시체 얼굴을 덮는 천；표면에 광택 처리가 된 나사.
fáce crèam *n.* 화장용 크림.
fáced *a.* 얼굴[면]을 가진；표면을 덮은[긁어낸].
-faced [féist] *a. comb. form* 「…와 같은 얼굴의」「…개의 면이 있는」의 뜻：sad-～ 슬픈 얼굴을 한 / two-～ 양면이 있는. 〖*face, -ed*〗
fáce·dówn *adv.* 얼굴을 숙이고；겉을 밑으로 하여, 엎어놓고.
—— [ㅗㅗ] *n.* 《美》 대결(cf. SHOWDOWN).
fáce flànnel *n.* 《英》 수건(=《美》 washcloth).
fáce flỳ *n.* 〔昆〕 가축의 얼굴에 꾀는 집파리속(屬)의 파리.
fáce fùngus *n.* 《口·戲》 수염(beard, mustache).
fáce guàrd *n.* (용접공·펜싱 선수 등의) 얼굴 가리개, 마스크.
fáce guàrding *n.* 〔美蹴〕 수비 선수가 상대방의 포구(捕球)를 막기 위해 눈앞에서 손짓 따위를 하는 반칙 행위.
fáce-hàrd·en *vt.* (강철 따위에) 표면 경화 처리를 하다.
fáce·less *a.* 얼굴이 없는；개성이 없는；익명의.
fáce-lift *vt.* FACE-LIFTING 하다.
—— *n.* ＝FACE-LIFTING.
fáce-lìft·ing *n.* U.C 얼굴의 주름 없애기, 미용 성형(술)；《비유》 (건물 따위의) 개조, 개축(改築), (자동차 따위의) 약간의 모델 변경.
fáce·man [-mən] *n.* (*pl.* **-men** [-mən]) (탄광의) 막장 작업원(face worker).
fáce·màsking *n.* 〔美蹴〕 상대방의 마스크를 잡는 반칙.
fáce massàge *n.* 안면 마사지.
fáce-òff *n.* 〔아이스하키 따위〕 페이스오프《시합 개시 또는 재개시키는 방법》；회담；《美》 대결.
fáce pàck *n.* 미용 팩.
fáce·plàte *n.* 〔機〕 (선반(旋盤)의) 면판(面板)；브라운관의 앞면 유리；(잠수부 등의) 안면 보호용 금속[유리]판；(스위치 따위의) 보호용 덮개.
fáce pòwder *n.* 얼굴에 바르는 분.
fac·er [féisər] *n.* **1** 화장 마무리를 하는 사람[물건]. **2** 《口》 얼굴[안면(顔面)]을 치기；(권투 따위) 안면 펀치. **3** 《口》 남을 어리둥절케 하는 일, 불의의 곤란[장애].
fáce-sàver *n.* 체면(體面)을 세워주는 수단[것].
fáce-sàving *a., n.* U.C 체면을 세우는[세움], 면목을 유지하는[유지함].
fac·et [fǽsət] *n.* **1** (결정체·보석의) 작은 면, (컷 글라스의) 자른 면. **2** (사물의) 면(面), 상(aspect). **3** 〔昆〕 (겹눈을 이루는) 홑눈. —— *vt.* (-t-, -tt-) …에 작은 면[자른 면]을 내다.
～·ed, ～·ted *a.* 작은 면[자른 면]이 있는.
〖F (dim.) ‹FACE〗
類義語 ⟹ PHASE.
fa·ce·ti·ae [fəsíːʃiiː] *n. pl.* 재담, 익살, 해학(諧謔)；(서점 따위에서 쓰는 말로) 익살맞은 내용의 책；외설책, 음란 서적. 〖L (pl.)；↓〗
fa·ce·tious [fəsíːʃəs] *a.* 우스운, 익살맞은, 농담의：a ～ remark 농담. **～·ly** *adv.* 우습게, 농담으로. **～·ness** *n.* U 우스움, 익살맞음.
〖F (L *facetia* jest)〗
fáce-to-fáce *adv., a.* 정면으로 마주 보고[보는], 직접으로[의]；맞부딪치는.
fáce-to-fáce gròup *n.* 〔社〕 대면(對面) 집단.
fáce tòwel *n.* (목욕 수건이 아닌) 세수 수건.
fáce·úp *adv.* (얼굴[겉]을) 위로 향하여.
fáce válue *n.* 액면 (가격), 권면액(券面額)《공채 따위의 표면에 기재되어 있는 액(額)》；《비유》 액면[표면]상[대로]의 가치.
take* a person*'s promise at its face value 남의 약속을 액면 그대로 받아들이다[신용하다].
fáce wàll *n.* ＝BREAST WALL.
fáce·wòrk *n.* (벽면 따위의) 외장(facing).
fáce wòrker *n.* 탄광의 막장 작업원.
facia ☞ FASCIA.
fa·cial [féiʃəl] *a.* 얼굴의；얼굴에 쓰는：～ cream 화장 크림 / one's ～ expression 얼굴 표정.
—— *n.* U.C 《美口》 안면 마사지, 미안술(美顔術). 〖L；⇨ FACE〗
fácial àngle *n.* 〔人類〕 안면각(角)《콧구멍에서 귀와 앞이마로 그은 두 직선이 이루는 각도》.
fácial índex *n.* [the ～] 〔人類〕 안면 계수《안면의 폭과 높이와의 비(比)》.
fácial nérve *n.* 〔解〕 안면 신경.
fácial neurálgia *n.* 〔醫〕 안면 신경통.
fácial tíssue *n.* (흡습성의) 고급 화장지.
-fa·cient [féiʃənt] *a. comb. form* 「…화(化)하는」「…작용을 일으키는」「…성(性)의」의 뜻.
—— *n. comb. form* 「…작용을 일으키는 것」의 뜻：lique*facient*.
〖L (pres. p.) ‹*facio* to make〗
fa·ci·es [féiʃiiːz] *n.* (*pl.* ～) **1** 〔生態〕 (동식물 개체(군)의) 외관, 외견；〔植〕 페이시스《종의 양적(量的) 차이에 의한 식물 군락의 하위(下位) 단위》. **2** 〔地質〕 상(相)《퇴적층의 전체적 특색》. **3** 〔醫〕 (병의 증상을 보이는) 얼굴(표정).
fac·ile [fǽsəl；-ail] *a.* **1** 쉬운, 용이한(easy), 수월한, 손쉽게 얻는；간편한, 편리한：a ～ solution 쉬운 해결책. **2** 경묘(輕妙)한, 유창한(fluent)；경솔한(hasty)；(혀가) 잘 돌아가는(glib), 입심 좋은；재빠른, 날랜：a ～ style 평이한 문체 / a ～ pen 휘갈겨 쓴 솜씨좋은 글씨 / have a ～ tongue 언변이 좋다. **3** 유순한, 온순한, 순종하는, 말 잘 듣는：a ～ personality 온순한 성격. **～·ly** *adv.*
〖F or L (*facio* to do)〗
fa·ci·le prin·ceps [fáːkile príŋkeps, fǽsili prínseps] *a., n.* 수월하게 일등이 되는 (사람)；탁월한 (지도자). 〖L=easily first〗
fa·cil·i·tate [fəsílətèit] *vt.* (일을) 쉽게 하다, 편하게 하다, 촉진[조장]하다：Precautions ～ any kind of plans. 사전에 조심하면 어떤 계획이라도 쉬워진다. 注 이 단어는 사람을 주어로 하여 쓰이지 않음. **-tà·tor** *n.* 〖F‹It.；⇨ FACILE〗
fa·cil·i·ta·tion [fəsìlətéiʃən] *n.* U 쉽게[간편하게] 하기, 편리[간이]화；조장(助長), 촉진.
***fa·cil·i·ty** [fəsíləti] *n.* **1** U 쉬움, 용이함(ease) (↔*difficulty*)：*with* ～ 술술, 쉽게. **2** U [+前+do*ing*] (쉽게 배우거나 행하는) 재능, 손재주(dexterity), 솜씨(skill), 유창(fluency)：Practice gives ～. 연습을 하면 솜씨가 는다 / have ～ *in* speak*ing*[writ*ing*] 말[글]솜씨가 있다 / speak *with* ～ 유창하게 이야기하다. **3** [보통 *pl.*] 편리, 편의, 설비, 시설；〔軍〕 (보급) 기지：bathing *facilities* 목욕 시설 / educational[public] *facilities* 교육[공공] 시설 / *facilities of* civilization 문명의 이기 / *facilities for* communication[study] 교통[연구]의 편의 (시설) / give[accord, afford] full *facilities for*... 남에게 …을 위한 모든 편의를 제공하다. **4** U 사람이 좋음, 다루기 쉬움.
〖F or L；⇨ FACILE〗
facílity mánagement *n.* 〔컴퓨〕 컴퓨터는 자사에서 소유하고 그 시스템 개발·관리 운영은 외부 전문 회사에 위탁하기《略 FM》.

facílity trìp *n.* 《英》 관비[공비(公費)] 여행.

fac·ing [féisiŋ] *n.* **1** Ⓤ 면(面)하기, (집의) 방향. **2** (벽 따위의) 표면 마무리, 겉치장, 외장(外裝); 외장[마무리, 표면 화장]재. **3** Ⓤ (의복의) 가선을 두르기; [*pl.*] (군복의) 장식, 규정색《병종(兵種)을 나타내는 금장(襟章)과 수장(袖章)》. **4** [*pl.*] 〖軍〗 (구령에 따라 하는) 방향 전환.
go through one's ***facings*** 훈련을 받다, 충분히 길들여지다, 솜씨를 시험받다.
put a person ***through*** his ***facings*** 남을 훈련시키다; 남에게 기술을 가르치다; 남의 솜씨를 시험하다.
〖FACE〗

fácing brìck *n.* =FACE BRICK.

fack [fǽk] *vi.* 진실[사실]을 말하다. 〖*fact*〗

fa·çon de par·ler [*F* fasɔ̃ də parle] *n.* 말씨, 말솜씨; 상투어.

F.A.C.P. Fellow of the American College of Physicians. **F.A.C.S.** Fellow of the American College of Surgeons.

fac·sim·i·le [fæksíməli] *n.* **1** (필적·인쇄물·그림 따위를 원본대로) 복사(하기), 복제, 모사(模寫) (exact copy). **2** Ⓤ 〖通信〗 모사 전송(電送), 팩시밀리 (cf. PHOTOTELEGRAPHY).
in facsimile 복사[모사]하여; 꼭 그대로, 실물과 똑같이.
—— *a.* 복사[모사]의, 팩시밀리의.
—— *vt., vi.* 복사[모사]하다, 팩시밀리로 보내다.
〖NL *fac* (impv.)‹*facio* to make, *simile* (neut.)‹*similis* like〗

facsímile bróadcasting *n.* 팩시밀리 방송《텔레비전 방송용 전파 다중 방식에 의한》.

facsímile tèlegraph *n.* 사진 전송 장치.

◇**fact** [fǽkt] *n.* **1 a)** [+*that* 節/+*of*+do*ing*] (실제로 있었던) 일, 사실(↔*fable*): an established ~ 기정 사실 / the ~*s* of life ☞ *a* FACT *of life* (2) / know something as[for] a ~ 어떤 일을 사실로서 알고 있다 / It is a ~ that every language changes. 모든 언어가 변화한다는 것은 사실이다 / No one can deny the ~ *that* there is no smoke without fire. 아니땐 굴뚝에 연기나지 않는다는 사실은 아무도 부인할 수 없다 / The ~ ***of*** its[*of* the book] be*ing* a translation is not mentioned anywhere in it (=The ~ *that* it[the book] is a translation...). 그것[그 책]이 번역물이라는 것은 책속 어디에도 언급되어 있지 않다. 注 the fact *that*...은 흔히 장황한 표현법이 됨; 다음 문장에서 괄호안의 것은 없는 편이 좋음: He was quite conscious (*of the* ~) *that* she had some other reason for coming. 그녀가 온 데에는 그밖에 또다른 이유가 있었다는 것을 그는 잘 알고 있었다. **b)** Ⓤ 실제, 사실《이론(理論)·의견·상상 따위에 대하여; cf. FICTION》: a novel founded on ~ 사실에 의거한 소설 / *F*~ is stranger than fiction. ☞ FICTION 2. **2** 〖法〗 (범죄 따위의) 사실, 범행: before[after] the ~ 범행전[후]에 / confess the ~ 범행을 자백하다. **3** 진술한 사실: We doubt his ~*s*. 그의 진술은 수상쩍다.
a fact of life (1) (피할 수 없는) 인생의 현실; (일반적으로) 현실, 현상, 다반사. (2) [the ~s of life] 성(性)의 실태[지식]: teach children *the* ~*s of life* 아이들에게 성교육을 시키다.
as a matter of fact ☞ MATTER.
in (***point of***) ***fact*** 사실상, 실은, 실제로는.
the fact (***of the matter***) ***is*** (that)... 실은 [일의 진상은] …이다.
〖L *factum* (neut. p.p.)‹*facio* to do〗

fáct-fìnd·ing *n., a.* 실정[현지] 조사(의): a ~ committee 실정 조사 위원회.
fáct fìnder *n.* 실정[실태] 조사자[원].

***fac·tion**[1] [fǽkʃən] *n.* **1** 당내(黨內)의 당[불평분자], 도당, 당파, 파벌, 분파. **2** Ⓤ 당내의 다툼, 파벌 싸움, 내분(內紛); 당파심[근성].
〖F<L; ⇨ FACT; cf. FASHION〗

faction[2] *n.* 실록 소설, 실화 소설. 〖*fact*+*fiction*〗

-fac·tion [fǽkʃən] *n. comb. form* [-fy로 끝나는 동사의 명사형] 「작용」의 뜻: satisfy>satis*faction*. 〖L; ⇨ FACT〗

fáction·al *a.* 도당[당파]의, 당파적인.
~·ìsm *n.* Ⓤ 파벌주의, 당파심; 파벌 근성[싸움]. **~·ist** *n.* 파벌주의자, 도당을 꾸미는 사람.
〖FACTION[1]〗

fáctional·ìze *vt.* 《美》 (정치 단체 따위를) 분파시키다, 파벌 항쟁을 일으키게 하다, (당파 내의) 분파 활동을 조장하다 (make factional): The Southern Democrats were ~*d* into two groups; conservatives and liberals. 남부의 민주당원들은 보수파와 진보파의 두 파로 분열되었다.

fac·tious [fǽkʃəs] *a.* 당파적인; 당파심이 강한; 당파 싸움을 일삼는. **~·ly** *adv.* **~·ness** *n.*

fac·ti·tious [fæktíʃəs] *a.* 인위(人爲)[인공]적인, 모조의; 부자연스러운(↔*natural*). **~·ly** *adv.* 인위적으로; 부자연스럽게, 일부러 하는 듯이.
~·ness *n.* 〖L; ⇨ FACT〗

fac·ti·tive [fǽktətiv] *a.* 〖文法〗 작위(作爲)의: ~ verbs 작위 동사《[+目+補]형으로 쓰이는 동사로 make, elect, call 따위; cf. CAUSATIVE verb》. —— *n.* 작위 동사. 〖NL; ⇨ FACT〗

-fac·tive [fǽktiv] *a. comb. form* 「만드는」「원인이 되는」의 뜻: petri*factive*. 〖F; ⇨ -FACTION〗

fáct·oid *n.* (인쇄·발간되어) 사실처럼 인정되고 있는 일[이야기]; 의사(疑似) 사실, 유(類)사실.
〖Norman Mailer의 조어(造語)〗

***fac·tor** [fǽktər] *n.* **1** (어떤 현상을 생기게 하는) 요인, 인자(因子), 요소(element), 원인(cause): a ~ *of* happiness 행복의 요인 / Luck was a ~ *in* his success. 행운이 그의 성공의 한 요인이었다《성공한 요인의 하나는 운이 좋았기 때문이었다》.
2 a) 〖數〗 인수, 약수: a common ~ 공통 인수, 공약수(公約數) / a prime ~ 소(素)인수 / resolution into ~*s* 인수분해. **b)** 〖機〗 계수, 율(率): the ~ of safety 안전율. **c)** 〖生〗 인자, 유전 인자(gene). **3** 대리상, 도매상, 중매인(仲買人) (agent) (cf. FACTORY *n.* 2); 채권 금융업(자[회사]). —— *vt.* 〖數〗 인수분해하다. —— *vi.* factor로 행동하다; 외상 매출 채권을 매입하다.
〖F or L; ⇨ FACT〗
類義語 ⟹ ELEMENT.

fáctor·age *n.* Ⓤ 대리업, 도매업; 중개 수수료; 도매(업자) 구전(口錢).

fáctor análysis *n.* 〖數〗 인수 분석.

fáctor còst *n.* 〖經〗 (생산) 요소[요인] 비용.

factor VIII [-́ éit] *n.* 〖生化〗 항혈우병 인자.

factor V [-́ fáiv] *n.* =ACCELERATOR GLOBULIN.

fac·to·ri·al [fæktɔ́ːriəl] *n.* 〖數〗 계승(階乘).
—— *a.* 〖數〗 계승의; 〖數〗 인수의; (수금) 대리업의; 도매상의; FACTORY의.

fáctor·ing *n.* 〖數〗 인수분해; 〖商〗 수금 대리업, 채권(債權) 매입업.

fàctor·izátion *n.* Ⓤ 〖數〗 인수분해; 〖法〗 채권 압류 통고.

fáctor·ìze *vt.* 〖數〗 인수분해하다; 〖法〗 채권을 압

류하다. —— *vi.* 〔數〕 인수분해시키다.

fáctor·shìp *n.* Ⓤ 도매업, 대리업.

‡**fac·to·ry** [fǽktəri] *n.* **1 a**) 공장, 제조소(works) (cf. MILL[1], SHOP) : an iron ~ 철공소. **b**) =FACTORY SHIP. **c**) [형용사적으로] 공장의 : a ~ girl 여직공. **2** (물건을 만들어 내는) 곳 ; 재외 대리점 ; (원래) 재외 상관(在外商館) (cf. FACTOR *n.* 3). 〖Port. and L ; ⇨ FACTOR〗

Fáctory Àcts *n. pl.* [the ~] 〔英史〕 공장법.

fáctory automàtion *n.* 공장 자동화《略 FA》.

fáctory fàrm *n.* 공장 방식의 (축산) 농장.

fáctory hànd *n.* 직공, 공원.

fáctory shìp *n.* 공선(工船)《고래·삼치 잡이의 모선(母船) 따위》 ; 공작선(船) [함(艦)].

fáctory sỳstem *n.* 공장 제도(cf. DOMESTIC SYSTEM).

fac·to·tum [fæktóutəm] *n.* 잡역부, 막일꾼. 〖L (*fac* (impv.) ‹*facio* to do, *totum* all)〗

fac·tu·al [fǽktʃuəl] *a.* 사실의 ; 실제의 ; 사실에 관한[기인하는]. **~·ly** *adv.* 〖*actual*의 유추로 FACT에서〗

fáctual·ìsm *n.* 사실 존중(주의). **-ist** *n.* **fàc·tu·al·ís·tic** *a.*

fac·tum [fǽktəm] *n.* (*pl.* **~s**, **-ta** [-tə]) 〔法〕 사실, 행위 ; (유언장의) 작성 ; 사실의 진술서. 〖L=fact〗

fac·ture [fǽktʃər] *n.* Ⓤ 제작(법) ; Ⓒ 제작물 ; 작품 ; Ⓤ (작품의) 질, 솜씨 ; 〔美術〕 캔버스 위에 칠한 그림 물감의 층의 형태[구조] ; Ⓒ 〔商〕 송장(invoice). 〖OF‹L *factura* ; ⇨ FACT〗

fac·u·la [fǽkjələ] *n.* (*pl.* **-lae** [-lìː, -lài]) 〔天〕 (태양의) 백반(白斑), 흰 반점(cf. MACULA).

fac·ul·ta·tive [fǽkəltèitiv ; -tə-] *a.* **1** 허용적인 ; 수의(隨意)의, 임의의 ; 우발적인 ; 기능의. **2** 〔生〕 (기생충 따위가) 다른 환경에서도 생활할 수 있는(↔*obligate*). 〖F (↓)〗

fac·ul·ty** [fǽkəlti] *n.* **1** [+前+do*ing*] (특히 두뇌적인) 능력(ability), 재능 : He has a ~ ***for arithmetic[*for* do*ing* two things at once]. 그는 수학에 재능[한 번에 두 가지 일을 하는 능력]이 있다. **2** 《美口》 기능(function), 수완 ; 자력, 재산 ; 지급 능력 ; (신체·정신상의) 기능 ; (심적) 능력 : the ~ of hearing[sight] 청[시]각 능력. **3** (대학의) 학부 ; 《美》 [집합적으로] (대학·고교의) 교수단(團), 교사단, (때로는) 교직원 : the ~ of law 법학부 / the science ~ 이(理)학부 / the four *faculties* (중세 때의) 4학부《신학·법학·의학·문학》 / a ~ meeting 교수 회의, 교직원 회의 / The ~ *are* meeting today. 오늘은 교수 회의가 있다. **4** (의사·변호사 등) 동업자 단체 ; [the ~] 《英》 (흔히) 의사들. 〖OF‹L ; ⇨ FACILE〗 類義語 ⟹ TALENT.

fad [fǽ(ː)d] *n.* 변덕 ; 일시적인 유행[열광] ; 도락(道樂) ; 《英》 (특히 식성의) 까다로움. 〖C19‹? fid*fad* ‹FIDDLE-FADDLE〗

fad·a·yee [fæ̀dəjíː] *n.* (*pl.* **fad·a·yeen** [-jíːn]) =FEDAYEE.

fád·dish *a.* 변덕스러운, 별난 취미를 가진.

fád·dism *n.* 변덕, 호기심. **fád·dist** *n.* 변덕쟁이, 호기심이 많은 사람 ; 《英》 식성이 까다로운 사람. **fad·dis·tic** [fædístik] *a.* 〖FAD〗

fade**[1] [féid] *vi.* [動/+副/+前+名] (색깔이) 바래다 ; (안색이) 빛을 잃다 ; (소리가) 점차 사라지다 ; 시들다, 이울다(wither) ; (기력이) 쇠해지다(droop) ; (기억 따위가) 희미해지다‹*away*, *out*› ; (습관이) 쓰이지 않게 되다 ; (서서히) 안보이게 되다, 모습이 사라지다 ; (브레이크가) 점차 듣지 않아지다 ; 〔通信〕 (신호의) 강도가 변동하다 : The flowers will soon ~. 그 꽃은 곧 시들고 말 것이다 / She became ill and slowly ~*d away*. 병이 들어 점차 쇠약해져 갔다 / The stars were *fading* ***out from the sky. 별들이 하늘에서 빛을 잃어가고 있었다 / The voice of the last cuckoo ~*s* ***into*** a universal stillness. 마지막 뻐꾸기 울음소리가 일대의 고요 속으로 사라진다. —— *vt.* 시들게 하다, 이울게 하다, 쇠퇴시키다 ; …의 빛을 바래게 하다 : Sunlight ~*s* the curtain. 햇빛은 커튼의 색깔을 바래게 한다.

fade in 〔映〕 차차 밝아지다[밝게 하다], 용명(溶明)하다 ; 〔라디오·TV〕 (수신[수상(受像)]기의 소리[영상(映像)]가[를]) 차차 뚜렷해지다[뚜렷해지게 하다] (cf. FADE-IN).

fade out (1) ☞ *vi.* (2) ; 〔映〕 차츰 어두워지다[어둡게 하다], 용암(溶暗)하다 ; 〔라디오·TV〕 (수신[수상]기의 소리[영상]가[를]) 차차 흐릿해지다[흐릿해지게 하다] (cf. FADE-OUT).

—— *n.* **1 a**) =FADE-IN ; =FADE-OUT ; 〔映·TV〕 페이드. **b**) (마모·과열에 의한) 자동차 브레이크의 감퇴. **2** 《口》 실패, 기대가 어긋남. 〖OF (*fade* dull, insipid)〗 類義語 ⟹ VANISH, WITHER.

fade[2] [*F* fad] *a.* 맥[김]빠진, 지루한, 재미없는. 〖↑〗

fáde·awày *n.* Ⓤ,Ⓒ **1** 소실(消失). **2** 〔野〕 = SCREWBALL ; 〔野〕 =HOOK SLIDE.

fad·ed [féidəd] *a.* 시든, 색이 바랜 ; 쇠퇴한.

fáded bóogie *n.* 《美俗》 흑인 밀고자.

fáde-ìn *n.* 〔映〕 용명(溶明) ; 〔라디오·TV〕 (소리·영상이) 차차 뚜렷해지기, 페이드인.

fáde·less *a.* 시들지[이울지] 않는, 색이 바래지 않는 ; 쇠퇴하지 않는, 불변의. **~·ly** *adv.*

fáde-òut *n.* **1** 〔映〕 용암(溶暗) ; 〔라디오·TV〕 (소리·영상이) 차차 흐릿해지기 (cf. FADE-IN). **2** 차차 보이지 않게 되기.

fad·er [féidər] *n.* 〔映〕 (토키의) 음량 조절기 ; (필름 현상의) 광량(光量) 조절기.

fad·ing [féidiŋ] *n.* 쇠퇴 ; 퇴색 ; 〔通信〕 페이딩《전파의 강도가 시간적으로 변동하는 현상》.

FAdm, F. Adm., FADM 《美》 Fleet Admiral (해군 원수).

fa·do [fáːdou, -ðuː, 美+fǽðuː] *n.* (*pl.* **~s**) 파도《포르투갈의 대표적인 민요·춤 ; 보통 기타로 반주함》. 〖Port.〗

FAE fuel air explosive.

faecal, faeces ☞ FECAL, FECES.

fa·e·na [faːéinaː] *n.* 〔鬪牛〕 파에나《투우사의 기량을 과시하기 위해 죽기 직전의 소를 계속해서 찌르기》. 〖Sp.=task〗

fa·er·ie, -ër-, fa·ery, -ëry [féiəri, féəri, fǽəri] *n.* **1** 《古》 =FAIRYLAND. **2** 요정(妖精)의 무리, 선녀들(fairies) ; 요정(fairy) ; 매혹. —— *a.* 요정의[같은] ; 환상적인. 〖FAIRY〗

Fáerie Quéene [-kwíːn] *n.* [The ~] 요정의 여왕《E. Spenser작의 서사시》.

Fáer·oe[Fár-] Íslands [féərou-, fǽər-], **Fa(e)r·oes** [féərouz, fǽər-] *n. pl.* [the ~] 페로스 제도《영국과 아이슬란드 사이에 있는 21개의 화산섬군(群) ; 덴마크령》.

faff [fǽ(ː)f] *vi.* 《英口》 공연한 소란을 피우다 ; 빈둥빈둥 지내다, 종잡을 수 없는 행동을 하다. —— *n.* 공연한 소란.

Faf·nir [fáːvnər, -niər, fǽv-, 美+fɔ́ːv-] *n.* 〖北유럽神〗 파브니르《황금의 보고(寶庫)를 지킨 용; Sigurd에게 살해됨》. 〚ON〛

fag[1] [fǽ(ː)g] *v.* (**-gg-**) *vi.* **1** [動/+副/+前+名] 열심히 하다[일하다](work hard) : Jack ~*ged away* ***at*** his arithmetic. 잭은 지칠 때까지 산수와 씨름했다. **2** 《英》 [動/+前+名] (public school에서 하급생이) 상급생의 잔심부름을 하다 : Tom ~*ged* for his senior. 톰은 상급생의 심부름을 했다. **3** (밧줄 끝이) 풀리다. —— *vt.* **1** [+目/+目+副] (일이) 지치게 하다 : He was almost ~*ged out*. 거의 녹초가 되었다. **2** 《英》 (하급생을) 심부름꾼[하인]처럼 부려먹다. —— *n.* **1** [단수형으로] 《英》 괴로운[힘든] 일(drudgery); 피로(fatigue) : What a ~! 참 힘든 일이군! / It is too much (of a) ~. 너무 힘들어 싫다. **2** 《英》 (public school에서) 상급생의 잡일을 하는 하급생.
〚C18<?; cf. FLAG[3], *fag* (obs.) to droop〛

fag[2] *n.* 《俗》 (특히 값싼) 궐련(cigarette); =FAG END. 〚*fag* end〛

fag[3] *n.*, *a.* 《俗》 남자 동성애자(의), 호모(의). 〚*fag*ot〛

fa·ga·ceous [fəgéiʃəs] *a.* 〖植〗 너도밤나무과의.

fág ènd *n.* **1** 토막; 끄트머리, 찌꺼기, 나부랭이(remnant)〈*of*〉. **2** (피륙의) 토끝; 밧줄의 풀린 끄트머리.

fággot·ry *n.* 《俗》 남자 동성애, 호모.

fág·goty, fág·got·ty, fág·gy *a.* 《俗》 남자답지 않은, 여성적인, 연약한; 호모의.

fág hàg *n.* 《美俗》 동성애 남자만 사귀는 여자, 호모를 좋아하는 여자.

fág hòts *n. pl.* 《美俗》 동성애 남자용의 저속한 포르노 잡지.

Fa·gin [féigən] *n.* 페이긴《아이들을 소매치기나 도둑질의 앞잡이로 부림; Dickens의 *Oliver Twist*에 등장하는 인물》.

fag·ot | fag·got [fǽgət] *n.* **1 a)** 나뭇단, 섶나무 : fire and ~ ☞ FIRE 숙어. **b)** (가공용의) 연철봉(鍊鐵棒) 다발, 지금(地金) 더미. **2** 수집물의 한 뭉치(collection). **3** 〖英史〗 =FAGOT VOTE. **4** [보통 faggot] 《美俗》 (남자) 동성연애자, 호모. —— *vt.*, *vi.* 다발을 만들다, 다발로 묶다; (직물을) fagoting으로 장식하다[연결하다].
〚OF<It.〛

fágot·ing, fággot- *n.* 패거팅《천의 씨실을 뽑아내고 날실을 합쳐 다발 모양으로 묶은 장식》.

fa·got·to [fægɑ́tou] *n.* (*pl.* **-got·ti** [-tiː]) 〖樂〗 = BASSOON. 〚It.〛

fágot vòte *n.* 〖英史〗 (재산의 일시적인 양도로 선거 자격을 얻은 사람의 표를) 그러모은 투표.

F.A.G.S. Fellow of the American Geographical Society.

fah ☞ FA.

Fah(r). Fahrenheit.

***Fahr·en·heit** [fǽrənhàit, fɑ́ː-] *a.* 화씨의《略 F., Fah. 또는 Fahr.; 보기 32° *F.* =thirty-two degrees ~ 화씨 32도; cf. CENTIGRADE》. ㊟ 영·미에서는 특별히 밝히지 않았을 때의 온도는 F. —— *n.* **1** =FAHRENHEIT THERMOMETER. **2** 파렌하이트, **Gabriel Daniel** ~ (1686-1736) 화씨 눈금을 고안한 독일의 물리학자.

Fáhrenheit thermómeter *n.* 화씨 온도계(cf. CELSIUS THERMOMETER).

F.A.I. 《F》 Fédération Aéronautique Internationale(국제 항공 연맹). **F.A.I.A.** Fellow of the American Institute of Architects; Fellow of the Association of International Accountants.

fa·ience, fa·ïence [faiɑ́ːns, fei-; *F* fajɑ̃ːs] *n.* Ⓤ 파이앙스 도자기《유약을 바른 장식용의 프랑스 도기(陶器)》.

◇**fail** [féil] *vi.* **1** [動/+*in*+名] 실패하다, 실수하다(↔*succeed*); (학생이) 낙제하다, 낙제점을 받다 : We tried but ~*ed*. 해보았으나 실패했다 / Mary ~*ed* ***in*** her exams. 메리는 시험에 떨어졌다. **2** [+*to* do] 태만하다(neglect), …할 수 없다, (…하지) 못하다[않다] : He often ~*s to* keep his word. 종종 약속을 안지킨다 / Don't ~ *to* let me know. 꼭 알려다오. **3** (공급 따위가) 결핍[부족]하다 : The crops ~*ed* last year. 작년에는 흉작이었다 / The electric supply ~*ed*. 정전이 되었다. **4** [+前+名] (덕성·의무 따위가) 없다, 결여되다(be wanting); (목표 따위를) 달성하지 못하다 : He has plenty of ability, but ~*s* ***in*** patience. 능력은 상당히 있으나 인내심이 없다 / The policy is likely to ~ ***of*** its object. 그 정책은 목표를 달성할 것 같지 않다. **5** [動/+前+名] (힘 따위가) 약해지다; 작용[작동]하지 않다 : His health[sight] has ~*ed* badly. 그의 건강[시력]이 현저히 약해졌다 / Poor old fellow, his mind is ~*ing*. 불쌍하게도 노인은 노망기가 있다 / His voice suddenly ~*ed*. (소리를 질렀는데도) 갑자기 목소리가 나오지 않았다 / The storm ~*ed*. 폭풍우가 잔잔해졌다 / He is ~*ing* fast ***in*** health. 급격히 건강이 나빠지고 있다. **6** (은행·회사 따위가) 파산하다. —— *vt.* **1** 실망시키다(disappoint), (일단 유사시에) …을 버리고 돌보지 않다, 저버리다(desert) : He ~*ed* me at the last minute. 마지막 순간에 나를 저버렸다 / My legs ~*ed* me and I fell. 발이 말을 듣지 않아 쓰러졌다 / She was so frightened that her tongue[words] ~*ed* her. 너무 놀라서 말도 나오지 않았다 / The engine ~*ed* us. 공교롭게도 엔진이 시동되지 않았다. **2** 《口》 **a)** (시험에서) 낙방시키다, (학생에게) 낙제 점수를 매기다 : ~ some examinees 수험자를 몇 사람 낙제시키다. **b)** …에서 낙제점을 받다 : He ~*ed* history[his examination]. 역사 과목에서[시험에] 낙제했다. ㊟ 격식을 차린 표현법에서는, He ~*ed in* history. (cf. *vi.* 1)로 됨.

fail safe (만일의 실책·고장에 대비해) 안전 장치를 하다(cf. FAIL-SAFE).

never*[*cannot*] *fail to do 반드시 …하다(cf. *vi.* 2) : You will *never* ~ *to* be moved by the beauty of the sight. 틀림없이 그 광경의 아름다움에 감동될 것입니다 / I *cannot* ~ *to* save enough money to buy a new car. 기필코 새 자동차를 살 수 있을 만큼 저금을 해 보겠습니다.
—— *n.* 시험의 실패, 낙제; 《美》 (매매된 주식의) 인도 불이행; [다음 숙어로] 불이행.

without fail 틀림없이, 꼭, 기필코.

〈회화〉
Come at five *without fail*. — I'll be there.
「다섯 시에 꼭 오너라」「네, 가겠습니다」

〚OF<L *fallo* to deceive, disappoint〛

fáil·ing *n.* **1** Ⓤ 실패(failure), 낙제, 파산. **2** 결점, 단점, 약점(fault). —— [ˊ-, ˋ-] *prep.* 《文語》 **1** …이 없으므로(lacking) : *F*~ a purchaser, he rented the farm. 살 사람이 없었으므로 그는 농지를 남에게 대여했다. **2** …이 없는 경우에는(in default of) : ~ an answer by tomorrow 내일까지 회답이 없을 경우에는.

類義語 ⟹ FAULT.

faille [fáil, féil ; *F* faj] *n.* 파유《내복 또는 실내 장식용의 윤이 나지 않게 짠 가벼운 옷감》.

fáil-òperátional *a.* 시스템에서 어느 한 곳에 고장이 나도 전체적인 피해를 막게 된 방식의.

fáil-sàfe *a.* **1** 〔電子〕(조기경보 시스템·원자로 따위의 고장에 대비한) 안전 보장 장치의, 이중 안전 장치의. **2** [때때로 F~] (핵장비 폭격기의 오폭에 대비한) 제어 조직의. **3** 전혀 문제가 없는, 절대 안전한 : ~ business 안전한[틀림없는] 사업. —— *n.* (그릇된 작동·조작에 대한) 자동 안전 장치 ; [때때로 F~] 폭격기의 진행제한 지점. —— *vi., vt.* 자동 안전 장치가 작동하다[를 작동시키다].

fáil sòft *n.* 〔컴퓨〕 페일 소프트《고장이나 일부 기능이 저하되어도 주기능을 유지시켜 작동하도록 짠 프로그램 ; cf. FALLBACK》.

‡**fail·ure** [féiljər] *n.* **1** Ⓤ 실패, 결과가 나쁨(↔ *success*) : end in[meet with] ~ 실패로 끝나다. **2** 실패(한 일), 실패자, 결과가 나쁜 것, 실패한 기획 : He was a ~ *as* an artist[*in* art]. 화가로서는 실패했다 / The experiment was a ~. 실험은 실패했다. **3** [+*to* do] 태만, 불이행 ; Ⓤ …할 수 없는 일 : a ~ *in* duty 직무 태만 / a ~ *to* keep a promise 약속 불이행 / My ~ *to* answer the roll call angered the teacher. 출석 부를 때 대답을 하지 않아서 선생님이 화를 내셨다. **4** Ⓤ,Ⓒ 불충분, 부족 : a ~ *of* crops=crop ~*s* 흉작(凶作). **5** Ⓤ 없는 것[일] : ~ *of* issue 자식이 없음. **6** Ⓤ,Ⓒ (힘 따위의) 감퇴, 쇠퇴(falling-off)〈*in, of*〉: a ~ *in* health 건강의 쇠퇴. **7** 지급 정지 ; 파산. **8** 고장 ; 〔機〕 파괴, 파손. **9** Ⓤ 낙제 ; Ⓒ 낙제점(cf. F 4), 낙제자.
〖*failer* <AF ; ⇨ FAIL〗

fáilure-pròne *a.* (기계 따위가) 고장나기 쉬운, (사람이) 실패하기 쉬운.

fain[1] [féin] *adv.* 《文語》 [would ~으로서] 기꺼이, 쾌히(gladly) : I *would* ~ help you. 기꺼이 돕고 싶습니다만. —— *pred. a.* 기꺼이 …할 마음으로 ; 부득이 …하는 ; …하기를 간절히 바라서.
〖OE *fægen*〗

fain[2] [féin], **fains** [-z], **fen(s)** [fén(z)] *vt.* [보통 fain(s) I, fain it으로] 《英學俗》 …같은 것은 싫다 : *F*~ I fielding. 외야는 맡기 싫다《아이들이 게임 같은 것에서 어떤 역할을 안하려고 할 때 쓰는 문구》.
〖FEND (obs.) to forbid〗

fai·né·ant [féiniənt ; *F* fɛneɑ̃] *n.* (*pl.* **~s** [-*z* ; *F* —]) 게으른 자, 귀찮아 하는 사람. —— *a.* 나태한, 귀찮아 하는.

fains ☞ FAIN[2].

‡**faint** [féint] *a.* **1** (소리·빛깔·생각 따위가) 희미한, 어렴풋한, 흐릿한(dim) (cf. THIN 5, DEEP 6) : ~ lines 희미한 괘선(罫線) / ruled ~ 희미한 괘선을 친(cf. FAINT-RULED) / There is not the ~*est* hope. 조그만 희망도 없다 / She hasn't the ~*est* idea of it. 그 일은 전혀 알지 못한다. **2** 힘이 없는, 약한(feeble), 부족한 : a ~ effort 부족한 노력. **3** 활기[용기]가 없는, 마음이 약한(timid) : *F*~ heart never won fair lady. 《속담》 용기가 없는 자는 미인을 얻지 못한다. **4** 약한, 미약한 : ~ breathing 약한[다 죽어가는] 숨결. **5** 어질어질한(dizzy), 정신이 아찔한 : feel ~ 어지럽다 / be ~ *with* hunger 배가 고파서 현기증이 나다. 注 이 뜻은 *attrib. a.*로서는 쓰이지 않음.
—— *vi.* **1** [動/+副/+前+名] 정신이 아찔해지다, 졸도하다, 기절하다(swoon) : She ~*ed away*[~*ed* ***from*** the heat]. 그녀는 기절했다[더위 때문에 졸도했다]. **2** 《古》 약해지다, 원기가 없어지다. —— *n.* 기절, 졸도, 실신 : *in* a dead ~ 아주 정신을 잃고, 기절하여. **~·ly** *adv.* 힘없이, 연약하게 ; 용기 없이, 머뭇거리며 ; 어렴풋이, 희미하게. **~·ness** *n.*
〖OF (p.p.) < FEIGN〗

fáint·hèart *n.* 겁쟁이(coward).
—— *a.* =FAINTHEARTED.

fáint·héart·ed *a.* 용기가 없는, 겁많은, 마음 약한. **~·ly** *adv.* 용기없이, 겁많게. **~·ness** *n.* 겁이 많음, 용기 없음.

fáint·ing *n.* Ⓤ 기절, 실신, 기죽음.
—— *a.* 졸도하는, 기절의.

fáinting fit[**spèll**] *n.* 실신, 기절, 졸도.

fáint·ish *a.* 기절할 것 같은 ; 희미한, 어렴풋한.
~·ness *n.*

fáint-rúled *a.* (편지지 따위가) 희미한 괘선이 쳐져 있는.

faints [féints] *n. pl.* 잔류액(殘留液), 페인츠《위스키 따위를 증류시킬 때 나오는 불순물이 섞인 알코올》.

°**fair**[1] [fέər, fǽər] *a.* **1** 올바른, 공명 정대한, 공평한 : He is ~ even *to* people he dislikes. 그는 싫어하는 사람에게도 공평하다 / We should be ~ *with* one another. 서로가 공명 정대해야 한다 / All's ~ in love and war. 《속담》 연애와 전쟁에서는 수단을 가리지 않는다 / by ~ means or foul 정당한 수단이든 부정한 수단이든 간에, 수단을 가리지 않고. **2** 〔競〕 규칙에 맞는(↔*foul*) ; 〔野〕 페어의 : a ~ blow[tackle] 정당한 타격[태클]. **3** 상당히 좋은, 어지간한, 나쁘지 않은. **4** (바람이) 순조로운, 알맞은(favorable) : a ~ wind 순풍, 알맞은 바람(↔*a foul wind*). **5** 살결이 흰, 금발의, 블론드의(↔*dark*) : ~ hair 금발 / a ~ complexion 흰 살결 / a ~ man 살결이 흰 남자. **6** (하늘이) 맑은, 개인 하늘의(↔*foul*) (cf. FINE[1] 14). **7** 《文語·詩》 아름다운(beautiful), 매력적인 : a ~ woman[one] 미인 / the ~ readers 여성 독자 / ☞ FAIR SEX. **8** 정중한(courteous) ; 그럴듯한, 정말 같은(plausible) : a ~ promise 그럴듯한 약속 / ~ words 교묘한 말. **9** 티없는, 깨끗한(clean), 명료한 : write a ~ hand 글씨를 깨끗하게 쓰다 / a ~ name 미명(美名) / ~ water 《古》 맑은[깨끗한] 물. **10** 방해물이 없는 : a ~ view 탁 트인 전망. **11** (수량·수입·재산 따위) 꽤 많은, 상당한 ; 《口》 완전한, 철저한 : a ~ income 상당한 수입. **12** 《古》 인정이 많은, 친절한.

be in a fair way to do(ing) …할 것 같다, …할 가능성이 있다 : He *is in a* ~ *way to* make money. 돈을 벌 것 같다[부자가 될 것 같다].

fair and square 《口》 공명 정대한[하게], 바르게, 정정 당당히.

〈회화〉
We've had a long spell of *fair* weather. — I wish it would rain. 「오랫동안 맑은 날씨가 계속되었어」「비가 좀 내려야 할 텐데」

—— *adv.* **1** 공명 정대하게 : fight ~ 정정 당당히 싸우다 / play ~ 공정하게[당당히] 승부 내다[행동하다]. **2** 깨끗하게, 훌륭하게 : copy[write out] ~ 정서(淨書)하다(cf. FAIR COPY ; ☞ *n.* 9). **3** 정숙하게, 정중하게 : speak a person ~ 남에게 정중하게 말하다(cf. FAIRSPOKEN). **4** 제대로, 똑바로, 정통으로 : hit him ~ in the head 그의 머리에 정통으로 맞다.

bid fair to do ☞ BID.
fair and softly 정중하고 부드럽게, (그렇게) 성급하게 굴지 말고 좀 천천히, 속단하지 말고.
── *n.* **1** [the ~] 여성(women). **2** [a ~] 《古》 여자 ; 미인 ; 연인. **3** 《古》 좋은 물건, 행운.
── *vt.* (문서를) 정서하다 ; (항공기·선박을) 유선형(流線型) 따위로 다듬다〈*up, off*〉; (재목 따위를) 반드르르하게 하다. ── *vi.* 《方》 (날씨가) 개다, 호전되다.
〚OE *fæger* ; cf. OHG *fagar* beautiful〛
類義語 (1) ***fair*** 개인적인 감정이나 이해를 생각하지 않고 양자(兩者) 또는 모두를 공평히 다루는 : a *fair* umpire (공정한 심판). ***just*** 자기의 기호에 의하지 않고 올바른 것, 법률에 합당한 것만을 채용하는 : be *just* in one's dealings (처리가 공정하다). ***impartial, unbiased*** 어느 쪽에도 전적으로 호의나 악의를 가지지 않는 : He is *impartial* to his pupils. (어느 학생에게나 공평하다) / give an *unbiased* opinion (공평한 의견을 말하다).
(2) ⟹ BEAUTIFUL.

***fair**[2] *n.* **1** 《英》 정기(定期)적으로 서는 장, 장날《흔히 성자(聖者)축제일 따위에 정기적으로 서며 지방 사람들이 모여 여러가지 상품을 거래하거나 오락장이나 음식을 파는 집들도 있어서 번화해짐》. **2** 자선시(慈善市), 바자(bazaar). **3** 《美》 품평회, 박람회, 견본시(見本市) : a world's ~ 세계박람회 / ☞ COUNTY FAIR, STATE FAIR.
a day after [***too late for***] ***the fair*** 사후 처방.
〚OF<L *feriae* holiday〛

fáir báll *n.* 〖野〗 페어 (볼)《파울선 안으로의 타구(打球) ; ↔*foul ball*》.
fáir cátch *n.* 〖美蹴·럭비〗 페어 캐치《찬 공을 상대방이 잡기》.
fáir cópy *n.* 정서(淨書), 정정필(訂正畢) 사본 ; 정확한 사본.
Fáir Déal *n.* [the ~] 페어 딜《미국의 Truman 대통령의 내정 정책》.
fáir emplóyment *n.* 《美》 공평 고용《인종·종교·성(性) 따위에 차별을 두지 않음》.
Fáir Emplóyment Pràctices *n. pl.* 《美》 공평[공정] 고용 관행《공평 고용에 관한 연방법 및 주법(州法)》.
fáir-fáced *a.* 살결이 흰, 미모의 ; 외견만 깨끗한, 그럴싸한 ; 《英》 (벽돌벽이) 회를 바르지 않은.
fáir gáme *n.* 허가된 사냥감 ; 《비유》 (공격·비웃음 따위의) 좋은[알맞은] 대상물[목표].
fáir gó *n.* 《濠》 공평한 취급, 편파적이 아님, 부정이 없음.
fáir grèen *n.* 《古》 〖골프〗 =FAIRWAY.
fáir·gròund *n.* [때때로 *pl.*] 《美》 장이 서는 광장 ; 박람회장.
fáir-háired *a.* **1** 금발의. **2** 《口》 마음에 드는 (favorite).
fáir-háired bóy *n.* 《美》 (윗사람의) 마음에 드는[총애받는] 남자(=《英》 blue-eyed boy), 후계자로 지목된 청년 : the ~ of the family 그 집안의 귀염둥이 아들.
fáir hóusing *n.* 《美》 공정한 주택 거래(open housing).
fáir·i·ly *adv.* 요정(妖精)같이.
fáir·ing[1] *n.* (장에서 산) 선물 ; [*pl.*] 《英》 당연한 보수[보답·벌]. 〚FAIR[2]〛
fairing[2] *n.* 〖空〗 (비행기·배 따위의) 정형(整形) 《유선형으로 하기》; 유선형의 덮개. 〚FAIR[1] (v.)〛
fáir·ish *a.* 꽤 좋은, 상당한.
Fáir Ìsle *n.* 페어 섬《Shetland 제도(諸島) 중의 한 섬》; 페어 아일《페어 섬에서 시작한 여러 색의 기하학적 무늬로 된 편물》: ~ sweater[pullover] 페어 아일식 스웨터.
fáir·lèad *n.* 페어리드, 페어리더 (=**fáir·lèad·er**) 《(1) 〖海〗 삭도기(索道器). (2) 〖空〗 안테나를 기체 안으로 이끄는 절연 부품. (3) 〖空〗 조종삭(索)의 마모 방지용 부품 ; 〖海〗 밧줄이 뻗어나가는 방향[경로]》.
fáir·lìght *n.* 《英》 =TRANSOM WINDOW.
***fáir·ly** *adv.* **1** 공정[공평]하게(justly) ; 정확히, 적절히, 어울리게 : treat a man ~ 남을 공평하게 다루다 / fight ~ 정정 당당하게 싸우다. **2** 아주, 완전히(completely) ; 실제로, 정말로 : He was ~ exhausted. 아주 지쳐버렸다 / I was ~ caught in the trap. 완전히 함정에 빠졌다. **3** [⌐-] [정도를 나타내어] 꽤, 상당히(moderately) (cf. RATHER 3) : ~ good 꽤 좋은(neither bad nor very good) / We could see the top of the high mountain ~ well. 그 높은 산꼭대기가 상당히 잘 보였다. ☞ 活用. **4** 명료하게, 똑똑히 : be ~ visible 똑똑히 보이다.
活用 fairly 3은 수식되는 어구의 뜻·내용이 좋을 때 쓰며 좋지 않을 때는 rather를 쓰는 것이 보통 : This is a *fairly* easy question. (이것은 상당히 쉬운 문제다《그래서 적당하다》) / This is a *rather* easy question. (이것은 오히려 너무 쉬운 문제다《그래서 부적당하다》).

fáir-mínd·ed *a.* 공정[공평]한.
fáir·ness *n.* Ⓤ (살결이) 흼, 고움 ; (머리털의) 금빛 ; 공명 정대, 공평, 공정.
fáirness dòctrine *n.* 〖美放送〗 (사회적으로 중요한 문제에 관해 여러 가지 견해를 내보내는 방송의) 기회 공평의 원칙.
fáir pláy *n.* 정정 당당한 시합 태도, 공명 정대한 행동, 페어 플레이(cf. FOUL PLAY).
fáir-príce provìsion *n.* 〖證〗 (회사의 공개 매수에서) 평등 가격 조항《투자가 보호 대책의 하나로 팔린 회사의 모든 주주가 한 주당 동일 가격을 받게 되는 것》.
fáir séx *n.* [the ~ ; 집합적으로] 여성, 여자들.
fáir sháke *n.* 《美口》 공평한 조처[기회].
fáir-sìzed *a.* 어지간히 큰, 상당수의.
fáir·spóken *a.* (말씨가) 정중한, 공손(恭遜)한(polite) ; 붙임성 있는 ; 말솜씨 좋은, 그럴듯한. **~·ness** *n.*
fáir-to-míddling *a.* 평균보다 조금 나은, 그저 그런, 웬만한.
fáir tráde *n.* 〖經〗 공정 거래 ; 호혜 무역[공정 거래] 협정에 따른 거래.
fáir-tráde *vt.* 〖經〗 (상표가 붙은 상품을) 호혜 무역[공정 거래] 협정의 규정에 따라 팔다.
fáir-tráde agrèement *n.* 〖經〗 호혜 무역 협정 ; 공정 거래 협정.
Fáir Tráde Commìssion *n.* 공정 거래 위원회 《略 FTC》.
fáir tráder *n.* 호혜무역[공정거래]업자, 호혜무역주의자.
fáir tréat *n.* 《口》 대단히 즐거운[매력적인] 것[일, 사람].
fáir·wày *n.* **1** 방해받지 않는 통로 ; (강·만(灣) 따위의) 항로, 뱃길. **2** 〖골프〗 페어웨이《tee와 putting green 사이의 잔디 구역》.
fáir-wèather *a.* (해상(海上)이) 평온시의, 날씨가 좋을 때만의 ; 유리한[순조로운] 때만의, 위급시에 쓸모없는[의지할 수 없는] : a ~ friend 정작 어려울 때에는 믿지 못할 친구.
***fairy** [féəri, fǽəri] *n.* 요정(妖精) ; 《俗》 (여자역

의) 호모, 여성적인 남자 ; =FAIRY GREEN.
—— *a.* **1** 요정의, 요정에 관한 : a ~ queen 요정의 여왕. **2** 요정 같은 ; 우미(優美)한.
〚OF (FAY, *-ery*)〛

fáiry cìrcle *n.* =FAIRY RING ; 요정의 춤.

fáiry cỳcle *n.* 어린이용 자전거.

fáiry·dom *n.* =FAIRYLAND.

fáiry gódfather *n.* 《美放送俗 · 美劇俗》 (좋은) 스폰서.

fáiry gódmother *n.* [one's ~] (동화에서) 주인공을 돕는 요정 ; (곤란할 때 갑자기 나타나는) 친절한 아주머니[사람].

fáiry grèen *n.* 황록색(fairy).

fáiry·hòod *n.* 요정임, 마성(魔性) ; [집합적으로] 요정.

fáiry làmps[**lìghts**] *n. pl.* **1** (장식용의) 꼬마전구[전등]. **2** (양초를 사용한) 작은 램프.

***fáiry·lànd** *n.* Ⓤ 요정[동화]의 나라 ; Ⓒ 더할 나위 없이 아름다운 곳, 불가사의한 세계 ; 꿈[환상]의 나라.

fáiry·lìke *a.* 요정 같은.

fáiry mòney *n.* 요정의 돈《요정에게서 얻은 돈은 나중에 나뭇잎 따위로 변한다고 함》.

fáiry rìng *n.* 요정의 고리《풀밭 속의 버섯 때문에 고리 모양으로 생긴 암녹색 부분 ; 요정들이 춤을 춘 자리라고 믿어졌던 데서》.

fáiry tàle[**stòry**] *n.* 옛날 이야기, 동화 ; 꾸며낸 이야기 ; 거짓말.

fáiry-tàle *a.* 동화 같은 ; 믿을 수 없을 만큼 아름다운.

fai·san·dé [féizɑːndèi ; *F* f(ə)zɑ̃de] *a.* …인체하는, 꾸민 듯한.

fait ac·com·pli [*F* fɛtakɔ̃pli] *n.* (*pl.* **faits ac·com·plis** [*F* fɛzakɔ̃pli]) 기정 사실.

faites vos jeux [*F* fɛt vo ʒø] 돈을 거십시오《룰렛 따위에서 croupier가 도박하는 손님들에게 하는 말》.

‡faith [féiθ] *n.* (*pl.* **~s** [féiθs, -θz, -ðz]) **1** Ⓤ 믿음, 신뢰(trust, confidence) ; 신앙(심), 신념(belief) ; [the ~] 진정한 신앙 ; 기독교(의 믿음) : ~, hope, and charity 믿음 · 소망 · 사랑《기독교의 3대 덕(德)》 / Children usually have ~ *in* their parents. 아이들은 대개 부모를 믿는다 / put one's ~ *in* …을 믿다 / lose ~ *in* …에 대해 신뢰(감)을 잃다, …을 신용할 수 없게 되다 / pin one's ~ *to*[*on*] …을 굳게 신뢰하다. **2** 신조, 교지(敎旨), 교리(doctrine) : the Christian[Catholic] ~ 기독교[카톨릭]. **3** Ⓤ 신의, 성실(honesty) : good ~ 성실 / bad ~ 불신, 배신 / *in* good ~ 성실하게, 성의를 가지고. **4** Ⓤ 서약, 약속(promise) : engage[pledge, plight] one's ~ 서약하다, 굳게 약속하다 / keep[break] ~ *with* …에 대한 서약을 지키다[깨다] / give one's ~ *to* a person 남에게 서약[단언]하다.
by** one**'s faith 맹세코, 절대로.
in faith ! =《古》 ***i'faith !*** = ***faith !*** 참으로, 정말로 ; 실로.
—— *int.* 정말로, 참으로(cf. *in* FAITH).
〚AF *feid* < L *fides*〛
[類義語] ⟹ BELIEF.

fáith cùre *n.* 신앙 요법《기도 따위에 의함》.
fáith cùrer *n.* 신앙 요법을 하는 사람 ; 신앙 요법사.

‡fáith·ful *a.* **1** 신의가 두터운, 성실[충실]한 ; (서약 따위를) 충실하게 지키는(true) 〈*to*〉 : a ~ wife 정숙한 아내. **2** 신뢰할 만한(trustworthy) ; (사실 · 원전(原典) 따위에) 충실한(true), 정확한(accurate) ; 여실한. —— *n.* [the ~] 충실한 신자들(true believers)《특히 기독교도 · 이슬람교도(Mohammedans)》 ; 충실한 지지자들(loyal followers). **~·ness** *n.* 충실, 성실, 신의 ; 정숙 ; 정확함, 참됨, 진실.
[類義語] ***faithful*** 약속 · 맹세 · 책임 · 애정 따위에 의해서 맺어져 있는, 상대방에 대해 충실한 : *faithful* to the master (주인에게 충실한).
loyal faithful에 더하여 일단 유사시에는 같은 한패로서 싸울 것을 나타냄 : be *loyal* to the King (왕에게 충성을 다하다). ***constant*** 친구나 애인에 대해서 언제나 변하지 않는 애정 · 신뢰를 품고 있는 : a *constant* lover (변함 없는 연인).

***fáith·ful·ly** *adv.* **1** 충실하게, 성실하게 ; 정확하게. **2** 《口》 굳게, 분명하게.
deal faithfully with …을 성실히 다루다 ; …을 심하게 다루다, …을 심히 꾸짖다.
Yours faithfully = 《美》 ***Faithfully*** (***yours***) 경구(敬具)《그리 친숙하지 않은 사람에게 보내는 편지의 끝맺음말 ; cf. YOURS 4》.

fáith hèaling *n.* =FAITH CURE. **fáith hèaler** *n.* =FAITH CURER.

fáith·less *a.* **1** 신의가 없는, 불성실한, 부정(不貞)한. **2** 믿을 수 없는(unreliable). **3** 신앙이 없는. **~·ly** *adv.* 불성실하게, 부정하게. **~·ness** *n.*

faits di·vers [*F* fɛ divɛːr] *n. pl.* 잡보 ; 신문 기삿거리 ; 사소한 사건.

FAK 〖貿易〗 freight all kinds rate(품목 무차별 운임).

***fake¹** [féik] *vt.* 《口》 **1** (적당히[되는 대로]) 꾸며내다(get up)〈*up*〉 ; (미술품 따위를) 위조하다 ; (이야기 따위를) 날조하다(fabricate). **2** 〖競〗 (상대)에게 페인트를 하다 ; …인 체하다(pretend) : ~ illness 꾀병을 부리다. **3** 〖재즈〗 즉흥적으로 연주하다. **4** 후무리다, 훔치다. —— *vi.* 사기치다 ; 〖競〗 페인트하다 ; 꾀병을 앓다 ; 〖재즈〗 즉흥적으로 연주하다. —— *n.* **1** 모조품, 위조품(sham) ; 속임수 ; 허보(虛報). **2** 야바위꾼, 사기꾼(swindler). —— *a.* 가짜의, 위조의, 속임수의 : a ~ picture 가짜[위조] 그림.
~·ment *n.* 《口》 야바위, 속임 ; 위조품.
〚*feak, feague* (obs.) to thrash < G *fegen* to sweep, thrash〛

fake² *n.* 〖海〗 (사린) 밧줄의 한 타래. —— *vt.* (밧줄을) 포개어 감다, 사리다.
〚ME ; cf. Sc. *faik* to fold〛

fáke bòok *n.* 《美》 판권 없이[무단으로] 만든 팝송 악보집.

fa·keer [fəkíər] *n.* =FAKIR¹.

fáke jázz *n.* 페이크 재즈《펑크(punk)조의 기교를 가미한 즉흥적인 재즈》.

fák·er *n.* 위조자, 사기꾼 ; 《美》 잡화 따위의) 노점상인. **fák·ery** *n.* 속임수, 야바위 짓.

fa·kir¹, -quir, -qir [fəkíər, féikər ; féikiər] *n.* (이슬람교 · 힌두교 따위의) 고행자, 탁발승.
〚Arab. = poor man〛

fa·kir² [féikər] *n.* =FAKER.

fa·la·fel, fe- [fəlɑ́ːfəl] *n.* (*pl.* ~) 팔라펠《이스라엘 · 아랍 여러 나라의 야채 샌드위치[납작한 롤빵] ; 잠두를 으깨어 만든 경단을 튀긴 음식》.
〚Arab.〛

Fa·lan·ge [féilændʒ, fɑːlɑ́ːnhei] *n.* 팔랑헤당(黨)《스페인의 우익 정당》. **Fa·lan·gist** [fəlǽndʒəst, féilæn-] *n.* 팔랑헤당원.

Fa·la·sha [fɑːlɑ́ːʃə] *n.* (*pl.* ~, ~**s**) 팔라샤인(人)《에티오피아에 거주하는 유태교(敎)를 신봉하는

햄족(族)》.

fal·ba·la [fǽlbələ] *n.* (여성복의) 옷자락 장식, 옷자락끈. 〖F〗

fal·cate [fǽlkeit, 美+fɔ́:l-] *a.* 〖解·動·植〗 낫[갈고리] 모양의.

fál·cat·ed *a.* =FALCATE.

fal·chion [fɔ́:ltʃən] *n.* (중세의) 칼폭이 넓은 언월도(偃月刀)《청룡도(青龍刀) 따위》. 〖OF<L *falc- falx* sickle〗

falchion

fál·ci·fòrm [fǽlsə-] *a.* =FALCATE.

fal·con [fǽlkən, fɔ́:l-; fɔ́:l-] *n.* (매 사냥의) 매, 새매; 〖史〗 (15-17세기의) 경포(輕砲); [F~] 〖美空軍〗 공대공(空對空) 미사일의 일종. **~·er** *n.* 매 부리는 사람. 〖OF<L *falcon- falco*〗

fal·con·et [fǽlkənèt, fɔ́:l-; fɔ́:l-] *n.* 작은 매; 〖史〗 (15-17세기의) 소형의 경포(輕砲).

fálcon·ry *n.* Ⓤ 매 훈련법; 매 사냥.

fal·de·ral [fáːldəràːl; -rǽl], **-rol** [-ràl] *n.* Ⓒ 겉만 좋은 싸구려, 굴퉁이, 하찮은 물건(gewgaw); Ⓤ 허튼 수작, 부질없는 생각; (옛 노래의) 무의미한 후렴(refrain).

fald·stool [fɔ́:ldstù:l] *n.* 〖宗〗 (사제(司祭)용의) 등받이 없는 의자; 예배용의 접의자; (영국 국교회의) 기도대(祈禱臺). 〖OE *fældestōl*<L<Gmc. (FOLD[1], STOOL)〗

Fa·ler·ni·an [fəlɔ́ːrniən] *n.* Ⓤ 백포도주의 일종《이탈리아 남부의 Campania 지방산(産)으로 그 지방은 원래 Falernus ager라고 불리움》.

Fálk·land Íslands [fɔ́:lklənd-] *n. pl.* [the ~] 포클랜드 제도《아르헨티나 남동방 남대서양에 있는 영령 군도》.

Fálklands Wár *n.* 포클랜드 분쟁《1982년 4월 2일부터 6월 14일까지 73일간에 걸친 남대서양 포클랜드 제도(Falkland Islands)의 영유를 둘러싼 영국과 아르헨티나의 군사 분쟁》.

◇**fall** [fɔ́:l] *v.* (**fell** [fél]; **fall·en** [fɔ́:lən]) *vi.* **1** [動/+副/+前+名] 떨어지다(↔*rise*), 낙하하다(cf. DROP *vi.* 4); (비·눈 따위가) 내리다, (서리가) 내리다: The snow was *~ing* fast. 눈이 심하게 내리고 있었다/The curtain *~s.* 막이 내린다/My hat *fell* ***off***. 모자가 떨어졌다/There was a big hole and he *fell* ***in***. 큰 구멍이 뚫려 있어서 그는 거기에 빠졌다/A box *fell* ***from*** the shelf ***to*** the floor. 상자 하나가 선반에서 마루로 떨어졌다/The blossoms are *~ing from* the trees. 꽃이 나무에서 떨어지고 있다.
2 (온도계 따위의 수은주가) 내려가다: The temperature has *~en.* 온도가 내려갔다.
3 [+前+名] (토지가) 경사지다(slope), 내려앉다; (강이) 아래로 흘러내리다, 흘러들어가다(flow): The land *~s* gently ***to*** the beach. 그 땅은 완만하게 해변까지 경사를 이루고 있다/Does this river ~ ***into*** the Mediterranean? 이 강은 지중해로 흘러들어갑니까.
4 [+前+名] (머리털·옷 따위가) 밑으로 늘어지다[처지다](hang down): The nun's veil *fell* ***over*** her shoulders. 그 수녀의 베일은 어깨 위로 늘어져 있었다/with her hair *~ing* ***up*** (***on***) her shoulders 머리털을 어깨로 늘어뜨리고.
5 [動/+副/+前+名] 넘어지다, 전락하다; 엎드리다; (건물 따위) 무너지다, 도괴(倒壞)하다: The child stumbled and *fell*. 어린이는 실족하여 넘어졌다/She *fell* ***down*** senseless ***on*** the ground. 실신하여 땅위에 쓰러졌다/He *fell* ***on*** his knees. 무릎을 꿇었다/He *fell* fainting ***to*** the ground. 기절하여 땅위로 쓰러졌다.
6 [動/+前+名/+補] 상처를 입고 쓰러지다, 죽다(be killed): ~ in battle 전사하다/Many soldiers *fell* ***to*** the enemy's bombardment. 적의 폭격으로 수많은 병사들이 쓰러졌다/The warrior *fell* ***on*** his sword. 그 전사(戰士)는 칼로 자결(自決)했다/The deer *fell* dead. 사슴이 쓰러져 죽었다.
7 [動/+*to*+名] (요새·도시 따위가) 함락되다: At last the castle *fell* to the enemy. 마침내 그 성은 적에게 함락되었다.
8 [動/+前+名] (국가·정부 따위가) 쓰러지다, 전복되다, 실각하다, 세력[인망]을 잃다: Cabinet *fell* ***from*** the people's favor. 내각은 국민의 지지를 잃었다.
9 (유혹 따위에) 굴하다, 타락하다; (여자가) 정조를 잃다(cf. FALLEN woman); 악화되다.
10 (폭풍우 따위의) 격렬함이 줄어들다; (마음이) 가라앉다, 차분해지다: The storm has *~en.* 폭풍우는 가라앉았다.
11 (값이) 떨어지다; (목소리가) 낮아지다; (원기가) 없어지다; (얼굴이) 흐려지다: His face *fell* at the news of his mother's illness. 모친이 아프다는 통지를 받고 그의 안색이 어두워졌다.
12 (떨어져 내리듯이) 찾아오다: Night began to ~. 어둠이 찾아들기 시작했다.
13 [+前+名] (사건이) 일어나다(occur), (…에) 해당하다: ***On*** which day of the week does Christmas ~ this year? 금년의 성탄절은 무슨 요일입니까/Benjamin Franklin's birthday always *~s* ***in*** the week which we know as National Thrift Week. 벤자민 프랭클린의 탄생일은 언제나 국민 절약 주간으로 알려져 있는 주에 있게 된다.
14 [+*on*+名] (강세가 …에) 있다: The accent of "familiar" *~s* ***on*** the second syllable. "familiar"의 강세는 제2음절에 있다.
15 [+*on*+名] (어깨에) 걸머지게 되다; (제비가) 맞아 떨어지다; (유산(遺産) 따위가) …의 것이 되다: All the expenses[responsibility] will ~ ***on*** you; you are the senior. 비용[책임]은 모두 당신이 떠맡게 되겠지, 선배니까/The lot [choice] *fell* ***upon*** him. 그가 당첨[선발]되었다/The property has *~en* ***to*** his daughter. 그 재산은 딸의 것이 되었다.
16 [+*on*+名] 향하다, 머물다: The teacher's eyes *fell* ***on*** me. 선생님의 눈길이 나를 향했다/Suspicion *fell* (***up***)***on*** him. 혐의가 그에게 씌워졌다.
17 [+補/+前+名] (어떤 상태로) 되다: ~ due (어음 따위가) 만기가 되다/~ a prey [victim, sacrifice] *to* …의 먹이[희생]가 되다/~ sick[ill] 병들다/~ asleep 잠들다/I was *~ing* ***into*** a dose. 나는 졸고 있었다/~ *into* a (deep) sleep (깊이) 잠들다/The family *fell into* poverty. 가족은 가난에 빠져들었다/He has *~en into* disgrace with his companions. 동료들 사이에서 덕망[신임]을 잃었다/~ ***in*** love with... ☞ LOVE 숙어.
18 [動/+*from*+名] (음성·말이) 새어 나오다: The news *fell* ***from*** his lips. 그 소식이 그의 입에서 새어 나왔다.
19 (분류 따위에서) 나뉘어지다, 분류시키다, 속하다, 나뉘다.
20 〖카드놀이〗 (패를) 내려놓다, 죽다.

F

〈회화〉
My grandmother slipped and *fell on* the ice last week. — Oh. Is she O.K.? 「우리 할머니께서 지난 주 빙판 위에서 미끄러져 넘어지셨어」 「저런, 그래서 괜찮으시니」

── *vt.* 《美·濠·英方》 (나무 따위를) 베어 쓰러뜨리다.
***fall (a-)do**ing* …하기 시작하다(fall to doing) : ~ (*a-*)weep*ing* 울기 시작하다. 주 a-가 붙은 형은 지금은 주로 고어·방언에 쓰임.
fall aboard (다른 배)와 충돌하다.
fall across …와 우연히 마주치다.
fall among. . . 우연히 …속에 들어가다 ; (도둑 등과) 마주치다[둘러싸이다].
fall astern ☞ ASTERN.
fall away (1) 내버려 두다, 손을 떼다 ; 배반하다 : All his men *fell away*. 부하들은 모두 그를 배반했다. (2) 약해지다, 쇠약[쇠퇴]해지다 ; 쇠미하다 ; 꺼져 없어지다 : He felt his strength ~*ing away*. 체력이 약해지고 있는 것을 느꼈다.
fall back 물러나다, 후퇴하다(retreat) ; 주춤거리다.
fall back (up)on. . . 〖軍〗 물러나 …을 거점으로 삼다 ; 《비유》 …에게 의지하다 : You can always ~ *back (up) on* me. 언제든지 나를 의지해도 괜찮습니다.
fall behind 뒤에 처지다 ; 기반을 잃다.
fall down 넘어지다(cf. *vi.* 5) ; 엎드리다 ; 몸져눕다 ; 실패하다 ; 흘러 내려가다.
fall down on. . . 《口》 …에 실패하다(fail in).
fall flat ☞ FLAT[1] *a.*
fall for. . . 《口》 …에 반하다, …에 매혹되다 ; …에게 속아 넘어가다.
fall from grace ☞ GRACE.
fall in 속으로 떨어지다(cf. *vi.* 1) ; (지붕 따위가) 내려앉다 ; (지반(地盤)이) 꺼지다 ; (뺨·눈 따위가) 움푹 들어가다 ; 〖軍〗 정렬하다[시키다] ; 〖구령〗 모여!, 집합!, 정렬! ; (차용 기한 따위가) 다되다 ; 마주치다 ; 동의하다.
fall in for. . . (몫 따위를) 차지하다 ; (비난·동정 따위)를 받다[입다].
***fall** doing* …하기 시작하다(begin to do) : She *fell* weep*ing*. 그녀는 울기 시작했다(☞ FALL (*a-*)do*ing*).
fall into. . . (1) …에 빠져들다(cf. *vi.* 3) ; …이 되다, …에 빠지다[떨어지다], (나쁜 습관 따위가) 붙다(cf. *vi.* 17) ; (이야기 따위)를 시작하다 (begin): He *fell into* conversation with them. 그들과 이야기를 나누기 시작했다. (2) …로 나누어지다 : The story ~*s into* four parts. 그 이야기는 4부(部)로 나누어진다.
fall into line ☞ LINE[1].
fall into place (의론, 이야기 따위의) 앞뒤가 맞다, 일치하다.
fall in with …와 우연히 마주치다 ; …와 일치하다, …에 동의하다, …와 조화를 이루다 ; (점·때가) …와 부합하다 : I am ready to ~ *in with* your proposal. 네 제안에 동의하겠다.
fall off (1) (헤어져) 떨어지다, 멀어지다(cf. *vi.* 1) ; 이반하다 ; (출석수 따위가) 줄다 ; 타락하다 ; (건강 따위가) 쇠퇴하다 : The patient *fell off* in flesh. 환자는 야위었다 / Her popularity has ~*en off.* 그녀의 인기는 떨어졌다. (2) 〖海〗 (바람불어 가는 쪽으로) 배를 돌리다, (침로에서) 벗어나다.
fall on (1) …을 습격하다(attack) ; (행동)을 개시하다. (2) …와 마주치다 ; (축제일이 일요일 따위)와 겹치다(cf. *vi.* 13) ; (재난 따위가 몸)에 닥쳐오다(cf. *vi.* 15) : Business then *fell on* bad days. 그때 하던 사업은 불황에 빠졌다. (3) [on은 부사] 참전(參戰)하다 ; 음식물을 먹기 시작하다.
***fall on** one**'s feet** [**legs**]* ☞ FOOT, LEG.
fall on** one**'s sword ☞ SWORD.
fall out (1) 밖으로 떨어지다 ; 다투다, 불화하게 되다 : She often ~*s out with* her neighbors. 자주 이웃 사람들과 다툰다. (2) 일어나다(happen), (…으로) 판명되다, (…한) 결과가 되다(turn out) : *It* (*so*) *fell out that* I could not be present. 나는 출석할 수 없게 되었다 / Everything *fell out* well. 만사가 순조롭게 진행되었다. (3) 〖軍〗 열을 이탈하다, 낙오하다.
fall out of. . . (습관 따위)를 버리다, 그만두다.
fall over (…의) 위에 쓰러지다 ; (…의) 건너편에 떨어지다 ; (머리털 따위를) (…에) 늘어뜨리다 (cf. *vi.* 4) : He *fell over* a chair in the dark room. 어두운 방안에서 의자에 부딪쳐 쓰러졌다.
fall over one another 《美口》 앞을 다투다, 심하게 경쟁하다.
fall over** one**self** = **fall all over** one**self 모든 노력을 하다, 전력을 다하다.
fall short ☞ SHORT *adv.*
fall through 실패로 끝나다[돌아가다], 못쓰게 되다(fail).
fall to (1) …하기 시작하다(begin) ; (일)에 열심히 달려들다 : They *fell to* their work immediately after lunch. 점심 식사 후 곧 일에 착수했다 / She *fell to* sob*bing*. 훌쩍훌쩍 울기 시작했다. (2) [to는 부사] 서로 치고 받기 시작하다 ; 먹기 시작하다 ; (문 따위가) 자동적으로 닫혀지다 : The boys *fell to* with a hearty appetite. 소년들은 왕성한 식욕으로 먹기 시작했다.
fall to [in] pieces ☞ PIECE.
fall to the ground ☞ GROUND[1].
fall under. . . (분류상(分類上)) …에 들어가다, …에 해당하다 ; (영향·주목(注目) 따위)를 받다 : The theme ~*s under* another category. 그 테마는 다른 범주에 속한다 / ~ *under* suspicion [a person's displeasure] 혐의를 받다[남에게 불쾌감을 주다].
fall upon. . . = FALL *on* (1), (2).
fall within …이내에 있다 ; …의 속에 포함되다.
let fall 떨어뜨리다 ; 쓰러뜨리다 ; 무심코 말해버리다, 누설하다.
── *n.* **1** 낙하, 추락 : a ~ *from* a horse 낙마(落馬). **2** 강우[강설(降雪)](량) : a heavy ~ of snow 대설(大雪). **3** [보통 ~s로 쓰이며 고유명사로서는 단수취급] 폭포(waterfall) : The ~*s* are 30 ft. high. 그 폭포는 높이가 30피트다 / Niagara *F*~*s* is receding. 나이아가라 폭포는 점차 줄어들고 있다. **4 a)** 전도, 도괴(倒壞). **b)** 와해(瓦解) ; 함락 ; 쇠망 ; 몰락. **5** Ⓤ 타락 ; 악화. **6** 강세가 있어야 할 곳. **7** (가격 따위의) 저락, 하락 ; 침강, 강하, 낙차(落差) ; 감퇴. **8** 〖地質〗 경사. **9** (도르래의) 고팻줄. **10** 《주로 美》 가을(autumn) 《낙엽기(期)란 뜻에서》 : in (the) ~ 가을에(는) / in the ~ of 1998 1998년 가을에. **11** Ⓤ 드리워지기 ; Ⓒ 주름장식의 단 ; = FALLING BAND. **12** 〖레슬링〗 폴, 한판 승부 : try a ~ (with...) (…을 상대로) 한판 해보다《비유적으로 쓰임》. **13** Ⓤ (재목의) 벌채(량).
take [get] a fall out of a person 《口》 남을 지게 하다(get the best of).
the Fall (of Man) 인간의 타락《Adam과 Eve

의 원죄 ; cf. ORIGINAL SIN》.
—— *a.* 가을의 ; 가을에 뿌리는, 가을에 여무는 ; 가을용의 : ~ goods 가을 용품.
〖OE *f(e)allan* ; cf. G *fallen*〗

fal·la·cious [fəléiʃəs] *a.* **1** 잘못된, 허위의. **2** 남을 현혹시키는, 믿을 수 없는. **~·ly** *adv.* 오류에 빠져, 잘못하여, 기만적으로. **~·ness** *n.* Ⓤ 허위, 기만. 〖F (↓)〗

***fal·la·cy** [fǽləsi] *n.* 그릇된 생각[신념], 잘못된 추론 ; Ⓤ 〘論〙 오류, 허위. 〖L (*fallo* to deceive)〗

fal-lal, fal·lal [fæ̀llǽl, ˊˋ] *n.* (겉만 번지르르한) 화려한 장신구, 값싼 물건.

fal·lal·(l)ery [fælǽləri] *n.* Ⓤ [집합적으로] 값싸고 야한 장식품 ; 겉만 번드르르한 것.

fáll·bàck *n.* (필요한 때에) 의지가 되는 것, 준비품[금] (reserve) ; 〘컴퓨〙 (고장났을 때의) 대체 시스템 (cf. FAIL SOFT) ; 후퇴, 뒤짐.

fáll-bàck *a.* 일이 없을 때 지급되는 최저의《임금》; 만일의 경우에 일하는, 대체 보좌의.

fállback posìtion *n.* (태세 정비를 위한) 후방 진지, 일보 후퇴한 기반.

Fáll Clássic *n.* 《美野俗》 =WORLD SERIES.

◇**fall·en** [fɔ́ːlən] *v.* FALL의 과거 분사. —— *a.* **1** 떨어진 : ~ leaves 낙엽. **2** 쓰러진, 죽은 (dead) ; [the ~ ; 집합적으로] 전사자들. **3** 타락한 : a ~ woman 타락한 여자, 매춘부 / a ~ angel 타락한 천사《지옥에 떨어졌다는 천사》. **4** 전복된, 파괴된 ; 함락된 : ~ city 함락된 도시.

fállen árch *n.* 편평족(扁平足).

fáll·fish *n.* 〘魚〙 잉어과(科)의 큰 담수어《북미 동부산》.

fáll gùy *n.* 《口》 잘 속는 사람 ; 남의 죄를 뒤집어쓴 사람.

fal·li·ble [fǽləbəl] *a.* 잘못되기 쉬운 ; 잘못을 면할 수 없는. **-bly** *adv.* 잘못되기 쉬워. **~·ness** *n.*
fàl·li·bíl·i·ty *n.* 〖L ; ⇨ FALLACY〗

fáll-in *n.* (원자력의 평화적 이용의 결과로 발생하는) 방사성 폐기물.

fáll·ing *n.* **1** Ⓤ 낙하, 추락 ; 강하. **2** Ⓤ 전도(轉倒) ; 함락, (암석의) 붕괴 ; 몰락. **3** Ⓤ 타락.
—— *a.* 떨어지는 ; 내리는 ; 《美方》 (금방) 비[눈]가 올 것 같은《날씨》: a ~ body 낙하(물)체 / a ~ market 하향(下向)하는 시황(市況).

fálling bànd *n.* 17세기 남자용의 폭이 넓고 늘어진 화려한 옷깃 (fall).

fálling dóor *n.* 내리닫이《문》.

fálling léaf *n.* 〘空〙 낙엽 비행술《나뭇잎이 떨어지듯 강하하는 비행술》.

fáll·ing-óff *n.* 감소, 감퇴.

fáll·ing-óut *n.* (*pl.* **fáll·ings-óut, ~s**) (친했던 사람끼리의) 싸움, 불화, 사이가 틀어짐.

fálling sìckness *n.* 《古》 간질.

fálling slùice *n.* 자동식 수문(水門).

fálling stár *n.* 유성(流星) (meteor).

fálling stòne *n.* 운석(隕石).

fálling tìde[wàter] *n.* 썰물.

fáll lìne *n.* 폭포선(線)《대지(臺地)의 시작을 나타내는 선으로 폭포·급류가 많음》.

fáll·òff *n.* 쇠퇴, 감퇴, 저하.

Fal·ló·pi·an tùbe [fəlóupiən-] *n.* 〘解〙 팔로피오관(管), 나팔관, 수란관 (oviduct).
〖Gabriel *Fallopio* [L *Fallopius*] (d. 1562) 이탈리아의 해부학자〗

fáll·òut *n.* Ⓤ 원자(原子)재의 강하 ; (핵폭발 후의) 방사성 낙진, 「죽음의 재」.

fállout shélter *n.* 방사성 낙진 대피소.

fal·low[1] [fǽlou] *a.* **1** 작물이 심어지지 않은, 경작되어 있지 않은, (논·밭 따위를) 묵혀 둔, (일년 또는 일정기간) 놀리는 ; 미개간의. **2** 수양을 쌓지 않은. **3** (암퇘지가) 임신하지 않은.
lay** land **fallow 토지를 묵혀 두다.
lie fallow (밭 따위를) 놀리고 있다.
—— *n.* Ⓤ 휴한지(休閑地) ; 휴한, 휴작(休作) ; 《廢》 경작된 토지.
land in fallow 휴한지.
—— *vt.* 갈아놓기만 하고 (토지를) 묵혀 두다.
〖OE *fealh* (n.) ; cf. G *Felge*〗

fallow[2] *a.* 담황갈색의. —— *n.* Ⓤ 담황갈색.
〖OE *f(e)alu* ; cf. G *fahl*〗

fállow déer *n.* (*pl.* ~) 〘動〙 다마사슴《유럽·아시아산의 연한 황갈색의 사슴 ; 여름철에 흰 반점이 생김》.

fáll-sówn *a.* 《美》 가을 파종의 : ~ crops 가을 파종 작물.

fáll-tràp *n.* 함정.

fáll wébworm *n.* 흰불나방《해충》.

FALN, F.A.L.N. 《Sp.》 Fuerzas Armadas de Liberación Nacional (푸에르토리코의 민족 해방군).

‡**false** [fɔ́ːls, 英+fɔ́ls] *a.* **1** 잘못된, 틀린 (mistaken) ; 부정(不正)의 (wrong) : a ~ account 잘못된 계산[보고] / a ~ impression 잘못된 인상 / ~ pride 그릇된 긍지 / a ~ balance 부정 저울 / ~ dice 부정한 주사위 / ~ imprisonment 〘法〙 불법 감금 / ~ weights 부정 저울추. **2** 거짓말하는 ; 거짓의, 허위의 (↔*true*) : a ~ alarm 허위 경보 ; 공연한 소동 / a ~ charge 〘法〙 무고(誣告) / ~ witness ☞ WITNESS *n.* 2. **3** 성실치 못한, 부실[부정(不貞)]한, (…에) 배반한 : a ~ friend 신의없는 벗 / He is ~ of heart. 성의가 없는 남자다 / That man is ~ *to* his word. 저 사람은 약속을 지키지 않는다. **4** 가짜의, 겉치레만의 ; 위조의 ; 인조의 : a ~ bottom (상자·서랍 따위의) 이중 밑바닥 ; 가짜 밑바닥 / a ~ window 〘建〙 암막창, 벽창호 / a ~ coin 가짜 돈 / a ~ diamond 가짜 다이아몬드 / a ~ god 사신(邪神) / a ~ eye [tooth] 의안(義眼)[의치(義齒), 틀니] / ~ hair 가발, 다리. **5** 임시의, 일시적인 ; 보조의 (subsidiary) : ~ ribs 〘解〙 가(假)늑골 (cf. FLOATING RIB). **6** 〘樂〙 가락이 맞지 않는, 음정이 고르지 않은 : a ~ note 가락이 맞지 않는 음.
—— *adv.* **1** 가짜로, 부실하게, 부정하게. **2** 가락이 맞지 않아.
play** a person **false 남을 속이다, 배반하다.
~·ly *adv.* **~·ness** *n.*
〖OE *fals* and F<L *falsus* (p.p.)‹FAIL〗

fálse acácia *n.* 〘植〙 아까시나무《콩과(科)》.

fálse arrést *n.* 〘法〙 불법 체포[구류].

fálse cléavers *n.* 〘植〙 갈퀴덩굴《꼭두서니과》.

fálse cólor *n.* 적외선 사진 (촬영), 의사(擬似) 색채법. **fálse-cólor** *a.*

fálse cólors *n. pl.* 가짜 국기 ; 정체를 속이는 것, 위장, 가짜 이름.
sail under false colors (배가) 가짜 국기를 달고[국적을 속이고] 항행하다 ; 정체를 속이다, 참된 자신을 속이고 행동하다.

fálse cóncord *n.* 〘文法〙 (성(性)·수·격 따위의) 불일치.

fálse fáce *n.* 가면《특히 우스꽝스러운》.

fálse-flàg *a.* 위장한.

fálse·héart·ed *a.* 불성실한, 배반하는.

fálse·hood *n.* **1** Ⓤ (일반적인 관념으로서의) 허위 (↔*truth*) (cf. FALSITY). **2** 거짓, 거짓말 (lie), 기만 : tell a ~ 거짓말을 하다.

類義語 ⟹ LIE².
fálse kéel *n.* 〖船〗 붙임 용골(龍骨).
fálse kéy *n.* 결쇠, 여벌 (열)쇠.
fálse posítion *n.* 오해받기 쉬운 입장, 귀찮은[자기 의도에 반대되는] 입장 : put a person in a ~ 남을 오해받기 쉬운 입장에 빠뜨리다.
fálse preténses | fálse preténces *n. pl.* 〖法〗 기만, (기만에 의한) 사기 취재(取財), 사취죄(詐取罪) ; (일반적으로) 허위의 표시 : obtain under ~ 사기쳐서 얻다.
fálse quántity *n.* 〖韻〗 (낭독 · 작시(作詩)에서) 모음 장단의 잘못, 음량의 잘못.
fálse relátion *n.* 〖樂〗 대사(對斜).
fálse repórt *n.* 오보.
fálse retúrn *n.* (납세 따위의) 부정 신고.
fálse stárt *n.* (경주의) 부정 출발 ; 잘못된 첫발[출발] : make a ~ 부정 출발하다.
fálse stép *n.* 헛디딤 ; 실책, 차질 : make[take] a ~ 발을 헛디디다 ; 실수하다.
fal·set·to [fɔːlsétou, 英+fɔl-] *n.* (*pl.* **~s**) 가성(假聲) (가수). —— *a., adv.* 가성의[으로].
fal·sét·tist *n.* 팔세토로 노래하는[말하는] 사람. 〚It. (dim.) 〈*falso* FALSE〛
fálse·wòrk *n.* Ⓤ 〖建〗 비계, 가설물, 발판.
fals·ie [fɔ́ːlsi, 英+fɔ́l-] *n.* [보통 *pl.*] 《口》 (가슴이 불룩하게 보이게 브래지어와 함께 착용하는) 패드 ; (남자의) 가짜 수염. 〚FALSE, *-ie*〛
fal·si·fi·ca·tion [fɔ̀ːlsəfəkéiʃən, 英+fɔ̀l-] *n.* Ⓤ,Ⓒ 위조, 변조 ; (사실의) 곡해 ; 허위의 입증, 반증, 논파(論破) ; 〖法〗 문서 위조, 위증.
fal·si·fy [fɔ́ːlsəfài, 英+fɔ́l-] *vt.* **1** (서류 따위를) 위조하다(forge) ; (사실을) 속이다, 왜곡하다, 속여 전하다 : ~ records[accounts] 기록[계산서]을 속이다 / ~ a story 이야기를 거짓으로[속여] 전하다. **2** …의 거짓[잘못]임을 입증하다, 논파하다. **3** (결과가 기대 따위에) 어긋나다.
—— *vi.* 《美》 거짓말하다, 속이다.
fál·si·fì·er *n.* 위조자, 거짓말쟁이, 곡해자. 〚F or L (*falsificus* making false)〛
fal·si·ty [fɔ́ːlsəti, 英+fɔ́l-] *n.* Ⓤ (특정한 것에 대해서) 사실에 위배되기 ; 허위(성) (cf. FALSEHOOD).
Fal·staff [fɔ́ːlstæ(ː)f ; -stɑːf, 英+fɔ́l-] *n.* 폴스태프. Sir **John** ~ 《Shakespeare의 *Henry IV*와 *The Merry Wives of Windsor*에 나오는 쾌활하고 재치가 있는 허풍선이 뚱뚱보 기사》.
Fal·stáff·ian *a.*
falt·boat [fɑ́ːltbòut, fɔ́ːlt- ; fǽlt-] *n.* 《美》 (고무를 입힌 범포(帆布)를 씌운) 접을 수 있는 카누의 일종. 〚G〛
fal·ter** [fɔ́ːltər, 英+fɔ́l-] *vi.* 넘어지다, 비틀거리다, 휘청거리다 ; (말을) 더듬다, 어물어물하다 ; 주저하다, 멈칫하다 ; (기력 · 효력 따위가) 약해지다, 둔해지다 : She ~*ed* in her speech. 더듬으며 말했다. —— *vt.* [+目+副] 더듬거리며 말하다 : ~ ***out one's thanks 더듬거리면서 고맙다는 말을 하다. —— *n.* 비틀거림 ; 주저 ; 말더듬, 머뭇거림. **~·er** *n.* **~·ing** *a.* **~·ing·ly** *adv.*
〚ME< ? ; *totter* 따위의 유추로 *falde* (FOLD¹) (obs.) to falter에서인가 ; cf. Icel. *faltrast*〛
類義語 ⟹ HESITATE.
fam. familiar ; family ; famous.
F.A.M. foreign airmail ; Free and Accepted Masons.
***fame** [féim] *n.* **1** Ⓤ 명예, 고명(高名), 명성, 저명(cf. NOTORIETY) : come to ~ = win[achieve] ~ 유명해지다 / the temple of ~ ☞ TEMPLE¹ 6. **2** Ⓤ 평판, 풍문, 소문 ; 《古》 세평 : good ~ 좋은 평판 / ill ~ 오명(汚名), 악평 / scholar *of* high ~ 고명한 학자. —— *vt.* [보통 수동태로] …의 명성을 떨치다, 유명하게 하다〈*for*〉 ; 《古》 …라고 전해지다, 소문내다. 〚OF<L *fama*〛
famed [féimd] *a.* **1** 《신문용어》 이름난, 유명한 (famous)〈*for*〉. **2** [+*to* do] (…이란) 소문이 나 있는 : He is ~ *as* a poet[*as* cruel, *to be* cruel]. 그는 시인으로[잔인하다는] 평판이 나 있다.
fa·mil·ial [fəmíljəl] *a.* 가족의 ; (질병이) 가족 특유의, 일가[가족]에 유전적인. 〚F ; ⇨ FAMILY〛
‡**fa·mil·iar** [fəmíljər] *a.* **1** 잘 알려져 있는 ; 통속적인, 흔히 있는, 일반적인(common) : a ~ voice 귀에 익은 목소리. **2** 잘 알고 있는 : He is ~ *with* the subject. = The subject is ~ *to* him. 그 문제에 통달해 있다 / He is ~ *to* me. 그 사람에 대해 잘 알고 있다(cf. 4). **3** 친숙한, 허물없는(intimate) ; 거북하지 않은, 탁 터놓은 : a ~ friend 친한 친구 / ~ letters (상업용 문구가 아닌) 일상[사교]문(文). **4** 너무 허물없이 구는 ; 뻔뻔스러운 : He is ~ *with* me. 나에게 너무 허물없이 군다(cf. 2). **5** (성적으로) 관계가 있는, 친밀한〈*with*〉. **6** (동물 따위가) 길들여진(domesticated) ; 가족의, 가족이 잘 방문하는.
make** oneself **familiar with …에 정통하다 ; …와 친해지다, 허물없이 대하다.
on familiar terms with …와 친숙해져서.
—— *n.* **1** 친구. **2** = FAMILIAR SPIRIT. **3** (어떤 것에) 정통한 사람, (어떤 곳을) 잘 방문하는 사람. **~·ly** *adv.* 친하게, 격의[스스럼]없이, 허물없이, 정답게. **~·ness** *n.*
〚OF<L ; ⇨ FAMILY〛
類義語 (1) ***familiar*** 가까운 사이 또는 서로 오랫동안 잘 알고 있기 때문에 친숙하거나 허물없는 ; 가족 사이에서 볼 수 있듯이 흉금을 털어놓거나 감추는 것이 없는 태도 또는 친한 사이를 암시함. ***intimate*** 상대방의 사고 방식 · 감정 따위를 잘 알 만큼 친숙한 사이인. ***confidential*** 서로가 신뢰감을 가지고 있는 ; 개인적인 비밀이나 괴로움 따위를 서로 털어놓을 수 있는 사이임을 암시함.
(2) ⟹ POPULAR.
famíliar ángel *n.* 수호신.
***fa·mil·iar·i·ty** [fəmiljǽrəti, -mìliǽr-] *n.* **1** Ⓤ 친밀(감), 친교. **2** Ⓤ 친숙(함), 허물없음 ; 무간함, 염치없음 : *F*~ breeds contempt. 《속담》 친할수록 예의를 지켜라. **3** [보통 *pl.*] 무간한 행위[거동] ; 음란한 관계. **4** Ⓤ 잘 알고 있는 일 ; 정통, 숙지(熟知)〈*with*〉.
famìliar·izátion *n.* Ⓤ 익숙[정통]하게 함, 일반[통속]화.
famíliar·ìze *vt.* **1** [+目+*with*+名] 친하게 하다, 익숙하게 하다, 숙지시키다 : My father has ~*d* me ***with*** computers. 아버지는 나를 컴퓨터에 익숙하게 해 주셨다 / You must ~ yourself *with* the rules before playing the game. 그 게임을 하기 전에 먼저 규칙을 잘 알지 않으면 안된다. **2** 《古》 통속화하다, 널리 퍼뜨리다, 보급시키다(popularize).
—— *vi.* 《古》 허물없이 행동하다, (…와) 격의 없이 사귀다.
famíliar spírit *n.* 심부름하는 마귀《마법사 · 마녀 따위의 시중을 듦》 ; (죽은 자의) 영혼.
fam·i·lism [fǽməlizəm] *n.* Ⓤ 가족주의 ; [때때로 F~] familist의 교리[관행].
fám·i·list *n.* [때때로 F~] 패밀리스트《16-17세기 유럽에서 유행한 신비주의적 기독교의 일파인 the

Family of Love(사랑의 벗, 사랑의 가족)의 교도(敎徒)》.

fa·mille jaune [*F* famij ʒoːn] *n.* 황색을 바탕으로 한 중국의 연채 자기(軟彩磁器). 〚F=yellow family〛

◇**fam·i·ly** [fǽməli] *n.* **1** (집안) 식구(household)《보통 부부·자녀·하인 등을 포함함》: ☞ HOLY FAMILY. **2** [때때로 복수취급] (한) 가족, 일가, 한 집안《부부와 그 아이들》; (한 집안의) 아이들 : the ~ that has just moved in 갓 이사를 온 가족 / He has *a* large ~. 그는 아이들이 많다 / Has he any ~? 그에게 아이가 있느냐 / My ~ *are* all very well. 저희 식구들은 모두 잘들 있습니다. **3** Ⓤ 일가, 일족, 가문 ; Ⓤ《주로 英》집안, 문벌(lineage), 명문 : a man *of* (good) ~ 명문 출신의 사람 / a man *of* no ~ 문벌이 낮은 사람. **4** 종족, 민족(race). **5** (어떤 공통적인 특질에 의해 관련된 민족 등의) 한 무리 : the ~ of free nations 자유 진영. **6**〔言〕어족(語族)(=linguistic ~) ;〔生〕(동식물 분류상의) 과(cf. CLASSIFICATION) ;〔化〕계열(series) : the dog ~ 개과(科). —— *a.* 가족의, 가정의 ; 가족에 적합한 : a ~ allowance 가족 수당 / a ~ butcher 단골 정육점 / a ~ car 자가용 차 / a ~ council 친족 회의 / a ~ friend 온 가족의 친구 / ~ life 가정 생활 / a ~ likeness[resemblance] 골육간의 닮음, 육친간의 유사점.

in a* [*the*] *family way 스스럼없이, 흉금을 터놓고 ;《口》임신하여(pregnant).

〈회화〉
How is your *family*? — They are very well, thank you.「가족들은 모두 평안하신지요」「덕분에 모두들 별고 없습니다」

〚L *familia* household ; ⇨ FAMULUS〛

fámily Bíble *n.* 가정용(用) 성서《가족의 출생·사망·결혼 따위를 기록하는 여백면이 있는 대형 성서》.

fámily brànd *n.*〔마케팅〕통일상표《같은 상표의 제품군(群)》.

fámily búdget *n.* 가계(家計).

fámily círcle *n.* **1** 한 가족(같은 사람들). **2**《美》(극장 따위의) 가족석.

fámily còurt *n.* 가정 법원.

fámily dóctor *n.* 가정의(醫)《한 가정의 단골 개업 의사》.

fámily gáng·ing *n.*《美》환자의 가족까지 불필요한 진찰을 하여 의료 보험료를 청구하는 부정(不正) 진료 행위.

fámily·gràm *n.*《美》(항해중인 해군 병사에게 오는) 가족 전보.

fámily hotél *n.* 가족용 할인 호텔.

fámily hóur *n.*〔美 TV〕=FAMILY VIEWING TIME.

fámily jéwels *n. pl.*《美卑》고환(testicles) ;《俗》집안의 수치스런 비밀, (특히) CIA의 비합법 활동.

fámily lífe cỳcle *n.*〔社〕가정 주기《결혼에서 사망까지의 가정의 생활 주기》.

fámily màn *n.* 가족[가정]이 있는 사람 ; 가정적인 남자, 외출을 싫어하는 사람.

fámily médicine *n.* 가족 의료(community medicine).

fámily náme *n.* **1** 성(姓)(surname)(☞ NAME *n.* 1 ㊟). **2** (가정에서 잘 쓰이는) 부르는 이름, 세례명(given name).

fámily plánning *n.* 가족 계획.

fámily práctice *n.* =FAMILY MEDICINE.

fámily practítioner *n.* =FAMILY DOCTOR.

fámily ròom *n.*《美》거실, (가정의) 오락실.

fámily-síze *a.* (가족 전체가 쓸 수 있는) 대형의, 쓸모가 있는 : a ~ car 대형의 가족용 차.

fámily skéleton *n.* (공표하기를 꺼리는) 집안의 비밀.

fámily stỳle *n.*《美》(음식을 각자가 따로따로 덜어 먹을 수 있게) 큰 그릇에 담기, 가족 방식. —— [ㄹㄹ] *a., adv.* 가족 방식의[으로].

fámily thérapist *n.* 가족 (심리) 요법의[사].

fámily thérapy *n.*〔精神醫〕(환자 가족까지 포함한) 가족 요법.

fámily trée *n.* 가계(家系), 계보(系譜), 족보.

fámily-trée thèory *n.* [the ~]〔言〕계통수(樹)설《개개의 언어는 조어(祖語)에서 분파한다는 이론》.

fámily víewing tìme *n.*〔美TV〕가족 시청 시간《미국 방송계에서 설정한 시간대(오후 7-9시)로 전가족에게 알맞은 프로그램을 방영》.

***fam·ine** [fǽmən] *n.* **1** 흉작 ; 기근 ; 심한 공복, 기아 : die of[suffer from] ~ 기근으로 죽다[괴로워하다]. **2** (물자의) 대결핍[부족], 물품 부족 : a water[coal] ~=a ~ *of* water[coal] 물[석탄] 기근. 〚OF (*faim*<L *fames* hunger)〛

fámine príces *n. pl.* (물품 부족으로 인한) 품귀 시세.

fam·ish [fǽmiʃ] *vt.* [보통 수동태로] 굶주리게 하다(starve) ;《古》아사시키다. —— *vi.* [動/+前+名] 굶주리다 ;《古》아사하다 : be ~*ing* ***for*** food 먹을 것에 굶주리고 있다 / I'm ~*ing*.《口》배가 고파 죽을 지경이다. 〚ME *fame* (⇨ FAMINE)+-*ish*〛

fám·ished *a.* 굶주린, 배가 고픈, 시장한. 類義語 ⟹ HUNGRY.

◇**fa·mous** [féiməs] *a.* **1** 유명한, 잘 알려진(well-known) : London is ~ *for* its fogs. 런던은 안개로 유명하다 / Brighton is ~ *as* a bathing place. 브라이턴은 해수욕장으로 유명하다. **2**《口》멋진, 굉장한(excellent) : a ~ performance 굉장한[멋진] 연기[연주] / That's ~! 멋지다! **3**《古》(나쁜 의미에서) 평판의, 유명한(notorious). **~·ly** *adv.* 유명하게 ;《口》굉장히, 훌륭하게 : He is getting on ~*ly* with his work. 일이 매우 순조롭게 진척되고 있다. **~·ness** *n.* 〚AF, OF<L ; ⇨ FAME〛

類義語 ***famous*** 사람·장소·물건·사건 따위가 널리 알려지거나 세상의 화제가 된[되어 있는] ; 현재 살아 있는 사람·존재하고 있는 것인 경우에는 늘 좋은 뜻으로 쓰임. ***renowned*** famous와 대체로 같은 뜻이나 명성이 오래 가거나 뛰어난 업적 따위에 대한 칭찬·명예의 기분이 강함. ***celebrated*** 사람 또는 사물이 공공의 명예나 칭찬을 받고 유명해진. ***noted*** 무언가 특별한 것 때문에 일반의 주의를 끌고있는 ; 반드시 장기간 유명하지 않아도 또는 좋은 일이 아니라도 됨. ***distinguished*** 같은 종류의 사람 또는 물건 중에서 특히 뛰어나서 잘 알려진. ***eminent*** distinguished보다 더욱 뛰어난 성질을 강조함. ***illustrious*** 빛나는 업적이나 아주 훌륭한 인품 따위로 널리 알려져 있는. ***notorious*** 현재는 좋지 않은 일로 유명한 경우에 쓰임.

fam·u·lus [fǽmjələs] *n.* (*pl.* **-li** [-lài]) (마술사·학자 등의) 조수, 제자. 〚L=servant〛

***fan**[1] [fæn] *n.* **1** 부채 ; 접는 부채 ; 선풍기(electric fan) ; 송풍기, 팬. **2** 부채꼴의 것《추진기의 날개·풍차의 날개·새 꽁지 따위》. **3** 풍구

F

(winnowing fan). **4** 〖野〗 삼진(三振). —— *v.* (**-nn-**) *vt.* **1** [+目/+目+副/+目+前+名] 부채로 부치다; 선동하다: ~ the flame ☞ FLAME *n.* 3 / He ~*ned* himself with his hat. 그는 모자로 부채질했다 / Please ~ the flies *away* (***from*** the sleeping baby). 부채질해서 파리를 (잠자는 아기에게서) 쫓아 주십시오 / Their dislike was ~*ned* ***into*** hate. 선동되어 그들의 혐오감(嫌惡感)은 증오로 변했다. **2** (바람이) 산들산들 불다: The breeze ~*ned* her hair. 산들바람이 그녀의 머리를 스쳤다. **3** 부채꼴로 펼치다. **4** 키질하여 가려 내다. **5** 《俗》〖野〗 삼진시키다. —— *vi.* **1** [動/+副] 부채꼴로 펴지다: The river ~*s out* near the river mouth. 강은 강어귀 가까이에서 부채 모양으로 퍼져 있다. **2** 《俗》〖野〗 삼진당하다.

fan the air 〖野〗 삼진당하다.

〖OE *fann*<L *vannus* winnowing basket〗

***fan²** *n.* 《口》 (영화·스포츠 따위의) 팬; 열성적인 애호가: a baseball[film] ~ 야구[영화]팬 / ~ mail 팬 레터.

〈회화〉

Which is your favorite pro-baseball team? — I'm a Dodgers *fan.* 「네가 좋아하는 프로 야구 팀은 어디니」「난 다저스팀의 팬이예요」

〖*fan*atic〗

F

fa·nat·ic [fənǽtik] *n.* 광신자, 열광자; 《口》 = FAN². —— *a.* 광신[열광]적인, 열중한.

〖F or L=inspired by god; ⇨ FANE〗

fa·nát·i·cal *a.* =FANATIC.

~·ly *adv.* 광신(狂信)[열광]적으로. **~·ness** *n.*

fa·nat·i·cism [fənǽtəsìzəm] *n.* Ⓤ 광신, 열광, 열중; Ⓒ 광신적인 행위.

fa·nat·i·cize [fənǽtəsàiz] *vt., vi.* 열광시키다[하다]; 광신시키다[하다].

fán·bàck *a.* (의자가) 부채꼴의 등이 있는.

fán bèlt *n.* (자동차의) 팬 벨트.

fán blòwer *n.* 선풍기, 송풍기.

fán·cied *a.* 상상에 의한, 가공(架空)의; 바람직한, 대망의, 편드는.

fán·ci·er *n.* **1** (꽃·개·새 따위의) 애호가, (상업적인) 사육자(cf. FANCY *vt.* 5): a bird ~ 애조가(愛鳥家). **2** 공상가(dreamer)〈*of*〉.

fán·ci·ful *a.* **1** 공상에 잠기는; 공상적인; 변덕스러운. **2** 기상천외의; (의장(意匠)이) 색다른, 기발한. **~·ly** *adv.* 공상적으로; 변덕스럽게; 기발하게. **~·ness** *n.*

類義語 ⟹ IMAGINARY.

fán·ci·less *a.* 상상[공상](력)이 없는[모자라는]; 무미 건조한.

fán·ci·ly *adv.* 공상[상상]을 자극시켜; 공들여, 화려하게 꾸며.

fán·ci·ness *n.* (과도한) 장식성《문체 따위》.

fán clùb *n.* (가수·배우 등의) 후원회.

Fan·có·ni's anémia [fɑːnkóuniz-, fæn-, -ŋk-] *n.* 〖醫〗 판코니 빈혈《악성 빈혈과 비슷한 어린이의 체질성 빈혈》. 〖Guido *Fanconi* (d.? 1940) 스위스의 소아과 의사〗

***fan·cy** [fǽnsi] *n.* **1** 상상(력), 공상(cf. IMAGINATION); 심상, 이미지. **2** 기상(奇想), 환상(illusion); 망상: the *fancies* of a poet. **3** [+*that* 節] 일시적인 생각; 변덕(whim): a passing ~ 일시적인 생각, 변덕 / I have a ~ *that* he won't come. 어쩐지 그는 오지 않을 것 같은 생각이 든다. **4** [a ~] 기호, 애호, 좋아함: He has *a* ~ *for* driv*ing*. 드라이브를 좋아한다 / They took *a* great ~ *to* each other. 서로가 무척 좋아하고 있었다 / catch[strike, please, suit, take] the ~ *of* …의 마음에 들다. **5** 좋아하는 일, 도락(hobby). **6** [the ~] 좋아하는 일에 관여하는 사람들, 호사가들, 도락을 같이하는 한패, (특히) 권투[동물] 애호가들.

after one***'s fancy*** 마음에 든.

to a person***'s fancy*** 남의 마음에 든.

—— *vt.* **1** [+目/+*that* 節/+目+補/+目+*to* do/+目+過分/+do*ing*] 마음에 그리다, 공상하다(imagine): We cannot ~ a life without electricity. 전기(電氣)가 없는 생활이란 생각도 할 수 없다 / *F*~ that, now! 자 생각해 봐요!, 그런 일이 다 있다니 (참으로 놀랍군)! / I *fancied* (*that*) the house was on fire. 집에 불이난 것처럼 느껴졌다 / She *fancies* herself beautiful. 자기 딴에는 미인이라 생각한다 / *F*~ yourself *to be* Gulliver. 자네가 걸리버라고 생각해보게 / You can ~ him surround*ed* by his books. 그가 책에 둘러싸여 있는 장면을 상상할 수 있을 것이다 / *F*~ his tell*ing* a lie! 설마, 그가 거짓말을 하다니! **2** [+*that* 節] (어쩐지) …이라는 생각이 들다, …라고 믿다(cf. RECKON *vt.* 3): I ~ he is about fifty. 그는 쉰 살쯤이라고 생각된다. 注 다음과 같은 so, not은 *that* 節을 대표한다: Do you ~ it's all right?—Yes, I ~ *so*[No, I ~ *not*]. 틀림은 없겠지—틀림없을 거야[아니 그렇지 않을지도 몰라]. **3** 《口》 자만하다, …라고 생각하다[믿다]: ~ one*self* 자만하다 / ~ one's game in bridge 브리지에서 자기가 이길 것이라고 자만하다. **4** 즐겨 먹다, 좋아하다, …이 마음에 들다(take a fancy to): Don't you ~ anything? 무언가 먹고 싶은 것 없니《환자 등에게 물을 때》. **5** (동·식물을) 도락으로 사육[재배]하다(cf. FANCIER 1). —— *vi.* [감탄사적으로] 상상[생각]해 봐요: Just[Only] ~! 한번[좀] 생각해 봐요 (놀라운 일이 아닌가)! —— *a.* [보통 *attrib.*로 써서] **1** 장식적인, 의장(意匠)에 공들인(elaborate) (↔*plain*): a ~ button 장식 단추 / a ~ necktie 의장에 공들인 넥타이 / a ~ waistcoat 색다른 무늬의 조끼. **2** 터무니없는, 엄청난(extravagant): at a ~ price 엄청난 가격으로. **3** 상상적인, 공상적인; 변덕스러운. **4** 교묘한, 뒤얽힌. **5** (꽃 따위) 여러가지 빛깔의; (동물 따위) 변종(變種)의, 애완[감상]용 (품종)의, 진귀한 품종의. **6** 극상(極上)의, 특선의(choice): ~ fruits 가장 좋은 품종의 과일. **7** (점포 따위) 특선품을 파는. **8** 고등 기술의, 곡예 기술의.

〖FANTASY〗

類義語 ⟹ IMAGINATION.

fáncy báll *n.* =FANCY DRESS BALL.

fáncy cáke *n.* 장식 케이크.

fáncy cút *n.* 다이아몬드 컷의 하나로 삼각형이나 별 모양의 컷.

fáncy Dán[dán] *n.* 《美俗》 멋쟁이; 펀치가 약한 기교파 권투 선수; 정부(情夫); 유객꾼.

fáncy díving *n.* 〖泳〗 곡예 다이빙.

fáncy dréss *n.* 가장 의상(假裝衣裳); 가장 무도회의 의상, 색다른 옷.

fáncy drèss báll *n.* 가장 무도회(fancy ball) (cf. MASQUERADE).

fáncy fáir *n.* 《英》 자선 바자《수예품·장신구 따위를 파는》.

fáncy-frée *a.* (남녀의) 사랑을 모르는; 순진한[천진스러운].

fáncy gòods *n. pl.* 방물, 장신구.

fáncy màn *n.* 《俗·戱·蔑》 애인, 정부(情夫),

기둥서방.
fáncy pànts *n.* [단수취급] 《俗》 뽐내는 남자, 멋쟁이(dandy) ; 나약한 사내아이.
fáncy·sìck *a.* 사랑으로 번민하는(lovesick).
fáncy wòman[gìrl, làdy] *n.* 《俗·戲·蔑》 정부, 첩 ; 갈보.
fáncy·wòrk *n.* Ⓤ 수예(품), 편물, 자수.
F and A fore and aft.
fán dànce *n.* 커다란 부채를 사용하여 혼자 추는 누드 댄스.
fan·dan·gle [fændǽŋgəl] *n.* 기발[괴이]한 장식.
fan·dan·go [fændǽŋgou] *n.* (*pl.* ~**s**, ~**es**) 판당고《스페인의 쾌활한 무용의 일종 ; 그 곡조》; 《美》 무도(회) ; (공공적으로 중대 결과를 초래하는) 어리석은 짓 ; 유치한[하찮은] 행위[이야기, 강연, 질의 응답 따위]. 〖Sp.〗
F and F furniture and fixtures (비품(備品)과 붙박이 가구).
fán·dom *n.* (스포츠 따위의) 모든 팬.
fane [féin] *n.* 《古·詩》 신전(神殿), 사원(temple) ; 예배당, 교회(church). 〖L *fanum*〗
fan·fare [fǽnfeər, -fæər] *n.* **1** 〖樂〗 화려한 트럼펫 (따위)의 합주, 팡파르. **2** Ⓤ (화려한) 과시, 허세. 〖F (imit.)〗
fan·fa·ro·nade [fæ̀nfærənéid, -nɑ́:d] *n.* 호언 장담, 허세 ; 〖樂〗 =FANFARE. 〖F<Sp.〗
fán·fòld *n.* (카본지를 끼운) 복사 용지 묶음.
fang [fǽŋ] *n.* **1** (육식 동물의) 송곳니, 견치(犬齒). **2** (뱀의) 독아(毒牙). **3** 치근(齒根) ; (작은 칼 따위의) 슴베(tang). —— *vt.* 엄니로 깨물다 ; (펌프에) 마중물을 붓다(prime). 〖OE<ON *fang* a grip ; cf. G *Fang*, OE *fōn* to seize〗
fánged *a.* 엄니[독아]가 있는, 어금니 모양의 돌기가 있는.
fan·gle [fǽŋgəl] *n.* 유행(fashion).
fán hèater *n.* 송풍식 전기 난로.
fan·i·mal [fǽnəməl] *n.* 《俗·戲》 경기장에서 날뛰는 스포츠 팬(fan). 〖*fan*+an*imal*〗
fán-jèt *n.* 〖空〗 팬제트《송풍기가 달린 제트 엔진 ; 추진 효율을 좋게 하기 위한 개량형(型)》; 팬제트기(機).
fán lètter *n.* 팬 레터.
fán·lìght *n.* 《英》 부채꼴의 들창[채광창](=《美》 transom)《창문·문 위에 냄》.
fán·lìke *a.* 부채꼴의.
fán màrker *n.* 〖空〗 부채꼴 위치 표지.
fán·ner *n.* 부채질하는 사람 ; 풍구 ; 선풍기, 통풍기, 송풍기 ; 키.

fanlight

Fan·nie, Fan·ny [fǽni] *n.* 여자 이름.
Fánnie Máe[Máy] *n.* 《美》 연방 저당권 협회(Federal National Mortgage Association)의 통칭 ; (동(同)협회에서 발행하는) 저당 증권.
fan·ny[1] [fǽni] *n.* 《俗》 엉덩이.
fanny[2] *n.*, *vt.* 《俗》 그럴듯한 말(로 구슬리다).
Fánny Ádams *n.* [때로 f~ a~] 《海俗》 통조림 고기, 스튜 ; [때로 Sweet ~, sweet f~ a~] 《俗》 (전혀) 없음(nothing at all)《略 F. A.》. 〖1867년경에 살해된 젊은 여자의 이름에서〗
fán pàlm *n.* 〖植〗 잎이 부채꼴인 야자나무.
fán-shàped *a.* 부채꼴의.
fan·tab·u·lous [fæntǽbjələs] *a.* 《俗》 믿을 수 없을 만큼 훌륭한. 〖*fan*tastic+f*abulous*〗
fantad ☞ FANTOD.
fán·tàil *n.* 부채꼴 꼬리 ; 〖鳥〗 공작비둘기 ; 〖木工〗 열장 장부촉(cf. DOVETAIL) ; 〖海〗 부채꼴의 선박 고물 ; 《英》 부채꼴 모자.
fan-tan [fǽntæ̀n] *n.* 판탄(番攤)《중국 도박의 일종》; 카드 놀이의 일종. 〖Chin.〗
fan·ta·sia [fæntéiʒiə, -ziə, fæ̀ntəzíə], **fan·ta·sie** [fæ̀ntəzí:, fɑ̀:n-] *n.* 〖樂〗 환상곡 ; 환상적 문학 작품《시·극 따위》. 〖It. ; ⇨ FANTASY〗
fan·ta·sist [fǽntəsəst, -zəst] *n.* **1** =FANTAST. **2** 환상곡[환상적 작품]을 쓰는 작곡가[작가].
fan·ta·size, phan- [fǽntəsàiz] *vt.* 꿈에 그리다. —— *vi.* 공상에 빠지다 ; 공상하다.
fantasm ☞ PHANTASM.
fan·tas·mo [fæntǽzmou] *a.* 《口》 매우 이상[기발]한 ; 기막히게 훌륭한[빠른, 높은 따위].
fan·tast [fǽntæst] *n.* 환상[몽상]가(visionary).
*__fan·tas·tic__ [fæntǽstik, fən-] *a.* 공상[환상]적인, 변덕스러운(capricious) ; 색다른, 기괴한, 이상한(grotesque), 상상뿐인, 근거 없는(unreal). —— *n.* 《古》 공상가, 기상천외한 생각을 하는 사람, 기발한 인물. 〖OF<L<Gk. ; ⇨ FANTASY〗
類義語 ⟹ IMAGINARY.
fan·tás·ti·cal *a.* =FANTASTIC. ~**·ly** *adv.* ~**·ness** *n.*
fan·tas·ti·cal·i·ty [fæntæ̀stikǽləti, fən-] *n.* 공상적임, 허황됨 ; 변덕스러움 ; 기이함, 기발한 생각[착상].
fan·tas·ti·cate [fæntǽstəkèit, fən-] *vt.* 환상적으로 하다. **fan·tàs·ti·cá·tion** *n.*
fan·tas·ti·cism [fæntǽstəsìzəm, fən-] *n.* 이상한[기괴한] 것을 좋아함 ; 별남.
fantástic líterature *n.* 공상[환상] 문학.
fan·ta·sy, phan- [fǽntəsi, -zi] *n.* **1** Ⓤ,Ⓒ 종잡을 수 없는 상상, 공상, 환상 ; 변덕, 들뜬 마음(whim) ; Ⓒ 공상의 산물 ; 공상적인 작품, 판타지. **2** 〖心〗 백일몽 ; 〖樂〗 환상곡(fantasia). —— *vt.* 마음에 그리다, 상상하다. —— *vi.* **1** 공상에 빠지다 ; 백일몽을 꾸다. **2** 환상곡을 연주하다 ; 즉흥적으로 악기를 연주하다. 〖OF<L<Gk. *phantasia* appearance〗
類義語 ⟹ IMAGINATION.
Fan·ti, -te [fǽnti, fɑ́:n-] *n.* (*pl.* ~, ~**s**) (아프리카 가나 지방의) 판티족(族) ; 판티어(語).
go Fanti (유럽인이) 현지의 관습에 적응하다.
fan·toc·ci·ni [fɑ̀:ntətʃí:ni, fæ̀n-] *n. pl.* (실·기계로 조종하는) 꼭두각시 인형(극). 〖It.〗
fan·tod [fǽntɑd], **-tad** [-tæd] *n.* 변덕스런 행동 ; [보통 *pl.*] 초조해 함, 안절부절 못함, 걱정, 고뇌, 고통 ; [the ~s] 애태우는 상태.
fantom ☞ PHANTOM.
fán tràcery *n.* 부채꼴 천장의 장식 격자.
fán wìndow *n.* 부채꼴 창.
fán·wìse *adv.*, *a.* 부채를 펼친 것처럼[과 같은], 부채꼴로[의] : hold cards ~ 카드를 부채꼴로 펴 들다.
F.A.N.Y. 《英》 First Aid Nursing Yeomanry (응급 간호사 부대).
fan·zine [fǽnzi:n] *n.* (SF 따위의) 팬 대상 잡지. 〖*fan*[*fan*(tasy)]+maga*zine*〗
FAO, F.A.O. Food and Agriculture Organization. **F.A.P.** first aid post. **FAQ, F.A.Q., f.a.q.** fair average quality(중등품).
F.a.q.s. fair average quality of the season(당(當)계절 중등품).
faquir, faqir ☞ FAKIR[1].
◇**far** [fɑ́:r] *adv.* (**farther, further ; farthest, furthest**) (↔*near*) **1** [장소] 멀리에, 아득히, 먼 데

로 : ~ ahead 저 앞쪽에 / wander ~ 멀리 방랑하다 / It takes two days to go so ~ on foot. 그렇게 멀리 걸어서 가려면 이틀은 걸린다. 㶊 《口》에서는 흔히 의문문·부정문에서 쓰이며 긍정문에는 a long way 따위를 쓰는 것이 보통 : *How* ~ is it to the station? — *Not* ~. 정거장까지 어느 정도 걸립니까 — 멀지 않습니다 / The bank is on the corner, *not* ~ from the church. 은행은 교회에서 그리 멀지 않은 길모퉁이에 있다(cf. We went *a long way.*). **2** [시간] 오래 : ~ into the night 밤늦게까지. **3** [정도] 훨씬, 현저히(cf. MUCH 1 ; VERY 1 㶊) : ~ back 훨씬 뒤[옛날]에 / ~ different 현저하게 다른 / ~ distant 《文語》 훨씬[대단히] 먼 / ~ and away ☞ 숙어. 㶊 VERY 와는 달리 비교급도 수식할 수 있음(cf. *by* FAR) : Iron is ~ (=much) heav*ier* than wood. 쇠는 나무보다 훨씬 더 무겁다. **4** [명사적으로] : from ~ 멀리서 / from ~ and near 사방에서, 도처에서(cf. FAR *and near*) / by ~ ☞ 숙어.

as*[*so*] *far as (*prep.*) (어디)까지 《부정문에서는 보통 not so ~ as》; (*conj.*) …만큼, …까지, …하는 한(限) : I went *as* ~ *as* Jinhae. 진해까지 갔다 / I didn't go *so*[때때로 *as*] ~ *as* Jinhae. 진해까지는 가지 않았다 / *as*[*so*] ~ *as* I know 내가 아는 한(에서는) / *as* ~ *as* the eye can reach 시선이 닿는[바라볼 수 있는] 한 / *so*[*as*] ~ *as* he is concerned ☞ CONCERN 숙어 / *as*[*so*] ~ *as* it goes ☞ GO 숙어.

by far 훨씬, 단연《최상급, 때로는 비교급을 수식함》: better *by* ~ 훨씬 좋은 / *by* ~ the best 뛰어나게 좋은, 발군(拔群)의 / Skating and skiing are *by* ~ the most popular winter sports. 스케이트와 스키는 단연 인기가 있는 동계 스포츠다.

far and away 훨씬, 단연(far의 강조형 ; 비교급·최상급과 함께 씀》: This bridge is ~ *and away* the longest among the five. 5개의 교량 중에서 이 교량이 단연 길다.

***far and near*[*nigh*]** 도처에(cf. *adv.* 4).

far and wide 멀리서, 널리, 두루.

far away 멀리, 저 먼 곳에(cf. FARAWAY) : He lives ~ *away* beyond the hill. 그는 언덕 너머 저 멀리에 살고 있다.

Far be it from me to do …하려는 마음 따위는 나에게 전혀 없다.

far between 드문(infrequent) (cf. *few and* FAR *between*).

far from... 조금도 …않는(not at all) ; …하기는커녕《전혀 반대》(cf. *nowhere* NEAR ; so[1] *far from* do*ing*) : *F*~ *from* reading the letter, he did not open it. 편지를 읽기는커녕 아직 개봉도 하지 않았다 / *F*~ *from* it. 그것과는 반대다, 그렇지는 않다.

> **far from의 문장 전환**
> He is *far from* happy.
> → He is *anything but* [*by no means, not at all, not in the least*] happy.
> (그는 결코 행복하지는 않다.)

far gone = FAR-GONE (cf. GO *far*).

far off 멀리에, 훨씬 저쪽에(= ~ away) (cf. FAR-OFF) : The day may not be too ~ *off* when world peace will come. 세계 평화가 찾아올 날이 그리 멀지 않은지도 모른다.

few and far between 극히 드물게(cf. FAR-BETWEEN) : Pedestrians along this road are *few and* ~ *between.* 이 도로를 지나는 보행자는 극히 드물다.

go far ☞ GO.

go so far as to do ☞ GO.

go too far ☞ GO.

in so far as... (…하는) 한에서는.

in the far distance ☞ DISTANCE.

so far = ***so far forth*** = ***thus far*** 여기[이제]까지(는) : He has read many books *so* ~. 이제까지 수많은 책을 읽어 왔다 / *So* ~ so good. 이제까지는 모든 일이 잘 되었다.

so far as = *as* FAR *as.*

> 〈회화〉
> Where does he live? — Not *far from* here, actually. 「그는 어디에 살고 있습니까」「실은 여기에서 멀지 않습니다」

—— *a.* [비교급은 *adv.*와 같음] **1** 《보통 文語》 먼, 멀리로의(distant) (↔*near*) : a ~ country [journey] 먼 나라[여행]. **2** (양자(兩者) 중에서) 보다 먼, 멀리의(more distant) : the ~ side of the room 방 저쪽편. **3** (정치적으로) 극단의.

a far cry ☞ CRY.

〚OE *feor*(*r*) ; cf. G *fern*〛

類義語 ***far*** 거리·시간·관계 따위가 막연하게 멀리 떨어져 있는 : a *far* country (멀리 떨어져 있는 나라). ***distant*** 멀리 떨어져 있으나 그 거리가 어떤 일정한 것일 때 사용됨 : The town is about a hundred miles *distant* from Boston. (그 도시는 보스턴에서 약 100마일의 거리에 있다). ***remote*** 화제가 되어 있는 장소[것·사람]로부터 멀리 떨어져 있는 : a *remote* village to us (우리에게서 멀리 떨어져 있는 마을).

far. farad ; farriery ; farthing.

FAR 《美》 Federal Aviation Regulation(연방 항공 규칙) ; 〚美軍〛 Federal Acquisition Regulation(연방 조달 규정). **F.A.R.** Federation of Arab Republics.

far·ad [fǽrəd] *n.* 〚電〛 패럿《전기 용량의 실용 단위 ; 기호 F, f》. 〚↓〛

far·a·day [fǽrədèi, -di] *n.* 〚電〛 패러데이(상수) 《전기 분해에 쓰는 전기량의 단위 ; 기호 F》.

Faraday *n.* 패러데이. **Michael** ~ (1791-1867) 영국의 물리·화학자.

Fáraday cùp *n.* 〚理〛 패러데이 컵《하전(荷電) 입자를 포착하여 그 종류·하전량의 방향을 결정하는 장치》.

fa·rad·ic [fərǽdik, fæ-], **far·a·da·ic** [fæ̀rədéiik] *a.* 〚電〛 유도[감응] 전류의.

far·a·dism [fǽrədizəm] *n.* 〚電〛 유도 전류 ; 〚醫〛 유도 전류 요법.

far·a·di·za·tion [fæ̀rədəzéiʃən ; -dai-] *n.* Ⓤ 〚醫〛 유도 전류 요법을 행하기 ; 〚電〛 =FARADISM.

far·a·dize [fǽrədàiz] *vt.* 〚醫〛 유도[감응] 전류 요법을 쓰다.

***fár·awày** *a.* **1** 멀리의, 먼 곳의(distant) ; 먼《장래·옛날》; (소리 따위) 멀리서 들려오는. **2** (얼굴 표정·눈초리가) 멍한(abstracted), 꿈꾸는 듯한(dreamy) ; 황홀한.

fár báck *n.* 〚美蹴〛 파 백《경기가 전개되는 반대 방향에 위치하는 공격측의 백 ; ↔*near back*》.

fár-betwèen *a.* 극히 드문.

far·blon·(d)jet [fɑːrblɔ́(ː)ndʒət] *a.* 《美俗》 혼미[혼란]한.

farce [fɑ́ːrs] *n.* **1** 소극(笑劇), 익살극, 광대극 (cf. COMEDY). 㶊 문학의 유형으로서는 Ⓤ로도 다룸. **2** Ⓤ 우스꽝스러움, 해학, 익살. **3** 어리석은 흉내, 연극. **4** 〚料理〛 소, =FORCEMEAT. —— *vt.*

1 (연극·연설 따위에 익살·해학미 따위를) 곁들이다, 더하다⟨*with*⟩. 2 《廢》 (거위 따위)에 소를 넣다. 〖F=stuffing<L *farcio* to stuff; 「막간의 익살극」의 뜻〗

far·ceur [fɑːrsə́ːr; *F* farsœːr] *n.* (*fem.* **-ceuse** [*F* -sœːz]) 광대; 소극(笑劇) 작가; 익살꾼, 괘사스러운 사람.

far·cial [fɑ́ːʃəl] *a.* =FARCICAL.

far·ci·cal [fɑ́ːrsikəl] *a.* 익살맞은; 희극적(的)인; 우스꽝스러운, 어리석은. **~·ly** *adv.* 우스꽝스럽게, 희극적으로, 어리석게. **far·ci·cal·i·ty** [fɑ̀ːrsikǽləti] *n.* Ⓤ 익살맞음.

fár córner *n.* 멀어서 남의 눈에 뜨이지 않는 곳.

far·cy [fɑ́ːrsi] *n.* Ⓤ 〔獸醫〕 (말의) 비저병(鼻疽病); (소의) 치명적 만성 방선균증.

far·del [fɑ́ːrdl] *n.* 《古》 다발, 묶음; 무거운 짐(burden).

***fare** [fέər, fǽər] *n.* **1 a)** (열차·전차·버스·배 따위의) 운임, 요금: a railroad[taxi] ~ 철도 운임[택시 요금] / a single[double] ~ 편도(片道)[왕복] 운임. **b)** 승객(passenger). **2** Ⓤ 음식물(food), 식사: good[coarse] ~ 진수 성찬[검소한 음식]. **3** (극장 따위의) 상연물, 상연 작품, (텔레비전 따위의) 프로그램 내용. **4** 《古》 상태, 정세, 운.

—— *vi.* **1** 《詩》 [動/+副] 가다(go), 여행하다(travel): ~ *forth* on one's journey 여행을 떠나다. **2** 《文語》 **a)** [+副] (사람이 잘·잘못) 살아가다, 지내다(get on): *How* did you ~ during the vacation? 휴가중엔 어떻게 지냈습니까. **b)** [비인칭 주어 it을 사용하여] [+副/+*with*+名] (일이 잘·잘못) 되어가다, 진척되다(turn out): *It* has ~*d ill*[*well*] ***with*** them. 그들은 일이 잘못[잘] 되었다 / *How* did *it* ~ *with* him? 그는 어떻게 지냈느냐. **3** 《文語》 [+副] 먹다; 음식을 대접받다(be entertained): ~ *well*[*ill, badly*] 맛있는[맛없는] 것을 먹다.

Fare you well! 《古》 =FAREWELL!

go farther and fare worse (너무) 지나치게 하여 도리어 낭패를 보다.

〖OE *fær* and *faru* journey, *faran* to go; cf. G *fahren*〗

類義語 ⟹ PRICE.

Fár Éast *n.* [the ~] 극동《원래 영국에서 본 한국·일본·중국 등지》.

Fár Éastern *a.* 극동의: ~ Air Force 미(美) 극동 공군.

fáre·bòx *n.* 《美》 (지하철·버스 따위의) 요금함.

far·er [fέərər, fǽər-] *n.* [보통 복합어를 이루어] 나그네, 여행자: sea*farer*, way*farer*.

fáre stàge *n.* 《英》 (버스 따위의) 동일 요금 구간(의 종점).

fáre-thee-wèll, fáre-you-wèll, -ye- *n.* 《口》 [보통 다음 구로]: to a ~ 완전히, 완벽하게, 최고도로; 철저하게; 끝까지.

***fàre·wéll** *int.* 잘 가거라[있거라]!, 안녕! (Goodbye!): *F*~ *to* arms! 무기여 잘 있거라! 《전쟁은 이제 싫다는 뜻》 / *F*~ till we meet again! 다시 만날 때까지 안녕!

—— *n.* **1** Ⓤ,Ⓒ 작별, 고별(leave-taking); 고별의 인사(말); (여행 가는 사람·퇴직자 등을 위한) 송별 파티, 송별회: bid ~ to...=take one's ~ of …에게 작별(의 인사를) 하다 / make one's ~*s* 이별의 인사를 하다. **2** 《俗》 뒷맛(aftertaste).

—— *a.* 고별의: a ~ address 고별사(辭) / a ~ performance 고별 공연[흥행] / a ~ dinner 송별연 / a ~ present 송별 선물.

〈회화〉
Are you going to attend Tom's *farewell* party?—Sure. 「톰의 송별회에 참석할거니」 「물론이지」

—— *vt., vi.* (…에게) 이별을 고하다; 《濠》 …을 위해 송별회를 열다.

fár-fámed *a.* 널리 알려진.

fár·fétched *a.* 가능성[관련]이 희박한, 억지 쓰는, 무리한, 부자연스런(forced).

fár-flúng *a.* 《文語》 (영토 따위) 널리 퍼진, 광범위한; 멀리 떨어진.

fár-fòrth *adv.* 아주 멀리; 극도로.

fár-góne *a.* (병세 따위가) 상당히 진척된, 악화된; 몹시 취한; 빚이 늘어난.

fa·ri·na [fəríːnə] *n.* Ⓤ 곡식 가루(flour); 꽃가루(pollen); 분말(powder); 녹말(starch); 《주로 英》 감자의 녹말. 〖L (*far* corn)〗

far·i·na·ceous [fæ̀rənéiʃəs] *a.* 곡식 가루의; 가루가 생기는; 전분질의; 〔植·昆〕 가루 같은.

far·i·nose [fǽrənòus] *a.* 가루 모양의; 곡식 가루를 내는; 가루투성이의; 〔植·昆〕 흰 가루로 덮여 있는. **~·ly** *adv.*

fár·kle·bèrry [fɑ́ːrkəl-, 英+-bəri] *n.* 〔植〕 검은 열매가 열리는 월귤나무속(屬)의 작은 관목.

farl, farle [fɑ́ːrl] *n.* 《스코》 (귀릿가루나 밀가루로) 살짝 구워 만든 둥근 케이크.

Fár Léft *n.* [the ~] 극좌(極左).

◇**farm** [fɑ́ːrm] *n.* **1** 농지, 농장, 농원(cf. RANCH); 농가: run a ~ 농장을 경영하다 / work *on* the ~ 농장에서 일하다(cf. work *in* the FIELDs) / a dairy ~ 낙농장 / ☞ HOME FARM. **2 a)** 사육장, 양식장: a chicken ~ 양계장 / an oyster ~ 굴 양식장. **b)** 탁아소. **3** 〔史〕 조세 징수 청부 제도; (그 제도로) 하청된 지역. **4** 《美》 〔野〕 팜 팀 (=∠ **tèam**) 《대(大)리그 소속의 제2군 팀》; (기름 따위의) 저장소[시설]; 《英卑》 교도소 부속 진료소.

—— *vt.* **1** (토지를) 경작하다(cultivate); 소작하다; 농장에서 (가축 따위를) 사육하다: He ~*s* 300 acres. 300에이커의 토지를 경작하고 있다. **2** (조세·요금 따위의) 징수를 청부맡다. **3** 요금을 받고 (유아·가난한 사람 등을) 돌보다. —— *vi.* 경작[축산]하다, 농사짓다, 농장을 경영하다: My uncle ~*s* in Canada. 아저씨는 캐나다에서 농장을 경영하고 계신다.

farm out (1) (토지·시설 따위를) 빌려주다; (조세·요금의) 징수를 하청주다; (일을) 본점[모(母) 공장]에서 외부로 하청주다. (2) 《美》 〔野〕 (선수를) 제2군 팀에 맡기다.

〖OF *ferme*<L *firma* fixed payment; ⇨ FIRM[1]; ME는 「차지(借地)」 「토지를 빌려줌」의 뜻〗

fárm bèlt *n.* 농업 지대; [때때로 F~ B~] 미국 중서부의 곡창지대.

fárm blòc *n.* 《美》 농민 연맹《하원의 각 정당 의원으로 구성된 농민이익 대표단》.

◇**fárm·er** *n.* **1** 농장주; 농부(agriculturist) (cf. PEASANT): a landed[tenant] ~ 자작[소작]농. **2** (조세 따위의) 징수 청부인. **3** 유아를 맡아 돌보는 사람.

fármer chèese *n.* 파머 치즈《전유(全乳) 또는 일부 탈지유로 만든 고형 치즈; cf. COTTAGE CHEESE》.

farm·er·ette [fɑ̀ːrmərét] *n.* 《美口》 농장의 여자 일꾼.

fármers' coóperative *n.* 농업 협동 조합.

fárm·ery *n.* 농장(시설)《건물 따위를 포함함》.

F

—— *a.* 농장 같은.

farm·ette [fɑːrmét] *n.* 소(小)농장《구획된 땅에 농장이 딸린 주거》.

fárm-frèsh *a.* (농산물이) 농장[산지] 직송의.

fárm·hànd *n.* **1** 농장 노동자, 소작인. **2** 〖野〗 팜(farm)팀 소속의 선수.

***fárm·hòuse** *n.* 농가, 농장 주택《보통 안채를 말하지만 농사(農舍)를 포함하여 말하기도 함 ; cf. FARMSTEAD》.

fárm·ing *n.* **1** Ⓤ 농업, 농작 ; 농장 경영 ; 사육 ; 양식. **2** Ⓤ (조세의) 징수 청부. —— *a.* 농업의 ; 농업용의 ; 농장의 : ~ implements 농기구.

fárm làborer *n.* =FARMHAND 1.

fárm·lànd *n.* Ⓤ 농지.

fárm mànagement *n.* 농업[농장] 경영.

fár·mòst *a.* 가장 먼(farthest).

fárm pròduce *n.* 농산물.

fárm schòol *n.* 《南아》 **1** 백인의 자녀가 다니는 초등학교《농장이 있고 경비는 주(州)정부 부담》. **2** 아프리카 흑인·유색 인종의 자녀가 다니는 초등학교《부지는 농장주 제공이며 교사 급료는 주정부 부담》.

fárm·stèad, -stéad·ing *n.* 농장《부속 건물을 포함》.

fárm stòck *n.* 농장 자산(資產)《가축, 농작물, 농기구 따위》.

fárm sùrpluses *n. pl.* 잉여 농산물.

fárm sỳstem *n.* 《美》〖野〗 메이저 리그 선수를 양성하기 위한 마이너 리그(minor league) 합동 운영제(制).

fárm·yàrd *n.* 농장 구내, 농가의 마당《주택·곳간·외양간 따위로 둘러싸임》.

far·ne·sol [fɑ́ːrnəsɔ̀(ː)l, -sòul, -sɑ̀l] *n.* 〖化〗 파르네솔《향수의 원료》.

〖O. *Farnese* (fl. 1600) 이탈리아의 추기경〗

faro [féərou, fǽər-] *n.* (*pl.* **~s**) Ⓤ 은행(銀行)《일종의 내기 카드 놀이》.

〖F *pharaon* PHARAOH ; 하트의 킹의 호칭인가〗

Faroe Islands, Faroes ☞ FAEROE ISLANDS.

fár-óff *a.* 저 먼, (시간적·공간적으로) 아득히 먼 ; 먼 미래[옛날]의 ; 건성의.

fa·rouche [fərúːʃ] *a.* 무뚝뚝한, 붙임성 없는, 수줍어하는 ; 거친. **~·ness** *n.*

〖OF<L (*foras* out of doors)〗

fár-óut *a.* 매우 멀리 떨어진 ; 《口》 현실과 동떨어진, 관행을 깬, 《美口》 (음악 따위) 참신한, 전위적(前衛的)인, 멋있는 ; 열중하고 있는.

—— [⌐⌐] *n.* far-out한 것.

fár pòint *n.* 〖醫〗 (눈의) 원점(遠點)《명시(明視)할 수 있는 최원점(最遠點)》.

far·rag·i·nous [fərǽdʒənəs] *a.* 뒤범벅이 된, 뒤섞은, 잡동사니의.

far·ra·go [fərɑ́ːgou, -réi-] *n.* (*pl.* **~es, ~s**) 잡동사니, 뒤범벅(mixture)〈*of*〉.

〖L=mixed fodder (*far* corn)〗

fár-ránging *a.* (조사 따위가) 광범위한 ; 장거리에 걸친.

fár-réach·ing *a.* (영향 따위) 멀리까지 미치는, (계획 따위) 원대한.

fár-réd *a.* 〖理〗 (적외선 스펙트럼의) 원(遠)적외선 부분의《적색에서 가장 먼[가까운]》.

far·ri·er [fǽriər] *n.* 《주로 英》 **1** 편자공(工). **2** 수의사《특히 말 의사》.

〖OF<L (*ferrum* iron, horseshoe)〗

far·ri·ery [fǽriəri] *n.* **1** 《英》 Ⓤ 편자술(術) ; Ⓒ 편자 공장. **2** Ⓤ 《古》 수의술(術).

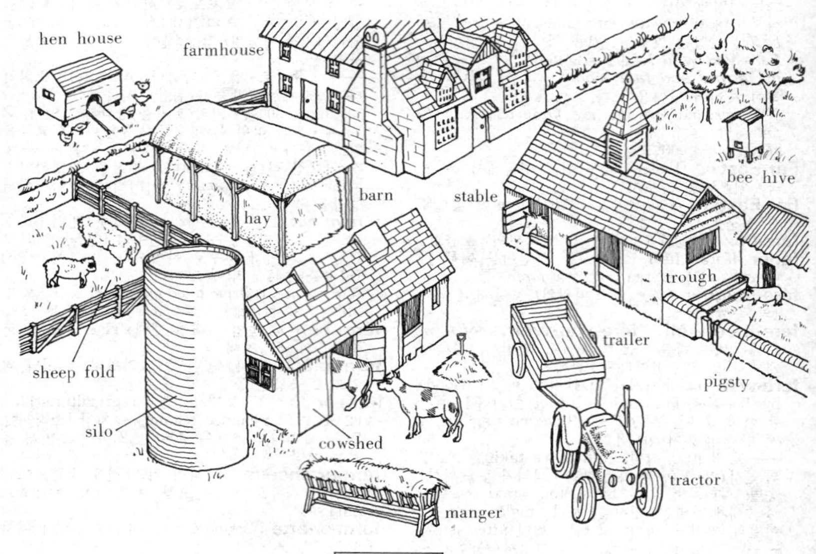

farmyard

Fár Ríght *n.* [the ~] 극우(極右).
fár-ríght zéalot *n.* 극우 광신자[애국자].
far·row[1] [fǽrou] *n.* 한 배의 돼지 새끼 ; (돼지의) 분만. —— *vt.* (돼지 새끼를) 낳다. —— *vi.* (돼지가) 새끼를 낳다⟨*down*⟩.
〖OE *fearh, færh* pig ; cf. G *Ferkel* ; IE에서는 PORK와 같은 어원〗
farrow[2] *a.* (암소가) 새끼를 배지 않은.
〖ME＜MDu.〗
far·ru·ca [fərú:kə] *n.* 플라멩코의 일종. 〖Sp.〗
fár·sée·ing *a.* 선견 지명이 있는 ; 먼 데를 잘 보는 (farsighted).
fár síde *n.* [the ~] 먼 쪽, 저편, 건너편, 뒤쪽.
on the far side of …의 저쪽에 ; …(세(歲))의 고개를 넘어(beyond).
fár·síght·ed *a.* 먼 데를 잘 보는 ; 〖醫〗 원시의 ; 선견 지명이 있는, 분별이 있는, 탁견(卓見)이 있는, 현명한(longsighted) (↔*nearsighted*).
~·ly *adv.* **~·ness** *n.*
fart [fá:rt] *n.* 《卑》 방귀 ; 시시한 놈, 변변치 않은 놈, 싫은 녀석 ; (아무 쓸모도 없는) 방귀 같은 것 ; [부정 구문] 조금도, 전혀. —— *vi.* 방귀뀌다.
〖OE 《美》 *feortan* ; cf. OHG *ferzan*〗
‡**far·ther** [fá:rðər] *adv.* [FAR의 비교급] **1** 더욱 멀리, 더 앞에 : I can go no ~. 이제 이 이상 (앞으로는) 못 가겠다 / No ~ ! 이제 됐다 !, 이젠 충분해 ! / I'll see you ~ (＝further) first. 《戲》 딱 질색이다. **2** [보통 further를 써서] 게다가, 또한, 더욱이(moreover).
farther on 더욱더 앞[뒤]에.
go farther and fare worse ☞ FARE.
—— *a.* [FAR의 비교급] **1** 더 먼[앞의] : the ~ shore 건너편 강기슭, 대안(對岸). **2** [보통 further] 더 앞선(more advanced), 한층 뒤의 (later) ; 그 위의, 그 이상의(additional, more) : a ~ stage of development 더욱 발전한 단계 / Have you anything ~ to say? 무언가 더 할 말이 있느냐 / make no ~ objection 더 이상 반대하지 않다.
until [***till***] ***farther*** (＝further) ***notice*** ☞ FURTHER *a.* 3.
㊟ further와의 차이 ☞ FURTHER ㊟.
〖FURTHER〗
fárther·mòst [, -məst] *a.* 가장 먼(farthest).
‡**far·thest** [fá:rðəst] *adv., a.* [FAR의 최상급] 가장 멀리[먼] ; 최대한으로[의].
at (***the***) ***farthest*** (아무리) 멀더라도, (아무리) 늦더라도 ; 기껏해야.
〖FURTHEST〗
far·thing [fá:rðiŋ] *n.* **1** 파딩《영국의 작은 청동 주화로 1/4 penny ; 1961년 폐지》. **2** [부정구문] 조금, 소량 : be *not* worth a (brass) ~ 한 푼의 값어치도 없다 / I do*n't* care a ~. 조금도 개의치 않는다. 〖OE *fēorthing* ; ⇨ FOURTH〗
far·thin·gale [fá:rðəngèil, -ðiŋ-] *n.* 파딩게일 《16-17세기경 여성의 스커트를 부풀리게 하기 위하여 사용》 ; 파딩게일로 부풀린 스커트.
〖C16 *vard-, verd-* ＜F＜Sp. (*verdugo* rod)〗
fart·lek [fá:rtlek] *n.* 파르틀렉《자연 환경 속에서 급주(急走)와 완주(緩走)를 반복하는 훈련 방법》 ; ＝INTERVAL TRAINING.
〖Swed.＝speed play〗
Fár Wést *n.* [the ~] (미국의) 극서부 지방《로키 산맥에서 태평양 해안까지》.
FAS 〖컴퓨〗 flexible assembling system 《플렉시블 조립 시스템 ; 소량 다품종의 생산에 적합한 융통성 있는 자동 조립 시스템》; fetal alcohol syndrome. **FAS, F.A.S.** firsts and seconds ; Foreign Agricultural Service. **F.A.S., FAS, f.a.s.** 〖商〗 free alongside ship (선측 인도).
fasc. fascicle.
FASCAM [fǽskæm] *n.* 〖軍〗 살포형(型) 지뢰 패밀리. 〖*fa*mily of *sc*atterable *m*ines〗
fas·ces [fǽsi:z] *n. pl.* [흔히 단수 취급] 〖古로〗 (막대기 다발 사이에 도끼를 끼우고 묶어서 만든) 권위 표지《집정관 등 고관의 선구가 되는 lictor가 받들고 다녔음》.
〖L (pl.) ⟨*fascis* bundle〗

fasces

Fa·sching [fá:ʃiŋ] *n.* (특히 남부 독일·오스트리아의) 사육제 (주간), 카니발.
fas·cia, fa·cia [féiʃiə, fǽʃiə ; féiʃə] *n.* (*pl.* **-ci·ae** [-ʃii:], **~s**) **1** 끈, 띠. **2** [féi-] 〖建〗 처마 돌림. **3** [fǽʃiə] 〖解〗 근막(筋膜) ; 〖動〗 색대(色帶) ; 〖醫〗 붕대. **4** [보통 facia] (상점 정면 상부의) 간판 ; [보통 facia] [féi-] 《英稀》 (자동차의) 계기반(＝∠ **bòard**). 〖L＝band, doorframe〗
fas·ci·ate, -at·ed [fǽʃièit(əd)] *a.* 띠로 묶은, 동여맨 ; 〖植〗 대화(帶化)의, 이상 발육으로 납작해진 ; 〖動·植〗 띠 무늬가 있는, 색대가 있는.
fas·ci·a·tion [fæ̀ʃiéiʃən, -si-] *n.* 띠로 묶음 ; 붕대 감기 ; 〖植〗 이상 발육에 의한 대화(帶化).
fas·ci·cle [fǽsikəl] *n.* 작은 다발 ; 밀추화서(密錐花序) ; (꽃·잎 따위의) 총생(叢生) ; (서적의) 분책(分册) ; 〖解〗 섬유속(纖維束).
〖L (dim.) ⟨FASCES〗
fas·cic·u·lar [fəsíkjələr, fæ-] *a.* 〖植〗 속생(束生)의, 총생(叢生)의 ; 〖解〗 섬유속(纖維束)의.
fas·cic·u·late [fəsíkjələt, -lèit, fæ-], **-lat·ed** [-lèitəd] *a.* ＝FASCICULAR.
fas·cic·u·lus [fəsíkjələs, fæ-] *n.* (*pl.* **-li** [-lài]) 〖解〗 (힘줄이나 신경의) 작은 다발 ; 분책.
*__fas·ci·nate__ [fǽsənèit] *vt.* **1** [＋目/＋目＋前＋名] 매혹하다, 뇌쇄하다(charm), …의 혼을 빼앗다 : The visitors were ~*d* by the flowers in his garden. 방문객들은 그의 정원의 꽃에 넋을 잃었다 / He was ~*d* ***with*** her beauty. 그녀의 아름다움에 마음을 빼앗겼다. **2** (뱀이 개구리 따위를) 노려보아 꼼짝 못하게 하다, 노려보아 기를 죽이다. **3** 《古》 마력으로 꼼짝 못하게 하다. —— *vi.* 매혹하는 힘을 갖추고 있다, 매력적이다.
〖L (*fascinum* spell)〗
類義語 ⟹ ATTRACT.
*__fás·ci·nàt·ing__ *a.* 매혹적인, 넋을 잃게 하는(것 같은), 굉장히 재미있는[아름다운].
~·ly *adv.*
fas·ci·na·tion [fæ̀sənéiʃən] *n.* **1** Ⓤ 매혹, 황홀한 상태 ; (뱀이) 노려보기 ; 매력, 요염함 ; (최면술의) 감응. **2** 매력이 있는 것.
fás·ci·nà·tor *n.* 매료하는 것 ; 마법사 ; 매혹적인 여성.
fas·cine [fæsí:n, fə-] *n.* 〖築城〗 섶보《포루(砲壘) 따위의 흙이 흘러내리지 못하게 함》; 〖軍〗 (참호의 측벽 따위를 튼튼하게 하는) 섶[나무] 다발 : a ~ dwelling 유사(有史) 이전의 호상(湖上) 가옥. —— *vt.* 섶보로 보강하다[덮다].
fas·cism [fǽʃizəm, fǽs-] *n.* [때때로 F~] Ⓤ 파시즘, 독재적 국가 사회주의《Mussolini를 당수로 하였던 이탈리아 국수당(國粹黨)의 주의 ; cf. NAZISM》. 〖It. (*fascio* bundle, organized group ; ⇨ FASCES)〗

F

fa·scis·mo [fɑːʃízmou] *n.* (*pl.* **~s**) [때때로 F~] =FASCISM.

fas·cist [fǽʃəst, fǽs-] *n.* [때때로 F~] (이탈리아의) 파시스트 당원(cf. BLACKSHIRT); 파시즘 신봉자, 국수주의자, 파쇼. —— *a.* [때때로 F~] 파시스트당의[에 속한]; 파시즘적인, 파시즘 신봉의; 파시스트 당원의.

Fa·scis·ta [fəʃístə, fɑːʃíːstɑː] *n.* (*pl.* **-ti** [-tiː]) 파시스트 당원; [*pl.*] 파시스트당. 〖It.〗

fas·cis·tic [fəʃístik, -sís-] *a.* **1** [F~] 파시스트당(원)의; 파시즘의. **2** 파시즘을 신봉하는.

fa·scis·tize [fǽʃəstàiz, fǽs-] *vt.* 파시즘[파쇼]화하다. **fà·scis·ti·zá·tion** *n.* 파쇼화, 파시즘화.

FASE 〖컴퓨〗 fundamentally analyzable simplified English(간이 영어).

fash [fǽ(ː)ʃ] *vt.* 《스코》 괴롭히다, 난처하게 하다; 화나게 하다: ~ oneself 고민하다; 성내다.
—— *vi.* 괴로워 하다.
—— *n.* 괴로움, 고민, 걱정; 성가신 사람[것].

***fash·ion** [fǽʃən] *n.* **1** Ⓤ 만들기, 만듦새, 양식, 형, 스타일(style, shape); 종류. **2 a)** Ⓤ,Ⓒ 방법, …식, …풍(manner, mode): the ~ of his speech 그의 말투 / *in* (a) similar ~ 같은 식으로, 똑같이 / do a thing *in* one's own ~ 자기식으로 하다. **b)** [명사+(-)~ 로 부사적 용법]: walk crab-~ 게처럼 (옆으로) 걷다. **3** Ⓤ,Ⓒ 유행(vogue), 유행하는 형, 시대적인 기호; 유행의 양식; (특히) 상류 사회의 풍습: follow the ~ 유행을 따르다 / follow the latest ~*s* (복장 따위의) 최신의 유행을 따르다 / lead the ~ 유행의 첨단을 가다[걷다] / set the ~ 유행을 만들어 내다 / It is no longer the ~ to get drunk after dinner. 만찬 후에 술에 취한다는 풍습은 지금은 사라졌다 / a man[woman] of ~ 상류[사교계] 인사[부인]. **4** [the ~] 인기 있는 인물[물건]: He is the ~. 그는 인기가 있다. **5** [the ~; 때때로 복수구문] 상류 사회(의 사람들), 유행계; 사교계(의 사람들): All the ~ of the town *were* present. 시내의 상류사회에 속하는 사람들이 모두 참석했다.

after*[*in*] *a fashion 어느 정도, 그럭저럭.
after the fashion of …을 모방하여, …식[풍]으로.
be all the fashion (복장·행동 따위) 매우 인기가 있다, 대유행이다.
bring*[*come*] *into fashion 유행시키다[하기 시작하다].
in* (*the*) *fashion 유행하고 있는, 현대식인.
out of* (*the*) *fashion 유행이 지나서: go *out of* ~ 유행이 지나다.

〈회화〉
Have you finished your project? — After a *fashion*. 「과제는 끝냈니」「그럭저럭」

—— *vt.* **1** [+目/+目+前+名] 조형(造形)하다(shape), 만들다: ~ clay ***into*** a vase 점토로 꽃병을 만들다 / He ~*ed* a boat ***out of*** a tree trunk. 나무 줄기로 보트를 만들었다. **2** 적응시키다, 맞추다(fit)〈*to*〉. **3** 《廢》 연구[계획]하다, 처리하다(contrive).
〖OF＜L *faction-* *factio*; cf. FACT〗

類義語 (1) (*n.*) ***fashion*** 어떤 시대의 어떤 특정한 장소 또는 사회에서 유행하고 있는[있던] 복장·습관·언어 따위의 형(型). ***style*** 때때로 fashion과 같은 뜻으로 쓰이지만 구별할 경우에는 다른 것과는 현저하게 다른 fashion, 특히 돈 또는 고상한 취미가 있는 사람들의 세련된 복장이나 생활 양식을 말함. ***mode*** 특히 어떤 시대의 복장·몸가짐 따위의 정도가 높은 fashion. ***vogue*** 특히 그 당시에 일반인에게 인기가 있는[있던] fashion.
(2) (*v.*) ⟹ MAKE.

***fash·ion·able** [fǽʃənəbəl] *a.* 유행의, 그 시대적인, 유행을 따르는; 유행[사교]계의; 상류 사회의; (사교인들이 모이는) 일류의: ~ clothing 유행하는 의상 / the ~ world 유행계, 사교계 / a ~ dressmaker[tailor] 상류 사회의 고객이 많은 양재사[양복쟁이]. —— *n.* 유행을 따르는 사람.
-ably *adv.* 그 시대에 맞게, 최신 유행대로, 유행을 따라, 멋을 내어.

fáshion bòok *n.* 유행[복장] 견본집.

fáshion-cònscious *a.* 유행에 민감한.

fáshion coòrdinator *n.* 패션 코디네이터《백화점·전문점·소매점 따위에서 색채·무늬·소재 따위를 토대로 복장을 조화있게 구성하거나 정리해 가는 일을 직업 또는 전문으로 하는 사람》.

fáshion desìgner *n.* Ⓒ 패션[복식(服飾)] 디자이너.

fáshion displày *n.* 최신 유행 의상 전시회.

-fásh·ioned *a.* …식[풍]의: old-~ 구식의.

fash·ion·ese [fæ̀ʃəníːz, -s] *n.* 패션계(界)의 용어[어법].

fáshion hòuse *n.* 패션 하우스《유행복을 디자인·제작·판매함》.

fáshion mòdel *n.* 패션 모델.

fáshion·mònger *n.* 유행 연구가; 유행을 따르는 사람.

fáshion plàte[**shèet**] *n.* 신형 복장도(圖), 유행 의장 복장도; 《口》 최신 유행하는 옷을 입고 있는 사람.

fáshion shòw[**paràde**] *n.* 유행 의상 전시회, 패션 쇼.

◇**fast**[1] [fǽ(ː)st; fɑ́ːst] *a.* **1** 빠른, 급[신]속한(↔ *slow*): a ~ train 급행 열차(↔*a slow train*). **2** 재빠른, 민첩한; 〖野〗 (투수가) 속구파인: a ~ worker[reader, pitcher] 민첩한[날랜] 일꾼[책을 빨리 읽는 사람, 속구(速球) 투수]. **3** 단기간의, 시간이 걸리지 않는, 시간을 요하지 않는; (시계가) 빠른, 더 가는: a ~ trip / Our clock is three minutes ~. 우리 시계는 3분 빨리 간다. **4** 고속(용)의; 고속으로 달릴 수 있는: a ~ highway 고속도로 / a ~ race track 급주로(急走路). **5** 〖寫〗 고속 촬영의. **6** 몸가짐이 단정치 못한, 방자한: a ~ liver 방탕아 / a ~ woman 몸가짐이 단정치 못한 여자 / lead a ~ life 방탕한 생활을 하다. **7** 《口》 구변이 좋은, 말뿐인. **8** 《美俗》 손쉽게 얻은[번]. **9** 고착된, 단단한, 흔들리지 않는(↔ *loose*): a stake ~ in the ground 단단히 땅속에 박힌 말뚝. **10** 굳게 닫힌, 꽉 매어진; (매듭·쥐는 힘 따위가) 단단한: The door is ~. 문이 굳게 닫혀 있다 / make a door ~ 문단속을 하다 / make a boat ~ 배를 잡아매다 / take (a) ~ hold on a rope 밧줄을 단단히 붙잡다. **11** 마음이 변치 않는, 충실한(constant): a ~ friend 변치 않는 친구 / ~ friendship 변치 않는 우정. **12** (색깔이) 바래지 않는: a ~ color 불변색.
—— *adv.* **1** 빠르게, 급속히(rapidly), 서둘러서(hurriedly): I ran to school as ~ as possible. 학교로 가능한한 빨리 달려갔다. **2** 자꾸자꾸, 연달아: Her tears fell ~. 눈물이 자꾸 쏟아졌다 / It was snowing ~. 눈이 계속 내리고 있었다. **3** 방탕하게. **4** 단단히, 굳게; 푹, 깊이《자다》: a door ~ shut 단단히 잠겨 있는 문 / be ~ bound by the feet 양쪽 발이 단단히 묶여 있다 / hold ~

by a rail 난간에 매달리다 / ~ asleep 숙면(熟眠)하여 / sleep ~ 숙면하다 / stand ~ 꿋꿋이 서다 ; 고수하다 / stick ~ 착 달라붙다, 점착하다.
live fast 방탕한 생활을 하다, 방탕에 빠지다 ; (무리한 일을 하여) 정력을 소모하다.
Fast bind, fast find. 《속담》 유비무환, 단속이 든든하면 잃을 걱정이 없다.
lay fast (사람을) 도망 못치게 하다, 감금하다.
play fast and loose (행동에) 주견[줏대]이 없다, 이랬다저랬다하다 ; 믿을 수 없다 ; (남의 애정 따위를) 농락하다(trifle)〈*with*〉.
〚OE *fæst* firm ; cf. G *fest*〛
類義語 ⟹ QUICK.

fast[2] *vi.* **1** [動/+前+名] (주로 종교상의 행사로서) 단식하다, 정진(精進)하다 : ~ ***on*** bread and water 빵과 물만으로 수도 생활을 하다. **2** 절식(絕食)하다(go without food) : I have been ~*ing* all day. 오늘은 하루 종일 아무것도 먹지 않았다. —— *vt.* 절식시키다. —— *n.* (주로 종교상의) 단식 ; 단식일 ; 단식 기간 : go on a ~ of ten days 10일간의 단식을 시작하다.
break one***'s fast*** 조반을 들다 ; 단식을 그치다 ; =BREAKFAST *v.*
〚OE *fæstan* ; cf. G *fasten*〛

fast[3] *n.* (배의) 매어놓는 밧줄, 계삭.
〚ME<ON=rope ; cf. FAST[1]〛

-fast *a. suf.* 「견디는」「내(耐)…성(性)의」의 뜻 : acid-*fast* 내산성(耐酸性)(의) / sun*fast* 햇빛에 견디는.

fást·bàck *n.* 《美》〔自動車〕 (뒷 부분이 유선형으로 된) 파스트백(의 자동차).

fást·bàll *n.* 〔野〕 (변화가 없는) 직구, 속구(速球) ; 《Can.》 파스트볼《소프트볼의 일종》.
fást bàll·er *n.* 〔野〕 속구 투수.

fást bréak *n.* 〔籠〕 속공(법).

fást-bréak·ing *a.* (이야기의 전개가) 급작스러운, 템포가 빠른.

fást bréeder, fást-bréed·er reàctor *n.* 〔原子力〕 고속 증식로《略 FBR》.

fást búck *n.* 《美俗·濠俗》 부정하게[손쉽게] 번 돈, 불로소득.

fást dày *n.* 〔宗〕 단식일, 재일(齋日).

‡**fas·ten** [fǽ(:)sn ; fɑ́:sn] *vt.* **1** [+目/+目+副/+目+前+名] 단단히 동여매다, 고정시키다, 단속하다 : ~ a door 문단속을 하다 / ~ a glove 장갑을 끼고 단추를 채우다 / We use pins to ~ things *together.* 물건을 고정시키는 데 핀을 쓴다 / The chest was ~*ed* ***up***. 상자는 못질이 되어 있었다 / The gate is ~*ed* ***to*** a post. 문은 기둥에 붙어 있다. **2** [+目+*on*+名] **a**) (시선 따위를) 물끄러미 향하다 : The child ~*ed* his eyes ***on*** the stranger. 그 아이는 낯선 사람을 물끄러미 바라보았다. **b**) (별명을) 붙이다 ; (죄를) 씌우다 ; (싸움을) 걸다 : ~ a quarrel (***up***)***on*** a person 남에게 싸움을 걸다 / He ~*ed* the blame *on* me. 나에게 그 죄를 뒤집어 씌웠다. —— *vi.* **1** [動/+前+名] (문 따위가) 닫혀지다 ; (자물쇠 따위가) 잠기다 ; 고정되다 : This window[clasp] will not ~. 이 창은[걸쇠는] 아무리 해도 잠겨지지 않는다 / Her skirt ~*s* ***along*** one side. 그녀의 스커트는 한쪽으로 채우게 되어 있다. **2** [+*on*+名] (…을) 붙잡다, (…에) 매달리다 ; (구실 따위로) 삼다 ; (남을 공격하기 위해) 점찍다 : ~ ***up***(***on***) an idea 어떤 생각을 받아들이다 / Her gaze ~*ed* (***up***)***on*** the jewels. 그녀의 눈길은 그 보석류에 집중되었다.
fasten down (상자 뚜껑 따위를) 못박아 붙이다 ; (의미 따위를) 확정하다 ; ☞ *vi.* 1.
fasten off (매듭·바늘 따위로 실을) 얽어매다.
fasten up 동여매다 ; 단단히 고정시키다[닫아버리다] ; 못질하다(cf. *vt.* 1).
〚OE *fæstnian* ; ⇨ FAST[1]〛
類義語 ***fasten*** 동여매거나 묶거나 또는 못·핀 따위를 박아 두거나 풀 따위로 접착시킴 ; 가장 의미가 넓은 말. ***tie*** 엄밀히는 끈, 밧줄 따위로 동여매다 : *tie* a dog to a post (개를 기둥에 매다). ***bind*** 두 개 이상의 것 주위에 밴드·끈 따위를 둘러서 매다[단단히 묶다] : *bind* a person's arms (남의 팔을 붙들어 매다). ***attach*** 두 개 이상의 것을 떨어지지 않게 꼭 붙여 한 개의 단위로 만들다 : *attach* a label to a parcel (소포에 짐표를 붙이다).

fásten·er *n.* 잠그는 사람[것·연장] ; 걸쇠, 죔쇠, 파스너, 지퍼(zipper), 클립(clip), 스냅 ; 책을 철하는 기구 ; 탈색 방지제.

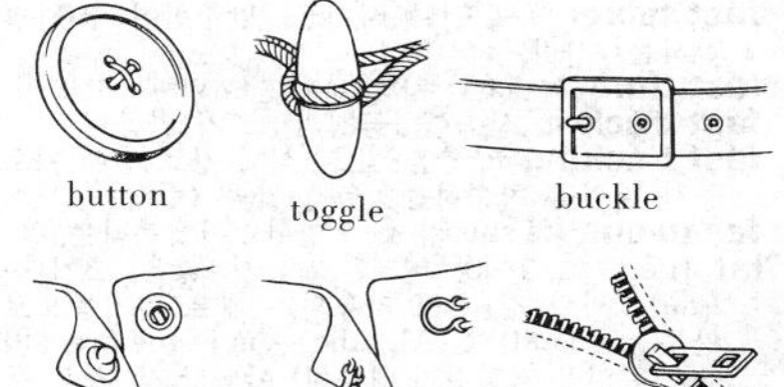

fastener

fásten·ing *n.* **1** Ⓤ 죄기, 고정시키기. **2** 죄는 기구, 고정시키는 쇠붙이《볼트·빗장·걸쇠·자물쇠·단추·훅·핀 따위》.

fást-fín·gered *a.* 손가락의 움직임이 빠른 ; 약삭빠른, 속임수의.

fást fóod *n.* 《美》 즉석 요리, 간이음식《즉석에서 먹거나 갖고 갈 수 있는 햄버거·핫도그·피자·프라이드 치킨 따위》.

fást-fóod *a.* 《美》 (식당 따위가) 간이 음식 전문의, 즉석 요리의 : a ~ restaurant chain 간이 식품 레스토랑 계열망.

fást(-)fórward *n.* (녹음 테이프·비디오 따위의) 빨리감기.

fást-grów·ing *a.* 급속히 성장하는 : the ~ economy 급성장하고 있는 경제.

fas·tid·i·ous [fæstídiəs, fə-] *a.* 까다로운, 괴팍스러운, 결벽한(hard to please) : ~ *in*[*about*] one's dress 옷에 까다로운. **~·ly** *adv.* 괴팍스럽게, 까다롭게, 결벽하게. **~·ness** *n.* Ⓤ 괴팍스러움, 결벽, 집착이 강함.
〚L (*fastidium* loathing)〛
類義語 ⟹ DAINTY.

fas·tig·i·ate [fæstídʒiət, -èit], **-at·ed** [-èitəd] *a.* **1** 원뿔처럼 끝이 뾰족한. **2** 〔動〕 원뿔 다발 모양의. **3** 원뿔 모양으로 직립한 가지를 지닌.

fas·tig·i·um [fæstídʒiəm] *n.* 〔醫〕 극성기(極盛期)《증상이 가장 뚜렷해지는 시기》; 〔解〕 (제4 뇌실의) 뇌실정(腦室頂).

fást·ing *n., a.* 단식(의).

F

fást·ish *a.* 상당히 빠른.

fást láne *n.* (도로의) 추월 차선.
 life in the fast lane 경쟁의 인생, 먹느냐 먹히느냐의 인생(rat race).

fást mótion *n.* 〖映〗 저속 촬영에 의한 움직임[동작]《실제보다도 빠르게 보임 ; ↔*slow motion*》.

fást-móving *a.* 움직임이 빠른, 고속의 ; (극·소설 따위의) 전개가 빠른.

fást·ness *n.* **1** Ⓤ 고착(固着), (색깔의) 정착(定着). **2** Ⓤ 신속, 빠름. **3** Ⓤ 몸가짐이 나쁨, 방탕. **4** 요새, 성채(stronghold) : a mountain ~ (산적 등의) 산채.

fást néutron *n.* 〖理〗 고속 중성자.

fást (néutron) reáctor *n.* 고속(중성자)로.

fást óne *n.* 《俗》 협잡, 사기, (경기 따위에서의) 불시의 공격.
 pull a fast one 감쪽같이 속이다〈*on, over*〉.

fást tálk *n.* 《美口》 (남을 입심 좋게) 구슬리기.

fást-tálk *vt., vi.* 《美口》 (입심 좋게) 구슬리다.

fást tálker *n.* 《美口》 사기꾼, 말주변이 좋은[말 잘하는] 사람.

fást tíme *n.* 《美》 =DAYLIGHT SAVING TIME.

fást-tráck *a.* 신속한, 급행의 : 조기 착공의.

fást trácking *n.* 〖建·土〗 (설계 완료 전에 기초 공사 따위를 착수하는) 조기 착공 (방식).

fas·tu·ous [fǽstʃuəs] *a.* 오만한 ; 허세부리는.

◇**fat** [fǽt] *n.* **1** Ⓤ 비계, 기름기 많은 고기(↔ *lean*) ; 지방(질) ; (요리용의) 패트《쇠기름으로 만듦 ; cf. LARD》 : (All) the ~ is in the fire. 《비유》 (큰일을 저질렀기 때문에) 야단날 것 같다, 무사히 끝날 것 같지 않다. **2** Ⓤ 가장 좋은[자양분이 풍부한] 부분. **3** Ⓤ,Ⓒ 〖化〗 지방 ; 비만. **4** 〖劇〗 (배우가 자기 재능을 보일 수 있는) 어울리는 역[대사].
 chew the fat ☞ CHEW.
 live on the fat of the land 〖聖〗 호화로운 생활을 하다《창세기 45 : 18》.
 —— *a.* (**fát·ter ; fát·test**) **1** (뚱뚱하게) 살찐, 비만(肥滿)한(↔*lean, thin* ; cf. STOUT) : a ~ woman (쇼 따위에 나오는) 아주 뚱뚱한 여자 / get ~ 살찌다 / run to ~ 살찌기 시작하다 / Laugh and grow ~. 《속담》 웃고 살쪄라《걱정은 몸에 해롭다 ; 소문 만복래》. **2** (전시용 또는 식용으로 하기 위해) 살찌운(fatted) : a ~ ox[sow] 비육 소[돼지]. **3** (고기가) 지방이 많은(↔*lean*). **4** (요리 따위) 기름진 : ~ soup 기름진 수프 / a ~ diet 기름진 식사. **5** (손가락 따위) 굵은, 땅딸막한(stumpy) ; (활자체가) 굵직한. **6** 부푼 ; 풍성한, 풍부한 : a ~ purse[pocketbook] 돈이 잔뜩 들어 있는 지갑. **7** 토지가 비옥한, 기름진(fertile). **8** 수입이 좋은, 벌이가 되는 : a ~ job[office] 돈벌이가 되는 일[자리] / a ~ benefice 수입이 많은 성직급(聖職給). **9** (어떤 성분을) 많이 포함한(rich). **10** 둔한, 우둔한(dull).
 a fat chance 《美俗·反語》 매우 희박한 가능성, 희망이 적음.
 a fat lot 《俗》 두둑히, 많이 ; 《反語》 조금도 …않는(not at all) : *A ~ lot* you know about it! 아무것도 모르는 주제에.
 cut it fat ☞ CUT¹ *v.*
 cut up fat ☞ CUT¹ *v.*
 —— *v.* (**-tt-**) *vt.* 기름지게 하다, 살찌게 하다(fatten). —— *vi.* 기름지다, 살찌다.
 kill the fatted calf 〖聖〗 환대할 준비를 하다《돌아온 탕아를 위해 살찐 송아지를 잡아 맞이한 아버지의 고사에서 ; 누가복음 15 : 23》.
 〚OE *fæt(t)* (p.p.) 〈*fǣtan* to cram ; cf. G *feist*〛

***fa·tal** [féitl] *a.* **1** 치명적인(mortal) : a ~ disease 불치의 병, 죽을 병 / a ~ injury[wound] 치명상 / The climate proved ~ *to* her health. 그 기후는 그 여자의 건강에 치명적이었다 / a ~ blunder 돌이킬 수 없는 큰 실수. **2** 운명의, 운명을 결정하는 ; 중대한, 결정적인. **3** 숙명적인, 면하기 어려운(inevitable) : The ~ hour has come. 와야 할[숙명의] 때가 왔다.
 the fatal shears 죽음《운명의 여신 중 한 명이 손에 가위를 쥐고 있는 데서 유래됨》.
 the fatal sisters 운명의 3여신(the Fates).
 the fatal thread 명수(命數), 수명《운명의 여신이 쥐고 있는 (운명의) 실 타래에서》.
 —— *n.* 치명적인 결말, (특히) 사고사.
 ~·ìsm *n.* Ⓤ 운명론, 숙명론. **~·ist** *n.* 운명[숙명]론자. **~·ness** *n.* 〚OF or L ; ⇨ FATE〛
 類義語 ⟹ MORTAL.

fà·tal·ís·tic *a.* 숙명(론)적인, 숙명론자의.
 -ti·cal·ly *adv.* 숙명(론)적으로.

fa·tal·i·ty [feitǽləti, fə-] *n.* **1** Ⓤ 불운, 불행 ; Ⓒ 재난, 참사(disaster). **2** (사고·전쟁 따위로 인한) 죽음, 사망(자)수 ; Ⓤ (질병 따위가) 치명적임, 불치〈*of*〉 : Traffic accidents cause many *fatalities.* 교통 사고로 죽는 사람이 많다. **3** Ⓤ 숙명, 운명 ; 인연 ; 숙명론.

fatálity ràte *n.* 사망률.

fátal·ly *adv.* 치명적으로 ; 숙명적으로.

fa·ta mor·ga·na [fáːtɑː mɔːrgáːnɑː] *n.* [때때로 F~ M~] (이탈리아 메시나 해협에 나타나는 이상한 형태의) 신기루(mirage) ; 《비유》 환상, 환영(illusion). 〚It.〛

fát·bàck *n.* 돼지의 옆구리 위쪽의 비계《보통 소금에 절여 말림》 ; 〖魚〗 =MENHADEN.

fát-bràined *a.* 저능한, 어리석은.

fát cát *n.* 《美俗》 정치 자금 따위를 많이 헌납하는 부자[후보자] ; 특권 혜택을 받는 부자 ; 거물(巨物) ; 현상에 만족하는 무기력한 사람.

fát cèll *n.* 〖解〗 지방 세포.

fát cíty *n.* 《美俗》 더할 나위 없는 상태[상황] : I'm in ~. 나는 기분이 아주 좋다.

fát-contròlled *a.* 기름기를 억제한《특별식 따위》 : a ~ diet 저(低)지방의 식이 요법.

***fate** [féit] *n.* **1** Ⓤ 운명, 숙명 : He intended to retire from active life, but ~ had decided otherwise. 그는 사회 활동에서 은퇴할 예정이었으나 운명이 그것을 허락하지 않았다《그렇게 되지 못할 형세였다》. **2 a)** (개인·국가 따위의) 운명, 운 : decide[fix, seal] a person's ~ 남의 운명을 결정하다 / It was his ~[His ~ was] to live a lonely life. 고독한 인생을 보내야 할 운명이었다. **b)** 비운, 파멸, 죽음 : go to one's ~ 최후를 마치다, 파멸하다. **c)** (사물의) 되어가는 형세, 최종 결과, 결말, 최후(end). **3** [the F~s] 운명의 3여신《인간의 생명의 실을 잣는 Clotho, 그 실의 길이를 정하는 Lachesis, 그 실을 끊는 Atropos》.
 (as) sure as fate 확실한 ; 확실하게.
 meet** one's **fate (1) 최후를 마치다, 죽다. (2) 자기 아내가 될 여자와 만나다.
 —— *vt.* [+目+*to* do/+*that* 節] [보통 수동태로] 미리 운명 지우다(destine) : I *was ~d to* be unhappy. 불행하게 될 운명이었다 / It *is ~d that* we should remain here. 아무튼 여기에 남아 있지 않으면 안된다. 〚It. and L *fatum* that which is spoken (neut. p.p.)〈*farior* to speak〛
 類義語 ***fate*** 사람의 힘으로 좌우하기 어려운 요인에 의하여 사건의 진행이 결정적이며 피할 수 없는 것 ; 주로 불행한 운명을 말하며 destiny,

doom보다 일반적이며 의미가 약함 : It was his *fate* to be exiled. (추방될 운명이었다). ***destiny*** 초자연적 또는 필연적으로 사건의 진행을 피하기 어려운 일 ; 흔히 좋은 결과를 암시 : It was her *destiny* to become famous. (유명해질 운명이었다). ***doom*** fate 또는 destiny에 의하여 당하게 되는 불행한[무서운] 결과 : He met his *doom* bravely. (용감하게 최후를 마쳤다). ***portion*** fate에 의한 것으로 여겨지는 공평한 운명의 할당. ***lot*** 제비로 정해지듯이 맹목적이고 평생 계속되는 운.

fat·ed [féitəd] *a.* 운명지어진 ; 운이 다한.

fáte·ful *a.* 숙명적인 ; 불길한 ; 운명을 결정하는 ; 예언적인 ; 중대한 ; 치명적인(fatal). **~·ly** *adv.*

fát fàrm *n.* 《美口》 =HEALTH SPA.

fath. fathom.

fát·hèad *n.* 얼간이, 바보(fool).

◇**fa·ther** [fɑ́:ðər] *n.* **1** 아버지, 부친 : Like ~, like son. 《속담》「부전자전」/ The child is ~ *of* [*to*] the man. 《속담》 어린이는 어른의 아버지, 「세살적 버릇이 여든까지 간다」. **2** 아버지로 추앙받는 사람 : The king is the ~ of his country. 국왕은 나라의 아버지. **3** [때때로 F~s] (초기 교회의) 교부(敎父). **4** [the F~] 하느님 아버지, 신(神), 천제(天帝) (God). **5** [보통 *pl.*] 조상, 선조 (forefather) : be gathered to one's ~*s* 죽다 (die) / sleep with one's ~*s* 죽어 있다(be dead). **6 a**) 시조(始祖), 창시자(founder) ; 창조해 내는 사람[것], 원천(源泉), 근원 : The wish is ~ *to* the thought. 《속담》 바라고 있으면 그렇게 되는 것같이 생각되는 법이다. **b**) [the F~s] 《美》 =PILGRIM FATHERS ; =FOUNDING FATHERS. **7** 《존칭》 신부(神父), 수도원장, …사, 교부, 대사(大師) ; 고해 신부(father confessor) : the Holy *F~* 로마 교황 / Most Reverend *F~* in God 대주교(archbishop)의 존칭 / Right Reverend *F~* in God 주교(bishop)의 존칭. **8** [*pl.*] (마을·시·읍 따위의) 최연장자 ; 장로, 고참자 : the *F~* of the House 최고참 의원 / ~*s* of a city 시의 장로들. **9** 작자, 저자.

the Early Fathers = ***the Fathers*** (***of the Church***) 초기 기독교의 교부들.

the Father of his Country 《美》 = George WASHINGTON.

the Father of History =HERODOTUS.

the Father of lies 마왕(魔王) (Satan).

the Father of Medicine =HIPPOCRATES.

the Father of the Constitution 《美》 =James MADISON.

the Father of the Faithful =the CALIPH.

the Father of Waters =the MISSISSIPPI River.

— *vt.* **1** …의 아버지가 되다 ; (아버지로서) 자식을 보다(beget) ; 아버지로서 돌보다, …에 대해 아버지답게 처신하다. **2** 창시하다, (계획 따위를) 시작하다. **3** …의 아버지[작자]로 정하다. **4** [+目+*on*+名] (사람[저작물]을 …의) 자식[작(作)]이라고 말하다, …의 부친[저작]의 책임을 (…에) 씌우다 : This article has been ~*ed* (***up***)***on*** him. 이 논설은 그가 쓴 것으로 되어 있다. — *vi.* 아버지처럼 남을 돌봐주다.

〖OE *fæder* ; cf. G *Vater*, L PATER ; *-th-*는 r앞에서 d가 [ð]로 변화된 결과 ; *mother, weather* 따위 참조〗

Fáther Chrístmas *n.* 《英》 =SANTA CLAUS.

fáther conféssor *n.* 〔카톨릭〕 고해 신부(confessor) ; 사사로운 일을 털어놓을 수 있는 사람.

fáther fìgure *n.* 아버지 대신이 될 만한 사람, 신뢰할 만한 지도자.

fáther·hòod *n.* Ⓤ 아버지임, 아버지의 자격, 부권(父權).

fáther ìmage *n.* 이상(理想)적인 아버지 상(像) ; =FATHER FIGURE.

fáther-in-làw *n.* (*pl.* **fáthers-in-làw**) **1** 장인, 시아버지. **2** 《口·稀》 =STEPFATHER.

fáther·lànd *n.* 조국 ; 선조의 땅.

fáther·less *a.* **1** 아버지가 없는 : a ~ child 아버지를 잃은 아들 ; 사생아. **2** 작자 불명[미상]의.

fáther·lìke *a., adv.* =FATHERLY.

fáther·ly *a.* 부친의, 아버지로서의 ; 아버지다운 ; 자부(慈父)와 같은(cf. PATERNAL). — *adv.* 아버지답게. **-li·ness** *n.* 아버지다움 ; 부성애.

Fáther's Dày *n.* 《美》 아버지 날《6월의 세째 일요일 ; cf. MOTHER'S DAY》.

fáther·shìp *n.* 아버지의 신분[자격].

Fáther Thámes *n.* 템스 강《의인화》.

Fáther Tíme *n.* 때의 신(神)《낫(scythe)과 모래시계(hourglass)를 가진 노인으로 의인화》.

fath·om [fǽðəm] *n.* **1** (*pl.* **~s**, ~) 패덤, 길《1.83 m ; 6피트》; 《英》 패덤《나무의 절단면이 6제곱 피트되는 목재의 양명(量名)》 : a harbor six ~(*s*) deep 6패덤 깊이의 항구 / The vessel lies sunk in dozens of ~*s*. 그 배는 수십 패덤 밑에 가라앉아 있다. **2** 이해, 통찰. — *vt.* **1** (물의) 깊이를 재다(sound). **2** (사람의 마음 따위를) 추측하다, 간파하다, 이해하다.

〖OE *fæthm* (length of) the outstretched arms ; cf. G *Faden*〗

fáthom·able *a.* 잴 수 있는 ; 헤아릴 수 있는.

Fa·thom·e·ter [fæðɑ́mətər, fǽðəmmì:tər] *n.* 음향 측심기(測深器)《상표명》.

fáthom·less *a.* (깊은 바다 따위) 잴 수 없는, 깊이를 알 수 없는 ; 이해할 수 없는, 알 수 없는.

fáthom lìne *n.* 〔海〕 측연선(測鉛線).

fa·tid·ic, -i·cal [feitídik(əl), fə-] *a.* 예언의, 예언적인.

fat·i·ga·ble [fǽtigəbəl, fətí:gə-] *a.* 쉽게 지치는.

fa·tigue** [fətí:g] *n.* **1** Ⓤ 피로, 지침. **2** [때때로 *pl.*] (힘든) 일, 노고〈*of*〉. **3** Ⓤ 〔機〕 (재료의) 약화《반복되는 작용으로 약화되기》. **4** 〔軍〕 잡역 ; 작업반 ; [*pl.*] 작업복. — *a.* 〔軍〕 잡역[작업]의 : a ~ cap 작업모 / ~ clothes[dress] 작업복 / ~ duty (정규 근무 이외의) 잡역 / a ~ party 작업반. — *vt.* **1** [+目/+目+前+名] 지치게 하다 : I was ~*d* ***with work[*with sitting* up all night]. 일로[철야를 하여] 지쳐 있었다. **2** 〔機〕 (금속을) 약하게 하다. — *vi.* 〔工〕 강도를 떨어뜨리다, 피로하다 ; 〔軍〕 잡역[작업]을 하다.

〖F<L *fatigo* to exhaust〗

類義語 ⟹ TIRED.

fa·tígued *a.* 피로한, 지친.

fatígue jàcket *n.* 〔美軍〕 사역용 재킷.

fatígue·less *a.* 지치지 않는 ; 피로를 모르는.

fatígue lìmit *n.* 〔工〕 피로 한도.

fatígue strèngth *n.* 〔工〕 (재료의) 피로 강도.

fatígue tèst *n.* 〔工〕 (재료의) 피로 시험.

fa·tígu·ing *a.* 지치게 하는, 고된 : a ~ day (일로) 지치는 날 / ~ work 고된 일.

fát lámb *n.* 《N. Zeal.》 (수출 냉동육용의) 비육(肥肉) 양새끼.

fát·less *a.* (고기가) 지방이 없는, 비계가 없는, 살코기의.

fát líme *n.* 부석회(富石灰).

fát·ling *n.* 비육(肥育) 가축《식육용으로 살찌게 한 송아지·양새끼·돼지 새끼 따위》.
fát lòad *n.* 《CB俗》 중량 초과 화물.
fát·ly *adv.* 살쪄; 서투르게, 미련스럽게.
fát-mòuth [-ð] *vi.* 《美俗》 (행동은 하지 않고) 말만 하다.
fát·ness *n.* Ⓤ 비만(肥滿); 기름짐; 비옥함.
fats [fæts] *n.* **1** [F~; 단수취급] 뚱뚱보《별명》. **2** [복수취급] 살찌운 가축.
fat·so [fǽtsou] *n.* (*pl.* **~es, ~s**) 《俗·蔑》 뚱뚱보(fatty)《호칭》.
fát-sòluble *a.* 〘化〙 (비타민 따위가) 유지에 용해되는, 지용성(脂溶性)의.
fát sùcking *n.* 〘醫〙 지방 흡인(吸引)《미국 등지에서의 비만자에 대한 수술법; 턱·배 따위에 가는 흡인관을 삽입하여 지방을 흡수함》.
fát·ted *a.* 살찌운.
fat·ten [fǽtn] *vt.* (식육용으로 가축을) 살찌게 하다; (땅을) 기름지게 하다; 풍성하게 하다, 크게 하다. ── *vi.* 살찌다, 커지다; 비옥하다. 〚FAT〛
fátten·ing *a.* 살찌게 하는, 먹으면 살찌는.
fát·ti·ness *n.* 지방질; 기름기; 〘醫〙 지방(질) 과다(성).
fát·tish *a.* 조금 살이 찐, 약간 뚱뚱한.
fát·ty *a.* 지방질의; 기름진; 지방 과다(증)의; 〘化〙 지방성의. ── *n.* 《口》 뚱(뚱)보.
fát·ti·ly *adv.* 〚FAT〛
fátty ácid *n.* 지방산(脂肪酸).
fátty degenerátion *n.* 〘醫〙 (세포의) 지방 변성(變性).
fátty líver *n.* 〘醫〙 지방간(肝).
fátty óil *n.* 〘化〙 지방유(fixed oil).
fa·tu·i·tous [fætjúːətəs] *a.* 어리석은, 우둔한. **~·ness** *n.*
fa·tu·i·ty [fətjúːəti] *n.* Ⓤ 어리석음, 우둔; Ⓒ 어리석은 말[행위]. 〚↓〛
fat·u·ous [fǽtʃuəs] *a.* **1** 얼빠진, 우둔한. **2** 어리석은, 저능의. **~·ly** *adv.* 얼빠져, 멍청히. 〚L *fatuus* foolish〛
fat·wa [fʌ́twaː] *n.* 처형[암살] 지령《이슬람교를 모독한 이단자 암살 명령》.
fát wèek *n.* 《美俗》 주간지의 특대호.
fát-wítted *a.* 우둔한, 멍청한.
fau·bourg [fóubuər; -buəg; *F* foburː] *n.* (특히 파리의) 교외, 근교(近郊); (도시의) 지구.
fau·cal [fɔ́ːkəl] *a.* 인후(咽喉)의; 〘音聲〙 후두음(喉頭音)의. ── *n.* 〘音聲〙 후두음.
fau·ces [fɔ́ːsiːz] *n. pl.* [보통 단수 취급] 〘解〙 구협(口峽)《구강에서 인두(咽頭)로의 통로》.
***fau·cet** [fɔ́ːsət, 美+fɑ́ːs-] *n.* 《美》 (수도·통의) 물 꼭지, 마개, 콕(=《英》 tap, cock): turn on [off] a ~ 수도 꼭지를 틀다[잠그다]. 〚OF *fausset* vent peg<Prov. (*falsar* to bore)〛
fau·cial [fɔ́ːʃəl] *a.* 〘解〙 구협(口峽)의.
faugh [pɸː, fɔː] *int.* (미움·경멸을 나타내어) 피!, 허! 〚imit.〛
Faulk·ner, Falk- [fɔ́ːknər] *n.* 포크너. **William** ~ (1897-1962) 미국의 소설가.
‡fault [fɔːlt, 英+fɔlt] *n.* **1** 흠, 결점, 단점(defect): People like her in spite of her ~*s*. 그녀는 결점이 있음에도 남의 호감을 산다 / I can find no ~ in him. 그에게는 결점이 없다, 흠 잡을 데 없는 인물이다 / There is a ~ in the machine [glass]. 그 기계[유리]에는 결함[흠]이 있다. **2** 잘못(mistake); 과실, 실책, 실수(misdeed); 폴트《테니스 따위에서 서브를 잘못하기》: ~*s of* grammar 문법상의 오류 / commit a ~ 과오를 범하다 / ☞ FOOT FAULT. **3** Ⓤ (과실의) 책임, 죄(blame): acknowledge one's ~ 자기의 잘못을 인정하다 / The ~ is mine. 죄는 나에게 있다 / It was his ~ that they were late. 그들이 늦은 것은 그 남자 때문이었다. **4** 〘地質〙 단층; 〘電〙 장애, 고장; 누전(漏電)(leakage). **5** Ⓤ 〘사냥〙 (사냥개가) 냄새 자취를 잃음.

〈회화〉
It's his *fault*. — Could be. 「그의 잘못이에요」 「그럴지도 모르지」

at fault (1) (사냥개가) 냄새 자취를 잃고; 《비유》 어찌할 바를 모르고, 당황하여〈*for*〉. (2) 나쁜, 잘못되어 (있는); 죄가 있는(in fault).
***find fault* (*with*. . .)** (…의) 흠을 잡다, (…을) 비난하다, 꾸짖다(cf. FAULTFINDING): I have no ~ *to find with* him. = He has no ~ *to find with*. 그는 흠 잡을 데가 없다.

find fault with의 ○×
(×) He is always *finding faults of* his superiors.
(그는 상사의 허물만을 늘어놓고 있다.)
(○) — finding fault with로 고친다.
＊이 의미에서는 fault는 항상 단수.

in fault 나쁜, 책임이 있는; 잘못된: I am very much *in* ~. 전적으로 내가 나쁘다.
to a fault 결점이라고 해도 될 만큼, 극단적으로: He is kind *to a* ~. 너무나 친절하다.
with all faults 〘商〙 모두 구입자의 책임으로.
── *vt.* **1** 〘地質〙 …에 단층이 생기게 하다. **2** …의 흠을 찾다, 비난하다.
── *vi.* 〘地質〙 단층이 생기다. **2** 잘못을 저지르다. 〚OF *faut*(*e*) <L (p.p.)<*fallo* to deceive; -*l*-은 17세기 이후의 표준형〛
類義語 ***fault*** 사람 성질의 결점[결함]; 특히 심하게 비난할 만한 것이 못되는 것도 포함함: Her only *fault* is stubbornness. (그녀의 유일한 결점은 고집이 센 것이다). ***failing*** 누구에게나 있을 수 있는 가벼운 결점: Vanity is her *failing*. (허영심이 그녀의 결점이다). ***weakness*** 완전히 자제심을 발휘할 수 없기 때문에 일어나는 작은 결점: Too many cigarettes are his *weakness*. (담배를 너무 많이 피우는 것이 그의 결점이다).
fáult·find·er *n.* 추궁을 하는[흠 잡는] 사람, 귀찮은 사람, 잔소리꾼; 〘電〙 장애점 발견 장치.
fáult·find·ing *n., a.* 지나치게 책망하기[하는], 트집잡기[잡는].
fáult·less *a.* 과실[결점]이 없는, 흠잡을 데 없는, 완전(무결)한. **~·ly** *adv.* 흠잡을 데 없게. **~·ness** *n.*
fáult plàne *n.* 〘地質〙 단층면.
fáult tòlerance *n.* 〘컴퓨〙 내(耐)고장성(性)《일부 회로가 고장나도 시스템 전체에는 영향을 주지 않도록 하는》.
fáult-tólerant *a.* 〘컴퓨〙 고장 허용의《컴퓨터 부품이 고장나도 프로그램이나 시스템이 정상적으로 작동하는 상태를 이름》.
fáult·tólerant compùter *n.* 내(耐)고장성을 갖춘 컴퓨터《보통 컴퓨터에 비해 「평균(平均) 고장 간격(MTBF)」이 아주 긴 것이 특징》.
fáult trèe *n.* (핵처리 장치·발전 설비 따위에서의) 사고[고장] 결과 예상 계통도(圖) (cf. EVENT TREE).

fáulty *a.* 결점이 있는, 불완전한 ; 과실이 있는, 비난받을, 나쁜 ; 그릇된.

faun [fɔ́:n, 美+fɑ́:n] *n.* 〖로神〗 파우누스《반인 반양(半人半羊)의 임야와 목축의 신 ; 〖그神〗의 satyr에 해당》. 〖OF or L FAUNUS〗

fau·na [fɔ́:nə, 美+fɑ́:-] *n.* (*pl.* **~s, -nae** [-ni:, -nai]) [보통 the ~] (한 지역 또는 한 시대의) 동물상(相)[군(群)], (분포상의) 동물 구계(區系) (cf. FLORA) ; 동물지(誌). 〖L *Fauna* (fem.) < ↑〗

fáu·nal *a.* 동물지(誌)적인. **~·ly** *adv.*

fau·nist [fɔ́:nəst, 美+fɑ́:-] *n.* 동물상(相)[구계(區系)] 연구자.

fau·nis·tic, -ti·cal [fɔ:nístik(əl), 美+fɑ:-] *a.* 동물 지리학상의 ; 동물상(相)[지(誌)]의(faunal).

Fau·nus [fɔ́:nəs, 美+fɑ́:-] *n.* 〖로神〗 파우누스《가축·수확의 수호신 ; cf. PAN》.

Faust [fáust], **Fau·stus** [fáustəs, fɔ́:-] *n.* 파우스트《16세기의 독일의 전설적인 인물 ; 전지 전능(全知全能)을 바라고 Mephistopheles에게 영혼을 판 사내 ; Goethe 작의 비극, 그 주인공》.

Fáust slìpper *n.* (앞을 V자형으로 판) 실내화.

faute de mieux [*F* fo:t də mjø] *adv., a.* 달리 좋은 수[것]가 없으므로, 하는 수 없이[없는].

fau·teuil [fóutil ; fóutə:i ; *F* fotœj] *n.* 팔걸이 의자, 안락 의자 ; 《英》 (극장) 아래층 정면의 특별석 ; 팔걸이 의자식의 버스 좌석.

fauve [fóuv ; *F* fo:v] *n.* [때때로 F~] 야수파 화가. ── *a.* [때때로 F~] 야수파의.

Fau·vism [fóuvizəm] *n.* Ⓤ 〖美術〗 야수파. **Fáu·vist** *n.* 야수파 화가.

faux [fóu ; *F* fo] *a.* 허위의, 가장의, 인조의.

faux bon·homme [*F* fo bɔnɔm] *n.* 선량해 보이지만 교활한 사람.

faux-naïf [*F* fonaif] *a., n.* 순진[소박]한 체하는 (사람), 「새침데기」.

faux pas [fóu pɑ́: ; *F* fo pɑ] *n.* (*pl.* ~ [-*z* ; *F* ─]) 잘못, 과실, 실책 ; (특히 여자의) 무례, 부정. 〖F=false step〗

fá·va béan [fɑ́:və-] *n.* =BROAD BEAN.

fave [féiv] *n.* 《俗》 마음에 드는 사람 ; 인기인《배우》. 〖FAVORITE〗

fa·ve·la [fəvélə] *n.* (브라질의) 슬럼가, 빈민가. 〖Port.〗

fa·ve·la·do [fɑ̀:velɑ́:dou] *n.* (*pl.* **~s**) 빈민가 사람. 〖Port.〗

fa·ve·o·late [fəví:əlèit] *a.* 벌집 모양의, 기포(氣胞)가 있는.

fáve ràve *n.* 《俗》 마음에 드는 것《노래·영화 따위》 ; 인기 탤런트[가수], 우상(인 연예인).

fa·vism [fɑ́:vizəm] *n.* 〖醫〗 잠두(蠶豆) 중독증《잠두를 먹거나 그 꽃가루를 들이마셔 일어나는 급성 용혈성(溶血性) 빈혈》.

‡**fa·vor** | **fa·vour** [féivər] *n.* **1** Ⓤ 호의, 친절. **2** 친절한 행위, 돌봐줌, 은혜, 은고(恩顧) ; 은전(恩典) ; 부탁, 청원 : ask a ~ of a person 남에게 일을 부탁하다, 남에게 청을 하다 / I have a ~ to ask (of) you. 한 가지 부탁이 있습니다 / do a person a ~ 남을 위해 애쓰다[의 청을 들어주다, 에게 은혜를 베풀다] / Will you do me a ~? 부탁이 있습니다. **3** Ⓤ,Ⓒ 내세움, 두둔 ; 총애 ; 지지, 찬성(support) ; 《古》 허가 : win a person's ~ 남의 총애를 받다, 남의 마음에 들다 / be [stand] high in a person's ~ 매우 남의 마음에 들다 / curry ~ with a person ☞ CURRY[2] 숙어. **4** Ⓤ 편애, 편을 듦, 정실(情實) (partiality). **5** (호의·애정을 나타내는) 선물, 기념품, 기념장(章) ; (회·클럽의) 회원장. **6** 〖商〗 서한(書翰) (letter) : Your ~ of 24 May has been received. 5월 24일자 귀하의 서한은 잘 받았습니다. **7** 《古》 얼굴 표정, 용모(cf. WELL-[ILL-]FAVORED). **8** [보통 *pl.*] (여자가 몸을 허락하는) 애정.

by favor 편들어, 두둔하여.

***by* [*with*] *favor of* (*Mr. . .*)** (…씨) 편으로 (kindness of) 《봉투에 써 붙이는 말》.

by your favor 《古》 실례합니다만, (이렇게 말씀드려) 죄송합니다만.

find favor in a person***'s eyes*** = ***find favor with*** a person 남에게 총애를 받다, 남의 눈에 들다, 남의 마음에 들다.

in a person***'s favor*** 남의 마음에 들어(cf. 3) ; 남을 위해서, 남에게 유리하게 : He spoke *in* my ~. 나를 변호해 주었다.

in favor of …에 찬성하여, …에 편들어(for) (↔ *against*) ; …의 이익이 되도록, …을 위해서 ; 〖商〗 (수표 따위를) …에게 지불하도록(to be paid to) : Public opinion was strongly *in ~ of* the project. 여론은 그 계획을 강력하게 지지했다 / write a check *in ~ of* Mr. Brown 브라운씨 앞으로 수표를 발행하다.

look with favor on. . . (사람·계획)에 찬의를 표하다, …에 찬성하다, …에 호의를 보이다.

out of favor with a person 남에게 미움을 받아(not liked by).

under favor 《古》 = *by your* FAVOR.

under favor of …을 이용하여 : *under ~ of* the darkness 어둠을 틈타서[이용하여].

── *vt.* **1** …에 호의를 나타내다, …에 찬성하다, …에 편들다 ; 암암리에 장려하다, 조력하다 : Fortune ~*s* the brave. 《속담》 행운은 용감한 자의 것. **2** [+目+前+名] …에 (…의) 영예를 주다 : Will you ~ us ***with*** a song? 한 곡 들려 주시지 않겠습니까. **3** 편애(偏愛)하다, 편들다, …에 특히 관심을 가지다 : Our teacher ~*s* Mary. 우리 선생님은 메리를 특히 예뻐한다 / Which color do you ~? 어느 빛깔이 마음에 드십니까. **4** 소중하게 다루다, 친절하게 돌보다, 위로하다 : The boy walked along as if ~*ing* his sore foot. 소년은 아픈 다리를 다칠세라 가만가만히 걸어갔다. **5** (일기·사정 따위가) …에 유리하다[형편에 알맞다] : The situations ~*ed* our plan. 정세는 우리의 계획에 유리했다. **6** 《口》 (부모와 얼굴·모습이) 닮다(look like) : The baby ~*s* its mother. 갓난애는 엄마를 닮았다. **7** (신문에서 쓰는 말투로) 즐겨 입다[몸에 걸치다].

favored by. . . (편지를) …의 편에.

〖OF<L (*faveo* to be kind to)〗

[類義語] ***favor*** 상대방에 대해서 친절하며 호의를 가지고 기꺼이 지지하려는 마음[태도] : treat a person with *favor* (호의를 가지고 남을 대하다). ***good will*** favor 보다 적극적으로 호의를 보이며 기꺼이 상대방을 원조하려는 태도[노력] : They showed their *good will* to the new teacher. (그들은 새로 온 선생님에게 호의를 나타내었다).

***fa·vor·able** [féivərəbəl] *a.* **1** 호의를 나타내는 ⟨*to* a scheme⟩ ; 호의가 있는, 찬성[승인]하는, 승낙의(approving) : a ~ answer 호의적인 대답 / a ~ comment 호평. **2** 유망한(hopeful) ; 유리한, 형편에 알맞는, 순조로운 : a ~ opportunity [wind] 호기(好機)[순풍(順風)] / take a ~ turn 호전하다 / The weather seemed ~ *for* the flight. 날씨가 (좋아) 항공 여행에 안성맞춤인것 같았다 / The position of his premises has proved to be ~ *to* business. 건물의 위치가 장사(하는 데)에 도움이 되었음이 판명되었다.

~·ness *n.*

fá·vor·ably *adv.* **1** 유리하게, 순조롭게. **2** 호의적으로 : be ~ impressed by …에게서 좋은 인상을 받다.

fá·vored *a.* **1** 호의[호감]를 사고 있는 ; 혜택받은 : the most ~ nation clause 최혜국 조항(最惠國條項). **2** [복합어를 이루어] 얼굴이 …한(cf. FAVOR *n.* 7) : ill-[well-]~ 못생긴[잘생긴].

fávor·er *n.* 호의를 베푸는 사람 ; 보호자, 보조자 ; 찬성자.

fávor·ing *a.* 형편에 알맞는, 유리한, 순조로운 ; 유망한. **~·ly** *adv.*

‡fa·vor·ite [féivərət] *a.* 아주 좋아하는, 마음에 드는, 총애하는 ; 자신있는, 장기[특기]인 : Who is your ~ English novelist? 네가 좋아하는[애독하는] 영국의 소설가는 누구냐.

—— *n.* **1** 마음에 듦, 인기있는 사람 ; 총아 ; (궁정의) 총신(寵臣) ; 특히 좋아하는 것 : a fortune's ~ 행운아 / Helen is a ~ *with* the teacher. = Helen is a ~ *of* the teacher's. = Helen is the teacher's ~. 헬렌은 선생님의 귀여움을 받는다 / He was a ~ *with* the ladies. 숙녀들에게 인기가 있었다. **2** [the ~] (경마의) 인기 말, (경기의) 유망주《우승할 것 같은 선수》; 인기주(株). 〚F<It. (p.p.) 〈FAVOR〛

fávorite séntence *n.* 〚言〛 애용문《어떤 언어에서 가장 즐겨 쓰이는 문형》.

fávorite són *n.* 사랑하는 아들 ; 《美》 인기 있는 후보자《당의 대통령 후보 지명 대회에서 자기 주 출신 대의원의 지지를 받는》.

fá·vor·it·ìsm *n.* Ⓤ 편애, 편듦〈*for*〉.

‡favour ☞ FAVOR.

fa·vus [féivəs] *n.* 〚醫〛 황선(黃癬), 백선(白癬).

fawn[1] [fɔ́:n, 美+fá:n] *n.* (한 살 이하의) 새끼사슴 (cf. CALF[1]) ; Ⓤ 엷은 황갈색(=~ **còlor**).

in fawn (사슴이) 새끼를 배어.

—— *a.* 엷은 황갈색의. —— *vi., vt.* (사슴이 새끼를) 낳다. 〚OF<L ; ⇨ FOETUS〛

fawn[2] *vi.* [動 / +*on*+名] (개가 꼬리를 치며) 따라붙다, 달라붙어 재롱부리다 ; 알랑거리다, 아첨하다 : The dog ~*ed* (***up***)***on*** the boy. 개는 소년에게 달라붙어 꼬리를 쳤다.
〚OE *fagnian, fægnian* ; ⇨ FAIN[1]〛

fáwn-còlored *a.* 엷은 황갈색의.

fáwn·ing *a.* 재롱부리는 ; 굽실거리는, 아첨하는.

fax [fæks] *n.* =FACSIMILE 2.

fay[1] [féi] *n.* 《詩》 요정(fairy). —— *a.* 《詩》 작은 요정의[같은] ; 《口》 젠 체하는, 거드름 피우는. 〚OE<L *fata* (pl.) the FATEs〛

fay[2] *vt., vi.* 밀착[접합]시키다[하다]. 〚OE *fēgan* to join〛

fay[3] *n.* 《美俗》 백인(ofay).

faze [féiz] *vt.* [보통 부정구문으로] 《美口》 …의 마음을 심란하게 하다, 당황하게 하다, 난처하게 하다(bother), 괴롭히다 : Nothing they say ~*s* me. 그들이 무슨 말을 하건 나는 아무렇지도 않다.

f.b. fullback ; freight bill(운임 청구서).

F. B. A. Fellow of the British Academy(영국 학술원 회원).

F. B. E. foreign bills of exchange(외국환(換)).

FBI, F.B.I. [èfbì:ái] 《美》 Federal Bureau of Investigation(연방 수사국(局)) : ~ agents 에프비아이 수사관(cf. G-MAN).

FBM foot board measure ; fleet ballistic missile (함대형[잠수함 발사]탄도미사일). **F.B.O.A.** Fellow of the British Optical Association. **FBR** fast-breeder reactor(고속 증식로(增殖爐)). **FBS** 〚醫〛 fasting blood sugar(공복시 혈당(血糖)) ; 〚軍〛 forward-based system(전진 기지 조직). **F.C.** Football Club ; Free Church. **f. c.** 〚野〛 fielder's choice ; fire control ; 〚印〛 follow copy.

FCA, F. C. A. 《美》 Farm Credit Administration(농업 금융국(局)) ; foreign currency authorization (외화 승인). **fcap., fcp.** foolscap. **FCC, F. C. C.** 《美》 Federal Communications Commission ; first-class certificate ; Food Control Committee. **F. C. I. I.** Fellow of the Chartered Insurance Institute.

FCIS, F.C.I.S. Fellow of the Chartered Institute of Secretaries.

F clef [éf ⌐] *n.* 〚樂〛 바음 기호《낮은음자리표》.

F. C. O. 《英》 Foreign and Commonwealth Office. **fcs** francs. **FCS** 〚軍〛 fire control system. **F. C. S.** 《英》 Fellow of the Chemical Society《현재는 F.R.S.C.》. **fcy.** fancy. **F. D.** *Fidei Defensor* 《L》 (=Defender of the Faith) ; Fire Department. **FDA, F. D. A.** 《美》 Food and Drug Administration. **FDC** Fire Direction Center(사격 지휘소).

FDF 〚宇宙〛 flight data file. **FDIC** 《美》 Federal Deposit Insurance Corporation(연방 예금 보험 공사). **FDR** Flight Data Recorder(비행 자료 기록 장치). **F.D.R.** Franklin Delano Roosevelt. **FDX** 〚通信〛 full duplex. **Fe** 〚化〛 *ferrum* 《L》 (=iron). **fe.** fecit. **FEAF** [fí:f] 《美》 Far East Air Force(극동 공군).

feal [fí:l] *a.* 《古》 충실한, 성실한.

fe·al·ty [fí:əlti] *n.* Ⓤ (신하가 영주(領主)에 대한) 충성의 의무 ; 충절, 충의(忠義) ; (일반적으로) 《詩》 신의, 성실 : swear ~ to[for] …에게 충성을 맹세하다. 〚OF<L ; ⇨ FIDELITY〛

‡fear [fíər] *n.* **1** Ⓤ 두려움, 공포(terror) : feel no ~ 두려움을 모르다, 겁이 없다 / with ~ 공포에 질려. **2** ⓊⒸ [+前+do*ing* / +*that* 節] 불안, 걱정, 염려(anxiety) (↔*hope*) : There is not the slightest ~ ***of*** rain today. 오늘은 비가 올 염려가 조금도 없다 / There is no ~ *of* his betray*ing* us. 그가 우리를 배반할 염려는 조금도 없다 / *F*~*s* were entertained *that* the railroad would be blocked by snow. 눈으로 인해 철도가 불통되지는 않을까 하고 걱정되었다 / No ~! 《口》 염려 마, 괜찮다. **3** Ⓤ (특히) 신에 대한 두려움[경외심](awe) : the ~ of God 경건한 마음.

for fear of …을 두려워하여 ; …을 하지 않도록, …이 없게끔 : Mother told me to be silent, *for* ~ *of* wak*ing* the baby. 어머니는 갓난애의 잠을 깨울까봐 나에게 조용히 하라고 말했다.

for fear* (*that*[*lest*])*...should …하는 일이 없도록 ; …하면 안되므로[곤란하므로] : He took his umbrella *for* ~ (*that*) it *should* rain. 비가 올까봐 우산을 가지고 나갔다.

in fear of …의 안전을 걱정하여 ; …을 염려하여 : be[stand] *in* ~ *of* one's life 생명의 위험을 느끼고 있다 / We lived every day *in* ~ *of* war. 매일 전쟁이 일어나지 않을까 하는 불안 속에서 살았다.

with*[*in*] *fear and trembling 전전긍긍하면서, 겁을 집어먹고.

without fear or favor 공평하게, 엄밀하게.

—— *vt.* **1** [+目 / +do*ing* / +*to* do] 두려워하다, 무서워하다 : He didn't ~ the danger. 위험

을 두려워하지 않았다 / She ~*ed* stay*ing* alone in the farmhouse. 그 농가에 혼자 있는 것이 무서웠다 / He ~*ed to* take the drink. 그 술을 마시기를 두려워했다《마실 수 없었다》. **2** [+*that* 節] 염려하다, 걱정하다, 위태로워하다(↔*hope*) : I ~ he dreams too much. 그는 꿈을 너무 많이 꾸는 것 같아서 걱정이다 / You need not ~ *but* (*that*) you shall have enough food. 음식이 모자라지 않을까 하고 걱정할 필요는 없습니다《*but* (*that*) you shall have...는 '*that* you shall *not* have...'의 뜻 ; cf. You need not *doubt that* you shall have....》/ Is she going to die? —I ~ *so*. 그 여자는 살아나지 못할까—아마 그럴거야 / Will he get well? —I ~ not. 그는 좋아질까—어쩌지 위태로울 것 같아(cf. AFRAID 3, HOPE *vt.*, EXPECT 3). 주 《口》에서는 이 뜻의 fear 대신에 보통 be AFRAID (of)를 사용함. **3** (신(神) 따위를) 두려워하다 : *F*~ God. 신을 두려워하라.

—— *vi.* 걱정하다, 염려하다 : Never ~! 염려하지 마, 괜찮다.

〚OE *fǣr* sudden calamity, danger ; cf. G. *Gefahr* danger〛

類義語 ***fear*** 「두려움」「공포」를 나타내는 가장 보편적인 말. ***dread*** 위험 또는 불유쾌한 것을 예기할 때의 걱정, 우울 : a *dread* of failing in the examination (시험에 낙제할 것 같은 두려움). ***fright*** 깜짝 놀라게 하는 갑작스런 공포 : The dog gave her a *fright*. (개가 그 여자를 깜짝 놀라게 했다). ***alarm*** 예기치 않던 위험에 별안간 맞닥뜨리거나 위험을 느꼈을 때의 fright 또는 fear : He felt *alarm* at the shot of a gun. (총소리를 듣고 대경실색했다). ***dismay*** 곤란이나 위험을 예기하여 놀라거나 용기를 잃기 : He was struck with *dismay* at the accident. (그는 그 사고에 놀라 충격을 받았다). ***terror*** 매우 강한, 오싹한 또는 사지가 오므라들 듯한 공포 : the *terror* of bombing (폭격의 공포). ***horror*** 혐오·불쾌의 느낌을 수반한 모골이 송연한 또는 등골이 오싹한 공포 : She fled in *horror* at the sight of a snake. (뱀을 보자 소스라쳐 도망쳤다). ***panic*** 광기를 띤 것 같은 또는 까닭 없는 공포가 급속하게 퍼져 사람들로 하여금 맹목적인 행동을 취하게 하는 것 : The cry of "Fire!" caused a *panic*. (「불이야」하는 소리에 일대 혼란이 일어났다).

féar·ful** *a.* **1** 무서운, 두려운, 무시무시한(terrible) : a ~ railroad accident 무서운 철도 사고. **2** [+*of*+do*ing* / +*that* 節] 두려워하는, 염려[걱정]하는(afraid) : He was ~ ***of mak*ing* a mistake. 그는 실수할까봐 걱정하고 있었다 / She was ~ *that*[*lest*] the prize should escape her at the last. 그 상을 막판에 이르러 놓치지나 않을까 하고 걱정하고 있었다. **3** 신을 두려워하는, 경건한. **4** 《口》 대단한, 굉장한 : What a ~ noise! 참 굉장한 소음이군!

~·ness *n.* Ⓤ 두려움, 공포(심).

féar·ful·ly *adv.* **1** 무섭게 ; 벌벌 떨며. **2** 《口》 몹시, 지독히 : It's ~ cold. 무척 춥다.

類義語 ⟹ AFRAID.

***féar·less** *a.* (아무것도) 두려워하지 않는 〈*of*〉 ; 대담한, 겁 없는 : ~ *of* the consequences 결과를 두려워하지 않고. **~·ly** *adv.* 두려워하지 않고, 대담하게. **~·ness** *n.*

féar·nòught, -nàught *n.* 두껍고 질긴 모직물 ; 그것으로 만든 상의[외투].

féar·some *a.* (얼굴 따위가) 공포를 느끼게 하는 ; 두려워하는, 벌벌 떠는.

fea·sance [fíːzəns] *n.* 〖法〗 작위(作爲) ; (조건·의무 따위의) 이행.

fea·si·bil·i·ty [fìːzəbíləti] *n.* Ⓤ 실행할 수 있음, 가능성 ; 그럴 듯함.

feasibílity stùdy *n.* (개발 계획 따위의) 예비 조사, 타당성[기업화 가능성] 조사.

fea·si·ble [fíːzəbəl] *a.* **1** 실행할 수 있는(practicable), 가능한(possible) : Travel to the Mars may become ~ by the end of this century. 화성 여행은 금세기 말까지 가능해 질는지도 모른다. **2** 그럴 듯한, 있을 성싶은(likely) ; 알맞은, 편리한 (suitable). **-bly** *adv.* 실행할 수 있게, (실제적으로) 형편에 맞도록, 그럴 듯하게. **~·ness** *n.*

〚OF (L *facio* to do)〛

類義語 ⟹ POSSIBLE.

***feast** [fíːst] *n.* **1** 향연, 축연, 잔치, 연회(banquet) : give[make] a ~ 연회를 베풀다, 음식을 대접하다. **2** (귀·눈을) 즐겁게 하는 것, (…의) 기쁨, 즐거움 : a ~ *for* the eyes 눈을 즐겁게 해주는 것, 눈요깃거리 / a ~ *of* reason 지적인 담론, 명론탁설(名論卓說). **3** (종교상의) 축제, 축일, 제일, 제례(祭禮) (=~ day) : a movable[an immovable] ~ 부정기[정기] 축제일《Christmas는 고정, Easter는 이동 축제일》.

—— *vt.* **1** (음식 따위를) 대접하다 : ~ one's guests 손님을 접대하다. **2** [+目+副] 연회를 베풀어 (시간을) 보내다 : They ~*ed away* all evening. 연회를 베풀어 저녁내내 즐겁게 보냈다. **3** [+目+*on*+名] (귀·눈을) 즐겁게 해주다 : We ~*ed* our eyes ***on*** Grand Canyon. 우리는 그랜드캐니언을 구경하며 즐겼다. —— *vi.* 축하연에 참석하다, 음식을 대접받다[먹다].

〚OF<L (*festus* joyous)〛

féast dày *n.* 제일(祭日), 축제일 ; 연회일.

féast·er *n.* 연회의 손님.

feat[1] [fíːt] *n.* 공로, 위업(偉業), 공훈 ; 아슬아슬한 재주, 묘기, 날랜 솜씨, 재빠른 동작, 곡예(曲藝) : a ~ of arms 무훈(武勳).

〚OF<L ; ⇨ FACT〛

類義語 ⟹ EXPLOIT.

feat[2] *a.* 《古》 교묘한, 솜씨있는 ; 능숙한 ; 적당한 ; (의상이) 우아한, 꼭 맞는. 〚OF (↑)〛

‡**feath·er** [féðər] *n.* **1 a**) (한 가닥의) 깃 ; [보통 *pl.*] 깃털(plumage). **b**) 의상 ; [*pl.*] 《비유》(모자 따위의) 깃 장식 : Birds of a ~ flock together. 《속담》 끼리끼리 모인다, 유유 상종(類類相從) / Fine ~*s* make fine birds. 《속담》「옷이 날개다」. **2** [집합적으로] 엽조(류) (game birds) (cf. FUR 2). **3** (개·말 따위의) 복슬복슬한 털, 곤두선 털 ; (보석·유리의) 깃 모양의 흠, (깃털처럼) 가벼운[보잘것없는, 작은] 것 : I don't care a ~. 조금도 개의치 않는다. **4** 〖弓術〗 살깃. **5** Ⓤ (보트의) 페더《노를 수평으로 젖히기》. **6 a**) 종류 (kind). **b**) 상태 ; 기분(mood). **7** 〖木工〗 은촉《두 널판지를 마주 잇기 위해 길게 멘 돌기》. **8** (잠수함의 잠망경에 의한) 항적(航跡).

a feather in one***'s cap*** 자랑[명예]이 되는 것, 명예, 자랑거리.

(***as***) ***light as a feather*** 매우 가벼운.

cut a feather (배가) 이물에서 물보라를 일으키며 나아가다 ; 《口》 자기를 돋보이게 하려 하다.

in feather 깃이 있는, 깃털로 덮인.

in fine[***good, high***] ***feather*** 기분이 좋아, 의기양양하게 ; 건강하여, 원기 왕성하여.

in full feather (새새끼 따위) 깃털이 고루 난 ; 성장(盛裝)하여 ; 원기왕성하게.

make the feathers fly ☞ FLY[1].

show the white feather 겁을 집어먹다, 죽는 소리를 하다, 꽁무니 빼다《수탉 꽁무니에 흰털이 있으면 싸움에 약하다는 데서》.
—— *vt.* **1** 깃털로 덮다 ; (모자 따위에) 깃장식을 달다 ; 복슬복슬하게 덮다 ; (화살에) 살깃을 달다. **2** (보트에서) 노를 수평으로 젖히다. **3** 〖사냥〗 (새를 죽이지 않고) 날개를 쏴 떨어뜨리다.
—— *vi.* **1** 깃털이 나다, 깃이 자라다〈*out*〉; 깃 모양으로 움직이다[퍼지다]. **2** (보트에서) 노를 수평으로 젖히다. **3** 〖사냥〗 (사냥개가 냄새 자취를 찾으면서) 몸을 부르르 떨다.
feather** one**'s nest 사복(私腹)을 채우다.
〖OE *fether* ; cf. G *Feder*〗

féather béd *n.* 깃털이 든 요 ; 《비유》 안락한 상태[지위].

féather·bèd *vt.* …에 초과 고용을 적용하다, (노동자를) 초과 고용하다 ; (산업·경제 따위를) 정부 보조금으로 원조하다 ; (이익이나 편의를 주어 남을) 어르다. —— *vi.* 과잉 고용을 하다 ; 생산을 제한하다. —— *a.* 초과 고용의.

féather·bèdding *n.* 페더베딩《실업 대책이나 안전 규칙에 따라 고용자에게 과잉 고용이나 생산 제한을 요구하는 노동조합의 관행》.

féather bóa *n.* (예전의) 깃털 목도리《여성용》.

féather·bòne, -bòning *n.* 깃뼈《가금(家禽)의 깃뼈로 만든 고래뼈의 대용품》.

féather·bràin *n.* 멍청이, 덤벙이.
~ed *a.* 멍청한 ; 덤벙대는.

féather crèw *n.* 《美俗》 CREW CUT 비슷한 남자 머리 스타일.

féather·cùt *n.* 페더컷 《CURL이 깃털처럼 보이는 여자 머리 스타일》.

féather dúster *n.* (깃털로 만든) 먼지떨이.

féath·ered *a.* **1** 깃털이 난[나 있는] ; 깃 털을 단 ; 깃 장식이 있는 ; 깃 모양의 ; 날개가 있는, 빠른(swift) : the ~ tribes 조류(鳥類). **2** [복합어를 이루어] …의 깃이 있는 : white-~ 흰 깃의.

féather·èdge *n.* 〖建〗 얇게 깎은 판자 모서리.
—— *vt.* (판자의) 모서리를 얇게 깎다.
~d *a.* (판자 모서리를) 얇게 깎은.

féather-fòot·ed *a.* 발에 깃털이 난 ; 걸음이 빠른.

féather·hèad *n.* 덤벙이, 멍청이.
~·ed *a.*

féather·ing *n.* [집합적으로] 깃털, 깃, 깃 모양의 것 ; (개 다리의) 복슬복슬한 털 ; 〖建〗 (장식창 따위의) 두 곡선이 만나서 이루는 뾰족한 부분 ; 〖樂〗 페더링《바이올린의 경쾌한 운궁법(運弓法)》.

féather·less *a.* 깃털 없는. **~·ness** *n.*

féather mèrchant *n.* 《美俗》 병역 기피자 ; (해군의) 예비장교 ; 책임 회피자(slacker) ; 놀고 먹는 사람(loafer).

féather pàlm *n.* 잎이 깃 모양인 야자나무.

féather·pàte *n.* =FEATHERHEAD.
-pàted *a.*

féather stàr *n.* 〖動〗 바다고사리.

féather·stìtch *n.* 깃 모양으로 꿰매기《지그재그로 수놓기[꿰매기]》.
—— *vt., vi.* 깃 모양으로 꿰매다[장식하다].

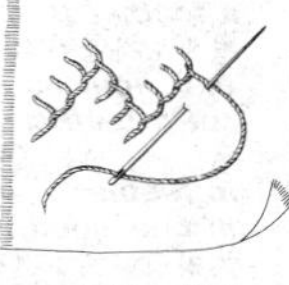
featherstitch

féather·wèight *n.* **1** 매우 가벼운 것[사람] ; 보잘것없는 사람[것]. **2** 〖拳〗 페더급의 선수(☞ BOXING WEIGHTS) ; 〖競馬〗 최경량 핸디캡 ; 최경량 기수(騎手). **3** [형용사적으로] 매우 가벼운 ; 보잘것없는 ; 〖拳〗 페더급의.

féath·ery *a.* 깃이 난, 깃털을 단 ; (눈 따위) 깃털 같은 ; 가벼운, 경박한.

feat·ly [fí:tli] *adv.* 《古》 날래게 ; 교묘하게 ; 적당히, 알맞게 ; 깔끔하게, 우아하게. —— *a.* 고상한 ; 깔끔한, 말쑥한.

***fea·ture** [fí:tʃər] *n.* **1** 얼굴의 생김새《눈·코·입·귀·이마·턱 따위》; [*pl.*] 용모, 모습, 생김새, 이목구비 : Her smile is her best ~. 웃는 얼굴이 가장 예쁘다 / a man of fine ~*s* 용모가 잘 생긴 남자, 미남자. **2** (산천 따위의) 지세(地勢), 지형. **3** (현저한) 특징, 특색 ; 두드러진 점. **4** (영화·연극 따위의) 인기 프로그램, 걸작, 들을 만한 것, 볼 만한 것 ; 〖映〗 (동시 상영 하는 것 중의) 주요 작품, 특작(=~ film)) ; 장편 영화 ; (신문·잡지 따위의) 특별[특집]기사《뉴스 이외의 기사·짧은 논문·수필·연재 만화 따위》: a two-~ program 두 편 동시 상영 영화 / The weekly makes a ~ of economic problems. 그 주간지는 경제 문제를 특종기사로 다루고 있다.
—— *vt.* **1** …의 특색을 이루다 ; …의 특징을 그리다. **2** 《美口》 특색[인기 프로그램]으로 하다 ; (배우를) 주연으로 하다 ; (신문·잡지 따위가 사건을) 특종으로 크게 다루다 : a film ~*d* by a new actress 신인(新人) 여배우를 주연으로 하는 영화.
—— *vi.* 중요한 역할을 하다 ; (영화에) 주연하다 ; 《俗》 성교하다〈*with*〉.
〖OF<L *factura* formation ; ⇨ FACTURE〗

féa·tured *a.* 《美》 특색으로 한, 인기를 끄는 것의 ; [복합어를 이루어] (…한) 얼굴 표정의 : hard-~ 굳은[딱딱한] 표정인.

féature fílm[pícture] *n.* 장편 특작 영화.

féature-lèngth *a.* 《美》 (영화·기사 따위가) 장편의.

féature·less *a.* 특색이 없는, 단조로운 ; 〖經〗 가격 변동이 없는.

féature sìze *n.* 〖電子〗 (LSI의) 최소 배선폭(配線幅)《설계 및 제조의 기준이 되는 치수》.

féature stóry *n.* 《美》 (신문·잡지 따위의) 인기를 끄는[특종] 기사.

fea·tur·ette [fì:tʃərét] *n.* 단편 특작 영화.

feaze[1] [fí:z, féiz] *vt., vi.* 〖海〗 (밧줄 끝을[이]) 풀다[풀리다].
〖? Du. (obs.) *vese* fringe〗

feaze[2] ☞ FEEZE.

Feb. February. **FEBA** 〖軍〗 forward edge of the battle area(최전선).

feb·ri- [fébrə] *comb. form* 「열(fever)」의 뜻.
〖L FEVER〗

fe·bric·i·ty [fibrísəti] *n.* Ⓤ 열이 있음.

fe·brif·ic [fibrífik] *a.* 열이 나는[있는].

feb·ri·fuge [fébrəfjù:dʒ] *a.* 해열(성)의.
—— *n.* 해열제(劑) ; 청량음료. **fe·brif·u·gal** [fibrífjəgəl ; fèbrəfjú:gəl] *a.* 해열(성)의.
〖F (L *febris* fever, *fugo* to drive away)〗

fe·brile [fébrail, fí:b-] *a.* 열의, 열성의 ; 열병의 ; 열광적인.
〖F or L ; ⇨ FEVER〗

fe·bril·i·ty [fəbríləti, fi:-] *n.* Ⓤ 발열 (상태) (feverishness).

◇**Feb·ru·ary** [fébjuèri, fébru- ; fébruəri, fébju-] *n.* 2월《略 Feb.》.
〖OF<L (*februa* purification feast held in this month)〗

Fébruary fíll-dike ☞ FILL-DIKE.

Fébruary Revolútion *n.* [the ~] 2월 혁명《1917년에 일어난 러시아 혁명》.

FEC Federal Election Commission; freestanding emergency clinic(독립 단기(短期) 치료소).
fec. fecit.
fe·cal, fae- [fíːkəl] *a.* 찌끼의; 똥의, 배설물의: ~ bacteria 대장균. 〖FECES〗
fe·ces, fae- [fíːsiːz] *n. pl.* 찌끼; 똥, 배설물. 〖L (pl.) ‹ *faex* dregs〗
fe·cit [fíːsət, féikət] *a.* …작(作)[필(筆)]《화가 등이 작품의 서명에 붙임; 略 fe., fec.》. 〖L=he[she] made (it)〗
feck [fék] *n.* [the ~] 과반수; 가치; (막대한) 수, 양.
féck·less *a.* 연약한; 무기력한; 무가치한, 쓸모없는; 경솔한, 무책임한. 〖Sc. *feck* (*effeck* EFFECT의 이형(異形))〗
fec·u·la [fékjələ] *n.* (*pl.* **-lae** [-lìː]) 녹말; (곤충의) 똥; (일반적으로) 오물.
fec·u·lence [fékjələns] *n.* 불결; 오물; 찌꺼기.
féc·u·lent *a.* 지저분한, 탁한; 더러운; 구린.
fe·cund [fíːkənd, fék-] *a.* 다산의(prolific); (땅이) 잘 열리는, 기름진(fertile); 창조력이 풍부한. 〖F or L〗
fe·cun·date [fíːkəndèit, fék-] *vt.* **1** 다산(多產)[비옥]하게 하다; 창조력을 풍부하게 하다. **2** 〔生〕 수태(受胎)[수정(受精)]시키다.
fè·cun·dá·tion *n.* Ⓤ 〔生〕 수정, 수태(작용).
fe·cun·di·ty [fikʌ́ndəti, fe-] *n.* Ⓤ 생산력; 생식[번식](능)력, 다산(多產), 비옥; 풍부.
fed[1] [féd] *n.* 《美口》 **1** 연방 정부의 관리. **2** [the F~] 연방 준비 제도[은행, 위원회](Federal Reserve System[Bank, Board]), 연방 정부. **3** 연방 마약국의 수사관. **4** [the F~] 연방 수사국(FBI)의 수사관. 〖FEDERAL〗
‡**fed**[2] *v.* FEED의 과거·과거 분사.
fed. federal; federated; federation.
fe·da·yee [fidæjíː, -dɑː-], **fed·ai** [fèdɑːíː] *n.* (*pl.* **fed·a·yeen** [-jíːn], **fed·a·yin** [fèdɑːjíːn]) (이스라엘에 대한) 아랍 게릴라[전사]. 〖Arab.〗
fed·er·a·cy [fédərəsi] *n.* 《古》 연합, 동맹.
***fed·er·al** [fédərəl] *a.* **1** 연합의, 동맹의; 연방의, 연방제의; 연방 정부의: a ~ state 연방 / a ~ government 연방 정부. **2** [보통 F~] 《美》 연방 정부의, 미국의, 미합중국의(cf. STATE *n.* 5 c)): the *F*~ Bureau of Investigation 《美》 ☞ FBI / the *F*~ City 워싱턴 시《속칭》/ the *F*~ Constitution 미국 헌법 / the *F*~ Government (of the U.S.) 미국 연방정부[중앙정부]《각 주의 state government에 대하여》. **3** [F~] 〔美史〕 (남북 전쟁 시대의) 북부 연방 동맹의(cf. CONFEDERATE): the *F*~ army 북부 연맹군, 북군. **4** 〔神學〕 성약설(聖約說)의. ── *n.* 연방주의자(federalist); [F~] 〔美史〕 (남북 전쟁 당시의) 북부 연맹 지지자, 북군 병사; 성약설. 〖L (*foeder*- *foedus* covenant)〗
Federal *n.* FEDERALES의 단수형.
Féderal Aviátion Administràtion *n.* [the ~] 미국 연방 항공국(局)《略 FAA》.
Féderal Commúnications Commìssion *n.* [the ~] 《美》 연방 통신 위원회《방송, 전신·전화, 위성 통신 따위를 감시함; 略 FCC》.
féderal cóurt *n.* 연방 법원.
Féderal Depósit Insúrance Corporàtion *n.* [the ~] 《美》 연방 예금 보험 공사《1933년 은행법에 의해 설립; 略 FDIC》.
féderal dístrict *n.* [the ~] 연방(聯邦) 지구《연방 정부가 있는 특별 행정 지구; 미국에서는 Washington, D. C.》.
Féderal Eléction Commìssion *n.* [the ~] 《美》 연방 선거 위원회《略 FEC》.
Fe·de·ral·es [fèdərǽleiz] *n. pl.* (*sg.* **Fe·de·ral** [fèdərǽl]) [때때로 단수취급] (멕시코의) 연방 정부군. 〖Mex. Sp.〗
Féderal Expréss Corp. *n.* 페더럴 익스프레스《미국의 대 수화물 수송회사》.
féderal fúnds *n. pl.* 《美》 연방 준비 은행의 준비금[예탁금].
féderal·ìsm *n.* **1** Ⓤ 연방주의[제도]. **2** Ⓤ [F~] 〔美史〕 연방당(the Federalist party)의 주의[주장].
féderal·ist *n., a.* **1** 연방주의자(의). **2** [F~] 〔美史〕 북부 연맹의 지지자(의), 연방당원(의) (cf. CONFEDERATE).
Féderalist pàrty *n.* [the ~] =FEDERAL PARTY.
fèderal·izátion *n.* 연방화(化); 동맹화(化).
féderal·ìze *vt.* 연방화하다.
Féderal Lánd Bànk *n.* [the ~] 《美》 연방 토지 은행《농업 경영자에 대하여 장기·저리 융자를 해줌》.
féderal légal hólidays *n.* 《美》 연방 법정 휴일(休日).
Féderal Mediátion and Concíliation Sèrvice *n.* [the ~] 《美》 연방 조정 중재청《노사간의 쟁의를 중재하는 정부 기관》.
Féderal Nátional Mórtgage Associàtion *n.* [the ~] 《美》 연방 국민 저당 협회.
Féderal pàrty *n.* [the ~] 〔美史〕 연방당(Federalist party)《독립 전쟁후 강력한 중앙 정부를 주장》; (널리) 연방(추진)파.
Féderal Régister *n.* [the ~] 《美》 (연방 정부 발행의) 관보.
Féderal Repúblic of Gérmany *n.* [the ~] 독일 연방 공화국《Germany의 공식명; 수도 Berlin》.
Féderal Resérve Bànk *n.* [the ~] 《美》 연방 준비 은행《略 FRB》.
Féderal Resérve Bòard *n.* [the ~] 《美》 연방 준비 제도 이사회《略 FRB》.
Féderal Resérve nóte *n.* 《美》 연방 준비 은행권.
Féderal Resérve Sỳstem *n.* [the ~] 《美》 연방 준비 제도《略 FRS》.
Féderal Státes *n. pl.* [the ~] 연방 국가《남북 전쟁때의 북부 제주(諸州)》.
féderal theólogy *n.* 계약 신학(神學) (covenant theology).
Féderal Tráde Commìssion *n.* [the ~] 《美》 연방 거래[통상] 위원회《略 FTC》.
fed·er·ate [fédərət] *a.* 연합의; 연방 제도의. ──[-rèit] *vt.* (독립한 여러 주를) 중앙 정부 하에 연합시키다; 연방제로 하다. ── *vi.* 연합[동맹]에 가입하다. 〖L; ⇨ FEDERAL〗
fed·er·a·tion [fèdəréiʃən] *n.* Ⓤ,Ⓒ 연합, 동맹; 연방 정부[제도].
Federátion Cúp *n.* 〔테니스〕 1963년에 시작된 세계 여자 테니스 단체전.
fed·er·a·tive [fédərèitiv, fédərə-; -rə-] *a.* 연합[연맹]의; 연방의. **~·ly** *adv.*
fed·ex [fédeks] *vt.* …을 익일 배달 공수편으로 보내다.
fedl. federal. **fedn.** federation.

fe·do·ra [fidɔ́:rə] *n.* 《美》 (테가 위로 휜) 중절모.

Féd wàtcher *n.* 미국 통화 정책의 동향을 보고 행동하는 미국 따위의 금융 관계 업자.

***fee** [fí:] *n.* **1** (의사·변호사·가정교사 등의) 보수, 사례 ; 수수료, 요금 ; [흔히 *pl.*] 수업료 ; 수험료 ; 회비, 입회금, 입장료(cf. SALARY, WAGE) ; 공공 요금 ; 이적료 : a doctor's ~ for a visit 왕진료 / a school[tuition] ~ 수업료 / an admission ~ 입장료. **2** 《古》 팁, 행하(行下), 축의(금) (gratuity). **3** Ⓤ (봉건 제도하의) 영지(fief) ; 〖法〗 세습지, 〖法〗 상속 재산 《특히 부동산》.

fedora

hold in fee (***simple***) (토지를) 무조건 상속[세습]지로서 보유하다.

—— *vt.* (~**d**, ~**'d**) 에게 요금을 치르다, 사례하다 ; 《스코》 고용하다. 〚AF=F *feu* etc.<L *feudum*<? Gmc. ; cf. FEUD², FIEF〛

類義語 ⟹ PAY.

feeb [fí:b] *n.* 《美俗》 저능아, 바보 ; [때때로 F~] 《美俗》 =FEEBIE. 〚FEEBLE〛

Fee·bie [fí:bi:] *n.* 《美俗》 연방 수사국원, FBI.

***fee·ble** [fí:bəl] *a.* (**-bler** ; **-blest**) (몸이) 약한, 연약한 ; (목소리 따위가) 희미한, 미약한 ; 의지가 박약한, 저능의. —— *n.* [*pl.*] 《美俗》 숙취.
~·ness *n.* Ⓤ 약함 ; 미약함 ; 미력(微力).
〚OF<L *flebilis* lamentable (*fleo* to weep)〛

類義語 ⟹ WEAK.

féeble·mínd·ed *a.* 정신 박약의 ; 저능한 ; 의지가 약한. **~·ly** *adv.* **~·ness** *n.*

fée·blish *a.* 약한 듯한 ; 좀 허약한.

fée·bly *adv.* 약하게 ; 힘없이 ; 희미하게.

◇feed¹ [fí:d] *v.* (**fed** [féd]) *vt.* **1** [+目 / +目+前+名 / +目+目] (동물 따위에게) 먹을 것[먹이]을 주다 ; (어린이·환자에게) 음식을 먹이다 ; (갓난애에게) 젖을 먹이다(suckle) ; 기르다, 사육하다, 키우다 : Don't ~ the dog from the table. 식탁에서 개에게 먹을 것을 주어서는 안된다 / I have a large family to ~. 나에게는 부양 가족이 많다 / Well *fed*, well bred. 《속담》 의식(衣食)이 족해야 예절을 차릴 줄 안다 / *F*~ a cold and starve a fever. 《속담》 감기엔 많이 먹고 열병에는 굶어라 / The farmers ~ their horses ***on*** oats. 농부들이 말에게 귀리를 먹인다 / You can ~ this bread ***to*** the rabbits. 이 빵을 토끼에게 줘도 좋다 / You may ~ them anything you like. 그들에게는 네가 좋아하는 어느것이나 먹여도 된다 / What do you ~ the chickens? 닭에게는 무슨 모이를 줍니까 《㊟ 이 마지막 두 가지 보기에서 볼 수 있는 구문은 주로 《美》》.
2 [+目 / +目+前+名] (연료를) 공급하다(supply) ; (램프에) 기름을 넣다 ; …에 석탄[장작]을 지피다 ; (보일러에) 급수하다 ; (원료를) 기계에 넣다 ; 송전하다 ; (강이) …로 흘러들다 : ~ a machine 기계에 기름을 넣다 / The river is *fed* by two tributaries. 그 강으로 두 갈래의 지류가 흘러들고 있다 / ~ coal ***to*** a stove= ~ a stove ***with*** coal 난로에 석탄을 넣다.
3 [+目 / +目+*with*+名] (눈·귀 따위를) 즐겁게 해주다, (허영심 따위를) 만족시키다(gratify), (분노 따위를) 부채질하다 : ~*s* one's vanity 허영심을 만족시키다 / His anger was *fed* ***with*** thoughts of revenge. 그의 분노는 복수의 일념으로 한층 불타 올랐다.
4 〖劇〗 (배우에게) 대사를 일러주다.
5 〖蹴〗 …에게 패스하다.
—— *vi.* **1** (마소 따위가) 먹이를 먹다 ; 《口·戲》 (사람이) 식사하다 ; 만족하다 ; (연료 따위가) 들어가다 : The cows are ~*ing* in the meadows. 소가 목초지에서 풀을 뜯고 있다 / What time do you ~? 몇 시에 식사를 합니까. **2** [+*on*+名] (보통 동물이 …을) 먹이로 하다 : Cows ~ ***on*** grass. 소는 풀을 먹는다 / Insects ~ *on* vegetation. 곤충은 식물을 먹고 자란다(cf. LIVE *on*).

be fed to the gills[***teeth***] 《口》 진력이 나다, 지긋지긋하다〈*with*〉(cf. FEED *up*).

be fed up with... 《口》 …에 진력이 나다, 지긋지긋하다 : We're *fed up with* your complaining. 자네의 불평에는 이제 진저리가 나네.

feed high[***well***]=***feed at the high table*** 미식(美食)하다, 잘 먹다.

feed one***self*** (남의 손을 빌리지 않고) 혼자서 먹다 : It will take another month for the baby to ~ it*self*. 그 갓난애가 혼자서 먹을 수 있게 되기까지는 아직 1개월은 더 걸릴 것이다.

feed the fishes ☞ FISH.

feed the flame ☞ FLAME *n.* 3.

feed up (1) …에게 맛있는 것을 잔뜩 먹이다 ; 살찌게 하다, 물리도록 먹이다. (2) [보통 수동태로] 진력나게 하다 : be *fed up with* ☞ FEED 숙어.

—— *n.* **1** 식료품 공급, 사육(飼育) : at one ~ 한 끼에, 한 끼분으로. **2** Ⓤ 먹이, 여물, 사료(fodder). **3** (말 따위에 주는) 1회분의 사료. **4** 《口》 식사(meal) : have a good ~ 좋은 음식을 배불리 먹다. **5** 〖機〗 원료공급 (장치), 보내기 ; 공급 재료, 급수(給水).

off one***'s feed*** (마소 따위) 식욕이 없는 ; 몸이 개운치 않은《《口》에서는 사람에게도 씀》.

on the feed (물고기가) 미끼를 물고, 입질하여.

out at feed (소 따위가) 목장으로 나와 풀을 뜯어먹는.

〚OE *fēdan* ; cf. FOOD, FODDER〛

fee'd, feed² *v.* FEE의 과거·과거 분사.

féed·bàck *n.* Ⓤ,Ⓒ 〖電〗 귀환(歸還), 피드백《출력측의 에너지의 일부를 입력측으로 반환하는 조작》; 〖生·心·社〗 피드백, 귀환 ; 〖컴퓨〗 피드백, 귀환, 되먹임《오류를 바로 잡기 위해 output의 일부를 입력측으로 되돌리기》; (정보·서비스 따위를 받는 측의) 반응, 의견. 〚FEED¹, BACK〛

féedback inhibìtion *n.* 〖生化〗 피드백 저해(沮害)[억제].

féed·bàg *n.* (사료를 넣어서 말의 목에 거는) 꼴망태 ; 《俗》 식사.

put on the feedbag 《美俗》 식사하다.

féed·er *n.* **1** 먹는 사람[짐승] : a large[gross] ~ 대식가. **2** 사육자 ; 가축을 살찌게 기르는 사람. **3** 여물통, 먹이통, (조류(鳥類) 따위의) 모이 그릇 ; 젖병(feeding bottle). **4** 《英》 (식사때 어린아이가 턱에 대는) 턱받이(bib). **5** 지류(支流) (tributary) ; =FEEDER LINE ; 항공지선 ; 〖電〗 급전선(給電線), 배전선. **6** 〖機〗 공급기(機), 공급 장치. 〚FEED¹〛

féeder lìne *n.* (항공로·철도의) 지선(支線).

féed·er·lìner *n.* 지선 운항(용) 여객기.

féeder ròad *n.* (간선 도로로 통하는) 지선 도로.

féed·fòrward *n.* 실행에 옮기기 전에 결함을 예측하여 행하는 피드백 과정의 제어.

féed gràin *n.* 사료용 곡물.

féed·ìn *n.* 무료 급식회. —— *a.* 〖機〗 원료 공급의.

féed·ing *a.* **1** 음식을 섭취하는 ; 급식의, 사료를 주는. **2** 〖機〗 원료 공급의 ; 급수(給水)의, 급전(給電)의. **3** (시시각각으로) 더 심해지는 : a ~

storm 더 심해지는 폭풍우.
—— *n.* **1** Ⓤ 섭식(攝食), 급식, (가축의) 사육. **2** Ⓤ 〔機〕 원료 공급 ; 급수 ; 급전.
féeding bòttle *n.* 젖병(feeder).
féeding cùp *n.* (어린이·환자용) 음료를 마시는 기구.
féeding tìme *n.* (가축 따위의) 먹이 주는 시간.
féed·lòt *n.* (가축의) 사육장.
féed pìpe[**pùmp**] *n.* 급수관[펌프].
féed·stòck *n.* (기계용의) 공급 원료[재료], 원료유(油).
féed·stòre *n.* 《美》 사료 가게.
féed·stùff *n.* (가축의) 사료.
féed tànk *n.* 급수 탱크 ; (음료용) 저수조(槽).
féed tròugh *n.* (증기 기관차의) 급수 탱크 ; 《美》 (가축의) 구유.
fée fàrm *n.* 〔法〕 영대 차지(永代借地).
fee-faw-fum [fíːfɔ̀ːfʌ́m], **-fo-** [-fòu-] *int.* (동화에서) 괴물이 지르는 소리. —— *n.* (겁만 주려는) 위협, 으름장 ; 흡혈귀.
fée-for-sérvice *n.* [때때로 형용사적으로] (의료비의) 각 진료별 지불.
◇**feel** [fiːl] *v.* (**felt** [félt]) *vt.* **1 a**) [+目/+*wh.* 節] 만져 보다(touch) : ~ a patient's pulse 환자의 맥을 짚어보다 / *F*~ *how* cold my hands are. 내 손이 얼마나 찬가 만져 봐요. **b**) (적정(敵情) 따위를) 정찰하다 : ~ the enemy. **2** [+目/+目+原形/+目+do*ing*/+目+過分] 느끼다, 감지(感知)하다 : ~ hunger[pain] 허기[고통]를 느끼다 / An earthquake was *felt* last night. 어젯밤에 지진이 있었다 / I *felt* my heart beat violently. 심장이 세차게 고동치는 것을 느꼈다 / We *felt* the ground trembl*ing*. 지면이 흔들리는 것을 느꼈다 / He *felt* himself lift*ed* up. 몸이 들어올려지는 것을 느꼈다. **3** [+目/+*that* 節/+目+補/+目+過分/+目+*to* do] 깨닫다, 자각하다 ; 통감하다 : I don't ~ much pity for her. 그녀를 그다지 불쌍하다고는 생각지 않는다 / I *felt that* his proposal was not practical. 그의 제안은 실제적이 아니라고 느꼈다 / I ~ it my duty to speak frankly to you. 당신에게 솔직하게 이야기하는 것이 제 의무라고 느끼고 있습니다 / He *felt* himself call*ed* upon to do something to help. 무언가 거들어 주지 않으면 안되겠다고 느꼈다 / The report was *felt to be* untrue. 그 보도는 사실이 아닌 것 같이 생각되었다. **4** [+*that* 節] (…이라고) 느끼다, 어쩐지 (…이라는) 느낌이 들다 : I ~ *that* some disaster is impending. 재난이 닥쳐올 것 같은 예감이 든다. **5** (무생물이) …에 감응되는 것 같이 움직이다 : The ship is still ~*ing* her helm. 그 배는 아직도 키에 따라 움직이고 있다[키가 말을 잘 듣는다].
—— *vi.* **1** 감각[느낌]이 있다 : My fingers did not ~. 손가락의 감각이 없었다. **2** [+補/+過分/+前+名/+副] **a**) 느낌[마음]이 들다 : He *felt* sorry for her. 그녀가 불쌍하다는 마음이 들었다 / ~ bad ☞ 숙어 / I *felt* disgust*ed*. 메스꺼워졌다, 정이 떨어졌다 / He *felt* a fool. 자신이 바보처럼 느껴졌다 / She *felt* mistress of the situation. 그 자리의 여왕과 같이 느껴졌다《무엇이나 자기의 뜻대로 되지 않는 것은 없는 것 같은 기분이었다》/ You must make your guests ~ ***at*** home. 손님들이 편안하게 느끼도록 해줘야 한다. 注 이 뜻으로는 흔히 진행형으로 사용됨 : *How are* you ~*ing* this morning? 오늘 아침 기분은 어떻습니까 / He *was* ~*ing* rather unwell. 약간 기분이 좋지 않았다. **b**) (…인 것 같이) 느끼다, (…와 같이) 생각하다 : I ~ certain that he will be successful. 그의 성공은 틀림없다고 생각한다 / He *felt* as if he were stepping back into the past. 마치 과거의 세계로 되돌아가는 느낌이었다. **c**) (…한) 느낌을 주다, 감촉이 …하다, 만지면 (…한) 느낌이 들다 : Velvet ~*s* soft. 벨벳은 감촉이 부드럽다 / The air ~*s* cold. 공기가 차게 느껴진다 / This paper ~*s* like silk. 이 종이는 비단과 같은 감촉을 갖고 있다. **3** [+前+名] 공감(共感)하다, 동정하다(sympathize) ; 불쌍히 여기다 : She ~*s* ***with*** me. 그녀는 나를 동정한다 / He ~*s* ***for*** all who suffer. 그는 고통받는 사람을 보면 누구나 불쌍하다고 여긴다. **4** [+前+名] 찾다, 더듬어 찾다 : I *felt* in my pocket ***for*** a lighter. 나는 호주머니에 손을 넣어 라이터를 찾았다 / He *felt* ***after*** the handle. 그는 손으로 더듬어서 손잡이를 찾았다.

〈회화〉
How are you *feeling* today?—I'm *feeling* much better, thanks. 「오늘은 기분이 어떻습니까」「고마워요, 아주 좋아졌어요」

feel bad 《口》 ⑴ 기분이 나쁘다 : I ~[am ~*ing*] *bad* today. 오늘은 기분이 언짢다. ⑵ ☞ FEEL *badly about*.
feel badly about …에 마음 쓰다, …에 기분을 상하다[상심하다] : She *felt* very *badly about* her mistake. 그녀는 자기의 잘못을 몹시 유감으로 생각했다.
feel good 몸의 상태가 좋다, 기분이 좋다(cf. GOOD *a.* 11).
feel like... ⑴ 느낌[촉감]이 …같다(cf. *vi.* 2 c)). ⑵ …하고 싶은 마음이 들다 : You may not ~ *like* go*ing* to bed on such a beautiful night. 이런 아름다운 밤에 잠자리에 들고 싶은 생각은 아니겠지요 / Let's go fishing if you ~ *like* it. 마음이 내키시면 낚시질하러 갑시다. ⑶ 아무래도 … 같다 : It ~*s like* rain. 아무래도 비가 올 것 같다.
feel like one***self*** = FEEL one*self*.
feel of... 《美》 …을 손으로 만져 보다.
feel one***'s legs***[***feet, wings***] 발판이 든든하다 ; 《비유》 각오가 (단단히) 서다, 자신이 생기다.
feel one***'s way*** 손으로 더듬으며 나아가다 ; 《비유》 조심스럽게 행동하다 : In the darkness he *felt his way* across the room. 어둠 속에서 그는 손으로 더듬으며 방을 가로질러 갔다.
feel out (남의) 의향[생각]을 넌지시 떠보다, …을 타진하다(sound out) 〈*on*〉 ; (이론 따위를 실제로) 시험하다, 테스트하다.
feel (***quite***) one***self*** 기분이 좋다, 심신의 상태가 좋다.
feel shame to do ☞ SHAME.
feel up to ... 《口》 (일 따위)에 견딜 것 같은 느낌이 들다, …을 할 수 있을 것 같이 생각되다(= ~ equal to) : I don't ~ *up to* this task. 도저히 이 일은 해낼 수 있을 것 같지가 않다.
—— *n.* [단수형으로] **1** 손을 댐 ; 손의 감각, 살갗의 감각, 감촉, 촉감 : It is soft *to the* ~. 촉감이 부드럽다 / have a ~ 만져 보다. **2** 느낌, 분위기 : There was a ~ *of* frost that night. 그날 밤은 서리가 내릴 것 같았다. **3** 《口》 육감, 직감, 감지력 ; 센스 : have a ~ *for* words 말에 대한 센스가 있다. 〚OE *fēlan* ; cf. G *fühlen*〛
féel·er *n.* **1** 〔動〕 촉각, 촉모(觸毛), 촉수(觸鬚). **2** 떠보기, 타진《상대방의 의향을 살피는 질문 따위》. **3 a**) 만져 보는 사람[것]. **b**) 〔軍〕 척후.
féel·gòod *n.* 《蔑》 근심 걱정이 없는 상태, 완전한

만족(滿足).

feel·ie [fíːli] *n.* 감각 예술품《시각·촉각·후각·청각에 호소하는 예술 작품[매체]》.

‡**féel·ing** *n.* **1** U,C 촉감; 감각; 지각. **2** U,C [+*that* 節] 느낌, 심정, 기분; 의견: good ~ 호감/ill ~ 반감, 악감정/A high ceiling gives a ~ *of* airiness and spaciousness. 높은 천장은 통풍이 잘 되며 넓다는 느낌을 준다/I had a ~ *that* something dreadful was going to happen. 무언가 무서운 일이 일어날 것 같은 느낌이 들었다. **3** U 분위기. **4** [*pl.*] 감정, 기분: hurt a person's ~*s* 남의 감정을 해치다/enter into a person's ~*s* 남의 감정을 헤아리다/No hard ~*s*! ☞ HARD *a.* 5. **5** U 동정, 자비심, 친절: Many politicians have no ~ *for* the poor. 가난한 사람들을 걱정해 주지 않는 정치가가 많다. **6** U 감수성 (sensibility): a person of fine ~ 감수성이 예민한 사람. **7** U 격정; 흥분; 감동: speak *with* ~ 감동하여[진지하게] 이야기하다. —— *a.* **1** 감각이 있는. **2** 느끼기 쉬운, 다감한. **3** 동정심이 있는. **4** 감동이 깃든; 진심에서의(heartfelt).

~·ly *adv.* 감정[정감·정성]이 깃든, 진지하게.

類義語 ***feeling*** 이성(理性)에 대하는 말로 어떤 일에 대하여 주관적인 유쾌·불쾌의 감정; 가장 보편적인 말: *feelings* of happiness (행복의 감정). ***emotion*** 애정·두려움·슬픔·기쁨 따위의 강렬한 feeling: Her heart was filled with strong *emotion.* (그녀의 마음은 강렬한 감정으로 충만했다). ***passion*** 이성(異性)에 대한 애정이나 격렬한 분노 따위의 강렬한 emotion으로 때때로 이성적인 판단을 압도해 버리는 것: He killed her in a *passion* of anger. (분노에 휩싸여 그녀를 죽여 버렸다). ***sentiment*** 때때로 어느 정도의 사고나 이성을 수반하는 점잖은 또는 유순한 감정: Recollections are often colored by *sentiment.* (추억은 감정으로 채색되는 수가 흔히 있다).

feel·thy [fíːlθi] *a.* 《俗》 외설의(filthy), 상스러운. 〖외국인이 하는 *filthy*의 발음을 희롱하여 모방(模倣)한 것〗

feep·er [fíːpər] *n.* 《컴퓨俗》 (단말기의) 부저.

fée símple *n.* (*pl.* **fées símple**) 〖法〗 단순 봉토권; 무조건 상속 재산(권).

fée splìtting *n.* 요금의 분배《의사[변호사]가 환자[의뢰인]를 소개한 동업자에게 줌》.

◇**feet** *n.* FOOT의 복수형.

fée táil *n.* (*pl.* **fées táil**) 〖法〗 한사(限嗣) 상속 재산(권).

féet of cláy *n.* 숨겨진 결점, (특히 윗사람의) 감춰진 약점《다니엘 2 : 33》.

féet pèople *n.* 도보(徒步) 난민《캄보디아, 엘살바도르, 니카라과 등지에서 육로를 통하여 인접국으로 탈출하는 난민; cf. BOAT PEOPLE》.

fee-TV [∸∸] *n.* 유료 텔레비전.

feeze [fíːz, féiz], **feaze** [fíːz] *vt.* 《方》 징계하다, 내쫓다; 《美方》 겁나게 하다, 동요시키다.
—— *vi.* 《方·口》 안달하다, 조바심하다.
—— *n.* 《方》 격돌; 《美口·英方》 놀람, 동요, 흥분. 〖OE *fēsian* to drive away〗

Féi·gen·baum númbers [fáigənbàum-] *n. pl.* 〖數〗 파이겐바움 수《어떤 시스템이 카오스의 상태가 되는 비율을 결정하는 두 개의 상수》.

***feign** [féin] *vt.* **1** [+目/+*that* 節/+目+補/+*to* do] 가장하다, 시늉하다, …인 체하다 (pretend): ~ illness 꾀병을 부리다/Hamlet ~*ed that* he was insane[~*ed* himself insane]. 햄릿은 미친 사람인 양 행동했다/She ~*ed to* be asleep. 잠자는 체했다. **2** (구실 따위를) 만들다, 지어내다. —— *vi.* 가장하다, 거짓 꾸미다.
~ed *a.* 거짓의, 가장된; 《稀》 가공의. **~·ed·ly** [-ədli] *adv.* 거짓으로, 가장하여. **~·er** *n.*
〖OF<L *fict- fingo* to shape, contrive〗
類義語 ⟹ ASSUME.

feint[1] [féint] *n.* **1** [+*of*+do*ing*] 가장, 겉보기: He made a ~ ***of*** study*ing* hard, though actually he was listening to the radio. 실은 라디오를 듣고 있었는데 열심히 공부하는 것처럼 가장했다. **2** 〖拳·펜싱〗 페인트《공격하는 시늉을 하기》; 견제(牽制)운동. —— *vi.* 페인트를 하다; 거짓 공격을 하다〈*at, upon, against*〉.
〖F (p.p.) 〈FEIGN〗

feint[2] *a.* 〖印〗 엷은: ~ lines (편지지 따위의) 엷은 줄/ruled ~ 엷게 줄 친. —— *n.* 엷은 괘선.
〖↑〗

F. E. I. S. Fellow of the Educational Institute of Scotland.

feist [fáist] *n.* 《美方》 잡종 강아지; 《美方》 쓸모없는 놈, 시시한 놈.

féisty *a.* 《美方》 잡종 강아지 같은; 팔팔한, 기운찬; 성마른, 호전적인, 공격적인, 허세를 부리는.

FEL [fél] *n.* 〖軍〗 자유 전자 레이저《DEW의 일종》.
〖*f*ree *e*lectron *l*aser〗

felafel ☞ FALAFEL.

feld·spar [féldspɑ̀ːr] *n.* U,C 〖鑛〗 장석(長石)(=《英》 felspar). **feld·spath·ic** [feldspǽθik], **-spath·ose** [féldspæθòus] *a.* 장석의[을 함유한]. 〖G (*feld* field, *spat*(*h*) spar[3]); FELSPAR의 형(形)은 G *fels* rock의 잘못된 연상(聯想)〗

Fe·li·cia [fəlíːʃiə; -siə] *n.* 여자 이름.
〖L (fem.); ⇨ FELIX〗

fe·li·cif·ic [fiːləsífik] *a.* 행복을 가져오는, 행복하게 하는; 행복을 가치 기준으로 하는.

fe·lic·i·tate [filísətèit] *vt.* [+目/+目+*on*+名] 축하하다《주 CONGRATULATE 보다 문어적》; 번영시키다; 행운으로 생각하다; 《古》 행복하게 하다: ~ a person ***on*** his marriage 남에게 결혼을 축하하다. —— *a.* 《廢》 행복해진.
〖L= to make very happy (*felic- felix* happy)〗

fe·lic·i·ta·tion [filisətéiʃən] *n.* U [보통 *pl.*] 축하; 축사.

fe·líc·i·tà·tor *n.* 축하객.

fe·lic·i·tous [filísətəs] *a.* (표현이 그것에) 어울리는, 좋은, 적절한; 《稀》 경사스러운. **~·ly** *adv.*

***fe·lic·i·ty** [filísəti] *n.* **1** U 지복(至福)(bliss); C 경사; 행복을 가져오는 것. **2** U (표현이) 좋음, 적절〈*of*〉; C 적절한 표현, 명문구: with ~ 적절하게, 잘. 〖OF<L; ⇨ FELICITATE〗

felícity condìtion *n.* 〖言〗 적절성 조건《발화(發話)의 목적이 달성되기 위한 충족 조건》.

fe·lid [fíːləd] *a., n.* 〖動〗 고양이과(科)의 (동물).

fe·line [fíːlain] *a.* **1** 고양이과(科)[속(屬)]의. **2** 고양이 같은; 음흉한: ~ amenities 흉계를 품은 감언(甘言). —— *n.* 고양이과의 동물《고양이·호랑이·사자·표범 따위》. **~·ly** *adv.*
〖L (*feles* cat)〗

fe·lin·i·ty [fi(ː)línəti] *n.* 고양이 같은 성질; 교활함; 음흉함.

Fe·lix [fíːliks] *n.* 남자 이름(cf. FELICIA).
〖L=happy〗

Fé·lix [fíːliks; *F* feliks] *n.* 남자 이름.
〖↑〗

Félix the Cát *n.* 고양이 펠릭스《미국의 만화가 Pat Sullivan(1887-1933)의 만화 영화 주인공; 어떤 재난에도 죽지 않는 검은 고양이》.

◇**fell**[1] *v.* FALL의 과거형.

***fell**[2] [fél] *vt.* **1** (나무를) 잘라 쓰러뜨리다, 벌채하다; (남을) 쳐 쓰러뜨리다, 죽이다. **2** (솔기를) 공그르다. —— *n.* **1** (한 철의) 벌채량(伐採量). **2** 공그르기. 〚OE *fellan*; Gmc.에서 fall의 causative; cf. G *fällen*〛

fell[3] *n.* **1** 짐승 가죽, 모피; (인간의) 피부. **2** (곱슬곱슬한) 털, 텁수룩한 머리털. 〚OE *fel*(*l*); cf. G *Fell*〛

fell[4] *a.* 《詩·古》 잔인한, 맹렬한(fierce), 무서운(terrible); 치명적인, 파괴적인. 〚OF; ⇨ FELON[1]〛

fell[5] *n.* **1** 《北英·스코》 황폐한 고원, 고원 지대(cf. MOORLAND). **2** [지명으로 쓰여; 때때로 F~] 《北英》 …산(山)(hill): Bow *F*~. 〚ON *fjall*, *fell* hill; cf. G *Fels* rock, cliff〛

fel·la, fel·lah[1] [félə] *n.* 《俗·方》 =FELLOW.

féll·able *a.* 벌채할 수 있는, 벌채에 적합한.

fel·lah[2] [félə, fəlɑ́ː] *n.* (*pl.* **~s, fel·la·heen, fel·la·hin** [fèləhíːn, fəlɑː-]) (이집트·시리아 따위의) 농부(peasant), 인부(laborer). 〚Arab. =husbandsman〛

fel·late [fəléit, féleit] *vi.*, *vt.* (…에게) 펠라티오(fellatio)를 하다. **fel·lá·tor** [, félei-] *n.*

fel·la·tio [fəléiʃiòu, fe-, -lɑ́ːti-] *n.* (*pl.* **-ti·òs**) Ⓤ (음경에 대한) 구강 성교, 펠라티오.

féll·er[1] *n.* **1** 벌채자; 벌목기(伐木機). **2** (재봉틀의) 공그르기를 하는 부속품. 〚FELL[2] (v.)〛

feller[2] *n.* 《俗·方》 =FELLOW.

féll·mònger *n.* 모피의 털뽑는 직공; 가죽 장수, 모피상; (특히) 양피상(羊皮商).

fel·loe [félou] *n.* =FELLY[1].

‡**fel·low** [félou] *n.* **1** [, félə] 《口》 사람, 사내, 녀석(man, boy) 《때때로 친근한 호칭으로 쓰임》; [a ~] (일반적으로) 사람(person), 누구(one), 나(I); [the ~] 《蔑》 놈, 저녀석: a good [jolly] ~ (상대해서) 재미있는 녀석 / my dear [good] ~ 여보게 / Poor ~! 불쌍한 놈, 가엾게도! / A ~ must eat. 사람은 먹어야 산다. **2** [보통 *pl.*] 한패, 동아리(companion), 동반자, (못된 짓의) 한패, 동아리(accomplice); 동지, 동배(同輩), 동료(comrade). **3** 동업자; 같은 시대의 사람(contemporary): ~*s* in play[at school] 놀이[학교] 친구. **4** (쌍[짝]으로 된 물건의) 한 쪽; 필적하는 사람, 상대(방): the ~ of a shoe [glove] 구두[장갑]의 한 짝. **5 a**) 《英》 (대학의) 평의원(評議員). **b**) (대학의) 특별 연구원, 펠로(cf. FELLOWSHIP 4). **6** [보통 F~] (학술 단체의) 특별회원《보통 일반회원(member)보다 더 상위(上位); cf. ASSOCIATE》: a ~ of the British Academy 영국 학술원 특별회원. **7** [형용사적으로] 한패의, 동료의, 동업(자)의: a ~ citizen 같은 시민 / a ~ country man 같은 나라 사람 / a ~ lodger 동숙자(同宿者) / a ~ passenger 합승한 사람 / a ~ soldier 전우(戰友) / ~ students 학우. —— *vt.* 대등하게 하다; 《古》 …와 동료가 되다, 짝을 짓다. 〚OE *fēolaga*<ON=partner (who lays down money); ⇨ FEE, LAY[1]〛

féllow créature *n.* 같은 인간, 동포; 같은 종류의 동물.

féllow féeling *n.* 동정, 자비심, 공감, 동지 의식; 상호 이해.

féllow·mán *n.* 같은 인간, 동포.

féllow sérvant *n.* 〔法〕 동료 고용인《같은 고용주 밑에서 일하는》.

***féllow·shìp** *n.* **1** Ⓤ 동료[친구]이기(companionship); 친교, 친목: enjoy good ~ *with* one's neighbors 이웃 사람들과 사이좋게 지내다. **2** Ⓤ 서로 나누기(sharing), 공동, 협력(participation): ~ *in* misfortune 불행을 함께 하기. **3** 단체, 협회, 조합, 동맹: a world ~ *of* scientists 세계 과학자 동맹 / admit a person to a ~ 남을 회원[단원(團員)]으로 삼다, 남을 입회시키다. **4** (대학의) 특별 연구원의 지위[급료]; (학회 따위의) 특별 회원의 지위; 《英》 (대학의) 평의원(評議員)의 지위.

give*[*offer*] a person *the right hand of fellowship (악수하여) …의 친구로 맞아들이다, (남과) 우의를 맺다.

—— *v.* (**-p(p)-**) *vt.* 《美》 (특히 종교 단체)의 회원이 되다; 회원에 가입하다. —— *vi.* (종교 단체의) 회원이 되다.

féllow tráveler *n.* 길동무; (정당 따위의) 동조자, 후원자, (특히 공산당의) 동조자. 〚Russ. *poputchik*의 역(譯)〛

fel·ly[1] [féli] *n.* (차바퀴의) 테두리, 겉테. 〚OE *felg*<?; cf. G *Felge*〛

felly[2] *adv.* 가차없이, 무참하게, 참혹하게. 〚FELL[4]〛

fe·lo-de-se [fíːloudiːsíː, fél-, -séi] *n.* (*pl.* **fe·lo·nes-de-se** [fíːlounìːz-, fél-], **fe·los-de-se** [-louz-]) 자살자; 자살. 〚L=evildoer upon himself〛

fel·on[1] [félən] *n.* 〔法〕 중죄인(重罪人). —— *a.* 《古·詩》 흉악한(wicked), 잔혹한(cruel). 〚OF<L *fellon-* *fello* a criminal〛

felon[2] *n.* 〔醫〕 표저(瘭疽)(whitlow). 〚ME<? ↑〛

fe·lo·ni·ous [fəlóuniəs] *a.* 〔法〕 중죄(인)의; 흉악한. **~·ly** *adv.* 범의를 품고; 흉악하게.

félon·ry *n.* [집합적으로] 중죄인《원래는 유형지(流刑地)인 오스트레일리아의 죄수들》.

fel·o·ny [féləni] *n.* Ⓤ,Ⓒ 〔法〕 중죄《살인·방화·강도 따위; cf. MISDEMEANOR》.

fel·site [félsait] *n.* 규장암(硅長岩).

fel·spar [félspɑ̀ːr] *n.* 《주로 英》 =FELDSPAR.

fel·spath·ic [felspǽθik] *a.* 《주로 英》 =FELDSPATHIC.

fel·stone [félstòun] *n.* =FELSITE.

◇**felt**[1] [félt] *v.* FEEL의 과거·과거 분사. —— *a.* (통절히) 느껴지는: a ~ want 절실한 요구.

***felt**[2] *n.* Ⓤ 펠트, 모전(毛氈). —— *a.* 펠트 제의: a ~ hat 펠트 모자, 중절모자. —— *vt.* 펠트로 만들다; 모전으로 덮다. —— *vi.* 펠트 모양이 되다. **~·ing** *n.* **1** Ⓤ 펠트 제법. **2** [집합적으로] 펠트감, 모전류; 펠트 제품. 〚OE *felt*; cf. G *Filz*〛

félt sìde *n.* 종이의 겉면(cf. WIRE SIDE).

félt-tìp(ped) pén, félt pén[típ] *n.* 펠트(팁)펜.

félty *a.* 펠트 비슷한[모양의].

fe·luc·ca [fəlúːkə, -lʌ́kə; felʌ́kə] *n.* 펠러커 선(船)《지중해 연안에서 쓰이는 작고 빠른 돛배》. 〚It. *feluc*(*c*)*a*<Sp. <Arab.〛

felucca

FeLV feline leukemia virus (고양이 백혈병 바이러스).

fem [fém] *a.* 《美俗》 여자 같은, 여성적인; 여자[여성]의. —— *n.* =FEMME.

fem. female; feminine.

FEMA 《美》 Federal Emergency Management Agency(연방 긴급시 관리국).

‡fe·male [fíːmeil] *n.* (↔*male*) **1 a**) 여성, 부인 (woman, girl). ㊟ 과학·통계상의 용어로 성별을 나타내기 위해 쓰임. **b**) 《蔑》 여자, 계집애 : A young ~ has called. 젊은 여자가 찾아왔어요. **2** (동물의) 암컷 ; 〔植〕 자성(雌性) 식물.

〈회화〉

Are there many *females* in your class? — No. Not so many. 「너희 반에 여학생은 많니」「아니, 그렇게 많지 않아」

—— *a.* 여자의, 여성의 ; 암컷의 ; 〔植〕 자성의, 암술만 가진 ; 〔機〕 암[자(雌)]의 : a ~ flower 암꽃 / a ~ screw 암나사 / the ~ sex 여성.
~·ness *n.* 〚OF＜L *femella* (dim.)＜*femina* woman ; 어형은 *male*에 동화(同化)〛
類義語 ⟹ WOMAN, WOMANLY.

fémale cháuvinism *n.* 여성 우월[중심]주의 (↔*male chauvinism*). **-ist** *n.*

fémale cháuvinist píg *n.* 《蔑·戲》 여성 우월주의의 암퇘지《사람》.

fémale impérsonator *n.* (배우 등의) 여장(女裝) 남자.

fémale súffrage *n.* ＝WOMAN SUFFRAGE.

fem·cee [fémsìː] *n.* (특히 라디오·텔레비전의) 여성 사회자.
〚*fem*ale＋*emcee*〛

feme [fém, fíːm] *n.* 〔法〕 여자, (특히) 아내 : baron and ~ 〔法〕 부부.

féme cóvert *n.* 〔法〕 유부녀, 기혼 여성.

féme sóle *n.* 〔法〕 독신녀《미혼녀, 과부, 이혼자》 ; (법률상 남편으로부터 독립된 재산을 갖고 있는) 독립 여성.

fem·i·cide [féməsàid] *n.* 여자 살해(자).

fem·i·na·cy [fémənəsi] *n.* Ⓤ 《稀》 여자다운 성질, 여자다움, 여성 기질.

fem·i·nal [fémənl] *a.* 여자다운, 여성적인.

fem·i·nal·i·ty [fèmənǽləti] *n.* 여자다움 ; 여자의 특성 ; [*pl.*] 여성의 패물[소지품].

fem·i·ne·i·ty [fèməníːəti] *n.* 여자다움.

***fem·i·nine** [fémənən] *a.* (↔*masculine*) **1 a**) 여자의, 여성의 ; 여자다운(womanly), 유순한, 연약한. **b**) (남자가) 여자 같은, 나약한, 유약한 (womanish). **2** 〔文法〕 여성의(cf. MASCULINE, NEUTER) ; 〔韻〕 여성 휴지(休止)의 : the ~ gender 여성 / a ~ noun 여성 명사. —— *n.* 〔文法〕 **1** [the ~] 여성. **2** 여성형, 여성어.
~·ly *adv.* **~·ness** *n.*
〚OF or L (*femina* woman)〛
類義語 ⟹ WOMANLY.

féminine énding *n.* 〔韻〕 여성 행말(行末)《행 끝에서 무양음(無揚音)[무강세]의 음절이 한두 개 더 붙음 ; cf. MASCULINE ENDING》 ; 〔文法〕 여성 어미.

féminine rhýme *n.* 〔韻〕 여성운(韻) 《2음절 또는 3음절의 압운(押韻)으로 강세가 있는 음절 뒤에서 약한 1[2]음절로 끝나고 있는 것 ; 보기 nótion, mótion ; cf. MASCULINE RHYME》.

fem·i·nin·ism [fémənənìzəm] *n.* Ⓤ 유약한 성향 ; Ⓒ 여자 특유의 말씨.

fem·i·nin·i·ty [fèmənínəti] *n.* **1** Ⓤ 여자임, 여성의 특질 ; 여자다움 ; 연약함. **2** Ⓤ [집합적으로] 여성, 부인(women).

femininity tèst *n.* (스포츠에서) 성검사.

fem·i·nism [fémənìzəm] *n.* **1** Ⓤ 남녀평등[동권]주의, 여권 확장운동, 여성 해방론. **2** 〔醫〕 (남성의) 여성화, 여자다움.

fem·i·nist [fémənəst] *n.* 여권 주장자, 여권 확장론자. —— *a.* FEMINISM의.

fèm·i·nís·tic *a.* 여권주의(자)의 ; 여권 신장론(자)의.

fe·min·i·ty [fəmínəti, fe-] *n.* ＝FEMININITY.

fèm·i·ni·zá·tion *n.* 여성화.

fem·i·nize [fémənàiz] *vt., vi.* 여성화하다, 여자답게 하다[되다] ; 〔動〕 자성화(雌性化)하다.

fem lib, fem·lib [fémlib] *n.* 《口》 ＝WOMEN'S LIB.

femme [fém ; *F* fam] *n.* 여자(woman) ; 처(wife) ; 《美口》 레스비언의 여자역(↔*butch*) ; 남자 동성애의 여자역.

femme de cham·bre [*F* fam də ʃɑ̃ːbr] *n.* (*pl.* **femmes de chambre** [*F* —]) 시녀 ; (여관의) 객실 하녀.

femme fa·tale [fèm fətǽl, -tɑ́ːl ; *F* fam fatal] *n.* (*pl.* **femmes fatales** [-*z* ; *F* —]) 요부(妖婦), 논다니.

femora *n.* FEMUR의 복수형.

fem·o·ral [fémərəl, -ərəl] *a.* 〔解〕 대퇴부의.

fem·to- [fémtou, -tə] *comb. form* 〔단위〕 펨토《＝10^{-15} ; 기호 f》.
〚Dan. or Norw. *femten* fifteen〛

fémto·mèter *n.* 펨토미터《＝10^{-15}m》.

fe·mur [fíːmər] *n.* (*pl.* **~s, fem·o·ra** [fémərə]) 〔解〕 대퇴골 ; 대퇴부, 넓적다리(thigh) ; 〔昆〕 넓적다리마디, 퇴절(腿節). 〚L〛

fen[1] [fén] *n.* 늪지, 소택지(沼澤地)(marsh) ; [the F~s 또는 ~s] 잉글랜드 동부의 소택지대.
〚OE *fen*(*n*) ; cf. G *Fenn*〛

fen[2] ☞ FAIN[2].

FEN, F. E. N. Far East Network (미 극동 주둔군 방송망).

fe·na·gle [fənéigəl] *vt., vi.* 《口》 ＝FINAGLE.

fén·bèrry [; -bəri] *n.* ＝CRANBERRY.

‡fence [féns] *n.* **1** 울타리, 방책, 펜스 ; 《英》 (나무로 만든) 담 ; (마술 경기 따위의) 장애물 ; 《美》 (쇠·벽돌·돌의) 담장(cf. HEDGE, RAILING[1], PALING) : a sunk ~ 은장(隱墻)《해자(垓字)·도랑 밑바닥을 따라 만든 방책》 / put one's horse at[to] the ~ 말을 몰아 장애물을 뛰어넘게 하다. **2** Ⓤ 검술, 펜싱 ; 《비유》 변론[답변]의 교묘함 : a master of ~ 검술의 사범[명수] ; 토론의 명수, 응답을 잘 하는 사람. **3** (기계의) 유도 장치 (guide) ; 울, 보호재(材)(guard). **4** 장물 취득인 [사들이는 곳]. **5** 《古》 방호(물), 방벽(防壁). **6** [보통 *pl.*] 《美》 정치적 기반.

come down on the right side of the fence (형세를 보아) 우세한 편에 가담하다.

mend [***look after, repair, look to***] one***'s fences*** 《美》 (국회의원이) 자기의 기반을 다지다[닦다] (＝《英》 NURSE one's constituency).

rise to a fence ☞ RISE.

sit [***stand***] ***on the fence*** 형세를 관망하다, 중립을 취하다.

stop to look at a fence 《비유》 장애[곤란] 따위에 직면하여 주저하다.

—— *vt.* **1** [＋目 / ＋目＋前＋名 / ＋目＋副] …에 담[방책·담장]을 두르다, 울을 치다 ; 막다, 가로막다, 엄호하다(protect) : ~ fields[a garden] 논밭[마당]을 울타리로 둘러싸다 / His land is ~*d* ***with*** barbed wire. 그의 토지는 가시 철조망으로 둘러쳐져 있다 / The area has been ~*d* ***from*** the public. 그 지역은 일반인이 드나들지 못하게 울타리가 쳐져 있다 / The soldiers ~*d* themselves ***against*** the enemy. 병사들은 적에 대비하여 방어책을 폈다 / The plot was ~*d* ***in***

[*round*]. 그 토지의 한 귀퉁이에는 울타리가 쳐져 있었다. **2** [＋目＋副] 막아내다, 뿌리치다 (ward off) : ~ ***off*** the consequences of a foolish act 어리석은 행동의 결과를 사전에 방지하다. **3** (장물을) 매매하다.
── *vi.* **1** 칼을 쓰다, 검술을 하다. **2** [＋*with*＋名] (질문·질문자를) 받아넘기다 : He cleverly ~*d* ***with*** the question. 그 질문을 교묘하게 받아넘겼다. **3** (말이) 울타리[방책]를 뛰어넘다. **4** 장물을 매매하다. 〚de*fence*〛

fénce bùster *n.* 《野俗》 장(長)[강(強)]타자.

fénce·less *a.* 울타리가 없는 ; 《詩》 무방비의.

fénce-mènd·ing *n.* 《美口》 (외국과의) 관계 수복 ; (의원의) 기반 다지기.

fénce mònth *n.* 《英》 (사슴의) 금렵기(期).

fenc·er [fénsər] *n.* 검객, 검사(劍士)(swordsman) ; 울타리를 뛰어넘는 말 ; 방책[울타리]을 만드는 사람.

fénce sèason[**tìme**] *n.* 《英》 금렵기.

fénce sìtter *n.* 형세를 관망하는 사람, 중립자.

fénce-sìtting *a.* 형세를 살피는, 기회를 엿보는.

fénce-stràddler *n.* 《美口》 (논쟁 따위에서) 양쪽 편을 다 드는 사람.

fen·ci·ble [fénsəbəl] *a.* 《스코》 막아낼 수 있는, 방어할 수 있는. ── *n.* 〔史〕 방위군.

***fenc·ing** [fénsiŋ] *n.* **1** Ⓤ 펜싱, 검술 : a ~ foil (연습용의) 펜싱 칼 / a ~ master 펜싱 교사[사범] / a ~ school 펜싱 학교[도장]. **2** Ⓤ 울타리[방책·담장]의 재료 ; [집합적으로] 울, 방책, 담장. **3** Ⓤ 의논[질문]의 교묘한 응답. **4** Ⓤ 장물매매 : a ~ cully 장물 은닉자 / a ~ den[ken] 장물 은닉처 / a ~ shop 장물 매매소.

fend [fénd] *vt.* [＋目＋副] 막다, 지키다 ; (긴 칼끝 따위를) 받아[막아]넘기다(ward) : ~ ***off*** a blow 타격을 받아넘기다. ── *vi.* [＋前＋名] 돌보다 ; (…에) 대비하다(provide) ; 《스코》 고투하다, 노력하다 : ~ for oneself 자활(自活)하다, 혼자힘으로 이럭저럭 해나가다. ── *n.* 《스코》 자주독립의 노력. 〚de*fend*〛

fénd·er *n.* **1** (격돌을 피하기 위해) 덧대는 것. **2** 《美》 (자동차 따위의) 펜더, 흙받기(mudguard) (=《英》 wing) ; 《英》 배장기(排障器) ; 구조망(救助網) (=《美》 cowcatcher) 《기관차·전차 따위의 앞부분에 붙이는 것》 ; 《英》 (자동차의) 완충 장치, 범퍼(=《美》 bumper). **3** (벽난로(hearth) 앞에 놓는 낮은) 난로 격자(格子), 난로의 철사망 : a ~ stool 《英》 벽난로 격자 앞의 발 없는 긴 발판. **4** 〔海〕 (배의) 방현물(防舷物) ; 방현재(防舷材).

fénder bèam *n.* 〔海〕 (뱃전에 대는) 방현재 ; (선로 끝의) 바퀴 멈추개.

fénder bènder *n.* 《美俗·Can. 俗》 (비교적 가벼운) 자동차 (접촉) 사고(에 관련된 운전자).

fénder bòard *n.* (차의) 흙받기판.

Fen·di [féndi(ː)] *n.* (F마크로 유명한) 로마의 가죽 제품점《고급 모피점으로도 유명》.

fen·es·tel·la [fènəstélə] *n.* (*pl.* **~s, -lae** [-liː, -lai]) 〔建〕 작은 창 ; (제단(祭壇) 남쪽의) 작은 창 모양의 벽감. 〚L (dim.) < ↓〛

fe·nes·tra [fənéstrə] *n.* (*pl.* **-trae** [-triː, -trai]) 〔解〕 창(窓)《와우창(蝸牛窓) 또는 정원창(正圓窓)》 ; (내시경 따위 외과용 기계의) 들여다보는 창 같은 구멍 ; 〔昆〕 (나방·흰개미 날개의) 투명 반점(斑點). **fe·nés·tral** *a.* 〚L=window〛

fe·nes·trate [fənéstreit, fénəstrèit] *a.* 〔建〕 창이 있는 ; 〔動·植〕 창 모양의 작은 구멍이 있는.

fen·es·tra·tion [fènəstréiʃən] *n.* Ⓤ 〔建〕 창내기 ; 〔醫〕 개창술(開窓術) ; 〔植·動〕 창(窓) 모양의 구멍이 있기.

fén fìre *n.* 도깨비불《소택지의 인화(燐火)》. 〚FEN[1]〛

fen·flur·amin [fenflúərəmìːn] *n.* 〔藥〕 펜플루라민《비만 치료용 식욕 억제제》.

Fe·ni·an [fíːniən, fénjən] *n.* 페니어 회원 ; (아일랜드 전설의) 무사(武士). ── *a.* 페니어회(원)의 ; 페니어회주의의.
the Fenian Brotherhood 페니어회《아일랜드 독립을 목적으로 한 아일랜드인의 비밀 결사 ; 1858년 New York에서 조직》.

Fénian·ìsm *n.* Ⓤ 페니어회주의[운동].

fe·nit·ro·thi·on [fənìtrouθáiən] *n.* 〔藥〕 페니트로티온《사과 따위의 과수용 살충제》.

fenks [féŋks] *n. pl.* 고래 기름의 찌꺼기.

fén·lànd *n.* [때때로 *pl.*] 《英》 소택지(沼澤地).

fén·man [-mən] *n.* 소택 지방의 사람.

fen·nec [fénik] *n.* 〔動〕 (아프리카산) 페네크여우. 〚Arab. *fanak*〛

fennec

fen·nel [fénl] *n.* 〔植〕 회향 ; 그 씨. 〚OE *finugl* etc. and OF < L (*fenum* hay)〛

fénnel·flòwer *n.* 〔植〕 니겔라 ; 니겔라 꽃.

fénnel óil *n.* 회향 기름.

fén·ny *a.* 소택지의 ; 소택(沼澤)이 많은 ; 소택지에 나는[사는], 소택성의. 〚FEN[1]〛

fén rèeve *n.* 《英》 소택(沼澤)지방 감독관.

Fen·rir [fénriər], **Fén·ris**(**·wòlf**) [-ris(-)] *n.* 〔北유럽神〕 큰 이리처럼 생긴 악마[괴물].

fén rùnners *n. pl.* 늪지방의 스케이트.

fens ☞ FAIN[2].

fen·ta·nyl [féntənìl] *n.* 〔藥〕 펜타닐《진통제》.

fen·thi·on [fenθáiən] *n.* 〔藥〕 펜티온《살충제》.

fen·u·greek [fénjəgrìːk] *n.* 〔植〕 트리고넬라《콩과의 식물로 씨는 약용》. 〚OF < L=Greek hay〛

feod [fjúːd] *n.* 《古》 =FEUD[2].

feoff [fiːf] *n.* 봉토(封土), 영지(fief).
── [féf, fiːf] *vt.* …에게 영지를 주다.

feoff·ee [fefíː, fi-] *n.* 영지(領地) 수령자.

feoff·er [féfər, fíː-], **feof·for** [féfər, fíː- ; fəfɔ́ːr, fiː-] *n.* 영지(領地) 수여자.

feoff·ment [féfmənt, fíːf-] *n.* 영지(領地) 수여.

FEPC, F.E.P.C. 《美》 Fair Employment Practices Committee(공정 고용 관행 위원회).

FERA, F.E.R.A. Federal Emergency Relief Administration.

-fer [fər] *n. comb. form* 「…을 만들어 내는 것」 「…을 함유한 것」의 뜻(cf. -FEROUS) : aqui*fer*, coni*fer*. 〚L (*fero* to bear)〛

fe·ra·cious [fəréiʃəs] *a.* 《稀》 다산(多産)의, 수확이 많은.

fe·rac·i·ty [fərǽsəti] *n.* 《稀》 비옥(肥沃), 다산.

fe·rae na·tu·rae [fíəri nətjúriː, férai nətúərai] *a.* 〔法〕 야생의 : animals ~ 야수(野獸). 〚L〛

fe·ral [fíərəl, fér-] *a.* 야생의(wild) ; (사람이) 야성적인, 야수 같은 ; 흉포한(brutal) : ~ animals [plants] 야생 동물[식물]. 〚L *ferus* wild〛

fer·ber·ite [fə́ːrbəràit] *n.* Ⓤ 〔鑛〕 철중석(鐵重石)《텅스텐 원광》.
〚Rudolph *Ferber* 19세기 독일의 광물학자〛

FERC 《美》 Federal Energy Regulatory Commission.

fer-de-lance [fέərdəlǽ(ː)ns, -láːns ; -lɑ́ːns] *n.*

(*pl.* ~)〖動〗 페르들란스《열대 아메리카산 큰 독사의 일종》. 〚F=iron (head) of lance〛
Fer·di·nand [fə́:rdənæ̀nd] *n.* 남자 이름.
〚Gmc. =venture of a military expedition (journey+risk)〛
fer·e·to·ry [férətɔ̀:ri; -təri] *n.* 성인(聖人)의 유골함; 성유물함(聖遺物函); (교회의) 성골함 안치실; 관 안치대.
Fer·gus [fə́:rgəs] *n.* 남자 이름.
〚Celt. =manly strength〛
fe·ria [fíəriə, fér-] *n.* (*pl.* **fe·ri·as**, **fe·ri·ae** [fíərii:, -rièi, fér-])〖宗〗(축제일도 단식일도 아닌) 평일; [*pl.*] (고대 로마의) 축제일.
〚L *feria* FAIR²〛
fé·ri·al *a.* 휴일의; 〖宗〗 평일의.
fe·rine [fíərain] *a.* =FERAL.
Fe·rin·ghee, Fe·rin·gi [fəríŋgi] *n.* 《인도》 유럽 사람, (특히) 인도 태생의 포르투갈 사람.
fer·i·ty [férəti] *n.* 야생(상태); 흉포.
Fer·man·agh [fərmǽnə] *n.* 퍼매너《북아일랜드 남서부의 주; 略 Ferm.》.
fer·ma·ta [fermá:tə; fə:-] *n.* (*pl.* **~s**, **-te** [-ti])〖樂〗 늘임표, 페르마타.
〚It.=stop, pause〛
fer·ment [fə(:)rmént] *vt.* **1** 발효시키다: ~ wine 포도주를 발효시키다. **2** (열정 따위를) 들끓게 하다, 자극하다, 흥분시키다(stir up).
── *vi.* 발효하다; 들끓다, 흥분하다.
── [fə́:rment] *n.* **1** 효소, 효모; 《비유》 소동[변화]을 일으키는 사람[것]. **2** Ⓤ 발효. **3** (들끓는 것 같은) 소동, 소요, 동요(commotion), 흥분(agitation): in a ~ 대소란을 피워, 동요하여.
fer·mént·able *a.* 발효성의. **-mént·er** *n.* 발효(를 일으키는 물질); 발효조(槽).
〚OF or L; ⇨ FERVENT〛
fer·men·ta·tion [fə̀:rmentéiʃən, -men-] *n.* Ⓤ 발효(작용); 소동, 인심의 동요, 흥분.
fermentátion technólogy *n.* 발효 공학.
fer·ment·a·tive [fə(:)rméntətiv] *a.* 발효력이 있는, 발효성의, 발효로 생긴.
fer·mi [féərmi, fə́:r-] *n.* 〖理〗 페르미《10조(兆)분의 1cm》. 〚↓〛
Fermi *n.* 페르미. **Enrico** ~ (1901-54) 이탈리아 태생의 미국의 원자 물리학자.
Fer·mi·ol·o·gy [fèərmiálədʒi, fə̀:r-] *n.* 〖理〗 페르미올로지《양자 역학과 Enrico Fermi의 여러 이론에 의거하여 물리 현상을 연구하는 분야》.
fer·mi·on [féərmiàn, fə́:r-] *n.* 〖理〗 페르미 입자(粒子), 페르미온《스핀(spin)이 반정수인 소립자·복합 입자》.
fer·mi·um [féərmiəm, fə́:r-] *n.* Ⓤ〖化〗 페르뮴《방사성 원소; 기호 Fm; 번호 100》. 〚E. *Fermi*〛
***fern** [fə́:rn] *n.* Ⓒ [집합적으로 Ⓤ]〖植〗 고사리(류): the royal ~ 고비 / The ground was covered with ~. 땅은 고사리로 덮여 있었다.
〚OE *fearn*; cf. G *Farn*〛
Fer·nan·da [fə(:)rnǽndə] *n.* 여자 이름. 〚Sp.〛
Fer·nán·dez [fə(:)rnǽndez] *n.* 페르난데스. **Juan** ~ (1536?-1604) 스페인의 항해가·탐험가.
férn bàr *n.* 《美俗》 펀 바《갖가지 식물로 이채롭게 실내 장식을 한 술집》.
férn·bràke, -bùsh *n.* 고사리; 고사리 덤불.
férn·ery *n.* 고사리 재배지; (군생(群生)한) 고사리; 고사리 재배 케이스《장식용》.
férn òwl *n.* 〖鳥〗 유럽쏙독새.
férn sèed *n.* 고사리[양치]의 포자(胞子)《예전에 이것을 가지고 다니면 모습이 보이지 않게 된다고 믿었음》.
férny *a.* 고사리가 무성한; 고사리 모양의.
fe·ro·cious [fəróuʃəs] *a.* **1** 사나운, 흉포한; 잔인한. **2** 《口》 심한, 지독한: a ~ appetite 굉장한 식욕. **~·ly** *adv.* **~·ness** *n.* 〚L *feroc- ferox*〛
fe·roc·i·ty [fərásəti] *n.* Ⓤ 사나움, 잔인[광포]성(fierceness); Ⓒ 만행. 〚F or L (↑)〛
-f·er·ous [-fərəs] *a. comb. form* 「…을 낳는」「을 함유한」의 뜻(cf. -FER): auri*ferous*.
〚F or L (*fero* to bear)〛
fer·ox [féraks] *n.* 《英》 호수에서 나는 큰 송어.
〚L=fierce〛
Fer·ra·ri [fərá:ri] *n.* 페라리《(1) 이탈리아의 고급 스포츠카 메이커. (2) 동사제(同社製) 자동차의 총칭; Ferrari BB512 따위》.
fer·rate [féəreit] *n.* Ⓤ〖化〗 철산염(鐵酸鹽).
fer·re·dox·in [fèrədáksən] *n.* 〖生化〗 페레독신《철분을 함유한 식물성(性) 단백질》.
Fér·rel's láw [férəlz-] *n.* 페렐의 법칙《바람을 등지면 저기압의 위치가 북반구에서는 왼쪽 전방, 남반구에서는 오른쪽 전방임》.
〚William *Ferrel* (d. 1891) 미국의 기상학자·해양학자〛
fer·re·ous [fériəs] *a.* 철의, 철을 함유하는.
fer·ret¹ [férət] *n.* **1** 긴털족제비《polecat의 한 변종으로 토끼·쥐 따위를 구멍에서 쫓아내기 위해 사육됨》. **2** 탐색자, 탐정. ── *vt.* **1** 족제비를 이용하여 (토끼·쥐를 구멍에서) 몰다[몰아내다]. **2** [+目+副] (비밀·범인 등을) 찾아내다, 탐색하다: The detective ~*ed* ***out*** the criminal. 형사들은 범인을 찾아냈다. ── *vi.* **1** 족제비를 써서 사냥하다: go ~*ing* (족제비를 써서 하는) 사냥에 나가다. **2** [+副/+前+名] 찾아다니다: ~ *about among* old documents 옛 문서를 뒤지며 찾다.
〚OF<L (*fur* thief)〛

ferret¹ *n.* 1

ferret², **férret·ing** *n.* (무명 또는 비단의) 좁은 테이프, 납작한 끈《포장용·구두끈 따위》.
〚It.=floss silk〛
Ferret *n.* 〖軍〗 페렛 위성《전자파 정보를 수집하는 군사 정찰 위성의 총칭》.
férret-èyed *a.* 족제비와 같은 눈을 한《눈 가장자리가 붉으며 작고 동그란》.
fér·rety *a.* 족제비 같은.
fer·ri- [férai, féri] *comb. form* 「철(鐵)」「제이철의」의 뜻(cf. FERRO-). 〚L *ferrum* iron〛
fer·ri·age, 《美》 **-ry-** [fériidʒ] *n.* 나루질; 도선(渡船)(삯).
fer·ric [férik] *a.* **1** 철분을 함유한, 철의. **2** 〖化〗 제이철의(cf. FERROUS): ~ chloride[oxide, sulfate] 〖化〗 염화[산화, 황산] 제이철.
〚L *ferrum* iron〛
fer·rif·er·ous [fərífərəs] *a.* 철(鐵)이 나는, 철을 함유한.
férri·màgnet *n.* 〖理〗 페리자성체(磁性體).
fèrri·mágnet·ìsm *n.* 〖理〗 페리자성(磁性).
Fér·ris whèel [férəs-] *n.* (유원지 따위의) 대회전식 관람차(Great Wheel). 〚G. W. G. *Ferris* (d. 1896) 미국의 기술자로 그 차의 고안자〛
fer·rite [férait] *n.* Ⓤ〖化〗 아철산염(亞鐵酸鹽), 페라이트.
fer·ro- [férou, -rə] *comb. form* 「철분을 함유한」

「철의」의 뜻 ; 〖化〗「제일철의」의 뜻(cf. FERRI-). 〚L ; ⇨ FERRI-〛

fèrro·álloy *n.* 철합금.

fèrro·cálcite *n.* Ⓤ 〖鑛〗 철방해석(鐵方解石).

férro·chròme *n.* =FERROCHROMIUM.

fèrro·chrómium *n.* 크롬철.

fèrro·cóbalt *n.* 코발트철.

fèrro·cóncrete *n., a.* 철근 콘크리트(제의).

fèrro·eléctric *n.* 〖理〗 강유전성(強誘電性). —— *a.* 강유전성의.

fèrro·magnésian *a., n.* 〖鑛〗 철과 마그네슘을 함유한 (광물), 철고토질(鐵苦土質)의 (광물).

fèrro·mágnet *n.* 〖理〗 강자성체(強磁性體).

fèrro·magnétic *a.* 〖理〗 강자성(強磁性)의. —— *n.* 강자성체.

fèrro·mágnet·ìsm *n.* 강자성(強磁性).

fèrro·mánganese *n.* Ⓤ 망간철.

fèrro·psèudo·brókite *n.* 철위판(鐵僞板) 티탄석(石)《달의 암석의 하나》.

fèrro·sílicon *n.* 〖冶〗 페로실리콘, 규소철.

fèrro·túngsten *n.* Ⓤ 텅스텐 철《텅스텐 80% 이상을 함유》.

férro·tỳpe *n.* 〖寫〗 페로타이프《광택 인화법》; 광택 사진. —— *vt.* (인화를) 페로타이프로 마무리하다, 철판 사진으로 찍다.

férrotype plàte[**tìn**] *n.* 〖寫〗 페로타이프판(板)《광택 인화용》.

fer·rous [férəs] *a.* 철의 ; 〖化〗 제일철의(cf. FERRIC) ; (일반적으로) 철을 함유한 : ~ chloride [oxide, sulfate] 염화[산화·황산]제일철 / ~ and non~ metals 철금속과 비철금속. 〚FERRIC〛

fer·ru·gi·nous [fərú:dʒənəs, fe-] *a.* 철분을 함유한, 철질의, 함철… ; 쇠녹(빛)의 : a ~ spring 함철 광천(含鐵鑛泉). 〚L *ferrugin- ferrugo* rust ; ⇨ FERRIC〛

fer·rule [férəl, -ru:l ; -ru:l] *n.* (지팡이·우산 따위의) 뾰족한 쇠끝, 물미 ; (접합부 보강용의) 쇠테, 쇠고리 ; (보일러관(管)의) 쇠 밑테두리. —— *vt.* …에 쇠끝[쇠고리]을 붙이다. **~d** *a.* 쇠끝[물미]을 붙인 ; 쇠고리가 달린. 〚C17 *verrel* etc.<OF<L (dim.) 〈*viriae* bracelet ; 어형은 ↓에 동화(同化)〛

fer·rum [férəm] *n.* 철(iron)《기호 Fe》. 〚L〛

***fer·ry** [féri] *n.* **1** 나루터, 도선장. **2** =FERRYBOAT. **3 a)** 선편(船便) ; 도선 영업권. **b)** 정기 항공[자동차]편. **4** 자력(自力)현지 수송《새로 만든 비행기가 공장에서 현지까지 가는》. —— *vt.* (사람·자동차·화물 따위를) 배로 수송하다[건네주다]〈*over*〉, 운반하다 ; (항공기를) 현지까지 자력 수송하다 ; 해상 위로 공수하다. —— *vi.* 배로 건너다 ; (작은 배가) 다니다. 〚ON *ferja* ; cf. FARE〛

ferryage ☞ FERRIAGE.

férry·bòat *n.* 나룻배 ; 연락선, 페리(보트)《사람·자동차·화물 따위를 나름》.

férry brìdge *n.* 도선잔교(渡船棧橋).

férry·man [-mən] *n.* 도선(渡船)업자 ; 나룻배 사공, 나룻배지기.

férry·màster *n.* 연락선의 선장 ; =FERRYMAN.

férry pìlot *n.* (새항공기의) 현지 수송 조종사.

férry ràck *n.* 연락선의 접안 잔교(接岸棧橋).

férry rànge *n.* 〖空〗 페리 항속 거리《payload를 0으로 한 경우의 최대 안전 항속 거리》.

férry stèamer *n.* 연락 기선.

***fer·tile** [fə́:rtl ; -tail] *a.* **1** 다산(多産)의, (땅이) 비옥한(↔*sterile*) ; 풍작을 가져오는, 풍족한 결실을 가져오는 ; 창조력이 풍부한 : a ~ mind 창의력이 풍부한 정신 / ~ *in* expedient 임기 응변에 능한 / The district is ~ *of* wheat. 그 지방은 밀을 많이 산출한다. **2** 〖生〗 번식력이 있는 ; 수정한, 수정 능력이 있는 ; 〖理〗 핵분열 물질로 변환시킬 수 있는. **~·ly** *adv.* **~·ness** *n.* 〚F<L〛

Fértile Créscent *n.* [the ~] 비옥한 초승달 지역《고대 동방의 중심이었던 Nile 강과 Tigris 강과 페르시아 만(灣)을 잇는 농업 지대》.

***fer·til·i·ty** [fə:rtíləti] *n.* **1** Ⓤ 비옥(肥沃) ; 다산(多産)(↔*sterility*). **2** Ⓤ (토지의) 산출력 ; (창의력 따위가) 풍부함 ; 〖生〗 번식[수정]력.

fertílity clòck *n.* 피임 시계《여성 개인의 몸의 리듬을 측정하여 임신 기간과 피임 기간을 삐소리로 알려주는 컴퓨터 측정기》.

fertílity drùg *n.* 임신[배란] 촉진제.

fertílity fàctor *n.* 〖生〗 =FACTOR.

fertílity pìll *n.* 배란 유발형(誘發型) 피임정(錠)《배란일을 조절함》.

fertílity ràte *n.* 출산율.

fertílity sỳmbol *n.* 풍요의 신(神)을 상징《특히 남근(男根)》.

fér·til·ìz·able *a.* (땅이) 기름지게 될 수 있는 ; 수정[수태]할 수 있는.

fer·til·iza·tion [fə̀:rtələzéiʃən ; -lai-] *n.* Ⓤ (땅을) 기름지게 하기[하는 법] ; 다산화(多産化) ; 시비(施肥) ; 지적[경제적] 발달의 촉진 ; 〖生〗 수정, 수태(受胎).

fer·til·ize [fə́:rtəlàiz] *vt.* (토지를) 비옥하게 하다, 기름지게 하다, 비료를 주다 ; (정신 따위를) 풍요하게 하다 ; 〖生〗 수정[수태]시키다 : The soil has been ~*d* by the crop of alfalfa. 자주개자리를 심었기 때문에 그 땅은 비옥해졌다. —— *vi.* 토지에 비료를 주다, 시비하다.

***fér·til·ìz·er** *n.* **1** Ⓤ,Ⓒ 비료, (특히) 화학 비료(cf. MANURE). **2** 수정 매개물《벌 따위》.

fer·u·la [férjələ] *n.* (*pl.* **~s, -lae** [-lì:, -lài]) 〖植〗 아위(阿魏)풀 ; =FERULE[1]. 〚L=giant fennel, rod〛

fer·ule[1] [férəl, -ru:l] *n.* 나무 채찍《벌을 주기 위한 나무 채찍, 특히 아이들의 손바닥을 때리기 위해 쓰이는 자 모양의 것》, 회초리 ; 엄격한 학교 교육 : be under the ~ (학교에서) 엄하게 교육받다. —— *vt.* 나무 채찍으로 징벌하다. 〚FERULA〛

ferule[2] *n., vt.* =FERRULE.

fér·ven·cy *n.* Ⓤ 열렬, 열정.

fer·vent [fə́:rvənt] *a.* 뜨거운, 활활 불타는 ; 격정적인 ; 열렬한, 강렬한. **~·ly** *adv.* 열렬하게. 〚OF (L *ferveo* to boil, be hot)〛 類義語 ⟹ PASSIONATE.

fer·vid [fə́:rvəd] *a.* 《詩》 불타는 듯한, 열렬한, 열정적인(ardent). **~·ly** *adv.* 〚L ; ↑〛

fer·vid·i·ty [fə:rvídəti] *n.* 열렬, 열심.

fer·vor | **fer·vour** [fə́:rvər] *n.* **1** Ⓤ 열렬, 열정. **2** Ⓤ 백열(상태) ; 염열(炎熱). 〚OF<L ; ⇨ FERVENT〛 類義語 ⟹ PASSION.

fes·cue [féskju:] *n.* 《稀》 (교사의) 지시봉, 교편 ; 〖植〗 김의털《포아풀과》. 〚OF<L *festuca* stalk, straw〛

FESEM field emission scanning electron microscope《전기장 방사형 전자총(銃)이 달린 주사형(走査型) 전자 현미경(鏡)》. **FESPIC** Far Eastern and South Pacific Paralympics (극동 남태평양 신체 장애자 체육 대회).

fess[1], **'fess** [fés] *vi.* 《口》 깨끗이 자백하다 〈*up*〉. 〚con*fess*〛

fess[2], **fesse** [fés] *n.* 〖紋〗 페스《방패 한가운데의

가로띠 무늬, 방패의 1/3의 너비》.
〚OF<L *fascia* band〛

fest [fést] *n.* =FESTIVAL.

-fest [fèst] *n. comb. form* 《美》「(성대한, 비공식적인) 모임, 회합, 축제」의 뜻 : song*fest*, peace*fest*. 〚G *Fest* feast〛

fes·ta [féstə] *n.* 축제일, 휴일, 잔치. 〚It.〛

fes·tal [féstl] *a.* 축제의 ; 유쾌한, 즐거운(gay). **~·ly** *adv.* 축제와 같이 ; 유쾌하게.
〚OF<L ; ⇨ FEAST〛

fes·ter [féstə*r*] *vi.* **1** (상처 따위가) 곪다, 진무르다. **2** (불만·노여움 따위) 더해지다 ; 쑤시다, 괴롭다 : The unrequited love *~ed* in her mind. 짝사랑으로 그녀의 마음은 괴로웠다. ── *vt.* …에 염증을 일으키다, 곪게 하다 ; 진무르게 하다 ; 악영향을 주다, 쑤시게 하다, 괴롭게 하다.
── *n.* 화농, 진무름, 궤양(潰瘍).
〚OF<L FISTULA〛

fe·sti·na len·te [festí:nə léntei] 급할수록 돌아가라 ; 급할수록 천천히. 〚L〛

fes·ti·nate [féstənət, -nèit] *a.* 《稀》 급속한, 성급한. ──[-nèit] *vi.* 빨라지다 ; (발걸음이) 병적으로 빨라지다. **~·ly** *adv.*

fes·ti·na·tion [fèstənéiʃən] *n.* 빨라지기, 가속 ; 〔醫〕 (신경성 질환으로 인한) 가속(加速)보행.

***fes·ti·val** [féstəvəl] *n.* **1** U.C 축제, 제례(祭禮), 축하, 제전. **2** 제일, 축일(祝日). **3** 향연 : hold [keep, make] a ~ 향연을 베풀다. **4** (정기적인) 축제 : a music ~ 음악제 / the Bach ~ 바흐 기념 축제. ── *attrib. a.* 축제[제례·축일]의 ; 즐거운(festal). 〚OF ; ⇨ FESTIVE〛

fes·tive [féstiv] *attrib. a.* 축제의, 경축의 ; 축제 기분의, 흥겨운 : a ~ mood 축제 기분 / a ~ season 축제 시즌《Christmas 따위》. **~·ly** *adv.* **~·ness** *n.* 〚L ; ⇨ FEAST〛

fes·tiv·i·ty [festívəti, fəs-] *n.* U 제례(祭禮), 축제, 제전(祭典) ; [*pl.*] 경축 행사, 축제 소동.

fes·ti·vous [féstəvəs] *a.* =FESTIVE.

fes·toon [festú:n] *n.* 꽃줄《아름다운 꽃·잎·색종이·리본 따위로 만든 장식》; 〔建〕 꽃줄 장식.
── *vt.* [+目/+目+前+名] 꽃줄로 장식하다, 꽃줄로 만들다 : The room was *~ed* ***with*** beautiful flowers. 그 방은 아름다운 꽃줄로 장식되어 있었다 / Those draperies are *~ed* ***over*** the window. 그 주름잡힌 휘장이 꽃줄 모양으로 창문에 드리워져 있다. 〚F<It. ; ⇨ FEAST〛

festóon·ery *n.* 〔建·家具〕 꽃줄 (장식) (festoon).

fest·schrift [féstʃrìft] *n.* (*pl.* **-schrif·ten** [-ʃrìftən], **~s**) [흔히 F~] (어떤 학자에게 바치는) 기념 논문집. 〚G=festival writing〛

fe·tal, foe- [fí:tl] *a.* 태아(胎兒)(fetus)의, 태아단계[상태]의 : ~ movements 태동(胎動).

fétal álcohol sỳndrome *n.* 〔醫〕 태아기(期) 알코올 증후군《임신부의 알코올섭취 과다에 의한 신생아의 기형·기능장애 따위 ; 略 FAS》.

fétal hémoglobin *n.* 〔醫〕 태아성 혈색소, 태아성 헤모글로빈.

fétal posítion *n.* 〔精神醫〕 (어떤 형(型)의 정신퇴행(退行)에 나타나는) 태아형 자세.

fétal súrgery *n.* 〔醫〕 태아 외과.

fe·ta·tion, foe- [fi(:)téiʃən] *n.* 태아 형성 ; 임신.

fetch**[1] [fétʃ] *vt.* **1** [+目/+目+前+名/+目+副/+目+目] (가서) 가져[데리고·불러]오다(go and get[bring]) : *F~*[Go and ~] the police at once. 당장 경찰을 불러오게 / Will you ~ some water ***from the well? 우물에서 물을 길어다 주시지 않겠습니까 / The stool is in the terrace ; ~ it ***in***. 의자는 테라스에 있습니다, 안으로 들여와 주십시오 / Please ~ me a cup of tea from the kitchen. 부엌에서 차를 한 잔 가져다 주십시오 / Please ~ it ***to*** me. 나에게 그것을 가져다 주세요 / Shall I ~ you your overcoat[~ your overcoat ***for*** you]? 외투를 갖다 드릴까요. **2** (물·눈물·피 따위를) 나오게 하다, 끌어내다, 내다 : ~ a pump 펌프에 마중물을 붓다. **3** (숨을) 내쉬다, (고함·신음 소리 따위를) 내다 : ~ a deep sigh[a dreadful groan] 깊은 한숨을 쉬다[무서운 신음 소리를 내다]. **4** [+目/+目+目] (상품이 얼마에) 팔리다, (좋은 값을) 매기다 : This will ~ a good price. 이것은 좋은 값으로 팔릴 것이다 / These pictures won't ~ you much. 이 그림들을 팔아도 네게 별 도움이 안될 것이다. **5** 《口》 …의 마음을 사로잡다, 매료하다, (청중의) 인기를 끌다. **6** [+目+目] 《口》 (남에게 일격을) 가하다(strike) : I *~ed* him a blow on the jaw. 그 녀석의 턱을 한 대 갈겨 주었다.
── *vi.* 〔海〕 (배가) 진로를 잡다, 항진하다 ; 진로를 바꾸다(veer).

fetch about[***(a)round***] 멀리 돌아가다.

fetch a compass ☞ COMPASS.

fetch and carry 분주하게 심부름을 하다, 잡역을 하다〈*for*〉.

fetch up (1) 토하다, 게우다(vomit) ; 생각해내다 ; (잃은 것을) 회복하다. (2) 〔海〕 도착하다(arrive). (3) 별안간[뚝] 그치다(stop).
── *n.* **1** (가서) 가지고 오기, 초래하기 ; 팔을 쭉 뻗기. **2** 술책, 책략(trick). **3** (상상력 따위가 미치는) 범위 ; 〔海〕 대안(對岸)거리.
〚OE *fecc(e)an* ; OE *fetian* to catch의 이형(異形) ; cf. G *fassen* to seize〛
類義語 ⟹ BRING.

fetch[2] *n.* (임종 때 나타난다는) 산 사람의 혼.
〚C18< ?〛

fétch·er *n.* 가져오는 사람.

fétch·ing *a.* 《口》 이목을 끄는, 매혹적인(attractive). **~·ly** *adv.*

fete, fête [féit, fét] *n.* **1** 축제. **2** 축일, 제일(祭日), 휴일(holiday). **3** (특히) 야외에서 행하는 축연, 향연 : a garden[lawn] ~ 《美》 원유회(園遊會) / a national ~ 국경일. **4** 성명(聖名) 축일《카톨릭교국에서 자기의 이름과 같은 성인(聖人)의 축제일, 탄생일같이 경축함》. ── *vt.* …을 위해 축하연을 베풀고 축하하다, (식을 거행하여) 축하하다. ── *vi.* 《카리브口》 야외 파티[피크닉]에 참가하다. 〚F ; ⇨ FEAST〛

fête cham·pê·tre [*F* fɛt ʃɑ̃pɛtr] *n.* (*pl.* **fetes cham·pê·tres** [―]) 야외 축제, 원유회.

fete[**fête**] **day** [⌐⌐] *n.* 축일, 제일(祭日).

fe·ti-, foe·ti- [fí:tə], **fe·to-, foe·to-** [-tou, -tə] *comb. form* 「태아(胎兒)(fetus)」의 뜻. 〚L〛

fe·tial, fe·cial [fí:ʃəl] *n.* (*pl.* **~s, fe·ti·a·les** [fi:ʃiéili:z, fèitiɑ́:leis]) 〔古로〕 외교 성직자단《외교 절충·선전·강화 따위를 맡아본 20명》의 한 사람.
── *a.* 외교 성직자단의 ; 외교(상)의.

féti·cìde, fóe- *n.* 태아를 죽임, 낙태.

fet·id, foet- [fétəd, fí:təd] *a.* 악취가 나는, 구린.
〚L (*feteo* to stink)〛

fe·tip·a·rous, foe- [fitípərəs] *a.* 발육이 불완전한 상태의 새끼를 낳는 (동물의)《유대(有袋) 동물 따위》.

fet·ish, -ich(e) [fétiʃ, fí:-] *n.* 주물(呪物), 물신(物神)《영(靈)이 깃들어 있어 마력을 가졌다고 숭배되어지는 목상·돌 따위》; 미신의 대상, 맹목적인 숭배물 : make a ~ of …을 맹목적으로 숭배하다, …에 열광하다. 〚F<Port.=charm (n.)< artificial (a.)<L ; ⇨ FACTITIOUS〛
fétish·ìsm, -ich- *n.* Ⓤ 주물(呪物) 숭배, 물신(物神) 숭배, 페티시즘.
fétish·ist *n.* 주물 숭배자.
fèt·ish·ís·tic *a.* 주물 숭배의 ; 미신적인.
fet·lock [fétlɑ̀k] *n.* 구절(球節)《말발굽 위의 털이 생기는 부분》; 말굽 위 뒤쪽에 난 털.
〚ME *fet(e)lak* etc. ; cf. FOOT〛
feto- [fíːtou, -tə] ☞ FETI-.
fe·tol·o·gy [fitɑ́lədʒi] *n.* Ⓤ 태아학, 태아 치료학. **-gist** *n.*
fèto·prótein *n.* 〘醫〙 태아 단백질《정상 태아의 혈청 중의 단백질》.
fe·tor, foe- [fíːtər, -tɔːr] *n.* 심한 악취(惡臭).
〚L ; ⇨ FETID〛
féto·scòpe *n.* 〘醫〙 태아경(鏡).
fe·tos·co·py [fiːtɑ́skəpi] *n.* (태아경에 의한) 태아의 직접 관찰[검사](법).
fet·ter [fétər] *n.* 족쇄(shackle) ; [보통 *pl.*] 속박, 구속 : in ~*s* 족쇄가 채워져서 ; 죄수의 몸으로, 속박되어서. —— *vt.* …에 족쇄를 채우다 ; 속박[구속]하다 : be ~*ed* by convention 인습에 사로잡히다. 〚OE *feter* ; cf. FOOT〛
fétter·lòck *n.* (말의) D자 모양의 족쇄(의 가문(家紋)) ; =FETLOCK.
fet·tle [fétl] *n.* Ⓤ (심신의) 상태.
in fine*[*good*] *fettle 원기 왕성하여, 아주 좋은 상태로.
—— *vt.* (반사로 따위)에 내벽을 붙이다 ;《英方》수리[수복]하다.
〚=(dial.) girdle<OE *fetel* belt〛
fet·tuc·ci·ne, -tu·ci·ne, -tu·ci·ni [fètətʃíːni] *n.* 페투치네《가죽끈 모양의 파스타 ; 그것을 주재료로 한 요리》. 〚It. (pl., dim.) <*fetta* slice〛
fettuccíne (àll') Al·fré·do [-(æl) ælfréidou] *n.* 〘料〙 페투치네를 버터·치즈·크림으로 버무려서 맛을 낸 요리. 〚*Alfredo all' Augusteo* 이 요리를 처음 만든 Rome의 레스토랑〛
fe·tus, foe- [fíːtəs] *n.* 태아《임신 3개월 이후의 ; cf. EMBRYO》. 〚L *fetus* offspring〛
feu, few [fjúː] *n.* 〘스코法〙 영대조차(지)(永代租借(地)), 봉토(封土). —— *vt.* (토지를) feu로 주다. 〚OF ; ⇨ FEE〛
feud[1] [fjúːd] *n.* Ⓤ,Ⓒ (두 집안의) 불화, (몇 대에 걸치는) 숙원(宿怨) ; Ⓒ (일반적으로) 반목, 다툼 : deadly ~ 불구대천의 깊은 원한 / at ~ *with* …와 불화하여. —— *vi.* 다투다, 반목하다.
〚OF<Gmc. ; ⇨ FOE ; cf. OE *fæhthu* enmity〛
feud[2] *n.* (봉건 시대의) 영지, 봉토(fief).
〚L *feudem* FEE〛
***feu·dal**[1] [fjúːdl] *a.* **1** 영지[봉토]의 ; 봉건(제도)의 ; 봉건시대의, 중세의 : the ~ system 봉건 제도 / the ~ times 봉건 시대. **2** 소수 특권 계급 중심의 ; 군웅할거적인 ; (사회·조직 따위) 계약적·호혜적 관계를 특징으로 하는. **~·ìsm** *n.* Ⓤ 봉건 제도. **~·ist** *n.* 봉건제 주장자. 〚FEUD[2]〛
feudal[2] *a.* 고집의, 불화의, 다툼의. 〚FEUD[1]〛
fèu·dal·ís·tic *a.* 봉건 제도[주의]의.
feu·dal·i·ty [fjuːdǽləti] *n.* Ⓤ 봉건 제도 ; 봉건주의 ; Ⓒ 영지, 봉토(fief).
fèudal·izá·tion *n.* 봉건 제도로 함, 봉건화.
féudal·ìze *vt.* 봉건제로 하다.
féudal lòrd *n.* 영주, 봉건군주.
féudal·ly *adv.* 봉건적으로.
feu·da·to·ry [fjúːdətɔ̀ːri ; -təri] *a.* 봉건의 ; 영지를 받고 있는 ; 봉신(封臣)[가신(家臣)]인.
—— *n.* 가신(vassal) ; 영지, 봉토.
feu de joie [*F* fø də ʒwa] *n.* (*pl.* **feux de joie** [*F* —]) 축화(祝火) ; 축포(祝砲).
〚F=fire of joy〛
féud·ist[1] *n.* 《美》 원수가 되어 싸우는 사람 ; 숙적(宿敵). 〚FEUD[1]〛
feudist[2] *n.* 봉건법(法) 학자. 〚FEUD[2]〛
feuil·le·ton [fə́ːjətɔ̃(ː)ŋ ; *F* fœjtɔ̃] *n.* (프랑스 신문의) 문예란 ; 문예란의 기사《비평·소설 따위》.
Feul·gen [fɔ́ilgən] *a.* 포일겐 반응의[을 이용한, 에 의한].
〚Robert *Feulgen*(d. 1955) 독일의 생리학자〛
Féulgen reàction *n.* 〘生化〙 포일겐 반응.
‡**fe·ver** [fíːvər] *n.* **1** Ⓤ [또는 때때로 a ~] 열, 발열 : have a slight[high] ~ 미[고]열이 있다 / I haven't much ~. 열은 그다지 없습니다. **2** Ⓤ 열병 : intermittent ~ 간헐열 / scarlet[typhoid] ~ 성홍열[장티푸스] / yellow ~ 황열병 / He died of ~. 열병으로 죽었다. **3** [보통 a ~] 흥분(상태) ; 열광〈*for*〉: *in* a ~ 열중하여 정신이 없어서 ; 열광하여 / ☞ GOLD FEVER.

〈회화〉

I've got a *fever* and a really bad headache. — You'd better consult the doctor. 「열이 있고 머리가 굉장히 아파요」「의사 선생님께 보이는 게 좋겠다」

—— *vt., vi.* 발열시키다[하다] ; 흥분시키다, 열광케 하다 ; 열망하다〈*for*〉; 열광적으로 활동하다.
〚OE *fēfor* and OF<L *febris*〛
féver blìster *n.* =COLD SORE.
fé·vered *a.* (병적인) 열이 있는 ; 열병에 걸린 ; 몹시 흥분한.
fe·ver·few [fíːvərfjùː] *n.* 〘植〙 구절초의 일종.
〚OE *feferfuge* FEBRIFUGE〛
féver hèat *n.* 열《37℃ 이상의 병적으로 높은 체온》; 병적 흥분, 열광.
***féver·ish** *a.* 열이 있는, 열이 나는 ; 열병의 ; (지방 따위) 열병이 많은 ; 열광적인. **~·ly** *adv.* 열병에 걸린 것같이 ; 열광하여. **~·ness** *n.* Ⓤ 발열 상태 ; 열광적 흥분.
féver·less *a.* 열이 없는.
féver·ous *a.* =FEVERISH.
féver pítch *n.* 병적 흥분, 열광.
féver·ròot *n.* 〘植〙 (북미산 보랏빛 꽃이 피는) 인동과(科)의 식물.
féver sòre *n.* =COLD SORE.
féver thèrapy *n.* 〘醫〙 발열 요법.
féver wàrd *n.* (열병 환자의) 격리 병실.
◇**few** [fjúː]

(1) 기본 뜻 :「약간의, 소수의」
(2) few는 수에, little은 양에 쓰인다.
(3) 부정관사 a의 유무에 따른「조금 있는」「거의 없는」은 기분 문제이지 반드시 수량의 대소에 의한 것은 아니다.
(4) 특정 사물을 가리킬 때는 a가 the, my 등으로 바뀐다 : He is one of *the few* people that I can trust. (그는 내가 믿을 수 있는 몇 안되는 사람 중의 하나다) / These are all of *my few* friends. (이 사람들은 내 몇 안되는 친구의 전부입니다)

—— *a.* **1** [a를 붙이지 않는 부정적 용법] 소수[조금]밖에 없는, 거의 없는, 아주 조금뿐인(↔ *many*) : He has ~ friends. 그에게는 친구가 거의 없다 / a man of ~ words 말수가 적은 사람.

2 [a ～의 형으로 긍정적 용법] 없지는 않은, 조금은 있는(some) (↔ *no, none*) (cf. a LITTLE) : She will come back in *a* ～ days. 그녀는 며칠 있으면[근일중] 돌아올 것이다. ㊟ 비교급에서 fewer는 수에, less는 양에 쓰임 ; 또 fewer number(s) 보다 smaller number(s) 쪽이 좋음. ── *pron.* **1** [a를 붙이지 않는 부정적 용법] 소수 (…밖에 없는) : Very[Comparatively] ～ understand what he said. 그가 말한 것을 이해하는 사람은 극히[비교적] 적다(☞ LITTLE *pron.* 1 ㊟). **2** [a ～의 형으로 긍정적 용법] 소수의 사람[것] : There are *a* ～ of them who know it. 그들 중에서 그것을 알고 있는 사람이 몇 있다. ── *n.* [the ～ ; 복수취급] (「다수」에 대한) 소수 ; 소수의 선택된 사람(the elect).

a good few 《口·주로 英》 상당한 수〈*of*〉, 꽤 많은(cf. *a good* MANY) : He owns *a good* ～ cows. 젖소를 상당히 많이 갖고 있다.

but few 《文語》 = *only a* FEW.

few and far between ☞ FAR *adv.*

in few 《古》 몇 마디로, 간단하게(briefly).

no fewer than …(만큼)이나(as many as) (cf. *no* LESS *than*) : There were *no* ～*er than* sixty people present. 출석자는 60명이나 되었다.

not a few 적지 않은, 꽤 많은, 상당수(의) : Last night *not a* ～ of the members were present. 어젯밤에는 상당수의 회원이 참석했다.

only a few 불과 몇 안되는(few, not many).

quite a few 《口·원래 美》 꽤 많은 수(의) (cf. *a good* FEW) : He has *quite a* ～ good pictures. 좋은 그림을 꽤 많이 가지고 있다.

some few 소수(의), 약간(의) (a few) (cf. *some* LITTLE) : There were *some* ～ houses along the road. 길가에 집이 몇 채 있었다.

〈회화〉
There are *quite a few* new buildings in this neighborhood. — Yes, it's changed a lot. 「이 근처는 꽤 많은 새 건물이 있군」「네, 많이 변했어요」

⟦OE *fēawe, fēawa* ; cf. OHG *fao* little⟧

féw·er *a.* FEW의 비교급. ── *pron.* [복수취급] 더 적은 수의 사람[것].

féw·ness *n.* Ⓤ 근소, 소수, 아주 적은 수.

fey [féi] *a.* 《스코》 죽을 운명의 ; 죽어가는, 임종의 ; (임종이 가까운 사람처럼) 이상하게 흥분한 ; (사람·행동이) 이상한, 변덕스러운. ⟦OE *fǣge* doomed to die ; cf. G *feig* cowardly⟧

Feyn·man [fáinmən] *n.* 파인만. **Richard Phillips** ～ (1918-) 미국의 물리학자 ; Nobel 물리학상(賞) (1965).

Féynman dìagram *n.* 〖理〗 파인만 도형《소립자간의 상호작용을 나타내는 그림》. ⟦↑⟧

fez [féz] *n.* (*pl.* **féz·(z)es**) 터키 모자《이슬람교도 남자가 쓰는 붉은색에 검정 술이 달려 있음》. **fézed** *a.* ⟦Turk.⟧

fez

ff. (and the) following (pages, verses, etc.) ; and what follows ; folios. **ff, ff.** 〖樂〗 fortissimo.

FF front-engine front-drive (전치(前置) 엔진·전륜 구동 방식(의 자동차)). **F.F.A., f.f.a.** free from alongside (ship) (선측 인도(船側引渡)).

F factor [éf ˌ-] *n.* 〖菌〗 F인자. ⟦*f*ertility＋*factor*⟧

FFAR 〖航〗 folding-fin[freeflight] aircraft rocket(접는 날개식[비유도형] 항공기용 로켓).

FFC first flight cover ; Foreign Funds Control (외자 통제).

FFHC Freedom from Hunger Committee(유엔 기아 해방 운동 위원회).

F.G. Foot Guards. **FG, f.g.** fully good ; fine-grain ; flat-grain. **f.g.** 〖籠·美蹴〗 field goal(s). **F.G.A.** 〖海上保險〗 free of general average (공동 해손 부담보). **FGM** field guided missile (야전 유도 미사일).

F.H. fire hydrant.

FHA 《美》 Federal Housing Administration (연방 주택 관리국). **FHB, f.h.b.** family hold back 《가족은 자제해서 먹을 것 ; 손님과 동석하는 식탁에서의 예법》. **f.h.p** friction horsepower (감마(減摩) 마력). **FHWA** 《美》 Federal Highway Administration. **f.i.** for instance. **F.I.A.** 《F》 Fédération Internationale de l'Automobile (국제 자동차 연맹).

fi·a·cre [fiáːkər] *n.* (*pl.* **~s** [-z]) (프랑스의) 소형 사륜 역마차. ⟦F⟧

fi·an·cé [fìːɑːnséi, fiáːnsei ; fiɑ́ːnsei] *n.* (*fem.* **-cée** [—]) 약혼중인 남자, 약혼자. ⟦F (p.p.) ‹ *fiancer* to betroth (OF *fiance* a promise)⟧

fi·as·co [fiǽskou] *n.* (*pl.* **~es, ~s**) (연극·기업 따위의) 대실패[실수] ; (*pl.* **~es, -chi** [-kiː]) 병(bottle), (특히 짚으로 두른) 술병. ⟦It.＝bottle ; cf. FLASK⟧

fi·at [fíːət, -æt ; fái-] *n.* 명령, 엄명(decree) ; Ⓤ 인가 ; 결정, 결단. ⟦L＝let it be done⟧

Fi·at [fíət, fíːæt] *n.* 피아트《이탈리아제의 자동차 ; 상표명》. ⟦It. *F*abbrica *I*taliana *A*utomobili *T*orino Italian automobile factory, Turin⟧

fíat mòney *n.* 《美》 (정화(正貨) 준비 없는) 법정 불환(不換)지폐.

fib[1] [fíb] *n.* 사소한[악의 없는] 거짓말. ── *vi.* (**-bb-**) 사소한[악의 없는] 거짓말을 하다. ⟦? *fible-fable* (obs.) nonsense (redupl.) ‹FABLE⟧ 類義語 ⟹ LIE[2].

fib[2] *vt.* (**-bb-**) 때리다, 치다. ── *n.* 때리기. ⟦C17‹ ?⟧

F.I.B. Fellow of the Institute of Bankers.

FIBA 《F》 Fédération Internationale de Basketball Amateur(국제 아마추어 농구 연맹).

fíb·ber *n.* 사소한[악의 없는] 거짓말을 하는 사람, 거짓말쟁이.

***fi·ber | fi·bre** [fáibər] *n.* **1** Ⓤ,Ⓒ 섬유 ; 섬유질[조직] : animal[vegetable, chemical, synthetic] ～ 동물[식물·화학·합성] 섬유. **2** Ⓤ 성질, 소질, 성격 : a man of fine[coarse] ～ 성격이 고상한[거친] 사람. ⟦F‹L *fibra*⟧

fíber àrt *n.* 파이버 아트《천연 섬유·합성 섬유 따위의 소재를 살려서 입체적인 아름다움을 구성하는 예술》.

fíber·bòard *n.* 섬유판《건축용》.

fí·bered *a.* 섬유질의 ; (…의) 섬유로 된.

fíber·fill *n.* (안락의자·베갯속 따위의 속을 채우는) 인조 섬유.

Fi·ber·glas [fáibərglæ̀(ː)s ; -glɑ̀ːs] *n.* 《美》 섬유 유리《상표명》.

fíber·glàss *n.* 섬유 유리, 파이버글라스.

fíber·less *a.* **1** 섬유가 없는. **2** 성격이 약한, 줏대가 없는.

fíber òptics *n. pl.* 광학 섬유 ; [단수취급] 이에

수반하는 기술, 섬유 광학. **fíber-òptic** *a.* 섬유 광학의[을 이용한].

fíber plànt *n.* 섬유 식물《삼·목화 따위》.

fíber·scòpe *n.* 파이버스코프《영상을 유리 섬유 다발로 전하여 직접 눈으로 볼 수 없는 부분까지 볼 수 있게 한 광학 기계》.

fíber-tìp pén *n.* 펠트펜(felt-tipped pen).

fi·br- [fáibr, fíbr], **fi·bro-** [-brou, -brə] *comb. form* 「섬유(纖維)」「섬유 조직」「섬유소」「섬유종(腫)」의 뜻《모음 앞에서는 fibr-》. 〖L (*fibra* FIBER)〗

fibre ☞ FIBER.

fí·bri·fòrm [fáibrə-, fíbrə-] *a.* 섬유 모양의.

fi·bril [fáibrəl, fíb-] *n.* 소(小)섬유 ; 〖植〗 뿌리털. 〖NL (dim.) ‹FIBER〗

fi·bril·lary [fáibrəlèri, fíb- ; -ləri] *a.* 소(小)섬유의 ; 뿌리털의 ; (근(筋))원섬유(성)의 : ~ contraction 섬유성 수축.

fi·bril·late [fáibrəlèit, fíb-] *vi.* 소[원(原)]섬유로 되다 ; (심장이) 미동하다, (근육이) 섬유 연축(攣縮)하다. —— *vt.* 분해하여 소[원(原)]섬유로 하다, (심장을) 미동시키다, (근육을) 섬유 연축시키다. —— [-lèit, -lət] *a.* 섬유 모양 구조의 ; 소(小)섬유가 있는.

fí·bril·làt·ed *a.* =FIBRILLATE.

fi·bril·la·tion [fàibrəléiʃən, fìb-] *n.* 〖醫〗 (심장의) 미동 ; (근육의) 섬유성 연축.

fi·brin [fáibrən, fíb-] *n.* Ⓤ,Ⓒ 〖生理〗 섬유소(素), 피브린.

fi·brin·o·gen [faibrínədʒən, fə-] *n.* 피브리노겐, 섬유소원《혈액 속의 응결소》.

fi·bri·noid [fáibrənɔ̀id, fíb-] *n.* 〖生化〗 유(類)섬유소, 피브리노이드. —— *a.* 섬유소 모양의.

fi·brin·ous [fáibrənəs, fíb-] *a.* 섬유소가 있는.

fibro- [fáibrou, -rə, fíb-] ☞ FIBR-.

fíbro·blàst *n.* 〖解〗 섬유아세포(芽細胞), 결합 조직 형성 세포. **fibro·blástic** *a.*

fibro·cemént *n.* 〖建〗 석면 시멘트.

fibro·cýstic bréast disèase *n.* 〖醫〗 섬유낭성유선증(乳腺症)《생리전에 생기는 유방 멍울》.

fíbro·cỳte *n.* 〖解〗 =FIBROBLAST, (특히) 섬유 세포《불활성형 섬유아(芽)세포》. **fi·bro·cýt·ic** [-sít-] *a.*

fibro·génesis *n.* 〖生〗 섬유 성장.

fi·broid [fáibrɔid, fíb-] *a.* 섬유성의, 섬유 모양의. —— *n.* 〖醫〗 유섬유종(類纖維腫). 〖FIBER〗

fi·bro·in [fáibrouən, fíb-] *n.* 〖生化〗 피브로인《경(硬)단백질의 일종 ; 고치실의 주성분》.

fi·bro·ma [faibróumə, fə-] *n.* (*pl.* **~s, -ma·ta** [-tə]) 〖醫〗 섬유종(腫).

fi·bro·sis [faibróusəs, fə-] *n.* (*pl.* **-ses** [-si:z]) Ⓤ 〖醫〗 섬유증(症) ; 섬유 형성. 〖NL ; ⇨ FIBER〗

fi·bro·si·tis [fàibrəsáitəs, fìb-] *n.* 〖醫〗 섬유염, 결합 조직염. **fib·ro·sít·ic** [-sít-] *a.* 〖NL ↓〗

fi·brous [fáibrəs] *a.* 섬유의, 섬유가 많은, 섬유질의 ; 섬유 모양의 : ~ roots 수염 뿌리. 〖FIBER〗

fíbrous tíssue *n.* 〖植〗 섬유 조직.

fibro·váscular *a.* 〖植〗 관다발의.

fíb·ster *n.* 《口》 =FIBBER.

fib·u·la [fíbjələ] *n.* (*pl.* **-lae** [-lì:, -lài], **~s**) 〖解〗 비골(腓骨), 종아리뼈 ; 〖考古〗 핀, 브로치. 〖L=brooch〗

fíb·ular *a.* 〖解〗 종아리뼈의.

-fic [⌐fik] *a. suf.* 「…화하는, …을 일으키는[야기하는]」의 뜻 : terri*fic*. 〖F or L (*facio* to make)〗

F.I.C. Fellow of the Institute of Chemistry.

FICA Federal Insurance Contributions Act.

-fi·ca·tion [fəkéiʃən] *n. comb. form* [-fy라는 동사의 명사형] 「…화(하기)」의 뜻 : puri*fication* 정화(淨化). 〖OF and L〗

fiche [fí:ʃ] *n.* (*pl.* **~, fích·es**) (마이크로) 피시《정보 처리용의 마이크로 카드나 필름류》. 〖F=slip of paper〗

Fich·te [fíktə ; *G* fíçtə] *n.* 피히테. **Johann Gottlieb** ~ (1762-1814) 독일의 철학자.

fi·chu [fí(:)ʃu:, 美+féʃ-] *n.* 삼각형의 목도리《여성용》. 〖F〗

fick·le [fíkəl] *a.* 변하기 쉬운 ; 변덕스러운, 마음이 잘 변하는 : Fortune's ~ wheel 무상한 운명의 수레바퀴. **~·ness** *n.* Ⓤ 변하기 쉬움 ; 변덕. 〖OE *ficol* ; cf. OE *befician* to deceive, *fǣcne* deceitful, *-le*〗

fíckle·mínd·ed *a.* 변덕스러운.

fict. fiction ; fictitious.

fic·tile [fíktl, -tail ; -tail] *a.* 거푸집에 부어서 만들 수 있는, 가소성(可塑性)의 ; 진흙으로 만든, 질그릇의 ; (의견·성격 따위가) 확고하지 않은.

***fic·tion** [fíkʃən] *n.* **1 a**) Ⓤ 가공적인 문학(작품) 《소설·연극 따위 ; ↔*nonfiction*》, (특히) 소설 (novels) (cf. DRAMA, POETRY) : works of ~ 소설류. **b**) (개개의) 소설(novel). **2** Ⓤ,Ⓒ 지어낸 이야기, 꾸며낸 일, 허구(虛構), 상상(invention) (cf. FACT) : Fact[Truth] is stranger than ~. 《속담》 사실[진실]이 상상[허구]보다 더 기이하다. **3** 〖法〗 의제(擬制), 가설(假說) : a legal ~ 법률상의 의제. 〖OF‹L (*fict- fingo* to fashion)〗

fíction·al *a.* 꾸며낸 일의 ; 소설적인. **~·ly** *adv.* 허구적으로 ; 소설적으로.

fíction·al·ìze *vt.* 이야기로 꾸미다, 창작하다.

fìction·éer *n.* 남작하는 (이류)작가. **~·ing** *n.* (소설의) 남작(濫作).

fíction exècutive *n.* (잡지사) 편집장.

fíction·ist *n.* (단편) 소설가.

fíction·ìze *vt.* 소설화하다, 각색하다. —— *vi.* 소설을 쓰다. **fiction·izátion** *n.*

fic·ti·tious [fiktíʃəs] *a.* **1** 가공의, 상상의(imaginary) ; 소설적인 : a ~ character 가공의 인물. **2** 거짓의, 허구의, 허위의(false, sham) : under a ~ name 가명으로. **3** 〖法〗 의제(擬制)의, 가설의. **~·ly** *adv.* 가공적으로, 거짓으로. **~·ness** *n.* 〖L ; ⇨ FICTION〗

fictítious bìll[pàper] *n.* 〖商〗 공(空)수표.

fictítious càpital *n.* 의제(擬制) 자본.

fictítious demànd *n.* 가수요.

fictítious pérson *n.* 〖法〗 법인.

fictítious transàction *n.* 〖商〗 공(空)[의제(擬制)]거래.

fic·tive [fíktiv] *a.* 가공의, 허위의 ; 가상의 ; 소설의, 꾸며낸.

fid [fíd] *n.* 쐐기 모양의 마개, 고정시키는 나무, 버팀목 ; 〖海〗 돛대 버팀대[쇠] ; 큰 나무못 ; (음식의) 두꺼운 조각.

-fid [fəd, fid] *a. comb. form* 「…으로 분할된」「…으로 분열된」의 뜻. 〖L(*-fidus*‹*findo* to cleave)〗

FID 〖文藝〗 free indirect discourse. **fid.** fidelity ; fiduciary. **Fid. Def.** *Fidei Defensor* 《L》 (=Defender of the Faith).

fid·dle [fídl] *n.* **1** 피들《비올류(類)의 현악기》; 《口·蔑》 바이올린(violin) : the first[second] ~ 제1[제2] 바이올린. **2** 시시한 것, 하찮은 일. **3**

〖海〗 식기틀《배의 흔들림으로 식기 따위가 식탁에서 떨어지는 것을 막기 위함》. **4** 사기, 속임수, 사취(詐取).

(as) fit as a fiddle 원기왕성하여, 팔팔하여.

have a face as long as a fiddle 몹시 침울한 표정을 짓고 있다.

hang up one'***s fiddle when*** one ***comes home*** 밖에서는 명랑하고 집안에서는 침울하다.

play first [***second***] ***fiddle*** (***to...***) (…에 대하여) 주역[단역]을 맡다, (남의) 위에 서다[밑에 들어가다] : I always *played second ~ to* him. 언제나 그의 밑에서 하라는 대로 했다.

── *int.* =FIDDLESTICKS.

── *vt.* **1** 《口》 (곡을) 바이올린으로 켜다. **2** [+目+副] (시간을) 낭비[허송]하다(trifle) : I *~d away* the whole afternoon doing nothing. 아무것도 하지 않고 오후 내내 빈들빈들 지냈다.

── *vi.* **1** 《口》 바이올린을 켜다. **2** [+前+名] 만지작거리다, 가지고 놀다(toy) : John, greatly embarrassed, *~d* ***with*** his cap. 존은 매우 난처하여 모자를 만지작거렸다. **3** [+副] 빈들거리다, 빈둥빈둥 놀며 시간을 보내다 : He is always *fiddling* ***about***. 그는 늘 빈들거리고 있다.

〚OE *fithele* ; cf. VIOL, G *Fiedel*〛

fíddle·bàck *n.* 등이 바이올린꼴의 의자. ── *a.* 바이올린꼴의 ; (합판 무늬가) 가는 줄이 있는.

fíddle bòw [-bòu] *n.* =FIDDLESTICK 1.

fíddle càse *n.* 바이올린 휴대 케이스.

fíddle cràb *n.* =FIDDLER CRAB.

fid·dle·dee·dee, -de·dee [fìdldidí:] *int.* 시시하다 ! (Nonsense !). ── *n.* 시시한 일.

fid·dle-fad·dle [fídlfæ̀dl] *vi.* 《口》 쓸데없는 짓을 하다(trifle) ; 공연히 법석 떨다(fuss). ── *n.* Ⓤ 어리석은 짓. ── *a.* 쓸데없는 ; 하찮은. ── *int.* 시시해 ! (Nonsense !).

fíddle·hèad, -nèck *n.* 〖海〗 이물 양쪽의 소용돌이꼴 장식《바이올린 위쪽 끝 장식과 비슷》.

fíddle pàttern *n.* (포크·나이프 손잡이의) 소용돌이꼴.

fíd·dler *n.* 《口·蔑》 바이올린 켜는 사람.

fíddler cràb *n.* 농게.

Fíddler's Gréen *n.* 〖海〗 (여자·술·노래가 있는) 뱃사람의 낙원《뱃사람이나 기병(騎兵)이 죽으면 간다고 함》.

fíddle·stìck *n.* 《口》 **1** 《蔑》 바이올린의 활(fiddle bow). **2 a)** [보통 *pl.*] 쓸데없는 일(nonsense). **b)** 조금, 소량(a little) : I don't care a ~. 조금도 개의치 않는다.

fíddle·stìcks *int.* 시시하다 !, 뭐라고《불신·조소를 나타냄》.

fíddle strìng *n.* 《口·蔑》 바이올린의 현(絃).

fíddle·wòod *n.* Ⓤ (열대 아메리카산의) 무겁고 단단한 목재.

fíd·dling *a.* 하찮은, 시시한.

fid·dly [fídli] *a.* 《口》 서투른, 성가신.

Fi·dei De·fen·sor [fídei: deiféinsɔ:r] *n.* 신앙의 옹호자《영국왕의 존칭 ; 略 F.D.》.

〚L=Defender of the Faith〛

fi·de·ism [fí:deiìzəm] *n.* 신앙주의《종교적 진리는 이성이 아닌 신앙으로서만 파악할 수 있다는 입장》. **-ist** *n.* **fi·de·ís·tic** *a.*

Fi·de·lio [fi:déiljou] *n.* 여자 이름.

Fi·del·is·mo [fìdəlí:zmou], **Fi·del·ism** [fí:dəlìzəm, fidélizəm] *n.* [때로 f~] 카스트로주의(운동)《Fidel Castro가 이끈 쿠바·중남미의 혁명 운동》.

Fi·del·is·ta [fì:dəlí:stə], **Fi·del·ist** [fí:dələst, fidéləst] *n.* [때로 f~] 카스트로주의자(者).

── *a.* 카스트로주의자의.

***fi·del·i·ty** [fədéləti, fai-] *n.* **1** Ⓤ 충실, 성실, 충성〈*to*〉; 정절(貞節). **2** Ⓤ 본래의 것과 똑같음, 진실감, 박진성(迫眞性) : reproduce with complete ~ 거의 원형(原形)과 똑같이 복제하다. **3** Ⓤ 〖通信〗 충실도 : a high ~ receiver 고성능 수신기, 하이파이(cf. HI-FI).

〚F or L (*fidelis* faithful<*fides* faith)〛

fidélity insùrance *n.* 〖保險〗 신용 보험《종업원의 불성실 행위·계약 불이행에 의한 사용자의 손해를 보충함》.

fid·get [fídʒət] *vi.* **1** [動 / +副 / +前+名] 안절부절못하다, 안달하다 ; 애태우다, 조바심하다 : Don't ~ (***about***). 초조해 하지 말아라 / She is always *~ing about* her health. 그녀는 언제나 건강 때문에 염려하고 있다. **2** [+*with*+名] (안절부절못하여) 만지작거리다 : He was *~ing* ***with*** his tie. 그는 안절부절못하고 넥타이를 만지작거리고 있었다.

── *vt.* …의 마음을 불안[염려]케 하다(worry).

── *n.* **1** [때로 *pl.*] 안절부절못하게[초조하게] 하기 : in a ~ 안절부절못하여 / give[have] the *~s* 초조하게[초조해] 하다. **2** 초조한 사람.

〚*fidge* (obs. or dial.) to twitch〛

fíd·gety *a.* 안절부절못하는, 침착하지 못한, 안달하는 ; 까다로운. **fíd·get·i·ness** *n.*

fid·i·bus [fídəbəs] *n.* (*pl.* **~·es**, ~) (파이프·양초 따위에) 불붙이는 종이 심지.

fi·do [fáidou] *n.* (*pl.* **~s**) 주조상 결함이 있는 경화(硬貨), 결함 주화.

〚*f*reaks+*i*rregulars+*d*efects+*o*ddities〛

Fido[1] *n.* 파이도《미국에서 기르는 개에 잘 쓰이는 이름》.

FIDO[1], **Fi·do**[2] [fáidou] *n.* (*pl.* **~s**) 〖空〗 파이도《활주로의 양쪽에 설치한 액체 연료 연소기의 열로 안개를 없애는 방법[장치]》.

〚*F*og *I*nvestigation *D*ispersal *O*peration(s)〛

FIDO[2], **Fido**[3] *n.* (*pl.* **~s**) 《美》 〖宇〗 우주선 조종관[기사], 파이도. 〚*f*light *d*ynamics *o*fficer〛

fi·du·cial [fədjú:ʃəl, fai- ; -ʃiəl] *a.* **1** 〖天·測〗 기준의 : a ~ point 기준점. **2** 신앙심 있는 ; (신뢰가) 두터운 ; 신탁(信託)의.

fi·du·ci·ary [fədjú:ʃièri, -ʃəri ; -ʃiəri] *a.* 피신탁인의, 신용상의 ; 신탁의 ; (지폐가) 신용 발행의 : a ~ loan 신용 대부금《대인 신용에만 의존함》/ ~ work 신탁업무. ── *n.* 수탁자, 피(被)신탁자.

〚L (*fiducia* trust)〛

fidúciary bònd *n.* 〖保險〗 수탁자 보증.

fidúciary ìssue *n.* (금(金) 준비가 없는 은행권의) 보증 발행.

fi·dus Acha·tes [fí:dəs ɑ:kɑ́:teis] *n.* 충실한 아카테스《Virgil 작 *Aeneid*의 주인공 Aeneas의 친구》; 충실한 벗, 충복(忠僕).

fie [fái] *int.* 제기랄 !, 젠장 !《경멸·불쾌·비난을 나타냄》.

Fie, for shame ! 아이 보기 싫어 !《아이들을 꾸짖을 때》.

Fie upon you ! (너는) 참 보기 싫어 !

〚OF<L〛

fief [fí:f] *n.* =FEUD[2]. 〚F ; ⇨ FEE〛

fíe-fíe *a.* 그릇된, 언어 도단의.

FIEJ 《F》 Fédération internationale des éditeurs de journaux et publications (국제 신문 발행인 협회).

◇field [fí:ld] *n.* **1 a)** 들, 벌판 ; 벌판처럼 펴져 있는 곳 : ☞ ICE FIELD, SNOWFIELD. **b)** [*pl.*] (도시 주

변의) 들, 벌판. **2** (울타리・도랑・둑 따위로 구획된) 밭, 전답, 목초지, 풀밭 : a ~ of wheat 밀밭 / work *in* the ~*s* 밭일을 하다(cf. work *on* the FARM). **3** (어떤 용도에 맞춘) 지면, …사용지, 광장, 건조장. **4** (트랙 안쪽의) 경기장, 필드 (cf. TRACK *n.* a)) ; (야구・축구 따위의) 구장(球場) ; 〖野〗 (넓은 뜻으로) 내・외야, (좁은 뜻으로) 외야 : left[right] ~ 좌[우]익(翼). **5** (광물의) 산지 : ☞ COALFIELD, GOLDFIELD. **6 a)** 싸움터(battlefield) ; 경쟁 마당, 활동 무대 : a ~ of honor 전장(戰場), 결투장. **b)** 싸움(battle) : a hard-fought ~ 격전(激戰). **7** (그림・깃발・화폐 따위의) 바탕(groundwork) ; 〖紋〗 문장(紋章)의 바탕. **8** 범위, 분야(scope) : the ~ *of* medicine 의학 분야[영역] / Many scientists are working *in* the same ~. 많은 과학자들이 같은 분야[방면]의 연구를 하고 있다. **9 a)** 〖理〗 장(場) : the magnetic ~ 자기장(磁氣場) / the ~ *of* force 역장(力場). **b)** 〖電〗 계자(界磁). **c)** 〖컴퓨〗 기록란, 난(欄)《정보를 전달하는 최소한의 문자의 모임》. **10** (카메라・현미경・망원경 따위의) 시야(視野), 시역(視域) ; 〖TV〗 영상면(映像面). **11** [the ~] 전(全) 경기자, 〖競馬〗 (인기 말 이외의) 모든 출장말 ; 〖사냥〗 수렵 참가자 ; 〖크리켓・野〗 수비측(守備側), 야수(fieldsman) ; 외야수. **12** [형용사적으로] 들의, 들판의; 야외…, 야생… ; 야전의, 실지의, 현장의 ; 〖競〗 (track에 대하여) 필드의 : a ~ survey 실지 답사.

a fair field and no favor (경기 따위에서) 공명정대, 공평무사.

hold the field 유리한 지반을 차지하다 ; 한 발자국도 물러서지 않다.

in the field 출정[종군] 중에, 싸움터에서 ; 경기에 참가하여.

keep the field 진지를 유지하다, 작전[활동]을 계속하다.

lose the field 진지를 잃다, 패전하다.

play the field (경마에서) 인기 말 이외의 출장(出場)말 전부에 걸다 ; 《美口》 수많은 이성(異性)과 교제하다(↔*go steady*).

take the field 전투[경기]를 시작하다 ; 출전(出戰)하다.

―― *vi.* 〖크리켓・野〗 ((외)야수로서) 수비하다.

―― *vt.* **1** 〖크리켓・野〗 (타구를) 받고서 되던지다 ; (선수를) 수비 위치에 두다 ; 경기[전투]에 참가시키다. **2** (타구를) 재치있게 처리하다 ; 《비유》 (질문)에 적절하게 처리하다 ; (입장 따위를) 지키다.

〚OE *feld* ; cf. G *Feld*〛

fíeld allòwance *n.* 〖軍〗 전투 수당.

fíeld àmbulance *n.* 〖軍〗 (야전) 구급차(車) ; 〖英軍〗 이동 야전 병원.

fíeld àrmy *n.* 야전군.

fíeld artìllery *n.* 야포, 야전 포병 ; [F~ A~] 야전 포병대.

fíeld bàttery *n.* 야포대, 야전 포병 중대.

fíeld bòok *n.* (측량에 쓰는) 현장 수첩.

fíeld bòot *n.* 무릎까지 오는 장화.

fíeld càptain *n.* 〖美蹴〗 주장 선수.

fíeld clùb *n.* 〖生〗 야외 자연 연구회.

fíeld còil *n.* 〖電〗 계자(界磁) 코일.

fíeld còlors, 《英》 **-còlours** *n. pl.* 야영기(野營旗)《야영중에 연대[대대・중대] 본부에 세움》.

fíeld còre *n.* 〖電〗 계자 철심(界磁鐵心).

fíeld còrn *n.* 《美》 (가축 사료용) 옥수수.

fíeld còurt *n.* 군법 회의.

fíeld cròp *n.* (넓은 밭에서 수확하는) 농작물《건초・목화 따위》.

fíeld dày *n.* **1** 〖軍〗 (공개) 야외 연습일. **2** 야외 모임[집회] ; (생물학 따위의) 야외 연구일 ; 《美》 야외 운동회 날. **3** 굉장한[중요한] 일이 있는 날.

fíeld dòg *n.* 사냥개.

fíeld drèssing *n.* (전투 중의) 응급치료.

fíeld drìver *n.* 《美》 소유주 불명의 가축을 몰수하는 관리.

fíeld-effèct *a.* 〖電子〗 전기장(電氣場) 효과의[를 이용한].

fíeld-effect transìstor *n.* 〖電子〗 전기장 효과 트랜지스터《略 FET》.

fíeld emíssion *n.* 〖理〗 전기장(電氣場) 방출.

fíeld·er *n.* 〖크리켓〗 야수(野手) (fieldsman) ; 〖野〗 외야수(outfielder) : a left[right] ~ 좌[우]익수 / a ~'s choice 〖野〗 야수 선택.

fíeld evènt *n.* 필드 경기《멀리뛰기・창[포환] 던지기 따위》.

fíeld èxercise *n.* 〖軍〗 야외 연습, 모의전.

fíeld·fare [fíːldfὲər, -fæ̀ər] *n.* 〖鳥〗 (북유럽산) 들지빠귀.

fíeld gàte *n.* 《英》 밭에 들어가는 (사립)문.

fíeld glàss *n.* **1** [때때로 *pl.*] 쌍안경. **2** (망원경・현미경의) 시역(視域) 렌즈.

fíeld gòal *n.* 필드 골《〖美蹴〗 필드에서 차서 얻은 골 ; 〖籠〗 프리스로 이외의 골》.

fíeld góal formàtion *n.* 〖美蹴〗 필드 골을 노릴 때 쓰는 공격대형.

fíeld gràde *n.* 〖陸軍〗 영관급(領官級).

fíeld gráy *n.* 암(暗)회색《제1차 대전 당시 독일군의 군복색》.

fíeld gùn *n.* 〖軍〗 야포, 야전포(fieldpiece).

fíeld hànd *n.* 《美》 (들일을 하는) 머슴, 일꾼.

fíeld hòckey *n.* 《美》 필드 하키《아이스 하키와 구별하여》.

fíeld hòspital *n.* 야전 병원.

fíeld hòuse *n.* 경기장 부속 건물《용구실(用具室)・탈의실 따위를 포함》.

fíeld ìce *n.* 얼음판, 빙원(氷原).

fíeld·ing *n.* Ⓤ 〖野〗 수비.

fíelding àverage *n.* 〖野〗 (야수의) 수비율.

fíeld intènsity *n.* =FIELD STRENGTH.

fíeld-ìon mìcroscope *n.* 〖電子〗 장(場)이온 현미경, 이온 방사 현미경.

fíeld jùdge *n.* (투척・도약 따위 경기의) 필드 심판원 ; 〖美蹴〗 필드 저지《레퍼리를 보좌하는 심판원의 한 사람》.

fíeld kìtchen *n.* 〖軍〗 야외[야전] 취사장.

fíeld lacròsse *n.* 《Can.》 필드 라크로스《하키 비슷한 구기》.

fíeld lèngth *n.* 이착륙 활주거리.

fíeld lèns *n.* 대물렌즈, 시야(視野) 렌즈.

fíeld lìne *n.* 〖理〗 역선(力線) (=line of force).

fíeld màgnet *n.* 〖電〗 계자(석) (界磁(石)), 장자석(場磁石).

fíeld màrshal *n.* 《英》 육군 원수《미국 육군의 General of the Army에 해당 ; 略 F.M.》.

fíeld mòuse *n.* 들쥐, 밭쥐.

fíeld mùsic *n.* 〖軍〗 군악대(원) ; (군악대용의) 행진곡.

fíeld nìght *n.* 중요 행사[토의]가 있는 저녁.

fíeld òfficer *n.* 〖軍〗 영관급(級) 장교《colonel, lieutenant colonel 및 major》.

fíeld of plày *n.* 〖美蹴〗 경기장내의 사이드라인과 골라인에 에둘린 지역.

fíeld of víew *n.* 〖光〗 시야, 시계(視界).

fíeld·pìece *n.* 〖軍〗 야포(field gun), 야전(野戰)

곡사포.
fíeld pòst *n.* 야전 우편.
fíeld púnishment *n.* 〖軍〗 야전 형벌[처벌].
fíeld rànk *n.* (육군의) 영관급.
fíeld ràtion *n.* 〖美陸軍〗 야전용 휴대 식량.
fíeld recòrding *n.* (연주 따위의) 현지녹음.
fíeld sécretary *n.* 《美》 (협회 따위의) 외근 직원, 지방 연락원(cf. DESK SECRETARY).
fíeld sèrvice *n.* 일선[현지] 근무.
fíelds·man [-mən] *n.* 〖크리켓〗 야수(fielder).
fíeld spòrts *n. pl.* **1** 야외 운동, 유렵(遊獵), (특히) 수렵·총사냥·낚시질. **2** 필드 경기 종목(「트랙 경기」에 대한 ; cf. TRACK *n.* 5 b)).
Fíelds príze [fí:ldz-] *n.* 필즈상(賞)《수학 분야의 최고상 ; 4년에 한 번 열리는 국제 수학자 회의에서 두 사람의 젊은 수학자를 선정함》. 〖J. C. *Fields* (d. 1932) 자금을 기부한 캐나다의 수학자〗
fíeld·stòne *n.* 건재(建材)용 자연석.
fíeld strèngth *n.* 〖理〗 장(場)의 세기(field intensity) ; 〖通信〗 전기장(電氣場) 강도.
fíeld·strìp *vt.* 《美》 (총포를) 분해하다.
fíeld stùdy *n.* 야외 연구, 채집 ; 현장 작업.
fíeld tèlegraph *n.* (야전용) 휴대용 전신기.
fíeld-tèst *vt.* (신제품 따위를) 실지 시험하다.
fíeld thèory *n.* 〖理〗 장론(場論) ; 〖心〗 장이론(場理論).
fíeld trìal *n.* (사냥개 따위의) 야외 실지 시용(試用) ; (신제품의) 실지시험.
fíeld trìp *n.* (연구·조사 따위를 위한) 실지 견학 여행.
fíeld ùmpire *n.* 《美》 〖野〗 누심(壘審).
fíeld·wàrd(s) *adv.* 《英》 들(판) 쪽으로.
fíeld·wòrk *n.* **1** [보통 *pl.*] 〖軍〗 야전 보루(堡壘), (임시로 흙을 쌓아 만든) 보루. **2** Ⓤ (생물학 따위의) 야외 작업, (야외) 채집 ; (사회사업 따위에서) 현장 방문, 실지[현지] 조사[연구].
fíeld·wòrk·er *n.* 야외 작업 따위를 하는 과학자·기술자·학생《등》.
fiend [fí:nd] *n.* **1** 악마, 악령, 악귀, 귀신(demon) ; [the F~] 마왕(the Devil). **2** 귀신 같은 사람, 잔인[냉혹]한 사람. **3** 《口》 집착이 강한 사람, …광(狂), …의 귀신, 명수 : an opium ~ 아편 중독자 / a cigarette ~ 지독한 골초 / a film ~ 영화광 / He is a ~ *at* tennis. 테니스를 굉장히 잘한다. **~·lìke** *a.*
〖OE *fēond* ; cf. G *Feind*〗
fíend·ish *a.* 악마[귀신] 같은 ; 극악한, 잔인한. **~·ly** *adv.* 악마와 같이 ; 지독하게. **~·ness** *n.*
‡**fierce** [fíərs] *a.* **1** 사나운 : a ~ tiger 사나운 호랑이. **2** 격렬한, 맹렬한, (폭풍우 따위) 사납게 휘몰아치는. **~·ness** *n.* Ⓤ 사나움(ferocity) ; 맹렬. 〖OF=proud<L *ferus* savage〗
fíerce·ly *adv.* 사납게 ; 맹렬하게.
fi·eri fa·ci·as [fáiəri: féiʃiəs, fí:əri: fá:kià:s] *n.* 〖法〗 강제집행 영장.
〖L=cause to be done〗
fí·er·i·ly *adv.* 불같이 ; 격렬하게, 열렬히.
fí·er·i·ness *n.* 불같음, 열렬, 격렬.
***fi·ery** [fáiəri] *a.* **1** 불의, 열화(烈火)의, 화염의. **2** 불 같은 ; 불길이 일어나는 듯한 : ~ eyes 번뜩이는 눈 / a ~ taste 혓바닥이 얼얼한 (매운) 맛. **3** 성미가 거친, 성격이 격한, 열렬한, 격하기 쉬운, 성급한 : a ~ speech 불을 토하는 듯한 열변 / a ~ steed 사나운 말. **4** 염증을 일으킨(inflamed). **5** (가스가) 인화[폭발]하기 쉬운. 〖FIRE〗
fíery cróss *n.* **1** 혈화(血火)의 십자가(fire cross). **2** 불의 십자《the Ku Klux Klan 따위의 표장(標章)》.
fi·es·ta [fiéstə] *n.* (종교상의) 축제, 휴일(holiday), 성일(聖日)(saint's day). 〖Sp.=feast〗
FIFA [fí:fə] 《F》 Fédération Internationale de Football Association(국제 축구 연맹).
fi. fa., fi fa [fái féi] fieri facias.
fife [fáif] *n.* (군악대의) 횡적(橫笛) ; =FIFER. —— *vi.* 횡적을 불다. —— *vt.* 횡적으로 (곡을) 불다. 〖G *pfeife* PIPE or F *fifre*〗
Fife *n.* 파이프《스코틀랜드 동부의 주(region) ; 주도 Glenrothes》.
fíf·er *n.* 횡적부는 사람.
fífe ràil *n.* 〖海〗 (큰 돛대의) 밧줄 매는 난간.
Fi·fi [fí:fi:] *n.* 여자 이름. 〖F ; ⇨ JOSEPHINE〗
FIFO [fáifou] *n.* Ⓤ 〖會計·컴퓨〗 선입선출(先入先出)법, 처음 먼저 내기(first in, first out).
◇**fif·teen** [fíftí:n] *a.* 15의, 15개의, 15명의 ; [*pred.* 로 써서] 15살로 : the early ~ hundreds 1500년대의 초기. —— *pron.* [복수취급] 15, 15개, 15명. —— *n.* **1** 15, 15개, 15명. **2** 15의 기호《15, xv, XV》. **3** 〖럭비〗 (15명의) 한 조 ; 〖테니스〗 한 점(의 득점) : ~ love[forty] 서브측 1점 리시브측 0[3]점. **~·fòld** *a., adv.* 15배의[로].
〖OE *fiftēne* (FIVE, *-teen*)〗
fiftéen and twó *n.* 신문광고 수수료《신문사가 광고대리점에 지급하는 수수료》.
‡**fif·teenth** [fíftí:nθ] *a.* 제15(번)의 ; 15분의 1의. —— *n.* **1** 제15 ; (월(月)의) 15일. **2** 15분의 1. **~·ly** *adv.*
◇**fifth** [fífθ] *a.* **1** 제5(번)의. **2** 5분의 1의 : a ~ part 5분의 1.
fifth act 제5막 ; 종막 ; 노경(老境).
smite a person ***under the fifth rib*** 제5늑골의 하부 (즉 급소)를 찔러 사람을 죽이다.
—— *n.* **1** [the ~] 제5 ; (달의) 5일 ; [the F~] 《美》 =FIFTH AMENDMENT. **2** 5분의 1 ; 《美》 5분의 1갤런《주류 용량 단위》 ; 5분의 1갤런 들이 병[그릇]. **3** 〖樂〗 5도(度), 5도 음정. **4** [*pl.*] 〖商〗 5등품. 〖*fift*<OE *fifta* ; ⇨ FIVE ; 어미는 FOURTH에 동화(同化)〗
Fífth Améndment *n.* [the ~] 미국 헌법 수정 제5조《자신에게 불리한 증언을 거부하는 것 따위를 인정하는 조건》.
Fífth Ávenue *n.* 《美》 5번가(番街)《New York 시를 남북으로 경계짓는 번화가》.
fífth cólumn *n.* 제5열(列), 제5부대《전시에 후방을 교란하거나 스파이 행동 따위로 적국의 진격을 도움》.
fífth cólumnist *n.* 제5열 분자, 제5부대원.
fífth diséase *n.* 〖醫〗 제5병《전염성 홍반(紅斑), 주로 어린아이에게 생김》.
fífth estáte *n.* [the ~, 때때로 the F~ E~] 제5계급《노동조합 따위》.
fífth generátion compúter *n.* [the ~] 〖컴퓨〗 제5세대 컴퓨터[전산기]《초(超) LSI에 의한 제4세대 다음에 나타날 컴퓨터[전산기]》.
fífth·ly *adv.* 다섯번째로, 제 5로.
Fífth Mónarchy *n.* [the ~] 〖聖〗 제5왕국《다니엘 2 : 44》.
Fífth Mónarchy Mèn *n. pl.* 〖英史〗 제5왕국파(派)《Cromwell 시대에 급진(急進)적 행동을 취한 과격(過激) 좌파》.
〖↑〗
Fífth Repúblic *n.* [the ~] (1958년 de Gaulle의 헌법 개정으로 성립된 현재의) 프랑스 제5공화정.
fífth whéel *n.* 전향(轉向) 바퀴 ; (네 바퀴 차의) 예비 바퀴 ; 《비유》 좀처럼 쓰지 않는 것, 무용지

물《사람·물건》.
*fif·ti·eth [fíftiəθ] a. 제50[50번째]의 ; 50분의 1의. —— n. [the ~] 제50 ; 50분의 1.
◇fif·ty [fífti] a. 1 50의, 50개의, 50명의 ; [pred.로 써서] 50세로. 2 다수의 : I have ~ things to tell you. 할 말이 많다. —— pron. [복수취급] 50, 50개, 50명. —— n. 1 50, 50개, 50명. 2 50의 기호《50, l, L》. 3 [the fifties] (세기의) 50년대 ; [one's fifties] (연령의) 50대.
〚OE *fiftig* ; ⇨ FIVE〛
fífty-dóllar làne n. 《CB俗》 추월선(=passing lane).
fífty-fífty a., adv. 《口》 50대 50의[으로], 엇비슷한[하게] ; 반반의[으로] : a ~ chance to live 살아날 가능성은 반반.
go fifty-fifty (***with*** a person) (남과) 나눌 몫을 반반으로 하다, (절)반으로 나누다.
fífty·fòld a., adv. 50배의[로].
fífty-yárd lìne n. 〔美蹴〕 50야드선.
*fig[1] [fíg] n. 1 무화과 ; 무화과나무(=~ tree). 2 보잘것없는 것 ; [a ~ ; 부정문에서 부사적으로 쓰여] 조금도 : I *don't*[would *not*] care[give] *a* ~[~'s end] for …같은 건 아무래도 좋다.
A fig for. . . ! …이 다 뭐야《시시해》!
〚OF<Prov.<L *ficus*〛
fig[2] n. 1 Ⓤ 복장, 몸치장, 옷차림 : *in* full ~ 성장(盛裝)하여. 2 Ⓤ 모양, 의기, 건강상태 : *in* good[poor] ~ 아주 원기왕성하여[기운이 빠져]. —— vt. (-gg-) 성장시키다(dress) 〈*out*〉 ; (말을) 활발히 움직이게 하다〈*out, up*〉.
〚*feague* (obs.) ; ⇨ FAKE[1]〛
fig. figurative(ly) ; figure(s).
Fig·a·ro [fígəròu ; *F* figaro] n. 피가로《보마르셰의 극 *Le Barbier de Séville*(1775)에 나오는 재치 있는 이발사》; 재치 있는 거짓말쟁이 ; 《俗》 이발사 ; [Le ~] 르 피가로《파리에서 간행되는 일간 신문 ; 1826년 창간》.
fíg·èat·er n. 〔昆〕 푸른왕풍뎅이.
◇**fight** [fáit] n. 1 싸움, 전투, 접전(接戰) (battle) ; 투쟁 ; 격투, 결투(combat), 다툼, 논쟁 : give[make] a ~ 한바탕 싸우다 / put up a good ~ 선전(善戰)하다. 2 쟁패전(爭霸戰), 승부, 경쟁, 분투. 3 Ⓤ 전투력 ; 투지, 전의(戰意), 파이트 : show ~ 전의[투지]를 나타내다 / We had plenty of ~ in us. 투지만만했다.
—— v. (**fought** [fɔ́:t]) vi. [動/+前+名] 싸우다, 전투[격투]하다 ; (토론·논쟁에서) 싸우다, 우열을 겨루다(contend) : Two boys were ~*ing* on the street. 두 소년이 거리에서 싸움을 하고 있었다 / She *fought* ***with*** her own feelings. 그녀는 자기의 감정과 싸웠다 / England *fought* ***against*** [*with*] Germany in the First World War. 영국은 1차 세계 대전에서 독일과 싸웠다 / He died ~*ing* ***for*** his country. 그는 조국을 위해 싸우다가 죽었다. —— vt. 1 …와 싸우다 ; (얻으려고) 다투다 : ~ an enemy 적과 싸우다 / ~ a prize 상을 놓고 겨루다 / The essential weapon in ~*ing* the desert is water. 사막에서 싸우는 데에 요긴한 무기는 물이다 / The two armies *fought* a battle. 양군은 한바탕 싸웠다. 2 싸우게 하다 ; (병(兵)·함(艦)·포를) 지휘 조종하다 : ~ cocks [dogs] 닭[개]싸움을 시키다 / ~ a gun 포격을 지휘하다.
fight back 저항[반격]하다 ; (감정 따위를) 억제하다.
fight it out 최후까지 싸우다, 자웅을 겨루다.
fight off 싸워서 격퇴하다 ; 퇴치하다 ; …에서 손을 떼려 애쓰다 : ~ *off* a cold 감기를 이기다.
fight one***'s way*** 고생하면서 나아가다 ; 활로를 찾아내다 : The wind was so strong that we had to ~ our *way through* it. 바람이 몹시 강했으므로 힘들여 헤쳐 나아가지 않으면 안되었다 / He *fought* his *way* in life[in the world]. 인생 활로를 찾아냈다.
fight shy of. . . ☞ SHY[1].
fight the good fight 훌륭히[잘] 싸우다.
fight up against …에 대해서 분전하다.
〚OE (n.) 〈 (v.) *feohtan* ; cf. G *fechten*〛
類義語 ***fight*** 모든 종류의 다툼·싸움을 뜻하지만 특히 1대 1의 힘으로 싸우는데 쓰임. ***conflict*** 이해·사상 따위의 격렬한 충돌이나 불일치로 투쟁의 목표보다는 투쟁의 과정을 강조함 : the *conflict* between old and new ideas (신구(新舊) 사상의 갈등). ***struggle*** 육체적 또는 정신적으로 심한 노력을 수반하는 것을 뜻함 : the *struggle* for existence (생존 경쟁). ***contention*** 고조된 말다툼 : political *contention* (정치적인 언쟁). ***contest*** 어떤 점에 대해서는 우열을 다투는 싸움 ; 반드시 적개심을 포함하지는 않으며 온화한 분위기 속에서 행하여지는 수도 있음 : a beauty *contest* (미인 경연 대회).
fíght·bàck n. 《英》 반격, 반공(反攻).
***fíght·er** n. 1 전사(戰士), 투사, 무인(warrior). 2 =PRIZEFIGHTER. 3 =FIGHTER PLANE.
fíght·er-bómb·er n. 〔軍〕 전투 폭격기.
fíght·er-intercépt·er n. 〔軍〕 요격 전투기.
fíghter plàne n. 〔軍〕 전투기.
***fíght·ing** n. Ⓤ 싸움, 전투, 교전, 접전 ; 다툼, 논쟁 ; 격투, 투쟁. —— attrib. a. 싸우는, 교전중인 ; 호전적인, 투지가 있는 ; 전투(용)의 : a ~ fish (타이산) 버들붕어 / ~ men 전투원, 전사, 투사 / a ~ spirit 투지, 투쟁 정신 / a ~ force [formation] 전투 부대[대형(隊形)].
fíghting chàir n. 《美》 갑판에 고정시킨 회전의자《큰 고기를 낚기 위한》.
fíghting chánce n. 노력 여하로 얻어질 수 있는 성공의 가능성, 조그마한 가능성.
fíghting cóck n. 투계, 싸움닭(gamecock) ; 《口》 싸움을 좋아하는 사람.
feel like a fighting cock 투지에 불타다.
live like a fighting cock 《英口》 사치스럽게 살다, 잘 먹으며 지내다.
Fíghting Fálcon n. 〔軍〕 미공군 전투기 F-16의 애칭.
Fíghting Frénch n. 싸우는 프랑스인《2차 대전 중 드골 지휘 아래 런던에서 결성된 자유 프랑스를 위한 전투부대》.
fíghting fùnd n. 군자금, 투쟁자금.
fíghting tòp n. (군함의) 전투장루(檣樓).
fíghting wòrds[tàlk] n. 도전적인 말.
fíght or flíght reàction n. 〔心〕 방위반응의 일종《갑작스런 자극에 대하여 자기의 행동반응을 결정하지 못하는 상태》.
fíg lèaf n. 1 무화과나무의 잎. 2 《비유》 보기 흉한 것을 (서툴게) 감추는[숨기는] 것. 3 (특히 남자 조각상 따위의) 국부(局部) 가리개.
fig·ment [fígmənt] n. 꾸며낸 일, 허구 ; 공상적인 일. 〚L ; ⇨ FIGURE ; cf. FEIGN〛
Fíg Néwton n. 피그 뉴턴《무화과가 든 쿠키 ; 상표명》.
fíg trèe n. 〔植〕 무화과나무.
fig·u·line [fígjəlàin] n. 《稀》 도기(陶器), (점토제의) 조상(彫像). —— a. 점토의.
fi·gu·ra [figjúərə] n. 어떤 사실 따위를 상징[구현]

하는 인물[사물], 표상(表象) ; 〖神學〗 예표(豫表)(type).

fig·ur·al [fígjərəl ; -gə-] *a.* 상(像)[그림]으로 된[나타낸].

fig·u·rant [fígjərɑ̀ːnt, -rǽnt, ⌐-⌐ ; -rənt] *n.* 발레의 남자 무용수 ; (연극의) 단역.
〖F (*figurer* to represent)〗

fig·u·rante [fígjərɑ̀ːnt ; ⌐-⌐, -rǽnti] *n.* (*pl.* **-rantes** [-ts], **-ran·ti** [-ti]) FIGURANT의 여성형.

fig·ur·ate [fígjərət, -rèit] *a.* 〖樂〗 장식적인 ; 정형(定形)이 있는.

fig·u·ra·tion [fìgjəréiʃən] *n.* **1** Ⓤ 형체 부여 ; 성형(成形). **2** 형체, 형태, 형상, 외형(form). **3** (도안 따위로 하는) 장식 ; 〖樂〗 피겨레이션《규정된 음형(figure)을 사용하기》.
〖F or L ; ⇨ FIGURE〗

***fig·u·ra·tive** [fígjərətiv] *a.* **1** 비유[형용]적인, 전의(轉義)의 : a ~ use[sense] 비유적인 용법[의미]. **2** 비유가 많은, 수식 문구가 많은, 화려한 : a ~ style 화려한 문체. **3** 표상[상징]적인, (…을) 상징하는〈*of*〉. **4** 형상적(形象的)인 : the ~ arts 조형 미술《회화·조각》. 〖L (↓)〗

fíg·u·ra·tive·ly *adv.* 비유적으로 ; 전의적(轉義的)으로 ; 상징적으로(↔*literally*).

◇**fig·ure** [fígjər, -gər ; -gər] *n.* **1 a**) (아라비아) 숫자 ; (숫자의) 자리, 단위 ; 합계한 수, …고(高), 액(額) : double[three] ~*s* 두[세] 자리(의 수) / significant ~*s* 유효 숫자 / give[cite] ~*s* 숫자를 들다 / get...at a low[high] ~ …을 값싸게[비싸게] 손에 넣다. **b**) [*pl.*] (숫자) 계산 : do ~*s* 계산하다 / He is a poor hand at ~*s*. 계산이 서툴다. **2** 모양, 형태, 형상(形象), 형상(形狀)(shape). **3** 사람 모습[그림자] ; (회화·조각 따위의) 인물, 조상(彫像), 화상, 초상, (여자의) 반신상(半身像). **4** 모습, 용모, 풍채, 외관 ; 눈에 띄는 모습, 이채(異彩) : a fine ~ of a man 훌륭한 풍채를 한 사람. **5** 인물 ; 명사 : a prominent ~ 거물(급 인사) / a public ~ 공인(公人) / He became a familiar ~ to the townspeople. 그 지방 사람들에게 친숙한 인물이 되었다. **6 a**) 〖幾〗 도형, 도(圖). **b**) 도안, 무늬(design) ; 그림, 도해, 삽화(illustration) : The statistics are shown *in F~* 3. 그 통계는 세번째 도표에 나타나 있다. **c**) 표상(表象), 상징(emblem). **7** 〖댄스〗 피겨, 선회(旋回) ; 〖스케이트〗 피겨《스케이트로 빙상을 미끄러지면서 그리는 도형》. **8** 〖修〗 = FIGURE *of speech* ; 〖論〗 (삼단논법의) 격, 도식 ; 〖樂〗 (소리의) 음형.

cut a (***brilliant, conspicuous***) ***figure*** 이채를 띠다, 두각을 나타내다.

cut a poor[***sorry***] ***figure*** 초라하게 보이다.

cut no figure in the world 세상에 이름이 나지 않다[문제시되지 않다].

a figure of speech 〖修〗 문채(文彩), 비유(적 표현)《simile, metaphor 따위》 ; 말의 수식.

keep one***'s figure*** (언제까지나) 날씬한 모습을 지니다.

make a figure = *cut a* FIGURE.

a man of figure 지위가 있는 사람, 명사.

── *vt.* **1** [+目/+目+副] 숫자로 나타내다 ; 견적하다(estimate), 계산하다(calculate) : He ~*d* them all ***up***. 그것들 전부의 합계를 냈다 / Don't ~ ***in*** anything less than one hundred. 100 미만은 계산에 넣지 마라[잘라 버려라]. **2 a**) [+目/+目+前+名] 상상하다, 마음에 그리다 : ~ something ***to*** oneself 어떤 일을 마음에 그리다. **b**) [+*that* 節/+目+補/+目+*to* do] 《口》 생각하다, 사고(思考)하다, 판단하다 : He ~*d* there was no use in further effort. 더 이상 노력해도 소용없다고 생각했다 / He ~*d* himself (*to be*) a good candidate. 그는 자신을 훌륭한 후보자라고 생각했다 / I ~ it like this. 《美》 이렇게 생각한다. **3** 본뜨다, 조상(彫像)으로[회화 따위로] 나타내다 ; 도형으로 나타내다 ; …에 무늬를 넣다(☞ FIURED). **4** 비유로 나타내다, 표상(表象)하다(symbolize). **5** 〖樂〗 …에 반주화음을 넣다.

── *vi.* **1** [+*as* 補 / +前+名] (어떤 인물로) 나타나다, 통하다, (…의) 역(役)을 맡아하다(appear) ; 눈에 띄다, 두각을 나타내다 : He ~*d as* a philanthropist. 자선가로서 통하고 있었다 / She ~*d as* a queen in the pageant. 야외극에 여왕으로 나왔다 / The names of those scientists ~ ***in*** the history of human progress. 그들 과학자의 이름은 인류 발전사에 우뚝 솟아 있다. **2** 계산하다. **3** [+*on*+名] 《美口》 고려하다, 의지하다(rely) ; 계획[기획]하다 : We ~*d* ***on*** their com*ing* earlier. 우리는 그들이 더 빨리 올 것이라고 생각하고 있었다 / You can always ~ ***on*** me. 언제나 나를 의지해도 괜찮아요.

figure out (1) [+目/+*wh.* 節] 계산하여 …의 합계를 내다[…의 결과를 내다], …을 계산하다 : It is possible to ~ *out how* much energy is produced. 에너지 생산량을 산출할 수 있다. (2) 총계 (…이) 되다〈*at*〉. (3) 《美》 알다, 이해하다 ; 풀다, 해결하다.
〖OF<L *figura* ; ⇨ FEIGN〗
類義語 ⟹ FORM.

fíg·ured *a.* **1** 무늬가 있는, 모양으로 나타낸, 의장(意匠) 도안을 넣은 : a ~ mat 꽃 돗자리 / ~ satin 무늬 넣은 공단 / ~ silk 문직(紋織) 비단 / a ~ glass window 무늬 넣은 유리창. **2** 그림[도형]으로 나타낸. **3** 글 수식이 있는, 형용이 많은(figurative). **4** 〖樂〗 수식된, 화려한. **~·ly** *adv.*

fígure dànce[**dàncer**] *n.* 피겨 댄스[댄서].

fígured báss [-béis] *n.* 〖樂〗 통주(通奏) 저음(continuo), (특히) 숫자표 저음.

fígure éight *n.* 8자 모양의 도형 ; 〖空〗 8자형 비행 ; 〖스케이트〗 8자형 활주(figure of eight) ; (로프의) 8자형 매듭.

fígure·hèad *n.* 선수상(船首像) ; 《戱》 사람의 얼굴 ; 《비유》 명목상의 우두머리, 표면상의 간판.

fígure of éight *n.* = FIGURE EIGHT.

fígure pàinting *n.* 초상화(법).

fígure pìcture[**pìece**] *n.* 초상화.

fígure skàte *n.* 피겨 스케이트화(靴).

fígure skàter *n.* 피겨 스케이팅을 하는 사람.

fígure skàting *n.* 피겨 스케이팅.

fig·u·rine [fìgjəríːn ; fígə-] *n.* (금속·진흙 따위로 만든) 작은 입상(立像)(statuette).
〖F<It. (dim.) ‹FIGURE〗

fíg·wòrt *n.* 〖植〗 현삼(玄蔘).

Fi·ji [fíːdʒiː ; ⌐⌐] *n.* 피지《남태평양의 영연방내의 독립국으로 the Fiji Islands로 이루어짐 ; 원래 영령 식민지였으나 1970년 독립》.

Fi·ji·an [fíːdʒiən, fi(ː)dʒíːən] *a.* 피지(제도)의.
── *n.* 피지(제도)인 ; Ⓤ 피지어(語).

Fíji Íslands *n. pl.* [the ~] 피지제도(諸島)《남태평양상의》.

fila *n.* FILUM의 복수형.

filagree ☞ FILIGREE.

fil·a·ment [fíləmənt] *n.* 단섬유(單纖維)《방직섬유》 ; 〖植〗 (수술의) 꽃실 ; (전구(電球)·진공관의) 필라멘트, (백열) 섬조(纖條). **~·ed** *a.*

〚F or NL ; ⇨ FILUM〛

fil·a·men·ta·ry [filəméntəri] *a.* 가는 실의, 올실의, 단섬유의 ; 실같은 ; 〖植〗 꽃실의.

fil·a·men·tous [filəméntəs] *a.* 가는 실[줄] 같은 ; 섬유로 된 ; 섬유 모양의 ; 실이 있는, 섬조(纖條)가 있는.

filaméntous vírus *n.* 〖菌〗 섬유상 바이러스.

fi·lar [fáilər] *a.* 실(모양)의 ; 실(같은 것)을 가진. 〚FILUM〛

fi·lar·ia [fəlέəriə, -lǽər-] *n.* (*pl.* **-i·ae** [-riìː, -riài]) 사상충(絲狀蟲), 필라리아《상피증(象皮症) 따위를 일으킴》.

fi·lár·i·al *a.* 필라리아[사상충]의 ; 사상충에 감염된[의한]. **~·ly** *adv.* **~·ness** *n.*

fil·a·ri·a·sis [filəráiəsəs] *n.* (*pl.* **-ses** [-sìːz]) 〖醫〗 사상충증, 필라리아병(病).

fi·late [fáileit] *a.* 실의, 실로 된, 실 모양의.

fil·a·ture [filətʃər, -tʃùər] *n.* **1** Ⓤ (누에고치에서) 실뽑기, 제사(製絲). **2** 실 뽑는 기계 ; 제사장(製絲場).

fil·bert [filbərt] *n.* 〖植〗 (유럽산) 양개암나무 ; 그 열매 ; 《美俗》 열중하고 있는 사람, …광(狂). 〚ME *philliberd* etc.<AF ; St. *Philibert*'s day (8월 20일)경에 익는 데서〛

filch [filtʃ] *vt.* [+目/+目+前+名] 훔치다, 좀도둑질[들치기]하다《STEAL 보다 완곡한 표현》: He *~ed* a piece of chalk ***from*** the teacher's desk. 교탁에서 분필 한 개를 슬쩍했다. 〚C16<? ; 도적 패거리의 은어〛

***file**[1] [fáil] *n.* 종이 꽂이, 서류철 ; (신문·서류 따위를) 철한 것 ; 파일 ; 서류철을 두는 정리함[보관 케이스] ; 〖컴퓨〗 파일, 기록철《한 단위로서 취급되는 관련 기록》: a ~ *of* letters=a letter ~ 편지 철 / place...in[on] a ~ …을 철하여 두다.
on file 철해서 ; 정리[기록]되어.
── *vt.* **1** [+目/+目+副] (항목별로) 철해두다 ; 철하여 정리하다, 정리 보존하다 : *F*~ (*away*) these papers. 이 서류를 철해두시오. **2** 《美》 (고소 따위를) 제기하다. ── *vi.* [+*for*+名] 《美》 신청하다 : He ~*d* ***for*** a civil service job. 공무원 직을 지원했다. 〚F<L FILUM〛

***file**[2] *n.* 열(列) ; 〖軍〗 대오(隊伍), 종렬(縱列) (cf. RANK[1]) ; (장기판의) 세로줄 : a blank ~ 빈 대오 / double the ~*s* 대오를 겹치다.
file by file 줄줄이 ; 잇달아.
in file 대오를 이루어 ; 2열 종대로.
in Indian*[*single*] *file 일렬 종대로.
── *vi.* [+副] 열을 지어서 행진하다 : ~ ***off*** [*away*] (일렬 종대로) 분열 행진하다 / The crowd ~*d* ***in*[*out*]**. 군중은 열을 지어서 들어왔다[나갔다] / *F*~ *left*[*right*]! 〖구령〗 줄줄이 좌[우]로 가! ── *vt.* [+目+副] 종렬로 나아가게 하다 : ~ the soldiers ***off*** 병사들을 종렬로 행진시키다. 〚F (↑)〛

***file**[3] *n.* **1** 줄《연장의》; [the ~] 닦아 냄, 마무리, (문장 따위를) 다듬기. **2** 《口》 빈틈없는 자, 교활한 녀석 : a close ~ 구두쇠 / an old[a deep] ~ 능글맞은 놈.
bite*[*gnaw*] *a file 헛수고하다.
── *vt.* **1** [+目/+目+副/+目+補] 줄로 자르다 ; …을 줄질하다, 줄로 깎다[닦다·갈다] : ~ ***away*[*off*]** rust 녹슨 것을 줄로 쓸어버리다 / He ~*d* the surface smooth. 표면을 줄질하여 매끄럽게 했다. **2** 《비유》 (문학 작품 따위를) 다듬어내다. ── *vi.* 줄을 써서 일하다 ; 퇴고하다. 〚OE *fīl* ; cf. G *Feile*〛

file[4] *vt.* 《古·方》 더럽히다(defile).

fíle áccess mèthod *n.* 〖컴퓨〗 파일 접근법《보조 기억장치에 수용된 파일에서 목적하는 레코드[기록표]를 읽어내거나 써넣는 방법》.

fíle clèrk *n.* 문서 정리원.

fíle cùtter *n.* 줄(file[3])의 이를 세우는 사람.

fíle·fìsh *n.* 〖魚〗 파랑쥐치.

fil·e·mot [filəmɑ̀t] *n., a.* 적[황]갈색(의).

fíle nàme *n.* 〖컴퓨〗 파일 이름《식별을 위해 각 파일에 붙인 고유 이름》.

fíle númber *n.* 서류 번호.

fíle phòto *n.* (신문사 따위의) 보관[자료]사진.

fíle·pùnch *n.* (서류·신문 따위를) 철하기 위해 구멍을 뚫는 기구.

fil·er[1] [fáilər] *n.* 문서 정리원(file clerk). 〚FILE[1]〛

filer[2] *n.* 줄질하는 사람. 〚FILE[3]〛

fi·let[1] [filéi, ⌐-; *F* filɛ] *n., v.* 〖料〗 =FILLET.

filet[2] *n.* Ⓤ (그물 눈 모양으로 짠) 파일 레이스(=~ làce). 〚F=net〛

fi·let mi·gnon [filei minjɑ́n, filéi-, -mí(:)njɑn] *n.* (*pl.* **fi·lets mi·gnons** [-*z*]) 〖料〗 필레 미뇽 《안심 가장자리 끝의 두꺼운 부위에서 베어낸 소의 필레살》. 〚F=dainty fillet〛

fili- [filə, fái-], **filo-** [filou, -lə] *comb. form* 「실」의 뜻. 〚L ; ⇨ FILUM〛

fil·i·al [filiəl] *a.* **1** 자식(으로서)의 : ~ piety 효심(孝心), 효성. **2** 〖遺〗 어버이로부터 …세대의《略 F》: ~ affection 자식으로서의 애정.
~·ly *adv.* 자식답게, 효성스럽게.
〚OF or L (*filius* son, *-a* daughter)〛

fil·iale [*F* filjal] *n.* (프랑스 국내에 있는 외국의) 자회사(subsidiary company).

fílial generátion *n.* 〖遺〗 후대《교잡에 의한 자손 ; 기호 : 제1대 F_1, 제2대 F_2》: first ~ (=F_1) 잡종 제1대.

fil·i·ate [filièit] *vt.* =AFFILIATE.

fil·i·a·tion [filiéiʃən] *n.* **1** 자식임 ; 자식의 부모에 대한 관계. **2** (언어·모임 따위의) 파생, 파출(派出), 분기(分岐), 분과. **3** 기원, 유래, 출신 〈*from*〉. **4** 〖法〗 서자(庶子)의 인지(認知).

filibeg ☞ FILLEBEG.

fil·i·bus·ter [filəbʌ̀stər] *n.* **1** Ⓤ,Ⓒ 《美》 의사(議事) 방해 ; Ⓒ 《美》 의사 방해자 ; 불법전사(戰士) 《본국의 명령없이 외국 영토를 침범함》. **2** (17세기경의) 해적. ── *vi.* **1** 《美》 (긴 연설 따위로) 의사 진행을 방해하다. **2** 외국으로 침입하다, 약탈을 일삼다. ── *vt.* 《美》 의사 방해로 (의안)의 통과를 지연시키다[저지하다]. **~·er** *n.* 《美》 의사 방해 연설자. **~·ìsm** *n.* 《美》 의사 방해 연설. 〚Du. (FREEBOOTER) ; 어형은 F *flibustier*, Sp. *filibustero* 따위의 영향〛

fil·i·cíd·al *a.* 자식 살해죄의.

fil·i·cide [filəsàid] *n.* 자식 살해범[죄].

fi·lic·i·form [filəsəfɔ̀ːrm] *a.* 양치(羊齒) 모양의.

fil·i·cite [filəsàit ; -li-] *n.* 양치류의 화석(化石).

fil·i·coid [filəkɔ̀id ; -li-] *n., a.* 양치 모양(의), 양치(羊齒)류의 식물(의).

fí·li·fòrm [filə-, fáilə-] *a.* 섬유[실] 모양의.

fil·i·gree, fil·a-, fil·la- [filəgrìː] *n.* **1** Ⓤ (금은 따위의) 가는 줄 세공 ; 금속제 투시(透視) 세공 ; (섬세하고 약하여) 파손되기 쉬운 장식물. **2** [형용사적으로] 가는 줄 세공의, 투시 세공을 한 : ~ earrings 투시 세공을 한 귀고리. ── *vt.* 가는 금은 줄 세공으로 장식하다.
~d *a.* =FILIGREE 2. 〚C19 *filigreen*, *filigrane*<F *-grane*<It. (L FILUM, *granum* seed)〛

fil·ing[1] [fáiliŋ] *n.* Ⓤ 서류를 철하기, 서류 정리. 〚FILE[1]〛

filing[2] *n.* U.C 줄[칼]질, 줄로 다듬기 ; [보통 *pl.*] 줄밥. 〖FILE[3]〗

fíling càbinet *n.* 서류[카드] 정리 캐비닛.

filip ☞ FILLIP.

Fil·i·pine [fíləpìːn] *a.* =PHILIPPINE.

Fil·i·pi·no [fìləpíːnou] *n.* (*fem.* **-na** [-nə] ; *pl.* **~s**) 필리핀인. —— *a.* 필리핀(인)의. 〖Sp.=Philippine〗

◇**fill** [fíl] *vt.* **1** [+目/+目+*with*+名] 채우다 ; (바람이 돛을) 팽팽하게 하다 ; …에 (가득) 채워 넣다 : The crowd had nearly *~ed* the garden. 정원은 군중으로 거의 찼다 / She *~ed* her notebook ***with*** sketches. 공책을 스케치로 메웠다 / He *~ed* his brush *with* paint. 솔에 페인트를 잔뜩 묻혔다. **2** [+目/+目+前+名/+目+目] …에 가득히 따르다[붓다], 수북이 담다 : *F~* this bottle ***with*** water. 이 병에 물을 가득히 채우시오 / He *~ed* me a glass of whiskey[*~ed* a glass of whiskey ***for*** me]. 나에게 위스키를 한 잔 가득히 부어 주었다. **3** [+目+*with*+名] (감정으로 사람의 마음을) 채우다 : The sight *~ed* his heart ***with*** anger. 그 광경을 보고 그의 마음에 분노가 끓어올랐다. **4** (장소·공간을) 차지하다, 채우다, 막다 ; (빈자리를) 메우다, 보충하다 : I had my decayed tooth *~ed* by the dentist. 충치(蟲齒)를 치과의사에게 때우게 했다 / The position is not yet *~ed.* 그 자리는 아직 공석(空席)인 채로 남아 있습니다. **5** …의 공복(空腹)을 채우다, 만족시키다. **6** (요구 따위를) 충족시키다, (수요에) 응하다, (약속 따위를) 지키다(keep) : ~ an engagement. **7** 《美》 (처방약을) 조제하다. **8** (특히 면직물에) 섞음질을 하다.

—— *vi.* [動/+*with*+名] 가득 차다, 충만하다 ; (돛이) 바람을 한껏 받다 : The room did not ~ after all. 방은 결국 만원이 되지 않았다 / Her eyes *~ed* ***with*** tears. 그녀의 눈은 눈물로 가득 찼다 / The sails *~ed with* the wind. 돛은 얼마 후 바람을 가득 받아 부풀었다.

fill in (1) (구멍 따위를) 막다, 메우다 ; 충전하다 : ~ *in* the time 한가한[빈] 시간을 메우다. (2) (빈곳을) 메우다, 채우다 : *F~ in* the blanks in the following sentence. 다음 문장의 빈 곳을 채우시오. (3) =FILL *out* (3). (4) (최신) 정보를 주다, 자세히 알리다.

fill out (1) (충분히) 부풀게 하다[부풀다] ; 살찌다, 살이 오르다 : The children are *~ing out* visibly. 아이들은 눈에 띄게 커간다. (2) (술 따위를) 가득히 따르다. (3) (서식·문서 따위의) 여백에 써넣다, 빈 곳을 채우다 : ~ *out* an application 신청서에 필요 사항을 써넣다. (4) =FILL *in* (2). (5) (개략적인 진술 따위를) 충분히 보완하다.

fill the bill ☞ BILL[1].

fill up (1) 가득히 채우다 ; 빽빽이 쑤셔넣다[메우다] ; 만원이 되다 ; (연못 따위) 메우다[메워지다], (바다 밑이) 얕아지다 : The heavy rain is *~ing up* the reservoir fast. 호우(豪雨)로 저수지가 시시각각으로 불어나고 있다. (2) =FILL *in* (2) ; =FILL *out* (3).

—— *n.* **1** [a ~] (그릇에) 가득한 분량 : *a ~ of* tobacco 파이프에 가득 채운 담배. **2** [one's ~] 바라는 만큼[대로], 마음껏[대로], 잔뜩 ; 실컷 : drink[eat, have, take] one's ~ 양껏 마시다[먹다] / grumble one's ~ 마구 투덜거리다 / weep one's ~ 실컷 울다 / have one's ~ *of* sorrow 더할 수 없는 슬픔을 맛보다 / have had one's ~ *of* …에 물리다, …에 진력이 나버리다 / take one's ~ *of* rest 충분히 쉬다.

〖OE *fyllan* ; cf. FULL, G *füllen*〗

fíll-dìke *n.* 빗물·눈 녹은 물로 도랑이 넘치는 계절 《특히 2월(February fill-dike)을 말함》.

fille [fíːjə ; *F* fij] *n.* 소녀, 처녀.

fil·le·beg, fil·(l)i-, phil·a-, phil·i- [fíləbèg] *n.* =KILT.

fille de cham·bre [*F* fij də ʃɑ̃ːbr] *n.* (*pl.* **filles de cham·bre** [—]) 《古》 (호텔 따위의) 침실 담당 하녀 ; 시녀.

fille de joie [*F* fij də ʒwa] *n.* (*pl.* **filles de joie** [—]) 매춘부. 〖F=girl of pleasure〗

fílled góld [fíld-] *n.* 도금한 금《바탕은 놋쇠 따위로 금은 최저 1/20 이상 함유》.

fílled mílk *n.* 식물성 지방 첨가유(乳).

fíll·er *n.* **1** 채우는 사람[것], 메우는 사람[것]. **2** (신문·잡지의) 여백을 채우는 기사 ; (시간을 메우는) 단편 영화 ; 메울 것, (무게·양 따위를 늘리기 위해) 섞는 물건, (판자 구멍 따위를) 메우는 나무, 충전재(充塡材).

fil·let [fílət] *n.* **1** 가느다란 끈, 머리끈, (머리 장식용) 리본 ; (끈 모양의) 띠 ; (목재·금속 따위의) 가는 조각. **2** [, 美+filéi, 美+∸-] 〔料〕 필레살《소·돼지는 연한 허리살(tenderloin), 양은 넓적다리 살》 ; (뼈를 발라낸) 생선살 토막. **3** 〔解〕 (띠 모양의) 섬유속(束), 융대(絨帶). **4** 〔建〕 (두 개의 쇠시리 사이의) 들연, 막면(幕面) ; (원(圓) 기둥의 홈과 홈 사이의) 두둑. **5** 〔機〕 (띠 모양의 방직 기계용) 침포(針布) ; (포구(砲口)의) 고리 모양의 띠. **6** 방패 아래에 가로 그은 줄. **7** 〔製本〕 (표지의) 윤곽선 ; 윤곽선을 찍어 내는 기구.

—— *vt.* **1** …에 리본 따위를 매다, (머리를) 머리띠로 동이다[매다] ; 〔製本〕 윤곽선을 넣다. **2** [, 美+filéi, 美+∸-] (생선을) 저미다 ; …에서 필레 살을 떼내다.

〖OF<L (dim.) ‹ FILUM〗

fillibeg ☞ FILLEBEG.

fíll-in *n.* 대리, 보결, 공석을 채우는 사람 ; 대용품 ; 〔寫〕 보조 광선 ; 《口》 줄거리, 개요. —— *a.* 일시적인, 임시로 일하고 있는.

fíll·ing *n.* 채우기, 메워 넣기, 충전 ; (파이·샌드위치 따위의) 속 ; 메워넣는 것, 충전물(充塡物) ; (치과의) 충전재《금 따위》.

fílling stàtion *n.* 《美》 =SERVICE STATION 1.

fil·lip, fil·ip [fíləp] *vt.* **1** 손가락으로 튀기다 ; 튕겨 날리다 ; 탁 치다. **2** 자극하다, (자극하여) 환기(喚起)하다 : ~ one's memory 기억을 환기시키다. —— *vi.* 손가락을 튀기다. —— *n.* **1** 손가락으로 튀기기 : make a ~ 손가락으로 튀기다. **2** (가벼운) 자극(stimulus). **3** 보잘것없는 것 : It isn't worth a ~. 아무 쓸모도 없다. 〖imit.〗

fil·lis·ter, fil·is-, fil·les- [fíləstər] *n.* 〔木工〕 홈 파는 대패《개탕 대패·둥근 대패 따위》 ; 그것으로 판 홈.

Fill·more [fílmɔːr] *n.* 필모어. **Millard ~** (1800–74) 미국 제13대 대통령.

fil·ly [fíli] *n.* **1** 암망아지(cf. COLT). **2** 《口》 말괄량이, 발랄한 소녀. 〖? ON *fylja* ; cf. FOAL〗

‡**film** [fílm] *n.* **1** 얇은 껍질[막(膜)] ; 얇은 잎 ; (표면에 생긴) 피막(被膜). **2** 가는 실 ; (공중에 쳐있는) 거미줄. **3** (눈의) 침침함, 흐림 ; 엷은 안개, 연무. **4** U.C 〔寫〕 필름, 건(乾)[감광]판(板) : a roll of ~ =a roll ~ 필름 한 통. **5 a)** 영화(motion picture) ; [the ~s] 영화(산업·계) : a ~ projector 영사기 / a silent ~ 무성(無聲)영화 / a sound ~ 발성 영화《반주(伴奏)를 주로 함》, 음화(音畫) / a talking ~ 발성 영화《대화를 주로 함》, 토키(cf. TALKIE) / I heard the word

in an American ~. 그 말을 미국 영화에서 들었다. **b)** [형용사적으로] 영화의 : a ~ actor [actress] 영화배우[여배우] / a ~ fan 영화팬 / a ~ version (소설을) 영화화한 것.

〈회화〉
What *films* are showing? — Let's look in the newspaper. 「무슨 영화를 상영하고 있지」「신문을 보자구」

—— *vt.* **1** 얇은 껍질[막]로 덮다. **2** 〔寫〕 필름에 찍다 ; 〔映〕 촬영하다 ; (소설 따위를) 영화화하다 : They have ~*ed* one of Shakespeare's plays. 셰익스피어의 희곡 한 편을 영화화했다.
—— *vi.* **1** [動/+副 /+*with*+名] 얇은 껍질로 덮이다 ; 얇은 막이 깔리다, 얇은 막이 생기다 ; 흐려지다, 희미해지다 : The water ~*ed* ***over with*** ice. 수면 전체에 살얼음이 깔렸다. **2** [動/+副] 영화화되다 : This story ~*s well* [*ill*]. 이 이야기는 영화화할 만하다[만하지 못하다].
〖OE *filmen* membrane ; cf. FELL[5]〗

fílm-básed *a.* 필름 기판상(基板上)의 : a ~ solar battery 필름상에 형성한 태양전지.
fílm·càrd *n.* =MICROFICHE.
fílm clìp *n.* 〔TV〕 필름 클립《방송용 영화 필름》.
fílm·dom *n.* Ⓤ 영화계(picturedom).
fílm·gò·er *n.* 영화 구경을 자주 하는 사람, 영화팬.
fílm·ic *a.* 영화의[같은]. **-i·cal·ly** *adv.*
fílm·i·ness *n.* 얇은 껍질로 됨, 막 같음, 필름 같음 ; (거미줄처럼) 가는 실로 됨, 가는 실 모양.
fílm·ize *vt.* 영화화하다.
fílm·lànd *n.* 영화계.
fílm·let *n.* 단편 영화, (8밀리 따위의) 소형영화.
fílm lìbrary *n.* 영화 도서관 ; 필름 대여소.
fílm·màker *n.* 영화 제작자(moviemaker).
fílm·màking *n.* Ⓤ 영화 제작.
film·og·ra·phy [filmágrəfi] *n.* Ⓤ,Ⓒ 영화 관계 문헌, (주제 따위에 관한) 영화 작품 해설, 특정 배우[감독]의 작품 리스트.
fílm pàck *n.* 통에 든 필름.
fílm premìère [∸∸] *n.* (신작 영화의) 특별 개봉(開封).
fílm ràting *n.* 〔映〕 관객 연령 제한 (표시).
fílm recòrder *n.* 영화용 녹음기.
fílm·scrìpt *n.* 영화 각본, 시나리오(screenplay).
fílm·sèt *a.* 〔印〕 사진 식자의. —— *vt.* 사진 식자하다. —— *n.* 영화 촬영용 세트. **-sètter** *n.*
fílm·sètting *n.* 〔印〕 사진 식자, 사식(寫植)(photocomposition).
fílm·slìde *n.* (환등용) 슬라이드.
fílm stàr *n.* 영화 배우[스타].
fílm stòck *n.* 미(未)사용의 영화 필름.
fílm·strìp *n.* 필름스트립(slidefilm)《슬라이드 교재용의 필름, 보통 35밀리 필름》.
fílm stùdio *n.* 영화 촬영소.
fílm tèst *n.* (영화 배우 지원자의) 화면 심사.
fílm thèater *n.* 《英》 영화관.
fílm-to-tápe trànsfer *n.* 〔TV〕 영화 필름으로 촬영된 것을 비디오 테이프로 옮기기.
fílmy *a.* **1** 얇은 껍질[막] 같은 것의 ; 섬유실[얇은 천] 같은 : ~ ice 살얼음. **2** 엷은 안개 같은, 흐릿한(misty) : ~ clouds 엷은 구름. **fílm·i·ly** *adv.*
filo- [fílou, -lə] ☞ FILI-.
fi·lose [fáilous] *a.* 실모양의 ; 끝이 실같은.
fil·o·selle [filəsél, -zél, ∸∸∸] *n.* =FLOSS SILK.
fils [*F* fis] *n.* 아들(cf. PÈRE) : Dumas ~ 소(小)뒤마. 〖F=son〗
fil·ter** [fíltər] *n.* **1** 여과기, 여과 장치, 정수기 ; 〔寫·光〕 필터, 여광기(濾光器) ; 〔電〕 여파기, 필터. **2** 여과용 다공성(多孔性) 물질《여과 작용을 하는 천·숯·모래·자갈 따위》. **3** 《英》 (교차점에서 특정 방향으로의 진행을 허락하는) 화살표 신호, 보조신호. —— *vt.* [+目/+目+副] 여과하다, 거르다 ; 여과하여 빼내다 : Charcoal is used to ~ water. 숯은 물을 여과하는 데 쓰인다 / He ~*ed* ***out [***off***] all the dirt of the water. 그는 물을 여과하여 불순물을 모두 제거했다.
—— *vi.* [+前+名] 스며나오다 ; (사상 따위가) 스며들어오다 ; 《비유》 (빛·소문 따위가) 새다, 새어나오다 : The water ~*ed* ***through*** the sandy soil and ***into*** the well. 물은 모래 바닥에 스며들어 우물로 스며나왔다 / These new ideas were ~*ing into* their minds. 이들 새로운 사상은 사람들의 마음속으로 침투하고 있었다. 〖F<L<Gmc. ; ⇨ FELT[2] ; 원래 felt제(製)였던데서〗
fílter·able, fíl·tra·ble [fíltərəbəl] *a.* 여과할 수 있는.
fílterable vírus *n.* 여과성 병원체[바이러스].
fílter bèd *n.* 여과지(池), (모래·자갈 따위를 바닥에 깐) 여과 탱크.
fílter cènter *n.* 〔軍〕 대공(對空) 정보 본부.
fílter cigarètte [ˌ美+∸∸∸∸] *n.* 필터 달린 담배.
fílter clòth *n.* 여과포(布).
fílter fàctor *n.* 〔寫〕 필터 계수《필터 사용 때의 노광 배수(露光倍數)》.
fílter pàper *n.* 거름종이, 여과지(紙).
fílter prèss *n.* 압착식 여과기 ; 어유(魚油) 압착기, 필터 프레스.
fílter sìgn *n.* 《英》 =FILTER 3.
fílter tìp *n.* 필터 달린 담배.
fílter-típ(ped) *a.* (담배가) 필터가 붙어 있는.
filth [fílθ] *n.* Ⓤ 오물, 불순물 ; 불결, 부정(不淨) ; 외설적인[음란한] 말 ; 타락, 부패 ; 《英方》 악당, 매춘부 ; 잡초.
〖OE *fȳlth* ; ⇨ FOUL〗
filthy [fílθi] *a.* 불결한, 더러운 ; 부정한 ; 추악한 ; 타락한 ; 외설적인, 상스러운 ; 《口》 정말로 싫은, (날씨 따위가) 지독한 ; 《美俗》 돈이 엄청나게 많은. —— *adv.* 《美俗》 대단히, 매우. —— *n.* 《美俗》 돈. **fílth·i·ly** *adv.* **-i·ness** *n.*
類義語 ⟹ DIRTY.
fílthy lúcre *n.* 부정한 돈, 부정한 이득 ; 《戲》 돈.
filtrable ☞ FILTERABLE.
fil·trate [fíltreit] *vt., vi.* 여과하다.
—— *n.* 여과수(水)[액(液)].
fil·tra·tion [filtréiʃən] *n.* Ⓤ 여과법[작용].
filtrátion plànt *n.* 정수장(淨水場).
fi·lum [fáiləm] *n.* (*pl.* **-la** [-lə]) Ⓤ 섬사(纖絲) 조직, 섬조(纖條), 필라멘트. 〖L=thread〗
FIM field intercepter missile(야전용 방공 미사일) ; 〔空〕 flight interruption manifest.
fim·bria [fímbriə] *n.* (*pl.* **-bri·ae** [-briìː, -briài]) 〔動·植〕 술[털] 달린 가장자리.
〖L=fringe〗
fim·bri·ate [fímbrièit, -ət], **-at·ed** [-èitəd] *a.* 〔動·植〕 술이 있는, 둘레에 털이 난 ; 〔紋〕 (다른 색의) 가는 띠 모양의 가선을 두르고 있는.
F. I. M. T. A. 《英》 Fellow of the Institute of Municipal Treasurers and Accountants.
fin [fín] *n.* **1** 지느러미 : the dorsal [pectoral, ventral] ~ 등[가슴·배] 지느러미. **2** (바다표범·펭귄 따위의) 지느러미 모양의 기관. **3** 〔空〕 수직 안전판(板), (로켓의) 미익(尾翼) ; 〔海〕 (잠수함 따위의) 수평타(舵) ; 〔機〕 (난방기·냉각기·공랭 기관 따위의) 핀. **4** 《俗》 손(hand),

팔 ;《美俗》머리 : Tip[Give] us your ~. 자, 손을 내밀게《악수하세》.

***fin, fur and feather*(*s*)** 어류(魚類)·포유류·조류.

—— *v.* (**-nn-**) *vi.* 지느러미를 (세게) 움직이다 ; (물고기가) 수면 위로 지느러미를 보이다 ; (고래 따위가) 지느러미로 물을 치다.

—— *vt.* (물고기의) 지느러미를 잘라내다 ;〔機〕…에 핀을 달다.

〖OE *fin*(*n*) ; cf. L *pinna* wing〗

Fin. Finland ; Finnish. **fin.** *ad finem* 《L》 (=at the end) ; finance ; financial ; finis ; finished.

F. I. N. A. 《F》 Fédération internationale de natation amateur (국제 아마추어 수영 연맹).

fin·able, fine- [fáinəbəl] *a.* 벌금[과료]형에 처할 수 있는. 〖FINE²〗

fi·na·gle [fənéigəl] *vi., vt.* 《美口》속임수를 쓰다, 속이다, 속여서 빼앗다.

〖*fainaigue* (dial.) to cheat〗

***fi·nal** [fáinl] *a.* **1** 최후[최종]의, 종국의(last) ; 결정적인(conclusive) : the ~ aim 궁극 목적 / the ~ ballot 결선투표 / the ~ cause 〔哲〕목적인(因), 궁극적 원인 / a ~ judgment 최종 판결 / the ~ round 최종회(回), (경기 시합의) 결승. **2** 〔文法〕목적을 나타내는 : a ~ clause 목적절《보기 We eat *that we may live.*》.

—— *n.* **1** 최종의 것 ;《英口》(신문의 그날의) 최종판. **2** [보통 *pl.*] (경기 따위의) 결승(시합) : run[play] in the ~*s* 결승까지 올라서 경주[경기]하다. **3** [보통 *pl.*] 《口》(대학 따위의) 최종[기말] 시험(cf. MIDYEARS).

〖OF or L ; ⇨ FINIS〗

類義語 ⟹ LAST¹.

fínal consúmption *n.* 최종 소비.

fínal dríve *n.* (자동차의) 최종 구동 장치.

fi·nale [fənǽli, finɑ́:- ; finɑ́:-] *n.* 〔樂〕끝악장(樂章), 피날레 ;〔劇〕최후의 막, 종막 ;《비유》종국, 대단원. 〖It. ; ⇨ FINAL〗

fínal·ist *n.* 결승전 출전 선수.

fi·nal·i·ty [fainǽləti, fə-] *n.* **1** Ⓤ 최종적인 일 ; 결말, 종국(終局), 결국 : with an air of ~ 결정적인[뚜렷한] 태도로 / speak with ~ 딱 잘라 말하다, 단언하다. **2** 최종적인 것, 최후의 언행. **3** Ⓤ 〔哲〕궁극성, 목적성.

fínal·ìze *vt., vi.* (계획 따위를) 완성하다, 마무리하다 ; …에 결말을 내다 ; 최종적으로 승인하다.

final·izátion *n.*

‡**fínal·ly** *adv.* **1** 최후로 ; 마지막[끝]으로(lastly) ; 드디어, 결국(cf. *at* LAST) : *F*~ I shall say a few words on the subject of structuralism. 마지막으로 한 마디 구조주의(構造主義)에 대해서 말하고자 한다. **2** 최종적으로, 결정적으로(decisively) : The matter was ~ settled. 그 문제는 깨끗이 해결됐다.

Fínal Solútion *n.* [the ~] 최종적 해결《나치스의 유럽 유태인 대학살 계획》; [f~ s~] 집단 학살, 민족 말살.

〖G *Endlösung*의 역(譯)〗

***fi·nance** [fənǽns, fáinæns, fainǽns] *n.* **1** Ⓤ (국고(國庫)·단체·개인의) 재정, 재무 ; 재정학 : improve the country's ~*s* 국가 재정을 개선하다 / public ~ (국가) 재정. **2** [*pl.*] 재원(財源), 재력, 자금 사정, 세입(歲入).

the Minister*[*Ministry*] *of Finance 재무장관[성(省)].

—— *vt.* **1** …에 자금을 공급[융통]하다, …에 융자하다 : ~ an enterprise 기업에 융자하다. **2** [+目+前+名] …의 재정을 처리하다. 자금을 조달하다[대다] : ~ a daughter *at*[*through*] college 딸의 대학 학자금을 대다.

—— *vi.* 자금을 조달하다 ; 투자하다.

〖OF (*finer* to settle debt<FINE²)〗

fínance bìll *n.* 재정 법안 ;《美》금융 어음.

Finánce Commìttee *n.* 《美》상원 재정위원회.

fináncе còmpany[《英》**hòuse**] *n.* (할부) 금융회사.

***fi·nan·cial** [fənǽnʃəl, fai-] *a.* 재정(상)의, 재무의 ; 재계의 ; 금융(상)의 : ~ ability 재력 / ~ adjustment 재정 정리 / ~ circles=the ~ world 재계 / a ~ company 금융회사 / the ~ condition [situation] 재정 상태 / a ~ crisis 금융 공황 / ~ difficulties 재정 곤란 / ~ resources 재원(財源) / a ~ statement 재무제표, 자산 부채표(負債表), 대차(貸借) 대조표.

~·ly *adv.* 재정적으로, 재정상.

類義語 ***financial*** 금전상, 재정상의 ; 특히 막대한 금전을 다루는 일을 포함함 : The city is in *financial* difficulties. (그 시는 재정상의 어려움에 처해 있다). ***monetary*** 화폐[지폐] 그것에 관련된 주화·유통·가치 따위에 관련해서 쓰임 : the *monetary* unit of a country (한 나라의 화폐 단위). ***fiscal*** 정부나 공공단체의 수입이나 지출 따위의 재정적인 문제에 관한 : a *fiscal* year (회계 연도). ***pecuniary*** 실제적인 또는 개인적인 금전(취급)에 관한 : *pecuniary* offence (벌금형).

fináncial accóunting *n.* 재무회계.

fináncial commúnity *n.* 금융업계.

fináncial cúshion *n.* 경제 불황을 완화하기 위한 것, 금융면의 대비.

fináncial fútures còntract *n.* 〔金融〕금융 선물거래.

fináncial fútures exchánge *n.* 금융 선물 거래소.

fináncial innovátion *n.* 《美》금융혁신.

fináncial márket *n.* 〔金融〕금융시장《단기 금융시장과 자본시장의 총칭》.

fináncial sérvice *n.* 투자 정보 서비스 기관.

fináncial yéar *n.* 회계연도(=《美》fiscal year). 注 미국 정부에서는 6월 30일, 영국 정부에서는 3월 31일에 끝남.

fin·an·cier [finənsíər, fài- ; finǽnsiər, fai-] *n.* 재정가(財政家) ; 재무관 ; 금융업자, 자본가.

—— *vi.* 《보통 蔑》(때로 비정하고 탐욕스런 방법으로) 금융업을 경영하다.

fín·bàck *n.* 〔動〕긴수염고래.

finch [fíntʃ] *n.* 〔鳥〕핀치《멧새과의 새의 총칭》.

〖OE *finc* ; cf. G *Fink*〗

◇**find** [fáind] *v.* (**found** [fáund]) *vt.* **1** [+目/+目+目/+目+*for*+名] (찾아서) 발견하다, 찾아내다, (구하여) 얻다 : *F*~ the cube root of 71. 71의 세제곱근을 구하라 / Will you ~ me my tennis racket? 내 테니스 라켓을 찾아 주지 않겠습니까 / Please ~ my overcoat ***for*** me. 내 외투를 찾아봐 주세요.

2 [+目+前+名] (찾으면) …을 발견해 낼 수 있다, (어딘가에) 있다, 존재하다 : You can ~ hares[Hares are *found*] ***in*** the wood. 산토끼는 숲에 있다.

3 [+目/+目+補/+目+do*ing*/+目+過分] 우연히 찾아내다[만나다] : He *found* a dime in the street. 그는 길바닥에서 10센트 은화를 발견했다 / The soldier was *found* dead[dy*ing*, wound*ed*] in the woods. 그 병사는 숲속에서 시체[빈사 상

태, 부상당한 채]로 발견되었다.
4 [+*that* 節/+目+補/+目+過分/+目+*to* do/+目+原形/+*wh.* 節/+*wh.* +*to* do/+目+前+名] (경험하여) 알다, 깨닫다, (시도해 보고) 알다 : I *found that* he could not swim. 그가 헤엄치지 못하는 것을 알았다 / We *found* it difficult[easy] to do so. 우리는 그렇게 하는 것이 곤란[용이]하다는 것을 깨달았다 / They *found* the place desert*ed*. 그들은 거기엔 인기척이 없다는 것을 알았다 / He *found* the chest *to* contain silver coins. 그가 상자를 열어 보니 은화가 들어 있었다 / She was *found to be* a clever girl. 그녀는 머리가 영리한 소녀라는 것을 알았다 / I ~ it (*to*) pay. =I ~ (*that*) it pays. (해보니 과연) 그것은 수지가 맞는다 / Can you ~ *when* he is likely to arrive? 언제 그가 올지를 아십니까 / Please ~ *how to* do it. 그것을 어떻게 하면 좋을지 생각해 봐 주십시오 / Columbus *found* a warm supporter ***in*** the Queen. 콜럼버스는 여왕이 열렬한 지지자라는 것을 알았다[여왕이라는 열성있는 후원자를 얻었다].
5 [+目/+目+前+名] (남에게 의식(衣食) 따위를) 공급하다, 제공하다(supply) : That hotel does not ~ breakfast. 저 호텔에서는 아침 식사를 안준다 / Would you please ~ the money ***for*** the journey? 여행 비용을 마련해 주시지 않겠습니까 / They ~ the soldiers ***in*** uniforms. 병사들은 군복을 지급받고 있다.
6 [+目/+目+補/+*that* 節] 〖法〗(배심이) 평결(評決)하다, 판정하다 : ~ a verdict of guilty 유죄 판결을 내리다 / ~ a person guilty[not guilty] 남을 유죄[무죄]로 판결하다 / The jury *found that* the man was innocent. 배심원은 그 사람을 무죄라고 평결하였다.

〈회화〉
I've *found* something interesting. — Have you? What is it? 「재미 있는 것을 발견했어」「그래? 무엇인데」

—— *vi.* **1** 발견하다, 찾아내다 : Seek, and ye shall ~. 〖聖〗찾으라 그러면 찾을 것이요. **2** [+前+名] 〖法〗(배심이) 평결하다(cf. *vt.* 6) : The jury *found* ***for***[***against***] the defendant. 배심원은 피고에게 유리[불리]한 평결을 내렸다.
all found (사용인이 고용인에게 급료 이외에) 의식(衣食) 일체를 지급(하여) (cf. *vt.* 5).
find Christ 그리스도를 발견하다《기독교의 진리를 영적으로 체험하다》.
find it in one***'s heart to*** do …할 마음이 내키다, …하고 싶다고 생각하다《注 can, could를 수반하여 주로 부정·의문 구문에 쓰임》: I could not ~ it in my *heart to* refuse her request. 그녀의 요구를 거절할 수는 없었다.
find one***self*** (1) 자기가 (어디에·어떤 상태로) 있다는 것을 깨닫다 ; (어떤) 기분이다 : When he awoke, he *found* him*self in* jail. 잠을 깨어 보니 그는 유치장 안에 있었다 / I *found* my*self* ly*ing* in my bedroom. 정신을 차려 보니 나의 침실에 누워 있었다 / *How* do you ~ your*self* today? 오늘은 기분이 어떻습니까. (2) 자기의 소질을 알다, 적소(適所)를 얻다. (3) 의식(衣食)을 스스로 마련하다(cf. *vt.* 5) : $5 a day and ~ your*self* (in clothes). 하루 5달러 지급, 기타 (피복대는) 각자 부담《고용조건》.
find one***'s feet*** ☞ FOOT.
find one***'s tongue***[***voice***] ☞ TONGUE, VOICE.
find one***'s way*** 길을 찾아가다, 더듬어 가서 이르다, 애써서 나아가다〈*to*〉; 들어가다, (신문 따위에) 나다〈*into*〉; (가까스로) …에서 나오다, 탈출하다〈*out of*〉(cf. WIN one'*s way*) : How did such a foolish statement ~ its *way into* print? 이런 엉터리 기사가 어떻게 인쇄되어 나왔을까 / How did you *find* your *way out of* the ravine? 당신은 어떻게 그 협곡에서 빠져 나왔습니까?
find out 발견하다, 안출(案出)하다 ; (해답을) 내다, (수수께끼를) 풀다 ; (죄를) 간파하다, (범인을) 찾아[잡아]내다 : I tried to ~ *out how* large the lake really was. 나는 그 호수가 실제로 어느 정도의 크기인가를 알려고 했다.
find up 찾아내다.
—— *n.* (보물·광천(鑛泉) 따위의) 발견(discovery) ; 발견물, 우연히 찾아낸 물건(finding) ; 《英》〖사냥〗여우의 발견 : have[make] a great ~ 뜻밖에 진귀한 물건을 찾아내다 / a sure ~ 《英》(사냥감, 특히 여우가) 꼭 있는 장소 ; 《口》 찾아가면 꼭 있는 사람.
〚OE *findan* ; cf. G *finden*〛

fínd·er *n.* **1** 발견자, 습득자(拾得者) ; (세관의) 밀수출입품 검사관. **2** (카메라·망원경의) 파인더 ; (방향·거리의) 탐지기(探知器) ; 측정기(器). **3** (상거래의) 알선자, 중개업자.

fínder's fèe *n.* 〖金融〗중개(인) 수수료《특히 금융거래의 중개인에게 지불되는 알선 수수료》.

fin de siè·cle [*F* fɛ̃ də sjɛkl] *n.*, *a.* (프랑스 등지에서 문예 방면에 회의적·퇴폐적 경향이 강하게 나타난) (19)세기말 ; 세기말적인, 퇴폐적인. 〚F=end of the century〛

*__fínd·ing__ *n.* **1** Ⓤ 발견 ; [때때로 *pl.*] 발견[습득]물. **2 a**) 〖法〗(법원의) 사실 인정, (배심의) 평결 ; (위원회 따위의) 답신(答申). **b**) [보통 *pl.*] 조사[연구] 결과. **3** [*pl.*] 《美》(직업용의) 여러 도구 및 재료, 부속품류 : shoemakers' ~*s* 구둣방의 재료《가죽을 제외한》.

fínd·spòt *n.* 〖考古〗(유물 따위의) 발견지(점), 출토지(점).

◇**fine**[1] [fáin] *a.* **1** 훌륭한, 멋있는, (더할 나위 없이) 좋은 : a ~ play 훌륭한 연기, 묘기 / a ~ specimen 훌륭한 견본 / We have had a ~ time. 우리는 참으로 즐거웠다. 注 때때로 반어적(cf. SWEET *a.* 8 b)) : That's a ~ excuse to make. 그럴싸한 (서투른) 변명을 생각해냈군.
2 (기능이) 우수한, 탁월한(eminent) : a ~ poet 뛰어난 시인.
3 가는, 호리호리한(slender) : a ~ pen 끝이 가는 펜 / a ~ pencil 가는 글자를 쓰는 연필 / ~ thread[wire] 가는 실[철사].
4 가느다란, 미세한 : ~ dust[powder] 세진(細塵)[미세한 분말] / ~ rain[snow] 가랑비[분설(粉雪)].
5 진하지 않은, 희박한(rare) : ~ gas 희박한 가스.
6 예리한(sharp), 날카로운 : a ~ edge[point] 예리한 칼날[끝].
7 예민한(keen) : a ~ ear 밝은 귀.
8 (피륙의 올 따위가) 촘촘한, 고운(↔*coarse*) : ~ lace 올이 가는 레이스 / a ~ skin 고운 살결.
9 더할 나위 없는(perfect), 완성[세련]된, 점잖은 ; 고상한 체하는 : a ~ gentleman[lady] 세련된 신사[숙녀] ; 《反語》(근로를 천히 여기는) 점잖은 신사[숙녀].
10 (덕(德) 따위가) 높은, 고상한(noble) : a ~ character 훌륭한 인물.
11 섬세한, 미묘한, 델리키트한(delicate) : a

~ distinction 미세한 구별 / a ~ sense of humor 섬세한 유머 감각.
12 공들인(elaborate) ; 우아한 ; 화려한, 미려한 : ~ writing 미문(美文).
13 깨끗한, 아름다운 ; 복장이 훌륭한 : ~ clothes 아름다운 옷 / You're looking very ~ today. 당신은 오늘 복장이 멋있군요.
14 (하늘이) 맑은, 쾌청한, 날씨가 좋은(clear) (cf. FAIR¹ 6) ; 맑은 동안의 : ~ weather 쾌청, 맑은 날씨 / It's very ~, isn't it? 좋은 날씨군요 / one of these ~ days ☞ DAY 1.
15 웅대한, 널따란(extensive) : ~ view 웅장한 경치.
16 기분이 좋은, 건강에 좋은(healthy) ; 유쾌한, 기운찬, 활기있는(well) : ~ air 상쾌한 공기 / How are you?—Very ~, thank you. 기분이 어떻습니까—매우 좋아요, 고맙습니다.
17 (품질이) 고급의, 정제(精製)한 ; (귀금속이) 순도가 높은, 순수한(refined) : ~ gold 순금 / ~ sugar 정제당(糖).
all very fine ☞ ALL.
not to put too fine a point upon it 노골적으로 말하면.
one [***some***] ***fine day*** [***morning***] 어느 날[날 아침]《날씨에는 관계없음》.
say fine things 아첨하는 말을 하다〈*about*〉.
—— *n.* 갠[맑은] 날씨 : get home in the ~ 날씨가 갰을 때에 집으로 돌아가다.
(***in***) ***rain or fine*** 비가 오거나 안오거나 관계없이.
—— *adv.* 《口》 훌륭하게, 잘, 그럴듯이(very well, excellently) : talk ~ 그럴듯하게 말하다 / It'll do you ~. 그것은 충분히 당신에게 도움이 될 것이다 / It worked ~. 《美》 그것은 잘 되었다.
cut [***run***] ***it fine*** ☞ CUT, RUN.
—— *vt., vi.* 가늘게 하다[되다], 좋게 하다[되다] 〈*away, down, off*〉 ; (맥주·포도주 따위를) 맑게 하다〈*down*〉, 맑아지다.
〚OF *fin* (L *finio* to FINISH)〛
類義語 ***fine*** 품질이 뛰어나고 고급인 ; 일반적인 말. ***choice*** 사물의 질이나 가치를 식별하고 감상하는 취미가 있는 사람에 의해[을 위해] 특히 선택된 : a *choice* piece of ruby (정선(精選)된 루비). ***elegant*** 돈을 들여서 사치스럽기는 하지만 우아하게 세련되어 있는 : *elegant* dresses (우아한 의상(衣裳)).

***fine²** *n.* **1** 벌금, 과료(科料). **2** 《古》 끝, 종말, 결말. 注 다음 숙어에만 씀.
in fine 최후에, 결국 ; 요컨대.
—— *vt.* [+目/+目+目] 벌금을 과하다, 과료에 처하다 : The magistrate ~*d* him 30 pounds ***for*** drunkenness. 치안판사는 그에게 만취한 죄로 30 파운드의 벌금을 과했다 / He was ~*d* $ 50. 그는 50달러의 벌금을 물었다.
〚F *fin* settlement of dispute ; ⇨ FINIS〛

fi·ne³ [fíːnei] *n.* 〖樂〗 (악곡의) 종지(終止), 끝. 〚It. =end〛

fine⁴ [*F* fin] *n.* 보통 품질의 (프랑스 산(産)의) 브랜디 ; =FINE CHAMPAGNE.
〚F=fine〛

fíne árt *n.* [the ~] **1** 미술《회화·조각·공예·건축》. **2** 예술.

fíne cerámics *n. pl.* 파인 세라믹스《의료·전자기·광학제품 따위에 사용되는 상질(上質)의 소성소재(燒成素材)》.

fine cham·pagne [*F* fin ʃɑ̃paɲ] *n.* 핀 샹파뉴 《프랑스 Champagne 산의 고급 브랜디》.

fíne chémical *n.* 정제(精製)약품, 정제 화학제품《소량으로 쓰이며 순도가 높은 화학 약품》.

fíne chémistry *n.* 〖化〗 파인 케미스트리《부가가치가 높은 fine chemical을 다루는 화학》.

fíne-cómb *vt.* 샅샅이 뒤지다.

fíne cút *n.* 잘게 썬 담배.

fíne-cút *a.* (담배 따위를) 잘게 썬.

fíne-dráw *vt.* (이은 자리가 안 보일 정도로) 정교하게 꿰매다, 짜깁다 ; (철사 따위를) 가늘게 늘이다 ; (의론 따위를) 미세한 데까지 끌고 가다.

fíne-dráwn *a.* **1** (해어진 데를) 감쪽같이 꿰맨. **2** (철사 따위를) 아주 가늘게 뽑은 ; (의논 따위가) 극히 세밀한 데까지 미친, 너무 세밀한.

fíne fóod *n.* 파인 푸드, 정밀식품, 고(高)부가 가치 식품.

Fí·ne Gáel [fínə-] *n.* 통일 아일랜드당《아일랜드 공화국 2대 정당의 하나》.

fíne-gráin *a.* 〖寫〗 (필름이) 미립자(微粒子)로 된.

fíne-gráined *a.* 올[결]이 가는 ; 〖寫〗 =FINE-GRAIN.

fíne·ly *adv.* 훌륭히, 멋지게, 당당하게, 예쁘게 ; 미세하게 ; 정교하게, 정밀하게.

fíne·ness *n.* **1** Ⓤ 훌륭함, 멋있음, 아름다움. **2** (품질의) 우량. **3** 세밀함, 가느다람. **4** 순수도(度), (합금 중의 금·은의) 순도, 순분(純分) ; 분말도(粉末度). **5** (정신·지능 따위의) 섬세, 정밀, 명민(明敏)함, 정확성.

fíne páper [**bíll**] *n.* 우량어음.

fíne prínt *n.* **1** 작은 활자. **2** 작은 글자 부분(=small print)《계약서 따위에서 본문보다 작은 활자로 인쇄된 주의사항 따위》; 《비유》 (계약 따위에) 숨겨져 있는 불리한 조건.

fin·ery¹ [fáinəri] *n.* Ⓤ 미장(美裝), 아름다운 옷(차림), 화려한 장식품(裝飾品) ; 《稀》 훌륭함, (특히) 화려함.
〚*bravery* 따위의 유추로 FINE¹에서〛

finery² *n.* 〖冶〗 정련소[로(爐)](refinery).

fines [fáinz] *n. pl.* 작은 입자가 모인 것, 미진(微塵)《체로 친 자갈·분탄 따위》; 〖冶〗 미분(微粉).
〚FINE¹〛

fíne·spún *a.* **1** (극도로) 가늘게 (실을) 자은 ; 섬세한, 우아한. **2** (학설·의논 따위가) 너무 세밀한, 너무 치밀하여 실제적이 못되는.

fi·nesse [fənés] *n.* **1** U,C 교묘한 처리, 기교(技巧), 훌륭한 솜씨. **2** U,C 술책, 책략(cunning) : the ~ of love 연애의 기교. **3** 〖카드 놀이〗 피네스《높은 패가 있음에도 불구하고 낮은 패로 판에 깔린 패를 따오려고 하기》.
—— *vi.* 솜씨를 발휘하다 ; 술책을 쓰다, 교묘히 처리하다 ; 〖카드놀이〗 피네스를 쓰다. —— *vt.* 술책을 써서 빼앗다[처리하다] ; 〖카드 놀이〗 (패를) 피네스로 내놓다.
〚F ; ⇨ FINE¹〛

fíne strùcture *n.* 〖生·理〗 (생물체의 현미경적인 또는 스펙트럼선(線)의) 미세(微細)구조.

fíne-tòoth-cómb *vt.* 철저[면밀]하게 조사[음미]하다.

fíne-tòoth(**ed**) **cómb** *n.* 가늘고 촘촘한 (머리)빗 ; 《비유》 철저[면밀]하게 조사[음미]하는 태도 : go over[through] with a ~ 주의깊게 조사[검토·수사]하다.

fíne-túne *vt.* (라디오·텔레비전 따위를) 미(微)조정하다 ; (경제를) 미조정하다.

◇fin·ger [fíŋgər] *n.* **1** 손가락《보통 엄지손가락 이외의 네 손가락을 말함 ; cf. THUMB, TOE》: the first[index] ~ 집게손가락(forefinger) / the second [middle] ~ 가운뎃손가락 / the third[ring]

～ 약손가락 / the fourth[little] ～ 새끼손가락 / His ～*s* are all thumbs. ☞ *all* THUMBS / He has more wit in his little ～ than in your whole body. 그는 굉장히 지혜로운 사람이다. **2** (장갑의) 손가락. **3** 손가락 모양의 것 ; (과자 따위의) 손가락 모양의 조각 ; 지시물(指示物), (시계 따위의) 지침(pointer). **4** 지폭(指幅)《액체 따위의 깊이를 재는 단위 ; 약 3/4인치》; 가운뎃 손가락의 길이《약 4½인치》. **5** 밀고자(informer), 경찰관, 소매치기.

burn** one's **fingers (쓸데없는 참견으로) 욕을 보다, 혼나다.

by a finger's breadth 아주 얼마 안되는 차이로, 아슬아슬하게.

have a finger in the pie ☞ PIE¹.

***have. . .at** one's **fingers tips**[**ends**]* ☞ FINGERTIP.

keep** one's **fingers crossed (기원(祈願)·액막이의 뜻으로) 가운뎃손가락을 굽혀 집게손가락에 겹치다.

lay**[**put**] **a**[one's] **finger** (**up**)**on …에게 (적의를 품고) 손가락을 대다 ; (부정 따위)를 정확하게 지적하다.

let. . .slip through** one's **fingers …을 손에서 (엉겁결에) 떨어뜨리다, 놓쳐버리다.

live by** one's **fingers' ends 잔일을 하여 먹고 살다.

look through** one's **fingers at …을 얼핏 보다, 보고도 못본 체하다.

***not lift**[**stir**] **a finger** (**to** do)* (…하기 위해) 손가락 하나 움직이지 않다, (…하려고) 조금도 노력하지 않는다.

the finger of God 하느님의 손[조화(造化)].

to the end of** one's **little finger 새끼 손가락 끝까지, 완전히.

twist**[**turn, wind**] a person (**a**)**round** one's (**little**) **finger 남을 손아귀에 넣고 부리다 : She can *twist* her husband *round* her *little* ～. 그녀는 남편을 자기 마음대로 할 수 있다.

with a wet finger 용이하게, 손쉽게.

work one's fingers to the bone 《口》 몸을 아끼지 않고[빠빠지게] 일하다《여자 봉제사가 하는 일에서》.

── *vt.* **1** 손가락을 대다 ; 손가락으로 만지다 : Please don't ～ the goods. 상품에 손을 대지 마십시오. **2** (뇌물 따위에) 손을 대다, 좀도둑질하다(pilfer). **3** (악기를 손가락으로) 타다[켜다] ; (악보에 부호를 붙여서) 운지법(運指法)을 나타내다. **4** 《美俗》 밀고하다, 미행하다(shadow).

── *vi.* **1** 손가락으로 만지다. **2** 악기를 손가락으로 켜다[연주하다].

〖OE ; cf. G *Finger*〗

fínger àlphabet *n.* ＝MANUAL ALPHABET.

fínger·bòard *n.* (바이올린 따위의) 지판(指板) ; (피아노 따위의) 건반(鍵盤) (keyboard).

fínger bòwl *n.* 핑거 볼, 손가락 씻는 그릇 《dessert 후에 물을 담아 내놓음》.

fínger·brèadth *n.* 손가락 폭《약 3/4인치》.

fín·gered *a.* **1** [복합어를 이루어] (…)손가락의 ; 손가락이 …한 ; (가구 따위가) 손가락 자국이 난 : ☞ LIGHT-FINGERED. **2** 〖植〗 (열매·뿌리가) 손가락 모양의 ; (잎 따위가) 손바닥 모양의. **3** 〖樂〗 운지 기호(運指記號)가 붙어 있는.

fínger·fìsh *n.* 〖動〗 불가사리.

fínger fòod *n.* 손으로 집어먹는 음식《당근·샐러리 따위를 잘게 썰어 기름에 튀긴 것》.

fínger·fùck *vt., vi.* 《美卑》 (여성 성기를) 손가락으로 애무[자극]하다.

fínger glàss *n.* 유리제 핑거 볼(finger bowl).

fínger hòle *n.* 관악기의 손가락 구멍 ; 전화 다이얼 구멍 ; 볼링의 잡는 구멍.

fínger·ing¹ *n.* Ⓤ 손가락으로 만지작거림, 손장난 ; 〖樂〗 운지법(運指法) ; 운지기호(運指記號).

fingering² *n.* 우스티드의 가는 털실《뜨개질용(用)》. 〖*fingram* < ? F *fin grain* fine grain ; cf. GROGRAM〗

fínger lànguage *n.* (농아자의) 수화(手話)법.

fínger·ling *n.* 《英》 작은 물고기《특히 연어·송어의 새끼 ; cf. PARR》.

fínger màn *n.* 《俗》 밀고자.

fínger màrk *n.* (때묻은) 손가락 자국.

fínger-màrked *a.*

fínger·màth *n.* 지산(指算)《손가락으로 하는 셈》.

fínger·nàil *n.* 손톱.

to the fingernails 완전히, 전적으로.

fínger nùt *n.* 〖機〗 집게 (달린) 너트, 나비 너트.

fínger pàint *n.* 핑거 페인트《젤리 모양의 그림 물감 ; 축축한 종이 위에 손가락으로 문지르면서 그림을 그림》.

fínger pàinting *n.* 지두화법(指頭畫法) ; Ⓒ 지두화법으로 그린 그림, 핑거 페인팅.

fínger·pèck *vt.* (원고 따위를) 손가락으로 토닥토닥 타자치다.

fínger plàte *n.* 지판(指板)《문에 손때가 묻지 않게 손잡이 아래 위에 댄 금속판》.

fínger pòinter *n.* 《口》 비난자 ; 조소자.

fínger pòst *n.* 길잡이 표(標), 길 안내 표시.

fínger·prìnt *n.* 지문 ; 뚜렷이 식별할 수 있는 자국[특징]. ── *vt.* …의 지문을 채취하다.

fínger rèading *n.* 점자독법(點字讀法)《맹인이 손가락으로 만져서 읽는 법 ; cf. BRAILLE》.

fínger rìng *n.* 반지, 가락지.

fínger-shàped *a.* 손가락 모양의.

fínger shìeld *n.* 골무.

fínger·stàll *n.* 손가락 싸개.

fínger-tíght *a.* 손으로 단단히 죈.

fínger·tìp *n.* 손가락 끝.

have. . .at** one's **fingertips …을 곧 이용할 수 있다, 곧 입수(入手)할 수 있다 ; …에 정통하고 있다, …을 잘 알고 있다.

to** one's[**the**] **fingertips 완전하게 : a sportsman *to the* ～*s* 나무랄 데 없는 스포츠맨.

── *a.* (코트 따위) 늘어뜨린 팔의 어깨부터 손끝까지의 길이인.

fínger wàve *n.* 손가락 웨이브《기름을 바른 머리를 손가락으로 눌러서 만듦》.

fin·i·al [fíniəl, fái-] *n.* 〖建〗 정식(頂飾)《용마루·첨탑(尖塔) 따위의 꼭대기 장식》; 꼭대기.

〖AF ; ⇨ FINE²〗

finial

fin·i·cal [fínikəl] *a.* 《文語》 (겉치레 따위에) 지나치게 신경을 쓰는, 까다로운(overfastidious) <*about*> ; 너무 공을 들인, 너무 까다롭게 꾸민.

～·ly *adv.* 지나치게 신경을 써서 ; 너무 공을 들여.

〖*fine*¹＋*-ical*인가 ; 16세기 학생 속어〗

fin·ick·ing [fínikiŋ, -kən], **fin·i·kin** [fínikən] *a.* ＝FINICAL.

fin·icky, fin·nicky [fíniki] *a.* ＝FINICAL.

fin·is [fínəs, fái-, finí:] *n.* [단수형으로만 써서] 끝(The end)《책의 끝이나 영화 따위가 끝날 때 쓰

임》; 인생의 끝, 종말, 죽음.
〖L=end, boundary〗

◇**fin·ish**[1] [fíniʃ] *vt.* **1** [+目/+do*ing*] 끝내다, 끝마치다, 완료[완성]하다(complete) : Have you ~*ed* your breakfast? 아침 식사는 끝났습니까 / The moon had risen before we ~*ed* eat*ing* supper. 우리가 저녁 식사를 끝내기도 전에 달은 벌써 떠 있었다. 注 BEGIN의 경우와 달리 뒤에 *to* do를 쓰지 않음; cf. We *began to* eat[eat*ing*] supper. **2** 끝까지 읽[쓰]다, (음식물을) 완전히 먹어치우다; (물건을) 다 써버리다. **3** …에 (최종적인) 끝손질[마무리]을 하다, 윤을 내다; …에 마지막 교육을 하다 : His work was finely ~*ed*. 그의 작품은 훌륭하게 마무리되었다. **4** 《口》 항복하게 하다, 녹초가 되게 하다(exhaust); 해치우다, 죽이다 : The swim almost ~*ed* him. 수영을 하여 그는 거의 녹초가 되었다. —— *vi.* **1** [動/+前+名] 끝나다, 그치다, 완료하다(end) : We ~*ed* ***by*** sing*ing*[~*ed* ***with***] the national anthem. 국가 제창으로 끝이 났다(☞ END 活用). **2** 〔競〕 결승선에 들어오다, 골인하다 : ~ third 3등이 되다.
be finished 《口》 (남이) …을 끝내고 있다, 끝냈다(have finished) (☞ FINISHED 1).
finish off[***up***] (1) (일 따위를) 해치우다, 완료하다, 마무리하다; (음식물을) 먹어치우다 : *F*~ *up* your dish. 남기지 말고 다 드세요. (2) 《口》 해치우다, 죽이다 : The fever nearly ~*ed* him *off*. 열병으로 그는 하마터면 죽을 뻔했다.
finish up with …으로 끝맺다 : I shall ~ *up with* a nocturne by Chopin. 이제 쇼팽의 야상곡(夜想曲)으로 끝을 맺겠습니다.
finish with …으로 끝맺음하다, …으로 그치다(cf. *vi.* 1); …의 일을 끝내다; …와 절교하다[손을 끊다] : Have ~*ed with* this foolishness. 이런 어리석은 짓은 이제 그만두시오.
—— *n.* **1** 끝(맺음), 종결, 최후; 종국, 최후의 장면; 완결, 완성. **2** Ⓤ (최후의) 마무리, (태도의) 세련, (벽의) 겉칠; 광내기, 닦기.
be in at the finish (여우 사냥에서) 여우의 최후[죽음]를 보다; 최후 장면에 참여[입회]하다.
fight to a finish 최후까지 싸우다.
〖OF<L; ⇨ FINIS〗
類義語 ⟹ END.

fi·nish[2] [fáiniʃ] *a.* 우수한, 질이 좋은.

fín·ished *a.* **1** 끝낸, 완성한; 끝손질[마무리]된 : ~ goods 완성품 / ~ manufacture 제조 공업 제품. **2** (교양 같은 점에서) 완전한, 더 말할 나위 없는(accomplished), 세련된(refined). **3** 죽어[사라져] 가는, 몰락한, 희망이 끊긴.

fínish·er *n.* 완성자; 끝손질하는 직공[기계]; 《口》 결정적 타격.

fínish·ing *a.* 최후의; 마무리하는 : a ~ coat (벽·천장 따위의) 마무리 칠 / the ~ touch [stroke] 마무리(의 일필(一筆))《따위》/ a ~ school 결혼 준비[신부] 학교《젊은 여성에게 사교계에 나갈 준비 교육을 시키는》.
—— *n.* Ⓤ 최후의 마무리; [*pl.*] (건물의) 설비품《전등·연관(鉛管) 따위》.

fínishing nàil *n.* 다듬질 못《대가리가 작음》.

fínish lìne *n.* 《美》 결승선(線).

fi·nite [fáinait] *a.* 한정[제한]되어 있는; 유한(有限)의(↔*infinite*); 〔文法〕 (동사가) 정형(定形)의. —— *n.* [the ~] 유한한 것.
~·ly *adv.* 유한적으로. **~·ness** *n.*
〖L (p.p.)<FINISH〗

fínite vérb *n.* 〔文法〕 정(형) 동사《주어의 수·인칭·시제·법에 의해 한정된 동사의 어형; cf. ANOMALOUS VERB》.

fin·i·tude [fáinət*j*ù:d, fín-] *n.* 유한성, 한정.

fink [fíŋk] *n.* 《美俗》 (노동자의) 스파이(informer), 밀고자; (직업적인) 파업 파괴자(strikebreaker); 형사; 《蔑》 바람직하지 못한 사람.
—— *vi.* 밀고하다, 파업 파괴를 하다.
fink out (활동 따위에서) 손떼다; 믿을 수 없게 되다; 완전 실패하다.
〖C 20<?〗

fín kéel *n.* 〔海〕 (요트의) 철기 용골(鐵鰭龍骨).

fínk·òut *n.* 《美俗》 탈퇴, 발뺌, 배신.

Fin·land [fínlənd] *n.* 핀란드《스웨덴과 러시아 연방 사이에 있는 공화국; 수도 Helsinki》.
~·er *n.* =FINN 2.

Fìnland·izátion *n.* Ⓤ 핀란드화(化)《유럽의 비공산국들이 구소련에 대해 유화적 외교 정책을 취하게 함》.

Fínland·ìze *vt.* 핀란드화(化)하다, 구소련에 대해 우호 정책을 취하게 하다.

Finn [fín] *n.* **1** 핀 사람; [the ~s] 핀족(族). **2** 핀란드 사람.
〖OE *Finnas* (pl.)=ON *Finnr*〗

Finn. Finnish.

fin·nan (**had·die**) [fínən (hǽdi)], **fínnan háddock** *n.* 훈제(燻製)한 대구.
〖*Findhorn* or *Findon* 스코틀랜드의 지명(地名)〗

fínned *a.* 지느러미가 있는; [복합어를 이루어] …한 지느러미의.

fín·ner *n.* =FINBACK.

finnes·ko [fínzkou, fínəs-, fənés-] *n.* (*pl.* ~) 피네스코《겉이 모피로 되어 있는 순록 가죽의 장화》.
〖Norw.〗

Finn·ic [fínik] *a.* 핀족(族)의; 핀어(語)의.

Finn·ish [fíniʃ] *a.* 핀란드(인·어)의; 핀족의.
—— *n.* Ⓤ 핀란드어.

Fin·no- [fínou] *comb. form* 「핀란드인(人)[어]」의 뜻 : *Finno*-Ugric.

Fín·no-Úgrian [fínou-] *n.*, *a.* 피노우그리아인(의); 〔言〕 =FINNO-UGRIC.

Fín·no-Úgric [fínou-] *a.* =FINNO-UGRIAN; 피노우그리아어파(語派)의 여러 언어의. —— *n.* (우랄 어족에 속하는) 피노우그리아어파의 여러 언어; 피노우그리아어《지금은 소멸되었음; 피노우그리아어의 여러 언어파의 모체로 생각됨》.

fín·ny *a.* 지느러미 모양의; 지느러미가 있는(finned); 물고기의; 《詩》 물고기가 많은 : ~ tribes 어족(魚族).

fín rày *n.* 지느러미의 가시.

Fin. Sec., **fin. sec.** financial secretary.

Fin·sen [fínsən, fénsən] *n.* 핀센. **Niels Ryberg** ~ (1860-1904) 덴마크의 의학자; Nobel 생리학 의학상(1903).

Fínsen lìght *n.* 핀센광[램프]《피부병 치료용》.

F. Inst. P. 《英》 Fellow of the Institute of Physics. **FIO**, **F.I.O.**, **f.i.o.** 〔海運〕 free in and out.

fiord, **fjord** [fjɔ́:rd, fjɔ́:rd] *n.* 피오르드《높은 절벽 사이에 깊숙이 들어간 협만(峽灣), 노르웨이 해안에 많음》.
〖Norw.<ON; cf. FIRTH, FORD〗

fip·ple [fípəl] *n.* 〔樂〕 관악기의 음향 조절 마개.
〖C17<?; cf. Icel. *flipi* horse's lip〗

fípple flùte *n.* 〔樂〕 피플 플루트《fipple이 달린 플루트》.

***fir** [fə́:r] *n.* 〔植〕 전나무; Ⓤ 전나무 재목 : a ~ needle 전나무 잎.

〚OE *fyrh*< ? ON *fyri-* ; cf. OE *furhwudu* pine, G *Föhre*〛

FIR 〖空〗 flight information region. **fir.** firkin(s).

fír bàlsam *n.* =BALSAM FIR.

◇**fire** [fáiər] *n.* **1** Ⓤ 불 ; 화염(flame) ; 연소(燃燒) (combustion) : strike ~ (성냥·부싯돌로) 불을 켜다 / The house caught ~. 그 집에 불이 붙었다 《화재가 일어났다》. **2 a**) (난방·요리용의) 불, 화롯불, 숯불, 장작불 ; 횃불 : lay a ~ 불을 지필 채비를 하다 / make[build] a ~ 불을 피우다[일으키다] / stir the ~ 불길이 일게 하다 / a false ~ 봉화 ; (적을 유인하기 위해) 일부러 피운 불. **b**) 《英》 난방기(器), 히터(heater) : an electric [a gas] ~ 전기[가스] 히터. **3** Ⓤ,Ⓒ 불이 남, 화재(cf. CONFLAGRATION) : A ~ broke out last night. 어젯밤에 한 건의 화재가 발생했다 / We have many ~*s* in winter. 겨울에는 화재가 많다 / the Great *F*~ of London 런던의 대화재 《1666년》 / insure one's house against ~ 집을 화재 보험에 들다. **4** Ⓤ 불과 같은 광채, 번쩍이기 ; 《詩》 빛을 발하는 것, 빛나는 것《별 따위》 ; 열, 초열(焦熱) (burning heat) ; (독한 술 따위로 인한) 화끈거림, 열기. **5** Ⓤ 정화(情火), 정열 ; 열렬(ardor) ; 활기(animation) ; 풍부한 상상력 ; 시적 영감. **6** Ⓤ (병의) (발)열(fever), 염증(inflammation). **7** [the ~] 불 고문(拷問), 화형 ; [때때로 *pl.*] 시련, 고난. **8** Ⓤ (총포의) 발사, 사격 ; 포화, 총화(銃火) ; 폭파 ; 《비유》 (비난·질문 따위를) 퍼붓기 : Commence ~ ! 〖구령〗 사격 개시 ! / cease ~ 사격을 그치다 ; 〖구령〗 사격 중지 ! (cf. CEASE-FIRE) / ☞ CROSS FIRE / random ~ 난사(亂射) / ☞ RUNNING FIRE / a line of ~ 탄도(彈道), 사격 방향.

between two fires 앞뒤로 적의 포화를 받고 ; 협공을 당하여.

fire and fagot (이교도(異教徒)의) 화형.

fire and sword ☞ SWORD.

go through fire and water 물불을 가리지 않다, 온갖 위험을 무릅쓰다.

hang fire (화기(火器)가) 늦게 발사되다 ; 꾸물거리다, 늑장부리다.

miss fire (총포가) 불발로 끝나다 ; 실패하다.

on fire (1) 화재가 나서, 불타서 : When we arrived, the hotel was *on* ~. 우리들이 도착했을 때 호텔은 불타고 있었다. (2) 흥분하여.

open fire 사격을 개시하다 ; 시작하다〈*at, on*〉.

play with fire 위험한 짓을 하다 ; 불장난하다 《비유적으로도 씀》.

pull ...out of the fire (승부 따위에서) 실패를 성공으로 돌리다.

set...on fire (1) …에 불을 붙이다, (…에) 방화하다(=set ~ to). (2) …을 흥분시키다, 격분시키다, 격하게 하다.

set the river on fire=《英》 ***set the Thames on fire*** ☞ THAMES.

take fire (1) 불이 붙다(=catch ~). (2) 격하다, 흥분하다.

under fire 포화를 받고 ; 비난[공격]을 받고.

── *vt.* **1** [+目/+目+*with*+名] …에 불을 붙이다[지르다] ; 새빨갛게 하다 ; 빛나게 하다 ; (감정을) 타오르게 하다, (상상력을) 자극하다 ; 열중시키다 ; 고무하다, (생명력을) 불어넣다 : His exciting adventure ~*d* my imagination. 그의 재미있는 모험담이 나의 상상력을 자극시켰다 / The boy was ~*d* ***with*** the desire to visit the capital. 소년은 서울에 가보고 싶다는 욕망에 불탔다. **2** 불에 쬐다, …에 불기운을 넣다 : ~ bricks 벽돌을 굽다 / ~ tea 차를 볶다. **3** (화로에) 불을 지피다, 불을 때다. **4** [+目/+目+前+名] 발사하다 ; (질문·비난 따위를) 퍼붓다 ; 폭파하다 : ~ a shot 한 발 쏘다 / ~ a salute 예포(禮砲)를 쏘다 / The hunter ~*d* small shot ***at*** the birds. 사냥꾼은 새를 향해서 작은 산탄(散彈)을 발사했다 / He ~*d* his pistol ***in*** the air. 그는 하늘을 향해서 권총을 발사했다. **5** 《口》 [+目/+目+副] 해고[파면]하다, 면직하다(discharge) : The cook was ~*d* (***out***). 요리사는 파면되었다.

── *vi.* **1** (폭약 따위) 불이 붙다, (불)타다. **2** 빛나다, 번쩍이다, 빨갛게 되다 ; 흥분하다. **3 a**) (총포가) 발화하다(go off). **b**) [動/+前+名] 발사[사격]하다 : We ~*d* ***at*** the enemy. 우리는 적을 저격(狙擊)했다 / The fort ~*d* (***up***) ***on*** the man-of-war. 요새는 그 군함을 향해 발포했다.

fire away (1) (탄약을) 다 써 버리다 ; (적에게) 계속 발포하다〈*at*〉. (2) 《口》 (질문 따위를) (마구) 퍼붓다 ; (일 따위를 지체없이) 계속하다(cf. SAY *away*) : The reporters ~*d away at* the Prime Minister. 그 기자단은 수상에게 질문 공세를 퍼부었다.

fire off (총알을) 발사하다 ; (우편·전보 따위를) 발송하다 ; 발언하다 ; 불을 끄다 ; (일련의 질문을) 시작하다.

fire up (1) (솥·보일러에) 불을 때다. (2) 격분하다, 울컥하다, 화를 불끈 내다 : He easily ~*s up* at trifles. 그는 하찮은 일에도 화를 잘 낸다. (3) (기계·엔진 따위를) 시동시키다. (4) (상상력을) 구사하게 하다.

〚OE *fȳr* ; cf. G *Feuer*〛

fíre alàrm *n.* 화재 경보 ; 화재 경보기(器).

fíre-and-brímstone *a.* (설교 따위가) 지옥의 불을 연상케 하는.

fíre ànt *n.* 〖昆〗 따갑게 쏘는 침개미.

fíre·àrm *n.* [보통 *pl.*] 화기(火器), (특히) 소(小)화기《소총·권총 따위》.

fíre·bàck *n.* 난로의 뒷벽《난로의 불빛을 반사함》; 〖鳥〗 (남아시아산) 꿩의 일종.

fíre·bàll *n.* **1** 불덩어리, 번갯불 ; 〖天〗 큰 유성(流星) ; 태양. **2** 소이탄(燒夷彈). **3** 화구(火球)《핵폭발 때에 생김》. **4** 〖野〗 속구(速球). **5** 피로를 모르는 정력가. **~·er** *n.* 〖野〗 속구 투수

fíre ballòon *n.* 열기구(熱氣球)《아랫 부분에 불을 놓고 안의 공기를 가열하여 떠오르게 함》; (공중에서 폭발하는) 불꽃 기구(氣球).

fíre·bàse *n.* 발사 기지, 중포(重砲)진지.

fíre bàsket *n.* (횃불 등을 담아 피우는) 불[쇠]바구니.

fíre bèll *n.* 화재 경종(警鐘).

fíre bèlt *n.* (도시 계획의) 방화대(防火帶).

fíre·bìrd *n.* 〖鳥〗 날개가 붉은 새《볼티모어찌르레기사촌 따위》.

fíre blàst *n.* 〖植〗 (홉 따위의) 마름병.

fíre blìght *n.* 〖植〗 (서양배·사과 따위의) 화상병(火傷病).

fíre blòcks *n. pl.* 〖軍〗 불에 의한 방색(防塞) ; 화재 방색판.

fíre·bòat *n.* 《美》 소방정(消防艇).

fíre·bòmb *n.* 소이탄.

── *vt.* 소이탄으로 공격하다.

fíre·bòx *n.* (보일러·기관의) 화실(火室) ; 화재 경보기.

fíre·brànd *n.* 관솔 ; 불 붙이는 나무 토막, 불타는 나뭇 조각 ; (파업 따위의) 선동자, 주동자 ; 대단히 정력적인 사람.

fíre·brèak *n.* (숲·초원 안의) 방화선(防火線)[대

(帶)](나무를 잘라낸 지대).
fíre·brìck *n.* 내화(耐火) 벽돌.
fíre brigàde *n.* =FIRE COMPANY 1.
fíre·bùg *n.* **1** 《美方》 반디(firefly). **2** 《口》 방화자[광(狂)](incendiary).
fíre càll *n.* =FIRE ALARM.
fíre chìef *n.* 《美》 소방대장.
fíre·clày *n.* Ⓤ 내화 점토(내화 벽돌의 원료).
fíre còmpany *n.* **1** 소방대. **2** 화재 보험 회사.
fíre contról *n.* 〖軍〗 (군함 따위의) 사격 지휘; 방화[소화](활동): a ~ system 사격 통제[지휘] 장치(略 FCS).
fíre·cràck·er *n.* 폭죽(爆竹), 딱총(축제 때에 터뜨림); 《美俗》 폭탄, 어뢰.
fíre cròss *n.* =FIERY CROSS.
fíre·dàmp *n.* Ⓤ (탄광갱내의) 폭발성 메탄 가스.
fíre dèn *n.* 《CB俗》 소방서.
fíre depàrtment *n.* **1** 《美》 소방서[부(部)]; [집합적으로] 소방대(fire company). **2** (보험회사의) 화재보험부.
fíre dirèction *n.* 〖軍〗 (단위 부대의) 사격 지휘.
fíre·dòg *n.* =ANDIRON.
fíre dòor *n.* 방화문(防火門); (보일러 따위의) 점화[점검]창.
fíre·dràke, -dràgon *n.* 불을 뿜는 화룡(火龍).
fíre drìll *n.* 소방 연습; 방화[피난] 훈련.
fíre-èat·er *n.* **1** 불을 먹는 요술쟁이. **2** (혈기왕성한) 무턱대고 행동하는 사람, 싸움꾼. **3** 《美口》 =FIRE FIGHTER.
fíre-èat·ing *n.* 불을 먹는 요술. ── *a.* (성질·정책 따위) 격렬한, 적극적인; 호전적인.
fíre èngine *n.* 소방 펌프, 소방 (자동)차.
fíre escàpe *n.* 화재 피난 장치(비상 계단·피난 사닥다리 따위).
fíre èxit *n.* 비상구.
fíre extìnguisher *n.* 소화기(器).
fíre-èyed *a.* 《古·詩》 눈이 반짝거리는.
fíre·fight *n.* 〖軍〗 (육박전에 대한) 포격전, 사격전; 작은 논쟁.
fíre fighter *n.* 소방수(fireman).
fíre fighting *n.* 소방 활동, 소방.
fíre·flỳ *n.* 불빛을 내며 날아다니는 곤충; 반디(cf. GLOWWORM).
fíre gràte *n.* (난로의) 쇠살대.
fíre·guàrd *n.* **1** 난로 앞에 두르는 철망(cf. FENDER). **2** (삼림지의) 방화지대(firebreak). **3** 방공(防空)[방화] 경비원.
fíre hòok *n.* 소화 갈고리.
fíre hòse *n.* 소화용 호스.
fíre·hòuse *n.* 《美》 =FIRE STATION.
fíre hùnt *n.* 밤에 등불·횃불로 하는 사냥.
fíre hỳdrant *n.* =FIREPLUG.
fíre insùrance *n.* 화재 보험.
fíre ìrons *n. pl.* 난로용 연장(tongs, poker, shovel 따위).
fíre làdder *n.* 비상[소방] 사닥다리.
fíre·less *a.* 불이 없는; 활기가 없는: a ~ cooker 축열[보온] 조리기(蓄熱[保溫]調理器).
fíre·lìght *n.* Ⓤ 불빛; 난로의 불빛.
fíre·lìght·er *n.* 《英》 불쏘시개.
fíre lìne *n.* =FIREBREAK; [보통 *pl.*] (화재 현장의) 소방 비상선(線).
fíre·lòck *n.* 화승총(火繩銃).
***fíre·man** [-mən] *n.* 소방수, 소방대원; (보일러·기관의) 화부(火夫)(stoker); 〖野〗 구원 투수; 《美俗》 스피드광(狂).
fíre màrshal *n.* 《美》 (주나 시의) 소방부장; (공장 따위의) 방화 관리[책임]자.
fíre-néw *a.* 《古》 =BRAND-NEW.
fíre òffice *n.* 《英》 화재 보험 회사 (사무소).
fíre òpal *n.* 〖鑛〗 화단백석(火蛋白石).
fíre·pàn *n.* 《英》 부삽; 화로.
***fíre·plàce** *n.* 난로, 벽난로; 노상(爐床)(hearth).

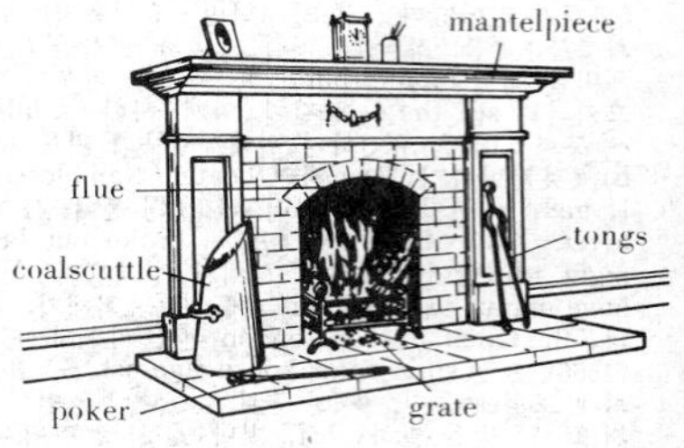

fireplace

fíre·plùg *n.* 소화전(栓)(略 F.P.).
fíre pòint *n.* [the ~] 〖理〗 연소점.
fíre pòlicy *n.* 화재 보험 증서.
fíre·pòt *n.* (스토브의) 불이 타는 곳, 화실(火室)(난로·용광로 등의 연료가 타는 곳).
fíre·pòwer *n.* 〖軍〗 (부대·병기의) 화력; (팀의) 득점 능력[행위].
fíre pràctice *n.* 소방 연습, 방화 훈련(fire drill).
fíre prevèntion *n.* 방화 (설비).
***fíre·próof** *a.* 방화의, 내화성(耐火性)의; 불연성의. ── *vt.* 내화성으로 하다. **~·ness** *n.*
fíre·pròof·ing *n.* 내화성화(耐火性化), 방화 시공; 내화 재료.
fir·er [fáiərər] *n.* 점화물; 점화 장치, 발화기; 방화자; 발포자; (특정형의) 화기(火器), 총; 화부(火夫): a quick[rapid] ~ 속사포 / a single-~ 단발총.
fíre-ràising *n.* 《英》 방화죄(放火罪). **fíre-ràiser** *n.*
fíre rèels *n. pl.* 《Can.》 소방차(fire engine).
fíre resìstance *n.* 내화도(耐火度)[성].
fíre-resìst·ant *a.* 내화 구조의.
fíre retàrdant *n.* 방화[내화] 재료.
fíre-retàrd·ant *a.* 화기를 둔화[저지]시키는 성능을 갖춘, 방화 효력이 있는, 난연성(難燃性)의, 연소 방지의.
fíre-retárd·ed *a.* 방화 재료로 보호된.
fíre rìsk *n.* 화재 위험(이 있는 것), 화재의 원인이 될 수 있는 것.
fíre·ròom *n.* (기선의) 기관실, 보일러실.
fíre sàle *n.* 〖商〗 타다 남은 물건의 특매.
fíre scrèen *n.* (난로 앞에 세우는) 화열(火熱) 가리개, 내열(耐熱) 스크린.
Fíre Sèrvice *n.* 《英》 소방서.
fíre sèt *n.* =FIRE IRONS.
fíre shìp *n.* 화선(火船)(적의 배나 교량을 태워버리려고 폭탄·불을 실은 배).
fíre·sìde *n.* 난롯가, 노변(爐邊); 가정(home); 가정의 단란: sit *by* the ~ 난롯가에 앉다.
── *a.* 난롯가의; 가정적인, 허물없는: a ~ chat 노변 담화(특히 미국 대통령 F.D. Roosevelt

의》.

fíre·spòtter *n.* (공습 때의) 화재(火災) 감시원(firewatcher).

fíre stàtion *n.* 소방서, 소방 대기소.

fíre stèp *n.* 사격 발판《참호 안에서 사격할 때 디딤판으로 사용》.

fíre stìck *n.* (원시인들이 쓰던) 부시 막대, 불 붙이는 나무 ; 타다 남은 나무 토막 ; 《美俗》 총 ; [*pl.*] 부젓가락.

fíre·stòne *n.* 부싯돌 ; 내화석(耐火石).

fíre·stòrm *n.* 화재 현장의 바람《소이탄·핵폭탄 따위에 의한 대화재로 일어나는, 비를 동반하는 강풍》; (분노·항의 따위의) 폭발.

fíre tòngs *n. pl.* 부집게, 부젓가락.

fíre tòwer *n.* 작은 등대 ; (산꼭대기 따위의) 화재 감시 망루.

fíre·tràp *n.* (재료·구조 따위의 면에서) 화재 때의 위험한[비상구가 없는] 건물.

fíre trùck *n.* 소방차.

fíre wàlking *n.* 불을 밟는 의식《불에 달군 돌 위를 맨발로 걸음》. **fíre wàlker** *n.*

fíre wàll *n.* 〔建〕 방화벽(防火壁).

fíre·wàrden *n.* (삼림지의) 방화 관리 ; 소방 감독관 ; (캠프 따위의) 불 지키는 사람.

fíre·wàtch·er *n.* (공습 때의) 화재 감시인. **-wàtch·ing** *n.*

fíre·wàter *n.* Ⓤ 화주(火酒), 독한 술《위스키·진·럼 따위》.

fíre·wèed *n.* (불이 난 땅에 나는) 잡초 ; (특히) 분홍하늘꽃.

fíre·wòman *n.* 여자 소방원.

fíre·wòod *n.* Ⓤ 장작, 땔나무(wood) ; 《英》 불쏘시개.

***fíre·wòrk** *n.* **1** 불꽃 ; [*pl.*] 불꽃 대회 : set ~*s* 불꽃 장치. **2** [때때로 *pl.*] 재치의 번득임 ; 《口》 감정의 폭발, (정정(政情) 따위의) 활발한 움직임 ; [*pl.*] 《美俗》 흥분(시키는 것) ; [*pl.*] 《俗》 귀찮음(trouble).

fíre wòrship *n.* 배화교(拜火敎)《불을 숭배》. **fíre wòrshipper** *n.* 배화교 신자.

***fir·ing** [fáiəriŋ] *n.* **1** Ⓤ 발화, 점화 ; 발포, 발사 : ~ practice 발화 연습. **2** Ⓤ 불을 쬐기, 불에 굽기 ; (도자기 따위의) 구워 만들기 ; (차를) 볶기. **3** Ⓤ 불을 때기 ; 장작, 석탄, 연료, 땔감(fuel). **4** 해고.

fíring bàttery *n.* 〔軍〕 포대(砲隊).

fíring chàrge *n.* 〔軍〕 장약(裝藥), 발사약《총탄·포탄을 발사하기 위한 화약》.

fíring ìron *n.* 〔獸醫〕 (말 따위의) 상처를 지지는 인두.

fíring lìne *n.* **1** 〔軍〕 사격선, 방렬선(放列線)(의 병사) ; 최선봉. **2** (활동의) 제일선, 중심(中心)(forefront) : on[《英》 in] the ~ 제일선에서.

fíring òrder *n.* (내연 기관의) 점화 순서.

fíring pàrty[**squàd**] *n.* (군대식 장례(葬禮)에서의) 조총(弔銃) 발사 부대 ; 총살형 집행 부대.

fíring pìn *n.* (총포의) 공이, 격침(擊針).

fíring pòint *n.* (가연성(可燃性) 기름의) 발화점 ; 발사 지점.

fíring stèp *n.* =FIRE STEP.

fir·kin [fə́:rkən] *n.* 퍼킨《영국의 용량 단위 ; 1/4 barrel》; (버터 따위를 넣는) 작은 나무 통《8-9갤런들이》.

‡**firm**[1] [fə́:rm] *a.* **1** 굳은, 견고한(solid). **2** 꽉 짜여진, 탄탄한(compact). **3** 고정된, 흔들리지 않는, 안정된(stable) : be ~ on one's legs 꿋꿋이(자기 발로) 서 있다 / be on ~ ground 확실한 기초에 입각하고 있다. **4** 확고한, 단호한(resolute). **5** 견실한, 확고 부동한, (신념·주의 따위가) 변하지 않는(constant) : ~ friendship 굳은 우정. **6** 〔商〕 확정적인 ; (시세(市勢)·시황(市況)이) 안정된, 변동 없는.

—— *adv.* 단단히, 굳게(firmly) : hold ~ (*to*...) (…을) 꼭 잡고 놓지 않다 ; (…을) 끝까지 고수하다 / stand ~ 꿋꿋이[굳건히] 서다 ; 단호한 태도를 취하다.

—— *vt.* 고정시키다, 굳히다.

—— *vi.* 고정되다, 안정되다, 굳어지다.

〚OF<L *firmus*〛

類義語 ***firm*** 구성이 치밀하고 짜임새가 있으며 강하고 튼튼하여 찌그러지거나 굽어지거나 꺾어지지 않는 : as *firm* as a rock(바위처럼 굳건한). ***hard*** 강하고 굳고 두껍기 때문에 꿰뚫거나 잘라내거나 망그러뜨릴 수 없는 : as *hard* as an iron plate (철판처럼 굳은). ***solid*** 물건의 속에 든 것이 있어서 firm 또는 hard한 ; 때때로 무거운 것 또는 실질적인 것을 뜻함 : build a house on *solid* ground (굳은 땅 위에 집을 짓다). ***stiff*** 단단하여 꺾거나 잡아늘일 수 없는 : a *stiff* stick (단단한 지팡이).

***firm**[2] *n.* 상회《두명 이상의 합자로 경영됨》, 상점, 회사(cf. COMPANY, CORPORATION) ; 협동하여 일하는 한 단체의 사람들, (특히) 의료팀 : ☞ LONG FIRM.

〚C16=signature, style<Sp. and It.<L *firma* (*firmo* to confirm‹FIRM[1]) ; cf. FARM〛

fir·ma·ment [fə́:rməmənt] *n.* [보통 the ~] 《文語》 하늘, 창천, 창공(sky). **fir·ma·men·tal** [fə̀:rməméntl] *a.* 하늘의, 창공의.

〚OF<L=prop, support ; ⇨ FIRM[1]〛

fir·man [fə́:rmən, fərmá:n] *n.* (옛 터키 황제 등의) 칙령(勅令) ; 칙허장, 여권.

〚Turk.<Pers.〛

fírm bànking *n.* 펌 뱅킹《기업과 은행의 컴퓨터를 통신회선으로 연결, 기업이 앉아서 자금의 종합적 관리를 할 수 있는 시스템》.

***fírm·ly** *adv.* 굳게, 견고하게 ; 확고하게 ; 단호히, 망설이지 않고 : speak ~ 단호히 말하다 / I am ~ resolved to complete this article. 나는 반드시 이 논문을 완성할 결심이다.

fírm·ness *n.* Ⓤ 견고, 견실 ; 확고 부동, 결의가 굳음, 강한 의지.

fírm órder *n.* 〔商〕 확정 주문, 정식 발주.

fírm·wàre *n.* Ⓤ 〔컴퓨〕 펌웨어, 굳힌모《hardware로 실행되는 software의 기능 ; ROM에 격납된 microprogram 따위》.

firn [fíərn] *n.* 만년설(萬年雪) ; 입상설(粒狀雪) (=∠ **snòw**). 〚G〛

fír nèedle *n.* 전나무 잎.

fír·ry *a.* 전나무의 ; 전나무가 많은.

◇**first** [fə́:rst] *a.* **1** 제1[첫번째]의 ; 1등의 ; 최초의, 선두의(↔ *last*) : the ~ snow of the season 첫눈 / ☞ FIRST BASE / ☞ FIRST FLOOR / the ~ house you come to 맨 먼저 간 집 / the ~ man I saw on arrival 도착 후 최초로 만난 사람 / the ~ two[three, four] years=the two[three, four] ~ years 처음 2[3, 4]년(☞ 活用) / on the ~ fine day 날씨가 개는 대로 / in the ~ place[instance] 우선, 맨 먼저 / take the ~ opportunity *of* do*ing* 기회가 있는 대로 …하다 / Tom is ~ in his class. 톰은 반에서 첫째다. **2** 가장 중요한, 주요한 ; 최고의, 일류의 : the ~ novelist of our day 우리 시대 최고의 소설가 / ☞ FIRST LADY. **3** (자동차의) 최저속의, 1단 (기어)의 ;

〖樂〗 최고음의, 수위의.
at first hand 직접적으로, 바로(firsthand) (cf. *at* SECOND *hand*).
do not know [***have***] ***the first thing*** [***idea***] ***about*** …에 대해서 기본적인 것[아무것]도 모르다.
for the first time 처음으로 : He disobeyed his parents *for the ~ time* in his life. 그는 난생 처음으로 부모님께 거역했다.
(***put***) ***first things first*** 중요한 일을 제일 먼저 (하다), 중요 사항 우선주의(를 채택하다).
(***the***) ***first thing*** 《口》 우선, 맨 처음에 : I'll do it (*the*) *~ thing* tomorrow. 내일 우선 그것을 하겠다.
(***the***) ***first time*** 제일 처음 …했을 때는 : *The ~ time* I met him, he was a young man about your age. 제일 처음 그를 만났을 때 그는 너만한 나이의 청년이었다.

〈회화〉
I'll check that for you tomorrow.—*First* thing, please. 「그것은 내일 조사해 드리지요」 「무엇보다도 먼저 부탁합니다」

— *adv.* **1** [때·순위 따위] 첫째로, 다른 무엇보다 먼저 : stand ~ 제1위에 서다 / rank ~ 제1급에 들다 / come in ~ (경주에서) 1등이 되다 / *F*~ come, ~ served. 《속담》 먼저 온 사람부터 대접받는다, 「빠른 자가 이긴다」. **2** 먼저, 우선, 최초로《secondly, thirdly(제 2[3])에 대하여 ; cf. FIRSTLY》. **3** 처음으로(for the first time)《for the second[third] time (두번[세번]째로)에 대하여》 : when I ~ visited Seoul 내가 처음으로 서울을 방문했을 때. **4** 우선 (…하게), 차라리 (…쪽을 골라), 오히려 (…하는 편이 좋게) : He said he would die ~. (그런 일을 할 바엔) 차라리 죽는 편이 낫겠다고 그는 말했다 / I'll see you damned [hanged] ~. 《口》 그런 일을 누가 하겠는가《절대적인 거절 문구》.
first and foremost 맨 먼저, 무엇보다 우선적으로 : Poetry is, *~ and foremost*, something to be enjoyed. 시(詩)는 무엇보다 먼저 즐겨야 하는 것이다.
first and last 전후를 통하여, 통틀어서, 결국 (on the whole).
first, last, and all the time 《美》 시종 일관하여.
first of all 우선 먼저, 무엇보다도 : *F~ of all* he told us about his trip. 그는 무엇보다도 먼저 그의 여행 이야기를 우리에게 해 주었다.
first off 《口》 제일 먼저(first) ; 곧바로(right away).
first or last 조만간(sooner or later).
— *n.* **1** [the ~] [+*to* do] 제1 ; 처음, 시작 ; 제1위, 1등, 1번, 1착, 우승 ; 수석 ; 제1호 ; 제1부 : He was *the ~ to* come and the last to leave. 그는 제일 먼저 와서 제일 나중에 돌아갔다 / The bluebirds are *the ~ to* come back. 파랑새는 (봄이 되면) 제일 먼저 찾아오는 새다. **2 a**) [the ~] 제1일, 초하루 ; 《美》 (주(週)·달 따위의) 시작(beginning)〈*of*〉(↔*last*) : the ~ of May= May 1 5월 1일. **b**) [the F~] 《英》 9월 1일《자고새 사냥 개시일》. **3** (열차의) 1등차. **4** 《英》 (대학의 우등 시험의) 제1급, 우등 : get[take] a ~ *in* mathematics 수학에서 제1급에 들다. **5** 〖樂〗 최고음부. **6** Ⓤ (자동차에서) 1단 (기어), 저속 (기어) : on[in] ~ 1단[저속]으로. **7** [관사없이] 〖野〗 (제)1루(= ~ base). **8** [*pl.*] 〖商〗 (밀가루 따위의) 1등품.
at first =(稀) ***at the first*** 최초에는, 처음에는 : No one believed me *at* ~. 처음에는 아무도 내 말을 믿지 않았다.
from first to last 처음부터 끝까지, 시종.
from the first 처음부터.
〚OE *fyrst* ; cf. G *Fürst* prince, one who is first in rank〛
活用 *a.* 1의 경우 the *first* two years=the two *first* years와 같이 수사(數詞)가 적은 수를 나타낼 경우에는 first를 수사 앞에 놓거나 뒤에 놓아도 좋으나, 앞에 놓는 것이 일반적. 수사가 많은 수를 나타낼 경우에 first는 그 앞에 놓음 : the *first* twenty pages of the book (그 책의 처음 20페이지). ☞ LAST 活用.

fírst áid *n.* (의사가 올 때까지의) 응급처치, 구급요법, 제일 구호.
fírst-áid *a.* 응급의, 구급의 : a ~ treatment 응급치료 / a ~ kit[case] 구급 상자.
Fírst Améndment *n.* 《美》 [the ~] 헌법 수정 제1조.
fírst báse *n.* [보통 관사 없이] 〖野〗 1루, 1루수의 수비 위치 ; (일반적으로) 제1단계.
get to first base ☞ BASE[1].
fírst báse·man [-mən] *n.* 1루수.
fírst blóod *n.* (권투 시합 따위에서) 먼저 출혈시키기 ; (상대에 대한) 초반의 우세.
fírst·bórn *a.* 최초로 태어난.
— *n.* 첫아이, (특히) 장남.
fírst cáll *n.* (집합 시간 전의) 제1나팔 ; 제1회 불입 ; (증권 시장의) 전장(前場).
fírst cáuse *n.* 〖哲〗 제1 원인 ; 원동력 ; [the F~ C~] 〖神學〗 창조주, 조물주(the Creator).
fírst-cháir *a.* (관현악 각 파트의) 수석의《연주자》 : a ~ violinist 수석 바이올리니스트.
fírst-chóp *a.* 《인도》 =FIRST-CLASS.
***fírst cláss** *n.* 제1급 ; 일류급, (열차·배 따위의) 1등(cf. SECOND CLASS, CABIN CLASS, TOURIST CLASS ; ☞ FIRST-CLASS *adv.*) ; 《英》 (대학의 우등 시험에서) 제1[최상]급《우수한 성적 ; cf. FIRST *n.* 4》 ; 〖郵〗 제1종.
— *adv.* =FIRST-CLASS.
***fírst-cláss** *a.* **1 a**) 제1류의, 최고급의, 최상의 : a ~ hotel 일류 호텔. **b**) 《口》 훌륭한(excellent) : The weather was ~. 날씨는 아주 좋았다 / I feel ~. 아주 기분이 좋다[건강하다]. **2 a**) (탈것의) 1등의 : a ~ carriage 1등차. **b**) 《美》 제1종의 : ~ mail[matter] 제1종 우편[우편물].
— *adv.* [때때로 first class] **1** 1등으로 : travel ~ 1등석으로 여행하다. **2** 제1종(우편)으로. **3** 《口》 훌륭하게(excellently) : She sang ~. 그녀는 아주 멋지게 노래를 불렀다.
fírst cóat *n.* (페인트의) 초벌칠.
fírst·cómer *n.* 첫 손님, 선착자.
Fírst Cómmoner *n.* 《英》 제1평민《1919년까지는 하원 의장(the Speaker), 지금은 추밀원 의장(the Lord President of the Council)》.
fírst cóst *n.* 《英》 (원료·상품 따위의) 구입 원가 (prime cost).
fírst cóusin *n.* **1** 친 사촌(cousin). **2** 매우 가까운[관계가 깊은, 흡사한] 사람[것], 근친〈*to*〉.
Fírst dày *n.* 일요일《Quaker 교도의 용어》.
fírst dày cóver *n.* 〖郵〗 우표에 발행 당일의 소인이 찍힌 봉투.
fírst-degrée *a.* 〖醫〗 (화상이) 가장 낮은[가벼운] ; (죄 따위가) 제1급의, 최고의 : ~ burn 제1도 화상 / ~ murder 제1급 살인.

first dówn *n.* 〖美蹴〗 퍼스트 다운《(1) 1회의 공격권을 구성하는 4회 공격의 첫번째. (2) 4회의 공격에서 볼을 10야드 전진시키기》.
First Émpire *n.* [the ~] 프랑스의 제1제정(帝政)《Napoleon 1세 치하(1804-14)》.
first estáte *n.* [때때로 F~ E~] 제1신분《중세 유럽의 3신분(Three Estates) 중의 성직족》; (영국 상원의) 고급 성직(聖職) 의원.
first fámily *n.* [the ~] (사회적으로) 최고위자의 가족; [the ~, 때때로 F~ F~] 《美》 대통령[주지사]의 가족; [the ~] 《美》 초기 이주자들의 자손.
first fínger *n.* 집게손가락(forefinger).
first flíght còver *n.* 〖空〗 새 노선이나 새 기종의 제1편에 탑재된 편지.
***first flóor** *n.* 《美》 1층; 《英》 2층(cf. GROUND FLOOR). 注 미국에서도 호텔 따위에서는 영국식으로 2층의 뜻으로 쓰일 때도 있음.
first·fòot *n.* 《스코》 새해 들어 첫 손님; (길을 떠난 날) 처음 만난 사람.
—— *vt., vi.* (…집에) 새해 첫 손님으로 들르다. **~·er** *n.*
first·frúits *n. pl.* 햇것, 햇곡식, 첫 수확물《옛날에는 감사의 표시로 신에게 바쳤음》; 최초의 성과.
first-generátion *a.* 《美》 이민 첫 대(代)의《1세 또는 2세》.
first hàlf *n.* **1** (1년을 둘로 나눈) 상[전(前)]반기. **2** (운동 경기 따위의) 전반.
first·hánd *a., adv.* 직접적인[으로]; 직접 체험에 의하여 (얻은): ~ information 직접 얻은 정보.
first lády *n.* [the ~, 때때로 the F~ L~] 《美》 대통령[주지사] 부인: the ~ of the land 대통령 부인; (예술·직업 따위의 각계를 대표하는) 지도적 입장에 있는 여성.
first lieutenánt *n.* 《美》 (육군·공군·해병대의) 중위(☞ LIEUTENANT); 《美》 (해군의) 갑판 사관; 《英》 (해군의 작은 함정의) 부장.
first líght *n.* 새벽녘, 동트는 시각.
first-líne *a.* 제일선의; 최우수의, 가장 중요한.
first·ling *n.* 햇것, 만물; (가축의) 첫 새끼; 최초의 산물[결과].
First Lórd *n.* 《英》 장관, 총재, 대신(大臣): the ~ of the Admiralty 해군 장관 / the ~ of the Treasury 국가 재무 위원장《수상이 겸임》.
first·ly *adv.* (우선) 제일 먼저. 注 열거할 때 씀; 그러나 그 경우에도 first[*firstly*], secondly, thirdly, ...lastly와 같이 말하는 경우가 많음.
first máte *n.* 〖海〗 1등 항해사《부선장격》.
first mórtgage *n.* 제1 저당.
first nàme *n.* (성에 대하여) 이름《인명(人名)의 제일 앞에 있는 Christian name 따위; ↔*last name*; ☞ NAME 1》.
first-nàme *vt.* 세례명(Christian name)으로 부르다. —— *a.* (세례명으로 부를 만큼) 친한: on ~ basis 매우 친한, 막역한.
first níght *n.* (연극 따위의) 공연 첫날.
first-níght·er *n.* (연극 따위) 공연 첫날을 빠뜨리지 않고 보는 사람, 첫날의 단골 손님.
first ófficer *n.* (상선(商船)의) 1등 항해사.
first pápers *n. pl.* 《美口》 제1서류《미국에 귀화할 의사를 밝히는 서류; 1952년 이후 폐지; cf. SECOND PAPERS》.
first páss effèct *n.* 〖藥〗 약물 첫 번 통과효과.
first pérson *n.* [the ~] 〖文法〗 1인칭《I, we로 나타냄; cf. SECOND PERSON, THIRD PERSON》: ~ story 1인칭 소설.
first príncíples *n. pl.* 〖哲〗 (기본적이고 자명한) 제1원리.
first priórity *n.* [the ~] 최우선 사항.
first quárter *n.* 〖天〗 (달의) 상현(上弦); (1년을 4등분한) 일사분기(一四分期).
first-ránk *a.* =FIRST-RATE.
first-ráte *a.* **1** 제1급[일류]의, 최상의: the ~ Powers 1등국. **2** 《口》 멋있는, 훌륭한, 아주 좋은(excellent): a ~ dinner 최고 정찬의 식사 / I feel ~ this morning. 오늘 아침은 기분이 아주 좋다. —— *adv.* 《口》 멋지게, 아주 좋게: My car runs ~. 내 차는 아주 잘 달린다.
first-ráter *n.* 일류 인물; 일급품.
first réading *n.* 〖政〗 제1독회.
first refúsal *n.* (가옥·상품 따위의) 제1선매권.
First Réich *n.* [the ~] 신성 로마 제국(Holy Roman Empire).
First Repúblic *n.* [the ~] (프랑스의) 제1공화국(1792-1804).
first-rún *a.* 《美》 (영화·영화관이) 개봉의.
~·ner *n.* 개봉관(館).
first sácker *n.* =FIRST BASEMAN.
First Séa Lórd *n.* 《英》 (해군 본부 위원회의) 제1군사위원《다른 나라의 해군 참모 총장에 해당》.
First Sécretary *n.* (공산당의) 제1서기.
first sérgeant *n.* 《美》 (육군·해병대의) 상사, 선임 하사관(cf. SERGEANT).
first skírt *n.* 《美軍俗》 육군 여성 부대(WAC)의 상급 장교.
first spéed *n.* 《英》 (자동차의) 제1단; 저속 기어(=《美》 low[first] gear).
first stóry[《英》 **stórey**] *n.* =FIRST FLOOR.
first-stríke *a.* (핵 공격에서) 선제공격의, 제일격의: ~ capability 제일격 능력.
—— *n.* (핵무기에 의한) 선제공격, 제일격.
first-stríng *a.* 제1의, 주요한; 우수한, 일류의; 《美》 (팀 따위) 일군의.
first tím·er [-táimər] *n.* 《口》 처음으로 하는[가는] 사람.
first úse *n.* 〖軍〗 선제(先制)사용《적보다 먼저 어떤 무기를 사용함》.
first wáter *n.* 최고급; 《反語》 (일반적으로) 최우수, 제1급(의 바보 등): a diamond of the ~ 최고급 다이아몬드; 인류의 인물.
First Wórld *n.* [the ~] 제1세계, (서방측) 선진 공업 제국.
firth [fə́:rθ] *n.* 내포(內浦), 협만(峽灣); 하구(河口) (estuary). 〚Sc.<ON FIORD〛
FIS 《英》 family income supplement (저소득 세대에 대한 보조(금)); Fédération internationale de ski (국제 스키 연맹); Foreign Industrial Standard (해외 공업 규격).
fisc, fisk [físk] *n.* (고대 로마의) 국고(國庫); 로마 황제의 내탕금(內帑金)《사사용의 돈》; 《稀》 국고. 〚F or L *fiscus* rush basket, treasury〛
***fis·cal** [fískəl] *a.* 국고의; 재정상의, 회계의: ~ policy 재정 정책 / ~ law 회계법. —— *n.* **1** (이탈리아·스페인 따위에서) 검찰관, 검사; 〖스코法〗 지방 검찰관; (네덜란드 따위에서) 조세 담당 판사. **2** 수입인지. **~·ly** *adv.* 국고 수입[재정]상; 회계상. 〚F or L *fiscalis*; ⇨ FISC〛
類義語 ⟹ FINANCIAL.
fiscal ágent *n.* 재무 대리 기관, 재무대리인.
fiscal drág *n.* 〖經〗 재정적 장애《세수 초과 따위가 경제 성장에 미치는 억제 효과》.
fiscal illúsion *n.* 재정 착각.
fis·cal·i·ty [fiskǽləti] *n.* 재정 중시; 재정 정책; [*pl.*] 재정 문제.

físcal revolútion *n.* 재정 개혁.
físcal stámp *n.* 수입 인지.
físcal yéar *n.* 《美》 회계 연도, (기업의) 사업 연도(☞ FINANCIAL YEAR).

◇**fish**[1] [fíʃ] *n.* (*pl.* ~, ~**·es**) **1** 물고기, 어류 : The boys were swimming in the pond like so many ~*es*[~]. 소년들은 못에서 마치 물고기처럼 헤엄치고 있었다(㊟ 이 보기에서와 같이 분명하게 개별적인 뜻의 경우라도 일상적인 문체에서는 fish라고 하는 변화없는 형을 쓰는 편이 일반적임) / Most of the income of the island is from these ~*es* : cod, halibut, and swordfish. 그 섬의 대부분의 수입은 대구, 북양가자미, 황새치라고 하는 물고기에서 얻어진다(㊟ 이와 같이 종류를 말하는 경우에는 일상적인 문체에서는 three ~*es* 보다도 three kinds[varieties] of ~ 라고 쓰는 것이 일반적) / He caught a lot of ~. 그는 물고기를 많이 잡았다 / The best ~ smell when they are three days old. 《속담》 싱싱한 생선도 3일이 가면 (썩은) 냄새가 난다, 「귀한 손님도 3일이 넘으면 귀찮아진다」/ There are[is] as good ~ in the sea as ever came out of it. 《속담》 바다에는 물고기가 얼마든지 있다(좋은 기회를 놓쳤다고 낙담하지 마라). **2** Ⓤ 어육(魚肉), 생선 고기(cf. MEAT 1 a)) : ~ and chips 《주로 英》 생선 프라이에 chips를 곁들인 것(cf. CHIP *n.* 3) / Do you like ~? 생선을 좋아하십니까 / eat ~ on Fridays 금요일[금육일]에 (고기 대신에) 생선을 먹다. **3** [주로 복합어로] 수산(水產) 동물, 어패류 : shell*fish*, jelly*fish*. ㊟ -fish로 끝나는 복합어의 복수형은 fish의 경우에 준함. **4** [형용사를 수반하여] 《口蔑》 (…한) 사람, 녀석 : an odd[a queer] ~ 괴짜, 별난 사람 / The poor ~ was taken in easily. 불쌍하게도 그는 쉽게 속아 넘어갔다. **5** [the F~(es)] 〖天〗 물고기자리(Pisces) ; 《海軍俗》 어뢰. **6** 《美俗》 신참자 ; 《美俗》 로마 카톨릭 교도 ; 《美俗》 달러 ; 《美俗》 (레스비언의 입장에서) 이성애(異性愛)의 여자.

All is fish that comes to his net. 《속담》 무엇이든 걸리면 그러쥔다.
(as) drunk as a fish 곤드레만드레 취하여.
(as) mute as a fish 아무 말 없이, 잠자코.
cry stinking fish 자기[자기의 일]를 스스로 헐뜯다.
drink like a fish 술을 많이 마시다.
feed the fishes 익사하다 ; 뱃멀미로 토하다.
a fish out of water 뭍에 오른 물고기(형세가 달라져서 자기 특기를 발휘하지 못하는 사람).
have other fish to fry 하지 않으면 안 될 다른 중요한 일이 있다.
land** one's **fish 잡은 물고기를 끌어올리다 ; 목표물을 손아귀에 넣다.
make fish of one and flesh[fowl] of another 차별대우를 하다.
neither fish, flesh, nor fowl=neither fish, flesh, nor good red herring 정체를 알 수 없는 것, 알쏭달쏭한 것.
a pretty[nice] kettle of fish ☞ KETTLE.

〈회화〉
I like *fish* better than meat. — I prefer meat myself. 「고기보다 생선을 좋아해」「나는 고기가 좋아」

── *a.* 물고기의 ; 낚시의 ; 물고기 장사를 하는.
── *vi.* **1** 물고기를 잡다, 낚시질하다, 고기잡이하다 : go ~*ing* 낚시하러 가다. **2** [+*for*+名] 찾다, (사실·견해 따위를) 알아보다, 구하다 ; (물·개펄·호주머니 속 따위를) 찾다, 뒤지다 : I tried to ~ ***for*** information by sending a letter of inquiry. 조회장(照會狀)을 내어서 정보를 얻으려고 했다 / He ~*ed* in his pocket *for* the key. 그는 호주머니를 뒤져서 열쇠를 꺼냈다. **3** [+副] (강 따위에서) 물고기가 낚이다 : This stream ~*es well.* 이 개울은 물고기가 잘 낚인다.
── *vt.* **1** (물고기를) 잡다, 낚다 ; (강 따위에서) 낚시질을 하다 : ~ trout 송어를 낚다 / ~ a pond 못에서 낚시질을 하다. **2** [+目/+目+副/+目+前+名] (물 속에서) 끌어올리다, 끄집어내다 : ~ the anchor 〖海〗 닻을 끌어올려 뱃전에 놓다 / She ~*ed* (***out***) some paper ***from*** her bag. 그녀는 가방에서 종이를 몇 장 꺼냈다 / A body was ~*ed* ***up out of*** the pond. 연못에서 시체가 끌어 올려졌다.

fish in troubled waters 혼란한 틈을 타서 이득을 보다, 어부지리(漁夫之利)를 차지하다.
fish or cut bait 거취를 확실히 하다, 하느냐 안 하느냐를 결정하다.
fish out …에서 물고기를 다 잡아버리다 ; (물 속 따위에서) 끌어올리다, 끄집어내다(cf. *vt.* 2) ; (정보·비밀 따위를) 찾아내다.
〖OE *fisc* ; cf. G *Fisch*〗

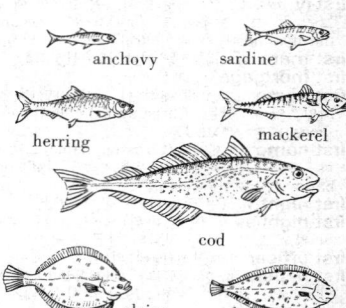

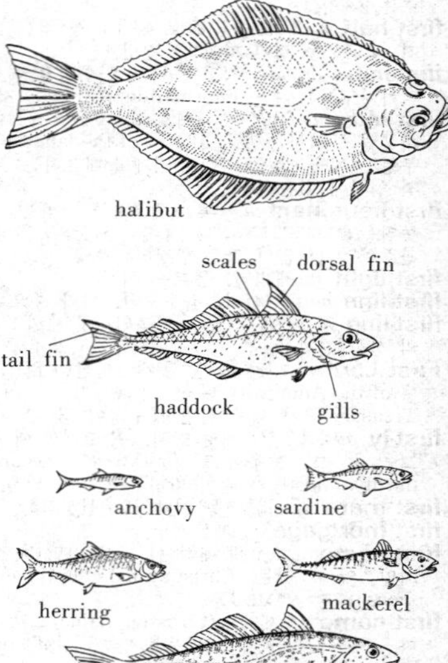

fish[2] *n.* **1** 〔海〕 돛대[활대] 보강재(補強材) ; 〔建·土〕 접합판(板)《쇠 또는 나무로 되어 있으며 철로·들보 따위의 접합부에 붙이는 것》. **2** (노름에 쓰는) 상아로 만든 물고기 모양의 산가지.
—— *vt.* 보강재로 튼튼하게 하다 ; 접합판을 덧대어 연결하다.
〖F *ficher*<L *figo* to FIX〗
físh·able *a.* 고기잡이에 알맞은 ; (물고기를) 낚을[잡을] 가능성이 많은 ; 어획[낚시질]이 인정된.
físh-and-chíps *n. pl.* 피시앤드칩스《생선튀김에 감자튀김을 곁들인 것》.
Físh and Gáme Wárden *n.* 《美》 (주(州)의) 수렵 감시관.
físh bàll[càke] *n.* 피시 볼[케이크]《기름에 튀긴 생선 완자의 일종》.
físh·bòlt *n.* 〔鐵〕 (철로 레일의 접합부에 대는) 접합 볼트.
físh·bòne *n.* 생선뼈[가시].
físh·bòwl *n.* **1** 어항《유리로 만든》. **2** 《비유》 사방에서 빤히 보이는 것, 프라이버시가 전혀 없는 장소[상태]. **3** 《美俗》 유치장.
físh càrver *n.* 생선용 식칼.
físh cùlture *n.* 양어(養魚).
físh dàvit *n.* 〔海〕 닻을 거는 기둥.
físh dày *n.* 〔宗〕 육식(肉食) 금지일.
físh dèaler *n.* 《美》 생선 장수[가게].
físh èagle *n.* 〔鳥〕 물수리(osprey).
físh èater *n.* **1** 물고기를 먹는 사람. **2** 《美俗》 로마 카톨릭 교도. **3** [*pl.*] 《英》 어육용 나이프와 포크.
físh·er *n.* **1** 《古》 어부(fisherman) ; 《古》 어선. **2** 물고기를 잡아먹는 동물 ; 〔動〕 페칸《북미산 물고기를 잡아먹는 담비의 일종》 ; Ⓤ 그 가죽.
a fisher of men 〔聖〕 사람을 낚는 어부《복음 전도자》.
físh·er·bòat *n.* 어선.
***físh·er·man** [-mən] *n.* **1** 어부, 어민(漁民) ; 낚시질하는 사람(angler) ; 낚시의 명수. **2** 어선.
físh·er·wòman *n.* 여자 고기잡이꾼[낚시꾼].
físh·ery *n.* **1** Ⓤ 어업 ; 수산업 ; [*pl.*] 수산학 : inshore[deep-sea] ~ 연안[심해]어업 / cod ~ 대구 어업 / a school of *fisheries* 수산 학교. **2** 어장 ; 양어장 ; 해산물 채취장 : a cod ~ 대구 어장 / a pearl[oyster] ~ 진주[굴] 채취장. **3** 〔法〕 어업권. **4** 수산회사 ; [집합적으로] 수산업 종사자 ; 어획고 ; 어획기.
físhery zòne *n.* 어업 전관(專管) 수역.
físh·èye *n.* 물고기의 눈, 어안 ; [the ~] 《美俗》 무표정한[냉담한, 의혹의] 눈초리 ; 〔보석〕 월장석(月長石).
físh fàctory *n.* 수산물 가공장《어유(魚油)·어분(魚粉) 따위를 제조》.
físh fàrm *n.* 양어장.
físh fàrming *n.* 양어(업).
físh·fìnder *n.* 어군 탐지기.
físh flàke *n.* 《美·Can.》 생선 말리는 선반[덕, 시렁].
físh flòur *n.* 어분《분말의 생선 단백질 식품》.
físh fòrk *n.* 생선용 포크.
físh·gig [fíʃgìg] *n.* 작살.
físh glòbe *n.* (유리제의 둥근) 어항.
físh glùe *n.* 생선 아교 ; 부레풀(isinglass).
físh hàwk *n.* 〔鳥〕 물수리(osprey).
físh hòok *n.* 〔美蹴〕 패스리시버의 코스.
físh·hòok [, 英+fíʃuk] *n.* 낚시 ; 〔海〕 닻을 거는 큰 쇠갈고리 ; [*pl.*] 《美俗》 손가락《전체》.
físh·hòuse *n.* 선어(選魚) 출하소, 어업 조합 집어장(集魚場).
***físh·ing** *n.* Ⓤ 낚시질 ; 어업 ; Ⓒ 어획 ; Ⓒ 어업권 ; 낚시터 ; 어장.
físhing bànks *n. pl.* (바다의) 어초(漁礁).
físhing bòat *n.* 어선, 낚싯배.
físhing bòundary *n.* 어업 전관 수역.
físhing expedìtion *n.* (정보·죄증(罪證) 따위를 얻기 위한) 법적 심문 ; (널리) 속을 떠보기.
físhing gròund *n.* 어장.
físhing ìndustries *n. pl.* 어업.
físhing lìne *n.* =FISHLINE.
físhing nèt *n.* 어망.
físhing pòle *n.* (직접 끝에 줄을 단) 낚싯대.
físhing ròd *n.* (릴용의) 낚싯대.
físhing smàck *n.* 작은 어선.
físhing stòry *n.* =FISH STORY.
físhing tàckle *n.* 낚시 도구.
físhing wòrm *n.* =FISHWORM.
físh jòint *n.* 〔建·土〕 접합판을 댄 접합.
físh kèttle *n.* 길쭉한 생선 냄비.
físh·kìll *n.* (수질 오염에 의한) 어류의 대량 폐사.
físh knìfe *n.* 생선용 나이프.
físh làdder *n.* 어제(魚梯)《물고기가 상류로 거슬러 올라가게 만든 층층대식의 어도(魚道)》.
físh·lìke *a.* 물고기 같은 ; 냉담한.
físh·lìne *n.* 《美》 낚싯줄(fishing line).
físh màrket *n.* 생선 시장.
físh méal *n.* 어분(魚粉)《비료·사료용》.
físh·mònger *n.* 《英》 생선 장수.
físh òil *n.* 어유(魚油)《고래 기름·간유 따위》.
físh·pàste *n.* 생선 살을 으깨어 어묵처럼 만든 식료품, 피시페이스트.
físh·plàte *n.* 〔建·土〕 (선로의) 이음 철판.
físh·pònd *n.* 양어지(池) ; 《戲》 바다(sea).
físh pòt *n.* 통발《뱀장어·새우 따위를 잡음》.
físh·pòund *n.* 《美》 (물고기를 잡는) 어살.
físh prótein cóncentrate *n.* 어육 농축 단백.
físh sáuce *n.* 생선 요리용 흰 소스 ; 생선으로 만든 소스.
físh·skìn *n.* **1** 물고기 껍질, (특히) 상어 가죽《목재를 문지르는 데 씀》 : ~ disease 〔醫〕 어린선(魚鱗癬). **2** 《美俗》 달러지폐.
físh slìce *n.* 《英》 (식탁에서 주인이 생선을 나눠줄 때 쓰는) 생선 자르는 칼 ; (요리용) 생선 뒤집개《냄비 속의 생선을 뒤치는데 씀》.
físh sòund *n.* (물고기의) 부레, 부낭.
físh spèar *n.* 작살.
físh stìck *n.* 《美》 피시 스틱《가늘고 긴 생선 토막에 빵가루를 묻혀 튀긴 것》.
físh stòry *n.* 《口》 믿어지지 않는 이야기, 허풍《낚시꾼의 자랑에서》.
físh·tàil *a.* 물고기 꼬리 모양의. —— *vi.* (비행기가 착륙할 때 감속을 위해) 꼬리치기 활공하다 ; (차의 뒷바퀴가) 옆으로 미끄러지다. —— *n.* 꼬리치기 활공.
físhtail wínd *n.* 어미풍(魚尾風)《사격의 탄도를 빗나가게 하는 바람》.
físh torpèdo *n.* 어뢰, 어형 수뢰(魚形水雷).
físh tràp *n.* 고기 잡는 장치.
físh wàrden *n.* 《美》 어업[어장] 감독관.
físh·wày *n.* =FISH LADDER.
físh·wèir *n.* 어살(fishpound).
físh·wich [´-witʃ] *n.* 튀긴 생선 샌드위치.
físh·wìfe *n.* 생선파는 여자 ; 말버릇 사나운 여자 ; 《美俗》 동성애 남자의 법적인 아내.
físh·wòrm *n.* 지렁이《낚시의 미끼》.
físh-wràpper *n.* 《美俗》 신문.

físhy *a.* 물고기의 ; (냄새·맛·모양 따위가) 물고기 같은 ; 물고기가 많은 ; 물고기로 된 ; 비린내 나는 ; (눈이) 생기가 없는, (보석이) 흐린 빛의 ; 《口》 (눈·말투가) 냉정한, (이야기가) 수상쩍은, 의심스러운(questionable). 〖FISH[1]〗

físhy·bàck *n.* 《美》 트럭트레일러[철도 화차·컨테이너차(車)]의 선박 수송. —— *a.* fishy back의[에 의한].

fisk ☞ FISC.

fis·si- [físə] *comb. form* 「분열」「열개」의 뜻. 〖L (*fiss- findo* to cleave)〗

fis·sile [físəl, -ail ; -ail] *a.* 갈라지기 쉬운 ; 핵분열성의. **fis·sil·i·ty** [fisíləti] *n.* 갈라지기 쉬움, 분열성, 열개성(裂開性). 〖L ; ⇨ FISSURE〗

fis·sion [fíʃən, fíʒ-] *n.* **1** Ⓤ 열개(裂開), 분열. **2** Ⓤ 〔生〕 분열, 분체(分體) ; 〔理〕 핵분열(↔ *fusion*). **~·al** *a.* 〖L ; ⇨ FISSURE〗

físsion·able *a.* 〔理〕 핵분열하는, 핵분열성의 : ~ material 핵분열 물질. —— *n.* [보통 *pl.*] 핵분열 물질.

físsion bòmb *n.* 핵분열 폭탄(cf. FUSION BOMB).

físsion cháin reàction *n.* 〔理〕 핵분열 연쇄 반응.

físsion pròduct *n.* 핵분열 생성물.

físsion-tràck dàting *n.* 〔理〕 핵분열 트랙 연대 측정법《지층의 형성 연대를 측정하는 방법》.

fis·si·par·i·ty [fisəpǽrəti] *n.* 〔生〕 분열 번식(성).

fis·sip·a·rous [fisípərəs] *a.* 〔生〕 분열 번식의, 분체 생식의.

fis·si·ped [físəpèd] *a.* 〔動〕 분지(分趾)의 ; 열각류(裂脚類)의. —— *n.* 열각류의 동물《개·고양이·곰 따위》.

fis·sure [fíʃər] *n.* 갈라진 틈, 터진 곳, 균열(龜裂), 금 ; (의견 따위의) 분열, 불일치 ; 〔解·植〕 열구(裂溝). —— *vt., vi.* 균열[갈라진 틈·터진 곳]을 생기게 하다[이 생기다]. 〖OF or L (*fiss- findo* to cleave)〗

***fist** [físt] *n.* **1** 주먹, 철권(鐵拳) : ~ law 강한 자가 이김 ; 철권 제재(制裁) / the mailed ~ 폭력. **2** 《口》 손(hand) : Give us your ~. 손을 내밀게 《악수하세》. **3** 파악(把握) (grasp). **4** 《口》 필적(筆跡) : He writes a good[an ugly] ~. 그는 필적이 좋다[형편없다]. **5** 〔印〕 지표(指標), 손가락표(index) (☞). —— *vt.* **1** 주먹으로 치다[때리다]. **2** 〔海〕 (돛·활대 따위를) 조종하다, 다루다(handle). 〖OE *fȳst* ; cf. G *Faust*〗

-físt·ed *a. comb. form* 주먹이 …한. 〖FIST, *-ed*〗

físt·fìght *n.* 주먹 싸움.

físt·fùl *n.* =HANDFUL ; 다수 ; 《美俗》 다액의 돈 ; 《美俗》 5년의 금고형.

fist·ic, -i·cal [fístik(əl)] *a.* 《戲》 권투의.

fist·i·cuff [fístikʌ̀f] *n.* [보통 *pl.*] 주먹 싸움, 난투 : come to ~*s* 주먹 싸움이 되다. 〖C17 ; *fisty* with fist+CUFF[2]인가〗

físt·nòte *n.* 손가락표(☞)로 표시된 주(註).

fis·tu·la [fístʃələ] *n.* (*pl.* **~s, -lae** [-lìː, -lài]) **1** (곤충 따위의) 관(管)모양의 기관(器官), (고래의) 기공(氣孔). **2** 〔醫·獸醫〕 누(瘻), 누관(瘻管) : anal ~ 치루(痔瘻), 치질. **3** 《廢》 피리. **fís·tu·lar** *a.* =FISTULOUS. 〖L=pipe, flute〗

fis·tu·lous [fístʃələs], **fis·tu·lose** [-lòus] *a.* 관모양의, 속이 빈 ; 〔醫〕 누관의, 누성(瘻性)의. 〖↑〗

FISU Fédération Internationale du Sport Universitaire (국제 대학 스포츠 연맹).

‡fit[1] [fít] *a.* (**fít·ter ; fít·test**) **1** [+*to* do/+*for*+do*ing*] 적당한, 알맞은(suitable) : The food was hardly ~ ***for*** a man. 그 음식물은 거의 사람이 먹을 수 없는 것이었다 / ~ *for* a king ☞ KING *n.* 숙어 / The house is not ~ *for* you *to* live in. 그 집은 네가 살기에는 적당하지 않다 / I am not ~ *to* be seen. 이대로는 남 앞에 나설 수 없다 / These old railway carriages are only ~ *for* break*ing* up. 이 낡은 객차는 해체할 수 밖에 방도가 없다. **2** 지당한, 온당한(proper) : It is not ~ for him to say so[~ that he should say so]. 그가 그렇게 말하는 것은 온당치 않다. **3** [+*to* do] (소임에) 견딜 수 있는, 적임(適任)의 : Is he ~ ***for***[~ *to* do] the job? 그가 그 일을 잘 해낼 수 있을까. **4** [+*to* do] 《口》 건강[원기 왕성]한 ; (운동 선수·경주마 따위) 컨디션이 좋은 : feel ~ (몸의 컨디션이) 아주 좋다 / keep ~ 건강하다 / I am now well and ~ ***for*** work[~ *to* travel]. 나는 이제 건강해서 일도 할 수 있다[여행도 할 수 있다]. **5** [+*to* do] (언제나 …할) 준비가 되어 있는(ready) ; 《口》 …할 기세인, 당장이라도 …할 듯한 : The storm was ~ *to* blow away the hut. 폭풍우는 당장이라도 오두막집을 날려 보낼 듯했다 / She cried ~ *to* break her heart. 그녀는 가슴이 찢어질 듯이 울었다.

the survival of the fittest 적자 생존.

think [***see***] ***fit to*** do... ☞ THINK, SEE.

fit to bust [***burst***] 크게.

fit to kill 극도로, 몹시 : be dressed up ~ *to kill* 지나치게 몸치장을 하고 있다.

—— *vt.* (**fit·ted,** 《美》 ~) ㊟ *p.p.*로서는 《美》에서도 fitted 쪽이 일반적임. **1** …에 적합하다, 알맞다(suit) : These gloves ~ me well. 이 장갑은 내 손에 꼭 맞는다 / Does this key ~ the lock? 이 열쇠는 자물쇠에 맞습니까 / It ~*s* the case. 그 경우에 알맞다, 알맞은 예(例)다. **2 a)** [+目+前+名/+目+*to* do] 적합하게 하다, 적응시키다(adapt), (치수 따위에) 맞추다 : I tried to ~ the key ***to*** the lock. 열쇠를 자물쇠에 맞추려고 했다[맞추어 보았다] / I went to be ~*ted* ***for*** glasses. 안경을 맞추러 갔다 / Have you ~*ted* yourself *for* teaching? 가르치는 데 익숙해졌습니까 / Hard training will ~ them *for* long running[*to* run long distances]. 고된 훈련이 그들에게 장거리를 달릴 수 있게 할 것이다 / He is ~*ted* *for* the post. 그가 적임자다 / soil ~*ted for* tomatoes 토마토 (재배)에 알맞은 땅. **b)** [+目/+目+副] (치수를 맞추기 위해) 입혀 보다 : She had the coat ~*ted* (***on***). 그녀는 상의의 가봉(假縫)을 하게 했다. **3** [+目+前+名] (적당한 것을) 비치하다, 갖다 붙이다 ; (배 따위에) 설비하다(supply) : We'll ~ new tires ***to*** the car. 자동차에 새로운 타이어를 바꿔 끼워야겠다 / The steamers are ~*ted* ***with*** wireless. 기선에는 무선 장치가 되어 있다 / ~ a pen *with* a nib 펜대에 펜촉을 끼우다. **4** 《美》 [+目+*for*+名] …에게 (입학) 준비를 시키다[하다] (prepare) : This school ~*s* students ***for*** college. 이 학교는 학생들에게 대학 진학 교육을 한다.

—— *vi.* 맞다, (몸에) 꼭 맞다 ; 적합하다 ; 조화하다 : ~ like a glove 꼭 맞다[부합되다] / This coat ~*s* perfectly. 이 상의는 꼭 맞는다 / The door ~*s* badly. 문이 잘 맞지 않는다.

fit in (***with...***) (…와) 적합하게 하다[하다] ; 조화[일치]하다, 꼭 맞다 : My plans do not seem to ~ *in with* yours. 내 계획은 네 계획과는 일치하지 않는 것 같다.

fit on (1) 입어 보다, (가봉하여) 입혀 보다(try

on) (cf. *vt.* 2 b)). (2) 달아 붙이다, (뚜껑 따위를) 잘 맞추다 ; 잘 끼워지다 : ~ the handle *on* 손잡이를 달다.

fit out (배를) 의장(艤裝)하다, 장비하다 (equip) ; (남에게) 필요한 물건을 마련해 주다, 갖추어 주다, 조달하다 : ~ *out* a ship *for* a long voyage 원양 항해에 대비하여 배를 의장하다 / ~ *out* a party *for* an antarctic expedition 남극 탐험대를 위해 필수품을 조달하다.

fit the cap on 자기를 두고 빗대는 줄 알다.

fit up 준비[마련]하다 ; …에 비치하다(furnish) : ~ *up* a room 방안에 가구를 비치하다 / a laboratory ~*ted up with* the newest instruments 최신의 기계 설비가 있는 실험실.

fit with …와 부합하다, …와 일치하다(agree with).

—— *n.* Ⓤ 적합 ; Ⓒ [보통 a ~] (의복 따위의) 매무새, 몸에 맞는 옷 : a perfect ~ 꼭 맞음[맞는 옷] / The coat is a poor ~. 이 상의는 잘 맞지 않는다.

〖ME< ? ; cf. MDu. *vitten*, ON *fitja* to knit〗

[類義語] ***fit*** 어떤 조건·목적·요구 따위에 적당한, 알맞은 ; 가장 뜻이 넓은 말 : This water is *fit* to drink. (이 물은 마시기에 알맞다). ***suitable*** 어떤 특정한 경우·목적·조건 따위에 일치하는 ; fit보다 뜻이 강함 : boots *suitable* for rainy days (비오는 날에 적합한 장화). ***proper*** 당연히 또는 정당한 이유에 의해서 본래 그것에 알맞다고 생각되는 : pay *proper* respect for our President (우리 대통령에게 의당한 경의를 표하다). ***appropriate*** 특히 어떤 사람·목적·지위·경우 따위에 딱 들어맞는 : A white uniform is *appropriate* for a nurse. (흰 제복은 간호사에게 어울린다). ***apt*** 어떤 목적에 딱 부합되는 : an *apt* answer (적절한 대답).

***fit**[2] *n.* **1** (질병의) 발작(paroxysm) ; 경련, 까무러침 : a epileptic[hysteric] ~ 간질병[히스테리]의 발작 / have a ~ *of* …의 발작을 일으키다 / go *into* ~*s* 졸도[기절]하다. **2** (감정의) 격발 ; 일시적인 흥분, 변덕 : in a ~ *of* anger 홧김에, 울컥하여 / when the ~ is *on* him 마음이 내키면, 어쩌다가 기분이 좋으면.

beat[***knock***] a person ***into fits*** 남을 여지없이 해치우다[몰아치다].

by fits 발작적으로, 때때로 생각난 것처럼.

by[***in***] ***fits and starts*** = *by* FIT*s*.

give a person ***a fit*** 《口》 남을 깜짝 놀라게 하다 ; 남을 몹시 화나게 하다.

give a person ***fits*** 《口》 (1) = *beat* a person *into* FIT*s*. (2) 《美》 남을 몹시 꾸짖다, 야단치다.

have[***throw***] ***a fit*** 《口》 깜짝 놀라다 ; 노발대발하다.

〖ME=position of danger< ? OE *fitt* strife〗

fit[3] *n.* 《古》 노래, 시가(詩歌) ; 노래[시조]의 한 절 (fytte). 〖OE *fitt* ; cf. OHG *fizza* yarn〗

fit·ahólic *n.* 체력 조절 운동의 중독자《조깅·에어로빅 따위의 운동을 하루라도 빠지면 불안을 느끼는 사람》. 〖*fit*ness+-*aholic*〗

fitch [fitʃ], **fitch·ew** [fítʃuː] *n.* 〖動〗 긴털족제비 《유럽산》 ; Ⓤ 그 모피 ; Ⓒ (그 털로 만든) 그림 붓. 〖OF (dim.) <MDu. *fisse*〗

fitch·et [fítʃət] *n.* 〖動〗 긴털족제비.

fít·ful *a.* 발작적인, 단속적인, 변하기 쉬운, 변덕스러운 : a ~ wind 이따금씩 부는 바람. **~·ly** *adv.* 발작적으로 ; 마음 내키는 대로. **~·ness** *n.* 〖FIT[2]〗

fít·ly *adv.* 적당히, 적절히, 꼭 맞게 ; 적시에.

fít·ment *n.* 《英》 비품, 가구(家具) ; [*pl.*] 집 내부 시설[설비·비품]. 〖FIT[1]〗

fít·ness *n.* **1** Ⓤ 적당, 적합, 적격 ; 적합성, 적응도, 적절, (언행 따위가) 알맞음(propriety) 〈*for*〉 : the (eternal) ~ of things 사물 본래의 합목적성, 사물의 합리성. **2** Ⓤ (건강 상태의) 양호함, 건강함.

fít·òut *n.* 채비, 준비.

fít·ted *a.* (형체에) 맞춘 듯이 만들어진, 바닥 전면을 덮은《양탄자》, 끼워 맞춤식의《가구》; 집기[부속품]가 갖추어진.

fít·ter *n.* **1** 설비하는 사람, (기계·부품 따위의) 조립공, 정비공. **2** (가봉하여) 옷을 입혀 보는 사람. **3** 장신구[여행용품]상(商).

fít·ting *a.* 적당한, 어울리는(suitable), 꼭 맞는.

—— *n.* **1** Ⓤ,Ⓒ (가봉된 옷을) 입혀 보기, 가봉 : He went to the tailor's for a ~. 그는 양복점에 가봉하러 갔다. **2** 《英》 형(型), 크기, 사이즈 (size). **3** [보통 *pl.*] 건구류(建具類), 가구류 (furniture) ; 비품, 부속 기구류 ; 부속품 : gas ~*s* 가스용 기구 / office ~*s* 사무실 비품. **~·ly** *adv.* 적당하게, 알맞게. **~·ness** *n.* 〖FIT[1]〗

[類義語] ***fitting*** 어떤 일의 목적·성질 또는 어떤 사람의 성격·기분 또는 때·경우 따위에 잘 맞는 : a *fitting* day for a hike (소풍하기에 알맞은 날). ***becoming*** 말씨나 거동이 어떤 사람의 성격·지위 따위에 알맞은[어울리는] : Kind-heartedness is *becoming* in a nurse. (친절한 마음씨는 간호사에게 어울린다). ***seemly*** 엄격한 예절이나 좋은 취미로부터 판단하여 잘 맞는, 또는 바람직한 : Chewing gum on a train is not *seemly* in a lady. (기차에서 껌을 씹는 것은 숙녀답지 못한 짓이다).

fítting ròom *n.* (양복점의) 가봉실.

fítting shòp *n.* (기계의) 조립 공장[작업장].

fít·ùp *n.* 《英俗》 〖劇〗 임시 극장 ; 임시[휴대용] 무대(장치) ; 순회 극단.

Fitz- [fits] *pref.* 「…의 자식(the son of)」의 뜻(cf. MAC-, O') : *Fitz*Gerald. 〖AF=son〗

◇five [fáiv] *a.* 다섯의, 다섯 개의, 5명의 ; [*pred.* 로 쓰여] 다섯 살로. —— *pron.* [복수취급] 5개, 다섯(사람). —— *n.* **1** 5, 다섯, 5개, 5명 ; Ⓤ 5시 ; 5살 ; 5달러[파운드·센트《따위》]. **2** 5의 기호《5, v, V》. **3** 5개[명]로 된 한 조 ; 농구의 한 팀 : the big *F*~ 5대 강국, 5거두(巨頭). **4** (카드·주사위 따위의) 5 ; 〖크리켓〗 5점타(點打) ; 《英》 5파운드 지폐(fiver) ; 《美口》 5달러 지폐. **5** (장갑·구두 따위의) 5호(號) ; [*pl.*] 5호 사이즈의 것. 〖OE *fif* ; cf. G *fünf*〗

fíve-and-díme *n.* 《美口》 = FIVE-AND-TEN.

fíve-and-tén *n.* 《美口》 싸구려 잡화점(dime store)《원래는 5센트 또는 10센트의 균일 상품을 팔았음》.

fíve-and-tén-cènt stòre *n.* 《美口》 = FIVE-AND-TEN.

fíve-by-fíve *a.* 《美俗》 땅딸막하고 뚱뚱한.

fíve-càse nóte *n.* 《美俗》 5달러 지폐.

fíve-dày wéek *n.* 1주 5일 노동제.

fíve-finger *n.* **1** 불가사리(starfish). **2** 다섯 손가락 모양의 잎이나 꽃잎을 가진 식물. **3** [보통 f~ f~] [흔히 *pl.*] 《美俗》 도둑 ; [*pl.*] 《美俗》 5년의 금고형.

give five fingers to a person 《美俗》 엄지손가락을 코에 대고 다른 손가락을 남에게 향하게 하다《상대를 깔보는 짓》.

—— *a.* 다섯 손가락의 : ~ exercises (피아노 따위의) 다섯 손가락 연습 ; 《비유》 쉬운 일.

fíve(-)fíve *n.* 《CB俗》 **1** 시속 55마일. **2** 수신 신호는 강하고 뚜렷함.

5-flùoro·úracil *n.* 〖藥〗 피리미딘 대사 길항제(代謝拮抗劑)《항암제의 하나; 略 5-Fu》.

fíve·fòld *a., adv.* 5배의[로], 5겹의[으로]; 다섯 부분[요소]으로 이루어진.

5-Fu 〖藥〗 5-fluorouracil.

Fíve Nátions *n. pl.* [the ~] 〖美史〗 (북미 인디언 Iroquois 족의) 오족(五族) 연합.

fíve-o'clòck téa *n.* 《英》 오후의 차《가벼운 식사》.

five·pence [fáivpəns, -pèns; fáifpəns, fáiv-] *n.* 《英》 5펜스; 《美》 5센트(백동화).

five·pen·ny [fáivpèni; fáifpəni, fáiv-] *a.* 《英》 5펜스의.

fíve-percént·er *n.* 《美》 5%의 구문(口文)을 받고 관청관계의 일을 알선하는 사람.

fíve póinter *n.* 《美俗》 우수한 학생[성적].

fív·er *n.* 《口》 **1** 《美》 5달러 지폐; 《英》 5파운드 지폐(cf. TENNER). **2** 5점짜리 패; 5점 득점자; 〖크리켓〗 5점타(點打); 《美》 5년의 금고형.

fives [fáivz] *n.* Ⓤ 《英》 파이브즈《2-4명이서 하는 핸드볼 비슷한 공놀이》: a ~ court 파이브즈 구기장(球技場).

fíve sénses *n. pl.* 오감.

fíve-spèed *a.* 5단 기어[변속]의.

fíve-stár *a.* **1** 별이 다섯인, 오성(五星)의: a ~ general 《美口》 육군 원수(General of the Army). **2** 제1급의, 최고의.

fíve-stònes *n. pl.* [단수취급] 《英》 다섯 개의 작은 돌을 사용하는 공기 놀이.

Fíve-Yèar Plán *n.* (정부의) 5개년 계획.

◇**fix** [fíks] *vt.* **1** [+目/+目+前+名] **a**) 고착시키다, 장치하다: ~ a mosquito net 모기장을 치다 / I ~*ed* a shelf ***to*** the wall. 나는 벽에 선반을 달았다 / They ~*ed* the post ***in*** the ground. 그들은 땅에 기둥을 세웠다. **b**) (생각·의견 따위를) 고정시키다, (마음·기억에) 새기다: I tried to ~ the date ***in*** my mind. 그 날짜를 잘 기억해 두려고 했다. **c**) (의미·장소 따위를) 확정하다; (일시·장소 따위를) 결정하다; (범위·가격 따위를) 정하다: Have you ~*ed* a place ***for*** the meeting? 회의 장소를 정했습니까 / The price has been ~*ed* ***at*** two dollars. 그 가격은 2달러로 정해졌다. **2 a**) [+目+前+名] (시선을) …에 고정시키다; (생각·마음 따위를) …에 집중시키다. **b**) (사물이 사람의 주의 따위를) 머물게 하다: I ~*ed* my mind ***on*** that fact. 그 사실에 생각을 집중시켰다 / He stood there with his eyes ~*ed on* the picture. 그는 그 그림을 응시한 채 거기에 서 있었다. **3** [+目+前+名] (죄·책임 따위를 남에게) 지우다, 씌우다(place): They ~*ed* the blame ***on*** me. 그들은 나에게 허물을 뒤집어씌웠다. **4** 〖化〗 응고시키다; 비휘발성으로 하다; 변색하지 않게 하다; 〖寫〗 정착(定着)하다. **5** (기계를) 조정하다; 수선하다, 고치다(arrange, repair); 치료하다; (동물, 특히 고양이를) 거세하다; (방 따위를) 정리하다; 《口》 (여성이 얼굴을) 꾸미다, 화장을 고치다; (식사 따위를) 준비하다, 차리다, (음식물을) 조리하다: ~ a meal 식사 준비를 하다 / ~ a salad 샐러드를 만들다 / ~ one's face 얼굴을 매만지다, 화장하다. **6** 《美口》 (뇌물 따위를 써서) 부정(不正)을 하다, 매수하다. **7** 《口》 (남을) 징계하다, 혼내주다; …에게 복수하다; 죽이다.

── *vi.* **1** 고정[고착(固着)]하다; (눈이) …에 머물다, 쏠리다. **2** [+前+名] 결정하다: We ~*ed* ***for*** the meeting *to* be held on Saturday. 토요일에 회의를 개최하기로 결정했다. **3** [+*on*+名] 결정[선정]하다, 정하다: We ~*ed* (***up***) ***on*** the second plan. 두번째 계획을 택하기로 했다 / They ~*ed on* me *to* break the news to you. 그 소식을 너에게 전하는 것은 내가 하기로 되었다. **4** 《美口》 [+*to* do] [진행형으로] (…할) 듯하다, (…할) 예정[작정]이다: I'*m* ~*ing* (=going) *to* go hunting. 사냥하러 갈 작정이다.

fix up 《口》 (1) 준비하다; 결정짓다, 정하다; 조직[편성]하다: ~ *up* a party 파티를 마련하다 / ~ *up* a date for the party 파티의 날짜를 정하다 / I will ~ you *up* for the night. 숙박할 채비를 하겠습니다, 묵을 수 있도록 하겠습니다 / ~ a person *up* with a job 남에게 일을 할당하다. (2) 《美》 (싸움 따위를) 해결하다, 화해하다, 조정하다. (3) 《美口》 수리하다, 손질하다, 고치다(repair); 치료하다; 성장하다; 정돈하다.

── *n.* **1** 《口》 어려운 처지, 역경: in a (pretty) ~ 어려운 처지에 빠져서, 진퇴양난이 되어. **2** (선박·비행기 따위의) 위치; 위치의 결정. **3** [흔히 the ~] 《口》 (시합 따위의) 부정 공작, 매수; 뇌물. **4** 《俗》 마약 주사; 술; 필수품.

〖OF or L (*fix- figo* to fasten)〗

fíx·able *a.* 고정시킬 수 있는, 굳어지는, 정착성의.

fix·ate [fíkseit] *vt.* 정착(定着)[고정]시키다.

── *vi.* 정착[고정]하다; 〖心〗 응시하다; 〖精神分析〗 고착(固着)하다(cf. FIXATION 2).

fix·a·tion [fikséiʃən] *n.* **1** Ⓤ 정착, 고착, 고정; 설치. **2** Ⓤ 〖化〗 응고, 비휘발성화(非揮發性化); 〖寫〗 정착; 〖染〗 빛깔이 바래지 않게 하기[하는 법]; 〖心〗 응시; Ⓤ,Ⓒ 〖精神分析〗 고착, 병적인 집착, 고집.

fix·a·tive [fíksətiv] *a.* 고정[고착]력이 있는, 정착성의; 빛깔이 바래지 않는. ── *n.* 정착약[액(液)]; 〖染〗 빛깔이 바래지 않게 하는 염료, 매염제(媒染劑).

fix·a·ture [fíksətʃər] *n.* 모발 정조제(整調劑)《머릿기름 따위》.

***fixed** [fíkst] *v.* FIX의 과거·과거분사.

── *a.* **1** 고정된, 정착한, 장치한; 정해진, 확고한(firm), 부동의(immovable) (↔*floating*); 안정된: ~ capital 고정자본 / a ~ deposit 정기 예금 / a ~ idea 고정[고착]관념 / a ~ loan 정기대부금 / a ~ price 정가, 공정[협정] 가격 / a ~ star 〖天〗 항성(恒星) (cf. PLANET). **2** 〖化〗 응고한, 비휘발성의(↔*volatile*): a ~ acid 비휘발산(酸) / ~ oil 고정유(油), 비휘발성 기름.

fix·ed·ness [fíksədnəs, -st-] *n.* Ⓤ 정착, 고착, 고정; 정착성, 응고성; 〖化〗 비휘발성.

fíxed ássets *n. pl.* 〖商〗 (유형) 고정 자산.

fíxed cápital *n.* 고정 자본.

fíxed chárge *n.* 고정 요금; 확정 부채.

fíxed cóst *n.* 고정비(용).

fíxed exchánge ràte *n.* 고정 환율.

fíxed fócus *n.* (사진기의) 고정 초점.

fíxed-fócus *a.* 고정 초점의: a ~ camera 고정 초점 카메라.

fíxed-héad dìsk *n.* 〖컴퓨〗 고정 헤드 디스크.

fíxed íncome *n.* 고정 수입, 정액 소득.

fíxed-léngth rècord *n.* 〖컴퓨〗 길이가 정해져 있는 레코드.

fíxed liabílity *n.* 고정 부채(負債).

fix·ed·ly [fíksədli, -st-] *adv.* 정착[고정·안정]되어; 굳게; 뚫어지게; 결심하여(determinedly): He looked ~ at her. 그는 그녀를 뚫어지게 바라보았다.

fíxed ódds *n. pl.* 고정 승률《배당률이 미리 결정되어 있는 것》.
fíxed póint *n.* 〖理〗 고정점 ; 〖數〗 부동점 ; 붙박이 소숫점 ; 파출소.
fíxed-póint *a.* 〖컴퓨〗 붙박이 소숫점식의(cf. FLOATING-POINT) : ~ representation 붙박이 소숫점 표시.
fíxed príce *n.* 고정 가격, 정가(定價) ; 공정[협정] 가격.
fíxed próperty *n.* 고정 자산, 부동산.
fíxed sátellite *n.* 정지(靜止)[고정] 위성.
fíxed-séquence róbot *n.* 고정 시퀀스 로봇《미리 정해진 순서·조건·위치에 따라 동작의 각 단계를 차례로 진행시키는 머니퓰레이터(manipulator)》.
fíxed státion *n.* 《CB俗》 고정 교신국.
fíxed trúst *n.* 한정 신탁(↔*flexible trust*).
fíxed-wìng áirplane *n.* 〖空〗 고정날개 비행기《헬리콥터가 아닌》.
fíx·er *n.* 정착제, 정착액, 색이 바래지 않게 하는 염료 ; 《口》 (부정 수단으로) 매듭지으려는 사람 ; 사건 따위를 얼버무려 치우는 사람 ; 《美俗》 마약 밀매인.
fíx·ing *n.* **1** Ⓤ 고착, 고정 ; 응고 ; 설치 ; 〖寫〗 정착 : ~ solution 정착액. **2** 조정 ; 정리, 수리. **3** [*pl.*] 《美口》 (실내 따위의) 설비, 비품 ; 장구(裝具), 장식품[물].
fíx-ìt *a.* 《美口》 간단한 수리의[를 하는].
fix·i·ty [fíksəti] *n.* Ⓤ 정착, 고정 ; (시선 따위의) 부동 ; 불변(성).
fixt [fíkst] *v.* 《주로 詩》 FIX의 과거·과거 분사.
fix·ture [fíkstʃər] *n.* **1** 정착[고정]물, 설치품(cf. MOVABLE) ; 비치하는 도구, 비품 : electric light [gas] ~*s* 전등[가스] 설비. **2** [*pl.*] 〖法〗 부합물(附合物), 정착물《토지 또는 가옥에 부속된 동산》 ; [*pl.*] 《美》 건구(建具), 비품. **3** 《口》 (일정한 직장[직업]이나 장소에) 앉아 있는 사람, 눌러 붙어 있는 사람. **4** 〖競·競馬〗 (기일이 확정된) 대회, 경기 종목[프로그램] ; 개최일, 일정(日程). **5** 〖商〗 정기 대부금. 〖C16 *fixure*<L ; ⇨ FIX〗
fíx-ùp *n.* 《美俗》 마약 1회분의 양.
fiz·gig [fízgìg] *n.* **1** 덜렁이 계집애 ; 여장부. **2** 불꽃의 일종. **3** 채찍으로 돌리는 장난감《팽이 따위》. **4** 고기잡이 작살(fishgig). —— *a.* 경박한, 덜렁이 계집애의.
fizz, fiz [fíz] *vi.* 쉭 소리내다[울리다](hiss), 쉭쉭하고 끓다 ; 흥분한 태도를 보이다, 신이 난 기분을 나타내다 ; 《口》 일사천리로 움직이다, 일을 척척 해치우다. —— *n.* **1** Ⓤ 쉭하는 소리. **2** Ⓤ 《口》 거품이 이는 음료, (특히) 샴페인. 〖imit.〗
fízz·er *n.* **1** 쉭하고 소리를 내는 것[사람]. **2** 《口》 제1급의 것, 일급품. **3** 〖크리켓〗 강속구. **4** 《濠俗》 용두사미의 것, 실망시키는 사람[것].
fízz·ing *a.* 《口》 제1급의, 훌륭한, 굉장히 빠른.
fízz jòb *n.* 《美俗》 제트기.
fiz·zle [fízəl] *vi.* **1** (약하게) 쉭하고 소리나다[내며 꺼지다] ; 기운[힘]이 없어지다. **2** 《口》 실패하다(fail).
fizzle out (습기찬 화약 따위가) 치익하고 소리내며 꺼지다 ; 《口》 (최초의 화려함에 어울리지 않게) 어이없이 끝나다, 용두사미로 끝나다.
—— *n.* **1** 쉭쉭(하는 소리). **2** 《口》 실패, 물거품. 〖*fizz*+*-le* ; 일설에 *fist* (obs.) to break wind+*-le*〗
fízz·wàter *n.* 소다[탄산]수 ; 거품이 이는 물.
fízzy *a.* 《口》 쉭쉭하는, 거품이 이는 : ~ waters 탄산수.
fjord ☞ FIORD.
Fl 〖化〗 fluorine. 주 지금은 F를 씀. **FL** 〖美蹴〗 flanker. **Fl.** Flanders ; Flemish. **fl.** floor ; florin(s) ; *floruit* 《L》 (=flourished) ; flowers ; fluid. **f.l.** *falsa lectio* 《L》 (=false reading). **Fla., Flor.** Florida.
flab [flǽ(:)b] *n.* 뚱뚱함, 포동포동함 ; 《비유》 군살. 〖역성(逆成) ‹ *flabby*〗
flab·ber·gast [flǽbərgæ̀(:)st ; -gɑ̀:st] *vt.* 《口》 깜짝 놀라게 하다, 어리벙벙[당황]하게 하다(dumbfound).
〖C18< ? ; *flabby*+*aghast* 인가〗
flab·by [flǽbi] *a.* (근육이) 축 늘어진, 이완된 ; 기력이 없는, 연약한, 맥없는.
fláb·bi·ly *adv.* **-bi·ness** *n.*
〖FLAPPY ; ⇨ FLAP〗
fla·bel·late [fləbélət, -eit, flǽbəlèit] *a.* 〖動·植〗 부채꼴의, 선형(扇形)의.
fla·bel·li- [fləbélə] *comb. form* 「부채(fan)」의 뜻.
flabélli·fòrm *a.* =FLABELLATE.
fla·bel·lum [fləbéləm] *n.* (*pl.* **-la** [-lə]) (의식 때 쓰는) 성선(聖扇) ; 〖動·植〗 부채꼴로 된 부분 ; 선형기관(扇形器官). 〖L=fan〗
flac·cid [flǽksəd, flǽsəd] *a.* (근육이) 이완된, 축 늘어진 ; (정신 따위) 긴장이 풀린, 유약한, 무기력한. **~·ly** *adv.* **flac·cid·i·ty** [flæksídəti] *n.* Ⓤ 연약, 맥없음, 무기력함.
〖F or L (*flaccus* limp)〗
flack[1] [flǽk] *n., vi.* 《美俗》 신문[선전, 홍보] 담당자(로 일하다). **fláck·ery** *n.* 선전, 광고, 홍보. 〖C20< ?〗
flack[2] *vi.* 《美俗》 [다음 숙어로]
flack out 자다 ; 의식을 잃다 ; 지치다, 피곤해지다, 풀이 죽다, 죽다.
〖cf. FLAKE[3]〗
flack[3] ☞ FLAK.
flac·on [flǽkən, -ɑn ; *F* flakɔ̃] *n.* (향수 따위를 담는) 작은 병.
fladge [flǽ(:)dʒ] *n.* 《英俗》 (성적 도착 행위로서의) 채찍질. 〖*flag*ellation〗
‡flag[1] [flǽ(:)g] *n.* **1** 기(旗) (cf. BANNER, ENSIGN, PENNANT, STANDARD 7) ; 〖海軍〗 기함기(旗艦旗), 사령기(旗) : a national ~ 국기 / ☞ BLACK FLAG / ☞ RED FLAG / ☞ WHITE FLAG / ☞ YELLOW FLAG / dip the ~ ☞ DIP 숙어 / hang out[hoist] a ~ half-mast high ☞ HALF-MAST. **2** (사슴·세터종(種) 개 따위의) 털이 북실북실한 꼬리. **3** (매·부엉이·해오라기 따위의) 다리의 긴 깃털. **4** 〖TV〗 카메라용 차광막(遮光幕). **5** (신문·잡지의) 발행인란. **6** (음표의) 꼬리. **7** 〖印〗 (정정·가필 따위의 행간에 끼우는) 서표(書標) ; (일반적으로) (기억을 위한) 부전, 서표. **8** 《英》 (택시의) 빈차 표시판. **9** (선박의) 국적, 선적. **10** 〖컴퓨〗 플래그 ; 표시 문자. **11** 《美俗》 위명, 가명. **12** 〖美蹴〗 플래그《(1) 엔드라인과 골라인이 교차되는 8개 지점에 세우는 기. (2) 반칙 인정시 심판이 지면에 던지는 천. (3) 패스 리시버의 코스의 하나》.
hang out [***show***] ***the white flag*** ☞ WHITE FLAG.
hoist one***'s flag*** (함대 사령관이 취임하여) 제독(提督)의 기를 올리다, (사령관이) 취임하다.
keep the flag flying 기를 내리려고 하지 않다, 항복하지 않다.
lower the [one***'s***] ***flag***=***strike the*** [one***'s***] ***flag*** (경례·항복의 표시로) 기를 내리다 ; 항복하다 ; 사령관직을 떠나다.

under the flag of …의 깃발 아래 (모여서).
── *vt.* (**-gg-**) **1** …에 기를 세우다, 기로 장식하다. **2** (탈 것·운전자 등을) 신호로 정지시키다; (남에게·신호를) 기로 연락[통지]하다. **3** 〖사냥〗 기 따위를 흔들어 (사냥감을) 꾀어들이다. **4** (검색을 위해) (페이지 따위)에 종잇조각[찌지]를 붙이다; 〖美軍〗 (서류나 카드)에 특별한 색의 찌지를 붙여 동결하다. **5** 《美俗》 (사람을) 물리치다; 《美俗》 (시험·학과)에 낙제하다.
── *vi.* 《美俗》 낙제하다.
〖C16 < ? *flag* (obs.) drooping; cf. ↓〗

flag² *n.* 〖植〗 **1** (창포·붓꽃 따위의) 칼날 모양의 잎이 있는 식물. **2** 부들(cattail). **3** 칼날 모양의 잎. 〖ME < ?; cf. MDu. *flag*, Dan. *flæg*〗

flag³ *vi.* (**-gg-**) (돛 따위가) 축 늘어지다; (초목이) 시들다; (기력 따위) 쇠퇴하다, 느슨해지다; (이야기 따위) 맥빠지다. 〖FLAG¹〗

flag⁴ *n.* **1** 판석(板石), 포석(鋪石)(flagstone). **2** [*pl.*] 포석도로. ── *vt.* (**-gg-**) …에 판석[포석]을 깔다, 포석[판석]으로 포장하다.
〖ME=sod < ? Scand.; cf. FLAKE¹, ON *flaga* slab of stone〗

flág-bèar·er *n.* 기수(旗手).

flág bòat *n.* 기정(旗艇)《보트 경기(boat race)의 목표 보트》.

flág càptain *n.* 〖英海軍〗 기함의 함장.

flág càrrier *n.* 한 나라를 대표하는 항공[선박] 회사.

Flág Dày *n.* **1** 《美》 국기 제정(1777년) 기념일 《6월 14일》. **2** [f~ d~] 《英》 기(旗)의 날《길에서 자선 사업기금 모집을 위해 작은 기를 팔며 기부자[구매자]의 가슴에 달아줌》.

flag·el·lant [flǽdʒələnt, flədʒél-] *n.* 채찍으로 치는 사람; [때때로 F~] (중세 때의) 스스로 채찍질하던 고행자. ── *a.* 채찍질하는, 스스로 채찍질하는, 자신을 매질하는; 혹평하는.
〖L *flagello* to whip; ⇨ FLAGELLUM〗

flag·el·late [flǽdʒəlèit] *vt.* 채찍질하다(whip).
── [-lət, -lèit] *a.* 〖生〗 편모(鞭毛)가 있는; 〖植〗 (딸기처럼) 포복경(匍匐莖)이 있는. ── [-lət, -lèit] *n.* 편모충. **-làt·ed** *a.* =FLAGELLATE.
〖FLAGELLUM〗

flag·el·la·tion [flæ̀dʒəléiʃən] *n.* 채찍질, 매질; 〖生〗 편모 (발생).

flág·el·là·tor *n.* =FLAGELLANT.

fla·gél·li·fòrm [flədʒélə-] *a.* 편모(鞭毛) 모양의; 휘청휘청[낭창낭창]한.

fla·gel·lum [flədʒéləm] *n.* (*pl.* **-gel·la** [-lə], **~s**) 〖生〗 편모; 〖植〗 포복경(匍匐莖); 회초리.
〖L=whip (dim.) < *flagrum* scourge〗

flag·eo·let¹ [flæ̀dʒəlét, -léi] *n.* 〖樂〗 플래절렛《6개의 소리 구멍이 있는 은 피리의 일종》; (파이프 오르간의) 플래절렛 스톱. 〖F〗

fla·geo·let² [*F* flaʒɔlɛ] *n.* 강낭콩의 일종.

flág-fàll *n.* 기를 흔들어 내리기《출발 신호》; 《濠》 (택시의) 최저 요금.

flág fóotball *n.* 플래그 풋볼《미식 축구의 변종으로 경기자는 공을 가진 자가 몸에 지닌 깃발을 빼앗지 못하면 경기를 중단시킬 수 없음》.

flág·ging¹ *a.* 축 늘어지는; 잘 처지는; 감소되어 가는, 약화되어 가는. **~·ly** *adv.*

flagging² *n.* Ⓤ 포석(鋪石)포장; 판석류(板石類)(flagstones); Ⓒ 포장 도로.

flág·gy¹ *a.* 붓꽃이 많은; 붓꽃 같은.

flaggy² *a.* 판석(板石)같은, 포석(鋪石)같은; 판석같이 벗겨지기 쉬운.

flaggy³ *a.* 처지는, 늘어지는; 나른한 듯한; 흐물흐물한.

fla·gi·tious [flədʒíʃəs] *a.* 극악무도한, 흉악한; 파렴치한, 불량한, 악명이 높은.

flág lieutènant *n.* 〖海軍〗 (제독(提督)의) 전속 부관 또는 참모.

flág lìst *n.* 〖英海軍〗 (현역) 제독 명단.

flág·man [-mən] *n.* 신호기수; 《美》 (철도의) 신호수, 건널목지기.

flág òfficer *n.* 해군 제독《그의 탑승함에 제독기를 닮》; 함대 사령관.

flag·on [flǽgən] *n.* 목이 가는 병《식탁 또는 성찬식용》; 대형의 포도주병.
〖ME *flakon* < OF < L *flascon-* *flasco* FLASK〗

flág·pòle *n.* 깃대.

fla·grance, -gran·cy [fléigrəns(i)] *n.* Ⓤ 악명(높기) (notoriety); 극악무도.

flág rànk *n.* 제독의 계급.

fla·grant [fléigrənt] *a.* 극악(무도)한, 눈에 거슬리는, 눈꼴사나운, 악명 높은(notorious).
~·ly *adv.* 〖F or L (*flagro* to blaze)〗

fla·gran·te de·lic·to [fləgrǽnti dilíktou] *adv.* 〖法〗 현행범으로(=in the (open) act).
〖L=while the crime is blazing〗

flág·shìp *n.* 기함(旗艦); (어떤 항로를 취항하는 배[비행기] 중) 최대의[가장] 호화로운, 최신의 배[비행기]; (일련의 것 중에서) 최고인[가장 중요한] 것.

flág·stàff *n.* 깃대(flagpole).

flág stàtion[stòp] *n.* 《美》 신호 정차역《기로 신호할 때에만 열차가 서는 작은 역; cf. FLAG¹ *vt.* 2》.

flág·stìck *n.* 〖골프〗 홀에 세우는 깃대, 핀(pin).

flág·stòne *n.* 판석(板石), 포석(鋪石).

flág-ùp *a.* 《美俗》 (요금을 부당하게 더 받기 위해) 택시 미터를 꺾지 않고 태우는.

flág·wàgging *n.* 《英口》 **1** 〖海軍〗 수기(手旗)신호. **2** 광신적 애국 언동.

flág-wàver *n.* 선동자; 떠버리 애국자; 애국심을 고취하는 것《노래 따위》.

flág-wàving *n.* 애국심[파벌심]의 과시.

flail [fléil] *n.* 도리깨《보리 타작용; 지금은 흔히 탈곡기(thresher)를 씀》. ── *vt.* 도리깨로 두드리다; 도리깨질하다, 두들기다(beat).
〖OE 《美》 *flegil* < ? L FLAGELLUM〗

fláil tànk *n.* 대지뢰(對地雷) 전차《앞에 지뢰 폭파 장치가 달려 있음》.

flair [fléər, flǽər] *n.* Ⓤ.Ⓒ [+前+do*ing*] 예민한 후각(嗅覺), 사물을 알아차리는 감각, 식별력, 제6감; 재능, 소질, 기호, 경향: He has a ~ ***for*** good poetry[*for* mak*ing* money]. 그에게는 좋은 시를 식별하는[돈을 버는] 재능이 있다.
〖F=scent; ⇨ FRAGRANT〗

flak, flack [flǽk] *n.* (*pl.* ~) 〖軍〗 대공(對空) 포화, 고사포(화); 잇따른[격렬한] 비난, 혹평; 격렬한 논쟁.
〖*G* *F*lieger*a*bwehr*k*anone aviator-defence-gun, antiaircraft cannon〗

***flake¹** [fléik] *n.* **1** (벗겨져 떨어지는) 얇은 조각, 박편, 파편, 단편; 〖考古〗 박편: fall in ~*s* 엷은 조각이 되어 벗겨져 떨어지다; (눈이) 펄펄 내리다. **2** (눈·구름·깃털 따위의) 한 조각, 하나, 한 송이; 불티: large ~*s* of snow 큰 송이의 눈. **3** 낟알 따위를 박편으로 한 것: corn ~*s* 콘플레이크. **4** 《美俗》 아주 색다른 개성(을 가진 사람[선수]), 괴짜, 기인(奇人). **5** 점수 따기[목표 달성]를 위한 체포.
── *vi.* [動/+副] 벗겨지다; 펄펄 떨어지다, 팔

랑팔랑 내리다 : The paint has ~*d* ***off*** in some spots. 페인트가 군데군데 벗겨져 있다. —— *vt.* 펄렁펄렁 흩뿌리다[내리게 하다] ; 벗기다.
〖ME< ? ; cf. ON *flakna* to flake off〗

flake[2] *n.* 생선 말리는 시렁 ; 그물 시렁 ;〔海〕(작업용) 뱃전에 매달은 발판.
〖ME=hurdle< ? ON *flaki* wicker shield〗

flake[3] *n., vt.*〔海〕=FAKE[2].
flake off 《美俗》 떠나다.
flake out 《口》(피곤해서[술에 취해서]) 잠들다, 녹초가 되다, 졸도하다 ;《俗》떠나다, 사라지다 ;《美俗》실패하다.
〖cf. G *Flechte*〗

flake[4] *n.*《英》(식용으로서의) 돔발상어 (dogfish).
〖FLAKE[1]〗

fláke·bòard *n.* 얇은 나뭇조각을 합성수지로 잇댄 나무판.

fláked-óut *a.* 《口》 녹초가 된 ; (마약 중독으로) 의식을 잃은. —— *n.* 완전한 실패, 큰 실수, 그런 상태가 된 사람[것].

fláke-òut *n.* 《美俗》 대실패, 바보짓.

flak·ers [fléikərz] *a.* 《俗》 지친, 노그라진.

fláke tòol *n.* 〔考古〕 박편 석기 (剝片石器).

fláke whíte *n.* 편상 연백 (片狀鉛白)《안료》.

flák·ey *a.* 《美俗》 몹시 달라진, 파격의 ; 미친 ; 낙천적인, 믿을 수 없는.

flák jàcket[**vèst**] *n.* 《美》 방탄 조끼.

flák sùit *n.* 〔美空軍〕 방탄복.

flaky [fléiki] *a.* 벗겨져 떨어지기 쉬운 ; 박편상(薄片狀)의, 조각조각의 ;《美俗》=FLAKEY.
flák·i·ly *adv.* **-i·ness** *n.* 〖FLAKE[1]〗

flam [flǽ(:)m] *n.* Ⓒ 꾸민 이야기, 거짓 ; Ⓤ 기만 (deception), 야바위. —— *vt.* (**-mm-**) 속이다, 기만하다. 〖? flim*flam*〗

flam·bé [flɑːmbéi, ⌐-; *F* flɑ̃be] *a., n.* (고기·생선·과자에 브랜디를 붓고) 불을 붙여 눋게 한 (요리[디저트]). —— *vt.* (~**ed**) (요리·과자)에 술을 부어 불을 붙이다.
〖F (p.p.) ‹*flamber* to singe (↓)〗

flam·beau [flǽmbou] *n.* (*pl.* ~**s**, **-beaux** [-bouz]) 횃불 ; 장식을 한 큰 촛대.
〖F ; ⇨ FLAME〗

flam·boy·ance, -cy [flæmbɔ́iəns(i)] *n.* Ⓤ (야한) 화려함, 현란함.

flam·bóy·ant *a.* [때때로 F~] **1** 〔建〕(15-16세기경 프랑스에서 유행한) 플랑부아 양식의, 화염 모양의. **2** 불타는 듯한, 야한 ; 화려한, 이채로운.
〖F (pres. p.) ‹*flamboyer* ; ⇨ FLAMBEAU〗

‡**flame** [fléim] *n.* **1** Ⓤ,Ⓒ [때때로 *pl.*] 불꽃, 화염 (cf. BLAZE[1]) : in ~*s* 불꽃이 되어, 불타서 / burst into ~(*s*) 확 타오르다 / commit...to the ~*s* …을 소각하다 (burn). **2** Ⓤ,Ⓒ 불꽃처럼 번쩍임 ; 빛나는 광채 (brilliant coloring) : the ~ of sunset 불타는 듯한 저녁놀. **3** Ⓤ,Ⓒ 정열, 불타는 심정, 격정 : a ~ of anger 격노 / fan the ~ 열정을 부추기다, 사모의 정을 간절하게 하다, 싸움《따위》을 선동하다 / feed the ~ 질투《따위》의 불길을 돋우다. **4** 《口》 연인, 정부(情婦), 정부(情夫) (sweetheart) : an old ~ of his 그의 과거 연인. **5** 《美俗》 컴퓨터에 파일된 잡담 정보. **6** 좋아하는 화제. **7** 하찮은 의론[이야기].
—— *vi.* **1** 불꽃을 내다[내뿜다] ; 활활 타다 ; 불꽃처럼 흔들리다. **2** [動/+*with*+名/+副] 불꽃처럼 빛나다[비치다] ; (얼굴이) 확 붉어지다 ; (태양이) 이글이글 빛나다 ; (정열 따위가) 불타오르다 ; 왈칵 화를 내다 : Our garden ~*s* ***with*** red tulips. 우리집 뜰은 붉은 튤립으로 불타고 있는 듯하다 / The girl ~*d* ***up*** when I spoke to her. 내가 말을 건네자 소녀는 얼굴을 확 붉혔다 / Her passion ~*d* ***out***. 그녀의 정열은 불타올랐다.
—— *vt.* (살균을 하기 위해) 불길에 대다, 불에 쬐다 ; (신호 따위를) 횃불로 전하다 ;《古·詩》(감정 따위를) 불붙이다, 끓어오르게 하다.
〖OF<L *flamma*〗
類義語 ⟹ BLAZE.

fláme cèll *n.* 〔動〕 (디스토마 따위의) 불꽃 세포.

fláme-còlored *a.* 새빨간[불꽃 같은] 빛깔의.

fláme gùn *n.* 〔農〕 화염(火焰) 제초기.

fláme·let *n.* 작은 불꽃.

fla·men [fléimən, -men ; -men] *n.* (*pl.* ~**s**, **flam·i·nes** [flǽmənìːz]) 〔古로〕 (특정한 신을 섬기는) 신관(神官), 사제(司祭).

fla·men·co [fləméŋkou] *n.* (*pl.* ~**s**) 플라멩코 《Spain의 Andalusia 지방 집시의 춤·노래》.
〖Sp.=Fleming, like gypsy ; 일설에=FLAMINGO〗

fláme·òut *n.* (연료의 부족·불완전 연소 따위로 인한) 비행중인 제트 엔진의 갑작스러운 정지 (blowout) ; 파괴, 소멸 ; 좌절[낙담]한 사람, 매력을 잃은 것.

fláme projèctor *n.* =FLAMETHROWER.

fláme·pròof *a.* 잘 타지 않는, 내화성(耐火性)의.

flám·er *n.* 《美俗》 실패한 사람, 실패, 실수 ; 지루하게[따분하게] 하는 사람 : You ~. Can't you talk about anything else? 따분한 친구로군. 다른 화제는 없니.

fláme-retàrdant *a.* 불이 잘 붙지 않는, 내화성(耐火性)의.

fláme sèssion *n.* 공리 공론의 회의[의론].

fláme stìtch *n.* (실내 장식용 피륙 따위의) 불꽃 모양의 무늬 짜기.

fláme·thròw·er *n.* 화염 방사기 ;〔農〕화염 살충[제초]기 ;《美俗》제트기. 〖G *Flammenwerfer*〗

fláme tràp *n.* (버너의 노즐에 있는) 화염 역행 인화 방지 장치《화재 예방 장치》.

flam·ing [fléimiŋ] *a.* **1** 타오르는, 불을 내뿜는. **2** (색채가) 불타는 듯한 ; 불타는 듯이 붉은. **3** 정열에 불타는, 열렬한 ; 눈이 번쩍번쩍 빛나는. **4** (묘사 따위를) 과장하는 ; (그림 따위가) 현란한.
~·**ly** *adv.* 불타올라 ; 타는 듯이.

fla·min·go [fləmíŋgou] *n.* (*pl.* ~**es**, ~**s**) 〔鳥〕 플라밍고, 홍학(紅鶴)《남유럽·아프리카 산》.
〖Port.<Prov.〗

Fla·mín·i·an Wáy [fləmíniən-] *n.* [the ~] 플라미니아 가도(街道)《로마로부터 아드리아 해안의 Ariminus (현재의 Rimini)에 까지 이르는 고대 로마의 도로》.

flàm·ma·bíl·i·ty *n.* Ⓤ 타기 쉬움 ; 가연성, 인화성 (inflammability).

flam·ma·ble [flǽməbəl] *a.* =INFLAMMABLE.
〖FLAME〗

flamy [fléimi] *a.* 불타는 ; 불길 같은.

flan [flǽ(:)n ; *F* flɑ̃] *n.* (치즈·과일 따위를 넣은) 과자 ; (찍어 내기만 한) 미(未)가공의 화폐[메달], (도안에 대한) 화폐의 지금(地金).
〖F=round cake<L<Gmc.〗

Flan·ders [flǽ(:)ndərz ; flɑ́ːn-] *n.* 플랑드르《벨기에·네덜란드의 남부, 제1차 세계 대전의 격전지 ; 프랑스 북부를 포함한 북해에 면한 옛나라》.

Flánders póppy *n.* 〔植〕 꽃 양귀비《Remembrance Day 때에 거리에서 팖 ; cf. POPPY DAY》.

flâ·ne·rie [flɑ̀ːnəríː ; *F* flɑnri] *n.* 산책 ; 빈들거림, 나태함.

fla·neur, flâ- [flɑ́ːnər ; *F* flɑnœːr] *n.* (*fem.* **-neuse** [*F* -nøːz]) 빈둥거리는 사람(loafer) ; 게

으름뱅이(idler).

flange [flǽndʒ] *n.* **1** 플랜지, 불쑥 나온 테두리, (차바퀴의) 불룩한 테두리, (레일의) 나온 귀, (철관(鐵管) 따위 끝을 겹친) 테두리, 귀. **2** 플랜지 《양복 장식을 위해 천의 솔기 가장자리를 따라 내놓는 것》. ── *vt.* …에 플랜지를 붙이다[달다]. ── *vi.* 플랜지를 만들다; 넓어지다.
〖C17 < ? *flange* to widen out < OF *flangir*; ⇨ FLANCH〗

fláng·er *n.* **1** 플랜지 제작기. **2** (철도의) 제설판(除雪板).

***flank** [flǽŋk] *n.* **1** 옆구리; (쇠고기 따위의) 옆구리살의 저민 고기: a ~ of beef 쇠고기의 옆구리살. **2** (건물·산 따위의) 측면; 〖軍〗 대열의 측면, (좌우의) 날개(wing): a ~ movement 측면운동 / take in ~ 측면을 대다 / turn the enemy's ~ [the ~ *of* the enemy] 적의 측면을 돌아 뒤로 나오다. **3** 〖築城〗 측보(側堡).
in flank 측면에서[으로부터].
── *vt.* …의 측면에 서다[을 지키다, 을 굳히다, 을 공격하다, 을 우회하다].
〖OF < Gmc. = side〗

flan·ken [flɑ́ːŋkən] *n. pl.* 〖料〗 유태식 쇠갈비 요리의 일종. 〖Yid.〗

flánk·er *n.* 측면 보루[포대(砲臺)]; (건물의) 측면에 붙인 부분; [*pl.*] 〖軍〗 측면 부대; 〖美蹴〗 플랜커(=∠ **bàck**)《좌우 양끝에 있는 선수; 특히 하프백》.

flánk spèed *n.* (선박의) 전속력, 최대 규정 속도, 맹렬한 속도.

flan·nel [flǽnl] *n.* **1** Ⓤ 플란넬. **2** [*pl.*] 플란넬 제품《붕대·내복》, (특히 스포츠용) 플란넬제 바지; 《口》 모직의 두꺼운 내복. **3** 《英》 플란넬제의 때미는 헝겊[걸레]. **4** 엄포, 허세; 아첨말.
win one***'s flannels*** 선수가 되다(cf. *win* one's CAP[1] [LETTER[1]]).
── *vt.* (-l- | -ll-) **1** …에게 플란넬 옷을 입히다. **2** 아첨하는 말을 하다.
〖Welsh *gwlanen* (*gwlān* wool)〗

flan·nel·ette, -et [flæ̀nəlét] *n.* Ⓤ 면(綿) 플란넬 《유아복이나 잠옷용》.

flánnel·ly *a.* **1** 플란넬로 만든, 플란넬 같은. **2** (발음이) 명확하지 않은.

flánnel·mòuth *n.* 《美》 아첨꾼, 허풍선이.

flánnel·móuthed *a.* 입에 발린 말을 잘하는.

flap** [flǽp] *v.* (**-pp-**) *vt.* **1** (새가) 날개치다, 퍼드덕거리다: The bird was ~*ping* its wings. 새가 날개치고 있었다. **2** [+目/+目+副] (납작한 것으로) 찰싹찰싹 치다, (파리채 같은 것으로) 쳐서 쫓다: He ~*ped* the flies ***away [***off***]. 파리를 쳐서 쫓았다 / ~ ***out*** a light 등불을 훅 불어 끄다. **3** (돛·창 커튼 따위를) 펄럭이게 하다, 나부끼게 하다; (펄럭거리는 부분을) 아래로 드리우다: The gale ~*ped* the flags. 강풍이 깃발을 나부끼게 했다. ── *vi.* **1** [+副/+前+名] (새가) 날개치다, 날개치며 날다: The eagle ~*ped* *away*. 독수리는 날개치며 날아갔다 / The large bird ~*ped* ***up*** the stream. 큰 새는 개울을 거슬러 날개치면서 날아갔다. **2** 펄럭이다, 나부끼다; (막(幕)·모자의 챙 따위가) 처지다, 늘어지다: Many flags were ~*ping* in the stadium. 경기장에는 많은 깃발들이 펄럭이고 있었다 / The curtains were ~*ping* ***against*** the window. 커튼이 펄럭거려 창문에 부딪치고 있었다. **3** 《口》 흥분하다, 당황하다, 안절부절 못하다, 초조해 하다. ── *n.* **1** 찰싹 치기, 손바닥으로 찰싹 때리기; (새의) 날개치기[치는 소리]; (돛·깃발 따위가) 펄럭이는 소리, 펄럭임. **2** (나부끼며) 드리워져 있는 것, (호주머니의) 뚜껑, (봉투의) 접어 젖힌 부분; (용수철 달린) 뚜껑문, 들어 올려 여는 뚜껑; (밸브의) 혀; (모자의) 늘어진 테두리; (경첩의) 외쪽; (물고기의) 아감딱지; (안장의) 늘어진 부분; (개의) 늘어진 귀. **3** 파리채 (flyflap). **4** 〖空〗 (비행기의) 보조날개. **5** (버섯류의) 퍼진 갓. **6** [a ~] 《口》 조마조마함, 초조, 흥분; 공황(恐慌), 대소동: be in *a* ~ 조마조마해 하고 있다 / get into *a* ~ 안절부절 못하다.
〖ME (? imit.)〗

flap·doo·dle [flǽpdùːdl] *n.* Ⓤ 《口》 허튼 수작, 실없는 소리.

fláp·dòor *n.* 들어올려 여는 문.

fláp·dràgon *n.* 불붙인 브랜디 속에 든 건포도 따위를 집어먹는 놀이.

fláp-èared *a.* (개 따위가) 귀가 늘어진.

fláp·jàck *n.* = GRIDDLECAKE.

fláp·jàw *n.* 《美俗》 수다; 수다쟁이.

fláp·pa·ble *a.* 《俗》 (위기에 처했을 때) 흥분[동요]하기 쉬운, 안절부절 못하는, 갈팡질팡하는.
〖cf. UNFLAPPABLE〗

fláp·per *n.* **1** 가볍게[탁] 치는 사람. **2** 파리채 (flyflap); (새 쫓는 데 쓰는) 딱다기(clapper); 도리깻열; (바다 짐승의) 지느러미 같은 앞발 (flipper); (새우 따위의) 납작한 꼬리. **3** 날개를 파닥거리는 새 새끼. **4** 《口》 말괄량이, 플래퍼 《1910-30년 경에 유행된 말》; 《주로 英俗》 (아직 사교계에 나오지 않은) 소녀. **5** 《俗》 손. **6** 기억[주의 따위]을 불러 일으키는 사람[것]《걸리버 여행기 속에 나오는 관리 Flapper에서》.

fláp·ping *a.* 파닥거리는, 팔락거리는.
── *n.* 파닥거림, 날개침.

***flare** [fléər, flǽər] *vi.* **1** (불길이) 너울거리다, 훨훨 타오르다, 번쩍이다; (하늘 따위가) 벌겋게 빛나다: The torches were *flaring* in the wind. 횃불이 바람에 너울거리고 있었다. **2** (뱃전이) 나팔꽃 모양으로 돌출되다; (스커트가) 플레어로 되다. ── *vt.* **1** 섬광(閃光)으로 신호하다. **2** (뱃전을) 나팔꽃 모양으로 쑥 내밀게 하다; (스커트를) 플레어로 만들다.
flare up [***out***] 확 타오르다; 갑자기 기세를 더하다; 《비유》 불끈 성을 내다.
── *n.* **1** Ⓤ 너울거리는 불꽃, 하늘거리는 빛: the ~ of a match 확 타오르는 성냥불. **2** Ⓤ 확 타오름. **3** 발광 신호《바다 위에서 씀》, 조명탄. **4** 분노의 격발. **5** (스커트의) 플레어《자락이 퍼짐》; 〖海〗 (뱃전 또는 뱃머리의) 돌출. **6** Ⓒ 〖寫〗 플레어《렌즈의 내부 반사로 생기는 원판 위의 흐릿한 상(像)》. **7** 〖天〗 플레어《태양·별 따위가 섬광적으로 더 밝아지기》. 〖C16 = to spread out < ?〗
類義語 ⟹ BLAZE.

fláre·bàck *n.* 후염(後炎)《발포후에 포미(砲尾)나 용광로 문을 열 때 나오는 불길》; (추위 따위가) 다시 심해짐, 되닥침; 격한 반론.

fláre-òut *n.* 〖空〗 (착지 전의) 수평 (자세).

fláre pàss *n.* 〖美蹴〗 패스리시버 코스의 하나《보통 러닝 백이 바깥쪽으로 횡주(橫走)함》.

fláre pàth *n.* (비행기 이착륙을 유도하는) 야간 조명 활주로.

fláre stàck *n.* 배출 가스 연소탑.

fláre stàr *n.* 〖天〗 섬광성(閃光星).

fláre-ùp [ˌ英+ˊˊ] *n.* **1** 번쩍 빛남, 확 타오름, (신호의) 섬광(閃光). **2** 《口》 벌컥 화를 내기; (문제·분쟁 따위의) 격렬한 재연(再燃)[표면화], (질병 따위의) 재발.

flar·ing [fléəriŋ, flǽər-] *a.* **1** 너울너울 불타는;

눈부신, 번쩍번쩍 빛나는 ; 현란한. **2** 나팔꽃 모양의 ; 플레어가 있는.

~·ly *adv.* 훨훨, 너울너울 ; 현란하게.

‡**flash** [flǽ(:)ʃ] *n.* **1** 번쩍이기, 번쩍이는 발화, 섬광(閃光) : a ~ of lightning 번쩍이는 번갯불. **2** (영감·재치 따위의) 번득임 ; 《俗》 마약 사용 직후의 쾌감 ; 흥분 : a ~ *of* hope 일순간의 희망 / a ~ *of* wit 재치의 번쩍임. **3** 순간(instant) : in a ~ =like a ~ 급히, 즉시, 즉석에서, 눈깜짝할 사이에. **4** 〔新聞〕 (뉴스) 속보. **5** Ⓤ (저속한) 허식, 야함(display) ; 저속하고 번지르한 차림의 사람. **6** 〔映〕 플래시《순간적 장면》; 《俗》 성기를 얼른[살짝] 보이기. **7** Ⓤ 〔寫〕 플래시, 섬광 : use ~ 플래시를 쓰다. **8** 둑을 넘쳐 쏟아지는 물 ; (낙하 장치를 한) 둑[수문(水門)]. **9** (브랜디·럼 따위의) 착색 원료. **10** 〔軍〕 (사단 따위의 부대 구별을 나타내는) 착색 휘장(徽章). **10** 《廢》 도둑 사이의 은어.

a flash in the pan (화승총의) 약실(藥室) 안에서의 발화(發火)[공포(空砲)] ; 어처구니 없는 기도(企圖), 용두사미 ; 한때의 명성(名聲).

── *vt.* **1** [+目/+目+副] 번쩍이게 하다 ; (화약 따위를) 확 발화시키다 ; (칼·눈을) 번득이다 : He ~*ed* a lantern in my face. 그는 내 얼굴에 랜턴을 확 비추었다 / Her eyes ~*ed* fire. 그녀의 눈은 불꽃이 튀는 듯 했다 / His eyes ~*ed back* defiance. 그도 똑같이 노려 보며 반항의 빛을 나타냈다. **2** [+目+前+名] (확) 퍼지다, 전해지다 : He ~*ed* a smile[glance] ***at*** her. 그녀에게 살짝 미소[시선]를 던졌다 / The news was ~*ed* ***over*** Korea. 그 소식은 삽시간에 한국내에 퍼졌다 / ~ a message *over* the wireless 무전으로 통신을 보내다. **3** (배를 통과시키기 위해서) 물을 흘려 보내다 ; (배를) 둑의 물로[수문을 열고] 밀어내다. **4** 《口》 자랑해 보이다, 과시하다. **5** 〔建〕 (지붕에) 비막이를 대다(cf. FLASHING).

── *vi.* **1** [動/+前+名] 번쩍이다, 반짝 빛나다 ; (화약 따위가) 번쩍하고 발화하다 ; (칼·눈 따위가) 번득이다 : Lighthouses ~ at night. 등대는 밤에 반짝반짝 빛을 낸다 / Flashlight ~*ed* ***in*** the hall. 플래시의 빛이 홀에서 번쩍 빛났다. **2** [+前+名] (재치·사상 따위) 문뜩[퍼뜩] 떠오르다 : The thought ~*ed* ***through*** my mind. 그 생각이 나의 마음에 언뜻 떠올랐다. **3** [+副/+前+名] 휙 지나가다, 급히 통과하다 : A sports car ~*ed past.* 스포츠 카가 휙 지나갔다 / Our train ~*ed* ***through*** the station. 기차는 그 역을 휙 지나쳤다. **4** (용해된 유리가) 흘러서 판자 모양으로 퍼지다. **5** 《俗》 성기를 얼른[살짝] 보이다.

flash in the pan (화승총이) 약실 안에서만 발화하고 헛방이 되다 ; 《비유》 (계획이) 용두사미격으로 끝나다.

── *a.* **1** 값싸고 겉만 번드르르한, 겉치장의, 야한. **2** 가짜의, 위조의, 겉치레뿐인(spurious) : ~ money[notes] 가짜 돈, 위조 지폐. **3** 《口》 불량배[도둑] 사회의 : ~ term 불량배들 사이의 은어(隱語)(cant). **4** 일류의, 말쑥한, 스포티한《차》; 《俗》 빈틈없는. **5** (폭풍우 따위가) 갑작스럽게 닥친, 순간적인.

〖ME (? imit.) ; cf. SPLASH〗

類義語 ***flash*** 갑자기 번쩍 빛났다가 곧 꺼지는 섬광(閃光). ***gleam*** 어두운 곳에서 희미하게 빛나는 빛. ***glitter*** 단속적으로 번쩍번쩍 반사하는 빛. ***sparkle*** 불꽃 모양으로 순간 번쩍이는 많은 섬광.

flásh·bàck *n.* Ⓤ,Ⓒ 〔映·文藝〕 플래시백《회상 따위를 위해 장면의 순간적인 전환을 반복하는 수법》, 플래시백 장면(cf. CUTBACK 2) ; 〔醫〕 환각의 재현(현상)《LSD 금단(禁斷) 증상의 하나》; 화염의 역류.

flásh·bòard *n.* (둑의 수위(水位)를 높이기 위한) 물막이 판자, 수문판(板).

flásh bòiler *n.* 플래시 보일러《가열된 원통 안으로 물을 뿜어 증기를 만드는 특수 보일러》.

flásh·bùlb *n.* 〔寫〕 섬광 전구.

flásh bùrn *n.* (방사능에 의한) 섬광 화상.

flásh càrd *n.* 플래시 카드《선생이 학생에게 잠깐 보여 글자를 읽게 하는 외국어 교수용 카드》.

flásh-còok *vt.* (적외선 따위로) 극히 단시간에 조리하다.

flásh·cùbe *n.* 〔寫〕 섬광 전구 4개가 회전하면서 발광하는 장치.

flásh·er *n.* 섬광을 발하는 것 ; (교통 신호·자동차 따위의) 점멸광(光) ; 자동 점멸 장치 ; =FLASH BOILER ; 《俗》 노출광(狂).

flásh flóod *n.* (폭우 후에 생기는) 갑자기 밀어닥치는 홍수. ── *vt.* 홍수가 덮치다.

flásh-fòrward *n.* 〔映〕 미래 장면의 사전 삽입.

flásh·gùn *n.* 〔寫〕 플래시 건《카메라의 섬광[동조 발광] 장치》.

flásh·i·ly *adv.* 번드르르하게, 야하게.

flásh·ing *n.* **1** Ⓤ 섬광, 섬광 발생(작용). **2** 둑을 막는 나무(판자) ; 〔建〕 비막이. ── *a.* 번쩍이는, 반짝반짝 빛나는 : a ~ lantern 발광 신호등《야간에 씀》/ with ~ eyes 눈을 번득이며.

〖〔建〕 *flash* (dial.) seal with lead sheets, or *flash* (obs.) flashing〗

flásh làmp *n.* 섬광등(閃光燈).

***flásh·lìght** *n.* 섬광 ; 섬광등 ; (불이 켜졌다 꺼졌다하는 등대의) 회전등 ; 《美》 손전등(electric torch) ; (사진의) 플래시.

flásh nùmber *n.* (경제 통계 따위의) 속보 숫자《잠정적 단계의 내부 자료》.

flásh·òver *n.* 〔電〕 섬락(閃絡).

flásh pàck *n.* 《英》〔商〕 (슈퍼마켓 따위의) 할인 가격 표시 제품.

flásh photògraphy *n.* 섬광 전구[플래시]를 사용하는 촬영 사진(술).

flásh photòlysis *n.* 〔理·化〕 섬광 분해법.

flásh pòint *n.* **1** 〔化〕 인화점(引火點). **2** 일촉즉발의 위기, 폭발 직전의 상태.

flásh tùbe *n.* =FLASH LAMP.

fláshy *a.* 일시적으로 화려한 ; (계획 따위가) 용두사미격의 ; 야한, 현란한 ; 값싸고 겉만 번드르르한. 〖FLASH〗

類義語 ⟹ GAUDY.

flask¹ [flǽ(:)sk ; flɑ́:sk] *n.* **1** 플라스크《화학 실험용》; (휴대용) 병(瓶), (위스키 따위의) 포켓용 병. **2** 탄약통《사냥용 ; cf. POWDER FLASK》.

〖F and It.＜L *flasca, flasco* ; cf. FLAGON〗

flask² *n.* (대포의) 가미(架尾)의 장갑 ; 《廢》 포상(砲床).

flask·et [flǽ(:)skət ; flɑ́:sk-] *n.* 작은 플라스크, 작은 병 ; 《英》 세탁물 광주리.

◇**flat**¹ [flæ̀t] *a.* (**flát·ter ; flát·test**) **1** 납작한, 평평한(level) ; 평탄한, 판판한. **2** [*pred.*로 쓰여] 납작 엎드린, 쓰러진(prostrate) : Another storm will leave the wheat ~. 다시 한 번 폭풍우가 내습하면 밀은 쓰러져 버릴 것이다 / The whole village was laid ~ by the earthquake. 그 지진으로 마을 전체가 붕괴됐다 / He was lying ~ on the ground. 그는 땅위에 납작 엎드려 있었다 / He knocked down the champion ~ on the ring. 그는 챔피언을 링 위에다 때려눕혔다. **3** 균일한(uniform) : a ~ rate 균일 요금. **4 a**) 정확한, 꼭 맞는(cf. *adv.* 4) : in 10 seconds ~ 10초 플랫[딱 10초]에. **b**) 단호한, 솔직한, 전적인 : give a ~ denial 단호히 부인하다 / ~ nonsense 순 헛소리 / That's ~. 단연코 그렇다, 이 이상 더 말 않겠다(I mean it.). **5** 맛 없는, 김[맥]빠진 ; 단조로운, 따분한, 흥미 없는, 지루한(dull) : a ~ lecture 지루한 강의 / feel ~ 따분하다. **6** (타이어 따위의) 공기가 빠진 ; (전지가) 다 된. **7** 〔商〕 불황인, 부진한, 불경기의 : The market is ~. 시장경기가 불황이다. **8** 〔樂〕 내림음의, 반음 낮은, 내림표가 붙은《기호 ♭ ; cf. SHARP *a.* 4 b)》. **9** 〔音聲〕 (모음이) 연음의, 평설(平舌)의, (자음이) 유성의《ash 따위의 모음을 [æ(:)]로 발음하기 ; cf. BROAD *a.* 6》. **10** 〔文法〕 (품사를 나타내는) 어미[기호]가 없는.

fall flat (1) 푹 쓰러지다 : He *fell* ~ on his face. 그는 앞으로 (푹) 쓰러졌다. (2) 완전히 실패하다 ; 조금도 효과가 없다, 아무런 반응이 없다 : His agitation *fell* ~. 그의 선동적 연설도 아무런 효과가 없었다. ㊟ 이 숙어의 flat는 *adv.*로 볼 수도 있음.

be flat out 《口》 지쳐빠지다, 녹초가 되다.

in nothing flat 《口》 가능한한 빨리 ; 매우 빠르게, 순식간에.

〈회화〉

The tape recorder doesn't work. — The batteries must be *flat.* 「테이프 리코더가 움직이지 않아요」「전지가 다 된 것이 아니냐」

── *n.* **1 a**) 평면 ; 평평한 부분[쪽], (…의) 바닥 : the ~ *of* a hand[sword] 손바닥[칼몸]. **b**) 평면도, 회화(繪畫) : in[on] the ~ 종이[화폭]에 ; 그림으로서 / draw from the ~ (조각이 아니라) 그림에서 모사하다. **2** 평평한 것 ; = FLATBOAT ; 〔建〕 평평한 지붕, 평지붕 ; 〔鑛〕 수평층, 수평 광맥 ; 〔劇〕 플랫, (배경을 구성하는) 틀로 짠 무대장치《앞으로 내밀든지 밑에서 올라 오게도 함》. **3** 평지, 평원(plain). **4** 저지(低地) ; 얕은 갯바닥[물가], 개펄(strand) ; [보통 *pl.*] 모래톱(shoal). **5** 〔樂〕 내림음《반음 낮은 음》 ; 반음 내림표(♭ ; cf. SHARP *n.* 1) : sharps and ~*s* ☞ SHARP *n.* 숙어. **6** 《口》 공기가 빠진 (자동차) 타이어(= ~ tire) : I've got a ~. 타이어가 구멍났다. **7** 《英》 맥고모자《여성용으로 평평함》 ; 힐이 없는[낮은] 신[슬리퍼]. **8** [*pl.*] 《美俗》 (사람의) 발 ; (harness racing에 대하여) 기수가 타는 경마. **9** 〔海〕 (함장실·사관실에서 나갈 수 있는) 평갑판. **10** 〔美蹴〕 플랫《공격 포메이션의 양 날개의 에어리어》 ; [the ~] =FLAT RACE(의 계절). **11** 《俗》 잘 속는 사람, 얼간이(duffer) ; 《濠俗》 경찰관, 순경(flatfoot). **12** (어린이용) 대형책 : a juvenile ~ 아동용 책.

── *adv.* **1** 판판[평평]하게, 납작하게(flatly). **2** 딱 잘라서, 단연코. **3** 완전히(entirely). **4** 꼭, 정확히(exactly) (cf. *a.* 4 a)) : 3 seconds ~ 3초 플랫《경기 기록》. **5** (금융에서 공채 따위가) 무이자 계정으로. **6** 〔樂〕 반음 낮게 : sing ~ 반음 내려서 노래하다.

flat out 전속력으로 ; 《주로 英》 열심히, 전력을 다하여 ; 완전히 지쳐버려.

── *vt., vi.* (**-tt-**) 《稀》 **1** 평평하게 하다[해지다] (flatten) ; (표면의) 광택을 없애다. **2** 단조로워지다, 김[맥]이 빠지다. **3** (애인을) 차버리다. **4** 〔樂〕 반음 내리다[내려가다]. **~·ness** *n.*

〚ME<ON *flatr* ; cf. OHG *flaz*〛

類義語 ⟹ LEVEL.

***flat**² *n.* 《英》 **1** 플랫《같은 층의 여러 방을 한 가족이 살 수 있게 설비한 일종의 고급 주택》(=《美》 apartment) ; [*pl.*] 플랫식의 공동 주택, 아파트 : a block[building] of ~*s* 아파트(=《美》 apartment house) / cold-water ~ 《美口》 (온수 공급 시설이 없는) 싸구려 아파트. **2** 《稀》 (가옥의) 층(story).

── *vi.* 《濠》 플랫에 살다〈*with*〉. 〚*flet* (obs.) < OE and ON *flet* floor, dwelling (↑)〛

flát ádverb *n.* 〔文法〕 단순형 부사《-ly가 붙지 않는 (go) *slow* 따위의 부사》.

flát bàck *n.* 〔製本〕 모턱등.

flát·bàck·er *n.* 《美俗》 매춘부.

flát bàg *n.* 서류 봉투《대형의 서류용 봉투》.

flát·bèd *a.* (트럭 따위가) 평상형의 ; (실린더 프레스가) 평반형인. ── *n.* 평상형의 트레일러[트럭] ; 평반 인쇄기(=∠ (**cýlinder**) **prèss**).

flátbed àircraft *n.* 〔空〕 평저형 수송기《콕핏 바로 뒤에서 기미(機尾)에 걸쳐 평평한 화물 탑재용 동체를 설치한 기체》.

flát·bòat *n.* 바닥이 평평한 배, 너벅선.

flát·bóttomed *a.* (배 따위가) 바닥이 평평한.

flát càp *n.* (종이의) 14×17인치판(判).

flát·càr *n.* 《美》 평대형(平臺型) 화차《지붕도 측면도 없는 화차》.

flát displày *n.* 〔컴퓨〕 평면 표시 장치 ; 〔出版〕 평평히 쌓기《책꽂이에 꽂지 않고 여러 권을 쌓아놓은 전시법》.

flat·ette [flætét] *n.* 《俗》 작은 아파트.

flát·fish *n.* 〔魚〕 넙치, 가자미류의 물고기.

flát·fòot *n.* **1** [⌐, ⌐⌐] (*pl.* **-fèet**) 편평족(扁平足), 마당발. **2** (*pl.* 때때로 **~s**) 《俗》 경찰관, 순경.

flát-fóot·ed *a.* **1** 편평족의 ; 발을 질질 끄는. **2** 《口》 단호한(determined), 비타협적인 ; 《英口》 서투른, 재주 없는. ── *adv.* 단호히 ; 급히, 불시에 ; 《口》 기습을 당하여 ; 직접적으로.

catch a person ***flat-footed*** 불시에 습격하여 잡다 ; 현행범을 잡다.

come out flat-footed 《美》 단호하게 의견을 표명하다.

~·ly *adv.*

flát-fòur *a.* (엔진이) 수평 4기통의.

flát-hàt *vi.* 《口》 무모하게 저공 비행을 하다.

flát·hèad *a.* 머리가 납작한. ── *n.* (*pl.* **~, ~s**) 납작머리 물고기, (특히) 양태 ; 〔動〕 돼지코뱀 ; 《美俗》 얼간이.

flát·iron *n.* 다리미, 인두.

flát·lànd *n.* 평지, 평탄한 토지.

flát·let *n.* 《英》 방 하나에 목욕탕과 부엌 정도의 작은 아파트.

flát·ly *adv.* 평평하게 ; 평탄하게, 땅에 납작히 ; 단조롭게 ; 활기 없이 ; 맥이 빠져 ; 단호히, 딱 잘라서 : He ~ rejected my proposal. 그는 나의 제의를 딱 잘라서 거절했다.

flát-nósed *a.* 코가 납작한, 납작코의.

flát-òut *a.* 《주로 英》 (속도가) 최고의.

── *adv.* 최고 속도로 ; 《美俗》 아주, 전적으로.

── *n.* [flat out] 《美俗》 최고속 주행[비행].

flát·pàck *n.* 〔電子〕 얇은 4각판으로 측면에 리드선이 있는 IC 용기(容器).

flát-pláte collèctor *n.* 평탄식 태양열 집열기.

flát ràce *n.* (장애물 없는) 평지 경주.

flát ràcing *n.* 평지 경주(법).

flát-ràte táx *n.* 《美》 (누진세에 대해) 일률 과세.

flát róof *n.* 평지붕.

flát-róofed *a.* 평지붕의.

flát-scrèen *n., a.* 평판 스크린(의)《납작한 소형

텔레비전의》: a ~ TV 평판 스크린 텔레비전.
flát sìlver *n.* =FLATWARE 2.
flát spìn *n.* 〔空〕 (비행기의) 수평 나선식 비행 (운동) ; 《口》 동요, 당황, 불끈함.
be in*[*go into*] *a flat spin 《英俗》 몹시 당황해 있다, 혼란 상태에 있다.
flát tàx *n.* 일률[균등] 소득세.
flat·ten** [flǽtn] *vt.* **1** [+目/+目+副/+目+前+名] 평평하게 하다, 고르다, 펴다 ; 쓰러뜨리다, 때려 눕히다 : ~ the ground 땅을 반반하게 하다 / He ~*ed* ***out the bent plate. 그는 구부러진 판자를 평평하게 했다 / The cat ~*ed* himself ***on*** the ground. 고양이는 땅바닥에 납작 엎드렸다. **2** 평탄하게[단조롭게] 하다, 무미 건조하게 하다 ; 〔樂〕 음조를 낮추다. —— *vi.* 평평해지다 ; 평탄하게 되다 ; 〔樂〕 음조가 내려가다.
flatten out (1) (망치 따위로) 판판하게 두드려 펴다, (롤러 따위로) 반반하게 고르다(cf. *vt.* 1). (2) 〔空〕 (상승 또는 급강하 중에 기체가) 수평으로 되다[되게하다].
fláttened CRT [-sìːàːrtíː] *n.* 〔電子〕 편평형 음극 선관[브라운관].
***flat·ter**[1] [flǽtər] *vt.* **1** 아첨하다, 알랑거리다 ; 추어 주다. **2** (사진사·화가가 …을) 실물 이상으로 잘 보이게 하다(cf. *do* a person JUSTICE (2)) : This portrait ~*s* him. 이 초상화는 그의 실물보다도 낫다. **3** …에게 발라 맞추는 말을 하다, 우쭐거리게 하다 : Oh, you ~ me. 어머나! 공연한 칭찬의 말씀이시겠지요 / I feel greatly ~*ed* by your compliment. 칭찬해주셔서 대단히 기쁘게 생각합니다. **4** (감각을) 즐겁게 하다(gratify) : ~ one's eyes (물건이) 눈을 즐겁게 하다.
—— *vi.* 아첨하다, 알랑거리다.
flatter one***self that*** …이라는 것을 자랑스럽게 여기다, 마음 속에서 …이라고 믿다 : She ~*s* her*self that* she is the most beautiful girl in her school. 그녀는 학교에서 제일 가는 미인이라고 자부하고 있다 / He ~*ed* him*self that* he would win the race. 그는 마음 속으로 경주에 이길 것이라고 생각하고 있었다.
〖? OF *flater* to smooth〗
flatter[2] *n.* 판판하게 펴는 망치. 〖FLAT[1]〗
***flátter·er** *n.* 아첨하는 사람, 알랑거리는 사람.
flátter·ing *a.* 아첨하는 ; 비위 맞추는 ; 추어주는 ; (가능성 따위가) 유망한 ; 실물 이상으로 표현하는 : a ~ portrait[painter] 실제보다 잘 그려진 초상화[그리는 화가] / ~ unction 일시적인 위안. **~·ly** *adv.* 발라 맞추는 말로 ; 실물보다 더 낫게, 돋보이게 하여.
***flát·tery** *n.* U,C 아첨, 추어주는[발라 맞추는] 말 ; 듣기 좋은 소리. 〖FLATTER[1]〗
flát tíme sèntence *n.* 《美》 〔法〕 정기(定期) 금고형《형기가 법률에 고정적으로 정해져 있어서 재판관의 재량이나 가석방에 의해 단축이 안됨》.
flát·ting *n.* U 평평하게 하기 ; (금속의) 연신(延伸)(가공), (목재를) 평판으로 만들기 ; 무광[광지우기]칠.
flát tíre *n.* 구멍난 타이어 ; 《美俗》 무기력한 자.
flát·tish *a.* 약간 평평한 ; 좀 단조로운.
flát·tòp *n.* 《美口》 항공 모함.
flat·u·lence, -cy [flǽtʃələns(i)] *n.* U (위장내(胃腸內)에) 가스가 참, 고창(鼓脹) ; 《비유》 허세, 자만.
flát·u·lent *a.* (배에) 가스가 찬, 헛배부른, 고창의 ; (음식물이 배속에서) 가스를 쉽게 발생하게 하는 ; 허세부리는. **~·ly** *adv.* 〖F or NL (↓)〗
fla·tus [fléitəs] *n.* (위장 속의) 가스, 고창(鼓脹) ; 한 줄기 바람. 〖L=blowing〗
flát·wàre *n.* **1** U 납작한 식기류《plate, saucer 따위 ; cf. HOLLOW WARE》. **2** U 은(도금) 식기류 (flat silver)《knife, fork, spoon 따위》.
flát wáter *n.* 정수역(靜水域)《호수 따위》.
flát·wìse, -wàys *adv.* 평평하게, 평면으로(cf. EDGEWAYS).
flát·wòrk *n.* 다림질이 쉬운 판판한 빨랫감《시트·냅킨 따위》.
flát·wòrm *n.* 〔動〕 편형동물, (특히) 와충(渦蟲) (planarian).
Flau·bert [*F* flobɛːr] *n.* 플로베르. **Gustave** ~ (1821-80) 프랑스 자연주의의 대표적 소설가.
flaunt [flɔ́ːnt, 美+flɑ́ːnt] *vi.* (깃발 따위가) 펄럭거리다, 휘날리다 ; 으스대며 걷다 ; 자랑스럽게 보이다, 뽐내다, 과시하다 : banners ~*ing* in the breeze 미풍에 나부끼는 깃발.
—— *vt.* 과시하다(show off) ; 펄럭이게 하다 : ~ one's riches in public 남 앞에서 자기의 부유함을 자랑해 보이다.
—— *n.* U 과시, 자랑해 보이기.
〖C16< ? Scand. ; cf. Norw. (dial.) *flanta* to wander about〗
fláunt·ing *a.* 펄럭펄럭 휘날리는 ; 자랑삼아 보이는. **~·ly** *adv.*
fláunty *a.* 과시하는, 겉으로 뽐내는 ; 야한, 번지르르한.
flau·tist [flɔ́ːtəst, 美+fláu-] *n.* 《주로 英》 = FLUTIST. 〖It. ; ⇨ FLUTE〗
fla·ves·cent [fləvésənt] *a.* 노래지는, 황색을 띤.
fla·vin [fléivən], **-vine** [-vən, -viːn] *n.* 〔生化〕 플라빈《동식물 조직 속에 널리 분포하고 있는 노란 유기성 염기 ; 노랑물감이나 방부제로 씀》.
fla·vo·dox·in [flèivoudɑ́ksən] *n.* 〔生化〕 플라보독신《riboflavin을 함유한 단백질로서 박테리아 세포내에서의 산화 환원 반응에 관계함 ; cf. RUBREDOXIN》.
fla·vo·mýcin [flèivou-] *n.* U 〔藥〕 플라보마이신 《항생 물질의 일종》.
***fla·vor** | **-vour** [fléivər] *n.* **1** U (독특한) 맛, 풍미(savor) ; C 향미(료) : a ~ *of* garlic 마늘맛 / What ~(*s*) do you like in ice cream? 어떤 맛이 나는 아이스크림을 좋아하십니까. **2** U,C 맛, 풍취, 운치 : There was a ~ *of* romance about the affair. 그 사건에는 어딘가 낭만적인 향취가 풍겨 있었다. **3** U 《古》 향기, 향내, 방향(芳香). **4** 신랄한 맛, (풍자 따위의) 기미(氣味).
—— *vt.* **1** [+目/+目+*with*+名] …에 풍미[향기]를 곁들이다, 맛을 내다(season) : ~ a sauce ***with*** onions 소스에 양파로 맛을 돋구다. **2** …에 풍취를 곁들이다. —— *vi.* …의 맛[향기]이 나다, …의 기미가 있다. **~ed** *a.* **1** 맛을 낸, 풍미를 곁들인. **2** [복합어로서] …의 맛[풍미]이 있는.
~·ing *n.* U 조미, 맛내기 ; C 조미료, 양념.
~·less *a.* **~·ous** *a.* 맛좋은, 풍미 있는, 향기 높은 ; 멋[풍취]있는. **~·some** *a.* 향기 좋은, 풍미 있는 ; 풍취[정취] 있는.
〖OF< ? Rom.<L FLATUS and *foetor* stench ; 어형은 SAVOR 따위에 동화(同化)〗
類義語 ⟹ TASTE.
flávor·ful *a.* 풍미 있는, 맛이 좋은 ; 《美俗》 즐거운 ; 갖가지 기능을 갖는. **~·ly** *adv.*
fla·vor·gen [fléivərdʒən] *n.* 풍미소(風味素)《가공 식품에 풍미를 내는 첨가물》.
flá·vory *a.* 풍미 있는, (특히 차가) 향기로운.
flaw[1] [flɔ́ː] *n.* (보석·자기(磁器) 따위의) 흠, 금, 갈라진 틈 ; 결점, 약점 ; 미비한 점, 결함.

—— *vt.* …에 금이 가게 하다 ; 망쳐놓다(mar).
—— *vi.* …에 금이 가다.
〚? ON *flaga* slab<Gmc. ; cf. FLAKE¹, FLAG⁴〛
類義語 ⟹ DEFECT.

flaw² *n.* 돌풍 ; (눈이나 비와 함께 몰아치는) 한 바탕의 폭풍. **fláwy** *a.* 돌풍의 ; 거친 날씨의.
〚? MDu. *vlāghe*, MLG *vlāge*= ? stroke〛

fláwed *a.* 결함이 있는, 상처가 난.

fláw·less *a.* 흠이 없는 ; 완벽한.

flax [flǽks] *n.* Ⓤ 〖植〗 아마(亞麻) ; 아마 섬유 ; 아마포(布), 리넨(linen). —— *vt.* 《美口》 두드리다. —— *vi.* 《美口》 바쁘게 하다.
〚OE *flæx* ; cf. G *Flachs*〛

fláx bràke *n.* 삼훑이, 아마 쇄경기(碎莖機)《아마의 줄기 따위를 훑어내는 연장》.

fláx còmb *n.* 아마 바디(hackle).

flax·en [flǽksən] *a.* 아마의 ; 아마로 만든 ; 아마와 같은 ; 아마 빛[연한 황갈색]의.

fláxen-háired *a.* (금발의 일종인) 아마빛 머리털을 한.

fláx lìly[bùsh] *n.* (뉴질랜드 원산의 백합과 식물인) 뉴질랜드삼.

fláx plànt *n.* 아마(亞麻).

fláx·sèed *n.* 아마인(仁)(linseed).

fláxy *a.* 아마로 만든 ; 아마같은.

flay [fléi] *vt.* **1** (짐승의) 가죽[껍질]을 벗기다 ; (나무껍질·과일껍질을) 깎다(peel off) ; (잔디를) 뽑다, 베다. **2** (남으로부터) 금전을 빼앗다, 우려내다. **3** 《文語》 몹시 매질하다 ; 혹평하다, 깎아내리다.
flay a flint ☞ FLINT.
〚OE *flēan* ; cf. ON *flá* to peel〛

F layer [éf ㅡ] *n.* 〖通信〗 F층(層)《최상층의 전리층 ; F_1 layer와 F_2 layer로 나뉨》.

fláy·flìnt *n.* 《英》 지독한 구두쇠 ; 착취자.
〚cf. *flay a* FLINT〛

fld. field ; fluid. **fl. dr.** fluidram(s).

flea [flíː] *n.* 벼룩 ; 벼룩처럼 뛰는 작은 벌레.
(***as***) ***fit as a flea*** 원기 왕성하여, 기운차서(as fit as a fiddle).
a flea in one***'s ear*** 질책, 거절, 듣기 싫은 말 : send a person away with *a* ~ *in* his *ear* 듣기 싫은 소리를 해서 남을 쫓아내다.
〚OE *flēa*(*h*) ; cf. G *Floh*, OE *fleon* to flee〛

fléa·bàg *n.* 《美俗》 침대 ; 침낭(寢囊) ; 싸구려 여관 ; 더러운[불결한] 공공 장소《영화관 따위》; 벼룩이 바글대는 동물 ; 단정치 못한 할멈 ; 형편없는 경마말.

fléa·bàne *n.* 〖植〗 (벼룩을 없앤다는) 망초속(屬)의 식물.

fléa bèetle *n.* 〖昆〗 (벼룩처럼 뛰는) 잎벌레의 일종《해충》.

fléa·bìte *n.* 벼룩이 문 자국 ; 《비유》 약간의 고통[상처] ; 사소한 일 ; 얼마 안 되는 비용[손실].

fléa-bìtten *a.* **1** 벼룩에게 물린 ; (불결하여) 벼룩투성이인. **2** 흰 바탕에 적갈색 반점이 있는《특히 말의 털색깔》.

fléa còllar *n.* (애완 동물의 살충제가 들어 있는) 벼룩 잡는 목걸이.

fléa-flìck·er *n.* 〖美蹴〗 플리플리커《더블 패스로 상대를 속이는 플레이》.

fléa hòuse *n.* 《美俗》 싸구려 여인숙.

fléa·lòuse *n.* 배나무 해충의 일종.

fleam [flíːm] *n.* 〖獸醫〗 피침(披針), 방혈침(放血針) ; 《美》 〖醫〗 랜싯(lancet).

fléa màrket[fàir] *n.* 싸구려 시장, (유럽 대도시의) 노천 고물 시장.

fléa·pìt *n.* 《英俗》 누추한 방[영화관].

fléa pòwder *n.* 《美俗》 질이 나쁜[불순물이 든] 마약, 가짜 마약.

fléa tràp *n.* 《美俗》 =FLEA HOUSE.

fléa·wòrt *n.* 〖植〗 질경이의 일종 ; 목향의 일종.

flèche [fléiʃ, fléʃ] *n.* 화살 ; 〖築城〗 돌각보(突角堡) ; 〖建〗 (고딕식 교회의) 작은 탑. 〚F=arrow〛

flé·chette [fleiʃét, fle-] *n.* 〖軍〗 실탄(失彈), (제1차 대전 때 공중에서 투하된) 강철제 화살.

fleck [flék] *n.* **1** (색채·광선의) 반점, 얼룩무늬 ; (피부의) 반점, 주근깨(freckle). **2** 작은 조각. —— *vt.* …에 반점을 붙이다 ; 얼룩지게 하다.
~ed *a.* 반점이 있는, 얼룩진.
〚? ON *flekkr* stain or MLG, MDu. ; cf. OHG *flec* spot〛

fléck·er *vt.* =FLECK.

fléck·less *a.* 반점[얼룩무늬]이 없는 ; 오점이 없는, 결백한, 죄가 없는.

flec·tion, 《英》 **flex·ion** [flékʃən] *n.* **1** Ⓤ 굴곡, 만곡(彎曲), 휨. **2** 굴곡부, 굽은 곳(curve). **3** Ⓤ 〖解〗 (관절의) 굴곡 작용(cf. EXTENSION 4). **4** Ⓤ,Ⓒ 〖文法〗 어미 변화, 굴절(inflection).
~·al *a.* **~·less** *a.* 〖文法〗 어미 변화가 없는.
〚L ; ⇨ FLEX〛

***fled** *v.* FLEE의 과거·과거 분사.

fledge [flédʒ] *vi.* (새끼 새가) 깃털이 다 나다 ; 날 수 있게 되다. —— *vt.* **1** (화살에) 깃을 달다 ; 깃털로 덮다. **2** 깃털이 다 날 때까지 (새끼를) 기르다. 〚*fledge* (obs. a.) fit to FLY¹<OE 《美》 *flecge*, 《美》 *flycge* ; cf. G *flügge* fledged〛

fledged [flédʒd] *a.* **1** 깃털이 다 난 ; 날아갈 수 있을 만큼 성장한. **2** (사람이) 다 자란, 제 구실을 할 나이가 된, 성인이 된.

fledg·ling, fledge- [flédʒliŋ] *n.* 깃털이 갓 난[날 수 있게 된] 새 새끼, 둥지를 떠난 병아리 ; 갓 사회에 나온 풋내기, 애송이. —— *a.* 이제 막 태동한[생겨난].

flee** [flíː] *v.* (**fled** [fléd]) 注 지금은 보통 FLY¹(*v.*)의 《文語》, 단 과거·과거 분사의 *fled*는 때때로 쓰이기도 함. —— *vi.* **1** [動/+前+名] 달아나다, 몸을 피하다(withdraw), 도피하다 : He *fled* ***from the angry tiger. 그는 성난 호랑이로부터 도망쳐 나왔다. **2** 사라져 없어지다 ; (시간 따위가) 빨리 경과하다 : Life had[was] *fled.* 이미 숨이 끊어져 있었다 / Time was ~*ing.* 세월은 쏜살같이 흘러 갔다. —— *vt.* …에서 벗어나다, 도망치다, 피하다 : They *fled* the town because of an earthquake. 그들은 지진을 피해 그 마을에서 빠져 나왔다. 〚OE *flēon* ; cf. G *fliehen*〛

fleece [flíːs] *n.* **1** Ⓤ 양털 ; Ⓒ 한 마리의 양에서 한 번에 깎아내는 분량의 양털 ; (양 또는 알파카의) 털 옷(coat) : ☞ GOLDEN FLEECE. **2** 양털 모양의 것, 흰 구름 ; 펄펄 내리는 눈 ; 양모질의 보풀 ; 양털 같은 머리털 ; 흐트러진 머리.
—— *vt.* **1** 《稀》 (양의) 털을 깎다(shear). **2** [+目/+目+*of*+名] …에게서 빼앗다, (속여서) 우려내다 : I was ~*d* ***of*** what little I had. 가진 것을 모두 털렸다. **3** 《詩》 양털 모양의 것으로 덮다.
fléece·able *a.* 속여 빼앗을 수 있는 ; 속기 쉬운.
〚OE *flēos, flīes* ; cf. G *Vlies*〛

fleecy [flíːsi] *a.* 양털로 덮인 ; 양털 모양의, 폭신폭신한.

fle·er¹ [flíːər] *n.* 도망자. 〚FLEE〛

fleer² [flíər] *vi., vt.* 비웃다, 조소하다(sneer) 〈*at*〉. —— *n.* 비웃음, 조소. 〚ME< ? Scand. ; cf. Norw. and Swed. (dial.) *flira* to grin〛

***fleet¹** [flíːt] *n.* **1** 함대(cf. SQUADRON) ; [the ~]

(한 나라의) 전함대, 해군력, 해군(the navy) : a combined ~ 연합 함대 / a ~ in being 기존 함대. **2** (상선·어선 따위의) 선대(船隊), 선단(船團) ; (비행기의) 기단(機團) ; (수송차·전차 따위의) 차단(車團) : a ~ of taxis (한 회사 소유의) 전 택시.
〖OE *flēot* ship, shipping (↓) ; cf. G *Flotte*〗

fleet[2] *a.* 《詩·文語》 **1** 빠른, 쾌속의(swift) : a ~ horse 준마(駿馬) / ~ *of* foot 발이 빠른(fleet-footed). **2** 잠깐 사이의, 덧없는, 허무한, 무상(無常)의(evanescent). ── *vi.* 《文語》 어느덧 지나가 버리다〈*by*〉; 급히 지나가다, 날아가버리다〈*away*〉. **~·ly** *adv.* 빠르게, 쾌속으로. **~·ness** *n.* 신속, 무상(無常).
〖OE *flēotan* to float, swim ; cf. G *fliessen* to flow〗

fleet[3] *n.* 《廢·英方》 후미, 내포(內浦), 작은 만(灣) ; 개울, 내 ; [the F~] 플리트 강《Thames 강으로 흘러듦》.
the Fleet Prison 옛날 Fleet 강가에 있었던 채무자를 수용한 감옥.
〖OE *flēot* ; ↑〗

Fléet Àdmiral *n.* 《美》 해군 원수(cf. ADMIRAL of the Fleet).

Fléet Áir Àrm *n.* [the ~] 영국 해군 항공대.

fléet-fóot·ed *a.* 발이 빠른, 쾌속의.

fléet·ing *a.* 《文語》 어느덧 지나가는 ; 한순간의, 잠시동안의, 무상(無常)한, 덧없는(transient). **~·ly** *adv.* 재빠르게 ; 덧없이.

Fléet pàrson[chàplain] 《英》 플리트 감옥에서 비밀 결혼의 중매를 한 얼치기 목사.

Fléet Strèet *n.* 플리트가(街)《London의 신문사 거리》; 영국 신문계(British journalism).

Flem. Flemish.

Flem·ing[1] [flémiŋ] *n.* 플라망인(cf. FLEMISH).
〖OE<ON *Flæmingi* and MDu. *Vlāming* (*Vlaanderen* Flanders, *-ing*)〗

Fleming[2] *n.* 플레밍. **1** Sir **Alexander** ~ (1881-1955) 영국의 세균학자 ; penicillin의 발견자. **2** Sir **John Ambrose** ~ (1849-1945) 영국의 전기 기사 ; 플레밍의 법칙을 발견.

Fléming's rúle *n.* 〖理〗 플레밍의 법칙(☞ LEFT-HAND[RIGHT-HAND] RULE).
〖Sir John A. *Fleming*〗

Flem·ish [flémiʃ] *a.* 플랑드르의 ; 플라망인[어]의. ── *n.* Ⓤ 플라망어《略 Flem.》; [집합적으로 ; the ~] 플라망인(cf. FLEMING).

Flémish schóol *n.* [the ~] 플랑드르파《15-17세기 경 Flanders에서 번성했던 화파로 대표적인 화가는 Rubens, Van Dyck 등》.

flense [fléns ; flénz, -s], **flench** [fléntʃ], **flinch** [flíntʃ] *vt.* (고래·물범 따위의) 지방을 빼다[가죽을 벗기다].

***flesh** [fléʃ] *n.* **1** Ⓤ 살(cf. BONE, SKIN), 몸 ; 살집 ; 과육(果肉), 엽육(葉肉) : lose ~ 살이 빠지다, 수척해지다 / make[put on] ~ 살이 붙다, 살찌다 / gain[get] ~ 비대해지다. **2** Ⓤ 먹는 고기《지금은 일반적으로 meat》; 짐승고기 : fish, ~ and fowl 물고기·짐승·새 고기 / live on ~ 육식하다. **3 a)** [the ~] 육체(↔*soul, spirit*) : the ills of *the* ~ 육체적인 질환, 질병. **b)** [one's (own) ~] 육친, 골육(kindred). **4** Ⓤ 인간성, 인정(미) ; 육욕, 정욕, 수성(獸性)(↔*the divinity*) : the sins of the ~ 육욕적인 죄, 부정(不貞)한 죄. **5** Ⓤ 〖聖〗 인류 ; 생물. **6** Ⓤ 살갗 ; 피부색[살색] ; 〖畫〗 알몸.
after the flesh 세속적으로, 보통 인간답게.
all flesh 〖聖〗 생을 누리는 모든 것 ; 인류.
become[be made] one flesh 〖聖〗 (부부로서) 일심동체가 되다.
flesh and blood 육체(body), 혈육 ; 살아 있는 인간성, 인정 ; 육친 ; [형용사적으로] 현신(現身)의, 현실의(actually living) : in ~ *and blood* 육체로서 / Such things are more than ~ *and blood* can stand[bear]. 그런 일은 인간으로서 도저히 참을 수[견딜 수] 없는 일이다 / one's own ~ *and blood* 자기의 육친, 가족 ; 실질, 구체성.
flesh and fell 살이나 가죽이나 (모두) ; 전신 ; [부사적으로] 모두, 온갖.
go the way of all flesh 〖聖〗 세상 모든 사람이 가는 길로 가다, 죽다.
in flesh 육신이 되어, 살이 붙어서 : grow *in* ~ 살찌다.
in the flesh 산 몸이 되어 ; 실물로 ; 살아서.
make a person***'s flesh creep*** (남을) 오싹하게 하다.
── *vt.* **1** (칼 따위를) 살에 찌르다, (칼이) 잘 드는가를 시험하다 ; 《비유》 (문필·재주 따위를) 실제로 시험하다. **2** (사냥개·매 따위에게) 사냥감 고기를 맛보여 자극하다 ; 《비유》 (…에게) 유혈[정욕 따위]의 맛을 알게 하다. **3** 잔학 행위[전쟁]에 익숙케 하다. **4** (생가죽에서) 살을 발라내다《피혁 제조에서》. **5** (각본가가 등장 인물을) 구체화[부각]시키다〈*out*〉. **6** [+目+副] 살찌우다 : ~ a steer up 거세한 식용소를 살찌게 하다.
── *vi.* 살찌다, 뚱뚱해지다.
〖OE *flǣsc* ; cf. G *Fleisch*〗

flésh·brùsh *n.* 피부 마찰용 솔.

flésh-còlored *a.* 살색의, 피부 빛깔의.

flésh-èat·er *n.* 육식자 ; 육식 동물(carnivore).

flésh-èat·ing *a.* 육식성의.

flésh·er *n.* 《스코》 고기 장수 ; 생가죽 살을 도려 내는 사람[기구].

flesh·ette [fleʃét] *n.* 작은 화살 모양의 산탄《베트남 전쟁에서 사용된 대인용(對人用) 무기》.
〖F *fléchette*〗

flésh flỳ *n.* 〖昆〗 쉬파리《동물 몸에 알을 깜》.

flésh glòve *n.* 피부 마찰용 장갑《혈행 촉진용》.

flésh·hòok *n.* (푸줏간의) 고기 거는 쇠갈고리.

flésh·ing knìfe *n.* 살을 도려내는 칼.

flésh·ings *n. pl.* (몸에 착 달라 붙는) 살색 타이츠 ; 발라낸 고깃점.

fléshing tòol *n.* 살을 깎아내는 도구.

flésh·less *a.* 마른, 여윈.

flésh·ly *a.* **1** 육체의 : the ~ envelope 육체. **2** 육욕에 빠지는, 육감적인(sensual). **3** 세속적인(worldly). **-li·ness** *n.* 육체적임 ; 육욕적임.

flésh pèddler *n.* 《美俗》 **1** 매춘부, 갈보 ; 뚜쟁이 ; 여체로 손님을 끄는 흥행주. **2** (탤런트·모델 등의) 알선[소개]업자.

flésh·pòt *n.* 고기 냄비 ; [the ~s] 〖聖〗 미식(美食), 사치스러운 생활 ; 환락가.

flésh-prèss·er *n.* 〖政〗 (선거 운동에서) 정견 발표보다 주로 유권자와 악수를 하거나 등을 두드리는 정치가.

flésh-prìnt·ing *n.* 어육(魚肉)의 단백질형(型)을 전자 공학적 방법으로 기록한 것《어류의 이주(移住) 조사용》.

flésh sìde *n.* 가죽의 안쪽《살이 붙은 쪽》.

flésh tìghts *n. pl.* (몸에 착 붙는) 살색 타이츠.

flésh tìnt(s) *n.* (*pl.*) 〖畫〗 (인체의) 피부 빛깔, 살색.

flésh wòrm *n.* 구더기《쉬파리의 애벌레》.

flésh wòund *n.* (뼈·내장에 이르지 않는) 가벼운 상처.

fléshy *a.* 살의, 육질(肉質)의 ; 살집이 좋은, 살이 찐 ; (과일이) 다육질(多肉質)의(↔*lean*).
fletch [flétʃ] *vt.* (화살에) 깃털을 달다. —— *n.* [*pl.*] 살깃. 〖역성(逆成)〈↓〗
flétch·er *n.* 화살 제조인. 〖OF ; ⇨ FLÈCHE〗
Flétcher·ism *n.* 플레처식 식사법《공복시에만 소량씩 먹고 충분히 씹는 건강법》.
〖Horace *Fletcher* (d. 1919) 미국의 영양학자〗
flet·ton [flétn] *n.* [때때로 F~] 플레톤 벽돌《반건조식 성형법으로 만든 영국의 벽돌》. 〖*Fletton* 잉글랜드 Cambridgeshire의 원산지(原産地)〗
fleur·age [flə́:ridʒ] *n.* 꽃의 콜라주《갖가지 꽃잎을 모아 만드는 그림》.
fleur-de-lis, -lys [flə̀:rdəlí:, -lí:s, flùər- ; *F* flœ:rdəlis] *n.* (*pl.* **fleurs-** [flə̀:r-dəlí:z, flùər- ; *F* —]) **1** 〖植〗 붓꽃. **2** 붓꽃형의 문장(紋章)《1147년 이래 프랑스 왕실의 문장》; [the ~] 프랑스 (왕실). 〖F=flower of lily〗

fleur-de-lis 2

fleu·ret [flə:rét, fluər-] *n.* 〖펜싱〗 플뢰레《칼 끝에 가죽 뭉치를 댄 것 ; cf. ÉPÉE, SABER》.
fleu·rette [flə:rét, fluər-] *n.* **1** 작은 꽃 모양《장식무늬》. **2** [F~] 여자 이름.
〖F (dim.)〈*fleur* flower〗
fleu·ron [flə́:rɑn, flúər-, -rən] *n.* (건축·화폐 따위의) 꽃무늬 장식. 〖F<OF (*flor* FLOWER)〗
fleu·ry [flə́:ri, flúəri] *a.* 〖紋〗 붓꽃 문장(紋章)으로 꾸민.
◇**flew** *v.* FLY[1]의 과거형.
flews [flú:z] *n. pl.* (사냥개 따위의) 처진 윗 입술. 〖C16<?〗
flex [fléks] *vt.* 〖解〗 (관절을) 구부리다 ; (근육을) 수축시키다 ; 〖地質〗 (지층이) 습곡(褶曲)하다. —— *vi.* (관절이) 구부러지다(bend). —— *n.* Ⓤ,Ⓒ 《英》 (전기의) 가요선(可撓線)(=《美》 electric cord), 코드 ; 《英俗》 신축 밴드《양말 대님 따위의》. 〖L *flex- flecto* to bend〗
flex. flexible.
flex·a·gon [fléksəgɑ̀n] *n.* 플렉사곤《종이를 접어 만든 다면체, 특히 6각형 ; 다시 접기에 따라 여러 면이 생김》.
flexi- [fléksə] *comb. form* FLEXIBLE의 뜻.
*__flex·i·bil·i·ty__ [flèksəbíləti] *n.* Ⓤ 구부리기 쉬움, 유연성 ; 융통성, 신축성 ; (빛의) 굴절률.
*__fléx·i·ble__ *a.* **1** 구부리기 쉬운, 굴절성의. **2** 휘기 쉬운, 유연성이 있는(pliable). **3** 적응성이 있는(adaptable), 융통성 있는, 유순한 : a ~ system [personality] 융통성 있는 제도[개성]. —— *n.* 구부리기 쉬운 것. **-ibly** *adv.* **~·ness** *n.*
類義語 ⟹ ELASTIC.
fléxible exchánge ráte sỳstem *n.* 신축 환시세 제도.
fléxible reúsable súrface insulàtion *n.* 〖宇宙〗 유연성 내열재.
fléxible trúst *n.* 《英》 오픈형(型) 투자신탁(↔ *fixed trust*).
flex·ile [fléksəl, -sail ; -sail] *a.* =FLEXIBLE.
flex·il·i·ty [fleksíləti] *n.* =FLEXIBILITY.
flexion ☞ FLECTION.
fléxi·plàce *n.* 재택 근무자(telecommuter)의 근무 장소로서의 자택.
fléxi·tìme *n.* 《英》 =FLEXTIME.
fléxi·wòrk *n.* 신축 자재의 일《일의 양이나 내용을 사람의 능력이나 형편에 맞추어 자유롭게 조절함》.
fléxi·yèar *n.* 연간 자유 근무 시간제도《회사의 사정과 종업원의 희망이 합치하는 것을 전제로 최소 한도의 근무 시간을 미리 정하여 두고 연간의 근무 일시를 자유롭게 선택할 수 있는 제도》.
flex·og·ra·phy [fleksɑ́grəfi] *n.* 〖印〗 플렉소 인쇄 [인쇄물]《판재(版材)에 탄성 물질을 쓴 철판 윤전 인쇄법》. **flèxo·gráph·ic** [flèksə-] *a.*
flex·or [fléksər, 美+-sɔ:r] *n.* 〖解〗 굴근(屈筋) (=∠ **múscle**) (cf. EXTENSOR).
fléxor tóne *n.* 〖醫〗 =EXTENSOR TONE.
fléx·tìme *n.* Ⓤ 근무 시간 자유 선택 제도, 자유 근무제. 〖*flex*ible+*time*〗
flex·u·ous [flékʃuəs ; -sju-], **flex·u·ose** [flék-ʃuòus ; -sju-] *a.* 굴곡성의, 구불구불[굴곡]한 ; 물결 모양의, 굽이치는, 동요하는. **~·ly** *adv.*
flèx·u·ós·i·ty [-ɑ́s-] *n.* Ⓤ,Ⓒ 굴곡성, 만곡 ; (물결 모양의) 굽이침.
flex·ur·al [flékʃərəl] *a.* 굴곡의 : ~ strength 〖理〗 휨 강도.
flex·ure [flékʃər] *n.* Ⓤ 굴곡, 만곡(bending) ; 〖理〗 휨 ; 〖數〗 왜곡도 ; Ⓒ 만곡한 것, 굴곡[만곡]부(bend), 주름 ; 〖地〗 (지층의) 습곡.
flib·ber·ti·gib·bet [flíbərtədʒìbət, ∸-∸-] *n.* 《古》 수다쟁이(chatterbox)《특히 여자》; 경박한 사람 ; 허튼 계집. 〖imit.〗
flick [flík] *n.* **1** 가볍게 치기[때리기] ; 가볍게 튀기기 ; (획 움직이는) 진동 ; 찰싹[딱](하는 소리). **2** (진흙·물 따위의) 튀김(splash). **3** [보통 *pl.*] 《俗》 영화(movies). —— *vt.* [+目/+目+前+名/+目+副] (채찍 따위로) 가볍게[찰싹] 때리다 ; 튀기다, 튀겨날리다 ; 가볍게 털다[털어내다] (flip), (채찍 따위를) 휙 소리나게 휘두르다 ; (잉크 따위를) 튀기다, 뿌리다 : He ~*ed* my face [~*ed* me in the face]. 그는 내 얼굴을 찰싹 때렸다 / She ~*ed away* [***off***] the butterfly ***from*** her sleeve. 그녀는 소매에 붙은 나비를 탁 쳐서 쫓아버렸다 / I ~*ed* ***on*** [*off*] the light. 나는 전등을 찰칵 켰다[껐다]. —— *vi.* 홱 움직이다 ; 훨훨 날다. 〖imit.〗
*__flick·er__[1] [flíkər] *vi.* **1** (등불 따위가) 명멸(明滅)하다[깜박거리다] ; (희망 따위가 마음에) 번득이다 : The candle was ~*ing*. 촛불이 깜박거리고 있었다. **2** (나뭇잎·바람·뱀의 혀 따위가) 한들[날름]거리다 ; (깃발 따위가) 펄럭이다 ; 나부끼다 : The leaves are ~*ing* in the wind. 나뭇잎이 바람에 한들거리고 있다. —— *vt.* 명멸시키다 ; 흔들리게 하다 ; 나풀거리게 하다. —— *n.* (나뭇잎 따위의) 한들거림 ; (빛의) 깜박임, 명멸 ; (희망의) 번득임 ; 《俗》 영화. **~·less** *a.* **~·y** *a.*
〖OE *flicorian* ; cf. Du. *flikkeren*〗
類義語 ⟹ BLAZE.
flicker[2] *n.* 〖鳥〗 (남·북미산) 쇠부리딱따구리《목 뒤쪽에 붉은 반점이 있음》. 〖imit.〗
flíck·er·ing *n.* Ⓤ 깜박임. **~·ly** *adv.* 명멸하여, 흔들흔들 ; 훨훨, 나풀나풀.
flíck-knìfe *n.* 《英》 =SWITCHBLADE (KNIFE).
flíck ròll *n.* 〖空〗 급횡전(急橫轉)(snap roll).
fli·er, fly·er [fláiər] *n.* **1** 하늘을 나는 것《새·곤충·날치 따위》; 비행기 ; 비행사. **2** 쾌속정[선(船)·차·마(馬)], 《美》 급행 열차. **3** 〖機〗 속도 조정기 ; (방적기의) 플라이어《방추(紡錘) 위에 끼워 넣는 것》; (인쇄기의) 플라이어《종이 넘기는》; (풍차의) 날개. **4** 〖建〗 (일직선인 계단의) 1단 ; [*pl.*] 일직선인 계단. **5** 높이뛰기, 비약, 도약 : take a ~ 〖스키〗 (도약대에서) 점프하다. **6**

《美口》 투기, 요행수, 모험 : take a ~ 무모한 투기를 하다. **7** 《美》 광고, 전단. 〚FLY[1]〛

‡flight[1] [fláit] *n.* **1** Ⓤ 날기 ; Ⓒ 비행 ; 비행 거리 ; (비행기의) 편(便) : a long-distance[nonstop] ~ 장거리[무착륙]비행 / make[take] a ~ 비행하다 / *F*~ is natural to birds. 나는 것은 새의 습성이다. **2** Ⓤ 나는 새의 떼, (한꺼번에 둥지를 떠나는) 새끼새의 떼(cf. FLOCK[1]) ; 〔英空軍〕 비행소대. **3** (매의) 사냥감 추격 ; (철새・곤충 따위가) 떼를 지어서 하는 이동. **4** Ⓤ (구름 따위가) 빨리 움직이기[지나가기], 질주〈*of*〉; (시간이) 빨리 경과하기(lapse) : the ~ *of* years 세월의 경과. **5** (야심・상상 따위의) 비약, 고양(高揚), (언행의) 분방(奔放)〈*of*〉; (재치 따위가) 넘쳐흐름〈*of*〉. **6 a)** (층(層)과 층 사이의) 계단, (계단의) 한 단계를 오르기 : a ~ *of* stairs (연이은) 계단 / Her room is three ~*s* down. 그녀의 방은 세 계단 내려간 곳에 있다. **b)** (건물의) 층(floor). **c)** 〔競〕 (장애물 경주의) 단열(段列). **7** 일제사격(volley) ; Ⓤ 〔弓術〕 원시경사(遠矢競射) ; Ⓒ 원거리용 화살(=~ **àrrow**).

in the first flight 선두에 서서 ; 중요한 지위를 차지하여, 일류로서.

take [***wing***] ***its*** [one***'s***] ***flight*** 비행하다 ; (영혼 따위가) 육체를 떠나다.

〈회화〉
Is this a direct *flight* ? — No, it stops in Hong Kong. 「이것은 직행편입니까」「아니오, 홍콩에 기착합니다」

—— *vt.* (나는 새를) 쏘다 ; (화살)에 깃털을 붙이다 ; (크리켓 볼 따위)의 스피드와 코스를 변화시키다. —— *vi.* (새가) 떼를 지어 날다.
〚OE *flyht* ; cf. FLY[1], G *Flucht*〛
[類義語] (2의 뜻으로는) ⟹ GROUP.

***flight**[2] *n.* Ⓤ,Ⓒ 패주(敗走), 도주 ; 탈출 : a ~ of capital 자본의 도피.
put. . .to flight …을 패주시키다.
take (***to***) ***flight*** =***betake*** one***self to flight*** 도망치다.
〚OE 《美》 *flyht* ; cf. FLEE〛

flíght attèndant *n.* (여객기의) 접객 승무원, 객실 승무원《stewardess, hostess 등의 대용어로 성별을 피한 말》.

flíght bàg *n.* 항공 여행용 가방.

flíght càpital *n.* 〔經〕 도피 자본.

flíght chàrt *n.* 항공도.

flíght clàss *n.* (여객기의) 좌석 등급《요금이 높은 순으로 first class, business class, economy class, tourist class 따위가 있음》.

flíght contròl *n.* 〔空〕 (이착륙용의) 항공 관제(管制) ; 조종 장치[계통] ; 항공 관제소 : a ~ tower 관제탑.

flíght còupon *n.* (항공권의) 탑승용 쿠폰《여객의 탑승과 수화물 운송용의 쿠폰》.

flíght dáta file *n.* 〔宇宙〕 비행 데이터 파일《우주선 승무원이 비행시의 참고로 탑재하는 작업 스케줄이나 훈련시의 데이터 따위》.

flíght dáta prócessing sỳstem *n.* 〔空〕 비행 계획 정보 처리 시스템.

flíght dáta recòrder *n.* 비행 기록 장치《略 FDR》.

flíght dèck *n.* (항공 모함의) 비행[발착] 갑판 ; (비행기의) 조종실.

flíght-depéndent tràining *n.* 〔로켓〕 특수 비행 훈련.

flíght desìgn *n.* 〔宇宙〕 비행 설계《우주선 따위의 비행 계획 수행을 위한 제반 분석》.

flíght engineèr *n.* 〔空〕 (탑승하는) 항공기관사.

flíght fèather *n.* 〔鳥〕 날개깃, 칼깃.

flíght formàtion *n.* 〔空軍〕 비행 대형[편대].

flíght-indepéndent tràining *n.* 〔로켓〕 일반적 비행 훈련.

flíght informàtion règion *n.* 〔空〕 비행정보구역《略 FIR》.

flíght interrúption mànifest *n.* 〔空〕 일괄 운송 위탁 서류《항공편의 운항 불가능시에 당해 항공 회사가 승객명・목적지・항공권 번호를 명기하여 대체편 항공권으로 바꿈 ; 略 FIM》.

flíght kìt *n.* 〔宇宙〕 비행용 키트《payload에 갖가지 서비스를 하기 위한 하드웨어식》.

flíght·less *a.* (새가) 날지 못하는.

flíght lieutènant *n.* 《英》 공군 대위.

flíght lìne *n.* 〔空〕 (격납고 주변의) 비행 대기선《활주로・자동차 도로를 제외함》; (비행기・철새의) 비행 경로.

flíght mánagement sỳstem *n.* 비행 관리(管理) 장치.

flíght mànifest *n.* 〔로켓〕 적하(積荷) 목록《셔틀 승무원용》.

flíght mùscle *n.* (날개의) 비상근(飛翔筋).

flíght-nùmber *n.* (정기항로) 비행기편 번호.

flíght òfficer *n.* 《美》 공군 준위.

flíght pàth *n.* 〔空・宇宙〕 비행 경로.

flíght pày *n.* 〔美空軍〕 비행 수당.

flíght phàse *n.* 〔空・로켓〕 비행 페이스《이를테면 우주 왕복선은 발사전, 발사, 궤도 비행, 탈궤도, 돌입, 착륙, 착륙 후의 페이스로 나뉨》.

flíght plàn *n.* 〔空〕 비행 계획(서).

flíght recòrder *n.* 〔空〕 비행경로 기록기, 자기(自記) 비행계.

flíght shòoting *n.* 〔弓術〕 원시경사(遠矢競射) ; 나는 새 쏘기.

flíght sìmulator *n.* 〔空〕 (항공기 조종사 훈련용) 모의 비행 장치.

flíght strìp *n.* 〔空〕 **1** 활주로(runway) ; 비상 활주로. **2** 연속 항공 사진.

flíght-tèst *vt.* …의 비행 시험을 하다.

flight test *n.* (항공기・비행 장치의) 비행 시험.

flíght tìme *n.* 플라이트 타임《(1) 이륙을 위해 항공기 바퀴가 활주로를 벗어나서부터 착륙시 접지하기까지의 시간. (2) 항공기가 출발을 위해 움직이기 시작한 시간(block time)부터 목적지의 주기장(駐機場)에 정지하기까지의 시간》.

flíght·wòrthy *a.* 안전 비행 가능 상태의, 내공성(耐空性)의.

flíghty *a.* **1** 변덕스러운, 일시적 기분의, 엉뚱한. **2** 변하기 쉬운, 들뜬 ; 무책임한. **3** 경솔한 ; 머리가 좀 돈. **flíght·i·ly** *adv.* **-i·ness** *n.*
〚FLIGHT[1]〛

flim·flam [flímflæ̀m] *n.* 엉터리, 허튼 소리 ; 속임(수), 사기. —— *vt.* (**-mm-**) …에게 허튼 소리하다 ; 속이다(cheat) ; 속여 빼앗다.
〚imit. ; cf. ON *flim* mockery〛

flim·sy [flímzi] *a.* 무른, 취약한 ; (근거・논리가) 박약한(weak), 얄팍한, 천박한(shallow) ; 하찮은, 보잘것 없는(paltry) : a ~ structure 취약한 건물 / a ~ excuse 뻔히 들여다보이는 변명.
—— *n.* 얇은 종이, 전사지(轉寫紙), 복사지 ; (신문 기자의) 얇은 원고지 ; 전보 ; 《俗》 지폐 ; [*pl.*] (특히) 여자의 얇은 속옷.
flím·si·ly *adv.* 박약하게, 천박하게, 가냘프게. **-si·ness** *n.*
〚C17 < ? *flim*flam ; 일설에 *film* + *-sy* ; cf. TIPSY,

TRICKSY]

flinch[1] [flíntʃ] *vi.* [+*from*+名/動] 주춤하다, 기가 죽다, 움찔하다(shrink); 꽁무니 빼다: He did not ~ ***from*** his duty. 그는 직무에서 꽁무니 빼려고는 하지 않았다 / He rescued the children out of the burning house without ~*ing.* 그는 겁내지 않고 불타고 있는 집에서 아이들을 구출해 냈다. —— *vt.* …에 주춤하게 하다. —— *n.* 주춤하기, 꽁무니 빼기. **~·er** *n.* **~·ing·ly** *adv.* 주춤하여, 기가 꺾여. 〖OF<Gmc.〗

flinch[2] ☞ FLENSE.

flin·ders [flíndərz] *n. pl.* 파편, 부서진 조각: break...in[into, to] ~ …을 산산이 부수다 / fly in ~ 산산조각으로 흩날리다.

fling** [flíŋ] *v.* (**flung** [flʌ́ŋ]) *vi.* **1** [+副/+前+名/+補] 돌진하다; 난폭하게 대들다; 자리를 박차고 가다, 뛰쳐 나가다; (말 따위가) 날뛰다: She *flung* ***off in anger. 그녀는 화가 나서 뛰쳐 나갔다 / He *flung* ***into*** the room. 그는 방으로 뛰어 들어왔다 / The door *flung* open. 문이 휙 열렸다. **2** 비웃다, 비난하다〈*out*〉.

—— *vt.* **1 a**) [+目/+目+副/+目+前+名/+目+目/+目+補/+目+過分] 내던지다, 내동댕이치다(hurl); (군대를) 급파하다; (주사위 따위를) 던지다(cast); (감옥 따위에) 처넣다: The boys *flung* ***up*** their caps when their team won. 자기 팀이 이기자 소년들은 모자를 던져 올렸다 / I *flung* my coat ***on***[***off***]. 상의를 걸쳤다[벗어 던졌다] / Somebody *flung* a stone ***at*** the policeman. 누군가 경찰관에게 돌을 던졌다 / He was *flung* ***into*** jail. 그는 투옥되었다 / He *flung* me a stream of abuse. 그는 나에게 욕지거리를 퍼부었다 / The door was *flung* open[shut]. 문이 거칠게 열렸다[닫혔다]. **b**) [+目+副/+目+前+名] (양 팔 따위를) 급히 펴다; (사람이 머리를, 말이 목을) 쳐들다: She angrily *flung* ***up*** her head. 그녀는 분연히 머리를 쳐들었다 / He *flung* himself ***about***. 그는 마구 날뛰었다 / He *flung* his arms ***round*** my neck. 그는 급히 내 목을 끌어 안았다. **2** (씨름 따위에서) 넘어뜨리다, (말이 탄 사람을) 흔들어 떨어뜨리다. **3**《詩》(향기·빛을) 발하다, (소리를) 내다(emit).

fling away 뛰쳐 나가다; 팽개치다, 떨쳐버리다; (기회 따위를) 놓쳐버리다; 낭비하다(squander).

fling caution to the winds 조심성 따위는 염두에도 없다, 무분별하다.

fling in 던져 넣다; 덤으로 주다.

fling...in a person***'s teeth***[***face***] (과실 따위를) 증거로 삼아 남을 면책(面責)하다.

fling off (1) ☞ *vi.* 1 (2) 흔들어 떨어 뜨리다, 내팽개치다(cf. *vt.* 1 a)); (뒤쫓는 사람·미행자를) 따돌리다.

fling one***self into*** …에 (몸을 내던져) 뛰어들다, (말 안장 따위에) 뛰어 올라타다, (의자 따위에) 털썩 주저앉다; (사업 따위에) 투신하다: She *flung* her*self* ***into*** her mother's arms. 그녀는 뛰어들듯 어머니의 팔에 안겼다.

fling one***self*** (***up***)***on*** …에게 매달리다, 끝까지 의지하다.

fling out (양 팔 따위를) 쭉 펴다; (말이) 날뛰기 시작하다; (사람이) 난폭해지다, 폭언을 하다[퍼붓다].

fling up 흔들어[던져] 올리다(cf. *vt.* 1 a), b)); (말이 뒤축을) 차올리다.

—— *n.* **1** 내던지기, 팽개치기: a ~ of the dice 주사위의 한 번 굴리기 / give a ~ 내던지다, 팽개치다; 차다, 차올리다. **2** (손·발 따위의) 휘두르기; (댄스의) 활발한 동작·스텝;《美》댄스(파티). **3** 약진; 돌진; (사나운 말 따위가) 날뛰기; 제멋대로 하기: have one's ~ (하고 싶은 대로) 실컷 하다, 마음껏 놀다. **4** 격분; 욕, 조소. **5**《口》시도, 시험.

at one fling 단번에, 일거에.

have a fling at …을 시도하다, 꾀하다; …을 욕하다, 비웃다.

in a fling 불끈 일어서서, 분연히.

in full fling 쏜살같이; 척척 진척되어.

〖ME<? ON《美》 *flinga*; cf. ON *flengja* to whip〗

類義語 ⟹ THROW.

flíng·er *n.* fling하는 사람, 던지는 사람;〖野〗투수; 욕설을 퍼붓는 사람.

flint [flínt] *n.* **1** Ⓤ 수석(燧石), Ⓒ 부싯돌; Ⓒ 라이터 돌: ~ implements 석기(石器) / a ~ and steel 부싯돌과 부시. **2** Ⓤ 아주 단단한 것; 냉혹한 것.

(***as***) ***hard as a flint*** 돌처럼 굳은, 완고한.

a heart of flint 냉혹[무정]한 마음(cf. FLINT-HEARTED).

set one***'s face like a flint*** 눈썹 하나 까딱 않다, 굳게 결심하다.

skin[***flay***] ***a flint*** (치사할 정도로) 인색하게 굴다, 몹시 욕심을 부리다(cf. SKINFLINT).

wring[***get***] ***water from a flint*** 불가능한[기적적인] 일을 하다.

〖OE; cf. OHG *flins* pebble, hard stone〗

flínt còrn *n.* 알갱이가 딱딱한 옥수수.

flínt glàss *n.* 플린트 유리, 납유리《주로 렌즈·프리즘 따위 광학용의 고급 유리; 원래 부싯돌 가루를 사용했음》.

flínt·hèad *n.* (부싯돌로 만든) 화살촉.

flínt·hèart·ed *a.* 무정한, 냉혹한.

flínt·lòck *n.* 화승총(火繩銃)《옛날 부싯돌식의 발화장치를 한 총》.

flínty *a.* 부싯돌의[같은]; 아주 굳은, 참으로 완고한; 무정한, 피도 눈물도 없는.

flínt·i·ly *adv.* **-i·ness** *n.*

flip[1] [flíp] *v.* (**-pp-**) *vt.* [+目/+目+副/+目+前+名/+目+補/+目+過分] (손톱 끝으로) 튀기다; 톡 치다; 홱 움직이다; 뒤집다: He ~*ped* a lighter on the desk. 라이터를 책상 위에 휙 던졌다 / I ~*ped* a speck of dust ***off***. 먼지를 툭툭 털어냈다 / She ~*ped* the insect ***from*** her face. 얼굴에서 벌레를 털어버렸다 / I ~*ped* my fan open[shut]. 부채를 활짝 폈다[탁 접었다].

—— *vi.* **1** [+副/+前+名] 홱 움직이다; (회초리 따위로) 찰싹 때리다: The twig ~*ped back.* 나뭇가지가 되튕겼다 / She ~*ped* ***at*** the fly with a swatter. 그녀는 파리채로 파리를 탁 쳤다. **2**《美俗》열중하다, 열을 올리다; 몹시 성내다, 날뛰기 시작하다: He ~*ped* ***over*** his new stereo. 그는 새 스테레오에 열중했다.

flip up 동전을 공중으로 튀겨 올리다《동전 앞·뒤로 승부를 결정 짓기 위해》(toss up).

—— *n.* 손가락으로 튀기기, (채찍 따위로) 가볍게 치기; 홱 움직이기;《英口》(짧은) 공중 비행(cf. SPIN *n.*). 〖? FILLIP〗

flip[2] *n.* Ⓤ 플립《맥주·브랜디에 계란·향료·설탕 따위를 넣고 덥게 한 음료》.

〖FLIP[1]=to whip up〗

flip[3] *a., n.*《口》약은 체하는(사람), 눈치 빠른 (사람), 주제넘은 (사람). 〖FLIP[1]〗

FLIP Floating Instrument Platform (해양(海洋)

조사선).

flíp chàrt *n.* 플립 차트(강연 따위에서 쓰는 한 장씩 넘길 수 있게 된 도해용 카드).

flíp chìp *n.* 〔電子〕 플립 칩(다른 부품에 붙일 수 있게 된 마이크로 회로편(回路片)).

flíp-flòp, flíp-flàp *n.* **1** Ⓤ 파닥파닥[덜컥덜컥] 하는 소리. **2** 공중제비(somersault) ; (방향·의견 따위의) 전환 ; (놀이터의) 회전 시소. —— *vi.* 파닥파닥하다 ; 공중제비하다 ; [-flop] 방향[태도, 결정]을 바꾸다, 방향 전환하다. —— *vt.* [-flop] …의 방향을 전환하다. —— *a.* [-flop] (위치 따위를) 전환하는. —— *adv.* 파닥파닥, 덜컥덜컥. 〖imit.〗

flip·pan·cy [flípənsi] *n.* Ⓤ 경솔, 경박 ; Ⓒ 경박한 언동.

flíp·pant *a.* 경박한, 경솔한, 경망스러운, 불성실한. **~·ly** *adv.* 경박하게, 불성실하게. 〖FLIP[1]〗

flíp·per *n.* 지느러미 모양의 발(바다 거북의 발·고래의 앞 지느러미·펭귄의 날개·잠수용의 오리발 따위)(fin) ; 《俗》 팔. 〖FLIP[1]〗

flip·ping [flípiŋ] *a., adv.* 지독한[하게], 화가 치미는[치밀게]. —— *n.* 《美》 이자에 이자를 붙이기(고리대금의 수법).

flíp sìde *n.* [the ~] (레코드 판의) 뒷면, B면 ; 《비유》 이면, 반대쪽면.

flíp-tòp cán *n.* 깡통의 일부가 경첩으로 고정되어 반대쪽을 밀어올리면 열리는 깡통.

flíp-tòp tàble *n.* 뚜껑을 여닫는 식의 테이블.

FLIR [flə́ːr] 〔軍〕 forward-looking infrared (적외선 전방 감시 장치).

flirt [flə́ːrt] *vi.* **1** [動/+*with*+名] 장난삼아 사랑을 하다, (남녀가) 희롱하다, 노닥거리다 ; (생각 따위를) 장난삼아 해보다 ; (…에게) 장난 삼아 손을 대다 : Daisy was ~*ing* ***with*** the young man. 데이지는 그 젊은이와 노닥거렸다. **2** [動/+前+名] 홱홱 움직이다, 훨훨 날아다니다, 너울너울 날다 : A butterfly was ~*ing* ***from*** flower ***to*** flower. 한 마리의 나비가 이 꽃에서 저 꽃으로 너울너울 날아 다녔다. —— *vt.* 휙 던지다, 갑자기 팽개치다(jerk) ; (꼬리 따위를) 활발하게 내흔들다 ; (부채를) 펄럭펄럭 부치다.
—— *n.* **1** 바람난 여자[남자], 장난으로 사랑을 하는 여자[남자]. **2** (홱하는) 격렬한 움직임 ; (부채 따위를) 펄럭펄럭 부치기. 〖C16 (? imit.)〗

flir·ta·tion [flə̀ːrtéiʃən] *n.* Ⓤ,Ⓒ (남녀의) 희롱, 노닥거리기, 연애 유희(coquetry) : carry on a ~ 바람을 피우다.

flir·ta·tious [flə̀ːrtéiʃəs] *a.* 노닥거리는(coquettish) ; 바람기 있는 ; 들뜬, 경박한.

flírt·ing *a.* (남녀가) 희롱하는, 시시덕거리는, 장난삼아 연애하는. **~·ly** *adv.*

flírty *a.* (남녀가) 희롱거리는, 교태를 부리는, 바람난 ; 경박한.

flit** [flít] *v.* (**-tt-**) *vi.* **1** [動/+副/+前+名] (나방·박쥐·새 따위가) 훨훨[너울너울] 날다, 날아다니다 ; (사람이) 경쾌하게 지나가다, 왕래하다 ; (때가 급속히) 지나다, 지나가 버리다 ; (환상 따위가) 머리 속을 스치다 : Bats ~ ***about in the twilight. 박쥐는 어두워지면 날아다닌다 / bees ~*ting* ***from*** flower ***to*** flower 꽃에서 꽃으로 날아다니는 벌들. **2** 《주로 北英·스코》 이사하다, (특히) 몰래 이사하다, 야간 도주하다. —— *vt.* 《스코》 이전시키다. —— *n.* 날아 지나가기 ; 《주로 北英·스코》 야간 도주 : moonlight ~ 《英俗》 야간 도주. 〖ON ; ⇨ FLEET[2]〗
類義語 ⟹ FLY[1].

flitch [flítʃ] *n.* **1** 소금으로 절여 훈제(燻製)한 돼지의 옆구리 살코기(bacon의 한 쪽). **2** (네모 나게 자른) 고래의 비계살. **3** (훈제용) 가자미류의 얇게 저민 살. —— *vt.* 얇게 저미다.
〖OE *flicce* ; cf. FLESH〗

flítch bèam, flítched béam *n.* 〔建〕 겹들보, 합량(合梁).

flite, flyte [fláit] *vi.* 《스코》 논쟁하다 ; 말다툼하다 ; 욕을 퍼붓다, 꾸짖다. —— *n.* 논쟁, 욕설.

Flíte Pád *n.* 플라이트 패드(간이 숙박용 캡슐 침대 ; 상표명).

flít·ter[1] *vi., n.* 훨훨 날아다니다[날아 다니는 것].

flitter[2] *v.* = FLUTTER.

flítter·mòuse *n.* 《古》 박쥐(bat).

flít·ting *a.* 빠른, 쏜살같은, 휙 지나가는.
—— *n.* 이사 ; 야간 도주.

fliv [flív] *n.* 《美俗》 자동차. —— *vi.* 실패하다, 바보짓을 하다.

fliv·ver [flívər] *n.* 《美俗》 **1** 싸구려 자동차 ; 소형 비행기(개인용) ; (일반적으로) 자동차. **2** 실패.
—— *vi.* 실패하다(fail) ; (싸구려 자동차로) 여행하다.

flix [flíks] *n.* Ⓤ,Ⓒ 《古》 (토끼·비버 따위의) 모피.

FLN, F. L. N. *Front de Libération Nationale* (F) (=National Liberation Front).

‡**float** [flóut] *vi.* **1** [動/+副/+前+名] **a)** 뜨다, 떠오르다(↔*sink*) ; 떠돌다(drift) ; (공중으로) 떠오르다, 부동(浮動)하다, (공중에) 걸리다 : The raft ~*ed* ***out to*** sea. 그 뗏목은 바다로 떠내려갔다 / Clouds were ~*ing* ***across*** the blue sky. 푸른 하늘에 구름이 떠 있었다. **b)** (눈 앞·마음 속에) 떠오르다(hover) ; (소문이) 퍼지다, 유포하다 : Confused ideas ~*ed* ***through*** my mind. 착잡한 생각이 머리에 떠올랐다. **2** (회사 따위가) 설립되다 ; 〔商〕 (어음이) 유통하다 ; (통화가) 변동 시세[환율]제로 되다〈*against*〉. —— *vt.* **1** 뜨게 하다, 띄우다 ; 부류(浮流)[표류(漂流)]시키다 ; (가스가 기구 따위를) 부양(浮揚)시키다 ; (공기·바람이 꽃향기·음악 따위를) 감돌게 하다, 풍기게 하다(waft) : Our boat was ~*ed* by the current. 우리 배는 조류에 밀려 떠내려갔다. **2** 물에 잠기게 하다(flood) ; 관개(灌漑)하다(irrigate). **3** (소문 따위를) 퍼뜨리다. **4** (회사 따위를) 설립하다 ; 〔商〕 (공채 따위를) 발행하다 ; …을 변동 시세[환율]제로 하다. **5** (미장이가) 흙손으로 반반하게 고르다. —— *n.* **1** 뜨는 물건, 부유물 ; 뗏목(raft) ; 물을 휘젓는 판자 ; (수상기(水上機)의) 부주(浮舟) ; 부표(浮標) ; (물고기의) 부레 ; (물통의 마개를 조절하는) 부대(浮袋), 구명대. **2** (낚시·어망의) 찌. **3** (행렬 때의) 꽃수레, (화물 운반용) 대차(臺車). **4** [때때로 *pl.*] 〔劇〕 각광(footlights). **5** = FLOATBOARD. **6** 부사(浮絲)(로 짜기). **7** 〔商〕 (담보물로 은행을 전전하는) 부동 증권. **8** (매수되기 쉬운) 부동(浮動)투표자. **9** 《英》 점포나 상인이 하루의 일을 시작할 때 갖고 있는 잔돈 ; 예비금, 소액의 현금 ; 소액의 대부(금). **10** 변동 시세[환율]제. **11** 《美俗》 수업이 없는 시간, 자유 시간. **12** 〔브레이크댄스〕 플로트(몸을 마루와 수평되게 회전시키는 춤). **13** [*pl.*] 《CB俗》 대형의 싱글타이어.
on the float 《英》 떠올라서, 표류하여.
〖(v.) OE *flotian* ; FLEET[2]와 같은 어원이지만 ME기(期) OF *floter*의 영향으로 우세해짐 ; (n.) OE, ON *flot* floating state, OE *flōta* ship, ON *floti*와 (v.)에서〗

flóat·able *a.* **1** 뜰 수 있는, 부양성의. **2** (하천이) 배[뗏목]를 띄울 수 있는.

floatage, floatation ☞ FLOTAGE, FLOTA-

TION.

flóat·bòard *n.* (물레바퀴의) 물받는 판자 ; (옛날 외륜(外輪) 기선의) 물받이 판, 물갈퀴.

flóat brìdge *n.* 부교(浮橋), 배다리.

float·el [floutél] *n.* 수상(水上) 호텔. 〖*floating* + ho*tel*〗

flóat·er *n.* **1** 뜨는 사람[것] ; (낚시) 찌 ; 부척(浮尺) ; 부유 시체, 익사자. **2** 〔野〕 스핀을 주지않은 슬로 볼 ; 호(弧)를 그리는 느린 패스. **3** 《美》 부동 투표자, 부정[이중] 투표자 ; 주소[직업]를 이리저리 바꾸는 사람, 떠돌이 노동자. **4** (회사의) 설립 발기인 ; 《口》 부동 증권 ; 〔保險〕 포괄 예정 보험 계약《종종 이동하는 물건의 도난·손상에 대한 보험》 ; 《美俗》 대부[차입]금. **5** 《俗》 잘못, 실수.

flóat fìshing *n.* 하류(河流)에 배를 띄우고 하는 낚시 ; 《英》 찌낚시질.

flóat glàss *n.* 플로트 유리《플로트법으로 제조된 판유리》.

flóat gràss *n.* 개구리밥.

flóat hòur *n.* 《美學生俗》 자유[수업 없는] 시간.

flóat·ing *a.* **1** 떠 있는, 부유(浮遊)하는 : a ~ pier 떠 있는 잔교(棧橋). **2** 유동적인, 일정하지 않은(↔*fixed*) : the ~ population 유동인구. **3** 〔商〕 회계 연도 중에 지급해야 하는《공채 따위》 ; 변동 시세[환율]제의 ; (자본 따위가) 고정되어 있지 않은, 유동하고 있는 : ~ capital 유동 자본. **4** 양륙(揚陸)이 끝나지 않은 : a ~ cargo (해상에 있는) 선재(船載) 화물, 미도착 화물. **5** 〔醫〕 유리된, 정상 위치에 없는. **6** 〔電子〕 (회로·장치가) 전원에 접속되지 않은. **7** 〔機〕 부동(浮動) (지지)의, 진동 흡수 현가(懸架)의. **8** 《美俗》 (술·약에) 취한 ; 억세게 재수 좋은.

flóating ánchor *n.* 부묘(浮錨).

flóating áxle *n.* 〔機〕 부동축(軸).

flóating báttery *n.* 수상 포대 ; 부동 축전지.

flóating brídge *n.* 부교(浮橋), 배다리.

flóating cráne *n.* 기중기선(船).

flóating débt *n.* 〔商〕 일시 차입금, 유동 부채.

flóating décimal póint *n.* 〔컴퓨〕 부동 십진(十進) 소숫점.

flóating dóck, flóating drý dòck *n.* 부선거(浮船渠), 부양식 독.

flóating exchánge ràte sỳstem *n.* 변동(變動) 환율제.

flóating gráss *n.* =FLOAT GRASS.

flóating ísland *n.* 뜬 섬《부유물이 섬처럼 뭉쳐진 것》 ; (식후에 내놓는) 커스터드의 일종.

flóating kídney *n.* 〔醫〕 유주신(遊走腎).

flóating léver *n.* 〔鐵〕 (차량의) 유동 레버.

flóating líght *n.* 등대선 ; 부표등.

flóat·ing-pòint *a.* 〔컴퓨〕 떠돌이[부동(浮動)] 소숫점식의(cf. FIXED-POINT) : ~ representation 떠돌이 소숫점 표시.

flóating ráte *n.* 플로팅 레이트《환시장의 자유 시세 또는 운임 시장의 자유 운임》.

flóating ráte nòte *n.* 〔金融〕 변동 이자부 채권《일정기간마다 이율이 시장 실세 금리와 연동하여 변화하는 채권》.

flóating ríb *n.* 〔解〕 유리(遊離) 늑골《흉골에 붙어 있지 않은 맨 밑의 두 쌍의 늑골》.

flóating stóck *n.* 〔商〕 부동주(浮動株).

flóating supplý *n.* 〔商〕 (증권·물품 따위의) 재고량(量).

flóating úpward *n.* 〔經〕 (변동 시세제에서의) 통화의 대외가치 상승.

flóating vòte *n.* [the ~] 부동표 ; [집합적으로] 부동 투표층.

flóating vóter *n.* 부동성(浮動性) 투표자.

flóat·plàne *n.* 수상(水上) 비행기.

flóat pròcess *n.* 플로트법《압연 성형된 고온의 대상(帶狀)의 유리를 녹인 금속면 위로 통과시키는 판유리 제조법》.

flóat·stòne *n.* 부석(浮石) ; 벽돌을 다듬는 숫돌.

flóaty *a.* 뜨는, 부양성의 ; (배가) 흘수선(吃水線)이 얕은.

floc·ci·nau·ci·ni·hi·li·pi·li·fi·ca·tion [flɑ́ksənɔ̀:səníhilipìlifikéiʃən] *n.* 《英戱》 무가치[무익, 무의미]하다고 보기, 경시(輕視)벽. 〖L *flocci, naucī, nihilī, pilī* at little value〗

floc·cose [flɑ́kous] *a.* 양털 모양의 ; 〔植〕 솜털이 있는.

floc·cu·late [flɑ́kjəlèit] *vt., vi.* 솜처럼 뭉치다[뭉쳐지다], 응결시키다[되다]. ── [-lət, -léit] *n.* 솜[털] 모양의 덩어리. **-là·tor** *n.*

flòc·cu·lá·tion *n.* 면상(綿狀) 침전, 응결, 면상 반응.

floc·cule [flɑ́kju:l] *n.* 한 뭉치의 양털 (모양의 물질) ; 미세한 면상(綿狀) 침전물.

floc·cu·lence [flɑ́kjələns] *n.* 부드러운 털 모양 ; 양털 모양 ; 부드러운 털로 더부룩한 것.

flóc·cu·lent *a.* 양털[솜털]의[같은] ; 유모성(柔毛性)의 ; 부드러운 털로 덮인. 〖FLOCK²〗

floc·cu·lus [flɑ́kjələs] *n.* (*pl.* **-li** [-lài, -lì:]) 〔解〕 (소뇌(小腦)의) 소엽(小葉) ; 한 뭉치의 부드러운 털 ; 〔天〕 양모반(羊毛斑)《태양 둘레의 구름모양의 반문(斑紋)》.

floc·cus [flɑ́kəs] *n.* (*pl.* **-ci** [flɑ́ksai, -ksi:]) (사자 따위의 꼬리 끝의) 터부룩한 털 ; (새 새끼의) 솜털 ; (식물체 표면의) 송이 모양의 털, (특히) 균사(菌絲)의 뭉치 ; 〔氣〕 송이 모양의 구름.
── *a.* 〔氣〕 (구름이) 송이 모양의. 〖L〗

***flock¹** [flɑ́k] *n.* **1** (특히 양·염소·거위·오리 따위의) 새·짐승의 떼[무리] ; (특히) 양 떼[무리] (cf. HERD¹, DROVE², PACK 4, FLIGHT¹, SWARM¹, SHOAL²) : ~*s* and herds 양과 소(sheep and cattle) / I saw a ~ *of* birds flying by. 나는 한 무리의 새가 날아가는 것을 보았다. **2** (사람의) 떼(crowd), (물건의) 다수. **3** 기독교 교회 ; 교회의 신자, 회중(congregation) (cf. FOLD²) ; (교사 등에게 맡긴) 아이[학생]들.
come in flocks 떼지어 오다, 떼를 지어 몰려오다.
the flock of Christ [집합적으로] 기독교 신자.
the flower of the flock 군계 일학(群鷄一鶴), 한 집안의 화려한 존재.
── *vi.* [+副/+前+名] 떼 짓 다, 모 이 다 (crowd) ; 떼를 지어 오다[가다] : Birds of a feather ~ *together.* ☞ FEATHER 1 / The people ~*ed* ***into*** the church. 사람들은 떼를 지어 교회로 모여 들었다.
〖OE *flocc* ; cf. ON *flokkr* crowd, band〗
類義語 ⟹ GROUP.

flock² *n.* **1** 한 뭉치의 양털[머리 털] ; [*pl.*] 솜[털] 부스러기, 넝마. **2** [*pl.*] 솜 모양의 침전물.
── *vt.* …에 솜[털] 부스러기를 채우다 ; (종이)에 솜[털] 부스러기를 뿌려서 접착하여 무늬를 만들다. 〖OF<L FLOCCUS〗

flóck bèd *n.* 털 부스러기를 넣은 침대.

flóck·màster *n.* 목양주(牧羊主) ; 양치기.

flóck·pàper *n.* Ⓤ (털 부스러기를 넣어 만든) 벽지용 나사지(羅紗紙).

flócky *a.* 양털 모양의 ; 털[솜] 부스러기 같은 ; 더부룩한.

floe [flóu] *n.* (바다 위에 떠 있는) 빙원(氷原), 부빙(浮氷) (ice floe) (cf. ICEBERG).
〖? Norw. *flo*<ON *flō* layer〗

flog [flág, flɔ́(:)g] *v.* (**-gg-**) *vt.* **1** 채찍질하다; [+目+前+名] (채찍질하여) 벌주며 가르치다[버릇을 고치다], 혹사하다 : ~ learning ***into*** [laziness ***out of***] a boy 소년에게 벌을 주면서 학문을 가르치다[게으른 버릇을 고치다]. **2** 《俗》 지우다, 이기다, …보다 뛰어나다. **3** (강에) 낚싯줄을 몇 번이고 던져 넣다. ── *vi.* (돛이) 바람에 펄럭펄럭하다; 노력하여 나아가다.
flog a dead horse ☞ HORSE.
〖C17 (cant) < ? imit. or L *flagello* to whip〗
類義語 ⟹ BEAT¹.

flóg·ging *n.* U,C 채찍질, (체벌로서의) 매질 : give a person a ~ 남을 채찍으로 치다.

flógging chìsel *n.* 큰 끌.

flo·ka·ti [flouká:ti] *n.* [단수·복수 취급] 그리스산의 수직 양탄자.

flong [fláŋ, flɔ́(:)ŋ] *n.* U 지형(紙型) 용지[원지].

‡**flood** [flʌ́d] *n.* **1** 홍수, 큰 물(난리) (inundation); [the F~] 〔聖〕 노아의 홍수(Noah's Flood). **2** 범람, 격렬한 유출[유입(流入)], 충만, 쇄도 : a ~ *of* tears 쏟아지는 눈물 / ~*s of* rain 억수같이 퍼붓는 비 / ~*s of* ink (특히) 격렬한 지상(紙上) 논쟁 / ~*s of* words 청산 유수같은 말 / a ~ *of* light in the room 방안 가득히 비추는 빛. **3** 밀물, 만조(滿潮) (flood tide) (↔*ebb*) (cf. FLOW *n.* 3). **4** 《古·詩》 바다, 강, 호수 : ~ and field 해륙(海陸). **5** =FLOODLIGHT 1.
at the flood 밀물이 차서; 《비유》 한창 때에[가 되어서] : The tide is *at the* ~. 만조(滿潮)다.
in flood 넘쳐 흘러서, 홍수가 되어.
flood victim 수재민.
── *vt.* **1** 범람시키다, 넘치게 하다, 물에 잠기게 하다 : ~*ed* districts 홍수 피해 지역, 침수 지방 / The typhoon ~*ed* the river. 태풍으로 강이 범람했다. **2** 관개(灌漑)하다; …에 많은 물을 쏟다. **3** [+目/+目+前+名] 가득차게 하다, …에 여럿이 밀어 닥치다 : Applicants ~*ed* the office. 출원자[지원자]가 사무실로 쇄도했다 / The stage was ~*ed* ***with*** light. 무대에는 조명이 환히 비추고 있었다 / The millionaire was ~*ed* ***with*** requests for money. 그 갑부에게는 돈을 요구하는 자들이 떼지어 몰려 왔다. ── *vi.* **1** (강이) 범람하다, 물이 넘치다; (조수(潮水)가) 밀려 들어오다(↔*ebb*). **2** [+副/+前+名] (홍수처럼) 밀어닥치다 : Fan letters ~*ed* ***in.*** 팬 레터가 쇄도했다 / Sunlight was ~*ing* ***into*** the room. 햇빛이 방안으로 가득 스며 들어 왔다.
flood out 홍수가 (사람을) 집에서 몰아내다, 쫓아내다(cf. BURN *out*).
〖OE *flōd*; cf. G *Flut*〗

flóod contròl *n.* 홍수 조절, 치수(治水).

flóod fàllowing *n.* 〔農〕 관수 휴한법(冠水休閑法) 《휴작(休作) 중에 물을 대어 흙이 매개하는 병원균(菌)을 죽임》.

flóod formàtion *n.* 〔美蹴〕 리시버 3인 또는 4인이 좌우 어느 쪽으로 치우쳐서 위치를 취하는 공격(攻擊) 대형.

flóod·gàte *n.* 수문(水門) (sluice), 방조문(防潮門) 《밀물을 막음》; (분노 따위의) 배출구.

flóod·ing *n.* U 물이 넘침, 범람; 충만.

flóod làmp *n.* 투광(投光) 조명등(floodlight).

flóod·lìght *n.* **1** 투광 조명(cf. SPOTLIGHT). **2** 조명 투사기(器) (=∠ **projèctor**).
── *vt.* (**-lìt**, **~·ed**) 투광 조명으로 비추다.

flóod·màrk *n.* 만조표(滿潮標), 고수표(高水標).

flood·om·e·ter [flʌdámətər] *n.* (밀물의) 수량 기록기, 홍수계, 만조계(計).

flóod·plàin *n.* 〔地質〕 범람원(氾濫原) 《홍수 때 물에 잠김》.

flóod tìde *n.* 밀물, 만조(滿潮) (↔*ebb tide*); 최고조(潮) (peak).

flóod·wàll *n.* 홍수 방벽, 방조벽, 제방.

flóod·wàter *n.* U 홍수의 물.

flóod·wòod *n.* (홍수로) 떠내려 가는 나무, 유목(流木) (driftwood).

◇**floor** [flɔ́:r] *n.* **1** 마루; 마루방; (춤추기 위한) 바닥, 플로어; [*pl.*] 마루 판자, 바닥 재료(cf. FLOORING) : a bare ~ 아무것도 깔지 않은 마루 / sit on the ~ 마룻바닥에 앉다. **2** (건물의) 층 (☞ STORY², FLIGHT¹ 6 b), FIRST FLOOR) : the upper ~(*s*) 위층 / the ground ~ 《英》 1층(《美》에서는 보통 the first ~ 라고 함) / the first ~ 《英》 2층, 《美》 1층 / the second ~ 《英》 3층, 《美》 2층. **3** (바다·동굴 따위의) (밑)바닥, 저면(底面). **4** [the ~] **a**) 의원석(議員席), 의장(議場); (의원(議員)의) 발언권; 청중(audience); (강단에 대하여) 회의장; 참가자. **b**) (거래소 내의) 입회장. **5** 최저 가격, (가격·임금 따위의) 최저 한도(액) (↔*ceiling*).
get [***have***] ***the floor*** 《美》 (회의장(會議場)에서) 발언권을 얻다[가지다].
go on the floor 《口》 (영화가) 제작 단계에 들어가다.
on the floor (1) ☞ FLOOR 1. (2) 의장에서, 토의중인.
take the floor (1) 《주로 美》 (발언을 하기 위해) 일어서다, 토론에 참가하다. (2) (춤추기 위해) 일어서다, 춤추기 시작하다.
walk the floor 《美》 (걱정 따위로) 방안을 이리저리 걸어다니다.
wipe [***mop, sweep***] ***the floor with...*** 《口》 상대방을 여지없이 해치우다, 완전히 압도하다, 완패시키다.
── *vt.* **1** [+目/+目+*with*+名] …에 마루청을 대다; (소나무 재목 따위를) …의 바닥에 깔다 (pave) : ~ a room ***with*** pine boards 송판으로 방바닥을 깔다. **2** 《英》 (학생을) 벌로 마룻바닥에 꿇어 앉히다. **3 a**) (상대편을) 마룻바닥[땅위]에 쓰러 뜨리다; 《口》 철저하게 이기다, 해치우다, 꼼짝 못하게 하다 : I got ~*ed.* 여지없이 당했다, 손들었다. **b**) 《英俗》 (시험 문제를) 모두 풀어버리다 : I ~*ed* the paper. 문제를 다 풀었다. **4** 《美口》 (가속 장치를) 바닥까지 세게 밟다.
── *vi.* 《美口》 (가속 장치를 힘껏 밟아서) 전속력으로 나아가다.
〖OE *flōr*; cf. G *Flur*〗

flóor·age *n.* 마룻바닥 면적(floor space).

flóor·bòard *n.* 마루청[널]; (자동차의) 바닥.
── *vt.* 《美口》 (가속 장치를) 바닥에 닿게 힘껏 밟다.

flóor bròker *n.* 《美》 다른 회원을 위해 수수료를 받고 매매를 행하는 증권 거래소 회원.

flóor·clòth *n.* 융단 대신에 리놀륨이나 유포(油布) 따위의 마룻바닥에 까는 것; 마룻걸레.

flóor-cròss·ing *n.* (영국 의회 따위에서) 반대당[파]에 던지는 찬성 투표. **-cròss·er** *n.*

flóor·er *n.* **1** 마루 까는 사람. **2** 마룻바닥에 쓰러뜨리는 사람; 《口》 치명타; (정신적으로 타격을 주는) 흉보(凶報); 꼼짝 못하게 하는 토론[논박]; 어려운 문제. **3** (skittles에서) 세운 기둥을 모두 쓰러뜨리는 투구(投球).

flóor èxercise *n.* (체조 경기의) 마루 운동.
flóor·ing *n.* Ⓤ 마루 판자, 마루 까는 재료 ; Ⓤ [집합적으로] 마루 깔기(floors) ; Ⓒ 마루(floor(s)).
flóor làmp *n.* 마루 위에 놓는 램프[스탠드].
flóor lèader *n.* 《美》 (정당의) 원내 총무(cf. WHIP *n.* 4).
flóor lìght *n.* 마루에 낸 채광창.
flóor·man *n.* =FLOORWALKER.
flóor mànager *n.* 《美》 (회의의) 지휘자 ; (텔레비전의) 플로어 매니저 ; =FLOORWALKER.
flóor màt *n.* 플로어 매트《의자 바퀴에 의해 카펫이 훼손되는 것을 막기 위해 까는 매트》.
flóor mòdel *n.* (가구점 따위의) 전시품 ; (탁상형에 대해) 콘솔형.
flóor pàrtner *n.* 《美》 주식 중매(仲買) 회사의 사원으로서 증권 거래소 회원의 자격을 가지고 소속 회사를 위해 floor broker로 일하는 사람.
flóor plàn *n.* 〖建〗 평면도(圖).
flóor prìce *n.* (수출) 최저 가격.
flóor sàmple *n.* 견본 전시품《전시 후 할인하여 매각 시킴》.
flóor·shìft *n.* (자동차의) 바닥에 설치된 기어 변속 장치.
flóor shòw *n.* 플로어 쇼《나이트 클럽·카바레 따위의 마루 위에서 하는 음악·노래·댄스 따위》.
flóor spàce *n.* 마루 면적, (가게의) 매장[플로어] 면적.
flóor-thròugh *n.* 《美》 한 층 전체를 차지하는 아파트먼트.
flóor tràder *n.* 《美》 자기의 계정으로 매매를 행하는 증권 거래소 회원.
flóor·wàlk·er *n.* 《美》 (백화점 따위의) 매장 감독 (=《英》 shopwalker).
floo·zy, -zie, -sie, -sy, flu·zy [flú:zi], **floo·gy, flu·gie** [-dʒi], **fa·loo·sie** [fəlú:zi] *n.* 단정치 못한 여자, 행실이 나쁜 여자, 방탕한 여자. 〚C20< ? ; cf. FLOSSY, *floosy* (dial.) fluffy〛
flop [flɑ́p] *vi.* (**-pp-**) **1** [動/+副/+前+名] 퍼덕퍼덕 움직이다[흔들리다] ; 어슬렁어슬렁 걷다 ; 털썩[픽] 쓰러지다 ; 벌렁 드러눕다 ; 털썩 주저앉다, 풍덩 빠지다 : A number of fish were *~ping* ***on*** the deck. 많은 물고기가 갑판 위에서 퍼덕거리고 있었다 / He *~ped* ***down to*** a seat. 자리에 털썩 앉았다. **2** 《美》 변절(變節)하다, (자기 편을) 배반하다. **3** 《口》 (간행본·연극 따위가) 실패하다, 망치다. **4** 《俗》 잠자다 ; 하룻밤 묵다.
── *vt.* [+目/+目+副] 딱하고 치다 ; (날개를) 퍼덕거리다 ; 홱 내던지다, 툭 떨어뜨리다 : They *~ped* ***down*** the heavy parcel. 그 무거운 보따리를 털썩 내려놓았다.
── *adv.* 홱[털썩, 툭](하고) : fall ~ into the water 풍덩하고 물속으로 빠지다. ── *n.* **1** 털썩[픽] 떨어지기[쓰러지기] ; 퍼덕거림 ; 털썩 주저앉기 : sit down *with* a ~ 털썩 주저앉다. **2** 털썩[툭] 떨어지는 소리 ; 첨벙하는 소리. **3** 《口》 실패(자) (failure), (간행본·연극 따위의) 실패작. **4** 《美俗》 잠자리 ; 숙박, 하룻밤 묵음. 〚FLAP〛
FLOP 〖컴퓨〗 floating-point operation(부동 소수점 연산).
flóp-èared *a.* 귀가 축 처진《사냥개 따위》.
flóp·hòuse *n.* 《美俗》 (보통 남자 전용의) 간이 숙박소, 싸구려 여인숙.
flóp·òver *n.* 〖TV〗 플롭오버《영상(映像)이 위아래로 흔들리는 현상》.
flóp·per *n.* 《美俗》 부랑자, 룸펜 ; (보험금 따위를 노려) 사고를 조작하는 사람 ; 변절자.
flóp·py *a.* 《口》 파닥거리는 ; 나른한, 갱충맞은 ; 느스러진. ── *n.* =FLOPPY DISK.
flóppy dísk *n.* 〖컴퓨〗 플로피 디스크《외부 기억용 플라스틱제 자기(磁氣) 원판》.
FLOPS [flɑ́ps] 〖컴퓨〗 floating-point operations per second《플롭스 ; 연산 속도 단위》.
flor. *floruit* 《L》 (=he[she] flourished).
Flor. Florida.
flo·ra [flɔ́:rə] *n.* (*pl.* **~s, -rae** [-ri:, -rai]) (한 지방·한 시대 특유의) 식물군, 식물구계(區系) (cf. FAUNA) ; 식물지(誌). 〚L (*flor- flos* flower)〛
Flora *n.* 여자 이름 ; 플로라《이탈리아에서의 꽃과 봄과 풍요의 여신》.
flo·ral [flɔ́:rəl] *a.* 꽃의 ; 식물(군)의 ; 꽃과 비슷한 ; [F~] (꽃의 여신) Flora의 : ~ designs 꽃무늬. **~·ly** *adv.*
flóral clóck *n.* 꽃시계.
flóral émblem *n.* (나라·주(州)·도시 따위를) 상징하는 꽃, 대표적인 꽃 : The ~ of England is the rose. 영국을 상징하는 꽃은 장미다.
flóral énvelope *n.* 〖植〗 화피(花被), 꽃덮이 (perianth).
flóral léaf *n.* 〖植〗 꽃잎.
flóral tríbute *n.* 헌화.
flóral wédding *n.* 화혼식《결혼 7주년 기념》.
flóral zóne *n.* 식물[초본]대(帶).
floreated ☞ FLORIATED.
Flor·ence [flɔ́(:)rəns, flɑ́r-] *n.* **1** 피렌체, 플로렌스《이탈리아 중부의 도시》. **2** 여자 이름《애칭 Florrie》. 〚F<L=flowery〛
Flor·en·tine [flɔ́(:)rəntì:n, -tàin, flɑ́r-] *a.* Florence의. ── *n.* 피렌체[플로렌스]인(人). 〚F or L (*Florentia* FLORENCE)〛
flo·res·cence [flɔ:résəns, flə-] *n.* Ⓤ 개화 ; 꽃계절, 개화기(期) ; 한창때, 번영기(期).
flo·rés·cent *a.* 꽃이 핀 ; 꽃이 한창인.
flo·ret [flɔ́:rət] *n.* 작은 꽃 ; 〖植〗 (엉거시과의) 작은 꽃. 〚L *flor- flos* FLOWER, *-et*〛
flo·ri- [flɔ́:rə] *comb. form.* 「꽃」「꽃과 비슷한 것」의 뜻. 〚L ; ⇨ FLOWER〛
flo·ri·at·ed, -re- [flɔ́:rièitəd] *a.* 꽃무늬가 있는, 꽃 모양의(장식을 한).
flo·ri·bun·da [flɔ̀:rəbʌ́ndə] *n.* 〖園藝〗 플로리분다《polyantha와 tea rose를 교배시킨 꽃송이가 큰 꽃이 피는 각종 장미》.
flóri·cùlture *n.* 화초 재배(법), 화훼 원예.
flòri·cúltural *a.* 화초 재배(상)의.
flóri·cùlturist, flòri·cúltural·ist *n.* 화초 재배(업)자.
flor·id [flɔ́(:)rəd, flɑ́r-] *a.* **1** 불그스름한, 혈색이 좋은(rosy). **2** 찬란한, 화려한, 현란한 ; 야한(showy) : a ~ (prose) style 미문체(美文體) / a ~ speaker 미사여구를 많이 쓰는 연설가.
~·ly *adv.* 화려하게 ; 현란하게. **~·ness** *n.* = FLORIDITY. 〚F or L ; ⇨ FLOWER〛
Flor·i·da [flɔ́(:)rədə, flɑ́r-] *n.* 플로리다《미국 남동부의 주 및 그 반도 ; 주도 Tallahassee ; 略 Fla., Flor.》. **Flór·i·dan, Flo·rid·i·an** [flərídiən] *a., n.* Florida의 (주민).
Flórida Kéys *n. pl.* [the ~] 플로리다 키즈 (제도) 《Florida 반도 남쪽 끝의 산호섬들》.
Flórida wáter *n.* 플로리다수(水)《오드콜로뉴 비슷한 향수·화장수》.
flo·rid·i·ty [flərídəti, flɔ:-] *n.* Ⓤ 불그스름함, 혈색이 좋음 ; 화려(함), 찬란함 ; 야함.
flo·rif·er·ous [flɔ:rífərəs] *a.* 꽃이 있는[피는] ; 꽃이 많은.
flo·ri·gen [flɔ́(:)rədʒən, flɑ́r-] *n.* 〖植〗 화성소(花

成素)《개화(開花)(촉진) 호르몬》.

flo·ri·le·gi·um [flɔ̀rəlíːdʒiəm] *n.* (*pl.* **-gia** [-dʒiə], **~s**) 화집(花集); 화보(花譜); 명시선(名詩選).

flor·in [flɔ́(ː)rən, flɑ́r-] *n.* **1** 플로린 은화《1849년 이래 영국에서 유통된 2실링 은화; 1971년 2월부터 10펜스 가치로 통용》. **2** 〖史〗 (Edward 3세(1312-77) 당시의) 플로린 금화《3s., 6s. 의 2종》; (유럽 중세기의) 플로렌스 금화.
〖OF<It. *fiorino* (dim.)‹*fiore* FLOWER; 백합꽃 모양이었음〗

flo·rist [flɔ́(ː)rəst, flɑ́r-] *n.* 꽃장수; 화초 재배자; 화초 연구가. 〖L *flor- flos* FLOWER〗

flo·ris·tic [flɔ(ː)rístik] *a.* 꽃의, 꽃에 관한; 식물상(相)(연구)의, 식물지(誌)의. **-ti·cal·ly** *adv.*

flo·rís·tics *n.* 식물상 연구.

-flo·rous [flɔ́ːrəs] *a. comb. form* 「…꽃이 피는」의 뜻: uni*florous.* 〖L; ⇨ FLOWER〗

Flor·rie [flɔ́(ː)ri, flɑ́ri] *n.* 여자 이름《Florence의 애칭》.

flo·ru·it [flɔ́(ː)r*j*uət, flɑ́r-] *vi.* [연대 앞에 쓰여] (…에) 재세(在世)[활약]했다《특히 출생·사망의 연월일이 분명치 않을 때 씀; 略 fl., flor.》. —— *n.* (사람의) 재세기, 활약기; (운동·주의 따위의) 전성기. 〖L=he[she] flourished〗

flo·ry [flɔ́ːri] *a.* 〖紋〗 =FLEURY.

Flóry tèmperature *n.* 〖化〗 플로리 온도《어떤 고분자의 용액이 그것을 다른 고분자와 구별하는 특성을 나타내는 온도》.
〖Paul J. *Flory* (1910-85) 미국의 화학자〗

flos·cu·lous [flɑ́skjələs], **flos·cu·lar** [flɑ́skjələr] *a.* 작은 꽃 모양의[으로 된].

floss [flɑ́s, flɔ́(ː)s] *n.* **1** Ⓤ (고치의) 풀솜, 명주솜; (꼬지 않은) 명주실(floss silk). **2** Ⓤ 명주솜 같은 것《옥수수 수염 따위》. **3** 〖齒〗 =DENTAL FLOSS; =CANDY FLOSS. —— *vt., vi.* ((이) 사이를) dental floss 로 깨끗이 하다.
〖F (*soie*) *floche* floss (silk)<OF=down, nap of velvet〗

flóss sìlk *n.* 풀솜, 꼬지 않은 명주실《자수용》.

flóssy *a.* 풀솜 같은; 둥실둥실하는; 《口》 야한, 멋진, 여봐란 듯한. —— *n.* 《古俗》 매춘부.

FLOT [flɑ́t] *n.* 아군(부대)의 최전선.
〖*f*orward *l*ine of *o*wn *t*roops〗

flo·tage, float·age [flóutidʒ] *n.* **1** Ⓤ 부유(浮遊), 부양력(浮揚力), 부력(buoyancy). **2** Ⓤ 《口》 부유물, 표류물(flotsam). **3** Ⓤ [집합적으로] (하천에 뜨는) 배[뗏목] 따위. **4** Ⓤ 〖海〗 건현(乾舷)《배의 흘수선 윗부분》.

flo·ta·tion, floa·ta- [floutéiʃən] *n.* **1** Ⓤ (회사의) 설립; 창업(創業); (신규 증권의) 모집; (공채의) 발행. **2** 부양(력), 부력; 부체학(浮體學); 〖鑛〗 부유선광(浮遊選鑛), 부선(浮選); (험한 길·설면 따위에 대한 타이어의) 침하(沈下) 저항력. 〖FLOATATION; *rotation* 따위의 유추(類推)에 따른 FLOAT에서〗

flótation còllar *n.* (우주선 따위의 착수(着水) 직후에 장치하는) 환상(環狀) 부양 장치.

flótation gèar *n.* 부양 장치《수상기·비행정의 부체(浮體) 따위》.

flo·tel [floutél] *n.* =FLOATEL.

flo·til·la [floutílə] *n.* 소(小)함대, 소형 선대.
〖Sp. (dim.)‹*flota* fleet, OF *flote* multitude〗

flot·sam [flɑ́tsəm] *n.* **1** Ⓤ 〖海上保險〗 (조난선(船)의) 부하(浮荷), 표류 화물(cf. JETSAM). **2** Ⓤ [집합적으로] 부랑자, 인간 쓰레기.
〖AF; ⇨ FLOAT〗

flótsam and jétsam *n.* 〖海法〗 표류중인 화물과 물가에 밀려온 화물; 쓸모없는 물건; 건달패; 부랑자.

flounce[1] [fláuns] *vi.* [+副/+前+名] 몸부림치다, 버둥거리다, 발버둥이치다; 뛰쳐나가다, 뛰어들다: I ~*d* ***up*** and ***down.*** 발버둥이쳤다 / He ~*d* ***out of*** the room in anger. 그는 화가 나서 방을 뛰쳐나갔다. —— *n.* 몸부림, (화가 나서) 발버둥질하기.
〖C16<?; imit. 인가; cf. Norw. *flunsa* to hurry〗

flounce[2] *n.* (여성복·스커트 따위의) 주름장식. —— *vt.* …에 주름장식을 달다.
〖*frounce* pleat, fold<OF〗

flounce[2]

flounc·ing [fláunsiŋ] *n.* Ⓤ (스커트의) 주름장식(의 재료).

floun·der[1] [fláundər] *vi.* [動/+前+名] **1** 몸부림치다, 버둥거리다; (괴로워서) 엎치락뒤치락하다; 버둥거리면서 나아가다: Some horses are ~*ing* ***in*** the deep snowdrifts. 몇 필의 말이 깊은 눈구덩이 속을 허위적거리며 나아가고 있다. **2** 《비유》 갈피를 못잡다, 바보짓을 하다: She could only ~ ***through*** her song. 노래를 떠듬떠듬 간신히 불렀다. —— *n.* 몸부림, 버둥거림.
~·ing *a.* **~·ing·ly** *adv.*
〖imit.; FOUNDER, BLUNDER 따위와의 연상인가〗

flounder[2] *n.* (*pl.* **~s**, ~) 〖魚〗 가자미류《식용》.
〖AF<? Scand.; cf. ON *flythra*〗

‡**flour** [fláuər] *n.* Ⓤ 밀가루, 소맥분(小麥粉) (cf. MEAL[2]); 분말, 가는[고운] 가루(powder). —— *vt.* …에 가루를 뿌리다; 《美》 (밀 따위를) 가루로 빻다. —— *vi.* 분말[가루 모양]이 되다; (페인트가) 풍화하여 가루가 되다. 〖FLOWER=best part의 다른 철자(18세기경 부터)〗

flóur bàg *n.* 밀가루 부대.

flóur bèetle *n.* 밀가루에 꾀는 딱정벌레.

flóur bòx *n.* =FLOURDREDGER.

flóur·drèdger *n.* 밀가루 뿌리는 기구《요리용》.

flour·ish** [flə́ːriʃ, flʌ́r-; flʌ́r-] *vi.* **1** 무성하다; 번창하다, 성대[융성]하다(thrive): His business seems to be ~*ing.* 그의 사업은 번창하고 있는 듯하다. **2** [+前+名] (사람이) 활약하다, 살아 있다: Archimedes ~*ed* ***in the 3rd century B.C. 아르키메데스는 기원전 3세기경의 사람이었다. **3** 화려한 말씨를 사용하다, 멋부려 말하다[쓰다]; 자랑하다, 과장하여 말하다. **4** 장식체로 쓰다, 수식자체(修飾字體)로 쓰다. **5** 〖樂〗 화려하게 연주하다; (나팔이) 화려하게 울려퍼지다. —— *vt.* **1** (무기·채찍 따위를) 휘두르다; (손·손수건 따위를) 흔들다. **2** 과시하다.
—— *n.* **1** (무기·손 따위를) 급속히 휘두르기; 화려한 행동, 여봐란 듯한 태도; 과시하기: with a ~ 여봐란듯이 꾸며서, 과시하여. **2** (조각·인쇄의) 당초(唐草)풍의 장식 곡선; (꽃 문자·서명 따위의) 장식체로 쓰기. **3** 문식(文飾), 문채(文彩); 미사 여구. **4** (나팔의) 화려한 취주; 〖樂〗 장식 악구(樂句). **5** Ⓤ 《稀》 번성, 번영: in full ~ 전성하여, 융성하게.
with a flourish 화려하게, 호화롭게.
〖OF (L floreo‹flos FLOWER)〗
類義語 ⟹ SUCCEED.

flóur·ish·ing *a.* 번성하는, 번영하는, 융성[성대]한; 원기왕성한. **~·ly** *adv.*

flóur·ishy *a.* 화려한; 장식 글씨체의.

flóur mìll *n.* 제분기(製粉機), 제분소.
flóury *a.* (밀)가루가 많은 ; 가루의, 가루 모양의 ; 가루투성이의.
flout [fláut] *vt., vi.* 모욕하다, 우롱하다〈*at*〉. ── *n.* 우롱하는 말, 경멸, 비웃음.
~·er *n.* **~·ing·ly** *adv.* 경멸하여.
〖? Du. *fluiten* to whistle, hiss ; ⇨ FLUTE〗

‡**flow** [flóu] *vi.* **1** [動/+副/+前+名] 흐르다 ; 흘러나오다, 솟아나오다 : The water was ~*ing* ***out***. 물이 흘러나오고 있었다 / Years ~ *away*. 세월은 흘러간다 / Tears ~*ed* ***from*** his eyes. 눈물이 그의 눈에서 흘러내렸다 / The river ~*s* ***into*** the bay. 그 강은 만으로 흘러든다 / After World War I gold ~*ed into* America. 제1차 세계대전 후 미국으로 금이 흘러들어갔다. **2** (조수(潮水)가) 밀려오다(rise) (↔*ebb*). **3** [+前+名] 범람하다(flood) ; 충만하다(abound) : The stream began to ~ ***over*** its banks. 강물이 둑을 범람하기 시작했다 / The streets ~*ed* ***with*** men and women. 거리는 인파로 들끓었다. **4** (피가) 흐르다 : Blood will ~. (사건이 해결될 때까지는) 유혈 소동이 일어날 것이다. **5** (피·전기 따위가) 통하다, 돌다(circulate). **6** [+副/+前+名] (사람·차 따위가) 줄줄이 지나가다, 쇄도하다 ; (말·글 따위가) 유창하게 흘러나오다 ; (머리털 따위가) 흐르듯이 늘어지다 ; (깃발 따위가 바람에) 휘날리다 : Orders for the new kind of ware ~*ed* ***in upon*** him. 그 신제품의 주문이 그에게 쇄도했다 / Her long hair ~*ed* ***down*** her shoulders. 그녀의 긴 머리가 어깨에 늘어뜨려져 있었다. **7** [+*from*+名] 《비유》 일어나다, 생기다(arise) : Success ~*s* ***from*** health and intelligence. 성공은 건강과 지혜로 이루어진다. ── *vt.* (니스·밀랍 따위를) 흘리다, 흘리게 하다 ; 범람시키다 ; 넘치게 하다.
flow like water (술 따위를) 아낌없이 대접 받다, 얼마든지 나오다.
── *n.* [단수형으로 쓰여] **1** 흐름, 유수(流水), 유동 ; 유출량 ; 용암류 ; (전기·가스의) 공급 ; 〖理〗 (유체의) 흐름 ; (에너지의) 흐름 ; 〖理·地〗 (고체의) 비파괴적 변형, 유동 ; 월경. **2** 《비유》 계속적인 유출, (끊임없는) 흐름 : a ~ *of* conversation 술술 나오는[유창한] 담화 / the ~ *of* soul ☞ SOUL 숙어. **3** 밀물(↔*ebb* ; cf. FLOOD *n.* 3). **4** 범람, 홍수. **5** (의복·머리털 따위의) 흐르는 듯한 늘어짐. **6** 《스코》 후미.
on the flow 밀물로(↔*at the ebb*) : The tide was *on the* ~. 밀물이 밀려들어오고 있었다.
〖OE *flōwan* ; cf. FLOOD, OHG *flouwen* to rinse, wash〗
類義語 (1) ***flow*** 물 또는 그밖의 액체가 끊임없이 흘러 나오다 ; 흐르는 속도나 양에는 관계없음 : *flow* from a fountain (샘에서 흘러나오다). ***gush*** 열려진 곳에서 대량으로 왈칵 분출[유출]하다 : Water will *gush* out if the pipe breaks. (파이프가 터지면 물이 쏴 쏟아져 나올 것이다). ***stream*** 물줄기에서 물이 같은 방향으로 끊임없이 흘러나오다 : Tears *streamed* from his eyes. (그의 눈에서 눈물이 끊임없이 흘러내렸다).
(2) ⟹ RISE.

flów·age *n.* Ⓤ **1** 유동 ; 범람. **2** 유출물. **3** 〖理〗 (점성(粘性) 물질의) 유동.
flów·chàrt *n.* 플로차트, 일관 작업 공정도(工程圖), 흐름도《공장 따위의 작업 공정의 순서, 컴퓨터의 프로그램 제작의 순서 따위를 도식화(圖式化)한 것》.
flów cytòmetry *n.* 〖生·醫〗 유동 세포 분석법 《유동 미량 형광 광도계를 써서 세포를 하나하나 분석하는 방법》.
flów dìagram *n.* =FLOWCHART.

◇**flow·er** [fláuər] *n.* **1** 꽃(cf. BLOOM[1], BLOSSOM) : artificial ~*s* 조화(造花) / the national ~ 국화(國花). **2** Ⓤ 개화(開花), 만발 : in ~ 꽃이 피어 ; 꽃이 만발하여 / come into ~ 꽃이 피기 시작하다. **3** [*pl.*] 사화(詞華) : ~*s* of speech 말의 수식, 사화. **4** [the ~] **a**) 정수(精粹), 정화(精華)(essence) : *the* ~ *of* chivalry 기사도의 정화. **b**) (원기가) 왕성함, 성년(盛年), 한창때(prime) : *the* ~ *of* one's age 한창 젊을 때, 꽃다운 나이. **5** [*pl.*] 〖化〗 화(華) : ~*s* of sulfur 황화(黃華). **6** [*pl.*] 《口》 월경.
a bed of flowers ☞ BED.
No flowers. 헌화(獻花)를 사양하겠음《사망 광고 문구》.
Say it with flowers. 속마음을 꽃으로 나타내시오[전하시오]《꽃집의 표어》; 《비유》 속마음을 잘 전하시오.

〈회화〉
Will you water the *flowers*? — Sure, I'd be happy to. 「꽃에 물을 주지 않을래」「좋아요, 그렇게요」

── *vi.* [動/+前+名] 꽃이 피다 ; 번영하다(flourish) : The Renaissance can be said to have ~*ed* ***in*** Leonardo da Vinci. 문예부흥은 레오나르도 다 빈치에 이르러 꽃이 폈다[절정에 이르렀다]고 할 수 있다. ── *vt.* 꽃을 피우게 하다 ; 꽃으로 장식하다.
〖ME *flour* best of anything<OF<L *flor- flos*〗
類義語 ***flower*** 꽃 ; 식물의 열매를 맺는 부분 ; 일반적인 말. ***bloom*** 특히 관상 식물의 아름다운 꽃 ; 나무 전체 또는 그 계절 전체의 꽃을 집합적으로 말할 때도 쓰임. ***blossom*** 특히 과수의 꽃에 쓰임.

flówer·age *n.* [집합적으로] 꽃 ; 꽃 모양의 장식 ; 《稀》 개화(開花) (기(期)).
flówer arràngement *n.* 꽃꽂이.
flówer-bèar·ing *a.* 꽃이 피는.
flówer·bèd *n.* 화단.
flówer bònd *n.* 플라워 본드《미국 재무부발행의 할인채의 하나》.
flówer bùd *n.* 꽃눈, 꽃망울(cf. LEAF BUD).
flówer chìld *n.* (일반적으로) 히피 ; [*pl.*] 히피족 ; 비현실적인 사람.
flówer cùp *n.* 〖植〗 꽃받침(calyx).
flówer-de-lúce [-dəlúːs ; -ljúːs] *n.* (*pl.* **flówers-**) =FLEUR-DE-LIS.
flów·ered *a.* **1** 꽃으로 덮인 ; 꽃무늬를 단. **2** … 꽃을 단, …피는 : single[double]-~ 홑꽃[겹꽃]이 피는.
flówer·er *n.* 꽃이 피는 식물 : an early[a late] ~ 일찍[늦게] 꽃이 피는 화초.
flow·er·et [fláuərət] *n.* 작은 꽃(floret).
flówer gàrden *n.* 화원, 꽃밭.
flówer gìrl *n.* 꽃 파는 소녀[여자] ; 《美》 (결혼식에서 꽃을 든) 신부의 들러리.
flówer hèad *n.* 〖植〗 두상화(頭狀花).
flówer·ing *a.* 꽃이 있는, 꽃이 피는 ; 꽃을 감상하기 위해 재배되는 : a spring-~ plant 봄에 꽃이 피는 식물. ── *n.* 개화 ; 개화기 ; 꽃으로 장식하기 ; 꽃모양을 한 것[장식].
flówering dógwood *n.* 〖植〗 미국층층나무《낙엽수로 봄에 흰꽃 또는 연분홍의 꽃이 핌 ; 미국 Virginia 주 및 North Carolina 주의 주화》.

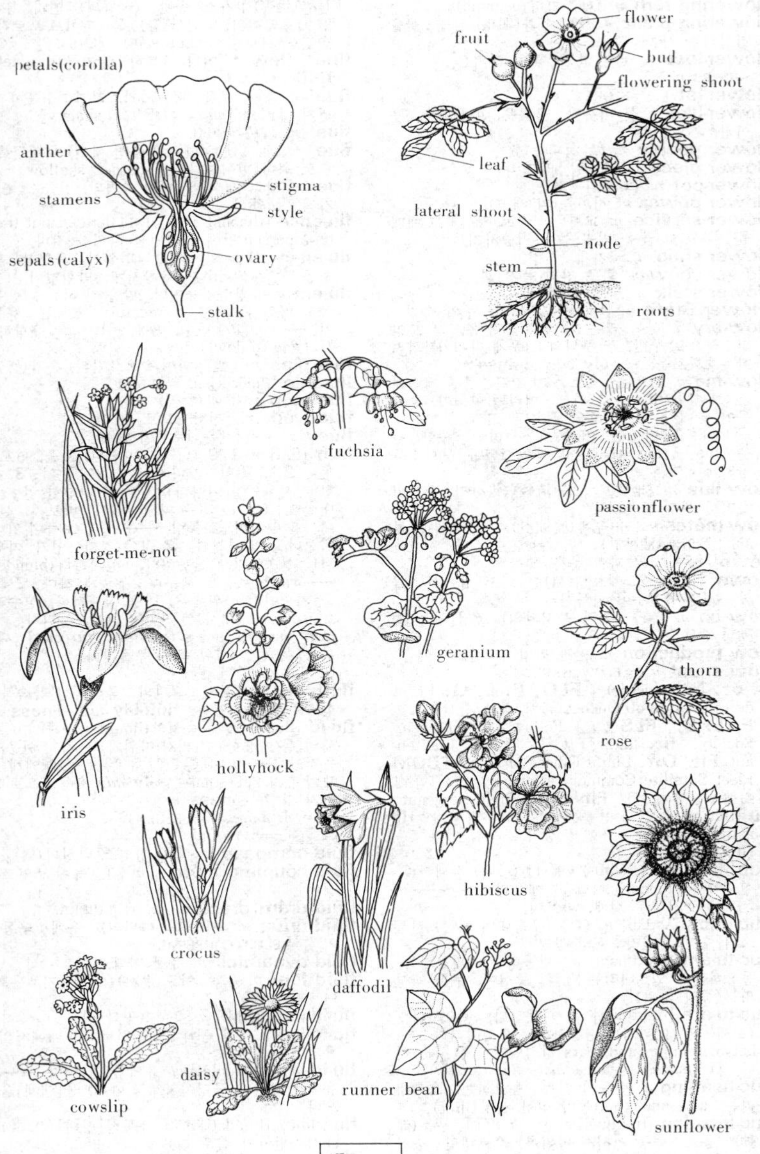
petals(corolla)
anther
stigma
stamens
style
sepals (calyx)
ovary
stalk
flower
fruit
bud
flowering shoot
leaf
lateral shoot
node
stem
roots
fuchsia
passionflower
forget-me-not
geranium
rose
thorn
iris
hollyhock
hibiscus
crocus
daffodil
sunflower
cowslip
daisy
runner bean

flower

flówering férn *n.* 〖植〗 고비(osmund).
flówering plánt *n.* 〖植〗 현화(顯花) 식물 ; 꽃을 감상하는 식물, 화초, 꽃나무.
flówer·less *a.* 꽃이 없는, 꽃이 안피는. **~·ness** *n.*
flówer·let *n.* =FLORET.
flówer·lìke *a.* 꽃 비슷한 ; 꽃다운, 아름다운, 우아한.
flówer pèople *n. pl.* 히피족(族).
flówer pìece *n.* 꽃그림 ; 꽃장식.
flówer·pòt *n.* (화초의) 화분.
flówer pòwer *n.* 히피족(의 세력).
flówer sèrvice *n.* 교회를 꽃으로 장식하고 예배를 본 후 그 꽃을 병원 등에 기증하기.
flówer shòp *n.* 꽃가게, 꽃집.
flówer shòw *n.* 화초 전시[품평]회.
flówer stàlk *n.* 〖植〗 꽃자루.
Flówer Státe *n.* [the ~] Florida 주의 속칭.
flów·ery *a.* 꽃이 많은 ; 꽃의 ; 꽃 같은, 꽃 모양의 ; 꽃으로 꾸민, 꽃 무늬의 ; (문체 따위가) 화려한, 호화로운. **-er·i·ly** *adv.* **-i·ness** *n.*
flów·ing *a.* 흐르는 ; 흐르는 것 같은 ; 줄줄 계속되는 ; 유창한(fluent) ; (의복·머리털 따위가) 흐르듯이 늘어져 있는 ; 조수(潮水)의 만조가 되는 : ~ locks 늘어뜨린 머리 / a ~ robe 느슨한 긴 옷 / the ~ tide 밀물. **~·ly** *adv.* 흐르는 듯이 ; 유창하게.
flów lìne *n.* 〖地質〗 유문(流紋)《화산의 용암이 흘러서 생긴 줄무늬》.
flów·mèter *n.* 유속계(流速計), 유량계(流量計) ; 유압계(油壓計).
◇**flown**[1] *v.* FLY[1]의 과거 분사.
flown[2] [flóun] *a.* 채료(彩料)를 타서[섞어서] 칠한 ; 《古》 넘칠듯이 가득한.
flów-òn *n.* 《濠》 (관련 부서와의) 조정[연동(聯動)] 승급.
flów prodùction *n.* 일관 작업 (생산).
flów shèet *n.* =FLOWCHART.
fl. oz. fluidounce(s). **FLQ, F. L. Q.** Front de Libération du Québec(퀘벡 해방 전선). **F. L. S., FLS** 《英》 Fellow of the Linnean Society. **flt.** flight. **Flt. Lt.** Flight Lieutenant. **Flt. Off.** Flight Officer. **FLTSATCOM** Fleet Satellite Communications System (함대 위성통신 시스템). **Flt. Sgt.** Flight Sergeant.
***flu** [flúː] *n.* Ⓤ 《口》 인플루엔자, 유행성 감기 : He is in bed *with* ~. 유행성 감기로 누워 있다. 〖in*flu*enza〗
flub [flʌ́b] *vi., vt.* (-bb-) 《美口》 (…에) 실패하다, 실수하다(blunder) ; (일을) 게을리하다. —— *n.* 《美口》 꼴사나운 실패, 바보짓.
flub·dub [flʌ́bdʌ̀b] *n.* 《口》 (우쭐대며 하는) 허튼 소리[수작], 겉멋 ; 호언 장담.
fluc·tu·ant [flʌ́ktʃuənt] *a.* 변동하는, 파동하는, 동요하는, 오르내리는 ; 〖醫〗 중심이 무른[액상의] 《종양 따위》.
fluc·tu·ate [flʌ́ktʃuèit] *vi.* 파동하다, 동요하다 ; (시세·열 따위가) 변동하다, 오르내리다 : ~ between hopes and fears 일희일비(一喜一悲)하다. 〖L (*fluctus* a wave ‹ *fluct- fluo* to flow)〗
flúc·tu·àt·ing *a.* 변동이 있는, 동요하는, 오르내리는 : a ~ market 변동이 심한 시황(市況).
fluc·tu·a·tion [flʌ̀ktʃuéiʃən] *n.* **1** Ⓤ,Ⓒ 부동(浮動) ; 동요 ; 변동, (시세 따위가) 오르내림 ; 불안정, 혼동. **2** [*pl.*] 성쇠, 흥망(ups and downs).
flu·dem·ic [fluːdémik] *n.* 악성 인플루엔자.
flue[1] [flúː] *n.* **1** 작은 굴뚝 ; (난방의) 열기 송관(熱氣送管) ; 가스 송관 ; (굴뚝의) 연기 통하는 길, (보일러의) 염관(焰管). **2** (파이프 오르간의) 순관(구(口)) (cf. FLUE PIPE). 〖C16< ?〗
flue[2], **flew** *n.* 어망, (특히) 끌그물(dragnet). 〖MDu. *vlūwe*〗
flue[3] *n.* 솜털, 보풀, 털[솜]지스러기 ; 수북이 쌓인 먼지. 〖Flem. *vluwe*<OF *velu* shaggy〗
flue[4] *n.* 《口》 =FLU.
flue[5] *vt., vi.* 〖建〗 (난로의 측면 따위) 나팔꽃 모양으로 펴다[벌어지다]. 〖ME *flew* shallow〗
flue[6] *n.* 닻혀 ; (작살·낚시 따위의) 미늘 ; 《稀》 깃가지. 〖*fluke*〗
flu·ence [flúːəns] *n.* =INFLUENCE : put the ~ on a person 남에게 최면술 따위를 걸다.
flu·en·cy [flúːənsi] *n.* Ⓤ (변설이) 유창함, 막힘없음 ; 능변 : with ~ 유창하게, 막힘없이.
***flú·ent** *a.* 유창한 ; 능변인, 말을 잘 하는 ; (운동·곡선 따위가) 미끈한(graceful) ; 흐르는 ; 유동적인. —— *n.* 〖數〗 변수, 변량. **~·ly** *adv.* 유창하게. 〖L (*fluo* to flow)〗
flúe pìpe *n.* 〖樂〗 (파이프 오르간의) 순관(脣管).
flu·er·ic [fluːérik] *a.* =FLUIDIC.
flúe stòp *n.* 순관(脣管) 스톱.
flúe·wòrk *n.* [집합적으로] 순관 스톱.
flúey *a.* 보풀 같은, 보풀이 있는.
fluff [flʌ́f] *n.* **1** Ⓤ (나사지 따위의) 보풀, 면모(綿毛). **2** Ⓤ 솜털 ; 갓나기 시작하는 수염. **3** 자세한[시시한] 일[이야기] ; 《美俗》 간단한 일 ; 《口》 대실패 ; (경기·연주 따위에서의) 바보짓, 실수, 대사를 잊어버림, 틀림. —— *vi.* **1** 보풀이 일다 ; 너풀너풀 떨어지다. **2** 《口》(경기·연기 따위에서) 실수하다, 잘못하다, 실패하다(blunder). —— *vt.* **1** 보풀을 세우다 ; 부풀게 하다. **2** 《口》 (경기·연기 따위에서) …을 실패하다, 실수하다(misplay) ; (대사를) 잊어버리다, 틀리다.
fluff one***self*** [***one's feathers***] ***up*** [***out***] (새 따위가) 깃털을 세워 몸을 부풀리다.
〖C18‹? FLUE[3]〗
flúffy *a.* **1** 보풀의 ; 솜털의 ; 푹신푹신[북슬북슬]한. **2** 활기가 없는. **flúff·i·ly** *adv.* **-i·ness** *n.*
***flu·id** [flúːəd] *a.* 유동성의(liquid) (cf. SOLID), 유체의[를 이용한] ; (의견 따위가) 변하기 쉬운, 유동적인. —— *n.* Ⓤ,Ⓒ 〖理〗 유체, 유동체《액체·기체의 총칭 ; cf. SOLID》. **~·ly** *adv.* 유동적으로 ; 변하기 쉽게. **~·ness** *n.*
〖F or L *fluidus* ; ⇨ FLUENT〗
類義語 ⟹ LIQUID.
flúid cómpass *n.* 액체 컴퍼스[나침의(儀)].
flúid cóupling[**clútch**] *n.* 〖工〗 유체 조인트[클러치].
flúid drám[**dráchm**] *n.* =FLUIDRAM.
flúid dríve *n.* (자동차 따위의) 유체 구동(장치) ; =FLUID COUPLING.
flúid dynámics *n.* 유체 역학.
flúid fúel *n.* 유체 연료(燃料)《액체·기체·화학 연료의 총칭》.
flu·id·ic [fluːídik] *a.* 유체 (공학)의.
flu·íd·ics *n.* 유체 공학《주로 전자제품 내에서의 전류의 기능을 다룸》.
flu·id·i·fy [fluːídəfài] *vt.* 유체화(化)하다. —— *vi.* 유체로 되다 ; (구덩이·계곡 따위) 물[액체]을 모으다.
flu·id·i·ty [fluːídəti] *n.* Ⓤ 유동성[상태] (cf. SOLIDITY) ; 변하기 쉬운 것.
flúid·ìze *vt.* 유동[유체]화하다.
flú·id·ìzed béd *n.* 〖工〗 유동상(床)[층].
flúid mechánics *n.* 유체 역학.

flu·id·on·ics [flùːədɑ́niks] *n.* ＝FLUIDICS.
flúid·óunce, flúid óunce *n.* 액량(液量) 온스 《약제(藥劑) 따위의 액량(液量) 단위, 《美》 1/16 pint, 《英》 1/20 pint ; 略 fl. oz.》.
flúid préssure *n.* 〖理·地〗 유체 압력.
flu·idram, flu·idrachm [flùːədrǽm] *n.* 액량 드램《＝1/8 fluidounce ; 略 fl. dr.》.
fluke[1] [flúːk] *n.* **1** 닻혀, 닻의 갈고리(cf. ANCHOR, BILL[2]). **2** (창·작살·화살촉 따위의) 미늘 (barb). **3** 고래 꼬리 끝의 갈라진 조각 ; [*pl.*] 고래 꼬리. 〖? FLUKE[3]〗
fluke[2] *n.* 〖撞球〗 플루크《공이 요행으로 들어맞음》; (일반적으로) 요행으로 맞힘, 뜻하지 않은 이득, 요행 : win *by* a ~ 요행으로 맞추어 이기다.
— *vi., vt.* 〖撞球〗 요행수로 맞다[맞히다] ; (일반적으로) 요행으로 얻다.
〖C19 ‹? *fluke* (dial.) guess〗
fluke[3] *n.* **1** 〖魚〗 가자미·넙치류(類). **2** 《英》(달걀 모양의) 감자. **3** (양 따위의 간에 기생하는) 디스토마. 〖OE *flōc* ; cf. MLG, MDu. *flac* flat〗
flu·ki·cide [flúːkəsàid] *n.* 살흡충제(殺吸蟲劑).
fluky, fluk·ey [flúːki] *a.* 요행으로 맞히는, 요행의(lucky) ; 변덕스러운, 변하기 쉬운(shifting).
flúk·i·ly *adv.* 《口》 요행수로.
flume [flúːm] *n.* **1** 《美》 (경사지고 좁은) 골짜기의 내. **2** 홈통, 수채 ; (재목 따위를 띄워 보내는) 용수로(用水路). — *vi., vt.* 홈통을 설치하다 ; 홈통으로 물을 끌다 ; 용수로로 (재목을) 띄워서 나르다[운반하다].
flum·mery [flʌ́məri] *n.* **1** 오트밀로 만든 젤리 ; (우유·밀가루·달걀 따위로 만든) 푸딩. **2** 아첨, 빈 말 ; 실없는 소리. 〖Welsh *llymru* < ?〗
flum·mox, flum·mux [flʌ́məks, -iks] *vt.* 《口》 당황하게 하다, 얼떨떨하게 하다, 간담을 서늘하게 하다(confound). — *n.* 《俗》 (계획 따위의) 실패. 〖C19 < ? imit.〗
flump [flʌ́mp] *vi., vt.* 털썩 떨어뜨리다[쓰러지다], 탁[툭] 떨어지다[놓다]‹*down*›. — *n.* 털썩[탁, 툭](하는 소리), 쿵(하고 떨어지기) : sit down *with* a ~ 털썩 주저앉다. 〖imit.〗
***flung** *v.* FLING의 과거·과거 분사.
flunk [flʌ́ŋk] *vi.* 《美口》 (시험 따위에) 실패[낙방]하다(fail) ; 단념하다, 손을 떼다(give up).
— *vt.* **1** (시험 따위를) 실수하다, 실패하다. **2** …에 낙제점을 주다, 낙제시키다.
flunk out 낙제하여 퇴학하다 ; 성적이 나빠 퇴학하다[시키다].
— *n.* (시험 따위의) 실패(failure), 낙제(점).
flunk·ée *n.* 퇴학생, 낙제생.
〖C19 < ? ; FUNK＋FLINCH[1], *flink* (obs.) to be coward인가〗
flun·k(e)y [flʌ́ŋki] *n.* **1** 제복을 입은 고용인《사환·급사·수위 등》, (식당의) 잔심부름꾼. **2** 《蔑》 비굴한 아첨꾼, 얼치기 신사. **~·dom** *n.* [집합적으로] 하인들, 추종자들. **~·ism** *n.* Ⓤ 고용인 근성[기질] ; 아첨[추종]주의.
〖C18 (Sc.) ‹? FLANK＝sidesman, flanker〗
fluo- [flúːə] *comb. form* 「플루오르성(性)의」 「플루오르화(化)…」의 뜻. 〖FLUORINE〗
flu·or [flúːɔːr, flúːər] *n.* 《주로 英》 ＝FLUORITE.
fluor- [flú(ː)ər, 美＋flɔ́ːr], **flu·o·ro-** [flú(ː)ərou, 美＋flɔ́ːrou, -rə] *comb. form* 「플루오르성의」 「플루오르화…」 「형광(螢光)(의)」의 뜻.
〖FLUORINE, FLUORESCENCE〗
flùor·acétamide *n.* 〖藥〗 플루오르아세타미드《살충제》.
flu·o·resce [flù(ː)ərés, 美＋flɔːr-] *vi.* 형광(螢光)을 발하다. 〖역성(逆成) ‹*fluorescence*〗
flu·o·res·ce·in(e) [flù(ː)ərésiən, 美＋flɔːr-] *n.* 〖化〗 플루오레세인《야광 도료의 일종 ; 바닷물 속에서 형광을 발하여 조난 표지 따위에 씀》.
flu·o·res·cence [flù(ː)ərésəns, 美＋flɔːr-] *n.* Ⓤ 〖理〗 형광성 ; 형광.
〖FLUORINE ; *opalescence*의 유추〗
flù·o·rés·cent *a.* 형광을 발하는, 형광성의 : a ~ substance 형광체. — *n.* 형광.
fluoréscent lámp[túbe] *n.* 형광등.
fluoréscent líght *n.* 형광.
fluoréscent míicroscope *n.* 형광 현미경.
fluoréscent scréen *n.* 〖電子〗 형광면[판].
flù·o·rés·cer *n.* 형광제(劑)[물질].
flú·o·ri- [flú(ː)ərə, 美＋flɔ́ːrə] *comb. form* 「형광」의 뜻. 〖FLUORINE〗
flu·or·ic [flu(ː)ɑ́rik, 美＋flɔː-] *a.* 형석(螢石)의, 형석에서 얻는 ; 〖化〗 플루오르(성)의.
flu·o·ri·date [flúərədèit, 美＋flɔ́ːr-] *vt.* (음료수 따위에) 플루오르를 넣다《충치 예방을 위함》.
flù·o·ri·dá·tion *n.* 플루오르 첨가[예방].
flu·o·ride [flú(ː)əràid, 美＋flɔ́ːr-] *n.* 〖化〗 플루오르화물. 〖FLUORINE〗
flu·o·ri·dize [flúərədàiz, 美＋flɔ́ːr-] *vt.* (치아 따위를) 플루오르화물로 처리하다.
flu·o·ri·nate [flúərənèit, 美＋flɔ́ːr-] *vt.* (치아 위생을 위해 음료수에) 플루오르를 타다.
flu·o·rine [flú(ː)əriːn, 美＋flɔ́ːr-, 美＋-rən] *n.* Ⓤ 〖化〗 플루오르《기호 F ; 번호 9》.
〖F (L *fluo* to flow)〗
flu·o·rite [flú(ː)əràit, 美＋flɔ́ːr-] *n.* Ⓤ 〖鑛〗 형석(螢石)(fluor, fluorspar).
fluoro- [flú(ː)ərou, 美＋flɔ́ːrou, -rə] ☞ FLUOR-.
flùoro·cárbon *n.* Ⓤ 탄화 플루오르.
flúoro·chròme *n.* Ⓤ 형광 색소《생물 염색용》.
flu·o·rom·e·ter [flù(ː)ərɑ́mətər, 美＋flɔ̀ːr-], **-rim-** [-rím-] *n.* 형광계. **-róm·e·try, -rím-** *n.* 형광 측정(법). **flù·o·ro·mét·ric, -ri-** *a.*
flúoro·scòpe *n.* (X선 따위에 의한) 형광 투시경.
flu·o·ros·co·py [flu(ː)ərɑ́skəpi, 美＋flɔːr-] *n.* 형광경 시험, 형광 투시법(透視法)[검사].
flu·o·ro·sis [flù(ː)əróusəs, 美＋flɔːr-] *n.* Ⓤ 〖醫〗 플루오르 중독증. **-rot·ic** [-rɑ́tik] *a.*
flúor·spàr *n.* Ⓤ ＝FLUORITE.
flúr·ried *a.* 혼란한, 동요한, 당황한.
flur·ry [flə́ːri, flʌ́ri ; flʌ́ri] *n.* **1** (한바탕 부는) 질풍, 돌풍(gust) ; (질풍을 수반하는) 소나기, 눈보라 : a ~ of wind 돌풍. **2** 마음의 동요, 혼란, 소동 ; (증권 시장에서의) 적은 규모의 파란, 소혼란(小混亂), 소(小)공황.
in a flurry 당황하여, 허겁지겁.
— *vt.* 당황하게 하다, 낭패시키다(bewilder).
— *vi.* 당황하다.
〖? imit. ; *hurry*의 유추로 *flurr* (obs.) to ruffle에서인가〗
flush**[1] [flʌ́ʃ] *vi.* **1** [動/＋副/＋前＋名/＋補] (핏기가) 얼굴에 확 오르다 ; (얼굴·뺨이) 확 붉어지다, 달아오르다 ; (빛·색깔이) 빛나기 시작하다, (하늘이) 장밋빛으로 물들다 : She ~*ed* (up***) ***to*** the ears. 귀밑까지 새빨개졌다 / I felt the blood ~ ***into*** my face. 얼굴이 달아오르는 것을 느꼈다 / He ~*ed* red as flame. 그의 얼굴은 불같이 빨개졌다. **2** (물이) 왈칵[콱] 흘러나오다, 쏟아져 나오다. **3** (초목이) 싹트다. **4** 《美俗》 시험[과목]에 낙제하다.
— *vt.* **1** (뺨 따위를) 붉게 달아오르게 하다. **2** (물·액체를) 왈칵 쏟다 ; (하수·가로 따위를) 물

로 씻어내다; (목장 따위에) 물이 넘치게 하다; (못 따위의) 물을 빼다. **3** [+目/+目+*with*+名] (술·승리·자랑 따위로) 상기[흥분]시키다, 의기양양하게 하다, …에 위세[기세]를 돋우다: Our team was ~*ed* ***with*** its great victory. 우리 팀은 대승리로 기세가 올랐다. **4** (초목에) 새싹이 돋아나게 하다.

—— *n.* **1** (뺨 따위의) 홍조(blush); 《詩》 (하늘·구름 따위의) 붉음[붉은 빛], (저녁놀·아침놀의) 빛: ~ of dawn 아침놀. **2** 물이 왈칵 쏟아져 흐름, (급격한) 증수(增水); 물을 쫙[왈칵] 흘리기; 배수(排水). **3** 감격, 흥분, 큰 자랑: in the full ~ of triumph[hope] 승리[희망]의 감격에 취하여. **4** Ⓤ (어린 풀 따위의) 싹틈; 새싹, 새잎. **5** Ⓤ 발랄함, 신선한 빛; (세력이) 한창(인 때). **6** 격증. **7** 고열(이 남).

〖? FLUSH² to spring out; 의미상 *flash*와 *blush*의 영향 있음〗

flush² *a.* **1** 동일 평면의, 같은 높이의(level): windows ~ *with* the wall 벽과 동일 평면의 창. **2** (물 흐름이) 가득해진, 넘칠 듯한. **3** [*pred.*로 써서] 많이 가진, 풍부한; 아낌없이 쓰는, 마음이 호기로운(lavish): My uncle was ~ *of* money [*with* his money]. 아저씨는 대단한 부자였다[아낌없이 돈을 썼다]. **4** 번성한, 경기가 좋은(prosperous). **5** 원기 왕성한, 불그스레한(ruddy). —— *adv.* **1** 평평하게, 같은 높이로. **2** 바로, 직접적으로, 정면으로, 정확히.

—— *vt.* 평평하게 하다(level). 〖↑〗

flush³ *vi.* (새가) 푸드덕 날다. —— *vt.* (새를) 날아가게 하다. —— *n.* Ⓤ (새가) 날기, 날아가게 하기; Ⓒ (한꺼번에 날아오르는) 새 떼.

〖imit.; cf. FLY, RUSH〗

flush⁴ *n., a.* 〖카드놀이〗 (특히 포커에서) 같은 종류의 패를 모으기, 플러시(의)《같은 종류의 패가 다섯장 모아지기; cf. ROYAL FLUSH, STRAIGHT FLUSH, FOUR FLUSH, FULL HOUSE》.

〖OF<L FLUX〗

flúsh dèck *n.* 〖海〗 평갑판(平甲板)《뱃머리에서 고물까지 평탄한 갑판》.

flúsh dòor *n.* 플러시 도어《앞뒤에 합판을 대어 편평하게 만든 문》.

flúsh·er *n.* (하수도의) 청소원; 유수(流水) 장치.

flúsh·ing *n., a.* 수세식 세정(洗淨)(의); 홍조(의): a ~ tank (수세식 화장실의) 물 탱크.

flúsh·ness *n.* Ⓤ (특히 금전의) 풍부.

flúsh tìmes *n. pl.* 호경기, 호황 시대.

flúsh tòilet *n.* 수세식 화장실.

flus·ter [flʌ́stər] *vt., vi.* 소란하게 하다, 법석을 떨다, 당황(하게) 하다; 취(하게)하다: ~ oneself 당황하다, 정신을 못차리다. —— *n.* Ⓤ [또는 a ~] 당황함, 허둥댐: all in *a* ~ 아주 당황하여.

〖ME<?; cf. Icel. *flaustr(a)* to hurry, bustle〗

flus·trate [flʌ́streit], **flus·ter·ate** [flʌ́stərèit] *vt.* 《口》 =FLUSTER.

flus·trá·tion, flùs·ter·á·tion *n.* 《口》 당황함, 혼란됨; 술취함.

***flute** [flúːt] *n.* **1** 플루트; (오케스트라의) 플루트 연주자; (오르간의) 적음(笛音) 스톱; 플루트 모양의 것, 가늘고 긴 술잔, 가늘고 긴 프랑스 빵; 〖建〗 (기둥의) 세로 홈, 홈 파기. **2** 《韻俗》 옷.

—— *vi., vt.* 플루트를 불다; 피리 같은 소리로 노래[이야기]하다; (기둥 따위에) 세로 홈을 파다.

〖OF<? Prov.〗

flut·ed [flúːtəd] *a.* 플루트 음색(音色)의; (기둥 따위) 세로 홈을 판; 홈이 있는.

flut·er [flúːtər] *n.* 홈파는 기구; 《稀》=FLUTIST.

flut·ing [flúːtiŋ] *n.* Ⓤ 플루트 취주; Ⓒ 〖建〗 (기둥 따위의) 홈 파기, 세로 홈 장식; 〖裁縫〗 [집합적으로] 둥근 홈 주름.

flut·ist [flúːtəst] *n.* 플루티스트, 플루트 연주자(flautist).

flut·ter** [flʌ́tər] *vi.* [動/+副/+前+名] **1** (깃발 따위가) 펄럭이다(flap); 펄렁거리다(quiver). **2** 날개치다; 날개치며 날다; (나비 따위가) 너울너울[팔랑팔랑] 날다, 이리저리 날다(flit): The leaves ~*ed* ***about in the wind. 나뭇잎은 바람결에 이리저리 나부꼈다. **3** (맥박·심장이) 빨리 불규칙적으로 고동치다: Her heart began to ~ ***with*** fear. 그녀의 심장은 두려움 때문에 두근거리기 시작했다. **4** 가슴이 뛰다; 안절부절 못하다, 가슴 죄다; 당황하다: He ~*ed back* and *forth* in the corridor. 복도를 가슴 죄며 왔다갔다했다.

—— *vt.* (깃발 따위를) 펄럭이게 하다, 날개치게 하다; …의 가슴을 뛰게 하다, 안절부절 못하게[가슴 죄게] 하다, 산란하게 하다(ruffle).

—— *n.* **1** [단수형으로만 써서] 날개치기, 푸드덕거림; 펄럭임, 나부낌; 〖醫〗 (심장의) 고동, 두근거림. **2** [a ~] (마음의) 동요; 혼란: in *a* ~ 가슴이 두근거려, 당황하여 / fall into *a* ~ 허둥대다 / put a person in[into] *a* ~ =throw a person into *a* ~ 남을 두근거리게 하다 / make[cause] *a* great ~ 세상을 떠들썩하게 하다, 대평판이 나다. **3** (증권 시장(市場)의) 사소한 파란, (주식의) 동요. **4** 《특히 英口》 (도박·투기로) 한몫 걸기. **5** 〖오디오〗 (테이프의) 불안정 재생(再生); 〖TV〗 (영상(映像)의) 불안정 광도(光度). **6** =FLUTTER KICK.

〖OE *floterian* to float to and fro, flutter (freq.)< *flotian*; cf. FLEET²〗

類義語 ⟹ FLY¹.

flút·ter·ing·ly *adv.* 펄럭펄럭, 파닥파닥, 조마조마하여.

flútter kìck *n.* (크롤 수영법의) 발로 물을 (파닥파닥) 물장구치기.

flútter-tòngue *n.* 〖樂〗 flutter-tonguing에 의한 효과.

flútter-tònguing *n.* 〖樂〗 플러터텅잉《혀를 떠는 취주법》.

flút·tery *a.* 팔락거리는; 파닥거리기 쉬운.

fluty [flúːti] *a.* (음조(音調)가) 플루트 같은, 부드럽고 맑은.

flu·vi- [flúːvə], **flu·vio-** [-viou, -viə] *comb. form* 「하천」「하류」의 뜻.

〖L (*fluvius* river < *fluo* to flow)〗

flu·vi·al [flúːviəl] *a.* 하천의; 하류(河流)의 작용으로 생긴; 하천에 생기는[서식하는]. 〖L (↑)〗

flu·vi·a·tile [flúːviətàil] *a.* =FLUVIAL.

〖F<L (*fluviatus* moistened < ↑)〗

flu·vi·ol·o·gy [flùːviάlədʒi] *n.* 하천학.

flu·vi·om·e·ter [flùːviάmətər] *n.* 하천 수량 기록계.

flux [flʌks] *n.* **1** [단수형으로만 써서] 유동(流動), 흐름. **2** Ⓤ 밀물: ~ and reflux 조수(潮水)의 간만(干滿); 세력의 변천, 성쇠, 부침(浮沈). **3** [단수형으로만 써서] (막힘 없이) 흘러나오기: a ~ *of* words 다변(多辯). **4** Ⓤ 《비유》 유전(流轉), 끊임없는 변화: All things are in a state of ~. 만물은 유전한다. **5** Ⓤ,Ⓒ 〖醫〗 (혈액·체액의) 이상[병적인] 유출, 하혈; Ⓤ =DYSENTERY; =DIARRHEA. **6** 〖化〗 융제(融劑), 용제(溶劑). **7** Ⓤ 〖理〗 선속(線束), 유량(流量), 플럭스, 유동률; 〖數〗 연접동(連接動), 유동: magnetic ~ 자기력선속(磁氣力線束). —— *vt.* 녹이다; 〖醫〗 유출시

키다, 하혈시키다 ; 〖化〗 융제로 처리하다.
—— *vi.* 녹다 ; 흐르다 ; 《비유》 변전하다.
〖OF or L *fluxus* (*flux- fluo* to flow)〗

flúx dènsity *n.* 〖理〗 선속 밀도(線束密度), 플럭스 밀도.

flúx gàte *n.* 플럭스 게이트《지구 자기장의 방향과 세기를 나타내는 장치》.

flux·ion [flʌ́kʃən] *n.* 유동, 유출 ; Ⓤ 〖數〗 유율(流率), 도함수(導函數) : the method of ~*s* 유율법《뉴턴의 미적분법》.

flúxion·al, flúxion·àry [; -əri] *a.* 유동성의 ; 〖數〗 미분의 : *fluxional* calculus[analysis] 미적분학.

flúx·mèter *n.* 〖理〗 자기력선속계.

flúx·oid quántum *n.* 〖理〗 자기력선속 양자.

◇**fly**¹ [flái] *v.* (**flew** [flú:]) *vi.* **1** [動/+副/+前+名] **a**) (새가) 날다 ; (비행기로) 날다, 비행하다 ; (탄알 따위가) 날다, 날듯이 달려가다[지나가다] ; (돈 따위가) 날개 돋친 듯 없어지다 ; 날아가다, 시급히 가다(hurry) : Time *flies.* 세월은 유수와 같다 / The crow *flew* ***up into*** a high tree. 까마귀는 높은 나무로 날아올랐다 / The bird *flew* ***out of*** its cage. 새는 새장에서 날아가 버렸다 / The bird is[has] *flown.* ☞ BIRD 1 / He *flew* ***from*** New York ***to*** Rome. 그는 뉴욕에서 로마까지 비행기편으로 갔다 / I *flew* ***for*** a doctor. 급히 의사를 부르러 갔다. **b**) 날아오르다, 너울거리며 올라가다, 흩날리다 ; (깃발·머리털 따위가) 바람에 나부끼다 : She stood in the wind with her hair ~*ing.* 그녀는 바람에 머리를 휘날리면서 서 있었다 / The ball *flew* ***over*** the fence. 공은 담 너 머 로 날 아 갔 다 / The cup *flew apart*[***in*** pieces, ***to*** bits, ***into*** fragments]. 컵은 두 조각났다[산산이 부서졌다.] **2** [+補] 별안간 움직이다 : The window *flew* open. 창문이 확 열렸다. **3** [+*into*+名] 갑자기 (…하게) 되다(burst) : ~ ***into*** a passion[temper, rage] 벌컥 화를 내다 / ~ *into* raptures 뛰어오를 듯이 기뻐하다. **4** [FLEE의 대용(代用) ; 과거형은 fled] 날아[뛰어] 도망치다, 달아나버리다. **5** (*p., p.p.* **flied**) 〖野〗 플라이[비구]를 치다. **6** 《古》 (매처럼) 날아 덤비다〈*at*〉.

〈회화〉
I hate *flying.* — It's not bad at all. In fact, it's very safe. 「비행기를 타는 것은 질색이야」「괜찮아, 실제는 아주 안전해」

—— *vt.* **1** (새 따위를) 날게 하다, 놓아 주다 ; (연을) 날리다 ; (깃발을) 올리다, 휘날리다 : ~ one's own kite ☞ KITE 숙어 / The ship *flies* the British flag. 배는 영국기를 휘날리고 있다. **2** [+目/+目+前+名] (…을) 비행기로 날다 ; (비행기·비행선(船)을) 조종하다 ; (사람 등을) 비행기로[비행선으로] 나르다[에 태우고 가다] : We *flew* the Pacific. 태평양을 날았다 / Doctors and nurses were *flown* ***to*** the scene of disaster. 의사와 간호사가 재해 지역에 비행기로 파송되었다. **3** (장애물을) 뛰어넘다. **4** [FLEE의 대용 ; 과거형은 fled] …에서 도망치다, 빼소니치다, 피하다 : ~ the country 망명하다 / ~ the approach of danger 위험을 피하다. **5** (새를) 매를 풀어[놓아] 잡다. **6** (**flied**) 〖劇〗 (배경을) 무대 천장으로 올리다, (배경을) 천장에 매달다.

fly at …에게 달려들다 ; …을 야단치다 ; …을 공격하다.
fly at high game 《비유》 큰 뜻을 품다, 야망이 크다(fly high) : ~ *at higher game* 더욱 큰 소망을 가지다 ; 콧대가 높다.
fly blind 〖空〗 (계기(計器)만으로) 맹목 비행을 하다.
fly high 큰 뜻을 품다 ; 번영하다.
fly in the face[***teeth***] ***of*** …에게 대들다, …에 정면으로 반항하다, …에 공공연히 도전하다.
fly low 크게 바라지 않다 ; 겉으로 드러나는 일을 피하다, 남의 눈을 피하다.
fly off 날아가 버리다, 급히 사라지다 ; 약속을 어기다〈*from*〉 ; 증발하다.
fly out 뛰쳐나가다 ; 별안간 고함치다, 대들다〈*at, against*〉 ; 〖野〗 플라이를 쳐서 아웃되다.
fly out of one's ***skin*** ☞ SKIN.
fly round (차 바퀴 따위가) 빙글빙글 돌다.
fly to arms ☞ ARM².
fly (***up***) ***on*** = FLY *at.*
let fly (1) (탄알·화살·돌 따위를) 날리다, 쏘다, 발사하다〈*at*〉 : The hunter *let* ~ an arrow *at* the deer. 사냥꾼은 사슴을 향해서 화살을 쏘았다. (2) 격렬한 말을 하다, 욕하다〈*at*〉.
make the dust[***feathers, fur***] ***fly*** 대소동을 불러일으키다.
make the money fly 돈을 물쓰듯 하다, 낭비하다.
send. . .flying (남을) 쫓아내다, 해고하다 ; (물건을) 내던지다, 흩날리다 : Tom sent the ball ~*ing.* 톰은 공을 쳐 날렸다.

—— *n.* **1** 날기 ; 비행(flight) ; 비행 거리 ; 〖野〗 플라이, 비구(飛球). **2** (*pl.* **~s**) 《英》 (옛날의) 간편한 전세 마차. **3** (양복의) 단추 가리개 ; (천막 따위의) 늘어뜨린 자락[천]. **4** (피아노·오르간의) 건반 뚜껑. **5** 속도 조절 바퀴(flywheel). **6** [*pl.*] 〖劇〗 무대 천장《무대 장치를 조작하는 곳》.

have a fly 비행하다.
on the fly 날아서, 비행중에 ; 진행하여 ; 〖野〗 (플라이된 공이) 땅에 닿기 전에 ; 《美俗》 (분주하게) 뛰어다니며 ; 급한 김에, 서둘러 : catch a ball *on the* ~ 플라이된 공을 받아내다.
〖OE *flēogan* ; cf. G *fliegen*〗

類義語 ***fly*** 「공중을 날다」라는 뜻의 보편적인 말. ***flit*** 재빨리 짧은 거리를 연속적으로 날다 : A robin *flitted* from tree to tree. (울새가 나무에서 나무로 날았다). ***hover*** 날개를 움직이면서 공중의 한 곳 (가까이)에 머물고 있다 : A butterfly is *hovering* over a blossom. (나비가 꽃 위를 맴돌고 있다). ***soar*** 하늘 높이 일직선으로 또는 거의 수직으로 날아오르다 ; 또는 기류(氣流)를 타고 상공으로 활공(滑空)하다 : An eagle was *soaring* above the cliff. (독수리가 절벽 위를 수직으로 날아오르고 있었다). ***flutter*** 새 새끼나 상처를 입은 새처럼 날개를 퍼덕퍼덕하면서 짧은 거리를 날다 : A young bird *fluttered* out of the nest. (어린 새가 둥지 밖으로 퍼드덕 날고 있었다).

***fly**² *n.* **1** 파리 ; 나는 곤충 : die like *flies.* (파리처럼) 픽픽 쓰러지다, 맥없이 죽어가다. **2** Ⓤ (식물의) 파리나 작은 벌레의 해(害), 충해(蟲害). **3** 〖낚시〗 제물낚시 : tie a ~ 제물낚시를 달다.

a fly in amber 호박(琥珀)속의 화석 파리 ; 《비유》 원형대로 보존되어 있는 유물(遺物).
a fly in the ointment 옥에 티 ; 《비유》 (즐거움을) 망쳐 놓는 것.
a fly on the (***coach***) ***wheel*** (자기의 힘을 과시하는) 자만자(自慢者).
break[***crush***] ***a fly on the wheel*** ☞ WHEEL.
Don't let flies stick to your heels. 우물쭈물

하지 마라.
There are no flies on [***about***]... 《俗》 (사람)이 빈틈이 없다, 결점[죄]이 없다.
〖OE *flēoge* ; cf. ↑, G *Fliege*〗

fly[3] *a., n.* 《俗》 빈틈없는 (녀석), 기민한, 약삭 빠른 ; 《美》 매력적인, 멋진.
〖C19< ? ; FLY[1]에서인가〗

flý·able *a.* (날씨가) 비행하기에 알맞은.

flý ágaric [**amaníta**] *n.* 〔植〕 광대버섯《독버섯 ; 옛날 이것에서 파리잡는 종이에 바르는 독을 채취했음》.

flý àsh *n.* 플라이 애시《연소 가스 중에 혼입되는 석탄재 ; 레코드판·시멘트·기와 따위의 제조에 이용함》.

flý·awày *a.* (머리털 따위가) 바람에 나부끼는 ; 헐렁한 옷을 걸쳐 입은 ; (사람이) 들뜬. —— *n.* 경솔한 사람 ; 도주자.

flý-bàit *n.* 《美俗》 사체, 시체.

flý báll *n.* 〔野〕 플라이, 비구(飛球) ; 《美俗》 사복 경찰관, 형사.

flý·bàne *n.* 파리 죽이는 식물[풀]《끈끈이대나물·광대버섯 따위》.

flý·bèlt *n.* 체체파리가 들끓는 지대.

flý·blòw *n.* (음식 따위에 슬은) 쉬《파리의 알》.
—— *vt., vi.* 파리가 쉬를 슬다 ; 더럽히다.

flý·blòwn *a.* 쉬파리가 쉬를 슨, 구더기가 들끓는 ; 《비유》 더러워진, 부패한.

flý·bòat *n.* 바닥이 평평한 쾌속선.

flý bòmb *n.* =FLYING BOMB.

flý·bòok *n.* 제물낚시 쌈지.

flý·bòy *n.* 《美口》 공군 비행사 ; 《CB俗》 속도 위반자, 고속으로 차를 모는 사람.

flý brìdge *n.* 〔海〕 (보통의 배다리의 지붕 위의) 노천 배다리.

flý·bỳ *n.* (*pl.* ~**s**) 〔空·宇宙〕 (목표에 대한) 저공[접근] 비행 ; =FLYOVER.

flý-by-lìght *a.* 〔空〕 광신호로 조종하는 《광케이블을 써서 광신호에 의해 항공기를 조종하는 방식》.

flý-by-nìght *a.* (금전적으로) 믿을 수 없는, 무책임한 ; 오래 못 가는.
—— *n.* 밤놀이하는 사람 ; (빚지고) 야반 도주하는 사람 ; 신용할 수 없는 사람.

flý-by-wìre *a.* 〔空〕 전자 장치로 조종하는《조종간·조종 페달의 움직임을 컴퓨터를 통하여 전기 신호로 동익(動翼)에 전하는 방식》.

flý-càst *vi., vt.* =FLY-FISH.

flý càsting *n.* 제물낚시 던지기.

flý·càtch·er *n.* 파리 잡는 기구 ; 〔鳥〕 딱새류의 일종 ; 〔植〕 끈끈이주걱.

flý-chàser *n.* 《美俗》 〔野〕 외야수.

flý còp *n.* 《美俗》 사복 경찰관, 형사(fly ball).

flý-crùise *n., vi.* 비행기와 배로 하는 유람 여행(을 하다).

flý dìck *n.* 《美俗》 사복 경찰관, 형사(fly ball).

flý-drìve *n., vi.* 비행기와 렌터카로 하는 여행(을 하다). **-drìver** *n.*

flyer ☞ FLIER.

flý-fìsh *vi., vt.* 제물낚시질을 하다[로 낚다].
~·er *n.* **~·ing** *n.*

flý·flàp *n.* 파리채.

flý gàllery [**flòor**] *n.* 플라이 갤러리[플로어] 《무대 양옆의 좁은 무대 장치 조작대》.

flý-ìn *n.* **1** 자가용 비행기를 탄 채 볼일을 볼 수 있는 야외 극장·은행(cf. DRIVE-IN). **2** (목적지까지) 비행기를 타고 가는 모임.

***flý·ing** *a.* **1** 나는, 비행하는 ; 비행기의, 항공의. **2** (깃발·머리털 따위가) 나부끼는, 휘날리는, 펄럭이는. **3** 나는 듯이 빠른 ; 날쌔게 행동하는 ; 유격용의. **4** 몹시 급한, 허둥지둥하는 : a ~ visit 황급한 방문. **5** 급작스레 마련한, 임시 변통의, 일시적인. **6** 뛰면서[도움닫기를 하여] 행하는 ; 뛰어 도망치는. **7** 급송의, 급파의. **8** 《美俗》 (자기 고장에서 떨어진) 원격지에서 근무하는. **9** 공중에 뻗친 ; 〔海〕 돛자락을 (원재(spar)나 지삭(stay)에) 붙들어매지 않은.
under [***with***] ***a flying seal*** 개봉(開封)하여.
—— *n.* **1** Ⓤ 날음, 비행 ; 항공술 ; 비행기 여행 ; 질주 : ~ in formation 편대 비행. **2** 날림 ; (새를) 놓아줌 ; (연을) 날리기, 비산(飛散). **3** (폭탄 따위의) 파열, 터짐. **4** [*pl.*] 털[솜]지스러기, 털[솜]먼지.

flýing bòat *n.* 비행정(cf. FLOATPLANE).

flýing bòmb *n.* 무인(無人) 비행 폭탄, 로봇 폭탄(robot bomb).

flýing bóxcar *n.* 《口》 대형 화물 수송기.

flýing brìdge *n.* 가교(假橋) ; 가장 높은 함교.

flýing búttress *n.* 〔建〕 플라잉 버트레스.

flýing círcus *n.* 공중 비행 쇼.

flýing cólors *n. pl.* 하늘에 나부끼는[휘날리는] 기 ; 승리, (대)성공.
with flying colors [***colors flying***] 깃발을 휘날리며 ; 공을 이루어 ; 당당히.

flýing còlumn *n.* 유격대, 별동대, 기동 부대.

flýing còrps *n.* 항공대.

flýing cráne *n.* 대형 헬리콥터《수송용》.

flýing dèck *n.* (항공 모함의) 비행 갑판.

flýing dísk *n.* =FLYING SAUCER.

flýing dóctor *n.* 비행기로 왕진하는 의사.

flýing drágon *n.* 〔動〕 날도마뱀.

Flýing Dútchman *n.* [The ~] 희망봉 부근에 출몰한다는 유령선(의 선장).

flýing fatìgue *n.* =AERONEUROSIS.

flýing fìeld *n.* 소(小)비행장.

flýing fìsh *n.* 〔魚〕 날치.

Flýing Fórtress *n.* 《美》 하늘의 요새《2차 대전 때의 미공군 B-17의 속칭》.

flýing fóx *n.* 〔動〕 과실먹이박쥐.

flýing fróg *n.* 〔動〕 날개구리《인도산 ; 나무에서 나무로 활공해서 다님》.

flýing gúrnard *n.* 〔魚〕 죽지성대 《발달한 꼬리 지느러미를 가짐》.

flýing hándicap *n.* 도움닫기 스타트의 핸디캡 《flying start가 허용되는 경주》.

flýing hórse *n.* =HIPPOGRIFF ; (회전 목마 따위의) 말 모양의 좌석.

flýing jíb *n.* 〔海〕 플라잉 지브《앞쪽 비듬돛대의 삼각돛》.

flýing júmp [**léap**] *n.* 도움닫기 높이뛰기.

flýing lémur *n.* 〔動〕 박쥐원숭이《필리핀·동남아시아산(産)》.

flýing lízard *n.* 〔動〕 날도마뱀.

flýing machìne *n.* (초기의) 항공기, 비행선.

flýing màn *n.* 비행가(airman).

flýing máre *n.* 〔레슬링〕 업어치기.

flý·ing·òff *n.* Ⓤ 〔空〕 이륙(takeoff).

flýing òfficer *n.* 공군 장교 ; [F~ O~] 《英》 공군 중위《略 F.O.》.

flýing párty *n.* 유격대, 기동대.

flýing rìngs *n. pl.* (체조용) 링.

flýing sáucer *n.* 비행 접시 ; 《俗》 나팔꽃 씨《환각제의 일종》.

flýing schòol *n.* 항공[비행] 학교.

Flýing Scótsman *n.* London-York-Edinburgh를 잇는 영국 국철의 특급 열차.

flýing shéet *n.* =FLY SHEET.
flýing spót *n.* 〖TV〗 비점(飛點)《영상에 나타나는 흰 점》.
flýing squàd *n.* 《英》 (경찰의) 특별 기동대; (일반적으로) 유격대.
flýing squàdron *n.* 유격 함대; 유격대.
flýing squírrel *n.* 〖動〗 날다람쥐.
flýing stárt *n.* 도움닫기 스타트《출발점 바로 전부터 시작해서 출발점을 전속력으로 통과하는》; 호조의 시발.
flýing trapèze *n.* (곡예·체조용) 그네.
flýing wédge *n.* (선수·경찰관들의) V자형 대형; 《俗》 (유흥장 따위의) 경비원(들).
flýing Whíte Hòuse *n.* 《美》 대통령의 긴급 공중 지휘소.
flýing wíng *n.* 전익(全翼) 비행기《주익(主翼) 일부를 동체로 이용한 무미익기(無尾翼機)》.
flý·lèaf *n.* 면지《책의 권두·권말에 있는 백지》; (프로그램 따위의) 여백의 페이지.
flý lòft *n.* 무대 천장《무대 장치를 조작하는 곳》.
flý·man [-mən, -mæ̀n] *n.* (무대 천장에서) 무대 장치를 조작하는 담당자; 《英》 경마차의 마부.
flý mùg *n.* 《美俗》 사복 경찰관, 형사.
flý nèt *n.* 파리막이망(網)《말의》; 방충망.
flý-òff *n.* 〖空〗 성능 비교 비행.
flý·òver *n.* 《美》 저공 의례(儀禮) 비행, 분열 비행; 《英》 (철도·도로의) 입체 교차(의 횡단교), 고가 횡단도로(=《美》 overpass); 비행기가 머물지 않고 상공을 통과만 하는 소도시.
flý·pàper *n.* Ⓤ 파리잡이 끈끈이.
flý·pàst *n.* 《英》 분열 비행(cf. MARCH-PAST); =FLYBY.
flý pìtch *n.* 《英俗》 (무허가 노점 상인의) 노점 장소. **flý-pìtch·er** *n.* 《英俗》 무허가 노점상.
flý·pòst *vt.* 《英》 (전단을) 몰래 붙이다; …에 몰래 전단을 붙이다.
flý ràil *n.* 버팀쇠《접이책상의 옆 판자를 받치는》.
flý ròd *n.* 제물 낚싯대.
flý shèet *n.* 광고지, 광고용 전단; 취지서.
flý·spèck *n.* 파리똥 자국; 작은 점.
—— *vt.* …에 작은 얼룩을 묻히다.
flý sprày *n.* 파리잡이용 스프레이.
flý·strìp *n.* (살충제를 삽입시킨) 파리잡기 플라스틱 조각.
flý·swàtter, -swàt *n.* 파리채(swatter); 《野俗》 (언제나) 플라이를 날리는 선수.
flyte [fláit] *vi.* 《스코》 =FLITE.
flý-tìp *vt.* 《英》 (쓰레기를) 쓰레기장 아닌 곳에 버리다. **flý-tìp·per** *n.*
flý·tràp *n.* 파리잡이 통; 〖植〗 파리풀.
flý·ùnder *n.* 고가밑을 지나는 철도[도로].
flý·wày *n.* 철새가 지나가는 길.
flý·wèight *n.* 플라이급 (권투 선수)《체중 112파운드 이하》.
flý·whèel *n.* 〖機〗 플라이휠, 속도 조절 바퀴.
flý whìsk *n.* (말총 따위로 만든) 파리를 쫓는 채《종종 지위·권위의 상징》.
FM, F.M. frequency modulation. **Fm** 〖化〗 fermium. **fm., fm** fathom; from. **F.M.** Field Marshal; Foreign Mission. **FMB** 《美》 Federal Maritime Board(연방 해사(海事) 위원회). **FMCS** 《美》 Federal Mediation and Conciliation Service (연방 조정 화해 기관). **FMF** 《美》 Fleet Marine Force(함대 해병 부대). **FMS** 《美》 foreign military sales(대외 군사 판매); 〖컴퓨〗 flexible manufacturing system 《소량 다품종의 생산에 적합한 융통성 높은 자동화 생산시스템》. **FMVSS** 《美》 Federal Motor-Vehicle Safety Standard(연방 자동차 안전 기준). **fn., f.n.** footnote. **FNMA** [, fæniméi] 《美》 Federal National Mortgage Association.
f-number [éf-] *n.* =FOCAL RATIO.
fo. folio. **F.O.** field officer; 《英》 Flying Officer; 《英》 Foreign Office.
foal [fóul] *n.* 말[당나귀, 노새] 새끼, 망아지(colt, filly).
in*[*with*] *foal (암말이) 새끼를 배어.
—— *vt., vi.* (망아지를) 낳다.
〖OE *fola*; cf. FILLY, G *Fohlen*〗
***foam** [fóum] *n.* **1** Ⓤ 거품(덩어리), 포말(泡沫)(froth); (말 따위의) 비지땀; 게거품《간질병·공수병(恐水病)자들이 내뿜는 것》. **2** [the ~] 《詩》 거품 이는 바다: sail the ~ 바다를 항해하다. **3** Ⓤ =FOAM RUBBER.
in a foam 거품 덩어리가 되어; (말 따위가) 땀투성이로.
—— *vi.* **1** [動/+前+名] (맥주 따위가 컵에서) 거품이 일다; 거품이 일며 흐르다: Beer ~*s* ***in*** a glass. 맥주가 컵 속에서 거품이 인다. **2** 거품을 내다, (말이) 비지땀을 흘리다. —— *vt.* 거품을 일게 하다.
foam at the mouth (간질병 환자·성난 개가) 거품을 내뿜다; 《비유》 격노하다.
~·ing·ly *adv.* **~·less** *a.* **~·lìke** *a.*
〖OE *fām*; cf. G *Feim*〗
fóam blòck *n.* 폼 블록《폼 홈(foam home)을 만드는 폼재(材)의 블록》.
fóamed plástic [fóumd-] *n.* 발포(發泡) 스티롤(expanded plastic).
fóam extínguisher *n.* 포말 소화기.
fóam glàss *n.* 발포(發泡) 유리.
fóam hòme *n.* 폼 홈《폴리스티렌의 폼재(材)를 나무나 콘크리트와 맞추어 짓는 집》.
fóam-in-pláce pàckaging *n.* 현장 발포 포장《내용물과 외장 용기 사이에 플라스틱 발포물을 넣어 굳히는 완충 포장의 일종》.
fóam rúbber *n.* 기포(氣泡) 고무, 폼 러버《해면 같은 고무》.
fóamy *a.* 거품의; 거품이 이는, 거품투성이의.
fóam·i·ly *adv.* **-i·ness** *n.*
fob[1] [fáb] *n.* **1** (양복바지 위쪽의) 시계를 넣는 작은 호주머니. **2** 《美》 =FOB CHAIN. **3** 《美》 시계줄(fob chain) 끝에 다는 작은 장식물.
—— *vt.* (**-bb-**) (시계 따위를) fob에 넣다.
〖C17< ? G (dial.) *fuppe* pocket〗
fob[2] *vt.* (**-bb-**) [다음 숙어로]
fob off (불량품·가짜 물건 따위를 남에게) 뒤집어씌우다, 속여 팔다; (가짜 약속 따위를 하여 남을) 따돌리다〈*with*〉: You ~ *off* everything *on* (*to*) other people. 너는 무엇이든 남에게 뒤집어 씌우려고 한다. 〖C16<?; cf. *fop* (obs.) to dupe, G *foppen* to banter〗
FOB [fáb] *n.* 《美俗》 갓 도착한 입국자, 방금 배에서 내린 이민. 〖*f*resh *o*ff the *b*oat〗
F.O.B., f.o.b. 〖商〗 free on board (《英》 본선(적화(積貨)) 인도(引渡); 《美》 (본선·화차의) 적화물(積貨物) 인도; cf. F.O.R.).
fób·ber *n.* 〖商〗 본선 적재 인도까지 책임을 지는 사람.
fób chàin *n.* 시계의 가는 쇠줄[끈, 리본]《바지의 시계 넣는 작은 호주머니(fob)에서 늘어뜨림》.
FOBS [fábz] *n.* 〖軍〗 지구 선회 우주선의 부분 궤도 폭격 체제.
〖*F*ractional *O*rbital *B*ombardment *S*ystem〗

fób wàtch *n.* fob 에 넣는 시계.
F.O.C., f.o.c. free of charge(요금 무료).
fo·cal [fóukəl] *a.* 초점의, 초점에 있는.
〖L.; ⇨ FOCUS〗
fócal dìstance *n.* =FOCAL LENGTH.
fócal infèction *n.* 〔醫〕 병소(病巢) 감염.
fócal·ìze *vt.* 초점을 맞추다 ; (주의 따위를) 집중시키다 ; 〔醫〕 (감염(感染) 따위를) 국부적으로 멈추게 하다. —— *vi.* (빛 따위) 초점에 모으다 ; (렌즈 따위) 초점이 맞다 ; (감염이) 국부화하다.
fòcal·izátion *n.*
fócal lèngth *n.* 〔光·寫〕 초점거리.
fócal plàne *n.* 〔光·寫〕 초점면.
fócal-plàne shùtter *n.* 〔寫〕 포컬플레인 셔터《카메라의 초점면 개폐 장치》.
fócal pòint *n.* 〔光·寫〕 초점 ; (활동[관심] 따위의) 중심.
fócal ràtio *n.* 〔光·寫〕 f 넘버, 밝기(f-number).
***foci** *n.* FOCUS의 복수형.
fo·co [fóukou] *n.* (*pl.* **~s**) 게릴라 거점.
〖Sp. =focus〗
fo'c'sle, fo'c's'le [fóuksəl] *n.* =FORECASTLE.
***fo·cus** [fóukəs] *n.* (*pl.* **~·es, fo·ci** [-sai, 英+ -ki:]) **1** 〔理〕 초점 ; 초점거리 ; (안경 따위의) 초점 맞추기. **2** (흥미 따위의) 집중점 ; (폭풍우·분화(噴火)·폭동 따위의) 중심 ; 〔醫〕 병소(病巢)《병적(病的) 변화가 있는 부분》.
bring...into focus …을 초점에 맞추다.
in*[*out of*] *focus 초점[핀트]이 맞아[빗나가] ; 뚜렷하게[흐릿하여].
—— *v.* (**~(s)ed ; ~·(s)ing**) *vt.* [+目/+目+前+名] 초점에 모으다, …의 초점을 맞추다(focalize) ; 집중시키다(concentrate) : Try and ~ your mind ***on*** your lessons. 학과에 주의를 집중시키도록 힘쓰시오. —— *vi.* [動/+前+名] 초점에 모이다[맞다] ; 집중하다 : He was too shortsighted to ~ ***on*** the object. 너무도 심한 근시(近視)기 때문에 그 물건에 초점을 맞출 수가 없었다. **~·able** *a.* **~·er** *n.*
〖L=hearth〗
fócus gròup *n.* 테스트할 상품에 관하여 토의하는 소비자 그룹.
fócus·ing clòth *n.* 〔寫〕 (초점 맞출 때) 씌우는 보[천].
fócusing còil *n.* 〔電〕 집속 코일.
fócusing glàss *n.* 〔寫〕 초점 확대경 ; 〔空〕 초점용 유리판.
fócusing lèns *n.* 〔寫〕 초점 렌즈.
fod·der [fádər] *n.* Ⓤ 가축의 사료, 꼴.
—— *vt.* (가축에게) 사료를 주다.
〖OE *fōdor* ; cf. FOOD, G *Futter*〗
FOE Friends of the Earth《지구의 벗 ; 국제 환경보호 단체》. **F.O.E., FOE** Fraternal Order of Eagles.
***foe** [fóu] *n.* 《詩·文語》 원수, 적(enemy) ; 장애.
〖OE *fāh* hostile ; cf. FEUD, OHG *gifēh* hostile〗
類義語 ⟹ OPPONENT.
foehn, föhn [féin, féin] *n.* 〔氣〕 푄《산맥을 넘어 내리 부는 건조하고 따뜻한 바람》.
〖G *Föhn*〗
fóe·man [-mən] *n.* (*pl.* **-men** [-mən]) 《古·詩》 적(병) : a ~ worthy of one's steel 호적수.
foetal, foetation ☞ FETAL, FETATION.
foeti-, foeto- ☞ FETI-.
foeticide ☞ FETICIDE.
foetid, foetus, etc. ☞ FETID, FETUS, etc.
fo·far·raw [fóufərɔ̀:] *n.* 《美口》 =FOOFARAW.

***fog**[1] [fɔ́(:)g, fág] *n.* **1 a)** U,C 안개, 연무 ; 안개[연기·먼지·물보라 따위]가 자욱하게 끼기. **b)** 혼미(混迷), 당황 : in a ~ 당황하여, 어찌할 바를 모르고. **2** U,C 〔寫〕 (필름·인화지 따위의) 바림, 흐림.
the fog of war 전운(戰雲).
—— *v.* (**-gg-**) *vt.* **1** 안개[연무]로 덮다. **2** 어찌할 바를 모르게 하다. **3** 〔寫〕 (음화·인화(印畫)를) 흐리게 하다. **4** 《野俗》 (강속구를) 던지다.
—— *vi.* 안개가 끼다 ; 《英》 선로(線路)에 농무 신호(濃霧信號) (fog signal)를 보내다 ; 〔園藝〕 습기로 시들다〈*off*〉. 〖C16 (? 역성(逆成)) ‹*foggy* covered with coarse grass〗
類義語 ⟹ MIST.
fog[2] *n.* 두 번째 나는 풀 ; 선 채로 말라 죽은 풀 : leave (grass) under ~ (풀을) 선 채로 말라 죽은 대로 두다. —— *vt.* (**-gg-**) (지면을) 말라죽은 풀로 덮어 두다 ; (가축)에게 두번째 나는 풀[말라 죽은 풀]을 먹이다.
〖ME< ? Scand. ; cf. Norw. *fogg* rank grass〗
fóg alàrm *n.* 농무 경보(濃霧警報).
fóg·bàll *n.* 〔野〕 강속구.
fóg·bànk *n.* (바다 위에 층운(層雲) 모양으로 끼는 짙은) 안개 봉우리.
fóg bèll *n.* (농무 경계 때 배에서 울리는) 농무 경종, 포그 벨.
fóg·bòund *a.* 안개가 낀 ; (배가) 농무에 갇힌.
fóg·bòw [-bòu] *n.* 안개 무지개《안개 속에 희미하게 나타나는 흰빛 무지개》.
fóg·bròom *n.* (도로·비행장의) 안개 소산(消散) 장치.
fóg·dòg *n.* =FOGBOW.
fogey ☞ FOGY.
fóg·gy *a.* 안개가 자욱한 ; 몽롱한 ; 희미한, 흐릿한 (dim) ; 〔寫〕 흐린. **fóg·gi·ly** *adv.* 안개가 짙게 ; 몽롱하게 ; 어찌할 바를 모르고.
〖C16=covered with coarse grass, boggy, flabby (of flesh) (FOG[2]+-y[4])〗
Fóggy Bóttom *n.* 미국 국무부의 속칭.
〖Washington, D.C.의 국무부 소재지의 옛 호칭에서〗
fóg·hòrn *n.* 〔海〕 농무 경적(警笛) ; 《비유》 굵고 거센 목소리.
fo·gle [fóugəl] *n.* 《俗》 (비단) 손수건[네커치프].
fógle hùnter[**hèister**] *n.* 《俗》 소매치기.
fóg·less *a.* 안개가 없는 ; 명확히 보이는(clear).
fóg lèvel *n.* 〔寫〕 (현상된 필름의 미노광 부분의) 흐림 농도.
fóg lìght[**làmp**] *n.* 자동차용 안개등(燈), 포그램프《보통 황색》.
fóg sìgnal *n.* 〔英鐵〕 농무 신호.
fóg sìren[**whìstle**] *n.* 농무 경계 사이렌.
fo·gy, -gey [fóugi] *n.* [보통 old ~] 시대에 뒤진 사람, 완고한 구식 사람. **~·ish** *a.* **~·ìsm** *n.*
〖C18< ?〗
foh [fɔ́:] *int.* =FAUGH.
föhn ☞ FOEHN.
FOI freedom of information. **FOIA** 《美》 Freedom of Information Act.
foi·ble [fɔ́ibəl] *n.* **1** (애교가 있는) 약점, 결점, 단점 ; (특히) 자만하는 버릇. **2** 칼의 휘는[약한] 부분《한가운데부터 칼끝까지 ; ↔*forte*》.
〖F ; ⇨ FEEBLE〗
foie gras [fwá: grá: ; *F* fwa grɑ] *n.* 《口》 푸아그라《특별히 살찌운 집오리의 간(肝)요리 ; 진미》.
〖F=fat liver〗
***foil**[1] [fɔ́il] *n.* **1** Ⓤ 금속의 얇은 조각, 박(箔) (cf.

LEAF 4) ; 거울 뒷면의 박《수은의 혼합물》: gold [tin] ~ 금[주석]박. **2** (다른 것과 대조하여) 돋보이게 하는 것[사람]. **3** 〖建〗 잎사귀 모양의 장식《고딕 양식의 꽃무늬 장식》. —— *vt.* …에 박을 입히다, …에 박으로 뒤를 붙이다 ; 〖建〗 …에 꽃잎 장식을 하다.
〚OF＜L *folia* (pl.) ‹*folium* leaf〛

foil[2] *vt.* **1** (상대방 · 계략 따위를) 좌절시키다, 허를 찌르다(baffle). **2** 〖사냥〗(짐승이 남긴 냄새 자국을 없애려고) 이리저리 뛰어다니다 ; 이리저리 뛰어다녀 (냄새 · 자취를) 감추다. —— *vi.* 〖사냥〗(사슴 따위가) 이리저리 뛰어다녀 냄새[자취]를 감추다. —— *n.* 《古》 격퇴, 저지(沮止).
〚ME＝to cross track to baffle hounds＜?OF *fouler* to full cloth, trample＜L *fullo* FULL[2]〛

foil[3] *n.* 〖펜싱〗 플뢰레(fleuret)《칼끝에 둥근 솜뭉치를 댄 연습용 칼》; [*pl.*] 플뢰레를 사용한 펜싱 기술, 플뢰레 경기. 〚C16＜?〛

fóil càpsule *n.* 고급 브랜디 · 와인 따위의 병아가리 깊숙이까지 씌운 금속 포일.

foiled [fɔ́ild] *a.* 〖建〗 (창 · 아치 따위) (꽃)잎 모양의 장식이 있는.

fóil·ing *n.* 〖建〗 (꽃)잎 모양의 장식 ; 〖사냥〗 사슴의 냄새 자국.

fóil lìdding *n.* 금속박의 뚜껑, 포일 뚜껑《요구르트 용기 따위》.

fóils·man [-mən] *n.* 펜싱 선수.

foin [fɔ́in] *n.* 《古》 (칼끝 · 창끝 따위로) 찌르기. —— *vi.* 찌르다.

foi·son [fɔ́izən] *n.* 《古 · 詩》 풍부, 풍작 ; 《스코》 체력, 정력.

foist [fɔ́ist] *vt.* **1** [＋目＋*into*＋名] (부정한 문구 따위를) 몰래 삽입하다 : Translators should not ~ any passages ***into*** the original book. 번역자는 원전(原典)에 멋대로 가필해서는 안된다. **2** [＋目＋*on*＋名/＋目＋副] (가짜 물건 따위를) 강매하다, 속여 팔다(palm) : The merchant tried to ~ some inferior goods (***off***) ***on*** me. 그 장사꾼은 나에게 불량품을 팔아 먹으려고 했다. **3** [＋目＋*on*＋名] (저작물을 …의 작이라고) 속이다 : He ~*ed* the composition (***up***) ***on*** an imaginary author. 그 작품의 저작자로서 가공의 인물을 꾸며 냈다. 〚C16＝to palm false die＜Du. *vuisten* (dial.) to take in the hand (*vuist* fist)〛

Fok·ker [fɑ́kər, fɔ́:k-] *n.* 포커기(機)《제1차 대전 때 활약한 독일 군용기》.

fol. folio ; followed ; following.

fol·a·cin [fóuləsən] *n.* 폴라신, 폴산(folic acid).

fo·late [fóuleit] *n.*, *a.* 〖生化〗 폴산(의) ; 폴산염[에스테르].

‡**fold**[1] [fóuld] *vt.* **1** [＋目/＋目＋副] 겹치다, 접다 ; (가장자리 따위를) 구부리다, 접어 젖히다(bend) : ~ a letter 편지를 접다 / ~ *back* the sleeves of a dress 옷 소매를 접어 젖히다 / He ~*ed* ***down*** the corner of the page. 페이지의 귀를 접었다. **2** (양팔에) 껴안다(clasp), 끌어안다. **3** (양손 · 양팔 따위를) 끼다 : with one's arms ~*ed*＝with ~*ed* arms 팔짱을 끼고 / ~ one's hands 두 손을 깍지끼다. **4** [＋目/＋目＋前＋名] 싸다, 감싸다, 걸치다(wrap up) : The mountains were ~*ed* ***in*** clouds. 산들은 구름에 덮여 있었다. —— *vi.* **1** [動/＋副] 겹치다 ; 접히다, 접어서 겹치다 : The doors ~ *back*. 문은 접게 되어 있다. **2** 《口》 망가지다, 실패하다. **3** (지층이) 습곡이 생기다.
fold up 반듯이 접다 ; 《口》 (사업 따위가) 망하다, 파산하다, (연극 따위가) 실패하다.
—— *n.* **1** 접음 ; 접은 자리 ; 주름 : the ~ of a skirt 스커트의 주름. **2** 층(層)(layer) ; 구김살(crease) ; (토지의) 움푹한 곳(hollow) ; [*pl.*] 중첩된 기복(起伏) ; 〖地質〗 (지층의) 습곡(褶曲). **3** (서린 뱀 따위의) 한 사리(coil).
〚OE *f(e)aldan* ; cf. G *falten*〛

fold[2] *n.* (가축, 특히 양)의 우리[울] ; [the ~] (우리 안의) 양떼 ; 《비유》 기독교 교회 ; [the ~] (일반적으로) 가치관[목적]을 같이 하는 사람들, 동료(cf. FLOCK[1] 3) : return to the ~ 《비유》 (신자로서) 교회에 복귀하다.
—— *vt.* (양을) 우리에 가두다, 우리에 넣다 ; (땅이 기름지게) 양을 우리 안에서 기르다.
〚OE *fald* ‹*falod* ; cf. MLG *valt* enclosure〛

-fold [fòuld] *suf.* 「…배의[로]」「…겹의[으로]」의 뜻의 형용사 · 부사를 만듦 : two*fold* ; mani*fold*.
〚OE -*f (e) ald* folded in so many layers〛

fóld·awày *a.* 접는 식의《문 · 침대》.

fóld·bòat *n.*＝FALTBOAT.

fóld·ed dípole *n.* 〖通信〗 접힌 다이폴(안테나).

fólded hórn *n.* 〖오디오〗 폴디드 호른《저음용 호른형 스피커의 나팔 ; 접어서 짧게 되어 있음》.

fóld·er *n.* **1** 접는 사람[기구]. **2** 종이[서류] 집게. **3** 접는 인쇄물[팸플릿], 접는 식의 광고, 폴더 ; 접는 식 지도[시간표]. **4** [*pl.*] 접는 안경.

fol·de·rol [fɑ́ldərɑ̀l] *n.* ＝FALDERAL.

fóld·ing *n.*, *a.* 접는 식(의), 접어 넣는 식(의) : a ~ bed[chair] 접는 식 침대[의자] / a ~ machine 접지기 / a ~ screen 병풍.

fólding cámera *n.* 《CB俗》 경찰차에 실린 포터블(portable) 속도 측정 장치.

fólding dóor *n.* [때때로 *pl.*] 접게된 문, 아코디언 도어(accordion door).

folding door

fólding gréen *n.* 《美俗》 지폐, 돈.

fólding móney *n.* 《美》 수중에 있는 많은 현금《small change에 대하여》; 《美俗》 현찰, 지폐.

fólding scàle[rùle] *n.* 접자.

fólding stòol *n.* 접게 된 의자.

fóld mòuntains *n. pl.* 〖地質〗 습곡 산지.

fóld·òut *n.* (잡지 사이) 접어서 끼워넣은 페이지.

fóld-ùp *a.* 접어 넣을 수 있는.

Fo·ley [fóuli] *n.* 폴리. **John Henry** ~ (1818–74) 아일랜드의 조각가.

Fóley Squáre *n.* 《美俗》 연방 수사국, FBI.
〚FBI의 주요한 동부 지부(支部)가 New York 시 Manhattan구(區)의 *Foley Square*에 있는 데서〛

folia *n.* FOLIUM의 복수형.

fo·li·a·ceous [fòuliéiʃəs] *a.* 잎 모양의, 잎 같은. **~·ness** *n.*
〚L＝leafy ; ⇨ FOIL[1]〛

fo·li·age [fóuliidʒ, -ljidʒ] *n.* Ⓤ [집합적으로] 잎(전부), 군엽(群葉) ; (장식 · 도안 따위의) 잎 장식. 〚F (*feuille* leaf＜FOIL[1])〛

fó·li·aged *a.* 잎으로 덮인 ; 잎무늬 장식이 있는 ; [복합어를 이루어] …한 잎이 달린, 잎이 …한.

fóliage léaf *n.* 〖植〗 본잎, 심상엽(尋常葉).

fóliage plánt *n.* 관엽 식물《베고니아 따위》.

fo·li·ar [fóuliər] *a.* 잎의, 잎 모양의 ; 잎 같은 성질을 가진.

fo·li·ate [fóuliət, -èit] *a.* **1** 〖植〗 잎이 있는 ; 잎이 …개 달린 : 5-~ 5엽의. **2** 잎 모양의.

—— *v.* [-èit] *vi.* 잎이 나다 ; 얇은 조각으로 갈라지다. —— *vt.* 〖建〗 잎장식(foil)으로 꾸미다 ; 얇은 조각[박(箔)]으로 하다 ; …에 박을 입히다(foil) ; (책의) 매수를 매기다, 장수를 매기다(cf. PAGE). 〖L ; ⇨ FOIL[1]〗

fo·li·a·tion [fòuliéiʃən] *n.* **1** Ⓤ 잎이 나기, 발엽(發葉) ; [집합적으로] 잎(foliage). **2** Ⓤ,Ⓒ 잎장식 ; 〖建〗 잎 무늬의 장식 ; 당초(唐草)무늬 장식. **3** Ⓤ 박엽화(薄葉化), 박을 입히기 ; 〖地質〗 (암석이) 얇은 조각으로 쪼개지기. **4** Ⓤ (책 따위의) 장수[매수] 매기기, 장수.

fó·lic ácid [fóulik-] *n.* 〖生化〗 폴산(酸)《빈혈의 특효약》.

fo·lie [*F* fɔli] *n.* 망상 ; 광기. 〖F=folly〗

fo·lie de gran·deur [*F* fɔli də grɑ̃dœːr] *n.* 〖醫〗 과대 망상.

fo·lio [fóuliòu] *n.* (*pl.* **-li·òs**) **1** (전지(全紙)의) 한 번[2절로] 접기《4페이지분》. **2** 전지 절반 크기의 판[책]《책 중에서 제일 큼 ; cf. FORMAT》. **3** 2절 표지《문서 따위를 접어 넣는 데 씀》. **4** (고본(稿本), 인쇄본의) 한 장 ; 〖印〗 페이지 매기기, 장수 ; 〖簿〗 (차변·대변을 기입한) 양 페이지의 한 쪽. **5** 〖法〗 (문서 길이를 세는) 단위 어수《《英》에서는 72-90 ; 《美》에서는 100단어》.

in folio 전지 2절판의《책》.

—— *a.* 2절판의. —— *vt.* (고본·서적의) 장수를 세다 ; 〖印〗 …에 페이지 수를 매기다 ; 〖法〗 (서류 따위)에 단위 어수마다에 표시를 달다. 〖L (abl.) ‹ *folium* leaf〗

-fo·li·o·late [fóuliəlèit] *a. comb. form* 〖植〗 「작은 잎의」 「작은 잎으로 된」의 뜻. 〖L〗

fo·li·ole [fóuliòul] *n.* 〖植〗 작은 잎.

fólio pùblishing *n.* 종이에 인쇄하는 재래식 출판업(cf. ELECTRONIC PUBLISHING).

-fo·li·ous [fóuliəs] *a. comb. form* 〖植〗 「…잎의」의 뜻 : uni*folious*. 〖L (↓)〗

fo·li·um [fóuliəm] *n.* (*pl.* **-lia** [-liə]) 얇은 층(lamella) ; 〖數〗 엽선(葉線). 〖L=leaf〗

fo·li·vore [fóuləvɔ̀ːr] *n.* 〖動〗 엽식(葉食)동물.

fo·liv·o·rous [foulívərəs] *a.* 〖動〗 엽식성의.

***folk** [fóuk] *n.* (*pl.* **~, ~s**) **1** [복수취급] 《方·文語》 사람들 : A treat has been arranged for the old ~. 노인들을 위한 위안회가 준비되었다. 注 특히 《美口》에서는 이 뜻에 ~*s*의 형이 쓰임 ; 일반적으로 지금은 people쪽이 보통. **2** [*pl.*] 《口》 가족, 친족, 일족 : my ~*s* 집안 사람들[친척] / How are your young ~*s*? 댁의 자제들은 다 잘 있습니까. **3** 《古》 국민, 민족(race). —— *a.* 국민의, 민족적인 ; 민간 (전승)의 ; 민요의, 민속 음악의. 〖OE *folc* ; cf. G *Volk*〗

fólk àrt *n.* 민중 예술.

fólk blúes *n.* 《美》 포크 블루스《19세기 중반 이후에 해방된 흑인 사이에서 불리던 민요적 블루스》.

fólk cùstom *n.* 민속.

fólk dànce *n.* 민속[향토] 무용(곡).

fólk etymólogy *n.* 민간[통속] 어원(설) (popular etymology)《*asparagus*를 *sparrowgrass*로 해석하는 따위》.

fólk·ie *n.* 《俗》 포크송[민요] 가수[팬].

—— *a.* 포크송의, 민요의.

fólk·lìfe *n.* 서민 생활(연구).

fólk·lòre *n.* Ⓤ 민속, 민간 전승《풍속·습관·신앙·속담·전설 따위》 ; 민속학.

-lor·ist [-lɔ̀ːrəst] *n.* 민속학자.

〖FOLK+LORE ; 1846년 영국인 W. J. Thomas가 G *Volkskunde*에 맞춘 것〗

folk·lor·ism [fóuklɔ̀ːrizəm] *n.* (음악 따위의) 민간 전승 연구《관현악곡 중에 그 나라 민요의 선율을 넣는 일 따위》.

folk·lor·is·tics [fòuklɔːrístiks] *n.* 민속 연구, 민속학. **fòlk·lor·ís·tic** *a.*

fólk màss *n.* (전통적인 예배용 음악 대신에) 민속 음악을 써서 행하는 미사.

fólk mèdicine *n.* (약초 따위를 사용하는) 민간 요법.

fólk mémory *n.* 한 민족[집단]의 성원(成員)이 공유하는 기억.

fólk mùsic *n.* 민속 음악.

fólk·nik [-nik] *n.* 《俗》 민요 팬[가수].

fólk-pòp *n., a.* 포크팝(의)《민속 음악의 가락과 가사를 도입한 팝 음악》.

fólk psychólogy *n.* 민족 심리학(race psychology) ; 한 민족의 심리적 통성(通性).

fólk-ròck *n.* Ⓤ 포크록《민요풍의 록 음악》.

fólk-ròck·er *n.*

fólk·sày *n.* 통속[민간] 어법(語法).

fólk sìnger *n.* 민요 가수.

fólk sòng *n.* 민요, 속요(俗謠), 포크 송.

fólk·ster *n.* 《美》 =FOLK SINGER.

fólk stòry *n.* =FOLKTALE.

folksy [fóuksi] *a.* 《美口》 평민적인, 친하기 쉬운, 스스럼 없는, 소박한 ; 사교적인, 사근사근한 ; 민요풍의. 〖FOLK〗

fólk·tàle *n.* 전설 이야기, 민간 설화《구비(口碑)·전설·옛날 이야기》.

fólk·wày *n.* [보통 *pl.*] 〖社〗 습속(習俗), 민습《같은 사회 집단의 전원에게 공통되는 생활·사고·행동 양식》.

fólk·wèave *n.* 성기게 짜기[짠 천].

fólky *a.* 《口》 =FOLKSY ; 《口》 흔한, 진부한 ; 《俗》 =FOLKIE. —— *n.* 《俗》 =FOLKIE. 〖FOLK〗

foll. following.

fol·li·cle [fάlikəl] *n.* 〖解〗 소낭(小囊), 여포(濾胞), 난포(卵胞) ; 〖昆〗 누에고치(cocoon) ; 〖植〗 낭과(囊果)《붓순나무·모란 따위의 과피(果皮)》.

fol·lic·u·lar [fəlíkjələr] *a.* 소낭 모양의, 여포성의 ; 〖植〗 (열매가) 낭과 모양의.

〖L (dim.) ‹ *follis* bellows〗

fol·lic·u·lin [fəlíkjələn, fɑ-] *n.* 〖生化〗 폴리쿨린《발정 호르몬, 특히 estrone》.

◇**fol·low** [fάlou] *vt.* **1** (순서로서) …의 다음에 오다 ; …의 뒤를 잇다(succeed to) ; …이라는 결과가 되다(result from) : Summer ~*s* spring. 봄 다음에 여름이 온다. **2** [+目/+目+前+名] (길 따위를) 따라가다, 거쳐 나아가다(proceed along) ; (방침·계획 따위에) 따르다(conform to) ; (직업에) 종사하다(engage in) : ~ the law 법률 일에 종사하다, 변호사 노릇을 하다 / ~ the plow 농업에 종사하다 / ~ the sea 선원으로 일하다 / ~ the stage 배우 노릇을 하다 / ~ a branch of science 과학의 한 분야를 연구하다 / *F*~ this street ***to*** the first corner. 이 거리를 첫 모퉁이가 나올 때까지 쭉 가십시오. **3** [+目/+目+前+名] 을 따라가다[오다], 따르다(↔ *precede*) ; …을 동반하다[수반하다](accompany) : The dog ~*ed* the man ***to*** the office. 개는 회사까지 그 남자 뒤를 따라갔다. **4** 좇다, 좇아가다(pursue) ; 추구하다(strive after). **5** (선례·풍습 따위를) 따르다, 본받다(conform to) ; (충고·명령·교훈 따위에) 따르다, 지키다 ; 복종하다(obey) ; (…의 말·가르침·주의를) 받들다, 신봉하다. **6** 눈으로 좇다, 지켜보다 ; 귀로 듣다, (세상 형편에) 따라가다. **7** (이치를) 마음으로 더

듣다, (이론(理論)·설명 따위를) 따라가다, 이해하다 : I don't quite ~ you[what you say]. 무슨 말씀을 하시는지 잘 모르겠습니다. —— *vi.* **1** 뒤에서 (쫓아)가다 ; 뒤따라가다[오다] ; 이어지다, 뒤따르다, 수반하다 : We ~*ed* close behind. 우리는 바로 뒤를 따랐다. **2** 잇달아 일어나다 (ensue). **3** [it을 주어로 하여] [+*that* 節] 당연한 결과로 (…하게) 되다 : From this evidence *it* ~*s that* he is not the murderer. 이 증거로 그가 살인범이 아니라는 결론이 내려진다.

as follows (…은) 다음과 같이[같은]. 注 이 관용구의 follow는 비인칭 동사(Impersonal verb)로서 관계되는 주절의 주어가 어떻든 간에 항상 3인칭 단수 현재형으로 쓰임 : His words were *as* ~*s*. 그가 한 말은 다음과 같았다.

follow a lead ☞ LEAD[1] *n.*

follow after... =follow《다소 정색을 하여 말하는 투》.

follow a person ***in his steps*** 남의 예를[길을] 따르다.

follow in the wake of ☞ *in the* WAKE[2] *of.*

follow on (1) (사이를 두고) (…의) 뒤를 잇다 : His death ~*ed* close *on* his failure. 실패한 지 얼마 후 결국 죽었다. (2) 바싹 뒤따르다, 잇따라 뒤쫓아가다. (3) 〖크리켓〗 계속해서 두 번째의 타자가 되다.

follow out 최후까지[철저하게] 해내다.

follow through (골프·테니스·야구 따위에서) 타구 후 골프채[라켓, 배트]를 힘껏 휘두르다(cf. FOLLOW-THROUGH) ; 최후까지[철저히] 수행하다, 노력하여 해내다.

follow up (1) 끝까지 추구하다, 엄하게 추적하다. (2) (여세를 몰아) 더욱더 철저하게 하다 : ~ *up* a blow 연타를 퍼붓다. (3) 〖蹴〗 공을 가진 자기편에 다가가서 도와주다.

—— *n.* **1** 뒤따르기, 추종, 추구. **2** 〖撞球〗 밀어치기, 밀어친 공(follow shot).

〖OE *folgian* and *fylgan* ; cf. G *folgen*〗

類義語 ***follow*** 어떤 사람[것]이 어떤 사람[것]의 뒤를 따르다 또는 다음에 오다 ; 양자간에 반드시 원인이나 결과가 있어야 한다는 것은 아님 : Victory *followed* the defeat. (패배 뒤에는 승리가 따랐다). ***succeed*** 뒤에 계속되는 사람[것]이 앞의 사람[것]에 대체하는 것을 뜻함 : Who will *succeed* President Clinton? (클린턴 대통령 다음에는 누가 대통령을 할 것인가). ***ensue*** A가 B의 당연[필연]의 결과로서 그 뒤에 계속되다 : Clouds appeared and rain *ensued*. (구름이 끼더니 비가 왔다). ***result*** 특히 양자간의 원인과 결과의 관계를 강조함 : the damage which *resulted* from the fire (그 화재로 인한 손해).

***fóllow·er** *n.* 종자(從者), 수행자, 수행원(attendant) ; 신하(retainer) ; 당원, 부하(adherent) ; (…의) 신봉자, 학도, 신자, 문하생, 제자(disciple)〈*of*〉; 뒤따르는 사람, 뒤쫓는 사람, 추적자 ; 〖機〗 종동부(從動部), 종동절(節), 따라서 움직이는 바퀴.

類義語 ***follower*** 어떤 사람의 가르침·주의·학설 따위를 믿고 그것을 따르는 사람 : a *follower* of Einstein (아인슈타인 신봉자). ***supporter*** 토론되거나 공격당하거나 하는 의견이나 학설을 적극적으로 지지하여 지키는 사람 : a *supporter* of coeducation (남녀 공학제 지지자). ***adherent*** 어떤 신앙·학설·주의·당파 따위를 충실하게 적극적으로 지지하고 개인적으로도 헌신적으로 봉사하는 사람 : an *adherent* of a political party (어떤 정당의 열렬한 지지자). ***disciple*** 어떤 교사·지도자에게 개인적인 숭배[경애]의 마음을 가지고 뒤따르는 제자 : Aristotle was a *disciple* of Plato. (아리스토텔레스는 플라톤의 제자였다).

fóllow·er·shìp *n.* (한 무리의) 부하, 종자(從者), 추종자, 문하(門下), 제자 ; 피지휘자의 지위[임무].

‡fóllow·ing *a.* **1** 다음에 계속되는, 다음의, 이하의 : in the ~ year=in the year ~ 그 이듬해에 / to the ~ effect 다음과 같은 취지로, 이하와 같이. **2** [명사적으로 ; the ~] 다음에 말하는 사항, 하기(下記) : *The* ~ is his answer[are his words]. 그는 다음과 같이 대답[말]했다. **3** 〖海〗 (바람이) 순풍(順風)의 ; (조수(潮水)가) 순조(順潮)의. —— *n.* [집합적으로] 종자(從者), 수행원, 부하, 제자 ; 숭배자(followers) : a leader with a large ~ 많은 부하를 거느린 지도자.

—— [ˊ--, ˋ--] *prep.* …에 따라서, …뒤에 : *F*~ the lecture, the meeting was open to discussion. 강연에 이어서 모임은 자유토론으로 넘어 갔다.

fóllow-ón *n.* 〖크리켓〗 속행(續行)되는 2회전의 공격.

fóllow shòt *n.* 〖撞球〗 밀어치기 ; 〖映·TV〗 이동 촬영《피사체의 움직임에 따라서 카메라를 이동시키며 촬영함》.

fóllow-the-léad·er | -my- [-mə-] *n.* Ⓤ 대장놀이《대장이 하는 대로 흉내내다가 틀리면 벌을 받는 놀이》.

fóllow-thròugh [ˌˋˊ] *n.* (골프·테니스 따위에서) 공을 친 후 팔을 끝까지 쭉뻗기 ; 그 동작. 〖FOLLOW *through*〗

fóllow-ùp *n.* 속행 ; 뒤쫓음, 뒤따름 ; 뒤미처 내는 권유장 ; 추적 조사 ; (신문의) 신판(新版).

—— *a.* 잇따른, 뒤쫓는, 뒤따르는 : a ~ letter 재차 내는 권유장 / a ~ survey (team) 추적 조사(단) / ~ system 폴로업법(法)《통신 판매에서 몇번이고 권유장을 내서 판로를 넓히는 방법》/ ~ visits 잇따른 방문.

***fol·ly** [fάli] *n.* **1** Ⓤ 어리석음, 우열(愚劣) ; Ⓒ 우행(愚行), 우안(愚案), 어리석은 짓 : commit a ~ 어리석은 짓을 하다 / youthful *follies* 젊은 기분의 도락. **2** 엄청난 돈을 들인 큰 건축물 : Allen's *F*~ 알렌의 「아방궁」. **3** [*pl.* ; 단수취급] 시사 풍자 만극(漫劇)(revue)《제목의 일부로 쓰임》.

〖OF *folie* (*fol* mad, FOOL[1])〗

Fol·som [fóulsəm, fάl-] *a.* 폴섬 문화의《북미 대륙 Rocky 산맥 동부의 선사시대 문화》.

Fólsom màn *n.* 폴섬인.

FOMC Federal Open Market Committee(미연방 공개시장 위원회).

fo·ment [foumént, fə-] *vt.* …에 더운 찜질을 하다 ; (반란·불화 따위를) 조장하다, 선동하다. **~·er** *n.* 〖F<L=poultice, lotion (*foveo* to heat, cherish)〗

fo·men·ta·tion [fòumənteíʃən, -men-] *n.* Ⓤ 찜질(약), 습포(濕布) ; Ⓒ 습포제(劑) ; Ⓤ (불평·불만 따위의) 조성, 자극, 조장, 유발.

fomi·tes [fάmətìːz, fóu-] *n. pl.* (*sg.* **fo·mes** [fóumiːz]) 〖醫〗 (감염의) 매개물《의류·침구 따위》; 식품 이외의 매개물.

‡fond[1] [fάnd] *a.* **1** [*pred.* 로 쓰여] [+*of*+do*ing*] 좋아하는 : She is ~ ***of*** children[music, play*ing* the piano]. 아이들[음악, 피아노 치기]을 좋아한다. **2** 유순한, 다정한(tender), 사랑에 빠진, 달콤한(doting) ; 맹목적인, 맹신적인, 분별없는 : her ~ father 그녀를 맹목적으로 귀여워하는 아버

지. **3** 《古》 어리석은(foolish). —— *vi.* 《廢》 어리석은 짓을 하다, 멍청하다.
〚ME (p.p.)<*fom* (obs.) to be fool, be foolish〛

fond² [fɑ́nd; *F* fɔ̃] *n.* (*pl.* **~s** [-z; *F*—]) (특히 레이스의) 바탕; 《廢》 자금(fund).
〚F<L FUND〛

fon·dant [fɑ́ndənt] *n.* 퐁당《입에 넣으면 곧 녹는 당과(糖菓); 설탕을 시럽처럼 끓여 크림 모양으로 만든 것》. 〚F=melting; ⇨ FUSE²〛

fon·dle [fɑ́ndl] *vt.* 귀여워하다(pet), 애무하다(caress). —— *vi.* 희롱하다, 시시덕거리다〈*with, together*〉. 〚역성(逆成)〈↓; ⇨ FOND¹〛

fond·ling [fɑ́ndliŋ] *n.* 몹시 귀여움받는 사람; 애완 동물.

fónd·ly *adv.* **1** 다정하게; 귀여워하여. **2** 달콤하게, 맹신적으로; 《古》 어리석게, 천박하게도.

fónd·ness *n.* **1** Ⓤ 지나치게 귀여워하기; 무턱대고[맹목적으로] 사랑하기(doting): with the greatest ~ 아주 귀여워서 못견디겠다는 듯이. **2** [a ~] [+*for*+do*ing*] 좋아함, 취미: He has *a* (great) ~ ***for*** games[read*ing*]. 게임[독서]을 아주 좋아한다.

fon·du(e) [fɑndjúː, ⌐-; *F* fɔ̃dy] *n.* 치즈를 포도주에 녹여 조미료로 가미하여 빵조각을 담가 먹는 요리. 〚F=melted; ⇨ FUSE²〛

F_1 layer [éfwʌ́n ⌐] *n.* 〔通信〕 F_1층《지상 약 200-300 km 높이에 있는 전리층(電離層)으로 단파를 반사함; cf. F_2 LAYER》.

fon·fen [fɑ́nfèn] *n.* 《俗》 (사기꾼이 꾸민 돈벌이의) 줄거리, 계획.

fons et ori·go [fɑ́nz et ɔːráigou, fóuns et əríːgou] *n.* 원천, 근원. 〚L=source and origin〛

font¹ [fɑ́nt] *n.* **1** (교회의) 세례반(盤), 성수반(聖水盤): the name given at the ~ 세례명, 본명. **2** (램프의) 기름통. **3** 《詩》 샘, 천(泉) (spring, fountain); 《文語》 원천(源泉) (origin).
〚OE *font, fant*<OIr.<L *font- fons* fountain, baptismal water〛

font² *n.* 《美》 〔印〕 같은 서체의 활자 한 벌(=《英》 fount²) (cf. WRONG FONT).
〚F; ⇨ FOUND³〛

Fon·taine·bleau [fɑ́ntənblòu; *F* fɔ̃tɛnblo] *n.* 파리 근교의 도시《역대 프랑스 왕의 궁전과 숲으로 유명함》.

fónt·al *a.* 샘의; 원천의, 근본의; 세례[영세]의. 〚FONT¹〛

fon·ta·nel(le) [fɑ̀ntənél] *n.* 〔解〕 (갓난애의) 숫구멍, 정문(頂門).
〚F<NL *fontanella* (dim.) little FOUNTAIN〛

fon·ti·na [fɑntíːnə] *n.* (이탈리아산의) 염소젖 치즈의 일종. 〚It.〛

fónt nàme *n.* 세례명.

foo [fúː] *int.* 《美俗》 **1** (혐오·분개 따위의 표시로) 체, 제기랄. **2** (컴퓨터로 미지의 사람에게 말을 걸어) 실례합니다.
—— *n.* 제1의 관용 기호: Let's say we have three variables, ~, bar and baz. 푸, 바, 배즈란 세 변수가 있다고 하자.

◇food [fúːd] *n.* **1** Ⓤ 음식물, 식량; 영양물: ☞ ANIMAL FOOD / vegetable ~ ☞ VEGETABLE / ~ and drink 음식물 / bad ~ 영양분이 없는 음식. ㈜ 음식의 종류를 말할 때에는 Ⓒ: ☞ BREAKFAST FOOD / Spaghetti is one of my favorite ~*s.* 스파게티는 내가 좋아하는 음식 중 한 가지다. **2** Ⓤ 밥, 먹이; 정신적인 양식; (사고·반성의) 자료: mental ~ 마음의 양식《서적 따위》/ ~ *for* powder 탄알밥(cf. CANNON FODDER) / ~ *for* thought[reflection] 생각[반성]해야 할 일 / ~ *for* wonder 경탄의 마음을 일으키는 것, 경이(驚異)의 원인 / be[become] ~ *for* fishes 고기밥이 되다, 물에 빠져 죽다(cf. *feed the* FISH*es*) / be ~ *for* worms 구더기 밥이 되다, 죽다.

〈회화〉
What kind of *food* do you like? — All kinds.
「어떤 음식을 좋아하니」「모두 좋아해」

〚OE *fōda*; cf. FEED, FODDER〛

fóod àdditive *n.* 식품 첨가제.

fòod·ahólic *n.* 과잉 식욕자, 병적인 대식가.

Fóod and Ágriculture Organizàtion *n.* [the ~] (UN의) 식량 농업 기구(略 FAO).

Fóod and Drúg Administràtion *n.* [the ~] 《美》 식품 의약품국《보건 교육 복지부의 한 국(局); 略 FDA》.

fóod bànk *n.* 《美》 식량 은행《극빈자용 식량 저장 배급소》.

fóod chàin *n.* 〔生態〕 먹이 연쇄《생물계의 서로 잡아 먹고 먹히는 연쇄 관계》, 먹이 사슬.

fóod còlor *n.* 식품용 물감, 착색제.

fóod còmplex *n.* 〔生態〕 =FOOD WEB.

fóod contròl *n.* 《英》 (비상시의) 식량 통제.

fóod contròller *n.* 식량 관리관.

fóod cỳcle *n.* 〔生態〕 먹이 순환.

fóod-gàther·ing *a.* (수렵) 채집 생활의.

fóod-gàther·er *n.* (수렵) 채집민.

fóod ìndustry *n.* 식품업계.

fóod irradiátion *n.* (보존을 위한 감마선의) 식품 조사(照射).

fóod·less *a.* 음식이 없는.

fóod·lìft *n.* 식량의 긴급 공수.

fóod pòisoning *n.* 식중독.

fóod pròcessor *n.* 식품 가공기《식품을 고속으로 썰고 으깨고 빻는 전동 기구》.

fóod pỳramid *n.* 〔生態〕 먹이 피라미드.

fóod scìence *n.* 식품 과학.

fóod stàmp *n.* 《美》 식량 카드《저소득자에 대하여 연방 정부가 발행함》.

fóod·stùff *n.* [때때로 *pl.*] 식량, 식료품.

fóod vàlue *n.* 영양가(價).

fóod wèb *n.* 〔生態〕 먹이 그물, 먹이망(網).

foo·ey [fúːi] *int.* 《口》 =PHOOEY.

foo·fa·raw, -foo- [fúːfərɔ̀ː] *n.* Ⓤ,Ⓒ 《美口》 싸구려 장신구(裝身具); 사소한 일로 북새떨기.

foo foo [fúːfuː] *n.* 《美俗》 바보, 얼간이; 향수.

‡fool¹ [fúːl] *n.* **1 a)** 바보, 얼간이, 멍청이(simpleton): a natural ~ 타고난 바보 / What a ~ he was to leave school when (his) grades were so high! 그렇게도 성적이 좋았었는데 학교를 그만두다니 참으로 바보 같은 짓을 한거야. **b)** 《稀》 백치(白痴) (idiot). **2** 〔史〕 어릿광대 (jester) 《옛날 왕후·귀족에게 고용되었음》. **3** 바보 취급을 받는 사람, (남에게) 이용당하는 사람(dupe) (cf. APRIL FOOL): be no[nobody's] ~ 조금도 빈틈없다, 아주 영리하다 / be the ~ *of* fate 운명에 희롱당하다 / make a ~ *of* a person 남을 바보 취급하다, 이용해 먹다(㈜ 수동태가 되기도 함: I *was made a ~ of.* 바보 취급을 당했다) / make a ~ *of* oneself 바보짓을 하여 웃음거리가 되다. **4** …를 아주 좋아하는 사람, …를 매우 잘 하는 사람: a ~ for wine 술이라면 사족을 못쓰는 사람 / a dancing ~ 댄싱광.

act the fool 어릿광대짓을 하다; 바보짓을 하다, 속다.

be a fool for one***'s pains*** 애만 쓰고 아무런 소

득이 없다, 헛수고하다.
be a fool to …에 비교하면 전혀 문제가 되지 않다, …의 발 밑에도 못미치다.
be fool enough to do 어리석게도 …하다.
play the fool 어릿광대짓을 하다 ; 바보짓을 하다 ; 큰 실수를 저지르다(blunder).
play the fool with... (남)에게 바보 취급을 받게 하다, …을 속여 넘기다(deceive) ; …을 망쳐놓다.
── *attrib. a.* 《美口》 어리석은(foolish) : his ~ ideas 그의 어리석은 생각.
── *vi.* **1** 어리석은 짓을 하다 ; 장난치다, 시시덕거리다 ; 농담하다(joke). **2** 《口》 [+副] 빈둥거리다, 어슬렁대다 : Don't stay *~ing around* [*about*]. 빈둥거리고 있지 마라. **3** 《口》 [+*with*+名] 가지고 놀다, 매만지다 : He *~ed* ***with*** a gun and hurt a man. 총을 가지고 장난치다가 남에게 부상을 입혔다.
── *vt.* **1** 바보 취급하다. **2** [+目/+目+前+名] (남을) 이용해 먹다, 속이다(deceive) ; 속여서 빼앗다 : He has been *~ing* me all the time. 줄곧 나를 속이고 있었다 / I *~ed* myself. 스스로를 속였다, 잘못 생각을 했다 / She was *~ed* ***out of*** all her money. 속아서 있는 돈을 몽땅 빼앗겼다 / He *~ed* her ***into*** do*ing* the task. 그녀를 속여서 그 일을 시켰다. **3** 《口》 [+目+副] (시간·돈·건강 따위를) 쓸데없는 일에 허비하다, 낭비하다 : Don't ~ *away* your time. 어물어물 시간을 허비하지 마라.
〖OF<L *follis* bellows, emptyheaded person〗
[類義語] ***fool*** 머리가 나쁜 사람 ; 뭔가 잘못했거나 실패한 사람을 어리석게 보고 말할 때 씀. ***idiot*** 지능이 매우 낮거나 거의 백치에 가까운 자, 아주 어리석은 자. ***imbecile*** 지혜가 모자라는, 멍청이로 여겨지는 사람. [注] 심리학상으로는 다음과 같이 구분한다 : ***moron*** (우둔 ; 지능 지수(IQ) 75-50, 정신 연령 12-8세), ***imbecile*** (치우(痴愚) ; 지능 지수 50-25, 정신 연령 8-3세), ***idiot*** (백치 ; 지능 지수 25-0, 정신 연령 2세 이하).
fool[2] *n.* 풀《삶아서 으깬 과일을 우유·크림을 섞어 만든 요리》. 〖C16<? *fool*[1]〗
fóol dùck *n.* 《美》 청부리홍오리.
fóol·ery *n.* [U,C] 어리석은 짓 ; 바보짓, 실없는 소리[행동].
fóol·hàrdy *a.* 무작정의, 앞뒤를 생각지 않는, 무모하기 짝이 없는, 저돌적인.
fóol·hàr·di·ly *adv.* 무모하게(도), 저돌적으로. **-hàr·di·ness** *n.*
〖OF (*fol* foolish, *hardi* hardy[1])〗
fóol hèn *n.* 《美》 가문비멧닭.
fóol·ing *n.* 어리석은 짓을 하기 ; 익살부리기 ; 까불기, 장난.
‡**fóol·ish** *a.* 어리석은, 우둔한, 바보 같은(silly) (↔ *wise*). **~·ly** *adv.* 어리석게도, 바보같이, 무모하게. **~·ness** *n.* [U] 어리석음, 무모함.
[類義語] ⟹ SILLY.
fool·oc·ra·cy [fuːlákrəsi] *n.* 우인(愚人)정치.
fóol·pròof *a.* (규칙 따위) 틀림이 없게 된, (기계 따위가) 바보라도 다룰 수 있는, 아주 간단한, 고장이 없다고 보증이 붙은 ; 성공이 틀림없는, 절대 확실한.
fóols·càp [fúːls-, fúːlz-] *n.* 〔洋紙〕 풀스캡판(判) 《보통 17×13½인치(약 40cm×30cm) 크기 ; 원래 fool's cap의 투명한 무늬가 들어있었음 ; cf. FORMAT》 ; 2절 대판 양괘지(洋罫紙)《접어서 약 16×13인치 크기》 ; =FOOL'S CAP.
fóol's càp [fúːlz-, -s-] *n.* 광대 모자《옛날 어릿광대가 쓴 원뿔형의 모자, 닭 볏이나 나귀의 귀·방울이 달려 있었음 ; cap and bells라고도 함》 ; = DUNCE CAP.
fóol's góld *n.* 금 비슷한 빛깔의 광물《특히 황동광 또는 황철광》.
fóol's máte *n.* 〔체스〕 풀스 메이트《이길 것으로 둔 수가 그대로 제 궁(宮)이 꼼짝못하게 된 수》.
fóol's páradise *n.* 어리석은 자의 천국 ; 《비유》 행복의 환영(幻影), 헛기대 : be[live] in a ~ 덧없는 행복[희망]을 꿈꾸다[꿈꾸며 살다] ; 어리석게도 만사가 순조롭다고 믿다.
◇**foot** [fút] *n.* (*pl.* **feet** [fiːt]) **1** 발《복사뼈의 아랫부분 ; cf. LEG》 ; 발부분《연체(軟體)동물의 촉각(觸脚), 양말의 발부분 따위》 : put one's ~ in the door (외판원 등이) 발을 안쪽으로 들여 넣고 문을 닫지 못하게 하다, 문을 잠글 수 없게 발을 안쪽으로 들여놓다. **2** 도보, 발걸음, 걸음걸이(step). **3** (침대·무덤 따위의) 밑부분(cf. HEAD 2) ; (기물(器物)의) 다리, (컵 따위의) 받침(대) ; (산 따위의) 기슭, 밑바닥, 저부(底部)(cf. TOP[1] 1 a), SIDE 3 b)) ; (층계 따위의) 제일 아랫부분, 기부(基部) : at the ~ of a page 페이지 아랫부분에. **4** [U] [집합적으로] 《주로 英》 보병(infantry) : a regiment of ~ 보병 연대 / horse and ~ 기병(騎兵)과 보병. **5** 〔韻〕 음보(音步), 운각(韻脚), 시각(詩脚)《시구(詩句)의 운율 단위로서 고전시에서는 장단, 《英詩》에서는 강약의 조합으로 이루어짐 ; cf. IAMBUS, TROCHEE, ANAPEST, DACTYL》. **6** 풋, 피트《길이의 단위 ; =12 inches, 1/3 yard, 약 30 cm ; 발의 길이에 기인한 명칭》. [注] (1) 복수형은 보통 feet지만 다음과 같은 경우에 주로 《口》에서는 foot로도 쓰임 : He is six *feet*[~] tall. 키가 6피트다(cf. six *feet* in height) / five ~ [*feet*] six=five *feet* six inches 5피트 6인치. (2) 수사를 수반하여 복합어를 이룰때는 언제나 foot : a five-~ tree 5피트의 나무 / an eight-~-wide path 폭 8피트의 길. **7** (*pl.* **~s**) 찌끼, 침전물, 앙금, 재강(dregs). **8** (*pl.* **~s**) =FOOTLIGHTS.

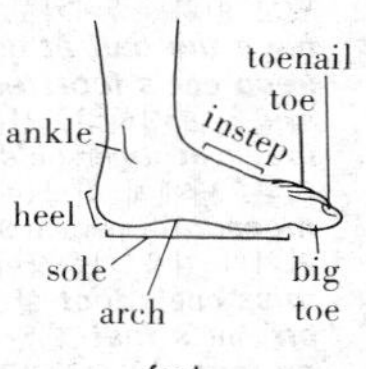

foot

at a foot's pace 보행 속도로, 보통 걸음으로.
at a person***'s feet*** 남의 발밑에(cf. *sit at* a person*'s feet* ☞ FOOT 숙어) ; 남에게 매혹되어 ; 남이 하자는 대로, 남에게 복종하여.
at the foot (***of...***) (산 따위의) 기슭에 ; (페이지의) 아래쪽에 ; (…의) 각부(脚部)에 ; (…씨) 아래서(cf. *sit at* a person's *feet* ☞ FOOT 숙어) : *at the ~ of* the mountain(*s*) 산기슭에.
carry a person ***feet foremost*** 남을 입관(入棺)하여 (발을 앞으로 하여) 나르다(cf. *with* one's *feet foremost* ☞ FOOT 숙어).
carry a person ***off his feet*** (파도 따위가) 사람을 휩쓸어 버리다 ; 남을 열중케 하다.
change foot[***feet***] (행진 하는 중에) 발을 바꿔 디디다.
die on one***'s feet*** 급사(急死)하다.
drop[***fall***] ***on*** one***'s feet*** (고양이처럼) 떨어져도 사뿐히 일어나다 ; 《비유》 요행히 난을 면하다, 운이 좋다.
feel one***'s feet*** ☞ FEEL.

find** one's **feet (어린애 등이) 일어서게[걷게] 되다 ; 일어서다 ; (사회적으로) 제구실을 하게 되다, 자기 힘에 자신을 가지다.
find [***get, have, know, take***] ***the length of*** a person***'s foot*** 남의 발밑을 보다, 남의 약점을 잡다[알다].
foot by foot 1피트씩 ; 점차로.
get [***have***] ***cold feet*** ☞ COLD FEET.
get on** one's **feet ☞ *on* one's *feet* (☞ FOOT 숙어).
have leaden [***heavy***] ***feet*** 걸음걸이가 둔하다, 발이 무겁다.
have one foot in the grave 무덤에 한 발을 넣고 있다, 죽어가고 있다.
have the ball at** one's **feet ☞ BALL[1].
keep** one's **foot [***feet***] 똑바로 서 있다[걷다] ; 발밑을 조심하다, 신중하게 행동하다.
lay. . . at a person***'s feet*** …을 발아래 갖다 바치다, 남에게 진상(進上)[헌상(獻上)]하다.
measure a person***'s foot by** one's **own last*** 자기의 일을 기준삼아 남을 판단하다.
miss** one's **foot 발을 헛디디다 ; 실각하다.
off** one's **feet 잘못 디뎌서.
on foot 일어서서 ; 걸어서, 도보로 ; 움직여서 ; (일이) 시작되어 ; (착착) 진척[진행]되어 : set a plan *on* ~ 계획에 착수하다.

〈회화〉
How far is it from the station? — Ten minutes *on foot.* 「역에서 어느 정도 걸립니까」「걸어서 10분입니다」

on** one's **feet 일어서서 ; (병후에) 원기가 회복되어 ; (경제적으로) 독립[자립]하여 ; 즉석에서 : get *on* one's *feet* 자립하다, 독립하다 / stand *on* one's *feet* 자립하다 / set a person *on* his *feet* 남을 자립할 수 있게 해 주다 / think *on* one's *feet* 때에 알맞게 생각을 재빨리 잘하다.
put** one's **best foot forward [***foremost***] ☞ FORWARD.
put** one's **feet up (앉아 있을 때 따위) 발을 높은 곳에 얹고 휴식을 취하다.
put** one's **foot down (1) 발을 세게 딛고 일어서다. (2) 《口》 강경한 태도를 취하다, 강력하게 반대하다.
put** one's **foot in [***into***] ***it*** [***one's mouth***] 《口》 (우연히 발을 들여 놓았다가) 난처한 처지에 빠지다, 실패하다, 실언하다.
set [***put, have***] one***'s foot on the neck of*** … 의 목을 짓밟다 ; …을 완전히 정복하다.
set on** one's **feet ☞ *on* one's *feet* (☞ FOOT 숙어).
set on. . . foot ☞ *on* FOOT.
sit at a person***'s feet*** 남의 가르침을 받다, 남의 문하생이 되다.
sure of foot 발이 든든하여.
take to** one's **feet 걷기 시작하다.
think on** one's **feet ☞ *on* one's *feet* (☞ FOOT 숙어).
to** one's **feet 일어서도록 : rise *to* one's *feet* 일어서다 / raise[bring] a person *to* his *feet* 남을 일어서게 하다 / jump[start] *to* one's *feet* 뛰어오르다, 벌떡 일어나다 / help a person *to* his *feet* 남을 부축하여 일어서게 하다.
under foot (1) 발밑에[이], 땅[마룻]바닥에 : tread[trample]...*under* ~ …을 짓밟다 / wet [damp] *under* ~ 발밑[땅]이 축축하여. (2) 굴복시켜.
under a person***'s foot*** [***feet***] 남의 발 아래에 ; 남의 뜻대로 움직여서 ; 복종하여.
with both feet 단호하게, 격렬하게.
with** one's **feet foremost 발을 앞으로 하여 ; 관(棺)에 넣어져서, 시체가 되어서(cf. *carry* a person *feet foremost* ☞ FOOT 숙어).

〈회화〉
How tall is he? — He is five *feet* ten inches tall. 「그의 신장은 어느 정도지」「5피트 10인치예요」

— *vt.* **1** 밟다, …위를 걷다, 걸어서 횡단하다 ; 춤추다. **2** (양말에) 발 부분을 대다, …의 발부분을 수선하다. **3** 《古》 차다 ; 《古》 버리다. **4** 《口》 (계산을) 치르다 : ~ a bill 셈을 치르다 / ~ the bill ☞ BILL[1] 숙어. — *vi.* 스텝을 밟다 ; 춤추다 ; (배가) 나아가다 ; 걸어서 가다.
foot it 《口》 춤추다 ; 걷다, 달리다.
foot up (계산을) 결산하다, 합계하다.
foot up to. . . (계산이) 합계하여 …이 되다.
〚OE *fōt* ; cf. G *Fuss,* L *pes*〛

fóot·age *n.* U,C 피트 수(數)《피트로 재는 길이 ; 특히 영화 필름·목재에 쓰임》.
fóot-and-móuth disèase *n.* 〖獸醫〗 구제역(口蹄疫)《가축의 입·발굽에 생기는 전염병》.
‡**fóot·bàll** *n.* **1** U 풋볼, 축구 ; C (미식)축구공 : association ~ 축구, 사커(cf. SOCCER) / Rugby ~ 럭비(cf. RUGGER) / American ~ 아메리칸 풋볼, 미식 축구. **2** 난폭하게[함부로] 다루어지는 사람[것] ; (손님을 끌기 위한) 특별 진열 상품. — *vi.* 풋볼을 하다. — *vt.* 손님을 끌기 위해 원가 이하로 팔다. **~·er** *n.* 축구 경기자[선수].
fóotball hóoligan *n.* (영국의) 폭력적 축구광.
fóotball pòols *n. pl.* [the ~] 축구 도박.
fóot·bàth *n.* (실내 풀 따위에 들어갈 때의) 발 씻기 ; 발 씻는 대야.
fóot·bòard *n.* 발판, 디딤판(cf. HEADBOARD) ; (자동차·전차 따위의) 승강용 발판, 스텝 ; (마차 마부가) 디디는 발판.
fóot·bòy *n.* 사환.
fóot bràke *n.* 발로 밟는 브레이크.
fóot·brìdge *n.* 보행자용 다리, 인도교.
fóot·cándle *n.* 〖理〗 피트 촉광(燭光)《빛에서 1피트 거리의 조명도를 나타내는 국제 촉광 단위》.
fóot·clòth *n.* (예식장 따위의 복도에 까는) 융단, 깔개 ; (땅까지 끌리는) 말의 성장용 피륙.
fóot-dràgging *n.* 《美口》 (고의로) 지체함 ; 느림 ; 주저함.
fóot·ed *a.* **1** 발이 있는. **2** 발이 …한, …발의 : a four-~ animal 네발 짐승.
fóot·er *n.* **1** 걷는 사람, 보행자(pedestrian). **2** U 《英俗》 =FOOTBALL 1. **3** [복합어를 이루어] 신장이[길이가] …피트의 사람[것] : a six-~ 신장[길이] 6피트의 사람[것].
fóot·fàll *n.* 제자리 걸음, 발걸음, 발자국 소리.
fóot fàult *n.* (테니스 따위에서) 서브할 때 라인을 밟는 반칙.
fóot frònt *n.* =FRONT FOOT.
fóot·gèar *n.* U [집합적으로] 신발류《구두·슬리퍼, 때때로 양말 따위 ; cf. FOOTWEAR》.
Fóot Guàrds *n. pl.* [the ~] 《英》 근위(近衛) 보병 연대《略 F. G.》.
fóot·hìll *n.* [보통 *pl.*] 산기슭의 작은 언덕.
fóot·hòld *n.* 발 딛는 곳, 발판 ; 지반 ; 거점 ; 확고한 입장(cf. HANDHOLD).
foot·ie [fúti] *n.* =FOOTSIE.
fóot·ing *n.* **1** U,C 발밑 ; 발판, 발 딛는 곳 ; [단

수형으로만 쓰여] 입장, 확고한 지위, 거점 : There was not much ~ on the cliff. 벼랑에는 발 디딜 곳이 별로 없었다 / Mind your ~. (등산 따위에서) 발밑을 조심하십시오 / keep one's ~ 발판[지반]을 유지하다 / lose one's ~ 발을 헛디디다, 실족하다 ; 입장[발판]을 잃다 / get [gain, obtain] a ~ in society 사회에 지반[지위]을 차지하다. **2** [단수형으로만 쓰여] 지위, 신분, 자격 ; 사이, 관계 : be on a friendly ~ with …와 친한 사이이다. **3** 〖建〗 토대, 기초 (basis). **4** 〖軍〗 편제(編制), 체제 : on a peace[war] ~ 평시[전시] 체제로. **5** 〖商〗 총액, 합계. **6** Ⓤ (양말 따위의) 발부분을 대기, 발부분의 재료. **7** 입회금 《㊟ 지금은 주로 다음 구로》 : pay (for) one's ~ 입회비를 내다 ; 한패가 된 표시로 기부하다.

fóot-in-móuth *a.* 《口》 실언하기 쉬운, 얼빠진 (사람의).

fóot-in-móuth disèase *n.* 《口·戲》 실언벽(癖). 〖foot-and-mouth disease를 모방한 조어 ; cf. *put* one's FOOT *in* one's *mouth*〗

foo·tle [fú:tl, fútl] *vi.* 《口》 빈들거리고 있다 (fool) 〈*about, around*〉 ; 쓸데없는 흉내를 내다, 쓸데없는 말을 하다. ── *vt.* (시간을) 허비하다 〈*away*〉. ── *n.* 시시한 소리, 우행. ── *a.* 하찮은, 시시한. 〖C19 ‹? *footer* (dial.) to idle, bungle‹F *foutre* to copulate with〗

fóot·less *a.* 발이 없는 ; 실체가 없는 ; 《美口》 보기 흉한, 맵시없는, 쓸모없는 ; 헛된.

fóot·lìghts *n. pl.* 각광(脚光) ; 풋라이트《무대 앞쪽의 조명 장치》 ; [the ~] 무대, 배우(직)업.

appear*[*come*] *before the footlights 각광을 받다, 무대에 서다.

behind the footlights 관람석에(서).

smell of the footlights 연극티가 나다.

fóot·ling *a.* 《口》 하찮은, 시시한, 바보 같은 (foolish).

fóot·lòck·er *n.* 군인의 사물함(私物函).

fóot·lòose *a.* 《美口》 좋아하는 곳으로 갈 수 있는, 좋아하는 것을 할 수 있는, 하고 싶은 대로 할 수 있는.

fóot·man [-mən] *n.* **1** (제복을 착용하는) 직업인 《안내원, 식당의 종업원, 도어맨(doorman)》. **2** ＝FOOT SOLDIER.

fóot·màrk *n.* 발자국(footprint).

fóot·mùff *n.* 발에 끼는 토시의 일종《보온용》.

fóot·nòte *n., vt.* 각주(脚註)(를 달다) (cf. HEADNOTE).

fóotnote réference sỳstem *n.* 〖出版〗 각주(脚註) 방식.

fóot·pàce *n.* 보통 걸음 ; (계단의) 층계참.

fóot·pàd *n.* (거리의) 노상 강도(cf. HIGHWAYMAN).

fóot pàge *n.* 사환, (예전의) 시동(侍童).

fóot pàssenger *n.* 보행자, 통행인(pedestrian, passerby).

fóot·pàth *n.* 보행자용의 작은 길, 소로(小路) (pathway) (cf. 《美》 TRAIL *n.* 3) ; 《英》 보도(步道) (cf. FOOTWAY, PAVEMENT, SIDEWALK).

fóot pàvement *n.* 《英》 포장된 인도[보도].

fóot·plàte *n.* (기관사가 서는) 기관차의 디딤판 ; (건조물의) 토대(mudsill).

fóot-póund *n.* (*pl.* **~s**) 〖理〗 풋파운드《1파운드 무게의 것을 1피트 들어올리는 일의 양》.

fóot-póund-sécond *a.* 〖理〗 피트·파운드·초(秒) 단위계(系)의《略 fps》.

fóot·prìnt *n.* **1** 발자국 ; (타이어의) 자국 ; 족형, 족문(足紋). **2** (우주선·인공 위성 따위의) 착륙 [낙하] 예정 지역 ; 비행 중의 항공기 소음 따위의 영향을 흡수하는 지역.

fóot pùmp *n.* 발로 밟는 공기 펌프, 골풀무.

fóot·ràce *n.* 도보 경주, 달음질.

fóot ràil *n.* (의자·책상 따위의) 발걸이.

fóot·rèst *n.* 발을 편하게 올려놓는 대(臺).

fóot ròck *n.* 〖브레이크댄스〗 풋록 《breaker가 마루 춤으로 들어가기 전에 서서 춤출 때의 스텝의 총칭》.

fóot·ròpe *n.* 〖海〗 (돛을 거둘 때 올라서는) 디딤 밧줄 ; 돛 아랫자락에 꿰매 박은 줄.

fóot ròt *n.* (소·양 따위의) 발 전염병.

fóot rùle *n.* 피트 자 ; (판단의) 기준.

fóot·scàld *n.* 말 발바닥 염증.

fóot·scràper *n.* (현관 앞의) 신발 흙털개.

foot·sie, -sy [fútsi] *n.* (유아의) 걸음마 ; 《美口》 [때때로 *pl.*] 시시덕거리기, 농탕질 : play ~ with …와 시시덕거리다 ; …와 몰래 정을 통하다 [부정한 거래를 하다].

fóotsie-wóot·sie [-wútsi] *n.* 《美俗》＝FOOTSIE.

fóot·slòg *vi.* 진창속을 애써 나아가(듯 하)다, 도보 행진을 하다. **-slògger** *n.* 보행자, (특히) 보병. **-slògging** *n., a.*

fóot sòldier *n.* 보병(infantryman).

fóot·sòre *a.* 발병이 난, 신발에 쓸려 상처난.

fóot·stàlk *n.* 〖植〗 잎자루 ; 꽃대.

fóot·stàll *n.* (여성용) 안장의 등자 ; 주춧돌.

fóot stàmping *n.* 제자리 걸음 : ~ cold 발을 동동 구르게 하는 추위.

***fóot·stèp** *n.* 걸음, 보조(步調) ; 보도(步度) ; 발(자국) 소리 ; 발자국 ; 층계, 계단.

follow*[*tread, walk*] *in a person***'s footsteps*** 남의 뒤를 따라오다 ; 《비유》 남이 한 대로 하다, 남의 뜻을 이어받다.

hear footstep 적이 있음을 알아차리다.

fóot·stòne *n.* (묘의) 대석(臺石) (cf. HEADSTONE) ; 초석, 주춧돌.

fóot·stòol *n.* 발 올려 놓는 대(臺) ; 이동식 발판.

fóot·sùre *a.* 발디딤이 확고한.

fóot-tón *n.* 〖理〗 피트톤《1톤의 물체를 1피트 올리는 일의 양》.

fóot wàrmer *n.* (발을 따뜻하게 하는) 각로(脚爐), 탕파(湯婆) ; (옛 기차칸의) 발 보온기.

fóot·wày *n.* 작은[좁은] 길(pathway) ; 보도(cf. FOOTPATH).

fóot·wèar *n.* Ⓤ [집합적으로] 〖주로 商〗 ＝ FOOTGEAR.

fóot·wòrk *n.* Ⓤ (구기(球技)·권투·댄스 따위의) 발놀림, (신문 기자의) 걸어다니며 하는 취재, 탐방 취재.

fóot·wòrn *a.* 밟아서 닳은 ; 걸어다녀 지친, 발을 다친.

foo·ty[1] [fú:ti] *a., n.* 《方·口》 빈약한 [시시한] (사람[것]). 〖F *foutu* ; cf. FOOTLE〗

footy[2] *n.* ＝FOOTSIE ; 《濠口》 풋볼.

foo·zle [fú:zəl] *vt.* …에서 실수하다, 잘못하다 ; (골프 따위에서) 잘못 치다. ── *n.* 실수, 잘못하기 ; (골프의) 서툰 타구 ; 《口》 재미없고 시대에 뒤떨어진 사람, 연장자 ; 《口》 속이기 쉬운 사람, 서투른 사람.

〖G *fuseln* (dial.) to work badly〗

fop [fáp] *n.* 맵시꾼, 멋쟁이 ; 여자처럼 교태를 부리는 남자 ; 《廢》 천치, 바보. ── *vt.* (**-pp-**) 《廢》 깔보다, 속이다.

〖C17 ‹? *fop* (obs.) fool〗

fóp·ling *n.* 맵시꾼 ; 멋쟁이인 체하는 사람.

fóp·pery *n.* Ⓤ,Ⓒ 멋을 부리기, 치장하기.

fóp·pish *a.* 멋을 부린, 여자처럼 교태를 부리는. **~·ly** *adv.* **~·ness** *n.*
◊for [fər, fɔ:r]

> (1) 기본 뜻 : 「…을 위하여」
> (2) 전치사와 등위접속사로 쓰이는데, 전치사 용법이 주다.
> (3) 다른 많은 짧은 전치사와 같은 부사의 기능은 없다.
> (4) 문장 중에서는 보통 약하게 발음한다.
> (5) 이유·원인의 「아파서, 사고 때문에」 따위에는 due to, owing to, because of를 쓴다.

── *prep.* **1** [대리·대용] …의 대신에, …을 위해(서) : speak ~ another 남을 대신해서 이야기하다, 대변하다 / write a letter ~ a person 편지를 대필하다 / Shall I open the window ~ you? 창을 열어드릴까요.
2 [옹호·찬성·지지] …을 위하여, …의 편에, …와 한패가 되어(↔ *against*) (cf. WITH 2) : die ~ one's country 나라를 위해 죽다.

〈회화〉
> Are you *for* or against this plan? — I'm *for* it. 「당신은 이 계획에 찬성입니까, 반대입니까」「찬성입니다」

3 [이익·은혜·적부(適否)] …을 위해서, …에 있어서 : a present ~ you 당신에게 드리는 선물 / too good ~ him 그에게는 지나치게 좋은 / a magazine ~ boys 소년용의 잡지 / the time ~ mountain climbing 등산하기에 알맞은 시기.
4 [같은 값·교환·보상] …에 대하여 : give blow ~ blow 얻어맞고 되치다 / ten ~ a dollar 1달러에 10개 / an eye ~ an eye ☞ EYE 숙어 / a check ~ $10 10달러짜리 수표 / I bought it ~ £5. 그것을 5파운드에 샀다(cf. AT 8).
5 [목적·대상·의향·기대·소망] …을 위해서, …을 구하여 : an eye ~ beauty 심미안(審美眼) / go out ~ a walk 산책하러 나가다 / send ~ a doctor 의사를 부르러 보내다 / wait ~ an answer 회답을 기다리다 / We wrote to him ~ advice. 편지를 써서 그에게 조언(助言)을 구했다 / The beggar went out into the street ~ his food. 거지는 먹을 것을 구하러 거리로 나갔다 / This dog is too old ~ a hunt. 이 개는 사냥하기에는 너무 늙었다.
6 [방향·행선지] …을 향하여, …방향으로(cf. TO *prep.* 1) : start[leave] ~ India 인도를 향하여 출발하다 / the train ~ London 런던행 기차.

〈회화〉
> Where is this train *for*? — It's *for* Seoul. 「이 기차는 어디 행입니까」「서울행입니다」

7 [원인·이유] …때문에, …까닭으로 : ~ many reasons 많은 이유로 / shout ~ joy 기뻐서 소리 지르다 / be sorry ~... ☞ SORRY 1, 2 / I fear [am afraid] ~ him[his safety]. 그의 일이[안부가] 걱정이다 / I can't see anything ~ the fog. 짙은 안개로 아무것도 안 보인다 / What ~? ☞ WHAT[1] *pron.* 1 a) / The driver was punished ~ the accident. 운전사는 사고로 벌을 받았다 / He was rewarded *for* saving the girl's life. 그는 소녀를 구출했기 때문에 상을 받았다. ☞ 活用 (1).
8 [경의] …을 위하여(in honor of) : We are going to hold a farewell party ~ him. 그를 위하여 송별회를 열기로 되어 있다.
9 [시간·공간] …의 동안(cf. DURING) : stay ~ a week 1주일 동안 머무르다 / ~ hours[days, years] 몇 시간[일, 년] 동안 / ~ the last ten years 최근 10년간 / ~ all time 영원히 / ~ days (and days) on end 날마다 끝없이 / He has been back now ~ three days. 돌아온 지 벌써 3일이 된다 / He won't be here ~ long. 여기에 오래 있지는 않을 것이다 / They went down to the sea ~ a[the] day. 당일치기로 바다에 갔다 / We will stop the work ~ the day. 오늘은 이것으로 일을 마치자.

〈회화〉
> How long will you be here? — *For* three weeks. 「얼마나 이곳에 머물것입니까」「3주일 동안입니다」

10 [관련] …에 대해서(는), …의 점에 있어서(concerning) : ~ that matter 그 문제에 대해서는 / So much ~ that. 그것에 대해서는 그 정도다 / Nothing was said ~ Eastern customs. 동양의 풍습에 대해서는 아무 말도 하지 않았다.
11 …으로서는, (…한데) 비해서는(considering) : It is rather cold ~ August. 8월로서는 좀 추운 편이다 / He is young ~ his age. 나이에 비해서는 젊다.
12 …(이라고) 여겨서, …으로서는(as, as being) : be taken ~ one's brother 형으로 잘못 알아보다 / know it ~ a fact 그것을 사실이라고 알고 있다 / He was given up ~ lost[dead]. 그를 행방불명된[죽은] 것으로 단념하였다 / take ~ granted ☞ GRANT 숙어. 㶊 이 용법은 때때로 뒤에 형용사나 분사를 수반함(cf. AS *prep.* 1).
13 [~ one *to* do의 형으로 부정사의 주어 관계를 나타내어] …이[가] (…하다) (cf. OF 9) : It is time ~ me *to* go (=that I should go). 이제 내가 가야 할 때다 / *F*~ him *to* go would be impossible. 그가 가기란 불가능하다 / The secretary writes letters ~ him *to* sign. 비서가 편지를 쓰고 그가 서명한다 / Here is some money ~ you *to* spend. 여기에 네가 써도 좋은 돈이 있다 / *F*~ a girl *to* talk to her mother like that! 계집애가 엄마에게 그런 투로 말을 하다니!
(as) for me 나로서는, 나만은(for my part).
be for …으로 (향하여) 가다 ; …에 찬성이다(cf. 2) : *Are* you ~ it or against it? 그것에 찬성인가 반대인가 / I'*m* all ~ it. 그것에 대찬성이다.
be for it 《軍俗》 처벌[질책]받게 되어 있다 ; 난처하게 되다 : You *are* ~ *it*. 너는 어찌할 수 없는 처지에 빠져있다.
be in for... ☞ IN *adv.*
but for ☞ BUT.
for all …임에도 불구하고(in spite of) 《㶊 with all 보다도 문어적》 : ~ *all* that 그럼에도 불구하고 / *F*~ *all* his riches he is not happy. 그렇게 부자인데도 그는 행복하지 않다 / *F*~ *all* his faults, I respect him. 그에게는 여러 가지 결점도 있으나 그래도 나는 그를 존경한다.
for all I care (어떻게 되건) 내가 알 바 아니다 [나는 상관치 않는다] : It may go to the devil ~ *all I care*. 어떻게 되건 상관 않겠다.
for all I know 아마도 (…일 것이다) : He may be a good man ~ *all I know*. 의외로 좋은 사람일지도 모른다 (그러나 잘 알 수는 없다).
for all the world like[as if] ☞ WORLD.
for better (or) for worse ☞ BETTER *n.*
for ever (and ever) 영원히, 언제까지나(cf. FOREVER).

for fear (***of...***) ☞ FEAR *n.*
for good (***and all***) ☞ GOOD *n.*
for it 그것에 대처해야 할(it은 막연히 사태를 가리킴) : There was nothing ~ *it* but to run. 도망갈 수 밖에 달리 도리가 없었다.
for my part ☞ PART.
for one ☞ ONE *n.*
for one thing ☞ THING.
for oneself ☞ ONESELF.
if it were not[***had not been***] ***for*** ☞ IF.
O for...! ☞ O².
— *conj.* 왜냐하면[그 이유는] …이기 때문에 : It will rain, ~ the barometer is falling. 비가 오겠군, 왜냐하면 기압계가 내려가고 있으니. ☞ 活用 (2).
〖OE FORE의 약형〗
活用 (1) for *prep.* 7은 주로 특정한 표현·감정·상벌 따위에 관계하여 쓰임 ; 따라서 다음과 같은 문장에 for를 쓰는 것은 부적당함 : He did not come to school *on account of* illness. (병이 나서 학교에 올 수 없었다) / We could not go out *because of* the bad weather. (날씨가 나빴기 때문에 외출할 수 없었다). (2) i) *conj.* 으로서의 for는 전술한 사건의 사유를 나타내는 부가적인 설명문을 이끄는 등위(等位) 접속사며 그 이끄는 절은 문장의 후반에나 중간에 놓임 ; 보통 앞에 콤마를 찍음 ; 문어적 용법으로 구어에서는 보통 because, as를 씀. ☞ AS 活用 (3) i), BECAUSE 活用 (1), SINCE 活用 (2). ii) for *conj.*는 등위 접속사기 때문에 그것이 이끄는 절은 문장 후반에 놓여지지만 때로는 그것이 독립된 문장이 되는 수도 있음 : He stayed at home, *for* it was raining hard. = He stayed at home. *For* it was raining hard. (그는 집에 있었는데, 그 이유는 비가 몹시 내렸기 때문이다).

for- *pref.* 「금지」「제외」「거절」「비난」「부정」「생략」「실패」 따위의 뜻 : *for*bid, *for*get, *for*give, *for*go, *for*sake. 注 활용은 단순 동사의 활용과 같음. 〖OE *for-*, *fær-*〗

for. foreign ; forestry.

F.O.R., f.o.r. 〔商〕 free on rail.

for·age [fɔ́(:)ridʒ, fɑ́r-] *n.* **1** Ⓤ (마소의) 먹이, 사료, 꼴, 마초, 마량(馬糧) (fodder). **2** Ⓤ,Ⓒ 마량 징발. — *vt.* **1** …에서 꼴[마량]을 찾다, 징발하다 ; (식량 징발로) 약탈하다(plunder). **2** (말에게) 먹이[꼴]를 주다. — *vi.* 꼴[마량]을 찾다 ; 《비유》 뒤지다, 찾아다니다(rummage) : ~ *about* to find a book 책을 찾느라고 뒤적거리다 / ~ *for* food 먹을 것을 찾다[찾아다니다].
fór·ag·er *n.* 마량 징발 대원 ; 징발자 ; 약탈자.
〖OF<Gmc. ; ⇨ FODDER〗

fórage càp *n.* (보병의) 약모(略帽), 작업모.

fór·ag·ing ànt *n.* 떼를 지어 먹이를 찾아다니는 개미, 군대 개미.

fo·ra·men [fɔ(:)réimən, fə-] *n.* (*pl.* **fo·ram·i·na** [-rǽmənə], **~s**) 〔解·動·植〕 소공(小孔).

forámen mágnum *n.* 〔解〕 대후두공(大後頭孔), 대공(大孔).

fo·ram·i·nate [fɔːrǽmənət, fə-, -nèit], **-nat·ed** [-nèitəd] *a.* 작은 구멍이 있는.

for·a·min·i·fer [fɔ̀(:)rəmínəfər, fɑ̀r-] *n.* 〔動〕 유공충(有孔蟲). **fo·ram·i·nif·er·al** [fəræ̀mənífərəl, fɔ̀(:)rə-, fɑ̀r-], **-nif·er·ous** [-nífərəs] *a.*

for·as·much as [fɔ́:rəzmʌ́tʃ əz, fər-] *conj.* 《文語》 〔法〕 …이므로(seeing that).
〖*for as much*〗

for·ay [fɔ́(:)rei, fɑ́r-] *vi.* (주로 약탈을 목적으로) 습격하다(raid) ; 약탈하다(plunder). — *n.* 습격 ; 침략, 약탈 ; (본직 이외의 분야로의) 진출 〈*into*〉. **fóray·er** *n.*
〖? 역성(逆成) 〈*forayer*<OF=forager ; ⇨ FODDER〗

forb [fɔ́:rb] *n.* 잎이 넓은 초본[식물].

***forbad(e)** *v.* FORBID의 과거형.

for·bear**¹ [fɔːrbéər, -bǽər, fər-] *vt., vi.* (**-bore** [-bɔ́:r] ; **-borne** [-bɔ́:rn]) [+目/+*to* do/+do*ing*/+前+名/動] 삼가다, 보류하다 ; 견디다, 참아내다 : *F*~ the use of vulgar words! 저속한 말을 쓰지 않도록 해라 / I could not ~ smil*ing*. 나도 모르게 미소를 지었다, 웃지 않을 수 없었다 《注 I could not HELP smiling. 보다도 문어적》 / He *forbore* ***from ask*ing* questions. 그는 질문을 (하려고 했으나) 그만두었다 / Bear and ~ [-fɔ́:rbɛər]! 꾹 참아라!
〖OE forberan ; ⇨ BEAR¹〗
類義語 ⟹ ABSTAIN.

forbear² *n.* =FOREBEAR.

forbéar·ance *n.* Ⓤ 감내, 관용, 용서 ; 인내 ; 자제, 삼가기.
類義語 ⟹ PATIENCE.

for·béar·ing *a.* 참는, 참을성 있는 ; 관대한, 너그럽게 보아주는. **~·ly** *adv.*

for·bid** [fərbíd, fɔːr-] *vt.* (**-bade** [-bǽd, -béid], **-bad** [-bǽd] ; **-bid·den** [-bídn], ~) [+目/+do*ing*/+目+*to* do/+目+目/+目+do*ing*/+目+前+名/+*that* 節] 금하다, (…의 사용을) 금지하다, 허용치 않다 ; …에 들어가는 것을 금지하다 ; (사정 따위가) 방해하다 : Wine is ~*den*. 음주는 금지되어 있다 / I ~ smok*ing* in the hall. 회당 안에서는 흡연을 금지한다 / Her father *forbade* her *to* marry the man. 그녀의 아버지는 그녀에게 그 남자와 결혼해서는 안된다고 하셨다 / Foreigners were ~*den to* enter the country. 외국인은 입국이 금지되었었다 / I ~ you all leniency with these boys. 이 소년들에게는 절대로 자비심 따위를 베풀어서는 안된다 / I ~ you[your] contradict*ing* me. 너에게 반박 따위는 허용하지 않는다 / Smoking is ~*den* (to***) all the patients. 흡연은 모든 환자에게 금지되어 있다 / The police has ~*den that* the house (should) be opened. 경찰은 그 극장의 공개를 금하고 있다.
God[***Heaven***] ***forbid!*** 절대로 없다!
for·bíd·der *n.*
〖OE *forbēodan*(⇨ BID¹) ; cf. G *verbieten*〗
類義語 ***forbid*** 직접적으로, 개인적으로 명령하거나 또는 규칙을 만들어 어떤 일을 금하다 : His father *forbade* him to smoke. (그의 아버지는 그에게 담배 피우는 것을 금했다). ***prohibit*** 권력[권한]이 있는 자가 규칙·법률을 만들어 금지하다 ; 격식을 차린 말 : Smoking is *prohibited* in a theater. (극장에서의 흡연은 금지되어 있다).

for·bíd·dance *n.* 금지 (행위).

***for·bíd·den** *v.* FORBID의 과거분사.
— *a.* 금지된, 금제(禁制)[금단]의.

Forbídden Cíty *n.* [the ~] **1** 티베트의 Lhasa. **2** 베이징의 자금성(紫禁城).

forbídden degrée *n.* 〔法〕 금혼 촌수.

forbídden frúit *n.* **1** 〔聖〕 금단의 열매《에덴 동산에서 Adam과 Eve가 먹는 것을 금지당했던 지혜 나무의 열매》 ; 《비유》 금지되었기 때문에 더욱 탐나는 것 ; 불의(不義)의 쾌락. **2** 귤의 일종.

forbídden gróund *n.* 금단의 장소 ; 토의해서는

안 될 문제.

forbídden líne *n.* 〖理〗 (스펙트럼의) 금지선.

for·bíd·ding *a.* 가까이하기 어려운, 기분나쁜, 험악한(threatening); 무서운, 무시무시한: a ~ countenance 험상궂은 얼굴. **~·ly** *adv.*

***forbore** *v.* FORBEAR[1]의 과거형.

***forborne** *v.* FORBEAR[1]의 과거분사.

for·by(e) [fɔːrbái] *prep.* 《스코·古》 …의 가까이에, …이외에; …은 말할 것도 없이.
—— *adv.* 곁에; 게다가.

◇**force**[1] [fɔ́ːrs] *n.* **1** Ⓤ (물리적인) 힘(strength), 세력(energy), 작용: the ~ of gravity 중력(重力). **2** Ⓤ 완력, 폭력(violence); 위압력, 강압; [a ~] 폭행, 폭력에 의한 불법강제: resort to ~ 폭력에 호소하다, 실력 행사를 하다 / by[with] ~ and arms 〖法〗 폭력에 의해. **3** 병력, 무력; 부대; 일군(army); [흔히 *pl.*] 군대, 군세; (공동작전을 하는) 대(隊): the air ~ 공군 / the (police) ~ 경찰, 경찰대 / the (armed) ~*s* 군대 / the office ~ 사무실 직원 전원 / the labor ~ of a country 한 나라의 노동력. **4** Ⓤ 정신적인 힘, 기력, 의지력: with all one's ~ 전력을 다하여. **5** Ⓤ 효과, (법률의) 효력. **6** 영향력, 관록, 사회의 한 세력. **7** Ⓤ 설득력, 박력(cogency); (말 따위의) 참뜻, 주지(主旨); 요점(point); [+前+do*ing*] 당연한 도리(道理), 이유: I can't see the ~ ***of*** do*ing* what one dislikes. 싫어하는 것을 하는 이유를 알 수 없다. **8** 〖카드놀이〗= FORCING BID.

by* (*main*) *force 폭력에 의해, 우격다짐으로.
by* (*the*) *force of …의 힘으로, …에 의해.
come into force (법률이) 시행되다, 효력을 발생하다.
in force (1) 〖法〗 유효하여, 시행중인: put... *in* ~ …을 시행하다. (2) 〖軍〗 대거(大擧)하여. (3) (사람이) 힘을 내어.
in full force 총력으로; 위력을 십분 발휘하여.
in great force 여럿이서, 대세로; 위세당당하게, 힘차게.
join forces 힘을 합치다, 제휴하다〈*with*〉.
with much force 매우 강력하게; 크게 효과를 내어서.

—— *vt.* **1** [+目/+目+*to* do/+目+前+名] (억지로) 떠맡기다, 강요하다(impose); 강제로 …시키다, (…하는 일을) 하지 않을 수 없게 하다(compel): They ~*d* him *to* sign the paper. 그를 강제로 서류에 서명하게 했다 / She was ~*d* ***into*** crime by circumstances. 환경 때문에 죄를 범했다 / I am sorry to ~ business ***on*** you. 억지로 일을 떠맡겨서 죄송합니다. **2** [+目/+目+*from*+名] 강탈하다(extort), 빼앗다(wring); (눈물·사실 따위를) 끄집어 내다, 나오게 하다(elicit); 〖카드놀이〗 (으뜸패를) 버리게 하다; (어떤 패를) 뽑아내게 하다: The narrative ~*d* tears ***from*** her eyes. 그 이야기를 듣고 그녀는 어느새 눈물을 흘렸다. **3** [+目/+目+副/+目+前+名/+目+補] 힘으로 밀고 나아가다, 밀어내다(impel); (문 따위를) 밀어 부수다, 억지로 열다(break open): He was ~*d* ***out*** as vice premier. 부수상의 지위에서 밀려났다 / They ~*d* an entry ***into*** the house. 그 집에 억지로 들어갔다 / The door was ~*d* open. 문을 억지로 열었다. **4** (우격다짐으로) 찍어 누르다, 압박하다; 〖軍〗 (강습하여) 탈취하다(storm). **5** (뜻 따위를) 억지로 발라 맞추다; (목소리를) 억지로 내다, 짜내다: ~ a smile 억지 웃음을 짓다. **6** 〖園藝〗 촉성 재배하다(cf. FORWARD *vt.* 2).

—— *vi.* 밀고 나아가다, 강행군하다; 촉성 재배로 기르다; 〖카드놀이〗 상대에게서 특정한 비드를 뽑아내게 하다.

force a person***'s hand*** 〖카드놀이〗 남에게 손 안의 패를 내게[어떤 수를 쓰게] 하다; 《비유》 남에게 어떤 행동을 하게 하다, 억지로 시키다.
force one***'s strength*** 힘을 무리하게 내다.
force one***'s way into*** …에 밀고 들어가다.
force out (1) 억지로 밀어내다(cf. 3). (2) 〖野〗 포스아웃[봉살(封殺)]하다.
force the bidding (경매 따위에서) 값을 자꾸 올리다.
force the pace [***the running***] (경주에서) 상대방을 지치게 하기 위해 억지로 피치를 올리다.
〖OF<L *fortis* strong〗
類義語 (1) (*n.*) ⟹ STRENGTH.
(2) (*v.*) ⟹ COMPEL.

force[2] *n.* 《北英》 폭포(waterfall).
〖ON *fors*〗

fórce·able *a.* =FORCIBLE.

fórce cùp *n.* (하수관이 막히면 뚫는) 막대 달린 고무 빨판.

forced [fɔ́ːrst] *a.* 강요된, 억지로 시키는; 무리한, 억지로 발라 맞추는, 부자연스런(strained): ~ interpretation 억지 해석 / ~ labor 강제 노동 / ~ tears 억지 눈물.
fór·ced·ly [-sədli] *adv.* 무리하게, 강제적으로.

fórced-chóice *a.* (설문이) 강제 선택의, 양자 택일의.

force de frappe [*F* fɔrs də frap] *n.* (핵무기에 의한) 공격력; 핵 억지력, (특히 프랑스의) 핵무장군.

fórced lánding *n.* 〖空〗 (항공기의) 불시착.

fórced márch *n.* 〖軍〗 강행군.

fórced sále *n.* (집달리의) 공매(公賣).

fórced sáving *n.* 〖經〗 강제 저축.

fórce-féed *vt.* 강제로 먹이다; 억지로 떠맡기다 [받아들이게 하다, 흡수시키다].

fórce·ful *a.* 《文語》 힘센, 힘찬, 격렬한. **~·ly** *adv.* 힘을 넣고; 격렬하게.

fórce lánd *vi.*, *vt.* (비행기가[를]) 불시착하다[시키다].

fórce·less *a.* 힘이 없는, 무력한.

force ma·jeure [⌐ mɑːʒə́ːr, -mæ-, -mə-, -dʒúər; *F* fɔrs maʒœːr] *n.* 〖法〗 불가항력; (강대국이 약소국에게 가하는) 강압.
〖F=superior strength〗

fórce·mèat *n.* Ⓤ (순대·소시지용의) 가늘게 썰어 다져서 양념한 고기.
〖*force, farce* (obs.) stuff<F; ⇨ FARCE〗

fórce of hábit *n.* 습관의 힘, 타성: from ~ 타성으로.

fórce-òut *n.* 〖野〗 포스아웃, 봉살(封殺).

for·ceps [fɔ́ːrsəps, -seps] *n.* (*pl.* ~, **~·es** [-əz], **for·ci·pes** [-səpìːz]) **1** 겸자(鉗子), 핀셋, 족집게. **2** (곤충 따위의) 겸자 모양의 기관. 〖L〗

fórce pùmp *n.* 〖工〗 밀펌프, 압력 펌프(cf. LIFT PUMP).

for·cer [fɔ́ːrsər] *n.* 강제자; 밀펌프의 피스톤.

forc·ible [fɔ́ːsəbəl] *a.* 억지로 시키는, 강제적인; 강력한(powerful); 힘찬(vigorous); 유력한(convincing); 유효한(effective), 설득력이 있는: ~ entry 불법침입 / a ~ argument 설득력이 있는 주장. 〖OF; ⇨ FORCE[1]〗

fórcible-féeble *a.* 강해 보이지만 실은 약한, 허울만 센.

fórc·ibly *adv.* 우격다짐으로, 불법적으로, 강제적

으로 ; 힘차게, 강력하게.
forc·ing [fɔ́ːrsiŋ] *n.* **1** Ⓤ 강제 ; 폭행 ; 탈취. **2** Ⓤ 촉성(재배) : plants for ~ 촉성 재배용 식물.
fórcing bèd *n.* (촉성 재배용) 온상(hotbed).
fórcing bìd *n.* 〖카드놀이〗 상대방에게 응답을 요구하는 비드《필요 이상의 높은 비드로 자기들의 비드를 다투어 올리기 위해 함》.
fórcing hòuse *n.* (촉성 재배용) 온실.
fórcing pùmp *n.* =FORCE PUMP.
for·ci·pate [fɔ́ːrsəpèit], **-pat·ed** [-pèitəd] *a.* 집게 모양의.
for·cite [fɔ́ːrsait] *n.* (발파용) 다이너마이트.
ford [fɔ́ːrd] *n.* **1** 여울, 걸어서 건널 수 있는 곳 ; (말이나 자동차 따위로 건널 수 있는) 강 따위의 얕은 장소. **2** 《古》 시냇물(stream). —— *vi., vt.* 여울을 건너다 ; (개울·강을) 걸어서 건너다.
~·able *a.* 〖OE ; cf. FARE, G *Furt*〗
Ford *n.* **1** 포드. **Henry** ~ (1863-1947) 미국의 자동차 제조업자 ; 「자동차 왕」이라 불림. **2** Ⓒ 포드《Ford사제(社製)의 자동차》.
Fórd·ize *vt.* 대량 생산[규격화]하다.
for·do, fore- [fɔːrdúː] *vt.* 《古》 지치게 하다 ; 멸망시키다, 죽이다.
for·dóne *v.* FORDO의 과거 분사. —— *a.* 《古》 피로에 지친, 녹초가 된.
***fore** [fɔ́ːr] *a.* **1** 앞[전방, 전면(前面)]의(↔*hind, back*) : the ~ part of a train 열차의 앞쪽. **2** 최초의, 선두의 ; (시간적으로) 전의.
—— *adv.* 〖海〗 뱃머리에[쪽으로] (↔*aft*) ; 《方》 앞에, 전방에 ; 《廢》 이전에.
fore and aft 이물에서 고물까지 ; 배전체에 걸쳐서 ; 선수미 방향으로.
—— *n.* **1** 앞부분, 앞면. **2** 〖海〗 뱃머리[이물]쪽 ; 앞돛대(foremast).
at the fore 〖海〗 앞돛대 (머리)에 (올려).
to the fore 전면(前面)에 ; 눈에 띄는 곳에, 활약하여 ; 살아서(alive) ; 손 안에, (금방 쓸 수 있게) 준비된(available) : come *to the* ~ 유력한 역할을 맡아하다, 표면화(表面化)되다, 세상의 주목을 끌다.
—— [fɔːr, fɔ̀ːr] *prep., conj.* 《稀·古·方》 …의 앞에(before).
Fore George ! (성(聖) 조지 앞에) 맹세코(By George !).
Fore Heaven ! (하늘에) 맹세코 : *F~ Heaven,* I am innocent. 맹세코 나는 결백합니다.
—— *int.* 〖골프〗 앞이 위험해 《타구가 날아가는 쪽에 있는 사람에게 경고하는 소리》. 〖OE ; cf. G *vor*〗
'fore [fɔ̀ːr] *prep.* 《詩》 =BEFORE.
fore- [fɔːr] *comb. form* [동사·분사 형용사·명사를 만듦] 「미리」「먼저」「앞서」의 뜻 : *fore*bode, *fore*man, *fore*noon, *fore*runner, *fore*thought, *fore*warn. 〖FORE〗
fóre-and-áft *a.* 〖海〗 세로의, 종범식(縱帆式)의 (cf. SQUARE-RIGGED).
fóre-and-áft·er *n.* 〖海〗 종범(縱帆) 장치의 배 《schooner, ketch 따위》.
fóre·àrm[1] *n.* 전완(前腕) ; 앞팔《팔꿈치에서 손목까지》.
fore·árm[2] *vt.* [주로 수동태로] 미리 무장하다 ; 미리 대비하다.
fórearm pàd *n.* 〖美蹴〗 손목부터 팔꿈치까지 보호하는 방어구의 하나.
fore·bear, for- [fɔ́ːrbὲər, -bæ̀ər] *n.* [보통 *pl.*] 선조(ancestor). 〖*fore-, beer* (obs.) (BE, *-er*[1])〗
fore·bode, for- [fɔːrbóud] *vi.* 예언하다 ; (불길한) 예감이 들다. —— *vt.* …의 징조[전조]가 되다[보이다], 예언하다 ; …한 예감[육감]이 들다.
fore·bód·ing *n.* Ⓤ,Ⓒ 육감, 예감, (특히) 불길한 [나쁜] 일의 전조(omen), 조짐 ; 예언. —— *a.* (불길한) 예감이 드는, 불길한.
fóre·bràin *n.* 〖解〗 전뇌(부).
fóre·càbin *n.* 이물의 선실《보통 2등 객실》.
fóre·càddie *n.* 〖골프〗 공의 낙하 위치를 가리키는 캐디.
***fore·cast** [fɔ́ːrkæ̀(ː)st ; -kɑ̀ːst] *v.* (~, ~·**ed**) *vt.* 예상[예측]하다 ; (일기를) 예보하다 ; …의 징조가 되다 ; 미리 계획하다. —— *vi.* 예견[예언]하다 ; 미리 계획하다.
—— *n.* 예상, 예측, 예보 ; (특히) 일기예보 ; 선견지명 : a weather ~ 일기 예보.
~·er *n.* 예견하는 사람, 예언자 ; 일기 예보관.
類義語 ⟹ FORETELL.
fore·cas·tle [fóuksəl, 美+fɔ́ːrkæ̀səl] *n.* 〖海〗 **1** 선수루(船首樓)《이물에 한층 높게 되어 있는 부분 ; ↔*poop*》; (선수루 안의) 선원실 ; [the ~] 갑판원 총인원(crew) (cf. LOWER DECK, QUARTER-DECK, WARDROOM). **2** 선수루 갑판(=∠ **dèck**).
㈜ 발음대로 fo'c'sle, fo'c's'le로 쓰기도 함.
fóre·cìted *a.* 앞서 인용[언급]한.
fore·clós·able *a.* **1** 제외할 수 있는. **2** (저당물이) 유질(流質)될 수 있는.
fore·close [fɔːrklóuz] *vt.* **1** 제외[배제]하다, 내쫓다 ; (…으로) 방해하다, 막다(hinder)〈*of*〉. **2** (문제 따위를) 미리 처리하다, 마감하다. **3** 〖法〗 (저당권 설정자에게) 저당물을 찾을 권리를 상실하게 하다 ; (저당물을) 유질(流質) 처분하다, 유질하다. —— *vi.* 〖法〗 유질 처분하다.
〖OF (p.p.) ‹*forclore* (L *foris* out, CLOSE[1])〗
fore·clo·sure [fɔːrklóuʒər] *n.* Ⓤ,Ⓒ 〖法〗 저당물을 찾을 권리의 상실, 저당 유질(抵當流質).
fóre·cònscious *n.* Ⓤ 전의식(前意識).
fóre·còurt *n.* (건물의) 앞마당 ; 〖테니스〗 포어코트, 네트앞(↔*backcourt*).
fore·dáte *vt.* =ANTEDATE.
fore·dáted *a.* 실제보다 앞날짜의.
fóre·dèck *n.* 〖海〗 앞갑판.
foredo ☞ FORDO.
fore·dóne *a.* =FORDONE.
fore·dóom *vt.* 미리 …의 운명을 정하다 : be ~*ed* to failure 실패할 것으로 처음부터 운명지어져 있다. —— [∠∠] *n.* 《古》 예정된 운명.
fóre èdge *n.* (책의) 앞가장자리《등의 반대쪽》.
fóre-ènd *n.* (물건의) 앞쪽, 앞 끝 ; (총상(銃床)의) 전상(前床).
***fóre·fàther** *n.* 부조(父祖) ; [보통 *pl.*] 선조, 조상 (ancestor) (↔*descendant*).
Fórefathers' Dày *n.* 《美》 Pilgrim Fathers의 1620년 미대륙 상륙 기념일《일반적으로 12월 22일 ; 상륙은 21일》.
fore·féel *vt.* 예감하다. —— [∠∠] *n.* 예감.
forefend ☞ FORFEND.
fóre·fìnger *n.* 집게손가락(first finger, index finger) (cf. FINGER).
fóre·fòot *n.* (*pl.* **-fèet**) (동물의) 앞 발.
fóre·frònt *n.* [the ~] **1** 제일 앞부분, 맨 처음, 선두. **2** (활동·흥미 따위의) 중심.
in the forefront of (전투 따위의) 최전방에서 ; …의 선두가[중심이] 되어.
foregather ☞ FORGATHER.
fóre·gìft *n.* 《英》〖法〗 권리금, 보증금.
fore·gó[1] *vt., vi.* **1** =FORGO. **2** (…보다) 앞서 가다, 앞서다, 앞장서다(go before). **~·er** *n.* 선인(先人), 선대(先代), 조상, 선배 ; 선례(先例).

〚OE *foregān* (*fore-*, GO)〛
forego[2] ☞ FORGO.
fore·gó·ing *a.* 앞의, 전의 ; 전술한 ; [명사적으로 ; the ~] 앞에 적은 것, 앞서 말한 것.
fore·góne *v.* FOREGO[1,2]의 과거분사. ── [ˌ ˊˊ] *a.* 앞선, 기왕의, 기정의, 과거의.
~·ness *n.*
foregóne conclúsion *n.* **1** 처음부터 뻔한 결론 : Defeat is a ~. 질 것은 뻔하다. **2** 확실한 일 ; 예단(豫斷).
fóre·gròund *n.* (풍경·그림의) 전경(前景)(cf. MIDDLE DISTANCE, BACKGROUND) ; 최전면, 표면, 가장 눈에 띄는 위치. ── *vt.* 전경에 그리다, 앞면에 두다. 〚Du. (*fore-*, GROUND[1])〛
fóre·hànd *a.* **1** 앞의, 전방의(front) ; 최전방의, 선두의. **2** (앞을) 내다본 : a ~ payment 선불(先拂). **3** (테니스 따위에서) 정타로 치는, 포어핸드의(↔*backhand*) : a ~ stroke 정타(正打). ── *n.* **1** 앞자리, 말 몸의 앞부분《탄 사람의 앞》. **2** (테니스 따위의) 포어핸드로 치기. ── *adv.* 포어핸드로. ── *vt., vi.* 포어핸드로 치다.
fóre·hánd·ed *a.* **1** 장래에 대비한 ; 절약하는(thrifty). **2** 시기에 알맞은(timely). **3** (테니스 따위에서) 정타(正打)의, 포어핸드의.
‡**fore·head** [fárəd, fɔ́(:)-, fɔ́:rhèd] *n.* 이마, 앞이마 ; (물건의) 앞부분.
〚OE *forhēafod* (*fore-*, HEAD)〛
◇**for·eign** [fɔ́(:)rən, fár-] *a.* **1** 외국의(↔*home, domestic, interior*) ; 대외적인 ; 재외(在外)의 ; 외국산(産)의 ; 외국풍의 ; 외국으로 가는 : a ~ accent 외국말투 / ~ goods 외제품 / a ~ language[tongue] 외국어 / a second ~ language 제 2 외국어 / ~ mail 외국우편 / ~ policy 외교정책 / a ~ settlement 외국인 거류지 / ~ trade 외국 무역. **2** (고유한 것이 아닌) 외래의, 이질적인 ; 전혀 다른〈*from*〉; 서로 통하지 않는, 적합지 않은〈*to*〉: a ~ substance[body] in the eye 눈속에 들어간 이물질(異物質) / Your argument is ~ *to* the question. 당신의 주장은 그 문제와는 관계없는 것입니다 / Flattery is ~ *to* his nature. 겉치레 말을 하는 것은 그의 성격에 맞지 않는다.
〚OF<L (*foris* outside) ; *-g-*는 cf. SOVEREIGN〛
fóreign affáirs *n. pl.* 대외 사무, 외(교 사)무 : the Ministry[Department] of *Foreign Affairs* 외무부(部) / the Minister of *Foreign Affairs* 외무장관.
Fóreign Affáirs Commìttee *n.* 《美》 하원 외교 위원회.
fóreign áid *n.* (패전국·개발도상국 따위에 대한) 대외 원조.
Fóreign and Cómmonwealth Òffice *n.* [the ~] 《英》 외무부《1968년 Foreign Office와 Commonwealth Office가 합친 것》.
fóreign bíll *n.* 외국 환어음.
fóreign-bórn *a.* 외국 태생의.
fóreign-búilt *a.* 외국에서 건조한.
fóreign correspóndent *n.* (신문·잡지의) 해외 특파원 ; 외국 거래 은행.
fóreign (cúrrency) resèrve *n.* 외화 보유, 외화 보유고.
fóreign débt[lóan] *n.* 외채(外債).
fóreign dévil *n.* 《Chin.》 《蔑》 양놈《서양인》.
fóreign diréct invèstment *n.* 해외 직접 투자(投資).
‡**fóreign·er** *n.* 외국인, 이방인 ; 외래 동식물 ; 외래품 ; 외국 선박 ; 외국 증권.
類義語 ***foreigner*** 외국인 ; 다른 나라로부터의 방문자 또는 거주자로 말이나 습관이 그 나라 사람과는 다른 사람. ***alien*** 다른 나라의 국적을 소유하고 어떤 나라에 정치적 충성을 하는 사람. ***stranger*** 다른 나라·다른 지방에서 와서 아직 그곳 사람·말·습관에 익숙지 못한 사람. ***immigrant*** 정주(定住)할 목적으로 다른 나라에서 온 사람.
fóreign exchánge *n.* 외국환 ; 외화(外貨).
fóreign exchánge màrket *n.* 외국환 시장.
fóreign-flàg *n.* (비행기·선박이) 외국국적의.
fóreign-gò·ing *a.* 외국행의, 외항(선)의.
fóreign invéstor *n.* 외국인 투자가.
fóreign·ìsm *n.* 외국식(의 모방) ; 외국어법 ; 외국풍의 습관.
fóreign légion *n.* 외인부대.
Fóreign Mínister *n.* (영미 이외의) 외무 장관, 외상(外相).
Fóreign Mínistry *n.* [the ~] 외무부.
Fóreign Òffice *n.* [the ~] 《英》 외무부.
Fóreign Relátions Commìttee *n.* 《美》 (상원의) 외교 위원회《略 FRC》.
fóreign resérve *n.* 외화 준비(금).
Fóreign Sécretary *n.* 《英》 (1968년까지의) 영국 외상(外相).
fóreign sérvice *n.* (군대의) 해외[외지] 근무 ; [집합적으로] (외무부의) 외무 직원.
fóreign tráde bàlance *n.* 해외 무역 수지.
fóreign-tráde zòne *n.* 《美》 외국 무역 지대(free port).
fóreign wórd *n.* 외국어의 단어[낱말] ; 외래어, 차용어.
fóreign wórkers *n. pl.* 외국인 근로자.
fore·judge, for·judge [fərdʒʌ́dʒ, fɔ:r-] *vt.* …에 미리 판단을 내리다, 예단(豫斷)하다.
fore·knów *vt.* 예지(豫知)하다, 미리 알다.
fóre·knòwledge [ˌ ˊ- ; ˊˊ-] *n.* Ⓤ 예지, 예견.
for·el, for·rel [fɔ́(:)rəl, fár-] *n.* 회계 장부의 표지에 쓰는 양피지(羊皮紙).
fóre·làdy *n.* =FOREWOMAN.
fóre·land [-lənd, -læ̀nd] *n.* 곶(串), 돌단(突端)(headland) ; 해안땅(↔*hinterland*).
fóre·lìmb *n.* (척추동물의) 앞다리 ; (앞다리에 해당하는) 앞날개, 앞지느러미.
fóre·lèg *n.* (곤충·짐승의) 앞발 ; (의자 따위의) 앞다리.
fóre·lòck[1] *n.* 앞머리 : pull one's ~ 앞머리를 잡아당기다《시골뜨기의 거친 인사》/ take time[an occasion] by the ~ 기회를 놓치지 않다, 기회를 타다《「기회」에는 뒷머리가 없다고 하는 데서》.
forelock[2] *n., vt.* 〘機〙 쐐기(로 고정시키다).
fóre·man [-mən] *n.* **1** (노동자의) 십장, 감독, 반장, 직공장, 직장(職長). **2** 〘法〙 배심장(陪審長).
~·shìp *n.* foreman의 지위.
fóre·màst [ˌ 《海》 -məst] *n.* 〘海〙 앞돛대.
fóre·màst·man [-mən], **fóre·màst·hànd** *n.* 〘海〙 앞돛대 선원 ; 평선원, 수병.
fóre·mìlk *n.* (사람의) 초유(初乳)(colostrum) ; (소의) 처음 짠 젖《세균수가 많음》.
***fóre·mòst** [ˌ -məst] *a.* **1** 제일 앞의, 선두의. **2** 제1위의, 일류의, 주요한 : He is one of the world's ~ composers. 세계의 일류 작곡가중 한 사람이다. ── *adv.* 제일 먼저, 선두로 : carry a person feet ~ ☞ FOOT 숙어.
first and foremost ☞ FIRST *adv.*
head foremost ☞ HEAD.
put** one's **best foot[leg] foremost ☞ FORWARD.

⟦*formost, formest* (superl.)＜OE *forma* first ; 어형은 FORE와 -MOST에 동화(同化) ; cf. FORMER⟧
類義語 ⟹ CHIEF.

fóre·nàme *n.* (서양 사람 성명에서 성(姓)(surname) 앞에 있는) 이름(prename) 《Christian name 따위 ; ☞ NAME *n.* 1 주》. **~d** *a.* (문서에서) 앞서 말한.

fóre·nòon [ˌ, 美+-ˊ] *n.* 오전, 정오전《특히 8-9시에서 정오까지》: in the ~ 오전에. 주 morning 보다는 격식을 차리거나 좀 딱딱한 말.

fórenoon màrket *n.* (거래소의) 전장(前場).

fo·ren·sic [fərénsik] *a.* 법정의[에서 쓰이는], 법적인 ; 변론의, 토론의. —— *n.* ＝FORENSICS.
⟦L *forensis* ; ⇨ FORUM⟧

forénsic médicine *n.* 법의학(法醫學) (medical jurisprudence).

fo·rén·sics *n.* Ⓤ 토론[변론]술.

fòre·ordáin *vt.* 미리 …한 운명을 정하다.

fòre·ordinátion *n.* 〖宗〗 숙명, 예정.

fóre·pàrt *n.* 앞부분(front part) ; 처음 부분(earlier part).

fóre·pàw *n.* (개·고양이 따위의) 앞발.

fóre·pèak *n.* 〖海〗 이물의 화물창(艙).

fóre plàne *n.* 〖木工〗 막대패.

fóre·plày *n.* (성교에 앞선) 전희(前戲).

fóre·quàrter *n.* (소·양·돼지의 옆구리살의) 앞쪽 사반부(四半部).

fore·réach *vt., vi.* 〖海〗 (다른 배를) 앞지르다 ; …보다 속력이 낫다 ; 우세하다.

fore·rún *vt.* 앞장서다, …에 앞서다 ; 예고하다 ; 추월(追越)하다 ; 앞지르다.

fóre·rùnner *n.* **1** 선구자, 전구(前驅) ; 미리 알리기, 전조(前兆) (harbinger) ; 징조, 징후 : Swallows are the ~*s of* spring. 제비는 봄을 알려 준다. **2** 앞서 간 사람(predecessor), 선조(ancestor) : Anglo-Saxon is the ~ *of* modern English. 앵글로 색슨어는 현대 영어의 조상이다.

fóre·sàid *a.* 앞서 말한, 전술한.

fóre·sàil [ˌ, 《海》 -səl] *n.* 〖海〗 앞돛.

fore·sée *vt.* 예지하다, 예측하다, 장래를 내다보다, 전망하다. —— *vi.* 선견지명이 있다 ; 앞날을 내다보다. **~·able** *a.* 예지할 수 있는.
⟦OE *foresēon* (*fore-*, SEE¹)⟧

fore·sée·ing *a.* 선견지명이 있는.
~·ly *adv.* 선견지명을 가지고, 앞날을 내다보아.

fore·séer *n.* 선견지명이 있는 사람.

fore·shádow *vt.* (장래의 일 따위를) 미리 나타내다, 예시(豫示)하다, …의 조짐이 보이다, …의 전조가 되다, …을 예상하게 하다.

fóre·shànk *n.* (쇠고기의) 앞다리 위쪽 부분의 고기[살].

fóre·shèet *n.* 앞돛의 아랫부분에 맨 밧줄 ; [*pl.*] (보트) 앞머리에 있는 삼각형의 좌석.

fóre·shòck *n.* (지진의) 초기 미동(微動), 전진(前震).

fóre·shòre *n.* [the ~] (만조선과 간조선 중간의) 물가 ; 해변가(beach).

fore·shórt·en *vt.* **1** 〖畫〗 (원근법으로) 단축시켜 그리다, (원근법을 이용하여) 멀리 보이게 그리다. **2** (일반적으로) 단축하다.
⟦C17 ; Du. *verkorten*에 준한 것인가⟧

fore·shów *vt.* 예시[예고]하다 ; …의 전조를 나타내다.

fóre·sìght *n.* **1** Ⓤ 선견(지명), 통찰(력) (↔ *hindsight*) ; 앞날을 내다봄, 전망. **2** (장래에 대한) 주의, 신중함 ; 심려(深慮) ; 앞쪽을 보기, 전경. **~·ed** *a.* 선견지명이 있는 ; 심사숙고하는.
⟦ME 기(期), ON *forsjá, forsjó* 에 준한 것인가⟧

fóre·skìn *n.* 〖解〗 포피(包皮).
⟦C16 ; G *Vorhaut*에 준한 것⟧

‡**for·est** [fɔ́(:)rəst, fár-] *n.* **1** 삼림, 숲《자연림으로 짐승이나 조류(鳥類)가 있음》; Ⓤ 삼림지대, 산림 : a natural ~ 자연림 / cut down a ~ 산림(의 수목)을 벌채하다 / fifty acres of ~ 50에이커의 산림 / The mountain is covered with ~(*s*). 그 산은 삼림[수목]으로 덮여져 있다. 주 지명으로 쓸 때 지금은 개간된 지역에도 씀 : the New *F*~ 뉴 포레스트《잉글랜드 남부의 삼림 ; 국립 공원》. **2** 숲을 이루어 서 있는 것 : a ~ *of* chimneys [masts] 가지런히 늘어선 굴뚝[마스트]. **3** 〖英史〗 (왕실 따위의) 수렵장(狩獵場), 금렵지(禁獵地)《울타리 따위를 두르지 않은 곳으로 나무는 많지 않음 ; cf. CHASE¹ *n.* 3》.
—— *vt.* …에 식목(植木)하다, 조림(造林)하다.
~·al *a.* 산림 (지대)의.
⟦OF＜L *forestis* (*silva* wood) outside ; ⇨ FOREIGN⟧

fórest·age¹ *n.* 〖史〗 산림세(稅) ; 삼림 거주민의 부역 ; 입목(立木) 벌채권.

fóre·stàge² *n.* 〖劇〗 (막보다) 앞무대(apron).

fore·stall [fɔːrstɔ́ːl] *vt.* **1** …에 앞서다, …의 기선을 제압하다 ; 앞지르다. **2** 매점(買占)하다(buy up) ; 《古》 매복시키다 ; 《廢》 (무력으로) 방해하다 : ~ the market 시장을 매점하다.
⟦ME＝to waylay (*fore-*, STALL¹) ; cf. OE *for*(*e*)-*steall* an ambush⟧

for·es·ta·tion [fɔ̀(:)rəstéiʃən, fàr-] *n.* Ⓤ 조림(造林), 식림(植林).

fóre·stày *n.* 〖海〗 앞돛대 앞당김줄《앞돛대 꼭대기로부터 이물에 걸쳐짐》: ~ sail 앞돛대 앞밧줄에 매는 삼각범(三角帆).

fórest·er *n.* **1** 삼림학자 ; 삼림관(官), 임정관(林政官). **2** 산림의 주인 ; 숲의 짐승이나 조류.

fórest fìre *n.* 산불, 산림 화재.

fórest gréen *n.* 짙은 황녹색, 암녹색.

fórest ránger *n.* 《美》 삼림 감시원.

fórest resèrve *n.* 보호림.

fórest·ry *n.* **1** Ⓤ 임업 ; 임학(林學) ; 산림관리. **2** Ⓤ 삼림지.

fórest trèe *n.* 《英》 삼림용 수목.

foreswear, foresworn ☞ FORSWEAR.

fóre·tàste *n.* **1** 미리 맛보기, 시식(試食). **2** 기대하기, 예지, 예측, 예상. —— [-ˊ, ˊ-] *vt.* 시식하다 ; …을 미리 알다 ; 기대하여 즐기다.

fore·téll *vt.* [＋目/＋*that* 節/＋*wh.* 節] 예고[예언, 예시]하다, 앞서 말하다 : He *foretold that* there would be an earthquake in the district. 그 지방에서 지진이 있을 것이라고 예언했다 / She could ~ *what* the baby would do next. 그녀는 그 아기가 다음에 무엇을 할 것인가를 미리 말할 수 있었다.

類義語 ***foretell*** 「예언[예지]하다」라는 뜻의 가장 보편적인 말로서 예언[예지]하는 수단·방법에 대해서는 아무런 암시도 없음 : *foretell* somebody's fortune (누군가의 운명을 예언하다). ***predict*** 이미 아는 사실에서 또는 과학적인 계산으로 foretell하다 : *predict* an earthquake (지진을 예고하다). ***forecast*** 대체로 predict와 같은 뜻이지만 지금은 자연 현상·기상 예보 따위에 많이 쓰임 : *forecast* the weather (일기 예보를 하다). ***prophesy*** 신으로부터의 영감이나 신비적인 지식에 의해 예언하다 : *prophesy* a catastrophe (대 참극을 예언하다).

fóre·thòught *n.* Ⓤ 미리부터의 고려 ; (장래에 대

한) 심려(深慮), 조심.

fore·thóught·ful *a.* (장래에 대한) 깊은 생각이 있는, 선견지명이 있는 ; 미리 생각하는. **~·ly** *adv.* **~·ness** *n.*

fóre·tìme *n.* 지난날, 옛날.

fóre·tòken *n.* 전조(omen).
—— [-ˊ-] *vt.* …의 전조가 되다, (…을) 예시하다.

fore·tóld *v.* FORETELL의 과거·과거 분사.

fóre·tòoth *n.* 앞니, 문치(門齒).

fóre·tòp [ˌ《海》-təp] *n.* 〖海〗 앞돛대의 망루(望樓) ; (특히 말의) 앞갈기 ; 《古》 (사람의) 앞머리.

fóre-tóp·gàllant *a.* 〖海〗 앞돛대의 위쪽 돛대의.

fóre·tòp·man [-mən] *n.* 〖海〗 앞돛대의 망루(望樓) 선원.

fóre-tòp·màst [ˌ《海》-məst] *n.* 〖海〗 앞돛대의 중간 돛대.

fóre-tòp·sàil [ˌ《海》-səl] *n.* 〖海〗 앞돛대의 중간 돛대에 단 돛《가로돛》.

fóre·tỳpe *n.* (다가올 것의) 선형(先型), 선시적 표상(先示的表象).

***for·ev·er** [fɔːrévər, fə-] *adv.* 《美》 영원히, 영구히(eternally) ; 끊임없이, 항상(always). 주 《英》에서는 현재 always의 뜻 이외의 경우는 for ever로 두 단어로 쓰는 경향이 있음.
forever and ever = ***forever and a day*** 영구히, 영원히《강조형》.
—— *n.* [the ~] 영원, 영겁. 〖*for* EVER〗

forév·er·móre *adv.* = FOREVER.

fore·wárn *vt.* 미리 경계하다 ; 미리 주의[통고]하다 : *F~ed* is forearmed. 《속담》 경계는 곧 경비(警備).

forewent *v.* FOREGO[1,2]의 과거형.

fóre·wìnd *n.* 〖海〗 순풍(順風).

fóre·wòman *n.* 여자 배심장(陪審長), 여직장(女職長), 여공장(女工長).

fóre·wòrd *n.* (특히 저자 이외의 사람이 쓰는) 머리말, 서문(cf. AFTERWORD).
〖C19 ; G *Vorwort*에 준한 것〗
類義語 ⟹ INTRODUCTION.

foreworn ☞ FORSWORN.

fóre·yàrd *n.* 〖海〗 앞돛대의 맨 밑 활대.

for·feit [fɔ́ːrfət] *n.* **1** U,C 벌금, 과료(fine) ; 추징금 ; 몰수물 : His life was the ~ *of* his crime. 죄의 벌로서 목숨을 빼앗겼다. **2** U (권리·명예 따위의) 상실, 박탈. **3** (게임에서 치르는) 벌금 ; [*pl.* ; 단수취급] 벌금 놀이《어떤 게임에서 잘못을 하면 보통 몸에 지니고 있는 물건을 잡히고 그것을 도로 찾으려면 무엇인가 남을 웃기는 짓을 하지 않으면 안됨》. —— *vt.* (벌로서) 상실하다, (권리를) 잃다, 몰수[박탈]당하다 : He ~*ed* his estate by treason. 반역죄로 토지[재산]를 몰수당했다. —— *a.* 몰수당한, 상실한. **~·able** *a.* 몰수되어야 할, 상실당할 만한. **~·er** *n.* 권리[재산] 상실자 ; 몰수 집행자.
〖ME = crime < OF (p.p) < *forfaire* to transgress (L *foris* outside, *facio* to do)〗

fórfeit·ed gáme *n.* 〖스포츠〗 몰수 게임.

for·feit·ure [fɔ́ːrfətʃər, -tʃùər] *n.* U (재산의) 몰수 ; 실권(失權), (명성의) 상실, (계약 따위의) 실효(失效) ; C 몰수물, 벌금, 과료(fine).

for·fend, fore- [fɔːrfénd] *vt.* 《古》 피하다, 방지하다 ; 《美》 방호(防護)하다, 방위하다.
God [***Heaven***] ***forfend !*** 맙소사, (그런 일이) 절대로 없도록! 〖*for*-〗

for·gath·er, fore- [fɔːrgǽðər] *vi.* 《文語》 모이다(meet together) ; (친구들과) 친하게 지내다(associate)〈*with*〉. 〖C16 Sc. < Du. *vergaderen*〗

‡forgave *n.* FORGIVE의 과거형.

***forge**[1] [fɔ́ːrdʒ] *n.* **1 a)** (대장간의) 화덕(furnace). **b)** 대장간, 철공소(smithy). **2** (사상·계획 따위를) 꾸며내는 곳. —— *vt., vi.* **1** (쇠를) 벼리다 ; 단련하여 만들다. **2** (계획 따위를) 안출하다, (거짓말을) 만들어내다, 날조하다 ; 위조[모조]하다. 〖OF < L *forbrica* ; ⇒ FABRIC〗

forge[2] *vi.* 서서히 나아가다, 진출하다 ; (차 따위) 갑자기 속력을 내다.
forge ahead (배가) 점진하다 ; (주자가) 서서히 선두로 나서다, 착실하게 전진하다, 진출하다.
〖C18 (변형(變形)) <? FORCE[1]〗

forg·er [fɔ́ːrdʒər] *n.* **1** 위조자[범], 날조자. **2** 단직공(鍛職工), 대장장이(smith).

for·gery [fɔ́ːrdʒəri] *n.* U 위조, 모조, 날조 ; 〖法〗 문서 위조 ; C 위조 문서, 위조 도장.
〖FORGE[1]〗

◇for·get [fərgét, 美+fɔːr-] *v.* (**-got** [-gɑ́t] ; **-got·ten** [-gɑ́tn], 《美·英古·詩》 **-got** ; **-gét·ting**) *vt.* **1** [+目/+*to* do/+do*ing*/+*that* 節/+*wh.* 節/+*wh.*+*to* do] 잊어버리다, 망각하다, 생각이 안나다(↔*remember*) : I ~ your name. 네 이름이 기억이 안난다 / Don't ~ *to* sign your name. 잊지 마시고 서명[사인]을 해 주십시오《미래의 행위에 대하여 말함》/ I shall never ~ hear*ing* the President's address. 대통령의 연설을 들었을 때의 일은 결코 잊을 수 없을 것이다《과거의 경험에 대해서도 말함》/ I quite *forgot* (*that*) you were coming. 당신이 오신다는 것을 완전히 잊고 있었습니다 / I *forgot whether* he said Monday or Tuesday. 그가 월요일이라고 했는지 화요일이라고 했는지 잊어버렸다 / I've *forgotten when to* start. 언제 출발하는지 잊어버렸다. **2** 놔두고 잊다 ; 태만하다, 소홀히 하다(↔*remember*) : He had *forgotten* the ticket and went back for it. 표를 잊고 갔기 때문에 가지러 돌아왔다(cf. He *left* the ticket *on the desk.* 표를 책상 위에 놓아두고 갔다[두고 잊고 갔다]) / Never ~ your duties. 직무를 잊어서는[게을리 해서는] 안된다.

〈회화〉
You have *forgotten* something important. — What's that? 「자네는 중요한 것을 잊고 있어」 「무언데」

—— *vi.* [動/+*about*+名] 잊어버리다 : I had *forgotten* **about** the promise. 약속한 일을 잊어버리고 있었다.
forget and forgive = ***forgive and forget*** (과거의 원한 따위를) 깨끗이 잊어버리다.
forget one***self*** 제 분수를 잊어버리다, 멍청한 짓을 하다 ; 자제심을 잃다 ; 몰아적(沒我的)으로 행동하다.
〖OE *forgietan* (*for*-, GET[1])〗

forgét·ful *a.* **1** 잘 잊는 ; 잊기 쉬운 ; (…을) 잊은 〈*of*〉. **2** 태만하기 쉬운(neglectful) : be ~ *of* responsibilities 직무를 태만하기 쉽다. **3** 《詩》 망각시키는. **~·ly** *adv.* 잊기 쉬워 ; 깜빡 잊고, 등한히 하여. **~·ness** *n.* 건망증 ; 부주의, 태만.

forgét-me-nòt *n.* 〖植〗 물망초《신의·우애의 상징 ; 미국 Alaska주의 주화(州花)》.

for·gét·ta·ble *a.* 잊혀지기 쉬운 ; 잊어도 좋은.

forgétting cúrve *n.* 망각 곡선.

forg·ing [fɔ́ːrdʒiŋ] *n.* 단조품(鍛造品) ; 대장질, 단련 ; 위조(僞造).

‡for·give [fərgív, 美+fɔːr-] *v.* (**-gave** [-géiv] ; **-giv·en** [-gívən]) *vt.* **1** [+目/+目+前+名/+do*ing*/+目+do*ing*/+目+目] 용서하다, 너그러

이 봐주다 : *F*~ me if I am wrong. 잘못했으면 용서해 주시오 / I *forgave* the boy ***for*** steal*ing* it. 소년이 그것을 훔친 것을 용서해 주었다 / If you will ~ my quot*ing* these sentences again, ... 또 다시 이와 같은 글을 인용할 것을 용서해 주신다면… / *F*~ us our trespasses. 〘聖〙 우리의 죄를 사하소서 / He *was* ~*n* his negligence. 태만함을 용서받았다. **2** (빚 따위를) 면제하다, 탕감하다. ── *vi.* 용서하다 : *F*~ and ye shall be ~*n.* 〘聖〙 남을 용서해 줘라, 그러면 너희도 용서받을 것이다 / He ~*s* easily. 그는 쉽게 남을 용서한다. **for·gív·able** *a.* 용서할 만한.
〚OE *forgiefan* (*for*-, GIVE)〛
類義語 ⟹ PARDON.

‡**for·gív·en** *v.* FORGIVE의 과거 분사.

forgíve·ness *n.* Ⓤ 용서 ; 관대함.

for·gív·er *n.* **1** 용서하는 사람. **2** 면제자.

for·gív·ing *a.* (쾌히) 용서하는, 관대한, 허물을 추궁하지 않는 : a ~ nature 관대한 성질. **~·ly** *adv.* 관대하게. **~·ness** *n.*

for·go, fore- [fɔːrgóu] *vt.* (**-went** [-wént] ; **-gone** [-gɔ́(ː)n, -gán]) **1** …없이 지내다[때우다] ; 삼가다, 보류하다. **2** 버리다, 할애하다, 그만두다. 〚OE *forgān* (*for*-, GO[1])〛

◇**forgot** *v.* FORGET의 과거·과거 분사.

‡**forgotten** *v.* FORGET의 과거 분사.

forgótten mán *n.* 〔美政〕 (부당하게) 망각된 사람 《중산층 또는 노동자 계급을 지칭》.
〚F. D. Roosevelt 대통령이 1930년대에 대공황의 희생자의 상징으로 쓴 데서〛

for-híre *a.* (자동차 따위) 임대하는 ; (탐정 등) 돈으로 고용되는.

for-instance [fərínstəns] *n.* 《美口》 예, 실례 : to give you a ~ 한 예를 들면.

fo·rint [fɔ́ːrint] *n.* 헝가리의 화폐 단위《약 9센트》.

forjudge ☞ FOREJUDGE.

◇**fork** [fɔːrk] *n.* **1** 포크《식탁용》 : a table ~ 식탁용 포크 / a knife and ~ ☞ KNIFE 숙어. **2** 갈퀴, 쇠스랑. **3** 〔樂〕 소리굽쇠(tuning fork). **4** 갈래, 갈라진 나무 ; 포크[가랑이] 모양의 것 ; (길의) 분기점(分岐點) ; 갈래 모양의 전광(電光) : a ~ *in* the road 길이 두 갈래로 갈라져 있는 곳.
── *vi.* 두 갈래를 이루다, 분기(分岐)하다.
── *vt.* **1** 포크로 찌르다, 찍어 올리다. **2** [+目/+目+副] (쇠스랑 따위로) 찍어 넣다, 긁어 올리다 ; (땅을) 파 젖히다 : ~ ***in*** manure 갈퀴로 퇴비를 던져[긁어]넣다.
fork out[***over, up***] (갈퀴 따위로) 파다, 파내다 ; 《口》 (돈을) 넘겨주다, 지불하다.
〚OE *forca* < L *furca* pitchfork〛

forked [fɔ́ːrkt, 美+-əd] *a.* **1** 갈래로 갈라진, 갈래 모양의. **2** [복합어를 이루어] (…한) 갈래가 있는, 갈래가 진 : three-~ 세 갈래의.
fórked·ly [-ədli] *adv.*

fórked-éight *n.* 《美俗》 V형 8기통 엔진(을 단 자동차).

fórked líghtning *n.* 여러 갈래로 치는 번개 (chain lightning).

fórked tòngue *n.* 《美》 일구 이언 : speak with a ~ 일구 이언하다.

fórk·fùl *n.* (*pl.* **~s, fórks·ful**) 포크[쇠스랑]하나 가득함, 한 포크[쇠스랑]분.

fórk-hánd·er *n.* 《野俗》 좌완투수(southpaw).

fórk·lìft *n.* 〔機〕 포크리프트, 화물을 들어올리는 기계 ; 지게차(fork truck) (=~ **trùck**).

fórk lùnch[**lùncheon**] *n.* (뷔페 따위에서 내놓는) 포크만으로 먹는 점심.

fórk sùpper *n.* 포크만으로 먹는 저녁.

fórk·tàil *n.* 두 갈래로 갈라진 꼬리가 있는 각종 동물[물고기] ; 〔鳥〕 제비꼬리지빠귀《동(東)아시아산(産)》.

fórk-táiled *a.* 꼬리가 두 갈래로 갈라진《새·물고기 따위》.

fórk trùck *n.* 지게차《포크리프트가 장치된 운반트럭》.

fórky *a.* 《文語》 갈래 모양의, 갈래가 진.

for·lorn [fərlɔ́ːrn] *a.* **1** 버려진, 버림받은(forsaken). **2** 비참한 ; 절망적인, 희망을 잃은 ; 고독한, 외로운, 의지할 곳 없는 : a person ~ *of* hope 실의(失意)에 빠진 사람. **~·ly** *adv.* 외롭게, 의지할 데 없이 ; 절망적으로.
〚(p.p.) < *forlese* (obs.) < OE *forlēosan* (*for*-, LOSE) ; cf. LORN〛

forlórn hópe *n.* 결사대 ; 절망[결사]적 행동 ; 덧없는 소망. 〚Du. *verloren hoop* lost troop (*hoop* company, HEAP)〛

‡**form** [fɔ́ːrm] *n.* **1** Ⓤ 모양, 형상, 형태(shape) ; (사람의) 모습, 자태, 외관. **2** 사람[물건]의 그림자. **3** 형(型) ; 방식 ; 종류(kind). **4** Ⓤ 형식, 외형(外形) (↔*content*) ; 표현 형식 : *in* book ~ 책의 형식으로, 단행본으로서 / *in* due ~ 정식으로, 형식대로. **5** Ⓤ 예절, 예법(禮法) : It is good[bad] ~ to do …하는 것은 바른[틀린] 예법이다. **6** 모형, 서식(書式) ; 《英》 서식 용지(=《美》 blank) : fill in[out, up] a ~ 서식에 기입하다 / *after* the ~ of …의 서식대로 / a telegraph ~ 전보 용지. **7 a**) (경주마·운동선수 등의) 심신 상태, 컨디션(condition) ; 원기 : be in[out of] ~ 컨디션이 좋다[나쁘다]. **b**) (말·선수의) 과거의 성적, 전적 ; 《英俗》 범죄 기록, 전과. **8** 〔文法〕 형식, 형태, 어형(語形) (↔*function, meaning*). **9 a**) 긴 의자, 벤치《교회·학교 따위의 보통 등받이가 없는 것》 : sit *on* a ~ 벤치에 앉다. **b**) 《英》 (중등학교의) 학년(學年)《보통 first ~ (1학년)에서부터 sixth ~ (6학년)까지 있다 ; cf. CLASS 2, STANDARD 4》 : Tom is now *in* the sixth ~. 톰은 지금 6학년생이다. **10** 〔哲〕 형식, 형상 (↔*matter*) ; 주형, 거푸집.
as a matter of form 형식(상)으로, 의례상.
for form's sake 모양을 갖추기 위해, 형식상.
in the form of …의 형식[모습]을 취하여, …의 형태로[형식으로].
take form 형체를 이루다 ; 윤곽이 잡히다, 구체화하다.
take the form of …의 형(식)을 취하다 ; …으로 나타나다.
── *vt.* **1** [+目/+目+前+名] 형태를 이루다, 형성하다(shape) : Water freezes and ~*s* ice. 물이 얼면 얼음이 된다 / The cook ~*ed* dough ***into*** loaves. 요리사는 밀가루 반죽으로 빵을 만들었다. **2** (인물·능력·품성을) 길러내다(build up), 단련하다(train) ; (습관을) 들이다. **3** 조성[구성]하다(organize) : The House is not yet ~*ed.* 의회는 아직 구성되어 있지 않다. **4** (입술이 언어·음성 따위를) 정확하게 발음하다 (articulate). **5** (생각·계획을) 구상하다, (개념·의견 따위를) 형성하다(frame). **6** [+目/+目+前+名] 〔軍〕 정렬시키다, (대형(隊形)을) 만들다(draw up) : The soldiers were ~*ed* ***into*** columns. 병사들은 종대로 정렬했다. **7** (동맹·관계를) 맺다. **8** 〔文法〕 파생시키다, 어미를 변화시켜 만들다.
── *vi.* **1** (물건이) 형체를 이루다, (어떤) 모양이 되다 : Ice ~*s* at a temperature of 32°F. 얼음

은 화씨 32도에서 언다. **2** (생각·신념·희망 따위가) 생기다. **3** 〔軍〕 대형을 만들다, 정렬하다 (draw up)〈*into* line〉.
form part of …의 일부[요소]가 되다.
~·able *a.* **fòrm·abílity** *n.*
〚OF<L *forma* shape, mold〛
類義語 (1) (*n.*) ***form*** 형태 ; 특히 내용 또는 색깔과 구별된 물건의 외형 ; 그 모양이 그 물건의 내부 구조와 관련이 있는 것을 암시함 : The *forms* of trains have been much improved. (기차의 외형은 많이 개량되었다). ***figure*** 선·윤곽에 의해서 나타내지는 외형 : He drew *figures* of rabbits. (그는 토끼 모양을 그렸다). ***outline*** 물체의 한계를 나타내는 선, 윤곽 : the *outline* of a mountain (산의 윤곽). ***shape*** 속 알맹이가 차 있는 것의 form 또는 outline ; 일상 용어 : the *shape* of one's head (머리의 형태). ***contour*** outline에 의해서 만들어진 전체의 모양, 특히 곡선을 포함하는 것 : the soft *contour* of her waist (부드러운 곡선을 이룬 그녀의 허리 모양).
(2) (*v.*) ⟹ MAKE.

form- [fɔ́ːrm], **for·mo-** [fɔ́ːrmou, -mə] *comb. form* 〔化〕「포름산」의 뜻.
〚*formic* (*acid*)〛

-form [fɔ̀ːrm] *a. comb. form* 「…형[모양]의」의 뜻 : cruci*form* ; uni*form*.
〚F -*forme*<L ; ⇨ FORM〛

***for·mal** [fɔ́ːrməl] *a.* **1** 형식적인, 표면적인 : ~ obedience 형식적인 복종. **2** 예식의, 의례적인, 관습적인 ; 형식에 사로잡힌[얽매인], 고지식한, 딱딱한(↔*informal*) : a ~ visit 의례적인 방문 / ~ words[expressions, style] 딱딱한[어색한] 말[표현, 문체]《예를 들면 *cease*(=stop), *close* (=shut), *commence* (=begin), *purchase* (=buy), *vessel* (=ship) 따위》. **3** 형태의, 외형의 : ~ semblance 외형상의 유사. **4** 〔論〕 형식(상)의 (↔*material*) : ~ logic 형식 논리학. **5** 정식의 (regular) : a ~ receipt 정식 영수증 / in ~ dress 정복[예복]으로. ── *n.* 형식적인 것 ;《美》 야회복을 입고 가는 정식 무도회 ;《美》 야회복.
〚L ; ⇨ FORM〛
類義語 ***formal*** 사물의 규칙이나 외면적인 형식을 중요시함 ; 격식을 차리거나 딱딱함을 강조하며, 온유함이나 자연스러움이 없는 것을 나타냄. ***conventional*** 사회 일반적으로 받아들여지고 있는 형식이나 습관을 중히 봄 ; 독창성·발전성이 없으며 때때로 일시적인 처리를 하는 것을 암시함.

form·áldehyde [fɔːrm-] *n.* 〔化〕 포름알데히드, 포름산(酸) 알데히드. 〚*form*ic+*aldehyde*〛

fórmal grámmar *n.* 형식 문법.

for·ma·lin [fɔ́ːrməlɪn, -lìːn] *n.* Ⓤ 〔化〕 포르말린 《살균·소독·방부제》. 〚*formal*dehyde+-*in*〛

fórmal·ìsm *n.* **1** Ⓤ,Ⓒ 극단적인 형식주의, 허례. **2** Ⓤ (종교상·예술상의) 형식주의(↔*idealism*) ; 형식론. **-ist** *n.* 형식주의[론]자. **fòr·mal·ís·tic** *a.* 형식주의의 ; 형식에만 너무 구애받는.

for·mal·i·ty [fɔːrmǽləti] *n.* **1** Ⓤ 형식에 구애됨 ; 딱딱함 : without ~ 격식[형식]을 차리지 않고. **2** Ⓤ 정식, 본식(本式). **3** Ⓤ 의례(ceremony). **4** Ⓤ 상례(常例). **5** [*pl.*] 정규(적인) 수속 ; 형식[의례]적인 행위 : legal *formalities* 법률상의 정식 수속 / go through due *formalities* 정식 수속을 밟다.
類義語 ⟹ CEREMONY.

fórmal·ìze *vt.* 형식화하다 ; 정식적인 것으로 하다 ; 정식으로 승인하다. ── *vi.* 형식만 차리다.
fòrmal·izátion *n.* 형식화, 의례화(儀禮化).

fórmal·ly *adv.* 정식으로, 공식적으로 ; 형식적으로 ; 격식을 차리고, 딱딱하게 ; 〔哲〕 형식에 관하여, 형상적으로(↔*materially*).

fórmal óbject *n.* 〔文法〕 형식 목적어.

fórmal súbject *n.* 〔文法〕 형식 주어.

fórmal univérsal *n.* 〔言〕 보편적 언어 형식.

for·mant [fɔ́ːrmənt, -mænt] *n.* 〔音聲〕 포먼트《모음의 구성 요소》; 〔言〕 어간 형성사.

for·mat [fɔ́ːrmæt] *n.* **1** (서적의) 체재, 형, 판형 (cf. DUODECIMO, FOLIO, FOOLSCAP, OCTAVO, QUARTO) ; (전체로서의) 구성 : reissue a book *in* a new ~ 서적을 새로운 체재로 재발행하다. **2** 〔컴퓨〕 틀잡기, 서식, 형식, 포맷.
── *vt.* (-tt-) 형식에 따라 배열하다[만들다] ; 〔컴퓨〕 포맷[틀잡기]하다. 〚F<G<L *formatus* (*liber*) shaped (book) ; ⇨ FORM〛

for·mate[1] [fɔ́ːrmeit] *n.* 〔化〕 포름산염(酸鹽).

formate[2] *vi.* 〔美軍〕 (비행기가) 편대 비행하다, 편대를 짜다. 〚역성(逆成)<↓〛

***for·ma·tion** [fɔːrméiʃən] *n.* **1** Ⓤ 구성, 조성(組成), 편성, 성립 : the ~ of a Cabinet 조각(組閣) / the ~ of character 인격의 형성. **2** Ⓤ 형성, 구조 ; 형태 ; Ⓒ 조성물, 구성물. **3** 〔地質〕 층, 누층(累層). **4** Ⓤ 〔軍〕 대형 ; 편대 ; 〔球技〕 포메이션, 배열 : in battle ~ 전투 대형으로[의] / ~ flying[flight] 편대 비행 / ☞ WING-BACK FORMATION. 〚OF or L ; ⇨ FORM〛

form·a·tive [fɔ́ːrmətiv] *a.* 형태를 이루는 ; 형성하는 ; 형성[발달]의 : ~ arts 조형(造形)미술.
── *n.* 〔文法〕 낱말 구성 요소(=~ element) 《접두사·접미사 따위》.

fórmative èlement *n.* 〔文法〕 낱말 형성 요소 《접미사·접두사 따위》.

fórm bòard *n.* (콘크리트 공사의) 거푸집틀.

fórm·bòok *n.* 《英》 (경주마의 이력을 적은) 경마 안내서 ; 《口》 (경주마·운동 선수의 전력에 의한) 예상.

fórm clàss *n.* 〔言〕 형태류(形態類) 《하나 또는 그 이상의 형태적 특징을 공유하는 낱말 그룹 ; books와 hats, opened와 walked 따위》.

fórm crìticism *n.* (성서 따위의) 형식 비평학, 형식사적 연구. **fórm crìtic** *n.* **fórm crìtical** *a.*

fórm dràg *n.* 〔理〕 형상 항력(抗力) ; 형체 저항.

forme [fɔ́ːrm] *n.* 《英》 〔印〕 조판. 〚F FORM〛

‡for·mer[1] [fɔ́ːrmər] *attrib. a.* **1** 앞의, 먼저의 (prior), 이전의 : (in) ~ days[times] 옛날(에는). **2** [the ~ ; 대명사적으로 쓰여] 전자(前者)(의) (↔*the latter*) : in the ~ 앞의 경우에(는) / Canada and the United States are in North America ; *the* ~ (country) lies north of the latter. 캐나다와 미합중국은 북미에 있는데, 전자는 후자의 북쪽에 위치한다. ☞ 活用.

〈회화〉
Did he go by car or by train? — The *former* seems more likely. 「그는 차로 갔니 아니면 기차로 갔니」「차로 갔을 가능성이 높아」

〚*forme* first, -*er*[2] ; cf. FOREMOST〛
活用 두 개의 것에 대하여「전자」의 뜻으로 보통 the former... the latter...와 같이 짝을 이루어 쓰임《본문 중의 용례도 참조》: Of these two evils the *former* is the lesser. (이들 두 악 중에서 전자가 보다 덜하다) (cf. this...that... ☞ THAT[1] *pron.* 4 ; the one... the other... ☞ ONE *pron.* 숙어). 세 개 이상의 것에 대하여서

는 *the first*[*first-named*]...the last[last-named]... 따위를 사용할 수가 있음.
類義語 ⟹ PREVIOUS.

fórm·er[2] *n.* **1** 형성[구성]하는 사람. **2** 성형하는 기구, 틀, 모형, 본. 〖FORM〗

***fórmer·ly** *adv.* 먼저, 이전에는, 예전에는.

fórm·fitting *a.* (옷 따위가) 몸에 꼭 맞는(close-fitting).

fórm·ful *a.* 폼이 좋은, 멋진, 볼 만한.

fórm gènus *n.* 〖生〗 형태속(屬).

for·mic [fɔ́ːrmik] *a.* 개미의; 〖化〗 포름산(酸)의. 〖L *formica* ant〗

For·mi·ca [fɔːrmáikə, fər-] *n.* 포마이커《내열(耐熱) 플라스틱판(板); 상표명》.

fórmic ácid *n.* 〖化〗 포름산(酸).

for·mi·cary [fɔ́ːrməkèri; -kəri] *n.* 개미집, 개미탑(anthill).

for·mi·cate [fɔ́ːrməkèit] *vi.* 개미가 우글거리다, 개미처럼 떼를 짓다.

for·mi·ca·tion [fɔ̀ːrməkéiʃən] *n.* 〖醫〗 의주감(蟻走感)《개미가 기어다니는 듯한 피부의 가려움증》.

***for·mi·da·ble** [fɔ́ːrmidəbəl] *a.* **1** 무서운. **2** 만만치 않은, 감당하기 어려운, 힘겨운: a ~ task 만만치 않은 일. **3** 방대한, 엄청나게 많은: a ~ helping of pudding 푸딩을 수북이 담음.
-bly *adv.* 무섭게, 얕잡을 수 없을 만큼; 만만치 않게, 지독히. **fòr·mi·da·bíl·i·ty** *n.* **~·ness** *n.* 〖F or L (*formido* to fear)〗

fórm·less *a.* 형태가 없는, 무정형(無定形)의; 혼돈된, (계획 따위가) 막연한.

fórm lètter *n.* 같은 문장의 편지《인쇄 또는 복사한 것으로 날짜·수신처는 개별적으로 기입됨》.

fórm màster *n.* (*fem.* **fórm mìstress**) 《英》 (중등학교의) 학년급 담임교사, 학급 담임(교사) (cf. FORM *n.* 9 b)).

For·mo·sa [fɔːrmóusə, fər-, -zə] *n.* 타이완.
For·mó·san *a., n.* 타이완(인)의; 타이완인; Ⓤ 타이완어. 〖Port. =beautiful〗

fórm·ròom *n.* 《英》 교실.

fórms of énterprise *n.* 기업 형태.

fórm shèet *n.* (경마의) 예상지(紙), 경마 전문지; (일반적으로 후보자·경기자에 대한) 상세한 기록.

***for·mu·la** [fɔ́ːrmjələ] *n.* (*pl.* **~s, -lae** [-lìː]) **1** (의식 따위의) 형식 문구; 판에 박힌 말투, (식사(式辭) 따위의) 상투적인 문구. **2** 〖宗〗 신앙 형식, 신조(信條)(creed). **3** 법식, 정칙(正則); (관습상의) 일정한 방식. **4** 처방전(處方箋)(recipe). **5** 〖數〗 공식, 〖化〗 식(式): a binomial ~ 이항식 / a molecular ~ 분자식 / a structural ~ 구조식. **6** 포뮬러, 정식 규격《주로 엔진의 배기량에 의한 경주용 자동차의 한 분류》.
—— *a.* (경주용 자동차가) 포뮬러에 따른.
for·mu·la·ic [fɔ̀ːrmjəléiik] *a.* **-i·cal·ly** *adv.* 〖L (dim.)<*forma* FORM〗

fórmula invésting *n.* 〖經〗 포뮬러 플랜 투자《일정한 계획에 따라 행하는 증권 투자》.

Formula One[**1**, **I**] [ˊ- wʌ́n] *n.* 포뮬러 원《경주차 분류에서 최고 범주로 침; 그 차》.

fórmula plán *n.* FORMULA INVESTING에서의 일정한 투자 계획.

fór·mu·lar *a.* 정식[법식상]의.

fórmular·ìze *vt.* =FORMULATE.

for·mu·lary [fɔ́ːrmjəlèri; -ləri] *n.* 식문(式文)[제문(祭文)]집; 판에 박힌 문구; 〖宗〗 의식서; 〖藥〗 처방전[집]. —— *a.* **1** 방식[정식]의; 규정의. **2** 의식상의.

for·mu·late [fɔ́ːrmjəlèit] *vt.* 공식화하다, 공식으로 나타내다; 계통을 세워서 설명하다; 처방하다, 처방전에 따라 조제하다.

fòr·mu·lá·tion *n.* Ⓤ 공식화, 공식 표시; Ⓒ 계통적 기술.

fórmula wrìting *n.* (교과서 따위) 정해진 규정에 따라 쓰기.

for·mu·lism [fɔ́ːrmjəlìzəm] *n.* 형식주의, 공식주의; 공식 체계. **-list** *n.* 형식[공식]주의자.
fòr·mu·lís·tic *a.* 공식주의의.

for·mu·lize [fɔ́ːrmjəlàiz] *vt.* =FORMULATE.

fórm wòrd *n.* 〖文法〗 형태어(形態語).

fórm·wòrk *n.* (콘크리트의) 거푸집 공사.

for·myl [fɔ́ːrmil, -mail] *n.* 〖化〗 포르밀《포름산에서 유도되는 1가(價)의 아실기》.

for·ni·cate [fɔ́ːrnəkèit] *vi.* (미혼자와 또는 미혼남녀끼리) 사통(私通)하다; 간음(姦淫)하다, 정을 통하다. **fór·ni·cà·tor** *n.* 정을 통한 사람, 간음자. **for·ni·ca·trix** [fɔ̀ːrnəkéitriks], 《廢》 **for·ni·ca·tress** [fɔ́ːrnikèitrəs] *n.* 사통한 여자. 〖L (*fornic-fornix* brothel)〗

fòr·ni·cá·tion *n.* Ⓤ 사통; 〖聖〗 간음.

for·nix [fɔ́ːrniks] *n.* (*pl.* **-ni·ces** [-nəsìːz]) 〖解〗 (결막·인후 따위의) 원개(圓蓋), 두개(頭蓋)의 뇌궁(腦弓). 〖L〗

for·rad·er, for·rard·er [fɑ́rədər, fɔ́ː-] *adv.* 《英口》 더욱더 앞으로, 좀더 나아가: get no ~ 조금도 나아가지 않다.
〖*forward*의 비교급의 영국 방언형〗

forrel ☞ FOREL.

***for·sake** [fərséik, fɔːr-] *vt.* (**-sook** [-súk]; **-sak·en** [-séikən]) **1** (벗 등을) 상대하지 않다, 저버리다(desert). **2** (습관 따위를) 그만두다, 버리다(give up). 〖OE *forsacan* to deny, refuse; cf. OE *sacan* to quarrel〗
類義語 ⟹ ABANDON.

***for·sak·en** [fərséikən, fɔːr-] *v.* FORSAKE의 과거분사. —— *a.* 버려진; 버림받은, 고독한.
~·ly *adv.* **~·ness** *n.*

***forsook** *v.* FORSAKE의 과거형.

for·sooth [fərsúːθ, fɔːr-] *adv.* 참으로, 과연; 물론, 확실하게(cf. *for* SOOTH). 㖿 지금은 항상 풍자[반어]적으로 쓰임.
〖OE *forsōth* (FOR, SOOTH)〗

for·spent [fɔːrspént, fɔːr-] *a.* 《古》 지쳐버린.

For·ster [fɔ́ːrstər] *n.* 포스터. **Edward Morgan** ~ (1879-1970) 영국의 소설가·비평가.
For·ste·ri·an [fɔːrstíəriən] *a.*

for·swear, fore- [fɔːrswέər, -swǽər] *v.* (**-swore** [-swɔ́ːr]; **-sworn** [-swɔ́ːrn]) *vt.* 맹세코[단호히] 그만두다; 맹세코 부정[부인]하다; 《古》 (사실 따위)에 대하여 위증하다, 거짓 맹세하다. —— *vi.* 위증하다.
forswear** one**self 거짓 맹세[위증]하다.
〖OE *forswerian* (*for-*, SWEAR)〗

for·sworn, fore- [fɔːrswɔ́ːrn] *v.* FORSWEAR의 과거분사. —— *a.* 거짓 맹세한(perjured).

for·syth·ia [fərsíθiə, fɔːr-, -sái-] *n.* 〖植〗 개나리속(屬)의 각종 관목[꽃나무].
〖W. *Forsyth* (d. 1804) 영국의 식물학자〗

***fort** [fɔːrt] *n.* 성채, 보루(堡壘), 요새(cf. FORTRESS); 〖美陸軍〗 상설 주둔지; 《美》 (북미 인디언 지대의) 교역(交易) 시장《옛날에 보루가 있었음》. 㖿 북미에는 지금도 Fort...라고 하는 지명이 많이 남아 있음.
hold the fort 보루를 지키다; (대항하여) 버티다; (남을 대신하여) 의무를 다하다.

〖F or It. (L *fortis* strong)〗

fort. fortification ; fortified.

for·ta·lice [fɔ́:rtələs] *n.* 작은 성채[보루].

forte[1] [fɔ́:rt, -tei, -ti] *n.* 강점, 장점, 특기 ; 〖펜싱〗 칼자루에서 중앙까지의 칼몸의 가장 강한 부분(↔*foible*). 〖(fem.) <F FORT〗

for·te[2] [fɔ́:rtei, -ti] *a., adv.* 〖樂〗 포르테의[로], 강음의[으로], 세게[센] 《略 f. ; ↔*piano*[2]》: ~ ~ =FORTISSIMO. ── *n.* 포르테의 악구[음]. 〖It.=strong, loud ; ⇨ FORT〗

for·te·pi·a·no [fɔ̀:rtəpjɑ́:nou, -piǽn-] *adv.* 〖樂〗 세게 곧 여리게《略 fp., f.p.》. 〖It.〗

*__forth__ [fɔ́:rθ] *adv.* **1** 앞으로, 전방[앞쪽]으로 (forward) : back and ~ ☞ BACK[1] *adv.* 숙어. **2** (…) 이후 : from this day ~ 오늘 이후, 금후 (로는). **3** [보통 동사와 결합하여] 밖으로 : She stretched ~ her arms. 양팔을 쭉 뻗었다 / bring ~ ☞ BRING 숙어 / burst ~ ☞ BURST *v.* 숙어 / come ~ ☞ COME[1] 숙어 / hold ~ ☞ HOLD[1] *v.* 숙어 / put ~ ☞ PUT[1] 숙어.

and so forth ☞ AND.

forth of 《詩·文語》 =OUT OF.

so far forth ☞ FAR.

── [fɔ:rθ, fɔ̀:rθ] *prep.* 《古》 …에서 밖으로(out of). 〖OE *forth* ; cf. G *fort*〗

forth·cóming *a.* **1** 앞으로 다가오[나타나]려고 하는 ; 오는, 이번의 : a list of ~ books 근간(近刊) 책 목록 / the ~ week 다음주. **2** [흔히 부정적으로] (언제나) 준비되어 있는(at hand) : We needed money, but none was ~. 우리는 돈이 필요했으나 당장에 들어올 돈이 없었다. **3** 《口》 애교가 있는(amiable), 붙임성 있는 ; 외향적인, 사교적인. ── *n.* 출현, 접근.

fórth·rìght *adv.* **1** 똑바로 앞으로 ; 정통으로, 솔직하게 ; 똑바로 : march ~ 똑바로 나아가다. **2** 《古》 즉시(at once). ── *a.* 똑바로 나아가는 ; 탁 터놓은, 숨김없이 밝힌, 솔직한(outspoken). ── *n.* 《古》 직선로.

〖OE *forthrihte* (FORTH, RIGHT)〗

forth·wíth [; ⌐⌐] *adv.* 당장, 곧, 즉시(immediately). 〖*forthwith*all (FORTH, WITH, ALL)〗

for·ti·eth [fɔ́:rtiəθ] *a.* **1** 제40[번째]의. **2** 40분의 1의. ── *n.* **1** [the ~] 제40. **2** 40분의 1.

for·ti·fi·ca·tion [fɔ̀:rtəfəkéiʃən] *n.* **1** 방비, 요새화 ; Ⓤ 축성(築城)(법·술·학) ; Ⓒ [보통 *pl.*] 방어 공사, 성채, 요새. **2** Ⓤ 강화 ; (포도주의) 알코올 성분 강화 ; (음식물의) 영양 강화.

fór·ti·fied wíne *n.* 강화[보강] 포도주《브랜디 따위를 탄》.

fór·ti·fì·er *n.* 견고하게 하는 사람[것] ; 강화하는 것 ; 축성자(築城者) ; 《戱》 강장제, 술.

*__for·ti·fy__ [fɔ́:rtəfài] *vt.* **1** …에 방어 공사를 하다 ; 요새화하다, …의 방비를 굳히다 : a *fortified* city 요새화된 도시. **2** (조직·구조를) 강화하다 ; (육체적·정신적으로) 강하게 하다(strengthen). **3** (진술 따위를) 뒷받침하다, 확증하다. **4** (술 따위에) 알코올을 첨가하여 강화하다. **5** (빵 따위에) 비타민 따위를 첨가하여 영양가를 높이다, 강화하다(enrich). ── *vi.* 요새를 축조하다.

fór·ti·fì·able *a.* 〖OF<L (*fortis* strong)〗

for·tis [fɔ́:rtəs] *n.* (*pl.* **-tes** [-ti:z]) 〖音聲〗 경음(硬音)《[p, t, k] 따위》. ── *a.* 경음의.

〖NL ; ⇨ FORT〗

for·tis·si·mo [fɔ:rtísəmòu] *adv., a.* 〖樂〗 포르티시모로[의], 매우 세게[센]《略 ff↔*pianissimo*》. ── *n.* (*pl.* **-mi** [-mì:], **~s**) 포르티시모의 악구[음]. 〖It. (superl.) ‹FORTE[2]〗

*__for·ti·tude__ [fɔ́:rtətjù:d] *n.* Ⓤ 꿋꿋함 ; 견인 불발(堅忍不拔), 불굴의 정신 : *with* ~ 의연하게. 〖F<L *fortitudin- fortitudo* (*fortis* strong)〗

類義語 ⟹ PATIENCE.

for·ti·tu·di·nous [fɔ̀:rtətjú:dənəs] *a.* 불굴의 정신이 있는[을 가진](courageous).

*__fort·night__ [fɔ́:rtnàit] *n.* 《英》 2주일(cf. SENNIGHT). 주 《美》에서는 보통 two weeks를 씀 : Monday ~ 2주일 후[전]의 월요일 / today[this day] ~ 다음 다음[지지난]주의 오늘.

〖OE *fēowertīene niht* fourteen nights〗

fórtnight·ly *a.* 2주일에 한 번의 ; 격주 발간의. ── *n.* 격주 간행물. ── *adv.* 2주일마다.

FORTRAN, For·tran [fɔ́:rtræn] *n.* Ⓤ 〖컴퓨〗 포트란《주로 과학 기술 계산용의 프로그램 언어 ; 간단한 연산(演算) 방식을 사용함 ; cf. COMPUTER LANGUAGE》.

〖*for*mula *tran*slation〗

for·tress [fɔ́:rtrəs] *n.* (대규모이며 영구적인) 요새 ; 요새지[도시] ; (일반적으로) 방비가 견고한[안전한] 장소. ── *vt.* 요새를 방호하다 ; 《古》 …의 보루의 역할을 하다.

〖OF (L *fortis* strong)〗

for·tu·i·tism [fɔ:rtjú:ətìzəm] *n.* Ⓤ 〖哲〗 우연설(偶然說). **-tist** *n.* 우연론자.

for·tu·i·tous [fɔ:rtjú:ətəs] *a.* 생각 밖의, 뜻밖의, 우연한(accidental). **~·ly** *adv.* **~·ness** *n.*

〖L (*forte* by chance)〗

for·tu·i·ty [fɔ:rtjú:əti] *n.* Ⓤ 우연성, 우연 ; Ⓒ 우연한 사건.

*__for·tu·nate__ [fɔ́:rtʃənət] *a.* **1** [+前+do*ing*/+*to* do] 운이 좋은, 행운의, 다행한(lucky) ; 길조(吉兆)의 : make a ~ decision 좋은 결단[결정]을 내리다 / She is ~ ***in*** hav*ing* a kind husband. 다정한 남편이 있어서 행복하다 / We were ~ *to* have a house like that. 다행히도 그와 같은 집을 가질 수 있었다. **2** [명사적으로 ; the ~] 행운아들. 〖L ; ⇨ FORTUNE〗

類義語 ⟹ LUCKY.

*__fórtunate·ly__ *adv.* 다행하게(도), 운좋게(도).

‡**for·tune** [fɔ́:rtʃən] *n.* **1** Ⓤ 부(富), 부유(wealth) ; Ⓒ [때때로 *pl.*] 큰 재산, 한 몫 되는 재산, [때때로 *pl.*] (운의) 성쇠, 인생의 부침(浮沈) : a man of ~ 재산가 / have[make] a ~ 재산이 있다[을 만들다] / make one's ~ 입신 출세하다 ; 재산을 한 몫[한 밑천] 벌다 / come into a ~ 재산을 얻다《유산 상속 따위로》/ spend a small ~ on... 《口》 …에 상당한 돈을 쓰다 / share a person's ~*s* 남과 운명[고락]을 같이하다. **2** 운수(運數), (장래의) 운명, 숙명(fate, destiny) : tell ~*s* (점쟁이가) 운수를 점치다 / tell a person's ~ 남의 운수를 점치다(cf. FORTUNETELLER) / have one's ~ told 운수를 점쳐 보다. **3** Ⓤ [+*to* do] 행운, 성공, 좋은 업보(good luck) ; 번영, 번성(prosperity) : seek one's ~ 출세[성공]의 길을 찾다 / I had the ~ *to* obtain his services. 다행히 그의 조력을 받을 수가 있었다. **4** Ⓤ 운(chance) ; [F~] 운명의 여신 : by good[bad, ill] ~ 다행[불운]하게도 / the ~ of war 무운(武運) / try one's ~ 운을 시험해 보다, 모험하다 / *F*~ favors the brave[bold]. 《속담》 운명의 여신은 용기 있는 자를 돕는다.

have fortune on** one's **side 좋은 운수의 덕을 보다.

marry a fortune 돈 많은 여자와 결혼하다, 재산을 탐내어 결혼하다(cf. FORTUNE HUNTER).

a soldier of fortune (모험 또는 돈벌이를 위해

서는 어디라도 고용되어 가는) 용병 ; 모험을 즐기는 군인 ; 모험가, 풍운아.
── *vi.* 《古·詩》 때마침 일어나다.
── *vt.* 《古》 (남)에게 재산을 주다 ; 《廢》 …에게 행운[불운]을 주다.
〖OF＜L *fortuna* luck, chance〗
fórtune còokie[còoky] *n.* 《美》 (속에 운수를 점친 종이가 들어 있는) 점괘 과자.
fórtune hùnter *n.* 재산을 노리고 결혼하려는 사람(cf. *marry a* FORTUNE).
fórtune-hùnt·ing *a.*, *n.* 재산을 노리는 (구혼).
fórtune·less *a.* 불운[불우]한 ; 재산이 없는.
fórtune-tèll·er *n.* 점쟁이.
fórtune-tèll·ing *n.* Ⓤ 운수[길흉] 판단, 점치기.
── *a.* 점을 치는.
◇**for·ty** [fɔ́ːrti] *a.* 40의, 40개의, 40명의 ; [*pred.*로 쓰여] 40살로 : He is ~ years old[of age]. 그는 40살이다 / ☞ FORTY WINKS.
── *pron.* [복수취급] 40, 40개, 40명. ── *n.* **1** 40, 40개, 40명. **2** 40의 기호《40, xl, XL》. **3** [the forties] (세기의) 40년대 ; [one's forties] (연령의) 40대 ; [the Forties] 스코틀랜드 북동 연안과 노르웨이 남서 연안 사이의 해역《40길 이상의 깊이가 되는 데서》. **4** 〘테니스〙 3점(의 득점) : *F*~ love. 3대 0.
like forty 《美口》 대단한 기세로.
〖OE *fēowertig* (FOUR)〗
fórty-éight *n.* 48 ; 《美해군俗》 (주말의) 48시간 이내의 상륙 허가 ; [the F~-E~, the 48] J.S. Bach의 평균율(平均律) 피아노곡집(曲集)(Ⅰ, Ⅱ)의 통칭《Ⅰ, Ⅱ 각각 24의 전주곡과 푸가(fugue)로 구성됨》.
fórty-éight·mo *n.* (*pl.* **~s**) 48 절판(의 책·종이)《약 2.5×4인치 크기》.
fórty-fíve *n.* **1** 45. **2** [the F~] 〘英史〙 1745년의 난(亂)《James 2세 당의 반란》. **3** 45회 회전하는 레코드《보통 45라고 씀》. **4** 《美》 45구경의 권총《보통 .45라고 씀》. **5** 45살.
fórty·fòld *a.*, *adv.* 40배의[로].
fórty·ish *a.* 40대의, 40대 연배의, 40살쯤 되는.
fòrty-nín·er [-náinər] *n.* 《美口》 [때로 N~-F~] 49년조(組)《1849년 gold rush때 금광을 찾으러 California에 몰려간 사람》.
fòrty-óver *int.* 《CB俗》 신호는 크고 명료하다.
fòrty-róg·er *int.* 《CB俗》 알았다, OK ; 메시지는 받았다.
fórty wéight *n.* 《CB俗》 맥주.
fórty wínks *n.* [단수 또는 복수취급] 낮잠, (특히 식후의) 오침(午寢)(nap).
fo·rum [fɔ́ːrəm] *n.* (*pl.* **~s, fo·ra** [fɔ́ːrə]) **1** 〘古로〙 공회(公會)용의 광장《공적인 집회 장소로 쓰였던 대광장》. **2** 재판소, 법정(law court). **3** (여론의) 심판, 비판 : the ~ of conscience 양심의 심판. **4** 공개 토론회(장), (텔레비전·라디오의) 토론 프로그램, (신문 따위의) 토론란, 포럼[토론] 잡지. 〖L〗
◇**for·ward** [fɔ́ːrwərd] *a.* **1** 전방(前方)의(↔*backward*) ; 앞쪽[부분]의, 전진의 ; 앞으로 가는 : a ~ march 전진 / the ~ and backward journey 왕복 여행. **2** 전진적인, 촉진적인 ; 급진적인 ; 진보된(advanced) (↔*backward*) : a ~ movement 촉진 운동 / ~ measures 급진적인 방책. **3** [+*to* do] 기꺼이[자진하여] …하는(ready) : She is always ~ *to* help others. 언제나 자진하여 남을 도우려고 생각하고 있다 / Tom was ~ ***with*** his answers. 톰은 대답을 하려고 자진하여 나섰다. **4** 계절에 앞선(↔*backward*) ; 조숙(早熟)한, 올되는(precocious). **5** [+*of*+名+*to* do] 뻔뻔스러운(impudent), 함부로 나서는, 건방진(pert) : a ~ young woman / It is rather ~ ***of*** you *to* say such things. 네가 그렇게 말하는 것은 좀 건방지다. **6** 〘商〙 선물(先物)[선불·선도(先導)]의.
── *vt.* **1** 나아가게 하다, 조성(助成)하다, 촉진하다, 진척시키다. **2** (식물 따위의) 성장을 빠르게 하다(cf. FORCE[1] *v.* 6). **3** [+目/+目+前+名] (편지 따위를) 전송(轉送)하다, 송달하다 ; (짐을) 발송하다 : Your letter has been ~*ed* ***to*** me ***from*** the former office. 당신의 편지가 전(前) 근무처에서 나에게 회송되어 왔습니다.
── *n.* 〘蹴〙 전위(前衛), 포워드(cf. BACK[1] *n.* 4) ; [*pl.*] 전위 분자, 선봉(先鋒) : left[right] ~ 레프트[라이트] 포워드.
── *adv.* **1** 전방으로, 앞쪽에(↔*backward*) ; 밖으로, 표면에 : *F*~ ! 〘軍〙 (앞으로) 갓 !, 〘海〙 전방으로 !, 〘競漕〙 노를 앞으로 ! / I can't get any ~*er*. 조금도 나아갈 수 없다 / ~ and backward 전후로 / a long way ~ 훨씬 앞쪽으로[에] / go ~ 전진하다 ; 진보하다 / look ~ 전방을 보다(cf. 2) / rush ~ 돌진하다 / bring ~ ☞ BRING 숙어 / carry ~ ☞ CARRY *v.* 숙어 / come ~ ☞ COME[1] 숙어 / help ~ ☞ HELP *v.* 숙어 / put ~ ☞ PUT[1] 숙어 / send ~ ☞ SEND[1] 숙어 / set ~ ☞ SET *v.* 숙어. **2** 금후, 장래 ; 〘商〙 선도(先渡)[선불]로서 : ☞ CARRIAGE FORWARD / date a check ~ 수표를 앞당긴 날짜로 발행하다 / look ~ 장래를 생각하다(cf. 1) / from this time ~ 지금부터, 금후(에). **3** 〘海〙 (배의) 앞 쪽에, 이물 쪽으로(↔*aft*).
look forward to …을 (낙으로 삼고) 기다리다, (좋은 일을 마음속으로) 고대하다 : I *look* ~ *to* see*ing* you. 뵙기를 고대하고 있습니다.
put one***'s best foot*** [***leg***] ***forward*** 《英》 될수록 좋은 인상을 주려고 하다. 注 forward 대신에 foremost도 쓰인다.
put [***set***] one***self forward*** 주제넘게 나서다.
〖OE *forweard*=*forthweard* (FORTH, -*ward*)〗
類義語 (1) (*v.*) ⟹ PROMOTE.
(2) (*adv.*) ***forward*** 전방을 바라보며, 전방 또는 장래를 향해서 가며 : move *forward* (앞으로 움직이다). ***onward*** 어떤 일정한 점·장소·목표를 향해서 나아가는 것을 강조함 : The troop marched *onward* toward the fortress. (부대는 요새를 향하여 행진했다).
fórward-bàsed *a.* 〘軍〙 (미사일 따위가) 전방 기지 배치의, 단거리의《略 FB》.
fórward bías *n.* 〘電子〙 순(順)바이어스《반도체 소자(素子)[회로]에 전류가 흐르는 방향으로 거는 바이어스》.
fórward cóntract *n.* 선물(先物) 계약.
fórward delívery *n.* 〘商〙 선도(先渡).
fórward·er *n.* 촉진[조성(助成)]하는 사람 ; 회송[송달]자 ; 운송업자(forwarding agent).
fórward exchánge *n.* 선물환.
fórward·ing *n.* **1** 촉진, 조성. **2** 운송(업), 회송, 발송 : the ~ business 운송 (주선)업 / a ~ station 발송역. **3** 〘製本〙 앞장정.
fórwarding ágent *n.* 운수업자, 화물취급인.
fórward-lòok·ing *a.* 앞을 바라보는, 진취적인.
fórward márgin *n.* (외국환의) 현물(現物) 시세와 선물 시세와의 차.
fórward mutàtion *n.* 〘遺〙 전진 돌연 변이(↔*back mutation*).
fórward páss *n.* 〘美蹴·럭비〙 공을 상대방 골 방향으로 패스하기《럭비에서는 반칙》.

fórward prógress *n.* 〔美蹴〕 공 가진 선수의 전진이 막히고 공이 데드가 됨 ; 그 지점.
fórward ráte *n.* (외국환의) 선물 시세.
◇**for·wards** *adv.* ＝FORWARD.
fórward scátter *n.* 〔通信〕 (대류권 · 전리층에서 전파의) 전방 산란.
fórward wáll *n.* 〔美蹴〕 공격측 라인의 양 끝 선수를 제외한 안쪽의 5인.
for·wea·ried [fərwíərid], **for·worn** [fərwɔ́ːrn, fɔːr-] *a.* 《古》 지쳐버린, 기진맥진한 ; 다 써버린.
forwent *v.* FORGO의 과거형.
for·zan·do [fɔːrtsáːndou, -tsǽn-] *adv.*, *a.*, *n.* 〔樂〕 ＝SFORZANDO《略 fz.》. 〚It.〛
F. O. S., f.o.s. 〔商〕 free on steamer.
Fós·bury (flòp) [fázbəri(-)] *n.* 〔競〕 (높이뛰기에서) 포스베리[배면(背面)] 뛰기.
── *vi.* 배면 뛰기를 하다. 〚Dick *Fosbury* 멕시코 올림픽(1968)에서 우승한 미국의 높이뛰기 선수〛
foss ☞ FOSSE.
fos·sa [fásə] *n.* (*pl.* **-sae** [-siː, -sai]) 〔解〕 (뼈 따위의) 구멍, 와(窩)(fosse) : the nasal *fossae* 콧구멍, 비와(鼻窩).
〚L＝ditch (p.p.)＜*fodio* to dig ; cf. FOSSIL〛
fosse, foss [fɔ́(ː)s, fás] *n.* **1 a**) 도랑, 운하(ditch, canal). **b**) (성(城) · 요새 따위의) 해자(垓字)(moat). **2** 〔解〕 ＝FOSSA.
〚OF＜L FOSSA〛
fos·sette [fasét, fɔ(ː)-] *n.* 약간 오목한 곳 ; 소와(小窩) ; 보조개(dimple).
Fósse Wáy *n.* [the ~] 〔史〕 포스 가도《로마군에 의하여 영국내에 건설된 양쪽에 fosse가 있는 군용 도로》.
fos·sick [fásik] *vi.* 《濠》 폐광(廢鑛)을 파서 금을 찾다 ; 《俗》 뒤지다, 찾다〈*for*〉. ── *vt.* (파서) 찾다. **~·er** *n.* 폐광을 뒤지는 사람.
***fos·sil** [fásəl] *n.* 화석 ; 《古》 발굴물 ; 《口》 시대에 뒤진 사람, 구식 사람 ; 《口》 전시대의 유물, 시대에 뒤진 것, 구제도. ── *a.* 화석의[같은], 화석이 된 ; 발굴한 ; 진보[변화]가 없는 ; 구식의, 시대에 뒤진. **~·like** *a.* 화석 같은.
〚F＜L (*foss- fodio* to dig)〛
fóssil fùel *n.* 화석 연료(燃料)《석탄 · 석유 · 천연가스 따위》.
fos·sil·if·er·ous [fàsəlífərəs] *a.* 화석을 산출[포함]하는.
fóssil·ìze *vt.*, *vi.* 화석이 되(게 하)다 ; 고정화하다, 시대에 뒤지게 하다[되다] ; 《口》 화석을 찾다, 화석을 수집하다.
fòssil·izátion *n.* Ⓤ 화석화 ; 시대에 뒤짐.
fos·so·ri·al [fasɔ́ːriəl] *a.* 〔動〕 굴을 파는 ; 굴을 파기에 알맞은 ; 굴속에서 생활하는.
***fos·ter** [fɔ́(ː)stər, fás-] *vt.* **1** 기르다(nurse) ; 돌보다, 애지중지하다, 품어 기르다 ; 육성[촉진 · 조장]하다(promote) : ~ the sick 환자를 간호하다 / Ignorance ~*s* superstition. 무지는 미신을 조장한다. **2** 마음에 품다(cherish) : ~ evil thoughts 사념(邪念)을 품다.
── *a.* 양육하는, 기르는, 양(養)[수양]… : a ~ parent 수양 부모 / a ~ brother[sister] 수양 어버이 밑에서 함께 자란 형제[자매], 젖형제[젖자매] / a ~ child 수양 아들[딸].
〚OE *fōster* food, feeding ; ⇨ FOOD〛
類義語 ⟹ CHERISH.
Foster *n.* 포스터. **Stephen Collins** ~ (1826-64) 미국의 민요 작사가 · 작곡가.
fóster·age *n.* 양육 ; 수양 아이로 보냄 ; 양자 제도 ; 수양 아이의 신세 ; 조성(助成).
fóster cáre *n.* (고아 · 불량아 등의) 양육 관리.
fóster·er *n.* 양육자, 수양 부모 ; 유모 ; 육성[조성]자.
fóster fáther *n.* 양아버지.
fóster hóme *n.* (고아 · 남의 아이 등을) 맡아 기르는 집.
fóster·ling *n.* 수양 아이, 맡아 기르는 아이.
fóster móther *n.* **1** 양어머니, 유모. **2** 《英》 병아리 보육기(保育器).
fóster-móther *vt.* 부모를 대신하여 기르다.
fóster núrse *n.* 유모.
F.O.T., f.o.t. 〔商〕 free on truck (화차[철도] 인도(의)).
fo·tog [fətág] *n.* 《美口》 사진가, 카메라맨(photographer).
fou·droy·ant [fuːdrɔ́iənt ; *F* fudrwajɑ̃] *a.* 전격적인 ; 깜짝 놀라게 할 ; 〔醫〕 전격성의, 격증(激症)의 : ~ paralysis 급성 마비.
***fought** *n.* FIGHT의 과거 · 과거 분사.
foul** [fául] *a.* **1** 불결한, 더러운, 오염된(filthy, dirty) ; 악취가 나는, 욕지기가 날 것 같은 ; (공기 · 물이) 탁하고 더러운 : ~ breath 악취 나는 입김 / a ~ smell 악취. **2** (도로가) 진흙투성이의, (흙탕으로) 질척질척한(muddy) ; (검댕 · 기름 따위로) 막힌, 메워진 ; (차바퀴 따위에) 진흙이 붙은 ; (선체(船體)가 패각(貝殼) · 해초 따위의 부착물로) 더럽혀진 : The wheels were ~ *with* mud. 바퀴는 진흙 투성이가 되어 있었다. **3** (밧줄 · 쇠사슬 따위가) 엉클어진(entangled) : get ~ 얽히다, 엉클어지다. **4** 충돌한, 충돌할 위험이 있는 : a ship ~ *of* a rock 바위에 충돌한 배. **5** (음식물이) 부패한 ; (물고기가 산란이 지나서) 맛없는 (☞ CLEAN *a.* 11). **6** (날씨가) 나쁜, 사나운, 음산한(↔*fair*) ; 역풍(逆風)의 : ~ weather 악천후, 음산한 날씨 / a ~ wind 역풍, 맞바람(↔*a fair wind*). **7** 상스러운, 음란한(obscene) ; 입심 사나운(abusive) : a ~ tongue 상스러운 말, 추잡한 소리. **8** [＋*of*＋名＋*to* do] (범죄 · 행위 따위가) 괘씸한, 악독한, 비열한 : ~ murder 모살(謀殺), 무참한 살인 / It is ~ ***of him *to* betray her. 그녀를 배반하다니 그는 비열한 자다. **9** 《口》 매우 불쾌한[싫은] ; 형편없는, 시시한 : be a ~ dancer 춤이 매우 서투른 댄서다. **10** 〔競〕 반칙의 ; 부당[부정]한(↔*fair*) ; 〔野〕 파울의 : play a ~ game 야비한[비열한] 경기를 하다. **11** 〔印〕 (교정쇄(刷) 따위가 오식이나 고친 데가 많아서) 더러운, 지저분하게 고친(↔*clean*) : ~ copy 지저분한 원고. **12** 보기 흉한, 추한(ugly)《다음의 표현 이외는 《方》》 : be she fair or ~ 그녀가 잘생겼건 못 생겼건.
by fair means or foul ☞ MEANS 1.
fall [***go, run***] ***foul of . . .*** (다른 배 따위)와 충돌하다 ; …와 싸우다, …에 관련을 맺다 ; (법률 따위)에 저촉되다.
── *adv.* 부정하게, 위법적으로 ; 〔野〕 파울로[이 되게].
hit foul (권투에서) 부정(不正)하게 치다, 반칙으로 치다(cf. *hit below the* BELT).
play a person ***foul*** (승부 따위에서) 남에게 위법 수단을 쓰다 ; 남에게 부정한 짓을 하다.
── *n.* **1** 〔海〕 (보트 · 노 따위의) 충돌, (밧줄 따위의) 엉키기, 얽히기. **2** Ⓤ 파울, 반칙. **3** 〔野〕 파울.
through fair and through foul ＝ ***through fair and foul*** ＝ ***through foul and fair*** 좋거나 나쁘거나, 어떤 경우에라도.

—— *vt.* **1** 더럽히다, 지저분하게 하다 : ~ a person's name 남을 나쁘게 말하다 / ~ one's hands with …에 관계하여 일신을 더럽히다[면목을 잃다]. **2** 〖海〗 (밧줄 따위를) 엉키게 하다, 얽히게 하다 ; …에 얽혀지다 ; (해초 따위가 달라 붙어 배 밑을) 더럽히다. **3** (총구·굴뚝 따위를) 막히게 하다, 막다 ; (선로·교통을) 두절시키다. **4** …와 충돌하다. **5** 〖競〗 (상대방을) 반칙(으로 방해)하다 ; 〖野〗 (공을) 파울이 되게 하다.

—— *vi.* **1** 더러워지다, 오염되다. **2** 〖海〗 (밧줄 따위가) 엉키다, 얽히다. **3** (총구·굴뚝 따위가) 막히다. **4** (배가) 충돌하다. **5** 〖競〗 반칙을 범하다 ; 〖野〗 파울을 치다.

foul** one's own nest*** ☞ NEST.

foul out 〖野〗 파울 볼이 잡혀서 아웃이 되다.

foul up 《美口》 더럽히다 ; 망쳐 놓다, 혼란시키다 ; 실수를 하다 ; 타락하다.

〖OE *fūl* ; cf. G *faul*〗

類義語 ⟹ DIRTY.

fóul ánchor *n.* 닻줄이 꼬인 닻.

fou·lard [fuːlɑ́ːrd, fə-, fúːlɑːr] *n.* 풀라르《부드럽고 얇은 비단[레이온]》 ; 풀라르제(製) 손수건[넥타이 따위]. 〖F〗

fóul báll *n.* 〖野〗 파울 볼(↔*fair ball*).

fóul bérth *n.* 〖海〗 (충돌[좌초] 위험이 있는) 나쁜 정박지(碇泊地).

fóul·bròod *n.* (세균에 의한 꿀벌 유충의) 부저병(腐蛆病), 유충썩이병.

fou·le [fuːléi] *n.* 풀레《표면에 광택이 있는 여성용의 가벼운 모직물의 일종》.

fóuled-ùp [fáuld-] *a.* 《口》 혼란된, 엉망이 된.

fóul fíend *n.* [the ~] 악마(the devil).

fóul lìne *n.* 〖球技〗 파울선(線).

fóul lìnen *n.* 빨랫감.

fóul·ly *adv.* 더럽게 ; 입정 사납게, 악랄하게 ; 부정하게 : be ~ murdered 모살(謀殺)되다.

fóul-mòuth *n.* 《口》 상스러운 말을 하는 사람, 입정이 사나운 사람.

fóul·móuthed [-ðd, -θt] *a.* 입정 사나운, 음탕한 말을 하는.

fóul·ness *n.* Ⓤ 불결 ; 입정 사나움 ; (날씨의) 험악 ; Ⓒ 불결한 물건 ; Ⓤ 부정, 악랄.

fóul pápers *n. pl.* 초고(草稿).

fóul pláy *n.* **1** Ⓤ 〖競〗 반칙 ; (일반적으로) 부정 ; 비겁한 짓(cf. FAIR PLAY). **2** Ⓤ 범죄, 살인.

fóul shòt *n.* 〖籠〗 프리스로, 상대방의 반칙으로 얻는 자유투(投).

fóul-spòken *a.* = FOULMOUTHED.

fóul strìke *n.* 〖野〗 strike로 카운트 되는 파울 볼.

fóul típ *n.* 〖野〗 파울 팁《타자의 배트를 스치고 직접 포수의 글러브에 들어간 공》.

fóul·tóngued *a.* = FOULMOUTHED.

fóul-ùp *n.* 《美口》 혼란, 무질서, 난잡 ; (기계 따위의) 고장, 엉망 ; 《美俗》 얼간이, 멍청이.

fou·mart [fúːmərt, -mɑːrt] *n.* 〖動〗 (유럽·아시아산) 긴털족제비.

‡found[1] [fáund] *vt.* **1** …의 기초를 마련하다 ; 창건[창시(創始)]하다 ; (기금을 기부하여) 설립하다 : The immigrants ~*ed* a colony in the continent. 이민들은 대륙에 새로운 개척지를 마련했다. **2** [+目+前+名/+目+副] (…에) 기인하여 만들다 ; (…을) …의 근거로 하다 : They ~*ed* their principles ***on*** the classic art. 고전 예술을 방칭의 근거로 했다 / His claim is ~*ed* ***in*** justice. 그의 주장은 정당하다 / This conjecture is *well*[*ill*] ~*ed*. 이 추정은 근거가 충분[희박]하다. 〖OF<L (*fundus* bottom)〗

found[2] *vt.* (금속을) 녹여 붓다 ; 주조[주입(鑄入)]하다 ; (유리의 원료를) 녹이다.

〖OF<L *fus- fundo* to pour〗

◇found[3] *v.* FIND의 과거·과거분사. —— *a.* **1** (방·선박 따위) 설비가 갖추어진, 지식·교양이 있는 ; (급료 외에) 침식 제공의. **2** (예술 작품 (소재) 따위) 자연에 있는 (것을 이용한). —— *n.* (고용 조건으로 제공되는) 숙식 ; [*pl.*] 습득물 광고 : losts and ~*s* 유실 및 습득물 광고(란).

***foun·da·tion** [faundéiʃən] *n.* **1** Ⓤ 건설, 창설, 창건. **2** Ⓤ (기금 교부에 의한) 설립 ; Ⓒ (기금 기부에 의한) 설립물, 재단《학교·병원·사회 사업 단체 따위》 : the Carnegie *F*~ 카네기 재단. **3** 기(본)금 ; 유지 기금. **4** Ⓤ 근거 : a rumor without ~ 근거 없는 소문. **5** 기초, 토대, 출발점 ; [때때로 *pl.*] (건물의) 토대, 기초, 주춧돌 : Socrates laid the ~*s* of logic. 소크라테스는 논리학의 기초를 닦았다. **6** (의복·모자 따위의) 보강 재료 ; 심 : ~ muslin 안감으로 쓰는 모슬린《고무를 입혀 빳빳함》 / ~ net 안감 망사《고무를 입혔음》. **7** (편물의) 뜨개 바탕《뜨개질한 첫 줄의 코》 ; 파운데이션《기초 화장용 화장품》 ; 바탕칠 물감《유화에서 캔버스 위에 칠함》.

on the foundation 기금으로 경영되고 있는 ; 《英》 재단에서 장학금을 받고.

~·al *a.* **~·less** *a.* 〖OF<L ; ⇨ FOUND[1]〗

類義語 ⟹ BASIS.

foundátion crèam *n.* 파운데이션 크림.

Foundátion Dày *n.* = AUSTRALIA DAY.

foundátion·er *n.* 《英》 재단에서 장학금을 받는 사람, 장학생.

foundátion gàrment *n.* (몸매를 바르게 하기 위한) 여자 속옷《코르셋·거들 따위》.

foundátion of mathmátics *n.* 수학 기초론.

foundátion schòol *n.* 재단 설립의 학교.

foundátion stòne *n.* **1** 초석(礎石) ; 주춧돌 ; 머릿돌《기념 문구를 새겨서 공공 건축물의 정초식(定礎式) 때에 앉힘 ; cf. CORNERSTONE》. **2** 기초적 사실, 기본(적) 원리.

fóund·er[1] *n.* 창건자, 창설[설립]자, 발기인, 재단 창설자, 기금 기부자 ; (학파·유파·종파의) 창시자 : the ~'s day 창립자 기념일.

〖FOUND[1]〗

foun·der[2] *vi.* (배가) 침수[침몰]하다 ; (말 따위가) 비틀거리며 쓰러지다, (늪지 따위에) 빠져들어가다 ; (토지·건물 따위가) 무너지다, 붕괴하다, 도괴(倒壞)하다(collapse) ; (계획 따위가) 실패하다, 결딴나다(fail) : The ship was about to ~ in the storm. 배는 폭풍우 속에서 침몰 직전에 있었다. —— *vt.* (배를) 침수[침몰]시키다 ; (말을) 비틀거려 쓰러지게 하다.

—— *n.* (말의) 제엽염.

〖OF = to submerge, collapse ; ⇨ FOUND[1]〗

found·er[3] *n.* 주조자, 주물하는 사람 ; 활자 주조자. 〖FOUND[2]〗

fóunder mèmber *n.* 창립 회원, 발기인.

fóund·er·shìp *n.* 창설[창립]자임, 발기인의 자격[신분].

fóunder's kín *n.* [the ~] 기금 기부자의 근친《여러 특권이 있음》.

fóunders' shàres *n. pl.* (회사의) 발기인주.

fóunding fáther *n.* (국가·제도·시설·운동의) 창립[창시]자 ; [F~ F~s] 〖美史〗 (1789년의) 합중국 헌법 제정자들.

fóund·ling *n.* 주운 아이, 기아(棄兒) : a ~ hospital 고아원, 기아 보호소.

fóund·ress *n.* 여자 창립자[발기인]. 〖FOUND[1]〗

fóund·ry *n.* **1** Ⓤ 주조(업) ; 주물류(鑄物類). **2** 주조소[장(場)], 주물 공장 ; 유리 공장. 〖FOUND[2]〗
fóundry íron[**píg**] *n.* 주철(鑄鐵).
fóundry pròof *n.* 〖印〗 제판(製版) 직전의 최종 교정(쇄(刷)).
fount[1] [fáunt] *n.* 《詩·文語》 샘(spring), 분수(fountain) ; 원천(源泉), 근원(source) ; (상점용어로서의) (램프의) 기름통, (만년필의) 잉크 튜브. 〖역성(逆成) ‹*fount*ain〗
fount[2] [fáunt, fánt] *n.* 《英》 =FONT[2].
***foun·tain** [fáuntən] *n.* **1** 분수 ; 분수지(噴水池), 분수반(盤), 분수탑(塔). **2** =DRINKING FOUNTAIN ; =SODA FOUNTAIN. **3** 《古·詩》 샘(spring) ; 수원(水源), 근원(source). **4** 원천, 근거(origin) : a ~ of wisdom 지혜의 원천. **5** 액체 저장 용기(容器)《램프의 기름통·인쇄기의 기름통·잉크 튜브 따위》.
the Fountain of Youth 청춘의 샘《청춘을 되찾아 준다는 중세 전설의 샘 ; 스페인의 탐험가가 찾아다녔다고 함》.
── *vt., vi.* 분출하다[되다].
〖*fontana* (*font*- *fons* a spring) OF＜L〗
fóuntain·hèad *n.* 수원(水源), 원천(源泉) ; 근원(source).
fóuntain pèn *n.* 만년필.
◇**four** [fɔ́:r] *a.* 넷의, 네 개의, 네 사람의 ; [*pred.*로 쓰여] 네 살로 : ~ figures 네자리 숫자 / ~ parts 5분의 4(☞ PART *n.* 3 b)).
four or five 소수의(a few).
four wide ones 《美野俗》 4구(四球).
to the four winds 사방 (팔방)으로.
── *pron.* [복수취급] 넷, 네 개, 네 사람.
── *n.* **1** 4, 네 개, 네 사람 ; Ⓤ 네 시 ; 네살 ; 4달러[파운드, 센트《따위》] ; =ALL FOURS. **2** 4의 기호(4, iv, IV). **3** 네 개[사람] 한 벌[조]의 것 ; 네 필의 말 ; 《口》 노가 넷인 보트(에 탄 사람) ; [*pl.*] 노가 넷인 보트의 경조(競漕) : a carriage and ~ 네 필의 말이 끄는 마차. **4** (트럼프·주사위 따위의) 4 ; 〖크리켓〗 4점타(打). **5** [*pl.*] 〖軍〗 4열 종대. **6** [*pl.*] 4% 이자가 붙는 공채. **7** [*pl.*] 4절판(判) (quarto).
in fours 네 개씩 조[떼]를 이루어.
on all fours ☞ ALL FOURS.

〈회화〉
Where did we get to in our last lesson?—Lesson *Four*. 「지난 번에 어디까지 나갔지」「4과까지입니다」

〖OE *fēower* ; cf. G *vier*〗
fóur ále *n.* 《英古》 (1 quart에) 4펜스인 맥주 ; 싸고 약한 맥주.
fóur-ále bàr *n.* 싸구려 맥주집 ; 《口》 (일반적으로) 술집.
fóur-bágger *n.* 《俗》 〖野〗 홈런.
fóur-bàll *n., a.* 〖골프〗 4구(球) (의)《네 사람이 하는 골프 경기》.
fóur-bìt *a.* 《美口》 50센트의.
fóur bíts *n.* [단수·복수 취급] 《美口》 50센트(cf. TWO BITS).
fóur-by-fóur *n.* 《美俗》 4단 변속의 4륜 구동 트럭.
fóur-by-twó *n.* 총을 닦는 헝겊 ; 《韻俗》 유태인.
fóur-chànnel *a.* =QUADRAPHONIC.
fóur-còlor *a.* 4색(도)의, 원색 인쇄의 : ~ process 〖印〗 4색도 제판법《황·청·적·흑의 4색으로 분해하여 거의 원색에 가까운 효과를 냄》.
fóur-color próblem[**conjécture**] *n.* 〖數〗 4색문제[가설]《지도의 나라별 색도 분류는 4색으로 가능하다는 19세기 중엽부터의 문제[가설] ; 1976년 긍정적으로 증명됨》.
fóur-còrnered *a.* 4각의 ; 네 사람이 관계하는.
fóur córners *n. pl.* 네 구석 ; 전(全)영역 ; [단수취급] 네거리 ; (어떤 일이 행해지는) 무대 : the ~ of the document 서류의 내용[범위].
the four corners of the earth 〖聖〗 땅 사방 《이사야 11 : 12》.
fóur-cỳcle *a.* 〖機〗 (엔진이) 4주기(週期)의.
fóur-diménsion·al, -diménsioned *a.* 4차원(次元)의.
fóur-èyed *a.* 눈이 넷인 ; 《口》 안경을 낀.
fóur-èyes *n.* (*pl.* ~) 안경쟁이.
4-F [fɔ́:réf] *n.* 《美》 (군대 신체검사의) 불합격자, 병역 면제자.
fóur-flùsh *vi.* 《美》 (포커에서) 같은 종류의 패 녁장으로 다섯 장 가진 체하다 ; 《俗》 허세를 부리다.
fóur-flùsh·er *n.* 《美俗》 허풍선이, 허세를 부리는 사람, 벼락치기로 성공한 사람 ; 사기꾼.
fóur-flùsh·ing *a.* 《美俗》 남에게 얹혀사는[부양받고 있는].
fóur·fòld *a., adv.* 4겹의[으로] ; 4배의[로].
── *n.* 4배, 4겹.
fóur-fóot·ed *a.* 네 발의.
fóur-fòot (**wáy**) *n.* 《英》 〖鐵〗 4피트 규격의 궤간(軌間)《표준 궤간》.
fóur fréedoms *n. pl.* [the ~] 네 가지 자유 《1941년 1월 미국 대통령 F. D. Roosevelt가 선언한 인류의 기본적 4대 자유 : freedom of speech and expression, freedom of worship, freedom from want, and freedom from fear》.
fóur-hànd *a.* =FOUR-HANDED.
fóur-hánd·ed *a.* **1** 네 손의, 네 손을 가진《원숭이 따위》. **2** (게임 따위를) 넷이서 하는 ; 〖樂〗 (피아노의) 두사람 연탄(連彈)의.
4-H club [fɔ́:réitʃ ⌐] *n.* 4-H 클럽《*h*ead, *h*ands, *h*eart, *h*ealth를 모토로 농업 기술의 향상과 공민으로서의 교육을 주안점으로 한 미국 농촌 청년 교육기관의 한 단위》.
4-H'er [⌐éitʃər] *n.* 4-H 클럽 회원.
Fóur Hórsemen (**of the Apócalypse**) *n.* [the ~] 〖聖〗 인류의 4대 재해《전쟁·기근·역병·죽음》의 상징으로서 네 기사(騎士).
Fóur Húndred, 400 *n.* [the ~] 《美》 (한 도시의) 사교계[상류층]의 사람들(cf. UPPER TEN (THOUSAND)).
Fou·ri·er [fúrièi, -riər ; *F* furje] *n.* 푸리에. **Charles** ~ (1772-1837) 프랑스의 사회주의자.
Fóurier·ìsm *n.* 푸리에주의《Fourier가 제창한 공상적 사회주의》.
~·ist *n.*
fóur-in-hànd *n.* **1** 마부 한 사람이 끄는 4두 마차. **2** (보통으로 매는) 매듭 넥타이.
── *a.* 네 필의 말이 끄는.
── *adv.* 마부 한사람이 끄는 4두 마차를 몰다.
fóur-lèaf[**fóur-lèaved**] **clóver** *n.* 네잎 클로버《발견한 사람에게 행운이 찾아온다고 함》.
fóur-légged *a.* 네 발 달린.
fóur lètter mán *n.* 보기 싫은 놈 ; 《美俗》 멍청한 놈[학생]《dumb의 4자(字)에서》.
fóur-lètter wórd *n.* (네개의 철자로 된) 성(性)에 관한 말, 외설어《fuck, cunt, shit 따위》.
fóur-mást·ed *a.* 네 개의 마스트[돛대]가 달린.
fóur-mínute mìle *n.* 〖競〗 4분 내로 달리는 1마일 경주.
fóur-o [-òu] *a.* 《美海軍俗》 완벽한(perfect).

fóur-òar *a., n.* 노가 넷인 (보트).
fóur-o'clòck *n.* 〔植〕 분꽃《오후에 늦게 꽃이 핌》; 〔鳥〕 (오스트레일리아산) 꿀빨이새.
fóur-pàrt *a.* 〔樂〕 4부 합창의.
fóur·pence [-pəns] *n.* Ⓤ 4펜스 ; Ⓒ (옛날의) 4펜스 짜리 은화.
fóur·pen·ny [-pèni, -pəni ; -pəni] *a.* 4펜스 (가격)의 : a ~ loaf 한 개에 4펜스의 빵.
fóurpenny pìece[**bìt**] *n.* (예전의) 4펜스 은화 (fourpence).
fóur·plex [-plèks] *a., n.* =QUADPLEX.
four poìnter *n.* 《美俗》 (성적평가의) A, 수 ; 우수한 학생. 〖평점 A가 4점으로 계산된 데서〗
fóur pòint stánce *n.* 〔美蹴〕 4점 스탠스《두 손을 지면에 내리는 스탠스》.
fóur-pòst *a.* 기둥이 넷인.
fóur-póst·er *n.* 기둥이 4개인 큰 침대.
fóur·pòund·er *n.* (4파운드 짜리 포탄을 발사하는) 4파운드 대포 ; 무게 4파운드의 것《빵 따위》.
fóur·scóre *a., n.* 《美·英古》 =EIGHTY.
fóur séas *n. pl.* [the ~] (영국을 둘러싼) 사면의 바다 : within *the* ~ 영본국 영토 내에.
fóur-séat·er *n.* 4인승《자동차 따위》.
fóur·some *n.* 4인조 ; 〔골프〕 포섬《4명이 2조로 나뉘어, 각조가 한 개씩의 공을 사용하여 서로 치는 경기법 ; cf. SINGLE》; 그 경기자들 : a mixed ~ 혼합 포섬《각조 남녀 2명으로 되는 경우》.
—— *a.* 넷으로 되는 ; 4명이서 하는. 〖*-some*〗
fóur·squáre *a.* 4각의(square), 정방형의 ; 확고부동한, 단호한, 견고한(firm) ; 솔직한(frank).
—— *adv.* 정방형으로 ; 뚜렷하게.
—— *n.* 정사각형, 4각(square).
fóur-stàr *a.* 《美》 우수한《가이드북에서 우수한 호텔 따위에 4개의 별을 붙인 데서》; 〔陸軍〕 별이 넷인 : a ~ general 《口》 미육군 대장.
fóur-stríper *n.* 《美口》 해군 대령.
fóur-stròke *a.* (내연 기관이) 4사이클[행정]의, 4사이클 엔진의. —— *n.* 4사이클 엔진(의 차).
◇**four·teen** [fɔ́ːrtíːn] *a.* 14의, 14개의, 14명의 ; [*pred.*로 쓰여] 14세로. —— *pron.* [복수취급] 14, 14개 ; 14명. —— *n.* **1** 14, 14개, 14명. **2** 14의 기호《14, xiv, XIV》.
〖OE *fēowertīene* (FOUR, *-teen*)〗
‡**four·teenth** [fɔ́ːrtíːnθ] *a.* 제14 (번째)의 ; 14분의 1의. —— *n.* **1** [the ~] 제14 ; (달의) 14일. **2** 14분의 1.
◇**fourth** [fɔːrθ] *a.* **1** 제4 (번째)의 : ☞ FOURTH DIMENSION / ☞ FOURTH ESTATE. **2** 4분의 1의 : a ~ part 4분의 1. —— *adv.* 네 번째로.
—— *n.* **1 a)** [the ~] 제4 ; (달의) 4일, 나흘. **b)** [the F~] 《美》 (7월 4일의) 독립 기념일(the F~ of July). **2** 4분의 1 : three ~*s* 4분의 3 / About one[a] ~ of the earth is dry land. 지구의 약 4분의 1은 육지다. **3** 〔樂〕 4도 ; 4도 음정. **4** [*pl.*] 〔商〕 4등품.
〖OE *fēo*(*we*)*rtha* (⇨ FOUR) ; cf. G *vierte*〗
fóurth cláss *n.* 네 번째 등급, 4등 ; 〔美郵〕 제4종《제1, 제2, 제3종 이외의 상품·인쇄물》.
fóurth-cláss *a., adv.* 〔美郵〕 제4종의[으로].
fóurth diménsion *n.* [the ~] 제4차원《공간을 구성하는 길이·폭·두께의 다음 차원의 시간》.
fóurth dówn *n.* 〔美蹴〕 제4다운, 최종다운《공격측에 주어진 연속 네 공격권의 네번째 플레이》.
fóurth estáte *n.* [the ~ ; 때때로 the F~ E~] 제4계급, 언론계, 신문 기자들(the press).
fóurth generátion compùter *n.* [the ~] 〔컴퓨〕 제4세대 컴퓨터.
fóurth·ly *adv.* 제4에, 4번째로.
fóurth márket *n.* 《美》〔證〕 장외 시장《비(非)상장주를 기관 투자가끼리 직접 매매하는 거래 시장 ; cf. THIRD MARKET》.
Fóurth Repúblic *n.* [the ~] (프랑스의) 제4공화정(1946-58).
Fóurth Revolútion *n.* 제4교육 혁명《학교 교육에의 전자공학이나 컴퓨터 교육 도입》.
fóurth wáll *n.* 〔劇〕 제4의 벽《무대와 관객을 나누는 위치에 설정한 가상적인 4각의 수직 공간면 ; 사실(寫實)주의 연극의 용어》.
Fóurth Wórld *n.* [the ~] 제4세계《제3세계 (the Third World) 중에서 자원이 없는 나라들》.
fóur tíme (**lòser**) *n.* 《美俗》 자포자기로 행동하는 범인.
fóur-wàll *vt.* 《美》 영화관을 세내어 자주적으로 흥행하다, 자주 흥행[상영]하다.
fóur-wày *a.* 사방으로 통하는 ; 네 사람이 하는 : a ~ talk 4자 회담.
fóur-whéel(**ed**) *a.* 4륜(식)의.
fóur-whéel·er *n.* 4륜차 ; 《英》 4륜 합승 마차.
FOV 〔空·軍〕 field of view (시야).
fo·vea [fóuviə] *n.* (*pl.* **-ve·ae** [-viìː, -viàì]) 〔生〕 (뼈 따위의) 와(窩). 〖L〗
***fowl** [fául] *n.* (*pl.* **~s**, [집합적으로] ~) **1** 《古·詩》 새(bird) : the ~*s* of the air 공중의[을 나는] 새. **2** [지금은 앞에 한정어(限定語)를 수반하여] …새 : a game ~ 엽 조(獵鳥) / ☞ WILDFOWL / a flock of water ~ 물새 떼. **3** 가금(家禽)《오리·닭·칠면조 따위》; (특히) 닭 : a barndoor[domestic] ~ 닭 / keep ~*s* 닭을 기르다. **4** Ⓤ 닭고기(chicken) ; 새고기.
neither fish, flesh, nor fowl ☞ FISH[1].
—— *vi.* 들새를 사냥하다, 들새를 잡다, 엽조를 쏘다 : go ~*ing* 새를 잡으러 가다, 새사냥 가다.
〖OE *fugol* ; cf. FLY[1], G *Vogel* ; ME까지는 「새전체」를, 16세기말부터는 「가금(家禽), 특히 닭」을 나타냄〗
fówl chòlera *n.* 가금 콜레라(chicken cholera)《닭의 전염병》.
fówl·er *n.* 들새 사냥군, 새를 잡는 사람.
Fówler fláp *n.* 〔空〕 항공기 플랩으로서 익(翼)면적 증대를 위해 뒤로 내밀었다가 저항증대를 위해 아래쪽으로 내미는 것.
fówl·ing *n.* Ⓤ 들새 사냥[잡기], 새 쏘기.
fówling pìece *n.* 새총, 엽총.
fówl-rùn *n.* 《英》 양계장(=《美》 chicken yard).
‡**fox** [fáks] *n.* (*pl.* **~·es**, ~) **1** 여우 ; 수여우(cf. VIXEN). **2** 교활한[음흉한] 사람 : an old ~ 교활하기 짝이 없는 사람. **3** Ⓤ 여우의 털가죽. **4** 《美俗》 매력적인 여성[젊은이] ; (대학의) 1년생.
(**as**) ***crafty as a fox*** 여우같이 교활한.
(**as**) ***slinky as a fox*** 여우처럼 살그머니 하는.
fox and hounds 여우와 사냥개 숨바꼭질《사냥개가 된 패들이 숨거나 도망치는 여우를 쫓음》.
play the fox 교활하게 굴다, 교활한 짓을 하다.
—— *vt.* **1** (책장·인화(印畫) 따위를) 갈색으로 변색시키다 : be badly ~*ed* 몹시 변색되어 있다. **2** 《口》 속이다, 기만하다. **3** (맥주 따위를) 시게 하다. **4** (구두의) 앞끝을 수선하다.

〈회화〉
It's hard to *fox* you, Dad. — Well, I'm smart as an owl. 「아버지를 속이기는 어렵군요」「그야 내가 빈틈이 없으니까」

—— *vi.* 《口》 교활하게 굴다, 교활한 짓을 하다 ; 갈색으로 변하다 ; (맥주 따위가) 시어지다.

〖OE *fox* ; cf. VIXEN, G *Fuchs*〗
fóx brùsh *n.* 여우의 꼬리《여우 사냥의 기념품》.
fóx èarth *n.* 여우 굴.
foxed [fάkst] *a.* 변색한, 갈색의 얼룩점이 있는 ; 시어진(soured) ; 수선한《신발 따위》.
fóx fàrming *n.* 여우 사육[키우는 일], 양호업(養狐業).
fóx fìre *n.* 여우불《썩은 나무 따위에 기생한 균이 발하는 인광(燐光)》.
fóx·glòve *n.* 〔植〕 디기탈리스(digitalis).
fóx gràpe *n.* 〔植〕 (북미산) 머루.
fóx·hòle *n.* 〔軍〕 호(壕) ; (1, 2인용의) 참호.
fóx·hòund *n.* 〔動〕 폭스하운드《여우 사냥용의 사냥개로 발이 빠르며 코가 예민함》.
fóx hùnt *n.* 여우 사냥.
fóx·hùnt *vi.* 여우 사냥을 하다.
fóx hùnter *n.* 여우 사냥을 하는 사람.
fóx-hùnt·ing *n.* 여우 사냥(cf. HUNTING 1 a)).
fóx·ing *n.* (구두) 수선용 가죽 ; (책·종이 따위의) 변색.
fóx·lìke *a.* 여우 같은, 교활한.
fóx márk *n.* (고서의) 갈색 얼룩.
fóx pàw *n.* 《美俗》 과실(faux pas).
fóx squìrrel *n.* 〔動〕 (북미산) 여우다람쥐.
fóx·tàil *n.* **1** 여우 꼬리. **2** 〔植〕 강아지풀, 둑새풀, 보리《따위》.
fóxtail míllet *n.* 〔植〕 조.
fóx térrier *n.* 폭스 테리어《주로 애완용의 개로 원래는 여우를 구멍에서 몰아내는 데 썼음》.
fóx-tròt *n.* **1** 〔댄스〕 폭스 트롯 《두 사람이 추는 4/4 박자의 비교적 빠른 템포의 댄스》 ; 그 무곡(舞曲). **2** 〔乘馬〕 완만한 속보(速步)의 하나《trot에서 walk로 또는 그 반대로 옮겨질 때의 잦은 보조(步調) ; cf. CANTER[1], GALLOP》.
── *vi.* (**-tt-**) 폭스 트롯을 추다.
fóxy *a.* **1** 여우 같은 ; 교활한. **2** 여우 빛깔의 ; 〔畫〕 (색채가) 너무 짙은. **3** (종이 따위) 갈색으로 변색한(foxed). **4** (맥주 따위) 신(sour). **5** 《美俗》 매력적인, 섹시한.
── *n.* 《濠俗》 =FOX TERRIER.
fóx·i·ly *adv.* **-i·ness** *n.* 〖FOX〗
類義語 ⟹ SLY.
foy·er [fɔ́iər, fɔ́iei ; *F* fwaje] *n.* (극장·호텔 따위의) 휴게실, 로비(lobby) ; 현관의 넓은 홀(entrance hall). 〖F=hearth, home (L FOCUS)〗
fp., f.p. foot-pound(s) ; former pupil(s) ; forte-piano ; freezing point. **F.P.** 〔英軍〕 field punishment ; fireplug ; 〔保險〕 fire policy ; fully paid. **F.P.A., f.p.a.** 〔海保險〕 free of[《英》 from] particular average. **F.P.A., FPA** 《英》 Family Planning Association ; Foreign Press Association. **FPB** Fast Patrol Boat. **FPC** 《美》 Federal Power Commission ; fish protein concentrate ; Friends Peace Committee. **FPLA** Fair Packing and Labeling Act (적정 포장 (표시)법). **fpm., f.p.m., ft / min** feet per minute. **FPO** Field Post Office ; 〔美海軍〕 Fleet Post Office. **fps, f.p.s.** feet per second ; foot-pound-second ; 〔寫〕 frames per second. **F.P.S.** 《英》 Fellow of the Pharmaceutical Society ; 《英》 Fellow of the Philosophical Society. **Fr** 〔化〕 francium. **Fr.** Father ; France ; Frau ; French ; Friar ; Friday. **fr.** fragment ; franc(s) ; frequent ; from. **FR** freight release.
Fra [frά:] *n.* 〔카톨릭〕 …사(師)《수사(修士) (friar)의 칭호로서 이름 앞에 붙임》 : ~ Giovanni 조반니 (수)사. 〖It.=Brother〗
fra·cas [fréikəs, frǽk- ; frǽkɑ:] *n.* (*pl.* **~·es,** 《英》 ~ [-z]) 싸움(판), 소동.
〖F (*fracasser*<It.=to make uproar)〗
frac·tal [frǽktəl] *n.* 〔數〕 차원(次元) 분열 도형.
fráctal geómetry *n.* 〔數〕 형상이 확정되지 않은 기하학.
***frac·tion** [frǽkʃən] *n.* **1** 〔數〕 분수(cf. INTEGER, NUMERIC) : a common[vulgar] ~ 상(常)분수 / a compound[complex] ~ 번(繁)분수 / a decimal ~ 소수 / a proper[an improper] ~ 진(眞)[가(假)]분수. **2** 파편, 단편, 소(小)부분 ; 아주 조금 : in a[the] ~ *of* a second 1초의 몇분의 1로, 곧, 즉시 / There is not a ~ *of* truth in his statement. 그의 말에는 눈곱만큼의 진실도 없다. **3** 분할 ; 〔宗〕 성체(聖體)《성찬의 빵》 분할식(式). **4** 〔化〕 (증류(蒸溜)의) 분류(分溜).
── *vt.* 세분하다.
〖OF<L (*fract- frango* to break)〗
類義語 ⟹ PART.
fráction·al *a.* 〔數〕 분수의(cf. INTEGRAL) ; 단편(斷片)[단수(端數)]의 ; 조금의 ; 〔證〕 단주(端株)의 : a ~ expression 분수식(式).
~·ly *adv.* 분수적으로 ; 단편적으로.
fráctional cúrrency *n.* 소액[보조] 화폐.
fráctional distillátion *n.* 〔化〕 분류(分溜), 분별 증류.
fráctional órbital bombárdment sỳstem *n.* 부분 궤도 폭격 체제, 궤도 폭탄.
fráction·àry [; -əri] *a.* 분수의 ; 미소한, 조금의 ; 단편적인.
fráction·àte *vt.* 〔化〕 분별(分別)하다, 분류(分溜)하다, 분별법을 쓰다.
fràc·tion·átion *n.* 〔化〕 분별(법), 분류법.
fráction·ìze *vt., vi.* 분수로 나누다 ; 세분하다, 작게[작은 부분으로] 나누다.
frac·tious [frǽkʃəs] *a.* 화를 잘 내는, 성미가 까다로운 ; 다루기 힘든. 〖*fraction* (obs.) brawling ; 어미는 *factious* 따위의 유추인가〗
fráс·tur·al *a.* 분쇄성의 ; 골절의 : a ~ injury 좌상(挫傷).
***frac·ture** [frǽktʃər] *vt., vi.* 부수다, 깨뜨리다(break) ; (뼈 따위를) 부러뜨리다, 부러지다, 삐(게 하)다. ── *n.* **1** Ⓤ 파쇄, 좌절 ; 분열 ; Ⓒ 〔醫〕 골절, 좌상(挫傷) : a compound[simple] ~ 복잡[단순] 골절 / suffer a ~ 골절상을 입다. **2** 갈라진 금 ; 부서진 곳(crack) ; 〔鑛〕 단구(斷口).
~d *a.* fracture한 ; 《美口》 (언어가) 문법·의미 따위의 관용을 무시하고 쓰인, 파격의 ; 《美俗》 술 취한. 〖F or L ; ⇨ FRACTION〗
類義語 ⟹ BREAK.
frae [fréi] *prep., adv.* 《스코》 =FROM ; =FRO.
fraenum ☞ FRENUM.
frag [frǽ(:)g] *vt.* (**-gg-**) 《美軍俗》 (파편 수류탄으로 상관·동료를) 고의로 살상하다.
── *n.* 파편 수류탄.
***frag·ile** [frǽdʒəl, -ail ; -ail] *a.* 부서지기 쉬운, 무른(brittle) ; 허약한, 가냘픈 ; 덧없는. **~·ly** *adv.*
〖F or L ; ⇨ FRACTION〗
fra·gil·i·ty [frədʒíləti] *n.* Ⓤ 부서지기 쉬움, 무름, 허약(delicateness) ; 덧없음.
***frag·ment** [frǽgmənt] *n.* 파편, 부서진 조각, 단편 ; 단장(斷章), 미완성 유고(遺稿) : *in* ~*s* 단편[파편]이 되어 ; 단편적으로. ── [-ment] *vt., vi.* 파편이 되다[되게 하다], 분해하다, 분열되다 ⟨*into*⟩. 〖F or L ; ⇨ FRACTION〗
類義語 ⟹ PART.

frag·men·tal [frægméntl] *a.* =FRAGMENTARY ; 〔地質〕 쇄설질(碎屑質)의 : ~ rock 쇄설암(岩).

frag·men·tary [frǽgməntèri ; -təri] *a.* 파편[부서진 조각]의 ; 단편으로 이루어진, 단편적인 ; 토막 토막의. **fràg·men·tár·i·ly** [; frǽgməntərili] *adv.* 단편적으로, 조각조각.

frag·men·tate [frǽgməntèit] *vt., vi.* 파편이 되게 하다[되다], 부수다, 부서지다.
〖역성(逆成)＜↓〗

frag·men·ta·tion [frægməntéiʃən, -men-] *n.* Ⓤ (폭탄 따위의) 분열, 파쇄 ; 〔生〕 (핵의) 무사(無絲)분열 ; 분단, 절단 ; (사고·행동·사회적 관계 규범의) 붕괴, 분열.

fragmentátion bòmb *n.* 파쇄(성) 폭탄.

fragmentátion grenàde *n.* 파쇄성 수류탄, 파편 수류탄.

frágment·ed *a.* 부서진, 단편적인.

fra·grance, -gran·cy [fréigrəns(i)] *n.* Ⓤ 향기로움 ; 향기, 방향.
類義語 ⟹ SMELL.

***frá·grant** *a.* 향기로운, 향기가 있는 ; 방향성의 ; 상쾌한, 즐거운 : ~ memories 즐거운 추억.
~·ly *adv.* 향기를 풍겨, 향기롭게.
〖F or L (*fragro* to smell sweet)〗

fráidy càt [fréidi-], **fráid càt** [fréid-] *n.* 《口》 겁쟁이.

***frail**[1] [fréil] *a.* 무른 ; 가냘픈 ; 덧없는 ; (몸이) 약한 ; 《婉》 (여자가) 부정(不貞)한. —— *n.* 《美俗》 여자. **~·ly** *adv.* **~·ness** *n.* 〖OF＜L FRAGILE〗
類義語 ⟹ WEAK.

frail[2] *n.* (무화과·건포도 따위를 담는) 골풀 바구니 ; 한 바구니의 분량. 〖OF＜?〗

fráil éel *n.* 《美俗》 귀여운 소녀.

fráil·ty *n.* Ⓤ 무름 ; 덧없음 ; (연)약함 ; 의지 박약 ; 유혹에 빠지기 쉬움 ; Ⓒ 약점, 단점, 과실(fault) : *F*~, thy name is woman. 《셰익스피어》 약한 자여! 그대 이름은 여자니라.

fraise[1] [fréiz] *n.* (16세기에 유행한) 주름깃 ; 〔築城〕 와책(臥柵)《끝이 뾰족한 말뚝을 비스듬히 늘어놓은 것》. 〖F=mesentery of calf (*fraiser* to remove shell)〗

fraise[2] *n.* 〔機〕 (시계 톱니바퀴의) 구멍 넓히는 송곳의 일종, 톱니 다듬는 연장.
〖F (*fraiser* to enlarge hole)〗

F.R.A.M. Fellow of the Royal Academy of Music (왕립 음악원 회원).

frám·able, fráme- *a.* 짜맞출 수 있는 ; 편성할 수 있는 ; 꾸며[궁리해]낼 수 있는, 연구해 낼 수 있는.

fram·be·sia, -boe- [fræmbíːʒiə] *n.* 〔醫〕 = YAWS.

‡**frame** [fréim] *n.* **1** (건조물의) 뼈대, 골조, (인간·동물의) 체격 ; 《美俗》 (성적 매력이 있는) 여자의 몸체 ; (차량의) 바퀴 테, (비행기의) 기체(機體) 골조(骨組) ; (선박의) 늑재(肋材) : a man of fragile ~ 허약한 사람. **2** 구조, 짜임새(make) ; 구성, 조직, 기구(機構), 체제. **3 a)** 틀, 창틀(=window ~) ; 액자(=picture ~). **b)** (온상의) 뼈대, 프레임, 온상(溫床). **c)** (자수 따위의) 제작대, 거는 틀 ; 〔印〕 식자대. **d)** [*pl.*] (안경의) 테, 프레임. **4** 기분, 마음(상태), 심정(mood) : He was in the ~ *of* mind *to* accept any offer. 어떠한 제의라도 받아들이고 싶은 심정이었다. **5** (만화의) 한 장면 ; 〔映〕 (필름의) 한 화면, 구도 ; 〔TV〕 프레임《주사선(走査線)의 연속으로 내보내는 하나의 완성된 영상》 ; 〔電子〕 짜임, 프레임《정보의 단위》 ; 〔文法〕 (어류(語類) 결정을 위한) 틀 ; 〔教育〕 (프로그램 학습에서) 프레임《학습자에게 주어지는 교재의 최소단위》. **6 a)** 《美俗》 (야구의) 회(回), 이닝(inning). **b)** (볼링의) 프레임 차례, 회. **7** 《口》 =FRAME-UP.
a frame of reference (행동·판단 따위를 지배하는) 평가 기준계, 관점, 준거의 범위.
—— *vt.* **1** 제작하다, 형태[뼈대]를 만들다 ; 조립하다(construct), (계획을) 세우다 ; 연구하다, 안출하다(contrive) : ~ a house 집을 조립하다 / ~ a sentence 문장을 만들다 / ~ an idea 생각을 정리하다. **2** [+目/+目+前+名] 틀에 끼우다, …에 프레임[가장 자리]을 붙이다 : ~ a picture 그림을 액자에 넣다 / a lake ~*d* ***in*** woods 숲으로 둘러 싸인 호수. **3** [+目+前+名/+目+*to* do] (어떤 목적에) 적합시키다, 맞게 하다(fit) : They were not ~*d* ***for*** oppressions. 그들은 박해에 견딜 수 있는 체질이 못됐다 / This shelter is ~*d to* resist any storm. 이 피신처는 어떠한 폭풍에도 견딜 수 있게 만들어져 있다. **4** (말·문장으로) 표현하다, 말하다(utter). **5** 《口·원래 美》 (남을) 죄에 빠뜨리다, 사악한 계교에 빠뜨리다 〈*on*〉 ; 조작[날조]하다〈*up*〉.
—— *vi.* [+副] (계획 따위를) 진행하다, 틀이 잡히다 ; (사람이) 장래성이 있다, 유망해 보이다 : He ~*s well* in speaking. 그는 연설가로서 성공할 가능성이 있다.
frame to one***self*** 마음에 그리다, 상상하다.
frame up 《口》 조작[날조]하다, 꾸미다.
〖OE *framian* to be helpful (*fram* forward)〗

fráme áerial[**antènna**] *n.* 프레임형(型) 공중선[안테나].

frámed buílding *n.* 골조식 (구조) 건축물.

fráme hóuse *n.* 목조 가옥.

fráme lìne *n.* 테두리 선 ; (영화 필름의) 토막선.

fráme of mínd *n.* 사고 방식 ; 기분 : in a sad ~ 슬픈 기분으로.

fram·er [fréimər] *n.* 조립하는 사람 ; 구성자 ; 입안[기획]자 ; 그림[사진]틀 세공인(細工人).

fráme sàw *n.* 틀톱《톱날을 틀에 끼운 톱》.

fráme·shìft *a.* 〔遺〕 프레임시프트의《DNA상의 염기의 1 또는 2개의 삽입 혹은 결실에 의한 원 염기배열의 어긋남에 의한》. —— *n.* 프레임시프트 돌연 변이(=~ **mutátion**).

fráme tìmber *n.* (건축의) 뼈대 나무, 결구재(結構材), (배의) 늑재(肋材).

fráme-ùp *n.* 《口》 (남을 죄에 빠뜨리기 위한) 음모, 조작 ; (계획적인) 부정(不正) 경기, 사기 시합 ; 《美俗》 (상품의) 진열.

***fráme·wòrk** *n.* **1** 뼈대 짜기, 하부 구조. **2** 뼈대, 골격 ; 구성, 체제 : within the ~ of …의 테두리 안에서 / a steel ~ 철근. **3** 틀을 써서 만든 것《편물·자수 따위》.

fram·ing [fréimiŋ] *n.* Ⓤ 구성, 조립 ; 입안(立案), 구상 ; Ⓤ 뼈대 짜기(framework).

franc [frǽŋk] *n.* 프랑《프랑스·벨기에·룩셈부르크·스위스 등지의 화폐 단위 ; =100 centimes ; 기호 F., fr.》 ; 1 프랑화(貨).
〖OF ; 최초의 금화의 명(銘) *Francorum Rex* king of the FRANKS에서)〗

‡**France** [frǽ(ː)ns ; fráːns] *n.* 프랑스《공식명 the **Frénch Repúblic**(프랑스 공화국) ; 수도 Paris》.

Fran·ce·sca [fræntʃéskə, frɑːn-] *n.* 여자 이름.
〖It.〗

fran·chise [frǽntʃaiz] *n.* **1** [보통 the ~] 공민권, 시민권(citizenship) ; 참정권(參政權) (suffrage), 선거권 ; 선거 자격 조건 ; (법인·단체의) 단원권(團員權). **2** 《美》 (관청이 특정한 회사 따

위에 주는) 특권, 허가 ; 특권 행사 허가 구역. **3** 《美》 (특정한 지역에 있어서의) 독점 판매권《제조자에게 받는》; 독점 판매 허가 구역 ; (일반적으로) 관할권. **4** 《美》 (직업 야구 리그 따위의) 가맹권, 가맹자격 ; (스포츠 경기의) 방송[방영]권. **5** 〖保險〗 면책률. —— *vt.* …에 사용권[총판권, 특권]을 허가하다 ; 참정권[선거권]을 주다.
〖OF (*franc, franche* free, FRANK)〗

fran·chi·see [fræntʃaizí:, -tʃə-] *n.* 총판권을 가진 사람, 가맹점.

fránchise tàx *n.* 면허세, 영업세.

fran·chi·sor [fræntʃaizɔ́:*r*, -tʃə-] *n.* FRANCHISE를 주는 사람[기업].

fran·ci·cize, -size [frǽnsəsàiz] *vt.* 《Can.》 (상업활동 따위를) 프랑스어로 이행시키다 ; 프랑스어화 하다. **fràn·ci·zá·tion** *n.*

Fran·cis [frǽ(:)nsəs ; frá:n-] *n.* **1** 남자 이름. **2** [Saint ~] 성 프란체스코(1182-1226)《이탈리아 Assisi의 수사 ; 프란체스코 수도회의 창설자》.
〖OF＝French (man) ＜Gmc.＝free〗

Fran·cis·can [frænsískən] *a.* 프란체스코 (수도) 회의. —— *n.* **1** 프란체스코회 수사. **2** [the ~s] 프란체스코회《1209년 이탈리아 Assisi의 수사 성 프란체스코가 창립한 수도회, 그 회색 수도복에서 Grey Friars라고도 함》.
〖F＜L (*Franciscus* Francis)〗

fran·ci·um [frǽnsiəm] *n.* Ⓤ 〖化〗 프랑슘《방사성 금속 원소 ; 기호 Fr ; 번호 87 ; cf. VIRGINIUM》.

Fran·co [frá:ŋkou, frǽŋ-] *n.* 프랑코. **Francisco** ~ (1892-1975) 스페인의 장군·정치가 ; 1936년 인민전선 정부에 대하여 반란을 일으키고 내전에 승리하여 39년 이후 독재.

Fran·co- [frǽŋkou, -kə] *comb. form* 「프랑스(의)」의 뜻 : the *Franco*-Prussian War 프로이센-프랑스 전쟁. 〖L ; ⇨ FRANK[2]〗

Frànco-Américan *n., a.* 프랑스계(系) 아메리카인(人)(의).

fran·co·lin [frǽŋkələn] *n.* 〖鳥〗 (아시아·아프리카산의 꿩 비슷한) 자고새의 일종. 〖F＜It.〗

Fránco·phìle, -phìl *a., n.* 프랑스 (사람)를 좋아하는 (사람).

Fránco·phòbe *a., n.* 프랑스 (사람)를 싫어하는[무서워하는] (사람).

fránco·phòne *a., n.* [때때로 F~] (둘 이상의 공용어가 있는 나라에서) 프랑스어를 쓰는 (사람).

franc-ti·reur [*F* frɑ̃tirœ:r] *n.* (*pl.* **francs-ti·reurs** [—]) (프랑스의) 비정규병, 게릴라병, 저격병 ; 〖史〗 비정규 보병.

fran·gi·ble [frǽndʒəbəl] *a.* 부러지기[부서지기] 쉬운, 무른(fragile). **fràn·gi·bíl·i·ty** *n.*

fran·gi·pane [frǽndʒəpèin ; *F* frɑ̃ʒipan] *n.* 프랜지페인《아몬드·설탕·크림 따위를 넣은 밀가루 과자》; ＝FRANGIPANI. 〖F ; Marquis *Frangipani* Louis 14세 시대의 이탈리아 귀족으로 고안자〗

fran·gi·pani, -pan·ni [frændʒəpǽni, -pá:ni] *n.* (*pl.* ~, **-pán·(n)is**) 〖植〗 (열대 아메리카산) 협죽도과의 관목 ; 그 꽃으로 만든 향수. 〖↑〗

Fran·glais [*F* frɑ̃glɛ] *n.* [때로 f~] 프랑스어에서 쓰이는 (미국식) 영어 단어.
〖F (*français* French, *anglais* English)〗

fran·gli·fi·ca·tion [fræ̀ŋgləfəkéiʃən] *n.* 영어 단어[표현]의 프랑스어에서의 이입(移入).

Frang·lish [frǽŋgliʃ] *n.* ＝FRENGLISH.

***frank**[1] [frǽŋk] *a.* 솔직한, 담백한 ; 숨기지 않는, 툭 터놓은 ; 틀림없는.
to be frank with you 솔직하게 말하면, 실은.
類義語 ***frank*** 정말로 생각하고 있는 것, 느끼고 있는 것을 사양치 않고 명백하고 자유롭게 표명하는 ; 사람·말씨·태도에 대해서 말함 : *frank* opinion (솔직한 의견). ***candid*** 때때로 듣는 편에서 쑥스러워질 정도로 정직하고 공평 무사하며 솔직한(frank) : a *candid* advice (솔직한 충고). ***open*** 사양을 하거나 숨겨 두거나 하지 않는 때때로 극히 자연스러운 태도를 나타냄 : her *open* admiration for him (그에 대한 그녀의 솔직한 칭찬). ***outspoken*** 더욱 조심하여 말하든지 잠자코 있는 것이 좋다고 생각되는 것이라도 사양함이 없이 말해버리는 : He is *outspoken* in his criticism. (그의 비평은 가차없는 것이었다).

frank[2] *vt.* **1** (편지 따위를) 무료 송달하다, 무료로 보내다, (편지의) 봉투에 무료 송달의 서명을 하다(cf. *n.*). **2** (사람에게) 통행의 편의를 제공하다, 출입의 자유를 허락하다 ; 무료로 운반하다 ; …의 비용을 부담하다. —— *n.* 무료 송달의 서명[인(印)] ; 무료 송달 우편물 ; 무료 송달의 특전. 注 옛날 영국에서는 귀족·국회의원 등은 편지의 봉투에 서명하여 무료로 보낼 수가 있었음.
〖OF＜L *francus* free(⇨ FRANK) ; Frankish Gaul에서는 FRANKS만이 자유민이었던데서〗

frank[3] *n.* 《美口》 ＝FRANKFURTER.

Frank[1] *n.* 남자 이름《Francis의 애칭》.

Frank[2] *n.* **1** 프랑크인 ; [the ~s] 프랑크족(族)《Rhine 강 유역에 살았던 게르만족》. **2** (근동 지방에서) 서구인 ; 《詩》 프랑스인(人).
〖OE *Franca,* OHG *Franko* ; 사용한 무기에서인가(cf. OE *franca* javelin)〗

Frank·en·stein [frǽŋkənstàin, -stì:n] *n.* **1** 프랑켄슈타인《M. W. Shelley의 소설 *Frankenstein* (1818) 속의 주인공 ; 자기가 만든 괴물때문에 파멸되었음》. **2** Ⓒ **a**) 자기가 창조한 것에게 파멸당하는 사람. **b**) 인조 인간 ; 자기가 만들어낸 저주[고민]의 씨, 창조자에의 위협.

Fránkenstein('s) mònster *n.* ＝FRANKENSTEIN 2 b).

Fránkenstein sỳndrome *n.* 〖遺〗 프랑켄슈타인 증후군《특히 유전자 변환 실험으로 엉뚱한 병원체가 나타날지도 모른다는 두려움》.

Frank·fort [frǽŋkfərt] *n.* **1** 프랭크퍼트《미국 Kentucky 주의 주도》. **2** 프랑크푸르트《독일 남서부의 도시 ; 독일어명 Frankfurt》.

frank·furt(·er), -fort(·er) [frǽŋkfərt(ər)] *n.* 《美》 프랑크푸르트 소시지《쇠고기·돼지고기를 섞은 소시지 ; 종종 이어져 있음》. 〖G (↑)〗

fran·kin·cense [frǽŋkənsèns] *n.* Ⓤ 유향(乳香)《동아프리카·아라비아 등지에서 제식(祭式) 따위에 사용한 향료》.
〖OF (*frank*[1] (obs.) high quality, INCENSE[1])〗

fránk·ing machìne *n.* 《英》 ＝POSTAGE METER.

Fránk·ish *a.* 프랑크족의 ; 서유럽인의.
—— *n.* Ⓤ 프랑크족의 언어.

frank·lin [frǽŋklən] *n.* 〖英史〗 (14-15세기의) 소(小)지주, 향사(鄕士)《gentry와 yeoman의 중간 계급》.

Franklin *n.* **1** 남자 이름. **2** 프랭클린. **Benjamin** ~ (1706-90) 미국의 정치가·외교관·저술가·물리학자.
〖Gmc.＝freeholder ; cf. FRANCIS〗

***fránk·ly** *adv.* 솔직하게, 분명하게, 탁 터놓고 ; 솔직하게 말해서 : *F*~ [*F*~ speaking, Speaking ~], you are mistaken. 솔직하게 말하면 네가 틀렸다.

fránk·ness *n.* Ⓤ 솔직함, 담백함.

fránk·plèdge *n.* 〖英古法〗 십인조(제도)《10인 1

조의 성인 남자들이 서로의 행위에 대하여 연대 책임을 짐》; 10인조의 한사람.

Fran·quis·ta [frænkístə] *n.* 프랑코의 정책 지지[주의·신봉]자. 〖Sp.〗

***fran·tic** [frǽntik] *a.* 미친 듯한, 반(半)광란의, 대단히 흥분한, 미치광이 같은; 《古》 광기(狂氣)의 (insane): ~ cries for help 미친 듯이 살려 달라고 외치는 소리 / She was ~ *with* pain. 고통 때문에 미칠 것 같았다. ── *n.* 《古》 미치광이. **~·ly, -ti·cal·ly** *adv.* 미친듯이, 반광란 상태로. 〖ME *frentik, frantik*<OF<L PHRENETIC; cf. FRENETIC〗

frap [frǽp] *vt.* (**-pp-**) 〖海〗 (사슬·밧줄로) 단단히 잡아매다(bind firmly).

frap·pé [fræpéi; ∸-; *F* frape] *a.* (얼음으로) 차게 한, 냉각시킨: wine ~ 냉각시킨 포도주. ── *n.* 《美》 프라페《살짝 얼린 과즙》. 〖F (p.p.) 〈*frapper* to strike, ice (drinks)〗

F. R. A. S. Fellow of the Royal Astronomical Society (왕립 천문학회 회원).

frass [frǽ(:)s] *n.* Ⓒ (애)벌레 똥; (나무 파먹는 벌레가 내놓는) 나무 부스러기.

frat [frǽt] *n.* 《美大學俗》 =FRATERNITY 2 c).

fratch [frǽtʃ] *n.* 《方》 말다툼, 언쟁, 논쟁. ── *vt.* 말다툼하다, 논쟁하다.

fra·ter[1] [fréitər] *n.* 〖史〗 (수도원의) 식당(refectory). 〖OF; ⇨ REFECTORY〗

frater[2] *n.* 동포, 형제. 〖L〗

fra·ter·nal [frətə́:rnl] *a.* 형제의; 형제다운[같은] (brotherly); 우애의; 이란성의; 우애 조합(組合)의: ~ love 우애. **~·ism** *n.* Ⓤ 우애; 우애 조합주의. 〖L FRATER[2]〗

fratérnal órder[socíety, associátion] *n.* 《美》 공제[우애] 조합(cf. BENEFIT SOCIETY).

fratérnal twíns *n. pl.* 이란성(卵性) 쌍생아(cf. IDENTICAL TWINS).

fra·ter·ni·ty [frətə́:rnəti] *n.* **1** Ⓤ 형제지간; 형제의 정의(情誼)[우애]; 동포애. **2 a)** 협동 단체. **b)** (특히) 종교 단체, 친목회[단체], 상조회(相助會); 공제 조합. **c)** 《美》 (대학의) 남자 대학생 사교 클럽, 우애회(cf. SORORITY). **3** 동업자[동호(同好)자]; …의 패, 동인: the writing ~ 문필가 동료. 〖OF<L; ⇨ FRATER[2]〗

fratérnity hòuse *n.* 《美》 (대학의) 남학생 클럽 하우스《기숙사를 겸함》.

frat·er·nize [frǽtərnàiz] *vi.* 형제 관계를 맺다, 친하게 사귀다〈*with, together*〉; (군인이 군기(軍紀)를 어기고 적군·피점령지 국민과) 친하게 지내다; 피점령국의 여성과 관계하다〈*with*〉. ── *vt.* 사교적으로 교제시키다. **-nìz·er** *n.* **fràt·er·ni·zá·tion** *n.* 친목.

fra·tery, fra·try [fréitri] *n.* =FRATER[1].

frat·ri·cide [frǽtrəsàid] *n.* Ⓤ 형제[자매] 살해(죄); Ⓒ 형제[자매] 살해범; 동포 살해, 동족 상잔. **fràt·ri·cíd·al** *a.* 형제[자매] 살해의, 동족상잔의; 형제[동포]가 서로 싸우는. 〖F or L (FRATER[2], *caedo* to kill)〗

Frau [fráu] *n.* (*pl.* **~s,** G **Frau·en** [fráuən]) **1** 부인《영어의 Mrs. 또는 Madam에 해당하는 경칭; 略 Fr.》; 독일 부인. **2** [f~] 아내. 〖G〗

***fraud** [frɔ́:d] *n.* **1** Ⓤ 기만(欺瞞); 〖法〗 사기: get money *by* ~ 돈을 사취하다. **2** 사기 행위, 부정 수단: a pious ~ ☞ PIOUS / commit a ~ 사기를 치다. **3** 빛 좋은 개살구; 사기꾼, 협잡꾼; 협잡 물건, 가짜.

in fraud of. . .=to the fraud of. . . 〖法〗 …에게 사기 수단을 쓰기 위하여. 〖OF<L *fraud- fraus*〗

fráud·u·lence, -len·cy *n.* Ⓤ 기만; 사기; 부정(不正).

fraud·u·lent [frɔ́:dʒələnt] *a.* 사기 (행위)의, 부정한. **~·ly** *adv.* 〖OF or L (FRAUD)〗

fraught [frɔ́:t] *pred. a.* 《詩》 실은, 적재한, 갖춘; 충만한, …으로 가득찬, …이 따르는, 수반한: an enterprise ~ *with* danger 위험을 수반한 사업. ── [frɔ́:xt] *n.* 《스코·廢》 짐, 적하, 선화. 〖(p.p.) 〈*fraught* (obs.) to load with cargo< LDu. (*vracht* FREIGHT)〗

Fräu·lein [frɔ́ilain; *G* frɔ́ylain] *n.* (*pl.* **~s,** G ~) **1** 영양(令孃)《영어의 Miss에 해당하는 경칭》. **2** 미혼의 독일 여성; (영국 가정의) 독일 여성 가정 교사. 〖G (dim.) 〈FRAU〗

Fraun·ho·fer [fráunhoufər] *n.* 프라운호퍼. **Joseph von ~** (1787-1826) 독일의 광학기 제작자·물리학자.

Fráunhofer lìnes *n. pl.* 〖光〗 프라운호퍼선(線)《태양 스펙트럼에 나타나는 암선군(暗線群)》.

frax·i·nel·la [fræ̀ksənélə] *n.* 〖植〗 백선속(白鮮屬)의 식물.

fray[1] [fréi] *n.* 소동, 옥신각신, 난투, 싸움: be eager for the ~ 무슨 일이 벌어지기를 고대하다. 〖ME *fray* to quarrel〈AFFRAY〗

fray[2] *vt.* **1** (천 따위를) 써서 닳아 해지게 하다, 끝을 닳게 하다, 풀리게 하다〈*out*〉. **2** 비비다(rub); (사슴이 나무에 뿔을) 비벼대다. **3** (신경을) 소모하다. ── *vi.* **1** 닳아 해지다, 풀리다. **2** (사슴이) 뿔을 비벼대다. **~·ing** *n.* (탈피한) 사슴 뿔의 껍질. 〖F<L *frico* to rub〗

frá·zil (íce) [fréizəl(-)] *n.* 《美·Can.》 (물살이 센 곳에 생기는) 침상(針狀) 결빙.

fraz·zle [frǽzəl] *vt., vi.* 《口》 닳아 떨어지게 하다[닳아 떨어지다]; 지치(게 하)다. ── *n.* 《口》 (너덜너덜) 닳아 해지기; 너덜너덜한 조각: be beaten to a ~ 완전히 패배당하다[지다]. 〖C19; *fray*[2]+*fazzle* (dial.) to tangle인가〗

FRB, F.R.B. 《美》 Federal Reserve Bank; Federal Reserve Board. **FRC, F.R.C.** 《美》 Federal Radio Commission(연방 무선 전파 위원회); Foreign Relations Committee((미국 상원) 외교 위원회). **F.R.C.P.** Fellow of the Royal College of Physicians, London (영국 내과 의사 협의회 회원). **FRCS** 〖宇宙〗 forward reaction control system (앞 부분 반동 자세 제어 장치). **F.R.C.S.** Fellow of the Royal College of Surgeons, England.

freak[1] [frí:k] *n.* **1** 기형(畸形), 변종; 진기한 구경거리, 괴물: a ~ of nature 조화의 장난《괴기한 것, 거대한 것 따위; LUSUS NATURAE의 영역(英譯)》. **2** 변덕, 일시적인 기분; 장난. **3** 열광자, …광(狂); (특히) 히피; 마약 상용[중독]자; 《美俗》 여자 색정광.

out of mere freak 순전히 일시적인 기분으로.

── *a.* 진기한, 이상한, 별난.

── *vi., vt.* 변덕을 부리다, 기교를 부리다; 《俗》 (마약 따위로) 황홀 상태가 되(게 하)다, 마약을 상용하다.

freak out 《口》 (*vi.*) (특히 환각제로) 현실에서 도피하다; 약물[(특히) 환각제]로 무서운 환각을 경험하다; 약물의 영향으로 기묘한 행동을 하다; 히피가 되다, 히피처럼 행동[복장]을 하다. (*vt.*) 약물의 영향을 받게 하다; 몹시 흥분시키다.

〖C16<?; cf. *freak* (obs., dial.) man-at-arms,

human being, extraordinary creature]

freak² *vt.* [보통 *p.p.*로] 얼룩지게 하다.
— *n.* 얼룩, 색무늬.
[? FREAK¹ed ; 일설에 *streak*+*freckt* (obs.) freaked ; cf. FRECKLE]

fréak·ish *a.* **1** 일시적인 기분에 좌우되는, 변덕스러운, 별난. **2** 기형적인, 괴상한. **~·ly** *adv.*

freako [frí:kou] *n.* 《俗》 기인(奇人) ; 마약으로 착란된 사람 ; 돌아버린 사람.

fréak-òut *n.* 《口》 (환각제에 의한) 현실 도피 ; 환각 상태, 히피가[처럼] 되기.

fréak trìck *n.* 《美俗》 매춘부 상대로 도착적인 성행위를 하는 자.

fréaky *a.* **1** =FREAKISH. **2** 마약 때문에 비트적거리는 ; 히피 같은. — *n.* 《俗》 마약[환각제] 중독자 ; 히피.

freck·le [frékəl] *n.* 기미, 주근깨 ; 작은 얼룩, 점.
— *vi., vt.* 주근깨가 생기다[생기게 하다].
~d *a.* 주근깨가 있는. **fréck·ly** *a.* 주근깨[기미] 투성이의.
[ME *fracel* etc. ‹ *freken* (dial.) ‹ ON]

Fred¹ [fréd], **Fred·dy, -die** [frédi] *n.* 남자 이름《Frederick의 애칭》.

Fred² *n.* 《濠俗》 평범한 오스트레일리아인.

Fre·da [frí:də] *n.* 여자 이름《Winifred의 애칭》.

Fred·er·ick [frédərik] *n.* **1** 남자 이름《애칭 Fred》. **2** ~ **the Great** 프리드리히 대왕(1712-86)《프로이센의 제2대 왕》.

◇**free** [frí:] *a.* (**fré·er** ; **fré·est**) **1** 자유로운, 자주[독립]의, 속박이 없는 ; 자유주의의 : a ~ country[people] 자유국[자유민(民)] / ☞ FREE WORLD / ☞ FREE STATE.
2 감옥에 갇혀 있지 않은, 죄로 문책을 받지 않는 (↔*captive*) : The accused left the court a ~ man. 피고는 무죄의 몸이 되어 법정을 떠났다.
3 편견이 없는, (전통·권위에) 사로잡히지 않는 (cf. FREETHINKER).
4 [+*to* do] 자유로이 …할 수 있는 ; 수의(隨意)의 : You are ~ *to* choose as you please. 원하는 것을 자유로이 골라도 됩니다 / make ~ use of …을 마음대로 쓰다.
5 개방된(open) ; 자유로이 들어갈[지나갈] 수 있는 : a ~ competition 자유 경쟁 / be ~ *of* a library 자유롭게 도서관에 출입할 수 있다 / make a person ~ *of* one's house 남을 자기의 집에 자유로이 출입시키다 / make a person ~ *of* the city …에게 공민권[시민권]을 허가하다.
6 장애[제한]가 없는 ; 무료[비과세·면세]의 : ~ import 면세 수입품 / ~ medicine 무료 의료.
7 통이 큰, 헤픈, 아끼지 않는(lavish) ; 활달한, 솔직한 : be ~ *with* one's money 돈을 아끼지 않다 / He is ~ *with* his advice to his pupils. 그는 제자들에게는 아낌없이 충고를 한다.
8 거북하지 않은, 편히 쉬는(easy) ; 멋대로의, 조심성 없는, 단정치 못한(loose).
9 선약이 없는, 한가로운(at leisure) ; (방 따위가) 비어 있는(unoccupied) : Are you ~ tomorrow evening? 내일 저녁은 시간이 있으십니까 / Do you have any rooms ~? 빈방 있습니까.
10 (문체 따위가) 유려(流麗)한 ; (글씨·규칙 따위에) 구애되지 않는(↔*literal*) ; 〖言〗 (형태가) 자립적인 ; 〖音聲〗 개음절의 : a ~ translation 자유역(譯), 의역(意譯).
11 고정되지 않은, 매어져 있지 않은 ; 〖化〗 유리(遊離)된 ; 〖海〗 순풍의 : leave one end of a rope ~ 밧줄의 한 끝을 풀어 놓다 / a ~ acid 유리산(遊離酸).

for free 공짜로, 무료로.
free and easy 엄격하지 않은[않게], 허물없는[없이], 태평한[하게] ; 되는 대로(의).
free from …이 없는, …을 면제 받은 : a day ~ *from* wind 바람이 없는 날 / ~ *from* care 걱정 없는 / The crew remained ~ *from* scurvy. 승무원들은 괴혈병에 걸리지 않고 무사했다.
free of …을 떠나서 ; …이 면제되어(cf. 5) : ~ *of* charge[cost] 무료로 / ~ *of* duty[tax] 비과세로. ㊟ 이 경우를 제외하고 *from, of* 어느 경우라도 좋지만, 주로 *of*는 면제되어 있는 상태에 중점을 두고, *from*은 가해물·구속물에 중점을 두는 경우에 쓰임 : keep a wound ~ *of*[*from*] infection 상처를 오염되지 않게[상처에 병균이 들어가지 않게] 해 두다.
get free (***of*** ...) (…에서) 떨어지다, 벗어나다, 면제되다.
give ... with a free hand …을 아낌없이 듬뿍 주다[쓰다].
have [***get***] ***a free hand*** 행동의 자유가 있다[를 얻다], 자유 재량을 가지고 있다[이 부여되다].
have one***'s hands free*** 한가롭다, 할 일이 없다, 자유로이 행동할 수 있다.
make free with …에게 허물[버릇] 없이 대하다 ; 거침없이 행동하다 ; …을 멋대로 쓰다.
set free 석방[방면]하다 : *set* a prisoner ~ 죄수를 석방하다 / He *set* ~ the bird from the cage. 새장에서 새를 놓아 주었다.
spend ... with a free hand = *give ... with a* FREE *hand*.

〈회화〉
Are you *free* on Tuesday, Kate? — No. I have a previous appointment. Sorry. 「케이트, 화요일에 시간 있니」「아니, 선약이 있어. 미안해」

— *adv.* **1** 자유로이. **2** 무료로(gratis) : An excellent lunch is provided ~. 맛있는 점심을 무료로 먹을 수 있다 / All members admitted ~. 회원은 무료. **3** 〖海〗 (돛배가) 순풍[옆바람]을 받고, (돛을) 활짝 펴지 않고(cf. CLOSE-HAULED) : sail ~ 순풍을 받고 항행하다.
— *vt.* (**fréed**) [+目/+目+前+名] 자유의 몸이 되게 하다, 석방[해방]하다(set free) ; (곤란 따위에서) 구하다(deliver) : ~ a person ***from*** [***of***] debt 빚에서 남을 벗어나게 하다, 남의 빚을 면제하다 / ~ oneself *from* one's difficulties 난관에서 벗어나다.
[OE *frēo* ; cf. G *frei*]
類義語 ***free*** 속박·다툼·부담 따위를 제거하여 자유롭게 하다 ; 가장 보편적인 말 : *free* the bird from the cage (새장에서 새를 놓아주다). ***release*** 대체로 free와 같은 뜻이나 유폐되어 있는 곳에서 해방시킨다는 뜻이 강함 : *release* a prisoner (죄수를 석방하다). ***liberate*** free, release와 같은 뜻인데 주어진 자유의 상태에 중점을 둠 : *liberate* people from tyranny (폭군의 치하에서 백성을 구하다). ***emancipate*** 노예의 신분 또는 노예와 같은 상태에서 해방시키다 : Lincoln *emancipated* the slaves. (링컨은 노예를 해방시켰다).

-free [frí:] *comb. form* 「…로부터 자유로운」「…이 면제된」「…이 없는」의 뜻.
[↑]

frée ágent *n.* 자유 행위자, 자주적인 행위자 ; 자유 계약 선수[배우].

frée aír *n.* 〖氣〗 **1** =FREE ATMOSPHERE. **2** 자유 공기《국지적 영향을 받지 않는 공기》.

frée-àir *a.* 야외의 ; 《美》 (도시의 아동을 위한) 교외 산책의.

frée alóngside shíp[**véssel**] *adv.*, *a.* 〔商〕 선측 인도 가격으로[인]《略 F.A.S.》.

Frée and Accépted Másons *n.* 프리메이슨단(團)《회원 상호간의 부조와 우애를 목적으로 하는 세계적인 비밀 결사 ; 망치 · 자 · 컴퍼스 따위를 상징으로 함》.

frée árts *n. pl.* 문예《중세의 문학 · 어학 · 역사 · 철학 따위의 교양 학과》.

frée-assóciate *vi.* 자유롭게 연상하다.

frée associátion *n.* 〔精神分析〕 자유 연상.

frée átmosphere *n.* 〔氣〕 자유 대기《지표 마찰의 영향을 받지 않는 대기 ; 고도 약 1km 보다 높은 대기》.

frée bággage allòwance *n.* 무료 수화물 허용 중량.

frée báll *n.* 〔美蹴〕 프리 볼《아무도 잡지 않은 경기 진행중인 볼로 규칙대로 던져진 포워드 패스는 제외됨 ; 잡는 팀의 볼이 됨》.

frée báse *n.* 프리 베이스《보통 에테르에 의한 처리로 순도(純度)를 높인 코카인 ; 가열해서 나오는 증기를 흡입하는 마약》.

free·bie, -bee, -by [frí:bi] *n.* 《美俗》 공짜로 얻는[무료로 제공되는] 것, 경품(景品).
—— *a.* 무료의.

frée·bòard *n.* 〔海〕 건현(乾舷)《흘수선에서 윗갑판까지의 부분》.

free·boot·er [frí:bù:tər] *n.* 약탈자, (특히) 해적.
frée·bòot *vi.* (해적이) 약탈하다, 노략질하다.
〚Du. *vrijbuiter* (FREE, BOOTY) ; cf. FILIBUSTER〛

frée·bórn *a.* 자유의 몸으로 태어난 ; 자유민다운.

frée cápital *n.* (투자할 수 있는) 자유[유휴(遊休)] 자본.

Frée Chúrch *n.* 자유[독립] 교회《국교(國教) 따위 기성교회로부터 독립하여 운영되는 프로테스탄트교회》 ; 《英》 비국교파 교회 ; [형용사적으로] 비국교파의.

frée cíty *n.* 자유시《독립 국가를 형성한 도시》.

frée cóinage *n.* 자유 주조《개인이 화폐 적격 금속을 주조소에서 주조할 수 있는 권리》.

frée compánion *n.* (중세의) 용병단(傭兵團)의 일원, 용병.

frée cómpany *n.* (중세의) 용병단.

fréed·màn [ˌ -mən] *n.* (노예의 신분에서 해방된) 자유민(cf. FREEMAN).

***free·dom** [frí:dəm] *n.* **1** U.C [+*to* do] 자유(liberty) ; 자주, 독립 : the *F*~ *of* the Seas 〔國際法〕 (전시의 중립국 선박의) 해양의 자유 항행권 / the ~ of the will 의지의 자유 / ☞ FOUR FREEDOMS / He had ~ *to* do what he liked. 그에게는 하고 싶은 일은 무엇이나 할 수 있는 자유가 있었다. **2** U **a**) 자유 행동, 자주성. **b**) 제멋대로임, 거리낌 없음, 스스럼 없음 ; U 스스럼 없는 행동 : take[use] ~*s with* a person 남에게 버릇없이[스스럼 없이] 대하다. **c**) 자유 자재, 활달함 : speak with ~ 마음 내키는 대로 이야기하다. **3** (정신적 부담에서) 해방되어 있음, (…이) 전혀 없음, 면제 : ~ *from* care 걱정이 없음, 태평함 / ~ *from* duty 비과세 / The people enjoy ~ *from* poverty. 사람들은 빈곤을 모르는 생활을 즐기고 있다. **4** 특권 ; 특권 면허 ; 출입의 자유 ; 자유 사용권 : the ~ of a city 도시의 자유, 시민권《빈객(賓客)에게 명예의 표시로 증정함》/ have the ~ *of* library 도서관 자유 이용의 특권을 가지다(cf. FREE *a.* 5). 〚OE *frēodōrm* (FREE, *-dom*)〛

類義語 ***freedom*** 방해 · 제한 · 억제가 없이 자유스러움 ; 가장 뜻이 넓은 말 : political *freedom* (정치적인 자유). ***liberty*** 때때로 freedom과 같은 뜻인데 엄밀하게는 과거에 제한이나 억제가 존재하고 있었거나 또는 현재에도 잠재적으로 그 위험성이 있다는 것을 암시함 : We now enjoy civil *liberties.* (우리는 이제 시민의 자유를 누린다). ***license*** freedom을 남용하여 규칙 · 법률 · 관례 따위를 따르지 않는 일 : Freedom of speech does not mean *license* of tongue. (언론의 자유는 함부로 말해도 된다는 뜻이 아니다).

fréedom fìghter *n.* 자유의 투사, 민권 운동가.

fréedom of informátion *n.* 정보의 자유《특히 정부에 대해 정보 공개 청구에 관한 ; 略 FOI》.

Fréedom of Informátion Áct *n.* [the ~] 《美》 정보 자유법《정부 정보의 원칙적 공개를 규정한 ; 略 FOIA》.

fréedom rìde *n.* [또는 F~ R~] 《美》 (인종 차별 반대 시위로서) 남부 지방으로의 버스 여행.
fréedom rìder *n.* 《美》 자유의 기사《freedom ride 참가자》.

Freedom 7 [ˊ- sévən] *n.* 프리덤 세븐《1961년 Mercury 계획에서 미국 최초의 15분간의 지구 부분 주회(周回) 비행을 한 유인(有人) 위성》.

fréed·wòman *n.* (노예 신분에서 해방된) 여자 자유민.

frée eléctron *n.* 〔理〕 자유 전자.

frée énergy *n.* 〔理〕 자유 에너지《하나의 열역학계의 전에너지 중에서 일로 변환할 수 있는 에너지가 차지하는 비율을 나타내는 양》.

frée énterprise *n.* 자유 기업.

frée expánsion *n.* 〔理〕 자유 팽창.

frée-fáll *n.* 자유 낙하《물체의 중력에 의한 낙하, 특히 낙하산이 펼쳐질 때까지의 강하 ; 우주선의 관성(慣性) 비행》 ; 가치나 위신의 급속한 하락.

frée fíght *n.* 난투, 혼전.

frée fìre zóne *n.* 〔軍〕 무차별 포격 지대.

frée flíght *n.* (동력 정지 후의 로켓이나 로프에서 풀린 글라이더 따위의) 자유 비행.

frée-flóat·ing *a.* 자유로이 움직이는, 부동성의 ; 자유로운 입장에 있는 ; (불안 따위가) 왠지 모르게 느껴지는.

frée flów electrophorèsis *n.* 〔生化〕 프리 플로 전기 영동법《우주 왕복선의 무중력 상태에서 유효성을 보인 생체 관련분자 분별법》.

frée flýer *n.* 〔宇宙〕 자유 비행 페이로드.

frée-flý·ing sýstem *n.* 자유 비행 시스템.

frée-for-àll *a.* 입장 자유의, 무료의, 누구나 자유로이 참가할 수 있는 ; 규제가 없는, 무제한의.
—— *n.* 누구나 자유로이 참가할 수 있는 경기[토론] ; 난투, 혼란, 소동.

frée-for-áll·er *n.* 《英俗》 규칙 따위를 무시하고 덮어놓고 유리함만 얻으려는 자.

frée fórm *n.* 〔文法〕 자유 형태《다른 말의 일부로서가 아니라 그 자체가 독립단위를 이루는 child, children, redemption과 같은 보통 일반적인 단어 ; cf. BOUND FORM》 ; 〔美術〕 자유 조형(造形).

frée-fòrm *a.* 〔美術〕 자유 조형(造形)의 ; 전통적인 형식에 구애되지 않는, 자유 형식의.

frée-frée *a.* 〔理〕 고도로 이온화된 기체 중의 자유 전자의 운동에 의한, 자유 자유의 : ~ transition 자유 자유 천이(遷移).

Frée Frénch *n.* [the ~] 자유 프랑스군《제2차 세계 대전 중 독일 점령군에 저항한 단체》.

frée gíft *n.* (판매 촉진을 위한) 경품.

frée góld *n.* **1** 《美》 무구속(無拘束) 금괴《금화증권 따위의 상환에 충당되어 있지 않은 것》. **2** 〔鑛〕 유리금(遊離金).

frée góods *n. pl.* **1** 비과세품. **2** 〔經〕 자유재.
frée·hànd *a., adv.* (기구를 쓰지 않고) 손으로 그린[조각한], 프리핸드의[로], 자유의[로] : ~ drawings 자재화(自在畫). —— *n.* 자재화(법), 자재 조각(법), 프리핸드.
frée hànd *n.* 자유 재량, 자유 행동[판단] : give a person a ~ 남의 재량에 맡기다.
frée·hánd·ed *a.* (돈 쓰는 것이) 통이 큰, 아낌 없는(generous) ; 손이 비어 있는.
frée·héart·ed *a.* 거리낌 없는 ; 개방적인 ; 통이 큰(generous). **~·ly** *adv.*
frée·hòld *n.* Ⓤ 〔法〕 (부동산의) 자유 보유권 ; Ⓒ 자유 보유 부동산[관직] (cf. COPYHOLD). —— *a.* 자유 보유(권)의. **~·er** *n.* 자유 보유권[부동산] 보유자.
frée hòuse *n.* 《英》 (특정 회사와의 제휴 없이 각종의 술을 취급하는) 술집(cf. TIED HOUSE).
frée jázz *n.* 프리 재즈《전위 재즈의 한 형식》.
frée kíck *n.* 〔蹴〕 프리 킥《상대방의 반칙에 대한 벌로서 허용되는 킥 ; cf. PENALTY KICK》.
frée lábor *n.* 비(非)조합 노동 ; 자유 노동. **~·er** *n.*
frée lànce *n.* **1** (중세의) 용병《특히 기사》. **2** 자유로운 입장에 있는 사람 ; 무소속의 정치가 ; (특별 계약이 없는) 자유 작가, 자유 계약 기자, 비(非)전속[자유 계약] 배우, 프리랜서.
frée-lánce *a.* 자유 계약[기고(寄稿)]의, 프리랜서의. —— *adv.* 자유 계약으로. —— *vi.* 비전속[자유 계약]으로 일하다. —— *vt.* (작품 따위를) 자유 계약으로 제공하다.
frée-làncer *n.* 프리랜서, 자유 계약자.
frée lìst *n.* **1** (기자 등의) 자유 출입을 허가하는 우대자 명부 ; (잡지 따위의) 기증자 명부. **2** 무료 제공품 리스트 ; 〔商〕 (관세의) 면세 품목표.
frée-líver *n.* 미식가(美食家).
frée líving *n.* 식도락, 미식.
frée-líving *a.* **1** 식도락의, 미식가의. **2** 〔生〕 (기생·공생하지 않는) 자유 생활(성)의.
frée·lòad *vi.* 《口》 (음식물 따위를) 공짜로 얻어 먹다 ; 남의 소유물·설비 따위를 공짜로 쓰다. —— *n.* 다른 사람이 비용을 부담하는 식사[음식물, 마실 것].
frée·lòad·er *n.* 《口》 공짜로 얻어먹는 사람, 식객 ; 《美俗》 누구나 갈 수 있는 파티, 음식물이 공짜로 나오는 모임.
frée lóve *n.* 자유 연애.
frée lúnch *n.* 《美》 (원래 술집 따위에서 손님을 끌기 위해 내어놓는) 무료 점심 식사, 서비스 런치 ; 공짜인 것처럼 보이나 실은 그렇지 않은 것, 결국엔 비싸게 먹힌 것.
***frée·ly** *adv.* 자유로이, 멋대로 ; 스스럼 없이 ; 아낌없이 ; 통크게, 탁 터놓고, 마음 가벼이.
frée·man [-mən, -mæ̀n] *n.* (노예가 아닌) 자유민(cf. FREEDMAN) ; 자유 시민, 공민 ; 특권의 향수자(享受者).
frée márket *n.* 〔經〕 자유 시장.
frée-màrket·ry *n.* 자유 시장 원리 (행위), 자유 시장 (참가) 원칙.
free·mar·tin [fríːmɑ̀ːrtn] *n.* (보통 수컷과 함께 난) 생식 기능이 없는 암송아지.
frée·máson [ˌ -mèi-] *n.* **1** (중세의) 숙련 석공 조합원. **2** [보통 F~] 프리메이슨(FREE AND ACCEPTED MASONS의 회원).
frèe·ma·són·ic *a.*
Frée·máson·ry [ˌ -mèi-] *n.* **1** Ⓤ Freemason 단의 주의[제도·관행] ; [집합적으로] 프리메이슨단원(the Freemasons). **2** Ⓤ [f~] 《비유》 암리의 우애적 양해, 우애 감정.
frée média *n.* (선거운동에서) 텔레비전의 뉴스 보도에 의한 무료 선전.
frée móney *n.* 〔經〕 자유 화폐.
frée on bóard *adv., a.* 〔商〕 본선 인도(引渡) 가격으로[의] 《略 F.O.B.》.
frée on ráil[**trúck**] *adv., a.* 《英》 〔商〕 화차 인도 가격으로[의] 《略 F.O.R.[F.O.T.]》.
frée·pàper *n.* 무료 신문《광고수입에만 의존하는 신문사의》.
frée párdon *n.* 〔法〕 특사(特赦), 은사.
frée páss *n.* 무임 승차(권) ; 무료 입장권.
frée páth *n.* 〔理〕 자유 행로.
frée pístol *n.* 자유권총《사격 경기의 한 종목》.
frée pórt *n.* 자유항《수출입 모두 세금이 없는 항구·공항》.
frée·pòst *n.* 〔英郵〕 요금 수취인 지급(제도).
frée préss *n.* 자유 출판권, 출판의 자유 ; (정부 따위의 검열을 받지 않는) 자유 출판물.
frée rádical *n.* 〔化〕 유리기(遊離基).
frée-rànge *a.* 《英》 (가금(家禽)을) 놓아 기르는 ; 놓아 기르는 닭의《달걀》.
frée réin *n.* (행동·결정의) 무제한의 자유, 완전한 자유 재량.
frée-retúrn tràjectory *n.* 〔宇宙〕 자동 귀환(歸還) 궤도.
frée ríde *n.* 무임 승차 ; 힘들이지 않고 얻은 이익[갈채, 즐거움], 공짜 ; 《美口》 신주 발행 전의 공매(空買).
frée ríder *n.* 무임 승객 ; 불로 소득자 ; 노조 활동의 덕을 보는 비노조원 ; 《美口》 신주 공매자.
frée sáfety *n.* 〔美蹴〕 프리 세이프티《마크할 특정 상대없이 필요에 따라 수비를 돕는 백》.
frée schóol *n.* 무료 학교 ; 자유 학교《전통적 교수법에 구애받지 않고 학생이 흥미있는 과목을 자유로이 배우는》.
free·sia [fríːʒiə, -ziə] *n.* 〔植〕 프리지어《붓꽃속(屬)의 구근(球根) 식물》.
〚NL ; F. H. T. *Freeze* (d. 1876) 독일의 의사〛
frée sílver *n.* 〔經〕 은화의 자유 주조.
frée skàting *n.* (피겨스케이팅의) 자유 종목.
frée sóil *n.* 〔美史〕 자유 토지《특히 남북전쟁 전의 노예 사용을 허락하지 않은 지대》 ; 자유 토지주의.
frée-sóil *a.* 〔美史〕 자유 토지주의의.
frée spéech *n.* 언론의 자유.
frée spéecher *n.* 《美》 언론의 자유 옹호를 위한 선동 연설을 하는 학생.
frée-spóken *a.* 솔직한, 직언(直言)하는, 숨김없이 말하는(outspoken).
frée·stánd·ing *a.* (담·계단·조각 따위가) 그 자체로 독립되어 있는, 받침대 없이 서 있는, 지지 없이 서 있는.
fréestánding ínsert *n.* (신문의) 별쇄 광고판(版)《일요판에 많음》.
Frée Státe *n.* **1** 〔美史〕 (남북전쟁 전에 노예 제도를 금지한 북부의) 자유주(cf. SLAVE STATE). **2** = IRISH FREE STATE.
frée·stòne *n., a.* **1** 특별한 결이 없어서 어떤 방향으로나 자유로이 잘라낼 수 있는 돌(의). **2** 씨가 잘 빠지는 (과실) (cf. CLINGSTONE).
frée·stỳle *n., a.* 〔泳·레슬링·스키·스케이트〕 자유형(의), 프리스타일(의).
frée súrface *n.* 〔理〕 자유 표면[수면].
frée-swímming *a.* 〔動〕 자유 유영성의.
frée·thínk·er *n.* (특히 종교상의) 자유 사상가.
frée·thínk·ing *n., a.* 자유 사상(의).
frée thóught *n.* 자유 사상《특히 종교상의 전통에 얽매이지 않는 사상》.

frée thrów *n.* 〖籠〗 자유투(投).

frée tícket *n.* 무료 입장권 ; 《野俗》 4구.

Free·town [frí:taun] *n.* 프리타운《Sierra Leone의 수도·항구 도시》.

frée tráde *n.* 〖經〗 (수입 제한이 없는) 자유무역(주의[정책]) (cf. PROTECTION) ; 《古》 밀무역.

frée tràder *n.* 자유무역주의자 ; 《古》 밀무역자[선(船)].

frée transportátion *n.* 《野俗》 4구.

frée únion *n.* (남녀의) 동서(同棲).

frée univérsity *n.* (대학내의) 자주(自主)강좌, 자유 대학.

frée vérse *n.* 자유시.

frée·wày *n.* 《美》 (보통 차선(車線)이 많이 나 있는) 무료 고속 도로(cf. EXPRESSWAY, SUPERHIGHWAY, TURNPIKE).

frée·whéel *n.* (자전거·자동차의) 프리휠, 자유회전 장치. —— *vi.* (페달을 멈추거나 동력을 끄고) 관성[프리휠]으로 달리다 ; 《비유》 자유롭게[멋대로] 행동하다. —— *a.* 프리휠의 ; 《口》 사람이 자유 분방한 ; 《口》 제멋대로 지껄이는, 무책임한《언동》.

frée·whéel·ing *n.* FREEWHEEL의 사용. —— *a.* 프리휠을 쓰는 ; 자유 분방한, 제멋대로의 ; 《美俗》 돈을 잘 쓰는.

frée wíll *n.* 자유 의지 ; 〖哲〗 자유 의지설 : of one's own ~ 자유 의지로, 자진하여. **frée·wíll** *a.* 자유 의지[의사]의, 임의의[자발적인].

frée·wòman *n.* FREEMAN의 여성형.

frée wórld *n.* [the ~, 흔히 the F~ W~] (공산권에 대한) 자유주의 국가, 자유 세계[진영].

‡**freeze** [frí:z] *v.* (**froze** [fróuz] ; **fro·zen** [fróuzən]) *vi.* **1** [보통 비인칭의 it을 주어로 하여] 얼음이 얼다, 얼 정도로 춥다[차다] : *It froze* hard last night. 어젯밤은 몹시 추웠다. **2** [動/+副] 빙결(氷結)하다 ; 얼다, 응결하다 ; 얼어붙다 : The pond *froze* ***over***. 연못 전체가 얼어붙었다. **3** [動/+前+名] 몸이 언 것처럼 느껴지다 ; (공포 따위로) 서늘[오싹]하다 ; (표정 따위가) 굳어지다, 냉담해지다 : I'm *freezing* (***to*** death). 나는 추워서 얼(어 죽을) 것 같다. **4** (동물 따위가) 움직이지 않다.

〈회화〉
What temperature does water *freeze* at? — At 0℃. 「얼음은 몇 도에서 얼기 시작합니까」「섭씨 0도입니다」

—— *vt.* **1** [+目/+目+副/+目+前+名/+目+補] 얼게 하다, 동결시키다 ; 얼어붙게 하다, …에게 동상걸리게 하다, 얼어죽게 하다 ; (고기 따위를) 냉동[냉장]하다 : The river was *frozen* ***over***. 강은 온통 얼어붙었다 / All the dishes have been *frozen* ***up***. 요리는 모두 얼어붙었다 / The dog was *frozen* ***to*** death[*frozen* dead]. 개가 얼어죽었다. **2** [+目/+目+前+名] 오싹하게 하다, (간담을) 서늘하게 하다 ; (정열 따위를) 식게 하다, 좌절시키다, 냉담하게 하다 : He *froze* me ***with*** a frown. 그는 무서운 얼굴을 하여 나를 오싹하게 했다. **3** 《美口》 (물가·임금 따위를) 동결하다, 고정시키다 ; (자산 따위를) 동결하다 ; (원료·제품 따위의) 사용·제조·판매 따위를 금하다 ; 〖映〗 (영상을) 한 장면에서 멈추다. **4** 〖醫〗 (신체의 일부를) 인공 동결법으로 무감각하게 하다. **5** 〖스포츠〗 약간의 리드를 지키기 위해 추가 득점을 하려고는 않고 계속 유지하다.

freeze in (배를) 얼음으로 갇히게 하다.

freeze one'***s blood*** = ***make*** one'***s blood freeze*** (공포 따위로) 오싹하게 하다.

freeze (***on***) ***to*** . . . 《口》 …에 단단히 달라붙다, 매달리다(hold fast to).

freeze out 《口》 (냉대·학대 따위로) 배겨나지 못하게 하다, 몰아내다, 내쫓다.

freeze up 동결시키다[하다], 얼음에 갇히다(cf. *vt.* 1) ; 《口》 (태도 따위가) 딱딱[냉담]해지다.

—— *n.* **1** 얼어 붙음 ; 빙결기(期) ; 엄동설한. **2** (물가·임금 따위의) 동결, 고정 : a wage ~ 임금 동결. **3** (제조·판매 따위의) 정지. **4** 〖TV〗 프리즈《비디오 테이프의 회전을 멈추고 한 영상을 화면에 고정시킴》. **5** 〖브레이크 댄싱〗 프리즈《춤의 끝이나 구분 표시로 정지하는 자세》.

〚OE *frēosan* ; cf. G *frieren*〛

fréeze-drý *vt.* 〖化〗 동결 건조시키다.

fréeze-ètch·ing *n.* 프리즈 에칭《시료(試料)의 동결·파단(破斷)에 의한 전자 현미경용(用) 표본 작성법》.

fréeze-fràcture *vt., vi.* (전자 현미경용 표본 작성을 위하여 시료를) 동결 파단하다.

fréeze-fràme *n.* 〖映〗 (영상이 정지한 것처럼 보이게 하기 위한) 프리즈 프레임 ; 〖TV〗 정지화면.

fréeze·nik *n.* 《口·蔑》 핵동결족(族).

fréeze-òut *n.* 《美口》 **1** (냉대·불친절·책략 따위로) 몰아내기, 쫓아내기(exclusion). **2** 〖카드놀이〗 밑천이 떨어진 사람이 차례로 떨어져 나가게 하는 포커.

freez·er [frí:zər] *n.* **1** 냉동하는 사람[것]. **2** 냉동 장치, 냉동기 ; (수동식(手動式)의) 아이스크림 제조기 ; 프리저, 가정용 냉동기 ; 냉동차(車)(refrigerator car) ; 냉동실 ; 냉장고 ; 《美俗》 교도소(prison).

fréezer bùrn *n.* 동결 변색《냉동육·생선 따위 냉장중인 얼음의 승화로 조직이 변화하는 것》.

fréeze-ùp *n.* 서리가 많이 내리는 기간, 엄동기 ; 《美·Can.》 (겨울을 알리는 최초의) 결빙(기간).

freez·ing [frí:ziŋ] *a.* **1** 어는 (듯한), 몹시 추운[차가운] ; 냉담한, 냉랭한, 오싹하는 듯한. **2** 빙결(氷結)의 ; 냉동용의. —— *adv.* 《口》 얼어 붙을 정도로, 얼도록 : It is ~ cold upon high mountain tops. 높은 산꼭대기에서는 얼어 붙을 것같이 춥다. —— *n.* Ⓤ 냉동, 빙결 ; 〖理·化〗 응고 ; (자산 따위의) 동결 ; 《口》 어는점.

below freezing 어는점 이하로.

~·ly *adv.* 얼어 붙을 ; 냉담하게.

fréezing drìzzle *n.* 언 이슬비.

fréezing mìxture *n.* 동결제 ; 한제(寒劑)《소금과 물의 혼합 따위》.

fréezing pòint *n.* 어는점《0°C, 32°F ; cf. BOILING POINT》.

below freezing point 어는점 이하로 : at 20° *below* ~ 영하 20도로.

fréezing wòrks *n.* (*pl.* ~) 《濠》 (가축의) 도살 냉동 공장.

frée zòne *n.* 자유항(港) 지역.

F region [éf ─] *n.* 〖理〗 (전리층의) F층.

‡**freight** [fréit] *n.* **1** Ⓤ 화물 운송《《英》에서는 주로 수상·공중 운송을 말하며, 《美》에서는 항공·육상·수상을 불문함》 ; 보통 화물편. **2** Ⓤ 용선 ; 화차 임대 ; 운송료, 운임, 용선료(料). **3** Ⓤ 선화(cargo) ; 《美·Can.》 운송 화물, 적화(積貨)(=《英》 goods). **4** 《美·Can.》 화물열차(= ~ train).

by freight 《美》 보통 화물 열차편(便)으로(↔*by express*).

freight free 운임 무료로.

freight paid [*prepaid*] 운임 지급필[선불].
—— *vt.* **1** [+目/+目+*with*+名] …에 화물을 적재하다 : a ship ~*ed* **with** coal 석탄을 적재한 배. **2** (배·화차를) 빌리다[빌려주다]. **3** 운송하다, 짐을 실어 내다. **4** ((비유)) (중책 따위를 사람)에게 지우다.
〖MDu., MLG *vrecht*, *vracht* FRAUGHT〗

fréight·age *n.* Ⓤ 화물 운송((英)에서는 주로 수상(水上)·공중 운송)); 화물 운송료, 운임 ; 운송 화물, 적화(積貨) (cargo).

fréight càr *n.* ((美)) 화차(貨車) (=((英)) goods waggon).

fréight dèpot *n.* ((美)) 화물역(=((英)) goods station).

fréight ènginé *n.* ((美)) 화물 기관차.

fréight·er *n.* 뱃짐을 싣는 사람, 화물 취급인 ; (화물의) 탁송인 ; 화물을 받는 사람 ; 운송업자 ; 화물선(船) (cargo boat), 화물 수송기.

fréight fòrward *n.* 운임 선불.

fréight fòrwarder *n.* 운송[화물] 취급인(人) (forwarder, forwarding agent).

fréight hòuse *n.* ((美)) 화물 창고.

fréight insùrance *n.* 〔海上保險〕 운임 보험.

fréight·lìner *n.* ((英)) 컨테이너 열차.

fréight ràte *n.* 화물 운임률.

fréight tèrminal *n.* ((英)) =GOODS YARD.

fréight tòn[**tònnage**] *n.* 용적톤[톤수].

fréight tràin *n.* ((美)) 화물 열차(=((英)) goods train).

FRELIMO, Fre·li·mo [freilíːmou] *n.* 모잠비크 해방 전선((포르투갈에 대해 독립 투쟁을 전개한 좌파 게릴라 조직)).
〖Port. *Fre*ute de *Li*bertaçao de *Mo*çambique〗

fremd [frémd, 英+fréimd] *a.* ((古·스코)) 외국의 ; 관계 없는 ; 익숙하지 않은 ; 우호적이 아닌.

frem·i·tus [frémətəs] *n.* (*pl.* ((美)) **~es**, ((英)) ~) 〔醫〕 진탕음(震盪音).

French [fréntʃ] *a.* **1** 프랑스(인·어·풍)의. **2** 프랑스인적인((특히 교양이 있는 점, 또는 약간 음란한 점)) ; ((卑)) 구강 성교의.
the French and Indian War(***s***) ☞ WAR.
—— *n.* **1** Ⓤ 프랑스어(語)((略 F.)) : ☞ OLD FRENCH / ☞ MIDDLE FRENCH / ☞ NORMAN-FRENCH. **2** [the ~ ; 복수취급] 프랑스인((전체)), 프랑스 국민 ; 프랑스 군(軍). **3** ((婉)) 심한[천한] 말((특히 excuse[pardon] my ~로서 쓰임)). **4** ((俗)) 펠라티오, (일반적으로) 구강 성교. —— *vt.* **1** [흔히 f~] (갈비에서) 고기를 발라내다, 잘게 자르다. **2** ((俗)) (…에게) fellatio[cunnilingus]를 하다. 〖OE *frencisc* ; ⇨ FRANK²〗

Frénch Acádemy *n.* [the ~] 프랑스 학사원 ((1635년 프랑스어의 순수성을 유지하기 위해 창립, 40명의 학자·문필가로 이루어짐)).

Frénch béan *n.* ((英)) =KIDNEY BEAN ; =SNAP BEAN.

Frénch bóot *n.* ((美)) (주차 위반차의 바퀴에 설치하여 발차를 못하게 하는) 바퀴 고정구.

Frénch bréad *n.* 프랑스 빵((껍질이 딱딱하고 원래는 가늘고 긴 것 ; cf. FRENCH ROLL)).

Frénch Canádian *n.* 프랑스계 캐나다인 ; = CANADIAN FRENCH.

Frénch chálk *n.* 활석 분필((활석제(滑石製)로 천·옷감에 줄을 긋는 데 사용함)).

Frénch Commúnity *n.* [the ~] 프랑스 공동체((프랑스 본국을 중심으로 하여 해외의 옛 식민지로 구성되는 공동체)).

Frénch connéction *n.* 프렌치 커넥션((프랑스의 Marseilles에 근거를 둔 대미(對美) 마약 밀수 조직(組織))).

Frénch crícket *n.* 프렌치 크리켓((타자의 양다리를 기둥으로 삼는 약식 크리켓)).

Frénch cúff *n.* (셔츠의) 꺾어 접는 커프스.

Frénch cúlture *n.* Ⓤ 프랑스 문화 ; ((俗)) 구강 성교.

Frénch cúrve *n.* 운형(雲形)자.

Frénch dóor *n.* 네모진 유리 격자를 문틀 속에 끼

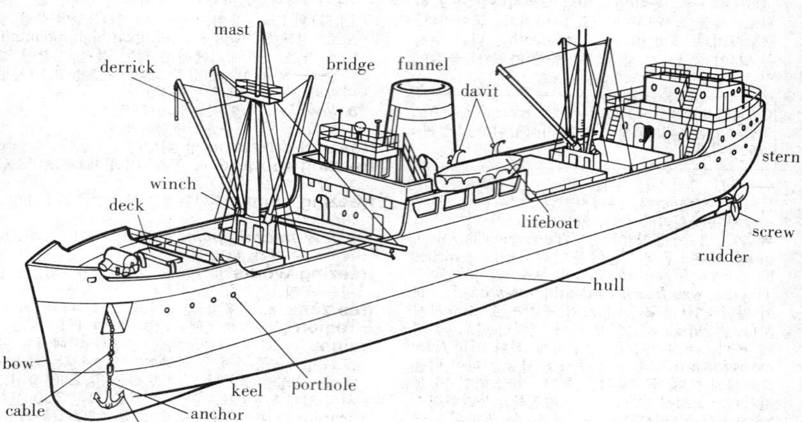

freighter

워넣은 유리문(cf. FRENCH WINDOW).
Frénch dréssing *n.* 프렌치 드레싱《올리브유(油)·식초·소금·향료 따위로 만든 샐러드용(用) 소스》.
Frénch fáct *n.* 《Can.》 Quebec 주(州)에서의 프랑스어·프랑스 문화의 우위.
Frénch frìed potáto *n.* [보통 *pl.*] 프렌치 프라이드 (포테이토) (=《英》 potato chip)《얇게 썬 감자를 그냥 튀긴 것》.
Frénch frý *n.* 《美》 [보통 *pl.*] =FRENCH FRIED POTATO.
Frénch-frỳ *vt.* 많은 기름에 튀기다.
Frénch gráy *n.* 녹색을 띤 밝은 회색.
Frénch Guiána *n.* 프랑스령 기아나.
Frénch héel *n.* 프렌치 힐《굽이 휜 하이힐》.
Frénch hórn *n.* 〔樂〕 프렌치 호른《소용돌이 꼴의 금관 취주 악기》.

French horn

Frénch íce crèam *n.* 크림과 달걀 노른자로 만드는 커스터드.
Frénch·i·fy [fréntʃəfài] *vt.* 프랑스풍(風)으로 하다, 프랑스어식으로 하다 (cf. GALLICIZE).
Frénch·ism *n.* =GALLICISM.
Frénch kíss *n.* 상대방 입 속에서 혀를 맞대고 하는 키스(deep kiss).
Frénch kníckers *n. pl.* 프랑스풍(風)의 폭이 넓은 니커보커스 바지.
Frénch knót *n.* 프렌치 노트《바늘에 두번 이상 실을 감아 원래 구멍으로 뽑아 만든 장식 매듭》.
Frénch léave *n.* 인사없이 나가버리기 : take ~ 무단으로 자리를 뜨다[퇴장하다].
〖18세기 프랑스에서 초대 손님들이 주인에게 인사 없이 가버린 습관에서〗
Frénch létter *n.* 《英口》 콘돔(condom).
Frénch lóaf *n.* (가늘고 긴) 프랑스 빵.
***Frénch·man** [-mən] *n.* **1** 프랑스인, (특히) 프랑스인 남자. **2** 프랑스어를 말하는 사람 : a good [bad] ~ 프랑스어를 잘하는[잘 못하는] 사람. **3** 프랑스 선박.
Frénch pástry *n.* 프랑스풍(風) 페이스트리《진한 크림이나 설탕 절임의 과일 따위를 넣은 페이스트리》.
Frénch pólish *n.* 프렌치 니스《광내는데 씀》.
Frénch-pólish *vt.* 프렌치 니스를 칠하다.
Frénch póstcard *n.* 《俗》 외설 사진.
Frénch Revolútion *n.* [the ~] 프랑스 혁명《1789년 Bourbon 왕조 붕괴에서 1799년 나폴레옹 즉위까지》.
Frénch Revolútionary cálendar *n.* 프랑스 혁명력(曆), 공화력.
Frénch róll *n.* 프랑스 빵(French bread)과 비슷한 롤빵.
Frénch róof *n.* 〔建〕 (이중 물매로 되어 있는) 프랑스식 지붕.
Frénch séam *n.* 통솔《천의 솔기를 뒤집어 기워서 천의 끝이 보이지 않게 한 바느질》.
Frénch sỳstem *n.* 〔紡〕 프렌치 시스템 (continental system)《소모사(梳毛絲)용의 짧은 섬유를 다루는 방적법》.
Frénch télephone *n.* (수화기와 송화기가 한데 붙어 있는) 송수화식 전화기.
Frénch tíckler *n.* 《俗》 여성의 성감자극을 위한 돌기물 따위가 붙은 콘돔.
Frénch tóast *n.* 프렌치 토스트《우유와 계란을 섞은 것에 빵을 담갔다가 프라이팬에 구운 것》.
Frénch Únion *n.* [the ~] 프랑스 연합 (1946-1958)《프랑스 공화국과 해외 영토의 연맹 ; FRENCH COMMUNITY의 전신》.
Frénch wálk *n.* 《美俗》 남을 완력으로 내쫓음.
Frénch wíndow *n.* 프랑스 창《마당이나 발코니로 통하는 좌우로 열리는 격자식 유리(창)문 ; cf. FRENCH DOOR》.
Frénch·wòman *n.* (*pl.* **-wòmen**) 프랑스 여자[여성].
Frénchy *a.* 《口》 프랑스인[풍]의.
— *n.* 프랑스 사람.
fre·net·ic, -i·cal [frinétik(əl)] *a.* 열광적인, 발광적인, 광기의(insane).
-i·cal·ly *adv.*
〖OF<L<Gk. (*phrēn* mind) ; cf. FRANTIC〗
Freng·lish [fréŋgliʃ] *n., a.* 프랑스어(語)가 섞인 영어(의).
fren·u·lum [frénjələm], **frae·nu·lum** [fríːnjə-, frénjə-] *n.* (*pl.* **-la** [-lə]) 〔解〕 (음핵·포피·혀 따위의) 소대(小帶) ; 〔動〕 (해파리의 갓 따위의) 계대(繫帶) ; 〔昆〕 포자《나방 따위의 앞·뒷날개의 연결 장치》.
fre·num, frae- [fríːnəm] *n.* (*pl.* **-na** [-nə], **~s**) 〔解〕 =FRENULUM : a ~ of tongue 설소대.
frén·zied *a.* 열광한 ; 광포한 : ~ rage 격노 / become ~ 몹시 흥분하다.
fren·zy [frénzi] *n.* Ⓤ [또는 a ~] 몹시 흥분하기, 광란, 광포, 열광 : drive a person to[into] ~ 남을 격분(激奮)시키다 / in *a* ~ 격분하여 / work oneself into *a* ~ 차츰 광포해지다.
— *vt.* [보통 *p.p.*로] 광포하게 하다, 몹시 흥분[열광]시키다(cf. FRENZIED).
〖OF<L (Gk. *phrēn* mind)〗
Fre·on [fríːɑn] *n.* 프레온《무색 무취(無色無臭)의 가스로 냉동제(冷凍劑) ; 상표명》.
freq. frequency ; frequent(ly) ; frequentative.
fre·quence [fríːkwəns] *n.* 빈번, 빈발.
***fré·quen·cy** *n.* **1** Ⓤ 자주 일어남, 빈번, 빈발(頻發) : the ~ of earthquakes in Chile 칠레에서의 지진의 빈발 / with considerable ~ 상당히 빈번하게[자주]. **2** (맥박 따위의) 횟수, 도수, 빈도 ; 〔理〕 진동수, 주파수 ; 〔數·統〕 도수 : a high [low] ~ 〔理〕 고[저]주파.
fréquency bànd *n.* 〔通信〕 주파수대.
fréquency chàrt *n.* 〔美蹴〕 상대팀의 전법 경향을 장면마다 종합한 표.
fréquency convèrter[chànger] *n.* 〔電子工〕 주파수 변환기(機).
fréquency dìscount *n.* 〔廣告〕 (출고(出稿) 횟수에 의한) 요금 할인.
fréquency distribùtion *n.* 〔統〕 도수 분포.
fréquency dìvision múltiple àccess *n.* 〔通信〕 주파수 분할 다중 액세스.
fréquency modulátion *n.* 〔電子工〕 주파(수) 변조, (특히) 주파 변조 방송《略 FM, F.M. ; cf. AMPLITUDE MODULATION》.
fréquency respònse *n.* 〔電子工·工〕 주파수 응답.
‡**fre·quent** [fríːkwənt] *a.* 자주 일어나는, 때때로의, 빈번한 ; 흔히 일어나는 ; 자주 …하는, 상습적인(habitual) ; 《英》 (맥박 따위가) 빠른 : a ~ guest 자주 오는 손님 / It is a ~ occurrence. 그것은 흔히 일어나는[있는] 일이다. **2** 《古》 친밀한, 정통해 있는. — [friːkwént, 美+fríːkwənt] *vt.* **1** …에 자주 가다, …에 늘 드나들다, …에 항

상 모이다 : She ~*s* the art museums. 그녀는 미술관에 자주 간다. **2** 항상 …와 교제하다 ;《古》(작품 · 사상 따위)에 정통하다. **frequént·er** *n.* 자주 가는 사람 ; 단골 (손님).
〖F or L *frequent*- *frequens* crowded〗

fre·quen·ta·tion [frìːkwəntéiʃən] *n.* Ⓤ 자주 찾아가기[출입하기]〈*of*〉, 빈번한 방문 ; 습관[조직]적인 독서.

fre·quen·ta·tive [friːkwéntətiv] *a.* 〖文法〗(동작의) 반복(표시)의 : ~ verbs 반복 동사.
—— *n.* 반복사(詞)《보기 sparkle(<spark)》; 반복 동사《보기 twinkle, flicker》.

fréquent-flíer prògram *n.* 상급 고객 보상계획《항공사가 일정 비행거리를 넘은 단골 고객에게 보상하는 제도》.

***fréquent·ly** *adv.* 자주, 때때로, 빈번히 : He wrote home ~. 그는 자주 집으로 편지를 썼다 / Earthquakes occur ~ in Chile. 칠레에는 지진이 빈번히 일어난다.
類義語 ⟹ OFTEN.

frère [*F* frɛːr] *n.* (*pl.* **~s** [—]) 형제, 동포 ; (한 단체의) 단원, 동료 ; 수사(修士) (friar).

fres·co [fréskou] *n.* (*pl.* **~es, ~s**) **1** Ⓤ 프레스코 화법《갓칠한 회벽면에 수채화로 그리는 화법》: in ~ 프레스코 화법으로. **2** 프레스코 벽화.
—— *vt.* 프레스코화를 그리다, 프레스코풍(風)으로 그리다. 〖It.=cool, fresh〗

◇**fresh** [fréʃ] *a.* **1** 새로운(new) ; 신선한, 팔팔한, 저장한 것이 아닌(↔*stale*) : ~ footprints 갓생긴 발자취 / ~ news 새로운 뉴스 / ~ herrings 생청어 / ~ meat 신선한 고기《훈제 통조림 · 냉동 따위 가공을 하지 않은》/ ~ eggs 갓낳은 달걀 / ~ fish 생선 / ~ paint 갓칠한 페인트(cf. PAINT *n.* 숙어) / throw ~ light on a subject 문제에 새로운 해석을 내리다. **2** 신규의, 다시 한 번의 : a ~ start 재출발 / make a ~ start 새로이 다시 시작하다 / break ~ ground ☞ GROUND[1] 숙어. **3** (인상 따위가) 선명한, 생생한, 또렷한 ; 발랄한 : a ~ complexion 발랄한 얼굴빛. **4** 소금기가 없는(↔ *salt*) : ~ butter 염분이 없는 버터 / ~ water 맑은 물, 민물. **5** (의기 · 체력이) 생생한, 팔팔한, 기운이 있는(vigorous) ; (말이) 원기가 있는, 활발한 ;《英俗》술로 얼근한, 주기를 띤 : be ~ for action 행동개시에 있어서 의기왕성하다. **6** 청명한, 상쾌한, 산뜻한 : ~ air 상쾌한 공기 / in the ~ air 야외[옥외]에서. **7** 〖海 · 氣〗(바람이) 센(strong) ; (세찬 바람 때문에) 배의 속력이 빠른(steady) : ☞ FRESH BREEZE[GALE]. **8** 어린애 같은, 초심자의, 미숙한, 풋내기의 ;《美俗》(대학의) 신입생의 : a ~ hand 미숙한 사람, 풋내기 / green and ~ 풋내기의. **9** 뻔뻔스러운, 건방진(impudent) ; (여자에게) 치근덕거리는 〈*with*〉. **10**《美》(암소가) 새끼를 갓낳은, 새로 젖이 나오게 된.
(as) fresh as a rose 기운이 팔팔한.
fresh from …에서 갓나온 : a man ~ *from* the country 시골에서 갓올라온 사나이 / a teacher ~ *from* college 대학을 갓나온 교사.

〈회화〉
Here's some coffee for you. — Thank you. It tastes *fresh.*「커피를 드세요」「고맙습니다. 갓 끓여서 맛이 좋군요」

—— *adv.* [주로 복합어를 이루어] 새로이, 새롭게 (freshly) : ~-caught fish 막 잡은 물고기 / a ~-painted door 방금 칠한 문. —— *n.* **1** 초기, (날 · 해 · 인생 따위의) 청신한 시기 : in the ~ of the morning 아침 일찍이. **2** =FRESHET ; 돌풍. **3**《美口》신입생(freshman).
—— *vt., vi.* 새롭게 하다, 새로워지다.
〖OF<Rom.<Gmc. ; cf. G *frisch*〗
類義語 ⟹ NEW.

frésh áir *attrib. a.* (공기가 신선한) 야외의 ;《美》교외 산책의《불건전한 지역에 사는 아동에 대한》: the ~ movement 교외 산책 운동.

frésh-blówn *a.* 막 피어난, 갓핀.

frésh bréeze *n.* 〖海 · 氣〗질풍, 흔들바람.
類義語 ⟹ WIND[1].

frésh·en *vt., vi.* **1** 새롭게 하다[되다] ; 새로이 기운을 북돋우다[기운이 나다]. **2** 소금기를 빼다[가 빠지다], 담수화하다. **3**《美》(암소가) 새끼를 낳다, 젖이 나다.
freshen up (1) 신선[청신(淸新)]하게 하다[되다] ; 새로이 힘[세력]을 더하다 ; (바람이) 세지다, 세게 불다. (2) (목욕 · 휴식 따위로) 기분이 상쾌해지다.

frésh·er *n.*《英》신입생.

fresh·et [fréʃət] *n.* **1** (바다로 흐르는) 민물의 흐름. **2** (큰 비 · 녹은 눈으로 인한) 증수, 출수(出水), 홍수 ; 범람. **3**《비유》(편지 따위의) 쇄도, 홍수〈*of*〉.
〖? OF (*frais* FRESH)〗

frésh gále *n.* 〖海 · 氣〗질강풍(疾強風), 큰바람.
類義語 ⟹ WIND[1].

frésh híde *n.*《美黑人俗》새로운 애인[성교 상대자].

frésh·ly *adv.* 새로이, 새롭게, 최근에 ; 신선하게, 산뜻하게 ; 생생하게 ;《美俗》뻔뻔스럽게 : ~ gathered fruit 갓따온 과실.

frésh·man [-mən] *n.* (*pl.* **-men** [-mən]) **1** 신입생, 1(학)년생《《美》에서는 대학 · 고등 학교,《英》에서는 대학에서만》; (의원 등의) 초년생, 신참.
㊟ 4년제 대학에서 1학년생에서 4학년생까지는 각각 freshman, sophomore, junior, senior의 순 ; 이 말은 여학생에게도 쓰임. **2** [형용사적으로]《美》(high school 또는 college의) 1년생의 : the ~ year 제1학년 / a ~ course 제1학년의 과정 / ~ English (대학의) 1학년의 영어.

fréshman[fréshmen] wèek *n.* (대학) 신입생의 orientation 주간.

frésh·ness *n.* Ⓤ 새로움, 신선미 ; 생생함, 선명, 발랄.

frésh·pèrson *n.*《稀》=FRESHMAN《남녀(男女) 공통어》.

frésh-rùn *a.* (연어 따위가) 바다에서 강으로 갓올라온.

frésh·wàter *a.* **1** 민물의, 담수(淡水)성의 ; 담수에서 나는(↔*saltwater*) : a ~ fish 민물고기. **2** (선원이 담수 항행에만 익숙하여) 해상에는 미숙한 ;《古》미숙한, 서투른. **3**《美》바다에서 떨어진, 시골의, 이름 없는 : a ~ college 지방 대학.

Fres·nel [freinél, frə-, fréznəl] *n.* **1** 프레넬. **Augustin Jean** ~ (1788-1827) 프랑스의 물리학자. **2** [f~] 〖理〗프레넬《주파수의 단위 : $=10^{12}$ c/s》.

Fresnél mírrors *n. pl.* 〖光〗프레넬 복경(複鏡)《빛의 간섭 실험용》.

fret[1] [frét] *v.* (**-tt-**) *vt.* **1** [+目/+目+前+名/+目+副] 애타게 하다, 초조하게 하다, 괴롭히다 (irritate) : You need not ~ yourself ***about*** that. 그 일로 (그렇게) 애태울 필요는 없다 / Don't ~ ***away*** your life. 안달복달하며 살지 마라. **2** (바람이 수면을) 일렁이게 하다, 물결을 일게 하다(ruffle). **3** (녹 · 물 따위가) 차츰 부식하다,

침식하다 ; (벌레 따위가) 먹어 들어가다 ; (살갗을) 벗겨지게 하다(chafe). **4** (말이 재갈(bit)을) 물다.
── *vi.* **1** [動/+前+名] 안달하다, 고민하다 : He was ~*ting* with impatience. 그는 참지를 못하고 안달하고 있었다 / You had better not ~ ***about*** your mistakes. 저지른 실수에 대해서는 속을 썩이지 않는 것이 좋다 / She is ~*ting at* her son's idleness. 그녀는 아들이 게으름피우는 것에 애태우고 있다. **2** (수면(水面)이) 요동치다, 물결이 일다.
fret* (*, fuss*) *and fume 안달하며 마구 화를 내다〈*over, about*〉.
── *n.* U,C 안달, 초조(irritation) ; 짜증, 번민(worry), 불안(anxiety) ; 부식, 침식.
in a fret*=*on the fret 짜증이 나서, 초조하여.
〚OE *fretan* to devour, consume (*for-*, EAT) ; cf. G *fressen*〛

fret[2] *n.* **1** 〔建〕 뇌문(雷紋), 연속된 만자(卍字) 무늬. **2** 〔紋〕 교차된 모양의 끈 무늬.
── *vt.* (**-tt-**) 뇌문으로 장식하다 ; 격자(格子) 세공[무늬]으로 하다.
〚OF *frete* interlaced design used on shield, and *freter*〛

fret[3] *n.* 〔樂〕 프렛《현악기의 지판(指版)을 구획하는 작은 돌기》. ── *vt., vi.* (**-tt-**) …에 프렛을 달다 ; (악기의 현을) 프렛을 향해 내리누르다.
〚C16<? ; cf. OF *frete* ferrule〛

frét·ful *a.* 화내기 쉬운, 안달[초조해]하는, 까다로운(irritable) ; (수면이) 물결 이는 ; (바람이) 돌풍성의.
~·ly *adv.* 안달하여, 까다롭게. **~·ness** *n.*

frét sàw *n.* (뇌문 세공용의) 실톱.

frét·ted *a.* **1** 초조해진 ; 부식된. **2** 뇌문 무늬[세공]의. **3** (기타 따위가) 프렛이 있는.

frét·ty *a.* =FRETFUL.

frét·wòrk *n.* U (뇌문 따위의) 도려내기 세공 ; (천장 따위의) 뇌문 세공.

Freud [frɔ́id ; *G* frɔ́yt] *n.* 프로이트. **Sigmund** ~ (1856-1939) 정신분석학을 수립한 오스트리아의 의학자.

Fréud·ian *n., a.* 프로이트 학설(의) ; 프로이트 학설을 신봉하는 학도(의).

Fréud·ian·ìsm *n.* =FREUDISM.

Fréudian slíp *n.* 프로이트적 실언(失言)《무의식중에 본심을 나타낸 실언》.

Fréud·ism *n.* U 프로이트 학설.

Frey [fréi], **Freyr** [fréiər ; fríər, fráiər] *n.* 〔北유럽神〕 프레이, 프레이르《Njord의 아들 ; 풍요·작물·평화·번영의 신》.

Freya [fréiə, fréiɑː], **Frey·ja** [fréijɑː] *n.* 〔北유럽神〕 프레이아《사랑·미·풍요의 여신》.

FRF 〔宇宙〕 flight readiness firing (예비 연소(燃燒)). **FRG** Federal Republic of Germany.
F.R.G.S. Fellow of the Royal Geographical Society.

Fri. Friday.

fri·a·ble [fráiəbəl] *a.* 부서지기 쉬운, 약한.
frì·a·bíl·i·ty *n.* 부서지기 쉬움, 약함.
〚F or L (*frio* to crumble)〛

fri·ar [fráiər] *n.* **1** 〔카톨릭〕 (탁발(托鉢)) 수사(cf. MONK) : Black[Grey, White] *F~s* 도미니크[프란체스코, 카르멜]회의 수사. **2** 〔印〕 프라이어《판면(版面) 중에서 인쇄가 희미한 부분》.
〚OF<L *frater* brother〛

Fríar Mínor *n.* (*pl.* **Fríars Mínor**) 〔카톨릭〕 프란체스코회 수사(Franciscan).

fríar's[**fríars'**] **bàlsam** *n.* 안식향 팅크.

fríar's lántern *n.* 도깨비불(ignis fatuus).

fri·ary [fráiəri] *n.* (탁발 수녀회의) 수도원 ; 탁발 수도회.

F. R. I. B. A. Fellow of the Royal Institute of British Architects.

frib·ble [fríbəl] *n.* 쓸데없는 짓을 하는 사람 ; 부질없는 짓[생각]. ── *vi., vt.* 쓸데없는 짓을 하다, 시간을 낭비하다. ── *a.* 쓸데없는, 부질없는.

F.R.I.C. Fellow of the Royal Institute of Chemistry.

fric·an·deau, -do [fríkəndòu, ⌐-⌐] *n.* (*pl.* **-deaus, -deaux, -does** [-dòuz]) 〔料〕 프리캉도《송아지·칠면조 고기에 돼지의 비계를 꽂아 찐 프랑스 요리》.
〚F〛

fric·as·see [fríkəsìː, ⌐-⌐] *n.* 〔料〕 U,C 프리카세《닭·송아지·토끼 고기 저민 것을 스튜 또는 프라이로 한 프랑스 요리》. ── *vt.* (고기를) 프리카세 요리로 하다.
〚OF (p.p.) 〈*fricasser*〛

fri·ca·tion [frikéiʃən] *n.* 〔音聲〕 (마찰음·파찰음(破擦音) 및 어두(語頭)의 파열음에 수반하는) 협착적인 기음(氣音).

fric·a·tive [fríkətiv] *a.* 〔音聲〕 (자음이) 마찰로 생기는, 마찰음의. ── *n.* 마찰음《[f, v, ʃ, ʒ, θ, ð] 따위의 자음》.
〚NL ; ⇨ FRICTION〛

F.R.I.C.S. Fellow of the Royal Institution of Chartered Surveyors.

***fric·tion** [fríkʃən] *n.* U (물리적) 마찰 ; U,C 알력, 불화〈*between*〉 ; 피부[(특히) 두피] 마사지.
~·less *a.* **~·al** *a.* 마찰의 ; 마찰에 의해 일어나는[움직이는].
〚F<L (*frico* to rub)〛

fríctional unemplóyment *n.* 마찰적 실업《노동의 유동성 상실에 의한 일시적 실업》.

fríction bàll *n.* 〔機〕 (볼 베어링의) 마찰 볼.

fríction bràke *n.* 〔機〕 마찰 브레이크.

fríction clùtch *n.* 〔機〕 마찰 클러치.

fríction còupling *n.* 〔機〕 마찰 접합(接合).

fríction gèar *n.* 〔機〕 마찰 기어.

fríction gèaring *n.* 〔機〕 마찰 전동 장치.

fríction·ìze *vt.* …에 마찰이 생기게 하다.

fríction lòss *n.* 〔機〕 마찰 손실.

fríction màtch *n.* 마찰 성냥.

fríction tàpe *n.* 《美》〔電〕 전선 절연용 테이프.

fríction whèel[**pùlley**] *n.* 마찰륜(輪).

◇Fri·day [fráidi, -dei] *n.* **1** 금요일《略 Fri. ; ☞ SUNDAY 1 주》: ☞ BLACK FRIDAY / ☞ GOOD FRIDAY. 주 용례는 ☞ MONDAY. **2** 프라이데이《Robinson Crusoe의 충실한 하인의 이름 ; ☞ MAN FRIDAY》.
── *adv.* 《口》 금요일에(on Friday).
〚OE *frīgedæg* day of FRIGG (FREE와 동어원) ; LL *Veneris dies* day of planet Venus의 WGmc. 역(譯)〛

Frí·days *adv.* 금요일마다[에는 언제나](on Fridays).

fridge [frídʒ] *n.* 《口》 냉장고.
〚re*frige*rator〛

***fried** [fráid] *v.* FRY[1]의 과거·과거 분사. ── *a.* **1** 기름에 튀긴, 프라이 요리의 : ~ fish 튀긴 생선. **2** 《俗》 술에 취한 ; 《俗》 마약으로 몽롱해진.

fríed·càke *n.* 《美》 튀김 과자, (특히) 도넛.

fríed dóg *n.* 《美》 군만두(pot sticker).

fríed égg *n.* 《美俗》 (정장 모자에 붙이는) 육군

병학교장(章) ;《美俗》일본 국기 ; [*pl.*]《俗》젖통이.

Fried·man [fríːdmən] *n.* 프리드만.
Milton ~ (1912-) 미국의 경제학자 ; Nobel 경제학상(1976).

Fríedman·ìte *n.* 프리드먼 이론 신봉자《정부가 직접 통화 공급량을 조절함으로써 경제를 조정할 수 있다는 재정론자》.
〖↑〗

Fríed·mann ùniverse [*G* fríːtman-] *n.*〖天〗프리트만 우주《big bang 우주 모델의 하나 ; 팽창이 극대에 이른 후 수축으로 옮김》.
〖Alexander *Friedmann* (d. 1925) 독일의 물리학자〗

◇**friend** [frénd] *n.* **1 a**) 벗, 친구 : He is a ~ of mine[my father's]. 그는 나[아버지]의 친구다《㈜ my[my father's] ~는 특정한 친구의 경우 또는 동격으로 사용하여 my ~ John Smith라고 함》/ They are good[great] ~*s.* 아주 친한 [친구] 사이다. **b**) (흔히) 아는 사이(acquaintance) ;《戱》(앞서 말한) 그 사람 : My ~ in the red tie came up to me. 붉은 넥타이를 맨 그 사나이가 나에게 접근해 왔다. **2** 자기편(↔*enemy*) ; 후원자(patron), 지지자(supporter), 동조자, 공명자(共鳴者) (sympathizer) : a ~ of the poor 가난한 사람의 동조자 / a ~ of[to] liberty 자유의 지지자 / He has been a good ~ to me. 그는 나에게 매우 친절하게 해왔다. **3** 동반자, 한패 ; 동포, 동지 ; 시중 드는 사람 ; 인간의 벗인 동물 ; 도움이 되는 (유용한) 물건 : The dog is a[the] ~ of man. 개는 인간의 벗이다. **4** [호칭이나 소개할 때] (내) 친구 : my honorable ~ ☞ HONORABLE 숙어 / my learned ~ ☞ LEARNED 1. **5** [*pl.*] 근친(近親), 집안 식구. **6** [F~] 프렌드파의 일원, 퀘이커 교도(Quaker).
be*[*keep, make*] *friends with …와 친하다[친하게 지내다, 친해지다] : He *made* ~*s with* whomever he could. 그는 친해질 수 있는 사람과는 어떤 사람과도 친구가 되었다.
a friend at*[*in*] *court 높은 자리에 있는 친구, 유력한 연줄, 좋은 배경.
make friends (***again***) 화해하다.
the Society of Friends〖宗〗프렌드파, 교우회(敎友會)《Quakers의 공식 명칭》.

> **friend**의 ○×
> (×) He finds it hard to *make friend* with other children.
> (그는 좀처럼 다른 애들과 친구가 되지 못한다.)
> (정정) friend를 friends로 고친다.
> ＊change trains「열차를 갈아타다」shake hands「악수하다」등과 마찬가지로 반드시 복수형 명사를 쓴다.

── *vt.*《古·詩》…을 위해 친구로서 도움이 되다, …의 친구가 되다.
〖OE *frēond* friend, lover ; cf. OE *frēo* FREE, G *Freund*〗

fríend fòrm *n.*《俗》(교도소에서) 외부인이 면회하려 할 때 필요로 하는 공적 서류 한 벌.

fríend·less *a.* 친구[친지]가 없는, 고독한.
~**·ness** *n.*

‡**fríend·ly** *a.* **1** 친구다운, 친한, 우호적인 ; 상냥한, 친절한(kindly) : a ~ nation 우호적인 국민, 우방(友邦) / be ~ *to* a person 남에게 친절하게 하다 / be on ~ terms (*with* a person) (남과) 사이가 좋다 / We have ~ relations *with* our neighbors. 이웃 여러 나라와 친선관계를 맺고 있다 / The purpose of the Olympics is to make the different peoples of the world more ~. 올림픽의 목적은 세계의 서로 다른 민족들을 더욱 우호적으로 하는데 있다 / a ~ match[game] 친선 시합《상 따위를 목적으로 하지 않음》. **2** 자기편인 ; 호의를 보이는, 지지하는(favorable)〈*to*〉. **3** (물건이) 쓸모있는, 형편에 알맞은 : a ~ shower 단비. **4** 친구가 되고 싶어하는 : a ~ dog 사람을 잘 따르는 개. ── *adv.*《稀》친구처럼, 친절하게 (= in a ~ way). ── *n.* 우호적인 사람 ; 우방의 병사, (특히 이주자나 침략자에) 우호적인 원주민 ; 친선 시합.
fríend·li·ly *adv.* **-li·ness** *n.* Ⓤ 우정, 친절, 호의 ; 친선, 친목.

fríendly áction *n.*〖法〗합의상의 소송.

fríendly fíre *n.*〖軍〗아군에 대한 오발.

Fríendly Íslands *n. pl.* [the ~] 프렌들리 제도(諸島).

Fríendly léad *n.* (인보(隣保) 사업의) 공제 위안회《빈민 구제 자금 모집을 목적으로 모임》.

fríendly socíety *n.*《英》[흔히 F~ S~] 공제조합(=《美》benefit society).

***fríend·ship** *n.* Ⓤ,Ⓒ 친구간의 교제, 교우 ; 우애, 우정 ; 친목, 화친.
〖OE (FRIEND, *-ship*)〗

fríendship prìce *n.* 우호가격《석유·곡물 따위 주요물자를 우호 국가에 제공하는 싼 값》.

Fríends of the Éarth *n.* [the ~] 대지의 친구《영국의 환경 보호 단체》.

Fríend vìrus *n.* 프렌드 바이러스《비종(脾腫)을 일으키는 마우스 백혈병 바이러스의 하나》.
〖Charlotte *Friend* (1921-) 미국의 미생물학자〗

frier ☞ FRYER.

Frie·sian [fríːʒən, -ʃən], **Frie·sic** [fríːzik] *a.* = FRISIAN. ── *n.* = FRISIAN ;《英》프리지아종의 젖소.

Fries·land [fríːzlənd] *n.* 프리즐란트《네덜란드 북부의 북해에 면한 주(州) ; cf. FRISIAN》.

frieze[1] [fríːz] *n.*〖建〗프리즈, 소벽(小壁)《조각으로 장식하는 일이 많음 ; cf. ENTABLATURE》; 띠 모양의 장식, 장식띠 ; (관광객 등의) 행렬.
〖F＜L *Phrygium* (*opus*) Phrygian (work)〗

frieze[2] *n.* Ⓤ 프리즈《한쪽 면에만 보풀(nap)을 세운 외투용의 두껍고 거친 모직물 ; 아일랜드 원산》.
── *vt.* 보풀을 세우다.
〖F＜L (*lana*) *frisia* FRISIAN (wool)〗

frig[1] [fríg] *v.* (**-gg-**) *vi.*《卑》(여자와) 성교하다 (copulate)〈*with*〉; =MASTURBATE ; 빈둥빈둥[놀면서] 시간을 보내다〈*around, about*〉; 급히 가버리다〈*off*〉: *F~ off !* 꺼져. ── *vt.* 야바위치다 ; =FUCK ; =MASTURBATE.
〖ME *friggen* to wriggle＜? ; cf. OE *frīgan* to love〗

frig[2], **frige** [frídʒ] *n.*《英口》냉장고.
〖*refrigerator*〗

frig·ate [frígət] *n.* 프리깃함(艦) ;〖史〗목조의 쾌속 범선(帆船)《상하의 갑판에 28-60문의 대포를 비치》;《英·Can.》(대잠(對潛) 호위용의) 소형 구축함. **2** =FRIGATE BIRD.
〖F＜It.＜?〗

frígate bìrd *n.*〖鳥〗군함새《열대 지방산의 거대한 맹조(猛鳥)》.

Frigg [fríg], **Frig·ga** [frígə] *n.*〖北유럽神〗프리그, 프리가《Odin의 아내로 FREYA와 동일시됨》.

fríg·ging *a.*《卑》=DAMNED, FUCKING.

***fright** [fráit] *n.* **1** Ⓤ,Ⓒ (갑자기 닥치는) 공포, 무서움 ; 심한 놀람 : He was trembling *with* ~. 그는 무서워서 떨고 있었다 / in a ~ 깜짝 놀라, 간담이 서늘해져서. **2** 귀신 같은[추악한] 사람[물건] : He looked a perfect ~. 그는 아주 추악한 모습이었다.
give** a person **a fright 남을 몹시 놀라게 하다.
have*[*get*] *a fright 공포가 엄습하다, 무서워[두려워]지다.
take fright 오싹하다, 겁내다〈*at*〉.
── *vt.* 《詩》 깜짝 놀라게 하다(frighten).
〖OE *fryhto* (*fyrhto*의 음위 전환) ; cf. G *Furcht*〗
類義語 ⟹ FEAR.

fright·en** [fráitn] *vt.* [＋目/＋目＋前＋名/＋目＋副] 깜짝 놀라게 하다, 오싹하게 하다(terrify) : 위협하여 …시키다 : The rattlesnake ~*ed* me. 그 방울뱀이 나를 놀라게 했다 / She was ~*ed* ***by the dog. 그녀는 그 개에 깜짝 놀랐다 / He was ~*ed* ***at*** the sound[sight]. 그는 그 소리를 듣고[광경을 보고] 깜짝 놀랐다《일시적으로》/ Are you ~*ed* ***of*** thunderclaps? 천둥소리가 무섭니《상습적으로》《㊟ 단, 이 경우에는 ~*ed* 대신에 afraid를 쓰는 편이 좋음》/ They ~*ed* him ***into*** submission[tell*ing* the secret]. 그를 위협하여 굴복시켰다[비밀을 말하게 했다] / He ~*ed* his son ***out of*** the house [drink*ing*]. 그는 아들을 을러서 집에서 쫓아 냈다[술을 끊게 했다] / The alarm ~*ed* the thief *away*. 경보에 깜짝 놀라 도둑은 도망쳤다.
── *vi.* 깜짝 놀라다, 겁에 질리다.
~·ing *a.* 놀라운, 무서운. **~·ing·ly** *adv.*
類義語 ***frighten*** 별안간 일시적인 공포를 주다 ; 가장 뜻이 넓은 말 : The frog *frightened* her. (개구리가 그녀를 놀라게 했다). ***scare*** frighten과 같은 뜻인데 엄밀하게는 깜짝 놀라서 도망을 치거나 하던 일을 멈춰 버리는 것을 나타냄 : The dog *scared* the thief from the garden. (개는 정원에서 도둑을 놀라 달아나게 했다). ***alarm*** 긴급한 또는 갑자기 닥쳐온 위험으로 공포감을 주다 : We are *alarmed* at the cry of "Fire!". ("불이야"하는 외침 소리에 우리는 깜짝 놀랐다). ***terrify*** 격렬한, 오싹할 만한 공포를 주다 : He was *terrified* at the sight. (그는 그 광경에 오싹했다).

fríght·ened *a.* 겁에 질린, 오싹해지는.
類義語 ⟹ AFRAID.

fríghten·er *n.* 《口》 공갈 전문의 깡패, 공갈꾼.
***put the frighteners on*[*in*]** a person 남을 협박하여 복종시키다, 공갈하다.

***fríght·ful** *a.* **1** 놀랄만한, 놀라운, 무서운, 무시무시한(dreadful), 오싹하는[등골이 서늘해지는](shocking) : a ~ sight 무서운 광경. **2** 《口》 불쾌한, 싫은 : have a ~ time 아주 불쾌한 경험을 하다. **3** 매우 보기 흉한, 두번 다시 보기 싫은. **4** 《口》 대단한, 지독한(extreme).
~·ly *adv.* 무섭게 ; 《口》 지독하게, 대단히.
~·ness *n.* Ⓤ 무서움 ; 추함.

fríght wìg *n.* (배우나 광대가 쓰는) 깜짝 놀란 모양을 나타내기 위해 머리털을 세운 가발, 깜짝 가발 ; 《口》 그와 비슷한 머리 모양.

frig·id [frídʒəd] *a.* **1** 추위가 지독한, 극한(極寒)의 (cf. TEMPERATE, TORRID). **2** 냉랭한, 차가운(cold), 냉담한(indifferent), 쌀쌀한, 딱딱한(stiff) : a ~ look 쌀쌀한 얼굴 표정 / a ~ bow (냉담한) 형식적인 인사. **3** (여성이) 불감증인.
~·ly *adv.* **~·ness** *n.*
〖L (*frigus* (n.) cold)〗

Frig·i·daire [frìdʒədéər, -dǽər-] *n.* 프리지데어《전기 냉장고의 상표명》.
〖*frigid*＋*air*〗

frig·i·dar·i·um [frìdʒədéəriəm, -dǽər-] *n.* (*pl.* **-ia** [-iə]) (고대 로마 욕탕(thermae)의) 냉욕탕《온수를 사용하지 않음》.

fri·gid·i·ty [fridʒídəti] *n.* Ⓤ 한랭 ; 냉담 ; 딱딱함 ; (여성의) 불감증.

frígid zòne *n.* [the ~, 흔히 the F~ Z~] 한대(寒帶) (cf. TEMPERATE ZONE, TORRID ZONE).

fri·go [fríːgou] *n.* 《軍俗》 냉동육(肉).

frig·o·rif·ic [frìgərífik] *a.* 〖理〗 냉각하는.

frig·o·ri·fi·co [frìgərífikou] *n.* (*pl.* **~s**) 《南美》 (고기·짐승 따위의) 냉동 포장 공장.

fri·jol [frihóul, fríːhoul], **-jo·le** [friːhóuli] *n.* (*pl.* **-jo·les** [-liz, -leis]) 강낭콩(의 일종)《멕시코 및 미국 남서부산》.
〖Sp.〗

frill [fríl] *n.* **1** 가장자리 장식, 주름 잡은 가장자리. **2** 종이로 만든 주름 장식《햄 따위의 장식에 씀》. **3** (새·짐승의) 목털. **4** [*pl.*] 젠 체함(airs) ; 값싼 장식 : put on ~*s* 젠 체하다.
── *vt.* …에 가장자리 장식을 달다 ; …의 주름을 잡다. **~ed** *a.* 주름 장식을 한, 가선 장식을 두른.
~·ery *n.* 주름잡기[장식]. **~·ing** *n.* 주름 장식, 가장 자리 장식.
〖C16<? ; cf. Flem. *frul*〗

frílly *a.* 주름 장식이 있는 ; 주름 장식 같은 ; 본질적이 아닌, 중요하지 않은. ── *n.* [*pl.*] 《口》 (여성용의) 주름 장식이 달린 의류, (특히) 프릴이 달린 란제리.

frínge [fríndʒ] *n.* **1** (어깨걸이·옷자락 따위의) 술, 술 장식. **2** (일반적으로) 가장자리, 주변, 변두리(border) : a common with a ~ of trees 주변에 수목이 있는 공유지 / a ~ of beard on the chin 턱가에 난 수염 / on the ~(*s*) *of* a forest 숲의 바깥 가장자리[주변]에. **3** (여자의 이마에) 드리운 앞머리 ; (꽃잎 가장자리의) 들쭉날쭉함 ; (동식물의) 송이 털. **4** (학문·운동 따위의) 초보 ; (중요성 따위) 이차적인 것, 말초적인 것 : a mere ~ of philosophy 철학의 극히 초보적인 지식. **5** [형용사적으로] 주변적인, 이차적인, 관례에서 벗어난. **6** [집합적으로] (사회·정치 따위의) 주류(主流) 이탈자, 과격파 그룹, 극단론자 (cf. LUNATIC FRINGE). **7** 〖光〗 광선의 줄 무늬.
── *vt.* …에 술을 달다, 술로 장식하다 ; …에 테[장식]를 두르다〈*with*〉.
〖OF (L *fimbria* fibers, border)〗

frínge àrea *n.* 프린지 에어리어《수신[수상] 상태가 좋지 않은 지역》; (도시의) 주변지역.

frínge bènefit *n.* 〖勞動〗 특별 급여《연금·유급 휴가·건강 보험 따위》의 정규 급여 외의 각종 복지 수당.

fringed [fríndʒd] *a.* 술을 단 ; 〖植〗 (꽃잎 따위가) 들쭉날쭉하게 째진.

frínge gròup *n.* 비주류파.

frínge·lànd *n.* 변경(邊境), 외곽지대.

frínge pàrty *n.* 군소 정당.

fring·er [fríndʒər] *n.* 《口》 (정당·조직내의) 과격론자, (사회에서의) 일탈자.

frínge ràting *n.* 주변 시간대 시청률.

frínge thèater *n.* 《英》 실험 극장[연극].

frínge tìme *n.* 〖TV〗 프라임 타임(prime time) 전후의 방송 시간대《미국에서는 오후 5-7시, 오후 11시-오전 1시》.

fring·ing [fríndʒiŋ] *n.* 술을 달기, 술 장식 (재료).
── *a.* 술 모양의 테를 한.

fringy [fríndʒi] *a.* 술이 있는, 술로 장식되어 있는, 술 모양의.

frip [fríp] *n.* 《美學生俗》 무능한 사람, 약한 사람 : He's such a ~, he can hardly walk. 그는 거의 걸을 수 없을 만큼 약하다.

frip·pery [frípəri] *n.* **1** Ⓤ (복장의) 현란한 장식 ; Ⓒ (복식품(服飾品)의) 값싸고 야한 것. **2** Ⓤ 거드름, 겉치레, 허식(empty show).
—— *a.* 값싼, 싸구려의, 하찮은.
〚F *friperie* (*frepe* rag)〛

frip·pet [frípət] *n.* 《俗》 경망스럽고 사치를 좋아하는 젊은 여자.

Fris. Frisia ; Frisian.

Fris·bee [frízbi] *n.* 프리스비《원반던지기 놀이의 플라스틱 원반 ; 상표명》.

Frísbee gòlf *n.* 프리스비 골프《공 대신에 프리스비를 사용》.

Fris·co [frískou] *n.* 《口》 = SAN FRANCISCO.

fri·sé [frizéi, frí:zei] *n.* 프리제직(織)《보풀을 자르지 않거나 또는 일부를 잘라내어 무늬로 한 가구용 직물의 일종》.
〚F=curled〛

fri·sette, -zette [frizét] *n.* 《古》 곱슬곱슬하게 드리운 (여자의) 앞머리.

Fri·sian [fríʒən, frí:- ; fríziən] *a.* 프리즐란트(Friesland)의 ; 프리즐란트 사람[어]의.
—— *n.* 프리즐란트 사람 ; Ⓤ 프리즐란트 어.
〚L *Frisii* (n. pl.) < OFris. *Frīsa, Frēsa*〛

frisk [frísk] *vi.* (재롱떨며) 뛰어 돌아다니다, (까불며) 뛰놀다 ; 장난치다, 까불다.
—— *vt.* **1** (경쾌하게) 흔들어 움직이다. **2** 《口》 (경찰관이 범인의 몸을) 옷 위로 더듬어 (무기·금지품 따위를) 찾다 ; (옷 위로 뒤져서 남의) 물건을 훔치다.
—— *n.* **1** 뛰어놀기[다니기] ; 까붊. **2** 《口》 (옷 위로 뒤지는) 몸수색.
〚OE *frisque* lively < ?〛

fris·ket [frískət] *n.* (사진 인화·사진 제판의) 마스크(mask) ; 〔印〕 (인쇄기의) 종이 집게, (수동식 인쇄기의) 종이 누르개.

frísky *a.* 기운차게 뛰노는 ; 활발한, 쾌활한 ; 장난치는, 까부는 ; (말이) 놀라기 쉬운.

fris·son [fri:sɔ̃] *n.* (*pl.* **~s** [-*z*]) 두근두근하기, 전율, 스릴. 〚F=shiver〛

frit[1], **fritt** [frít] *n.* 유리 원료의 혼합물 ; 유리질(質)의 도자기 원료. —— *vt.* (**-tt-**) (유리 원료를) 녹이다 ; 유리 원료로 만들다.
〚It.=fried〛

frit[2] *n.* 《美俗》 호모인 남자.
〚*fruit*+*flit*인가〛

frít flỳ *n.* 〔昆〕 작은꽃파리《애벌레는 밀의 해충》.

frith [fríθ] *n.* 강어귀, 하구(河口)(firth).
〚*firth*〛

frit·il·lary [frítəlèri ; fritíləri] *n.* 〔植〕 패모(貝母) ; 〔昆〕 표범나비.
〚L (*fritillus* dice box)〛

frit·ter[1] [frítər] *vt.* **1** (시간·돈·정력 따위를) 보잘것없는 일에 소모하다[허비하다]〈*away*〉. **2** 잘게[갈기갈기] 부수다[찢다]. —— *vi.* 부수다, 산산조각이 되다 ; 점감[소산]하다. —— *n.* 작은 조각, 파편.
〚*fritters* (obs.) fragments ; cf. MHG *vetze* rag〛

fritter[2] *n.* [보통 *pl.*] 〔料〕 프리터《엷게 저민 과일·고기 따위를 밀가루로 싸서 튀긴 요리》 : apple ~*s* 튀긴 사과 / oyster ~*s* 굴을 튀긴 요리.
〚OF *friture* < L (*frict- frigo* to FRY[1])〛

fritz [fríts] *n.* [다음 숙어로]
on the fritz 《美俗》 고장이 나서.
—— *vt.* 《美俗》 고장내다.
fritz out 《美俗》 고장나다.

Fritz *n.* **1** 남자 이름《Friedrich의 애칭》. **2** 《보통 蔑》 독일 사람[군인].

friv·ol [frívəl] *v.* (**-l-** | **-ll-**) *vt.* 헛되이 하다, 낭비하다〈*away*〉. —— *vi.* 허송세월하다 ; 쓸데없는 짓을 하다. —— *a., n.* 하찮은[시시한] (것).
〚역성(逆成) 〈 *frivol*ous〛

fri·vol·i·ty [friválәti] *n.* Ⓤ 천박, 경박, 불성실 ; Ⓒ 경솔한 언동, 하찮은 일.

friv·o·lous [frívələs] *a.* 천박[경박]한 ; 하찮은, 보잘것없는(trifling) ; 어리석은(silly).
~·ly *adv.* **~·ness** *n.*
〚L=silly, worthless〛

frizette ☞ FRISETTE.

frizz[1], **friz** [fríz] *vt., vi.* 고수머리로 하다[되다] ; (가죽 따위를) 속돌[무딘 칼 따위]로 갈아서 두께를 고르게 하다. —— *n.* (*pl.* **fríz·(z)es**) 고수머리, 곱슬곱슬함. 〚F *friser*〛

frizz[2] *vt.* 지글지글 튀기다. —— *vi.* (기름에 튀길 때) 지글지글 소리나다.
〚*fry*[1]+imit. ending〛

friz·zle[1] [frízəl] *vt., vi.* (머리털 따위를) 곱슬곱슬하게 하다, 곱슬곱슬해지다(curl)〈*up*〉.
—— *n.* 고수머리, 컬(한 머리).
〚C16 < ? ; cf. OE *frīs* curly〛

frizzle[2] *vt.* (고기 따위를) 기름으로 지글지글 튀기다 ; (베이컨 따위를) 바삭바삭해질 때까지 튀기다. —— *vi.* (기름으로 튀기고 있는 고기 따위가) 지글지글 소리내다.
〚FRIZZ[2] ; 일설에 *fry*[1]+*sizzle*〛

fríz·zling *a.* 지글지글 타는 ; 타는 듯한, 몹시 뜨거운(very hot).

fríz·zy, fríz·zly *a.* 곱슬곱슬한 (털의) ; 잘게 주름진 ; 고수머리의.

Frl. Fräulein.

FRM fiber reinforced metals (섬유 강화 금속).

FRN floating rate note.

***fro** [fróu] *adv.* [다음 숙어로]
to and fro 여기저기 : Children are running *to and* ~. 아이들이 여기저기 뛰어다니고 있다.
—— [, frə, frou, fróu] *prep.* 《스코·方》 = FROM.
〚ON *frá* FROM〛

Fro *n.* 《美》 = AFRO.

frob [fráb] *n.* 《美俗》 **1** 작은 것. **2** (단말기 꼭지 따위의) 돌리는 것. —— *vt.* …을 만지작거리다, (돌려서) 조정하다.

frob·nitz [frábnitz] *n.* 《美俗》 **1** = FROB 1. **2** 컴퓨터 프로그램의 데이터리스트.

***frock** [frák] *n.* **1** (원피스의) 드레스(dress)《여성용》 ; (실내용) 아동복. **2** (소매가 넓고 옷단이 긴) 수사의 옷, 성직자복 ; [the ~] 성직자인 몸, 성직. **3** (농부·노동자 등의) 낙낙한 작업복(= smock ~). **4** 프록 코트 ; 프록 코트형의 군복.
—— *vt.* …에게 프록 코트를 입히다 ; 성직에 취임시키다(↔*unfrock*).
〚OF < Gmc.〛

fróck cóat *n.* 프록 코트《남자용 예복 ; 19세기에 많이 입었음》.

froe, frow [fróu] *n.* 손도끼의 일종《쐐기 모양의 날과 자루가 직각을 이룸》.

Froe·bel, Frö- [fréibəl, frí:- ; *G* frø:bəl] *n.* 프뢰벨. **Friedrich** ~ (1782-1852) 독일의 교육가 ; 유치원의 창시자.

Froe·be·lian [freibí:liən] *a.* Froebel(식)의.

***frog**[1] [frɔ́(:)g, frág] *n.* **1** 개구리(cf. TADPOLE). **2**

[보통 F~] 《口·蔑》 프랑스 인(Frenchman)《개구리를 늘 먹는다고 여겼음 ; cf. FROGEATER》; 《美俗》 불쾌한[같잖은] 녀석, 지겨운[고루한] 녀석. **3** 〖鐵〗 (교차점의) 철차(轍叉)《개구리의 뒷발을 닮은 데서》. **4** (꽃꽂이의) 침봉(針峰). **5** 《美俗》 1달러 지폐(frogskin). **6** 《口》 쉰 목소리. **7** 《美俗》 **a**) (컴퓨터 프로그램 따위가) 흠이 있는 것, 산뜻하지 못한 것. **b**) (사람이) 맹추 같은 놈.
(as) cold as a frog 매우 차가운.
a frog in the throat 《口》 (목구멍이 아파서 내는) 목쉰 소리.
—— *vi.* (**-gg-**) 개구리를 잡다.
〚OE *frogga* (애칭형) ‹*forrsc, frosc, frox*〛

frog[2] *n.* 프로그《(1) 가죽이나 끈 끈으로 만든 상의나 파자마 따위의 장식용 매듭 단추. (2) 군복 따위의 상의의 늑골 모양의 매듭 장식》; (허리띠의) 칼꽂이. **frógged** *a.* 프로그가 달린, 장식 단추로 채운. 〚C18< ? ; cf. FLOCK[2]〛

fróg·èat·er *n.* 개구리를 먹는 사람 ; [보통 F~] 《蔑》 프랑스 인.

fróg·èye *n.* (담배잎 따위의) 흰별무늬병, 백반병(白斑病).

fróg·fish *n.* 〖魚〗 빨간씬벵이, (널리) 아귀류.

fróg·gy *a.* 개구리가 많은 ; 개구리 같은 ; 냉담한, 차가운 ; [F~] 《蔑》 프랑스인의. —— *n.* 《兒》 개구리 ; [F~] 《蔑》 프랑스 인.
〚FROG[1]〛

fróg hàir *n.* 《美俗》 정치 자금[헌금].

fróg·hòpper *n.* 〖昆〗 거품벌레.

fróg kíck *n.* 〖泳〗 개구리차기, 프로그 킥.

fróg·màn [, -mən] *n.* 잠수부, (특히) 잠수 공작원 ; 〖軍〗 수중 파괴[공작]대원, 프로그맨.

fróg-màrch, fróg's- 《英》 *vt., n.* (반항하는 포로·죄수 등을) 엎어놓고 네 사람이 손발을 잡아 들어 운반하다[운반하기] ; 뒤로 결박하고 걷게 하다[하기] ; (일반적으로) 억지로 걷게 하다[하기].

fróg·skìn *n.* 《美俗》 1달러 지폐.

fróg spàwn *n.* 개구리 알 ; 〖昆〗 =FROG SPIT ; 〖植〗 (민물의) 붉은말.

fróg spìt[spìttle] *n.* 〖昆〗 (거품벌레가 만든) 거품(cuckoo spit) ; 〖植〗 (민물에 덩어리로 뜬) 녹조류의 말.

frol·ic [frálik] *n.* **1** 놀이, 유희, 희롱하며 장난치기 ; 들떠서 떠들어대기, 환락. **2** 들떠서 노는 연회, 쾌활한 모임. —— *vi.* (**-ick-**) 희롱하며 놀다, 장난치며 떠들다[뛰놀다]. —— *a.* 《古》 쾌활한, 들떠서 떠드는.
〚Du. *vrolijk* (a.) (*vro* glad)〛

frólic·some *a.* 장난치며 뛰노는 ; 쾌활한(gay, merry).
~·ly *adv.* 희롱하여, 장난치며.

◇**from** [frəm, fràm, frʌ̀m ; frəm, frɔ̀m] *prep.*

> (1) 기본 뜻 : 「…을 기점으로 하여, …로부터」
> (2) 전치사 전용이다.
> (3) 부사로는 쓸 수 없으나 다른 전치사구 앞에 놓을 수 있는 것이 특징이다 : *from* above [below, afar] (위[아래, 멀리]로부터) ; *from* within [without] 내부[외부]로부터

1 [분리·이탈·출발점·기점 ; cf. TO, TILL[1]] …에서, …으로부터 : fall ~ the sky 하늘에서 떨어지다 / ~ childhood (up) 어릴 적부터 / go away ~ home 집을 떠나다 / ~ April 1 4월 1일부터.
㈜ 단독으로는 다음과 같이 말함 : School begins *at* eight[*on* April 1, *in* April].
2 [변화·상태·추이(推移)] …으로부터 : awake ~ a dream 꿈에서 깨어나다 / recover ~ illness 병에서 회복되다 / go ~ bad to worse 더욱 나빠지다.
3 [출처·유래] …에서 : letters ~ a friend 친구에게서 온 편지 / quotations ~ Shakespeare 셰익스피어에서의 인용구 / paint ~ nature[life] 실물을 사생(寫生)하다 / I am[come] ~ Cheju-do. 저는 제주도 출신입니다 / Tell him ~ me to take good care of himself. 내가 부디 몸조심하라고 전하더라고 그에게 말씀해 주세요.
4 [원료·재료] 에서, 으로(cf. OF 3, OUT OF 3 ; ☞ MAKE *from*[*of*, *out of*]) : make wine ~ grapes 포도로 포도주를 만들다.
5 [원인·동기·이유·근거] …이기 때문에, …인 까닭에 : suffer ~ gout 통풍을 앓다 / ~ what I hear 내가 들은 바에 의하면 / negotiations ~ strength 힘에 의한 교섭 / act ~ a sense of duty 의무감에 의해 행동하다 / die ~ a wound 상처가 원인이 되어 죽다(cf. DIE[1] 1 ㈜).
6 [구별·상이(相異)] …에서, …와 : differ ~ …와 다르다 / know[tell] black ~ white 흰 것과 검은 것을 식별하다 / not know a person ~ Adam ☞ ADAM[1] 숙어 / not know chalk ~ cheese ☞ CHALK 숙어.
7 [추출·제외·면제·금지] …으로부터 ; …하지 않도록 : take 5 ~ 8 8에서 5를 빼다 / be expelled ~ school 학교에서 퇴학당하다 / refrain ~ laughing 웃음을 참다, 웃지 않다.
8 [장소 또는 시간을 나타내는 부사 또는 전치사 앞에 붙여 방향·위치를 나타냄] …에서, …으로부터 : ~ above 위[공중]에서 / ~ afar 먼곳에서 / choose a book ~ among these 이 중에서 한 권을 고르다 / ~ before the war 전쟁 전부터 / ~ far and near 원근[여기저기]에서 / ~ of old 《文語》 옛날부터 / ~ on high 하늘로부터 / ~ outside 외부로부터 / ~ under the table 테이블 밑에서 / ~ within[without] the house 집안[밖]에서 / ~ thence[hence] 《文語》 거기[여기]에서 (㈜ 이 from은 없어도 됨) / I met a man ~ across the street. 나는 길 건너편에서 오는 사람과 마주쳤다.
as from ☞ AS[1].
from now on ☞ NOW *n.*
from off... 《文語》 …에서(from).
from out (of) …에서부터《OUT OF의 강조형》.
㈜ from...to...의 숙어에서는 보통 되풀이되는 명사의 관사는 생략됨 : ~ day to day ☞ DAY 숙어 / ~ door to door ☞ DOOR 숙어.

> 〈회화〉
> Where are you *from* ? — I'm *from* Hungary.
> 「어디 출신입니까」「헝가리 출신입니다」

〚OE *fram* from, forth, away〛

fro·men·ty [fróumənti] *n.* =FRUMENTY.

Fromm [fróum, frám ; frɔ́m] *n.* 프롬. **Erich ~** (1900-80) 독일 태생의 미국의 정신 분석학자.

frond [fránd] *n.* 〖植〗 엽상체(葉狀體)《잎과 줄기의 구별이 안됨》; (양치·종려 따위의) 잎.
〚L *frond- frons* leaf〛

frónd·age *n.* [집합적으로] (양치류의) 잎.

Fronde [*F* frɔ̃:d] *n.* [the ~] 〖프史〗 프롱드당(黨)《Louis 14세 치하 초기의 Cardinal Mazarin 및 왕당에 반항한 귀족들》; 격렬한 정치적 반대.

fron·des·cence [frandésəns] *n.* 잎이 나는 상태[시기] ; 잎(foliage).
fron·dés·cent *a.*

fron·dose [frándous] *a.* 엽상의, 엽상체 같은 ; 엽

상체가 생기는.

◇**front** [frʌ́nt] *n.* **1** (↔*back*) [the ~] 앞부분, 전방(의 위치) ; [the ~] (책·신문 따위의) 첫머리 부분. **2** (건물의) 면 ; 정면, 겉, 전면(前面) : put on a ~ 출입구를 내다 / *F*~! 현관 정면[데스크]으로《호텔의 데스크(desk) 담당자가 보이를 부를 때 따위》. **3** [the ~] (피서지 따위의 해안·호숫가에 면한) 산책도로, 해변 길(seafront) : a hotel *on the* ~ 해변에 면한 호텔. **4** 〖軍〗 (대열의) 정면, 방향 ; 최전선, 제1선 (부대) ; 전선(前線), 싸움터, 전투지역 ; (사상·정치·사회적인) 활동 영역[범위] ; 공동 전선 ; 지도적 지위[입장] : go[be sent] to the ~ 전선으로 나가다 ; 출정하다 / the home ~ 후방의 수비 / the popular[people's] ~ 인민 전선 / the labor ~ 노동 전선. **5 a**) 태도(bearing) : present[put on, show] a bold ~ 오만[대담]한 태도를 보이다. **b**) 《口》 겉치레, 부자[상류 인사]인 체하기, 잘난 체하기. **c**) Ⓤ [+*to* do] 뻔뻔스러움 : He had the ~ *to* ask us for more money. 뻔뻔스럽게도 우리에게 돈을 더 달라고 했다. **6** 《口》 (단체·회사 따위의) 표면상[명목상]의 명사(名士)(figurehead) ; (갱 따위의) 명목상의 우두머리[보스] ; 표면상의 장사[사업]. **7** 안면, 얼굴(face) ; 《詩·文語》 이마(forehead). **8** (이마에 쳐져 있는) 앞머리 ; (와이셔츠의) 가슴부분(shirtfront), (특히) 셔츠의 떼었다 붙였다 할 수 있는 가슴판(dickey). **9** 〖音聲〗 전설면(前舌面)[음]. **10** 〖氣〗 전선 : a cold[warm] ~ 한랭[온난] 전선. **11** 《美》 지하운동의 연락원. **12** 〖劇〗 [the ~] 무대 앞쪽, 관객석.

at the front 전쟁터에 나가 있는, 출정중(出征中)의 ; (문제 따위가) 표면화되어.

at the front of …의 선두에.

change front 〖軍〗 방향을 바꾸다 ; 방침을 변경하다.

come to the front 정면에 나타나다, 현저해지다, 이름이 나다.

front to front 《古》 마주 대하여.

get in front of one***self*** 《美口》 서둘다.

in front 앞에, 전방에 : go *in* ~ 앞서서 가다 / I walked *in* ~. 나는 앞서서 걸었다.

in front of 의 앞에[에서](↔*behind, at*[*in*] *the rear of*), …의 정면에(↔*at the back of*) : I stood *in* ~ *of* the teacher's desk. 나는 선생님 책상 앞에 섰다.

in the front of …의 앞쪽[앞줄]에 : sit *in the* ~ *of* the class 반의 앞쪽에 앉아 있다.

up front 〖軍〗 전선에 ; 《口》 활동 전선에[으로], [명사적으로] (기업 따위의) 관리 부문 ; 《口》〖스포츠〗 전위에, 상대편 코트에 ; 《美口》 사전에, (특히) 선금으로 ; 《美口》 정직하게, 솔직하게 ; 《美口》 일반적으로 널리 알려져서, 공개되어서.

── *attrib. a.* **1** 정면의, 표면의, 앞쪽의(↔*back*), 맨 앞의 ; 정면에서 본(↔*back*) : a ~ seat 앞[정면(正面)]의 좌석 / a ~ wheel 앞바퀴 / the ~ hall 《美》 현관의 홀, (호텔의) 프런트 / a ~ view 정면의 전망. **2** 〖音聲〗 전설음(前舌音)의 (cf. PALATAL). ㊟ 비교급은 때로 fronter.

── *adv.* 정면으로[을], 전방으로[에] : Eyes ~! 〖구령〗 바로!

front and rear 앞뒤를[에, 의], 전후(戰後) 양면에[에서].

── *vi.* **1** [+前+名] 향하다, 면하다(face) : The house ~*s* ***on*** the sea[***toward*** the east]. 그 집은 바다에 면하고 있다[동향(東向)이다]. **2** 〖軍〗 정면을 향하다.

── *vt.* **1** …을 향하다, 면하다(face toward) : The villa ~*s* the lake. 별장은 호수에 면하여 있다. **2** [+目/+目+*with*+名] …에 정면으로 달다, …의 전면에 (…을) 붙이다 : The building was ~*ed* ***with*** bricks. 그 건물의 정면은 벽돌로 축조되었다. **3** 〖軍〗 정면을 향하게 하다《때때로 구령》. **4** …와 맞서다, …에 직면하다(confront) : ~ danger 위험에 직면하다. **5** 〖音聲〗 전설음으로 전화하다.

〚OF<L *front- frons* face〛

front. frontispiece.

frónt·age *n.* **1** (건물의) 정면, 앞쪽, 정면의 폭, 내림 ; (건물의) 방향, 전망. **2** (길·물가에 면한) 빈터, (집의) 처마 끝.

fróntage ròad *n.* 《美》 측면 도로(service road) 《고속 도로와 평행하게 만든 연락 도로》.

fron·tal [frʌ́ntl] *a.* **1** 정면[앞쪽]의, 정면으로 향해서의(↔*back, rear*) : a ~ attack 정면 공격. **2** 이마의, 앞이마 부분의. **3** 〖氣〗 전선의.

── *n.* **1** 〖解〗 전두골(前頭骨)(=∼ **bóne**). **2** 〖建〗 정면(façade).

〚OF<L ; ⇨ FRONT〛

fróntal lóbe *n.* 〖解〗 (대뇌의) 전두엽(前頭葉).

fróntal lobótomy *n.* 〖外科〗 전두엽 절제술.

frónt-bàck cháin *n.* 〖브레이크댄스〗 기차 놀이처럼 뒤에서 앞사람의 팔굽치를 잡고 움직임을 전하는 춤.

frónt bénch *n.* [the ~] 《英》 하원의 정면석《의장 쪽에서 보아 좌우의 제일 앞 줄 ; 오른쪽이 각료급 간부, 왼쪽이 야당 간부석 ; cf. BACK BENCH, TREASURY BENCH》.

frónt-bénch·er *n.* 《英》 각료급 간부위원.

frónt búrner *n.* 레인지의 앞 버너[화구].

on the[one's] ***front burner*** 최우선 사항으로, 최대 관심사로.

frónt·cóurt *n.* 〖籠〗 프런트코트《상대방 코트》.

frónt désk *n.* (호텔 따위의) 접수처.

frónt dóor *n.* 정면 현관의 입구《도로에 인접하여 있지 않은 곳 ; cf. STREET DOOR》 ; 공명 정대한 방법, 합법적 수단.

frónt édge *n.* =FORE EDGE.

frónt énd *n.* 〖電子〗 프런트 엔드《안테나로부터의 전파를 선택 증폭하여 중간 주파수로 바꾸는 부분으로 고주파 증폭회로, 동조 회로, 국부 발신 회로, 믹서를 총칭한 통칭》.

frónt-énd *a.* 기획 실행 단계에서 준비되는, 선불용의 ; 《美俗》 (카니발 회장 따위에서) 중앙 통로의 정면 입구에 가까운 곳의 ; 〖電子〗 앞공정의.

frónt-ènd bónus *n.* 촉망되는 사람의 스카우트 방지를 위해 특별히 지급되는 보너스.

frónt-end lóad *n.* (증권의) 선불 수수료.

frónt-end procéssor *n.* 〖컴퓨〗 통신 제어 장치.

fron·ten·is [frʌnténəs, frɑn-] *n.* 3벽면 코트에서 하는 멕시코 기원의 테니스의 일종.

〚Am. Sp.〛

frónt fòot *n.* (토지·가옥의) 전면 폭의 간수(間數)(foot front) ; 간수의 단위.

frónt fóur *n.* 〖美蹴〗 프런트 포《좌우의 tackle과 end가 이루는 수비 라인의 최전선》.

frónt gróup *n.* (위장하기 위한) 표면상의 조직[단체](front).

***fron·tier** [frʌntíər, frɑn-, ⌐-] *n.* **1 a**) 국경(지방), 변경(邊境)(border) ; 《美》 (서부 지방이 미개척이었을 때 개척지와 미개척지의) 경계 지대, 서부 변경, 프런티어 : live in a log cabin *on the* ~ 서부 변경에서 통나무집 생활을 하다. **b**) [형용사적으로] 국경[변경](지방)의, 국경에서의 : ~ disputes 국경 분쟁[다툼] / a ~ town 국경

[변경]의 마을. **2** [때때로 *pl.*] (지식・학문 따위의) 한계, 최선단 ; 미개척인 영역 : the latest ~*s of* medical research 의학 연구의 최전선 / the vast ~*s of* space science 광대한 우주 과학의 새 분야. **~·lìke** *a.*
〚OF<Rom. (L ERONT)〛

fróntier ìndustry *n.* =PIONEERING INDUSTRY.

fróntier órbital thèory *n.* 〔化〕 프런티어 전자궤도 이론.

frontíers·man [-mən] *n.* 국경 지방의 주민 ; 《美》 변경 개척자.

frontíer spírit *n.* 개척자 정신[기풍]《미국 국민성의 한 특질》.

fron·tis·piece [frʌ́ntəspìːs] *n.* (책의) 첫머리 그림《특히 속 표지에 있는 것》; 〔建〕 정면, (문 따위의) 장식벽, 박공벽(壁). —— *vt.* …에 권두 그림을 넣다〈*with*〉.
〚F *frontispice* or L (FRONT, *specio* to look) ; 어미는 PIECE에 동화(同化)〛

frónt·làsh *n.* 《美》 (정치적 반발・대항・조처 따위에 대한) 반대 조치[의견].

frónt·less *a.* 정면이 없는 ; 《古》 뻔뻔스러운.

frónt·let *n.* (리본 따위의) 장식띠(fillet) ; (새・짐승의) 앞이마 부분《다른 부분과 색이 틀림》.

frónt líne *n.* 최전선(最前線) ; 최첨단.

frónt-líne *a.* 〔軍〕 전선(용)의 ; 비우호국[분쟁 지역]에 인접한, 최전선의 ; 최첨단의 ; 우수한, 제1선의 : ~ states 전선 제국(前線諸國)《특히 남아프리카 공화국이나 이스라엘에 인접한 여러 나라》.

frónt-lòad *vt.* (계약・사업 계획・시기 따위의) 초기 단계에 비용[이익]을 배분하다.

frónt màn *n.* 《美口》 명목상의 대표, 인기를 끌기 위한 인물 ; (부정 행위의) 앞잡이.

frónt màtter *n.* 《美》 (책의) 본문 앞의 기사(cf. BACK MATTER).

frónt mòney *n.* 《美》 착수 자금.

frónt náme *n.* 《美俗》 (성에 대한) 이름, 세례명 (given name).

frónt níne *n.* 〔골프〕 18홀 플레이의 전반 9홀.

fron·to- [frʌ́ntou, -tə] *comb. form* 「전두골(前頭骨)[부(部)]에 연결되는」「전선(前線)」의 뜻.
〚L〛

frónt óffice *n.* (회사 따위의) 본점, 본부 ; (특히) 수뇌부, 간부들. —— *a.* (결정 따위) 경영 간부의, 최종적인.

frònto·génesis *n.* 〔氣〕 전선의 발생[발달].

front·ol·y·sis [frʌntɑ́ləsəs] *n.* (*pl.* **-ses** [-sìːz]) 〔氣〕 전선의 쇠약[소멸].

frónt pàge *n.* (책의) 속[안]표지, 표제지(title page) (↔*back page*) ; (신문의) 제1면.

frónt-páge *a.* (뉴스가) 신문의 제1면에 실어야 할 ; 중요한. —— *vt.* (뉴스를) 제1면에 싣다.

frónt-ránk *a.* 일류의, 최상의.
~·er *n.*

frónt róom *n.* 건물의 앞쪽에 있는 방, (특히) 거실(living room).

frónt-rúnner *n.* 〔競〕 선두를 달리는 선수[말 따위], 남을 앞지르는 사람.

frónt-rúnning *a.* 선두를 달리는.

frónts·man [-mən] *n.* 《英》 상점 문 앞에서 판매하는 점원.

frónt vówel *n.* 〔音聲〕 전설(前舌) 모음《[i, e, ɛ, æ] 따위》.

frónt·ward *a.* 정면[전방]으로 향하는.
—— *adv.* 정면 방향으로.

frónt·wards *adv.* =FRONTWARD.

frónt-whèel *a.* (차 따위의) 앞바퀴에 작용하는 : a ~ drive 전륜 구동.

frónt yárd *n.* (집의) 앞마당(↔*backyard*).

frore [frɔ́ːr] *a.* 《詩・古》 얼어붙은, 혹한(酷寒)의.

frosh [frɑ́ʃ] *a., n.* (*pl.* ~) 《美學俗》 대학 1학년생 《freshman의 변형》(의).

***frost** [frɔ́(ː)st, frɑ́st] *n.* **1** Ⓤ 서리, 서릿발 : ☞ BLACK FROST / ☞ HOARFROST / ☞ WHITE FROST / The windows are covered with ~. 창문은 서리로 덮여 있다. **2 a)** Ⓤ,Ⓒ 결빙, 동결(freezing) ; 서리가 내릴 정도의 추위 ; 초목이 서리를 맞아 시드는 때 : a hard[heavy, sharp] ~ (서리가 내리는) 심한 추위, 엄동 설한 / ☞ JACK FROST / We will have ~ tomorrow morning. 내일 아침에는 서리가 내릴 것이다. **b)** Ⓤ 어는점 이하의 온도 : five degrees of ~ 《英》 영하 5도《섭씨》. **3** Ⓤ (태도 따위의) 냉엄, 엄함. **4** 《口》 (개최한 일 따위의) 실패, 졸작(拙作) (fiasco).
—— *vt.* **1** 서리로 덮다. **2** (유리・금속의) 광택을 없애다 ; (케이크에) 설탕을 입히다 ; 바르다 ; (머리털을) 희게 하다. **3** (서리로) 얼게 하다 ; …에 상해(霜害)를 주다.
—— *vi.* [it을 주어로 하여] 서리가 맺혀지다, 서리가 내리다, 얼다.
~·less *a.* 서리 없는 ; 상해(霜害) 없는.
~·lìke *a.*
〚OE<Gmc. (⇨ FREEZE) ; cf. G *Frost*〛

Frost *n.* 프로스트. **Robert** (**Lee**) ~ (1874-1963) 미국의 시인.

Fróst·bèlt *n.* 강상(降霜) 지대(Snowbelt).

fróst·bìte *n.* Ⓤ 동상(cf. CHILBLAIN).
—— *vt.* 서리로 해를 입히다 ; …을 동상에 걸리게 하다. —— *a.* 추운 계절[추울 때] 행해지는.

fróstbite bóating *n.* 《美》 빙상 요트 (경기).

fróst·bìt·er *n.* 빙상 요트 ; 빙상 요트 경기자.

fróst·bìting *n.* 《美》 빙상요트 경기.

fróst·bìtten *a.* 동상에 걸린 ; 서리로 해를 입은.

fróst·bòund *a.* (지면 따위가) 얼어붙은 ; (태도・관계가) 냉랭한.

fróst·ed *a.* **1** 서리로 덮인, 서리가 내린 ; 얼어붙은. **2** 상해(霜害)를 입은 ; 동상에 걸린. **3** (머리 따위) 희어진 ; 설탕을 뿌린, 당의를 입힌 ; 광택을 없앤 : ~ glass 젖빛 유리.

fróst·fìsh *n.* 〔魚〕 New England 연안에 서리 내릴 무렵에 나타나는 작은 대구.

fróst flòwer *n.* 〔植〕 긴자루산자고 ; (일반적으로) 쑥부쟁이.

fróst-frée *a.* 자동 서리 제거 장치가 달린 ; 서리가 끼지 않는.

fróst hèave *n.* 땅이 얼어 지면을 밀어올리는 현상, 동상(凍上).

fróst·ing *n.* Ⓤ (케이크에) 설탕으로 겉을 입히기 ; (유리면 따위의) 광택을 죽이기, 광택을 없앤 면[바탕] ; 유리가루《장식 세공용》.

fróst·wòrk *n.* Ⓤ,Ⓒ (유리창 따위에 생긴) 성에 ; (은그릇 따위의) 서리 무늬 장식.

frósty *a.* **1** 서리가 내리는, 얼듯한 추위의. **2** 따뜻하지 않은, 냉랭한 ; 냉담한 : a ~ smile 냉소. **3** 서리가 내린(듯한) ; (머리가) 반백(半白)의, 서리같이 흰 ; 노년의.

froth [frɔ́(ː)θ, frɑ́θ] *n.* (*pl.* **~s** [-θs, 美+-ðz]) **1** Ⓤ (맥주 따위의) 거품. **2** Ⓤ (내용의) 공허함, 시시함, 빈말. —— [, -ð] *vt.* 거품을 일게 하다 ; 거품투성이가 되게 하다 : ~ beer[eggs] 맥주[달걀]를 거품이 일게 하다. —— *vi.* (말 따위가) 거품을 내뿜다 ; 거품이 일다 : ~ at the mouth 입에서 거품을 내뿜다.
〚ON *frotha*〛

fróth·blòw·er *n.* 《英戲》 맥주 애음가《특히 자선단체의 회원으로서》.

fróth·spìt *n.* (거품벌레의) 내뿜는 거품.

fróthy [-θi, -ði] *a.* **1** 거품 같은 ; 거품이 많은, 거품투성이의(foamy). **2** 공허한(empty), 천박한 ; 하찮은, 시시한.
 fróth·i·ly *adv.*

frot·tage [frɔ(:)tɑ́:ʒ] *n.* 〖畫〗 탑본(搨本)(술(術)) ; 〖心〗 (성적 자극·만족을 얻기 위한) 마찰.

frot·teur [frɔ(:)tə́:*r*] *n.* 〖心〗 frottage하는 사람.

frou·frou [frú:frù:] *n.* Ⓤ 비단이 스치는 소리, 살랑살랑(rustling) ; 《美口》 고상한 체함.
 〚F (imit.)〛

frounce [fráuns] *n.* 《古》 과시, 허식.
 ── *vt.* 《廢》 …에 주름을 잡다 ; …의 머리를 컬(curl)하다. ── *vi.* 《廢》 눈살을 찌푸리다.

frouzy ☞ FROWSY.

frow[1] [fráu] *n.* 네덜란드[독일] 여자.
 〚Du.〛

frow[2] ☞ FROE.

fro·ward [fróu*wə*rd] *a.* 매사에 반대하는, 고집센, 성질이 비뚤어진(perverse).
 ~·ly *adv.* **~·ness** *n.*
 〚ME=turned away (FRO, *-ward*)〛

frown** [fráun] *vi.* **1** [動/+前+名] 눈살을 찌푸리다(↔*smile*) ; 못마땅한[싫은] 얼굴을 하다, 불쾌한[성난] 표정을 짓다 : My father ~*ed* when I came home late. 내가 집에 늦게 돌아왔을 때 아버지는 못마땅한 얼굴을 하셨다 / Don't ~ ***at me. 그런 찌푸린 얼굴을 하고 나를 보지 마라 / He ~*s* (***up***) ***on*** my smoking. 그는 내가 담배를 피우는 것을 보고 못마땅한 표정을 한다. **2** (사물이) 신통치 않은[위험한, 위압적인] 양상을 보이다. **3** [+前+名] 난색을 표하다, 불찬성의 뜻을 나타내다〈*on, upon*〉 : ~ ***upon*** a scheme 계획에 난색을 표하다.
 ── *vt.* **1** 찡그리며 …에게 언짢은 내색을 하다 ; 얼굴을 찡그려 불찬성을 나타내다. **2** [+目+副] 눈살을 찌푸려 위압하다 : ~ a person ***down*** 무서운 얼굴을 하여 남을 위압하다[침묵시키다] / ~ the interruption *down* 찡그린 얼굴을 하여 간섭을 못하게 하다.
 ── *n.* 눈살을 찌푸리기, 찡그린 얼굴 ; 못마땅한[불찬성의] 표정.
 〚OF *frongnier* (*froigne* surly look<Celt.)〛
 類義語 ***frown*** 불찬성·곤란한 것 때문에 또는 생각에 잠기어 눈살을 찌푸리다. ***scowl*** 초조하거나 또는 기분이 나쁘기 때문에 눈살을 찌푸리다.

frówn·ing *a.* 얼굴을 찡그린, 기분이 나쁜 ; (절벽·탑 따위) 위압하는 듯한, 험준한.
 ~·ly *adv.* 불쾌하게, 눈살을 찌푸리고 ; 위압하는 것 같이.

frowst [fráust] *n.* 《英口》 (방안의) 탁한 공기, 곰팡내, 숨이 막힐 듯함. ── *vi.* 《英口》 (특히 방안에서) 빈둥거리다. 〚역성(逆成)〈↓〛

frows·ty [fráusti] *a.* 《英》 곰팡내 나는, 숨이 막힐 듯한. 〚↓〛

frow·sy, frow·zy, frou·zy [fráuzi] *a.* 숨이 막히는 (것 같은), 곰팡내 나는 ; 후텁지근한 ; 지저분한, 누추한. ── *n.* [frowsy] 《美俗》 칠칠치 못한 여자. **fróws·si·ly** *adv.*
 〚C17< ?〛

‡**froze** *v.* FREEZE의 과거형.

‡**fro·zen** [fróuzən] *v.* FREEZE의 과거 분사.
 ── *a.* **1** 언 ; 결빙[냉동]한 ; 혹한의 : ~ fish [meat] 냉동 생선[고기] (cf. CHILLED meat) / Ice and snow are just ~ water. 얼음과 눈은 단순히 물이 언 것이다. **2** 냉랭한, 냉담한 ; (감정 따위가) 억압된, 울적한 ; (놀람·공포 따위로) 움츠린. **3** 《口》 (자금 따위를) 동결한, (대출금이) 회수 불능이 된, (물가 따위가) 동결[고정]된 : ~ assets 동결 자산. **4** (볼트·너트 따위로) 고정된, 움직이지 않게 한.
 ~·ly *adv.* 얼 것 같이 ; 《美》 완고하게.

frózen cústard *n.* 냉동 커스터드《아이스크림 비슷한 말랑한 음식물》.

frózen fóod *n.* 냉동 식품.

frózen fráme *n.* =FREEZE-FRAME.

frózen límit *n.* [the ~] 《英口》 (참을 수 있는) 한도.

FRP fiberglass reinforced plastics (유리 섬유 강화 플라스틱). **F.R.P.S.** Fellow of the Royal Photographic Society. **FRS** 《美》 Federal Reserve System. **frs.** francs. **F.R.S.** Fellow of the Royal Society. **F.R.S.A.** Fellow of the Royal Society of Arts. **F.R.S.C.** Fellow of the Royal Society of Canada. **F.R.S.E.** Fellow of the Royal Society of Edinburgh. **F.R.S.G.S.** Fellow of the Royal Scottish Geographical Society. **F.R.S.H.** Fellow of the Royal Society of Health. **FRSI** 〖宇宙〗 flexible reusable surface insulation (유연성 내열재). **F.R.S.L.** Fellow of the Royal Society of Literature. **F.R.S.M.** Fellow of the Royal Society of Medicine. **F.R.S.S.** Fellow of the Royal Statistical Society. **frt.** freight.

fruc·tif·er·ous [frʌktífərəs, fruk-] *a.* 열매를 맺는, 결실성의.

fruc·ti·fi·ca·tion [frʌ̀ktəfəkéiʃən, frùk-] *n.* 결실 ; 〖植〗 과실 ; [집합적으로] (고사리 따위의) 결실 기관(器官).

fruc·ti·fy [frʌ́ktəfài, frúk-] *vi.* 열매를 맺다, (토지가) 비옥하다 ; 《비유》 (노력이) 결실하다.
 ── *vt.* …에 열매를 맺게 하다, …을 기름지게 하다 ; 《비유》 …을 결실하게 하다.
 〚OF<L ; ⇨ FRUIT〛

fruc·tose [frʌ́ktous, frúk-, -z] *n.* Ⓤ 〖化〗 프룩토오스, 과당(果糖) (fruit sugar). 〚L ; ⇨ FRUIT〛

fruc·tu·ous [frʌ́ktʃuəs, frúk-] *a.* 과실이 많은, (많은) 과실을 맺는 ; 다산적(多産的)인.

frug [frú:g] *n.* 프루그《twist에서 파생한 춤의 일종》. ── *vi.* 프루그를 추다.

***fru·gal** [frú:gəl] *a.* 알뜰한, 검소한, (…을) 절약하는〈*of*〉 ; (식사 따위가) 간소한. **~·ly** *adv.* 간소하게, 검소하게. **fru·gal·i·ty** [fru:gǽləti] *n.* Ⓤ,Ⓒ 절약(thrift), 검소, 검약.
 〚L (*frugi* useful, economical)〛
 類義語 ⟹ THRIFTY.

fru·gi·vore [frú:dʒəvɔ̀:*r*] *n.* 〖動〗 (특히 영장류의) 과식수(果食獸)[동물].

fru·giv·o·rous [fru:dʒívərəs] *a.* 과실을 상식(常食)으로하는, 과식(果食)의.

◇**fruit** [frú:t] *n.* **1** Ⓤ [집합적으로] 과실, 과일 : much[plenty of] ~ 많은 과일 / ~ and vegetables 과일과 야채, 청과물 / grow ~ 과일을 재배하다 / Do you like ~? 과일을 좋아하십니까 / She bought several kinds of ~. 여러가지 과일을 샀다. 주 몇 가지 종류의 과일을 말할 때는 복수형을 씀(cf. CAKE, FISH[1]) : Apples and oranges are ~*s*. **2** [집합적으로] 〖植〗 과실, 열매 : the ~ of the rose tree 장미의 열매 / This bush bears a red ~. 이 나무에는 붉은 열매가 맺는다. **3** [*pl.*] (농작물의) 수확(물), 소출 : the ~*s* of the earth 대지로부터의 소출 / ☞ FIRST FRUITS. **4** [보통 *pl.*] 《비유》 (…의) 산물, 소산(product), 결과, 성과(result), 보수(reward), 수익(profit) : the ~*s of* industry 근면의 성과[보람] / the ~*s of* one's labor(s) 노고[노력]의 결과[결정] / the ~*s of* virtue 덕(德)의 응보. **5** 《美俗》 동성애하는 남자 ; 별난 사람, 광인. **6** 〖聖〗 자손.

bear [***produce***] ***fruit*** 열매를 맺다, 결실하다 ; 효과가 생기다.

the fruit of the body [***loins, womb***] 〖聖〗 자녀.

flesh
《美》pit /
《英》stone
peach
pear
skin
plum
apple
cherry
banana
segment
seed
peel
orange
pineapple
pips
melon

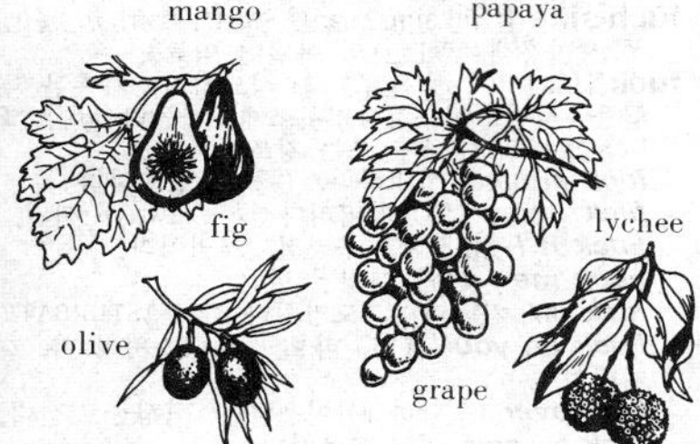

fruits

— *vi.* 열매를 맺다, 열매가 열리다 : Our cherry trees don't ~ well. 우리집 벚나무는 열매가 잘 안 열린다. — *vt.* …에 열매를 맺게 하다. 〖OF < L *fructus* enjoyment, profit (*fruor* to enjoy)〗

frúit·age *n.* Ⓤ 결실, 열매 맺기 ; [집합적으로] 과실, 과일(fruits) ; 성과.

fruit·ar·i·an [fruːtέəriən, -tǽər-] *n., a.* 과실 상식자(의), 과식(果食) 주의자(의).

frúit bàt *n.* 〖動〗 과실먹이박쥐(flying fox)《얼굴이 여우를 닮고 과실을 좋아함》.

frúit bùd *n.* 〖植〗 열매가 되는 싹, 열매 눈.

frúit·càke *n.* 프루트케이크《건포도·호두 따위가 든 케이크》; 《俗》 미친 사람, 이상한 사람 ; 《俗》 여자같은 남자.

frúit còcktail *n.* 과일 칵테일《잘게 썬 과실에 셰리 따위를 탄 음료 ; 식사 전에 나옴》.

frúit cùp *n.* 프루트 컵《잘게 썬 몇 가지 종류의 과실을 컵에 넣은 것 ; 디저트용》.

frúit·er *n.* **1** 열매가 열리는 나무 : a sure ~ 결실이 확실한 과수. **2** 《英》 과수 재배자. **3** 과일 운반선(船).

frúit·er·er *n.* 과일 장수, 청과상(商) : *at* a ~*'s* (shop) 과일 가게에서.

frúit flỳ *n.* 〖昆〗 광대파리과(科)의 파리《과실의 해충 ; 유전(遺傳) 연구에 쓰이기도 함》.

***frúit·ful** *a.* **1** 열매가 잘 열리는 ; 다산(多産)의 (prolific) ; (땅이) 기름진. **2** 풍작(豐作)을 가져오는 : ~ showers 단비, 자우(慈雨). **3** 수확이 많은, 유리한⟨*of, in*⟩ : a ~ occupation 실수입이 많은 직업. **~·ly** *adv.* 열매를 잘 맺어 ; 다산으로 ; 효과적으로. **~·ness** *n.*

frúit·ing bòdy *n.* 〖植〗 (균류의) 자실체.

fru·ition [fruːíʃən] *n.* Ⓤ 달성, 실현, 성과 ; 소유 ; (소유·실현의) 기쁨 ; 결실 : come [be brought] to ~ (계획 따위가) 달성되다, 열매를 맺다. 〖OF < L (*fruor* to enjoy) ; 「결실」 따위의 뜻은 FRUIT와의 잘못된 연상(聯想)〗

frúit jàr *n.* (유리로 만든) 과일 단지.

frúit jùice *n.* 과즙, 프루트 주스.

frúit knìfe *n.* 과일 깎는 칼, 과도《보통 은제》.

frúit·less *a.* 열매를 맺지 않는, 열매가 없는 ; 결과가 생기지 않는 ; 보람[효과]이 없는(useless), 무익한, 헛된(vain).
~·ly *adv.* 보람없이, 허망하게.
類義語 ⟹ VAIN.

frúit·let *n.* 작은 과실, 씨.

frúit machìne *n.* 《英》 슬롯 머신(=《美》 slot machine) 《도박·게임용(用)》. 〖회전통(回轉筒)에 과일 그림이 그려진 것이 많은 데서〗

frúit pìece *n.* 과일 정물화(靜物畫)[조각].

frúit rànch *n.* 《美》 과수원.

frúit sàlad *n.* 과일 샐러드 ; 《軍俗》 군복 위에 죽 단 장식끈과 훈장 ; 《美俗》 진정제·진통제·바르비탈산염·암페타민 따위의 약의 혼합물《특히 청소년이 집의 약장에서 꺼내와 fruit salad party라고 부르는 파티에서 몰래 먹음》.

frúit sèeder *n.* 과일씨 빼는 기구.

frúit sìrup *n.* 과즙 시럽.

frúit stànd *n.* 《美》 과일가게, 과일 파는 노점.

frúit sùgar *n.* =FRUCTOSE.

frúit trèe *n.* 과수(果樹).

frúit wìne *n.* (포도주 이외의) 과실주.

frúit wòod *n.* 과수 재목《가구용》.

frúity *a.* **1** 과일 비슷한, 과일 맛[풍미]이 나는 : a ~ wine 풍미가 있는 포도주. **2** (목소리 따위가) 풍부한, 감미로운. **3** 《口》 (이야기 따위가) 유쾌한 ;《英口》 음란한, 노골적인 (suggestive). **4** 《美俗》 남자 동성애의. 〖FRUIT〗

fru·men·ta·ceous [frù:məntéiʃəs, -men-] *a.* 곡물(穀物)의 ; 곡물 같은, 곡물로 만든.

fru·men·ty [frú:mənti] *n.* 향료로 건포도와 설탕을 넣고 밀을 우유에 죽처럼 끓인 요리. 〖ME<MF〗

frump [frʌ́mp] *n.* 추레하고 매력없는 여자 ; 구식 옷차림을 한 사람. **~·ish** *a.* =FRUMPY. 〖? *frumple* (dial.) wrinkle<MDu. (*for*-, RUMPLE)〗

frúmpy *a.* 심술궂은 ; 추레한. **frúmp·i·ly** *adv.* **-i·ness** *n.*

frus·trate** [frʌ́streit, ; -́-] *vt.* **1** [+目/+目+*in*+名] (계획·희망 따위를) 좌절시키다, 실패케 하다, 허를 찌르다 ; (남을) 방해하다, 누르다, 지게 하다 : The police *~d* the bandits' attempt to rob the bank. 경찰은 은행을 습격하려는 악당들의 기도를 좌절시켰다 / The plan was *~d* by opposition. 계획은 반대에 봉착하여 실패했다 / The artist has never been *~d* ***in his ambition to paint. 그 화가는 명작을 그리려는 야심을 좌절당한 적이 한 번도 없다. **2** (남을) 실망시키다 ;〔心〕 (남에게) 욕구불만을 일으키게 하다 : He was *~d* by the gloomy prospects. 그는 어두운 전망에 낙담했다. —— *vi.* 좌절하다.
—— *a.* 《古》 =FRUSTRATED.
〖L=to deceive (*frustra* in error, in vain)〗
類義語 ***frustrate*** 어떤 목적을 위한 노력·계획을 헛되게 하여 그만두게 하다 : The troop *frustrated* the enemy's plan to capture the town. (그 부대는 마을을 함락시키려고 하는 적의 기도를 좌절시켰다). ***thwart*** 현재 진행중인 계획·일을 중도에서 방해하여 실패시키다 : The snow *thwarted* the train to reach the city. (눈은 열차의 운행을 방해하여 그 도시에 도착하지 못하게 했다). ***baffle*** 상대방을 혼란·당혹시켜서 일·계획을 방해하다 : The accident *baffled* the police. (그 사고가 경찰을 당혹케 했다). ***balk*** 장애물이나 방해 행위로 상대방의 노력·계획을 망치다 : They *balked* the procession of soldiers. (군인들의 행진을 방해했다).

frús·trat·ed *a.* 실망한, 욕구불만의 ; 좌절된 : ~ exports 수출 체화(滯貨).

***frus·tra·tion** [frʌstréiʃən] *n.* U,C 좌절, 중도에서 꺾임, 실패 ; 실망 ;〔心〕 욕구불만, 좌절감.

frustrátion tòlerance *n.* 〔心〕 욕구 불만 내성.

frus·tule [frʌ́stʃu:l, -tju:l] *n.* (규조(硅藻)의) 세포막《2열편(裂片)의 한 쪽》.

frus·tum [frʌ́stəm] *n.* (*pl.* **~s, -ta** [-tə]) 〔數〕 원뿔대, 절단체(截斷體) ;〔建〕 주동(柱胴) : a ~ of a cone 원뿔대.
〖L=piece cut off〗

fru·tes·cent [fru:tésənt], **fru·ti·cose** [frú:tikòus] *a.* 〔植〕 관목(성)의.

frwy. freeway.

***fry**[1] [frái] *vt., vi.* **1** 기름으로 튀기다, 프라이로 하다[되다] : The fish is *~ing*[being *fried*]. 생선이 튀겨지고 있다. **2** 《口》 몹시 덥다, 볕에 그을다.
fry the fat out of. . . 《美》 (실업가 등)에게 헌금시키다.
have other fish to fry ☞ FISH[1].
—— *n.* **1** 프라이 (요리), 튀긴 것, [*pl.*] 감자 튀김. **2** 《美》 프라이의 회식《흔히 야외에서 함》 : a fish ~ 생선 튀김 회식.
〖OF<L *frigo*〗

fry[2] *n.* (*pl.* ~) 물고기 새끼, 치어(稚魚), (2년된) 연어 새끼 ; [집합적으로] 작은 것《아이들, 작은 동물 따위》 : ☞ SMALL FRY.
〖ON *frjó* seed〗

Frýe bòot [frái-] *n.* 프라이 부츠《장딴지까지 오는 튼튼한 가죽 부츠 ; 상표명》.

frý·er, frí·er *n.* 튀김 요리사 ; 프라이용 냄비 ; 튀김용 고기《특히 닭고기》.

frý(ing) pàn *n.* 프라이 팬.
jump[***leap***] ***out of the frying pan into the fire*** 작은 어려움을 벗어나서 큰 어려움을 당하다.

frý-ùp *n.* 《英口》 (먹다 남은 것으로 만드는 즉석) 볶은 음식.

f.s. foot-second. **FS** filmstrip. **F.S.** Field Service ; Fleet Surgeon. **F.S.A.** Fellow of the Society of Arts[Antiquaries]. **F.S.E.** 《英》 Fellow of the Society of Engineers. **F.S.F.** Fellow of the Institute of Shipping and Forwarding Agents.

F-16 [éfsikstí:n] *n.* 미공군 신예 전투기 명《애칭 Fighting Falcon》.

FSLIC 《美》 Federal Savings and Loan Insurance Corporation (연방 저축 금융 공사).

F.S.M.C. Freeman of the Spectacle Makers' Company. **FSO** foreign service officer. **F.S.R.** Field Service Regulations. **F.S.S.** Fellow of the Royal Statistical Society. **F.S.S.U.** Federated Superannuation Scheme for Universities.

f-stop [éf-] *n.* 〔寫〕 F 넘버 표시 조리개, F스톱.

Ft forint(s). **ft.** feet ; foot ; fort ; fortification. **FTC, F.T.C.** 《美》 Federal Trade Commission ; Fair Trade Commission (공정 거래 위원회). **fth., fthm.** fathom. **ft-lb** foot-pound(s).

FTP [éfti:pí:] *n.* 《美俗》 **1** 통신 네트워크의 파일 전송을 위한 기술적인 제반 결정. **2** 파일 전송 프로그램. —— *vt.* (파일을) 전송(轉送)하다.
〖*F*ile *T*ransfer *P*rotocol〗

F_2 layer [éftú: -́] *n.* 〔通信〕 F_2층《지상 250-500 km ; 전파를 반사하는 전리층(電離層)의 하나 ; cf. F_1 LAYER》.

fu [fú:] *n.* 《美俗》 마리화나.

fu·bar [fjú:bɑ:r] *a.* 《美俗》 (어찌할 수 없을 정도로) 혼란된, 엉망인. —— *n.* =SNAFU.
〖*f*ucked *u*p *b*eyond *r*ecognition〗

fub·sy [fʌ́bzi] *a.* 《英口》 뚱뚱한, 땅딸막한.

fuch·sia [fjú:ʃə] *n.* 〔植〕 푸크시아, 수령초(cf. EARDROP).
〖NL ; L. *Fuchs* (d. 1566) 독일의 식물학자〗

fuch·sine [fjú:ksi:n, -sən], **-sin** [-sən] *n.* 〔化〕 푹신《자홍색(紫紅色)의 아닐린 염료》.

fuck [fʌ́k] *vt., vi.* 《卑》 **1** 성교하다 ; 가혹한 취급을 하다 ; 실수하다 ; 못쓰게 만들다〈*up*〉. **2** DAMN 따위 대신에 쓰는 강조어.
fuck around 성교하다, (특히) 난교하다.
fuck away 《俗》 가버리다 : *F~* away ! 꺼져.
Fuck it ! 《俗》 체, 우라질, 엿먹어라.
Fuck me ! 《俗》 이거 놀랍군.
fuck off 가버리다, 도망치다 ; =MASTURBATE.
Fuck on you ! 《俗》 바보 같으니 ; 저리 가, 꺼져버려.
fuck over (부당하게) 이용하다, 희생물로 삼다.
fuck one***self*** 《俗》 수음하다.
fuck up 성교하다 ; 실수하다, 실패하다, 못쓰게 하다.
—— *n.* 성교 ; 성교의 상대 ; 얼간이 ; [the ~] 도대체《hell 따위 대신에 쓰는 강조어》 : What the

～ is it? 도대체 그게 뭐냐.
not care **[*give*]** ***a*** **(*flying*)** ***fuck*** 전연 상관 없다, 알 바 아니다.
～·able *a.* 《卑》 성적 충동을 일으키는. **～·er** *n.* 《卑》 성교하는 사람 ; 《蔑》 바보자식, 멍청이.
〖C16＜? ; cf. MDu. *fokken* to strike, Norw. (dial.) *fukka* to copulate, Swed. (dial.) *focka* to strike, push〗

fucked [fʌ́kt] *a.* 《卑》 지친, 녹초가 된.

fúcked-óut *a.* 《卑》 지친 ; 늙어빠진, 고물의.

fúcked-ùp *a.* 《卑》 아주 혼란한 ; 엉망진창인.

fúck fìlm *n.* 《卑》 포르노 영화.

fúck·hèad *n.* 《卑》 바보, 멍청이.

fúck·ing *n.* 《卑》 ＝FUCK.
—— *a., adv.* 《卑》 지독하게《강조어》.

fuck·ing-A [ˊ-éi] *int.* 《卑》 맞았어, 틀림없지, 동감이야.

fúcking héll *n.* 《卑》 ＝FUCK *v.* 2.

fúck·ùp *n.* 《卑》 바보짓을 하는 사람 ; 엉망인 것, 망침.

fu·cus [fjúːkəs] *n.* (*pl.* **fu·ci** [-sai], **～·es**) 〖植〗 뜸부기속의 각종 갈조류.

fud·dle [fʌ́dl] *vt.* 취하게 하다(intoxicate) ; (술로 머리를) 혼미시키다 : ～ oneself (술로) 머리를 흐리게 하다, 술취하다. —— *vi.* 홀짝홀짝 마시다.
—— *n.* U,C 만취 ; 혼미.
on the fuddle 만취하여.
〖C16＜?〗

fud·dy(-dud·dy) [fʌ́di(dʌ̀di), ˊ-(ˋ-)], **-dud** [-dʌ̀d] *n.* 《口》 불평가, 잔소리꾼, 시대에 뒤진 사람 ; 젠체하는 사람. —— *a.* 신통치 못한, 시대에 뒤진 ; 잔소리하는, 까다로운.
〖C20＜? ; cf. Sc. *fuddy* short-tailed animal, tail〗

fudge[1] [fʌ́dʒ] *n.* **1** U 퍼지《설탕 · 버터 · 우유 · 초콜릿 따위로 만든 연한 캔디》. **2** U 날조한 일 [이야기] ; 실없는 소리(nonsense). —— *int.* 실없는 소리!, 못난 소리! (nonsense).
—— *vi.* 실없는 소리를 하다.
〖C18＜? ; *fudge*²인가〗

fudge[2] *n.* 신문의 추가 인쇄한 별지 기사 ; 추가 기사용 스테레오 판 ; 추가 기사 인쇄 장치.
—— *vt.* (신문 기삿거리 따위를) 날조하다, 적당히 꾸미다〈*up*〉 ; 속이다, 과장하다 ; (문제 따위에) 몰두하지 않다, 회피하다 ; 《俗》 바보 같은 짓을 하다. —— *vi.* 한도를 넘다〈*on*〉 ; 부정을 하다, 속이다〈*on*〉 ; 정면으로 맞붙는 것을 피하다, 정식으로 착수하지 않다, 게으름 피우다〈*on*〉.
〖? *fadge* (obs.) to fit〗

fúdge fàctor *n.* 《컴퓨俗》 임시 인수(因數).

Fu·e·gi·an [fjuːéidʒiən, fwéi-] *a.* 푸에고 군도의, 푸에고 군도 사람의. —— *n.* 푸에고 군도 사람.

Fuehrer ☞ FÜHRER.

*__fu·el__ [fjúː(ː)əl] *n.* **1** U 연료, 땔감 ; 에너지원으로서의 음식물 ; 핵연료. 注 종류를 말할 때에는 C : Coal, wood, and oil are ～*s.* 석탄 · 장작 · 석유는 연료다. **2** 《비유》 (감정을) 부추기는 것, 선동하는 것〈*to*〉.
add fuel to the fire **[*flames*]** 《비유》 불에 기름을 붓다, 격정의 불길을 부추기다.
—— *v.* (**-l-** | **-ll-**) *vt.* …에 장작을 지피다, …에 연료를 공급하다. —— *vi.* 연료를 얻다 ; (배에) 연료를 싣다[보급하다].
〖OF＜L (*focus* hearth)〗

fúel àir explòsive *n.* 기화 폭탄《기화 연료를 여기저기 뿌려서 광범위하게 폭발을 일으킴》.

fúel cèll *n.* 연료 전지(電池).

fúel cỳcle *n.* (핵)연료 사이클《사용한 핵연료를 재처리하여 재사용하는 순환과정》.

fúel dèpot *n.* 연료(보급)창, 연료 저장고[선].

fúel-effícient *a.* 연료 효율이 좋은 : a ～ car 연료 절약차.

fúel èlement *n.* (원자로에 넣는) 연료 요소.

fúel·er, -ler *n.* 연료 공급자[장치].

fúel gàs *n.* 연료 가스.

fúel gàuge *n.* 〖機〗 (자동차 따위의) 연료계(燃料計) (＝《美》 gas gauge).

fúel-gùzzling *a.* 연료가 많이 드는.

fúel·ing *n.* U 연료 ; 연료 공급[보급] : a ～ station 연료 보급소.

fúel injèction *n.* 〖機〗 (실린더 · 연소실로의) 연료 분사.

fúel·ish *a.* 《美 · Can.》 연료를 낭비하는.
～·ly *adv.* 〖foolish와의 신소리〗

fúel-mìser *n.* 《美》 연료 소비가 적은 차.

fúel òil *n.* 연료유 ; 중유.

fúel ràte *n.* (로켓 · 제트 엔진의) 초간(秒間) 연료 소비율.

fúel ròd *n.* (원자로의) 연료봉.

fúel vàlue *n.* 연료값《연료의 에너지량》.

fug [fʌ́g] *n.* (방안의) 숨막힐 듯한 공기.
—— *v.* (**-gg-**) *vi.* 공기가 탁한 곳에 틀어 박혀 있다. —— *vt.* (방 따위를) 숨막힐 듯하게 하다.
〖C19＜? ; FOG¹인가〗

fu·ga·cious [fjuːgéiʃəs] *a.* 허무한 ; 잘 달아나는, 붙잡기 힘든(elusive) ; 〖植〗 빨리 지는.

fu·gac·i·ty [fjuːgǽsəti] *n.* U 붙잡기 어려움 ; 허무함 ; 휘발성 ; 〖化〗 비산성(飛散性).

fu·gal [fjúːgəl] *a.* 〖樂〗 푸가의.
～·ly *adv.*

-fuge [ˊ-fjùːdʒ] *n. comb. form* 「구축(驅逐)하는 것」의 뜻 : vermi*fuge*, febri*fuge*.
〖F＜L〗

fúg·gy *a.* 《口》 (방 따위의 공기가) 탁한, 숨이 막힐 듯한.

fu·gi·tive [fjúːdʒətiv] *n.* **1** 도망자, 탈주자, 망명자(refugee) : a ～ *from* justice 도망범. **2** 사라져 버리는 것 ; 붙잡기 어려운 것.
—— *a.* **1** 도망하는, 도망친 ; 망명의 : a ～ soldier 탈주병. **2** 덧없는, 순간적인, 일시적인, 그 때뿐인 : ～ colors 바래기 쉬운 빛깔.
〖OF＜L (*fugit- fugio* to flee)〗

fúgitive wàrrant *n.* 지명 수배.

fu·gle [fjúːgəl] *vi.* 향도가 되다 ; 지도하다 ; 모범이 되다. 〖역성(逆成)＜↓〗

fúgle·man [-mən] *n.* 〖軍〗 향도 ; 지도자, 모범[본보기]이 되는 사람 ; 대변자.

fugue [fjúːg] *n.* 〖樂〗 푸가 ; 〖精神醫〗 둔주.
—— *vt.* 〖樂〗 푸가로 작곡하다. —— *vi.* 푸가를 작곡[연주]하다. **fúgu·ist** *n.* 〖樂〗 푸가 작곡가[연주가]. **～·lìke** *a.*
〖F or It. (L *fuga* flight)〗

Füh·rer, Fueh- [fjúərər] *n.* [der ～] 총통(總統)《Adolf Hitler의 칭호 ; cf. IL DUCE》 ; [f～] 지도자 ; [f～] 독재자.
〖G＝leader〗

-ful[1] [ful, fəl, fl] *a. suf.* 「…에 가득찬」「…이 많은」「…의 성질이 있는」「…하는 경향이 있는」의 뜻 : beauti*ful*, forget*ful*.

-ful[2] [fùl] *n. suf.* 「…하나 가득(한 분량)」의 뜻 : a cup*ful*, two month*fuls* / a bottle*ful of* lemonade 병에 가득찬 레몬수(cf. a bottle full of lemonade 레몬수가 가득차 있는 병 하나). 注 어떤 명사에나 자유롭게 붙음《이런 접미사를 「살아있는 접

미사」라고 함》; 원래 spoonsful 따위의 복수형도 쓰였으나 지금은 spoonfuls의 형이 표준.

Ful·bright [fúlbrait] *n.* **1** 풀브라이트, **J(ames) William** ~ (1905-95) 미국 정치가. **2** 풀브라이트 장학금(= ~ **schòlarship**)《1946년 제정된 풀브라이트법(=~ **Àct**)에 의한 장학금》: a ~ professor 풀브라이트(법에 의한 교환) 교수.

ful·crum [fúlkrəm, fʌ́l-] *n.* (*pl.* ~**s**, **-cra** [-krə]) **1** 〖機〗 (지렛대의) 지점(支點); 지렛대 받침. **2** 《비유》 (영향력 따위의) 주축이 되는 것, 중심(中心)력, 지주(支柱).
〖L=post of couch (*fulcio* to prop up)〗

***ful·fill | -fil** [fulfíl] *vt.* (**-ll-**) (의무·약속 따위를) 다하다, 이행하다; (일 따위를) 완료하다; (조건·부족을) 채우다; (기원(祈願)·예언을) 이루다; (기한을) 만료하다, 마치다: ~ one's duties 의무를 다하다 / ~ a person's expectations 남의 기대에 보답하다 / ~ the norm 노르마[책임량]를 완료하다.
fulfill** one**self 자기 역량을 충분히 발휘하다.
~**ment** *n.*
〖OE *fullfyllan* (FULL[1], FILL)〗
類義語 ⟹ PERFORM.

ful·gent [fʌ́ldʒənt, fúl-] *a.* 《詩》 빛나는, 찬란한. ~**ly** *adv.* ~**ness** *n.*

ful·gid [fʌ́ldʒəd, fúl-] *a.* 《古·詩》 빛나는.

ful·gu·rant [fʌ́lgjərənt, fúl-, -dʒə-] *a.* 번개같이 번쩍이는; 눈이 부신.

ful·gu·rate [fʌ́lgjərèit, fúl-, -dʒə-] *vi., vt.* 《古》 (번개같이) 번쩍이다; 전광(電光)을 발산하다; 〖醫〗 (종기 따위를) 전기로 치료하다.

fúl·gu·ràt·ing *a.* 전광 같은; 〖醫〗 (통증이) 전격성의; 〖醫〗 고주파 요법의.

ful·gu·rite [fʌ́lgjəràit, fúl-, -dʒə-] *n.* 〖地質〗 풀구라이트, 섬전암(閃電岩)《번개의 작용으로 모래 또는 바위 속에 생기는 통 모양의 것》.

ful·gu·rous [fʌ́lgjərəs, fúl-, -dʒə-] *a.* 전광 같은.

fu·lig·i·nous [fju(:)lídʒənəs] *a.* 검댕의, 검댕 같은; 검댕색의, 거무튀튀한.
~**ly** *adv.*

◇full[1] [fúl] *a.* **1** 가득한, 충만한, (…으로) 가득찬, 만원인: fill one's glass ~ 잔을 채우다 / a glass ~ *of* wine 포도주가 가득 찬 유리잔 / The hall was ~ *of* people. 회장(會場)은 만원이었다(cf. FULL HOUSE) / The people were ~ *of* life and joy. 그 사람들은 생기와 환희에 넘쳐 있었다 / A sea voyage is ~ *of* subjects for meditation. 바다 여행은 명상(瞑想)의 소재를 충분히 제공해 준다. **2** 완전한(perfect): a ~ mile[hour] 꼭 1마일[시간] / (for) three ~ days=(for) a ~ three days 꼭 3일(간) (cf. *adv.* 2 a)) / in ~ bloom 활짝 피어 / ~ membership 정(正)회원 자격. **3** 최대한의, 한껏…: at ~ speed 전속력으로 / ~ strength 전력(全力) / in ~ activity 최고조로 / turn...to ~ account …을 충분히[유감없이] 이용하다. **4** 배부른, 배가 가득찬; (가슴이) 메인: eat as ~ as one can hold 배불리 먹다 / My heart is ~. 가슴이 벅차다. **5** 충분한, 풍족한, 넉넉한, 완전한: a ~ harvest 풍작. **6** (옷이) 낙낙한, 헐렁한, 느슨한; 불룩한, 통통한: a ~ figure 동동한 외모 / be ~ in the face 얼굴이 통통하다 / ☞ FULLFACE. **7** 충실한; (성량이) 풍부한; (포도주가) 진한: a ~ man (정신적으로) 충실한 사람. **8** 한창인: ~ summer 성하(盛夏). **9** 〖海〗 (돛이) 바람을 가득 안은; (배가) 돛에 바람을 가득 받게 한. **10** 〖野〗 풀카운트의; 만루의: a ~ base 만루.
full of honors 온갖 명예를 한 몸에 지니고.
full of** one**self 자기의 일만을 생각하여.
full of years 〖聖〗 천수(天壽)를 다하여.
full up 《口》 가득하여, 꽉 차서; 싫증이 나서.

〈회화〉
Can you take us in for a week? — I'm sorry. We're *full*. 「1주일 동안 묵을 수 있겠습니까」 「미안하지만 만원입니다」

—— *adv.* **1** 꼭, 바로, 정확히(exactly): look a person ~ in the face 남의 얼굴을 빤히 보다. **2** **a)** 《古》 충분하게, 꼭…(fully, quite): ~ three miles 넉넉히[실히] 3마일(cf. *a.* 2). **b)** 《주로 詩·古》 아주, 대단히(very): ~ soon 곧 바로 / ~ many a flower 아주 많은 꽃 / know ~ well 충분히 알고 있다 / ~ as useful as …에 못지 않게 소용이 되어. **3** 필요 이상으로: This chair is ~ high. 이 의자는 너무 높다.
—— *n.* 전부(whole); 충분; 한창 때, 절정기(height): past the ~ 한창[만월] 때를 지나서.
at the full 한창 때에, 절정에, 만월로: The moon is *at the* ~. 달은 만월이다.
in full 전부, 전액(全額); 생략하지 않고, 모조리, 자세하게: payment *in* ~ 전액 지급[불입(拂入)] / Sign your name *in* ~. 이름을 정식으로 서명해 주십시오《줄이지 않고 성명 모두》.
to the full 충분히, 마음껏: enjoy oneself *to the* ~ 마음껏 즐기다.
—— *vt.* (의복·소매 따위를) 낙낙하게[헐렁하게] 만들다. —— *vi.* (달이) 차다.
〖OE *full*; cf. G *voll*〗
類義語 ***full*** 필요한 것, 손에 넣을 수 있는 것은 모두 포함하는: a *full* supply (충분한 보급). ***complete*** 완전한; 어떤 일의 완성에 필요한 것을 모두 갖추고 있어서 그 이상 덧붙일 필요가 없는: the *complete* works of William Shakespeare (윌리엄 셰익스피어 전집(全集)). ***total*** 전체의, 모든 것을 포괄한; complete와 같은 뜻으로 쓰이기도 함: the *total* sum (총액(總額)). ***whole, entire*** 각 부분이 빠짐없이 모두 갖추어져 있는, entire 쪽이 약간 뜻이 강함: the *whole* country (전국(全國)) / the *entire* day (온 종일).

full[2] *vt.* (빨거나 삶거나 하여) …의 올[천의 바탕]을 조밀[촘촘]하게 하다; (더운물을 부어서) 축융(縮絨)하다. 〖역성(逆成) 〈*fuller*[1]〗

Fúll Ádmiral *n.* 《美》 해군 대장.

fúll áge *n.* 성년(成年), (남자의) 만 21세.

fúll·bàck *n.* 〖蹴·하키〗 후위(cf. BACK[1] *n.* 4).

fúll bínding *n.* 〖製本〗 총피(總皮) 제본.

fúll bírd *n.* 《美軍俗》 대령.

fúll blást *n.* 《口》 완전 가동[회전](으로).

fúll blòod *n.* **1** 순혈종(純血種)인 사람[동물]. **2** Ⓤ 같은 양친으로부터 피를 이어받기(cf. HALF BLOOD).

fúll-blóod·ed *a.* **1** 순혈종의; 순수한. **2** 다혈질의; 혈기 왕성한.

fúll-blówn *a.* (꽃이) 만발한; 성숙한.

fúll bóard *n.* (호텔 따위) 세끼 제공의 숙박.

fúll-bódied *a.* **1** (술 따위가) 감칠 맛이 나는. **2** (사람이) 살찐. **3** 중요한.

fúll-bòre *a.* 《口》 최고속[최강력]으로 움직이는[작동하는]. —— *adv.* 최대한으로, 최고속[최강력]으로.

fúll-bósomed *a.* (여자가) 가슴이 풍만한.

fúll-bóttomed *a.* (가발이 넓게) 뒤가 어깨 아래까지 드리워져 있는; 배밑바닥이 넓은.

fúll-bóund *a.* 〔製本〕 총피 제본의.
fúll bróther *n.* 부모가 같은 형제, 같은 배의[이복(異腹)이 아닌] 형제(cf. HALF BROTHER).
fúll círcle *adv.* 일주(一周)하여.
fúll cóat *n.* 〔服飾〕 풀 코트《기장이 낙낙한 코트》.
fúll cóck *n.* (총의) 격철을 완전히 당긴 상태《언제라도 발사 가능》; 《口》 준비가 된 상태.
fúll-cóurt prèss *n.* 《美》 전력 공격, 총공세, 필사적. 〖농구 전법에서 온 말〗
fúll-crèam *a.* (탈지하지 않은) 전유의, 전유제의.
fúll-cústom *a.* (제품이) 특별 주문의.
fúll-cút *a.* (다이아몬드가) 58면체로 깎인.
fúll dréss *n.* 정장(正裝), 예복, 야회복.
fúll-dréss *a.* 정장의, 예복을 착용한; 정식의, 본격적인: a ~ uniform (군복의) 정장, 예복 / a ~ rehearsal 무대 의상을 입고 하는 정식 연습 / a ~ debate (의회의) 본회의; 철저한 토론.
fúll dúplex *n.* 〔通信〕 전이중(全二重), 전(全)양방《양쪽 방향으로 동시에 통신을 할 수 있는 전송 방식》.
fúll emplóyment *n.* 〔經〕 완전 고용.
fúll-emplóyment súrplus *n.* 〔經〕 완전 고용 잉여.
fúll·er[1] *n.* (모직물) 축융(縮絨)[마무리] 직공; 마전장이.
〖OE *fullere* (L *fullo*)〗
fuller[2] *n., vt.* 둥근 홈을 파는 연모; (편자·총검 따위에) 둥근 홈(을 파다).
〖C19<?; R. B. *Fuller*인가〗
Fuller *n.* 풀러. **(Richard) Buckminster** ~ (1895-1983) 미국의 건축가·기술자; geodesic dome의 발명자.
fúller's éarth *n.* 표포토(漂布土).
fúll·fáce *n.* 불룩한 얼굴; 정면의 얼굴; 〔印〕 = BOLDFACE. ── *adv.* 정면으로 향하여, 마주 보고. ── *a.* 정면을 향한.
fúll-fáced *a.* **1** 얼굴이 둥근; 정면을 향한. **2** 〔印〕 =BOLD-FACED.
fúll-fáshioned *a.* 풀패션의《여자의 긴 양말을 발에 또는 스웨터 따위를 몸에 꼭 맞도록 짠》.
fúll-flédged *a.* 깃털이 가지런히 난, 깃털이 다 난; 훌륭하게 제 구실을 할 수 있게 된, 충분한 자격이 있는(cf. UNFLEDGED); 완전한.
fúll fróntal *a., n.* 《口》 (성기가) 완전히 드러난 (누드 사진); 《비유》 세세하게 전부 드러난.
fúll gáiner *n.* 〔다이빙〕 =GAINER.
fúll-grówn *a.* 충분히 성장한; 성숙한(fully grown).
fúll hánd *n.* =FULL HOUSE 2.
fúll-héart·ed *a.* 정성들인, 심혈을 기울인; 자신[용기]에 찬; 가슴벅찬.
fúll hóuse *n.* **1** 만원인 극장, 대만원. **2** 〔카드놀이〕 풀 하우스《포커에서 석 장의 같은 끗수의 패와 두 장의 같은 끗수의 패로 된 수; cf. FLUSH[4]》.
fúll hóuse báckfield *n.* 《美蹴俗》 T포메이션에서 공격측 백 3인이 좌우의 태클과 센터 뒤에 위치하는 기본적인 배치법.
fúll·ing *n.* Ⓤ (모직물의) 축융(縮絨); 마전.
fúll-léngth *a.* 몸과 같은 크기의, 전신 크기의: a ~ mirror 전신 크기의 거울 / a ~ portrait 등신상(等身像). ── *adv.* 몸과 같은 크기로. ── *n.* 전신상(全身像).
fúll lóad *n.* 〔電〕 전부하(全負荷).
fúll méasure *n.* 넉넉한 계량[치수].
fúll móon *n.* 만월, 보름달(cf. HALF-MOON).
fúll·móuthed [-ðd, -θt] *a.* (연설 따위가) 큰소리의; 소리가 쩡쩡 울리는, (개가) 크게 짖는; (마소의) 이가 다 난.
fúll náme *n.* (생략하지 않은) 성명, 풀 네임《미국에서는 first name, middle name과 last name; 영국에서는 Christian name과 surname》.
fúll nélson *n.* 〔레슬링〕 풀 넬슨《양손으로 상대방의 목을 내리 누르기; cf. HALF NELSON, QUARTER NELSON》.
fúll·ness, ful- *n.* Ⓤ 충만; 가득 참, 충분, 넉넉함; 비만(肥滿)(corpulence); (음색 따위의) 풍부(richness): a feeling of ~ after dinner 식후의 만복감 / the ~ of the heart 감개무량, 감격, 사무치는 기쁨.
in its fullness 충분히, 유감없이.
in the fullness of time 〔聖〕 때가 되어.
〖FULL[1]〗
full·optimizátion *n.* 〔經營〕 종합 최적화.
fúll-órbed *a.* 보름달의, 만월의.
fúll-òut *a.* 총력을 기울여, 전면적인.
fúll-páge *a.* 전면(全面)의, 페이지 전체의.
fúll páy *n.* 봉급 전액 지급; 현역 봉급(cf. HALF PAY).
fúll pítch *n.* 〔크리켓〕 바운드하지 않고 직접 위켓에 던진 공. ── *adv.* (공이) 바운드하지 않고.
fúll proféssor *n.* 《美》 정교수《정식 칭호는 professor「교수」지만 특히 associate professor「부교수」, assistant professor「조교수」와 구별할 때의 편의상의 호칭》.
fúll-rígged *a.* 〔海〕 (돛배가) 완전 장비를 한.
fúll sáil *n.* **1** 만범(滿帆). **2** [부사적으로] 돛을 다 올리고; 전속력으로.
fúll-sáiled *a.* 돛을 다 올린.
fúll-scále *a.* 실물 크기의; 전면적인.
fúll scéne *n.* 〔映〕 전경(全景).
fúll-sérvice *a.* 포괄적 업무를 제공하는, 완전 서비스의.
fúll-sérvice àgency *n.* 〔廣告〕 풀 서비스 대리점《시장조사·캠페인 기획·광고 제작·효과 분석 따위 모든 서비스 기능을 갖춘 광고 대리점》.
fúll-sérvice bànk *n.* 《美》 정규 은행《nonbank bank에 대해》.
fúll síster *n.* 부모가 같은 자매(cf. HALF SISTER).
fúll-síze, -sízed *a.* 보통[표준] 사이즈의; 완전히 성장한; 등신대의; 본격적인 규모의; 《美》(침대가) 풀사이즈인《54×75 인치; cf. KING-SIZE》: a ~ car 대형차 / ~ sheet 더블 베드용 시트.
***fúll stóp** *n.* 마침표, 종지부(period).
fúll swíng *n.* 최대 능력[활동].
fúll-thróated *a.* (목이 터질 것 같은) 큰소리의; 낭랑한, 울려 퍼지는.
fúll tílt *adv.* 전(속)력으로: The factory is now going ~. 공장은 지금 완전 가동 중이다.
fúll tíme *n.* (일정 기간 내의) 기준 노동 시간; 〔蹴〕 풀 타임《시합 종료시》.
fúll-tíme *a.* 전(全)시간 (취업)의, 상근(常勤)의, 전임(專任)의(all-time) (cf. HALFTIME, PART-TIME): a ~ teacher 전임 교사.
── *adv.* 상근[전임]으로.
fúll-tímer *n.* 상근자; 《英》 전(全)수업시간에 출석하는 학생[아동](cf. HALF-TIMER).
fúll tóss *n., adv.* =FULL PITCH.
fúll-tùrn kéy *n.* 〔商〕 완전 일괄 수주(受注)《플랜트 수출 계약의 한 방식》.
fúll-wéight *a.* 정량의.
***ful·ly** [fúl*l*i] *adv.* 충분히, 완전히: eat ~ 충분히 먹다 / ~ ten days 꼬박 10일 / I was ~ aware of the fact. 그 일을 충분히 알고 있었다.

〚OE *fulīce* ; ⇨ FULL[1]〛
fúlly fáshioned *a.* =FULL-FASHIONED.
fúlly flédged *a.* 《英》 =FULL-FLEDGED.
fúlly grówn *a.* 《英》 =FULL-GROWN.
ful·mar [fúlmər, -mɑːr] *n.* 〖鳥〗 풀마갈매기《북대서양산의 물새》. 〚? ON (FOUL, *mar* gull)〛
ful·mi·nant [fúlmənənt, fʌ́l-] *a.* 폭명성(爆鳴性)의, (우레처럼) 울리는 ; 〖醫〗 전격성(電擊性)의.
ful·mi·nate [fúlmənèit, fʌ́l-] *vi.* **1** 폭발음을 내다, 큰소리를 내며 폭발하다. **2** 전광(電光)처럼 번쩍이다(flash) ; 천둥치다. **3** 호통치다, 야단치다 〈*against*〉. —— *vt.* 폭발시키다 ; (비난 따위를) 퍼붓다.
—— *n.* 〖化〗 풀민산염(酸鹽). **fùl·mi·ná·tion** *n.* 폭발 ; 맹렬한 비난, 힐책, 노호(怒號). **-na·to·ry** [-nətɔ̀ːri ; -təri] *a.* 천둥의 ; 쩡쩡 울리는 ; 노호하는, 맹렬히 비난하는.
〚L (*fulmin- fulmen* lightning)〛
fúlminat·ing pòwder *n.* 〖化〗 폭약분(粉) ; 뇌분(雷粉) ; 풀민산염.
ful·mine [fʌ́lmən, fúl-] *vt., vi.* 《詩》 =FULMINATE.
ful·min·ic [fʌlmínik, ful-] *a.* 폭발성의, 폭명하는 (explosive) : ~ acid 〖化〗 풀민산(酸).
ful·mi·nous [fʌ́lmənəs, fúl-] *a.* 뇌전성(雷電性)의 ; 엄하게 비난하는.
fulness ☞ FULLNESS.
ful·some [fúlsəm] *a.* **1** 악랄한, 진력난, 치근거리는, 지겨운(sickening) ; 간살스런 ; 《古》 역겨운, 신물나게 하는 : ~ flattery 역겨운 아첨. **2** 전부에 걸친, 완전한.
~·ly *adv.* 악랄하게, 지겹게. **~·ness** *n.*
〚FULL[1], *-some*〛
Ful·ton [fúltn] *n.* 풀턴. **Robert** ~ (1765-1815) 미국의 기계 기사, 증기선의 발명자.
ful·ves·cent [fʌlvésənt, ful-] *a.* 황갈색의, 짙은 황갈색의.
ful·vous [fʌ́lvəs, fúl-] *a.* 황갈색의, 썩은 낙엽빛의(tawny).
Fu Man·chu mustache [fùː mæntʃúː ⌒] *n.* 양 끝이 턱쪽으로 길게 늘어진 콧수염. 〚Dr. *Fu Manchu* : 'Sax Rohmer'[본명 A. S. Ward] (d. 1955)의 일련의 작품에 등장하는 중국인 악당〛
fu·már·ic ácid [fjuːmǽrik-] *n.* 〖化〗 푸마르산.
fu·ma·role [fjúːməròul] *n.* (화산의) 분기공.
fu·ma·to·ri·um [fjùːmətɔ́ːriəm] *n.* (*pl.* **~s, -ria** [-riə]) 훈증소(燻蒸所) ; 훈증 소독실.
fu·ma·to·ry [fjúːmətɔ̀ːri ; -təri] *a.* 훈증(용)의.
—— *n.* 훈증소[실].
fum·ble** [fʌ́mbəl] *vi.* **1** [+前+名/+副] 손으로 더듬다, 더듬거리다, 탐색하다, 더듬어 찾다(grope about) ; 서투른 솜씨로 매만지다, 만지작거리다 : He was *fumbling* in his pocket ***for the lighter. 그는 호주머니를 뒤져 라이터를 찾고 있었다 / The drunken fellow was *fumbling* ***at*** the keyhole. 그 주정뱅이는 더듬거리며 열쇠 구멍을 찾고 있었다 / I ~*d* ***about*** trying to find my spectacles in the dark. 나는 어둠 속에서 안경을 찾으려고 더듬거렸다. **2** 서툴게 다루다 ; 실수를 하다(blunder). —— *vt.* 서툴게 다루다, 실패하다, 실책을 저지르다(bungle) ; 〖競〗 (공을) 잡으려다 놓치다, 펌블하다.
—— *n.* 〖野〗 펌블 《공을 잡다가 놓치기》.
fúm·bler *n.* 손으로 더듬는 사람 ; (서툴게) 매만지는 사람 ; (당황하여) 실수를 하는 사람.
〚LG *fummeln*〛
fúm·bling *a.* 만지작거리는 ; 서투른.
—— *n.* U 실수 ; 〖競〗 (공을) 잡다가 놓치기.
***fume** [fjuːm] *n.* **1** [보통 *pl.*] 연무(煙霧), 증기, 열기(熱氣), (자극성 있는) 발연(發煙) ; 향기, 향연(香煙) ; 독기《위(胃)에서 머리로 올라간다고 상상했던》 : the ~*s* of wine 술의 독기. **2** 흥분, 상기, 노기, 울화 : in a ~ 울화가 나서, 흥분하여.
—— *vi.* **1** 연기를 내다, 그을다, 발연하다 ; 증발하다. **2** [動/+前+名] 약이 오르다, 화가나다, 성내다, 노발대발하다, 씨근거리다 : He ~*d* because she did not appear. 그는 그녀가 나타나지 않아서 화를 내었다 / My father always ~*d* ***about*** the slowness of the buses. 아버지는 버스가 느리다고 언제나 화를 내셨다.
—— *vt.* (나무를) 그을리다, 증발[발산]시키다 ; …에 향을 피우다.
fret*(, *fuss*) *and fume ☞ FRET[1].
〚OF<L (*fumus* smoke)〛
fumed [fjúːmd] *a.* (목재가) 암모니아로 훈증한 : ~ oak 암모니아가스에 쐰 오크재(材).
fu·mi·gant [fjúːmigənt] *n.* 훈증[훈연]제《소독·살충용》.
fu·mi·gate [fjúːməgèit] *vt.* **1** (연기·증기로) 그을리다[쐬다](smoke) ; 훈증(燻蒸) (소독)하다. **2** …에 향을 피우다, 향내 나게 하다.
fú·mi·ga·tò·ry *a.* **fù·mi·gá·tion** *n.* U 훈증, 훈증 소독(법) ; 향을 피우기, 분향.
〚L (*fumus* smoke)〛
fú·mi·gà·tor *n.* 훈증 소독자[기(器)].
fu·mi·to·ry [fjúːmətɔ̀ːri ; -təri] *n.* 〖植〗 양꽃주머니과의 괴불주머니와 비슷한 보라색 꽃이 피는 일년초 식물.
〚OF (L *fumus terrae* smoke of earth) ; 어미는 *-ory*에 동화(同化)〛
fumy [fjúːmi] *a.* 연무(煙霧)가 많은 ; 연무를 내는 ; 연무 모양의.
‡fun [fʌn] *n.* U 장난, 위안, 농, 우스개, 재미 ; 재미 있는 사물[사람] ; 큰소동 : It was ~ picking various shells on the beach. 바닷가에서 여러 가지 조개껍질을 줍는 것은 재미 있었다 / What ~ ! 아아 재미있다 / What's the ~ ? 무엇이 (그렇게) 우스운가 / He is good[great] ~. 그는 아주 재미있는 사람이다.
for*[*in*] *fun 장난삼아, 반 농담으로, 재미로 : read a book *for* ~ 흥미 본위로 책을 읽다.
***for the fun of it*[*the thing*]** 그것이 재미가 나서, 장난삼아, 농담으로.
fun and games 《口》 놀기, 명랑하게 떠들기, 기분전환, 재미.
have fun 재미나게 놀다, 흥겹게 지내다〈*with*〉 : Let's *have* a little ~. 좀 더 유쾌하게 놀자.
like fun ☞ LIKE[1] *adv.*
make fun of =***poke fun at*** …을 놀리다, 조롱하다.
—— *a.* 유쾌한 ; 재미 있는, 장난치는.
—— *vi.* (-nn-) 《口》 장난치다, 농담하다.
〚*fun* (obs.) =*fon* to befool ; ⇨ FOND[1]〛
fún·abòut *n.* 오락·스포츠용의 각종 소형 자동차.
fu·nam·bu·lism [fju(ː)nǽmbjəlìzəm] *n.* U **1** 줄타기. **2** 머리회전이 빠름, 순간적인 기지. **-list** *n.* 줄타기 곡예사.
Fún Cíty *n.* 환락의 도시《뉴욕시의 별칭》.
func·tion** [fʌ́ŋkʃən] *n.* **1** U,C [+前+do*ing*] 기능, (본래의) 작용, 목적 ; 직능, 직무, 직분, 역할 : the ~ ***of the heart[kidneys] 심장[신장]의 기능 / Universities have the supreme ~ ***of*** train*ing* the rising generation. 대학은 자라나는 세대를 교육한다는 지고(至高)의 임무가 있다. **2**

의식, 행사 ; 제전(祭典), 축전(祝典) ; (공식적인) 사교적 회합, 연회. **3** Ⓤ,Ⓒ 〖文法〗 기능(↔ *form*) ; 〖컴퓨〗 기능. **4 a)** 〖數〗 함수. **b)** 《비유》 함수적인 것, 상관 관계(에 있는 것) : His temper is a ~ *of* his digestion. 그의 기분 상태는 위(胃)의 소화 여하에 달려 있다.
—— *vi.* [動/+*as* 補] 기능을 다하다, 작용하다, 움직이다(operate) ; 직분[역할]을 다하다 : The elevator was not ~*ing* (=was out of order). 엘리베이터는 고장이 나 있었다 / Kate ~*ed as* teacher. 케이트는 교사로 근무했다.
~·less *a.*
〖F<L (*funct- fungor* to perform)〗
類義語 ***function*** 어떤 사람·물건에 당연히 기대되는 작용이나 활동 : the *function* of a judge (판사의 역할). ***office*** 어떤 지위·직업에 종사하는 사람이 남과의 관계에 있어서 해야 할 직무 : the *office* of a manager (지배인이 해야 할 직무). ***duty*** 어떤 직업·지위·입장에 있는 사람이 당연히 해야할 일 ; 의무의 관념이 강하게 포함되어 있음 : the *duty* of a doctor (의사로서의 의무).

fúnction·al *a.* **1** 기능의[에 관한] (↔*organic*) : a ~ disease 기능적 질환. **2** 직무상[직책상]의 (official). **3** (건물·가구 따위가) 기능 본위의, 편리[실용] 위주의 : ~ furniture 쓰기에 편리한 (실용 위주의) 가구. **4** 〖數〗 함수의.
~·ly *adv.* 기능상 ; 직책상 ; 〖數〗 함수적으로.

fúnctional cálculus *n.* =PREDICATE CALCULUS.

fúnctional illíterate *n.* (읽기·쓰기의 능력 부족으로) 사회 생활에 지장이 있는 사람.

fúnction·al·ìsm *n.* Ⓤ 기능 심리학 ; (건축 따위의) 기능주의 ; 실용 제일주의.

fúnctional representátion *n.* 〖政〗 직능(職能) 대표제.

fúnctional shíft[chánge] *n.* 〖文法〗 기능 전환 《형태상의 변경없이 말[품사]로서 기능》.

fúnction·àry [; -əri] *n.* 《때때로 蔑》 관리, 공무원, 직원 : a petty ~ 말단 공무원 / a public ~ 공무원. —— *a.* =FUNCTIONAL 1, 2.

fúnction·àte *vi.* 기능[작용]을 다하다 ; 직능을 수행하다.

fúnction kèy *n.* 〖컴퓨〗 기능(글)쇠《어떤 특정 기능을 갖는 키보드상의 키》.

fúnction wòrd *n.* 〖文法〗 기능어《관사·대명사·전치사·접속사·조동사·관계사 따위 주로 통어적 관계를 나타내는 말 ; ↔*content word*》.

***fund** [fʌ́nd] *n.* **1** 자금, 기금, 기본금(cf. CAPITAL) : a relief ~ 구제 자금 / a reserve ~ 적립 자금 / a sinking ~ 감채(減債) 기금. **2** [*pl.*] 재원 ; (소지하고 있는) 자금 : in[out of] ~*s* 돈이 있어서[떨어져서]. **3** [the ~s] 《英》 공채(公債), 국채. **4** (지식 따위의) 비축, 온축(蘊蓄) 〈*of*〉.
—— *vt.* **1** (일시적 차입금을) 장기의 부채[공채]로 차환(借換)하다 ; (부채의) 이자 지급을 위해 자금을 저축하다. **2** 《英》 (돈을) 공채에 투자하다 ; 기금에 집어넣다, 적립하다.
〖L *fundus* bottom, piece of land ; cf. FOND[2]〗

fund. fundamental.

fun·da·ment [fʌ́ndəmənt] *n.* (한 지역의) 자연 그대로의 경관 ; (이론의) 기초, 기본 ; 궁둥이 ; 〖解〗 항문(肛門) ; (건물 따위의) 기초, 토대.
〖OF<L ; ⇨ FOUND[1]〗

***fun·da·men·tal** [fʌ̀ndəméntl] *a.* 기본의, 기초[기준]의, 근원의, 근본적인 ; 중요[주요]한(essential) 〈*to*〉 : ~ colors 원색(原色) / the ~ form 기본형 / ~ human rights 기본권 / a ~ note 〖樂〗 바탕음 / a ~ principle[rule] 원리, 원칙.
—— *n.* **1** [때때로 *pl.*] 기본, 근본, 기초 ; 원리, 원칙〈*of*〉 : training *in* ~*s* 기초 훈련. **2** 〖樂〗 바탕음 ; 〖理〗 기본 진동수.
fun·da·men·tal·i·ty [fʌ̀ndəmentǽləti] *n.* Ⓤ 근본[기본]성, 긴요함. **~·ly** *adv.* 근본적으로, 전혀 ; 기초로부터.

fundaméntal bàss *n.* 〖樂〗 (화음을 구성하는) 기초 저음.

fundaméntal interáction *n.* 〖理〗 기본[근본]적 상호작용.

fundaméntal·ìsm *n.* Ⓤ [때때로 F~] 《美》 근본[원리]주의《성서의 창조설을 굳게 믿고 진화설을 배척함; cf. MODERNISM》. **-ist** *n., a.* 《美》 fundamentalism의 신봉자(의).

fundaméntal párticle *n.* 〖化〗 소립자 ; 〖理〗 기본입자.

fundaméntal tíssue *n.* 〖植〗 기본 조직《피포(被包) 조직·관다발을 제외한 모든 조직》 : the ~ system 기본 조직계.

fundaméntal tóne *n.* 〖樂〗 바탕음.

fundaméntal únit *n.* 〖理〗 기본 단위.

fundaméntal vibrátion *n.* 〖理〗 기본 진동.

fúnd·ed débt *n.* 고정 부채, (특히) 사채 발행 차입금.

fúnd·hòld·er *n.* 《英》 국공채 소유[투자]자.

fun·di [fúndi:] *n.* (동·남아프리카에서) 숙련자, 전문가. 〖Swahili〗

fun·dic [fʌ́ndik] *a.* fundus의[에 관한].

fúnd·ing *n.* 자금 조달, 《英》 (장기 국채로의) 차환(借換).

fúnd-ràising *n., a.* 기금[자금] 조달(의) : a ~ party 자금 모금 파티, 정경(政經) 파티, 자선 파티. **fúnd-ràiser** *n.* 기금 조성자 ; 《美》 기금 조달을 위한 모임.

fun·dus [fʌ́ndəs] *n.* (*pl.* **-di** [-dai, -di:]) 〖解〗 (위·눈 따위의) 기저, (밑)바닥 ; 저부(base).

***fu·ner·al** [fjú:nərəl] *n.* **1** 장례식, 장의(葬儀), 장례 행렬 ; 《美》 고별식 : a social[state] ~ 사회장[국장(國葬)]. **2** [one's ~] 《口》 싫은 일, 해야[치뤄야]할 일 : That's your ~. 그것은 네가 해야 할 일이다.

〈회화〉
Were there many people atending the *funeral*? — Yes. About 500. 「장례식에 많이 참석했어」 「응, 약 5백명 정도 왔어」

—— *a.* 장례식의 ; 장례식용의 : a ~ ceremony [service] 장례식 / a ~ column 사망[부고]란 / a ~ march 장송(葬送) 행진곡 / a ~ oration (장례식장에서의) 조사(弔辭) / a ~ pall (관 덮는) 관보(棺褓) / a ~ pile[pyre] 화장용 장작더미 / a ~ procession[train] 장례 행렬 / ~ rites 장례 / a ~ urn 납골 단지.
〖OF<L (*funer- funus*)〗

fúneral chàpel *n.* 영안실 ; =FUNERAL HOME.

fúneral dirèctor *n.* 장의사.

fúneral hòme[pàrlor] *n.* 장례회관《시체 안치장·방부 처리장·화장장·장의장 따위를 갖춘》.

fu·ner·ary [fjú:nərèri ; -rəri] *a.* 장례식의.

fu·ne·re·al [fju(:)níəriəl] *a.* 장송의 ; 장례식에 어울리는, 구슬픈 ; 슬픈, 침울한.

fún·fàir *n.* 《英》 = AMUSEMENT PARK.

fún fùr *n.* 값싼 (인조) 모피의 옷.

fun·gal [fʌ́ŋgəl] *a.* =FUNGOUS.
—— *n.* =FUNGUS.

fungi *n.* FUNGUS의 복수형.
fun·gi- [fʌ́ndʒə, fʌ́ŋgə] *comb. form* 「균(菌)」「진균」의 뜻. 〚L FUNGUS〛
fun·gi·ble [fʌ́ndʒəbəl] *a.* 대용할 수 있는 ; 〘法〙 대체(代替)의. —— *n.* [보통 *pl.*] 〘法〙 대체물. 〚L (*fungi vice* serve in place of)〛
fúngi·cìde *n.* 살균제(劑).
fúngi·fòrm *a.* 버섯 모양의.
fun·go [fʌ́ŋgou] *n.* (*pl.* **~es**) 〘野〙 외야수의 수비 연습을 위한 비구(飛球) ; 연습용 배트 ; 《美俗》 실패 ; (일반적으로) 보답없는 행위.
—— *a.* 수비 연습의 : ~ stick[bat] 노크 배트.
—— *vi.* 〘野〙 노크로 비구를 쳐올리다.
fun·goid [fʌ́ŋgɔid] *a.* 균류(菌類) 비슷한 ; 균성(菌性)의 ; 급속히 증식하는. —— *n.* 〘醫〙 균상종(菌狀腫).
fun·gol·o·gy [fʌŋgɑ́lədʒi] *n.* 균류학(菌類學).
fun·gous [fʌ́ŋgəs] *a.* 균(菌)의, 세균성[질]의 ; 해면상(海綿狀)의 ; 갑자기 생기는, 일시적인.
fun·gus [fʌ́ŋgəs] *n.* (*pl.* **-gi** [fʌ́ndʒai, fʌ́ŋgai], **~es**) **1** 진균류(眞菌類), 균 ; 버섯. **2** 갑자기 생기는 것, 일시적 현상 ; 〘醫〙 균상종(菌狀腫), 해면종 ; 물고기의 피부병. —— *a.* ＝FUNGOUS.
〚L< ? Gk. *sp*(*h*)*oggos* sponge〛
fún hòuse *n.* 《美》 (유원지의) 오락[공포]관, 「도깨비집」.
fu·ni·cle [fjú:nikəl] *n.* ＝FUNICULUS.
fu·nic·u·lar [fju(:)níkjələr, fə-] *a.* 삭조[로프]의 긴장력에 의해서 움직이는, 매달린 추로 작용하는 ; 〘解〙 삭상(索狀)의. —— *n.* 강삭철도(鋼索鐵道), 케이블[삭조]철도(=∠ **ráilway**).
〚L *funiculus* (dim.) 〈*funis* rope〛
fu·nic·u·lus [fju(:)níkjələs, fə-] *n.* (*pl.* **-li** [-lài, -lì:]) 〘解〙 대(帶) ; 삭(索), 속(束) 《제대(臍帶)·신경속(束) 따위》 ; 〘植〙 주병(珠柄).
funk[1] [fʌŋk] *n.* 《口》 **1** 겁, 무서움 ; 공황 : be in a ~ of …을 겁내고 있다. **2** 겁쟁이.
in a blue funk 겁내어, 벌벌 떨고.
—— *vi., vt.* 무서워하다, 겁내게 하다 ; 움츠리다, 떨게 하다 ; 실패하다.
〚C18< ? ; Oxford 대학의 sl.에서〛
funk[2] *n.* **1** 《美》 (쿼쿼한) 악취. **2** 《俗》 펑키 재즈, 펑크. **3** ＝FUNK ART. —— *vt., vi.* 《俗》 연기를 뿜다 ; (담배를) 피우다 ; 연기가 나다, 내가 끼다.
〚? F (dial.) *funkier* (⇨ FUMIGATE)〛

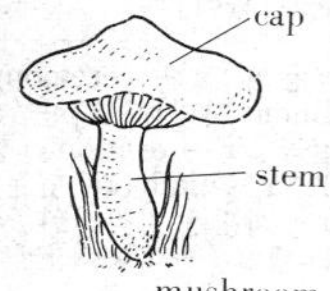

mushroom

puffball

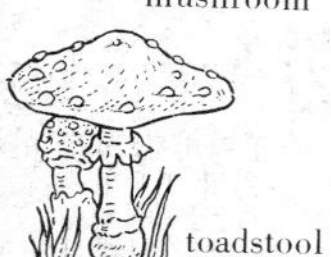
toadstool

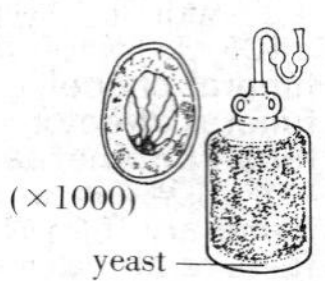
(×1000)
yeast

fungus

fúnk àrt *n.* 별스러운 대중 예술.
fúnk hòle *n.* 《英軍俗》 참호, 대피호(dugout) ; 병역을 면제 받을 수 있는 지위.
fúnk mòney *n.* 해외 도피 자금.
fúnk mùsic *n.* 펑크 뮤직(funk).
fúnky[1] *a.* 《口》 무서워하는, 겁많은, 소심한. 〚FUNK[1]〛
funky[2] *a.* 《口》 케케묵은, 진부한, 낡아빠진 ; 《俗》 고약한 냄새[구역질]가 날 듯한 ; (재즈에서) 펑키한, 블루스조의. 〚FUNK[2]〛
fúnky mùsic *n.* 펑키 뮤직(funk).
fun·nel [fʌ́nl] *n.* **1** 깔때기, 누두(漏斗). **2** (깔때기 모양의) 통풍통(通風筒), 채광구멍 ; (기관차·기선 따위의) 굴뚝 ; 〘解·動〙 깔때기 모양의 기관.
—— *vt., vi.* (**-l-** | **-ll-**) 깔때기를 대다 ; 깔때기 모양으로 만들다 ; 좁은 곳을 빠져 나오다 ; (정력을) 쏟다, 집중하다. 〚Prov. *fonilh*<L (*in*) *fundibulum* (*fundo* to pour)〛
fúnnel clòud *n.* 〘氣〙 (tornado의) 깔때기구름(tuba).
fúnnel·fòrm *a.* 깔때기 모양의.
fún·nel(l)ed *a.* 깔때기가 붙은 ; 깔때기 모양의 ; 연통이 있는 : a two-~ steamer 연통이 두 개 있는 기선.
fún·ni·ly *adv.* 재미나고 우습게, 익살맞게, 기묘하게 : ~ enough 기묘하게도.
fun·ni·ment [fʌ́nimənt] *n.* 《戲》 익살, 농담, 어릿광대짓.
‡**fun·ny**[1] [fʌ́ni] *a.* **1 a**) 재미있는(amusing), 우스운, 익살맞은(comical) : a ~ fellow / What's ~? 무엇이 (그렇게) 우습니. **b**) 《美》 만화(란)의 : a ~ column[section] (신문의) 만화란. **2** 《口》 별스러운, 기묘한(queer, strange) ; 수상쩍은 : feel ~=go all ~ 기분이 나빠지다 ; (거동이) 심상치 않다《예사롭지 않다》 / There's something ~ about it[in his business]. 그것에는 어딘지 납득이 안 가는[그의 장사에는 뭔가 속이는] 데가 있다. —— *adv.* 《美》 재미있게, 우습게, 기묘하게 : act ~ 익살스런 짓으로 남을 웃기다.
—— *n.* [보통 the funnies] 《美》 연속만화(comic strips), 만화란. **fún·ni·ness** *n.* Ⓤ 우스움, 재미있음 ; 기묘. 〚FUN〛
[類義語] ***funny*** 기묘하고 우습게, 재미있게 하는 : a *funny* gesture (우스운 몸짓). ***laughable*** 남을 웃기거나 특히 조소[비웃음]를 불러일으키는 : a *laughable* conduct (우스꽝스런 행동). ***amusing*** 유쾌하여 남을 즐겁게 할 수 있는 : an *amusing* speech (재미있는 연설). ***comical*** 우스운 일이나 재치 따위로 남을 웃기는 : a *comical* scene (웃기는 장면).
funny[2] *n.* 《英》 (스포츠용의) 혼자 젓는 길고 좁은 보트. 〚? ↑〛
fúnny bòne *n.* (팔꿈치의) 척골(尺骨) 끝《치면 짜릿한 느낌을 주는 뼈 ; =《美》 crazy bone》.
fúnny bòok *n.* 만화책.
fúnny bùsiness *n.* 《口》 우스운 행동, 장난, 농담 ; 기묘한 일, 수상한 행동.
fúnny fàrm *n.* 《戲》 정신 병원.
fúnny-hà-há *a.* 《口》 재미있는, 우스꽝스런, 익살스런.
fúnny hòuse *n.* 《美俗》 정신 병원 ; 마약[알코올] 중독자 요양소.
fúnny·màn *n.* 코미디언, 유머 작가.
fúnny mìrror *n.* (유원지의) 요철경(凹凸鏡).
fúnny mòney *n.* 《口》 가짜 돈 ; 팽창된 화폐, 불안정한 돈 ; 수상쩍은 돈《정치 자금 따위》.
fúnny pàper *n.* 신문의 만화란.

fúnny-pecúliar *a.* 《口》 기묘한, 이상한, 불가사이한 ; 정신이 돈.
fún·wàre *n.* 〖컴퓨〗 펀웨어《비디오 게임용(用)의 firmware》.
FUO 〖醫〗 fever of unknown origin (원인불명의 발열).
fu·o·ro [fjuːɔ́ːrou] *a.* 〖天〗 Orion 자리의 FU 성형(星型)의. 〚*FU Orionis*〛
‡fur [fəːr] *n.* **1** Ⓤ (토끼·담비·비버 따위의) 부드러운 털. **2** Ⓤ [집합적으로] 털이 부드러운 동물 (furred animals) (cf. FEATHER 2) : ~ and feather 사냥할 짐승과 새 / hunt ~ 토끼 사냥을 하다. **3** (한 마리분의) 모피(pelt) ; [보통 *pl.*] 모피 제품, 모피 의복, 모피 목도리《따위》; Ⓤ (의복의 안쪽이나 가장자리 장식에 쓰는) 털가죽 : a ~ coat 모피 외투 / a fine fox ~ 멋진 여우 모피 / wear expensive ~*s* 값비싼 모피를 입고 있다. **4** Ⓤ (쇠주전자 따위의) 물때 ; 〖醫〗 설태(舌苔) ; (포도주 표면에 생기는) 골마지 ; 《卑》 (여성의) 음모, 질.
make the fur fly ☞ FLY¹.
stroke a person***'s fur the wrong way*** 남을 화나게 하다, 남의 신경을 건드리다.
── *v.* (**-rr-**) *vt.* **1** …에 (부드러운 털) 모피를 달다 ; 털가죽으로 덮다 ; …에 모피의 안[가장자리 장식]을 대다. **2** (주전자 안쪽 따위에) 물때를 끼게 하다 ; 설태가 생기게 하다.
── *vi.* 물때[설태]가 생기다.
~·less *a.* 〚OF *forrer* to line garment with fur (*forre, fuerre* sheath < Gmc.) ; (n.) < (v.)〛
fur. furlong(s) ; furnished ; further.
fu·ran [fjúəræn, -ˊ], **-rane** [fjúərein, -ˊ] *n.* 〖化〗 푸란.
fu·ra·zol·i·done [fjùərəzɑ́lədòun] *n.* 〖藥〗 푸라졸리돈《가금 따위의 기생충 예방약》.
fur·be·low [fə́ːrbəlòu] *n.* (여성 옷의) 가장자리 장식 ; 단 주름 ; [*pl.*] 현란한 장식. ── *vt.* …에 장식을 달다. 〚변형(變形) ‹FALBALA〛
fur·bish [fə́ːrbiʃ] *vt.* [+目/+目+副] 닦다, 갈다, 윤을 내다(polish) ; 《비유》 …에 윤[광택]을 내게 하다, 솔질하다(brush up) : You need to ~ ***up*** your French before you go to France. 프랑스에 가기 전에 프랑스어를 좀 더 공부할 필요가 있다. 〚OF < Gmc.〛
Fúrbish lòusewort *n.* 〖植〗 퍼비시송이풀《1880년 Maine 주(州)에서 발견됨, 그 후 1976년에 재발견될 때까지 절멸한 것으로 생각되었음》. 〚Kate *Furbish* (발견자)〛
fur·burg·er [fə́ːrbə̀ːrgər] *n.* 《俗》 (여성의) 성기, 질, 음부.
fur·cate [fə́ːrkeit, -kət] *a.* 포크 모양의, 갈라진, 두 갈래로 나누어진. ── [fə́ːrkeit] *vi.* 두 갈래를 이루다, 분기(分岐)하다. 〚L ; ⇨ FORK〛
fúr·cat·ed *a.* =FURCATE.
fur·ca·tion [fərkéiʃən] *n.* 포크형으로 갈라진 것, 분기.
fur·fu·ra·ceous [fə̀ːrfjəréiʃəs] *a.* 〖植〗 겨모양의 ; 비듬 같은, 비듬투성이의.
Fu·ries [fjúəriz] *n. pl.* (*sg.* **Fú·ry**) [the ~] 〖그神〗 세 자매의 복수의 여신《완곡하게 EUMENIDES 라고도 함》.
***fu·ri·ous** [fjúəriəs] *a.* 사납게 날뛰는 ; 광포한, 격렬[맹렬]한, 사나운(fierce) : a ~ sea 거친 바다 / He was ~ *with* her [*at* what she had done]. 그는 그녀에 대해서[그녀의 일로] 몹시 화를 냈다.
fast and furious (환락 따위가) 절정에 이른, 광란적인.
~·ness *n.* 〚OF < L ; ⇨ FURY〛

fúrious·ly *adv.* 사납게, 광포하게, 맹렬하게.
furl [fəːrl] *vt.* **1** (기·돛 따위를) 감다, 감아 올리다 ; (우산 따위를) 접다(fold)〈*up*〉 ; (커튼 따위를) 걷다. **2** (날개를) 접(어 넣)다. **3** (희망을) 버리다(give up). ── *vi.* 감아 올라가다, 접어지다. ── *n.* 접기, 감기 ; 감는 법 : Give it a neat ~. 가지런히 감으시오.
〚F *ferler* (OF FIRM¹, *lier* to bind < L *ligo*)〛
fur·long [fə́ːrlɔ(ː)ŋ, -lɑŋ] *n.* 펄롱《길이의 단위, 1/8 마일, 201. 17미터 ; 略 fur.》.
〚OE *furlang* length of furrow in common field (*furh* FURROW, LONG¹)〛
fur·lough [fə́ːrlou] *n.* Ⓤ,Ⓒ (조업단축 따위에 의한) 해고(解雇) ; (특히 군인의) 사가(賜暇), 휴가 (leave of absence) : two weeks' ~ 2주일간의 휴가 / have a ~ every five years 5년마다 휴가가 주어지다.
on furlough 휴가로 : be *on* ~ 휴가중이다 / go home *on* ~ 휴가로 귀국하다.
── *vt.* 《美》 …에게 휴가를 주다 ; 《美》 (종업원을) 일시해고하다. ── *vi.* 《美》 휴가를 보내다.
〚Du. (*for-*, LEAVE²)〛
fur·mi·ty, -me- [fə́ːrməti], **-men-** [-mən-] *n.* =FRUMENTY.
***fur·nace** [fə́ːrnəs] *n.* **1** 화로, 부뚜막 ; 용광로 : ☞ BLAST FURNACE. **2** 《비유》 몹시 무더운 곳, 초열(焦熱) 지옥, 혹독한 시련 : be tried in the ~ 혹독한 시련에 봉착하다. ── *vt.* 화로로 뜨겁게 하다. **~·like** *a.*
〚OF < L *fornac- fornax* (*fornus* oven)〛
‡fur·nish [fə́ːrniʃ] *vt.* **1** [+目/+目+前+名/《美》+目+目] (필요한 물건을) 공급하다(supply) : The atomic nucleus ~*es* enormous energy. 원자핵은 막대한 에너지를 공급한다 / He ~*ed* the sufferers ***with*** food and clothes. = He ~*ed* food and clothes ***to*** the sufferers. 그는 재해자(災害者)에게 음식과 의복을 공급했다 / We ~*ed* them blankets. 《美》 우리는 그들에게 모포를 공급했다. **2** [+目+*with*+名] (필요한 것을) …에 비치하다(provide) : ~ a library ***with*** books 도서관에 서적을 비치하다. **3** (집·방에) 가구를 설비[설치]하다(fit up).
── *vi.* 가구를 설치하다.
furnish out (충분히) …의 준비를 갖추다 ; (필수품을) 공급하다.
~·er *n.* 공급자, 조달자 ; (특히) 가구상.
〚OF *furnir* to complete, equip < Gmc.〛
類義語 ⟹ PROVIDE.
fúr·nished *a.* **1** 가구가 딸린 : *F*~ House 가구 딸린 셋집《광고문》. **2** 재고가 …한 : a well-~ shop 재고가 풍부한 가게.
fúr·nish·ings *n. pl.* (집·방의) 가구, 비품, 세간 ; 《美》 복식품 : soft ~ 《英》 커튼류.
‡fur·ni·ture [fə́ːrnitʃər] *n.* **1** Ⓤ [집합적으로] 가구, 비품, 세간 : a piece of ~ 가구 한 점 / We hadn't much ~. 우리는 가구가 많지 않았다.

> **furniture**의 ○×
> (×) There are many *furnitures* in this room. (이 방안에는 많은 가구가 있다.)
> (○) There is much *furniture* in this room.
> (○) There are many pieces of *furniture* in this room.
> *furniture는 불가산 명사이므로 복수형으로 쓰지는 않는다.

2 Ⓤ (문 따위의) 손잡이와 자물쇠 ; (기계·배·

자동차 따위의) 부속 (설비)품. **3** Ⓤ (마음에) 갖추어진 것 ; 〖印〗 활자 사이에 채우는 것 ; (물건의) 내용(물), 알맹이 : the ~ *of* a bookshelf (서가의) 서적 / the ~ *of* one's pocket 금전 / the ~ *of* one's mind 지식, 교양.
〖F ; ⇨ FURNISH〗

fu·ror [fjúərɔːr], **fu·rore** [fjúrɔːr, fjurɔ́ːri ; fjuərɔ́ːri] *n.* Ⓤ,Ⓒ 벅찬 감격[흥분](의 상태) ; 열광적인 유행[칭찬], …열 ; (일시적인) 열중, 열광, 대소동 : make[create] a ~ 열광시키다.
〖It.<L ; ⇨ FURY〗

fúror col·li·gen·di [-kɑ̀lədʒéndai] *n.* 수집광.
〖L〗

fu·ro·se·mide [fjuəróusəmàid] *n.* 〖藥〗 푸로세미드《부종 치료용 강력 이뇨제》.

fur·phy [fə́ːrfi] *n.* 《濠俗》 허보(虛報), 헛소문 ; 어처구니없는 이야기. 〖*Furphy* carts 제1차 대전 중에 오스트레일리아에서 제조된 급수·위생차(車)〗

furred [fə́ːrd] *a.* 부드러운 털로 덮인 ; 모피제의, 모피를 단, 모피로 안[가장자리 장식]을 댄 ; 물때가 묻은 ; 설태(舌苔)가 낀.

fur·ri·er [fə́ːriər, fʌ́r- ; fʌ́r-] *n.* 모피상인 ; 모피조제인, 모피공. 〖ME *furrour*<OF (*forrer* ; ⇨ FUR) ; 어미는 *-ier*에 동화(同化)〗

fúr·ri·ery *n.* Ⓤ 모피류 ; 모피상[업].

fur·ring [fə́ːriŋ] *n.* Ⓤ (의류의) 털가죽 (대기), 모피 장식 ; 물때(가 낌) ; 설태(舌苔) 생성.

fur·row [fə́ːrou, fʌ́r- ; fʌ́r-] *n.* **1** (두둑과 두둑 사이의) 밭고랑, 골, 도랑. **2** 《詩》 경지(耕地). **3** (도랑 같은) 좁고 긴 홈 ; (배가 지나간) 항적 ; 바퀴 자국(rut) ; (얼굴의) 깊은 주름. —— *vt.* **1** …에 고랑을 내다, (쟁기로) 갈다. **2** 《詩》 (배가 파도를) 헤치며 나아가다. **3** …에 주름이 잡히게 하다 : a face ~*ed* by old age 늙어서 주름살이 깊은 얼굴. **~y** *a.* 고랑이 난 ; 주름살이 많은.
〖OE *furh* trench〗

fur·ry [fə́ːri] *a.* 유모질(柔毛質)의 ; 모피로 덮인 ; 모피가 달린[로 만든] ; 물때가 끼어 있는 ; 설태가 생긴. 〖FUR〗

fúr sèal *n.* 〖動〗 물개.

‡fur·ther [fə́ːrðər] [FAR의 비교급] ㊟ 부사와 형용사의 경우 보통 시간·수량·정도의 격차에는 further를 쓰고 공간의 격차에는 FARTHER를 쓴다고 하나 양자가 별 차이없이 쓰이는 경우도 많음 ; 최상급에서는 일반적으로 FARTHEST가 쓰임.
—— *adv.* **1** 더 멀리, 훨씬 앞에, 한층 멀리 (farther) : go ~ away 더욱 앞으로 가다 / not ~ than a mile from here 여기서부터 1마일이 채 못되는 곳에 / I'll see you ~ first. ☞ FARTHER *adv.* 1. **2** 한층 더 나아가서 : inquire ~ into the problem 더한층 그 문제에 대한 조사를 진행시키다. **3** 게다가 또(besides) : and ~, we must remember... 더욱이 …이라는 것도 잊어서는 안된다. ㊟ 3의 뜻으로는 FURTHERMORE를 더 많이 씀.
all the further 《美俗》 최대한의(the utmost).
—— *a.* **1** 더욱 더 먼[앞의](farther) : on the ~ side (of the road) (도로의) 건너편 쪽에. **2** 그 위의, 더 한층의(more) : For ~ particulars apply to.... 더욱 자세한 것은 …에 문의할 것. **3** 뒤따르는, 계속되는(subsequent) : ~ news 속보(續報), 후보(後報) / until[till] ~ notice 추후 통지할 때까지.
—— *vt.* 진전시키다, 조성[촉진]하다(promote) : ~ one's own interests 사리(私利)를[자기를 위해] 꾀하다.
~·er *n.* 조장[촉진]하는 사람[것].
〖OE *furthor* (⇨ FORTH) ; cf. G *vorder* anterior〗
類義語 ⟹ PROMOTE.

fúrther·ance *n.* Ⓤ 조장, 조성(助成), 추진, 촉진 (promotion) : work for the ~ *of* world peace 세계평화의 촉진을 위해서 일하다.

fúrther educátion *n.* (영국의) 성인 교육《의무교육을 마친 대학 및 성인 교육 기관에 재적한 일이 없는 사람들을 대상으로 하는》.

***fúrther·mòre** *adv.* 더욱, 그 위에, 더군다나 (moreover) (cf. FURTHER *adv.* 3).

fúrther·mòst *a.* 가장 먼.

‡fur·thest [fə́ːrðəst] *a., adv.* FAR의 최상급.
at* (*the*) *furthest (아무리) 멀더라도, 먼데서 ; 늦더라도 ; 기껏해야.

fur·tive [fə́ːrtiv] *a.* **1** 몰래하는, 남의 눈을 피해 하는, 은밀한(stealthy) : a ~ glance 몰래 엿보기 / a ~ look 가만히 훔쳐 보는 얼굴 표정 / He is ~ *in* his manner. 그의 태도는 남의 눈치를 살피는 것 같다. **2** 속이는 ; 수상쩍은. **~·ly** *adv.* 몰래, 가만히, 은밀히. **~·ness** *n.*
〖F or L (*furtum* theft<*fur* thief)〗

fu·run·cle [fjúərʌŋkəl] *n.* 〖醫〗 절종(癤腫), 종기, 부스럼(boil).

fu·run·cu·lo·sis [fjuərʌ̀ŋkjəlóusəs] *n.* (*pl.* **-ses** [-siːz]) 〖醫〗 절증, 절종증 ; 〖魚〗 세균에 의한 연어·송어의 병.

***fu·ry** [fjúəri] *n.* **1** Ⓤ,Ⓒ 격분, 격노 : be filled with ~ 격렬한 분노에 불타다, 격분하고 있다 / in a ~ 열화같이 성이 나서 / fly into a ~ 격노하다. **2** Ⓤ 광포(violence) ; (전쟁·폭풍우·질병 따위의) 격렬함, 맹위(raging) : the ~ *of* the elements 맹렬한 폭풍우 / in the ~ *of* battle 한창 격전중에. **3 a)** [F~] 복수의 여신(☞ FURIES). **b)** [*pl.*] 원령(怨靈). **4** Ⓒ 몹시 성격이 거친[심술궂은] 사람.
like fury 《口》 맹렬히 ; 재빠르게.
〖OF<L *furia* (*furo* to be mad)〗
類義語 ⟹ ANGER.

furze [fə́ːrz] *n.* Ⓤ 〖植〗 가시금작나무(gorse).
〖OE *fyrs*< ?〗

furzy [fə́ːrzi] *a.* 가시금작나무의, 가시금작나무 같은 ; 가시금작나무가 무성한.

fu·sain [fjuːzéin, ⌐-] *n.* 〖畫〗 (데생용의) 숯, 목탄 ; 목탄화.

fus·cous [fʌ́skəs] *a.* 암갈색의, 거무튀튀한.

***fuse**[1] [fjúːz] *n.* **1** 신관(信管), 도화선[삭(索)] ; 〖電〗 퓨즈 : blow a ~ 퓨즈를 끊다. **2** =FUZE 1.
—— *vt.* …에 신관을 달다, …에 퓨즈를 붙이다.
—— *vi.* (전등이) 퓨즈가 끊겨 꺼지다 : The light has ~*d*. 퓨즈가 나가 전등이 꺼졌다.
〖It.<L *fusus* spindle〗

fuse[2] *vt.* 녹이다 ; 녹여 합금을 만들다 ; 융합시키다 (blend) ; 연합[합동]하다 : Copper and zinc are ~*d* to make brass. 구리와 아연은 용화하여 놋쇠가 된다. —— *vi.* 녹다 ; 용화하다 ; 융합하다.
〖L ; ⇨ FOUND[2]〗

fu·see, -zee [fju(ː)zíː] *n.* **1** (일종의) 내풍(耐風) 성냥, 딱성냥. **2** 신관(fuse) ; 〖鐵〗 적색 섬광(閃光) 신호《위험 신호》.

fu·se·lage [fjúːsəlɑ̀ːʒ, -zə-, -lidʒ] *n.* (비행기의) 동체, 기체(機體). 〖F ; ⇨ FUSE[1]〗

fú·sel (**óil**) [fjúːzəl(-)] *n.* 〖化〗 퓨젤유(油).

fúse wìre *n.* 도화선.

fu·si- [fjúːzə] *comb. form* 「방추(紡錘)」의 뜻.
〖L ; ⇨ FUSE[1]〗

fù·si·bíl·i·ty *n.* Ⓤ 가용성 ; 용도(溶度).

fu·si·ble [fjúːzəbəl] *a.* 녹기 쉬운, 가용성의 : ~ metal[alloy] 가용성 금속[합금].

〚L ; ⇨ FUSE²〛

fúsi·fòrm *a.* 〔生〕 방추(紡錘) 모양의, 가운데가 굵고 양끝이 가는.

fu·sil¹ [fjú:zəl, -səl] *n.* 〔史〕 화승총(火繩銃). 〚F=steel for striking fire (L *focus* hearth, fire)〛

fusil² [fjú:zəl], **-sile** [-zəl, -zail ; -zail] *a.* 녹여서 만든, 주조한 ; 녹은, 녹는. 〚L ; ⇨ FUSE²〛

fu·si·lier, -leer [fjù:zəlíər] *n.* **1** 〔史〕 화승총 병(兵). **2** [보통 *pl.*] 《英》 퓨질리어 연대(聯隊) (의 보병) 《옛날 화승총을 썼음》.

fu·sil·lade [fjú:səlɑ̀:d, -lèid, -zə-, ⌐-⌐ ; ⌐-⌐] *n.* 일제[연속] 사격 ; 〔野〕 맹타 연발, 집중 안타. —— *vt.* …에 일제 사격을 퍼붓다. 〚F (*fusiller* to shoot)〛

fús·ing pòint [fjú:ziŋ-] *n.* =MELTING POINT.

fu·sion [fjú:ʒən] *n.* **1** 용해 ; 융해 ; Ⓒ 용해한 것. **2** 〔理〕 원자핵의 결합[융합] (↔*fission*) : nuclear ~ 핵융합. **3** Ⓤ (정당·당파 따위의) 연합, 합동, 제휴(coalition) ; Ⓒ 연합체 : a ~ administration 《美》 연립내각(=《英》 coalition cabinet). **4** Ⓤ 〔樂〕 퓨전《재즈에 록 그 밖의 음악 따위의 요소가 결합된 새로운 음악 장르》. 〚F or L ; ⇨ FUSE²〛

fúsion bòmb *n.* =HYDROGEN BOMB (cf. FISSION BOMB).

fúsion·ìsm *n.* Ⓤ (정당의) 합병론, 합동[연합]주의. **-ist** *n.* 합병론자.

fúsion matèrial *n.* 융합 재료.

fúsion pòint *n.* 녹는점(點).

fúsion reàction *n.* 핵융합 반응.

fúsion reàctor *n.* 핵융합로(爐).

fuss** [fʌ́s] *n.* **1** Ⓤ,Ⓒ 안달 ; 공연한 소동, 헛소동 : a great ~ *about* nothing 공연한 소동 / make a ~ *about* nothing[trifles] 하찮은 일로 떠들어 대다 / You're making too much ~ *about* it. 그 일로 공연한 소동을 벌이고 있다 / make a great ~ *of* a person 야단법석을 떨며 남을 찬양하다. **2** 공연히 떠들어대는 사람. —— *vi.* [動/+副/+前+名] 안달[헛소동]하다 ; 안달복달하며 돌아다니다 / He was ~*ing* ***about. 그는 안달이 나서 돌아다니고 있었다 / Don't ~ *about* the work [***over*** your pupils]. 일에 대하여[학생들 일로] 안달하지 마라. —— *vt.* (남을) 떠들게 하다 ; 안달나게 하다.

fret* (*, fuss*) *and fume ☞ FRET¹.

〚C18<? imit. ; Anglo-Ir.인가〛

fúss·bùdget, fúss·pòt *n.* 《美口》 공연히 법석 떠는[들볶는] 사람.

fússy *a.* **1** (하찮은 일로) 떠들어 대는 ; 성가신 : He is very ~ *about* his food. 그는 음식에 대해서는 아주 까다롭다. **2** (복장·문장 따위에) 너무 꼼꼼한, 정성껏 만든, 자상한, 자질구레한.

fúss·i·ly *adv.* **-i·ness** *n.*

fus·ta·nel·la [fʌ̀stənélə] *n.* (알바니아 등지에서 남자가 입는) 흰 무명 스커트.

fus·tian [fʌ́stʃən ; -tiən] *n.* **1** Ⓤ 퍼스티언 직물 《골지게 짠 우단·면(綿) 비로드 따위의 능직 면포류(綾織綿布類)》, 능직 면포. **2** Ⓤ 과장한[크게 떠벌린] 말(bombast). —— *a.* 퍼스티언 면포(綿布)의 ; 크게 떠벌린 ; 하찮은. 〚OF (L *fustis* tree trunk, club) ; 일설(一說)에 「Fastat (Cairo 교외)의 직물」의 뜻〛

fus·tic [fʌ́stik] *n.* 〔植〕 퍼스틱《개물푸레나무 따위의 목재》 ; 그것에서 뽑은 황색 염료.

fus·ti·gate [fʌ́stəgèit] *vt.* 곤봉으로 탁탁 치다[때리다] (cudgel). **fùs·ti·gá·tion** *n.*

fus·ty [fʌ́sti] *a.* 곰팡내 나는(musty) ; 케케묵은, 진부한, 완고한, 고집 불통의.

fús·ti·ly *adv.* **-ti·ness** *n.* 〚OF=smelling of the cask (*fust* barrel<L *fustis* cudgel)〛

fut [fʌ́t] *int.* =PHUT.

fut. future.

fu·thark, -tharc [fú:θɑ:rk], **-thorc, -thork** [-θɔ:rk] *n.* Ⓤ 룬 자모[문자] (runic alphabet). 〚최초의 6문자 f, u, p(=th), o (a), r, c(=k)에서 유래하는 명칭〛

***fu·tile** [fjú:tl, -tail ; -tail] *a.* 제구실을 못하는, 쓸모없는, 헛된 ; 불량한 : ~ talk 잡담.

~·ly *adv.* **~·ness** *n.*

〚L *futilis* leaky, futile〛

類義語 ⟹ VAIN.

fu·til·i·tar·i·an [fju(:)tìlətéəriən, -tǽər-] *a.* 무익론(無益論)의《인간의 노력·희망이 헛되다고 믿는》. —— *n.* 무익론자.

fu·til·i·ty [fju(:)tíləti] *n.* **1** Ⓤ 무용, 무익(無益) ; Ⓒ 무용지물 ; 경박한 행동[말씨]. **2** Ⓤ 공허.

fut·tock [fʌ́tək] *n.* 〔海〕 (배의 중간의) 늑재.

fúttock shròud *n.* 〔海〕 중간 돛대의 밧줄 밑끝을 받치는 쇠고리[쇠막대].

fu·tu·rama [fjù:tʃərǽmə] *n.* 미래생활 전시회 ; 미래상(未來像).

‡**fu·ture** [fjú:tʃər] *n.* **1** 미래, 장래(將來), 앞날(cf. PRESENT¹, PAST) ; [the F~] 내 세(來世) : the youth of the ~ 장래[미래]의 젊은이 / in the near ~ =in no distant ~ 가까운 장래에 / provide for the ~ 장래에 대비하다《저금 따위를 하여》. **2** (유망한) 전도, 장래성 : have a bright [brilliant] ~ (before one) 빛나는 앞날이 있다 / have no ~ 전도[장래성]가 없다. **3** 〔文法〕 미래시제(=~ **ténse**) (cf. PRESENT¹, PAST). **4** 〔商〕 [*pl.*] 선물(先物), 선물 계약 : deal in ~*s* 선물(先物)로 사다, 투기적으로 사다.

for the future 장래(로서)는(=in ~) : Be kinder to animals *for the* ~. 금후로는 더욱 더 동물에게 친절하게 대하시오.

in future (현재까지와 대비하여) 금후[장래]에는(=for the ~) : You should study harder *in* ~. 이제부터는 더욱 공부를 (열심히) 하지 않으면 안된다.

in the future (1) 미래에, 장래에 : Who knows what will happen *in the* ~? 장래에 어떤 일이 일어날는지 누가 알 것인가. (2) =*in* FUTURE. 주 (2)의 용법은 주로 《美》.

〈회화〉
I want to be a doctor *in the future*. — That's great! 「저는 장차 의사가 되고 싶어요」「대단하구나」

—— *a.* **1** 미래의, 장래의 ; 내세의 : ~ generations 후손들 / his ~ wife 그의 미래의 아내. **2** 〔文法〕 미래(시제)의 (cf. PRESENT¹, PAST) : the ~ perfect 미래완료시제 / the ~ tense 미래시제. **~·less** *a.* 장래성이 없는, 미래가 없는 ; 가망이 없는. 〚OF<L *futurus* (fut. p.)<*sum* to be〛

fúture lífe[**státe**] *n.* 저 세상, 내세, 영계.

fútures còntract *n.* 〔商〕 선물(先物) 거래.

fútures ecònomy *n.* 선물 경제《spot economy (현물 경제)에 대한 관련어》.

fúture shòck *n.* 미래 쇼크《급속한 사회 변화·기술 혁신이 가져오는 쇼크》. 〚미국의 저술가 Alvin Toffler (1928-)의 조어(造語)〛

fútures transáction *n.* 〔商〕 선물 (시장) 거래, 선물 (거래소) 거래.

fúture stùdies *n.* 미래 연구, 미래학.

fu·tur·ism [fjúːtʃərìzm] *n.* Ⓤ 미래파《1910년경 이탈리아에서 일어났던 예술상의 운동으로 입체주의(cubism)가 발전한 것》.
〖FUTURE; It. *futurismo*, F *futurisme*의 유추〗
fú·tur·ist *n., a.* 미래파 예술가; 미래파의.
fu·tur·is·tic [fjùːtʃərístik] *a.* 미래의; [흔히 F~] 미래파의, 초현대적인.
fù·tur·ís·tics *n.* 미래학(futurology).
fu·tu·ri·ty [fju(ː)tjúərəti, -tʃúr-; -tjúə-] *n.* **1** Ⓤ 미래, 장래; 내세, 후세. **2** [*pl.*] 미래에 생길 일[상태]; 후대의 사람들.
futúrity índustry *n.* 미래 산업.
futúrity ràce *n.* 〔美競馬〕 출장하는 말이 결정된 후 오래 있다 하는 (두살짜리 말의) 경마.
futúrity stákes *n. pl.* futurity race에 거는 돈.
fu·tu·rol·o·gy [fjùːtʃərálədʒi] *n.* Ⓤ 미래학(未來學). **-gist** *n.* **fù·tu·ro·lóg·i·cal** *a.*
fuze [fjúːz] *n.* **1**《美》(지뢰·폭뢰(爆雷) 따위의) 기폭(起爆) 장치. **2** ＝FUSE[1] 1.
fuzee ☞ FUSEE.
fuzz [fʌ́z] *n.* **1** Ⓤ 보풀; 면모(綿毛)(down), 고수머리, 텁수룩한 털. **2** Ⓤ 흐림. **3**《俗》경찰관. ── *vi., vt.* 보풀이 서다[서게 하다], 텁수룩해지다[하다], 훨훨 날아 흩어지다.
〖C17<?; cf. LG *fussig* loose or Du.〗
fúzz·bàll *n.* 〔植〕 말불버섯.
fúzz bòx *n.* 전기 기타의 소리를 흐리게 하는 장치.
fúzz·bùst·er *n.*《美俗》(속도위반 단속용 레이더의 소재를 알려주는) 레이더 탐지 장치.
fúzz·bùzz *n.*《美俗》성가심, 분쟁, 혼잡, 불편; 떠들썩함, 혼란 (상태).
fúzz tòne *n.* FUZZ BOX로 내는 탁한 음.
fúzzy *a.* **1** 보풀 같은, 가는 털 모양의, 보풀이 일어선(fluffy). **2** (머리털이) 풀어진; 곱슬곱슬한. **3** 흐려진(blurred); 불명료한, 분명하지 않은;《美俗》다소 취한. ── *n.*《美俗》(특히 근면한) 경찰관; (내기에서) 확실한 것, (경마의) 우승 후보. **fúzz·i·ly** *adv.* **-i·ness** *n.*
fúzzy-héaded *a.* 머리가 멍한, 멍청한; 머리가 어질어질한; 경솔한.
fúzzy lógic *n.* 〔電子〕 애매모호 이론, 퍼지 이론《"1"과 "0" 외에 그 사이의 값을 취하는 애매함을 도입한 이론》.
fúzzy sét *n.* 〔數〕 모호 집합《명확하게 정의된 경계를 갖지 않는 집합》.
fúzzy-wúz·zy [-wʌ́zi] *n.* [흔히 F~-W~]《口》수단(Sudan)의 흑인 (병사).
f.v., FV *folio verso*《L》(＝on the back of the page). **FWA, F.W.A.**《美》Federal Works Agency (연방(聯邦) 사업 관리 총국). **FWD, F.W.D.** four-wheel drive; front-wheel drive. **fwd.** forward. **FX** fighter experimental (차기 전투기); foreign exchange.
FX-10 [éfèksténn] *n.* 〔植〕 아메리카 잔디의 변종《가뭄에 강함》.
-fy [-fài] *v. suf.* 「…으로 하다」「…화(化)하다」의 뜻: beauti*fy*, satis*fy*, paci*fy*.
〖OF<L *facio* to make〗
FY, f.y. fiscal year.
fy(e) [fái] *int.* ＝FIE.
FYI for your information (참고용).
fyke, fike [fáik] *n.*《美》(물고기를 잡는) 긴 주머니 모양의 어망(魚網). 〖Du.〗
fyl·fot [fílfɑt] *n.* 만자형(卍字形)(swastika).
fytte [fít] *n.* ＝FIT[3].
fz. 〔樂〕 forzando.
F.Z.S Fellow of the Zoological Society(동물학회 회원).

G

g, G [dʒíː] *n.* (*pl.* **g's, gs, G's, Gs** [-z]) **1** 지 《영어 알파벳의 일곱번째 글자》. **2** G자형(의 것) : a *G* pen 지 펜. **3** 〖樂〗 사음, 사조(調), 다장조(長調)의 제5음 : *G* clef 사음자리표 / *G* flat [sharp] 내림[올림] 사음 / *G* major[minor] 사장[단]조. **4** 〖理〗 중력의 상수 ; 〖空〗 G(=grav)《중력 가속도》. **5** 《美俗》 1000달러(grand) ; (학업 성적에서) 우[양](good).

G 《美·濠》 〖映〗 general(일반용).

G. George ; German(y) ; Gertrude ; Graduate ; Grand ; Gulf. **g.** gauge ; gender ; genitive ; going back to ; gold ; grain(s) ; gram(s) ; (acceleration of) gravity(=dyne) ; 〖스포츠〗 guard ; guide ; guinea(s). **Ga** 〖化〗 gallium. **Ga.** Gallic ; Georgia. **ga.** gauge. **GA, G.A.** General Agent ; General American ; General Assembly ; General of the Army. **G.A., G/A, g.a.** general average. **GaAs** 〖化〗 gallium arsenide(갈륨 비소, 비화 갈륨). **GaAs FET** gallium arsenide field-effect transistor(갈륨 비소 전기장 효과 트랜지스터). **GaAsIC** gallium arsenide integrated circuit(갈륨 비소 집적 회로). **GAB** General Arrangements to Borrow((IMF의) 일반 차입 협정).

gab[1] [gǽ(ː)b] *n.* Ⓤ 《口》 수다, 쓸데없는 말 : Stop [《俗》 Stow] your ~. 입 다물어라 / He has the gift of the ~. 그에게는 말재주가 있다, 그는 말주변이 좋다. —— *vi.* (**-bb-**) 수다떨다, 쓸데없는 말을 지껄이다.

gab[2] *n.* 〖機〗 갈고리(hook).
〚? Flem. *gabbe* notch〛

GABA [gǽbə] *n.* 〖生化〗 =GAMMA-AMINOBUTYRIC ACID.

Ga·bar [gɑ́ːbər] *n.* (이란의) 조로아스터 교도 ; 이교도.

gab·ar·dine [gǽbərdìːn, ∸-∸] *n.* Ⓤ 개버딘《능직 방수 옷감》 ; Ⓒ (특히 중세 유태인의) 헐렁하고 긴 웃옷. 〚GABERDINE〛

gáb·ber *n.* 《口》 수다쟁이 ; 《美俗》 (라디오의) 시사 해설자.

gab·ble [gǽbəl] *vi.* (알아들을 수 없는 말을) 빠르게 지껄이다(chatter) ; (거위 따위가) 꽥꽥 울다. —— *vt.* [+目 / +目+副] 마구[빨리] 지껄이다 : He ~*d* it *off.* 그것을 마구[나불나불] 지껄였다 / She ~*d* ***out*** the story ***over*** and *over.* 그 이야기를 빠르게 계속 지껄였다. —— *n.* Ⓤ 말이 빨라서 알아들을 수 없는 이야기. **gáb·bler** *n.* 수다쟁이(chatterer). 〚Du. (imit.)〛

gab·bro [gǽbrou] *n.* (*pl.* **~s**) Ⓤ,Ⓒ 반려암(斑糲岩)《화성암의 일종》. **gab·bró·ic** *a.*

gáb·by *a.* 《美口》 수다스러운(talkative). 〚GAB[1]〛

ga·belle [gəbél] *n.* 〖프史〗 염세(鹽稅)《1790년에 폐지》 ; 세금, 소비세.
〚F<It.<Arab.=the tribute〛

gab·er·dine [gǽbərdìːn, ∸-∸] *n.* =GABARDINE.
〚OF<? MHG *wallevart* pilgrimage〛

gab·er·lun·zie [gæ̀bərlʌ́nzi] *n.* 《스코》 떠돌이 거지 ; 공인(公認) 거지 ; 동냥자루.
〚C16 *gaberlungy*<?〛

Ga·be·ro·nes [gɑ̀ːbəróunəs] *n.* 가베로네스 《Gaborone의 옛 이름》.

gáb·fèst *n.* 《美口》 긴 사설[잡담] ; 그 모임.

ga·bi·on [géibiən] *n.* 〖築城〗 보람(堡籃) ; 〖土〗 돌망태, (철사·대나무로 짠) 바구니《흙이나 돌을 담아 제방을 쌓을 때 씀》. 〚F<It.〛

ga·bi·o·nade [gèibiənéid] *n.* 〖築城〗 보람(堡籃)으로 쌓은 담 ; 〖土〗 돌망태로 쌓는 제방 공사.

ga·ble [géibəl] *n.* 〖建〗 박공, 박풍 ; 박공벽(壁). **~d** *a.* 박공이 있는, 박공을 낸.
〚ON and OF〛

gáble ènd *n.* 〖建〗 박공벽.

gáble ròof *n.* 〖建〗 박공 지붕.

gáble-róofed *a.* 박공 지붕의.

ga·blet [géiblət] *n.* 〖建〗 (창 위의) 작은 박공.

gáble-tòp cárton *n.* (우유·과일즙 따위를 넣는) 박공 지붕 모양의 종이 용기.

gáble wíndow *n.* 〖建〗 박공창《박공벽에 만든 창》 ; 박풍형의 창.

Ga·bon [gæbɔ́ːŋ] *n.* 가봉《아프리카 중서부의 공화국 ; 수도 Libreville》.

Gab·o·nese [gæ̀bəníːz, -s] *a.* 가봉(인)의.
—— *n.* (*pl.* ~) 가봉인(人).

ga·boon, go·boon, gob·boon [gɑːbúːn, gə-] *n.* 《俗·方》 타구(唾具) (spittoon).
〚*gob*[1], *-oon* (cf. *spittoon*)〛

Ga·bo·ro·ne [gɑ̀ːbəróunə, gæ̀b-, hɑ́ːbəròun] *n.* 가보로네《Botswana의 수도》.

Ga·bri·el [géibriəl] *n.* **1** 남자 이름. **2** 천사 가브리엘《처녀 마리아에게 그리스도의 강림을 예고했음》. **3** 《美俗》 트럼펫 주자.
〚Heb.=God is mighty ; man of God〛

Ga·bri·elle [gèibriél, gæ̀b-] *n.* 여자 이름.

gáb shìrt *n.* 〖服〗 개브 셔츠《여성용 바지에 맞추어 입게 만든 셔츠》.

ga·by [géibi] *n.* 《口》 얼간이, 바보(fool).
〚C18<?〛

gad[1] [gǽ(ː)d] *vi.* (**-dd-**) **1** 나다니다, 놀러 다니다, 빈둥거리다〈*about, abroad, out*〉. **2** (초목이) 우거지다. —— *n.* 나돌아 다니기.
(**up**) ***on the gad*** 나다니고, 빈둥거리고.
〚역성(逆成) ‹ *gadling* (obs.) companion<OE *gædeling* (*gæd* fellowship)〛

gad[2] *n.* 화살촉, 창 끝 ; (소몰이에 쓰이는) 찌르는 막대기(goad) ; (광산에서 사용하는) 정.
—— *vt.* (**-dd-**) (광석을) 정으로 부수다.
〚ON *gaddr* spike〛

Gad[1]**, gad**[3] *int.* 저런!, 천만에!
by Gad =*by* GOD.
〚GOD〛

Gad[2] *n.* **1** 〖聖〗 갓《실바가 낳은 야곱의 일곱째 아들 ; 창세기 30 : 11-12》 ; 갓인(人)《Gad을 조상으로 하는 이스라엘 12지족의 하나》. **2** 갓《David 시대의 예언자 ; 사무엘하 24 : 11-19》.
〚Heb.=a troop ; good fortune〛

gád·abòut *a., n.* 《口》 싸다니는 (사람), 놀러 다니는 (사람) ; 허풍떨고 돌아다니는 (사람).
gád·flỳ *n.* **1** 〖昆〗 등에. **2** 귀찮은 사람. 〖GAD²〗
gad·get [gǽdʒət] *n.* (기계 따위의) 부속품 ; 자질구레한 기계[전기] 장치, 편리한 도구 ; 묘안, 신안 ; 고안품 : Americans are fond of ~*s*. 미국인들은 기계류(만지기)를 좋아한다.

〈회화〉
I wonder how this *gadget* works. — Push the button and see. 「이 기계는 어떻게 작동하지」 「버튼을 눌러봐」

〖C19< ? ; 원래 해사(海事) 용어〗
gad·ge·teer [gæ̀dʒətíər] *n.* 《美口》 (간단한) 기계 따위를 만드는 사람 ; 기계류를 만지기 좋아하는 사람.
gádget·ry *n.* Ⓤ (가정용 따위의) (전기) 기구류 ; 실용 신안(實用新案).
gádget stòre *n.* (주로 전자 제품) 판매점.
gád·gety *a.* 기계의 ; 장치가 된 ; 기계 만지기를 좋아하는.
Ga·dhel·ic [gədélik ; gæ-] *a., n.* =GOIDELIC.
ga·did [géidəd] *a., n.* 대구과(科)의 (물고기).
ga·doid [géidɔid, gǽd-] *a., n.* 대구과(科)의 (물고기), 대구와 비슷한 (물고기). 〖L<Gk. *gados* cod〗
gad·o·lin·ite [gǽdələnàit] *n.* 〖鑛〗 가돌리나이트. 〖J. *Gadolin* (d. 1852) 핀란드의 화학자〗
gad·o·lin·i·um [gæ̀dəlíniəm] *n.* Ⓤ 〖化〗 가돌리늄 《희토류의 금속 원소 ; 기호 Gd ; 번호 64》. 〖↑〗
ga·droon [gədrúːn] *n.* [보통 *pl.*] 둥근 주름 장식 《은그릇 따위의 가장자리 장식 · 건축용》. **~·ing** *n.* 〖F〗
gads·man [gǽdzmən] *n.* (*pl.* **-men** [-mən]) 막대기로 가축을 모는 사람.
gad·wall [gǽdwɔ̀ːl] *n.* (*pl.* **~s,** ~) 〖鳥〗 알락오리 《청둥오리보다 약간 소형 ; 진미(珍味)로 침》. 〖C17< ?〗
Gaea [dʒíːə] *n.* 〖그神〗 가이아 《대지의 여신 ; Uranus의 아내 ; cf. HYPERION》. 〖Gk.=earth〗
-gaea, -gea [dʒíːə] *n. comb. form* 「지역」의 뜻. 〖Gk. (↑)〗
Gael [géil] *n.* 게일인(人) 《스코틀랜드 고지에 사는 사람 또는 아일랜드의 켈트인》. 〖Sc. Gael. *Gaidheal*〗
Gael (.) Gaelic.
Gael·ic [géilik] *a.* 게일족(族)의 ; 게일어(語)의. —— *n.* 게일족 ; Ⓤ 게일어 《略 Gael.》.
Gáelic fóotball *n.* 게일릭 풋볼 《주로 아일랜드에서 15명씩 두 팀간에 하는 축구 비슷한 구기》.
Gael·tacht [géiltɑxt] *n.* (아일랜드의) 게일어(語) 사용 지구. 〖Ir.〗
gaff[1] [gǽ(ː)f] *n.* **1** 작살 ; 갈고리의 일종 《물고기를 찌르는》. **2** 〖海〗 개프, (세로돛 윗부분의) 사형(斜桁). **3** 《俗》 속임수, 가짜 ; 《俗》 괴로운 처지. ***blow the gaff*** 《俗》 비밀[계획]을 누설하다, 밀고하다.
—— *vt.* **1** (물고기를) 작살로 잡다, 갈고리로 끌어 올리다. **2** 《俗》 속이다 ; 《美俗》 몹시 꾸짖다. 〖F<Prov. *gaf* boat hook〗
gaff[2] *n.* 《英俗》 **1** 삼류 극장, (싸구려) 연예장(=《英》 penny gaff), 오락장. **2** 집, 아파트, 가게, 매춘굴. —— *vi.* (동전을 던져) 내기를 하다. 〖C18< ?〗
gaffe [gǽ(ː)f] *n.* 과실, 실수, 실패, 실책, 실언 《특히 사교 · 외교상의》. 〖F〗
gaf·fer [gǽfər] *n.* (시골의) 영감님(cf. GAMMER) : *G*~ Johnson 존슨 노인. 〖? GODFATHER의 축약(縮約) ; *ga*-는 GRANDFATHER와의 연상 ; cf. GAMMER, GOSSIP〗
gáff-rìgged *a.* 〖海〗 개프 돛으로 범장(帆裝)한, 개프 범장의.
gáff·sàil [, 《海》 -səl] *n.* 〖海〗 개프 돛 《개프에 단 세로돛》.
gáff-tóp·sàil [, 《海》 -səl] *n.* 〖海〗 개프톱 돛 《개프 돛 위에 다는 보통 삼각형의 돛》.
gag[1] [gǽ(ː)g] *n.* **1** 재갈. **2** 입막음 ; 언론 탄압 ; 〖英議會〗 토론 종결 ; 《美俗》 금고형(禁錮刑) ; 〖醫〗 개구기(開口器).
—— *v.* (**-gg-**) *vt.* **1** …에게 재갈을 물리다. **2** 입을 막다 ; …의 언론[발표]의 자유를 탄압하다. **3** 개구기로 열다. **4** 웩웩거리게 하다, 구역나게[메스껍게] 하다. —— *vi.* **1** 웩웩거리다, 구역나다. **2** …에 견디지 못하다〈*at*〉. 〖ME=to suffocate< ? imit. of choking〗
gag[2] *n.* **1** 개그 《배우가 임기응변으로 넣는 대사나 익살, 우스운 몸짓》 ; 농담. **2** 《口》 사기, 거짓말 ; 《口》 빤한 변명[구실].
—— *v.* (**-gg-**) *vt.* 《口》 **1** 개그를 하다〈*up*〉. **2** 속이다, 거짓말하다. —— *vi.* **1** 개그[즉흥 대사]를 하다. **2** 속이다.
ga·ga [gáːgàː] *a.* 《俗》 어리석은, 얼빠진, 무분별한, 망령들린 ; 《美俗》 열광적인(crazy). 〖F=senile (person) < ? imit.〗
Ga·ga·rin [gəgáːrən] *n.* 가가린. **Yuri Alekseyevich** ~ (1934-68) 구소련 우주 비행사 ; 1961년 인류 최초의 우주 비행에 성공했음.
gág·bìt *n.* (조마(調馬)용) 재갈.
gage[1] [géidʒ] *n.* **1** 도전의 표시 《던진 장갑 또는 모자》 ; 도전. **2** 저당물, 담보(pledge).
throw down the gage 도전하다.
—— *vt.* 《古》 저당잡히다, 저당하다 ; …에게 언질을 주다 ; 걸다(stake) ; 단언하다, 장담하다. 〖OF<Gmc. ; ⇨ WAGE, WED〗
gage[2] ☞ GAUGE.
gage[3] *n.* =GREENGAGE.
gage[4] *n.* 《美俗》 **1** 담배, 마리화나 담배. **2** 싸구려 위스키. 〖C20< ? ; cf. GANJA〗
gaged [géidʒd] *a.* 《美俗》 술취한.
gager ☞ GAUGER.
ga·gers [géidʒərz] *n. pl.* 《美俗》 눈알. 〖? GAZE〗
gág·ger[1] *n.* **1** 언론을 탄압하는 사람[것]. **2** 〖鑄物〗 거푸집을 보강하기 위한 L자형 철편(鐵片).
gagger[2] *n.* 개그 작가 ; 개그맨.
gag·gle [gǽgəl] *vi.* 꽥꽥 울다. —— *n.* 거위떼 ; 꽥꽥 우는 소리 ; 시끄럽게 떠드는 여자들 ; 패거리, 일단. 〖imit. ; cf. GABBLE, CACKLE〗
gág làw *n.* 《美俗》 언론 탄압령, 함구령.
gág·màn, gágs- *n.* (극 · 영화의) 개그 작가 ; 개그에 능한 희극 배우.
gág òrder *n.* 〖美法〗 (법정에서 심리 중인 사항에 관한) 보도[공표] 금지령, 함구령.
gág rèin *n.* (말의 재갈에 연결하는) 고삐 《조마(調馬)용》.
gág resolùtion *n.* 〖美史〗 (노예제도 반대 청원에 대한) 불채택[심의 거부] 결의 《1836-44년에 몇 차례 의회 통과》.
gág·ròot *n.* 〖植〗 숫잔대과(科)의 로벨리아풀 《북미산(産) 약용식물》.
gág rùle *n.* (어떤 문제에 대한) 토론 금지령, 함구령 《특히 심의 기관에서 특정 문제를 공공연히 논하는 것을 제한하는 규정》.
gág·ster *n.* **1** =GAGMAN. **2** 《美俗》 장난꾸러기,

익살꾼.
gág strìp *n.* (연속된 스토리가 없는) 개그 만화.
gahn·ite [gɑ́:nait] *n.* Ⓤ 〖鑛〗 가나이트, 아연첨정석(亞鉛尖晶石).
〖Johan G. *Gahn* (d. 1818) 스웨덴의 화학자〗
Gaia [géiə] *n.* 〖그神〗 가이아(Gaea).
***gai·ety, gay·ety** [géiəti] *n.* **1** Ⓤ 유쾌, 명랑, 쾌활. **2** [때때로 *pl.*] 야단 법석, 환락. **3** Ⓤ (복장의) 화려, 화려한 모양.
the gaiety of nations 대중의 환락, 쾌활한 풍조(風潮).
〖F ; ⇨ GAY〗
Gail [géil] *n.* 여자 이름《Abigail의 애칭(愛稱)》; 남자 이름.
gail·lar·dia [geilɑ́:rdiə] *n.* 〖植〗 엉거시과(科) 천인국《천인국속(屬)의 풀의 총칭 ; 북미 원산》.
〖*Gaillard* de Marentonneau 18세기 프랑스의 식물학자〗
***gai·ly, gay-** [géili] *adv.* 명랑하게, 유쾌하게 ; 화려하게 : ladies ~ dressed 화려하게 차려입은 여자들.
◇**gain**[1] [géin] *vt.* **1** (일하여) 얻다, 벌다(earn) (↔ *lose*) : ~ one's living 생계비를 벌다. **2** (노력·경쟁 따위에 의해서) 획득하다, (승리를) 얻다, (싸움에서) 이기다(win). **3** (노력의 결과) …에 이르다(reach) : ~ the summit 정상에 오르다 / ~ one's ends 목적을 달성하다. **4** 설득하다, 한패로 끌어들이다. **5** (시계가) 더 가다(↔*lose*) : This watch ~*s* three minutes a day. 이 시계는 하루에 3분이 빠르다. **6** (무게·힘 따위를) 늘리다, 증가시키다 : ~ strength 힘이 늘다, 강해지다 / I have ~*ed* five pounds this summer. 나는 올 여름에 체중이 5파운드 늘었다.
── *vi.* [動 / +前+名] 이익을 얻다, 벌다(profit) ; 진보하다 ; 향상되다, 차도가 있다 ; (가치 따위가) 오르다, 늘다 ; (시계가) 더 가다 : The sick child is ~*ing* ***in*** health daily. 병든 아이는 날로 좋아지고 있다 / She is ~*ing in* weight[popularity]. 그녀는 체중이 늘고[인기가 높아지고] 있다 / This watch ~*s* ***by*** three minutes a day. 이 시계는 하루 3분이 빠르다.
gain by comparison[***contrast***] 비교[대비]가 되어 한층 돋보이다.
gain ground 세력이나 인기를 얻다.
gain headway ☞ HEADWAY 1.
gain time (1) 시간을 벌다 ; 일부러 시간을 끌다 ; (일을 빨리 해치워) 시간을 절약하다(save time). (2) (시계가) 빠르다.
gain (***up***)***on*** …에 육박하다, …에 따라붙다 ; …보다 발이 빠르다 ; …을 앞지르다 ; (바다가 육지를) 침식하다 ;《古》(남)의 환심을 사다.
gain one***'s point*** ☞ POINT.
gain over 한패로 끌어들이다.
── *n.* **1 a)** [때때로 *pl.*] 이익, 이득, 수익, 벌이(profit), 쟁취한 것, 상금 : No ~*s* without pains.《속담》노력 없이 이득 없다, 뿌리지 않은 씨는 나지 않는다. **b)** Ⓤ 돈벌이 : the love of ~ 이욕(利慾). **2** 증진(增進)(시키는 것) : a ~ *to* knowledge 지식의 증진. **3** (양·가치·힘 따위의) 증가, 증대 : a ~ *in* weight 체중의 증가. **4** 〖電子〗 (증폭기(增幅器) 따위의) 이득《입력에 대한 출력의 비율》.
〖OF=to till, acquire<Gmc.〗
類義語 ⟹ GET, REACH.
gain[2] *n.* 새긴 눈금, 홈, 장붓구멍.
── *vt.* …에 눈금[홈, 장붓구멍]을 내다 ; 홈[장붓구멍]으로 접합하다. 〖C17< ?〗

gáin·able *a.* 얻을 수 있는 ; 달(성)할 수 있는.
gáin contròl *n.* 〖電子〗 (수신기·증폭기의) 이득 제어(制御)[조정].
gáin·er *n.* **1** 획득자 ; 이득자 ; 승리자(↔*loser*) : come off a ~ 벌다, 이기다. **2** 〖泳〗 뒤로 재주넘기《다이빙의 일종》.
gáin·ful *a.* **1** 이익이 되는, 벌이가 되는 ; 수지가 맞는. **2**《美》(직업 따위) 유급의(paid). **~·ly** *adv.* **~·ness** *n.*
gáin·ings *n. pl.* 벌이, 수익(profits).
gáin·less *a.* 이익[보람]이 없는. **~·ness** *n.*
gáin·ly *a.*《方》(태도·동작이) 아름다운 ; 경쾌한, 민활한. ── *adv.* 때마침.
gain·say [gèinséi] *vt.* (**-said** [-séid, -séd]) [+目 / +*that* 節]《古·文語》[주로 부정문·의문문으로] 반박(反駁)[부정]하다(contradict) : There is *no* ~*ing* his innocence. 그의 결백은 부정할 여지가 없다 / *No*body can ~ *that* she is a fine woman. 그녀가 훌륭한 여성이라는 것은 아무도 부정할 수 없다.
── *n.* 부인, 부정 ; 반박, 반대, 반론. **~·er** *n.*
〖ON (AGAINST, SAY)〗
(')gainst [génst, 英+géinst] *prep.*《詩》= AGAINST.
gait [géit] *n.* 걸음걸이, 걷는 모양, 보행 ; 말의 보조 ; 진행 ;《美》보조(步調) : a slow ~ 무거운 발걸음. ── *vt.* (말)의 보조를 훈련시키다 ; (품평회에서 개를) 심사원 앞으로 지나가게 하다.
〖GATE[2]〗
gáit·ed *a.* …한 발걸음의 : heavy-~ 무거운 발걸음의.
gai·ter [géitər] *n.* [보통 a pair of ~s] **1** 각반《무릎에서 복사뼈까지 혹은 복사뼈만 감는 베 또는 가죽으로 만든 것 ; cf. SPAT[3]》. **2**《美》긴 고무 장화. **~ed** *a.* 각반을 감은.
〖F *guêtre*< ? Gmc.〗

gaiter 1

Gait·skell [géitskəl] *n.* 게이트스컬. **Hugh Todd Naylor ~** (1906-63) 영국의 정치가 ; 노동당 당수(1955-63).
gal[1] [gǽ(:)l] *n.*《俗》=GIRL.
gal[2] *n.* 갈《가속도의 단위 : =1cm/sec^2》.
〖*Gal*ileo〗
gal. gallon(s).
Gal. 〖聖〗 Galatians.
ga·la [géilə, gǽl-, gɑ́:- ; gɑ́:-, géi-] *a.* 축제의, 축제 기분의, 유쾌한 : a ~ day 축제일 / in ~ attire [dress] 나들이옷을 입고. ── *n.* 축제, 제례, 경축 ;《英》(운동의) 경기회, 대회.
〖F or It.<Sp.<Arab.=presentation garment〗
ga·lact- [gəlǽkt], **ga·lac·to-** [gəlǽktou, -tə] *comb. form* 「젖」의 뜻.
〖Gk. *galakt- gala* milk〗
ga·lac·ta·gogue, -to- [gəlǽktəgɔ̀(:)g, -gɑ̀g] *a.* 젖 분비를 촉진하는, 최유(催乳)(성)의.
── *n.* 최유제[약].
ga·lac·tan [gəlǽktən] *n.* 〖生化〗 갈락탄《가수 분해하면 갈락토오스가 생기는 다당(多糖)의 총칭》.
ga·lac·tic [gəlǽktik] *a.* 젖의, 젖 분비를 촉진하는 ; 〖天〗 은하의 ; 거대한, 막대한.
〖Gk. ; ⇨ GALAXY〗
galáctic astrónomy *n.* 은하 천문학.
galáctic círcle[**equátor**] *n.* 〖天〗 은하 적도.
galáctic nóise *n.* 〖天〗 은하 잡음(=cosmic

noise).

galáctic pláne *n.* 〖天〗 은하면(銀河面).

galáctic póle *n.* 〖天〗 은하극(銀河極).

gal·ac·tom·e·ter [gæ̀ləktɑ́mətər] *n.* 검유기(檢乳器) (lactometer).

ga·lac·tose [gəlǽktous] *n.* Ⓤ 〖化〗 갈락토오스 《젖당의 성분》.

ga·lah [gəlɑ́:] *n.* 〖鳥〗 분홍배앵무《호주 원산》; 《濠俗》 바보, 멍청이. 〚(Austral.)〛

Gal·a·had [gǽləhæ̀d] *n.* [Sir ~] 갤러해드《아서왕 전설 속에 나오는 원탁의 기사 중의 한 사람》; Ⓒ 고결한 남자.

gal·an·tine [gǽləntì:n] *n.* 〖料〗 갤런틴《닭고기·송아지 고기 따위의 뼈를 발라내고 소를 넣어 삶은 후 식혀서 얇게 잘라 젤리를 곁들여 먹는 요리》. 〚변형(變形) <OF *galatine* jellied meat<L〛

ga·lán·ty shòw [gəlǽnti-] *n.* 그림자 놀이, 그림자로 하는 연극. 〚? It. (pl.) ‹*galante* GALLANT〛

Ga·lá·pa·gos Islands [gəlɑ́:pəgəs ⌐, -lǽp-; -lǽp-] *n. pl.* [the ~] 〖地〗 갈라파고스 제도《에콰도르 서쪽, 동태평양 적도 바로 아래의 화산성 제도; 진귀한 동물의 보고(寶庫)》.

gal·a·tea [gæ̀lətí:ə; -tíə] *n.* Ⓤ 갤러티어《일종의 고급 면포; 보통 흰 바탕에 세로로 파란 줄무늬가 있음》. 〚↓; 19세기 영국 전함 *Galatea* 호 소년 선원의 옷감〛

Gal·a·tea [gæ̀lətí:ə] *n.* 〖그神〗 갈라테아《Pygmalion이 상아로 조각한 처녀상; Pygmalion은 이 상을 매우 사랑하여 Aphrodite에게 청해서 이 상에게 생명을 얻게 해 주었음》.

Ga·la·tia [gəléiʃiə] *n.* 갈라티아《소아시아 중부에 있던 고대 국가》.

Ga·lá·tian *a.* 갈라티아(인(人))의.
—— *n.* **1** 갈라티아인. **2** [the ~s; 단수취급] 〖聖〗 갈라디아서(書) (the Epistle of Paul the Apostle to the Galatians)《신약성서 중의 한 편; 略 Gal.》.

galavant ☞ GALLIVANT.

gal·axy [gǽləksi] *n.* **1** (미인·재사(才士) 등의) 화려한 모임[무리], 샛별‹*of*›. **2** [the G~] 〖天〗 은하, 은하수(the Milky Way). 〚OF<L<Gk. *galaxias* (*galakt- gala* milk)〛

gal·ba·num [gǽlbənəm] *n.* Ⓤ 갤버넘, 풍자향(楓子香)《일종의 고무질 수지(樹脂)》.

Gal·braith [gǽlbreiθ] *n.* 갤브레이스. **John Kenneth** ~ (1908–) 캐나다 태생인 미국의 경제학자·외교관.

***gale**[1] [géil] *n.* **1** 질풍, 강풍: a ~ of wind 일진의 강풍. **2** 〖海·氣〗 강풍: a fresh ~ 질강풍(疾強風). **3** 《古·詩》 미풍. **4** [때때로 *pl.*] (감정·웃음 따위의) 격발, 터져 나옴: ~*s* of laughter 웃음이 터져 나옴, 폭소. 〚C16<?〛
類義語 ⟹ WIND[1].

gale[2] *n.* 〖植〗 =SWEET GALE. 〚OE *gagel*(*le*)〛

gale[3] *n.* 《英》 (집세·이자 따위의) 정기 지불금. ***hanging gale*** 연체 차지료(借地料). 〚C17<?; cf. GAVEL[2], GAVELKIND〛

ga·lea [géiliə] *n.* (*pl.* **-le·ae** [-liì:], **~s**) 〖動·植〗 도상체(兜狀體), 투구 모양의 돌기. 〚L=helmet〛

ga·le·ate [géilièit], **-at·ed** [-èitəd] *a.* 투구 모양의 (돌기가 있는).

ga·lee·ny [gəlí:ni] *n.* 《英方》 =GUINEA FOWL.

Ga·len [géilən] *n.* **1** 갈레노스. **Claudius** ~ (c. 130–c. 200) 그리스의 의사. **2** 《戱》 의사.

ga·le·na [gəlí:nə] *n.* 〖鑛〗 방연광(方鉛鑛).

Ga·len·ic [geilénik, gə-; gə-] *a.* [때때로 g~] 갈레노스(Galen)의, 갈레노스파 의술의; [g~] 본초약(本草藥)[생약]의.

ga·len·i·cal [geilénikəl, gə-] *n.* 본초약(本草藥), 생약(生藥). —— *a.* **1** [보통 G~] 갈레노스(파)의. **2** 본초약[생약]의.

ga·le·nite [gəlí:nait] *n.* =GALENA.

ga·lère [gæléər; *F* galɛ:r] *n.* (달갑잖은) 패거리; 뜻밖의 상태, 난처한 입장, 곤란한 처지. 〚F=galley, slave ship〛

Ga·li·cia [gəlíʃiə] *n.* 갈리시아《(1) 폴란드 남동부와 우크라이나 북서부에 걸친 지역. (2) 스페인 북서부의 대서양에 면한 지역; 중세에는 왕국》.

Ga·lí·ci·an *a.* 갈리시아(인(人)·어)의.
—— *n.* 갈리시아인; Ⓤ 갈리시아어.

Gal·i·le·an[1], **-lae·an** [gæ̀ləlí:ən] *a.* 갈릴리의.
—— *n.* 갈릴리인(人); 기독교도; [the ~] 예수 그리스도.

Galilean[2] *a.* 갈릴레이(Galileo Galilei)의: a ~ telescope 갈릴레이식 망원경.

Gal·i·lee [gǽləlì:] *n.* **1** 갈릴리《Palestine 북부의 옛 로마의 주》. **2** [보통 g~] 〖建〗 (중세 이후 영국 교회당의) 현관(porch), 소(小)예배실.
the man of Galilee 갈릴리 사람《예수 그리스도》.
the Sea of Galilee 갈릴리 호수.

Gal·i·lei [gæ̀ləléii:] *n.* 갈릴레이. **Ga·li·leo** [gæ̀ləlí:ou, -léi-] ~ (1564–1642) 이탈리아의 천문학자·물리학자.

gal·i·ma·ti·as [gæ̀ləméiʃiəs, -mǽtiəs] *n.* 종잡을 수 없는 말, 횡설수설(nonsense). 〚C17 F<?〛

gal·in·gale [gǽləngèil, -iŋ-] *n.* 〖植〗 향생강[심황]의 뿌리줄기; 방동사니《영국산》; 향생강[심황]의 일종. 〚OF<Arab.<Chin.〛

galiot ☞ GALLIOT.

gal·i·pot [gǽləpɑ̀t, -pòu] *n.* Ⓤ 송진의 일종. 〚F<?〛

gall[1] [gɔ́:l] *n.* **1** Ⓤ (특히 황소의) 쓸개즙(bile); Ⓒ =GALLBLADDER. **2** Ⓤ 몹시 쓴 것; 원한. **3** Ⓤ [+*to* do] 《美俗》 뻔뻔스러움: He had the ~ *to* ask questions about it. 그는 뻔뻔스럽게도 그것에 대해서 이것저것 물었다.
dip one***'s*** [***the***] ***pen in gall*** 독필을 휘두르다 (cf. VITRIOL).
gall and wormwood 〖聖〗 쑥과 담즙《예레미야애가 3:19》.
in the gall of bitterness 쓰라린 고초를 겪고. 〚ON=OE *gealla*〛

gall[2] *vt.* 스쳐 벗기다; 안달나게 하다, 초조하게 하다, 화내게 하다. —— *vi.* 스쳐 벗겨지다; 화난 것을 말하다. —— *n.* **1** (피부의) 찰과상, 스쳐 벗겨짐. **2** (특히 말의 안장에) 스쳐 벗겨진 상처. **3** 마음의 고통, 고뇌(의 원인). 〚MLG, MDu. *galle*; cf. OE *gealla* sore on horse〛

gall[3] *n.* 몰식자(沒食子), 오배자(五倍子), 충영《떡갈나무 따위의 잎에 혹벌이 알을 슨 집; 옛날에는 잉크의 재료로 썼음》. 〚OF<L *galla*〛

gall. gallon(s).

***gal·lant** [gǽlənt] *a.* **1** 용감한, 씩씩한, 사내다운(brave): the honourable and ~ member 〖英議會〗 …각하《육[해]군 출신 의원을 부르는 경칭》. **2** 아름다운, 호화로운, 꾸민; (배·말 따위가) 훌륭한, 당당한. **3** [, gəlǽnt, -lɑ́:nt] 여자에게 친절한[은근한]; 연애의, 정사의.
—— [gəlǽnt, -lɑ́:nt, gǽlənt] *n.* 멋쟁이; 사내다운 남자; 정부(情夫). —— [gəlǽnt, -lɑ́:nt, gǽlənt] *vt., vi.* (여자에게) 치근거리다, 따라

다니다. 〚OF (pres.p.) *galer* to make merry (*gale* enjoyment) <Gmc. ; cf. WEAL〛

gállant·ly *adv.* **1** 용감히, 씩씩하게 ; 사나이답게. **2** [, 美+gəlǽntli, -lɑ́:nt-] (여자에게) 친절히, 은근히, 상냥하게.

gállant·ry *n.* **1** Ⓤ 용감, 무용 ; 사내다움. **2** Ⓤ 여자에게 친절함 ; Ⓒ 친절한 행동[말]. **3** 염사(艶事), 정사(amorous affairs).

gáll·blàdder *n.* 〔解〕 쓸개.

gal·le·ass, -li- [gǽliæ̀s, -əs] *n.* 갈레아스선(船) 《16-17세기에 지중해에서 사용되었던 세 개의 돛대에 큰 삼각 돛을 장비한 군함》. 〚F<It. GALLEY〛

gal·le·on [gǽliən] *n.* 〔史〕 갈레온선(船)《15-18세기에 스페인의 3[4]층 갑판의 큰 범선》. 〚Du.<F or Sp. ; ⇨ GALLEY〛

galleon

gál·ler·ied *a.* 관람석[회랑]이 있는 ; 갱도[지하도]가 있는.

***gal·lery** [gǽləri] *n.* **1** 회랑(廻廊), 주랑(柱廊). **2** 발코니(balcony) ; (건물의 안벽에 까치발로 받쳐진) 길고 좁은 복도. **3** (교회당·회관 따위의) 2층 회랑, 높이 불쑥 나온 별석(別席) ; (의회 따위의) 방청석(席) : the (Distinguished) Strangers' *G*~ 《英》 (하원의) (특별) 방청석 / ☞ PRESS GALLERY. **4 a)** 〔劇〕 맨 위층 관람석《가장 싼 자리》 ; [the ~] 맨 위층 관람석 손님, 싸구려 손님. **b)** (테니스·골프 시합의) 관객, 구경꾼(spectators), (토론회 따위의) 청중(audience). **5** 좁고 긴 방 ; 넓은 복도 : ☞ SHOOTING GALLERY. **6** 〔鑛〕 횡갱도(橫坑道). **7** 화랑, 미술품 진열실 ; 미술관 ; [집합적으로] (미술관에 소장된) 미술품. **8** 사진 촬영실, 스튜디오(studio).
bring down the gallery 〔劇〕 관객[관중]의 갈채를 받다.
play to the gallery 〔劇〕 일반 관중이 좋아하게 상연하다 ; 대중에 영합하다.
── *vt.* …에 회랑[관람석]을 만들다.
〚F<It.<L 변형(變形) <? GALILEE〛

gállery fòrest *n.* 거수림(據水林), 갤러리림(林)《사바나(savanna) 따위의 강을 따라 생긴 띠 모양의 숲》.

gállery·gò·er *n.* 자주 미술관에 가는 사람.

gállery hìt[**shòt, stròke**] *n.* 인기를 끌기 (위한 연기).

gállery·ìte *n.* 《口》 극장의 맨 위층 값싼 관람석의 구경꾼 ; (운동 경기의) 팬.

gal·let, gal·et [gǽlət] *vt.* 〔建〕 (석축 공사에서 돌의 이음새에) 자갈을 채워 넣다. ── *n.* 자갈. 〚F=pebble〛

gal·ley [gǽli] *n.* **1** 〔史〕 갤리선(船)《옛날 노예나 죄수에게 젓게 한 2단의 노와 돛이 많은 범선》; (고대 그리스·로마의) 전함. **2** (함선·비행기의) 주방, 요리실(kitchen). **3** (특히 함장용의) 대형 보트. **4** 〔印〕 게라《조판된 활자판을 담는 목판》; =GALLEY PROOF. 〚OF<L *galea* ; 어의(語義) 변화는 노예선 → 그 조리실 → 화로 → 통 → 게라인가〛

gálley pròof *n.* 〔印〕 교정쇄.

gálley rèading *n.* 〔印〕 가(假)조판 교정.

gálley slàve *n.* 갤리선에서 노젓는 노예[죄수] ; 힘든 일을 하는 사람.

gálley-wést *adv.* 《美口》 형편없이, 엉망진창으로 : knock ~ 호되게 혼내주다, 엉망진창으로 만들다.

gálley·wòrm *n.* 〔動〕 노래기.

gáll·flỳ *n.* 〔昆〕 혹벌(cf. GALL[3]).

gal·li·am·bic [gæ̀liǽmbik] *a.* 〔韻〕 갈리암부스격(格)의, 단단장장격(短短長長格)의.
── *n.* [보통 *pl.*] 갈리암부스격의 시.

gal·liard [gǽljərd] *n.* 갤리어드《경쾌한 3박자의 춤(곡)으로 16-17세기에 유행》. ── *a.* 《古》 쾌활한. **~·ly** *adv.*

gal·lic[1] [gǽlik] *a.* 오배자(五倍子)의, 몰식자성(沒食子性)의.

gallic[2] *a.* 〔化〕 갈륨(gallium)의.

Gallic *a.* **1** 골(Gaul)(인(人))의 : the ~ War (Julius Caesar가 골을 정복한) 골 전쟁(58-51 B.C.). **2** 《戲》 프랑스(인)의(French). 〚L *gallicus*〛

gállic ácid *n.* 〔化〕 갈산(酸)《무두질·잉크·염료용》.

Gal·li·can [gǽlikən] *a., n.* 프랑스 천주교의 (신도) ; 갈리카니즘의 (지지자) ; 프랑스의.

Gállican·ìsm *n.* 갈리아주의(主義), 갈리카니즘《로마 교황의 절대권에 대해 프랑스 교회의 독립과 자유를 주장함, 17세기에 최고조에 달함》. **-ist** *n.* 갈리아주의자, 갈리카니스트.

Gal·li·ce [gǽləsi(:), gɑ́:ləkèi] *adv.* 프랑스어로 ; 프랑스식으로. 〚L ; ⇨ GALLIC〛

gal·li·cism [gǽləsìzəm] *n.* Ⓤ,Ⓒ [흔히 G~] 프랑스어 특유의 어법(語法) ; 프랑스적인 풍습[사고방식].

gal·li·cize [gǽləsàiz] *vt., vi.* [때때로 G~] 프랑스식으로 하다[되다], 프랑스(어)화(化)하다. **gàl·li·ci·zá·tion** *n.*

gal·li·gas·kins [gæ̀ligǽskənz] *n. pl.* **1** (16-17세기의) 통이 넓은 짧은 바지 ; 《戲》 (일반적으로) 헐렁한 바지. **2** 《英方》 가죽 각반. 〚F *garguesques* (obs.) <OIt. *grechesco*=GREEK〛

gal·li·mau·fry [gæ̀ləmɔ́:fri] *n.* 그러모은 것, 잡동사니. 〚F< ?〛

gal·li·na·cean [gæ̀lənéiʃən] *n.* 〔鳥〕 꿩류의 새, 메추라기. 〚L (*gallina* hen)〛

gal·li·na·ceous [gæ̀lənéiʃəs] *a.* 꿩류의 ; 가금(家禽)의.

gáll·ing *a.* 괴롭히는 ; 안달하게 하는(irritating). **~·ly** *adv.*

gal·li·nip·per [gǽlənìpər] *n.* 《美口》 쏘는[무는] 곤충《큰 모기·빈대 따위》.

gal·li·nule [gǽlənjù:l] *n.* 〔鳥〕 물닭류의 물새.

Gal·lio [gǽliòu] *n.* (*pl.* **-li·òs**) 직무 외(外)의 책임을 회피하는 관리(官吏) ; 무관심하고 태평스러운 사람. 〚종교상의 문제에 간섭하는 것을 거절한 로마의 지방 총독의 이름에서 ; 사도행전 18 : 12-17〛

gal·li·on·ic [gæ̀liɑ́nik] *a.* 냉담한 ; 무책임한.

gal·li·ot, gal·i·ot [gǽliət] *n.* (지중해에서 18세기까지 사용한 돛과 노를 사용하는) 쾌속 소형 갤리선(船) ; 네덜란드의 좁고 긴 소형 상업용[어업용] 범선. 〚OF<It. ; ⇨ GALLEY〛

gal·li·pot [gǽləpɑ̀t] *n.* 작은 오지 그릇, 약단지 ; 《口》 약종상(藥種商). 〚*galley*+*pot* ; galley로 수입된 때문인가〛

gal·li·um [gǽliəm] *n.* Ⓤ 〔化〕 갈륨《희금속 원소 ; 기호 Ga ; 번호 31》. 〚19세기 프랑스 화학자·발견자 *Lecoq* de Boisbaudran에 연유하여 L *gallus* cock (F *coq*)에서〛

gállium ársenide *n.* 〔化〕 비화(砒化)갈륨, 갈

륨 비소(砒素)《반도체 재료로 tunnel diode·반도체 레이저 따위에 쓰임 ; 기호 GaAs》.

gal·li·vant, gal·a·vant [gǽləvæ̀nt ; ⌐-⌐] *vi.* (이성과 함께) 돌아다니다〈*about, around*〉; 놀아나다. ㊟ 보통 ~ing형으로 쓰임. **~·er** *n.* 〖*gallant* to flirt의 사투리인가〗

gáll·nùt *n.* 몰식자, 오배자.

Gal·lo- [gǽlou, gǽlə] *comb. form* 「골(의)」「프랑스(의)」의 뜻 : *Gallo*-Briton 프랑스·영국의 / a *Gallo*-American 《美》 프랑스계[친프랑스] 미국인. 〖L *Gallus* a Gaul, *-o-*〗

Gàllo·mánia *n.* Ⓤ 프랑스 도취[심취].

Gàllo·mániac *n.* 프랑스 심취자.

***gal·lon** [gǽlən] *n.* 갤런《용량의 단위 ; 액량(液量)은 4 quarts, 《美》 3.785 liters, 《英》 4.546 liters ; 곡물량은 1/8 bushel ; cf. PINT》. **~·age** *n.* 갤런량(量). 〖OF < ? Celt.〗

gal·loon [gəlúːn] *n.* 가느다란 끈《때때로 금·은 실을 짜넣은 무명 또는 비단 레이스》.
〖F (*galonner* to trim with braid < ?)〗

galloot ☞ GALOOT.

***gal·lop** [gǽləp] *n.* (말 따위의 네발짐승이 걸음마다 네발을 모두 땅에서 떼면서 뛰는) 구보, 갤럽 (cf. WALK *n.* 1, CANTER, FOX-TROT, TROT).
(at) full gallop = ***at a gallop*** 전속력으로.
── *vi.* **1** [動 / +副] (말·기수가) 질주하다, 달리다 : The horse ~*ed away.* 말이 질주해 갔다 / He ~*ed* ***off*** a full speed. 전속력으로 말을 몰았다. **2** [動 / +前+名] 아주 급히 말하다, 위세좋게 잇따라 지껄이다 ; 급히 가다[읽다] (hurry) : I ~*ed* ***through*** my work[~*ed* ***over*** the book]. 급히 서둘러 일을 해치웠다[순식간에 책을 읽어 버렸다]. **3** (병 따위가) 급속히 악화되다.
── *vt.* (말을) 갤럽으로 달리게 하다.
〖OF ; ⇨ WALLOP〗

gal·lo·pade, gal·o- [gæ̀ləpéid] *n.* 갤러페이드 《헝가리의 빠르고 경쾌한 무용 ; 그 무곡(舞曲)》.

gállop·er *n.* 말을 질주시키는 사람 ; 질주하는 말 ; 〖軍〗 부관(副官), 연락 장교 ; (옛날 영국군의) 경야포(輕野砲).

Gállo·phìle, -phìl *a., n.* 프랑스를 좋아하는 (사람), 친프랑스의.

Gállo·phòbe *a., n.* 프랑스를 싫어하는 (사람).

Gàllo·phóbia *n.* Ⓤ 프랑스를 싫어하기 ; 프랑스 공포증.

gállop·ing *a.* (병세·인플레이션·부패 따위가) 급속히 진행하는, 분마성의 : ~ consumption 급성[분마성(奔馬性)] 폐결핵.

gálloping dóminoes[ívories] *n. pl.* 《美俗》 (특히 craps의) 주사위(dice).

gálloping inflátion *n.* 급속히 진행되는 인플레이션(cf. CREEPING INFLATION).

gal·lous [gǽləs] *a.* 〖化〗 갈륨(Ⅱ)의[을 함유한].

Gal·lo·way [gǽləwèi] *n.* **1** 갤러웨이《스코틀랜드 남서부의 지방》. **2** 갤러웨이종(種)《Galloway 원산(原産)의 (1) 소형의 튼튼한 말. (2) 뿔이 없고 보통 검은색의 육용우》; [때때로 g~] 작은 말.

gal·lows [gǽlouz, -əz] *n.* (*pl.* ~, **~·es**) [보통 단수 취급] 교수대(絞首臺), 교수대 모양의 것 ; [the ~] 교수형 ; =GALLOWS BIRD ; [*pl.*] 《美俗》 바지 멜빵 : The ~ *was* replaced by the guillotine. 교수대는 단두대로 바뀌어졌다.
cheat the gallows (자살 따위에 의해서) 용케 교수형을 면하다.
come to the gallows 교수형을 받다.
have a gallows look = ***have the gallows in one's face*** 교수형을 받을 것 같은 흉악한 인상을 하고 있다.
── *a.* 《古·俗》 교수형에 처해야 할, 극악한 ; 쓸데없는, 외고집의 ; 몹시 좋은. ── *adv.* 《方·俗》 매우, 대단히.
〖ON *gálgi* = OE *gealga* ; cf. G *Galgen*〗

gállows bìrd *n.* 《口》 교수형에 처해야 할[처해진] 죄인 ; 극악 무도한 사람.

gállows hùmor *n.* 기분나쁜 유머, 블랙 유머.

gállows-rìpe *a.* 교수형의 준비가 된.

gállow(s) trèe *n.* 교수대(gallows).

gáll·stòne *n.* Ⓤ,Ⓒ 〖醫〗 담석(膽石).

Gál·lup pòll [gǽləp-] *n.* 《美》 갤럽 (여론) 조사.

gal·lused [gǽləst] *a.* 《方·美口》 바지 멜빵을 한.

gal·lus·es [gǽləsəz] *n. pl.* 《美俗》 바지 멜빵.

gáll wàsp *n.* 혹벌《떡갈나무 따위에 충영(gall)을 만듦》.

gallways ☞ GALWAYS.

ga·loot, gal·loot [gəlúːt] *n.* 《美俗》 바보, 얼간이(awkward fellow).

gal·op [gǽləp] *n.* 갤럽《2/4박자의 경쾌한 원무(곡)》. ── *vi.* 갤럽을 추다.
〖F ; ⇨ GALLOP〗

ga·lore [gəlɔ́ːr] *adv.* [후치] 많이, 풍부하게.
with beef and ale galore 고기와 술이 많이[푸짐하게].
── *n.* [다음 숙어로]
in galore 풍부하게, 푸짐하게.
〖Ir. *go leór* to sufficiency〗

ga·losh, ga·loshe [gəlɑ́ʃ] *n.* [보통 *pl.*] 오버슈즈(overshoes), 고무 덧신(cf. RUBBERS).
〖OF < L *gallicula* small Gaulic shoe〗

gals. gallons.

Gals·wor·thy [gɔ́ːlzwəːrði, gǽlz-] *n.* 골즈워디. **John** ~ (1867-1933) 영국의 소설가·극작가.

ga·lumph [gəlʌ́mpf] *vi.* 의기 양양하게 걷다.
〖*gal*lop + tri*umph* ; Lewis Carroll의 조어〗

galv. galvanic ; galvanism ; galvanized.

Gal·va·ni [gælvɑ́ːni, gɑːl-] *n.* 갈바니. **Luigi** ~ (1737-98) 이탈리아의 생리·물리학자.

gal·van·ic [gælvǽnik] *a.* **1** 동(動)[직류] 전기의 ; 전류의[에 의하여 생기는] ; 화학 반응으로 전류를 일으키는 : ~ current 직류(direct current) / a ~ belt (의료용의) 전기 띠. **2** 《비유》 경련적인, 발작적인《웃음 따위》; 충격적인 : ~ effect 충격적인 효과. **-i·cal·ly** *adv.* 동전기에 의하여 ; 경련적으로. 〖↑〗

galvánic báttery *n.* 〖電〗 갈바니 전지(電池) (voltaic battery).

galvánic céll *n.* 〖電〗 갈바니 전지(voltaic cell).

galvánic electrícity *n.* 〖電〗 동전기, 직류 전기(電氣).

galvánic píle *n.* =VOLTAIC PILE.

galvánic skín respònse *n.* 〖生理〗 전기 피부 반응《정신적 자극 따위에 의한 피부의 전기 저항 변화 ; 거짓말 탐지기 따위에 응용 ; 略 GSR》.

gal·va·nism [gǽlvənìzəm] *n.* Ⓤ 동[직류]전기 ; 동전기학 ; 〖醫〗 직류 전기 요법 ; 힘찬 활동.
-nist *n.* 동전기 학자.

gàl·va·ni·zá·tion *n.* Ⓤ 직류전기를 넣음[통함] ; 아연 도금.

gal·va·nize [gǽlvənàiz] *vt.* **1** …에 직류전기를 넣다 ; 아연 도금을 하다. **2** [+目 / +目+前+名] 《비유》 갑자기 활기를 띠게 하다 : ~ a person ***into*** life[***to*** new life] 남을 활기띠게 하다[소생시키다]. **3** 아연 도금하다.

gál·va·nìzed íron *n.* 아연 도금 철판《함석판

(板) 따위》.
gal·va·no- [gǽlvənou, gælvǽn-, -nə] *comb. form* 「갈바니 전류」의 뜻. 〖GALVANI〗
galváno·gràph *n.* 전기판(版) ; 전기판 인쇄물.
gal·va·nog·ra·phy [gæ̀lvənágrəfi] *n.* Ⓤ 전기 제판술(電氣製版術).
gal·va·nom·e·ter [gæ̀lvənámətər] *n.* 검류계(檢流計). **gàl·va·nóm·e·try** *n.* 전류 측정(법). **gàl·va·no·mét·ric, -ri·cal** [, gæ̀lvənə-] *a.* 검류계의, 검류계로 잰.
gàlvano·plástics, gálvano·plàsty *n.* Ⓤ 전기 주조법 ; 전기 제판술. **-plástic** *a.*
galváno·scòpe [, gǽlvənə-] *n.* 〔電〕 검류기.
gal·ways, gall- [gɔ́:lweiz] *n. pl.* [때때로 G~] 《美俗》 구레나룻.
Gal·we·gian [gælwí:dʒiən] *a.* 갤러웨이(Galloway)의. —— *n.* 갤러웨이인(人).
gam¹ [gǽ(:)m] *n.* **1** 고래 떼. **2** 〔海〕 (고래잡이 배 상호간의) 사교적 방문, 교환(交歡). —— *vt., vi.* (**-mm-**) **1** (고래 떼처럼) 몰려들다. **2** (포경 선원이 서로) 방문 교환하다.
〖C19 < ? *game¹*〗
gam² *n.* [보통 *pl.*] 《美俗》 (특히 여자의 날씬한) 다리. 〖C18 < ? ONF *gambe* ; ⇨ JAMB〗
gam- [gǽm], **gamo-** [gǽmou, -mə] *comb. form* 「합체(合體)한」「유성(有性)의」의 뜻. 㝍 모음 앞에서는 gam-. 〖Gk. *gamos* marriage〗
gam. gamut.
Ga·ma [gǽmə, gá:- ; gá:mə] *n.* 가마. **Vasco da ~** (1469?-1524) 포르투갈의 항해가 ; 희망봉(喜望峰)을 돌아서 가는 인도 항로를 발견함(1498).
gamb, gambe [gǽ(:)mb] *n.* 〔紋章〕 맹수의 다리, 정강이.
gam·ba [gǽmbə] *n.* 〔樂〕 **1** =VIOLA DA GAMBA. **2** (오르간의) 감바 스톱《현악기의 음을 냄》.
gam·bade [gæmbéid] *n.* =GAMBADO 1.
gam·ba·do [gæmbéidou] *n.* (*pl.* **~es, ~s**) **1** 말의 도약 ; 뛰놀기 ; 짓궂은 장난. **2** 안장에 단 장화 ; 긴 각반. 〖It.〗
Gam·bia [gǽmbiə] *n.* **1** 감비아《아프리카 서부의 영연방내의 독립국, 1965년 독립 ; 수도 Banjul》. **2** [the ~] 감비아 강.
Gám·bi·an *a.* 감비아의 ; 감비아인(人)의. —— *n.* 감비아인.
gam·bi(e)r [gǽmbiər] *n.* Ⓤ 갬비어 아선약(阿仙藥), 빈랑고(檳榔膏)《식물성의 지혈·수렴제》. 〖Malay〗
gam·bit [gǽmbət] *n.* **1** 〔체스〕 (졸 따위를 희생하고 두는) 초판의 수. **2** 행동[거래]의 시작 ; (이야기의) 실마리, 시작한 말 ; 화제 ; (우위를 차지하기 위한) 책략, (선수를 잡는) 작전.
〖C17 *gambett* < It. *gambetto* tripping up (*gamba* leg)〗
gam·ble** [gǽmbəl] *vi.* [動 / +前+名] 도박하다 ; 투기하다 ; (성패에 구애되지 않고) 모험하다, 걸다 : ~ ***at cards 카드로 도박을 하다 / He lost half his wealth *gambling* ***on*** the stock exchange [***in*** stocks, *on* horse races]. 그는 증권[주식, 경마]에 손을 대 재산의 반을 잃었다 / Don't ~ ***with*** your future. 장래를 건 무모한 모험을 하지 마라. —— *vt.* [+目+副] 도박으로 잃다 : ~ *away* one's fortune 노름으로 재산을 탕진하다. —— *n.* 《口》 모험 ; 투기 ; 도박 : go on the ~ 도박하다. **gám·bler** *n.* 도박꾼, 노름꾼 ; 투기꾼. 〖*gamel* (obs.) to sport, *gamene* GAME¹〗
gámble·some *a.* 도박을 즐기는.
gám·bling *n.* Ⓤ 도박, 노름.
gámbling hòuse[**hàll, hèll, dèn**] *n.* 도박장, 노름판.
gámbling tàble *n.* 도박대(臺).
Gámbling Tówn *n.* 《CB俗》 Nevada 주(州)의 Las Vegas 시.
gam·boge [gæmbóudʒ, -bú:ʒ] *n.* Ⓤ (그림 물감에서) 자황(雌黃) ; 등황(橙黃)색.
〖NL < CAMBODIA〗
gam·bol [gǽmbəl] *n.* (특히 새끼 염소·아이의) 뛰어놀기, 장난. —— *vi.* (**-l-** | **-ll-**) 뛰놀다, 장난치다. 〖F GAMBADE〗
gam·brel [gǽmbrəl] *n.* **1** (말의) 뒷다리 복사뼈 관절 ; (정육점에서 고기를 매다는) 말다리 모양의 쇠갈고리. **2** 《美》 〔建〕 2단 박공 지붕(=~ **ròof**).
〖ONF (*gambe* leg)〗

gambrel 2

◇**game¹** [géim] *n.* **1** 유희(sport), 놀이, 즐거움, 오락 ; 재미 있는 일 : What a ~! 그것 참 재미있다.
2 놀이[게임] 도구 : toys and ~*s* 장난감이나 게임류(類).
3 경기, 시합, 승부 ; 〔테니스·카드놀이〕 한 게임《게임 몇 번으로 승패를 결정함》: a ~ of chance 운에 맡기는 게임 / a ~ of skill 기술을 요하는 시합 / have a ~ of play 한판 시합을 가지다 / play a good[poor] ~ 게임[시합]에 능숙하다[서투르다] / play a losing[winning] ~ 이길 가망이 없는[있는] 시합을 하다 ; 《비유》 손해[이득]보는 일을 하다 / play a dangerous ~ 《비유》 위험한 짓을 하다 / play a waiting ~ 《비유》 차분히 기회를 기다리다 / win four ~*s* in the first set 1세트에서 4게임을 이기다. 㝍 《美》에서는 보통 baseball, football 따위 -ball이 붙는 각종 스포츠 시합에 쓰임 (cf. MATCH²).
4 승산, 승리 ; 승부의 형세 ; 득점(score) : How is[goes] the ~? 형세는 어떠냐 / Five points is ~. 5점이면 이긴다 / The ~ is 4 all. 득점 4대 4 / The ~ is mine. 승리는 내것이다.
5 [*pl.*] (특히 고대 그리스·로마의) 경기[경연] 대회, 투기회(鬪技會) : ☞ OLYMPIC GAMES.
6 Ⓤ 농담, 놀림, 희롱(fun) : speak *in* ~ 농담으로 말하다 / make ~ of …을 얕보다, 희롱하다.
7 계획, 방침, 일 ; 직업 ; [때때로 *pl.*] 계략, 음모(trick) : He is in the newspaper ~. 그는 신문사에 근무하고 있다 / play a deep ~ 신중히 계획하다 / play a double ~ 표리 있는 수단을 쓰다 / None of your (little) ~*s* (with me)! 그런 수법에는 넘어가지 않네 / The same old ~! 옛날 그 수법이로구나 / You've spoilt my ~. 너 때문에 (모처럼의) 일이 틀어졌다 / The ~'s up. 계획은 실패로 돌아갔다, 만사가 끝났다.
8 Ⓤ [집합적으로] **a**) 불치《사냥한 새·짐승 따위》; 사냥한 새·짐승의 고기 : winged ~ 엽조류(獵鳥類) / We shot twenty head of ~. 사냥에서 짐승 20마리를 쏘아 잡았다. **b**) 목적물, 사냥감(prey) : ☞ FAIR GAME / forbidden ~ 잡아서는 안되는 사냥감 ; 《비유》 손을 대서는 안되는 것.
9 (취미로 기르는 동물의) 무리《지금은 백조만을 가리키어 사용됨》: a ~ *of* swans 백조의 떼.
beat a person ***at*** his ***own game*** (상대방이 잘하는 수법으로) 거꾸로 골려 주다.
fly at higher game 더욱 큰 것을 노리다.
game all = ***game and game*** 득점 1 대 1.

G

game and [ǽnd] 〔테니스〕 게임 세트.
have a game with …의 눈을 속이다, …을 기만하다.
have the game in one***'s hands*** 승패의 열쇠를 쥐다.
no game 〔野〕 무효 시합.
on [***off***] one***'s game*** (말·경기자 등) 몸 상태[컨디션]가 좋은[나쁜].
play another***'s game***=***play the game of*** another (무의식중(中)에) 남에게 이익되는 일을 하다.
play the game 《口》 정정 당당히 시합하다 ; 공명 정대하게 행동하다.
the game of war [***politics***] 전략[정략].
── *a.* **1** 수렵[낚시]의 ; 사냥한 새·짐승의. **2** 투계(鬪鷄) (gamecock) 같은, 쓰러질 때까지 굴하지 않는 : a ~ fighter 용감 무쌍한 투사. **3** [+*to* do] (…할) 마음[기력]이 있는(willing) : Are you ~ ***for*** a ten-mile walk? 10마일 걸을 힘이 있느냐 / He was ~ *to* do[~ *for*] anything. 그에게는 무엇이든지 하려는 의욕이 있었다.
die game 최후까지 싸우다 ; 용감히 싸우다 죽다.
── *vi.* 승부를 겨루다, 도박(賭博)을 하다, 내기하다.
── *vt.* 《古》 내기해서[도박으로] 잃다〈*away*〉.
〖OE *gamen* ; cf. OHG *gaman* amusement〗
類義語 ⟹ PLAY.

game² *a.* (팔·다리 따위가) 상처입은(injured), 불구의(lame). 〖C18 (dial.) < ?〗
gáme àct *n.* [보통 *pl.*] 수렵법(狩獵法).
gáme bàg *n.* (사냥에 가지고 다니는) 불치 넣는 자루, (특히) 사냥감 새를 넣는 주머니.
gáme bàll *n.* 〔테니스〕 게임 볼《앞으로 한점이면 승부가 나게 될 때의 서브》.
gáme bìrd *n.* 수렵조.
gáme-brèak·er *n.* 〔美蹴〕 승패를 결정하는 플레이[선수].
gáme·còck *n.* 투계(鬪鷄), 싸움닭.
gáme ègg *n.* 싸움닭의 알.
gáme fish *n.* 낚시의 대상이 되는 물고기, 엽어(獵魚)《낚시에 걸렸을 때 강한 저항을 보이는 것들 ; cf. SPORT FISH》.
gáme fòwl *n.* 엽조(獵鳥) ; 투계(鬪鷄).
gáme·kèep·er *n.* 사냥터지기.
gam·e·lan [gǽməlæ̀n] *n.* 가믈란《(1) 인도네시아의 주로 타악기에 의한 기악 합주. (2) 그 합주에 사용하는 실로폰 비슷한 악기》. 〖Jav.〗
gáme làw *n.* [보통 *pl.*] 수렵법(狩獵法).
gáme lìcense *n.* 수렵 감찰 ; 엽조수(獵鳥獸) 판매 면허.
gáme·ly *adv.* 싸움닭같이 ; 용감히, 기세 좋게, 굴하지 않고, 과감히.
gáme·ness *n.* Ⓤ 불굴, 용기.
gáme pàrk *n.* (특히 아프리카 따위의) 동물 보호 구역.
gáme plàn *n.* 《美》 (시합 마다의) 작전 ; 전략 ; (경제 따위의) 계획.
gáme pòint *n.* (테니스 따위) 결승점.
gáme presèrve *n.* [흔히 *pl.*] 금렵구, 사냥 조수 보호 구역.
gáme presèrver *n.* 사냥 조수 보호 구역 설치자 《자신의 땅에 설치함》.
gáme resèrve *n.* [흔히 *pl.*] =GAME PRESERVE.
gáme ròom *n.* 오락실.
gáme scòoter *n.* 작은 고무바퀴 달린 4각판으로 스케이트보드처럼 타는 놀이 기구.
gámes·man [-mən] *n.* 술책에 뛰어난 사람, 책사(策士).
gámesman·shìp *n.* (운동 경기에서의) 술책 ; 비굴한 시합 수법(cf. SPORTSMANSHIP).
gámes màster *n.* 《英》 체육 교사.
gámes mìstress *n.* 《英》 여자 체육 교사.
gáme·some *a.* 놀이를 좋아하는, 장난을 좋아하는, 뛰어다니는, 시시덕거리는. **~·ly** *adv.* 장난치며, 시시덕거리며. **~·ness** *n.*
gáme·ster *n.* 내기 승부를 하는 사람, 도박꾼 ; 용감한 경기자.
ga·met- [gəmíːt, gǽmət], **ga·me·to-** [-tou, -tə] *comb. form* 〔生〕 「배우자(配偶子)」의 뜻. 〖Gk. ; ⇨ GAMETE〗
gam·ete [gǽmiːt, gəmíːt] *n.* 〔生〕 배우자(配偶子), 생식 세포. **ga·met·ic** [gəmétik] *a.* 〖NL<Gk.=wife (*gamos* marriage)〗
gáme tènant *n.* 수렵[어렵]권 임차인.
gáme thèory *n.* 〔經〕 게임 이론(theory of games)《게임·군사·외교·기업 따위에서 이해가 대립하는 당사자가 서로 취득할 수 있는 가장 유리한 행동의 원리를 숫자적으로 다룸》.
gáme thèrapy *n.* 〔醫〕 유전(遺傳) 요법《유전자 공학에 의함》.
gaméto·cỳte *n.* 〔生〕 배우자 모세포(配偶子母細胞), 생식 모세포.
gamèto·génesis *n.* 〔生〕 배우자 형성.
gaméto·phỳte *n.* 〔植〕 배우체(配偶體).
gáme wàrden *n.* 수렵구(區) 관리자.
gamey ☞ GAMY.
gam·ic [gǽmik] *a.* 〔生〕 유성(有性)의(sexual).
-gam·ic [gǽmik] *a. comb. form* 「…의 성기가 있는」의 뜻 : poly*gamic*. 〖⇨ -GAMY〗
gam·in [gǽmən] *n.* 부랑아 ; 장난꾸러기. 〖F〗
gam·ine [gæmíːn] *n.* 말괄량이, 매력적인 말괄량이 처녀. 〖F〗
gam·ing [géimiŋ] *n.* Ⓤ 도박, 내기(gambling).
gáming hòuse *n.* 도박장(gambling house).
gáming tàble *n.* 도박대(臺).
gam·ma [gǽmə] *n.* **1** 감마《그리스어 알파벳의 셋째자 Γ, γ ; 영자의 G, g에 해당》. **2** 셋째(의 것), 제 3 급(cf. ALPHA, BETA) : ~ plus[minus] 《주로 英》 (시험 성적이) 제 3 급보다 위[아래], C^+ [C^-]. **3** 〔昆〕 감마은빛나방《앞날개에 γ자형의 무늬가 있음》. **4** (*pl.* ~) 〔理〕 감마(microgram) 《100만분의 1그램》. 〖Gk.〗
gàmma-amìno·butýric ácid *n.* 〔生化〕 감마아미노부티르산(酸)《신경 전달 물질의 하나 ; 略 GABA》.
gámma decày *n.* 〔理〕 감마 붕괴《(1) 원자핵(原子核)의 감마선을 방출하는 붕괴. (2) 소립자의 마찬가지의 붕괴》.
gam·ma·di·on [gəméidiən] *n.* (*pl.* **-dia** [-diə]) =FYLFOT.
gámma distribùtion *n.* 〔統〕 감마 분포.
gámma glóbulin *n.* 〔生化〕 감마 글로불린《혈장 단백질의 한 성분으로 항체(抗體)가 많음》.
gámma radiàtion *n.* 〔理〕 감마 방사선(gamma rays) ; 감마선 복사.
gámma ràу *n.* [보통 *pl.*] 〔理〕 감마선.
gámma-rày astrónomy *n.* 감마선 천문학.
gámma-ray láser *n.* =GRASER.
gámma·sònde *n.* 〔氣〕 감마존데《감마선복사의 강도를 측정하는 라디오존데》.
gámma sùrgery *n.* 〔醫〕 감마선 외과(수술)《감마선 조사(照射)에 의해 암세포의 파괴나 파킨슨병의 치료를 함》.

gam·mer [gǽmər] *n.* 시골 노파(cf. GAFFER). 〖GODMOTHER〗

Gam·mex·ane [gæméksein] *n.* 가멕산《농업용 살충제 lindane의 상표명》.

gam·mon[1] [gǽmən] *n.* Ⓤ《口》허튼 소리, 실없는 소리 ; 기만, 속임수. ── *int.* 헛소리 마라! ── *vt.* 그럴싸하게 속이다[말하다]. ── *vi.* 시치미떼다(pretend). **~·er** *n.* 〖? GAMMON[3]〗

gammon[2] *n.* 베이컨용 돼지의 옆구리 아래쪽 고기 ; Ⓤ 훈제(燻製)[소금에 절인] 햄 : ~ and spinach 베이컨에 시금치를 곁들인 요리.
── *vt.* (돼지 고기를) 훈제하다.
〖ONF (*gambe* leg ; cf. JAMB)〗

gammon[3] *n.* (서양 주사위놀이(backgammon)에서) 2배승(勝), 개먼《상대방의 말이 하나라도 나기 전에 이기기》. ── *vt.* 2배승으로 이기다.
〖? ME *gamen* GAME[1]〗

gammon[4] *vt.* 〔海〕(밧줄로 제 1 사장(斜檣)을) 이물재(材)에 고정시키다. ── *n.* =GAMMONING.
〖? GAMMON[2] ; 햄을 졸라매는 연상인가〗

gámmon·ing *n.* 〔海〕이물의 제 1 사장(斜檣)을 매는 밧줄[사슬].

gam·my [gǽmi] *a.* 《英口》 =GAME[2].
〖GAME[2]의 방언형〗

gamo- [gǽmou, -mə] ☞ GAM-.

gàmo·génesis *n.* Ⓤ 〔生〕양성 생식. **-genétic** *a.* **-ical·ly** *adv.*

gàmo·pétal·ous *a.* 〔植〕통꽃의, 합판(合瓣)의.

gàmo·sépalous *a.* 〔植〕통꽃받침의, 합편악(合片萼)의.

-g·a·mous [-gəməs] *a. comb. form* 「…결혼의」의 뜻 : poly*gamous.* 〖Gk. *gamos* marriage〗

gamp [gǽmp] *n.* 《戱》크고 볼품없는 박쥐우산.
〖Dickens의 *Martin Chuzzlewit*의 작중 인물 Mrs. Sarah *Gamp*의 우산〗

gam·ut [gǽmət] *n.* **1** 〔樂〕온음계 ; 음역 ; 장음계. **2** 《비유》전영역, 전범위, 전반〈*of*〉.
〖L *gamma ut*〗
類義語 ⟹ RANGE.

gamy, gam·ey [géimi] *a.* (**gám·i·er ; -i·est**) 사냥감이 많은 ; 사냥한 새[짐승]의 맛[냄새]이 강렬한 ; (동물이) 기운이 좋은, 힘이 빠지지 않은 (plucky) ; 《美》(이야기 따위가) 음란한, 외설적인. **gám·i·ly** *adv.* **-i·ness** *n.* 〖GAME[1]〗

-g·a·my [-gəmi] *n. comb. form* 「…결혼」「…번식」「재생」의 뜻 : bi*gamy*, exo*gamy*.
〖Gk. *gamos* marriage+-*y*[1]〗

gan *v.* GIN[5]의 과거형.

gan·der [gǽndər] *n.* **1** 〔鳥〕기러기[거위]의 수컷(↔*goose*). **2** 바보, 얼간이(simpleton). **3** 《口》한번 언뜻 봄. ── *vt.* 《俗》(한눈에) 보다.
〖OE *gan*(*d*)*ra* ; cf. GANNET〗

gánder pàrty *n.* 《美》남자만의 모임.

Gan·dha·ra [gʌndɑ́:rə] *n.* 간다라《현재의 파키스탄 북서부에 해당하는 지방의 고대 이름 ; 헬레니즘 양식의 불교 미술이 융성》.

Gan·dhi [gɑ́:ndi:, gǽn-] *n.* 간디. **1 Indira ~** (1917-84) 인도의 정치가 ; J. Nehru의 딸 ; 수상 (1966-77, 1980-84). **2 Mohandas K. ~** (1869-1948) 인도 해방 운동의 지도자 ; Mahatma Gandhi로 불림. **~·an** *a., n.* 간디주의의 (사람).

Gan·dhism [gɑ́:ndizəm, gǽn-], **Gándhi·ìsm** *n.* Ⓤ 간디주의《비협력·불복종주의를 주창함 ; cf. SATYAGRAHA》.

G & T 《美俗》gin and tonic.

gán·dy dàncer [gǽndi-] *n.* 〔美鐵〕철도 보선 구간(區間) 작업원, 임시 작업반의 인부.
〖C20＜? ; *Gandy* (Chicago의 공구점)에서인가〗

***gang**[1] [gǽŋ] *n.* **1** (노예·노동자·죄수 등의) 한 떼, 일대(隊) ; (악한 등의) 일당, 한패 ; 폭력단, 갱(cf. GANGSTER) ; 《口》패거리, 놈들 ; 《美》(아이들의) 놀이 동무 : a ~ *of* desperate rascals 죽음을 두려워하지 않는 무뢰한의 일단. **2** (동시에 움직이는 도구의) 한 벌, 한 세트(set)〈*of* oars, saws, *etc.*〉.
── *vi.* 《美口》한패[일단]가 되다, 패거리를 만들다〈*up*〉; (…와) 단체가 되어 행동하다, 한패가 되다〈*with*〉. ── *vt.* 집단으로 습격하다.
〖ON *gangr*, *ganga* act of GOING ; cf. OE, OS, OHG *gang*〗

gang[2] *vi.* 《스코》가다(go), 걷다(walk).
gang agley 《스코》(계획 따위가) 어긋나다, 실패하다.
gang one***'s ain gait*** 《스코》자기 생각대로 행동하다.
〖OE *gangan* ; cf. ↑, GO〗

gang[3] ☞ GANGUE.

gáng bàng *n.* 《俗》여러 명의 남성이 한 여성과 행하는 성교, (특히) 윤간.

gáng·bòard *n.* =GANGPLANK.

gáng·bùst·er *n.* 폭력단을 단속하는 사람[경관].
-bùst·ing *n.*

gáng·er *n.* (노동자의) 감독, 작업반장(foreman).

Gan·ges [gǽndʒi:z] *n.* [the ~] 갠지스 강《벵골만으로 흐르는 인도에 있는 큰 강》.
Gan·get·ic [gændʒétik] *a.* 갠지스 강의.

gáng hòok *n.* 닻바늘《2-3개를 닻 모양으로 합친 낚시》.

gáng·lànd *n.* 암흑가, 범죄자의 세계.

gan·gle [gǽŋgəl] *vi., n.* 어색하게[딱딱하게] 움직이다[움직이기]. 〖역성(逆成) ‹*gangling*〗

gan·gli- [gǽŋgli], **gan·gli·o-** [gǽŋgliou, -gliə] *comb. form* 「신경절(神經節)」의 뜻.
〖Gk. ; ⇨ GANGLION〗

ganglia *n.* GANGLION의 복수형.

gan·gli·at·ed [gǽŋglièitəd], **-gli·ate** [-glièit, -gliət] *a.* =GANGLIONATED.

gan·gling [gǽŋgliŋ] *a.* 《美口》(몸이) 호리호리하고 키가 큰(lank). 〖(freq.) ‹GANG[2]〗

gan·gli·on [gǽŋgliən] *n.* (*pl.* **-glia** [-gliə], **~s**) **1** 〔解·動〕신경절(節). **2** 《비유》(지적·산업적) 활동의 중심. 〖Gk.〗

gan·gli·on·at·ed [gǽŋgliənèitəd], **-ate** [-nèit, -nət] *a.* 〔解〕신경절이 있는.

gánglion cèll *n.* 신경절 세포.

gan·gli·on·ic [gæ̀ŋgliɑ́nik] *a.* 신경절의.

gan·gly [gǽŋgli] *a.* =GANGLING.

gáng·màster *n.* (노동자의) 감독, 작업반장.

Gáng of fóur *n.* [the ~] (중국의) 4인방(幇).

gáng·plànk *n.* 〔海〕건널판《배와 부두 사이에 걸쳐 놓은 판》.

gáng·plòw *n.* 연동[복식] 쟁기.

gáng ràpe *n.* 《俗》윤간(輪姦).

gan·grene [gǽŋgri:n, 美+-⌐] *n.* **1** Ⓤ 〔醫〕괴저(壞疽), 탈저(脫疽)《생활 기능을 잃은 신체 조직》. **2** (도덕적) 부패[타락]의 근원. ── *vt., vi.* 괴저에 걸리(게 하)다. **gán·gre·nous** [-grənəs] *a.* 괴저의[에 걸린]. 〖F＜L＜Gk.=an eating sore〗

gáng shàg[**shày**] *n.* 《俗》=GANG BANG.

gángs·man [-mən] *n.* 감독, 작업반장.

gáng·ster *n.* **1** 갱의 일원, 악한 : a ~ film 갱 영화. **2** 《美俗》마리화나 (담배) ; 마리화나 사용자. **~·dom** *n.* 갱 사회, 악당 패거리. **~·ìsm** *n.* 갱 행위.

G

gáng táckling *n.* 〖美蹴〗 2인 이상의 수비측 선수가 동시에 볼캐리어를 태클하기.

gangue, gang [gæŋ] *n.* 〖鑛〗 맥석(脈石) 《광맥·광석 중의 쓸모 없는 암석[광물]》. 〖F<G *Gang* lode ; ⇨ GANG¹〗

gáng-ùp *n.* 《口》 (대항하기 위한) 단결.

gáng wàr[wàrfare] *n.* 폭력단원들끼리의 항쟁[시비].

gáng·wày *n.* **1 a)** 《英》 (극장·강당 따위의 좌석 사이의) 통로(cf. AISLE 2). **b)** 〖英議會〗 (간부의원석과 평의원석을 가르는) 통로 : members above[below] the ~ 간부[평]의원 / sit above [below] the ~ 간부[평]의원석에 앉다. **2** 〖海〗 =GANGPLANK ; (배의) 현문(舷門) 《뱃전의 출입구》. **3** 〖鑛〗 암석갱도. **4** 통로(clear passage). —— *int.* 비켜라 비켜 : A ~, please != G~, ~ ! 비켜라, 비켜 !

gan·is·ter, gan·nis- [gǽnəstər] *n.* 개니스터 《내화재(耐火材)로 난로의 내벽용 규질 점판암(硅質粘板岩)》.

gan·ja, -jah [gǽndʒə] *n.* Ⓤ (흡연용으로 쓰는) 인도 대마, 간자(cannabis). 〖Hindi<Skt.〗

gan·net [gǽnət] *n.* (*pl.* **~s, ~**) 〖鳥〗 갈매기과(科)의 술라새. 〖OE *ganot* ; GANDER와 같은 어원(語源)〗

gan·oid [gǽnɔid] *n., a.* 〖魚〗 경린어(硬鱗魚)(의) 《철갑상어 따위》. 〖F (Gk. *ganos* brightness)〗

Gan·su [gɑ́:nsú:], **Kan-** [; kǽnsú:] *n.* 간쑤(甘肅) 《중국 북서부의 성(省)》.

gant·let¹ [gɔ́:ntlət, gǽnt-] *n.* **1** (옛날 군대에서 행해진) 태형(笞刑) 《죄인을 두 줄로 늘어선 사람 사이를 뛰게 하여 채찍이나 몽둥이로 때림》. **2** 〖鐵〗 착선(搾線) 《터널이나 교량에서 복선의 선로가 서로 교차하여 단선처럼 되는 부분》.
run the gantlet 태형을 당하다 ; 가혹한 공격[비평]을 받다.
—— *vt.* 착선으로 하다.
〖GAUNTLET²〗

gantlet² *n.* =GAUNTLET¹.

gan·try [gǽntri] *n.* (나무로 만든 네 다리의) 통대(桶臺) ; (이동 기중기 따위의) 받침대 ; 〖鐵〗 (신호 장치를 받치는) 과선(跨線) 신호대 ; (로켓의) 이동식 발사 정비탑(整備塔). 〖*gawn* GALLON+TREE인가 ; 일설에 <OF *chantier*〗

gántry cràne *n.* 고가(高架) 이동 기중기.

Gan·y·mede [gǽnimì:d] *n.* 〖그神〗 가니메데스 《신들에게 술을 따르는 미소년》 ; [보통 g~] 《戲》 급사, 젊은 술시중꾼 ; 〖天〗 가니메데 《목성의 가장 큰 위성》.

GAO 《美》 General Accounting Office(회계 감사원(院)).

gaol ☞ JAIL.

***gap** [gǽp] *n.* **1** 갈라진[찢어진] 틈, 틈새, 간격 ; 중단 ; 빈 곳, 결함 ; 《비유》 (의견 따위의) 차이, 격차 : a ~ *in* a conversation 대화의 중단, 침묵 / stop[fill, supply] a ~ 틈을 메우다, 결함을 보완하다, 부족을 채우다 / bridge the ~ 틈을 메우다 / make[leave] a ~ 틈이 생기게 하다 / No great ~ *between* the rich *and* the poor is to be found. 빈부 사이에 큰 격차를 찾아볼 수 없다. **2** 협곡, 골짜기. —— *v.* **(-pp-)** *vt.* 금이 가게[갈라져 틈이 생기게] 하다. —— *vi.* 떨어지다, 갈라지다, 열리다 ; 들쭉날쭉해지다 ; 《美俗》 범행 현장에 있다. 〖ON=chasm ; GAPE와 같은 어원〗

GAPA 〖空〗 ground-to-air pilotless aircraft(지대공(地對空) 무인 비행기).

gape [géip, 美+gǽp] *vi.* **1** [動 / +*at*+名] 입을 딱 벌리다 ; 멍하니 입을 벌리고 바라보다 : Don't stand round *gaping.* 멍하니 거기에 서 있지 마라 / The savages ~*d* ***at*** the airplane. 미개인들은 입을 딱 벌리고 비행기를 바라보았다. **2** 하품을 하다(yawn). **3** (지면 따위가) 심하게 갈라지다. —— *n.* **1** 벌어진 틈새, 갈라진 틈 ; 하품(yawn) ; 멍하게 입을 벌리고 쳐다봄 ; 벌린 입[주둥이]의 넓이, 입을 벌림. **2** [the ~s] (새의) 기관 개취충증(開嘴蟲症) ; [the ~s] 《戲》 하품의 발작. 〖ON *gapa* ; cf. G *gaffen*〗
類義語 ⟹ LOOK.

gap·er [géipər] *n.* 멍하니 넋을 잃고 보는 사람, 하품하는 사람 ; 아연케 하는 것 ; 《口》 〖크리켓〗 쉽게 잡을 수 있는 공 ; 〖貝〗 우럭조개 ; 〖鳥〗 = BROADBILL.

gápe·sèed *n.* 《英方》 멍하니 넋을 잃고 보게 하는 것[사람] ; 멍하니 바라보는 사람.
seek[buy, sow] gapeseed 입을 벌리고 멍하니 보다.

gápe·wòrm *n.* 〖動〗 기관 개취충(開嘴蟲) 《가금의 기관에 기생함》.

gáp·ing·ly *adv.* 입을 딱 벌리고, 어처구니없어.

gáp·less *a.* 틈이 없는.

ga·po [géipou] *n.* 《美俗》 지독한 체취(體臭). 〖*g*orilla *a*rm*p*it *o*dor〗

gap·o·sis [gæpóusəs] *n.* 《美口》 **1** (단추·스냅 따위를 채웠을 때 옷이 팽팽해져서 생기는) 틈. **2** 갭 ; 결함.

gápped *a.* (여기저기) 틈이 벌어진.

gápped scàle *n.* 〖樂〗 갭트 스케일 《실제로 쓰지 않는 불필요한 음을 뺀 음계》.

gáp·py *a.* 틈이 많은 ; 연락이 없는 ; 결함이 있는.

gáp-tòothed *a.* 벌어진 이의.

gar [gɑ́:r] *n.* (*pl.* **~, ~s**) 〖魚〗 가파이크 《북미 담수산(産)의 긴 주둥이가 있는 물고기》 ; 동갈치(needlefish). 〖OE *gār* spear〗

G.A.R. Grand Army of the Republic.

***ga·rage** [gərɑ́:ʒ, -dʒ ; gǽrɑ:ʒ, -dʒ, -ridʒ] *n.* **1** (자동차) 차고, 주차장 ; (비행기) 격납고. **2** 자동차 수리 공장[정비소]. —— *vt.* 차고[자동차 정비소]에 넣다. 〖F (*garer* to shelter)〗

garáge·màn *n.* 자동차 정비공.

garáge sàle *n.* 《美》 (자기집 차고에서 여는) 중고 가정용품·신변 잡화의 염가 판매.

garáge shòp *n.* 자택의 차고를 개조한(것 같은) 조그마한 공장.

garáge stùdio *n.* 〖樂〗 음향 효과·공간 스페이스를 고려하지 않은 간이 녹음 스튜디오.

Ga·ránd (rífle) [gərǽnd(-), gǽrənd(-)] *n.* 《美》 개런드식 총 《미육군의 반자동식 총》. 〖John C. *Garand* (d. 1974) 미국의 발명가〗

garb [gɑ́:rb] *n.* Ⓤ,Ⓒ (특히 직업·시대·나라의 특유한) 복장(양식), 의상 ; 외관, 옷입은 매무새.
—— *vt.* [보통 수동태 또는 ~ one*self* 로] [+目 / +目+*in*+名 / +目+*as* 補] 입히다, 옷차림을 하다(dress) : *be* ~*ed* ***in*** motley 얼룩덜룩한 옷을 입고 있다 / He ~*ed* him*self as* a sailor. 그는 뱃사람의 옷차림을 했다.
〖F=graceful outline<It.<Gmc. ⇨ GEAR〗

***gar·bage** [gɑ́:rbidʒ] *n.* **1** Ⓤ (부엌에서 나오는 음식의) 찌꺼기(refuse). **2** Ⓤ 《古》 (생선·고기 따위의) 살이 붙은 뼈. **3** Ⓤ 쓰레기, 폐물 ; 잡동사니 ; 하찮은 이야기 : literary ~ 변변치 않은 읽을거리. **4** 컴퓨터 화면[프린터]에 나타나는 틀리거나 알 수 없는 내용. —— *vt.* [다음 숙어로]
garbage down 게걸스럽게 먹다, 탐내다.

〚AF *garbelage* removal of discarded matter< ?〛

gárbage càn *n.* 《美》 (큰 원통형의) 쓰레기통 《부엌 쓰레기를 넣음 ; cf. DUSTBIN, ASHCAN, TRASH CAN》.

gárbage collèction *n.* 〖컴퓨〗 무용(無用) 정보 정리《기억장치 속의 빈 부분을 모아 정리된 스페이스를 만드는 기술》.

gárbage collèctor *n.* 《美》 쓰레기 수거인.

gárbage dispòsal[**dispòser**] *n.* =DISPOSER.

gárbage dùmp *n.* 쓰레기 버리는 곳, 쓰레기장, 쓰레기 더미.

gárbage·màn *n.* 《美》 쓰레기 수거인.

gar·bage·ol·o·gy [gὰːrbidʒάlədʒi] *n.* 쓰레기학[연구]《폐기물의 내용에서 문화·사회를 연구함》.

gárbage trùck[**wàgon**] *n.* 《美》 쓰레기 운반[수거]차.

gar·ble [gάːrbəl] *vt.* (사실을) 왜곡하다, (기사를) 제멋대로 고치다, 마음대로 손대다 ; (모르고) 잘못 전하다 ; 불순물을 가려내다. —— *n.* 왜곡하기, 잘못 전하기, 혼동하기 ; 왜곡된 것, 잘못 전해진 것, 혼동시킨 것 ; 체질하여 분리한 불순물[쓰레기]. **~·able** *a.* **-bler** *n.*
〚It.<Arab.=to sift〛

gar·bo [gάːrbou] *n.* (*pl.* **~s**) 《濠俗》 쓰레기 수거인(人).

gar·bol·o·gist [gɑːrbάlədʒəst] *n.* 쓰레기 수거인 ; 쓰레기 학자[연구자].

gar·bol·o·gy [gɑːrbάlədʒi] *n.* =GARBAGEOLOGY.

gar·çon [gɑːrsɔ̃ː, ╌; *F* garsɔ̃] *n.* (*pl.* **~s** [-*z* ; *F* —]) (호텔 따위의) 보이(waiter), 사환 ; 하인 ; 소년.

gar·çon·nière [*F* garsɔnjɛːr] *n.* 독신용 남자 아파트.

gar·da [gɔ́ːrdə] *n.* (*pl.* **-dai** [gɔ́ːrdəiː]) 아일랜드인 경관[호위자]. 〚Ir.〛

gardant ☞ GUARDANT.

◇**gar·den** [gάːrdn] *n.* **1 a)** U,C 뜰, 정원, 화원, 과수원, 채원(菜園) : We have only a small ~[not much ~]. 우리 집에는 자그마한 뜰밖에 없다 / ☞ KITCHEN GARDEN / ☞ MARKET GARDEN / a rock ~ 암원(岩園) / a roof ~ 옥상정원(屋上庭園) / a bit of ~ 아주 작은[조그마한] 뜰. **b)** [the G~] 그리스 Epicurus학파(學派), Epicurus 철학《Epicurus가 정원에서 강의를 시작한 데서 연유》. **2** [때때로 *pl.*] 유원지, 공원 : Kensington *G~s* (London의) 켄징턴 공원. **3** 땅이 기름진 농경 지대. **4** 《英》 **a)** 옥외 음식 시설《beer garden 따위》. **b)** [*pl.*] …가(街), …광장(廣場). **5** 《美俗》 (야구장의) 외야. **6** [형용사적으로] **a)** 정원(용)의, 원예용의 ; 정원에 사는 ; 재배의[된] : a ~ flower 정원용[재배종] 꽃 (cf. FLOWER GARDEN). **b)** 흔한(common) : common or ~ ☞ COMMON *a.* 숙어.

***lead** a person **up the garden** (**path**)* 《口》 사람을 현혹하다, 속이다.

the Garden of Eden 에덴 동산.

the Garden of England 「영국의 화원」《Kent 주, 옛 Worcestershire 따위의 땅이 기름진 지방》.

the Garden of the West 미국 Kansas 주(州)의 별칭.

—— *vi.* 뜰을 만들다[가꾸다] ; 원예를 하다, 뜰을 손질하다. —— *vt.* 정원으로 하다, …에 정원을 만들다.
〚ONF (OF *jard-*) <Rom.<Gmc. ; cf. YARD¹〛

gárden apártment *n.* 《美》 정원 아파트《넓은 잔디밭·정원이 있는 아파트》.

gárden bàlm *n.* 멜리사풀.

gárden bálsam *n.* 〖植〗 봉선화.

gárden cènter *n.* 원예용품점, 종묘상.

gárden chàir *n.* 정원용 의자, 가든 체어.

gárden cíty *n.* 전원 도시(田園都市).

gárden crèss *n.* 후추냉이.

***gárden·er** *n.* 정원사, 원예사, 원정(園丁) ; 채소 재배 농부 : ☞ MARKET GARDENER / a nursery ~ 묘목업자(苗木業者).

gàrden·ésque *a.* 정원(풍)의 ; 화원 같은.

gárden fràme *n.* 촉성 재배(促成栽培)용 온상, (식물 재배용) 나무틀.

gárden hòuse *n.* (정원의) 정자 ; 《주로 美南中部》 옥외 변소.

G

gardening equipment

gar·de·nia [gɑːrdíːnjə] *n.* 〖植〗 치자나무.
〚A. *Garden* (d. 1791) 스코틀랜드의 박물학자〛

gárden·ing *n.* Ⓤ 조원(술)(造園術) ; 원예.

gárden pàrty *n.* 원유회(園遊會), 가든 파티.

gárden plànt *n.* 원예[재배] 식물.

gárden plòt *n.* 정원[채원](부)지.

gárden portuláca *n.* 〖植〗 채송화.

gárden sèat *n.* 정원 벤치.

gárden spìder *n.* 〖動〗 호랑거미.

Gárden Státe *n.* [the ~] 미국 New Jersey 주의 별칭.

gárden stùff *n.* 야채류, 청과물.

gárden súburb *n.* 《英》 전원 주택지.

gárden trèe *n.* 정원수(樹) (cf. FOREST TREE, FRUIT TREE).

gárden trúck *n.* 《美》 =GARDEN STUFF ; (특히) 시장으로 나가는 채소.

gárden-varìety *a.* 흔해 빠진, 보통 (종류)의.

gárden víllage *n.* =GARDEN SUBURB.

gárden wàrbler *n.* 솔새의 일종.

gárden whìte *n.* 배추흰나비.

garde·robe [gɑ́ːrdròub] *n.* 옷장(속의 의류) ; 침실, 사실(私室) ; 변소. 〚OF ; cf. WARDROBE〛

Gar·field [gɑ́ːrfiːld] *n.* 가필드. **James Abram** ~ (1831-81) 미국 제20대 대통령 ; 취임후 4개월 만에 암살당함.

gár·fish *n.* =GAR.
〚OE *gār* spear+*fisc* fish에서인가〛

Gar·gan·tua [gɑːrgǽntʃuə] *n.* 가르강튀아 《Rabelais, *Gargantua* 중에 나오는 경음 마식(鯨飲馬食)하는 거인 ; cf. PANTAGRUEL》.
gar·gán·tu·an *a.* [흔히 G~] 가르강튀아 같은, 거대한.

gar·get [gɑ́ːrgət] *n.* 〖獸醫〗 (소·돼지 따위의) 인후 종양(咽喉腫瘍) ; (소·양 따위의) 유방염.
gár·gety *a.* 유방염의[에 걸린] ; (젖이) 끈적끈적한, 엉겨붙은. 〚C16=throat<OF〛

gar·gle [gɑ́ːrgəl] *vi., vt.* (목을) 가시다[양치질하다]. —— *n.* 목을 가시는 약. **gár·gler** *n.*
〚F (GARGOYLE)〛

gar·goyle [gɑ́ːrgɔil] *n.* 〖建〗 (고딕 건축에서 괴물의 형상으로 만든) 홈통 주둥이《지붕의 낙수받이 구멍》.
〚OF=throat〛

gargoyle

gár·goyl·ism *n.* 〖醫〗 가르고일리즘《골격 대사(骨格代謝) 이상·정신장애 따위를 수반하는 유전병》.

Gar·i·bal·di [gæ̀rəbɔ́ːldi] *n.* **1** 가리발디. **Giuseppe** ~ (1807-82) 이탈리아의 지사(志士). **2** [g~] (여성용·어린이용의) 헐거운 블라우스 《Garibaldi 장군과 그 부하 병사들이 입었던 빨간 셔츠에서》. **3** [g~] 《英》 건포도가 든 비스킷(=~ **bìscuit**).

GARIOA Government and Relief in Occupied Areas 《제2차 세계 대전 후의 미국의 점령 지역에 대한 구제 정부 자금》.

gar·ish [géəriʃ, gǽər-] *a.* 반짝반짝 빛나는 ; 야한, 화려한, 어지럽게 장식한. **~·ly** *adv.* 야하게, 화려하게. **~·ness** *n.* 〚*gaure* (obs.) to stare〛

gar·land [gɑ́ːrlənd] *n.* **1** (머리·목에 건) 화환, 화관(花冠) ; 꽃줄(festoon) ; 화환 모양의 무늬. **2** 영관(榮冠) ; 영예(榮譽) : gain[carry away, win] the ~ 승리의 영관을 얻다. **3** 《古》 (시문) 선집(anthology). —— *vt.* …에게 화관을 씌우다, 화환으로 장식하다 ; …의 화관이 되다.
〚OF<? Gmc.〛

gar·lic [gɑ́ːrlik] *n.* Ⓤ 〖植〗 마늘 ; 마늘《양념》: food with too much ~ in it 마늘이 지나치게 들어간 음식물 / smell of ~ 마늘 냄새가 나다.
〚OE *gārleac* (*gar* spear, LEEK)〛

gár·licky *a.* 마늘의, 마늘 냄새[맛]가 나는.

***gar·ment** [gɑ́ːrmənt] *n.* **1** 의복, (특히) 긴 상의 ; [*pl.*] 옷, 의상. **2** (물건의) 거죽, 외관.
—— *vt.* [보통 *p.p.*로] 《詩》 치장하다, …에게 입히다. 〚OF ; ⇨ GARNISH〛

gárment bàg *n.* (여행용(用)) 양복 커버《접어서 휴대함》.

gar·ner [gɑ́ːrnər] *vt.* 《詩·文語》 모으다 ; 축적하다(collect) ; 노력하여 손에 넣다, 획득하다(earn). —— *vi.* 모이다. —— *n.* 곡창(穀倉)(granary) ; 저장, 축적.
〚OF<L ; ⇨ GRANARY〛

gar·net [gɑ́ːrnət] *n.* **1** Ⓤ 〖鑛〗 석류석 ; Ⓒ (보석의) 가닛. **2** Ⓤ 가닛색, 암홍색(暗紅色). —— *a.* 암홍색의.
〚OF<L ; cf. (POME)GRANATE ; 석류의 열매와 비슷한 데서〛

gárnet pàper *n.* (석류석 가루를 붙인) 사포.

gar·nish [gɑ́ːrniʃ] *n.* **1** 장식물, 꾸미는 물건 ; (요리의) 고명, 곁들임. **2** 문식(文飾), 수식, 미사여구. —— *vt.* **1** 장식하다, 보기 좋게 꾸미다 ; (요리에) 고명을 곁들이다〈*with*〉. **2** 〖法〗 (압류 명령에 의해서) …에게 채권 압류 통고를 하다.
〚OF *garnir*<Gmc.=to guard〛

gar·nish·ee [gɑ̀ːrnəʃíː] *vt.* 압류 명령에 의해서 (채권을) 압류하다 ; (사람에게) 압류를 통고하다.
—— *n.* 〖法〗 (채권 압류에 의하여 지급 정지를 받은) 제3 채무자.

gárnish·ment *n.* **1** Ⓤ,Ⓒ 장식. **2** 〖法〗 통고(notice) ; (제3자에 대한) 출정 명령, 소환 통고.

gar·ni·ture [gɑ́ːrnitʃər, -nətʃùər] *n.* **1** Ⓤ,Ⓒ 치장, 장식(ornament, decoration) ; (특히 요리의) 고명 ; 《英》 의상(costume). **2** [집합적으로] 부속물, 가구 집물, 장구(裝具)(appurtenances).
〚F ; ⇨ GARNISH〛

garotte ☞ GARROTE.

GARP Global Atmospheric Research Program (지구 대기 연구 계획).

gar·ret[1] [gǽrət] *n.* **1** 다락방《특히 초라한 곳 ; cf. ATTIC》; 맨 위층방. **2** 《俗》 (인간의) 머리 : have one's ~ unfurnished 머리가 비다.
from cellar to garret = ***from garret to kitchen*** 온 집안.
〚OF=watchtower (*garir*<Gmc.=to defend)〛

garret[2] *vt.* =GALLET.

gar·re·teer [gæ̀rətíər] *n.* 《古》 다락방에 사는 사람, (특히) 삼류 작가, 가난뱅이 작가.

gar·ri·son [gǽrəsən] *n.* 〖軍〗 수비대, 주둔병[군] ; 요새, 주둔지 : ~ artillery 요새 포병.
in garrison 수비를 맡은.
—— *vt.* (도시·요새 따위에) 수비대를 두다 ; (군대·군인을) 주둔시키다.
〚OF (*garir* ; ⇨ GARRET[1])〛

gárrison càp *n.* 〖美軍〗 약모(略帽)《차양이 없고 접게 되어 있음》.

Gárrison fínish *n.* 《美》 (경마 따위에서 마지막 순간에서의) 역전승.
〚Snapper *Garrison* 19세기 미국의 기수〛

gárrison stàte *n.* 군국주의 국가《군인·군사 정책으로 지배되는 전체주의적 국가 ; cf. POLICE

STATE》.
gárrison tòwn *n.* 수비대 주둔 도시.
gar·ron [gǽrən, gərɔ́:n] *n.* (스코틀랜드·아일랜드의) 몸집이 작은 말. 〖Ir. Gael.=gelding〗
gar·rot [gǽrət] *n.* 〘鳥〙 흰뺨오리(goldeneye). 〖F〗
gar·rote, -rotte, ga·rotte [gərɑ́t, 美+-róut, 美+gǽrət] *n.* **1** (스페인의) 교수 형구; 교수형. **2** 교살 강도《사람의 등 뒤에서 줄 따위로 목을 조름》. —— *vt.* 교수형에 처하다; 목을 조르고 금품을 빼앗다. **gar·rót·(t)er** *n.* 교살자; 교살 강도. 〖F or Sp. (*garrote* a cudgel< ?)〗
gar·ru·li·ty [gərú:ləti, gæ-] *n.* Ⓤ 수다, 요설, 다변(多辯).
gar·ru·lous [gǽrjələs] *a.* 수다스러운, 말이 많은, 다변의; 지루한; (새가) 시끄럽게 지저귀는; (개울이) 소리내어 흐르는. **~·ly** *adv.* 〖L (*garrio* to chatter)〗
gar·ry·ow·en [gæ̀rióuən, gèər-] *n.* 〘럭비〙 볼을 앞으로 보내기 위해 높이 찬 킥, 하이 펀트. 〖*Garryowen* 이 전법으로 유명한 아일랜드 팀〗
gar·ter [gɑ́:rtər] *n.* **1** [보통 (a pair of) ~s] 양말 대님, 가터(=《英》 sock suspenders). **2** [the G~] 가터 훈장《영국의 최고 훈장; 가터와 목걸이·별표·외투 따위로 되어 있으며 남자는 왼쪽 무릎 밑에 여자는 왼쪽 팔에 단다》; [the G~] 가터 훈위(勳位); 가터 훈작사(勳爵士): a Knight of *the G~* 가터 훈작사《略 K.G.》/ the Order of *the G~* 가터 훈위(勳位)《Knight의 최고 훈위》. —— *vt.* 대님[고무 밴드]으로 매다; (남을) 가터 훈위에 서위하다. 〖OF (*garet* bend of knee< ? Celt.; cf. Welsh *gar* shank)〗
gárter bélt *n.* (여성용) 가터 벨트.
gárter snàke *n.* (미국산 독이 없는) 가터뱀.
gárter stítch *n.* (편물에서) 가터 뜨기.
garth [gɑ́:rθ] *n.* 《古》 안뜰, 정원. 〖ON; cf. YARD[1]〗
Gar·vey [gɑ́:rvi] *n.* 가비. **Marcus (Moziah)** ~ (1887-1940) 자메이카 출신의 흑인 운동 지도자; 흑인을 분리하여 아프리카에 흑인 자치국을 건설할 것을 주장. **~·ìsm** *n.* 〖OE = ? spear bearer〗
◇**gas**[1] [gǽ(:)s] *n.* (*pl.* **~·es**, 《美》 **gás·ses**) **1** Ⓤ.Ⓒ 기체(cf. FLUID, LIQUID, SOLID), (공기 이외의) 기체, 가스: Oxygen and nitrogen are *~es.* 산소와 질소는 기체다. **2** Ⓤ.Ⓒ (온열용) 가스, (특히) 석탄 가스(coal gas); 〘軍〙 독가스(poison gas); 〘鑛〙 폭발가스: natural ~ 천연가스 / put a kettle on the ~ 주전자를 가스불에 얹다 / turn down the ~ 가스불을 약하게 하다 / turn on the ~ (꼭지를 틀어서) 가스가 나오게 하다 / turn out [off] the ~ (꼭지를 잠가서) 가스를 끄다. **3** Ⓤ =LAUGHING GAS. **4** Ⓤ 《俗》 잡담, 허풍. —— *v.* (**-ss-**) *vt.* **1** (방 따위에) 가스를 공급하다; (기낭(氣囊)에) 가스를 채우다. **2** 가스로 처리하다[굽다]; (보풀을 없애기 위해서) (실 따위를) 가스로 그슬리다. **3** 〘軍〙 독가스로 공격하다; (일반적으로) 가스 중독을 일으키게 하다. —— *vi.* **1** (축전지 따위가) 가스를 내다. **2** 〘軍〙 독가스 공격을 하다. **3** 《俗》 잡담을 하다, 허풍떨다; 《美俗》 술취하다. 〖Du.; 벨기에의 화학자 J. B. Van Helmont (d. 1644)가 Gk. CHAOS를 옮긴 것〗
gas**[2] *n.* 《美口》 가솔린(gasoline), 휘발유; (자동차의) 액셀러레이터, 가속기. ***step on the gas 《口·원래 美》 (자동차의) 가속기(accelerator)를 밟다, 속력을 내다; (일반적으로) 서두르다(hurry up). —— *vt.* (**-ss-**) 《美口》 (자동차에) 가솔린을 넣다, 급유하다〈*up*〉. 〖*gas*oline〗
gás attàck *n.* 독가스 공격.
gás·bàg *n.* 가스 주머니; 비행선, 경기구(輕氣球); 《口》 허풍선이(boaster), 수다쟁이, 떠버리.
gás bàrrel *n.* (본관(本管)에서 건물로 가스를 끄는 철제) 가스관.
gás bòmb *n.* =GAS SHELL.
gás bràcket *n.* (벽에서 내민) 가스등 받이.
gás bùoy *n.* 가스등 부표《압축 가스가 연료》.
gás bùrner *n.* 가스 버너; 가스스토브[레인지].
gás càrbon *n.* 가스 카본, 가스탄(炭).
gás chàmber *n.* 가스 (처형)실.
gás chròmatograph *n.* 〘化〙 가스 크로마토그래프《gas chromatography를 사용하는 장치》.
gás chromatógraphy *n.* 〘化〙 가스[기상(氣相)] 크로마토그래피《여러 성분이 혼합된 시료(試料)를 분석하는 방법》.
gás còal *n.* 가스 제조용 석탄.
gás còke *n.* 가스 코크스.
Gas·con [gǽskən] *n.* 가스코뉴(Gascony)인(人); [g~] 자만하는 사람, 허풍선이. —— *a.* 가스코뉴(인)의; [g~] 허풍선이의.
gas·con·ade [gæ̀skənéid] *n.* Ⓤ 제자랑(boastful talk), 허풍. —— *vi.* 자만하다, 허풍떨다. **gàs·con·ád·er** *n.*
Gas·cony [gǽskəni] *n.* 가스코뉴《프랑스 남서부의 지방》.
gás còoker *n.* 《英》 가스 레인지(=《美》 gas range).
gás-còoled *a.* 가스 냉각의.
gás-cooled reáctor *n.* 〘原子力〙 가스 냉각로.
gás cùtting *n.* (금속의) 가스 절단.
gàs·dynámic *a.* 기체 역학의.
gàs·dynámics *n.* 기체 역학. **-dynámicist** *n.*
gás-èater *n.* 연료 소비가 많은 자동차.
gas·e·i·ty [gæsí:əti] *n.* =GASEOUSNESS.
gas·elier [gæ̀səlíər] *n.* =GASOLIER.
gás èngine *n.* (LPG 따위의) 가스 기관.
gas·e·ous [gǽsiəs, gǽʃəs, géi-] *a.* 기체의, 가스(체)의, 가스 모양의(cf. DRY 2, LIQUID, SOLID); 《口》 믿을 수 없는《정보 따위》. **~·ness** *n.* 가스상(狀), 가스질(質), 기체.
gáseous diffúsion *n.* 기체[가스] 확산법(擴散法)《기체를 다공질(多孔質)의 격막(隔膜)을 통하여 흐르게 하여 행하는 동위 원소 분리법; 농축 우라늄 제조에 널리 쓰임》.
gás field *n.* 천연 가스 발생지.
gás·filter *n.* 가스 여과기[장치].
gás fire *n.* 가스불, 가스 난로.
gás-fired *a.* 가스를 연료로 사용하는.
gás fitter *n.* 가스 장치를 하는 사람, 가스 공사업자(者).
gás fitting **1** Ⓤ 가스 장치, 가스 공사. **2** [*pl.*] 가스 배관.
gás fixture *n.* 가스 장치, 가스전(栓)《가스용 기구에 접속하여 가스를 내보내는 장치》.
gás fùrnace *n.* 가스로(爐), 가스 증류로.
gás gàngrene *n.* 〘醫〙 가스 괴저(壞疽).
gás gàuge *n.* 《주로 美》 =FUEL GAUGE.
gás-gùzzler *n.* 《美·Can.》 연료 소비가 많은 대형차. **gás-gùzzling** *a.* 연료가 많이 드는.
gash[1] [gǽ(:)ʃ] *n.* 깊은 상처; (지면의) 갈라진 틈, 터진 곳. —— *vt.* …에게 깊은 상처를 입히다. 〖ME *garse*<OF (*garcer* to scratch, wound)〗

G

gash[2] *a.* 《英俗》 남는, 여분의 (spare). —— *n.* 남은 물건, 폐기물, 쓰레기.
〖C20＜?; 원래 해속(海俗)〗
gash[3] *a.* 《주로 스코》 현명한, 똑똑한, 현명[똑똑]하게 보이는; (복장이) 깔끔[말쑥]한.
〖C18＜?; *sagacious*의 사투리인가〗
gás hèater *n.* 가스 가열기[난방기].
gás hèlmet *n.* ＝GAS MASK.
gás·hòld·er *n.* 가스 저장소, 가스 탱크.
gás·hòuse *n.* ＝GASWORKS.
gás·ifi·able *a.* 가스로 변할 수 있는, 기체화할 수 있는.
gas·ifi·ca·tion [gæ̀səfəkéiʃən] *n.* Ⓤ 가스화(化), 기화(氣化); (채굴하지 않은 석탄에 의한) 가스의 지하 발생.
gas·iform [gǽsəfɔ̀ːrm] *a.* 가스 모양의, 기체의.
gas·ify [gǽsəfài] *vt.* 가스화[기화]하다.
gás jèt *n.* 가스등의 화구(火口); 가스 불꽃.
gas·ket [gǽskət] *n.* 〖船〗 괄범삭(括帆索); 〖機〗 개스킷《기계의 틈을 메우는 고무·삼 따위》, (일반적으로) 메우는 것, 패킹(packing). **~·ed** *a.* 개스킷을 끼운, 패킹을 한.
〖? *gassit* (obs.) ＜F *garcette* little girl, thin rope〗
gás làmp *n.* 가스등(燈).
gás làser *n.* 가스 레이저《네온·헬륨·이산화탄소·질소 따위의 혼합 가스를 여기(勵起)시켜 레이저광(光)을 얻는 장치》.
gás·lìght *n.* Ⓤ 가스불; Ⓒ 가스등. —— *a.* 가스등 시대의.
gás lìghter *n.* 가스용의 점화 기구; (담배용의) 가스 라이터.
gáslight pàper *n.* 〖寫〗 가스라이트지(紙)《약한 불빛으로도 현상할 수 있는 인화지》.
gás-lìquid chromatógraphy *n.* 〖化〗 기체 액체 크로마토그래피(gas chromatography).
gás·lìt *a.* 가스등으로 조명된; 가스등 시대의.
gás lòg *n.* (가스 난로의) 둥근 연소관.
gás màin *n.* 가스 (수송) 본관(本管).
gás·màn *n.* 가스 검침원(檢針員); 가스료 수금원; ＝GAS FITTER.
gás màntle *n.* (가스등의 점화구에 씌우는) 가스 맨틀.
gás màsk *n.* 방독면(gas helmet).
gás-màsked *a.* 가스 마스크를 쓴, 방독면을 쓴: ~ firemen 방독면을 쓴 소방수.
gás mèter *n.* 가스 미터[계량기].
gás mòtor *n.* 가스 기관, 가스 발동기.
gas·o·gene [gǽsədʒìːn], **gaz·o-** [gǽzə-] *n.* 가스 발생 장치; 휴대용 탄산 (소다)수 제조기.
gas·o·hol [gǽsəhɔ̀(ː)l, -hɑ̀l] *n.* Ⓤ 가소홀 《(1) 가솔린과 에틸 알코올의 혼합 연료. (2) [G~] 알코올 성분이 10%인 것; 상표명》.
〖*gas*oline＋alc*ohol*〗
gás òil *n.* 경유(輕油).
gas·olier [gæ̀səlíər] *n.* 샹들리에식 가스등.
***gas·o·line, -lene** [gǽsəlìːn, ⌐-⌐] *n.* Ⓤ 《美》 가솔린, 휘발유(＝《英》 petrol). **gàs·o·lín·ic** [-líː-, -lín-] *a.* 〖*gas*[1]＋*-ol*＋*-ine*[2], *-ene*〗
gásoline bòmb *n.* 가솔린 폭탄; 화염병.
gásoline ènginè[mòtor] *n.* 《美》 가솔린 엔진[기관(機關)].
gas·o·mat [gǽsəmæ̀t] *n.* 가솔린 주유소.
gas·om·e·ter [gæsɑ́mətər] *n.* 가스 계량기; ＝GAS TANK. 〖F *gazomètre* (GAS[1], *-meter*)〗
gás-óperated *a.* 가스 압력식의《총》.
gás òven *n.* 가스 레인지(＝《英》 gas cooker); 가스실(室) (gas chamber).

***gasp** [gǽ(ː)sp; gɑ́ːsp] *n.* 헐떡거림, 숨참; (공포·놀람 따위로) 숨이 막힘.
at one***'s***[***the***] ***last gasp*** 임종 때에; 마지막 순간에.
to the last gasp 최후까지, 숨을 거둘 때까지.
—— *vi.* [動/＋前＋名] 헐떡거리다; (놀람 따위로) 숨이 막히다: ~ ***with*** rage[horror] (분노[공포] 따위로) 숨이 막히다 / She ~*ed* ***for*** breath[air]. 그녀는 숨을 헐떡거렸다.
—— *vt.* [＋目＋副] 헐떡거리며 말하다: He ~*ed* ***out***[*forth*] a few words. 그는 헐떡거리며 몇 마디 말했다.
gasp out[***away***] one***'s life***＝***gasp*** one***'s last*** 마지막 숨을 거두다.
~·er *n.* 헐떡거리는 사람; 《英俗》 싸구려 궐련, 마리화나[대마초] 담배. **~·ing** *a.*
〖ON *geispa* to yawn; cf. *geip* idle talk〗
GASP [gǽ(ː)sp; gɑ́ːsp] *n.* 《美》 여러 가지 반흡연[반공해] 운동 단체의 약칭.
〖*G*roup *A*gainst *S*moke and *P*ollution, *G*als *A*gainst *S*moke and *P*ollution, etc.〗
gás pèdal *n.* Ⓒ 《美》 (자동차의) 액셀러레이터 페달.
gás pérmeable lèns *n.* 가스 투과성 렌즈《실리콘과 폴리머로 된 콘택트 렌즈》.
gás pìpe *n.* 가스관(管).
gás plànt *n.* 가스 공장(gasworks).
gás pòisoning *n.* 가스 중독(中毒).
gás pòker *n.* (길쭉한 관(管) 끝에 불씨가 있는) 가스 점화 기구.
gás prodùcer *n.* 가스 발생기.
gás·pròof *a.* 가스가 새지 않는; 내(耐)가스성의.
gás rànge *n.* 가스 레인지《취사용》.
gás rìng *n.* 가스 풍로.
gás-rìpened *a.* (야채 따위를) 에틸렌 가스로 숙도(熟度) 촉진 처리를 한.
gassed [gǽ(ː)st] *a.* 독가스를 맞은; 《俗》 술취한; 《美俗》 자지러지게 웃는, 포복 절도하는.
gás·ser *n.* 허풍선이; 천연 가스 우물.
gás shèll *n.* 독가스탄(gas bomb).
gás·sing *n.* Ⓤ 가스 처리; 독가스 공격; 가스 발생; 《俗》 잡담, 수다, 허풍.
gás-sìpper *n.* 연료비가 적게 드는 자동차.
gás-sìpping *a.* (자동차 따위가) 연료의 소비량이 적은.
gás stàtion *n.* 《美》 ＝SERVICE STATION 1.
gás stòrage *n.* (과실·야채를 보존하기 위해 탄산 가스는 많고 산소는 적게 한) 저장 창고.
gás stòve *n.* (취사용) 가스 스토브.
gás·sy *a.* 가스질[모양]의; 가스가 찬; 《口》 제자랑이 많은, 허풍떠는.
gás tànk *n.* 가스 탱크; 《美》 가솔린 탱크.
gás tàr *n.* (가스 제조할 때 생기는) 콜타르.
Gast·ar·bei·ter [*G* gástarbaitər] *n.* (*pl.* ~) (이탈리아·터키 따위에서 독일로) 돈벌이하러 간 사람. 〖G＝guest worker〗
gas·ter- [gǽstər], **gas·tero-** [gǽstərou, -rə] *comb. form* 「복부(腹部)」의 뜻.
〖Gk.; ⇨ GASTRIC〗
gástero·pòd *n., a.* ＝GASTROPOD.
gás thermòmeter *n.* 기체 온도계.
gás·tìght *a.* 가스가 새지 않는, 내(耐)가스 구조의; 기밀(氣密)의. **~·ness** *n.*
gastr- [gǽstr], **gas·tro-** [gǽstrou, -trə], **gas·tri-** [-trə] *comb. form* 「위(胃)」의 뜻.
〖Gk.; ⇨ GASTRIC〗
gas·tral·gia [gæstrǽldʒiə] *n.* Ⓤ 위통.

gas·trec·to·my [gæstréktəmi] *n.* 〖醫〗 위절제(술)(胃切除(術)).
gas·tric [gǽstrik] *a.* 위의, 위 부분의 ; 위 같은 모양[기능]의 : ~ cancer 위암.
〚F or NL<Gk. *gastēr* belly, stomach〛
gástric júice *n.* 위액.
gástric úlcer *n.* 〖醫〗 위궤양.
gas·trin [gǽstrən] *n.* 〖生化〗 가스트린《위액 분비를 촉진하는 호르몬》.
gas·tri·no·ma [gæ̀strənóumə] *n.* 〖醫〗 가스트린 분비 과다에 기인하는 다발성 위궤양.
gas·tri·tis [gæstráitəs] *n.* (*pl.* **gas·trit·i·des** [-trítədì:z]) Ⓤ 〖醫〗 위염(胃炎).
gas·trit·ic [gæstrítik] *a.*
gastro- [gǽstrou, -trə] ☞ GASTR-.
gàstro·cámera *n.* 〖醫〗 위(胃) 카메라.
gàstro·cólic *a.* 〖解〗 위 대 장(胃大腸)의 : ~ reflex 위대장 반사.
gàstro·entéric *a.* 위장의(gastrointestinal).
gàstro·enterítis *n.* Ⓤ 〖醫〗 위장염.
gàstro·en·ter·ól·o·gy [-èntərɑ́lədʒi] *n.* 위장병학. **-gist** *n.* 소화기 전문의, 위장병 전문의.
gàs·tro·èn·te·ro·lóg·i·cal *a.*
gàstro·intéstinal *a.* 〖解〗 위장(내)의.
gas·trol·o·ger [gæstrɑ́lədʒər] *n.* 요리 연구가 ; 식도락가, 미식가.
gas·trol·o·gy [gæstrɑ́lədʒi] *n.* Ⓤ 위(병)학(胃(病)學) ; 요리학. **-gist** *n.* 위전문의.
gas·tro·nome [gǽstrənòum] *n.* 미식가, 식도락가(epicure). 〚↓〛
gas·tron·o·my [gæstrɑ́nəmi] *n.* Ⓤ 미식학 ; (어떤 지방의 독특한) 요리법. **gas·trón·o·mer, -mist** *n.* =GASTRONOME. **gas·tro·nom·ic, -i·cal** [gæ̀strənɑ́mik(əl)] *a.*
〚F<Gk. (*gastr-, -nomia*〈*nomos* law)〛
gas·tro·pod [gǽstrəpɑ̀d] *n.* 〖動〗 복족류(腹足類)《달팽이 따위》. —— *a.* 복족류의[와 같은].
〚F (*gastr-*, Gk. *pod- pous* foot)〛
Gas·trop·o·da [gæstrɑ́pədə] *n. pl.* 〖動〗 복족류(腹足類)《연체 동물문의 한 강(綱)》.
gas·trop·to·sis [gæ̀strɑptóusəs] *n.* 〖醫〗 위하수(胃下垂).
gástro·scòpe *n.* 〖醫〗 위경(胃鏡), 위내시경.
gas·tros·co·py [gæstrɑ́skəpi] *n.* 위경검사법.
-pist *n.* **gas·tro·scop·ic** [gæ̀strəskɑ́pik] *a.*
gas·trot·o·my [gæstrɑ́təmi] *n.* Ⓤ 위절개(술).
gas·tru·la [gǽstrələ] *n.* (*pl.* **~s, -lae** [-lì:, -lài]) 〖發生〗 원장배(原腸胚), 낭배(囊胚), 장배(腸胚)《난(卵)발생 단계의 하나》. **gás·tru·lar** *a.*
gas·tru·late [gǽstrəlèit] *vi.* 〖發生〗 낭배[장배]를 형성하다. **gàs·tru·lá·tion** *n.* 낭배[장배] 형성.
gás tùrbine *n.* 가스 터빈.
gás wàrfare *n.* 독가스전(戰).
gás wèll *n.* 천연 가스정(井).
gás·wòrks *n.* (*pl.* ~) 가스 공장[제조소](gashouse) ; [the ~] 《英俗》 하원.
gat[1] [gǽt] *n.* 《美俗》 (자동)총, 권총.
—— *vi.* (**-tt-**) [다음 숙어로]
gat up 《美俗》 총으로 무장하다.
〚*Gat*ling gun〛
gat[2] *v.* 《古》 GET[1]의 과거형.
gat[3] *n.* (절벽·사주(砂洲) 사이의) 수로.
〚C18<? Du.=hole or ON=passage ; cf. GATE[1]〛
◇**gate**[1] [géit] *n.* **1 a)** 문, 통용문, 성문, 관문 : I went[passed] *through* the ~ and up the garden path. 문을 지나서 정원길을 갔다. **b)** 《비유》 문호 : a ~ *to* success 성공에의 길 / open a[the] ~ *to*[*for*] …에 문호를 열다, 기회를 주다 / the ~(*s*) of death 죽음의 문. **2** (운하·댐 따위의) 수문, 갑문(閘門). **3** Ⓤ (경기 대회의) 입장자(수) ; 입장료 (총액)(gate money). **4** 〖聖〗 법정. **5** 톱틀(saw gate). **6** 〖電子〗 게이트《(1) 둘 이상의 입력이 일정 조건을 충족시킬 때만 하나의 출력을 얻는 회로. (2) FET의 제어 전극》. **7** 《美俗》 퇴짜, 거절, 모가지 ; 《野俗》 스트라이크 아웃.
get the gate 《美俗》 내쫓기다.
give a person ***the gate*** 《美俗》 남에게 퇴장을 명하다, 남을 해고하다[쫓아내다].
the gate of horn[***ivory***] 〖그神〗 맞는 꿈[헛된 꿈]이 나오는 문.
the Gates of Dreams 〖그神〗 꿈의 문(門).
the gate(***s***) ***of the city*** 〖聖〗 법정(法廷).

〈회화〉
Where are you meeting your sister? — At the front *gate*. 「언니를 어디서 만나기로 했니」「정문에서」

—— *vt.* **1** 《英大學》 (학생에게) 금족령을 내리다 ; 《美俗》 (남을) 버리다, 해고하다. **2** …에 문을 달다.
〚OE *gæt*, *geat*, (pl.) *gatu* ; cf. GAT[3]〛
gate[2] *n.* 《古·北英》 거리, 가(街) ; (상투적인) 수단, 방법 : Gallow*gate* 갤로로(路).
〚ON *gata* road ; cf. G *Gasse*〛
-gate [gèit] *n. comb. form* 「추문(醜聞)」 「스캔들」의 뜻. 〚WATERGATE〛
gáte bàr *n.* 문빗장.
gáte bìll *n.* 《英大學》 폐문시간 지각부(遲刻簿)[벌금(罰金)].
gáte-cràsh *vi., vt.* 초대받지 않고 가다, 불청객이 찾아가다 ; …에 무료 입장하다. **~·er** *n.* 불청객 ; 무료 입장객.
gáte·fòld *n.* 〖印〗 접어넣은 페이지《지도 따위 책의 본문 페이지보다 큰 것》.
gáte·hòuse *n.* (사냥터 따위의) 문지기집, 수위실 ; (방어·감옥으로 사용한 중세 도시 성문 위의) 다락.
gáte·kèep·er *n.* 문지기, 수위 ; 건널목지기.
gáte·lèg[**gáte-lègged**] **táble** *n.* 접었다 폈다 할 수 있는 책상.
gáte·man [-mən, -mæ̀n] *n.* =GATEKEEPER.
gáte mòney *n.* (경기 대회) 입장[관람]료 (총액)(gate).
gáte·mòuth *n.* 《美俗》 남의 일을 퍼뜨리고 돌아다니는 사람.
gáte·pòst *n.* 문기둥.
between you and me and the gatepost ☞ BETWEEN.
gáte·wày *n.* **1** (벽·울타리 따위의) 대문, 출입구, 아치형 통로. **2** 《비유》 (성공 따위에 이르는) 길〈*to* success, knowledge, *etc.*〉. **3** 국제선의 발착지(發着地)가 되는 현관 공항[도시]. **4** 〖通信〗 서로 다른 전산망이나 자료 통신망 따위를 서로 접속하기 위한 장치.
Gath [gǽ(:)θ] *n.* 〖聖〗 가드《고대 Palestine에 있었던 도시로 거인 Goliath의 출생지》.
Tell it not in Gath. 〖聖〗 이 일을 가드에도 고하지 말지어다《원수의 귀에 들리지 않게 하라는 뜻 ; 사무엘하 1 : 20》.
‡**gath·er** [gǽðər, géðər] *vt.* **1** [+目/+目+副] 모으다(↔*separate*) : Worker ants ~ food and repair the nest. 일개미는 먹이를 모으고 집을 수리한다 / He ~*ed* ***up***[*together*] his papers and departed. 그는 서류를 정리하여 떠나버렸다. **2**

(꽃·과실 따위를) 따서 모으다, 채집하다 : ~ roses ☞ ROSE[1] *n.* 숙어. **3** …을 거두어들이다, 수확하다. **4** (부·힘 따위를) 축적하다, (경험을) 쌓다 ; (속력 따위를) 점차 늘리다 ; (지력·정력 따위를) 집중하다, 회복시키다 : ~ breath (겨우) 숨을 쉬다[한숨 돌리다] / ~ flesh 살이 찌다 / ~ speed 점차로 속력을 내다 / ~ volume 커지다 / ~ one's energies 온 정력을 다 쏟다 / ~ one's senses[wits] 지혜를 짜내다 / A rolling stone ~*s* no moss. ☞ ROLLING STONE / Her complexion began to ~ color. 그녀는 혈색이 돌기 시작했다 / The invalid is ~*ing* strength. 환자는 회복되고 있다. **5** [+目+*from*+名/+*that* 節] (지식·소식을) 얻다 ; 추단[추측]하다 : What do you ~ ***from*** this evidence? 이 증거로 미루어 무엇을 짐작할 수 있습니까 / I ~*ed* (*from* her words) *that* she was really much distracted. (그녀의 이야기를 듣고) 그녀가 정말로 마음이 산란해 있다고 추측했다. **6** 오므리다, …에 주름이 잡히게 하다 ; …에 주름을 잡다(cf. *n.*) : ~ the brows 눈살을 찌푸리다.

── *vi.* **1** [動/+前+名] 모이다(↔*disperse, scatter*) : The clouds were ~*ing.* 구름이 모여들고 있었다 / They ~*ed* (***a***)***round*** him. 그들은 그의 주위에 모여들었다. **2** 증대하다, 점차 늘다. **3** (종기가) 곪다, 부어오르다(cf. GATHERING).

be gathered to one***'s fathers*** 《文語》 죽다.

gather head ☞ HEAD.

gather one***self up***[***together***] 용기를 불러일으키다, 기운을 내다〈*for* an effort〉.

gather up 모아 정리하다, 주워[긁어] 모으다 (cf. *vt.* 1) ; (이야기의 줄거리를) 간추리다 ; (생각을) 집중하다, (힘을) 북돋우다 ; (팔다리·몸 따위를) 움츠리다 : I ~*ed up* my strength and called out once more. 나는 힘을 내어 다시 한 번 외쳤다.

gather way ☞ WAY[1].

── *n.* **1** 그러모음 ; 수확 ; 집적 ; (수확의) 양, 수. **2** [보통 *pl.*] 〔洋裁〕 주름, 개더(cf. *vt.* 6).

~·able *a.*

〖OE *gaderian* (*geador* together) ; *-d-*>*-th-*는 cf. BROTHER〗

類義語 (1) ***gather*** 흩어져 있는 것을 한 장소·한 덩어리 따위로 모으다 ; 가장 일반적인 말 : *gather* scraps (조각을 모으다). ***collect*** 어떤 목적을 가지고 주의 깊게 모아 정리하다 : He *collects* stamps. (그는 우표를 모은다). ***assemble*** gather, collect 보다도 새로운 느낌을 주는 말로 어떤 특정한 목적을 위해 사람이나 물건을 모으다 : *assemble* data for the discussion (토론의 자료를 수집하다).
(2) ⟹ INFER.

gáth·ered skírt *n.* 〔洋裁〕 주름 치마.

gáther·er *n.* 모으는[채집하는] 사람 ; [*pl.*] 채집인 ; 수금원 ; (재봉틀의) 주름잡는 장치.

***gáther·ing** *n.* **1** 모임, 집회, 집합 : a social ~ 파티, 간친회. **2** Ⓤ 채집, 수확(收穫). **3** 집적(集積). **4** Ⓤ 화농(化膿), 부어오름 ; Ⓒ 종기, 농양(膿瘍). **5** Ⓤ 〔洋裁〕 주름잡기 ; Ⓒ 주름. **6** 〔製本〕 접지 모으기[한 것].

類義語 ⟹ MEETING.

gáthering còal[**pèat**] *n.* 불씨《밤새 꺼지지 않도록 피워두는 큰 석탄 덩어리》.

Gát·ling (**gùn**) [gǽtliŋ(-)] *n.* 개틀링 기관총 《발명자의 이름에서》.

ga·tor [géitər] *n.* 《美口》 악어 ; 《俗》 재즈팬. 〖alli*gator*〗

Ga·tor·ade [gèitəréid] *n.* 게이터레이드《미국 청량 음료의 하나 ; 상표명》.

gátor bòmb *n.* 공중에서 폭발하는 집속탄의 일종《위력이 8만 제곱미터에 이름》.

GATT, G.A.T.T. [, gæt] General Agreement on Tariffs and Trade (관세 및 무역에 관한 일반협정, 가트).

gát-ùp *n.* 《美俗》 권총 강도.

gauche [góuʃ] *a.* 솜씨가 서투른(awkward), 세련되지 못한, 거칠고 무딘, 조잡한 ; 왼손잡이의. **~·ly** *adv.* **~·ness** *n.*
〖F=left(-handed), awkward〗

gau·che·rie [gòuʃəríː, ⌐(-)-] *n.* 솜씨가 서투름 ; 세련되지 못함, 조잡함 ; 서투른 행동.
〖F (↑)〗

gau·chist [góuʃəst] *n.* =GAUCHISTE.

gau·chiste [gouʃíːst] *n.* 과격파 인물, 좌익인 사람. 〖F〗

gau·cho [gáutʃou] *n.* (*pl.* **~s**) 가우초《남미의 카우보이로 스페인인과 인디언과의 혼혈》.
〖Sp.<Quechua〗

gaud [gɔ́ːd, 美+gáːd] *n.* 《文語》 싸구려 장식품, 싸구려 물건 ; [*pl.*] 현란한 의식, 요란한 축제.
〖OF<L *gaudeo* to rejoice〗

gáud·ery *n.* 번지르르한 걸치레.

gaudy[1] [gɔ́ːdi, 美+gáːdi] *a.* 화사한 ; 야한, 속되게 사치스러운 ; (문체 따위를) 지나치게 꾸민, 미문조(美文調)의. **gáud·i·ly** *adv.* 현란하게. **-i·ness** *n.* 야함, 저속미.
〖L *gaudium* joy or *gaudeo* to rejoice〗

類義語 ***gaudy*** 색깔이 매우 호화 찬란하여 천하고 야한 : a *gaudy* dress (야한 옷). ***flashy*** 눈부실 정도로 훤하지만 싸구려로 저속한 : *flashy* jewelry (값싸고 야한 보석). ***showy*** 화려해서 사람의 눈길을 끄는 ; 꼭 저속한 취미를 뜻하지는 않음 : *showy* decoration (화려한 장식).

gaudy[2] *n.* 《英大學》 (해마다 졸업생을 위하여 베푸는) 대(大) 만찬회. 〖GAUD, *-y*[4]〗

gauffer ☞ GOFFER.

***gauge,** 《美》 [특히 전문어로서] **gage** [géidʒ] *n.* **1 a)** 표준 치수, 규격 ; (총포의) 표준 구경(口徑) ; (철판의) 표준 두께 : a 12-*gauge* shotgun 12구경의 엽총. **b)** 〔鐵〕 표준 궤간(軌間)(㊟ 《美》에서는 보통 gage) : the standard ~ 표준 궤간《4 피트 8인치 반 ; =1.435m》 / a broad[narrow] ~ 광[협]궤《표준 궤간 이상[이하]의 궤폭》. **c)** (자동차 따위의) (좌우) 차륜의 거리. **2 a)** 측정용 계기, 계량기, 게이지《우량계·유력계(流力計)·풍속계·압력계 따위》 ; 표준자 ; 자. ㊟ 《美》에서는 양을 재는 것에 대해서는 때때로 gage : a gasoline *gage* 《美》 가솔린 계량기. **b)** 〔印〕 게이지《조판의 치수를 정하는 것》. **3** [《英》에서는 보통 gage] 〔海〕 **a)** (다른 배와 풍향에 대한) 배의 위치 관계 : ☞ WEATHER GAUGE. **b)** 만재 흘수(滿載吃水). **4** 《비유》 용적[량], 넓이 ; 《비유》 범위, 한도. **5** (평가·판단·검사 따위의) 표준, 규격.

have the weather[***lee***] ***gauge of***. . . (1) 〔海〕 …의 바람 불어오는[가는] 쪽에 있다. (2) … 보다 유리[불리]하다.

take the gauge of …을 재다, 평가하다.

── *vt.* 측정하다, 재다 ; 표준 치수에 맞추다 ; 평가[판단]하다. ── *a.* (압력을 측정할 때) 대기압을 표준으로 한. **~·able** *a.* 측정[평가]할 수 있는. **~·ably** *adv.* 〖ONF<? Gmc.〗

gáuge bòard *n.* 계기반.

gáuge còck *n.* 험수(驗水) 콕.

gáuge glàss *n.* (보일러의) 험수관《수면계 (water

gauge)의 유리관》.
gaug·er, 《美》 [특히 전문어로서] **gag·er** [géidʒər] *n.* 재는 사람[것]; 품질 검사원.
gáug·ing ròd [géidʒiŋ-] *n.* (통의) 계량 막대.
Gau·guin [*F* gogɛ̃] *n.* 고갱. **Paul** ~ (1848-1903) 프랑스의 화가.
Gaul [gɔ́:l] *n.* **1** 갈리아, 골《고대 서유럽의 한 지역, 지금의 북이탈리아·프랑스·벨기에 따위를 포함》. **2** 골 사람; 《戱》 프랑스 사람.
〖F<Gmc.=foreigners〗
Gau·lei·ter [gáulàitər] *n.* (나치스의) 지방장관; (전체주의 정권 따위에서 중요한 지위를 차지하는) 하급 행정관; 시골의 유지.
〖G (*Gau* district, *Leiter* LEADER)〗
Gául·ish *a.* 갈리아[골](인)의, 갈리아[골]어의; 《戱》 프랑스(인)의. —— *n.* Ⓤ 갈리아[골]어《갈리아에서 쓰이다 절멸된 게르만어》.
Gaull·ism [góulizəm, 美+gɔ́:-] *n.* 드골주의(☞ DE GAULLE). **-ist** *n., a.*
gault, galt [gɔ́:lt] *n.* 〖地質〗 골트 층(層)《영국 남부의 녹사층(綠砂層) 사이에 있는 점토질의 중생대(中生代) 지층》.
Gault *a.* 《美》 미성년자의 법적 보호와 권리에 관한. 〖Gerald *Gault*에 관한 1967년의 미국 대법원의 판결에서〗
gaunt [gɔ́:nt, 美+gá:nt] *a.* 수척한, 여윈, 말라빠진; (나무 따위가) 가늘고 긴; 음산한, 쓸쓸한. —— *vt.* 수척하게 만들다, 여위게 하다. **~·ly** *adv.* **~·ness** *n.* 〖ME<? Scand.; cf. Norw. (dial.) *gand* tall lean person〗
類義語 ⟹ THIN.
gaunt·let[1] [gɔ́:ntlət, 美+gá:nt-] *n.* (중세 기사가 사용한) 갑옷 토시; (승마·검도용의) 긴 장갑.
fling [***throw***] ***down the gauntlet*** 도전하다.
take [***pick***] ***up the gauntlet*** 도전에 응하다; 저항의 자세를 보이다.
~·ed *a.* 긴 장갑을 낀. 〖OF (dim.) ‹ *gant* glove〗
gauntlet[2] *n.* 시련; =GANTLET[1].
〖C17 *gantlope*<Swed. *gatlopp* passageway (*gata* lane, *lopp* course); 어형은 ↑에 동화〗
gaun·try [gɔ́:ntri] *n.* =GANTRY.
gaup, gawp [gɔ́:p] *vi.* 《口》 무심히 바라보다; 멍하니 넋을 잃고 보다. —— *vt.* (냉큼) 삼키다.
〖ME *galpen* to yawn; cf. YELP〗
gaur [gáuər] *n.* (*pl.* ~, **~s**) 인도들소. 〖Hindi〗
gauss [gáus] *n.* (*pl.* ~, **~·es**) 〖理〗 가우스《전자기(電磁氣) 단위》. 〖↓〗
Gauss *n.* 가우스. **Karl Friedrich** ~ (1777-1855) 독일의 수학자. **~·ian** *a.*
Gáussian distribútion *n.* 〖數〗 가우스 분포.
Gáussian ínteger *n.* 〖數〗 가우스의 정수.
Gau·ta·ma [gɔ́:təmə, gáu-; gáu-] *n.* 고타마《석가모니(釋迦牟尼) (563?-? 483 B.C.)의 첫 이름; cf. BUDDHA》.
gauze [gɔ́:z] *n.* **1** Ⓤ 거즈, 사(紗); 얇은 천; (가는 철사로 만든) 철망(wire gauze). **2** Ⓤ 엷은 안개, 엷은 아지랑이(thin mist). **~·lìke** *a.*
〖F *gaze*<?GAZA〗
gauzy [gɔ́:zi] *a.* 사(紗) 같은, 얇고 투명한[가벼운], 희미하게 비치는: a ~ mist 엷은 안개.
gáuz·i·ly *adv.* **gáuz·i·ness** *n.*
ga·vage [gəvá:ʒ, gɑ:-; gǽvɑ:ʒ] *n.* 위관(胃管) 영양(법). 〖F〗
◇**gave** *v.* GIVE의 과거형.
gav·el[1] [gǽvəl] *n.* 《美》 (의장·재판장·경매인 등의) 망치, 사회봉(mallet). —— *vt.* (**-l-**|**-ll-**) 망치를 두드려 (장내를) 제압하다. 〖C19<?〗
gavel[2] *n.* (봉건시대의) 차지료(借地料), 조세, 연공(年貢). 〖OE *gafol*; cf. GIVE〗
gav·el·kind [gǽvəlkàind] *n.* 〖英法〗 남자 균등 분배 상속 토지 보유.
〖OE (*gafol* tribute, KIND[2])〗
ga·vi·al [géiviəl] *n.* 〖動〗 개비알, 갠지스악어.
〖F<Hindi〗
ga·votte, -vot [gəvát] *n.* 가보트《쾌활한 2[4]박자의 프랑스 무용, 또는 그 무곡》. —— *vi.* 가보트를 추다. 〖F<Prov. (*Gavot* 이것을 춤춘 Alps 산중의 주민)〗
G.A.W., GAW guaranteed annual wage (연간 임금 보증제).
Ga·wain [gəwéin, gá:wein, gáuən; gá:wein, gǽw-] *n.* **1** 남자 이름. **2** [Sir ~] 거원《아서(Arthur)왕의 원탁의 기사 중 한 사람; 왕의 조카》. 〖Welsh=? white hawk〗
gawk [gɔ́:k] *n.* 멍청이, 얼뜨기, 빙충이.
—— *vi.* 바보[멍청한] 짓을 하다; 《美口》 멍하니 (넋을 잃고) 바라보다‹*at*›. **~·er** *n.*
〖변형(變形) ‹ *gaw* (obs.) to gaze〗
gáwk·ish *a.* =GAWKY. **~·ly** *adv.*
gáwky *a.* 얼빠진, 꾸물거리는; 수줍어하는.
—— *n.* =GAWK.
gáwk·i·ly *adv.* 얼빠져서. **-i·ness** *n.*
gawp[1] [gɔ́:p] *n.* 《美方》 바보, 등신.
gawp[2] ☞ GAUP.
gay [géi] *a.* **1 a**) 명랑한(merry), 쾌활한, 즐거운. **b**) 들뜬; 방탕(放蕩)한, 방종(放縱)한: a ~ lady 바람난 여자 / follow a ~ trade 술장사를 하다 / lead a ~ life 방탕한 생활을 하다. **2** 화려한, 호화로운, 반짝반짝 빛나는(bright). **3** 《俗》 동성애의(homosexual). **4** 《스코》 어지간한, 상당한. —— *adv.* 《스코》 꽤. —— *n.* 《口》 동성애자, 게이. 〖OF<? Gmc.〗
類義語 ⟹ LIVELY.
gáy and frísky *n.* 《俗》 위스키.
gáy bár *n.* 《美俗》 게이 바《동성애자들이 모이는 술집》.
gáy·cát *n.* 《俗》 풋내기 깡패; 때때로 일도 하는 부랑자; 난봉꾼.
gáy dóg *n.* 《俗》 방탕아.
gayety ☞ GAIETY.
Gáy Líb *n.* **1** =GAY LIBERATION. **2** 게이 해방 운동의 일원[지지자].
Gáy Liberátion *n.* 게이 해방 운동《동성애자의 시민권 확장과 직업 차별 폐지를 주장하는 운동》.
gáy márriage *n.* 동성애자간의 결혼.
gay·o·la [geióulə] *n.* 《美俗》 게이 바 따위가 간섭을 막기 위해 경찰[범죄 조직]에 바치는 뇌물.
〖*gay*+pay*ola*〗
Gay-Pay-Oo [gèipèiú:] *n.* 게페우《1922년 2월부터 12월까지의 구소련의 비밀 경찰; 略 G.P.U.; cf. OGPU》.
Gáy Plágue *n.* 에이즈(AIDS)의 별칭.
gáy pówer *n.* 게이 파워《동성애자의 시민권 확대를 지향하는 조직적 시위》.
gáy scíence *n.* 미문학(美文學); 시(詩), (특히) 연애시.
gáy·some *a.* 명랑한.
gaz. gazette; gazetteer.
Ga·za [gá:zə, gǽzə, géizə] *n.* 가자《Gaza Strip에 있는 항구 도시; 삼손(Samson)이 애인 Delilah에게 속아서 Philistines에게 눈을 도려내게 된 곳; 사사기 16:21-30》.
ga·za·bo [gəzéibou] *n.* (*pl.* **~s**) 《美俗》 놈, 녀석.
〖Sp.〗

Gáza Stríp *n.* [the ~] 가자 지구《1967년 중동전 이래 이스라엘이 점령 중인 이스라엘 남서부 지중해 연안의 좁은 지역》.

gaze** [géiz] *vi.* [動/+前+名/+副] (주로 놀람·기쁨·흥미를 가지고) 응시하다, 눈여겨보다 : I ~*d* and ~*d*. 그저 응시할 뿐이었다 / He stood *gazing* ***at the stars. 별을 응시한 채 서 있었다 / She ~*d* (***up***)***on*** me in bewilderment. 당혹하여 나의 얼굴을 쳐다봤다 / He ~*d* ***into*** the stranger's face. 그 낯선 사람의 얼굴을 주시했다 / She ~*d* sadly ***after*** him till he was out of sight. 그가 사라질 때까지 슬프게 그의 뒷모습을 바라보고 있었다 / Stop *gazing* (***a***)***round***. 이리저리 둘러보지 마라. —— *vt.* [+目+*in*+名] 노려보다 : He ~*d* me ***in*** the face. 나의 얼굴을 노려봤다. —— *n.* [단수형으로만 써서] 눈여겨봄, 주시, 응시(steady look) : He looked at me with a fearless ~. 겁내지 않고 나의 얼굴을 응시했다.
at gaze 응시하고, 빤히 쳐다보고.
〖ME< ? ; cf. *gaw* (⇨ GAWK), Swed. (dial.) *gasa* to gape at〗
類義語 ⟹ LOOK.

ga·ze·bo [gəzí:bou, -zéi-] *n.* (*pl.* **~s, ~es**) 전망대《발코니·옥상의 망루·정원 안의 정자 따위》. 〖C19 ; *gaze* (v.)를 기초로 한 농담인가〗

gáze·hòund *n.* 냄새보다는 시력으로 쫓아가는 사냥개.

ga·zelle [gəzél] *n.* (*pl.* ~, **~s**) 〖動〗 가젤《가젤속(屬)의 온순한 영양》. 〖F< ? Sp.<Arab.〗

gazélle·éyed *a.* 가젤처럼 온순한 눈을 가진.

gaz·er [géizər] *n.* 눈여겨보는[응시하는] 사람 ; 《俗》 경관, 마약 단속관.

ga·zette [gəzét] *n.* **1** 신문, (시사문제 따위의) 정기 간행물 ; [G~] …신문《명칭》. **2** [the G~] 《英》 (London, Edinburgh, Belfast에서 주 2회 발행하는) 관보 ; 공보, (Oxford 대학 따위의) 학보 : an official ~ 관보.
go into [***be in***] ***the Gazette*** 파산자로서 관보에 고시되다[되어 있다].
—— *vt.* 《英》 [+目/+目+補/+目+前+名] [주로 수동태로] (임명 따위를) 관보에 게재[고시]하다 : He *was* ~*d* bankrupt [***to*** the regiment]. 그는 파산자로[연대 전속으로] 공표되었다. 〖F<It. (*gazeta* a Venetian small coin)〗

gazelle

gaz·et·teer [gæ̀zətíər] *n.* 지명 사전(地名辭典) ; (관보) 기자. 〖F<It. ; ⇨ GAZETTE〗

gazi ☞ GHAZI.

gazogene ☞ GASOGENE.

ga·zump [gəzʌ́mp] *vt., vi.* 《英俗》 속이다, 속여서 빼앗다 ; (팔기로 약속해 놓고) 집값을 올려 (살 사람을) 난처하게 하다. —— *n.* 속이기 ; 팔기로 약속한 집값을 올리기. 〖C20< ?〗

GB [dʒì:bí:] *n.* 신경성 독가스의 일종《sarin의 코드명(名)》.

G.B. Great Britain ; 〖野〗 games behind (게임차(差)). **GBC** global bearer certificate《글로벌 무기명 예탁 증서 ; 독일 시장에서 유통(流通)》. **G.B.E.** 《英》 (Knight[Dame]) Grand Cross (of the Order) of the British Empire. **G.B.H.** grievous bodily harm. **G.B.S.** George Bernard Shaw.

GBY [dʒì:bì:wái] *int.* 《CB俗》 행운을 빕니다. 〖*G*od *B*less *Y*ou〗

G.C. gas chromatography ; 《英》 George Cross ; golf club ; 《英》 Grand Cross. **GCA, G.C.A.** 〖空〗 ground-control(led) approach. **g-cal(.)** gram calorie(s). **G.C.B.** (Knight[Dame]) Grand Cross (of the Order) of the Bath. **GCC** Gulf Cooperation Council《걸프 협력 회의 ; 1981년 발족한 걸프 연안 지역 협력 기구》. **G.C.D., g.c.d.** greatest common divisor. **G.C.E.** 《英》 General Certificate of Education.
G.C.F., g.c.f. 〖數〗 greatest common factor. **GCI** ground-controlled interception.

G clef [dʒí: ⌐] *n.* 〖樂〗 사 음자리표.

G.C.L.H. Grand Cross of the Legion of Honour. **G.C.M.** General Court-Martial.
G.C.M., g.c.m. 〖數〗 greatest common measure. **G.C.M.G.** 《英》 (Knight[Dame]) Grand Cross (of the Order) of St. Michael and St. George. **GCOS** Global Climate Observing System(지구 기후 관측 시스템). **GCT, G.C.T.** Greenwich civil time《그리니치 상용시 ; cf. G.M.T.》. **G.C.V.O.** 《英》 (Knight [Dame]) Grand Cross of the Royal Victorian Order. **GD** good design(우수 디자인). **Gd** 〖化〗 gadolinium. **G.D.** Grand Duke[Duchess, Duchy]. **gd.** good ; guard. **g.d.** good delivery.

Gdańsk [gədá:nsk, -dǽnsk] *n.* 그다니스크《폴란드 북부의 항구 도시》.

GDP gross domestic product(국내 총생산). **gds.** goods. **Gdsm.** Guardsman.

ge- [dʒí:, 英+dʒi], **geo-** [dʒí:ou, dʒí:ə, 英+dʒíou, 英+dʒíə] *comb. form* 「지구」「토지」「토양」「지리학」의 뜻. 〖Gk. *gē* earth〗

Ge 〖化〗 germanium. **GE** 《美》 General Electric (Company). **g.e.** 〖商〗 gilt-edged ; 〖製本〗 gilt edges.

-gea ☞ -GAEA.

***gear** [gíər] *n.* **1** U,C 〖機〗 톱니바퀴(장치), 기어, [흔히 *pl.*] 전동장치(傳動裝置) : a car with four ~*s* 4단 기어의 차《전진 3단, 후진 1단(1st, 2nd, 3rd, reverse)의 4단》 / high ~ 《美》=《英》 top ~ 최고속 (기어) / low ~ 《美》=《英》 bottom ~ 최저속 (기어) / shift ~*s* ☞ 숙어. **2** 장치 : the landing ~ of an airplane 비행기의 착륙 장치. **3** U (일반적으로) 도구, 용구 : hunting[fishing] ~ 수렵[낚시]용구. **4** U (말 따위의) 마구(馬具) (harness) ; (배의) 삭구(索具) (rigging). **5** U 소지품《일상용품이나 옷》, 가구, 물건. **6** 《美俗》 마약. **7** 《英俗》 고급, 고상함.
in gear (1) 기어가 걸려, 차에 기어를 넣어. (2) 원활히 운전해서, 컨디션이 좋게.
in high gear 《口》 고속으로 ; 피치를 올려서.
out of gear 기어가 빠져서, 차에 기어를 넣지 않고 ; 고장이 나서.
shift gears (저속에서 고속으로, 고속에서 저속으로) 기어를 바꾸다, 변속하다 ; 《美》 (문제 처리 따위의) 방법을 변경하다.
throw [***put, set***]***...into gear*** …에 기어를 넣다 ; 준비를 하다.
throw [***put***]***...out of gear*** …의 기어를 풀다 ; …의 운전을 방해하다, …의 상태를 순조롭지 못하게 하다.
—— *a.* 《英俗》 멋이 있는, 매력이 있는 ; 근사한.
—— *vt.* **1** [+目/+目+副/+目+補] (기계를) 연동(連動)시키다, …에 기어를 넣다 : The motorcar was ~*ed* ***up*** [***down***, level]. 자동차

G

에 고속[저속·평속] 기어를 넣었다. **2** (말 따위) 에 마구(馬具)를 달다〈*up*〉. **3** [＋目＋*to*＋名] 맞게 하다, 맞도록 조절하다, 상태를 순조롭게 하다 ; 따라 움직이게 하다 : We must ~ production ***to*** the new demand. 생산을 새로운 수요에 맞도록 조정하지 않으면 안된다. —— *vi.* (톱니바퀴가) 맞물리다〈*into*〉; (기계가) 연동되다 ; 적합[조절]하다〈*with*〉. **~ed** *a.* 기어가 걸려 있는 ; 《俗》 동성애의. **~·less** *a.* 직결의. 〚ON *gervi* ; cf. OE *gearwe* equipment, *gearu* ready〛

géar·bòx *n.* 〖機〗 변속기(變速機).

géar càse *n.* 〖機〗 톱니바퀴 상자, 기어 케이스 《전동 장치를 덮음》.

géar chànge *n.* 《英》 기어 전환 장치(=《美》 gearshift).

géar cùtter *n.* 〖機〗 기어 절삭기(切削機).

géar·ing *n.* Ⓤ 전동 장치, 톱니바퀴 장치 : *in*[*out of*] ~ 전동(傳動)하여[하지 않고].

géar lèver *n.* 《英》 =GEARSHIFT.

géar·shìft *n.* 《美》〖機〗 기어 전환 장치.

géar stìck *n.* 《英》 =GEARSHIFT.

géar whèel *n.* 〖機〗 큰 톱니바퀴.

gecko [gékou] *n.* (*pl.* **géck·os, -oes**) 〖動〗 도마뱀붙이. 〚Malay (imit.) ; 울음소리에서〛

GED general educational development.

gee[1] [dʒíː] *int.* (말에게) 앞으로, 빨리 가 ; 어디여 (↔*haw*). —— *n.* 《英俗》 =GEE-GEE. —— *vi., vt.* (구경 거리 따위에서) 불러들이다, 재촉하다, 다그치다〈*up*〉. 〚C17 < ?〛

gee[2], **jee** [dʒíː] *int.* 《美口》 아이고, 깜짝이야, 놀라워라. 〚? *Je*sus or *Je*rusalem〛

gee[3] [dʒíː] *n.* 《美俗》 사람, 놈 ; 죄수 두목, 감방장. 〚*guy*〛

gee[4] [gíː, dʒíː] *n.* 《俗》 아편, 마약(痲藥) ; 《美》 1갤런의 술.

gée-gèe *n.* 《俗·兒》 말, (특히) 경주마 : play ~ 말놀이하다. 〚*gee*[1]〛

gée-hó, gée-(h)úp, gée-wó *int.* =GEE[1].

geek [gíːk] *n.* 엽기적인 것을 보여주는 흥행사 ; 변태자, 이상자(異常者) ; 《美俗》 술주정뱅이 ; 얼간이, 바보 ; 녀석, 놈. 〚? Sc. *geck* fool〛

geep [gíːp] *n.* 염소와 양의 교잡종(shoat). 〚*g*oat＋sh*eep*〛

gée pòle [dʒíː-] *n.* 개(가 끄는) 썰매의 채.

***geese** *n.* GOOSE의 복수형.

geest [gíːst, géist] *n.* Ⓤ 〖地質〗 충적층(冲積層), 풍화토. 〚LG〛

gée-whíz *a.* **1** (말·표현 따위가) 사람을 선동하는 : ~ journalism 선정적 저널리즘. **2** (일이) 경탄할 만한. **3** (사람이) 열광적인.

gée whìz(z) [dʒíː-] *int.* 와, 허, 오라, 어이어이 《감탄·놀람 따위를 나타냄》. —— *n.* 《美口》 앗하고 소리지르게[퍼뜩 정신들게] 하는 것, 훌륭한 것.

gee-wo ☞ GEE-HO.

gee·zer [gíːzər] *n.* 《俗》 괴짜 (노인[노파]) ; 《美》 독한 술, 마약 주사[흡입(吸入)]. 〚*guiser* (dial.) mummer〛

GEF Global Environment Facility(지구 환경 시설(施設)).

ge·fil·te[ge·füll·te] fish [gəfíltə ⌐] *n.* 〖유태料〗 송어·잉어 따위의 고기에 달걀·양파 따위를 섞어 수프로 끓인 요리. 〚Yid.=filled fish〛

ge·gen·schein [géigənʃàin] *n.* [흔히 G~] 〖天〗 대일조(對日照)(counterglow)《태양과 반대쪽의 하늘에 보이는 미광》. 〚G〛

Ge·hen·na [gihénə] *n.* 〖聖〗 지옥(hell) ; Ⓤ,Ⓒ (일반적으로) 고난의 땅.

Gei·ger(-Mül·ler) counter [gáigər (mjúːlər) ⌐] *n.* 〖理〗 가이거뮐러 계수기《방사능 측정기》. 〚Hans *Geiger* (d. 1945) 독일의 물리학자, W. *Müller* 20세기 독일의 물리학자〛

Géi·gers *n. pl.* 《口》 방사성 입자, 방사능.

Géiss·ler túbe [gáislər-] *n.* 〖電〗 가이슬러관(管)《진공 방전(眞空放電) 장치》. 〚H. *Geissler* (d. 1879) 독일의 기계 기사〛

Geist [gáist] *n.* 정신, 영혼 ; 지적 감수성, 지적 정열. 〚G=spirit〛

gel [dʒél] *n.* 젤라틴 ; 겔《교화체(膠化體) ; cf. SOL[3]》. —— *vi.* (**-ll-**) 겔화(化)하다 ; 구체화하다, 모양을 이루다. **~·able** *a.* 〚*gel*atin〛

ge·län·de·sprung [gəléndəsprùŋ], **gelände jump** [⌐⌐] *n.* 〖스키〗 겔렌데 스프룽《스톡을 짚고 장애물을 뛰어넘는 점프》. 〚G=open-field jump〛

gel·a·tin [dʒélətən], **-tine** [dʒélətən ; dʒèlətíːn] *n.* Ⓤ 젤라틴, 아교 : blasting[explosive] ~ 폭발성 젤라틴《솜화약을 니트로글리세린에 녹여 만든 폭약》/ vegetable ~ 한천(寒天). 〚F<It. ; ⇨ JELLY〛

ge·lat·i·nate [dʒəlǽtənèit] *vt., vi.* 젤라틴화(化)하다. **ge·làt·i·ná·tion** *n.*

gel·a·tin·i·form [dʒèlətínəfɔ̀ːrm] *a.* 젤라틴[아교] 모양의.

ge·lat·i·nize [dʒəlǽtənàiz, 美＋dʒélə-] *vt., vi.* 아교질로 하다[되다], 젤라틴화하다[되다] ; 〖寫〗 젤라틴을 바르다. **ge·làt·i·ni·zá·tion** *n.*

ge·lat·i·noid [dʒəlǽtənɔ̀id] *a., n.* 젤라틴 모양[상태]의 (물질).

ge·lat·i·nous [dʒəlǽtənəs] *a.* 젤라틴상(狀)의, 아교질의 ; 젤라틴의 ; 안정된. **~·ly** *adv.* **~·ness** *n.*

gélatin páper *n.* 〖寫〗 젤라틴 감광지(感光紙).

gélatin plàte *n.* 〖寫〗 젤라틴 건판(乾板).

gélatin pròcess *n.* 〖印〗 젤라틴판법(版法).

ge·la·tion[1] [dʒeléiʃən, dʒə-] *n.* Ⓤ 동결, 빙결(氷結). 〚L *gelatio*〛

gelation[2] *n.* 〖化〗 겔화(化). 〚GEL〛

geld[1] [géld] *n.* 〖英史〗 (지주가 군주에게 바치는) 세(稅), 상납금 ; 지세. 〚OE=service, tribute ; cf. YIELD〛

geld[2] *vt.* (**~·ed, gelt** [gélt]) (말 따위를) 거세하다, 불까다 ; 정기(精氣)를 없애다. **~·er** *n.* 〚ON (*gelder* barren) ; cf. OE *gelte* young sow〛

géld·ing *n.* 거세한 말[짐승] ; 《古》 환관, 내시. 〚GELD[2]〛

gel·id [dʒéləd] *a.* 얼음 같은, 얼어붙는 듯한, 극한의(icy) ; 냉담한(frigid). **~·ly** *adv.* **ge·lid·i·ty** [dʒəlídəti] *n.*

gel·ig·nite [dʒélignàit] *n.* Ⓤ 젤리그나이트《니트로글리세린을 함유한 강력 폭약의 일종》. 〚*gel*atin＋L *ignis* fire＋-*ite*〛

gel·ly [dʒéli] *n.* 《俗》 =GELIGNITE.

gelt *v.* GELD[2]의 과거·과거분사.

***gem** [dʒém] *n.* **1** 보석, 보옥, 옥(jewel). **2** 《비유》 보석처럼 아름다운 것, 주옥, 정수 : the ~ *of* the collection 일품의 수집품 / a ~ *of* a poem 주옥 같은 한 편의 시. **3** Ⓤ 〖印〗 젬《대개 4포인트의 작은 활자 ; ☞ TYPE 5 ㊟》. **4** 《美》 살짝 구운 빵(muffin)의 일종. —— *vt.* (**-mm-**) …에 보석을 박다, 보석으로 꾸미다 ; 아름답게 장식하다 ; …에서 보석을 채취하다. 〚OF<L *gemma* bud, jewel〛

gem- [dʒém] *comb. form* 〖化〗 「젬…」의 뜻.

G

GEM ground-effect machine.
Ge·ma·ra [gəmáːrə, -mɔ́ːrə ; gemáːrə] *n.* 게마라 《유태교의 신학서 Talmud 중의 주석편[제2편]》.
-má·ric *a.* **-rist** *n.*
ge·mein·schaft [gəmáinʃɑːft] *n.* (*pl.* **-schaf·ten** [-tən]) [때때로 G~] 공동사회, 게마인샤프트《자연적·직접적인 결합에 근거한 집단》.
gem·i·nate [dʒémənət, -nèit] *a.* 〖植·動〗 쌍생의, 짝을 이룬. —— [-nèit] *vt., vi.* 두배로[이중으로] 하다[되다] ; 겹치다, 겹쳐지다 ; 쌍으로 하다[되다]. **-nàt·ed** *a.* **~·ly** *adv.*
〖L *geminat- gemino* to double ; ⇨ GEMINI〗
gem·i·na·tion [dʒèmənéiʃən] *n.* 중복, 이중, 쌍생(雙生) ; 〖修〗 반복 ; 〖音聲〗 자음 중복.
Gem·i·ni [dʒémənài, -nìː] *n.* [단수 취급] 〖天〗 쌍둥이자리 (the Twins) ; 쌍자궁(雙子宮) (cf. *the signs of the* ZODIAC) ; (미국의) 2인승 우주선.
〖L=twins〗
gem·ma [dʒémə] *n.* (*pl.* **-mae** [-miː]) 〖植〗 무성아(無性芽), 자아(子芽) ; 〖動〗 아체(芽體).
gem·ma·ceous [dʒeméiʃəs] *a.* 〖L GEM〗
gem·mate [dʒémeit] *a.* 무성아(無性芽)가 있는[로 번식하는]. —— *vi.* 발아하다 ; 무성아에 의해 번식하다.
gem·ma·tion [dʒeméiʃən] *n.* U 〖植〗 무성아(無性芽) 생식 ; 〖動〗 아구 형성(芽球形成).
gem·mif·er·ous [dʒemífərəs] *a.* 보석을 산출하는 ; 〖植〗 무성아로 번식하는.
gem·mip·a·rous [dʒemípərəs] *a.* 〖生〗 발아(發芽)하는 ; 발아 생식하는. **~·ly** *adv.*
gem·mule [dʒémjuːl] *n.* 〖植〗 무성아, 자아(子芽) ; 〖動〗 아구(芽球), 소아체(小芽體), 무성체.
gém·my *a.* 보석이 들어 있는, 보석이 많은 ; 보석을 박은 ; 보석 같은, 반짝거리는.
gem·ol·o·gy, gem·mol- [dʒemálədʒi] *n.* U 보석학. **-gist** *n.* 보석학자[감정인].
gèm·(m)o·lóg·i·cal *a.*
gems·bok [gémzbὰk], **-buck** [-bʌ̀k] *n.* (*pl.* ~, ~s) 〖動〗 겜즈벅《남아프리카산의 큰 영양》.
〖Afrik.〗
Gém Stàte *n.* [the ~] Idaho 주의 속칭.
gém·stòne *n.* 보석용 원석(原石), 귀석(貴石).
ge·müt·lich [*G* gəmýːtliç] *a.* 마음이 편한 ; 기분이 좋은 ; 쾌적한 ; 느낌이 좋은.
~·keit [-kait] *n.* 마음이 편함 ; 쾌적함.
gen [dʒén] *n.* [the ~] 《英口》 (일반) 정보 ; 진상 (the truth).
—— *vt., vi.* (**-nn-**) [다음 숙어로]
gen up (남에게) 정보를 주다[얻다], 가르치다[알다]〈*about, on*〉.
〖C20 〈? *gen*eral information〗
Gen. 〖軍〗 General ; 〖聖〗 Genesis ; Geneva(n).
gen. gender ; genera ; general(ly) ; generation ; generator ; generic ; genetics ; genitive ; genus.
gen-[1] [dʒén], **geno-** [dʒénou, -nə] *comb. form* 「민족」「종류」의 뜻. 〖Gk. *genos* race〗
gen-[2] [dʒíːn, dʒén], **ge·no-** [dʒíːnou, dʒénou, -nə] *comb. form* 「유전자」「인자」의 뜻. 〖⇨ GENE〗
-gen [dʒən, dʒen], **-gene** [dʒiːn] *n. comb. form* 「…을 낳는 것」「…에서 생긴 것」의 뜻 : oxy*gen*, endo*gen*. 〖F<Gk ; ⇨ GENE〗
ge·nappe [dʒənǽp, ʒə-] *n.* 소모사(梳毛絲).
〖*Genappe* 벨기에의 원산지명(原産地名)〗
gen·darme [ʒáːndɑːrm] *n.* (*pl.* ~s) **1** (특히 프랑스의) 헌병 ; 《俗》 경찰관. **2** 〖登山〗 (산등성이의 우뚝 솟아나온) 뾰족한 바위.
gen·dar·mer·ie, -mery [ʒɑndáːrməriː] *n.* 헌병대(본부).
〖F (*gens d'armes* men of arms)〗
gen·der[1] [dʒéndər] *n.* **1** U.C 〖文法〗 성(性) : the masculine[feminine, neuter, common] ~ 남[여·중·통]성 / grammatical ~ ☞ GRAMMATICAL / natural ~ 자연적 성(性). **2** 《口·戱》 성, 성별(sex).
~·less *a.* 〖文法〗 성이 없는, 무성(無性)의.
〖OF (L GENUS)〗
gender[2] *vt., vi.* 《古》 =ENGENDER.
génder gàp *n.* 사회 여론이 남녀의 성별(性別)로 나뉘는 일.
génder íssues *n. pl.* 여성 문제.
gene [dʒíːn] *n.* 〖生〗 유전(인)자, 유전 단위.
〖G *Gen* 〈Pan*gen* <Gk. (*pan-* all-, *genēs* born)〗
ge·ne·a·log·i·cal, -ic [dʒìːniəládʒik(əl), dʒèn-] *a.* 계보의, 계도의, 계통의 ; 가계를 나타내는 : a ~ table[chart] 족보.
-i·cal·ly *adv.* 계도상, 계도적으로.
genealógical trée *n.* (일가·동식물의) 계통 수 (family tree).
ge·ne·al·o·gize [dʒìːniǽlədʒàiz, -ál-, dʒèn-] *vt., vi.* …의 족보[계보]를 찾다 ; 계도를 만들다.
ge·ne·al·o·gy [dʒìːniǽlədʒi, -ál-, dʒèn-] *n.* **1** U 가계, 혈통 ; (동물·식물·언어의) 계통, 계도. **2** U 계보학, 계도(系圖) 조사.
-gist *n.* 계도학자.
〖OF<L<Gk. (*genea* race)〗
géne bànk *n.* 유전자 은행.
géne convèrsion *n.* 〖遺〗 유전자 변환.
géne delètion *n.* 〖遺〗 유전자 제거《바람직하지 않은 유전자의 제거》.
géne engineèring *n.* 〖遺〗 유전자 공학.
géne exprèssion *n.* 〖遺〗 유전자 발현《유전자 정보가 특정의 형질로 나타남》.
géne frèquency *n.* 〖遺〗 유전자 빈도《어떤 대립 유전자가 집단 내에서 차지하는 비율》.
géne gròup *n.* 〖遺〗 유전자군.
géne insèrtion *n.* 〖遺〗 유전자 삽입《세포 또는 동물의 유전자 목록에 결손되어 있는 유전자를 삽입하기》.
géne machìne *n.* 유전자 합성기.
géne manipulàtion *n.* 〖遺〗 유전자 조작《유전자의 인위적 변환이나 염색체의 인공적 변화》.
géne màpping *n.* 〖遺〗 유전자 지도 작성《염색체상의 유전자 자리(locus)의 결정》.
géne mutàtion *n.* 〖遺〗 유전자 돌연변이.
géne pòol *n.* 〖遺〗 유전자 풀《어떤 종속의 유전자의 총체》.
genera *n.* GENUS의 복수형.
gen·er·a·ble [dʒénərəbəl] *a.* 낳을 수 있는, 생성 가능한.
◇**gen·er·al** [dʒénərəl] *a.* **1** 일반의, 총칭적인, 전반[전체·보편]적인 (↔*special, particular*) : a ~ attack 총공격 / a ~ drop in the temperature 기온의 전반적 저하 / ~ knowledge 일반적[폭넓은] 지식 / a ~ manager 총지배인 / a ~ meeting [council] 총회 / the ~ public 일반 사회, 공중 / ☞ GENERAL STRIKE / a matter of ~ interest 일반인이 관심을 가지는 일 / a word in ~ use 널리 일반에게 사용되어지는 말 / work for the ~ good 공익을 위해 일하다 / The rain has been pretty ~. 이번 비는 거의 전국적으로 내렸다. **2** (전문적이 아니고) 일반적인 (↔*special*) ; 잡용의 : ~ affairs 서무, 총무 / a ~ clerk 서무 담당자 / ☞ GENERAL EDUCATION / ~ readers (전

G

문가가 아닌) 일반 독자. **3** (상세하지 않은) 개괄적인, 대체적인, 개략의(↔*specific*) ; 부정(不定)한, 막연한(vague) : a ~ idea[concept] 일반 관념[개념] / a ~ outline 개요 / ~ principles 원칙 / a ~ resemblance 대동소이 / ~ rules 총칙 / in ~ terms 개괄적인 말로, 막연히 / The statement is too ~. 그 진술은 너무 개략적이다. **4** 장성급의. **5** [관직의 뒤에 붙어서] 총…, …장(관) ; (신분·권한이) 최상위의(chief) : a governor ~ 총독 / ☞ ATTORNEY GENERAL. **6** 《英大學》 **a)** (학위가) 보통의. **b)** (학위가) 일반 교양의.
as a general rule 일반적으로, 보통은.
in a general way 일반적으로, 보통 ; 대개.
— *n.* **1** 육군 장성, 장군, 대장(general officer) (cf. ADMIRAL) : a major ~ 육군 장 / a lieutenant ~ 육군 중장 / a full ~ 육군 대장 / a ~ of the army 《美》 육군 원수, 육군 참모 총장(cf. 《英》 FIELD MARSHAL) / a ~ of the air force 《美》 공군 원수, 공군 참모 총장. ㊟ 보통은 의례적으로 어떤 계급의 장군에게도 General Smith (스미스 장군)처럼 약칭한다 ; 미국에서는 장군의 위계는 별의 수로 나타내므로 흔히 준장·소장·중장·대장·원수의 5계급을 각각 a onestar[two-star, three-star, four-star, five-star] general [admiral]로 칭한다. **2** 군사령관. **3** (…의) 전략[전술]가 : a good[bad] ~ 뛰어난[서투른] 전략가 / He's no ~. 그는 전략가로서는 합당치 않다. **4** 〔宗〕 (수도회(修道會)의) 총회장, (구세군의) 대장. **5** [the ~] 일반, 전반, 총체(cf. PARTICULAR *n.* 4) ; 일반 원리, 보편적 사실 : from the ~ to the particular 총론에서 각론까지 ; 일반적인 것에서 특수한 것까지. **6** 《英口》 = GENERAL SERVANT.
in general 대개, 대강, 일반적으로(generally): People *in* ~ dislike being criticized. 대개 인간은 비평(批評)받기를 싫어한다.
in the general 개설[개괄]적으로.
〚OF<L *generalis* ; ⇨ GENUS〛
[類義語] ⟹ COMMON.

géneral accóunt *n.* 일반 회계.
Géneral Accóunting Óffice *n.* 《美》 회계 감사원(《略 GAO》).
géneral adaptátion sỳndrome *n.* 〔醫〕 범(汎)적응 증후군《장기적인 스트레스에 대해 생체가 일정한 순서로 일으키는 비(非)특이적인 반응의 총칭》.
géneral admíssion *n.* (일반석(席) 따위의) 보통 요금.
géneral ágent *n.* 총대리인[점]《略 GA》.
Géneral Américan *n.* 일반 미국어《미국어의 3대 방언의 하나 ; 동부 방언, 남부 방언을 제외한 중서부 전역에서 사용되는 미국의 대표적인 방언 ; 지금은 이 명칭은 잘 쓰이지 않음》.
géneral anesthésia *n.* 〔醫〕 전신 마취(술).
géneral anesthétic *n.* 〔藥〕 전신 마취약.
géneral assémbly *n.* **1** 《美》 주의회《略 GA》. **2** [the G~ A~] (국제 연합의) 총회. **3** (장로 교회의) 총회.
géneral áverage *n.* =GROSS AVERAGE.
géneral cárgo *n.* 일반 화물《적재에 특별한 주의를 요하지 않는 화물》.
Géneral Certíficate of Educátion *n.* 〔英敎〕 **1** [the ~] 교육 일반 증명 시험, GCE시험《중등교육 수료 공통 시험 ; 과목별 선택 시험으로 보통급, 상급, 학문급의 3단계가 있음 ; 略 GCE》. **2** (그 시험 합격자에게 수여하는) 교육 일반 증서.
géneral conféssion *n.* 일반 참회《신자들이 공동으로 외우는 참회 기도》; 총고해《장기간에 걸쳐 범한 죄의 고백》.
géneral consúmption tàx *n.* 〔經〕 일반 소비세(稅).
géneral cóntractor *n.* 청부업자.
Géneral Cóurt *n.* [the ~] (Massachusetts, New Hampshire 양주(州)의) 입법 의회.
géneral cóurt-mártial *n.* 〔美軍〕 (중죄를 다루는) 고등 군법 회의.
géneral·cy *n.* 장관의 지위[임기].
géneral delívery *n.* 《美》 =POSTE RESTANTE.
géneral díscharge *n.* 〔美軍〕 보통 제대 (증명서(書)).
géneral drílls *n. pl.* 〔海軍〕 전원 배치 훈련.
géneral éditor *n.* 편집장[주간](chief editor).
géneral educátion *n.* (전문 교육에 대한) 일반 교육, 교양 과정.
géneral eléction *n.* 총선거(cf. BY-ELECTION).
Géneral Eléction Dày *n.* 《美》 총선거일《4년마다 11월 첫번째 월요일 다음 날인 화요일》.
Géneral Eléctric Co. *n.* 미국의 세계 최대의 종합 전기회사.
géneral héadquarters *n.* [단수·복수 취급] 총사령부《略 GHQ, G.H.Q.》.
géneral hóspital *n.* 종합 병원 ; 육군 병원.
gen·er·a·lis·si·mo [dʒènərəlísəmòu] *n.* (*pl.* **~s**) 대원수 ; 총사령관 ; 총통. ㊟ 《英》 《美》의 총사령관에서는 쓰이지 않음.
〚It. (superl.) *generale* general〛
géneral·ist *n.* (전문의에 대하여) 종합[일반] 의사 ; 다방면에 지식[기능]을 가진 사람.
Ge·ne·ra·li·tat [ʒènerɑ̀litɑ́:t] *n.* (Catalonia의) 자치 정부《1977년의 자치권 부활에 의함》.
gen·er·al·i·ty [dʒènərǽləti] *n.* **1** Ⓤ 일반적인 것, 일반성, 보편성. **2** 개략, 개론 ; 통칙 : a rule of great ~ 일반적인 규칙 / come down from *generalities* to particulars 개론에서 각론으로 들어가다. **3** [보통 the ~] 대부분, 과반수, 태반(majority) : *The* ~ *of* boys are not lazy. 소년들 중 대다수는 게으르지 않다 / in *the* ~ *of* cases 일반적인[대개의] 경우에.
gèneral·izátion *n.* **1** [U,C] 일반화, 보편화 ; 종합, 개괄 ; 귀납 : be hasty in ~ 지레짐작[속단]하다. **2** (종합·개괄한 결과의) 개념, 통칙 ; 귀납적 결과 : a hasty ~ 속단.
***géneral·ìze** *vt., vi.* (사실 따위를) 개괄[종합]하다, 일반화[보편화]하다 ; 귀납하다 ; 일반적으로 말하다, 막연하게 이야기하다 ; (일반에게) 보급시키다(popularize). **-ìz·er** *n.* 개괄자 ; 일반론을 말하는 사람 ; 보급자. **-ìzed** *a.* 일반화된, 광범성의. **-ìz·able** *a.*
géneral láw *n.* 일반법 ; 일반 법칙.
‡**géneral·ly** *adv.* **1** 일반적으로, 널리, 보편적으로(widely) : Our new plan was ~ welcomed. 우리들의 새로운 계획은 일반적으로[많은 사람들에게] 환영을 받았다. **2** 대개, 대체로 : ~ speaking ☞ 숙어. **3** 보통, 통례로(usually) : He ~ goes to bed at ten. 그는 보통 10시에 잠자리에 든다.
generally speaking=***speaking generally*** 대체로 (말하면).
[類義語] ⟹ USUALLY.
géneral mágazine *n.* 종합[대중] 잡지.
géneral mobilizátion *n.* 총동원.
Géneral Mótors *n.* 제너럴 모터스《(1) =GENERAL MOTORS CORP. (2) 동(同)사제 자동차의 총칭 ; 略 GM》.
Géneral Mótors Corp. *n.* 제너럴 모터스《미

국의 세계 최대의 자동차 회사).
géneral obligátion bònd *n.* 〖金融〗 일반 보증채(원금과 이자 지급이 보증된 지방채).
géneral ófficer *n.* 〖軍〗 육군 장성(general).
géneral órder *n.* 〖軍〗 (전부대에 하달되는) 일반 명령 ; [흔히 *pl.*] (보초의) 일반 수칙.
géneral parálysis (of the insáne) *n.* 〖醫〗 전신 마비.
géneral párdon *n.* 일반 사면.
géneral pártner *n.* 무한 책임 사원[조합원].
géneral pérson *n.* [the ~] 〖法〗 일반인.
géneral póst *n.* [the ~] **1** 《英》 (오전) 첫번째 배달 우편. **2** 실내에서 하는 숨바꼭질 ; 《英》 대대적인 인사 이동, 대개조(大改造).
Géneral Póst Òffice *n.* [g~ p~ o~] 《美》 (도시의) 중앙 우체국 ; [the ~] (영국의) 런던 중앙 우체국(略 G.P.O.).
géneral práctice *n.* 〖醫〗 일반 진료(일반 개업 의사의 진료).
géneral practítioner *n.* 일반 진료 의사 ; (내·외과의) 일반 개업의(cf. SPECIALIST) ; (일반적으로) 만능꾼, 만능 선수.
géneral-púrpose *a.* 다용도의, 다목적인, 범용의, 일반의 ; 만능의.
géneral púrpose ínterface bùs *n.* 〖컴퓨·電子〗 범용[일반] 인터페이스 버스(略 GPIB).
géneral quéstion *n.* 〖文法〗 일반 의문(문)(yes 또는 no로 대답할 수 있는 의문 ; cf. SPECIAL QUESTION).
géneral sécretary *n.* [또는 G~ S~] (중국 공산당의) 총서기 ; (구소련 공산당의) 서기장.
géneral semántics *n.* 〖言〗 일반 의미론(말이나 기호를 엄밀히 사용하여 인간 관계를 개선하려고 하는 언어·교육 이론).
géneral sérvant *n.* 《英》 허드레꾼, 잡역부. 주 영국에서 하인은 chambermaid, butler, cook 등 각 직종이 있으며 한 집에 여러 명이 있는 것이 보통이지만 한 명만 두고 여러 가지 일을 시키는 경우 general servant라고 부른다.
Géneral Sérvices Administràtion *n.* [the ~] 《美》 (연방정부의) 총무처(略 GSA).
géneral·shìp *n.* **1** Ⓤ 장군다운 인물 ; 용병의 재략(才略) ; 지휘[통솔] 수완. **2** Ⓤ 장군의 직[지위·신분].
géneral shóp *n.* 《英》 =GENERAL STORE.
géneral stáff *n.* [때때로 G~ S~] 참모(參謀) : the *G~ S~* office 참모 본부.
géneral stóre *n.* 《美》 잡화점(=《英》 general shop).
géneral stríke *n.* 총파업 ; [the G~ S~] 1926년 영국의 총파업.
géneral térm *n.* 〖論〗 일반 명사(名辭) ; 〖數〗 일반항(項) ; (법원에서) 법관 총출석의 심판 기간.
géneral wélfare *n.* 공공의 복지.
Géneral Wínter *n.* [의인적으로] 동장군(冬將軍)(군사 행동에 큰 영향을 주는 데서).
***gen·er·ate** [dʒénərèit] *vt.* **1** (새로운 개체를) 낳다, 생기게 하다, 일으키다, 발생시키다(produce) ; 야기하다, 초래하다, 자아내다(give rise to) : ~ electricity 전기를 일으키다, 발전하다. **2** 〖數·言〗 생성하다.
〖L *generat- genero* to beget ; ⇨ GENUS〗
génerating stàtion[plànt] *n.* 발전소.
***gen·er·a·tion** [dʒènəréiʃən] *n.* **1** 같은 시대의 사람, 세대 : the present[past, coming] ~ 현대[전대, 다음 세대](의 사람들) / the rising ~ 청년(층). **2** 한 세대(아버지 대에서 자기 대를 거쳐 아들 대까지의 약 30년간) ; (「아버지의 대」「아들의 대」하는) 대(代) : a ~ ago 한 세대 전에 / three ~*s* 3대(아버지와 아들과 손자) / for ~*s* 여러 세대에 걸쳐서. **3** 자손, 일족, 한집안. **4** Ⓤ 산출, 생식 ; 발생〈*of* heat, gas〉 ; (감정의) 유발〈*of* ill feeling〉 ; 생성.
from generation to generation*=*generation after generation 대대로 (계속해서).
generátion gàp *n.* 세대차, 세대간의 단절.
gen·er·a·tive [dʒénərèitiv, -nərət-] *a.* 생식[생산]하는, 발생(상)의 ; 생식력[생성력]이 있는 ; 〖言〗 생성 문법의 : a ~ cell[organ] 생식 세포[생식기].
génerative grámmar *n.* 〖言〗 생성 문법.
génerative semántics *n.* 〖言〗 생성 의미론.
génerative(-transformátion·al) grámmar *n.* 〖言〗 생성 (변형) 문법.
gén·er·à·tiv·ist *n.* 〖言〗 생성 문법가.
gén·er·à·tor *n.* 발전기(dynamo) ; (가스·증기 따위의) 발생기 ; 낳는 사람[것], 발생시키는 사람[것] ; 〖컴퓨〗 생성 프로그램.
gen·er·a·trix [dʒènəréitriks ; ⌐-⌐-] *n.* (*pl.* **-tri·ces** [-trəsìːz, -ərətráisiːz ; dʒénərèitrisìːz]) 〖數〗(선·면·입체를 생기게 하는) 모점·모선·모면 ; 기체(基體), 모체(母體) ; 발전[발생]기.
géne recombinátion *n.* 〖遺〗 유전자 재조합.
ge·ner·ic [dʒənérik] *a.* **1** 〖動·植〗 속(屬)의 ; 속에 공유하는 : a ~ name[term] 속명(屬名). **2** 일반적인, 포괄적인(general) (↔*specific*). **3** 〖文法〗 총칭적인 : the ~ singular 총칭 단수(보기 The *cow* is an animal.). **4** 상표 등록이 되어 있지 않은(상품명[약]). —— *n.* 〖藥〗 일반명 ; [보통 *pl.*] 상표 등록에 의한 법적인 보호를 받지 않은 약품. **ge·nér·i·cal** *a.* **-i·cal·ly** *adv.* 속(屬)에 관해서, 속적(屬的)으로 ; 총칭적으로 ; 일반적으로. **~·ness** *n.*
〖F (L GENUS)〗
***gen·er·os·i·ty** [dʒènərɑ́səti] *n.* **1** Ⓤ 관대, 관용, 아량 ; 후함(↔*nearness*). **2** [보통 *pl.*] 관대한 행위 ; 후한 행동.
‡**gen·er·ous** [dʒénərəs] *a.* **1** [+前+do*ing*/+*of*+名+*to* do] 아끼지 않는, 후한(↔*stingy*) ; 관대한, 아량이 있는 ; 고결한 : Mr. White was ~ ***with*** his money[***in*** giv*ing* help]. 화이트씨는 돈을 후하게 썼다[아낌없이 도와 주었다] / It is most ~ *of* you *to* forgive me. 저를 너그럽게 용서하여 주셔서 감사합니다. **2** 많은, 풍부한(plentiful) ; 큰(large) : a ~ helping of food 음식물을 푸짐하게 담기 / of ~ size 큰. **3** (토지가) 기름진(fertile). **4** (포도주가) 독한, 진한.
~·ly *adv.* 희떱게, 푸짐하게 ; 관대하게.
~·ness *n.* 〖OF<L=nobly born, magnanimous ; ⇨ GENUS〗
ge·nes·ic [dʒənésik] *a.* =GENERATIVE.
gen·e·sis [dʒénəsəs] *n.* (*pl.* **-ses** [-sìːz]) **1** [the G~] 〖聖〗 창세기(구약 성서의 제1편 ; 略 Gen.). **2** 기원, 발생, 창시〈*of*〉 ; 발생 양식[유래].
〖L<Gk. (*gen-* to be produced)〗
génesis ròck *n.* 그 암석을 생산하는 천체와 형성 시기를 같이 하는 암석.
géne-splìcing *n.* 유전자 접합.
gen·et[1] [dʒénət] *n.* 제넷(사향고양이과(科)) ; Ⓤ 그 모피. 〖OF<Arab.〗
genet[2] *n.* =JENNET.
géne thèrapy *n.* 〖遺〗 유전자 치료(결손된 유전자를 보충하여 유전병을 고침).
ge·net·ic, -i·cal [dʒənétik(əl)] *a.* **1** 발생학[유전

학]적인 ; 유전자의[에 의한]. **2** 기원(상)의, 발생의. **-i·cal·ly** *adv.* 〖*antithesis* : *antithetic* 따위의 유추로 GENESIS에서〗

-ge·net·ic [dʒənétik] *a. comb. form* 「…을 생성하는」「…에 의해 생성되는」의 뜻. 〖↑〗

genétic álphabet *n.* 〖遺〗 유전자 알파벳《DNA 중의 4개의 염기》.

genétic códe *n.* 〖遺〗 유전 암호.

genétic cóunseling *n.* 〖醫〗 유전 상담《부부의 염색체 검사 따위에 기초를 둔 신생아의 유전병에 관한 상담 지도》.

genétic dríft *n.* 〖遺〗 유전적 부동(浮動)《특정 유전자가 소집단으로 정착·소멸되는 현상》.

genétic engineéring *n.* 유전 공학.

genétic equilíbrium *n.* 〖遺〗 유전적 평형.

genétic informátion *n.* 〖遺〗 유전 정보.

ge·net·i·cist [dʒənétəsəst] *n.* 유전학자.

genétic lóad *n.* 〖遺〗 유전(적) 하중(荷重)《돌연변이 유전자에 의한 자연도태의 강도》.

genétic máp *n.* 〖遺〗 유전자 지도.

genétic márker *n.* 〖遺〗 유전 표지(標識)《유전학적 해석에서 표지로 쓰이는 유전자[형질]》.

ge·nét·ics *n.* 유전학(遺傳學) ; 유전적 특질.

genétic súrgery *n.* 유전 수술《유전자의 인위적 변경·이식》.

ge·ne·va [dʒəníːvə] *n.* 제네바(Hollands)《네덜란드산(產) 진(gin)》. 〖Du.<OF〗

Geneva *n.* 제네바《스위스 남서부 Geneva 호반(湖畔)의 도시, 국제 적십자사 본부의 소재지》.
the Lake of Geneva = ***Lake Geneva*** 제네바호(湖)《스위스와 프랑스의 국경에 있음》.

Genéva bánds *n. pl.* (스위스의 칼뱅(Calvin)파 목사가 걸쳤던 것과 같은) 목 앞에 드리우는 한 랭사(寒冷紗) 장식.

Genéva Convéntion *n.* [the ~] 제네바 조약《1864-65년에 체결한 적십자 조약》.

Genéva cróss *n.* 적십자(red cross).

Genéva gòwn *n.* 제네바 가운《제네바의 칼뱅파 목사가 처음 사용함》.

Ge·né·van *a.* 제네바(인)의 ; 칼뱅파의. —— *n.* 제네바인 ; 칼뱅파 신도(Calvinist).

Gen·ghis[**Jen·ghis, Jen·ghiz**] **Khan** [dʒéŋgəs kάːn] *n.* 칭기즈 칸(成吉思汗) (1162-1227)《몽고에서 아시아의 대부분과 유럽 동부를 정복한 몽고 제국의 시조》.

***ge·nial**[1] [dʒíːnjəl] *a.* **1** 친절한, 온정있는, 다정한, 상냥한, 애교있는(↔*sullen*), 인상좋은 : a ~ smile 다정한 미소. **2** (날씨 따위가) 온화한, 따뜻한, 쾌적한 : a ~ climate 온화한 기후.
~·ly *adv.* **~·ness** *n.*
〖L ; ⇨ GENIUS〗
類義語 ⟹ GOOD-NATURED.

ge·ni·al[2] [dʒənáiəl] *a.* 〖解·動〗 턱의.
〖Gk. *geneion* chin (*genus* jaw)〗

ge·ni·al·i·ty [dʒìːniǽləti] *n.* Ⓤ 친절, 다정, 온정, 상냥함 ; [보통 *pl.*] 친절한 행위.

génial·ìze *vt.* 유쾌하게[온정적으로] 하다.

gen·ic [dʒénik] *a.* 〖生〗 유전자의[에 관한, 와 비슷한, 에 기인하는]. **-i·cal·ly** *adv.*

-gen·ic [dʒénik, dʒíːnik] *a. comb. form* 「…을 생성하는」「…에 의해 생성되는」「…한 유전자를 가진」「…에 의한 제작에 적합한」의 뜻. 〖*-gen*+*-ic*〗

ge·nic·u·late [dʒəníkjələt, -lèit], **-lat·ed** [-lèitəd] *a.* 〖解·生〗 무릎 모양으로 굽은, 무릎 모양의 관절이[마디가] 있는.
-late·ly *adv.* **ge·nìc·u·lá·tion** *n.* 슬상 만곡(부)(膝狀彎曲(部)).

ge·nie [dʒíːni] *n.* (*pl.* **~s, ge·nii** [-niài]) (아라비아 동화에 나오는) 요정, 마귀(jinnee).
〖F *génie* GENIUS ; cf. JINNEE〗

genii *n.* GENIUS, GENIE의 복수형.

ge·nis·ta [dʒənístə] *n.* 〖植〗 게니스타《콩과(科) 게니스타속(屬)의 관목의 총칭》. 〖L〗

gen·i·tal [dʒénətəl] *a.* 생식(기)의 : the ~ gland [organs] 생식선(腺)[기]. —— *n.* [*pl.*] 성기, 생식기. **~·ly** *adv.*
〖OF or L (*genit-* *gigno* to beget)〗

génital hérpes *n.* 〖醫〗 음부 헤르페스, 음부 포진(疱疹).

gen·i·ta·lia [dʒènətéiliə] *n. pl.* 〖解〗 생식기, 성기(genitals). **-lic** [dʒènətǽlik, -téi-] *a.*
〖L (neut. pl.) 〈GENITAL〗

gen·i·tal·i·ty [dʒènətǽləti] *n.* 성기의 감도·능력이 좋음 ; 성기에 대한 관심의 집중.

gen·i·ti·val [dʒènətáivəl] *a.* 〖文法〗 속격의.

gen·i·tive [dʒénətiv] *a.* 〖文法〗 속격의, 소유격의(possessive) : the ~ case 속격, 소유격.
—— *n.* 속격, 소유격 ; 속격의 말[구문] : double ~ 이중 소유격 / group ~ 군속격(格).
〖OF or L ; ⇨ GENITAL〗

gen·i·to- [dʒénətou, -tə] *comb. form* 「생식기의」의 뜻. 〖*genital*, *-o-*〗

gènito·úrinary *a.* 〖解·生理〗 요(尿)생식기의(urogenital) : a ~ tract 요생식로.

ge·nius** [dʒíːnjəs, -niəs] *n.* (*pl.* **~·es**) **1** Ⓤ 비범한 창조적 재능, 천재《자질》: a man of ~ 천재. **2 a)** 천재, 귀재《사람》: a ~ *in* mathematics 수학의 천재 / an infant ~ 신동. **b)** [a ~] [+前+do*ing*] 특수한 재능, …의 재주 : He has *a* ~ ***for music[*a* ~ *for* mak*ing* people angry]. 그는 음악에 재능[사람을 화나게 하는 버릇]이 있다. **3** (인종·언어·법률·제도 따위의) 특질, 특징, 진수(眞髓)〈*of*〉; (시대·국민·사회 따위의) 경향, 정신, 풍조〈*of*〉. **4** (어떤 지방의) 영적인 분위기, 연상(聯想), 기풍 : be influenced by the ~ *of* the place 지방의 기풍에 감화를 받다. **5** (*pl.* **ge·nii** [dʒíːniài]) (사람·토지·시설의) 수호신, 서낭신 : one's evil[good] ~ 사람에게 붙어다니는 악마[수호신] ; 나쁜[좋은] 감화를 주는 사람. **6** [보통 *pl.*] = GENIE.
〖L (*gigno* to beget)〗
類義語 ⟹ TALENT.

génius ló·ci [-lóusai, -lóukiː] *n.* (*pl.* **génii lóci**) (그 지방의) 수호신 ; (그 지방의) 분위기, 기풍. 〖L〗

Genl., genl. general.

génned-úp [dʒénd-] *a.* 《英口》 (…에) 정통한 〈*about*, *on*〉.

geno-[1] [dʒénou, -nə] ☞ GEN-[1].

geno-[2] [dʒíːnou, dʒénou, -nə] ☞ GEN-[2].

Gen·oa [dʒénouə] *n.* 제노바《이탈리아 북서부의 도시》.

Génoa cáke *n.* 제노바 케이크《아몬드를 위에 얹은 감칠맛이 나는 케이크》.

gen·o·cide [dʒénəsàid] *n.* (인종·국민 등의 계획적인) 대량 학살. **gèn·o·cí·dal** *a.*
〖Gk. *genos* race, L *caedo* to kill〗

Gen·o·ese [dʒènouíːz, -s] *a.* 제노바(인)의.
—— *n.* (*pl.* ~) 제노바인.

ge·nome [dʒíːnoum], **-nom** [-nαm] *n.* 〖生〗 게놈《생물의 생활 기능을 유지하기 위한 최소한의 유전자군을 함유하는 염색체의 한 조(組)》.
ge·no·mic [dʒinóumik, -nάm-] *a.*

ge·no·phóbia [dʒènə-] *n.* 성 공포, 성욕 공포증.

G

gé·no·tỳpe [dʒíːnə-, dʒénə-] *n.* 〔生〕 유전자형(遺傳子型), 인자형(因子型) (↔*phenotype*).
gè·no·týp·ic, -i·cal [-típ-] *a.* **-i·cal·ly** *adv.*

-g·e·nous [-dʒənəs] *a. comb. form* 「발생하는」「…에 의해 발생되는」의 뜻.
〖Gk. *-gen* to become〗

genre [*F* ʒɑ̃ːr] *n.* **1** 유형, 형식, 양식, 장르. **2** Ⓤ 〔美術〕 풍속화법 ; [집합적으로] 풍속화.
—— *a.* 〔美術〕 일상생활을 그린, 풍속화의 : a ~ picture 풍속화 / a ~ painter 풍속화가.
〖F=kind, GENDER〗

génre pùblishing *n.* 〔出版〕 장르별 출판.

gens [dʒénz, géns] *n.* (*pl.* **gen·tes** [dʒéntiːz, génteis]) 〔古로〕 씨족, 일족.
〖L=race ; cf. GENUS, GENDER〗

gent[1] [dʒént] *n.* 《口》 신사, 사내, 놈 ; 《戲》 엉터리 신사. 〖*gent*leman〗

gent[2] *a.* 《古》 우아한, 품위 있는 ; 문벌이 좋은.
〖OF<L=begotten ; ⇨ GENITAL〗

gent., Gent. gentleman ; gentlemen.

gen·teel [dʒentíːl] *a.* **1** 《古》 가문이 좋은, 좋은 집안에서 태어난, 예의바른 ; 고상한, 정숙한. **2** 《反語》 젠체하는, 점잔빼는 : affect ~ ignorance 점잔빼고 모르는 척하다 / ☞ SHABBY-GENTEEL.
do the genteel 점잔을 빼다, 젠체하다.
~·ly *adv.* 우아하게 ; 점잔빼면서.
〖C16 *gentile*<F *gentil* wellborn, GENTLE ; GENTILE=non Jewish와 구별하기 위해 프랑스식 발음을 남긴 것〗

gentéel·ism *n.* 고상한 말투, 점잖은 말씨《belly, sweat 대신에 쓰이는 *stomach, perspire* 따위》.

gentes *n.* GENS의 복수형.

gen·tian [dʒénʃən] *n.* 〔植〕 용담(龍膽)《그 뿌리에서 건위제를 채취함》.

géntian bítter *n.* 용담고미액(苦味液)《강장제》.

géntian víolet *n.* [때때로 G~ V~] 겐티아나 바이올렛《아닐린 염료의 일종》.

gen·tile [dʒéntail] *n.* [흔히 G~] **1** (유태인이 본) 이방인, (특히) 기독교도. **2** 《美》 비(非)모르몬 교도. **3** 이교도. —— *a.* **1** 유태인이 아닌, (특히) 기독교도의. **2** 《美》 모르몬 교도가 아닌. **3** 이교(도)의(ethnic) (↔*Jewish*). **4** 민족[부족·씨족]의. **~·dom** *n.* [집합적으로] (유태인이 본) 전(全)이방인 ; 이방(異邦).
〖L *gentilis* (*gent- gens* family)〗
類義語 ⟹ PAGAN.

gen·til·i·ty [dʒentíləti] *n.* **1** Ⓤ 《古》 가문이 좋음, 좋은 집안 출신. **2** [*pl.*] 《反語》 점잔빼기, 양반티 ; 점잖은 척하는 행위 : shabby ~ 구차스러운 체면 유지. **3** [the ~ ; 복수취급] 상류 계급.
〖OF ; ⇨ GENTLE〗

‡**gen·tle** [dʒéntl] *a.* (**-tler ; -tlest**) **1 a**) (사람·기질이) 온화한, 친절한, 상냥한, 온순한(mild, kindly) (↔*harsh, cruel*) : He is ~ *with* children. 아이들에게 다정하다. **b**) (행동이) 예의바른, 정중한, 고상한. **c**) (표정·소리 따위가) 부드러운, 유화한, 고요한(quiet). **2 a**) (집안이) 훌륭한, 좋은(honorable) : of ~ birth[blood] 집안[태생]이 좋은, 양가의. **b**) 《古》 (사람이) 집안[태생]이 좋은(wellborn) (cf. GENTLE *and simple* ; GENTLEFOLK(S), GENTLEMAN) ; 고결한(noble). **3** 《古》 (사람이) 너그러운, 관대한(generous) : my ~ reader 관대한 독자여《원래 저자가 독자를 부를 때 쓰는 정해진 문구 ; 지금은 《戲》》. **4** (꾸지람 따위) 엄하지 않은, 관대한, 온건한. **5 a**) (자연 현상 따위가) 평온한, 잔잔한, 완만한(moderate) ; (움직임 따위가) 조용한, 가벼운(light) : a ~ heat 적당한 열 / a ~ slope 완만한 비탈 / give a ~ push 가볍게 한 번 밀다. **b**) (약·담배 따위가) 독하지 않은(mild) : a ~ wine 독하지 않은 술. **6** (동물이) 순한(↔*violent*), 잘 길들여진, 순종하는(↔*wild*).
gentle and simple 《古》 상하 귀천, 신분이 높은 사람이나 낮은 사람이나.
—— *n.* 《古》 가문이 좋은[상류 계급의] 사람, [*pl.*] 《古·俗》 =GENTLEFOLK.
—— *vt.* **1** (말 따위를) 길들이다(break). **2** (사람을) 달래다. **3** (다정하게) 쓰다듬다. —— *vi.* 온순[얌전]해지다, 조용히 움직이다[걷다].
〖OF *gentil*<L GENTILE ; cf. GENTEEL〗
類義語 ⟹ SOFT.

géntle árt[cráft] *n.* [the ~] 낚시질.

géntle bréeze *n.* 미풍 ; 〔海·氣〕 산들바람.
類義語 ⟹ WIND[1].

géntle·fòlk(s) *n. pl.* 양가(良家)의[신분이 높은] 사람들.

géntle·hòod *n.* 가문이 좋음 ; 고상, 우아.

◊**géntle·man** [-mən] *n.* (*pl.* **-men** [-mən]) **1** 귀족으로 태어난 사람, 가문이 좋은 사람, 지체가 높은 사람(↔*churl*) ; 신사(↔*lady*) ; 좋은 가문의 의협심이 있는 사람, 훌륭한 사람(↔*cad*). **2** [존칭] **a**) 남자분, 이[저]분. 주 gentleman을 경어로서 man대신에 쓰는 것은 (1) 그 사람이 이야기하는 사람의 면전에 있을 때, (2) 주인과 하인 사이에서 그 곳에 없는 제삼자에 대해서 말할 때로서 그 이외의 경우에는 너무 점잔빼는 어법임 : This ~ wishes to see the manager. 이 분이 지배인을 만나뵙고자 합니다 / A ~ called to see you while you were out. 부재 중에 어떤 남자분이 찾아오셨어요. **b**) [*pl.*] 제군! 《남자 청중에 대한 호칭 ; ↔*lady*》 ; [Gentlemen] 근계(謹啓)《회사에 보내는 편지의 첫머리 ; cf. SIRS》 : Ladies and *Gentlemen*! 여러분! 《남녀 청중에 대한 호칭》. **3** [*pl.* ; 단수 취급] 《英》 신사용 화장실《*For Gentlemen*의 略 ; Men으로도 씀 ; cf. LADY 5》. **4** 《蔑》 그 작자, 그 놈 : my ~ 그 녀석. **5** 〔史〕 귀족은 아니나 가문(家紋)을 달 특권을 가진 사람《이름 뒤에 붙일 때에는 Gent.로 약함》. **6** 종복(從僕) ; 《英》 (궁정·귀인 등의) 시종(valet) : the King's ~ 왕의 측근자 / a ~ in waiting 시종. **7 a**) 《古》 유한 계급의 사람 ; 수입이 있어서 일하지 않아도 되는 사람, 무직자. **b**) 《英》 (크리켓의) 아마추어 선수.
a gentleman at large 《戲》 무직자 ; 《英》 특별한 임무가 없는 궁내관(宮內官).
a gentleman of fortune 《戲》 해적 ; 야바위(sharper) ; 범죄자, 사기꾼.
a gentleman of the press 신문 기자.
a gentleman of the road 《戲》 노상 강도 ; 부랑자, 거지.
the gentleman (***from...***) 〔美議會〕 (…주(州) 출신의) 의원.
〖*gentle*+*man* ; OF *gentilz hom*에 준한 것〗

géntleman-at-árms *n.* (*pl.* **géntlemen-**) 의장(儀仗) 친위병, 호위 의장병.

géntleman-cómmon·er *n.* (*pl.* **géntlemen-cómmon·ers**) 《英》 (옛날의 Oxford, Cambridge 양 대학의) 특별 자비생(自費生)《여러 가지 특권이 주어지는 대신 보통의 자비생보다 많은 수업료를 냈음 ; cf. COMMONER 3》.

géntleman fármer *n.* (*pl.* **géntlemen fármers**) 취미로 농사를 짓는 상류 계급의 사람, 호농(↔*dirt farmer*).

géntleman·hòod *n.* Ⓤ 《稀》 신사의 신분[품격],

G

신사임.

géntleman·lìke *a.* =GENTLEMANLY.

géntleman·ly *a.* 신사적인, 신사다운, 예의바른. —— *adv.* 신사답게. **-li·ness** *n.*

géntleman-ránk·er *n.* (*pl.* **géntlemen-ránk·ers**) 《口》 원래는 신분이 높았으나 (지금은) 영락(零落)한 영국군 병사.

géntleman's[géntlemen's] agréement *n.* 신사 협정.

géntleman's géntleman *n.* 시종(valet).

géntleman·ship *n.* 《稀》 신사의 신분[품격].

géntleman-úsher *n.* (*pl.* **géntlemen-úshers**) 왕실이나 귀족의 의전관.

gén·tle·ness *n.* Ⓤ 친절, 상냥함, 온화함 ; 잔잔[완만]함.

Géntle Péople *n. pl.* [the ~] 무저항주의의 사람들《flower child나 일부의 인디언》.

géntle·pèrson *n.* **1** 《때때로 戲》 여러분, 제군 ; 신사. **2** [G~s] 근계(謹啓)《회사로 보내는 편지의 허두에 씀》.

géntle séx *n.* [the ~ ; 집합적으로] 여성.

géntle-vòiced *a.* 말투가 온화한.

géntle·wòman *n.* (*pl.* **-wòmen**) **1** 상류층 여성, 귀부인, 숙녀(lady). **2** 〖史〗 시녀, 몸종. ***the gentlewoman*** **(*from*. . .)** 〖美議會〗 (…주(州) 선출의) 여성 의원.
~·hòod *n.* 귀부인의 신분, 숙녀임. **~·lìke, ~·ly** *a.* 귀부인[숙녀]다운.

***gént·ly** *adv.* **1** 신분이 높은[좋은 집안에서 자란] 사람같이, 예의바르게 : ~ born[bred] 좋은 가문의[가정 교육이 잘 된]. **2** 온화하게, 상냥하게, 친절하게 ; 조용히(quietly), 서서히(gradually) : The road curves ~ to the left. 길은 완만하게 왼쪽으로 굽어진다.

gen·tri·fy [dʒéntrəfài] *vt.* (슬럼화한 주택가를) 고급 주택(지)화하다 ; 《비유》 …을 고상하게 하다, 고급화하다. **gèn·tri·fi·cá·tion** *n.* (주택가의) 고급 주택화.

gen·tron·ics [dʒentrániks] *n.* 〖生·電子〗 젠트로닉스《유전자학(genetics)과 전자 공학을 결합한 혁신적 기술 분야》. 〚*gen*etics+elec*tronics*〛

gen·try [dʒéntri] *n.* **1** [보통 the ~ ; 복수취급] 《英》 신사 계급, 상류 계급《귀족(nobility) 다음 가는 사람들》 ; 상류 사회 : *The* English ~ *are* next below the nobility. 영국의 신사 계급은 귀족 다음간다. **2** 《蔑》 무리, 한패, 동료(people) : these ~ 이 패거리.

ge·nu [dʒíːnjuː] *n.* (*pl.* **gen·ua** [dʒénjuə]) 〖解·動〗 무릎(knee). **gen·u·al** [dʒénjuəl] *a.* 〚L=knee〛

gen·u·flect [dʒénjəflèkt] *vi.* (특히 로마 카톨릭 교회에서 예배볼 때) 무릎을 꿇다 ; 추종하다. **-flèc·tor** *n.* **gèn·u·fléc·tion | -fléx·ion** *n.* 무릎을 꿇음.
〚L (↑, *flecto* to bend)〛

***gen·u·ine** [dʒénjuən] *a.* **1** 순종의, 순수한. **2** 진짜의, 진품의(↔*spurious*) : a ~ signature 친필 서명. **3** 성실한, 진심에서 우러난, 참된(sincere, real). **~·ly** *adv.* 순수하게 ; 성실히 ; 진정으로. **~·ness** *n.*
〚L (*genu* knee) ; 신생아를 아버지가 무릎에 앉히고 인지한 데서 ; 후에 GENUS와도 관련지어짐 ; 일설에 L *genuinus* innate, natural ‹ *ingenuus* native, freeborn〛

ge·nus [dʒíːnəs] *n.* (*pl.* **gen·e·ra** [dʒénərə], **~·es**) 종류, 부류, 유(類) ; 〖生〗 (분류상의) 속(屬) (cf. CLASSIFICATION) ; 〖論〗 유, 유개념(cf. SPECIES) : the ~ *Homo* 사람속(屬), 인간, 인류. 〚L *genergenus* birth, race, stock〛

-g·e·ny [-dʒəni] *n. comb. form* 「발생」「기원」의 뜻 : pro*geny*.
〚F (Gk. -*genes* born) ; ⇨ -GEN, -Y[1]〛

Geo. George.

geo- [dʒíːou, dʒíːə] ☞ GE-.

gèo·bánker *n.* 〖金融〗 전세계를 상대로 금융 활동을 하는 업자.

gèo·bánking *a.* 전세계에 걸친 은행 업무의.

gèo·bótany *n.* Ⓤ 지구 식물학. **-bótanist** *n.* **-botánical, -ic** *a.* **-ical·ly** *adv.*

gèo·céntric, -trical *a.* 지구를 중심으로 한 ; 지구의 중심에서 본[잰](↔*heliocentric*).
-céntrical·ly *adv.* 지구를 중심으로 ; 지구의 중심에서 측정하여. **-céntricism** *n.*

geocéntric látitude *n.* 〖天〗 지심 위도.

geocéntric lóngitude *n.* 〖天〗 지심 경도(地心經度).

gèo·chémistry *n.* Ⓤ 지구 화학.
-chémist *n.* **-chémical** *a.* **-ical·ly** *adv.*

gèo·chronólogy *n.* 지구 연대학.

gèo·coróna *n.* 〖天〗 중간권(中間圈)《주로 수소로 이루어진 지구 대기의 가장 바깥층》.

geod. geodesic ; geodesy ; geodetic.

ge·ode [dʒíːoud] *n.* 〖地質〗 정동(晶洞) ; 이질 정족(異質晶簇). 〚L<Gk. *geōdēs* earthy (*ge*-)〛

geo·des·ic [dʒìːədésik, -díː-, -zik] *a.* 측지학의, 측량의 ; 〖數〗 측지선(線)의. —— *n.* 〖數〗 측지선(=~ **líne**)《곡선상의 2점을 연결하는 최단축선》. **-i·cal** *a.*

geodésic dóme *n.* 〖建〗 지오데식 돔《측지선에 따라 직선 구조재를 연결한 돔》.

ge·od·e·sy [dʒiːádəsi] *n.* Ⓤ 측지학.
ge·ód·e·sist *n.* 측지학자. 〚L<Gk.〛

geo·det·ic, -i·cal [dʒìːədétik(əl)] *a.* 측지학의. **-i·cal·ly** *adv.*

geodétic sàtellite *n.* 〖宇宙〗 측지 위성.

GEODSS 〖軍〗 ground-based electro-optical deep space surveillance (지상 설치 전자 공학식 심(深)우주 탐사).

gèo·dynámic, -ical *a.* 지구 역학(상)의.

gèo·dynámics *n.* 지구 역학.

Geof·frey [dʒéfri] *n.* 남자 이름.
〚OF<Gmc.=divine peace (God+peace)〛

geog. geographer ; geographic ; geographical ; geography.

ge·og·no·sy [dʒiágnəsi] *n.* Ⓤ 지구 구조학 ; 지질학 ; (특히) 국지(局地) 지질학 ; 암석학.

ge·og·ra·pher [dʒiágrəfər] *n.* 지리학자.

***geo·graph·ic, -i·cal** [dʒìːəgrǽfik(əl) ; dʒiə-] *a.* 지리학(상(上))의, 지리(학)적인 : *geographical* distribution 지리적 분포 / *geographical* features 지세(地勢). **-i·cal·ly** *adv.* 지리적으로.

geográphical látitude *n.* 지리학적 위도.

geográphical lóngitude *n.* 지리학적 경도.

geográphical médicine *n.* 지리 의학《지리적·풍토적 요인이 건강에 미치는 영향을 연구함》.

geográphical míle *n.* 지리 마일《적도상에서의 경도 1분 ; 《英》에서는 1853.2 m ; 《美》에서는 nautical mile이라는 국제 단위로 변경》.

geográphic edítion *n.* 〖出版〗 지역판《하나의 잡지 속에 지역별로 만든 판》.

geográphic segmentátion *n.* (마케팅에서 시장의) 지리적 세분화.

***ge·og·ra·phy** [dʒiágrəfi] *n.* **1** Ⓤ 지리학 ; 지리, 지세, 지형〈*of*〉 : ☞ PHYSICAL GEOGRAPHY. **2**

지리(학)서, 지지(地誌).
〚F or L<Gk. *geo-*(*graphia* -GRAPHY)〛

ge·oid [dʒíːɔid] *n.* 〔地球理〕 지오이드《평균 해면과 그 연장으로 생각되는 상상의 면》.
ge·ói·dal *a.* 〚Gk. (*geo-*, *-oid*)〛

geol. geologic(al); geologist; geology.

gèo·linguístics *n.* 지리 언어학, 언어 지리학.

geo·log·ic, -i·cal [dʒìːəládʒik(əl); dʒiə-] *a.* 지질학(상)의 : a *geologic* epoch 지질 연대.

geológical oceanógraphy *n.* 지질 해양학.

geológical súrvey *n.* 지질 조사.

geológic máp *n.* 지질도(圖).

geológic tíme *n.* 지질 연대.

ge·ol·o·gist [dʒiálədʒist] *n.* 지질학자.

ge·ol·o·gize [dʒiálədʒàiz] *vt., vi.* 지질(학)을 연구하다; (…의) 지질 조사를 하다.

***ge·ol·o·gy** [dʒiálədʒi] *n.* Ⓤ 지질학; (특정 지역의) 지질; Ⓒ 지질학서(地質學書).
〚NL (*geo-*)〛

geom. geometric(al); geometry.

gèo·magnétic *a.* 지구 자기의.

geomagnétic stórm *n.* 〔地球理〕 자기(磁氣) 폭풍(magnetic storm).

gèo·mágnet·ìsm *n.* 지구 자기(학).

geo·man·cy [dʒíːəmæ̀nsi] *n.* Ⓤ 흙점(占)《한 줌의 흙모래를 땅에 뿌려 그 모양을 보고 점을 침》.
géo·màn·cer *n.* **gèo·mán·tic, -ti·cal** *a.*

gèo·médicine *n.* Ⓤ 환경 의학, 지리 의학《지리적인 분포·발생을 연구함》. **-médical** *a.*

ge·om·e·ter [dʒiámətər] *n.* =GEOMETRICIAN.
〚L<Gk. (*metrēs* measurer)〛

***geo·met·ric, -ri·cal** [dʒìːəmétrik(əl); dʒiə-] *a.* 기하학(상)의, 기하학적인; 기하학적 도형의; 기하급수적으로 증가하는 : a *geometric* design 기하학적 도형; 기하학 무늬. **-ri·cal·ly** *adv.*

geométric(al) progréssion *n.* 등비수열.

geométrical propórtion *n.* 등비비례.

ge·om·e·tri·cian [dʒiàmətríʃən, dʒìːə-; dʒiə̀-, dʒìə-] *n.* 기하학자.

geométric méan *n.* 〔數〕 (등비급수의) 등비중항; 기하 평균.

geométric séries *n.* 〔數〕 등비급수, 기하급수.

geométric spíder *n.* 기하학적으로 거미집을 치는 거미.

geométric trácery *n.* (고딕 건축의) 기하학적 트레이서리.

ge·om·e·trid [dʒiámətrəd, dʒìːəmét-] *n., a.* 〔昆〕 자나방과(科)(의); 자나방.

ge·om·e·trize [dʒiámətràiz] *vt., vi.* 기하학적 도형으로 하다; 기하학을 연구하다; 기하학적 방법으로 처리하다.

***ge·om·e·try** [dʒiámətri] *n.* Ⓤ 기하학; (기계 따위의) 결합구조; Ⓒ 기하학서(書) : plane[solid, spherical] ~ 평면[입체, 구면] 기하학.
〚OF<L<Gk. (*geo-*, *-metry*)〛

gèo·mórphic *a.* 지구[지구면] 모양의[에 관한], 지형의; 지형학의.

gèo·morphólogy *n.* Ⓤ 지형학. **-gist** *n.*
-morphológic, -ical *a.* **-ical·ly** *adv.*

ge·oph·a·gy [dʒiáfədʒi] *n.* Ⓤ 흙을 먹음[먹는 버릇](dirt-eating); 〔醫〕 (어린애의) 토식증(土食症). **-gìsm** *n.* 흙을 먹는 습관. **-gist** *n.*
-pha·gous [-fəgəs] *a.*

géo·phòne *n.* 수진기, 지오폰, 지중(地中) 청검기(聽檢器)《암석·토양·얼음 따위의 속에 전달되는 진동을 탐지함》.

geophys. geophysical; geophysics.

gèo·phýsical *a.* 지구 물리학(상)의.

gèo·phýsics *n.* Ⓤ 지구 물리학. **-phýsicist** *n.* 지구 물리학자.

gèo·pólitic, -ical *a.* 지정학적인[상의].

gèo·politícian *n.* 지정학자.

gèo·pólitics *n.* Ⓤ 지정학.

gèo·pón·ic [-pánik] *a.* 《稀》 농경의, 농업의; 《戱》 전원의, 시골의(rustic, rural). 〚Gk.〛

gèo·pón·ics *n.* 농경술, 농학(husbandry).

gèo·préssured *a.* 큰 지질학적 압력을 받는.

géo·pròbe *n.* 〔로켓〕 지오프로브《지구 표면에서 지구 반지름(6400km) 이상 떨어진 우주를 탐사하는 로켓》.

ge·o·rama [dʒìːərǽmə, -ráːmə; -ráːmə] *n.* 지오라마《대원구(大圓球) 안쪽에 경치를 그려놓고 안쪽에서 보는 파노라마》. 〚F〛

Geor·die[1] [dʒɔ́ːrdi] *n.* 《英》 **1** 남자 이름《George의 애칭》. **2** 타인 강변 출생자[주민, 탄갱부]; 그 방언; 타인 강의 석탄선. **3** 성(聖) 조지 상(像)이 있는 영국 화폐.

Geordie[2] *n.* 《스코》 탄광용 안전등의 하나.
〚*George* Stephenson 고안자〛

George [dʒɔ́ːrdʒ] *n.* **1** 남자 이름. **2** 영국 왕의 이름 : ~ **I** (재위 1714-27) / ~ **II** (재위 1727-60) / ~ **III** (재위 1760-1820) / ~ **IV** (재위 1820-30) / ~ **V** (재위 1910-36) / ~ **VI** (재위 1936-52). **3** [Saint ~] 성(聖) 조지《영국의 수호 성인; 축일은 4월 23일》. **4** 성 조지 상이 있는 영국 화폐. **5** 《口》 (항공기의) 자동 조정 장치. **6 a)** [g~] 《英俗》 변소. **b)** 《美俗》 훌륭한[굉장한] 것[사람]. **c)** 《美俗》 (극장의) 안내 담당.
By George! 정말로, 진정코《맹세 또는 감탄의 문구》.
—— *a.* 《美俗》 좋은, 훌륭한, 즐거운.
—— *vt.* [g~] 《美俗》 정사에 꾀어 들이다, 유혹하다. 〚L<Gk.=farmer, earthworker〛

Geórge Cróss[Médal] *n.* 조지 크로스[메달] 《1940년 제정된 영국 훈장; 용감한 행위에 대하여 주어짐; 略 G.C., G.M.》.

Geórge·tòwn *n.* 조지 타운. **1** 가이아나 공화국(Guyana)의 항구·수도. **2** 미국의 수도 Washington, D.C.의 주택 구역.

geor·gétte (crépe) [dʒɔːrdʒét(-)] *n.* Ⓤ 조젯(크레이프)《얇은 명주 또는 레이온의 크레이프》.
〚Mme. *Georgette* Paris의 재봉사〛

Geor·gia [dʒɔ́ːrdʒə; -dʒjə] *n.* **1** 〚(fem.); ⇨ GEORGE〛 여자 이름. **2** 〚GEORGE II〛 조지아《미국 남동부의 주(州); 주도 Atlanta; 略 Ga.》. **3** 그루지야 공화국《서아시아 카프카스 산맥 서부 흑해에 면한 공화국; 수도 Tbilisi》.

Geórgia Màfia *n.* 조지아 마피아《Carter 대통령(1977-81)과 같은 조지아 주(州) 출신의 대통령 측근들》.

Geór·gian[1] *a.* **1** (영국의) 조지 왕조 시대《George I - George IV》의. **2** (특히) 조지 5세 시대의.
—— *n.* 조지 왕조 시대의 사람.
〚GEORGE〛

Georgian[2] *a.* 미국 조지아 주의; 그루지야의.
—— *n.* 조지아 주의 사람; 그루지야 사람; Ⓤ 그루지야 어. 〚↑〛

Geor·gi·a·na [dʒɔːrdʒiǽnə; -áːnə] *n.* 여자 이름. 〚⇨ GEORGIA〛

Geórgia píne *n.* 〔植〕 왕솔나무《미국 남동부산(産)》.

geor·gic [dʒɔ́ːrdʒik] *a.* 농사의, 농업의.
—— *n.* 농사[전원]시(詩); [the G~s] (로마 시인 Vergil이 지은) 농사시.

Geor·gie [dʒɔ́ːrdʒi] *n.* 남자 이름《George의 애칭(愛稱)》.
Geor·gi·na [dʒɔːrdʒíːnə], **-gine** [-dʒíːn] *n.* 여자 이름. 〖(dim.) ; ⇨ GEORGIA〗
geor·gy [dʒɔ́ːrdʒi] *vt.* 《美黑人俗》 미인계로 속이다 ; 창녀에게 해웃값을 안주고 내빼다.
gèo·scíence *n.* 지구 과학, 지학《지질학 · 지구물리학 · 지구화학 따위》. **gèo·scíentist** *n.* 지구 과학자.
gèo·státic *a.* 〖工〗 지압(地壓)의 ; 지압에 견디는 : ~ pressure 정지압(靜地壓). **gèo·státics** *n.* 지압학(地壓學).
gèo·státionary *a.* 〖宇宙〗 지구 정지 궤도상에 있는 : a ~ satellite 정지 위성.
geostátionary órbit *n.* 〖宇宙〗 (위성의) 정지(靜止) 궤도.
gèo·strátegy *n.* Ⓤ 전략 지정학 ; 지정학에 의거한 전략. **-stratégic** *a.* **-strátegist** *n.*
gèo·stróph·ic [-stráfik] *a.* 〖氣〗 지구의 자전에 의한 편향력(偏向力)의. **-i·cal·ly** *adv.*
gèo·sýnchronous *a.* =GEOSTATIONARY.
gèo·táxis *n.* 〖生〗 중력 주성, 주지성(走地性)《중력 자극에 대한 주성》.
gèo·technólogy *n.* 지질 공학.
gèo·thérmal, -thérmic *a.* 지열(地熱)의 : a *geothermal* power plant 지열 발전소.
geothérmal énergy *n.* 지열 에너지.
geothérmal pówer generàtion *n.* 지열(地熱) 발전.
ge·ot·ro·pism [dʒiátrəpìzəm] *n.* Ⓤ 〖生〗 중력 굴성, 굴지성.
negative geotropism 배지성.
positive geotropism 향지성.
gèo·trópic *a.* 〖生〗 중력 굴성[굴지성(屈地性)]의. **-ical·ly** *adv.* 중력 굴성[굴지성]에 의해.
Ger. German(ic) ; Germany. **ger.** gerund ; gerundial ; gerundive.
Ger·ald [dʒérəld] *n.* 남자 이름《애칭 Jerry》. 〖Gmc.=spear+rule〗
Ger·al·dine [dʒérəldìːn] *n.* 여자 이름《애칭 Jerry》. 〖(dim.) ; ↑〗
ge·ra·ni·um [dʒəréiniəm] *n.* 〖植〗 제라늄, 쥐손이풀, 이질풀. 〖L<Gk. (*geranos* crane)〗
ger·bera [gə́ːrbərə, dʒə́ːr-] *n.* 〖植〗 거베라《엉거시과(科) 거베라속(屬)의 화초의 총칭》. 〖T. *Gerber* (d. 1743) 독일의 박물학자〗
ger·bil, -bille [dʒə́ːrbəl] *n.* 〖動〗 모래밭쥐. 〖F<NL (dim.) ‹JERBOA〗
ger·en·to·crat·ic [dʒèrəntəkrǽtik] *a.* 관리자[경영자] 지배의 ; 지배자적인, 지배 관리 체제의.
gerfalcon ☞ GYRFALCON.
ger·i·at·ric [dʒèriǽtrik, dʒìər-] *a.* 노인병학의 ; 노인[노화작용]의 : ~ medicine 노인 의학. —— *n.* 노인 ; 노인병 환자. 〖Gk. (*gēras* old age, *iatros* physician)〗
geriátric hóspital *n.* 노인 병원.
ger·i·a·tri·cian [dʒèriətríʃən, dʒìər-], **-at·rist** [dʒèriǽtrəst, dʒìər-] *n.* 노인병학자, 노인병 전문 의사.
gèr·i·át·rics *n.* Ⓤ 노인 의학, 노년 의학, 노인병학(cf. GERONTOLOGY).
gerkin ☞ GHERKIN.
***germ** [dʒə́ːrm] *n.* **1** 〖生〗 유아(幼芽), 배(胚), 배종(胚種) (cf. SPERM[1]). **2** 미생물, 세균, 병원균, 병균 : a ~ carrier 보균자. **3** 《비유》 싹틈, 징조 ; 근원, 기원.
in germ 싹트는 중에, 아직 발달하지 않은. —— *vt., vi.* 《비유》 싹트다, 발생하다, 징조가 보이다. 〖F<L *germin- germen* sprout〗
Germ. German ; Germany.
ger·man [dʒə́ːrmən] *a.* **1** 같은 부모[조부모]에서 난 : a brother[sister] ~ 같은 부모에서 난 형제[자매] / ☞ COUSIN-GERMAN. **2** =GERMANE. —— *n.* 《廢》 근친자. 〖OF<L *germanus* genuine, having the same parents〗
‡**German** *a.* 독일의 ; 독일인[독일어(語)]의(cf. GERMANY) ; =GERMANIC. —— *n.* (*pl.* **~s**) 독일인 ; Ⓤ 독일어 ; [흔히 g~] 《美》 독일 무용, 그 무도회 : ☞ HIGH GERMAN / ☞ LOW GERMAN / ☞ OLD HIGH GERMAN. 〖L *Germanus* ; Celts가 그 이웃 사람에게 붙인 이름인가 ; cf. OIr. *gair* neighbor〗
Gérman-Américan *a.* 독일과 미국(간)의 ; 독일계 미국인의. —— *n.* 독일계 미국인.
Gérman bánd *n.* 거리의 밴드[악대].
ger·man·der [dʒə(ː)rmǽndər] *n.* 〖植〗 개곽향《꿀풀과(科)》 ; 투구풀《현삼과(科)》. 〖L<Gk. =ground oak〗
ger·mane [dʒə(ː)rméin] *a.* 밀접한 관계가 있는, 적절한(pertinent)〈*to*〉. **~·ly** *adv.* **~·ness** *n.* 〖GERMAN〗
Ger·man·ic [dʒə(ː)rmǽnik, -méi-] *a.* 독일인의 ; 게르만 민족[어]의. —— *n.* Ⓤ 게르만 어파[제어(諸語)]. 〖L (GERMAN)〗
Gérman·ìsm *n.* **1** Ⓤ 독일 정신, 독일인 기질 ; 독일 편들기. **2** Ⓒ 독일어식, 독일 말투. **-ist** *n.* 독일주의자 ; 독일어[문학, 문화] 연구자[학자].
Ger·man·i·ty [dʒə(ː)rmǽnəti] *n.* Ⓤ 독일풍[기질], 독일 정신.
ger·ma·ni·um [dʒə(ː)rméiniəm] *n.* Ⓤ 〖化〗 게르마늄《희금속 원소 ; 기호 Ge ; 번호 32》. 〖L *Germanus* German〗
Gérman·ìze *vt., vi.* 독일식으로 하다[되다], 독일화하다 ; 《古》 …을 독일어로 번역하다. **Gèrman·izátion** *n.* 독일화 ; 독일어역.
Gérman méasles *n.* 풍진(風疹) (rubella).
Ger·mano- [dʒə(ː)rmǽnou, dʒə́ːrmə-, -nə] *comb. form* 「독일(인)」의 뜻. 〖GERMAN〗
Gérman Ócean *n.* [the ~] 게르만 해《North Sea의 옛 칭호》.
Germàno·mánia [ˌdʒə̀ːrmənə-] *n.* Ⓤ 독일열[광, 심취].
Germáno·phìle, -phìl [ˌdʒə́ːrmənə-] *n.* 독일 편을 드는 사람, 친독일파.
Germáno·phòbe [ˌdʒə́ːrmənə-] *n.* 독일 혐오자, 독일 배척주의자.
Germàno·phóbia [ˌdʒə̀ːrmənə-] *n.* Ⓤ 독일 혐오[공포증].
Gérman sáusage *n.* 독일 소시지《향료를 넣은 대형 소시지의 일종》.
Gérman shépherd (dòg) *n.* 독일종(種)의 셰퍼드《경찰견》.
Gérman sílver *n.* 양은.
Gérman téxt *n.* 〖印〗 게르만체[장식] 문자.
Gérman wírehaired póinter *n.* 저먼 와이어헤어드 포인터《독일 원산인 거센 털의 새 사냥개》.
‡**Ger·ma·ny** [dʒə́ːrməni] *n.* 독일《1990년 10월 3일을 기해 45년간의 동서 분단 끝에 재통일을 이룩함 ; cf. EAST GERMANY, WEST GERMANY》.
gérm bòmb *n.* 세균탄[폭탄].
gérm cèll *n.* 〖生〗 생식 세포.

ger·men [dʒə́ːrmən] *n.* (*pl.* **~s, -mi·na** [-mənə]) 〖生〗 생식선(腺) (gonad), 생식질(質) ; 《古》 = GERM.

gérm·frèe *a.* 무균의.

ger·mi·ci·dal [dʒə̀ːrməsáidl] *a.* 살균(제)의, 살균성의, 살균력이 있는.

ger·mi·cide [dʒə́ːrməsàid] *n.* 살균제.
〖GERM, L *caedo* to kill〗

ger·mi·cul·ture [dʒə́ːrməkʌ̀ltʃər] *n.* Ⓤ 세균 배양(培養).

ger·mi·nal [dʒə́ːrmənəl] *a.* **1** 싹의, 배종(胚種)의, 원자의, 씨방의. **2** 근원의, 원시의, 초기의. **3** 창조적인, 시사적(示唆的)인. **~·ly** *adv.*
〖GERM〗

gérminal dísc[**dísk**] *n.* 배반(胚盤).

gérminal vésicle *n.* (난모세포(卵母細胞)의) 배포(胚胞).

ger·mi·nant [dʒə́ːrmənənt] *a.* 싹트는, 움트는 ; 발달하기 시작하는 ; 처음의, 발단의 ; 생장력 있는. **-nan·cy** *n.*

ger·mi·nate [dʒə́ːrmənèit] *vi.* 싹트다 ; 자라기 시작하다. ── *vt.* 발아시키다 ; 《비유》 발생[발전]시키다 : Warmth and moisture ~ seeds. 온기와 습기가 씨를 발아시킨다. 〖L ; ⇨ GERM〗

gèr·mi·ná·tion *n.* Ⓤ 발아(發芽) ; 맹아(萌芽) ; 발생. **gér·mi·nà·tive** [, -nə-] *a.* 싹트는, 싹틀 힘이 있는, 발생[발육]력이 있는.

gér·mi·nà·tor *n.* 발아물(物), 발아시키는 사람 ; 발아력 시험기(器).

gérm làyer *n.* 〖生〗 배엽(胚葉).

gérm·less *a.* 무균의, 세균 없는.

gérm plàsm[**plàsma**] *n.* 〖生〗 생식질.

gérm thèory *n.* **1** 〖生〗 배종설(胚種說)《생기론적 생명관의 하나 ; cf. BIOGENESIS》. **2** 〖醫〗 매균설(媒菌說)《전염병은 세균이나 미생물에 의해 매개된다는 설》.

gérm wárfare *n.* 세균전(戰).

gérm wéapon *n.* 세균 무기.

gérmy *a.* 《口》 세균이 가득한, 세균이 묻은.

Ge·ron·i·mo [dʒəránəmòu] *n.* **1** 제로니모 (1829-1909)《Apache 족 인디언 추장》. **2** [감탄사적으로] 얏《낙하산 부대원이 뛰어내릴 때 외치는 소리》; 해냈어 !
do** one's **Geronimo (비행기에서) 낙하산으로 강하하다.

ge·ront- [dʒəránt], **ge·ron·to-** [dʒərántou, -tə] *comb. form* 「노인」「노령」의 뜻.
〖Gk. *geront- gerōn* old man〗

ge·ron·tic [dʒərántik] *a.* 〖生理〗 노령의, 노쇠한.

ger·on·toc·ra·cy [dʒèrəntákrəsi ; -ɔn-] *n.* Ⓤ,Ⓒ 노인 정치[지배], 장로제[주의] (↔*juvenocracy*) ; 노인[장로] 정치. **ge·ron·to·crat** [dʒərántəkræ̀t] *n.* **ge·ròn·to·crát·ic** *a.*

ger·on·tol·o·gy [dʒèrəntálədʒi ; -ɔn-] *n.* Ⓤ 노인학, 노년학《노년기의 변화·특징을 연구함 ; cf. GERIATRICS》. **-gist** *n.* 노인학 학자.
-to·log·ic, -i·cal [-təládʒik(əl)] *a.*

gerònto·mórphosis *n.* 〖生〗 성체(成體) 진화《종의 진화적 분화로 더 이상의 적응능력을 잃고 절멸하게 되는 현상 ; 공룡의 예 따위》.

gerònto·phília *n.* 〖精神醫〗 노인(성)애《노인만을 성애의 대상으로 함》.

gerònto·phóbia *n.* 노령[노인] 공포[혐오].

-g·er·ous [-dʒərəs] *a. comb. form* 「생기는」「가지는」 따위의 뜻 : denti*gerous*.
〖L *-ger* bearing (*gero* to bear, carry) + *-ous*〗

gero·vítal [dʒèrou-] *n.* 〖藥〗 노화 방지약.

Ger·ry [géri] *n.* 남자[여자] 이름.

ger·ry·man·der, jer- [dʒérimæ̀ndər, ---́-, gér-] *n.* 게리맨더《자기 당을 유리하게 하기 위해 구(區)의 넓이나 인구를 무시한 부자연스런 선거구의 분할》; (자기 당에 유리한) 선거구 개편.
── *vt.* (선거구를) 자기 당에 유리하게 분할하다 ; (사실을) 적당히 처리하다, 속이다.
〖Elbridge *Gerry* + Sala*mander* ; E. Gerry 가 Massachusetts 주(州) 지사 시절(1812)에 개정한 선거구의 모양이 salamander(도마뱀)와 비슷했기 때문에〗

Gersh·win [gə́ːrʃwən] *n.* 거슈윈. **George ~** (1898-1937) 미국의 작곡가.

Gert [gə́ːrt] *n.* 여자 이름《Gertrude의 애칭》.

gert·cha [gə́ːrtʃə], **ger·tcher** [gə́ːrtʃər] *int.* 《英俗》 멍청하구나, 그만둬 줘 !
〖*get out with yer* (=you)〗

ger·trude [gə́ːrtruːd] *n.* 어린이용의 슬립《면 제품 ; 양 어깨 부분을 단추로 채움》.

Gertrude *n.* 여자 이름《애칭 Gert, Trudy》.
〖Gmc.=spear strength〗

***ger·und** [dʒérənd] *n.* **1** 〖文法〗 동명사《-ing형의 명사, 특히 목적어·보어 또는 부사를 수반하는 것》. **2** 〖라틴文法〗 동사적 중성 명사《동사로서 격지배를 하는 것》.
〖L *gerendun* (gerund.) ‹ *gero* to do, carry〗

gérund-grínd·er *n.* 《古》 학자인 체하는 라틴 문법 선생.

ge·run·di·al [dʒərʌ́ndiəl] *a.* GERUND의.

ge·run·dive [dʒərʌ́ndiv] *a.* GERUND의.
── *n.* 〖라틴文法〗 동사상(動詞狀) 형용사.
-di·val [dʒèrəndáivəl] *a.* GERUNDIVE의.
〖L ; ⇨ GERUND〗

Ge·ry·on [dʒíriən, gér- ; gér-] *n.* 〖그神〗 게리온《무수한 소를 가진 삼두 삼신(三頭三身)의 괴물 ; Hercules가 죽였음》.

ge·sell·schaft [gəzélʃɑːft] *n.* (*pl.* **~s, -schaf·ten** [-tən]) [때때로 G~] 이익사회, 게젤샤프트《인위적·간접적인 결합에 의거한 집단 ; cf. GEMEINSCHAFT》.
〖G=society〗

GESP general extrasensory perception(일반 초감각 지각).

ges·so [dʒésou] *n.* (*pl.* **~es**) 조각·회화용 석고(가루) ; Ⓒ 석고를 바른 바탕.
〖It. ; ⇨ GYPSUM〗

gest, geste [dʒést] *n.* 《古》 모험, 공적, 공업(功業) ; (중세 시문의) 모험담, 무용담 ; 이야기.
〖OF<L JEST〗

ge·stalt [gəʃtáːlt, gəs-, -tɔ́ːlt ; gəʃtáːlt, -tæ̀lt] *n.* (*pl.* **~·en** [-ən], **~s**) Ⓤ,Ⓒ 〖心〗 형태, 게슈탈트《경험의 통일적 전체》.
〖G=shape, form〗

Gestált psychólogy *n.* 형태심리학.

Ge·sta·po [gəstáːpou, ges-] *n.* (*pl.* **~s**) (나치스 독일의) 비밀 (국가) 경찰, 게슈타포.
〖G *Ge*heime *Sta*ats*po*lizei (=secret state police)〗

ges·tate [dʒésteit] *vt.* 임신시키다 ; 창안(創案)하다. ── *vi.* 안(案)을 작성중이다.

ges·ta·tion [dʒestéiʃən] *n.* Ⓤ 임신[잉태] (기간) ; 《비유》 (계획 따위의) 창안, 그 기간.
〖L (*gesto* to carry)〗

ges·tic [dʒéstik] *a.* (특히 춤에서의) 몸놀림의[에 관한].

ges·tic·u·late [dʒestíkjəlèit] *vt., vi.* 몸짓[손짓]으로 말하다[나타내다], 활발하게 몸짓을 하다.
ges·tíc·u·là·tive [, -lət- ; -lət-] *a.* 몸짓[손짓]

으로 말하는, 몸짓이 많은. **-là·tor** *n.* 몸짓[손짓]으로 말[표현]하는 사람. **ges·tíc·u·la·tò·ry** [; -təri] *a.* 몸짓[손짓]의[이 많은]. 〚L ; ⇨ GESTURE〛

ges·tìc·u·lá·tion *n.* (흥분한 듯한) 몸짓, 손짓 ; 몸짓[손짓]으로 말하기.
ges·tíc·u·lar *a.*

ges·to·sis [dʒestóusəs] *n.* (*pl.* **-ses** [-siːz]) 〘醫〙 임신 중독(증). 〚*gest*ation, *-osis*〛

***ges·ture** [dʒéstʃər] *n.* **1 a)** (한 번의) 몸짓, 손짓, 표정 ; (연극·연설 따위에서) 동작, 제스처 : make[give] a ~ of despair 절망적인 몸짓을 하다. **b)** Ⓤ 몸짓을 함 : speak by ~ 몸짓[손짓]으로 말하다 / a master of the art of ~ 제스처술(術)의 대가(大家). **2** 태도, 거동 ; (형식적인) 의사 표시, 제스처, 선전(행위) : a ~ of sympathy 동정의 의사 표시 / a diplomatic ~ 외교적 선전.
── *vt., vi.* ＝GESTICULATE.
〚L *gestura* manner, bearing (*gest- gero* to wield)〛

gésture lànguage *n.* 몸짓 언어(sign language).

ge·sund·heit [gəzúnthait] *int.* (축배에서) 건강을 축원하며 ; (남이 재채기를 했을 때) 몸조심하시오! 〚G＝health〛

◇**get**[1] [gét] *v.* (**got** [gát], 《古》 **gat** [gǽt] ; **got,** 《古》에서, 또는 9의 경우를 제외하고 《美》에서 **got·ten** [gátn] : 다만 ill-*gotten*과 같이 복합 형용사에서는 《美》《英》 모두 **gót·ten ; gét·ting**) *vt.*
1 [＋目/＋目＋目/＋目＋前＋名] 얻다, 입수하다(obtain) ; 사다(buy), 타다, 잡다, 벌다(earn) ; 획득하다(gain) ; (편지·전보 따위를) 받다, 수취하다(receive) ; (벌을) 받다 ; 가서 가져 오다(fetch) : She *got* first prize in the oratorical contest. 웅변 대회에서 1등상을 받았다 / He *got* a newspaper at the newspaper stand. 신문 판매대에서 신문을 샀다 / We will ~ lunch at the inn. 여인숙에서 점심을 들게 되겠지 / He *got* six months. 6개월 형(刑)을 받았다 / *G*~ your hat. 모자를 갖고 오시오 / Will you ~ me a ticket[~ a ticket ***for*** me]? 차표를 좀 사주시겠습니까 / *G*~ me a glass of water, please. 물 한잔 갖다 주시오.
2 (병에) 걸리다 ; (식사를) 준비하다(prepare) ; 《古》 (수컷이 새끼를) 보다(beget) ; (전화로) 불러내다 ; (무선 전신 따위로) …와 연락이 되다 : He has *got* a bad cold. 심한 감기에 걸렸다 / Help me (to) ~ dinner. 저녁 식사 준비를 도와주시오 / I'm ~*ting* Chicago. 시카고와 통화가 되기 시작한다 / *G*~ Mr. Smith on the telephone. 스미스씨를 전화로 불러 주십시오.
3 [＋目/＋目＋目/＋目＋前＋名] 《俗》 때리다, 맞히다(hit) : He *got* the tiger first shot. 단 한 발로 호랑이를 잡았다 / The bullet *got* him ***in*** the arm. 탄알이 그의 팔에 맞았다.
4 《口》 **a)** 해치우다, 죽이다(kill) ; 〘野〙 (주자를) 아웃시키다. **b)** 난처하게 하다(puzzle), 화나게 하다 : This problem ~*s* me. 이 문제에는 손들었다 / His conceit ~*s* me. 그의 자만심이 나를 화나게 한다 / You've *got* me there. 아이쿠! 한 대 맞았는 걸.
5 《口》 이해하다(understand), 알아듣다 : I didn't ~ your name. 당신의 성함을 알아듣지 못했습니다 / Do you ~ me? 내 말을 알아듣겠습니까 / Don't ~ me wrong. 오해하지 마시오.
6 [＋目＋*to* do] …시키다(cause), …하도록 설득시키다(persuade), 권유하여 …하게 하다(induce) : *G*~ your friend *to* help you. 당신 친구에게 도움을 청하십시오 / We couldn't ~ her *to* accept the offer. 그녀에게 그 요구를 받아들이게 하지 못했다 / I can't ~ this door *to* shut properly. 이 문은 잘 닫혀지지 않는다.
7 [＋目＋過分] **a)** …시키다, …하게 하다 : Please ~ this *typewritten.* 이것을 타자로 쳐주십시오 / I'll ~ your dinner *sent* in. 식사를 가져오게 하지요. **b)** …당하다 : I *got* my arm *broken.* 나는 팔이 골절되었다. **c)** …해 버리다 : I want to ~ my work *finished* by noon. 일을 정오까지 끝마치고 싶다.
8 [＋目＋補/＋目＋do*ing*/＋目＋副/＋目＋前＋名] (어떤 장소·상태 따위에) 이르게 하다 : She is ~*ting* the breakfast ready. 조반을 준비하고 있는 중입니다 / I *got* my feet wet. 나는 발을 적셨다 / Can you ~ the clock go*ing* again? 시계를 다시 가게 할 수 있습니까 / The carts can be *got* ***in*** and ***out*** easily. 짐차는 쉽게 드나들 수 있습니다 / I want to ~ the chairs *upstairs.* 나는 의자들을 이층으로 운반하고 싶다 / I can't ~ all these books ***into*** the bag. 이 책들을 전부 가방 속에 넣을 수는 없습니다 / *G*~ your car ***to*** the garage. 차를 차고에 넣어라.
9 [완료형 have got의 형으로] 《口》 **a)** 가지고 있다(have) : I*'ve got* it. 그것을 가지고 있다(cf. Helen *has* large blue eyes. 헬렌의 눈은 크고 푸르다《특성》) / *Have* you *got* a newspaper? 신문이 있습니까(cf. 《美》 *Do* you HAVE a newspaper?). **b)** [＋*to* do] …하지 않으면 안되다(have to) : I*'ve got to* write a letter. 편지를 쓰지 않으면 안된다 / You*'ve got to* eat more vegetables. 더 많은 야채를 먹어야 한다. ㊟ (1) 《英》에서는 흔히 have to를 습관적인 동작에, have got to를 특정한 경우의 동작에 구별하여 사용함 : We don't *have to* work on Saturday afternoons. 토요일 오후에는 일을 하지 않아도 좋다 / We *haven't got to* work this afternoon. 오늘 오후에는 일하지 않아도 좋다. (2) 《口》에서 have[has] got의 have[has]를 생략해서 got을 단독으로 쓰는 수가 있다 : I *got* an idea. 생각이 있다 / You *got* to see a doctor. 의사에게 보여야 한다.

〈회화〉
I'd like to *get* some new gloves. — That seems like a good idea. 「글러브를 새로 구입할까 해」 「좋은 생각인데」

── *vi.* **1** [＋副/＋*to*＋名] (어떤 장소·지위·상태에) 도착하다, 달하다, 이르다 : You are not likely to ~ *there* on that bicycle before dark. 그 자전거를 타고서는 어둡기 전에 그곳에 도착할 것 같지 않다 / We were very tired when we *got back.* 돌아왔을 때에는 매우 지쳐 있었다 / How can I ~ ***to*** the police station? 어떻게 가면 경찰서에 갈 수 있습니까.
2 [＋補] …으로 되다(become) : My mother has *got* quite well. 어머니의 건강은 많이 좋아졌다 / He is ~*ting* old. 나이를 먹어간다 / It was ~*ting* dark. 점점 어두워졌다 / In the shower I *got* wet, but *got* dry again as I walked. 나는 소낙비에 젖었지만 걷는 동안에 다시 말랐다.
3 [＋過分] **a)** …당하다 : I *got caught* in the rain. 비를 만났다 / They all *got punished.* 모두 벌을 받았다. ㊟ 특히 《口》에서 때때로 "get＋p.p."가 동작을 나타내는 한층 강조적인 수동태로서 "be＋p.p."를 대신해서 사용됨. **b)** [형용사적인

*p.p.*와 함께 쓰여] (어떤 상태로) 되다 : He was ~*ting* more and more *annoyed*. 더욱더 화가 치밀 뿐이었다 / ~ *tired* 피곤해지다 / ~ *drunk* 만취되다 / ~ *used* to …에 익숙해지다 / ~ *married* 결혼하다.
4 [+*to* do] …하게 되다 ; 이럭저럭해서 …하다 (manage) : You will soon ~ *to* like it. 곧 그것을 좋아하게 될 것이다 / How did you ~ *to* know that I was here? 내가 여기에 있는 것을 어떻게 알게 되었니 / I never *got to* go to college. 대학에 갈 수 없게 되었다.
5 [+do*ing* / +*to*+名] 《口》 …하기 시작하다 (begin) : When those two women ~ (***to***) talk*ing*, they go on for hours. 저 두 여자는 이야기하기 시작하면 몇 시간이고 계속해서 이야기한다 / Things haven't *got going* yet. 사태는 아직 무르익지 않았다[궤도에 오르지 않았다].
6 [때때로 [git]로 발음] 《俗》 빨리 가버리다.

〈회화〉
Who *got* here first? — He arrived before me. 「누가 먼저 도착했지」「그가 나보다 먼저 왔습니다」

get about 돌아다니다 ; 활동하다 ; (환자 등이) 걸을 수 있게 되다 ; (소문이) 퍼지다.
get above one***self*** 우쭐하다, 자만하다.
get abroad ☞ ABROAD.
get across (1) (…을) 건너다 ; …에 (…을) 건네주다 : ~ an army *across* the river 군대를 도강(渡江)시키다. (2) 《口》 (농담·논지 따위를 상대에게) 알게 하다, 통지하다 : ~ a point *across* 요점을 남에게 납득시키다. (3) 《口》 (연극 따위가[를]) 성공하다[시키다] : The singer's new song has failed to ~ *across*. 그 가수의 이번 노래는 히트하지 못했다 / They could not ~ the play *across* (the footlights). 그 연극을 성공시키지 못했다.
get ahead 나아가다, 진보하다 ; 앞지르다 ; 출세하다.
get ahead of …을 능가하다, …보다 낫다 ; (빚에서) 벗어나다, …을 갚아 버리다.
get along (1) 진척되다, 나아가다, (때가) 지나가다 ; 나이를 먹다. (2) 해나가다, 살다, 사이좋게 지내다, 화합(和合)하다 : He came to his field to see how the reapers were ~*ting along*. 수확하는 사람들이 어떻게 일을 해 나가고 있는지 보려고 그는 들에 나왔다 / How is he ~*ting along with* his wife? 그는 부인과의 사이가 어떻습니까 / They ~ *along* well[ill]. 뜻이 맞는다[맞지 않는다] / We can't ~ *along* with so little money [without her]. 이렇게 적은 돈으로는[그녀가 없이는] 살아갈 수가 없다 / How are you ~*ting along with* your English? 영어(공부)는 잘 진척되고 있습니까. (3) (일 따위를) 밀고나가다, 계속하다, 해나가다〈*with*〉. (4) 《口》 가버리다, 떠나 버리다(leave) : It's time for me to be ~*ting along*. 저는 이제 가 봐야겠습니다.

〈회화〉
How are you *getting along*? — Just so-so. 「어떻게 지내십니까」「그럭저럭요」

Get along (***with you***)! 《口》 가버려[꺼져]! (Go away!) ; 바보 같은 소리 마.
get among …의 속으로 들어가다, …와 한패가 되다 : He *got among* thieves. 도둑 패에 끼었다.
get anywhere [의문문·부정구문으로 써서] 성공하다, 효과가 있다(cf. GET *somewhere*[*nowhere*]) : It does*n't* seem to ~ *anywhere*. 그것은 효과가 없는[아무 쓸모가 없는] 것 같다.
get around 돌아다니다, 교제 범위가 넓다 ; 널리 알려지다, 퍼지다 ; (난관 따위)를 극복하다 ; (남을) 속이다 ; (사실 따위)를 피하다 ; 아첨하다 ; 인기가 있다.
get around to... 《美》 (1) …할 기회[여가]가 생기다 : I never ~ *around to* answer*ing* letters. 편지에 회답을 쓸 여가가 전혀 없다. (2) (문제 따위를) 겨우 다루게 되다, …에 손을 대다.
get at... (1) …에 달하다, 이르다 ; …을 얻다, 발견하다 : The doctor could not be *got at*. 의사는 보이지 않았다. (2) (무형의 것)을 잡다, 이해하다 ; …을 알다, 확인하다, 명료하게 하다 : It is impossible for any man to ~ *at* the opinions of all of us. 누구도 우리 모두의 의견을 이해할 수는 없다. (3) 《口》 …을 매수하다, (경마 말 따위)에 부정 수단을 쓰다 ; …을 공격하다 ; …을 놀리다 ; …을 (협박하여) 생각한 대로 하다. (4) …을 암시하다 : What are you ~*ting at*? 무엇을 말하려고 하니.
get away 면하다 ; 떨어지다 ; 떼다, 보내다 ; 가버리다, 도망치다 ; 출발하다 ; [명령] 《口》 꺼져라! : *G~ away with* you! 저리 가라! ; 바보 같은 소리마라!
get away with …을 가지고 도망치다 ; 《口》 …에 멋지게 성공하다, …을 벌받지 않고[무난히] 해내다, …하고도 무사하다.
get back (1) 되돌아오다, 돌아가다(cf. *vi.* 1). (2) 도로 찾다 : I never *got back* the money. = I never *got* the money *back*. 그 돈을 (영영) 돌려받지 못했다.
get back at[***on***]... (남에게) 보복하다, …에게 복수하다(cf. *get* one's OWN *back*).
get behind (1) …의 내막을 꿰뚫어 보다 ; …을 회피하다 ; 《美》 …을 후원하다. (2) 늦어지다 ; (지불을) 미루다〈*with*〉 : Come on, you're ~*ting behind*. 자 빨리, 너만 뒤처지겠다.
get by 《口》 통과하다, 빠져나가다, 눈을 피하다 ; 《美》 그럭저럭 살아가다.
get (=have) ***done with...*** 《口》 …을 끝마치다, 끝내다, 해치우다 : Let's do it now and ~ *done with* it. 자 곧 착수해서 해치웁시다.
get down (1) (마차·말에서) 내리다〈*from*〉 ; (아이가 식후에) 의자에서 내려오다. (2) 내려놓다 ; 삼켜버리다 ; 써두다. (3) 《口》 실망시키다, 지치게 하다.
get down to... 차분히 …(의 연구[생각])에 착수하다.
get down with …을 끝내다, 해버리다.
get going 《口》 출발하다, 일을 시작하다 ; 착수하다(cf. *vi.* 5) ; 자극하다, 화나게 하다.
get home (***on*** a person) ☞ HOME.
get in (1) 도착하다 ; (마차·집·역에) 들어가다, 타다 ; 친하게 되다〈*with*〉 ; 관계를 갖게 되다 ; 〖海〗 접근하다〈*with*〉 : What time does the train ~ *in*? 열차는 몇 시에 도착합니까 / The burglar *got in* through the window. 강도는 창문으로 침입했다. (2) 대의원에 당선되다, (정당이) 정권을 잡다 : He *got in for* Chester. 체스터구 선출의 대의원에 당선됐다. (3) 말참견하다 ; (일격을) 멋있게 먹이다 ; (작물을) 거두어 들이다 ; (기부금·대여금을) 회수하다, 모으다 ; (상품을) 구입하다 ; (씨를) 뿌리다 ; (일 따위를) 소정 시간으로 배당하다 ; (고용원을) 집에 들이다 ; (사람을) 한패에 끌어 넣다 : ~ a word *in* 한마디 참견하다, 발언하다 / We must ~ somebody *in* to repair the

window. 누군가를 불러서 창문을 수리시켜야만 되겠다.

〈회화〉
I wonder how that puppy *got in* my car. — I have no idea. 「그 강아지가 어떻게 내 차 안에 들어왔지」「글쎄, 도무지 모르겠는데」

get into …에 도착하다 ; …에 들어가다[넣다], (…직에) 취임하다 ; …에 종사하다 ; 《口》 (옷)을 입다, (신)을 신다 ; 《口》 (술기운이) 오르다 ; …의 버릇이 생기다.
get it 《口》 이해하다 ; 야단 맞다, 벌받다.
get it into one***'s head that...*** ☞ HEAD.
get left 실패[실망]하다, 기대에 어긋나다.
get nowhere ☞ GET *somewhere.*
get off (*vi.*) (1) (말·탈것에서) 내리다, 하차(下車)하다 : It began to rain as we *got off* the train[bus]. 열차[버스]에서 내렸을 때에 비가 오기 시작했다(㊟ 승용차·택시 따위에서 내리는 경우는 get *out of* a car[taxi]가 일반적임) / I'm ~*ting off* at the next station. 다음 역에서 내립니다. (2) (잔디밭 따위)에 들어가지 않다, …을 피하다. (3) (계약 따위)를 면하다 ; 형벌[불행·손해]을 면하다 : He *got off with* a fine. 벌금을 물고 방면되었다 / You've *got off* cheaply. 그만하기가 다행이다. (4) 출발하다. (*vt.*) (5) (옷 따위를) 벗다, (반지를) 빼다 ; (얼룩을) 빼다 ; 팔아버리다 ; (딸을) 치우다. (6) …의 형벌을 면하게 하다[경감시키다] : His counsel *got* him *off.* 변호사의 힘으로 그는 방면되었다. (7) 보내다, 발송하다, 써보내다 : She managed to ~ her children *off* to school in time. 그녀는 간신히 아이들을 학교에 지각하지 않도록 보냈다 / ~ a parcel[a letter] *off* 소포[편지]를 (보)내다. (8) 말하다, 표명하다 ; 확실히 익히다 ; 발행하다.
get off to sleep 잠들다 ; 잠들게 하다.
get off with... 《口》 (이성)과 친해지다.
get on (*vi.*) (1) (말·승용차)에 타다 ; 승차하다 : He *got on* (his horse). 그는 (말을) 탔다 / A man was ~*ting on* the bus. 한 남자가 막 버스에 타고 있었다. (2) (때가) 지나가다, (사람이) 나이먹다 ; 진보하다, 진척하다, 번성하다, 성공하다 ; (의좋게) 지내다(get along) : How are you ~*ting on*? 어떻게[사이좋게] 지내십니까 / How did you ~ *on* with your examination? 시험은 잘 치르셨습니까 / ~ *on* in the world[in life] 출세하다 / ~ *on* in years 나이를 먹다. (*vt.*) (3) 몸에 걸치다 ; 장치하다 : He *got* his boots *on.* 그는 구두를 신었다 / ~ the lid *on* 뚜껑을 덮다. (4) (학생을) 향상시키다 : ~ pupils *on* 학생의 성적을 오르게 하다.

〈회화〉
Which bus should I *get on*? — Take the No. 8 bus. 「어떤 버스를 타야 합니까」「8번 버스를 타세요」

get on for... [진행형으로] 《口》 …에 다가가다 : He is ~*ting on for* seventy. 머지않아 일흔 살이다 / It is ~*ting on for* midnight. 그럭저럭 한밤중이 가까워진다.
get on one***'s feet***[***legs***] ☞ FOOT, LEG.
get on to... 《美》 (사람·사람의 계획 따위)를 이해하다, …을 알게 되다 ; 《英》 …와 연락하다.
get on with... (일 따위를) 계속하다, 끊임없이 진행시키다(proceed with) : ~ *on with* one's studies[job] 연구[일]를 계속하다[진행하다] / *G~ on with* your food before it gets cold. 식기 전에 더 드십시오.
get on (***well***) ***with***[***together***] …와[서로] 일치하다, 사이좋게 살다, (관계가) 잘 계속되다 : He is easy[difficult] to ~ *on with.* 붙임성이 있다[없다].
get on without …없이 해나가다.
get one***'s own back*** ☞ OWN *a.*
get one***self up*** 멋부리다 ; 꾸미다, 분장하다 : He *got* him*self up as* a sailor[a woman]. 선원 복장을 했다[여장을 했다].
get out (*vt.*) (1) 꺼내다 ; 빼다, 끄집어내다 ; …가 도망치는 것을 돕다 ; 말하다 ; (정보·비밀 따위를) 알아내다[캐다] ; 발견하다 ; 공표하다, 출판하다 : He could hardly ~ *out* a word. 거의 한 마디도 할 수 없었다. (*vi.*) (2) 나가다, 도망치다, 떠나가다 ; (탈것에서) 내리다(cf. GET *off* (1)) ; 면하다 ; [명령] 《口》 나가라, 바보같으니 ; (비밀 따위) 새다, 탄로나다 : I managed to ~ *out* at the right station. 간신히 내려야 할 역에서 내렸다 / The news has *got out.* 그 뉴스는 널리 퍼졌다.
get out from under... (닥쳐 온 위기)를 면하다 ; 《俗》 손해를 벌충하다.
get out of... (1) (탈것)에서 나오다, 내리다 ; …이 미치지 않는 곳에 가다 ; …을 피하다, 면하다, 벗어나다 ; (습관)을 버리다 : He *got out of* the taxi. 택시에서 내렸다(cf. GET *off* (1)) / *G~ out of* my way! (방해가 되지 않도록) 비켜주시오 / He wanted to ~ *out of* attending the meeting. 그는 그 모임에 참석하지 않으려고 했다. (2) (고백 따위를) …에게서 듣다, …에게 말하게 하다.
get over (*vt.*) (1) …을 지나가다, 넘다 ; (증거·의론)을 묵살시키다, (곤란 따위)를 극복하다 ; (병·놀람·손해 따위)에서 회복하다 ; …가 싫지 않게 되다, …을 생각하지 않게 되다 ; 《俗》 …을 속이다, 빼돌리다 : The horse tried to ~ *over* the hedge. 말은 울타리를 뛰어넘으려고 했다 / Even after I had waked up, I could not ~ *over* the dream. 잠을 깬 후에도 그 꿈을 잊을 수가 없었다 / ~ *over* one's bad habit[shyness] 나쁜 버릇[수줍어함]을 고치다. (*vt.*) (2) 《口》 (귀찮은 일을) 해치우다 ; (논지 따위를) 명료하게 하다, 알게 하다(get across) : Let's ~ it *over* at once. 곧 그것을 끝내도록 합시다.

〈회화〉
I hurt her feelings. — Oh, don't worry about it. She'll *get over* it. 「그녀의 감정을 상하게 하고 말았어」「아, 걱정하지마, 곧 괜찮아질 테니까」

get round (1) 회복하다[시키다] ; (어떤 의견으로) 전향시키다, 동조시키다 ; (소문 따위가) 퍼지다. (2) =GET *around.*
get round to... 《英》=GET *around to....*
Get set! 〖競〗 준비!
get shot at …에 표적이 되다, 공격당하다.
get somewhere[***nowhere***] 성공하다[하지 못하다], 효과가 있다[없다](cf. GET *anywhere*).
get there 《口》 목적을 달성하다, 성공하다 ; 납득하다.
get through (*vi.*) (1) (…을) 마치다, 성취하다 ; (의안이 의회 따위를) 통과하다 ; (전액)을 다 써 버리다 ; (음식물)을 다 먹어버리다 ; (시간을) 보내다 ; 목적지에 다다르다 ; (시험에) 합격하다 : She's *got through* a lot of work[her washing]. 많은 일[세탁]을 해치웠다 / Jack failed but his sister *got through.* 잭은 낙제했으나 누이

는 합격했다. (*vt.*) (2) (의안을) 통과시키다 ; (학생을) 합격시키다.
get through with …을 끝내다 ; …을 견디어내다 : I will soon ~ *through with* my work. 곧 일을 끝마치겠습니다.
get to... (1) …에 도착하다(arrive at) (cf. *vi.* 1) ; (일)에 착수하다 ; (식사)를 시작하다 ; (어떤 결과)로 되다 : Where can it have *got to*? 그것은 도대체 어떻게 되었을까. (2) 《口》 (남)과 연락하다 ; …에 영향을 주다, …을 유혹하다, 복종시키다.
get to one**'s feet** (이야기 따위를 하려고) 일어서다, 기립하다(stand up).
get together 모으다, 집합시키다 ; 집합하다, 모이다 ; 상담하다 ; 《口》 의논을 매듭짓다, 의견 일치를 보다.
get under (…의) 밑에 들어가다[들이다] ; (화재·소동 따위를) 가라앉히다.
get up (*vt.*) (1) 기상(起床)시키다, 일으키다 ; (계단 따위를) 올라가다 ; 준비하다 ; 창립[조직]하다 ; (의복·머리 따위를) 단정히 하다 ; (제본·인쇄를) …풍으로 출판하다 ; (극을) …식으로 연출하다 ; (당파심·동정을) 일으키다 ; 공부하다 ; (과목·문제 따위를) 익히다, 조사하다, 연구하다 : They *got up* a picnic. 소풍을 계획했다 / He *got* himself *up* sprucely. 맵시 있게 몸치장을 했다 / This book is well *got up*. 이 책은 인쇄 제본이 잘 되어 있다 / ~ *up* steam ☞ STEAM *n.* 숙어. (*vi.*) (2) 기상(起床)하다, 일어나다(☞ ARISE 活用) ; (땅에서) 일어나다, (자리에서) 일어서다 ; 오르다 ; 말에 타다 ; (불·바람·바다 따위가) 거세지다, 거칠어지다 ; 전진[진보]하다 : What time do you ~ *up*? 몇 시에 일어납니까 / Everyone *got up* when he entered the room. 그가 방에 들어서자 모두들 일어섰다 / The girl *got up* behind me. 소녀는 (말 위에서) 나의 뒤에 탔다 / The wind[sea] is ~*ting up*. 바람이 거세어진다[바다가 거칠어진다] / The fire *got up*. 불길이 거세어졌다.
get up to …에 도달하다 ; …에 따라붙다 : We *got up to* Chapter Ⅲ. 제3장까지 나갔습니다 / Let's hurry up to ~ *up to* our party. 일행에 따라 붙도록 빨리 갑시다.
tell*[*put*]** a person ***where he ***gets*[*where to get*] *off*** 《口》 남을 나무라다[비난하다], 남에게 분수를 알게 하다.
〖ON *geta* to obtain, beget, guess=OE *bi-gietan* (cf. BEGET, FORGET)〗
類義語 **get** 손에 넣다, 얻다 ; 손에 넣으려고 하는 노력 또는 의지의 유무에 관계 없음 ; 가장 뜻이 넓은 말 : *get* money (돈을 얻다) / *get* a stomachache (배탈이 나다). **obtain** 손에 넣으려는 노력 혹은 희망이 강한 것을 나타냄 : He *obtained* a driver's license. (그는 운전 면허를 취득했다). **procure** 적극적인 노력·고안에 의해서 획득하다 ; 격식을 차린 말 : Money may *procure* pleasure but not happiness. (돈으로 향락은 얻을 수 있을지언정 행복은 얻지 못한다). **secure** 곤란을 이기고 어떤 것을 확보하다, 그것을 유지하는 것이 쉽지 않은 것을 암시함 : *secure* an advantageous position (유리한 위치를 확보하다). **acquire** 장기간에 걸친 부단한 노력으로 점차로 획득하다 : He *acquired* a fine reputation. (그는 좋은 평판을 얻게 되었다). **gain** 유리한 것, 이익이 있는 것을 노력해서 손에 넣다 : *gain* profit (이익을 얻다).
get² *n.* 낳기 ; [집합적으로] (동물의) 새끼 ; 《스코·蔑》 어린아이, 개구쟁이 ; 《美俗》 이익, 벌이 ; 《英俗》 멍청이, 싫은[지겨운] 놈.
〖ME (↑)〗
gét-ac·quáint·ed *a.* 서로 알기 위한, 익숙해지기 위한.
get·at·able [getǽtəbəl] *a.* (장소 따위) 이를 수 있는, 접근하기 쉬운 ; (책 따위) 손에 넣기 쉬운. **~·ness** *n.* 〖GET¹ *at*〗
gét·awày *n.* 《口》 **1** (범인의) 도주, 도망, 탈출 : make one's ~ 도주하다. **2** (연극·경주의) 개시, 출발. —— *a.* 도주하는, 도주(용)의.
Geth·sem·a·ne [geθséməni] *n.* **1** 〔聖〕 겟세마네《Jerusalem에서 가까운 동산 ; 그리스도 고난의 땅》. **2** [때로 g~] 곤경, 궁지.
gét-òff *n.* (비행기의) 이륙 ; 구실, 핑계.
gét-òut *n.* 탈출, 회피, 도피 (수단).
as*[*like*] (*all*) *get-out 《口》 몹시, 최고로, 극단적으로.
gét-rích-quíck *a.* 《美》 일확 천금의 : ~ fever 일확천금을 꿈꾸는 욕심[열망]. **~·er** *n.* 일확 천금을 꿈꾸는 사람.
gét·ta·ble *a.* 얻을[손에 넣을] 수 있는.
gét·ter *n.* **1** 얻는 사람 ; =GO-GETTER. **2** 〔電〕 게터《전구·진공관 내의 잔류 가스를 흡수시키는 물질》. —— *vt.* 〔電〕 (게터로 잔류 가스를) 제거하다 ; 〔電子〕 집적 회로용 반도체 기판에서 오염 불순물이나 결정결함을 제거하다.
gét-togèther *n.* 회의, 회합 ; (비공식) 모임, 친목회 : a ~ meeting 친목회.
gét-tóugh *a.* 《美口》 단호[강경]한 : a ~ policy 강경책.
Get·tys·burg [gétizbə̀ːrg] *n.* 게티즈버그《미국 Pennsylvania 주 남부의 도시 ; 남북 전쟁 최후의 결전장(1863년)》.
Géttysburg Addréss *n.* [the ~] 게티즈버그 연설《1863년 11월 19일 Lincoln이 Gettysburg의 국립 묘지 개설식 때에 행한 연설 ; 민주주의의 진수를 표현한 문구 "government of the people, by the people, for the people"로 유명》.
gét·ùp, gét-ùp *n.* 《口》 몸치장, 옷차림, 옷맵시, 꾸밈 ; 장정(cf. GET *up*) ; =GET-UP-AND-GO[-GET].
gét-ùp-and-gó[-gét] *n.* Ⓤ 패기, 열의 ; 주도[적극]성.
gét-wèll càrd *n.* 《口》 (쾌유를 비는) 문병(問病) 카드.
ge·um [dʒíːəm] *n.* 〔植〕 뱀무속(屬)의 각종 초본.
gew·gaw [gjúːgɔː] *n., a.* 값싼 물건(의), 겉만 번지르르하게 꾸민 (것).
〖ME<? ; *gaudy*¹에서인가〗
gey [géi] *a.* 《스코》 상당한. —— *adv.* 꽤, 매우.
〖GAY〗
gey·ser [gáizər, 英+gíː-] *n.* **1** 간헐(온)천. **2** [gíːzər] 《英》 (부엌·목욕탕에 설치한) 자동[순간] 온수기(=《美》 water heater). —— *vi., vt.* 분출하다. 〖Icel. *Geysir* gusher (*geysa* to gush) ; 본래 아이슬란드의 간헐천의 이름〗
gey·ser·ite [gáizəràit] *n.* 〔鑛〕 규화(硅華).
〖↑〗
GF glass fiber.
GFE government-furnished equipment.
G-film [dʒíː-] *n.* 일반용 영화.
G-5 Group of Five.
g-force [dʒíː-] *n.* 〔理〕 중력(重力) (gravitational force).
GFRP glass fiber-reinforced plastics. **G.F.S.** Girls' Friendly Society. **G.F.W.C.** General

Federation of Women's Clubs. **GG** gamma globulin ; government-to-government (정부간의 거래). **GG, G.G.** Girl Guides ; Grenadier Guards. **GGG** 〖電子〗 gadolinium gallium garnet《차(次)세대의 메모리로서 주목받는 결정(結晶) 재료》.

G-girl [dʒíː-] *n.* 매춘부(good-time girl).

g.gr. great gross. **GHA** 〖海·天〗 Greenwich hour angle.

Gha·na [gáːnə, 美+gǽnə] *n.* 가나《아프리카 서부에 있는 공화국, 원래 영령(英領)으로 옛 이름은 the Gold Coast ; 1957년 독립 ; 수도 Accra》.

Gha·na·ian [gáːniən ; gɑːnéiən], **Gha·ni·an** [gáːniən] *a., n.* 가나의, 가나 사람(의).

ghar·ry, ghar·ri [gǽri, gáː-] *n.* (*pl.* **-ries**) 《인도》 합승 마차. 〖Hindi〗

ghast·ly [gǽ(ː)stli ; gáːst-] *a.* **1** 무서운(horrible), 무시무시한, 소름 끼치는, 섬뜩한 ; 송장[유령] 같은, 파랗게 질린. **2** 《俗》 지독한, 싫은. —— *adv.* 무섭게, 섬뜩하게, 무시무시하게, (송장처럼) 핼쑥하여.
ghást·li·ly *adv.* **-li·ness** *n.*
〖*gast* (obs.) to terrify ; *gh-*는 *ghost*의 영향〗

ghat, ghaut[1] [gɔ́ːt, gáːt] *n.* 《인도》 **1** 강가의 층계 : a burning ~ 강가의 화장터. **2** 산길 ; 산맥. 〖Hindi〗

ghaut[2] *n.* 《카리브》 (바다로 통하는) 계곡. 〖C17 *gaot* mountain pass<Hindi ; ⇨ GHAT〗

gha·zi, ga- [gáːzi] *n.* (이교도와 싸우는) 이슬람교도 용사 ; [G~] 승리 전사《터키에서의 명예 칭호》. 〖Arab.〗

ghee, ghi [gíː] *n.* 증발기《수분을 증발시키고 정제한 버터 기름 ; 인도에서 요리용으로 널리 쓰여짐》. 〖Hindi〗

ghe·rao [geráu] *n.* (*pl.* **~s**) 포위 단체 교섭《인도·파키스탄에서 경영자를 회사나 공장내에 가두고 교섭하는 노동자 쪽의 전술》. —— *vt.* (경영자를) 사업장안에 가두다.
〖Hindi *gherna* to besiege〗

gher·kin, ger- [gə́ːrkən] *n.* (피클용의) 작은 오이. 〖Du.<Slav.<Gk.〗

ghet·to [gétou] *n.* (*pl.* **~s, ~es**) (이전의 유럽 도시내의) 유태인 강제 거주 지역 ; 유태인가(街) ; 《美》 (흑인·푸에르토리코인 등 소수민족의) 빈민굴, 슬럼가 ; 고립 집단(지구). —— *vt.* ghetto에 들어가다.
〖It. *getto* foundry ; 1516년 Venice에 처음으로 만들어진 ghetto의 장소에서〗

ghétto·ìsm *n.* ghetto의 분위기.

ghétto·ìze *vt.* ghetto에 가두다 ; ghetto화하다.
ghètto·izátion *n.*

GHG greenhouse gases.

Ghib·el·line [gíbəlìːn, -làin, -lən] *n.* 〖史〗 황제당원 ; [the ~s] 황제당《중세 이탈리아에서 황제편을 들어 교황당(the Guelfs)에 맞섰음》. —— *a.* 황제당의.
Ghíb·el·lin·ìsm *n.* 〖It.〗

ghib·li, gib·li [gíbli] *n.* 〖氣〗 기블리《북아프리카 사막의 열풍》.
〖Arab.=south wind〗

ghilgai ☞ GILGAI.

***ghost** [góust] *n.* **1 a)** 유령, 망령, 원령(怨靈), 요괴 : lay[raise] a ~ 망령을 물리치다[불러내다] / The ~ walks. 유령이 나온다. **b)** 환영, 환상 : He is a mere ~ *of* his former self. 그에게는 옛 모습이 없다. **2** 환영[환상] 같은 것 ; 창백하고 여윈 사람. **3** 《古》 혼(魂), 영혼(spirit, soul) : ☞ HOLY GHOST. **4** 〖光·TV〗 고스트, 가상(假想)(=~ ìmage). **5** 《원래 美》 (저술 따위의) 대(代)작자 ; 유령본(=~ edìtion).
give up the ghost 《古》 죽다.
***have not the ghost of a chance*[*doubt*]** 조금도 가망[의문]이 없다.
play ghost to …의 대작(代作)을 하다.
—— *vt.* **1** (책·서류 따위)의 대작을 하다 ; (남)의 대작지를 맡다. **2** (유령처럼) …에 붙어다니다. —— *vi.* 소리없이[소리내지 않고] 움직이다 ; 대작을 하다 ; 《美》 (결석자가) 출석으로 되다 ; 《美俗》 (추가 요금을 지불하지 않고 호텔 따위에) 무단 동숙하다.
~·dom *n.* **ghósty** *a.* **ghóst·i·ly** *adv.*
〖OE *gāst* ; cf. G *Geist* ; *gh-*는 어쩌면 Flem. *gheest*의 영향으로 Caxton이 처음 사용〗
類義語 ***ghost*** 죽은 자의 영혼이 들어 있는 유령. ***specter*** 마술에 의해서 나타난 것 같은 불가사의한 무서운 모양을 한 유령《사람이 아닐 때도 있음》. ***apparition*** 죽은[죽어가는] 사람과 똑같이 보이는 환상.

GHOST [góust] *n.* **1** 정점(定點) 고공 기상 관측법. **2** 대기 관측 데이터를 수집하는 기구(氣球). 〖*G*lobal *H*orizontal *S*ounding *T*echnique〗

ghóst càndle *n.* 악귀를 쫓는 촛불《시체의 주위에 켜놓음》.

ghóst dànce *n.* 고스트 댄스《북미 서부 인디언들이 죽은 사람의 혼과 통하기 위하여 추는 종교적인 춤》.

ghóst·lìke *a.* 유령 같은, 무시무시한.

ghóst·li·ness *n.* Ⓤ 요괴성(妖怪性) ; 유령이 나올듯함 ; 영적임.

ghóst·ly *a.* **1** 유령의, 유령이 나올 것 같은, 유령에 관한. **2** 어렴풋한, 희미한, 그림자 같은. **3** 영적인 : a ~ adviser[father] 성직자, 고해 신부(confessor).
〖OE *gāstlic* ; ⇨ GHOST〗

ghóst shìft *n.* 무인 교대제《인간 대신 로봇만으로 작업하는》.

ghóst stàtion *n.* 《英》 무인역 ; 폐쇄된 역.

ghóst stòry *n.* 괴담, 귀신 이야기.

ghóst tòwn *n.* 《美》 유령 도시, 고스트 타운《폐광 따위로 주민이 떠나버린 도시》.

ghóst wòrd *n.* (오기(誤記)·오식(誤植)으로 생긴) 유령어.

ghóst·wrìte *vi., vt.* (연설·문학 작품을) 대작(代作)하다.

ghóst·wrìter *n.* 대작자[문인].

ghoul [gúːl] *n.* (동방 이슬람교국에서 묘를 파서 시체를 먹는다는) 악귀 ; 묘를 파헤치는 사람 ; 잔인한 사람.
〖Arab.=protean desert demon〗

ghóul·ish *a.* 귀신 같은 ; 잔인한, 잔학한.
~·ly *adv.* **~·ness** *n.* Ⓤ 잔인함, 잔학함.

GHQ, G.H.Q. General Headquarters.

ghyll [gíl] *n.* =GILL[4].
〖Wordsworth가 쓴 철자〗

GHz gigahertz.

GI[1], **G.I.**[1] [dʒíːái] *a.* 〖美軍〗 아연을 입힌 철의, 함석의 : a ~ can 함석으로 만든 쓰레기통.

GI[2], **G.I.**[2] *n.* (*pl.* **GI's, GIs**) 《美口》 **1** 하사관, 미군, (특히) 징모병 : a ~ Joe 남자 병사 / a ~ Jane[Jill, Joan] 여자 병사. **2** (특히 육군의) 퇴역병(veteran). **3** 관급품(官給品). **4** [~s] 《美俗》 설사. —— *a.* **1** 관급의, 군대규격의 : get a ~ haircut 군대식 이발을 하다. **2** 현역 군인의 ; 군인다운 : a ~ bride 미군 병사의 처[약혼자]가

된 다른 나라 여자. **3** 군규를 엄격히 지키는.
—— *vt., vi.* (**GI'd ; GI'ing**) 검열에 대비하여 청소하다 ; 군기(軍紀)를 지키다. —— *adv.* 《美》 군의 규칙[관습]에 따라.
〖*g*overnment[*g*eneral] *i*ssue〗

G.I., g.i. gastrointestinal. **gi.** gill(s).

***gi·ant** [dʒáiənt] *n.* **1** 〖그神〗 기가스《신들을 멸망시킨 거인족의 사람》. **2** 거한(巨漢), (신장 7피트 이상의) 큰 사나이 ; 거대한 동[식]물. **3** (비범한 재능·성격을 갖춘) 위인, 호걸, 「거인」: There were ~*s* in those days. 우리 선조는 위대했다.
—— *a.* 거대한, 위대한 ; [때때로 동식물명에 써서] 대(大)…(↔*dwarf*).
~·lìke *a.* **~·ness** *n.*
〖ME *geant* < OF < L < Gk. *gigant- gigas* ; 지금의 어형은 L의 영향〗

gíant cáctus *n.* 〖植〗 = SAGUARO.

gíant·ess *n.* GIANT의 여성형.

gíant·ìsm *n.* Ⓤ 〖醫〗 거인증(巨人症).

gíant kíller *n.* (스포츠 따위에서) 거물 잡는 선수[팀], 상수(上手)잡이.

gíant pánda *n.* 〖動〗 큰팬더《발·어깨·눈·귀의 주위 이외는 흰색》.

gíant plánet *n.* 〖天〗 거대 행성《목성형(型) 행성 : 목성·토성·천왕성·해왕성의 총칭》.

gíant pówder *n.* 니트로글리세린과 규조토로 만든 다이너마이트.

gíant sequóia *n.* = BIG TREE.

gíant slálom *n.* 〖스키〗 대회전 경기.

gíant stár *n.* 〖天〗 거성(巨星)《직경·광도·질량 따위가 대단히 큰 항성》.

gíant[gíant's] stríde *n.* (유원지 따위에 있는) 회선탑.

gíant swíng *n.* (철봉에서의) 대차륜.

giant stride

giaour [dʒáuər] *n.* 불신자, 이단자《이슬람교도가 이교도, 특히 기독교도를 가리켜 부름》. 〖Turk.〗

gib[1] [gíb] *n.* (특히 거세된) 수코양이(tomcat). 〖? *Gibert* (사람 이름)〗

gib[2] *n.* 〖機〗 지브(jib), 요(凹)자형 쐐기. —— *vt.* 요자형 쐐기로 고정시키다[죄다].
〖C18 < ?〗

Gib. Gibraltar.

gib·ber [dʒíbər, gíb-] *vi.* 알아들을 수 없는 말을 지껄이다 ; 뜻모를 말을 빠르게 지껄이다, (원숭이 따위) 캑캑거리다(chatter). —— *n.* Ⓤ 알아 들을 수 없는 빠른 말 ; 캑캑거리는 소리.
〖imit.〗

gib·ber·el·lin [dʒìbərélən] *n.* Ⓤ 〖生化〗 지베렐린《고등 식물의 생장 호르몬 ; 씨 없는 포도를 만드는 데 씀》.

gíbber·ish [dʒíb-, gíb-] *n.* Ⓤ 알아들을 수 없는 말, 횡설 수설.
〖*gibber* + *-ish*인가 ; cf. Span*ish*, Swed*ish*, etc.〗

gib·bet [dʒíbət] *n.* 교수대(gallows) ; [the ~] 교수형. —— *vt.* 교수대에 매달다 ; 교수형에 처하다 ; 《비유》 창피를 주다.
〖OF *gibet* gallows (dim.) ‹ *gibe* club < ? Gmc.〗

gib·bon [gíbən] *n.* 〖動〗 긴팔원숭이《동남아시아산(産)》. 〖F < (SE Asia)〗

gib·bose [gíbous, dʒíb-] *a.* = GIBBOUS.

gib·bos·i·ty [gibásəti] *n.* Ⓤ 불룩함, 철만곡(凸彎曲) ; Ⓒ 불룩하게 나온 곳, 융기.

gib·bous [gíbəs, dʒíb-] *a.* 철(凸) 모양의, 융기한 ; (달이) 하현의 ; 꼽추의 : the ~ moon 〖天〗 철월(凸月)《반달과 만월의 중간》. **~·ly** *adv.* **~·ness** *n.* 〖L (*gibbus* hump)〗

gibe, jibe [dʒáib] *vi.* [動/+前+名] 심하게 비난하다, 야단스럽게 비웃다, 우롱하다(jeer) : They ~*d* ***at*** my mistakes. 나의 잘못을 비웃었다. —— *vt.* 비웃다, 조롱하다, 얕보다. —— *n.* 비웃음, 놀림, 우롱(sneer). **gíb·er, jíb·er** *n.* 우롱[조소]하는 자. **gíb·ing·ly, jíb·ing·ly** *adv.* 놀리며, 조롱하여.
〖? OF *giber* to handle roughly〗

GI Bill (of Rights) [dʒì:ái ⌐ (əv ⌐)] *n.* 《美口》 제대 군인 원호법《제대 군인에 대한 대학 교육 자금이나 주택 자금의 급부를 정한 것》.

gib·lets [dʒíbləts] *n. pl.* (닭 따위의) 내장 ; 넝마, 넝마 조각.
〖OF *gibelet* game stew〗

gibli ☞ GHIBLI.

Gi·bral·tar [dʒəbrɔ́:ltər] *n.* **1** 지브롤터《스페인 남단에 있는 항구 도시로 영국의 직할식민지》: the Rock of ~ 지브롤터 암산(cf. ROCK[1] 1 c)). **2** Ⓒ [g~] 견고한 요새.
the Strait(s) of Gibraltar 지브롤터 해협《스페인과 Morocco와의 사이에 있는 해협 ; 지중해와 대서양을 이음》.
Gi·bral·tar·i·an [dʒəbrɔ̀:ltέəriən, -tǽər- ; dʒì-brɔ:l-] *a., n.*

Gib·son [gíbsən] *n.* 《美》 기브슨《진 또는 보드카·드라이 베르무트에 양파를 곁들인 칵테일》.

Gíbson gìrl *n.* **1** 미국의 화가 C. D. Gibson (1867-1944)이 그린 (1890년대의 유행복을 입은) 미국 미인의 전형. **2** (비상용) 휴대용 무선 송신기.

Gibson girl 1

gí·bus (hát) [dʒáibəs(-)] *n.* 오페라 모자(opera hat).
〖*Gibus* 19세기 Paris의 잡화상인이며 제조자〗

GIC guaranteed interest contract(이율 보증 보험 계약).

gid·dy [gídi] *a.* **1** 현기증이 나는, 어지러운 : feel ~ 현기증을 느끼다. **2** 마음이 들뜬, 경박한 : a ~ goat 《俗》 무책임한 녀석 / act[play] the ~ goat ☞ GOAT 숙어. **3** 눈이 빙빙 도는 듯한 ; 아찔한 : a ~ dance 눈이 도는 것 같은 춤 / a ~ height 아찔한 높이. —— *vt.* …의 눈을 아찔하게 하다. —— *vi.* 아찔해지다. **gíd·di·ly** *adv.* **-di·ness** *n.* 현기증 ; 경솔, 소홀. 〖OE *gidig* possessed by a god, insane (GOD, -y[4])〗

gíddy-go-ròund *n.* 《英》 회전 목마.

gíddy-hèad·ed *a.* 경솔한.

Gide [*F* ʒid] *n.* 지드. **André (Paul Guillaume)** ~ (1869-1951) 프랑스의 소설가·비평가.

Gid·e·on [gídiən] *n.* **1** 남자 이름. **2** 〖聖〗 기드온《이스라엘 민족을 미디안 사람의 압박에서 해방시켜 40년간 이스라엘의 사사(士師) (judge)가 된 이스라엘의 용사 ; 사사기 6-8》.
〖Heb. = great destroyer〗

Gídeons Internátional *n.* [the ~] 국제 기드온 협회《1899년 설립된 성서 기증 협회》.

Gídeon Socìety *n.* [the ~] 기드온 회《GIDEONS INTERNATIONAL의 옛 이름》.

gid·get [gídʒət] *n.* 《美俗》 발랄하고 귀여운 처녀.
gie [gí:] *v.* (**~d** ; **~d**, **gien** [gí:n]) 《스코·方》 = GIVE.
GIF Global Infrastructure Fund (세계 공공 투자 기금).
Gif·ford [gífərd] *n.* 남자 이름.
〚Gmc.= ? brave gift〛
gift** [gíft] *n.* **1** 선물, 선사품(present) ; 경품 : Christmas[birthday] ~*s* 크리스마스[생일] 선물. **2** [+前+do*ing*] 천부(의 재능), 자질(talent) (cf. ACQUIREMENT) : a person of many ~*s* 다재 다능한 사람 / He has a ~ ***for painting [the ~ ***of*** oratory, the ~ *of* mak*ing* friends]. 그림에[웅변에, 친구를 사귀는] 재능이 있다. **3** 증여 ; Ⓤ 증여권(贈與權) : The post is not *in* his ~. 그 직책[지위]을 부여하는 권한은 그에게는 없다.
at a gift 거저라도 : I wouldn't have[take] it *at a* ~. 거저라도 갖고 싶지 않다.
by*[*of*] *free gift 거저(로).
── *vt.* [보통 *p.p.*로] [+目+*with*+名] …에게 선물하다, 주다, 부여하다(present) : He was ~*ed* by nature ***with*** great talents. 뛰어난 재능을 타고났다. **~·less** *a.* 〚ON *gipt*=OE, OS, OHG *gift* (⇨ GIVE) ; OE=marriage gift〛
類義語 ⟹ PRESENT², TALENT.
gíft·bòok *n.* 증정본, 기증본.
gíft-bòx *vt.* (…을) 선물용 상자에 담다.
gíft certìficate *n.* 《美》 상품권(券) (=《英》 gift token).
gíft còupon *n.* 경품권.
gíft·ed *a.* 천부의 재능이 있는, 수재의, 유능한 (talented) : He is very ~ *for* drawing. 그림 그리는 재능이 대단하다.
~·ly *adv.* **~·ness** *n.*
gíft hòrse *n.* 선물로 주는 말 ; 선물.
look a gift horse in the mouth 선물로 받은 물건의 흠을 잡다, 남의 친절[호의]에 트집을 잡다《말은 이를 보면 나이를 알 수 있는 데서》.
gift·ie [gífti] *n.* 《스코》 재능(gift).
gíft of tóngues *n.* [the ~] **1** 언어의 특사(特賜), 이언(異言)의 선물, 방언(方言)《종교적 법열 상태에서 나오는 의미 불명의 말에 의한 기도 ; 사도행전 2 : 3-4》. **2** 어학의 재능.
gíft shòp *n.* 선물[토산물] 가게.
gíft tàx *n.* 《美》 증여세(=《英》 capital transfer tax)《증여자에게 과함》.
gíft tòken[**vòucher**] *n.* 《英》=GIFT CERTIFICATE.
gíft wràp *vt.* 선물용으로 리본 따위로 예쁘게 포장하다.
gíft·wràpping *n.* 선물용 포장 재료《포장지·리본 따위》.
gig[1] [gíg] *n.* **1 a**) 기그《한 필이 끄는 2륜 마차》; 《美俗》 고물 자동차 ; 〖海〗 기그《(1) 선장 등이 타는 배에 실은 보트의 일종. (2) 레이스용의 작은 보트》. **b**) 기모기(起毛機)《직물의 보풀을 일게 하는 롤러》. **2** 기묘[기괴]한 풍모의 사람. **3** 《美俗》 장난감 ; 《廢》 팽이 《장난감》.
── *v.* (**-gg-**) *vi.* 기그를 타고 가다. ── *vt.* (직물)에 보풀을 일게 하다.
〚? imit ; cf. Dan. *gig* top²〛
gig[2] *n.* 《美俗》 (군대·학교 따위에서) 품행 불량(보고), 벌점(demerit) ; 징계(reprimand).
── *vt., vi.* (**-gg-**) 《美俗》 품행 불량의 보고를 하다, 벌점을 주(어 징계하)다.
〚C20< ?〛
gig[3] *n.* (물고기를 푹 찌르는) 작살 ; 〖낚시〗 (미끼를 물지 않는 물고기를 잡는) 갈고리 바늘(장치).
── *v.* (**-gg-**) *vi.* 작살을 사용하다〈*for* fish〉.
── *vt.* (물고기를) 작살로 푹 찌르다 ; 쿡쿡 찌르다. 〚fiz*gig*, fish*gig* ; cf. Sp. *fisga* harpoon〛
gig[4] *n.* **1** 재즈[록] 연주회 ; 《口》 (특히 하룻밤만의) 재즈[록 따위] 연주의 계약[일], 그 연주(회장) ; 《口》 (일반적으로) (할당된) 일 ; 《俗》 법석대는 파티. **2** 《俗》 관심사, 자신있는 분야.
── *v.* (**-gg-**) *vi.* 《口》 하룻밤만 연주하다.
── *vt.* 《口》 (연주자와) 계약하다.
〚C20< ?〛
giga- [dʒígə, gígə] *comb. form* **1** 「10억」「무수(無數)」의 뜻. **2** 기가《=10^9 ; 기호 G》.
〚Gk. *gigas* giant〛
gíga·bìt *n.* 〖컴퓨〗 기가비트, 10억 비트.
gíga·bỳte *n.* 〖컴퓨〗 기가바이트, 10억 바이트.
gíga·hèrtz *n.* 기가헤르츠, 10억 헤르츠《略 GHz》.
gíga·mèter *n.* 10억 미터, 100만 킬로미터.
gi·gant- [dʒaigǽnt, 美+dʒə-], **gi·gan·to-** [dʒaigǽntou, 美+dʒə-, -tə] *comb. form* 「거인」의 뜻. 〚L ; ⇨ GIANT〛
gi·gan·te·an [dʒàigæntí:ən] *a.* =GIGANTIC.
gi·gan·tesque [dʒàigæntésk] *a.* =GIGANTIC.
〚F<It. (*giant*, *-esque*)〛
***gi·gan·tic** [dʒaigǽntik] *a.* 거인 같은, 거대한, 방대한. **-ti·cal·ly** *adv.*
〚L ; ⇨ GIANT〛
類義語 ⟹ HUGE.
gi·gan·tism [dʒaigǽntizəm, dʒə-, dʒáigəntìzəm] *n.* Ⓤ 〖醫〗 거인증(giantism) ; 〖動·植〗 거대증 ; (일반적으로) 거대함, 거대화(化) 경향.
gíga·scàle integrátion 〖電子〗 10억 혹은 그 이상의 소자를 집적한 대규모 집적 회로.
gíga·tòn *n.* 기가톤《TNT 10억 톤에 해당하는 폭발력》.
gig·gle [gígəl] *vt., vi.* 킥킥 웃다〈*at*〉, 킥킥 웃어 (감정을) 나타내다. ── *n.* 킥킥 웃음 ; 《口》 여자(아이)들의 모임 : give a ~ 킥킥 웃다 / have the ~*s* (엉겁결에) 웃기 시작하다.
for a giggle 장난 삼아, 반농조로.
gíg·gler *n.* **gíg·gling·ly** *adv.*
〚imit. ; cf. G *gickeln*〛
類義語 ⟹ LAUGH.
gíggle hòuse *n.* 《濠俗》 정신 병원.
gíggle-smòke *n.* 《美俗》 마리화나.
gíg·gly *a.* 킥킥 웃는 (버릇이 있는).
gig·let, -lot [gíglət] *n.* 말괄량이, 바람둥이 여자 (wanton).
gíg mìll *n.* 〖機〗 (나사(羅紗) 따위의) 보풀 세우는 기계[공장].
GIGO [gáigou, gí:-] *n.* 〖컴퓨〗 기고《믿을 수 없는 데이터의 결과는 믿을 수 없다는 원칙》.
〚*g*arbage *i*n, *g*arbage *o*ut〛
gig·o·lo [dʒígəlòu, ʒíg- ; ʒíg-] *n.* (*pl.* **~s**) 기둥서방(kept man), 지골로《매춘부에게 의지해 사는 건달》; 남자 직업 댄서.
〚F ; cf. F *gigole* dance hall woman〛
gig·ot [dʒígət, ʒí:gou] *n.* (*pl.* **~s** [-əts, -ouz]) 양의 다리 고기 《요리용》; 양의 다리 모양[삼각형]의 소매(=~ **slèeve**).
〚OF (*gigue* leg)〛
gigue [ʒí:g] *n.* 지그《바로크 시대의 약동적인 무곡(舞曲)》; 그 악곡 ; 중세의 바이올린 모양의 3현 현악기. 〚F<It.=fiddle<Gmc.〛
Gí·la (**mónster**) [hí:lə(-)] *n.* 〖動〗 미국독도마뱀《미국 남서부·멕시코에 2종》.

〚*Gila* Arizona 주(州)의 강〛

gil·bert [gílbərt] *n.* 〔電〕 길버트《기자력(起磁力) cgs단위》. 〚William *Gilbert* (↓)〛

Gilbert *n.* **1** 남자 이름. **2** (1) 길버트. Sir **William Schwenck** ~ (1836-1911) 영국의 희극 작가. (2) **William** ~ (1540-1603) 영국의 물리학자. (3) **Cass** ~ (1859-1934) 미국의 건축가.
〚OF<Gmc.=? illustrious through hostage (pledge+bright)〛

Gil·ber·ti·an [gilbə́:rtiən] *a.* (줄거리·대화 따위가) Gilbert의 희가극풍의; 우스꽝스러운, 뒤죽박죽이 된.
〚Sir W. S. *Gilbert*〛

gild[1] [gíld] *vt.* (**~·ed, gilt** [gílt]) **1** …에 금[금박]을 입히다, 금도금을 하다, 금색으로 칠하다;《詩》황금색으로 빛나게 하다. **2** 《비유》 장식하다, 번쩍이게 하다; 아름답게 꾸미다; …의 겉치레를 하다, 보기좋게 하다.
gild the lily =PAINT *the lily.*
gild the pill 환약(丸藥)에 금박을 입히다;《비유》 흉한 것을 보기좋게 하다.
〚OE *gyldan*; ⇨ GOLD〛

gild[2] ☞ GUILD.

gíld·ed *v.* GILD[1]의 과거·과거분사.
—— *a.* **1** 금 도금한; 금색의: ~ spurs《古》(훈작사(勳爵士) (knight)의) 기장(記章) / the *G*~ Chamber《英》상원. **2** 화려한; 돈많은, 부유한: the ~ youth (호사스럽게 노는) 상류층의 청년들, 귀공자.

gíld·er[1] *n.* 도금공, 금박사. 〚GILD[1]〛

gilder[2] *n.* =GUILDER.

Gil·de·roy [gíldərɔ̀i] *n.* 《美口》 [다음 숙어로]
higher than Gilderoy's kite 눈에 보이지 않을 만큼 높이.
〚스코틀랜드의 도둑의 이름〛

gíld·ing *n.* Ⓤ (입히거나 칠한) 금[금박·금가루]; 금박을 입히기; 도금(술); 겉치레; 허식, 분식(粉飾): chemical[electric] ~ 전기 도금.

Giles [dʒáilz] *n.* 남자 이름.
〚OF<L<Gk.=shield bearer; kid〛

gi·let [*F* ʒilɛ] *n.* 〔服〕 여성용 조끼; 발레 의상의 조끼.

gil·gai, ghil- [gílgai] *n.* 호주 내륙 지방에서 볼 수 있는 빗물이 괴는 오목한 지형.
〚(Austral.)〛

Gil·ga·mesh [gílgəmèʃ] *n.* 〔수메르 傳說〕 길가메슈《수메르와 바빌로니아 신화의 영웅》.

***gill**[1] [gíl] *n.* **1** [보통 *pl.*] 아가미. **2** [보통 *pl.*] (닭·칠면조 따위의) 턱 밑에 처진 살(wattle). **3** 〔植〕 (버섯의 갓 안쪽의) 주름, 균습(菌褶).
be fed to the gills ☞ FEED.
be rosy [***blue, green, white, yellow***] ***about the gills*** 혈색이 좋다[나쁘다].
turn red in the gills 성내다(become angry).
—— *vt.* (물고기의) 아가미[창자]를 빼다(gut); (물고기를) 자망으로 잡다; (버섯의) 주름을 도려내다. 〚ON〛

gill[2] [dʒíl] *n.* 질《액량 단위; =1/4파인트(pint), =0.14리터; 略 gi.》; 한 질들이 되.
〚OF<L *gillo* water pot〛

gill[3], **jill** [dʒíl] *n.* [흔히 G~, J~] 처녀, 소녀, 애인(sweetheart) (cf. JACK): Jack and *G*~ 젊은 남녀 / Every Jack has his *G*~.《속담》젊은 남자에게는 누구나 애인이 있다, 짚신도 제짝이 있다.
〚*Gill*ian〛

gill[4], **ghyll** [gíl] *n.*《英》(수목이 우거진) 협곡(峽谷); 계류(溪流).
〚ON *gil* glen〛

gíll còver [gíl-] *n.* 〔動〕 아감딱지.

gilled [gíld] *a.* 아가미가 있는; (버섯의 갓 안쪽에) 주름이 있는.

Gil·li·an [dʒíliən, 英+gíl-] *n.* 여자 이름.
〚⇨ JULLIAN〛

gil·lie, gil·ly[1], **ghil·lie** [gíli] *n.* 《스코》 시종, 시동(侍童); (특히 사냥꾼·낚시꾼의) 안내자[소년]; 〔史〕 (고지(高地) 족장의) 종자(從者), 종복(從僕). 〚Gael. *gille* boy, servant〛

gil·li·on [dʒíliən] *n.* 《英》 10억(=《美》billion); 무수(無數), 다수.

gíll nèt [gíl-] *n.* 자망《물속에 수직으로 침》.

gil·ly[2] [gíli] *n.*《美》서커스의 운반(자동)차; (차로 순회하는) 작은 서커스; 사육제의 꽃자동차.
〚*gill* (dial.) two-wheeled frame for moving timber<?〛

gíl·ly·flòwer, gíl·li- [dʒíli-] *n.* 〔植〕 패랭이꽃, (특히) 카네이션; 향꽃무.
〚OF *gilofre, gilofle*<L<Gk.=clove tree; 어형은 FLOWER에 동화〛

gilt[1] [gílt] *v.* GILD[1]의 과거·과거분사. —— *a.* 금도금의; 금색의: ~ spurs=GILDED spurs.
—— *n.* Ⓤ 입힌[칠한] 금[금박·금가루], 도금(한 금), 금니(金泥);《英》우량 증권;《俗》돈;《비유》겉치장, 허식.
take the gilt off the gingerbread 금박[허식, 가면]을 벗기다, 표면의 아름다움을 없애다.
〚GILD[1]〛

gilt[2] *n.* (새끼를 낳은 적이 없는) 어린 암돼지.
〚ON *gyltr*; cf. OE *gelte*〛

gílt cùp *n.* 〔植〕 =BUTTERCUP.

gílt-édge(d) *a.* (종이·책 따위) 금테의; (증권 따위가) 일류의, 우량한(cf. BLUE-CHIP).

Gil·yak [giljǽk] *n.* 길랴크족(族)《시베리아의 아무르 지방에 사는 몽고계》; Ⓤ 길랴크어(語).

gim·bal [dʒímbəl, gím-] *n.* [보통 ~s, 단수취급] 짐벌《컴퍼스·chronometer의 수평 유지 장치》.
—— *vt.* (**-ll-, -l-**) 짐벌을 갖추다[로 유지하다].
〚변형(變形)‹*gimmal*‹OF *gemel* double finger ring<L (dim.)‹*geminus* twin〛

gim·crack [dʒímkræ̀k] *a., n.* 값싼 (물건), 겉만 번드레한 (것). **-cràcky** *a.*
〚ME *gibecrake*<?〛

gímcrack·ery *n.* Ⓤ [집합적으로] 겉만 번지르르하고 싼 물건; (작품의) 부자연스런 효과.

gim·let [gímlət] *n.* **1** 도래 송곳, 나사 송곳(cf. AUGER). **2** 김렛《gin을 기초로 한 칵테일의 일종》. —— *vt.* …에 도래 송곳으로 구멍을 뚫다.
〚OF (dim.)‹*guimble* (cf. WIMBLE)〛

gímlet èye *n.* 날카로운 눈[시선].
gímlet-èyed *a.*

gim·me [gími] [발음철자] 《口》 give me.
—— *n.* [때때로 *pl.*]《俗》금품강요, 물욕, 사욕.
—— *a.*《俗》(금품을) 강요하는.
gimme five《口》악수하세《five는 다섯 손가락》.

gim·mick [gímik] *n.* 《口》 **1** (요술쟁이의) 눈속임, (비밀) 장치(trick); (일반적으로) 고안, 책략, 수, 몸짓. **2** =GADGET. —— *vt.* 조작으로 바꾸다[움직이다]; …에 세공을 하다. **~·(e)ry** *n.* 《口》 속임수 장치(의 사용). **gím·micky** *a.*《口》속임수가 있는; 겉만 번드르르한.
〚C20 U.S.<?〛

gimp[1], **gymp** [gímp] *n.* (레이스를 댄) 옷단, 장식 끈《때로는 철사 따위를 속에 넣음》.
〚Du.<?〛

gimp[2] *n.*《俗》불구자; 절름발이. —— *vi.* 절뚝거

리다. 〚C20＜?; *gammy*의 변형인가〛

gímpy *a.* 《俗》 절름발이의.

gin[1] [dʒín] *n.* Ⓤ 진《향나무(juniper)의 열매로 향내를 낸 술》: ☞ PINK GIN. ── *vi.* (**-nn-**) 《口》 진을 마시다; 취하다.
〚*geneva*＜Du.＜OF; ⇨ JUNIPER〛

gin[2] [dʒín] *n.* **1** 기중(장치); 삼각 기중기; 조면기(繰綿機)(=cotton ~). **2** 덫. ── *vt.* (**-nn-**) 조면기에 넣어 목화씨를 빼다, (솜을) 틀다; 덫으로 잡다. 〚OF ENGINE〛

gin[3] [dʒín] *n.* 《濠》 원주민 여자.
〚(Austral.)〛

gin[4] [dʒín] *n.* 《美俗》 (거리에서의) 난투.

gin[5] [gín] *vi., vt.* (**gan** [gǽn]; **gun(·nen)** [gʌ́n(ən)]; **-nn-**) 《古·詩》 =BEGIN.

gín and ít[**Ít**] [dʒín-] *n.* 《英》 진과 이탈리아산 베르무트의 칵테일.

gín-and-Jáguar, -Jág [dʒín-] *a.* 《英口》 (신흥) 상위 중류 계급 (지역)의.

gín and tónic [dʒín-] *n.* 진 토닉《진에 토닉워터를 타고 레몬 조각을 곁들인 음료》.

gín blòck [dʒín-] *n.* 〔機〕 진 블록.

gín fizz [dʒín-] *n.* 진 피즈《진에 레몬주스·탄산수·설탕을 탄 칵테일》.

gin·gel·ly, -gel·li [dʒíndʒəli] *n.* 참깨(sesame); 참기름(=~ **òil**).
〚Hindi and Marathi〛

***gin·ger** [dʒíndʒər] *n.* **1** Ⓤ 생강; (약용·양념·당과로 한) 생강(의 뿌리). **2** Ⓤ 《口》 원기, 기골(氣骨)(vigor); 자극(stimulation). **3** Ⓤ 생강 빛깔, 엷은 적황색; 《주로 英》 빨간 머리털; Ⓒ 머리가 빨간 사람. ── *a.* 생강이 든, 생강으로 맛을 낸. ── *vt.* …에 생강으로 맛을 내다; 생강으로 자극시키다; 힘을 북돋우다, 격려하다.
〚OE *gingiber* and OF＜L＜Gk.＜Skt.(*śrngam* horn, *-vera* body); 그 antler와 같은 뿌리에서〛

gin·ger·ade [dʒìndʒəréid] *n.* 《英》 =GINGER BEER.

gínger ále *n.* 진저 에일《탄산수에 생강으로 맛을 낸 단 청량 음료》.

gínger bèer *n.* 진저 맥주《생강·설탕·효모를 발효시켜서 만든 비알코올성 음료》.

gínger brándy *n.* 진저 브랜디《생강 맛》.

gínger·brèad *n.* Ⓤ 생강이 든 케이크; 《비유》 허울 좋은 물건, 값싼 물건; [형용사적으로] 값싼, 야한: take the gilt off the ~ ☞ GILT[1] 숙어.

gíngerbread nút *n.* 단추처럼 작은 생강이 든 케이크(ginger nut).

gínger córdial *n.* 진저 코디얼《생강·레몬 껍질·건포도·물로 만든 음료; 종종 브랜디를 탐》.

gínger gròup *n.* 《英》 조직내 소수 혁신파, 급진파, 강경파.

gínger·ly *a., adv.* 매우 조심스러운[스럽게], 아주 신중한[하게]. **-li·ness** *n.*
〚? OF *gensor* delicate (compar.)＜*gent* graceful＜L *genitus* (well)born〛

gínger nùt *n.* 《英》 =GINGERBREAD NUT.

gínger póp *n.* 《口》 =GINGER ALE.

gínger·snàp *n.* 생강이 든 과자.

gínger wíne *n.* 진저 와인《설탕·레몬·건포도·생강을 섞어 발효시킨 음료》.

gín·gery *a.* 생강의; 생강 맛이 나는; 매운, 얼얼한(pungent); 생강빛의(cf. GINGER *n.* 3); 《英》 (머리털이) 불그스름한, 붉은; 성마른, 화를 잘 내는; (특히 말이) 혈기 왕성한.

gin·gi·li [dʒíndʒəli] *n.* =GINGELLY.

gin·giv- [dʒíndʒəv, dʒindʒáiv], **gin·givo-** [-vou, -və] *comb. form* 「잇몸(gum)」의 뜻.
〚L (↓)〛

gin·gi·va [dʒíndʒəvə, dʒindʒái-] *n.* (*pl.* **-vae** [-vìː]) 〔解〕 잇몸, 치은(齒齦)(gum).
〚L=GUM[2]〛

gin·gi·val [dʒindʒáivəl, 美+dʒíndʒəvəl] *a.* 잇몸의; 〔音聲〕 혀끝소리의.

gin·gi·vi·tis [dʒìndʒəváitəs] *n.* Ⓤ 〔醫〕 치은염(齒齦炎).

ging·ko [gíŋkou] *n.* (*pl.* **~s, ~es**) =GINKGO.

gin·gly·mus [dʒíŋgləməs; gíŋ-] *n.* (*pl.* **-mi** [-mài, 美+-mìː]) 〔解〕 경첩 관절.

gín·hèad [dʒín-] *n.* 《美俗》 술에 취한 사람, 술주정꾼.

gín·hòuse [dʒín-] *n.* 조면(繰綿) 공장.

gink [gíŋk] *n.* 《美俗》 괴짜, 기인(奇人).

gink·go [gíŋkou, gíŋkgou] *n.* (*pl.* **~es, ~s**) 〔植〕 은행나무.
〚Jap.＜Chin. 은행〛

gínkgo nùt *n.* 은행(銀杏).

gín mìll [dʒín-] *n.* 《美俗》 (싸구려) 술집.

gin·ner [dʒínər] *n.* 조면공(繰綿工).

gin·nery [dʒínəri] *n.* 조면 공장.

Gín·nie Máe [dʒíni-] *n.* 《美》 지니 메이《(1) 주택 도시 개발성(省)의 Government National Mortgage Association (정부 저당 협회)의 별칭. (2) 동 협회 발행의 채권》.

gín pàlace [dʒín-] *n.* 《英》 천박하고 요란하게 꾸며 놓은 싸구려 술집.

gín rúmmy [dʒín-] *n.* 《美》 〔카드놀이〕 진 러미《가진 패의 합계가 10점 또는 그 이하일 때 그 가진 패를 내보이는 카드놀이》.

gin·seng [dʒínseŋ] *n.* 〔植〕 인삼(으로 만든 약품).
〚Chin. 인삼〛

gín shòp *n.* 《英》 (진을 파는) 술집.

gín slíng [dʒín-] *n.* 진 슬링《진에 설탕·향료·얼음을 넣은 청량 음료》.

gin·zo, guin- [gínzou] *n.* (*pl.* **~es**) 《美俗·蔑》 외국인, 외국 태생인 사람, (특히) 이탈리아인.

Gio·con·da [dʒoukʌ́ndə] *n.* [La ~] 조콘다《모나리자(Mona Lisa)의 초상화》.
〚It.=the smiling (lady)〛

gio·co·so [dʒoukóusou] *a., adv.* 〔樂〕 유쾌하고 명랑한[하게]《연주자에 대한 지시》.
〚It.〛

Giot·to [dʒɑ́ttou] *n.* 조토. **~ di Bondone** (1266?-1337) 이탈리아 Florence의 화가(畫家)·건축가.

gip[1] [dʒíp] *n.* 집시.

gip[2] ☞ GYP[2,3].

gip[3] *vt.* (**-pp-**) (생선의) 배를 따다.

gip·po [dʒípou] *n.* (*pl.* **~s**) 《英軍俗》 수프, 고깃국물, 스튜(stew).
〚변형(變形)＜*jipper* (dial.) gravy, stew〛

gip·py [dʒípi] *n.* [흔히 G~] 《英軍俗》 이집트 군인; 집시. ── *a.* 이집트의.
〚GYPSY and EGYPTIAN, *-y*[3]〛

gíppy túmmy *n.* 《俗》 (열대지방 여행자가 걸리는) 설사.

***gipsy** ☞ GYPSY.

***gi·raffe** [dʒərǽ(ː)f; dʒiráːf] *n.* (*pl.* **~s, ~**) 〔動〕 지라프, 기린《아프리카 남부산의 초식 포유동물》; [the G~] 〔天〕 기린자리.
〚F＜Arab.〛

gir·an·dole [dʒírəndòul], **-do·la** [dʒərǽndələ] *n.* 가지 달린 (장식) 촛대; 회전 불꽃; 회전 분수(噴水); 큰 보석 둘레에 작은 보석을 박은 목걸이

[귀고리] (pendant).

gir·a·sol, -o- [dʒírəsɔ̀(:)l, -sòul, -sɑ̀l], **-sole** [-sòul] *n.* 〖鑛〗 화단백석(火蛋白石) (fire opal); 〖植〗 돼지감자 (Jerusalem artichoke).

gird[1] [gə́:rd] *vt.* (~**·ed**, **girt** [gə́:rt]) **1** [+目/+目+*with*+名] …을 띠로 조르다, 두르다; 채비하다, 차리다; (권력 따위를) …에게 부여하다: be ~*ed* ***with*** supreme power and authority 《文語》 최고 권력과 권위가 부여되다. **2** [+目/+目+副] (의복을) 띠로 졸라매다, (칼 따위를) 차다: ~ ***on*** a sword 칼을 차다. **3** [+目+*with*+名] (성 따위를) 둘러싸다, 에워싸다: The castle was ~*ed* ***with*** a moat. 그 성은 해자(垓字)로 둘러싸여 있었다. —— *vi.* (행동에 대비하여) 자세를 취하다, 긴장하다 〈*for*〉.

gird (***up***) one***self*** 〈*for* something, *to* do〉 태세를 갖추다, 준비하다: They ~*ed* them*selves for* battle. 싸울 준비를 갖추었다.

gird up one***'s loins*** 〖聖〗 허리띠를 졸라매고 착수하다, 마음을 다잡고 일에 착수하다, 시련에 대하여 준비하고 기다리다.

〖OE *gyrdan*; cf. G *gürten*; GIRTH와 같은 어원〗

gird[2] *vi.* 조롱하다, 얕보다 〈*at*〉. —— *vt.* 조롱하다; 《스코》 (일격을) 먹이다, 때리다. —— *n.* 조롱, 냉소 (jeer); 《스코》 일격.

〖ME=to strike, thrust< ?〗

gírd·er *n.* 〖建〗 도리; 대들보 (crossbeam).

gírder brìdge *n.* 형교(桁橋).

gir·dle[1] [gə́:rdl] *n.* **1 a)** (여성용) 거들《코르셋의 일종》. **b)** 띠, 허리띠, 벨트; (띠 모양으로) 둘러싸는 것: a ~ of trees (a)round a pond 못을 에워싼 나무들 / within the ~ of the sea 바다에 둘러싸여. **2** 〖보석〗 거들《브릴리언트 컷 보석의 상하면이 만나는 선》; 〖解〗 대(帶), 환상골; 고리 모양으로 나무 껍질을 벗겨낸 뒤의 부분; 〖建〗 (특히 원주의) 동륜(胴輪).

have [***hold***] ***. . . under*** one***'s girdle*** …을 복종시키다, 지배하에 두다.

put a girdle round. . . 일주하다; (철도·통신선 따위가) …을 고리 모양으로 둘러싸다.

—— *vt.* **1** 띠로 졸라매다, 띠 모양으로 두르다 〈*about, in, round*〉; 두르다, 에워싸다. **2** 일주하다; (나무 껍질을) 둥글게 벗겨내다.

〖OE *gyrdel*; ⇨ GIRD[1]〗

girdle[2] *n.* 《스코》 (과자를 굽는) 철판.

gírdle·càke *n.* 《스코》 철판에 구운 과자.

gír·dler *n.* 띠를 매는 사람; 둘러싸는 사람[것]; 띠 만드는 사람; 나무 껍질을 고리 모양으로 먹어 들어가는 곤충《아메리카 딱정벌레 따위》.

◇**girl** [gə́:rl] *n.* **1** 계집아이, 소녀, 처녀 (↔*boy*); 젊은 여자; 여학생 (school girl); 미혼녀: a ~*s'* school 여학교 / the ~*s* (미혼·기혼을 통틀어서) 한 집안의 여자들. **2** 여급, 하녀 (maidservant); 여사무원·여점원·여자 안내원《등》. **3** 《口》 애인, 연인 (sweetheart). **4** 《口》 (연령·기혼·미혼에 관계 없이) 여자: gossipy old ~*s* 수다스러운 아주머니들 / my dear ~ 당신《아내 등에 대한 애칭》/ ☞ OLD GIRL. **5** (동물의) 암컷.

〖ME *gurle, girle, gerle*; 15세기경까지 성의 구별 없음; cf. LG *göre* child〗

girl·cott [gə́:rlkɑ̀t] *vt.* 《戱》 (여성이 여성에 대하여 편견을 가진 사람[것]을) 보이콧하다.

〖*girl*+boy*cott*〗

gírl Fríday *n.* [때때로 G~] (유능하여 광범위한 일이 맡겨진) 여비서[사무원].

*__gírl frìend__ *n.* 《口》 여자 친구《특히 애인; cf. BOYFRIEND》.

gírl guíde *n.* [흔히 G~ G~] 걸 가이드《1910년 영국에서 창설된 소녀단 the Girl Guides (7½세-21세)의 일원; cf. GIRL SCOUT》.

*__gírl·hood__ *n.* Ⓤ 소녀임; 소녀 시절: in one's ~ (days) 소녀 시절[기]에.

girl·ie, girly [gə́:rli] *n.* 《애칭》 처녀, 아가씨, 계집애. —— *a.* 《口》 여성의 누드가 인기를 끄는《잡지·쇼》, 여성이 서비스하는《술집》.

gírlie bèar *n.* 《CB俗》 여자 경찰관.

gírl·ish *a.* 소녀의, 소녀 시절의; 소녀와 같은, 처녀다운, 천진 난만한, 앳된; (소년이) 계집애 같은, 수줍음을 타는, 연약한. ~**·ly** *adv.* 소녀답게, 천진 난만하게; 계집애같이. ~**·ness** *n.* 소녀다움; 천진 난만함.

gírl scòut *n.* [때때로 G~ S~] 걸 스카우트, 소녀단원《1912년 미국에서 창설된 소녀단 the Girl Scouts (7세-17세)의 일원; cf. BOY SCOUT, GIRL GUIDE》.

gírl wífe *n.* 어린애 같은 (젊은) 아내.

girly-girly [gə́:rligə́:rli] *a.* 아주 소녀티가 나는.

gi·ro[1] [dʒáiərou, ʒíə-] *n.* (*pl.* ~**s**) (유럽의) 지로제(制), 은행[우편] 대체(對替) 제도.

〖G<It.=circulation (of money)〗

gi·ro[2] [dʒáiərou] *n.* =AUTOGIRO.

Gi·ronde [dʒərɑ́nd, ʒə-; *F* ʒirɔ̃d] *n.* [the ~] 〖프史〗 지롱드당(黨)《프랑스 혁명 당시의 온건한 공화당》.

Gi·rón·din, Gi·rón·dist *n.* 지롱드당원.

—— *a.* 지롱드당(원)의.

gíro sỳstem *n.* 《英》 대체(對替) 제도.

girt[1] *v.* GIRD[1]의 과거·과거분사. —— *a.* 〖海〗 안전하게 계류되어 있는.

girt[2] [gə́:rt] *n.* (물건의) 둘레의 치수 (girth); (울퉁불퉁한 면의) 실지 길이 측정. —— *vt., vi.* …의 둘레를 재다; 감다, 허리띠로 조르다.

〖↓〗

girth [gə́:rθ] *n.* (말 따위의) 배띠; (차의 바퀴에 감는) 쇠·가죽테; 〖建〗 층도리; 허리둘레(의 치수); 비만, 비대; (물건의) 둘레(의 치수), 둘레: 10ft. *in* ~ 둘레 10피트. —— *vt.* …에 배띠를 두르다[로 졸라매다] 〈*up*〉; 두르다; 둘레가 …이다. —— *vi.* 둘레가 …이다.

〖ON; GIRD[1], GIRDLE[1]과 같은 어원〗

GIS global information system (전지구적 정보 시스템).

Gis·card d'Es·taing [*F* ʒiskar dɛstɛ̃] *n.* 지스카르 데스탱. **Valéry** ~ (1926-) 프랑스의 정치가·대통령 (1974-81).

Gis·card·i·an [ʒiskɑ́:rdiən] *n., a.*

Gis·cárd·ism *n.* **-ist** *n.*

gism ☞ JISM.

gismo ☞ GIZMO.

gist [dʒíst] *n.* [the ~] 요점, 요지, 골자: He is quick in grasping *the* ~ *of* a book. 그는 책의 요점 파악이 빠르다. 〖OF=abode, point at issue (*gesir* to lie[2]<L *jaceo*)〗

git[1] [gít] *v.* 《方》 =GET.

git[2] *n.* 《英俗》 쓸모없는 놈, 바보 자식.

〖GET[2] (n.) fool〗

GIT group inclusive tour《항공권 외에 숙박·관광 일체를 포함하는 단체 여행》.

gits [gíts] *n. pl.* 《美俗》 용기, 근성 (guts).

git·tern [gítərn] *n.* 기타와 비슷한 옛 현악기 (cithern).

〖OF<OSp. GUITAR〗

giu·sto [dʒú:stou] *a., adv.* 〖樂〗 (속도에 대하여) 정확한[하게], 적절한[하게].

〚It.=just〛

◇**give** [gív] *v.* (**gave** [géiv] ; **giv·en** [gívən]) *vt.* **1** [+目+目/+目+前+名] **a**) (무상으로) 주다, 증여하다 : My uncle *gave* me his watch. 삼촌은 나에게 시계를 주셨다 / We *gave* him a hearty welcome. 그를 진심으로 환영했다 / *G*~ us a song! 노래 한 곡 부르시오 / He *gave* a book ***to*** each of us. 우리들에게 책 한 권씩을 주었다 / *G*~ my love *to* your mother. 어머니에게 안부 전해 주십시오 / I *gave* it (*to*) her. 그것을 그녀에게 주었다《주 it과 같은 직접 목적어로서의 인칭 대명사 뒤에서 to를 생략하는 것은《英》에 많음》. 주 수동형은 : A book *was* ~*n* (*to*) each of us. / Each of us *was* ~*n* a book. **b**) (보상으로서) 주다 ; 지불하다 ; (벌로서) 부과하다(charge) : I *gave* £2 ***for*** this hat. 이 모자를 2파운드 주고 샀다 / He has ~*n* me this dictionary *for* $10. 나에게 이 사전을 10달러에 넘겨 주었다.
2 [+目+目/+目+*to*+名] 공급하다(furnish, serve) ; 투약하다(administer) ;《美》(전화를) 연결하다 : I asked central to ~ me the long-distance operator. 전화국에 장거리 교환수와 연결해 달라고 부탁을 했다 / He *gave* aid ***to*** the enemy during the war. 전쟁중에 적을 원조했다.
3 [+目+目/+目] (자연 또는 물리적 작용의 결과로서) 부여하다, 생기다, 발생하다(produce, supply) : That tree ~*s* us good fruit. 저 나무에는 좋은 열매가 열린다 / Four divided by two ~*s* two. 4를 2로 나누면 2가 된다.
4 [동사형 그대로의 명사를 목적어로 해서] [+目/+目+目/+目+*to*+名] …하다 : ~ a cry (한 마디) 외치다 / ~ a groan 신음하다 / ~ a (little) scream (외마디) 비명을 지르다 / ~ three cheers ☞ CHEER *n.* 1 / ~ a guess[try] (한 번) 맞추어[해] 보다 / ~ a pull (한 번) 당기다 / ~ a push (한 번) 밀다 / ~ a reply 회답하다 / He *gave* me a quick look. 힐끗 나를 보았다 / Let's ~ a thought ***to*** the matter. 한 번 그 문제를 생각해 봅시다.
5 [+目+目/+目+前+名] 맡기다, 위탁하다(entrust), 건네다, 버리다 : I *gave* the porter my bags to carry. 가방을 짐꾼에게 부탁해서 운반하게 했다 / ~ a thing ***into*** the hands of... 어떤 물건을 …에게 맡기다 / ~ one's daughter ***in*** marriage 딸을 시집보내다.
6 허락하다, (논점을) 양보하다(concede) (cf. GIVEN *a.* 3) : ~ a point in an argument 논쟁에서 한걸음 물러서다.
7 [+目+*to*+名] (노력 따위를) 바치다, 경주하다(devote) : He *gave* his life ***to*** the studies. 그는 연구에 일생을 바쳤다.
8 [+目/+目+前+名] (보도·명령·동의·약속 따위를) 하다, 전하다, (인사말을) 하다, (판결을) 내리다 ; (계기 따위가 숫자를) 가리키다, 나타내다 : ~ an order 명령을 내리다 / ~ one's consent 승낙하다 / ~ one's word 약속하다 / The thermometer *gave* 30°. 온도계는 30도를 가리켰다 / ~ the case ***for***[***against***] a person 남에게 유리한[불리한] 판결을 내리다.
9 [+目+目] 갖게 하다, 야기시키다 : Don't ~ me any more trouble. 이 이상 나를 괴롭히지 말아다오 / This ~*s* him a right to complain. 여기에는 당연히 그가 불평할 권리가 있다.
10 (여흥 따위를) 제공하다, (모임을) 열다, 개최하다 ; 상연하다 ; 낭독하다, 암송하다, 노래하다, 연출하다.
11 [+目+目] (예술 작품으로서) 그리다, 묘사하다 : Shakespeare has ~*n* us human nature marvelously well. 셰익스피어는 인간성을 놀라울 만큼 잘 묘사하고 있다.
12 [+目+*to* do] …에게 …시키다 : He *gave* me *to* understand that he might help me to find employment. 나에게 취직 주선을 해 줄 수도 있다고 말했다 / I was ~*n to* believe that …라고 믿게 되었다.
13 …의 축배를 제의하다 : Gentlemen, I ~ you the Queen. 여러분, 여왕을 위해 축배합시다.

〈회화〉
Will you *give* it to me? — If you want it.「그것을 나한테 주지 않겠니」「원하신다면」

—— *vi.* **1** [動/+*to*+名] 물건을 주다, 기부하다, (자선을) 베풀다 : He *gave* generously (***to*** charity). 아낌없이 (자선에) 돈을 내었다. **2** (압력 따위로) 무너지다, 우그러지다, 반동으로 튀다, 탄력이 있다 ; 상태가 호전되다 ; 휘다, 굽다 : Don't push so hard against the door ; the lock will ~. 문을 너무 세게 밀어서는 안된다, 자물쇠가 망가져 버리니까 / This sofa ~*s* comfortably. 이 소파는 탄력이 있어 앉기 편하다. **3** (기후가) 풀리다, 누그러지다 ; (서리가) 녹다 ; (사람이) 양보하다, 순응하다 : The frost is *giving.* 추위가 점차 풀린다. **4** [+前+名] (창·복도가) 면(面)하다, 내다보이다, 통하다 : The window ~*s* (***up***) ***on*** the street[the sea]. 창문은 길거리에 면해 있다[바다가 바라다 보인다] / The passage ~*s* ***into*** his study. 복도는 그의 서재로 통한다. **5** 《口》 모두 털어놓다, 입을 열다 : *G*~! What happened? 말해 봐라, 무슨 일이 일어났는지.

give about 배포(配布)하다 ; (소문 따위를) 퍼뜨리다.
give again 돌려주다, 되돌리다.
give and take 공평한 거래를 하다 ; 서로 양보하다 ; 의견 교환을 하다.
give as good as one ***gets*** 교묘하게 응수하다, 지지 않고 보복하다.
give away (*vt.*) ⑴ (무보수로) 남에게 주다, 싸게 팔다 ; (상품 따위를) 건네 주다, 나누다 ; (결혼식에서 아버지가 신부를) 신랑에게 인도하다 ; (좋은 기회 따위를) 저버리다, 양보하다. ⑵ 들춰내다, 누설하다, …의 정체를 드러나게 하다 : Her accent *gave* her *away.* 그녀의 사투리로 고향이 드러났다 / ~ the (whole) show *away* ☞ SHOW *n.* 숙어. (*vi.*) ⑶ (다리 따위가) 붕괴되다.
give back (*vt.*) ⑴ 돌려주다, 되돌리다 ; 앙갚음하다, 응수하다 ; (능력 따위를) 회복시키다 ; (소리·빛 따위를) 반향[반사]하다 : *G*~ this book *back* to her. 이 책을 그녀에게 돌려주시오 / ~ *back* insult for insult 모욕을 모욕으로써 갚다. (*vi.*) ⑵ 움츠리다, 물러나다.
give a person ***best*** 《英口》 남에게 진 것을 인정하다.
give forth (소리·냄새 따위를) 내다, 풍기다, 발산하다 ; (소문 따위를) 퍼뜨리다.
give in (*vt.*) ⑴ (보고서 따위를) 제출하다, 넘겨주다 ; (후보자로서 자기의 이름을) 공표하다 : *G*~ *in* your (examination) papers now. 자, 답안지를 내십시오. ⑵ [*p.p.*로] 보족(補足)하다, 추가하다. (*vi.*) ⑶ 굴복하다 ; 양보하다 ; 싸움[토론]을 중지하다 : He has ~*n in to* me. 굴복하여 나(의 의견)을 따랐다.
give it (to) a person (***hot***) 《口》 남을 (호되게) 꾸짖다[혼내다, 벌주다].
Give me... ⑴ 《文語》 나에게는 오히려 …의 편

이 좋다(I prefer...) : *G~ me* the good old times. 그리운 옛날이여 다시 한번 / As for me, *~ me* liberty or *~ me* death! 나에게 자유가 아니면 죽음을 달라《Patrick Henry의 말》. (2) [명령]〖電話〗불러 주세요 : *G~ me* the police. 경찰을 불러 주세요.
give off (증기·냄새·빛 따위를) 내다, 풍기다, 방출하다 ; (나뭇가지를) 뻗다 : These plants *~ off* a terrible smell. 이 식물들은 몹시 악취를 풍긴다.
give** one**self heart and soul to... 심신을 기울여서 …에 전념하다.
give** one**self over to... (음주 따위)에 빠지다, 몰두하다.
give** one**self trouble ☞ TROUBLE *n.* 숙어.
give** one**self up 항복하다 ; (범인이) 자수하다.
give** one**self up to …에 탐닉하다, …에 몰두하다 : He *gave* him*self up to* profound meditation. 그는 깊은 명상에 잠겼다.
give or take (정도의) 차이는 있다 하더라도 : He's 60 years old, *~ or take* a year. 60살인데, 한두 살 정도 차이가 있을지 모른다.
give out (*vt.*) (1) 배포하다, 할당하다 ; (증기·연기 따위를) 뿜다 ; 풍기다, 내다. (2) [+目+*as* 補 / +目+*for*+名 / +目+*to* do / +*that* 節] 발표하다, 주장하다, 칭하다 : He *gave* himself *out as*[***for***, *to* be] a doctor of philosophy. 스스로 철학 박사라 칭했다 / It was *~n out that* he was dead.＝He was *~n out to* be dead. 죽었다는 발표가 있었다. (3)〖크리켓〗(타자를) 아웃 판정하다. (*vi.*) (4) 지쳐버리다 ; (공급·힘이) 다 되다, 부족하다 : His patience[luck] *gave out.* 그의 인내력[운]도 다 되었다.
give over (*vt.*) (1) 넘겨주다, 내주다, 위탁하다 ; (습관 따위를) 버리다, 그만두다 : She has *~n over* think*ing* of her own beauty. 자신이 아름답다는 것을 생각하지 않게 되었다. (2) [수동태로] 전용으로 하다, 충당하다(devote) ; (나쁜 길로) 빠지게 하다 : The place *is ~n over to* a children's playground. 그곳은 지금 아이들의 놀이터로 쓰이고 있다. (*vi.*) (3)《口》(비 따위가) 그치다, (일 따위를) 그만하다(stop) : The rain *gave over.* 비가 그쳤다.
give rise to... ☞ RISE *n.* 숙어.
give** a person **a wide berth ☞ BERTH.
give the time of day《口》(아침[저녁]의) 인사를 하다.
give the world ☞ WORLD.
give...to the world ☞ WORLD.
give up (*vt.*) (1) (자리 따위를) 양보하다, (영토 따위를) 내주다, (범인을 경찰에) 넘겨주다, (공범자 등의 이름을) 털어 놓다 ; 그만두다, 포기하다, 단념하다 ; 돌보지 않다, (의사가 환자를) 체념하다 : They did not *~ up* hope. 희망을 버리지 않았다 / This idea must be *~n up.* 이 생각은 버리지 않으면 안된다 / I *give* it *up.* (수수께끼 따위) 모르겠는 걸 / You should *~ up* smok*ing* and drink*ing*. 흡연과 음주를 금해야 한다 / The fort was *~n up to* the enemy. 요새는 적의 수중에 들어갔다 / They *gave* her *up for* lost. 그녀를 구조할 수 없는 것으로[죽은 것으로] 단정하고 단념해 버렸다. (*vi.*) (2) 그만두다, 단념하다 ; 항복하다.
give way (to...) ☞ WAY[1].
give** a person **what-for ☞ WHAT-FOR.
Give you joy! ☞ JOY.
—— *n.* Ⓤ 주기 ; 탄력성(elasticity), 순응성.

gív(e)·able *a.*
〖OE *g(i)efan* ; cf. G *geben*〗
[類義語] ***give*** 남에게 준다는 뜻으로 가장 일반적인 말. ***grant*** 받는 편이 그것을 요청 혹은 희망하고 있었던 것을 나타낸다 : *grant* a permission (허가를 해주다). ***present*** give보다 형식적인 말로서 일정한 형식[수속]으로 주는 것 ; 주어지는 것이 상당한 가치가 있는 것을 나타냄 : *present* the school with a piano (학교에 피아노를 기증하다). ***donate***《美》자선 또는 종교상의 목적으로 기증[기부]하다 : *donate* a thousand dollars to the institution. (그 기관에 천 달러를 기부하다). ***bestow*** 가치가 있는 것 따위를 무상으로 주다 : *bestow* a trophy upon the winner (승리자에게 트로피를 수여하다). ***confer*** 상급자가 하급자에게 명예·특권을 부여하다 : *confer* a title on a person (남에게 특권을 주다).

gíve-and-táke *n.* Ⓤ 주고 받음, 공평한 조건의 교환, 타협, 상호 양보 ; 의견 교환.

gíve·àway *n.*《口》포기 ; 무심코 말하는 것, 폭로 ; 경품(premium) ; 무료 견본(free sample) ;〖放送〗상품이 붙은 퀴즈 프로그램《일반 참가자에게 상품을 줌》. —— *a.* 헐값으로 파는 ;〖放送〗(퀴즈 프로그램에서) 일반 참가자에게 상품을 주는 : a ~ price 헐값.

gíve·bàck *n.*《美》**1**〖勞動〗기득권 반환《노조가 임금 인상 따위와의 교환으로 부가 급부 따위의 기득권을 포기함》. **2** (선불한 것에서의) 반제금, (앞서 주어진) 권리의 반환.

◇**giv·en** [gívən] *v.* GIVE의 과거분사. —— *a.* **1** 주어진, 일정한 : meet at a ~ time and place 정해진[약속된] 시각과 장소에서 만나다. **2**〖數·論〗가설의, 기지(旣知)의. **3**《文語》[+*that* 節] …을 가정(假定)하면, …가 있다[허용된다]고 한다면 : *G~* good weather, the thing can be done. 날씨만 좋다면 그 일은 가능하다 / *G~ that* the radius is 5 meters, find the circumference. 반지름 5미터인 경우 그 원둘레를 구하라. **4** [*pred.*로 써서] [+前+do*ing*] 하고 싶어하는, 좋아하는, 탐닉하는 : He is ~ ***to*** drink[boast*ing*]. 음주벽[큰소리치는 버릇]이 있다 / I am not ~ that way. 나는 그런 짓을 할 사람이 아니다. **5** (공문서로) 작성된(dated) : *G~* under my hand and seal this 5th of May. 금(今) 5월 5일 자필 날인(捺印)하여 작성됨.

gíven informátion *n.* 오래된 정보, 이미 알려진 정보.

gíven náme *n.*《美》(성에 대해서) 이름(Christian name, forename) (☞ NAME *n.* 1 [注]).

giv·er [gívər] *n.* 주는 사람, 증여자, 기증자.

gíve-ùp *n.*〖經〗(증권 업자에 의한) 위탁자(명(名)) 명시 거래《위탁자가 결제 의무를 짐》;《美》(다른 증권업자에게) 수수료를 나눠주기, 나눠주는 수수료.

Gi·za, Gi·zeh [gí:zə] *n.* 기자, 기제(＝**El Giza, El Gizeh** [el-])《이집트의 Cairo 부근의 항구 도시 ; 부근에 큰 피라미드와 스핑크스로 유명》.

giz·mo, gis- [gízmou] *n.* (*pl.* **~s**)《美口》장치(gadget, gimmick) ; 거시기, 뭐라던가 하는 것《이름을 잊거나 모를 때》.
〖C20《競馬俗》< ?〗

giz·zard [gízərd] *n.* 모래주머니《새의 제2의 위》;《戱》(인간의) 내장, (특히) 위장.
fret** one**'s gizzard 마음 아파하다, 괴로워하다, 번민하다.
stick in** one**'s gizzard 마음에 들지 않다.

〖ME *giser* <OF <L *gigeria* cooked entrails of fowl ; -*d*는 첨자(添字)〗

Gk., **Gk** Greek. **GL** gunlaying. **Gl** 〖化〗 glucin-(i)um. **gl.** glass ; gloss. **g/l** grams per liter.

gla·brous [gléibrəs] *a.* 〖生〗 털이 없는(hairless), 반들반들한(smooth). **~·ness** *n.*
〖L *glabr-* *glaber* hairless〗

gla·cé [glæséi ; ⌐-] *a.* (과일·과자 따위) 설탕을 친 ; (천·가죽 따위) 매끄럽고 윤이 나는 ; 《美》 냉동의. ── *vt.* (천·가죽)에 윤을 내다 ; (과자 따위에) 당의를 입히다.
〖F (p.p.) ‹ *glacer* to ice (*glace* ice) ; cf. GLACIER〗

gla·cial [gléiʃəl ; -sjəl] *a.* 얼음의[과 같은] ; 빙하(시대)의 ; 얼음처럼 찬 ; 냉담한 ; 〖化〗 결정(結晶)된. ── *n.* 빙하기. **~·ly** *adv.* 빙하 작용으로. **~·ist** *n.* 빙하학자.
〖F or L (*glacies* ice)〗

glácial acétic ácid *n.* 〖化〗 아세트산.

glácial èpoch[pèriod] *n.* [the ~] 〖地質〗 빙기(氷期)《지질학상에서는 홍적세에 해당함》; (일반적으로) 빙하기.

gla·ci·ate [gléiʃièit ; -si-] *vt.* 얼리다(freeze) ; 〖地質〗 …에 빙하 작용을 하다.

glác·i·àt·ed *a.* 얼음으로[빙하로] 덮인 ; 빙하 작용을 받은 : a ~*d* shelf 빙식붕(棚).

glà·ci·á·tion *n.* Ⓤ 결빙 ; 빙하 작용.

***gla·cier** [gléiʃər ; glǽsjər, gléi-] *n.* 빙하.
〖F (*glace*) ice〗

gla·cio- [gléiʃiou, -ʃiə, -siou, -siə ; glǽsi-, gléi-si-] *comb. form* 「빙하」의 뜻.
〖L ; ⇨ GLACIAL〗

gla·ci·ol·o·gy [glèiʃiálədʒi, -si- ; glæ̀si-, glèisi-] *n.* Ⓤ 빙하학 ; (특정 지역의) 빙하 형성 상태[특징]. **-gist** *n.*

gla·cis [glæsíː, glǽsi, -səs, gléis-] *n.* (*pl.* ~ [glæsíːz, glǽsiz, gléisiz], **~·es**) 느린 경사 ; 〖築城〗 (요새 (전면)의) 비스듬한 제방.
〖F *glacier* to slip (*glace* ice)〗

◇**glad**[1] [glǽ(ː)d] *a.* (보통 **glád·der**, **glád·dest**) **1** [*pred.*로 써서] [+*to* do / +*that* 節] 기쁜, 즐거운(pleased) (↔*sad*) : I am ~ ***of*** it. 그것 잘 됐군 / I'm very ~ *to* see you. 만나서 매우 기쁩니다[잘 와 주셨습니다] / I shall be ~ *to* do what I can. 할 수 있는 일은 기꺼이 해드리겠습니다 / I should be ~ *to* know why. 《反語》 이유를 알고 싶다 / I'm very ~ I wasn't there. 거기에 있지 않았던 것이 천만 다행이다. **2** [*attrib.*로 써서] 기쁜, 즐거운(joyful) : ~ news 희소식. ㊟ 사람에 쓰이지 않음.
glad of heart 《文語》 기쁘게, 기꺼이.
── *v.* 《古》 (**-dd-**) *vt.* 기쁘게 하다(gladden)
── *vi.* 기쁘다.
〖ME=shining, glad <OE *glæd* ; cf. OHG *glat* smooth, shining (G *glatt*)〗
類義語 ⟹ HAPPY.

glad[2] *n.* 《口》 글라디올러스(gladiolus).

glád·den *vt.* 기쁘게 하다, 즐겁게 하다. ── *vi.* 《古》 기쁘다.

glade [gléid] *n.* 숲사이의 빈터 ; 《美》 습지(濕地).
glády *a.* 〖C16< ? ; GLAD[1]에서인가〗

glád èye *n.* [the ~] 《口》 다정한 눈길 ; 추파 : give a person *the* ~ 남에게 추파를 던지다 ; 남에게 다정한 눈길[표정]을 보내다.

glád hànd *n.* [때때로 반어적으로] 친밀감 어린 악수 ; 따뜻한 환영 : give a person the ~ 남을 따뜻하게 환영하다.

glád-hánd *vt.* 크게 환영하다 ; 환영하는 체하다.
~·er *n.* **~·ing** *n.*, *a.*

glad·i·a·tor [glǽdièitər] *n.* **1** 〖古로〗 검투사《검투사끼리 또는 맹수와 싸우게 하여 시민의 구경 거리로 제공되었음 ; cf. COLOSSEUM》. **2** 논쟁자, 토론자. **-to·ri·al** [glæ̀diətɔ́ːriəl] *a.* 투쟁[논쟁]에 관한. 〖L (*gladius* sword)〗

glad·i·o·la [glæ̀dióulə] *n.* =GLADIOLUS.

glad·i·o·lus [glæ̀dióuləs] *n.* (*pl.* ~, **~·es**, **-li** [-liː, -lai]) 〖植〗 글라디올러스《붓꽃과(科)의 관상 식물》. 〖L (dim.) ‹ *gladius* sword〗

***glád·ly** *adv.* 기꺼이, 쾌히.

glád·ness *n.* Ⓤ 즐거움, 기쁨.

glád ràgs *n. pl.* 《口》 나들이옷 ; (특히) 야회복.

glád·some *a.* 《詩》 즐거운, 기쁘게 하는, 기쁜, 유쾌한(cheerful). **~·ly** *adv.* 《詩》 즐거운 듯이.

Glad·stone [glǽdstoun ; -stən] *n.* **1** 글래드스턴. **William Ewart** ~ (1809–98) 영국 자유당의 정치가, 수상 ; Grand Old Man이라불리움. **2** Ⓒ 글래드스턴(=⌐ **bàg**)《가운데서 양쪽으로 열게 된 여행용 가방》; (내부가 두 좌석으로 된) 사륜 마차.

Gladstone 2

Glad·sto·ni·an [glæ̀dstóuniən, -njən] *a.*, *n.* Gladstone파[식]의 (사람).

Glad·ys [glǽdəs] *n.* 여자 이름.
〖Welsh (fem.) ; ⇨ CLAUDE〗

glair, glaire [gléər, glǽər] *n.* Ⓤ (알의) 흰자위 ; (흰자위로 만든) 유약, 도사(陶砂)《제본 따위에 쓰임》; (일반적으로) 흰자위 같은 점액.
── *vt.* …에 도사(陶砂)를 바르다.
〖OF <L (fem.) ‹ *clarus* clear〗

glair·e·ous [gléəriəs, glǽər-] *a.* 《古》 =GLAIRY.

gláiry *a.* 흰자위 같은, 난백질(卵白質)의, 흰자위를 바른. **-i·ness** *n.*

glaive [gléiv] *n.* 《古·詩》 검(劍) ; 날이 넓은 칼.
〖OF <L *gladius* ; ⇨ GLADIOLUS〗

glam [glǽ(ː)m] *n.* 《口》 =GLAMOUR. ── *a.* =GLAMOROUS. ── *vt.* (**-mm-**) =GLAMORIZE.
glam up 매혹적으로 보이게 하다, 잔뜩 바르다 : get one*self* ~*med up* 잔뜩 화장을 하고 모양을 내다.

glamor ☞ GLAMOUR.

glámor·ìze, -our- *vt.* …에 매력을 더하다, 매혹적으로 만들다, 멋있게 보이게 하다.
-ìz·er *n.* **glàmor·izátion** *n.*

glam·or·ous, -our- [glǽmərəs] *a.* 매력에 찬, 매혹적인.
~·ly *adv.* 매혹적으로. **~·ness** *n.*

glam·our, 《美》 **-or** [glǽmər] *n.* Ⓤ [또는 a ~] 마법, 마술 ; 마력 ; 매력 ; (시 따위의) 신비한 아름다움 : full of ~ =filled with ~ 매력에 찬 / cast *a* ~ over …에 마법을 걸다, …을 매혹하다 (enchant) / under *a* ~ 매혹되어. ── *vt.* 매혹하다, 홀리다. **~·less** *a.*
〖C18 변형(變形) ‹ *grammar* (obs.) magic〗

glámour bòy[gìrl] *n.* 《口·원래 美》 매혹적인 남자[여자]《배우·모험가·모델 등》.

glámour ìssue *n.* 성장주(株).

glámour pànts *n.* [단수·복수취급] 《俗》 매력적인 얼굴의 여자.

glámour pùss *n.* 《美俗》 아주 매력적[매혹적]

으로 생긴 사람.

glámour stòck *n.* 매력이 있는 주(株)《소형 성장주 따위》.

***glance**[1] [glǽ(:)ns ; glɑ́:ns] *n.* **1** 힐끗 봄, 일견(swift look)〈*at, into, over, etc.*〉; 눈짓 : A ~ *at* his face told me that something had happened. 그의 얼굴을 힐끗 보고 무슨 일이 일어난 것을 알았다. **2** 섬광(閃光), 번쩍임〈*of*〉. **3** (탄알의) 빗나감, 되튀기 ; 비꼼, 빗대기.

at a* [*the first*] *glance*＝*at first glance 첫눈으로[에], 일견하여.

take* [*give, cast*] *a glance at …을 힐끗 보다, …에 얼핏 시선을 던지다.

── *vi.* **1** [＋前＋名/＋副] 힐끗 보다, 훑어보다 : She ~*d* ***at*** me out of the corners of her eyes. 곁눈질로 나를 힐끗 보았다 / He ~*d* ***down*** *at* the elegant buttons of his new uniform. 새 제복의 예쁜 단추를 잠깐 내려다보았다 / He ~*d* ***through*** [***over***] the papers. 그 서류를 대충 훑어보았다 / I ~*d* ***up*** and saw her. 그녀를 힐끗 쳐다 보았다. **2** (물건이) 번쩍 빛나다 ; 빛을 반사하다, 번쩍이다(flash). **3** [＋前＋名] **a**) (총알·타격 따위가) 빗나가다, 스쳐가다 : The sword ~*d* ***off*** his ribs. 칼은 그의 갈빗대를 스쳐갔다. **b**) (이야기가) 빗나가다〈*from, off*〉, (담화 따위) 잠깐 언급하다〈*over*〉; 넌지시 말하다, 살짝 언급하다〈*at*〉. ── *vt.* [＋目＋前＋名] (시선을) 힐끗 돌리다 ; (비난·풍자를) 슬쩍 비추다 : He ~*d* his eyes slowly ***round*** the room. 천천히 방을 훑어보았다.

〖ME *glence* etc. < ? *glace* < OF GLACIS〗

類義語 ***glance*** 사람·물건에 시선을 힐끗 돌리는 것 : She gave me only a *glance.* (나를 힐끗 보았을 뿐이었다). ***glimpse*** 한 번의 glance로 눈에 비친 정도의 잠깐의 불완전한 광경[그림] : a *glimpse* of New York City (잠시 둘러 본 뉴욕 시가).

glance[2] *n.* 〖鑛〗 휘광(輝鑛) : antimony [lead, silver] ~ 휘안광(輝安鑛) [방연광(方鉛鑛), 휘은광(輝銀鑛)].

〖G *Glanz* luster[2] ; cf. GLINT〗

glánce còal *n.* 휘탄(輝炭) ; (특히) 무연탄.

glanc·ing [glǽ(:)nsiŋ ; glɑ́:n-] *a.* **1** 번쩍이는, 반짝거리는, 번득이는. **2** (타격·탄알 따위가) 빗나가는.

~·ly *adv.*

gland[1] [glǽ(:)nd] *n.* 〖解·植〗 **1** 선, 샘 ; 분비기관 : a ductless ~ 내분비선 / a lymphatic [sweat] ~ 림프선[땀샘]. **2** 〖植〗 표면 또는 표면 가까이에 있는 분비 기관·조직.

〖F < L *glandulae* (pl.) throat glands〗

gland[2] *n.* 〖機〗 (피스톤의) 누르개. 〖C19 변형(變形) < ? *glam, glan* vice ; cf. CLAMP[1]〗

glan·ders [glǽndərz] *n.* [단수·복수취급] 〖獸醫〗 비저(鼻疽).

glán·dered *a.* 비저병(鼻疽病)에 걸린.

glánder·ous *a.* 비저성(性)의[에 걸린].

〖OF *glandre* ; ⇨ GLAND[1]〗

glán·di·fòrm [glǽndə-] *a.* 견과(堅果) 모양의 ; 선상(腺狀)의.

glan·du·lar [glǽndʒələr ; -dju-], **-lous** [-ləs] *a.* 선(腺)의[과 같은], 선이 있는 : ~ extract 선 익스트랙트.

〖F ; ⇨ GLAND[1]〗

glándular féver *n.* 〖醫〗 선열(腺熱).

glan·dule [glǽndʒu:l] *n.* 〖解〗 소선(小腺).

glans [glǽ(:)nz] *n.* (*pl.* **glan·des** [glǽndi:z]) 〖解〗 귀두(龜頭) ; 〖植〗 견과(堅果).

〖L＝acorn〗

glare**[1] [glέər, glǽər] *n.* **1** Ⓤ 섬광(閃光), 눈부신 빛, 반짝이는 빛 ; 눈에 띔, 화려함 ; 현란함, 강렬함 : the ~ of the footlights 눈부신 각광(脚光), 무대 위의 화려함 / in the full ~ of the sun [of publicity] 햇빛을 듬뿍 받고[세상의 큰 평판을 얻고]. **2** Ⓒ 노려봄, 쏘아봄. ── *vi.* **1** [動/＋副/＋*on*＋名] 반짝반짝 빛나다, 눈부시게 빛나다 : The sun ~*d* ***down relentlessly ***on*** us. 뙤약볕이 사정없이 우리들을 내리쬐었다. **2** [＋前＋名] 눈을 부라리다, 쏘아보다 : He ~*d* ***at*** me like a bull at a red rag. 붉은 천을 본 황소처럼 붉근 달아서 나를 쏘아보았다 / He ~*d* ***on*** his foe. 적을 노려보았다. **3** 현란하다, (색깔이) 강렬하다. ── *vt.* [＋目/＋目＋前＋名] 눈을 부릅뜨고 (증오·반항의 뜻을) 나타내다 : They ~*d* defiance [anger] ***at*** me. 그들은 나에게 반항[분노]의 눈길을 던졌다.

〖MDu. and MLG *glaren* to glean, glare〗

類義語 (*n.*) ⟹ BLAZE[1]

(*v.*) ⟹ LOOK.

glare[2] *a., n.* 《美·Can.》 (얼음 따위의) 반짝거리고 매끄러운 (표면).

〖? *glare*[1] frost〗

glar·ing [glέəriŋ, glǽər-] *a.* **1** 반짝반짝 빛나는, 눈부신. **2** (색깔이) 현란한, 화려한(garish) ; 눈에 거슬리는. **3** 빤한, 틀림없는 : a ~ lie 빤한 거짓말. **4** 쏘아보는. **~·ly** *adv.* 눈부시게 ; 화려하게 ; 눈에 띄게. **~·ness** *n.*

〖GLARE[1]〗

glary[1] [glέəri, glǽəri] *a.* 반짝반짝 빛나는, 눈부신 (glaring).

〖GLARE[1]〗

glary[2] *a.* 《美》 (얼음처럼) 매끈매끈한.

〖GLARE[2]〗

Glas·gow [glǽ(:)skou, -gou, glǽzgou ; glɑ́:sgəu, glǽz-] *n.* 글래스고《스코틀랜드 남서부의 Clyde 강에 면한 항구 도시》.

glas·phalt [glǽsfɔ̀:lt] *n.* 부순 유리와 아스팔트제의 도로 포장재(材)《상표명》.

〖*glass*＋*asphalt*〗

◇glass [glǽ(:)s ; glɑ́:s] *n.* **1** Ⓤ 유리 ; 유리 모양[질]의 물건 : The vessel is made of ~. 그 용기는 유리 제품이다. **2 a**) 유리 기구 ; 컵 ; 컵[글라스] 한 잔〈*of*〉: a ~ *of* water [milk] 물[우유] 한 컵. **b**) 술잔(＝wine ~) : a ~ *of* wine 한 잔의 술 / He called for ~*es* all round. 일동에게 술잔을 돌리도록 명령했다. **c**) 술(drink) : enjoy [be fond of] one's [a] ~ now and then 가끔 한잔하다, 때로 술을 마시다 / have had a ~ too much

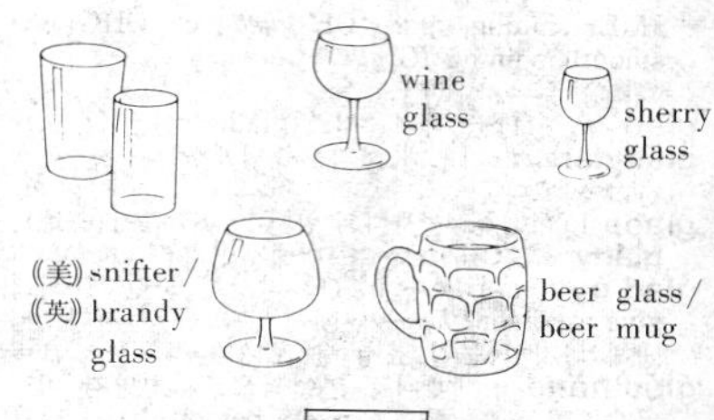

glass

만취되어 있다. **3** Ⓤ [집합적으로] 유리 제품(glassware). **4 a)** 거울(=looking ~) ; 렌즈, 망원경, 현미경 ; 온도계 ; 청우계 ; 모래 시계(sandglass) ; (시계의) 유리 뚜껑(=《美》crystal) : a ship's ~ 망원경. **b)** [*pl.*] 안경(spectacles), 쌍안경(binoculars) : colored[dark] ~*es* 색[검정] 안경 / ☞ BURNING GLASS.

raise one***'s glass to*** a person 남을 위해 축배하다.

under glass 〔園藝〕 온실 속에(서).

— *a.* 유리제의 ; 유리를 끼운, 유리로 덮인 : a ~ bottle 유리병.

— *vt.* **1** [때때로 one*self* 로] 《文語》 (그림자를) 비추다(reflect). **2** …에 유리를 끼우다, 유리로 덮다(glaze) ; 유리처럼 되게 하다, 유리 용기에 밀봉하다. **3** 쌍안경으로 보다[찾다].

— *vi.* 유리처럼 되다 ; 쌍안경으로 찾다.

〖OE *glæs* ; cf. G *Glas*〗

gláss àrm *n.* 〔醫〕 유리팔《야구 선수 등의 건(腱)이 손상된 팔》.

gláss bèll *n.* 종 모양의 유리 덮개, 유리 뚜껑 : under the ~ of …의 보호 밑에.

gláss blóck[**bríck**] *n.* 〔建〕 유리 블록[벽돌].

gláss·blòw·er *n.* 유리 부는 직공[기계].

gláss·blòw·ing *n.* Ⓤ 유리 불기(제법).

gláss cáse *n.* 유리제 용기[진열장].

gláss-cerámic *n.* 글라스세라믹《유리를 열처리하여 만든 결정질 유리 ; 내열성이 뛰어남》.

gláss clòth *n.* 유리실로 짠 천 ; 유리 닦는 헝겊 ; (유리 가루를 천에 바른) 사포(砂布).

gláss·crète *a.* 콘크리트와 유리로 된.

gláss cùlture *n.* 온실 재배.

gláss cùtter *n.* 유리 자르는 것[사람] ; 유리 세공인.

gláss dùst *n.* 연마(硏磨)용 유리 가루.

gláss éye *n.* 유리제의 의안(義眼) ; 말의 흑내장(黑內障).

gláss fìber *n.* 유리 섬유.

gláss·fùl *n.* 컵 한 잔(의 양)〈*of*〉.

gláss·hòuse *n.* **1** 유리 공장(glassworks) ; 유리 가게. **2** 《주로 英》 유리로 만든 집 ; (특히) 온실(greenhouse) ; 《英俗》 군교도소, 영창 ; 유리 지붕의 촬영실 : Those who live in ~*s* should not throw stones. 《속담》 똥 묻은 개가 겨 묻은 개 나무란다.

glásshouse effèct *n.* 〔氣〕 (대기의) 온실 효과(greenhouse effect).

glass·ine [glæsíːn] *n.* Ⓤ 글라신《포장·책 재킷 따위에 쓰임》.

gláss jáw *n.* 《美俗》 (권투 선수의) 펀치에 약한 턱, 유리턱.

gláss·màking *n.* Ⓤ 유리(그릇) 제조술[법].

gláss·man [-mən] *n.* 유리 장수 ; 유리 제조인 ; 유리 직공(glazier).

gláss pànel *n.* 자동차의 앞좌석과 뒷좌석을 칸막이한 유리창.

gláss pàper *n.* 사포(砂布), 사지(砂紙).

gláss snàke *n.* 〔動〕 뱀모습도마뱀《북미 남부산의 발이 없는 도마뱀 ; 꼬리가 잘 자절(自切)됨》.

gláss spònge *n.* 〔動〕 육방해면(海綿), 유리[초자]해면.

gláss strìng *n.* (말레이시아에서 연싸움에 쓰는) 유리 가루를 먹인 연줄.

gláss tànk *n.* 유리 용해로(爐).

glas·steel [glǽsstìːl] *a.* 유리와 강재(鋼材)로 된.

gláss·wàre *n.* Ⓤ [집합적으로] 유리 제품[기구류] 《특히 식탁용 유리 그릇》.

gláss wóol *n.* 유리솜《산(酸)의 여과·패킹·절연·단열·흡음(吸音)용》.

gláss·wòrk *n.* Ⓤ 유리 제조(업) ; 유리 제품[세공] ; 유리 끼우기(glazing).

gláss·wòrk·er *n.* 유리 제조[세공]인.

gláss·wòrks *n.* (*pl.* ~) 유리 공장.

gláss·wòrt *n.* 〔植〕 퉁퉁마디.

glássy *a.* **1** 유리 모양[질]의 ; (수면이) 거울같이 잔잔한. **2** (놀람·권태 따위로) (눈이) 생기가 없는, 흐리멍덩한.

gláss·i·ly *adv.* **-i·ness** *n.*

gláss yárn *n.* 유리실.

glássy-éyed *a.* 흐리멍덩한 (눈의) ; 《美》 (취하여) 거슴츠레한 ; 멍하니 바라보는.

Glas·we·gian [glæswíːdʒiən] *a.*, *n.* Glasgow의 (사람).

〖*Norwegian* 따위의 유추〗

glau·ber·ite [gláubəràit] *n.* 〔鑛〕 글라우버라이트, 석회 망초(石灰芒硝). 〖↓〗

Gláu·ber('s) sált [gláubər(z)-] *n.* 〔化〕 망초(芒硝), 황산(黃酸)나트륨《하제》.

〖Johann R. *Glauber* (d. 1668) 독일의 화학자〗

glauc- [glɔ́ːk, 美+glauk], **glau·co-** [glɔ́ːkou, -kə, 美+gláu-] *comb. form* GLAUCOUS의 뜻. 〖Gk.〗

glau·co·ma [glɔːkóumə, 美+glau-] *n.* Ⓤ 〔醫〕 녹내장(綠內障).

glau·có·ma·tous *a.*

〖L<Gk. ; ⇨ GLAUCOUS〗

glau·co·nite [glɔ́ːkənàit] *n.* 〔鑛〕 해록석.

glàu·co·nít·ic [-nít-] *a.*

glau·cous [glɔ́ːkəs] *a.* **1** 엷은 황록색의, 청색을 띤 회백색의. **2** 〔植〕 (포도·자두 따위) 흰 가루로 덮인.

〖L<Gk. *glaukos* grayish blue〗

glaze [gléiz] *vt.* **1** [+目/+目+副] (창문·사진에) 유리판을 끼우다, (건물에) 유리창을 달다. **2** (도자기에) 잿물[유약]을 칠하다, (그림 따위에) 겉칠을 하다 ; …에 광택제(光澤劑)를 칠하다, 윤을 내다 ; 〔料〕 …에 당의(糖衣)를 입히다. **3** (눈을) 흐리멍덩하게 하다. — *vi.* 유리 모양이 되다 ; (특히) (눈이) 흐릿해지다, 흐려지다.

— *n.* **1** Ⓤ 유리 끼우기 ; 잿물을 바르기 ; 윤내기. **2** 유약, 광택제 ; (그림의) 겉칠물감 ; 〔料〕 글레이즈《윤을 내는 재료》. **3** Ⓤ,Ⓒ (잿물을 바른) 도자기의 표면. **4** 《美》 (길 위에) 물이 얼어붙은 것, 비열음 : a ~ *of* ice.

〖GLASS〗

glazed [gléizd] *a.* **1** 유리(창)을 끼운. **2** 유약을 입힌, 겉칠을 한 ; 윤을 낸. **3** =GLASSY 2.

gláze ìce, glázed fróst *n.* 《英》 비열음《빗물이 과냉각되어 물체 표면에 얼어붙는 현상》.

glaz·er [gléizər] *n.* (도자기의) 잿물 바르는 직공 ; (가죽·모피 따위의) 윤내는 직공 ; (종이의) 윤을 내는 기계[사람], 윤내는 롤러.

gla·zier [gléiʒər ; -zjər] *n.* 유리 직공, 유리 가게 ; 유약(釉藥) 바르는 직공 : Is your father a ~? 《戱》 앞에 가려서니 안보이지 않느냐.

glázier's díamond *n.* 유리 자르는 다이아몬드의 작은 조각.

gláziers' pútty *n.* 유리 직공용 퍼티.

glá·ziery *n.* =GLASSWORK.

glaz·ing [gléiziŋ] *n.* Ⓤ 유리 끼우기[세공] ; 유약 바르기 ; Ⓤ,Ⓒ 유약, 광택제(光澤劑).

glázing-bàr *n.* 《英》 (유리창의) 창살.

glazy [gléizi] *a.* 유리 같은, 유리질(質)의 ; 유약을 칠한 것 같은 ; (눈이) 흐리멍덩한. 〖GLAZE〗

G.L.C. 《英》 Greater London Council. **GLCM** ground-launched cruise missile(지상 발사 순항 미사일). **Gld., gld.** guilder(s) ; gulden(s).

*__gleam__ [glíːm] *n.* **1** 빛, 빛남, 번쩍임(beam, flash), 미광(微光), 어렴풋한 빛. **2** 《비유》 (감정·기지·희망 따위의) 번득임 : a ~ *of* hope. ── *vi.* 번득이다, 번쩍이다, 빛나다 ; 미광(微光)을 발하다. ── *vt.* 번쩍 발하다.
~·ing·ly *adv.* 〖OE *glǣm* ; cf. GLIMMER, OHG *gleimo* glowworm, *glimo* brightness〗
[類義語] ***gleam*** 어둠 속에서 나타나서 곧 사라지는 빛, 혹은 도중에 희미하게 어두워진 빛 : the *gleam* of light from the lighthouse (등대에서 번쩍이는 불빛). ***glimmer*** 깜박거리는 여린 희미한 빛 : the faint *glimmer* of the moon (어렴풋한 달빛).

gléam·er *n.* 얼굴을 윤기나게 하는 화장품.

gléamy *a.* 번득이는, 빛나는 ; 어슴푸레한.

glean [glíːn] *vt.* **1** (이삭을) 줍다, 주워 모으다 ; (밭 따위에서) 베고 남은 곡식을 모으다. **2** [+目/+目+*from*+名] 《비유》 (정보 따위를 단편적으로) 수집하다 : They have ~*ed* various notions ***from*** the films and books. 여러 가지 지식을 영화와 책에서 수집하였다. ── *vi.* 이삭을 줍다[주워 모으다]. **~·er** *n.* 이삭 줍는 사람 ; 수집가. 〖OF<L<? Celt.〗

gléan·ing *n.* Ⓤ 이삭줍기 ; [보통 *pl.*] (주워 모은) 이삭 ; 수집물, 단편적 수록, 선집, 습유집.

glebe [glíːb] *n.* Ⓤ 《詩》 토지(earth), 밭 ; Ⓒ 교회 소속지, 성당 영지. 〖L *gl(a)eba* clod, soil〗

glee [glíː] *n.* **1** Ⓤ 환희(joy), 환락, 흥겨게 떠들기 : in high ~ =full of ~ 무척 기뻐서. **2** 〖樂〗 (무반주의) 3부 또는 그 이상의 합창(곡). 〖OE *glīo, glēo* minstrelsy ; cf. ON *glȳ* joy〗

glée clùb *n.* (남성) 합창단.

glée·ful *a.* 매우 기쁜, 아주 기분좋은 ; 즐거운. **~·ly** *adv.* 매우 기쁘게, 유쾌하게, 아주 기분좋게. **~·ness** *n.*

glée·màiden *n.* 《古》 여자 음유(吟遊) 시인.

glée·man [-mən] *n.* 《古》 (중세의) 음유(吟遊) 시인, 방랑 가인(歌人).

gleep [glíːp] *n.* 〖原子理〗 글리프《저(低)에너지 실험용 원자로》.

Gleeps [glíːps] *int.* 《美俗》 체, 빌어먹을. 〖C20<?〗

glée·some *a.* 《古》 =GLEEFUL. **~·ly** *adv.* **~·ness** *n.*

gleet [glíːt] *n.* Ⓤ 〖醫〗 만성 요도염. **gléety** *a.* 〖OF *glette*〗

Gleit·zeit [*G* gláittsait] *n.* =FLEXTIME. 〖G *gleit*ende Arbeits*zeit* gliding worktime〗

glen [glén] *n.* (스코틀랜드 또는 아일랜드 산간의) 협곡(峽谷), 골짜기(narrow valley). 〖Gael. and Ir. *gleann*〗

glén chéck *n.* [흔히 G~] =GLEN PLAID.

glen·gar·ry [glengǽri] *n.* (스코틀랜드 고지에 사는 사람이 쓰는) 챙 없는 모자. 〖*Glengarry* 스코틀랜드에 있는 골짜기〗

glengarry

gle·noid [glíːnɔid], **-noi·dal** [gliːnɔ́idl] *a.* 〖解〗 움푹한 홈의, 관절와(窩)의 : the ~ cavity 관절와. 〖F<Gk. (*glēnē* socket)〗

glén pláid *n.* [흔히 G~] 바둑판 무늬의 일종 ; 그 직물(glen check). 〖*glen*urquhart (? *Glen* Urquhart : 스코틀랜드의 골짜기)〗

glia [gláiə, glíːə] *n.* 〖解〗 (신경)교(膠). 〖Gk.=glue〗

gli·a·din [gláiədən] *n.* 〖生化〗 글리아딘《밀 따위에 함유된 단순 단백질의 일종》. 〖It. (↑)〗

glib [glíb] *a.* 잘 조잘거리는, 입심좋은 ; 유창한 ; 그럴싸한 ; 거리낌없는. **~·ly** *adv.* 줄줄, 유창하게 ; 그럴싸하게. **~·ness** *n.* 〖*glibbery* (obs.) slippery<? (imit.)〗

*__glide__ [gláid] *vi.* **1** [動/+副/+前+名] 미끄러지다, 스르르 움직이다, 활주하다 ; (시간 따위) 어느덧 지나가다 ; (물이) 소리 없이 흐르다 ; 미끄러지듯 나아가다 ; 휙 날다 ; 〖空〗 활강[활공]하다, 글라이더로 날다(cf. SOAR) : The years ~ ***by*** [*past*]. 세월이 흐른다. **2** [+*into*+名/+副] 점차로 변하다, 점점 없어져서 (…으로) 되다 : Feelings of hostility ~*d* ***into*** those of peculiar courtesy. 적대감이 어느덧 특별한 호의로 변해갔다 / ~ *into* bad habits 어느새 나쁜 버릇이 생기다 / ~ *back into* bad ways 다시금 나쁜 길로 빠져 들어가다. ── *vt.* [+目+副] **1** (비행기를) 활공시키다. **2** (배 따위를) 미끄러지듯 달리게 하다. ── *n.* **1** 미끄러짐, 활주 ; 〖空〗 활공. **2** 미끄럼대[길], 활주대, 진수대《따위》(slide). **3** 〖樂〗 글리산도(glissando) ; 〖音聲〗 이음 소리《한 음에서 다른 음으로 옮아갈 때 자연히 생기는 연결음, 예를 들어 length [léŋkθ]의 [k]음》. 〖OE *glidan* ; cf. G *gleiten*〗
[類義語] ⟹ SLIDE.

glíde bòmb *n.* (날개가 있는) 활공 폭탄.

glíde-bòmb *vt.* 활공 폭격하다.

glíde pàth[slòpe] *n.* 〖空〗 (특히) 계기 비행 때 무선 신호에 의한 활강 진로.

*__glid·er__ [gláidər] *n.* **1** 미끄러지는 사람[것] ; 〖空〗 글라이더, 활공기. **2** (베란다 따위에 두는) 흔들의자.

glid·ing [gláidiŋ] *a.* 미끄러지는 (듯한) ; 활공[활주]의. ── *n.* (스포츠로서의) 활공, 활주 ; 글라이더 경기. **~·ly** *adv.* 미끄러지듯이, 스르르.

glíding àngle *n.* 〖空〗 활공각(滑空角).

glíding shíft *n.* 《英》 FLEXTIME에 의한 교대(交代) 근무(제).

glíding tíme *n.* 《英》 =FLEXTIME.

glim [glím] *n.* 《俗》 등불(lantern), 촛불 ; 《스코》 작은 조각 ; [*pl.*] 안경 ; 눈 ; 창 ; 《俗》 힐끗 보기 : douse[dowse] the ~ 등불을 끄다.

glim·mer [glímər] *vi.* 가물거리다, 깜박이다 (flicker) ; 희미하게 빛나다[반짝이다] : The candle ~*ed* before it went out. 촛불이 가물거리다가 꺼졌다.
go glimmering 《美俗》 소멸하다, 꺼지게 하다 (vanish), 죽다.
── *n.* 명멸하는 빛 ; 희미한 불빛, 미광(微光) ; 어렴풋한 느낌(glimmering) : a ~ *of* hope 한 가닥의 희망.
〖ME<? Scand. ; cf. GLEAM, Swed. *glimra*, G *glimmern*〗
[類義語] ⟹ GLEAM.

glímmer·ing *n.* 희미한 빛, 미광 ; 어렴풋한 느낌 : have a ~ *of* …을 짐작하고 있다, 어렴풋이 알고 있다. ── *a.* 가물거리는.
~·ly *adv.* 깜박깜박 (빛나서), 아련히.

*__glimpse__ [glímps] *n.* 일견, 힐끗 보기, 얼핏 보임 〈*of*〉 ; 《古》 반짝임(gleam).
catch[get, have] a glimpse of …을 힐끗 보다 : I *caught a* ~ *of* the car dash*ing* by. 질주해가는 차를 힐끗 보았다.

—— *vt.* 힐끗 보다, 얼핏 보다. —— *vi.* 얼핏 보이다⟨*at*⟩;《詩》 언뜻 보이다.
〖ME *glimse*; cf. GLIMMER〗
類義語 ⟹ GLANCE[1].

glím wòrker *n.* 《美俗》 축제 따위에서 도수 없는 안경을 파는 노천 상인.

glint [glínt] *vi., vt.* 반짝이다, 반짝반짝 빛나다; 반짝이게 하다; 반짝반짝 반사하다[시키다]. —— *n.* 번득임, 반짝임 (flash). 〖ME *glent* < ? Scand.; cf. Swed. *glänta, glinta* to slip, shine〗

gli·o·ma [glaióumə, gli-] *n.* (*pl.* **~s, -ma·ta** [-tə]) 〘醫〙 신경 교종(膠腫). **gli·ó·ma·tous** *a.*

glis·sade [glisá:d, -séid] *n.* 〘登山·스키〙 글리사드《제동 활강(制動滑降)》; (발레의) 활보(滑步). —— *vi.* 글리사드로 내려오다; 활보로 춤추다; (일반적으로) 미끄러지다.
〖F (*glisser* to slip, slide)〗

glis·san·do [glisá:ndou; -sǽn-] *n.* (*pl.* **-di** [-di:], **~s**) 〘樂〙 글리산도, 활주(滑奏) (법)《키(key)나 줄에서 손가락을 신속히 미끄러지듯 놀리는 연주법》. —— *adv., a.* 미끄러지듯이[한].
〖It. < F (↑)〗

glisse·ment [*F* glismɑ̃] *n.* 미끄러지기, 활주.

***glis·ten** [glísən] *vi.* 반짝반짝 빛나다[비추다], 반짝거리다: eyes ~*ing* with tears 눈물로 반짝이는 눈. —— *n.* 반짝거림, 섬광.
~·ing·ly *adv.* 반짝반짝 (빛나고).
〖OE *glisnian* (*glisian* to shine)〗

glis·ter [glístər] *vi., n.* 《古》 =GLISTEN; =GLITTER.

glitch [glítʃ] *n.* 《美俗》 (기계 따위의) 돌연[사소]한 고장; 《俗》 전류의 순간적 이상, 잘못된 전기적 신호; 〘天〙 (pulsar 따위에 의한) 펄스 주기의 급격한 변화. —— *vi.* 〘天〙 글리치가 생기다.
glítchy *a.* 〖Yid.〗

***glit·ter** [glítər] *vi.* [動 / +*with*+名] 반짝반짝 빛나다, 반짝거리다; (의복 따위가) 화려하다, 야하다, 눈에 띄다: All is not gold that ~*s.* ☞ ALL *pron.* 1 / The rich lady ~*ed* **with** jewels. 그 돈 많은 숙녀는 보석으로 화려하게 꾸몄다. —— *n.* Ⓤ 반짝임, 빛남; 눈부시게 아름다움, 화려, 광휘(光輝), 광채.
〖ON *glitra*; cf. G *glitzern, gleissen*〗
類義語 ⟹ FLASH.

glit·te·ra·ti [glìtərá:ti] *n. pl.* 《口》 사교계의 사람들(beautiful people).
〖*glitter*+-*ati* (cf. *literati*)〗

glítter ìce *n.* 《Can.》 (비가 급격히 얼어 생긴) 비얼음, 우빙(雨氷).

glítter·ing *a.* 밝게 빛나는, 번쩍이는; 화려한, 눈부시게 아름다운, 겉만 번지르르한.

glítter róck *n.* 글리터 록《부기우기 중심의 단순한 로큰롤로 번쩍거리는 의상과 화장으로 연주[노래]함》.

glít·tery *a.* =GLITTERING.

glitz [glíts] *n.* 《美·Can.》 (외견·분위기 따위가) 어지러울 정도로 눈부신 것[상태], 현란한 것[상태]; 눈부심, 현혹(眩惑). 〖역성(逆成) < ↓〗

glitzy [glítsi] *a.* 《美·Can.》 어지러울 정도로 눈부신(dazzling), 현란한(showy), 번지르르한.
〖G *glitzern* to glitter+-*y*[4]〗

GLM graduated length method.

gloam [glóum] *n.* 《古》 땅거미(evening dusk).
〖역성(逆成) < ↓〗

gloam·ing [glóumiŋ] *n.* 《詩》 땅거미, 황혼 (dusk). 〖OE *glōmung* (*glōm* twilight; GLOW와 같은 어원)〗

gloat [glóut] *vi.* [+前+名] 흡족한 듯이[기쁜듯이·홀린듯이] 바라보다, 빙그레 웃다; 고소한 듯이 바라보다: He ~*ed* **over** his gold[(**up**)**on** a heap of treasure]. 자신의 황금을 보고 기쁨에 넘쳤다[많은 보물을 홀린듯이 바라보았다]. —— *n.* 만족하여 기뻐하기, 득의의 미소를 짓기. **~·er** *n.* **~·ing·ly** *adv.* 만족한 듯이, 혼자 흡족해 하며.
〖C16 < ? Scand. (ON *glotta* to grin); cf. G *glotzen* to stare〗

glob [gláb] *n.* (액체의) 작은 방울, 덩어리.
〖*blob*의 영향으로 *globe*에서인가〗

glob·al [glóubəl] *a.* 공 모양의; 안구(眼球)의; 지구의; 세계적인, 전세계에 걸친(worldwide); 포괄적인, 전체적인(entire): a ~ war 세계 대전 / the dream of ~ peace 세계 평화의 꿈.

glóbal·ìsm *n.* 세계화 (추진) 정책, 세계화; 세계적 관여주의[정책].

glóbal·ìze *vt.* 세계적으로 하다, 세계화하다, 전세계에 퍼뜨리다[미치게 하다].
glòbal·izátion *n.* 세계화.

glóbal tectónics *n.* =PLATE TECTONICS.

glóbal víllage *n.* 지구촌《통신 수단의 발달로 일체화한 세계》. 〖M. McLuhan의 조어(造語)〗

glóbal wárming *n.* 지구 온난화.

glo·bate [glóubeit] *a.* 공 모양의(spherical).

***globe** [glóub] *n.* **1** 공, 구체(ball). **2** [the ~] 지구(the earth); 천체《태양·유성 따위》; 지구의(儀), 천체의(儀): the whole habitable ~ 전세계. **3** 공 모양의 것; 금구(金球)《제왕권의 표상》; 〘解〙 안구(眼球); 공 모양의 유리 기구《램프의 등피·전구·어항 따위》; 《俗》 유방, 젖(통이). —— *vt., vi.* 공 모양으로 하다[되다].

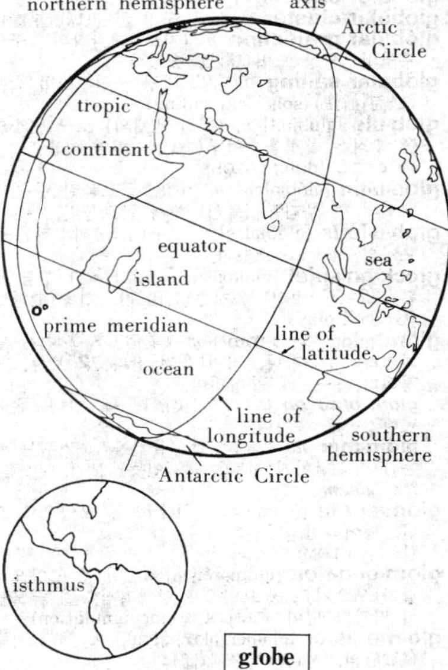

globe

~·like *a.* 〖F or L *globus*〗
類義語 ⟹ EARTH.

glóbe àmaranth *n.* 〔植〕 천일홍.

glóbe àrtichoke *n.* 〔植〕 =CARDOON.

glóbe·fish *n.* 〔魚〕 **1** 검복(puffer). **2** 개복치.

glóbe·flòwer *n.* 〔植〕 금매화(金梅花).

glóbe lìghtning *n.* 〔氣〕 구상(球狀) 번개(ball lightning).

Glóbe Théatre *n.* [the ~] 지구[글로브] 극장 《1599년 London의 Southwark에 세워진 Shakespeare극의 초연(初演) 극장》.

glóbe-tròtter *n.* 《口》 세계 관광 여행가, 세계 만유(漫遊)가.
glóbe-tròt *n., vi.* **glóbe-tròtting** *n., a.*

glóbe vàlve *n.* 〔機〕 글로브 밸브.

glo·big·e·ri·na [gloubìdʒəráinə] *n.* (*pl.* **-nae** [-ni:], ~**s**) 〔動〕 글로비게리나《유공충류(有孔蟲類)에 속하는 바다산(產) 원생동물》.
〖NL (GLOVE, *gero* to carry)〗

globigerína òoze *n.* (바다 밑의) 글로비게리나 연니(軟泥).

glo·bin [glóubən] *n.* Ⓤ 〔生化〕 글로빈《헤모글로빈 속의 단백질 성분》.

glo·boid [glóubɔid] *a.* 공 같은 모양의.
— *n.* 구상체(球狀體).

glo·bose [glóubous] *a.* 공 모양의; 둥그스름한 (rounded). ~·**ly** *adv.* 공 모양으로, 둥글게.
glo·bos·i·ty [gloubásəti] *n.* Ⓤ 구형, 공 모양.

glob·u·lar [glábjələr] *a.* 공 모양의; 소구체(小球體)로 된; 세계적인. ~·**ly** *adv.* 공 모양으로. ~·**ness** *n.* **glob·u·lar·i·ty** [glɑ̀bjəlǽrəti] *n.*
〖GLOBULE〗
類義語 ⟹ ROUND.

glóbular chárt *n.* 구면(球面) 투영 지도.

glóbular clúster *n.* 〔天〕 구상 성단(球狀星團).

glóbular projéction *n.* (지도 제작상의) 구면 투영법, 구상 도법(球狀圖法).

glóbular sáiling *n.* 〔海〕 대권[구면] 항법(大圈[球面]航法) (spherical sailing).

glob·ule [glábju:l] *n.* (특히 액체의) 소구체(小球體); 작은 물방울; 혈구(血球); 환약(丸藥).
〖F or<L (dim.) ‹GLOBE〗

glob·u·lin [glábjələn] *n.* 〔生化〕 글로불린《단순 단백질의 한 무리》, (특히) 혈청 글로불린.

glob·u·lous [glábjələs] *a.* 소구(小球)의; 작은 공 모양의, 물방울 모양의.

glock·en·spiel [glákənspì:l, -ʃpì:l] *n.* **1** 철금(鐵琴). **2** (한 벌의) 음계종(音階鐘), 편종(編鍾).
〖G=bell play〗

glom [glám] *v.* (-**mm**-) *vt.* 《美俗》 **1** 훔치다, 날치기하다; 붙잡다, 거머[움켜]잡다. **2** 보다, 구경하다. — *vi.* 붙잡히다.
glom onto [***on to***] ... 《美俗》 …을 잡다, 손에 넣다; …을 훔치다.
glóm·mer *n.* 《美俗》 **1** (물건을 움켜쥐는[채는]) 손; 날치기《사람》. **2** (언뜻) 보기.
〖Sc. *glaum* < ?〗

glom·er·ate [glámərət, -rèit] *a.* 공 모양으로 모인, 덩어리진, 밀집해 있는.
〖L; ⇨ GLOMUS〗

glom·er·a·tion [glɑ̀məréiʃən] *n.* Ⓤ 공 모양으로 감기[모으기]; 공 모양으로 덩어리짐; Ⓒ 공 모양의 딱딱한 덩이; 집괴(集塊) (accumulation).

glo·mer·u·lar [gləmérjələr, glou-] *a.* 〔解〕 사구(絲球)의, 신(腎)사구체(體)의.

glom·er·ule [glámərjù:l] *n.* 〔植〕 집단 꽃차례《취산(聚繖) 꽃차례의 일종》.
〖L (dim.) < GLOMUS〗

glo·mer·u·lo·nephrítis [gləmèrjəlou-] *n.* 〔醫〕 사구체 신염(腎炎).

glo·mer·u·lus [gləmérjələs, glou-] *n.* (*pl.* **-li** [-lài, -lì:]) 〔解〕 (신장 및 그밖의) 사구체.

glo·mus [glóuməs] *n.* (*pl.* **glom·era** [glámərə]) 〔解〕 사구(체), 글로머스《모세 혈관의 작은 모임》.
〖L=ball〗

glon·o·in [glánouən] *n.* Ⓤ 〔藥〕 글로노인《협심증 치료제인 니트로글리세린》.

***gloom** [glú:m] *n.* **1** Ⓤ 어둠, 어두어둑함, 음영(陰影), 암흑(darkness). **2** [때때로 *pl.*] 어두운 곳[나무 그늘]: the ~*s* of London. **3** Ⓤ (마음의) 침울, 우울: chase one's ~ away 우울한 기분을 없애다. **3** 우울한 표정. — *vi., vt.* 어두어둑해지다[하게 하다]; 침울[우울]해지다[하게 하다]; 어두운 표정을 짓다, 괴로운 표정을 하다.
~·**ful** *a.* ~·**less** *a.*
〖ME *gloum(b)e* to look sullen< ?; cf. GLUM〗

glóom·ster *n.* 비관론자《불황이나 천재(天災)를 역설, 불안감을 조장하여 자기의 저서나 기사를 팔려고 하는 사람》.

***glóomy** *a.* (보통 **glóom·i·er, -i·est**) 어두운, 음산한, 음울한(dark); 울적한, 우울한(melancholy), 침울한; 기분을 어둡게 하는; 희망이 없는, 음침한(cheerless).
glóom·i·ly *adv.* **-i·ness** *n.*
類義語 ⟹ DARK.

glop [gláp] *n.* 《美俗》 **1** 맛없는[곤죽같은] 음식; 걸쭉한 것; 뒤섞여 있는 것. **2** 감상적임. — *vt.* (-**pp**-) …에 걸쭉한 것을 얹다〈*up*〉; (걸쭉한 것을) 음식에 치다. **glóp·py** *a.*
〖imit.; cf. *glop* (obs.) to swallow greedily〗

Glo·ria [glɔ́:riə] *n.* **1** (기도서(the Liturgy) 중의) 영광의 찬가, 찬미가, 송영(頌詠)가. **2** [g~] 후광(後光), 원광(圓光)(halo). **3** 여자 이름.
〖L or It.=glory〗

Glória ìn Ex·cél·sis (Déo) [-ìn ekstʃélsəs (déiou), -ekʃél-] *n.* 영광송, 「지극히 높은 곳에서는 하느님께 영광이오」의 찬가.
〖L=glory (to God) on high〗

Glória Pá·tri [-pá:tri] *n.* 영송, 「성부와 성자와 성신께 영광이 있을지어다」의 찬가.
〖L=glory to the Father〗

Glória Tí·bi [-tí:bi] *n.* 글로리아 티비, 「그대에게 영광이 있을지어다」의 찬가.
〖L=glory to thee〗

glo·ri·fi·ca·tion [glɔ̀:rəfəkéiʃən] *n.* **1** Ⓤ (신의) 영광을 찬송하기; 찬미; 칭찬[찬미]받기; 미화(美化). **2** Ⓤ 《口》 축제, 축연(celebration).

glo·ri·fy [glɔ́:rəfài] *vt.* **1** (신의) 영광을 찬송하다, 찬미하다. **2** (사람·행동 따위를) 칭송[칭찬]하다; …에게 영광을 주다: ~ a hero 영웅을 칭송하다. **3** [주로 *p.p.*로] 미화하다, 꾸미다.
-fi·er *n.* 찬미자; 칭송자.

glo·ri·ole [glɔ́:riòul] *n.* 후광, 원광, 광배(光背).

***glo·ri·ous** [glɔ́:riəs] *a.* **1** 영광[영예]스러운, 명예의, 혁혁한, 빛나는, 훌륭한: a ~ day 영광스러운 날; 좋은 날씨 / die a ~ death 명예롭게 죽다. **2** 거룩한; 찬란한; 장엄[장려]한. **3** 《口》 유쾌한, 굉장한, 멋진; 기분이 좋은, 거나한: a ~ view 절경(絕景) / ~ fun 통쾌 / have a ~ time [holiday] 매우 즐거운 시간[휴일]을 보내다.
~·**ly** *adv.* ~·**ness** *n.*
〖AF<L; ⇨ GLORY〗
類義語 ⟹ SPLENDID.

Glórious Fóurth *n.* [the ~] 《美》 (7월 4일의)

독립 기념일.
Glórious Revolútion *n.* [the ~] 〖英史〗 명예혁명(1688-89).
***glo·ry** [glɔ́:ri] *n.* **1** Ⓤ 영광, 영예, 명예. **2** Ⓤ 영화 ; 성공[번영]의 절정, 전성(全盛) ; 큰 기쁨, 큰 자랑. **3** Ⓤ 장관, 미관 ; 광휘(光輝), 화려함 : the ~ of a sunset 일몰(日沒)의 장관(壯觀). **4** Ⓤ (신의) 영광 ; (하늘의) 영광, 영화. **5** 후광, 광륜(光輪) (halo) ; 〖美術〗 원광, 광배(光背). **6** 자랑스러운 것 : the *glories* of Rome 로마제국의 위업(偉業).
***Glory* (*be*)!** 〖<Glory be to God〗 《口》 놀랍다 !, 고맙다 !, 기쁘도다 !
go to glory 《口》 죽다.
in** one's **glory 환희의 절정에, 전성기에 ; 《口》 기쁨에 차서, 의기 양양해서.
send** a person **to glory 《戲》 남을 천당으로 보내다, 남을 죽이다.
— *vi.* [+*in*+名] 기뻐하다 ; 자랑으로 여기다, 뽐내다 : He *glories* ***in*** his success[my defeat]. 그는 자신의 성공을 뽐내고[나의 실패를 기뻐하고] 있다 / They *gloried in* giv*ing* their lives for their country. 나라를 위하여 생명을 바치는 것을 자랑으로 여겼다.
〖AF and OF *glorie*<L GLORIA〗
glóry bòx *n.* 《濠》 결혼을 앞둔 여성의 의상함.
glóry hòle *n.* (유리의) 용해로 ; 《俗·方》 잡동사니를 넣어 두는 서랍[방] ; 〖海〗 =LAZARETTO.
Glos. Gloucestershire.
***gloss**[1] [glás, glɔ́(:)s] *n.* **1** Ⓤ (비단 따위의) 광택, 윤, 윤기 ; Ⓒ 광택면(面). **2** [a~] Ⓤ 허식, 겉치레, 허영.
put*[*set*] *a gloss on …에 광을 내다.
— *vt.* **1** …에 광택[윤]을 내다, 닦다, (비단 따위를) 윤나게 하다. **2** [+目 / +目+副] 그럴싸하게 둘러대다[설명하다], 핑계대다, 속이다, 억지 쓰다 : He ~*ed* ***over*** his errors[the flaws in the woodwork]. 자신의 과실을 용케 둘러댔다[목조(木彫)의 흠을 재주좋게 때웠다]. — *vi.* 광택[윤]이 나다. **~·er** *n.* **1** 광택[윤]을 내는 것. **2** =LIP-GLOSS. **~·less** *a.*
〖C16<? Scand. (*glossa* to glow)〗
gloss[2] *n.* **1** 어구 주해(語句註解), 주석(註釋) ; (일반적으로 간결한) 평주(評註), 주해, 해설. **2** 그럴듯한 설명, 억지 해석. **3** =GLOSSARY.
— *vt.* 주해[주석]하다.
〖GLOZE[1] ; L *glossa*에 준한 것〗
gloss- [glás, glɔ́(:)s], **glos·so-** [glásou, glɔ́(:)-, -sə] *comb. form* 「혀」「언어」의 뜻.
〖Gk. GLOSSA〗
gloss. glossary.
glos·sa [glásə, glɔ́(:)sə] *n.* (*pl.* **-sae** [-si:, -sai], **~s**) 〖昆〗 가운데혀 ; 〖解〗 혀(tongue, lingua).
glós·sal *a.* 〖NL<Gk.〗
glos·sar·i·al [glɑséəriəl, glɔ(:)-, -sǽər-] *a.* 어휘의 : a ~ index 어휘 색인(索引).
glos·sa·rist [glásərəst, glɔ́(:)-] *n.* 어휘 편집[주해]자 ; 용어사전 편자.
glos·sa·ry [glásəri, glɔ́(:)-] *n.* 어휘, 용어 해석, (어려운 말·폐어·술어 따위의) 소사전〈*to, of*〉.
〖L ; ⇨ GLOSS[2]〗
glos·sa·tor [glɑséitər, glɔ(:)-] *n.* =GLOSSARIST ; (특히 중세의) 로마법과 교회법 주석자.
glos·sec·to·my [glɑséktəmi, glɔ(:)-] *n.* 〖醫〗 혀 절제(술).
glos·se·mat·ics [glɑ̀səmǽtiks, glɔ̀(:)-] *n.* 언어 기호학, 언리학(言理學).
glos·si·tis [glɑsáitəs, glɔ(:)-] *n.* Ⓤ 〖醫〗 설염.
glos·sóg·ra·pher *n.* 주석자, 주해자.
glos·sog·ra·phy [glɑságrəfi, glɔ(:)-] *n.* 어휘 주해, 용어 해설.
glos·so·la·lia [glɑ̀səléiliə, glɔ̀(:)-] *n.* 〖基〗 방언(方言), 어학의 재능(gift of tongues).
glos·sol·o·gy [glɑsálədʒi, glɔ(:)-] *n.* 《古》 언어학 ; 명명법 ; 술어학(nomenclature).
glóssy *a.* (보통 **glóss·i·er, -i·est**) **1** 광택[윤]이 나는, 번지르르한. **2** (잡지가) 광택지(紙)에 인쇄된, 광택지로 된 잡지의. **3** 모양이 좋은 ; 그럴듯한(plausible). — *n.* 《口》 광택지의 (대중) 잡지 ; 상류 사회[사교계]의 생활을 묘사한 영화.
glóss·i·ly *adv.* **-i·ness** *n.*
〖GLOSS[1]〗
glóssy magazíne *n.* 광택지의 잡지(slick)《복식(服飾) 디자인 잡지 따위》.
-glot [glɑ̀t] *a. comb. form* 「(몇개인가의) 언어에 통달하고 있는」의 뜻 : poly*glot*.
〖Gk. (↓)〗
glott- [glɑ̀t], **glot·to-** [glátou, -ə] *comb. form* 「언어」의 뜻. 〖Gk. ; ⇨ GLOTTIS〗
glot·tal [glátl] *a.* 〖解〗 성문(聲門)의.
glóttal stóp[**cátch, plósive**] *n.* 〖音聲〗 성문(聲門) 폐쇄음.
glot·tic [glátik] *a.* =GLOTTAL.
glot·tis [glátəs] *n.* (*pl.* **~·es, glot·ti·des** [-tədì:z]) 〖解〗 성문(聲門).
〖NL<Gk. (*glōtta*‹*glōssa* tongue)〗
glòtto·chronólogy *n.* Ⓤ 언어 연대학(年代學).
Glouces·ter [glástər, glɔ́(:)-] *n.* **1** 글로스터《잉글랜드 Gloucestershire 주(州)의 주도》; =GLOUCESTERSHIRE. **2** Ⓤ 글로스터 치즈.
Glóuces·ter·shire [-ʃìər, -ʃər] *n.* 글로스터셔《잉글랜드 남서부의 주 ; 주도 Gloucester ; 略 Glos.》.
◊**glove** [glʌv] *n.* **1** 장갑 ; 〖野〗 글러브(cf. MITT) ; 권투용 글러브(=boxing ~) ; 《비유》 (야구의) 수비 능력. **2** (중세 기사(騎士)의) 손등·팔의 보호구(具).
be hand in*[*and*] *glove with …와 매우 친하다 ; …와 한패다.
fit like a glove 꼭 맞다.
handle with*[*without*] (*kid*) *gloves 친절하게[무자비하게] 다루다.
put on the gloves 《口》 권투하다(box).
take off the gloves 본격적으로 싸우다.
throw down*[*take up*] *the glove 도전하다[…에 응하다].

〈회화〉
Excuse my *glove*. — Oh, that's quite all right.
「장갑 낀 채라 죄송합니다」「아뇨, 괜찮습니다」

— *vt.* **1** 에 장갑을 끼다 ; …에게 장갑 구실을

glove

mitten

boxing glove

baseball mitt
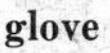
glove

하다. **2** 〔野〕 (공을) 글러브로 잡다.
~·less *a.* **~·lìke** *a.*
〖OE *glōf* ; cf. ON *glōfi*〗

glóve bòx *n.* **1** 방사성 물질 따위를 다루기 위한 밀폐 투명 용기《밖에서 부속 장갑으로 조작함》; 부속 장갑으로 조작하는 내부 환경이 조절된 용기. **2** 《英》 =GLOVE COMPARTMENT ; 장갑(을 넣어 두는) 상자.

glóve compàrtment *n.* (자동차 운전대 앞 계기판에 달린) 연장함.

glóve dòll[**pùppet**] *n.* 손가락 인형(hand puppet).

glóve màn *n.* 《美俗》 〔野〕 수비 요원.

glóve mòney *n.* (하인에게 주는) 팁, 행하.

glov·er [glʌ́vər] *n.* 장갑 제조인 ; 장갑 장수.

glóves-óff *a.* 《口》 엄한, 심한, 무정한, 거친 (harsh).

glóve spònge *n.* 장갑 모양의 해면.

***glow** [glóu] *n.* [the ~, a ~] **1** 백열(白熱), 적열 ; 백열광, 빨간빛. **2** 불타는 듯한 빛깔, 훤한 불빛 ; (뺨의) 홍조 : *the* ~ of sunset 저녁놀. **3** (몸의) 달아오름, 따뜻함 ; 만족감, 기쁨에 찬 마음 ; 열중[열렬]한 표정 : *the* ~ of new love 새로운 사랑의 행복감.
all of a glow =***in a glow*** 달아올라서, 빨갛게 빛나서.
—— *vi.* [動/+*with*+名] **1** 가열되어 빛나다, 백열광을 내다 ; 백열하다, 빨갛게 달다 ; (램프·반딧불 따위가) 빛을 내다 : The western sky was ~*ing* ***with*** purple and crimson. 서쪽 하늘은 진홍색으로 타오르고 있었다. **2** (색깔이) 훤히 빛나다, 타는듯하다 ; (뺨이) 홍조(紅潮)가 되다 ; (몸이) 훈훈해지다 ; 감정이 복받치다, 격정[분노]에 불타다 ; (자랑 따위로) 흥분하다 : As the boy watched the steamboat, his eyes ~*ed*. 그 증기선을 바라보고 있을 때 소년의 눈에서는 광채가 났다. 〖OE *glōwan* ; cf. G *glühen*〗

glów dischàrge *n.* 〔電〕 글로 방전(放電)《저압 가스 속에서의 소리 없는 발광 방전》.

glów·er[1] *n.* 발광체(發光體), 네른스트 전등의 발광체. 〖GLOW〗

glow·er[2] [gláuər] *vi.* [+*at*+名] 못마땅한 표정을 하다, 불쾌한 표정으로 보다, 노려보다 : The fighter ~*ed* ***at*** his opponent. 투사는 상대를 노려보았다. —— *n.* (무서운 얼굴을 하고) 노려봄 ; 언짢은 얼굴.
~·ing *a.* **~·ing·ly** *adv.* 언짢은 얼굴을 하고서.
〖? Sc.<ME *glore*<LG or Scand. ; 일설에 ME *glow* (obs.) to stare, *-er*[3]〗

glów·flỳ *n.* =FIREFLY.

glów·ing *a.* 백열[적열]하고 있는, 새빨간(red-hot) ; 열중하고 있는, 열렬한(enthusiastic) ; 맹렬한 ; (색깔 따위) 강렬한, 선명한 ; 벌겋게 달아오른, (뺨이) 홍조된.
~·ly *adv.*

glów làmp *n.* 글로 전구[램프]《지시등·토키·녹음 장치 따위에 쓰임》.

glów·wòrm *n.* 〔昆〕 개똥벌레 따위의 애벌레《땅속에서 미광을 냄 ; cf. FIREFLY》.

glox·in·ia [glɑksíniə] *n.* 〔植〕 글록시니아.
〖B. P. *Gloxin* 18세기 독일의 식물학자〗

gloze[1] [glóuz] *vi.* 그럴듯한 설명을 붙이다, 그럴듯하게 얼버무리다〈*over*〉; 알랑거리다 ; …에 주석을 달다. —— *vi.* 《廢》 알랑거리다. —— *n.* 《古》 주석 ; 아첨 ; 아부 ; 속임수, 거짓.
〖OF=to comment ; ⇨ GLOSSA, GLOTTIS〗

gloze[2] *vi., vt.* 《스코》 빛나(게 하)다(shine).
—— *n.* 빛남, 불꽃.
〖? GLOSS[1]〗

GLP Good Laboratory Practice(의약품 안정성 시험 실시 기준). **glt.** gilt.

gluc- [glúːk, glúːs], **glu·co-** [glúːkou, -kə] *comb. form* 「포도당」「《稀》 당(糖)」의 뜻.
〖Gk. ; ⇨ GLUCOSE〗

glu·ca·gon [glúːkəgɑ̀n, -gən] *n.* 〔生化〕 글루카곤《이자의 α세포에서 분비되는 호르몬으로 간장의 포도당 분해를 촉진하여 혈당치를 높임》.

glu·cin·i·um [gluːsíniəm], **glu·ci·num** [gluːsáinəm] *n.* Ⓤ 〔化〕 글루시늄《금속원소 ; 기호 Gl ; BERYLLIUM의 옛 이름》.

glùco·génic *a.* 〔生化〕 포도당 생성의.

glu·cón·ic ácid [gluːkɑ́nik-] *n.* 〔化〕 글루콘산.

glùco·recéptor *n.* 〔生理〕 글루코리셉터《포도당의 존재에 예민한 반응을 나타내는 뇌신경 세포》.

glu·cos·amine [gluːkóusəmìːn, -zə-] *n.* 〔生化〕 글루코사민《갑각류(甲殼類)·곤충의 키틴질(質)에 함유된 천연 아미노당》.

glu·cose [glúːkous] *n.* Ⓤ 〔化〕 포도당.
glu·cos·ic [gluːkɑ́sik] *a.*
〖F<Gk. *gleukos* sweet wine〗

glu·co·si·dase [gluːkóusədèis, -z] *n.* 〔生化〕 글루코시다아제《글루코시드의 가수(加水) 분해를 촉매하는 효소》.

glu·co·side [glúːkəsàid] *n.* 〔化〕 글루코시드, 배당체(配糖體).

glu·cu·rón·ic ácid [glùːkjərɑ́nik-] *n.* 〔生化〕 글루쿠론산(酸).

***glue** [glúː] *n.* Ⓤ 아교 ; (일반적으로) 풀, 접착제 : instant ~ 순간 접착제.
stick like glue to a person 남에게 귀찮게 붙어 다니다.
—— *v.* (**glú(e)·ing**) *vt.* **1** [+目/+目+副/+目+前+名] 아교[풀]로 붙이다, 접착제로 붙이다 : ~ a broken cup ***together*** 깨진 컵을 접착제로 붙이다 / He ~*d* his photograph ***into*** his passport. 그는 패스포트에 사진을 풀로 붙였다. **2** [주로 *p.p.*로] [+目+*to*+名] 들러붙어 떨어지지 않다 ; 집중하다(concentrate upon), (눈 따위를) 고정시키다 : The girl is always ~*d* ***to*** her mother. 소녀는 항상 어머니에게 붙어 있다 / He listened with his ear ~*d* ***to*** the keyhole. 열쇠 구멍에 귀를 대고 듣고 있었다. —— *vi.* 아교[접착물]에 달라붙다.
glue up ☞ *vt.* 1 ; 봉하다(seal up), 밀폐하다.
glú·er *n.* 〖OF<L *glus* GLUTEN〗

glúed *a.* (눈, 귀 따위를) (…에) 착 붙여서 떼지 않는 ; (…에) 열중한, 집중한.
glued to the television 《俗》 텔레비전에 달라붙어서.

glúe-fàst *a.* 롤러식으로 풀을 붙이는.

glúe pòt *n.* 아교 냄비.

glúe snìffing *n.* 본드[시너] 냄새맡기.

glú·ey *a.* (보통 **glú·i·er** ; **-i·est**) 아교를 칠한 ; 아교질[모양]의, 척척 들러붙는(sticky).
glú·i·ly *adv.*

glug [glʌ́g] *n.* 《口》 (물 따위의) 콸콸하는 소리, 꿀꺽꿀꺽《물을 마시는 소리》.
—— *vi.* (**-gg-**) 콸콸 소리를 내다.
〖imit.〗

glum [glʌ́m] *a.* (**glúm·mer** ; **glúm·mest**) 무뚝뚝한, 부루퉁한, 울적한(sullen).
~·ly *adv.* **~·ness** *n.*
〖*glum* (dial.) to frown, GLOOM〗
類義語 ⟹ SULLEN.

glume [glúːm] *n.* 〖植〗 까끄라기, 포영(苞穎).
glum·ose [glúːmous] *a.* 〖L *gluma* husk〗
glut [glʌ́t] *v.* (**-tt-**) *vt.* **1** [+目/+目+*with*+名] 배불리 먹이다, (식욕·욕망을) 채워주다 : ~ one's appetite 식욕을 충분히 만족시키다 / He ~*ted* him*self* ***with*** food[drink]. 실컷 먹었다[마셨다]. **2** 물리게 하다, 마음껏 …하다 : ~ one's eyes 싫증날 정도로 바라보다 / ~ one's revenge 마음껏 한을 풀다. **3** [+目/+目+*with*+名] (시장에) (상품을) 과도하게 공급하다, 과잉 공급하다(overstock) ; (길을) 막히게 하다 : The market was ~*ted* ***with*** wheat. 시장에는 밀이 남아 돌았다. —— *vi.* 마음껏 먹다 ; 생각대로 행동하다.
—— *n.* 과다, 충족 ; 포식, 과식, 물리기 ; (상품의) 공급 과잉 : a ~ of fruit 남아도는 과일 / a ~ in the market 시장의 재고 과잉.
〖? OF *gloutir* to swallow ; ⇨ GLUTTON〗
glu·tám·ic ácid [gluːtǽmik-] *n.* 〖化〗 글루탐산. 〖*glu*ten+*am*ino+-*ic*〗
glu·ta·mine [glúːtəmìːn] *n.* Ⓤ 〖化〗 글루타민《아미노산의 일종》.
〖*glu*ten+*amine*〗
glu·tár·ic ácid [gluːtǽrik-] *n.* 〖化〗 글루타르산(酸)《유기 합성에 쓰임》.
glu·ta·thi·one [glùːtəθáioun, -θaióun] *n.* 〖生化〗 글루타티온《생체내의 산화 환원(酸化還元) 기능에 중요한 작용을 함》.
glu·te·al [glúːtiəl, gluːtíːəl] *a.* 〖解〗 둔부(臀部)의, 둔근(臀筋)의 : ~ cleft 둔열(臀裂).
glu·te·lin [glúːtələn] *n.* 〖生化〗 글루텔린《식물성 단순 단백질의 하나》.
glu·ten [glúːtən] *n.* Ⓤ 〖化〗 글루텐.
glu·ten·ous [glúːtənəs] *a.* 글루텐상(狀)의, 글루텐을 많이 함유한.
〖F<L=glue〗
glúten brèad *n.* 글루텐 빵《gluten flour로 만든 빵 ; 당뇨병 환자용》.
glúten flòur *n.* 글루텐 밀가루《밀가루에서 녹말을 대부분 뺀 것 ; gluten bread의 원료》.
glu·te·us [glúːtiəs, gluːtíːəs] *n.* (*pl.* **-tei** [glúːtiài, -tiìː, gluːtíːai, -iː]) 〖解〗 둔근(臀筋). 〖L〗
glut·fla·tion [glʌtfléiʃən] *n.* 글러트플레이션《상품이 남아 도는데도 가격이 상승하는 현상》.
〖*glut*+in*flation*〗
glu·ti·nous [glúːtənəs] *a.* 아교질의 ; 점착(粘着)성이 있는, 끈적끈적한 : ~ rice 찹쌀. **~·ly** *adv.* **~·ness** *n.* **glu·ti·nos·i·ty** [glùːtənɑ́səti] *n.* Ⓤ 점착성(粘着性), 끈적끈적함.
〖F or L ; ⇨ GLUTEN〗
glu·tose [glúːtous] *n.* 〖化〗 글루토오스《케토헥소오스의 하나로 비발효성》.
glut·ton [glʌ́tn] *n.* **1** 대식가. **2** 《口》 열성가, 끈덕진 사람 : a ~ *of* books[*for* work] 열렬한 독서가[일꾼]. **3** 〖動〗 족제비과의 오소리 비슷한 육식 동물《유럽 북부산 ; cf. WOLVERINE》.
〖OF<L (*gluttio* to SWALLOW[1], *gluttus* greedy)〗

glutton 3

glútton·ìze *vi.*, *vt.* 대식(大食)하다, 배불리 먹다, 실컷 먹다(eat to excess).
glútton·ous *a.* 걸신들린, 많이 먹는 ; 탐욕스러운 (greedy) ; 탐내는, 욕심부리는, 열중하는〈*of*〉. **~·ly** *adv.* 탐욕스럽게, 욕심내어. **~·ness** *n.*
glút·tony *n.* Ⓤ 대식(大食), 폭식.
glyc- [gláik, gláis, 英+glík, 英+glís], **gly·co-** [gláikou, -kə, 英+glík-] *comb. form* 「당(糖)」 「설탕」「달콤함」의 뜻.
〖Gk. *glukus* sweet ; ⇨ GLYCERINE〗
gly·ce·mia, -cae- [glaisíːmiə] *n.* 〖醫〗 혈당증(血糖症).
glyc·er- [glísər], **glyc·ero-** [glísərou, -rə] *comb. form* 「글리세린」의 뜻.
glỳcer·áldehyde *n.* 〖生化〗 글리세르알데히드《글리세롤의 산화로 형성된 알데히드》.
gly·cér·ic ácid [glisérik-] *n.* 〖化〗 글리세르산.
glyc·er·ide [glísəràid] *n.* 〖化〗 글리세리드《글리세린의 지방산(脂肪酸) 에스테르의 총칭》.
glyc·er·in [glísərən], **glyc·er·ine** [glísərən, glìsəríːn] *n.* Ⓤ 〖化〗 글리세린. ㊟ 화학에서는 glycerol을 즐겨 씀.
〖F (Gk. *glukeros* sweet)〗
glyc·er·in·ate [glísərənèit] *vt.* 글리세린으로 처리하다. —— *n.* 〖化〗 글리세린산염.
glyc·er·ol [glísərɔ̀(ː)l, -ròul, -rɑ̀l] *n.* Ⓤ =GLYCERIN(E).
glyc·er·yl [glísərəl] *n.* 〖化〗 글리세릴《글리세롤에서 유도되는 3가(價)의 기(基)》.
glýceryl trinítrate *n.* 〖化〗 3질산(窒酸)글리세린(nitroglycerin).
gly·cine [gláisiːn, -́, -sən] *n.* 〖化〗 글리신, 아미노아세트산《아미노산의 하나》.
glyco- [gláikou, -kə, 英+glík-] ☞ GLYC-.
gly·co·gen [gláikədʒən, -dʒèn] *n.* Ⓤ 〖化〗 글리코겐, 동물성[간(肝)] 녹말.
glỳco·génesis *n.* Ⓤ 〖生化〗 글리코겐 합성[생성] ; 단당류를 글리코겐으로 변화시키는 작용.
glỳco·génic *a.* 글리코겐 (생성)의.
gly·col [gláikɔ(ː)l, -koul, -kɑl] *n.* 〖化〗 글리콜《자동차의 부동액(不凍液)》.
gly·col·(l)ic [glaikɑ́lik] *a.* 글리콜의.
〖*gly*cerine+alco*hol*〗
glycólic ácid *n.* 〖化〗 글리콜산(酸).
glỳco·lípid *n.* 〖生化〗 당지질(糖脂質).
gly·col·y·sis [glaikɑ́ləsəs] *n.* Ⓤ 글리콜리시스, 해당(解糖), 당(糖)분해.
gly·co·lyt·ic [glàikəlítik] *a.* **-i·cal·ly** *adv.*
gly·con·ic [glaikɑ́nik] *n.*, *a.* 《Gk.·L》 글리콘 시체(詩體)《일종의 4운각(韻脚) 시체》(의).
〖*Glycon* (?) 그리스의 시인〗
glỳco·prótein *n.* 〖生化〗 당단백(질).
gly·co·side [gláikəsàid] *n.* 글리코시드, 배당체(配糖體).
gly·cos·uria [glàikousjúəriə, 美+-ʃúəriə] *n.* 〖醫〗 당뇨(糖尿).
glỳ·cos·úric *a.* 〖-*uria*〗
glyph [glíf] *n.* 〖建〗 세로홈 ; 〖考古〗 부조상(浮彫像) ; 그림 문자, 상형 문자. **glýph·ic** *a.*
〖Gk.=carving〗
glý·pho·gràph [glífə-] *n.* 납각 전기 조각판.
glỳ·pho·gráph·ic *a.* 납각 전기 제판(술)의.
gly·phog·ra·phy [glifɑ́grəfi] *n.* 〖印〗 납각 전기 제판법. **-pher** *n.*
glyp·tic [glíptik] *a.* (보석) 조각의 ; 〖鑛〗 무늬가 있는. —— *n.* =GLYPTICS.
glýp·tics *n. pl.* (보석) 조각술.
glyp·to·dont [glíptədɑ̀nt], **-don** [-dɑ̀n] *n.* 〖古生〗 글립토돈트, 조치수(彫齒獸)《armadillo류의 큰 포유동물》.

glýp·to·gràph [glíptə-] *n.* 조각한 보석류 ; (보석의) 조각 무늬.

glyp·tog·ra·phy [gliptágrəfi] *n.* 보석 조각학 ; 보석 조각술.

GM General Motors ; guided missile. **Gm** gigameter(s). **gm.** gram(s) ; 《英》 gramme(s). **G.M., GM** 《英》 George Medal ; General Manager ; Grand Marshal ; Grand Master.

G-man [dʒíː̀] *n.* (*pl.* **-men** [-mèn]) 《美口》 연방 수사국(FBI)의 수사관. 주 여성은 G-woman. 〖*G*overnment *man*〗

g.m.b. good merchantable brand. **Gmc.** Germanic. **G.M.C.** General Medical Council(의학 총회의). **GMP** Good Manufacturing Practice (의약품 품질 관리 규칙). **G.M.Q., g.m.q.** good merchantable quality(판매 적성 품질). **GMS** general merchandise store(종합 소매점). **GMT, G.M.T., G.m.t.** Greenwich Mean Time. **GMW** gram-molecular weight. **GN** global negotiations(포괄적 교섭). **gn.** guinea.

gnarl [náːrl] *n.* (나무의) 마디, 혹. —— *vt.* **1** …에 마디[혹]를 만들다. **2** 비틀다(twist). —— *vi.* **1** 마디[혹]가 생기다. **2** 비틀리다. 〖역성(逆成) ‹*gnarled*〗

gnárled, gnárly *a.* **1** 마디[혹]투성이의, 옹이가 많은 ; 마디 모양의. **2** 비꼬인, 비뚤어진. 〖*knurled* ; ⇨ KNURL〗

gnash [næ(ː)ʃ] *vi.* (분노·고통 따위로) 이를 갈다. —— *vt.* (이를) 악물다 : ~ one's teeth (화가 나서·고통 따위로) 이를 갈다. —— *n.* 이를 갊. **~·ing** *n.* 이를 갊, 몹시 분해함. 〖변형(變形) ‹*gnacche* or *gnast* ; cf. ON *gnastan* a gnashing (imit.)〗

gnat [næt] *n.* 〔昆〕 물어서 피를 빠는 작은 날개 달린 곤충《각다귀·등에·파리매 따위》; 《英》 모기(mosquito).
strain at a gnat (큰 일을 소홀히 하고) 작은 일에 구애되다.
~·lìke *a.* 파리매 같은, 몹시 작은.
〖OE *gnæt* ; cf. G (dial.) *Gnitze* gnat〗

gnath- [néiθ, nǽθ], **gna·tho-** [néiθou, nǽθ-, -θə] *comb. form* 「턱」의 뜻. 〖Gk. (↓)〗

gnath·ic [nǽθik], **gnath·al** [nǽθəl, néi-] *a.* 턱의[에 관한]. 〖Gk. *gnathos* jaw〗

gna·thi·on [néiθiàn, nǽθ-] *n.* 하악점, 아래턱 점(點)《아래턱 중앙부 가장 아래 점 ; 두개(頭蓋) 계측점의 하나》.

gna·thite [néiθait, nǽθ-] *n.* 〔動〕 상악, 구기(口器)《절지 동물의 입의 부속 기관》.

-g·na·thous [-gnəθəs] *a. comb. form* 「…한 턱을 가진」의 뜻. 〖Gk. ; ⇨ GNATH-〗

gnát's[gnáts'] píss[pée] *n.* 《俗》 음료 ; (특히) 알코올 농도가 낮고 맛없는 싸구려 음료.

gnát's whístle *n.* [the ~] 《美俗》 일품(逸品).

gnaw [nɔː] *v.* (**~ed** ; **~ed, gnawn** [nɔːn]) *vt.* **1** [+目 / +目+副 / +目+前+名] (앞니로) 쏠다, 씹어 끊다, 갉아먹다 ; 갉아서 구멍을 내다 ; 빨아먹다 : The dog was ~*ing* a bone. 개가 뼈를 물어뜯고 있었다 / Stop ~*ing* your fingernails. 손톱을 물어뜯지 마시오 / The rats have ~*ed* the corner of the box ***off***. 쥐가 상자 모서리를 갉았다 / Rats ~*ed* a hole ***through*** the panel. 쥐가 널벽을 갉아서 구멍을 냈다. **2** 시달리게 하다, 괴롭히다 ; 약하게 하다 ; …의 기력을 꺾다 : He was being ~*ed* by hunger. 굶주림으로 시달리고 있었다. —— *vi.* [+*at*+名] 갉아먹다, 계속 쏠다, 핥다 : A mouse is ~*ing* ***at*** the cover of the box. 생쥐가 상자 뚜껑을 계속 쏠고 있다 / an illness ~*ing at* his life 그의 생명을 좀먹고 있는 병. —— *n.* 갉아먹음, 빨아먹음. 〖OE *gnagan* (imit.) ; cf. G *nagen*〗

gnáw·er *n.* 갉아먹는 것[사람] ; 〔動〕 설치(齧齒)류《쥐 따위》(rodent).

gnáw·ing *n.* 쏠기, 깨물기 ; 끊임없는 고통[고뇌]. —— *a.* 갉아먹는, 깨무는 ; 에는 듯한, 괴롭히는 : ~ animal 설치 동물.
~·ly *adv.*

GND gross national demand (국민 총수요).
GNE gross national expenditure (국민 총지출).

gneiss [náis] *n.* Ⓤ 〔地質〕 편마암.
gnéiss·ic *a.* **gnéiss·oid** *a.* 〖G〗

GNI gross national income(국민 총소득).

gnoc·chi [náki] *n. pl.* 〔料〕 뇨키《치즈 가루를 뿌려 먹는 경단의 일종》. 〖It.〗

gnome[1] [nóum] *n.* **1** 땅 신령《땅속의 보물을 지킨다는 늙은 난쟁이》; 쭈글쭈글한 노인《남자》. **2** 《口》 (국제 금융시장에서 활약하는) 투기적 금융업자《흔히 the ~s of Zurich라는 표현으로 쓰임》. 〖F<NL *gnomus*〗

gnome[2] [nóum, nóumiː] *n.* 격언, 금언(金言). 〖Gk. *gnōmē* opinion〗

gno·mic [nóumik, nám-] *a.* 금언(金言)의 ; 격언적인 : ~ poetry 격언시. **gnó·mi·cal** *a.* 〖Gk. ; ⇨ GNOME[2]〗

gnom·ish [nóumiʃ] *a.* 지신(地神) 같은 ; 변덕스러운, 실없는 ; 장난꾸러기의.

gno·mol·o·gy [noumálədʒi] *n.* 금언[격언]집 ; 격언적인[경구(警句)적인] 작품. **-gist** *n.* **-mo·log·ic, -i·cal** [nòuməládʒik(əl)] *a.*

gno·mon [nóumən, -mən] *n.* (해시계의) 지시바늘 ; 〔數〕 그노몬《평행사변형에서 그 한각을 포함한 닮은꼴을 떼어 낸 나머지 부분》.
gno·mon·ic [noumánik] *a.* 〖F or L<Gk.=indicater, interpreter〗

gnomónic projéction *n.* (지도 제작의) 심사도법(心射圖法), 대권(大圈)도법.

gno·món·ics *n. pl.* [단수취급] 해시계의 구조 원리, 해시계 제작법.

-g·no·my [-gnəmi] *n. comb. form* 「판단술[학]」의 뜻 : physio*gnomy*. 〖Gk. ; ⇨ GNOME[2]〗

gno·sis [nóusəs] *n.* (*pl.* **-ses** [-siːz]) Ⓤ 영적 인식[지식], 영지(靈智), 신비적 직관 ; =GNOSTICISM. 〖Gk.=knowledge〗

-gno·sis [gnóusəs] *n. comb. form* (*pl.* **-gno·ses** [-siːz]) 「(특히 병적인 상태의) 인식」의 뜻 : dia*gnosis*. 〖NL<Gk. ; ↑〗

Gnos·tic [nástik] *n.* [보통 *pl.*] 그노시스주의자《gnosis의 개념으로 기독교의 본질을 설명하려던 2세기경의 이단 기독 교도》. —— *a.* 그노시스주의[파]의 ; 지식에 관한, 영지(靈智)의 ; 《戲》 영리한(clever). **-ti·cal** *a.* 〖L<Gk. ; ⇨ GNOME[2]〗

-gnos·tic, -ti·cal [gnástik(əl)] *a. comb. form* 「지식[인식]의」의 뜻. 〖↑〗

gnos·ti·cism [nástəsìzəm] *n.* Ⓤ [흔히 G~] 그노

시스주의[설].

Gnos·ti·cize [nɑ́stəsàiz] *vi.* 그노시스주의적 입장을 취하다. —— *vt.* …에 그노시스주의적 해석[성질]을 부여하다.

gno·to·biólogy [nòutə-] *n.* =GNOTOBIOTICS.

gno·to·bi·ote [nòutəbáiout] *n.* 〖生〗 노토바이오트《한정된 특정 미생물을 접종시킨 동물》.

gno·to·biótic [nòutə-] *a.* 〖生〗 한정된 기지(既知)의 미생물만을 포함하는 환경의[에 사는]; 무균(無菌)의. **-ical·ly** *adv.*

gnò·to·biótics *n.* 무균 생물 과학.

GNP gross national product(국민 총생산).

gnu [njúː] *n.* (*pl.* ~, ~**s**) 〖動〗 누《남아프리카산의 영양》. 〖Bantu *nqu*〗

gnu

GNW gross national welfare(국민 복지 지표).

◇**go** [góu] *v.* (**went** [wént]; **gone** [gɔ́(ː)n, gɑ́n]; **gó·ing**) *vi.* (☞ GOING, GONNA, GONE) **1** [動/+副/+前+名/+*to* do/+do*ing*] 가다, 나아가다, 움직이다, 여행하다(travel); 떠나다, 돌아가다(leave) (cf. COME): It is time to *go*. 갈 시간이다 / Well, I must be *going* now. 자, 이제 실례하지[가지] 않으면 안되겠습니다 / He came at two and *went* at five. 두시에 와서 다섯시에 돌아갔다 / One, two, three, *go*! 〖競〗 하나, 둘, 셋, 출발! / Who *goes there*? 누구냐《보초의 수하(誰何)》 / *Go back* **to** your seat. 자기 자리로 되돌아가시오 / I am *going*(=am on my way) *to* the station. 역에 가는 길입니다(☞ *be* GO*ing to do*) / *go to* school[church, market] 학교[교회, 시장]에 가다 / *go to* bed 취침하다, 자다 / *go* **by** rail[ship, air, land, sea] 열차[배, 공로, 육로, 해로]로 가다 / *go* **on** a journey[visit] 여행을 떠나다[방문차 가다] / *go* **for** a drive[walk, swim] 드라이브[산책, 수영]하러 가다 / We *went to* see the show last evening. 어제 저녁 쇼를 보러갔다 / *go* hunt*ing*[swim*ming*, shop*ping*] 사냥[수영, 쇼핑]하러 가다 / My father often *goes* fish*ing in* the river. 아버지는 자주 강 낚시를 가신다.

2 注 이 의미로는 때때로 과거 분사 gone을 be 뒤에 써서 완료 후의 상태를 나타낸다(cf. GONE *a.* 1). **a**) 사라지다, 없어지다(disappear): The pain has *gone* now. 이제 고통은 가셨다 / I found that all my money *was gone*. 돈이 모두 없어진 것을 알았다 / His sight is *going*. 시력을 잃어 가고 있다. **b**) 죽다, 허물어지다, 부서지다: Poor Tom *is gone*. 가엾게도 톰은 죽었다 / The roof *went*. 지붕이 무너졌다 / The bank may *go* any day. 은행은 언제 파산할지 모른다 / I thought the branch would *go* every minute. 가지가 당장 부러질 것 같이 생각되었다.

3 [+前+名/+副] 뻗다, 퍼지다(extend), 이르다(reach), 미치다(be concerned): This road *goes* **to** Rome. 이 길은 로마로 통한다 / The coat won't *go* **round** him. 그 코트는 작아서 그에게는 맞지 않는다 / My memory did not *go back* so *far*. 나의 기억으로는 그렇게 옛날까지 생각나지 않았다.

4 [動/+副/+補] 운전하다, 일하다; (종 따위가) 울리다, 치다; (심장이) 고동치다; (사람이) 동작하다, 행동하다: This machine isn't *going*. 이 기계는 작동되지 않고 있다 / The machine does not *go well*. 그 기계는 잘 돌아가지 않는다 / *There goes* the bell. 종이 울린다 / While speaking, he *went like* this. 이야기하면서 이렇게 (손짓을) 했다 / It has just *gone* twelve. 방금 열두시를 쳤다.

5 [動/+副/+*by*+名] 유포되고 있다; 통용되다; (…로) 통하다: The story *goes* that …라는 이야기다 / Dollars *go anywhere*. 달러는 어디서나 통용된다 / He *goes* **by** the name of Rob. 로브라는 이름으로 통하고 있다 / ☞ GO *for*.

6 [+副/動] (일이) 진행되다: *How* are things *going*? 형세는 어떻습니까 / Everything *went well*[*badly*]. 만사가 잘[잘못] 되었다 / *as* the world *goes* 일반적으로[관례상](cf. 9) / The new manager will certainly make things *go*. 이번 경영자는 일을 잘 처리해 나갈 것이다 / What has *gone* with him? 그는 어떻게 되었느냐.

7 [+前+名/+副] **a**) 놓이다, 넣어지다(be placed), 속하다: This atlas *goes* **on** this shelf. 이 지도책은 이 선반에 놓아 둔다 / *Where* do the knives *go*? 주머니칼은 어디에 넣어둡니까. **b**) (내용으로서) 포함되다, 들어가다: Twelve inches *go* **to** a foot. 12인치는 1피트가 된다 / How many pence *go to* the pound? 몇 펜스로 1파운드가 됩니까 / This letter won't *go* **into** the envelope. 이 편지는 그 봉투에 들어가지 않는다 / Six into twelve *goes* twice. 12를 6으로 나누면 2가 된다. **c**) 팔리다; 소비되다: The painting *goes* **to** the highest bidder. 그림은 최고 입찰자에게 팔린다 / The eggs *went* **for** 60 pence a dozen. 계란이 1다스에 60펜스로 팔렸다 / Her money *goes* **on** clothes. 그녀의 돈은 옷값으로 소비된다 / The house *went* very *cheap* at auction. 집은 경매에서 매우 싸게 팔렸다. **d**) (상·재산·명예 따위가) 주어지다, 넘겨지다: The prize *went* **to** his rival. 상(賞)은 그의 경쟁 상대에게 돌아갔다.

8 [+補/+前+名] (어떤 상태로) 되다(become, grow): All the eggs *went* bad. 계란이 모두 변질되었[썩었]다 / He has *gone* blind. 장님이 되었다 / The tire *went* flat. 타이어가 구멍났다 / He *went* red with anger. 화가 나서 상기되었다 / *go* mad 미치다 / *go* conservative 보수당이 되다 / *go* asleep 잠이 들다 / *go* free 해방[방면]되다 / *go* national ☞ NATIONAL *a.* 숙어 / *go* **out of** date 시대에 뒤떨어지다, 폐물이 되다. 注 주로 나쁜 상태가 됨(cf. COME 10 a)).

9 [+補/+前+名/+副] (때때로 습관적으로) (어떤 상태에) 있다: *go* hungry[thirsty, armed] 굶주리고[목말라, 무장하고] 있다 / *go* **with** child 아이를 배고 있다 / He's young *as* statesmen *go* nowadays. 그는 요즈음 정치가로서는 젊은 편이다(cf. 6).

10 [+副] (…라고) 쓰여 있다(run); (노래 따위가 …라고 하는) 가사다: *as* the proverb *goes* 격언에도 있는 바와 같이 / *Thus goes* the Bible. 성서에 이렇게 쓰여 있다 / The tune *goes like* this. 그 곡(曲)은 이렇게 되어 있다.

11 《口》 [+do*ing*] (때때로 비난·경멸 따위의 뜻을 가지고) (…와) 같은 일을 하다(cf. GO *and* do (2)): Don't *go* break*ing* any more things. 더 이상 물건을 부수는 짓은 하지 말게 / Why should he *go* pok*ing* round the house? 왜 그가 집에서 빈들빈들 놀고 지내야 하느냐.

〈회화〉
Please arrange the knives and forks on the table. — Which side does the fork *go* on? 「테이블에 나이프와 포크를 놓아주세요」「어느 쪽에 포크를 놓을까요」

— *vt.* **1** 《口》 참다, 견디다(tolerate) : I can't *go* this arrangement. 이 결정에는 승복할 수 없다. **2** [+目/+目+目] 걸다(bet) : I'll *go* you a dollar on the outcome of the game. 이 승부에 너에게 1달러 걸겠다.

as*[*so*] *far as* it *goes 그것에 관한 한(限) (cf. *so far as* he *is* CONCERNed) : It is true *as far as* it *goes.* 그 범위 내에서는 진실이다.

***be going* (*on*)...** 《口》 거의 …가 되다 : It *is going* (*on*) four o'clock. 4시가 다 됐다 / She *is going* (*on*) seventeen. 이내 17세가 된다 / He *is* seven *going on* eight. 일곱 살이지만 곧 여덟 살이 된다.

be going to do ㈜ 발음 [góuiŋtu, -tə]는 때때로 [góuənə, gɔ́:nə]로 됨(cf. GONNA) ; be going to *go* 형은 《英》에서는 일반적으로 피하게 되어 있으나 《美口》에서는 쓰임. ⑴ …하려고 하는 참이다, …하기 시작하다(cf. *be* ABOUT *to*) : I *am* (just) *going to* write a letter. 지금 편지를 쓰려는 참이다 / It *is going to* rain. 비가 곧 쏟아질 것 같다. ⑵ [의지] …할 작정[예정]이다 : My father was a sailor and I *am going to* be a sailor, too. 아버지께서는 선원이셨는데 저도 선원이 되려고 합니다 / What was the story you *were going to* tell me? 나에게 말하려던 것이 무슨 이야기였느냐. ⑶ [미래] …할 것이다 : You *are going to* (=You will) see a lot of me. 앞으로 저를 자주 만나게 될 겁니다.

go about ⑴ (…을) 돌아다니다 ; 부지런히 …하다, (일에) 착수하다 ; 노력하다〈*to* do〉 : *Go about* your business! 자기 일이나 하시오 ; 쓸데없는 참견을 말아라. ⑵ (소문 따위가) 퍼지다 ; 〖軍〗 전회(轉回)하다, 「뒤로 돌아」를 하다 ; 〖海〗 뱃머리를 돌리다, 침로(針路)를 바꾸다.

go after …을 구하다, 찾다 ; (여자)의 꽁무니를 쫓아다니다.

go against …에 반대[거역]하다 ; …에게 불리하게 되다.

go ahead ☞ AHEAD.

go all lengths 철저히 하다.

go all out 할 수 있는 노력을 다하다, 전력을 다하다.

go a long way 크게 효력이 있다, 크게 도움이 되다〈*toward*〉 ; (돈이) 쓸모가 있다.

go along ⑴ 나아가다 ; 해나가다. ⑵ 따르다, 동행하다〈*with*〉. ⑶ 함께 해나가다, 협력하다.

***Go along* (*with you!*)** 《口》 저리 꺼져(Go away!) ; 바보 같은 소리 마라.

go and do [보통 부정사형 또는 명령법으로] 《口》 ⑴ …하러 가다(go to do) (cf. AND 7) : *Go and* see what he's doing. 그가 무엇을 하는지 가 보고 와라. ㈜ 특히 《美口》에서는 때때로 *go and* see[take *etc.*]...의 and를 생략해서 *go* see[take *etc.*]...로 말함. ⑵ [운동의 의미는 없고 단지 강조 ; 흔히 어리석은 행동 따위에 대해서 말함] : Don't *go and* make a fool of yourself. 바보같은 짓 하지 마라 / *Go and* be miserable! 멋대로 하다가 혼 좀 나보라지 / Now you've been and *gone and* done it. 참으로 어처구니 없는 짓을 저질렀군.

go around = GO *round.*

go at …에 덤벼[달려]들다, 공격하다 ; …에 열심히 착수하다 ; 문제삼다.

go away with …을 가지고 가다[도망치다].

go back 되돌아오다, 돌아가다(cf. *vi.* 1) ; 거슬러 올라가다(cf. *vi.* 3) ; 회고하다 ; 한창 때가 지나다, 내리받이가 되다 : His family *goes back to* the Pilgrim Fathers. 그의 가문은 필그림 파더스까지 거슬러 올라간다.

go back from... 《英》 = GO *back on* ⑴.

go back of... 《美》 = GO *behind.*

***go back on*[*upon*]...** 《美口·英》 ⑴ (약속 따위)를 취소하다, (주의 따위)를 버리다, 철회하다. ⑵ (사람)을 배신하다, 속이다(betray).

go before …에 앞서다, 앞지르다.

go behind …의 이면(裏面)을 캐다, …을 잘 조사하다(cf. BEHIND *prep.* 1) : *go behind* the story 이야기의 진상을 조사하다.

go better = GO *one better.*

go between …의 가운데 들다, …을 매개[중개]하다(cf. GO-BETWEEN).

go beyond (…을) 넘다, (…보다) 낫다, 능가하다, 우수하다.

go by (...) ⑴ (때 따위가) 지나다(pass) (cf. BYGONE) ; 《美》 잠깐 방문하다(call) : Years have *gone by.* 세월이 흘렀다 / He was not in when I *went by.* 내가 잠깐 들렀을 때 그는 집에 없었다. ⑵ …라는 이름으로 통하다(cf. *vi.* 5) ; …로 판단하다, …에 의하다 ; …을 신용하다(trust) : Promotion *goes by* merit. 승진은 공로 여하에 달렸다 / You can't *go by* what he says. 그의 이야기는 믿을 수 없다.

go by the book 규칙을 따르다.

go down ⑴ 내려가다, 내리다, 넘어지다, 떨어지다〈*from, to, into*〉 ; (도로가) 내리받이가 되다 ; (값이) 하락하다. ⑵ (배가) 가라앉다 ; (해·달 따위가) 지다. ⑶ 《英》 (대학에서) 귀성하다, 졸업하다, 퇴학하다, 떠나다(cf. DOWN[1] *adv.* 3 c)). ⑷ (…에) 이르다, 미치다〈*to*〉 ; 계속하다〈*to*〉. ⑸ 기억에 남다, 기록[기억]되다 ; (후세에) 남다, 전해지다〈*to* posterity〉. ⑹ (남에게) 굴복하다, 패하다〈*before* a person〉. ⑺ (파도·바람 따위가) 잔잔해지다, 자다. ⑻ (약 따위) 삼켜지다, 목구멍으로 넘어가다. ⑼ (사람에게) 받아들여지다, 납득이 되다〈*with*〉.

go far ⑴ 멀리까지 가다[미치다] (cf. *vi.* 3). ⑵ 성공하다, 유명해지다 ; 가치가 크다, 크게 효과가 있다.

Go fetch! 물어 와《개에게 내리는 명령》 (☞ GO *and* do ⑴ ㈜).

go for... ⑴ …을 가지러[부르러·구하러] 가다 ; …하러 가다(☞ *vi.* 1) ; (어떤 금액)으로 팔리다(☞ *vi.* 7 c)). ⑵ …을 얻으려고 노력하다, 지향하다 ; …을 고르다 ; 《口》 …을 공격하다. ⑶ 《美》 …을 지지하다, …에 찬성하다 ; 《口》 …에 열을 올리다, 반하다. ⑷ …로서 통하다[통용되다], …로 생각되다(cf. *vi.* 5). ⑸ …에 적용되다, …에 적합하다.

***go for little*[*much, nothing, something*]** 크게 도움이 되지 않다[크게 도움이 되다, 아무 쓸모가 없다, 약간의 도움이 되다].

go forth 나가다 ; 발행되다 ; 발표[공포]되다.

go halves with a person ***in*** a thing ☞ HALF *n.*

Go hang! 《俗》 죽어 버려라!

go in 들어가다(enter) ; (경기 따위에) 참가하다 ; 〖크리켓〗 타자가 되다 ; (해·달 따위 천체가) 구름 사이로 들어가다.

go in at... 《俗》 …을 맹렬히 공격하다.
go in for... 《口》 …에 찬성[원조]하다, …하려고 마음먹다(cf. *be in for* ☞ IN *adv.* 숙어) ; …을 구하다, …에 빠지다 ; …에 참가하다 ; …을 특색으로 하다 ; (시험)을 치다 ; 《美》 …을 좋아하다, …에 열중하다 ; …에 종사하다, …을 전공하다 ; …에 찬성하다, …을 지지하다.
go (in) off the deep end ☞ END.
go into …에 들어가다(cf. *vi.* 7 b)) ; (출입문 따위가) …로 통하다 ; …의 일원(一員)이 되다, …에 드나들다 ; …에 참가하다, …한 태도를 취하다 ; (히스테리 따위)를 일으키다 ; …에 종사하다 ; …에 언급하다 ; …한 복장을 하다, (신)을 신다《따위》 ; …을 잘 조사하다, 연구하다 : We *went into* the country for a picnic. 소풍을 시골로 갔다 / *go into* business 실업계에 발을 들여놓다 / *go into* mourning 상복을 입다, 상(喪)을 당하다 / *go* deeply *into* a question 문제를 깊이 파고들다.
go in with …에 가담하다, 협력하다.
go it [때때로 명령형으로] 《俗》 마구 가다[달리다] ; 힘차게[척척] 하다.
go it alone 혼자서[혼자 힘으로] 하다.
go near to do*ing* ☞ NEAR.
go off (1) (총 따위가) 발사되다, (폭탄이) 파열하다 ; (말 또는 행동으로) 나오다, 폭발하다. (2) 나빠지다, 쇠약해지다 ; 잠들다 ; 의식을 잃다, 실신하다 ; 《英》 (고통·흥분이) 가라앉다 : The baby has *gone off.* 아기는 잠이 들었다 / He began inhaling and soon *went off.* 그는 숨을 들이쉬더니 곧 의식을 잃었다. (3) [+副] 행해지다, (일이) 되어 가다, 진척되다 : The performance [Everything] *went off well.* 흥행은 성공적이었다[만사가 잘 되었다] / *How* did the conference *go off* ? 회담은 어떻게 되었습니까. (4) 가버리다, 도망치다 ; (배우가) 퇴장하다 ; 시작하다 ; 죽다 ; 갑자기 없어지다 ; 팔려 버리다 ; 《口》 (처녀가) 시집가다 ; (약속 따위가) 불이행으로 끝나다 ; (계약을) 회피하다. (5) (전등이) 꺼지다, (가스·수도가) 안나오다, 끊어지다.
go off milk ☞ MILK.
go off the air ☞ *off the* AIR.
go on (1) 계속 가다, 계속하다 ; [+前+名 / +do*ing* / +*to* do] (행동을) 지속하다, 계속 …하다 : He *went on with* the work[*went on* speak*ing, went on to* read the letter]. 일을 계속했다[계속 이야기했다, 계속 편지를 읽었다] / The prices *go on* ris*ing.* 물가는 계속 오르고 있다 / *Go on* ! 《口》 계속하시오 ; 《反語》 바보 같은 소리 마라. (2) 해나가다, 지내다 ; (시간이) 경과하다 ; 행동하다《보통 나쁜 의미》 : How is the work *going on*? 일은 어떻게 진행되고 있습니까. (3) (옷·신 따위가) 입을 수 있다, 신을 수 있다, 맞다. (4) 《口》 지껄이다, 떠들어대다 ; 욕하다〈*at*〉. (5) (배우가) 등장하다 ; 교체하다 ; 〖크리켓〗 공을 던질 차례가 되다. (6) (전등이) 켜지다, (가스·수도가) 나오다. (7) …의 구조를 받다, …의 신세를 지다 : *go (up) on* the parish 교구(教區)의 신세를 지다. (8) (증거·상정 따위)를 받아들이다, …에 따라 판단[행동]하다. (9) [보통 진행형으로] 《美》 =GO *on for.*
go one better 《口》 상대보다 한층 잘 해나가다, 상대방을 능가하다, 이기다.
go on for... [보통 진행형으로] 《주로 英》 …에 가까워지다 : It's *going on for* tea time. 이럭저럭 티 타임이 되었다.
go on the air ☞ *on the* AIR.
go on the floor ☞ FLOOR.
go out (1) 외출하다 ; (식민지로) 출발하다〈*to*〉 ; (여자가 직업을 얻어) 일하러 나가다, 사교계에 나가다, 사회로 나가다 ; 출판되다 : She still *goes out* wash*ing.* 지금도 빨래하러 나간다. (2) (불·등불이) 꺼지다 ; (한 해가) 저물다, (한달이) 끝나다 ; (내각이) 정치의 권좌를 떠나다, 하야(下野)하다 ; (유행에) 뒤떨어지다, 시대에 뒤지다 ; 〖크리켓〗 (한 회의 승부가 끝나서) 타자가 물러나다 : All the lights have *gone out.* 불이 전부 꺼졌다 / The fashion for long skirts has *gone out.* 긴 스커트의 유행은 지나갔다. (3) (노동자가) 파업(罷業)을 하다(strike) : They *went out* (on strike) *for* higher wages. 임금 인상을 요구하고 파업에 들어갔다. (4) (애정·동정 따위가) 쏠리다 : His heart *went out to* the beautiful girl. 그의 마음은 그 아름다운 소녀에게 쏠렸다.
go out the window 실패하다(fail).
go over (1) (…을) 건너다, 넘다, (…에) 겹치다. (2) (…을) 시찰하다, 검토하다, 점검하다 ; 주의 깊게 조사하다 ; 다시 읽다, 반복하다, 복습하다 : You had better *go over* the house before you take it. 그 집을 사기 전에 한 번 보는 것이 좋겠다 / Let's *go over* the facts again. 한 번 더 사실을 검토해 봅시다. (3) (배신하여 적에게) 투항하다, 신앙을 바꾸다 : *go over to* the enemy [the other camp] 적군에게 투항하다. (4) 《美》 (의안 따위가) 연기되다 ; (차 따위가) 뒤집히다 ; (공연이) 호평받다 ; 폭행하다, 덤벼들다.
go places ☞ PLACE.
go public ☞ PUBLIC *a.*
go round [***around***] (…을) 돌다 ; 돌아다니다, 우회로(迂廻路)로 가다 ; 잠깐 들르다〈*to*〉 ; (음식물 따위가) 모든 사람들에게 고루 배당되다 ; (머리가) 어질어질하다 : The moon is always *going (a) round* the earth. 달은 끊임없이 지구의 둘레를 돌고 있다 / I *went round* to see him yesterday. 나는 어제 그에게 잠깐 들러 보았다 / There aren't enough (ices) to *go (a)round.* 모두에게 돌아갈 만큼 (아이스 크림이) 많지 않다.
go shares ☞ SHARE.
go so far as to do…까지도 하다(go the length of doing) (cf. LENGTH 6) : She *went so far as to* permit me to dine with her. 내게 식사를 함께 하는 것까지도 허락해 주었다.
go steady ☞ STEADY.
go through (1) …을 빠져나가다, 통과하다 ; (학업·일 따위)를 모두 끝내다, 전과정을 마치다, (의식·암송 따위)를 행하다 ; …을 충분히 조사하다 ; (고난·경험 따위)를 겪다, …을 참고 나아가다 ; (책이 몇 판)을 돌파하다 ; …을 탕진하다 : The hole *went through* the wall. 구멍이 벽에 뚫려 있었다 / A shiver *went through* me. 온몸이 오싹했다 / ☞ *go through* a RED LIGHT / *go through* college 대학을 졸업하다 / He *went through* every drawer of his desk. 책상 서랍을 전부 뒤져보았다 / We will *go through* the problem carefully. 문제를 신중히 검토해 보자 / True poets will *go through* the indifference of the world to produce a good poem. 진정한 시인은 좋은 시를 쓰기 위해서 세상 사람들의 냉담을 참고 나아가는 법이다 / The book has *gone through* ten editions. 그 책은 10판을 거듭했다. (2) (거래 따위가) 완료하다 ; (의안 따위가) 통과하다 ; 받아들여지다, 용인되다.
go through with …을 해내다, …을 성취하다.
Go to ! 《古》 좀 기다려 !, 아니 !, 이런 !, 자 !

《충고・권고 따위》.
go together 동반하다 ; 동행하다 ; 어울리다, 조화하다 ; 《美口》 애인 사이이다 : This tie and your dress *go* well *together.* 이 넥타이와 너의 양복은 잘 어울린다 / They have *gone together* for two years. 2년간 사귀어 왔다《애인 사이다》.
go too far 과장하다 ; 지나치다, 극단으로 나가다.
go to pieces ☞ PIECE.
go to sleep ☞ SLEEP *n.* 1.
go to the country ☞ COUNTRY.
go under 가라앉다 ; 굴복하다, 지다 ; 실패하다 ; 파멸하다, 몰락하다, 파산하다 ; 죽다.
go up (1) (…에) 오르다 ; (기온・청우계가) 상승하다 ; 석차(席次)가 오르다 ; 수[가치]가 늘다, 값이 오르다 ; 부르는 값이 오르다 ; (건물이) 서다 ; 대학에 가다 ; 상경하다. (2) 파열[폭발]하다 ; 《美》 파멸[파산]하다 : *go up* in flames 타오르다. (3) (막이) 오르다.
go upon=GO *on* (7), (8).
go with …와 동반[동행]하다, 따르다 ; …와 어울리다, 조화하다 ; …와 의견이 일치하다 ; 《口》 (이성과) 교제하다(date) : Some land *goes with* the house. 약간의 토지가 그 집에 딸려 있다 / I want some notepaper and envelopes to *go with* it. 편지지와 그것에 맞는 봉투가 필요해 / That doesn't *go with* my view. 그것은 나의 의견과 맞지 않는다.
go without …이 없다, …을 가지고 있지 않다 ; (…)없이 끝내다[해나가다] : When I am busy, I *go without* lunch. 바쁠 때에는 점심을 거른다 / Even if there's no time for lunch, you must not *go without.* 비록 점심 먹을 시간이 없다고 해도 점심을 걸러서는 안된다.
Here goes ! 자 간다 (받아라) !
It goes without saying that. . . . ☞ SAY.
let. . .go ☞ LET[1].
so far as it ***goes***=*as far as* it GO*es.*
to go (1) 남아 있는(left) : There are still two years *to go.* 앞으로 2년이 남아 있다. (2) (사서) 가지고 갈 것으로 : I ordered two sandwiches *to go.* 샌드위치를 두 개 싸 달라고 했다.
── *n.* (*pl.* **~es**) 《口》 **1** 가기. **2** 진행중인 것. **3** Ⓤ 정력, 원기, 기력(energy, spirit) : He has plenty of *go*[in full of *go*]. 정력이 넘친다. **4** [the ~] 《口》 유행(fashion) : Those shoes are all[quite] *the go* this year. 저런 구두가 금년엔 대유행이다. **5 a**) 해보기, 시험해 보기 ; 기회 : Let's have a *go at* it. 한 번 해 보자 / It's your *go.* 네가 둘 차례다 / I read the book at one *go.* 그 책을 단번에 읽었다 / He passed the test at the first *go.* 한 번에 시험에 합격했다. **b**) (술 따위) 한 모금(의 양), 한 잔 ; (음식의) 한 입 : a *go of* brandy 브랜디 한 잔. **6** 사태, (곤란한) 일 ; 타협이 된 일, 결정된 일(bargain) : Here's [What] a *go* ! 이거 야단났군 / It's a queer[rum, jolly] *go.* 묘한[난감한] 일이다. **7** 성공 : a sure *go* 확실한 성공 / (It's) no *go.* 글렀다 / make a *go* of it 성공하다, 잘 해내다. **8** (Cambridge 대학에서) 학위 시험 : ☞ GREAT GO, LITTLE GO.
a near go 《口》 아슬아슬한 고비(a narrow escape).
come and go 왕래 : *the come and go of* the seasons 4계절의 변화.
from the word go 처음부터.
on the go 《口》 쉬지 않고 활동해서, 일만 하여.
── *a.* **1** 준비가 되어. **2** 잘 되어 (가는) : All systems are *go.* 모든 제도가 잘 되어 간다. **3** 유행의, 진보적인.
〖OE *gān* ; cf. G *gehen* ; *went*는 본래 WEND의 과거형〗
[類義語] ***go*** 현재 자기가 있는 장소에서 떨어져 가다(↔*come*) ; 가장 일반적인 말. ***depart*** go보다 새로운 느낌을 주는 말 ; 보통 어딘가 여행을 떠나다 : He *departed* for America. (미국으로 떠났다). ***leave*** 사람・물건에서 「떨어지는 것」을 강조한다 : He couldn't *leave* because his child was ill. (자식이 아파 떠날 수가 없었다). ***quit*** 사람[물건]을 떠남으로써 무엇인가 면하게 됨을 뜻하고 다시 돌아올 생각이 없는 것을 암시한다 : He *quit* his position last month. (지난달 직책에서 물러났다). ***withdraw*** 명확한, 정당한, 혹은 불쾌(不快)한 이유로 떠나가다 : He *withdrew* from the room after the discussion. (토의가 끝난 다음 방에서 나가버렸다). ***retire*** 때때로 withdraw와 같은 뜻이나 영구히 떠나는 것 또는 후퇴・퇴각을 의미할 경우가 있다 : He *retired* from the service at 55. (55세에 현역에서 물러났다).

GO, G.O., g.o. general office ; 〖軍〗 general order.

goa [góuə] *n.* 〖動〗 티베트가젤, 고아《작은 영양 ; 티베트 주변산》.
〖Tibetan〗

Goa, (Port.) **Gôa** [góuə] *n.* 고아《인도 남서안의 옛 포르투갈 영토》.
Gó·an *a., n.* **Goa·nese** [gòuəníːz, -s] *a., n.*

goad [góud] *n.* (가축・코끼리 따위를 모는) 막대기, 찌르는 막대 ; 자극(물), 격려(하는 것) ; 괴롭히는 것 : kick against the ~ ☞ KICK *v.* 숙어.
── *vt.* [+目 / +目+副 / +目+前+名 / +目+*to* do] 막대기로 찌르다[몰다] ; 부추기다, 자극하다, 격려하다, 선동하다 ; 괴롭히다, 못살게 굴다 : ~ a person ***on***[***into*** a fury] 남을 선동하다[자극해서 화나게 하다] / Hunger ~*ed* the boy *to* steal the apple. 배고픔을 참지 못해서 소년은 사과를 훔쳤다. 〖OE *gād* spear, goad ; cf. Lombard *gaida* arrowhead〗

gó agàinst the gráin *n.* 〖美蹴〗 진로가 막힌 볼 가진 자가 순간적으로 방향을 바꿈.

gó-ahèad *a.* 전진하는 ; 진취적인, 적극적인, 활동적인(enterprising). ── *n.* Ⓤ 전진 ; 개시 ; 원기, 의기 ; 적극적인 사람, 정력가 ; Ⓒ =GREEN LIGHT. **~·ism** *n.* 진취적인 기상.

gó-ahead rún *n.* 〖野〗 리드를 잡는 득점.

***goal** [góul] *n.* **1** 결승점[선・표] ; 〖競〗 골《공을 넣어서 득점하는 장소》, 골에 넣어 얻은 득점 ; =GOALKEEPER. **2** 목적지, 행선지 ; (노력・야심 따위의) 목적, 목표.
drop a goal 〖럭비〗 드롭킥(dropkick)으로 득점하다.
get[***kick, make, score***] ***a goal*** 득점하다, 골에 성공하다, 1점을 따다.
── *vi.* 결승점[목표]으로 향하다 ; 골을 넣다.
~·less *a.* 〖C16< ? ; ME *gol* limit, boundary와 같은 어원인가〗
[類義語] ⟹ INTENTION.

góal àrea *n.* 〖蹴・하키〗 골 에어리어.

góal àverage *n.* 〖蹴〗 골 애버리지, 득점률《일련의 시합에서의 득점과 실점의 비[차]》.

góal dìfference *n.* 〖蹴〗 GOAL AVERAGE차.

góal-drív·en *a.* 〖컴퓨〗 (프로그램이) 귀납적(歸納的)인.

goal·ie, goal·ee [góuli] *n.* 《口》 =GOAL-

KEEPER.
góal·kèep·er *n.* 〖蹴·하키〗 골키퍼, 문지기.
góal kìck *n.* 〖蹴·럭비〗 골 킥.
góal lìne *n.* 〖蹴〗 골 라인 (cf. TOUCHLINE).
góal mòuth *n.* 〖蹴·하키〗 골 앞 ; 골문의 기둥과 기둥 사이.
góal·pòst *n.* 〖競〗 골포스트, 골대, 골문의 기둥.
góal·tènd·er *n.* =GOALKEEPER.
gò-ánywhere *a.* 어디든지 가(지고 갈 수 있)는.
gó-aròund *n.* 한판 승부 ; 한바퀴 돎, 일순 ; 격론, 격심한 투쟁 ; 우회 ; 회피 (evasion), 변명.
gó-as-you-pléase *a.* 무계획적인, 우연한 ; (경주 따위) 규칙의 제약을 받지 않는 ; 제멋대로의, 거리낌없는.
***goat** [góut] *n.* (*pl.* ~, ~**s**) **1** 〖動〗 염소 ; 염소 비슷한 동물 : a billy~ =a he-~ 숫염소 / a nanny ~ =a she-~ 암염소. **2** [the G~] 〖天〗 염소자리 (Capricorn). **3** 호색한(好色漢) ; 《口》 놀림감, 조소의 대상. **4** =SCAPEGOAT. **5** 《美俗》 개조 자동차. **6** 《美俗》 경마말.
act [***play***] ***the*** (***giddy***) ***goat*** 바보 흉내를 내다, 까불다.
get a person***'s goat*** 《口》 사람을 화나게[초조하게] 하다.
lose one***'s goat*** 화내다.
separate the sheep and [***from***] ***the goats*** ☞ SHEEP.
〖OE *gāt* she goat ; cf. G *Geiss*〗
góat àntelope *n.* 〖動〗 염소영양(羚羊) 《염소와 영양의 중간적인 각종 동물의 총칭》.
goa·tee [goutí:] *n.* (턱 밑의) 수염, 염소 수염.
góat gòd *n.* 목양신(牧羊神) (Pan).
góat·hèrd *n.* 염소치는 사람.
góat·ish *a.* 염소 같은 ; 음란한. ~**·ly** *adv.*
góat·ling *n.* 《英》 (1-2살의) 새끼 염소.
góats·bèard *n.* 〖植〗 눈개승마.
góat·skìn *n.* Ⓤ 염소 가죽 ; Ⓒ 염소 가죽제의 의복[물 주머니].
góat·sùck·er *n.* 〖鳥〗 쏙독새 《nightjar 따위》.
góat's wòol *n.* 존재하지 않는 것, 있을 수 없는 것[일].
góaty *a.* =GOATISH ; 《俗》 볼품없는, 얼간이의.
gob[1] [gáb] *n.* **1** 《口》 덩어리 (lump) ; 〖鑛〗 버력. **2** [*pl.*] 《口》 많음, 대량 ⟨*of*⟩. **3** 《口》 입속에 가득찬 침, 뱉은 침. —— *v.* (-**bb**-) *vt.* (채굴 자리를) 메우다. —— *vi.* 《俗》 가래 (침)을 뱉다.
〖OF *go*(*u*)*be* mouthful〗
gob[2] *n.* 《美口》 수병 (sailor). 〖C20 < ?〗
gob[3] *n.* 《俗》 입 (mouth).
g.o.b. 〖商〗 good ordinary brand.
gob·bet [gábət] *n.* (고기·음식의) 한 덩어리, 한 입 ; 한 방울 (drop) ; 발췌, 단편.
〖OF (dim.) ‹ *gobe* GOB[1]〗
gob·ble[1] [gábəl] *vi., vt.* 게걸스럽게 먹다, 걸신들린 듯이 먹다 ; 《口》 (탐내어) 달려들다 ; 〖野〗 (볼을) 잡다 ; 탐독하다 ; 펠라티오를 하다.
gobble up 게걸스럽게 다 먹어 치우다 ; 《美口》 꽉 붙잡다.
—— *vi.* 걸신들린 듯이 먹다 ; 《卑》 펠라티오를 하다. —— *n.* 《卑》 펠라티오.
〖GOB[1], *-le*〗
gobble[2] *vi.* (칠면조가) 골골 울다 ; (화나서) 칠면조 우는 소리를 내다. —— *n.* Ⓤ 칠면조의 우는 소리. 〖imit.〗
gobble[3] *n.* 〖골프〗 가블 《공을 빠른 속도로 hole에 쳐넣기》. 〖? GOBBLE[1]〗
gob·ble·de·gook, -dy- [gábəldigùk] *n.* Ⓤ (공문서 따위의) 까다로운[과장되고 번거로운] 표현 (jargon). 〖imit. ; 칠면조 수컷의 모습 ; 자신의 조어(造語)는 아니나 Texas 주(州) 출신의 공화당원 M. Maverick (d. 1954)이 제2차 대전에서 사용하여 퍼짐〗
gób·bler[1] *n.* 게걸스럽게 먹는 사람 ; 남독(濫讀)가 ; 《卑》 호모인 남자, 펠라티오를 하는 사람.
gobbler[2] *n.* =TURKEY COCK 1.
Go·be·lin [góubələn, gáb-] *a.* (파리의 염색공의 이름에서) 고블랭직(織)의 ; 고블랭식의 : a ~ stitch 고블랭식의 바느질 / ~ tapestry 고블랭직 《실내 장식용 무늬 직물》, 고블랭직 (벽걸이) 융단. —— *n.* 고블랭직.
gó-betwèen *n.* 매개자, 중매인 (middleman) ; 거간꾼 ; (나쁜 의미로) 뚜쟁이 ; 대변자.
Go·bi [góubi] *n.* [the ~] 고비 사막.
gob·let [gáblət] *n.* 고블릿《금속·유리제의 손잡이 없이 받침이 달린 주발 모양의 잔》; 《古·詩》 (일반적으로) 술잔.
〖OF (dim.) ‹ *gobel* cup < ?〗
gob·lin [gáblən] *n.* 악마, 악귀《사람을 괴롭히는 못생긴 작은 요정 ; cf. HOBGOBLIN》. ~**·ry** *n.* 악귀의 짓. 〖? AF ; cf. COBALT〗
go·bo [góubou] *n.* (*pl.* ~**s**, ~**es**) (텔레비전 카메라의 렌즈 가까이에 산광(散光)이 들어오는 것을 막는) 차광판(遮光板), (확성기의) 차음판.
〖C20 < ?〗
gób·stòpper *n.* 《英俗》 크고 둥글며 딱딱한 캔디.
go·by [góubi] *n.* (*pl.* **-bies**, ~) 〖魚〗 망둥이.
〖L *gobius* < Gk. *kōbios* gudgeon〗
gó-bỳ *n.* 《口》 보고도 못본 체하고 지나가기, 통과 (passing).
get [***give*** a person] ***the go-by*** 《口》 모르는 척하게 하다[하다], 무시하다[당하다], 외면하게 하다[하다].
G.O.C. General Officer Commanding.
gó-càrt *n.* (유아의) 보행기 ; 가벼운[소형] 유모차 (stroller) ; 손 수 레 (handcart) ; =KART ; 《俗》 차 (car).
G.O.C.-in-C. General Officer Commanding-in-Chief.
gock [gák] *n.* 《俗》 지저분한[추접스러운] 것.
〖cf. *gook* ; ? (euph.) ‹ *God*〗
◊**god** [gád, gɔ́(:)d] *n.* **1** (이교의) 신(神) ; 남신(男神) (cf. GODDESS) ; 신상, 우상 : the blind ~ = the ~ of love ☞ 숙어. **2** Ⓤ [G~] (일신교, 특히 기독교의) 조물주, 상제(上帝), 천제, 천주 (the Creator, the Almighty) : *G*~ the Father, *G* ~ the Son, *G*~ the Holy Ghost 성부, 성자, 성신《성삼위를 일컬음》/ the Lord *G*~ 주 하느님. **3** 신과 같은 것 ; 신처럼 숭상되는 사람. **4** [the ~s] 《英》 (극장의) 맨위층의 관람객, 일반석 관객. 囶 God을 인용하기를 꺼려 Gad, gosh, gum 따위를 대용하거나 by—라고 dash를 쓰기도 한다.
by God 신께 맹세하여, 꼭, 반드시.
for God's sake 제발.
for the gods (신들에게도 어울릴 만큼) 훌륭한 《반어로도 쓰임》: a feast *for the* ~*s* 굉장한 성찬(盛餐) / a sight *for the* ~*s* 멋진 경치, 아름다운 풍경.
God ! = *Good* GOD !
God bless. . . ! …에게 축복을 내리소서.
God bless me [***my life, my soul***] ***!*** 아이고 큰일이다 !
God damn you ! 빌어먹을 놈 !
God grant. . . ! 저의 소원을 들어 주소서.
God help [***save***] ***him !*** 하느님 저 사람을 구원

하소서, 아아 가엾어라.
God knows ☞ KNOW.
God's earth 전세계 : nowhere on *G~'s earth* 세계 어느 곳에도 없다.
God speed you ! 《古》 당신의 성공[안전]을 빕니다.
God's truth 절대 진리(絶對眞理).
God willing 신의 뜻이라면, 사정이 허락한다면 (cf. DEO VOLENTE).
Good God ! (강한 감정 또는 놀람을 나타내어) 아 신이여 !, 아 (놀랐다) !, 아 야단났다, 슬프도다 !, 괘씸하다 !
a house of God ☞ HOUSE.
a man of God 성인(saint) ; 성직자, 목사.
My*[*Oh*] *God ! = *Good* GOD !
So help me God ! ☞ HELP.
Thank God ! [삽입구] 아아 ! 감사합니다 (살아났습니다), 아아 ! 고마워라, 기쁘게도….
the City of God 천국(Paradise).
the god of day 해의 신(Apollo).
㊟ 다음 신의 이름은 로마 신화에 의함.
the god of fire 불의 신(Vulcan).
the god of heaven 하늘의 신(Jupiter).
the god of hell 지옥의 신(Pluto).
the god of love 사랑의 신(Cupid).
the god of the sea 바다의 신(Neptune).
the god of this world 마왕(Satan).
the god of war 전쟁의 신(Mars).
the god of wine 술의 신(Bacchus).
under God 하느님 다음에 (감사해야 할 사람으로서).
with God 죽어서 천국으로.
Ye gods (***and little fishes***) ***!*** ☞ YE[1] 2 a).
—— *vt.* (**-dd-**) 신으로 숭배하다.
〖OE ; cf. G *Gott*〗

Gód Almíghty *n.* 전능하신 하느님, 전능의 신.

Go·dard [*F* gɔdaːr] *n.* 고다르. **Jean-Luc ~** (1930-) 프랑스의 누벨 바그(nouvelle vague) 영화 감독.

Go·dard·ian [gɔːdáːrdiən] *a.* 〔映〕 고다르풍의《카메라의 분방한 사용법, 시나리오의 즉흥성, 파격적 연출 따위가 특색》.

Gód-áwful *a.* [때때로 g~] 《口》 굉장한, 심한, 지독한 : ~ weather.

Gód-bòx *n.* 《俗》 교회, 예배당(church, chapel) ; 《俗》 오르간.

gód·chìld *n.* 대자(代子).

gód·dám(n) *int.* 《口》 빌어먹을, 제기랄. —— *a.* [강조적으로] 전연, 전혀 : no ~ use 전혀 쓸모없다. —— *n., v.* [때때로 G~] 《口》 =DAMN. —— *adv.* =DAMNED.

gód·dàughter *n.* 대녀(代女).

‡**gód·dess** *n.* 여신(cf. GOD) ; 숭배[동경]의 대상이 되는 여성, 절세 미녀.
the goddess of liberty 자유의 여신.
the goddess of corn 오곡의 여신(Ceres).
㊟ 다음 신의 이름은 로마 신화에 의함.
the goddess of heaven 하늘의 여신(Juno).
the goddess of hell 지옥의 여신(Proserpina).
the goddess of love 사랑의 여신(Venus).
the goddess of the moon 달의 여신(Diana).
the goddess of war 전쟁의 여신(Bellona).
the goddess of wisdom 지혜의 여신(Minerva).
~·hòod *n.* 여신임 ; 여신의 성질.

go·det [goudét] *n.* (스커트나 장갑을 부풀게 하기 위한) 삼각천(gusset) ; 〖紡〗 고데《합성 섬유의 연신용(延伸用) 롤러》. 〖F〗

go·de·tia [goudíːʃiə, gə-] *n.* 〖植〗 고데티아《바늘꽃과 고데티아속의 풀의 총칭 ; 북미 서부 원산》. 〖C. H. *Godet* (d. 1879) 스위스의 식물학자〗

gó-dèvil *n.* **1** 《美》 유정(油井) 속의 다이너마이트 폭파기. **2** 급유관 청소기. **3** (특히 벌채한 목재를 실어 나르는) 썰매의 일종.

gód·fàther *n.* 〖카톨릭〗 대부(代父)《세례식에 입회하여 세례받는 아기의 이름을 지어 주고 영혼상의 아버지로서 종교 교육을 보증함》 ; 《비유》 (사람[물건]의) 명명의 유래가 된 사람 ; (사람·사업의) 후원 육성자《무명 작가를 육성하는 편집자 등》. —— *vt.* …의 대부가 되다 ; 후원 육성하다.

Gód-fèar·ing *a.* [때때로 g~] 신을 두려워하는, 믿음이 깊은, 경건한.

gód·forsàken [, 美+ ⌐⌐] *a.* [때때로 G~] 신에게 버림받은, 타락할 대로 타락한, 극악한 ; 황폐한, 적막한, 인적이 드문.

God·frey [gádfri] *n.* 남자 이름. 〖OF < Gmc. = God + peace〗

Gód-gìven *a.* 하늘에서 주어진 ; 천부(天賦)의, 절호의(opportune).

gód·hèad *n.* Ⓤ 신격(神格), 신성(divinity) ; [the G~] 신(God).

gód·hood *n.* Ⓤ [때때로 G~] 신(神)임, 신격(神格), 신성(神性).

Go·di·va [gədáivə] *n.* **1** 여자 이름. **2** 〔英傳說〕 [Lady ~] 고다이바《11세기 영국 귀족의 부인 ; 남편이 Coventry 마을 주민에게 부과한 중세(重稅)를 폐지한다는 조건으로 벌거벗은 채 말을 타고 마을을 돌았다고 함 ; cf. PEEPING TOM》. 〖OE = God + gift〗

gód-kíng *n.* 신격화된 군주[임금].

gód·less *a.* 신이 없는 ; 신의 존재를 부정하는, 신을 인정하지[믿지] 않는 ; 신앙심 없는, 불경(不敬)한, 죄많은. **~·ly** *adv.* 믿음이 없이, 불경스럽게. **~·ness** *n.* Ⓤ 신앙심 없음, 사악.

gód·lìke *a.* [때때로 G~] 신과 같은, 거룩한, 위엄 있는 ; 신에게 어울리는. **~·ness** *n.*

gód·ling *n.* (지방적이고 영향력이 적은) 작은 신.

gód·ly *a.* **1** 신성(神聖)한 ; 신을 공경하는, 믿음이 깊은, 신앙이 돈독한, 독실한. **2** [명사적으로 ; the ~] 《때때로 反語》 신앙심 깊은 사람들. —— *adv.* 《古》 독실하게, 경건하게.
gód·li·ness *n.* 경신(敬神), 경건, 신심(信心) ; 청렴한 인격, 신앙심이 깊은 성격.

Gód-mán *n.* 그리스도.

gód·mòther *n.* 대모(代母) (☞ GODFATHER). —— *vt.* …의 대모가 되다.

go·down [góudaun] *n.* (인도·동남 아시아 따위의) 창고(warehouse). 〖Port. < Malay〗

gó-dòwn *n.* 《俗》 아파트의 지하층, 지하실.

gód·pàrent *n.* 대부[모](代父[母]) (☞ GODFATHER).

Gód's ácre [; ⌐⌐] *n.* 묘지, 교회 부속 묘지.

Gód Sáve the Quéen[**Kíng**] *n.* 여왕[국왕] 폐하 만세《영국 국가 ; 작사·작곡자 불명》.

Gód's Bóok *n.* 성서(the Bible).

gód·sènd *n.* 하늘이 주신 선물, 뜻밖의 행운, 횡재(橫財). **-sènt** *a.* 하늘이 주신.

Gód's Éye *n.* 신의 눈《잔가지로 만든 십자가에 색실을 기하학적 무늬로 감은 것 ; 멕시코·미국 남부에서 행운의 부적으로 씀》. 〖Sp. *ojo de dios*의 역(譯)〗

Gód's gíft *n.* =GODSEND.
think (***that***) one ***is God's gift to. . .*** 《口》…

에 관하여 최고라고[재능이 있다고] 자만하다.
gód·ship *n.* Ⓤ 신성, 신격.
Gód's ìmage *n.* 인체(人體).
Gód slòt *n.* 《英俗》 (라디오·텔레비전의) 종교 프로그램.
Gód's mèdicine *n.* 《美俗》 마약.
gód·sòn *n.* 대자(代子) (cf. GODCHILD).
Gód's (ówn) cóuntry *n.* 이상적인 땅[나라], 낙원 ; 《美》 자기 나라《미국》.
Gód·spéed *n.* Ⓤ 성공[행운]의 축복[기원] : bid [wish] a person ~ 남의 여행길의 안전[사업의 성공 따위]을 빌다.
Gód's plènty[《口》 **quàntity**] *n.* 엄청난[매우 많은] 양.
Gód·ward *adv.* 신에게[을 향해]. —— *a.* 경신(敬神)의, 신앙이 깊은(cf. MANWARD).
-wards *adv.*
God·win [gádwən] *n.* 남자 이름.
〖OE=God or good friend〗
god·wit [gádwit] *n.* 〔鳥〕 흑꼬리도요《흑꼬리도요속의 각종 새》. 〖C16 < ?〗
gó·er *n.* **1** 가는 사람, 행인 ; 움직이는 것 ; [복합어로] …에 가는[다니는] 사람 : comers and ~*s* 오고 가는 사람들《여행객·손님 등》. **2** 활기찬 사람 ; 《濠口》 야심가 ; 실현성이 있는 생각[제안].
a good* [*poor, slow*] *goer 발(걸음)이 빠른[느린] 사람[말], 빠르게[느리게] 움직이는 것《시계 따위》.
GOES *n.* 미국의 정지 기상 위성.
〖*G*eostationary *O*perational *E*nvironmental *S*atellite〗
Goe·the [gɔ́ːtə ; *G* gǿːtə] *n.* 괴테. **Johann Wolfgang von** ~ (1749-1832) 독일의 시인·극작가·소설가.
Goe·the·an, Goe·thi·an [gɔ́ːtiən] *a.* 괴테의[에 관한], 괴테풍의. —— *n.* 괴테 숭배[연구]가.
go·fer[1] [góufər] *n.* 얇은 핫 케이크. 〖F *gaufre*〗
gofer[2] *n.* 《美俗》 (회사의) 잡무를 하는 사람, 심부름꾼 ; =GOPHER[2]. 〖*go for*〗
gof·fer, gauf·fer [gáfər, gɔ́ː-, góu- ; gə́u-] *vt.* (천 따위에) 주름을 잡다, 주름지게 하다 : ~*ed* edges (책의) 돋을무늬가 있는 가장자리. —— *n.* 주름, 구김살(gather) ; 주름잡는 기구. **~·er** *n.*
〖F=honeycomb〗
góffer·ing *n.* Ⓤ 주름잡기 ; Ⓒ 주름 장식.
Gog and Ma·gog [gág ən méigag] *n.* 〔聖〕 곡과 마곡《사탄에게 미혹되어 하늘 나라에 대항하는 두 나라 ; 요한계시록 20 : 8-9》.
gó-gétter [ˌ ˊˋ] *n.* 《口》 (특히 돈벌이에서) 수완가, 민완가. **gó-gét·ting** *a.* 활동적인, 민완한.
gog·gle [gágəl] *vi.* (눈알이) 희번덕거리다 ; 눈을 부릅뜨다. —— *vt.* (눈알을) 이리저리 굴리다. —— *n.* **1** 눈을 부릅뜸. **2** [*pl.*] 고글, 먼지[바람] 막는 안경, 수중 안경《따위》 ; 선글라스 ; 《英俗》 둥근 렌즈의 안경 : a pair of ~*s*. —— *a.* (눈이) 튀어나온, 눈알을 굴리는. 〖ME=to squint (freq.) < ? 《美》 *gog* (imit.) ; cf. JOG〗
góggle-bòx *n.* 《英俗》 텔레비전.
góggle-dìve *n.* 수중 안경을 쓰고 하는 잠수.
góggle-èye *n.* 《美俗》 값싼 술 ; 밀조주.
góggle-èyed *a.* 눈이 튀어나온, 눈알을 희번덕거리는 ; (특히) 놀라서 눈을 부릅뜬.
góg·gler *n.* 눈을 휘둥그렇게 뜨고 보는 사람.
Gogh ☞ VAN GOGH.
gog·let [gáglət] *n.* 《인도》 물을 차게 해두는 질그릇 병.
go-go [góugou] *a.* 매우 활동적인, 정력적인, 근사한 ; 분방한 ; 현대적인, 최신의, 요즘 유행하는 ; 고고(댄스)의, 디스코의 ; 단기 투기에 관한[를 하는] ; 고도 성장의 : ~ dancer[girl] 고고 댄서[걸]. —— *n.* 고고(댄스) ; =GOGO FUND.
—— *vi.* 고고를 추다. 〖A-GO-GO〗
gó-go bóot *n.* 고고 부츠《무릎까지 오는 여성용 부츠 ; 특히 에나멜 가죽 또는 번쩍번쩍 광이 나는 비닐제》.
gó-go dànce *n.* 고고(춤).
gó-go fùnd *n.* (주식의) 단기 투자 자금.
Go·gol [gɔ́ːgəl, góugɔːl] *n.* 고골리.
Nikolai Vasilievich ~ (1809-52) 러시아의 소설가·극작가.
Goi·del·ic [gɔidélik] *a.* 게일족(族)(Gaels)의, 게일어(語)의. —— *n.* Ⓤ 고이델어(語) 《켈트어(語)의 일파로 Irish Gaelic, Scottish Gaelic, Manx를 포함함》 ; (광의(廣義)의) 게일어.
◇**gó·ing** *v.* GO의 현재분사. —— *n.* **1** Ⓤ 가기, 보행, 여행 ; 떠나기, 출발. **2 a)** Ⓤ 도로[경주로 따위]의 상태, 《英》 (특히) 경마장 상태 : The ~ was bad through the snow. 눈길은 가기가 나빴다. **b)** Ⓤ (일 따위의) 진행 상태, 작업 상황. **3** Ⓤ 종사(從事), (업무의) 수행, 영업. **4** [보통 *pl.*] 행위, 거동.
go while the going is good 상황이 유리한 때에 도망치다.
—— *a.* **1** 활동[운동] 중의 ; 진행[운전·영업] 중의 ; 현행의 : a ~ business[concern] 영업중인[성업중인] 장사[회사] / the ~ rate 현행 이율. **2** 현재 있는 ; 입수되는, 이용할 수 있는, 얻을 수 있는 : one of the best fellows ~ 요즈음 보기드문 훌륭한 남자 / There is cold beef ~. 냉장된 고기가 있습니다. **3** 《美口》 출발하는.
in going order 이상이 없는 상태로, 사용할 수 있는 상태로 ; 건전하게.
keep. . .going …을 계속해 가다, 유지하다.
set. . .going …의 운전을 시작하다, …을 움직이게 하다 ; (활동을) 시작하다 ; 창립하다.
gó·ing-awáy *a.* (신부의) 신혼 여행용의 : a ~ dress 신혼 여행 드레스.
gó·ing-óver *n.* (*pl.* **góings-óver**) 《口》 철저한 조사[심문], 점검 ; 심한 질책[매질] : give a person a ~ 남을 심문하다 ; 남을 엄하게 꾸짖다.
góing pùblic *n.* 〔證〕 주식의 공개.
gó·ings-ón *n. pl.* 《口》 (달갑지 않은) 거동, 행실, 행동 ; (유감스러운) 사건, 사태.
góing-to-vísit *a.* 외출(용)의, 나들이의《옷》.
gó-it-alóne *a.* 《口》 독립[자립]한.
goi·ter | **-tre** [gɔ́itər] *n.* Ⓤ 〔醫〕 갑상선종(甲狀腺腫). **gói·tered** | **-tred** *a.*
〖F (L *guttur* throat)〗
goi·tro·gen [gɔ́itrədʒən, -dʒèn] *n.* 〔醫〕 갑상선종을 유발하는 물질.
goi·trous [gɔ́itrəs] *a.* 〔醫〕 갑상선종(성)의.
Gó·lan Héights [góulaːn-, -lən-] *n. pl.* [the ~] 골란 고원《시리아 남서부의 고지 ; 1967년 중동전 이래 이스라엘이 점령중인 시리아의 영토》.
Gol·con·da [galkándə] *n.* 골콘다《인도의 보고(寶庫)로 알려진 옛 도시 이름》 ; [때때로 g~] 무한한 재보, 보배의 산.
◇**gold** [góuld] *n.* **1** Ⓤ 금《금속원소 ; 기호 Au ; 번호 79》 ; 황금. **2** Ⓤ 금제품 ; 금화(金貨) ; 금본위제 : go off ~ 금본위제를 폐지하다. **3** Ⓤ 부(富), 돈(wealth, money), 재보(treasure). **4** 금도금, 금가루, 금빛 그림 물감, 금실, 금몰, 금박. **5** Ⓤ 금색, 황금색 : old ~ 바랜 금빛, 광택이 없는 적황색. **6** 〔弓術〕 과녁의 한복판(bull's-eye) :

hit the ~ 과녁의 한복판을 맞히다 / make a ~ 과녁의 중심을 쏘다. **7** Ⓤ 황금처럼 귀한 것 : a heart of ~ 아름다운 마음[순정](을 지닌 사람) / a voice of ~ 고운 음성.
(as) good as gold (특히 아이들이) 매우 점잖은 ; 매우 친절한 ; 충분히 신용할 수 있는.
the age of gold =GOLDEN AGE.
── *a.* 금의, 금제(金製)의, 금…(cf. GOLDEN) ; 금색의, 황금색의 ; 금본위의 : a ~ coin 금화(金貨) / a ~ watch 금시계.
〚OE ; cf. G *Gold* ; IE에서 'yellow'의 뜻〛

góld amálgam *n.* 금아말감《수은과 금의 합금》.
góld bàsis *n.* 〖金融〗 금본위 기준 : on a ~.
góldbeater's skìn *n.* 금박사의 껍질《금박을 두드려 펼 때 박 사이에 끼우는 소의 대장으로 만든 얇은 막》.
góld·bèat·ing *n.* Ⓤ 금박 제조 (기술). **-bèat·er** *n.* 금박사(金箔師).
góld·bèetle *n.* 〖昆〗 풍뎅이(goldbug).
góld blòck *n.* 금(金)블록《금본위국간의 통화(通貨) 블록》.
góld·brìck *n.* 《口》 가짜 금괴 ; 모조품 ; 《美口》 게으름뱅이(loafer) ; 꾀병쟁이 ; 별볼일 없는 여자 ; 근무 태만 병사. ── *vt.* 속이다, 협잡하다. ── *vi.* 꾀병부리다, 게으름피우다(shirk).
〚골드 러시 시대에 가짜 금괴가 많았던 데서〛
góld·bùg *n.* 풍뎅이 ; 금본위제 지지자 ; 황금광(狂), 금을 사 모으는 사람.
góld certìficate *n.* 《美》 금화 증권.
góld clàuse *n.* 〖經〗 금약관(金約款).
Góld Còast *n.* **1** [the ~] 황금 해안《GHANA의 옛이름》. **2** 《美口》 고급 주택가.
góld-dìg *vt., vi.* (**-dùg**) 《俗》 (여자가) 남자를 유혹하여 돈을 우려내다.
góld dìgger *n.* 금광 찾는 사람, 사금(砂金) 캐는 사람 ; 황금광(狂) ; 《俗》 남자를 유혹하여 돈을 우려내는 여자.
góld dìgging *n.* 금광찾기, 사금 채취 ; [보통 *pl.*] 사금 지대(砂金地帶) ; 《俗》 (여자가) 남자의 돈을 우려내기.
góld dùst *n.* 사금(砂金) ; 금가루.
góld embàrgo *n.* 〖經〗 금 수출 금지.
‡**góld·en** *a.* **1** 금빛의, 황금빛의(cf. GOLD *a.*) : ~ hair 금발. **2** 금의, 금으로 만든 : ~ eggs 황금알 (☞ GOLDEN GOOSE). **3** 금으로 가득 찬, 금이 나는. **4** 값비싼, 우수한, 귀중한 ; 절호(絶好)의 ; 인기 있는 : a ~ boy[girl] 인기있는 남자[여자] / a ~ opportunity 절호의 기회 / a ~ remedy 묘약 / a ~ saying 금언. **5** 50년째의(cf. SILVER) : ☞ GOLDEN WEDDING. ── *vt., vi.* golden으로 하다[되다].
Gólden Áccess Pássport *n.* 《美》 (맹인 등) 신체 장애자 우대증《Golden Age Passport와 같은 대우를 받음》.
gólden áge *n.* **1** [the ~, 때때로 the G~ A~] 〖그神〗 황금 시대《전설의 4시대 중 가장 오래된 시대 ; Cronos[Saturn]이 지배하던 시대로, 노동없고 산물이 풍부하며 부정과 악이 없는 인류 지복의 시대 ; cf. SILVER AGE, BRONZE AGE, IRON AGE》. **2** (예술·문학 따위의) 황금 시대, 전성기. **3** (지혜·만족·여가를 특색으로 하는) 중년 이후의 인생 ; 《婉》 노년.
gólden áge clùb *n.* 노인 클럽《사교 단체》.
Gólden Áge Pássport *n.* 《美》 경로 우대증《연방 정부가 관리하는 공원, 사적(史蹟), 휴식·오락 지구 따위의 무료 입장이 가능함》.
gólden-àger *n.* 《美口》 (은퇴한) 초로(初老)의 사람, 노인.
gólden bálls *n. pl.* 전당포 간판《금빛 공이 세 개임》 ; 전당포(pawnshop).
Gólden Búll *n.* [the ~] 〖史〗 금인(金印) 칙서《1356년 신성 로마 황제 Charles 4세가 발포한 황금 칙령》.

golden balls

gólden cálf *n.* **1** [the ~] 금송아지《이스라엘 사람들이 숭배한 우상》. **2** 숭배의 대상이 되는 물질, (특히) 부(富), 돈 ; 물질적 부의 숭배.
Gólden Créscent *n.* [the ~] 황금의 초승달 지대《이란·아프가니스탄·북부 파키스탄에 걸친 마약 생산·거래 지대》.
Gólden Delícious *n.* 골든 딜리셔스《노란 사과의 일종 ; 미국산》.
gólden dísc *n.* 골든 디스크《백만 장 또는 백만 달러 이상 팔린 히트 레코드 ; 또 이 레코드의 가수에게 상으로 주는 금제 레코드》.
gólden éagle *n.* 〖鳥〗 검독수리《머리·목 부분이 황금색임》.
Gólden Éagle Pássport *n.* 《美》 가족 패스의 일종《1년간 가족이 연방 정부가 관리하는 공원, 유적[유원]지 따위에 무료 입장함》.
gólden·èye *n.* 〖鳥〗 흰뺨오리.
Gólden Fléece *n.* [the ~] 〖그神〗 (Jason이 Argonauts를 이끌고 원정해서 얻은) 금 양털.
Gólden Gáte *n.* [the ~] 금문만(金門灣)《미국 California 주의 서해안, San Francisco 만을 태평양에 잇는 해협》.
gólden góose *n.* (그리스 전설의) 황금알을 낳는 거위《욕심 많은 주인이 한꺼번에 황금알을 얻으려고 거위를 죽였다는 Aesop 우화》.
gólden hándcuffs *n. pl.* 성당에 대한 특별 우대 조치.
gólden hándshake *n.* 《英》 (고액의) 퇴직금.
Gólden Hórde *n.* [the ~] 〖史〗 황금 군단, 킵차크 한국(汗國)《13세기 중엽부터 15세기 말까지 러시아를 지배하였던 몽고족의 나라 ; Genghis Khan의 손자 Batu가 건국》.
Gólden Hórn *n.* [the ~] 골든 혼《Bosporus 해협에 있는 작은 후미》.
gólden júbilee *n.* 50주년 축전(cf. JUBILEE).
gólden kéy *n.* **1** 뇌물. **2** [the ~] 성베드로가 천국의 문을 여는데 쓴다는 금으로 만든 열쇠.
gólden méan *n.* [the ~] 황금의 중용(中庸) ; 황금 분할.
gólden-móuthed *a.* 웅변의(eloquent).
gólden nématode *n.* 〖動〗 시스트선충《감자·토마토 따위의 뿌리에 기생》.
gólden número *n.* [the ~] 황금수자 《서력 연수에 1을 더해서 19로 나눈 나머지 수, 부활절날을 정할 때 씀》.
gólden óldie[**óldy**] *n.* 그리운 옛 노래[스포츠, 농담, 영화].
gólden óriole *n.* 〖鳥〗 유럽꾀꼬리《수놈의 날개가 황금색임》.
Gólden Páges *n. pl.* [the ~] 《아일》 직업별 전화 번호부《《英》·《美》에선 YELLOW PAGES라 함》.
gólden pálm *n.* [the ~] 황금 종려(棕櫚) 《프랑스에서 개최되는 칸 영화제에서 최우수 장편·단편 작품에 각각 수여됨》.
〚F *palme d'or*의 역(譯)〛
gólden retríever *n.* 골든 리트리버《누런 털을 가진 영국 원산의 순한 조류 사냥개》.

gólden·ròd *n.* 〖植〗 메역취.
gólden rúle *n.* [the ~] 〖聖〗 황금률《마태복음 7 : 12 ; 누가복음 6 : 31의 교훈, 흔히 'Do (to others) as you would be done by.' (남에게 대접을 받고자 하는 대로 너희도 남을 대접하라)로 간략됨》; (일반적으로) 지도 원리, 중요한 원칙.
gólden séction *n.* [the ~] 황금 분할(分割).
Gólden Státe *n.* [the ~] 미국 California 주(州)의 속칭.
gólden sýrup *n.* 《英》 골든 시럽《당밀로 만드는 요리용·식탁용의 정제 시럽》.
gólden thúmb *n.* 《俗》 돈 잘 버는 사람.
Gólden Tríangle *n.* [the ~] 황금의 삼각 지대《세계의 생아편의 대부분을 생산하는 인도차이나 북부의 미얀마·타이·라오스·중국이 국경을 접하는 지역》; 고생산성 지역.
gólden wédding *n.* 금혼식《결혼 50주년 기념식 ; cf. DIAMOND[SILVER] WEDDING》.
gólden yèars *n. pl.* 노후《흔히 65세 이후》.
gólden yóuth *n.* 상류 계급의 젊은이.
góld fèver *n.* 금광열(金鑛熱), 황금열.
góld·field *n.* 채금지, 금광지.
góld-filled *a.* 금을 입힌, 금을 씌운.
góld·finch *n.* 〖鳥〗 노랑촉새.
〚OE *goldfinc*〛
góld·fish *n.* 〖魚〗 금붕어 ; 《俗》 통조림한 연어, 연어 통조림 ; [the G~] 〖天〗 황새치자리(Dorado). —— *a.* 금붕어 같은 ; 《비유》 (특히) 세인의 주목을 끈.
góldfish bòwl *n.* 금붕어용의 어항 ; 《비유》 프라이버시를 지킬 수 없는 상태[장소].
góld fóil *n.* 금박《GOLD LEAF보다 두꺼움 ; 치과에서 사용》.
góld hándcuffs *n. pl.* (회사가 제공하는) 우대조건《인재 확보를 위한 자동차 구입·주택 구입 자금 따위의 원조 조건》.
gold·ie [góuldi] *n.* 《美》 = GOLDEN DISC.
gold·i·locks [góuldilàks] *n.* (*pl.* ~) 금발의 사람[처녀] ; 〖植〗 메역취 비슷한 초본.
góld làce [; ⌐⌐] *n.* 금몰, 금 레이스.
góld-làced *a.*
góld léaf [; ⌐⌐] *n.* 금박. **góld-lèaf** *a.*
góld médal *n.* (우승자에게 주는) 금메달.
góld mìne *n.* 금광 ; 대부원(大富源), 보고.
góld nòte *n.* 《美》 금태환(金兌換) 지폐, 금권.
góld pláte *n.* [집합적으로] 금제 식기류.
góld-pláte *vt.* 금을 입히다[도금하다].
góld pòint *n.* 〖經〗 정화수송점(正貨輸送點).
góld récord *n.* = GOLDEN DISC.
góld resèrve *n.* 금[정화(正貨)] 준비.
góld rùsh *n.* 골드 러시《새 금광으로의 쇄도 ; 미국에서는 1849년 California의 금광이 유명》; 일확천금을 얻으려고 광분하기.
góld·smìth *n.* 금세공인[상(商)].
Goldsmith *n.* 골드스미스. **Oliver** ~ (1728-74) 아일랜드 출신인 영국의 소설가·극작가.
góld stàndard *n.* [the ~] 〖經〗 금본위제.
góld stár *n.* **1** (학교에서) 우등의 표로 주는 작은 금빛 별. **2** 전사자의 대원·가족임을 나타내는 금성장(金星章).
góld-stár *a.* 《俗》 일급의, 월등한, 놀랄 만한.
Góld Stíck *n.* [때때로 g~ s~] 《英》 식전(式典) 따위에서 황금빛 막대를 받들고 왕[여왕]을 모시는 궁내관 ; 그 황금빛 막대.
góld·stòne *n.* 사금석 ; 황옥(黃玉).
góld·thrèad *n.* 〖植〗 황련(黃蓮).
góld-tìpped *a.* (궐련 따위의) 금빛 종이로 감은 필터가 붙은.
góld-wòrking *n.* [때때로 *pl.*] 채금장(採金場), 사금 채취장.
go·lem [góuləm, gɔ́i-, géi-] *n.* 〖유태傳說〗 골렘《생명이 주어진 인조 인간》; 자동 인형, 로봇 (automation) ; 얼간이.
〚Yid. < Heb. = shapeless thing〛
***golf** [gálf, gɔ́(:)lf, 때때로 gáf, 때때로 gɔ́(:)f] *n.* 골프. —— *vi.* 골프를 치다. —— *vt.* (야구 따위에서) 높이 쳐올리다.
〚ME (Sc.) < ? ; MDu. *colf* club에서 인가〛

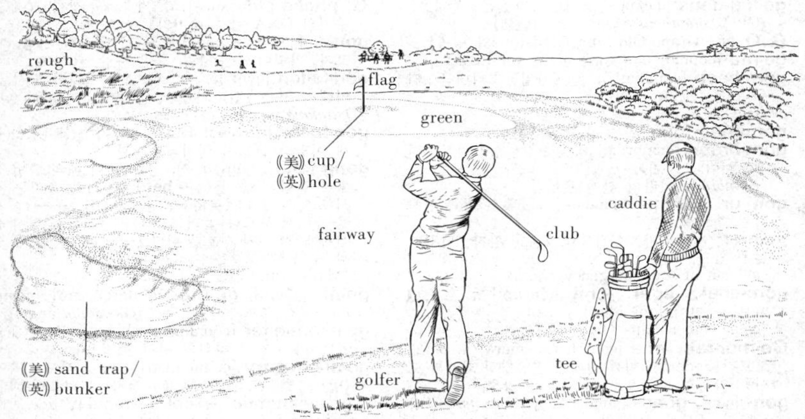

golf

gólf bàg *n.* 골프 가방.
gólf bàll *n.* 골프공.
gólf càrt *n.* 골프 카트《골프장으로 골프 백을 운반하는 손수레 또는 골퍼와 그의 소지품을 운반하는 자동차》.
gólf clùb *n.* **1** 골프채. **2** 골프 클럽.
gólf còurse *n.* 골프장[코스].
gólf·er *n.* 골프치는 사람, 골퍼.
gólf hòse *n.* (운동·골프용의) 긴 양말.
gólf lìnks *n. pl.* 골프장.
gólf wìdow *n.* 골프광(狂)의 아내.
Gol·go·tha [gálgəθə] *n.* **1** 〖聖〗 골고다《그리스도가 십자가에 못박힌 곳》. **2** [g~] 묘지, 납골당 ; 수난[희생]의 땅.
〚Heb.＝(place of) skull〛
gol·iard [góuljərd, -ljɑːrd] *n.* [때때로 G~] (12-13세기의) 편력 서생 시인《라틴어 풍자시의 음유 시인》. **gol·iar·dic** [gouljáːrdik] *a.*
〚OF〛
gol·iar·dery [gouljáːrdəri] *n.* [집합적으로] 편력 시인의 라틴어 풍자시.
Go·li·ath [gəláiəθ] *n.* **1** 〖聖〗 골리앗《David에게 죽음을 당한 Philistine 족의 거인》. **2** (일반적으로) 거인. **3** [g~] 〖機〗 이동식 대(大)기중기.
golíath bèetle *n.* [때때로 G~] 〖昆〗 골리앗사슴풍뎅이《아프리카산(産)》.
gol·li·wog, -wogg [gáliwàg] *n.* 새까만 얼굴을 한 괴기한 인형 ; 얼굴이 도깨비 같은 사람.
〚C19〈?*golly*[1]＋po*lliwog* ; 작(作) Bertha Upton, 삽화 Florence Upton의 연속 아동 그림책 중의 인형의 이름〛
gol·ly[1] [gáli] *int.* [놀람을 나타내어] 이키 !, 어머나 !, 아이고 ! : By ~ ! 저런, 어머나.
〚(euph.)〈GOD〛
golly[2] *n.*＝GOLLIWOG.
golly[3] *vt., vi.* 《濠俗》 침을 뱉다. —— *n.* 뱉은 침.
〚변형(變形)<*gollion* a gob of phlegm< ? imit.〛
gó-lòng *n.* 《美黑人俗》 범인(犯人) 호송차(paddy wagon).
go·losh(e) [gəláʃ] *n.* ＝GALOSH.
go·lup·tious [gəlʌ́pʃəs] *a.* 《戲》 맛있는 ; 즐거운.
〚C19 ; *voluptuous*에 준한 조어(造語)〛
G.O.M. Grand Old Man《Gladstone의 별명》.
go·ma [góumə] *n.* 《美俗》 아편. 〚cf. GUM[1]〛
gom·been [gɑmbíːn] *n.* Ⓤ 《아일》 고리대금 ; 터무니없는 고리, 폭리.
〚Ir. Gael.〛
gombéen-màn *n.* 고리 대금업자(usurer).
gom·broon [gɑmbrúːn] *n.* 곰브룬《백색 반투명의 페르시아 도자기》.
〚*Gombroon* 이란의 산지(産地)〛
gom·er[1], **go·mar** [góumər] *n.* 《美空軍俗》 신참 사관 후보생.
go·mer[2] *n.* 《美俗》 심기증(心氣症) 환자 ; 달갑지 않은 환자.
〚*g*et *o*ut of *m*y *e*mergency *r*oom〛
gom·er·al, -er·el, -er·il [gámərəl] *n.* 《스코》 바보, 얼간이(fool, idiot).
〚*gome* (obs.) man<OE *guma*〛
Go·mor·rah, -rha [gəmɔ́(ː)rə, -márə] *n.* 〖聖〗 고모라《Sodom과 함께 신에게 멸망당한 죄악의 도시》 ; 악덕과 타락으로 악명 높은 장소.
gon- [gán], **gono-** [gánou, -nə] *comb. form* 「성(性)의」「생식(生殖)의」「종자」의 뜻 : *gon*ad.
〚Gk. ; ⇨ GONAD〛
-gon [ˊ-gàn, -gən ; -gən] *n. comb. form* 「…각형(角形)」의 뜻 : hexa*gon* ; penta*gon* ; n-*gon*(n 각형). 〚Gk. -*gōnos* -angled〛
go·nad [góunæd, gánæd] *n.* 〖解〗 생식선(腺).
go·nad·al [gounǽdl, gɑnǽdl] *a.*
〚L<Gk. *gonē* seed, generation〛
go·nado·tróphic, -trópic [gounæ̀də-, gɑ̀nədou-] *a.* 〖生化〗 생식선을 자극하는 : ~ hormone 성선(性腺) 자극 호르몬(gonadotrophin).
go·nad·o·tro·phin [gounæ̀dətróufən], **-pin** [-pən] *n.* 〖生化〗 성선(性腺) 자극 호르몬.
gon·do·la [gándələ, 美＋gɑndóu-] *n.* **1** 곤돌라《밑바닥이 평평한 Venice의 유람선》. **2** (비행선의) 조선(吊船), (기구의) 조롱(吊籠) ; (로프웨이·스키 리프트의) 곤돌라. **3** 《美》 무개 화차의 일종 ; 《美》 평저선(平底船).
〚It.<Rhaeto-Rom.＝to rock, roll〛
gon·do·lier [gɑ̀ndəlíər] *n.* 곤돌라의 뱃사공.
Gond·wá·na (·lànd) [gɑndwáːnə(-)] *n.* 곤드와나 대륙《가설상의 고생대 말기의 남반구 대륙》.
Gond·wá·ni·an *a.*
◇**gone** [gɔ́(ː)n, gán] *v.* GO의 과거 분사.
—— *a.* **1** 지나간 ; 죽은(cf. GO *vi.* 2) : past and ~ 지나가 버린 / dead and ~ 죽어버린. **2** 나아가는 : far ~ 멀리 나아가서, (밤이) 깊어, 깊이 빠져들어, 죽음이 임박하여, 매우 지쳐서. **3** 《美俗》 홀딱 반한, 정신 팔린〈(*up*) *on*〉. **4** 《口》 임신한 : a woman six months ~ 임신 6개월인 여자. **5** 틀린, 가망이 없는 : a ~ case 절망 상태, 파멸 ; 희망이 없어진 것 ; 가망이 없는 사람 / a ~ coon 《俗》 싹수가 없는 사람 ; 절망적인 일[상태] / a ~ man 죽을 운명에 있는 사람. **6** (화살 따위) 과녁을 빗나간.

〈회화〉
My toothache is *gone*. — That's good. 「치통이 사라졌어」「잘됐구나」

~·ness *n.* Ⓤ 쇠약, 피폐, 기진한 상태.
gon·ef, -if [gánəf] *n.* 《美俗》 도둑, 소매치기, 악한(惡漢).
góne góose [gósling] *n.* 《口》 어쩔 수 없는 사람, 가망이 없는 사람 ; 《口》 절망적인 일[상태].
G_1 phase [dʒìːwʌ́n ˊ] *n.* 〖生〗 G_1 상(相)《세포 주기의 DNA 합성 준비기》.
gon·er [gɔ́(ː)nər, gán-] *n.* 《口》 영락한 사람, 낙오자, 가망이 없는 사람, 죽은 사람. 〚GONE, -*er*[1]〛
gon·fa·lon [gánfələn] *n.* (중세 이탈리아 도시 국가에서 사용했던) 기(旗). 〚It.<OF<Gmc. (OE *gūthfana* war banner) ; cf. VANE〛
gon·fa·lon·ier [gɑ̀nfələníər] *n.* 기수(旗手) ; (중세 이탈리아 도시 국가의) 장관.
gong [gɔ́(ː)ŋ, gáŋ] *n.* 징, 공《식사나 배의 출범 신호로 울림》 ; 공 벨(＝ˊ~ **bèll**) 《전기로 울리는 접시 모양의 종》 ; 《英俗》 훈장(medal). —— *vt.* 징을 울려서 부르다[불러 모으다] ; (교통 순경이 운전자에게) 정차 신호를 하다. —— *vi.* 징[벨]을 울리다, 징[벨] 같은 소리를 내다.
〚Malay (imit.)〛
go·ni- [góuni], **go·nio-** [góuniou, -iə] *comb. form* 「각」「귀퉁이」의 뜻. 〚Gk. *gōnia* angle〛
go·ni·om·e·ter [gòuniámətər] *n.* 측각기(測角器)《광물·결정 따위의 면각 측정용》.
go·ni·om·e·try [gòuniámətri] *n.* 각도 측정(법) ; 〖醫〗 도각도(倒角度) 검사, 고니오미트리.
gò·nio·mét·ric, -ri·cal *a.* **-ri·cal·ly** *adv.*
go·ni·um [góuniəm] *n.* (*pl.* **-nia** [-niə], **~s**) 〖生〗 생식원 세포, 성원(性原) 세포.
gon·na [gɔ́(ː)nə] 《方·俗》 ＝going to(☞ *be* GO*ing to* do) : I'm ~ do it. 그렇게 하려고 생각

한다 / They ~ be here soon. (=They are ~ be....) 이제 곧 여기에 올 것이다.

gòno·cóccus *n.* (*pl.* **-cócci**) 〖菌〗 임균(淋菌). **-coc·cal** [-kákəl], **-coc·cic** [-káksik] *a.*

gó-nó-gò *a.* 계속하느냐 중지하느냐의 결정(시기)에 관한.

góno·phòre *n.* 〖動〗 (히드라충류(蟲類) 따위의) 생식체; 〖植〗 꽃대의 꽃덮이 위로 뻗는 연장부 《암술·수술이 달림》. **-phor·ic** [gànəfɔ́(:)rik, -fár-] *a.* **go·noph·o·rous** [gənáfərəs] *a.*

gon·or·rhea, -rhoea [gànərí:ə] *n.* Ⓤ 〖醫〗 임질. **-rh(o)é·al** *a.* 임질의.
〖L<Gk.=semen flux〗

gon·sil [gánsəl] *n.* 《美俗》 =GUNSEL.

-g·o·ny [-́gəni] *n. comb. form* 「발생(generation)」「기원(origination)」의 뜻: cosmo*gony*; mono*gony*.
〖L<Gk. *-gonia* begetting; ⇨ GONAD〗

gon·zo [gánzou] *a.* 《美俗》 머리가 돈, 미친.
〖It.=a fool〗

goo [gú:] *n.* [the ~] 《美俗》 끈적거리는 것; 불쾌한 감상(感傷). ── *vi.* 친한 듯이 말하다.
〖C20<?; bur*goo*인가, 또는 *glue*의 변형인가〗

goob [gú:b] *n.* 《美學生俗》 (얼굴에 있는) 작은 점, 주근깨《따위》.

goo·ber [gú:bər] *n.* 《美中南部》 땅콩, 낙화생.
〖(Angola)〗

◇**good** [gúd] *a.* (**bet·ter** [bétər]; **best** [bést]) (↔ *bad*) **1** 좋은, 우량한, 훌륭한, 질이 좋은, 고급의: a ~ house 좋은 집 / a ~ family 양가 / of ~ family 좋은 가문의[에서 태어난] / ~ breeding 훌륭한 가정 교육, 예절바르게 자람 / ~ manners 바른 예의, 행실 바름.

2 (아이가) 얌전한, 행실 바른(well-behaved): There's[That's] a ~ boy[girl, fellow]. 착한 아이지, (잘했다) 참 착하구나《어른에게도 사용》/ Be ~! ☞ 숙어.

3 [+前+名/+*of*+名+(*to* do)] 친절한(kind), 자비로운(benevolent): He is ~ ***to*** the boys. 소년들에게 친절하다 / I asked him if he would be ~ enough[be so ~ as] to take it home. 그에게 그것을 집에 갖다 주지 않겠느냐고 물었다 / It is ~ ***of*** you *to* invite me. 초대해 주셔서 감사합니다 / How ~ *of* you! 대단히 감사합니다.

4 a) 선량한, 덕이 있는(virtuous), 충실한, 훌륭한. **b)** [명사적으로; 보통 the ~; 집합적으로] 선량한 사람들(good people): *The* ~ die young. 선한 사람은 요절한다 / *G*~ and bad alike respect him. 선한 자도 악한 자도 한결같이 그를 존경한다.

5 완전한; (화폐 따위) 위조가 아닌, 진짜의(genuine); (생선·계란 따위) 신선한, 상하지 않은: This fish will not keep ~ overnight. 이 생선은 하룻밤 지나면 상할 것이다.

6 행복한(happy), 유쾌한(enjoyable), 기분 좋은(agreeable), 즐거운, 기쁜: have a ~ time (of it) 즐거운 시간을 보내다.

7 [+*to* do] 적합한, 유익한(beneficial): Exercise is ~ ***for*** the health. 운동은 건강에 좋다 / What else is it ~ *for*? 그밖에 무엇에 도움이 되느냐 / It will be ~ for her to be out in the sun. 밖에 나가서 햇볕을 쬐는 것이 그녀에게는 좋을 것이다 / This water is ~ *to* drink. 이 물은 마실 물로 적합하다.

8 유능한, 수완 있는, 재간 있는, 능한(↔*poor*); 적임의(suitable), 자격 있는: He is a ~ swimmer[rider, shot]. 수영[승마, 사격]을 잘 한다 / She is very ~ *at* drawing[history and Korean]. 그림[역사와 한국어]에 능하다 / She is ~ *on* the piano. 피아노를 잘 친다 / He is ~ *on* American literature. 미국 문학에 정통해 있다.

> **good at**의 문장 전환
> She is *good at* cooking.
> → She is a good cook.
> (그녀는 요리 솜씨가 좋다.)
> He is *good at* speaking English.
> → He is a good speaker of English.
> (그는 영어에 능통하다.)

9 유효한, 적절한: Such remarks may still hold ~ to some extent. 그러한 말은 아직 어느 정도 적절하다고 할 수 있다 / These tickets are ~ *for* ten days. 이 표는 10일간 유효하다.

10 충분한, 완전한, 나무랄데 없는(thorough, satisfying): a ~ half hour 꼭 반 시 간 / a ~ day's work 꼬박 하루가 걸리는 일 / in ~ time 마침 때를 맞추어 / have a ~ laugh 실컷 웃다 / We had a ~ long talk about old times. 옛 이야기로 꽃을 피웠다. ☞ 活用.

11 강한, 건전한, 튼튼한(strong, healthy), 활기찬(vigorous): His eyesight is still ~. 그의 시력은 아직 좋다 / be in ~[high] spirits 원기가 있다, 활발하다 / I'm feeling ~[well] this morning. 《口》 오늘 아침은 컨디션[기분]이 좋다.

> 〈회화〉
> I've had a very *good* time this evening.—I'm very glad to hear that. 「오늘 저녁은 정말 즐거웠습니다」「다행이네요」

a good many ☞ MANY.

a good while 오랫 동안.

as good as (1) …에 충실한[하여]: a man *as* ~ *as* his word 약속에 충실한 남자, 약속을 잘 지키는 사람 / *as* ~ *as* his promise 약속에 충실하여. (2) …나 다름없이: I will let you have a geography that is not new. It is *as* ~ *as* a new one. 헌 지리 책을 주겠다. 새 책이나 다름없다 / He is *as* ~ *as* dead. 죽은 거나 다름없다 / He *as* ~ *as* promised it. 약속한거나 다름없다.

(*as*) *good as gold* ☞ GOLD.

(*be*) *as good as* one*'s word* 약속을 지키다.

Be good!*=*Do be good! 《口》 그럼 안녕히 계십시오, 잘 있어라《「얌전히 있어라」의 뜻에서; cf. 2》.

good and... [gùdn] [형용사·부사에 선행하여 부사적으로] 《口》 충분히, 완전히(very, entirely) (cf. NICE *and*): ~ *and* tired 몹시 지쳐서 / ~ *and* hungry 몹시 배가 고파서.

good for …에 응할 자력(資力)이 있는; …에 적합[유익]한(cf. 7); …동안 유효한(cf. 9); …의 가치가 있는; …의 지불능력이 있는.

Good for you! 잘한다, 훌륭하다! (Bravo!).

> 〈회화〉
> Mum, I came top in this morning's math test.—*Good for you.* 「엄마, 오늘 수학시험에서 1등 했어요」「잘했구나」

Good God! ☞ GOD.

good man! 잘했다, 훌륭하다!

good men and true 훌륭한 사람들.

make a good thing of... ☞ THING.

make good (1) (손해 따위를) 보상하다; (부족 따위를) 보충하다; (약속을) 이행하다; (계획을)

달성하다, (목적을) 이루다 ; (도망 따위를) 단행하다 ; 입증[실증]하다 ; (지위·입장 따위를) 유지[확보]하다 ; 회복[수복]하다 : *make* ~ a loss 손해를 보상하다 / They managed to *make* ~ their escape. 간신히 도망쳐 나왔다. (2) (특히 장사에) 성공하다(succeed).

Not so good ! 이 무슨 엄청난 실패[착오]란 말인가.

the good old days 그리운 옛날.

—— *n.* **1** Ⓤ 선, 덕, 미점 ; 행복(welfare) : the highest ~ 지선(至善) / the greatest ~ of the greatest number 최대 다수의 최대 행복《Bentham의 공리주의의 원칙》. **2** Ⓤ [+前+do*ing*] 이익, 보탬, 유용(advantage, use) : What ~ is it? 그것은 무슨 소용이 있는가 / They thought it would never be much ~. 그것은 그다지 도움이 되지 않을 것으로 생각했다 / It is no ~ talking. 아무리 이야기해도 소용없다 / What is the ~ ***of*** do*ing* it? 그런 것을 해서 무슨 이득이 있겠는가 / Is there any ~ ***in*** argu*ing* with the inevitable? 피할 수 없는 운명을 이러쿵저러쿵 말한들 무슨 소용이 있나. 주 이들 문장에 쓰이는 good은 USE[2] 보다 구어적임. **3** Ⓤ 좋은 일[것], 바람직한 일. **4** ☞ GOODS.

be up to no good 좋지 않은[나쁜] 일을 하고 있다, 쓸데없는 짓을 하고 있다.

come to good 좋은 결과가 되다, 잘 되다 : He will *come to* no ~. 제대로 되지는 않을 것이다.

deliver the goods ☞ DELIVER.

do good 선행을 하다 ; 친절을 다하다 ; 효과가 있다〈*to*〉; 도움이 되다 : Do you think it will *do* any ~? 그것이 조금이라도 도움이 되리라고 생각합니까.

do** a person **good 몸에 유익하다 : Much ~ may it *do* you! 도움이 되었으면 좋겠다만《아무 보탬이 되지 않는다는 뜻의《反語》》.

for** a person**'s good = ***for the good of*** …을 위해서, …의 이익을 꾀하여 : We should work together *for the* ~ *of* society. 사회의 이익을 위해서 협력하여야 한다.

for good (***and all***) 영구히, 이것을 최후로.

> **for good을 이용한 문장 전환**
> He left England never to return.
> (그는 영국을 떠나서 두 번 다시 돌아 오지 않았다.)
> → He left England *for good.*
> (그는 영원히 영국을 떠났다.)

to the good 대변(貸邊)에 ; 순이익으로 ; 여분으로 : They were ten dollars *to the* ~. 10달러 벌었다.

—— *int.* [찬성·만족의 뜻을 나타내어] 훌륭하다!, 좋다!, 장하다!

—— *adv.* (**better** ; **best**)《美口》훌륭하게, 잘 (well) : Things are going ~. 일은 잘 되어 가고 있다.

〖OE *gōd*, cf. G *gut*〗

活用 *a.* 10의 good은 때때로 구어적으로 다른 형용사를 수반하여 그것을 부사적으로 강조하는 경우가 있다 : a *good long* time (꽤 긴 시간) / It's *good hard* work. (굉장히 힘든 일이다).

◇**gòod afternóon** *int.* 안녕하십니까 ; 안녕히 계[가]십시오《오후 인사》.

good-afternóon [gud-] *n.* 오후 인사.

góod behávior *n.* 〖法〗 적법 행위, 선행 : be of ~ 선행을 하고 있다.

Góod Bóok *n.* [the ~] 성서(Bible).

góod búddy *n.*《CB俗》여보세요《운전자끼리 쓰는 인사》; 개인 주파수대 통신을 하는 사람, 개인 주파수대 무선 동료.

◇**good-by**(**e**), **good·by**(**e**) | **good-bye** [gudbái, gəd-] *int.* 안녕히 계[가]십시오.
—— [gudbái, 美+gəd-] *n.* (*pl.* **~s**) 작별 인사《헤어질 때의 인사》, 하직, 고별(farewell) : say ~ 작별 인사를 하다, 작별을 고하다 / a ~ kiss 이별의 키스. 〖*God be with you* ; *good*-은 *good night* 따위의 유추〗

góod chéer *n.* **1** Ⓤ 즐거운 식사 ; 성찬 : make [enjoy] ~ 음식을 맛있게 먹다. **2** Ⓤ 원기, 기분 좋음.

góod-condítioned *a.* 상태가 좋은, 호조(好調)의.

góod cónduct *n.* =GOOD BEHAVIOR.

Góod Cónduct Mèdal *n.* 〖美軍〗 선행장(章).

gòod dáy *int.* 안녕히 가[계]십시오《낮에 하는 형식적인 인사》.

good-dáy [gud-] *n.*《주로 英》낮 인사.

góod déal *n.* 다수, 다량 ;《口》좋은 제의[협정] ;《俗》편한 일[생활 방식] ; [감탄사적으로] 알았다, 좋다, 그거 좋군.

góod débt *n.* 회수가 확실한 대부금.

góod égg *n.*《俗》명랑한[신뢰할 수 있는] 사람, 좋은 사람 ; [감탄사적으로] 이런! 이게 웬일이요《반가운 놀람을 나타냄》.

góod·er *n.*《俗》굉장한 인물[것].

◇**gòod évening** *int.* 안녕하십니까 ; 안녕히 가[계]십시오《저녁 인사》.

good-évening [gud-] *n.* 저녁 인사.

góod fáith *n.* 정직, 성실, 선의 : in ~ 성의(誠意)를 갖고.

góod féeling *n.* 선의 ; 호의 ; 우호 관계.

góod féllow *n.* 착한 사람 ; (교제 상대로서) 명랑하고 다정한 사람 ;《俗》멍청한 녀석 ;《古》술친구.

gòod-féllow·shìp *n.* (먹고 마시는) 교제 ; 친목 ; 사교성 ; 우정, 선의.

góod-for-nàught *n.* =GOOD-FOR-NOTHING.

góod-for-nòthing *a., n.* 쓸모없는 (사람), 건달(의), 밥벌레(의).

Góod Fríday *n.* 수난일, 성(聖)금요일《Easter 전의 금요일로 그리스도의 수난을 기념하는 교회의 축일 ; 미국에서는 법정 공휴일로 하는 주(州)도 있음》.

góod gúy *n.*《口》좋은 녀석, 공정한 사람.

góod háir *n.*《카리브》곱슬곱슬하지 않고 윤기 있는 머리《유럽계 혈통을 나타냄》.

góod-héart·ed *a.* 친절한(kind), 호의 있는, 마음씨가 고운, 관대한, 선의의.
~·ly *adv.* 친절히.

Gòod Hópe *n.* [the Cape of ~] 희망봉(喜望峰)《아프리카 최남단의 곶》.

góod húmor *n.* 기분 좋음, 명랑함, 상냥함.

góod-húmored *a.* 기분 좋은, 명랑한, 상냥한, 싹싹한. **~·ly** *adv.* 기분 좋게, 명랑하게 ; 싹싹하게. **~·ness** *n.*

góod·ie *n.*《口》(영화 따위의) 주인공 ;《戲》(정직하고 용감한) 좋은 사람 ; 선인(善人)인 체하는 사람(goody-goody) ; [*pl.*] =GOODY[1].

góod·ish *a.* 어지간한, 웬만한, 대체로 좋은 ;《英》(수량·크기·거리 따위) 상당한(sizable).

góod Jóe *n.*《美俗》(마음이) 좋은 녀석, 호감이 가는 사람(cf. JOE 3 a)).

góod lífe *n.* (도덕적으로) 올바른 생활, 덕을 쌓

는 생활 ; 충실한 생활, 인간다운 생활 ; (물질적으로) 부유한 생활, 부자유한 것이 없는 생활.

góod·li·ness *n.* Ⓤ 아름다움, 미모(美貌) ; 우수(優秀)함 ; 상당한 크기[양].

góod líving *n.* 사치스런 생활[식사].

góod-lóok·er *n.* 잘 생긴 사람[동물], 미인.

‡**góod-lóok·ing** *a.* (사람이) 잘 생긴, 아름다운 ; (옷 따위) 잘 어울리는 ; [~] 선량한 듯한.

類義語 ⟹ BEAUTIFUL.

góod lóoks *n.* 매력적인 풍모(風貌), 미모.

good·ly [gúdli] *a.* **1** 잘 생긴, 아름다운 ; 훌륭한. **2** 큰, 상당한 ; 많은.

〚OE *gōdlic* ; ⇨ GOOD〛

góod máke *n.* 《美俗》 꾐에 잘 넘어가는 여자, 몸가짐이 헤픈 여자.

góod·man [-mən] *n.* 《古》 집 주인(cf. GOODWIFE) ; 《方》 여관 주인.

góod móney *n.* 양화(良貨) ; 《俗》 많은 봉급.

◇**gòod mórning** *int.* 안녕하십니까 ; 안녕히 가[계]십시오《오전 중의 인사》.

good-mórning [gud-] *n.* 오전 중의 인사.

gòod mórrow *n.* 《古》 =GOOD MORNING.

góod náture *n.* 온순한 성질, 친절함, 상냥함.

*__góod-nátured__ *a.* 성질이 좋은, 친절한, 온후한 ; 사람이 좋은.

~·ly *adv.* 친절히. **~·ness** *n.*

類義語 ***good-natured*** 성질이 좋아서 남의 호감을 사고 또 남을 좋아하게 되는 성질의 ; 때로는 사람이 좋은. ***amiable*** 남에게서 사랑과 호감을 사는, 친절한. ***affable*** amiable의 뜻에 덧붙여서 말 걸기 쉬운, 가까워지기 쉽다는 뜻을 가짐. ***obliging*** 친절한, 남에게 기분 좋게 친절히 대하는. ***genial*** 명랑하게 교제를 잘하는. ***cordial*** 정중하고 온화한, 동정심이 있는.

góod néighbor *n.* 우호적인 사람[국가 따위], 선량한 이웃.

góod-néighbor *a.* (정책 따위가) 선린(善隣)의, (국제 관계가) 우호적인.

Góod Néighbor Pòlicy *n.* 〔美史〕 선린 정책《1933년 미국의 Roosevelt 대통령이 채택함》.

*__góod·ness__ *n.* **1** Ⓤ **a)** 선량함, 미덕, 상냥함(virtue) ; 우수, 우량, 양호. **b)** [+*to* do] 친절(kindness) : Have the ~ *to* come in, please. 어서 들어오십시오. **2** 미점, 장점, 강점, 정수(精髓) ; (식품의) 자양분. **3** [감탄사적으로] =GOD《완곡어로 놀람·분노·저주 따위의 표현에 쓰임》: Thank ~ ! 고마워라 ! / *G*~ (gracious)! 뭐 ! 이런 !, 어럽쇼 !《놀람·분노의 발성》.

for goodness' sake 원컨대, 제발.

Goodness knows. (1) (누가) 알게 뭔가 ! (2) 맹세코(☞ *God* KNOWS).

in the name of goodness 신의 이름으로, 신명에 맹세하여 ; 도대체.

wish[***hope***] ***to goodness that...*** 부디 …이길 바라다.

〚OE *gōdness* ; ⇨ GOOD〛

類義語 ***goodness*** 친절·관대·공정·동정심 따위의 사람의 미점(美點). ***virtue*** 끊임없이 자신의 성품을 연마함으로써 얻어지는 용기·정의감·현명한 판단력 따위의 뛰어난 미덕.

góodness of fít *n.* 〔統〕 적합도(適合度).

góod néws *n.* 좋은 소식, 길보 ; 복음(gospel) ; 《美·Can.》 바람직한 인물[상황, 사태], 유쾌한 사람[일] : He is ~ in many ways. 그는 여러 가지 점에서 나무랄 데가 없는 사람이다.

Góod Nèws Bíble *n.* [the ~] 복음 성서《현대 영어역(譯) 성서》.

◇**gòod níght** *int.* 안녕히 가[계]십시오, 편히 쉬십시오《밤에 헤어질 때의 인사》.

good-níght [gud-] *n.* 밤에 헤어질 때의 인사.

góod óffices *n. pl.* 알선, 돌봄 ; 〔外交〕 중재(仲裁), 조정(調停).

góod-oh, góod-o [-òu] *int.* 《英口·濠口》 좋아, 됐다, 잘한다《동의·승인 따위의 발성》.

góod òld[**òle**] **bóy** *n.* 《美》 싹싹한[스스럼없는] 남부인, 사람좋은 전형적인 남부인.

góod péople *n.* [the ~] 요정들(fairies).

góod quéstion *n.* 바로 대답하기 어려운 질문 : That's a (very) ~. 그것 참 좋은 질문이군요《어려운 질문에 대해 시간을 벌기 위한 상투어》.

‡**goods** [gúdz] *n. pl.* [수사는 붙이지 않음] **1** 상품, 물건(wares) ; 물자 : the latest spring ~ 최신 유행의 춘계(春季)용품. **2** 재산, 소유물, (특히) 동산(movables) ; 〔經〕 재(財) : consumer [producer] ~ 소비[생산]재. **3** 《美》 옷감 : dress ~ 드레스감 / wash ~ 세탁할 수 있는 직물. **4** 《英》 (철도) 화물(=《美》 freight) : a ~ agent 운송점(店) / a ~ station 화물역. **5** [the ~] **a)** 《口》 필요한 소질, 능력, 자격 ; 《口》 바로 구하고 있는 것, 적임인 사람, 진짜 ; 약속된[기대되는] 것. **b)** 범죄의 증거, 《美口》 (특히) 장물(臟物) : catch a person with the ~ 사람을 현행범으로 잡다.

a piece of goods 《俗》 사람, (특히) 여자.

get[***have***] ***the goods on*** 《口》 …의 범행의 확증을 잡다[손에 넣고 있다].

〈회화〉

> They're having a sale of imported *goods* at that store. — They are? 「저 가게에서 수입품 바겐세일을 하고 있어」「그래」

類義語 ⟹ PROPERTY.

góod Samáritan *n.* 〔聖〕 선한 사마리아 사람《괴로움을 당하고 있는 사람의 선한[진실한] 친구 ; 누가복음 10 : 30-37》.

góod sénse *n.* (직관적인) 양식(良識), 분별.

Góod Shépherd *n.* [the ~] 〔聖〕 선한 목자《그리스도를 일컬음 ; 요한복음 10 : 11-14》.

góod-sízed *a.* 상당히 큰.

góods lìft *n.* 업무용(用) 엘리베이터(service elevator).

góod sórt *n.* 《濠口》 매력적인[잘생긴] 여자.

gòod spéed *n.* 행운 ; 성공 : wish a person ~ 남의 성공을 빌다.

góods tràin *n.* 《英》 화물 열차(=《美》 freight train).

góods wàgon *n.* 《英》 화차(=《美》 freight car).

góods yàrd *n.* 《英》 화물 터미널(=《美》 freight terminal).

góod-témpered *a.* 상냥한, 온순한.

~·ly *adv.* 상냥하게, 온순하게.

góod thíng *n.* 잘한 일 ; 좋은 생각 ; 행운 ; 경구(警句) ; [*pl.*] 진미(珍味) ; [*pl.*] 사치(품).

góod-tìme *a.* 지나치게 쾌락을 추구하는 ; 방탕한 : a ~ girl 방탕한 여자, 매춘부.

góod-tìmer *n.*

góod tíme *n.* 쾌락 ; 《俗》 선행으로 감해진 형기(刑期).

góod-tìme Chárlie[**Chárley**] *n.* 쾌활한 낙천가 ; 도락자(道樂者).

góod túrn *n.* 선행, 친절한 행위, 호의(↔*ill turn*) : do him a ~ 그에게 친절을 베풀다.

góod úse[**úsage**] *n.* (언어의) 표준적 사용, 말

의 바른 용법[표준 어법].
góod·wìfe *n.* 《古·스코》 (한 집의) 여주인, 주부 (cf. GOODMAN) ; 《古·스코》 여인숙 안주인 ; [흔히 G~] 《古》 부인의 경칭(Mrs.).
góod·wíll, góod wíll *n.* Ⓤ 호의, 성의, 친절, 두터운 정, 친선(↔*ill will*)〈*to, toward*〉; 기꺼이 하기, 쾌락(快諾) ; 〔商〕 (점포·영업의) 호평, 신용, 단골, 영업권.
類義語 ⟹ FAVOR.
góod wórks *n. pl.* 자선 행위, 선행, 공덕.
góody[1] *n.* **1** [보통 *pl.*] 맛있는 것, 맛있는 요리, 당과(糖菓), 캔디 ; [보통 *pl.*] 남이 탐낼 만한 것, 좋은 것《음식물·의류·작품 따위》 : *G~, ~,* gumdrops! (포상을 받거나 하여) 잘했군! **2** (영화·텔레비전의) 주인공(goodie) ; ＝GOODY-GOODY. ── *a.* ＝GOODY-GOODY.
〚GOOD, -y[3]〛
goody[2] *n.* 《古·文語》 **1** (하층 계급의) 아주머니 《때때로 성씨 앞에 붙임》. **2** (대학 따위의) 청소부(婦). 〚*good*wife ; cf. HUSSY〛
góody-góody *a.* 선량한 체하는, 신앙심 깊은 체하는, 대수롭지 않은 일에 감사하는. ── *n.* 군자[선인]인 체하는 사람 ; 도덕가인 체하는 사람(goodie) ; 《俗》 여자 같은 남자, 결벽한 사람.
goo·ey [gúːi] *a.* 《俗》 **1** 끈적끈적한, 들러붙는 ; 끈적끈적하고 달콤한. **2** 《비유》 몹시 감상적인. ── *n.* 끈적거리는 것 ; 당밀(糖蜜).
〚GOO〛
goof [gúːf] *n.* 《俗》 멍청이 ; 실패 ; 마약 상습 복용자. ── *vi.* 바보 같은 짓을 하다, 실패하다 ; 빈둥거리다, 게으름 피우다 ; 마약으로 멍해지다. ── *vt.* 실수를 저질러 (…을) 엉망이 되게 하다〈*up*〉; [보통 수동태로] 마약으로 멍하게 하다〈*up*〉; 바보로 만들다, 놀리다.
〚*goff* (dial.) dolt＜F＜It.＜L *gufus* coarse〛
góof·bàll, góof bàll *n.* 《美俗》 신경 안정제 ; 마리화나 ; 괴짜.
góof·er *n.* 《俗》 속여 먹기 쉬운 사람, 멍청이.
gó-òff *n.* 《俗》 출발, 착수, 개시.
at one go-off 단번에.
succeed (***at***) ***the first go-off*** 단번에 성공(成功)하다.
góof-òff *n.* 《俗》 (책임을 회피하는) 게으름뱅이 ; 휴식기(休息期).
góof-ùp *n.* (부주의와 무책임으로) 늘 일을 망치는 [말썽을 일으키는] 사람.
góofy *a.* 《俗》 바보 같은, 얼빠진(foolish).
〚GOOF〛
góofy-fòot(·er) *n.* (*pl.* **~s**) (서핑에서) 오른발을 앞으로 내고 서프보드를 타는 서퍼.
goo·gle[1] [gúːgl] *n.* 《古·方》 결후(結喉), 목구멍.
〚*guzzle*〛
google[2] *vi.* 〔크리켓〕 (볼이) 휘어지다, (투수가) 곡구(曲球)를 던지다. 〚역성(逆成)〈*googly*[1]〛
goo·gly[1] [gúːgli] *n.* 〔크리켓〕 곡구(曲球)의 일종.
〚C20＜?〛
googly[2] *a.* (눈이) 희번덕거리는 ; 퉁방울눈의 ; 곁눈의. 〚C20＜? ; cf. GOO-GOO[2], GOGGLE〛
goo·gol [gúːgɑl, -gɔ(ː)l, -gəl] *n.* 10의 100제곱, 1에 0을 100개 붙인 수 ; 천문학적 숫자.
〚E. Kasner (d. 1955) 미국의 수학자의 생질 M. Siratta (당시 9세)의 말에서 생긴 조어(造語)〛
góogol·plex [-plèks] *n.* 10을 10의 100제곱한 수 《$10^{10^{100}}$》.
goo-goo[1] [gúːgùː] *n.* (*pl.* **~s**) 《美蔑》 정치 개혁꾼[운동원].
goo-goo[2] *a.* 《俗》 (눈매가) 호색적인, 요염한.
〚? GOGGLE〛
góo-goo èyes *n. pl.* 《俗》 요염한 눈길, 추파.
gook[1] [gú(ː)k] *n.* 《美俗·蔑》 동양인 ; (서커스 따위에서 구경거리가 되는) 진기한 사람[동물].
── *a.* 외국의 ; 외국제의 ; 값싼, 조악한.
〚C20＜?〛
gook[2] *n.* 《俗》 끈적거리는 것[소스] ; 어리석은[하찮은, 시시한] 일(trash, nonsense). **góoky** *a.*
〚변형(變形)＜? GOO〛
goon [gúːn] *n.* **1** 《俗》(특히 노동 쟁의를 방해하기 위해 고용되는) 불량배, 폭력단원. **2** 얼간이.
〚? *gooney* (dial.) simpleton ; 또는 미국의 만화가(漫畫家) E. C. Segar (d. 1938)의 *Alice the Goon*에서 인가〛
góon squàd *n.* 《俗》 (노동 쟁의를 방해하기 위해 고용되는) 폭력단.
goop[1] [gúːp] *n.* 《美俗》 행실이 못된 인간, 버릇없는 놈 ; 얼간이 ; 실없는 소리.
〚C20＜? ; cf. GOOF〛
goop[2] *n.* 끈적거리는 것. 〚? GOO〛
GOOS Global Ocean Observing System (세계 해양 관측 시스템).
goo·san·der [guːsǽndər] *n.* ＝MERGANSER.
〚GOOSE ; cf. *bergander* sheldrake〛
***goose** [gúːs] *n.* (*pl.* **geese** [gíːs]) **1** 〔鳥〕 거위 (cf. GOSLING) ; 기러기(wild goose) ; 거위[기러기]의 암컷(↔*gander*) ; Ⓤ 거위 고기 : All his *geese* are swans. 《속담》 제것이면 모두 좋게 보인다. **2** 바보, 멍청이, 얼간이(simpleton). **3** (*pl.* **góos·es**) (양복점의) 다리미. **4** 《俗》 (거위 소리를 흉내낸) 야유 ; (*pl.* **goos·es**) 《美俗》 (놀라게 하기 위해) 남의 궁둥이 따위를 찌름. **5** 《俗》 기관차의 긴급[비상] 정차.
cook a person**'s** ***goose*** 《口》 남의 기회[계획, 희망]를 망쳐놓다.
kill the goose that lays the golden eggs 《속담》 목전의 이익에 눈이 어두워 장래의 큰 이익을 놓치다(☞ GOLDEN GOOSE, *golden* EGGS).
The goose hangs [***honks***] ***high.*** 《美口》 만사형통이다, 형세가 좋다.
The old woman is picking her goose. 눈이 내리고 있다.
── *vt.* 《俗》 **1** (사람의) 궁둥이 따위를 찌르다 ; 《美》 (엔진·기계에) 시동을 걸다. **2** (엔진에) 가솔린을 불규칙하게 공급하다 ; …에게 기합을 넣다, 자극[촉진]하다 ; 《英》 야유하다. **3** [수동태로] 끝장나다, 파멸하다
goose up 《口》 (말투 따위를) 강렬하고 자극적으로 쓰다 ; 밀어[끌어] 올리다.
〚OE *gōs* ; cf. G *Gans*〛
goose·ber·ry [gúːsbèri, -bəri, gúːz- ; gúzbəri] *n.* **1** 〔植〕 까치밥나무, 구즈베리, 구즈베리의 열매. **2** 《古》 구즈베리 술(=∠ **wìne**).
play gooseberry 《口》 (단둘이 있고 싶어하는 연인들의) 훼방꾼이 되다.
play old gooseberry with …을 엉망으로 만들다, 망쳐놓다.
── *vt.* 《美俗》 세탁물을 훔치다.
〚? GOOSE ; cf. *groser* (dial.) (F *groseille*)〛
góoseberry búsh *n.* 까치밥나무 : I found him [her] under a ~. 《戲》 아기는 까치밥나무 밑에서 주웠다《아기는 어디서 났느냐고 아이들이 물을 때 하는 대답》.
góoseberry fóol *n.* 〔料〕 구즈베리를 물렁하게 고아서 크림과 설탕을 친 것.
góose clùb *n.* 《英》 크리스마스 요리에 쓸 거위를 사기 위한 적립금 조합 ; 소(小)노동 조합.

góose ègg *n.* 거위알 ;《美》(경기의) 영점(=《英》duck's egg) ;《美口》(맞아서 생긴) 머리의 혹. **góose-ègg** *vt.*《美俗》영패(零敗)시키다, 패배시키다.

góose·flèsh *n.* (추위·공포 따위에 의한) 소름, 소름 돋은 피부 : be ~ all over (오싹하여) 온몸에 소름이 끼치다.

góose·fòot *n.* (*pl.* **~s**)〔植〕명아주류.

goose·gog [gúzgɑg], **-gob** [-gɑb] *n.*《英口·英方》=GOOSEBERRY.

góose gràss *n.*〔植〕갈퀴덩굴 ; 왕바랭이.

góose grèase *n.* 거위 기름《가정용 연고》.

góose·hèrd *n.* 거위 치는 사람.

góose·nèck *n.*〔機〕S자 형의 관(管), 거위 목처럼 생긴 것.

góoseneck lámp *n.* 거위목 스탠드《목을 자유롭게 움직일 수 있는 전기 스탠드》.

góose pìmples *n. pl.* =GOOSEFLESH.

góose quìll *n.* 거위 깃(으로 만든 펜).

góose stèp *n.* 무릎을 굽히지 않고 다리를 곧게 뻗는 걸음걸이. **góose-stèp** *vi.* goose step으로 걷다. **-stèp·per** *n.*

goos·ey[1], **goos·ie** [gú:si] *n.*《兒》거위 ; 바보 !《아이를 장난으로 꾸짖는 말》.
〖GOOSE, -*y*[3]〗

goos·ey[2], **goosy** *a.* (**góos·i·er** ; **-i·est**) 거위같은 ; 어리석은 ; 곧 소름이 끼치는, 겁많은, 신경질적인. 〖GOOSE, -*y*[1]〗

goo·zle [gú:zəl] *n.*《方》목(구멍) (guzzle).

G.O.P., GOP Grand Old Party(공화당).

go·pher[1] [góufər] *n.* **1**〔動〕땅다람쥐《북미산》; 볼주머니쥐《북미·중미산》; 구멍파기 거북(=∠ **tòrtoise**)《미국 남부산 ; 식용》. **2** [G~] Minnesota 주 사람. —— *vt.*〔鑛〕(그때 그때 되는 대로) 굴을 파다, 채광하다.
〖? Can. F *gaufre* honeycomb ; 그 구멍을 파는 성질에서〗

gopher[2] *n.*《美俗》똘마니, 좀도둑 ; 금고털이 ; 금고 ; 멍청이. 〖*go fer* ‹ *go for*〗

gopher[3] *n.*《美俗》부지런한 사람《외판원 등》; 사동(使童).

gópher bàll *n.*《野俗》홈런을 칠 수 있는 절호의 투구(投球).

Gópher Státe *n.* [the ~] 미국 Minnesota 주(州)의 속칭.

gópher wòod *n.*〔聖〕Noah의 방주(方舟)를 만든 나무《소나무·잣나무 따위로 상상됨 ; 창세기 6 : 14》.

gópher·wòod *n.*〔植〕콩과(科)의 작은 교목의 일종《북미산(産)》.

go·ral [gɔ́:rəl] *n.* (*pl.* **~s**, ~)〔動〕산양.
〖Hindi〗

Gor·ba·chev [gɔ̀:rbətʃɔ́:f ; gɔ̀:bətʃɔ́f] *n.* 고르바초프. **Mikhail Sergeyevich** ~ (1931-) 구소련 공산당 서기장, 대통령.

gor·bli·m(e)y [gɔ:rbláimi] *int.*《英俗》빌어먹을, 젠장. —— *a.* 야비한. 〖*God blind me*〗

gor·cock [gɔ́:rkɑ̀k] *n.* 붉은들꿩의 수컷.

Gór·di·an knót [gɔ́:rdiən-] *n.* [the ~] 옛 프리지아의 Gordius 왕이 맨 매듭《이 매듭을 푸는 사람은 아시아의 왕이 된다는 신의 계시가 있었는데 Alexander 대왕이 칼로 끊었음》; 어려운 문제 (cf. KNOT *n.* 6) : cut the ~ 비상 수단으로 난제를 해결하다.

górdian wórm *n.*〔動〕선형충(線形蟲).

gore[1] [gɔ:r] *n.* Ⓤ (상처에서 흐른) 핏덩어리, 엉긴 피. 〖OE *gor* dung, dirt〗

gore[2] *vt.* (소·산돼지 따위가) 뿔[엄니]로 받다[물다] ; (바위가 선복(船腹) 따위를) 꿰뚫다.
〖ME < ? ; cf. OE *gār* spear〗

gore[3] *n.* 삼각형의 헝겊, 옷깃, 섶. —— *vt.* …에 옷깃을 달다, …에 섶을 대다. 〖OE *gāra* triangle of land ; OE *gār* spear와 같은 어원 ; spearhead와 모양이 비슷한 데서〗

Góre-Tèx *n.* 고어 텍스《방습성 섬유 ; 상표명》.

gorge [gɔ́:rdʒ] *n.* **1** 목구멍 ; 식도. **2** 협곡, 산골짜기(ravine). **3** 대식, 포식 ; 위속의 음식물. **4** Ⓤ 불쾌, 싫증, 분통, 원한. **5**〔築城〕bastion의 후부의 입구 ; 통로를 막는 집적물(集積物).
cast [***heave***] ***the gorge at*** …에 구역나다, …을 싫어하다.
one'***s gorge rises at*** …에 속이 메스꺼워지다, …을 보고 욕지기나다 : My ~ *rises at* the sight [noise]. 그 광경을 보면[소리를 들으면] 메스꺼워진다.
—— *vt.* [+目 / +目+前+名] [때때로 ~ one*self* 로] (음식을) 게걸스럽게 먹다 : He ~*d* him*self* ***with*** cake. 그는 과자를 걸신 들린듯이 먹었다. —— *vi.* [動 / +前+名] 배불리 먹다, 게걸스럽게 먹다, 꿀꺽꿀꺽 마시다 : ~ ***on*** rich food 푸짐한 음식을 실컷 먹다.
〖OF=throat (L *gurges* whirlpool)〗

górged *a.* (동물의) 목 둘레에 고리처럼 감은.

***gor·geous** [gɔ́:rdʒəs] *a.* **1** 화려한, 호화로운, 훌륭한 : a ~ sunset 찬란한 일몰 / The garden was ~ *with* azaleas. 뜰에는 진달래가 아름답게 피었다. **2**《口》훌륭한, 멋진, 굉장한.
~·ly *adv.* 아름답게, 찬란하게. **~·ness** *n.* Ⓤ 아름다움, 화려함.
〖ME *gorgayse, gorgayas* < OF=fine, elegant < ?〗
類義語 ⟹ SPLENDID.

gor·ger·in [gɔ́:rdʒərən] *n.*〔建〕(도리스식의) 주경(柱頸)《주두(柱頭)와 주신(柱身)의 접합부》.
〖F ; ⇨ GORGE〗

gor·get [gɔ́:rdʒət] *n.* (갑옷의) 목 가리개, 목에 대는 갑옷 ; (옛날 여성이 사용한) 목·가슴 가리개.
〖OF〗

gor·gio [gɔ́:rdʒou] *n.* (*pl.* **~s**) 집시가 아닌 사람.
〖Romany〗

Gor·gon [gɔ́:rgən] *n.* **1**〔그神〕고르곤《머리가 뱀으로 되어 있고 보는 사람을 돌로 변하게 했다는 세 자매 중의 한 사람, 특히 Medusa》. **2** Ⓒ 두려운 사람 ; 눈뜨고 볼 수 없는 추녀.
〖L < Gk. (*gorgos* terrible)〗

Gor·go·ni·an [gɔ:rgóuniən] *a.* 고르곤의[같은], 아주 무서운.

górgon·ìze *vt.* **1** 노려보아 움찔하게 하다. **2** 노려보아 돌로 만들다.

Gor·gon·zó·la (**chéese**) [gɔ̀:rgənzóulə(-)] *n.* 고르곤졸라 (치즈)《이탈리아산 우유로 만든 블루치즈》. 〖Milan 부근의 도시 이름에서〗

gor·hen [gɔ́:rhèn] *n.*〔鳥〕붉은들꿩의 암컷(cf. GORCOCK).

go·rill [gəríl] *n.*《美俗》폭한(暴漢), 똘마니.
〖↓〗

go·ril·la [gərílə] *n.*〔動〕고릴라, 큰성성이 ;《俗》폭한(暴漢). —— *vt.*《美俗》강도질하다 ; 후려갈기다. **go·ríl·li·an** [-liən], **go·ríl·line** [-lain, -lən] *a.* **go·ríl·loid** *a.*
〖Gk. < ? (Afr.)=wild man〗

gork [gɔ́:rk] *n.*《俗》(노령·사고·질병 따위로) 뇌 기능이 마비된 사람, 식물 인간.
〖C20 < ?〗

Gor·ki, -ky [gɔ́:rki] *n.* 고리키. **Maxim** [**Mak-**

sim] ~ (1868-1936) 러시아의 소설가·극작가.
gor·mand [gɔ́ːrmənd] *n., a.* =GOURMAND.
gor·man·dize [gɔ́ːrməndàiz] *vi., vt.* 폭식하다, 게걸스럽게 먹다. **-dì·zer** *n.* 게걸스럽게 먹는 사람; 대식가(glutton). 〖GOURMAND〗
gorm·less [gɔ́ːrmləs] *a.* 《英口》 얼뜬, 아둔한. 〖*gaumless* (obs.) ‹*gaum* (dial.) understanding〗
gorp [gɔ́ːrp] *n.* 《美》 고프《건포도, 땅콩, 초콜릿 따위를 섞어 굳힌 등산객·운동하는 사람 등을 위한 휴대용 식품》. —— *vt., vi.* 《俗》 게걸스럽게 먹다. 〖GAUP〗
gorse [gɔ́ːrs] *n.* Ⓤ 《주로 英》 〔植〕 가시금작나무 (furze); 가시금작나무의 덤불[숲]. 〖OE *gors(t)*; cf. G *Gerste* barley〗
góry *a.* **1** 피투성이의, 유혈이 낭자한. **2** 유혈의, 살인적인. 〖GORE[1]〗
gosh [gáʃ] *int.* [놀람을 나타내어] 이크!, 저런!, 아이구!: by ~! 꼭!, 정말로!, 부디! 〖(euph.) ‹GOD〗
gósh-áwful *a.* 《美俗》 굉장한, 지독한, 심한(God-awful). —— *adv.* 지독하게, 굉장히.
gos·hawk [gáshɔ̀ːk] *n.* 〔鳥〕 참매. 〖OE (GOOSE, HAWK[1])〗
gósh·dárn *int.* 체, 시시해(goddamn).
Go·shen [góuʃən] *n.* 〔聖〕 고센 땅《광명의 나라; 기름진 땅[나라]; 창세기 45:10》.
go-sho [góuʃòu] *n.* 《空俗》 고쇼《예약 없이 여객기에 탑승하러 가기; 종종 공석 대기(standby)가 됨》. 㽵 이러한 승객을 go-sho passenger(공석 대기 승객)라고 함. 〖C20; cf. NO-SHOW〗
gos·ling [gázliŋ, gɔ́(ː)s-, -lən] *n.* 거위 새끼(cf. GOOSE); 풋내기, 바보. 〖ME *gesling*<ON (GOOSE, *-ling*[1])〗
gó-slów *n.* 《英》 태업 전술(=《美》 slowdown).
gos·pel [gáspəl] *n.* **1** Ⓤ 복음《그리스도에 의해서 인류가 구원을 받는다고 함》; 그리스도의 복음: preach the ~ 복음을 설교하다. **2 a**) [G~] 복음서《신약 성서의 최초의 4편》: the *G*~ according to St. Matthew[Mark, Luke, John] 마태[마가, 누가, 요한]에 의한 복음서 / the ~[*G*~] side (교회 제단의) 북쪽《복음서를 읽는 쪽; cf. the EPISTLE side》. **b**) (성찬식에서 낭독하는) 복음서의 한 절: the ~ for the day 당일에 읽는 복음서. **3** 교리, 신조, 주의; 진리, 진실: the ~ *of* efficiency[laissez-faire, soap and water] 능률[방임, 청결]주의.
take...as[for] gospel …을 진실이라고 굳게 믿다.
—— *a.* 복음의.
—— *vt., vi.* (…에) 복음을 전하다.
〖OE *gōdspel* (GOOD, SPELL[1]=news); L *bona annuntiatio, bonus nuntius*=EVANGEL의 역(譯); God과도 연상〗
góspel bòok *n.* (성찬식에서 낭독되는) 복음서(書)의 발췌.
góspel·er | -pel·ler *n.* **1** 〔宗〕 (성찬식에서) 복음서를 낭독하는 사람. **2** 복음 전도사(evangelist), 전도자(preacher).
góspel òath *n.* 복음서에 의한 선서(宣誓).
góspel-pùsh·er *n.* 《美俗》 설교자, 목사.
góspel sòng *n.* 복음 성가; 고스펠 송《흑인의 종교음악》.
góspel trúth *n.* 절대 진리, 변할 수 없는 사실.
Gos·plan [gasplάːn] *n.* (구소련의) 국가 계획 위원회.
gos·po·din [gɑ̀spədíːn] *n.* (*pl.* **-po·da** [-dάː]) …씨, …선생《Mr.에 해당하는 혁명전의 용어로, 현재는 주로 외국인에 대해 쓰임》. 〖Russ.〗
gos·port [gáspɔːrt] *n.* 〔空〕 기내 통화관(機內通話管) (=~ **tùbe**). 〖↓〗
Gosport *n.* 고스포트《잉글랜드 남부 Hampshire의 Portsmouth 항(港) 건너편의 항구 도시; 해군 군사 시설 소재지》.
gos·sa·mer [gásəmər] *n.* **1** Ⓤ,Ⓒ (공중에 떠다니거나 덤불 따위에 걸려 있는 섬세한) 거미집[줄]; 섬세한 물건, 가냘픈 것. **2** Ⓤ 〔織〕 얇은 사(紗), 얇은 천; 《美》 (여자용) 얇은 방수천. —— *a.* 잔거미줄 같은, 얇은 천 같은, 얇고 가벼운; 가냘픈, 섬세한; 경박한. **gós·sa·mery** *a.*
〖ME *gos(e) somer(e)* (*gos* goose+*somer* summer)=St. Martin's summer; 11월 초순의 geese를 먹을 때쯤 가장 많이 볼 수 있는 데서〗
***gos·sip** [gásəp] *n.* **1** Ⓒ 잡담, 한담, 세상 이야기; Ⓒ 남의 소문, 험담, 뒷공론; Ⓤ (신문의) 한담, 뜬소문, 가십. **2** 수다쟁이《특히 여자》; 《英古》 친구; 대부[모](godparent).
—— *vi.* **1** 잡담을 하다, 한담하다. **2** 남의 이야기를 퍼뜨리고 돌아다니다. **3** 《古》 …의 대부가 되다. —— *vt.* **1** 소문에 따라 전하다. **2** 《廢》 …의 대부가 되다. **~·ing** *a.* 수다를 떠는, 잡담체의.
〖OE *godsibb* person related to one in God, fellow godparent; cf. SIB[1]; 「소문」「가십」의 뜻은 19세기 이후〗
góssip còlumn *n.* (신문·잡지의) 가십난.
góssip·mònger *n.* 수다쟁이, 소문을 퍼뜨리고 다니는 사람.
góssip·ry *n.* 잡담, 한담(chitchat); 떠버리.
gós·sipy *a.* 이야기하기 좋아하는, 수다스러운; 잡담식의, 가벼운(trivial).
gos·soon [gasúːn] *n.* 《아일》 젊은이, 머슴애. 〖GARÇON의 사투리〗
gó-stòp *a., n.* 《英》 =STOP-GO.
◇**got** *v.* GET의 과거, 과거분사.
GOT 〔醫〕 glutamic oxaloacetic transaminase 《간(肝)이나 근육에 함유되어 있는 효소; 간염 따위의 지표(指標)로 쓰임》.
Goth [gáθ] *n.* **1** 고트인; [the ~s] 고트족《3-5세기에 동·서로마 제국을 침입하여 이탈리아·프랑스·스페인에 왕국을 건설한 튜턴족의 한 파》. **2** [g~] (미술을 이해하지 못하는) 야만인, 난폭자 (cf. VANDAL).
Goth., Goth, goth. Gothic.
Goth·am [gátəm, góuθəm; gɔ́utəm] *n.* **1** 고텀《옛날 주민 모두가 바보였다고 전해지는 잉글랜드 Nottinghamshire의 마을》; 잉글랜드 Newcastle 시의 속칭. **2** [gáθəm, góu-] 《美》 뉴욕시의 속칭.
wise men of Gotham 바보들.
Góth·am·ìte *n.* **1** Gotham 사람; 바보, 멍텅구리. **2** 《戱》 뉴욕 시민.
Goth·ic [gáθik] *n.* **1** Ⓤ 고트어; 〔建〕 =GOTHIC ARCHITECTURE. **2** [보통 g~] Ⓤ 〔印〕 **a**) 《英》 고딕체(black letter). **b**) 《美》 =SANS SERIF. **3** [흔히 g~] 고딕풍의 작품. —— *a.* **1** 고트인의[과 같은]; 고트어의; 〔建〕 고딕 양식의; 〔印〕 고딕체의; 〔文藝〕 고딕풍의《괴기·공포·음산 따위의 중세적 분위기》. **2** 교양이 없는, 야만의, 우둔한.
〖F or L (*Gothi* GOTHS)〗
Góthic árch *n.* 〔建〕 고딕 아치.
Góthic árchitecture *n.* 고딕 양식 건축《12-16세기에 서유럽에 널리 퍼진 끝이 뾰족한 아치형 양식(樣式)》.

Goth·i·cism [gáθəsìzəm] *n.* Ⓤ 고딕식[취미]；(건축·미술·공예에서) 고딕 양식；[때때로 g~] 야만；Ⓒ 고트어 어법.
goth·i·cize [gáθəsàiz] *vt.* …을 고딕식으로 하다, 중세식으로 하다.
Goth·ick [gáθik] *a.* [때때로 g~]《英》〔文藝〕고딕풍의. **góth·ick·ry** *n.*《英》(소설·영화 따위가) 고딕풍의 주제[분위기, 문체], 고딕조(調).
〖GOTHIC의 의고적(擬古的) 철자〗
Góthic nóvel *n.* 고딕 소설《18세기 후반부터 19세기 초까지 영국에서 유행했던 괴기·공포 소설》.
Góthic týpe *n.* 〔印〕고딕(활자)체. ㊟《英》에서는 black letter,《美》에서는 san serif를 가리키는 경우가 많음.
gó-to-méeting *a.*《戲》(옷·모자 따위가) 교회 가는 차림의, 나들이 차림의.
got·ta [gátə] [발음 철자]《口》=(have[has]) got a, got to(☞ GET *vt.* 9 ㊟ (2)) : I ~ go. 가봐야 한다.
◇**got·ten** [gátn] *v.*《美》GET의 과거분사 : He has ~ sick. 병에 걸렸다. ── *a.* [복합어를 이루어] : ill-~ wealth[gains] 부정한 부[이익].
gót-úp *a.* 꾸민；인공적인, 모방한, 가짜의 : a ~ affair 꾸며낸 일 / a ~ match 미리 짜고 하는 시합 / hastily ~ (옷을) 벼락같이 지어낸. ── *n.* 벼락 부자, 벼락 감투(upstart).
gouache [gwáːʃ ; guáːʃ] *n.* 구아슈《아라비아 고무 따위로 만든 불투명 수채 그림 물감》；구아슈 수채화(법). 〖F＜It. *guazzo* puddle〗
Góu·da (**chéese**) [gáudə(-), gúː-] *n.* 고우다 치즈《네덜란드의 Gouda에서 만든 딱딱한 치즈》.
gouge [gáudʒ] *n.* **1** 둥근 끌, 둥근 정；둥근 끌로 홈파기；(둥근 끌로 판) 홈, 구멍. **2**《美口》사기(꾼). ── *vt.* **1** 둥근 끌로 파다. **2** [＋目＋副] (코르크를) 둥글게 잘라내다, (해협 따위를) 파헤치다；(눈알을) 도려내다 : The boy ~*d* ***out*** the seeds with his fingers. 그 아이는 씨를 손가락으로 후벼냈다. **3**《美口》(남)에게서 착취하다, 속여 먹다, (남)에게 부당한 값을 부르다. ── *vi.*《濠》단백석을 채굴하다.
〖OF＜L *gu*(*l*)*bia*＜? Celt.〗
Gou·lárd's éxtract [guːláːrdz-] *n.* 〔醫〕연당수(鉛糖水)《찬 찜질용》.
gou·lash [gúːlaːʃ, -læʃ ; -læʃ] *n.* Ⓤ,Ⓒ **1** 〔料〕(헝가리의) 쇠고기와 야채로 만든 스튜；《비유》뒤죽박죽. **2** 〔카드놀이〕브리지에서 네 사람에게 다시 패를 나누는 카드 분배법의 하나.
〖Magyar *gulyás-hús* herdsman's meat〗
góulash cómmunism *n.* 소비 물자 생산 따위 서민의 생활 수준 향상책을 강조하는 형태의 공산주의《헝가리식 따위》.
Gou·nod [gúːnou ; *F* guno] *n.* 구노. **Charles François** ~ (1818-93) 프랑스의 작곡가.
gourd [gɔ́ːrd, gúərd ; gúəd] *n.* 〔植〕호리병박《열매·식물》；표주박 : the bottle ~ 조롱박 / the snake ~ 쥐참외 / the Spanish ~ 호박 / the sponge[towel] ~ 수세미 / the white ~ 동아.
〖OF＜L *cucurbita*〗
gourde [gúərd] *n.* 구르드《아이티의 화폐 단위；＝100 centimes；기호 G》；1 구르드화(貨).
〖F *gourd* dull, slow〗
gour·mand [gúərmaːnd, -mənd ; -mənd] *n.* **1** 대식가(glutton). **2** 미식가, 식도락가(gourmet).
── *a.* 미식의；대식하는.
〖OF＜?〗
gour·man·dise, -dize [gúərməndìːz, ⌐-⌐] *n.* 미식을 즐김, 식도락. 〖F〗
góur·mand·ìsm *n.* Ⓤ 미식주의, 식도락.
gour·met [gúərmei, 美+-⌐] *n.* 식도락가, 미식가；포도주에 정통한 사람.
〖F＝wine taster；어의는 GOURMAND의 영향〗
gout [gáut] *n.* Ⓤ [때때로 the ~] 〔醫〕통풍《발가락·무릎·손가락의 관절이 부어 격렬한 통증을 일으키는 병；영국 상류 사회에 많음》.
〖OF＜L *gutta* drop；humors (체액)의 방울로 생긴다고 생각되었음〗
goût [gúː] *n.* Ⓤ,Ⓒ 미각, 취미(taste)；(예술적인) 소양, 감식(력). 〖F〗
góuty *a.* 통풍성(痛風性)의[에 걸린]；통풍을 일으키기 쉬운.
Gov., gov. government；governor.
‡**gov·ern** [gʌ́vərn] *vt.* **1** (나라·국민을) 다스리다, 통치하다 : The king ~*ed* the country wisely. 왕은 나라를 잘 다스렸다. **2** (공공기관 따위를) 지배하다, 관리하다, 통어하다. **3** (사람·행동 따위를) 좌우하다；결정하다. **4** (격정 따위를) 제어[억제]하다；(속력을) 조절하다；…의 의미를 결정[제한]하다. **5** (법률이) …에 적용되다. **6** 〔文法〕(특히 동사·전치사가 목적어·격(格)을) 지배하다(cf. AGREE 3). ── *vi.* 통치하다；지배하다, 관리하다 : In Great Britain the sovereign reigns but does not ~. 대영제국(大英帝國)에서는 군주는 군림하나 통치하지는 않는다.
govern one***self*** 처신(處身)하다；자제하다.
〖OF＜L＜Gk. *kubernaō* to steer〗
類義語 ***govern*** 사회 질서의 유지나 공공의 복지를 위해 권력을 행사하여 국민을 통제하고 국정을 지도하다. ***rule*** 절대적·전제적인 권력자가 govern보다도 직접적으로 완전히 지배해서 복종을 강제하다. ***administer*** 행정 기관이 국사를 관리하다.
gòvern·abílity *n.* Ⓤ 통치할 수 있는 상태, 자기 관리 능력.
góvern·able *a.* 지배[통어, 관리]할 수 있는；억제할 수 있는.
góvern·ance *n.* Ⓤ 통치, 관리, 제어.
gov·er·ness [gʌ́vərnəs] *n.* **1** (특히 침식을 같이 하면서 아이의 교육을 돌보는) 여자 가정교사(cf. TUTOR)〈*to, for*〉: a daily[resident] ~ 통근[입주] 여자 가정 교사. **2** 여성 지사, 여성 행정 장관. ── *vt.* (여성이) …을 위해 가정 교사를 하다；(…을) 여자 가정교사의 감독하에 두다.
── *vi.* governess를 하다.
〖ME *governeress*＜F (GOVERNOR, *-ess*)〗
góverness càrt[**càr**] *n.*《英》(좌우 양쪽에만 좌석이 있는) 2륜 경마차.
góvern·ing *a.* 통치하는；관리하는, 통어[통제]하는；지배[지도]적인 : the ~ classes 지배 계급 / the ~ body (병원·학교 따위의) 이사회.
‡**gov·ern·ment** [gʌ́vərnmənt, gʌ́vəmənt ; gʌ́vənmənt] *n.* **1** Ⓤ 정치, 시정, 지배(권), 통치(권)；행정권；정체(政體)；(공공기관의) 관리, 지배, 통어 : constitutional[democratic, republican] ~ 입헌[민주, 공화]정치 / ~ of the people, by the people, for the people ☞ PEOPLE 3 b). **2** [보통 G~] [집합적으로] 정부, 내각(cf. ADMINISTRATION) : form a *G*~《英》(수상이) 내각을 조직하다. ☞ 活用. **3** 국가(state), 관할, 영토(territory). **4** Ⓤ 〔文法〕지배. **5** [*pl.*]《美》공채 증서(公債證書).
in (***the***) ***government service*** 국가 공무원으로, 관공리로.
〖OF；⇨ GOVERN〗

活用 2의 의미로는 보통 단수로 취급되나 《英》에서는 정부가 정부 자체를 언급할 때는 때때로 복수로 함 : The *Government have* not approved the budget. (《英》 정부는 예산안을 승인하지 않고 있다).

gov·ern·men·tal [gʌ̀vərnméntl ; gʌ́vən-] *a.* 정부의, 정치(상)의, 통치의 ; 관영의, 관설의. **~·ly** *adv.* 정부로서, 정치상.

governméntal·ìsm *n.* 정부주도주의, 정부주의적 경향. **-ist** *n.*

góvernment bònd *n.* 국채.

gov·ern·ment·ese [gʌ̀vərnməntíːz, -s] *n.* (까다로운) 관청 용어.

góvernment guarantéed bònd *n.* 정부 보증채.

góvernment hòuse *n.* [the ~] (영국 식민지 따위의) 총독관저.

góvernment íssue *a.* [흔히 G~ I~] 정부 발행[발급]의, 관급의.
—— *n.* 관급품.

góvernment màn *n.* **1** 관리, 국가 공무원, (특히) =G-MAN. **2** 정부 지지자.

góvernment nóte *n.* (정부 발행의) 정부 지폐 (cf. BANK NOTE).

góvernment òffice *n.* 관청 ; U.C 관직.

góvernment official *n.* 국가 공무원.

góvernment-óperated *a.* 국영의, 관영의 : ~ enterprise 국영 기업체.

góvernment páper *n.* (정부 발행의) 국채 증서(證書).

góvernment secúrity *n.* [보통 *pl.*] 정부 발행의 유가 증권《공채 증서·재무부 증권 따위》.

***gov·er·nor** [gʌ́vərnər] *n.* **1** 통치자(ruler) ; (도·시 따위의) 도지사, 시장 ; (영국 식민지·미국 각주의) 총독, 지사 ; 요새[수비대] 사령관 ; 《英》 (관서·협회·은행 따위의) 총재, 소장, 원장 ; 장관 ; 《英》 (교도소의) 교도소장 : a civil ~ 민정장관, 지사. **2** [gʌ́vnər] 《英口》 아버지, 부친 ; 우두머리, 두목. **3** 〖機〗 조속기(調速機), (가스·증기·물 따위의) 조정기, 정압기(整壓器).
〖OF<L ; ⇨ GOVERN〗

góvernor·àte *n.* governor가 다스리는 지구, (특히) Egypt의 5대 행정 구역의 하나.

góvernor-elèct *n.* (취임 전의) 새 지사[총독].

góvernor-géneral *n.* (*pl.* **góvernors-géneral, ~s**) (식민지 따위의) 총독 ; 지사, 장관. **~·shìp** *n.* U governor-general의 직[임기].

góvernor's cóuncil *n.* 지사[총독] 자문 위원회(委員會).

góvernor·shìp *n.* governor의 직[지위, 임기].

Gov.-Gen. Governor-General.

govt., Govt., Gov't. Government.

gow·an [gáuən] *n.* 《스코》 데이지.

gowk [gáuk] *n.* **1** 《方》 뻐꾸기(cuckoo). **2** 바보, 얼간이.
give** a person **the gowk 남을 우롱하다.
〖ON *gaukr* ; cf. OE *gēac* cuckoo〗

***gown** [gáun] *n.* **1** (특히 여성용의) 긴 웃옷, 가운 : ☞ EVENING GOWN. **2** 대학 정복 ; (시장·시의원 등의) 긴 겉옷 ; 법복 ; 성직자복, 고대 로마의 겉옷(toga) ; 문관복. **3** 화장옷(dressing gown) ; 잠옷(night gown), 실내복. **4** [집합적으로] 대학의 사람들, 대학인 ; [the ~] [집합적으로] 판사, 변호사, 성직자.
arms and gown ☞ ARM² *n.* 2.
in wig and gown 법관의 정장(正裝)으로.
take the gown 성직자[변호사]가 되다.
town and gown ☞ TOWN 3 b).
—— *vt.* [주로 *p.p.*로] …에게 가운을 입히다.
〖OF<L *gunna* fur garment〗

gówned *a.* 가운을 입은 : ~ war 법정 투쟁.

gówns·man [-mən] *n.* (*pl.* **-men** [-mən]) (직업·지위를 나타내는) 가운을 입은 사람《대학 관계자·변호사·법관·성직자 등》; (군인에 대하여) 민간인.

gox [gáks] *n.* 기체 산소.
〖*g*aseous *ox*ygen〗

g. ox. gaseous oxygen.

goy [gɔ́i] *n.* (*pl.* **goy·im** [-əm], **~s**) [흔히 경멸적으로] (유태인 쪽에서 본) 이방인, 이교도 (gentile). 〖Yid.<Heb.=people, nation〗

Go·ya y Lu·cien·tes [gɔ́ijə iː lùːsiénteis] *n.* 고야. **Francisco José de** ~(1746-1828) 스페인 화가.

góy·ish, -isch [-iʃ] *a.* goy의[같은], 이교도의 : a ~ girl[woman] 이교도 소녀[여인].

GP, G.P. 《美》 Gallup Poll (갤럽 여론 조사) ; general practitioner ; Gloria Patri ; Graduate in Pharmacy ; Grand Prix. **gp, gp.** group. **GPA** 《美》 grade point average. **GPH, gph, g.p.h.** gallons per hour. **GPI, G.P.I.** general paralysis of the insane ; 〖空〗 ground position indicator. **GPIB** 〖컴퓨·電子〗 general purpose interface bus. **GPM** graduated payment mortgage. **GPM, gpm, g.p.m.** gallons per minute. **GPO** Government Printing Office. **G. P. O.** General Post Office. **GPS** 〖美軍〗 Global Position System (전지구 위치 파악 시스템). **GPS, gps, g.p.s.** gallons per second. **GPSS** 〖컴퓨〗 General Purpose Simulation System (범용(汎用) 시뮬레이션 시스템). **GPT** 〖心〗 group projective test ; 〖醫〗 glutamic pyruvic transaminase《간세포 따위에 존재하는 효소 ; GOT와 함께 간염 상태의 지표가 됨》. **GPU** General Postal Union ; 〖空〗 ground power unit (지상 동력 장치). **GPU, G.P.U.** [gèipèiúː, dʒìːpìːjúː] 《Russ.》 Gay-Pay-Oo. **GPWS** 〖空〗 ground proximity warning system. **GQ** 〖海軍〗 General Quarters. **GR** Green Round. **Gr.** Grecian ; Greece ; Greek. **gr.** grade ; grain(s) ; gram(s) ; grammar ; grand ; great ; gross ; group. **G.R.** 〖軍〗 General Reserve ; *Georgius Rex* 《L》 (=King George).

Gráaf·ian fóllicle[vésicle] [gráːfiən-] *n.* 〖解〗 그라프 여포(濾胞)[난포(卵胞)].
〖Regnier de *Graaf* (d. 1673) 네덜란드의 해부학자(解剖學者)〗

grab** [grǽ(ː)b] *v.* (**-bb-**) *vt.* [+目 / +目+前+名] 움켜쥐다, 붙잡다, 잡다(snatch) ; 낚아채다, 가로채다 : He ~*bed* a revolver ***from the table. 테이블의 권총을 집어들었다 / He ~*bed* me ***by*** the arm. 그는 내 팔을 잡았다 / Tom ~*bed* the cat ***around*** the neck. 톰은 고양이의 목을 움켜잡았다. —— *vi.* [+*at*+名] 거머쥐다, 잡아채다 : ~ ***at*** a chance 기회를 잡다.
—— *n.* **1** 잡아채기, 낚아채기 ; 약탈 ; 횡령. **2** 〖機〗 그랩《진흙 따위를 준설하는 버킷》.
have*[*get*] *the grab on... 《英俗》 …보다 유리한 위치를 차지하다, …을 능가하다.
make a grab at …을 잡아채다.
a policy*[*game*] *of grab 약탈 정책, 불난 곳에서 도둑질하는 식의 정책.
—— *a.* **1** 잡기 위한《난간 따위》. **2** 무작위로 뽑은. 〖MLG, MDu. ; cf. GRIP¹, GRIPE, GROPE〗

類義語 ⟹ TAKE.

gráb·àll *n.* 《美》 욕심쟁이 ; 《口》 잡동사니 주머니.

gráb bàg[**bòx**] *n.* 《英》 보물뽑기 주머니[상자].

gráb bàr *n.* (욕실의 벽 따위에 설치한) 가로대.

gráb·ber *n.* 낚아채는 사람 ; 약탈자 ; 욕심쟁이.

grab·ble [grǽbəl] *vi.* **1** 손으로 더듬다[더듬어 찾다]. **2** 엎드리다, 엎드려 찾다. —— *vt.* 잡다.

grab·by [grǽbi] *a.* 욕심이 많은[사나운], 탐욕스러운.

gra·ben [grɑ́:bən] *n.* (*pl.* **~s**, **~**) 〖地質〗 지구(地溝), 그라벤《정단층(正斷層)으로 한정된 지괴(地塊)가 양쪽보다 깊게 함몰된 지대》. 〚G=ditch〛

gráb·hòok *n.* 걸거나 잡기 위한 갈고랑이.

***grace** [gréis] *n.* **1** Ⓤ 우미 ; 우아, 고아(高雅)함, 정숙 ; 예의, 교양 : She danced *with* ~. 우아하게 춤추었다. **2** Ⓤ (문체·표현 따위의) 아치(雅致), 세련(polish). **3** Ⓤ **a**) 은혜, 은총, 애고(愛顧), 호의, 은전. **b**) 친절, 인자, 자비(clemency, mercy). **c**) 유예, 지불 유예 (기간) ; 은사, 특사 : give a person a week's ~ 남에게 일주일의 유예를 주다. **4** Ⓤ 신의 은총 ; 은총의 생활 ; (신의 은총에 대한) 감사. **5** Ⓤ 식전[후]의 감사 기도 : say ~ 기도를 드리다. **6** Ⓤ **a**) [+*to* do] 자진해서 좋은 일을 하는 태도, 고결한 태도, 아량, 우아함 : She had the ~ *to* apologize. 정중하게 사과했다. **b**) 체면, 면목 : Can you *with* any ~ refuse? 거절해도 별로 곤란하지는 않겠느냐 / We cannot *with* any ~ ask him. 면목이 없어서 그에게 부탁하지 못한다. **7** [*pl.*] [집합적으로] 미점, 장점 ; (용모·행동 따위의) 매력, 애교. **8** [G~] 각하, 각하 부인《공작·공작부인·대주교의 경칭》 : Your *G*~ 《호칭》 각하 / His[Her] *G*~ 각하[각하 부인]. **9** 〖樂〗 꾸밈음(grace note). **10** [G~] 〖그神〗 미의 세 여신 중 하나 : the (three) *G*~*s* 찬란함·즐거움·개화를 상징한 세자매의 여신《Aglaia, Euphrosyne 및 Thalia를 일컬음》.

by* (*the*) *grace of …의 힘[도움]으로.

by the grace of God 신의 은총으로《특히 정식 문서에서 국왕의 이름에 덧붙임》.

fall from grace 신의 은총을 잃다, 타락하다, 종교적인 죄를 범하다(sin).

in a person***'s good*** [***bad***] ***graces*** 남의 마음에 들어[안들어], 남의 호감[악감]을 사서.

the [***this***] ***year of grace*** 그리스도 기원(紀元), 서력 : in *this year of* ~ 1999 서기 1999년에 / *the* 1616th *year of* ~ 서기 1616년.

There, but for the grace of God, goes.... ☞ BUT *for*.

with* (*a*) *bad [(***an***) ***ill***] ***grace*** 싫은 것을 억지로, 마지못해서.

with* (*a*) *good grace 쾌히, 자진해서, 선뜻.

—— *vt.* **1** [+目 / +目+*with*+名] 우미[우아]하게 하다, 꾸미다 ; …에 명예[광채]를 주다 : The king ~*d* the meeting ***with*** his presence. 국왕이 회합에 참석하여 그 자리를 빛내주었다 / ~ a person *with* a title 남에게 작위를 수여하는 영광을 베풀다. **2** 〖樂〗 …에 꾸밈음을 붙이다.

〚OF<L *gratia* (*gratus* pleasing) ; cf. GRATEFUL〛

Grace *n.* 여자 이름. 〚F<L (↑)〛

gráce cùp *n.* (식후의) 축배 ; 이별의 술잔.

***gráce·ful** *a.* 우미[우아]한, 정숙한, 품위있는, 고상한. **~·ly** *adv.* 우아[정숙]하게.

gráce·less *a.* **1** 버릇없는, 예의 없는, 야비한 ; 품위 없는, 보기 흉한, 상냥하지 못한. **2** 《古·戲》 신의 버림을 받은, 구제하기 어려운, 구할 수 없는, 타락한. **~·ly** *adv.* 버릇없이, 품위 없이.

gráce nòte *n.* 〖樂〗 꾸밈음.

gráce pèriod *n.* 〖保險〗 (보험료 납입) 유예 기간(猶豫期間).

Gra·cia [gréiʃiə] *n.* 여자 이름.

grac·ile [grǽsəl, -ail] *a.* 가느다란, 가냘픈 ; 날씬하고 고상한 ; 우미한. 〚L=slender〛

grac·i·lis [grǽsələs] *n.* (*pl.* **-les** [-lì:z], **~·es**) 〖解〗 박(薄) : a ~ muscle 박근(薄筋). 〚L ; ⇨ GRACILE〛

gra·cil·i·ty [græsíləti] *n.* **1** Ⓤ 가냘픔 ; 날씬함. **2** (문체의) 간결(簡潔).

gra·ci·o·so [grèiʃióusou, grɑ́:-] *n.* (*pl.* **~s**) (스페인 희극의) 어릿광대 역(clown, buffoon). 〚Sp.=amiable ; ↓〛

***gra·cious** [gréiʃəs] *a.* **1** 공손한, 은근한, 우아한, 정다운 ; (관례적으로 왕·여왕에게 써서) 인자하신, 넓으신. **2** 《古》 유익한, 감사한 : a ~ rain 단비. **3** 은혜가 넘치는, 자비심 많은.

Good* (*ness*) *Gracious!*=*Gracious Heaven [***goodness***] ***!*=*Gracious me!*=(*My*) *Gracious!*** 이런!, 어럽쇼!, 야단났군!, 아뿔싸! 《놀람의 소리》.

~·ness *n.* Ⓤ 정중함, 상냥함 ; 자비로움.

〚OF<L=enjoying favor, agreeable (GRACE)〛

grá·cious·ly *adv.* 정중하게, 상냥하게 ; 고맙게도 ; 자비롭게.

grack·le [grǽkəl] *n.* 〖鳥〗 찌르레기의 일종. 〚L *graculus* jackdaw〛

grad [grǽ(:)d] *n.* 《口》 (특히 대학의) 졸업생 ; 《美俗》 대학원생. —— *a.* 《美俗》 대학원생의. 〚GRADUATE〛

grad. 〖數〗 gradient ; graduate ; graduated.

gra·date [gréideit ; grədéit] *vt.* (색을) 흐릿하게 하다 ; 점차 다른 색으로 변하게 하다 ; …에 단계를[등급을] 매기다. —— *vi.* 점차 다른 색으로 변하다. 〚역성(逆成) ‹ *gradation*〛

gra·da·tim [greidéitəm] *adv.* 점차(by degrees). 〚L ; ⇨ GRADE〛

gra·da·tion [greidéiʃən, grə- ; grə-] *n.* **1** Ⓤ (색채·색조의 점차로) 흐릿하게 하기, 농담법(濃淡法) ; (사진의) 계조(階調) ; 점차적 이행, 서서히 변화하기 : by ~ 서서히. **2** Ⓤ 순서를 매김, 등급 매기기 ; Ⓒ [보통 *pl.*] 순서, 차례, 등급, 등차(等差), 계급. **3** Ⓤ 〖言〗 모음 전환(ablaut)《예를 들면 wr*i*te, wr*o*te, wr*i*tten의 변화》. **4** Ⓤ 〖修〗 점층법(漸層法)(climax). 〚L ; ⇨ GRADE〛

gradátion·al *a.* 순서가 있는, 등급이 있는, 단계적인 ; 점진적인 ; 흐릿하게 한.

‡**grade** [gréid] *n.* **1** 등급, 계급, 품등(品等)(degree) ; (숙달·지능의) 정도, (학교의) 정도 : persons of every ~ of society 사회의 모든 계층의 사람들. **2 a**) 《美》 (초등·중·고등학교의) 학년《1학년에서 고교 3학년까지의 12등급》 : boys in the twelfth ~ 12학년 남학생들. **b**) [the ~s]=GRADE SCHOOL : teach in *the* ~*s* 《美》 초등학교 교편을 잡다. **c**) (학생의) 성적 점수, 평점(mark)《A, B, C 따위》 : Mary always got high ~*s* in school. 메리는 학교에서[수업에서, 재학중에] 언제나 우수한 성적을 받았다. **3** 같은 계급[학년, 정도]에 속하는 것. **4** 《주로 美》 비탈, 경사도(=《美》 gradient) ; 사면(斜面) ; 〖數·測〗 그레이드《각도의 단위 : 직각의 1/100》. **5** 〖畜産〗 누진 교배종, 종계(種系)《개량 잡종》 ; [형용사적으로] 〖畜産〗 누진교배종의.

at grade (철도와 도로의 교차가) 동일 평면에서, 같은 높이의.

make the grade 《원래 美》 표준에 이르다, 성공[합격]하다.

on the down*[*up*] *grade 내리[오르]막에 ; 쇠퇴[번영]하여.
over*[*under*] *grade 《美》 (도로와 철도가 교차할 때) 위쪽[아래쪽]에서.
— *vt.* **1** 부류로 나누다, …에 등급을 매기다, 〖商〗 품평하다 ; 《美》 …에 성적을 매기다, 채점하다(mark) : ~ the papers 답안을 채점하다. **2** …의 기울기[경사]를 완만하게 하다. **3** (가축의 품종 개량을 위해서) 교배하다〈*up*〉. **4** [수동태로] 〖言〗 모음 전환에 의해서 변하다.
— *vi.* …의 등급이다 ; 서서히 변화하다.
〖F or L *gradus* step〗

-grade [grèid] *a. comb. form* [주로 동물학 용어] 「걷는」 「움직이는」 「가는」의 뜻 : digiti*grade*, planti*grade*.
〖L (↑)〗

gráde crèep *n.* 《美》 공무원의 자동적 승진, 연공(年功)에 의한 승진.

gráde cròssing *n.* 《美》 〖鐵〗 평면 교차(점), 건널목(=《英》 level crossing).

gráde·ly *a.* 《英方》 훌륭한 ; 완전한 ; 유망한 ; 건강한 ; 잘생긴 ; 적당한 ; 진실의.
— *adv.* 《英方》 적당히 ; 주의하여 ; 정말로.

gráde·màrk *n., vt.* 품질[등급] 표시(를 하다).

gráde pòint *n.* 《美》 (숫자로 나타낸) 성적 평점, 환산 평점《예를 들면 한 과목에 대해 평점의 A,B, C를 각각 4, 3, 2 점으로 함》.

gráde pòint àverage *n.* 《美》 학업 평균 점수 《가령 A 2과목, B 4과목, C 2과목이면 평균 3점》.

grad·er [gréidər] *n.* **1** 등급을 매기는 사람[물건]. **2** 《美》 …학년생 : a fourth ~ 4학년생. **3** 《美》 채점자, 평점자. **4** 그레이더《땅 고르는 기계》, (농산물 따위의) 선별기.

gráde schòol *n.* 《美》 초등학교(elementary school) (cf. GRADE *n.* 2 b)).

gráde separàtion *n.* (도로·선로의) 입체 교차(立体交差).

gráde téacher *n.* 《美》 초등학교 교사.

gra·di·ent [gréidiənt] *n.* **1** 《英》 (도로·철도의) 물매, 기울기, 경사도(傾斜度) (=《美》 grade) : a ~ of one in nine 9분의 1의 물매. **2** 〖理〗 (온도·기압 따위의) 변화[경사]도(度), 경도(傾度).
— *a.* 보행성의 ; 보행할 수 있는[에 알맞은] ; 경사진.
〖*salient* 따위의 유추로 *grade*에서인가〗

grádient·er *n.* 측사계(測斜計), (기울기 측정용의) 미각계(微角計).

gra·din [gréidn], **gra·dine** [gréidi:n, grədí:n] *n.* **1** 낮은 계단[계단좌석]의 한 단. **2** (교회의) 제단 뒤쪽의 선반《촛대·꽃 따위를 올려 놓음》.
〖F=step<It.〗

grad·ing [gréidiŋ] *n.* Ⓤ 〖商〗 등급 매기기, 품평 ; 경사의 변경 ; 경사의 완화 ; 땅 고르기 ; 〖寫〗 계조도(階調度).

Grad. Inst. P. Graduate of the Institute of Physics.

gra·di·om·e·ter [grèidiámətər] *n.* 〖理〗 (지구자기(地球磁氣)·기온 따위의) 경도(傾度) 측정기.

grad·u·al [grǽdʒuəl, -dʒəl] *a.* 점차의, 점진적인, 서서히 하는, 완만한. — *n.* [흔히 G~] 〖카톨릭〗 (미사 성제(聖祭)에서 사도의 서한과 복음서의 낭독중간에 부르는) 층계송(層階誦), 그라두알 ; (성가대용의) 미사 가변부(可變部) 성가집.
~·ness *n.*
〖L (GRADE) ; (n.)은 제단의 계단으로 또는 deacon이 설교단에 올라가는 사이에 노래하는 데서〗

grádual·ìsm *n.* Ⓤ 점진주의[정책].
-ist *n.* **gràd·u·al·ís·tic** *a.*

***grád·u·al·ly** *adv.* 차례로, 점차적으로, 서서히(by degrees).

Grádual Psàlms *n. pl.* 〖聖〗 성전(聖殿)에 올라가는 노래, 순례자의 노래(Song of Degrees [Ascents]) 《시편 120-134》.

grad·u·and [grædʒuǽnd] *n.* 《英大學》 졸업[학위 취득] 예정자.

grad·u·ate** [grǽdʒuèit] *vt.* **1** [+目 / +目+*from*+名] 《주로 美》 …에게 학위를 수여하다, (학생을) 졸업시키다 : He was ~*d* ***from Yale in 1999. 1999년에 예일 대학을 졸업했다. 注 오늘날에는 《美》에서도 *vi.* 1의 용법이 일반적. **2** 등급(等級)을 매기다, 계급별로 하다 ; 누진적으로 하다 : An income tax is ~*d*. 소득세는 누진적으로 되어 있다. **3** (온도계 따위에) 눈금을 새기다. **4** 〖化〗 (증발 따위로) 농후(濃厚)하게 하다.
— *vi.* **1** [+前+名] 대학 졸업생의 칭호《특히 Bachelor's degree》를 받다, 학사학위를 받고 졸업하다(cf. *vt.* 1) ; 자격을 얻다 : He ~*d* ***from*** Harvard[Oxford] in 1998. 1998년에 하버드[옥스퍼드] 대학을 졸업했다 / George ~*d* ***in*** medicine ***at*** Edinburgh. 조지는 에든버러 (대학)의 의과를 졸업했다. 注 (1) 학교명 앞에 at을 쓰는 것은 주로 《英》. (2) 《美》에서는 graduate를 대학 이외의 각종 학교에도 쓰는데 《英》에서는 그 경우 leave school, finish[complete] the course of... 따위를 쓴다. **2** 〖生〗 차츰차츰 흐려져 가다 〈*away*〉, 점차로 변화하다〈*into*〉.

〈회화〉
What are you going to do after *graduating from* school? — I haven't decided yet. 「졸업 후에 뭐 할거니」「아직 결정하지 못했어」

— [-ət, -èit ; -ət] *n.* **1 a)** (university, college의) 졸업생〈*of*〉. 注 《美》에서는 각종 학교의 졸업생, 《英》에서는 대학의 졸업생. **b)** 《美》 대학원 학생. **2** 〖化〗 눈금을 매긴 용기.
— [-ət, -èit ; -ət] *a.* (대학의) 졸업생의 ; 학사학위를 받은 ; 《美》 (대학의) 졸업생을 위한 ; 대학원의 : a ~ student 《美》 대학원 학생.
〖L *graduor* to take a degree ; ⇨ GRADE〗

grád·u·àt·ed *a.* **1** 등급[계급]이 있는, 등급별로 [단계적으로] 배열한 ; 눈금을 표시한 : a ~ ruler 눈금자. **2** 누진적인, 점증(漸增)하는 : ~ taxation 누진 과세.

gráduated detérrence *n.* (전략 핵무기 사용의) 단계적 억지(抑止) 전략.

gráduated léngth mèthod *n.* 기술의 향상에 따라서 짧은 스키에서 긴 것으로 점차적으로 바꾸어 나가는 지도법《略 GLM》.

gráduated páyment mòrtgage *n.* 《美》 (주택자금 융자의) 경사 상환 방식 부동산 저당.

gráduate núrse *n.* 《美》 정식 간호사(=《英》 trained nurse) (cf. PRACTICAL NURSE).

gráduate schòol *n.* 《美》 대학원《bachelor를 취득한 후 master, doctor를 취득할 학생이 진학》.

***grad·u·a·tion** [grædʒuéiʃən] *n.* **1** Ⓤ 《英》 학위 취득, 《주로 美》 (일반적으로) 졸업〈*from*〉; ⓊⒸ 《美》 졸업식(cf. COMMENCEMENT) : ~ exercises 《美》 졸업식. **2** [*pl.*] 눈금, 도수. **3** Ⓤ 등급 분류[매기기]. **4** Ⓤ 〖化〗 (증발 따위에 의한) 농후화(濃厚化).

grád·u·à·tor *n.* 도수[눈금]를 매기는 사람 ; 눈금 있는 용기, 각도기 ; 증발기.

gra·dus [gréidəs ; grǽd-] *n.* **1** (라틴시(詩)의) 운율 사전. **2** (피아노의) 연습곡집.

〚*Gradus* ad Parnassum=step to Parnassus〛

Grae·ae [gríːiː], **Grai·ae** [gréiiː, gráiiː] *n. pl.* 〔그神〕 그라이아이《the Gorgons를 지키는 세 자매 ; 눈 하나와 이 하나를 세명이 공유했음》.

Graecism, Graeco- ☞ GRECISM, GRECO-.

Graecize ☞ GRECIZE.

graf·fí·ti árt [grəfíːti-] *n.* 낙서 예술《벽면(壁面) 따위에 함》.

graf·fi·to [græfíːtou, grə-, grɑː-] *n.* (*pl.* **-ti** [-tiː]) 〔考古〕 그라피토《바위·벽·도기의 면에 파서 써 놓은[그린] 문자[그림]》.
〚It. (*graffio* scratching)〛

graft[1] [grǽ(ː)ft ; grɑ́ːft] *vt.* **1** [+目/+目+前+名/+目+副] 〔園藝〕 접목(接木)하다, 접붙이다 : ~ one variety (***up***)***on***[***in, into***] another 한 품종을 다른 품종에 접목하다 / ~ two varieties *together* 두 가지의 변종(變種)을 서로 접목시키다. **2** 〔外科〕 (피부·뼈 따위를) 이식(移植)하다. **3** 합체[융합]시키다. —— *vi.* [動/+前+名] 〔園藝〕 접목하다, (나무가) 접붙여지다 : Roses ~ well ***on*** briar roots. 장미는 찔레나무 뿌리에 접목이 잘 된다. —— *n.* **1** 접수(接穗), 접지(接枝) ; 접목(법), 접붙이기. **2** 〔外科〕 이식 조직, 식피편(植皮片).
~·ing *n.* Ⓤ 접목(법) ; 〔外科〕 조직 이식(법), 식피술(植皮術).
〚ME *graff* <OF<L<Gk. *graphion* stylus ; *-t*는 비어원적 첨가자(字)〛

graft[2] *n.* 《口》 Ⓤ (특히 정치 관계의) 부정 이득 ; 오직(汚職), 독직 ; 수회(收賄). —— *vi.* (공무원이) 수회(收賄)하다, 독직하다.
〚C19<? ; ↑인가〛

gráft·er[1] *n.* 접붙이는 사람.

grafter[2] *n.* 독직(瀆職) 공무원, 수회자 ; 사기꾼.

gra·ham [gréiəm, 美+grǽəm] *a.* 《美》 정맥하지 않은 보리의 : ~ bread 그레이엄 빵 / ~ cracker 보리로 만든 비스킷. 〚S. *Graham* (d. 1851) 미국의 목사·식이요법 개혁자〛

Graham *n.* 남자 이름. 〚OE=gray home(stead)〛

Graiae ☞ GRAEAE.

grail[1] [gréil] *n.* **1** 큰 접시(platter), 잔(cup). **2** [the G~] =the HOLY GRAIL.
〚OF<L *gradalis* dish<?〛

grail[2] *n.* 《古》 =GRADUAL.

◇**grain** [gréin] *n.* **1** 《美》 **a)** Ⓤ [집합적으로] 곡물, 곡류(=《英》 corn). **b)** 낟알, (쌀·보리의) 한 톨 (cf. HUSK) ; (특히 모래·설탕·소금·포도 따위의) 한 알. **c)** [a ~ ; 부정 구문으로] (극)미량(微量), 아주 적은 것, 미진(微塵) : He has*n't a* ~ *of* sense. 분별이 조금도 없다 / *without a* ~ *of* love 조금도 애정이 없이. **2** 그레인《형량(衡量)의 최저 단위 ; 0.0648그램》. **3** Ⓤ **a)** (목재·무두질한 가죽·암석 따위의) 조직(texture), 나뭇결, 돌결, 살갗 ; 《비유》 성질, 성미, 기질. **b)** 표면이 거칠거칠[도톨도톨]한 것.
against the grain 성미에 안맞게, 비위에 거슬려 : It goes *against the* ~ with me. 그것은 나의 성미에 맞지 않는다.
in grain 타고난, 본질적으로 ; 철저한 ; 지울 수 없는 : a rogue *in* ~ 천성적인[타고난] 악당.
—— *vt.* **1** 알갱이로 만들다. **2** 색이 바래지 않도록 염색하다. **3** (가죽 따위의) 표면을 거칠거칠하게 하다. **4** 나뭇결[돌결] 모양으로 칠하다. **5** (짐승 가죽)에서 털을 뽑아내다.
—— *vi.* 알갱이 모양으로 되다.
〚OF<L *granum* seed, grain〛

gráin àlcohol *n.* 에틸 알코올(ethyl alcohol).

gráin bèlt *n.* 곡창 지대《미국에서 Middle West의 대농업 지역을 지칭함》.

gráined *a.* 나뭇결[돌결]이 있는 ; 나뭇결 모양으로 칠한 ; 표면이 도톨도톨한 ; (짐승 가죽에서) 털을 뽑은.

gráin èlevator *n.* 양곡기(機) ; 대형 곡물 창고 (elevator).

gráin·er *n.* **1** 나뭇결 모양으로 칠하는 사람[붓]. **2** 제모기(除毛器) ; (무두질용의) 유피약(柔皮藥), 무두질용 용액.

gráin·field *n.* 곡물 밭.

gráin·ing *n.* Ⓤ 나뭇결 모양으로 칠하기.

gráin lèather *n.* 털이 있는 쪽을 겉으로 하여 무두질한 가죽.

grains [gréinz] *n.* [단수취급] 작살.

gráin·sìck *n., a.* 〔獸醫〕 유위(瘤胃) 확장(이 된).

gráin sìde *n.* 은면(銀面)《짐승 가죽의 털이 나있던 쪽 ; ↔ *flesh side*》.

gráin sòrghum *n.* (곡물용의) 수수.

gráiny *a.* 입상의, 낟알이 많은 ; 나뭇결 모양의 ; 〔寫〕 (화상이) 입자가 성긴《선명하지 않은》.
gráin·i·ness *n.*

Gral·la·to·res [grælətɔ́ːriːz] *n. pl.* 〔鳥〕 섭금류(涉禽類)《분류명 ; 두루미·백로 따위》.

gral·la·to·ri·al [grælətɔ́ːriəl] *a.* 〔鳥〕 섭금류(涉禽類)의. 〚L *grallator* walker on stilts (*gallae*)〛

‡**gram**[1], **gramme** [grǽ(ː)m] *n.* 그램《미터법에서 무게의 단위 ; 섭씨 4도에서의 물 1cc의 무게 ; 略 g., gm., gr.》.
〚F *gramme*<Gk. *gramma* small weight〛

gram[2] *n.* 〔植〕 콩, (특히) 병아리콩《인도에서 널리 마소의 사료로 쓰임》.
〚Port.<L *granum* GRAIN〛

gram[3] *n.* 《口》 할머니(grandmother).

-gram [græ̀(ː)m] *n. comb. form* 「기록」 「그림」 「문서」의 뜻 : epi*gram*, tele*gram*.
〚Gk. *gramma* thing written, letter of alphabet (*graphō* to write)〛

gram. grammar ; grammarian ; grammatical.

grá·ma (gràss) [grɑ́ːmə(-)] *n.* 〔植〕 목초의 일종《미국 남서부에 많음》.

gram·a·ry(e) [grǽməri] *n.* 《美·英古》 마법, 마술(magic).

grám àtom, grám-atómic wéight [**máss**] *n.* 〔化〕 그램 원자량《각 원소에 대하여 그 원자량과 같은 그램 단위의 질량》.

grám cálorie *n.* 그램 칼로리.

grám-cénti·mèter *n.* 그램센티미터《일의 중력 단위 ; 기호 g-cm》.

grám equìvalent, grám-equìvalent wéight *n.* 〔化〕 그램 당량(當量)《물질량의 단위 ; 그 화학 당량과 같은 그램수(數)의 물질량》.

gra·mer·cy [grəmə́ːrsi] *int.* 《古》 고맙습니다!, 이거 큰일이군! 《감사·놀람의 소리》.
〚OF *grand merci* great thanks〛

gram·i·na·ceous [græ̀mənéiʃəs] *a.* =GRAMINEOUS.

gra·min·e·ous [grəmíniəs] *a.* 〔植〕 포아풀과(科)의 ; 목초가 많은, 목초 같은.
〚L (*gramin- gramen* grass)〛

gram·i·niv·o·rous [græ̀mənívərəs] *a.* 초식(草食)(성)의.

gram·ma [grǽmə] *n.* =GRAMA.

gram·ma·log, -logue [grǽməlɔ̀(ː)g, -lɑ̀g] *n.* (속기에서) 단일 부호로 나타내는 말, 그 기호.

*__gram·mar__ [grǽmər] *n.* **1** Ⓤ,Ⓒ 문법 ; Ⓤ 문법학 ; 어법(語法) ; (개인의) 말투 : comparative

[descriptive, historical] ~ 비교[기술, 역사] 문법(학) / functional ~ 기능 문법 / general[philosophical, universal] ~ 일반 문법학, 문법 원리 / bad[good] ~ 틀린[바른] 어법. **2** 문법책, 문전 ; 외국어 초등교본. **3 a)** Ⓤ (학술의) 초보, 원리 : the ~ *of* finance 재정학 입문[원리]. **b)** Ⓒ 입문서, 안내서.
〚AF *gramere*<L<Gk. *grammatikē* (*tekhnē* art) of letters (*gramma* letter of alphabet)〛

gram·mar·i·an [grəméəriən, -mǽər-] *n.* 문법가, 문법 학자.

grámmar·less *a.* 문법이 없는 ; 문법을 모르는, 배우지 못한.

grámmar schòol *n.* **1** 《英》 고전 문법 학교《16세기에 창설되어 라틴어를 주요 교과목으로 하였으나 지금은 public school과 비슷한 대학 예비 과정의 중등학교》. **2** 《美》 초등 중학교《8년제 초등학교에서 하급 4년간을 primary school이라고 하는데 이에 대해 상급 4년간을 일컬음》.

gram·mat·i·cal [grəmǽtikəl] *a.* 문법(상)의 ; 문법에 맞는, 문법적으로 바른(cf. LEXICAL) : a ~ category 〖文法〗 문법 범주(範疇)《성·수·격·인칭 따위》/ a ~ error 문법적 오류 / ~ gender (자연적 성별이 아닌) 문법상의 성(性).
~·ness *n.* **gram·mát·ic** *a.*

grammátical chánge *n.* 〖文法〗 문법적 변화.

gram·mat·i·cal·i·ty [grəmæ̀təkǽləti] *n.* 〖言〗 문법성, 문법적인 것.

grammátical·ìze *vt.* [보통 수동태로] 〖言〗 문법화하다. **grammàtical·izá·tion** *n.*

grammátical méaning *n.* 〖言〗 문법적 의미《어형 변화·어순·음조·기능어에 의해서 나타내어지는 언어의 구조상의 의미 ; cf. LEXICAL MEANING》.

gram·mat·i·cism [grəmǽtəsìzəm] *n.* 문법적 항목, 문법상의 원칙.

gram·mat·i·cize [grəmǽtəsàiz] *vt.* 문법에 맞게 하다. ── *vi.* 문법상의 문제를 논하다.

gramme ☞ GRAM[1].

grám mòlecule, grám-molécular wéight [**máss**] *n.* 〖化〗 그램 분자량《그램수가 분자량과 같은 물질의 분량 ; mol, mole이라고도 함》.
gràm-molécular, gràm-mólar *a.*

Grámm-Rúd·man làw [grǽmrʌ́dmən-] *n.* [the ~] 균형 예산과 긴급 적자 관리법(法)《1985년 미국 상원의원 P. Gramm과 W.B. Rudman 등이 제안한 법》.

gram·my [grǽmi] *n.* 《俗》 축음기(gramophone).

Grammy *n.* (*pl.* **~s, -mies**) 《美》 그래미상《레코드 대상(大賞)》. 〚*gram*ophone+*-y*[3]〛

grám-négative *a., n.* [때때로 G~] 그램 음성의 (세균)《gram's method에 의하여 염색되지 않는 것》.

gram·o·phone [grǽməfòun] *n.* 《英》 축음기, 전축(=《美》 phonograph). 〚*phonogram*을 전환 ; 발명자 E. Berliner의 조어(造語)〛

gramp [grǽmp], **gramps** [grǽmps] *n.* (*pl.* **gramps**) 《口》 할아버지(grandfather).
〚GRANDPA〛

grám-pósitive *a., n.* [때때로 G~] 그램 양성의 (세균)《gram's method에 의해 염색됨》.

gram·pus [grǽmpəs] *n.* 〖動〗 고래류의 돌고래 ; (널리) 흰줄박이돌고래, 알락돌고래 ; 《口》 호흡이 거친 사람. 〚C16 *graundepose, grapeys*<OF<L (*crassus piscis* fat fish)〛

grám's méthod *n.* [때때로 G~] (염색하여 세균을 음성과 양성으로 분류하는) 그램 염색법.
〚H.C.J. *Gram* (d. 1938) 덴마크 의사·세균학자〛

gran [grǽ(:)n] *n.* 《英口·兒》 할머니.
〚*gran*ny, *gran*dmother〛

Gra·na·da [grənɑ́:də] *n.* 그라나다《스페인 남부의 도시 ; 옛 서(西)사라센 왕국의 수도》.

gra·na·de·ro [grɑ̀:nɑ:ðéirou] *n.* (*pl.* **~s**) (멕시코의) 기동대원, 폭동 진압 특별 대원.
〚Sp.=grenadier〛

gran·a·dil·la [grænədílə, -dí:*j*ə], **gren-** [grèn-] *n.* 〖植〗 꽃시계덩굴 ; 그 열매《식용》.
〚Sp. (dim.) ‹*granada* pomegranate〛

gra·na·ry [gréinəri, grǽn- ; grǽn-] *n.* 곡물 창고 ; 곡창《곡류를 풍부하게 생산하는 지방》; 풍부한 공급원. 〚L ; ⇨ GRAIN〛

Gran Cha·co [grɑ̀:n tʃɑ́:kou] *n.* [the ~] 그란차코《남아메리카 중남부 Andes 산맥과 Paraguay 강 사이의 광대한 평원》.

‡**grand** [grǽ(:)nd] *a.* **1 a)** 웅대한, 광대한, 당당[장대, 장려]한(magnificent, splendid) : a ~ mountain 웅대한 산 / on a ~ scale 대규모로. **b)** 화려한, 호사스러운 : a ~ dinner 성대한 만찬회. **c)** [the ~ ; 명사적으로] 장대[웅대]한 것. **2** 중요한, 저명한(important, distinguished) : a lot of ~ people 많은 저명인사. **3** 으쓱거리는, 점잔빼는, 기고만장한, 거만한(haughty), 젠체하는 (pretentious). **4** 위엄 있는, 숭고한, 장중한, 위대한(august, majestic) : a ~ man 큰 인물 ; 거물 / ☞ GRAND OLD MAN. **5** 으뜸가는, 주요한 (principal, main) ; 완전한(complete) : a ~ orchestra 대관현악, 그랜드 오케스트라 / a ~ sonata 대(大)소나타 / the ~ staircase (현관의) 큰 계단 / the ~ total 총계. **6** 《口》 멋진, 굉장한 (very satisfactory) : have a ~ time (at the party) (모임에서) 멋지고 재미난 시간을 보내다 / I got up in the morning feeling ~. 아침에 일어나니 기분이 아주 좋았다 / That would be ~. 그렇다면 멋있겠다.
do the grand 《口》 젠체하다, 큰소리 치다.
the Grand Army of the Republic 《美》 (남북 전쟁에 참가한) 북군 육해군 군인회.
── *n.* **1** =GRAND PIANO. **2** (*pl.* ~) 《俗》 1000달러 ; 《美俗》 1000. **~·ly** *adv.* 장대하게, 웅대하게 ; 호기롭게, 당당히, 거만하게.
〚AF, OF<L *grandis* full-grown〛
類義語 ***grand*** 웅장[웅대]하고 훌륭하여 남에게 강한 인상을 주는 : *grand* scenery (웅대한 풍경). ***magnificent*** 매우 뛰어난 아름다움·풍요·찬란함을 나타내는 : a *magnificent* voice (웅장한 목소리). ***imposing*** 규모·위엄 및 뛰어난 성질로 당당한 인상을 주는 : an *imposing* building (당당한 건물). ***stately*** imposing의 뜻에 우아함·거대함의 뜻이 덧붙여지는 경우가 있음 : a *stately* dame (위엄 있는 부인). ***majestic*** stately의 의미에 덧붙여 솟아오를 것 같은 장려함을 나타내는 : the *majestic* Himalayas(웅대하게 솟아있는 히말라야 산맥). ***august*** 사람으로 하여금 외경(畏敬)의 마음을 일으키게 할 정도로 고매한 위엄과 강한 인상을 주는 : an *august* priest (외경스런 신부).

grand- *comb. form* 「(혈연 관계가) 1촌 떨어진」의 뜻 : *grand*father, *grand*son.

gran·dam [grǽndæm, -dəm], **gran·dame** [-deim, -dəm] *n.* 《古》 조모(祖母) ; 노파(old woman). 〚AF (GRAND, DAME)〛

gránd·áunt *n.* 부모의 아주머니, 종조모(從祖母), 대고모(great-aunt).

Gránd Bánk(s) *n.* (*pl.*) [the ~] 그랜드 뱅크 《Newfoundland 남동 앞바다에 있는 얕은 여울로 세계적인 어장》.
Gránd Canál *n.* [the ~] 대운하 《(1) 중국 톈진에서 항저우에 이르는 운하(Da Yunhe). (2) Venice의 주요 운하》.
Gránd Cányon *n.* [the ~] 그랜드 캐니언《미국 Arizona 주 북서부에 있는 Colorado 강의 대협곡 ; 국립 공원의 일부를 이룸》.
Gránd Cányon Státe *n.* [the ~] Arizona 주의 속칭.
gránd·chìld [grǽnd-] *n.* 손자, 손녀.
Gránd Cóulee Dám *n.* [the ~] 그랜드 쿨리 댐《Washington 주 Coulee 협곡에 있는 큰 댐》.
Gránd Cróss *n.* [the ~] 《英》 대십자장《최고의 Knight 훈장 ; 略 G.C.》.
grán(d)·dàd, grán(d)·dàddy [grǽn-] *n.* 《兒·애칭》 할아버지.
***gránd·dàughter** [grǽn-] *n.* 손녀(孫女).
gránd-dúcal *a.* 대공(국)의 ; 제정(帝政) 러시아 황태자의.
gránd dúchess *n.* 대공비(大公妃), 여대공 ; 제정 러시아의 황녀.
gránd dúchy *n.* [때때로 G~ D~] 대공국. ***Grand Duchy of Luxemburg*** 룩셈부르크 대공국.
gránd dúke *n.* 대공 ; 제정 러시아의 황태자.
grande [grɑ́ːnd] *a.* GRAND의 여성형.
grande dame [grɑ́ːndɑ́ːm ; *F* grɑ̃ːd dam] *n.* (*pl.* **grandes dames** [-*z* ; *F* —], **~s** [—]) (보통 나이 지긋하고) 사회적[직업적]으로 명성을 확립한 여성, 신분[기품]이 높은 부인, 태도가 당당한 부인.
gran·dee [grændíː] *n.* (스페인·포르투갈의) 대공 ; (일반적으로) 고관, 귀족. 〖Sp. and Port. *grande* GRAND ; 어미는 *-ee*²에 동화(同化)〗
grande pas·sion [*F* grɑ̃ːd pasjɔ̃] *n.* 격정, 열애(熱愛).
grande toi·lette [*F* grɑ̃ːd twalɛt] *n.* 예복, 식복(式服).
gran·deur [grǽndʒuər, -djuər ; -dʒər] *n.* Ⓤ 장려(壯麗), 화려 ; 위세, 위엄, 위광(dignity) ; 장관(壯觀), 숭고 ; 위대 ; 장대, 웅대 ; 고원(高遠) : the ~ of the Alps 알프스의 웅대함. 〖F ; ⇨ GRAND〗
‡**gránd·fàther** [grǽnd-] *n.* **1** 할아버지, 조부 ; (남자) 선조 ; 노인 ; 《美俗》 (대학 따위의) 최상급생. **2** =GRANDFATHER CLOCK. **3** 《英方》 애벌레, 모충. —— *a.* 《美》 (신규칙[법령] 발효 이전의) 기득권의[에 의거한]. —— *vt.* 《美》 (사람·회사를) 신규칙[법령]의 적용에서 제외하다. **~·ly** *a.* 할아버지 같은 ; 친절하게 마음을 쓰는, 상냥한.
grándfather[grándfather's] clóck *n.* (추가 있는) 상자형 큰 괘종시계. 〖유행가 My *Grandfather's Clock* (1876)에서〗
gránd fínal *n.* 《濠》 (우승 팀을 정하는 축구 경기 따위의) 시즌 최종전.
gránd finále *n.* (오페라 따위의) 대단원.
gran·di·flo·ra [grӕndəflɔ́ːrə] *a.* 〖植〗 큰 꽃송이가 피는. —— *n.* 〖植〗 큰 꽃송이가 피는 장미(=∠ **ròse**).
gran·dil·o·quent [grændíləkwənt] *a.* 과장된, 호언 장담하는. **-quence** *n.* Ⓤ 호언 장담, 호언, 허풍, 자만. **~·ly** *adv.* 과장하여. 〖L (GRAND, *-loquus* speaking‹*loquor* to speak) ; 어미는 *eloquent* 따위의 유추〗
gránd ínquest *n.* =GRAND JURY.
gran·di·ose [grǽndiòus] *a.* 장대[웅대]한, 웅장한, 숭고[장엄]한, 당당한 ; 으스대는, 잘난 체하는, 과장된, 과대한. **~·ly** *adv.* 웅대하게, 어마어마하게. 〖F‹It. ; ⇨ GRAND〗
gran·di·os·i·ty [grӕndiɑ́səti] *n.* Ⓤ 웅장함, 당당한 모습 ; 과장, 과대.
gran·di·o·so [grӕndióusou, -zou, grɑ̀ːn-] *a.*, *adv.* 〖樂〗 웅대한[하게], 당당한[하게]. 〖It. (GRANDIOSE)〗
gránd júror *n.* 대배심원.
gránd júry *n.* 〖法〗 대배심《23명 이하의 배심원으로 구성되어 고소장의 예심을 하고 12인 이상이 증거가 충분하다고 인정하면 정식 기소를 결정함 ; 영국에서는 1948년 폐지 ; cf. PETTY JURY》.
Gránd Láma *n.* [the ~]=DALAI LAMA.
gránd lárceny *n.* 〖法〗 중절도죄(cf. PETTY LARCENY).
gránd lódge *n.* (비밀 결사 따위의) 본부.
***grand·ma** [grǽndmɑ̀ː, grǽm-, -mɔ̀ː, -mə], **gránd·màma, -màmma, -màmmy** *n.* 《口》 할머니.
grand mal [*F* grɑ̃ mal] *n.* 〖醫〗 (간질의) 대(大)발작.
gránd mánner *n.* 딱딱한 태도[표현법].
gránd márch *n.* (무도회를 시작할 때 전원이) 원을 그리며 한 방향으로 도는 것.
gránd máster *n.* [G~ M~] 기사단[비밀 결사·공제 조합 따위]의 단장 ; Freemasons의 총본부장 ; 그랜드 마스터《국제 시합에서 상위 입상 경력이 있는 체스·브리지 따위의 선수의 칭호》.
Gránd Mónarch *n.* [the ~] 대왕《프랑스 국왕 Louis 14세의 속칭》.
‡**gránd·mòther** [grǽnd-, grǽm-] *n.* 할머니 ; (여자의) 조상. ***teach** one**'s grandmother to suck eggs*** 부처님 앞에서 설법(說法)하다, 주제넘게 굴다. —— *vt.* 소중히 여기다. **~·ly** *a.* 할머니 같은 ; 친절한, 지나치게 돌보아 주는.
Gránd Nátional *n.* [the ~] 《英》 (Liverpool에서 매년 개최하는) 장애물 뛰어넘기 경마.
gránd·nèphew [grǽnd-] *n.* 조카[질녀]의 아들, 형제[자매]의 손자(great-nephew).
gránd·nìece [grǽnd-] *n.* 조카[질녀]의 딸, 형제[자매]의 손녀(great-niece).
gránd òld mán *n.* [the ~, 때때로 the G~ O~ M~] (정계·예술계 따위의) 원로《특히 W. E. Gladstone이나 W. Churchill 또는 W.G. Grace를 가리킴 ; 略 G.O.M.》.
Gránd Òld Párty *n.* [the ~] 《美》 공화당《the Republican party의 속칭 ; 略 G.O.P.》.
gránd ópera *n.* 그랜드 오페라, 대가극《대화도 전부 악곡으로 되어 있는 것》.
grand·pa [grǽndpɑ̀ː, grǽm-, -pɔ̀ː], **grándpàpa** *n.* 《口·兒》 할아버지.
***gránd·pàrent** [grǽnd-] *n.* 조부, 조모.
gránd piáno[pianofórte] *n.* 그랜드 피아노 (cf. BABY GRAND, UPRIGHT PIANO).
gránd plán *n.* 〖政〗 큰 계획, 장대한 전략.
grand prix [grɑ́ːn príː] *n.* (*pl.* ~ [-*z*]) **1** 그랑프리, 대상(금). **2** [G~ P~] 그랑프리(레이스) 《국제 자동차 레이스》. 〖F〗
gránd-scále *a.* 대형의 ; 대규모의 ; (노력 따위가) 굉장한.
grand sei·gneur [*F* grɑ̃ sɛɲœːr] *n.* (*pl.* **grands sei·gneurs** [—]) 위엄있는 사람, (대) 귀족 ; 《反語》 귀족인 체하는 남자.
gránd·sìre [grǽnd-], **-sir** [-sər] *n.* **1** 《古》 조

부 ; 《古》 선조. **2** 《古》 노인. 〖AF〗

gránd slám *n.* **1** 〔카드놀이〕 (브리지의) 대승(大勝). **2** 〔野〕 만루 홈런. **3** 〔골프·테니스 따위〕 그랜드 슬램《주요한 대회를 모두 제패함》; 《口》 대성공 ; 《美俗》 총공격, 대분투.

gránd-slám *a.* 〔野〕 만루 홈런의.

gránd-slámmer *n.* 〔野〕 만루 홈런.

***gránd·sòn** [grǽnd-] *n.* 손자.

gránd·stànd [grǽnd-] *n.* (경마장·경기장 따위의) 정면 특별 관람석 ; 정면 관람석의 관객들. —— *a.* 정면 특별 관람석의 ; 《美口》 화려한, 박수갈채를 유도하는. —— *vi.* 《美口》 박수갈채를 유도하는 경기[연기]를 하다.

grándstand fìnish *n.* 〔競〕 대접전의 결승.

grándstand plày *n.* 《口》 박수갈채를 유도하는 연기, 연극조의 몸짓.

gránd strátegy *n.* 구소련의 세계 제패 전략《서방측에서 본》.

gránd stýle *n.* 장엄체(體)《Homer, Dante 등의 웅혼(雄渾)한 문체》.

gránd tóur *n.* [the ~] 대(大)여행《옛날 영국이나 미국에서 상류계층의 자제가 교육의 마무리로서 유럽의 대도시를 두루 여행한 것》.

gránd tóuring càr, gránd tóurer *n.* =GRAN TURISMO.

gránd·úncle *n.* 부모의 백[숙]부, 종(從)조부 (great-uncle).

gránd vizíer *n.* (이슬람교 국가의) 수상.

grange [gréindʒ] *n.* **1** 《古》 곡창(barn). **2** (여러 가지 부속 건물이 딸린) 농장 ; 《英》 대농의 저택. **3 a**) [G~] 《美》 농민 공제 조합《소비자와의 직접 거래를 목적으로 함》. **b**) 그 지방 지부. 〖ME=barn<OF<L *granica* ; ⇨ GRAIN〗

grang·er [gréindʒər] *n.* 《美》 백성, 농부(farmer); [G~] 농민 공제 조합원.

gránger·ìsm *n.* 다른 책의 삽화를 오려내어 책의 삽화로 끼워 넣기. 〖James *Granger* (d. 1776) 영국의 성직자·전기작가 ; 저서 *Biographical History of England* (1769)에 많은 백지를 넣어 독자가 다른 책에서 오려낸 것을 자유로이 붙일 수 있게 하였음〗

gránger·ìze *vt.* (책에) 다른 책에서 오려낸 삽화 따위를 끼워 넣다 ; 삽화 따위를 오려내어 책을 파손하다.

grani- [grǽnə, gréinə] *comb. form* 「낟알(grain)」「종자」의 뜻. 〖L ; ⇨ GRAIN〗

gra·nif·er·ous [grənífərəs] *a.* 낟알 같은 열매를 맺는.

gra·ni·ta [grəníːtə] *n.* (*pl.* **~s, -te** [-tei]) 그라니타《알갱이가 거친 셔벗(sherbet) ; 이탈리아의 여름 풍물》. 〖It. (fem.) < ↓〗

gran·ite [grǽnət] *n.* Ⓤ (석재 이름으로서) 화강암 ; 견고함.

bite on granite 헛수고하다.

〖It. *granito* grained ; ⇨ GRAIN〗

Gránite Státe *n.* [the ~] New Hampshire 주의 속칭.

gránite·wàre *n.* Ⓤ 화강암 무늬가 있는 질그릇, 에나멜 입힌 철기(鐵器).

gra·nit·ic [grænítik] *a.* 화강암의[과 같은].

gran·it·ite [grǽnətàit] *n.* 흑운모 화강암.

gran·it·oid [grǽnətɔ̀id] *a.* 화강암 모양[구조]의.

gra·ni·vore [gréinəvɔ̀ːr, grǽn-] *n.* 곡류를 먹는 동물《특히 조류 ; cf. CARNIVORE》.

gra·niv·o·rous [grænívərəs, grə-, grei-] *a.* 곡식을 먹는.

gran·ny, -nie [grǽni] *n.* (*pl.* **-nies**) 《애칭·蔑》 **1** 할머니 ; 할멈. **2** 공연히 남의 걱정을 하는 사람, 야단스럽게 수선을 피우는 사람. **3** = GRANNY KNOT. —— *a.* 할머니의, 노파의 ; 할머니옷[스타일]의.

〖*grannam* (obs.) (GRANDAM, -y³) ; cf. NANNY〗

gránny ánnex[**flát**] *n.* 《英》 (본채에 딸린) 노인들이 독립해서 생활하는 별채.

gránny dréss *n.* 긴 소매에 목에서 발목까지 오는 헐렁한 스타일의 젊은 여성복.

gránny glásses *n. pl.* (예전에 할머니가 끼던 것과 비슷한) 젊은이용(用)의 금테안경 ; 《비유》 통찰, 관찰(력).

gránny knòt, gránny's knòt[**bènd**] *n.* 거꾸로 매기, 세로 매듭.

grano- [grǽnou, -nə] *comb. form* 「화강암(의)」의 뜻. 〖G (*granit*<It. *granito* ; ⇨ GRANITE)〗

gràno·díorite *n.* 화강 섬록암(閃綠岩).

gràno·diorític *a.*

gra·no·la [grənóulə] *n.* 납작귀리에 건포도나 누런 설탕을 섞은 아침 식사용 건강 식품.

gráno·lìth *n.* 인조 화강암 콘크리트《화강암류를 부수어 만든 (도로) 포장용 인조석》.

grant** [grǽ(ː)nt ; gráːnt] *vt.* **1** [+目/+*that*節/+目+目/+目+*to*+名] (탄원·간청 따위를) 승낙하다, 허가하다(allow) : Please ~ this request of ours. 부디 우리들의 청을 들어 주십시오 / God ~ *that* we get there alive. 우리가 무사히 그곳에 도착하기를 (신에게 빕니다) / In answer to my letter, he ~*ed* me an interview. 나의 편지의 회답에서 그는 나를 만나주겠다고 했다 / May God ~ success ***to all of you! 여러분 모두의 성공을 빕니다. **2** [+目/+*that*節/+目+*to* do] 인정하다, 시인하다(admit) ; (토론을 위해서) 가정하다 : I ~ you. 너의 말을 인정한다, 과연 네 말대로다 / This ~*ed*, what next? 이것은 좋다고 치고 그 다음은 / I ~ *that* I am wrong. 내가 잘못한 것을 인정한다 / You may ~ him *to* have told the truth. 그가 진실을 이야기했다고 인정해도 좋다. **3** [+目/+目+*to*+名/+目+目] 주다, 수여하다(bestow) ; (법률상 정식으로) 양도하다 : ~ permission 허가를 하다 / He ~*ed* a sum of $2000 ***to*** the student to help him continue his education. 그 학생에게 학업을 계속하게끔 2000달러를 주었다 / He was ~*ed* permission. 그는 허가를 받았다. —— *vi.* 동의하다.

grant[***granting, granted***] ***that...*** 가령 …라고 하고, …라고 해도 ; 만약 …이면.

take (***it***) ***for granted*** (***that...***) (…라는 것을) 당연한 것으로 생각하다.

—— *n.* **1** Ⓤ 허가, 인가 ; 수여, 하사(下賜). **2** 보조금, 하사금 ; (정부에서) 교부(交付)한 토지 : a ~ in aid of …보조금, …조성금(cf. GRANT-IN-AID). **3** 〔法〕 양여(讓與) ; (양여) 증서.

〖OF *granter*=*creanter*<L *credo* to entrust〗

類義語 ⟹ GIVE.

Grant *n.* 그랜트. **Ulysses S**(**impson**) ~(1822-85) 미국 남북전쟁 때 북군 총사령관, 제18대 대통령 ; 공화당. 〖OF<L=great or large〗

grant·ee [græ(ː)ntíː ; grɑːn-] *n.* **1** 〔法〕 피양여자(被讓與者). **2** (보조금 따위의) 수령자.

gránt élement *n.* 〔經〕 증여 상당분(贈與相當分)《발전 도상국에 대한 개발 자금 원조 중에 증여적인 요소를 나타내는 개념》.

gránt-in-áid *n.* (*pl.* **gránts-**) 보조금, 교부금 (subsidy).

gran·tor [grǽ(ː)ntər ; grɑːntɔ́ːr] *n.* **1** 〔法〕 양여자. **2** 수여자, 교부자.

gránts·man [-mən] *n.* (대학 교수 등) 연구 조성금 획득에 능한 사람.
gran tu·ris·mo [grǽn tuːríːzmou, -ríːs-] *n.* (*pl.* **~s**) [흔히 G~ T~] 그랜 투리즈모《장거리·고속 주행용의 고성능차 ; 略 GT》.
〚It.＝grand touring〛
gran·ul- [grǽnjəl], **gran·u·li-** [-lə], **gran·u·lo-** [-lou, -lə] *comb. form* 「소립(小粒)」「미립자(微粒子)」의 뜻. 〚L ; ⇨ GRANULE〛
gran·u·lar [grǽnjələr] *a.* 입상(粒狀)의 ; 과립(顆粒) 모양의 : ~ snow 싸락눈 / ~ eyelids 여포성 결막염(濾胞性結膜炎).
gran·u·late [grǽnjəlèit] *vt., vi.* 낟알 모양으로 만들다[되다], 도톨도톨하게 하다[되다] ;〖醫〗(상처에) 새 살이 돋다, 치유하다.
grán·u·làt·ed *a.* **1** 알갱이로 된, 입상(粒狀)의 ; 오톨도톨한, 표면이 거칠거칠한 : ~ sugar 굵은 설탕 / ~ glass (스테인드 글라스 창문용의) 울퉁불퉁한 판유리. **2**〖醫〗육아(肉芽)를 형성한, 과립(顆粒) 모양의.
gràn·u·lá·tion *n.* Ⓤ 알갱이로 되는 것, 입상(粒狀)을 이루기, 오톨도톨하게 함, 알갱이가 있는 면 ;〖醫〗육아(肉芽) 발생, 과립(顆粒).
grán·u·là·tor, -làt·er *n.* 제립기(製粒機) ; 알갱이로 만드는 물건.
gran·ule [grǽnjuːl] *n.* 작은 낟알[알갱이] ; 미립(微粒). 〚L (dim.) ‹GRAIN〛
granulo- [grǽnjəlou, -lə] ☞ GRANUL-.
gránulo·cỳte *n.*〖生理〗과립성 백혈구, 과립구(顆粒球). **gràn·u·lo·cýt·ic** [-sít-] *a.*
gran·u·lo·ma [grǽnjəlóumə] *n.* (*pl.* **~s, -ma·ta** [-tə])〖醫〗육아종(肉芽腫).
gran·u·lose [grǽnjəlòus, -z], **-lous** [-ləs] *a.* ＝GRANULAR ; 도톨도톨한 표면을 가진.
***grape** [gréip] *n.* **1** 포도(의 열매) ; 포도나무 ; [the ~]《俗》포도주 ; [the ~(s)]《美俗》샴페인 ; 포도색 : a bunch of ~*s* 포도 한 송이 / ☞ SOUR GRAPES. **2** ＝GRAPESHOT.
the grapes of wrath ☞ WRATH.
the juice of the grape 포도주.
〚OF＝bunch of grapes ‹?*graper* to gather (grapes) ‹*grap*(*p*)*e* hook＜Gmc. (G *Krapf* hook) ; cf. GRAPPLE〛
grápe brándy *n.* 포도주를 증류시켜서 빚은 브랜디.
grápe cùre *n.*〖醫〗(결핵의) 포도 식이 요법.
***grápe·frùit** *n.* (*pl.* ~) 그레이프프루트《pomelo와 비슷한 북미 남부 특산의 열매》.
grápefruit lèague *n.*《野口》메이저 리그 개막 전의 오픈게임. 〚따뜻한 지방에서 하는 데서〛
grápe hỳacinth *n.*〖植〗무스카리《백합과》.
grápe júice *n.* 포도 과즙.
grápe ròt *n.* (포도의) 두창병.
grap·ery [gréipəri] *n.* (울타리로 막은) 포도원, 포도 재배 온실.
grápe·shòt *n.*〖史〗포도탄《작은 쇳덩이를 연결한 옛날 포탄》.
grápe·stòne *n.* 포도씨.
grápe sùgar *n.*〖生化〗포도당 (dextrose).
grápe·vìne *n.* **1** 포도 덩굴[나무]. **2** Ⓤ《美口》비밀 정보 ; 소문, 헛소문, 유언비어 ; ＝GRAPEVINE TELEGRAPH.
grápevine tèlegraph *n.*《美口》정보가 퍼지는[전해지는] 경로, 비밀 정보망.

grapeshot

grapey ☞ GRAPY.
***graph**[1] [grǽ(ː)f ; grɑ́ːf] *n., vt.* 그래프[도표](로 나타내다), 도식(으로 표시하다), 도시(하다).
〚*graph*ic formula〛
graph[2] *n., vt.*《英》젤라틴판(版)(으로 인쇄하다).
〚chromo*graph*, hecto*graph*〛
graph[3] *n.* 단어의 철자 ;〖言〗(음소(phoneme) 결정의 최소 단위로서의) 문자(의 짜맞추기), 철자체(綴字體) ; (알파벳 가운데 1개에 대한 각종) 문자《F, f, *F, f* 따위》.
〚Gk. *graphē* writing (*graphō* to write)〛
-graph [grǽ(ː)f ; grɑ̀ːf] *n. comb. form* 「…을 쓰는[그리는, 기록하는] 기구」「…을 쓴 것[그림]」의 뜻 : phono*graph*, photo*graph*. —— *v. comb. form* 「…로 쓰다[그리다, 기록하다]」의 뜻.
〚OF＜L＜Gk. (↑)〛
graph·eme [grǽfiːm] *n.*〖言〗서기소(書記素), 문자소(文字素)《문자의 최소 단위》.
gra·phe·mics [græfíːmiks] *n.*〖言〗서기론(書記論), 문자소론.
-g·ra·pher [-grəfər] *n. comb. form* 「쓰는 사람」「그리는 사람」「기록자」의 뜻 : steno*grapher*, tele*grapher*.
〚*-graph, -er*[1]〛
graph·ic [grǽfik] *a.* **1** 그림[회화, 조각, 식각(蝕刻)]의 ; 그래픽 아트의. **2** 그려 놓은 듯한, 사실적인, 생생한《묘사 따위》: a ~ story of the disaster 현장을 보는 듯한 생생한 조난 이야기 / a ~ writer 묘사 기자, 사실적인 작가. **3** 도표로 표시된, 도표의, 도해의, 그래프식의 : a ~ curve 표시 곡선 / a ~ method 도식법, 그래프법. **4** 필사(筆寫)의 ; 문자의 ; 그림의, 인각(印刻)의.
—— *n.* 시각 예술[인쇄 미술]의 작품 ; 설명도, 삽화 ;〖컴퓨〗(화면의) 문자, 숫자, 도해, 도표.
〚L＜Gk. (*graphē* writing)〛
-graph·ic, -i·cal [grǽfik(əl)] *a. comb. form* -graph, -graphy로 끝나는 명사의 형용사를 만듦 : steno*graphic*.
〚L＜Gk. (↑)〛
graph·i·ca·cy [grǽfikəsi] *n.* 그래픽 아트의 재능[기술], 그림[선화]을 그리는 기능.
gráph·i·cal *a.*《稀》＝GRAPHIC.
-i·cal·ly *adv.* 그림을 보는 듯이 생생하게, 사실적으로 ; 도식[문자]으로 ; 도표를 써서.
gráphic árts *n. pl.* 그래픽 아트《평면적인 시각 예술·인쇄 미술》.
graph·i·cate [grǽfikət] *a.* 그래픽 아트의 재능[기술]이 있는, 선에 의한 조형(造形) 능력이 있는.
gráphic desígn *n.* graphic arts를 응용하는 상업 디자인.
gráphic fórmula *n.*〖化〗구조식(structural formula).
gráph·ics *n. pl.* **1** [단수 또는 복수취급] 제도법, 도학(圖學) ; [단수취급] 그래프 산법(算法), 도식 계산학 ; [단수 또는 복수취급]〖컴퓨〗그래픽스《CRT 따위에의 도형표시 및 이를 위한 연산처리나 조작》; [단수취급]〖言〗서기론(書記論). **2** [복수취급] 시각 매체 ; [복수 취급](잡지 따위에 이용되는) 복제 그림[사진 따위] ; [복수 취급]＝GRAPHIC ARTS.
graph·ite [grǽfait] *n.* Ⓤ〖鑛〗석묵(石墨), 흑연(black lead).
〚G *Graphit* ; ⇨ GRAPH[3]〛
gráphite fiber *n.* 흑연 섬유, 그래파이트 섬유.
gra·phit·ic [græfítik] *a.* 석묵(石墨)의, 흑연의 ; 석묵질[성]의.
graphític reáctor *n.* 흑연형(型) 원자로.

Graph·mate [grǽfmèit ; ⌐-] *n.* 그래프메이트《막대그래프 따위 각종 그래프를 단추를 누르기만 하면 작성되게 하는 소형 기구 ; 상표명》.

grapho- [grǽfou, -fə] *comb. form* 「서자(書字)」「쓰기」의 뜻. 〖Gk. ; ⇨ GRAPH³〗

gra·phol·o·gy [græfálədʒi] *n.* Ⓤ 필적학, 필상학(筆相學) ; 〖言〗 서기론(書記論) ; 〖數〗 도식법. **-gist** *n.* **gràph·o·lóg·i·cal** *a.* 〖Gk. ; ⇨ GRAPH³〗

gràpho·mánia *n.* Ⓤ 서광(書狂)《글씨를 쓰고 싶어하는 정신병》. **-máni·ac** *n.* 서광 환자.

gra·phon·o·my [græfánəmi] *n.* 〖言〗 서기론(書記論), 서자학(書字學).

grápho·scòpe *n.* 〖컴퓨〗 화면에 나타난 데이터를 라이트 펜 따위로 수정할 수 있는 수상 장치.

grápho·spàsm *n.* 〖醫〗 서경(書痙)(writer's cramp).

gràpho·thérapy *n.* 〖精神醫〗 필적 진단(법) ; 필적 요법《필적을 바꾸게 하여 치료하는 심리요법》.

grápho·tỳpe *n.* 백악 철판(법).

gráph pàper *n.* 모눈종이, 그래프 용지.

graphy [grǽfi] *n.* 〖言〗 =GRAPH³.

-g·ra·phy [⌐grəfi] *n. comb. form* **1** 「…화풍」「화법」「서풍」「서법」「기록법」의 뜻 : litho*graphy*, steno*graphy*. **2** 「…지(誌)」「…기(記)」의 뜻 : geo*graphy*, bio*graphy*. 〖Gk. ; ⇨ GRAPH³〗

grap·nel [grǽpnəl] *n.* 네 갈고리 닻, 걸침 닻 ; 쇠갈고리, 갈고랑쇠[기구]. 〖AF<OF<Gmc. ; cf. GRAPE〗

grap·pa [grá:pɑ:] *n.* 포도 짜는 기구에서 나온 찌꺼기를 증류하여 만든 술. 〖It.=grape stalk<Gmc.〗

grap·ple [grǽpəl] *vt.* 잡다, 쥐다, 붙잡다, …와 맞붙어 싸우다 ; 〖海〗 (적선 따위를) 갈고리 닻(grappling iron)으로 걸어 끌다. —— *vi.* **1** [+*with*+名 / +副] 맞붙어 싸우다, 격투하다 : The two boys ~*d* ***with*** each other[~*d together*]. 두 소년은 맞붙어 싸웠다. **2** [+*with*+名] 《비유》 완수하려고[해결하려고, 이겨내려고] 노력하다 : We ~*d* ***with*** the problem. 그 문제를 해결하려고 애썼다. —— *n.* 잡기, 쥐기, 포착 ; 격투, 맞붙음, 접전 ; 〖海〗 =GRAPNEL.

come to grapples with …와 격투하다, …와 맞붙어 싸우다.

〖OF *grapil*<Prov. (dim.) ‹ *grapa* hook ; ⇨ GRAPNEL ; cf. OE *græppian* to seize〗

grápple gròund *n.* 투묘지(投錨地), 정박지.

gráp·pling *n.* Ⓤ,Ⓒ **1** 접전, 드잡이, 격투. **2** 〖海〗 =GRAPNEL, GRAPPLE.

grápplingìron[**hòok**] *n.* (적선을 끌어당기는) 갈고리 닻(grapnel).

grap·po [grǽpou] *n.* (*pl.* **~s**) 《美俗》 포도주.

grapy, grap·ey [gréipi] *a.* 포도의, 포도 같은 ; 〖獸醫〗 (말이) 포도종(腫)에 걸린.

GRAS [grǽ(:)s] 《美》 generally recognized as safe《식품 첨가물에 대한 FDA의 합격증》.

gra·ser [gréizər] *n.* 〖理〗 감마선 레이저, 그레이저(gamma-ray laser)《레이저와 같은 원리로 원자핵의 방사 천이(遷移)에 의하여 강력한 감마선을 유도·방출하는 장치》. 〖*g*amma-*r*ay *a*mplification by *s*timulated *e*mission of *r*adiation〗

***grasp** [grǽ(:)sp ; grá:sp] *vt.* **1** 잡다, 붙들다(grip) ; 부둥켜 안다, 꼭 끌어안다 : He ~*ed* both my hands with his own. 그는 그의 손으로 나의 두 손을 꼭 잡았다 / *G*~ all, lose all. 《속담》 욕심이 지나치면 모두 잃는다. **2** 납득하다, 파악하다, 알다(understand) : I can hardly ~ his meaning. 그의 진의를 통 알 수가 없다.

〈회화〉
I didn't quite *grasp* what Beth was talking about. — Neither did I. 「베스가 무슨 말을 하는지 제대로 알아듣지 못했어」「나도 그래」

—— *vi.* [+前+名] 붙잡으려고 하다 ; (기회 따위에) 뛰어들다 : He is ~*ing* ***at*** the dangling chain. 그는 늘어진 쇠줄을 붙잡으려 하고 있다 / a drowning man ~*ing at* a straw 지푸라기라도 잡으려고 하는 물에 빠진 사람 / He tried to ~ ***for*** any support. 어떤 도움이라도 의지하려고 했다. —— *n.* **1** Ⓤ,Ⓒ 단단히 붙잡기, 단단히 움켜쥠 ; 꼭 껴안기 ; 통어(統御), 지배 ; 점유. **2 a)** Ⓤ [또는 a ~] 이해력, 이해의 범위, 포괄력 : He has a good ~ *of* grammar. 문법을 잘 이해[파악]하고 있다. **b)** Ⓤ 손이 닿는 거리(reach). **3** 〖海〗 노의 손잡이.

beyond [***within***] one***'s grasp*** 손이 닿지 않는[닿는] 곳에 ; 이해할 수 없는[있는].

in the grasp of …의 수중에.

~·able *a.* (붙)잡을 수 있는 ; 이해할 수 있는.

~·ing *a.* 붙잡는 ; 구두쇠의, 욕심 많은.

〖ME *graspe, grapse*< ? OE GROPE〗

類義語 ⟹ TAKE.

◊**grass** [grǽ(:)s ; grá:s] *n.* **1** Ⓤ **a)** [집합적으로] 풀, 목초 : blades[leaves] of ~ 풀 잎 / Cattle feed on ~. 소는 풀을 먹는다 / The ~ was greener after the rain. 비가 온 후 풀은 푸르름을 더 했다. 주 종류의 경우에는 Ⓒ : Clover and milkworts are ~*es.* 클로버와 애기풀은 목초다. **b)** 풀밭, 초원, 목초지, 목장 ; 잔디(lawn) : 10 acres of ~ 10 에이커의 목초지 / lie down on the ~ 풀밭에 드러눕다 / Keep off the ~. 《게시》 잔디밭에 들어가지 마시오 ; 《비유》 참견하지 마라. **2** 〖植〗 포아풀과의 식물《곡류·갈대·대나무 따위도 포함》. **3** 《英俗》 밀고자 ; 《英俗》 〖印〗 임시 고용된 식자공.

at grass (말 따위가) 방목되어, 풀을 뜯어먹고 ; (사람이) 직장을 떠나서, 일을 쉬고.

between grass and hay 《美》 아직 어른이 채 안된 젊은이로.

cut one***'s own grass*** 《口》 혼자 힘으로 생활하다.

cut the grass from under a person***'s feet*** 남을 방해하다, 남의 말꼬리나 실언을 잡고 늘어지다.

go to grass (가축이) 목장으로 가다 ; (사람이) 일을 그만두다, 쉬다 ; 맞고 쓰러지다.

hear the grass grow 극도로 민감하다.

lay down (a land) ***in grass*** (땅에) 잔디를 심다, 풀밭으로 만들다.

let no grass grow under one***'s feet*** 재빨리 행동하다, 기회를 놓치지 않다.

put[***send, turn out***]***...to grass*** (가축을) 방목하다 ; 집으로 보내다, 해고하다 ; (사람을) 때려 눕히다.

—— *vt.* **1** …에 풀씨를 뿌리다, 풀이 나게 하다, 풀로 덮다 ; 잔디밭을 만들다. **2** …에게 풀을 먹이다, …을 방목하다. **3** 풀 위[땅]에 놓다 ; 풀[잔디] 위에 펼치다 ; (사람을) 때려눕히다(knock down), (새를) 쏘아 떨어뜨리다 ; (물고기를) 뭍으로 끌어올리다.

〖OE *græs* ; GREEN, GROW와 같은 어원 ; cf. G *Gras*〗

gráss-blàde *n.* 풀잎.

gráss càrp *n.* 〔魚〕 초어(草魚)《잉어과》.

gráss chàracter *n.* (한자의) 초서(草書).

gráss clòth *n.* 모시(베).

gráss cóurt *n.* 〔테니스〕 잔디를 깐 옥외 코트.

gráss cùtter *n.* 풀을 베는 사람[인부] ; 풀베는[잔디 깎는] 기계 ; 《美俗》 〔野〕 강한 땅볼.

gráss·èat·er *n.* 《美俗》 뇌물을 요구하진 않으나 주면 받는 경찰관(cf. MEATEATER).

gráss·er *n.* 《英俗》 밀고자.

gráss-gréen *n.* 연두색. **gráss-gréen** *a.*

gráss-gròwn *a.* 풀로 덮인, 풀이 난.

gráss hànd *n.* (한자의) 초서 ; 《英俗》 〔印〕 임시 고용된 식자공.

gráss hòok *n.* 풀베는 낫.

***gráss·hòpper** *n.* **1** 〔昆〕 메뚜기, 풀무치, 여치. **2** 〔空〕 (비무장의) 경(輕)정찰 연락기. 〖ME〗

gráss·lànd *n.* Ⓤ 목초지, 목장 ; [*pl.*] 대초원, 목초용 농지.

gráss màsk *n.* 마리화나 흡연용 마스크《파이프에 붙여 연기가 빠져나가는 것을 막음》.

gráss·plòt *n.* 잔디(밭).

gráss ròots *n.* [the ~] 《美》 **1** (도시·공업 지대에 대해서) 농업지대 ; (여론 따위의 중대 요소로서의) 농민 대중, 지방민 ; 일반인 ; 시민층 : democracy *at* the ~ 일반 대중에게서 피어나는 민주주의. **2** 기본, 근원(basis)〈*of*〉: attack a problem *at* the ~ 문제의 핵심을 찌르다.

gráss-ròots *attrib. a.* 《美》 **1** (운동 따위) 일반 대중의[에서 대두되는]. **2** 기본적인, 근간의(basic) : ~ facts 근본적인[적나라한] 사실.

gráss shèars *n. pl.* 잔디 깎는 가위.

gráss skìing *n.* 잔디 스키.

gráss skìrt *n.* (훌라댄스의) 허리에 두루는 도롱이 치마.

gráss snàke *n.* 〔動〕 (유럽·북미산의 독 없는) 녹색뱀.

gráss stỳle *n.* 초서(草書) ; 묵화법(墨畫法).

Grass·tex [grǽ(:)steks ; grɑ́:s-] *n.* 그래스텍스《탄력이 있는 테니스 코트 표면재 ; 상표명》.

gráss trèe *n.* 〔植〕 (오스트레일리아산(産)) 억새잎나무.

gráss wèed *n.* 《美俗》 마리화나.

gráss wídow *n.* 남편이 부재중인 아내 ; 이혼녀. 〖cf. *be at* GRASS ; G *Strohwitwe* (lit.) straw widow〗

gráss wídower *n.* 아내가 부재중인 남편 ; 이혼한 남자.

gráss·wòrk *n.* 〔鑛山〕 갱외(坑外) 작업.

grássy *a.* 풀이 많은, 풀이 우거진, 풀로 덮인, 풀의[과 같은] ; 풀색의.

grássy·gréen *a.* 초록색의.

grat *v.* 《古·스코》 GREET[2]의 과거형.

grate[1] [gréit] *n.* **1** (벽난로의) 쇠살대 ; 벽난로(fireplace). **2** (창문 따위의) 쇠창살《《英》에서는 지금은 grating[1]이 일반적》.
—— *vt.* …에 쇠창살을 대다.
〖ME=grating[1]<OF<L *cratis* hurdle〗

grate[2] *vt.* **1** 갈다, 박박 긁다, 삐걱거리게 하다, 비벼서 삑삑 소리나게 하다 : ~ one's teeth 이를 갈다. **2** (치즈·사과 따위를) 강판에 갈다(cf. GRATER) : ~ cheese over a dish 접시에 치즈를 갈아 얹어 놓다. —— *vi.* [+*on*+名/動] **1** (사람·귀·신경에) 거슬리다 ; (말투 따위가 사람의 감정을) 해치다 : Her chatter ~*s* ***on*** me. 그녀의 수다는 불쾌하다 / Out-of-date slang ~*s* (*on* the ear). 유행이 지난 속어는 귀에 거슬린다. **2** 삐걱거리다, 비벼서 삑삑 소리나다 : I heard the door ~ ***on*** its hinges. 문의 돌쩌귀에서 삐걱거리는 소리가 들렸다. —— *n.* 삐걱거리는 듯한 귀에 거슬리는 소리.
〖OF<WGmc.=to scratch (G *kratzen*)〗

‡gráte·ful *a.* **1** [+*to* do] 고맙게 생각하는, 감사하는(thankful) ; 사의를 표하는 : I shall be ~ ***to*** you all my life. 일생동안 은혜는 잊지 않겠습니다 / I am ~ ***for*** your sympathy. 호의에 감사를 드립니다 / He will be deeply ~ *to* know that you have done that for him. 당신이 그것을 해 주셨다는 것을 알면 매우 고마워할 것입니다 / a ~ letter 감사 편지. **2** 기분 좋은, 쾌적한(pleasant) : I lay down under the ~ shade of the trees. 그 나무의 쾌적한 그늘 아래 누웠다. **~·ly** *adv.* 감사하여, 기꺼이. **~·ness** *n.* 〖*grate* (obs.) pleasing, thankful<L (*gratia* favor)〗

類義語 ***grateful*** 남으로부터 받은 호의·친절 따위에 감사하고 있는 : I am *grateful* to you for your kindnesses. (베풀어 주신 친절에 감사드립니다). ***thankful*** grateful보다 형식적이 아닌 말 ; 자기의 행운에 대해서 은인이나 신·운명 또는 자연의 힘 따위에 감사하고 있는 : I am *thankful* that I have a good husband. (좋은 남편을 만난 것을 고맙게 여긴다).

grat·er [gréitər] *n.* (향신료·치즈 따위를) 가는 기구, 강판.

grat·i·cule [grǽtəkjù:l] *n.* (현미경 따위의 계수판 위의) 계수선(計數線) ; 경위선망 ; 〔測〕 (모눈종이의) 격자선, 눈금.

grat·i·fi·ca·tion [grӕtəfəkéiʃən] *n.* **1 a)** Ⓤ 만족시키기, 기쁘게 하기 ; [+前+do*ing*] [또는 a ~] 만족(감), 희열(great satisfaction) : He had the ~ ***of*** know*ing* that he had done his best. 최선을 다했다고 하는 만족감에 젖었다 / She derived *a* true ~ from lov*ing* her children. 자녀들을 사랑하는 데서 참된 기쁨을 맛보았다. **b)** 만족시키는[기쁨을 주는] 것 : His success is a great ~ to us all. 그의 성공은 우리 모두에게 큰 기쁨이다. **2** 《古》 보수(reward), 사례금.

grat·i·fy** [grǽtəfài] *vt.* **1** [+目/+目+前+名/+目+*to* do] 기쁘게 해주다 ; 만족시키다 : It *gratifies* me to learn …을 알고 만족스럽다 / I was *gratified* ***with the news [*to* hear the news]. 그 소식을 들으니 기뻤다. **2** (욕망 따위를) 채우다, …에 탐닉하다. **3** 《古》 …에게 사례금[보수]을 주다. 〖F or L=to do a favor to, make a present of ; ⇨ GRATEFUL〗

grátify·ing *a.* 만족을 주는, 만족한, 유쾌한, 기분 좋은. **~·ly** *adv.* 만족해서, 기분좋게.

類義語 ⟹ PLEASANT.

grat·in [grǽtn, grɑ́:- ; grǽtæ̃ŋ, grǽtæŋ ; *F* gratɛ̃] *n.* 〔料〕 그라탱(☞ AU GRATIN).
〖F ; ⇨ GRATE[2]〗

grat·ing[1] [gréitiŋ] *n.* (창 따위의) 창살, 격자 세공(cf. GRATE[1] 2) ; (배의 승강구·보트의 바닥 따위의) 깔개 ; 〔建〕 (토대의) 격자식 틀. 〖GRATE[1]〗

grating[2] *a.* 삐걱거리는, 삑삑 소리나는 ; 귀에 거슬리는 ; 신경에 거슬리는, 짜증이 나는. —— *n.* 삐걱거리기 ; 갈아서 으깨기, 갈아서 으깬 것 ; 삐걱거리는 소리. **~·ly** *adv.* 삐걱거려 ; 신경에 거슬려. 〖GRATE[2]〗

G ráting [dʒí:-] *n.* 〔映〕 모든 연령층에 맞는 영화라고 인정한 등급.

grat·is [grǽtəs, gréi-, grɑ́:-] *adv., a.* 무료[공짜]로[의] : ☞ FREE GRATIS / You can get the sample ~. 견본은 무료로 받을 수 있습니다.
〖L (*gratia* favor)〗

***grat·i·tude** [grǽtətjùːd] *n.* Ⓤ 감사(한 마음), 사의(謝意) : I must express my ~ *to* Mr. Smith. 나는 스미스씨에게 감사의 뜻을 표해야겠다 / He showed no ~ *for* the service done. 수고해 준 데 대한 아무런 감사의 뜻조차 표하지 않았다 / *with* ~ 감사해서 / *out of* ~ 감사하는 마음에서, 은혜의 보답으로.
〖F or L ; ⇨ GRATEFUL〗

gra·tu·i·tous [grətjúːətəs] *a.* **1** 무료의(free), 무보수의, 호의상의, 독지(篤志)의 ; 〖法〗 (계약 따위) 무상의(cf. ONEROUS) : ~ service 무료 봉사. **2** 그럴 필요없는(uncalled for) ; 이유[근거]없는, 까닭없는 : a ~ insult 이유없는 모욕.
~·ly *adv.* 무료로 ; 불필요하게 ; 이유 없이.
〖L=spontaneous ; cf. FORTUITOUS〗

gra·tu·i·ty [grətjúːəti] *n.* 사례(금), 축의, 팁(tip) ; 선물(gift) ; 〖軍〗 (특히 제대할 때의) 사금(賜金), 급여금(bounty) : No ~ accepted. 팁[사례금] 사절.
〖OF or L *gratuitas* gift (*gratus* grateful)〗

grat·u·lant [grǽtʃələnt] *a.* 기쁨[만족]을 나타내는, 축하의.

grat·u·late [grǽtʃəlèit] *vt.* 《古》 축하하다.
—— *vi.* 기쁨[만족]을 표명하다. **gràt·u·lá·tion** *n.* 《古》 축하 ; 희열, 만족. **grat·u·la·to·ry** [grǽtʃələtɔ̀ːri ; -lèitəri] *a.*

graunch [grɔ́ːntʃ, 美+gráːntʃ] *vi.* (기계가) 득득 소리를 내다.
〖imit.〗

grau·pel [gráupəl] *n.* 〖氣〗 싸락눈(snow pellets, soft hail).
〖G (dim.) ‹ *Graup* hulled grain〗

gra·va·men [grəvéimən ; -men] *n.* (*pl.* **~s, -vam·i·na** [-vǽmənə]) **1** 불만, 불평. **2** [the ~] 〖法〗 (소송·고소·진정 따위의) 요점.
〖L=trouble, burden (*gravis* heavy)〗

‡**grave**[1] [gréiv] *n.* **1** 묘혈 ; 묘소, 매장지 ; 무덤(tomb) ; 묘석 : in one's ~ 죽어서 / from the cradle to the ~ ☞ CRADLE 숙어 / Someone is walking on[across, over] my ~. 나의 무덤이 될 자리를 누군가 걷고 있다 《까닭없이 무서워 몸이 떨릴 때 쓰는 문구》. **2** 죽음, 파멸 ; 사지(死地), 「묘지」 : a ~ of reputations 많은 사람이 명성을 잃은 곳. **3** 《英》 야채류 저장굴.
(**as**) ***silent***[***secret***] ***as the grave*** 매우 고요한[절대 비밀의].
find one***'s grave*** (***in*****. . .**) (…에) 죽을 자리를 찾다[죽다].
make a person ***turn in his grave*** 남을 죽어서도 눈을 못감게 하다, 지하에서 편안히 잠 못들게 하다.
with[***have***] ***one foot in the grave*** 죽음에 임박해 (있다) ; 빈사 상태에 (있다).
〖OE *græf* cave ; cf. GRAVE[3], G *Grab*〗

***grave**[2] *a.* **1** 위태로운, 예사롭지 않은, 만만치 않은, 중대한. **2** (사람·문서 따위가) 진지한, 위엄있는, 근엄한, 엄숙한, 장중한. **3** 걱정스러운, 염려스러운 빛을 띤. **4** (색깔이) 수수한, 충충한(somber). **5** [, gráːv] 〖音聲〗 음조가 내려가는, 억음(抑音)의(↔*acute*).
—— [, gráːv] *n.* 〖音聲〗 =GRAVE ACCENT.
~·ly *adv.* **~·ness** *n.*
〖F or L *gravis* heavy, serious〗
類義語 ***grave*** 얼굴 표정·언동 따위에 위엄이 있어서 명랑한 빛이 없는 ; 마음에 큰 문제나 책임을 안고 있는 것을 암시함 : *grave* remark (엄숙한 말). ***serious*** 성격이나 태도가 사려 깊어서 경박(輕薄)하지 않은 ; 중요한 일을 진지하게 정성을 쏟아서 생각하고 있는 것을 암시함 : *serious* manner (진지한 태도). ***sober*** 얼굴 표정·태도·말에 자제심·냉정함·진지함 따위가 보이는 : *sober* attitude (진지한 태도). ***solemn*** 두려운 마음을 가지게 할 정도로 강하고 인상적인 : a *solemn* service in church (엄숙한 교회 예배). ***earnest*** 목적이 진지해서 태도가 열성적인 : an *earnest* student (열의 있는 학생).

grave[3] *vt.* (**~d** ; **grav·en** [gréivən], **~d**) [+目/+目+前+名] **1** 《古》 조각하다, 새기다(engrave) : ~ an inscription (***up***)***on*** marble= ~ marble ***with*** an inscription 대리석에 비문을 새기다. **2** 《文語》 (마음에) 새기다(impress) : His words were ~*n*[~*d*] ***on***[***in***] my mind [memory]. 그의 말은 나의 마음[기억]에 깊이 새겨 졌 다. 〖OE *grafan* to dig, engrave ; cf. GRAVE[1], GROOVE, G *graben*〗

grave[4] *vt.* 〖海〗 (뱃바닥)의 부착물을 떼어 내고 콜타르 따위를 칠하다.
〖? F *grave, grève* sandy shore, GRAVEL〗

gra·ve[5] [gráːvei] *a., adv.* 〖樂〗 느린, 느리게 ; 장엄한[하게].
〖It. ; ⇨ GRAVE[2]〗

gráve áccent *n.* 〖音聲〗 억음(抑音) 부호, 저(低)악센트(è, æ̀ 따위의 ˋ).

gráve·clòthes *n. pl.* 수의(壽衣).

gráve·dìgger *n.* 무덤 파는 인부.

gráve gòods *n. pl.* (선사 시대 묘의) 부장품.

***grav·el** [grǽvəl] *n.* **1** Ⓤ [집합적으로] 자갈, 밸러스트(ballast) ; Ⓒ 〖地質〗 사력층(砂礫層)《특히 사금을 함유》 : a ~ road[walk] (공원·정원 따위의) 자갈길. **2** Ⓤ,Ⓒ 〖醫〗 요석(尿石)증.
—— *vt.* (**-l-** | **-ll-**) **1** 자갈로 덮다[보수하다], …에 자갈을 깔다. **2 a**) 어리둥절하게 하다, 당혹하게 하다(perplex). **b**) 《美口》 애태우게 하다, 짜증나게 하다(irritate).
〖OF (dim.)‹GRAVE[4]〗

grável-blìnd *a.* 《文語》 거의 장님에 가까운.

gráve·less *a.* 무덤이 없는 ; 매장되지 않은.

grável·ly *a.* 자갈의[이 많은], 자갈이 있는, 자갈로 된, 자갈 모양의.

grável pìt *n.* 자갈 갱(坑), 자갈 채취장.

grável·stòne *n.* **1** 자갈, 조약돌(pebble). **2** 〖醫〗 (콩팥 속에 생기는 모래 모양의) 결석(結石).

gráve·ly *adv.* 중대하게 ; 진지하게, 근엄하게, 장중하게.

grav·en [gréivən] *v.* GRAVE[3]의 과거분사. —— *a.* **1** 《古》 새긴, 조각한. **2** 《文語》 (광경 따위) 마음에 새겨진, 감명을 준.

gráven ímage *n.* 우상(偶像).

grav·er [gréivər] *n.* **1** 《古》 조각사, (특히) 명각사(銘刻師). **2** (동판의) 조각칼.

gráve·ròbber *n.* (골동품·보물을 훔치기 위한) 도굴꾼.

Graves [gráːv] *n.* (프랑스 Bordeaux 지방의) 그라브산 (백)포도주.

Gráves' disèase [gréivz-] *n.* 〖醫〗 그레이브스병. 〖Robert *Graves* (d. 1853) 아일랜드의 의사〗

gráve·stòne *n.* 묘석, 묘비(tombstone).

gráve·yàrd *n.* 묘소, 묘지, 사지, 「묘지」 ; 음침한 곳 ; =GRAVEYARD SHIFT ; 《美俗》 〖볼링〗 득점이 곤란한 레인 ; [형용사적으로] (가래가) 죽음의 전조같은 ; 《美俗》 〖政〗 극비의.

gráveyard shìft *n.* (3교대 근무제의) 자정부터 오전 8시까지의 작업(원), 밤교대원.

gráveyard wàtch *n.* 자정에서 오전 4시[8시]까지의 당직.

gravi- [grǽvə] *comb. form* 「무거운」의 뜻. ⟦L (↓)⟧

grav·id [grǽvəd] *a.* 《文語》〖醫·動〗 임신한, 홑몸이 아닌 ; 《文語》 전조가 되는, 불길한.

gra·vid·i·ty [grəvídəti] *n.* Ⓤ 임신. ⟦L *gravidus* ; ⇨ GRAVE²⟧

gra·vi·me·ter [grəvímətər, grǽvəmì:tər] *n.* 〖化〗 비중계(比重計) ; 〖理〗 중력계. ⟦F (*gravi-*)⟧

grav·i·met·ric, -ri·cal [grӕvəmétrik(əl)] *a.* 〖化〗 중량 측정의, 중량에 의해 측정된.

gravimétric análysis *n.* 〖化〗 중량 분석.

gra·vim·e·try [grəvímətri] *n.* 〖化〗 중량[밀도] 측정 ; 중력[인력] 측정.

grav·ing [gréiviŋ] *n.* 《古》 조각 ; 판화.

gráving dòck *n.* 〖海〗 (특히 배 밑바닥 수리용의) 건(乾)독(dry dock), 건선거(乾船渠). ⟦GRAVE⁴⟧

gráving tòol *n.* 조각용구 ; (동판용) 조각칼 ; [the G~ T~] 〖天〗 조각도자리.

grávi·sphère *n.* 〖天〗 (천체의) 중력권, 인력권.

gra·vi·tas [grǽvətɑ̀:s, grɑ́:-] *n.* 엄숙함. ⟦L=weight ; ⇨ GRAVE²⟧

grav·i·tate [grǽvətèit] *vi.* [+前+名] **1** 인력에 끌리다 ; 침강[하강]하다(sink) : The earth ~*s* ***toward*** the sun. 지구는 (인력에 의해서) 태양에 끌린다 / The larger stones ~ ***to*** the bottom. 큰 돌은 바닥에 가라앉는다. **2** 《비유》 자연히 가까이 이끌리다 : Industry ~*s* ***toward*** [***to***] cities. 공업은 도시에 집중되는 경향이 있다. ── *vt.* 중력에 의해서 하강[침강]시키다.

***grav·i·ta·tion** [grӕvətéiʃən] *n.* **1** Ⓤ 〖理〗 인력(작용) ; (흔히) 중력 : terrestrial ~ 지구 인력/ universal ~ 만유 인력/ the law of ~ 인력의 법칙. **2** Ⓤ 침강, 하강(sinking). **3** Ⓤ (자연의) 경향(tendency) : the ~ of the population *to* cities 인구가 도시로 집중하는 경향.
~·al *a.* **~·al·ly** *adv.*

gravitátional accelerátion *n.* 〖理〗 중력 가속도(加速度).

gravitátional astrónomy *n.* 중력천문학(celestial mechanics).

gravitátional collápse *n.* 〖天〗 중력 붕괴.

gravitátional fíeld *n.* 〖理〗 중력장 : ~ theory 중력장 이론.

gravitátional fórce *n.* 〖理〗 중력.

gravitátional interáction *n.* 〖理〗 중력 상호 작용.

gravitátional máss *n.* 〖理〗 중력 질량.

gravitátional wáve *n.* 〖理〗 중력파(波)《중력장의 파동》.

gráv·i·tà·tive *a.* 중력의 ; 중력 작용을 받기 쉬운.

grav·i·ton [grǽvətɑ̀n] *n.* 〖理〗 중력자.

***grav·i·ty** [grǽvəti] *n.* **1** Ⓤ **a)** 〖理〗 지구 인력, 중력 ; (흔히) 인력(gravitation) : the law of ~ (흔히) =the law of GRAVITATION. **b)** 중량, 무게(weight) : specific ~ 〖理〗 비중/ the center of ~ 〖理〗 (무게) 중심(重心). **2** Ⓤ 진지함(seriousness), 근엄, 엄숙, 침착 : keep one's ~ 웃지 않고 있다. **3** Ⓤ 중대함, 심상치 않음 ; (죄·병 따위가) 용이하지 않음, 중함 : the ~ of the situation 사태의 중대함. **4** Ⓤ 〖樂〗 저음, 억음.
── *a.* 중력에 의한. ⟦F or L ; ⇨ GRAVITAS⟧

grávity cèll *n.* 〖理〗 중력 전지.

grávity dàm *n.* 〖土〗 중력 댐《그 자체의 무게로 지탱되는 댐》.

grávity fàult *n.* 〖地〗 중력 단층(斷層).

grávity gràdient *n.* 〖理〗 중력 기울기.

grávity mèter *n.* 중력계(gravimeter).

grávity wàve *n.* 〖理〗 (유체(流體)의) 중력파 ; =GRAVITATIONAL WAVE.

gra·vure [grəvjúər, 美+gréivjər] *n.* Ⓤ,Ⓒ 〖印〗 그라비어(인쇄물[판]) (photogravure). ⟦F (Gmc. GRAVE³)⟧

gra·vy [gréivi] *n.* Ⓤ **1** 육수(肉水) ; 그레이비소스《고기에서 스며나오는 국물로 만드는 소스》 : ~ soup 고기 수프. **2** 《俗》 쉽게 번 돈, 부정한 이익, 악전(惡錢). ⟦OF *grané* (*grain* spice, GRAIN)을 *gravé*로 잘못 쓴 것인가⟧

grávy bòat *n.* (배 모양의) 육수 그릇.

grávy tràin *n.* 《俗》 부정 이득을 얻을 수 있는 자리[지위].

‡**gray | grey** [gréi] *a.* **1** 회색의, 쥐색의, 잿빛의, 납빛의 ; (얼굴 빛이) 창백한, 흙빛의 ; 흐린, 우중충한 ; 어둠침침한(dim), 음침한 : ~ eyes (홍채(虹彩)가) 회색빛인 눈. **2** (머리털이) 희끗희끗한. **3** 《비유》 회색의, 어두운, 음울한, 쓸쓸한. **4** 노년의 ; 경험을 쌓은, 원숙한 : ~ experience 원숙한 경험, 노련. **5** 태고의, 고대의 : the ~ past 고대, 태고. **6** 〖經〗 암거래에 가까운. ── *vt., vi.* 회색으로 하다[되다] ; 백발이 되게 하다[되다].
── *n.* **1** Ⓤ,Ⓒ 회색, 쥐색. **2** [the ~] 어둑어둑함, 어스름, 땅거미 : *in* the ~ *of* the morning 여명[미명]에. **3 a)** Ⓤ 회색 옷(감) : dressed in ~ 회색옷을 입은. **b)** 《美》 (남북전쟁 때 남군의) 회색 군복(cf. BLUE *n.* 2). **4** 회색의 그림 물감[염료] ; 표백[염색]하지 않은 상태. **5** 회색털의 동물, (특히) 회색털의 말 ; [the (Scots) G~s] 영국 용기병 제2연대.

〈회화〉
Who is the woman in *gray* over there? ― That's Mrs. Kim, my teacher. 「저기 회색 옷을 입고 있는 여자분은 누구니」「저를 가르치시는 김선생님입니다」

⟦OE *grǣg* ; cf. G *grau*⟧

Gray *n.* 그레이. **Thomas** ~ (1716-71) 영국의 시인(詩人).

gráy área *n.* **1** (양극간의) 중간 영역, 어느쪽이라고 말할 수 없는 곳, 애매한 부분[상황] : in the ~ between public and personal affairs 공무와 사삿일의 구별이 애매한 상황에. **2** =GREY AREA.

gráy·bàck *n.* Ⓤ **1** 〖鳥〗 붉은어깨도요 ; 큰부리도요. **2** [G~] 〖美史〗 (남북전쟁 당시의) 남군의 병사. **3** 《美》 이(louse).

gráy·bèard *n.* 수염이 희끗희끗한 사람, 노인 ; 노련자, 현인. **~·ed** *a.* 수염이 흰.

gráy céll *n. pl.* 두뇌 ; 뇌수(gray matter).

gráy-cóllar *a.* 《美》 수리·서비스에 종사하는 노동자의.

gráy éminence *n.* =ÉMINENCE GRISE.

gráy·fish *n.* 돔발상어(dogfish)《시장 용어》.

Gráy [《英》 **Gréy**] **Fríar** *n.* 프란체스코회(會)의 수사.

gráy góose *n.* (유럽산) 회색기러기.

gráy-háired, -héad·ed *a.* 머리가 센, 머리가 희끗희끗한 ; 연로(年老)한, 노련한〈*in*〉, 낡은 ; 옛날부터의.

gráy·hèad *n.* 백발이 성성한 사람 ; 노인 ; 늙은 향유고래의 수컷.

gráy hèn *n.* 〔鳥〕 멧닭의 암컷.
grayhound ☞ GREYHOUND.
gráy·ing *n.* Ⓤ 노인[고령]화, 노화.
gráy·ish *a.* 회색빛 도는, 우중충한.
Gráy Làdy *n.* 미국 적십자사의 여성 자원 봉사자 《의료 봉사 따위를 함》.
gráy·làg *n.* =GRAY GOOSE.
gráy lámpshade *n.* 회색의 전등갓 모양을 한 최루가스 발사 장치.
Gráy Líne *n.* 그레이 라인《미국의 유수한 관광 버스 회사 ; 상표명》.
gráy·ling *n.* (*pl.* ~, ~**s**) 〔魚〕 사루기 ; 〔昆〕 뱀눈나비《유럽·미국산》. 〖GRAY+-*ling*[1]〗
gráy·màil *n.* 《美》 (소추중인 피의자가) 정부 기밀을 폭로하겠다는 협박.
gráy máre *n.* 《비유》 남편을 쥐고 흔드는 아내 : The ~ is the better horse. 《속담》 엄처시하.
gráy márket *n.* 회색 시장《암시장과 보통 시장의 중간적 시장 ; cf. BLACK MARKET》.
gráy-márket càr *n.* 미국 연방 정부가 정한 배기가스 및 안전 기준에 미달인 채 미국으로 수입된 자동차.
gráy márketeer *n.* gray market의 상인.
gráy màtter *n.* (뇌수·척수의) 회백질 ; 《口》 지력(知力), 두뇌(cf. WHITE MATTER).
gráy múllet *n.* 〔魚〕 숭어.
gráy·òut *n.* Ⓤ 〔醫〕 그레이아웃《대뇌 혈류의 감소로 인한 부분적 의식·시각 장애》.
Gráy Pánther *n.* 《美》 노인의 복지·권리 확대를 목적으로 하는 운동 단체의 일원.
gráy pówer *n.* 《美》 노인 파워.
gráy·sìster *n.* 프란체스코회의 수녀.
gráy squírrel *n.* 〔動〕 회색다람쥐《미국산》.
gráy·stòne *n.* 〔鑛〕 회색의 화산암.
gráy·wàcke *n.* Ⓤ 〔地質〕 경사암(硬砂岩).
gráy·wàter *n.* 중(中)수도용수《정화 처리로 재이용되는 부엌·목욕탕 따위에서 나온 물》.
gráy wólf *n.* =TIMBER WOLF.
gráy zóne *n.* **1** 이도 저도 아닌 상태, 애매한 범위. **2** 회색 지대《어느 초강대국의 세력하에 있는지 애매한 지역》.
***graze**[1] [gréiz] *vi.* (가축이) 생풀을 먹다, 목장에서 풀을 뜯어먹다 ; 방목하다 : The cattle were *grazing* in the pasture. 소가 목장에서 풀을 뜯어먹고 있었다. —— *vt.* (가축에게) 생풀을 먹이다 ; (동물이 풀 따위를) 먹다〈*down*〉 ; (풀밭을) 목장으로 사용하다 ; 풀 먹이기 위해서 밖으로 내몰다. —— *n.* 방목 ; 목초 ; 풀을 먹임.
〖OE *grasian* ; ⇨ GRASS〗
graze[2] *vt.* …에 가볍게 스치며 지나가다, 스치다 ; 스쳐서 벗기다 : The bullet ~*d* my shoulder. 총알이 어깨를 스쳐갔다. —— *vi.* 스쳐 지나가다 〈*against, along, through, by, past*〉. —— *n.* 스침, (살갗 따위) 벗겨지기 ; 찰과상(擦過傷), 벗겨진 상처(abrasion). 〖탄환 따위가 GRAZE[1] to take off grass close to ground 하는 데서인가〗
graz·er [gréizər] *n.* 풀을 먹는 동물, 방목 가축 ; 방목자.
gra·zier [gréiʒər ; -ziər] *n.* 목축업자. 〖GRAZE[1]〗
graz·ing [gréiziŋ] *n.* Ⓤ 목초(지).
grázing fire *n.* 평지와 거의 평행이 되는 사격.
grázing tìcket *n.* 《美學生俗》 식권(철(綴)).
gra·zi·o·so [grɑːtsióusou] *a., adv.* 〔樂〕 그라치오소의[로], 우아한[하게]. 〖It.〗
GRB gamma-ray burst. **GRBM** Global Range Ballistic Missile. **Gr. Br(it).** Great Britain. **Grc.** Greece. **GRCM** Graduate of the Royal College of Music. **GRE** graduate record examination 《美》 (대학원 입학 시험).
***grease** [gríːs] *n.* **1** Ⓤ 유지(油脂) ; (윤활유 따위의) 기름, 수지(獸脂) ; 양털의 지방분 ; 기름을 빼지 않은 생양털(=~ **wòol**). **2** Ⓤ 지방(fat) ; 《俗》 버터 ; 《美俗》 니트로글리세린, 다이너마이트. **3** 《俗》 뇌물, 묵인료, 팁 ; 《俗》 아부, 알랑거리는 말 ; 《美俗》 영향력, 세력.
in (***pride***[***prime***] ***of***) ***grease*** 〔사냥〕 기름이 오른《당장 잡기에 알맞은》.
wool[***furs***] ***in the grease*** 아직 기름을 빼지 않은[깎아 낸 채로의] 양털[모피].
—— [gríːz] *vt.* **1** …에 기름[윤활유]을 바르다[치다] ; 기름으로 더럽히다. **2 a)** 용이하게 하다, 촉진하다 ; 《俗》 …에게 뇌물을 주다. **b)** 《俗》 (비행기를) 순조롭게 착륙시키다. **3** 《美俗》 먹다, 급히 먹다. —— *vi.* 《俗》 (사람이) 순조롭게 비행기를 착륙시키다 ; 《英》 비위를 맞추다, 환심사다 ; 《英》 속이다, 거짓 꾸미다.
grease the fat pig[***sow***] 쓸데없는 짓을 하다.
grease the palm[***hand, fist***] ***of*** …에게 뇌물을 주다.
grease the wheels ☞ WHEEL.
〖OF<L (*crassus* thick, fat)〗
gréase·bàck *n.* 《美俗·蔑》 국경을 넘어 미국으로 밀입국하는 멕시코인.
gréase·bàll *n.* 《美俗·蔑》 라틴계 외국인, 멕시코인 ; 꾀죄죄한 부랑자.
gréase bàll *n.* 〔野〕 머릿기름 따위 유성물질을 공[손가락]에 발라서 하는 투구.
gréase bòx *n.* 〔機〕 (차축의) 윤활유통.
gréase-bùrn·er *n.* 《美俗》 쿡, 요리사.
gréase·bùsh *n.* (미국 서부에 많은) 명아주류의 관목.
gréase cùp *n.* (기계 부속의) 윤활유 그릇.
gréase gùn *n.* 윤활유 주입기(注入器) ; 《軍俗》 (M-3형) 기관 단총.
gréase mònkey *n.* 《口》 기계공 ; 비행기[자동차]의 수리공, 정비공.
gréase·pàint *n.* 도란《배우가 화장할 때 사용》; 메이크업.
gréase pàyment *n.* 뇌물, 독직.
gréase·pròof *a.* 기름이 배지 않는 : ~ paper 납지(蠟紙).
greas·er [gríːzər, -sər] *n.* 기름치는 사람[기구] ; (기선의) 화부장(火夫長) ; (자동차) 정비공 ; 《俗》 폭주족 젊은이 ; 《俗》 알랑쇠, 꼴보기 싫은 놈 ; 《美俗·蔑》 멕시코 인(人), 스페인계 미국인(人).
gréase tràp *n.* 〔土〕 하수도에 지방류(類)가 유입되지 못하도록 만든 차단 장치.
gréase tróugh *n.* 《美俗》 간이 식당, 값싼 식당.
gréase·wòod *n.* Ⓤ 〔植〕 명아주과 관목의 일종 《미국 서부 알칼리성 지대산(産)》.
greasy [gríːsi, -zi] *a.* 㕑 보통은 [-si]로, 불쾌할 때(3, 4의 의미)에 [-zi]를 쓰는 사람도 있다. **1** 기름 바른, 기름으로 더럽혀진, 기름이 밴. **2** 기름투성이의, 기름기 많은, 기름진. **3** 번질번질한 ; 미끈미끈한 ; 매끄러운 ; (도로 따위) 진창의. **4** 알랑거리는.
gréasy grínd *n.* 《美俗》 어려운[하기 싫은] 일 ; 공부벌레 ; 근면가.
gréasy póle *n.* 기름장대《기름을 발라 그 위를 오르거나 걷거나 하는 놀이 도구》.
gréasy spóon *n.* 《俗》 (불결한) 대중 식당.
◇**great** [gréit] *a.* **1 a)** 큰, 대…(big, large). 㕑 보통 놀람·경탄·경멸·분격 따위의 감정을 포함

함 : ☞ GREAT CHAIR / a ~ city 대도시 / a ~ friend of mine 나의 절친한 친구(중의 한 사람) / the ~ house 마을에서 가장 큰 집, 대저택. **b)** 《口》 [뒤에 오는 형용사를 강조해서] : a ~ *big* fish 매우 큰 물고기 / a ~ *thick* stick 아주 굵은 스틱.
2 다수[다량]의, 많은 ; 긴 시간의 : live to a ~ age 고령에 이르도록 살다 / in ~ multitude 큰 무리를 이루어 / a ~ while ago 꽤 오래 전에 / a ~ number of people 많은 사람들 / the ~ majority[body, part] 대부분〈*of*〉.
3 두드러진, 현저한 ; 고도의, 비상한 ; 중요한 ; 대…(eminent, important) : a ~ noise 큰소리/ ~ patience 대단한 인내 / a ~ occasion 중대한 시기, 위기 ; 축제일 / a ~ reader[traveler, talker] 대단한 독서가[여행가, 변론가].
4 탁월한, 위대한(↔*little*) : a ~ little man 몸은 작으나 마음 씀씀이가 큰 사람.
5 숭고한, 심원한, 장엄한.
6 신분[태생]이 귀한, 지위가 높은 ; [the ~ ; 명사적으로] 고귀한 사람들 ; 훌륭한 사람들.
7 즐겨 쓰는(favorite) : a ~ word 즐겨 쓰는 말[대사].
8 《口》 [*pred.*만으로 써서] **a)** [+前+do*ing*] 능숙한, 잘하는 : He is ~ ***at*** tennis[*at* tell*ing* thrilling stories, ***on*** dogs]. 테니스[스릴 있는 이야기를 하는 것, 개에 대한 것]에는 능숙하다. **b)** (…에) 통달하여, 열심인 : She is ~ ***on*** science fiction. 공상 과학 소설에 열중하고 있다.
9 《口》 멋진, 근사한, 대단한 : his ~ white mustache 그의 멋진 흰 콧수염 / That's ~. 그것 참 멋지다 ! / We had a ~ time at the seashore. 해안에서 아주 멋진 시간을 보냈다.
10 [고유 명사·칭호 따위의 뒤에 써서] …대왕[대제] : Alexander *the G~* 알렉산더 대왕.
a great deal ☞ DEAL[2].
a great many 많은, 다수의.
great and small 신분이 높은 사람과 낮은 사람들, 빈부 ; 신분의 고하를 막론하고.
Great God! [***Caesar!, Scott!, Sun!***] 어머나!, 이키!
no great (1) 중요하지 않은 : It's *no* ~ matter *to* me. 나에게는 조금도 중요하지 않다. (2) 《美俗》 많지 않은, 적은.
the greater part of …의 대부분, 태반 : He spent *the ~er part of* the day playing with the animals. 그날의 대부분을 동물들과 놀며 지냈다.
the greatest happiness of the greatest number 최대 다수의 최대 행복《Jeremy Bentham의 공리주의의 원칙》.
—— *n.* **1** 전체, 총체(whole, gross). **2** [*pl.*] 《英口》 (Oxford 대학에서 학위 B.A.의) 본시험(cf. SMALL *n.* 3 ; GREAT GO). **3** 중요 인물.
in the great 통틀어서.
—— *adv.* 《美口》 잘, 훌륭하게.
〚OE *grēat* ; cf. GROAT, G *gross*〛
類義語 ⟹ LARGE.

great- *pref.* 일대(一代)가 먼 친척 관계를 나타냄.
gréat ápe *n.* 유인원(類人猿).
Gréat Assíze *n.* [the ~] 최후의 심판(the Last Judgment).
gréat-àunt *n.* =GRANDAUNT.
Gréat Básin *n.* [the ~] 대분지(盆地)《미국 서부 Nevada, Utah, California, Oregon, Idaho의 여러 주에 걸침》.
Gréat Béar *n.* [the ~] 〖天〗 큰곰자리(Ursa Major) (☞ DIPPER 4).
gréat beyónd *n.* [the ~, 때때로 the G~ B~] 내세, 사후의 세계, 저승.
‡**Grèat Brítain** *n.* 대브리튼(섬), 영 본국《잉글랜드, 스코틀랜드 및 웨일스를 합친 것에 대한 명칭, 간략해서 Britain이라고도 함 ; 북아일랜드를 합쳐서 the United Kingdom이라 일컬음 ; 원래 Little Britain(대안(對岸)의 프랑스 Brittany 지방)과 대조적으로 이름 붙인 것》.
gréat cálorie *n.* 대(大)칼로리《물 1kg을 1℃ 높이는데 필요한 열량》.
gréat cháir *n.* 안락 의자(armchair).
Gréat Chárter *n.* [the ~] 대헌장, 마그나 카르타(Magna C(h)arta).
gréat círcle *n.* (구면(球面)의) 큰 원《구심(球心)을 통하는 면으로 자른 원 ; cf. SMALL CIRCLE》, (특히 지구의) 대권(大圈).
gréat-cìrcle cóurse[**ròute**] *n.* 〖空·海〗 대권(大圈) 코스《지구상의 2점간의 최단 거리를 비행하는 항공로》.
gréat-cìrcle sáiling *n.* 〖海〗 대권항법.
gréat·còat *n.* 《주로 英》 두꺼운 천으로 만든 큰 외투 ; 방한용 상의(上衣).
gréat cóuncil *n.* 〖英史〗 (노르만 왕조 시대의 Curia Regis의) 대회의 ; (예전의 Venice 따위의) 시의회 ; (아메리칸 인디언의) 추장 회의.
Gréat Cúltural Revolútion *n.* [the ~] (중국의) 문화 대혁명.
Gréat Dáne *n.* 그레이트 데인《mastiff와 비슷한 몸집이 큰 축견의 일종》.
Gréat Dáy *n.* [the ~] 최후의 심판일.
Gréat Depréssion *n.* [the ~] (1929년 미국에서 시작된) 대공황(大恐慌).
Gréat Dípper *n.* =BIG DIPPER.
Gréat Divíde *n.* **1** [the ~] 북미대륙 분수령(the Continental Divide)《Rocky 산맥》. **2** [또는 g~ d~] 《비유》 위기, 생사의 갈림길, 죽음.
cross the great divide 유명(幽明)을 달리하다, 죽다.
Gréat Dóg *n.* [the ~] 〖天〗 큰개자리.
gréat·en *vt.* 《古》 …을 크게[위대하게] 하다 ; …을 넓게 하다 ; 증대[확대]시키다.
—— *vi.* 크게[위대하게, 넓게] 되다.
gréat·er *a.* [great의 비교급] **1** …보다 큰(↔*lesser*). **2** [G~] [지역명] 대(大)…《근교도 포함해서 일컬음》 : ☞ GREATER NEW YORK.
Gréater Brítain *n.* =the BRITISH COMMONWEALTH OF NATIONS.
Gréater Mánchester *n.* 그레이터 맨체스터《잉글랜드 서부의 주 ; 주도는 Manchester》.
Gréater Nèw Yórk *n.* 대뉴욕《Manhattan 섬의 본래의 New York에 (The) Bronx, Brooklyn, Queens, Richmond를 추가한 것으로 현재의 New York City와 같은 뜻》.
gréat·est cómmon divísor[**fáctor, méasure**] *n.* 〖數〗 최대 공약수.
gréat fée *n.* 〖英史〗 국왕이 직접 하사한 영지.
Gréat Fíre *n.* [the ~] 〖英史〗 (1666년 9월의) 런던 대화재.
gréat gáme *n.* [the ~] 골프.
gréat gó *n.* 《英口》 (Cambridge 대학에서) 학위 B.A.의 본시험(cf. GREAT *n.* 2).
grèat-gránd·chìld *n.* 증손(曾孫).
grèat-gránd·dàughter *n.* 증손녀(曾孫女).
grèat-gránd·fàther *n.* 증조부(曾祖父).
grèat-gránd·mòther *n.* 증조모.
grèat-gránd·pàrent *n.* 증조부[모].
grèat-gránd·sòn *n.* 증손자.

gréat gróss *n.* 대(大)그로스《12그로스, 144다스=1728개 ; 略 g. gr.》.
gréat gún *n.* 《美俗》 거물, 명사, 유력자.
blow great guns ☞ GUN.
go great guns ☞ GUN.
gréat·héart·ed *a.* 고결한, 마음이 넓은 ; 용감한. **~·ly** *adv.* **~·ness** *n.*
gréat hórned ówl *n.* 〔鳥〕 미국수리부엉이《북미·남미산》.
gréat húndred *n.* 120.
gréat ínquest *n.* =GRAND JURY.
Gréat Lákes *n. pl.* [the ~] (미국·캐나다 국경의) 5대호《동쪽에서 부터 Ontario, Erie, Huron, Michigan, Superior》.
Gréat Léap Fórward *n.* [the ~] 대(大)약진《1958-61년의 중국의 경제 공업화 정책》.
***gréat·ly** *adv.* **1** [동사·분사·소수의 비교급 형용사를 수식해서] 대단히, 매우 : I was ~ amused [esteemed]. 대단히 재미 있었다[존경을 받았다] / It is ~ superior. 그 편이 훨씬 우수하다 / It adds ~ to the cost. 그것 때문에 비용이 매우 증감된다. **2** 위대하게, 숭고하게, 고결하게, 관대하게.
Gréat Mógul *n.* [the ~] 무굴 제국 황제의 칭호 ; [g~ m~] 거물, 요인.
gréat-nèphew *n.* =GRANDNEPHEW.
gréat·ness *n.* Ⓤ 큼, 거대 ; 다대(多大) ; 광대 ; 위대, 웅대, 중대, 저명, 탁월, 고귀 ; 대량 ; 마음이 넓음, 도량이 넓음.
gréat-nìece *n.* =GRANDNIECE.
Gréat Patriótic Wár *n.* 대조국 전쟁《제2차 대전에 대한 구소련에서의 정식 호칭》.
Gréat Plágue of Lóndon *n.* [the ~] (1664-65년의 페스트에 의한) 런던의 대역병(大疫病)《인구 46만 중 7만명 이상이 사망함》.
Gréat Pláins *n. pl.* [the ~] (북미 Rocky 산맥 동쪽 Mississippi강에 이르는) 대평원 지대.
Gréat Pówer *n. pl.* 강국, 대국 ; [the ~s] (세계의) 대국(大國), 열강(列強).
gréat-pówerism *n.* 강대국주의.
gréat-pówer pólitics *n.* 강대국간의 외교.
gréat prímer *n.* 〔印〕 18포인트 활자.
Gréat Proletárian Cúltural Revolútion *n.* [the ~] (중국의) 프롤레타리아 문화 대혁명 (Great Cultural Revolution).
Gréat Rebéllion *n.* [the ~] 〔英史〕 대반란, 청교도 혁명.
Gréat Rússian *n.* 대(大)러시아인《유럽 러시아와 중부 지방에 사는 러시아 민족의 주요 종족》; 대러시아어《유럽 러시아의 중부·북동부에서 쓰이는 사투리》. —— *a.* 대(大)러시아인[어]의.
Gréat Sàlt Láke *n.* 그레이트 솔트 호(湖)《미국 Utah 주에 있는 얕은 함수호》.
gréat séal *n.* **1** (국가·주·도시·감독(bishop) 등이 주요 문서류에 사용하는) 인장. **2** [the G~ S~] 《英》 국새(國璽).
the Lord Keeper of the Great Seal 《英》 국새 상서.
gréat smóke *n.* [the ~] 《英俗》 런던.
Gréat Smóky Móuntains, Gréat Smókies *n. pl.* [the ~] 그레이트 스모키 산맥 《the Appalachian Mountains 중의 한 산계(山系) ; 일대는 국립 공원》.
Gréat Socíety *n.* 위대한 사회《미국 제 36대 대통령 Lyndon B. Johnson의 정치 지침》.
Gréat Spírit *n.* (북미(北美) 인디언의) 부족 주신(主神).
gréat tít *n.* 〔鳥〕 박새.
gréat tóe *n.* 엄지발가락(big toe).
gréat-ùncle *n.* =GRANDUNCLE.
Gréat Wáll (of Chína) *n.* [the ~] (중국의) 만리 장성(萬里長城).
Gréat Wár *n.* [the ~] 제1차 세계 대전(World War I).
gréat whéel *n.* (시계의) 큰톱니바퀴.
Gréat Whíte Fáther[Chíef] *n.* (아메리칸 인디언이 말하는) 미국 대통령 ; 대권력자.
Gréat Whíte Wáy *n.* [the ~] New York의 불야성을 이루는 극장가 Broadway의 속칭.
gréat wórld *n.* 사교계(의 생활 양식).
gréat yéar *n.* =PLATONIC YEAR.
greave [gríːv] *n.* [보통 *pl.*] (갑옷의) 정강이받이. **~d** *a.* 〖OF=shin< ?〗
greaves [gríːvz] *n. pl.* 깻묵《개·물고기의 사료》.
grebe [gríːb] *n.* 〔鳥〕 농병아리. 〖F< ?〗
Gre·cian [gríːʃən] *a.* 그리스(풍)의 : a ~ profile 그리스형의 옆얼굴. ☞ 活用. —— *n.* 그리스 사람(Greek) ; 그리스(어)학자 ; 〔聖〕 헬라파 유태인《그리스화한 유태인 ; 사도행전 6 : 1》. 〖OF or L (*Graecia* Greece)〗
活用 Grecian *a.* 는 건축, 사람의 얼굴 모양 따위의 경우에 쓰이며, 그 외에는 Greek를 씀.
Grécian bénd *n.* 《英》 1870년경 여성들간에 유행된 상체를 조금 앞으로 내민 걸음걸이.
Grécian gíft *n.* =GREEK GIFT.
Grécian knót *n.* 《英》 그리스풍 속발(束髮)《고대 그리스풍을 모방한 여성의 머리 묶는 법》.
Grécian nóse *n.* 그리스형 코《콧대의 선이 이마에서 일직선으로 되어 있음 ; cf. ROMAN NOSE》.
Grécian slípper *n.* 《英》 운두가 낮은 푹신한 슬리퍼.
Gre·cism, Grae- [gríːsizəm] *n.* Ⓤ,Ⓒ (문화에 나타나는) 그리스식[정신] ; Ⓒ 그리스 어법.
Gre·cize, Grae- [gríːsaiz] *vt., vi.* 그리스식[풍]으로 하다[되다] ; 그리스 어법[습관]을 좇다.
Gre·co-, Grae·co- [grékou, -kə, gríː-] *comb. form* 「그리스(의)」의 뜻. 〖L *Graecus* Greek〗
Grèco-Róman *a.* 그리스와 로마의 ; 그리스의 영향을 받은 로마의. —— *n.* 〔레슬링〕 그레코로만형(形).
***Greece** [gríːs] *n.* 그리스《옛 이름 Hellas ; 수도 Athens ; 통화 drachma》.
***greed** [gríːd] *n.* Ⓤ 욕심, 탐욕〈*for*〉; 《稀》 탐식(貪食), 대식. 〖역성(逆成)< ↓〗
greedy** [gríːdi] *a.* **1** 대식하는, 게걸스럽게 먹는. **2** 탐욕스러운, 욕심 많은 ; 몹시 탐내는, 욕심꾸러기의 ; [+*to* do] 열망[갈망]하는 : He was ~ ***for[*to* gain] fame. 그는 명성을 갈망했다 / a man ~ ***of*** money[gain] 돈에 탐욕스러운[욕심이 많은] 사람. —— *vt., vi.* [다음 숙어로]
greedy up 게걸스럽게 먹다.
gréed·i·ly *adv.* 게걸스레 ; 욕심[탐]내어.
gréed·i·ness *n.*
〖OE *grǣdig* ; cf. OHG *grātac* hungry〗
類義語 ***greedy*** 어떤 것을 필요·당연 이상으로 가지려고 하는《일반적인 말》. ***avaricious*** 모아두려고 금전·재산에 욕심내는. ***grasping*** 파렴치할 만큼 돈벌이에 열심인. ***acquisitive*** 재산 따위를 지나치게 획득·축적하려고 하는《반드시 탐욕의 의미를 내포하는 것은 아님》. ***covetous*** 남의 것을 함부로 욕심내는《greedy 보다 강한 뜻》.

gréedy gùts *n.* (*pl.* ~) 《俗》 대식가, 먹보.

***Greek** [gríːk] *a.* 그리스(풍)의 (cf. GRECIAN) ; 그리스 사람[어]의. ── *n.* **1** 그리스 사람. **2** 그리스 정교 신자 ; 그리스 문화·정신의 세례를 받은 사람. **3 a)** Ⓤ 그리스어 : Ancient[Classical] ~ 고대 그리스어《기원 200년경까지》/ ☞ MIDDLE GREEK / Modern ~ 근대 그리스어《1500년경에서 현재까지》. **b)** Ⓤ 도무지 뜻을 알 수 없는 말, 횡설 수설 (gibberish) (cf. HEBREW *n.* 2 b), DOUBLE DUTCH) : That is (all) ~ to me. 그것은 나에게는 전혀 영문 모를 소리다, 도무지 무슨 말인지 모르겠다.

When Greek meets Greek, then comes the tug of war. 《속담》 두 영웅이 만나면 싸움은 피할 수 없다.

〖OE *Grēcas* (pl.) < Gmc. < L < Gk. *Graikos*〗

Gréek álphabet *n.* [the ~] 그리스어 알파벳, 그리스 문자.

Gréek Cátholic *n.* 그리스 정교 신자《로마 교회 교리를 믿으면서 그리스 정교회의 의식·예식을 따르는 그리스인》.

Gréek Cátholic Chúrch *n.* 그리스 카톨릭 교회《로마 카톨릭 교회의 한 파》.

Gréek Chúrch *n.* [the ~] 그리스 국교회, 그리스 정교회(正教會) (Greek Orthodox Church, Eastern Church)《11세기에 로마 교회에서 분리되었음 ; 그리스, 러시아, 터키 따위 동방 여러 나라에 신자가 많음》.

Gréek cróss *n.* 그리스 십자가《가로 세로의 길이가 똑같음》.

Gréek Fáthers *n. pl.* [the ~] 그리스 교부《그리스어로 저술한 초기의 기독교 교부들》.

Gréek fíre *n.* 그리스 화약《적 함을 태우는데 사용된 연소물》.

Gréek frét[kéy] *n.* 짜맞춘 격자(格子)무늬, 뇌문(雷紋).

Gréek gíft *n.* 남을 해치기 위하여 보내는[위험한] 선물(☞ TROJAN HORSE).

Gréek-lètter fratérnity *n.* 《美》 남자 그리스 문자 클럽《대학 따위에서 그리스 문자를 써서 명명(命名)한 학생의 우애와 사교 클럽》.

Gréek-lètter sorórity *n.* 《美》 여자 그리스 문자클럽.

Gréek Órthodox Chúrch *n.* [the ~] 그리스 정교회 (Greek Church).

Gréek Revíval *n.* [the ~] 그리스 부흥《19세기 전반의 건축양식 ; 고대 그리스의 건축 양식을 모방한 것이 많음》.

Gréek ríte *n.* (그리스 정교회의) 그리스식 의식.

◇**green** [gríːn] *n.* **1** Ⓤ,Ⓒ 녹색. **2** 녹색 그림물감[안료, 도료, 염료] ; 녹색의 물건 ; Ⓤ 녹색의 옷(감) : a girl dressed *in* ~ 녹색 옷을 입은 소녀. **3** 풀밭, 초원, (마을 공동의) 잔디밭 ; 〖골프〗 = PUTTING GREEN ; 골프 코스 : the village ~ 잔디가 무성한 마을의 공유지《마을 사람들의 휴식처》. **4** [*pl.*] **a)** 《古》 식물, 초목, 푸른 나무. **b)** 푸른 잎[가지]《크리스마스 장식용 따위》. **c)** 푸성귀, 야채 ; 야채요리. **5** [the G~] 녹색기장《아일랜드 국장》. **6** Ⓤ 청춘, 활기 ; 《口》 무경험, 미숙. **7** (교통신호 따위의) 청신호. **8** 지폐, (특히) 달러 지폐.

in the green 혈기 왕성해서.

see green in a person***'s eye*** 남을 다루기[상대하기] 쉽다고 얕보다 : Do you *see*[Is there] *any* ~ *in* my *eye*? 내가 만만해 보이냐.

── *a.* **1** 녹색의, 풀빛의, 그린의. **2** 야채[채소, 푸성귀]의. **3** 푸릇푸릇한 (verdant) ; 눈이 오지 않는, 온난한 (mild) : a ~ Christmas ☞ CHRISTMAS. **4** 기운찬, 활기 있는, 팔팔한, 싱싱한 (fresh) : a ~ old age 늙어서도 건강함, (노인이) 정정함 / keep a memory ~ 언제까지나 기억에 남겨 두다, 잊지 않고 있다. **5** (과일 따위가) 익지 않은, 마르지 않은, 굽지 않은, 저장 처리하지 않은, 날것의 : *G*~ wood doesn't burn well. 생나무는 잘 타지 않는다. **6** 미숙한, 앳된, 풋내기의 (raw) ; 믿어버리는 (credulous), 속기 쉬운 : a ~ hand 미숙한 사람 / a youngster ~ *to* his job 풋내기 젊은이 / Those youngsters were ~ *to* the ways of the world. 그 젊은이들은 세상 물정에 어두웠다. **7** (안색이) 창백한, 혈색나쁜 ; 《口》 질투심 많은 (jealous) : ~ *with* envy[jealousy] (낯빛이 창백해질 정도로) 몹시 부러워해서[질투해서]. **8** (기계 장치 따위) 작동 준비가 완료된.

green in earth (갓 매장하여) 흙이 마르지 않은.

── *vt., vi.* 녹색으로 하다[이 되다], 초록색으로 물들이다, …에 녹색을 바르다.

~·ly *adv.* 녹색으로 ; 새로, 신선하게 ; 힘차게 ; 미련하게 (foolishly). **~·ness** *n.* 녹색 ; 신선함 ; 미숙 ; 활력.

〖OE *grēne* ; GROW와 같은 어원 ; cf. G *grün*〗

gréen áircraft *n.* 비행 가능한 항공기지만 손님의 주문에 따라 기내 장식이나 전자 장치가 장비되어 있지 않은 기체(機體).

gréen-àss *a.* 《卑》 숫된, 풋내기의.

gréen·bàck *n.* 《美口》 그린백《미국 정부 발행의 뒷면이 녹색인 법정 지폐》 ; [*pl.*] 《美》 돈.

Gréenback párty *n.* 〖美史〗 그린백당《농산물 가격 인상을 위해 greenback 지폐의 증발 정책을 지지한 정당(1875-84)》.

gréen bádge *n.* 《英》 택시 운전 허가증.

gréen bàg *n.* 《英》 (예전에 변호사가 휴대하던) 녹색 가방 ; 법률업 ; 변호사.

gréen bàn *n.* 《濠》 (노동조합원의) 그린벨트 안의 건설사업이나 공해사업에의 취로 거부 ; (노동조합원의) 양심적 직장 포기.

gréen·bèlt *n.* (도시 주변의) 녹지대 : a ~ town 녹지대 도시.

Gréen Berét *n.* 그린 베레《미군 대게릴라 특수부대》 ; [g~ b~] 그린 베레모.

gréen-blìnd *a.* 녹색 색맹의.

gréen bòok *n.* [흔히 G~ B~] 파란 표지, 청서(青書)《특히 이탈리아·영국 따위의 정부 발행의 간행물, 공문서》.

gréen·brìer *n.* 〖植〗 밀나물속의 각종 식물《청미래 덩굴과(科)》.

gréen cárd *n.* 《美》 외국인[특히 멕시코인]이 받는 미국내에서의 노동 허가증 ; 《英》 해외에서의 자동차 상해 보험증 ; 영주권의 별칭.

gréen-cárd·er *n.* 《美》 미국내의 green card를 받은 외국인《특히 멕시코인》.

gréen chárge *n.* 혼합 방법이 불완전한 화약.

gréen chéese *n.* 아직 숙성되지 않은 치즈 ; 샐비어의 잎으로 물들인 치즈 ; 응유(凝乳)로 만든 질 나쁜 치즈.

gréen clóth *n.* **1** 녹색 테이블보. **2** 도박대.

gréen còrn *n.* 《美》 덜 여문 옥수수《요리용》 ; 《英》 = SWEET CORN.

gréen córrider *n.* 녹색 회랑.

gréen cróp *n.* 청야채《양배추·완두 따위》.

Gréen Cróss Còde *n.* 《英》 아동 교통 안전 규칙(安全規則).

gréen cúrrency *n.* 녹색 통화《EC 가맹국들의 공통 농산물 가격을 보호하기 위해 1969년 창설된 농업 공동 시장에서만 쓰이는 EC 통화 가격의 총칭》.
gréen déck *n.* [the ~] 《美俗》 초원(草原).
gréen dráke *n.* 〔昆〕 하루살이(mayfly).
gréen dúck *n.* (생후 9주쯤 된) 집오리 새끼.
Greene [gríːn] *n.* 그린. **Graham** ~ (1904-91) 영국의 작가.
gréen éarth *n.* 녹사(綠砂), 녹토《안료》.
gréen·er *n.* 《俗》 무경험 직공, 생무지《특히 외국인을 이름》.
Gréen Érin *n.* 아일랜드의 미칭(美稱) (cf. GREEN ISLE).
gréen·ery *n.* [집합적으로] 푸른 잎, 푸른 나무; (장식용) 푸른 나뭇가지; 온실(greenhouse).
gréen éye *n.* [the ~] 질투; (철도(鉄道)의) 푸른신호등.
gréen-èyed *a.* 녹색 눈의; 《비유》 질투가 심한[샘이 많은]: the ~ monster 녹색 눈의 괴물《질투》 《Shakespeare작 *Othello*에서》.
gréen fát *n.* 바다거북의 기름《진미의 하나》.
gréen fèe *n.* =GREENS FEE.
gréen-fèed *n.* 《濠》 Ⓤ 여물, 꼴.
gréen·field *a.* 《英》 전원[미개발] 지역의.
gréen·finch *n.* 푸른방울새《유럽산》.
gréen fíngers *n. pl.* =GREEN THUMB.
gréen·flỳ *n.* 《英》〔昆〕 (초록색의) 진딧물.
gréen fóod *n.* 야채.
green·gage [gríːngèidʒ] *n.* 서양자두의 일종. 〖Sir W. *Gage* 18세기 영국의 식물학자〗
gréen·gìll *n.* 아가미가 푸른빛인 굴.
gréen gláss *n.* 청색 유리(bottle glass).
gréen góods *n. pl.* 청과류, 야채류; 《美俗》 위조지폐.
gréen góose *n.* (생후 4개월 이내의) 거위 새끼 《소를 넣지 않고 통째로 요리》.
gréen·grò·cer *n.* 《英》 청과물 상인, 채소 장수.
gréen·grò·cery *n.* 《英》 **1** 채소장사, 청과물상. **2** Ⓤ [집합적으로] 청과물, 청과류.
gréen·hèart *n.* 〔植〕 녹심목《남미 열대 원산》; Ⓤ 그 재목《교량·선박 건조용》.
gréen·hòrn *n.* 《口》 미숙한 사람, 초심자; 새로 이주해 온 사람; 멍청이. 〖*green* young〗
gréen hórnet *n.* 《美俗》 (단시간 내 해결해야 하는) 군사상의 난문제.
gréen·hòuse *n.* 온실; 《口》 (비행기 조종석·포탑 따위의) 투명 방풍 덮개(를 한 방).
gréenhouse effèct *n.* 〔氣〕 온실 효과.
gréenhouse gàses *n. pl.* 온실 효과 가스.
gréen íce *n.* 《美俗》 에메랄드(emerald).
green·ie [gríːni] *n.* 〔골프〕 그리니《그린에 온(on) 시키는, 승부를 결정하는 티샷》; 《美俗》 암페타민정(錠); 《美俗》=GREENHORN.
gréen·ing *n.* 청사과의 일종; 회춘(回春); (집단·사회의) 녹색화《부드러움과 평화의 복권》; 〔農〕 녹화.
gréen·ish *a.* 녹색을 띤.
Gréen Ísle *n.* [the ~] 녹색의 섬《아일랜드의 미칭(美稱)》.
Gréen Kíng *n.* 녹색왕《강세 달러의 별칭》.
Gréen·land [-lənd, -lǽnd] *n.* 그린란드《북아메리카 북동에 있는 큰 섬; 덴마크령》. **~·er** *n.*
gréen·let *n.* 〔鳥〕 녹색때까치사촌.
gréen líght *n.* 푸른 신호등, 청신호《교통 신호; cf. RED LIGHT》; [the ~] 《口》 (정식) 허가: get [give] the ~ 공식 허가를 얻다[주다].
gréen·lìning *n.* 《美》〔金融〕 특정지역 지정 차별화 철폐 운동《슬럼화 따위를 이유로 차별받는 지역 주민이 예금 전액 인출 따위를 취하는 방법》.
gréen lóbby *n.* 환경보호 단체(의 총칭).
gréen lúng *n.* 《英口》 (도심지의) 녹지, 공원.
gréen·màil *n.* 그린메일《기업 매수 따위로 경영자를 위협하는 주주의 주식을 프리미엄을 붙여 다시 사는 일》.
gréenmail àrtist *n.* greenmail하는 사람.
gréen mán *n.* =GREENSKEEPER; 《英》 (건널목 푸른 신호등 안에 그려진) 보행자 그림.
gréen manúre *n.* 녹비, 풋거름; 덜 뜬 두엄.
gréen méat *n.* **1** =GREEN FOOD. **2** 《美》 갓잡은 짐승 고기. **3** 《英》 생풀.
gréen móld *n.* 푸른곰팡이, 누룩곰팡이; 푸른곰팡이병(病).
gréen móney *n.* 《美俗》 지폐(paper money).
gréen mònkey *n.* 〔動〕 사바나원숭이《녹회색의 긴꼬리원숭이; 서아프리카산》.
gréen mónkey disèase *n.* =MARBURG DISEASE.
Gréen Mòuntain Státe *n.* [the ~] 미국 Vermont 주의 속칭.
gréen ónion *n.* 골파.
Gréen Pánther *n.* 《美·蔑》 전투적인 환경 보호 운동가.
gréen páper *n.* [때때로 G~ P~] 《英》 녹서(綠書)《국회에 내는 정부 시안 설명서》.
Gréen Pàrty *n.* [the ~] 녹색당《독일의 정당; 반핵, 환경 보호, 독일의 비무장 중립을 주장》.
Gréen·pèace *n.* 그린피스《핵무기 반대·야생동물 보호 따위 환경 보호를 주장하는 국제적인 단체; 1969년 결성》.
gréen péak *n.* 《英》〔鳥〕 청딱따구리.
gréen pépper *n.* 〔植〕 피망, 양고추.
gréen póund *n.* =GREEN CURRENCY.
gréen pówer *n.* 《美俗》 금력(金力), 재력.
gréen revolútion *n.* [the ~] 녹색 혁명《특히 개발 도상국에서의 품종 개량에 의한 곡물 증산》.
gréen·ròom *n.* (옛 극장의) 배우 휴게실; 분장실; 배우 응접실.
Gréen Róund *n.* 환경 관련 다자간 무역 협상.
gréen·sànd *n.* 녹사(綠砂).
gréens fèe *n.* 골프장 사용료.
gréen·shànk *n.* 〔鳥〕 청다리도요.
gréen·sìck·ness *n.* Ⓤ 위황병(chlorosis). **gréen·sìck** *a.* 위황병(萎黃病)에 걸린.
gréens·kèeper *n.* 골프장 관리인.
gréen sòap *n.* 녹색 비누《특히 피부병용 칼륨 약용 비누》.
gréen stámp *n.* 《CB俗》 **1** 속도 위반 딱지. **2** [*pl.*] 돈(money).
gréen·stìck (fràcture) *n.* 〔醫〕 약목골절(若木骨折)《긴 뼈의 한 쪽이 부러져서 한 쪽으로 굽음; 어린이에게 많음》.
gréen·stòne *n.* 〔鑛〕 녹암(綠岩), 녹옥(綠玉).
gréen·stùff *n.* Ⓤ 푸성귀, 야채류.
gréen stúff *n.* [the ~] 《美俗》 돈, (달러) 지폐(greenback).
gréen·swàrd *n.* 잔디밭.
gréen táble *n.* 《英》 도박대.
gréen téa *n.* 녹차(cf. BLACK TEA).
gréen thúmb *n.* 식물[야채] 재배의 재능(green fingers); 《美俗》 처세술, 돈벌이 재주.
have a green thumb 원예에 솜씨가 있다; …에 적성이 맞다〈*for*〉.
gréen tíme *n.* (차가 신호대기 없이 주행할 수 있는) 일련의 신호가 녹색으로 되어 있는 시간.
gréen túrtle *n.* 〔動〕 푸른거북.
gréen vítriol *n.* 〔化〕 녹반(綠礬).

gréen wáve *n.* 〖서핑〗 끊임없이 이어진 긴 파도.
gréen·wày *n.* 《美》 그린웨이《큰 공원 사이를 연결하는 보행자·자전거 전용 도로》.
gréen·wèed *n.* 〖植〗 금작나무의 일종《염료로 쓰임》.
Green·wich [grínidʒ, -itʃ, grén-] *n.* 그리니치《London 교외 Thames 강변의 자치구; 본초 자오선(prime meridian)의 기점인 그리니치 천문대의 소재지》.
Gréenwich (méan[cívil]) tìme *n.* 〖天〗 그리니치 표준시《略 G(M)T》.
Gréen·wich Víllage [grénitʃ-, grín-, -idʒ-] *n.* 그리니치 마을《New York에 있는 예술가·작가가 많이 사는 구역》.
gréen·wòod *n.* 《주로 文語·詩》 (봄·여름의) 푸른 숲《악당의 소굴》: go to the ~ 푸른 숲에 들어가다《악당이 되다》.
gréeny *a.* 푸르스름한(greenish).
—— *n.* 《美俗》 =GREENHORN.
gréen·yàrd *n.* **1** 잔디밭. **2** 《英》 (주인 잃은 가축을 넣어두는) 짐승 우리.
‡greet[1] [gríːt] *vt.* **1** [+目/+目+*with*+名] …에게 인사하다, 환영하다, 영접하다; (편지로) …에게 인사말을 하다: He was ~*ed* ***with*** a smile [general cheers]. 미소로[만장의 갈채로] 환영받았다 / She ~*ed* (me) with words of hate. (나에게) 증오에 찬 말을 퍼부었다. **2** (눈·귀 따위에) 스치다, 들어오다: A wide extent of sea ~*ed* my eyes. 넓은 바다가 눈에 들어왔다. —— *vi.* 인사를 하다.
〖OE *grētan* to handle, attack, salute<WGmc.= to cry out; cf. G *grüssen*〗
greet[2] *vi.* (**grat** [grǽt]; **grut·ten** [grʌ́tən]) 《스코》 울다, 한탄하다, 슬퍼하다. —— *n.* 울음, 한탄, 슬퍼함.
〖OE *grētan*<Gmc. (GREET[1]와 같은 어원) and OE *grēotan*<?〗
***gréet·ing** *n.* **1** Ⓤ 인사, 경례; 환영사; 편지 서두의 인사말《Dear Mr... 따위》. **2** [보통 *pl.*] 인사말, 인사장: Christmas ~*s* 크리스마스 인사 / with the ~*s* of the season 계절 문안을 겸해서《선물에 곁들여 보내는 카드의 문구》.
gréeting càrd *n.* 축하 카드, 축하장.
Greg [grég] *n.* 남자 이름《Gregory의 애칭》.
gre·gar·i·ous [grigéəriəs, -gǽər-] *a.* **1** 군거(群居)[군생]하는, 군거성(性)의; 〖植〗 송이를 이루는, 족생(簇生)하는. **2** (사람이) 사교적인, 집단을 좋아하는. **3** 무리의. **~·ly** *adv.* 군거[군생]해서; 집단적으로. **~·ness** *n.* Ⓤ 군거[사교]성.
〖L (*greg- grex* flock); cf. AGGREGATE〗
grège [gréiʒ] *n.* 회색과 베이지의 중간색.
〖F=raw (silk)〗
Gre·go·ri·an [grigɔ́ːriən] *a.* 로마교황 Gregory의: the ~ style 그레고리력.
—— *n.* 그레고리오 성가.
Gregórian cálendar *n.* [the ~] 그레고리력(曆)《1582년에 교황 Gregory 13세가 율리우스력(Julian calendar)을 개정한 현행 태양력》.
Gregórian chánt *n.* 〖樂〗 그레고리오 성가(聖歌)《로마 카톨릭 교회의 전통적인 단성 전례(單聲典禮)용 성가(plainsong)》.
Greg·o·ry [grégəri] *n.* **1** 남자 이름《애칭 Greg》. **2** 그레고리우스《역대 로마 교황명》. **3** 그레고리(부인). Lady (**Isabella**) **Augusta** ~ (1859-1932) 아일랜드의 극작가.
〖Gk.=watchful〗
Grégory('s) pòwder *n.* 〖藥〗 그레고리 분말《대황·마그네시아·생강을 조합한 완하제》.
〖James *Gregory* (d. 1822) 스코틀랜드의 의사〗
greige [gréiʒ] *a.*, *n.* (방직기에서 갓 나온) 표백도 염색도 되지 않은 (천); =GRÈGE.
gre·mi·al [gríːmiəl] *n.* 〖카톨릭〗 (미사·성직 안수례(按手禮) 같은 때에 사제가 사용하는) 견(絹) 또는 마(麻)의 무릎 덮개. 〖L *gremium* lap〗
grem·lin [grémlən] *n.* 《英空軍俗》 비행기에 고장을 일으킨다는 눈에 보이지 않는 작은 요정; 《美俗》 신참, 신출내기(gremmie).
〖C20<?; cf. Ir. Gael. *gruaimīn* ill-humored little fellow, GOBLIN〗
grem·mie, -my [grémi] *n.* 《美俗》 =GREMLIN; 서핑[파도타기] 초심자.
Gre·na·da [grənéidə] *n.* 그레나다《서인도 제도의 Windward 제도 최남단에 있는 입헌 군주국; 1974년 영연방내의 독립국이 됨; 수도(首都) St. George's》.
gre·nade [grənéid] *n.* 〖軍〗 수류탄(hand grenade); 소화탄. 〖F; ⇨ POMEGRANATE〗
gren·a·dier [grènədíər] *n.* 〖史〗 척탄병(擲彈兵), 정예병; 《英》 [G~s] 근위(近衛) 보병 제1연대의 병사.
gren·a·din [grénədən] *n.* 〖料〗 송아지 또는 닭의 프리캉도(fricandeau). 〖F; ⇨ GRENADE〗
gren·a·dine[1] [grènədíːn, ⌐-⌐] *n.* Ⓤ 명주[인견, 털실]로 짠 얇은 직물의 일종《여성복용(用)》.
〖F *grenade* grained silk (*grenu* grained< GRAIN)〗
grenadine[2] *n.* 그레나딘《석류의 시럽》; 붉은 색을 띤 오렌지색. 〖F; ⇨ GRENADE〗
grenadine[3] *n.* =GRENADIN. 〖F〗
Gren·del [gréndl] *n.* 그렌들《OE의 서사시(敍事詩) *Beowulf*에 나오는 괴물; 사람을 잡아먹다가 Beowulf에 의해 퇴치됨》.
Gresh·am [gréʃəm] *n.* 그레섬. Sir **Thomas** ~ (1519?-79) 영국의 무역상·금융업자·여왕 재정 고문.
Grésham's láw[théorem] *n.* 〖經〗 그레섬의 법칙《악화는 양화를 구축한다》. 〖↑〗
gres·so·ri·al [gresɔ́ːriəl], **gres·so·ri·ous** [gresɔ́ːriəs] *a.* (곤충 따위) 보행성(步行性)의, 보행에 적합한《다리》.
Grét·na Gréen [grétnə-] *n.* 그레트나 그린《잉글랜드와의 경계에 가까운 스코틀랜드의 마을; 원래 잉글랜드에서 사랑의 도피를 한 남녀가 결혼하는 곳으로 유명》.
◊grew *v.* GROW의 과거형.
grew·some [grúːsəm] *a.* =GRUESOME.
‡grey ☞ GRAY.
gréy área *n.* 《英》 정부의 특별 원조까지는 요하지 않으나 고용률이 낮은 지역; =GRAY AREA.
gréy·hòund, 《美》 **gráy-** *n.* **1** 그레이하운드《이집트 원산의 날쌘 사냥개》. **2** 〖海〗 쾌속정(ocean liner); [G~] 그레이하운드《미국의 최대 장거리 버스회사; 상표명》. —— *vi.* 《美俗》 도주하다, 뒤쫓다. 〖OE *grīghund* bitch hound〗
gréyhound rácing *n.* 《英口》 그레이하운드 경주《전기 장치로 뛰게 만든 토끼를 그레이하운드로 하여금 뒤쫓게 하는 내기》.
GRF growth-hormone releasing factor(성장 호르몬 촉진 인자).
grib·ble [gríbəl] *n.* 〖昆〗 바다이.
grid [gríd] *n.* **1** 격자, 쇠창살, 석쇠(gridiron, griddle). **2** 〖電子〗 그리드《3극 진공관에서 양극과 음극의 중간에 장치하는 금속 격자》. **3** 망상 조직; 고압 송전 시스템[선망]; 부설망, 배관망, 도로망 ; (라디오·텔레비전) 방송망, 네트워크. **4** (지도 따위의) 바둑판 무늬. **5** =STARTING GRID ;《美俗》 모터사이클 ;《英俗》 자전거. **6** 미식 축구(경기장)(☞ GRIDIRON). ── *a.* 미식 축구의. ── *vt.* (**-dd-**) …에 그리드를 설치하다. 〚역성(逆成)〈*grid*iron〛

GRID [gríd] *n.* 동성연애와 관련된 면역 부전증《AIDS의 옛 이름》. 〚*g*ray *r*elated *i*mmunodeficiency *d*isease〛

gríd bìas *n.* 〔電子〕 그리드 바이어스.

gríd cìrcuit *n.* 〔電子〕 격자 회로.

gríd condènser *n.* 〔電子〕 격자 콘덴서.

gríd cùrrent *n.* 〔電子〕 격자 전류.

gríd declinàtion *n.* 〔測〕 격자 편각(偏角).

gríd·der *n.* 《美口》 미식 축구 선수.

grid·dle [grídl] *n.* (과자 따위를 굽는) 철판, 번철(燔鐵) ;《美》 =GRIDDLE CAKE.
on the griddle 《美口》 지독한 신문(訊問)을[조사를] 받고.
── *vt.* 철판에 굽다. 〚OF=gridiron<L (dim.)〈*cratis* hurdle ; cf. GRATE[1], GRILL[1]〛

gríddle càke *n.* (griddle에 양면을 구운) 핫케이크(pancake).

gride [gráid] *vt., vi.* 싸각싸각 자르다[문지르다] ; 삐걱거리다 ; 닿다, 스치다〈*along, through*〉.
── *n.* [the ~] 삐걱거리는 소리, 삐익삐익. 〚음위 전환(音位轉換)〈*gird*[2]〛

grid·iron [grídàiərn] *n.* **1** 석쇠, 적쇠, 적철(炙鐵) ;〔史〕(화형용의) 포락(炮烙). **2** 창살 모양의 것 ;〔海〕 창살 모양의 배받침대 ;〔劇〕 무대 천장에 설치한 막을 움직이는 장치. **3** 《美口》 미식 축구 경기장《많은 평행선이 그어져 있음》. ── *a.* 미식 축구의. 〚ME *gredire* (변형(變形))〈GRIDDLE ; 어형은 IRON에 동화(同化)〛

grídiron·ing *n.* 《濠》 격자형 토지 매입법《나중에 중간 지대를 싼 값으로 매입하기 위함》.

gríd lèak *n.* 〔電子〕 그리드 리크《그리드 회로에 쓰이는 저항기》.

gríd lòck *n.* 자동차 교통망의 정체(停滯)《일정 지역내의 전(全)교차점의 정체에 의한 도시 교통의 마비 상태》.

gríd variàtion *n.* 〔海〕 그리드 편차(偏差)《진북(眞北)과 자기자오선의 교각(交角)》.

‡**grief** [grí:f] *n.* **1** Ⓤ 깊은 슬픔, 비탄, 비통 ; Ⓒ 비탄[괴로움]의 원인[씨], 통탄할 일 : She became thin with ~. 비통해 한 나머지 야위었다. **2** Ⓤ 《古》 고통, 상해, 재난, 불행.
bring...to grief …을 실패하게 만들다, 불행에 빠뜨리다, 파멸시키다.
come to grief 재난을[사고를] 당하다, 다치다 ; 실패하다.
〚AF, OF ; ⇨ GRIEVE[1]〛
類義語 ⟹ SORROW.

gríef-strìcken *a.* 비탄에 잠긴.

gríef thèrapy *n.* 비애요법《배우자나 자식을 여읜 사람들에게 정신적 도움을 주는 지지요법》.

Grieg [grí:g] *n.* 그리그. **Edvard** (**Hagerup**) ~ (1843-1907) 노르웨이의 작곡가.

griev·ance [grí:vəns] *n.* 불평의 씨, 불만의 원인, 귀찮음 ; 불평(의 호소), 투정(하기).

gríevance commìttee *n.* 고충 처리 위원회《노사 쌍방의 대표자로 구성됨》.

grieve**[1] [grí:v] *vt.* 슬픔에 잠기게 하다, 비탄케 하다 : It ~*d* me to see her unhappy. 그녀의 불행을 보니 가슴이 아팠다. ── *vi.* [動/+前+名/+*to* do/+*that* 節] 몹시 슬퍼하다, 비탄[가슴 아파]하다 : I ~*d* ***at the sad news[***about*** the matter, ***for*** my mother, ***over*** my son's death]. 비보에[그 일로, 어머니 때문에, 아들의 죽음으로] 가슴 아팠다 / We ~*d to* hear of your loss. 네가 손해봤다는 얘기를 듣고 매우 마음이 아팠다 / I ~*d that* he should take offense. 그가 화를 내다니 실로 유감스러웠다. 注 be sorry나 be sad보다 문어적이며 의미가 강하다.

〈회화〉
Did you hear Dr. Smith died yesterday?— Yes, I was deeply *grieved* at the news. 「어제 스미스 박사가 죽었다는 소식 들었니」「그래, 정말 애통한 소식이었어」

〚OF<L=to burden ; ⇨ GRAVE[2]〛

grieve[2] *n.* 《스코》 관리자, 농장 관리인. 〚OE *grǣfa* ; cf. REEVE[1]〛

griev·er [grí:vər] *n.* 슬퍼하는 사람, 비탄에 잠긴 사람 ; (grievance committee의) 불만을 제기하는 사람《노동자 대표》.

griev·ous [grí:vəs] *a.* **1** 한탄할 만한, 슬퍼할 만한, 서러운 ; 슬픈 ; 비통한, 슬퍼지는. **2** 괴롭게 하는, 가혹한 ; 쓰라린 ; (죄 따위가) 무거운, 중대한(↔*venial*) ; 지독한, 격렬한 : a ~ fault 중대한 과실 / a ~ traffic accident 비참한 교통사고. **~·ly** *adv.* 슬프도록 ; 가혹하게. **~·ness** *n.*

griff[1] [gríf] *n.* =GRIFFIN[1].

griff[2] *n.* 《英俗》 (확실한) 정보, 내보(內報). 〚*griff*in[3]〛

griffe[1] [gríf] *n.* 〔建〕 며느리발톱(spur). 〚F=claw〛

griffe[2] *n.* 《美》 흑인과 mulatto[인디언]와의 혼혈아. 〚Sp.=kinky-haired〛

grif·fin[1] [grífən] *n.* (동양, 특히 인도에) 새로 온 유럽인 ; 풋내기(griff). 〚? GRIFFIN[2]〛

griffin[2], **grif·fon**, **gry·phon** [grífən] *n.* **1** 〔그神〕 그리핀《독수리의 머리와 날개, 사자의 몸통을 가진 황금을 지키는 짐승》. **2** 엄중한 감시인, (특히) 젊은 여자 수행원(chaperon). 〚OF<L<Gk.〛

griffin[3] *n.* 《英俗》 (도박 따위의) 정보, 귀띔(tip). 〚C19<?〛

Griffin *n.* 남자 이름. 〚Welsh (↓)〛

Grif·fith [grífəθ] *n.* **1** 남자 이름. **2** 그리피스. (1) **Arthur** ~ (1872-1922) 아일랜드의 정치가·시인. (2) **D**(**avid**) (**Lewelyn**) **W**(**ark**) ~ (1875-1948) 미국의 영화 프로듀서·감독. 〚Welsh=ruddy ; strong fighter ; RUFUS〛

grif·fon [grífən] *n.* =GRIFFIN[2] ; 털이 거친 개《포인터의 개량종》; 독수리의 일종.

grift [gríft] *n.* [the ~] 《美俗》 사기 도박, 야바위. 〚GRAFT[2]〛

gríft·er *n.* 《美俗》 사기꾼, 협잡 도박사(trickster) ; 뜨내기, 부랑자.

grig [gríg] *n.* **1** 귀뚜라미, 메뚜기 ; 다리가 짧은 닭《당닭 따위》; 작은 뱀장어. **2** 쾌활한 사람 : a ~ of a girl 쾌활한 소녀.
(***as***) ***merry***[***lively***] ***as a grig*** 매우 쾌활한[명랑한].
〚ME=dwarf<? Scand. (Swed. *krik* little creature)〛

grigri ☞ GRIS-GRIS.

grill[1] [gríl] *n.* **1** =GRIDIRON 1. **2** 불고기[생선 구이]. **3** =GRILLROOM. ── *vt.* 석쇠로 굽다 ; (굴 따위를) 냄비 요리로 하다 ; 뜨거운 열에 쬐다 ;《美》 (경찰 등이) 엄하게 신문하다.
── *vi.* 석쇠에서 구워지다 ; 뜨거운 열에 쬐어지다. 〚F ; ⇨ GRIDDLE〛

gril·lage [grílidʒ] *n.* 〖土〗 (약한 지반 위의 건조물의 토대를 받치기 위한) 목재틀, 격상(格床).

grille, grill² [gríl] *n.* 격자(格子)(grating), 쇠격자 ; (은행 출납구·입장권 판매소·교도소의 면회실 따위의) 격자창(窓), 창살문.
〖F ; ⇨ GRIDDLE〗

gril·ling [gríliŋ] *n.* 《俗》 준엄한 신문(訊問).

gríll·ròom *n.* 그릴(룸)《호텔이나 클럽 내에서 고기를 구워 내놓는 일품 요리점》.

gríll·wòrk *n.* 격자 모양으로 만든 것 ; 속이 비치게 만든 격자 세공.

grilse [gríls] *n.* (*pl.* ~, **gríls·es**) 〖魚〗 (바다에서 처음으로 강을 거슬러 올라온) 연어 새끼.
〖ME< ?〗

***grim** [grím] *a.* (**grím·mer** ; **grím·mest**) **1** 엄한, 엄격한(severe, stern) ; 잔인한, 냉혹한(cruel) : a ~ struggle 격투. **2** 얼굴이 무서운, 무시무시한 ; 몸이 오싹해지는 ; 기분 나쁜, 불쾌한, 싫은 : a ~ joke 정색을 하고 하는 기분 나쁜 농담. **3** 완강한 ; 엄연한 : a ~ reality[truth] 엄연한 사실[진리].
hang [***hold, cling***] ***on like grim death*** ☞ DEATH.
〖OE *grimm* fierce ; cf. G *grimm*〗

gri·mace [gríməs, griméis ; griméis] *n.* 얼굴을 찡그림, 찌푸린 얼굴 ; 《古》 짐짓 꾸민 얼굴 표정, 점잔빼기 : make ~*s* 얼굴을 찌푸리다.
—— *vi.* 찌푸린 얼굴을 하다.
〖F<Sp. (*grima* fright) <Gmc.〗

gri·mal·kin [grimǽlkən, -mɔ́ːl-] *n.* **1** 고양이, (특히) 늙은 암코양이. **2** 심술궂은 노파.
〖*grey* + *Malkin* (dim.) ‹MATILDA〗

grime [gráim] *n.* Ⓤ 때, 먼지, 검댕 ; 누추함, 오염 ; (도덕적인) 오욕. —— *vt.* 때[검댕, 먼지]로 검게 하다, 더럽히다.
〖MDu. *grime* soot, mask ; cf. OE *grīma* mask〗

grím·ly *adv.* 잔인하게 ; 엄하게, 무섭게, 무시무시하게 ; 기분 나쁘게, 뚱하게.

Grimm [grím] *n.* 그림. **Jakob** (**Ludwig Karl**) ~(1785-1863), **Wilhelm** (**Karl**) ~(1786-1859) 독일의 언어학자·동화 작가 형제.

Grímm's láw *n.* 〖言〗 그림의 법칙《J. Grimm이 발표한 게르만계 언어에서의 자음 전환에 관한 법칙 ; cf. VERNER'S LAW》.

grimy [gráimi] *a.* 때묻은, 더러워진, 그을린.
grím·i·ly *adv.* **grím·i·ness** *n.*

grin** [grín] *v.* (**-nn-**) *vi.* [動/+前+名] 이를 드러내고 (싱글싱글) 웃다 ; (노여움·고통·경멸 따위로) 이를 악물다 : He ~*ned* broadly ***at me. 나를 보고 싱글싱글 웃었다. —— *vt.* 이를 드러내고[악물고] (감정을) 나타내다 : He ~*ned* assent [defiance]. 싱글싱글 웃으며 승낙의 뜻을[이를 악물고 반항의 뜻을] 나타냈다.
grin and bear it 웃으며 억지로 참다.
grin like a Cheshire cat ☞ CHESHIRE CAT.
grin on the other side of one***'s face*** (그때는 아무것도 아니라고 생각했던 것을 나중에) 후회하다.
—— *n.* 싱글싱글[히죽히죽] 웃음 ; 이를 드러냄.
on the (***broad***) ***grin*** 히죽히죽 웃으면서.
〖OE *grennian* ; cf. GROAN, G *greinen* to whimper〗
類義語 ⟹ LAUGH.

grind** [gráind] *v.* (**ground** [gráund]) *vt.* **1** [+目/+目+前+名] (맷돌로) 빻다, 갈다, 찧다, 빻아서 가루로 만들다, 씹어 으깨다 ; 갈아서 (가루를) 만들다 ; 닳게 하다, 마멸시키다(wear away) : He *ground* his teeth in anger. 분해서 이를 갈았다 / The barn has a small mill to ~ the corn ***into meal for the animals and poultry. 헛간에는 옥수수를 갈아서 동물이나 닭에게 줄 가루를 만드는 작은 제분기가 있다. **2** 《비유》 녹초가 되게 하다(wear out), (특히 착취 따위로) 학대하다, 혹사하다, 억압하다(oppress) : ~ the poor 빈민을 학대하다. **3** 문지르다, 닦다(polish) ; 갈다(whet) ; 문질러서 까칠까칠하게 하다. **4** (맷돌을) 돌리다 ; 돌려서 갈다 ; (아코디언을) 돌려서 소리를 내다. **5** [+目+前+名] 《口》 애써 가르치다, 주입시키다(cram) : ~ the boys ***in*** Latin[Latin ***into*** the boys' heads] 학생들에게[학생들의 머리에] 라틴어를 주입시키다.
—— *vi.* **1** [動/+前+名] 가루를 내다, 맷돌을 돌리다 ; (맷돌이) 돌다 ; 삐걱거리다 ; 이를 갈다 ; 아코디언으로 음악을 연주하다 : The keel was ~*ing* ***on*** the rocks. 용골(龍骨)이 바위에 부딪쳐 삐걱거리고 있었다. **2** [+副/+補] 가루가 되다, 갈리다 : This corn ~*s well*[will not ~ fine]. 이 곡식은 잘 갈아진다[곱게 갈아지지 않는다]. **3** [動/+副/+前+名] 《口》 부지런히 일하다[공부하다] : He *ground* (*away*) ***at*** his duty. 부지런하게 자기 일을 해나갔다 / She is ~*ing* ***for*** the exam. 시험 공부를 부지런히 하고 있다.
grind down 갈아서 가루로 만들다, 빻아 부수다 ; 닳게 하다, 마멸시키다 ; 괴롭히다, 학대하다 : people *ground down* by poverty 가난으로 고통받는 사람들.
grind out 갈아서 만들다 ; 이를 갈며 말하다 ; (아코디언의 손잡이를 돌려서) 연주하다 ; 애써 만들어 내다 : He was grinding his hand organ to ~ *out* music. 그는 아코디언의 손잡이를 돌려 연주하고 있었다.
grind the faces of the poor 〖聖〗 가난한 자의 얼굴에 맷돌질하다, 빈민을 학대하다《이사야 3 : 15》.
grind up 갈아서 가루로 만들다 ; 갈아 부수다.
—— *n.* **1** Ⓤ 갈기, 갈아 부수기, 가루로 만들기, 씹어 으깨기 ; Ⓒ 그 소리. **2** 《口》 고되고 단조로운 일, 지루하고 싫증나는 공부 ; 힘든 학과목 ; 긴 비탈(을 오르기 위한 힘) ; 《英俗》 운동[휴양]을 위한 산책 ; 야외 장애 경마 ; 《美口》 열심히 공부하는 학생, 공부 벌레. 〖OE *grindan* < ?〗

grínd·er *n.* **1** 가는[빻는] 사람, 연장 가는 사람 ; 아코디언을 연주하는 사람. **2** 《英》 가정교사 ; 수험 준비를 위한 교사 ; 부지런히 공부하는 학생(crammer) ; 박봉으로 혹사시키는 고용주. **3** 분쇄기(粉碎機), 연마기, 숫돌 ; 맷돌의 위짝 ; 어금니, [*pl.*] 《口》 이빨.

grínder's ásthma *n.* 〖醫〗 연마공 천식《금속 가루를 흡입해 생김》.

grínder's phthísis *n.* 〖醫〗 연마공 폐로(肺癆).

grínd·ery *n.* 날붙이 가는 곳, 연마소 ; 《英》 구두 만드는 도구, 피혁세공 도구.

grínd hòuse *n.* 《美俗》 연중무휴(無休)의 극장[영화관].

grínd·ing *n.* Ⓤ 갈기[닦기, 빻기] ; Ⓒ (펜 따위의) 스치는 소리 ; Ⓤ 분쇄 ; 삐걱거리기, 마찰 ; 주입식 교수. —— *a.* 가는, 빻는 ; 삐걱거리는 ; 고된 ; 싫증나는, 지루한 ; 압박[압제]하는, 학대하는 ; 쑤시고 아프게 하는.

grínding òrgan *n.* = BARREL ORGAN.

grínding whèel *n.* 숫돌 바퀴 ; 연마 공장.

grínd shòw *n.* 《美俗》 휴게 시간 없는 흥행물.

grínd·stòne *n.* 그라인더, 회전 연마기, 둥근 숫돌 ; 숫돌 만드는 돌.

have [***hold, keep, put***] one***'s nose at*** [***to***] ***the grindstone*** 열심히 공부하다, 쉴새없이 일하다 ; [...a person's nose...로서] 남을 혹사하다.
with one***'s nose at*** [***to***] ***the grindstone*** 애써서, 악착같이 벌어서.

grin·go [gríŋgou] *n.* (*pl.* **~s**) 《美俗》《때때로 蔑》 (중남미 및 스페인에서) 외국인, (특히) 영미인(英美人). 〖Am. Sp.=gibberish〗

gri·ot [gríːou] *n.* 그리오《서아프리카 여러 부족의 구비(口碑) 전승을 맡는 악인(樂人) 계급의 사람》. 〖(Gambia)〗

***grip**[1] [gríp] *n.* **1** (붙)잡기, 쥐기, 파악(把握) (grasp) : lose one's ~ 손을 놓다, 놓아 주다. **2** 잡는 법, 쥐는 법, 그립 ; 쥐는 힘 ; (비밀 결사 따위의 동지 사이에 행하여지는) 특수한 악수법. **3** (무기의) 손잡이, 자루 ; 쥘손(handle) ; 맞물리게 하는 장치(clutch). **4** 파악력, 이해력 ; 납득, 터득(mastery) 〈*of* a subject〉 ; 주의를 끄는 힘 ; 지배[통제](력) : have a good ~ *of* a subject 문제를 충분히 이해하고 있다 / have a good ~ (*up*) *on* a situation [an audience] 정세[청중(의 마음)]를 잘 파악하고 있다 / lose ~ *of* one's audience 청중의 흥미를 잃게 하다. **5** 《美》 = GRIPSACK. **6** =GRIPPE.
at grips 맞붙어〈*with*〉; (문제 따위와) 씨름하고〈*with*〉.
come to grips (레슬링 선수가) 서로 맞붙다 ; 드잡이하다〈*with*〉; 《비유》 (문제 따위와) 씨름하다, 진지하게 시작하다〈*with*〉.
in the grip of …에게 붙잡혀, …에 속박되어, …에게 사로잡혀.
── *vt.* (**grípped, grípt**) **1** 단단히 붙잡다, 꼭 쥐다(grasp, clutch) : ~ a person's hand 남의 손을 꼭 쥐다. **2** (기계 따위를) 잡다, 죄다, 걸다 ; 브레이크를 걸다. **3** 방해하다, 움직이지 못하게 하다, 막다 : Fear ~*ped* her. 그녀는 공포에 사로잡혔다. **4** …의 마음을 사로잡다, (주의를) 끌다(arrest) ; (사람의) 마음에서 떠나지 않다 : His exciting adventure ~*ped* us all. 그의 아슬아슬한 모험담이 우리의 마음을 사로잡았다 / a play that ~*s* the audience 관중의 흥미를 끄는 연극. 〖OE *gripe* grasp and *gripa* handful ; ⇨ GRIPE ; cf. G *Griff*〗

grip[2] *n.* 《英方》 작은 도랑, 시궁창. 〖OE *grype* ; cf. OE *grēop* burrow〗

grip[3] *n.* [the ~] =GRIPPE.

gríp bràke *n.* 〖機〗 맞물림 브레이크.

gríp càr *n.* =CABLE CAR.

gripe [gráip] *vt.* **1** 복통(腹痛)으로 괴롭히다 ; 괴롭히다, 번민케 하다. **2** 《古》 쥐다, 움켜쥐다, 잡다. ── *vi.* 복통으로 아프다 ; 《美口》 흠을 잡다 ; 투덜대다, 불평하다〈*about, at*〉. ── *n.* **1** 쥐기, 움켜쥠, 잡기 ; 파악 ; 제어, 속박 ; 번민. **2** [the ~s] 《口》 복통(colic). **3** 《美口》 불쾌, 번민의 씨, 불평. **4** (기계·기구의) 손잡이, 자루, 쥘손(handle). **5** [*pl.*] 〖海〗 보트 매는 밧줄.
come to gripes =*come to* GRIPs.
in the gripe of …에게 붙잡혀서, …에 속박되어서 ; …으로 고민하여.
gríp·per *n.* 쥐는 사람 ; 집는 물건. **gríp·ping** *a.* (책·이야기 따위) 주의[흥미]를 끄는.
〖OE *grīpan* ; cf. GRIP[1], GROPE, G *greifen* to seize〗

grípe sèssion *n.* 《美俗》 불평 대회, 푸념 토로회(吐露會).

grípe wàter *n.* (유아용(用)의) 배탈을 멈추게 하는 물약.

gríp·man *n.* 케이블카 운전사.

grippe [gríp] *n.* Ⓤ [the ~] 유행성 감기, 인플루엔자, 독감. 〖F=seizure〗

gríp·py *a.* 《口》 독감에 걸린.

gríp·sàck *n.* 《美》 여행 가방.

gript *v.* 《古》 GRIP의 과거·과거분사.

gripy, grip·ey [gráipi] *a.* 쑤시듯이 아픈.

gri·saille [grizéil, -zái] *n.* Ⓤ 회색으로만 그리는 장식 화법 ; Ⓒ 그 화법에 의한 스테인드 글라스. 〖F〗

Gri·sel·da [grizéldə, -sél-] *n.* **1** 여자 이름. **2** 그리젤다《중세 문학에 등장하는 착하고 정숙한 아내》. 〖It.<Gmc.=gray+battle〗

gris·e·ous [grísiəs, gríz-] *a.* 푸른기가 도는 회색의 ; 회색빛을 띤(grizzly).

gri·sette [grizét] *n.* (프랑스의) 여직공, 여점원 ; 부업으로 매춘 행위를 하는 미혼 여성. 〖F〗

gris-gris, gree·gree, gri·gri [gríːgrìː] *n.* (*pl.* **grís-grìs, grée·grèes, grí·grìs**) (아프리카 원주민의) 호부(護符), 부적. 〖(Afr.)〗

gris·kin [grískən] *n.* 《英》 돼지의 허리고기. 〖?*gris* (obs.) pig (<ON) + -*kin*〗

gris·ly, griz·zly [grízli] *a.* **1** 소름이 끼치는, 몸이 오싹해질 만큼의, 무서운. **2** 《口》 불쾌한, 기분 나쁜. **grís·li·ness** *n.* Ⓤ 무서움 ; 《口》 기분 나쁨. 〖OE *grislic* ; cf. OE *ā-grīsan* to terrify〗

grist[1] [gríst] *n.* Ⓤ 제분용 곡물 ; 빻은 곡식 ; Ⓒ 한 번 빻는 곡식의 분량 ; Ⓤ 양조용 엿기름 : All is ~ that comes to his mill. 《속담》 그는 무엇이든 이용한다, 넘어져도 그냥 일어나지 않는다.
bring grist to the mill 벌이[이익]가 되다.
〖OE<Gmc. ; ⇨ GRIND〗

grist[2] *n.* 방사(紡絲)·로프 따위의 굵기. 〖cf. GIRD[1]〗

gris·tle [grísəl] *n.* Ⓤ 연골(軟骨).
in the gristle 아직 뼈가 굳지 않은, 미성숙한.
grís·tly *a.* 연골질의 ; 연골과 같은. 〖OE〗

gríst·mìll *n.* 제분소.

grit [grít] *n.* **1** Ⓤ [집합적으로] (기계 따위의 장애물이 되는) 먼지, 모래, 굵은 모래 ; 자갈 ; 굵은 가루 ; 석질(石質). **2** Ⓤ 〖地質〗 조립사암(粗粒砂岩). **3** Ⓤ 《口》 용기, 담력.
put (***a little***) ***grit in the machine*** 원활한 진행을 방해하다, 훼방놓다.
── *v.* (**-tt-**) *vi.* 마찰하다, 삐걱거리다. ── *vt.* 삐걱거리게 하다 : ~ one's teeth 이를 갈다. 〖OE *grēat* ; cf. GRITS, GROATS, G *Griess*〗

grít·less *a.* **1** 모래알이 없는 ; 고장이 없는. **2** 《美》 용기가 없는.

grits [gríts] *n.* [단수 또는 복수취급] (곡물의) 거칠게 탄 곡식 ; 《美》 거칠게 탄 옥수수. 〖OE *grytt*(*e*) ; cf. GRIT, GROATS〗

grít·stòne *n.* 사암(砂岩), 천연 숫돌.

grít·ty *a.* **1** 모래[자갈]가 들어간, 모래와 같은, 모래투성이의. **2** 《美》 용기 있는, 의지가 강한.

griv·et [grívət] *n.* (동부 아프리카산(産)) 긴꼬리원숭이, 사바나원숭이. 〖F<?〗

griz·zle[1] [grízəl] *n.* 회색 ; 회색의 것《말 따위》 ; 반백의 머리털[가발]. ── *a.* 회색의.
── *vt., vi.* 회색으로 하다[되다].
〖OF *grisel* (*gris* gray)〗

grizzle[2] *vi.* 《英口》 투덜거리다 ; (어린아이가) 보채다, 떼를 쓰다 ; 탄식하다. **gríz·zler** *n.* 〖C19<?〗

gríz·zled *a.* 회색빛을 띤, 회색의 ; 반백의(gray-haired).

gríz·zly[1] *a.* =GRIZZLED. ── *n.* 〖動〗 회색곰(=~ **bèar**)《북미 서부산(産)》.

grizzly[2] ☞ GRISLY.

grm. gram(s). **gro.** gross《12다스》.

***groan** [gróun] *n.* **1** 신음 소리 : He heard the ~*s* of the wounded men. 부상자들의 신음 소리를 들었다. **2** 불평의 소리 ; (연설자에 대한) 불찬성[불만]의 욕하는 소리. **3** 삐걱거리는 소리.
—— *vi.* **1** [動/+前+名] 신음하다, 끙끙거리다 ; 끙끙거리며 괴로워하다, 번민하다 ; 앓는 소리를 내다 : The wounded soldiers lay ~*ing.* 부상병들은 신음하면서 쓰러져 있었다 / They ~*ed* ***under*** injustice. 악정 밑에서 신음하고 있었다. **2** [+前+名] 《비유》 (…가) 넘칠 정도로 많이 있다 : The table literally ~*ed* ***with*** food. 상다리가 휘어지도록 음식이 가득 차려져 있었다. **3** [+前+名] 《文語》 열망하다. —— *vt.* [+目/+目+副] 신음하는 듯한 목소리로 말하다 ; …에게 야유를 보내 중단시키다 : The old woman ~*ed* ***out*** her sad story. 노파는 슬픈 사연을 신음하는 듯한 목소리로 얘기했다 / The audience ~*ed* the speaker ***down.*** 청중은 불만의 야유를 보내 연사의 이야기를 막았다. **~·er** *n.* 신음하는[끙끙거리는] 사람 ; 《美俗》 가수, =CROONER ; 《美俗》 프로 레슬러. 〖OE *grānian* ; GRIN과 같은 어원 ; cf. G *greinen*〗

類義語 ***groan*** 아픔·괴로움 따위로 인한 낮은 신음 소리 ; 별안간 심하게 내는 경우도 있으며 불규칙적으로 몇 번 반복되는 경우도 있다. ***moan*** 슬픔과 괴로움 때문에 나오는 길게 계속되는 신음 소리.

groat [gróut] *n.* 그로트《옛 영국의 4펜스 은화》; 《古》 얼마 안 되는 돈.
don't care a groat 조금도 개의치 않다.
not worth a groat 한 푼의 가치도 없는.
〖MDu. *groot* GREAT ; cf. GROSCHEN〗

groats [gróuts] *n.* [단수 또는 복수취급] 거칠게 탄 밀. 〖OE *grotan* (pl.) ; cf. GRIT〗

groaty [gróuti] *a.* 《美學生俗》 불쾌한 ; 어쩐지 기분 나쁜.

gro·bi·an [gróubiən] *n.* 《古》 촌뜨기. 〖G〗

***gro·cer** [gróusər] *n.* 식료품 잡화 상인, 식료품 잡화점《커피·설탕·밀가루·통조림·말린 야채·과일·유제품 외에 비누·초·성냥·담배·신문·잡지 따위의 가정 용품을 취급함》: a ~'s (shop) 《英》 식품점, 반찬 가게.
〖AF *grosser* one who sells in the gross<L (*grossus* GROSS)〗

grócer's ítch *n.* 식료품상(商)의 소양증.

***gro·cery** [gróusəri] *n.* **1** Ⓤ 식료 잡화 판매업. **2** [보통 *pl.*] 식료 잡화류. **3** 식료 잡화점, 식료품점(=~ **stòre**) : a corner ~ (이웃 상대의) 골목에 있는 식료 잡화점.

grócery·man [-mən] *n.* =GROCER.

gro·ce·te·ria [gròusətíəriə] *n.* 《美》 셀프서비스 [간이] 식료품점. 〖*groce*ry+cafe*teria*〗

grock·le [grákəl] *n.* 《英方》 (특히 잉글랜드 중부·북부 지방에서 온) 여행자, 나그네 ; 국외자, 비(非)회원, 달갑잖은 인물.

grody [gróudi] *a.* 《美俗》 지독한, 너절한, 징그러운(gross).

grog [grág] *n.* Ⓤ 《주로 英》 그로그《물탄 화주 ; 원래는 럼》; (일반적으로) 독한 술 ; 《濠口·N.Zeal. 口》 술 ; 그로그《내열 내화성 재료》. —— *v.* (**-gg-**) *vi.* 그로그를 마시다. —— *vt.* 열탕을 부어서[에 담가서] (술통)의 주기(酒氣)를 빼다.
〖물을 탄 럼을 부하에게 마시게 한 Edward VERNON의 별명 'Old *Grog*'에서 ; 그는 악천후일 때 grogram 천의 외투를 착용했음〗

gróg blòssom *n.* (주독으로 얼굴에 생기는) 빨간 뾰루지 ; 비사증 코, 빨간 코.

gróg·gery *n.* 《美》 선술집.

grógg·gy *a.* 《口》 **1** (피로·병으로) 비틀거리는, (권투에서 맞고) 다리가 휘청거리는. **2** (집·기둥·책상다리 따위가) 흔들흔들하는, 불안정한.
grógg·gi·ly *adv.* **-gi·ness** *n.* 〖GROG〗

gróg·hòund *n.* 《美俗》 술꾼, (특히) 맥주를 좋아하는 술꾼.

gróg·mìll *n.* 《美俗》 바, 술집.

gro·gram [grágrəm] *n.* Ⓤ 견모(絹毛) 혼방의 일종 ; Ⓒ 그 제품.
〖F *gros grain* coarse (GROSS) grain〗

gróg·shòp *n.* 《英》 (싸구려) 선술집, 목로술집 ; 《濠口》 술집.

groin [grɔ́in] *n.* 〔解〕 서혜부(鼠蹊部), 샅 ; 〔建〕 궁륭(穹窿)《원형 천장의 서로 교차하는 선》; 호안(護岸)둑. —— *vt.* 궁륭으로 만들다 ; …에 호안둑을 만들다 : a ~*ed* vault 십자형 원형 천장.
〖ME *grynde*<? OE *grynde* depression, abyss〗

gróin·ing *n.* 〔建〕 궁륭식으로 하기 ; [집합적으로] 교차 궁륭, 십자공(拱).

gróin pòint *n.* 〔建〕 궁륭 교차점.

grok [grák] *vi., vt.* (**-kk-**) 《俗》 진정으로 이해하다, (…에) 공감하다.
〖미국의 작가 R. A. Heinlein (1907-)의 SF, *Stranger in a Strange Land* (1961)의 주인공의 지각·교신 능력에 대한 「화성어(火星語)」〗

Gró·li·er bìnding[desìgn] [gróuliər-] *n.* 그롤리에식 장정(裝幀)[장식]《가는 금줄을 기하학적 무늬로 엮어 짠 장식》. 〖↓〗

Gro·lier de Ser·vière [*F* grɔlje də sɛrvjɛ:r] *n.* 그롤리에 드 세르비에르. **Jean** ~ (1479-1565) 프랑스의 애서가(愛書家).

grom·met [grámət, grʌ́m-] *n.* Ⓒ **1** (구두·서류 따위의) 끈을 꿰기 위한 동그란 구멍의 쇠고리. **2** 〔海〕 밧줄 고리. 〖F (*gourmer* to curb<?)〗

Gro·my·ko [grəmí:kou, grou-] *n.* 그로미코. **Andrei Andreevich** ~ (1909-1989) 구소련의 정치가.

gronk [gráŋk] *vt.* 《해커俗》 (정지된 컴퓨터 장치를) 조절하다, 모두 지우고 다시 입력하다.
gronk out (1) 작동을 멈추다. (2) 잠자다 : ~ *out* in one's office 자기 연구소에서 자다.
grónked *a.* 《해커俗》 (기계가) 고장난 ; (사람이) 피곤해진, 지쳐 있는.

grooby [grú:bi] *a.* 《俗》 =GROOVY.

***groom** [grú(:)m] *n.* **1** 마부, 말몰이꾼. **2** 신랑 (bridegroom) : the bride and ~ 신랑 신부. **3** 《英》 궁내관 ; 《古》 하인 (manservant).
—— *vt.* **1** (말을) 손질하다. **2** [주로 *p.p.*로] 몸치장을 하다 : a man well[badly] ~*ed* 차림새가 단정한[단정치 못한] 남자. **3** 《美》 (사람을) 관직·선거 따위의 후보자로 추천하다, (후보자를) 성원하다 ; 《口》 (어떤 직업 따위에 맞게) 가르치다, 훈련시키다〈*for*〉. —— *vi.* 몸치장을 하다.
〖ME=boy, manservant<?〗

gróoms·man [-mən] *n.* 신랑 들러리(cf. BRIDESMAID). 주 들러리가 여럿일 경우에 가장 주요한 사람을 best man이라 일컬음 ; 영국에서는 들러리가 한 사람이므로 best man이라 하고 groomsmen은 쓰지 않음.

groove [grú:v] *n.* **1** 홈 ; (문지방 따위의) 홈 ; 활자 밑의 홈 ; (총의) 나선홈 ; (일반적으로) 가늘고 긴 홈, 도랑 ; 〔解〕 홈(sulcus) ; 〔野〕 던진 공이 홈베이스의 한가운데를 지나가는 볼의 방향. **2** 관례, 상도(常道) (routine) : One is liable to get

[fall] into a ~ in a large city. 대도시에 살고 있으면 판에 박힌 생활을 하게 마련이다. **3** 적소(適所) (niche); 《美俗》 벽(癖), 장기. **4** 최고조(最高調); 《俗》 매우 즐거운[멋진, 훌륭한, 더할 나위 없는] 것[일].

in the groove 《俗》 〔재즈〕 신나는 연주로; 《俗》 순조롭게, 신나게; 《美》 유행중에.

—— *vt.* **1** …에 홈을 파다[내다]; 홈에 넣다. **2** 《俗》 즐겁게 하다, 흥분시키다; 《俗》 즐기다, 좋아하다. —— *vi.* 틀에 박히다; 《俗》 즐기다, 재미있어하다; 《俗》 진보하다, 나아가다.

〖ME=mine shaft<Du.=furrow; cf. GRAVE[1], G *Grube*〗

groov·er [grúːvər] *n.* 《俗》 멋진 놈.

gróov·ing plàne [grúːviŋ-] *n.* 홈 파는 대패.

groovy [grúːvi] *a.* **1** 홈의; 판에 박은, 천편 일률적인; 편협한. **2** 《美俗》 썩 좋은, 아주 멋진, 쾌조(快調)의.

grope** [gróup] *vi.* [+前+名/動] **1** 손으로 더듬다, 더듬어 찾다: He ~*d* ***for a flashlight in the utter darkness. 캄캄한 어둠 속에서 손으로 더듬어 손전등을 찾았다 / I ~*d* in my pocket *for* the key. 호주머니 속을 더듬어 열쇠를 찾았다 / They are *groping* ***after*** light. 불빛을 찾아 헤매고 있다. **2** 《비유》 찾다, 찾으려고 더듬다; 암중 모색하다: The detectives ~*d* ***for*** some clue to the case. 형사들은 사건의 단서를 잡으려고 했다.

—— *vt.* 찾다, 모색하다; 《俗》 (여자)의 몸을 만지작거리다, 애무하다.

grope** one's **way 더듬어 나아가다: I ~*d* my *way in*[*out, toward* the door]. 더듬어 걸어 들어갔다[나왔다, 문으로 갔다].

—— *n.* 손으로 더듬기; 《俗》 애무.

〖OE *grāpian*; GRIP[1], GRIPE와 같은 어원〗

gróp·ing *a.* **1** 손으로 더듬는; 모색하는. **2** (표정 따위가) 알고 싶어하는, 이해 못해 어리둥절한.

gróp·ing·ly *adv.* 더듬어서, 더듬어 찾듯이.

gros·beak [gróusbìːk] *n.* 〔鳥〕 콩새류·양진이류 따위의 부리가 원뿔 모양인 각종 새.

〖F *grosbec* large beak〗

gro·schen [gróuʃən, grɔ́ː-] *n.* (*pl.* ~) 《口》 독일의 10페니히(pfennig) 백동화(白銅貨).

〖G<L (*denarius*) *grossus* thick (penny)〗

gros·grain [gróugrèin] *n.* Ⓤ 비단·인견으로 이랑무늬지게 짠 두꺼운 천; Ⓒ 그 리본.

〖F; ⇨ GROGRAM〗

***gross** [gróus] *a.* **1** 거친, 조잡한, 조악(粗惡)한 (coarse, crass): ~ food 조식(粗食) / a ~ feeder 악식가(惡食家); 조식가. **2** (태도·농담 따위) 천한, 야비한, 외설적인(obscene). **3** 큰, 굵은, 뚱뚱한(big, thick): a ~ body 뚱뚱한 몸집 / ~ features 크고 야무지지 못한 얼굴. **4** (초목이) 무성한; 우거진. **5** (공기·액체 따위가) 짙은(dense): a ~ fog 농무(濃霧) / ~ darkness 칠흑같은 어둠. **6** (감각이) 둔한, 둔감한(dull). **7** 심한, 현저한, 지독한: a ~ blunder 엄청난 실수 / a ~ fool 형편없는 바보 / ~ injustice 지나친 불공평 / ~ negligence 〔法〕 중대한 과실. **8** 총체의, 전체의(total), 포장까지 합한(↔*net*): the ~ amount 총액 / the ~ area 총면적 / ~ proceeds 총매출액.

—— *n.* **1** 총체(總體), 총계(總計). **2** (*pl.* ~) 〔商〕 그로스《12다스, 144개》: a ~[ten ~] *of* buttons 단추 1그로스[10그로스] / a great ~ 12그로스《1728개》 / a small ~ 10다스《120개》.

by the gross 전체로, 통틀어서(wholesale).

in (***the***) ***gross*** 대체로, 일반적으로; 총체적으로(in bulk); 도매로(wholesale).

—— *vt.* …의 총이익을 올리다.

〖OF=big, thick<L *grossus*; 「12다스」의 뜻은 <F *grosse*(*douzaine* dozen)〗

類義語 ⟹ COARSE.

gróss áverage *n.* 〔海上保險〕 공동 해손(海損) (general average).

gróss doméstic próduct *n.* 〔經〕 국내 총생산 《略 GDP》.

góss·ly *adv.* 크게, 심하게; 조잡하게, 천하게; 총체적으로.

gróss nátional expénditure *n.* 〔經〕 국민 총지출《略 GNE》.

gróss nátional próduct *n.* 〔經〕 국민 총생산 《略 GNP》.

gróss·ness *n.* **1** Ⓤ 심함, 엄청남. **2** Ⓤ 조잡, 조야(粗野); 야비, 외설. **3** Ⓤ 과대, 비대; 농후; 우둔.

gróss-òut *a., n.* 《美俗》 구역나게[지겹게] 하는 (사람[것·일]); (일반적으로) 지독한 (사람[것]): a ~ session 험한 말투의 언쟁.

gróss prófit *n.* 총수익.

gróss tón *n.* 영국톤(long ton)《2240파운드》.

gróss tónnage *n.* (선박의) 총톤수.

gróss wéight *n.* [the ~] 총(總)중량(cf. NET WEIGHT); 〔空〕 전비(全備) 중량.

grot [grát] *n.* 《詩》 =GROTTO.

***gro·tesque** [groutésk] *a.* **1** 기괴한, 이상한, 그로테스크한; 기묘한, 우스꽝스러운, 어리석은. **2** 〔美術·文藝〕 그로테스크풍의.

—— *n.* **1** [the ~] 〔美術〕 그로테스크풍의 장식 《당초무늬 속에 괴상한 사람·동물·과일·꽃 따위의 모양을 얽히게 한 장식 무늬》; 〔文藝〕 그로테스크풍 (작품)《비극적 요소를 과장해서 꾸민 것》. **2** 괴상[그로테스크]한 것[자세, 얼굴, 사람]. **3** 〔印〕 =SANS SERIF.

~·ly *adv.* 기괴하게. **~·ness** *n.*

〖F *crotesque*<It.=grottolike (painting etc.); ⇨ GROTTO〗

gro·tes·que·rie, -que·ry [groutéskəri] *n.* 그로테스크한 성격[언행], 기괴함; [집합적으로] 기괴한 것[작품].

Gro·ti·us [gróuʃiəs] *n.* 그로티우스. **Hugo** ~ (1583-1645) 네덜란드의 법학자; 국제법의 시조.

grot·to [grátou] *n.* (*pl.* **~es, ~s**) 자그마한 동굴, (조개 껍데기 따위로 아름답게 꾸민) 석굴《피서용》. **~ed** *a.* 동굴 모양의.

〖It. *grotta*<L CRYPT〗

grot·ty [gráti] *a.* 《英俗》 불쾌한, 더러운, 초라한, 보기 흉한.

grót·ti·ness *n.*

〖*grot*esque, -*y*[4]〗

grouch [gráutʃ] *vi.* 《美口》 투덜거리다; 토라지다. —— *n.* 시무룩함, 잔소리; 불평, 불만; 토라진 사람. **gróuchy** *a.* 《美口》 시무룩한.

〖*grutch* GRUDGE〗

◇**ground**[1] [gráund] *n.* **1** Ⓤ [the ~] 흙, 토양(土壤), 토지(earth, land); 지면, 땅; 〔鑛〕 모암(母岩), 장벽. **2** [때때로 *pl.*] (특별한 목적으로 구획한) 장소, 용지, 터; 운동장, 그라운드: ☞ FISHING GROUND / a cricket ~ 크리켓 경기장 (競技場) / a classic ~ 사적(史蹟). **3** Ⓤ [또는 *pl.*] [+*for*+do*ing*] 기초, 근본; 근거, 이유, 동기: There is no ~ ***for*** fear. 두려워할 이유가 없다 / There are good ~*s for* believ*ing*[deny*ing*] it. 그것을 믿을[부정할] 충분한 근거가 있다 / He resigned *on* public ~*s*. 공(公)적인 이유로 사

직하였다. **4** Ⓤ (연구의) 분야 ; 화제, 문제 : forbidden ~ 언급되어서는 안될 화제. **5** Ⓤ [+ *that* 節] 처지 ; 입장, 의견 : common ~ 공통의 입장, 견해의 일치점 / He took the ~ *that* it was not right to support such a government. 그러한 정부를 지지하는 것은 옳지 않다는 의견을 가지고 있었다. **6** (장식의) 바탕 ; (그림의) 바탕칠, 애벌칠 ; (돋을새김의) 면 ; (직물 따위의) 바탕색, 바탕. **7** [*pl.*] (건물 주위의) 정원, 구내(構內)《잔디 · 화단 · 길 따위를 포함》. **8** Ⓤ 바닥 ; 해저, 물밑 ; (어장으로서의) 얕은 바다[여울]. **9** [*pl.*] 찌끼, 앙금(dregs), (특히) 커피의 찌끼. **10** Ⓤ,Ⓒ 《美》〖電〗 접지, 어스(=《英》 earth). **11** [형용사적으로] 지면의, 지상의 ; (새이름에 붙여서) 육지에 사는 ; (동물이) 구멍을 파는[에 사는] 습성의 ; (식물이) 왜소(矮小)한, 땅을 기는 ; 기본의, 기초의.

above ground = ABOVEGROUND.

below ground 죽어서, 묻혀.

bite* [*eat, lick*] *the ground 맞고 쓰러지다, 굴욕을 참다 ; (특히 전쟁에서) 죽다 ; 낙마하다.

break fresh* [*new*] *ground 처녀지를 개간하다, 신천지를 개척하다, 새로운 분야를 개척하다.

break ground 땅을 일구다, 갈다 ; 기공[착수]하다 ; 《美》 이주하다.

burn to the ground 전소(全燒)하다.

come* [*go*] *to the ground 지다, 멸망하다.

cover* (*the*) *ground ⑴ (어떤 거리를) 주파하다, 가다(travel) : They *covered* a lot of ~ that day. 그날 꽤 먼 거리를 갔다. ⑵ (강연(자) · 보고(자) 등이) 그 분야를 취급하다 : The inquiry *covered* a great deal of new ~. 그 조사는 새로운 분야를 광범위하게 다루고 있었다 / The author *covers* the ~ well. 저자는 주제를 적절히 논하고 있다.

cut the ground from under a person***'s feet*** 남의 계획의 의표[허]를 찌르다.

(***down***) ***to the ground*** 《口》 철저히, 완전히, 충분히 : It suits me *down to the* ~. 그것은 꼭 안성맞춤이다, 십상이다.

fall to the ground (계획 따위가) 실패로 끝나다 ; 땅에 쓰러지다.

from the ground up 처음부터 다시 시작하여 ; 철저하게, 온전히.

gain ground 전진하다, 확실한 지반을 잡다, 우세해지다 ; 퍼지다, 유행하다 ; 진보하다.

get off the ground 이륙(離陸)하다 ; 출발이 순조롭다.

go to ground (여우가) 굴로 도망쳐 들어가다 ; 《비유》 숨다.

go to the ground = *come to the* GROUND[1].

hold* [*stand, keep*] *one's* (*own*) *ground 자신의 지반[입장 · 주장]을 고수하다, 한 발도 물러서지 않다.

kiss the ground ☞ KISS.

lose* [*give*] *ground 퇴각[후퇴, 패배]하다, 우세한 지반을 잃다, 양보하다.

off the ground 《美》 (계획 따위가) 잘 발족[착수]되어.

on the ground 현장에서, 그 자리에서.

on the ground of = ***on* (*the*) *grounds of*** … 의 이유로, …을 구실로 : He was excused *on the* ~ *of* his youth. 젊다는 이유로 면제되었다.

on the ground that …라는 이유[근거]로.

shift one's ground (의론 따위에서) 지금까지의 입장[논의 · 의도]을 바꾸다.

take the ground (배가) 얕은 여울에 걸리다[좌초되다].

to the ground ☞ (*down*) *to the* GROUND[1].

touch ground (배가) 물밑에 닿다 ; (토론이) 구체적으로 되다 ; (두서없는 이야기가) 본론으로 들어가다.

— *vt.* **1 a)** [+目+*on*+名] …에 기초를 두다 ; (사실에) 입각하게 하다 : Self-discipline is ~*ed* ***on*** self-knowledge. 자기 수양의 기초는 자신을 아는데 있다 / ☞ WELL-GROUNDED. **b)** [+目+*in*+名] …에게 기초[초보]를 가르치다, 소양(素養)을 기르게 하다 : The class is well ~*ed* ***in*** grammar. 그 반은 문법의 기초가 잘 닦아져 있다. **2** 〖軍〗 (항복의 표시로) (무기를) 땅에 던지다. **3** 〖電〗 어스하다(earth). **4** 〖海〗 좌초(坐礁)시키다. **5** 〖空〗 (안개 따위가 비행기의) 이륙을 불가능하게 하다. **6** 〖美術〗 …에 바탕색을 칠하다.

— *vi.* **1** 〖海〗 (배가) 물밑에 닿다, 좌초하다. **2** 〖野〗 땅볼로 아웃되다〈*out*〉. **3** 《美》 [+*on*+名] (…에) 의거하다, 의존하다(rely) : The institution ~*s* (***up***)***on*** these forces. 그 제도는 이들 세력에 의존하고 있다.

〚OE *grund* ; cf. G *Grund*〛

類義語 ⟹ CAUSE.

***ground**[2] *v.* GRIND의 과거 · 과거분사. — *a.* **1** 빻은, 가루로 만든. **2** 갈은, 닦은(polished).

gróund·age *n.* 《英》 정박세, 입항세.

gróund àngling *n.* 바닥 낚시.

gróund àsh *n.* 서양물푸레의 어린 나뭇가지.

gróund bàit *n.* 〖낚시〗 (물고기를 모으는) 밑밥.

gróund-bàit *vt.* …에 밑밥을 뿌리다.

gróund báll *n.* 〖野 · 크리켓〗 땅볼(grounder).

gróund báss [-béis] *n.* 〖樂〗 기초 저음.

gróund bèam *n.* 〖建〗 토대 ; 장선(長線) ; 기초재(基礎材).

gróund bèetle *n.* 〖昆〗 딱정벌레.

gróund bìscuit *n.* 《美俗》 던지기 알맞은 크기 · 모양의 돌.

gróund bòx *n.* 〖植〗 (화단 가장자리에 심는) 작은 회양목.

gróund·brèak·er *n.* 새로운 일을 시작하는 사람, 창시자, 개척자.

gróund·brèak·ing *n.* Ⓤ 〖建〗 기공(起工) : a ~ ceremony 기공식.

gróund brìdge *n.* 《美》 (얕은 여울 · 늪지대 따위의) 통나무 길.

gróund-chèrry *n.* 〖植〗 꽈리.

gróund clòth *n.* 무대를 덮는 캔버스 천 ; = GROUNDSHEET.

gróund còat *n.* (페인트의) 애벌칠, 밑칠.

gróund-còlor *n.* (유화의) 바탕색.

gróund connéction *n.* 〖電〗 접지(接地).

gróund contròl *n.* 〖空〗 지상 관제, 지상 유도.

gróund-contròl(led) appròach *n.* 〖空〗 (무전에 의한) 지상 제어 진입장치《略 GCA》.

gróund-contròlled intercéption *n.* 〖軍〗 (레이더에 의한) 지상 관제 적기 요격법.

gróund còver *n.* 〖生態 · 林業〗 지피(地被) 식물《나지(裸地)를 덮은 왜소한 식물들》.

gróund crèw *n.* 《美》 [집합적으로] (비행장의) 지상 정비원(=《英》 ground staff).

gróund detèctor *n.* 〖電〗 (지(地)전류의) 검루기(檢漏器).

gróund·ed *a.* 기초를 둔, 근거 있는. ㊟ 보통 부사를 수반하여 복합어가 됨 : a *well*-~ suspicion 근거가 충분한 용의(容疑).

~·ly *adv.* 충분한 근거를 가지고.

gróund-effèct machìne *n.* 〖空〗 에어쿠션정

(艇) (air-cushion vehicle)《略 GEM》.
gróund·er *n.* 〔野·크리켓〕 땅볼.
gróund fìr *n.* 〔植〕 석송속(屬)의 각종 식물.
gróund fìre *n.* 지상[대공] 포화.
gróund·fish *n.* 물 밑바닥에 사는 고기.
gróund fishing *n.* 바닥 낚시.
gróund flóor *n.* **1** 《英》 1층(cf. FIRST FLOOR). **2** (사업 따위의) 제일보 ; 가장 유리한 입장[관계]. ***get*** [***be let***] ***in on the ground floor*** 발기인과 동일한 자격[권리]으로 주를 배당받다 ; 처음부터 참여하여 유리한 지위를 차지하다.
gróund fòg *n.* (지상에서 서린) 땅안개.
gróund fròst *n.* 지표 또는 땅의 표층의 서리.
gróund gàme *n.* [집합적으로] 《英》 토끼 따위의 사냥감.
gróund gláss *n.* 젖빛 유리.
gróund hèmlock *n.* 〔植〕 주목속(屬)의 지면을 타고 뻗는 상록 관목의 총칭.
gróund·hòg *n.* 〔動〕 마모트(woodchuck)《미국산》; =AARDVARK.
Gróundhog('s) Dày *n.* 《美》 그라운드호그 데이《성촉절(聖燭節) (Candlemas)로 2월 2일, 곳에 따라 14일 ; 봄이 옴을 점치는 날로 하늘이 개면 겨울이 계속되고 흐리면 봄이 가깝다고 앎》. 〚이 날 groundhog이 구멍에서 나와 자기의 그림자를 보면 다시 6주간의 동면(冬眠)으로 되돌아간다는 전설에서 ; cf. 「계칩(啓蟄)」〛
gróund ìce *n.* 땅얼음, =ANCHOR ICE ; 지표를 덮은 투명한 얼음.
gróund·ing *n.* **1** U.C 〔海〕 배를 (검사·수리하기 위해서) 육지로 올리기 ; 좌초. **2** U.C 기초 교수[지식], 근저(根底) ; 기초공사 ; 비행[운전 따위]을 금함 : a good ~ *in* grammar 확고한 문법의 기초 지식. **3** U.C 《美》 〔電〕 접지(接地).
gróund ìvy *n.* 〔植〕 장군덩이《잡초》.
gróund·kèep·er *n.* 《美》 운동장[경기장·공원·묘지] 관리인(groundskeeper).
gróund làndlord *n.* 《英》 지주(地主).
gróund-làunched *a.* (미사일 따위가) 지상(地上) 발사의.
gróund-làunched crúise míssile *n.* 지상 발사 순항 미사일《略 GLCM》.
gróund·less *a.* 기초[근거]가 없는, 사실 무근의, 까닭[이유] 없는 : ~ fears 까닭 없는 두려움 / ~ rumors 사실 무근의 소문. **~·ly** *adv.*
gróund lèvel *n.* 지상 ; 〔理〕 =GROUND STATE.
gróund·ling *n.* **1** 땅을 기는 동[식]물. **2** 물 밑바닥에 사는 물고기. **3** 〔史〕 (엘리자베스조(朝) 시대의 극장의) 하급석 관객 ; (일반적으로) 저급한 관객 ; 저급한 독자 ; 저속한 취미가 있는 사람, 속물(philistine).
gróund lòg *n.* 〔海〕 (흐름이 빠른 얕은 바다에서 사용하는) 대지 선속 측정의(對地船速測程儀).
gróund lòop *n.* 〔空〕 (이착륙시의 급격한) 지상 편향(地上偏向), 곤두박질.
gróund·màn *n.* (크리켓 따위의) 구장(球場) 관리인 ; (가선(架線) 공사 따위에서의) 지상 작업 반원 ; (지하 광산에서) 갱도 굴진 작업원.
gróund màrker *n.* 〔空〕 (목표 지역을 비추기 위하여 낙하산 없이 떨어뜨리는) 조명탄.
gróund·màss *n.* 〔岩石〕 석기(石基), 기질(基質)《반상암의 세립상 또는 유리질의 부분》.
gróund nòte *n.* 〔樂〕 바탕음, 밑음, 기음, 근음.
gróund·nùt *n.* 〔植〕 먹을 수 있는 덩이줄기[뿌리]가 있는 식물, (특히) 미국감자콩 ; 《英》 땅콩.
gróund òak *n.* 오크나무의 어린 나무 ; 〔植〕 개곽향속(屬)의 일종.
gróund·òut *n.* 〔野〕 내야 땅볼에 의한 아웃.
gróund pìne *n.* 〔植〕 비늘석송, 석송(류).
gróund plàn *n.* 〔建〕 일층[지층] 평면도 ; 기초설계, 기초안.
gróund plàne *n.* (투사도의) 기준평면.
gróund plàte *n.* 〔建〕 토대 ; 〔鐵〕 (침목 밑에 까는) 바탕 철판 ; 〔電〕 접지판(接地板).
gróund·plòt *n.* 일층 평면도 ; 부지.
gróund pollùtion *n.* (처리장·매립지 폐기물에 의한) 토양 오염.
gróund·prox [-prɑ̀ks] *n.* 〔空〕 대지(對地) 접근 경보장치. 〚*ground proximity* warning system〛
gróund ràtions *n. pl.* 《黑人俗》 성교.
gróund ràу *n.* 〔通信〕 =GROUND WAVE.
gróund rènt *n.* 《英》 지대, 차지료.
gróund ròbin *n.* 〔鳥〕 =TOWHEE.
gróund ròller *n.* 〔鳥〕 파랑새《특히 Madagascar 섬 산(産)》.
gróund rùle *n.* (행동·협상 따위의) 기본 원칙 ; (운동의) 그라운드 룰《그라운드의 특수한 사정을 위해 결정한 규칙》.
gróund sèa *n.* 바닷가로 밀려오는 원인 모를 큰 파도(ground swell).
ground·sel[1] [gráun*d*səl] *n.* 〔植〕 개쑥갓. 〚OE=? pus absorber ; 습포로 사용되었음〛
groundsel[2] *n.* 〔建〕 토대, 동귀틀, 지반 굳힘 ; 문지방. 〚*ground*[1] + *sill*인가〛
gróund·shèet *n.* 그라운드시트(ground cloth)《(1) 야구장 따위에서 비가 올 때 사용함. (2) 침낭의 밑 따위에 깔아둠》.
ground·sill [gráun*d*sìl] *n.* 《古》 =GROUNDSEL[2].
gróunds·kèep·er *n.* 《美》 =GROUNDKEEPER.
grounds·man [gráun*d*zmən] *n.* 《英》 =GROUNDKEEPER ; 지상 작업 반원(groundman).
gróund spèed *n.* 〔空〕 대지(對地) 속도《略 GS ; cf. AIRSPEED》.
gróund squìrrel *n.* 〔動〕 구멍을 파는 다람쥐, (특히 북미의) 땃다람쥐.
gróund stàff *n.* 《英》 =GROUND CREW ; (크리켓 따위의) 경기장 관리인들.
gróund stàte *n.* 〔理〕 바닥 상태(ground level).
gróund stàtion *n.* 〔宇宙〕 지상 관제소.
gróund-stràfe *vt.* =STRAFE.
gróund stràfing *n.* (비행기의) 지상 소사(掃射), 기총 소사.
gróund stròke *n.* 〔테니스〕 그라운드 스트로크.
gróund swèll *n.* (먼 곳의 폭풍 따위로 인한) 큰 파도, 여파(餘波).
gróund tàckle[**tàckling**] *n.* 〔海〕 정박에 필요한 기구《닻·닻줄 따위의 총칭》.
gróund-to-áir *a.* 〔軍〕 지대공(地對空)의《지상에서 (발사해서) 공중의 목표를 공격함》.
gróund-to-gróund *a.* 〔軍〕 지대지(地對地)의 : ~ missiles 지대지 미사일. —— *n.* 지대지 로켓[미사일].
gróund tròops *n. pl.* 지상 부대.
gróund·wàter *n.* U 지하수.
gróundwater lèvel *n.* 지하수면(水面) ; 지하수위(水位).
gróund wàve *n.* 〔通信〕 지상파(地上波).
gróund wìre *n.* 《美》 〔電〕 어스[접지]선.
gróund·wòrk *n.* **1** U 기초, 토대 ; 근거 ; (기본) 원리. **2** U (그림·자수 따위의) 바탕. 類義語 ⟹ BASIS.
gróund zéro *n.* (폭탄의) 낙하점 ; (원자 폭발에서의) 방사 중심부의 바로 밑의 지역.
◇**group** [grúːp] *n.* **1** 그룹, 떼, 무리, 집단, 덩어리,

모임 : a ~ *of* persons, trees, rocks, stars, *etc.* / *in* a ~ 한 무리가 되어 / *in* ~*s* 떼를 지어, 삼삼오오. **2** (동식물 분류상의) 군(群). **3** 〖美術〗 군상(群像) ; 〖樂〗 음표군. **4** 분파, 파, 단. **5** 〖英空軍〗 비행 연대 ; 〖美空軍〗 비행대대《WING과 SQUADRON의 중간》; 〖美軍〗 전술적 부대 단위《여러 대대와 본부 및 본부 중대로 편성됨》. **6** 〖數〗 군(群). **7** 〖化〗 기(基), 단(團). **8** 〖言〗 어파(語派). —— *vt.* 무리로 만들다 ; 일단(一團)으로 하다 ; (계통적으로) 분류하다 ; (색깔·모양 따위를) 잘 배합하다 : The figures are well ~*ed.* (그림의) 인물 배치가 잘 되었다. —— *vi.* (…주위에) 모이다, 떼를 짓다, 일단[일원]이 되다, 배합이 잘 되다.

〖F<It. *gruppo*<Gmc. =round mass ; CROP과 같은 어원〗

類義語 ***group*** 사람·동물·물건의 집합체를 나타내는 가장 일반적인 말. ***herd*** 함께 사는 소·양 따위 큰 짐승의 떼. ***flock*** 양새끼·양 또는 새 따위의 떼. ***drove*** 소·돼지·양의 떼. ***pack*** 사냥개 또는 늑대의 떼. ***swarm*** 벌레의 떼. ***school*** 물고기·거북·고래 따위의 떼. ***flight*** 같이 날고 있는 새의 떼. 주 ***herd, drove, pack***은 사람의 무리에 대해서 경멸적인 뜻으로도 쓰임.

gróup càptain *n.* 〖英空軍〗 비행대장《대령》.

gróup dynámics *n.* 〖心〗 집단 역학《소수 집단 내의 힘 관계 또는 그 사회 심리학적 연구》.

grou·per[1] [grú:pər] *n.* (*pl.* ~, ~**s**) 참바리속의 식용 물고기 ; 양볼락과의 여러 가지 물고기. 〖Port.〗

gróup·er[2] *n.* **1** 옥스퍼드 그룹 운동의 참가자. **2** 《美》 encounter group의 참가자. **3** 《美》 공동으로 별장 따위를 빌리는 청년 그룹의 일원.

gróup gròpe *n.* 《美俗》 집단 혼음(混淫) ; (encounter group의 치료법으로서의) 집단 접촉 ; 친밀한 관계에 있는 집단.

group·ie [grú:pi] *n.* **1** 《俗》 록 그룹을 쫓아다니는 소녀 ; (일반적으로) 유명인을 따라다니는 팬, 열렬한 애호가. **2** =GROUPER[2] 3. **3** =GROUP CAPTAIN. **4** 《美》 「…그룹」이라 불리는 기업 집단[연합]. **5** 《英》 여러 남자와 동서하는 여자.

gróup·ing *n.* Ⓤ 그룹으로 나누기, 조(組)로 나누기, 분류 ; Ⓒ (분류된) 그룹, 조(組), 부류.

gróup insùrance *n.* 단체 보험.

gróup márriage *n.* 〖社〗 군혼(群婚), 집단혼(婚) (communal marriage).

gróup mèdicine *n.* 단체 의료 (제도).

gróup mínd *n.* 〖社·心〗 집단[군중] 심리.

Group of 5 [⌐– fáiv] *n.* [the ~] 5개국 그룹《가장 경제력이 있는 주요 5개국 ; 미국·영국·프랑스·독일·일본》.

Gróup of Séven *n.* [the ~] 7개국 그룹《미국·일본·독일·영국·프랑스·캐나다·이탈리아의 7개국 ; 略 G-7》.

Group of 77 [⌐– sévəntisévən] *n.* [the ~] 77개국 그룹《UN의 무역 개발 회의(UNCTAD)의 멤버인 개발 도상국 그룹》.

Gróup of Tén *n.* [the ~] 10개국 재무장관 회의《IMF 가맹국 중 주요 10개국의 재무장관·중앙은행 총재의 회의》.

Group of 24 [⌐– twéntifɔ́:r] *n.* [the ~] 24개국 그룹《IMF 가맹국 중 개발 도상국 24개국 경제담당자들로 구성됨 ; 아프리카·아시아·중남미 지역에서 각각 8개국씩 선출함》.

gróup práctice *n.* (각 분야 전문의(醫)의 제휴에 의한) 집단 의료.

gróup preposítion *n.* 〖文法〗 군전치사.

gróup psychólogy *n.* 집단[군중] 심리학.

gróup séx *n.* 집단 섹스.

gróup tést *n.* 집단 테스트.

gróup thèory *n.* 〖數〗 군론(群論).

gróup thérapy[**psychothérapy**] *n.* 〖精神醫〗 집단 (정신) 요법.

gróup·thìnk *n.* 집단 사고《집단 구성원의 토의에 의한 문제 해결법》; 집단 순응 사고《집단의 가치관이나 윤리에 순응하는 사고 태도》.

group·us·cule [grú:pəskjù:l] *n.* 소(小)집단. 〖F〗

gróup velòcity *n.* 〖理〗 군속도(群速度)《파동 속도의 하나》.

gróup wòrk *n.* 집단 작업[사업].

grouse[1] [gráus] *n.* (*pl.* ~, **gróus·es**) 멧닭 ; 《英》 (특히) 붉은들꿩(red grouse) : a black ~ 멧닭 / a spruce ~ 가문비멧닭 / a wood[great] ~ 큰들꿩. 〖C16<?〗

grouse[2] *n.* 《口》 불평. —— *vi.* 불평하다, 투덜대다〈*about*〉. **gróus·er** *n.* 불평만 하는 사람. 〖C19<?〗

gróuse shòoting *n.* Ⓤ 멧닭 사냥《영국에서는 주로 Scotland의 황야를 사냥터로 하여 8월에서 12월까지가 수렵기》.

grout[1] [gráut] *n.* (암석의 틈 따위에 메워 넣는) 시멘트 반죽, 모르타르풀, 그라우트 ; [보통 *pl.*] 침전물, 찌끼 ; [*pl.*] =GROATS ; 《古》 조식(粗食). —— *vt.* 그라우트로 마무리[고정]하다, 그라우트를 개어 넣다[사용하다].

〖OE *grūt* coarse meal ; GRITS, GROATS와 같은 어원 ; cf. F *grouter* (dial.) to grout a wall〗

grout[2] *vt., vi.* 《英》 (돼지가 흙 따위를) 코로 파헤치다. 〖*groot* (obs.) mud ; cf. GRIT〗

grouty [gráuti] *a.* 《美》 기분이 좋지 않은, 심술궂은 ; 《스코》 진흙의, 더러운 ; 거친, 조야한.

***grove** [gróuv] *n.* 작은 숲, 나무 숲.

〖OE *grāf* ; cf. OE *grǣfa* brushwood〗

grov·el [grávəl, grʌ́v-] *vi.* (**-l-** | **-ll-**) [動/+前+名] 기다 ; 엎드리다 ; 굴복하다, 비굴한 태도를 취하다 ; 천한 일에 열중하다, 천하게 굴다 : The frightened slaves ~*ed* ***before***[***at*** the feet of] their cruel master. 겁을 먹은 노예들은 잔인한 주인 앞에[발 아래] 엎드렸다.

grovel in the dust[***dirt***] 땅에 머리를 대다[배를 대고 기다] ; 굽실거리다.

gróv·el·(l)er *n.* 아첨꾼, 비굴한 사람.

〖역성(逆成)〈↓〗

gróvel·ing | **-el·ling** *a.* 설설 기는, 넓죽 엎드리는, 굽실거리는 ; 비굴한, 천박한. **~·ly** *adv.* 넓죽 엎드려서 ; 비굴하게. 〖ME=prone (*gruf* face down〈*on grufe*<ON *á grúfu* on one's face, *-ling*[2]) ; 후에 어미를 *-ing*로 오해〗

gróves of ácademe *n.* [the ~] 학문의 세계, 학회.

grovy [gróuvi] *a.* 숲이 우거진, 나무가 많은 ; 나무 숲의.

◇**grow** [gróu] *v.* (**grew** [grú:] ; **grown** [gróun]) *vi.* 주 완료형 : He *has* ~*n.* 성장했다 / He *is* ~*n.* 자랐다《결과의 상태를 나타냄 ; cf. GROWN *a.*》. **1** [動/+前+名] **a**) 생장[성장]하다, 커지다, 발달하다(develop) ; (초목이) 나다, 자라다, 무성하다, 생기다, 생산되다 : Rice ~*s* in warm climates. 쌀은 온난한 지방에서 생산된다 / He has ~*n* ***into*** a robust young man. 튼튼한 젊은이로 성장했다 / Raphael *grew* ***to*** manhood. 라파엘은 어른이 되었다. **b**) (크기·수량·길이 따위가) 증대하다, 불어나다 : The cities are ~*ing* every year. 도시는 해마다 계속 발전하고 있다 / He has ~*n* in experience. 경험이 많아졌다 / Their work *grew* ***into*** a great idea of freedom for everybody. 그들의 사업은 만인을 위한 자유라는 큰 이념으로 발전했다. **2** [+前+名] (사람에게) 점점 더해지다[심해지다], 점점 (사람의) 몸에 붙게 되다 : The bad habit *grew* (***up***) ***on*** him. 그는 그 나쁜 버릇이 점점 심해졌다 / That picture ~*s on* me. 나는 저 그림이 점점 좋아진다. **3** [+補 / +*to* do] (점차로) …로 되다[변하다] (become, get) : ~ old 점점 나이를 먹다 / ~ angry 노하다 / She *grew* faint. 정신이 몽롱해졌다 / It ~*s* dark. 어두워진다 / It is ~*ing* less and less. 점점 줄어든다 / He *grew to* be obedient. 점잖아졌다 / I have ~*n to* think that he was right. 그가 옳았다고 생각하게 되었다.

—— *vt.* 생장시키다, 키우다, 재배하다(cultivate) ; 기르다 ; 발달시키다 ; [*p.p.*로 써서] (초목으로) 덮여 있다 : What do you ~ in your fields? 밭에 무엇을 재배하고 있습니까 / He *grew* a beard. 수염을 길렀다.

be grown over (***with...***) (…가) 온통 무성하게 자라고 있다 : The wall *is* ~*n over with* ivy. 벽은 담쟁이덩굴로 온통 덮여 있다.

grow down[***downward***] 낮아지다, 짧아지다, 작아지다.

grow into one=***grow together*** 하나가 되다, 결합하다.

grow (***up***)***on*** one***'s hands*** (사업 따위가) 감당하기 어렵게 되다.

grow (***up***)***on trees*** 《비유》 쉽게 얻어지다.

grow out 싹트다 ; (감자가) 새싹이 트다.

grow out of …에서 생기다 ; (나쁜 버릇)을 버리다, …에서 탈피하다 ; (옷 따위가) 작아서 입을 수 없게 되다 : All arts ~ *out of* necessity. 모든 예술은 필요에서 생기는 것이다 / He has ~*n out of* that bad habit. 그는 (성장해서) 그 나쁜 버릇이 없어졌다 / That boy will soon ~ *out of* his clothes. 저 소년은 이제 키가 커져서 옷을 못입게 될 것이다.

grow up 성인이 되다 ; 다 성장하다 ; (습관이) 생기다 : This practice will be helpful to you when you are ~*n up*. 이 습관은 네가 성인이 되면 도움이 될 것이다 / He *grew up* gentle and good. 상냥하고 선량한 인간으로 성장했다.

〈회화〉
Where are you from? — I was born right here in Chicago and *grew up* here. 「어디 출신입니까」「바로 여기 시카고에서 태어나 이곳에서 자랐습니다」

〖OE *grōwan* ; cf. GRASS, GREEN〗

grów·er *n.* **1** (꽃·과일·야채류의) 재배자 ; 사육자. **2** …생장 식물 : a slow[fast, quick] ~ 더디[빨리] 자라는 식물.

grów·ing *a.* 성장[생장]하는, 발육에 따르는 ; 성장[생장]을 촉진하는 ; 한창 발육하고 있는 ; (크기·넓이·강도 따위가) 증대하는 : the ~ season 식물의 생육[번성]기 / ~ weather 곡식 따위의 생장을 촉진하는 날씨. —— *n.* Ⓤ 생장, 성장, 발달, 발육.

grówing pàins *n. pl.* 성장통《소년에서 청년으로의 급격한 성장기에 생기는 손발의 신경통》 ; (청년기의) 정서적 불안정 ; 《비유》 (사업 따위의) 초기의 고난, 초창기의 어려움.

grówing pòint *n.* 〘植〙 생장점.

growl** [grául] *vi.* [動 / +*at*+名] (개 따위가 성내어) 으르렁거리다 ; (사람이) 투덜거리다 ; (천둥이) 울리다 ; 불평하다 ; 꾸짖다 : The dog ~*ed* ***at the stranger. 개가 낯선 사람을 보고 으르렁거렸다. —— *vt.* [+目 / +目+副] 으르렁거리며 말하다, 노하여 말하다, 고함치다. —— *n.* 으르렁거리는 소리, 서로 다투는 소리 ; 고함소리.
〖ME=(of bowels) to rumble< ? imit.〗

grówl·er *n.* 으르렁거리는 사람[것, 동물], 잔소리꾼 ; 꾸르륵거리는 물고기 ; 《英》 구식의 4륜마차.

grówl·er-rúsh·ing *n.* 《美俗》 음주 ; 주연(酒宴). —— *a.* 술을 마시는, 싸구려 술에 빠진.

◇**grown** [gróun] *v.* GROW의 과거 분사.
—— *a.* 성장[발육·성숙]한 ; 무성한 ; [복합어를 이루어] …재배의, …산(産)의 : a ~ man 성인, 어른 / home*grown* 가정 재배의, 자가생산의.

***grówn-ùp** *n.* 성인, 어른(adult). —— *a.* 성숙한, 어른이 된(adult) (cf. FULL-GROWN) ; 성인용의, 어른다운.

***growth** [gróuθ] *n.* **1** Ⓤ 성장, 생장, 발육, 성육 ; 발전, 발달(development). **2** Ⓤ (크기·길이·수량의) 증대, 확장, 증가(increase). **3** Ⓤ 재배, 배양(cultivation) ; 기원 : the ~ *of* a plant 식물의 재배 / apples *of* foreign[home] ~ 외국산[국산]사과 / fruits *of* one's own ~ 스스로 재배한 과일. **4** 생장물, 발생물《초목·모발 따위》 ; 〘醫〙 종양(腫瘍), 병적 증식 : a malignant ~ 악성 종양, 암종(癌腫) / a cancerous ~ 암종.
〖*grow*+-*th*²〗

grówth cènter *n.* (잠재능력을 키우기 위한) 집단 감각 훈련소[센터].

grówth còmpany *n.* 고도 성장 회사.

grówth cùrve *n.* 성장[생장] 곡선《생물 개체(수)의 생장·증대의 시간적 변화의 그래프 표시》.

grówth fàctor *n.* 〘生化〙 생장 요인, 발육 인자《미량으로 성장[생장]을 촉진시키는 물질 : 비타민·호르몬 따위》.

grówth hòrmone *n.* 〘生化〙 생장(生長)[성장] 호르몬.

grówth ìndustry *n.* 성장 산업.

grówth règulator[**sùbstance**] *n.* 〘生化〙 생장[성장] 조정 물질.

grówth rìng *n.* 〘植〙 생장(生長)테, 나이테, 연륜(annual ring).

grówth shàres *n. pl.* 《英》 =GROWTH STOCK.

grówth stòck *n.* 〘經〙 성장주.

groyne [grɔ́in] *n.* 작은 제방, 방파제, 호안(護岸)둑(groin). —— *vt.* …에 작은 제방[방파제, 호안둑]을 만들다.
〖*groin* (dial.) snout<OF<L=pig's snout〗

GRP gross rating point(종합 시청률) ; gross regional product(도내 총생산).

GR-S [dʒìːdɑ̀ːrés] *n.* 일종의 합성고무《타이어용》.
〖*g*overnment *r*ubber *s*tyrene〗

GRT 〘海〙 gross registered tonnage (총등록[총]톤수(數)).

grub [grʌ́b] *n.* **1** (풍뎅이·딱정벌레 따위의) 애벌레 ; 추레하고 단정치 못한 사람 ; 〘크리켓〙 땅볼 ; 그루터기 ; 《美》 지겨운 일을 꾸준히 하는 사람 ; 삼류 문인. **2** Ⓤ 《口》 음식. —— *v.* (**-bb-**) *vt.* **1** [+目 / +目+副] 파다, 파헤치다 ; (지면을) 파헤쳐서 나무뿌리를 캐내다, (뿌리 따위를) 없애다 ; 《비유》 (기록·서적 따위에서) 애써 찾아내다[빼내다] : He ~*bed* ***up*** weeds. 잡초를 뽑아냈다 / I ~*bed* ***out*** my family history. 나의 가계(家系)를 캐보았다. **2** 《俗》 …에게 음식을 주다.
—— *vi.* **1** [+副 / +前+名] 땅을 파헤치다 ; 뿌리를 파내다 ; 《비유》 악착같이 일하다(toil), 열심

히 찾다 : She was ~*bing* (**about**) **among** the flower beds **for** her ring. 반지를 찾으려고 꽃밭을 샅샅이 뒤졌다. **2** 《俗》 음식을 먹다.
〖? OE 《美》 *grybban* ; cf. GRAVE[3], G *grübeln* to rack one's brain〗

grúb àx *n.* (그루터기를 캐는) 곡괭이.

grúb·ber *n.* 그루터기를 캐는 사람[도구] ; 부지런히 일[공부]하는 사람, 근면가.

grúb·by *a.* 구더기가 들끓는, 애벌레가 많은 ; 지저분한, 더러운(dirty) ; 단정치 못한, 꾀죄죄한 (slovenly). **grúb·bi·ly** *adv.*

grúb hòe *n.* (그루터기를) 파는 괭이.

grúb hòok *n.* 그루터기를 뽑아 내는 갈고랑이.

grúb-hùnt·ing *a.* 《英俗》 박물학(博物學)을 연구하는. **grúb-hùnt·er** *n.* 《英俗》 박물학자.

grúb·sàw *n.* 돌 자르는 톱, 돌톱.

grúb·scrèw *n.* 한쪽 끝에 드라이버 홈이 있는 대가리 없는 나사.

grúb·stàke *vt.* 《美口》 발견한 이익의 배당을 받는 조건으로 탐광자에게 자금·의복·식량 따위를 공급하다 ; (남)에게 내기 밑천을 대주다[물질적 원조를 하다]. —— *n.* 그 자금·의복·식량《따위》 ; 물질적[자금] 원조, 밑천《대출금 따위》.
grúb·stàker *n.*

Grúb Strèet, Grúb·strèet *n.* [집합적으로] 그러브가(街)《가난한 작가들이 거주했던 London의 옛거리 이름》 ; 삼류 문인들. —— *a.* [때때로 grubstreet] 삼류 문인의[이 쓴], 저급한.

grudge [grʌ́dʒ] *n.* 악의, 원한 : bear[owe] a person a ~ =have[bear] a ~ *against* a person 타인에게 원한을 품다. —— *vt.* **1** [+目+目/+目/+do*ing*] 주기 싫어하다, 아까워하다 (begrudge) : He ~*d* his horse the food it ate. 말에게 먹이를 주는 것도 아까워했다 / I ~*d* no pains. 수고를 아끼지 않았다 / I ~ pay*ing* such a large sum of money. 그렇게 많은 돈을 지급하고 싶지 않다. **2** [+目+目/+目+*to*+名] (남의 행운 따위를) 시기하다, 질투하다 : He ~*s* me my success. 그는 나의 성공을 시기하고 있다 / One can't ~ success **to** such a worthy man. 누구도 그렇게 훌륭한 남자가 성공한 것을 시기할 수는 없다. —— *vi.* 불만[악의]을 품다, 불평하다, 투덜투덜대다.
〖ME *grutch*<OF=to grumble< ? Gmc.〗
類義語 ⟹ MALICE.

grudg·ing [grʌ́dʒiŋ] *a.* 인색한 ; 악의를 품은, 원한을 품은 ; 마지못해 하는, 울며 겨자 먹기의.
~·ly *adv.* 마지못해서, 울며 겨자 먹기로.

grue [grúː] *n.* 공포의 전율.

gru·el [grúːəl] *n.* Ⓤ 오트밀 ; 엄벌, 혼쭐남 ; 죽음.
give a person ***his gruel*** 남을 엄하게 벌하다 ; 남을 죽이다.
have [***get, take***] one***'s gruel*** 엄하게 벌을 받다 ; 살해되다.
—— *vt.* (-l- | -ll-) 기진 맥진하게 하다 ; 엄하게[호되게] 벌주다 ; 죽이다.
〖OF<Gmc. ; cf. GROUT[1]〗

grúel·ing | **-el·ling** *a.* 기진 맥진하게 하는, 호된.
—— *n.* 엄벌, 혼쭐남.

grue·some [grúːsəm] *a.* 오싹해지는, 소름끼치는, 무시무시한. **~·ly** *adv.* 소름끼치게. **~·ness** *n.* Ⓤ 무시무시함.
〖Sc. *grue* to shudder (<Scand.), *-some*〗

grúesome twósome *n.* 《美韻俗·戲》 연인끼리, 내외간 ; (일반적으로) 한 쌍.

gruff [grʌ́f] *a.* **1** 거친 목소리의, 쉰 목소리의. **2** 거친, 퉁명스러운, 무뚝뚝한. —— *vt.* 거친 목소리로 말하다, 퉁명스럽게 말하다. **~·ly** *adv.* 퉁명스럽게. 〖Du. *grof* coarse〗

grúff·ish *a.* (목소리가) 다소 거친, 다소 퉁명스러운, 무뚝뚝한.

gru·gru [grúːgruː] *n.* 〔植〕 (열대 아메리카산) 그루그루야자나무 ; 〔昆〕 (grugru 따위의 나무속을 해치는) 종려바구미의 애벌레. 〖Am. Sp.〗

grum [grʌ́m] *a.* (**grúm·mer ; grúm·mest**) 《稀》 퉁명스러운, 무뚝뚝한, 기분이 언짢은(surly).
~·ly *adv.* **~·ness** *n.* 〖*grim*+*glum*인가〗

***grum·ble** [grʌ́mbəl] *vi.* [+前+名/動] 투덜대다, 불평하다, 불만을 말하다 ; 낮게 울리다, (천둥이) 울려 퍼지다 : Many of the passengers ~*d* **at** the tiresome journey. 많은 승객들은 그 지겨운 여행에 대해서 투덜거렸다 / My sister ~*d* **about** all those animals I loved so much. 누이 동생은 내가 그렇게 사랑하고 있던 그 동물 전부에 대해서 불평을 늘어놓았다 / She is always *grumbling.* 항상 불만투성이다. —— *vt.* [+目/+目+副] 불평스럽게 말하다 : He ~*d* (**out**) his reply. 투덜대며 대답했다. —— *n.* 투덜거림, 투덜대는 소리 ; (천둥의) 울려퍼지는 소리 ; 불평, 불만. **grúm·bler** *n.* 불평가.
〖*grumme* (obs.) + *-le* ; cf. G *grummeln* to rumble ; *-mb-*는 *-mm-*의 이화(異化)〗

grúmble-gùts *n.* (*pl.* ~) 《口·方》 =GRUMBLER.

grúm·bling *a.* 투덜거리는, 불평을 늘어놓는, 불만스러운. **~·ly** *adv.*

grume [grúːm] *n.* 〔醫〕 엉긴 피, 응혈(clot of blood) ; 끈적끈적한 덩어리.

grum·met [grʌ́mət] *n.* =GROMMET.

gru·mose [grúːmous] *a.* 〔植〕 (뿌리가) 집단 과립(顆粒)으로 이루어진.

gru·mous [grúːməs] *a.* 〔醫〕 (피 따위가) 응고된, 응혈성의 ; 진한 ; 〔植〕 =GRUMOSE.

grump [grʌ́mp] *n.* **1** 불평만 하는 사람, 불평가. **2** [*pl.*] 기분이 좋지 않음 : have the ~*s* 기분이 나쁘다. —— *vi.* 불평하다, 투덜대다 ; 뿌루퉁해지다. —— *vt.* 불만스럽게 말하다. 〖imit.〗

grumpy [grʌ́mpi] *a.* 까다로운, 기분이 언짢은.
〖GRUMP ill humor (↑)〗

Grun·dy [grʌ́ndi] *n.* [Mrs. ~] 수다스러운 사람, 세상의 평판《Morton의 희극 중의 인물에서》.
What will Mrs. Grundy say ? 남이 뭐라고 말할까.

Grun·dy·ism [grʌ́ndiìzəm] *n.* Ⓤ 인습에 얽매이기 ; 세상에 대한 체면에 신경을 쓰기. 〖↑〗

grunge [grʌ́ndʒ], **grunch** [grʌ́ntʃ] *a., n.* 《美俗》 졸렬한[허술한, 지저분한, 더러운, 따분한] (것[사람]).

grun·gy [grʌ́ndʒi] *a.* 《美俗》 =GRUNGE ; 사용하기 어려운, 설계가 나쁜.

grunt [grʌ́nt] *vi.* (돼지가) 꿀꿀거리다 ; (사람이) 투덜대다, 불평하다. —— *vt.* [+目/+目+副] 으르렁거리며 말하다 : He ~*ed* (**out**) his apology. 그는 투덜대며 변명을 했다. —— *n.* **1** 꿀꿀거리는[투덜대는] 소리 ; 물에서 건져 내면 꿀꿀거리는 물고기《벤자리과의 물고기》. **2** 《美軍俗》 (특히 베트남 전쟁에서, 육군·해병대의) 도보 전투원, 보병 ; 《美俗》 레슬러. **~·er** *n.* 투덜거리는[꿀꿀거리는] 사람[동물], 돼지(pig) ; 벤자리과의 물고기 ; 《美俗》 레슬러. 〖OE (imit.)〗

grúnt-and-gróan·er *n.* 《美俗》 레슬러《과장되게 신음소리를 내는 데서》.

grúnt·ìron *n.* 《美俗》 튜바(tuba).

grun·tle [grʌ́ntl] *vi.* 《英方》 투덜대다, 불평하다.
—— *vt.* …의 기분을 맞추다, 만족시키다.

〖(freq.) 〈GRUNT〗
grún·tled *a.* 《口》 기뻐하는, 만족스러운.
grúnt·ling *n.* 돼지 새끼.
Grus [grú:s; grʌ́s] *n.* 〔天〕 두루미 자리(the Crane).
grut [grʌ́t] *n.* 《美俗》 하찮은[시시한, 더러운] 것.
grutten *v.* 《古·스코》 GREET[2]의 과거 분사.
Gru·yère [gru:jéər; ⌐-] *n.* Ⓤ [때때로 g~] 그뤼에르(치즈) (=⌐~ **chèese**)《스위스 La Gruyère 지방산》.
gr. wt. gross weight.
gryphon ☞ GRIFFIN[2].
grys·bok [gréisbɑ̀k, gráis-; gráis-], **-buck** [-bʌ̀k] *n.* 그리스복《빨간 작은 영양; 남아프리카산》. 〖Afrik.=gray antelope〗
GS German silver. **GS., G.S., g.s.** general secretary; general service; 〔軍〕 general staff; 〔空〕 ground speed. **gs.** grandson; 《英》 guineas. **GSA, G.S.A.** General Services Administration; Girl Scouts of America.
G.S.C. General Staff Corps.
G-7 [dʒí:sévən] Group of Seven.
GSL 《美》 guaranteed student loan (대학생의 학비 원조 대출금). **g.s.m.** grams per square meter. **GSO, G.S.O.** general staff officer; geostationary orbit. **GSP** Generalized System of Preferences(일반 특혜 관세 제도). **G.S.P.** 〔英海軍〕 Good Service Pension. **GSR** galvanic skin response.
G.S.T. Greenwich Sidereal Time. **GSTDN** ground space tracking and data network (우주 추적 데이터 통신망 지상국). **GSTP** global system of trade preferences among developing countries(범(汎) 개도국 특혜 무역 제도).
G-string [dʒí:⌐] *n.* **1** 〔樂〕 G선(線)《바이올린의 최저음현》. **2** 〔電〕 도파선(導波線). **3** (아메리칸 인디언들의) 들보; (스트리퍼의) 앞가리개.
G suit [dʒí: ⌐] *n.* 〔空〕 (가속도시(時)의 충격을 방지하는) 내(耐) 가속도복. 〖*gravity suit*〗
GT glass tube; grand touring; [dʒì:tí:] 〔自動車〕 Gran Turismo. **gt.** gilt; great; (*pl.* **gtt.**) *gutta* 《L》 (=drop). **Gt.** Great.
G.T. gross ton. **g.t.** 〔製本〕 gilt top (금박 윗 단면). **Gt. Br., Gt. Brit.** Great Britain.
G.T.C., g.t.c. good till canceled[countermanded] (취소할 때까지 유효). **gtd.** guaranteed. **GTF** glucose tolerance factor 《내당(耐糖) 인자; 당뇨병 환자 치료에 쓰임》. **GTM** 〔證〕 good this month (이달까지 유효). **GTP** [dʒì:tì:pí:] 〔生化〕 guanosine triphosphate(구아노신삼인산(燐酸)). **gtt.** *guttae* 《L》 (=drops).
GTW 〔證〕 good this week(금주까지 유효).
GU, G.U., g.u. genitourinary. **gu.** guinea; gules.
gua·ca·mo·le, -cha- [gwɑ̀:kəmóuli] *n.* **1** 아보카도(avocado)를 으깨어 토마토·양파·양념을 가미한 멕시코 요리. **2** 멕시코·남미의 아보카도가 든 샐러드.
〖Am. Sp.〈Nahuatl=avocado sauce〗
gua·cha·ro [gwɑ́:tʃəròu] *n.* (*pl.* **~s, ~es**) 〔鳥〕 기름쏙독새. 〖Sp.〗
gua·co [gwɑ́:kou] *n.* (*pl.* **~s**) 열대 아메리카산의 쥐방울과의 풀《만병 통치약, 특히 뱀에 물린 데·간헐열(間歇熱)에 쓰임》. 〖Am. Sp.〗
Gua·dal·ca·nal [gwɑ̀:dəlkənǽl] *n.* 〔地〕 과달카날 섬《태평양 남서부에 있는 Solomon 제도(諸島)의 제2의 섬》.
guai·a·col [gwáiəkɔ̀(:)l, -kòul, -kɑ̀l] *n.* 〔化〕 과이어콜《무색 또는 담황색의 유상(油狀) 액체, 크레오소트의 성분; 분석 시약·방부제》.
guai·a·cum [gwáiəkəm] *n.* 〔植〕 (서인도 제도(諸島)산의) 유창목; 그 나무진으로 만든 약.
Guam [gwɑ́:m] *n.* 괌《태평양 Mariana 제도 남단에 있는 미국령의 섬》.
gua·na [gwɑ́:nə] *n.* 〔動〕 이구아나《열대 지방의 큰 도마뱀》.
gua·na·co [gwənɑ́:kou], **hua-** [wə-] *n.* (*pl.* **~s,** ~) 과나코《야생 라마; 남미 Andes 산맥산》. 〖Quechua〗
gua·neth·i·dine [gwɑ:néθədì:n] *n.* 〔藥〕 구아네티딘《혈압 강하제》.
Guang·dong [gwɑ́:ŋdúŋ], **Kwang·tung** [gwɑ́:ŋdúŋ, kwɑ́:ŋ-, -túŋ; kwǽŋtúŋ] *n.* 광둥(廣東)《중국 남동부(南東部)의 성(省)》.

guanaco

guan·i·dine [gwɑ́:nədì:n, gwǽn-, -dən] *n.* 〔生化〕 구아니딘《사람 오줌 속에 있는 이미노 요소(尿素); 유기 합성·의약품 따위에 쓰임》.
gua·nine [gwɑ́:ni:n, gú:ə-] *n.* 〔生化〕 구아닌《핵산을 구성하고 있는 염기(鹽基)의 하나; 기호 G》.
gua·no [gwɑ́:nou] *n.* (*pl.* **~s**) 구아노, 조분석(鳥糞石)《Peru 부근의 섬에서 나며 비료로 사용됨》; 인조 질소 비료. ── *vt.* …에 구아노 비료를 주다. 〖Sp.〈Quechua=dung〗
gua·no·sine [gwɑ́:nəsì:n, -sən] *n.* 〔生化〕 구아노신《구아닌의 리보뉴클레오시드》.
Guan·tá·na·mo Bay [gwɑ:ntɑ́:nəmou ⌐] *n.* 〔地〕 관타나모 만(灣)《쿠바 남동부의 만; 미해군 기지가 있음》.
gua·nýl·ic ácid [gwɑ:nílik-, gwə-] *n.* 〔生化〕 구아닐산《구아닌의 리보뉴클레오티드》.
guar. guaranteed; guarantor; guaranty.
Gua·ra·ni [gwɑ̀:rəní:] *n.* (*pl.* **~, ~s, ~es**) 과라니족(族)《남미 중부의 원주민》; 과라니어[인]; [g~] [, gwɑ́:rəni] (*pl.* **-nies**) 파라과이의 화폐 단위《기호 G》.
***guar·an·tee** [gæ̀rəntí:, 美+gɑ̀:-] *n.* **1 a)** 보증, 인수, 보장; 담보(물) (security); 개런티《최저 보증 출연료》: He offered his house as a ~. 그는 가옥을 담보로 하겠다고 제의했다. **b)** (일반적으로) 보증하는 것〈*of*〉. **2** 보증인, 인수인〈*for*〉. **3** 〔法〕 피(被)보증인 (↔*guarantor*).
be*[*stand*] *guarantee for …의 보증인이다[이 되다]; …의 보증을 서다.
── *vt.* [+目/+目+前+名/+目+目/+*that* 節/+目+*to* do/+*to* do] 책임지다, 보증하다 (affirm); (일의 확실성 따위를) 장담하다, 약속하다: This watch is ~*d* for five years. 이 시계는 5년간 보증한다 / This insurance ~*s* you ***against*** money loss in case of fire. 이 보험은 화재의 경우 금전상의 손실에 대하여 보증한다 / We have been ~*d* ***from*** injury. 상해 보증을 받고 있다 / Will you ~ us regular employment? 우리들에게 정식 고용을 보증해 주겠습니까 / He ~*d that* he would be present. 출석하겠다고 약속했다 / The watchmaker has ~*d* this watch *to* keep perfect time. 시계 제조인은 이 시계가 결코 시간이 틀리지 않는다고 보증했다 / I will ~ *to*

prove the report I have made. 이상의 보고는 틀림없음을 보증합니다.
〖C17 < ? Sp. *garante* or F *garant* WARRANT〗

guarantéed (ánnual) íncome *n.* =NEGATIVE INCOME TAX.

guarantéed ánnual wáge *n.* 〔勞〕 연간 보증 임금.

guarantéed ínterest còntract *n.* 〔保險〕 이율 보증 보험 계약.

guarantée fùnd *n.* 〔商〕 보증 기금.

guar·an·tor [gæ̀rəntɔ́:r, 美+gὰ:-, 美+gǽrəntər, 美+gά:-] *n.* 보증하는 사람[단체, 제도]; 〔法〕 보증[담보]인 (↔*guarantee*).

guar·an·ty [gǽrənti, 美+gά:-] *n.* **1** 보증, 책임짐; 〔法〕 보증계약. **2** 보증물(保證物), 담보, 보장; 보증인. —— *vt.* =GUARANTEE.
〖AF (변형(變形)) < *waranite* WARRANTY〗

‡guard [gά:rd] *vt.* **1** [+目/+目+前+名] 망보다, 감시[경계]하다; 지키다, 수호[보호·호위]하다; 〔스포츠〕 (나오는 상대를) 막다, 가드하다; (기계 따위에) 위험 방지 장치를 하다: The prisoner was ~*ed* night and day. 그 포로는 밤낮으로 감시당했다 / The sentries ~*ed* us ***from*** [***against***] surprise. 보초들은 우리가 기습을 받지 않도록 지켜 주었다. **2** (말·생각 따위를) 억제하다, 삼가다.
—— *vi.* **1** [+*against*+名] 경계하다, 주의하다: ~ ***against*** accidents 사고 방지에 힘쓰다. **2** 〔펜싱〕 방어 자세를 취하다.
—— *n.* **1** U 망보기, 감시, 경계. **2 a)** 호위자, 수위, 망보는 사람, 문지기, 감시자; 《美》 교도관; 〔軍〕 보초, 위병; 호위병[대], (포로 등의) 호송병[대]; 수비대. **b)** 친위(대), 근위병[대]; [the G~s] 《英》 근위연대: ☞ HORSE GUARDS, LIFE GUARDS, FOOT GUARDS. **3** U,C (펜싱·권투 따위에서) 방어자세, 몸자세; 〔크리켓〕 위켓 방어를 위한 타구봉의 자세(《주》 펜싱에서는 다음의 guards가 있음: prime, seconde, tierce, quarte, quinte, sixte, septime, octave): strike down a person's ~ 〔펜싱〕 상대방의 방어 태세를 격파하다. **4** 《英》 (열차·역마차의) 차장(=《美》 conductor); 《美》 (열차의) 제동수, 문 개폐 담당자. **5** 방호물(防護物), 위험 방지기; (칼의) 날밑, (경기자가 몸에 착용하는) 프로텍터, (총의) 안전 장치, (난로의) 쇠 격자(fender), 난간, 시계의 줄[끈], 모자를 매는 가는 끈; (차의) 흙받이. **6** 〔籠·美蹴〕 가드.
at open guard 〔펜싱〕 빈틈이 보이는[허술한] 방어 자세로.
give [***take***] ***guard*** 〔크리켓〕 위켓 방어의 정위치에서 칠 자세를 취하다.
a guard of honor 의장병(儀仗兵).
keep guard (***over. . .***) (…을) 망[파수]보다, 경계하다.
mount (***the***) ***guard*** 〔軍〕 보초를 서다〈*over*〉; (일반적으로) 감시하다, 망보다〈*over*〉.
off guard 비번(非番)으로: come *off* ~ 〔軍〕 비번이 되다.
off one***'s guard*** 경계를 게을리하여, 방심하여: throw[put] a person *off* his ~ 남을 방심시키다 / catch a person *off* his ~ 남이 방심한 틈을 타다[잡다].
on guard 당번(當番)으로.
on one***'s guard*** 보초를 서서, 망보고 (있는); 경계[주의]하여: put[set] a person *on* his ~ 남에게 경계시키다, 주의시키다〈*against*〉.
relieve guard 교대하여 보초를 서다.
row the guard (군함의 도망병을 막기 위하여) 배 주위를 보트로 경계하다.
run the guard 보초의 눈을 피하여 지나가다.
stand guard 보초 서다.
stand guard over …을 호위하다.
stand [***lie***] (***up***) ***on*** one***'s guard*** 경계하다, 조심하다.
〖OF < Gmc.; WARD와 이중어〗
類義語 ⟹ DEFEND.

guar·dant, gar·dant [gά:rdənt] *a.* 〔紋〕 (동물이) 똑바로 정면을 향한. —— *n.* 《廢》 보호자.

guárd bòat *n.* 〔海軍〕 순회 경비정; (수상 경찰의) 감시선.

guárd bòok *n.* 《英》 낱장을 끼워 넣을 수 있게 된 책《앨범·스크랩북 따위》; 페이지·기사를 보충할 수 있게 된 책.

guárd cèll *n.* 〔植〕 구멍가[공변(孔邊)] 세포《기공(氣孔)·수공(水孔)의》.

guárd chàin *n.* (시계·브로치 따위의) 사슬줄.

guárd commànder *n.* 〔軍〕 위병 사령.

guárd dùty *n.* 보초[호위·경비] 근무.

guárd·ed *a.* 방호[감시]받고 있는; (말 따위) 주의 깊은, 신중한. **~·ly** *adv.* 주의 깊게.

guard·ee [gά:rdi, 英+gɑ:dí:] *n.* 《英口》 근위병 (guardsman).

guárd·er *n.* 호위; 지키는 사람, 수호자, 감시원.

guárd hàir *n.* 〔動〕 조모(粗毛), 자모(刺毛)《잔털을 보호하는 피모(被毛)》.

guárd·hòuse *n.* 위병소, 보초 대기소; 영창, 유치장.

guard·i·an [gά:rdiən; -djən, -diən] *n.* 보호자, 수호자, 감시자, 보관자; 〔法〕 (미성년자 혹은 그 외의) 후견인 (↔*ward*). —— *a.* 보호하는, 수호의. 〖OF (WARD, *-ing*); cf. WARDEN〗

guárdian ángel *n.* (개인·사회·지방의) 수호천사.

guárdian·shìp *n.* U 후견(직책·권한); 보호, 수호: under the ~ of the laws 법의 보호하에.

guárd·less *a.* 지키는 사람이 없는, 무방비의; 방심한; (칼에) 날밑이 없는.

guárd·ràil *n.* 난간; (도로의) 가드레일; 〔鐵〕 (탈선 방지를 위한) 바퀴 보조 레일.

guárd rìng *n.* (결혼 반지가 빠지지 않게 그 위에 덧 끼는) 덧반지.

guárd·ròom *n.* 위병소, 위병 대기실, 수위실; 영창, 감금실.

guárd shìp *n.* 경비[감시]정, 초계함(哨戒艦).

guárds·man [-mən] *n.* 위병; 《英》 근위병《특히 장교》; 《美》 주병(州兵).

guárd's ván *n.* 〔英鐵〕 =CABOOSE.

guárd tènt *n.* 위병 대기소[천막].

Guar·ne·ri [gwɑ:rnέəri], **Guar·ne·ri·us** [gwɑ:rníəriəs, -nέər-] *n.* 과르네리, 과르네리우스《(1) 17-18세기 이탈리아에서 바이올린을 제작한 일족(一族). (2) 그 일족이 제작한 바이올린》.

Guat. Guatemala.

Gua·te·ma·la [gwὰ:təmά:lə; gwæ̀t-] *n.* 과테말라《중앙 아메리카의 공화국; 그 수도》.
Guà·te·má·lan *a.*, *n.*

gua·va [gwά:və] *n.* 〔植〕 과바《열대 아메리카산의 작은 관목》; 그 열매《젤리·잼의 원료》.
〖Sp. *guayaba*〗

gua·yu·le [gwaiú:li, gwɑ:jú:li; gwəjú:-] *n.* 〔植〕 과율리고무나무《엉거시과의 관목; 멕시코산; 그 액즙은 고무 대용품》.

gub·bins [gʌ́bənz] *n.* [단수·복수취급] 《英》 잡동사니, 허섭쓰레기, 가치 없는 것; 간단한 장치;

거시기 ; 《口》 바보.
〖*gobbons* (obs.) fragments ; cf. GOBBET〗

gu·ber·na·to·ri·al [gjùːbərnətɔ́ːriəl, gùb-] *a.* 《美》 주지사(州知事) (governor)의, 지방 장관의 ; 행정의. 〖L ; ⇨ GOVERNOR〗

guck [gʌ́k, gúk] *n.* 《俗》 미끈미끈한 것 ; 연니(軟泥) ; 찌꺼기, 부스러기. 〖*goo*＋*muck*인가〗

gud·geon[1] [gʌ́dʒən] *n.* **1** 〖魚〗 모샘치《잉어과의 작은 물고기 ; 잡기가 쉬움》. **2** 잘 속는 사람.
── *vt.* 걸려들게 하다, 속이다.
〖OF＜L (*gobion- gobio* GOBY)〗

gudgeon[2] *n.* 굴대 꼭지, 축두(軸頭) ; 암톨쩌귀, (키의) 축받이. 〖OF (dim.) 〈GOUGE〗

gúdgeon pìn *n.* 피스톤 핀(wrist pin).

guél·der ròse [géldər-] *n.* 〖植〗 불두화(snowball).

Guelf, Guelph [gwélf] *n.* **1** 겔프 당원(黨員) 《12-15세기의 이탈리아의 황제당 세력에 반대한 교황당원 ; cf. GHIBELLINE》. **2** [the ～s] 겔프당.
～·ic *a.* **～·ism** *n.*

Guen·e·vere [gwénəvìər] *n.* 여자 이름.
〖Welsh ; ⇨ GUINEVERE〗

guer·don [gə́ːrdən] *n.* 《詩》 보상, 포상, 보수(reward). ── *vt.* …에게 포상하다, 보수를 주다. 〖OF＜L *widerdonum*＜Gmc. (WITH, LOAN) ; 어미는 L *donum* gift에 동화(同化)〗

Guern·sey [gə́ːrnzi] *n.* **1** 건지《영국 해협의 작은 섬》. **2** 건지종(種) 젖소 ; [g～] 푸른 털실로 짠 재킷《주로 어린이 · 선원용》.

guer·ril·la, gue·ril·la [gərílə, ge-] *n.* 비정규병, 게릴라병 ; 별동대 ; 《稀》 유격전 ; [형용사적으로] 게릴라(전)의 : ～ war(fare) 게릴라전.
〖Sp. (dim.)〈*guerra* WAR〗

guerrílla thèater *n.* (반전[반체제]적인) 가두연극.

◇**guess** [gés] *vt.* **1** [＋目 / ＋*that* 節 / ＋目＋*to* do / ＋目＋*at*＋名 / ＋*wh.* 節 / ＋*wh.*＋*to* do] **a)** 추측[추단]하다 : I ～*ed* the distance by the eye. 그 거리를 눈어림했다 / I ～*ed that* he was an ex-serviceman. 그가 퇴역 군인이 아닌가 생각했다 / I ～*ed* him *to be* 45[～*ed* his age ***at*** 45]. 그의 나이를 45세로 보았다 / No one could ～ *which* team would win. 어느 팀이 이길 것인지 아무도 추측할 수 없었다 / I cannot ～ *what to* do next. 다음은 무엇을 해야 할지 생각이 나지 않는다. **b)** 어림 짐작으로 말하다, 알아맞히다 : *G～ which* hand holds a coin. 어느 손에 돈이 있는지 맞혀 보시오. **2** 생각해[풀어] 맞히다 : ～ a riddle 수수께끼를 풀어 맞히다. **3** 《美口》 [＋*that* 節] (…라고) 생각하다, 믿다(suppose, think) (cf. RECKON *vt.* 3) : I ～ I'll go to bed. 이제 자야겠다 / I ～ so[not]. 그렇다고 생각한다[그렇지 않을 것이다]. ── *vi.* [動 / ＋*at*＋名] 추측하다, 알아맞히다 : ～ right[wrong] 맞히다[잘못 맞히다] / I ～*ed* ***at*** her age, but could not hit upon it. 그녀의 나이를 맞혀 보려고 했으나 맞히지 못했다.

〈회화〉
What's in your pocket? — *Guess.* 「호주머니 속에 뭐가 들었니」「알아 맞춰봐」

keep a person ***guessing*** 남을 조마조마하게[마음 졸이게] 하다.
── *n.* [＋*that* 節 / ＋前＋*wh.* 節] 추측, 짐작, 억측 : give[make] a ～ 추측[억측]하다 / I made a ～ *that* there were 300 persons present. 300명이 출석한 것으로 추측했다 / He made a pretty fair ～ ***as to*** *how* much I weighed. 나의 체중이 얼마나 되는지를 거의 가깝게 맞혔다.
anybody's guess 어림 짐작에 의한 추측 : *Anybody's* ～ is nobody's ～. 사람마다 예상이 다른 경우에는 누구의 예상도 옳다고 할 수 없다.
at a guess＝***by guess*** (***and by god***) 추측으로, 어림 짐작으로.
〖ME *gesse*＜? Scand. (ON *geta* to get, guess)〗
類義語 ***guess*** 《口》 잘 알지 못한 것, 불확실한 증거에 의해서 판단 · 추정하다 : *guess* the height of a hill (언덕의 높이를 추정하다). ***conjecture*** 불완전[불확실]한 증거에서 추단 혹은 예측하다 : I could not *conjecture* his intentions. (그의 의도를 짐작할 수 없었다). ***surmise*** 직관 혹은 상상에 의해서 미루어 짐작하다 : We *surmised* her motive of suicide. (그녀가 자살한 동기를 추정했다).

guéss hìtter *n.* 〖野〗 짐작으로[요행을 바라고] 치는 타자.

guéss-ròpe *n.* ＝GUEST ROPE.

gues(s)·ti·mate [géstəmèit] *vt., vi.* 《口》 짐작으로 견적하다, (되는 대로) 추측하다.
── [-mət] *n.* 추측.
〖*guess*＋*estimate*〗

guéss·whò *n.* 《口》 모르는 사람(stranger).

guéss·wòrk *n.* Ⓤ 억측[어림짐작](으로 한 일).

‡**guest** [gést] *n.* **1 a)** (초대받은) 손님, 내객, 빈객 (↔*host* ; cf. CLIENT, CUSTOMER) : the ～ of honor (정찬 따위의) 주빈(主賓). **b)** [형용사적으로] 손님으로서의, 초대된, 초빙을 받은 : ～ member 객원(客員), 임시 회원 (cf. REGULAR member) / a ～ conductor[professor] 객원 지휘자[교수]. **c)** 〖TV · 라디오 따위〗 특별 출연자, 게스트(＝∠ **àrtist,** ∠ **stàr**). **2** (하숙 · 여관 따위의) 숙박인 : a paying ～ (개인 집의) 하숙인. **3** 기생 동[식]물.

〈회화〉
What time will the *guests* arrive? — They should be here at around 7 : 00. 「손님들은 몇 시에 도착합니까」「7시경에 도착할 겁니다」

── *vt.* 손님으로 대접하다. ── *vi.* 〖TV · 라디오 따위〗 게스트로 출연하다 ; 《古》 손님이다[이 되다]. 〖ON *gestr* ; cf. OE *gæst* guest, stranger, G *Gast*〗
類義語 ⟹ VISITOR.

guést·chàmber *n.* ＝GUEST ROOM.

guést·hòst *vi.* 손님을 초대하고 대접하다.

guést·hòuse *n.* **1** 고급 하숙집, 여관. **2** 영빈관(迎賓館) ; (수도원 따위에서 순례자용의) 숙소.

guést nìght *n.* 《英》 (클럽 · 학교 따위에서의) 손님 접대의 밤.

guést ròom *n.* 손님용의 침실 ; (여관 · 하숙의) 객실.

guést ròpe *n.* 〖海〗 손잡이 밧줄 ; 끌배[예인선]에 맨 둘째 밧줄.

guést wórker *n.* 타국에서 독일로 돈벌이 하러 온 노동자(Gastarbeiter).

guff [gʌ́f], **goff** [gɔ́ːf] *n.* Ⓤ 《俗》 시시한 이야기, 실없는 소리, 허튼 소리, 허세, 난센스 ; 말대꾸 ; 정보. 〖C19＝puff (? imit.)〗

guf·faw [gʌfɔ́ː, ∠∠] *n.* 갑작스러운 너털웃음, (천한) 너털웃음. ── *vi., vt.* 너털웃음을 웃다[웃으며 말하다]. 〖Sc. (imit.)〗

gug·gle [gʌ́gəl] *v., n.* ＝GURGLE.

gug·let, gug·glet [gʌ́glət] *n.* 《인도》 물을 차게 해두는 질그릇 병.

Gui·ana [giǽnə, gai-, giɑ́ːnə] *n.* 기아나《남미 북

동부에 있는 대서양 연안의 지방 ; 서쪽으로부터 가이아나, 수리남 및 프랑스령 기아나로 나뉘어짐》.

Guiána Spáce Cénter *n.* 기아나 우주 센터 《남미의 프랑스령 기아나의 쿠루(Kourou) 가까이에 있는 프랑스의 위성 발사 기지》.

gui·chet [giːʃéi ; ∸-; *F* giʃɛ] *n.* 매표구의 창.

guid·able [gáidəbəl] *a.* 인도할 수 있는, 지도할 수 있는.

***guid·ance** [gáidns] *n.* Ⓤ 안내, 지도, 인도, 지시 ; 학생 지도, 보도(輔導), 가이던스 ;〖空·宇宙〗(탄도·비행 궤도 따위의) 유도 : under a person's ~ 남의 안내[지도]로.

guídance ràdar *n.* 〖軍〗 미사일 유도 레이더.

◇**guide** [gáid] *vt.* **1** [+目/+目+前+名/+目+副] 인도하다, (길)안내하다 : The Indian ~*d* the hunters. 그 인디언이 그 사냥꾼들의 길안내를 했다 / ~ a person ***to*** a place[***in, out, up***] 남을 어떤 장소까지[안으로, 밖으로, 위로] 안내하다. **2** 지도[교도]하다, 인도하다. **3** 통치하다, 정치를 하다, 처리하다. **4** (사상·감정 따위가) 지배하다, 좌우하다, 관리하다(control). **5** (무생물이) …의 방향을 나타내다, 지표가 되다.
—— *vi.* 안내하다.
—— *n.* **1** 안내자, 길안내, 안내업자, 가이드. **2** 〖軍〗 향도(嚮導) ;〖海軍〗 향도함 ; [*pl.*] 정찰대. **3** 소녀단원(☞ GIRL GUIDE). **4** 지도자, 교도자, 선도자. **5 a**) 지도 원리《신념·이상 따위》; Ⓤ,Ⓒ 규준, 지침, 근거 : His advice is a safe ~. 그의 조언은 안심하고 따를 수 있다 / My intuition was little[not much] ~. 나의 직감은 거의[그다지] 맞지 않았다. **b**) 안내서, 편람(manual) 〈*to*〉; 여행 안내(서)〈*to* Seoul〉. **6** 〖機〗 유도 장치, 도자(導子) ; 활좌(滑座).
〖OF＜Gmc. ; cf. OE *wītan* to look after, *witan* WIT〗
類義語 ***guide*** 길을 잘 알고 있는 사람이 다른 사람과 동행해서 목적지까지 안내하다 : A native *guided* the explorers. (본 고장 사람이 탐험가들을 안내했다). ***lead*** 선두에 서서 뒤에서 따라오는 사람을 인도해서 가다 : The dog *led* his blind master to his house. (그 개가 눈먼 주인을 집까지 인도했다). ***conduct*** 사람을 안내해 도와 주기 위해서 동행하다 : *conduct* a person to a seat (남을 좌석까지 데려다 주다).

guíde·bòard *n.* 길 안내판.

guíde·bòok *n.* 여행 안내(서), 편람, 가이드북.

guíde càrd *n.* 찾아보기 카드, 색인 카드.

guíd·ed míssile [gáidəd-] *n.* 〖軍〗 유도탄, 유도 미사일.

guíde dòg *n.* 장님을 인도하는 개(cf. SEEING EYE DOG).

guíded tóur *n.* 안내인이 있는 (관광) 여행.

guíded wáve *n.* 〖理〗 도파(導波), 유도된 전파.

guíde·less *a.* 안내자[지도자]가 없는 ; 지도(指導)가 없는.

guíde·lìne *n.* **1** (습자지·도화지 위의) 희미한 윤곽선 ; (동굴 따위에서 길을 잃지 않기 위해서) 길을 인도하는 밧줄. **2** (장래의 정책 따위의) 지침, 지표, 계획 개요〈*on*〉.

guíde nùmber *n.* 〖寫〗 섬광(閃光) 촬영을 할 때 노출을 산출하는 수치(數値).

guíde·pòst *n.* 도표(道標), 이정표 ; 《비유》 지도 목표, 지침(guideline).

guid·er [gáidər] *n.* 이끄는[안내하는] 것, 지도자 ; [때때로 G~] 걸 가이드의 지도자[단장].

guíde ràil *n.* (문·창의) 가이드 레일.

guíde ròpe *n.* **1** =GUY². **2** (기구·비행선의) 유도줄.

guíde·wày *n.* 〖機〗 미끄럼홈, 도구(導溝).

guíde wòrd *n.* (책의 페이지 위쪽 난외에 인쇄한) 표제어, 색인어(索引語).

GUIDO, Gui·do [gáidou] *n.* 《美》〖宇宙〗 우주선 유도 기술자.

gui·don [gáidɑn, -dn] *n.* 〖軍〗 (원래 기병용) 삼각기(三角旗)(기수) ; 《美》 부대기(기수).
〖F＜It. (*guida* GUIDE)〗

Gui·gnol [giːnjɔ́ːl ; *F* giɲɔl] *n.* 기뇰《프랑스의 인형극에 등장하는 인물로 Punch와 비슷함》.

guild, gild [gíld] *n.* **1** (중세 상공업자의) 동업조합[단체], 길드. **2** (일반적으로) 동업조합 ; 조합, 단체, 협회(society).
〖? MLG, MDu. *gilde* ; cf. OE *gi(e)ld* payment, sacrifice, guild〗

guíld·er *n.* **1** 길더《네덜란드의 화폐단위 ; =100 cents ; 기호 G》; 1길더 은화. **2** 네덜란드·독일·오스트리아의 옛 금[은]화.
〖Du. GULDEN ; KRONER에서 영향을 받은 변형(變形)인가〗

guíld·hàll *n.* **1** (중세) 길드의 집회장[회의소]. **2** 시청(사)(town hall). **3** [the G~] (London의) 시의회 의사당, 길드홀《시의회·시장 선거·공식 연회 따위에 사용됨》.

guíld·ship *n.* 조합, 길드(guild) ; 길드 조합원임, 그 신분.

guilds·man [gíldzmən] *n.* 길드 조합원.

guíld sócialism *n.* 길드 사회주의《임금제도를 폐지하고 전국적 길드를 설립하려는 영국 근대 사회주의의 일파》.

guile [gáil] *n.* Ⓤ 교활, 음흉함, 간교 ; 《古》 책략(策略) : get...by ~ …을 사취(詐取)하다.
〖OF＜Scand. ; ⇨ WILE〗

guíle·ful *a.* 교활한, 음흉한. **~·ly** *adv.* 간사하게, 교활하게. **~·ness** *n.*

guíle·less *a.* 간계가 없는, 정직한, 명랑한, 악의 없는, 천진 난만한, 솔직한(frank).
~·ly *adv.* 솔직히.

Guil·laume [gijóum] *n.* 남자 이름.
〖F ; ⇨ WILLIAM〗

guil·le·mot [gíləmɑ̀t] *n.* 바다오리류의 각종 바다새. 〖F (dim.) ‹ GUILLAUME〗

guil·loche [gilóuʃ ; *F* gijɔʃ] *n.* 〖建〗 노끈을 꼰 매듭 모양의 장식.

guil·lo·tine [gílətìːn, gìːjətíːn, ∸-∸] *n.* **1** 기요틴, 단두대(斷頭臺). **2** (종이 따위의) 절단기. **3** 〖英議會〗 (의사 방해를 막기 위한) 토론의 종결.
—— [∸-∸] *vt.* …의 목을 단두대로 자르다 ; 절단기로 자르다 ; (편도선을) 절제(切除)하다 ;〖英議會〗 (의안의) 토론을 종결하고 통과를 서두르다.
〖F ‹ J. *Guillotin* (d. 1814) 이 처형법을 제안한 프랑스의 의사〗

***guilt** [gílt] *n.* **1** Ⓤ 유죄, 죄를 범하고 있음, 죄가 있음 : confess one's ~ 죄를 범한 것을 자백하다. **2** Ⓤ 죄(sin) ; 범죄(행위). **3** 죄의식, 죄책감, 자책. 〖OE *gylt* offense＜ ?〗

guílt còmplex *n.* 〖心〗 죄책 컴플렉스《무의식 속에 잠재하는 죄책감》.

guílt·less *a.* 죄가 없는, 무고(無辜)한, 결백한(innocent)〈*of*〉; 전혀 모르는, (…을) 알지 못하는〈*of*〉; (…을) 가지고 있지 않은〈*of*〉: be ~ *of* a beard 수염을 기르고 있지 않다 / I am ~ *of* offending him. 그의 감정을 해친 기억은 없다.
~·ly *adv.* 결백하게. **~·ness** *n.* Ⓤ 결백.
〖OE *gyltlēas*〗
類義語 ⟹ INNOCENT.

***guílty** *a.* **1** (…의) 죄를 범한, 유죄의(criminal) (↔*innocent*) : He is ~ *of* a crime[*of* murder, *of* theft]. 죄를[살인죄를, 절도죄를] 범하고 있다 / Are you ~ or innocent *of* his death? 그의 죽음에 너는 죄가 있느냐 없느냐 / He was found ~. 유죄로 판결되었다 / a ~ deed 범행 / a ~ mind[intent] 범의(犯意). **2** (과실 따위를) 저지른, (…의) 결점이 있는〈*of*〉. **3** 죄의식이 있는, 죄를 저지른, 속으로 꺼림칙한 데가 있는 : a ~ look 죄지은 것 같은 표정 / a ~ conscience 꺼림칙한 데가 있는 마음.
not guilty (배심 평결에서) 무죄 : The defendant was given the verdict of "*not* ~." 피고는 무죄 판결을 받았다.
plead guilty [***not guilty***] 죄를 승복하다[무죄를 주장하다] : He *pleaded* ~ *to* the crime[*to* steal*ing* the money]. 그는 그 죄를[그 돈을 훔친 죄를] 자인했다.
〖OE *gyltig*〗

guílty bíg *a.* 《美俗》 정신과 치료를 받고 있는[가 필요한].

guimpe, guimp [gímp, gǽmp] *n.* (점퍼 스커트 따위의 밑에 입는) 소매 짧은 블라우스. 〖F〗

Guin. Guinea.

guin·ea [gíni] *n.* **1** 기니《21 실링에 해당하는 영국의 옛 금화 ; 지금은 단지 계산상의 단위로 의사·변호사 등의 사례, 말·그림·토지의 매매, 기부금 따위의 계산에 쓰임》. **2** =GUINEA FOWL. 〖↓〗

Guinea *n.* 기니《(1) 아프리카 서부 해안 지방. (2) 서아프리카의 국가 ; 수도 Conakry》.

Guínea-Bis·sáu [-bisáu] *n.* 기니비사우《서아프리카의 공화국 ; 수도 Bissau》.

Guínea còrn *n.* 〔植〕 팥수수(durra).

guínea fòwl *n.* 〔鳥〕 뿔닭.

guínea gràins *n. pl.* 아프리카산(産) 생강과의 식물의 씨(grains of paradise) 《향료·수의(獸醫)용》.

guínea gràss *n.* 〔植〕 (아프리카 원산의) 기니수수, 기니그래스《사료용(用)》.

guinea fowl

guínea hèn *n.* GUINEA FOWL의 암컷.

Guínea·man [-mən] *n.* (*pl.* **-men** [-mən]) **1** 〔史〕 기니 무역선(貿易船), 노예선(船). **2** 기니인(人).

Guín·e·an *a.* 기니(인)의. ── *n.* 기니 인.

guínea pìg *n.* **1** 〔動〕 기니피그(cf. MARMOT). **2** 《口》 실험 재료, 시험대. **3** 《英古》 약간의 노동으로 기니 금화의 보수를 받는 사람《특히 회사의 중역·대리 목사 등》.

guínea wòrm *n.* [때때로 G~] 기니벌레, 메디나벌레《열대의 선충류로 사람·동물의 피부 깊은 곳에 기생》.

Guin·e·vere [gwínəvìər] *n.* **1** 여자 이름. **2** 기네비어《Arthur왕의 왕비로 Lancelot의 애인》. 〖Celt.=white, fair (lady)〗

Guin·nes [gínəs] *n.* 기네스《쓴맛이 있는 스타우트 맥주 ; 상표명》.
the Guinnes Book of Records 기네스북《영국의 맥주 회사인 Guinnes가 매년 발행하는 세계 기록집》.

guinzo ☞ GINZO.

gui·pure [gipjúər] *n.* Ⓤ (두껍고 무늬가 큰) 레이스의 일종 ; 선 두른 레이스. 〖F (*guiper* to cover with cloth<Gmc.) ; cf. WIPE, WHIP〗

gui·sard [gáizərd] *n.* 가면을 쓴 사람.

guise [gáiz] *n.* **1** 외관(appearance), 모습 ; 《古》 복장, 차림, 몸치장(aspect), 옷차림. **2** 가장, 변장, 가면 ; 꼴, 겉치레, 구실 : under[in] the ~ *of* friendship 우정을 가장하여. ── *vt.* 《古》 (남)에게 …한 몸치장을 시키다 ; 《英方》 (남)에게 변장[가장]시키다. ── *vi.* 《英方》 익살맞은 변장을 하다, 가장하고 나돌아 다니다.
〖OF<Gmc. ; ⇨ WISE²〗
[類義語] ⟹ APPEARANCE.

‡gui·tar [gitáːr, gə-] *n., vi.* (**-rr-**) 기타(를 치다). **~·ist** *n.* 기타 연주가[치는 사람].
〖F or Sp.<Gk. *kithara* harp ; cf. CITHERN, GITTERN〗

guitár·fìsh *n.* 〔魚〕 가래상어.
〖위에서 보면 기타와 비슷함〗

Gui·zhou [gwéidʒóu], **Kwei·chow** [gwéidʒóu, kwéi- ; kwéitʃáu] *n.* 구이저우(貴州)《중국 남부의 성》.

Gu·lag [gúːlæg, -lɑːg] *n.* **1** (구소련의) 교정(矯正) 노동 수용소 관리국(1934-60) ; =GULAG ARCHIPELAGO. **2** [g~] (특히 사상·정치범의) 강제 노동 수용소. 〖Russ. *G*lavnoye *u*pravleniye ispravitelno-trudovykh *lag*erei=Chief Administration of Corrective Labor Camps〗

Gúlag Archipélago *n.* [the ~] (Stalin에 의해 설치된 구소련의) (사상·정치범) 강제 노동 수용소 망(網). 〖Aleksandr Solzhenitsyn의 소설 *The Gulag Archipelago*(제1부, 1973)에서〗

gulch [gʌ́ltʃ] *n.* 《美》 (양쪽이 절벽을 이룬) 협곡(峽谷). 〖? *gulch* (dial.) to swallow〗

gul·den [gúldən, gúːl-] *n.* (*pl.* **~, ~s**) =GUILDER. 〖Du., G=golden〗

gules [gjúːlz] *n.* (*pl.* ~) 〔紋〕 적색 ; 적색인 것. ── *a.* 적색의. 〖OF *go*(*u*)*les* red dyed fur neck ornament (pl.)〈*gole* throat〗

***gulf** [gʌ́lf] *n.* **1** 만(灣)《보통 bay보다 크고 폭에 비해서 육지로 깊이 들어갔음》. **2** 깊은 구멍, 깊이 갈라진 틈 ; 《詩》 심연, 심해(abyss) ; 소용돌이(whirlpool) ; 《비유》 넘을 수 없는 한계[장벽] : the ~ *between* rich *and* poor 심한 빈부의 차. ── *vt.* 깊은 곳으로 휩쓸어[끌어]들이다.
〖OF<It.<Gk. *kolpos* bosom, gulf〗

Gúlf Stàtes *n. pl.* [the ~] **1** 《美》 멕시코 만에 면해 있는 다섯 주《Florida, Alabama, Mississippi, Louisiana, Texas》. **2** 페르시아 만 연안제국(諸國)《페르시아 만에 면한 산유국들》.

Gúlf Strèam *n.* [the ~] 멕시코 만류《멕시코 만에서 북류해서 북극양으로 들어가는 난류 ; 유럽 서부는 이 때문에 겨울철에 따뜻함》.

Gúlf Wár *n.* [the ~] 걸프전(戰)《1990년 8월 이라크의 쿠웨이트 침공, 합병으로 발발하여 미국이 이끄는 다국적군이 1991년 군사 개입해 이라크군을 격퇴시킴으로써 끝남》.

gúlf·wèed *n.* Ⓤ,Ⓒ 〔植〕 (멕시코 만류 따위에서 볼 수 있는) 모자반류의 해초(sargasso).

gull¹ [gʌ́l] *n.* 〔鳥〕 갈매기(cf. SEA GULL).
〖? Welsh *gwylan*, Corn. *guilan*<OCelt.〗

gull² *vt.* [+目 / +目+*out of*+名] (어리석은 사람을) 속이다(deceive) : He was ~*ed* ***out of*** his money. 그는 속아서 돈을 빼앗겼다. ── *n.* 속기 쉬운 사람, 멍청이. 〖(dial.)=unfledged bird〈? *gull* (obs.) yellow<ON〗

Gul·lah [gʌ́lə] *n.* (*pl.* ~, **~s**) 《美》 미국 남동부의 해안 및 섬에 노예로 정착한 흑인(의 사투리 영어).

gúll·ery *n.* 갈매기의 집단[군서지]. 〚GULL[1]〛

gul·let [gʌ́lət] *n.* **1** 식도(food passage) ; 목구멍(throat). **2** 《古·方》 수도, 해협(channel), 협로, 애로(defile). 〚OF (dim.) ‹ *goule* (L *gula* throat)〛

gùll·ibílity *n.* Ⓤ 속기 쉬움, 멍청함.

gúll·ible *a.* 속기 쉬운, 멍청한. 〚GULL[2]〛

gúll·ish *a.* 어리석은, 멍청한. 〚GULL[2]〛

Gúl·li·ver's Trávels [gʌ́ləvərz-] *n.* 걸리버 여행기《Jonathan Swift 작(作)의 풍자 소설 ; cf. LILLIPUT, BROBDINGNAG》.

gúll wìng *n.* 〔空〕 갈매기꼴 날개, 걸 날개.

gúll-wìng *a.* 〔自動車〕 위로 젖혀서 여는 식의《문짝》; 〔空〕 갈매기꼴 날개의.

gul·ly[1], **gul·ley** [gʌ́li] *n.* (보통 물이 마른) 구곡(溝谷), 걸리 ; 골짜기, 협곡, 계곡 ; 《英》 도랑, 하수. —— *vt.* …에 도랑을 만들다. —— *vi.* 침식되어 구곡이 생기다. 〚F *goulet* bottleneck ; ⇨ GULLET〛

gul·ly[2] [gúli, gʌ́li ; gʌ́li] *n.* 큰 나이프. 〚C16<?〛

gúlly dràin *n.* 하수관(管).

gúlly hòle *n.* (도로 위에 쇠격자 뚜껑을 한) 하수가 빠지는 구멍.

gúlly tràp *n.* GULLY HOLE의 방취(防臭) 밸브.

gu·los·i·ty [gjuːlɑ́səti, gju-] *n.* Ⓤ 《古·文語》 대식(大食), 폭식 ; 탐욕.

gulp [gʌlp] *vt.* [+目+副] **1** 꿀꺽꿀꺽[꿀떡꿀떡] 마시다, 쭉 들이켜다 : He *~ed* ***down*** a glass of juice. 주스를 쭉 마셨다. **2** (눈물 따위를) 삼키다, (분노를) 참다, 억누르다 : The boy *~ed* ***down*** a sob. 소년은 흐느낌을 꾹 참았다. —— *vi.* 들이켜다, 꿀꺽꿀꺽 마시다. —— *n.* 쭉[꿀꺽꿀꺽] 마시기[마시는 소리·양(量)], 들이켜기 : at one [a] ~ 한 모금에, 단숨에, 한 입에. 〚? MDu. *gulpen* (imit.)〛

gúlp·ing·ly *adv.* 꿀떡꿀떡, 꿀꺽꿀꺽.

***gum**[1] [gʌ́m] *n.* **1** 고무질, 점성 고무. **2** Ⓤ 《美》 (탄성) 고무(=India rubber). **3** [*pl.*] 《美》 덧신, 고무장화. **4** Ⓤ 《美》 (씹는) 껌(chewing gum) ; Ⓒ =GUMDROP. **5** Ⓤ 고무[아라비아]풀(mucilage). **6** Ⓤ (넓은 뜻으로) 수지 ; Ⓒ =GUM TREE. **7** Ⓤ 눈곱.

—— *v.* (**-mm-**) *vt.* [+目/+目+副] …에 고무(질)을 바르다[먹이다], 고무(질)로 굳히다[붙이다·잇다] : ~ something ***down*** 어떤 물건을 고무로 발라 굳히다 / They are *~med together.* 서로 고무로 꼭 붙어 있다.

—— *vi.* 고무질을 분비[형성]하다 ; 고무 상태가 되다 ; 찐득찐득해지다. 〚OF<L<Gk. *kommi*<Egypt. *kemai*〛

gum[2] *n.* [보통 *pl.*] 잇몸, 치은(齒齦).

—— *vt.* (**-mm-**) (톱)의 날을 세우다 ; (이가 없어서) 잇몸으로 깨물다. 〚OE *gōma* palate〛

gum[3] *int.* [때때로 G~] =GOD《가벼운 욕·맹세에 사용함》.

By* [*My*] *gum ! 《口》 맹세코 !, 확실히 !, 이런 !, 저런 ! 〚완곡 변형(變形) ‹ *God*〛

gúm ammóniac *n.* 암모니아 고무.

gúm árabic, gúm acácia *n.* 아라비아 고무《아라비아 고무나무에서 채집하는 수지 ; 약품·고무풀 제조용》.

gum·bah [guːmbɑ́ː] *n.* 《美俗》 친구, 단짝《암흑가 용어》. 〚It. *compare* godfather〛

gúm·bàll *n.* 《美》 (구형(球形)의) 추잉[풍선] 껌.

gúm-bèat·er *n.* 《美俗》 얘기[말]하는 사람, (특히) 허풍선이, 수다쟁이.

gúm-bèat·ing *n.* 《美俗》 수다, 잡담, 실없는 말, 지루한 의논.

gum·bo, gom- [gʌ́mbou] *n.* (*pl.* **~s**) 《美》 = OKRA. 〚Bantu〛

gúm·bòil *n.* 〔醫〕 치은궤양(潰瘍), 잇몸 궤양.

gúm bòot *n.* [*pl.*] 고무장화(rubber boot) ; 《美俗》 경찰, 탐정.

gúm dràgon *n.* =TRAGACANTH.

gúm·dròp *n.* 검드롭《젤리 모양의 캔디 ; 아라비아 고무가 들어 있음》.

gúm elàstic *n.* 탄성 고무, 고무(rubber).

gúm-fòot *n.* 《美俗》 (특히) 사복 경찰관.

gum·ma [gʌ́mə] *n.* (*pl.* **-ma·ta** [-tə], **~s**) 〔醫〕 (제3기 매독의) 고무종(腫). **gúm·ma·tous** *a.* 고무성(性)의, 고무종(腫)의. 〚GUM[1]〛

gúmmed tàpe *n.* 접착제를 바른 면에 물을 묻히면 붙게 된 포장용 테이프.

gúm·mer[1] *n.* (계획 따위를) 망치는 사람, 얼간이.

gummer[2] *n.* 이가 없는 늙은 양(羊) ; 《美俗》 (이 없는) 늙은이.

gum·mif·er·ous [gʌmífərəs] *a.* 고무가 생기는.

gúm·ming *n.* Ⓤ 고무가 나오기 ; (과수의) 병적 수액 분비 ; 〔印〕 (석판돌에) 아라비아 고무 용액을 칠하기.

gum·mite [gʌ́mait] *n.* 〔鑛〕 구마이트, 고무석《황[적]갈색 고무상(狀)의 역청 우라늄광》.

gum·mixed up [gʌmíkst ʌ́p], **gum·moxed up** [-mɑ́kst-] *a.* 《美俗》 너저분하게 된, 혼잡한.

gum·mous [gʌ́məs] *a.* 고무질[성]의, 고무상(狀)의 ; 고무용의 ; 〔醫〕 고무종(腫) 성질의.

gúm·my[1] *a.* 고무(성)의, 점착성의 ; 고무질로 덮인. 〚GUM[1]〛

gummy[2] *a.* 이[치아]가 없는, 잇몸이 보이는. —— *n.* 《濠》 이가 없는 늙은 양(羊) ; 《濠》 이가 넓적한 상어, (특히) 별상어(=∼ **shàrk**). 〚GUM[2]〛

gump [gʌmp] *n.* 《方·口》 얼간이, 멍청이. 〚C19<?〛

gúmp lìght *n.* 《美俗》 (갱부용의) 램프, 랜턴.

gump·tion [gʌ́mpʃən] *n.* Ⓤ 《口》 적극성, 진취적인 기상, 의기, 용기 ; 재치, 지혜, 요령이 좋음 ; 상식 ; 〔畫〕 물감 섞는 법. 〚C18 Sc.< ?〛

gúm rèsin *n.* 고무 수지《고무와 수지의 혼합물》.

gúm·shòe *n.* [*pl.*] 《美》 고무로 만든 덧신(galoshes) ; (소리가 나지 않는) 고무창의 구두(sneakers) ; 《美口》 탐정, 경찰(=**gúm·shòer,** ∼ **màn**) ; 《美口》 몰래하는 활동. —— *a.* 《美口》 살짝 이루어지는 ; 형사의[가 사용하는].

—— *vi., vt.* 《美口》 미행하다, 몰래 가다 ; 탐정[형사]을 하다.

gúm trágacanth *n.* =TRAGACANTH.

gúm trèe *n.* 〔植〕 고무나무《고무를 채취하는 유칼리나무(eucalyptus) 따위》. ㊟ rubber plant [tree] (관상용의 인도고무나무)와는 다름.

up a gum tree 《英口》 진퇴양난에 빠져.

gúm·wòod *n.* 고무[유칼리] 나무 재목.

◇**gun** [gʌ́n] *n.* **1 a**) 대포, 포, 화포《때때로 곡사포 및 박격포를 제외함 ; cf. CANNON》. **b**) (흔히) 총포《라이플·기병총·보병총 따위, 단총을 제외함》. **c**) 엽총(=shotgun) (cf. RIFLE[1]). **d**) 《美口》 권총, 건(pistol, revolver). **e**) 〔競〕 출발 신호용 총. **2** 대포의 발사《예포·축포·조포·호포 따위》 : a salute of seven *~s* 7발의 예포. **3** (살충제의) 분무기. **4** 《英》 총사냥대원의 일원. **5** 《美口》 (발동기의) 스로틀(throttle) ; 〔電子〕 전자

총 ;《口》 총잡이, 살인 청부업자.
(*as*) *sure as a gun* 틀림없이, 확실히.
beat*[*jump*] *the gun 〖競〗 신호를 알리는 총소리가 울리기 전에 뛰어나가다 ;《비유》 조급하게 행동하다.
behind the gun 후방의 : people *behind the* ~ 후방의 사람들.
blow (***great***) ***guns*** 강풍[질풍]이 불다.
go great guns 《口》 척척 해치우다.
Great guns! 아차!, 아뿔싸!
guns before butter 버터보다 대포《국민의 생활보다 군비를 중시하는 정책》.
a son of a gun 《俗》 못난 놈, 악당.
spike a person***'s guns*** 남을 무력하게 하다, 패배시키다.
stand [***stick***] ***to*** one***'s guns*** 입장[주장]을 고수하다, 굴복하지 않다, 뒤로 물러나지 않다(cf. *stand to* one's COLORS).
under the gun (***s***) 무장 감시하에.
── *v.* (**-nn-**) *vi.* 총으로 쏘다 ; 총사냥 가다.
── *vt.* **1** 《口》 총을 쏘다. **2** 《美俗》 [+目/+目+副+名] …의 스로틀(throttle)을 열고 가속하다 : He ~*ned* the car ***up*** the steep grade. 차를 가속하여 급경사를 올라갔다.
gun for... 총으로 …을 사냥하다 ; 추적하다, 뒤쫓다 ;《美俗》(지위 따위)를 얻으려고 노력하다, …을 노리다[겨냥하다].
〖? Scand. *Gun*nhildr 대포 따위에 붙여진 여성의 이름〗

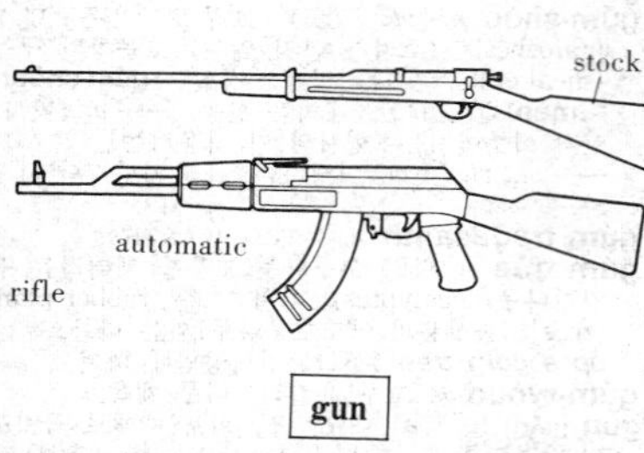

gun

gún bàrrel *n.* 포신(砲身) ; 총신(銃身).
gún·bòat *n.* 포함(砲艦).
gúnboat diplómacy *n.* 포함 외교《약소국에 대한 무력 외교》.
gún càptain *n.* 〖海〗 포장(砲長).
gún càrriage *n.* 포차, 포가(砲架).
Gún Contról Àct *n.* 《美》 총포 규제법《1968년 의회에서 승인된 총포 판매 따위에 관한 규제법》.
gún·còtton *n.* Ⓤ 면(綿)화약.
gún dèck *n.* 〖海〗 포열(砲列) 갑판.
gún·dòg *n.* 총사냥에 익숙해진 개, 사냥개.
gún·dòwn *n.* 총격, 총살 ; 사살.
gún·fìght *vi.* 총질하다, 총격전을 벌이다.
── *n.* 총격전, 결투. **~·er** *n.* 건맨 ;《美口》(서부의) 불량배, 무법자.
gún·fìre *n.* Ⓤ 포화, 포격 ; 발포.
gún·flìnt *n.* (화승총(火繩銃)의) 부싯돌.
gunge [gʌ́ndʒ] *n.* 《英俗》 착 달라붙는[딱딱해지는, 끈적끈적한] 것(gunk). ── *vt.* [보통 수동태로] gunge로 틀어막다[막히게 하다]〈*up*〉.
gung ho [gʌ́ŋ hóu] *a.* 충실한, 충성을 다하는 ; 용감 무쌍한 ;《美俗》 바보처럼[무턱대고] 열심인, 열혈적인, 덮어놓고 하는 ;《美俗》 세련되지 않은, 감정적인. 〖Chin. 궁허(工和) work together : 제2차 대전중의 미해병대의 모토〗
gún hàrpoon *n.* 포경포(捕鯨砲)로 쏘는 작살.
gún·hòuse *n.* 포탑(砲塔).
gunk [gʌ́ŋk] *n.* 《俗》 미끈미끈[끈적끈적, 걸쭉걸쭉]한 것[액체, 오물] ;《俗》 화장품 ;《俗》 녀석, 놈 ;《美軍俗》 건조[분말] 식품.
〖세제의 상표에서〗
gún làw *n.* 총기 단속법.
gún·lày·er *n.* 《英》 (배의 대포의) 조준수(手).
gún·less *a.* 총[포]을 갖지 않은.
gún lòbby *n.* 《美》 총포 규제법(Gun Control Act) 반대의 압력 단체.
gún·lòck *n.* 방아쇠.
gún·man [-mən] *n.* **1** 총기 휴대자, 무장 경비원 ;《口·주로 美》 권총을 휴대한 갱[악한] ; 사격의 명수, 권총 속사의 명수, 건맨. **2** 총포공, 총포 대장장이(gunsmith).
gún·mètal *n.* 〖冶〗 포금(砲金) ; 포금회색(=~ **gràу**).
gún mòll [-mɑ̀l] *n.* 《俗》 (권총을 가진) 여자 범인 ; 갱의 정부(情婦).
Gunn [gʌ́n] *a.* 〖理〗 건 효과의.
gún·nage *n.* (군함의) 비치된 포의 숫자.
gunned [gʌ́nd] *a.* (…의) 포를 비치한.
Gúnn effèct *n.* 〖電子〗 건 효과《반도체에 임계(臨界) 전압을 가하면 극초단파를 발하는 일》.
〖J. B. *Gunn* (1928-) 영국 태생의 물리학자〗
gun·nel[1] [gʌ́nl] *n.* 〖魚〗 거널베도라치. 〖C17<?〗
gunnel[2] *n.* =GUNWALE.
gún·ner *n.* **1** 포수(砲手), 사수 ;《英》 포병대원 ; 〖海軍〗 조포술장《준위》 : a chief ~ 포술장. **2** 총사냥꾼.
gún·nery *n.* Ⓤ 포술, 사격법 ; 포격 ; [집합적으로] 포, 총포(guns) : a ~ lieutenant 〖英海軍〗 포술장(砲術長).
gúnnery sèrgeant *n.* 〖海兵隊〗 중사《略 Gy. Sgt.》.
gún·ning *n.* **1** Ⓤ 총사냥(shooting) : go ~ 총사냥 가다. **2** Ⓤ 총사냥법.
gun·ny [gʌ́ni] *n.* Ⓤ 굵은 삼베 ; =GUNNYSACK.
gúnny·sàck, gúnny·bàg *n.* 굵은 삼베로 만든 자루, 마대.
gún·pàper *n.* 〖軍〗 종이 화약.
gún pàtch *n.* 총의 반동을 완화시키기 위한 어깨받이.
gún pìt *n.* 〖陸軍〗 요형 포좌(凹形砲座) 《포와 포병을 엄호하는 참호》.
gún plàtform *n.* 포상(砲床), 포좌.
gún·plày *n.* Ⓤ 권총 사격전, 총싸움.
gún·pòint *n.* 권총의 총부리.

at gunpoint 권총으로 위협하여.
gún·pòke *n.* 《美俗》 =GUNMAN.
gún·pòrt *n.* 포문, 총안.
gún·pòwder *n.* Ⓤ 화약, 흑색 화약 : smokeless [white] ~ 무연[백색] 화약.
Gúnpowder Plòt *n.* [the ~] 〚英史〛 화약 음모 사건《1605년 11월 5일 영국 의원(議院)의 폭파를 기도한 Guy Fawkes를 주모자로 하는 카톨릭 교도의 음모 ; cf. GUY[1] 3》.
gúnpowder téa *n.* (잎을 총탄 모양으로 말은) 고급 녹차.
gún·pòwer *n.* 포격 능력.
gún ròom *n.* 총기실 ; 〚英海軍〛 하급 장교실《군함에서 하급 장교가 있는 방》.
gún·rùnner *n.* 총포 화약의 밀수입자.
gún·rùnning *n.* Ⓤ 총포 화약의 밀수입.
gúns and bútter *n., a.* 군비와 국민 경제를 양립시키는 정책(의).
gúns-befòre-bútter *a.* (국민 경제보다) 군비 우선의.
gun·sel [gʌ́nsəl] *n.* 《美俗》 멍청이 ; 배반자, 정보 제공자 ; =GUNMAN ; 도둑놈, 범죄자 ; (남색의) 상대자 ; 교활한[믿을 수 없는] 놈. 〚Yid.〛
gún·shìp *n.* (기총 소사용의) 무장 헬리콥터.
gún·shòt *n.* **1** 발사된 탄알. **2** 사격, 발포, 포격. **3** Ⓤ 착탄 거리, 사정 : within[out of, beyond] ~ 사정거리 내에[밖에].
gún-shỳ *a.* (사냥개 · 말이) 총소리에 놀라기 쉬운 ; (일반적으로) 잘 무서워하는, 흠칫흠칫하는.
gún·sìght *n.* 사격 조준기(sight).
gún·sìte *n.* 포(격) 진지.
gún·slìng·er *n.* 총을 가진 악한(gunman).
gún·slìng·ing *n.* 총의 사용, 발포(發砲).
—— *a.* 총을 가진.
gún·smìth *n.* 총포 대장장이, 총포공.
gún·stìck *n.* 꽂을대《총포 청소용의 긴 쇠꼬챙이》.
gún·stòck *n.* 총대, 개머리판.
gun·ter [gʌ́ntər] *n.* 건터 비례자《측량 · 항해술에 쓰는 로그자의 일종》. 〚↓〛
Gunter *n.* 건터. **Edmund** ~ (1581-1626)《영국의 수학자 · 천문학자》.
Gúnter's cháin *n.* 건터 측쇄(測鎖)《전체 길이 66피트》.
Gun·ther [gʌ́nθər] *n.* 남자 이름.
gún·tòt·ing *a.* 《美口》 (권)총을 가진.
gun·wale [gʌ́nl] *n.* 〚海〛 **1** (갑판이 있는 배에서) 뱃전, 현연(舷緣) 《건현(topsides)과 갑판면이 닿는 부분》. **2** (보트 따위 무갑판의 배에서) 뱃전의 위끝.
gunwale down [***to***] (배가) 뱃전이 수면에 닿도록 기울어[수면과 수평이 되게 가라앉아].
gunwale under (배가) 뱃전이 수면 밑으로 가라앉아.
〚GUN, WALE ; 이전에 포를 지탱했던 데서〛
gun·ya(h) [gʌ́njɑː] *n.* 《濠》 원주민의 오두막.
gup [gʌ́p] *n.* Ⓤ 《英 · 인도》 소문, 스캔들 ; 《口》 시시한 이야기. 〚Hindi〛
Gup·pie [gʌ́pi] *n.* 거피《동성 연애자의 여피(yuppie)》. 〚*g*ay *u*rban *p*rofessional+*-ie*〛
gup·py [gʌ́pi] *n.* 〚魚〛 거피《송사리과의 열대어》. 〚R. J. L. *Guppy* 이 물고기를 영국에 소개한 19세기의 Trinidad의 목사〛
gur·dwa·ra [gurdwɑ́ːrə ; gə́ːdwɑːrə] *n.* (시크교도의) 신전, 기도소. 〚Panjabi〛
gurge [gə́ːrdʒ] *n.* 소용돌이, 놀, 파도.
—— *vi.* 소용돌이치다, 놀치다.
gur·gi·ta·tion [gə̀ːrdʒətéiʃən] *n.* Ⓤ 큰 파도같이 넘실거리기 ; 뒤끓음, 뒤끓는 소리.
gur·gle [gə́ːrgəl] *vi.* (물 따위가) 철철 흐르다, 콸콸[꼬르륵] 소리를 내다 ; (갓난아기가) (즐거운 듯이) 목구멍에서 까르륵 소리를 내다.
—— *vt.* 목구멍에서 나는 소리로 말하다.
—— *n.* Ⓤ,Ⓒ 철철[꽈르륵 · 콸콸 · 잘잘]하는 소리. 〚imit. or Du. *gorgelen*, G *gurgeln*, or L (*gurgulio* gullet)〛
gur·goyle [gə́ːrgɔil] *n.* =GARGOYLE.
gur·jun [gə́ːrdʒən] *n.* 거전《동인도 · 필리핀산의 거목 ; balsam을 채취함》. 〚Bengali〛
Gur·kha [gúərkə, -kɑː, gə́ːrkə] *n.* (*pl.* ~, **~s**) 구르카족《Nepal에 사는 용맹스러운 종족》. 〚Skt. *gāus* cow, *raksh* to protect〛
gur·nard [gə́ːrnərd], **gur·net** [-nət] *n.* (*pl.* ~, **~s**) 〚魚〛 성대 ; 죽지성대.
〚OF (*gron*(*d*)*ir* to grunt)〛
gur·ney [gə́ːrni] *n.* **1** 바퀴 달린 들것[침대]. **2** 양쪽에 캔버스를 댄 우편물 발송용 2륜[4륜]차.
gur·ry [gə́ːri, gʌ́ri ; gʌ́ri] *n., vt.* 《美》 (통조림 공장 따위의) 생선의 썩은 살(로 불결하게 하다).
gu·ru [gúːruː, gúə-, gərúː] *n.* **1 a**) (힌두교의) 교사(教師), 도사(導師). **b**) [때때로 경멸적으로] (신봉자가 숭배하는) 지도자. **c**) 베테랑, (한정된 분야의) 권위자 ; 전문가. **d**) 《美俗》 정신과 의사 ; 《美俗》 환각제를 체험하는 자에게 시중드는 사람. **2** (guru의 의복과 비슷한) 길고 낙낙한 의복 (=~ **jàcket**).
〚Hindi=teacher<Skt. *gurús* grave, dignified〛
Gus [gʌ́s] *n.* 남자 이름《August, Augustus, Gustavus 따위의 애칭》.
gush** [gʌ́ʃ] *vi.* [動 / +副 / +前+名] **1** 흘러나오다, 뿜어[솟아]나오다, 분출하다, 샘솟다 : Thick blood ~*ed* ***out. 짙은 피가 뿜어나왔다 / Tears began ~*ing* ***from*** his eyes. 눈물이 그의 눈에서 흐르기 시작했다. **2** 《口》 (감상적으로) 지껄여대다 : She was ~*ing* ***over*** her baby. 그녀는 자기의 아기에 관해서 마구 떠벌이고 있었다.
—— *vt.* 용솟음쳐 나오게 하다, 분출시키다.
—— *n.* 분출, 내뿜음 ; 분출하는 액체 ; 《口》 감정[말]의 쏟아짐, 감정[열의]의 과시, 과장된 감정적인 이야기[글] : a ~ *of* oil 분출하는 기름.
〚ME (? imit.)〛
類義語 ⟹ FLOW.
Gush Emu·nim [gúːʃ emuníːm] *n.* 이스라엘의 전투적인 종교적 극우 조직.
〚Heb. =bloc of the faithful〛
gúsh·er *n.* 뿜어나오는 것 ; 분출 유정(油井) ; 과장된 감정을 나타내는 사람, 감정적인 사람.
gúsh·ing *a.* **1** 내뿜는, 솟아나오는, 분출하는. **2** 감정을 과장해서 나타내는, 지나치게 감상적인.
~·ly *adv.* 감정을 과장해서. **~·ness** *n.*
gúshy *a.* =GUSHING 2.
gus·set [gʌ́sət] *n.* **1** 〚史〛 갑옷의 겨드랑이 밑에 붙인 이음쇠의 한 조각. **2** 삼각천, 무, 섶 ; 장갑에 덧붙인 가죽. **3** 〚機〛 이음판 ; 거싯《truss 따위의 보강 bracket 판》. —— *vt.* …에 삼각천[섶]을 대다. 〚OF (*gousse* pod, shell)〛
gus·sy, gus·sie [gʌ́si] *vt., vi.* 《俗》 …을 화려하게 차려입다, 성장(盛裝)하다⟨*up*⟩.
gust[1] [gʌ́st] *n.* **1** 일진의 바람, 돌풍 ; 소나기, 갑자기 타는 불, 돌연한 소리 : chilly ~*s of* wind 차가운 돌풍 / The wind blew *in* ~*s.* 바람은 돌풍으로 불었다. **2** 《비유》 (감정 따위의) 격발 (outburst) : He felt a ~ *of* pain. 갑작스럽게 아픔을 느꼈다. —— *vi.* (바람이) 갑자기 강하게 불다. 〚ON〛

類義語 ⟹ WIND¹.

gust² [gʌ́st] *n.* 대단한 기쁨; 《古·詩》 맛, 미각; 풍미; 기호.

have a gust of …을 칭찬하면서 맛보다.

—— [gúːst, gʌ́st; gʌ́st] *vt.* 《스코》 맛보다. 〖L *gustus* taste〗

Gus·ta [gʌ́stə] *n.* 여자 이름《Augusta의 별칭》.

gús·ta·ble *a.* 《古》 즐길 수 있는; 맛있는; 미각으로 구별할 수 있는.

gus·ta·tion [gʌstéiʃən] *n.* Ⓤ 맛보기; 미각. 〖F or L (*gustus* taste)〗

gus·ta·tive [gʌ́stətiv] *a.* =GUSTATORY.

gus·ta·to·ry [gʌ́stətɔ̀ːri; -təri] *a.* 〖解·生理〗 미각(味覺)의: ~ bud 미뢰(味蕾)《혓바닥에 분포한 미각 기관》/ ~ nerve 미각 신경.

gus·to [gʌ́stou] *n.* (*pl.* **~es**) **1** Ⓤ 좋아함, 기호, 취미; 예술적 풍격(風格), 기품; 맛있음; 마음속에서 우러나는 즐거움[기쁨]; 넘쳐흐르는 원기: *with* ~ 아주 맛있게, 입맛을 다시며; 즐거운듯이. **2** Ⓤ 《古》 맛, 풍미(風味). 〖It.<L GUST²〗

gústy¹ *a.* **1** 돌풍이 자주 부는, 바람이 휘몰아치는; (웃음 따위) 돌발적인, 급히 일어나는. **2** 터질 것같이 활기 있는, 원기 왕성한.

gusty² [gúːsti, gʌ́sti] *a.* 《스코》 맛이 좋은, 식욕을 돋우는.

gut [gʌ́t] *n.* **1** 소화관; 장(腸); [*pl.*] 내장, 창자: the blind ~ 맹장 / the large[small] ~ 대[소]장. **2** [*pl.*] 《口》 속, 내용, 실질(contents); [*pl.*] 《口》 끈기, 지구력, 원기, 용기; 결단력; 뻔뻔스러움: have no ~*s* 내용[속]이 없다, 비어 있다; 배짱이 없다 / a man with plenty of ~*s* 배짱이 센 사람. **3** Ⓤ 거트, 장선(腸線) (=catgut) 《악기의 현·외과의 봉합사(縫合絲)》; (낚싯줄용의) 천잠사(天蠶絲). **4** 좁은 수로, 해협; 도랑. **5** 《美俗》 =GUT COURSE.

hate a person***'s guts*** 《口》 남을 마음속으로 미워하다, 남을 몹시 싫어하다.

run (a person) ***through the guts*** 남을 골려주다, 남을 못살게 굴다.

—— *a.* 《口》 **1** 마음속으로부터의[에서 우러나는], 감정적인, 본능적인; =GUTSY. **2** 근본적인, 중대한 《문제 따위》. —— *vt.* (**-tt-**) **1** (물고기의) 내장을 빼내다. **2** …의 속을 빼내다, 모조리 약탈하다; (건물 따위의) 내부를 파괴하다[태워버리다]; (책·논문 따위의) 주요 부분[요점]을 발췌하다: The house was ~*ted* by fire. 그 집은 화재로 내부가 완전히 타버렸다. 〖OE *guttas* (pl.); OE *gēotan* to pour와 같은 어원인가〗

gút·bùcket *n.* 2박자의 핫 재즈; 손으로 만든 저음 바이올린의 일종; 《美俗》 선정적인 재즈; 《美俗》 싸구려 술집, 저급한 도박장.

gút-bùrglar *n.* 《美俗》 (벌목꾼 합숙소의) 요리 담당자.

gút còurse *n.* 《美口》 학점 따기 쉬운 과목.

Gu·ten·berg [gúːtənbə̀ːrg] *n.* 구텐베르크. **Johannes** ~ (1400?-?68) 독일의 활판 인쇄술 발명자.

gút·fìght·er *n.* 강적.

gút-hàmmer *n.* (벌목꾼 합숙소 따위에서) 식사 신호로 치는 세모꼴 철제 종.

gút·less *a.* 《口》 패기[활기]없는; 겁 많은.

gút-ròt *n.* 《口》 싸구려 술, 썩은 것 같은 음식물; 복통.

gút-scràper *n.* 《戲》 바이올린 켜는 사람.

gut·so [gʌ́tsou] *n.* 《俗·蔑》 뚱뚱이.

gutsy [gʌ́tsi] *a.* 《口》 기운찬, 용감한; 강한 감동을 주는《록 음악 따위》.

gúts·i·ly *adv.* **-i·ness** *n.* 〖GUTS, -Y⁴〗

gut·ta¹ [gʌ́tə, gútə] *n.* (*pl.* **-tae** [gʌ́tiː, gút-, gútai]) **1** (액체의) 방울, 물방울(drop); 〖藥〗 방울(drop) 《略 gt., *pl.* gtt.》. **2** 〖建〗 도리스식 건축의 물방울 장식. 〖L=a drop〗

gutta² *n.* Ⓤ =GUTTA-PERCHA.

gut·ta-per·cha [gʌ́təpə́ːrtʃə] *n.* Ⓤ 구타페르카 《수액(樹液)을 건조한 고무 같은 물질》. 〖Malay (*getah* gum)〗

gut·tate [gʌ́teit], **-tat·ed** [-teitəd] *a.* 물방울 무늬의 (반점이 있는), 물방울이 들어 있는.

gut·ta·tion [gətéiʃən] *n.* (식물 표면의) 배수(排水), 일액(溢液) 현상.

gut·tée [guːtéi] *a.* 〖紋〗 물방울 무늬의 반점(斑點)이 있는.

gut·ter [gʌ́tər] *n.* **1 a**) (지붕의) 낙수 홈통. **b**) (차도와 인도 경계의) 배수구; [the ~] (길가의 하수도를 생활의 장으로 하는) 빈민생활[사회], 빈민굴: a child of the ~ 부랑아 / be born in the ~ 빈민으로 태어나다 / take[raise] a child out of the ~ 아이를 빈민가에서 구해내다 / rise from the ~ 비천한 신분에서 출세[입신]하다. **c**) 〖볼링〗 (레인(lane) 양편에 있는) 홈, 거터. **2** (물이 흐른) 자국, 수적(水跡); 홈, 도랑. **3** 〖製本〗 좌우 양페이지 사이의 여백(餘白).

—— *vt.* …에 물받이를 달다, 도랑을 내다.

—— *vi.* **1** 홈[오목한 자국·도랑]이 생기다. **2** (양초의) 촛농이 흐르다. 〖OF<L GUTTA¹〗

gútter·bìrd *n.* 참새; 천한 사람.

gútter·ing *n.* Ⓤ **1** 홈통 장치. **2** (촛농처럼) 흘러내리기.

gútter·man [-mən] *n.* 싸구려 물건을 외쳐 파는 상인[장수].

gútter préss *n.* 선정적인 저속한 신문.

gútter relìgion *n.* 하층 계급의 종교《흑인·이슬람교도가 유태교를 일컬음》.

gútter·snìpe *n.* 집 없는 아이, 부랑아.

gútter stìck *n.* 〖印〗 조판된 페이지를 구분하는 나뭇 조각.

gut·ti·form [gʌ́təfɔ̀ːrm] *a.* 물방울 무늬의.

gut·tle [gʌ́tl] *vt., vi.* 게걸스럽게 먹다, 대식하다.

gút·tler *n.* 게걸스럽게 먹는 사람, 대식가.

gut·tur·al [gʌ́tərəl] *a.* 목구멍의; 목구멍에서 나오는; 〖音聲〗 후음[연구개음]의. —— *n.* 〖音聲〗 후두음(문자), 연구개음《[k, g, x] 따위》. 〖F or L (*guttur* throat)〗

gùttural·izátion *n.* Ⓤ 후음화(化).

gútturalìze *vt.* 목구멍으로 발음하다; 후음화(化)하다. —— *vi.* 목구멍으로 발음하는 것 같은 투로 말하다.

gút·ty¹ *n.* 〖골프〗 GUTTA-PERCHA 제(製)의 공.

gutty² *n.* 《아일》 악동, 불량아(不良兒). 〖? GUTTER(SNIPE)〗

gutty³ *a.* **1** 《俗》 용감한, 대담한, 근성이 있는; 용기[근성]가 필요한; 감정이 깃든[에 호소하는]; 중요한. **2** =GUTTÉE. **3** 〖재즈〗 소박한, 관능적인; (자동차가) 강력한 엔진을 가진, 힘있는, 고성능의. 〖GUT〗

***guy¹** [gái] *n.* **1** 《口》 사람, 놈, 녀석, 친구(fellow): a queer ~ 괴상한 녀석 / a nice ~ 좋은 놈 / a tough ~ ☞ TOUGH *a.* 6. **2** 웃음거리가 되는 사람; 《주로 英》 기묘한 복장[모양]을 한 사람. **3** [때때로 G~] (Guy Fawkes Day의 밤에 마을에 끌고 다니다 태워 버리는) Guy Fawkes의 우스꽝스러운 상(像), 우스꽝스럽게 생긴 인형. **4** 《英俗》 도주, 도망. —— *v.* (**~ed**) *vt.* 웃음거리로 삼

다, 조롱하다(ridicule); (인기 없는 자를) 괴상망측한 인형의 모습으로 나타내다. —— *vi.* 《英俗》 도망치다. 〖*Guy* Fawkes〗

guy[2] *n.* 〔海〕 가이, 당김줄(기중기에 매단 화물을 안정시킴); (깃대·굴뚝 따위의) 버팀줄[로프], 밧줄(=~ rope); (전주의) 받침 쇠줄.
—— *vt.* (~**ed**) 가이로 죄다, …에 버팀줄을 매다. 〖?LG; cf. Du. *gei* brail〗

Guy *n.* 남자 이름. 〖F<Gmc. =wood; sensible〗

Guy·ana [gaiǽnə] *n.* 가이아나(기아나(Guiana) 지방 서부에 있는 영연방내의 공화국; 1966년 독립; 옛 영국 식민지; 수도 Georgetown).

Guy·a·nese [gàiəní:z, -s] *a.*, *n.* (*pl.* ~) 가이아나의 (사람).

Gúy Fáwkes [-fɔ́:ks] *n.* 가이 포크스(1570-1606)(화약 음모 사건의 주모자).

Gúy Fáwkes Dày *n.* 《英》 화약 음모 사건의 기념일(11월 5일; cf. GUY[1] 3).

guy·ot [gí:ou, -ˊ] *n.* 기요(꼭대기가 평탄한 바닷속의 산; 태평양에 많음).
〖A. H. *Guyot* (d. 1884) 스위스의 지리학자〗

gúy rópe *n.* 〔海〕 당김줄.

guz·zle [gʌ́zəl] *vi.* 폭음[폭식]하다. —— *vt.* 꿀꺽꿀꺽 마시다, 게걸스럽게 먹다; (금전 따위를) 술에다 써버리다〈*away*〉. —— *n.* 《方·美俗》 목구멍(throat). 〖?OF *gosiller* to chatter, vomit (*gosier* throat)〗

GVH disease [dʒì:vì:éitʃ ˊ] *n.* 〔醫〕 대숙주성 이식편병(對宿主性移植片病).
〖*g*raft-*v*ersus-*h*ost disease〗

GVH reaction [dʒì:vi:éitʃ ˊ] *n.* 〔醫〕 대숙주 이식편 반응.

GW 〔電〕 gigawatt.

gweep [gwí:p] *n.* 컴퓨터광(狂).

Gwen [gwén] *n.* 여자 이름(Gwendolen, Gwendolyn 따위의 애칭).

Gwen·do·len, -lyn [gwéndəlin] *n.* 여자 이름. 〖Welsh=white(-browed)〗

Gwent [gwént] *n.* 궨트(1974년에 신설된 영국 웨일스 남동부의 주).

gwine [gwáin] *v.* 《美南部》 GO의 현재 분사형.

G-woman [dʒí:ˊ] *n.* 《美》 FBI 여자 수사관.

Gwy·nedd [gwíneð] *n.* 귀네드(1974년에 신설된 영국 웨일스 북서부의 주).

gybe [dʒáib] *vi.*, *vt.*, *n.* =JIBE[1].

gyle [gáil] *n.* 엿기름물; 1회분의 맥주 양조량; 발효통. 〖MDu. (*gijen* to ferment)〗

***gym** [dʒím] *n.* 《口》 체육관; 체육관에서 하는 운동[게임], (학과로서의) 체육, 체조.

〈회화〉
Where are we supposed to meet? — In front of the *gym* at 9 : 00 a.m. 「어디서 집합하는 거지」「체육관 앞에서 오전 9시에」

gym. gymnasium; gymnastics.

gym·kha·na [dʒimkɑ́:nə, -kǽnə] *n.* (원래 영령 인도의) 경기장; 공개 경기회, 마술 경기회, 운동회; 자동차 장애물 경기. 〖Hindi *gendkhāna* ball house; 어두(語頭)는 GYMNASIUM에 동화〗

gymn- [dʒímn], **gym·no-** [dʒímnou, -nə] *comb. form* 「벌거벗은(naked, bare)」의 뜻.
〖Gk.; ⇨ GYMNASIUM〗

Gym-Mate [dʒímmèit] *n.* 짐메이트(상표명).

gym·na·si·arch [dʒimnéiziɑ̀:*r*k] *n.* 〔古그〕 운동가 양성 책임자; 교장, 교감. 〖L<Gk.〗

gym·na·si·ast [dʒimnéiziæ̀st] *n.* (독일의) 김나지움 학생; =GYMNAST. 〖G〗

***gym·na·si·um** [dʒimnéiziəm] *n.* (*pl.* ~**s**, **-sia** [-ziə]) **1** [, 美+gimnɑ́:-] (특히 독일의) 김나지움(9[7]년제 대학 예비 교육기관); (널리 유럽 대륙의) 고등 학교. **2** 체조[체육]학교; 체육관. **3** (고대 그리스의) 연무장(演武場).
〖L<Gk. (*gumnazō* exercise<*gumnos* naked)〗

gym·nast [dʒímnæst, -nəst] *n.* 체조 선수, 체육 교사. 〖F or Gk. =athlete trainer (↑)〗

gym·nas·tic [dʒimnǽstik] *a.* 체조의, 체육(상)의; (지적·육체적) 단련을 요하는. —— *n.* 훈련, 단련; 곡예. **-ti·cal·ly** *adv.* 체조[체육]상으로; 훈련적으로. 〖L<Gk.; ⇨ GYMNASIUM〗

gym·nás·tics *n.* [복수 취급] (조직적인) 체조, (특히) 기계 체조; Ⓤ 체육, 체육과.

gym·nos·o·phist [dʒimnɑ́səfəst] *n.* 벌거벗은 선인(仙人)(고대 인도에서 옷을 벗고 생활한 금욕 고행자(禁慾苦行者)); 신비가(神祕家); 수도자, 《美》 나체주의자. 〖L<Gk.〗

gym·nós·o·phy *n.* 나체 수도자의 고행(苦行)[교리]; 《美》 나체주의.

gym·no·sperm [dʒímnəspə̀:*r*m, -nou-, gím-] *n.* 〔植〕 겉씨식물.

gỳm·no·spér·mous *a.* 〔植〕 겉씨식물의, 겉씨가 있는.

gym·no·tus [dʒimnóutəs] *n.* 〔動〕 전기뱀장어.

gymp ☞ GIMP[1].

gým shòe *n.* 운동화(sneaker).

gým·slìp *n.* 《英》 (소매가 없고 무릎까지 내려오는) 여아의 교복.

gým sùit *n.* 체육복.

gyn- [gáin, dʒáin, dʒín], **gy·no-** [gáinou, dʒáinou, dʒínou, -nə] *comb. form* 「여성(적인)」「암컷(의)」「자기(雌器), 암술」의 뜻.
〖Gk.; ⇨ GYNEC-〗

gyn. gynecology.

gyn·ae·ce·um [gàinəsí:əm, dʒài-, dʒìn-] *n.* (*pl.* **-cea** [-síə]) 〔古그·古로〕 내실, 여자용 방(房); 〔植〕 =GYNOECIUM.

gynaec(o)- ☞ GYNEC-.

gyn·ándro·mòrph [gai-, dʒai-, dʒi-] *n.* 〔生〕 암수 모자이크.

gyn·an·drous [gainǽndrəs, dʒai-, dʒi-] *a.* 〔植〕 수술이 암술에 합착된, 암수합착의.

gyn·ar·chy [gáinɑ:*r*ki, dʒái-, dʒín-] *n.* 여인 천하, 여권(女權) 정치.

-gyne [dʒàin, gàin] *n. comb. form* 「여자, 암컷」「자기(雌器)」의 뜻. 〖Gk. (↓)〗

gy·nec-, gy·naec- [gáinik, dʒái-, dʒín-], **gy·ne·co-, gy·nae·co-** [gáinikou, dʒái-, dʒín-, gainí:-, dʒainí:-, dʒi-, -kə] *comb. form* 「여성」「여자」의 뜻.
〖Gk. *gunaik- gunē* woman〗

gy·ne·cic [gainí:sik, dʒai-, dʒi-, -nés-] *a.* 여성(女性)의.

gynecium ☞ GYNOECIUM.

gy·ne·coc·ra·cy [gàinikɑ́krəsi, dʒài-, dʒì-] *n.* Ⓤ 여성 정치; 내주장(內主張) (petticoat government).

gy·ne·co·crat [gáinikoukræ̀t, dʒín-, dʒái-, gainí:kə-, dʒai-, dʒi-] *n.* 여성 정치론자.

gỳ·ne·co·crát·ic [, gainí:kə-, dʒai-, dʒi-] *a.* 여성 정치의.

gy·ne·coid [gáinikɔ̀id, dʒái-, dʒín-] *a.* 여성 같은, 여성적인.

gynecol. gynecological; gynecology.

gy·ne·col·o·gy [gàinikɑ́lədʒi, dʒài-, dʒìn-] *n.* Ⓤ 〔醫〕 부인과학. **-gist** *n.* 부인과 의사.

gỳne·co·lóg·ic, -i·cal *a.*

gỳneco·más·tia [-mǽstiə, gainì:kə-, dʒai-, dʒi-] *n.* (남성의) 여성화 유방.

gy·ne·cop·a·thy [dʒàinikápəθi, dʒài-, dʒì-] *n.* 〔醫〕 부인 (특유의) 병.

gy·ne·phó·bia [gàinə-, dʒài-, dʒìn-] *n.* 〔心〕 여자 공포증[혐오].

gy·ni·at·rics [gàiniǽtriks, dʒài-, dʒìn-] *n.* 〔醫〕 부인병 치료법.

gy·noc·ra·cy [gainákrəsi, dʒai-, dʒi-] *n.* = GYNECOCRACY.

gy·noe·ci·um, -ne- [gainí:siəm, dʒai-, dʒi-] *n.* (*pl.* **-cia** [-siə]) 〔植〕 꽃의 암술기(器); [집합적으로] 암술무리.

gýno·phòre *n.* 〔植〕 과병(果柄), 열매꼭지, 씨방[암술] 자루.

-g·y·nous [ˊ-dʒənəs, -dʒáinəs, -gái-] *a. comb. form* 「…한 여자가 있는」「여성의」「…한 암술기(器)가 있는」의 뜻: mono*gynous*.
〖Gk.; ⇨ GYNEC-〗

-g·y·ny [ˊ-dʒəni] *n. comb. form* -GYNOUS에 대응하는 명사를 만듦.

gyp[1] [dʒíp] *n.* 《英》 (Cambridge, Durham 대학의) 고용인. 〖? *gippo* (obs.) scullion, man's short tunic<F *jupeau*; 일설에 <*gypsy*〗

gyp[2], **gip, jip** [dʒíp] *n.* 《俗》 **1** 협잡꾼, 사기꾼 (swindler); 사기, 협잡, 야바위(swindle): ~ a person *out of* his money 남을 속여 돈을 빼앗다. **2** 《美》 활력, 정력, 원기, 열의. ── *a.* 가짜의. ── *vt., vi.* (**-pp-**) 《俗》 사기치다, 속이다; 속여 빼앗다. 〖C19<? GYP[1]〗

gyp[3], **gip** [dʒíp] *n.* 《口》 [다음 숙어로] 고통.
give a person ***gyp*** 누구를 꾸짖다, 벌주다, 혼내주다; (상처 따위가) 고통을 주다.
〖C19<? GEE-UP〗

gýp àrtist *n.* 《美俗》 (교묘한) 사기꾼.

gýp jòint *n.* **1** 《俗》 협잡 도박굴. **2** 부정하게 바가지 씌우는 가게.

gyp·lure [dʒípluər] *n.* 매미나방의 수컷을 모으는 합성 성유인 물질. 〖*gyp*sy+*lure*〗

gýp·per *n.* 《口》 사기꾼, 협잡꾼.

gyp·po, gypo, jip·po [dʒípou] *n.* (*pl.* **~s**) 《美俗》 날품팔이, 삯일; 날품팔이꾼; 일용 노동자의 고용인. ── *a.* 《美口》 사기의. ── *vt.* 속이다, 편취하다.

gyp·py, -pie [dʒípi] *n., a.* 《俗》 =GIPPY.

gýppy túmmy *n.* 《俗》 =GIPPY TUMMY.

gýp ròom *n.* 《英口》 (Cambridge 및 Durham 대학에서 사환이 관리하는) 식기실(食器室).

gyps. gypsum.

gyp·se·ous [dʒípsiəs] *a.* 석고질(石膏質)의; 석고를 함유한.

gýp shèet *n.* 《美俗》 부정 행위 쪽지.

gyp·sif·er·ous [dʒipsífərəs] *a.* 석고를 함유한.

gyp·sog·ra·phy [dʒipságrəfi] *n.* 석고 조각(술).

gyp·soph·i·la [dʒipsáfələ] *n.* 〔植〕 석회파랭이꽃.

gyp·sous [dʒípsəs] *a.* =GYPSEOUS.

gyp·sum [dʒípsəm] *n.* Ⓤ 〔鑛〕 석고, 깁스.
── *vt.* (흙 따위를) 석고로 처리하다.
〖L<Gk. *gupsos* chalk〗

gyp·sy, gip·sy [dʒípsi] *n.* **1** [G~] 집시(사람). ㊟ 원래 인도에서 나온 방랑 민족으로 현재 유럽 각지에 흩어져 살며 머리는 검고 피부는 거무스름하며 점쟁이·악사 등을 직업으로 함. **2** Ⓤ 집시어. **3** 집시같은 용모를 한[생활을 하는] 사람, (특히) 방랑자; 《美口》=GYPSY CAB; 《美口》 자기 트럭으로 무허가 영업하는 운송인; 살색이 거무스름한 여자, 장난 좋아하는 여자. ── *a.* 집시의[같은]; 《美口》 개인[무허가] 영업의. ── *vi.* 집시처럼 생활하다[유랑하다].
〖C16 *gipcyan, gipsen*<EGYPTIAN〗

gýpsy bònnet[**hàt**] *n.* 집시 모자(턱밑에서 끈으로 매는 챙이 넓은 여성·어린이용 모자).

gýpsy càb *n.* 《美口》 (콜택시의 면허로) 돌아다니며 부정하게 손님을 태우는 택시.

gýpsy caraván *n.* =GYPSY VAN.

gýpsy·dom *n.* Ⓤ 집시의 신분.

gýpsy·fìed *a.* 집시풍의.

gýpsy·hòod *n.* =GYPSYDOM.

gýpsy·ish *a.* 집시 같은.

gýpsy·ìsm *n.* 집시 취미[풍].

Gýpsy Jóe *n.* 《美俗》 독립 개인 운송업자(트럭 1대로 조합 따위에 가입하지 않고 싼 운임으로 영업을 함).

gýpsy mòth *n.* 〔昆〕 매미나방(해충); 《美政俗》 당론을 어기고 자기 선거구의 요망에 영합하는 공화당 의원(cf. BOLL WEEVIL).

gýpsy róse *n.* 〔植〕 솔체꽃.

gýpsy schòlar *n.* 《美口》 박사면서도 전임강사 자리를 찾아다니면서 비상근(非常勤)하는 학자.

gýpsy táble *n.* 간편한 삼각 테이블.

gýpsy vàn *n.* 집시들이 집으로 쓰는 일종의 포장마차.

gýpsy wàg(g)on *n.* =GYPSY VAN.

gýpsy wìnch *n.* 〔海〕 소형 수동(手動) 윈치.

gýpsy·wòrt *n.* 〔植〕 유럽·서(西)아시아의 쉽싸리[개조박이, 택란]의 일종.

gyr- [dʒáiər, 英+gáiər], **gy·ro-** [dʒáiərou, -rə, 英+gáiə-] *comb. form* 「바퀴」「원」「나선」「선회」「자이로스코프」의 뜻. 〖Gk. *guros* ring〗

gy·ral [dʒáiərəl] *a.* 선회[회전]하는; 〔解〕 회(回)의. ── *n.* =GYRE. **~·ly** *adv.* 선회하여.

gy·rase [dʒáiəreis] *n.* 〔生化〕 DNA의 2중 나선을 슈퍼코일화(化)하는 효소.

gy·rate [dʒáiəreit, -ˊ-; dʒairéit, dʒi-] *vi.* 선회[회전]하다. ── [dʒáiərət, -reit] *a.* 나선형의; 〔植〕 소용돌이 모양의. 〖L<Gk. (GYR-)〗
類義語 ⟹ TURN.

gy·ra·tion [dʒàiəréiʃən] *n.* Ⓤ,Ⓒ 선전(旋轉); 〔動〕 (고둥 따위의) 나선. **~·al** *a.* 선회의, 선전의.

gy·ra·to·ry [dʒáiərətɔ̀:ri; -təri, dʒaiəréitəri] *a.* 선회의, 선회(운동)하는.

gýratory crúsher *n.* 〔機〕 선동(旋動) 분쇄기.

gyre [dʒáiər] *n.* 《詩》 선회 운동, 회전, 선전(旋轉); 원형, 윤형(輪形), 소용돌이(꼴).
── *vi., vt.* 선회하다[시키다].

gy·rene [dʒáiəri:n] *n.* 《美俗》 해병대원(원래는 경멸어). 〖*GI* ma*rine*〗

gyr·fal·con, ger-, jer- [dʒə́:rfæ̀lkən, -fɔ̀:l-; -fɔ̀:l-] *n.* 〔鳥〕 흰매(아시아·유럽·북미 대륙의 북극권산(産)). 〖OF<ON〗

gy·ro[1] [dʒáiərou] *n.* (*pl.* **~s**) =AUTOGIRO; =GYROCOMPASS; =GYROSCOPE.

gy·ro[2] [ʒíərou, dʒíə-, jíə-] *n.* (마늘로 양념한 쇠고기·양고기를 얹은) 그리스풍의 샌드위치.
〖? Mod. Gk.〗

gyro- [dʒáiərou, -rə, 英+gáiə-] ☞ GYR-.

gýro·còmpass *n.* 〔海·空〕 회전 나침의(儀), 자이로컴퍼스.

gy·ro·cop·ter [dʒáiəroukàptər, -rə-] *n.* 자이로콥터(일인승 회전 날개식 프로펠러기).
〖auto*gyro*+heli*copter*〗

gýro·dyne [-dàin] *n.* 〔空〕 자이로다인(오토자이로와 헬리콥터의 중간형 항공기).

gýro·gràph *n.* 〖空〗 회전수 측정기.
gýro horízon *n.* 〖空〗 인공 수평기《동요체 위에서 인공적으로 수평면을 잡는 장치》.
gy·roi·dal [dʒàiərɔ́idl] *a.* 나사 모양의.
gỳro·magnétic *a.* 〖理〗 회전 자기(磁氣)의 ; (컴퍼스가) 자이로 자기 방식의.
gýro·pìlot *n.* 〖海·空〗 자동 조종 장치. 〚*gyro*scope+*pilot*〛
gýro·plàne *n.* 자이로플레인《회전 날개로 부양력을 얻고 프로펠러로 추진력을 얻는 항공기》.
gýro·scòpe *n.* 자이로스코프, 회전의(儀), 환동륜(環動輪)《동요나 방향의 자동 조절기》. 〚F (GYR-)〛
gỳ·ro·scóp·ic [-skáp-] *a.* 회전(운동)의.
gy·rose [dʒáiərous, -z] *a.* 〖植〗 물결 모양의, 주름이 있는.
gỳro·stábilizer *n.* 자이로스태빌라이저《자이로스코프를 응용하여 선박이나 항공기의 동요를 막는 장치》.
gýro·stàt *n.* 자이로스코프의 일종.
gy·ro·stat·ic [dʒàiərəstǽtik] *a.* 자이로스탯(gyrostat)의 ; 강체(剛體) 선회 운동론의.
-i·cal·ly *adv.*
gy·ro·vague [dʒáiərouvèig] *n.* (초기 교회 때 수도원을 떠돌아다닌) 방랑 성직자.
gy·rus [dʒáiərəs] *n.* (*pl.* **-ri** [-rai]) 〖解〗 (뇌 따위의) 회전부.
Gy. Sgt., Gy Sgt 〖海兵隊〗 gunnery sergeant.
gyt·tja [jítʃɑː] *n.* 〖地〗 해니(骸泥) 《유기질이 많은 호수 밑바닥 진흙》. 〚Swed. =mud〛
gyve[1] [dʒáiv, gáiv] *n.* [보통 *pl.*] 《古·詩》 차꼬, 족쇄(fetter). —— *vt.* 차꼬[족쇄]를 채우다. 〚ME<?〛
gyve[2] *n.* 《美俗》 마리화나 (담배). 〚JIVE〛

H

h, H [éitʃ] *n.* (*pl.* **h's, hs, H's, Hs** [éitʃəz]) **1** 에이치《영어 알파벳의 여덟 번째 글자》. **2** (연속한 것의) 여덟 번째(의 것). **3** H자형(의 것): an *H*-branch H자 관(管). **4** 《俗》 헤로인.
drop one***'s h's***[***aitches***] 발음해야 할 단어 첫머리의 h음을 발음하지 않다《hair를 'air [éər]라고 하는 따위; 런던 사투리의 한 특징》.

H 〖鉛筆〗 hard; 〖電〗 henry; 《俗》 heroin; 〖化〗 hydrogen. ***h*** 〖理〗 Planck's constant. **H., h.** harbor; hard; hardness; height; high; 〖野〗 hit(s); hour(s); hundred; husband. **H^1, ^1H, H^a** 〖化〗 protium. **H^2, ^2H, H^b** 〖化〗 deuterium. **H^3, ^3H, H^c** 〖化〗 tritium.

ha [hɑ́:] *int.* 허어!, 어머나!, 야아! 《놀람·슬픔·기쁨·의심·불만·망설임 따위의 발성》.
—— *n.* 허어[어머나, 야아]라고 하는 소리.
—— *vi.* 허어![어머나!, 야아!]라고 하다.
〖imit.〗

Ha 〖化〗 hahnium. **ha., ha** hectare(s).

HA home automation. **H.A.** heavy artillery; Hockey Association; Horse Artillery. **h.a.** *hoc anno* 《L》 (=in this year). **HAA** heavy antiaircraft. **HAA, haa** 〖生理〗 hepatitis-associated antigen(간염(관련)항원(抗原)).

haaf [hɑ́:f] *n.* (Shetland 및 Orkney 섬 앞바다의) 심해 어장. 〖OE *haf* sea; cf. ON *haf*〗

Hab. Habakkuk.

Ha·bak·kuk [hǽbəkʌ̀k, həbǽkək] *n.* 〖聖〗 히브리의 예언자; (구약 성서의) 하박국《略 Hab.》.

ha·ba·ne·ra [hɑ̀:bənέərə] *n.* 하바네라《쿠바의 무용(곡)》. 〖Sp.〗

hab-dabs [hǽbdæbz], **ab·dabs** [ǽbdæbz] *n. pl.* 《英口》 초조, 공포, 신경과민.
give a person[***get***] ***the*** (***screaming***) ***hab-dabs*** 《英口》 (몹시) 초조하게 하다[애가 타다].

há·be·as cór·pus [héibiəs-] *n.* 〖法〗 인신 보호 영장《인신 보호를 목적으로 구금의 사실·이유 따위를 청취하기 위해 피구금자를 출정시키는 영장》; 신병(身柄) 제출 영장: the *H*~ *C*~ Act 〖英史〗 인신 보호령《Charles 2세가 1679년 제정》. 〖L=you must produce the body〗

ha·ben·dum [həbéndəm] *n.* 〖法〗 (부동산 양도증서의) 물건 표시 조항.
〖L=to be had (gerund.)‹*habeo* to have〗

hab·er·dash·er [hǽbərdæ̀ʃər] *n.* **1** 《英》 잡화상인《끈·실·바늘·단추·레이스 따위를 팖》. **2** 《美》 신사용 장신구(裝身具) 상인《셔츠·칼라·커프스·모자·넥타이·장갑 따위를 팖》.
háb·er·dàsh *vt.* (양복을) 짓다[만들다]; (양복에) 장식(적인 디자인)을 하다.
〖?AF (*hapertas* petty merchandise)〗

háb·er·dàsh·ery *n.* Ⓤ《美》 신사용 장신구류; Ⓒ 그 가게; Ⓤ(주로 英) 잡화; Ⓒ 그 가게.

hab·er·geon [hǽbərdʒən, 美+həbɑ́:r-] *n.* 〖史〗 중세의 HAUBERK보다 짧은 소매 없는 사슬 갑옷.

Há·ber pròcess [hɑ́:bər-] *n.* 〖化〗 하버법《암모니아 합성법의 하나》. 〖Fritz *Haber* (d. 1934) 독일의 화학자〗

hab·ile [hǽbəl, -ail; hǽbi:l] *a.* 《文語》 능란한, 재주 있는, 숙련된; 《廢》 적당한, 꼭 맞는.

ha·bil·i·ment [həbíləmənt] *n.* (특정한 직업 따위의) 의복(clothes), 복장(dress). **~·ed** *a.* (승복 따위를) 입은‹*in*›.
〖OF (*habiller* to fit out‹ABLE)〗

ha·bil·i·tate [həbílətèit] *vt.* (사회복귀를 위해) (심신장애자를) 교육[훈련]하다; 《美西部》 (광산에) 운영 자금을 대다; 《稀》 옷을 입히다. —— *vi.* (특히 독일 대학 교수의) 자격을 얻다, 자격이 있다. **ha·bìl·i·tá·tion** *n.* 〖L; ⇨ ABILITY〗

‡**hab·it** [hǽbət] *n.* **1** Ⓤ,Ⓒ [+*of*+do*ing*] (개인의) 버릇, 습성; 습관: from force of ~ 습관상, 습관이 되어 / out of (sheer) ~ (전적으로) 습관에서 / the ~ ***of*** smok*ing*[drink*ing*] 담배피우는 습관[음주벽] / form good ~*s* 좋은 습관을 들이다 / get[grow] out of a ~ 어떤 버릇이 없어지다 / It is well to acquire the ~ *of* read*ing*. 독서하는 습관을 들이는 것은 좋은 일이다 / He had fallen[got] into the ~ *of* put*ting* his hands in his pockets. 호주머니에 손을 넣는 것이 버릇이 되어 있었다 / It is a ~ ***with*** him to take a daily walk. 매일 산책하는 것은 그의 습관이다 / *H*~ is (a) second nature. 《속담》 습관은 제2의 천성. **2** Ⓤ,Ⓒ 《古》 질(質); 기질, 성질(= ~ of mind); 체질(= ~ of body): a cheerful ~ of mind 쾌활한 성질 / a man of corpulent ~ 비만성(肥滿性)인 사람. **3** 〖動·植〗 습성; (약물, 특히 마약의) 상습, 중독. **4** 여성 승마복(=riding ~); (특히 수사·수녀의) 의복(dress): a monk's[nun's] ~ 수도복(修道服).
be in the habit of do***ing***=***have a habit of*** do***ing*** …하는 버릇이 있다: He *is in the* ~ *of* sit*ting* up late. 그는 밤 늦게까지 자지 않는 버릇이 있다.
break a person ***of a habit*** 사람의 버릇을 고치다.

〈회화〉
You must really quit that *habit*. — I've tried, but I can't. 「그 버릇은 정말 버려야 해」「버리려고 노력했지만 안돼」

—— *vt.* **1** 《文語》 옷차림을 하다, …에 입히다 (dress, clothe). **2** 《古》 …에 살다(inhabit).
—— *vi.* 《廢》 살다.
〖OF‹L=condition, character (*habit*- *habeo* to have)〗

類義語 ***habit*** 어떤 사람이 몇 번이고 되풀이하는 중에 자연히 버릇이 되어 버린 것: Reading the newspaper at breakfast is his *habit*. (조반 때 신문을 읽는 것이 그의 버릇이다). ***practice*** 몇 번이고 반복하여 행하는 동작을 나타내지만 무의식적으로 행해지는 것은 포함되지 않음: Taking a walk every morning is his *practice*. (매일 아침 산책하는 것이 그의 습관이다). ***custom*** 오랫동안 또는 전통적으로 되풀이하는

동안에 어떤 사회 전체의 관습이 되어 버린 것 ; 그것을 타파하는 것은 사회적으로 인정되지 않는 것 : It is a *custom* to give gifts at Christmas time. (크리스마스 때 선물을 주는 것은 하나의 관습이다). ***usage*** 오랫동안 시행되어 왔기 때문에 어떤 사회나 단체에서 공인된 practice 또는 custom : modern English *usage* (근대 영어의 관용법).

hab·it·able [hǽbətəbəl] *a.* 거주할 수 있는, 살기에 적합한. **-ably** *adv.* **hàb·it·aíl·i·ty** *n.* 살기에 적합함. 〖OF＜L ; ⇨ HABITAT〗

hab·it·an·cy [hǽbətənsi] *n.* 거주(의 사실) ; 인구(人口).

háb·i·tant *n.* 주민, 거주자(inhabitant).

hab·i·tat [hǽbətæ̀t] *n.* **1** 〖生態〗 (동식물의) 산지(產地) ; 환경 ; 번식지. **2** 주소(home). 〖L＝it inhabits (*habito* to INHABIT)〗

hábitat gròup *n.* 생태류《서식 환경을 같이하는 동물[식물]》; (박물관 안에 전시하는) 생물 환경 모형.

hab·i·ta·tion [hæ̀bətéiʃən] *n.* Ⓤ 거주 ; Ⓒ 주소 ; 주택.

hábit-fòrm·ing *a.* (마약 따위가) 습관성의.

***ha·bit·u·al** [həbítʃuəl, hæ-, -bítʃəl] *a.* 습관적인, 평소의(customary) ; 끊임없는(constant), 상습적인. —— *n.* 상습범 ; 마약 상용자.
~·ly *adv.* 습관적으로, 언제나. **~·ness** *n.*
〖L ; ⇨ HABIT〗
類義語 ⟹ USUAL.

habítual crímínal *n.* 상습범.

ha·bit·u·ate [həbítʃuèit] *vt.* [＋目＋*to*＋名] 길들이다(accustom) : Wealth ~*d* him ***to*** luxury. 그는 부자이기 때문에 사치하는 버릇이 들었다 / ~ oneself *to* hardship 고난에 익숙해지다 / Lumbermen are ~*d to* hard work. 벌목하는 사람들은 고된 노동에 익숙해져 있다. —— *vi.* (마약 따위가) 습관이 되다.
ha·bìt·u·á·tion *n.* 길들이기[익숙해지기], 습관(작용) ; (약에 대한) 습관 ; 중독.
〖L ; ⇨ HABIT〗

hab·i·tude [hǽbətjù:d] *n.* Ⓤ 습관, 성벽(性癖) ; 체질, 기질. 〖OF＜L *habitudo* ; ⇨ HABIT〗

ha·bit·ué [həbítʃuèi, hæ- ; *F* abitɥe] *n.* (*fem.* **-uée** [—]) 단골 손님, 고객(frequenter) ; 상주자(常住者) ; 마약 상용자.
〖F (p.p.) ＜ *habituer* ; ⇨ HABITUATE〗

hab·i·tus [hǽbətəs] *n.* (*pl.* ~ [-təs, -tù:s]) 습관, 버릇 ; 〖醫〗 (특히 일정한 병과 관련이 있는) 체질. 〖L〗

ha·chure [hæʃúər, ⌐⌐] *n.* [*pl.*] (지도에서 육지의 고저를 나타내는) 운옹(暈滃), 선영(線影).
—— [⌐⌐] *vt.* (지도에) 운옹으로 나타내다. 〖F〗

ha·ci·en·da [hɑ̀:siéndə ; hæs-] *n.* 《中南美》 농원(plantation), 목장(ranch) ; (농원·목장의) 안채, 주거(住居) ; 공장.
〖Sp. ＜L *facienda* things to be done〗

hack[1] [hǽk] *vt.* **1** [＋目 / ＋目＋副 / ＋目＋前＋名] 쳐서 자르다, (고기 따위를) 잘게 썰다, 난도질하다(slash) ; (망치로 돌을) 다듬질하다 : He ~*ed* the box apart[***to*** pieces] with his ax. 그는 상자를 도끼로 때려 부수었다[산산 조각을 냈다] / ~ ***down***[***off***] a bough 큰 가지를 잘라내다 / ~ a figure ***out of*** a rock 바위를 조각하여 초상을 만들다. **2** 〖럭비〗 (적의) 정강이를 차다 ; 〖籠〗 (적의) 팔을 치다《반칙》. **3** [＋目＋前＋名] (산울타리 따위를) 깎아 손질하다(trim) ; (초목을 베어) 길을 트다 : ~ one's way ***through*** a jungle 밀림을 베어 길을 내다. **4** (예산 따위를) 대폭 삭감하다 ; (소설·논문 따위를) 망치다. **5** [흔히 ~ it으로] 《口》 잘 다루다[해내다], 용납하다, 허락하다. **6** 〖컴퓨〗 (프로그래밍과) 씨름하다.
—— *vi.* **1** [＋前＋名] (마구) 자르다, 난도질하다 : He ~*ed* ***at*** the tree. 그는 그 나무를 쳐서 잘랐다. **2** 짧은 헛기침을 하다. **3** 〖럭비〗 정강이를 차다. **4** 〖컴퓨〗 프로그래밍과 씨름하다, (컴퓨터로) 일을 하다.
—— *n.* **1** 마구 자르기, 난도질 ; 벤 자국 ; 깊은 상처(gash). **2** 짤막한 헛기침. **3** 〖럭비〗 정강이를 차기 ; 정강이를 채인[얻어 맞은] 상처. **4** 곡괭이, 도끼. **5** 컴퓨터의 프로그램 ; 프로그래밍의 기법 ; 재미 있는 장난.
take a hack at …을 한번 해보다.
〖OE *haccian* to cut in pieces ; cf. G *hacken*〗
類義語 ⟹ CUT.

hack[2] *n.* **1** 《英》 세놓는 말 ; 《美》 세놓는 마차 ; 《美口》 택시 (운전사). **2** 늙어빠진 말, 못쓸 말(jade). **3** 승용마《경주마·사냥 말·군마와 구별하여》. **4** 《蔑》 악착같이 일 하는 사람(drudge) ; (특히) 출판사에 고용된 문인(文人), 하청 작가, 삼류 문인 : a literary ~ 필경(인), 삼류 문인.
—— *a.* 고용된(hired), 돈 받고 일하는 ; 남의 밑에서 일하는 ; 써서 낡은, 진부한, 평범한. —— *vt.* **1** (말을) 빌려주다. **2** 혹사하다. **3** 써서 낡게 하다, 진부하게 하다. —— *vi.* **1** 세낸 말을 타다. **2** 남의 밑에서 일하다 ; 악착같이 일하다. **3** (보통의 속도로) 말을 달리게 하다〈*along*〉.
〖*hack*ney〗

hack[3] *n.* (벽돌 따위의) 건조대 ; (마구간의) 먹이를 놔두는 시렁, 구유 받침 ; (매사냥에서 새끼매의 모이를 얹어주는) 모이판.
be at hack (매가) 모이판에서 모이를 얻어먹다《훈련중이어서 모이를 잡아 먹을 수 없음》.
—— *vt.* 건조대[시렁]에 얹다 ; (어린 매를) 훈련시키다. 〖HATCH[2] ; 어형은 *heck*[2]의 영향인가〗

hack·a·more [hǽkəmɔ̀:r] *n.* (미국 서부의) 말을 길들이는 데 쓰는 고삐(halter).

háck attàck *n.* 《해커俗》 프로그램 작성열(熱).

háck·bèrry [ˏ-bèri] *n.* 《美》 〖植〗 팽나무 ; Ⓤ 그 목재.

hácked *a.* 《재즈俗》 안달이 난(annoyed).

háck·er *n.* 자르는 사람 ; 도끼의 일종 ; 《美》 컴퓨터광, 프로그램광, 컴퓨터의 가능성을 철저히 시험해 보는 사람, 해커, (전산) 헤살꾼.

hack·ery [hǽkəri] *n.* 《인도》 소달구지.

hack·ie [hǽki] *n.* 《美口》 택시 운전사.

háck·ing cóugh *n.* 불쾌한 짧은 헛기침.

hácking jàcket[**còat**] *n.* 승마복 ; (남자의) 스포츠용 재킷.

hácking pòcket *n.* 비스듬히 달린 뚜껑 있는 호주머니. 〖hacking jacket에 단 데서〗

hack·le[1] [hǽkəl] *n.* (아마 따위를 훑는) 빗 ; (수탉 따위) 목 둘레의 털 ; 목털로 만든 제물 낚시 ; [*pl.*] (특히 싸우기 전의 개의) 곤추세운 털 ; 뺏성, 짜증.
get a person***'s hackles up***＝***make*** a person***'s hackles rise*** 남을 노하게 하다.
with one***'s hackles up*** (수탉·개·사람이) 싸우려고 몸을 가다듬어, 성내어.
〖OE 《美》 *hæcal* HECKLE ; cf. HOOK〗

hackle[2] *vt.* 잘게 썰다, 토막내다. **háck·ly** *a.* 거칠거칠한 ; 깔쭉깔쭉한. 〖HACK[1]＋*-le*〗

háck·man [-mən] *n.* 《美》 (삯마차의) 마부 ; 마차업자.

hack·ma·tack [hǽkmətæ̀k] *n.* 〖植〗 미국낙엽

송 ; 발삼포플러. 〖Algonquian〗

hack·ney [hǽkni] *n.* 승용마(馬) ; 전세 마차[자동차] ; 품팔이꾼. ── *a.* 임대한 ; 써서 낡은, 진부한, 흔한. ── *vt.* **1** 《稀》 혹사하다. **2** [주로 *p.p.*로] 써서 낡게 하다, 진부하게 하다.
〖? *Hackenei* Hackney, Middlesex ; Smithfield market에의 말의 공급 목장〗

Hackney *n.* 해크니《London boroughs의 하나 ; 근처에 London 최대의 유원지인 **Háckney Márshes**가 있음》.

háckney còach[**càb, càrriage**] *n.* 전세 마차 ; 택시.

háck·neyed *a.* 써서 낡아진, 진부한, 평범한 ; 익숙한, 경험을 쌓은 : a ~ phrase 진부한[상투적인] 문구.

háck·sàw *n.* 〔機〕 (금속을 자르는) 활톱, 핵소《금속·플라스틱 절단용(用)》. ── *vt.* 핵소로 자르다[켜다].

háck·wòrk *n.* 판에 박은 듯한 단조로운 일, 날림일, (특히 보잘것없는 문사(文士)의) 평범한 작품.

◇**had** [hǽd] *v.* HAVE의 과거·과거분사. **1** 가졌다, 있었다. **2** [가정법에 사용하여] : If I ~ [*H*~ I] any money, I would lend you some. 돈이 있으면 빌려드리고 싶은데《지금은 없다 ; 현재 사실의 반대의 가정》/ If I ~ [*H*~ I] ~ any money, I would have lent him some. 돈이 있었으면 그에게 빌려주었을 텐데《없었다 ; 과거 사실의 반대의 가정》.
── [(모음 뒤에서) d, (기타는) əd, (어군의 초두에서는) hǽd, hǽd] *auxil. v.* ☞ HAVE[2].
had as good [***well***] do …하는 것도 좋을 것이다 ; …하는 편이 낫다.
had as soon do …하는 편이 낫다.
had better [***best***] do... ☞ BETTER[1], BEST.
had better have done …하는 편이 좋았었다 (☞ *had* BETTER[1] do) : You ~ *better have* visited him. 그이를 방문하는 것이 좋았었다.
had like to have done ☞ LIKE[1] *a.* 숙어.
had rather [***sooner***] do 오히려 …하는 편이 낫다(cf. *would* RATHER) : I ~ *rather* see her. 나는 오히려 그녀를 만나고 싶다.
had soonest do …하는 것이 좋다.

> **had를 첫머리에 내놓은 문장 전환**
> *If* I *had* known your address, I would have written to you.
> → *Had* I known your address, I would have written to you.
> (만약 당신의 주소를 알고 있었다면 편지를 썼을 텐데.)
> ＊If가 생략되면 had가 주어 앞에 나온다.

ha·dal [héidl] *a.* 초심해(超深海)의《6000m 보다 깊은 곳》. 〖*Had*es+-*al*〗

had·dock [hǽdək] *n.* (*pl.* **~, ~s**) 〔魚〕 해덕《북대서양산(產) 대구의 일종》.
〖ME< ? AF *hadoc*〗

hade [héid] *n.* 〔地質·鑛〕 언각(偃角) 《단층면·광맥 따위의 경사를 수직면에서 잰 각도》.
── *vi.* 언각을 이루다, 기울다.

Ha·des [héidi:z] *n.* 〔그神〕 하데스《죽은 사람의 나라 지배자》 ; 지하계(界), 명부(冥府)(cf. PLUTO, DIS, SHEOL) ; Ⓤ 《口》 [흔히 h~] 지옥(hell), 저승. **Ha·de·an** [heidí:ən, héidiən] *a.* Hades의.
〖Gk. *haidēs*〗

Had·ith [hɑdí:θ, hə-, hǽdiθ] *n.* 〔이슬람教〕 하디트《Muhammad와 그 교우의 언행록 ; 그 집대성》.
〖Arab.〗

hadj, hadji ☞ HAJJ, HAJJI.

‡**had·n't** [hǽdnt] had not의 단축형.

had·ron [hǽdrɑn] *n.* 〔理〕 하드론《강한 상호작용을 하는 소립자 ; 바리온(baryon)족(族)과 중간자(meson)족(族)으로 나뉨》.

hadst [*vt.* hǽdst, *auxil. v.* hədst, hǽdst] *vt., auxil. v.* 《古》 HAVE의 2인칭 단수의 과거형 : thou ~ =you had.

hae [héi, hǽ] *vt., auxil. v.* 《스코》 HAVE의 제1·2인칭 단수·복수 현재형.

haec·ce·i·ty [heksí:əti] *n.* 〔哲〕 「이것」이라는 것, 이것임(thisness), 개별성, 특성.
〖NL (*hic* this)〗

Haeck·el [*G* hέkəl] *n.* 헤켈. **Ernst Heinrich** ~ (1834-1919) 독일의 생물학자·철학자.

haem(a)-, haemat(o) ☞ HEM(A)-, HEMAT-.

-haemia ☞ -EMIA.

haemo- ☞ HEM-.

haemoglobin ☞ HEMOGLOBIN.

ha·e·re·mai [háirəmài, hér-] *int.* 《濠》 어서 오시오, 잘 오셨소《환영을 나타냄》. 〖Maori〗

haf·fir [hæfíər] *n.* 《北Africa》 (빗물을 일시 저장해 두는) 못. 〖Arab.〗

ha·fiz [hɑ́:fiz] *n.* 하피즈《Koran을 전부 암기한 이슬람교도에게 주어지는 칭호》. 〖Arab.〗

haf·nia [hǽfniə] *n.* 〔化〕 산화하프늄의 백색 결정(結晶).

haf·ni·um [hǽfniəm] *n.* Ⓤ 〔化〕 하프늄《희금속 원소 ; 기호 Hf ; 번호 72》.
〖NL *Hafnia*<Dan. *København* Copenhagen〗

haft [hǽ(:)ft ; hɑ́:ft] *n.* (작은 칼·단도 따위의) 손잡이, 자루(hilt) ; 〔紡〕 방추(紡錘)의 손잡이.
── *vt.* …에 손잡이[자루]를 달다.
〖OE *hæft*(*e*) (⇨ HEAVE) ; cf. G *Heft*〗

hag[1] [hǽ(:)g] *n.* 보기 흉한[고약한] 노파, 마귀 할멈 ; 《俗》 못생긴 여자 ; 마녀(witch). ── *a.* 《俗》 추한, 못생긴. 〖ME *hagge*< ? OE *hægtesse* witch< ? ; cf. G *Hexe*〗

hag[2] [, hɑ́:g] *n.* 《英方》 (황무지의) 늪, 소택지(沼澤地) ; 늪의 단단한 곳.
〖cf. ON *högg* gap ; HEW와 같은 어원〗

Hag. 〔聖〕 Haggai.

Ha·gar [héigɑ:r, -gər] *n.* **1** 여자 이름. **2** 〔聖〕 하갈《Abraham의 처 Sarah의 시녀로 Abraham의 아들 Ishmael을 낳음 ; 창세기 16》.
〖Heb. =flight〗

hág bàg *n.* 《CB俗》 매춘부 ; 여성 부랑자.

hág·bèrry [, -bəri] *n.* =HACKBERRY.

hág·bòrn *a.* 마녀에게서 태어난.

Hág·e·man fàctor [hǽgəmən-, héig-] *n.* 〔生理〕 하게만 인자, 제12인자《혈액응고 인자의 하나 ; 부족하면 정맥혈 응고가 늦음》.
〖환자 이름에서〗

hág·fish *n.* 〔魚〕 먹장어.

Hag·ga·da(h) [həgɑ́:də, -gɔ́:-, hɑ:-] *n.* (*pl.* **-dot(h)** [-dous, -dout, -douθ]) 하가다《(1) 유태교 전승(傳承) 중 전설·민화·설교·주술·점성 따위로 율법적 성격이 없는 이야기. (2) 유태인의 유월절 축제(때에 외는 제문(祭文)). (3) 성전의 훈화적[자유로운] 해설(집)》.
hag·gad·ic, Hag- [həgǽdik, -gɑ́:-, -gɔ́:-] *a.*
hag·ga·dist [həgɑ́:dəst, -gɔ́:-] *n.* 하가다의 작가[연구자]. **hag·ga·dis·tic** [hæ̀gədístik, hɑ̀:-] *a.*

Hag·gai [hǽgiai ; hǽgeiài] *n.* 〔聖〕 학개《헤브라이의 예언자》 ; 학개《구약 성서 중의 한 편 ; 略

Hag.》.

hag·gard [hǽgərd] *a.* **1** 초라해진, 수척한, 초췌한, 말라빠진(gaunt) ; (눈매가) 사나운, 광포한. **2** (매가) 길들지 않은, 야생의.
—— *n.* 야생의 매, 길들지 않은 매.
~·ly *adv.* **~·ness** *n.*
〖F *hagard* ; cf. HEDGE ; 일설에 *hag*[1]+-*ard*〗

hag·gis [hǽgəs] *n.* 《스코》 해기스《양·송아지 따위의 내장을 저며서 오트밀·지방·후추 따위와 함께 위주머니에 넣어 삶은 요리》.
〖ME<?; cf. ME *haggen* to HACK[1]〗

hág·gish *a.* 마귀 할멈 같은, 늙어서 추한.

hag·gle [hǽgəl] *vi.* [動/+前+名] (가격·조건 따위로) 언쟁하다 ; 서로 지지 않으려고 입씨름하다 : ~ ***about***[***over***] the price of an article ***with*** a person 남과 흥정하여 상품의 값을 깎다. —— *vt.* 《稀》 에누리하다 ; 《俗》 입씨름을 하여 괴롭히다. —— *n.* 입씨름, 말다툼 ; (값의) 에누리.
〖ON *höggva* to HEW〗

hagi- [hǽgi, 美+héidʒi], **hag·io-** [-iou, -iə] *comb. form* 「성도(聖徒)」「신성한」의 뜻.
〖Gk. *hagios* holy, -*o*-〗

hag·i·ar·chy [hǽgiɑ̀:rki, héidʒ-] *n.* 성직자 정치 ; 성인(聖人)의 계급 조직.

hag·i·oc·ra·cy [hæ̀giákrəsi, 美+hèidʒi-] *n.* Ⓤ 성도(聖徒) 정치[지배].

Hag·i·og·ra·pha [hæ̀giágrəfə, 美+hèidʒi-] *n.* [the ~] 성문집(聖文集)《구약 성서 중의 3부 ; 유태인은 구약 성서를 「율법」, 「예언서」 및 「성문집」의 셋으로 분류함》.

hàg·i·óg·ra·pher, -phist *n.* 성인전(傳) 작자.

hàg·i·óg·ra·phy *n.* Ⓤ 성자(聖者) 언행록 ; 성인전 ; 주인공을 성인 취급하려 한 전기.

hag·i·ol·a·try [hæ̀giálətri, 美+hèidʒi-] *n.* Ⓤ,Ⓒ 성인(聖人) 숭배.

hag·i·ol·o·gy [hæ̀giálədʒi, 美+hèidʒi-] *n.* Ⓤ 성인(전) 연구 ; 성인(聖人) 문학 ; 성인 언행록.

hág·io·scòpe [hǽgiə-, 美+héidʒi-] *n.* 제단요배창(祭壇遙拜窓)《제단을 볼 수 있도록 교회당 벽에 낸 좁은 창문》.

hág·rìdden *a.* **1** 악몽에 시달린 ; 가위눌린. **2** (일반적으로) 괴로움을 받고 있는〈*by*〉.

hág·rìde *vt.* (악몽·걱정으로) 시달리게 하다, 몹시 괴롭히다, 달라붙어 고통을 주다.

Hague [héig] *n.* [The ~] 헤이그《네덜란드 서부의 도시 ; 네덜란드의 옛 수도 ; 왕궁·국제 사법 재판소가 있음 ; cf. AMSTERDAM》.

Hágue Cóurt *n.* [the ~] 헤이그 재판소《(1) 상설 국제 사법 재판소의 통칭. (2) International Court of Justice의 통칭》.

Hágue Tribúnal *n.* [the ~] 헤이그 중재 재판소《상설 중재 재판소의 통칭》.

hah [há:] *int., n.* =HA. 〖imit.〗

ha-ha[1], **ha·ha** [hà:há:] *int.* 하하하, 아하하《우스움·비웃음 따위의 웃음》. —— *n.* 웃음소리, 홍소(哄笑) ; 《口》 농담, 우스운 일. 〖OE ; cf. HA〗

ha-ha[2] [há:hà:] *n.* =SUNK FENCE. 〖F〗

hahn·i·um [há:niəm] *n.* 〘化〙 하늄《인공 방사성 원소 ; 기호 Ha ; 번호 105》. 〖Otto *Hahn*〗

Haight-Ash·bury [héitǽʃbəri] *n.* 헤이트애슈버리《San Francisco의 한 구역 ; 1960년대에 히피가 많이 살았음》.

haik, haick [háik, héik] *n.* (아라비아 사람이 머리와 몸을 싸는) 직사각형의 천. 〖Arab.〗

hail[1] [héil] *n.* **1** Ⓤ 싸락눈, 우박(cf. HAILSTONE). **2** [a ~] 《비유》 (…의) 빗발 : *a* ~ *of* curses 빗발치듯 퍼붓는 욕지거리. —— *vi.* **1** [it을 주어로 하여] 싸락눈이[우박이] 내리다 : *It* is ~*ing.* 싸락눈이 내리고 있다. **2** [+前+名/+副] 《비유》 빗발치듯 쏟아지다 : Bullets ~*ed* ***down on*** the troops. 총알이 그 부대에 빗발치듯 쏟아졌다. —— *vt.* [+目+*on*+名] (구타·욕설 따위를) (빗발치듯) 퍼붓다 : The mob ~*ed* stones ***on*** the policemen. 군중은 (일제히) 경찰대에 돌을 던졌다. 〖OE *hægl* ; cf. G *Hagel*〗

***hail**[2] *int.* 와와!, 만세!《환영·축복의 인사》.
All hail!=***Hail to You!*** 만세!, 반갑소!
—— *vt.* **1** [+目/+目+*as* 補/+目+補] 환호성을 올리며 맞이하다, 축하하다 ; (남을 …라고) 부르다 : The crowd ~*ed* the winner. 군중은 승리자를 환호성을 올리며 맞이했다 / They ~*ed* him (*as*) king. 그를 왕이라고 부르며 맞이했다. **2** (배·차·사람을) 큰소리로 부르다 : ~ a taxi 택시를 부르다. —— *vi.* (다른 배 따위를) 소리질러 부르다.
hail from... (배가) …에서 오다 ; 《口》 (사람이) …의 출신이다(come from) : The ship ~*s from* Boston. 보스턴에서 온 선박이다.
within hailing distance 소리가 들리는 거리에 ; 가까이에.
—— *n.* 부르는 소리, 소리지름 ; 인사 ; 환영.
within[***out of***] ***hail*** (배 따위의) 소리가 들리는[들리지 않는] 곳에〈*of*〉.
〖ON *heill* sound, HALE[1], WHOLE ; cf. WASSAIL〗

Háil Colúmbia *n.* **1** 「헤일 컬럼비아」《1798년 Joseph Hopkinson (1770-1842) 작의 미국 국가》. **2** [hell의 완곡어(婉曲語)] **a**) 질책, 호된 꾸중 : get ~ 꾸중을 듣다. **b**) 야단 법석 : raise ~ 야단 법석을 떨다.

háil·er *n.* 환호하는 사람 ; 휴대용 강력 확성기.

háil-féllow(-wéll-mét) [; ⌒(-)] *a.* 매우 친근한, 의좋은 ; 곧 허물없이 이야기하는, 붙임성 있는〈*with*〉; 버릇없는 : He is ~ ***with*** everybody. 누구에게나 붙임성있게 대한다. —— [⌒(-)] *n.* (*pl.* **-féllows**(-)) 친우, 동무 ; 버릇없는 사람.

Háil Máry *n.* =AVE MARIA.

háil·stòne *n.* 싸락눈, 우박.

háil·stòrm *n.* 마구 퍼붓는 우박[싸락눈].

háily *a.* 우박의 ; 우박이[싸락눈이] 섞여 오는.

hain't [héint] 《方》 have[has] not의 단축형.

◇**hair** [héər, hǽər] *n.* **1 a**) Ⓤ [집합적으로] 털, 머리카락, 머리털, 두발(頭髮) ; (동물의) 체모 : She has golden ~. 그녀는 금발이다 / He had his ~ cut. 그는 이발을 했다. **b**) Ⓒ [a ~] 털 하나 : I found *a* ~ [two ~*s*] in the gravy. 고깃국물에 머리카락이 한[두]가닥 들어 있었다. **c**) [*pl.*] 《古》 =HAIR 1 a) : gray ~*s* 희끗희끗한 머리 ; 노년. **2** 〘植〙 (잎·줄기의 표면에 난) 털, 솜털. **3** 〘機〙 (시계 따위의) 유사(hairspring), 털 모양의 철사. **4** 털처럼 생긴 것. **5** 털끝만치(의 것), 조금(jot) : be not worth a ~ 한 푼의 가치도 없다. **6** 《廢》 성질, 특징.
against the hair 성질에 반하여 ; 마지못해.
bring down a person***'s gray hairs in sorrow to the grave*** 노인을 비통에 잠겨 죽게 하다.
by a hair 근소하게, 조금 : win *by a* ~ 근소한 차로 이기다 / hang *by a* (single) ~ ☞ HANG *v.* 숙어.
by the turn of a hair 간신히, 아슬아슬하게.
do not turn a hair 태연하다 ; 조금도 피로한 기색을 보이지 않다.
do up one***'s hair*** 머리를 땋다[치장하다] (cf. *put up* one*'s* HAIR).
get a person ***by the short hairs*** 《俗》 남을 완

H

전히 구워 삶다, 완전히 지배하다.
get in a person***'s hair*** 《美俗》 남을 귀찮게 하다, 압도하다.
a hair of the (***same***) ***dog that bit*** a person = ***a hair of the dog*** 《口》 독을 푸는 독; (특히) 숙취(宿醉) 뒤의 해장술.
keep one***'s hair on*** 침착하다, 당황하지 않다.
let one***'s hair down*** (1) = *put* [*let*] *down* one*'s* HAIR. (2) 《口》 마음을 터놓다, 속을 털어놓다, 터놓고 이야기하다.
lose one***'s hair*** (1) 머리가 벗겨지다. (2) 《俗》 화내다.
make one***'s hair stand on end*** (공포로) 등골이 오싹해지다.
put [***let***] ***down*** one***'s hair*** 머리를 풀다(cf. *do up* one*'s* HAIR).
put [***turn***] ***up*** one***'s hair*** = ***put*** one***'s hair up*** (소녀가 어른이 되어) 어른처럼 머리를 얹다(cf. *do up* one*'s* HAIR).
split hairs 쓸데없이[지나치게] 세세한 구별을 하다(cf. HAIRSPLITTING).
tear the hair (지나친 슬픔·노여움 때문에) 머리털을 쥐어뜯다.
to (***the turn of***) ***a hair*** 조금도 틀리지 않고, 정밀하게(exactly).
wear one***'s own hair*** (가발이 아니고) 제 머리털이다.
~·less *a.* 털이 없는; 대머리인.
~·like *a.* 털 같은; 털 같이 가늘고 긴.
〚OE *hær*; cf. G *Haar*〛
活用 gray hair는 「백발」, gray hairs는 「백발이 섞인 희끗희끗한 머리」를 뜻함. 복수형 hairs를 집합적으로 쓰는 것은 옛 용법.

háir bàll *n.* 모구(毛球)《소 따위가 삼킨 털이 위 속에서 엉긴 덩어리》.

háir·brèadth *n.* 털끝만한 틈[폭·거리].
escape death by a hairbreadth 구사 일생(九死一生)하다.
to a hairbreadth 조금도 어김없이.
within a hairbreadth 하마터면, 위기일발로.
── *a.* 극히 좁은; 아슬아슬한, 가까스로의.

háir·brùsh *n.* 머리 빗는 솔, 헤어 브러시.

háir cèll *n.* 〔動·解〕 유모(有毛)세포《미세한 돌기가 있는 상피(上皮)세포》.

háir·clìp *n.* 《英》 머리핀.

háir·clòth *n.* U 말 또는 낙타의 털을 씨실로 짠 천《양복 심·의자 따위에 씌우는 천으로 씀; cf. HORSEHAIR》; C = HAIR SHIRT.

háir còlor(**ing**) *n.* 머리 염색약.

háir·cùrl·ing *a.* 머리털이 쭈뼛해지는, 등골이 오싹하는.

***háir·cùt** *n.* 이발, (여성 머리의) 컷, 머리깎는 법, 머리 모양, 헤어 스타일.

〈회화〉
You need a *haircut.* — I just had one a couple of weeks ago. 「이발을 하셔야 겠네요」「불과 2주일 전에 했는걸요」

-cùtter *n.* **-cùtting** *n.*

háircut pálace *n.* 《CB俗》 천장과의 여유(clearance)가 낮은 육교.

háir·dò *n.* (*pl.* **~s**) 《口》 여성의 머리 치장, 머리 땋는 법, 머리 모양(coiffure): the latest ~ 최신 헤어 스타일.

háir·drèss·er *n.* 이발사, 미용사, (특히 여자의 머리를 컷하는) 미장원; 《英》 = BARBER: a ~'s (saloon) 미장원.

háir·drèss·ing *a.*, *n.* U 이발(의), 결발(結髮)(의): a ~ saloon 이발관, 미장원.

háir drìer[**drỳer**] *n.* 헤어 드라이어.

háir·dỳe *n.* U,C 염모제(染毛劑), 머리 염색, 머리 염색약.

háired *a.* 머리털이 있는; [합성어로] 머리털이 …한: short-~ 단발의, 단모의.

háir gràss *n.* 줄기가[잎이] 가는[선 모양의] 풀, (특히) 좀새풀.

háir grìp *n.* 《英》 헤어핀(hairpin).

háir hygròmeter *n.* 〔理〕 모발 습도계.

háir implànt *n.* 인공식모(植毛)《인공모발을 두피에 심기》.

háir·làce *n.* (여자의) 머리끈.

háir·lìne *n.* **1** 모근(毛筋), 머리털의 결. **2** 말총으로 만든 낚싯줄. **3** (그림·글씨의) 털같이 가는 선; (펜 글자의) 삐침선; (망원경 따위의) 조준선. **4** 〔光〕 헤어라인《핀트글라스·조준기(照準器) 따위에 잇는 가는 선》. **5** 작은 차이.
to a hairline 정밀하게(to a hair), 또박또박, 꼭 맞게.
── *a.* 가는; 근소한 차의, 간신히; 딱 맞는, 정확한.

háir·nèt *n.* 헤어네트, 두발용의 그물.
win the porcelain hairnet 《美俗》《反語》(남의 행위에 관해) 참으로 훌륭한 일을 하다, (하찮은 일을) 참으로 잘 해치우다, (훌륭한 일을 해서) 하찮은 상품을 타다.

háir òil *n.* 헤어 오일, 머릿기름.

hair·ol·o·gist [hɛərálədʒəst, hæər-] *n.* 모발학자, 모발 전문가[치료가].

háir pèncil *n.* (수채화용의) 모필.

háir pìe *n.* 《卑》 음문(陰門), 질.

háir·pìece *n.* = TOUPEE.

háir·pìn *n.* **1** U자형 헤어핀; 그 모양의 것; (특히) U자형 급커브 도로. **2** 《俗》 사람(a person); 여윈 사람; 《美俗》 여자, 주부. **3** 《美俗》 괴상한 사람, 괴짜. ── *attrib. a.* (도로 따위가) U자형의: a ~ bend U자형으로 구부러진 것[길] / a ~ turn 《美》 U자형 커브.

háir-ràising *a.* 《口》 머리털이 일어서는 듯한; 오싹하는. **háir-ràiser** *n.* 《口》 끔찍한 이야기[사건·경험].

háir restòrer *n.* 발모제(發毛劑).

háir rìbbon *n.* 머리에 다는 리본.

háirs·brèadth, háir's- *n.*, *a.* = HAIRBREADTH.

háir sèal *n.* 〔動〕 물범, 해다리.

háir shìrt *n.* (고행자 등이 입는) 거친 모직(毛織) 셔츠(cf. HAIRCLOTH).

háir slìde *n.* (대모갑·셀룰로이드 따위로 만든) 헤어 클립.

háir spàce *n.* 〔印〕 글자 사이의 최소 간격, 최소 간격의 활자.

háir·splìtting *a.*, *n.* U 사소한 일에 구애되는[되기]. **háir·splìtter** *n.* 사소한 일을 요란하게 말하는 사람.

háir sprày *n.* 헤어 스프레이.

háir·sprìng *n.* (시계의) 유사.

háir·strèak *n.* 〔昆〕 알붐부전나비류(類).

háir stròke *n.* (그림이나 문자의) 가는 선, 〔印〕 = SERIF.

háir·stỳle *n.* (개인의) 머리 스타일.

háir·stỳlist *n.* = HAIRDRESSER《특히 새로운 스타일을 연구하는》. **-stỳling** *n.*

háir trànsplant *n.* 모발 이식.

háir trìgger *n.* (총의) 촉발(觸發) 방아쇠; 민감한 기구[반응].

H

háir-trìgger *a.* 촉발적인, 민감한 ; 즉각의 민첩한 ; 즉시 반응을 나타내는 ; 일촉 즉발의 : ~ temper 곧 발끈하는 성미.
háir twèezers *n. pl.* 족집게.
háir·wàsh *n.* 머리 염색액, 세발액(洗髮液).
háir·wèaving *n.* (머리가 벗겨지기 시작한 사람에게) 부분 가발을 머리에 넣어 덮기.
háir·wòrm *n.* 털회충, 모양선충(毛様線蟲)《포유류·조류의 소화관에 기생》.
háiry *a.* **1 a**) 털이 많은, 털투성이의 ; 털모양의. **b**) 텁수룩한 ; 울퉁불퉁한, 험한. **2** 《口》 곤란한, 위험이 많은, 무서운 ; 《俗》 조야한, 덜렁대는. —— *n.* hairy한 것[사람].
háir·i·ness *n.* Ⓤ 털이 많음.
háiry-hèeled *a.* 《俗》 버릇없이 자란, 버릇없는.
háiry vétch *n.* 〖植〗 헤어리 베치, 털갈퀴덩굴《잠두콩속(屬)의 일종 ; 목초용》.
Hai·ti [héiti] *n.* **1** 아이티섬《HISPANIOLA의 옛 칭호》. **2** 아이티《서인도 제도 중의 Hispaniola섬의 서부 1/3을 차지하는 공화국 ; 수도 Port-au-Prince》.
Hai·tian, Hay- [héiʃən, -tiən ; -ʃiən] *a.* 아이티섬 (사람)의 ; 아이티어(語)의. —— *n.* 아이티 섬 사람 ; Ⓤ 아이티어(語).
Háitian Créole *n.* 아이티어(語), 아이티 크리올《프랑스어를 모체로 갖가지 서아프리카어(語)가 뒤섞여 이루어짐》.
hajj, haj, hadj [hǽdʒ] *n.* 〖이슬람教〗 메카 순례. 〚Arab. =pilgrimage〛
hajji, haji, hadji [hǽdʒi] *n.* 하지《메카 순례를 끝낸 이슬람교도 ; 때때로 칭호》.
〚Pers. and Turk. =pilgrim (↑)〛
hake[1], **haik** [héik] *n.* (치즈·벽돌 따위를 말리는) 나무시렁. 〚HECK[2]〛
hake[2] *n.* 〖魚〗 메르루사《대구과(科)의 식용어》.
〚ME< ? 《美》 *hakefish* (*hake* (dial.) hook, FISH[1])〛
Ha·ken·kreuz [hɑ́:kənkrɔ̀its] *n.* 갈고리 십자(장(章))《나치스의 문장(紋章)》.
〚G (*Haken* hook+*Kreuz* cross)〛
ha·kim[1], **ha·keem** [hɑkí:m, hə-] *n.* (인도·이슬람교국의) 현인, 학자 ; 의사.
〚Arab. =wise man〛
ha·kim[2] [hɑ́:kəm, -ki(:)m] *n.* (인도·이슬람교국의) 태수(太守), 지사, 법관. 〚Arab.〛
Hak·ka [hɑ́:kɑ:, hǽkə] *n., a.* 하카어(語)(의)《중국 남동부, 특히 광둥(廣東)의 방언》; 하카어를 쓰는 사람(의).
Hal [hǽl] *n.* 남자 이름《Henry, Harold의 애칭》.
Hal. 〖化〗 halogen.
hal- [hǽl], **halo-** [hǽlou, -lə] *comb. form* 「할로겐의[을 함유한]」 「염(鹽)의」의 뜻. 〚F<Gk.〛
Ha·laf·ian [həlɑ́:fiən, -fjən] *a., n.* 〖考古〗 할라프 문화(기(期))(의)《이라크 북부로부터 시리아·터키 국경 일대의 메소포타미아를 중심으로 한 문화로 다색 채문(彩紋) 토기가 특징》.
〚Tell *Halaf* 시리아 북동부의 땅〛
Ha·la·kah, -chah [hɑlɔ́:xə, -kə, hɑ̀:ləxɑ́:, -kɑ́:] *n.* (*pl.* **~s, -koth, -choth** [-lɑ:xɔ́:t]) 할라카《유태교 율법의 총칭》. **ha·lak·ic, Ha-** [həlǽkik] *a.* 〚Heb.〛
ha·la·la, -lah [həlɑ́:lə] *n.* (*pl.* **~, -las**) 할랄라《사우디아라비아의 화폐 단위 : 1/100 riyal》.
〚Arab.〛
Hála·phòne [hǽlə-] *n.* 〖樂〗 할라폰《오케스트라 연주 중에 각 파트의 음을 담아 특수 효과를 내기 위한 전자 장치》. 〚Peter *Hal*ler 발명자〛
ha·la·tion [heiléiʃən, hæ- ; hə-] *n.* Ⓤ 〖寫〗 헐레이션《광선이 너무 세서 피사체(被寫體)의 주변이 부옇게 되기》, (광선에 의한 사진의) 흐림.
hal·berd [hǽlbərd, hɔ́:l-], **hál·bert** [-bərt] *n.* 〖史〗 미늘창(槍)《창·도끼를 겸용한 모양의 무기》. 〚F<MHG (*helm* handle, *barde* hatchet)〛
hal·berd·ier [hæ̀lbərdíər, hɔ̀:l-] *n.* 미늘창으로 무장한 병사.
hal·cy·on [hǽlsiən] *n.* **1** 알키온《동지 무렵 해상에 둥지를 만들어 풍파를 가라앉히고 알을 깐다고 상상된 전설상의 새》. **2** 〖鳥〗 물총새 (kingfisher). —— *a.* 물총새의[와 같은] ; 온화한 ; 평화로운, 조용한 (calm) ; 행복한, 번영의 : a ~ era 황금 시대.
〚L<Gk.=kingfisher〛

halberdier

hálcyon dáys *n. pl.* 동지 전후의 날씨가 온화한 2주일 ; 평온한 시대.
Hál·dane prìnciple [hɔ́:ldein-, -dən-] *n.* 홀데인 원칙《정부 조사원은 조사에 의한 이익을 받을 정부 부처로부터 분리해야 한다는 원칙》.
hale[1] [héil] *a.* 건장한(whole), 정정한 ; 《스코》 흠[결점]이 없는. 㕑 주로 다음 숙어에 쓰임.
hale and hearty (늙거나 병후의 사람이) 노익장의, 원기 왕성한.
~·ness *n.* Ⓤ 강건함, 정정함.
〚OE *hāl* WHOLE〛
hale[2] *vt.* 《古》 거칠게 잡아당기다(drag) ; (남을) 데리고 가다[오다] : ~ a person (*off*) ***to*** jail 남을 구치소로 연행하다.
〚OF<ON *hala* ; cf. HAUL〛
ha·ler [hɑ́:lər, 美+héəl-] *n.* (*pl.* **~s, hale·ru** [hɑ́:lərù:]) 할레루《체코의 화폐 단위 : 1/100 koruna》; 헬러(heller)《중세 독일의 동전》.
〚Czech〛
◇**half** [hǽ(:)f ; hɑ́:f] *n.* (*pl.* **halves** [hǽ(:)vz ; hɑ́:vz]) **1 a**) 절반, 1/2 ; 약 반 : The ~[*H*~] of twelve is six. 12의 절반은 6 / Cut it *in* ~. 반으로 자르시오 / Cut it *into* exact *halves*. 그것을 정확히 두 조각으로 자르시오 / two miles and a ~=two and a ~ miles 2마일 반(半) / five feet six-and-a-~ inches 5피트 6.5인치 / the largest ~ *of* one's fortune 재산의 태반 / *H*~ *of* the apple *is* rotten. 그 사과의 반은 썩어 있다 / *H*~ *of* the apples *are* rotten. 그 사과 가운데 반수는 썩었다(cf. *a.* 1). 㕑 《美》에서는 [half a+보통명사] 이외에 [a half+보통명사]의 어순(語順)도 있음 : ~ an hour=a ~ hour 반시간. **b**) 반시간, 30분 : at ~ past six 6시 반에. **2** (*pl.* **~s, halves**) **a**) 《英》 반 학년, (1학년 2학기제의) 학기. **b**) 반 마일. **c**) 《英口》 반 파인트(=half-pint). **d**) 〖競〗 시합의 전반[후반], 하프(cf. QUARTER *n.* 1 j)) ; 〖蹴〗 =HALFBACK ; 〖野〗 초(初), 말(末)(cf. TOP[1] *n.* 7, BOTTOM *n.* 7) : the first[second] ~ *of* the seventh inning 7회 초[말]. **3** 《美口》 =HALF-DOLLAR.
by half 반쯤 ; 반만큼 : I reduced the number of students *by* ~. 학생 수를 반으로 줄였다. (2) [too...by ~로 반어적] 《英口》 (남을 불쾌하게 만들 정도로) 지나치게 …하다 : You are too clever *by* ~. 너는 지나치게 영리하다.
by halves [부정어를 수반하여] 어중간하게, 불완전하게 : Don't do things *by halves*. 일을 어중간하게 하지 마라.
go halves with a person ***in*** a thing 남과 물건

을 절반씩 나누다 ; 공평하게 부담하다.
one's **better half** 《戲》 아내[처] ; 《稀》 남편.
one's **worse half** 《戲》 남편.

〈회화〉
What time is it now ? — It is *half* past [흔히 hǽpæst ; hɑ́ːpəst] five. 「지금 몇시죠」「다섯시 반입니다」

—— *a.* **1** 절반의, 1/2의 ; 약 반의 : *H*~ a loaf is better than no bread. 《속담》 반이라도 없는 것보다는 낫다. 주 이어지는 명사가 단수일 때는 보통 단수 일치, 복수면 복수 일치(cf. *n.* 1) : *H*~ his *time was* wasted. 그의 시간 중 절반은 허비되었다 / *H*~ the *apples are* bad. 사과 가운데 절반은 썩었다. **2** 불충분한, 불완전한 : ~ knowledge 어설픈 지식.
—— *adv.* **1** 절반만, 반쯤 : His face was ~ hidden by a leather cap. 그의 얼굴은 반쯤 가죽 모자로 가리워져 있었다. **2** 어설프게, 어중간하게 : be ~ cooked 반숙(半熟)이다, 반쯤 삶았다 / ~ educated 제대로 교육을 받지 못한. **3** 어느 정도, 꽤 ; 어중간하게 : be ~ dead 《口》 완전히 피로에 지쳐 있다 / He ~ wished to go and see her at once. 그는 금방이라도 그녀를 만나러 가고 싶은 마음이 들었다.
half as much [***many***] ***as*** …의 절반.
half as much [***many***] ***again as*** …의 한 배 반.
half the time 《美》 거의 언제나.
not half (1) 《口》 조금도 …아니다(not at all) : I do*n't* ~ like it. 나는 그것이 아주 싫다 / *not* ~ bad 조금도 나쁘지 않은, 매우 좋은. (2) 《英俗》 지독하게, 몹시 : Do you like beer ?—Oh, *not* ~ ! 자네 맥주는 좋아하나—암, 무척 / She did *not* ~ cry. 그녀는 울어도 웬만큼 울어야지《대단히 많이 울었다》.
not half as [***so, such***]***...as*** …의 반도 …하지 않는 : Tom is *not* ~ *as* hardworking *as* Mary. 톰은 메리의 반만큼도 공부하지 않는다.
~·ness *n.* Ⓤ 절반 ; 불완전, 어중간함.
〖OE *h*(*e*)*alf* side, half ; cf. G *Halb*〗

H

hálf-a-crówn, hálf a crówn *n.* =HALF CROWN.
hálf àdder *n.* 〖컴퓨〗 반덧셈기, 반가산기.
hálf-a-dóllar *n.* 《英俗》 =HALF CROWN.
hálf-a-dózen, hálf a dózen *n.* =HALF-DOZEN.
hálf-and-hálf *a.* 반반의 ; 애매한, 얼치기의.
—— *adv.* 같은 양으로, 똑같이 나누어 : Divide it ~. 그것을 같은 양으로 나누시오[이등분(等分)하시오]. —— *n.* Ⓤ 《英》 혼합 맥주《특히 에일(ale)과 흑(黑)맥주(porter)와의》 ; 《美》 우유와 크림과의 혼합물.
hálf-ássed *a.* 《俗》 어설픈, 얼치기의 ; 무능한, 반편이의 ; 비현실적인.
hálf·bàck *n.* 〖蹴·하키〗 하프백(의 위치), 중위(中衛) (cf. BACK *n.* 4) : the left[right] ~ 레프트[라이트] 하프백.
hálf-báked *a.* **1** (빵 따위) 설구워진. **2** (계획이) 불완전한, 불충분한 ; 미완의 ; (생각 따위가) 미숙한, 천박한. **3** 열성이 없는 ; 세상 물정 모르는 ; 머리가 모자라는, 우둔한.
hálf-bàll stróke *n.* 〖撞球〗 공의 중앙을 쳐서 표적구의 가장자리 맞히기.
hálf bínding *n.* 〖製本〗 반가죽장정(裝幀) (의 책) 《책의 등과 표지의 귀퉁이를 가죽으로 씌운 것 ; cf. HALF CALF》.
hálf blòod *n.* 이복(異腹)[이부(異父)] 형제[자매], 배다른 형제 ; 혼혈아(cf. FULL BLOOD).
hálf-blóod(·ed) *a.* 혼혈[잡종]의 ; 배다른.
hálf-blùe *n.* 《英大學》 반청장(半青章), 보결 선수 (cf. BLUE *n.* 4).
hálf bòard *n.* 〖海〗 하프 보드《범선의 조선법(操船法)의 하나》 ; 《英》 =DEMI-PENSION.
hálf-bóiled *a.* 설익은, 반숙의《계란》.
hálf bòot *n.* [보통 (a pair of) ~s] (장딴지 반쯤까지 오는) 반장화, 편상화.
hálf-bóund *a.* 반가죽장정(裝幀)의.
hálf-bréadth plàn *n.* 〖船〗 반폭선도(半幅線圖) 《선체의 좌우 어느 한 쪽의 수평 단면도 ; cf. BODY PLAN, SHEER PLAN》.
hálf-brèd *a.* =HALF-BLOODED.
hálf-brèed *n.* (특히 아메리칸 인디언과 백인의) 혼혈아 ; 〖動·植〗 잡종(hybrid).
—— *a.* =HALF-BLOODED.
hálf bròther *n.* 이복[이부(異父)] 형제, 배[씨]다른 형제(cf. FULL BROTHER, STEPBROTHER).
hálf bùtt *n.* 〖撞球〗 반 길이의 큐《제일 긴 것과 보통 길이의 중간큐》.
hálf cádence *n.* 〖樂〗 반마침.
hálf cálf *n.* 〖製本〗 송아지 가죽으로 반을 장정한 것(cf. HALF BINDING).
hálf-càste *n., a.* 혼혈아(의)《특히 유럽인 아버지와 인도[아시아] 어머니 사이에서 태어난 혼혈아》.
hálf clóse *n.* =HALF CADENCE.
hálf cóck *n.* (총기의) 안정단(段), 반(半)안전장치 ; 준비[각오]가 불충분한 상태.
go off (***at***) ***half cock*** (총알이) 너무 빨리 나가다 ; (일반적으로) 조급히 굴다, 당황하여 실패하다 ; 화내다.
hálf-cócked *a.* (총에) 반(半)안전장치를 한 ; 준비 부족의 ; 미완성의 ; 우둔한 ; 《俗》 약간 취한.
hálf-cóoked *a.* 설익은, 설구워진 ; 《美口》 미숙한(inexperienced).
hálf crówn, hálf-crówn *n.* 반(半) 크라운《2실링 6펜스의 영국 백동화 ; 원래는 은화 ; 1971년에 폐지》 ; 그 금액(=half-a-crown).
hálf-déad *a.* 반죽음의, 빈사의(dying) ; 기진한.
hálf dèck *n.* 〖海〗 반갑판(半甲板).
hálf dìme *n.* 《美》 (옛날의) 5센트 은화(銀貨).
hálf-dóllar *n.* 《美·Can.》 50센트 은화.
hálf-dóne *a.* **1** 하다가 만, 불완전한. **2** 반숙의, 설익은, 설구워진(underdone).
hálf-dózen *n.* 반 다스, 6개.
hálf dúplex *n.* 〖通信〗 반이중(半二重) (방식) 《두 방향으로 통신은 가능하나 동시에는 한 방향밖에 통신할 수 없는 전송 방식 ; 略 HDX ; cf. FULL DUPLEX》.
hálf éagle *n.* (옛날 미국의) 5달러 금화.
hálf-fàce *n.* 반면(半面), 옆얼굴 ; 〖軍〗 반우향, 반좌향. —— *a.* 옆얼굴을 그린, 옆으로 향한.
hálf-fáced *a.* 옆얼굴의, 옆으로 향한 ; 반면의 ; 불완전한, 얼치기의, 어중간한.
hálf-fínished gòods *n.* 반제품.
hálf fráme *n.* 하프 사이즈 사진《35mm판의 절반 크기》. **hálf-fráme** *a.* 하프 사이즈 사진의.
hálf gàiner *n.* 〖泳〗 하프 게이너《앞을 향한 자세에서 뛰어 올라 거꾸로 반바퀴 돌아 다이빙대쪽을 향해 머리부터 입수함 ; cf. GAINER》.
hálf-hárdy *a.* 〖園藝〗 반내한성(半耐寒性)의.
hálf·héart·ed *a.* 마음이 내키지 않는, 냉담한, 적당한, 열심이 아닌. **~·ly** *adv.* 열성이 없이, 마지못해. **~·ness** *n.*
hálf hítch *n.* 〖海〗 (밧줄의) 반매듭, 한 번 매기.

hálf-hóliday *n.* 반공일, 반휴일.
hálf hóse *n.* [복수취급] (남자의) 긴 양말《무릎 밑에서 접어 젖히게 된 것》.
hálf hóur *n.* 반시간, 30분 ; …시 30분의 시점《정시와 정시와의 중간점》. **hálf-hóur·ly** *a., adv.* 반시간[30분]마다의[마다].
hálf hùnter *n.* 한쪽이 유리로 되고 뚜껑이 달린 회중시계(cf. HUNTER *n.* 4).
hálf-ìnch *vt.* 《韻俗》 훔치다, 날치기하다(pinch).
hálf-ìnteger *n.* 〖數〗 반정수《홀수의 1/2》.
hálf-ìntegral *n., a.* 홀수의 절반(의).
hàlf lánding *n.* 《英》 (계단 도중의 구부러진 곳의) 층계참.
hálf lèather *n.* =HALF BINDING.
hálf-léngth *n., a.* 반신(半身)(의), 반신상(像)(의), 반신 초상화(의).
hálf-lìfe (pèriod), hálf lìfe *n.* 〖理〗 반감기(半減期)《방사성 물질의 원자핵의 반수가 붕괴하는 데 소요되는 시간》.
hálf-lìght *a., n.* 어슴프레한 (빛).
hálf lìne *n.* 〖數〗 반직선.
hálf·ling *n.* 《주로 스코》 **1** 반페니. **2** 소년.
—— *a.* 미숙한, 미성년의.
hálf-lóng *a.* 〖音聲〗 (음이) 반장음의《보통 [ˑ]으로 나타냄》.
hálf-mást *n.* Ⓤ 마스트의 중간쯤 ; 반기(半旗)의 위치《조의(弔意) 및 조난을 나타냄》: a flag *at* ~ 반기《조기(弔旗)》.
—— *adv.* 마스트의 중간쯤에 ; 반기의 위치에.
half-mast high 반기의 위치에 : hang out [hoist] a flag ~ *high* 반기를 게양하여 조의를 표하다.
—— *vt.* (기를) 반기의 위치에 달다.
hálf méasure *n.* [때때로 *pl.*] 임시 변통의 수단, 미봉책, 고식적 수단.
hálf-mínd·ed *a.* 마음이 내키지 않는〈*to* do〉.
hálf-mòon *n.* 반달 ; 반달 모양(의 것) ; 〖築城〗 반월보(半月堡).
hálf morócco *n.* 〖製本〗 반모로코 가죽장정.
hálf móurning *n.* 반상복(半喪服)《검정에 흰색을 겸한 또는 쥐색 따위의 ; cf. DEEP MOURNING》; 반상복을 입는 기간, 반상기(半喪期).
hálf nélson *n.* 〖레슬링〗 하프 넬슨《한쪽 팔을 등 뒤에서 상대의 겨드랑이에 넣어 그 손으로 상대의 목덜미를 누르는 목공격 ; cf. FULL NELSON, QUARTER NELSON》: get a ~ on... 《비유》 …을 완전히 제압하다.
hálf·ness *n.* Ⓤ 절반 ; 불완전, 어중간함.
hálf nòte *n.* 《美》〖樂〗 2분 음표(minim).
hálf-óne *n.* 〖골프〗 하프원《홀 하나 걸러 1스트로크씩의 핸디캡》.
hálf-órphan *n.* 편친(偏親)뿐인 아이.
hálf·pàce *n.* 〖建〗 (한 층 높게 한) 상좌(上座) ; 층계참(landing).
hálf páy *n.* 봉급의 절반, 반급(半給)(cf. FULL PAY) ; 《英》 (장교의) 휴직급(給) : placed on ~ 반급[휴직급]이 급여되는. **hálf-páy** *a.* 봉급의 반을 받는, 반급의.
half·pen·ny [héipəni, 美+hǽfpèni] *n.* (*pl.* (가격) **half·pence** [héipəns, 美+hǽfpèns]), (경화(硬貨) 개수) **half·pen·nies** [héipəniz, 美+hǽfpèniz]) **1** 영국의 옛 반 페니 동전 ; [*pl.*] 《口》 잔돈, 동전 : three *halfpennies* 반 페니 동전 세닢. **2** 반 페니(의 가격) : three *halfpence* 1페니 반《略 1½ d.》.
like a bad halfpenny 끈덕지게, 치근치근하게 : turn up again *like a bad* ~ 《英》 끈덕지게 [빠지지 않고] 나타나다.
not have two halfpennies to rub together 아주 가난하다.
receive more kicks than halfpence 칭찬은 고사하고 호되게 야단맞다.
—— *a.* 반 페니의 ; 싸구려의, 하찮은.
hálfpenny·wòrth [ˌ, 英+héipəθ] *n.* 반 페니 값어치의 물건〈*of*〉; 극소량.
hálf pénsion plàn *n.* =MODIFIED AMERICAN PLAN.
hálf-pínt *n.* 반 파인트《=1/4 quart》; 《口》 키가 작은 사람《특히 여성》, 꼬마 ; 《俗》 젊은 사람 ; 《俗》 보잘것없는 사람. —— *a.* 반 파인트의 ; 《俗》 소형의, 키가 작은, 꼬마의.
hálf plàne *n.* 〖數〗 반평면.
hálf-plàte *n.* 《英》 하프 사이즈의 건판[필름], 하프 사이즈의 사진《16.5×10.8 cm》.
hálf-príce *a., adv.* 반액의[으로].
hálf-quártern *n.* 《英》 QUARTERN LOAF의 1/2의 빵 덩어리.
hálf-rát·er *n.* 경주용 소형 요트.
hálf-réad *a.* 겉핥기로 읽은, 어설프게 아는.
hálf rèst *n.* 〖樂〗 2분 쉼표.
hálf-róund *a.* 반원(형)의 ; 반원통의.
hálf-róyal *n.* 12×12인치 크기의 판지(板紙).
hálf-sèas óver *a.* 〖海〗 항로 중간의 ; (일의) 중도에서 ; 《俗》 얼근하게 취한(drunk).
hálf-sháre *n.* **1** 몫의 반. **2** 주식 수입의 반에 대한 권리.
hálf-shíft *n.* 〖樂〗 하프시프트《바이올린 연주 따위에서 첫째손가락이 둘째손가락 위치로 이동함[이동된 위치]》.
hálf-shót *n.* 〖골프〗 하프숏. —— *a.* 《俗》 (술이) 얼근히 취한 ; 《美俗》 방탕한.
hálf sìster *n.* 이복(異腹)[이부(異父)] 자매, 배[씨] 다른 자매(cf. FULL SISTER, STEPSISTER).
hálf sìze *n.* 하프 사이즈《여성복에서 키에 비해 몸통이 큰 체형의 사이즈》; 〖設計〗 2분의 1축척.
hálf-slìp *n.* 하프슬립《허리 아래쪽만 있는 슬립》.
hálf sòle *n.* (구두의) 앞창.
hálf-sòle *vt.* (구두에) 앞창을 대다.
hálf sóvereign *n.* 《英》 10 실링의 금화《1916년까지 발행되고 지금은 폐지》.
hálf-stáff *n.* =HALF-MAST.
hálf stèp *n.* 〖樂〗 반음(semitone) ; 〖美軍〗 반보(半步)《속보로 15인치, 구보로 18인치》.
hálf stòry *n.* 〖建〗 중 2층(中二層).
hálf swíng *n.* 〖스포츠〗 하프 스윙《휘두르는 폭이 절반인 스윙》.
hálf-térm *n.* 《英》 (학기 중의) 며칠간의 휴가, 중간 휴가.
hálf tíde *n.* 반조(半潮)《만조와 간조의 중간》.
hálf-tímber(ed) *a.* (집의) 뼈대를 나무로 만든.
hálf·tìme *n.* 반나절 근무 ; 〖競〗 시합 중간의 휴식, 하프타임.
hálf-tímer *n.* 규정 시간의 절반만 일하는[청강하는] 사람[학생] ; 《英》 반나절은 학교에 가고 반나절은 공장에서 일하는 학생.
hálf tìnt *n.* =DEMITINT.
hálf tìtle *n.* 반표제《책의 첫 페이지에 있는 책이름》; 각장(各章) 첫머리의 제목.
hálf·tòne *n., a.* **1** 〖印·寫〗 망판(網版)(의), 망판화(의) ; 간색(間色)(의). **2** 〖樂〗 반음(의).
hálf-tràck *n.* 반 무한 궤도식 (군용) 자동차《뒷바퀴만 무한 궤도식의 장갑차 따위》.
hálf tràp *n.* 반원 모양의 관《하수도의 가스가 올라오지 않도록 한 하수도관》.

H

hálf-trùth *n.* U,C (특히 기만적인) 반쪽만의 진리 (밖에 포함하지 않는 말).

hálf-válue làyer *n.* 〖原子〗 반감층(半減層)《방사선이 물질을 통과할 때 그 세기가 반감하는 흡수 물질의 두께》.

hálf vòlley *n.* 하프 발리《테니스·축구·럭비·크리켓 따위에서 공이 땅에서 막 튀어오르는 것을 치기[차기]》.

hálf-vòlley *vt., vi.* half volley로 치다[차다].

hálf-wáve rèctifier *n.* 〖電〗 반파 정류기.

‡**hálf·wáy** *a.* 도중의, 중간의 ; 중도에서 그만두는 ; 철저하지 않은, 불완전한.
—— *adv.* 중도에서 ; 타협하여 ; 불충분하게 : An old ivy vine climbed ~ up the brick wall. 오래된 담쟁이덩굴이 벽돌담의 중간까지 뻗어 올라가 있었다.
meet a person ***halfway*** …와 도중에서 만나다 ; …을 마중나가다 ; 남과 타협하다.

hálfway hòuse *n.* (두 마을의) 중간에 있는 여인숙 ; (사회 복귀를 위한) 중간 시설《출감자·정신 장애자 등을 위한》; 중간점 ; 타협.

hálfway lìne *n.* 〖蹴〗 하프웨이 라인《골라인과 평행한 필드의 중앙선》.

hálf-wìt *n.* 멍청이, 얼간이 ; 정신 박약자.

hálf-wítted *a.* 얼빠진, 멍청한(stupid) ; 정신적 결함이 있는. **-wítted·ness** *n.*

hálf·wòrd *n.* 〖컴퓨〗 하프워드, 반어(半語).

hálf-wòrld *n.* 반구(半球) ; 화류계 ; 암흑 사회, 암흑가.

hálfy *n.* 《美俗》 앉은뱅이《사람》.

hálf yéar *n.* 반 년, 6개월 ; (1년 2학기제의) 한 학기(semester).

hálf-yéar·ly *adv., a.* 반 년마다(의).

hal·i·but [hǽləbət, hɑ́l-] *n.* (*pl.* **~, ~s**) 〖魚〗 북양가자미《대서양에서 사는 것은 3m》. 〖HOLY, *butt* flatfish ; holy days에 먹은 데서인가〗

hal·ide [hǽlaid, héi-], **hal·id** [hǽləd] *n., a.* 〖化〗 할로겐(halogen) 화합물(의).
〖*hal*ogen+*-ide*〗

hal·i·dom [hǽlədəm], **-dome** [-dòum] *n.* 《古》 성스러운 곳 ; 성스러운 것.
by my halidom(***e***) 맹세코, 절대로.
〖OE (HOLY, *-dom*)〗

hal·i·eu·tic [hæ̀lijúːtik] *a.* 낚시질의.

hàl·i·éu·tics *n.* 낚시질(기술), 어로법(漁撈法) ; 어로법[어업(漁業)]에 관한 논문.
〖Gk. (*halieutēs* fisherman)〗

Hal·i·fax [hǽləfæ̀ks] *n.* 핼리팩스《(1) 캐나다 Nova Scotia 주의 주도(州都). (2) 영국 West Yorkshire의 도시》.
Go to Halifax ! 《俗》 빌어먹을, 뒈져라.

hal·ite [hǽlait, héi-] *n.* U 〖鑛〗 암염(岩鹽).

hal·i·to·sis [hæ̀lətóusəs] *n.* (*pl.* **-ses** [-siːz]) U 〖醫〗 입냄새.

◇**hall**[1] [hɔːl] *n.* **1 a**) 공적인 건물, 회관, 공회당, 홀 ; (단체의) 사무실, 본부 : a city[town] ~ 시청 / ☞ ALBERT HALL. **b**) (회관 내의 또는 독립된) 집회장, 오락장, 홀(cf. SALOON 5 a)) : ☞ CARNEGIE HALL. **c**) 《英口》 =MUSIC HALL. **2** (대학의) 기숙사(hall of residence) ; 《美》 (대학의) 특별 회관, 강당, 기숙사 ; 학부, 학과 ; 《英大學》 대식당(에서의 회식) : the Students' *H*~ 《美》 학생회관. **3** (대주택의) 현관 대청 ; (보통 가옥의) 현관, 홀 ; 《美》 복도(hallway) : Please leave your hat and coat in the ~. 모자와 외투는 현관에 놓아 두시오. **4** 《英》 (옛날 왕후 저택의) 넓은 대청. **5** [the H~] 《英》 시골 대지주의 저택 ; (옛날의) 장원(莊園) 영주의 저택(manor house).
dine in hall 《英大學》 대식당에서 회식하다, 회식에 참석하다.
A hall, a hall ! 《英古·美》 길을 열어 주시오 ! 비키시오, 비키시오 ! (cf. GANGWAY 4).
〖OE *h*(*e*)*all* ; HELL과 같은 어원 ; cf. G *Halle*, L *cella* small room〗

hall[2] *n.* 《俗》 =ALCOHOL.

hal·lah, chal·lah [hɑ́ːlə, xɑ́ː-] *n.* (*pl.* **~s, -loth** [-lout]) 〖유태教〗 할라(Heb. **hal·loth** [xɑːlɔ́ːt]) 《안식일 따위의 축일에 먹는 영양가 높은 흰 빵》.

háll bédroom *n.* 《美》 현관 옆의 침실, (특히 2층의) 복도 막다른 곳의 침실《비좁고 하숙집에서는 가장 싼 방》.

Hal·lel [hɑːléil] *n.* 〖유태教〗 할렐《찬송가 중 유월절(逾越節)·오순절 따위에 부르는 부분》.
〖Heb.=praise〗

hal·le·lu·jah, -iah [hæ̀ləlúːjə] *n.* 할렐루야(alleluia)《신을 찬미하는 외침 또는 노래》. —— *int.* [때때로 H~] 할렐루야《신의 찬미 또는 기쁨·감사를 나타내는 외침》.
〖L<Gk.<Heb.=praise the Lord〗

Hallelújah làss *n.* 《俗》 구세군 여사관.

Hal·ley [hǽli] *n.* 핼리. **Edmund**[**Edmond**] ~ (1656-1742) 영국의 천문학자·수학자 ; 핼리 혜성의 궤도를 계산.

Hálley's cómet *n.* [흔히 H~ C~] 〖天〗 핼리 혜성(彗星)《최근의 출현은 1986년》. 〖↑〗

halliard ☞ HALYARD.

háll·màrk *n.* (금은의) 순도(純度) 검증 각인(刻印) ; (일반적으로) 품질 증명, 큼직한 도장, 확실한 보증, 감정서 ; 현저한 특징 : a work bearing the ~ of a genius 천재임을 증명하는 작품.
—— *vt.* …에 각인(刻印)[큼직한 도장]을 찍다, 감정서를 붙이다, 보증하다.

hal·lo(**a**) [həlóu, hæ-], **hal·loo** [həlúː] *int.* 여보세요, 여보, 이봐, 야 ; 쉿, 덤벼《사냥개를 부추기는 소리》. —— *n.* hallo의 소리 ; 주의를 끌기 위해 큰 소리로 외치기 ; 사냥개를 부추기는 소리 ; 놀람의 외침. —— *vt., vi.* (주의를 끌기 위해) 큰 소리로 외치다 ; (사냥개 따위를) 큰 소리로 부추기다, 소리치며 뒤쫓다 ; 부르다 : Do not ~ till you are out of the wood. 《속담》 위기를 벗어날 때까지는 안심하지 마라. 〖imit.〗

Háll of Fáme *n.* **1 a**) [the ~] 《美》 (위인·공로자의 얼굴이나 흉상을 장식한) 영예의 전당《뉴욕 대학교 내에 있음》. **b**) (스포츠 따위 각계의) 영예 전당 : the Baseball ~ 야구 전당《뉴욕주(州) Cooperstown에 있음》. **2** 영예의 전당에 든 사람들, 공로자.

Háll of Fámer *n.* 영예의 전당에 든 사람.

háll of résidence *n.* (대학의) 기숙사(hall).

hal·low[1] [hǽlou] *vt.* 신성한 것으로서 숭배하다 ; 깨끗하게 하다, 신에게 바치다 : *H~ed* be thy name ! 〖聖〗 이름이 거룩히 여김을 받으시옵소서 《마태복음 6 : 9》.
—— *n.* 《古》 성인 : All *H~s*=HALLOWMAS.
〖OE *hālga* HOLY〗

hal·low[2] [həlóu] *int., v., n.* =HALLO.

hál·lowed [ˌ美+hǽləd, (기도할 때에는 흔히) -louəd] *a.* 신성시된 ; 신성한 ; 존경받는 : a ~ ground 성지(聖地).

Hal·low·een, -e'en [hæ̀ləwíːn, hɑ̀l- ; hæ̀louíːn] *n.* 《美·스코》 HALLOWMAS의 전날밤 《10월 31일 ; 청년이나 어린이들의 밤 ; JACK-O'-LANTERN이나 CRACKER 따위로 축제를 벌임》.

Hal·low·mas [hǽloumæ̀s, -lə-, -məs] *n.* ALL SAINTS' DAY의 옛 이름. 〚ALLHALLOWMAS〛
háll pòrter *n.* (호텔의) 짐 운반인.
hálls of ívy *n.* 고등 교육 기관, 대학(cf. IVY LEAGUE). 〚옛날 대학의 건물 벽에 담쟁이덩굴을 뻗어나가게 한 데서〛
háll·stànd *n.* 홀스탠드《거울·코트걸이·우산꽂이 따위가 달린 칸막이》.
Hall·statt, -stadt [hɔ́:lstæt, hɑ́:lʃtɑ:t], **Hall·statt·an** [hɔ:lstǽtən, hɑ:lʃtɑ́:tən], **Hall·statti·an** [hɔ:lstǽtiən, hɑ:lʃtɑ́:t-] *n., a.* 초기 철기시대(의). 〚*Hallstatt* 오스트리아 중부의 마을〛
háll trèe *n.* (현관 따위의) 모자[외투]걸이.
hal·lu·ci·nant [həlú:sənənt] *n., a.* 환각물질(의).
hal·lu·ci·nate [həlú:sənèit] *vt.* 환각(幻覺)에 빠지게 하다. —— *vi.* 환각을 일으키다. 〚L=to wander in mind (Gk. *alussō* to be uneasy)〛
hal·lù·ci·ná·tion *n.* Ⓤ,Ⓒ 환각(cf. ILLUSION); 허깨비, 환영, 망상(delusion): be subject to ~*s* 환각에 사로잡히기 쉽다.
hal·lú·ci·na·tò·ry [; -təri] *a.* 환각의, 환각적인, 망상의.
hal·lu·ci·no·gen [həlú:sənədʒèn, hæljəsínə-] *n.* 환각약[제]. 〚*-gen*〛
hal·lu·ci·no·génic [həlù:sənou-] *a.* 환각을 일으키는, 환각제의. —— *n.* 환각 유발약.
hal·lu·ci·no·sis [həlù:sənóusəs] *n.* 〚醫〛 환각증.
hal·lux [hǽləks] *n.* (*pl.* **hal·lu·ces** [hǽljəsì:z]) 〚解·動〛 (사람 등의) 엄지발가락, (육상 척추 동물의) 뒷발 엄지발가락; (새의) 제1지(第一趾).
háll·wày *n.* 《美》 현관(hall); 복도(passage).
halm [hɔ́:m] *n.* =HAULM.
Hal·ma [hǽlmə] *n.* 핼머《256칸이 있는 판으로 하는 장기의 일종; 상표명》. 〚Gk.=leap〛
ha·lo [héilou] *n.* (*pl.* **~s, ~es**) **1** (해·달의) 무리, 훈륜(暈輪). **2** (성상(聖像)의) 후광(後光), 광륜(光輪) (nimbus) (cf. AUREOLE). **3** 영광, 광휘(glory). **4** 〚解〛 유두륜(乳頭輪). —— *vt.* …에 후광(後光)을 비치게 하다, …의 후광이 되다; …에 무리를 씌우다[두르다]. 〚L<Gk. *halōs* threshing floor, disc of sun or moon〛
HALO 〚軍〛 high-altitude large optics(고고도(高高度) 대형 광학 장치).
halo- [hǽlou, -lə] ☞ HAL-.
hàlo·bactéria *n. pl.* (*sg.* **-bactérium**) 〚菌〛 할로박테리아, 호염성(好鹽性) 세균.
hàlo·cárbon *n.* 〚化〛 할로카본, 함(含)할로겐 탄소화합물.
hálo·clìne *n.* 〚海洋〛 염분 경사《염분의 수직 분포 기울기》; 염분 약층(躍層)《염분 농도가 깊이에 비해 급변하는 곳》.
hálo effèct *n.* 〚心〛 후광[위광] 효과《하나의 탁월한 특질 때문에 그 인물 전체의 가치를 과대 평가하는 일》.
halo·gen [hǽlədʒən, héi-] *n.* 〚化〛 할로겐《할로겐족(族) 원소》: ~ acid 할로겐산. 〚Gk. *hal- hals* salt, *-gen*〛
ha·lo·gen·ate [hǽlədʒənèit, héi-, hælɑ́dʒ-] *vt.* 〚化〛 할로겐화(化)하다.
  hà·lo·ge·ná·tion [, hælɑ̀dʒə-] *n.* 할로겐화(化); 할로겐과의 화합.
hálo hát *n.* 헤일로 해트《테가 얼굴을 에워싸는 여성용 모자; 특히 1940년대에 유행》.
hal·oid [hǽlɔid, héi-] *a.* 할로겐의[비슷한]. —— *n.* =HALIDE.
halo·méthane [hæ̀lou-, hèi-] *n.* 〚化〛 함(含)할로겐메탄. 〚*halo*gen+*methane*〛
hàlo·mórphic *a.* 중성염 또는 알칼리염이 있는 곳에서 생성된《토양》: ~ soil 염류 토양.
halo·per·i·dol [hæ̀loupérədɔ̀(:)l, -dòul, -dɑ̀l] *n.* 〚藥〛 할로페리돌《중추 신경 억제약·정신 안정제》. 〚*halo*gen+pi*perid*ine+*-ol*〛
hálo·phìle *n.* 〚生〛 호염성(好鹽性) 생물, 호염균.
hal·o·thane [hǽləθèin, -lou-] *n.* 〚藥〛 할로테인《흡입 마취약》. 〚*halo*gen+*ethane*〛
***halt**[1] [hɔ́:lt] *vi.* 멈추다; 정지[휴지(休止)]하다: Company ~! 〚구령〛 중대 서! —— *vt.* 정지[휴지]시키다. —— *n.* **1** 정지, 휴식; 휴지; 멈춤; 주군(駐軍): call a ~ 정지를 명하다 / come *to* a ~ =make a ~ 정지하다 / bring one's horse *to* a ~ 말을 세우다. **2** 《英》 (철도의) 간이역, (전차의) 정류장(stop). 〚C17 *make halt*<G *halt machen* (*halt* HOLD)〛
halt[2] *vi.* **1** 망설이다; 머뭇거리며 걷다[말하다]: ~ between two opinions 두 의견 사이에서 망설이다. **2** 《古》 절뚝거리다. **3** (논지·운율 따위가) 불완전하다. —— *n., a.* 《古》 절름발이(의) (lame). 〚OE *healt*(*ian*); cf. OHG *halz*〛
hal·ter [hɔ́:ltər] *n.* **1** (말의) 고삐. **2** 목조르는 밧줄; 교수(형). **3** 《美》 홀터 《어깨에 끈이 달리고 잔등과 팔이 노출된 여성용 드레스》.
  come to the halter 교수형을 받다.
  —— *vt.* 굴레를 씌우다, 고삐를 달다〈*up*〉; 교수형에 처하다; 속박하다, 억제하다. **~·lìke** *a.* 〚OE *hælftre*; cf. HELVE〛

halter 1

hálter·brèak [hɔ́:ltər-] *vt.* (망아지를) 굴레에 길들이다.
hált·ing *a.* **1** 절름발이의; (시형·이론 따위가) 불완전한, 조리가 서지 않는, 동기[계획성]가 불충분한, 일관성이 결여된. **2** 유창하지[원활하지] 않은, 정체하는, 말을 더듬는: speak in a ~ way 머뭇거리며 말하다. **~·ly** *adv.* 절뚝거리며, 망설이며, 주저하며. **~·ness** *n.*
ha·lutz, cha- [xɑ:lú:ts, hɑ:lúts] *n.* (*pl.* **-lutz·im** [hɑ̀:lutsí:m, xɑ̀:lu:-]) 할루츠《이스라엘에 이주한 농지개척 유태인(집단)》. 〚Heb.〛
hal·vah, -va [hɑ:lvɑ́:, ⌐-, -və; hǽlvɑ:], **ha·la·vah** [-lə-] *n.* 할바《으깬 깨나 너트 따위를 시럽으로 굳힌 터키·인도의 과자》. 〚Yid.<Turk.〛
halve [hǽ(:)v; hɑ́:v] *vt.* **1** 이등분하다; 반씩 나누다. **2** …을 반감(半減)하다. **3** 〚골프〛 (상대와) 같은 타수로 치다.
  halve a hole (***with*** another) 〚골프〛 (상대와) 동점으로 홀을 끝내다.
  halve a match 〚골프〛 동점(同點)이 되다.
  〚ME *halfen*; ⇨ HALF〛
hal·vers [hǽ(:)vərz; hɑ́:-] *n. pl.* 《口》 =HALVES.
  go halvers 《口》 절반씩 나누다.
◇halves *n.* HALF의 복수형.
hal·vies [hǽ(:)vi:z; hɑ́:-] *n. pl.* 《美兒童俗》 (과자·용돈 따위의) 반, 절반.
  go halvies 반씩 나누다.
hal·yard, hal·liard, haul·yard [hǽljərd] *n.* 〚海〛 핼리어드《돛·활대·기 따위를 올리고 내리는 밧줄》. 〚HALE[2], *-ier*; 어미는 *yard*[2]에 동화〛
***ham**[1] [hǽ(:)m] *n.* **1** Ⓤ 햄; [*pl.*] 《美》 햄 샌드위치. **2** (돼지의) 넓적다리(의 고기); [*pl.*] 넓적다리의 뒤쪽, 넓적다리와 궁둥이; Ⓒ 《美·英古》 오

금. **3**《美俗》 음식, 식사. **4** (바느질에서) 만곡부에 대는 쿠션. **5**《美俗》(연기를 과장하는) 엉터리[서투른] 배우 ; 통속 취미, 멜로드라마식 감상. **6**《口》 아마추어 ; 아마추어 무선기사, 햄. **7** [형용사적으로]《俗》 아마추어의, 서투른, 뒤진 : a ~ actor 엉터리 배우. —— *vi., vt.* (**-mm-**)《口》 연기가 지나치다, 과장되게 연기하다 ; (이야기에) 감상적 통속성을 부여하다.
squat on** one's **hams 웅크리다.
ham** (**it** [**the** (**whole**) **thing, part,** etc.]) **up 《口》 과장된 연기를 하다.
〖OE *ham* ; cf. OHG *hamma* haunch〗

ham² *n.* 〖史〗 읍(邑), 촌(村). 주 Bucking*ham*, Notting*ham* 따위 지명에 씀.
〖OE *hām* ; cf. HOME〗

Ham *n.* 〖聖〗 함《Noah의 차남 ; 창세기 10 : 1》.
〖Heb.=warm〗

ham·a·dry·ad [hæ̀mədráiəd, -æd] *n.* **1** 〖그神〗 나무의 요정(妖精)(tree dryad). **2** (인도산(産) 독사인) 킹코브라. **3** 〖動〗 개코원숭이.

ha·mal, ham·mal, ha·maul [həmɑ́ːl, -mɔ́ːl] *n.* (동양의) 짐꾼 ;《인도》(남자) 하인.
〖Arab.〗

Ha·man [héimən ; -mæn] *n.* 〖聖〗 하만《페르시아 왕 Ahasuerus의 재상으로 유태인의 적 ; 에스더 3-6》.

hám-and-égg·er *n.* 《美俗》 보통의 권투선수.

hám-and-éggs *a.* 일상의(routine).

hám-and-éggy *n.* (조그만) 레스토랑, 간이 식당.

Ham·burg [hǽmbəːrg] *n.* **1** 함부르크《독일의 도시·항구》. **2** (닭의) 함부르크종. **3** [보통 h~]《美》=HAMBURGER.

***ham·burg·er** [hǽmbə̀ːrgər] *n.* **1** 햄버그 스테이크《쇠고기 다진 것을 프라이팬에 구운 것》. **2** Ⓤ (햄버그 스테이크용의) 쇠고기를 잘게 다진 것. **3** 햄버거《햄버그 스테이크가 든 샌드위치》. **4** [H~] Hamburg 주민 ;《美俗》 얼굴이 상처투성이의 권투 선수 ; 부랑자.
〖G=of Humburg (↑)〗

hámburger hèaven *n.* 《美俗》 간이 식당, 햄버거 가게.

Hámburg stèak *n.* [때때로 h~] 햄버그 스테이크.

hame¹ [héim] *n.* [흔히 *pl.*] 말의 멍에《마차 말의 가슴걸이 양쪽의 굽은 나무》.
〖MDu. ; cf. OE *hamele* oarlock〗

hame² *n.* 《재즈俗》 싫은 일, (재능을 살릴 수 없는) 허드렛일.

hám·fàt *vt., vi.* 《美俗》 서투르게 연기하다.

hám·fàtter *n.* 《美俗》 서투른 배우.

hám-hánd·ed, -físt·ed *a.* 손이 유난히 큰 ; 솜씨 없는, 서투른.

Ham·il·ton [hǽməltən] *n.* 남자 이름.
〖OE=treeless hill〗

Ham·ite [hǽmait] *n.* (Noah의 둘째 아들인) Ham의 자손 ; 흑인《Ham의 자손이라고 하는 속신(俗信)에서》; 북아프리카 원주민족의 사람《코카서스 인종이나 피부색이 검고 곱슬머리를 하고 있으며 얼굴은 난형(卵形)으로 키가 큼》.
〖HAM, *-ite*〗

Ham·it·ic [hæmítik, hə-] *a.* 햄(족)의 ; 햄 어족(語族)의(cf. SEMITIC). —— *n.* Ⓤ 햄어(語).

Hám·i·to-Semític [hǽmətou-] *a., n.* 햄셈어족(의)《AFRO-ASIASTIC의 옛 이름》.

hám jòint *n.* 《美俗》 대중식당 ; (부담없이) 설 수 있는 장소.

Haml. Hamlet.

ham·let [hǽmlət] *n.* 작은 촌락 ;《英》(독자적인 교회가 없이 타부락의 교구에 속하는) 마을.
〖OF *hamelet* (dim.) ‹ *hamel* (dim.) ‹ *ham* ‹ MLG ; cf. HAM²〗

Hamlet *n.* 햄릿《Shakespeare의 4대 비극의 하나 ; 그 주인공》: ~ without the Prince 햄릿이 등장하지 않는 햄릿극, 주인공이 빠진 연극.

hammal ☞ HAMAL.

ham·mam [həmɑ́ːm, hǽməm] *n.* 터키식 목욕(탕). 〖Arab.=bath〗

‡**ham·mer** [hǽmər] *n.* **1** 해머, (쇠)망치, (돌 깨는 데 쓰는) 큰 쇠메. **2** 망치 모양의 도구, 당목(撞木) ; (총의) 격철, 공이치기 ; (피아노의) 줄 때리는 망치 ; (초인종의) 딸딸이 ; (경매자용의) 방망이(mallet) ; (육상경기용의) 해머 : ~ throw(ing) = throwing the ~ 해머던지기. **3** 〖解〗 (중이(中耳)의) 추골(槌骨) ;《美俗》(차의) 액셀러레이터.
bring [***send***] ***. . . to the hammer*** …을 경매에 붙이다.
come under [***go to***] ***the hammer*** 경매되다.
hammer and tongs (쇠를 두드리는 대장장이처럼) 맹렬한 기세로 : go[be] at it ~ *and tongs* 맹렬한 기세로 덤벼들다.
up to the hammer 《俗》 더할 나위 없는.
—— *vt.* **1** [+目/+目+前+名/+目+副/+目+補] 망치로 치다[두드리다], 마구 때리다 ; 망치로 두들겨 만들다, 두들겨 펴다 : ~ nails ***into*** a board 판자에 못을 박다 / ~ nails ***in*** 못을 때려 박다 / He ~*ed* ***down*** the lid of the packing case. 그는 포장 상자의 뚜껑을 못질하여 박았다 / I ~*ed* (***out***) the metal flat[very thin]. 그 금속을 두들겨 납작하게[아주 얇게] 했다. **2** [+目+副] (힘들여서) 만들어내다, 생각해내다, 안출하다〈*out, together*〉; (구실 따위를) 만들어내다. **3** [+目+副] (소리 따위를) 두드려서 내다 : ~ *out* a tune on the piano 피아노를 쾅쾅 쳐서 곡을 연주하다. **4** 《口》 주먹으로 마구 때리다 ; (적을) 중포(重砲)로 격렬하게 공격하다 ; 참패시키다 ;《口》 공격하다, 헐뜯다. **5** [+目+*into*+名] (사상 따위를) 주입시키다 : ~ an idea ***into*** a person's head[mind] 어떤 사상을 남에게 주입시키다. **6** 《英》〖證〗 (망치를 세 번 쳐서) 퇴장시키다 ; 거래소에서 제명처분하다 ; (공매(空賣)해서 주식)의 가격을 떨어뜨리다.
—— *vi.* **1** [動/+前+名] 망치로 치다 ; 마구 두들기다 : Somebody ~*ed* ***at*** [***on***] the door. 누구인가 문을 마구 두들겼다. **2** [+副/+*at*+名] 부지런히 일하다[공부하다] : ~ *away* ***at*** one's studies 열심히 공부하다.
hammer out 두들겨 모양을 만들다[납작하게 하다](cf. *vt.* 1), 두들겨 제거(除去)하다 ; (계획 따위를) 머리를 짜서 고안하다 ; (문제 따위를) 머리를 짜서 풀다.
~·er *n.* 망치[해머]로 내려치는 사람, 마구 두들기는[치는] 사람. 〖OE *hamor* ; cf. G *Hammer*〗

hámmer and síckle *n.* [the ~] (망치와 낫이 그려진) 구소련 국기.

hámmer-and-tóngs *a.* (대장장이가 쇠를 두들기는 것처럼) 맹렬[격렬]한.

hámmer bèam *n.* 〖建〗 외팔 들보.

hámmer·blòw *n.* 망치질, 맹타.

hámmer·clòth *n.* 마부 좌석에 까는 천.

hám·mered *a.* (금속 세공사의) 망치로 두들겨 만든, 두들겨 편.

hámmer·hèad *n.* **1** 망치[해머]의 대가리. **2**

〖魚〗 귀상어. **3** 《美》 멍청이, 얼간이.
hámmer·hèad·ed *a.* 망치 모양의 머리를 한 ; 우둔한 : a ~ crane 튼튼한 크레인.
hámmer·ing *a.* 망치질하는, (땅땅) 두드리는. —— *n.* U,C 해머로 치기 ; (은세공 따위의) 두들겨 만든 돋을새김 무늬.
hámmer·less *a.* (총의) 공이치기[격철(擊鐵)]가 없는.
hámmer·lòck *n.* 〖레슬링〗 해머록《상대편의 한 팔을 등 뒤로 비틀어 올리기》.
hámmer·man [-mən] *n.* 대장장이, 망치질하는 직공.
hámmer·smìth *n.* = HAMMERMAN.
〖OF ; cf. OF *hnæp* bowl〗
hámmer thròw *n.* [the ~] 〖競〗 해머던지기.
hámmer·tòe *n.* 〖醫〗 (갈고리 모양으로) 굽은 발가락.
hámmer wèlding *n.* 〖工〗 단접(鍛接).
hám·ming còde *n.* 〖컴퓨〗 해밍 부호《회로망 위나 기억영역 안에서의 오류를 검출하여 자동수정하는 데 쓰는 코드》.
hámming dìstance *n.* 〖컴퓨〗 해밍 거리.
***ham·mock** [hǽmək] *n.* 해먹, 달아매는 그물 침대 : sling[lash] a ~ 해먹을 매달다[접어서 묶다] / sleep in a ~ 해먹에서 자다. —— *vt.* 해먹에 넣어서 매달다. 〖C16 *hamaca*<Sp.<Carib〗
hámmock cháir *n.* 즈크로 만든 접의자.
Hám·mond órgan [hǽmənd-] *n.* 해먼드 오르간《2단 건반의 전기 오르간 ; 상표명》.
〖L. *Hammond* 발명(1929)한 미국인〗
Ham·mu·ra·bi [hɑ̀:murɑ́:bi ; hæ̀m-], **-pi** [-pi] *n.* 함무라비《고대 바빌로니아의 바빌론 제1왕조의 제6대왕(1728-1686 B.C.) ; 법령 제정으로 유명함》 : the Code of ~ 함무라비 법전.
hám·my *a.* 햄 냄새[맛]가 나는 ; 《美俗》 엉터리 배우 같은.
ham·per[1] [hǽmpər] *vt.* 방해[저해]하다(hinder), 애먹이다 : He was ~*ed* by his long cloak. 그는 긴 망토를 입어서 제대로 움직일 수도 없었다. —— *n.* 장애, 차꼬.
〖ME<? ; cf. OE *hamm* enclosure, *hemm* HEM[1]〗
hamper[2] *n.* (야채·의복 따위를 넣는) 바구니[상자], 들고 다니는 바스켓 ; 그것에 넣은 식료품 : a Christmas ~ 바구니에 넣은 크리스마스 선물. 〖*hanaper* (obs.)<OF=case for goblet (*hanap* goblet<Gmc.)〗
Hamp·shire [hǽmpʃiər, 美+-mʃ-] *n.* 햄프셔《영국 남해안의 주(州) ; 주도 Winchester ; 별칭 Hants》.
Hamp·stead [hǽmpstəd, -sted] *n.* 햄스테드《런던의 북서구 ; 예술가·문인의 거주지》.
Hámpstead Héath *n.* 햄스테드 히스《London 북서부의 고지대 Hampstead에 있는 레크리에이션 공원》.
Hamp·ton [hǽmptən] *n.* 햄프턴《미국 Virginia 주(州)의 도시》.
Hámpton Cóurt (**Pálace**) *n.* 햄프턴 코트《London 서부 교외의 Thames강가에 면한 박물관 ; 옛 왕궁》.
ham·shack·le [hǽmʃæ̀kəl] *vt.* (마소의) 머리를 앞다리에 걸어매다 ; 속박하다.
ham·ster [hǽmstər] *n.* 〖動〗 (아시아·동유럽산(産)의) 시리아비단털쥐, 햄스터.
〖G<OHG=corn weevil〗
hám·strìng *n.* (사람의) 오금의 힘줄, 오금 ; (네발 짐승의) 무릎 관절(hock) 뒤의 큰 힘줄 ; 규제력, 단속. —— *vt.* (**-strùng**) (사람·말 따위의) 오금의 힘줄을 잘라 절룩거리게 하다, 불구로 만들다(cripple) ; 《비유》 …을 무력하게 하다, 좌절시키다. 〖HAM[1]〗
ham·u·lus [hǽmjələs] *n.* (*pl.* **-li** [-lài, -lì:]) 〖解·昆〗 갈고리 모양의 작은 돌기(突起) ; 〖鳥〗 작은 갈고리.
Han [hɑ́:n ; hǽn] *n.* (중국의) 한(漢)나라.
Han·a·fi [hǽnəfi] *n.* 〖이슬람教〗 하나피파(派) 《SUNNA파의 네 학파의 하나로 시대에 따라 율법의 변경을 인정함 ; cf. SHAFI'I》.
han·ap [hǽnæp] *n.* (장식이 있는 중세의) 뚜껑 달린 술잔. 〖OF ; cf. OE *hnæp* bowl〗
◇**hand** [hǽ(:)nd] *n.* **1** 손 ; (원숭이 따위의) 앞발 ; (매의) 발 ; (게의) 집게발 : clap one's ~*s* 박수치다 / A bird in the ~ is worth two in the bush. ☞ BIRD 1.
2 손 모양을 한[기능을 하는] 것, (바나나의) 송이 ; 손표(☞) ; (시계의) 바늘(cf. NEEDLE) : a ~ *of* bananas 바나나 한 송이 / the hour [minute, second] ~ 시[분, 초]침.
3 a) 「손」, 일손, 노동력. **b)** [보통 *pl.*] 일꾼, 직공 ; 고용인 ; (배의) 승무원 : all ~*s* 전원 / The ship was lost with all ~*s*. 배는 모든 승무원과 함께 침몰하였다. **c)** =HELPING HAND. **d)** 조력, 참가, 관여 : have a ~ *in* a plot 음모에 가담하고 있다.
4 [때때로 *pl.*] 소유(possession) ; 관리, 지배, 수중(手中), 권력 : He fell into the enemy's ~*s*. 그는 적의 손에 붙잡혔다.
5 a) 필치, 필적(handwriting) : He writes a good ~. 그는 글씨를 잘 쓴다 / She writes *in* a clear [legible] ~. 그녀는 명료하게[읽기 쉽게] 글씨를 쓴다. **b)** 《古》 서명(signature).
6 [+前+do*ing*] **a)** 솜씨, 손재주, 수완(skill) : a ~ ***for*** pastry 과자를 만드는 솜씨 / He has good ~*s* ***in*** rid*ing*. 그는 말을 잘 탄다 / His ~ is out. 그는 솜씨가 좋지 않다. **b)** (솜씨가 좋은[좋지 않은]) 사람 : Tom is a good[poor] ~ ***at*** baseball. 톰은 야구를 잘한다[에 서투르다] / In the crew I was the poorest ~ *at* row*ing*. 선원들 중에서 내가 노를 젓는 것이 가장 서툴렀다.
7 《美》 박수갈채(applause).
8 측, 방면, 방향(side) : *on* both ~*s* 양쪽에 / *on* the right[left] ~ *of* …의 우[좌]측에.
9 (척도의) 손치수, 손바닥의 폭[너비]《4인치 ; 말의 키를 재는 단위》.
10 (약속·신의의 표시로서의) 손 ; 약혼 ; 서약.
11 〖카드놀이〗 가진 패, 수중에 든 패 : have a wretched ~ 패가 나쁘다 / declare one's ~ 패를 알리다 ; 목적을 알리다.
12 경기자(의 한 사람) ; 한 판(의 승부) (round).
ask for a person***'s hand*** 여자에게 결혼을 신청하다.
at close hand 접근하여, 바로 가까이에.
at first[***second***] ***hand*** 직접[간접]으로.
at hand 가까이에 ; 가까운 장래에(near) : I always keep the dictionary *at* ~. 나는 언제나 그 사전을 곁에 두고 있다.
at one***'s hands***=***at the hand***(***s***) ***of*** …의 손에서[으로].
bear a hand 관계하다⟨*in*⟩ ; 거들어 주다⟨*in*⟩.
be hand and[***in***] ***glove*** (***with***. . .) (…와) 매우 친밀한 사이다.
bind a person ***hand and foot*** 남의 손발을 묶다 ; 남의 수족(手足)을 못쓰게 하다.
by hand 손으로, 손으로 만든[만들어서] ; 사람을 보내어 : made *by* ~ 손으로 만든 / deliver a

letter *by* ~ 편지를 (우송하지 않고) 손수 전하다 [인편으로 보내다] / bring up a baby *by* ~ 갓난 아기를 우유로 키우다.
by the hand*(*s*) *of*...=*by a person***'s hand*** (남의) 손에 의하여, (남)에 의하여.
change hands 소유주가 바뀌다 : The house has *changed* ~*s* several times. 그 집은 몇 번인가 소유주가 바뀌었다.
clean one***'s hands of*** …와의 관계를 끊다, …에서 손을 떼다.
close at hand 아주 가까이.
come to hand 손에 들어오다 ; 발견되다, 나타나다 ; 도착하다.
do a hand's turn (손바닥을 뒤집는 정도의) 최소의 노력을 하다.
do not lift a hand 조금도 노력을 하지 않다, 아무 일도 하지 않다.
eat*[*feed*] *out of a person***'s hand*** 남이 시키는 대로 하다, 남에게 고분고분하다.
for one***'s own hand*** 자기 이익을 위하여.
from hand to hand 이 사람 손에서 저 사람 손으로, 갑에서 을로.
from hand to mouth 하루 벌어 하루 먹는 생활로 : They live *from* ~ *to mouth.* 그들은 그날 벌어 그날 먹고 있다.
get one***'s hand in*** …에 익숙해지다.
get the upper hand of... ☞ UPPER HAND.
give a (***helping***) ***hand*** ☞ HELPING HAND.
give one***'s hand on a bargain*** (계약의 이행)을 굳게 다짐하다.
give one***'s hand to...*** (여자가) …와 약혼(約婚)하다.
hand and foot 손발 모두《사람을 묶다》; 손발이 되어, 충실하게.
hand in hand 손을 마주 잡고 ; 협력하여 : go ~ *in* ~ with …와 같은 보조를 취하다.
***hand over hand*[*fist*]** (밧줄을 타고 오를 때처럼) 두 손으로 번갈아 잡아당겨 ; 부쩍부쩍 ; 마구《돈을 벌다》.
hands down 노력하지 않고, 손쉽게 ; 문제없이, 명백히.
Hands off! 손을 대지 마라 ; 간섭하지 마라.
Hands up! 손들어! 《찬성 또는 항복의 표시》.
hand to hand 육박전(肉薄戰)으로, 접전(接戰)으로(cf. HAND-TO-HAND) : fight ~ *to* ~ 접전하다, 멱살잡이하다, 서로 때리다.
have...in hand …을 수중에 가지고 있다 ; …을 지배하고 있다.
have one***'s hand in*** …에 관계하고 있다, …에 숙련되어 있다.
have one***'s hands full*** 손이 차 있다, 몹시 바쁘다.
have...on one***'s hands*** …을 주체 못하다.
hold hands (특히 남녀가 애정의 표시로) 손을 마주 잡다.
in hand 손에 넣어 ; 수중에 있는 ; 제어하여 ; 착수[채비]하여 ; 연구[진행]중의 : cash *in* ~ 수중에 있는 현금.
join hands 한패가 되다 ; 결혼하다.
keep hands off 간섭하지 않다.
keep one***'s hand in*** …을 늘 연습하다, 늘 실력이 떨어지지 않도록 하다.
keep one***'s hand*** [***a firm hand***] ***on*** …의 지배권을 장악하고 있다, …을 통제하고 있다.
keep a person ***well in hand*** 남을 훈련시켜[마음대로 다룰 수 있게 해] 두다.
lay hands on …에 손대다 ; …을 움켜잡다, 쥐다, 붙잡다 ; …에 손을 얹고 축복하다 ; …을 습격하다, 폭력을 가하다.
lend a (***helping***) ***hand*** ☞ HELPING HAND.
lift*[*raise*] *a hand 노력하다, 일하다.
lift one***'s hand to*[*against*]** …을 향하여 손을 쳐들다 ; …을 공격하다, …을 치려고 덤비다.
live by one***'s hands*** 손재주로 먹고 살다.
off hand 준비하지 않고, 곧, 즉석에서.
off one***'s hands*** 손을 떠나서, 책임[역할]이 끝나서.
on all hands*=*on every hand 사방팔방으로[에서].
on hand 가지고 있어 ; 《美》 바로 가까이에 ; 출석하여 ; 가까이 (임박하여).
on hands and knees 납작 엎드려서.
on one***'s hands*** (무거운 짐 · 책임 · 뒷바라지 따위를) 떠맡아서 : He is *on my* ~*s*. 나는 그를 뒷바라지하고 있다.
on (***the***) ***one hand*** 한편으로는(cf. *on the other* HAND).
on the other hand 다른 한편으로는, 이에 반하여(cf. *on the* CONTRARY, *on* (*the*) *one* HAND) : Food was abundant, but *on the other* ~ water was running short. 음식은 풍부했으나 이에 반하여 물은 부족해지고 있었다.
out of hand 즉석에서 ; 힘에 겨워 ; (일 따위) 손에서 떠나, 끝나서.
play a good hand (카드놀이 따위를) 잘 하다.
play for one***'s own hand*** 이기적인 동기에서 행동하다.
play into one another's hand 상호간에 이익이 되도록 행동하다.
play into the hands of …이 편리한 대로 행동하다.
play one***'s hand for all it is worth*** ☞ WORTH *a.*
put*[*set*]** one's hand*(*s*) *on*** …이 있는 곳을 알아내다.
put one***'s hand on*** one***'s heart*** (가슴에 손을 얹고) 맹세하다(swear) : I cannot *put my* ~ *on my heart* and say that they enjoyed the party much. 그들이 파티를 마음껏 즐겼다고는 자신있게 말할 수 없습니다.
put*[*set*]** one's hand to*** …에 착수하다, …을 꾀하다, …을 시작하다 : I don't know what to *put my* ~ *to* first. 어디서부터 먼저 손을 대야 할지를 모르겠다.
raise one***'s hand against*[*to*]...** (때리려는 자세로) …를 향하여 손을 치켜들다.
ready to one***'s hand***=*under* one's HAND.
shake hands with a person=***shake*** a person***'s hand*** 남과 악수하다.
show one***'s hand*** ☞ SHOW.
sit on one***'s hands*** ☞ SIT.
***take a hand at*[*in*]** …에 한패가 되다, 관계[가담]하다.
take...in hand …에 착수하다 ; …을 처리하다 ; …을 통제하다.
the upper hand (***of...***) (…보다) 상수(上手), (…보다) 유리.
throw in one***'s hand*=*throw*** one***'s hand in*** 〖카드놀이〗 가진 패를 바닥에 버리다, 기권하다 ; 《비유》 (다툼 · 경쟁 따위를) 그만두다.
to hand 손이 닿는 곳에 ; 소유하여 : Your letter [Yours] *to* ~. 〖商〗 귀서 배견(貴書拜見).
to one***'s hand*** 손 가까이, 힘들이지 않고 얻을 수 있도록.

try one***'s hand at*** …을 해보다.
turn one***'s hand to*** …에 착수하다, 손을 대다.
under one***'s hand*** 수중(手中)에 있는, 바로 쓸 수 있는.
wait on[***serve***] a person ***hand and foot*** 남에게 충실히 시중을 들다.
wash one***'s hands*** 손을 씻다, (…로 부터) 손을 떼다, (…와의) 관계를 끊다.
win a lady's hand 여자의 결혼 승낙을 얻다.
win hands down 《口》 손쉽게 이기다 : He *won* the election ~*s down*. 그는 선거에서 손쉽게 이겼다.
with a heavy[***an iron***] ***hand*** 강압적으로, 가혹하게.
with a high hand 도도하게, 고압적으로 ; 거만하게.
with clean hands 청렴하게.

〈회화〉
You wash your *hands*. They are filthy. — But I just washed them. 「너 손좀 씻어라. 더럽다」 「방금 씻었는데」

—— *vt.* **1** [+目+目/+目+*to*+名] 수교(手交)하다(deliver) ; (선물·보수로서) 넘겨 주다, 주다(give) ; (음식을 담은 접시 따위를) 집어 주다, 돌리다(pass) ; (편지 따위를) 넘겨 주다, 보내다(send) : *H*~ me the fork, please. 포크를 집어 주십시오/We were ~*ed* tickets at the entrance. 입구에서 티켓을 받았다/*H*~ the key ***to*** the caretaker. 열쇠를 관리인에게 맡겨 두게. **2** [+目+前+名] 손을 잡고 부축하다 : He ~*ed* his mother ***into***[***out of***] the carriage. 어머니를 부축하여 마차에 태워[에서 내려] 드렸다. **3** 〖海〗 (돛·기를) 접다, 말아 올리다.
hand down (1) 내려 주다 ; 부축하여 아래로 안내하다 ; (대법원의 판결을) 하급 법원에 통달(通達)하다. (2) 유산으로 남기다 ; (관습·전통 따위를) 후세에 전하다〈*to*〉; (특징 따위를) 유전(遺傳)하다〈*to*〉.
hand in (집안 사람에게) 건네주다 ; (상사에게) 바치다, 제출하다 : ~ *in* one's resignation ☞ RESIGNATION.

〈회화〉
Have you already *handed in* your report? — Not yet. How about you? 「리포트를 벌써 제출했니」 「아직 안했어. 넌」

hand on 차례로[다음으로] 돌리다 ; =HAND *down* (2).
hand out (*vt.*) 나눠주다, 분배하다 ; (*vi.*) 돈을 내다[쓰다].
hand over (*vt.*) 수교하다, 인도하다, (재산·권한 따위를) 양도(讓渡)하다 ; (*vi.*) 〖軍〗 (임무·명령 따위를) 인계하다〈*to*〉.
hand round 차례로 돌리다 ; 나눠주다 : *H*~ *round* the tea, please. 차를 차례로 갖다 드리십시오/Three waiters ~*ed round* the dishes. 세 명의 웨이터가 접시를 사람들에게 나누어 주었다.
hand up 《美》 (기소장을) 상급법원에 제출하다.

〈회화〉
Please *hand* me the salt. — Here it is. 「소금 좀 집어 주세요」 「여기 있습니다」

〖OE *hand, hond* ; cf. G *Hand*〗
hánd ápple *n.* 요리하지 않고 먹을 수 있는 사과.
hánd àx[**àxe**] *n.* 손도끼, 자귀.
***hánd·bàg** *n.* 핸드백《여성용》; 손가방《여행용》.

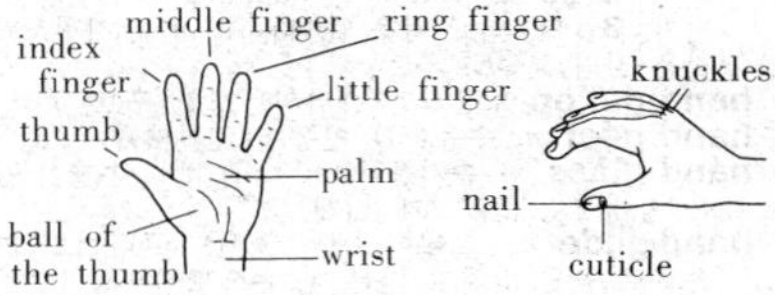

index finger
middle finger
ring finger
little finger
thumb
palm
ball of the thumb
wrist
knuckles
nail
cuticle
hand

hánd bàggage *n.* 《美》 수화물(手貨物).
hánd·bàll *n.* **1** Ⓤ 핸드볼 : **a**) 손으로 볼을 패스하여 골에 넣는 경기. **b**) 벽에 볼을 던져 튀는 공을 상대자에게 받게 하는 놀이. **2** 핸드볼용의 공.
hánd·bàrrow *n.* 손잡이가 넷 있는 운반 기구《앞뒤로 두 사람이 나름》; 손수레.
hánd·bàsin *n.* =WASHBOWL.
hánd bàsket *n.* 손바구니.
hánd·bèll *n.* (손으로 흔드는) 종.
hánd·bìll *n.* (손으로 도르는) 전단, 광고지.
hánd·bòok *n.* **1** 편람(便覽) (manual). **2** 안내서 ; 여행 안내. **3** 《美》 (경마의)건 돈을 기입하는 장부 ; (경마장 이외의) 도박을 하는 곳(의 주인).
hánd·bòw *n.* (손으로 쏘는) 활(cf. CROSSBOW).
hánd bràke *n.* 수동(手動) 브레이크 ; 핸드 브레이크《보조용》.
hánd·brèadth *n.* 손바닥의 너비[폭]《약 4인치》.
H and C [éitʃ ənd síː] *n.* 《美俗》 헤로인(heroin)과 코카인(cocaine)을 섞은 것.
h. & c., H. & C. hot and cold (water).
hánd cánter *n.* 《英》 〖馬〗 천천히 달리기.
hánd·càr *n.* 《美》〖鐵〗 수동차(手動車)《선로 검사나 인부 운반용》, 핸드카.
hánd·càrt *n.* 손수레.
hánd-cárved *a.* 손으로 판[새긴].
hánd·clàp *n.* 박수.
hánd·clàsp *n.* 악수.
hánd-còlored *a.* 손으로 그려 물들인, 손으로 물들인.
hánd·cràft *n.* =HANDICRAFT.
—— [⌐⌐] *vt.* 손으로 만들다, 수공하다.
hánd·cùff *n.* [보통 *pl.* ; 때때로 a pair of ~s] 수갑. —— *vt.* …에게 수갑을 채우다.
hánd-dòwn *n.* =HAND-ME-DOWN.
hánd drìll *n.* 손송곳, 핸드 드릴.
hánd·ed *a.* **1** 손이 있는 : a ~, vertical animal 손이 있는 직립(直立) 동물/☞ LEFT-[RIGHT-]HANDED. **2** (…한) 손을 가진 : neat-~ 손재주가 있는. **3** 몇 사람이 하는 : a four-~ game 네 사람이 하는 경기.
Han·del [hǽndl] *n.* 헨델. **George Frederic(k)** ~ (1685-1759) 독일 태생의 영국 작곡가.
hánd·fàst *n.* 《古》 악수 ; 약속 ; 약혼. —— *a.* 꽉 움켜쥔 ; 구두쇠의. —— *vt.* 약혼하다.
hánd·fàsting *n.* 《古》 약속, 약혼.
hánd-féed *vt.* **1** 개별[제한] 급사(給飼)하다《일정 간격을 두고 일정량씩을 주다》; (동물·사람에게) 손으로 먹이[음식]를 주다. **2** 〖工〗 (재료 따위를) 수동 이송하다 ; (복사기 따위에) 손으로 급지(給紙)하다.
hánd-fínished *a.* 손으로 마무리한.
hánd·flàg *n.* 수기(手旗), 손깃발.
****hánd·fùl** [hǽnd-] *n.* (*pl.* **~s, hánds·ful** [-*dz*-]) **1** 한 움큼, 한 줌, 한 주먹〈*of*〉. **2** [보통 경멸적

으로] 소량, 소수 : a ~ *of* supporters 소수의 지지자. **3** 《口》 힘에 겨운 일, 다루기 힘든 사람, 귀찮은 사람. 〖OE〗

hánd gàllop *n.* 〖馬〗 (승마의) 느린 구보.

hánd géar *n.* 수동(식) 연동기(連動機).

hánd glàss *n.* 손거울(hand mirror) ; 손잡이 있는 확대경 ; 〖海〗 모래 시계.

hánd·glìde *n.* 〖브레이크 댄스〗 핸드 글라이드《한 손으로 몸을 받치고 다른 한 손으로 몸을 마루와 평행되게 돌리는 춤》.

hánd-gràter *n.* 강판.

hánd grenàde *n.* 수류탄 ; 소화(消火)병.

hánd·grìp *n.* **1** 악수. **2** 손잡이, 핸들. **3** [*pl.*] 드잡이, 격투.

come to handgrips 드잡이[멱살잡이]하다.

hánd·gùn *n.* 《美》 권총, 피스톨(pistol).

hánd-hèld *a.* (삼각(三脚) 따위를 쓰지 않고) 손으로 떠받친, 손에 든《카메라 따위》 ; 손에 쥘 만한 크기의. —— *n.* 핸드 헬드 컴퓨터《손에 쥘 만한 크기의 컴퓨터》.

hánd·hòld *n.* 손으로 쥐기, 파악 ; 붙잡는 곳, 손잡이 (cf. FOOTHOLD).

H & I, H and I 〖美軍〗 harassment and interdiction((야간의) 위협 방해 사격).

***hand·i·cap** [hǽndikæ̀p] *n.* **1** 핸디캡《경마·경기 따위에서 우열을 평균화시키기 위해 우자(優者)에게 부담을 지게 하는 일 ; cf. START *n.* 4 a)》. **2** 핸디캡을 붙인 경주[경마]. **3** (일반적으로) 불리한 조건, 곤란, 불이익 ; 신체 장애.

—— *v.* (**-pp-**) *vt.* …에 핸디캡을 붙이다 ; 불리한 지위에 서게 하다, 방해하다 ; 《美》 (경마 따위의) 승자를 예상하다, (경기자에게) 승패의 확률을 매기다. —— *vi.* 경마의 예상자 노릇을 하다.

〖? *hand i'* (=in) *cap* ; 건 돈을 모자 속에 넣었던 제비뽑기 놀이〗

hánd·i·càpped *a.* 신체[정신]적 장애가 있는, 불구의 ; (경기에서) 핸디캡이 붙은 ; [the ~] 신체[정신] 장애자.

hánd·i·càp·per *n.* 〖競馬·競〗 핸디캡 (사정(査定)) 담당자 ; (신문 따위의) 경마의 예상 기자 ; (우승마) 예상자 ; 핸디캡을 갖고 경기하는 사람 : a 5-~ 핸디캡 5인 사람.

hand·i·craft [hǽndikræ̀(:)ft ; -krɑ̀:ft] *n.* **1** [흔히 *pl.*] 수세공(手細工), 수예, 손으로 하는 일. **2** Ⓤ 손재주, 익숙한 솜씨. 〖OE (HAND, CRAFT) ; *-i-*는 HANDIWORK의 유추〗

hánd·i·cràfts·man [-mən] *n.* 수세공인, 손일하는 직공, 수공업자.

hand·i·cuff [hǽndikʌ̀f] *n.* 손으로 치기 ; [*pl.*] 마주 때리기 : come to ~*s* 치고 받다.

Hand·ie-Talk·ie [hǽnditɔ́:ki] *n.* 핸디토키《휴대용 소형 무선 송수신기 ; 상표명》.

hánd·i·ly *adv.* 교묘히, 솜씨 있게 ; 능숙하게 ; 손쉽게(easily), 편리하게.

hánd·i·ness *n.* Ⓤ 좋은 솜씨, 재주가 있음, 알맞음 ; 편리, 간편.

hánd-in-hánd *a.* 손에 손을 잡은, 나란히, 잘 어울리는 ; 친밀한.

hand·i·work [hǽndiwə̀:rk] *n.* **1** Ⓤ 수세공(手細工), 수공, 손일(handwork) ; Ⓒ 수공품, 세공물. **2** (특정인의) 제작물, 작품. **3** Ⓤ 짓, 소행. 〖OE *handgeweorc* (HAND, *y-*, WORK)〗

hánd·jòb *n.* 《俗》 수음(手淫).

‡**hand·ker·chief** [hǽŋkərtʃif, -tʃì:f] *n.* (*pl.* **~s** [-fs], **-chieves** [-tʃì:vz]) 손수건(pockethandkerchief) ; 목도리(neckerchief).

throw the handkerchief (**to...**) (…에게) 손수건을 던지다《술래잡기에서 술래가 자기를 쫓도록》 ; 《비유》 (…에게) 속마음을 넌지시 보이다. 〖C16 (HAND, KERCHIEF)〗

hánd-kìssing *n.* 여자의 손등에 하는 키스.

hánd-knít *vt.* 손으로 뜨다. —— *a.* 손으로 뜬.

hánd lànguage *n.* (벙어리의) 손짓말, 수화(법) (dactylology).

‡**han·dle** [hǽndl] *n.* **1 a**) 핸들, 자루, 손잡이, (통의) 손잡는 곳. **b**) 실마리, (포착해야 할) 기회, 구실(chance)〈*for, against*〉: give a person a ~ *for* attack(*ing*) 남에게 공격할 구실을 주다. **2** 《口》 직함(title) ; 별명 : a ~ *to* one's name 직함, 경칭. **3** (직물의) 감촉. **4** (게임·레이스 따위의) 건돈 총액.

fly off the handle 《口》 자제심을 잃다, 발끈 화를 내다.

the handle of the face 《戲》 코.

up to the handle 《美口》 철저하게.

〈회화〉

Which way should I turn the *handle*? — To the right. 「손잡이를 어느 쪽으로 돌려야 하니」 「오른쪽으로」

—— *vt.* **1** …에 손을 대다, 만지다(touch, feel), 손에 쥐어 보다 ; 다루다, 쓰다 ; 조종하다 ; 처리하다(manage) ; 지휘하다, 통제하다 : It is a pleasure to see good workmen ~ their tools. 숙련된 직공이 능란하게 공구(工具)를 다루는 것을 보면 즐겁다. **2** 대우하다, 취급하다(treat) ; (문제 따위를) 다루다(treat of), 논하다(discuss) : He was rather severely ~*d* in the witness box. 그는 증인석에서 상당히 준엄하게 다루어졌다. **3** 〖商〗 (상품을) 취급하다(deal in), 다루다, 장사하다 : ~ groceries 식료품을 취급하다. —— *vi.* (자동차 따위가) 조종되다[될 수 있다]. **~·able** *a.* 〖OE (HAND, *-le*)〗

hándle·bàr *n.* [때때로 *pl.*] (자전거의) 핸들(바).

hándlebar mustáche *n.* 《口》 긴 팔(八)자 모양의 코밑 수염, 카이저 수염.

hán·dled *a.* 핸들이 붙은 ; [합성어로] …핸들의.

hán·dler *n.* **1** 손을 쓰는 사람, (…을) 다루는 사람〈*of*〉. **2** 〖拳〗 매니저, 트레이너, 시중드는 사람 ; 조련사.

hánd·less *a.* 손이 없는 ; 솜씨없는.

hánd-lèttered *a.* 손으로 쓴.

hánd lèver *n.* 〖機〗 수동(手動) 레버.

hánd·lìne *n.* (낚싯대 없는) 손 낚싯줄.

hán·dling *n.* Ⓤ 손을 대기 ; 취급 ; 운용, 조종 ; 솜씨 ; (상품의) 출하.

hánd·lìst *n.* (참조·점검용의) 간단한 일람표.

hánd·lòom *n.* 수직기(手織機), 손으로 짜는 베틀 (cf. POWER LOOM).

hánd lùggage *n.* 《英》 수화물.

hánd machìne *n.* 수동식 기계.

hánd·máde *a.* 손으로 만든, 수세공(手細工)의 (↔*machine-made*).

hánd·màid, -màiden *n.* **1** 《古》 하녀, 시녀. **2** 《文語》 보조적인 역할을 하는 것.

hánd-me-dòwn *n., a.* 《美口》 기성복(의), 중고(의) (=《英口》 reach-me-down).

hánd mìll *n.* (커피 따위를 가는) 맷돌, (콩 따위를) 타는 기구.

hánd mìrror *n.* 손거울(hand glass).

hánd mòney *n.* 계약금, 보증금(earnest money).

hánd mòwer *n.* 수동식 풀베는 기계.

hánd·òff *n., vt., vi.* 〖럭비〗 (상대편을) 손으로 밀

어젓히다[젖히기];〖美蹴〗(공을) 받아 넘기다[넘기기].
hánd òrgan *n.* 손으로 핸들을 돌려서 연주하는 오르간(cf. BARREL ORGAN).
hánd·òut *n.* 《美口》(문전에서 거지에게) 주는 물건《음식·돈·옷 따위》; 무료 광고; (정견 따위의) 신문 발표; (교실 따위에서 배포(配布)하는) 인쇄물, 프린트.
hánd·òver *n.* (책임·경영권 따위의) 이양.
hánd·píck *vt.* 《美》(과일 따위를) 손으로 따다; 주의해서 고르다, 정선하다. **hánd·pícked** *a.* 《美》 손으로 딴; 정선된.
hánd·plày *n.* Ⓤ 주먹 싸움, 주먹 다짐.
hánd·pòst *n.* 길 안내 표지, 도표(signpost).
hánd·prìnt *n.* (손바닥에 묻혀 찍는) 손도장.
hand pròps *n. pl.* 〖劇〗(배우 자신이 무대에 지니고 나가는) 소품《담뱃갑·시계 따위》.
hand pùmp *n.* 수동(手動) 펌프.
hand pùppet *n.* 손으로 놀리는 꼭두각시.
hánd·ràil(·ing) *n.* 난간.
hánd·sàw *n.* (한 손으로 켜는) 톱.
hánd's·brèadth, hánd's- *n.* =HANDBREADTH.
hánd·scrùb *n.* 《美》 =NAILBRUSH.
hánds-dówn *a.* 손쉬운, 수월한《승리 따위》; 의심할 나위 없는, 확실한. —— *adv.* 힘 안들이고, 쉽사리.
hand·sel [hǽnsəl] *n.* **1** (신혼·개업 따위의) 축하 선물; 새해 선물. **2** 계약금(earnest). **3** 햇물건; 첫지불; 첫시작, 시식(試食)(foretaste).
—— *vt.* (**-l-**|**-ll-**) **1** …에 개업 축하의 선물을 하다. **2** 처음으로 시작하다.
〖ME (HAND, OE *sellan* to SELL); cf. OE *handselen* delivery into hand, ON *handsal* giving of the hand (esp. in promise)〗
hánd·sèrvant *n.* =HANDMAID.
hánd·sèt *n.* (전화기의) 수화기.
hánd-sèt *a.* 〖印〗 손으로 조판하는. —— *vt.* (활자를) 손으로 조판하다.
hánd-séw *vt.* 손으로 꿰매다.
hánd-sèwn *a.* 손으로 꿰맨.
hánd·shàke *n.* 악수: ☞ GOLDEN HANDSHAKE.
—— *vi.* 악수하다. —— *vt.* 악수하며 나아가다: ~ one's way.
hánd·shàk·ing *n.* 〖通信〗 데이터 통신 시스템에서 데이터 전송에 앞서 서로 소정의 제어신호를 교환하기; 주고 받기.
hánd·shìeld *n.* (용접공의) 얼굴 가리개.
hánd-sìt·ting *a.* 아무것도 안 하고 있는.
hánds-óff *a.* 불간섭(주의)의: a ~ policy 불간섭 정책.
‡**hand·some** [hǽn*d*səm] *a.* **1** 훌륭한, 얼굴 생김이[용모가] 좋은, 우아한. ㊟ 일반적으로 남자에 대해서 사용하며 여자에 대해선 얼굴 생김새·용모가 좋고 남성적인 늠름한 느낌을 주는 경우에 사용함: a ~ young man 미남자. **2** 멋진, 당당한(fine). **3** (금액·재산·선물 따위) 상당한(considerable), 선심 잘 쓰는(generous); (행위가) 고마운, 후한: ~ treatment 우대 / a ~ present 상당한 선물. **4** 《美口》 재주 있는, 능란한.
come down handsome = *come down* HANDSOMELY.
do the handsome thing by …을 우대하다.
Handsome is that [***as***] ***handsome does.*** 《속담》 행실이 좋아야 훌륭한 사람이다, 「겉모양보다는 마음」. ㊟ He[One] who acts handsomely (=properly) is handsome. 의 뜻.
~·**ness** *n.*
〖ME=easily handled (HAND, *-some*)〗
類義語 ⟹ BEAUTIFUL.
hánd·some·ly *adv.* 훌륭하게, 멋지게; 당당하게; 너그럽게, 후하게.
come down handsomely 《口》 돈을 아낌없이 내다.
hándsome ránsom *n.* 《美俗》 거금, 큰 돈.
hánds-ón *a.* 개인이 적극 참여하는, 실제의, 실제적인.
hánd-sòrt *vt.* (우편물 따위를) 손으로 선별하다.
hánd·spèak *n.* 수화(手話)(finger language).
hánd·spìke *n.* (나무로 만든) 지렛대; (감는 녹로(轆轤)의) 심대;〖軍〗 조준간. —— *vt.* 지레로 움직이다.
hánd·spìn *n.* 〖브레이크댄스〗 핸드스핀《물구나무서서 두손 또는 한손으로 빙빙 도는 춤》.
hánd·sprìng *n.* (손을 땅에 짚고 하는) 재주넘기.
hánd·stàff *n.* 도리깻장부.
hánd·stànd *n.* 물구나무서기.
hánd·stràp *n.* (전차 따위의) 손잡이 가죽끈.
hánd's tùrn *n.* 거들어 줌, 도와 줌; 간단한 일, (약간의) 노력.
hand·tec·tor [hǽndtèktər] *n.* 휴대용 금속 탐지기《공항의 무기 탐지용》. 〖*hand*+de*tector*〗
hánd-tíght *a.* 〖海〗 손으로 힘껏 당긴, (나사 따위가) 단단히 죄어진.
hánd-to-hánd *a.* 육박전의(cf. HAND *to hand*): a ~ conflict 접전(接戰).
hánd-to-móuth *a.* 하루 벌어 하루 먹고 사는; 임시 변통의: lead a ~ existence 하루살이 생활을 하다.
hand tòwel *n.* (손)수건.
hand trùck *n.* 손수레.
hánd·wáve *n.* 속임수. —— *vi.* (주의를 딴 곳으로 쏠리게 해서) 속이다.
hánd·whèel *n.* (수동 브레이크 따위가 붙어 있는) 핸들 바퀴.
hánd·wòrk *n.* Ⓤ (기계 제작에 대하여) 수공(手工), 손으로 만들기.
hánd·wórked *a.* 수공의, 손으로 만든.
hánd·wóven *a.* 손으로 짠, 수직(手織)의.
hánd·wrìte *vt.* 손으로 쓰다.
***hánd·wrìting** *n.* Ⓤ 손으로 쓰기, 필적(cf. HAND *n.* 5); 서풍(書風); Ⓒ 쓴 것, 필사물(manuscript): (the) ~ on the wall ☞ WALL *n.* 숙어.
hánd·wrìtten *a.* 손으로 쓴.
hánd·wróught *a.* =HANDWORKED.
handy** *a.* **1** 능숙한, 솜씨좋은, 재빠른, 숙련된(skillful): He is ~ ***with any tool. 그는 어떤 도구도 능숙하게 사용한다. **2** 편리한(convenient), 다루기 좋은;〖海〗 조종하기 쉬운. **3** 바로 가까이에 있는, 곧 쓸 수 있는; 가까이의.
come in handy ☞ COME.
—— *adv.* 《口》 아주 가까이에(nearby), 곁에.
〖HAND+*-y*[4]〗
hándy·bòok *n.* =HANDBOOK.
hándy-dán·dy [-dǽndi] *n.* 어느 손에 물건을 감추고 있는가를 알아맞히는 놀이.
hándy·màn *n.* (특히 아파트·사무실 따위의) 잡역부, 재간있는 사람;《口》 수병.
Han·ford [hǽnfərd] *n.* 핸퍼드《미국 Washington 주(州) 남부에 있는 원자력 연구의 중심지》.
◇**hang** [hǽŋ] *v.* (**hung** [hʌ́ŋ]) *vt.* **1** [+目+前+名/+目] 걸다, 매달다, 달아매다(suspend); (고개를) 숙이다: *H*~ your cap ***on*** the hook. 네 모자를 모자걸이에 걸어라 / Jack *hung* his head

H

in shame. 잭은 부끄러워 고개를 숙였다.

2 (~**ed,** 《俗》 **hung**) 교살(絞殺)하다, 교수형에 처하다 : ~ one*self* 목매어 죽다 / I'm[I'll be] ~*ed if* I obey him. 그가 시키는 대로 한다면 내 목을 주겠다《절대로 그에게는 복종하지 않겠다》/ *H*~ it! 에이 망할 것!

3 (고기·사냥한 날짐승 따위를 먹을 때까지) 매달아 두다.

4 [+目+*with*+名] 족자 같은 것으로 장식하다, 걸어서[매달아·늘어뜨려·달아서] 장식하다; (창·입구 따위에 커튼을) 치다 : The fronts of the houses were *hung* ***with*** flags. 집앞에 기가 게양되어 있었다 / Let us ~ the windows *with* curtains. 창문에 커튼을 칩시다.

5 (벽지를) 벽에 바르다; (종을 종루 따위에) 달다; (문짝을) 자유로이 열고 닫을 수 있도록 장치하다.

6 (그림을) 벽[화랑·전람회장]에 내걸다 : I'll ~ the pictures as high as I can. 그림을 되도록 높은 곳에 걸겠습니다 / be *hung* on the line (그림이) 가장 잘 보이는 높이에 걸려 있다.

7 《美》 (배심원의) 평결을 내릴 수 없게 하다.

── *vi.* **1** [動/+前+名] 걸리다, 매달려 있다, 늘어지다(be hung) : There were curtains ~*ing* ***over*** the window. 창문에는 커튼이 쳐져 있었다. **2** (~**ed**) 교수형을 받다(be hanged). **3** (문이 경첩으로) 자유로이 움직이다. **4** 우물쭈물하다; 《美》 (배심원이) 결정을 못내리다. **5** [+*on*+名] (…에) 좌우되다, (…) 여하로 결정되다 (depend) : His election ~*s* ***(up) on*** one vote. 그의 당선은 한 표에 달려 있다.

hang about (1) (…에) 거추장스럽게 매달리다; (…와 함께) 시간을 보내다. (2) 빈들빈들 돌아다니다; (전화를 끊지 않고) 기다리다.

hang around = HANG *about* 《(2)의 뜻으로는 흔히 《美》》.

hang back 주춤하다, 주저하다.

hang behind 꾸물거리다, 늦어지다.

hang by a (***single***) ***hair*** = ***hang by*** [(***up***) ***on***] ***a thread*** 풍전등화(風前燈火)다, 위기일발이다.

hang down 늘어지다[늘어뜨리다]; 전해지다.

hang fire ☞ FIRE *n.*

hang heavy [***heavily***] ***on*** a person***'s hands*** (시간이) 너무 많아 주체스럽다, 지겹도록 따분하다 : Time ~*s heavy on* my *hands.* 나는 지루해서 견딜 수 없다.

hang in the balance [***wind***] 어느 쪽으로도 결정나지 않다; (생사·결과 따위가) 어떻게 될지 모르다, 미지수다.

hang off 놓아주다(let go); = HANG *back.*

hang on (1) [on은 *adv.*] 꽉 잡다, 매달리다, 붙들고 늘어지다〈*to*〉; 일을 꾸준히 하다[계속해 나가다], 끈기있게 버티다; 《口》 (전화를) 끊지 않고 있다[두다](↔*hang up*). (2) [on은 *prep.*] ☞ *vi.* 5.

hang out (1) 밖에 매달다, (간판·기 따위를) 내걸다[달다], 내놓다. (2) 늘어지다; 몸을 내밀다 : He *hung out of* the window. 그는 창문에서 몸을 내밀었다. (3) 《俗》 살다, 묵다, 있다(exist). (4) 《俗》 빈들빈들 돌아다니다 : ~ *out* in a bar 술집을 이리저리 돌아다니다.

hang over (…의) 위에 늘어지다(cf. *vi.* 1); (…에) 접근하고 있다, 임박하다, 다가오다; (…의) 위에 덮이다[걸리다]; (…의) 위로 쑥 내밀다[위에 걸치다](overhang).

hang round = HANG *about.*

hang to …에 매달리다, 밀착하다.

hang together 단결하다; 밀착하다; (말 따위) 앞뒤가 들어맞다, 조리가 서다 : We must all ~ *together*, or we shall all *hang* separately. 모두가 단결하지 않으면 각자가 교수형에 처해질 것이다 《B. Franklin이 미국 독립 선언 때 한 말》.

hang up 걸다, 매달다; 지체하게 하다; …의 진행을 방해하다; (계획을) 중지하다, 늦추다; (수화기를) 놓다; 전화를 끊다(↔*hang on*).

〈회화〉
I'm going to *hang up.* — OK. See you tomorrow. 「전화 끊는다」「오케이, 내일 보자」

hang up one***'s hat in another's house*** 남의 집에 오랫동안 묵다.

let things go hang 《口》 사물에 무관심하다.

── *n.* [단수형만으로 써서] **1** 걸림새, 매달린 모양, 늘어뜨린 모양. **2** 《口》 다루는 법, 사용법, 하는 식, 요령; (문제·의논 따위의) 의미, 취지 : get[see] the ~ of …의 요령을 터득하다, …을 이해하다. **3** (속력·움직임 따위의) 저하, 둔함.

care a hang 《口》 걱정하다, 염려하다(be worried) 《'a damn' 보다 가벼운 표현》 : I don't *care a* ~ (=at all) (*about* his health[*whether* he is well or not]). (그의 건강에 대해서는[그가 몸이 튼튼한가 그렇지 않은가는]) 조금도 개의치 않는다.

〚(vt.) ON *hanga*, (vi.) OE *hōn* and OE *hangian*; cf. G *hängen*〛

hang·ar [hǽŋər, hǽŋgər] *n.* 격납고; 차고; 곳간(shed). ── *vt.* 격납고에 넣다. 〚F〛

háng·bìrd *n.* 나뭇가지에 둥지를 짓는 새.

háng·dòg *n.* 하등의[상스러운·비굴한] 남자. ── *attrib. a.* 상스러운, 비굴한.

háng·er *n.* **1** 매다는 사람, 거는 사람. **2** (혁대에 차는) 단검(短劍). **3** 물건을 매다는[거는] 것; 옷걸이, 갈고리, 자재(自在) 갈고리; (늘였다 줄였다 할 수 있는) 횃대; (베어링 따위의) 매다는 고리. **4** 《美》 (점포 내의) 포스터. **5** =HANGMAN. **6** 《英》 급경사지의 숲. 〚HANG; '급경사지의 숲'의 뜻은 <OE *hangra* (*hangian* to HANG)〛

háng·er-ón *n.* (*pl.* **háng·ers-ón**) 《口》 식객, 항상 따라다니는 사람, 부하, 측근자; 애착을 갖는 사람.

háng·fìre *n.* (폭약의) 지발(遲發).

háng glìder *n.* 행글라이더; 행글라이더로 나는 사람. **háng-glìde** *vi.* 행글라이더로 날다.

háng·ing *n.* **1** Ⓤ 매달기, 늘어뜨리기, 수하(垂下); 현수(懸垂)(상태)(suspension). **2** Ⓤ,Ⓒ 교수형, 교살 : death by ~ 교수형 / three ~*s* 교수형 3건(件). **3** [때때로 *pl.*] 거는 물건, 벽걸이 천, 커튼, 휘장(drapery), 벽지(wallpaper). **4** 내리막 사면[경사]. ── *a.* **1** 교수형(처분)의 : a ~ matter[offense] 교수형을 받을 사건[죄]. **2** 걸린, 매달린 : a ~ stage (칠장이가 쓰는) 매단 발판. **3** 매다는 데 쓰는. **4** 절박한; 미결의.

hánging commíttee *n.* (미술 전람회 따위의) 심사 위원회.

hánging cúrve *n.* 〖野〗 빗나간 커브《구부러지지 않은 커브로 때리기 좋은 공이 됨》.

hánging gárdens *n. pl.* 가공원(架空園)《낭떠러지에 공중에 걸려 있는 것처럼 만든 정원》.

hánging indéntion[**indentátion, índent**] *n.* 〖印〗 행잉 인덴션《단락의 첫 행 이외는 모두 가지런히 물려 짜기》.

hánging júdge *n.* 교수형을 내리기 좋아하는[냉혹한] 재판관.

hánging páragraph *n.* 〖印〗 행잉 패러그래프

《HANGING INDENTION에 의한 단락》.
hánging válley *n.* 〔地〕 현곡(懸谷).
hánging wàll *n.* 〔鑛〕 상반(上盤).
háng-lóose *a.* 느긋한, 긴장이 풀린, 자유로운, 홀가분한, 속박당하지 않은.
háng·man [-mən] *n.* 교수형 집행인(hanger).
háng·nàil *n.* (손가락의) 거스러미(agnail).
háng-on-the-wáll *a.* 벽걸이식의 : a ~ television 벽걸이식 텔레비전.
háng·òut *n.* 《口》 **1** 거처, 집합소, (범죄자 등의) 소굴, 연락 장소. **2** 《美俗》 폭로, 공개.
háng·òver *n.* 《美》 **1** 잔존물, 유물. **2** 《口》 숙취(宿醉) ; (약의) 부작용 : I have a ~ (this morning). (오늘 아침은) 숙취가 있다.
háng·tàg *n.* (상품에 붙은) 사용법 설명 쪽지 ; 품질 표시표.
háng·tìme *n.* 〔美蹴〕 행타임《PUNT³한 볼이 공중에 있는 시간》.
han·gul [hɑ́:ŋgul], **han·kul** [hɑ́:ŋkul] *n.* [보통 H~] 한글.
háng-ùp *n.* 《美俗》 병적 집착 ; 고민, 콤플렉스, 심리적 장애.
hank [hǽŋk] *n.* **1** 실 한 타래《무명실은 840 야드, 털실은 560 야드 ; cf. COIL¹, SKEIN》. **2** 다발, 묶음 : a ~ *of* hair 머리털 한 다발. 〚ON *hönk* ; cf. Swed. *hank* string, Dan. *hank* handle〛
han·ker [hǽŋkər] *vi.* [+前+名/+*to* do] 동경하다, 고대하다, 갈망하다〈*after, for*〉 : ~ ***after*** [***for***] money 돈을 갈망하다 / ~ *for* fame [praise] 명성[칭찬]을 몹시 바라다 / He has been ~*ing to* spend an evening in general conversation. 사람들과 잡담을 나누며 하룻밤 지내기를 쭉 고대하고 있다. **~·er** *n.* **~·ing** *n., a.* 갈망(하는). **~·ing·ly** *adv.*
〚C17 <? *hank* (obs.), *-er*³ ; 일설(一說)에 Flem. *hankeren* (freq.) < *hangen* to hang〛
han·ky, -kie, -key [hǽŋki] *n.* 《兒·口》 손수건(handkerchief).
hánky-pánk·y, hánkey-pán·key [-pǽŋki], **-pánk** *n.* Ⓤ 《英俗》 속임수, 협잡, 수상쩍은 일《밀매매·간통 따위》 ; 무의미한[시시한] 행위[잡담] ; 《英》 요술, 기술(奇術) ; 《美》 못된 장난 : be up to some ~ 무엇인지 수상한[좋지 않은] 일을 하고 있다.
〚C19 < ? ; HOCUS-POCUS에 준한 것인가〛
Han·ni·bal [hǽnəbəl] *n.* 한니발(247-183 B.C.) 《카르타고(Carthage)의 유명한 장군》.
〚L < Sem. = grace of Baal〛
Han·no·ver [hǽnouvər, hǽnəvər ; *G* hɑ́no:fər] *n.* **1** 하노버(*E* Hanover)《독일 북서부의 옛 주(州)》. **2** (영국의) 하노버 왕가의 사람.
Ha·noi [hænɔ́i, 美+hɑ:nɔ́i] *n.* 하노이《베트남의 수도》.
Han·o·ver [hǽnouvər] *n.* HANNOVER의 영어 철자 ; 하노버 왕가(王家)(the **Hóuse of** ~) (1714-1901)《George 1세에서 Victoria까지의 영국 왕실》.
Han·o·ve·ri·an [hæ̀nouvíəriən, -nə-, -vér-] *a., n.* (영국의) 하노버 왕가의 (지지자).
Hans [hǽns, hǽnz] *n.* **1** 남자 이름. **2** 독일 사람, 네덜란드 사람《별명》.
〚G (dim.) ; ⇨ JOHANNES〛
Han·sa [hǽnsə, -zə, hɑ́:nzɑ:] *n.* 〔史〕 **1** (중세 북유럽의) 상인 조합. **2** 한자 동맹《14-15 세기의 북유럽 상업도시의 정치적·상업적 동맹》.
〚MHG *hanse*, OHG, Goth. *hansa* company〛
Han·sard [hǽnsərd, -sɑ:rd ; -sɑ:d, -səd] *n.* 영국 국회 의사록. 〚1889년까지 의사록을 편찬한 L. *Hansard* (d. 1828)와 그 자손에 연유함〛
Hánsard·ìze *vt.* 의사록을 인용하여 (국회의원 발언의) 모순을 논박하다.
Hanse [hǽns, hɑ́:nzə] *n.* = HANSA.
Han·se·at·ic [hæ̀nsiǽtik] *a.* 한자 동맹의.
Hanseátic Léague *n.* [the ~] 한자 동맹.
han·sel [hǽnsəl] *n., v.* = HANDSEL.
Hán·sen's disèase [hǽnsənz-] *n.* 한센병, 나병(leprosy).
〚G. H. *Hansen* (d. 1912) 노르웨이의 의학자〛
hán·som (cáb) [hǽnsəm(-)] *n.* (마부석이 뒤에 높다랗게 있고 말 한 필이 끄는 2인승의) 2륜마차《원래 London 등지에서 많이 사용》.
〚Joseph A. *Hansom* (d. 1882) 영국의 건축 기사〛
ha'nt, ha'n't [héint] 《方》 have[has] not의 단축형(形).
Hants [hǽnts] *n.* = HAMPSHIRE.
Ha·nuk·kah, -nu(k)·ka [hɑ́:nəkə, -nukɑ̀:, xɑ́:-] *n.* 〔유태敎〕 하누카《신전 정화 기념 제전, 성전 헌당 기념일》. 〚Heb. = dedication〛
hao·le [háuli, -lei] *n.* 하와이 토박이가 아닌 사람, (특히) 백인. 〚Haw.〛
hap [hǽp] *n.* Ⓤ 《古》 우연, 운, 요행 ; Ⓒ 우연히 일어난 일. —— *vi.* (**-pp-**) 우연히 일어나다 ; 뜻밖에도 …하다(happen)〈*to* do〉 ; 우연하게 (…에) 직면하다〈*on, upon*〉.
〚ON *happ* ; cf. OE *gehæp* suitable〛
ha·pax le·go·me·non [hǽpæks ligɑ́mənɑ̀n, -nən] *n.* (*pl.* **-na** [-nə]) (어떤 기록이나 자료 중에서) 단 한 번 밖에 사용되지 않은 말[어구].
〚Gk. = something said only once〛
ha'·pen·ny [héipəni] *n.* = HALFPENNY.
háp·hàzard *n.* Ⓤ 우연(chance) : at[by] ~ 우연히 ; 아무렇게나. —— *a., adv.* 우연의[히] ; 되는 대로(의). **~·ly** *adv.* **~·ness** *n.*
〚HAP, HAZARD〛
類義語 ⟹ RANDOM.
háp·hàzard·ry *n.* 우연성.
hapl- [hǽpl], **hap·lo-** [hǽplou, -lə] *comb. form* 「단순」「단일」「반수 분열의」의 뜻.
〚NL < Gk. (*ha-* one, *-ploos, -plous, -plos* multiplied by)〛
háp·less *a.* 불행한, 불운한(unlucky). 〚HAP〛
hap·log·ra·phy [hæplɑ́grəfi] *n.* Ⓤ 중자(重字) 탈락《philology를 philogy로 쓰는 따위》.
hap·loid [hǽplɔid] *a.* 단일의, 단순한 ; 〔生〕 (염색체가) 반수(半數)(성)의. —— *n.* 반수체《반수 염색체 생물 또는 세포》.
-loi·dy *n.* 반수성(性).
hap·lol·o·gy [hæplɑ́lədʒi] *n.* 중음(重音) 탈락《papa를 pa로 발음하는 따위》.
háp·ly *adv.* 《古》 우연히, 아마도.
hap'orth, ha'porth, ha'p'orth [héipərθ] *n.* 《英口》 반페니어치의 물건 ; 극소량.
◇**hap·pen** [hǽpən] *vi.* **1** [動/+前+名] (사고가) 일어나다, 생기다, (몸에) 닥쳐오다(occur) : Accidents will ~. 사고란 일어나기 마련이다《과실은 어찌할 도리가 없다》 / Something is likely to ~. 무슨 일이 일어날 것만 같다 / Don't let it ~ again. 두 번 다시 이런 일을 저지르지 마라 / Please let me know, if anything ~*s* ***to*** her. 그녀에게 무슨 일이 생기면[이변(異變)이 있으면] 알려 주시오 / What may have ~*ed to* this lock? 이 자물쇠는 대체 어찌된 거야. **2 a)** [+*to* do] 우연히[공교롭게] …하다(chance) : I ~*ed to* sit by May. 우연히 메이 옆에 앉게 되었다 / Should

H

you ~ *to* need anything, I am entirely at your service. 무슨 용건이라도 생기면 서슴없이 하명(下命)하십시오.

> **happen to do**의 문장 전환
> I *happened to* meet him there.
> → I met him there *by chance*.
> (우연히 거기서 그를 만났다.)
> ☆ by chance는 by accident(=accidentally)와 같다.

b) [비인칭의 it을 주어로 하여] [+*that* 節] : *It ~ed that* we were in London then. 마침 그때 우리는 런던에 있었다 / *It* so *~ed that* a mouse had just been caught in the trap. 공교롭게[마침] 쥐 한 마리가 덫에 걸렸다. **3 a)** [+*on*+名] 우연히 만나다[발견하다, 생각이 미치다] : I *~ed* ***(up) on*** the very thing I wanted. 내가 원했던 바로 그것을 찾아냈다. **b)** 《口》 [+副] 우연히 있다[오다·가다] : He *~ed* ***along*** [***by, in***]. 그는 우연히 찾아왔다[지나쳤다, 들어왔다].

as it happens 우연히(by chance) ; 때마침, 때가 나쁘게, 공교롭게 : *As it ~s*, I have left the book at home. 공교롭게 책을 집에 놓고 왔다.

happen what may [***will***] = ***whatever happens*** 어떤 일이 있더라도 (기필코).

—— *adv.* 《方》 혹은, 어쩌면.

〖ME (HAP+-*en*³)〗

類義語 ***happen*** 가장 흔히 쓰는 말로 어떤 일이 일어나다, 생기다 ; 원인이 있어 일어나는 일이나 우연히 일어나는 일이나 모두 포함 : What *happened*? (무슨 일이 생겼나요). ***chance*** 대체로 happen과 같은 뜻이나 뚜렷한 원인없이 생기다. ***occur*** 약간 딱딱한 느낌의 말로 어떤 특정의 일이 어떤 특정한 때에 일어나는 것을 암시한다 : The accident *occurred* at seven. (그 사고는 7시에 일어났다).

H

***háppen·ing** *n.* [때때로 *pl.*] 사고, 사건(event) ; 해프닝(쇼) ; [*pl.*] 《美俗》 마약, 약물.

háppen·sò *n.* 《美口》 =HAPPENSTANCE.

háppen·stance [-stæ̀ns] *n.* 《美俗》 우연히 생긴 일, 생각지도 않은 일. 〖*happen*+circum*stance*〗

hàppen·stán·tial [-stǽnʃəl] *a.* 《美》 우발적인, 뜻밖의, 우연히 일어난, 부수적인.

háp·pi·fy *vt.* 행복하게 하다.

‡háp·pi·ly *adv.* **1** 행복하게, 유쾌하게 ; 잘 : go ~ together 잘 조화하다 / He did not die ~. 그는 행복하게 죽지 못했다. **2** 운좋게, 다행히도 (fortunately) : *H~* he did not die. 다행히도 그는 죽지 않았다. **3** 《古》 =HAPLY.

‡háp·pi·ness *n.* **1** Ⓤ [+前+do*ing*] 행복, 기쁨, 만족, 유쾌 : the ~ ***of*** lov*ing* and be*ing* loved 남을 사랑하고 남에게 사랑을 받는 행복. **2** Ⓤ 행운, 요행. **3** Ⓤ (표현 따위의) 교묘함, 적절 (felicity)〈*of*〉.

> 〈회화〉
> I wish you every *happiness*.—Thank you. 「행복을 빕니다」「고맙습니다」

háppiness condìtion *n.* 〖言〗 =FELICITY CONDITION.

◇hap·py [hǽpi] *a.* **1** [+*to* do / +前+do*ing*] 행복한, 유쾌한, 즐거운, 즐거운 듯한, 기쁜 : He is ~ with his children. 그는 아이들과 행복하게 살고 있다 / I shall be ~ *to* accept your invitation. 기꺼이 초대에 응하겠습니다 / I was once ~ ***in*** a son. 나에게는 (다행히도) 아들이 하나 있었습니다(만…) / She is ~ *in* hav*ing* a good husband. 그녀는 좋은 남편을 가져서 만족하고 있다. **2** 다행한, 행운의(lucky) : I met him by a ~ chance. 운좋게 그를 만났다. **3** 행복을 더하는[낳는], 경사스러운. **4** 적절한, 교묘한, 그럴 듯한 : a ~ idea 명안(名案) / He is ~ *in* his expressions. 그는 말솜씨가 그럴 듯하다. **5** 《口》 얼근히 취한, 한 잔 마신 ; 비틀거리도록 취한.

as happy as happy can be 더할 나위 없이 행복한.

(as) happy as the day is long = ***(as) happy as a king*** [***as a sandboy***] 매우 행복하여, 말할 수 없이 즐거워서[기뻐서].

> 〈회화〉
> Will you mail this letter for me on your way to the station?—I'll be *happy* to. 「역에 가는 길에 이 편지 좀 부쳐 주겠습니까」「부쳐 주고 말고요」

〖ME (HAP, -*y*⁴)〗

類義語 (1) ***happy*** 커다란 기쁨으로 만족을 느끼는 ; 가장 일반적인 말 : a *happy* life[marriage] (행복한 생활[결혼]). ***glad*** happy 보다도 즐거운 감정이 강함 : I'm so *glad* to get your consent. (당신의 승낙을 얻어 매우 기쁘오). 注 happy나 glad나 모두 만족을 나타내는 상투적인 문구로서 사용됨 : I'm very *glad* [*happy*] you are present. (참석해 주셔서 기쁩니다). ***cheerful*** 명랑한 기분·낙관적인 기분을 늘 가지고 있는 : a smiling *cheerful* person (미소를 띄우는 쾌활한 사람). ***joyful, joyous*** 모두 의기양양하여 즐거워하는 것을 나타내지만 *joyful*은 어떤 특별한 일로 기뻐하는 것, *joyous*는 평상시의 기질이 낙천적인 것을 나타냄 : a *joyful* look (즐거운 표정) / a *joyous* group(낙천적인 집단).
(2) ⟹ LUCKY.

háppy cábbage *n.* 《美俗》 (옷 따위에 지출하는) 상당한 돈.

háppy dispátch *n.* 《戲》 할복(割腹) : commit a ~ 할복하다.

háppy dúst *n.* 《美俗》 모르핀, 코카인.

háppy evént *n.* 경사, (특히) 출산, 탄생.

háppy-go-lúcky *a., adv.* 태평한[하게], 낙천적인[으로] ; 되는 대로 해나가는[해나가서], 운에 내맡기는[내맡겨].

háppy hóur *n.* 《美口》 (바·레스토랑의 개점 직후의 무료 또는 염가 서비스를 하는) 서비스 타임.

háppy húnting gròund *n.* (아메리칸 인디언들의) 극락, 천국 ; 만물이 풍성한 곳 ; 절호의 활동 장소 : a ~ for antique collectors 골동품 수집가가 진품을 얻기에 가장 좋은 장소.

go to the happy hunting ground (***s***) 《戲》 저세상에 가다《죽다》.

háppy lánd *n.* 천국(heaven).

háppy médium *n.* (양극단의) 중간, 중용(中庸) (golden mean), 중도(中道).

strike [***hit***] ***the*** [***a***] ***happy medium*** 중용을 취하다.

háppy píll *n.* 《口》 정신 안정제, 진정제(tranquilizer).

háppy reléase *n.* 고통으로부터의 해방 ; 죽음.

háppy shíp *n.* 승무원이 모두 협력해서 일하는 배 ; 구성원이 일치 단결해서 일하는 단체.

háppy tálk *n.* 가벼운 화제를 중심으로 한 부드러운 분위기의 뉴스 프로그램.

háppy wárrior *n.* 고난에도 굴하지 않는 사람.

Haps·burg, Habs- [hǽpsbəːrg, 美 + háːpsbuərg] *n.* 합스부르크가(家)《15세기에서 1918년까지 계속된 오스트리아의 왕가로 종종 독일 국왕이 되었음》.

hapt- [hǽpt], **hap·to-** [hǽptou, -tə] *comb. form* 「접촉」의 뜻. 〖Gk. *haptō* to fasten〗

hap·ten [hǽpten], **-tene** [-tiːn] *n.* Ⓤ〔免疫〕 합텐, 부착소(附着素)《생체에 면역 반응을 일으키는 물질》. 〖G ; ↑〗

hap·tic, -ti·cal [hǽptik(əl)] *a.* 촉각에 관한[의한] ; 〔心〕 촉각형의《사람》.

háptic léns *n.* 〔醫〕 공막(鞏膜) 렌즈《눈의 흰자위까지 씌우는 콘택트 렌즈》.

haram ☞ HAREM.

ha·rangue [hərǽŋ] *n.* (대중 앞에서의) 연설, 열변(tirade) ; 장광설(長廣舌). —— *vi., vt.* (…에게) 열변을 토하다.
〖OF<L< ? Gmc.=assembly〗

har·ass** [hǽrəs, 美+hərǽs] *vt.* [+目/+目+前+名] 괴롭히다, 애먹이다, 성가시게 굴다, 속썩이다(worry) ; (끊임없이 공격하여) 괴롭히다 : Our advance was *~ed* by the enemy. 아군(我軍)의 전진은 끊임없는 적군의 공격으로 저지되었다 / I was *~ed* ***with those debts. 그 빚 때문에 골치를 앓았다. **~·er** *n.*
〖F (*harer* to set a dog on)〗
類義語 ⟹ ANNOY.

hár·ass·ing *a.* 괴롭히는, 성가신. **~·ly** *adv.*

hár·ass·ment *n.* 성가시게 굴기, 괴롭힘 ; 괴로움, 고민[골칫]거리.

har·bin·ger [háːrbəndʒər] *n.* 선구자 ; 징조(徵兆)(forerunner), 전조(前兆)〈*of*〉. —— *vt.* …을 미리 알리다, …의 선구가 되다.
〖OF *herbergere* host (*herbergier* to lodge<Gmc.) ; *-n-*은 cf. MESSENGER〗

‡**har·bor | har·bour** [háːrbər] *n.* **1** 항구(cf. HAVEN, PORT[1]) : a ~ light 항구 등대. **2** 피난처, 은신처, 잠복처(refuge).
give harbor to... (죄인 등)을 숨겨주다.
in harbor 입항(入港)하고 있는.
—— *vt.* (죄인 등을) 숨겨주다, 감추다 ; (악한 마음 따위를) 마음속에 품다 : Don't ~ unkind thoughts. 몰인정한 생각을 품어서는 안된다.
—— *vi.* **1** (항구에) 정박하다. **2** 잠시 묵다 ; 숨다, 잠복하다.
〖OE *here-beorg* army shelter, lodging, (v.) *herebeorgian* to lodge (↑)〗
類義語 (1) (*n.*) ***harbor*** 지형·암벽·방파제 따위로 바람이나 큰 파도를 막고 있는 항구 ; 피난·보호를 암시함. ***port*** 상선 따위가 하역을 하는 항구. 주 harbor는 주로 항구의 수역(水域)을, port는 도시를 중시해서 말함.
(2) (*v.*) ⟹ CHERISH.

hárbor·age *n.* Ⓤ 피난, 보호 ; Ⓤ,Ⓒ (배의) 피난처, 정박소.

hárbor dùes *n. pl.* 입항세(入港稅).

hárbor·er *n.* 숨겨주는 사람 ; (생각 따위를) 품는 사람.

hárbor màster *n.* 항무관(港務官).

hárbor sèal *n.* 물범의 일종.

hár·bo(u)r·less *a.* 항구[피난처]가 없는.

◇**hard** [háːrd] *a.* **1** 단단한, 견고한, 굳은(firm, solid) (↔*soft*) ; (책이) 딱딱한 표지의 ; (화폐의) 주화의 : ☞ HARD MONEY / She boiled the eggs ~. 그녀는 달걀을 완숙이 되게 삶았다.
2 튼튼한, 씩씩한(robust) ; (분별 따위가) 확고한, 엄격한 : ~ common sense 건전한 상식.
3 과격한, 맹렬한(vigorous) ; 지나친.
4 [+*to* do] 곤란한, 어려운, 괴로운, …하기 힘든(difficult) (↔*easy*) : ~ work 힘이 드는 일 / a ~ saying 난해(難解)한 언어 ; 지키기 힘든 금언 / have a ~ time of it 고생하다 / have ~ luck 불운하다 ; 가혹한 취급을 당하다 / ~ of access ☞ ACCESS 1 / The hill is ~ *to* climb. 그 언덕은 오르기 힘들다 / She is ~ *to* please. 그녀는 성미가 까다롭다 / It is ~ for an old man to work as long as a youngster. 노인이 젊은이와 똑같이 오래 일한다는 것은 어렵다 / I found it ~ to believe this. 이것은 믿기 어려웠다.
5 (기질·성격·행위 따위) 과격한, 엄한, 혹독한, 무정한(harsh, stern) ; 엄연한, 확실한, 신뢰성이 있는, 구체성이 있는 : a ~ bargain 지독한 거래 / ~ dealing 학대 / ~ facts 냉엄한 사실 / a ~ law 가혹한 법률 / a ~ look[eye] 험한 표정[눈초리] / He was ~ (*up*) *on* his little girl. 그는 그의 어린딸을 모질게 대했다 / No ~ feelings! 《口》 나쁘게 생각지 말아 주시오.
6 열심히 일하는, 근면한 : a ~ worker 근면가, 꾸준히 공부하는 사람.
7 (날씨 따위가) 모진, 험악한(severe), 거친(stormy) : a ~ winter 엄동(嚴冬) / a ~ frost 된서리 / a ~ storm 세찬 폭풍우.
8 (물이) 경질(硬質)인《비누가 잘 녹지 않음》, 경수의, 염분이 섞인(↔*soft*).
9 (소리 따위가) 새된, 금속성의(metallic) ; 경음의《c, g 따위가 [k, g]로 발음되는 ; cf. SOFT 9》.
10 (음식 따위가) 변변찮은, 맛이 없는 ; (술이) 신, 덜 익은 ; 알코올 성분이 많은.
11 《口》 귀찮은, 고약한, 악당의.
12 (빛깔·윤곽 따위가) 지나치게 뚜렷한, 너무 짙은.
13 〔商〕 (시장 가격이) 강세(強勢)의(↔*soft*).
14 자극적인, 불쾌한 ; (색·윤곽 따위) 선명한 ; (포르노 따위) 외설성이 강한.
(as) *hard as a brick* 참으로 견고한.
(as) *hard as nails* 근골(筋骨)이 단단한, 내구력이 있는 ; 냉혹한, 무정한.
hard and fast 요지부동의, 엄중한《규칙 따위》 ; 〔海〕 (좌초되어) 움직이지 않는.
hard in the mouth =HARDMOUTHED.
hard of hearing 귀가 어두운, 난청의(cf. HARD-OF-HEARING).

〈회화〉
I've never skied before, but I want to give it a try. — It's not that *hard*. 「나는 스키를 타 본 적이 없지만 한 번 타보고 싶어」「그렇게 어렵지 않아」

—— *adv.* **1** 단단하게 : The river is frozen ~. 강은 단단하게 얼어붙어 있다. **2** 힘겹게, 간신히, 좀처럼 …않고(with difficulty) : He breathes ~. 그는 괴로운 듯이 숨쉬고 있다 / The cork draws ~. 코르크가 잘 빠지지 않는다 / die ~ ☞ DIE[1] 숙어. **3** 애써서, 힘껏, 열심히 : try ~ 전력을 쏟아 해보다 / look[gaze, stare] ~ at a person 남을 빤히 쳐다보다 / He works ~. 그는 열심히 공부한다[일한다]《주 cf. He *hardly* works. 그는 거의 공부하지 않는다[일하지 않는다]》. **4** 접근하여, 바로 가까이(closely) : ~ by 바로 가까이에 / follow ~ after 바싹 뒤따라가다. **5** 심하게, 과격하게, 지나치게 : He was ~ hit by the depression. 그는 불경기로 심한 타격을 받았다 / He drinks ~. 그는 술을 많이 마신다.
be hard pressed 몹시 바쁘다 ; 궁지에 몰리다,

심한 곤경에 빠지다.
go hard with a person 남을 혼내주다 : It will *go ~ with* him if we don't help him. 도와 주지 않으면 그는 큰 타격을 받을 것이다.
hard put to it 곤경에 놓여서, 궁지에 몰려 : They were ~ *put to it* to get anyone to finance them. 그들은 재정 원조를 해 줄 사람을 찾기 위해 매우 애쓰고 있었다.
hard up 돈에 궁하여 ; (…이) 결핍하여, 곤란해서 : They are ~ *up for* money[an excuse]. 그들은 돈이 없어서[좋은 변명이 떠오르지 않아] 곤경에 놓여 있다.
hard (***up***) ***on*** …에 다가와서, …에 거의 이르러서, (나이가) 곧 …인.
live hard 고난에 견디다 ; 방탕한 생활을 하다.
run a person ***hard*** (경주 따위에서) 남에게 육박하다.
—— *n.* **1** 《英》 양륙장, 상륙장. **2** 《英俗》 중노동 : get two years' ~ 징역 2년을 살다. **3** 《卑》 발기 : have a ~ on 발기하다.
〚OE *h*(*e*)*ard* ; cf. G *hart*〛
[類義語] (1) ***hard*** 육체적·정신적인 노력을 필요로 하는 ; 일반적인 말 : a *hard* job[problem] (힘든 일[문제]). ***difficult*** 육체적인 노력보다 오히려 특별한 지식·기술·판단력 따위를 필요로 하는 : a *difficult* study[situation] (어려운 연구[상황]).
(2) ⟹ FIRM.

hárd-and-fást *a.* 명확한 ; 변경을 허용하지 않는, 엄중한 : ~ rules 엄격한 규칙.
hárd·bàck *n.*, *a.* =HARDCOVER.
hárd·bàke *n.* Ⓤ 《英》 아몬드가 든 사탕 과자.
hárd-báked *a.* (빵 따위) 딱딱하게 구운.
hárd·bàll *n.* =BASEBALL.
hárd-bítten *a.* 만만치 않은, 엄격한 ; 완고한, 고집센, 냉엄한, 현실주의적인.
hárd·bòard *n.* 하드보드, 경질섬유판《벽판·가구 따위에 씀》.
hárd-bóil *vt.* (달걀을) 단단하게 삶다.
hárd-bóiled *a.* **1** (달걀 따위) 단단하게 삶은(cf. SOFT-BOILED) ; 빳빳하게 풀을 먹인(stiff). **2** 《口》 무감각한, 매정한(tough) ; 현실적인, 비정한 ; 〔美文藝〕 하드보일드의《철저하게 객관적으로 표현하고 도덕적 비판을 가하지 않는》 : novels of the ~ school 하드보일드[비정]파(派)의 소설.
~·ness *n.*
hárd·bóught *a.* 고생하여 얻은.
hárd·bóund *a.* =HARDCOVER.
hárd búbble *n.* 〔電子〕 하드 버블《컴퓨터 회로에서 자연 발생하여 기억의 분열을 일으키는 신종의 자기(磁氣) 버블》.
hárd càse *n.* 완쾌할 가망이 없는 환자 ; 개전할 가망이 없는 죄인, 악당 ; 귀찮은 일.
hárd·càse *a.* 《口》 =HARD-BITTEN, HARD-BOILED.
hárd cásh *n.* 경화(硬貨) ; (수표·어음 따위에 대하여) 현금.
hárd chéese[**chéddar**] *n.* 《英口》 불행, 불운 ; [감탄사적으로] 그거 안됐군《겉치레의 동정》.
hárd cóal *n.* 무연탄(anthracite).
hárd cópy *n.* 〔컴퓨〕 경(硬)복사(본), 인쇄 출력[복사].
hárd córe *n.* **1** 도로의 밑돌 《벽돌이나 돌의 조각》. **2** (집단·조직의) 중핵(中核), 중심 세력 ; 비타협 분자, 강경파 ; 중요 문제.
hárd-córe *a.* **1** 중핵을 이루는 ; 절대적인, 무제한의 ; 단호한, 확고한 ; 수입과 교육이 낮아 늘 실업 상태에 있는 사람들의. **2** 비타협적인. **3** (포르노 영화 따위에서) 성묘사가 노골적인. **4** 치료 불능의. —— *n.* 하드코어 포르노.
hárd córe wàiver *n.* GATT의 수입 제한 금지 원칙의 예외 규정.
hárd cóurt *n.* 〔테니스〕 하드 코트《아스팔트·콘크리트 따위로 굳힌 테니스 코트》.
hárd·cóver *n.* 두꺼운 표지의 책(hardback) (cf. PAPERBACK, SOFTBOUND). —— *a.* 단단한 표지의, (비교적) 딱딱한 표지로 장정한.
hárd-cúred, hárd-dríed *a.* (생선 따위) 말린.
hárd cúrrency *n.* 〔經〕 경화(硬貨)《특히 달러 또는 이것과 교환할 수 있는 화폐 ; ↔*soft currency*》.
hárd detérgent *n.* 경성 세제《미생물에 의해 분해가 되지 않음 ; cf. SOFT DETERGENT》.
hárd dísk *n.* 〔컴퓨〕 하드 디스크, 굳은[경성] (저장) 판.
hárd dóck *n.* 〔宇宙〕 (둘 이상의 우주선의) 기계적 [계기(計器)적] 도킹[결합].
hárd-dòck *vi.* (둘 이상의 우주선이) 기계적 조작에 의해 도킹[결합]하다.
hárd drínk *n.* (위스키 따위처럼) 도수가 높은 술 (hard liquor).
hárd drínker *n.* 술이 센 사람, 술고래, 주호.
hárd dríving *a.* 활동적인, 정력적인 ; 부하를 마구 부리는.
hárd drúg *n.* 《口》 중독성 환각제[마약].
hárd-éarned *a.* 애써서 얻은[번].
hárd-édge *n.*, *a.* 〔畫〕 하드에지(의)《기하학적 도형과 선명한 윤곽의 추상화》.
hárd·en** *vt.* **1** 단단하게 하다, 굳히다, 경화(硬化)시키다 : ~ steel (담금질하여) 강철을 단단하게 하다. **2** 강하게 하다, 단련하다, 도야하다 ; …에게 용기를 내게 하다. **3** [+目/+目+*to*+名] [보통 *p.p.*로] 무감각하게[무자비하게] 하다 : He had been ~*ed* ***to all shame. 그는 수치를 수치로 여기지 않는 인간이 되어 있었다.
—— *vi.* 단단해지다, 굳다 ; 강해지다, 견고해지다 ; 무감각해지다, 비정해지다 ; (물가 따위가) 안정되다 ; (가격이) 오르다.
harden off (묘목 따위) 추위에 노출시켜[노출되어] 튼튼하게 하다[해지다].
hárd·ened *a.* 경화(硬化)된, 단단해진[강해진], (태도 따위가) 굳어진 ; 무정한, 냉담한 ; 상습적인 : a ~ criminal 상습범.
hárd·en·er *n.* 단단하게 하는 것, 경화제(硬化劑) ; (칼 따위를) 벼리는 사람.
hárd·en·ing *n.* (강철의) 표면 강화, 담금질 ; (시멘트·유지 따위의) 경화.
hárd-éyed *a.* 눈이 날카로운.
hárd-fàce *vt.* (금속의) 표면에 내마모강(耐摩耗鋼)을 용접하다, 경질 금속을 입히다[씌우다].
hárd-fáced *a.* 낯두꺼운, 철면피의.
hárd-fávored *a.* =HARD-FEATURED.
hárd-féatured *a.* 무서운 얼굴을 한, 인상이 나쁜, 까다롭게 생긴.
hárd féelings *n. pl.* 적의, 악감정.
No hard feelings. 나쁘게[언짢게] 생각지 말게 ; 별로 악의가 있었던 건 아니야.
hárd físh *n.* 건어, 어포.
hárd·físt·ed *a.* (노동하여) 손이 억센[거칠어진] ; 몹시 인색한, 구두쇠의(stingy) ; 《美口》 불굴(不屈)의, 강인한(tough).
hárd fòod *n.* 고형 사료 ; (말의) 곡물 사료《결쭉한 사료나 마초에 대하여》.
hárd-glòss *a.* 표면이 굳고 말라서 반짝이는 : ~

paint 에나멜 페인트.
hárd gòods *n. pl.* 내구재(耐久財)《기계·자동차·장치 따위; cf. SOFT GOODS》.
hárd-gráined *a.* (재목 따위) 결이 촘촘한; (성격 따위) 엄한, 가혹한, 완고한; 매력 없는.
hárd·hàck *n.* 《美》〔植〕 조팝나무속의 관목.
hárd·hánd·ed *a.* (노동으로) 손이 거칠어진; 압제적인, 가혹한.
hárd hát *n.* =DERBY HAT; (작업원의) 헬멧, 안전모; 《口》 (안전모를 쓴) 건설 노동자; 《口》 보수 반동가, 강경 탄압주의자; 《美俗》 실크해트를 쓴 사람, (19세기말의) 동부의 실업가.
hárd-hát *a.* 《俗》 결코 양보하지 않는, 완미한; 보수 반동의.
hárd·háttism *n.* 《美》 전투적인 보수(반동)주의.
hárd·hèad *n.* 융통성이 없는 사람; 약삭빠른 사람, 실제적인 사람.
hárd·héad·ed *a.* **1** 완고한, 돌대가리의. **2** 빈틈없는, 실제적인, 감상에 좌우되지 않는, 냉정한. **~·ness** *n.*
hárdhead spónge *n.* 탄성이 있는 경질 섬유의 해면(海綿)《서인도 제도·중미산》.
hárd·héart·ed *a.* 무정한, 냉혹한(merciless). **~·ly** *adv.* **~·ness** *n.*
hárd-hít *a.* (불행·슬픔·재해 따위로) 심한 타격[상처]을 입은.
hárd-hítting *a.* 《美口》 활기있는; 적극적인; 강력한.
har·die, har·dy [há:rdi] *n.* (쇠를 자를 때 모루에 끼워 넣는) 날이 넓은 끌.
hár·di·hòod [há:rdi-] *n.* Ⓤ [+*to* do] 대담; 배짱이 좋음(boldness), 뻔뻔스러움; 원기; 불굴의 정신; 인내력: He had the ~ *to* deny. 그는 대담하게 거절했다. 〖HARDY[1]〗
hár·di·ly [há:rdi-] *adv.* 대담하게; 뻔뻔스럽게(도): He stared back ~. 그는 대담하게도 맞째려보았다.
hár·di·ness [há:rdi-] *n.* Ⓤ 대담; 용기, 배짱; 철면피, 뻔뻔스러움; 강장(強壯)(robustness).
Har·ding [há:rdiŋ] *n.* 하딩. **Warren G.** ~ (1865-1923) 미국 제29대 대통령(1921-23).
hárd knócks *n. pl.* 《美口》 곤경: take some[a few] ~ 고생하다, 어려움을 당하다 / in the school of ~ 냉엄한 실사회라고 하는 도장에서.
hárd lábor *n.* **1** Ⓤ 〔法〕 중노동: five years *at* ~ 《美》=《英》 five years' ~ 중노동 5년. **2** Ⓤ 과격한 노동; 비상한 노력.
hárd-láid *a.* 단단히 꼰《로프》.
hárd lánding *n.* (우주선의) 경착륙(硬着陸).
hárd légs *n.* (*pl.* ~) 《美黑人俗》 사내, 젊은이; 멋쟁이 남자; 추녀.
hárd líne *n.* 강경 노선(强硬路線); 강경 자세: take a ~ 강경 노선을 취하다.
hárd-líne *a.* 신조를 굽히지 않는, 타협하지 않는, 강경노선의. **hárd-líner** *n.* 강경론자; 강경 노선의 사람.
hárd línes *n. pl.* 《주로 英》 곤경, 불운〈*on*〉.
hárd-líne stànd *n.* 강경 입장.
hárd líquor *n.* 증류주(distilled liquor), (스트레이트의) 위스키.
hárd lúck *n.* 불운: a ~ story 《口》 (동정을 끌기 위한) 신세 타령, 하소연.
◇**hárd·ly**

> (1) 기본 뜻: 「거의 …않다」
> (2) 준(準)부정적인 부사로서 scarcely, rarely, seldom 등과 거의 같이 쓰인다.
> (3) 종종 any, anything, anybody, at all 등의 앞에 쓰인다: He got *hardly anything.* (그는 거의 아무것도 받지 못했다.) / *Hardly anybody* can understand you. (=Few people can understand you.) (거의 아무도 네 말을 알아듣지 못한다.)

── *adv.* **1** 거의 …아니다[않다], 좀처럼 …않다[없다](scarcely): I can ~ believe it. 그것은 거의 믿을 수가 없다 / I gained ~ anything. 거의 아무것도 얻지 못했다. ☞ 活用. **2** [주로 *p.p.* 앞에 써서] **a)** 애써서, 열심히: The battle was ~ contested. 대단한 고전(苦戰)이었다. **b)** 고생하여, 어려움을 겪고야, 가까스로(with difficulty): ~ earned 피땀 흘려 번; [반어적으로] 편하게 번(cf. 1). **3** 《稀》 심하게, 끔찍하게, 불친절하게(harshly): think[speak] ~ of …을 나쁘게 생각하다[말하다], …을 혹평하다 / He was ~ treated. 그는 심한 대우를 받았다.
hardly any 거의 없다, 없는 편이다: *H* ~ *any* money was left. 돈은 거의 남아 있지 않았다.
hardly ever 좀처럼 …않다(very seldom): He ~ *ever* smiles. 그는 좀처럼 웃지 않는다.
hardly... when [***before***] …하자마자(cf. SCARCELY...*when*[*before*], *no* SOONER...*than*): The car *had* ~ start*ed when* I *heard* a man call my name. 차가 떠나자마자 누군가 내 이름을 부르는 소리가 들렸다《㊟ hardly가 글 첫머리에 오는 수도 있으나 이것은 문어적 표현: *H* ~ *had* the car....》.

活用 hardly *adv.* 1은 가장 일반적인 뜻으로서 그 문장 중에서의 위치는 보통 피수식어의 앞이지만 조동사가 (몇 개인가) 쓰이고 있을 때에는 보통 그 (처음 조동사의) 뒤에 옴. i) 형용사 앞: That is *hardly* true. (그것은 거의 진실이 아니다). ii) 부사의 앞: He *hardly* ever reads books now. (그는 이제 거의 책을 읽지 않는다). iii) 동사의 앞: I *hardly* know how to explain it. (나는 그것을 어떻게 설명해야 좋을런지 모를 지경이다). iv) 조동사 뒤: She can *hardly* endure the winter. (그녀는 이 겨울을 견디어 낼 것 같지 않다) / You would *hardly* have recognized him. (그 사람이라고는 거의 알아보지 못했을 것이리라).

類義語 ***hardly*** 최저의 막바지의 선에 가까워 거의 여유가 없는; 때때로 곤란함을 암시하는 수가 있음: We *hardly* had time for breakfast. (거의 조반을 들 시간도 없었다). ***barely*** 겨우 때를 맞출 정도의, 그 이상의 여유가 없는: He has *barely* enough money to live on. (그는 겨우 생활비 밖에 없다). ***scarcely*** 거의 무(無)에 가까운, 여간해서 대용할 수 없는[용도를 채울 수 없는]: He has *scarcely* anything to wear. (그는 입을 옷이라고는 거의 없다).

hárd móney *n.* 경화(硬貨)(↔*soft money*).
hárd·mòuthed [-ðd, -θt] *a.* (말 따위) 재갈을 물리기 힘든; (여자 등을) 다루기 힘든, 고집 센; 말투가 거친.
hárd·ness *n.* Ⓤ 견고; 경도(硬度); 물의 경연(硬軟); 곤란, 난해; 엄격성, 가혹; 무정.
hárd néws *n.* (저널리즘에서) 딱딱한 뉴스《정치·경제 문제 따위》; 중대 뉴스.
hárd·nòse *n.* 《美俗》 콧대 센 놈, 고집통이.
hárd-nóse(d) *a.* 불굴의, 완고한, 콧대가 센, 냉철한, 빈틈없이 실제적인.
hárd nút *n.* 난문제, 다루기 어려운 것[사람].
hárd óffer *n.* 〔出版〕 예약 구매 권유 방법 중 반

아본 호의 요금은 지불할 의무가 있는 것.
hárd-of-héar·ing *a.* 난청(難聽)의(cf. HARD *of hearing*).
hárd-òn *n.* (*pl.* ~**s**) 《俗》(남자 성기의) 발기.
hárd pálate *n.* 경구개(硬口蓋)(↔*soft palate*).
hárd·pàn *n.* 《美》 **1** 경토층(부드러운 흙 밑에 있는 점토·단단한 모래·돌멩이 따위의 굳은 지층). **2** (이론 따위의) 튼튼한 기초[기반]; (문제 따위의) 핵심, 본질.
hárd pàste *n.* 경질 자기(硬質磁器).
hárd·pòint *n.* 〔空〕 하드포인트(항공기에서 무기나 연료 탱크 장비를 위한 파일론(pylon)을 외부에 달기 위해 특별히 구조가 강화된 부분).
hárd pórn *n.* 하드 포르노, 성 묘사가 노골적인 도색 영화[소설].
hárd-préssed *a.* 필사적으로 몸부림치는; 궁지에 몰린, 막다른 곳까지 몰린, 마지막 판의; 돈[시간]에 쪼들리는[쫓기는], 곤궁한; 압박 받는, 괴로움 당하는.
hárd réader *n.* 알아보기 힘든 필적의 해독을 전문으로 하는 사람.
hárd-ròad frèak *n.* 《美俗》(방랑죄·마약 소지 따위로 체포된 전력이 있는) 체제를 전적으로 부정하며 방랑 생활을 하는 젊은이.
hárd ròck *n.* 〔樂〕 하드 록(↔*soft rock*).
hárd-ròck·er *n.* 《美俗》 시굴자(試掘者), 갱부.
hárd róe *n.* 어란, 물고기 알.
hárd rúbber *n.* 경질(硬質) 고무.
hárd rúsh *n.* 〔植〕 골풀, 등심초.
hards [hɑ́:rdz] *n. pl.* 삼[아마] 지스러기.
hárd sàuce *n.* 버터·설탕·크림을 섞은 걸쭉한 소스(파이·푸딩에 얹음).
hárd scíence *n.* (물리학·화학 따위) 자연 과학.
hárd·scràbble *a.* 《美》 일한 만큼의 보답을 못 받는, 열심히 일해야 겨우 먹고 살 수 있는. —— *n.* 척박한 토지.
hárd séctored *a.* 〔컴퓨〕 하드 섹터의(floppy disk의 섹터 구멍을 광학적으로 검출하여 섹터로 나누는 방식).
hárd séll *n.* [때때로 the ~] 적극적인[끈질긴] 판매[광고]; 《口》 어려운 설득(의 일).
put the hard sell on …에게 집요하게[끈질기게] 설득하다.
hárd-séll *a.* 적극적인[끈질긴] 판매의. —— *vt.* 적극적으로 판매[광고]하다.
hárd-sét *a.* 곤경에 빠진; 굳어진; 결심이 굳은; 완고한; (알이) 어미의 품에 안겨진; 배고픈.
hárd-shèll *a.* **1** 껍질이 딱딱한. **2** 《美口》 비타협적인, 완고한.
*__hárd·ship__ *n.* **1** [때때로 *pl.*] 고난, 고초, 신고(辛苦), 곤란, 곤궁: bear ~ 고난을 견디다. **2** 곤경; 어려운 일. **3** Ⓤ 학대, 압제, 불법.
[類義語] ⟹ DIFFICULTY, DISTRESS.
hárdship ìndex *n.* 하드십 지수, 곤궁도(度) 지수(경제적 곤궁도를 나타내는 지수).
hárd shóulder *n.* 《英》(도로의) 대피선, (고속도로의) 단단한 갓길(긴급 대피용).
hárd-spún *a.* (실을) 질기게 자은.
hárd·stànd, -stànd·ing *n.* (차량·비행장 따위의) 포장된 주차[주기(駐機)]장.
hárd stéel *n.* 경강(硬鋼).
hárd·stùff *n.* 《美俗》 =HARD DRUG.
hárd stúff *n.* [the ~] 《俗》 독한 술, 위스키.
hárd-súrface *vt.* 도로를 포장하다; =HARD-FACE.
hárd swéaring *n.* 《婉》 태연한[천연덕스런] 위증(僞證).
hárd·tàck *n.* Ⓤ (선박·군용의) 딱딱한 비스킷, 건빵.
hárd tárget *n.* 〔軍〕 (방호 수단이 잘 되어 있어) 파괴하기 힘든 목표.
hárd tícket *n.* 지정 좌석권.
hárd tíme *n.* **1** 어려움, 곤란, 귀찮음; 곤란한[싫은] 일; 폐, 성가심; (이성으로부터) 냉대를 당하기, 퇴짜맞기. **2** [~s] 궁핍한 시기, 재정적으로 어려운 시기.
give a person ***a hard time*** 남에게 폐를 끼치다; 놀리다, 못된 장난을 치다, 까불다.
hárd·tòp *n.* **1** 하드톱(덮개가 금속이고 창 중간에 기둥이 없는 승용차). **2** 《美俗》 의지가 굳은 사람, 고집쟁이.
hárd-úp *a.* 《俗》 결핍한; (돈에) 쪼들리는. ~**·ness** *n.*
*__hárd·wàre__ *n.* **1** Ⓤ 쇠붙이류(類), 철기류: a ~ house[store] 철물점. **2** 〔軍〕 (널리) 병기, 무기, 하드웨어(전차·총포·항공기·미사일 따위). **3** Ⓤ 굳은모, 하드웨어(컴퓨터·어학 연습실·우주로켓 따위의 기재(機材)·설비 따위의 총칭; cf. SOFTWARE).
hárdware ìndustry *n.* 하드웨어 산업(컴퓨터의 기계·설비를 개발[생산]하는 산업).
hárd·wàre·man [-mən] *n.* 철물 제조인; 철물 상인(=《英》 ironmonger).
hàrd·wár·i·ly *adv.* 하드웨어적으로, 하드웨어에 관해서: That is ~ impossible. 그것은 하드웨어적으로 불가능하다.
hárd-wéar·ing *a.* (천 따위가) 질긴.
hárd whéat *n.* 경질 밀(마카로니·빵용(用)).
hárd-wíred *a.* 〔컴퓨〕 (프로그램에 의하지 않고) 배선(配線)에 의한.
hárd·wòod *n.* Ⓤ 견목, 견재(堅材)(oak, cherry, ebony, mahogany 따위; cf. SOFTWOOD); Ⓒ 활엽수. —— *a.* 견목(堅木)의.
hárd wórds *n. pl.* 어려운 말; 욕; 성난 말투.
put the hard words on a person 《濠口》 남에게 부탁을 하다, 돈을 빌려달라고 말하다; (여성)에게 구애하다.
hárd·wórked *a.* 혹사당하는, 피로한; (말·익살 따위가) 케케묵은, 진부한.
hárd·wòrk·ing *a.* 부지런한; 열심히 공부하는.
*__har·dy__[1] [hɑ́:rdi] *a.* **1** 가난·고통에 견디는[단련된], 튼튼한, 건강한; 〔園藝〕 내한성의; 내구력을 필요로 하는: ~ plants 내한성 식물 / half ~ 겨울에 서리를 막아줘야 하는. **2** 대담한, 배짱좋은. **3** 무모한(rash). 〚OF *hardi* (p.p.) ‹ *hardir* to become bold＜Gmc.=to make HARD〛
hardy[2] *n.* =HARDIE.
Hardy *n.* 하디. **Thomas ~** (1840-1928) 영국의 소설가·시인.
hárdy ánnual *n.* **1** 〔植〕 내한성(耐寒性) 1년생 식물. **2** 매년 반복되는 문제.
hárdy perénnial *n.* **1** 〔植〕 내한성 다년생 식물. **2** 여러 해 동안 (되풀이) 제기되는 문제.
Hárdy-Wéin·berg làw[prìnciple] [-wáinbəːrg-] *n.* 〔遺〕 하디바인베르크의 법칙.
〚G. H. *Hardy* (d. 1947) 영국의 수학자, W. *Weinberg* 20세기의 독일의 과학자〛
hare [héər, hǽər] *n.* (*pl.* ~**s**, ~) **1** 산토끼(rabbit보다 크고 뒷발과 귀가 길며 혈거성(穴居性)이 없음); Ⓤ 산토끼 고기: First catch your ~ (then cook him). 《속담》 토끼를 우선 잡아라(요리는 그 후에), 우선 사실을 확인하라. **2** 《口》 겁쟁이; 바보. **3** 《英俗》 무임 승차객. **4** [the H~] 〔天〕 토끼자리. **5** 의제, 연구과제.

(as) mad as a (March) hare (3월 교미기의 토끼처럼) 미친 듯한, 변덕스러운, 난폭한.
(as) timid as a hare 몹시 수줍어하고 소심한.
hare and hounds 「산토끼와 사냥개」놀이《토끼가 되어 종잇조각(scent)을 뿌리며 도망치는 두 아이를 여럿이 사냥개가 되어 뒤쫓는 아이들의 놀이; paper chase라고도 함》.
hare and tortoise 토끼와 거북이(의 경주)《재능보다도 근면·성실함이 승리한다는 내용》.
hold [run] with the hare and run [hunt] with the hounds 어느 편에도 좋도록 처신하다, 양다리 걸치다.
make a hare of …을 조롱[멸시]하다.
start a hare 《英》 화제를 갑자기 바꾸다, (토론에서) 지엽적으로 빗나가다.
── *vi.* 질주하다.
〚OE *hara*; cf. G *Hase*〛
háre·bèll *n.* 〔植〕 실잔대《건조한 땅에서 자라며 여름에서 가을에 걸쳐 엷은 파란꽃이 핌; 스코틀랜드에서는 bluebell이라고 부름》.
háre·bràined *a.* 변덕스러운, 경솔한, 엉뚱한, 경거망동의, 어리석은. **~·ly** *adv.* **~·ness** *n.*
háre·fòot *n.* 토끼발 (비슷한 것); 걸음이 빠른 사람. **~·ed** *a.* 걸음이 빠른.
háre·héart·ed *a.* 마음이 약한, 겁이 많은(timid).

harebell

Há·re Kríshna [há:ri-] *n.* **1** 하레 크리슈나《힌두교의 Krishna신에게 받친 성가의 제명》. **2** (하레) 크리슈나 교도《1960년대에 미국에서 시작된 Krishna 신앙의 일파》.
〚Hindi *Hare Krishna* O God, Krishna〛
háre·líp *n.* 언청이. **-lípped** *a.*
ha·rem, -ram [héərəm, hǽər-, 英+há:ri:m] *n.* 하렘《이슬람교국의 부인방》; [집합적으로] 하렘의 아내와 첩들; (한 남자를) 둘러싼 여자들; (다혼성(多婚性) 동물의 수컷을 따르는) 암컷의 떼.
〚Arab.=sanctuary (*harama* to prohibit)〛
hárem pànts *n.* 하렘 바지《발목 부분을 끈으로 묶게 된 통이 넓은 여성용 바지》.
har·i·cot [hǽrikòu] *n.* **1** 《주로 英》 강낭콩. **2** 〔料理〕 양고기와 야채의 스튜. 〚F<? Nahuatl〛
ha·ri·jan [hàridʒá:n, hʌ́rdʒiən] *n.* [때때로 H~] 태양[신]의 아들, 하리잔《M. Gandhi가 불가촉천민(untouchable)에게 붙인 이름》.
〚Skt. (*Hari* Vishnu, *jana* person)〛
hark [há:rk] *vi.* [주로 명령법] 듣다(listen)〈*to*〉: *H~ (ye)!* 들어라!
── *vt.* 《古》 (이야기를) 듣다; 《英》 (가라, 돌아와라 따위로) 명령하다.
Hark away [forward, off]! 자, 가라!《사냥개에 대한 명령》.
hark back (사냥개가) 냄새 자취를 찾으려고 길을 되돌아 오다, 출발점에 되돌아오다; (생각·이야기 따위가) 처음으로 되돌아가다〈*to*〉; (사냥개를) 불러들이다.
〚ME *herkien*<OE 《美》 *he(o)rcian*; cf. HEARKEN, G *horchen*〛
harken ☞ HEARKEN.
harl [há:rl] *vt.* 질질 끌다; 《스코》 (벽 따위)에 거칠게 칠을 하다. ── *vi.* 《英》 견지 낚시를 하다, 트롤어법으로 고기를 잡다. 〚ME<?〛
Har·lem [há:rləm] *n.* 할렘《New York시 Manhattan 섬의 북동부에 있는 흑인이 사는 구역》.
har·le·quin [há:rlikwən] *n.* **1** [H~] 할리퀸《pantomime 극의 주역 Pantaloon의 하인이며 Columbine의 연인; 보통 가면을 쓰고, 얼룩무늬 옷을 입고, 나무칼을 가짐》. **2** 광대, 익살꾼.
── *attrib. a.* 잡색(雜色)의, 얼룩빛의; 익살스러운. ── *vt.* 얼룩지게 하다.
〚It.<OF *Herlequin* leader of legendary nocturnal band of demon horsemen〛
har·le·quin·ade [hà:rlikwənéid] *n.* (무언극에서) harlequin이 활약하는 장면; 익살.
hárlequin bùg *n.* 〔昆〕 날개에 흑적색 얼룩무늬가 있는 노린재의 일종《양배추 해충》.
Hár·ley (-Dávidson) [há:rli(-)] *n.* 할리(데이비드슨)《미국 Harley-Davidson 사제의 대형 모터 사이클》.
Hárley Strèet *n.* 할리가(街)《런던의 일류 의사들이 살고 있는 지역》; 할리가의 의사들.

harlequin bug

har·lot [há:rlət] *n.* 매춘부(prostitute), 창녀.
── *vi.* (여자가) 몸을 팔다, 매춘하다.
〚OF=knave, vagabond<?〛
hárlot·ry *n.* Ⓤ 매춘 (행위).
hárlot's héllo *n.* 《俗》 존재하지 않는 것, 무(無), 제로.
HARM 〔軍〕 high-speed anti-radiation missile 《함; 고속 대(對)레이더 미사일》.
‡harm [há:rm] *n.* **1** Ⓤ [+前+do*ing*] 해, 상해, 위해, 해악: I see [There is] no ~ *in* your try*ing* the experiment. 네가 실험을 해봐도 나쁠 것은 없다 / Where is the ~ *in* accept*ing* the proposal? 그 제안을 수락해서 뭣이 나쁜가 / I meant no ~. 악의가 있어서 한[말한] 것은 아닙니다. **2** 손해, 손상(損傷): protect from ~ 손상으로부터[다치지 않게] 보호하다.
come to harm 봉변을 당하다.
do harm 해를 끼치다, 해치다: Bad books *do* more ~ than bad companions. 나쁜 책은 나쁜 벗보다 해롭다 / He has *done* more ~ than good. 그는 도움이 되기는 커녕 오히려 해가 되었다 / The storm has *done* no ~. 폭풍우의 피해는 전혀 없었다 / I don't wish to *do* you any ~. 나는 너에게 조금도 피해를 주고 싶지 않다 / Snails *do* ~ to the crops. 달팽이는 작물에 해를 준다.
No harm done. 피해 없음; 전원 이상 무.
out of harm's way 안전한 곳에, 무사히.
── *vt.* 해치다, 상하게 하다, 훼손하다: He won't ~ a fly. 그는 파리도 못죽이는 위인이다.
〚OE *hearm*; cf. G *Harm* grief, injury〛
類義語 ⟹ INJURE.
har·mat·tan [hɑ:rmǽtn, hà:rmətǽn] *n.* 하르마탄《11월부터 3월에 걸쳐 아프리카 내륙 지방에서 서해안으로 부는 건조한 열풍》.
hárm·er *n.* 해를 끼치는 것[사람].
***hárm·ful** *a.* 해로운(injurious)〈*to*〉.
~·ly *adv.* 해롭게, 해가 되도록. **~·ness** *n.* 해(害)(가 되는 것).
hárm·less *a.* 해가 없는; 죄가 없는, 악의가 없는, 천진난만한. **~·ly** *adv.* 해롭지 않게, 해를 끼치지 않도록; 순진하게. **~·ness** *n.* Ⓤ 무해(한 것); 천진난만.
har·mon·ic [hɑ:rmánik] *a.* 조화적인; 〔數〕 조화의; 〔樂〕 화성(和聲)의; 〔理〕 배음(倍音)의, 조화 진동의. ── *n.* 〔音聲〕 배음; [*pl.*] 〔通信〕 고조파(高調波). **-i·cal·ly** *adv.*

H

har·mon·i·ca [hɑːrmánikə] *n.* 하모니카(mouth organ). 〖L *harmonicus*; ⇨ HARMONY〗
harmónic distórtion *n.* 〔電子〕 고조파(高調波) 일그러짐《사인(sine)파를 입력할 때 출력으로 나오는 고조파 성분》.
harmónic méan *n.* 〔數〕 조화 평균, 조화 중항(中項).
harmónic mótion *n.* 〔理〕 조화 운동.
har·mon·i·con [hɑːrmánikən] *n.* 하모니카.
harmónic progréssion *n.* 〔數〕 조화 수열; 〔樂〕 화음 연결.
harmónic propórtion *n.* 〔數〕 조화 비례.
har·món·ics *n.* Ⓤ 〔樂〕 화성학《harmony의 성질·작곡기법의 연구》.
***har·mo·ni·ous** [hɑːrmóuniəs] *a.* **1** 〔樂〕 화성의; 잘 조화된, 가락이 맞는(melodious). **2** 조화된; 사이좋은, 화목한(peaceable). **~·ly** *adv.* 가락에 맞추어; 조화되어; 사이좋게. **~·ness** *n.*
har·mo·nist [háːrmənəst] *n.* 화성학자.
har·mo·ni·um [hɑːrmóuniəm] *n.* 하모늄(=reed organ)《특히 풀무로 압착 공기를 만들어 바람을 불어넣어 울리게 함; cf. AMERICAN ORGAN》. 〖F<L; ⇨ HARMONY〗
hàr·mo·ni·zá·tion *n.* 조화시킴; 일치, 화합.
har·mo·nize | -nise** [háːrmənàiz] *vt.* **1** [+目/+目+*with*+名] (서로 다른 것을) 조화[화합]시키다; 일치시키다: ~ one thing ***with another. **2** 〔樂〕 …에 조화음을 가하다: ~ a melody 선율에 (저음의) 화성을 가하다. —— *vi.* [動/+*with*+名] 조화하다, 일치하다: The colors in this room have not ~*d*. 이 방의 색채는 조화되지 않았다 / Their costume ~*d* ***with*** the background. 그들의 의상은 배경과 조화되어 있었다.
har·mo·nom·e·ter [hàːrmənámətər; hàːmənɔ́mitə] *n.* 화음계(和音計).
***har·mo·ny** [háːrməni] *n.* **1** Ⓤ,Ⓒ 조화, 일치, 화합, 융화(↔*discord*). **2** Ⓤ,Ⓒ 〔樂〕 화성, (협)화음(↔*discord*); 화성학; 협화; Ⓤ (일반적으로) 음악(music). **3** (4복음서의) 일치점 요람(要覽), 공관(共觀) 복음서.
in [***out of***] ***harmony*** 조화되어[되지 않고]〈*with*〉.
the harmony of the spheres 천체(天體)의 음악《천체의 운행에 따라 생기는 미묘한 음악으로 사람의 귀에는 들리지 않는다고 함》.
〖OF<L<Gk. *harmonia* joining, concord〗
***har·ness** [háːrnəs] *n.* **1** Ⓤ (마차 끄는 말의) 마구(馬具): a set of ~ 마구 한 벌. **2** 장치, 장비; 작업 설비; 〔空〕 낙하산의 멜빵. **3** 《古》 (사람·말의) 갑옷, 장갑. **4** (경찰관·차장 등의) 제복.
die in harness 죽을 때까지 일하다, 일하다가 죽다: The old man says that he intends to *die in* ~. 그 노인은 죽을 때까지 일할 작정이라고 말하고 있다.
get back into harness 평상 업무로 돌아가다.
in double harness ☞ DOUBLE HARNESS 2.
—— *vt.* **1** (말 따위에) 마구를 채우다. **2** (자연력을) 동력화하다; (동력원으로 에너지 따위를) 이용[활용]하다: ~ (the waters of) the Nile 나일 강(의 수류)를 이용하다.
〖OF=military equipment<ON (*here* army, *nest* provisions)〗
hárness bùll [**còp, dìck**] *n.* 《美俗》 정복 경찰관, 순경.
hárness ràcing [**ràce**] *n.* 하니스 레이스《마구를 달고 1인승 2륜 마차를 끄는 경마》.
hárness·ry *n.* (끌채 따위) 마구류; 마구상.
Har·old [hǽrəld] *n.* 남자 이름《애칭 Hal》.

〖OE<ON=army+power〗
ha·roosh [hərúːʃ] *n.* 《美》 싸움, 소란.
***harp** [háːrp] *n.* **1** 하프, 수금(竪琴): a ~ guitar [lute] 하프 기타[류트]. **2** 《口》 =HARMONICA.
—— *vi.* **1** 하프를 타다. **2** [+*on*+名] 되풀이해서[번거롭게] 지껄이다: Why do you keep ~*ing on* the same subject? 어찌하여 너는 언제나 같은 말만 되풀이하고 있느냐.
—— *vt.* (곡을) 하프로 타다, 하프를 타서 …하다; 《古》 이야기하다, 지껄이다.
harp on one [***the same***] ***string*** ☞ STRING.
~·er, ~·ist *n.* 하프 연주자.
〖OE *hearpe*; cf. G *Harfe*〗
har·poon [hɑːrpúːn] *n.* (포경용의) 작살. —— *vt.* …에 작살을 찔러[던져, 쏘아] 박다, 작살로 죽이다. **~·er** *n.* 작살을 쏘아 맞히는 사람.
〖F (*harpe* clamp<L<Gk. *harpē* sickle)〗
harpóon gùn *n.* 포경포《작살을 발사함》.
hárp-pòlish·er *n.* 《俗》 성직자, 설교사; 신앙심이 깊은 사람.
hárp sèal *n.* 〔動〕 하프물범.
harp·si·chord [háːrpsikɔ̀ːrd] *n.* 하프시코드《피아노의 전신으로 16-18세기에 유행한 건반 악기》.
〖F (obs.) *harpechorde* (L *harpa* harp, *chorda* string); -*s*-는 불명〗
Har·py [háːrpi] *n.* **1** 〔그神〕 하피《얼굴과 몸은 여자고 새의 날개와 발톱을 가진 욕심꾸러기 괴물 중의 하나》. **2** [h~] 지독한 욕심쟁이.
〖F or L<Gk. *harpuiai* snatchers〗
hárpy èagle *n.* 하프독수리《중미·남미산》.
har·que·bus, -buse, -buss [háːrkwibəs, -kə-] *n.* 〔史〕 화승총(火繩銃).
〖F<MLG (*haken* hook, *busse* gun)〗
har·ri·dan [hǽrədn] *n.* 추한 노파; 마귀 같은 할멈, 심술궂은 할멈.
〖C17<?F *haridelle* old horse〗
har·ri·er[1] [hǽriər] *n.* 해리어개《FOXHOUND 보다 작으며 토끼 사냥용》; [*pl.*] 해리어개와 사냥꾼의 한 무리. 〖HARE-, -*ier*; 어형은 *harry*에 동화〗
harrier[2] *n.* 약탈자, 침략자; 괴롭히는 사람.
〖HARRY〗
Har·ri·et, -ot [hǽriət] *n.* 여자 이름《애칭 Hatty》.
Har·ris [hǽrəs] *n.* 남자 이름.
〖ME=Harry's (son)〗
Har·ri·son [hǽrəsən] *n.* **1** 남자 이름. **2** 해리슨. **Benjamin** ~ (1833-1901) 미국의 제23대 대통령.
〖=son of Harry〗
Hárris pòll *n.* 해리스 여론 조사《미국의 대표적 여론 조사 기관의 하나》. 〖Louis *Harris* (1921-) 미국의 저널리스트·여론 분석가〗
Hárris Twéed *n.* 해리스 트위드《스코틀랜드 Harris섬에서 나는 손으로 짠 순모 스코치 천; 상표명》.
Har·ro·vi·an [həróuviən] *a., n.* Harrow 교(校)의 (출신자·교우).
har·row[1] [hǽrou] *n.* 써레《흙을 일구어 고르게 하는 농기구》. —— *vt.* **1** …에 써레질하다, 써레로 고르다. **2** (정신적으로) 괴롭히다(torment).
—— *vi.* (땅이) (써레질로) 고르게 되다.
〖ON; cf. MLG and MDu. *harke* rake〗
harrow[2] *vt.* 《古》 약탈하다. 〖변형(變形)〈*harry*〗
Harrow *n.* 해로《London의 북서부에 있는 마을; Harrow School이라는 1571년에 창립한 public school 소재지》.
hárrow·ing[1] *a.* 마음 아픈, 가슴이 찢어질 듯한, 비참한.
hárrowing[2] *n.* Ⓤ 약탈.

H

the harrowing of Hell 《古》 지옥의 정복《예수가 지옥에 빠진 영혼을 구한 일》.

har·rumph [hərʌ́mpf] *vi.* (의식적으로 점잖게) 기침하다 ; 항의하다, 불평을 말하다. ── *n.* 헛기침(소리). 〖imit.〗

har·ry [hǽri] *vt.* **1** 약탈하다(despoil) ; 침략하다, 망치다 : The troops *harried* the countryside. 군대는 그 지방을 침략했다. **2** 괴롭히다(harass). ── *vi.* 약탈하다. ── *n.* 침략, 약탈.
〖OE *her(g)ian* ; cf. OHG *heriōn* to lay waste, OE *here* army〗

Harry *n.* **1** 남자 이름《Henry의 애칭》. **2** [보통 old ~] 악마, 악귀(devil) ; 천한 멋쟁이 ; 런던 토박이(cockney).
by the Lord Harry 맹세코, 보통.
Harry flakers 《俗》 녹초가 되어.
Harry starkers 《俗》 알몸으로.
play old Harry with …을 엉망으로 만들다, 혼란시키다.
〖⇨ HENRY, HAROLD〗

***harsh** [hɑ́ːrʃ] *a.* **1** 거친(rough), 거칠거칠한 ; 귀[눈]에 거슬리는 ; 거칠게 깎은, 조악(粗惡)한(coarse) : a ~ texture 거친 직조법 / a ~ voice 귀에 거슬리는 소리. **2** 엄한, 가혹한(stern) ; 잔혹한, 무정한 : She was ~ *to*[*with*] her servants. 그녀는 하인들에게 엄하게 대했다.
── *adv.* HARSHLY.
〖MLG *harsch* (HAIR, *-ish*) 일설에 < Scand. (Norw. *harsk* harsh)〗
類義語 ⟹ ROUGH.

hársh·en *vt., vi.* 거칠게 하다[되다] ; 귀·눈에 거슬리게 하다[되다].

hársh·ly *adv.* 거칠게 ; 귀[눈]에 거슬릴 만큼, (빛이) 쨍쨍 내리쬐어서 ; 엄하게.

hársh·ness *n.* 거칠음 ; 귀에 거슬림 ; 엄함, 가혹 ; 잔혹, 무정.

hars·lets [hɑ́ːrsləts, hɑ́ːrz-] *n. pl.* =HASLETS.

hart [hɑ́ːrt] *n.* 수사슴(stag) 《특히 5세 이상의 큰 사슴의 수컷 ; cf. HIND[2]》 : a ~ of ten 뿔이 열 갈래로 갈라진 사슴.
〖OE *heor(o)t* ; cf. G *Hirsch*〗

har·tal [hɑːrtɑ́ːl] *n.* (영국 상품에 대한) 인도의 불매(不買) 동맹 ; (복상(服喪)에 의한) 일제 휴업, (정치적 항의 수단으로서의) 동맹 휴업.
〖Hindi〗

har·te·beest [hɑ́ːrtəbìːst] *n.* 하테비스트, (특히) 카마하테비스트《남아프리카산의 큰 영양》.
〖Afrik. (Du. *hert* HART, *beest* BEAST)〗

Hart·le·pool [hɑ́ːrtlipùːl] *n.* 하틀리풀《잉글랜드 북부 Cleveland 주의 항구 도시》.

har·tree [hɑ́ːrtriː] *n.* 〔理〕 하트리《핵물리학의 에너지의 단위 : 약 27.21 전자 볼트》.
〖Douglas R. *Hartree* (d. 1958) 영국의 이론 물리학자〗

Har-Tru [hɑ́ːrtrùː] *n.* 《美》 하트루《전천후 테니스 코트(en-tout-cas)의 일종》.

hárts·hòrn *n.* 수사슴의 뿔 ; Ⓤ 녹각정(鹿角精) 《원래 수사슴의 뿔에서 뽑은 탄산암모늄》.

hárt's-tòngue *n.* 〔植〕 변산일엽《꼬리고사리과의 양치류》.

har·um-scar·um [hɛ́ərəmskɛ́ərəm, hǽərəmskǽər-] 《口》 *a., adv.* 경솔한[하게], 무모한[하게], 앞뒤를 헤아리지 않는[않고](rash).
── *n.* 경솔한 사람 ; 무모한 사람[행동].
~·ness *n.* 덤벙댐, 무모함.
〖HARE, SCARE를 근거로 하여 어조를 맞춘 것 ; cf. HELTER-SKELTER〗

Ha·run al-Ra·shid [hɑːrúːn ɑːlrɑːʃíːd ; hærúːn ælræʃíːd] *n.* 하룬 알라시드(764?-809)《Bagdad의 칼리프(786-809) ; 「아라비안 나이트」의 주인공의 하나》.

ha·rus·pex [hərʌ́speks, hǽrəspèks] *n.* (*pl.* **-pi·ces** [hərʌ́spəsìːz]) 창자 점쟁이《옛날 로마에서 신에게 바친 짐승의 내장이나 자연 현상을 보고 점을 침》. 〖L〗

Har·vard [hɑ́ːrvərd] *n.* 하버드 대학《Massachusetts 주 Cambridge 시에 있는 미국에서 가장 오래된 대학, 1636년 창립 ; 略 Harv.》.

***har·vest** [hɑ́ːrvəst] *n.* **1** (곡물의) 수확, 추수(crop) ; (사과·벌꿀 따위의) 채취 : an abundant [a bad] ~ 풍[흉]작 / this year's rice ~ 금년의 쌀의 수확 / an oyster ~ 굴의 채취. **2** 수확기, 추수기(harvesttime) ; 초가을. **3** 수확[채취]량 ; 수확물, 채취물 ; 결과, 보답, 보수 : The research yielded a rich ~. 그 연구는 풍요한 수확을 가져오게 했다. ── *vt., vi.* (곡물을) 추수하다, 거두어들이다 ; 수납하다(lay up) : ~ crops [the fields] 작물[밭의 작물]을 수확하다. **~·able** *a.* **~·less** *a.* 〖OE *hærfest* ; cf. G *Herbest* autumn (Gmc. 《美》 *harbh-* to reap)〗
類義語 ⟹ CROP.

hárvest bùg[**mìte**] *n.* 〔動〕 양충(恙蟲).

hárvest·er *n.* 수확자 ; 거두어들이는 일꾼 ; 베어들이는 기계, 벌채 기계.

hárvest féstival[**féast**] *n.* 수확제《교회에서 행하는 추수 감사제》.

hárvest hóme *n.* 수확의 완료, (영국의) 수확제 ; 수확이 끝나고 나서 부르는 노래.

hárvest ìndex *n.* 수확 지수《곡초(穀草)의 전중량에 대한 수확물 중량의 비》.

hárvest·ing *n.* Ⓤ 수확.

hárvest·man [-mən] *n.* (*pl.* **-men** [-mən]) (수확 때의) 거두어들이는 일꾼.

hárvest móon *n.* 중추(仲秋)의 만[명]월《곡물을 풍요하게 무르익게 한다고 함》.

hárvest mòuse *n.* 〔動〕 멧밭쥐《곡류의 줄기에 둥지를 만듦》.

hárv·est·ry *n.* Ⓤ 수확 ; 수확물.

hárvest·tìme *n.* Ⓤ 수확기 : at ~ 추수기에.

Har·vey [hɑ́ːrvi] *n.* **1** 남자 이름. **2** 하비.
William ~ (1578-1657) 영국의 의사 ; 혈액 순환의 발견자. 〖OE<Gmc.=army+battle〗

Hárvey Wáll·bàng·er *n.* 하비 월뱅어《칵테일의 한 가지 ; 이탈리안 리큐어를 띄운 스크루드라이버》.

◇has [*v.* hǽz ; *auxil. v.* (z, ʒ 이외의 유성음 뒤에서) z, (s, ʃ 이외의 무성음 뒤에서) s, əz, (어군의 첫머리에서는) hæ̀z, həz, hǽz] *v., auxil. v.* HAVE의 직설법 3인칭 단수 현재형.

hás-bèen *n.* 《口》 왕성한 시기가 지난 사람, 시대에 뒤진 사람[것], 영향력[인기 따위]이 없어진 사람, 과거의 사람[것] ; [*pl.*] 《美口》 옛날(에 있었던 일).

ha·sen·pfef·fer, has·sen- [hɑ́ːzənpfèfər] *n.* Ⓤ 소금에 절인 토끼 고기로 만든 스튜.
〖G (HARE+PEPPER)〗

hash[1] [hǽ(ː)ʃ] *n.* **1** Ⓤ 잘게 썬 고기 요리, 해시 요리. **2** 《비유》 다시 구움 ; 뒤범벅, 뒤죽박죽 ; 고쳐 만듦 ; (소설 따위의) 재탕. **3** 〔電〕 해시《바이브레이터의 접점 따위의 브러시에 의한 전기 잡음》. **4** 《俗》 소문.
make a hash of . . . (일 따위를) 엉망으로 만들다[망쳐 놓다].
settle a person***'s hash*** 《口》 남을 해치다, 꺽소

리 못하게 하다.
—— *vt.* (고기를) 잘게 썰다, 저미다(chop up) 〈*up*〉; 《비유》 엉망으로 만들다〈*up*〉; 음미하다, 논평하다. —— *vi.* 사환을 맡다.
hash out 긴 토의 끝에 해결하다, 철저하게 논의하다.
hash over (지난 일을) 다시 논하다, 회고하다, 다시 문제삼다.
〖F *hacher* to cut up (*hache* HATCHET)〗

hash[2] [hǽ(:)ʃ, hɑ́:ʃ, héiʃ] *n.* 《口》=HASHISH; 《美俗》 마리화나, (흔히) 마약.
—— *a.* 《美俗》 근사한, 훌륭한, 멋진.

hásh and trásh *n.* 《CB俗》 교신(交信)할 때의 방해 잡음.

háshed bròwn potátoes [hǽʃt-], **hásh-bròwns, háshed-bròwns** *n.* 해시 브라운스《삶은 감자를 썰어 프라이팬에 넣고 양면을 알맞게 구운 미국 요리》.

hásh·er *n.* 《俗》 (간이 식당의) 급사, 심부름꾼, 요리사(의 조수).

hásh·ery *n.* 《美俗》 싸구려 식당.

hásh fòundry *n.* 《美俗》 싸구려 식당, 급식소.

hásh·hèad *n.* 《俗》 해시시[마리화나] 중독[상용(常用)]자.

hásh hòuse *n.* 《美俗》 대중 식당.

Ha·shi·mó·to's disèase[**thyroidìtis, strùma**] [hɑ̀:ʃimóutouz-] *n.* 〖醫〗 하시모토병《만성 림프구성(球性) 갑상선염》.
〖H. *Hashimoto* (d. 1934) 일본의 외과 의사〗

hash·ish, -eesh [hǽʃi(:)ʃ] *n.* Ⓤ 해시시《인도대마의 꽃이나 싹으로 마든 마약》.
〖Arab.=dried herbage, powdered hemp leaves〗

hásh màrk *n.* 《美軍俗》 연공 수장(年功袖章) (service stripe).

hásh òil, háshish òil *n.* 해시 오일《대마(大麻)의 활성 성분인 tetrahydrocannabinol을 가리킴》.

hásh pìpe *n.* 《俗》 HASHISH를 피우는 특수한 파이프.

hásh sèssion *n.* 《美俗》 종잡을 수 없는 논의, 잡담, 수다.

hásh·slìng·er *n.* 《俗》 싸구려 음식점의 여급[쿡].

hásh tòtal *n.* 〖컴퓨〗 해시 토털《특정 field의 합으로 그 자체는 별 뜻이 없으나 제어나 체크의 목적에 쓰이는 것》.

hásh·ùp *n.* Ⓤ 《英俗》 (신품으로 보이도록 한) 개조품, 모장(模作); 뒤범벅, 혼란.

Has·i·dism [hǽsədizəm, xɑ́:-] *n.* 하시디즘《18세기 폴란드에서 일어난 유태교의 한 파; 신비적 경향이 강함》.

has·let [hǽslət; hǽz-] *n.* (돼지 따위의) 내장.

‡has·n't [hǽzənt] has not의 단축형.

hasp [hǽ(:)sp; hɑ́:sp] *n.* 잠그는 고리, 문고리; 북, 방추(紡錘); 실꾸리 (skein). —— *vt.* 고리를 채우다. 〖OE *hæpse, hæsp*; cf. G *Haspe*〗

staple
hasp

hasp

has·sle, has·sel [hǽsəl] *n.* 《口》 혼란; 싸움, 말다툼; 《口》 고투, 곤란한 일.
—— *vi.* 《口》 분쟁을 일으키다, 사이가 틀어지다, 말다툼하다〈*with*〉; 《口》 문제를 떠맡다, 곤경에 빠져있다. —— *vt.* 《口》 괴롭히다, 성가시게 굴다; 《美俗》 (마약을) 고생하여 손에 넣다. 〖C20 (dial.) < ?〗

has·sock [hǽsək] *n.* (기도할 때 쓰는) 무릎 방석; (늪지의) 풀숲. 〖OE *hassuc* matted grass < ?〗

hast [*v.* hǽst; *auxil. v.* həst, st, hǽst] *v., auxil. v.* 《古》 HAVE의 주어가 2인칭 단수 thou일 때의 직설법 현재형: thou ~=you have.

has·tate [hǽsteit] *a.* 〖植〗 (잎이) 창 모양인: a ~ leaf 창 모양의 잎. 〖L (*hasta* spear)〗

***haste** [héist] *n.* Ⓤ 서두름, 급속, 신속; 조급히 굴기, 안달(하는 것), 성급(hurry); 경솔(rashness): *H*~ makes waste. 《속담》 조급히 굴다가 일을 그르친다 / More ~, less[worse] speed. 《속담》 급할수록 돌아가라.
in hot*[*great*] *haste 다급하게, 몸이 달아서.
in* (one's) *haste 급히; 다급하게(cf. *in* a HURRY).
make haste 서두르다, 재빨리 하다: *make* ~ to[and] come 바삐 오다.
—— *vi.* 《詩》 서두르다(hasten).
〖OF<Gmc.; cf. OE *hæst* strife, violence〗
類義語 **haste** 주위의 상황에 따라 또는 자기 자신의 열의로 행동[운동]을 서두르는 것: All our *haste* was in vain. (우리가 서두른 것이 모두 헛수고였다). **hurry** haste와 같은 뜻으로 쓰이지만 이 밖에 흥분·혼란·대소동 따위를 암시하는 수가 많음: In my *hurry* I dropped the cups. (조급히 굴다가 컵들을 떨어뜨렸다). **speed** 행동·작업의 신속성; 능률적이며 혼란·흥분이 없이 침착한 것을 암시함: They worked with *speed*. (그들은 신속하게 작업을 했다). **dispatch** speed의 뜻 이외에 일을 척척 처리해 나가는 것을 암시함: the prompt *dispatch* of the matter (신속하고 기민한 일의 처리).

has·ten** [héisən] *vt.* 서두르게 하다, 재촉하다, 빠르게 하다, 촉진하다. —— *vi.* [動/+副/+前+名/+*to* do] 서두르다, 서둘러 가다(hurry): He ~*ed downstairs*[to*** school]. 그는 급히 계단을 내려갔다[학교에 갔다] / I ~ *to* reply to your letter. 급히 당신의 편지에 회답을 드립니다.

***hást·i·ly** *adv.* 서둘러서, 급히, 다급하게(hurriedly); 허둥지둥, 경솔하게(rashly).

hást·i·ness *n.* Ⓤ 황급; 경솔; 성급, 조급.

Has·tings [héistiŋz] *n.* 헤이스팅스. **1 Warren** ~ (1732-1818) 초대 인도 총독(1773-85). **2** 영국 Sussex 주 남동해안의 항구 도시.

hasty** [héisti] *a.* [+前+do*ing*] 급한, 급속한; 황망한, 경솔한; 성급한, 성마른: a ~ conclusion 속단, 지레 짐작 / a ~ departure 황급한 출발 / ~ words 경솔한 언사 / Let us not be too ~ ***in condemn*ing* him for it. 너무 속단해서 그 일로 그를 책망해서는 안된다.
〖OF (*haste, -ive*)〗

hásty púdding *n.* **1** 《美》 (옥수수의) 진한 죽. **2** 《英》 즉석 푸딩《우유나 물을 덥게 하여 휘저으면서 서서히 밀가루를 넣어서 만듦》.

◇hat [hǽt] *n.* **1** 모자《테가 있는 것; cf. CAP[1], BONNET》. **2** 추기경(cardinal)의 빨간 모자; 추기경(樞機卿)의 직[지위]. **3** (특별한 모자로 상징되는) 지위. **4** 《俗》 뇌물, 뇌물 수수. **5** 《美俗》 쓸모없는 철도원, 늙어빠진 철도원. **6** 《美俗》 여자, (특히) 처, 걸 프렌드; 《俗》 (성적으로) 몸가짐이 헤픈 여자.
(***as***) ***black as*** one***'s hat*** 새까만, 새까맣게.
at the drop of a hat ☞ DROP.
by this hat 맹세코.
hang up one***'s hat in another's house*** ☞ HANG.
hat in hand 모자를 손에 들고; 공손히, 굽실거

리며.
have*[*throw, toss*] one*'s hat in the ring (다툼·경쟁에) 참가할 뜻을 알리다 ; 공직에 입후보하다.
I'll eat my hat if... ☞ EAT.
My hat! 《俗》 이런!, 어머나!
pass*[*send*] *round the hat*=*go round with the hat 기부[희사]를 바라며 돌다.
raise*[*take off, touch*] one*'s hat 모자를 올리고[벗고, 에 손을 대고] 인사하다〈*to*〉.
take one***'s hat off to*** …의 성공[우월]을 인정하다.
talk through one***'s hat*** 《口》 큰소리치다, 허튼[터무니없는] 소리를 하다.
throw one***'s hat in the air*** 크게[날뛰며] 기뻐하다.
under one***'s hat*** 《口》 비밀리에, 남몰래 : Don't tell it to anybody ; keep it *under* your ~. 누구한테도 말하면 안돼, 비밀로 덮어 두는 거야.
wear more than one hat 몇 가지 분야에서 자격이 있다.
wear two hats 두 가지 일을 하다, 두 가지 역할을 하다.
—— *vt.* (**-tt-**) …에게 모자를 씌우다.
〖OE *hætt* ; cf. HOOD¹, ON *höttr* hood〗

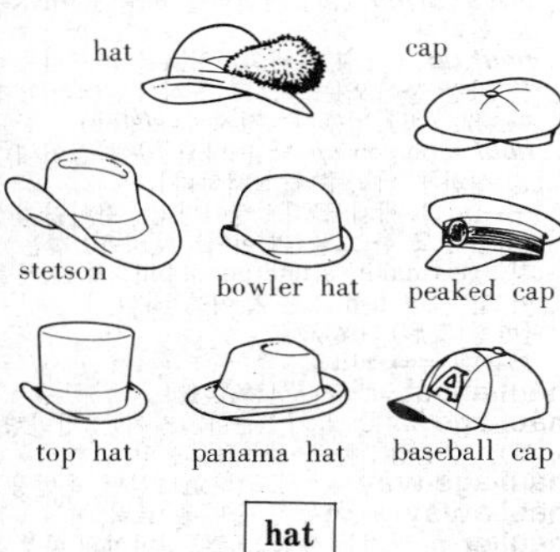

hat

hatable ☞ HATEABLE.
hát·bànd *n.* 모자의 운두 하부에 두른 리본 ; 모자에 두른 상장(喪章).
hát·blòck *n.* 모자의 골[목형(木型)].
hát·bòx *n.* 모자 상자.
hát·brùsh *n.* (실크 모자용) 모자 솔.
hát·càse *n.* =HATBOX.
hatch¹ [hǽtʃ] *vt.* **1** (알을) 까다, 부화하다 : ~ an egg 알을 까다 / A hen ~*es* chickens. 암탉은 병아리를 깐다 / count one's chickens before they are ~*ed* ☞ CHICKEN 숙어. **2** 《비유》 (음모 따위를) 획책하다, 꾸미다(contrive). **3** 《口》 아이를 낳다.
—— *vi.* (알이) 부화되다 : How many chickens have ~*ed* this morning? 오늘 아침에는 병아리가 몇마리 부화되었습니까.
—— *n.* 부화 ; 한 배(의 병아리)《따위》.
hatches, catches, matches, and dispatches 《戲》 (신문의) 출생·약혼·결혼·사망의 통지란.
〖ME *hacche* <? OE 《美》 *hæccan* ; cf. MHG *hecken* (of birds) to mate, Swed. *häcka* to hatch〗
***hatch²** *n.* **1 a)** 〖海〗 (갑판의) 승강구 뚜껑(trapdoor) ; =HATCHWAY. **b)** 해치, 반문(半門), 쪽문(wicket) ; 바닥창, 천장창. **2** 통발의 뚜껑 ; 수문(水門) (floodgate).
under hatches 〖海〗 갑판 밑에(below deck) ; 비번으로 ; 갑판밑에 벌(罰)로 감금되어 ; 의기 소침해서 ; 《비유》 매장되어, 죽어서.
〖OE *hæcc* ; cf. MDu. *hecke* trapdoor〗
hatch³ *vt.* **1** 〖製圖·彫〗 …에 가느다란 평행선을 긋다[새기다], (가는 선으로) 음영(陰影)을 넣다. **2** 〖建〗 교차된 평행선 무늬를 넣다. —— *n.* 〖製圖·彫〗 (가는 평행선을 그어서 낸) 음영 ; 〖建〗 교차된 평행선 장식. 〖F *hacher* to HASH¹〗
hàtch·abílity *n.* 부화할 수 있음 ; 부화율.
hátch·able *a.* 부화할[될] 수 있는.
hátch·bàck *n.* 해치백《차체 후부에 위로 열리게 되어 있는 큰 문짝이 (경사지게) 달려 있는 자동차 ; 그 차체 후부》.
hátch-bòat *n.* 갑판 전체가 창구(艙口)로 된 화물선의 일종 ; 반(半) 갑판의 어선.
hát·chèck *a.* (모자 따위의) 휴대품 보관의 : a ~ girl 휴대품 보관소 여직원.
hátched mòulding *n.* 〖建〗 마름모 장식.
hatch·el [hǽtʃəl] *n.* (삼·아마 따위를 훑는) 쇠빗(hackle). —— *vt.* (**-l-** | **-ll-**) (아마·삼을) 훑다, 빗기다.
hátch·er *n.* 알을 까는 새[동물], 알 품은 닭 ; 부란기(incubator) ; 음모를 꾸미는 사람.
hátch·ery *n.* (물고기·병아리의) 인공 부화장.
hatch·et [hǽtʃət] *n.* 자귀《손도끼》(small ax) ; (북미 인디언의) 전부(戰斧) (tomahawk).
bury the hatchet 화목하다.
take*[*dig*] *up the hatchet 싸움을 시작하다.
throw*[*fling, sling*] *the hatchet 허풍떨다.
throw the helve after the hatchet ☞ HELVE.
〖OF *hachette* (dim.) < *hache* ; ⇨ HASH¹〗
hátchet fàce *n.* 갸름하고[여위고] 뾰족한 얼굴(의 사람).
hátchet-fáced *a.* 얼굴이 야위고 뾰족한.
hátchet jòb *n.* 《口》 욕, 비방, 헐뜯기 ; 《美俗》 (종업원의) 해고.
hátchet màn *n.* 살인 청부업자 ; 달갑지 않은 일을 맡아 처리하는 부하 ; (중상적 기사를 쓰는) 독설 기자 ; 비평가.
hátchet·ry *n.* 손도끼 사용법 ; (예산 따위의) 삭감(공작).
hátch·ing *n.* Ⓤ 〖製圖〗 선영(線影) (긋기).
hátch·ment *n.* 상중 문표(喪中紋標) (achievement)《마름모꼴의 검은 틀 속에 죽은 사람의 문장(紋章)을 넣은 것으로 문앞이나 묘 앞에 걺》.
hátch·wày *n.* 〖海〗 승강구, 해치, 창구(艙口)《갑판에 설치한 구멍 ; cf. HATCH² 1 a)》.
‡**hate** [héit] *vt.* [+目 / +*to* do / +do*ing* / +目+*to* do / +目+do*ing*] 미워하다, (몹시) 싫어하다 ; 《口》 (…하는 것을) 유감으로 생각하다(regret) : Do good to those who ~ you. 자기를 미워하는 자에게 친절을 베풀어라 / I ~ *to* disturb you. 방해가 되어 참으로 죄송합니다 / I ~ get*ting* to the theater late. 극장에 늦게 가는 것은 싫다 / Mother ~*s* my cut*ting* potatoes with a knife. 어머니는 내가 칼로 감자를 깎는 것을 싫어합니다 / She ~*d* her husband *to* use such vulgar words. 그녀는 남편이 그러한 저속한 말을 쓰는 것을 싫어했다 / I ~ him *to* be scolded. 그가 꾸지람을 듣는 것은 싫다 / I ~ anyone talk*ing*[~ *to* have

anyone talk] shop at a party. 파티에서 누구든지 자기 장사 이야기만 하는 것은 질색이다.
hate** a person**'s guts ☞ GUT.
── *n.* **1** Ⓤ 미움, 증오, 적의. 注 HATRED 보다도 일반적인 감정을 뜻하는 때가 많고 보다 더 추상적이며 보다 더 문어적임 : love and ~ 사랑과 미움, 애증(愛憎) / be filled with ~ *for*... (적 등)에 대해 증오심으로 가득 차 있다, …을 마음속으로부터 미워하다. **2** Ⓒ《文語》증오의 대상, 싫어하는 사람.
〖(v.) OE *hatian* ; (n.)〈(v.) and ON *hatr*〗
類義語 ***hate*** 일반적인 말 ; 강한 혐오 또는 적의(敵意)를 품다 ; 상대편에게 악의를 품고 뭔가 위해를 가하고자 하는 기분을 암시하는 수도 있음. ***dislike*** 보다 더 의미가 강하나 detest, abhor, loathe 보다는 약함. ***detest*** 싫은 사람 또는 사물에 대하여 경멸감을 포함한 강한 혐오를 나타냄. ***despise*** 싫은 사람 또는 사물을 몹시 경멸하여 얕보다. ***abhor*** 소름이 끼칠[메스꺼울] 정도의 강한 혐오감을 갖다. ***loathe*** 극히 강한 증오를 느낄 정도로 몹시 싫어하다.

háte·able, hát·able *a.* 미워할 만한, 밉살스러운, 싫은.
háte·ful *a.* 미워할 만한, 싫은, 지겨운 ;《稀》증오[악의]에 찬. **~·ly** *adv.* 밉살스러울 정도로, 지겹게. **~·ness** *n.* 미움, 지겨움.
háte·mònger *n.* 남에게 증오·편견 따위를 갖게 하는 사람, 선동자.
háte shèet *n.* (인종·국가·종교 따위에) 편파적 증오심을 나타내는 신문[간행물].
hát·fùl *a., n.* (*pl.* **~s**) 모자에 하나 가득(한)〈*of*〉.
hath [*v.* hæθ, *auxil. v.* həθ, hǽθ] *v., auxil. v.*《古·詩》HAVE의 직설법 3인칭 단수 현재형.
hát·less *a.* 모자가 없는, 모자를 안 쓴.
hát móney *n.* 선장(船長) 사례금(primage).
hát·pèg *n.* 모자걸이 (못).
hát·pìn *n.* (여성 모자의) 고정 핀.
hát ràck *n.* 모자걸이.
hát·ràil *n.* (벽에 붙인) 모자걸이.
***ha·tred** [héitrəd] *n.* **1 a)** Ⓤ,Ⓒ (혐오·원한 따위에 의한) 미움, 증오〈*of, for*〉. 注 HATE보다도 개인적이며 구체적인 경우에 쓰이는 수가 많음. **b)** Ⓤ,Ⓒ (집단적인) 증오, 적의. **2**《口》몹시 싫어함.
have a hatred of[***for***] …을 증오하다 ;《口》…이 몹시 싫다 : The author *had* a violent ~ *of* hypocrisy[hypocrites]. 작자는 위선[위선자]에 대하여 심한 증오심을 갖고 있었다.
in hatred of …을 증오하여[미워한 나머지].
〖HATE (n.), *-red* (OE *rǣden* condition)〗
hát sìze *n.* 모자의 사이즈 : short of ~《俗》지혜가 모자라는, 바보의.
hát·stànd *n.* 모자걸이 대(臺).
hát·ted *a.* 모자를 쓴.
hát·ter *n.* 모자 제조인 ; 모자 장수.
(***as***) ***mad as a hatter***《口》완전히 미쳐서 ; 몹시 성이 나서.
hátter's shákes *n.* [보통 단수취급] 수은 중독증(症).
hát·ting *n.* 모자 제조업 ; 제모 재료.
hát trèe *n.* (나뭇가지 모양의) 모자걸이.
hát trìck *n.* 〔크리켓〕투수가 연달아 타자 셋을 아웃시키기 ;〔蹴〕혼자서 3골을 넣기.
Hat·ty [hǽti] *n.* 여자 이름《Harriet, Harriot의 애칭(愛稱)》.
hau·berk [hɔ́ːbəːrk] *n.* (중세의) 쇠사슬 갑옷.
haugh [hɑ́ːf, hɑ́ːx, hɔ́ːx] *n.*《스코》강변 저지(低地)의 (목)초지 ; 평탄한 충적지(沖積地).
〖OE *healh* corner of land〗
háugh·ti·ly *adv.* 오만하게, 건방지게.
haugh·ty [hɔ́ːti, hɑ́ː-] *a.* 오만한, 건방진, 불손한(arrogant). **-ti·ness** *n.* Ⓤ 오만, 불손.
〖C16 *haught, haut*<OF<L *altus* high ; *-gh-*는 *naughty* 따위의 유추〗
類義語 ⟹ PROUD.

haul [hɔ́ːl] *vt.* **1** [+目/+目+副/+目+前+名] 세게 끌다, 끌어[잡아]당기다 ; 질질 끌고 가다 : The fishermen were ~*ing* ***in***[***up***] the net. 어부들은 그물을 잡아당기고[당겨 올리고] 있었다 / The horses ~*ed* the logs ***to*** the mill. 말들이 통나무를 제재소까지 끌고 갔다 / Let's ~ the boat *up on* the beach. 보트를 해변으로 끌어올리자. **2** 차로 나르다, 수송하다, 운반하다 ;〔海〕(배의) 방향을 돌리다. ── *vi.* **1** [+前+名] 끌어당기다(pull) : ~ ***at***[(***up***)***on***] a rope 밧줄을 (힘껏) 끌다. **2** [動/+副/+前+名]〔海〕침로를 바꾸다 ; (바람이) 바뀌다 : The sailboat ~*ed* ***round***[***into*** the wind]. 그 범선은 (바람 방향으로) 뱃머리를 돌렸다.
haul down one***'s flag***[***colors***] 기를 내리다, 항복하다.
haul a person ***over the coals*** ☞ COAL *n.*
haul to[(***up***)***on***] ***the wind***=***haul the***[***her,*** one***'s***] ***wind***〔海〕뱃머리를 바람 불어오는 쪽으로 돌리다.
haul up (1)〔海〕(배의) 침로를 바꾸다 ; 뱃머리를 바람 불어오는 쪽으로 돌리다 ; (배가) 정지하다. (2)《美》멈추다, 정지하다(stop).
haul a person ***up*** 남을 상관 앞에 끌어내다 ; 남을 심하게 타박주다[질책하다].
── *n.* **1** 세게 끌기 ; 끌어당김, 잡아당김 ; 운반(거리). **2** 한 그물(의 어획) ;《비유》잡은 것, 번 것 : get[make] a fine[good, big] ~ 고기를 많이 잡다〈*of* fish〉; 큰 벌이를 하다.
〖변형(變形)〈HALE²〗
類義語 ⟹ PULL.

hául·abòut *n.* 급탄선(給炭船).
hául·age *n.* Ⓤ 끌기 ; 운반 (장치) ; 견인량(牽引量), 견인력 ; 화차 사용료, 운임.
hául·age·wày *n.* 갱도(坑道)《석탄 운반용》.
hául·awày *n.* 자동차 운반용 트럭.
hául·er *n.* 당기는 사람 ;《英》짐마차의 마부 ; 갱내(坑內)의 석탄통을 나르는 인부 ; 화물 운송 회사 ; 화물 자동차.
haul·ier [hɔ́ːljər] *n.*《英方》=HAULER.
haulm [hɔ́ːm] *n.* (콩·감자·곡물 따위의) 줄기 ; (곡물 따위를 타작한 뒤의) 짚《가축의 깔짚·지붕의 이엉으로 씀》. 〖OE *h*(*e*)*alm* ; cf. G *Halm*〗
haulyard ☞ HALYARD.
haunch [hɔ́ːntʃ, 美+hɑ́ːntʃ] *n.* (사람·네 발 짐승의) 엉덩이(hip) ; (식용으로서의) 동물의 다리와 허리 부분 : The dog sat on his ~*es.* 개는 궁둥이를 바닥에 대고 앉았다.
〖OF<Gmc. ; cf. LG *hanke* hind leg of horse〗
háunch bòne *n.* 허리뼈, 무명골(hipbone).
***haunt** [hɔ́ːnt, 美+hɑ́ːnt] *vt.* **1** …에 자주 가다, …에 자주 드나들다(frequent). **2** (유령 따위가 어떤 장소에) 나타나다, …에 출몰하다 ; …에 늘 붙어다니다, 괴롭히다(obsess), …의 뇌리를 떠나지 않다 : Everyone was ~*ed* by the fear of war. 누구나 전쟁의 공포에 시달렸다.

〈회화〉
This house is *haunted.* — You're kidding.「이 집에는 유령이 나와요」「농담이겠지」

—— *vi.* 《稀》 자주 나타나다, 귀찮게 따라다니다.
—— *n.* [흔히 *pl.*] 끊임없이 출입하는 장소, 근무처 ; (동물 따위가) 잘 나오는 장소, 서식지 ; (범인 등의) 소굴 ; 《方》 유령 : the favorite ~*s* of crickets 귀뚜라미가 흔히 있는 곳.
〖OF<Gmc. ; cf. OE *hāmettan* to give HOME to〗

háunt·ed *a.* **1** 유령이 나오는 : a ~ house 유령 [도깨비]이 나오는 집. **2** 무엇에 홀린 사람처럼 ; 뭔가 걱정하고 있는 것 같은, 고민하고 있는.

háunt·er *n.* 자주 오는 사람, 단골 ; 유령.

háunt·ing *a.* 때때로 마음속에 떠오르는, 잊을 수 없는. —— *n.* 자주 방문하기 ; (유령 따위의) 출몰. **~·ly** *adv.*

Haus·frau [háusfràu] *n.* 주부, 가정적인 여성, (건강한) 가정 주부. 〖G=housewife〗

haut·bois, -boy [hóubɔi] *n.* 《古》 〖樂〗=OBOE. 〖OF (*haut* high, *bois* wood)〗

haute [óut], **haut** [óut, óu] *a.* 고급의(high-class), 고상한, 격조 높은 ; 상류(사회)의. 〖F ; ⇨ HAUTEUR〗

haute cou·ture [*F* o:t kuty:r] *n.* (새 유행을 창출하는) 고급 양복점 ; 고급 양재(기술). 〖F=high sewing〗

haute cui·sine [*F* o:t kɥizin] *n.* 고급(프랑스) 요리(법).

haute école [*F* o:tekɔl] *n.* 고등 마술(馬術). 〖F=high school〗

hau·teur [houtə́:r, hɔ:- ; *F* otœ:r] *n.* 《文》 거만, 불손. 〖F (*haut* high)〗

haute vul·ga·ri·sa·tion [*F* o:t vylgarizasjɔ̃] *n.* 난해하고 복잡한 것의 대중화.

haut goût [*F* o gu] *n.* 양념맛이 살아있는 맛 ; (고기가) 꼭 먹기 좋게 된 맛.

haut monde [*F* o mɔ̃:d] *n.* 상류 사회.

Ha·vana [həvǽnə] *n.* 아바나《쿠바(Cuba) 공화국의 수도》; Ⓒ 아바나 여송연. —— *a.* 아바나의 ; 쿠바산(産)[제]의.

◇have [hǽv]

> (1) 본동사로서의 have의 기본 뜻 : 「가지고 있다, 소유하다」
> (2) 「가지고 있다」의 뜻일 때는 진행형도 수동형도 쓰지 않는다.
> (3) 조동사로서의 have는 완료형을 만든다.
> ① have+과거분사 — 현재완료형
> ② had+과거분사 — 과거완료형
> ③ will+have+과거분사 — 미래완료형

—— *vt.* (**had** [hǽd] ; 3인칭 단수 현재형 **has** [hǽz] ; 《古》 2인칭 단수 현재형(thou) **hast** [hǽst], 그 과거형(thou) **hadst** [hǽdst] ; [구어 단축형] **I've** [aiv](I have), **he's** [hi:z](he has), **I'd** [aid](I had) 따위 ; [단축 부정형] **haven't** [hǽvnt], **hasn't** [hǽznt], **hadn't** [hǽdnt]).

A 이하 1-4의 의미에서 《英》에서는 [의문·부정] 따위에 Have you...?, I have not....의 어순, 《美》에서는 *Do* you *have*...?, I *do* not *have*....로 조동사 *do*를 사용함. 또 이러한 뜻의 have는 진행형에는 쓸 수 없음. ㊟ 《美》에서는 일반적으로 조동사 do를 쓰는데 《英》에서는 (a) 상습적인 것에는 do를 쓰고, (b) 특정의 경우에는 do를 쓰지 않음 : (a) *Do* you ~ much time for chess every day? 매일 체스를 둘 시간이 많습니까 / (b) *H*~ you (*got*) time for a game of chess this evening? 오늘 저녁 체스를 한 판 둘까요.

1 가지다, 갖고 있다, 소유하다(own, possess) : *Do* you ~ [*H*~ you] any money *with*[*on*, *about*] you? 돈좀 가진 것 있습니까 / I *did*n't ~ [*had*n't] time to see her. 그녀를 만날 시간이 없었다. ㊟ 보통은 수동태에 쓸 수 없으나 특히 'obtain'을 뜻하는 경우에 수동태로 되는 수도 있음 : Is this book to *be had* in Korea? 이 책은 한국에서 입수할 수 있습니까 / There was nothing to *be had* at that store. 그 가게에서 살 것은 아무 것도 없었다.

2 …이 있다 : This room *has* five windows. 이 방에는 창문이 다섯 개가 있다(There are five windows in this room.) / How many months *does* a year ~ [*has* a year]? 1년은 몇 개월입니까 / The book *had* a chapter on cooking. 그 책에는 요리에 관한 장이 있다.

> **there is**구문이나 **be**동사 구문으로의 문장 전환
> He *has* blue eyes. → His eyes are blue.
> (그는 파란 눈을 하고 있다.)
> This house *has* five bedrooms.
> → There are five bedrooms in this house.
> (이 집에는 침실이 다섯 개 있다.)

3 [특질·상태 따위를 나타내어] : *Does* she ~ [*Has* she got] brown hair? 그녀의 머리는 갈색입니까 / I ~ a bad memory for names. 이름을 잘 기억하지 못한다.

4 [+*to* do] (…)하지 않으면 안되다 : I always ~ *to* work hard. 언제나 열심히 일하지 않으면 안된다(I must always work hard.) / 《美》 *Do* you *have to* go? (=《英》 *Have* you *got to* go?) 가지 않으면 안되느냐 / You *don't* ~ [*haven't*] *to* work so hard. 그렇게 열심히 일하지 않아도 된다(You need not work so hard.) / You ~ only *to* see him enjoy his bath to realize he has a real passion for cleanliness. 목욕을 자주하는 것만 보아도 그가 매우 청결을 좋아한다는 것을 알 수 있다. ㊟ (1) 보통 have to는 [hǽftə(자음의 앞), hǽftu(모음의 앞)], has to [hǽstə(자음의 앞), hǽstu(모음의 앞)]라고 발음됨. (2) have to는 must보다도 객관적인 사정에 따른 필요성을 나타내는데 적합 ; have not to와 must not의 차이에 주의. (3) cf. : I ~ *to* do something. 무슨 일이든 하지 않으면 안된다 / I ~ something *to* do. 뭔가 할 일이 있다. (4) 《英》에서는 (a) 상습적인 일에 do를 쓰고, (b) 특정의 경우에는 do를 쓰지 않고 구별하는 수가 있음 : (a) We *don't* ~ *to* work on Saturday afternoons. (으레) 토요일 오후에는 일을 안해도 된다 / (b) We ~n't *to* work this afternoon, because it's Saturday. 토요일이기 때문에 오늘 오후는 일을 안해도 된다.

> **have only to**의 문장 전환
> You *have only to* follow her advice.
> (그녀의 충고를 따르기만 하면 됩니다.)
> → *All* (*that*) you *have to do* is (to) follow her advice. (직역 : 네가 해야 할 모든 것은 그녀의 충고를 따르는 일이다.)

B 이하 5-10의 의미에서는 《美》《英》 모두 조동사 do를 씀 : *Do* you ~ a bath every day? 매일 목욕을 하십니까 / *Did* you ~ a good time? 유쾌히 지내셨습니까 / How often *do* you ~ your hair cut? 얼마나 자주 이발을 하십니까《이러한 뜻의 have는 진행형에도 쓰임》.

5 겪다(experience), (병을) 앓다 : ~ an adventure 모험을 하다 / ~ a game 한 판의 승부를 겨

루다 / ~ a good[bad] time 즐겁게 시간을 보내다[혼이 나다] / ~ a slight[bad] cold 가볍게[심하게] 감기(感氣)에 걸리다 / *Do* you often ~ headaches? 당신은 자주 두통이 납니까《cf.《英》 *H*~ you (*got*) a headache? (지금) 머리가 아픕니까(☞ 3)》.
6 a) 잡다, 받다, 얻다, 획득하다; (음식을) 먹다, 마시다, 섭취하다(take) : We *don't* ~ lessons on Saturday afternoons. 토요일 오후에는 수업이 없다 / Nothing venture, nothing ~. ☞ NOTHING *pron.* 1 / Will you ~ another cup of tea? 차 한잔 더 드시지 않겠습니까 / He is *having* breakfast. 아침 밥을 먹고 있는 중입니다 / What *did* you ~ for supper? 저녁 식사에는 무엇을 드셨습니까 / I *didn't* ~ anything to eat. 음식이라고는 아무것도 입에 대지 않았다《cf.《英》 I *hadn't* anything to eat. 먹을 것이라고는 아무것도 없었다(☞ 1)》/ ~ a bath[holiday] 목욕하다[휴가를 얻다]. **b**) [hæv] [동사형을 그대로 목적어로 하여 (1회의) 동작을 나타냄] : ~ a dance 춤추다(=dance) / ~ a drink (한잔을) 마시다(=drink) / ~ a swim 헤엄치다(=swim) / ~ a look (한 번) 보다(=look) / Let's ~ a try. 한 번 해보자.
7 [+目+補/+目+do*ing*/+目+副] (어떤 상태로) 해 두다, …시키다 : I want to ~ my room clean and tidy. 내 방을 청결하게 정돈해 두고 싶다 / I won't ~ you smok*ing* at your age. 네 나이에 담배를 피우는 것은 바라지 않는다 / Let me ~ it *back* soon. 곧 돌려 주시오.
8 [+目+過分] **a**) [사역] …시키다, …해 주도록 하다(cf. 9 a)) : When *did* you last ~ your hair cut? 언제 이발을 했지 / I *had* my composition correct*ed* by our teacher. 작문을 선생님께서 교정해 주셨다. **b**) [수동] …되다 : He *had* his ankle dislocat*ed*. 그는 발목을 삐었다 / I *had* my hat blown off. 모자가 날라갔다. **c**) (어떤 상태로) 해 두다[보유하다] : He *had* little money left in his purse. 그의 지갑에는 돈이 거의 남아있지 않았다 / They *had* a chart spread on the table. 그들은 해도(海圖)를 책상 위에 펼쳐 놓고 있었다.
9 [+目+原形] **a**) [사역] (남에게) 시키다, …을 하게 하다(cf. 8 a)) ; [will, would를 수반하여] 기필코 …하게 하다 : *H*~ him come(=Get him to come) early. 그를 일찍 오게 하라 / My wife would ~ me buy that television set. 처는 어떻게 하든 나에게 그 텔레비전을 사게 하려고 했다. **b**) (남에게) …을 허용하다(allow…to) : I won't ~ you say such things. 너에게 그런 말을 듣고 싶지 않다. **c**) [수동] (남에게) …당하다 : I don't like to ~ somebody else tell me I ought to do this thing and that. 남으로부터 이 일을 해라 저 일을 해라 하는 잔소리를 듣고 싶지 않다.
10 [won't 뒤에서] 허용하다, 내버려두다(allow) : John *won't* ~ any noise while he is reading. 존은 책을 읽을 때에는 (주위에서) 바스락하는 소리도 용납하지 않는다.
11 a) 《俗》 속이다(take in) : You have been *had*. 너는 속았다. **b**) 《口》 (경기·토론 따위에서) 지게 하다(defeat) ; 억누르다 : I *had* him there. 그 점에서 그를 이겨냈다.
had as good [***well***] do ☞ HAD.
had better [***best, rather, sooner, soonest***] do ☞ HAD.
have a baby 아이를 낳다.
have*...*about one …을 몸에 지니다, 수중에 가지고 있다 : I ~ no money *about* me. 지금 가진 돈이 없다.
have and hold 〖法〗 보유하다.
have at …을 공격하다, …에게 덤벼들다.
Have done! [명령] 중지(Stop!).
have done with ☞ DO.
have a person ***down*** (도회지 따위에서 온) 사람을 손님으로 모시다(cf. HAVE a person *up*).
have had it 《口》 당했다, 이젠 틀렸다, 죽었다 ; 《口》 이젠 때늦었다[용서할 수 없다] ; 《口》 한창때가 지났다 ; (차 따위가) 써서 낡아지다, 고물차가 되다 ; 《美俗》 이젠 많다[지긋지긋하다].
have in (1) (사람을 집·방에) 들여보내다 : We are going to ~ the painters *in*. 페인트 칠하는 사람을 집으로 부르려고 한다. (2) (물건을 집에) 저축해 두다, 사 두다.
have it (1) 이기다 : The ayes ~ *it*. 찬성자가 다수다. (2) 《俗》 따끔한 맛을 보다, 꾸지람 듣다 : Let him ~ *it*. 그 녀석을 혼내주자. (3) 표현하다, 말하다, 확언하다, 주장하다(maintain) : Rumor *has it* (=says) *that* …라는 소문이다 / They will ~ *it* so. 그들은 끝까지 그렇게 주장하겠지 / As Kant *has it*…. 칸트가 말한 것처럼….
have it coming 《美》 (상·벌을) 받을 만하다, 그것은 당연한 보답이다(deserve it) : I *had it coming*. 이렇게 되는 것이 당연했다《자신이 나빴으므로》.
have it in for... 《美口》 …에게 원한을 품다.
have it out 서슴없이 말하다 ; 토론에서 결말짓다 〈*with* a person〉.
have it out of a person 남에게 앙갚음[보복]을 하다, 남을 벌을 받게 하다.
have it over …보다 유리하다.
Have it your own way. (더 이상 상관하지 않겠으니) 네 마음대로 해라.
have nothing on... 《美》 …보다 조금도 나은 것이 없다.
have on (1) (옷·모자·구두 따위를) 입고[쓰고·신고] 있다. (2) (의무를) 띠고 있다 : This afternoon I ~ [I've got] a lecture *on*. 오늘 오후는 강의가 있다.
have something on... 《美》 …의 약점을 쥐고 있다.
have to do with... ☞ DO[1].
have*...*to do with... ☞ DO[1].
have*...*to one***self*** …을 자기의 것으로 가지다, 사유(私有)하다.
have a person ***up*** (1) (시골 등지에서 온) 사람을 손님으로 맞아들이다(cf. HAVE a person *down*). (2) 《口》 남의 책임을 묻다 ; [보통 수동태로] 남을 고소하다 : I'll ~ him *up for* breach of promise. 그의 위약(違約)에 대한 책임을 따지겠다 / be *had up for* murder 살인 혐의로 피소(被訴)되다.

〈회화〉
Do you *have* any money with you? — A little. Why? 「돈 좀 가지고 있니」「약간. 왜」

── [hǽv] *n.* **1** 《口》 [보통 *pl.*] 유산자(有産者) ; 〖政〗 (자원·핵 따위를) 가진 나라, 부유한 나라 : the ~*s* and the ~-nots 유산자와 무산자 ; 부유한 나라와 빈곤한 나라(cf. HAVE-NOT). **2** 《英俗》 사기, 사취.
── [(모음 뒤에서) v, (기타는) əv, (어군의 처음에서는) hæv 또는 həv, hǽv] *auxil. v.* (**had** [hæd, əd, hǽd] ; 3인칭 단수현재형 **has** [həz, əz, hǽz], 《古》 **hath** [həθ, hǽθ] ; 《古》 2인칭 단수현재형(thou) **hast** [*h*əst, st, hǽst], 그것의 과거

(thou) **hadst** [hədst, hǽdst] ; [구어의 단축형] **I've** [aiv] (I have), **he's** [hi:z] (he has), **I'd** [aid] (I had) 따위 ; [단축 부정형] **haven't** [hǽvnt], **hasn't** [hǽznt], **hadn't** [hǽdnt] ; [현재분사·동명사형] **having** [hǽviŋ]) **a**) [현재완료] I ~ [I've] *done* it. 그것을 했다[해치웠다] / He *has*[He's] *gone.* 그는 갔다[가버렸다]《가고 없다》/ *H*~ you *done* it? 당신은 그것을 했습니까 —Yes, I ~ (done it). 네, 했습니다. —No, I ~*n't.* 아니오, 하지 못했습니다 / She *has not* [*hasn't*] *seen* it. 그녀는 아직 그것을 본 적이 없다 / This is the biggest animal that I ~ ever *seen.* 이것은 내가 이제까지 본 중에서 제일 큰 동물이다 / He *has been* all over the world. 그는 세계 도처에 안 가본 데가 없다 / *H*~ you *been* to see the new film?—No, I ~*n't been* yet. 새로운 영화를 보러 갔었습니까 —아니오, 아직 안 가봤습니다 / We ~ *known* each other for ten years. 서로 알고 지낸 지가 10년이 되었다 / I ~ [I've] *been* learning English for five years. 나는 영어를 배우기 시작한 지 5년 되었다. **b**) [과거완료] I *had*[I'd] *done* it when he came. 그가 왔을 때 나는 이미 그것을 끝냈다 / *Had* he *finished* it when you saw him? 네가 봤을 때 그는 이미 그것을 끝냈더냐 —Yes, he *had.* 네, 이미 끝낸 후였습니다 —No, he *hadn't.* 아니오, 아직 끝내지 못했었습니다 / That was the smallest fish that I *had* ever *seen.* 그것은 여태까지 내가 본 중에서 가장 작은 물고기였다 / [가정] *Had* I *known* it, ... 만약 그것을 알고 있었더라면…(If I had known it, ...). **c**) [미래완료] I *shall*[He *will*] ~ *written* the letter by the time she comes back. 그녀가 돌아올 때까지는 나는[그는] 편지를 다 써 놓고 있을 것이다. **d**) [having+동사의 과거분사] [분사구문] *Having written* the letter, he went out. 그는 편지를 다 쓰고 나서 외출했다 / [동명사] I regret *having been* so careless. 난 그렇게 부주의했던 것을 후회하고 있다.

have got 《口》(1) [본동사의 have와 같은 뜻] 가지고 있다 : I ~ [I've] *got* it. 그것을 가지고 있다 / I ~*n't got* it. 가지고 있지 않다(=《美》 I don't ~ it.) / *H*~ you *got* it? 그것을 가지고 있습니까 (=《美》 Do you ~ it?). (2) [+*to* do] …하지 않으면 안되다(=have to do ☞ HAVE *vt.* 4) : *H*~ you *got to* go home before dark? 어둡기 전에 돌아가지 않으면 안됩니까. ㊟ have got은 특히 《英口》에서는 HAVE *vt.* 1-4의 뜻으로 대용됨 ; 일반적으로 have got (to)는 have (to) 보다 강조적임.

〈회화〉
Where *have* you been?—I *have* been to the bookstore. 「어디 갔었니」「책방에」

〖OE *habban* (*hav*-의 형은 cf. live, love) ; cf. HEAVE, G *haben*〗

類義語 ***have*** 「가지다, 소유하다」의 뜻으로 가장 일반적인 말(A belongs to B. 라는 관계가 인정됨). ***hold*** 손에 쥐거나 갖고 있다 ; 넓은 뜻으로는 사람 또는 물건을 어떤 장소·상태에 고정시켜 두다 : *hold* a dictionary in one's hand (사전을 손에 쥐고 있다). ***own*** 자기 개인의 소유로 하고 있다 : *own* lands (땅을 소유하다). ***possess*** 원래는 own과 같은 뜻 ; 넓게는 어떤 성질 따위를 가지고 있는 것에 대하여 쓰임 : She *possesses* great charm. (그녀는 대단한 매력을 지니고 있다).

have·lock [hǽvlɑk, -lək] *n.* (군모의 뒤로 늘어뜨린) 햇빛 가리개. 〖Sir H. *Havelock* (d. 1857) 인도에서 공을 세운 영국의 장군〗

ha·ven [héivən] *n.* 항구, 정박소《harbor 보다 문어적》; 《비유》 피난처, 안식처(shelter).
—— *vt.* (배를) 안전한 곳으로 대피시키다.
〖OE *hæfen*<ON ; cf. G *Hafen*〗

háve-nòt [ˊ-ˋ] *n.* 《口》 [보통 *pl.*] 무산자, 자금[재력]이 없는 단체 ; 〖政〗 (자원·핵 따위를) 갖지 못한 나라(cf. HAVE *n.* 1).

‡**have·n't** [hǽvənt] have not의 단축형.

ha·ver [héivər] *n.*, *vi.* 《스코》 객담(을 늘어놓다), 잠꼬대 같은 소리(를 지껄이다). 〖C18<?〗

hav·er·sack [hǽvərsæ̀k] *n.* (군인·여행자의) 어깨에 메는 잡낭(雜囊), 양식 자루.
〖F<G=oats sack (*haber* oats)〗

hav·il·dar [hǽvəldɑ̀:r] *n.* 〖인도軍〗 하사관.
〖Hindi〗

◇**háv·ing** *v.* HAVE의 현재분사. **1** [am / are / is / was / were+having의 형태로 진행형] : He *is* ~ a bath. 그는 목욕중입니다. **2** [분사구문] 가지고 있어서[있으므로] : *H*~ a lot of money, she spends freely. 그녀는 돈이 많으므로 마음대로 쓴다. —— *auxil. v.* [분사구문] : *H*~ done my homework, I went out. 숙제를 끝마치고 나는 외출했다 / *H*~ been ill, he stayed at home. 몸이 불편했으므로 그는 집에 있었다.
—— *a.* 욕심꾸러기의.
—— *n.* Ⓤ 소유 ; [때때로 *pl.*] 소유물, 재산.

***hav·oc** [hǽvək, -ik] *n.* Ⓤ 대파괴, 황폐 ; 대혼란, 대소동 : do[cause, work] ~ 사정없이 때려 부수다, 황폐케 하다.
cry havoc 대파괴의 명령을 내리다 ; 폭력을 교사[선동]하다 ; 대참사의 발생을 경고하다.
play havoc with[***among***]... =***make havoc of*** …을 황폐케 하다, …을 파괴하다, 엉망이 되게 하다.
—— *vt.*, *vi.* (**-ock-**) 황폐케 하다, 붕괴시키다, 파괴하다. 〖AF<OF *havo*(*t*) plunder<? Gmc.〗

ha·vu·rah [xɑ:vú:rɑ:] *n.* (*pl.* **-rot** [xɑ:vu:róut]) 하부라《특히 미국 대학에서의 유태인 친목단체 ; 전통적 유태교회 중심의 활동이나 예배를 대신해서 함》. 〖Heb.〗

haw[1] [hɔ:] *n.* 〖植〗 산사나무(hawthorn)의 열매.
〖OE *haga* ; cf. HEDGE〗

haw[2] *vi.* (말이 막히거나 점잔을 빼느라고 말 도중에) 「에에」라고 하다.
hum and haw ☞ HUM[1].
—— *n.* 「에에」하는 소리. 〖imit. ; cf. HA〗

haw[3] *int.* 《美》 저라《소·말을 왼쪽으로 돌릴 때 지르는 소리 ; ↔*gee*》. 〖C19<?〗

haw[4] *n.* (개·말 따위의) 순막(瞬膜), (특히) 염증을 일으키는 순막. 〖C16<?〗

***Ha·waii** [həwɑ́ji:, -wáiji: ; -wáii:] *n.* **1** 하와이《미국의 한 주, 1959년 미국 50번째의 주로 승격한 하와이 제도 ; 주도 Honolulu》. **2** 하와이 섬《하와이 제도 중 가장 큰 섬》.

Ha·wai·ian [həwɑ́:jən, -wáijən ; -wáiən] *a.* Hawaii의, 하와이인[어]의. —— *n.* 하와이인 ; Ⓤ 하와이어.

Hawáiian guitár *n.* 하와이안 기타.

Hawáiian Íslands *n. pl.* [the ~] 하와이 제도(諸島).

Hawáiian shírt *n.* 〖服〗 화려한 색깔의 반소매 셔츠.

Hawáii tìme, Hawáiian (stándard) tìme *n.* 하와이 표준시《GMT보다 10시간 늦고, 시간대는 Alaska time과 같음》.

háw·finch *n.* 〖鳥〗 콩새.
haw-haw [hɔ́ːhɔ̀ː] *n.* 큰 웃음, 홍소 ; (젠체하며) 반복하여 우물거리는 소리, 에헤 ; [형용사적으로] 젠체하며 우물거리는. ── *vi.* 홍소하다.
──[-∸] *int.* (와)하하. 〖imit.〗
***hawk**[1] [hɔ́ːk] *n.* **1** 〖鳥〗 매. **2** 남을 등쳐 먹는 사람, 욕심많은 사람, 사기꾼(sharper). **3** 《美口》 (분쟁 따위에서) 매파(派)의 사람, 강경론자, 주전론자(↔*dove*). **4** [H~] 〖軍〗 호크《미국제의 중단거리 지대공 미사일》.
know a hawk from a handsaw 판단력[상식]이 있다《Shakespeare의 *Hamlet*에서》.
── *vi.* 매 사냥을 하다 ; 매파로서 행동하다 ; 덤벼들다〈*at*〉. ── *vt.* (사냥감을) 습격하다.
〖OE *h(e)afoc, hæbuc* ; cf. G *Habicht*〗
hawk[2] *vt.* [+目/+目+副] 외치며 팔다, 행상하다 ; 알리며 돌아다니다 : ~ news *about* 소문을 퍼뜨리고 다니다. ── *vi.* 행상을 하다.
〖역성(逆成) ‹ *hawker*[1]〗
hawk[3] *vi.* 헛기침하다. ── *vt.* 헛기침하여 (가래 따위를) 내뱉다. 〖C16 (? imit.)〗
hawk[4] *n.* (미장이의 흙손질할 때 쓰는) 흙받기. 〖C17 < ?〗
háwk·er[1] *n.* 소리치고 다니며 파는 상인, 행상인. 〖C16 < ? LDu. ; cf. HUCKSTER〗
hawker[2] *n.* 매 부리는 사람 ; 날면서 먹이를 잡는 동물[(특히) 곤충]. 〖OE (HAWK[1])〗
háwk·èye *n.* **1** 한 순간도 눈을 떼지 않는 정밀한 검사 ; 시각이 예민한 사람, 미세한 점까지 분별하는 사람, 엄한 검사관. **2** [보통 the H~] 아이오와 주민(Iowan)의 속칭.
háwk-èyed *a.* 눈이 예리한 ; 빈틈없는.
háwk·ing *n.* Ⓤ 매사냥(falconry).
háwk·ish *a.* 매 같은 ; 매파적인, 강경론자의.
háwk·ism *n.* 매파적[강경론적] 경향[태도].
háwk·mòth *n.* 〖昆〗 박각시나방.
háwk-nòsed *a.* 매부리코의.
háwks·bìll (túrtle) *n.* 〖動〗 대모《바다거북의 일종》.
hawk·shaw [hɔ́ːkʃɔː] *n.* [때때로 H~] 《口》 탐정. 〖*Hawkshaw* 영국의 작가 Tom Taylor (d. 1880)의 *The Ticket-of-Leave Man* 속의 탐정〗
háwk·wèed *n.* 조팝나물·쇠서나물《따위》.
hawse [hɔ́ːz] *n.* 〖海〗 이물의 닻줄 구멍이 있는 부분 ; 닻줄 구멍 ; 정박한 배의 이물과 닻과의 수평거리. 〖ME *halse* < ? ON *háls* neck〗
háwse·hòle *n.* 닻줄 구멍.
haw·ser [hɔ́ːzər] *n.* 〖海〗 굵은 밧줄, 배를 매어 두는 밧줄《정박·예항(曳航)용 따위》.
〖OF=to hoist (L *altus* high)〗
háwser-làid *a.* 밧줄을 굵게 꼰.
haw·thorn [hɔ́ːθɔːrn] *n.* 〖植〗 산사나무속(屬), (특히) 서양산사나무(cf. HAW[1]). ㊟ 영국의 시골에 많은 장미과의 관목(灌木) ; 5월에 백색 또는 홍색의 꽃이 펴서 May tree, May flower라고도 함. 〖OE (HAW[1], *thorn*)〗
háwthorn chìna *n.* (중국 따위의) 푸른[검은] 바탕에 매화를 그린 자기(磁器).
Haw·thorne [hɔ́ːθɔːrn] *n.* 호손. **Nathaniel** ~ (1804-64) 미국의 소설가.
Háwthorne effèct *n.* 〖心〗 호손 효과《노동·교육에서 주목받고 있다는 사실만으로 상대에게 일어나는 업적의 향상》. 〖이 효과의 존재가 실험적으로 확인된 미국의 Western Electric사(社) *Hawthorne* 공장에 연유함〗
***hay**[1] [héi] *n.* **1** Ⓤ 말린 풀[꼴], 건초 ; 건초용 풀 ; 《美俗》 마리화나 : Make ~ while the sun shines. 《속담》 햇빛이 비칠 때 풀을 말려라 ; 좋은 기회를 놓치지 마라. **2** (일·노력의) 성과, 보답, 보수 ; 《美口》 [보통 부정 구문으로] 얼마 안되는 돈 ; 《口》 침대.
look for a needle in a bottle[bundle] of hay ☞ NEEDLE.
make hay 건초를 만들다 ; 기회를 살리다.
make hay (out) of …을 혼란시키다, 엉망으로 만들다.
── *vt., vi.* 건초를 만들다[주다] ; (건초용의) 풀을 기르다.
〖OE *hēg, hīeg* ; cf. HEW, G *Heu*〗
hay[2], **hey** [héi] *n.* 헤이《원형을 만드는 컨트리 댄스의 일종》. 〖C16 *haie* < ?〗
háy·bòx *n.* 건초 상자《익힌 음식을 뜸들이는 데 씀 ; 건초를 넣은 상자》.
háy·còck *n.* 《英》 (원뿔형으로 쌓은) 건초[꼴] 더미《이것을 운반하여 haystack을 만듦》.
Hay·dn [háidn] *n.* 하이든. **(Franz) Joseph** ~ (1732-1809) 오스트리아의 작곡가.
háy fèver *n.* 건초열, (특히) 화분증《여름철에 꽃가루로 인해 생기는 코·목구멍 따위의 알레르기성 질환》.
háy·field *n.* 건초밭, 목초장(牧草場).
Háy·flick lìmit [héiflik-] *n.* 〖生〗 헤이플릭 한계《배양기 속에서 세포가 생존하는 한계》. 〖Leonard *Hayflick* (1928-) 미국의 미생물학자〗
háy·fòrk *n.* 건초용 쇠스랑 ; 자동식 건초 적재기(積載機).
háy knìfe *n.* 건초 베는 낫.
hay·lage [héilidʒ] *n.* Ⓤ 헤일리지《저(低)수분 저장 사료》. 〖*hay*+si*lage*〗
háy·lìft *n.* 건초 공수(空輸)《큰 눈으로 고립된 지역의 소·말에게 비행기로 먹이를 투하하기》.
háy·lòft *n.* 건초 두는 다락《대개 마구간·헛간의 이층》.
háy·màker *n.* **1** 건초 만드는 사람[기계]. **2** 《口》 녹아웃 펀치, 강타.
háy·màking *n.* Ⓤ 건초 만들기.
Háy·màrket *n.* [the ~] 런던의 West End 번화가《극장 지구》 ; 시카고의 광장.
háy·mòw *n.* (헛간에 쌓인) 건초 더미 ; (헛간의) 건초 선반.
háy·ràck, -rìg *n.* (선반 모양의) 여물통 ; (건초 따위를 나를 때 짐수레의 주위에 둘러친) 틀 ; 틀이 달린 짐수레.
háy·rìck *n.* =HAYSTACK.
háy·rìde *n.* 《美》 건초를 깐 마차를[썰매를, 트럭을] 타고 가는 소풍《보통 밤에》.
háy·sèed *n.* 풀씨 ; 건초 부스러기 ; 《美俗》 시골뜨기, 농부.
háy·shàker *n.* 《美俗》 시골뜨기.
háy·stàck *n.* 커다란 건초 더미[가리]《비에 썩지 않도록 지붕을 씌워 보존함》.
look for a needle in a haystack ☞ NEEDLE.
háy·wàrd *n.* (가축의 침입을 막기 위해) 울타리를 관리하는 공무원 ; (공유 가축의) 관리인.
háy·wìre *n.* Ⓤ.Ⓒ 《美》 건초를 묶는 철사.
── *pred. a.* 《口》 **1** 장비가 불충분한 ; 얽힌, 뒤섞인, 헝클어진. **2** 머리가 돈, 흥분한 : go ~ 《口》 발광[흥분]하다.
***haz·ard** [hǽzərd] *n.* **1 a)** 위험, 모험(risk). **b)** 우연, 운 ; 운에 맡기기. **2** Ⓤ 주사위 도박의 일종 ; 〖골프〗 장애 지역《벙커(bunker) 따위》 ; 〖撞球〗 해저드《친 공이 목적한 공을 맞힌 다음 포켓에 들어가도록 치는 법》.
at all hazards 만난(萬難)을 무릅쓰고, 기필코.

at [***by***] ***hazard*** 운에 맡기고 ; 아무렇게나.
at the hazard of …을 걸고.
run the hazard 운에 맡기고 해보다.
— *vt.* (생명 따위) 걸다 ; 위험을 무릅쓰고 하다, 운에 맡기고 해[말해]보다. 〚F<Sp.<Arab.=chance, luck〛
[類義語] ⟹ DANGER.

házard lábel *n.* 위험 표지 라벨.

házard·ous *a.* 모험적인, 위험한, 아슬아슬한. **~·ly** *adv.* 모험적으로, 운에 맡기고.

házardous wáste *n.* =TOXIC WASTE.

házard wàrning devìce *n.* (차의) 고장 경고 장치《방향 지시등을 모두 점멸시켜 다른 차에 고장임을 알림》.

Haz·chem [hǽzkèm] *n.* 《英》 (화학 약품 따위의) 위험물 표시법.
〚*haz*ardous *chem*ical〛

***haze**[1] [héiz] *n.* Ⓤ 안개, 아지랑이 ; 엷은 연기 ; 《비유》 (정신 상태의) 몽롱, 흐릿함. — *vi.* 안개가 끼다 ; 흐릿해지다. — *vt.* 흐릿하게 하다. 〚C18? 역성(逆成)‹*hazy*〛
[類義語] ⟹ MIST.

haze[2] *vt.* 《美》 (신입생 등을 장난쳐서) 못살게 굴다 ; 〔海〕 (선원 등을) 부려먹다. **ház·ing** *n.* (신참자를) 곯리기, 못살게 굴기.
〚C17<? ; cf. F *haser* (obs.) to tease, insult〛

ha·zel [héizəl] *n.* 개암나무(의 열매) ; Ⓤ 엷은 갈색. — *a.* 개암나무의 ; 엷은 갈색의《특히 사람의 눈빛을 말함》.
〚OE *hæsel* ; cf. G *Hasel*〛

hàzel·nùt *n.* 개암(filbert).

Haz·litt [hǽzlət, 英+héiz-] *n.* 해즐릿. **William** ~ (1778-1830) 영국의 비평가·수필가.

há·zy *a.* **1** 흐릿한, 안개가 낀[짙은](misty) : ~ weather 흐린 날씨. **2** [+(前+) *wh.* 節·句] 몽롱한, 뚜렷하지 않은(vague) : He was ~ ***about*** *how to* reply. 그는 어떻게 대답해야 할지 갈피를 못잡았다. **3** 거나하게 취한 (기분인).
〚C17<? ; cf. OE *hasu* dusky, gray〛

HB 〔鉛筆〕 hard black ; heavy bomber. **H.B.** halfback. **Hb** 〔生化〕 hemoglobin.

HB antibody [éitʃbì: ⌐] *n.* 〔醫〕 HB 항체《HB 항원에 대한 항체》.

HB antigen [éitʃbì: ⌐] *n.* 〔醫〕 =AUSTRALIA ANTIGEN.

H beam [éitʃ ⌐] *n.* 〔冶〕 H형 강(鋼), H형 빔.

H. B. M. His[Her] Britannic Majesty.

HBO Home Box Office《미국 최대의 오락·연예·스포츠 유선 텔레비전국》.

H-bomb [éitʃ⌐] *n.* 수소 폭탄, 수폭(hydrogen bomb). — *vt.* …에 수소 폭탄을 투하하다.

HC hard copy. **H.C.** High Church ; high commissioner ; Holy Communion ; House of Commons ; House of Correction. **h. c.** habitual criminal ; honoris causa. **hcap., hcp.** handicap. **H.C.F., h. c. f.** highest common factor (최대 공약수). **HCG** human chorionic gonadotropin《인간 융모성 고나도트로핀 ; 임산부의 오줌에 나오는 호르몬》. **H.C.L., h.c.l.** high cost of living(물가고). **HCMOS** 〔電子〕 high-density complementary metal oxide semiconductor (고밀도 상보형(相補型) 금속 산화막 반도체). **HCS** high carbon steel (고탄소 강). **H. C. S.** Home Civil Service. **HCTZ** 〔藥〕 hydrochlorothiazide. **H.D.,HD** heavy-duty. **Hd., hd.** hand ; head. **hdbk.** handbook. **hdkf.** handkerchief. **HDL** 〔生化〕 high-density lipoprotein (고밀도 리포 단백질(質)). **HDPE** 〔化〕 high-density polyethylene(고밀도 폴리에틸렌). **hdqrs.** headquarters. **HDTV** 〔電子〕 high-definition television (고(高)품위 텔레비전, 고선명 텔레비전). **hdwe., hdw.** hardware. **HDX** half duplex. **He** 〔化〕 helium. **H.E.** high explosive ; His Eminence ; His Excellency.

◇**he**[1] [iː, (어군의 처음에서는) hi(ː), híː] *pron.* (*pl.* **they**) 《인칭 대명사의 3인칭·남성·단수·주격 ; 목적격은 him, 소유격은 his》 **1** [3인칭 단수 남성 주격] 그는[가], 그 사람은[이] : Where's your father now?—*He*'s in London. 부친께선 지금 어디 계십니까—런던에 계십니다. [주] 신학적 문맥으로 God을 가리키며 God과 꽤 떨어져 있을 때에 He[Him, His]라고 대문자로 쓰는 수가 있음. **2** [가리키고 있는 사람의 성 구별이 불분명하거나 불필요할 때] : Go and see who is there and what *he* wants. 누가 무슨 용무로 와 있는지 가서 알아보아라. **3** [갓난아기를 부를 때] : Did *he* bump his little head? 머리를 부딪쳤니.
he who [***that***]... 《文語》 누구나 …하는 사람은 (anybody who...) : *He that* runs may read. ☞ READ *vi.* 1.
— [híː] *n.* (*pl.* **hes, he's** [híːz]) **1** 남자, 사내아이 : Is it a *he* or a she? 남자냐, 여자냐. **2** 《俗》 수컷(male) (cf. SHE). **3** [동물 이름 따위에 붙여서 복합어를 만듦] 수컷의(male) : a *he*-goat 숫염소 / a *he*-wolf 수늑대.
〚OE *he, hē* ; cf. OS *hie*, OHG *her* he〛

he[2], **hee** [híː, héi] *int.* 히, 히히《종종 he! he!로 반복함 ; 우스움·조소를 나타냄》.
〚OE (imit.)〛

he[3] [héi] *n.* 헤브라이어(語) 알파벳의 다섯째 자(字). 〚Heb.〛

◇**head** [héd] *n.* **1 a**) 머리, 두부《목에서 윗부분》 : He shook his ~. 머리를 흔들었다 / Better be the ~ of an ass than the tail of a horse. 《속담》 「닭 볏이 될지언정 소 꼬리는 되지 마라」. **b**) [보통 *pl.*] (동전 던지기에서) 동전의 앞면《왕의 두상(頭像)이 있음 ; cf. TAIL[1] *n.* 7》 : ~(*s*) or tail(s) ☞ 숙어. **c**) (*pl.* ~) 마릿수, 수 ; 《俗》 한 명당, 1인분 : forty ~ *of* cattle 소 40마리 / $2 a ~ 1인당 2달러. **d**) 사슴의 뿔 : a deer of the first ~ 처음으로 뿔이 난 사슴. **2** 꼭대기, 상부, 최상(top) ; (강·샘 따위의) 근원, 수원 ; 낙차(落差) ; 압력 ; (액체를 따를 때 표면에 뜨는) 거품 ; 《英》 (우유의) 상부에 뜨는 크림 ; (수목의) 나뭇가지 끝 ; (초목의) 끝(의 꽃·잎), 이삭(끝), (양배추의) 결구(結球) ; (페이지 따위의) 상부, 머리, 위쪽 ; 모두(冒頭), 필두 ; 절벽의 꼭대기, 코, 곶(串) ; 선단 ; 이물 ; 뱃머리 ; (침대 따위의) 두부(頭部) (cf. FOOT 3) ; (통의) 꼭지 ; (못·핀 따위의) 대가리 ; (종기의) 상부 ; (악기·테이프 리코더의) 헤드. **3** 항목, 제목, (특히 신문의 톱 전단(全段)으로 실은) 큰 표제 ; 안목. **4** 머리의 기능(機能), 두뇌(brains), 지력(知力)(intellect) (cf. HEART 2, MIND *n.* 1 b)), 지혜, 추리[추상]력, 이지(理智)(reason) : ~ and heart 이성(理性)과 감정 / Two ~*s* are better than one. 《속담》 「백지장도 맞들면 낫다」. **5** 선두, 수위[석], 상위[석] ; 수[상]좌, 사회자[좌장(座長)]석 ; 우두머리, 장, 수령, 지배자, 지휘자(chief, leader) ; 장관, 은행장, 회장, 사장 ; [the H~] 교장 : The Pope is the ~ of the Roman Catholic Church. 교황은 로마 카톨릭 교회의 장(長)이다. **6** 《口》 (숙취의) 두통 : have a (morning) ~ 숙

취가 있다, 머리가 아프다. **7** 〖建〗 주춧돌, 대석(臺石). **8** 사람 ; 《俗》 마약[LSD] 상용자, 마약 중독자 ; 《美俗》 (마약 따위에 의한) 도취 ; 열광[열중]자, 팬.
above the heads of …에게 너무 어려운.
at the head of …의 선두에 서서 ; …의 상위[위쪽]에 ; …의 수석에 : He stands *at the* ~ *of* his class. 그는 반에서 1등이다.
beat a person***'s head off*** 남을 완전히 패배시키다.
bite a person***'s head off*** ☞ BITE.
bring . . . to a head (사태를) 위기[막다른 곳]로 몰아넣다.
bury one***'s head in the sand*** ☞ SAND.
by a head 머리 하나만큼 : win *by a* ~ (경마에서 말이) 머리 하나만큼의 차로 이기다.
by the head and ears=***by head and shoulders*** 우격다짐으로, 무리하게.
cannot make head or tail of . . .=***can make neither head nor tail of*** …은 무엇이 무엇인지 분간할 수 없다.
come to a head (1) (종기가) 곪아서 터질 것 같다. (2) 《비유》 (기회가) 무르익다, (사태가) 위기에 빠지다, 막판에 이르다.
(***down***) ***by the head*** 〖海〗 이물을 깊이 물 속에 담그고 ; 《俗》 조금 취해서.
draw to a head=*come to a* HEAD (2).
eat its[***one's***] ***head off*** (말 따위가) 너무 많이 먹어 주인을 골탕먹이다, 무위도식하다 ; 사람을 매도(罵倒)하다.
from head to foot[***heel***] 머리 끝에서 발 끝까지, 전신(全身)에 ; 완전히.
gather head (폭풍우 따위가) 더 거세어지다.
gather to a head=*come to a* HEAD (2).
get it into one***'s head that . . .***=*take it into* one's HEAD *that* . . . .
get . . . out of one***'s head*** …의 일을 생각지 않게[잊어버리게] 되다.
give a horse ***his head*** 말 고삐를 늦추다.
give a person ***his head*** 남을 마음대로 하게[제멋대로 굴게] 하다.
go to a person***'s head*** (술이) 사람을 취하게 하다 ; 남을 흥분시키다.
have a head on one***'s shoulders*** 재주[상식]가 있다.
head and shoulders above …보다 훨씬[월등하게] 뛰어나서.
head down 머리를 수그리고[숙인 채로].
head first[***foremost***] 곤두박질하여 ; 무모하게, 경솔하게.
a head of hair 길고 숱이 많은 머리《전체》.
head on 서로 머리를 맞대고, 뱃머리[차의 앞부분 따위]를 앞으로 하고, 바로 마주 보고, 정면으로(head to head) (cf. HEAD-ON) : The cars collided ~ *on.* 차는 정면 충돌했다.
head over ears in . . .=*over* HEAD *and ears in* . . . .
head over heels=***heels over head*** 공중제비를 하여 ; 곤두박질하여 ; 쏜살같이, 아주 당황하여 ; 완전히.
head over heels in . . .=*over* HEAD *and ears in* . . . .
head(***s***) ***or tail***(***s***) 앞이냐 뒤냐《동전을 던져 차례를 정하거나 내기를 할 때 ; 가위 바위 보에 해당 ; ☞ 1 b)》.
head to head=HEAD *on.*
hold one***'s head high*** 잘난 체하다, 거만하게 굴다.
keep a civil tongue in one***'s head*** 말씨를 조심하다.
keep one***'s head***=***keep a cool head*** 침착[태연]하다.
keep one***'s head above ground*** 살아있다.
keep one***'s head above water*** 물에 빠지지 않고 있다 ; 빚지지 않고[실패하지 않고, 죽지 않고] 있다.
knock a person***'s head off*** 《俗》 남을 힘들이지 않고 굴복시키다.
lay (one***'s***) ***heads together***=*put* (one's) HEADs *together.*
lie on the head of …의 짓이다, …에게 책임을 지게 하다.
lose one***'s head*** 목을 잘리다 ; 침착성을 잃다, 당황하다, 허둥대다 ; 열중하다〈*over*〉.
make head 나아가다, 전진하다 ; 무장봉기하다 ; (보일러 내의) 압력을 높이다.
make head against …을 저지하다 ; …에 저항하다.
off[***out of***] one***'s head*** 머리가 돌아 : go *off* one's ~ 미치다, 정신착란을 일으키다.
an old head on young shoulders 젊은 나이에 어울리지 않게 지혜가 많은 사람.
on[***upon***] one***'s head*** (1) 곤두[물구나무] 서서 ; 쉽게, 어려움없이 : stand *on* one's ~ 물구나무서다 / I can do it *on* my ~. 《口》 나는 그런 것은 쉽게 할 수 있다. (2) 자기의 책임으로 : Let success or failure be *on* my ~. 일의 성패(成敗)는 나의 책임이다.
over a person***'s head*** (1) 남에게 이해되지 않는 : He talked *over the* ~*s of* his audience. 그는 청중이 이해할 수 없는 말을 했다. (2) =*over the* HEAD *of* . . . .
over head and ears in …에 깊이 빠져들어가, …때문에 빼도 박지도 못하게 되어 : be *over* ~ *and ears in* debt 빚 때문에 꼼짝달싹할 수 없다 / be *over* ~ *and ears in* love 사랑에 홀딱 빠지다[반해 있다].
over the head of …을 앞질러서 : He was promoted *over the* ~*s of* his colleagues. 그는 동료들 보다 먼저 승진했다.
put . . . into[***out of***] a person***'s head*** …을 남에게 상기(想起)시키다[잊게 하다].
put[***lay***] (one***'s***) ***heads together*** 머리를 맞대고 상의[모의]하다.
show one***'s head*** ☞ SHOW.
Shut your head ! 《俗》 잠자코 있어 !
take[***get***] ***it into*** one***'s head that*** …라고 민게 되다, …라는 생각이 들다 : He *took it into* his ~ *that* everybody was persecuting him. 그는 모두가 자기를 학대하고 있다는 생각이 들었다.
take the head 앞장서다, 선도(先導)하다.
talk one***'s head off*** ☞ TALK.
the head and front 주요한 것〈*of*〉.
turn a person***'s head*** (성공 따위가) 사람을 우쭐하게 만들다.
── *a.* 머리의 ; 수장인 ; 수위의, 선두의 : a ~ clerk 수석 서기.
── *vt.* **1** …의 선두에 서다, 인솔하다 : His name ~*s* the list. 그의 이름이 필두에 있다. **2** [+目+前+名] (뱃머리를) 향하게 하다, (…쪽으로) 나아가게 하다 : The captain tried to ~ the ship ***for*** the channel. 선장은 배를 해협으로 돌리려고 하였다 / He ~*ed* the boat ***toward*** shore. 그는 보트를 해안 쪽으로 저었다. **3** (핀·못 따위

에) 대가리를 붙이다. **4** (초목의) 끝을[순을] 자르다 〈*down*〉. 주 사람의 목을 베는 뜻으로는 behead. **5** 〖蹴〗 (볼을) 머리로 받다, 헤딩하다. **6** …을 앞지르다, 넘다(surpass).
— *vi.* **1** [+副/+前+名] (…을 향하여) 나아가다 : The plane is ~*ing south.* 비행기는 남진하고 있다 / Now we'd better ~ ***for*** home. 이제 집으로 돌아가자. **2** (식물이) 결구(結球)하다. **3** (강이) …에서 발원하다.

〈회화〉
Where are you *heading*? — We're going to the river for a swim. 「어디로 가는 거니」「수영하러 강에 가」

head off (…의 진로를) 막다 ; 방향[생각]을 바꾸다 ; 《美》 목적[방침]을 변경하다.
〚OE *hēafod* ; cf. G *Haupt*, L *caput*〛

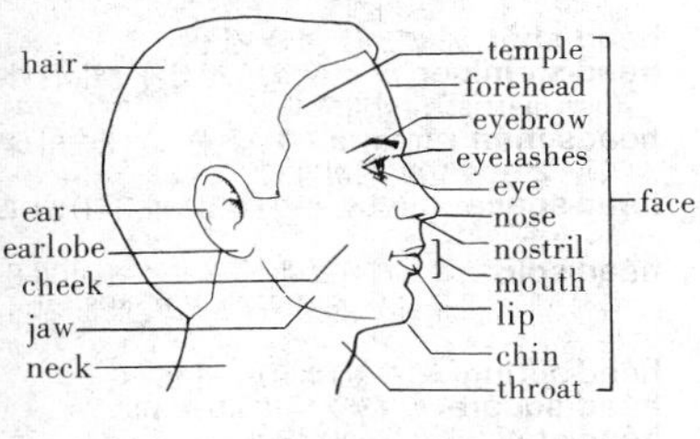

-head [hèd] *n. suf.* [성질·상태를 나타냄] (-hood). 〚ME -*hed*(*e*) -HOOD〛

***héad·àche** *n.* U.C 두통 ; C 《口》 두통거리, 고민 : have a (bad) ~ 머리가 (몹시) 아프다 / suffer from ~*s* 두통으로 고생하다, 자주 머리가 아프다.

héadache bànd *n.* 《美俗》 (여자의 장식용) 헤어밴드.

héad·achy [-èiki] *a.* 머리가 아픈, 두통 증세가 있는 ; 두통이 따르는[을 일으키게 하는].

héad·bànd *n.* (장식용) 머리띠.

héad-báng·er *n.* 《俗》 **1** 정신이상자 ; 충동적으로 폭력을 휘두르는 사람 ; 감정을 억제 못하는 사람. **2** 록 음악[특히 헤비메탈]의 열광적인 팬.

héad blòck *n.* 〖美蹴〗 머리부터 상대에게 부딪는 블록.

héad·bòard *n.* (침대 따위의) 머리판(cf. FOOTBOARD).

héad·bòom *n.* =JIB BOOM.

héad bóy *n.* 《英》 수석 학생(top boy).

héad·bùst·er *n.* 《美俗》 폭력으로 빚을 받아내거나 제재를 가하는 폭력배[깡패].

héad bùtt *n.* 〖레슬링〗 박치기.

héad·chàir *n.* (이발소 따위의) 베개달린 의자.

héad·chèese *n.* 《美》 헤드 치즈《송아지·돼지의 머리 또는 다리를 잘게 썰어 향신료와 함께 삶아 젤리 상태로 엉려 굳힌 것》.

héad·clòth *n.* 머리에 두르는 천《turban, wimple 따위》.

héad còld *n.* 코감기.

héad còunt *n.* 《口》 인원수, 머릿수, 인구 ; 여론조사 ; 인구 조사, 센서스.

héad còunter *n.* 《口》 국세[인구] 조사원 ; 여론조사원.

héad cràsh *n.* 〖電子〗 헤드 크래시《자기(磁氣) 디스크 장치의 헤드가 매체와 접촉하여 헤드 및 매체가 파괴됨》.

héad dìp *n.* 〖서핑〗 앞으로 숙인 자세로 머리부터 파도 속으로 돌입하기.

héad dòctor *n.* 《俗》 정신과 의사, 정신 분석의, 심리학자.

héad·drèss *n.* 머리 장식, 머리에 쓰는 것 ; 머리 땋는 법 ; 헤어 스타일.

héad·ed *a.* **1** [복합어를 이루어] …머리의, …머리를 한, 머리가 …인 : two-~ 머리가 둘 있는 / clear-~ 두뇌가 명석한. **2** 머리가 있는 ; 표제가 붙은 ; 머리 모양을 한, 결구의.

héad ènd *n.* 헤드 엔드《유선 텔레비전의 방송 신호를 수신하여 간선으로 송출하는 곳》.

héad·er *n.* **1** 머리[끝]를 잘라내는 사람[기계] ; (곡식의) 이삭을 베어내는 기계 ; (못·침 따위의) 대가리를 만드는 기계. **2** 《口》 곤두박질, 거꾸로 뛰어들기, 거꾸로 떨어지기 : He stumbled and took a ~ *into* the ditch. 그는 비틀거리다 도랑에 거꾸로 떨어졌다 / try a ~ *off* a diving board 다이빙보드에서 곤두박질 쳐보다. **3** 두목, 수령 ; 포경선의 지휘자 ; 소[양] 떼를 유도하는 사람. **4** 〖電子〗 (페이지·장의) 표제.

héader làbel *n.* 〖컴퓨〗 헤더 레이블《파일 또는 데이터 세트의 레이블로서 최초의 데이터 레코드에 선행하는 것》.

héader rècord *n.* 〖컴퓨〗 헤더 레코드《뒤에 이어지는 일군의 레코드의 공통 정보나 고정 정보 또는 식별용 정보를 포함하는 레코드》.

héad fàst *n.* 배를 매는 이물 밧줄.
〚*fast* mooring rope〛

héad·fírst, héad·fóre·mòst [, -məst] *adv.* 곤두박질하여 ; 황급히 ; 무모하게.

héad gàte *n.* 수문(水門).

héad·gèar *n.* U 머리 장식 ; 쓰개, 모자 ; 〖拳〗 헤드기어 ; (말의) 굴레《두부(頭部)의 마구(馬具)》.

héad·hùnt *n., vi., vt.* 사람 사냥(을 하다) ; 《口》 인재[간부] 스카우트(를 하다).

héad·hùnt·er *n.* 사람 사냥을 하는 야만인 ; 인재[간부]를 스카우트하는 사람[회사 직원].

héad·hùnt·ing *n.* U (야만인들의) 사람 사냥 ; 인재 스카우트.

héadhunting fìrm *n.* 《美》 인재[간부] 스카우트[소개] 회사.

héad-in-áir *a.* **1** 멍한(absent-minded) ; 꿈꾸는 듯한(dreamy). **2** 젠체하는, 신사인 체하는 (snobbish).

héad-in báy *n.* (주차장의) 전진 진입식 주차 구획(區劃).

héad·ing *n.* **1** (페이지·장 따위의) 표제, 제목, 항목 : *under* the ~ *of* …의 표제로[하에] ; …의 항목하에. **2** (뱃머리 따위의) 방향, 향함 ; (항공기의) 진행 방향, 진로. **3** U.C 목 베기 ; (초목의) 순치기. **4** U.C 〖蹴〗 헤딩.

héad-in-the-sánd *a.* 진상을 외면하는, 현실 도피의.

héad·làmp *n.* =HEADLIGHT.

héad·land [-lənd, -lӕnd] *n.* 곶(串), 돌출부(突出部) (cape, foreland).

héad·less *a.* 머리[목]가 없는 ; 수령(首領)이 없는 ; 지혜[생각]가 없는, 어리석은.
~·ness *n.*

***héad·lìght** *n.* [흔히 *pl.*] (자동차·기관차 따위의) 헤드라이트, 전조등(前照燈) (cf. TAILLIGHT) ; 〖海〗 (앞돛대의) 백색등.

*__héad·lìne__ *n.* **1** (신문기사 따위의) 큰 표제 ; 책[신문]의 페이지 상단 ;〖放送〗(뉴스 방송의 전후에 말하는) 주요한 사항. **2**〖海〗돛을 활대에 동여매는 밧줄.

go into headlines*＝*hit*[*make*] *the headlines 신문에 크게 나다 ; 유명해지다, 널리 알려지다.

〈회화〉
Did you see the *headlines*? — No. What's up?
「그 표제 봤니」「아니, 뭐가 났는데」

── *vt.* …에 표제를 붙이다 ; 선전하다 ; …의 주역을 맡다.
── *vi.* 주연하다.

héad·lìner *n.* (신문 기사의) 표제를 다는 기자 ;《美口》광고 따위에 이름이 크게 나는 배우, 주연급 배우.

héad línesman *n.*〖美蹴〗선심(線審).

héad·lòad *n.* 머리에 이고 나르는 짐. ── *vt.* 머리에 이고 운반하다.

héad·lòck *n.*〖레슬링〗상대의 머리를 팔로 감고 누르기.

*__héad·lòng__ *adv.* 거꾸로 ; 앞뒤 생각없이 무턱대고, 무모하게, 맹렬하게 ; 아주 당황하여(rashly). ── *a.* 곤두박이치는 ; 앞뒤를 헤아리지 않는, 경솔한 ; 무척 서두르는 ;《古》험한(steep). 〖ME *headling* (HEAD, *-ling*²) ; 어미는 *-long*에 동화(同化)〗

head·man [hédmən, -mǽn] *n.* (*pl.* **-men** [-mèn, -mén]) **1** 수령, 지도자 ; 추장. **2** [ˊˋ] (노동자의) 감독(foreman), 직공장. **3** [hédmən] (*pl.* **-men** [hédmən]) ＝HEADSMAN.

héad·máster *n.*《英》(초등학교·중학교) 교장 ;《美》(사립 학교) 교장.
héad·místress *n. fem.*

héad mòney *n.* 인두세(人頭稅) ; 포로[범인]의 체포수에 따라서 주는 상금.

héad·mòst *a.*《英》맨 앞의(foremost) ; (특히 배가) 선두의.

héad·nòte *n.* 두서(頭書), 두주(頭註) (cf. FOOTNOTE).

héad òffice *n.* 본점, 본사, 본국(本局) (cf. BRANCH OFFICE).

héad-ón *a., adv.* 정면의(cf. HEAD *on*), 정통으로(의) : a ~ collision 정면 충돌 / walk ~ into … 와 정면으로 부딪치다.

héad·phòne *n.* [보통 a pair of ~s] 헤드폰, 머리에 쓰는 수화[수신]기(earphone).

héad·pìece *n.* **1** 투구 ; (마구의) 굴레 ; 모자. **2** 머리 ; 두뇌(brains) : have good ~ 머리가 좋다. **3**〖印〗(서적의) 장(章)[페이지] 처음에 있는 꽃무늬 장식(cf. TAILPIECE).

héad·pìn *n.* (볼링의) 제일 첫머리의 핀, 1번 핀.

héad·quàrter *vi.* 본부를 두다.
── *vt.* …을 본부에 두다.

*__héad·quàrters__ *n. pl.* [때때로 단수취급] **1** 본부, 본영, 사령부 ; 본서(本署)(cf. QUARTER *n.* 3 a))《略 hdqrs.》; 본사, 본국(本局) : ☞ GENERAL HEADQUARTERS / at ~ 본부[본사]에서. **2** [집합적으로] 본부원, 사령부원(部員). **3** 소식통, 본거, 연줄.

héad·ràce *n.* (물레방아의) 도수기(導水器).

héad·rèach *vi., n.*〖海〗(배가) 방향을 바꾸는 동안에 바람 불어오는 쪽으로 나아가다[가는 거리].

héad régister *n.*〖樂〗두성 성역(頭聲聲域) (cf. HEAD VOICE).

héad resístance *n.*〖空〗전면(前面) 저항.

héad·rèst *n.* (치과의 의자·자동차 좌석 따위의) 머리 받침[받이].

héad·restràint *n.* (추돌·충돌시 목뼈 보호를 위한) 좌석 베개[머리 받침](headrest).

héad·ròom *n.* (출입구·터널 따위의) 바닥에서 천장까지의 높이.

héad·sàil [ˊ,《海》-səl] *n.*〖海〗앞돛《이물[뱃머리]의 세로돛》.

héad scàrf *n.* (모자 대용의) 머리 스카프.

héad séa *n.* 역랑(逆浪), 마주치는 파도.

héad·sèt *n.*《美》마이크가 달린 헤드폰.

héad·shàke *n.* (불신·반대의 표시로) 머리를 좌우로 젓기.

héad·shìp *n.* U,C 수령의 직[권위], 지도적 지위(leadership) : apply for a ~《英》교장의 지위를 얻고자 신청하다.

héad shòp *n.* 헤드숍《환각제나 사이키델릭한 기구 따위를 파는 가게》.

héad shòt *n.*《美俗》얼굴 사진.

héad·shrìnk·er *n.*《美俗》정신과 의사[학자](psychiatrist), 심리학자.

héads·man [-mən] *n.* **1** 망나니, 참수인(斬首人). **2** 포경선의 지휘자.

héad·spàce *n.* (액체 용기(容器) 따위의) 담고 남은 부분.

héad·spìn *n.*〖브레이크댄스〗헤드스핀《머리를 바닥에 대고 물구나무 서서 두 손으로 땅을 치며 도는 춤》.

héad·sprìng *n.* 수원(水原) ; 원천.

héad squàre *n.*《英》＝HEAD SCARF.

héad·stàll *n.* (마구의) 굴레.

héad·stànd *n.* 물구나무서기.

héad stárt *n.*〖競〗헤드 스타트《경주 따위에서 핸디캡이 주어진[을 얻은] 출발 ; cf. START *n.* a)》; 남보다 앞서 하기 ; 한발 앞선 출발, 좋은 기조의 스타트.

héad·stòck *n.*〖機〗(선반(旋盤) 따위의) 주축대(主軸臺).

héad·stòne *n.*〖建〗주춧돌, 귀돌(cornerstone) ; (무덤의) 머리맡에 세우는 돌, 묘석《시체의 머리에 해당하는 부분에 세움》.

héad·strèam *n.* (강의) 원류(cf. HEADWATERS).

héad·stròng *a.* 완고한, 고집센, 방자스러운 ; 억제[제어]할 수 없는.
~·ness *n.* 완고함, 고집셈.
〖ME＝strong in head〗

héads-úp *a.* 방심하지 않는, 기민한, 날렵한.

héad tàble *n.* 헤드 테이블.

héad tàx *n.*《美》인두세 ; 균등분할 세금.

héad·tèach·er *n.*《英》교장.

héad-to-héad *n., a.* 대접전(의), 접근전(의).

héad tòne *n.*〖樂〗두성조(頭聲調)《높은 음역의 성조》.

héad·trìp *n.*《俗》마음에 영향을 주는 체험, 정신을 자극하는[고양시키는] 일 ; 자유로운 연상(聯想) ; (과학적 근거가 없는) 심리 분석[탐색].

héad·ùp *a.* (비행기·자동차 따위의 계기(計器)가) 앞을 향한 채 읽을 수 있는.
── *n.*《美俗》좀 모자라는[주의력이 없는] 녀석[선수].

héad-up displáy *n.*〖空〗헤드업 디스플레이《투과성 반사경을 사용하여 파일럿이 주시하고 있는 전방 시야(視野) 내에 계기 따위가 나타내는 정보를 표시하는 장치》.

héad vòice *n.*〖樂〗두성《성역(聲域) 중 가장 높은 소리 ; cf. CHEST VOICE》.

héad·wáit·er *n.* 사환장, 수석 웨이터.

héad·ward *a., adv.* 수원(水源)으로(의), 수원보다 안쪽으로(의) : ~ erosion 〖地質〗 두부(頭部) 침식.

héad·wards *adv.* =HEADWARD.

héad·wàters *n. pl.* [the ~] (강의) 원류, 상류 〈*of*〉 (cf. HEADSTREAM).

héad·wày *n.* **1** Ⓤ 전진 ; 〖海〗 진항(進航) 속도, 배의 속도 ; (일반적으로) 진보(progress) : gain ~ 전진하다 / make ~ (배가) 항진하다 ; (작업 따위가) 진척되다 / gather ~ 점차로 속력이 빨라지다. **2** Ⓤ (배·열차 시간의) 간격.

héad wìnd *n.* 맞바람, 역풍(逆風).

héad·wòrd *n.* (서적 따위의) 표제어 ; 〖文法〗 복합어의 주요소가 되는 말《형용사로 수식되어 있는 명사 따위》.

héad·wòrk *n.* Ⓤ 머리를 쓰는 일, 정신 노동 ; 머리의 회전, 지혜(clever thought).

héady *a.* **1** 앞뒤를 헤아리지 않는, 성급한 ; 고집센, 완고한. **2** (술이) 머리에 오르는 ; (향수 따위) 현기증을 일으키는 ; (반가운 소식 따위) 마음을 들뜨게 하는. **3** 《口》 현명한, 머리가 좋은 ; 두통이 나는.
héad·i·ly *adv.* **-i·ness** *n.* 완고 ; 조급.
〖ME (HEAD, -y⁴)〗

*__heal__ [hí:l] *vt.* **1** (상처·고통·고장 따위를) 고치다 : Time ~*s* all sorrows. 시간이 흐르면 온갖 슬픔도 사라진다. **2** 《비유》 화해시키다. ── *vi.* 낫다, 회복하다 : The wound has never ~*ed* yet. 그 상처는 아직도 낫지 않았다.
heal up [***over***] (상처가) 아물다, 낫다.
〖OE *hǣlan* (⇨ WHOLE) ; cf. G *heilen*〗
類義語 ⟹ CURE.

héal-àll *n.* 만병 통치약(cure-all) ; 만병초(萬病草) ; 약초.

héal·ee *n.* 치료를 받는 사람.

héal·er *n.* 치료자, 의사 ; (특히) 신앙 요법을 하는 사람(faith healer) ; 약.

héal·ing *a.* 치료의 : the ~ art 의술.
── *n.* Ⓤ 치료(법). **~·ly** *adv.* (병이) 낫도록, 치료적으로.

héaling pòwers *n. pl.* (병 따위의) 치유력.

◇**health** [hélθ] *n.* **1** Ⓤ 건강, 건전(↔*illness, disease*) ; 건강 상태 ; (국가·사회의) 안녕 ; 건강[보건]법 ; 위생 ; 치유[치료]력 : the ~ of body and mind 심신의 건전 / He is *in* good[poor] ~. 그는 건강하다[건강이 좋지 않다] / Early rising is good for the[your] ~. 일찍 일어나는 것은 건강에 좋다 / public ~ 공중 위생 / mental ~ 정신 위생 / the Department of *H*~ and Human Services 《美》 보건 복지부. **2** (건강을 축복하는) 축배(toast).
a bill of health ☞ BILL.
drink (***to***) ***the health of*** a person=***drink*** (***to***) a person***'s health***=***drink a health to*** a person 남의 건강을 위하여 축배하다.
not . . . for one***'s health*** 《美口》 좋아서[취미로] …하는 것이 아닌.
out of health 건강이 좋지 않아.
(***To***) ***your health!*** 건강을 축복합니다《축배할 때의 말》.
〖OE *hǣlth* ; ⇨ WHOLE〗

héalth àid *n.* 가정 보건사《면허를 필요로 함》.

héalth càmp *n.* 《N. Zeal.》 허약 아동용 캠프.

héalth cènter *n.* (지방의) 의료[보건]센터, 보건소.

héalth certìficate *n.* (일에 대한) 건강 증명서.

héalth-cònscious *a.* (자신의) 건강에 지나치게 신경을 쓰는, 건강을 항상 의식하는.

héalth fòod *n.* 건강 식품《자연 식품 따위》.

héalth·ful *a.* (장소·음식 따위가) 건강에 좋은, 위생적인, 보건상 유익한 ; (정신적으로) 유익한, 이득이 되는(salutary) (cf. HEALTHY) : ~ exercise 건강에 좋은 운동 / a ~ diet 몸에 좋은 음식.
~·ly *adv.* 건강에 좋게, 위생적으로 ; 유익하게.
~·ness *n.*

héalth·gìv·ing *a.* 건강 증진의.

héalth insùrance *n.* 건강 보험.

héalth·less *a.* 건강하지 않은 ; 몸에 나쁜.

héalth màintenance organizàtion *n.* 《美》 (회비를 지불하고 가입하는) 종합적인 건강 관리 기관[의료단체]《略 HMO》.

héalth mànagement *n.* 건강 관리.

héalth òffice *n.* 위생과, 보건과.

héalth òfficer *n.* (보건소·위생국 따위의) 위생관, 검역관.

héalth phỳsics *n.* 보건 물리학《방사선 따위에 의한 상해·건강 문제의 연구》.

héalth resòrt *n.* 보양지(保養地), 요양지.

héalth sàlts *n. pl.* 건강염(鹽)《미네랄 워터에 타서 완하제로 씀》.

héalth sèrvice *n.* [집합적으로] 공공(公共) 의료(시설).

héalth spà *n.* 비만자의 감량 요법을 행하는 민간 유료 시설(fat farm).

héalth vìsitor *n.* 《英》 (환자·노인·신생아의 가정을 방문하는) 순회 보건관[원].

héalth·wìse *adv.* 《口》 건강을 위해, 건강 유지를 위해.

‡**héalthy** *a.* **1** (사람·동물이) 건강한, 건전한 ; (용모가) 건강하게 보이는(cf. HEALTHFUL) : look ~ =have a ~ look 건강한 얼굴을 하고 있다. **2** 건강에 좋은, 위생적인(healthful) ; (도덕상) 건전한, 유익한. **3** 대량의, 막대한 ; 강대한 : a ~ appetite 왕성한 식욕.
héalth·i·ly *adv.* **héalth·i·ness** *n.*
類義語 ***healthy*** 정신·육체가 건강한 ; 평상시의 건강(健康) 상태를 말함 : He is quite *healthy*, although he has a slight cold at present. (그는 지금 약간 감기가 들었으나 아주 건강하다). ***sound*** 질병이나 결함이 전혀 없이 완전히 건강한. ***robust*** 활력적이며 기골이 장대하고 혈색이 좋은. ***well*** 앓고 있지 않은 (반드시 강건하다거나 원기 왕성하다는 뜻을 내포하는 것은 아닌) 어떤 특정한 때의 건강을 말함 : I hope you're quite *well*. (당신이 건강하시기를 빕니다). ***wholesome*** 육체적 및 감정적·도덕적으로 건전하여 좋은 결과를 초래하는.

HEAO 〖宇宙〗 high-energy astronomy observatory(고(高)에너지 천체 관측 위성).

*__heap__ [hí:p] *n.* **1** 쌓아올린 것, 덩어리, 더미. **2** 《口》 **a)** 떼 ; 다수, 다량(plenty) : I have a ~ *of* work to do. 나는 할 일이 태산같다 / You do know a ~ *of* things, don't you? 꽤 많은 것을 알고 있군요, 그렇지 않아요 / ~*s of* time 많은 시간[여가] / ~*s of* times 몇 번이고, 자주. **b)** [부사적으로 ; 흔히 ~s] 매우, 훨씬(much) : The patient is ~*s* better. 환자는 훨씬 좋아졌다.
be struck [***knocked***] ***all of a heap*** 《口》 완전히 압도되다[쿵하고 넘어지다].
in a heap 한 덩어리[한 무더기]가 되어.
in heaps 산더미같이.
── *vt.* **1** [+目/+目+副] 쌓아올리다[올려 만들다] : ~ (*up*) stones 돌을 쌓아올리다 / ~ *up* riches 재산을 축적하다. **2** [+目+前+名] (되

따위에) 수북이 담다 ; (모욕 따위를) 연거푸 주다 : ~ a plate ***with*** strawberries= ~ strawberries ***on*** a plate 접시에 딸기를 수북이 담다 / ~ insults *on* a person 남에게 숱한 모욕을 주다. —— *vi.* 산더미가 되다, 쌓이다〈*up*〉.
〖OE *hēap* ; cf. OE *hēah* high〗

◇**hear** [híər] *v.* (**heard** [hə́:rd]) *vt.* **1** [+目/+目+原形/+目+do*ing*/+目+過分] 듣다, …이 들리다(cf. LISTEN), 귀담아 듣다 : I ~*d* somebody cry. 누군가 우는 소리가 들렸다《注 수동태에서는 뒤의 부정사에 to를 붙임 : Somebody *was* ~*d* to cry.》/ He ~*d* branches mov*ing* as the tiger jumped. 호랑이가 뛸 때 나뭇가지가 움직이는 소리를 들었다 / A bird was ~*d* sing*ing*. 새가 지저귀고 있는 소리가 들렸다 / She ~*d* her name call*ed*. 그녀는 자기 이름을 부르는 소리를 들었다.
2 [+目/+目+目] 청취하다, …에 귀를 기울이다(listen to) ; 들으러 가다 ; 방청[청강]하다 ; 〖法〗 심문하다, 심리하다(try) : Let's ~ his explanation. 그의 설명을 듣자 / Which judge ~*d* the case? 어느 법관이 사건을 심리했습니까 / Will you ~ me my lessons, please? 제가 복습하는 것을 들어봐 주시겠습니까《注 이 구문은 주로 《英》에서 씀》.
3 (기도 따위를) 들어주다, 허락하다 : Lord, ~ my prayer. 주여, 내 소원을 들어주소서.
4 [+目/+目+前+名/+目+原形/+目+過分/+*that* 節] 들어서 알다, 듣게 되다, 전해 듣다, 소문에 듣다 : We haven't yet ~*d* any news of the event. 그 사건에 대해서는 아직 아무런 소식도 듣지 못했다 / Nothing has ever been ~*d* ***of*** him since. 그 이후 전혀 그의 소식을 듣지 못했다(cf. *vi.* 3) / I often ~*d* her say so. 나는 그녀가 그렇게 말하는 것을 종종 들은 적이 있다 / You have often ~*d* that proverb said. 그 속담이 인용되는 것을 가끔 들어 보셨지요 / I ~ with regret *that* your mother is ill. 어머니가 병환중이시라니 안됐습니다 / I once ~*d* it said *that* we are never so happy or unhappy as we suppose. 우리들은 결코 자신이 생각하고 있는 만큼 행복하지도 불행하지도 않다고 말하는 것을 들은 적이 있다 / He is going to resign. — So I ~. 그는 사직한다는 거야 — 그렇다더군.
—— *vi.* **1** 듣다, (귀가) 들리다 : The deaf do not ~. 귀머거리는 귀가 들리지 않는다. **2** 《英》 [명령] 들어라, 근청(謹聽)! : *H*~! *H*~! [때때로 반어적으로] 근청!, 찬성!, 옳소! **3** [+前+名] 통신을 받다 ; (…의) 소식[말·소문]을 듣다, 전해 듣다 : Haven't you ~*d* ***from*** your friend since you came here? 이곳에 오신 후로 아직 친구에게서 소식이 없습니까 / I have never ~*d* ***of*** such a thing. 그런 일은 이제까지 들어 본 적이 없다 / He has never been ~*d of* since. 그 후 그에 대한 소식을 전혀 듣지 못했다(cf. *vt.* 4) / You will ~ *of* this. 이 일에 대해선 추후 기별하겠다《이대로 지나쳐 버릴 수는 없다》/ I have ~*d* ***about*** your accident. 나는 네가 사고를 당했다고 들었다 / You will ~ *about* this later. 너는 나중에 이 일로 꾸지람을 들을 것이다.
hear say[***tell***] 〈*of*, *that*...〉 (…한 일을) 말하는 것을 듣다, 소문을 듣다《hear people say[tell]의 略 ; cf. HEARSAY》: I've ~*d say*[*tell*] *that* he has sold his house. 나는 그가 집을 팔았다는 소문을 들었다.
make one***self heard*** (외쳐서 자기의 목소리를) 알아듣게 하다 ; (생각 따위를) 듣게끔 하다.
won't[***wouldn't***] ***hear of***[《美》 ***to***] …을 허락하려고 하지 않다[않았다], …을 승낙하지 않다[않았다] : My father *won't* ~ *of* it. 아버지는 그것을 승낙하지 않을 것이다.

〈회화〉
Can you *hear* me? — No, I can't *hear* you.
「내 말 들리니」「아니, 안 들려」

〖OE *hīeran* ; cf. G *hören*〗
類義語 ***hear*** 단순히 소리를 듣다. ***listen*** 소리에 주의하여 의식적으로 귀를 기울이고 그 뜻을 이해하고자 하다 : I *heard* their conversation but did not *listen* to what they said. (나는 그들이 대화하는 소리는 들었지만 무슨 얘기를 하는지는 몰랐다).

◇**heard** [hə́:rd] *v.* HEAR의 과거·과거분사.

héar·er *n.* 듣는 사람 ; 방청자.

***héar·ing** *n.* **1** Ⓤ 듣기, 청취 ; 청력, 청각 : His ~ is poor. 그는 난청이다 / She is hard[quick] of ~. 그녀는 귀가 잘 안 들린다[예민하다] / lose one's ~ 청력을 잃다. **2** Ⓤ 들리는 거리[범위] : in a person's ~ 남이 듣고 있는 곳에서, 들으라는 듯이 / out of[within] ~ 들리지 않는[들리는] 곳에서. **3** 들어주기, 경청 ; 듣게 하기, 발언의 기회 : gain[get] a ~ 듣게 하다, 발언의 기회를 얻다 / give a person a (fair) ~ 남의 얘기[주장]를 (공평하게) 들어주다 / a public ~ 공청회. **4** U,C 심문(審問), 심리(審理) : a preliminary ~ 예심 / The case comes up for ~ tomorrow. 그 사건의 심리는 내일 있다.

héaring àid *n.* 보청기(補聽器).

héaring-impáired *a.* 청각장애를 가진《deaf의 완곡어로도 쓰임》: How can a ~ person hear? 청각 장애자는 어떻게 소리를 듣니.

heark·en, hark·en [há:rkən] *vi.* 《文語》 귀를 기울이다, 경청하다(listen)〈*to*〉. —— *vt.* …을 듣다. **~·er** *n.*
〖OE *heorcnian* ; ⇨ HARK〗

héar·sày *n.* Ⓤ 풍문, 소문(cf. HEAR *say*) : have it *by*[*from*, *on*] ~ 그것을 소문으로 듣다 / ~ rule 〖法〗 전문(傳聞) 증거를 증거로 인정하지 않는 법칙.

héarsay èvidence *n.* 〖法〗 전문(傳聞) 증거.

hearse [hə́:rs] *n.* 영구(靈柩)차, 장의 마차[자동차] ; 《古》 관(棺)(coffin), 묘. —— *vt.* 매장하다 ; 은폐하다 ; 《古》 납관하다, 영구차로 나르다.
〖OF *herse* harrow (L *hirpex* large rake)〗

héarse·clòth *n.* 관(棺) 덮는 보(pall).

Hearst [hə́:rst] *n.* 허스트. **William Randolph** ~ (1863-1951) 미국의 신문·잡지 발행자.

◇**heart** [há:rt] *n.* **1** 심장 ; 흉부(胸部) : He has a weak ~. 그는 심장이 약하다[나쁘다] / My ~ stood still. 나는 (무서워서·깜짝 놀라서) 심장이 멈추는 듯했다 / He put his hand on his ~. 그는 가슴에 손을 댔다 / She pressed her child to her ~. 그녀는 아이를 가슴에 껴안았다.
2 가슴, 마음, 감정(cf. HEAD *n.* 4, MIND *n.* 1 b)) : move one's ~ 감동시키다, 심금을 울리다 / search the[one's] ~ 자기 마음속을 헤아리다, 반성하다(cf. HEART-SEARCHING) / set one's ~ at rest 안심하다, 안도의 숨을 쉬다 / with a heavy[light, cheerful] ~ 우울[명랑]하게, 멍하니[마음도 경쾌하게] / She has a kind ~. 그녀는 다정한 마음씨를 지니고 있다 / What the ~ thinks, the mouth speaks. 《속담》 마음에 품은 것은 언젠가 입 밖으로 나온다.
3 Ⓤ 애정(affection) ; 동정심(sympathy) : an

affair of the ~ 정사, 연애 / a man of ~ 인정이 있는 사람 / have no ~ 인정이 없다 / have (plenty of) ~ 인정이 있다[두텁다] / have a person's ~ 남의 사랑을 받다 / steal a person's ~ 모르는 사이에 남의 마음을 사로잡다 / steel the ~ 마음을 굳게 먹다 / win the ~ of a person = win a person's ~ 남의 사랑을 얻다.
4 Ⓤ **a**) [또는 a ~] 용기, 인내 : keep (a good) ~ 용기를 잃지 않다 / lose ~ 원기를 잃다, 의기소침하다 / pluck up ~ 원기를 불러일으키다 / put ~ into a person 남에게 원기를 북돋아 주다. **b**) [보통 부정·의문] [+*to* do] 냉혹, 무정 : How can you have the ~ *to* drown such darling little kittens? 그렇게 귀엽고 조그만 고양이 새끼를 어떻게 물에 빠뜨릴 수가 있을까 / I could *not* have the ~ *to* say that. 나는 차마 그것을 말할 용기가 나지 않았다《차마 그 말을 할 수 없었다》.
5 사랑하는 이, 그대 ; 용자(勇者) : dear[sweet] ~ 귀여운 애, 애인 / a true ~ 참다운 용사.
6 a) (꽃·열매 따위의) 순[심], 나무심(core) 〈*of*〉. **b**) 중심(부)(center) ; 핵심, 급소, 본질 (essence) : in the ~ *of* the city[forest] 도심(都心)[숲 깊숙한 곳]에 / get to the ~ *of* a problem 문제의 핵심에 이르다 / go to the ~ *of* the matter 사건의 핵심[급소]을 파악하다.
7 하트형(形)의 물건 ; 〖카드놀이〗 하트(의 패) ; [*pl.*] 하트의 짝패 : the ten[queen] of ~*s* 하트의 10[퀸].
after one***'s*** (***own***) ***heart*** 생각대로의, 마음에 맞는.
a person***'s heart leaps***[***comes***] ***into*** his ***mouth*** 깜짝 놀라다.
a person***'s heart sinks*** (***low within*** him) = a person***'s heart sinks in***(***to***) his ***boots*** [***heels***] 가슴이 철렁 내려앉다 ; 실망하다.
at heart 마음에 ; 마음속으로는, 내심은, 실제로는 ; 근본적으로는 : He isn't a bad man *at* ~. 그는 원래 악인은 아니다.
at the bottom of one***'s heart*** 속셈은, 마음속으로는.
be of good heart 비관하지 않다.
break one***'s heart*** 가슴이 터질 듯하게 하다, 비탄에 잠기게 하다(cf. BROKEN HEART).
by heart 암기로 : learn *by* ~ 외다, 암기하다.
change of heart 회심(回心), 개종(改宗) ; 개심, 갱생 ; 전향 ; 변심(變心).
cry one***'s heart out*** 하염없이 울다.
devour one***'s heart*** = ***eat*** one***'s heart out*** 슬퍼하며 상심하다, 비탄에 잠기다.
do the[one***'s***] ***heart good*** 매우 기쁘게 해주다, 마음을 어루만져 주다.
find it in one***'s heart to*** do …할 마음이 나다.
from (***the bottom of***) one***'s heart*** 마음속으로부터.
give[***lose***] one***'s heart to*** …에 생각을 두다, …을 사랑[사모]하다.
go to one***'s heart*** 가슴에 사무치다 ; 마음 아프게 하다.
have . . . at heart …을 마음에 두다.
have[***bring***] one***'s heart in*** one***'s mouth*** 깜짝 놀라다, 혼비백산하다.
have the[one***'s***] ***heart in the right place*** 친절미[인정미]가 있다, 마음씨가 곱다.
Heart alive! 아이, 깜짝이야!
heart and soul[***hand***] 몸과 마음을 다 바쳐, 전심 전력으로.
heart to heart 흉금을 터놓고, 숨김없이.
in (***good***) ***heart*** 원기 있게, 활기차게.
in one***'s heart*** (***of hearts***) 마음속으로(는) ; 남몰래.
lay . . . to heart …을 마음에 깊이 새기다, 숙고하다.
lose one***'s heart to . . .*** = *give* one*'s* HEART *to.*
near[***nearest, next***] one***'s heart*** 그리운[가장 친애하는].
out of heart 기운없이, 풀이 죽어.
out of heart with …에 불만을 품고.
put . . . in(***to***) ***heart*** …에게 기운을 북돋아 주다, 고무하다.
put one***'s heart into*** …에 열중하다.
set one***'s heart*** (***up***)***on*** …에 희망을 걸다, …을 탐내다 ; …에 열중하다, …하기로 마음을 정하다〈do*ing*〉.
sing one***'s heart out*** 가슴이 터지도록 크게 노래하다.
speak to the heart 마음에 호소하다, 마음을 움직이다.
take heart 힘을 내다, 용기를 내다.
take heart of grace 용기를 불러일으키다〈*to* do〉.
take . . . to heart …을 마음에 두다 ; (사소한 일을) 늘 걱정하다.
wear one***'s heart*** (***up***)***on*** one***'s sleeve*** 감정을 노골적으로 나타내다, 생각하는 바를 기탄없이 말하다.
with all one***'s heart*** = ***with*** one***'s whole heart*** 기꺼이, 진심으로.
with half a heart 마지못해.
with one***'s heart in*** one***'s mouth*** 깜짝 놀라, 혼비백산하여.
— *vi.* [보통 ~ up으로] 〖植〗 (양배추 따위) 결구하다.
— *vt.* **1** (충고 따위를) 마음에 명기시키다. **2** (벽 따위)에 심재를 채우다. **3**《古》원기를 북돋우다, 격려하다, 고무하다.
〖OE *heorte* ; cf. CORDIAL, G *Herz*〗

héart·àche *n.* Ⓤ 마음의 고통, 비탄.
héart attàck *n.* = HEART FAILURE.
héart·bèat *n.* 심장의 고동, 동계(動悸)(throb) ; 생각, 정서(emotion).
héart blòck *n.* 〖醫〗 심장 차단, 심장 블록.
héart-blòod *n.* = HEART'S-BLOOD.
héart·brèak *n.* Ⓤ 비탄, 비통, 슬픔.
héart·brèak·er *n.* 가슴이 터질듯이 애타게 하는 것[사람], 무정한 미인.
héart·brèak·ing *a.* 단장의 슬픔을 안겨주는 ; 《口》 지루하고 따분한(tedious).
héartbreak làw *n.* 남아프리카에서 다른 인종간의 결혼을 금지하는 법률의 속칭.
héart·bròken *a.* [+前+do*ing*] 비탄(悲嘆)에 잠긴, 애끓는 : The poor maid was ~ ***at*** hav*ing* been scolded by her master. 그 가련한 하녀는 주인에게 꾸지람을 듣고 슬픔에 잠겼다. **~·ly** *adv.*
héart·bùrn *n.* Ⓤ 가슴앓이 ; = HEARTBURNING.
héart·bùrn·ing *n.* Ⓤ 짜증나는 감정, 불만, 불평, 질투, 시기, 원한.
héart chèrry *n.* 〖植〗 (하트형으로 생긴) 버찌의 한 품종.
héart disèase *n.* 심장병, 심질환.
héart-èasing *a.* 마음을 놓게 하는, 안심시키는, 편안하게 하는.
héart·ed *a.* (…한) 마음을 가진, 마음이 …한 : faint-~ 마음이 약한. **~·ness** *n.*
héart·en *vt.* [+目 / +目+副 / +目+*to* do] …에

게 기운을 북돋아 주다, 고무하다 : ~*ing* news 낭보(朗報) / The manager ~*ed* ***up*** the players. 감독은 선수들을 격려했다 / The memory of these experiences will ~ you *to* brave your current trials. 이러한 체험을 상기할 때 여러분의 마음속에는 오늘의 시련을 극복하려는 용기가 용솟음칠 것이다. ── *vi.* 《稀》 기운이 나다.

héart fàilure *n.* 심장병 ; 심장 마비.

héart·fèlt *a.* 진정어린, 마음으로부터의《특히 정성어린 말이나 행동으로 나타나는 것》.
[類義語] ⟹ SINCERE.

héart-frèe *a.* 정에 얽매이지 않는, 사랑을 모르는.

héart·ful *a.* 진심으로의.

***hearth** [hɑ́:rθ] *n.* 난로 바닥 ; 노변(爐邊), 난롯가 (fireside) ; 가정 ; 〖冶〗 화상(火床) ; (문화·문명의) 중심지역.
fight for hearth and altar 《文語》 가정과 종교를 위해 싸우다.
hearth and home 따뜻한 가정(의 단란).
〚OE *heorth* ; cf. G *Herd*〛

héarth·rùg *n.* 난로 앞에 까는 깔개.

héarth·sìde *n.* 노변 ; 가정.

héarth·stòne *n.* **1** (난로의) 재받이 돌, 노석 ; 노변 ; 가정. **2** 마석(磨石)《난로 바닥·문간·돌계단 따위를 닦는》.

héart·i·ly *adv.* **1** 마음으로 ; 진심으로, 열심히 : I ~ thank you. 진심으로 감사드립니다. **2** 기운차게 ; 많이, 충분히, 마음껏 : We ate ~. 우리는 실컷[배부르게] 먹었다.

héart·ing *n.* Ⓤ 〖土〗 심벽(心壁) ; Ⓒ 심벽 재료.

héart·lànd [, -lənd] *n.* 〖地政學〗 중핵(中核) 지역, 심장 지대.

héart·less *a.* 심장이 없는 ; 무정[박정]한, 냉혹한 ; 용기[열정]가 없는. **~·ly** *adv.* 무정[냉혹]하게(도). **~·ness** *n.* 무정, 냉혹, 잔혹.

héart-lúng machìne *n.* 인공 심폐.

héart mùrmur *n.* 〖醫〗 심잡음(心雜音).

héart·rènd·ing *a.* 가슴이 터질 것만 같은, 비통한 (grievous). **~·ly** *adv.*

héart·ròt *n.* 심부병(心腐病).

héart's-blòod *n.* 심장 내의 혈액 ; 생명 ; 진심 ; 귀중한 것.

héart-sèarch·ing *n.* Ⓤ,Ⓒ 내성(內省), 반성, 자성(自省) (cf. HEART 2), 자기 비판.

héarts·èase, héart's-èase *n.* **1** 마음의 평화, 안심. **2** 〖植〗 야생의 팬지.

héart-shàped *a.* 심장[하트] 모양의.

héart·sìck *a.* 비탄에 빠진, 의기 소침한. **~·ness** *n.*

héart·sòre *a.* 마음이 아픈, 슬픔에 잠긴.

héart stàrter *n.* 《濠俗》 (술의) 첫잔째, 처음 마시는 한잔.

héart-stìrring *a.* 기운을 북돋우는, 정신을 고무시키는.

héart-strìcken, -strùck *a.* 비탄에 빠진.

héart·strìngs *n. pl.* [흔히 풍자적으로] 심금(心琴), 깊은 감정[애정].

héart·thròb *n.* 심장의 고동 ; 《口》 정열, 감상(感傷) ; 《口》 애인 ; 귀중한[멋진] 것.

héart-to-héart *a.* 솔직한, 격의없는(frank) ; 진심의(sincere) : a ~ talk 흉금을 터놓는 이야기. ── *n.* [a ~] 《俗》 솔직한 이야기[회화].

héart trànsplant *n.* 〖醫〗 심장 이식.

héart·wàrm·ing *a.* 마음 흐뭇한, 기쁜.

héart-whòle *a.* 순진한, 사랑을 모르는 ; 전심(專心)의, 성실한 ; 용감한.

héart·wòod *n.* Ⓤ (목재의) 적목질(赤木質), 심재(心材).

***héarty** *a.* **1** 마음속으로부터의, 친절한, 애정어린 : receive a ~ welcome 진심어린 환대를 받다 / laugh a ~ laughter 매우 재미있는[우스운] 듯이 웃다. **2** 활기찬, 능숙한 ; 왕성한 : hale and ~ at 80 80세에도 원기 왕성한[하여] / have a ~ appetite 식욕이 왕성하다. **3 a)** (음식이) 많은, 풍부한 ; (식품이) 영양이 있는 : take a ~ meal 충분히 식사를 하다, 실컷 먹다. **b)** (사람이) 식욕이 왕성한 : a ~ eater 대식가. **4** (땅이) 비옥한(fertile). ── *n.* 정력가 ; 친구 ; 《英大學》 (지성·감성이 그다지 느껴지지 않는) 기운찬 학생, 스포츠맨(↔*aesthete*). 〚HEART〛
[類義語] ⟹ SINCERE.

◇heat [hí:t] *n.* **1** Ⓤ 더움, 뜨거움, 더위, 열(↔*cold*) : the ~ of the day 한낮 / the ~ of the sun 태양 열 / suffer from the ~ 더위를 타다. **2** Ⓤ 따뜻함, 난기(暖氣). **3** Ⓤ 열도, 온도 ; 〖理〗 열 : the ~ *of* blood 혈액의 온도. **4** Ⓤ (신체의) 열, (열 따위에 의한) 홍조(紅潮), 붉어짐, 상기(上氣) : ☞ PRICKLY HEAT. **5** Ⓤ (겨자·후추 따위의) 매운 맛(pungency). **6** Ⓤ 열렬 ; 맹렬 ; 열정, 분격, 격노, 최고조. **7** (1회의) 동작[노력], 일거(一擧) ; 〖競〗 예선(의 1회) : preliminary [trial] ~*s* 예선. **8** Ⓤ (암짐승의) 발정(發情)(cf. RUT[2]) ; 교미기 : be on[in, at] ~ (암컷이) 발정하다[암내내다]. **9** 《口》 위압, 압력, 《俗》 (경찰 등의) 추적.
at a heat 단숨에.
in the heat of …의 한창 때에 : *in the ~ of* the moment 한창 열이 오른 순간에.
── *vt.* **1** [+目/+目+副] 가열하다, 데우다 : I ~*ed* myself by rapid walking. 나는 빨리 걸어 몸을 따뜻하게 했다 / The room was comfortably ~*ed* ***up***. 방은 기분좋을 만큼 따스해졌다. **2** 흥분시키다(excite), 격분시키다〈*up*〉.
── *vi.* 뜨거워지다, 따스해지다 ; 흥분하다.
〚OE *hǣtu* ; cf. HOT, G *Hitze*〛

HEAT *n.* 〖軍〗 고성능 대전차 유탄(榴彈).
〚*h*igh *e*xplosive *a*nti-*t*ank〛

héat àpoplexy *n.* 〖醫〗 일사병.

héat àrtist *n.* 《美俗》 연료용(用) 알코올을 마시는 사람.

héat bàlance *n.* 〖理〗 열평형(熱平衡).

héat bàrrier *n.* =THERMAL BARRIER.

héat-càn *n.* 《美俗》 제트기.

héat capàcity *n.* 〖理〗 열용량.

héat consùmption *n.* 열 소비량.

héat cràmps *n. pl.* 열(熱)경련《고온하에서 중노동에 의해 발생》.

heat·ed *a.* 가열된 ; 격렬한, 흥분한 ; 성난 : a ~ discussion 격론. **~·ly** *adv.*

héat èngine *n.* 열기관.

héat·er *n.* 히터, 가열기 ; 난방 장치 : a gas ~ 가스 히터 / an oil ~ 석유 히터.

héat exchànge *n.* 〖機〗 열교환.

héat exchànger *n.* 〖機〗 열교환기, 방열기.

héat exhàustion *n.* 〖醫〗 열피로(熱疲勞).

héat flàsh *n.* (핵폭발시의) 세찬 열복사.

héat·ful *a.* 열이 많은, 열이 나는, 방열량이 많은.

heath [hí:θ] *n.* Ⓤ,Ⓒ 〖植〗 히스《자색·백색 또는 핑크색 종형(鐘形)의 조그만 꽃이 피는 작은 관목(灌木)으로 영국의 산야·황무지에 많고 ling 또는 heather라고도 불리움》 ; Ⓒ 《英》 (특히 히스류가 무성한) 황폐한 땅, 황야(moor).
one's ***native heath*** 태어난[성장한] 고향.
〚OE *hǣth* ; cf. G *Heide*〛

Heath *n.* 히스. **Edward** ~ (1916-) 영국의 정치가 · 수상(1970-74).
héath bèll *n.* 히스꽃.
héath·bèrry [, -bəri] *n.* 〔植〕 **1** 시로미. **2** 넌출월귤.
héath còck *n.* 〔鳥〕 =BLACKCOCK.
***hea·then** [híːðən] *a.* 이교도(異教徒)의, 이교의; 사교의; 신앙이 없는; 《口》 야만의(barbarous): ~ days 이교(異教)시대 / ~ gods 이교도가 믿는 제신(諸神). —— *n.* (*pl.* **~s**, ~) **1 a)** 〔聖〕 이방인(Gentile) 《유태인이 아닌 국민 또는 민족의 사람》. **b)** 이교도 《기독교도 · 유태교도 · 이슬람교도들이 각각 다른 종교인들을 가리킴》. **c)** [the ~; 집합적으로] 이방인들; 이교도들. **2** 무종교자, 신앙이 없는 사람(infidel); 《口》 미개인. **~·dom** *n.* 이교, 이단; 이교국; [집합적으로] 이교도.
〖OE *hǣthen*＜Gmc.=savage (⇨ HEATH)〗
類義語 ⟹ PAGAN.
héa·then·ish *a.* 이교[사교](도)의; 비기독교적인; 야만의. **~·ly** *adv.*
héa·then·ìsm *n.* **1** Ⓤ 이교, 이단, 우상 숭배. **2** Ⓤ 야만.
héa·then·ìze *vt., vi.* 이교도로 만들다[가 되다].
héa·then·ry *n.* Ⓤ 이교; 이교 세계; [집합적으로] 이교도.
heath·er [héðər] *n.* Ⓤ 〔植〕 히스(heath), (특히) 위성류아재비; 칙칙한 적자색.
take to the heather 《스코》 산적이 되다.
—— *a.* 히스의[같은]; 히스로 만든; 반점이 있는; 혼합색의; 칙칙한 적자색의.
〖ME (Sc. and N. Eng.) *hathir* etc.＜?; 어형은 *heath*에 동화(同化)〗
héather àle *n.* 헤더 에일《옛날 히스꽃으로 향기를 낸 스코틀랜드의 양조 맥주》.
héather mìxture *n.* 여러 가지 색실을 섞어서 짠 모직물.
héather twèed *n.* 혼색 트위드《스코치 모직물》.
heath·ery [héðəri] *a.* 히스가 무성한.
héath hèn *n.* 〔鳥〕 **1** 검은멧닭의 암컷. **2** 히스헨《지금은 멸종한 북미산 멧닭의 일종》.
héath·lànd *n.* 히스가 무성한 황야.
Héath Róbinson *a.* (기계 따위가) 너무나 정교하여 비실용적인. 〖W. *Heath Robinson* (d. 1944) 영국의 풍자 화가〗
Heath·row Airport [híːθrou ⌐] *n.* 히스로 공항 《통칭 London Airport; London의 국제공항》.
héathy *a.* 히스의, 히스와 비슷한, 히스로 덮인; 황야가 많은.
héat·ing *n.* Ⓤ 가열(작용); (건물의) 난방(장치): central[steam] ~ 중앙[증기] 난방.
—— *a.* 가열하는, 따뜻하게 하는: a ~ apparatus[system] 난방 장치.
héating càbinet *n.* 온장고(溫藏庫).
héating èlement *n.* 발열체(發熱體)《토스터 따위의 전열선》.
héating expènses *n. pl.* 난방비.
héating pàd *n.* 전기 담요[방석].
héat ìsland *n.* 히트 아일랜드, 열섬《주변보다 온도가 높은 도시 지역[공업 지대] (상공의 대기)》.
héat làmp *n.* 적외선 등, 태양등.
héat lìghtning *n.* (여름밤에 지평선 멀리서 번쩍이는) 천둥이 따르지 않는 번개(wildfire).
héat pìpe *n.* 〔機〕 열 파이프《배열(排熱) 회수 장치에 쓰이는 열전도(熱傳導) 파이프》.
héat pollùtion *n.* 열공해(熱公害).
héat·pròof *a.* 내열(耐熱)의.
héat prostràtion *n.* =HEAT EXHAUSTION.
héat pùmp *n.* 열 펌프《열을 저온 물체에서 고온 물체로 옮기는 장치》; (빌딩 따위의) 냉난방 장치.
héat ràsh *n.* 땀띠; =HEAT SPOT.
héat ràY *n.* 〔理〕 열선(熱線), 적외선.
héat sèeker *n.* 열[적외선] 추적 미사일.
héat-sèek·ing míssile *n.* 열[적외선] 추적 미사일.
héat shìeld *n.* (우주선의) 열차폐.
héat sìnk *n.* **1** 히트 싱크《전자 장치 따위의 온도 상승을 막기 위한 흡방열재[장치]》. **2** 〔로켓〕 히트 싱크《열 흡수 장치》.
héat spòt *n.* 여드름; 온점(溫點)《피부상의 열을 느끼는 감각점》.
héat·stròke *n.* Ⓤ 열사병, 일사병(sunstroke).
héat-trèat *vt.* (우유를) 가열 살균하다; (금속 따위를) 열처리하다.
héat trèatment *n.* 〔冶〕 열처리.
héat ùnit *n.* 열단위, 칼로리(calorie).
héat wàve *n.* 〔氣〕 열파(熱波) (↔*cold wave*).
heave [híːv] *v.* (**~d**, 《海》 **hove** [hóuv]) *vt.* **1** [+目/+目+副/+目+前+名] (무거운 물건을) 올리다, 들어올리다(lift): He ~*d* the box ***out of*** the cart[(***up***) ***into*** the cart]. 그는 그 상자를 들어올려 짐차에서 꺼냈다[에 실었다]. **2** 높이다, (가슴을) 부풀리다, 융기시키다(swell). **3** (탄성 · 신음 소리를) 괴로운듯이 내다, 지르다; 토하다: ~ a sigh 한숨을 쉬다 / ~ a groan 신음 소리를 내다. **4** 〔海〕 밧줄로 끌어올리다[끌다], (밧줄을) 잡아당기다(haul in). **5** [+目+副/+目+前+名] 던지다, 내던지다, 멀리 집어 던지다(throw): The sailor *hove*[~*d*] the anchor *overboard.* 그 선원은 닻을 바다에 집어 던졌다 / Somebody has ~*d* a brick ***at*** us. 누군가가 우리에게 벽돌을 던졌다.
—— *vi.* **1** 오르다, 높아지다(rise); (물결이) 출렁거리다, 넘실거리다, 파도치다, 부풀어오르다(swell): the *heaving* billows 넘실거리는 큰 물결. **2** 메스껍다(retch); 헐떡이다(pant). **3** (힘껏) 끌어당기다〈*at*〉. **4** 〔海〕 밧줄 따위를 손으로 끌다[감다]; (배가) 움직이다, 나아가다.
heave about (배를) 갑자기 돌리다.
heave ahead 밧줄을 끌어당겨 (배를) 나아가게 하다.
heave and set (배 · 파도 따위가) 오르내리다.
Heave away[***ho***]***!*** 영차, 닻 감아라《닻을 감을 때 지르는 소리》.
heave down 배가 기울다; (수리 · 청소를 위해 배를) 기울이다.
heave in (닻줄 따위를) 끌어[감아]들이다.
heave in sight (배 따위가) 멀리서 보이기 시작하다.
heave out (돛 · 기를) 올리다.
heave the gorge 느글거리다, 욕지기나다.
heave the keel out 용골이 보이도록 배를 기울이다.
heave the lead 측연(測鉛)을 던지다《수심을 재기 위해》.
heave the log 측정기로 배의 속력을 재다.
heave to [túː] 〔海〕 뱃머리를 바람 불어오는 쪽으로 돌려 멈추다; (배가) 서다: The ship *hove to.* 배가 섰다.
heave up 올리다, 끌어올리다(cf. *vt.* 1); 포기하다, 단념하다.
—— *n.* **1** (애써서) 들어올리기; 무거운 물건을 올리는 노력. **2** 팽창, 융기, 부풀음(swelling). **3** 메스꺼움. **4** 〔地質 · 鑛〕 (단층에 의한 지층 · 광맥

의) 수평 전차(轉差). **5** 〔레슬링〕 오른손을 상대편의 오른쪽 어깨에 돌리며 던지는 법. **6** [*pl.* ; 단수취급] (말의) 폐기종(肺氣腫), 천식.
〚OE *hebban* ; cf. G *heben*, L *capio* to catch〛
類義語 ⟹ LIFT.

héave-hó *int.* 〔海〕 닻 감아라. ── *n.* (*pl.* ~**s**) [the ~] 《美口》 추방, 거절 : give *the* ~ 쫓아버리다. ── *vt., vi.* 핀잔을 주다 ; 이영차 하고 들어올리다, 힘껏 잡아당기다.

‡**heav·en** [hévən] *n.* **1** Ⓤ,Ⓒ 하늘, 천공(sky) (↔ *earth*) : the starry ~*s* 별이 총총 빛나는 하늘 / the eye of ~ 태양 / the fowls of ~ 하늘을 나는 새. ㊟ 산문에서는 보통 the ~*s*로 씀. **2** Ⓤ 천국, 천계, 극락(↔*hell*) ; 천국의 주민(住民), 신들 ; 천인(天人) : go to ~ 천국에 가다, 죽다. ㊟ 옛날의 천문학에서는 하늘을 일곱[또는 아홉]층으로 생각하여 그 최상층이 신·천사의 주거지라 했음. **3** [보통 H~] 천제, 상제, 신(God, Providence) : *H*~ be praised ! = Thank *H*~(*s*) ! 고마워라 ! / *H*~'s vengeance is slow but sure. 《속담》 천벌은 늦게라도 반드시 온다 / Inscrutable are the ways of *H*~. 하늘의 뜻은 헤아릴 수 없다. **4** [H~s *or* ~s ; 감탄사적으로] 어머나 !, 저런 !, 참 ! : *H*~*s, no* ! 아니오, 천만에 ! / *H*~*s*, what is that ? 어머나, 그것이 뭐예요.
by Heaven ! 맹세코, 기필코.
for Heaven's sake 제발, 아무쪼록.
Good* [*Gracious, Great*] *Heavens ! 어머 !, 야단났다 !, 큰일났군《놀람·가엾음을 나타냄》.
heaven and earth (1) 우주, 만물. (2) [감탄사적으로] 이크 ! 저런, 어떻게 하지《놀람·두려움을 외치는 소리》.
Heaven forbid ! 그런 일이 없기를 !, 그런 일이 있어서야 되나 !
Heaven knows ☞ KNOW.
in heaven (1) 천국에 가서, 죽어서(↔*here below*). (2) [의문사를 강조] 도대체(on earth).
move heaven and earth 전력을 다하다.
the heaven of heavens* = *the seventh heaven 제7천국《신과 천사가 사는 가장 높은 하늘 ; ☞ 2 ㊟》: in *the seventh* ~ 더없는 행복 속에 ; 하도 좋아서 어쩔 줄을 모르고.
to* (*high*) *heaven 매우 높게 ; 몹시, 터무니 없이 ; 《口》 꼭.
〚OE *heofon, hefen, heben* ; cf. G *Himmel* ; 어형은 Gmc. *-mn*→이화(異化) *-bn*→*-fn*이 된 것〛

héaven-bòrn *a.* 하늘에서 태어난 ; 하늘에서 내려온 ; 타고난, 천부의.

héaven dùst *n.* 《美俗》 (가루로 된) 마약, 코카인(cocaine).

héaven-gìfted *a.* 선천적 재능을 가진.

héaven-kìss·ing *a.* 하늘에 닿을 듯한.

***héaven·ly** *a.* **1** 하늘의, 천공의(celestial) (↔ *earthly*) : a ~ body 천체. **2** 천국의[과 같은] (↔*mundane*), 거룩한 ; 천부(天賦)의, 절묘한 : a ~ voice 절묘한 목소리. **3** 《口》 멋진.
── *adv.* 천국과 같이 ; 굉장히.
-li·ness *n.* 거룩함, 장엄, 지복(至福).

Héavenly Cíty *n.* [the ~] 〔聖〕 성도, 낙원 (New Jerusalem).

héaven·ly-mìnd·ed *a.* 신앙심이 깊은, 독실한 ; 경건한.

héaven-sènt *a.* 천부의, 하늘이 내려준, 때맞춘.

héaven·ward *a.* 천국에의[을 향한] (cf. EARTHWARD). ── *adv.* 하늘[천국]로 (향하여).

héaven·wards *adv.* = HEAVENWARD.

héav·er *n.* **1** 들어올리는 사람 ; 하역 인부. **2** 〔海〕 (밧줄 따위를 꼬기 위한) 지레. **3** 《美俗》 (야구의) 투수.

héavier-than-áir *a.* 〔空〕 공기보다 무거운, 중항공기의 : a ~ aircraft 중항공기.

***héav·i·ly** *adv.* **1** 무겁게 ; 묵직하게, 육중하게 : a ~ loaded truck 무거운 짐을 실은 트럭 / weigh ~ (= heavy) 무게가 나가다. **2** 엄숙하고 무게있게, 무거운 듯이, 침울하게, 느릿느릿하게 ; 답답하게 : walk ~ 무거운 발걸음으로 걷다 / The problem weighed ~ (= heavy) on his mind. 그 문제가 그의 마음을 무겁게 했다《심히 염려되었다》. **3** 몹시, 심하게 ; 크게, 엄하게 : The flood bore ~ on the villagers. 홍수는 마을 사람들을 몹시 괴롭혔다.

héav·i·ness *n.* **1** Ⓤ 무거움, 무게. **2** Ⓤ 나른함, 무기력, 활발치 못함. **3** Ⓤ 어색함, 서투름. **4** Ⓤ 답답함 ; 고통 ; 비애, 낙담.

heav·ing [hí:viŋ] *n.* 올림, 들어올림, 인양(引揚).

héaving líne *n.* 〔海〕 가는 밧줄《굵은 밧줄을 건네기 위하여 먼저 던지는 밧줄》.

Heav·i·side [hévisàid] *n.* 헤비사이드. **Oliver** ~ (1850-1925) 영국의 물리학자 ; Kennelly와는 달리 전리층(電離層)이 있음을 예상했음.

Héaviside láyer *n.* 〔通信〕 헤비사이드층《지상 100 km 가량의 높이에 있는 대기층으로 전파를 반사함》. 〚↑〛

◇**heavy**[1] [hévi] *a.* **1** 무거운(↔*light*) ; 임신한. **2** 대량의 : a ~ crop 풍작 / a ~ smoker[drinker] 골초[술고래] / a tree ~ *with* fruit 열매가 많이 달린 나무. **3** 압제적인, 견디기 힘든, 괴로운 ; 지독한(severe) : a ~ task[work] 힘든 일 / a ~ injury 중상. **4** 맹렬한(violent) ; 《口》 (성적 관계가) 농후한 : a ~ blow 강타(強打) / a ~ frost 된 서리 / (a) ~ rain 큰비, 호우. **5** (음식이) 소화가 잘 안 되는, 트릿한 ; (빵이) 설구워진 ; (음료수가) 진한, 알코올을 넣은 ; (땅·흙이) 차진, (도로가 질척질척하여) 걷기 힘든 ; 경작하기 힘든 ; (냄새가) 몹시 나는, 쉽사리 가시지 않는. **6** 우수에 잠긴, 슬픈(sad), 풀이 죽은 : ~ news 비보 / with a ~ heart 침울하여, 기가 죽어서. **7** (하늘이) 흐리터분한, 음침[음산]한, 잔뜩 찌푸린 (overcast) : a ~ day 음산한 날. **8** 서투른, (걸음 따위가) 무거운 ; 둔한 : a ~ fellow 아둔패기. **9** (예술·문장 따위) 경쾌함이 없는, 재미 없는, 지루한 : a ~ book 지루한[난해한] 책. **10** 나른한, 찌뿌드드한, 활기가 없는(languid) : feel ~ 기분이 개운치 않다, 께느른하다 / look ~ 침울한 얼굴을 하고 있다. **11** 〔劇〕 진지한 (역의), 장중[장대]한, 비극적인 : a ~ part 원수역(役). **12** 중(重)··· ; 대형의,〔軍〕 중장비의 : ~ cavalry 중기병 / ☞ HEAVY ARTILLERY. **13** 〔化〕 (동위원소가) 보다 큰 원자량을 갖는 : ~ nitrogen 중질소. **14** 〔音聲〕 강음의.
have a heavy hand 솜씨가 서투르다.
heavy in* [*on*] *hand (말이) 부리기 어려운 ; 지루한, 다루기 힘든.
lie* [*sit, weigh*] *heavy* (*up*)*on ··· 을 괴롭히다 : The decision whether to go to war *lay* ~ *upon* the President. 개전할 것인지 안할 것인지의 결정이 대통령을 괴롭혔다.
with a heavy hand 고압적(高壓的)으로.

〈회화〉
Which trunk is the *heaviest* ? — The brown one is. 「어느 트렁크가 제일 무겁니」 「갈색 트렁크요」

── *n.* **1** 《口》〔劇〕 진지한 역, 원수역(役)(을 맡

은 사람). **2** [the heavies] 중기병(重騎兵). **3** [*pl.*] 중공업. **4** 《俗》 중폭격기 ; 《美俗》 (권투 따위의) 헤비급 선수.
—— *adv.* =HEAVILY.
Time hangs heavy ((***up***)***on*** one's ***hands***). 시간이 남아 돌아간다, 매우 무료[따분]하다.
〖OE *hefig*<Gmc. (《美》 *habhiz* weight) ; cf. HEAVE, OHG *hefig*〗
類義語 ***heavy*** 무거운 ; 특히 들어올리거나 운반하거나 하는데 힘이 드는 ; 비유적으로는 마음·기분 따위를 무겁게 하는. ***weighty*** 매우 무거운 ; 주로 비유적으로 중대한 : a *weighty* problem[matter] (중대한 문제[사실]). ***burdensome*** 너무 무거워서 행동에 방해되거나 소유주[운반인]의 부담이 되는.
heavy[2] [hí:vi] *a.* 〔獸醫〕 폐기종[천식](heaves)에 걸린.
héavy-ármed *a.* 중장비의.
héavy artíllery *n.* 중포(병) ; 중포병대.
héavy bómber *n.* 중폭격기.
héavy-bròwed *a.* 얼굴을 찌푸린.
héavy-búy·ing *a.* 다량으로 사는.
héavy cháin *n.* 〔生化〕 (면역 글로불린의) 중(重)사슬, H사슬.
héavy chèmical *n.* 공업 약품.
héavy créam *n.* 헤비 크림《유지분이 많은 크림》; 《美俗》 뚱뚱한 여자 아이, 젊은 여자.
héavy dáte *n.* 《美俗》 (애인·약혼자와의) 중요[농후]한 데이트 ; 헤비 데이트의 상대 ; 중요한 약속[결합].
héavy-dúty *a.* 격무에 견디는 ; 튼튼한 ; 관세(關稅)가 높은.
héavy éarth *n.* 〔化〕 산화바륨(baryta).
héavy élement *n.* 〔化〕 중원소(重元素).
héavy fóot *n.* 가속 페달을 세게 밟는 사람 ; (자동차 따위를) 맹렬한 속도로 모는 사람.
héavy-fóot·ed *a.* 발이 무거운, (걸음걸이 따위가) 어색한 ; 《方》 임신한 ; (자동차를) 쏜살같이 모는.
héavy gún *n.* 중포(重砲).
héavy-hánd·ed *a.* 고압적인 ; 서투른.
héavy-héad·ed *a.* 머리가 무거운[둔한] ; 이삭이 큰 ; 졸린.
héavy-héart·ed *a.* 마음이 무거운, 침울한.
~·ly *adv.* 마음이 무거워서, 침울하여.
héavy hítter *n.* 유력자, 중요 인물.
héavy hýdrogen *n.* 〔化〕 중수소.
héavy índustries *n. pl.* 중공업《제철·조선·기계공업 따위 ; ↔*light industries*》.
héavy-láden *a.* 무거운 짐을 진[실은] ; 억압당한 ; 걱정거리가 많은.
héavy métal *n.* 〔化〕 중금속《비중 5.0 이상》; 중포(탄) ; 《비유》 위인 ; 강적, 벅찬 상대 ; 헤비메탈《무거운 비트와 전자 장치에 의한 금속음을 특징으로 하는 록》.
héavy-métal *a.* 헤비메탈의.
héavy móney *n.* (소유주가 중시될 수 있을 정도의) 많은 돈, 대금(大金)(heavy sugar).
héavy óil *n.* 중유(重油).
héavy óxygen *n.* 〔化〕 중(重)산소.
héavy pétting *n.* (성교는 하지 않는) 진한 애무.
héavy ráil *a.* 철도 수송의, 철도를 이용한《통상의 철도·지하철 ; cf. LIGHT RAIL》.
héavy róck *n.* 헤비 록《고도의 테크닉을 사용하여 참신한 갖가지 실험적 사운드를 특색으로 하는 록 음악》.
héavy·sét *a.* 몸집이 큰, 튼튼한.
héavy spár *n.* 〔鑛〕 중정석(重晶石).
héavy-stìck·er *n.* 《野俗》 강타자.
héavy súgar *n.* 《美俗》 =HEAVY MONEY ; 단번에 얻은 대금 ; 부자 ; 부자임을 나타내는 소유물《고급 승용차·보석 따위》.
héavy swéll *n.* **1** 바다의 세찬 파도. **2** 《古·口》 풍채[태도]가 당당한 사람.
héavy-wáll *a.* (유리 제품(製品) 따위의) 두께가 두꺼운.
héavy wáter *n.* 〔化〕 중수《중수소와 산소로 이루어진 물》.
héavy·wèight *n.* **1** 평균 체중 이상의 사람《특히 기수(騎手) 또는 레슬링 선수》; 〔拳〕 헤비급 선수 (☞ BOXING WEIGHTS). **2** 《美口》 (학계·정계 따위의) 유력자.
héavy wét *n.* 《英俗》 엿기름 양조주.
Heb., Hebr. 〔聖〕 Hebrew(s).
heb·do·mad [hébdəmæ̀d] *n.* 일곱(개의 물건) ; 일곱 사람 ; 〔聖〕 한 주(週).
〖L<Gk.=seventh ; ⇨ HEPT-〗
heb·dom·a·dal [hebdɑ́mədl] *a.* 한 주의, 매주의 : a ~ journal 주간잡지.
—— *n.* 주간지.
He·be[1] [hí:bi] *n.* 〔그神〕 헤베《청춘의 여신 ; Olympus 산의 신들에게 시중들었음》.
Hebe[2] [hí:b] *n.* 《蔑》 유태인(Jew). 〖HEBREW〗
he·be- [hí:bə] *comb. form* 「사춘기」의 뜻.
〖Gk.〗
He·bei [hʌ́béi], **Ho·pei, -peh** [hóupéi] *n.* 허베이(河北)《중국 북부의 성》.
heb·e·tate [hébətèit] *vt.* 무디게 하다, 둔하게 하다. —— *vi.* 무디어지다, 둔해지다. —— *a.* 〔植〕 (가시·까끄라기 따위) 끝이 뾰족하지 않은.
〖L *habet- habes* blunt〗
he·bet·ic [hibétik] *a.* 사춘기의[에 일어나는].
heb·e·tude [hébətjù:d] *n.* 우둔, 투미함, 멍청함.
He·bra·ic [hibréiik] *a.* 헤브라이인[어·문화]의 (Hebrew). **-i·cal·ly** *adv.* 헤브라이인[어]식으로. 〖L<Gk. ; ⇨ HEBREW〗
He·bra·ism [hí:breiìzəm] *n.* **1** Ⓤ 헤브라이 사조(思潮), 헤브라이즘《신을 중심으로 하여 도덕적인 인생관을 지니는 헤브라이 민족의 사상·종교·문화 ; cf. HELLENISM》. **2** Ⓤ 유태교(Judaism). **3** 헤브라이어풍(語風).
-ist *n.* 헤브라이 학자 ; 헤브라이 종교 신자.
Hè·bra·ís·tic *a.* 헤브라이식의, 헤브라이 학자의. **-ti·cal·ly** *adv.* 헤브라이식[풍(風)]으로.
He·bra·ize [hí:breiàiz] *vt.* 헤브라이어로 번역하다 ; 헤브라이식으로 하다. —— *vi.* 헤브라이인이 되다 ; 헤브라이식으로 되다[생각하다].
He·brew [hí:bru:] *n.* **1** 헤브라이인(人)(cf. SEMITE) ; (근대의) 유태인(Jew). **2 a)** Ⓤ 고대 헤브라이어《구약 성서에 쓰여진 언어 ; 略 Heb.》; 현대 헤브라이어(Modern Hebrew)《이스라엘의 공용어》. **b)** Ⓤ 《口》 알 수 없는 말(cf. GREEK *n.* 3 b), DOUBLE DUTCH) : It's ~ to me. 나로서는 종잡을 수 없는 말이다. **3** [~s ; 단수취급] 〔聖〕 히브리서(書)(the Epistle of Paul the Apostle to the Hebrews) 《신약 성서 중의 한 편 ; 略 Heb(r).》. —— *a.* 헤브라이인[어]의 ; 유태인의.
〖OF<L<Gk.<Heb.=one from the other side (of the river)〗
Hébrew Bìble *n.* [the ~] 헤브라이 성서《구약 성서》.
Hébrew cálendar *n.* =JEWISH CALENDAR.
Hébrew·wìse *adv.* 헤브라이식으로 ; (글쓰는 식이) 오른쪽에서 왼쪽으로.

Heb·ri·de·an [hèbrədí:ən], **He·brid·ian** [hebrídiən] *a.* 헤브리디스 제도의; 헤브리디스 제도 주민의.
—— *n.* 헤브리디스 제도의 주민.

Heb·ri·des [hébrədì:z] *n. pl.* [the ~] 헤브리디스 제도《스코틀랜드 서쪽의 약 500개의 섬》.

Hec·a·te [hékəti, (Shakespeare극에서는 보통) hékət] *n.* 〖그神〗 헤카테《천지 및 하계를 다스리는 여신》; 마녀(witch).

hec·a·tomb [hékətòum, -tù:m] *n.* (옛 그리스의) 황소 백 마리의 제물; 《비유》 다수의 희생, 대학살. 〚L<Gk. (*hekaton* hundred, *bous* ox)〛

heck[1] [hék] *n.* 《俗·婉》 =HELL 3: *H*~! 제기랄! / What the[*in*] ~ ...? 뭐야! 빌어먹을… / I had a ~ *of* a time. 되게 혼났다.
〚변형(變形)〈*hell*〛

heck[2] *n.* 《스코》 (가축의) 꼴 시렁; 통발; (베틀의) 바디집; (배수로의) 수문.
at heck and manager 사치[안락]하게.
〚HATCH[2]의 북부형〛

heck·le [hékəl] *vt.* (연사, 특히 선거 후보자를) 야유하다, 질문 공세를 퍼붓다, 힐문하다; 부당하게 간섭하다, 방해하다. —— *n.* =HACKLE[1].
héck·ler *n.* 야유하는 사람; 야유, 놀림.
〚HACKLE[1]〛

hect- [hékt], **hec·to-** [héktou, -tə] *comb. form* **1** 헥토(=10^2; 기호 h; cf. CENTI-). **2** 「많은」의 뜻. 〚F (Gk. *hekaton* hundred)〛

hect·are [héktεər, -tæər, -tɑ:r; -tɑ:*r*] *n.* 헥타르《100 아르, 1만 제곱미터》. 〚↑, ARE[2]〛

hec·tic [héktik] *a.* **1** 소모열의; 열이 있는, 병적으로 홍조를 띤: ~ fever 소모열 / ~ flush 홍조《결핵 환자의 볼에 나타남》. **2** 《口》 흥분한, 열광적인(feverish). —— *n.* Ⓤ 소모열; 홍조(flush); Ⓒ 소모열(消耗熱) 환자.
〚OF<L<Gk.=habitual (*hexis* habit of body)〛

hectog. hectogram.

hécto·gràm | **-grámme** *n.* Ⓤ 헥토그램《100 그램; 略 hectog.》.

hécto·gràph, hék- *n., vt.* 젤라틴판(으로 인쇄하다).

hécto·kílo- *comb. form* 「10^5」의 뜻.

hectol. hectoliter.

hécto·lìter | **-lìtre** *n.* 헥토리터《100 리터; 略 hectol.》.

hectom. hectometer.

hécto·mèter | **-mètre** *n.* 헥토미터《100 미터; 略 hectom.》.

hécto·pascàl *n.* 〖理〗 헥토파스칼《기압의 단위; 100 pascal; 1 millibar와 같음; 기호 hpa》.

hec·tor [héktər] *n.* **1** [H~] 헥토르《Homer의 시 *Iliad*에 나오는 트로이 전쟁의 용사》. **2** 소리지르는 사람, 허세를 부리는 사람; 약자를 괴롭히는 사람. —— *vt.* [+目/+目+副+名] 소리지르다, 괴롭히다, 호통쳐서 (…한 상태에) 빠뜨리다 (bully): We must not be ~*ed* ***into*** compliance [***out of*** our policy]. 우리는 아무리 위협을 당해도 복종해서는[우리들의 방침(方針)을 굽혀서는] 안된다.
—— *vi.* 허세를 부리다.
〚Gk. *hektōr* holding fast; defender〛

Hec·u·ba [hékjəbə] *n.* 〖그神〗 헤카베《로마 이름은 헤쿠바; Troy왕 Priam의 아내》.

‡**he'd** [hid, hí:d] he had, he would의 단축형.

Hed·da [hédə] *n.* 여자 이름.
〚Gmc.=strife〛

hed·dle [hédl] *n.* (베틀의) 잉아《바디 다음에 날실을 꿰는 부분》.

***hedge** [hédʒ] *n.* **1** 산울타리, 울타리(cf. FENCE, RAILING[1], PALING): a quickset ~ 산울타리. **2** 《비유》 장애, 장벽(barrier): a ~ *of* convention 인습의 장애. **3** (손실·위험 따위에 대한) 방지책, 예방 수단; 양다리 걸치기; 〖商〗 연계 매매.
come down on the wrong side of the hedge (사냥에서 울타리를 잘못 뛰어넘는다는 뜻에서) 판단을 그르치다; 과오를 범하다.
not grown on every hedge 아무데나 흔히 있는 것은 아니다.
sit[***be***] ***on*** (***both sides of***) ***the hedge*** 형세를 관망하다, 기회를 엿보다.
—— *a.* **1** hedge (용)의; 길가의; 야외의. **2** 저급한, 삼류의.
—— *vt.* **1** [+目/+目+副/+目+前+名] **a)** 산울타리를 두르다[로 가르다]: The farmhouse had been ~*d* ***off from*** the path. 농가는 울타리에 의해 작은 길과 경계를 이루고 있었다. **b)** 《비유》 (규칙 따위로) …의 행동을 구속하다, 속박하다: He felt ~*d* ***in with*** rules. 그는 규칙에 얽매여 자유로이 행동할 수 없다는 느낌이 들었다. **2** (도박에서) 양쪽에 걸어 손실을 방지하다, 양다리걸치다, (투기에서) 선매매(先賣買)하여 손해를 방지하다. —— *vi.* **1** 울타리를 만들다, 울타리를 손질하다: *hedging* and ditching 울타리를 만들고 도랑을 파기. **2** (내기·투기에서) 양쪽에 걸다, 양다리 걸치다; 발뺌할 여지를 남겨 두다.
〚OE *hecg*; cf. HAW[1], G *Hecke*〛

hédge bìll *n.* 자루가 긴 낫《산울타리 손질용》.

hédge fùnd *n.* 《美》 헤지 펀드《개인의 자금을 투기적으로 운용하는 유한 책임의 투자 신탁 조합》.

hédge·hòg *n.* **1** 고슴도치, 바늘두더지(porcupine). **2** 《口》 골 잘내고 심술궂은 사람. 〚HEDGE 서식지에서, HOG 그 코에서〛

hedgehog 1

hédge·hòp *vt., vi.* 〖空〗 초(超)저공 비행을 하다《살충제의 공중 살포 따위》; 살살 빠지다[회피하다]. **-hòp·per** *n.* **-hòp·ping** *n.*

hédge pàrsley *n.* 〖植〗 파슬리 비슷한 미나리과 식물; (특히) 사상자(蛇床子).

hédge-prìest *n.* 《蔑》〖史〗 무식한 성직자.

hedg·er [hédʒər] *n.* 《英》 산울타리를 만드는[손질하는] 사람; (내기 따위에서) 양다리를 걸치는 사람, 도망갈 길을 만드는 사람.

hédge·row [-ròu] *n.* 산울타리를 이루는 관목의 열(列).

hédge schòol *n.* (원래 아일랜드의) 노천학교, 야외학교; 빈민학교.

hédge spàrrow[**wàrbler**] *n.* 〖鳥〗 바위종다리의 일종《영국·유럽 대륙에 흔하며 울타리에 둥지를 만들고 파란 알을 낳음》.

hédg·ing *n.* 〖商〗 연계 매매(連繫賣買).

hedgy [hédʒi] *a.* 울타리 모양의, 울타리가 많은.

he·don·ic [hidάnik] *a.* 쾌락의; 〖心〗 쾌락설의. **-i·cal·ly** *adv.* 〚Gk. (*hēdonē* pleasure)〛

he·dón·ics *n.* 〖倫〗 쾌락설, 〖心〗 쾌락론.

he·do·nism [hí:dənìzəm, héd-] *n.* Ⓤ 〖哲〗 쾌락[향락]주의; 〖心〗 쾌락론.
〚Gk. *hēdonē* pleasure〛

hé·do·nist *n.* 쾌락주의자.

hè·do·nís·tic *a.* 쾌락주의자의; 쾌락설의, 향락주의의. **-ti·cal·ly** *adv.*

-he·dral [hí:drəl, 英+héd-] *a. comb. form* 「…개

의 변[면]으로 된」의 뜻 : di*hedral*, poly*hedral*. 〚Gk. *hedra* side〛

-he·dron [hí:drən, 英+héd-] *n. comb. form* (*pl.* **~s**, **-dra** [-drə]) 「…면체」의 뜻(-hedral의 명사형) : poly*hedron*. 〚Gk. (↑)〛

hee·bie-jee·bies, hee·by- [hí:bidʒí:biz] *n. pl.* [the ~] 《俗》 불안, 공포, 신경과민(jitters) ; = DELIRIUM TREMENS.

heed [hí:d] *vt.* 《文語》 유의하다, 주의하다, …에 관심을 두다 : ~ a warning 경고에 유의하다 / ~ traffic regulations 교통 규칙을 지키다. —— *n.* Ⓤ 주의, 경계, 유의(notice).

give*[*pay*] *heed to …에 주의하다, …을 유의하다 : He *gave* no ~ *to* the pain of his wound. 상처의 고통 같은 것은 조금도 개의치 않았다.

take heed 주의하다, 경계하다, 중시하다 : *Take* ~ *of* my advice. 내 충고를 명심해라 / He *takes* no[little] ~ *of* what others say. 그는 남의 말에 전혀[조금도] 귀를 기울이지 않는다.

〚OE *hēdan*＜WGmc. (《美》 *hōda* care) ; cf. G *hüten*〛

héed·ful *a.* 주의 깊은(attentive), 조심성이 많은 〈*of*〉 ; 마음 쓰는, 인정이 있는〈*of*〉. **~·ly** *adv.* **~·ness** *n.*

héed·less *a.* 부주의한(careless), 무분별한, 무관심한 : He is ~ *of* expenses. 그는 비용에 무관심하다. **~·ly** *adv.* 부주의하게, 선불리. **~·ness** *n.* 부주의, 무관심, 경솔.

hee-haw [hí:hɔ̀:, ⌐⌐] *n.* 나귀의 울음소리 ; 바보 웃음. —— *vi.* (나귀가) 울다 ; 바보처럼 웃어대다. 〚imit.〛

***heel**[1] [hí:l] *n.* **1** 뒤꿈치(↔*toe*) ; (말 따위의) 뒷발굽, [*pl.*] (동물의) 뒷발. **2** 양말의 뒤축, 구두의 뒤축[뒤꿈치]. **3** 뒤꿈치 모양의 물건 ; (물건의) 토막 ; 꼬리 부분, 말단, 말기(末期). **4** 〔골프〕 힐 《골프채 끝의 굽은 곳》. **5** 《俗》 도망, 탈옥. **6** 《俗》 비열한 인간.

at*[*(up)on*] a person*'s heels 남의 뒤를 바싹 뒤쫓아가.

at heel 바로 뒤따라, 뒤쫓아서.

bring . . . to heel …을 뒤따라오게 하다 ; 복종시키다.

clap a person ***by the heels*** = *lay* a person *by the* HEELS.

come to heel 따르다 ; 복종하다 ; (개에게 소리쳐) 따라 와 !

cool one***'s heels*** (오래) 기다리다, 기다리다 지치다.

down at* (*the*) *heel = ***down at heels*** 구두 뒤축이 닳은 ; 단정치 못한.

have*[*get*] *the heels of …을 앞지르다, …에 이기다.

head over heels in . . . = *over* HEAD *and ears in*. . . .

heels over head ☞ HEAD *over heels.*

keep to heel = *come to* HEEL.

kick one***'s heels*** = *cool* one*'s* HEELS.

kick up a person***'s heels*** 남을 차서 쓰러뜨리다 ; 남을 해치우다.

kick up one***'s heels*** 까불고 돌아다니다 ; 흥겹게 뛰놀다 ; 《俗》 죽다.

lay a person ***by the heels*** 남에게 족쇄를 채우다 ; 남을 감금[투옥]하다.

leave the house heels foremost 죽어서 집에서 실려 나가다.

make a heel (발로) 차다.

***out at* (*the*) *heel*(*s*)** 구두 뒤축이 닳아서 ; 초라한.

raise*[*lift*] *the heel against …을 발길로 차다 ; …을 괴롭히다.

show one***'s heels*** = ***show a clean pair of heels*** = ***take to*** one***'s heels*** 부리나케 달아나다, 줄행랑 치다.

throw up the heels of …을 넘어지게 하다.

to heel (개 따위가) 뒤따라서, 바로 뒤에서 ; 복종하여, 얌전히(cf. *come*[*keep*] *to* HEEL).

tread on the heels of . . . (사람이) …의 바로 뒤를 따라오다 ; 《비유》 (사람 · 사건 따위가) 꼬리를 물고 몰려오다[잇달아 일어나다].

trip up a person***'s heels*** 남의 발을 걸어 넘어뜨리다.

turn on one***'s heel*** 홱 돌아서다, 못마땅한 얼굴로 떠나 버리다.

turn up one***'s heels*** 죽다.

under heel 굴복하여 : The country was brought *under* ~. 그 나라는 굴복하였다.

***under the heel* (*of . . .*)** (…에게) 짓밟혀서, 유린당하여.

with one***'s*[*the*] *heels foremost*** 시체가 되어.

—— *vt.* **1** …의 바로 뒤를 쫓다[에 뒤따르다]. **2** (구두에) 뒤축을 대다 ; (싸움닭 따위에) 쇠발톱을 붙이다. **3** 〔골프〕 (공을) 힐로 치다(cf. *n.* 4) ; 뒤꿈치로 춤추다 ; 뒤꿈치로 차다.

—— *vi.* (댄스에서) 뒤꿈치로 지면[마루]을 구르다[차다].

heel out 〔럭비〕 스크럼을 짰을 때 뒤꿈치로 공을 뒤로 차내다.

~·less *a.*

〚OE *hēla* ; cf. HOUGH, Du. *hiel*〛

heel[2] *vi.* (배가) 기울다〈*over*〉. —— *vt.* (배를) 기울이다. —— *n.* (배의) 경사 ; 경사도.

〚?*heeld*, *hield* (obs.) to incline＜OE *hieldan* ; cf. OHG *helden* to bow〛

héel-and-tóe *a.* 〔競〕 경보의, 힐앤드토(주법(走法))의 《경보(競步) 따위에서 한쪽 발끝이 떨어지기 전에 다른 쪽 뒤꿈치를 땅에 닿게 하는 걸음걸이》 : a ~ walking race 경보(레이스).

—— *vi.* (자동차 레이스 따위에서) 힐앤드토로 운전하다.

héel·bàll *n.* 신뒤축의 밑부분 ; 구두약의 일종《밀랍과 유연(油煙)의 혼합물》.

héel bàr *n.* (백화점 따위의) 구두 수선 코너.

heeled [hí:ld] *a.* **1** 뒷굽[뒤축]이 있는. **2** (싸움닭 따위에) 쇠발톱을 붙인. **3** 《美俗》 권총을 가진 ; 유복한.

héel·er *n.* (구두) 뒤축[뒷굽]을 대는 직공 ; 《美俗》 추종자 ; (정치가의) 부하.

héel·ing *n.* 〔海〕 (배의) 경사.

héel·pìece *n.* (구두의) 뒤축[뒷굽] 가죽, 뒤창 ; 뒤꿈치 모양의[구실을 하는] 것.

héel plàte *n.* 구두 뒤축 징《닳지 않게 함》.

héel·pòst *n.* 문의 경첩이 달린 기둥 ; (마구간의) 칸막이 문 버팀 기둥.

héel·tàp *n.* (구두의) 뒤축 가죽 ; (술잔 바닥의) 마시다 남은 술.

No heeltaps! 한 방울도 남기지 말고 마셔라 !

heft [héft] *n.* 《口》 **1** Ⓤ 《美》 무게, 중량. **2** [the ~] 《美 · 稀》 대부분, 태반(the bulk)〈*of*〉.

—— *vt.* 들어올려 무게를 달다 ; 들어올리다.

—— *vi.* [＋補] 무게가 (얼마) 나가다(weigh).

〚*cleft*, *weft* 따위의 유추로 HEAVE에서인가〛

héfty *a.* 《口》 무거운(heavy) ; 두꺼운 ; 근골(筋骨)이 억센, 건장한(powerful) ; 압도적인 ; 풍부

한. —— *adv.* 몹시, 매우, 아주. —— *n.* 아주 힘센[살찐] 남자. **héft·i·ly** *adv.* **-i·ness** *n.* 〚HEFT〛

He·gel [héigəl] *n.* 헤겔. **Georg Wilhelm Friedrich** ~ (1770-1831) 독일의 철학자.

He·ge·li·an [heigéiliən, -gí:-, hi-, -dʒí:-] *a.* 헤겔(철학)의, 헤겔파의.
—— *n.* 헤겔파 철학자[연구가].

Hegélian dialéctic *n.* 〔哲〕 헤겔 변증법.

heg·e·mon·ic, -i·cal [hèdʒəmánik(əl), -gə-] *a.* 지배하는, 패권을 쥔.

he·gem·o·ny [higéməni; -dʒém-, hédʒəmòu-] *n.* Ⓤ 헤게모니, (특히 연맹 제국의) 지배권, 주도권, 맹주권, 패권. **he·gém·o·nìsm** *n.* 패권주의《중국 공산당의 용어》. **he·gém·o·nist** *n.* 〚Gk. (*hēgemōn* leader)〛

He·gi·ra, -ji- [hédʒərə, hidʒáirə] *n.* **1 a)** 헤지라《서기 622년 Muhammad가 Mecca에서 Medina로 이동한 것》. **b)** [the ~] 이슬람교[헤지라] 기원. **2** [h~] (대량) 이주, 망명〈*of*〉. 〚L<Arab.=departure from one's country〛

hé-góat *n.* 숫염소(billy goat) (☞ HE *n.* 3; ↔ *she-goat*).

heh [héi] *int.* 첫, 엣, 허허《경멸·우스움·놀람·반문 따위를 나타내는 소리》. 〚imit.〛

H.E.H. His[Her] Exalted Highness.

he-he, hee-hee [hí:hí:] *int.* 히히, 흐흥, 킬킬, 킥킥《조소·바보 같은 웃음·재미있어 웃는 웃음·늙은이의 참는 웃음 따위》. 〚imit.〛

HEIB home economist in business《히브; 기업에서 주로 소비자 문제를 담당하는 가정 대학 출신의 여성》.

Hei·del·berg [háidlbə̀:rg, -bèərg; *G* háidəlbɛrk] *n.* 하이델베르크《독일 남서부의 도시, 대학과 고성으로 유명함》.

Héidelberg màn *n.* 〔考古〕 하이델베르크인.

heif·er [héfər] *n.* (3세 미만으로 아직 새끼를 낳지 않은) 어린 암소; (특히) 젊은 여자. 〚OE *heahfore*< ?〛

heigh [héi, 美+hái] *int.* 어이!, 야아《주의·질문·격려·환희 따위의 발성》. 〚변형(變形) ‹ *heh* (imit.)〛

héigh-hó *int.* 아아!, 아이고《놀람·피로·권태·낙심 따위의 발성》.

‡height [háit] *n.* **1** Ⓤ 높음; 높이; 신장: What is your ~? 신장은 얼마입니까 / He[The wall] is six feet *in* ~. 신장은[벽의 높이는] 6피트다. **2** 고도, 해발, 표고(altitude): *at* a ~ of 5,000 feet 5,000 피트의 고도(高度)에서. ☞ 活用. **3** [때때로 *pl.*] 높은 곳, 고지, 고대(高臺), 언덕: a castle *on* the ~*s* 언덕에 있는 성(城) / The observatory is situated *at* a ~. 관측소는 고지에 있다 / He rose to the greatest ~*s* of his profession. 《비유》 최고의 요직에까지 승진했다. **4** [the ~] 탁월; 정상(top); 한창, 극치, 절정(acme): reach *the* ~ *of* a mountain 산꼭대기에 이르다 / *the* ~ *of* genius 천재 중의 천재 / *the* ~ *of* folly 바보 중에도 바보 / *in the* ~ *of* summer 한여름에 / She was dressed *in the* ~ *of* fashion. 유행의 첨단을 걷는 복장을 하고 있었다 / He was then *at the* ~ *of* his popularity. 그는 당시 인기 절정에 있었다 / The season was *at* its ~. 계절이 무르익었다. ☞ 活用. 〚OE *hēhthu*; ⇨ HIGH〛

活用 height에는 2와 같이 구체적인 「높이」의 경우에는 부정관사, 4와 같이 비유적인 경우엔 정관사가 붙는 것이 보통.

類義語 ***height*** 바닥에서 꼭대기까지의 거리 또는 어떤 평면에서의 거리: the *height* of a tower (탑의 높이). ***altitude, elevation*** 보통은 지표 또는 해면에서의 높이, 특히 꽤 높을 때에 사용함: the *altitude* of an airplane (비행기의 고도) / the *elevation* of the hill above sea level (그 언덕의 해발 높이). ***stature*** 특히 사람이 섰을 때의 높이: He is short in *stature.* (그는 키가 작다).

héight·en *vt.* 높이다, 높게 하다, 고상하게 하다(↔*lower*); 증가시키다, 강화하다; 과장하다: ~ the interest 흥미를 돋우다 / ~ an effect 효과를 높이다. —— *vi.* 높아지다; 증가하다; 세지다.

héight·ism *n.* 키 작은 사람에 대한 멸시[차별]; (특히 여성이 남성을 고를 때에) 키 큰 사람을 선호하기[하는 태도].

héight of lánd *n.* 《美·Can.》 분수계(分水界).

héight to páper *n.* 〔印〕 활자의 높이.

hei jen [héi rʌ́n, héi dʒə́n] *n.* (*pl.* ~) 「헤이런(黑人)」《시골에서 불법으로 도시에 나가 일하는 젊은이》. 〚Chin.〛

heil [háil] *int.* 야아!, 만세(hail)《인사말》.
—— *vt.* …에게 Heil이라고 인사하다〈*to*〉. 〚G=hail〛

Hei·long Jiang [héilúŋ dʒiá:ŋ], **Hei·lung·kiang** [; héilúŋkjǽŋ] *n.* 헤이룽장(黑龍江)《(1) 중국 북동부의 성. (2) Amur강의 중국어명》.

hei·mish, hai- [héimiʃ] *a.* 《美俗》 가정적인, 친근한; 마음놓이는, 아늑한. 〚Yid.〛

Héim·lich hùg [háimlik-] *n.* =HEIMLICH MANEUVER.

Héimlich manèuver *n.* 〔醫〕 하임리크 구명법《목에 이물질이 걸린 사람을 뒤에서 안고 흉골 밑을 세게 밀어올려 토하게 하는 방법》. 〚Henry J. *Heimlich* (1920-) 미국의 외과의사〛

Héimlich sìgn *n.* 하임리크 사인《이물질이 목에 걸려 있음을 보이기 위해 환자가 엄지와 집게손가락으로 목을 잡는 시늉》. 〚↑〛

Hei·ne [*G* háinə] *n.* 하이네. **Heinrich** ~ (1797-1856) 독일의 시인.

hei·nous [héinəs] *a.* 가증스러운, 극악[흉악]한(atrocious). **~·ly** *adv.* **~·ness** *n.* 〚OF (*haïr* to hate)〛

Héinz bòdies [háints-] *n. pl.* 〔生理〕 하인츠 소체(小體)《헤모글로빈의 산화 장애에서 볼 수 있는 구상(球狀)의 봉입체(封入體)》. 〚Robert *Heinz* (d. 1924) 독일의 의사〛

***heir** [éər, ǽər] *n.* **1** 〔法〕 남자 상속인, 법정 상속인(cf. ANCESTOR), (일반적으로) 상속자: an ~ *to* property[a house] 유산[호주] 상속인 / an ~ *to* the throne 왕위 계승자 / The eldest son is usually the ~. 보통 장남이 상속인이다 / She made her nephew her ~. 그녀는 조카를 상속자로 삼았다 / He is the ~ *of* his father. 그는 아버지의 상속인이다. **2** 후계자, 계승자: He is an ~ *to* his father's fine brain. 그는 아버지의 우수한 두뇌를 물려 받았다 / Englishmen are the ~*s of* liberty. 영국사람은 자유의 계승자다.
be heir to …의 상속인이다; …을 상속하다: He *is* ~ *to* his uncle. 그는 아저씨의 상속인이다 / He *is* ~ *to* large estates. 그는 막대한 땅을 상속받게 되어 있다.
fall heir to …을 상속하다; …을 이어 받다.
—— *vt.* 《方》 상속하다. 〚OF<L (*hered- heres*)〛

héir appárent *n.* (*pl.* **héirs appárent**) 〔法〕 법정 추정 상속인; 후계자.

héir at láw *n.* 법정 상속인.
héir·dom *n.* Ⓤ =HEIRSHIP.
héir·ess *n.* HEIR의 여성형 ; (특히 부자의) 여자 상속인.
héir in táil *n.* 〖法〗 한사(限嗣) 상속인.
héir·less *a.* 상속인이 없는.
héir·lòom *n.* 〖法〗 (부동산에 딸려서 승계되는) 법정 상속 동산 ; 조상 전래의 집안 재산, 가보(家寶) 〈*from*〉. 〚LOOM² tool〛
héir of the bódy *n.* 〖法〗 직계 상속인.
héir presúmptive *n.* (*pl.* **héirs presúmptive**) 〖法〗 추정 상속인.
héir·ship *n.* Ⓤ 상속인 자격 ; 상속권.
heist [háist] *n.* 《俗》 강도, 노상 강도, 도둑놈 ; 도둑질한 물건, 장물. ── *vt.* 《俗》 강도짓을 하다, 훔치다. 〚cf. HOIST〛
hei·ti·ki [héitíːki] *n.* 헤이티키《마오리족의 전통적인 목걸이로 녹석(綠石)을 사람 모양으로 한 것》. 〚Maori〛
Hejira ☞ HEGIRA.
Hek·a·te [hékəti, hékət] *n.* =HECATE.
hekt- ☞ HECT-.
HEL 〖軍〗 high energy laser.
Hel [hél], **Hela** [helάː] *n.* 〖北유럽神〗 죽음과 저승을 다스리는 여신 ; 저승, 죽은 후의 세계. 〚ON〛
Hé·La cèll [híːlə-] *n.* 〖醫〗 힐러 세포《자궁 경관 암종양에서 단리(單離)된 친암(親癌) 세포》. 〚*He*nrietta *La*cks 1951년에 세포를 채취한 환자〛
◇**held** *v.* HOLD의 과거·과거분사.
hel·den·ten·or [héldənteinɔ̀ːr, -tènər] *n.* (*pl.* ~**s**, **-te·no·re** [-teinɔ́ːrə]) 〖樂〗 헬덴테너《화려함과 양감을 지닌 오페라, 특히 바그너 오페라극의 영웅의 역할을 노래하기에 알맞은 테너 가수》. 〚G *Held* hero+*tenor*〛
Hel·en [hélən] *n.* **1** 여자 이름《애칭 Nell, Nellie, Nelly ; 변형 Ellen》. **2** 〖그神〗 헬레네《Sparta왕 Menelaus의 처로 절세의 미인 ; Troy 왕자 Paris가 데려갔기 때문에 Troy 전쟁이 일어났음》. 〚Gk.=light, bright〛
Hel·e·na [hélənə, helíːnə] *n.* **1** =HELEN 1. **2** [hélənə] 헬레나《미국 Montana 주의 주도》. 〚↑〛
he·li-¹ [híːli], **he·lio-** [híːliou, -liə] *comb. form* 「태양 (광선[에너지])」의 뜻《모음 앞에서는 heli-》. 〚Gk. *hēlios* sun〛
heli-² [hélə, híːlə] *comb. form* 「헬리콥터」의 뜻.
he·li·a·cal [hiláiəkəl] *a.* 〖天〗 태양의 ; (별이) 태양과 (거의) 동시에 뜨는[지는].
helíacal cýcle *n.* [the ~] 태양 순환기(solar cycle).
héli·àmbulance *n.* 구급용 헬리콥터.
he·li·an·thus [hìːliǽnθəs] *n.* 〖植〗 해바라기 ; 해바라기속(屬)의 식물. 〚NL (*heli-*¹, Gk. *anthos* flower)〛
héli·bòrne *a.* 헬리콥터로 수송되는, 헬리콥터 수송의[에 의한] (cf. AIRBORNE).
héli·bùs [hélə-, híː-] *n.* =HELICAB.
hel·ic- [hélik, híː-], **hel·i·co-** [hélikou, -kə, híː-] *comb. form* 「나선형」의 뜻. 〚Gk. ; ⇨ HELIX〛
héli·càb [hélə-, híː-] *n.* 헬리캡《헬리콥터 택시》. 〚*heli*copter+taxi*cab*〛
hel·i·cal [hélikəl, híː-] *a.* 나선형의. ~**ly** *adv.* 나선형으로.
helices *n.* HELIX의 복수형.
he·lic·i·ty [helísəti, hə-] *n.* 〖理〗 헬리시티《소립자의 운동 방향의 스핀 성분값》.
hel·i·cline [héləklàin] *n.* 《美》 나선형으로 돌아 올라가는 비탈길.
hel·i·coid [héləkɔ̀id, híː-] *a.* 나선(螺旋)형의. ── *n.* 〖幾〗 나선체, 나사면(面).
Hel·i·con [héləkὰn, -ikən] *n.* **1 a**) 〖그神〗 헬리콘 산《그리스 남부의 산 1749m ; Apollo 및 Muses가 산 곳이라 함 ; 시상(詩想)의 원천이라는 샘이 있었음》. **b**) 시상의 원천. **2** [h~] 헬리콘《대형 관악기의 일종》.
Hel·i·co·ni·an [hèləkóuniən] *a.* 헬리콘 산의 : the ~ maids=the MUSES.
***hel·i·cop·ter** [héləkὰptər, híː-] *n.* 헬리콥터(cf. AUTOGIRO) ; 〖스키〗 공중에서의 한 번 비틀기 ; 〖브레이크댄스〗 3인 한 조로 한 사람이 축이 되고 두 사람이 회전익의 역을 하는 춤. ── *vi.*, *vt.* 헬리콥터로 가다[나르다]. 〚F<Gk. (HELIX, *pteron* wing)〛
hélicopter gùnship *n.* 〖軍〗 중장(重裝) 헬리콥터《지상 공격용》.
heli·drome [hélədròum, híː-] *n.* 헬리콥터용 발착장. 〚*heli*copter+aero*drome*〛
héli·hòme *n.* 《美》 헬리홈《motor home과 헬리콥터를 결합시킨 것 ; 호텔 대신 쓸 수 있는 각종 설비가 갖춰짐》.
héli·hòp *vi.* 헬리콥터로 단거리를 비행하다.
héli·lìft *vt.* (긴급시에) 헬리콥터로 수송하다. ── *n.* 헬리콥터 수송(시스템).
he·lio [híːliòu] *n.* (*pl.* **-li·òs**) 《口》 =HELIOGRAM ; =HELIOGRAPH.
helio- [híːliou, -liə] ☞ HELI-¹.
hèlio·céntric *a.* 태양 중심의(↔*geocentric*) : the ~ theory[system] (코페르니쿠스의) 지동설. **-cén·tri·cism** [-trəsìzəm] *n.* 지동설.
hélio·chròme *n.* 천연색 사진. **hèlio·chró·mic** *a.* **-chro·my** [-kròumi] *n.* 천연색 사진술.
hélio·gràm *n.* 일광 반사 신호, 회광 신호.
hélio·gràph *n.* 회광(回光) 통신기 ; 〖天〗 헬리오그래프《태양을 촬영하는 기계》; 〖氣〗 (일조(日照) 시간 기록의) 일조계. ── *vt.*, *vi.* 회광 통신기로 송신하다.
hèlio·gráphic *a.* heliograph[heliography]의 ; 태양의(solar).
he·li·og·ra·phy [hìːliάgrəfi, 美+híːliəgræ̀fi] *n.* 태양 표면 연구 ; 회광 통신법 ; 사진 제판법.
he·lio·gra·vure [hìːliougrəvjúər] *n.* 사진 요판술(凹版術) ; 사진판.
he·li·ol·a·try [hìːliάlətri] *n.* 태양 숭배.
hèlio·líthic *a.* (문명이) 태양 숭배와 거석을 특징으로 하는.
he·li·ol·o·gy [hìːliάlədʒi] *n.* 태양 연구, 태양학.
he·li·om·e·ter [hìːliάmətər] *n.* 태양의(太陽儀).
He·li·os [híːliὰs] *n.* 〖그神〗 헬리오스《태양의 신 ; cf. APOLLO》. 〚Gk.〛
hélio·scòpe *n.* 〖天〗 태양 관측 망원경. 〚Gk. (*hēlios* sun)〛
he·li·o·sis [hìːlióusəs] *n.* (*pl.* **-ses** [-siːz]) 일사병(sunstroke).
hélio·stàt *n.* 일광 반사 장치.
hèlio·táxis *n.* 〖生〗 주일성(走日性) (cf. PHOTOTAXIS).
hèlio·thérapy *n.* Ⓤ 일광 요법.
he·lio·trope [híːliətròup, 英+héljə-] *n.* **1** 〖植〗 지치과(科) 헬리오트로프속(屬)의 각종 식물 ; Ⓤ 엷은 자줏빛 ; 헬리오트로프의 꽃에서 뽑은 향수. **2** 회광기(回光器), 일광 반사기. **3** Ⓤ 〖鑛〗 헬리오트로프, 혈석(血石) (bloodstone).

〚L<Gk. (-*tropos*〈*trepō* to turn)〛
he·li·ot·ro·pism [hìːliátrəpìzəm] *n.* Ⓤ〖植〗굴광성, 향일성(向日性) : positive[negative] ~ 향일[배일]성. **hè·lio·tróp·ic** *a.*
hélio·tỳpe *n.* Ⓤ 헬리오타입 판화(版畫), 젤라틴판(版).
hélio·tỳpy *n.* Ⓤ 헬리오타입 제판법.
héli·pàd *n.* =HELIPORT.
héli·pòrt *n.* 헬리콥터 발착장(cf. AIR STOP).
héli·skì·ing *n.* 헬리 스키《헬리콥터로 높은 산의 출발점까지 올라가서 하는 스키》.
héli·stòp *n.* =HELIPORT.
he·li·um [híːliəm] *n.* Ⓤ〖化〗헬륨《희(稀)가스류 원소 ; 기호 He ; 번호 2》.
〚Gk. *hēlios* sun+*-ium*〛
helium-4 [-fɔ́ːr] *n.*〖化〗헬륨 4《질량수 4의 헬륨 동위 원소 ; 자연의 것은 거의 이것임 ; 기호 ^{4}He》.
hélium shàkes[**trèmors**] *n.*〖醫〗고압 신경(神經) 장애[증후군](high-pressure nervous syndrome).
helium-3 [-θríː] *n.*〖化〗헬륨 3《질량수 3의 헬륨 동위 원소 ; 기호 ^{3}He》.
he·lix [híːliks] *n.* (*pl.* **hel·i·ces** [héləsìːz, híː-], **~·es**) **1** 나선. **2** 나선형의 물건《코르크 마개뽑이·회중시계의 태엽 따위》;〖解〗귓바퀴 ;〖動〗달팽이속(屬) ;〖建〗(기둥 머리의) 나선형 장식.
〚L<Gk. *helik- helix*〛
***hell** [hél] *n.* **1** Ⓤ **a**) 지옥(↔*heaven*). **b**) 저승(Hades). **2 a**) 이 세상의 지옥. **b**) 마굴, 마계(魔界) ; 노름판(gambling hell). **3** [성날 때의 발성·강조어로서](cf. BLAZE[1] *n.* 4, DEVIL 8, HECK) : *H*~! 빌어먹을! / To ~ with ...! …을 매장하라!, …따위 뒈져라! / What *the*[*in*] ~ ...? 도대체 무엇이… / Why *the*[*in*] ~...? 도대체 왜….
a hell of a . . . 대단한, 굉장한 : make *a* ~ *of a* noise[row] 굉장한 소란을 피우다.
come hell and [***or***] ***high water*** 어떤 장애가 생기더라도, 어떤 일이 있어도.
give a person ***hell*** 남을 불쾌하게 하다, 혼내주다, 참을 수 없도록 만들다.
Go to hell ! 빌어먹을, 뒈져라!
let hell loose《俗》대혼란을 일으키다.
like hell (1)《口》맹렬히, 필사적으로, 악착같이, 지독하게. (2)《俗》전혀 …않다(not in the least, certainly not) : Did you go?—*Like* ~ (I did). 갔었니—내가 갈 것 같으냐.
make a person***'s life a hell*** 남에게 지옥과 같은 생활을 시키다.
raise hell《俗》대소동을 일으키다 ; 큰 말썽을 일으키다.
ride hell for leather 전속력으로 말을 몰다.
suffer hell on earth 이 세상에서 지옥과 같은 고통을 겪다.
〚OE *hel*(*l*)<Gmc. (《美》 *hal-*, 《美》 *hel-* to cover, conceal) ; cf. G *Hölle*〛
‡he'll [*h*il, hiːl] he will, he shall의 단축형.
Hel·las [héləs] *n.*《詩》헬라스《그리스의 고대 그리스어명》.
hell·ben·der [hélbèndər] *n.*〖動〗미국큰도롱뇽 ;《俗》무모한[저돌적인] 녀석 ;《俗》야단법석.
héll-bènt *a.*《美俗》무모한 ; 열중한, 필사적인(recklessly eager)〈*for*〉; 전속력으로 달리는.
héll bòmb *n.* [때때로 H~] 수소 폭탄.
héll·bòx *n.*〖印〗못쓰는 활자를 넣는 상자.
héll·bròth *n.* Ⓤ 마법용 독약 ; Ⓒ 더러운 혼합물.
héll·càt *n.* 심술궂은 여자 ; 마녀 ; 상대 못할 고약한 여자.
héll-dìver *n.* 농병아리.
hel·le·bore [héləbɔ̀ːr] *n.*〖植〗유럽산 성탄꽃과(科)의 식물 ; 그 가루《살충제》. 〚OF<L<Gk.〛
Hel·lene [héliːn] *n.* (순수한[고대]) 그리스 사람. 〚Gk. *Hellēn* a Greek〛
Hel·len·ic [helénik, -líː-, hə-] *a.* 그리스 (사람[어])의. —— *n.* (현대) 그리스어.
Hel·le·nism [hélənìzəm] *n.* **1** Ⓤ 고대 그리스 사조[문화], 그리스 문화주의, 헬레니즘《Hebraism과 함께 유럽 문명의 2대 사조를 이룸》. **2** 그리스 어풍(語風).
Hel·le·nist [hélənəst] *n.* **1** 고대 그리스 문화[언어·문학·제도] 연구가, 그리스 어학자. **2** 그리스어 사용자, 그리스풍(風)을 채택한 사람 ;〖聖〗그리스어를 상용한 유태인(Greek Jew).
Hel·le·nis·tic [hèlənístik] *a.* Hellenism [Hellenist]의[에 관한].
Hel·le·nize [hélənàiz] *vt., vi.* 그리스화(化)하다 ; 그리스어식으로 하다[이 되다]. **-nìz·er** *n.* **Hèl·le·ni·zá·tion** *n.*
hel·ler [hélər] *n.* 헬레르《옛날 오스트리아의 화폐 단위 ; =1/100 krone》; 헬레르 동전.
〚G (*Hall* 화폐 주조소가 있던 도시)〛
hell·ery [héləri] *n.*《Can. 俗》난폭한 행위 ; 장난 ; 엉뚱함 ; 엉망진창.
Hel·les·pont [héləspɑ̀nt] *n.* [the ~] 헬레스폰투스《Dardanelles 해협의 고대 그리스어명》.
héll·fire *n.* Ⓤ 지옥의 불, 업화(業化) ; 심한 고통.
héll-for-léather *a., adv.*《俗》전속력의[으로], 무모한[하게].
hell·gra(**m**)**·mite** [hélgrəmàit] *n.*《美》〖昆〗뱀잠자리의 애벌레.
héll·hòle *n.* 지옥 ; 지옥과 같은 곳[소굴].
héll·hòund *n.* 지옥의 개 ; 개의 모습을 한 (악마 같은) 사람.
hel·lion [héljən] *n.*《美口》불량한 사람, 망나니.
〚*hallion* (dial.) worthless fellow ; 어형은 hell에 동화(同化)〛
héll·ish *a.* **1** 지옥과 같은(infernal). **2**《口》가증스런, 흉악한 ; 소름끼치는. —— *adv.* 몹시, 굉장히. **~·ly** *adv.* **~·ness** *n.*
héll·kìte *n.* 잔인[냉혹]한 사람, 냉혈한.
‡hel·lo [helóu, hə-, hélou] *int.* 여보, 이봐 ; 어머나! ;〖電話〗여보세요! : *H*~, Tom! 어이 톰, 안녕! / *H*~, this is (Mr.) Brown speaking.〖電話〗여보세요, (저는) 브라운입니다.

〈회화〉
> *Hello.* Is this Mr. Kim?—Yes, it is. May I ask who is speaking?「여보세요, 김선생이십니까」「네, 그렇습니다만, 누구시죠」

—— *n.* (*pl.* **~s**) hello라고 부르는 소리. —— *vi.* hello라고 부르다. 〚HALLO〛
helló gìrl *n.*《美口》전화 교환양.
héll-ràiser *n.* 소란을 피우는 사람, 말썽꾸러기, 법석꾼, 무모한 사람.
héll's ángel *n.* 폭주족(族).
héll's bélls[**téeth**] *n.* [감탄사적으로] (화가 나거나 초조할 때) 이게 어찌된 일이냐.
Héll's Kítchen *n.* (뉴욕시의) 우범 지구.
hell·uva [héləvə] *a.*《俗》상당한, 대단한, 굉장한. —— *adv.* 대단히, 굉장하게. 〚HELL *of a*〛
héll wèek *n.*《美口》지옥 주간《대학의 학생우애회에서 신입생이 상급생에게 시달림을 겪는 주(週)》.

helm[1] [hélm] *n.* **1** 〔海〕 키(의 손잡이), 타륜(舵輪) (wheel) ; 조타 장치, 타기(舵機) : put the ~ up[down] 위[아래]로 키를 잡다, 키를 바람 불어오는[불어가는] 쪽으로 돌리다 / ease the ~ 키를 중앙 위치로 되돌리다. **2** [the ~] 《비유》 지배(권), 지도(control) : take *the* ~ *of* state (affairs) 정권을 잡다.

be at the helm (배의) 키를 잡다 ; 《비유》 지도적 입장에 있다, 실권을 쥐고 있다.

Down*[*Up*] (*with the*) *helm! 키 내려[키 올려] !

── *vt.* …의 키를 잡다, 조종하다(steer) ; [보통 비유적으로] 지도하다.

〖OE *helma* ; cf. HELVE, OHG *helmo* tiller〗

helm[2] *n.* 《古·詩》 투구(helmet) ; 《英方》=HELM CLOUD. ── *vt.* 《古·詩》 투구로 덮다, …에게 투구를 씌우다.

〖OE ; cf. *helan* to cover, G *Helm*〗

hélm clòud *n.* 《英》 투구 모양의 구름《폭풍우 전 또는 한창 때 산봉우리에 끼는 구름》.

‡**hel·met** [hélmət] *n.* **1** 헬멧 ; 철[소방]모 ; 투구 ; (검술의) (얼굴을 가리는) 방어구 ; 〔美蹴〕 헬멧. **2** 〔紋〕 투구형. **3** 투구 모양의 물건. ── *vt.* …에게 헬멧을 씌우다.

~·ed *a.* 헬멧을 쓴.

〖OF (dim.) ‹ *helme*<Gmc. ; ⇨ HELM[2]〗

hélmet lìner *n.* (철모 안에 쓰는) 파이버.

Helm·holtz [hélmhoults] *n.* 헬름홀츠. **Hermann Ludwig Ferdinand von** ~ (1821-94) 독일의 생리·물리·수학자.

hel·minth [hélminθ] *n.* (창자 속의) 기생충《회충·촌충 따위》. 〖Gk.〗

hel·minth- [həlmínθ], **hel·min·tho-** [-θou, -θə] *comb. form* helminth의 뜻.

hel·min·thi·a·sis [hèlmənθáiəsəs] *n.* 기생충병.

hel·min·thic [helmínθik] *a.* (창자 속의) 기생충의 ; 구충하는.

── *n.* 구충제.

hélms·man [-mən] *n.* 키잡이, 조타수.

~·shìp *n.* 조타술(操舵術).

Hel·ot [hélət, hí:-] *n.* 고대 스파르타의 노예 ; [h~] 농노, 노예(serf), 하층민. 〖L<Gk.= in habitants of *Helos* (Laconia의 도시)〗

hélot·ìsm *n.* 노예 제도 ; 노예(같은) 신세.

hélot·ry *n.* 노예 상태 ; [집합적으로] 노예.

◇**help** [hélp] *vt.* **1 a)** [+目 / +目+副 / +目+前+名 / +目+*to* do / +目+原形 / +*to* do] 조력[원조]하다, 돕다, 구하다 ; 거들다 ; 거들어 …시키다 : Heaven ~*s* those who ~ themselves. 《속담》 하늘은 스스로 돕는 자를 돕는다 / May I ~ you, sir? 무엇을 드릴까요《점원이 손님을 향하여 말하는 경우 따위》 / *H*~ me ***on***[***off***] ***with*** my overcoat, please. 오버코트를 입혀[벗겨] 주십시오 / She ~*ed* her mother *with* the work in the kitchen. 그녀는 어머니의 부엌일을 거들었다 / They agreed to ~ me ***in*** the business. 그들은 그 사업에 협력해 줄 것을 동의했다 / *H*~ him ***into*** the coach. 그를 부축하여 마차에 태워드리시오 / I ~ my father (*to*) water our crops. 나는 아버지가 작물(作物)에 물 주는 것을 거든다 / He offered to ~ me find it. 그는 그것을 찾는데 조력하겠다고 제의했다 / He ~*ed to* build a boat. 그는 보트 만드는 것을 거들었다 / Go and ~ wash up at the sink. 가서 개수대에서 설거지하는 것을 거들어라. 주 help 뒤에 to 없는 부정사를 쓰는 것은 《美》에 많으나, 특히 help가 부정사나 명령법으로 표현되어 있을 때 뒤의 to가 생략되기 쉬움. **b)** (병 따위를) 고치는데 도움이 되다(cure) : Honey ~*s* the cough. 벌꿀은 기침약이 된다. **c)** [+目 / +目+*to* do] 촉진하다, 조장하다(further) ; …의 도움이 되다 : This will ~ you *to* attain the end. 이것은 당신이 목적을 달성하는데 도움이 될 것이다.

2 [can(not), could (not) 뒤에서] **a)** 피하다, 중지시키다(prevent) : I did it because I *couldn't* ~ it. 그럴 수밖에 없었기 때문에 그렇게 했다 / That *can't* be ~*ed*. 그것은 부득이하다 / I shan't stay until that late hour, *if* I *can* ~ it. 되도록 그렇게 늦게까지 있지 않겠습니다 / Don't be longer *than* you *can* ~. 가급적 빨리 하시오. **b)** [+do*ing* / +目+do*ing*] 규제하다, 금지하다 (refrain from) : I *cannot* ~ wonder*ing* about the child. 나는 그 아이에 대해서 이상하게 여기지 않을 수 없다《주 《美口》에서는 cannot ~ but wonder라고 하는 수도 있음 ; cf. *cannot but* do ☞ CAN[1] 숙어》 / We *can't* ~ her be*ing* so foolish. 그녀의 어리석음은 고칠 방도가 없다.

3 [+目+前+名] **a)** (음식을) …에게 집어 주다, 술을 따르다 ; 권하다 : *H*~ your*self* ***to*** a cigar. 궐련을 마음대로 피우시오(cf. ~ oneself to ☞ 숙어). **b)** 《口》 나누다(serve out) ; (음식물을) 나누어 담다, (밥이나 국을) 그릇에 담다 : Use this spoon to ~ the gravy. 이 스푼으로 육수를 뜨시오.

〈회화〉

> Worrying won't do any good. — I know, but I can't *help* it. 「걱정한다고 일이 해결되진 않아」 「알아, 하지만 걱정 안할 수가 있어야지」

── *vi.* 돕다, 거들다 ; 도움이 되다, 보탬이 되다.

God help him! 가엾게도 !, 불쌍한 놈 !

help down 부축하여 내려 주다.

help forward 도와서 앞으로 나아가게 하다.

help off 거들어서 제거해 주다(☞ *vt.* 1 a)) ; 도와서 결말을 내주다.

help on 거들어 태워[입혀] 주다(☞ *vt.* 1 a)) ; 진척시키다.

help out 거들어서 꺼내 주다 ; 구출하다 ; (비용 따위를) 보충하다 ; 도와서 완성시키다 ; 타개(打開)토록 하다.

help over 거들어 넘게 하다, 이겨내게 하다.

help* one*self to . . . (1) ☞ *vt.* 3 a). (2) 《婉》 …을 착복[횡령]하다, 훔치다(steal).

help through 조력하여 완성시키다 ; 이겨내게 해주다.

help up 부축하여 올려 주다 ; 거들어서 일으키다, 받들다.

So help me* (*God*)*! [맹세의 말로서] 하느님 굽어살피소서 !, 신에게 맹세코(I swear).

── *n.* **1** Ⓤ 도움, 구조 ; 조력 ; 원조, 거들기 : cry for ~ 도움을 호소하다 / I hope I can be *of* some ~ *to* you. 저는 다소라도 당신에게 도움이 되고 싶습니다 / They are so small that they can be seen only *with* the ~ *of* a microscope. 그것들은 너무나 작아서 현미경의 도움 없이는 볼 수가 없다. **2** 쓸모가 있는[귀중한] 것 ; 보탬이 되는 사람 : This method is a ~ *to* the memory. 이 방법은 기억에 도움이 된다. **3** Ⓤ 치료, 구제법(remedy) ; 도망칠 방법, 빠져 나갈 길(escape) : There's no ~ *for* it. 어쩔 도리가 없다. **4 a)** 《주로 美》 거드는 사람, 고용인, 하녀 : a mother's ~ 가정 보모. **b)** [집합적으로] 고용인들, 종업원들(employees). **5** 《口》 (음식물의) 한 그릇(helping).

〈회화〉
I'm sorry I couldn't help you.—On the contrary, you were a big *help*.「도움을 드리지 못해 죄송합니다」「그렇지 않아요. 큰 도움이 됐는걸요」

〖OE *helpan* ; cf. G *helfen, Hilfe*〗
類義語 ***help*** 목적이나 욕망을 성취하도록 필요한 원조를 하다《가장 일반적인 말》. ***aid*** help 만큼 개인적인 색채가 강하지 않고 의미도 약한, 신중을 기하는 말 : *aid* a new nation (신생 국가를 원조하다). ***assist*** 특히 help만큼 도움이 필요하지 않은 사람을 보조하다 : She *assisted* him in his translation. (그녀는 그의 번역을 도왔다).

hélp·er *n.* 돕는 사람 ; 조수(assistant), 거드는 사람 ; 구조자.

helper T cell [⌐ tí: ⌐] *n.* 〔生〕 헬퍼 T세포《림프구 중 B세포의 생산을 촉진하는 T세포》.

‡**hélp·ful** *a.* 도움이 되는, 쓸모있는, 유용한, 참고가 되는, 귀중한(useful) : Ellen made herself ~ in the kitchen. 엘렌은 부엌에서 일을 거들었다 / This will be ~ *to* you when you are grown up. 이것은 네가 어른이 되었을 때에 도움이 될 것이다 / She was very ~ *about*[*in* arrang*ing*] my manuscript. 나의 원고는[를 정리하는데] 그녀로부터 큰 도움을 받았다. **~·ly** *adv.* 도움이 되도록[쓸모가 있도록], 유용하게.

hélp·ing *a.* 구원의, 거드는, 도움이 되는. —— *n.* Ⓤ 거들기 ; 조력 ; Ⓒ (음식의) 한 그릇, 한 번 담기 : a second ~ 두 그릇째.

hélping hánd *n.* 《비유》 원조(의 손길), 조력, 지지 : give[lend] a ~ 거들어주다, 조력하다, 원조하다, 도와주다.

hélp·less *a.* **1** 의지할 사람[곳]이 없는, 곤경에 빠진, 도움이 없는 : a ~ orphan 의지할 곳 없는 고아. **2** (내 한 몸을) 어찌할 수 없는, 옴짝달싹 못하는, 무력한, 무기력한[패기가 없는] : a ~ invalid[baby] 무기력한 병자[갓난아기] / I was left ~ with pain and fever. 고통과 열로 인해서 나는 옴짝달싹 못하게 되었다. **~·ly** *adv.* 의지할 사람[곳]도 없이 ; 어찌할 도리 없이, 힘없이. **~·ness** *n.* 의지할 곳[사람]이 없기 ; 어찌할 도리가 없기, 무력함.

hélp·màte, 《稀》 **-mèet** *n.* 협력자, 동료 ; 내조자, 배우자, (특히) 아내.

hélp-yoursèlf *n., a.* (레스토랑 따위의) 셀프 서비스(의).

Hel·sin·ki [hélsiŋki, ⌐⌐⌐] *n.* 헬싱키《핀란드의 수도·항구》.

Hélsinki accórds *n. pl.* 헬싱키 합의《1975년 헬싱키에서 열린 전유럽 안보 협력 회의에서 선언된 문서》.

Hélsinki Cónference *n.* 헬싱키 회의《European Conference for Security and Cooperation의 별칭(別稱)》.

Hélsinki declarátion *n.* 헬싱키 선언《Helsinki accords에 담긴 선언》.

hel·ter-skel·ter [héltərskéltər] *n.* Ⓤ,Ⓒ 당황하여 어쩔 줄 모름, 낭패, 혼란, 난장판 ; 《英》 (유원지의) 나선식 미끄럼틀. —— *a.* 당황한, 난장판의 ; 난잡한, 무질서한, 변덕의. —— *adv.* 허둥지둥, 난잡하게. 〖imit.＜? ME *skelte* to hasten ; cf. HARUM-SCARUM〗

helve [hélv] *n.* (도구·무기·도끼 따위의) 손잡이, 자루.
throw the helve after the hatchet 손해에 손해를 거듭 보다, 엎친데 덮치다.
—— *vt.* …에 자루[손잡이]를 달다.
〖OE *h(i)elfe* ; cf. HALTER, HELM〗

Hel·ve·tia [həlví:ʃə, -ʃiə] *n.* 헬베티아《(1) 로마 시대의 알프스 지방 ; 지금의 독일 남부, 스위스 서부·북부. (2) 《詩》 스위스의 라틴어명》.

Hel·vé·tian *n., a.* 헬베티아[스위스]의 ; 헬베티아[스위스]인(의).

Hel·vet·ic [helvétik] *a.* ＝HELVETIAN.
—— *n.* 스위스 신교도(Zwinglian).

hem[1] [hém] *n.* (천·옷의) 가장자리, 옷단, (특히) 감침질, 공그르기. —— *v.* (**-mm-**) *vt.* **1** 가장자리를 감치다, 공그르다, 가장자리를 꿰매다. **2** [＋目＋副] (…을) 에워싸다, 포위하다, 가두다 : They were ~*med **in*** by the enemy. 그들은 적에게 포위되었다 / The yard was ~*med **around***[***about***] by iron fences. 그 뜰은 사방이 철책으로 둘러싸여 있었다. —— *vi.* 가장 자리를 감치다. 〖OE ; cf. *ham* (dial.) enclosure〗

hem[2] [m̩m, hm] *int.* 헴 !, 에헴《망설임·주의 환기의 헛기침》. —— [hém] *n.* 헛기침(소리).
—— [hém] *vi.* (**-mm-**) 「에헴 !」하고 소리내다, 헛기침하다.
hem and ha(w) 말을 우물거리다 ; 우물쭈물하다, 주저하다 ; 얼버무리다.
〖imit.〗

hem-, haem- [hí:m, hém], **he·mo-, hae·mo-** [hí:mou, hém-, -mə], **he·ma-, hae·ma-** [hí:mə, hémə] *comb. form* 「피(blood)」의 뜻. 〖Gk. ; ⇨ HEMAT-〗

hèma·dynamómeter *n.* 혈압계.

he·mal [hí:məl] *a.* 혈액의 ; 혈관의.
〖Gk. *haimat- haima* blood〗

hé·màn *n.* 《口》 남성적인[매력있는] 남자.

he·mat-, hae·mat- [hí:mət, hém-], **he·ma·to-, hae·ma·to-** [-tou, -tə] *comb. form* ＝HEM-.
〖NL＜Gk. *haimat- haima* blood〗

he·mat·ic [həmǽtik] *a.* 혈액의, 혈액 속에 함유된 ; 혈액에 작용하는 ; 핏빛을 한. —— *n.* 〔醫〕 정혈[보혈]제.

hem·a·tin [hí:mətən, hém-], **-tine** [-tì:n, -tən] *n.* Ⓤ 〔生化〕 헤마틴《헤모글로빈의 색소 성분》.

he·ma·tin·ic [hì:mətínik, hèm-] *n.* 〔醫〕 조혈약[제]. —— *a.* 헤마틴의[에서 얻어지는] ; 조혈약으로 작용하는.

he·ma·tite [hí:mətàit, hém-] *n.* Ⓤ 〔鑛〕 적철광(赤鐵鑛)《철의 주요 원광》. **hè·ma·tít·ic** [-tít-] *a.* 적철광의. 〖L＜Gk. *haimatitēs* (*lithos*) bloodlike (stone) ; ⇨ HEMAL〗

hémato·crìt [ˌhimǽtəkrət] *n.* 〔醫〕 헤마토크릿《혈액을 혈구와 혈청으로 원심 분리함 ; 또 적혈구 용적률》.

hemátocrit tést *n.* 〔醫〕 헤마토크릿 테스트《혈액속에서 혈구가 점하는 부피를 조사하는 것》.

he·ma·to·cry·al [hì:mətoukráiəl, hèm-] *a.* 〔動〕 냉혈의.

he·ma·tol·o·gy [hì:mətɑ́lədʒi, hèm-] *n.* 혈액학. **-gist** *n.* 혈액학자.

he·ma·to·ma [hì:mətóumə, hèm-] *n.* (*pl.* **~s, -ma·ta** [-tə]) 〔醫〕 혈종(血腫).

hèmato·thérmal *a.* 〔動〕 온혈의, 더운 피의.

he·ma·tu·ria [hì:mət*j*úəriə, hèm-] *n.* Ⓤ 〔醫〕 혈뇨증(血尿症), 혈뇨.

hem·bar [hémbɑ:r] *n.* 헴바 (보리)《1969년 미국 농무부에 의해 Arizona에서 만들어진 품종》.

heme [hí:m], **haem** [hí:m, hém] *n.* 〔生化〕 헴,

환원 헤마틴《헤모글로빈의 색소 성분》.

hemi- [hèmi] *pref.* 「반(half)」의 뜻(cf. DEMI-, SEMI-). 〖Gk.＝L SEMI-〗

-hemia ☞ -EMIA.

hèmi·ál·gia [-ǽldʒiə] *n.* 〔醫〕 편두통.

hèmi·anópsia *n.* Ⓤ 〔醫〕 반맹(半盲)(증).

hémi·cỳcle *n.* 반원형 ; 반원형의 투기장 ; 반원형 방[건물].

hèmi·cýclic *a.* 〔植〕 반윤생(半輪生)의.

hèmi·dèmi·sémi·quàver *n.* 《英》 〔樂〕 64분음표(＝《美》 sixty-fourth note).

hèmi·hédral *a.* **1** (결정(結晶)이) 반광면(半光面)의. **2** 반면(半面)의 : a ~ form 반면상(像).

hèmi·mór·phite [-mɔ́ːrfait] *n.* 이극광(異極鑛) ; 능(菱)아연광.

Hem·ing·way [hémiŋwèi] *n.* 헤밍웨이. **Ernest** ~ (1899-1961) 미국의 소설가 ; 노벨문학상 수상(1954).

hèmi·párasite *n.* 반(半)기생 생물[식물], 반기생자(半寄生者). **-parasític** *a.* **-párasìtism** *n.* 〔動·植〕 반기생.

hèmi·plé·gia [-plíːdʒiə] *n.* 반신 불수. **-plé·gic** *a.*, *n.* 반신 불수의 (사람).

He·mip·tera [himíptərə] *n. pl.* 〔昆〕 반시류(半翅類). **he·míp·ter·ous** *a.* 반시류의.

hèmi·rétina *n.* 〔解〕 반망막(半網膜).

hemi·sphere [héməsfiər] *n.* **1** (지구·천체의) 반구 ; 반구의 주민[국가] : the Eastern *H*~ 동반구. **2** 〔解〕 뇌반구. **3** 반구의 지도. **4** 반구체(半球體). **5** (사상·활동 따위의) 범위.
hèmi·sphér·ic, -i·cal [-sférik(əl), -sfíər-] *a.* 반구의 ; [-ical] 반구체의. **-i·cal·ly** *adv.*
〖L<Gk. (*hemi-*, SPHERE)〗

hemi·stich [hémistìk] *n.* (시(詩)의) 반구(半句), 반행(半行) ; 불완전행(行).

hém·lìne *n.* (스커트·드레스 따위의) 옷단의 공그른 선.

hem·lock [hémlɑk] *n.* **1** 〔植〕 헴록《유럽 원산의 미나리과(科)의 독초》. **2** 그것에서 채취한 독약《강한 진정제》. **3** 〔植〕 독미나리.
〖OE *hymlic*(*e*)<? ; cf. OE *hymele* hop plant〗

hém·mer *n.* 가선을 대는 사람[기계] ; (재봉틀의) 휘갑치는 장치.

hemo- [híːmou, hém-, -mə] ☞ HEM-.

hèmo·concentrátion *n.* 혈액 농축.

hémo·cỳte *n.* 혈액 세포, 혈구(blood cell).

hèmo·diálysis *n.* 〔醫〕 혈액 투석(透析).

hèmo·díalyzer *n.* 〔醫〕 혈액 투석기(透析器).

hèmo·dilútion *n.* 〔醫〕 혈액 희석(稀釋).

hèmo·filtrátion *n.* 〔醫〕 혈액 여과(濾過)(법).

hémo·glòbin, háemo- *n.* Ⓤ 〔生化〕 헤모글로빈, 혈색소.
〖*hematoglobulin* (*hem*atin, *globulin*)〗

hemoglobin S [⌐ és] *n.* 〔醫〕 헤모글로빈 S, 낫 모양의 적혈구 혈색소《가장 흔한 이상 혈색소》.
〖*S*‹*sickle*〗

hémo·gràm *n.* 〔醫〕 혈액도(圖)《혈액 속의 각종 혈구의 비율을 그래프로 나타낸 기록》.

he·mol·y·sis [himɑ́ləsəs, hìːməláiː-] *n.* (*pl.* **-ses** [-ləsìːz, -láisìːz]) Ⓤ 〔免疫〕 용혈(반응[현상]).

he·mo·lyt·ic [hìːməlítik, hèm-] *a.* 〔免疫〕 용혈(성)의.

hémo·phìle *n.* 호혈성(好血性) 세균 ; ＝HEMOPHILIAC. —— *a.* 혈우병의 ; 호혈성의.

hèmo·phília *n.* Ⓤ 〔醫〕 혈우병(血友病).

hèmo·phíl·i·ac [-fíliæ̀k] *n.* 〔醫〕 혈우병 환자 (bleeder). —— *a.* 혈우병의.

he·mop·ty·sis [himɑ́ptəsəs] *n.* (*pl.* **-ses** [-sìːz]) 〔醫〕 객혈(喀血).

hem·or·rhage [hémərìdʒ] *n.* Ⓤ 출혈 : cerebral ~ 뇌출혈.
have a hemorrhage 몹시 흥분하다, 발끈하다.
—— *vi.* (다량으로) 출혈하다.
hem·or·rhag·ic [hèmərǽdʒik] *a.*
〖F<L<Gk. (*hemo-* *rhēgnumi* burst)〗

hem·or·rhoids [hémərɔ̀idz] *n. pl.* 〔醫〕 치질, 치핵(痔核). **hem·or·rhoi·dal** [hèmərɔ́idl] *a.*
〖OF<L<Gk. *haimorrhoides* (*phlebes*) bleeding veins〗

hémo·stàt *n.* 지혈 겸자(鉗子) ; ＝HEMOSTATIC.

he·mo·stat·ic [hìːməstǽtik, hèm-] *a.* 지혈의, 지혈 작용이 있는. —— *n.* 지혈제.

hemp [hémp] *n.* Ⓤ **1** 삼, 대마(cf. FLAX). **2** 삼의 섬유. **3** Ⓒ [the ~] 《古·戲》 목매다는 밧줄. **4** [the ~] 인도 대마로 만든 마약《hashish, marijuana 따위》, (특히) 마리화나 담배.
〖OE *hænep* ; cf. G *Hanf*〗

hémp·en *a.* 대마의[로 만든] ; 《古》 교수형(밧줄)의 : a ~ collar 목매다는 밧줄 / a ~ widow 남편이 교수형 당한 과부.

hémp pálm *n.* 종려나무.

hémp·sèed *n.* 삼씨《새의 모이》 ; 《俗》 악당.

hémpseed òil *n.* 〔化〕 삼씨 기름《도료용, 식용》.

hém·stìtch *n.* 헴스티치 장식, 휘갑 장식.
—— *vt.* …에 헴스티치 장식을 하다.

***hen** [hén] *n.* **1** 암탉, 새의 암컷(↔*cock*) : a ~'s egg 계란. **2** [형용사적으로] 암컷 … : a ~ crab [lobster] 게[새우]의 암컷. **3** 《俗》 여자.
like [(***as***) ***fussy as***] ***a hen with one chicken*** (한 마리의 병아리를 데리고 다니는 암탉처럼) 사소한 일에 마음을 쓰는, 소란을 피워.
sell one***'s hen***(***s***) ***on a rainy day*** 손해보고 팔다, 헐값으로 팔아 넘기다.
—— *a.* 여자만의《모임》.
—— *vi.* 《俗》 여자가 소문을 퍼뜨리다.
〖OE *henn* ; cf. G *Henne*〗

Hen. Henry.

He·nan [hʌ́náːn], **Ho·nan** [hóunǽn] *n.* 허난(河南)《중국 중동부의 성》.

hén and chíckens *n.* 〔植〕 원포기 주위에 자라는 식물, (특히) 꿀풀과의 장군덩이[긴병꽃풀].

hén·bàne *n.* 〔植〕 사리풀《가지과(科)의 유독 식물》 ; Ⓤ 그것에서 채취한 독.

hén bàttery *n.* (산란기에 암탉을 한 마리씩 넣어 두는 칸 막은) 큰 닭장.

hén·bìrd *n.* 새의 암컷, 암새.

hén·bìt *n.* 〔植〕 광대나물.

***hence** [héns] *adv.* **1** 《文語》 이런 까닭에 : *H*~ (comes) the name.... 이에 …라는 이름이 있다. ㊟ 때때로 동사를 생략함 ; so that, consequently, therefore보다도 딱딱한 표현. **2** 《文語》 지금부터 (from now) : five years ~ 지금부터 5년 후에. **3** 《古》 [때때로 from ~] 여기에서부터(from here) : *H*~ ! 《詩》 이 세상에서 물러가라 ! / *H*~ with him ! 《詩》 그를 데리고 떠나라 !
〖ME *hens*, *hennes* (*henne* (adv.)<OE *heonan* (HE[1]), *-es*)〗

hénce·fórth, -fórward(**s**) *adv.* 《文語》 금후, 이제[지금]부터는.

hench·man [héntʃmən] *n.* **1** 신뢰할 수 있는 부하 ; (범죄 조직의) 부하, 하수인, 심복. **2** (정치상의) 후원자. **3** 〔史〕 근시(近侍), 시동(侍童).
〖ME *henxman*, *hengest-*<OE (*hengest* male horse, MAN)〗

hén·còop *n.* 닭장.
hen·deca- [hendékə, ´--], **hen·dec-** [hendék] *comb. form* 「11」의 뜻. 〖Gk.〗
hendéca·gon [-gàn ; -gən] *n.* 11각[변]형.
hendèca·syllábic [, hèndekə-] *a.* 〔韻〕 11음절의. —— *n.* 〔韻〕 11음절의 시행.
hendéca·sỳllable [, héndekə-] *n.* 11음절(의 시행).
hen·di·a·dys [hendáiədəs] *n.* Ⓤ 〔修〕 중언법(重言法), 이사일의(二詞一意)《2개의 명사 또는 형용사를 and로 연결하여 형용사+명사 또는 부사+형용사의 뜻을 나타냄 ; 보기 bread and butter(=buttered bread) / death and honor(=honorable death) / nice and cool(=nicely cool)》.
〖Gk.=one thing by means of two〗
He-Ne laser [hí:ní: ´] *n.* 헬륨 네온 레이저《헬륨 가스와 네온 가스를 혼합시켜 방전(放電)하는 레이저 광선》.
hen·e·quen [hénikən, hènikén], **-quin** [hénikən] *n.* 〔植〕 용설란류 ; 그 잎에서 뽑은 섬유.
hén hàrrier *n.* 〔鳥〕 잿빛개구리매.
hén hàwk *n.* 《美》 닭 따위를 덮치는 큰 매.
hén-hèad·ed *a.* 《俗》 생각이 모자라는.
hén·héart·ed *a.* 겁많은, 소심한.
hén·hòuse *n.* 닭장.
Hen·ley [hénli] *n.* (영국 Oxfordshire의 Henley on Thames에서 개최되는) 헨리 국제 보트 레이스대회.
Hénley on Thámes *n.* 헨리온템스《영국 Oxfordshire의 Thames 강변에 있는 도시 ; 보트 레이스로 유명》.
hen·na [hénə] *n.* **1** Ⓤ 〔植〕 헤너《이집트 등지에서 나며 꽃은 희고 좋은 향기를 풍기며 그 잎으로 염료를 만듦》. **2** 헤너 염료《손톱·두발·수염 따위를 적갈색으로 물들임》; 적갈색. —— *a.* 적갈색의. —— *vt.* 헤너 염료로 물들이다. **~ed** *a.* 헤너(염료)로 물들인, 적갈색의. 〖Arab.〗
hen·nery [hénəri] *n.* 양계장.
hén·ny *a., n.* 암탉 비슷한 (수탉).
heno·théism [hènə-] *n.* 단일신교(單一神教). 〖Gk. *hen- heis* one〗
hén pàrty *n.* 여자들만의 회합(↔*stag party*).
hén·pèck *vt.* (남편을) 쥐고 흔들다.
~ed *a.* 엄처시하의, 공처가의.
hén pèn *n.* 《美俗》 (사립) 여학교.
hén·ròost *n.* (닭장의) 홰, 닭장, 새장.
hen·ry [hénri] *n.* (*pl.* **~s, -ries**) 〔電〕 헨리《유도 계수의 실용 단위 ; 略 H》. 〖Joseph *Henry*〗
Henry *n.* **1** 남자 이름《애칭 Hal, Hank, Henny》. **2** 헨리. ⑴ **Joseph** ~ (1797-1878) 미국의 물리학자. ⑵ **O.** ~ (1862-1910) 미국의 단편 작가, 본명 William Sidney Porter.
〖OE<Gmc.=house ruler (home+rule)〗
hén·wìfe *n.* (*pl.* **-wìves**) 닭 치는 여자.
hep[1] [hép] *a., vt., n.* 《俗》 =HIP[4].
hep[2] ☞ HIP[2].
hep[3] [hép, hʌ́p, hʌ́t] *int.* 하나 둘-하나 둘《행진할 때의 구령》.
hep·a·rin [hépərən] *n.* 〔生化〕 헤파린《간조직에 있으며 혈액의 응고를 막음》.
hep·at- [hépət], **hep·a·to-** [hépətou, hipǽtou, -tə] *comb. form* 「간(장)」의 뜻《모음 앞에서는 hepat-》. 〖Gk. ; ⇨ HEPATIC〗
he·pat·ic [hipǽtik] *a.* 간(장)의 ; 간에 좋은 ; 간색의, 암적갈색의 ; 〔植〕 태류[이끼류]의. —— *n.* 간장약 ; 〔植〕 이끼.
〖L<Gk. (*hēpat- hēpar* liver)〗
he·pat·i·ca [hipǽtikə] *n.* 〔植〕 (미나리아재비과(科)의) 노루귀《작은 초본》; 우산이끼.
hep·a·ti·tis [hèpətáitəs] *n.* (*pl.* **-tit·i·des** [-títədi:z]) 〔醫〕 간염.
hepatitis A [´ éi] *n.* 〔醫〕 A형[전염성] 간염《음식물 속의 바이러스에 의해 감염된다고 함》.
hepatitis B [´ bí:] *n.* 〔醫〕 B형[혈청] 간염《흔히 수혈에 의해 감염된다고 함》.
hepatitis C [´ sí:] *n.* 〔醫〕 C형 간염《비(非)A·비(非)B 간염 환자의 혈액에서 발견한 또 하나의 간염형》.
hepato- [hépətou, hipǽtou, -tə] ☞ HEPAT-.
hèpato·carcínogen [, -ká:rsənə-] *n.* 〔醫〕 간암 유발물질.
hépato·cỳte [, hipǽtə-] *n.* 〔解〕 간세포.
hep·a·tol·o·gy [hèpətáləd͡ʒi] *n.* 간(장)학.
hep·a·to·ma [hèpətóumə] *n.* 〔醫〕 간암, 간종양(肝腫瘍).
hèpato·még·a·ly [-mégəli, hipæ̀tə-] *n.* 〔醫〕 간종(肝腫), 간비대.
hep·a·top·a·thy [hèpətápəθi] *n.* 〔醫〕 간 장애.
hèp·a·to·páth·ic *a.* 간 장애성(性)의.
hèpato·tóxin [, hipæ̀tə-] *n.* 〔生化〕 간세포 독소.
Hep·burn [hépbə:rn ; hébə:n] *n.* 헵번. **James Curtis** ~ (1815-1911) 미국인 선교사·의사·어학자 ; 헵번식(式) 로마 철자의 창시자.
hép·càt *n.* 《美俗》 스윙 재즈 연주가 ; 재즈 음악의 명수[애호가].
hép chìck *n.* 《美俗》 스윙 재즈에 밝은 사람 ; 예쁜 처녀.
Hep·ple·white [hépəl*h*wàit] *n.* 헤플화이트식 가구(家具)《18세기 말에 영국 중산 계급 취향의 견고하고 우아한 가구》. —— *a.* 헤플화이트식의.
〖George *Hepplewhite* (d. 1786) 영국의 가구공〗
hép·ster *n.* 《美俗》 재즈 애호가[연주자] ; 최신 유행에 민감한 사람.
hept- [hépt], **hep·ta-** [héptə] *comb. form* 「7」의 뜻. 〖Gk.〗
hep·ta·chord [héptəkɔ̀:rd] *n.* (고대 그리스의) 칠현 악기 ; 〔樂〕 7음 음계.
hep·tad [héptæd] *n.* 일곱개 한 무리[벌] ; 〔化〕 7가 원자[원소] (cf. MONAD).
hépta·glòt *a., n.* 7개 국어로 쓴 (서적).
hépta·gon [-gàn ; -gən] *n.* 〔數〕 7각[변]형.
hep·tag·o·nal [heptǽgənl] *a.*
hèpta·hédron *n.* (*pl.* **~s, -hédra**) 7면체.
hep·tam·e·ter [heptǽmətər] *n.* 〔韻〕 7보격(步格). **hep·ta·met·ri·cal** [hèptəmétrikəl] *a.*
hep·tarch [héptɑ:rk] *n.* 〔英史〕 7왕국의 각 국왕.
hép·tar·chy *n.* 〔英史〕 7두(頭) 정치, 7왕국 연합. **-tar·chic, -chi·cal** [-tá:rkik(əl)] *a.*
hep·ta·stich [héptəstìk] *n.* 〔韻〕 7행시.
hépta·sỳllable *n.* 7음절의 말 ; 7음절[시행(詩行)]. **hèpta·syllábic** *a.*
Hep·ta·teuch [héptət*j*ù:k] *n.* 〔聖〕 칠서(七書)《구약 성서의 처음 7서(書)》.
hep·tath·lon [heptǽθlən, -lɑn] *n.* 7종 경기《종래의 여자 육상 5종 경기에 200m 경주와 투창을 더한 종목 ; 1981년부터 국제 육상 연맹의 공인 종목 ; cf. PENTATHLON》.
hep·tode [héptoud] *n.* 〔電〕 7극 진공관(cf. PENTODE).
◇**her** [ə(:)r, (어군의 처음에서는) hə(:)r, hɜ́:r] *pron.* **1** [SHE의 목적격으로서 직접목적어·간접목적어·전치사의 목적어] 그녀에게[를] : They love ~. 그들은 그녀를 사랑한다 / I gave ~ a book. 나는 그녀에게 책을 주었다 / I gave the

book to ~. 나는 그 책을 그녀에게 주었다 / a gift for ~ 그녀에게 주는 선물. **2** [be동사의 보어로서 ; ☞ I² 주 (1)] 《口》 =SHE : It's ~. 그녀다 / [비교 표현의 as, than 뒤에서 주어로] I can run faster than ~. 나는 그녀보다 빨리 달릴 수 있다. **3** [재귀용법] 그녀 자신을[에게] (herself) (☞ HIM 3 주) : She laid ~ down. 《古》 그 여자는 누웠다. **4** [소유격] 그녀의 : ~ mother 그녀의 어머니 / ~ first book 그녀의 처녀작 / ~ admirers 그녀의 환심을 사려는 사내들. 〖OE *hire*〗

her. heraldic ; heraldry.

He·ra, He·re [híərə] *n.* 〖그神〗 헤라《Zeus의 아내 ; 로마 신화의 Juno에 해당》.

Her·a·cle·an [hèrəklíːən] *a.* =HERCULEAN.

Her·a·cles, -kles [hérəklìːz] *n.* =HERCULES.

her·ald [hérəld] *n.* **1** 〖英史〗 전령관(傳令官)《국왕의 즉위·붕어 따위 국가의 중대사를 공식으로 포고하는 관리》. **2** 포고자, 보도자《때때로 신문의 명칭》 ; 사자(使者) (messenger) ; 선구자, 전조(前兆) (forerunner). **3** 문장관(紋章官), 전례관(典禮官).
— *vt.* 고지[포고]하다 ; 미리 알리다, 예고하다. 〖OF<Gmc.=army rule〗

he·ral·dic [herǽldik, hə-] *a.* 전령(관)의 ; 전례관의 ; 문장(紋章)(학)의. **-di·cal·ly** *adv.*

hérald·ry *n.* **1** Ⓤ =HERALDSHIP. **2** 문장학. **3** 문장(blazonry).

Héralds' Cóllege *n.* [the ~] 《英》 문장원.

hérald·shìp *n.* Ⓤ herald직[지위·임무].

***herb** [hə́ːrb ; hə́ːb] *n.* **1** 풀, 초본(草本). **2** 식용[약용·향료]식물. **3** (뿌리와 구별하여) 풀잎. **4** Ⓤ 목초(牧草) (grass).
〖OF<L *herba* grass, green crops〗

Herb. Herbert.

her·ba·ceous [həːrbéiʃəs ; həː-] *a.* 풀의, 초본의 (cf. LIGNEOUS) ; 풀잎 모양의 ; 풀이 심어진 ; 초록색의 : a ~ border (다년생의) 화초를 심은 화단의 가장자리 (cf. BORDER 4).

hérb·age *n.* [집합적으로] 풀, 목초, 약초 ; 〖法〗 (남의 소유지에서의) 방목권(放牧權).
〖OF<L=right of pasture ; ⇨ HERB〗

hérb·al *a.* 풀의, 초목의. — *n.* 초본서, 식물지(植物誌).

hérb·al·ist *n.* 본초학자 ; (예전의) 식물학자[채집자] ; =HERB DOCTOR.

her·bar·i·um [həːrbéəriəm, -bǽər- ; həː-] *n.* (*pl.* **-ia** [-iə]) (건조) 식물 표본집, 식물 표본 상자[실·관]. 〖L〗

Her·bart [hə́ːrbɑːrt ; *G* hɛ́rbart] *n.* 헤르바르트. **Johann Friedrich** ~ (1776-1841) 독일의 철학자·교육학자.

Her·bar·ti·an [həːrbɑ́ːrtiən] *a., n.* 헤르바르트(교육설)의 (신봉자).

herb·a·ry [hə́ːrbəri ; hə́ː-] *n.* 식물원, 약초원(藥草園).

hérb bèer *n.* 약초 맥주《알코올을 함유하지 않은 대용 맥주》.

hérb bènnet *n.* 〖植〗 뱀무속의 일종.

hérb dòctor *n.* 한방 의사, 약초 의사.

Her·bert [hə́ːrbərt] *n.* 남자 이름《애칭 Bert, Bertie》. 〖OE<Gmc. =illustrious by reason of an army (army+bright)〗

hér·bi·cìde [hə́ːrbə- ; hə́ː-] *n.* 살초제(殺草劑), (특히 농작물에 피해가 없는) 제초제.

Hér·big-Há·ro òbject [hə́ːrbighɑ́ːrou-] *n.* 〖天〗 허빅하로 천체《별이 형성되는 아주 초기 단계로 여겨지는 밝고 작은 성상체》. 〖George *Herbig* (1920-) 미국의 천문학자, Guillermo *Haro* 멕시코의 천문학자〗

her·bi·vore [hə́ːrbəvɔ̀ːr ; hə́ː-] *n.* 초식동물 (cf. CARNIVORE). 〖NL (HERB, *-i-*, *-vore*)〗

her·biv·o·rous [həːrbívərəs ; həː-] *a.* (동물이) 초식성의 (cf. CARNIVOROUS, OMNIVOROUS).

her·bo·rist [hə́ːrbərəst ; hə́ː-] *n.* 식물 채집가 ; =HERBALIST.

her·bo·ri·za·tion [hə̀ːrbərizéiʃən ; hə̀ː-] *n.* Ⓤ 식물 채집[연구] (여행).

her·bo·rize [hə́ːrbəràiz ; hə́ː-] *vi.* 식물[약초]을 채집[연구]하다.

hérb tèa[wàter] *n.* 탕약, 약초탕(藥草湯).

hérb tobàcco *n.* 약용(藥用) 담배《기침을 멈추게 하기 위하여 피움》.

hérby *a.* 풀의[같은], 초본성의 ; 풀이 많은.

Her·cu·la·ne·um [hə̀ːrkjəléiniəm] *n.* 헤르쿨라네움《A. D. 79 Vesuvius 화산의 분화로 Pompeii와 함께 매몰된 Naples 부근의 고도》.

Her·cu·le·an [hə̀ːrkjəlíːən, həːrkjúːliən] *a.* **1** 헤라클레스의 ; 헤라클레스 같은. **2** [때때로 h~] 큰 힘을 필요로 하는, 초인적인 ; 매우 곤란한 : *h*~ strength 초인적인 힘 / a *h*~ task 어려운 일.

Her·cu·les [hə́ːrkjəlìːz] *n.* **1** 〖그神〗 헤라클레스《Zeus의 아들로서 12가지의 난업(難業)을 성취한 초인적인 힘을 가진 영웅》. **2** Ⓒ [h~] 힘이 매우 센 사람. **3** [(the) ~] 〖天〗 헤르쿨레스자리.
the Pillars of Hercules ☞ PILLAR.
〖L<Gk. *Hēraklēs* glory of HERA (*kleos* glory)〗

Hércules bèetle *n.* 〖昆〗 헤르쿨레스장수풍뎅이《남미산》.

Hércules'-clúb *n.* 〖植〗 초피나무속의 나무 ; 두릅나무속의 관목.

Hércules pówder *n.* 광산용 폭약.

***herd**[1] [hə́ːrd] *n.* **1** 짐승의 떼, (특히) 소[돼지]떼 (cf. FLOCK[1]). **2** 《蔑》 군중, 집단 ; [the ~] 민중, 하층민. **3** 대량, 다수.
the herd instinct 〖心〗 군집[군거(群居)] 본능.
— *vi.* (떼를 지어) 모이다[이동하다], 군집하다 〈*together*, *with*〉. 〖OE *heord* ; cf. G *Herde*〗
類義語 ⟹ GROUP.

herd[2] *n.* 《古》 목동, 목자(牧者) (herdsman). 주 보통 복합어로 쓰임 : cow*herd*, swine*herd*.
— *vt.* (소·양 따위의) 떼를 모으다 ; (소·양 따위를) 지키다(tend).
〖OE *hirdi* ; ↑와 같은 어원 ; cf. G *Hirte*〗

hérd·bòok *n.* 가축 혈통 기록서, 등록부.

hérd·er *n.* 목부(牧夫), 목자, 목동, 목양자.

her·dic [hə́ːrdik] *n.* (19세기 말 미국의 뒤쪽에서 타고 내리는) 2륜[4륜] 마차.
〖Peter *Herdic* (d. 1888) 미국의 발명가〗

hérds·man [-mən] *n.* 《英》 목자 ; 가축떼의 소유주 ; 가축지기 ; [the H~] 〖天〗 목자자리.

hérd tèst(ing) *n.* 소떼 검사《특정 젖소떼의 유지방(乳脂肪)의 함유율을 조사하는 일》.

◇**here** [híər] *adv.* **1** (↔*there*) [동사 뒤] 여기에[로], 이쪽으로[에서] (at this place) ; 이곳[이쪽]으로(to this place) : He lives ~ in Seoul. 그는 이곳 서울에 살고 있다 / Put it ~. 여기에 놓으시오 / Come (over) ~ [kəm (òuvər) híər]. 이쪽으로 오시오 / Look ~ ! ☞ LOOK *v.* 숙어 / See ~ ! ☞ SEE *v.* 숙어 / I belong ~. 저는 이곳[이 고장] 사람입니다.
2 [글 첫머리 ; 특히 상대방의 주의를 환기시키기 위해] 이봐, 이쪽에[으로] : [주어가 명사일 때] *H*~ comes the teacher. 이봐 ! 선생님이 (이쪽으로) 오신다《대명사일 때는 *H*~ he comes. 의 어

순》/ *H*~'s your tea. 어서[자] 차를 드세요 / *H* ~'s the ticket for you. 자 이것이 당신의 차표입니다 / *H*~'s the postman. 이봐! 우편 집배원이 왔어 / *H*~'s (…) to you! ☞ 숙어.
3 [글 첫머리] (이야기 따위) 이 점에서, 이때에, 여기서(at this point); 지금(now): *H*~ he paused and looked around. 여기서 그는 잠깐 멈추고 주위를 둘러보았다 / *H*~ it is December and Christmas is coming. 이제 12월이 되었으니 곧 크리스마스가 다가온다.
4 [명사 뒤] 여기에 있는, 이(cf. *this* HERE): The boy ~ has seen the accident. 여기에 있는 이 소년이 그 사고를 목격했습니다.
5 이 세상에서, 현세에서(cf. HERE *below*).
6 [감탄사적으로 쓰여] **a)** [H~!] 네《점호(點呼)에 대한 대답》. **b)** 자, 어서《타이를 때 하는 소리》: *H*~, that's enough. 이봐, 대강 해둬! / *H*~, ~, don't cry! 자, 어서 울음을 그쳐라!

〈회화〉
He lives around *here*. — Do you know where, exactly? 「그는 이 근방에 살고 있어」「정확히 어딘지 아니」

here and now 지금 바로, 즉각, 곧.
here and there 여기저기에, 이곳 저곳에: Some birds are flying ~ *and there*. 새가 여기저기서 날고 있다.
here below 이 세상[하계(下界)]에서는.
Here goes! 《口》 자 시작한다!, 자 간다!
Here's (***a health***) ***to you!*** = ***Here's luck to you.*** (축배를 들며) 건강을 빕니다.
Here's where .... 《美口》 이것이 …한 점이다, …한 것은 바로 이 점이다: *H*~'*s where* he is wrong. 그가 틀린 것은 바로 이 점이다.
here, there, and everywhere 도처에.
Here you are. 《口》 (찾는 물건, 원하는 물건을 내놓으면서) 자, 여기 있습니다.

〈회화〉
Get me that dictionary, will you? — *Here you are*. 「그 사전 좀 집어주시겠어요」「네, 여기 있습니다」

neither here nor there 《口》 문제 밖인; 대수롭지 않은, 하찮은.
this here[***'ere***]... 《俗》 여기에 있는 이 …(cf. *that* THERE): *this* ~ man 여기에 있는 이 사람, 바로 이 사람.
── *n.* Ⓤ 이곳; 이 점; 이 세상: from ~ 여기에서부터 / near ~ 이곳에서 가까이에 / up to ~ 여기까지.
(***the***) ***here and now*** 바로 지금, 현재, 현시점; 현세, 이 세상.
〖OE *hēr* < ? Gmc. (HE[1]); cf. G *hier*〗
Here ☞ HERA.
hére·abòut, -abòuts *adv.* 이 근방에: somewhere ~ 어딘가 이 근처에(서).
hère·áfter *adv.* (공식문서 따위에서) 이후에, 금후, 장차(in the future); 내세에. ── *n.* [흔히 H~, the ~] Ⓤ 장래, 미래; 내세. ── *a.* 《古》 미래의, 후세의.
hère·át *adv.* 《古》 이때에(at this time); 이러므로.
hère·awáy *adv.* = HEREABOUT; 《美俗》 = HITHER.
hère·bý *adv.* 《文語》〖法〗 이것에 의하여, 이 결과; 《古》 이 근처에.
he·red·i·ta·ble [hərédətəbəl] *a.* 물려줄 수 있는, 상속할 수 있는; 유전되는(cf. HERITABLE).
he·rèd·i·ta·bíl·i·ty *n.* 물려줄 수 있음, 상속할 수 있음; 유전성. 〖F or L; ⇨ HEIR〗
her·e·dit·a·ment [hèrədítəmənt] *n.* 〖法〗 상속재산《특히 부동산》.
he·red·i·tar·i·an [hərèdətéəriən, -tǽər-] *n., a.* 유전론자(의), 유전설 신봉자(의); 유전적인.
he·red·i·tary [hərédətèri; -təri] *a.* **1** 유전성의, 유전적인(↔*acquired*): ~ characters 〖生〗 유전형질. **2** 〖法〗 세습의, 상속권을 가진; 부모로부터 물려받은, 대대로 내려온: ~ property 세습 재산. **he·rèd·i·tár·i·ly** [; hərédətəri-] *adv.* 세습적으로; 유전적으로. **he·réd·i·tàr·i·ness** [; -təri-] *n.* 〖L; ⇨ HEIR〗
heréditary péer *n.* 《英》 상원(House of Lords)에 의석을 가진 귀족.
he·red·i·tism [hərédətìzəm] *n.* 유전설.
he·red·i·ty [hərédəti] *n.* 유전; 유전형질; 세습; 전통. 〖F or L=heirship; ⇨ HEIR〗
Heref. Hereford(shire).
Her·e·ford [hérəfərd, 美+hə́ːr-] *n.* **1 a)** 헤리퍼드《잉글랜드 서부 Hereford and Worcester주의 도시》. **b)** = HEREFORDSHIRE. **2** [hə́ːr-, hérə-] **a)** 헤리퍼드종(種)(의 소)《머리가 희고 털이 붉음; 식용》. **b)** 헤리퍼드종(의 돼지).
Héreford and Wórcester *n.* 헤리퍼드 우스터 《잉글랜드 남서부의 주; 주도 Worcester》.
Her·e·ford·shire [hérəfərdʃiər, -ʃər] *n.* 헤리퍼드셔《영국 서부의 옛 주; 주도 Hereford》.
hère·fróm *adv.* 《古》 이제부터; 여기에서; 이 점에서부터.
Herefs. Herefordshire.
hère·ín *adv.* 《文語》 여기에, 이 중에.
hère·ìn·áfter *adv.* 《文語》 (서류 따위에서) 하기(下記)에.
hère·ìn·befóre *adv.* 《文語》 (서류 따위에서) 위에, 윗글에, 전조(前條)에.
hère·ínto *adv.* 이 속에.
hère·óf *adv.* 《文語》 이것의, 이 문서의; 이것에 대하여(of this).
hère·ón *adv.* = HEREUPON.
He·re·ro [həréərou, héərəròu] *n.* (*pl.* ~, ~**s**) 헤레로족(族)《아프리카 남서부의 반투족》; 헤레로인[어].
‡**here's** [híərz] here is의 단축형.
he·re·si·arch [həríːziàːrk, hérəsi-] *n.* 이교(異敎)의 창시자; 이교도의 교주. 〖L<Gk. (HERESY, *-arch*[1])〗
he·re·si·ol·o·gy [həriːziálədʒi] *n.* 이교 연구. **-gist** *n.*
her·e·sy [hérəsi] *n.* Ⓤ,Ⓒ 이교(異教), 이단; 이설; 반(대)론. 〖OF<L=school of thought<Gk. (*hairesis* choice)〗
her·e·tic [hérətik] *n.* 이교도, 이단자, 이설(異說)을 주장하는 사람. ── *a.* = HERETICAL. 〖OF<L<Gk.=able to choose (↑)〗
he·ret·i·cal [hərétikəl] *a.* 이교[이단·이설]의.
hère·tó *adv.* 《文語》 이에, 이 문서에; 이점에 관하여. ㊟ 법률문서 따위에 씀: attached ~ 이에 첨부하여.
hère·to·fóre [, 美+ˊ-ˋ-] *adv.* 《文語》 지금[현재·이때]까지, 종래(hitherto); 이전에는.
── *a.* 《古》 지금까지의, 이전의.
hère·únder *adv.* 아래에, 하기(下記)에; 이 결정에 따라.
hère·untó [, 美+ˋ-ˊ-] *adv.* 《古》 = HERETO.
hère·upón [, 美+ˊ-ˋ-] *adv.* 여기에서(upon this); 바로 이에 계속하여.

hère·wíth *adv.* 《文語》 이것과 함께 (동봉하여), 이것에 첨가하여(with this) ; 이 기회에 ; 이것으로 말미암아(hereby), 이렇게 하여 : enclosed ~ 동봉(同封)하여.

her·i·ot [hériət] *n.* 〔英法〕 차지 상속세(借地相續稅), 상속 상납물《영주에게 바치는 가장 좋은 가축이나 동산》.

her·i·ta·ble [hérətəbəl] *a.* 물려줄 수 있는 ; 상속할 수 있는 ; 유전성의(cf. HEREDITABLE).
—— *n.* [보통 *pl.*] 상속[양도]할 수 있는 재산.
-bly *adv.* 상속(권)에 의해서. **hèr·i·ta·bíl·i·ty** *n.* 상속[유전] 가능성.

***her·i·tage** [hérətidʒ] *n.* **1** 세습[상속]재산 ; 선조로부터 물려받은 것 ; 유산 ; 전통 ; 천성, 운명 : a cultural ~ 문화적 유산. **2** 〔聖〕 신의 선민(選民), 이스라엘 사람(the Israelites), 기독교도 ; 가나안(Canaan)의 땅.
〖OF ; ⇨ HEIR〗

Héritage Foundàtion *n.* [the ~] 헤리티지 재단《미국 보수파의 정책연구 단체》.

her·i·tance [hérətəns] *n.* 《古》 =INHERITANCE.

her·i·tor [hérətər] *n.* 상속인, 상속자(heir) ; 《古》 〔(스코)法〕 교구의 토지[가옥] 소유자.

Hér·ki·mer Jérkimer [hə́ːrkəmər-] *n.* 《美俗》 촌놈, 괴짜, 미치광이. 〖C20 ; 자의적 조어(自意的造語)의 인명(人名)인가〗

her·maph·ro·dite [həːrmǽfrədàit] *n.* 남녀추니 ; 〔動〕 자웅동체 ; 동성애자 ; 〔植〕 양성화.
her·màph·ro·dít·ic, -i·cal [-dít-] *a.* 양성의, 남녀추니의, 자웅 동체의. **her·maph·ro·dit·ism** [həːrmǽfrədaitìzəm] *n.* 자웅 동체성(性).
〖L<Gk.〗

her·ma·type [hə́ːrmətàip] *n.* 조초(造礁)산호《초를 이루는 산호충》.

her·ma·typ·ic [hə̀ːrmətípik] *a.* 조초성(造礁性)의《산호·생물》.

her·me·neu·tics [hə̀ːrmənjúːtiks] *n.* [단수·복수 취급] (성서 따위의) 해석학.
hèr·me·néu·tic, -ti·cal *a.* **-ti·cal·ly** *adv.*
〖Gk. (*hermēneuō* to interpret)〗

Her·mes [hə́ːrmiːz] *n.* **1** 〔그神〕 헤르메스《신들의 사자(使者)로 과학·상업·변론의 신 ; 로마 신화의 Mercury에 해당》. **2** 〔天〕 헤르메스《지구에 가장 가까운 소행성》.

her·met·ic, -i·cal [həːrmétik(əl)] *a.* **1** [H~] 연금술(鍊金術)의 : the *H*~ art[philosophy, science] 연금술. **2** 밀봉[밀폐]된 ; 비밀의 : ~ sealing 용접 밀폐. —— *n.* 연금술사. **-i·cal·ly** *adv.* 밀봉[밀폐]하여 ; 연금술적으로.
〖NL〗

***her·mit** [hə́ːrmət] *n.* **1** 은자(隱者), 도사, 속세를 등진 사람(recluse) ; 독거성(獨居性)의 동물 ; 〔鳥〕 벌새. **2** 향료를 넣은 당밀쿠키.
〖OF *ermite* or L<Gk. (*erēmos* solitary)〗

hérmit·age *n.* 은자가 사는 집, 암자 ; 외딴집 ; 은둔 생활 ; Ⓤ [H~] 프랑스산 포도주의 일종.

hérmit cràb *n.* 〔動〕 집게.

Hérmit Kìngdom *n.* [the ~] 은자(隱者)의 왕국《1636-1876년간 중국 이외의 나라와는 접촉을 끊은 조선》.

hérmit thrùsh *n.* 〔鳥〕 갈색지빠귀《북미산》.

hern [hə́ːrn] *n.* 《古·方》 =HERON.

her·nia [hə́ːrniə] *n.* (*pl.* **-ni·as** [-z], **-ni·ae** [-niìː, -niài]) 〔醫〕 헤르니아, 탈장(rupture).
-ni·al *a.* 탈장의. 〖L〗

her·ni·ate [hə́ːrnièit] *vi.* 〔醫〕 헤르니아가 되다, 탈루(脫漏)하다.

hernio- [hə́ːrniou, -niə] *comb. form* 「헤르니아」의 뜻. 〖L〗

‡he·ro [híərou, híː-] *n.* (*pl.* **~es**) **1** 영웅, 용사 ; 숭배받는 인물 ; 난국을 타개하기 위해 싸운 사람 : ☞ CULTURE HERO. **2** (시·극·소설 따위의 남자) 주인공, 주요 인물(cf. HEROINE). **3** [원뜻] (고대 그리스의) 신인(神人), 반신적(半神的)인 용사(demigod).
make a hero of a person 남을 영웅으로 만들다, 남을 치켜세우다.
〖L<Gk. *hērōs*〗

Hero *n.* **1** 여자 이름. **2** 〔그神〕 헤로《Aphrodite의 여신관(女神官)으로 Leander의 애인 ; Leander의 익사를 슬퍼하여 자신도 바다에 투신했음》.

Her·od [hérəd] *n.* 〔聖〕 헤롯《예수 탄생 당시의 유태의 왕, 포악하기로 유명함 ; cf. OUT-HEROD》.

He·ro·di·an [hiróudiən] *a.* 헤롯왕의. —— *n.* 헤롯 왕가파(王家派)[지지자].

He·ro·di·as [hiróudiəs ; heróudiæs] *n.* 〔聖〕 헤로디아《Herod 왕의 후처, Salome의 어머니 ; 남편에게 John the Baptist를 죽이게 했음》.

He·rod·o·tus [hirádətəs] *n.* 헤로도토스 (484?-?425 B.C.) 《그리스의 역사가로 Father of History (사학(史學)의 아버지)라고 불림》.

***he·ro·ic** [hiróuik] *a.* **1** 용사[영웅]의 ; 신인(神人)의 ; 용감한, 씩씩한, 장렬한 ; 대담한(daring), 모험적인, 과감한(hazardous) : a ~ remedy 과감한 치료. **2** (시(詩)가) 신인·영웅을 소재로 한, 영웅시의, 역사시의(epic) ; (문체가) 당당한, 웅대한, 과장된. **3** 〔美術〕 (초상 따위가) 실물보다 큰 ; (효과가) 큰 ; 다량의. —— *n.* **1** 영웅시(격(格)), 역사시(격)(cf. HEROIC COUPLET [VERSE]). **2** [*pl.*] 과장된 어조[행위·감정] : go into ~*s* 감정을 과장하여 표현하다. **he·ró·i·cal** *a.* =HEROIC. **-i·cal·ly** *adv.*
〖F or L<Gk. ; ⇨ HERO〗

heróic áge *n.* [the ~] 신인[영웅] 시대《Troy 멸망 전의 그리스 사시(史詩) 시대》.

heróic cóuplet *n.* 〔韻〕 (2행씩 운율을 따라 대구(對句)를 이루는) 영웅시격(格)(의 시)(cf. HEROIC VERSE).

he·roi·cómic, -ical [hiròui-] *a.* 〔文藝〕 (용맹과 익살을 섞은) 영웅 희극적인.

heróic póem[póetry] *n.* 〔韻〕 영웅시(詩), (역)사시.

heróic vérse *n.* 〔韻〕 영웅시 ; Ⓤ,Ⓒ 〔韻〕 영웅시격, 사시격(史詩格)《영시에서는 약강 5보격》.

her·o·in [hérouin] *n.* Ⓤ 헤로인《모르핀으로 만든 진정제 ; 마약의 일종》. **~·ism** *n.* 헤로인 중독.
〖G<? HERO ; 자신을 영웅시하는 그 증상에서〗

héroin bàby *n.* 헤로인 베이비《헤로인 중독의 어머니에게서 조산(早産)으로 태어나 약물을 좋아하는 버릇이 있음》.

***her·o·ine** [hérouin] *n.* **1** 여걸, 여장부, 열부(烈婦). **2** (시·극·소설 따위의) 여주인공, 히로인 (cf. HERO). **3** (고대 그리스의) 반신녀(半神女).
〖F or L<Gk. (fem.) 〈HERO〗

hero·ism [hérouìzəm] *n.* Ⓤ 영웅적 자질 ; 장렬, 의협, 용장 ; Ⓒ 영웅적 행위.

her·on [hérən] *n.* 〔鳥〕 왜가리, (일반적으로) 백로과에 속하는 새. **~·ry** *n.* 왜가리가 떼지어 둥지를 트는 곳. 〖OF<Gmc.〗

héro sándwich *n.* 《美》 (롤빵 따위를 세로로 잘라 사이에 고기 따위를 넣은) 대형 샌드위치.

héro wòrship *n.* 영웅 숭배. —— *vt.* …을 영웅시하다, 영웅 숭배하다.
héro-wòrshipper *n.* 영웅 숭배자.

her·pes [hə́ːrpiːz] *n.* 〖醫〗 수포진(水疱疹). 〚L<Gk. *herpēt- herpēs* shingles〛

hérpes sím·plex [-símpleks] *n.* 〖醫〗 단순 포진(疱疹). 〚L〛

hérpes zós·ter [-zástər] *n.* 〖醫〗 대상(帶狀) 포진. 〚L〛

her·pet- [hə́ːrpət], **her·pe·to-** [-pətou, -tə] *comb. form* 「파충(爬蟲)동물」「포진(疱疹), 헤르페스」의 뜻. 〚Gk. *herpeton* a creeping thing〛

her·pet·ic [həːrpétik] *a.* 수포진성(水疱疹性)의. ── *n.* 포진 환자.

her·pe·tol·o·gy [hə̀ːrpətálədʒi] *n.* 파충류학(爬蟲類學). **-gist** *n.* 파충류학자.

Herr [héər] *n.* (*pl.* **Her·ren** [hérən]) 군, 씨 ; 독일 신사. 〚G<OHG (compar.)‹*hēr* exalted〛

Her·ren·volk [hérənfɔ̀lk, -fòuk] *n.* 지배 민족《나치(Nazi)에 의한 독일 민족의 자칭》. 〚G〛

her·ring [hériŋ] *n.* (*pl.* **~s,** ~) 청어 : kippered ~ 훈제한 청어 / ☞ RED HERRING.

(*as*) ***dead as a herring*** ☞ DEAD.

packed as close as herrings 빈틈없이 꽉 들어찬.

〚OE *hǣring* ; cf. G *Häring*〛

hérring·bòne *n.* **1** 청어 뼈. **2** 오늬 무늬(로 짜기 · 박기), 헤링본 ; 〖建〗 오늬 무늬《벽돌 · 타일 따위의 헤링본식(式) 배열》; 〖스키〗 개각등행(開脚登行).

── *vt.* 오늬 무늬로 박다[뜨다]. ── *vi.* 오늬 무늬를 만들어 내다 ; 〖스키〗 개각등행하다.

hérring gùll *n.* 〖鳥〗 재갈매기.

hérring pònd *n.* 《戱》 청어의 연못《대양, 특히 북대서양》.

◇**hers** [hə́ːrz] *pron.* [SHE에 대응하는 소유 대명사] **1** 그녀의 것(cf. HIS 2, MINE[1], OURS, THEIRS, YOURS) : It's ~, not mine. 그녀의 것이지 나의 것은 아니다 / His hair is darker than ~. 그의 머리는 그녀의 머리보다 검다 / *H*~ is[are] best. 그녀의 것이 제일 좋다. **2** [of ~로] 그녀의 : that book *of* ~ 그녀의 그 책. 주 보다 상세한 용법과 보기는 MINE[1] 참조.

活用 ☞ MINE[1].

Her·schel [hə́ːrʃəl] *n.* 허셜. Sir **William** ~ (1738-1822) 독일 태생인 영국의 천문학자 ; 천왕성(天王星) (Uranus)을 발견했음.

‡**her·self** [hərsélf] *pron.* [SHE의 강조형 · 재귀형] 그녀 자신. **1** [강조용법] : She ~ came to see me. =She came to see me ~. 그녀가 직접 나를 만나러 왔다. **2** [재귀용법] : She overslept ~. 그녀는 늦잠을 잤다 / He wished Jane to take good care of ~. 그는 제인이 건강에 유의하기를 바랐다 / She is not ~ today. 그녀가 오늘은 평소와 다르다. 주 숙어에 대해서는 ☞ ONESELF. 〚OE (HER, SELF)〛

活用 ☞ MYSELF.

Hert·ford [háːrtfərd] *n.* 하트퍼드《Hertfordshire의 주도(州都)》; =HERTFORDSHIRE.

Hert·ford·shire [háːrtfərdʃiər, -ʃər] *n.* 하트퍼드셔《잉글랜드 남동부의 주 ; 略 Herts.》.

Herts. Hertfordshire.

hertz [héərts, hə́ːrts] *n.* (*pl.* ~) 〖理〗 헤르츠《진동수의 단위 ; 매초 1사이클 ; 略 Hz》. 〚H. R. *Hertz* (↓)〛

Hertz [hə́ːrts ; *G* hérts] *n.* 헤르츠. **Heinrich Rudolph** ~ (1857-94) 독일의 물리학자 ; 헤르츠파(波)를 실증(實證).

hertz·ian [hə́ːrtsiən, héər-] *a.* [때때로 H~] 헤르츠(식)의.

hértzian telégraphy *n.* 무선 전신《헤르츠파를 일으켜 행함》.

hértzian wáve *n.* [때때로 H~] 〖理〗 헤르츠파《전자기파(electromagnetic wave)의 옛 이름》.

‡**he's** [hiz, híːz] he is, he has의 단축형.

HESH high explosive squash head《대전차 · 대콘크리트용 포탄의 일종》.

he/she *pron.* 《美》 [인칭대명사 3인칭 단수 통성 주격(通性主格)] 그 또는 그녀는[가].

주 선행사가 남녀의 어느 쪽이든 가리킬 수 있는 (대)명사(everybody, teacher 등)의 경우에 쓰이는 표기 형식. 대응하는 목적격 · 소유격은 각각 him/her, his/her.

hes·i·fla·tion [hèzəfléiʃən] *n.* 〖經〗 헤지플레이션《경제 성장은 부진하면서 강한 인플레이션 요인을 안은 상태》. 〚*hesi*tation+in*flation*〛

He·si·od [híːsiəd, hésiəd ; -ɔd] *n.* 헤시오도스《기원전 8세기경의 그리스 시인》.

hes·i·tan·cy [hézətənsi] *n.* Ⓤ 주저, 망설임, 머뭇거림(hesitation) ; 우유부단. **-tance** *n.*

hés·i·tant *a.* 주저하는 ; 머뭇거리는, (태도가) 분명치 않은 ; 말을 더듬는.

~·ly *adv.* 주저하면서 ; 말을 더듬으며.

類義語 ⟹ RELUCTANT.

‡**hes·i·tate** [hézətèit] *vi.* [動/+前+名/+前+*wh.* 節/+*wh.*+*to* do/+*to* do] 주저하다, 망설이다 ; (말을) 더듬다 : I ~*d* before replying. 나는 대답하기 전에 머뭇거렸다 / He ~*d* ***about*** the propriety of asking her. 그는 그녀에게 묻는 것이 옳은 일인지 망설였다 / He ~*s* ***at*** nothing. 그는 무슨 일에도 망설이지 않는다 / Don't ~ ***in*** do*ing* anything good. 좋은 일을 하는데 머뭇거릴 필요는 없다 / I ~*d* (*about*) *what* I should do [*what to* do]. 나는 어떻게 할 것인지[무엇을 할 것인지] 망설였다《주 《口》에서는 때때로 전치사를 생략함》/ He ~*d to* spend so much money on books. 그는 책을 사는데 그렇게 많은 돈을 쓰는 것을 주저했다.

〈회화〉

I *hesitate* to ask, but can I borrow some money from you? — Again? 「말씀드리기 뭣합니다만, 돈 좀 빌릴 수 있을까요」「또」

hés·i·tàt·ing·ly *adv.* 주저하면서 ; 말을 더듬으면서. **-tàt·er, -tà·tor** *n.*

〚L (freq.)‹*haes- haereo* to stick fast〛

類義語 ***hesitate*** 결심이 서지 않거나 기분이 내키지 않아 머뭇거리거나 그만두거나 하다 : I *hesitated* to invite her. (나는 그녀를 초대할까 말까 망설였다). ***waver*** 일단 결심이나 계획이 섰으나 나중에 다시 망설이거나 그만두다 : *waver* in one's opinion (의견이 흔들리다). ***falter*** 용기를 잃거나 결심이 서지 않아 주저하거나 중단하다 : *falter* one's proposal (제의를 할까 말까 주저하다).

hès·i·tá·tion** *n.* **1** Ⓤ,Ⓒ [+前+do*ing*] 주저, 망설임 ; 말을 더듬음 : after some ~ 잠깐 머뭇거린 후에 / without (the slightest) ~ (조금도) 주저하지 않고, 곧장, 단호히 / He had[felt] no ~ ***in accept*ing* the offer. 그는 그 제안을 주저하지 않고 수락했다. **2** =HESITATION WALTZ.

hesitátion pìtch *n.* 〖野〗 투구 모션에서 약간 머뭇거리는 투구《타자의 타이밍을 뺏기 위함》.

hesitátion wáltz *n.* 헤지테이션 왈츠《스텝에 휴지(休止)와 미끄러질 듯한 움직임을 임의로 교차시킨 왈츠》.

hés·i·tà·tive *a.* 망설이는 기색이 있는. **~·ly** *adv.*

망설이면서.

Hes·per [héspər] *n.* 《詩》 =HESPERUS.

Hes·pe·ri·an [hespíəriən] *a.* 《詩》 서방(西方)의, 서쪽 나라의(Western) ; 〔그神〕 헤스페리데스의. —— *n.* 《詩》 서쪽 나라 사람.

Hes·per·i·des [hespérədì:z] *n. pl.* 〔그神〕 헤스페리데스《황금의 사과밭을 지킨 세 자매》; 헤스페리데스의 정원. 〖Gk.=daughters of evening〗

Hes·per·is [héspərəs] *n.* 〔植〕 큰꽃무.

Hes·per·us [héspərəs] *n.* 개밥바라기, 태백성(太白星) (evening star, Vesper), 금성(Venus) (cf. PHOSPHOR). 〖Gk.〗

Hes·se[1] [hés ; hési] *n.* 헤센(G **Hes·sen** [*G* hɛ́sən])《독일 중서부의 주 ; 주도 Frankfurt》.

Hes·se[2] [*G* hɛ́sə] *n.* 헤세. **Hermann** ~ (1877-1962) 독일의 소설가·시인·수필가.

Hes·sian [héʃən ; -siən] *a.* Hesse 주 (사람)의. —— *n.* **1** Hesse 사람[병사] ; 《英》 독립 전쟁 때 영국의 독일인 용병(傭兵). **2** 《英》 돈만 주면 무엇이든 하는 못된 놈, 호위꾼, 악한, 깡패. **3** [*pl.*] =HESSIAN BOOTS. **4** Ⓤ [h~] 거친 삼베의 일종(=∽ **clóth**).

Héssian bóots *n. pl.* 헤센 부츠《처음 헤센 병정이 사용한 무릎 쪽에 술 달린 장화 ; 19세기 초에 영국에서 유행》. 〖*Hessian*〗

Héssian flý *n.* 〔昆〕 밀혹파리《애벌레는 밀에 해를 끼침》. 〖헤센 병사에 의해서 아메리카로 옮겨졌다는 데서〗

Hessian boots

hest [hést] *n.* 《古》 명령, 대명(大命) (behest). 〖OE *hǣs* ‹(美) *haitan* to call ; cf. HIGHT ; *-t*는 ME기(期)의 유추에서〗

Hes·ter [héstər] *n.* 여자 이름. 〖⇨ ESTHER〗

Hes·tia [héstiə] *n.* 〔그神〕 헤스티아《불과 난로의 여신 ; 로마 신화의 Vesta에 해당》.

het [hét] *v.* 《古·方》 HEAT의 과거·과거분사. ***het up*** 노한, 분격한 ; 열심인, 열중한. 〖=*heated* (dial. p.p.) ‹HEAT〗

he·tae·ra [hitíərə], **-tai-** [-táiərə] *n.* (*pl.* **-tae·rae** [-ri:], **-tai·rai** [-táiərai], **~s**) (고대 그리스의) 고급 창녀, 첩 ; 여자의 무기를 교묘히 이용하는 여자. 〖Gk. (fem.) ‹ *hetairos* companion〗

he·tae·rism [hitíərizəm], **-tai-** [-táiərizəm] *n.* (공공연한) 축첩 ; 잡혼《태고 때의 결혼 제도》.

het·er- [hétər], **het·ero-** [hétərou, -rə] *comb. form* 「다른」「상이한」「이상한」의 뜻(↔*hom-*). 〖Gk. *heteros* other〗

het·ero [hétəròu] *n.* (*pl.* **-er·òs**) 〔生〕 이형, 헤테로 ; 《口》 =HETEROSEXUAL. —— *a.* **1** 〔生〕 이형의, 헤테로의. **2** 《口》 =HETEROSEXUAL.

hétero·àtom *n.* 〔理·化〕 헤테로 원자《방향족 탄화 수소 중에서 탄소와 치환된 원자》.

hètero·chrómatin *n.* 〔生〕 이질(異質) 염색질.

hètero·chrómo·sòme *n.* 〔生〕 이형(異形) 염색체, 성염색체.

hètero·chrómous *a.* 〔生〕 다색(多色)의, 이색(異色)의.

het·ero·clite [hétərəklàit] *n.* 이상한 것[사람] ; 〔文法〕 불규칙 변화어《명사·동사 따위》. —— *a.* 이상한 ; 불규칙 변화의.

hètero·cýclic *a.* 〔化〕 헤테로 고리의.

het·ero·dox [hétərədɑ̀ks, -rou-] *a.* 이교(異教)의 ; 이설(異說)의, 이단의(↔*orthodox*). **~y** *n.* 이교 ; 이단 ; 이설(異說). 〖L (*heter-*, Gk. *doxa* opinion)〗

hétero·dỳne *a.* 〔通信〕 두 개의 다른 주파수를 가진 교류 신호를 비선형(非線形) 장치로 혼합하는, 헤테로다인식의. —— *n.* 헤테로다인식(式) (수신 장치). —— *vt.* …에 헤테로다인을 발생시키다. —— *vi.* (수신기가) 진동 소리를 내다 ; 헤테로다인 효과를 내다. 〖*heter-*, DYNE〗

hétero·fil [-fìl] *a.* 〔纖維〕 혼합 섬유의《합성 섬유의 정전기 방지·재질(材質) 강화를 위해 다른 섬유를 혼합한 것》. 〖*hetero-*+*fil*ament〗

hètero·gaméte [, -gǽmi:t] *n.* 〔生〕 이형배우자(異形配偶子) (↔*isogamete*).

het·er·og·a·mous [hètərɑ́gəməs] *a.* **1** 〔生〕 이형 배우자로 생식하는 ; 세대 교번의. **2** 〔植〕 이형화(異形花)를 가진.

het·er·og·a·my [hètərɑ́gəmi] *n.* 〔生〕 이형 배우(↔*homogamy*).

het·er·o·ge·ne·i·ty [hètəroudʒəní:əti] *n.* Ⓤ 이종, 이류(異類), 불균질(不均質) ; 이류 혼교(混交) ; 이성분.

het·er·o·ge·ne·ous [hètərədʒí:niəs, -njəs] *a.* 이질의, 이종의 ; 이성분으로 된(↔*homogeneous*). **~·ly** *adv.* 이질적으로 ; 각양각색으로. **~·ness** *n.* 〖L‹Gk. (*genos* kind)〗

hètero·génesis *n.* Ⓤ 〔生〕 (무성 생식과 유성 생식의) 세대 교번 ; 헤테로제네시스, 돌연발생(↔*homogenesis*). **-genétic** *a.*

het·er·og·e·nous [hètərɑ́dʒənəs] *a.* 〔醫·生〕 외생(外生)의, 외래(外來)의 ; 이성분(異成分)으로 된, 잡다한 ; 〔化〕 불균일(不均一)한 ; 〔數〕 비동차(非同次)의.

hètero·júnction *n.* 〔電子〕 이질(異質)[헤테로] 접합 ; =HETEROSTRUCTURE.

het·er·ol·o·gy [hètərɑ́lədʒi] *n.* 〔生〕 이종(異種) 구조 ; 〔醫〕 이질(異質) 조직.

hètero·mórphic, -mórphous *a.* 〔昆〕 완전 변태의 ; 〔生〕 이형(異形)[부등(不等)]의. **-mórphism, -mórphy** *n.* **1** 〔生〕 이형(異形), 변형. **2** 〔岩石〕 동질 이광(異鑛). **3** 〔昆〕 완전 변태.

het·er·on·o·mous [hètərɑ́nəməs] *a.* 타율(성)의 ; 〔生〕 다른 발달 법칙에 따르는, 부등의 ; 이절(移節)의《이식(移植)》. **~·ly** *adv.*

het·er·on·o·my [hètərɑ́nəmi] *n.* Ⓤ 타율(他律), 타율성(↔*autonomy*).

hètero·núclear RNA [-ɑ̀:rènéi] *n.* 〔生化〕 이핵(異核) 리보핵산[RNA].

het·ero·nym [hétərənìm, -rou-] *n.* 동철 이음 이의어(同綴異音異義語)《tear [tíər] (눈물)과 tear [téər](찢다) 따위 ; cf. HOMONYM, SYNONYM》. **het·er·on·y·mous** [hètərɑ́nəməs] *a.*

het·er·op·a·thy [hètərɑ́pəθi] *n.* =ALLOPATHY ; 자극에 대한 이상 감각.

hétero·phìle, -phìl *a.* 〔免疫〕 이종 친화성(異種親和性)의, 이호성(異好性)의.

hètero·phóbia *n.* (성적인) 이성(異性) 공포증.

hétero·sèx *n.* 이성애(異性愛). 〖*heterosex*uality〗

hètero·séxual *a.* **1** 이성애(異性愛)의(cf. HOMOSEXUAL). **2** 다른 성(性)의, 이성(異性)의. —— *n.* 이성애자. **~·ly** *adv.*

hètero·sexuálity *n.* Ⓤ 이성애(異性愛).

het·er·o·sis [hètəróusəs] *n.* (*pl.* **-ses** [-si:z]) 〔生〕 잡종 강세(雜種強勢)《잡종이 근친 교배한 것보다 강대하게 육성되기》. 〖Gk. (*heteros* different)〗

hétero·sòme *n.* 〖生〗 = HETEROCHROMOSOME.
hétero·sphère *n.* 〖氣〗 (초고층(超高層) 대기의) 비균질권(非均質圈), 이질권(異質圈)《약 90km보다 위 ; cf. HOMOSPHERE》.
hètero·strúcture *n.* 〖電子〗 헤테로 구조체《2종 이상의 반도체 소재로 짜맞춰 만든 반도체 레이저 소자》.
hètero·táxis, -táx·ia [-tǽksiə], **hétero·tàxy** *n.* 〖醫〗 내장 역위(逆位) (증) ; 〖地質〗 지층 변위. **-tác·tic, -tác·tous** [-təs], **-táx·ic** *a.*
hètero·tél·ic [-télik, -tíː-] *a.* 〖哲·文藝〗 (실재(實在)·사건이) 다른 것을 목적으로 하여 존재하는, 원인 재외(在外)의, 외인의(cf. AUTOTELIC).
hètero·zýgote *n.* 〖生〗 이형(異形) [헤테로] 접합체(接合體). **-zýgous** *a.* **-zýgous·ly** *adv.*
het·man [hétmən] *n.* 〖폴란드史〗 사령관 ; 카자흐의 추장(ataman).
〚Pol.〛
Het·ty [héti] *n.* 여자 이름《Hester, Esther 따위의 애칭》.
heu·ris·tic [hjuərístik] *a.* 학습을 돕는, 관심을 높이는 ; (학생에게) 스스로 발견케 하는, 발견적인, 실천적인《교육법 따위》; 〖컴퓨·數〗 체험적인, 귀납적인.
—— *n.* [보통 *pl.*] 발견적 교수법. **-ti·cal·ly** *adv.*
〚Gk. *heuriskō* to find〛
heurístic appróach *n.* 〖컴퓨〗 체험적 접근 방법《복잡한 문제를 푸는 데 있어 시행 착오를 반복 평가하여 자기 발견적으로 문제를 해결하는 방법》.
heurístic prógram *n.* 〖컴퓨〗 체험 프로그램.
hew [hjúː] *v.* (~**ed** ; **hewn** [hjúːn], ~**ed**) *vt.* **1** [+目+副/+目+前+名] (도끼·칼 따위로) 찍다, 찍어 넘어뜨리다, 잘게 썰다, 난도질하다 (chop) : ~ *down* a tree 나무를 찍어 쓰러뜨리다 / The cottage was ~*n asunder* by a bomb test. 오두막(집)은 폭탄실험으로 산산조각이 났다 / They ~*ed* a path ***through*** the forest. 그들은 숲의 나무를 베어 오솔길을 냈다. **2** 잘라[베어] 만들다 : ~ stone for building 건축용으로 석재(石材)를 자르다. —— *vi.* [+*at*+名] (휘둘러) 찍다[치다] : He ~*ed* ***at*** the tree. 그는 도끼를 휘둘러 그 나무를 찍었다.
hew one*'s* ***way*** 진로를 개척하다.
hew out 찍어서 만들다 ; (진로·운명 따위를) 타개하다, 개척하다.
hew to 《美》 …을 준수하다, …에 따르다, …을 지키다.
〚OE *hēawan* ; cf. G *hauen*〛
héw·er *n.* (나무나 돌을) 자르는 사람 ; 채탄부.
hewers of wood and drawers of water 〖聖〗 나무 패며 물긷는 자, 하층 노동자《여호수아 9 : 21》.
hewn *v.* HEW의 과거분사.
hex [héks] *vt.* 《美口·英方》 호리다, 마법을 걸다 ; …에게 불행을 초래하다.
—— *vi.* 마법을 행하다〈*on*〉. —— *n.* 여자 마법사 (witch) ; 불길한 물건[사람] (jinx) ; 마력.
〚Penn. G<G *hexe*(*n*)〛
hex. hexadecimal ; hexagon ; hexagonal.
hex- [héks], **hexa-, hexo-** [héksə] *comb. form* 「6」의 뜻.
〚Gk. *hex* six〛
héxa·chord [-kɔ̀ːrd] *n.* 〖樂〗 육음 음계(六音音階), 육현(六絃) 악기.
hex·ad [héksæd], **-ade** [-seid] *n.* 여섯 ; 6개로 된 한 벌 ; 〖化〗 6가(價)의 원소[기].
hex·ad·ic [heksǽdik] *a.*
hèxa·décimal *a.* 〖컴퓨〗 16진법(進法)의.
—— *n.* 16진법, 16진 기수법(=~ **notátion**) ; 16진수.
héxa·gon [-gɑ̀n ; -gən] *n.* 〖數〗 육각형.
hex·ag·o·nal [heksǽgənl] *a.* 육각형의.
héxa·gràm *n.* 〖數〗 육선형(六線形), 육선성형(六線星形).
hèxa·hédron *n.* 육면체. **-hédral** *a.* 육면체의.
hex·am·e·ter [heksǽmətər] *n.* 〖韻〗 육보격(六步格) ; 육보격의 시. —— *a.* 육보격의.
hex·ane [héksein] *n.* 〖化〗 헥산.
hex·an·gu·lar [heksǽŋgjələr] *a.* 육각(형)의.
hex·a·pla [héksəplə] *n.* [때때로 H~] (특히 성서의) 6개 국어 대역서. **-plar** *a.*
hexa·pod [héksəpɑ̀d] *n.* 곤충, 육각(六脚)류의 동물. —— *a.* 육각의, 곤충의.
hex·ap·o·dous [heksǽpədəs] *a.*
hex·ap·o·dy [heksǽpədi] *n.* 육보격, 육음각(六音脚)의 시행(詩行).
hexa·stich [héksəstìk], **-sti·chon** [-stəkɑ̀n] *n.* 〖韻〗 6행연(連) [시].
hexa·style [héksəstàil] *a.* (건물이) 육주식(六柱式)의. —— *n.* 육주식 주랑 현관.
Hexa·teuch [héksətjùːk] *n.* [the ~] (모세) 6서《구약 성서의 처음 6편》. 〚Gk. *teukhos* book〛
héxa·vàlent *a.* 〖化〗 6가(價)의 : ~ chromium 6가 크롬.
hexo- [héksə] ☞ HEX-.
hex·ode [héksoud] *n.* 〖電〗 6극(진공)관.
hex·os·a·mine [heksásəmìːn] *n.* 〖生化〗 헥소스아민.
hex·os·amin·i·dase [hèksəsəmínədèis, -z] *n.* 〖生化〗 헥소스아미니다아제《결핍시 중추 신경계 변성병(變性病) 유발》.
hex·ose [héksous] *n.* 〖生化〗 헥소오스, 육탄당(六炭糖).
‡**hey** [héi] *int.* **1** 이봐, 어이《호칭》. **2** 어《놀람》; 야아《기쁨》: *H*~, taxi ! 어이, 택시.
Hey for . . . ! …잘 한다.
Hey presto ! 얏 !, 자아 !, 에잇《요술쟁이가 내는 소리》.
〚ME ; cf. HEIGH, OF *hay*, Du., G *hei*〛
héy·day[1] *int.* 《古》 야아, 이키《기쁨·놀람의 소리》. 〚? HEY ; cf. LG *heidi*, *heida* (excl.)〛
hey·day[2], **hey·dey** [héidèi] *n.* 전성기, 한창때, 혈기 왕성할 때 ; 《古》 매우 좋은 기분 : in the ~ of youth 혈기 왕성할 때에. 〚↑〛
Hey·wood [héiwud] *n.* 헤이우드. **John** ~ (1497?-?1580) 영국의 극작가.
Hez·bol·lah [hezbɑ́ːlə] *n.* = HIZBALLAH.
hez·bol·la·his [hezbɑ́ləhiz] *n.* [the ~] 헤즈볼라히스《이란의 열광적 이슬람교도의 폭력 집단》.
Hez·e·ki·ah [hèzəkáiə] *n.* **1** 남자 이름. **2** 히스기야《유태의 왕(715?-?686 B.C.)》.
〚Heb. = Yahweh is strength, or has strength〛
Hf 〖化〗 hafnium. **hf.** half. **H. F., HF, h. f., hf** high frequency. **hf. bd.** 〖製本〗 half-bound. **hf. cf.** 〖製本〗 half-calf. **hf.-mor.** 〖製本〗 half-morocco. **HG** higher grade ; High German ; Holy Ghost ; 《英》 Home Guard ; Horse Guards. **Hg** 〖化〗 *hydrargyrum* 《L》 (=mercury). **hg.** hectogram(s) ; heliogram. **H. G.** High German ; His[Her] Grace. **HGH** human growth hormone. **hgt.** height. **HGV** 《英》 heavy goods vehicle. **HH** 〖鉛筆〗 double hard. **hh** heavy hydrogen. **H. H.** His[Her] Highness ; His Holiness. **HHC** 〖컴퓨〗 hand-held

computer. **hhd** hogshead. **hhf** household furniture. **HHFA** Housing and Home Finance Agency. **HHG** household goods. **HHH** 〔鉛筆〕 treble hard.

H hour [éitʃ ⁼] *n.* 〔軍〕 (극비의) 행동[공격] 개시 시각(cf. D DAY).

‡**hi** [hái*i*] *int.* 《口》 야아; 어이《인사 또는 주의를 끄는 말》. 〖변형(變形) ‹HEY〗

HI 〔美郵〕 Hawaii. **H. I.** Hawaiian Islands; human interest.

hi·a·tus [haiéitəs] *n.* **1** 틈, 벌어진 틈(gap); (연속된 것의) 중단, 휴지(기), 휴게, 휴회; 탈락; 탈문(脫文), 탈자(脫字). **2** 〔醫〕 열공(裂孔); 〔解〕 음문(陰門) (vulva); 〔音聲〕 모음 접속; 〔論〕 (논증의) 연쇄(連鎖) 중단. **hi·á·tal** *a.* 〖L=gaping (*hio* to gape)〗

Hi·a·watha [hàiəwɑ́θə, hì:ə-, 美+-wɔ́:θə] *n.* 하이아워서《Longfellow의 시에 나오는 아메리칸 인디언의 영웅》.

hi·ber·nac·u·lum [hàibərnǽkjələm] *n.* (*pl.* **-la** [-lə]) 〔植〕 월동용 보호 외피, 동면 부분; 〔動〕 동면 장소; 인공 동면장치.
〖L=winter residence; ⇨ HIBERNATE〗

hi·ber·nal [haibə́:rnl] *a.* 겨울의; 한랭한.

hi·ber·nant [háibərnənt] *a.* 동면의.
—— *n.* 동면 동물.

hi·ber·nate [háibərnèit] *vi.* 겨울잠을 자다, 동면하다(↔*aestivate*); (사람이) 피한하다; 틀어 박히다. **-nà·tor** *n.* **hì·ber·ná·tion** *n.* 동면.
〖L (*hibernus* of winter)〗

Hi·ber·nia [haibə́:rniə] *n.* 《詩》 히베르니아《아일랜드의 라틴어 명칭》.
〖L *Hibernia*, *Iverna*＜Gk.＜Celt.〗

Hi·bér·ni·an *a.* 아일랜드(인)의.
—— *n.* 아일랜드인.

Hibérnian·ìsm *n.* =HIBERNICISM.

Hi·ber·ni·cism [haibə́:rnəsìzəm] *n.* Ⓒ 아일랜드풍(風)의 어법[문체]; Ⓤ 아일랜드인의 기질; Ⓒ 어구의 모순(Irish bull).
〖*Anglicism* 따위의 유추로 *Hibernia*에서〗

hi·bis·cus [haibískəs, hə-] *n.* 히비스커스《무궁화속(屬)의 식물; Hawaii 주의 주화》.
〖L＜Gk. *hibiskos* marsh mallow〗

hic [hík] *int.* 딸꾹《딸꾹질 소리》. 〖imit.〗

hic·cough [híkʌp] *n.*, *vi.*, *vt.* =HICCUP.

hic·cup [híkʌp] *n.* 딸꾹질; [(the) ~s; 때때로 단수취급] 딸꾹질의 발작; 대수롭지 않은 문제, (주식의) 일시적 하락. —— *vi.*, *vt.* (**-pp-**) 딸꾹질하다, 딸꾹질하며 말하다; 딸꾹질하는 것 같은 소리를 내다[가 나게 하다]. 〖imit.〗

hic ja·cet [hik dʒéiset, hí:k jɑ́:kət], **hic ia·cet** [-jɑ́:kət] 여기(에) 잠들다《묘비명(銘) 서두의 문구》. —— *n.* 묘비명(epitaph). 〖L=here lies〗

hick [hík] *n.*, *a.* **1** 《英口》 시골뜨기(의), 촌스러운; 어수룩한 (사람): a ~ town 시골 읍. **2** 《美俗》 시체; 《美俗·蔑》 푸에르토리코인.
〖*Hick* Richard의 별명〗

hick·ey [híki] *n.* 《美》 **1** 기계, 장치; 〔電〕 (전기 기구의) 연결 장치. **2** 《俗》 여드름; (네가티브 필름 따위의) 흠; 《俗》 키스 마크. 〖C20＜?〗

hick·o·ry [híkəri] *n.* **1** Ⓒ 히코리《북미산 호두과(科) 식물》; 그 열매(=⁓ **nùt**). **2** Ⓤ 히코리 목재; Ⓒ 히코리나무 지팡이[가구, 도구]. **3** Ⓤ 《美》 일종의 면직물. —— *a.* **1** 히코리의[로 만든]. **2** 강직한; 신앙심이 두텁지 않은.
〖Virginian *pohickery* ‹*pokachickory* food prepared from pounded nuts〗

‡**hid** *v.* HIDE¹의 과거·과거분사. —— *a.* =HIDDEN.

hi·dal·go [hidǽlgou] *n.* **1** (*pl.* ~**s**) 스페인의 하급 귀족; (Spanish America의) 지주. **2** [H~] 〔天〕 히달고《태양에서 가장 멀리 떨어진 소행성》.
〖Sp. (*hijo daljo* son of something)〗

‡**hid·den** [hídn] *v.* HIDE¹의 과거분사.
—— *a.* 숨은, 숨겨진, 숨긴, 비밀의; 신비의: ~ assets 은닉 자산. **~·ly** *adv.* **~·ness** *n.*

hídden-bàll tríck *n.* 〔野〕 비장의 투구.

hídden húnger *n.* 숨겨진 기아《자각되지 않는 영양불량》.

hídden persuáder *n.* 숨은 설득자《교묘하고 악랄한 상업 광고업자》.

hídden resérve *n.* 〔經〕 은닉 적립금.

hídden táx *n.* 간접세(indirect tax).

‡**hide**¹ [háid] *v.* (**hid** [híd]; **hid·den** [hídn], **hid**) *vt.* [+目/+目+前+名] 숨기다(conceal), 가리다(cover up); 비밀로 하다: ~ one's head [face] 머리[얼굴]를 가리다; 무서워서[수줍어서] 남의 눈을 피하다 / He tried to ~ his feelings even ***from*** his friends. 그는 친구들에게 조차 감정을 드러내지 않으려 했다. —— *vi.* [動/+前+名/+副] 숨다, 잠복하다: He must be *hiding* ***behind*** the door[*somewhere* about here]. 그는 문 뒤에[어딘가 이 근방에] 숨어 있음이 분명하다.
hide one***self*** 숨다: The moon *hid* her*self* behind the thick clouds. 달은 짙은 구름 뒤로 모습을 감추었다.
hide out[***up***] 《美》 (관헌(官憲) 등의 눈을 피하여) 잠복하다, 숨다(cf. HIDEOUT).
—— *n.* 《英》 (사냥 또는 야생 동물의 관찰을 위해서) 숨는 장소, 은신처(cf. BLIND *n.* 3).
〖OE *hȳdan*; cf. OFris. *hēda*〗
類義語 **hide** 「감추다」라는 뜻의 일반적인 말: The bonnet *hid* her face. (보닛이 그녀의 얼굴을 가렸다). **conceal** hide보다 신중을 기하는 말로서 남에게 보이고 싶지 않은 기분을 강조함: She *concealed* the letter from her mother. (그녀는 어머니에게 편지를 감추었다).

hide² *n.* **1** (특히 큰) 짐승 가죽. **2** 《口·戲》 (인간의) 피부. **3** 《口》 (몸의) 안전. **4** 철면피. **5** 《美俗》 경주마(racehorse); 《野俗》 볼.
dress[***tan***] a person***'s hide*** 《俗》 남을 채찍으로 때리다, 《口》 심하게 매질하다.
have a thick hide 낯가죽이 두껍다, 둔감하다.
hide and hair (가죽이고 털이고) 모조리.
hide or[***nor***] ***hair*** (행방 불명된 사람·분실물 따위의) 흔적, 자취: I haven't seen ~ *or hair* of her. 나는 그 여자를 전혀 보지 못했다 / No one has seen ~ *nor hair* of him since. 그 후 아무도 그를 본 사람은 없다.
save one***'s own hide*** 벌을 면하다; 요행히 다치지 않다.
—— *vt.* …의 가죽을 벗기다; 《口》 심하게 매질하다(beat). 〖OE *hȳd*; cf. CUTICLE, G *Haut*〗
類義語 ⟹ SKIN.

hide³ *n.* 〔英史〕 하이드《한 가족을 부양하기에 족한 토지; 보통 60-120 acres》.
〖OE *hīgid*; cf. OE *hīw* family〗

híde-and-séek, 《美》 **híde-and-go-séek** *n.*, *vi.* 숨바꼭질(을 하다)《술래는 it》; 서로 속이기(를 하다).
play (***at***) ***hide-and-seek*** 숨바꼭질하다; 피하다, 속이다‹*with*›.

híde·awày *n.* 《口》 숨은 장소; 잠복 장소; 작은 도시, 남의 눈에 띄지 않는 곳. —— *a.* 숨은, 남

의 눈을 피한, 남의 눈에 띄지 않는.

híde·bòund *a.* (가축이) 말라 빠진 ; (수목의) 껍질이 말라붙은 ; 편협한, 도량이 좁은(narrow-minded) ; 〘醫〙 경피증(硬皮症)의.

***hid·e·ous** [hídiəs] *a.* 보기만 해도 무서운, 소름끼치는(horrible) ; 지긋지긋한, 싫은, 마음이 언짢아지는. **~·ly** *adv.* 몸서리나게, 무섭게. **~·ness** *n.* 〘AF *hidous*, OF (*hisde* horror < ?) ; 어미는 -*eous*에 동화〙

híde·òut *n.* 《口》 (범인 등의) 잠복 장소, 은신처 (cf. HIDE[1] *out*).

híd·ey-hòle, hídy- [háidi-] *n.* 《口》 = HIDEAWAY.

hid·ing[1] [háidiŋ] *n.* **1** Ⓤ 숨김 ; 은폐 ; 숨음 : be *in* ~ (남의 눈을 피하여) 숨어 있다 / come[be brought] *out of* ~ 나타나다[사람들 앞에 끌려오다] / go *into* ~ 숨다, 모습을 감추다. **2** 숨는 곳. 〘HIDE[1]〙

hiding[2] *n.* 《口》 매질, 후려갈기기 : give a person a good ~ 남을 호되게 때리다. 〘HIDE[2]〙

híding plàce *n.* 은신처, 숨는 곳.

hi·dro·sis [hidróusəs, hai-] *n.* (*pl.* **-ses** [-si:z]) 〘醫〙 발한(發汗) ; 발한 과다증.

hi·drot·ic [hidrátik, hai-] *a.* 땀의, 발한(發汗)의. —— *n.* 발한제(劑). 〘Gk. *hidros* sweat〙

hidy-hole ☞ HIDEY-HOLE.

hie [hái] *vi., vt.* (**hý·ing, híe·ing**) 《古·詩》 서두르다〈*to*〉 ; 서두르게 하다(hasten) ; *H*~ thee! 서둘러라 / He ~*d* him. 그는 서둘렀다. 〘OE *hīgian* to strive, pant < ?〙

hi·er- [háiər], **hi·ero-** [háiərou, -rə] *comb. form* 「신성한」「성직의」의 뜻. 〘Gk. *hieros* sacred〙

hi·er·arch [háiərὰ:rk] *n.* 교주, 고승(高僧) ; 고위직의 사람. 〘L<Gk. (*arkhō* to rule)〙

hi·er·ar·chal [hàiərá:rkəl] *a.* = HIERARCHICAL.

hi·er·ar·chi·cal, -chic [hàiərá:rkik(əl)] *a.* 교주의, 교직 계급제의, 성직 정치의 ; 계급 조직의, 계층제의 ; 계층적인 ; 권력을 가진.

hi·er·ar·chy [háiərὰ:rki] *n.* **1 a**) 계급 조직, 계층 제도 ; 교권 제도 ; 성직 정치. **b**) (일반적으로) 계층 (조직·구조). **2** 천사(angels)를 3대별(大別)한 것의 하나 ; 천사의 계급 ; [집합적으로] 천사들[군(群)]. ㊟ 천사의 9계급(위에서부터) : seraphim, cherubim, thrones, dominations, virtues, powers, principalities, archangels, angels 《vir tues와 principalities가 서로 바뀌는 수도 있음》. **3** 〘生〙 (강(綱)·목(目)·과(科)·속(屬) 따위의) (분류) 체계.

hi·er·at·ic [hàiərǽtik] *a.* 승려의, 성직자의 ; (문자 따위) 성직자용(用)의《고대 이집트 문자를 말함》. —— *n.* [the ~] 성직자용 문자. **-i·cal·ly** *adv.* 〘L<Gk. (*hiereus* priest)〙

hi·er·oc·ra·cy [hàiərákrəsi] *n.* 승려 정치, 성직자 정치, 교회 정치. **hi·ero·crat·ic, -i·cal** [hàiərəkrǽtik(əl)] *a.* 승려의.

hi·ero·glyph [háiərəglìf] *n.* 히에로글리프《상형문자, 그림문자, 비밀문자》 ; [보통 *pl.*] 《戱》 악필, 알아보기 어려운 문자. 〘역성(逆成) < ↓〙

hi·ero·glyph·ic [hàiərəglífik] *a.* 고대 이집트의 상형(象形) 문자(풍)의, 그림 문자의 ; 상징적인 ; 《戱》 알아보기 힘든. —— *n.* **1** 상형문자 ; 그림문자 ; [*pl.* ; 단수·복수 취급] 상형문자로 된 문서. **2** [*pl.*] 《戱》 읽기 어려운 문서, 악필. **-i·cal** *a.* = HIEROGLYPHIC. **-i·cal·ly** *adv.* 〘F or L<Gk. (*hier-*, *gluphō* to carve)〙

hi·er·ol·o·gy [hàiərálədʒi] *n.* Ⓤ (한 민족 전체의) 종교 문학, 종교적 전승 ; = HAGIOLOGY.

hi·ero·phant [háiərəfæ̀nt, 美+haiérə-] *n.* (특히 고대 그리스의) 신비 의식의 사제(司祭) ; 종교상의 비밀 교의(敎義) 해설자. 〘L<Gk. (*phainō* to show)〙

hifalutin ☞ HIGHFALUTIN.

hi-fi [háifái] *n.* 《口》 **1** Ⓤ 하이파이(high fidelity). **2** Ⓒ 하이파이 장치《레코드 플레이어·스테레오 따위》. —— *a.* 하이파이의. —— *vi.* 하이파이 장치로 듣다, 하이파이 레코드를 듣다. **hí-fí·er** *n.*

Hi-Fi·VHS [háifáivì:èitʃés] *n.* 하이파이 VHS 《VHS방식 가정용 비디오 테이프 리코더의 새로운 음성 기록 방식 ; 상표명》.

hí-fí VTR [-ví:tí:ὰ:r] *n.* 하이파이 비디오 테이프 리코더.

hig·gle [hígəl] *vi.* 흥정하다, 값을 깎다(haggle) 〈*with*〉 ; 행상(行商)하다. 〘변형(變形) < *haggle*〙

hig·gle·dy-pig·gle·dy [hígəldipígəldi] *a., adv.* 《口》 매우 난잡한[하게], 몹시 혼잡한[하게]. —— *n.* Ⓤ 대혼란, 뒤죽박죽(confusion). 〘C16 < ? ; *pig* 무리의 연상인가〙

Híggs mèson [hígz-] *n.* 〘理〙 히그스 중간자《큰 질량을 가지며 매우 불안정한 가설적(假說的) 중간자》. 〘P. *Higgs* 20세기의 영국의 물리학자〙

◇high [hái] *a.* **1** 높은(↔*low*) ; 높이 …의 ; 높은 곳에 있는 ; 고지의, 오지(奧地)의(inland) ; 높은 곳에의[으로부터의], 높은 하늘의 : a ~ brow [forehead] 넓은 이마 / a ~ ceiling 높은 천장 / a ~ flight 고공 비행 / a tower (of) 40 ft. ~ 높이 40피트의 탑 / The mountain is about five thousand feet ~. 그 산의 높이는 약 5000피트다 / The house is three stories ~. 그 집은 3층 건물이다. ㊟ 《英》에서는 「키가 …이다」라는 경우에도 tall과 같이 high를 쓰는 수가 있음 : He is six feet *high* (= tall). 키가 6피트다.

2 (신분·지위 따위가) 높은, 고귀한 : a ~ official 고관 / ☞ HIGH LIFE / ☞ HIGH SOCIETY / a man of ~ birth 고귀한 집안에서 태어난 사람, 명문 출신.

3 a) 고매한, 숭고한(noble) ; 고결한(sublime) ; 고상한, 고원(高遠)한(lofty) : a ~ tone (정신적으로) 고양된 상태. **b**) [명사적으로] : *the* most *H*~ 상제(上帝), 신(God).

4 고급의, 고성능의 진보된(advanced).

5 주요한 ; 중대한 : a ~ festival 대축제 / ☞ HIGH STREET / ☞ HIGH TREASON.

6 고도의, 매우 큰, 격렬한, 심한 : at a ~ speed 고속으로 / a ~ folly 얼토당토 않은 일, 더없이 어리석음 / a ~ wind 세찬 바람 / The wind was then much ~*er*. 그때 바람은 훨씬 강해졌다 / in ~ terms 격찬하여 / in ~ favor with …이 아주 마음에 들어.

7 a) (가치·평가 따위가) 높은 ; 물건 값이 비싼 (expensive) : a ~ price 비싼 가격 / Meat is ~ these days. 요즘은 고기값이 비싸다. **b**) 사치스러운 : ☞ HIGH LIVER.

8 거만한, 뻐기는(haughty) ; 성난(angry) : ~ words 격론.

9 매우 기운찬, 의기 충전한, 《俗》 (취하여) 기분 좋은.

10 (색깔이) 짙은, 붉은 : have a ~ complexion 안색이 붉다, 혈색이 좋다.

11 (소리가) 높은, 날카로운 : in a ~ voice 새된 소리로.

12 (계절·시기가) 한창인, 무르익은 : ~ summer 한여름 / ☞ HIGH TIME.

13 (사냥한 고기가) 부패하기 시작한.

14 [H～] 고교회파(高敎會派)의.
15 (기어가) 고속의.
high and dry (배가) 뭍에 얹혀; (사람이) 시대에 뒤떨어져; 버림받아.
high and low 상하 귀천의 (모든 사람들) (cf. *adv.*).
high and mighty 《古》 지위가 높고 권세가 있는 (사람들); 《口》 거만한 (사람들) (cf. *adv.*).
a high old time 《口》 아주 즐거운 때.
high on... 《口》 …에 열중[몰두]하여.
—— *adv.* 높게(cf. HIGHLY); 고위(高位)에; 비싼 값으로; 세게, 격하게; 격조높게; 사치스럽게; 썩기 시작하여 냄새가 고약하게: be rated ～ 높이 평가되다 / bid ～ 높은 값을 매기다 / fly ～ ☞ FLY[1] *v.* 숙어 / live ～ 호화롭게 살다 / play ～ 큰 도박을 하다 / stand ～ 높은 지위를 차지하다 / Aim ～ and you will strike ～. 높은 데를 노리면 높은 데를 맞히게 된다 / Raise your head ～*er.* 머리를 더 드시오.
high and low 상하 귀천이 없이; 구석구석까지; 도처에(everywhere) (cf. *a.*): We searched ～ *and low* for the missing jewelry. 잃어버린 보석을 찾으려고 여기저기 샅샅이 뒤졌다.
high and mighty 거만하게, 건방지게, 빼기어 (cf. *a.*).
high up 훨씬 위쪽에, 높은 지위에[로] (cf. HIGH-UP).
run high (바다가) 거칠어지다; (말·감정 따위가) 격해지다, 고조(高潮)되다; (시세가) 오르다, 값이 뛰다: Speculation *ran* ～ as to the result. 그 결과에 대해 점점 억측이 구구해졌다.
—— *n.* **1** Ⓤ 《美》 (자동차의) 하이[톱] (기어) (cf. LOW[1] *n.* 2): on[in] ～ 톱으로. **2** 높은 것; 높은 곳, 고지; 〖카드놀이〗 최고점의 패. **3** 《美》 높은 수준, 고액의 숫자; 최고 기록; (주식·물가의) 높은 가격(cf. LOW[1] *n.* 5): a new ～ 신고액(新高額), 신기록. **4** 〖氣〗 고기압(권)(cf. LOW[1] *n.* 4). **5** 《美口》 =HIGH SCHOOL. **6** 《英口》 **a)** [the H～] =HIGH STREET《특히 Oxford의 큰 거리》. **b)** [the ～] =HIGH TABLE. **7** 《俗》 (마약·술로) 기분 좋은 상태.
on high 높은 곳에, 높게, 하늘에: from *on* ～ 하늘에서, 높은 곳에서.
〖OE *hēah*; cf. G *hoch*〗
類義語 ***high*** 보통의 것보다 높은: a *high* mountain[building] (높은 산[빌딩]). ***tall*** 대체로 high와 같으나 사람이나 갸름한 물건에 쓰임: a *tall* man (키 큰 사람). ***lofty*** 《文語》 크고 늠름하게 높다란 또는 두드러지게 높은: *lofty* peaks (우뚝 솟은 산봉우리).
-high [hài] *a. comb. form* 「…의 높이의」의 뜻: waist-*high.* 〖↑〗
hígh áltar *n.* (교회의) 주제단(主祭壇).
hígh-alúmina cemènt *n.* 고(高)알루미나 시멘트《보통 시멘트보다 경화(硬化)가 빠름》.
hígh análysis *n.* (비료가) 식물이 필요로 하는 양분의 20% 이상을 함유한.
hígh-and-míghty *a.* 거만한, 건방진. —— *n.* [집합적으로] 《口》 실력자, 높은 양반.
hígh-àngle *a.* 〖軍〗 (보통 30도 이상의) 고각(高角) 사격의.
hígh-àngle fíre *n.* 고각 사격, 곡사(曲射).
hígh àrt *n.* 고급 예술.
hígh atmosphéric prèssure *n.* 〖氣〗 고기압.
hígh·bàll *n.* **1** 《美》 하이볼《보통 위스키 따위에 소다수 따위를 탄 음료》. **2** 〖鐵〗 전속 진행 신호, 발차 신호; 《俗》 직선 코스, 급행 열차. **3** 《美陸軍俗》 경례. —— *a.* 《美俗》 긴급의. —— *vi.* 《俗》 (열차가) 최대 속도로 달리다. —— *vt.* 《俗》 (열차 기관사에게) 출발 신호를 하다.
〖금속 공으로 하는 열차신호에서>missile>a shot of drink〗
hígh béam *n.* 하이 빔《헤드라이트의 원거리용 라이트; cf. LOW BEAM》.
hígh·bìnd·er *n.* 《美》 부랑자, 깡패; (정치) 사기꾼; (암살·협박 따위를 하는데 고용되는 미국 거주 중국인) 암살단원, 자객.
〖the *Highbinders* 1806년경의 New York 시의 부랑자의 일단〗
hígh·blóod·ed *a.* 혈통이 순수한, 좋은 가문의.
hígh blóod prèssure *n.* 고혈압(hypertension).
hígh blówer *n.* (운동 중에) 세차게 콧숨을 내뿜는 말, 흥분하면 기세를 부리는 말.
hígh-blówn *a.* 의기양양한, 오만한.
hígh bóot *n.* [*pl.*] 장화.
hígh·bórn *a.* 고귀한 태생의, 명문 출신의.
hígh·bòy *n.* 《美》 다리가 높은 장롱(=《英》 tallboy) (cf. LOWBOY).
hígh bráss *n.* 《美俗》 =TOP BRASS.
hígh·brèd *a.* **1** 명문 출신의. **2** 교양이 높은, 예의바른. **3** 순종의.
hígh·brów [-bràu] *n.* 《美》 학식과 교양이 높은 사람, 지식인(↔*lowbrow*; cf. MIDDLEBROW); 《蔑》 지성인인 체하는 사람. —— *a.* 지식인(성향)의, 까다로운; 탁상의, 공론의. —— *vt.* …에게 지식인인 체하다. **～·ism** *n.*
〖역성(逆成)<↓〗
hígh-bròwed *a.* **1** 이마가 넓은. **2** 교양이 높은; 지성인인 체하는.
Híghbrow·vìlle *n.* 《美俗》 Boston시의 속칭.
hígh-bý·pass ràtio túrbofan èngine [-báipæs-] *n.* 〖空〗 고(高)바이패스비(比) 터보팬 엔진《큰 공기 압축기를 갖고 높은 바이패스비를 얻는 고성능 항공용 제트엔진》.
hígh cámp *n.* 예술적으로 평범한 것을 교묘히 이용하기.
hígh chàir *n.* (식당의) 어린이용(用)의 (등이 높은) 의자.
Hígh Chúrch *n.* [the ～] 고교회파(高敎會派)《교회의 권위·지배·의식을 중시하는 영국 국교회의 일파; cf. BROAD CHURCH, LOW CHURCH》.
Hígh Chúrch·man [-mən] *n.* 고교회파 사람.
hígh-cláss *a.* 고급의; 일류의; 사회적 지위가 높은; 《俗》 세련된, 매너가 좋은, 신뢰할 수 있는.
hígh cólor *n.* 혈색이 좋은 얼굴, 상기된 얼굴.
hígh-cólored *a.* 선명한 색조의; 빨간, 혈색이 좋은; 매우 선명한; 과장된.
hígh cómedy *n.* 고급[상류] 희극《상류 지식층 사회를 다룬 것》.
hígh commánd *n.* 최고 사령부[지휘권].
hígh commíssion *n.* [때때로 H～ C～] 고등 판무단[국].
hígh commíssioner *n.* [때때로 H～ C～] 고등 판무관.
Hígh Cóurt *n.* 《美》 최고 재판소; 《英》 고등 법원 (=High Cóurt of Jústice).
hígh críme *n.* 〖美法〗 중대한 범죄《연방 헌법에 규정된 대통령·부통령 등의 탄핵(彈劾) 사유가 되는 범죄》.
hígh dày *n.* 축(제)일; 《古》 한낮.
hígh-definítion cáthode-ray tùbe *n.* 〖電子〗 고정세도(高精細度) 브라운관.
hígh-definítion télevision *n.* 고선명[고해상

(高解像)]도 텔레비전, 고화질[고품위] 텔레비전 《略 HDTV》.

Hígh Dútch *n.* =HIGH GERMAN.

hígh-énergy *a.* 고(高)에너지의[를 가진, 가 생기는]; 힘센, 정력적인.

hígh-énergy làser *n.* 〖軍〗 고에너지 레이저.

hígh-énergy phýsics *n.* 고에너지 물리학.

hígh·er *a.* [high의 비교급] 더 높은; 고등의: on a ~ plane (생활 정도·사상이) 더 높은 수준에 (있는).

hígher ápsis *n.* 원일점(遠日點), (달·인공위성의) 원지점(遠地點).

hígher críticism *n.* [the ~] 성서의 고등 비평.

hígher educátion *n.* 고등(高等) 교육, (특히) 대학 교육.

hígher láw *n.* 도덕률《인간이 정한 법률보다 한층 높은 것으로 여겨지므로》.

hígher mathemátics *n.* 고등 수학.

hígh·er-úp *n.* [보통 *pl.*] 《口》 상관, 상사, 고관, 수뇌, 상부.

hígh·est *a.* [high의 최상급] 가장 높은.
at the highest 최고의 위치에; 아무리 높아도, 기껏해야.
in the highest (1) 천상에. (2) 최고도로: praise *in the* ~ 극구 칭찬하다.

hígh explósive *n.* 고성능 폭약.

high·fa·lu·tin, hi·fa- [hàifəlúːtn; -tin], **-ting** [-tiŋ] *a.* 《口》 과장한, 과대한, 호언장담하는; 《俗》 고급의, 이상의. —— *n.* 《口》 호언장담, 과장된 문장. 〖? *fluting*〗

hígh fárming *n.* 집약 농법.

hígh fáshion *n.* (상류 사회의) 유행 스타일, 하이 패션(high style); =HAUTE COUTURE.

hígh-féd *a.* 호강하며 자란.

hígh fidélity *n.* (수신기·재생기 따위의) 고(高)충실도, 하이파이《원음에 대해 고도로 충실한 음의 재생》.

hígh-fidélity *a.* 충실도(度)가 높은, 하이파이의 (hi-fi).

hígh-fidélity tèlevision *n.* 고화질[고품위] 텔레비전.

hígh fínance *n.* 거대하고 복잡한 금융 거래, 대형 금융 조작[기관].

hígh·flíer, -flý·er *n.* **1** 높이 나는 것[사람, 새]. **2** 포부가 큰 사람, 야심가; 과격론자; 재사(才士). **3** 〖史〗 과격한 왕당원; 고교회파 사람. **4** 〖證〗 오름세가 빠른 종목. **5** 《俗》 고급 매춘부.

hígh-flówn [; ⌐⌐] *a.* (언어·표현 따위가) 과장된; 공상적인, 야심적인.

hígh-flý·ing *a.* 고공 비행의; 대망을 품은.

hígh fréquency *n.* 〖通信〗 고주파《略 HF》.

hígh-fréquency *a.* 자주 일어나는[나타나는], 빈도가 높은; 〖通信〗 고주파의.

hígh frontíer *n.* 〖美軍〗 우주전선《지구 주위에 432개의 킬러 위성을 배치하여 침입하는 미사일을 파괴하려는 구상》.

hígh géar *n.* 고속 기어; 최고 속도, 최고의 활동 상태, 최고조: move[go] into ~ 기세[피치]가 오르다.

Hígh Gérman *n.* 고지 독일어(High Dutch); 표준 독일어.

hígh-gràde *a.* 고급의, 우수한, 양질의; (원광이) 순도가 높은; (병이) 더친. —— *vt.* (양질광을) 광산에서 훔쳐내다; (양질광)만 채굴하다; 《美俗》 훔치다. —— *n.* 《美俗》 도둑.

hígh-hánd·ed *a.* 고자세의, 고압적인; 오만한.
~·ly *adv.* **~·ness** *n.*

hígh hát *n.* 실크 해트; 〖樂〗 풋 심벌즈, 하이 해트; 《비유》 거드름피우는 사람: wear a ~ 《俗》 거드름피우다, 뽐내다.

hígh-hát *n.* 《俗》 뻐기는 사람, 속물.
—— *a.* 멋진(stylish); 거드름피우는, 뻐기는.
—— *vt.* 업신여기다, 멸시[냉대]하다.
—— *vi.* 거드름피우다, 젠체하다, 뻐기다.
~·ted *a.* 뻐기는; 자만에 빠진.

hígh-héart·ed *a.* 고결한; 의기충천한.
~·ly *adv.* **~·ness** *n.*

hígh-héat *a.* 내열성(耐熱性)의.

hígh-héeled *a.* 굽 높은, 하이힐의.

Hígh Hóliday, Hígh Hóly Dày *n.* [the ~] (유태교의) ROSH HASHANAH나 YOM KIPPUR중의 한 축일.

hígh hórse *n.* 거만한 태도.
be on[***get on, mount, ride***] one***'s high horse*** 뽐내다; 화를 내다, 기분을 상하게 하다.
come[***get***] (***down***) ***off*** one***'s high horse*** 자기를 낮추다, 겸양하다; 기분을 바꾸다.

high-jack ☞ HIJACK.

hígh jìnks *n. pl.* 《口》 야단 법석, 대소동.

hígh jùmp *n.* [the ~] 높이뛰기.
be for the high jump 《英口》 엄한 처벌을 받게 될 것 같다, 교수형에 처해질 것 같다.

hígh-kéy *a.* 〖寫〗 (화면·피사체가) 밝고 고른.

hígh·kéyed *a.* 가락이 높은; 민감한, 신경질적인; 활기찬; 밝은 색조의.

híghkíck *n.* 〖댄스〗 하이 킥《공중을 높이 차는 동작》.

***hígh·land** [-lənd] *n.* **1** [때때로 *pl.*] 고지, 산지, 고랭지(高冷地). **2** [the H~s] 스코틀랜드 북부의 고지. —— *a.* 고지의; [H~] 스코틀랜드 고지(특유)의.
〖OE *hēahland* promontory (*high*+*land*)〗

híghland·er *n.* **1** 고지에 사는 사람. **2** [H~] 스코틀랜드 북부 고지 사람.

Híghland flíng *n.* 스코틀랜드 고지인의 민속춤.

hígh-lével *a.* **1** 고공(高空)으로부터의: a ~ bombing 고공 폭격. **2** 상부의; 지위가 높은; 상급 간부의[에 의한]: ~ personnel [집합적으로] 고관. **3** 〖原子〗 고방사성의: ~ waste 고방사성 폐기물.

hígh-lével lánguage *n.* 〖컴퓨〗 고급 언어, 고수준 언어《특정한 컴퓨터의 구조에 그다지 구속받지 않는 프로그램 언어》.

hígh lífe *n.* [때때로 the ~] 상류사회[사교계]의 생활[사람들]; 사치스러운 생활; 하이 라이프《서아프리카 기원인 재즈 댄스의 일종[곡]》.

hígh·lìght *n.* (그림·사진 따위의) 가장 밝은 부분; (이야기·사건·프로그램 중에서) 가장 중요한[흥미 있는] 부분, (뉴스 중의) 주요 사건[장면], 하이라이트, 인기물; 현저한 특징.
—— *vt.* 강렬한 빛을 비추다; 강조하다, 눈에 띄게 하다, 두드러지게 하다.

hígh·lìght·er *n.* 하이라이트 (화장품) 《얼굴에 입체감을 줌》.

hígh líver *n.* 사치스러운 생활을 하는 사람; 미식가(美食家).

hígh lónesome *n.* 《俗·方》 마시고 노래하는 법석: get on a ~ 마시고 떠들다.

hígh-lów *n.* 〖카드놀이〗 하이로 포커.

***hígh·ly** *adv.* **1** 높은 자리에; 고귀하게(nobly): be ~ connected 고귀한 집안과 인척간이다. **2** 고도로, 높게; 크게: ~ amusing 아주 재미있는. ㈜ HIGH *adv.* 와 달리 비유적으로 「높게」라는 뜻: I value it ~. 그것을 높이 평가한다; 그 가치

를 중시한다.
speak highly of …을 격찬하다.
think highly of …을 존중[존경]하다.
〖OE *hēalīce*〗
híghly·spécialized *a.* 고도로 전문화된.
highly-strung ☞ HIGH-STRUNG.
Hígh Máss ☞ MASS².
hígh·méttled *a.* 성질이 괄괄한 ; 혈기 왕성한.
hígh-mìnd·ed *a.* 고상한, 고결한 ;《古》교만한.
hìgh-mùck-a-múck [-mʌ̀kimʌ́k], **-mùck·ie-, -mùcky-** [-mʌ̀ki-], **-muck·e·ty-múck** [-mʌ̀kətimʌ́k], **-mònkey-** *n.*《俗·蔑·戲》높으신 분, 요인(要人), 고관.
〖Chinook Jargon=plenty to eat〗
hígh-nécked *a.* (여성복 따위) 깃이 높은(cf. LOW-NECKED).
hígh·ness *n.* **1** Ⓤ 높음, 높이 ; 고위(高位) ; 고도 ; 고율(高率) ; 고가(高價) : the ~ of the wall 벽이 높음(㊟ cf. the HEIGHT of the wall 벽의 높이). **2** [H~] 전하(황족에 대한 경칭). ㊟ His [Her, Your] (Royal, Imperial) *H*~ 로 쓰임.
hígh nóon *n.* 정오, 한낮 ; 한창때, 전성기, 절정.
hígh-nósed *a.* 코가 높은[긴], 큰 코의.
hígh-óctane *a.* (가솔린 따위) 옥탄값이 높은.
hígh-pàss filter *n.* 〔電子〕 고역여파기(高域濾波器)[필터].
high píllow *n.*《美俗》거물, 중요 인물.
high pítch *n.* (노점 상인의) 판매대.
hígh-pítched *a.* 가락이 높은 ; 급경사의 ; (감도가) 높은 ; 팽팽한 ; 고상한(lofty) ; 거만한.
high plàce *n.* **1** 〔聖〕 산당(山堂)(산꼭대기의 예배 장소 ; 열왕기상 3 : 4). **2** (조직내의) 중요한 지위 ; [*pl.*] (조직의) 상층부, 고관.
high póckets *n.*《美俗》키다리.
high póint *n.* 중대한 시점, 최고의 때.
high pólymer *n.* 〔化〕 고[거대]분자 화합물.
high pólymer chémistry *n.* 고분자 화학.
high pólymer fílm *n.* 고분자 필름.
hígh-pówer(ed) *a.* (엔진 따위가) 고성능의, 강력한 ; (광학기기가) 배율이 높은 ; 정력적인.
hígh-pówered mòney *n.* 〔經〕 고권(高權) 화폐, 중앙은행 화폐.
hígh-préssure *a.* 고압의 ;《口》강압적인, 강요하는, 집요한(pressing) (↔*low-pressure*) ; 고도의 긴장을 필요로 하는 : ~ salesmanship 강매(強賣). —— *vt.* (남에게) 강요[강제]하다.
hígh-préssure nérvous sỳndrome *n.* 〔醫〕 고압 신경 장애[증후군].
hígh-príced *a.* (값이) 비싼.
high príest *n.* 고승(高僧) ; 제사장, (고대 유태교의) 대제사장 ; (주의·운동 따위의) 주창자, 지도자.
hígh-príncipled *a.* 고매한 주의를 가진, 고결한.
high prófile *n.* 명확한 태도[정책], 선명한 입장.
hígh-próof *a.* 알코올 성분이 많은(위스키 따위).
hígh-ránk·er *n.* (군대 따위의) 고관.
hígh-ránk·ing *a.* 고관의, 고위의.
high relíef *n.* 높은 돋을새김(alto-relievo).
hígh-resolútion *a.* 〔電子〕 고해상(도)(高解像(度))의.
hígh ríse *n.* 고층 건물(빌딩이나 아파트).
hígh-ríse *attrib. a.* (빌딩이나 아파트가) 고층의 ; (지역 따위가) 고층 건물이 많은 : ~ apartment buildings 고층 아파트 건물.
hígh-ríser *n.* **1** 더블베드로도 쓰이는 2층 침대. **2** =HIGH RISE.
hígh·ròad *n.* **1**《英》=HIGHWAY 1. **2** 순탄한[확실한] 길〈*to*〉(cf. HIGHWAY 2) : the ~ *to* success 출세 가도.
hígh róller *n.*《美俗》돈을 헤프게 쓰는 사람, 돈을 들여 호화로운[방탕한] 생활을 하는 사람 ; 도박에서 큰 돈을 거는 사람 ; 고급 매춘부.
***hígh schòol** *n.*《美》하이 스쿨, 고등학교(제 9[10]학년에서 제12학년까지 ; ☞ JUNIOR [SENIOR] HIGH SCHOOL) ;《英》(주립) 고등학교 : She graduated from ~ last year. 작년에 고등학교를 졸업했다. **hígh schòol·er** *n.* 고교생.
hígh séa *n.* 높은 파도 ; [the ~s] 외양(外洋), 공해(公海)(the open sea).
hígh séason *n.* [the ~] (행락의) 최성기, 시즌 ; 대목.
hígh shériff *n.*《英》주 장관(☞ SHERIFF).
hígh sìgn *n.*《口》(표정·몸짓 따위로 하는) 신호 : give the ~.
hígh socíety *n.* 상류 사회, 사교계.
hígh-sóuled *a.* 숭고한 정신의.
hígh-sóund·ing *a.* (말·생각 따위가) 어마어마하게 들리는, 과장된, 여봐란 듯한.
hígh-spéed *a.* 고속도의 ; 고속도 사진[촬영]의 : ~ driving 고속 운전 / a ~ engine 고속 기관 / ~ film 〔寫〕 고감도 필름 / ~ gasoline 고속용 가솔린 / ~ steel 고속도 강철.
hígh-spèed gymkhána *n.* 꼬불꼬불한 길에서 속력을 겨루는 자동차 경주.
hígh spírit *n.* 진취적인 기상 ; [*pl.*] 원기왕성, 기분좋음.
hígh-spírit·ed *a.* 원기[위세]가 좋은, 씩씩한 ; (말이) 성질이 사나운.
hígh spót *n.*《口》두드러진 특징, 가장 중요한 점, 하이라이트, 재미있는 곳.
hígh-stákes *a.*《口》흥하느냐 망하느냐의.
hígh-stépper *n.* 발을 높이 들며 걷는 말 ;《비유》위세 좋은 사람 ;《비유》점잔빼는 사람, 유행하는 [비싼] 옷을 입은 사람.
hígh-stépping *a.* (말 따위) 발을 쳐들고 걷는 ; 향락에 빠진, 방탕 생활을 하는 ; 점잔 빼는, 여봐란 듯한.
hígh strèet *n.* [보통 the H~ S~]《英》중심가, 번화가(Oxford에서는 보통 the High라고 부름 ; cf. MAIN STREET).
hígh-strúng, hígh·ly- *a.* 신경질적인, 흥분하기 쉬운, 극도로 긴장하고 있는 ; (신경이) 긴장된 ; 줄을 단단히 죈(기타).
hígh stýle *n.* 최신 패션[디자인].
hight [háit] *a.*《古·詩·戲》…라고 일컫는, 이름 지어진(named) ;《스코》보증된. —— *vt.*《스코古》명령하다.
hígh táble *n.* 주빈의 식탁 ; 〔英大學〕 하이 테이블(학장 및 직원용 식탁 ; cf. HIGH *n.* 6 b)).
hígh·tàil *vi.*《美俗》[때때로 ~ it] 급히 뛰다[도망치다] ; 추적하다.
hígh téa *n.*《英》하이 티(오후 4-5시 무렵의 식사를 곁들이는 차 ; cf. LOW TEA).
high tech [háiték] *n.* **1** 하이 테크(공업 디자인[재료·제품]을 응용한 가정용품의 디자인이나 실내 장식의 양식). **2** =HIGH TECHNOLOGY.
〖*high*-style *tech*nology〗
hígh-tèch·er *n.* **1** 첨단[고도 과학] 산업. **2** 첨단[고도 과학] 기술.
hígh technólogy *n.* 첨단[고도 과학] 기술.
hígh-technólogy *a.* 첨단[고도 과학] 기술의[에 관한].
hígh ténsile *n.* (금속이) 신장성(伸張性)이 높은 : ~ steel 고장력(高張力) 강철.

hígh ténsion *n.* 고전압(高電壓) (high voltage) 《略 H. T.》.
hígh-ténsion *a.* 〔電〕 고압의; 고압전류용의: ~ currents 고압 전류.
hígh-tést *a.* 엄격한 시험에 합격하는; (휘발유가) 끓는점이 낮은.
hígh tíde *n.* 만조, 고조(高潮), 만조(시) (high water); 절정(↔*low tide*).
hígh tíme *n.* [+*to* do / +*that* 節] 기회가 무르익은 때, 지금이야말로 …해야 할 시각: It is ~ (*for* us) *to* go. 이제 (바로) 떠나야 할 시간이다 / It is ~ I went to bed. 자야 할 시간이다.
活用 high time 뒤에 오는 *that* 節의 *that*은 생략되는 것이 일반적; 節 속의 술어 동사는 과거형이 쓰임.
hígh-tóne(d) *a.* **1** 격조높은; 긴장도가 높은. **2** 고결한; 《反語》 지나치게 고상한, 가까이하기 어려운. **3** 《美口》 고상한, 멋진(stylish). **4** 《美口》 비개방적인.
hígh tréason *n.* 〔法〕 (국가·원수 등에 대한) 대역죄(大逆罪) (cf. TREASON 1).
high·ty-tigh·ty [háititáiti] *a.* =HOITY-TOITY.
hígh-úp *a.* [보통 *pl.*] 《口》 (사람이) 지위가 높은, 위대한(cf. HIGH *up* (*adv.*)). —— *n.* [보통 *pl.*] 《口》 지위가 높은 사람, 상층 계급의 사람.
hígh vóltage *n.* 〔電〕 고전압(高電壓).
—— *a.* 고전압의; 강력한; 격렬한, 흥분한.
hígh wáter *n.* 고조(高潮), 만조(high tide); (강·호수 따위의) 최고 수위; 《비유》 절정(↔*low water*): at ~ 만조(시)에[가 되어].
hígh-wáter *a.* (바지 따위가) 매우 짧은.
hígh-wáter lìne[màrk] *n.* 고(高)수위선[점], (해안의) 고조선(高潮線)의 흔적; [보통 high-water mark] 최고 수준, 절정〈*of*〉.
***hígh·wày** *n.* **1** 공로(公路), 간선도로, 큰길, 하이웨이(highroad)《국도(國道)에 해당함》; 공수로(公水路), (수륙(水陸)의) 교통로: the king's [queen's] ~ 천하의 공로(公路) / ~*s* and byways 대로와 소로. **2** (성공·실패 따위의) 상도(常道), 순로(順路)〈*to*〉(cf. HIGHROAD 2); (연구 따위의) 본연의 길〈*of*〉.
take (to) [go on] the highway 노상 강도가 되다.
〖HIGH, WAY[1]〗
類義語 ***highway*** 일반적인 뜻의 대로·공로에서 출발하여 전형적인 대로인 「고속도로」를 뜻함. ***expressway*** 준(準)직통 고속도로, 평면교차·건널목이 근소하게나마 남아 있는 고속도로. ***freeway*** 직통 고속도로, 평면교차·건널목을 완전히 없앤 것. ***superhighway*** 초고속도로. ***tollway, turnpike*** 유료도로. ***highroad*** 주로 《英》에서 highway 대신 쓰는 말.
Híghway Códe *n.* 《英》 교통 규칙집《운전자용의 소책자》.
híghway hypnòsis *n.* 고속 도로 최면《장시간의 단순한 운전으로 인한 반수(半睡) 상태》.
hígh·wày·man [-mən] *n.* 노상 강도《옛날 공로에 보통 말을 타고 출몰했음; cf. FOOTPAD》.
híghway patról *n.* 《美》 고속 도로 순찰대.
híghway ròbbery *n.* 백주의 강도, (여행자에 대한) 약탈; 《口》 상거래에 의한 터무니없는 이익, 폭리(를 탐하기).
hígh wíre *n.* =TIGHTROPE.
hígh-wróught *a.* 몹시 공들인, 정교한; 극도로 흥분한.
H. I. H. His[Her] Imperial Highness(전하[비전하(妃殿下)]).

***hi·jack, high-jack, high·jack** [háidʒæ̀k] *vt.* 《口》 (밀수품 따위를) 수송중에 훔치다, (타고 있는 트럭 따위의) 화물을 훔치다; (남에게서) 강탈하다; (비행기 따위를) 납치하다.
—— *vi.* 수송중인 화물을 훔치다[가로채다]; 강도질을 하다; (비행기 따위를) 납치하다.
—— *n.* (비행기 따위의) 납치.
~·er *n.* 납치범. **~·ing** *n.* 납치. 〖C20<?; 일설에 역성(逆成)‹*hijacker* (*high*wayman+*jacker*‹*jack* to hunt by night with aid of jack light)〗
Hij·ra(h) [hídʒrə] *n.* =HEGIRA.
hike** [háik] *vi.* 《口》 터벅터벅 걷다; 하이킹[도보여행]하다: go *hiking* 하이킹 가다. —— *vt.* [+目/+目+副] 끌어올리다, 밀다; 무리하게 움직이다; (임금·물가를) 갑자기 올리다, 인상하다; 《美俗》 (수표의) 숫자를 고쳐 쓰다: ~ ***up one's pants 양복바지를 치켜 올리다. —— *n.* **1** (시골의) 도보 여행: go *on* a ~ (*to*...) (…로) 도보 여행을 하다. **2** (급료 따위의) 인상: a ~ *in* prices 물가 상승. **hík·er** *n.* 도보 여행자, 하이커.
〖C19 (dial.) ‹?; cf. HITCH〗
‡**hik·ing** [háikiŋ] *n.* Ⓤ 도보 여행, 하이킹.
HILAC [háilæk] *n.* 〔原子〕 중(重)이온 선형(線型) 가속기. 〖*H*eavy *I*on *L*inear *Ac*celerator〗
hi·lar·i·ous [hiléəriəs, -lǽər-] *a.* 명랑한, 유쾌한(merry); 들떠서 떠드는. **~·ly** *adv.* 명랑하게, 들떠서. **~·ness** *n.* 〖L<Gk. *hilaros* cheerful〗
hi·lar·i·ty [hilǽrəti] *n.* Ⓤ 환희; 유쾌; 들뜸, 흥겹게 떠듦(merriment).
Hil·a·ry [híləri] *n.* 남자[여자] 이름.
〖L=cheerful〗
Hílary tèrm *n.* 《英》 고등법원의 개정기《1월 11일부터 부활절 직전의 수요일까지》; (옥스퍼드 대학의) 1월 중순부터 부활절 전까지의 제2학기.
Hil·de·gard(e) [híldəgɑ̀ːrd] *n.* 여자 이름.
〖Gmc.=battle+protector or knowledge〗
◇**hill** [híl] *n.* **1** 조그만 산, 언덕《영국에서는 보통 2000 ft. (=610m) 이하의 것; cf. MOUNTAIN》. **2** [the ~s] 《인도》 여름철 주재지, 고원 피서지. **3** 쌓아올린 흙, 흙더미(heap, mound): an ant ~ 개미탑, 개미가 우글거리는 흙더미. **4** 고개, 고갯길; 쌓아올린 흙더미, 흙무더기. **5** 《野球俗》 마운드. **6** [the H~] =CAPITOL HILL.
a hill of beans 가치가 적은 것.
go over the hill 《美俗》 탈옥하다, (군대에서) 탈영하다, 갑자기 자취를 감추다.
hill and dale (광산·탄광에서) 파헤쳐서 울퉁불퉁하게 된 땅.
over the hill (병 따위가) 고비를 넘어서, 위기를 모면하여.
the Seven Hills (of Rome) ☞ SEVEN.
up hill and down dale 산을 넘고 골짜기를 내려가서; 여기저기에, 도처에; 앞뒤를 가리지 않고; 철저하게.
—— *vt.* 높이 쌓아올리다; …에 쌓아올려 산더미를 만들다; 흙더미를 만들다, 봉토(封土)하다〈*up*〉. 〖OE *hyll*; cf. OFris. *holla* head〗
híll·bìlly *n., a.* 《美口》 남부 미개지의 주민; 두메산골 사람(의); =HILLBILLY MUSIC.
híllbilly mùsic *n.* hillbilly의 음악, 컨트리 뮤직.
híllbilly ópera *n.* 《CB俗》 =COUNTRY-AND-WESTERN.
híll fòlk *n.* 구릉 지대의 주민; 구릉 지대의 마귀.
híll·man [-mən], **hílls-** [hílz-] *n.* (*pl.* **-men** [-mən]) 구릉[언덕] 지대에서 사는 사람; 인도의 산간 부족(山間部族) 사람.
híll mỳna *n.* 〔鳥〕 구관조.

hil·lo, hil·loa [hilóu ; ⌐-] *int., n., v.* ＝HELLO.

hil·lock [hílək] *n.* 조그만 산, 흙더미. 〚ME (*-ock*)〛

híll·sìde *n.* 산허리, 구릉(丘陵)의 경사면 : *on* the ～ 산 중턱에.

hillsman ☞ HILLMAN.

híll stàtion *n.* 《인도》 인도 북부 구릉 지대의 정부군[관리]의 피서용 주둔[주재]지.

híll·tòp *n.* 언덕[조그만 산]의 꼭대기.

Híll Tówn *n.* 《CB俗》 San Francisco시.

hílly *a.* 조그만 산이 많은, 구릉성(丘陵性)의 ; 작은 산더미 같은, 높직한 ; 험한, 가파른(steep).

híll·i·ness *n.* 구릉[언덕]이 많음.

hilt [hílt] *n.* (칼의) 자루 ; (권총 따위의) 손잡이 (haft).

hilt to hilt 1대 1로, 맞상대로.

(***up***) ***to the hilt*** 자루가 닿을 정도로, 깊숙이 ; 철저하게.

—— *vt.* (칼 따위에) 자루를 끼다.

〚OE *hilt*(*e*) ; cf. OS *helta* oar handle〛

hi·lum [háiləm] *n.* (*pl.* **-la** [-lə]) 〔植〕 배꼽《씨가 태좌(胎座)에 붙은 곳》 ; 〔解〕 (혈관·신경 따위가 드나드는) 문(門).

〚L＝little thing ; cf. NIHIL〛

him [im, (어군의 앞에서는) him, hím] *pron.* **1** [HE[1]의 목적격으로서 직접 목적어·간접 목적어·전치사 목적어] 그를[에게] : I know ～. 그를 알고 있다 / I gave ～ a book. 그에게 책을 주었다 / I went with ～. 나는 그와 동행했다. **2** 《口》 **a**) ＝HE[1] : [be동사의 보어로서 ; ☞ I[2] ㊟ (1)] It's ～. 그 남자다 / That's ～. 저 남자다 / [비교 표현인 as, than 뒤에서 주어로] She is as tall as ～. 그와 키가 같다 / You are worse than ～. 너는 그보다 더 나쁘다. **b**) [독립해서] : *H*～ and his promises! 그의 약속이야 뻔하지! **c**) [동명사의 의미상의 주어로서] ＝HIS : What do you think of ～ becom*ing* a teacher? 그가 교사가 되는 것을 어떻게 생각하느냐. **3** [재귀용법] ＝HIMSELF. ㊟ (1) 장소를 나타내는 전치사 뒤에서 himself 대신에 쓰임 : He looked about ～. 주위를 둘러보았다 / He shut the door behind ～. 들어와서 문을 닫았다. (2) 비유적인 뜻일 때는 himself : I asked him about *himself*. 그에게 그 자신의 일을 물었다. (3) 동사의 간접[직접] 목적어로서 : He went to a tailor and got ～ (＝himself) a spring suit. 《口》 양복점에 가서 봄 양복을 맞추었다 / He laid ～ down to sleep. 《古》 누워서 잤다.

H. I. M., HIM His[Her] Imperial Majesty (황제[황후] 폐하).

***Him·a·lá·ya Móuntains** [hìməléiə-, himɑ́:lə-jə-] *n. pl.* [the ～] ＝HIMALAYAS.

Hìm·a·lá·yan [, himɑ́:ləjən] *a.* 히말라야 (산맥)의. —— *n.* 히말라얀《(1) 꼬리·다리·코·귀의 끝이 검은 사육종 흰 토끼. (2) 페르시아 고양이와 샴 고양이의 교배종》.

Himaláyan cédar *n.* 〔植〕 히말라야삼목.

***Hìm·a·lá·yas** *n. pl.* [the ～] 히말라야 산맥.

him/her ☞ HE/SHE.

:him·self [*h*imsélf] *pron.* [HE[1]의 강조·재귀형] 그 자신, 당사자 자신. **1** [강조 용법] **a**) [동격적으로] : He ～ says so.＝《주로 口》 He says so ～. 그 사람 자신이 그렇게 말한다 / I saw the man ～. 바로 그 남자를 보았다《확실히 보았다》. ㊟ 독립 구문의 주어 관계를 나타내기 위해 쓰이는 수가 있음 : *Himself* poor, he understood the situation. 자신도 가난했기 때문에 그는 그 사정을 이해했다. **b**) [인칭 대명사 대용] : I can do it better than ～. 나는 그보다 더 잘할 수 있다. ㊟ 이 밖에 as나 like의 뒤에서도 이 용법이 있음. 보통 단독으로 주어가 되는 수는 없음 : *He* was[His father and ～ were] invited to the party. 그는[그의 아버지와 그는] 그 파티에 초대되었다. **2** [*h*imsèlf] [재귀용법] : He dressed ～. 그는 옷을 차려 입었다 / He killed ～. 그는 자살했다 / He bought ～ a camera. 그는 (자기 전용으로) 카메라를 샀다 / The money I gave him is for ～. 그에게 준 돈은 (다른 사람한테 주라는 것이 아니라) 바로 그 사람 본인한테 준 것이었다. **3** 여느 때의 [정상적인] 그 : He is ～ again. 그는 제정신을 차렸다 ; 그는 정상으로 돌아왔다 / He is not ～ today. 그는 오늘 좀 이상하다《정신이 이상하다, 몸에 이상이 있다》. ☞ HIM ㊟. ㊟ 숙어에 대해서는 ☞ ONESELF.

〚OE (HIM, SELF)〛

活用 ☞ MYSELF.

Hi·na·ya·na [hì:nəjɑ́:nə] *n.* Ⓤ 〔佛教〕 소승(小乘) 불교(cf. MAHAYANA). 〚Skt.＝lesser vehicle〛

hinc·ty, hink- [híŋkti] *a.* 《美俗》 우쭐대는, 도도한 ; 의심 많은(suspicious) ; 《黑人俗·蔑》 백인에 영합하는. —— *n.* 백인.

***hind**[1] [háind] *a.* 후부의, 후방의(↔*fore*) :the ～ legs (짐승의) 뒷다리 / ～ quarters (짐승류의) 몸의 후반부, 엉덩이(cf. HINDQUARTER) / ～ wheels (차의) 뒷바퀴.

on** one's **hind legs 분연히[단호히] 서서 ; 《戱》 일어서서.

〚ME< ? OE bi*hind*an BEHIND〛

hind[2] *n.* (*pl.* ～, **～s**) 암사슴《특히 3세 이상의 붉은 사슴의 암컷 ; cf. HART, STAG》.

〚OE ; cf. G *Hinde* ; IE에서 'hornless'의 뜻〛

hind[3] *n.* 《古·英方》 머슴, 마름 ; 농장 관리인 ; 시골뜨기, 순박한 사람. 〚ME *hine*<OE *hine* (pl.) ‹? *hī*(*g*) *na* (gen. pl.) ‹ *hīgan, hīwan* members of a family ; *-d*는 cf. SOUND[1]〛

Hind. Hindi ; Hindu ; Hindustan(i).

hínd·bràin *n.* 〔解〕 후뇌(後腦)《소뇌 및 연수(延髓)를 포함》.

Hin·den·burg [híndənbə̀:*r*g ; *G* híndənburk] *n.* 힌덴부르크. **Paul von** ～ (1847-1934) 독일의 군인·정치가.

hínd énd *n.* 《美俗》 궁둥이.

hin·der**[1] [híndə*r*] *vt.* [＋目 / ＋目＋前＋名 / ＋do*ing*] 방해하다, 훼방놓다 : The mud ～*ed* the advance of the troops. 진창길이 그 부대의 전진을 방해했다 / A man can never be ～*ed* ***from think*ing* whatever he chooses. 누구나 생각은 자기 마음대로 할 수 있다 / Nothing ～*ed* me ***in*** my progress. 내 일의 진행을 방해하는 것은 아무것도 없었다 / Age ～*s* my mov*ing* swiftly. 나이 탓으로 나는 움직임이 둔하다.

〚OE *hindrian* ; cf. HIND[1], G *hindern*〛

類義語 ***hinder*** 이제라도 시작하려고 하는 일을 저지하고 진행을 방해하다 : The plan was *hindered* by a lack of zeal. (열성 부족으로 그 계획은 좌절되었다). ***obstruct*** 진행 도중에 방해물을 놓아 전진을 더디게 하다 : Fallen trees *obstructed* our path. (쓰러진 나무들이 우리의 길을 막았다). ***block*** 방해물을 놓고 통과·전진을 완전히 막다 : The road was *blocked* by a barricade. (길이 방책(防柵)으로 차단되었다). ***impede*** 정상적인 행동을 방해하여 운동이나 전진을 더디게 하다 : Tight stockings *impede* the circulation of the blood. (꼭 끼는 긴 양말

은 혈액 순환을 나쁘게 한다). ***bar*** 울타리 따위의 장애물로 통행[출입]을 금지[방해]하다 : The exit was *barred* by chairs. (출구가 의자로 막혔다)《비유적으로도 쓰임》. ***prevent*** 미리 어떤 수단을 강구하거나 방해물[장애물]을 놓아 진행을 막거나 사태의 발생을 방지[예방]하다 : *prevent* disease (질병을 예방하다).

hind·er[2] [háindər] *a.* 후방의, 후부의 : the ~ part 후부 / the ~ gate 뒷문. —— *n.* [*pl.*] 《美俗》 (사람의) 다리(legs).
〚ME< ? OE *hinderweard* backward ; cf. HIND[1]〛

hínder·er *n.* 방해자 ; 장애물.

hínd·er·mòst [háindər-] *a.* =HINDMOST.

hínd·fóre·mòst [, -məst] *adv.* 뒤쪽[후부]을 앞으로 하여.

Hin·di [híndi:] *n.* Ⓤ 힌디《인도 북부의 지방어로 인도 게르만어계(語系)》. —— *a.* 인도 북부의 ; 인도 지방어의. 〚Urdu (*Hind* India)〛

hínd·mòst *a.* [HIND[1]의 최상급] 맨 뒤의, 가장 뒤쪽의.

Hindoo, Hindostan, Hindostani ☞ HINDU, HINDUSTAN, HINDUSTANI.

hínd·quàrter *n.* (쇠고기·양고기 따위의) 뒷다리 및 엉덩이 부분.

hin·drance [híndrəns] *n.* Ⓤ 방해, 훼방, 장애 ; Ⓒ 방해물, 훼방놓는 물건, 지장〈*to*〉: without ~ 지장없이. 〚HINDER[1]〛
類義語 ⟹ OBSTACLE.

hínd·sìght *n.* **1** (총의) 가늠자. **2** Ⓤ 《口》 뒷궁리(↔*foresight*).
knock [***kick***] ***the hindsight out*** [***off***] 《美口》 완전히 분쇄하다[결딴내다].
〚HIND[1]〛

Hin·du, -doo [híndu:, --] *n.* (*pl.* ~**s**) **1** 힌두인《아리아 인종에 속하는 인도인으로 힌두교를 신봉》; 힌두교 신자. **2** 인도인. —— *a.* 힌두의 ; 힌두교의. 〚Urdu<Pers. (*Hind* India)〛

Híndu-Árabic númerals *n. pl.* =ARABIC NUMERALS.

Híndu·ìsm *n.* Ⓤ 힌두교《바라문교(Brahmanism)의 철학을 기반으로 하여 민간의 신앙 따위를 가미한 종교의 총칭》.

Hin·du Kush [híndu: kú:ʃ, -kʌ́ʃ] *n.* [the ~] 힌두쿠시 산맥.

Hin·du·stan, -do- [hìndustá:n, -stǽn] *n.* 힌두스탄《(1) 인도의 페르시아 어명(語名) ; 역사적으로는 인도 북부. (2) 인도 아시아 대륙의 힌두교 지대로 이슬람교 지대인 파키스탄 지방에 대하여 쓰는 호칭. (3) 15-16세기에 있었던 인도 북부(北部)의 왕국》. 〚*Hindu*+-*stan* land〛

Hin·du·sta·ni, -do- [hìndustá:ni, -stǽni] *a.* 힌두(인·어)의. —— *n.* 힌두인(Hindu) ; Ⓤ 힌두스타니《略 Hind.》. 〚Urdu<Pers. (HINDU, *stan* country, -*ī* (a. suff.))〛

***hinge** [hindʒ] *n.* 돌쩌귀, 경첩 ; 관절 ; 요체, 요점, 중심점.
off the hinges 경첩이 빠져서 ; (신체·정신의) 상태가 나빠져서.
—— *vt.* …에 경첩을 달다. —— *vi.* **1** 경첩으로 움직이다. **2** [+*on*+名] …에 따라 정해지다(depend) : His acceptance will ~ (***up***)***on*** the terms. 그의 승낙은 조건 여하로 결정될 것이다.
~d *a.* 경첩이 있는, 경첩식의 : a ~*d* door 돌쩌귀 문. **~·less** *a.* **~·wise** *adv.*
〚ME *heng*< ? Gmc. ; cf. HANG, MDu. *henge* hook〛

hínge jòint *n.* 〔解〕 (팔꿈치·무릎 따위의) 경첩관절(ginglymus).

Hing·lish [híŋgliʃ] *n.* (힌디와 영어가 섞인) 인도 영어. 〚*Hindi*+*English*〛

hin·ny[1], **hin·nie** [híni] *n.* 《스코》 [호칭] 애인(honey).

hinny[2] [híni] *n.* 버새《수말과 암나귀 사이에서 난 잡종 ; cf. MULE[1]》. 〚L *hinnus*<Gk.〛

***hint** [hínt] *n.* **1** [+*that* 節 /+(前+) *wh.* 節·句] 힌트, 암시(suggestion), 넌지시 알리기, 시사(示唆) ; (간단하게 제시한) 조언, 주의 사항, 지시 : ~*s on* housekeeping [*for* housewives] 가정(家政)에 대한 주의 사항[주부 지침] / give [drop, let fall] a ~ 약간 암시하다, 힌트를 주다 / I gave him a ~ *that* I might resign. 사직할지도 모른다는 것을 그에게 넌지시 알렸다 / Will you give me a ~ (*as to*) *what* I ought to do? 어떻게 하면 좋을지 한 마디 해 주시겠습니까 / ~*s* on how to open a new book 새 책을 펼쳐보는 방식에 관한 지침(指針). **2** 희미한 징조 ; 미량(微量) : A ~ *of* spring was in the air. 대기 속에서 희미하게 봄 기운이 느껴졌다 / a ~ *of* garlic in the salad dressing 약간 마늘맛이 나는 샐러드용 드레싱.

〈회화〉
I wonder if he'll take the *hint*. — No way. He's too insensitive.「그가 과연 눈치를 챌까」「챌리가 없지. 그렇게 둔감한 친군데」

—— *vt.* [+目 /+目+*to*+名 /+*that* 節] 넌지시 알리다, 암시하다, 시사하다 : Gray skies ~*ed* (***to*** us) an early winter. 잿빛 하늘은 겨울이 일찍 오리라는 것을 (우리에게) 암시했다 / She ~*ed that* she wanted to go to bed. 잠자고 싶다고 넌지시 알렸다.
—— *vi.* [動 /+前+名] 넌지시 비치다 : She ~*ed* ***at*** his rashness. 그녀는 그 남자가 경솔하다는 것을 넌지시 비쳤다.
〚*hent* (obs.) to grasp<OE *hentan* ; HUNT와 같은 어원〛
類義語 ⟹ SUGGEST.

hin·ter·land [híntərlæ̀nd, -lənd] *n.* (강 기슭·해안 지대의) 배후 지구(↔*foreland*) ; 오지, 시골. 〚G (*hinter* behind, *land* LAND)〛

hin·ter·ur·bia [hìntərə̀:rbiə] *n.* 도시 노동자가 사는 멀리 떨어진 교외. 〚cf. *suburbia*, *exurbia*〛

***hip**[1] [híp] *n.* 〔解〕 고관절부, 엉덩이, 둔부, 허리 ; [흔히 ~s] 히프 ; 〔動〕 밑마디 ; 〔建〕 추녀마루, 지붕의 너새《경사진 지붕과 지붕이 교차하는 곳》.
have [***get, take***] a person ***on the hip*** 《古》 남을 (손아귀에 쥐고) 억누르다.
smite a person ***hip and thigh*** 〔聖〕 도륙(屠戮)하다《사사기 15 : 8》.
—— *vt.* (**-pp-**) 허리를 삐다 ; 〔建〕 (지붕에) 추녀마루를 달다.
〚OE *hype* ; cf. G *Hüfte*〛

hip[2] [híp], **hep** [hép] *n.* 장미[찔레나무]의 열매(rose hip). 〚OE *hēope* ; cf. G *Hiefe*〛

hip[3] [híp] *n.* Ⓤ 《古》 우울. —— *vt.* (**-pp-**) 우울하게 하다 : feel ~*ped* 기분이 우울해지다.
〚*hyp*ochondria〛

hip[4] [híp], **hep** [hép] *a.* 《俗》 (최신 유행의) 사정에 밝은, 정통한, 정보통의, (잘) 알고 있는 ; 세련된, 현대적인 ; 히피의 ; 재즈를 좋아하는.
hip to . . . 《俗》 …을 알아차리고 있는.
hip to the jive (현실을) 잘 인식하고 있는.
—— *vt.* 알리다. —— *n.* 잘 알고 있음, 최신 유행에 정통함. 〚C20< ?〛

hip[5] [híp] *int.* 응원 따위를 선창하는 소리.

Hip, hip, hurah ! 힙 힙 후레이!
〖C19<?〗
HIP 〖空〗 higher intermediate point.
híp bàth *n.* (치료 목적의) 좌욕, 그 욕조.
híp·bòne *n.* 좌골(坐骨), 무명골.
híp bòot *n.* [보통 *pl.*] (허리까지 오는) 장화.
híp disèase *n.* 고관절염(股關節炎).
híp·dom *n.* =HIPPIEDOM.
hipe [háip] *vt.* 〖레슬링〗 안아 올려 넘어뜨리다. ── *n.* 안아 올려 넘어뜨리기. 〖? HIP¹〗
híp flàsk *n.* 힙 플라스크《바지 뒷주머니에 넣는 납작한 작은 술병》.
híp gòut *n.* 좌골 신경통.
híp·hòp *n.* 1980년대 미국에서 유행하기 시작한 새로운 감각의 춤과 음악.
híp-hùgger *a.* 허리에 꼭 맞는, 허리 선이 낮은《바지·스커트》.
híp-hùggers *n. pl.* 힙 허거즈《허리에 꼭 끼는 웨이스트가 낮은 바지》.
híp jòint *n.* 고관절(股關節).
híp·ness *n.* 《俗》 잘 알고 있음, 정보통임.
hipp- [híp], **hip·po-** [hípou, -ə] *comb. form* 「말(horse)의」의 뜻. 〖Gk.; ⇨ HIPPOPOTAMUS〗
hipped¹ [hípt] *a.* 엉덩이가 있는; 고관절을 다친 《주로 가축에 대해》; 〖建〗 (지붕이) 추녀마루가 있는: a ~ roof 추녀마루[너새] 지붕.
hipped² *a.* 《美口》 열중한, 사로잡힌(obsessed) 〈*on*〉; 우울한. 〖HIP³〗
hipped³ *a.* 《美俗》 정통한, 잘 알고 있는. 〖HIP⁴〗
hip·pie, hip·py [hípi] *n.* 《美俗》 히피(족). 〖HIP⁴+*-ie*, *-y*³〗
híppie·dom *n.* 히피의 세계; (집단으로서의) 히피(족).
híppi(e)·ness *n.* 히피적 상태[성격].
híp·pish *a.* 우울한, 기운이 없는.
hip·po [hípou] *n.* (*pl.* **~s**) 《口》=HIPPOPOTAMUS.
hippo- [hípou, -ə] ☞ HIPP-.
hip·po·cam·pus [hìpəkǽmpəs, -pou-] *n.* (*pl.* **-pi** [-pai]) 〖神〗 말의 머리와 물고기의 꼬리를 가진 괴수(怪獸); 〖動〗 해마(海馬)(sea horse); 〖解〗 (뇌의) 해마회(海馬回)《측실상(側室床)에 있는 회백색의 고피질(古皮質) 부분》.
híp-pòcket *n.* (바지의) 엉덩이쪽에 있는 뒷호주머니. ── *a.* 소형의, 소규모의.
hip·po·cras [hípəkræ̀s, -pou-] *n.* Ⓤ 〖史〗 (중세 유럽의) 향료를 넣은 포도주.
Hip·poc·ra·tes [hipɑ́krətìːz] *n.* 히포크라테스 (460?-?377 B.C.)《그리스의 명의(名醫); 의학의 아버지라고 불림》.
Hippocrátic óath *n.* 〖醫〗 히포크라테스 선서 《의사가 될 사람이 하는 선서; 의사의 윤리 강령에 관한 것》.
Hip·po·crene [hípəkrìːn, hìpəkríːni(ː), -pou-] *n.* 〖그神〗 히포크레네《Helicon 산의 뮤즈(the Muses)의 영천(靈泉)》; 《비유》 시적 영감. 〖Gk.=horse fountain; Pegasus의 발굽의 일격으로 생겼다고 함〗
hip·po·drome [hípədròum] *n.* **1** (고대 그리스·로마의 경마·전차 경주의) 경기장. **2** 마술 연기장; 곡마장(曲馬場)(circus). **3** [H~] 연예장, 버라이어티쇼 극장. 〖F or L<Gk. (*hippos* horse, *dromos* race, course)〗
hip·po·griff, -gryph [hípəgrìf, -pou-] *n.* 〖傳說〗 말의 몸뚱이에 독수리의 머리와 날개를 가진 괴물.
hip·pol·o·gy [hipɑ́lədʒi] *n.* 마학(馬學)《말에 관한 연구》.
hip·po·pot·a·mus [hìpəpɑ́təməs] *n.* (*pl.* **~·es, -mi** [-mài]) 〖動〗 하마(河馬) (cf. HIPPO). 〖L<Gk. (*hippos* horse, *potamos* river)〗
-hip·pus [hípəs] *n. comb. form* 「말」의 뜻. 〖Gk.〗
híp·py¹ *a.* 엉덩이[허리]가 큰[굵은]: a ~ girl. 〖HIP¹〗
hippy² ☞ HIPPIE.
híp ròof *n.* 〖建〗 추녀마루[너새] 지붕.
híp-róofed *a.* 너새 지붕의.
híp·shòot·er *n.* 아무렇게나 말하는 사람.
híp·shòot·ing *a.* 마구잡이의, 엉터리의; 성급한, 무모한, 충동적인.
híp·shòt *a.* **1** 고관절을 삔. **2** 절름발이의, 불구의, 꼴불견의; 한쪽 엉덩이가 처진.
híp·ster¹ *n.* 《俗》 최신 유행에 민감한 사람, (남보다 먼저) 새로운 지식을 받아들이는 사람, 정통한(체하는) 사람, 소식통; 비트족, 히피; (사회와 잘 화합하지 않고) 마음 맞는 사람하고만 사귀는 사람; =HEPSTER.
hipster² *n.* 《英俗》 =HIP-HUGGERS.
── *a.* =HIP-HUGGER.
híp·ster·ìsm *n.* 《俗》 =HIPNESS; HIPSTER¹의 생활 방식.
híp wràp *n.* 스웨터를 허리에 둘러서 입는 방식.
Hi·ram [háiərəm] *n.* 남자 이름. 〖Heb.=noble〗
hir·cine [hə́ːrsain, -sən] *a.* 염소의; 염소 비슷한; (냄새가) 염소같이 고약한; 호색(好色)의. 〖L (*hircus* goat)〗
hire** [háiər] *vt.* **1** [+目/+目+*to* do] 고용하다(engage); 임차하다, (세내어) 빌리다: ~ a motorcar by the hour 자동차를 한 시간에 얼마로 빌리다 / He ~*d* a workman *to* repair the fence. 담을 고치기 위하여 일꾼을 고용하였다. **2** [+目/+目+副] 임대(賃貸)하다, (세를 받고) 빌려주다, 대출하다: ~ ***out boats 보트를 세놓다.
hire out (1) ☞ *vt.* 2. (2) 《美》 (하인·노동자로서) 고용되어 일하다, 고용되다: He ~*d out* as a photographer. 사진사로 취직했다.

〈회화〉
Do you think they'll *hire* me? — How should I know? 「나를 채용해 줄까」「그걸 내가 어떻게 아니」

── *n.* **1** Ⓤ (물건의) 임차(賃借); (사람의) 고용. **2** Ⓤ 임차료, 사용료, 손료(損料); 임금, 급료(wages): pay for the ~ of a hall 홀의 사용료를 지불하다 / work for ~ 고용되어[급료를 받고] 일하다.
for*[*on*] *hire 언제라도 고용[임차]할 수 있는: automobiles *for*[*on*] ~ 전세 자동차 / let out horses *on* ~ 말을 세를 받고 빌려주다.
hír(e)·able *a.* 〖OE *hȳr*; cf. G *Heuer*〗
類義語 (1) ⟹ EMPLOY.
(2) ***hire*** 돈을 치르고 어떤 것을 사용할 권리를 얻다: *hire* an auditorium (강당의 사용권을 얻다). ***let*** 돈을 받고 집 따위를 사용할 권리를 주다: a house to *let* (셋집). ***lease*** 재산 (보통은 동산)을 문서의 계약에 의하여 임대하다: *lease* one's property with a person (남과의 계약으로 재산을 임대하다). ***rent*** 집·토지 또는 동산의 임대차를 위해서 일정한 금액을 일정한 기간만큼 받다[지불하다]: *rent* a room to[from] a person (남에게 방을 세놓다[남에게서 셋방을 얻다]). ***charter*** 배·버스·비행기 따위의 공공 교통 기관을 hire하다: *charter* a boat[bus] (보트[버스]를 전세로 쓰다).

hired [háiərd] *a.* 고용한 ; 임대한 ; 빌린.

híred gírl *n.* 《美》 (특히 농가의) 고용된 여자 ; 하녀, 식모.

híred hánd[mán] *n.* 《美》 고용인, 머슴, (특히) 농장 노동자, 소작인.

híre·ling *n.* **1** 《보통 蔑》 돈만 주면 일하는 사람 ; 고용인. **2** 세낸 말. —— *a.* 돈 때문에 일하는, 돈이면 무슨 일이든 하는. 〖OE〗

híre púrchase (sỳstem) *n.* 《주로 英》 분할불 구입(법), 할부법(cf. INSTALLMENT PLAN)《略 H.P.》: buy a car *on* the ~ 할부로 차를 사다.

hir·er [háiərər] *n.* 고용주 ; (동산) 임차인.

hir·ing [háiəriŋ] *n., a.* 고용(의) ; 임대차(의) : ~ of a ship 용선(傭船).

híring hàll *n.* (노동 조합 경영의) 직업 소개소.

híring mànager *n.* (사원 채용 담당) 인사부장.

hí-ríse [hái-] *n.* 《口》 ＝HIGH RISE.

hir·sute [hə́:rsu:t, híər-, -ˊ ; hə́:sju:t] *a.* 털이 많은 ; 머리털이 빳빳하고 거친(shaggy) ; 〔生〕 억센 긴 털로 덮인. 〖L〗

◇**his** [iz, (어군(語群)의 앞에서는) hiz, híz] *pron.* **1** [HE[1]의 소유격] 그의 : ~ book 그의 책《소유 또는 저서》. **2** [HE[1]에 대응하는 소유 대명사] 그의 것(cf. HERS, MINE[1], OURS, THEIRS, YOURS) : That book is ~. 그 책은 그의 것이다 / a friend *of* ~ 그의 친구 / that pride *of* ~ 그녀석의 거만함 / he and ~ (family) 그와 그의 가족. 注 (1) 보다 자세한 용법과 보기는 MINE[1] 참조. (2) 정확하게는 ~ or her를 써야 할 경우 공문서 이외에는 일반적으로 his를, 《口》에서는 their를 대표적으로 씀. 근래에 his/her형도 쓰기 시작함.
活用 ☞ MINE[1].

his-and-hers [hízənhə́:rz] *a.* (상품이) 남녀[부부]용 한 벌씩의.

his/her ☞ HE/SHE.

his'n, hisn [hízn] *pron.* 《俗·方》 [HE[1]에 대응하는 소유 대명사] 그의 것(his).

hís níbs *n. pl.* 《俗·蔑》 권력자, 높으신 분《실력도 없으면서 보스처럼 구는 사람》.

His·pa·nia [hispéiniə, -pǽn-] *n.* 히스파니아《이베리아 반도의 라틴어명》; 《詩》 ＝SPAIN. 〖L＝Spain〗

His·pan·ic [hispǽnik] *a.* ＝SPANISH ; 라틴아메리카의. —— *n.* 스페인 사람[계 주민], 《美》 (미국내의 스페인어를 말하는) 라틴 아메리카 사람[계 주민]. 〖L (↑)〗

His·pan·io·la [hìspənjóulə] *n.* 히스파니올라 섬《서인도 제도 중 두번째로 큰 섬 ; Haiti와 the Dominican Republic의 양국을 포함 ; 옛 이름 Haiti 섬》.

His·pa·no [hispǽnou] *a., n.* (*pl.* ~**s**) 《美》 라틴아메리카계의 (주민) ; (미국 남서부의) 스페인[멕시코]계의 (주민).

His·pano- [hispǽnou, -pá:-, híspənou, -nə] *comb. form* 「스페인의[과]」의 뜻. 〖L〗

his·pid [híspəd] *a.* 센털이 있는, 강모(剛毛)의. 〖L *hiopidus*〗

hiss [hís] *vi.* **1** (증기·뱀·거위 따위가) 쉿[슈웃]하는 소리를 내다 : The steam escaped with a ~*ing* sound. 증기는 쉬잇쉬잇 하고 새어 나갔다. **2** [＋*at*＋名] 쉬쉬하고 불만의 소리를 내다 : ~ ***at*** a play[an actor] 쉬이쉬이 소리내며 연극[배우]을 야유하다. —— *vt.* **1** [＋目/＋目＋副/＋目＋前＋名] 쉿하고 꾸짖다[제지하다] : ~ a speaker *away*[***down***] 쉬쉬하여 연사를 쫓아 버리다[야유하여 내려오게 하다] / They ~*ed* the actor *off* the stage. 쉬쉬하여 배우를 무대에서 물러나게 했다. **2** 쉭쉭[시이시이]하는 소리를 내면서 말하다[나타내다]. —— *n.* **1** 쉭쉭[시이시이]하기《제지·성난 발성》, 슛슛[쉬쉬]하는 소리 ; 슈웃슈웃 울리는 소리. **2** 〔音聲〕 ＝HISSING SOUND. —— *a.* ＝HISSING. 〖ME (imit.)〗

híss·ing *a.* 치찰음(齒擦音)이 현저한. —— *n.* hiss하기[음] ; 《古》 경멸(의 대상).

híssing sòund *n.* 〔音聲〕 「스」음(音)《치찰음(齒擦音) 중 [s, z]를 말함》.

hist [ps(:)t, híst] *int.* 쉿 ! 〖C16 (imit.)〗

hist. histology ; historian ; historic ; historical ; history.

hist- [híst], **his·to-** [hístou, -tə] *comb. form* 「조직(tissue)」의 뜻. 〖Gk. *histos* web〗

his·tam·i·nase [histǽmənèis, hístə-, -z] *n.* 〔生化〕 히스타미나아제《알데히드를 생성하는 반응을 촉매하는 효소》.

his·ta·mine [hístəmì:n, -mən] *n.* Ⓤ 〔生〕 히스타민《자궁 수축·혈압 강하제》. **hìs·ta·mín·ic** [-mín-] *a.* 〖*hist*-＋AMINE〗

his·ti·dine [hístədì:n, -dən] *n.* 〔生化〕 히스티딘《염기성 *α*- 아미노산의 일종》.

his·ti·di·ne·mia [hìstədiní:miə] *n.* 〔醫〕 히스티딘 혈증(血症).

hís·tio·cỳte [hístiə-] *n.* 〔解〕 조직구(球)《결합조직 내에서 식(食)작용을 하는 세포》. **hìs·tio·cýt·ic** [-sít-] *a.*

hísto·blàst *n.* 〔生〕 조직 원(原)세포.

hìsto·chémistry *n.* Ⓤ 조직화학. **-chémical** *a.* **-ical·ly** *adv.*

hìsto·compatibílity *n.* 〔醫〕 조직 적합성《조직 상호간의 이식 적성》. **hìsto·compátible** *a.* 조직 적합[친화]성의.

histocompatibílity àntigen *n.* 〔醫〕 조직 적합 항원(抗原).

hís·to·gràm [hístə-] *n.* 〔統〕 히스토그램 막대 그래프. 〖*histo*ry＋-*gram* ; 일설에 Gk. *histos* mast＋-*gram*〗

hìsto·ìn·compatibílity *n.* 〔醫〕 조직 부적합성.

his·tol·o·gy [histálədʒi] *n.* Ⓤ 〔生〕 조직학《생물의 조직 구조·발생·분화 따위를 연구함》. **-gist** *n.* 조직 학자. **hìs·to·lóg·i·cal, -ic** *a.* 조직학의. **-i·cal·ly** *adv.* 〖F (*hist*-)〗

his·tol·y·sis [histáləsəs] *n.* (체조직의) 조직 융해[분해]. **his·to·lyt·ic** [hìstəlítik] *a.*

his·tone [hístoun] *n.* Ⓤ 〔生化〕 히스톤《염기성 단백질의 하나》.

hìsto·physiólogy *n.* Ⓤ 조직(組織) 생리학. **-physiológic, -ical** *a.*

***his·to·ri·an** [histɔ́(:)riən, -tár-] *n.* 역사가, 사학 전공자. 〖F ; ⇨ HISTORY〗

his·to·ri·at·ed [histɔ́:rièitəd] *a.* 상형(象形) 무늬의 장식을 한, 상형 기호를 붙인.

***his·tor·ic** [histɔ́(:)rik, -tár-] *a.* (cf. HISTORICAL) **1** 역사적으로 유명한, 유서깊은 : ~ scenes 사적(史跡), 유적 / a ~ city 역사적인 도시. **2** 역사상에 유래되는[기록되는](cf. PREHISTORIC) : a ~ document 역사적 문서 / ~ times 역사상의 시대. **3** 《稀》 ＝HISTORICAL. 〖L<Gk. ; ⇨ HISTORY〗

***his·tór·i·cal** *a.* **1** 역사의, 사학의 ; 역사상의, 역사상에 실재하는(cf. HISTORIC) : ~ evidence 사실(史實) / a ~ novel[play] 역사 소설[사극]. **2** 역사적인, 사적인 : the ~ method 역사적 연구법 / ~ geography 역사 지리학 / ~ grammar 역사문법 / ~ materialism 사적(史的) 유물론. **3** 《稀》 ＝HISTORIC.

~·ly *adv.* 역사적으로, 역사상.

históriсal geólogy *n.* 지사학(地史學).

históriсal linguístics *n.* 사적(史的) 언어학(= **diachrónic linguístics**).

históric(al) présent *n.* [the ~] 〘文法〙 사적(史的) 현재《과거 사실의 서술을 생생하게 하기 위해 사용하는 현재 시제(時制)》.

históriсal schòol *n.* 〘經·哲〙 (19세기 독일에서 시작된) 역사학파; 〘法〙 역사(법) 학파《법은 군주 등 주권자의 명(命)에 의한 소산이 아니라 역사적 사정에 의한 소산이라고 함》.

his·tor·i·cism [histɔ́(:)risìzəm, -tár-] *n.* (가치 판단 따위에 대한) 역사(중시)주의; (문화[사회]적 설명에 대한) 역사 결정론. **-cist** *n.*

his·to·ric·i·ty [hìstərísəti] *n.* Ⓤ 사적 확실성, 사실성(史實性); (역사의 흐름에서의) 사적(史的)인 위치, 역사성.

his·tor·i·cize [histɔ́(:)rəsàiz, 美+-tár-] *vt.* 역사화(歷史化)하다; 사실(史實)에 의거하게 하다.
—— *vi.* 사실(史實)을 쓰다.

his·tor·i·co- [histɔ́(:)rikou, -tár-, -kə] *comb. form* 「역사」의 뜻. 〚L; ⇨ HISTORY〛

históric rehabilitàtion *n.* 〘建〙 역사적 건조물 재(再)이용 (계획).

hís·to·ried *a.* 역사적으로 유명한, 유서깊은.

his·to·ri·ette [hìstɔ:riét] *n.* 소사(小史); 사화(史話). 〚F〛

his·to·ri·og·ra·pher [histɔ̀:riágrəfər, 英+hìstɔ:r-] *n.* 사료 편집원, 수사가(修史家).

his·to·ri·og·ra·phy [histɔ̀:riágrəfi, 英+hìstɔ:r-] *n.* Ⓤ 역사 편찬, 수사; [집합적으로] 정사, 사서.
his·tò·rio·gráph·ic, -i·cal [, 英+hìstɔ:r-] *a.* 사료 편찬의, 역사 편찬의.
〚F or L<Gk. (↓)〛

◇**his·to·ry** [hístəri] *n.* **1 a**) Ⓤ 역사; 사학: a student of ~ 역사 연구가, 사가(史家) / ☞ ANCIENT HISTORY, MODERN HISTORY. **b**) 역사책, 사서(史書); (제도·학문 따위의) 발달사: a ~ of England 영국사 / a ~ of English 영어 (발달)사. **2 a**) 경력, 내력, 연혁, 유래; 파란많은 경력: a personal ~ 경력, 이력서 / a house[woman] with a ~ (이상한) 내력이 있는 집[과거가 있는 여자] / This knife has a ~. 이 칼에는 내력이 있다. **b**) (보고적인) 이야기, 설화(story). **3** Ⓤ (자연계의) 조직적 기술: natural ~ 박물학. **4** 사극(historical play). **5** Ⓤ 과거지사: That is all ~. 그것은 모두 옛일이다.
become history 역사가 되다[에 남다].
make history 역사에 남을 만한 일을 하다: The landing of Apollo 11 on the moon's surface *made* ~. 아폴로 11호의 달 표면 착륙은 역사적인 일이었다.
pass into history 역사[과거의 일]로 되다.

〈회화〉
What subject is he interested in?—He is very interested in *history*. 「그는 어떤 과목에 흥미를 가지고 있지」「역사에 대단한 흥미를 가지고 있습니다」

〚L<Gk. *historia* inquiry, narrative (*histōr* learned, wise man; wit와 같은 어원)〛

His·to·sol [hístəsɔ̀(:)l, -sòul, -sàl] *n.* 〘地質〙 히스토졸, 부엽토《유기물이 많이 함유된 습한 토양》.

his·tri·on [hístriàn; -ən] *n.* 배우(actor).

his·tri·on·ic [hìstriánik] *a.* 배우의; 연극상의; 《蔑》 연극조의, 신파극 비슷한; 일부러 꾸미는.
—— *n.* [*pl.*] 연극, 연예; (연극조의) 행동.
〚L (*histrion- histrio* actor)〛

hìs·tri·ón·ics *n. pl.* [때때로 단수취급] 연극, 연예; 연기; 연극 같은 행위[짓거리].

◇**hit** [hít] *v.* (~; **-tt-**) *vt.* **1** [+目/+目+副+名/+目+目] (겨누어서) 치다, 쳐서 맞히다, …에 명중하다; 부딪치다; (타격을) 가하다: ~ a ball ***with*** a bat 배트로 공을 치다 / He ~ a single[a home run]. 〘野〙 단타(單打)[홈런]를 쳤다 / The arrow ~ the bull's-eye. 화살은 과녁의 복판에 명중했다 / He ~ me ***on*** the head[***in*** the face]. 나의 머리[얼굴]를 때렸다 / She ~ her forehead ***against*** the shelf[*on* the door]. 이마를 선반[문]에 부딪쳤다 / He ~ me a hard blow. 나를 세게 쳤다 / I was ~ a crack on my head. 머리를 한대 탁 얻어 맞았다. **2** (우연히 또는 용하게) 발견하다, 마주치다; 알아 맞히다; 적합하다, (진상을) 파헤치다; (마음에) 호소하다: ~ the right path 옳은 길로 나서다 / ~ one's fancy 기호에 맞다. **3** …에 정신적 타격[고통]을 주다, (풍자적인 말 따위가) …의 감정을 상하다: The fall in stocks ~ the stockbroker very hard. 주식 값이 떨어져 주식 중개인(仲介人)은 심한 타격을 받았다 / His new novel was ~ by the reviewers. 그의 신작 소설은 비평가들에게 혹평(酷評)을 받았다. **4** 《口》 (…에) 도달하다; 도착하다, 이르다: ~ the top of the mountain 산꼭대기에 도착하다. **5** (…을) 정확하게 표현하다; 훌륭하게 묘사하다. **6** 《口》 (치거나 건드려서 …을) 움직이다; (브레이크를) 걸다: ~ the brakes 브레이크를 급히 걸다. **7** 《俗》 (남)에게 (일·빚 따위를) 요구하다: He ~ me for a thousand dollars. 그는 내게 천달러를 요구했다.
—— *vi.* **1** [動/+*at*+名] 때리다, 치며 대들다: He ~ ***at*** the mark. 과녁을 겨누어 쳤다. **2** [+*on*+名] 우연히 생각나다, …에 착안하다: At last she ~ (***up***)***on*** a plan[device]. 드디어 그녀는 하나의 계획[안]을 생각해냈다. **3** 《俗》 마약을 복용하다. **4** (내연기관이) 점화되다. **5** (물고기가) 미끼를 물다.
go in and hit 시합의 진행을 빨리 하다.
hit a likeness 꼭 닮다, 흡사하다.
hit and run (1) 〘野〙 히트 앤드 런을 하다(☞ *n.* 4). (2) 뺑소니치다.
hit a person ***below the belt*** 〘拳〙 허리 아래를 치다《반칙》; 비겁한 행동을 하다.
hit a person ***when he's down*** 쓰러진 상대방을 때리다, 비겁한 행동을 하다.
hit it 용하게 알아맞히다; 《俗》 나아가다; 연주를 시작하다: *Hit it.* 《俗》 빨리 해라, 서둘러라.
hit it off 《口》 사이좋게 하다, 뜻이 맞다〈*with, together*〉.
hit it up 분발하다, 버티다.
hit off (곡·시·그림 따위를) 즉석에서 짓다[그리다].
hit or miss 되든 안되든, 운에 맡기고.
hit out (주먹으로) 심하게 공격[반격]하다; 혹평하다.
hit the[one's] ***books*** ☞ BOOK.
hit the (***right***) ***nail on the head*** 용하게 (알아)맞히다, 바로 알아맞히다(guess right).
hit the spot ☞ SPOT.
hit up 재촉하다; 〘크리켓〙 득점하다.
—— *n.* **1** 쳐서 맞히기, (타격의) 맞음; 명중, 적중; 명중탄. **2** 성공, 대인기; 《口》 (연예계의) 인기인: make[be] a ~ 들어맞다. **3** 지당한 말, 급소를 찌르는 풍자[비꼼]: That's a ~ *at* you. 그것은 너에 대한 풍자다 / His answer was a

clever ~. 그의 회답은 교묘하게 요점을 찌르는 것이었다《적절한 회답》. **4** 〖野〗 히트, 안타(=base hit) : a sacrifice ~ 희생타. **5** 〖컴퓨〗 히트《두 항목 데이터의 비교·조회가 바르게 행해짐》; 《俗》 (마약 거래 따위를 위한) 밀회 ; 《俗》 마약[헤로인] 주사, 약의 1회분.
〚OE *hittan* < ON = to meet with < ?〛
類義語 ⟹ STRIKE.

HIT homing inceptor technology.

hít-and-míss [-ən-] *a.* 되는대로[엉터리로] 한.

hít-and-míss wìndow *n.* 〖建〗 주마창(走馬窓), 무쌍창(無雙窓).

hít and rún [-ən-] *n.* 〖野〗 히트 앤드 런 ; 사람을 치고 뺑소니치기 ; 공격 후에 즉시 후퇴하기.

hít-and-rún [-ən-] *a.* **1** 〖野〗 히트 앤드 런의. **2** 사람을 치고 뺑소니치는 : a ~ accident 사람을 치고 뺑소니친 사고 / a ~ driver 뺑소니 운전사. —— *vi.* 〖野〗 히트 앤드 런하다.

hitch [hítʃ] *vt.* **1** [+目+前+名] (고리·열쇠·밧줄 따위로) 걸다 ; (소·말을 말뚝 따위에) 매다(tether) ; 《俗》 [보통 수동태로] 결혼시키다 : He ~*ed* his horse ***to*** a tree. 그는 말을 나무에 매었다 / I ~*ed* the rope ***round*** a bough of the tree. 나는 그 밧줄을 나뭇가지에 걸었다. **2** [+目/+目+副/+目+前+名] 홱 움직이게 하다[끌다, 비틀다, 끌어당기다] : ~ ***up*** one's trousers 양복 바지를 바짝 치켜올리다 / He ~*ed* his chair *nearer* the fire[(*up*) ***to*** the table]. 그는 의자를 불 가까이로[테이블 쪽으로] 끌어당겼다. **3** [+目+*into*+名] (대화 속에) 끌어들이다 : ~ something ***into*** a story 어떤 일을 이야기 속에 끌어들이다. **4** 《口》 =HITCHHIKE.
—— *vi.* **1** [+*on*+名] 걸리다, 얽히다 ; 《美俗》 결혼하다〈*up*〉 : The dress ~*ed* ***on*** a nail. 옷이 못에 걸렸다. **2** 홱 움직이다, 끌어오다. **3** 절름거리다〈*along*〉. **4** 《口》 =HITCHHIKE.
hitch one***'s wagon to a star*** ☞ WAGON.
hitch up ☞ *vt.* 2 ; (말 따위를 수레에) 매다.
—— *n.* **1** 홱 끌기[움직이기]. **2** 절름거리기. **3** 연결 ; 걸어 맴 ; 얽힘, 걸리기 ; 장애, 고장, 급정지 : There's a ~ somewhere. 어디엔가 고장이 났다 / go off without a ~ 지체없이[술술·거침없이] 나아가다. **4** 《美口》 병적에 있는 기간, 복무[복역] 기간. **5** 《口》 =HITCHHIKE.
〚ME < ?〛

Hitch·cock [hítʃkak] *n.* 히치콕. Sir **Alfred** (**Joseph**) ~ (1899-1980) 영국의 영화 감독.
Hitch·cóck·ian *a.* 히치콕(풍)의.

Hítchcock chàir *n.* 히치콕 체어《바닥을 골풀로 만든 팔걸이가 없는 의자》.

***hítch·hìke** *vi.* 《美》 지나가는 자동차《따위》에 무료로 편승하여 여행하다, 히치하이크를 하다.
—— *n.* 자동차의 편승 여행, 히치하이크 ; 〖放送〗 =HITCHHIKER.

hítch·hìker *n.* 자동차 편승 여행자 ; 〖放送〗 어떤 프로그램이 끝날 때 잠깐 내보내는 광고, 편승적 광고(hitchhike)《보통 그 프로그램 스폰서의 이차적인 상품을 선전함》; 〖로켓〗 큰 인공위성과 함께 발사된 작은 인공위성.

hítch·ing pòst *n.* 말·노새 따위를 매는 말뚝.

hítchy *a.* 《俗》 흠칫하는, 떨리는.

hít·fest *n.* 《野俗》 타격[난타]전.

hith·er [híðər] *adv.* 여기에, 이쪽으로(here). [다음 숙어로 사용하는 이외에는 《古》]
hither and thither 《文語》 여기 저기에(here and there).
—— *a.* 이쪽의 : on the ~ side of the river 강의 이편에 / on the ~ side of sixty 60세 안쪽인.
〚OE *hider* ; cf. ON *hethra* here〛

híther·mòst *a.* 가장 가까운 쪽의.

híther·tò [ˌ ˊˋ] *adv.* 지금까지, 종래 ; 이제까지는 (아직) ; 《古》 여기까지, 이 지점까지. —— *a.* 지금까지의.

híther·ward(s) *adv.* =HITHER.

Hit·ler [hítlər] *n.* 히틀러. **Adolf** ~ (1889-1945) 독일의 총통(Führer) ; 제2차 세계 대전을 일으켰으나 Berlin 함락 때 자살했음.
~·ìsm *n.* Ⓤ 히틀러주의《독일의 국가 사회주의 ; ☞ NATIONAL SOCIALIST PARTY》.

Hítler·ìte *n.* 히틀러주의자 ; [*pl.*] 독일 국가 사회당, 나치스(Nazis). —— *a.* 히틀러주의자의.

hít lìst *n.* 《俗》 살해 예정자[해고 대상자·공격 대상자] 명단 ; 정리 대상의 기획[프로그램 따위] 일람(一覽)표.

hít màn *n.* 《俗》 살인 청부업자 ; 난폭한 선수 ; = HATCHET MAN.

hít-or-míss *a.* 엉터리의, 건날리는, 소홀한, 닥치는 대로의.

hít paràde *n.* 《美》 유행가[베스트셀러 따위]의 인기 순위.

hít-rún *a.* =HIT-AND-RUN.

hít-skíp *n.* 사람을 치고 뺑소니치기.

hít squàd[tèam] *n.* 살인자[테러리스트] 집단, 암살단.

Hitt. Hittite.

hít·ter *n.* 때리는 사람, 〖野〗 타자 ; 《俗》 =HIT MAN ; 《美俗》 총 : a hard ~ 강타자.

hít thèory *n.* 〖生〗 (세포의) 히트[충격]설.

hítting strèak *n.* 〖野〗 연속 안타.

Hit·tite [hítait] *n.* 히타이트족(族)《소아시아의 고대 민족》; 히타이트어(語). —— *a.* 히타이트족[어·문화]의.
〚Heb.〛

hít wòman *n.* 《美俗》 여자 살인 청부업자.

HIV human immunodeficiency virus《인체 면역 결핍 바이러스 ; AIDS 바이러스》.

hive[1] [háiv] *n.* **1** 꿀벌의 벌집[벌통](beehive) ; 그 모양을 한 것 ; 분주한 사람들이 가득 차 있는 곳, 웅성거리고 시끄러운 장소. **2** 한 벌통의 꿀벌떼 ; (벌집처럼) 웅성거리고 떠드는 군중. **3** (활동 따위의) 중심지. —— *vt.* **1** (꿀벌을) 벌통에 모으다[살게 하다] ; 오손도손 모여 살게 하다. **2** (꿀을) 벌통에 저장하다 ; 모아두다. —— *vi.* (꿀벌이) 벌집에 들다[살다] ; 떼지어 살다.
hive off (꿀벌이) 분봉(分蜂)하다[나뉘어 다른 곳으로 옮기다] ; 《英口》 (말없이) 사라지다, 떠나다 ; 《英》 (새로운 일을 시작하기 위하여 회사 따위를) 그만두다〈*from*〉 ; 분리하다, 자회사에 할당하다.
〚OE *hȳf* ; cf. ON *hūfr* ship's hull〛

hive[2] *n.* 〖醫〗 두드러기. 〚역성(逆成) < *hives*〛

híve-òff *n.* 《英》 〖商〗 =SPIN-OFF 1.

hives [háivz] *n.* [단수·복수취급] 발진(發疹), (특히) 두드러기 ; 후두염(喉頭炎).
〚C16 (Sc.) < ?〛

hi·ya, hi ya [háijə] *int.* 《美口》 야아!, 안녕하십니까! 《인사말》. 〚*How are you?*〛

Hiz·bal·lah [hizbɑ́:lə] *n.* 신의 당(黨)《레바논 이슬람 시아파의 과격파》.
〚Arab. = Party of God〛

H. J. (S.) *hic jacet* (*sepultus*[*sepulta*]) 《L》 (= here lies buried). **H. K.** Hong Kong ; House of Keys. **HKJ** Hashemite Kingdom of Jordan 《자동차 국적 표시》. **HK$** Hong Kong dollar.

hl(.) hectoliter(s) ; *heilig* 《G》 (=holy). **H. L.** House of Lords. **HLA, HL-A** human leucocyte antigen. **HLB** 〔藥·工〕 hydrophile-lipophile-balance(계면(界面) 활성제의 친수 친유기(親水親油基) 평형). **hld.** hold. **HLF** Heart and Lung Foundation. **HLI** Highland Light Infantry. **hlqn.** harlequin. **hlt.** halt. **HLZ** helicopter landing zone.

h'm, hmm [m̩m, hm, hmm, hmmm] *int.* = HEM², HUM¹. ㈜ 심사숙고·궁리·주저·의심·당혹을 나타냄. 〚imit.〛

hm(.) hand-made ; hectometer(s). **H. M.** headmaster ; headmistress ; His[Her] Majesty. **H. M. A. S.** His[Her] Majesty's Australian Ship. **H. M. C.** heroine, morphine, cocaine ; His[Her] Majesty's Customs. **H. M. C. S.** His[Her] Majesty's Canadian Ship. **HMG** 〔生理〕 human menopausal gonadotropin《인간 폐경기요성 고나도트로핀 ; 소변에 나오는 성선 자극호르몬》. **H. M. I. (S.)** 《英》 His[Her] Majesty's Inspector (of Schools). **HMMWV** high-mobility multi-purpose wheeled vehicle(고(高) 기동성 다목적 유륜 차량). **H. M. N. Z. S.** His[Her] Majesty's New Zealand Ship. **HMO** health maintenance organization ; heart minute output. **H. M. S.** His[Her] Majesty's Service[Ship]. **H. M. S. O.** 《英》 His[Her] Majesty's Stationery Office. **H. M. T.** His [Her] Majesty's Trawler. **HMW-HDPE** high-molecular-weight high-density polyethylene(고분자량 고밀도 폴리에틸렌). **H. N. C.** 《英》 Higher National Certificate. **H. N. D.** 《英》 Higher National Diploma. **HnRNA** heteronuclear RNA(이핵(異核) RNA). **hny.** honey.

ho¹ [hóu] *int.* **1** 여!, 어이!《호칭·주의·놀람·피로·칭찬·만족·조소 따위를 나타내는 소리》: *Ho*, there! 어이!, 야 이 사람아! / What *ho*! 어이, 뭐야! **2** 서라!, 워!《말 따위를 멈추게 하는 소리》.
Westward ho! 〔海〕 자아 서쪽으로!
〚imit.〛

ho² [hɔ́ː] *n.* 창녀(whore).

ho. house. **Ho** 〔化〕 holmium. **HO, H.O.** Head Office ; 《英》 Home Office ; hostilities only.

ho·ac·tzin [houǽktsin, wɑːktsíːn, wɑ́ːktsin] *n.* =HOATZIN.

hoa·gie, -gy [hóugi] *n.* 《美北部》 서브머린(샌드위치) (submarine). 〚C20<?〛

hoar [hɔːr] *a.* 《稀》 서리로 덮인 ; =HOARY ; 《方》 곰팡내 나는.
—— *n.* Ⓤ =HOARFROST ; =HOARINESS.
〚OE *hār* ; cf. G *hehr* sublime〛

hoard [hɔːrd] *n.* **1** (재화·보물의) 비장(祕藏), 사장(死藏) ; 저장물 ; 매점(買占) : a vast ~ *of* gold 막대한 황금의 사장 / a ~ *of* anecdotes 많은 일화. **2** (지식 따위의) 온축(蘊蓄), 보고. —— *vt.* [+目 / +目+副] (재보·식량 따위를) 저장하다 : A squirrel ~*s* nuts for the winter. 다람쥐는 겨울에 대비하여 나무 열매를 저장한다 / ~ ***up*** treasure 재보를 저장하다. —— *vi.* 저장하다 ; (전시 중에 식량 따위를) 매점하다, 사장하다, 대량으로 모으다. **~·er** *n.* 비장[저장]자.
〚OE *hord* ; cf. G *Hort* treasure〛

hóard·ing¹ *n.* Ⓤ 비장 ; 퇴장(退藏), 사장(死藏), 축적, 매점 ; [보통 *pl.*] 축적[저장]물.
〚HOARD〛

hoarding² *n.* 《英》 (건축현장 따위의) 판자울, 가설 울타리 ; 광고[게시]판(=《美》 billboard).
〚*hoard*<OF ; ⇨ HURDLE〛

hóar·fròst *n.* Ⓤ 흰 서리.

hóarfrost pòint *n.* 〔氣〕 서리점.

hoarhound ☞ HOREHOUND.

hóar·i·ness *n.* (머리털의) 흼, 회백색임 ; 백발이 성성함 ; 고색 창연 ; 노년(老年).

***hoarse** [hɔːrs] *a.* **1** (목소리가) 쉰, 〔醫〕 목쉰소리의, 목쉰소리를 내는(husky) ; 귀에 거슬리는. **2** (강물·폭풍우 따위가) 소란스러운(harsh).
~·ly *adv.* 목쉰소리로, 귀에 거슬리게. **~·ness** *n.* Ⓤ (목소리의) 쉼 ; 귀에 거슬림.
〚ME *hors*<ON ; cf. earlier ME *hos*<OE *hās* hoarse〛

hoars·en [hɔ́ːrsən] *vt., vi.* 목이 쉬게 하다[쉬다].

hóar·stòne *n.* 《英》 (고대의) 기념비 ; 《英》 (특히 유사 이전의) 경계 표석(標石).

hóary *a.* (늙어서) 하얗게 된, 서리처럼 흰 ; 백발의 ; 나이 먹은 ; 고색 창연한(ancient) ; (오래되어) 성스럽고 엄숙한. 〚HOAR〛

hóary-éyed *a.* 《俗》 술취한, (눈이) 개개풀린.
〚? *awry-eyed*〛

hóary-héad·ed *a.* 백발이 성성한, 흰 머리의.

ho·at·zin [houǽtsin, wɑːtsíːn, wɑ́ːtsin] *n.* 〔鳥〕 호친[와친]《남미산의 뱀 먹는 새》.

hoax [hóuks] *vt.* [+目 / +目+前+名] …을 골탕 먹이다, (남을) 감쪽같이 속이다 : They ~*ed* me ***into*** believ*ing* it. 나를 속여 그것을 믿게 했다.
—— *n.* 사람을 속이기, 짓궂은[못된] 장난.
〚C18<? *hocus*(-*pocus*)〛

hob¹ [hɑ́b] *n.* **1** 벽난로(fireplace)의 양쪽의 선반《주전자·냄비 따위를 식지 않도록 올려 놓는 대(臺)가 됨》. **2** (수레의) 바퀴통. **3** (고리던지기 놀이(quoits)의) 표적 기둥. **4** =HOBNAIL. **5** 〔機〕 호브《나선형으로 자르는 날이 있는 회전 절삭 공구》. —— *vt.* (**-bb-**) 〔機〕 호브로 자르다.
〚C16 *hubbe* lump (변형(變形)) 〈? HUB¹〛

hob² *n.* 족제비의 수컷 ; 짓궂은[나쁜] 장난을 잘하는 작은 요정(妖精) (=hobgoblin, puck) ; 《口》 짓궂은 장난.
play hob with ... 《口》 …에 해를 끼치다.
raise hob with ... 《口》 …을 망쳐놓다, 손상하다 ; 화를 내다, 격분하다.
〚*Hobbe* (변형(變形)) 〈 *Rob* 〈 *Rob*ert or *Rob*in〛

HOB Home Box Office《미국 유수의 유선 텔레비전 프로그램 공급업자》.

hób-and-nób [-ənnɑ́b] *a.* 《古》 친밀한, 막역한.

Ho·bart [hóubərt, -bɑːrt] *n.* 남자 이름.
〚⇨ HUBERT〛

hob·ba·de·hoy, -dy- [hɑ́bədihɔ̀i] *n.* =HOBBLEDEHOY.

Hobbes [hɑ́bz] *n.* 홉스. **Thomas** ~ (1588-1679) 영국의 철학자.

Hob·bit [hɑ́bət] *n.* 호비트《영국의 작가 J.R.R. Tolkien(1882-1973)의 작품 *The Hobbit*에 나오는 신장이 사람의 반쯤 되고 발이 털로 덮인 난쟁이 요정족(妖精族)》. **~·ry** *n.*

hob·ble [hɑ́bəl] *vi.* **1** 절름거리다〈*along, about*〉; 절름[더듬]거리며 걷다[말하다·행하다]. **2** 뒤뚱거리다. —— *vt.* …을 절름거리게 하다 ; (말 따위의) 양발을 함께 묶다 ; 방해하다, 애먹이다. —— *n.* 절름거림, 절름거리며 걷기 ; 장애, 속박 ; 괴로운 처지, 곤혹. **hób·bler** *n.* 절름거리는 사람[짐승].
〚? LG ; cf. HOPPLE, Du. *hobbelen* to turn, roll〛

hob·ble·de·hoy [hábəldihɔ̀i] *n.* 《稀》 풋내기, 덩치만 크고 영리하지 못한 청년.
〚C16 *hobbard de hoy*＜?〛

hóbble skìrt *n.* 〖服〗 무릎까지 내려오는 통이 좁은 스커트.

‡**hob·by**[1] [hábi] *n.* 취미, 도락, 특기 ; 항상 하는 화제, 가장 능한[잘하는] 것 ; ＝HOBBYHORSE.

〈회화〉
What's your father's chief *hobby*? — It's gardening.「아버님의 주된 취미는 무엇입니까」「원예입니다」

〚ME *hobyn, hoby*‹*Robin*의 애칭 ; cf. DOBBIN〛

hobby[2] *n.* 〖鳥〗 새호리기.
〚OF (dim.)‹*hobe* small bird of prey〛

hóbby compùter *n.* 취미용 컴퓨터.

hóbby·hòrse *n.* **1** (merry-go-round의) 목마 ; 회전 목마(rocking horse). **2** (말 머리가 달린 장난감) 죽마(竹馬) **3** 좋아하는[늘 입에 올리는] 화제(話題).
start on one***'s hobbyhorse*** 장기[가장 능한 것]를 들고 나오다, 꺼내다.
—— *vi.* 〖海〗 (배가) 심하게 세로로 흔들리다.
〚*hobby*[1] small light horse〛

hób·gòblin *n.* 짓궂은 장난을 잘 하는 꼬마 요정[마귀](cf. GOBLIN) ; 요괴, 도깨비(bogy).
〚*hobby*[1]＋*goblin*〛

hób·nàil *n., vt.* (구두창에) 대가리가 큰 징(을 박다). **~ed** *a.* 구두창에 징을 박은《구두 따위》.

hóbnail lìver, hóbnailed líver *n.* 〖醫〗 구두징 간《경변(硬變)증 때문에 표면에 작은 돌기물이 생긴 간장》.

hob·nob [hábnàb] *vi.* (**-bb-**) 의좋게 술마시다 ; 친하게 사귀다〈*with*〉. —— *n.* 환담 ; 술을 대작함. 〚*hab nab* have or not have, give and take〛

ho·bo [hóubou] *n.* (*pl.* **~es, ~s**) 《美》 뜨내기 노동자 ; 부랑자, 룸펜. 㕤 방랑하면서 때때로 일하는 노동자 ; TRAMP는 방랑하는 게으름뱅이.
〚C19＜? ; *ho, boy*의 변형(變形)인가〛

ho·boe [hóubou], **ho·boy** [hóubɔi] *n.* ＝OBOE.

Hób·son's chóice [hábsənz-] *n.* 주어진 것을 채택하느냐 않느냐 하는 자유 밖에 없는 선택, 기호(嗜好)에 따라 마음대로 취할 수 없는 선택. 〚Thomas *Hobson* (d. 1631) 잉글랜드 Cambridge의 말 빌려주는 사람 ; 마구간의 문에서 가장 가까운 말부터 선택을 허락하지 않고 빌려줌〛

Ho Chi Minh [hóu tʃíː mín] *n.* 호치민(1890-1969) 《베트남 민주 공화국 대통령(1945-69)》.

Hó Chí Mính Cíty *n.* 호치민시《옛 Saigon》.

hock[1] [hák] *n.* **1** (개·말 따위의 뒷발의) 무릎, 복사뼈 마디(↔*knee*). **2** 닭의 무릎. **3** (특히 돼지의) 족(발 바로 위의 살).
—— *vt.* …의 복사뼈 마디의 건(腱)을 자르다[잘라 불구로 만들다].
〚*hock*shin (obs.)＜OE *hōhsinn* ; cf. HOUGH〛

hock[2] *n.* Ⓤ [흔히 H~] 《英》 (독일) 라인 지방산의 백포도주(Rhine wine).
〚*hock*amore (obs.)＜G (*Hochheim* 산지 이름)〛

hock[3] *n.* Ⓤ 《美俗》 전당. 㕤 주로 다음의 숙어로 사용.
in hock 전당잡혀 ; 투옥(投獄)되어 ; 빚을 지고.
—— *vt.* 전당잡히다(pawn).
〚Du.＝hutch, prison, debt〛

***hock·ey** [háki] *n.* **1** Ⓤ 하키《구기(球技)》. **2** 하키용 스틱(＝~ **stìck**).
〚C16＜? ; OF *hoquet* shepherd's crook (dim.)‹*hoc* hook＜Gmc. (OE *hōc*)에서 인가〛

hóckey pùck *n.* 하키용 퍽 ; 《美俗》 햄버거.

hóck shòp *n.* 《口》 전당포(pawnshop).

hocky[1] [háki], **hooky, hook·ey** [húki] *n.* 《卑》 ＝SHIT ; 《卑》 정액(精液) ; 《美俗》 맛없는[맛이 없을 것 같은] 음식. 〚? *hock*[2]〛

hocky[2] *n.* 《美俗》 거짓말, 허풍.

hoc tap [hák táp] *n.* 《베트남》 (해방 후의) 재교육, 혁명 교육. 〚Vietnamese〛

ho·cus [hóukəs] *vt.* (**-s-**｜**-ss-**) 속이다, 기만하다(hoax) ; (범죄 목적으로) 마취제를 타다.
—— *n.* 마취제를 탄 음료 ; 사기, 기만. 〚↓〛

hócus-pó·cus [-póukəs] *n.* Ⓤ (요술쟁이 등의) 알아듣지 못할 주문(呪文) ; 요술, 기술(奇術) ; 속임수. —— *vi., vt.* (**-s-**｜**-ss-**) 요술을 부리다 ; (…의) 눈을 속이다. 〚17세기의 sham L〛

hod [hád] *n.* **1** 벽돌 상자《벽돌·회반죽 따위를 어깨에 메고 나르는 긴 자루가 달린 나무상자》. **2** 《美》 석탄통(coal scuttle).
〚ME *hot* (dial.)＜OF *hotte* pannier＜? Gmc.〛

ho·dad, ho·dad·dy [hóudæd(i)] *n.* 해변에서 서퍼(surfer)인 체하는 사나이, 서투른 서퍼 ; 《美俗》 아는 체하는 놈, (스포츠 따위에서) 자기는 못하면서 선수 주변에서 떠드는 녀석 ; 《美俗》 몹시 고지식한 사람, 착실한 화이트 칼라.
〚C20＜? ; *hood*lum인가〛

hód càrrier *n.* 《英》 ＝HODMAN.

hod·den, hod·din [hádn] *n.* Ⓤ 《스코》 무늬 없는 올이 거친 나사(羅紗).

Hodge [hádʒ] *n.* 남자 이름《Roger의 애칭》.

hodge·podge [hádʒpàdʒ] *n.* 뒤범벅 ; ＝HOTCHPOTCH. —— *vt.* 뒤범벅을 만들다.
〚HOTCHPOTCH〛

Hódg·kin's disèase [hádʒkənz-] *n.* 〖醫〗 호지킨 병《악성 육아종증(肉芽腫症)》.
〚Thomas *Hodgkin* (d. 1866) London의 의사〛

ho·di·er·nal [hòudiə́ːrnl] *a.* 오늘날[현재]의.

hód·man [-mən] *n.* (*pl.* **-men** [-mən]) 《英》 (벽돌·회반죽 따위를 HOD로) 나르는 인부 ; 벽돌공의 조수(＝《英》 hod carrier).

ho·dom·e·ter [houdámətər ; hɔ-] *n.* ＝ODOMETER.

hoe [hóu] *n.* 괭이 ; (괭이 모양의) 제초기(除草器). —— *vt.* …에 괭이질하다 ; (잡초를) 제초기로 파헤치다〈*up*〉. —— *vi.* 괭이질하다.
a long row to hoe 힘드는[진절머리나는] 일.
〚OF＜Gmc. (HEW)〛

hóe·càke *n.* 《美》 옥수수로 만든 빵.

hóe·dòwn *n.* 《美》 활발하고 경쾌한 춤, (특히) 스퀘어 댄스 ; 그 댄스곡[파티].

***hog** [hág, 美＋hɔ́ːg] *n.* (*pl.* **~s**, ~) **1** (특히 다 자란) 돼지(cf. SWINE, PIG) ; 사육 돼지, (특히) 거세한 수돼지(cf. BOAR, SOW[2]). 㕤 《英》에서는 주로 비유적으로 씀 : eat[behave] like a ~ 돼지처럼 게걸스럽게 먹다[버릇없이 행동하다]. **2** 《口》 돼지 같은 놈, 비열한 사나이, 욕심꾸러기, 불결한 사람. **3** 《英方》 아직 털 깎기 전의 양새끼. **4** 비[솔]《배 밑 청소용》. **5** 《美鐵俗》 기관차, 기관사 ; 《美俗》 대형 모터사이클, 대형차.
a hog in armor 풍채가 없고 촌스러운 사람, 좋은 옷을 입고도 맵시가 나지 않는 사람.
a hog on ice 《美口》 미덥지 못한 사람.
bring one***'s hogs to the wrong market*** ☞ MARKET.
go (***the***) ***whole hog*** ☞ WHOLE HOG.
live[***eat***] ***high off***[***on***] ***the hog***[***hog's back***] 《口》 호화롭게[떵떵거리며] 살다.
on the hog 《俗》 빈털터리인.

—— *v.* (**-gg-**) *vt.* **1** (수염·말의 갈기를) 짧게 깎다. **2** 《口》 자기의 배당 이상으로 차지하다, 게걸스레 먹다. **3** 머리를 숙이고 등을 둥글게 하다. **4** (배 밑을) 솔로 문지르다. —— *vi.* **1** 중앙부가 돼지 등처럼 구부러지다. **2** 《口》 자동차를 함부로 몰다(cf. ROAD HOG). 〖OE *hogg* < ? Celt. (Corn. *hoch*, Welsh *hwch* swine)〗

ho·gan [hóugən, -gɑːn] *n.* 호간《아메리칸 인디언 Navaho 족의 주거 ; 엮은 나뭇가지 위에 진흙을 덮어서 만듦》. 〖Navaho〗

Hógan's brickyard *n.* 《野俗》 정지(整地) 상태가 나쁜 그라운드, 야구용 공터.

hóg·bàck *n.* 〔地〕 깎아세운 듯한 산등성이. **~ed** *a.* 볼록하게 솟은《지붕·산등성이 따위》.

hóg-càller *n.* 《俗》 날카로운 고함 소리.

hóg chòlera *n.* 〔獸醫〕 돼지 콜레라.

hóg·fish *n.* 〔魚〕 양놀레기과의 일종《식용 물고기의 일종 ; 서인도 제도 근해산(産)》.

hóg flù *n.* 《口》 돼지의 유행성 감기.

hóg·ger *n.* 《美鐵俗》 기관사(hoghead).

hóg·gery *n.* 양돈장, 돼지 우리 ; 돼지 떼 ; Ⓤ 돼지 같은 행동[성격].

hog·get [hágət] *n.* 《英》 한 살박이 양[망아지] ; 두 살짜리 수퇘지. 〖HOG+-*et*〗

hog·gin [hɔ́(ː)gən, hág-], **-ging** [-giŋ] *n.* Ⓤ (도로용의) 체질한 모래 섞인 자갈.

hóg·gish *a.* 돼지 같은 ; 이기적인, 욕심 많은 ; 더러운, 불결한 ; 상스러운. **~·ly** *adv.* **~·ness** *n.* 〖C19< ?〗

hóg·hèad, hóg·jòcky *n.* 《美鐵俗》 =HOGGER.

hóg·lèather *n.* 돼지 가죽.

hóg·ling *n.* 돼지 새끼 ; 염소 새끼 ; 양 새끼.

Hog·ma·nay [hàgmənéi] *n.* [때때로 h~] 《스코》 섣달 그믐밤 ; 섣달 그믐밤의 축제《어린이들이 집집마다 돌며 과자 따위를 받음》. 〖C17 Sc., N. Eng. < ? AF *hoguinané* (=OF *aguillanneuf*) ; 일설에 F<L *hoc in anno* in this year(축가의 후렴)에서〗

hóg·màne *n.* 짧게 깎은 말 갈기.

hóg-màned *a.* 갈기를 짧게 깎은《말 따위》.

hóg·nòse snáke, hóg-nosed snáke *n.* 돼지코뱀《무독(無毒) 또는 저독(低毒)인 뱀의 일종 ; 북미산》.

hóg·nùt *n.* 땅콩(earthnut).

hóg·pèn *n.* 《美》 돼지우리(pigsty, pigpen).

hógs·bàck *n.* =HOGBACK.

hógs·hèad *n.* **1** 큰 통《《美》 100-140갤런들이 ; 《英》 보통 63-140갤런들이》. **2** 호그스헤드《액량의 단위 ; 《美》 63갤런 ; 《英》 52.5갤런》.

hóg's lèg *n.* 《美西部·美俗》 =REVOLVER.

hóg-tìe *vt.* (가축·사람)의 손발을 묶다 ; 《口》 행동의 자유를 빼앗다, 속박하다.

hóg·wàsh *n.* Ⓤ 돼지먹이《밥찌꺼기 따위에 뜨물을 섞은 것》 ; 맛없는 음식[음료] ; 《俗》 내용이 빈약한 것, 졸작, 엉터리, 시시한 것.

hóg-wíld *a.* 《口》 몹시 흥분한, 난폭한.

Ho·hen·stau·fen [hòuənʃtáufən] *n.* 호엔슈타우펜《12-13세기 독일의 왕가》.

Ho·hen·zol·lern [hóuənzàlərn] *n.* 호엔촐레른가(家)의 사람《12세기에 일어난 독일의 왕가 ; 1918년까지 독일 왕위를 유지했음》.

ho-ho [hóuhòu] *int.* 오오, 허허, 어이, 하하《부를 때·주의·놀람·피로·칭찬·득의·경멸의 소리》 ; (말 따위를 세우는) 우어우어. 〖가중(加重) ‹ HO¹〗

ho-hum [hóuhʌ́m] *a.* 《俗》 지루한, 재미없는, 흥미없는.

hoick [hɔ́ik] *vt., vi.* (비행기를) 급히[급각도로] 상승시키다, 갑자기 상승하다. 〖변형(變形) ? ‹ *hike*〗

hoick(s) [hɔ́ik(s)] *int.* 쉬! 《사냥개를 부추기는 소리》.

hoiden ☞ HOYDEN.

hoi pol·loi [hɔ́ipəlɔ́i] *n. pl.* [때때로 the ~] 《보통 蔑》 대중, 민중, 서민(the masses), 오합지졸 ; 《俗》 야단법석. 〖Gk.=the many〗

hoise [hɔ́iz] *vt.* (**~d, hoist** [hɔ́ist]) 《古·方》 (도르래 따위를 써서) 들어 올리다, 높이 올리다.

be hoist with one's own petard ☞ PETARD. 〖? LDu. ; cf. G *hissen*〗

hói·sín sàuce [hɔ́isín-] *n.* 해선장(海鮮醬), 호이신 소스《간장·마늘·스파이스를 넣은 조미료》.

hoist¹ [hɔ́ist] *vt.* (기 따위를) 게양하다, 내걸다, (무거운 물건을) 감아 올리다, 끌어[들어] 올리다. —— *vi.* 높이 올리다 ; 높이 올리기 위해 밧줄을 끌다[당기다].

hoist down 끌어 내리다.

—— *n.* **1** Ⓤ 감아 올리기, 끌어 올리기 ; 게양. **2** 〔工〕 감아 올리는 기계[장치](hoister), 호이스트 (cf. CRANE 2, WINCH). **3** 〔海〕 게양된 일련의 신호기 ; (기·돛의) 세로폭.

give a person ***a hoist*** 남을 밑에서 밀어 올리다. 〖C16 ‹ HOISE〗

類義語 ⟹ LIFT.

hoist² *v.* HOISE의 과거·과거분사.

hóist·hòle, hóist·wày *n.* (화물 따위를) 올리고 내리는 통로 ; 승강기의 통로[승강로].

hóist·ing shèars *n.* [단수·복수 취급] 합장(合掌) 기중기의 일종.

hoi·ty-toi·ty [hɔ̀itités, 美+hàititái-] *a.* 거만한, 건방진 ; 성깔이 있는 ; 《稀》 경망스러운, 변덕스러운. —— *int.* 기가 막혀!, 별꼴이야! 《조롱·놀람을 나타내는 소리》. 〖*hoit* (obs.) to romp< ?〗

hoke [hóuk] *vt.* 《俗》 겉만 훌륭하게 꾸미다, 그럴듯하게 만들어내다 ⟨*up*⟩. —— *n.* =HOKUM.

ho·key¹ [hóuki] *a.* 《俗》 허위의, 꾸민. 〖*hokum*, -*y*⁴〗

hokey² *n.* 《俗》 교도소(prison).

ho·k(e)y-po·k(e)y [hòukipóuki] *n.* Ⓤ 《俗》 요술, 속임수 ; Ⓒ (길거리에서 파는) 싸구려 아이스크림. —— *a.* 《俗》 센티멘털한. 〖HOCUS-POCUS〗

ho·kum [hóukəm] *n.* Ⓤ 《俗》 (연극·영화에서) 인기를 노린[감상적인] 대목 ; 어리석은 짓, 부질없는 이야기. 〖C20< ? ; *ho*cus-pocus+bun*kum*인가〗

hol [hál] *n.* [보통 *pl.*] 《英口》 방학(holiday).

hol- [hóul, hál], **ho·lo-** [hóulou, hálou, -lə] *comb. form* 「완전」「유사(類似)」「최고로 수산기(水酸基)를 함유한」의 뜻. 〖Gk.〗

hol·ándric [houl-, hal-] *a.* 〔遺〕 한웅성(限雄性)의《Y염색체상의 유전자에 의한 유전의 ; ↔ *hologynic*》.

hol·an·dry [hóulændri, hál-] *n.*

HOLC 《美》 Home Owners' Loan Corporation (주택 소유자 자금 대부 회사).

◇**hold¹** [hóuld] *v.* (**held** [héld]) *vt.* **1** [+目/+前+名/+目+副] 손에 쥐다, 들다, 잡다(grip) ; 지탱하다, 유지하다(support) : The girl was *~ing* the doll ***in*** her hand[arms]. 소녀는 인형을 손에 들고[팔에 안고] 있었다 / He *held* his head ***in*** his hands. 머리를 움켜쥐었다 / The gentleman was *~ing* a pipe ***between*** his teeth. 그 신사는 파이프를 물고 있었다 / He *held* me ***by*** the collar. 나의 목덜미[멱살]를 잡았다 / The cashier *held* the money ***up to*** the light. 출

납원은 그 돈을 불빛에 비쳐 보았다.
2 [+目+補] (어떤 장소·위치·상태에) 보존하다, 유지하다 : ~ the door open 문을 열어 두다 / *H*~ your head straight a second. 잠시동안 머리를 반듯이 하고 있으시오.
3 (용기에 액체 따위를) 넣다, (얼마인가) 들어가다(contain) ; (방 따위가) 수용하다 ; 포함하다, 함유(含有)하다 : This room can ~ fifty people. 이 방에 50명은 들어갈 수 있다.
4 소유[보유]하다(own) ; 보관하다 ; 점유[유지]하다, 지키다, (역할·지위 따위를) 차지하다(occupy) : ~ shares 주식을 가지고 있다 / ~ a fortress 요새를 지키다 / ~ an office 관직에 있다 / Lightly won, lightly *held*. 《속담》 쉽게 얻은 것은 쉽게 잃어버린다.
5 [+目/+目+補/+目+前+名/+目+*to* do/+*that* 節] (마음에) 품다(cherish) ; (기억에) 남겨두다(keep) ; …라고 생각하다, 여기다(think, believe) ; (법관이) 판결하다(decide) : ~ a person dear 남을 그리워하다, 남을 사랑하다 / You must ~ yourself responsible for what your son did. 당신 아들이 한 일에 대해서 책임을 져야 하오 / Many people *held* him ***in*** respect. 많은 사람들이 그를 존경했다 / The court *held* the accused man (*to be*) guilty. 법정에서 피고를 유죄로 판결했다 / Plato *held that* the soul is immortal. 플라톤은 영혼은 불멸하다고 생각했다.
6 누르다, 규제(規制)하다, 보류하다 : ~ one's breath 숨을 죽이다 / There is no ~*ing* him. 그는 어쩔 도리가 없다 / *H*~ your noise[jaw, tongue]. 떠들지 마라, 잠자코 있어라.
7 [+目/+目+前+名] (주의 따위를) 끌다 ; (남에게 약속·의무·책임 따위를) 지키게 하다 : The sight *held* his attention. 그 광경은 그의 주의를 끌었다 / ~ a person ***to*** his word 남에게 약속을 지키게 하다.
8 (모임 따위를) 개최하다, (식을) 올리다(conduct) : We are going to ~ a meeting next Saturday. 다음 토요일에 회합을 열려고 생각하고 있다 / Court is to be *held* tomorrow. 내일 공판이 있을 예정이다.
9 《美》 구류[유치]하다.
10 (곡을) 계속 노래[연주]하다 ; 〖樂〗 (음 따위를) 지속시키다.
— *vi.* **1** (그물·닻 따위가) 지탱하다, 견디다.
2 [動/+補] 지속하다, (날씨 따위가) 계속되다(last) ; (어떤 상태가) 그대로 있다 ; 노래[연주]가 계속되다 : I hope the weather will ~. 이런 날씨가 계속됐으면 좋겠는데 / The weather *held* warm. 날씨는 계속 따뜻했다 / Please ~ still. 가만히 있으시오 / *H*~ tight! 꽉 쥐시오.
3 [動/+補] (법률 따위가) 효력이 있다, 적용되다 : The rule does not ~ in this case. 그 법칙은 이 경우에 적용되지 않는다 / The argument [promise] still ~*s* good[true]. 그 주장[약속]은 아직도 역시 옳다[효력이 있다].
4 보유하다, 소유권을 가지다 〈*of, from*〉.
5 [+前+名] 굳게 지키다, 고수하다 : ~ fast *to* one's creed 자기의 신조를 고수하다.
6 [보통 부정문에서] 같은 의견이다 ; 찬성하다 : I don't ~ ***with***[***by***] the proposal. 나는 그 제안에는 찬성하지 않는다.
hold back (1) 취하(取下)하다, 취소하다 ; 만류하다 ; 제지하다, 보류하다. (2) 눌러 놓다, 감추다 : ~ *back* goods *from* market 상품을 시장에 내놓지 않고 잡아 두다. (3) 말하지 않고 두다 ; 억제하다, 자제하다〈*from*〉; 망설이다.
hold by …을 굳게 지키다 ; …을 고집[에 집착]하다.
hold down 억누르다 ; 《美》 (지위 따위를) 확보하다, 유지하다.
hold fast (우정 따위가) 굳게 지속되다.
hold forth 공표하다, 제시하다(offer) ; 《蔑》 마구 진술하다.
hold hard (말을 멈추기 위해) 고삐를 세게 당기다 ; [명령] 기다려!, 서두르지마!
hold in 억제하다 ; 자제(自制)하다.
hold it 《口》 중단하다, 대기하다.
hold off 가까이 못오게 하다, 막다 ; 멀리하다 ; 꾸물거리다 ; 《美》 (비 따위가) 여간해서 오지 않다, 내리지 않고 있다 : *H*~ *off* for a minute. 잠깐 기다려.
hold on (*vi.*) 계속해 가다, 지속하다, (비가) 계속 내리다 ; 매달리다 ; 늘어붙다, 버티다, 사수(死守)하다 ; (전화를) 끊지 않고 두다[기다리다] ; [명령] 기다려(Stop!) : He *held on* his way. 계속 전진했다 / The child *held on to* his coat. 그 아이는 그의 외투에 매달렸다.
hold** one**'s hand 조치를 보류하다, 참아주다.
hold** one**'s head high ☞ HEAD.
hold** one**'s own 자기의 지위[입장]를 지키다, 양보하지 않다, 굴하지 않다.
hold** one**self (1) 자세를 …하게 유지하다 : He *held* him*self* erect. 그는 똑바로 서 있었다 / I *held* my*self* ready to start. 출발 자세를 취했다. (2) (자기의 일을) …라고 생각하다 : ~ one*self* responsible for... ☞ *vt.* 5.
hold out (1) (*vt.*) (손 따위를) 내밀다 ; 제출하다 ; 제공[약속]하다 ; 《美俗》 (마땅히 내놓아야 할 것을) 손아귀에 쥐고 있다, 내놓지 않다. (2) (*vi.*) 가까이 못오게 하다, 저항하다, 최후까지 버티다, 참고 견디다 : They *held out against* the enemy attacks for a month. 한 달 동안 적의 공격에 저항했다 / The strikers *held out for* higher wages. 파업자들은 임금 인상을 요구하고 버티었다.
hold out on... 《美口》 (남에게) 비밀을 털어놓지 않다 ; (건네줘야 할 물건을) 건네주지 않다.
hold over (뒤로) 미루다, 연기하다 ; (예정 이상으로) 계속하다 ; 지속하다, 유지하다 ; 〖法〗 기간 이상 재임(在任)하다 ; 〖樂〗 (음을) 다음 박자[소절]까지 끌다.
hold to …을 붙들고 늘어지다 ; …을 고수하다 : *H*~ *to* your resolution. 결의를 관철하시오.
hold together 함께 뭉쳐 두다[뭉쳐 있다] ; 결합시키다, …의 단결을 지속하다 : Their mutual danger *held* them *together*. 공통의 위험이 그들을 단결시켰다.
hold up (1) 위로 치켜들다, 받치다(cf. *vt.* 1) ; 올리다, 게양하다 ; 지지하다 ; (웃음거리 따위로) 만들다 : ~ a person *up to* ridicule 남을 웃음거리로 만들다. (2) 가로막다, 방해하다 ; 《口》 멈추게 하다, [명령] 서라! ; (권총 따위를 들이대고) 정지를 명하다, (남을) 정지시키고 강탈하다, [명령] 손들어! (cf. HOLDUP). (3) 바로 서다《보통 말이 비틀거릴 때 하는 말「바로 서!」》; 참고 견디다 ; 보조를 늦추지 않다 ; (좋은 날씨가) 계속되다, 오래가다, 《美》 비가 개다. (4) 《美口》 부당한 요구를 하다.
hold up** one**'s head 머리를 똑바로 쳐들고 있다 ; 태연자약하다.
hold water ☞ WATER.
hold with …에 찬성[동의]하다.
— *n.* **1** 파악(grasp) ; 〖레슬링〗 홀드《상대편을 꽉 붙잡는 것 ; cf. TOEHOLD *n.* 3》. **2** U.C 장악,

지배력, 위력〈*on, over*〉; 파악력, 이해력(mental grasp)〈(*up*) *on, of* things〉. **3** 쥐는[붙잡는] 곳; 손잡이, 발걸이, 버팀; 용기; 그릇. **4** 성채, 요새(stronghold); 은신처, 피난처; 《古》 감옥(prison). **5** Ⓤ 〖法〗 (소유권의) 보유(cf. COPYHOLD); 〖空〗 대기 명령[지령]. **6** 보류; 〖樂〗 연음 기호(𝄐): announce a ~ *on* all take-offs 모든 이륙을 보류할 것을 통고하다. **7** (미사일 발사 때의) 초(秒)읽기 중지. **8** 확보, 예약.
catch*[*get, lay, seize, take*] *hold of …을 붙들다, 파악하다, 장악하다; …을 이해하다; …을 손에 넣다.
***have a hold on*[*over*]** …에 지배력[위력·권력]을 가지고 있다, …의 급소를 쥐고 있다.
keep hold on …을 꼭 붙들고 있다.
***lay hold of*[(*up*)*on*]** …을 붙들다, …을 잡다(seize); 이해하다(grasp).
let go one***'s hold*** (***of . . .***) (…을) 붙들고 있는 손을 놓다[늦추다].
lose hold of …을 놓치다, …에서 잡고 있던 손을 놓다.
***take hold on*[*of*] . . .** (남의 마음 따위를) 사로잡다, 제어하다, 통제하다.
〚OE *healdan*; cf. G *halten*〛
類義語 ⟹ CONTAIN, HAVE.

hold[2] *n.* 〖海〗 선창; 배의 짐칸, 화물창; 〖空〗 (비행기의) 화물실: break out[stow] the ~ 선창에 뱃짐을 풀다[쌓다].
〚*holl* (obs.) <OE *hol* HOLE; 어형은 ↑에 동화; HELL, HELM[2], HOLLOW 따위와 같은 어원〛

hóld·àll *n.* 《주로 英》 (여행용의 큰) 잡동사니 자루, (천으로 만든) 대형 가방, (군용의) 잡낭.

hóld·bàck *n.* Ⓤ,Ⓒ 방해.

hóld-dòwn *n.* 멈춤쇠, 물림쇠; 억제.

hold·en [hóuldən] *v.* 《古》 HOLD[1]의 과거분사.

hóld·er *n.* **1** 보유자, 소유주, 소지인: ☞ STOCKHOLDER / a record ~ 기록 보유자. **2** 받치는 물건, 그릇: a pen ~ 펜대 / a cigaret(te) ~ 궐련용의 파이프, 홀더.

hóld·fàst *n.* **1** Ⓤ 꼭 붙들기. **2** 꽉 누르는 물건 《못·죔쇠·다짐쇠·거멀못·꺾쇠 따위》; (해초·기생 동물 따위의) 흡착 기관, 부착근(附着根).

hóld-hárm·less *a.* 《美》 (연방정부의 원조가) 주(州)정부[단체]의 일정 이상의 부담을 무조건으로 떠맡는, 면책의.

hóld·ing *n.* **1** Ⓤ 보유, 쥐는 것; 〖排球〗 홀딩《공을 잠시 받치고 있는 반칙》; 〖籠·蹴 따위〗 (팔이나 손 따위로 상대방을 훼방 놓는) 방해 행위. **2** **a)** Ⓤ 토지 보유 (조건), 점유; 소유권. **b)** Ⓒ [보통 *pl.*] 보유지; 보유물, (특히) 소유주(所有株), 보유주: ☞ SMALL HOLDING. —— *a.* 지연시키기 위한, 방해의; 일시적 보존[보유]용의; 〖空〗 착륙 대기(용)의: ~ operation 현상 유지책 / ~ fuel 대기 연료.

hólding còmpany *n.* 지주(持株)회사, (다른 회사의 주식을 가지고 있는) 모(母)회사.

hólding pàddock *n.* 《濠》 (털을 깎기 전에 양을 가두는) 임시로 울타리를 두른 터.

hólding pàttern *n.* 〖空〗 대기(待機) 경로《착륙 허가를 기다리는 비행기가 도는 타원형의 주회로(周回路)》; 대기(待機)[일시휴지(休止)](상태).

hóld·màn [-mən] *n.* 배안의 하역 인부.

hóld·òut *n.* 저항; 인내; 끝까지 버티는 사람; 동의[타협]하지 않는 사람[집단, 조직]; 《口》 (처우 개선을 요구하여) 계약 갱신에 응하지 않는 스포츠 선수; 행동 보류[불참]자.

hóld·òver *n.* 이월(移越); 잔존물; 유물; 잔류자; 재수자; 《美俗》 숙취(宿醉); 유치장; (기간) 연장 상연의 흥행물.

hóld tìme *n.* (로켓·미사일 발사에서 초읽기·일련의 작업을 일시 중단하는) 일시 대기시간.

hóld·ùp *n.* 《口》 **1** (열차·자동차·승객 등의) 불법 억류; (특히 권총을 들이대는) 강도. **2** (운수(運輸) 따위의) 정체(停滯), 방해(stoppage).
—— *attrib. a.* 강탈하는: a ~ man 노상 강도.

◇hole [hóul] *n.* **1** 구멍, 구덩이; 갈라진 곳, 틈구멍; (의류 따위의) 찢어진[터진] 곳; 갱(pit); (도로 따위의) 패인 곳, 구덩이; (짐승의) 소굴(burrow); 토굴, 토옥; 형편없는 거처[숙소]: He dug a ~ in the ground. 땅에 구멍을 팠다 / that wretched ~ of a house 저 누추한 토굴 같은 집. **2** 《口》 꼼짝할 수 없는 곤경; 결함. **3** **a)** 〖골프〗 홀《공을 쳐넣는 구멍》; (공을 홀에 넣은) 득점. **b)** 티(tee)에서 홀에 이르는 구간.
burn a hole in one***'s pocket*** ☞ BURN.
every hole and corner 빈틈없이, 구석구석까지, 샅샅이.
in (***no end of***) ***a hole*** 《口》 (바닥 없는) 수렁에 빠져, 궁지에 빠져.
in the hole 《口》 적자가 나서: I'm fifty dollars *in the* ~ this month. 이 달은 50달러 적자다.
like a rat in a hole 독안에 든 쥐처럼.
make a hole in …에 구멍을 뚫다; …에 거액을 소비하다.
pick holes*[*a hole*] *in …에 구멍을 내다; 《비유》 …의 흠을 찾다.
—— *vt.* **1** [+目/+目+前+名] …에 구멍을 뚫다; …에 구멍을 파다(dig); (터널을) 파다: They ~*d* a tunnel ***through*** the hill. 그 언덕을 뚫어 터널을 팠다. **2** (토끼 따위를) 굴에 몰아넣다; (골프 공을) 홀에 쳐넣다〈*out*〉.
hole out 〖골프〗 공을 홀에 쳐넣다: ~ *out* in one 일타(一打)로 공을 홀에 쳐넣다.
hole up 동면(冬眠)하다.
〚OE *hol*; cf. HOLD[2], G *Höhle*〛
類義語 ***hole*** 움덩이, 구멍을 나타내는 가장 일반적으로 쓰는 말: a *hole* in the ground (땅의 웅덩이). ***hollow*** 고체내의 공간으로 표면에 이르고 있거나 이르고있지 않아도 무방함: a *hollow* in a tall tree (키 큰 나무의 빈 속). ***cavity*** hollow에 대한 전문적인 말: the *cavity* in a tooth (치아의 강(腔)). ***cave,*** 《文語》 ***cavern*** 천연 또는 인공의 동굴: *cave* dwellers (동굴에 사는 사람). ***excavation*** 땅을 파서 만든 넓은 hole.

hóle-and-córner *a.* 《口》 비밀의, 은밀한.

hóle càrd *n.* **1** (스터드포커에서) 홀 카드《펴보일 때까지 엎어 놓는 패》. **2** (교섭 따위에서) 생각지 않은 중요성을 발휘하는 행동(능력); 비장의 수법, 으뜸패.

hóle in óne *n., vi.* 〖골프〗 홀 인 원(을 하다).

hóle-in-the-wáll *a., n.* (찾기 힘든) 누추한[조그마한] (장소).

hóle·pròof *a.* **1** (천이) 구멍이 잘 나지 않는. **2** (법률이) 빠져나갈 구멍이 없는.

hóle pùncher *n.* 펀처《구멍 뚫는 사무용품》.

hóley *a.* 구멍투성이의.

hol·i·but [háləbət] *n.* =HALIBUT.

-hol·ic [hɔ́(:)lik, hóu-, hál-] *n. comb. form* = -AHOLIC: computer*holic*.

◇hol·i·day [hálədèi, -di] *n.* **1** (공)휴일, 휴업일 (↔*workday*): a legal ~ 법정 휴일 / Sunday is a ~ in Christian countries. 일요일은 기독교 나라에서는 휴업일이다. **2** 〖宗〗 주일(主日), 성일

(聖日), 축제일(holy day) : a national ~ 국경일, 국민 축제일. **3** 휴가 ; [*pl.*] 《英》 긴 휴가, 휴가철(=《美》 vacation) : take a (week's) ~ (일주일의) 휴가를 얻다 / be home for the ~(*s*) 휴가로 귀향 중에 있다 / ☞ CHRISTMAS HOLIDAYS / the Easter ~*s* 부활절의 휴가《봄 휴가》/ the summer ~*s* 하기 휴가.
make a holiday of it 휴업하고 축하하다.
make holiday 휴업하다, (휴업하고) 쉬다.
on holiday 휴가를 얻어.
—— *a.* 휴일의, 휴가 중의 ; 축제일[휴일] 같은, 즐거운 ; 나들이하는 ; (평소와는 달리) 격식을 차린 : ~ clothes 나들이옷 / ~ English 격식 차린 영어.
—— *vi.* 《英》 휴가를 얻다, 휴가로 여행하다(=《美》 vacation).
〚OE *hāligdæg* (HOLY, DAY)〛

hóliday càmp *n.* 《英》 (해변의) 행락지(行樂地), 휴가촌(村).

hóliday·er *n.* 휴가를 얻은 사람, 휴가중인 사람.

hóliday héart sỳndrome *n.* 알코올 섭취에 의한 부정맥(不整脈)·급사 따위의 증후군.

hóliday·màker *n.* =HOLIDAYER.

hól·i·dàys *adv.* 휴일에(는), 휴일마다.

ho·lid·ic [hɑlídik, hou-] *a.* 〖生化〗 (식이(食餌) 따위) 성분이 화학적으로 완전히 규명된.
〚*hol-*, *-idic*〛

hólier-than-thóu *a.*, *n.* 《口·蔑》 몹시 성인인[신앙심이 깊은] 체하는 (사람), 잘난 체하는[남을 업신여기는] (놈).

hó·li·ly *adv.* 신성하게.

hó·li·ness *n.* **1** Ⓤ 신성한 것, 신성. **2** [His [Your] H~] 성하(聖下)《로마 교황의 존칭》.
〚OE *hālignes* ; ⇨ HOLY〛

Hol·ins·hed [hɑ́lənzhèd, -ʃèd ; -ʃèd], **-lings-** [-liŋz-] *n.* 홀린셰드. **Raphael** ~ (?-1580?) 영국의 연대기 편자.

ho·lism [hóulizəm] *n.* Ⓤ 〖哲·心·生〗 전체론《복잡한 체계의 전체는 단순히 각 부분의 기능의 총합(總合)이 아니라 각 부분을 결정하는 통일체라는 입장》; 전체론적 (관점에 입각한) 연구[방법].
ho·lis·tic [houlístik] *a.* **-ti·cal·ly** *adv.*

holla ☞ HOLLO.

Hol·land [hɑ́lənd] *n.* **1** 네덜란드《수도 Amsterdam ; The Hague는 왕궁 소재지》. ㊟ 공식명은 the Netherlands ; 형용사·국어명은 DUTCH. **2** Ⓤ [h~] 네덜란드 피륙《삼베의 일종》. **3** [*pl.*] (네덜란드산의) 진(=∠ **gín**). **~·er** *n.* 네덜란드 사람(Dutchman) ; 네덜란드 선박.
〚Du. *Holtlant* (*holt* wood, *-lant* land)〛

hól·lan·daise sàuce [hɑ́ləndèiz-, ⌐-⌐-] *n.* 네덜란드 소스《크림 모양의 생선·채소용 소스》.
〚F *sauce hollandaise*〛

hol·ler[1] [hɑ́lər] *vi.*, *vt.* 《口》 외치다, 고함치다, 큰 소리로 말하다. —— *n.* 외침, 큰 소리, 규환(叫喚). 〚변형(變形) ‹ HOLLO〛

holler[2] *a.*, *n.*, *adv.*, *v.* 《方》 =HOLLOW.

Hol·ler·ith [hɑ́ləriθ] *n.* 〖컴퓨〗 홀러리스 코드(=∠ **códe**)《펀치카드를 사용하는 영어 숫자 코드》.
〚Herman *Hollerith* (d. 1929) 미국의 기사〛

Hóllerith càrd *n.* 펀치[천공(穿孔)] 카드.

hol·lo, -loo, hol·loa [hɑ́lou, -⌐, 美+həlóu], **hol·la** [hɑ́lə, -lɑː, 美+hɑlɑ́ː, 美+həlɑ́ː] *int.* 어이!, 이봐!《주의·응답을 나타내는 소리》.
—— *n.* (*pl.* **~s**) (특히 사냥에서) hollo! 라고 지르는 소리. ——[hɑ́lou] *vi.*, *vt.* 큰소리로 외치다 ; (사냥개를) 부추기다‹*away*, *in*, *off*, *out*›.

〚F *holà* (*ho* HO[1], *là* there)〛

***hol·low** [hɑ́lou] *a.* **1** 텅빈, 속이 빈. **2** 우묵한, 움푹 들어간(sunk), 야윈 : ~ cheeks 야윈 볼 / ~ eyes 움푹 들어간 눈. **3** 허무한, 공허한, 덧없는(empty) ; 불성실한, 허울뿐인(false) : ~ compliments 겉치레말 / ~ pretense 허울좋은 핑계. **4** 공복의(hungry). **5** 《口》 완전한, 철저한(complete). —— *n.* **1** 우묵한 것, 움푹 들어간 것(depression) : the ~ of the hand 손바닥 / the ~ of the neck 목 뒤의 움푹 들어간 곳. **2** 우묵한 땅, 분지(盆地)(basin), 골짜기. **3** 구멍(hole) ; 공동(空洞), (나무 밑동·바위의) 빈 속.
—— *adv.* 텅 비어 ; 《口》 전혀, 아주(completely) : beat a person (all) ~ 남을 사정없이 때려눕히다[해치우다]. —— *vt.* 움푹 들어가게 하다, 후벼내다 ; (동굴을) 파내다‹*out*›. —— *vi.* 우묵하게 들어가다. **~·ly** *adv.* **~·ness** *n.*
〚OE *holu*, *holh* cave ; HOLE과 같은 어원 ; cf. G *hohl*〛
類義語 ⟹ HOLE.

hól·lo·wàre [hɑ́lou-] *n.* =HOLLOWWARE.

Hol·lo·way [hɑ́ləwei] *n.* (런던의) 홀로웨이 교도소《미결 여죄수를 수용》.

hóllow-èyed *a.* 눈이 (움푹) 들어간.

hóllow fóot *n.* 〖醫〗 오목발, 요족(凹足).

hóllow-héart·ed *a.* 불성실한. **~·ness** *n.*

hóllow lég(s) *n.* 많이 먹어도 살찌지 않는 체질 ; 《俗》 술고래.

hóllow tóoth *n.* [자조적으로] 런던 경찰청(New Scotland Yard)《부패의 뜻으로 씀》.

hóllow wáll *n.* =CAVITY WALL.

hóllow·wàre *n.* Ⓤ 오목한 식기류(食器類)《dish, bowl, cup, kettle 따위 ; cf. FLATWARE 1》.

hóllow-wìre *n.* 구멍 뚫린 철사.

hol·ly [hɑ́li] *n.* Ⓤ 〖植〗 호랑가시나무《열매는 익으면 진홍색이 됨》; 호랑가시나무의 가지《크리스마스 장식용》. 〚OE *hole*(*g*)*n* ; cf. G *Hulst*〛

hólly·hòck *n.* 〖植〗 접시꽃.
〚ME=marsh marrow (HOLY, *hock* (obs.) mallow<OE *hoc*〛

Hol·ly·wood [hɑ́liwùd] *n.* **1** 할리우드《미국 Los Angeles 시의 한 구(區)로 영화 제작의 중심지》. **2** 미국 영화계[산업]. —— *a.* (복장 따위가) 화려한, 야한 ; 젠체하는, 부자유스러운.

Hóllywood Bòwl *n.* 할리우드의 원형극장.

Hóllywood kìss *n.* 《美東部俗》 해고(kiss-off).

holm[1] [hóum] *n.* =HOLM OAK ; 《方》 =HOLLY.
〚*holm* (dial.) holly ‹ *holin* ; ⇨ HOLLY〛

holm[2], **holme** [hóum] *n.* 《英》 **1** 강변의 낮은 땅. **2** 강·호수 가운데의 섬, (삼각주의) 강 가운데의 모래톱 ; (본토 부근의) 작은 섬. ㊟ 영국의 지명에 많음. 〚ON *holmr*〛

Holmes [hóumz] *n.* **1** 홈스. **Oliver Wendell** ~ (1809-94) 미국의 시인·수필가·소설가·의학자. **2** ☞ SHERLOCK. 〚HOLM[2]〛

hol·mi·um [hóu*l*miəm] *n.* Ⓤ 〖化〗 홀뮴《희토류 금속 원소 ; 기호 Ho ; 번호 67》.
〚NL (*Holmia* Stockholm)〛

hólm òak *n.* 〖植〗 구골나무와 같은 잎을 가진 떡갈나무, (특히) 사철가시나무.

holo- [hóulou, hɑ́lou, -lə] ☞ HOL-.

Hol·o·caine [hɑ́ləkèin, hóu-] *n.* Ⓤ 〖藥〗 홀로카인《국부 마취제 ; 상표명》.

holo·caust [hɑ́ləkɔ̀ːst, hóu-] *n.* **1** 〖宗〗 유태교의 전번제(全燔祭)《짐승을 통째 구워 신 앞에 바치는 제사》. **2** 전소사(全燒死), 대학살, [the H~]

(나치에 의한) 유태인 대학살, 홀로코스트 ; 대파괴. 〖OF<L<Gk. (*holo-*, *kaustos* burnt)〗
Hólo·cène *a.*, *n.* [the ~] 〔地質〕 충적세(沖積世)(의) (Recent).
holo·crine [hάləkrən, -krìːn, -kràin, hóu-] *a.* 〔生理〕 전(全)분비의.
hólo·gràm *n.* 〔光〕 홀로그램《holography에 의해 기록된 간섭(干涉) 도형》.
〖*holo-*+*-gram*〗
hólo·gràph[1] *n.*, *vt.* HOLOGRAM(으로 기록하다).
〖역성(逆成)<↑; *telegram* : *telegraph*의 유추〗
holograph[2] *n.* 자필의 문서[증서]. —— *a.* 자필의. 〖F or L<Gk. (*holo-*, *-graph*)〗
ho·log·ra·phy [hαlάgrəfi, hou-] *n.* Ⓤ 〔光〕 입체 영상, 홀로그래피《가간섭성(可干涉性)의 빛에 의한 물체의 기록 재생 기술》.
hòlo·gráph·ic, -i·cal *a.* **-i·cal·ly** *adv.*
hò·lo·gý·nic [-dʒínik] *a.* 〔遺〕 한자성(限雌性)의 (↔*holandric*).
hòlo·hédral *a.* 〔結晶〕 완전면(完全面)의.
hòlo·hédron *n.* Ⓤ 〔鑛〕 완전면(完全面) 결정체.
hol·on [hάlən] *n.* 〔哲〕 홀론《보다 큰 전체 속의 하나의 전체》; 〔生態〕 생물과 환경의 총합체(biotic whole). 〖Gk. *holos* whole에서 1970년 Arthur Koestler의 조어〗
hólo·phote [-fòut] *n.* 전광(全光)반사 장치, 완전 조광경(照光鏡)《등대 따위의 등불의》.
hòlo·phrás·tic [-fræ̃stik] *a.* 많은 개념을 한 단어로 표현하는.
hòlo·scóp·ic [-skάpik] *a.* 전체를 시야에 넣은, 총합적인.
ho·lo·thu·ri·an [hòulouθjúriən, hὰl-; -θjúər-] *n.*, *a.* 〔動〕 해삼(의).
〖Gk. *holothourion* zoophyte〗
holp [hóulp], **holped** [hóulpt] *v.* 《古》 HELP의 과거형.
holp·en [hóulpən] *v.* 《古》 HELP의 과거분사.
hols ☞ HOL.
Hol·stein [hóulstain, -stiːn] *n.* 홀스타인종《네덜란드 원산의 흑백의 얼룩이 있는 우량 젖소》.
hol·ster [hóulstər] *n.* 가죽 권총집. —— *vt.* (권총을) 가죽 권총집에 넣다. 〖Du.; cf. ON *hulstr* sheath, OE *heolster* darkness〗
holt[1] [hóult] *n.* 《古·方·詩》 잡목림(雜木林) ; 잡목산. 〖OE〗
holt[2] *n.* 짐승의 굴, 수달의 굴.
〖HOLD[1]〗
ho·lus-bo·lus [hóuləsbóuləs] *adv.* 《口》 단숨에, 순식간에, (통째로) 꿀꺽.
〖*whole bolus*의 sham L〗
***ho·ly** [hóuli] *a.* **1 a**) 신성한 ; 깨끗한 ; 신에게 바치는 : ~ bread[loaf] 성찬식[미사]용의 빵 / ~ ground 성지 / a ~ place 성지(聖地) ; (유태 신전의) 성소(聖所) / a ~ war 성전(聖戰)《십자군의 원정 따위》. **b**) [the H~] 지성자(至聖者)《그리스도·신의 존칭》. **2** 거룩한 ; 신앙심 깊은 ; 덕높은, 성자의 : a ~ man 성자 / live a ~ life 신앙 생활을 하다. **3** 다가가기 어려운, 무서운. **4** 《口》 지독한, 심한. —— *n.* 신성한 것[장소].
〖OE *hālig* (⇨ WHOLE) ; cf. G *heilig*〗
類義語 ***holy*** 종교적으로 깊이 존경받고 있는, 신성한 : Jerusalem is a *holy* city. (예루살렘은 신성한 도시다). ***sacred*** holy하고 불가침한 것으로서 어떤 숭고한 목적에 바쳐진 : a *sacred* temple (신성한 사원). ***divine*** 신의 성질[성격]을 지닌, 신께서 주신 : the *divine* right of kings (신이 주신 군주권(君主權)).

Hóly Allíance *n.* [the ~] 신성동맹(神聖同盟)《러시아·오스트리아·프로이센 사이에 1815년에 결성되어 1825년까지 지속됨》.
Hóly Bíble *n.* [the ~] 성서.
Hóly Cíty *n.* [the ~] 성도(聖都)《Jerusalem, Mecca, Benares 따위》; 천국.
Hóly Commúnion *n.* 〔基〕 성찬식 ; 〔카톨릭〕 영성체(領聖體).
Hóly Cróss Dày *n.* [the ~] 성 십자가 현양 축일 《9월 14일》.
hóly dày *n.* 성일(聖日)《일요일 이외의 종교상의 축일·금식일 따위》.
holy day of obligation 〔카톨릭〕 의무적 축일《미사에 참여하고 쉬면서 심한 육체 노동을 하지 않음》.
Hóly Fámily *n.* [the ~] 성가정(도(圖))《아기 예수, 성모 마리아, 성 요셉의 한 가족을 묘사한 그림[조각]》.
Hóly Fáther *n.* [the ~] 로마 교황.
Hóly Ghóst *n.* [the ~] 성령《삼위 일체의 제3위 ; 그리스도를 통하여 인간에게 작용하는 신령》.
Hóly Gráil *n.* [the ~] 성배(聖杯).
Hóly Hóur *n.* 성시간(聖時間)《성체 앞에서의 묵상·기도 시간》.
Hóly Ínnocents' Dày *n.* [the ~] 죄없는 영아(嬰兒) 순교의 날(Childermas)《Herod 왕의 명으로 Bethlehem의 유아(幼兒)가 살해된 기념일 ; 12월 28일》.
Hóly Jóe *n.* 《口》 군목, (종군) 목사[신부], (널리) 성직자 ; 독신자(篤信者) ; 《俗》 몹시 경건한 체하는 녀석. —— *a.* 몹시 경건한 체하는, 우쭐거리는, 독실한 체하는.
Hóly Lànd *n.* [the ~] 성지《Palestine》.
Hóly Móther *n.* 성모 (마리아).
hóly náme *n.* [the ~] 〔카톨릭〕 (그리스도의) 성명(聖名).
hóly númber *n.* 신성숫자, 성수《7을 뜻함》.
Hóly Óffice *n.* [the ~] 〔카톨릭〕 (로마 교황청의) 검사 성성(檢邪聖省), 신앙 교리 성성《신앙·도덕 문제를 다룸》; [the ~] 이단 심문소.
hóly of hólies *n.* [the ~] (유태 신전(神殿)의) 지성소(至聖所) 《신(神)의 계약의 궤가 놓여 있음》, 《비유》 가장 신성한 장소.
〖L SANCTUM SANCTORUM의 역(譯)〗
hóly óil *n.* 성유(聖油).
Hóly Òne *n.* [the ~] 성스러운 사람《그리스도 ; 천주, 하나님》.
hóly órder *n.* [흔히 H~ O~] 상급 성직[성품(聖品)] ; [*pl.*] 서품식(敍品式) (ordination) ; [*pl.*] 〔카톨릭〕 (성직의) 성품(聖品) ; 성직 ; 〔英國教〕 주교와 사제와 집사 : take ~*s* 성직자가 되다, 목사[신부]가 되다.
Hóly Róller *n.* 《美·蔑》 예배·전도집회 따위에서 열광하는 종파[(특히) 오순절파]의 신자.
Hóly Róller·ìsm *n.* 열광적 신앙.
Hóly Róman Émpire *n.* [the ~] 신성 로마제국《962-1806년간의 독일 제국의 칭호》.
Hóly Róod *n.* [the ~] (그리스도가 처형당한) 성 십자가 ; [보통 h~ r~] 십자가상(像).
Hóly Sáturday *n.* 성(聖) 토요일《부활절 전주의 토요일》.
Hóly Scrípture *n.* [the ~] 성서(the Bible).
Hóly Sée *n.* [the ~] 〔카톨릭〕 (로마의) 성좌(聖座) ; 교황청, 성성(聖省).
Hóly Spírit *n.* [the ~] =HOLY GHOST.
hóly·stòne *n.*, *vt.* 〔海〕 갑판용 마석(磨石)(으로 닦다). 〖*bibles* 따위로 불리운 돌로, 무릎을 꿇고

사용한데서》
hóly térror *n.* 무서운 사람 ; 《口》 매우 귀찮은 존재, 못된 녀석[아이], 고집센 개구쟁이.
Hóly Thúrsday *n.* (그리스도의) 승천 축일 (Ascension Day) ; 〖카톨릭〗 성 목요일《부활절 전 주의 목요일》.
hóly wàter *n.* 〖카톨릭〗 성수(聖水) ; (불교의) 정화수.
Hóly Wèek *n.* [the ~] 성(聖)주간, 수난주(受難週) (Passion Week)《부활절전의 한 주간》.
Hóly Wíllie *n.* 독실한 신자인 체하는 위선자.
Hóly Wrít *n.* [the ~] 성서(the Bible) ; 절대적 권위가 있는 서적[발언].
hom- [hóum, hám], **ho·mo-** [-mou, -mə] *comb. form* 「동일의」「동류의」「〖化〗 동족(同族)의」의 뜻(↔*heter-*, *hetero-*). ㊟ 일반적으로 그리스계의 말에 쓰임.
〖Gk. *homos* same〗
Hom. Homer.
hom·age [hámidʒ, 美+ám-] *n.* Ⓤ 경의 ; (봉건 시대의) 신하의 예, 충성(의 선서) ; 주종관계 : do [pay, render] ~ to …에게 신하의 맹세를 하다 ; 경의를 표하다. ── *vt.* 《古·詩》 경의를 표하다.
〖OF (L *homo* man)〗
類義語 ⟹ HONOR.
hom·bre[1] [ámbrei, -bri] *n.* 《美南西部》 남자, 녀석. 〖Sp.〗
hombre[2] ☞ OMBRE.
hom·burg [hámbəːrg] *n.* [흔히 H~] 홈부르크 모자《챙이 좁은 중절 모자의 일종》. 〖*Homburg* 19세기말 이 모자가 최초로 유행한 독일의 온천 휴양지〗

homburg

◇**home** [hóum] *n.* **1 a**) [때때로 Ⓤ] 나의 집, 자택 : There's nothing like ~. 내 집보다 나은 데는 없다 / a letter from ~ 집[고향]에서 온 편지. **b**) 가정(household) ; Ⓤ 가정 생활 : a sweet ~ 즐거운 가정 / the joys of ~ 가정 생활의 단란한 즐거움. ㊟ 《美》에서는 때때로 house (가옥, 주거)의 뜻으로도 씀 : the Smith ~ 스미스 집, 스미스 댁 / He has two ~*s*. 집을 두 채 가지고 있다. **c**) [보통 Ⓤ] 생가(生家) ; 고향 ; 본국, 고국 : Where is your ~? 고향은 어디입니까 / He left ~ for the States. 고국을 떠나 미국으로 향했다. **2** (탐험대 따위의) 기지, 본부 ; 원산지, 서식지, 본고장(habitat)〈*of*〉; 발상지, 본가, 본원(本源)〈*of*〉. **3** 안식처, 숙박소, 홈 ; 요양[시료]소, 양육[고아]원《따위》; 수용소 : a sailors' ~ 선원 숙박소 / a ~ for the blind 맹인의 집. **4** 〖競〗 결승점(goal) ; (놀이에서) 진(陣) ; 〖野〗 홈 베이스(=home base).
at home (1) 집에 있는 ; 자기가 살고 있는 지역에서 ; 집에 있는 날[면회일]인 : I am not *at* ~ *to* anybody today. 오늘은 누구와도 면회를 사절한다 / Is the match *at* ~ or away? (축구·야구에서) 그 시합은 홈경기인가 어웨이 경기인가. (2) 자기 나라에, 본국에(↔*abroad*). (3) 마음 편하게, 편히 쉬면서 : He felt himself *at* ~. 마음이 편했다 / Please make yourself *at* ~. 부디 편히 쉬십시오. (4) 익숙하여, 정통해서, 숙달하여 : Penguins are very much *at* ~ *in* the water. 펭귄들은 물에 아주 익숙하다 / He is *at* ~ *in* modern English poetry[*on* this subject]. 현대 영시(英詩)[이 문제]에 정통하다 / Einstein was *at* ~ *with* all questions of relativity. 아인슈타인은 상대성 이론에 관한 모든 문제에 정통하였다.

〈회화〉
Is your father *at home*? — No, he's not back from work yet. 「아버지께서는 집에 계시니」「아뇨, 직장에서 아직 안 돌아오셨어요」

from home 부재중으로, 외출중이어서 ; 집[본국 따위]을 떠나서.
go to one***'s long*** [***last, lasting***] ***home*** 영면(永眠)하다.
a home from home (마음이 편한 점에서) 마치 자기집 같은 곳.
── *a.* **1** 내집의 ; 가정의 : ~ life 가정 생활 / ~ study (가정에서의) 자습 / a ~ task 숙제 / ~ work ☞ HOMEWORK. **2** 고향의 ; 자국[본국]의 ; 국내의, 내정(內政)상의(domestic) (↔*foreign*) : ~ consumption 국내 소비 / ~ industries 국내 산업 / a ~ market 국내 시장 / ~ products 국산품. ㊟ 《美》에서는 native city [country, land, town]를 home city, *etc.* 이라고 하는 수가 많음(cf. HOMETOWN). **3** 본부의. **4** 〖競〗 결승의 ; 〖野〗 홈 베이스(생환)의. **5** 급소를 찌르는, 통렬한(cf. *adv.* 3) : a ~ question 정곡을 찌르는 질문 / a ~ thrust 급소를 찌르기 ; 약점을 찔리기 / a ~ truth 신경을 건드리는 불쾌한 사실[진실] ; 명백한 사실의 진술.
── *adv.* **1 a**) 내집으로 ; 자기 나라로, 고국으로 : come[go] ~ 내집[본국]으로 돌아가다(cf. 3) / send[write] ~ 본국으로 보내다[편지를 쓰다] / see a person ~ 남을 집까지 바래다 주다 / He was on his[the] way ~. 집에 돌아가는 길이었다, 귀가 도중이었다. **b**) (자택·자국에) 돌아가서 : He is ~. 돌아오고 있다, 귀성(歸省)중이다《'come home'의 관념을 수반하는 경우에 씀 ; cf. He is *at* ~.》. **c**) 《美》 집에 있어, 집에서 안 나가고(at home) : I stayed[was] ~ all day. 하루종일 집에 있었다. **2** 〖野〗 홈 베이스에. **3** 힘차게 (찌르는), (급소에 이르도록) 푹 ; (못 따위를) 깊이, 충분히 ; 철저하게, 통렬히, 심금을 울리도록(cf. *a.* 5) : drive a nail ~ 못을 깊이 처박다 / come ~ (*to*...) (…이) 절실히 (…의) 가슴에 사무치다(cf. 1).
bring . . .home to a person 남에게 …을 간절히 호소하다, …을 남에게 확신시키다 ; (죄과 따위를) 남에게 절실히 자각시키다.
bring one***self home*** (재정적으로) 다시 일어서다, 신분[지위]을 회복하다.
get home (1) 돌아오다. (2) 적중하다 : *get* ~ *on* a person 남의 급소를 찌르다. (3) (결승점에) 1착으로 도착하다. (4) 충분히 이해시키다〈*to*〉.
go home (1) 귀가[귀국]하다 ; 《口》 죽다. (2) (총알 따위가) 적중하다 ; 급소를 찌르다 ; 마음에 호소하다.
nothing to write home about 이렇다하게 내세워 말할 만한 것도 없는 것, 하찮은 일.
── *vi.* **1** 집으로[근거지로, 보금자리로] 돌아오다 : be *homing* from abroad 귀국하는 도중이다. **2** 집·근거지를 마련하다[갖다]. **3** (미사일 따위가) 유도되다〈*in, on*〉. **4** 좌표에 의해 항해하다. ── *vt.* **1** 집에 돌려 보내다. **2** …에 집을[안식처를] 갖게 하다 ; …에게 본거지를 마련해 주다, …의 본거지를 정하다 : ~ oneself 집을 장만하다. **3** (비행기·미사일 따위를) 자동 조종으로 항진[착지]시키다.
〖OE *hām* village, home ; cf. G *Heim*〗
類義語 ⟹ HOUSE.
ho·me-, -moe-, -moi- [hóumi, hámi], **-meo-,**

-moeo- [-miou, -miə], **-moi-** [houmɔ́i], **-moio-** [-mɔ́iou, -ə] *comb. form* 「유사한」의 뜻. 〖Gk. *homoios* like ; cf. HOM-〗
hóme affàirs *n. pl.* 국내사정, 내정, 내무.
hóme automátion *n.* 가정생활 자동화.
hóme bànking *n.* 홈 뱅킹《가정에서 단말기를 이용한 은행거래》.
hóme báse *n.* 〖野〗 홈 베이스(home plate) ; = HEADQUARTERS.
hóme-bèat *n.* (경찰관의) 자택 부근의 순찰[담당] 구역.
hóme·bòdy *n.* 《美口》 집에 틀어박혀 있는 것을 좋아하는 사람, 가정적인 사람(stay-at-home).
hóme·bòrn *a.* 본국에서 태어난 ; 본토박이[토착]의(native).
hóme·bóund *a.* 본국행[귀환]의, 귀항(歸航)의 (↔*outward-bound*).
hóme bòy *n.* (*fem.* **hóme gìrl**, [집합적으로] **hóme pèople**) 《美黑人學生俗》 한 고향사람, 동향인.
hóme·bréd *a.* 자택[자기 나라]에서 양육된 ; 국산의 ; 《古》 세상 물정을 모르는, 남과의 교제가 세련되지 못한.
hóme bréw *n.* 자가 양조 음료《술 따위》.
hóme-bréwed *a.* 자가 양조의. ── *n.* Ⓤ 자가 양조의 술.
hóme·bùild·er *n.* 《美》 주택 건설업자.
hóme·bùild·ing *n.* 주택 건설.
hòme·buílt *a.* 수제(手製)의, 자가제의(homemade).
hóme càre *n.* 자택 요양[치료].
Hóme Círcuit *n.* London을 중심으로 한 순회(巡廻) 재판구(區).
hóme·còming *n.* Ⓤ 귀가, 귀성(歸省), 귀향 ; 귀국 ; Ⓒ 《美》 (대학 따위에서 개최하는) 동창회.
hóme compúter *n.* 가정용 소형 컴퓨터, 가정용 전산기.
hóme cóoking *a., n.* 가정요리(의) ; 《美俗》 만족시키는 (일), 즐거운 (일).
hóme contróller *n.* 주택내 제어 기기《밖에서 전화로 생활 기기(機器)를 제어함》.
Hóme Cóunties *n. pl.* [the ~] 《英》 London 주변의 여러 주《특히 Essex, Kent, Surrey 및 때로는 Buckinghamshire, Berkshire, Hertford, East Sussex, West Sussex도 포함함》.
Hóme Depártment *n.* [the ~] 《英》 =the HOME OFFICE.
hóme éc [-ék] *n.* 《美學生俗》 =HOME ECONOMICS.
hóme económics *n.* 가정학 ; 가정과.
hóme ecónomist *n.* 가정학자, 가정과 선생.
hóme fàrm *n.* 《英》 (지방 대지주의) 자작 농장.
hóme·fèlt *a.* 절실한, 가슴에 사무치는 ; 마음 편하고 즐거운.
hóme fìre *n.* 화로[벽난로]의 불 ; [*pl.*] 가정(생활) : keep the ~*s* burning 후방(後方) 생활을 지키다, 가정 생활을 계속해 나가다《제 1 차 세계대전 중에 영국에서 유행한 노래 구절에서》.
hóme·fòlk, -fòlks *n. pl.* 고향의 가족[친척, 친구 등].
hóme frée *a.* 《俗》 틀림없이 성공하는[이기는], 낙승의 ; (노력한 후에) 여유가 생긴, 상응하는 지위를 얻은.
hóme fríes *n. pl.* 삶은[날] 감자 튀김《가루를 묻히지 않고 튀김》.
hóme frònt *n.* 국내 전선, (전장의) 후방《사람들 및 그 활동》.
home girl ☞ HOME BOY.
hóme gròund *n.* 홈 그라운드《팀 소재의 경기장》, 본거지 ; 잘 아는 분야[제목].
hóme·grówn *a.* 국산의 ; 토착의.
hóme guárd *n.* 《美》 지방 의용병 ; [the H~ G~] 《英》 국토 방위군 ; 《美俗》 한 직장의 장기 근속자, (거리의) 자리 잡은 걸인.
hóme héalth *n.* 가정 건강[보건].
hóme hélp *n.* 《英》 가정부, 가사를 거드는 사람.
hóme índustry *n.* 가내(家內) 공업.
hóme·kèep·er *n.* 집에만 틀어박혀 있는 사람.
hóme·kèep·ing *a.* 집에만 틀어박혀 있기 좋아하는, 집에만 있는.
hóme·lànd [ˊ, -lənd] *n.* 자기 나라, 고국.
hóme·less *a.* 집이 없는 ; 기르는 주인이 없는. **~ness** *n.*
hóme·lìke *a.* 자기집에 있는 듯한 ; 아주 마음이 편한, 흘가분한, 아늑한. **~·ness** *n.* Ⓤ 마음이 편함, 흘가분함.
hóme lòan *n.* 주택 자금 대부 ; 내국채(債).
hóme·ly *a.* **1** 내집과 같은, 가정적인(homelike), 친절한. **2** 꾸밈없는, 검소한, 수수한(plain) ; 소박한(unpretending), 세련되지 않은 : Home is home, be it ever so ~. 아무리 구차해도 가정처럼 좋은 데는 없다. **3** 흔히 있는(familiar). **4** 《美》 보기 흉한(plain, ugly).
-li·ness *n.* Ⓤ 가정적임 ; 검소, 소박.
***hóme·máde** *a.* 손으로 만든, 자가제(自家製)의 ; 국산의.
hóme·màker *n.* 주부(housewife).
hóme·màking *n., a.* 살림살이(의), 가사(의), 가정의.
hóme móvie *n.* 자가(自家) 제작 영화 ; 자신(들)을 영화화한 것.
homeo- [hóumiou, -miə] ☞ HOME-.
hóme óffice *n.* 본사(本社), 본점(cf. BRANCH OFFICE).
Hóme Óffice [ˊ, 英+ˊˊ] *n.* [the ~] 《英》 내무부(內務部).
homeo·path [hóumiəpæ̀θ], **-me·op·a·thist** [hòumiάpəθəst] *n.* 〖醫〗 동종 요법 의사(同種療法醫師).
ho·meo·path·ic [hòumiəpǽθik] *a.* 〖醫〗 동종요법(同種療法)의. **-i·cal·ly** *adv.*
ho·me·op·a·thy [hòumiάpəθi] *n.* Ⓤ 〖醫〗 호메오파시, 동종(同種)[유사]요법(↔*allopathy*).
hòmeo·stásis *n.* (*pl.* **-ses**) Ⓤ 〖生理〗 호메오스타시스, 항상성(恒常性)《생체내의 균형을 유지하려는 경향》 ; (사회 조직 따위의) 평형 유지력. **-státic** *a.*
hòmeo·thérapy *n.* 〖醫〗 동종(同種) 요법《어떤 질환과 같은 증상을 일으키게 하는 약제를 소량 투여하여 그 질환을 치료하는 요법》.
hóme·òwn·er *n.* 제 집을 가진 사람, 자기집 소유자.
home people ☞ HOME BOY.
hóme pérmanent[**pérm**] *n.* 자택에서 하는 퍼머넌트 (용품[세트]).
hóme pìece *n.* 《美俗》 같은 교도소에 수감되기 이전부터의 친구.
hóme·plàce *n.* 출생지, 출신지, 고향집.
hóme pláte *n.* 〖野〗 홈 베이스(home base) ; 《美空軍俗》 귀환지.
hóme pòrt *n.* 모항(母港), (선박의) 소속항.
hóme-pòrt *vt.* (함대의) 모항을 설정하다 ; (함선을) 항구에 항시 배치하다. ── *vi.* (함선이) …을 모항으로 하다, 모항화하다〈*at*〉.

hom·er [hóumər] *n.* **1** 〔野〕 =HOME RUN. **2** 전서(傳書) 비둘기(homing pigeon). —— *vi.* 《口》 홈런을 치다. 〖HOME〗

Ho·mer *n.* 호머《고대 그리스의 시인; *Iliad*와 *Odyssey*의 작가》: (Even) ~ sometimes nods. ☞ NOD *vi.* 2. 〖Gk.=a security or pledge〗

hóme ránge *n.* 〔生態〕 (정주성(定住性) 동물의) 서식 범위, 행동권.

Ho·mer·ic [houmérik] *a.* 호머(풍)의; 호머 시대의; 규모가 웅장한, 당당한: ~ laughter 참지 못하여 터뜨리는 대폭소《헤파이스토스가 절름거리는 모습을 Homer의 시(詩) *Iliad* 속의 신들이 웃은 데서》. —— *n.* =OLD IONIC. 〖L<Gk.; ⇒ HOMER〗

hóme·ròom *n.* 《美》〔教〕 홈룸《학급 전원이 모이는 교실[시간]》.

hóme rúle *n.* **1** Ⓤ 내정(內政)[지방] 자치. **2** Ⓤ [H~ R~] 《英》 아일랜드의 자치.

hóme rún *n.* 홈런; 홈런에 의한 득점: a ~ hit.

hóme schóoling *n.* 〔教〕 자택 학습《유자격 교원이 행하는》.

hóme scréen *n.* 텔레비전.

Hóme Sécretary *n.* 《英》 내무 장관, 내상.

hóme sèlling *n.* (호별) 방문 판매.

***hóme·sìck** *a.* 향수병(病)의. **~ness** *n.* Ⓤ 향수(nostalgia).

hóme sígnal *n.* 〔鐵〕 장내(場內) 신호기《역구내 진입을 알리는》.

hóme·sìte *n.* (집의) 대지, 소재지.

hóme·spùn *a.* 손으로 짠; 소박한, 세련되지 못한, 조야(粗野)한, 수수한. —— *n.* Ⓤ 수직물; 홈스펀《손으로 뽑은 굵은 실로 거칠게 짠 (모)직물, 현재에는 기계로 짠 것이 많음》.

hóme stànd *n.* 〔野〕 본거지 시리즈《홈 그라운드에서 행해지는 일련의 시합》.

hóme·stày *n.* 《美》 홈스테이《외국인 학생이 일반 가정에 체재하는 것》.

home·stead [hóumstèd, -stəd] *n.* **1** 주택, (특히) 부속 건물이 딸린 농가(farmstead). **2** 《美·Can.》 자작 농장《입주자에게 이양됨》. **3** 〔法〕 택지(宅地). **~·er** *n.* 《美》 (자작 농장이 부여돼 있는) 입주자; homestead의 소유자. 〖OE *hāmstede* (STEAD)〗

Hómestead Àct *n.* [the ~] 《美》 홈스테드법《5년간 정주한 서부의 입주자에게 공유지(公有地)를 160에이커씩 불하할 것을 제정한 1862년의 연방 입법(法)》.

hómestead·ing *n.* 《美》 =URBAN HOMESTEADING.

hómestead làw *n.* 《美》 가산(家產) 압류 면제법《homestead를 강제 매각이나 압류에서 보호하는 법》; 공유지 불하법, 가산법(家產法), (특히) =HOMESTEAD ACT.

hóme stráight *n.* 《英》 =HOMESTRETCH.

hóme·strétch *n.* 〔競〕 최후의 직선 코스, 홈스트레치(cf. BACKSTRETCH); 《美》 (일의) 최종 부분, 막판에 집중시키는 총력.

hóme tèrminal *n.* 〔컴퓨〕 가정용 단말기.

hóme·tówn *n.* 《美》 고향(의 도시), 출생지; 주된 거주지.

hóme·ward *a.* 집으로 돌아가는, 귀로의; (본국으로) 귀항(歸航)하는. —— *adv.* 집쪽으로; 본국으로. **~s** *adv.* =HOMEWARD. 〖OE *hāmweard* (-*ward*)〗

hómeward-bóund *a.* 본국으로 향하는, 귀항(歸航) (중)인(↔*outward-bound*).

‡**hóme·wòrk** *n.* **1** Ⓤ 가정에서 하는 일, 가내 공업; 내직(cf. HOUSEWORK). **2** Ⓤ 숙제, 예습; (회의 따위의) 사전 준비.

hóme·wòrk·er *n.* 집안일을 돕는 사람《하녀·정원사 등》.

hom·ey, homy [hóumi] *a.* 《美口》 가정의[다운], 허물없는, 마음편한.

homi·cid·al [hàməsáidl, hòum-] *a.* 살인(범)의; 살인할 소지가 있는.

homi·cide [háməsàid, hóum-] *n.* Ⓤ 〔法〕 살인《죄》; Ⓒ 살인 행위, 살인범: ~ in self-defense 자위(自衛)를 위한 살인 / Murder is intentional ~. 모살(謀殺)은 고의적인 살인이다(cf. MURDER, MANSLAUGHTER). 〖OF<L (*homo* man, -*cide*)〗

hom·i·let·ic, -i·cal [hàmәlétik(əl)] *a.* 설교술의; 설교의; 교훈적인. **-i·cal·ly** *adv.* 〖L<Gk. (*homileō* to hold converse, consort)〗

hòm·i·lét·ics *n.* 설교술[법].

ho·mil·i·ary [hamílièri; -əri] *n.* 설교집.

hom·i·list [háməlәst] *n.* 설교자.

hom·i·ly [háməli] *n.* 설교; 훈계. 〖OF<L<Gk.=discourse (*homilos* crowd)〗

hom·in- [hámən], **hom·i·ni-** [hámənə] *comb. form* 「사람」「인간」의 뜻. 〖L HOMO〗

hom·ing [hóumiŋ] *a.* **1** 집에 돌아가는; (비둘기가) 귀소(歸巢)[회귀]성을 가진: ~ instinct 귀소[회귀] 본능 / a ~ pigeon 전서(傳書) 비둘기. **2** 무인 유도식의: a ~ torpedo 감응[자동추적] 어뢰 / ~ devices (유도탄의) 자동 유도 장치. —— *n.* Ⓤ 귀래, 귀환, 회귀; 귀소 본능.

hom·i·nid [hámənәd, -nìd] *n.* 〔動〕 사람과(科)의 동물; 사람 비슷한 동물; 원인(原人); 인간. **ho·min·i·an** [houmíniən] *a., n.* 〖*homin*-+-*id*[2]〗

hom·i·ni·za·tion [hàmənәzéiʃən; -nai-] *n.* 인간화《다른 영장류와 인류를 구별하는 특질의 진화론적 발달》; 환경의 인간화《환경을 이용하기 쉽게 변화시키는 일》. **hom·i·nized** [hámənàizd] *a.* 인류의 특질을 갖춘; (환경이) 인간에 맞게 변화된.

hom·i·noid [hámənɔ̀id] *a., n.* 사람과(科)와 비슷한[에 관한], 사람과 비슷한 (동물). 〖-*oid*〗

hom·i·ny [háməni] *n.* Ⓤ 《美》 껍질을 벗긴 옥수수《알갱이》; 굵게 간 옥수수(=~ **grits**); 굵게 간 옥수수 죽. 〖Algonquian〗

hom·ish [hóumiʃ] *a.* =HOMEY.

homme [*F* ɔm] *n.* 사람; 남자(man). 〖⇒ HOMO〗

ho·mo [hóumou] *n.* (*pl.* ~**s**) 《俗》 호모(homosexual)《흔히 동성애를 비하하는 뜻으로 쓰임》. —— *a.* 호모의.

Homo *n.* (학명(學名)으로) 사람속(屬); 사람, 인간: ☞ HOMO SAPIENS. 〖L *homin- homo* man〗

homo- [hóumou, hámou, -mə] ☞ HOM-.

hòmo·céntric *a.* 같은 중심을 가지는, 동심(同心)의; 〔光〕 공심(共心)의.

hòmo·chromátic, -chrómous *a.* 단색의.

homoe(o)- ☞ HOME-.

Hómo eréc·tus [-iréktəs] *n.* 호모 에렉투스, 직립 원인. 〖NL=erect man〗

hòmo·eróticism, -erótism *n.* Ⓤ 동성애. **-erótic** *a.* 동성애적인.

ho·mog·a·my [houmágəmi, ha-] *n.* 〔生〕 동형배우(同形配偶); 〔植〕 암술·수술의 동시 성숙(↔*dichogamy*).

ho·mo·ge·ne·i·ty [hòumədʒəní:əti, hàm-, -mou-] *n.* Ⓤ 동종(성), 동질(성), 균질성[도]; 〔數〕 동차성(同次性).

ho·mo·ge·ne·ous [hòumədʒíːniəs, hàm-, -mou-] *a.* 동종[동질, 균질]의 ; 동원(同原)의, 순일(純一)의 ;〖數〗 동차(同次)의, 제차(齊次)의 ;〖生〗 (발생·구조가) 상동(相同)의(↔*heterogeneous*) : a ~ equation 동차 방정식.
~·ly *adv.* **~·ness** *n.*

hòmo·génesis *n.* 〖生〗 순일 발생(純一發生)(↔*heterogenesis*).

ho·mog·e·nize [həmádʒənàiz, hou-] *vt.* 균질(均質)로 하다 : ~*d* milk 균질 우유.

hómo·gràft *n.* 〖外科〗 동종 이식편(同種移植片).

hómo·gràph *n.* 동형 이의어《seal「물범」과 seal「인장(印章)」따위 ; cf. HETERONYM, HOMONYM》.

hò·mo·gráph·ic *a.* 동형 이의어의, 동자 동음의, 일자 일음주의의.

ho·mog·ra·phy [həmágrəfi, hou-] *n.* Ⓤ 일자 일음주의 철자법 ;〖數〗 = HOMOLOGY.

Hómo háb·i·lis [-hǽbələs] *n.* 호모 하빌리스《최초로 도구를 만들었다고 간주되는 약 200만년 전의 직립 원인》. 〚NL=skillful man〛

homoi- [houmɔ́i, hə-], **homoio-** [-mɔ́iou, -ə] ☞ HOME-.

homolog ☞ HOMOLOGUE.

ho·mol·o·gate [houmáləgèit, hə-, hɑ-] *vt.* 동의하다, 인가하다. ── *vi.* 일치하다, 동조하다.

ho·mol·o·gize [houmálədʒàiz, hə-, hɑ-] *vi.* 상응(相應)하다, 일치하다. ── *vt.* 상응시키다.

ho·mol·o·gous [houmáləgəs, hə-, hɑ-] *a.* (성질·위치·구조 따위가) 일치하는 ;〖數〗 상동[이종] (相同)의 ;〖化〗 동족의 ;〖生〗 상동(기관)의, 이체 동형의(cf. ANALOGOUS).
〚L<Gk. (*homo-*, *logos* ratio, proportion)〛

homólogous chrómosomes *n. pl.* 〖生〗 상동(相同) 염색체.

hom·o·logue, -log [háməlɔ̀(ː)g, hóu-, -làg] *n.* 상동물(物) ;〖生〗 상동기관(cf. ANALOGUE) ;〖化〗 동족체.

ho·mol·o·gy [houmálədʒi, hə-] *n.* Ⓤ 상동 관계 ;〖生〗 (종류가 다른 부분·기관의) 상동(cf. ANALOGY) ;〖化〗 동족 관계 ;〖數〗 위상 합동(位相合同). 〚Gk.=agreement〛

ho·mól·o·sine projéction [houmáləsən-, -sàin-, hə-, hɑ-] *n.* 상동 투영 도법(圖法).

hòmo·mórphic *a.* HOMOMORPHISM의 ; HOMOMORPHY의.

hòmo·mórphism *n.* 이체(異體) 동형, 외관 동형 ;〖動〗 (성체와 새끼의) 동형성(同形性).

hómo·mòrphy *n.* 〖生〗 이체 동형, 이질 동형, 유사형《이류(異類)의 생물간의 외형적 유사》.

hom·onym [hámənìm, hóu-] *n.* **1 a**) 동음 이의어《pail「항아리」와 pale「말뚝」과 pale「창백한」따위 ; cf. HETERONYM, SYNONYM》. **b**) (흔히) = HOMOGRAPH. **2** 동명 이인(同名異人).
hòm·o·ným·ic *a.* 동음 이의어의 ; 동명(同名)의. 〚L<Gk. (*onym*)〛

ho·mon·y·mous [houmánəməs, hə-, hɑ-] *a.* **1** 애매한(ambiguous) ; 같은 뜻의 ; 동음 이의어의 ; 이물 동명(異物同名)의 ; 쌍관(雙關)의. **2** 〖眼科·光〗 같은 쪽의.

ho·món·y·my *n.* 동음 이의(同音異義), 동명 이인[인물].

hómo·phìle *n., a.* = HOMOSEXUAL ; 동성애를 옹호하는 (사람).

hòmo·phóbia *n.* Ⓤ 호모[동성애] 혐오.
-phóbic *a.*

hómo·phòne *n.* **1** 동음자《c [s]와 s, 또는 c [k]와 k》. **2** 이형 동음 이의어《right와 write와 wright 따위》; = HOMONYM 1 a).

hòmo·phónic *a.* 동음의 ; 동음조의 ;〖樂〗 단성(單聲)[단선율(單旋律)]의.

ho·moph·o·nous [houmáfənəs, hə-, hɑ-] *a.* 동음(자)의 ; (이형) 동음 이의(어)의 ;〖樂〗 동음(조)의.

ho·moph·o·ny [houmáfəni, hə-, hɑ-] *n.* Ⓤ,Ⓒ 동음(성) ;〖樂〗 동음 음악[가곡], 단(單)음악, 단선율 가곡.

hòmo·pòly·núcleotide *n.* 〖生化〗 호모폴리뉴클레오티드《동종 뉴클레오티드 중합체》.

hòmo·pòly·péptide *n.* 〖生化〗 호모폴리펩티드《동종 펩티드의 중합체》.

ho·mop·ter·an [həmáptərən ; hɔ-] *n., a.* 동시류(同翅類) (의).

ho·móp·ter·ous *a.* 〖動〗 동시류의.

hómo sàp *n.* 《俗》 인류《sap은 바보》.

Hómo sá·pi·ens [-sǽpiənz, -séi-, -enz] *n.* Ⓤ 〖生〗 호모 사피엔스 ; 인류. 〚NL=wise man〛

hómo·sèx *n.* = HOMOSEXUALITY.

hòmo·séxual *a., n.* 동성애(同性愛)의 (사람) (cf. LESBIAN).

hòmo·sexuálity *n.* 동성애.

hómo·sphère *n.* [the ~] (대기의) 균질권(均質圈)《지상 90km까지 ; 이질권(異質圈) (heterosphere)의 아래에 있는 대기 영역》.

hòmo·táxis *n.* 〖地質〗 유사 배열《시기에 관계없이 지층계열이나 화석 내용이 비슷한 것》.

hómo·tỳpe *n.* 〖生〗 상동(相同), 동형.

hòmo·zýgote *n.* 〖生〗 동형 접합체, 호모 접합체.

ho·mún·cu·lar *a.* 난쟁이의.

ho·mun·cule [houmʌ́ŋkjuːl], **-cle** [-mʌ́ŋkəl] *n.* 난쟁이.

ho·mun·cu·lus [houmʌ́ŋkjələs, hɑ-] *n.* (*pl.* **-li** [-lài]) = HOMUNCLE ; 해부 실험용 인체 모형.
〚L=small man (dim.) ‹ *homo* man〛

homy ☞ HOMEY.

hon [hʌ́n] *n.* 《口》 사랑스런 사람, 연인(honey).

Hon. Honduras ; Honorable ; [때때로 an ~] 《英》 Honorary. **hon.** honor ; honorable ; honorably.

Honan ☞ HENAN.

Honble. Honorable.

Hond. Honduras.

Hon·du·ras [hɑndjúrəs ; -djúə-] *n.* 온두라스《중앙아메리카의 공화국 ; 수도 Tegucigalpa》.
Hon·dú·ran, Hòn·du·rá·ne·an, -ni·an [-réiniən] *a., n.* 온두라스의 (사람).

hone[1] [hóun] *n., vt.* 숫돌(로 갈다).
〚OE *hān* stone〛

hone[2] *vi.* 《方》 불평하다 ; 동경하다〈*for*, *after*〉.
〚OF *hogner* to grumble< ? Gmc.〛

*****hon·est** [ánəst] *a.* **1** [+前+do*ing* / +*of*+名+*to* do] 정직한, 의리가 두터운(upright) ; 성실한(sincere) ; 믿음직스런 ; (손아래 사람을 칭찬하여) 기특한 : an ~ man 의리가 두터운 사람 / He was ~ ***in*** business. 업무에 성실했다 / He was ~ *in* tell*ing* me about his quarrel with his family. 그는 정직하게도 가족과 싸운 것을 나에게 이야기했다 / It was ~ *of* you *to* tell me your troubles. 나에게 네 고민을 털어놓다니 참 솔직하구나. **2** (언행 따위가) 거짓없는 ; (이득 따위가) 정당한, 정직하게 일해서 번 ; 섞인 것이 없는 : earn[turn] an ~ penny 정직하게 일하여[한 방법으로] 돈을 벌다 / ~ beer[milk] 불순물이 없는 맥주[우유]. **3** 《古》 정숙한(chaste) : make

an ~ woman of... ☞ 숙어.
be honest with …에게 정직하게 털어놓다 ; …와 올바르게 사귀다.
make an honest woman of . . . (관계한 여자를) 정식 아내로 삼다.
to be quite honest about it 정직하게 말해서, 솔직한 말로.

〈회화〉
What kind of person is he? — He's very *honest*.「그는 어떤 인물입니까」「아주 정직한 사람입니다」

—— *n.* 《口》 신용할 수 있는 사람.
—— *adv.* 《口 · 원래 美》 [감탄사적으로] 진정으로, 틀림없이, 정말로(truly, honestly).
〖OF<L *honestus* ; ⇨ HONOR〗
類義語 ⟹ UPRIGHT.

Hónest Ábe *n.* Abraham LINCOLN의 애칭.
hónest bróker *n.* 《口》 (국제 분쟁 · 기업간 분쟁의) 중재인. 〖원래 Bismarck의 별명〗
hónest Ínjun[**Índian**] *adv.* 《口》 반드시, 정말로, 정말이야, 거짓말이 아니야.
hónest Jóe *n.* [an ~] 《口》 (흔히 있는) 성실한 사람.
Hónest Jóhn *n.* **1** 《美》 어네스트 존《핵탄재 가능한 로켓포(砲)》. **2** 《美口》 고지식한 사나이 ; 고지식해서 속기 쉬운 사나이.
***hónest·ly** *adv.* 정직하게, 거짓없이, 공정하게 ; [문장 전체를 강조하여] 정직하게 말해, 정말로 : *H*~, that's all the money I have. 정직하게 말해서 이것 밖에 돈이 없다.
hónest-to-Gód, -góod·ness *a.* 《口》 진실한, 진짜의.
***hon·es·ty** [ánəsti] *n.* **1** Ⓤ 정직 ; 성실 ; 적나라 : ~ of purpose 착실, 성실 / *H*~ is the best policy. 《속담》 정직은 최선의 방책이다. **2** Ⓤ 《古》 정절(貞節)(chastity).
類義語 ***honesty*** 남과의 관계에 있어서 정직[성실]하여 절도 · 거짓말 · 속임수 따위를 하지 않는 것. ***integrity*** 행동보다도 인격에 중점을 두고 도덕적인 성격이 뛰어나 남의 신뢰를 배신하지 않는 것. ***honor*** honesty에 덧붙여 사회적인 지위 · 직업 따위에서 요구되는 윤리 · 도덕을 충실히 지키는 것. ***sincerity*** 진실을 굳게 지키며 거짓말 · 허위가 없는 성실성.
***hon·ey** [háni] *n.* **1** Ⓤ 벌꿀 ; 화밀(花蜜), 당밀. **2** Ⓤ (꿀처럼) 단 것 ; 멋진 것[사람], 우아한 사람. **3** 《口》 귀여운 사람(darling) : my ~ 여보《아내 · 연인 등을 부를 때》/ Yes, ~! 응, 여보!, 네, 당신! / my ~*s* 얘들아《어머니가 아이들에게》. —— *a.* 벌꿀의 ; 꿀의 ; 꿀이 나는, 꿀을 먹이로 하는 ; (꿀처럼) 감미로운. —— *vt.* 벌꿀로[과같이] 달게 하다 ; …에게 알랑거리다. —— *vi.* 달콤한 말을 하다. 〖OE *hunig* ; cf. G *Honig* ; IE에서 'yellow, golden'의 뜻〗
hóney bàg *n.* =HONEY SAC.
hóney bàrge *n.* 《美海軍俗》 쓰레기 운반용의 평저선(平底船).
hóney bèar *n.* **1** 〔動〕 =KINKAJOU ; =SLOTH BEAR. **2** 《CB俗》 여자 경찰관.
hóney·bèe *n.* 꿀벌(bee).
hóney bùcket *n.* 《美俗》 똥통, 거름통.
hóney·bùnch, -bùn *n.* 귀여운 사람《주로 부르는 말》.
hóney bùzzard *n.* 〔鳥〕 벌매《벌을 잡아먹음》.
hóney·còmb *n.* (꿀)벌집, 벌통 ; 벌집 모양의 물건. —— *vt.* **1** 벌집 모양으로 하다(riddle) 〈*with*〉. **2** (음모 따위가) 위태롭게 하다, (악폐 따위가) 침투하다, 스며들다. —— *vi.* 벌집 모양으로 되다. 〖OE〗
hóney·crèep·er *n.* 꿀새《열대 아메리카산의 색채가 아름답고 꿀을 좋아하는 명금(鳴禽)》.
hóney·dèw *n.* **1** Ⓤ (잎 · 줄기에서 나오는) 단물. **2** Ⓤ (당밀이 든) 감로 담배. **3** 허니듀(=~ **mèlon**)《muskmelon의 일종》.
hóney-dó lìst *n.* 《美俗》 아내가 남편에게 휴일에 일을 부탁하기 위한 일람표.
hóney èater *n.* 〔鳥〕 꿀먹이새《남태평양산》.
hón·eyed *a.* 꿀이 많은 ; 꿀로 달게 한 ; 달콤한.
hóney guìde *n.* 〔鳥〕 꿀안내새《아프리카 · 인도산(産), 꿀이 있는 곳을 알려준다고 함》.
hóney lòcust *n.* 〔植〕 미국주엽나무《북미산》.
***hóney·mòon** *n.* 신혼 여행(기간), 허니문 ; 《古》 신혼 첫 달, 밀월(蜜月) ; (비유) 행복한 시기, 단기간의 협조관계. —— *vi.* 신혼 여행을 하다, 신혼기를 보내다〈*at, in*〉. ~·**er** *n.* 〖*honey*+*moon* ; 결혼후 1개월의 달콤한 생활과 하늘의 달이 이지러지는 데서 애정이 시들기 쉬움을 암시〗
hóneymoon brídge *n.* 〔카드놀이〕 허니문 브리지《두 사람이 하는 각종 브리지》.
hóneymoon pèriod *n.* 《美》 밀월 기간《대통령 취임 후 3개월까지 야당 등의 호의를 받음》.
hóney·móuthed [-ðd] *a.* 달콤한 말을 잘 하는 ; 말뿐인.
hóney·pòt *n.* 꿀단지 ; 매력있는 것[사람].
hóney sàc[**stòmach**] *n.* 꿀주머니《꿀벌의 몸 안에 있는》.
hóney·sùck·er *n.* =HONEY EATER.
***hóney·sùckle** *n.* Ⓤ 〔植〕 인동덩굴.
hóney-swéet *a.* 꿀처럼 단.
hóney-tóngued *a.* 구변이 좋은, 능변의 ; 달콤한 말을 잘하는.
hóney wàgon *n.* 《美陸軍俗》 쓰레기[분뇨 운반] 트럭, (영창 안의) 쓰레기 운반 손수레 ; 휴대용 야외 변소 ; 《美俗 · CB俗》 맥주를 적재한 트럭.
hóney·wòrt *n.* 〔植〕 (유럽산(産)) 지치과(科)의 식물《화밀이 많음》.
hong [háŋ, 美+hɔ́ːŋ] *n.* (중국의) 상사(商社), … 양행(洋行). 〖Chin.〗
hongi [háŋi] *n.* (마오리족의) 코를 맞대고 하는 인사. 〖Maori〗
Hong Kong, Hong·kong [háŋkáŋ] *n.* 홍콩《중국 남부의 섬으로 영국의 직할 식민지였지만, 1997년 중국에 반환됨》.
Hóng Kóng Bàsic Láw *n.* 홍콩 기본법《1997년 중국 반환 이후 홍콩의「헌법」이 될 법으로 반환 후에도 50년간 현상을 유지「1국가 2제도」체제를 유지하기 위한 기본법》.
Hóng Kóng dóg *n.* 《俗》 설사.
Hóng Kóng flú *n.* 홍콩 독감(Mao flu).
hon·ied [hánid] *a.* =HONEYED.
honk [háŋk, 美+hɔ́ːŋk] *n.* 기러기의 울음소리 ; (자동차의) 경적 소리. —— *vi.* (기러기가) 울다 ; 경적을 울리다. 〖imit.〗
hon·kie, -ky, -key [hɔ́(ː)ŋki, háŋ-] *n.* [흔히 dumb ~] 《美黑人俗 · 蔑》 백인, 흰둥이. 〖C20< ?〗
honky-tonk [hɔ́(ː)ŋkitɔ̀(ː)ŋk, háŋkitàŋk] *n.* 《美俗》 싸구려 카바레, 싸구려 선술집 ; 저속한 흥행물 ; 엉터리 흥행사 ; 조그마한 마을. —— *a.* 싸구려 술집의 ; 홍키통크조(調)의《음악》. 〖C20< ? ; imit.인가〗
Hon·o·lu·lu [hànəlúːluː] *n.* 호놀룰루《Hawaii 주의 주도 ; Oahu섬에 있음》.

hon·or | hon·our [ánər] *n.* **1** Ⓤ [+前+do*ing* /+*to* do] 명성, 명예, 영예 : He had the ~ ***of*** perform*ing* before many crowned heads of Europe. 유럽 여러 나라의 원수들 앞에서 공연하는 영광을 가졌다 / I have the ~ *to* inform you that..... 삼가 말씀드리니…, 근계(謹啓)…. **2** Ⓤ 면목, 체면 ; 정절, 정숙 : a point of ~ (이행하지 않으면) 체면에 관계되는 일 / pledge one's ~ 자기의 명예를 걸고 맹세하다. **3** Ⓤ 절제[도의]심, 염치심, 자존심. **4** Ⓤ 존경, 경의 : pay [give] ~ to …에게 경의를 표하다. **5** 명예상, 훈장 ; 명예로운 표창, [*pl.*] 서위(敍位), 서훈(敍勳) ; [*pl.*] 의례(儀禮) : the Legion of *H*~ ☞ LEGION 숙어 / the last[funeral] ~*s* 장례식(葬禮式) / military ~*s* 군장(軍葬)의 예(禮), (원수(元首) 등에 대한) 군의 의례. **6** [an ~] 명예가 되는 것(credit) : He is *an* ~ *to* the country [school, family]. 나라[학교, 집]의 자랑이다. **7** [*pl.*] (대학에서의) 우등 : graduate with ~*s* 우등으로 졸업하다. **8** [*pl.*] 〔카드놀이〕 가장 끗수 높은 패《예컨대 bridge에서의 으뜸패 ace, king, queen, knave, ten의 다섯 장》. **9** 고위, 고관 ; [His H~, Your H~] 각하《판사 · 시장 등에 대한》 : *His*[*Your*] *H*~ the Mayor 시장 각하《he [you]로 대신하여 씀》.

be on one***'s honor to*** do=***be bound in honor to*** do 명예를 걸고 …해야만 하다.

a code[***law***] ***of honor*** 사교상의 명예[특히 결투]에 관한 관례.

a debt of honor ⇨ DEBT.

do honor to a person=***do*** a person ***honor*** (1) 남에게 경의를 표하다, 남을 예우(禮遇)하다. (2) 남의 명예가 되다, 남에게 면목을 세워주다.

do a person ***the honor of*** do***ing*** …하여 남에게 면목을 세워주다 : Will you *do* us *the* ~ *of* din*ing* with us next Saturday? 다음 토요일에 우리들과 만찬을 같이 해주시지 않겠습니까.

do the honors of …의 주인역을 맡아하다, …의 사회를 보다 : He *did the* ~*s of* the table. 그는 식탁의 주인 노릇을 했다.

for (***the***) ***honor*** (***of . . .***) 〔商〕 (…의) 신용상.

give a person one***'s*** (***word of***) ***honor*** 명예를 걸고 남에게 약속하다.

honor bright 《口》 맹세코, 확실히.

in honor 도의상.

in honor of …에게 경의를 표하여, …을 축하하여, …을 기념하여 : A bust has been erected *in* ~ *of* the great scientist. 그 위대한 과학자를 기리어 흉상이 건립되었다 / They gave a dinner *in* ~ *of* the illustrious visitor. 귀빈을 위해서 만찬회를 열었다.

a maid of honor ⇨ MAID.

put a person ***on*** his ***honor*** 남에게 명예를 걸고 서약케 하다.

the honors of war 항복한 적에게 베푸는 은전《무기 · 군기를 휴대케 하는 따위》.

to one***'s honor*** 면목을 세우게 되어 : It was greatly *to* his ~ that he refused the reward. 그 보상을 사양하여 크게 명성을 높였다.

upon one***'s*** (***word of***) ***honor*** 《口》 맹세코.

— *vt.* **1** 존경하다(respect) : Fear God and ~ the King[Queen]. 신을 두려워하고 왕[여왕]을 찬양하라. **2** [+目/+目+前+名] …에 명예[영광]를 주다 ; …에게 작위(爵位)[관직]를 수여하다 ; 예우하다 : Will you ~ me ***with*** a visit? 저를 한번 방문해 주시겠어요 / I hope to be ~*ed with* your orders. 당신의 분부를 기다리겠습니다. **3** (…의 임기를) 다하다 ; 〔商〕 (어음을) 인수하다, (기일에) 지불하다 ; (약속을) 지키다.

〈회화〉
Won't you join us? — Why, I'd be *honored* to. 「우리와 합세하시지 않겠습니까」「물론, 영광입니다」

〖OF<L *honor* repute, beauty〗

類義語 (1) ⟹ HONESTY.
(2) ***honor*** 사람의 인격 · 지위 · 행위 · 능력을 인정하여 경의를 표하는 것 : pay *honor* to an eminent scholar (훌륭한 학자에게 경의를 표하다). ***homage*** honor에 덧붙여 커다란 칭찬 · 존경을 나타냄 : pay *homage* to the genius of the poet (그 천재 시인에게 찬사를 보내다). ***reverence*** 깊은 존경과 애정 : *reverence* for one's master (주인에 대한 깊은 존경(尊敬)). ***deference*** 손윗 사람이나 마땅히 존경해야 할 사람에게 경의와 예의를 다하여 그 사람의 뜻이나 요구를 존중하는 것 : In *deference* to his wishes, I stopped gambling. (그 분의 뜻에 따라 도박을 그만뒀다).

***hon·or·able** [hánərəbəl] *a.* **1** 존경할 만한, 지조가 곧은, 염치를 아는, 훌륭한. **2** 영광의, 명예로운 ; 고귀한(noble), 유명한 ; 명예를 표창하는 : an ~ duty 명예직(職) / ~ mention 선외가작(選外佳作).

the Honorable 《略 Hon.》 《존칭》 각하. 주 《英》 백작 이하의 귀족의 아들 · 여관(女官) · 고등법원 판사 · 하원의장 · 식민지의 (입법평의회) 의원 등에의 존칭 ; 《美》 국회의원 · 주의원 · 지사 · 시장 · 판사 등에의 존칭 ; 성명에서는 성(姓)만이 아니고 이름 또는 그 첫머리 글자를 쓸 때에 한하여 예컨대 The *Hon.* Alfred Vandenberg / The *Hon.* T. E. Dewey와 같이 생략할 수가 있음 : *the H*~ gentleman[member]=my *H*~ friend 《英》 하원의원이 의사당에서 다른 의원에게 쓰는 호칭.

— *n.* Honorable의 경칭이 붙는 신분의 사람 ; (일반적으로) 고귀한 사람. **-ably** *adv.* 존경받도록, 훌륭히 ; 올바르게, 정당하게.

類義語 ⟹ UPRIGHT.

hónorable díscharge *n.* 〔美軍〕 (무사고 · 만기의) 명예제대 (증명서).

hon·or·and [ánərænd] *n.* 명예학위 수령자.

hon·o·rar·i·um [ànəréəriəm, -rǽər-] *n.* (*pl.* **~s, -ia** [-iə]) 보수 ; 사례금(fee).
〖L ; ⇨ HONOR〗

hon·or·ary [ánərèri ; ánərəri] *a.* **1** 명예상의, 직함뿐인, 명예직의 : an ~ degree 명예학위 / an ~ member[office] 명예회원[직] / an ~ secretary 명예간사《무보수 ; 略 Hon. Sec.》. **2** 무급의. **3** (부채 따위의) 도의상의. — *n.* 명예직(에 있는 사람).
〖L=of HONOR〗

hónor bòx *n.* 《美》 (길모퉁이의) 무인 신문 판매대[판매기].
〖손님을 신용하는 판매 방식이기 때문에〗

hón·ored *a.* 명예로운.

hónor guàrd *n.* 의장대.

hon·or·if·ic [ànərífik] *a.* 명예있는, 경칭의, 존칭적인. — *n.* 경칭 ; 경어(敬語).

ho·no·ris cau·sa [ɑnɔ́ːris kɔ́ːzə ; hɔnɔ́ːris kɔ́ːzei] *adv., a.* 명예를 위하여[위한].
〖L=for the sake of honor〗

hónor ròll *n.* **1** (초등학교 · 중학교의) 우등생 명부. **2** 수상자 일람 ; 재향군인 명부.

hónors còurse *n.* (주로 영국 대학의) 우등 과정

《보통 개개의 연구에 종사하는 독립 과정》.

hónor socìety *n.* 학업 성적 인정 위원회 ; (대학·고교의) 학생단체《학업 성적과 과외 활동이 우수한 학생을 회원으로 하는》.

hónor sỳstem *n.* 《美》 (학교의 시험에서) 무감독제도 ; (교도소의) 자주관리 제도 ; (대학의) 우등 시험제도《학생이 수업을 받지 않고 연구에 종사하는 제도》.

‡**honour** ☞ HONOR.

hónours degrèe *n.* 〖英大學〗 우등 코스 졸업 학위 (cf. PASS DEGREE).

hónours líst *n.* 《英》 (매년 1월 1일과 여왕 탄생일에 발표되는) 서작(敍爵)[서훈(敍勳)]자 명단.

hons. honors. **Hon. Sec.** Honorary Secretary.

hooch[1], **hootch**[1] [húːtʃ] *n.* Ⓤ 《美俗》 밀주(密酒), 밀수입주 ; 독한 술《위스키 따위》.
〖Alaskan *hooch*inoo 부족의 이름〗

hooch[2] ☞ HOOTCH[2].

***hood**[1] [húd] *n.* **1** 후드, 두건《흔히 외투에 달린》; 두건 모양의 씌우개. **2** (대학 예복의) 등에 늘어진 천《교수의 정장(正裝) 일부》. **3** (매·말의) 머리 씌우개 ; (코브라의) 우산 모양의 목 ; (마차·유모차 따위의) 포장 ; (굴뚝의) 덮개 ; (난로의) 덮개 ; (타이프라이터·발동기 따위의) 덮개, 《美》 (자동차의) 엔진 덮개 (=《英》 bonnet) ; (포탑의) 천개(天蓋) ; (카메라의) (렌즈) 후드 ; 〖海〗 (승강구의) 덮개(뚜껑). ── *vt.* 두건으로 덮다 ; 덮어 감추다 ; 눈을 가리다.
〖OE *hōd* ; HAT과 같은 어원 ; cf. G *Hut*〗

hood[2] *n.* 《俗》 =HOODLUM.

-hood [ˊ-hud, ˊ-hùd] *n. suf.* **1** [성질·상태·계급·신분·경우 따위를 나타냄] : child*hood*, man*hood*. 주 드물게 형용사에 붙음 : false*hood*, likeli*hood*. **2** [집합체를 나타냄] 「…들」 「단(團)」 「…사회」 따위의 뜻 : priest*hood*, neighbor*hood*.
〖OE *-hād* ; 본래 명사 OE *hād* person, condition, quality ; cf. G *-heit*〗

hóod·ed *a.* **1** 두건을 (깊숙히) 쓴. **2** 씌우개[덮개]가 달린 ; 〖植〗 모자 모양의 ; 〖動〗 두건 모양의 관모(冠毛)가 있는 : the ~ crane 흑두루미 / the ~ crow 회색까마귀《유럽산(産)》.

hood·ie [húdi] *n.* 《方》 (유럽산(産)) 회색까마귀.

hóod lìfter *n.* 《CB俗》 자동차 수리공.

hood·lum [húːdləm, húd-] *n.* 《美俗》 불량소년 (cf. HOOLIGAN), 폭력 단원, 깡패, 신변 보호인. **~·ìsm** *n.* Ⓤ 불량[폭력] 행위.
〖C19 < ? ; cf. South. G (dial.) *Haderlump* ragged good-for-nothing〗

hóod·man-blínd [-mən-] *n.* 《古》 소경놀이 (blindman's buff).

hóod·mòld, -mòld·ing *n.* 〖建〗 빗물받이 돌.

hoo·doo [húːduː] *n.* (*pl.* **~s**) **1** 《주로 美》 = VOODOO. **2** 《美口》 불길한 사람[것], 액병신(厄病神) ; 불운. ── *vt.* 《美口》 (사람을) 불운하게 하다. ── *a.* 《美口》 불운한 ; 불길한 예감이 드는.
〖변형(變形) ‹ *voodoo*〗

hóod·wìnk *vt.* (말의 눈에) 가리개를 씌우다 ; 속이다, 기만하다 (deceive).
── *n.* 눈가리개.

hoo·er [húːər] *n.* 《濠俗》 매음, 매춘부 ; 호래자식, 화냥년《매도(罵倒)하는 말》.

hoo·ey [húːi] *int., n.* 《美俗》 어리석은 !, 바보 같은 !, 어리석은 짓 (nonsense) ; 허튼 수작, 공연한 소동. 〖C20 < ? ; imit.인가〗

hoof [húf, húːf ; húːf] *n.* (*pl.* **hooves** [húvz, húːvz ; húːvz], **~s**) 발굽 (cf. PAW) ; 발굽이 있는 동물 ; (*pl.* **~s**) 《戱·美俗》 (사람의) 발 : ☞ CLOVEN HOOF.
on the hoof (가축이) 살아 있는 (alive) : bu[y] cattle *on the* ~ 살아 있는 소를 사다.
under the hoof of …에 짓밟혀서.
── *vi.* 《口》 걷다 ; 《俗》 춤추다. ── *vt.* 발굽[으]로 차다 ; 《俗》 (지위·직위에서) 추방하다 ‹*out*›.
〖OE *hōf* ; cf. G *Huf*〗

hóof-and-móuth disèase *n.* =FOOT-AND-MOUTH DISEASE.

hóof·bèat *n.* 발굽소리.

hóofed *a.* (…의) 발굽이 있는, 유제(有蹄)의 ; [발]굽 모양[형상]의.

hóof·er *n.* 《口》 잘 걷는 사람, 도보 여행자 ; 《俗》 직업 댄서, (특히) 탭댄서.

hóof·pàd *n.* 발굽싸개.

hóof-pìck *n.* 쇠주걱《말발굽에 박힌 돌 따위를 [파]내는 도구》.

hóof·prìnt *n.* 발굽 자국.

hóof ròt *n.* 〖獸醫〗 발굽이 썩는 병.

hoo-ha [húːhàː] *n.* 《口》 흥분, 대소동.
── *int.* 와아《떠드는 소리》.
〖C20 < ? ; Yid. 인가〗

***hook** [húk] *n.* **1** 갈고리 ; 쇠갈고리 ; 훅 ; 만능 [고]리 : ~*s* and eyes (양복의) 훅단추. **2** 코바늘 낚싯바늘 (fishhook) ; 올가미 (snare) : a ~ an[d] line 낚싯바늘이 달린 낚싯줄. **3** 갈고리 모양[의] 낫. **4** 인용(引用) 부호(' ') ; (음표의) 꼬리(♪ [따]위의 깃발 모양의 부분) ; (하천의) 굴곡부 ; 바[다]에 돌출한 육지. **5** 〖拳〗 훅《팔꿈치를 구부리[고] 침》 ; 〖아이스하키〗 =HOOK CHECK ; 〖골프·테니스·野〗 좌곡구(左曲球), 훅(↔*slice*).
by hook or (by) crook 어떤 수단을 써서[라]도, 어떻게 해서든지.
get the hook 《俗》 해고당하다.
go off the hooks 《英俗》 미치다 ; 죽다.
hook, line, and sinker 《口》 (물고기 낚시[의] 용어에서) 철저하게, 완전히 (entirely).
off the hook 《口》 번거로움[곤경]을 벗어나서 : He let us *off the* ~. 우리를 궁지에서 구[해] 주었다.
on one***'s own hook*** 《口》 혼자서, 자기 힘으로.
sling one***'s hook*** 《俗》 도망치다 (hook it).
── *vt.* **1** 갈고리 모양으로 구부리다 ; 구부려서 잇다. **2** [+目/+目+前+名] 갈고리로 걸다[매]달다] ; 훅으로 잠그다 : This dress is ~*ed* ***a[t]*** the back. 이 옷은 뒤에서 잠그게 되어 있다. **3** [갈]고리 바늘[낚시]에 걸다 ; 《비유》 (여자가 결혼 상대를) 용케 낚다 ; 《俗》 훔치다, 낚아채다. **4** 〖拳〗 (상대에게) 훅을 먹이다. **5** 〖골프·테니스〗 좌곡구(左曲球)로 치다 ; 〖野〗 커브를 던지다. **6** 〖럭비〗 (스크럼때 발로) 공을 뒤쪽으로 차내다. **7** 《美俗》 (노동자를) 매수하여 정보원으로 삼다.
── *vi.* **1** 갈고리 모양으로 굽다. **2** [+前+名] (훅으로) 잠가지다 : a dress that ~*s* ***at*** the back 뒤에서 훅단추를 채우는 옷.
hook a ride 《俗》 무단으로 자동차 꽁무니에 타고 가다.
hook in 갈고리로 걸어[끌어]당기다 ; 고리로 잠그다.
hook it 《俗》 도망치다, 꾀부리다.
hook on 훅으로 붙이다 ; 갈고리[훅]로 걸다 ; (남의 팔을) 붙들다.
hook up 훅으로 잠그다[잠가지다] ; (라디오·전화 따위를) 조립하다 ; 《口》 〖放送〗 중계하다 ; (전원·중앙 교환대 따위에) 접속시키다.
hook up with …와 연결하다, …와 관계하다 ; 《俗》 …와 경쟁하다, 다투다.

〖OE *hōc* ; cf. MLG, MDu. *hōk* corner〗

hook·ah, hooka [húkə, hú:-] *n.* 물담뱃대, 수연통. 〖Urdu< Arab.=casket〗

hookah

hóok-and-blàde *a.* (전정(剪定) 가위 따위가) 날이 초승달 꼴인.

hóok-and-ládder trùck *n.* 사닥다리를 장치한 소방 자동차.

hóok-bràke *n.* 〔空〕 고리 제동(制動) (장치).

hóok chèck *n.* 〔아이스하키〕 훅 체크《상대팀의 puck을 자기 스틱의 굽은 부분으로 눌러 뺏기》.

hooked [húkt] *a.* **1** [, -əd] 갈고리 모양의[으로 구부러진] : a ~ nose 매부리코. **2** 갈고리가 달린. **3** 《美俗》 마약 중독증의.

hóoked rúg *n.* 《美》 캔버스나 삼베 따위를 바탕으로 하여 만든 양탄자.

hooked schwa ☞ SCHWA.

hóok·er[1] *n.* (네덜란드의) 쌍돛대 범선 ; (아일랜드 · 잉글랜드의) 돛대가 하나인 어선 ; (일반적으로) 《蔑》 구식[볼품 없는] 배.
〖Du. *hoeker* ; ⇨ HOOK〗

hooker[2] *n.* HOOK하는 것[사람] ; 《美俗》 노동자를 배반시켜 스파이로 만드는 공작원 ; 《口》 좀도둑, 소매치기 ; 《美俗》 위스키의 한 잔하기 ; 《口》 매춘부 ; 《美俗》 사기꾼, 직업 도박사 ; 《美俗》 구속 영장 ; 〔럭비〕 후킹하는 선수. 〖HOOK〗

hookey ☞ HOOKY[2].

hóok·nòse *n.* 매부리코. **hóok-nòsed** *a.*

hóok pàss *n.* 〔美蹴〕 훅 패스《가장 표준적인 짧은 패스로 리시버가 갈고리형(形) 코스로 달림》.

hóok pìn *n.* 대가리가 갈고리 모양으로 된 못.

hóok shòt *n.* 〔籠〕 훅 숏《한손으로 공을 머리위로 올려 링 측면에서 호(弧)를 그리게 던지는 숏》.

hóok slìde *n.* 〔野〕 훅 슬라이드《몸을 옆으로 내던지듯하여 터치를 피하는 슬라이딩》.

hóok·ùp *n.* **1** (라디오 · 전화 따위의) 조립, 접속 ; 접속도(圖) ; (방송국 간의) 연결, 중계 : a nationwide ~ 전국 중계 방송. **2** 《美口》 (국가 · 당파 사이의) 제휴(alliance), 동맹, 협력, 친화.

hóok·wòrm *n.* 십이지장충 : ~ disease 구충병.

hóok wrènch[spànner] *n.* 대가리가 갈고리 모양으로 된 나사돌리개.

hóoky[1] *a.* **1** 갈고리 모양의, 갈고리 같은. **2** 갈고리가 있는, 갈고리 투성이의.

hooky[2], **hook·ey** [húki] *n.* [주로 다음 숙어로] ***play hooky*** 《口》 게으름 피우고 학교에 가지 않다, 일을 태만히 하다.
—— *vi.* 《美俗》 후무리다(steal).
〖C19< ? ; cf. *hook it* to escape〗

hooky[3] ☞ HOCKY[1].

hoo·li·gan [hú:ligən] *n.* 불량자(ruffian) ; 불량 소년, 깡패(cf. HOODLUM) : a ~ gang 폭력단, 불한당. **~·ìsm** *n.* Ⓤ 난폭, 망나니 생활.
〖London에 살고 있는 불량한 아일랜드계 가족의 성 *Houlihan*에서 인가〗

hoop[1] [hú:p, 美+húp] *n.* **1** 테, 쇠테 ; (아이들이 굴리며 노는) 굴렁쇠. **2** (기둥에) 감는 테, (포신(砲身) 따위의) 환대(環帶). **3** 납작한 가락지. **4** (고래뼈 · 강철 따위의) 버팀살《원래 여성의 스커트를 퍼지게 하는데 썼음》. **5** (크로켓에서) 활 모양의 작은 문《그 속에 공을 쳐넣음 ; cf. CROQUET》.
go through the hoop(s) 《口》 시련을 겪다, 고생하다.
put** a person **through the hoop 남을 단련하다, 따끔한 맛을 보여주다.
—— *vt.* …에 테를 두르다 ; 둘러싸다. —— *vi.* 고리 같은 모양을 만들다 ; 훌라후프를 돌리다.
〖OE *hōp*〗

hoop[2] *vi., n.* =WHOOP.

hóoped *a.* 테를 두른 ; 권대(圈帶)를 감은 ; 버팀살을 넣은.

hoop·ee [hú:pi:] *n.* =WHOOPEE.

hóop·er *n.* 테를 끼우는 사람 ; 통메장이(cooper).

Hoop·e·rat·ing [hú:pərèitiŋ], **Hóoper ràting** *n.* 《美》 〔放送〕 (미국의 Hooper 조사기관이 전화 조회(照會)에 의한) 청취율 순위, 시청률 순위.

hóop·ing còugh *n.* =WHOOPING COUGH.

hóop ìron *n.* (통 따위에 두르는) 테두리쇠.

hoop·la [hú:plɑ:] *n.* **1** 고리던지기《둥근 고리를 던져서 고리가 걸린 물건을 받는 명절날 따위에 하는 놀이》. **2** 요란한 선전 ; 야단 법석, 대소동.
—— *int.* 좋다 !, 신난다 !《기쁨 · 만족을 나타내는 소리》. —— *a.* 신나는, 재미있는. 〖LA[2]〗

hóop·man [-mən] *n.* 《口》 농구선수.

hoo·poe, -poo [hú:pu:, -pou] *n.* 〔鳥〕 오디새[후투티]《유럽산(産)의 깃털이 고운 새》.
〖OF<L *upupa* (imit.)〗

hóop·skìrt *n.* 버팀살을 넣은 스커트.

hóop·ster *n.* **1** 《口》 농구 선수. **2** HULA-HOOP를 돌리는 사람.

hóop·stìck *n.* 굴렁쇠 굴리는 채.

hoo·rah [hu(:)rɑ́:], **hoo·ray** [hu(:)réi] *int., vi., n.* =HURRAH.

hoo·roo [hurú:] *int.* 《濠》 안녕.

hoos(e)·gow [hú:sgau], **-gaw** [-gɔ:] *n.* 《美俗》 교도소, 유치장 ; 옥외변소.
〖Sp. *juzgado* tribunal〗

hoopskirt

hoosh [hú:ʃ] *n.* Ⓤ 《俗》 (극지 여행때 만드는) 진한 수프, 찌개.

hoo·sier [hú:ʒər] *n.* 서투른 사람, 변경의 주민, 시골뜨기, 촌놈 ; [H~] 미국 Indiana 주(州)의 주민《별명》.
—— *a.* [H~] Indiana주 (주민)의.

Hóosier Státe *n.* [the ~] 미국 Indiana 주(州)의 속칭.

hoot[1] [hú:t] *n.* **1** 야유하는 소리, 조롱[불찬성]의 외침. **2** 부엉부엉《올빼미 우는 소리》; 부부, 뚜뚜《기적 · 경적 소리》. **3** [부정구문으로] 《俗》 무가치한 물건 : not care[worth] a ~ 조금도 개의치 않다[무가치하다]. —— *vi.* **1** (올빼미가) 부엉부엉 울다 ; (기적 · 사이렌 · 자동차의 경적 따위가) 울리다. **2** (경멸 · 분노하여) 우우하다 ; (우우) 야유하다, 시끄럽게 떠들어대다〈*at*〉. —— *vt.* [+目/+目+副/+目+前+名] 야유하다, 야유하여 쫓아내다 : ~ an actor 배우를 야유하다 / The crowd ~*ed* the speaker ***down***[***off*** the platform]. 군중은 연사를 야유하여 기를 죽였다[야유하여 연단에서 몰아냈다].
〖ME *hūten* (? imit.)〗

hoot[2] *n.* 《濠俗》 지불, 돈(money).
〖Maori *utu* price, requital〗

hoot³ ☞ HOOTS.
hootch¹ ☞ HOOCH¹.
hootch², hooch² [húːtʃ] *n.* 《美俗》 (아시아의 이엉 지붕의) 오두막[초가]; 주거; (미군의) 병사(兵舍), 바라크, 가건물.
hoot·chy-koot·chy [húːtʃikúːtʃi] *n.* 《美俗》 배꼽춤, 벨리 댄스.
hoo·te·nan·ny, hoot- [húːtnæ̀ni] *n.* 《美俗》 민요·민속 무용대회. 〖C20<?〗
hóot·er *n.* 야유꾼; 올빼미; 기적, 호적(號笛), (자동차 따위의) 경적. 〖HOOT¹〗
hóot òwl *n.* 〔鳥〕 (특히 울음 소리가 큰 각종) 올빼미; 《美》 (광산·공장의) 심야 근무.
hoot(s) [húːt(s)] *int.* 《주로 스코》 흥, 체 《불만·불찬성 따위를 나타내는 소리》. 〖imit.〗
hoove [húːv] *n.* 〔獸醫〕 (가축의) 고창증(鼓脹症).
Hoo·ver¹ [húːvər] *n.* 후버. **Herbert** (**Clark**) ~ (1874-1964) 미국 제31대 대통령(1929-33).
Hoover² *n.* 후버 전기 청소기(=《美》 vacuum cleaner)《상표명》. ── *vt.* 《英口》 후버 청소기로 청소하다, 흡수하다.
Hoo·ver·ville [húːvərvìl] *n.* 《美》 (1930년대 경제 공황 때의) 실업자 수용 주택. 〖Herbert *Hoover* + *-ville*〗
hop¹** [háp] *v.* (**-pp-**) *vi.* **1** [動/+副/+前+名] (사람이 한쪽 발로, 개구리·귀뚜라미·새 따위가 발을 모아) 깡충 뛰다; 훌쩍 뛰다, 뛰어 다니다: ~ ***along (***on*** one leg) (사람이) 한쪽 발로 뛰며 걷다 / A number of sparrows were *~ping* ***about*** (the garden). 여러 마리의 참새가 (정원을) 깡충깡충 뛰어 다니고 있었다. **2** 《口·戱》 춤추다(dance). **3** 《口》 (비행기가) 날다, 이륙하다 〈*off*〉. ── *vt.* (도랑 따위를) 뛰어 넘다; (공을) 날리다; 〔野〕 바운드하다; 《美口》 (열차·자동차에) 뛰어 타다; 〔空〕 날아서 넘다, 횡단하다.
hop it [***off***] 《俗》 가버리다, 떠나다.
hop to it 《口》 착수하다, 시작하다.
── *n.* **1** 깡충깡충 뛰기; 한쪽 발로 뛰기; 두 발로 뛰기; 개구리 뜀, 단급 도약(短急跳躍)(short spring). **2** 《口》 댄스; (비공식) 무도회. **3** 《口》 (비행기의) 이륙; 한번 날기(flight); (장거리 비행중의) 1 항정(航程)(stage): fly from Seoul to London in three *~s* 서울에서 런던까지 3항정으로 날다. **4** 《口》 짧은 여행(trip)〈*to*〉. **5** 〔크리켓〕 도비구(跳飛球); (공의) 튐.
catch a person ***on the hop*** 《英口》 남이 도망치려는 찰나에 붙잡다.
hop, step[***skip***]***, and jump*** 〔競〕 세단뛰기.
〖OE *hoppian*; cf. G *hüpfen*〗
類義語 ⟹ SKIP.
hop² *n.* 〔植〕 홉; [*pl.*] 홉 열매 《건조한 구화(球花); 맥주의 쓴맛을 내는 향료; 영국에서는 Kent 주(州)에서 많이 남》; 마약, (특히) 헤로인; 《美俗》 마약 중독; 《濠俗》 맥주: a ~ kiln 홉 건조로[건조장] / a ~ pillow 속에 홉을 넣은 베개《잠이 잘 온다고 함》/ ☞ HOP POLE / pick *~s* 홉(의 열매)를 따다. ── *v.* (**-pp-**) *vt.* …에 홉으로 맛을 내다; 《口》 …에게 마약을 먹이다〈*up*〉; (일반적으로) 자극[격려]하다〈*up*〉; 《美俗》 (엔진 따위의) 출력을 강화하다〈*up*〉. ── *vi.* 홉(의 열매)를 따다; 홉 열매가 열리다.
〖MLG, MDu. *hoppe*; cf. G *Hopfen*〗
hóp bàck[**jàck**] *n.* (양조의) (끓인 맥아즙에서) 홉을 거르는 통.
hóp·bìnd, -bìne *n.* 홉의 덩굴.
◇**hope** [hóup] *n.* **1** U,C 소망, 희망(↔*despair, fear*): All ~ is gone. 모든 희망이 사라졌다 / While there is life, there is ~. 《속담》 살아있는 동안 희망은 있는 법이다 / The doctor expressed strong *~s for* her recovery. 의사는 그녀가 회복할 가망이 있다고 힘주어 말했다. **2** U,C [+前+do*ing* / + *that* 節 / + *to* do] 기대(expectation); 가망(promise): There was not much ~ ***of*** their recovery[~ *of* their get*ting* well, ~ *that* they would get well]. 그들이 회복될 가망성은 별로 없었다 / I have good ~ *that* she will soon be well again. 그녀가 곧 다시 건강해지리라는 희망은 충분히 있다 / I have no ~ *to* see my dream realized. 내 꿈이 실현될 가망은 전혀 없다. **3** 희망을 주는[갖게 하는] 것, 희망의 목표: He is the ~ *of* his country[school, family]. 그는 나라[학교, 집안]의 희망이다.
be past (***all***) ***hope*** 희망이 (전혀) 없다.
in hopes 〈*of*, *that*...〉 (…을) 기대하여: We live *in ~s of* seeing him again. 그 사람과 재회할 수 있으리라고 기대하며 살고 있다 / I am *in ~s of* see*ing* her there. 거기서 그녀를 만날 수 있을 것을 기대하고 있다.
in the hope 〈*of*, *that*...〉 (…을) 희망하여: *in the ~ of* an early recovery 빨리 회복되기를 희망하여 / Very few people join in a conversation *in the ~ of* learn*ing* anything new. 뭔가 새로운 것을 배우려고 남과 대화를 나누는 사람은 극히 드물다 / I will send you this book *in the ~ that* it may be of use to you. 당신에게 도움이 되기를 희망하며 이 책을 보내 드립니다.
with the hope 〈*of* do*ing*, *that*...〉 (…하는) 희망을 품고, (…라는) 목적에서: He decided to renew the contract *with the ~ of* recover*ing* his previous losses. 이전의 손해를 만회하고자 그 계약을 갱신하기로 결정했다.
the Band of Hope ☞ BAND.
── *vi.* [+*for*+名/動] 희망을 품다, 기대하다: I'm *hoping* ***for*** a good crop this year. 금년에 풍작이 되기를 바라고 있다. 注 *~ for*는 타동사와 같이 수동태로도 됨: There is nothing to *be ~d for*. 희망을 가질 수 있는 것은 아무 것도 없다 / We're still *hoping*. 아직 희망을 버리지 않고 있다. ── *vt.* [+*to* do / + *that* 節] 바라다, 희망하다, (…하고자) 생각하다, …이면 좋겠다고 여기다: We ~ *to* see you soon again. 또 다시 곧 뵈었으면 합니다 / I ~ you'll be able to come. 당신께서 와 주시기를 바랍니다 / Will he live?—I ~ *so*. 그는 살아날까요 — 살아날거라고 생각해(I hope he will live.) / Will he die? — I ~ *not*. 그는 죽을까요 — 죽지는 않겠지(I hope he will not die.) (cf. AFRAID 3, FEAR *vt.* 2, EXPECT 3) / I ~ you (will) like it. 마음에 드시면 좋을텐데요 / I ~ he will come[he comes]. 그이가 왔으면 좋겠다. 注 위의 두 보기에서 will을 생략하는 것은 주로 《美》. ☞ 活用.
hope against hope 요행을 바라다.
hope and pray 많은 기대를 하다.
hope for the best 더 좋은 일이 있으리라고 낙관하다.

> **hope**의 ○×
> (×) We *hope* you to succeed in the exam. (자네가 시험에 합격하기를 빌고 있겠네.)
> (○) We *hope* (that) you (will) succeed in the exam.
> ☆ hope to do의 형태로는 쓰지만 hope a person to do의 형태로는 쓰지 않는다.

〚OE (n.) *hopa,* (v.) *hopian* ; cf. G *Hoffe*〛
活用 (1) I hope는 바라고 있는 것을 생각하는 경우에 씀 ; 불길한 일을 생각할 경우에는 보통 I am AFRAID 또는 I FEAR를 씀.
(2) I hope에 계속되는 *that*절의 that은 생략되는 수가 많음.
(3) I[We] *hope* (that)....의 구문에서의 수동태는 다음과같이 됨 : *It is hoped that* the members will pay their dues promptly. (회원은 회비를 조속히 납입해 주시오).
類義語 ⟹ EXPECT.

Hope *n.* **1** 남자 이름 ; 여자 이름. **2** 호프. **Anthony** ~ (1863-1933) *The Prisoner of Zenda* (1894)를 쓴 영국의 작가. 〚OE (↑)〛

hópe chèst *n.* 《美》 혼수 상자《처녀의 결혼 준비용 물건을 넣어둠 ; cf. BOTTOM DRAWER》.

hópe·ful** *a.* **1** [+*of*+do*ing* /+*that* 節] 희망을 품고 있는, 유망하다고 생각하는 : I am ~ ***of (=hope for) success. 성공을 기대하고 있다 / He is ~ *of* attain*ing* his object[~ *that* he will attain his object]. 충분히 목적을 달성할 수 있으리라고 생각하고 있다 / She feels ~ ***about*** the future. 장래를 낙관하고 있다. **2** 유망한, 가망성있는, 촉망되는(promising) : a ~ pupil 장래성이 있는 학생. —— *n.* 유망한 사람 : the young ~ 촉망되는 남자[여자]아이《때때로 풍자적으로》.
~·ly *adv.* 희망을 품고, 유망하게.

Hopei, -peh ☞ HEBEI.

***hópe·less** *a.* 희망을 잃은, 절망적인 ; 가망없는(desperate) ; 불치의, 어찌할 도리가 없는 : a ~ case 회복할 가망이 없는 증상[환자] / The situation seems ~ *of* improvement. 사태가 호전될 가망이 없을 것 같다. **~·ly** *adv.* 희망을 잃고, 절망적으로. **~·ness** *n.*
類義語 ***hopeless*** 좋은 결과를 기대하지 않고 모든 것을 부득이한 것으로 여기며 단념하고 있는 : a *hopeless* patient (가망이 없는 환자). ***despairing*** 완전히 hopeless가 되어 매우 실망·낙담하고 있는. ***desperate*** 절망때문에 극단적인 행동·수단에 호소하려는 기분이나 정황을 암시하는 : The despairing enemy made a *desperate* attack. (절망에 빠진 적은 필사적인 공격을 했다).

hóp flỳ *n.* 홉에 붙는 진딧물.

hóp gàrden *n.* 《英》 홉 재배원.

hóp·hèad *n.* 《美俗》 마약 중독자.

Ho·pi [hóupi(:)] *n.* (*pl.* ~, **~s**) 호피족《Arizona 주(州) 북부에 사는 Pueblo족》 ; 호피어(語).

hop·lite [háplait] *n.* 〔古그〕 중장비 보병.

hóp-o'-my-thúmb [-əmə-] *n.* 《英》 난쟁이 (dwarf) (cf. TOM THUMB).

hópped-úp *a.* 《美俗》 **1** 흥분한 ; 열심인. **2** (자동차 따위가) 속력을 높인. **3** 마약을 상용하는.

hóp·per[1] *n.* **1** 팔짝팔짝[깡충깡충] 뛰는 것[사람] ; (메뚜기 따위의) 뛰는 벌레 ; (피아노 건반의) 탄기(彈機). **2** 깔때기 모양의 그릇[상자], 호퍼《가공 재료·연료 따위를 넣음》 ; 자동 종파기. **3** 개저식(開底式) 배[화차, 쓰레기차]. **4** 《俗》 (호텔의) 보이. **5** 《野俗》 높이 튀는 타구. 〚HOP[1]〛

hopper[2] *n.* 홉을 따는 사람. 〚HOP[2]〛

hópper càr *n.* 〔鐵〕 개저식(開底式) 무개 화차.

hóp pìcker *n.* 홉 따는 사람[기계].

hóp·ping[1] *n.* Ⓤ 홉 따기[채집] ; 홉을 넣어 쓴 맛을 냄.

hopping[2] *a.* 깡충깡충 뛰는 ; 절름발이의 ; 바쁘게 돌아가는 ; 격노한. —— *adv.* 극단적으로, 맹렬히 : ~ mad 화가 머리끝까지 치민. —— *n.* 앙감질 ; 개구리 뜀 ; 깡충깡충 뛰면서 추는 댄스. 〚HOP[1]〛

hópping condùction *n.* 〔理〕 깡충뛰기 전도.

hóppin(g) Jòhn *n.* 《美》 쌀·완두가 든 베이컨 스튜.

hop·ple [hápəl] *vt.* 두 발을 묶다(hobble) ; 차꼬를 채우다 ; 자유를 방해하다. —— *n.* [보통 *pl.*] 차꼬, 족쇄.

hóp pòcket *n.* 홉 자루《168파운드[약 76kg]가 들어감》.

hóp pòle *n.* 홉 덩굴의 지주(支柱)《가늘고 길》 ; 《비유》 키다리.

hóp·py[1] *a.* 홉의 풍미가 있는.
—— *n.* 《俗》 마약 중독자. 〚HOP[2]〛

hoppy[2] *a.* 뛰듯이 움직이는. 〚HOP[1]〛

hóp·sàck(·ing) *n.* 홉새킹《삼·마 따위로 만든 자루 천 ; 이와 비슷한 거친 직물》.

hóp·scòtch *n.* Ⓤ 돌차기 놀이. —— *vi.* 돌차기 놀이할 때처럼 움직이다 ; 《口》 (여기저기) 뛰어다니다, 돌아다니다.

hóp·ùp *n.* 《口》 흥분제, 각성제.

hóp·vìne *n.* 홉의 덩굴 ; 홉나무.

hóp·yàrd *n.* 홉 밭.

hor. horizon ; horizontal ; horology.

ho·ra, ho·rah [hɔ́:rə] *n.* 호라《루마니아·이스라엘의 원무(圓舞)》.
〚Rum.<Turk.〛

Hor·ace [hɔ́(:)rəs, hár-] *n.* **1** 남자 이름. **2** 호라티우스(65-8 B.C.)《로마의 시인》.
〚로마의 가족명〛

ho·ral [hɔ́:rəl] *a.* 시간의[에 관한] ; 시간마다의.
~·ly *adv.*

ho·ra·ry [hɔ́(:)rəri, hár-] *a.* 시간의, 시간을 나타내는 ; 한 시간마다의.

Ho·ra·tian [həréiʃən] *a.* 호라티우스(풍)의.

Ho·ra·tio [həréiʃiòu ; hɔ-] *n.* **1** 남자 이름. **2** 호레이쇼《HAMLET의 친구》.
〚⇨ HORACE〛

horde [hɔ́:rd] *n.* 유목민[유랑민]의 떼 ; 약탈자의 무리 ; (동물의) 이동군(群) ; 《蔑》 대군(大群)(crowd), 다수〈*of*〉. —— *vi.* 떼를 짓다, 떼를 지어 이동하다[살다].
〚Pol.<Turk.=camp〛

hore·hound, hoar- [hɔ́:rhàund] *n.* (야생의) 쓴박하 ; Ⓤ 그 즙.
〚OE=hoary herb〛

***ho·ri·zon** [həráizən] *n.* **1** 지[수]평선 : The sun rose *above*[sank *below*] the ~. 해는 지평선 위로 솟았다[밑으로 가라앉았다]. **2** 《비유》 (사고·지식 따위의) 시야, 한계, 범위〈*of*〉.
on the horizon 지평선에 접하여, 지평선상에 ; 절박[임박]하여 ; 명백해지고 있는.
〚OF<L<Gk. *horizōn* (*kuklos*) limiting (circle) (*horizō* to bound)〛

***hor·i·zon·tal** [hɔ̀(:)rəzántl, hàr-] *a.* 지평[수평]선상의 ; 수평면의 ; 평면의, 수평의(level) ; 수평으로 움직이는 ; 가로의(cf. VERTICAL) : a ~ line 수[지]평선. —— *n.* 수평위치 ; 수평물《선·면 따위》 ; 수평봉. **~·ly** *adv.* 수평으로, 가로로.
〚F or NL (↑)〛

horizóntal bár *n.* (체조의) 철봉.

horizóntal bómbing *n.* 수평 폭격.

horizóntal divéstiture *n.* 〔經〕 수평 박탈《회사가 유사제품을 생산하는 다른 사업이나 회사의 소유주를 처분하기 ; cf. VERTICAL DIVESTITURE》.

horizóntal éngine *n.* 수평식 발동기.

horizóntal inféction *n.* 수평 감염.

horizóntal integrátion *n.* 〖經〗 수평적 통합《동일 업종간의 통합》.
horizóntal internátional specializátion *n.* 〖經〗 수평적 국제분업《선진국끼리의 공업제품의 무역》.
hòr·i·zon·tál·i·ty [-tǽl-] *n.* Ⓤ 수평 상태[위치].
horizóntal·ìze *vt.* 수평으로 배열하다.
horizóntal (mérger) *n.* ＝HORIZONTAL INTEGRATION.
horizóntal mobílity *n.* 〔社〕 수평이동《동일 사회 계층내의 전직(轉職)이나 문화의 확산 따위; cf. VERTICAL MOBILITY》.
horizóntal párallax *n.* (천체 관측의) 지평(地平) 시차.
horizóntal príce-fixing *n.* 〖經〗 수평적 가격유지《가격 경쟁을 피하기 위한 생산자들 사이의 가격 협정》.
horizóntal publicátion *n.* 일반 잡지.
horizóntal rúdder *n.* 〖海·空〗 수평타(舵), 승강타.
horizóntal stábilizer *n.* 《美》 ＝TAIL PLANE.
horizóntal únion *n.* 수평적[횡단적] 조합(craft union).
hor·mo·nal [hɔːrmóunl] *a.* 호르몬의.
hor·mone [hɔ́ːrmoun] *n.* Ⓤ,Ⓒ 〖生理〗 호르몬. 〖Gk. (*hormaō* to impel)〗
hor·mon·ic [hɔːrmánik] *a.* ＝HORMONAL.
hor·mon·ize [hɔ́ːrmounàiz] *vt.* 호르몬으로 처리하다; (특히) 화학적으로 거세하다.
hor·mo·nol·o·gy [hɔ̀ːrmənálədʒi] *n.* 호르몬학, 내분비학[연구].
Hor·muz, Or- [*hɔ́ːrmʌz, hɔːrmúːz*] *n.* 호르무즈, 오르무즈《Hormuz 해협의 섬》.
the Strait of Hormuz 호르무즈 해협《이란과 아라비아 반도 사이; 페르시아만의 출입구》.
***horn** [hɔ́ːrn] *n.* **1** 뿔; 사슴뿔. **2** Ⓤ (재질(材質)로서의) 뿔: a handle of ～ 뿔로 만든 손잡이. **3** (달팽이 따위의) 신축성 있는 뿔, 촉각, 뿔 모양의 기관[돌기]. **4** [the ～s] (양도(兩刀) 논법의) 뿔(☞ DILEMMA 숙어). **5** 각제품(角製品)《술잔·화약통·구둣주걱 따위》; 뿔나팔; 경적; 〖樂〗 호른; (재즈의) 관악기(주자); (자동차 따위의) 확성기: No ～! 경적금지. **6** 초승달의 한 쪽 끝; (안장의) 앞머리(pommel). **7 a)** (모래톱 따위의) 쑥 나온 끝; 곶(串)(의 끄트머리); 내포(內浦). **b)** [the H～] ☞ CAPE HORN.
blow** one**'s own horn ☞ BLOW[1] 숙어.
draw [***pull, haul***] ***in*** one**'s horns*** 움츠러들다, 기가 꺾이다, 몸을 도사리다.
horn of plenty ＝CORNUCOPIA 1.
lock horns 다투다, 격투하다〈*with*〉.
show one**'s horns*** 본성을 드러내다.
the gate of horn ☞ GATE *n.*
wear the horns 오쟁이지다, 처에게 배반당하다(cf. CUCKOLD).
── *a.* 뿔의, 뿔모양의, 각질의.
── *vt.* …에 뿔이 나게 하다; 뿔로 받다.
horn in 《美俗》 간섭하다, 참견하다.
〖OE＝OS, OHG, ON *horn*; L *cornu* horn과 같은 어원〗
hórn·bèam *n.* 서나무속(屬)《자작나무과(科)의 낙엽수》.
hórn·bìll *n.* 〖鳥〗 (아시아 남부산(産)) 무소새.
hórn·blènde *n.* 〖鑛〗 Ⓤ 각섬석(角閃石).
hórn·blòw·ing *n.* 대선전; 허풍.
hórn·bòok *n.* **1** 〖史〗 (옛날에 사용한 아이들 학습용의) 글씨판. **2** 입문서(primer).
horned [hɔ́ːrnd, 《詩》 hɔ́ːrnəd] *a.* 뿔있는; 뿔모양의: a ～ beast 뿔있는 동물 / the ～ owl 수리부엉이 / the ～ moon 《詩》 초승달 / the ～ toad 뿔도마뱀.
hórned-hórse *n.* 〖動〗 ＝GNU.
hórned póut *n.* 〖魚〗 미국 동부 원산의 메기.
hórn·er *n.* 뿔세공인; 뿔피리 부는 사람; 《俗》 아편쟁이.
hor·net [hɔ́ːrnət] *n.* 〖昆〗 말벌; 《비유》 귀찮은 사람, 심술꾸러기.
bring a hornets' nest about one**'s ears*** 자청

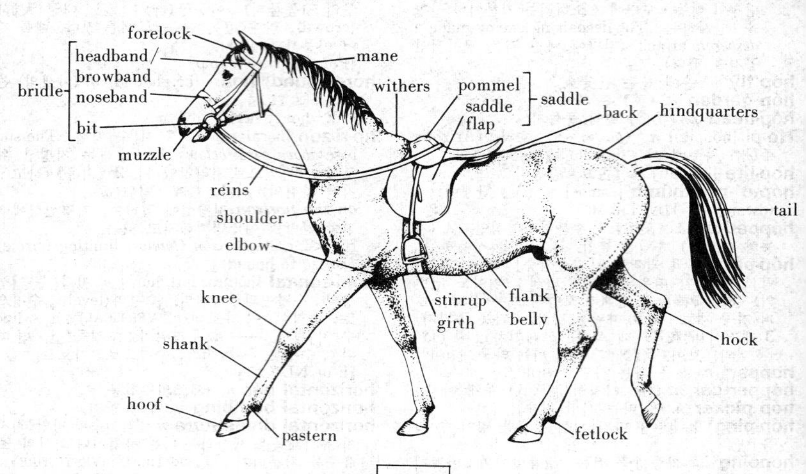

horse

하여 많은 적을 만들다 ; 대소동을 불러 일으키다. 〖OE *hyrnet* ; cf. HORN, G *Horniss*〗
hórn·fish *n.* 〔魚〕 은비늘치《복어류 ; 은비늘치과(科)》.
hórn·fùl *n.* (*pl.* ~**s**) 뿔잔 한 잔(의 양).
Hórniman Muséum [hɔ́:rnəmən-] *n.* 호니만 박물관《런던에 있으며 인류발달사에 관한 자료를 수집》.
〖F. J. *Horniman* (d. 1906) 창립자〗
hórn·ist *n.* 호른(horn) 연주자, (특히) 프렌치 호른 연주자.
hórn·less *a.* 뿔이 없는 ; (축음기 따위의) 나팔이 없는.
hórn-mád *a.* 미친듯이 날뛰는, 격노한.
Hórn of África *n.* [the ~] 아프리카의 뿔《아프리카 북동부의 속칭 ; 인도양에서 수에즈 운하 항로로 가는 에티오피아·지부티·소말리아 3국을 포함하는 지역》.
hórn·pìpe *n.* 혼 파이프《나무로 만든 양끝에 뿔이 달린 옛날 피리의 일종》; (선원 사이에 유행한) 활발한 춤, 이 춤의 무도곡.
hórn·pòut *n.* 〔魚〕 =HORNED POUT.
hórn-rímmed *a.* (안경테 따위) 플라스틱[별갑·뿔]으로 만든 : ~ glasses[spectacles].
hórn·stòne *n.* 〔鑛〕 각암(角岩).
horn·swog·gle [hɔ́:rnswɑ̀gəl] *vt.* 《美俗》 속이다, 사기치다.
〖C19< ?〗
hórn·wòrk *n.* 뿔세공(細工) ; [집합적으로] 뿔세공품, 뿔제품 ; 〔築城〕 각보(角堡).
hórn·wòrt *n.* 〔植〕 붕어말.
hórny *a.* 뿔의 ; 각상(角狀)(질)의, 뿔처럼 견고한 ; 각제(角製)의 : the ~ coat (of the eye) (눈의) 각막.
hórny-hánd·ed *a.* (막일로) 손이 거칠어진.
horol. horologe ; horology.
hor·o·loge [hɔ́(:)rəlòudʒ, hɑ́r-, -lɑ̀dʒ] *n.* 측시기(測時器), 시계(timepiece).
〖OF<L (Gk. *hōra* time, *-logos* telling)〗
hor·o·log·ic, -i·cal [hɔ̀(:)rəlɑ́dʒik(əl), hɑ̀r-] *a.* 시계의 ; 시계학상의 ; 측시법상의.
ho·rol·o·gy [hɔ(:)rɑ́lədʒi, hə-, hɑ-] *n.* Ⓤ 시계학 ; 시계 제조술 ; 측시법(測時法). **-gist, -ger** *n.* 시계 제작자[학자].
horo·scope [hɔ́(:)rəskòup, hɑ́r-] *n.* 〔占星〕 별점치기, (탄생시의) 천체 위치 관측 ; (점성용의) 천궁도(天宮圖), 12궁도.
cast a horoscope 운세도(運勢圖)를 만들다, 별로 점치다.
—— *vi.* 점성 천궁도를 만들다. —— *vt.* …의 운세도를 만들다 ; 점치다.
hòro·scóp·ic [-skɑ́p-] *a.* 천궁도의, 성위(星位)의 ; 점성(占星)의.
〖F<L<Gk. (*hōra* time, *skopos* observer)〗
ho·ros·co·py [hɔ(:)rɑ́skəpi, hə-, hɑ-] *n.* 점성술(占星術) ; 탄생시의 별의 위치.
hor·ren·dous [hɔ(:)réndəs, hɑr-, hə-] *a.* 《文語》 무서운, 무시무시한(horrible). ~**·ly** *adv.*
〖L (gerund.) ‹ *horreo* ; ⇨ HORRIBLE〗
hor·rent [hɔ́(:)rənt, hɑ́r-] *a.* 《詩》 (센 털처럼) 곤두선 ; 《稀》 소름끼치는, 무서운.
***hor·ri·ble** [hɔ́(:)rəbəl, hɑ́r-] *a., n.* **1** 무시무시한[무서운, 소름끼치는](것) ; 《口》 냉혹한, 냉담한. **2** 《口》 오싹할 만큼 싫은[지긋지긋한](것) : ~ weather 넌더리나는 날씨. **-bly** *adv.* ~**·ness** *n.* Ⓤ 무시무시함, 무서움.
〖OE<L (*horreo* to bristle, shudder at)〗

hor·rid [hɔ́(:)rəd, hɑ́r-] *a.* **1** 무서운(frightful), 지겨운(abominable). **2** 《口》 지독한, 지긋지긋한. ㊟ HORRIBLE보다 의미가 약함. ~**·ly** *adv.* 무서우리 만큼 ; 《口》 몹시, 대단히. ~**·ness** *n.* Ⓤ 무서움. 〖C16=bristling, shaggy<L=prickly, rough ; ⇨ HORRIBLE〗
hor·rif·ic [hɔ(:)rífik, hɑ-] *a.* 무서운, 끔찍한, 소름끼치는.
hor·ri·fy [hɔ́(:)rəfài, hɑ́r-] *vt.* [+目/+目+前+名] 무섭게 하다, 소름끼치게 하다 ; 《口》 (치가 떨릴 만큼) 반감을 일으키게 하다 : I was *horrified at* the thought of that occasion. 그 때의 일을 생각하니 치가 떨렸다. ~**·ing** *a.* 가공(可恐)할, 소름끼치게 하는(shocking). **hòr·ri·fi·cá·tion** *n.* Ⓤ 소름끼치는[끼치게 하는] 것 ; Ⓒ 무서운 대상, 전율.
類義語 ⟹ DISMAY.
hor·rip·i·late [hɔ(:)rípəlèit, hɑ-] *vt.* 소름끼치게 하다.
hor·rip·i·la·tion [hɔ(:)rìpəléiʃən, hɑ-] *n.* 소름끼침 ; 머리털이 곤두서기 ; 소름(gooseflesh).
***hor·ror** [hɔ́(:)rər, hɑ́r-] *n.* **1** Ⓤ,Ⓒ 공포, 전율 ; 심한 증오, 혐오(嫌惡) : draw back *in* ~ 소름이 끼쳐 뒤로 움찔하다 / He has a ~ *of* a worry. 쓸데없이 걱정하는 것은 아주 질색이다. **2** 무서운 것, 소름끼칠 만큼 싫은 것[사람] : the ~*s* of war 전쟁의 참사. **3** 《口》 참으로 지독한 것. **4** [the ~s] 《口》 치가 떨리는 기분 ; 우울 ; (알코올 중독으로) 몸이 떨리는 발작.
the Chamber of Horrors 공포의 방, 전율의 방[장소]《MADAME TUSSAUD'S 흉악범의 초상 및 형구(刑具) 따위를 진열해 놓은 지하실》.
—— *a.* 공포를 느끼게 하는 ; 전율적인 : a ~ fiction 공포 소설 / a ~ film 공포 영화.

〈회화〉
Do you like *horror* films? — No, I can't stand them. 「공포 영화 좋아하십니까」「아뇨, 딱 질색이예요」

〖OF<L ; ⇨ HORRIBLE〗
類義語 ⟹ FEAR.
hórror-strùck, -strìcken *a.* 공포에 사로잡힌, 소름끼친.
hors [ɔ:r; hɔ́:r ; *F* ɔ:r] *adv., prep.* …의 밖[외부]에. 〖F=outside〗
hors con·cours [*F* ɔr kɔ̃ku:r] *a., adv.* (출품물이) 심사 외의 ; 무심사로 ; 비할데 없이 뛰어난.
hors de com·bat [*F* ɔr də kɔ̃ba] *a., adv.* 전투력을 잃고 (있는).
hors d'oeu·vre [ɔ:r də́:rv ; ɔ: də́:vr ; *F* ɔr dœ:vr] *n.* (*pl.* ~(**s**)) 전채(前菜), 오르 되브르. 〖F=outside the work〗
◇**horse** [hɔ:rs] *n.* (*pl.* ~**s**, ~) **1** 말, (성장한) 수말 : the flying ~ =PEGASUS. **2** Ⓤ [집합적으로] 기병, 기병대(cavalry) : light ~ 경기병(輕騎兵). **3 a)** 목마 ; (체조용의) 안마 : a rocking ~ 흔들 목마. **b)** 발돋음대 ; 톱질 모탕, 무두질대 ; 물건을 거는 대 : ☞ CLOTHESHORSE, TOWEL HORSE. **4** 《蔑·戱》 사람, 놈[녀석](fellow). ㊟ horse의 관련어 : stallion(종마), mare(암말), gelding(거세마) ; 승마용은 steed, palfrey ; 망아지는 foal, colt, filly ; 한 살짜리 말은 yearling ; 마구간, 사육장은 stable, stall, loose-box, paddock ; (말의) 울음소리(*v.* & *n.*) 에는 neigh, whinny, snort, squeal, scream을 쓴다 ; 발걸음(gait)은 walk, pace, amble, trot, canter, gallop의 순으로 빨라진다 ; 호령하는 소리는 gee

(오른쪽으로), gee up(앞으로), haw(왼쪽으로), whoa(서라) ; clop-clop(말발굽 소리) ; equine (형용사).
change horses in midstream 일의 중도에서 사람이나 계획을 바꾸다.
eat like a horse (말처럼) 대식(大食)하다.
flog [***mount on***] ***a dead horse*** 일단 끝난 문제를 가지고 왈가 왈부하다 ; 헛수고를 하다.
from the horse's mouth 《口》 가장 확실한 근거에서 ; 직접 본인에게서.
horse and foot = ***horse, foot and dragoons*** 보병과 기병, 전군(全軍) ; 《비유》 전력을 다하여.
a horse of another [***a different***] ***color*** (전연) 별개의 사항, 성질이 다른 일.
mount [***ride***] one***'s high house*** 뻐기다 ; 점잔 빼다.
pay for a dead horse 돈을 낭비하다.
take horse 말을 타다, 말을 타고 가다.
talk horse 경마 용어를 쓰다 ; 허풍치다.
Tell that to the (***horse***) ***marines!*** ☞ MARINE.
To horse! 〔구령〕 승마!
work like a horse 열심히[힘차게 · 충실히] 일하다.
—— *a.* 말의 ; 말에 쓰는 ; 말 이용의 ; 강대한 ; 기마의 ; 기마용의.
—— *vt.* **1** 말에 태우다 ; (마차)에 말을 매다. **2** 남의 등에 태우다《채찍질하기 위해서》 ; 짊어지다.
—— *vi.* 말에 타다, 말타고 가다.
~·less *a.* **~·lìke** *a.*
⟦OE *hors* ; cf. OS, OHG *hros* (G *Ross*)⟧

hórse-and-búggy *a.* 마차 시대의 ; 구식의.

***hórse·bàck** *n.* 말등.
㊟ 현재는 다음 숙어로만 쓰임.
a man on horseback 강력한[야심적인] 지도자, 군사 독재자.
on horseback 말을 타고, 승마하여.
—— *adv.* 말을 타고 : ride ~ 말을 타다.
—— *a.* 《美口》 성급한, 서두르는《의견 따위》 ; 《美俗》 (일이) 재빠른.

hórseback ráces *n. pl.* 기마 민족.

hórse·bèan *n.* (말의 사료로 쓰는) 마마콩.

hórse bìscuit *n.* **1** 허튼 소리, 난센스《horseshit를 완곡히 한 것》. **2** 《戱》 말똥.

hórse blòck *n.* (승마용) 발판.

hórse bòat *n.* 말 · 마차를 운반하는 나룻배 ; 《美》 말이 끄는 배.

hórse bòx *n.* 말 운송용 화차 ; 말우리.

hórse·bòy *n.* 마구간 조수, 마부.

hórse·brèak·er *n.* 조마사(調馬師).

hórse brèaking *n.* 말 길들이기, 조마.

hórse·càr *n.* 《美》 **1** (옛날의) 철도 마차. **2** 말 운송용 화차.

hórse chèstnut *n.* 〔植〕 양칠엽수, 양말밤나무 ; 그 열매.

hórse·clòth *n.* 말의 옷《말의 몸뚱이를 싸는 모포 따위 ; cf. HOUSING²》.

hórse còllar *n.* 말의 목걸이[목줄] ; 《野俗》 무득점《스코어보드의 큰 0에서》.

hórse-còllar *vt.* 《野俗》 영봉(零封)[완봉]하다.

hórse còper *n.* 《英》 (부정한 짓도 하는) 말장수, 마도위.

hórse dèaler *n.* 말장수.

hórse dòctor *n.* 《口》 말의사, 수의(獸醫) ; 돌팔이 의사 ; 말편자 수리공.

hórse-dráwn *a.* 말이 끌게 한, 말이 끄는.

hórse-fàced *a.* 말상을 한, 얼굴이 길쭉한.

hórse fàir *n.* 마시장.

hórse·fèathers *n. pl.* 《俗》 난센스, 허튼 소리.

hórse·flèsh *n.* **1** Ⓤ 말고기. **2** [집합적으로] 말(horses) ; 《卑》 여자 : a good judge of ~ 말의 감식(鑑識)을 잘하는 사람.

hórse·flỳ *n.* 〔昆〕 말파리, 등에.

hórse·fòot *n.* 〔植〕 머위 ; 〔動〕 투구게.

Hórse Guàrds *n. pl.* 《英》 **1** [the ~] 근위 기병 여단《3개 연대》 ; [the (Royal) ~] 근위 기병 제3연대(cf. the BLUES, LIFE GUARDS). **2** (런던의 Whitehall에 있는) 영국 육군 총사령부《원래는 근위 기병 여단 사령부》.

hórse·hàir *n.* Ⓤ 말총《말갈기 또는 꼬리 털 ; 매트리스(mattress) 따위의 속을 넣는데 쓰임》 ; 말총으로 짠 직물《원래 의자 따위를 싸는 천으로 썼음 ; cf. HAIRCLOTH》.

hórse·hèad *n.* Ⓤ 호스헤드《말대가리꼴의 두레박 ; 우물식 유정(油井)의 상부 구조》.

hórse·hìde *n.* Ⓤ 말의 생가죽[무두질한 가죽].

hórse·hòof *n.* 〔植〕 머위.

hórse látitudes *n. pl.* 북위[남위] 30도 부근의 무풍대(無風帶).

hórse·làugh *n.* 너털웃음(guffaw).

hórse·lèech *n.* 말거머리《말이 물을 먹고 있을 때에 코나 입에 붙는다고 함》 ; 탐욕가 ; 착취자 ; 《古》 마의(馬醫), 수의(獸醫).

hórseless cárriage *n.* 《戱》 (구식) 자동차.

hórse lìtter *n.* 말가마《두 필의 말 사이에 들것을 맨 것》.

hórse màckerel *n.* 〔魚〕 다랭어(tunny) ; 〔魚〕 전갱이.

hórse·man [-mən] *n.* (*pl.* **-men** [-mən]) 승마자, 기수(騎手) ; 마술가 ; 말을 기르는 사람.
~·shìp *n.* Ⓤ 마술(馬術).

hórse marìnes *n. pl.* 《美》 (옛날의) 해상 기병 ; 《戱》 기마수병《있을 수 없는 것》 ; 적임(適任)이 아닌 사람 : Tell that to the ~! ☞ MARINE 숙어.

hórse màster *n.* 조마사 ; 말 대여업자.

hórse·mèat *n.* 말고기(horseflesh) ; 《卑》 여자.

hórse múshroom *n.* 〔植〕 흰주름버섯《식용》.

hórse·nàpping *n.* 말도둑질 ; (특히) 경주마 훔치기《행위》.

hórse òpera *n.* 《口》 (텔레비전 · 영화의) 서부극 ; 《美俗》 서커스.

hórse pàrlor *n.* 《俗》 마권 매장.

hórse pìstol *n.* 마상용의 큼직한 권총.

hórse·plày *n.* Ⓤ 야단법석, 난폭한 놀이.

hórse·plày·er *n.* 상습적으로 경마에 돈을 거는 사람, 경마광(狂).

hórse·plày·ing *n.* Ⓤ 경마에 걸기.

hórse·pònd *n.* (말에게 물을 먹이거나 말을 씻어 주는) 작은 못.

hórse·pòst *n.* 말 매는 기둥 ; 말타고 편지 · 문서를 전달하는 사람.

***hórse·pòwer** *n.* 말의 견인력 ; 마력 이용 기계 ; 마력《1초에 75kg을 1m 높이로 올리는 힘의 단위 ; 略 h.p., hp, H.P., HP》 : a motor of 50 ~ 50마력의 모터.

hórse·pòwer-hòur *n.* 마력시(時)《1마력으로 1시간에 하는 작업량[사용하는 에너지]의 단위》.

hórse·pòx *n.* 〔獸醫〕 마두(馬痘).

hórse ràce *n.* (1회의) 경마.

hórse ràcing *n.* 경마.

hórse·ràdish *n.* 〔植〕 서양고추냉이.

hórse ràke *n.* (말이 끄는) 써레.

hórse's áss *n.* 《卑》 바보, 얼간이.

hórse sènse *n.* 《口》 일상적 상식, 속된 지식.
hórse·shìt *n.* 《卑》 난센스, 거짓말, 허풍.
—— *int.* 《卑》 바보같이, 같잖게.
hórse·shòe *n.* **1** 편자, 제철(蹄鐵). **2** 제철[말굽]형의 물건, U자 형의 것 : a ~ magnet 말굽 자석. **3** 〔動〕 참게. **4** [*pl.* 로 단수취급] 편자 던지기 놀이. —— *vt.* …에 편자를 달다, 장식하다 ; (아치 따위) 편자[제철] 모양으로 하다.
—— *a.* 말굽 모양의.
Hórseshoe Fálls *n. pl.* [the ~] =CANADIAN FALLS.
hórse shòw *n.* (매년 행해지는) 마술(馬術)쇼.
hórse sòldier *n.* 기병(騎兵).
hórse·tàil *n.* 말꼬리 ; 〔植〕 속새.
hórse tràde *n.* 마시장 ; 《美口》 빈틈 없는 교섭, 정치적 흥정. **hórse-tràde** *vi.* 《口》 빈틈 없는 교섭[거래]을 하다.
hórse tràder *n.* (거래에) 빈틈 없는 사람, 흥정을 잘하는 사람 ; 말 매매인.
hórse-tràding *n.* 빈틈 없는 거래[타협] ; 가격[역할 분담]의 교섭 ; 말의 매매.
hórse tràiler *n.* 말 운송용 트레일러.
hórse·wèed *n.* 〔植〕 망초.
hórse·whìp *n.*, *vt.* 말채찍(으로 치다).
hórse·wòman *n.* 여성 승마자, 여기수.
hors·ey, horsy [hɔ́ːrsi] *a.* **1** 말의[같은]. **2** 말을 좋아하는, 경마광(狂)의.
hórs·i·ly *adv.* **hórs·i·ness** *n.*
hórs·ing *a.* (암말이) 암내난, 발정한.
horsy ☞ HORSEY.
hort. horticultural ; horticulture.
hor·ta·tive [hɔ́ːrtətiv], **hor·ta·to·ry** [hɔ́ːrtətɔ̀ːri ; -təri] *a.* 권고[장려]하는. **hórtative·ly** *adv.*
hor·tá·tion *n.* Ⓤ 권고 ; 장려.
〚L (*hortor* to exhort)〛
hor·ti·cul·ture [hɔ́ːrtəkʌ̀ltʃər] *n.* Ⓤ 원예술, 원예학. **hòr·ti·cúl·tur·ist** *n.* 원예가. **-cúl·tur·al** *a.* 원예(술)의. **-al·ly** *adv.*
〚*agriculture*에 준하여 L *hortus* garden에서〛
hor·tus sic·cus [hɔ́ːrtəs síkəs] *n.* 식물표본(집) ; 《비유》 하찮은 사실의 수집.
〚L=dry garden〛
Ho·rus [hɔ́ːrəs] *n.* 〔이집트神〕 호루스《매의 모습을 [머리를] 한 태양신》.
〚L<Gk.<Egypt. *Hur* hawk〛
Hos. 〔聖〕 Hosea.
ho·san·na, -nah [houzǽnə, 美+-záː-] *n.* 열광적 찬성[칭찬]의 소리[말] ; 〔聖〕 호산나《신을 찬미하는 외침[말]》. —— *vt.* 열광적으로 찬성[찬미]하다. 〚L<Gk.<Heb.=save now!〛
HO scale [èitʃóu ⌐] *n.* HO 축척(縮尺)《자동차·철도 모형의 축척》.
***hose** [hóuz] *n.* (*pl.* ~) **1** [집합적으로 ; 복수취급] 〔商〕 긴양말, 여성용 스타킹(stockings) : 6 pairs of ~ 긴양말 6켤레 / ☞ HALF HOSE. **2** (doublet과 함께 입었던) 타이츠. **3** Ⓤ,Ⓒ (*pl.* ~s) 호스 : 20 feet of plastic ~ 플라스틱 호스 20피트 / a fire ~ 소화용 호스.
—— *vt.* …에 호스로 물을 뿌리다.
〚OE=stocking, husk ; cf. G *Hose*〛
Ho·sea [houzíːə ; -zéiə] *n.* **1** 〔聖〕 호세아《히브리의 예언자》. **2** 〔聖〕 호세아서《구약 성서 중의 한 편 ; 略 Hos.》. 〚Heb. =salvation〛
hóse càrt *n.* (소방용) 호스 운반차.
hóse·man *n.* 소방차의 호스 담당원.
hóse·pìpe *n.* 호스(hose).
hóse-rèel *n.* 호스 감는 틀.
hóse tòps *n. pl.* 《스코》 발 부분이 없는 긴 양말.
ho·sier [hóuziər, -ʒər] *n.* 《英》 양말·메리야스 장수. 〚HOSE〛
hó·siery *n.* **1** Ⓤ 양말·메리야스류. **2** Ⓤ 양말·메리야스류 판매.
hosp. hospital.
hos·pice [hɑ́spəs] *n.* **1** 여행인 접대[숙박]소《특히 순례자나 참배자를 숙박시키는 곳》. **2** 《英》 (병자·빈민 등의) 수용소. **3** 호스피스《말기 환자(와 가족)의 고통 경감을 도모하는 시설[계획]》.
〚F<L ; ⇨ HOST[1]〛
***hos·pi·ta·ble** [hɑ́spitəbəl, -⌐--] *a.* **1** 대접이 좋은, 손님 대접이 좋은 ; 환대하는, 후한. **2** (새로운 사상을) 잘 받아들이는. **3** 쾌적한.
-bly *adv.* 환대해서, 후하게.
〚F (L *hospito* to entertain) ; cf. HOST[1]〛
‡**hos·pi·tal** [hɑ́spitl] *n.* **1** 병원 : a ~ nurse 병원 간호사 / I have been to the ~ to see a friend. 친구를 문병하러 병원에 다녀 왔다 / The doctor comes to the ~ every other day. 그 의사는 하루 걸러 병원에 옵니다. ㊟ 입원·퇴원의 의미로서 hospital은 보통 《英》에서는 무관사, 《美》에서는 the를 붙임(cf. BED, SCHOOL, PRISON, TABLE, *etc.*) : He is *in*[*out of*] (the) ~. 그는 입원해 있다[퇴원했다] / enter[leave] (the) ~ 입원[퇴원]하다 / He was sent to (the) ~. 그는 병원으로 보내졌다. **2** 〔英史〕 자선 시설 ; 양육원 ; 수용소. **3** 수선소 : a fountain-pen ~ 만년필 수리점. **4** 《英》 공립 학교《Christ's *H*~과 같이 고유 명사로서만》. **5** 〔史〕 (Knights Hospitalers가 세운) 구호소. **6** 《美俗》 형무소(jail)《CIA나 암흑가의 용어》.
walk the hospitals (의학도가) 병원에서 실습하다.
—— *a.* 병원의, 병원 근무의 : a ~ ward 병동.
〚OF<L *hospitalis* ; ⇨ HOST[1]〛
hóspital bèd *n.* 병원침대《머리·동체·다리의 높낮이 조절이 가능》.
hóspital·er *n.* 종교적인 자선[구호원] 단원 ; (런던 등지의) 병원 전속 목사[사제] ; [H~] 〔史〕 = KNIGHT HOSPITALER.
〚OF<L ; ⇨ HOSPITAL〛
hóspital féver *n.* 병원 티푸스《병원의 비위생적 환경에 의한》.
hóspital inféction *n.* 병원내 감염.
hóspital·ìsm *n.* Ⓤ 병원 제도 ; (병원 설비의 결함에서 오는) 비위생적 상태 ; 병원증, 시설병.
***hos·pi·tal·i·ty** [hɑ̀spətǽləti] *n.* **1** 친절히 대접하기, 환대, 후대 : Afford me the ~ of your columns. 귀지(貴紙)에 실어 주시기 바랍니다《기고가가 의뢰하는 말》. **2** (신(新)사상 따위에 대한) 수용력, 이해력.
hospitálity índustry *n.* 서비스업《호텔·레스토랑업 따위》.
hospitálity suìte *n.* (상담이나 여러가지 대회 때에 준비되는) 접대용 특별실.
hòspital·izátion *n.* Ⓤ 입원(가료) ; 입원 기간.
hóspital·ìze *vt.* 입원시키다 ; 병원 치료를 하다 : He was ~*d* for diagnosis and treatment. 진단과 치료를 위하여 입원했다.
hós·pi·tal·ler *n.* =HOSPITALER.
hóspital òrderly *n.* 〔軍〕 위생병, 간호병.
Hóspital Sáturday[**Súnday**] *n.* 병원 기부금을 모집하는 토[일]요일《토요일은 가두에서, 일요일은 교회에서》.
hóspital shìp *n.* (전시(戰時) 따위의) 병원선.

hos·po·dar [háspədɑ̀:r] *n.* 군주, 태수. 〖Rom.<Ukrainian〗

hoss [hɔ́(:)s, hás] *n.* 《方·俗》 말(horse).

***host**[1] [hóust] *n.* **1** (손님을 대접하는) 주인(역), 집주인, 호스트(↔*guest* ; cf. HOSTESS) ; (대회 따위의) 주최자, 당번 : act as ~ 주인 역할을 하다 / play ~ to …의 주인역을 하다, …의 주최자가 되다 / They are good ~*s.* 손님 접대를 잘한다. **2** (여관 따위의) 주인(landlord). **3** 〖生〗 (기생동[식]물의) 숙주(cf. PARASITE). **4** 〖컴퓨〗 상위(上位)[호스트] 계산기《다중 계산기 처리에서의 주계산기》. **5** [형용사적으로] 주최자(측)의 : the ~ country 주최국〈*for*〉.

count*[*reckon*] *without* one*'s host 회계에게 묻지 않고 셈을 치르다 ; 중요한 점을 빠뜨리고 결론을 내리다.

── *vt.* 접대하다, (파티 따위)의 주인역을 맡다 ; …의 사회(司會)를 하다.

〖OF<L *hospit- hospes* host, guest〗

host[2] *n.* **1** 여럿, 무리, 다수(large number) : a ~ *of* admirers 다수의 숭배자 / a ~ *of* difficulties 많은 곤란. **2** 《詩·文語》 군, 군세(army). **3** [집합적으로] 천사 ; 태양과 달과 별.

a host in himself 일기 당천의 용사.

the heavenly host=the host(s) of heaven 천체군(天體群) ; 천사군(天使軍).

the Lord*[*God*] *of Hosts 〖聖〗 만군의 주, 여호와(Jehovah).

── *vi.* 떼지어 모이다 ; (전쟁을 위해) 집결하다.

〖OF<L *hostis* enemy, army〗

host[3] *n.* [the ~, 흔히 the H~] 〖宗〗 성체, 성찬(聖餐)식[미사]의 빵. 〖OF<L *hostia* victim〗

hos·tage [hástidʒ] *n.* 인질 ; 저당, 담보.

give hostages to fortune 언제 잃을지 모르는 덧없는 것《처자·보물 따위》을 가지다.

hold*[*take*] a person *in hostage 남을 인질로 잡아 두다[잡다].

〖OF (L *obsid- obses* hostage)〗

hóst compùter *n.* 〖컴퓨〗 주전산기, 상위[호스트] 컴퓨터, 대용량 컴퓨터《대형 전산기의 주연산(主演算) 장치인 CPU가 있는 부분》.

hos·tel [hástl] *n.* **1** (자전거·하이킹 여행의 청년 남녀용) 숙박시설, 호스텔 ; 합숙소(cf. YOUTH HOSTEL). **2** 대학 기숙사. **3** =HOSTELRY.

── *vi.* (여행중) 호텔에 묵다 ; 《英方》 숙박하다.

〖OF<L ; ⇨ HOSPITAL〗

hós·tel·(l)er *n.* 여관 주인 ; 《美》 (학생의) 합숙자 ; hostel 이용자[경영자].

hóstel·ry *n.* 《古》 여인숙(inn).

***hóst·ess** *n.* **1** 여주인(의 역할), 호스테스(cf. HOST[1]). **2** (여인숙의) 안주인. **3** (열차·장거리 버스 따위의) 스튜어디스, (여객기의) 스튜어디스, 호스테스(air hostess) ; (여관·요리집 따위의) 여급 우두머리. **4** (나이트클럽·댄스홀 따위의) 호스테스. ── *vi., vt.* 호스테스를 하다, 호스테스로서 접대하다. 〖OF ; ⇨ HOST[1]〗

hóstess gòwn *n.* (가정에서 손님을 접대할 때 입는) 긴 실내복.

host·ie [hóusti] *n.* 《濠口》 =AIR HOSTESS.

***hos·tile** [hástail, -tl] *a.* 적의, 적국의 ; 적의가 있는, 적개심을 나타내는, 적대하는(↔*amicable*) ; 냉담한 : a man ~ *to* reform 개혁에 반대하는 사람. ── *n.* 적의를 품은 사람.

~·ly *adv.* 적의를 품고, 적대적으로.

〖F or L ; ⇨ HOST[2]〗

類義語 ***hostile*** 적의를 가지고 있는 또는 적대 행동을 하고 있는. ***unfriendly*** 적극적으로 적의를 갖거나 적대 행위를 하지 않지만 호의를 가지고 원조·협조하려 들지 않는. ***inimical*** hostile 보다 형식적인 말 ; 적대 행위를 하거나 해를 입히려는 의지가[경향이] 있는.

***hos·til·i·ty** [hastíləti] *n.* **1** Ⓤ 적의, 적성, 적대감, 적개심(enmity) : feel[have] ~ *toward* a person 남에게 적의를 품다 / show ~ *to* a person 남에게 적의를 나타내다. **2** 반항, 적대 행위 ; [*pl.*] 전쟁 행위, 교전(상태) : long-term *hostilities* 장기 항전(抗戰) / open[suspend] *hostilities* 개전[휴전]하다.

hos·tler [áslər, 美+hás-] *n.* =OSTLER.

hóst plànt *n.* 숙주(宿主) 식물.

◇**hot** [hát] *a.* (**hót·ter ; hót·test**) **1 a**) 뜨거운, 더운(↔*cold*) : a ~ day 더운 날 / Strike while the iron is ~. 《속담》 쇠는 달았을 때 두들겨라, 호기를 잃지 마라. **b**) 갓 만들어진, 뜨끈뜨끈한. **c**) 《口》 (소식 따위가) 새로운, 최신의 : ~ news 최신 뉴스. **d**) (지폐 따위가) 갓 인쇄되어 나온. **2** 얼얼한, 매운(pungent) ; 자극적인 ; 강렬한(strong) : This curry is too ~. 이 카레는 너무 맵다. **3 a**) 격렬한(intense), 달아오른(fiery). **b**) 열렬한, 열망하는(keen)〈*for*〉. **c**) (맞히기 놀이에서 목표물에) 가까운, 맞힐 것 같은(↔*cold*). **4** 성난(angry), 흥분한〈*with*〉. **5** 《美俗》 (재즈 음악이) 즉흥적이고 정열적인(cf. COOL *a.* 5, COOL JAZZ, SWEET *a.* 4 b)). **6** 불유쾌한, 거북한(unpleasant). **7** 《口》 (연기자·경기자 등) 잘하는, 멋진(very good). **8** 호색의(lustful), 암내 낸. **9** 《俗》 부정 수단으로 입수한 ; 금제(禁制)의(contraband) ; 훔친 : ~ goods 훔친 물건. **10** 〖사냥〗 (냄새 흔적이) 강한(↔*cold*). **11** 수배중인(wanted by the police). **12** 고압(高壓)의 ; 방사능이 있는(radioactive) ; (연구소 따위) 방사성 물질을 취급하는.

be hot on the trail*[*track*] *of …을 급히 추격하다, …의 바로 뒤에 육박하다.

***drop. . .like a hot potato*[*brick*]** 《口》 (사람·물건을) 황급히[아낌없이] 버리다, 급히 일체의 관계를 끊다.

get hot 《口》 흥분하다, 성내다, 열중하다.

get*[*catch*] *it hot 《口》 몹시 꾸중을 듣다.

give it a person ***hot*** 《口》 남을 호되게 꾸짖다, 남을 야단치다.

have it hot 《口》 (남을) 몹시 야단치다.

hot and hot 뜨끈뜨끈한, 갓 만든《요리》.

hot and strong 《口》 호되게, 맹렬히[한].

hot under the collar 《口》 성이 나서, 신경질적으로 되어, 흥분해서, 당황해서.

hot with 《口》 설탕을 넣은 술(cf. WARM *with*, COLD *without*).

***make it*[*the place*] *too hot for*[*to hold*]** a person (박해 따위로) 남을 견딜 수 없게 하다.

── *adv.* 뜨겁게 ; 열심히 ; 격렬하게 ; 노하여 : The sun shone ~ on my face. 태양은 뜨겁게 나의 얼굴을 내리쬐었다. ㊟ 단, 이와 같은 hot의 용법은 형용사의 서술적 용법으로 보아도 좋음.

── *v.* (**-tt-**) *vt.* 《英口》 (식은 음식을) 데우다, 뜨겁게 하다(heat)〈*up*〉. ── *vi.* 뜨거워지다 ; 《비유》 위험한 상태로 되다.

── *n.* 《美俗》 훔친 물건 ; 식사, =HOT DOG ; [the ~s] 격렬한 성욕, 성애, 강한 성적 매력.

〖OE *hāt* ; cf. HEAT, G *heiss*〗

hót áir *n.* 열기, 난방용 스팀 ; 《俗》 터무니없는 거짓말.

hót-áir *a.* (난방 장치에서 나오는) 열기[열풍]의 : ~ heating 열기 난방 / ~ drying 열풍 건조.

hót-áir ballòon *n.* 열기구.
hót átom *n.* 방사성 원자, 핫 아톰《핵반응시 생성되는 에너지가 높은 원자》.
hót báby *n.* 《美俗》 섹시하고 정열적인 여자.
hót·bèd *n.* 온상 ; 《비유》 (죄악 따위의) 온상.
hót blást *n.* 〔冶〕 용광로에 불어넣는 열풍.
hót-blóod·ed *a.* 열렬한(ardent) ; 피끓는, 혈기왕성한 ; 성급한, 화를 잘내는 ; 순혈통의.
hót·bòx *n.* (철도 차량 따위의) 과열된 굴대통.
hót-bráined *a.* =HOTHEADED.
hót càke *n.* 핫 케이크(griddle cake).
like hot cakes 《口》 날개 돋친 듯이, 왕성하게 : The book is selling *like* ~*s.* 그 책은 굉장히 잘 팔리고 있다.
hót céll *n.* 핫 셀《고(高)방사성 물질 처리용 차폐실(室)》.
hotch [hátʃ] *vi.* 《英方》 흔들리다, 안절부절못하다 ; 《英方》 위치를[무게중심을] 옮기다. —— *vt.* 《스코》 흔들리게 하다, 이동시키다.
〖OF *hocher*〗
hot·cha [hátʃɑː] *n.* 《俗》 핫 재즈.
hót chàir *n.* 《美俗》 (사형용의) 전기 의자.
hótch·pòt *n.* Ⓤ 〔英法〕 재산 병합.
hotch·potch [hátʃpàtʃ] *n.* Ⓤ (특히 양고기와 야채의) 잡탕(hodgepodge) ; Ⓒ 뒤범벅(mixture).
〖AF and OF *hochepot* shake pot (*hocher* to shake) ; *-potch*는 전반(前半)에 동화(同化)〗
hót cóckles *n.* 눈을 가린 술래가 자기를 친 사람의 이름을 알아맞히는 아이들의 놀이.
hót córner *n.* 《野俗》 3루수의 수비 위치.
hót cròss bún *n.* =CROSS BUN.
hót dòg *n.* 《美口》 핫 도그《가늘고 긴 롤빵에 뜨거운 소시지를 끼운 것》 ; (핫 도그용으로 뜨겁게 한) 프랑크푸르트 소시지(cf. FRANKFURTER) ; 《美俗》 뛰어난 묘기를 보이는 선수.
hót·dòg *vi.* 여봐란 듯한 태도를 취하다, (서핑·스키·스케이트 보드에서) 곡예사 같은 묘기를 보이다. —— *a.* (여봐란 듯이) 잘하는, 뛰어난《스키 선수 등》. **hót·dòg·ger** *n.* 묘기 부리는 선수《스키 선수, 서퍼 등》. **hót·dòg·ging** *n.*
◇**ho·tel** [houtél] *n.* **1** 호텔, 여관《최신의 설비가 있는 넓은 곳 ; cf. INN》: put up at a ~ 호텔에 숙박하다 / run a ~ 호텔을 경영하다. **2** [프랑스어법] 저택 ; 공공건물.
—— *vt.* (-ll-) 여관에 묵다.
hotel it 호텔에 숙박하다.
〖F<OF HOSTEL〗
hô·tel de ville [outél də víːl] *n.* (*pl.* **hô·tels de ville** [—]) (프랑스 따위의) 시청. 〖F〗
hô·tel Dieu [*F* otɛl djø] *n.* (*pl.* **hô·tels Dieu** [—]) (중세의) 병원 ; (시립) 병원.
〖F=mansion of God〗
ho·tel·ier [ɔ̀ːteljéi, houtéljər ; hɔtéliei] *n.* =HOTELKEEPER. 〖F〗
hotél·kèep·er *n.* 호텔 경영자[지배인].
hotél·kèep·ing *n.* Ⓤ 호텔 경영(업).
hotél·màn [, -mən] *n.* =HOTELKEEPER.
hót-èyed *a.* 혈안이 된, 흥분한.
hót flásh[**flúsh**] *n.* [흔히 *pl.*] 〔生理〕 (폐경기의) 일과성[전신] 열감(熱感).
hót·fòot *adv.* 황급히.
—— *vi.* [다음 숙어로]
hotfoot it 황급히 가다[떠나다].
—— *n.* (*pl.* ~**s**) **1** 《口》 남의 구두에 몰래 성냥을 끼워 넣어서 점화시키는 장난 ; 모욕, 통렬한 풍자 ; 자극, 충격. **2** 《俗》 걷기 ; 《美俗》 보석중에 도망친 놈, (약속을 지키지 않고) 도망친 놈.
hót-gòspel·er *n.* 아주 열성적인 복음 전도자.
hót·hèad *n.* 성급한 사람, 쉽게 흥분하는 사람.
hót·héad·ed *a.* 성급한, 쉽게 흥분하는(impetuous). ~**·ly** *adv.* 성급하게.
hót·hòuse *n.* 온실 ; 온상 ; (도자기) 건조실.
—— *a.* 온실에서 기른(것처럼 저항력이 약한), 실내에서 피는, 연약한.
hóthouse effèct *n.* =GREENHOUSE EFFECT.
hót íssue *n.* 《美》 〔證〕 인기 신주(新株).
hót ítem *n.* 잘 팔리는 상품.
hót láb[**láboratory**] *n.* 고(高)방사성 물질을 취급하는 연구실.
hót lìne *n.* 긴급직통 전화선 ; 핫 라인《정부 수뇌 등의 긴급 직통 전화》 ; 신상상담 전화 서비스 ; 《美·Can.》 (전화의) 시청자 참가 프로그램.
hót·lìner *n.* 《Can.》 시청자 참가 프로그램의 사회자[담당자].
hót·ly *adv.* 덥게, 뜨겁게 ; 격렬하게 ; 열심히 ; 성이 나서, 노기를 띠고.
hót mámma *n.* 《美俗》 =RED-HOT MAMMA.
hót móney *n.* 〔證〕 핫 머니《국제 금융시장을 유동하는 투기성 단기 자금》.
hót mòon·er *n.* 화산 활동에 의해 달에 분화구가 생겼다고 생각하고 있는 사람, 월면(月面) 분화설 주장자.
hót númber *n.* 《美俗》 최신의 인기 있는 것 ; 정열적이고 섹시한 여자.
hót páck *n.* 〔醫〕 온습포 ; (통조림의) 열간(熱間) 처리법.
hót pànts *n. pl.* 《俗》 색정 ; (여성용) 핫 팬츠.
hót pépper *n.* 〔植〕 고추.
hót plàte *n.* 요리용 철판 ; (요리용) 전기[가스] 히터 ; 음식물 보온기 ; 전열기(電熱器).
hót pòt *n.* 쇠고기[양고기]와 감자와 그밖에 야채를 냄비에 넣고 찐 요리.
hót potáto *n.* 《英》 껍질째 구운 감자 ; 《口》 난문제, 불유쾌한[위험한, 다루기 어려운] 문제.
hót-prèss *n.* 가열 압착기, 광택을 내는 기계.
—— *vt.* (종이 따위)를 가열 압착하다, …의 광택을 내다.
hót pursúit *n.* (범인·적에 대한) 긴급[월경(越境)]추격.
hót ròck *n.* 〔地質〕 열암《그 에너지를 지상으로 수송하기 위한 물이 없는 지열원(源)》 ; 무모한 항공기 조종사 ; 《美俗》 거물(hotshot).
hót ròd *n.* 《俗》 **1** 엔진을 고속용으로 개조한 중고 자동차. **2** =HOT-RODDER.
hót-ródder *n.* 《俗》 hot rod의 운전자[제작자] ; 무모한 운전자.
hót sèat *n.* 《俗》 (사형용의) 전기 의자 ; 《口》 궁지, 곤경, 어려운 처지 ; (법정의) 증인석 ; (비행기의) 사출 좌석.
hót shòe *n.* 핫 슈《카메라 상부의 플래시 연결 부분》 ; 《美俗》 솜씨 좋은 자동차 경주 운전자.
hót-shórt *a.* 〔冶〕 (금속이) 고온에 약한.
hót·shòt, hót shòt 《美俗》 *n.* 수완가, 능력이 있는 사람, 유능한 사람, 숙련자, 훌륭한 선수, 명수 ; 거물, 자신이 넘치는 성공한 인물, 거물인 체하는 사람 ; 소방관 ; 엉뚱한 짓을 하는 전투기 승무원 ; 전기 의자(electric chair) ; (불순물·독물이 들어) 목숨을 잃게 하는 마약 주사 ; 급행 비행기[화물 열차] ; 최신 정보, 뉴스.
—— *a.* [hotshot] 수완가의, 솜씨가 뛰어난, 능력이 있는 ; 자부하는 ; 화려한, 멋진 ; 급행(편)의.
hót spòt *n.* **1** 《口》 분쟁(의 위험이 도사린) 지대, 전지(戰地). **2** 《美俗》 나이트클럽, 환락가. **3** 곤경, 궁지. **4** 〔地質〕 열점《지각(地殼) 하부 또는 맨

틀 상부의 고온 물질이 상승하는 부분》.
hót spríng *n.* 온천.
hót·spùr *n.* 성급한 사람 ; 무모한 사람.
hót stóve lèague *n.* (핫) 스토브 리그《야구 따위의 시즌이 끝난 후 모여서 담론하는 스포츠 애호가들》.
hót stúff 《俗》 *n.* **1** 멋있는[굉장한, 재미있는] 것 ; [감탄사적으로] 잘했다, 멋지다, 아주 좋다. **2** [흔히 반어적으로] 능력 있는[잘 알고 있는, 대단한] 녀석, 전문가. **3** 장물 ; 뜨거운 음료, [감탄사적으로] 뜨거워요 (조심해) ; 외설적인 것《책·필름 따위》. **4** 정력가, 열혈한, 호색가 ; 섹시한 여자 ; [감탄사적으로] 야 멋쟁이다《남녀 공통》. ── *a.* 훌륭한, 굉장한.
hót·swìtch *n.* 〖通信〗 통신 위성의 교체시에 중계기(器)의 전환을 통신 두절 없이 행함.
hot·sy-tot·sy, hot·sie-tot·sie [hátsitátsi] *a.* 《俗》 근사한, 이를데 없는, 매우 좋은.
hót-témpered *a.* 성 잘내는, 신경질적인.
Hot·ten·tot [hátntàt] *n.* (*pl.* ~, ~**s**) (남아프리카의) 호텐토트족(族) ; Ⓤ 호텐토트어 ; 야만인, 미개인. ── *a.* 호텐토트의.
〚Afrik.〛
hót·tie, hót·ty *n.* 《英·濠》 탕파(湯婆).
hót tóddy *n.* 위스키에 레몬·설탕·더운 물을 섞은 음료.
hót trày *n.* 요리 보온기(保溫器).
hót tùb *n.* (휴식 또는 치료를 위해 종종 집단으로 몸을 담그는) 온수 욕조(spa)《대형이며 보통 나무로 만들어졌음》.
hót wár *n.* 열전, 본격적인 전쟁(↔*cold war*).
hót wáter *n.* 더운 물, 온수 ; 《口》 곤란, 곤경.
hót-wáter bòttle[《美》 **bàg**] *n.* 탕파.
hót-wáter hèating *n.* 온수 난방.
hót wáter pollùtion *n.* =THERMAL POLLUTION.
hót-wáter trèatment *n.* (식물의 기생균 따위를 제거하기 위한) 온탕 처리.
hót wèll *n.* **1** 온천. **2** (기관의) 온수 저장통.
hót-wìre *a.* 열선의, 가열선 이용의《전기 기구》. ── *vt.* 《俗》 (점화 장치를 가열시켜 차·비행기의) 엔진을 걸다.
houdah ☞ HOWDAH.
Hou·di·ni [hu:dí:ni] *n.* **1** 후디니. **Harry** ~ (1874-1926) 미국의 마술사 ; 결박 풀기·탈출 따위의 명인 ; 본명 Ehrich Weiss. **2** 포박된 포승을 풀고 나오는 사람 ; 교묘한 탈출.
hough [hák] *n., vt.* 《스코》 =HOCK[1].
〚OE *hōh* heel ; cf. *hōhsinu* hamstring〛
***hound** [háund] *n.* **1** 사냥개 ; 《古·詩》 개. **2** 비열한 사람. **3** 《口》 열중하는 사람, …광[팬]. **4** 놀이에서 「개」《종이 뿌리기 술래잡기(hare and hounds)에서 추적하는 사람》. **5** [the ~s] (여우 사냥용의) 사냥개. **6** [*pl.*] 《美俗》 발.
a hound of law 포졸(捕卒).
follow the hounds*=*ride to hounds 말타고 사냥개를 앞세워 사냥하다.
── *vt.* **1** 사냥개로 사냥하다. **2** 추적하다 ; 쫓아다니다 ; 몰아대다, 박해하다 : ~ a person *to* death 남을 박해해 죽이다. **3** 격려하다〈*on*〉; 부추기다〈*at*〉: ~ a dog *at* a hare 개를 부추겨 토끼를 쫓게 하다.
〚OE *hund* ; cf. G *Hund*〛
hóund dòg *n.* 《美南部》 사냥개(hound) ; 《美俗》 섹스만 생각하는 남자, 여자 뒤만 쫓아다니는 남자, 색광 ; [H~ D~] 〖美空軍〗 하운드 도그《공대지 미사일》.
hóund·fìsh *n.* 〖魚〗 =DOGFISH.
hóund's-tòngue *n.* 〖植〗 큰꽃마리《지치과》.
hóund(')s·tòoth (chéck) *n.* 〖服〗 엇비슷하게 교차시킨 새발 격자 무늬.
◇**hour** [áuər] *n.* **1** 한 시간 ; 한 시간 가량, 한참 동안 ; (수업의) 한 시간 ; 한 시간의 노정[거리] : 1800 ~*s* 18시, 오후 6시《24시간제의 표시법으로 eighteen hundred hours라고 읽음》. **2** 시각 : the early ~*s* of the morning 아침 이른 시각. **3** 지금 시각, 현재, 현금 ; [the ~] 정시(正時) ; [one's (last) ~] 죽을 때, 임종시 ; [one's ~] 중대한 시기, 성시(盛時) : the man[question] of the ~ 화제의 인물[시사 문제] / (every ~) on *the* ~ (매)정시에 / to an[*the*] ~ 정각 / *His* ~ has come. 그의 임종이 다가왔다. **4** (…할, …의) 때, 시기, 계제 ; (…인) 때, 시대 : What is your dinner ~? 당신의 저녁 식사 시간은 몇 시입니까 / What ~ do you open? 몇 시에 가게문을 엽니까 / my boyhood's ~*s* 소년 시절. **5 a**) [*pl.*] 근무[집무, 공부] 시간 ; 취침[기상] 시각 : office [business] ~*s* 집무[영업] 시간 / school ~*s* 수업 시간 / The doctor's ~*s* are from 10 to 4. 진료 시간은 10시부터 4시까지입니다 / keep regular ~*s* 규칙적인 생활을 하다. **b**) [때때로 H~s] 〖카톨릭〗 성무일도(聖務日禱)《정시의 기도》: a book of ~*s* 성무일도서. **c**) [the H~s] 〖그神〗 계절의 여신들. **6** 〖天〗 경도간의 15도 ; =SIDEREAL HOUR.
after hours 정규 업무시간 후에.
at all hours 언제든지.
by the hour 시간제로, 한 시간 마다 얼마로《고용·지급 따위》.
for hours together 몇 시간이나 계속하여.
hour after hour 매시간 ; 언제든지.
improve each*[*the shining*] *hour 시간을 활용하다.
in a good*[*happy*] *hour 운좋게, 다행히도.
in an evil*[*ill*] *hour 불행히도.
in the hour of need 정말 필요할 때에.
keep bad*[*late*] *hours 밤늦게 자다, 아침 늦게 일어나다 ; 밤늦게 귀가하다.
keep good*[*early*] *hours 일찍 자고 일찍 일어나다, 일찍 자다.
of the hour 목하의, 바로 지금의.
out of hours (근무[수업]) 시간 외에.
take hours over …에 몇 시간이나 걸리다.
till*[*to*] *all hours 밤늦게까지.
to an hour 꼭, 바로 정각에.
〚OF<L<Gk. *hōra* season, hour〛
hóur àngle *n.* 〖天〗 시간각(時間角).
hóur cìrcle *n.* 〖天〗 시간권(圈)《천구의 양극을 지나는 12대원(大圓)》.
hóur·glàss *n.* 모래[물]시계. ── *a.* 모래시계모양의, (허리가) 쏙 들어간.
hóur hànd *n.* (시계의) 단침[시침](cf. MINUTE HAND).
hou·ri [húəri, 美+háuri, 美+hú:ri] *n.* 〖이슬람敎〗 극락의 미녀 ; 매혹적인[요염한] 미인.
〚F<Pers.<Arab. ; 눈이 'gazellelike'의 뜻〛
hóur·ly *a.* 한 시간마다의, 매시의 ; 빈번한.
── *adv.* 매시간마다 ; 빈번히 ; 끊임없이.
hóur plàte *n.* (시계의) 문자반(文字盤).
◇**house**[1] [háus] *n.* (*pl.* **hous·es** [háuzəz]) **1** 집, 가옥, 주택, 인가 : the Smith ~ 스미스의 집, 스미스의 저택 / He lives in this ~. 이 집에 살고 있다. **2** (가축·가금 따위의) 우리 ; (물건의) 저장소, 창고. **3** 여관 ; (기숙 학교(boarding school)

의) 기숙사(寄宿舍), [집합적으로] 기숙생 ; [the H~] (Oxford 대학의) Christ Church 학교 기숙사. **4** 극장, 연예장 ; 흥행(performance) ; [집합적으로] 구경꾼, 청중(audience) : a full[poor] ~ 만원[한산함](cf. FULL HOUSE 1) / The second ~ starts at 6 o'clock. 2회 흥행은 6시에 시작된다. **5 a**) 가정(home, household) ; 일가, 가족(family) : An Englishman's ~ is his castle. 《속담》 영국인의 집은 그들의 성이다《가정 생활에 다른 사람이 침범하는 것을 용납하지 않음》. **b**) 가계, 혈통 : the *H*~ of Windsor 윈저가(家)《영국 왕실》/ the Imperial[Royal] *H*~ 황실[왕실]. **6 a**) 집회소, 회관, 의사당 ; 의원들 : the upper [lower] ~ 상[하]원. **b**) [the H~] 《英口》 하[상]원(=the **H~ of Cómmons**[**Lórds**]) ; 《美》 하원(=the **H~ of Represéntatives**) ; 《英口》 런던 증권 거래소 ; 《英·婉》 =WORKHOUSE 1. **7** 상점, 회사.

(as) safe as houses[***a house***] 매우 안전한.

be in possession of the House 《英》 (의회에서) 발언권을 가지다.

bring down the (***whole***) ***house*** ☞ BRING.

clean house 집을 청소하다, 대청소하다 ; 《비유》 (폐풍·장애 따위의) 모든 것을 일소하다, 숙청하다.

enter[***be in***] ***the House*** 《英》 (하원)의원이 되다[이다].

from house to house 집에서 집으로, 집집마다, 가가호호.

house and home [강조적으로] 가정.

a house of cards 어린 아이가 트럼프로 지은 집 ; 막연한 계획, 탁상 공론.

a house of call 단골집 ; (주문받으러 다니는 사람의) 단골손님, 배달처 ; 여인숙.

a house of correction (경범자를 수용하는) 교화원(教化院).

a house of God 교회(당).

keep a good house 사치스럽게 살다.

keep house 가정을 가지다 ; 살림을 꾸려나가다 ; 《英》=*keep the* HOUSE : My sister *keeps* ~ for me. 누이 동생이 가사를 맡아보고 있다.

keep open house (문호를 개방해서) 누구든지 환영하다.

keep (***to***) ***the***[one'***s***] ***house*** 집에 머무르다, (병 따위로) 두문 불출하다 : While his parents worked in the fields, his grandmother *kept the* ~ and cared for the children. 그의 양친이 들에서 일하고 있는 동안에 그의 할머니는 집에 남아서 아이들을 돌보았다.

like a house on fire 《口》 활기있게, 맹렬히.

make a House 《英》 하원에서 정족수의 의원을 출석시키다.

on the house (비용을) 술집[회사·사업주]의 부담으로, 공짜로, 서비스로.

play house 소꿉장난하다.

set[***put***] one'***s*** (***own***) ***house in order*** 신변을 정리하다 ; 재정 상태를 향상시키다 ; 질서를 회복하다.

set up house (하숙 따위를 나와서) 집을 마련하다.

the Houses of Parliament 《英》 국회의사당.

⟦OE *hūs* ; cf. G *Haus*⟧

類義語 ***house*** 사람이 살고 있는 건물, 가옥. ***home*** 가족의 생활, 애정의 중심으로서의 집,

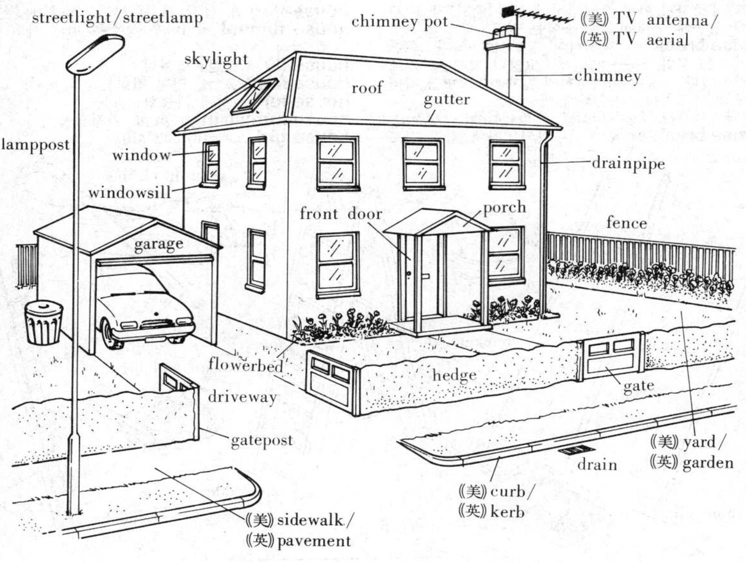

house

가정. ㊟ home은 《美》에서는 house의 뜻으로도 사용됨.

◇**house²** [háuz] *vt.* **1 a**) (임시로) 묵게 하다, 집에 들이다 ; (가족·주민 등에게) 집[주택]을 제공하다[할당하다], 수용하다 : ~ a friend for the night 친구를 하룻밤 묵게 하다 / ~ and feed one's family 가족에게 주식을 제공하다 / a library *housing* tens of thousands of books 수만 권의 서적을 장서로 가지고 있는 도서관. **b**) [+目/+目+前+名] (물건을) 저장하다(store) : ~ garden tools ***in*** a shed 원예용의 도구를 창고에 보관하다. **2** 지붕을 덮다(shelter) : ~ a plant 식물을 온실에 넣다. **3** 〔海〕 (대포를) 함내(艦內)에 들여놓다, (윗돛대·가운데 돛대를) 끌어내리다(lower) ; (요트 따위를) 안전한 곳에 넣다. ── *vi.* 묵다, 살다 〈*up*〉.

hóuse àd *n.* 〔出版〕 자사(自社) 광고《자사의 출판물에 게재한 자사 출판물 광고》.

hóuse àgency *n.* ＝IN-HOUSE AGENCY.

hóuse àgent *n.* 《英》 가옥[부동산] 중개업자 ; 부동산 중개업소.

hóuse arrèst *n.* 자택[가택] 감금, 연금 : be under ~ 자택 연금되어 있다.

hóuse·bòat *n.* (주거[유람]용의) 집같이 생긴 배 ; 숙박 설비가 딸린 요트. ── *vi.* houseboat에서 살다[로 순항하다].

hóuse·bòdy *n.* 《美》 ＝HOMEBODY.

hóuse·bote [-bòut] *n.* 〔法〕 가옥 수리재(修理材) 벌채권.

hóuse·bòund *a.* 집에 틀어박혀 있는.

hóuse·bòy *n.* (집·호텔 따위의) 잡일꾼(houseman).

hóuse brànd *n.* 판매자 브랜드, 자사(自社) 브랜드《제조자가 아닌 소매업자나 상사(商社)가 그 판매 상품에 독자적으로 붙이는 상표》.

hóuse·brèak *vi.* 침입하여 강도질을 하다 ; 《英》 가옥을 헐다. ── *vt.* (개·고양이 따위를) 집에 길들이다, (실내를 더럽히지 않게) 대소변을 가리도록 가르치다, 온순하게 만들다.
〚역성(逆成) < *housebreaker*, *-breaking*, *-broken*〛

hóuse·brèak·er *n.* **1** (주간의) 가택 침입 강도 (cf. BURGLAR) ; 가택 침입자. **2** 《英》 (가옥의) 철거업자(＝《美》 housewrecker).

hóuse·brèak·ing *n.* Ⓤ 가택 침입 강도《죄》, 가택 침입(cf. BURGLARY) ; 《英》 가옥 철거.

hóuse·bròken, -bròke *a.* (개·고양이 따위가) 집에서 살도록 길들여진(house-trained).

hóuse·bùg *n.* 빈대.

hóuse·build·er *n.* 가옥 건축 청부업자.

hóuse càll *n.* (의사·간호사 등의) 왕진 ; (외판원 등의) 가정 방문.

hóuse·clèan *vt., vi.* (집을) 청소 하다 ; (회사·관청 따위의) 인원 정리를 하다, 숙청하다.

hóuse·clèan·ing *n.* Ⓤ [또는 a ~] 대청소 ; 숙청 : spring ~ 봄맞이 대청소 / a thorough ~ 철저한 숙청.

hóuse·còat *n.* 실내복《여성이 집에서 입는 길고 헐렁한 원피스》.

hóuse còunsel *n.* (법인체의) 고문 변호사.

hóuse·cràft *n.* 《英》 살림을 꾸려나가는 솜씨 ; 가정학, 가정과(科).

hóuse crìcket *n.* 〔昆〕 집귀뚜라미.

hóuse detèctive[dìck] *n.* (호텔·백화점·은행·회사 따위의) 경비원.

hóuse dìnner *n.* (클럽·학교 따위에서 회원이나 손님을 위하여 베푸는) 특별 만찬회.

hóuse dòctor *n.* 병원에 입주하고 있는 의사.

hóuse dòg *n.* 집지키는 개, 집에서 기르는 개.

hóuse·drèss *n.* 간편한 실내복.

hóuse dùty *n.* 집세.

hóuse fàmine *n.* 주택난.

hóuse·fàther *n.* 사감(舍監).

hóuse·fìnd·ing ágency *n.* 셋집 알선업, 가옥 소개업.

hóuse flàg *n.* 〔海〕 사기(社旗), 선주기.

hóuse flànnel *n.* (마루 청소용(用)) 거친 플란넬 걸레.

hóuse·flỳ *n.* 〔昆〕 집파리.

hóuse·frònt *n.* 집 정면[전면].

hóuse·ful *n.* 집에 가득함 〈*of*〉.

hóuse·fùrnish·ings *n. pl.* 가정용품.

hóuse gìrl *n.* ＝HOUSEMAID.

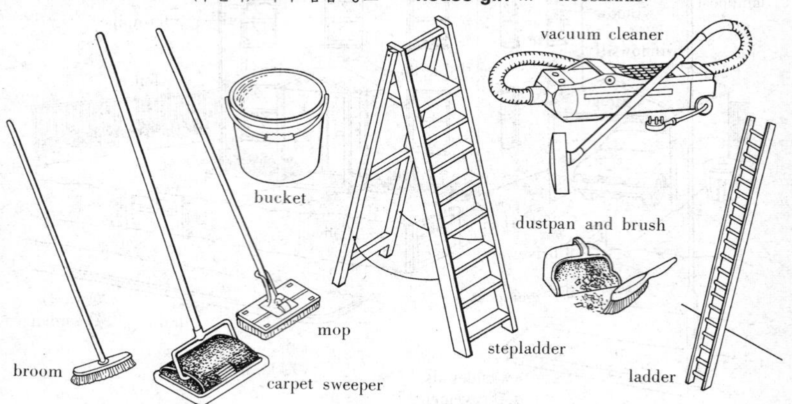

household equipment

hóuse·guèst *n.* 집에 묵고 갈 손님.

***hóuse·hòld** *n.* **1** [집합적으로] 가정, 가족(family), 온 집안 사람《고용인도 포함해서》, 세대 : ~ affairs 가사, 가정(家政) / ~ goods 가재, 가재 도구. **2** [the H~] 《英》 왕실 : *the* Imperial[Royal] *H~* 황실[왕실]《봉사자를 포함》. **3** (신앙·주의상의) 동지(members).
—— *a.* 가정[가재도구](용)의 ; 일상의, 신변의, 귀에[눈에] 익은 ; 왕실의.

hóusehold árts *n. pl.* 가정학《요리·재봉·육아 따위》.

Hóusehold Cávalry *n.* [the ~] 《英》 근위 기병대(cf. HORSE GUARDS, LIFE GUARDS).

hóusehold efféct s *n. pl.* 가재 도구.

hóuse·hòld·er *n.* 가장, 세대주.

hóusehold fránchise[súffrage] *n.* 〖英史〗 호주(戶主) 선거권.

hóusehold góds *n. pl.* **1** 〖古로〗 집을 수호하는 신. **2** 《비유》 존경받는 사람[것]《따위》; 《英口》 가정 필수품.

hóusehold mánager *n.* 가정 관리자, 주부.

hóusehold náme *n.* =HOUSEHOLD WORD.

hóusehold stúff *n.* 《古》 가재 도구, 세간.

hóusehold tróops *n. pl.* 《英》 근위대.

hóusehold wórd *n.* 일상 용어 ; 잘 알려진 속담[이름, 인물], 곧잘 쓰이는 말.

hóuse-hùnt·ing *n.* Ⓤ 집 구하기.

hóuse·hùsband *n.* (아내가 밖에서 일하고 가정에서) 가사를 맡은 남편.

hóuse·kèep *vi.* 《口》 가정을 갖다, 집안 일에 힘쓰다, 살림을 꾸려나가다.

hóuse·kèep·er *n.* **1** 가정부(cf. BUTLER). **2** 주부 : She is a good[bad] ~. 집안 살림을 잘[못]한다. **3** (주택·사무소 따위의) 관리인.

hóuse·kèep·ing *n.* Ⓤ 가정(家政), 가계 ; 살림살이 ; 가계비 ; (회사 따위의) 경영, 관리 ; 〖컴퓨〗 문제해결에 직접 관계하지 않는 시스템 운용에 관한 루틴 : set up ~ 살림을 차리다.

hóuse·lèek *n.* 〖植〗 꿩의비름과(科)의 풀.

hóuse·less *a.* 집이 없는, 잘 곳 없는.

hóuse·lìghts *n. pl.* (극장의 막이 올라가며 꺼지는) 관객석의 조명.

hóuse·màid *n.* 하녀(cf. CHAMBERMAID).

hóusemaid's knée *n.* 〖醫〗 무릎의 급성 또는 만성 피하염증 ; 슬개 활액낭염(膝蓋滑液囊炎).

hóuse·man [-mən, -mæ̀n] *n.* (가정·호텔 따위의) 잡일꾼 ; (백화점·호텔 따위의) 경비원 ; (댄스홀·도박장 따위의) 경호원 ; (병원의) 인턴.

hóuse mànager *n.* 극장 지배인.

hóuse màrtin *n.* 〖鳥〗 흰털발제비《유럽산(産)》.

hóuse·màster *n.* (남자 기숙사제 학교의) 사감(cf. HOUSE[1] *n.* 3).

hóuse·màte *n.* 동거인.

hóuse·mìstress *n.* 여자 집주인, 주부(housewife) ; 여자 사감.

hóuse·mòther *n.* 여자 사감(matron).

hóuse mòuse *n.* 생쥐.

hóuse nìgger *n.* 《美黑人俗·蔑》 백인에게 굴종하는 흑인.

hóuse of assémbly *n.* (영국식민지·영국보호령·영연방 제국의) 입법부, 하원.

hóuse of délegates *n.* [the ~, 흔히 the H~ of D~] (Maryland, Virginia 및 West Virginia 주(州) 의회의) 하원.

hóuse of deténtion *n.* 미결감, 유치장.

hóuse òrgan *n.* 사내보(社內報), 회사 기관지.

hóuse·pàrents *n. pl.* (학생 기숙사 따위의) 관리인 부부.

hóuse-párlor·màid *n.* 잔심부름하는 계집애, 하녀, 여사환.

hóuse pàrty *n.* 별장 따위에 묵고 있는 손님의 일단, 그곳에서 개최하는 싸구려 파티.

hóuse·pèrson *n.* 가정 담당자《housewife와 househusband의 구별을 피한 단어》.

hóuse·phòne *n.* (호텔·아파트 따위의) 교환 전화, (교환식) 구내 전화.

hóuse physícian *n.* 병원에 입주하고 있는 (내과) 의사[인턴](cf. RESIDENT *n.* 4).

hóuse plàce *n.* 《英》 농가의 거실(居室).

hóuse·plànt *n.* 실내에 놓는 화분의 화초.

hóuse-pòor *a.* 집 마련에 돈이 너무 들어 가난한.

hóuse-pròud *a.* (주부 등) 집[살림] 자랑을 하는, 집안 일[집치장 따위]에 열심인.

hous·er [háuzər] *n.* 주택 계획 입안자, 주택 문제 전문가.

hóuse-ràising *n.* Ⓤ 《美》 (시골에서 이웃이 모여 하는) 집의 상량식(上樑式).

hóuse rènt *n.* Ⓤ,Ⓒ 집세.

hóuse·ròom *n.* Ⓤ [보통 부정구문으로] 집의 수용력, 두는 곳 : I would *not* give it ~. 그런 것은 거저 주어도 싫다《장소만 차지한다》.

hóuse sèat *n.* 극장의 특별 초대석.

hóuse-sìt *vi.* 《美》 남의 (부재중) 집을 봐주다 〈*for*〉. **hóuse-sìtting** *n.*

hóuse slìpper *n.* 실내용 슬리퍼《뒤축이 있음》.

hóuse spàrrow *n.* 〖鳥〗 영국참새(English sparrow).

hóuse stèward *n.* 청지기, 집사.

hóuse stýle *n.* 각 출판사[인쇄소]의 (철자 따위의, 독자의) 양식, (조판) 스타일 ; 《英》 = CORPORATE IDENTITY.

hóuse sùrgeon *n.* 병원에 입주하고 있는 외과의사[외과의 인턴](cf. RESIDENT *n.* 4).

hóuse-to-hóuse *a.* 호별의, 집집마다의 : make a ~ visit 호별 방문을 하다.

hóuse·tòp *n.* 지붕(roof), 지붕 꼭대기.
proclaim*[*cry, preach*] *. . .* (*up*)*on*[*from*] *the housetops …을 세상에 널리 퍼뜨리다[선전하다].

hóuse tràiler *n.* 자동차에 연결한 이동 주택(mobile home)용의 트레일러.

hóuse-tràined *a.* 《英》 =HOUSEBROKEN.

Hóuse Un-Américan Actívities Com·mìttee *n.* [the ~] 《美》 하원 비미(非美) 활동 조사 위원회《略 HUAC》.

hóuse·wàres *n. pl.* 가정용품《부엌용품·접시·유리 그릇 따위》.

hóuse·wàrm·ing *n.* 새집에 든 축하연, 집들이.

***hóuse·wìfe** *n.* **1** (전업) 주부. **2** [hʌ́zif] 반짇고리, 바느질그릇. **~·ly** [-wàif-] *a.* 주부다운 ; 알뜰한. **~·li·ness** *n.* **-wìf·ey** *a.*
〖ME *hus*(*e*)*wif* (HOUSE, WIFE)〗

house·wife·ry [háuswàifəri ; -wifəri] *n.* Ⓤ 가정(家政), 가사(家事).

hóusewife sỳndrome *n.* 주부 증후군.

hóuse·wòrk *n.* Ⓤ 가사《세탁·청소·요리 따위 ; cf. HOMEWORK》.

hóuse·wrècker *n.* 《美》 (건물의) 철거업자(=《英》 housebreaker).

housey-housey [háuziháuzi] *n.* LOTTO 비슷한 카드놀이의 일종.

hous·ing[1] [háuziŋ] *n.* **1** Ⓤ 주택 공급 : the ~ problem 주택 문제. **2** Ⓤ [집합적으로] 주택(houses) : We need more ~ for the needy. 가난

한 사람들을 위해서 보다 많은 주택이 필요하다. 〚HOUSE〛

housing[2] *n.* **1** (장식용 또는 방한용의) 마의(馬衣) (cf. HORSECLOTH) ; 안장 방석(cf. SADDLECLOTH). **2** [*pl.*] 말 장식(trappings). 〚ME=covering (OF *houce*<Gmc.)〛

hóusing assocìation *n.* 주택[아파트] 건설[구입] 조합, 주택 협회.

hóusing devèlopment[《英》 **estàte**] *n.* (공영) 주택 단지, 집단 주택지.

hóusing pròject *n.* 《美》 (보통 저수입 세대를 위한) 공영 주택[아파트] 단지.

hóusing schème *n.* 《英》 (지방 자치 단체의) 주택 건설[공급] 계획.

hóusing shòrtage *n.* 주택난.

hóusing stàrt *n.* 주택 건축 착공.

Hous·ton [hjúːstən, 美+júː-] *n.* 휴스턴《텍사스주의 공업 도시 ; 유인 우주 비행 센터 소재지》.

hou·tie [hóuti] *n.* 《蔑》 (짐바브웨에서) 흑인.

Hou·yhn·hnm [huːínəm, *h*wín- ; húi*h*nəm] *n.* (걸리버 여행기의) 휘넘《인간과 같은 이성을 가진 말 ; 인간의 모습을 한 Yahoo를 지배함》.

hove *v.* HEAVE의 과거·과거분사.

hov·el [hʌ́vəl, hɑ́v-] *n.* 오두막집 ; 헛간《주로 가축·도구 따위를 넣어둠》; 별채. —— *vt.* (**-l-** | **-ll-**) 오두막집에 넣다. 〚ME<?〛

hóvel·er *n.* 무면허 수로(水路) 안내인.

hov·er** [hʌ́vər, hɑ́v-] *vi.* [動/+前+名] **1** 공중을 떠돌다 ; 호버링하다 : A hawk was ~*ing* ***over its nest. 한마리의 매가 그 둥지 위를 맴돌고 있었다. **2** 방황[배회]하다(loiter) ; 《비유》 주저하다(waver) : ~ ***about***[***around***] a place 어떤 장소를 배회하다 / ~ ***between*** two courses[life ***and*** death] 두 가지 방침 사이[생사의 기로]에서 헤매다. —— *vt.* (새가 새끼를) 품다. —— *n.* 공중에 떠돌기 ; 방황, 배회. **~·er** *n.* 하늘을 나는 것 ; 배회[방황]하는 사람. 〚ME (*hove* (obs.) to hover, linger+-*er*[3])〛 類義語 ⟹ FLY[1].

hóver·bàrge *n.* 《英》 호버바지《에어쿠션식(式) 짐배》.

hóver·bèd *n.* 호버베드《에어쿠션을 이용한 침대 ; 화상·피부병 환자용》.

Hóver·cràft *n.* (*pl.* ~) 호버크라프트《지면[수면]으로 내뿜는 압축 공기로 기체(機體)를 띄워 주행시키는 탈것 ; 상표명 ; cf. HYDROSKIMMER》.

hóver·fèrry *n.* 《英》 연락선용 호버크라프트.

hóver·ing *n.* 〔空〕 호버링《헬리콥터가 공중에 정지해 있는 상태》.

hóvering cèiling *n.* 〔空〕 호버링 한계고도.

hóver·plàne *n.* 《英》 헬리콥터.

hóver·pòrt *n.* 호버크라프트 항[발착장].

hóver·tràil·er *n.* 호버트레일러《에어쿠션식 트레일러 ; 호소(湖沼)·늪지대 따위에서 무거운 화물을 운반함》.

hóver·tràin *n.* 호버트레인《자력(磁力)에 의한 에어쿠션을 이용한 고속 열차》.

◇**how**

> (1) how는 의문부사의 용법이 주기능이다.
> (2) what처럼 감탄문을 구성한다.
> (3) where, when과 같은 관계사로서의 용법은 없거나 드물다.
> (4) how만으로 동사를 수식하는 용법과 *how* nice, *how* fast와 같이 형용사·부사를 수식하는 경우가 있다.

—— *adv.* **A** [háu] [의문부사] **1** [모양·방법] **a)** 어떻게, 어떤 모양으로, 어떤 방식으로 : *H*~ shall I do it? 어떻게 하면 좋을까요 / *H*~ is it (that) you are here? 어떻게 해서 여기에 있느냐 / *H*~ do I go there? 거기에는 어떻게[무엇을 타고] 가면 됩니까 / *H*~ else can I say it? 그밖에 어떻게 말할 수 있느냐. **b)** [부정사 또는 절(clause)을 이끌어] : He knows ~ *to* swim. 헤엄치는 법을 알고 있다 / I don't know ~ *to* call him. 그를 어떻게[어떤 방법으로] 불러야 좋을지 모르겠다 / Tell me ~ I can get there. 어떻게 거기에 갈 수 있는지 말해 주시오.

2 [상태] 어떤 상태로 : *H*~ is she now? 그녀는 지금 어떠냐 / *H*~ are you? 안녕하십니까 / *H*~'s your father? 아버지께서는 안녕하십니까 / *H*~ did you leave your parents? (떠날 때) 양친께서는 어떠하셨습니까.

3 [상대의 의견·설명 따위를 구하여] 어찌하여, 어떻게 : *H*~? =*H*~ is that again? 《美》 무엇이라고요, 다시 한번 말씀해 주세요(=《英》 What?) / *H*~ (=What) do you mean? 무슨 뜻이냐, 무얼 말하는 것이냐 / *H*~ would it be to start tomorrow? 내일 출발하면 어떨까요.

4 [정도] **a)** 어느 정도, 얼마 만큼 : *H*~ old is he? 그는 몇 살이냐 / *H*~ long is it? 길이는 얼마냐 / *H*~ do you like Korea? 한국은 어떻습니까 《좋습니까 싫습니까》 / *H*~ is the dollar today? 오늘 달러(시세)는 얼마냐. **b)** [절을 이끌어] : I wonder ~ old he is. 나는 그가 몇 살인지 모른다 / You have no idea (as to) ~ cleverly he speaks. 그가 연설을 얼마나 잘하는지 너는 모른다.

5 [감탄문에 쓰여서] **a)** 얼마나, 정말 : *H*~ foolish (you are)! (너야말로) 정말로 어리석구나 / *H*~ kind of you! 참 친절하시군요 / *H*~ well she sings! 그녀가 노래를 얼마나 잘 부르는지 / *H*~ I wish I could travel (a)round the world! 세계 일주 여행을 할 수 있다면 얼마나 좋을까 / *H*~ it rains! 비가 많이 오는군. ☞ 活用 (1). **b)** [절을이끌어] : I saw ~ sad she was. 그녀가 얼마나 슬퍼하고 있는지를 알았다 / You cannot imagine ~ wonderfully he sang. 그가 얼마나 노래를 잘 불렀는지 당신은 상상도 할 수 없을 것입니다.

> 〈회화〉
> *How* far did you go?—I went as far as the beach. 「어디까지 갔었니」「해변까지 갔어」

B [hàu] [관계부사] **1** [명사절을 이끌어] …한 경위[경로(經路)] : That is ~ (=the way) it happened. 이렇게 해서 그 일이 일어난 것이다 / I told him ~ I had read it in the papers. 나는 그것을 신문에서 읽었다고 그에게 말했다. ☞ 活用 (2).

2 [부사절을 이끌어] 어떻게든 …처럼 : Do it ~ (=as best) you can. 어떻게든지 (할 수 있는 데까지) 해 보시오 / I don't care ~ you spend the holidays. 네가 휴가를 어떻게 보냈든 내게는 관심 없다.

and how 《口》 매우, 대단히 ; 그렇고 말고 ; 물론 : Prices are going up, *and* ~! 물가가 무척 오르고 있다.

Here's how! (축배의 말) 건강을 빕니다!

How about. . . ? …은 어떠냐 ; …에 대해서는 어떻게 생각하느냐(cf. WHAT *about*...?) : *H*~ *about* the result? 결과는 어떠냐[어떠 했느냐] / *H*~ *about* a game of chess? 체스를 한 판 두는

것이 어떠냐 / *H~ about* going for a swim? 수영하러 가지 않겠니.

〈회화〉
How about going for a walk with me? — Not now. I'm a little tired. 「나하고 산책하러가지 않겠니」「지금은 안돼. 좀 피곤해서」

how about의 문장 전환
Let's go out for a walk, shall we?
(산책하러 가지 않겠니?)
→ *How about* (= *What about*) going out for a walk?
→ *What do you say to* going out for a walk?

How come...? 《口》 …은 어찌된 셈[어째서]이냐(Why is it that...?) : *H~ come* you didn't come and see me yesterday? 어제 찾아오지 않은 것은 어찌 된 일이냐 《How did it come that...?의 단축형》.
***How comes it* (*that*...)?** (…은) 어찌된 셈이냐 : *H~ comes it* (*that*) you have taken away my notebook? 내 노트를 가져간 것은 어찌된일이냐. ㊟ 접속사 *that*은 때때로 생략됨.
***How come you to* do...?** 어째서 그렇게 하느냐 : *H~ come you to* say that? 어째서 그런 말을 하느냐.
How do you do? [háudəjədúː; -didúː; -djudúː] 안녕하십니까; 처음 뵙겠습니다《초면의 인사; 대답하는 쪽도 같은 말로 한다》. ㊟ 회화체에서는 *How-d'ye-do?*
***How ever* [*in the world, on earth, the devil*, etc.]...?** 도대체 어떻게 해서 …이냐 (cf. HOWEVER 2).
***How far* (...)?** 어느 정도(의 거리)냐 : *H~ far* is it from here to your school? 여기에서 너의 학교까지는 어느 정도나 되냐.
How goes it? 《口》 별다른 일은 없느냐; 경기는 어떠냐.
How is that for...? 《口》 참으로 …하지 않느냐 : *H~ is that for* impudent[impudence]? 참으로 건방지지 않느냐.
***How long* (...)?** (길이·시일이) 어느 정도, 몇 년[월·일·시간·분 따위], 언제부터, 언제까지 : *H~ long* does it take (me) to go there by bus? 버스로 거기에 가는데 (시간이) 얼마나 걸립니까.
***How many* (...)?** 얼마나 : *H~ many* apples are there in the box? 상자에 사과가 몇 개나 들어 있습니까.
How much? (1) (가격은) 얼마요 : *H~ much* is this dictionary? 이 사전은 얼마입니까. (2) 《戲》 뭐라고요(= What?, How?).
How now? (1) 이것은 어찌된 셈이냐《힐문》. (2) 《古》 야아!
***How often* (...)?** 몇 번 (…)이냐 : *H~ often* shall I write these words? 이 단어들을 몇 번이나 쓰면 되겠습니까.
How say you? 당신의 생각은 어떻소.
How so? 어째서 그러냐, 왜 그러냐(Why?).
How's that? (1) 그것은 어찌된 셈이냐, 어떻게 해서 그러냐; 저것[그것]을 어떻게 생각하느냐. (2) 〘크리켓〙 (심판을 향해서) 이번은 어떻게 된 겁니까《타자가 아웃이오 아니면 세이프요》.
How then? 이것은 어찌된 일이냐; 그럼 어쩌면 좋지.

—— [háu] *n.* [the ~] 방법(manner, means); 「어떤 식으로 하여」라고 하는 질문 : *the* ~ and the why of it 그 방법과 이유.

how의 ○×
(×) *How* do you think of it?
그것을 어떻게 생각합니까?
(○) *What* do you think of it?
☆ 한국어의 「어떻게」라는 말만 생각하여 how를 쓰기가 쉽다. 다음과 같은 경우와 구별해서 써야 한다.
How do you feel? (기분이 어떤가요)
How do you like America? (미국은 어떻습니까)

〖OE *hū*; cf. WHO, G *wie*〗
活用 (1) *adv.* A 5 a) 에서 *How* pretty a girl she is! 와 같은 감탄문은 드물며 *What* a pretty girl she is! (저 소녀는 어쩌면 저렇게 예쁘지)와 같이 표현하는 것이 일반적《이 경우 두 문장의 관사의 위치에 주의》; 또 위의 예에서 명사가 복수형이 될 때 *What* pretty girls they are! 로 되며 *How* pretty girls they are! 로 되는 경우는 없음.
(2) *adv.* B 1과 같이 how를 대개 that(*conj.*) 같은 뜻으로 사용하는 것은 문어적 용법; 단 that과는 달리 감정적 요소를 수반함.

How·ard [háuərd] *n.* 남자 이름. 〖OF＜Gmc.＝brave＋heart *or* OE＝sword＋guardian〗
how·be·it [haubíːit; ⌐⌐-] *adv., conj.* 《古》 …라고는 하나, …임에도 불구하고(nevertheless).
how·dah, hou- [háudə] *n.* 코끼리 가마《코끼리의 등에 얹어서 여러 사람이 타는 보통 닫집이 있는 가마》.
〖Urdu＜Arab.＝litter〗
how·die, -dy [háudi] *n.* 《北英》 ＝MIDWIFE.
how-do-you-do [háudəjədúː], **how-d'ye-do** [-didúː], **how-de-do** [-didúː] *n.* 《口》 곤란한[어려운] 처지, 괴로운 입장(dilemma) : This is a pretty[nice] ~. 이것 참 곤란한 걸.
how·dy[1] [háudi] *int.* 《美方·美口》 안녕!, 여어! 《인사말; how do ye[you] do의 단축형》.
howdy[2] ☞ HOWDIE.
howe [háu] *n.* 《스코》 분지; 넓은 골짜기. 〖OE *hol*〗
how·e'er [hauéər] HOWEVER의 단축형.
◇**how·ev·er** [hauévər] *adv.* **1** [양보의 부사절을 이끌어] 아무리 …해도(no matter how) : *H~* long a vacation is, I always feel I want a few days more. 휴가가 아무리 길어도 며칠 더 있었으면 하고 늘 생각한다 / *H~* tired you may be, you must do it. 아무리 지쳤어도 그것을 하지 않으면 안된다 / He will never pass the examinations, ~ hard he works. 아무리 공부를 해도 시험에 합격할 것 같지 않다 / *H~* much[little] he earns, ... 아무리 많이[적게] 벌어도…. **2** 《口》 [의문사 HOW의 강조형] 도대체 어떻게 해서 《㊟ how ever라고 두 단어로 쓰는 것이 정식; cf. WHATEVER *pron.* 3 ㊟》 : *H~* did you manage it? 도대체 어떻게 그것을 처리했느냐《놀람》/ *H~* did you go yourself? 도대체 어떻게 해서 네가 직접 갔느냐《당혹》. **3** [접속부사] …이지만, 그럼에도 불구하고(though, nevertheless). ㊟ however는 보통 문중 혹은 문미에 콤마와 함께 쓰여 *adv.*와 구별; but보다 의미가 약하고 형식적인 말 : Later, ~, he made up his mind to do that. 그러나 그 후 그는 그것을 할 결심을 했다 / He said

that it was so ; he was mistaken, ~. 그는 그렇다고 말했으나 잘못이었다.

how·it·zer [háuətsər] *n.* 〖軍〗 곡사포. 〚Du.<G<Czech=catapult〛

***howl** [hául] *vi.* [動/+前+名] (개·늑대 따위가) 멀리서 짖다 ; (사람이) 울부짖다, 노호하다, 호탕하게 웃다 ; (바람 따위가) 윙윙거리다 : The boy ~*ed* **with** laughter[*with* pain]. 소년은 큰소리로 웃었다[아파서 울부짖었다]. ── *vt.* 악을 쓰며 말하다 ; [+目+副/+目+前+名] 큰 소리를 쳐서 말을 못하게 하다[쫓아내다] : The mob ~*ed* **down** the lecturer[~*ed* the lecturer **off** the platform]. 군중은 아우성쳐서 강연자가 말을 못하게 했다[강연자를 연단에서 쫓아냈다].
── *n.* 멀리서 짖는 소리, 짖는 소리 ; 울부짖는[아우성] 소리 ; 호탕한 웃음 ; 〖라디오〗 (수신기의 파장을 맞출 때 나는) 소음 ; 불평, 반대.
〚ME (imit.)〛

hówl·er *n.* **1** 짖는 짐승, 통곡하는 사람 ; 울부짖는 사람. **2** 《口》 큰 실수, 대 실책 (cf. BONER). **3** =BUZZER.
come a howler 《口》 큰 실수를 저지르다.

hówler mònkey *n.* 〖動〗 짖는원숭이.

howl·et [háulət] *n.* 《英方》 =OWLET.

hówl·ing *a.* **1** 짖는, 통곡하는, 아우성치는 ; 굉장한 : a ~ dog 짖는 개 / a ~ storm 사납고 거친 폭풍우. **2** 《口》 터무니없는, 엄청난 : a ~ error[lie] 어처구니없는 실수[터무니없는 거짓말] / a ~ success 대성공.

hówling mònkey *n.* =HOWLER MONKEY.

how·so·ev·er [hàusouévər] *adv.* 《古》 암만 …해도, 아무리 …일지라도《however의 강조형》.

hów-tó *a.* 《美口》 입문적인, 초보의 : a ~ book 입문서.

hoy[1] [hɔ́i] *n.* 외돛 소형 범선 ; 대형 거룻배. 〚Du. *hoei*<?〛

hoy[2] *int.* **1** 훠이《가축을 쫓을 때의 소리》. **2** 〖海〗 (위쪽을 향하여) 어이 ! ── *n.* 외치는 소리. 〚imit. ; cf. AHOY, HEY〛

hoya [hɔ́ijə] *n.* 〖植〗 앵란《박주가리과(科)》. 〚Thomas *Hoy* (d. 1821) 영국의 원예가〛

hoy·den, hoi- [hɔ́idn] *n., a.* 말괄량이(의).
── *vi.* 말괄량이로 행동하다.
~·ism *n.* **~·ish** *a.*
〚C16=rude fellow<?Du. *heiden* country lout ; ⇨ HEATHEN〛

hoyle [hɔ́il] *n.* [흔히 H~] 트럼프 놀이법 책, 실내놀이법 책.
***according to hole*[*Hoyle*]** 규칙대로(의), 공정한[하게].
〚Edmond *Hoyle* (d. 1769) 영국의 실내 게임 규칙서의 필자〛

HP, H. P., hp., h. p. high pressure ; horsepower. **H. P.** hire purchase. **h. p.** half pay ; hot-press. **HPLC** 〖化〗 high-pressure[-performance] liquid chromatography (고속 액체 크로마토그래피). **HPPE** 〖化〗 high-pressure polyethylene(고압법(法) 폴리에틸렌). **HPTE** high-precision tracking experiment(고정밀도 추적 실험). **HPU** 〖宇宙〗 hydraulic power unit (수력 발전 장치). **H.Q., HQ., hq, h.q.** headquarters. **Hr.** Herr. **hr.** hour. **h.r., hr.** 〖野〗 home run(s). **H.R.** Home Rule ; 《美》 House of Representatives ; Human Relations. **H.R.E.** Holy Roman Emperor[Empire, Empress]. **H.R.H.** His[Her] Royal Highness. **H.R.I.P.** *hic requiescit in pace* 《L》(=here rests in peace). **HRSI** hightemperature reusable surface insulation ((우주선의) 고온용(用) 내열 타일). **HS** harmonized commodity description and coding system(국제 상품 분류 제도). **H. S.** high school ; high speed ; Home Secretary ; Honorary Secretary ; Hospital Saturday[Sunday] ; house surgeon. **HSCT** High Speed Civil Transport. **H. S. E.** *hic sepultus* [*sepulta*] *est* 《L》 (=here is buried). **HSGT** high-speed ground transport. **H.S.H.** His [Her] Serene Highness. **HSI** horizontal situation indicator(평면 상황 표시기(器)). **HSL** high-speed launch. **H.S.M.** His[Her] Serene Majesty. **HST** Hawaiian standard time(하와이 표준시) ; hypersonic transport(극초음속 수송기) ; high speed train((영국 국철의) 고속 열차) ; Hubble Space Telescope(허블 우주 망원경). **HSYNC** horizontal synchronization signal (텔레비전의 수평 동기(同期) 신호). **H. T.** high tension(고압). **ht.** heat ; height. **HTGR** high temperature gas-cooled reactor (고온 가스 냉각 원자로).

H-3 [éitʃθríː] *n.* 〖醫〗 노화 방지약(gerovital).

HTLV-3 human T-cell leukemia virus, type three《백혈병의 원인으로 보는 바이러스》. **HTR** high temperature reactor.
HUAC [hjúːæk] House Un-American Activities Committee.

Huang Hai, Hwang Hai [*h*wáːŋ hái ; *h*wǽŋ-] *n.* 황해(黃海) (=Yellow Sea).

Huang He [hwáːŋ hʌ́], **Huang Ho, Hwang Ho** [*h*wáːŋ hóu ; *h*wǽŋ-] *n.* 황하(黃河) (=Yellow River).

hua·ra·che [wəráːtʃi, hə-] *n.* 굽이 낮고 발등 부분을 밑창에 가죽끈으로 엮은 샌들. 〚Am. Sp.〛

hub[1] [hʌ́b] *n.* **1** (차륜의) 바퀴통(nave) ; 《비유》 (활동의) 중심, 중추(center) : a ~ *of* industry 산업의 중심지. **2** [the H~] 《美》 우주의 중심 (the ~ of the universe)《Boston 시의 애칭》.
up to the hub 《美》 깊이 빠져서, 꼼짝 못하는.
〚C16=? HOB[1]〛

hub[2] *n.* 《英口》 남편(husband).

húb-and-spóke sỳstem *n.* 〖空〗 지선(支線)의 대도시 집중 방식.

hub·ba-hub·ba, huba-huba [hʌ́bəhʌ́bə] *int.* 《美俗》 허바허바, 좋아좋아 ! 《제 2차 대전 때 미국 병사가 미인을 칭찬하는데 사용함》 ; 빨리 해라, 빨리 빨리, 서둘러 ! ── *adv.* 즉각, 즉시, 서둘러서. 〚Chin. 호불호(好不好)〛

hub·ble [hʌ́bəl] *n.* 《英方》 =HUBBUB.

húbble-bùbble *n.* 물담뱃대 ; 부글부글《거품이 이는 소리》 ; 재잘재잘《지껄이는 소리》.
〚imit. ; 가중(加重) ‹BUBBLE〛

Húbble('s) cónstant *n.* 〖天〗 허블 상수(常數). 〚E.P. *Hubble* (d. 1953) 미국의 천문학자〛

húb·bly *a.* 《美口》 혹투성이의, 우툴두툴한.

hub·bub [hʌ́bʌb], **hub·ba·boo, hub·bu·boo** [hʌ́bəbùː] *n.* Ⓤ 와글와글함 ; 함성 ; 소란.
〚C16<? Ir. ; cf. Sc. Gael. *ububh* exclamation of contempt, Ir. *abú* a war cry〛
類義語 ⟹ NOISE.

hub·by [hʌ́bi] *n.* 《口》 =HUSBAND.
〚HUB[2], -*y*[3]〛

húb·càp *n.* 허브캡《자동차 따위의 바퀴에 붙이는 금속제 덮개》.

Hu·bei [húːbéi], **-pei, -peh** [, húːpéi] *n.* 후베이(湖北)《중국 중부의 성(省)》.

Hu·bert [hjú:bərt] *n.* 남자 이름. 〚Gmc.=mind+bright〛

hu·bris [hjú:brəs] *n.* (지나친 자신 따위에 의해 대가를 치루게 되는) 거만, 오만. 〚Gk.〛

huck·a·back [hʌ́kəbæ̀k], **huck** [hʌ́k] *n.* Ⓤ 거친 리넨 또는 목면제의 타월 천. 〚C17<?〛

huck·le [hʌ́kəl] *n.* 엉덩이, 허리, 넓적다리.

húckle·bàcked *a.* 곱사등이의.

húckle·bèrry [, 英+-bəri] *n.* 〚植〛 허클베리《월귤나무류의 관목 ; 북미산(産)》; 그 열매. 〚변형(變形) ‹? *hurtleberry* WHORTLEBERRY〛

húckle·bòne *n.* 좌골, 무명뼈(hipbone) ; (네발 짐승의) 거골(距骨).

huck·ster [hʌ́kstər] *n.* 도붓 장수, (과일 따위의) 행상인 ;《美口》 광고업자, 선전원, (특히 라디오·텔레비전의) 광고 제작업자. —— *vt., vi.* 외치며 팔다 ; 행상을 하다 ; 값을 깎다 ; 품질을 떨어뜨리다. **~·ìsm** *n.* =COMMERCIALISM ; 강매주의.
húck·stery *n.* Ⓤ 행상, 도붓장사.
〚ME<? LG ; cf. *huck* (dial.) to bargain, hawker〛

húckster·ìze *vt.* …에게 억지로 강요하는[강매하는] 수단을 쓰다.

HUD [hʌ́d] 〚空〛 head-up display《조종사가 전면을 본채 필요한 데이터를 읽을 수 있는 장치》;《美》 (Department of) Housing and Urban Development(주택 도시 개발부).

hud·dle [hʌ́dl] *vt.* **1** [+目+副] 아무렇게나 포개어 쌓다, 뒤죽박죽 모으다, 쑤셔[처]넣다 ; [~ one*self* 로] 웅크리다 : He lay ~*d* ***up*** in a corner. 구석에서 몸을 웅크리고 누워 있었다. **2** 서둘러 하다 : The cat ~*d* it*self* ***up*** on the cushion. 고양이는 방석 위에서 몸을 움츠렸다. **3** 숨기다, 은폐하다. —— *vi.* **1** [+副] 서로 밀다[떼지어 몰리다] : They ~*d together* around the fire. 불 주위에 한데 모였다. **2** 모여서 상담하다,《口》 회담하다 ; 웅크리다 ;〚美蹴〛 선수들이 상의하기 위해서 스크럼선 뒤에 모이다.
huddle on (옷을) 급히 입다, 걸치다.
huddle over [***through, up***] (일 따위를) 서둘러 하다, 아무렇게나 해치우다.
—— *n.* **1** 난잡, 혼잡. **2** 어중이떠중이 집단, 군중 ;《口》 회담, 상담. **3** 〚美蹴〛 선수들의 집합.
all in a huddle 난잡하게.
go into a huddle 《口》 비밀리에 이야기하다 ‹*with*›.
húd·dler *n.* 뒤죽박죽 쑤셔넣는 사람.
〚C16<? LG ; cf. ME *hoderen* to wrap up〛

húd·dling *n.* 대기업에서 몇 사람의 비공식 회합으로 문제 해결책을 꾀하기.

Hu·di·bras [hjú:dəbræs] *n.* 휴디브라스《S. Butler의 동명(同名)의 풍자시(1663-78)의 주인공으로 장로교회파의 완강하여 사리에 어두운 보안관 ; 위선과 이기주의가 통쾌하게 폭로됨》.
Hù·di·brás·tic *a., n.* 우스꽝스럽고 풍자적인 (작품). **-ti·cal·ly** *adv.*

Hud·son [hʌ́dsən] *n.* 허드슨. **Henry** ~ (?-1611) 영국의 항해가 ; 1610년에 Hudson Bay를 발견하고 Hudson 강을 탐험함.

Húdson Báy *n.* 허드슨 만《캐나다 북동부의 만 ; Hudson해협에서 대서양과 연결》.

Húdson Ínstitute *n.* 허드슨 연구소《H. Kahn이 설립(1961)한 미래를 예측·분석하는 두뇌 집단》.

Húdson séal *n.* 모조 바다표범 가죽《muskrat (사향쥐) 가죽》.

hue[1] [hjú:] *n.* **1** 색조(tint) ; 색 : a change in ~ 색조의 변화 / the ~*s* of the rainbow 무지개의 일곱가지 색. **2** (의견 따위의) 특색, 경향.
—— *vt.* …에 물들이다. —— *vi.* 물이 들다.
〚OE *hīw* form, appearance ; cf. ON *hȳ* down on plant〛
類義語 ⟹ COLOR.

hue[2] *n.* (추적의) 고함소리. 주 다음 숙어로 사용.
a hue and cry (1) 〚史〛 추적의 고함소리 ; 죄인 체포 포고(布告) ; (죄상·인상 착의를 적은) 옛날의 범죄 공보(公報). (2) 심한 비난 ; 대소동.
raise a hue and cry 도둑이야! 도둑이야! 하고 고함치다 ; 심한 비난의 소리를 지르다, 강한 반대의 기세를 나타내다‹*against*›.
〚OF=outcry (*huer* to shout<imit.)〛

hued [hjú:d] *a.* [보통 복합어로] …한 색조의 : golden-~ 황금색의 / many-~ 다채로운.

Hu·ey [hjú:i] *n.*《美軍俗》 휴이《베트남 전쟁에서 쓰인 Bell사제의 다용도 헬리콥터 HU-1형(型)》.

huff [hʌ́f] *n.* **1** 분개, 성냄 : in a ~ 발끈하여[화가 나서] / take ~=get into a ~ 발끈하다. **2** 〚체스〛 말을 잡기(☞ *vt.*). —— *vt.* 호통치다 ; 성나게 하다 ; 〚체스〛 (잡을 수 있는 말을 잡지 않은 벌로써 상대편의) 말을 잡다 : be ~*ed* 성내다.
—— *vi.* 화내다[발끈하다], 성내다.
huff and puff 《口》 몹시 수고하다, 안달복달[허둥지둥]하다, 떠들어대다.
〚imit. of blowing〛

huff-duff [hʌ́fdʌ̀f] *n.*《美空軍俗》 고주파 대(對)잠수함 탐지기. 〚*HFDF* (*h*igh-*f*requency radio-radar *d*irection *f*inder)〛

húff·ish *a.* 시무룩한, 골난 ; 뽐내는, 거만한.

húffy *a.* =HUFFISH.

hug** [hʌ́g] *vt.* (**-gg-**) **1** [+目 / +目+前+名] (보통 애정을 가지고) 꼭 껴안다 ; (곰이 앞발로) 끌어안다 : He ~*ged* her ***round the neck. 그녀의 목을 꼭 껴안았다 / The bear ~*ged* him ***to*** death. 곰은 앞발로 그를 끌어안아 죄어 죽였다. **2** (편견 따위를) 품다, 고수하다. **3** (도로)에 접근해서[닿을 듯이 하여] 나아가다(keep close to) ; 〚海〛 (해안) 가까이를 항해하다.
—— *vi.* 달라붙다, 달려들어 안기다 ; 접촉하다.
hug one***self on*** [***for, over***] …을 기뻐하다.
—— *n.* 포옹 ; 〚레슬링〛 끌어안기 : Mother gave me a ~. 어머니는 나를 꼭 껴안아 주셨다.
〚C16<? Scand. ; cf. ON *hugga* to soothe, OE *hogian* to take care of〛

‡huge [hjú:dʒ, 美+jú:dʒ] *a.* 거대한 ; 막대한 ; 큰, 대단한 : a ~ success[victory] 대성공[승리].
~·ly *adv.* 크게, 매우. **~·ness** *n.* Ⓤ 거대함 ; 막대함. 〚OF *ahuge*<?〛
類義語 ***huge*** 크기나 모양이 매우 큰 : a *huge* animal(거대한 동물). ***enormous*** 보통의 크기나 양을 훨씬 넘어서 이상(異常)하게 큰[많은] : an *enormous* iceberg(어마어마하게 큰 빙산). ***immense*** 너무 커서 보통 방법으로는 헤아릴 수 없는 ; 꼭 이상하다고는 말할 수 없음 : an *immense* ocean (광대한 대양). ***tremendous*** 원래는 「놀람이나 두려움을 줄 정도로 거대한」이라는 뜻이었으나 특히 「큰」이라는 뜻으로도 쓰임. ***gigantic, colossal*** 각각 giant(거인), colossus (거상)와 같은 뜻으로 널리 「거대한」의 뜻으로 쓰임.

húge·ous *a.* 《古·戱》 =HUGE.

hug·ger-mug·ger [hʌ́gərmʌ̀gər] *n., a., adv.* 난잡(한[하게]), 혼란(스러운[스럽게]) ; 비밀(의[리에]). —— *vt., vi.* 숨기다, 덮어두다 ; 소근소근 이야기하다. 〚C16<? ; cf. ME *hoder* to huddle, *mokere* to conceal〛

Hugh [hjú:] *n.* 남자 이름. 〚Gmc.=mind, spirit〛

Hu(gh)·ie [hjúːi] *n.* **1** 남자 이름《Hugh의 애칭》. **2** [Hughie] 《濠口》 비[날씨]의 신(神) : Send her down, ~! 비야 내려라.

Hu·go [hjúːgou ; *F* ygo] *n.* 위고. **Victor** ~(1802-85) 프랑스의 작가. 〖⇨ HUGH〗

HUGO Human Genome Organization(인간 유전자 해석 기구).

Hu·gue·not [hjúːgənɑ̀t] *n.* 〔史〕 위그노 교도《16-17세기경의 프랑스 신교도》. **~·ìsm** *n.* Ⓤ 위그노 교리. 〖F *eiguenot* one who opposed annexation by Savoy<Du.<Swiss G *eidgenoss* confederate ; 어형은 *Hugues* (16세기 Geneva 시장)에 동화(同化)〗

huh [(콧소리로) hʌ́] *int.* 《美》 흥! 《놀람·경멸·의문 따위의 소리》, 뭐라고(What?). 〖imit.〗

Hu·he·hot [húːheihóut], **Huh·hot** [húːhhóut] *n.* 후허하오터(呼和浩特) 《중국의 내몽고 자치구의 수도》.

hui [húːiː] *n.* 《濠》 회합 ; 간친회. 〖Haw.〗

Hú·la-Hòop [húːlə-] *n.* 훌라후프《훌라 댄스의 요령으로 허리 둘레에서 돌리며 노는 플라스틱의 둥근 고리 ; 상표명》.

húla(-húla) *n.* (하와이의) 훌라 댄스, 그 음악 : dance the ~ 훌라 댄스를 추다. 〖Haw.〗

húla skìrt *n.* (긴 풀이나 비닐로 엮은) 훌라 댄스용(用)의 스커트.

hulk [hʌ́lk] *n.* **1** 폐선《저장소 따위로 사용됨》 ; [보통 *pl.*] 〔史〕 감옥선(監獄船). **2** 《비유》 덩치가 큰 남자 ; 부피가 큰 물건. —— *vi.* 불쑥 나타나다, 큼직한 모습으로 다가오다 ; 《英方》 느릿느릿 움직이다. —— *vt.* …에게 감옥선에 들어갈 것을 명하다 ; 폐선에 숙박시키다. 〖OE *hulc* and MLG, MDu.〗

húlk·ing, húlky *a.* 덩치가 큰, 부피가 큰 (bulky) ; 커서 간수하기에 나쁜, 모양이 없는.

hull[1] [hʌ́l] *n.* **1** 외피, 껍데기, 깍지, (특히 콩의) 꼬투리(pod), (딸기 따위의) 꼭지. **2** (일반적으로) 덮개, 싸고 있는 것(covering). —— *vt.* …의 껍질[외피]을 벗기다, 꼬투리를 까다(shell) : ~*ed* corn 《美》 껍질을 벗긴 옥수수《알갱이》 / ~*ed* rice 현미(玄米). 〖OE *hulu* (*helan* to cover)〗

hull[2] *n.* 선체 ; 〔空〕 (비행정[선]의) 동[선]체. ***hull down*** 〔海〕 (돛대만 보이고 선체가 보이지 않을 만큼) 멀리(far away). 〖ME (cf. *hold*[2])〗

Hull *n.* 헐. **1** 잉글랜드 북부 Humberside 주의 주도(州都)《공식명 **Kíngston upòn** ~》. **2 Cordell** ~ (1871-1955) 미국의 정치가.

hul·la·ba·loo [hʌ́ləbəlùː ; ⌐-⌐] *n.* (*pl.* **~s**) 와글와글함, 떠들썩, 왁자지껄, 소란, 북새 : What a ~! 무슨 소동이냐! 〖*hallo, hullo* 따위의 가중(加重) ; cf. Sc. *baloo* lullaby〗

hul·lo [hʌlóu, hə-], **hul·loa** [hʌlóu, ⌐-] *int.* 어이!, 여어! (hello) ; 〔電話〕 여보세요. 〖HALLO〗

húl·ly *n.* 《美黑人俗》 뚱보.

hum[1] [hʌ́m] *v.* (**-mm-**) *vi.* [動/+前+名] **1** (벌·팽이·기계 따위가) 윙윙거리다 ; 우물우물 말하다, (불만으로) 흥하다 ; 콧노래를 부르다 : The lounge ~*med* ***with*** noise. 휴게실은 와글와글 소란스러웠다 / The old man was ~*ming* ***to*** him*self*. 노인은 혼자서 콧노래를 부르고 있었다. **2** (사업 따위) 경기가 좋다, (장소가) 법석거리다, 혼잡을 이루다 : make things ~ 경기를 좋게 하다, 활기띠게 하다 / a town ~*ming* ***with*** activity 활기가 넘치는 마을. —— *vt.* **1** [+目/+目+前+名] 입속에서 우물거리다 ; (콧노래를) 부르다 : He is ~*ming* a song ***to*** himself. 혼자서 콧노래를 부르고 있다. **2** [+目+前+名] …에게 콧노래를 불러 …하게 하다 : She ~*med* her baby ***to*** sleep. 작은 소리로 노래를 불러 아기를 재웠다.

hum along (자동차 따위로) 씽씽 달리다 ; (사업 따위) 계속 경기가 좋다, 호조를 보이다.

hum and haw [*ha, hah*] 말을 멈칫거리다 ; 주저하다.

—— *n.* **1** 윙윙거림 : the ~ of bees 벌이 윙윙거리는 소리. **2** 멀리서 나는 잡음, 와글와글함 : a ~ of voices 와글거리는 사람 소리. **3** (라디오·재생 장치의) 험《낮은 잡음》. **4** (망설임을 나타내는) 으흠 : ~*s* and ha's[haws] 어물거리고[주저하고]만 있기. **5** 활동. —— [mː, mmː] *int.* 흥! 《의문·불찬성의 말》. 〖imit.〗

hum[2] *n.* Ⓤ.Ⓒ 사기, 협잡(humbug).

◇**hu·man** [hjúːmən, 美+júː-] *a.* **1** 사람의 ; 인간의, 인간적인(↔*divine, animal*) : ~ affairs 인간에 관한 모든 일, 인간사 / a ~ creature 인간 / ~ frailty 인간의 나약함 / ~ knowledge 인지 / a ~ sacrifice 인신 제물(祭物). **2** 인간다운, 인간에게 있을[생길] 수 있는 : more[less] than ~ 인간 이상[이하]으로. —— *n.* **1** 인간(=~ **béing**). **2** [the ~] 인류.

~·ness *n.* 인간성, 인간미 ; 인간의 자격. 〖OF<L *humanus* (*homo* man)〗

類義語 ***human*** 선악에 관계없이 동물이나 신에게는 없고 인간에게만 있는 성질·감정의 : *human* feeling[folly] (인간적인 감정[어리석음]). ***humane*** 동물이나 곤경을 당하고 있는[고통을 받고 있는] 사람들에게 친절하게 대(對)하는 : *humane* treatment of war prisoners (포로에 대한 인도적인 대우).

húman cháin *n.* 인간 사슬《반핵 평화운동 그룹의 시위 행동의 한 형태 ; cf. DIE-IN》.

húman chorónic gonadotrópin *n.* 〔生理〕 인간 융모성 고나도트로핀《略 HCG》.

húman dócument *n.* 인간 기록《인간성에 대한 좋은 설명이 될 수 있는 기록》.

hu·mane [hjuːméin, 美+juː-] *a.* **1** 인도적인, 인정있는, 자비로운 : a ~ killer 무통(無痛) 동물 도살기. **2** 사람을 고상하게 하는《학문 따위》, 우아한 : ~ learning 고전 문학 / ~ studies 인문학과. **~·ly** *adv.* 자비롭게. **~·ness** *n.* 〖C16 (변형(變形)) ‹*human*〗

類義語 ⟹ HUMAN.

húman ecólogy *n.* 인간[인류] 생태학.

húman engineéring *n.* 인간 공학 ; (기업 따위의) 인사 관리.

Humáne Socìety *n.* **1** 투신자 구조회《1774년 London에 설치》. **2** 동물 애호협회.

húman fígure *n.* [the ~] 〔基〕 =HUMAN ONE.

húman geógraphy *n.* 인문 지리학.

húman grówth hòrmone *n.* 〔生化〕 인간 성장 호르몬《인체 성장을 지배하는 뇌하수체 종합 호르몬으로 소인증 치료에 쓰임 ; 略 HGH》.

hu·man·ics [hjuːmǽniks, 美+jùː-] *n.* 인간학.

húman ínterest *n.* 〔新聞〕 인간적 흥미.

***húman·ìsm** *n.* **1** 인간성 ; 인본주의 ; [때때로 H~] (프랑스 Comte 등이 주창한) 인류주의, 휴머니즘. **2** Ⓤ 인문주의 ; [때때로 H~] 인문학《특히 문예부흥기의 고전문학 연구》. **3** Ⓤ 인도주의 (humanitarianism).

húman·ist *n.* **1** 인간성 연구자, 인본주의자 ; 인류주의자. **2** [때때로 H~] 인문주의자《특히 고전문학 연구가》. **3** 인도주의자. —— *a.* 인간성 연

구의 ; 인문학의 ; 인문주의적인 ; 고전 문학적인 ; 인도주의적인. **hù·man·ís·tic** *a.*

humanístic psychólogy *n.* 〖心〗 인간성 심리학《정신 분석 · 행동주의 다음으로 20세기의 제3세력이 됨》.

hu·man·i·tar·i·an [hju:mæ̀nətέəriən, -tǽər-, 美+ju:-] *a.* 인도주의의[적인], 인간을 존중하는, 박애의. ㊟ philanthropic 이상으로 인류의 복지 증진에 직접적인 관심을 가지는. —— *n.* 인도[박애]주의자. **~·ìsm** *n.* Ⓤ 인도[박애]주의.

humanitárian àid *n.* 인도적 원조《식량이나 의약품 따위 인간의 생존에 없어서는 안될 기본 물품을 제공하는 것과 관련된 서비스》.

***hu·man·i·ty** [hju:mǽnəti, 美+ju:-] *n.* **1** Ⓤ 인간성 ; [*pl.*] 사람의 속성. **2** Ⓤ 인류, 인간(mankind). **3** Ⓤ 인간애, 자애, 자비, 인정, 친절 ; Ⓒ [보통 *pl.*] 자선 행위 : treat animals with ~ 동물을 애호하다. **4** [the humanities] (그리스 · 라틴의) 인문학, 고전 문학 ; 인문 과학. 〚OF<L ; ⇨ HUMAN〛

húman·ìze | -ìse *vt.* 인간화하다, …에게 인간성을 부여하다 ; 인체에 적응시키다 ; 교화하다, 관대하게 하다(make humane). —— *vi.* 인간답게 되다, 관대해지다. **hùman·izátion** *n.* Ⓤ 인간화, 인간성 부여.

húman·kìnd [ˌ ⌐⌐, ⌐⌐] *n.* Ⓤ 인류(人類), 인간(mankind).

húman·ly *adv.* 인간답게 ; 인정으로 ; 인간의 판단으로, 인력으로 : ~ possible 인간의 힘으로[인정으로] 가능한 / ~ speaking 인지(人知)[인력]가 미치는 한에서는.

húman menopáusal gonadotrópin *n.* 〖生理〗 인간 폐경후의 고나도트로핀《略 HMG》.

húman náture *n.* 인성(人性), 인간성 ; 인정 ; 〖社〗 인간성《인간이 사회적으로 습득하는 행동의 형식 · 태도 · 사고 따위》.

húman·òid *a.* 인간을 닮은. —— *n.* 사람과 유사한 생물 ; (SF에서) 사람 모양의 로봇.

Húman Óne *n.* [the ~] 〖基〗 사람의 아들, 예수 그리스도.

húman poténtials mòvement *n.* 인간 잠재능력 회복운동《집단 훈련 · 지도에 의하여 자존심과 대인 관계를 고양시키려는 사회 운동》.

húman pówer *n.* 인적 자원.

húman ráce *n.* [the ~] 인류(humanity, mankind).

húman relátions *n.* [보통 단수취급] 인간 관계, 인간 관계론.

húman resóurce administràtion *n.* 〖經營〗 인적 자원 관리《종업원의 고용 · 해고 · 불만 처리 따위의 인사 관리》.

húman ríghts *n. pl.* (기본적) 인권.

húman ríghts diplòmacy *n.* 인권 외교《세계 각지에서의 인권옹호를 촉진하기 위하여 J. Carter 미국 전대통령이 내세운 외교 정책》.

húman scíence *n.* 인문 과학《인류학 · 언어학 · 문학 따위의 총칭 ; 또는 그 한 부문》.

húman végetable *n.* 식물 인간.

Húm·ber·sìde [hʌ́mbər-] *n.* 험버사이드《잉글랜드 북동부의 주(州) ; 1974년 신설》.

***hum·ble** [hʌ́mbəl, 美+ʌ́m-] *a.* (**-bler ; -blest**) **1** 겸손한(modest) ; 겸허한, 삼가는(↔*arrogant, insolent, proud*) : a ~ smile 수줍은 미소. **2** (신분 따위가) 천한 ; (낮추어서) 하찮은, 보잘것없는, 조그마한 : a man of ~ birth[origin] 태생이 비천한 사람 / ~ fare 변변치 않은 음식 / in my ~ opinion 우견[사견]으로는 / your ~ servant 경구《공식적인 편지의 끝맺는 말》 ; 《戲》 소생(=I, me).
—— *vt.* 천하게 만들다 ; 낮추다 ; …의 오만한 콧대를 꺾다, 겸허하게 하다 : ~ a person's pride 남의 자존심을 꺾다 / ~ one*self* 겸손하다, 겸허하게 처신하다. **~·ness** *n.* Ⓤ 겸손, 비하.
〚OF<L *humilis* lowly ; ⇨ HUMUS〛
[類義語] ***humble*** 좋은 의미로는 거만 · 독단적인 데가 없이 겸손해 하는 ; 나쁜 의미로는 자존심도 없이 비굴한. ***lowly*** 《文語》 humble과 같은 뜻이나 좋은 의미 ; 현재는 사람에 대해서는 잘 사용하지 않음. ***meek*** 성격이 온순하고 참을성이 많으며 쉽사리 화를 내지 않는 ; 나쁜 의미로는 기골이 없고 양순 · 순종함을 나타냄. ***modest*** 뽐내거나 거만을 피우는 일이 없이 겸양함을 나타냄.

hum·ble-bee [hʌ́mblbì:] *n.* =BUMBLEBEE. 〚ME<? MDu. *hummel*〛

húmble pìe *n.* (옛날 사냥하고 난 뒤 시중꾼 등에게 준) 사슴 내장으로 만든 파이.
eat humble pie 굴욕을 참다 ; 황송해하다.

húmble plànt *n.* 〖植〗 함수초.

húm·bly *adv.* **1** 누추하게, 비천하게 : ~ born 비천하게 태어난. **2** 겸손하게, 황송하게.

Hum·boldt [hʌ́mboult ; *G* húmbɔlt] *n.* 훔볼트. **1** Baron **Alexander von** ~ (1769-1859) 독일의 과학자 · 탐험가. **2** Baron **Wilhelm von** ~ (1767-1835) 독일의 언어학자 · 외교관 ; Alexander의 형(兄).

hum·bug [hʌ́mbʌ̀g] *n.* **1** Ⓤ,Ⓒ 협잡, 속임수, 사기 ; 허풍 ; 허튼소리(nonsense). **2** 협잡꾼(impostor) ; 허풍선이, 아첨쟁이. —— *v.* (**-gg-**) *vt.* [+目 / +目+前+名] 속여 넘기다 ; 속여서 …시키다[을 빼앗다] : ~ a person ***into*** do*ing* something 남을 속여서 어떤 일을 하게 하다 / ~ a person ***out of*** a thing 남을 속여서 물건을 빼앗다. —— *vi.* 사기치다 ; 협잡꾼같이 행동하다.
—— *int.* 엉터리다 !, 시시하다 !
húm·bùg·ger *n.* 사기꾼. **húm·bùg·gery** *n.* Ⓤ 눈속임, 협잡, 기만, 사기. 〚C18<?〛

hum·ding·er [hʌ́mdíŋər, ⌐⌐-] *n., a.* 《美俗》 아주 훌륭한 (사람), 아주 굉장한 (것), 극히 이상한[이례적인] (것).
〚C20<? ; *hummer*의 변형(變形)인가〛

hum·drum [hʌ́mdrʌ̀m] *a.* 평범한, 단조로운, 지루한. —— *n.* Ⓤ 평범, 단조 ; 지루함 ; Ⓒ 지루[평범]한 사람. —— *vi.* (**-mm-**) 단조롭게[평범하게] 해나가다.
〚C16 (가중(加重)) ⟨? HUM¹〛

Hume [hjú:m] *n.* 흄. **David** ~ (1711-76) 스코틀랜드의 철학자 · 역사가 · 정치가.

hu·mec·tant [hju:méktənt, 美+ju:-] *a.* 습기를 주는, 습윤성의. —— *n.* 습윤제, 희석제.

hu·mer·al [hjú:mərəl] *a.* 〖解〗 상박골(上膊骨)의 ; 어깨의.

hu·mer·us [hjú:mərəs] *n.* (*pl.* **-meri** [-mərài, -rì:]) 〖解〗 상박골. 〚L=shoulder〛

hu·mid [hjú:məd, 美+ju:-] *a.* 습기 있는, 축축한(moist) : Summer in Seoul is hot and ~. 서울의 여름은 무덥다.
〚F or L *humidus* (*umeo* to be moist)〛
[類義語] ⟹ WET.

hu·mid·i·fy [hju:mídəfài, 美+ju:-] *vt.* 축이다, 축축하게 하다(moisten), 급습[가습]하다.
hu·mìd·i·fi·cá·tion *n.* 급습, 가습.
hu·míd·i·fi·er *n.* 급습기, 가습기.

hu·mid·i·stat [hju:mídəstæ̀t, 美+ju:-] *n.* 항습기

(恒濕器), 습도 (자동) 조절기. 〖*humidit*y, *-stat*〗

hu·mid·i·ty [hjuːmídəti, 美+juː-] *n.* Ⓤ 습기, 축축함(dampness) ; 〖理〗 습도, 습기.

hu·mi·dor [hjúːmədɔ̀ːr, 美+júː-] *n.* (적당한 습도를 주는) 담배 저장용 상자 ; (이것과 유사한) 가습 설비.

***hu·mil·i·ate** [hjuːmílièit, 美+juː-] *vt.* …에게 창피를 주다, 욕보이다, …의 자존심을 상하게 하다 : He felt utterly ~*d*. 아주 부끄럽게 생각했다 / ~ one*self* 면목을 잃다, 창피를 당하다.
-à·tor *n.* 창피를 주는 사람, 모욕하는 사람.
〖L ; ⇨ HUMBLE〗

hu·míl·i·àt·ing *a.* 굴욕적인, 면목없는.

hu·mìl·i·á·tion *n.* Ⓤ,Ⓒ 창피를 주기, 욕보이기 ; 굴욕, 굴복 ; 부끄러움, 면목없음 : a national ~ 국치(國恥).

hu·mil·i·ty [hjuːmíləti, 美+juː-] *n.* Ⓤ 겸손, 겸양(↔*conceit*) ; [*pl.*] 겸손한 행위.
〖OF＜L ; ⇨ HUMBLE〗

hu·mint, HUMINT [hjúːmint, 美+júː-] *n.* (스파이에 의한) 정보 수집[첩보 활동](cf. ELINT, SIGINT). 〖*hum*an *int*elligence〗

hum·mel [hʌ́məl] *a.* 《스코》 (소·사슴 따위가) 뿔이 없는 ; (보리 따위가) 까끄라기가 없는.
〖ME ; cf. LG *hummel* hornless animal〗

Hummel *n.* 귀여운 표정과 유머러스한 포즈가 특징인 도자기로 만든 인형.

húm·mer *n.* 윙윙대는 것 ; 콧노래하는 사람 ; = HUMMINGBIRD ; 〖野〗 속구 ; 《口》 멋진 사람[것], =HUMDINGER ; 《俗》 불법[오인] 체포[고소] ; 《美俗》 공짜로 얻을 수 있는 것.
—— *a.* 《美俗》 무료의 ; 멋진.

húm·ming *a.* **1** 윙윙거리는 ; 콧노래를 부르는. **2** 《口》 원기 왕성한, 정력적인 ; (장사 따위가) 활발한 ; 호된 ; 《口》 거품이 이는, 독한《맥주》.
—— *n.* Ⓤ 윙윙 소리 ; 콧노래 (부르기).

húmming·bìrd *n.* 〖鳥〗 벌새《북남미산(産)》.

húmming tòp *n.* 윙윙 소리내는[소리가 나는] 팽이《장난감》.

hum·mock [hʌ́mək] *n.* 작은 산, 언덕(hillock) ; (빙원의) 빙구(氷丘). **húm·mocky** *a.* 작은 산 같은[이 많은]. 〖C16＜? ; cf. HUMP〗

hum·my [hʌ́mi] *a., adv.* 《美黑人俗》 (아무것도 모르고) 행복한[하게], 만족한[하여], 순진한[하게], 태평한[하여].

hu·mon·gous [hjuːmʌ́ŋgəs, -mɑ́ŋ-, 美+juː-], **-mun-** [-mʌ́n-] *a.* 《美俗》 거대한, 턱없이 큰, 굉장한. 〖*huge*+*monstrous*〗

‡hu·mor | hu·mour [hjúːmər, 美+júː-] *n.* **1** Ⓤ 익살, 해학, 우스꽝스러움, 유머를 이해하는[표현하는] 능력 : cheap ~ 어설픈 익살 / He has no sense of ~. 그는 유머 감각이 없다 / I don't see the ~ of it. 나는 그 유머를 이해할 수 없다. **2** Ⓤ 기질, 성품(temperament) : Every man has his ~. 각인 각색. **3** Ⓤ [또한 a ~] [+*for*+do*ing* /+*to* do] (일시적인) 기분, 느낌(mood) ; 변덕(whim) : when the ~ takes me 마음이 내키면 / *in a* good[*a* bad, *an* ill] ~ 기분이 좋아서[나빠서] / *in* the ~ ***for***... (일 따위)를 할 기분이 되어서, …할 마음이 내켜서 / He is not *in* the ~ *for* work*ing*[is not *in* a ~ *to* work, is *in* no ~ *for* work*ing*]. 일할 기분이 나지 않는다 / out of ~ 기분이 언짢아서, 풀이 죽어서. **4** Ⓤ 〖生〗 액(fluid) ; Ⓒ 〖中世醫〗 체액 : aqueous ~ (눈알의) 수양액(水樣液) / the four cardinal ~*s* 4 체액《blood, phlegm, choler, black bile 로서 옛날에는 이들의 배합률에 따라 체질이나 기질이 정해지는 것으로 믿었음》. —— *vt.* (사람·취미·기질 따위를) 만족시키다(gratify) ; …의 비위를 맞추다, …와 맞장구치다 ; 잘 다루다 : A sick person has to be ~*ed*. 환자는 마음이 안정되도록 잘 다루어야 한다.
〖OF＜L *humor* moisture ; ⇨ HUMID〗
類義語 ⟹ MOOD[1].

húmor·al *a.* 〖醫〗 체액(성)의, 체액에서 생기는 ; 습성(濕性)의 : ~ pathology 체액 병리학.
~ìsm *n.* Ⓤ 체액 병리학.
~ist *n.* 체액 병리학자.

hú·mored *a.* 기분이…한, …한 기분의 : good-[ill-]~ 기분이 좋은[나쁜].

hu·mor·esque [hjùːmərésk, 美+jùː-] *n.* 〖樂〗 해학곡(諧謔曲), 유머레스크.
〖G *Humoreske* (HUMOR)〗

húmor·ist *n.* 익살꾼, 쾌활하고 익살맞은 사람 ; 유머 작가[배우]. **hù·mor·ís·tic** *a.* =HUMOROUS.

húmor·less *a.* 해학이 없는, 유머가 없는 ; 재미없는 ; (언행 따위가) 아주 딱딱한.

***húmor·ous** *a.* **1** 익살스러운, 우스꽝스러운 ; 해학적인, 우스운(funny) ; 유머가 있는 : a ~ writer 유머 작가. **2** [명사적으로 ; the ~] = HUMOR. **~·ly** *adv.* 익살스럽게, 해학적으로.
~·ness *n.* Ⓤ 익살스러운 것, 해학적인 것.
類義語 ***humorous*** 익살스러운, 사람을 즐겁게 하는 것을 말하며 사람에 대해서 따뜻한 느낌·친절·동정 따위가 나타나 있음. ***witty*** 예리한 지성을 가지고 재빠른 말솜씨를 구사할 수 있는 재치가 있으며《때로는 비꼼을 나타내기도 함》사람을 즐겁게 하는 재치있는 표현이 되는. ***jocose*** 장난기 있는 농담이나 익살스러운 말을 하는. ***jocular*** 상대를 즐겁게 해주고 싶어하는 유쾌하고 해학적인 성격[기분]을 가진.

húmor·some *a.* 변덕스러운, 성미가 까다로운 ; 우스꽝스러운.

hump [hʌ́mp] *n.* **1 a**) (등의) 혹 ; (낙타 따위의) 등의 혹 : a camel with two ~*s* 쌍봉(雙峰) 낙타. **b**) 둥근 언덕(hummock). **c**) 〖鐵〗 험프《중력으로 차량을 구분하기 위해서 급경사를 만든 궤도》. **2** [the ~] 《口》 우울, 울화 : get[have] *the* ~ 울화통을 터뜨리다, 성을 내다 / That gives me *the* ~. 그것이 나를 화나게 한다. **3** 위기, 난관 : *over* the ~ 위기를 벗어난. **4** 노력, 분투(hustle) : *on* the ~ 활동하여. —— *vt.* **1** [+目/+目+副] (등을) 구부리다, 둥글게 하다(hunch) : A cat often ~*s* (***up***) its back. 고양이는 이따금 등을 둥글게 구부린다. **2** 《美口》 [~ one*self* 로] 노력하다(exert). —— *vi.* 등을 구부리다 ; 노력하다 ; 질주하다.
〖C17〈? *hump* (-backed) ; cf. LG *humpel* hump, Du. *homp* lump〗

húmp·bàck *n.* 곱사등(이), 꼽추 ; 〖動〗 혹등고래(=≒ **whàle**). **~ed** *a.* 곱사등의, 꼽추의.

humped [hʌ́mpt] *a.* 혹[육봉(肉峰)]이 있는 ; 곱사등의(humpbacked).

húmp·er *n.* 《俗》 (무거운 짐을 나르는) 운반원 ; (특히 록밴드에서) 악기나 앰프를 나르는 사람.

humph [hm, m̩m, hʌ́mpf, m̩m̩m̩, hʌ́] *int., n.* 흥! (하는 발성)《의심·경멸·불만을 나타냄》.
—— *vi.* 흥하다. 〖imit.〗

Hum·phrey [hʌ́mfri] *n.* 남자 이름.
〖Gmc.=high+peace〗

húmp·less *a.* 혹 없는.

Hump·ty-Dump·ty [hʌ́mptidʌ́mpti] *n.* **1** 험프티덤프티《영국의 전승 동요의 주인공》. **2** [때때로 h~ d~] 땅딸막한 사람 ; 한번 넘어지면 다시 일

어나지 못하는 사람[것] ; 《美俗》 낙선이 확실한 후보자(cf. MICKEY MOUSE).

húmpy[1] *a.* 혹[육봉(肉峰)·돌기(突起)]이 있는 ; 혹투성이의 ; 곱사등의. —— *n.* 《濠俗》 낙타. 〖HUMP〗

humpy[2] *n.* 《濠》 (원주민의) 오두막집. 〖(Austral.) *oompi* ; 어형은 *hump*의 영향〗

hu·mus [hjú:məs, 美+jú:-] *n.* Ⓤ 부식토. 〖L=ground, soil〗

Hun [hʌ́n] *n.* **1** 훈족, 흉노(匈奴)《4-5세기에 유럽을 침략한 아시아의 유목민》. **2** (문화 따위의) 파괴자, 야만인(vandal) ; 《俗·蔑》 독일인, (특히 제1차·제2차 세계 대전의) 독일병. 〖OE *Hūne*<L<Gk.<Turk.〗

Hun. Hungarian ; Hungary.

Hu·nan [hú:ná:n ; -nǽn] *n.* 후난(湖南)《중국 중남부의 성(省)》.

hunch [hʌ́ntʃ] *n.* **1** 육봉(肉峰), 혹(hump). **2** 두꺼운 조각 ; 덩어리(lump). **3** [+*that* 節] 《美口》 예감, 육감 : I had a ~ *that* the plan would be a failure. (어쩐지) 계획이 실패로 끝날 것 같은 예감이 들었다. —— *vt.* [+目/+目+副] (등 따위를) 활처럼 구부리다 : He sat at the table (with his shoulders) ~*ed* ***up***. 그는 등을 둥글게 구부리고 테이블에 앉아 있었다. —— *vi.* 등을 구부리다. 〖C16<? ; *hinch* (obs.) to push(<?)의 변형(變形)인가〗

húnch·bàck *n.* 꼽추, 곱사등이(humpback). **-bàcked** *a.* =HUMPBACKED.

húnchy *a.* 곱사등이의(humpbacked).

◇**hun·dred** [hʌ́ndrəd] *n.* **1** 100, 백 ; 100개, 100사람 ; 100달러[파운드 《따위》]. 注 수사 또는 수를 나타내는 형용사를 수반할 때 복수형의 s를 붙이지 않음(cf. THOUSAND, DOZEN) ; 보통 100자리와 10[1]자리 사이에 and[ənd]를 두어 읽으나 《美口》에서는 이 and를 약하는 수도 있음 : two ~ 200 / two ~ (and) ten=210 / a few ~ (of them) 수백 / some[about a] ~ 약 100 / the ~ and first 101번 / in 1500 1500년에《in fifteen hundred로 읽음》. **2** 백의 기호《100, C》. **3** 〖競〗 100야드 경주. **4** 다수 ; [*pl.*] 몇 백 : ~*s of* people 수백명의 사람들, 기(幾)백명의 사람들 / some ~*s* of people 수백 사람. **5** 〖英史〗 촌락《county 또는 shire의 구성 단위》.

a great [***long***] ***hundred*** 120.

a [***one***] ***hundred percent*** 100퍼센트, 완전한[하게](cf. HUNDRED-PERCENT).

a hundred to one 거의 확실히, 십중 팔구.

by hundreds=***by the hundred*** (***s***) 몇 백이나, 많이.

hundreds and thousands 굵은 설탕《과자 따위를 장식하기 위해서 뿌림》.

in the hundred 100에 대하여, 100분의.

〈회화〉
I got a *hundred* on the test. — Unbelievable! 「나 시험 백점 맞았어」「믿을 수 없군」

—— *a.* **1** 100의, 100개의, 100사람의. 注 보통 a, an 또는 one, four 따위의 수사가 붙음 : two ~ people 200명의 사람. **2** 수백의 ; 다수의.

a hundred and one 다수의.

〖OE ; cf. G *hundert*〗

húndred-and-éighty-degrée, 180-degree [⌐⌐] *a., adv.* 180도의[로] ; 완전한[히] ; 정반대의[로].

Húndred Dáys *n. pl.* [the ~] 〖프史〗 백일 천하《Napoleon이 Elba 섬에서 Paris로 돌아온 날부터 몰락할 때까지 ; 1815년 3월 20일-6월 28일》.

Húndred Flówers pòlicy *n.* 「백화 제방(百花齊放)」 정책《1957년 모택동이 행한 체제 비판의 자유화 정책》.

húndred·fòld *a., adv.* 100부분[사람]으로 이루어진 ; 100배의[로]. —— *n.* 100배의 수[양]. 活用 보통 a 또는 수사와 함께 : *a*[*one*] *hundredfold* return on one's money (100배의 이윤) / The seed increased *a hundredfold.* (그 종자는 100배나 불어났다) / The capital yielded *three hundredfold.* (그 자본은 300배의 이윤을 낳았다).

húndred-percént *a.* 100퍼센트의, 완전한, 철저한, 확실한. —— *adv.* 완전하게.

húndred próof *a.* 《美俗》 순수한, 최고의, 섞인 것이 없는 ; 최악의, 최저의.

***hun·dredth** [hʌ́ndrədθ, -drətθ] *a.* 제100(번째)의 ; 100분의 1의. —— *n.* [the ~] 제100(번째) 《略 100th.》 ; 100분의 1 ; 〖數〗 소숫점 이하 두번째 자리.

húndred·wèight *n.* (*pl.* **~s**, ~) 무게의 단위《略 cwt.》. 注 《英》에서는 112 lb, 50.8kg(=long ~) ; 《美》에서는 100 lb, 45.36kg(=short ~) : a [three] ~ *of* coal 1[3] 헌드레드웨이트의 석탄.

Húndred Yéars' Wár *n.* [the ~] 백년전쟁(1337-1453).

‡**hung** [hʌ́ŋ] *v.* HANG의 과거·과거분사. —— *a.* 《俗》 안달복달하는, 불쾌한 ; 지친 ; 숙취의 ; 반한(in love).

Hung. Hungarian ; Hungary.

Hun·gar·i·an [hʌŋgéəriən, -gǽər-] *a.* 헝가리(인[어])의. —— *n.* 헝가리인 ; Ⓤ 헝가리어. 〖L (*H*)*ungari* Magyar nation〗

Hungárian rísing *n.* 헝가리 반공 의거《1956년 10월 헝가리에서 일어난 반(反)소·자유화 운동 ; 소련군의 개입으로 진압되고 Nagy를 대신하여 Kádār의 친소 정권이 탄생》.

Hun·ga·ry [hʌ́ŋgəri] *n.* 헝가리《수도 Budapest》. —— *a.* =HUNGARIAN.

‡**hun·ger** [hʌ́ŋgər] *n.* **1** Ⓤ 굶주림, 기아(famine) ; 공복, 배고픔 : die *of* ~ 굶어 죽다 / satisfy one's ~ 공복을 채우다 / *H*~ is the best sauce. 《속담》 시장이 반찬. **2** ⓊⒸ 기근(饑饉)(famine). **3** [a ~] 《비유》 열망, 갈망 : He has *a* ~ *for* kindness[*after* fame]. 그는 애정에 굶주려 있다[명성을 갈망하고 있다]. —— *vi.* **1** 배가 고프다, 굶주리다. **2** 갈망[열망]하다(yearn) 〈*for, after*〉. —— *vt.* [+目/+目+前+名] 굶주리게 하다(starve) ; 굶겨서 …시키다 : ~ a person ***into*** submission[***out of*** a place] 남을 굶겨서 굴종시키다[어떤 장소에서 쫓아내다]. 〖OE (n.) *hungor*, (v.) *hyngran* ; (v.)는 (n.)에 동화(同化) ; cf. G *Hunger*〗

húnger cùre *n.* 기아 요법 ; 절식[단식] 요법.

húnger màrch *n.* 기아 행진《실업자들의 시위 운동》. **húnger màrcher** *n.*

húnger pàin *n.* 〖醫〗 공복통(痛).

húnger strìke *n.* 단식 투쟁 : go on (a) ~ 단식 투쟁을 하다.

húnger-strìke *vi.* (**-strùck**) 단식 투쟁을 하다.

húnger strìker *n.* 단식 투쟁자.

húng júry *n.* 불일치 배심《의견이 엇갈려 평결할 수 없는 배심》.

húng·òver *a.* 《口》 숙취의 ; (기분이) 언짢은, 비참한.

◇**hun·gry** [hʌ́ŋgri] *a.* **1** 굶주린, 배고픈 : feel ~ 시장기를 느끼다 / go ~ 굶주리다 / a ~ look 시장

해 보이는 표정 / ~ work 배곯는 일. **2** 식욕을 일으키는. **3** …을 갈망하는(eager) ; 몹시 탐내는(greedy) : They were ~ *for* knowledge [affection]. 지식[애정]에 굶주리고 있었다. **4** 불모의(barren), 메마른 : ~ soil 메마른 땅.
hún·gri·ly *adv.* 배고파서, 허기져서, 걸신들린 듯 ; 갈망하여. **-gri·ness** *n.*
〖OE *hungrig* ; ⇨ HUNGER〗
類義語 ***hungry*** 배고파서 음식을 먹고 싶어하는 ; 정도에 관계없이 가장 일반적인 말. ***ravenous*** 공복 때문에 매우 욕심스러워지고 걸신들린듯 먹는. ***famished*** 굶어서 몸이 약해지거나 괴로움을 느끼는. ***starved*** 장기간에 걸친 굶주림 때문에 쇠약해지거나 죽는. *famished*나 *starved*는 《口》에서는 과장해서 hungry의 뜻으로 사용됨.

Húngry Fórties *n. pl.* [the ~] 〔英史〕 기아의 40년대《1840-49년 각지에 대기근이 일어남》.

hunk[1] [hʌ́ŋk] *n.* 《口》 큰 덩어리, (특히) 빵의 두꺼운 조각〈*of*〉 ; 육봉(肉峰) (hunch).
〖C19 < ? LDu. ; cf. Du. *homp* lump〗

hunk[2] *n.* (아이들 놀이에서) 자기 진지, 홈, 골.
on hunk 안심할 수 있는 곳에.
〖Du. *honk* goal, home〗

hun·ker [hʌ́ŋkər] *vi.* 쭈그리고 앉다〈*down*〉.
〖Sc. < Scand. (ON *húka* to squat)〗

Húnker *n.* 《美》 (1845-48년 민주당원 내의) 보수주의자 ; [h~] 구식쟁이.

hún·kers *n. pl.* 궁둥이.
on one***'s hunkers*** 쭈그리고 앉아서.
〖HUNKER〗

hunks [hʌ́ŋks] *n.* (*pl.* ~) 심술쟁이 ; 욕심꾸러기, 구두쇠(miser). 〖C17 < ?〗

hunky[1], **hun·kie** [hʌ́ŋki] *n.* [때때로 H~] 《美俗·蔑》 외국 태생의 미숙한 노동자《헝가리계 이민 등》. 〖? *Hungarian*, *-y*[3] or *donkey*〗

hunky[2] *a.* 《美俗》 **1** 튼튼한, 늠름한, 멋진. **2** 승자가 없는, 양편이 맞먹는, 호각의.

húnky-dó·ry [-dɔ́ːri] *a.* 《美俗》 안심할 수 있는, 멋있는, 훌륭한.
〖C20 < *hunk* (obs., dial.) home base + *-dory* (< ?)〗

Hun·nish [hʌ́niʃ] *a.* 훈족의[같은] ; 야만적인.
~·ness *n.* Ⓤ 야만, 문화 파괴.

‡hunt [hʌ́nt] *vt.* **1** 사냥하다, …의 사냥을 하다(☞ 活用) : ~ big game (사자·호랑이 따위의) 맹수 사냥을 하다 / ~ the fox 여우 사냥을 하다 / Wolves ~ in packs. 늑대는 떼를 지어서 먹이 사냥을 한다. **2** (말·사냥개 따위를) 사냥[(특히) 여우 사냥]에 이용하다 : ~ a pack of hounds (4, 50마리의) 사냥개를 이용해서 여우 사냥을 하다. **3** (사냥감이 있는 장소로) 몰이하다《특히 여우 사냥에서 사냥개를 데리고》. **4** 찾아 내려고 하다, 추구하다 ; 추적하다 ; 괴롭히다, 박해하다 : ~ a clue 단서를 찾아다니다 / ~ a job 일자리를 찾다 / He is ~*ed* by the police. 경찰에 쫓기고 있다《수배자다》. **5** [+目+副 / +目+前+名] 몰아 내다, 내쫓다 : I ~*ed* the cat *away* [***out of*** the garden]. 그 고양이를 쫓아 버렸다[정원에서 내쫓았다]. —— *vi.* **1** 사냥하다, 수렵[유렵]하다 : go (out) ~*ing* 사냥하러 가다. **2** [動 / +前+名] 찾다, 뒤지다 : He ~*ed* ***through*** the drawers to find the ring. 반지를 찾으려고 서랍 속을 뒤졌다 / He is ~*ing* ***for*** a house. 살 집을 물색하고 있다 / The birds must ~ *for* food for their babies. 새들은 새끼들을 위해서 먹이를 찾지 않으면 안된다 / ~ ***after*** knowledge 지식을 탐구하다.
hunt down 바싹 쫓다, 추적해서 잡다 ; 박해하다 : The police ~*ed down* the murderer. 경찰은 살인자를 추적하여 잡았다.
hunt in couples ☞ COUPLE.
hunt out 추적하여 잡다 ; 몰이하다 ; (오랫동안 쓰지 않고 두었던 것을) 찾아내다.
hunt up (숨어 있는 것을) 수색하다, 찾다 ; 찾아내다, (찾아서) 발견하다 : ~ *up* old records 오래된 기록을 두루 찾다 / The police ~*ed up* a lot of new evidence. 경찰은 많은 새 증거를 찾아냈다.
—— *n.* **1** 사냥, 수렵. **2** 추적, 수색. **3** 탐구〈*for*〉: have[be *on*] a ~ ***for*** …을 물색하다. **4** 《英》 **a**) (여우 사냥의) 수렵지, 수렵구. **b**) (여우 사냥의) 수렵대, 수렵회.
〖OE *huntian* ; cf. OE *hentan* to seize〗
活用 hunt는 《美》에서는 새·짐승에 쓰이나 《英》에서는 짐승에만 쓰이며 새에는 SHOOT을 씀.

Hunt *n.* 헌트. (**James Henry**) **Leigh** ~ (1784-1859) 영국의 시인·비평가·수필가.

húnt and péck *n.* (타자기의 자판을) 일일이 보고 치는 방식, (touch system을 따르지 않고) 제멋대로 치는 방식.

húnt·awày *n., a.* 《英·N. Zeal.》 양몰이 개(의).

húnt báll *n.* 《英》 (여우 사냥의) 수렵회가 주최하는 무도회《남자는 진홍색(scarlet)옷을 입음 ; cf. PINK[1] *n.* 6》.

***húnt·er** *n.* **1** 사냥꾼, 수렵자. **2** 사냥개 ; 사냥말, (특히) 헌터종《영국의 반혈종, 강건한 암말과 순종과의 교배에 의함》. **3** 탐구자, (…을) 찾는 사람〈*for*, *after*〉: a fortune ~ 재산을 탐내어 결혼하려는 사람. **4** (여우 사냥꾼에게 적합한) 뚜껑이 앞뒤로 달린 회중 시계(cf. HALF HUNTER). **5** [the ~] 〔天〕 오리온자리(Orion).
(***as***) ***hungry as a hunter*** 허기져서.

húnter gréen *n.* 연두색.

húnt·er-kíll·er *a.* 대잠수함 공격의.

húnter-kíller sàtellite *n.* 위성 파괴[공격] 위성, 킬러 위성(satellite killer).

Húnter-Rússel sỳndrome *n.* 헌터러셀 증후군《유기 수은중독 환자에게서 볼 수 있는 시야 협착, 언어 장애, 난청, 지각 장애 따위의 증상을 나타내는 병》.

húnter's móon *n.* 사냥 달《중추월(harvest moon) 다음의 만월》.

***húnt·ing** *n.* **1** Ⓤ **a**) 사냥, 《英》 (특히) 여우 사냥(fox-hunting). 주 《英》에서는 FOX-HUNTING은 SHOOTING, RACING과 더불어 3대 스포츠로 일컬어짐. **b**) 《美》 총사냥. 주 《英》에서는 새의 경우 SHOOTING이라 함. **2** Ⓤ 탐구, 추구, 수색.
—— *a.* 사냥을 좋아하는, 수렵용의.

húnting bòx *n.* 《英》 =HUNTING LODGE.

húnting càp *n.* 사냥 모자.

húnting càse *n.* 유리가 손상되지 않도록 뚜껑이 두 개 있는 회중 시계(hunter)의 겉뚜껑.

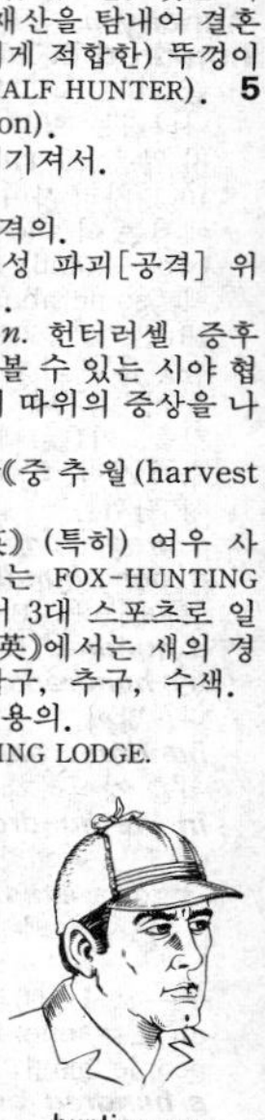

húnting cròp *n.* 수렵용의 승마 채찍.

húnting dòg *n.* 사냥개.

Húnting Dógs *n.* [the ~] 〔天〕 사냥개자리.

Hun·ting·don·shire [hʌ́ntiŋdənʃiər, -ʃər] *n.* 헌팅던셔《잉글랜드 동부의 옛 주, 주도 Huntingdon ; 현재 Cambridgeshire의 일부》.

hunting cap

húnting fìeld *n.* 사냥터.

húnting gròund *n.* 사냥터 ; 찾는 곳.

húnting hòrn *n.* 사냥 나팔.

húnting knìfe *n.* 사냥칼.
húnting lòdge *n.* 사냥용 별장.
húnting pìnk *n.* 여우 사냥꾼이 입는 붉은색 상의(上衣)(의 옷감); 여우 사냥꾼.
Hún·ting·ton's chorèa[disèase] [hʌ́ntiŋtənz-] *n.* 〖醫〗 헌팅턴 무도병, 만성 유전성 무도병《30대에 많이 발병하는 희귀한 유전병》. 〚George *Huntington* (d. 1916) 미국의 의사〛
húnting wàtch *n.* 앞뒤로 뚜껑이 달린 회중 시계(hunter).
húnt·ress *n.* 《文語》 여자 사냥꾼; [the H~] 수렵의 여신, =DIANA.
húnts·man [-mən] *n.* (*pl.* **-men** [-mən]) 수렵가, 사냥꾼(hunter); 《英》 (특히 여우 사냥에서) 사냥개를 맡아 보는 사람.
húnt the slípper *n.* 슬리퍼 찾기《실내 놀이》.
hup [hʌ́p] *int.* (말을 재촉할[오른쪽으로 몰] 때의) 이러, 어디여!; (개에게) 앉아! ── *vt.* (말을) 오른쪽으로 몰다[돌리다]. ── *vi.* (개가 명령을 받고) 앉다. 〚C20<?; *one*의 변형(變形)인가〛
Hupei, Hupeh ☞ HUBEI.
hur·dle [hə́ːrdl] *n.* **1** 장애물, 허들; [*pl.*] 장애물 달리기(hurdle race): the high[low] *~s* 고[저]장애물 달리기. **2** 장애, 곤란. **3** 《英》 사립짝《나뭇가지를 네모나게 엮은 것으로 자유로이 운반됨》. ── *vt.* …에 바자로 울타리를 두르다 〈*off*〉; (장애물을) 뛰어넘다; (장애·곤란을) 극복하다(overcome). ── *vi.* 허들[장애물]을 뛰어넘다, 장애물 경주에 나가다. **húr·dler** *n.* 허들 선수; 바자 엮는 사람. **-dling** *n.* hurdle하기. 〚OE *hyrdel*; cf. G *Hürde*〛
húrdle ràce *n.* 〖競〗 장애물 달리기(cf. STEEPLECHASE).
hurds [hə́ːrdz] *n. pl.* 아마[삼]지스러기(hards).
hur·dy-gur·dy [hə́ːrdigə́ːrdi] *n.* 줄이 네 개 있는 현악기; 《口》 =BARREL ORGAN. 〚C18 (? imit.)〛
hurl** [hə́ːrl] *vt.* [+目/+目+*at*+名] **1** 내던지다, (세게) 던지다; 〖野〗 투구하다; 발사[투하]하다: The Indian *~ed* his spear ***at the coyote. 그 인디언은 창을 코요테에게 던졌다. **2** (욕설 따위를) 퍼붓다, 호통치다: She *~ed* abuse ***at*** me. 나에게 욕을 퍼부었다. ── *vi.* **1** 던지다, 내던지다; 〖野〗 투구하다. **2** 기세 좋게 날다[나아가다], 돌진하다; 빙빙 돌다.
hurl one***self at***[(***up***)***on***] …을 맹렬히 공격하다, 덤벼들다.
── *n.* 세게 던지기; (낙석 따위의) 낙하.
húrl·er *n.* hurl하는 사람; 〖野〗 투수.
〚ME (? imit.); cf. LG *hurreln*〛
類義語 ⟹ THROW.
húrl·bàt *n.* 〖하키〗 스틱.
húrl·ing *n.* Ⓤ 던지기; 헐링《아일랜드식 하키; 규칙은 하키, 축구와 비슷함》.
Hurl·ing·ham [hə́ːrliŋəm] *n.* 영국의 Middlesex 주 Fulham에 있는 polo 경기장[본부].
hur·ly-bur·ly [hə́ːrlibə́ːrli] *n.* Ⓤ 대소동(uproar), 야단법석. ── *a.* 혼란한.
〚가중(加重) ‹HURL*ing* (obs.) uproar〛
Hu·ron [hjúərən] *n.* [Lake ~] 휴런 호《미국 Michigan 주와 캐나다 Ontario 주 사이에 있으며 5대호 중 두번째로 큰 호수》.
***hur·rah** [hurɑ́ː, -rɔ́ː, hə-], **hur·ray** [-réi] *int.* 만세!, 후레이!: *H~ for* the Queen! 여왕 만세! ── *n.* 환호[만세] 소리; 열광; 논쟁; 대소동. ── *vi.* 만세를 부르다, 환호하다. ── *vt.* 환성을 올려 맞이하다[응원하다].
〚C17<? G *hurra*; 일설(一說)에 변형(變形)‹HUZZA〛
húrrah's nèst *n.* 《美口》 혼란[난잡]한 곳.
***hur·ri·cane** [hə́ːrəkèin, hʌ́rə-, hə́ːrikən, hʌ́ri-; hʌ́rikən, -kèin] *n.* **1** 폭풍, 싹쓸바람, 허리케인《특히 서(西)인도 제도 부근에서 일어남》. **2** 《비유》 (감정 따위의) 격발, 대폭풍(storm) 〈*of*〉.
〚Sp. and Port.<Carib〛
類義語 ⟹ WIND[1].
húrricane bìrd *n.* 〖鳥〗 =FRIGATE BIRD.
húrricane dèck *n.* (하천용 여객선의) 맨 위의 경갑판(輕甲板).
húrricane glòbe[glàss] *n.* 램프의 등피(lamp chimney).
húrricane hòuse *n.* 〖海〗 갑판실.
húrricane hùnter *n.* 허리케인 관측기(탑승원).
húrricane làmp[làntern] *n.* 허리케인 램프《등피가 있는 폭풍시 사용하는 램프》.

hurricane lamp

húrricane wàrning[wàtch] *n.* 폭풍[허리케인] 경보[주의보].
hur·ri·coon [hʌ́rəkùːn] *n.* 허리케인 관측 기구(氣球).
〚*hurric*ane+ball*oon*〛
húr·ried *a.* 재촉하는, 허둥지둥하는; 급히 서두르는, 황급한; (도시의 생활 따위) 어수선한: a ~ letter 급히[허둥지둥] 쓴 편지 / a ~ departure 분주한 출발 / with ~ step 바쁜 걸음으로. **~·ly** *adv.* 서둘러, 다급하게, 허둥지둥. **~·ness** *n.*
‡hur·ry [hə́ːri, hʌ́ri; hʌ́ri] *n.* **1** Ⓤ [+*to* do] 서두르기, 급속, 허둥거림; 성급하게 바라기〈*for*〉: Everything was ~ and confusion. 허둥지둥 야단법석이었다 / In her ~ *to* catch the train, she left her luggage in the taxi. 기차를 타려고 서둔 나머지 짐을 택시에 놓고 내렸다. **2** Ⓤ [부정·의문의 구문으로] 서두를 필요: Is there any ~? 뭐 서두를 필요가 있습니까 / There is no ~. 조금도 서두를 필요없어《시간은 충분하다》/ What's your ~? 왜 서두르느냐.
in a hurry (1) 급히, 허둥지둥(cf. *in* HASTE): go out *in a* ~ 허둥지둥 나가다 / He was *in a* ~ *to* start. 출발을 서두르고 있었다. (2) 《口》 기꺼이, 자진하여(willingly): You won't see him again *in a* ~. 그와는 두 번 다시 만나고 싶지 않을 거야. (3) 《口》 용이하게: You won't find a better man *in a* ~. 보다 나은 사람을 쉽사리 발견할 수 없을 것이다.
in no hurry 천천히, 쉽사리 …하지 않고: I'm *in no* ~ *for* it[*to* do it]. 별로 그것을 서두르고 있지 않다 / He was *in no* ~ *to* leave. 좀처럼 떠나지 않았다.
── *vt.* [+目/+目+副/+目+前+名] 서두르게 하다, 재촉하다; 급히 하다; 빨리 …시키다; 급파하다(dispatch): Don't ~ the work. 그 일을 서둘러 하지 마라 / I *hurried* my steps. 걸음을 재촉했다 / I was *hurried* ***down*** (the stone steps). 급히 (그 돌계단을) 내려왔다 / I have been *hurried* ***into*** error. 재촉을 받아서 틀린 것이다 / Troops were *hurried* ***to*** the zone. 군대는 그 지역으로 급파되었다. ── *vi.* [動/+副/+前+名] 서두르다, 급히 가다, 허둥지둥하다: Don't ~. 서두르지 마라 / ~ home 급히 귀가하다 / ~ into one's clothes 서둘러 옷을 입다 / I picked up my hat and *hurried away*[***off***]. 모자를 들고 급히 떠났다 / He *hurried back* ***to*** his

seat. 그는 황급히 제자리로 돌아갔다.
hurry along 급히 가다, 서둘러서 가다 : A few foot passengers *hurried along* with coat collars turned high. 몇몇 통행인이 코트의 깃을 올린 채 빠른 걸음으로 지나갔다.
hurry on 서둘러 가다 ; 진척시키다 : They are ~*ing on* the work. 그 일을 진척시켜 가고 있다.
hurry over …을 서둘러[건성으로] 하다 : He *hurried over* the difficult passages. 어려운 구절은 건성으로 읽어 갔다.
hurry through 척척 해내다.
hurry up [주로 명령문으로] 서두르다 ; 서두르게 하다 : *H~ up*, or you'll be late for school. 서둘러라, 학교에 늦겠다 / *H~* him *up* ! 그를 재촉해라.

〈회화〉
Hurry up, will you ? — Ok, but the movie starts at 7 : 00. 「서둘러」「알았어, 하지만 영화는 7시에 시작이야」

〖C16 (? imit.) ; cf. SCURRY ; OE 용어는 *hrædɪng* (*hræd* quick), ME에서 *haste*〗
類義語 ⟹ HASTE.

húrry càll *n.* 구급 신호(救急信號).
húrry·ing·ly *adv.* 서둘러, 허둥지둥.
húrry-scúrry, -skúrry *adv.* 황급히, 허둥지둥. —— *a.* 황급한, 매우 서두르는. —— *n.* 매우 서두르기(cf. SCURRY *n.* 2) ; 소란, 혼란. —— *vi.* 황급히 서두르다, 허둥대다.
húrry-úp *a.* 《口》 급한, 급히 서두르는.
hurst, hyrst [hə́ːrst] *n.* 《古·方》 숲 ; 숲이 있는 언덕 ; 사주(砂洲). 〖OE *hyrst* ; cf. G *Horst*〗
‡**hurt** [hə́ːrt] *v.* (**hurt**) *vt.* **1** …에 상처를 내다 ; 아프게 하다 : He has ~ his left knee. 그는 왼쪽 무릎을 다쳤다 / It ~*s* me to cough. 기침을 하면 아프다 / get ~ = ~ oneself 상처를 입다. **2** (사람의 감정을) 상하게 하다, 해치다 ; …에 손해를 주다 : Another glass won't ~ you. 한잔 더 마셔도 별탈 없을거요 / She was[felt] ~ *to* find that nobody took any notice of her. 아무도 자신을 알아주지 않는 것을 알고 기분이 상했다.
—— *vi.* 상처[해]를 입다, 고통을 당하다 ; 《口》 아프다, 사람의 기분이 상하다 : My foot ~*s* awfully. 발이 매우 아프다.
—— *n.* Ⓤ [또는 a ~] 상처, 부상 ; 아픔, (정신적) 고통 ; 손해, 손실 : *a* ~ *from* a blow 타박상 / do ~ *to* …을 상처내다 / I meant no ~ *to* his feelings. 그의 감정을 해칠 생각은 없었다 / It was a great ~ *to* his pride. 그것은 그의 자존심을 크게 상하게 했다.
—— *a.* 부상당한, 상처입은 ; 감정을 해친 ; 《美》 파손된 : a ~ book 파손된 책.
~·er[1] *n.* 《古》 상처를 입히는 사람[것].
〖OF *hurter* to knock < ? Gmc. (ON *hrūtr* to ram)〗
類義語 ⟹ INJURE.
hur·ter[2] [hə́ːrtər] *n.* **1** (수레바퀴의) 비녀장. **2** 포차의 바퀴 멈추개《발포할 때의 진동으로 바퀴가 뒤로 밀리는 것을 방지함》, 보호[강화]하는 것, 완충기. 〖OF ; ⇨ HURT〗
húrt·ful *a.* (육체적·정신적으로) 고통을 주는 ; (건강 따위에) 유해한(injurious) 〈*to*〉. **~·ly** *adv.* **~·ness** *n.*
húrt·ing dánce *n.* 《俗》 (인간 관계에서 생기는) 비통함《슬픔, 실망 따위》.
hur·tle [hə́ːrtl] *vi.* (돌·화살·열차 따위가) 휙 소리를 내며 가다 ; 충돌하다(clash) 〈*against*〉.
—— *vt.* 세차게 내던지다, 던지다 ; 부딪치다, …와 충돌하다.
—— *n.* 《詩》 충돌(하는 소리) ; Ⓤ 던지기.
〖ME = to collide (HURT to strike forcibly, *-le*)〗
húrt·less *a.* 상처가 없는, 상처를 입지 않은(unhurt) ; 무해의(harmless).
◊**hus·band** [hʌ́zbənd] *n.* **1 a**) 남편 : He was a good ~ *to* her. 그는 그녀에게는 훌륭한 남편이었다. **b**) 《美俗》 (매춘부의) 뚜쟁이, 정부, (호모·레스비언의) 남자역. **2** 《古》 절약가.
husband's tea 《戲》 남편이 만든 차《싱겁고 미지근한》.
—— *vt.* 검약[절약]하다, 유효하게 이용하다 ; 《古》 경작하다 : ~ one's supplies 식량을 절약하다 / ~ one's strength 힘을 아끼다.
〖OE *hūsbonda* < ON (HOUSE[1], BOND[2])〗
húsband·age *n.* 〔海〕 선박 관리 수수료.
húsband·like *a.* 남편다운.
húsband·ly *a.* 남편의[다운], 남편으로 적합한 ; 절약하는, 검소한.
húsband·man [-mən] *n.* 《古》 농부(farmer), 농군 ; (농업의 한 분야의) 전문가 : a dairy ~ 낙농가 / a poultry ~ 양계업자.
húsband·ry *n.* **1** Ⓤ 농업, 경작(farming) : ☞ ANIMAL HUSBANDRY. **2** Ⓤ 가정(家政) : good [bad] ~ 규모 있는[헤픈] 살림살이. **3** Ⓤ 절약(thrift).
hush** [hʌ́ʃ] *vt.* [+目 / +目+副+名] 조용하게 하다, 침묵시키다 ; 고요하게 하다, 억누르다 : She ~*ed* the crying child ***to sleep. 그녀는 울고 있는 아이를 달래서 잠을 재웠다. —— *vi.* 조용해지다, 침묵하다.
hush up (비밀 따위를) 남에게 알려지지 않도록 하다, …에 대해서 입을 다물게 하다, 감추어두다, (악평 따위를) 잠잠하게 하다.
—— [ʃː, hʌ́ʃ] *int.* 쉿!, 조용히!
—— *n.* **1** Ⓤ 조용함〈*of*〉 ; 묵살 : a policy of ~ 은폐 정책. **2** 〔音聲〕 쉬하는 소리《치찰음(齒擦音) 중에서 [ʃ, ʒ]를 일컬음》.
~·ful *a.* 침묵한, 조용한.
〖역성(逆成) < *husht*, *hust* (imit. int.) ; *-t*를 p.p.로 잘못한 것〗
hush·a·by(e) [hʌ́ʃəbài] *int.* 자장자장!
—— *vt.* 자장가를 불러 재우다. —— *n.* 자장가.
húsh bòat[**shìp**] *n.* = Q-BOAT.
húshed *a.* 고요해진, 조용한.
類義語 ⟹ QUIET.
húsh-hùsh *n.* 《口》 (정치·작전의) 극비 ; (예의상의) 금기(禁忌). —— *a.* 극비의. —— *vt.* (보도 따위를) 덮어두다, 극비로 하다, 은폐하다.
húsh kìt *n.* 《英》 〔空〕 (제트 엔진용) 소음(消音) [방음] 장치《흡음형(吸音型) 내통(內筒)과 개량형 노즐을 결합한 것》.
husk [hʌ́sk] *n.* **1** 껍질, 깍지(cf. GRAIN) ; 《美》 옥수수 껍질. **2** [*pl.*] (쓸모없는) 외피, 찌꺼기, 가치없는 부분. —— *vt.* …의 깍지를 까다, 껍질을 벗기다. **~·er** *n.* 탈곡기[하는 사람].
〖? LG = sheath (dim.) < *hūs* house ; cf. OE *hosu* husk〗
húsk·ing *n.* Ⓤ 《美》 옥수수 껍질 벗기기.
húsking bèe *n.* 《美》 옥수수 껍질 벗기기 모임《이웃 사람이나 친구들이 와서 돕는데, 일이 끝나면 보통 댄스 따위를 즐김》.
húsky[1] *a.* **1** 껍질의[과 같은] ; 바삭바삭한 ; 마른 ; 내용이 없는, 공허한. **2** 쉰 목소리의, (목소리가) 쉰(hoarse) ; (가수의 목소리가) 허스키한.
〖HUSK〗

husky[2] *a.* 《口》 당찬, 강대한, 남성적인, 큰.
—— *n.* 딱 벌어진 사람, 몸집이 큰 사나이 ; 강력한 기계. 〚↑〛

husky[3] *n.* 에스키모 개 ; 《Can.》 [때때로 H~] 에스키모인, Ⓤ 에스키모어. 〚ESKIMO〛

Huss [hʌ́s, hús] *n.* 후스. **John** ~ (1369?-1415) 보헤미아의 종교 개혁자·순교자.

hus·sar [hʌzɑ́:r, hu-, -sɑ́:r ; huzɑ́:r] *n.* [흔히 H~] 경기병(輕騎兵).
〚Hung.<It. ; ⇨ CORSAIR〛

Hus·sein [huséin] *n.* 후세인. ~ **I** (1935-99) 요르단 국왕.

hus·sif [hʌ́səf, hʌ́z-] *n.* 《英俗》 반짇고리.
〚HOUSEWIFE〛

Huss·ite [hʌ́sait, hús-] *n.* 〔史〕 Huss 신봉자.
—— *a.* Huss(파)의.

hus·sy [hʌ́si, hʌ́zi] *n.* **1** 말괄량이 ; 왈패, 바람둥이 처녀. **2** 《方》 =HOUSEWIFE 2. 〚C16 HUSSIF〛

hus·tings [hʌ́stiŋz] *n. pl.* [단수취급] 법정, 재판 ; [the ~, 단수취급] 국회의원 후보자 지명 연단《1872년 이전》; [단수·복수 취급] 선거 수속 ; [단수·복수취급] 《美》 (정견 발표의) 연단, 연설회장.
〚(pl.) ‹ *husting*<OE=house of assembly<ON〛

hus·tle [hʌ́səl] *vt.* [+目/+目+前+名] **1** 난폭하게 밀다 ; 밀어넣다[내다] : The police ~*d* the tramps ***into*** their car. 경찰은 부랑자들을 차에 밀어넣었다. **2** 전력을 다해 획득하다 ; 억지로 …시키다, 강요하다(impel) ; 서두르게 하다 : Don't ~ me ***into*** buy*ing* it[*into* a decision]. 사도록 [결심하도록] 강요하지 마라. —— *vi.* **1** [+前+名] 서로 밀치다 ; 밀치고 나아가다 : The boys ~*d* ***against*** one another. 소년들은 서로 떼밀었다 / I had to ~ ***through*** the crowded street. 그 혼잡한 거리를 헤치고 나아가지 않으면 안되었다. **2** 《口》 힘차게 해내다, 척척 해내다 ; 《美口》 정력적으로 일하다 ; 서둘러 하다 ; 《美俗》 부정하게 돈을 벌다 ; 마약을 팔다 ; (여자가) 몸을 팔다.
—— *n.* **1** 매우 서두르기, 서로 밀치기 ; 소란 : ~ and bustle 서로 밀고 밀리기. **2** Ⓤ 《口》 정력적 활동, 분발, 원기 왕성. **3** 《俗》 신용사기.
get a hustle on 《美口》 활동적으로 일하다, 정력을 다하다, 맹활약하다.
〚MDu.=to shake, toss (freq.) ‹ *hutsen* (imit.)〛

hústle-bústle *n.* 활기 넘치는 북적거림.

hús·tler *n.* **1** 거칠게 미는[치는] 사람. **2** 《口》(때로는 거리낌없는) 활동가, 민완가, 재주꾼, 정력적인 실업가 ; 《俗》 소매치기, 사기꾼.

hús·tling *a.* 원기 왕성한, 활동적인 ; 부정 이득을 보는, (특히) 매춘 행위를 하는.

***hut** [hʌ́t] *n.* (통나무) 오두막, 오막살이, 산막(山幕) ; 〔軍〕 임시 막사. —— *vt., vi.* (**-tt-**) 오두막에 묵게 하다[묵다]. 〚F *hutte*<Gmc. (G *Hütte*)〛

hutch [hʌ́tʃ] *n.* **1** (토끼 따위 작은 동물을 기르는) 우리장. **2** 상자, 궤짝(box, chest, bin).
—— *vt.* hutch에 넣다, 저장하다.
〚ME=coffer<OF *huche*〛

hút cìrcle *n.* 〔考古〕 (주거지를 나타내는) 환상열석(環狀列石).

hút·ment *n.* 야영(野營) ; 임시 막사에서의 숙박 ; 〔軍〕 임시 막사.

hutzpa(h) ☞ CHUTZPAH.

Hux·ley [hʌ́ksli] *n.* 헉슬리. **1 Aldous** ~ (1894-1963) 영국의 소설가·평론가, Thomas의 손자. **2** Sir **Julian** ~ (1887-1975) 영국의 생물학자 ; Aldous의 형. **3 Thomas Henry** ~ (1825-95) 영국의 생물학자.

huz·za(h) [həzɑ́: ; hu-] *int., n., v.* =HURRAH.
〚C16<? ; 선원(船員)의 외치는 소리 *hussa, hissa* 에서인가〛

huz·zy [hʌ́zi] *n.* =HUSSY.

H. V., h. v. high velocity ; high voltage.

HVN Home Video Network. **H. W.** high water ; highway ; hot water.

Hwang Hai ☞ HUANG HAI.

Hwang Ho ☞ HUANG HE.

H. W. M., h. w. m. high-water mark.

hwy. highway.

hwyl [hwíl, hú:əl] *n.* (시낭송 때 따위의) 열정, 감정의 고조. —— *a.* 가슴이 두근거리는 듯한.
〚Welsh〛

Hy. Henry.

hy·a·cinth [háiəsìnθ, -sənθ] *n.* **1** 〔植〕 히아신스. **2** Ⓤ 보라색. **3** 〔鑛〕 히아신스, 풍신자석(風信子石)《zircon의 일종인 보석》.
〚F<L<Gk.=gem of blue color〛

hy·a·cin·thine [hàiəsínθain, -θən], **-thi·an** [-θiən] *a.* 히아신스의[와 같은], 보라색의 ; 가련한, 아름다운.

Hy·a·cin·thus [hàiəsínθəs] *n.* 〔그神〕 히아킨토스《Apollo가 사랑한 미소년 ; Apollo가 잘못 던진 원반에 맞아 죽었는데 그의 피에서 hyacinth가 피었다고 함》.

Hy·a·des [háiədì:z], **Hy·ads** [háiædz] *n. pl.* **1** 〔그神〕 히아데스《Atlas의 7명의 딸 ; ☞ PLEIADES》. **2** [(the) ~] 〔天〕 히아데스 성단.

hyaena ☞ HYENA.

hy·al- [háiəl], **hy·alo-** [háiəlou, -lə] *comb. form* 「유리 (모양)의」「투명한」의 뜻.
〚Gk. *hualos* glass〛

hy·a·line [háiələn, -làin] *a.* 유리 모양의, 수정 같은, 투명한. —— [-lən, -lì:n, -làin] *n.* 《詩》 거울 같은 바다.

hy·a·lite [háiəlàit] *n.* Ⓤ 〔鑛〕 옥적석(玉滴石) 《무색 투명》.

hy·a·loid [háiəlɔ̀id] *a.* 〔解〕 유리 모양의, 투명한.
—— *n.* (눈의) 유리양[체]막(膜).
〚F<L<Gk. (*hualos* glass)〛

hy·a·lu·rón·ic ácid [hàiəluərɑ́nik-] *n.* 〔生化〕 히알루론산(酸)《동물 조직 속의 산성 다당류》.

hy·a·lu·ron·i·dase [hàiəluərɑ́nədèis, -z] *n.* 〔生化〕 히알루로니다아제《효소의 일종》.

H-Y antigen [éitʃwái ⌐] *n.* 〔免疫〕 H-Y 항원(抗原) 《Y염색체 유전자에 의존하는 조직 적합 항원》. 〚*h*istocompatibility+*Y* chromosome〛

hyb. hybrid.

hy·brid [háibrəd] *n.* 잡종 ; 혼성물 ; 〔言〕 혼성어(混成語). —— *a.* 잡종의 ; 혼성의 ; 〔理〕 (전자액(電磁液)이) 전기장(電氣場)·자기장의 전반(傳搬) 방향 성분이 영(零)이 아닌 ; 〔電子〕 (회로가) 트랜지스터와 진공관으로 된, (IC가) 반도체 칩과 다른 부품을 기반 위에 갖는, 하이브리드의.
~·ìsm *n.* Ⓤ 잡종성 ; 교배 ; 〔言〕 혼종.
~·ist *n.* 잡종 육성자.
hy·brid·i·ty [haibrídəti] *n.* 잡종성 ; 잡종, 혼혈 ; 잡종 육성. 〚L〛

hýbrid áircraft *n.* 〔空〕 하이브리드 항공기《비행선이나 기구(氣球)·비행기·회전익기 따위의 장점을 짜맞춘 복합 항공기》.

hýbrid bíll *n.* 〔議會〕 혼합 법안《공적(公的)이고도 사적(私的)임》.

hýbrid compúter *n.* 하이브리드 컴퓨터, 혼성 전산기《analogue computer와 digital computer를 일체화하여 짜맞춘 것》.

hýbrid íntegrated círcuit *n.* 〖電子〗 하이브리드 집적회로, 혼성 집적회로.

hýbrid·ìze *vt.* …의 잡종을 만들다. —— *vi.* 〖動·植〗 잡종을 낳다 ; 〖言〗 혼성어를 만들다.
hỳbrid·izátion *n.* Ⓤ (이종) 교배 ; 〖言〗 혼성(混成), 잡종 육성.

hy·bri·do·ma [hàibrədóumə] *n.* 〖生〗 하이브리도마《암세포와 항체 산출 림프구(球)를 융합시켜서 만든 잡종 세포 ; 단(單)클론 항체를 산출함》.

hýbrid téa (ròse) *n.* 하이브리드 티계(系)의 4계절 피는 송이가 큰 장미.

hy·bri·mýcin [hàibrə-] *n.* 〖藥〗 하이브리마이신, 혼합 마이신《합성 항생물질》.

hy·can·thone [haikǽnθoun] *n.* 〖化〗 히칸톤《박테리아·동물 세포에 돌연 변이를 일으키는 약품 ; 주혈(住血) 흡충증 치료약》.

hyd., hydr. hydraulics ; hydrostatics.

hy·da·tid [háidətid, -təd] *n.* (촌충의) 포충(胞蟲) ; 〖醫〗 낭종(囊腫)《특히 촌충의 애벌레에 의해 사람 또는 동물의 체내에 생김》. —— *a.* hydatid의[에 걸린].

Hyde [háid] *n.* [Mr. ~] 하이드씨(氏) (☞ JEKYLL).

Hýde Párk *n.* 하이드 파크《London의 공원 ; 누구든지 자유로이 연설할 수 있음》 : a ~ orator 하이드 파크에서 연설하는 가두 연설가.

hydr- [háidr], **hy·dro-** [háidrou, -drə] *comb. form* 「물(의)」「수소」「히드라, 히드로충(蟲)」의 뜻. 〖Gk. *hudro-* (*hudōr* water)〗

Hy·dra [háidrə] *n.* **1 a)** 〖그神〗 히드라《Hercules에게 죽은 9개의 머리를 가진 뱀 ; 한 개의 머리를 자르면 거기에서 두 개의 머리가 생겼다고 함》. **b)** [h~] (*pl.* **~s**, **-drae** [-dri:]) 어찌할 도리가 없는 문제, 큰 재난. **2 a)** [*H*~] 〖動〗 히드라속(屬) ; [h~] 〖動〗 히드라. **b)** 〖天〗 바다뱀자리. 〖Gk.〗

hy·drac·id [haidrǽsəd] *n.* Ⓤ 〖化〗 수소산(酸).

hýdra-héad·ed *a.* (Hydra처럼) 머리가 많은 ; 여러 갈래에 걸친, 다면적인 ; 근절하기 어려운, 문제가 많은.

hy·dran·gea [haidréindʒə] *n.* 〖植〗 수국(水菊). 〖NL (Gk. *hydr*, *aggos* vessel)〗

hy·drant [háidrənt] *n.* 소화전, 수도[급수]전.

hy·drar·gy·rism [haidrá:rdʒərìzəm] *n.* 〖醫〗 수은 중독.

hy·drar·gy·rum [haidrá:rdʒərəm] *n.* Ⓤ 〖化〗 수은(mercury).

hy·dra·sórt·er [hàidrə-] *n.* 하이드라소터《액상 폐기물에서 유용 고형물을 채집함과 동시에 발전용 증기를 발생하는 장치》.

hy·drate [háidreit] *n.* Ⓤ,Ⓒ 〖化〗 수화물(水和物), 수화물(水化物). —— *vt.*, *vi.* 수화[수산화]시키다[하다]. **hy·drá·tion** *n.* 수화 작용(水和作用).

hydraul. hydraulic(s).

hy·drau·lic [haidrɔ́(:)lik, -drál-] *a.* **1** 수력학적인 ; 수압[유압](응용)의 : a ~ crane 수압 기중기 / a ~ elevator 수력 승강기 / a ~ valve 물을 조절하는 밸브. **2** 수중에서 경화되는 : ~ mortar 수중용 모르타르. —— *n.* 수압[유압] 응용 기계.
-li·cal·ly *adv.* 수압[유압]으로.
〖L<Gk. (*hydr-*, *aulos* pipe)〗

hydráulic bráke *n.* (액압 프레스에 의한) 유압 브레이크.

hydráulic cemént *n.* 수경(水硬)(성) 시멘트《보통 시멘트》.

hỳ·drau·lí·cian *n.* 수리(水理)학자, 수력 기사.

hỳ·drau·líc·i·ty *n.* Ⓤ 수경성(水硬性).

hydráulic líft *n.* 〖機〗 수압[유압] 승강기.

hydráulic pówer *n.* 수력 : a ~ plant[station] 수력 발전소.

hydráulic préss *n.* 〖機〗 유압[수압] 프레스.

hydráulic rám *n.* 자동 양수기.

hy·dráu·lics *n.* Ⓤ 수력학 ; 〖土〗 수리학.

hydráulic sýstem *n.* 〖空〗 유압 장치[계통]《유압을 이용하여 항공기의 조종 계통이나 착륙 장치를 작동시키는 시스템》.

hy·dra·zide [háidrəzàid, -zəd] *n.* Ⓤ 〖化〗 히드라지드《결핵 치료약》.

hy·dra·zine [háidrəzì:n, -zən] *n.* Ⓤ 〖化〗 히드라진《공기중에서 발연하는 무색액 ; 로켓 연료용》.

hy·dric [háidrik] *a.* 〖化〗 수소의, 수소를 함유한.

-hy·dric [háidrik] *a. suf.* 〖化〗 「수산기[산수소(酸水素)]를 함유한」의 뜻.
〖*hydr-*+*-ic*〗

hy·dride [háidraid, -drəd] *n.* Ⓤ,Ⓒ 〖化〗 수소화물 ; 《古》 수산화물.
〖*hydr*ogen+*-ide*〗

hy·dril·la [haidrílə] *n.* 〖植〗 검정말《미국에서는 양어조(養魚槽) 식물로 널리 퍼짐》.

hy·dri·ód·ic ácid [hàidriádik-] *n.* 〖化〗 요오드화(化)수소산(酸)(의 수용액).

hy·dro¹ [háidrou] *n.* (*pl.* **~s**) 《英口》 수치료(水治療)시설(이 설치된 호텔), =SPA.
〖*hydro*pathic treatment〗

hydro² *n.* (*pl.* **~s**) 수력 발전 전력 ; 수력 발전소.
—— *a.* 수력 발전의.
〖*hydro*electric power (plant)〗

hydro³ *n.* (*pl.* **~s**) =HYDROPLANE.

hydro- [háidrou, -drə] ☞ HYDR-.

hỳdro·áir·plàne *n.* 수상(비행)기.

hỳdro·biólogy *n.* Ⓤ 수생 생물학(水生生物學) ; 호소(湖沼) 생물학.

hýdro·bí·plàne *n.* 복엽(複葉) 수상(비행)기.

hýdro·bòmb *n.* 비행[공중] 어뢰.

hỳdro·brómic *a.* 〖化〗 브롬화수소의.

hỳdro·cárbon *n.* Ⓤ 〖化〗 탄화수소.

hýdro·cèle *n.* 〖醫〗 수류(水瘤), 음낭 수종.

hỳdro·céph·a·lus [-séfələs], **-céphaly** *n.* Ⓤ 〖醫〗 뇌수종(腦水腫). **-cephalous** *a.* 뇌수종의[에 걸린]. 〖Gk. *kephalē* head〗

hỳdro·chlóric *a.* 〖化〗 염화수소의 : ~ acid 염화수소산, 염산.

hỳdro·chlóride *n.* 〖化〗 염산염.

hỳdro·chlòro·thíazide *n.* 〖藥〗 히드로클로로티아지드《이뇨제·혈압 강하제》.

hỳdro·córtisone *n.* 〖生化〗 히드로코르티손《부신(副腎) 피질 스테로이드의 하나》.

hýdro·cràck·ing *n.* 〖化〗 (탄화수소의) 수소화 분해(법). **hýdro·cràck** *vt.* **hýdro·cràck·er** *n.*

hỳdro·cyánic *a.* 〖化〗 시안화수소의 : ~ acid 시안화수소산.

hỳdro·dynámic *a.* 유체 역학의, 수력학의, 동수력학의 ; 수력[수압]의. **-ical·ly** *adv.*

hỳdro·dynámics *n.* 유체 역학, 수력학 (hydromechanics). **-dy·nám·i·cist** [-dainǽməsəst] *n.* 유체 역학자.

hỳdro·eléctric *a.* 수력 전기의 ; 수력 발전의.
-electrícity *n.* Ⓤ 수력 전기.

hỳdro·extráctor *n.* 원심 탈수기.

hỳdro·fluóric *a.* 〖化〗 플루오르화(化)수소의 : ~ acid 플루오르화수소산.

hýdro·fòil *n.* 수중익(水中翼) ; 수중익선(船).
〖*aerofoil*의 유추〗

hýdro·fràcturing *n.* 수력 파쇄(법) 《지하의 암반

에 액체를 압송하여 갈라진 틈을 만들어 유정(油井)의 유출을 촉진하는 방법》.

hỳdro·gasificátion *n.* 수소 첨가 가스화(化)법《고온 고압으로 석탄을 메탄화하는 방법》.

hý·dro·gel shèet [háidrədʒəl-] *n.* 히드로겔 시트《95%의 물과 5%의 플라스틱으로 만든 인공 장기(臟器)의 일종》.

***hy·dro·gen** [háidrədʒən] *n.* Ⓤ 〖化〗 수소《기호 H ; 번호 1》: ~ (mon)oxide 산화수소《물》. 〚F (*-gen*)〛

hy·dro·gen·ate [haidrádʒənèit ; háidrədʒ-] *vt.* 〖化〗 수소화하다, 수소 첨가하다.

hy·drò·gen·á·tion [, hàidrədʒə-] *n.*

hýdrogen bòmb *n.* 수소 폭탄(H-bomb).

hýdrogen bònd *n.* 〖化〗 수소 결합.

hýdrogen chlóride *n.* 〖化〗 염화수소.

hýdrogen coróna *n.* 〖天〗 수소 코로나《혜성의 대기(coma) 밖에 존재하는 거대한 수소 가스 구름 ; cf. HALLEY'S COMET》.

hýdrogen ìon *n.* 〖化〗 수소 이온.

hýdrogen·ìze *vt.* = HYDROGENATE.

hy·drog·e·nous [haidrádʒənəs] *a.* 〖化〗 수소의, 수소를 함유한.

hýdrogen peróxide[dióxide] *n.* 〖化〗 과산화수소.

hýdrogen súlfide *n.* 〖化〗 황화수소.

hýdrogen wárhead *n.* 수소폭탄 탄두.

hýdro·gràph *n.* 자기 수위계(自記水位計), 수위 기록계 ; 수위도(水位圖) ; 유량(流量) 곡선 ; 〖電〗 유량도(流量圖).

hy·drog·ra·phy [haidrágrəfi] *n.* Ⓤ 수로학(水路學), 수로 측량 ; 지도상의 수로 부분 ; 수위[유량]학 ; 수위[유량] 기록[법] ; 수위, 유량.

-pher *n.* 수로학자, 수로 측량가.

hỳ·dro·gráph·ic, -i·cal *a.* **-i·cal·ly** *adv.*

hy·droid [háidrɔid] *n., a.* 히드로충(蟲)(의).

hỳdro·kinétics *n.* Ⓤ 유체[액체] 동역학(cf. HYDROSTATICS).

hýdro·làb *n.* 해중[해저] 실험선[조사정(艇)].

Hy·dro·late 3 [háidrəlat θríː] *n.* 하이드롤레이트 스리《가솔린과 메틸알코올의 분리 방지제(防止劑) ; 상표명》.

hy·drol·o·gy [haidrálədʒi] *n.* Ⓤ 수문학《물의 성질·순환·분포·생성 따위를 연구》. **-gist** *n.* 수문(水文)학자. **hỳ·dro·lóg·ic, -i·cal** *a.*

hy·drol·y·sis [haidrálәsәs, 美+hàidrəlái-] *n.* (*pl.* **-ses** [-ləsìːz, 美+-láisìːz]) Ⓤ,Ⓒ 〖化〗 가수분해. **hy·dro·lyt·ic** [hàidrəlítik] *a.* 〚Gk. *lusis* dissolving〛

hy·dro·lyze [háidrəlàiz] *vt., vi.* 〖化〗 가수 분해하다. **hỳ·dro·ly·zá·tion** *n.*

hỳdro·magnétic *a.* 자기(磁氣) 유체 역학의 ; 자기장(磁氣場) 중의 전도성(電導性) 유체의《파동》.

hỳdro·magnétics *n.* 자기(磁氣) 유체 역학.

hỳdro·mechánics *n.* 유체 역학.

-mechánical *a.*

hy·dro·mel [háidrəmèl, -drou-] *n.* Ⓤ 벌꿀물《발효하지 않은 것 ; cf. MEAD》.

hy·drom·e·ter [haidrámətər] *n.* (액체) 비중계, 부칭(浮秤). **hỳ·dro·mét·ric, -ri·cal** *a.*

hy·dróm·e·try *n.* (액체) 비중 측정(법).

hỳdro·móno·plàne *n.* 단엽(單葉) 수상 비행기.

hỳdro·mórphine *n.* 〖藥〗 히드로모르핀《강력한 진통 작용을 하는 마약의 일종 ; 그 효과는 모르핀의 19배》.

hy·dro·naut [háidrənɔ̀ːt, -drou-] *n.* 〖美海軍〗 심심도(深深度) 잠항원(潛航員), 심해정 승무원.

hỳdro·náu·tics [-nɔ́ːtiks] *n.* 해양 개발 공학.

hy·dron·ic [haidránik] *a.* (난방이) 스팀 파이프식의, (냉방이) 수냉식의.

hy·dro·path·ic [hàidrəpǽθik] *a.* 수치료법의 : ~ treatment 수치료법. —— *n.* 수치료원.

hy·drop·a·thy [haidrápəθi] *n.* Ⓤ (물이나 약수를 내용(內用)·외용하는) 수치료법(water cure) (cf. HYDROTHERAPY). **-thist** *n.* 수치료사. 〚*-pathy*〛

hy·dro·phane [háidrəfèin] *n.* 〖鑛〗 투단백석(透蛋白石).

hỳdro·phílic, hýdro·phìle *a.* 〖化〗 친수성(親水性)의. —— *n.* [-philic] 소프트 콘택트렌즈.

hỳ·dro·phi·líc·i·ty [-filísəti] *n.* 친수성. 〚Gk. *philos* loving〛

hỳdro·phóbia *n.* 〖醫〗 공수병, 광견병(rabies).

hỳdro·phóbic *a.* 〖化〗 소수성(疏水性)의 ; 공수병의. **-pho·bíc·i·ty** [-foubísəti] *n.* 소수성.

hýdro·phòne *n.* 수중 청음기 ; 수관 검루기(水管檢漏器) ; 〖醫〗 통수식(通水式) 청진기.

hýdro·phòre *n.* (깊은 물의) 채수기(採水器).

hýdro·phỳte *n.* 〖植〗 수생(水生) 식물(cf. MESOPHYTE, XEROPHYTE).

hy·drop·ic [haidrápik] *a.* 수종(hydrops)성의.

hýdro·plàne *n.* 수상 비행기(seaplane) ; 수상 활주정(艇) ; (잠수함의) 수평타(舵). —— *vi.* 물위를 (미끄러지면서) 활주하다 ; 수상 비행기에 타다[를 조종하다].

hýdro·plàning *n.* Ⓤ 하이드로플레이닝《물기 있는 길을 고속으로 달릴 때 타이어가 떠서 핸들이나 브레이크가 듣지 않게 되는 현상》.

hỳdro·pneumátic *a.* 물과 공기의 작용에 의한《엘리베이터 따위》.

hy·dro·pon·ics [hàidrəpániks] *n.* Ⓤ 〖農〗 수경법《염류를 용해한 물에 야채를 재배함》.

hỳ·dro·pón·i·cist [-səst], **hy·drop·o·nist** [haidrápənəst] *n.* 수경법식 농업 경영자.

-pón·ic *a.* 수경(水耕)[수재배]식의. 〚Gk. *ponos* labor〛

hýdro·pòwer *n.* Ⓤ 수력 전력.

hy·drops [háidraps] *n.* 〖醫〗 수종병(水腫病)(edema).

hy·drop·sy [háidrapsi] *n.* 《古》 수종병(水腫病)(edema). 〚OF〛

hỳdro·psỳcho·thérapy *n.* 〖精神醫〗 (풀(pool)·목욕탕 따위를 이용한) 물 정신치료(법).

hỳdro·quinóne [, ∸∸∸], **-quínol** *n.* Ⓤ 〖寫〗 히드로퀴논《사진 현상약·의약·산화 방지제·페인트·연료용》.

hýdro·scòpe *n.* **1** 수중 투시경, 하이드로스코프(cf. WATER GLASS 1). **2** (옛날의) 물시계.

hýdro·skì *n.* 〖空〗 하이드로스키《비행기 동체 아래쪽에 장치한 활주용 스키》.

hỳdro·skímmer *n.* 수상용 호버크라프트(hovercraft).

hy·dro·sol [háidrəsɔ̀(ː)l, -sòul, -sàl] *n.* 〖化〗 히드로졸《분산매(分散媒)가 물인 콜로이드》.

hýdro·spàce *n.* Ⓤ (대양의) 수면 밑의 영역, 수중(역(域)).

hýdro·sphère *n.* (지구의) 수계(水界) ; Ⓤ (대기 중의) 수분.

hy·dro·stat [háidrəstæ̀t, -drou-] *n.* (보일러의) 폭발 방지 장치 ; 누수(漏水) 검출기.

hydrostat. hydrostatics.

hỳdro·státic, -ical *a.* 정수(靜水)의 ; 유체 정역학적인. **-ical·ly** *adv.*

hydrostátic prèss *n.* 수압기(水壓機).

hỳdro·státics *n.* Ⓤ 유체[액체] 정역학, 정수학(靜水學) (cf. HYDROKINETICS).
hỳdro·súlfide *n.* 〖化〗 수황화물(水黃化物).
hỳdro·táxis *n.* Ⓤ〖生〗 수분 주성(走性), 주수성(走水性), 물주성(走性).
hỳdro·therapéutics *n.* 〖醫〗 수(水)치료법 (hydrotherapy).
hỳdro·thérapy *n.* Ⓤ (물이나 약수를 외용하는) 수치료법 (water cure) (cf. HYDROPATHY).
hỳdro·thérmal *a.* 열수(熱水)(작용)의.
hỳdro·thórax *n.* Ⓤ 수흉증(水胸症).
hýdro·trèat *vt.* 수소화[수소 첨가] 처리하다.
hýdro·trope [-tròup] *n.* 〖生〗 굴수성(屈水性) 유발 물질.
hy·drot·ro·pism [haidrátrəpìzəm] *n.* Ⓤ (동·식물의) 굴수성(屈水性), 향수성(向水性).
hỳdro·trópic *a.*
hy·drous [háidrəs] *a.* 〖化·鑛〗 함수(含水)의. 〖*hydr-*〗
hydrox- [haidráks] ☞ HYDROXY-.
hy·drox·ide [haidráksaid] *n.* 〖化〗 수산화물. 〖OXIDE〗
hy·droxo- [haidráksou, -sə] *comb. form* 「(배위기(配位基)로서의) 수산기(를 함유한)」의 뜻. 〖*hydroxyl*+*-o-*〗
hy·droxy- [haidráksi], **hy·drox-** [-dráks] *comb. form* 「(특히 수소 대신의) 수산기(水酸基)(를 함유한)」의 뜻. 〖*hydroxyl*〗
hydróxy ácid *n.* 〖化〗 히드록시산(酸).
hy·drox·yl [haidráksəl] *n.* Ⓤ〖化〗 수산기(水酸基). 〖*hydr-*+*ox-*+*-yl*〗
hydròxy·uréa *n.* 〖生化〗 히드록시요소《백혈병 치료제》.
Hy·dro·zoa [hàidrəzóuə] *n.* 〖動〗 히드로충류(類). **hỳ·dro·zó·an** *n., a.* 히드로충(류)(의).
hy·e·na, -ae- [haiíːnə] *n.* **1** 〖動〗 하이에나《아시아·아프리카산(産)의 야행성 육식성 동물; 죽은 짐승의 고기만 먹고 밤에 나다니며 짖는 소리는 악마의 웃음 소리와 같다고 함》. **2** 《비유》 잔혹한 인간, 배신자, 탐욕스러운 인간. 〖OF and L<Gk. (fem.) ‹ *hus* pig〗
hy·et- [háiət, haiét], **hy·eto-** [háiətou, haiétou, -tə] *comb. form* 「비의」의 뜻. 〖Gk. *huetos* rain〗
hy·e·tal [háiətl] *a.* 비의, 강우의, 강우 지역의.
hyéto·gràph [, haiétə-] *n.* 우량도(雨量圖).
hy·e·tog·ra·phy [hàiətágrəfi] *n.* Ⓤ 〖氣〗 우량학; 우량도법.
hy·e·tol·o·gy [hàiətálədʒi] *n.* Ⓤ〖氣〗 우학(雨學) 《강수를 다루는 기상학의 한 부문》.
hy·e·tom·e·ter [hàiətámətər] *n.* 〖氣〗 우량계.
Hy·fil [háifil] *n.* 하이필《탄소 섬유로 강화한 플라스틱; 상표명》.
Hy·ge·ia [haidʒíːə] *n.* 〖그神〗 히게이아《「건강」의 뜻으로 의인화된 여신; Asclepius의 딸》.
hy·gé·ian *a.* 건강의, 위생의; [H~] Hygeia의.
hy·giene [háidʒiːn] *n.* Ⓤ 섭생법(攝生法), 건강법; 위생학: public ~ 공중 위생. 〖F<Gk. *hugieinē* (*tekhnē* art) of health (*hugiēs* healthy)〗
hy·gien·ic, -i·cal [haidʒíːnik(əl), -dʒién-] *a.* 위생(상)의, 청결한, 보건상의; 위생학의: ~ storage[packing] 위생적인 저장[포장].
-i·cal·ly *adv.* 위생적으로.
hy·gíen·ics [, -dʒién-] *n.* 위생학; 위생 관리.
hy·gien·ist [haidʒíːnəst, ⌐--, haidʒién-] *n.* 위생학자.
hygr- [háigr], **hy·gro-** [háigrou, -grə] *comb. form* 「습기」「액체」의 뜻. 〖Gk. *hugros* wet〗
hýgro·gràph *n.* 자기(自記) 습도계.
hy·grol·o·gy [haigrálədʒi] *n.* 습도학.
hy·grom·e·ter [haigrámətər] *n.* 습도계.
hỳ·gro·mét·ric *a.* 습도 측정(법)의; =HYGROSCOPIC.
hy·gróm·e·try *n.* Ⓤ 습도 측정(법).
hýgro·scòpe *n.* 검습기(檢濕器).
hỳ·gro·scóp·ic [-skápik] *a.* 검습기의, 검습기에 의해서 알 수 있는; 습기차기 쉬운.
hying [háiiŋ] *v.* HIE의 현재 분사.
Hyk·sos [híksɑs, 美+-sous] *n.* [the ~] 힉소스 왕조《기원전 1700년경부터 1580년 사이 이집트를 지배한 왕들로 Shepherd Kings라고도 함》.
—— *a.* 힉소스 왕조의.
hyl- [háil], **hy·lo-** [háilou, -lə] *comb. form* 「물질」「나무」「숲」의 뜻. 〖Gk. (*hulē* matter)〗
hy·la [háilə] *n.* 〖動〗 청개구리.
hy·lic [háilik] *a.* 물질의, 물질적인; 목재의.
hy·lol·o·gy [hailálədʒi] *n.* = MATERIALS SCIENCE.
hỳlo·théism *n.* 물시신론(物是神論).
hỳlo·zó·ic [-zóuik] *a.* 물활론(物活論)의.
hỳlo·zó·ism [-zóuizəm] *n.* 물활론(物活論)《생명과 물질에는 불가분의 관계가 있다는 설》.
-ist *n.*
hy·men [háimən; -men] *n.* **1** 〖解〗 처녀막. **2** [H~] 〖그神〗 히멘《혼인의 신》. **3** 《古》 결혼; 결혼 축가. 〖Gk. *humēn* membrane〗
hy·men- [háimən], **hy·me·no-** [-mənou, -nə] *comb. form* 「(처녀)막」의 뜻. 〖Gk. (↑)〗
hy·me·ne·al [hàiməníːəl; -me-] *a.* 혼인의, 결혼의(nuptial). —— *n.* 《古》 결혼식의 축가(wedding song); [*pl.*] 결혼식, 혼례.
hy·me·nop·ter·on [hàimənáptərən, -ràn] *n.* (*pl.* **-tera** [-tərə], **~s**) 막시류(膜翅類)의 곤충.
hỳ·me·nóp·ter·ous *a.* 막시류의. 〖Gk.=membrane winged〗
***hymn** [hím] *n.* 찬송가, 성가; 찬가(讚歌).
—— *vt.* (찬송가를 불러) 찬미하다.
—— *vi.* 찬송가를 부르다. 〖OF<L<Gk. *humnos* song in praise of gods or heroes〗
hym·nal [hímnəl] *a.* 찬송가의; 성가의.
—— *n.* =HYMNBOOK.
hym·na·ry [hímnəri] *n.* =HYMNBOOK.
hýmn·bòok *n.* 찬송가[성가]집.
hym·nist [hímnəst] *n.* 찬송가 작가.
hym·no·dy [hímnədi] *n.* Ⓤ 찬송가 부르기[작사·작곡]; 찬송가학; 찬송가(humns). **-dist** *n.* =HYMNIST. 〖L<Gk. (⇨ HYMN); cf. PSALMODY〗
hym·nog·rg·phy [himnágrəfi] *n.* 찬송가[성가]지(誌)《해설과 bibliography》; =HYMNODY.
-pher *n.*
hym·nol·o·gy [himnálədʒi] *n.* =HYMNODY.
-gist *n.* 찬송가 작가.
hy·oid [háiɔid] *a., n.* 〖解〗 U자형(의), 설골(舌骨)(의). 〖F (Gk. *hu* upsilon)〗
hýoid bóne *n.* 〖解〗 설골(舌骨).
hy·o·scine [háiəsìːn] *n.* Ⓤ〖藥〗 히오신《동공확대약·진정제》. 〖↓〗
hy·o·scy·a·mine [hàiəsáiəmìːn, -mən] *n.* Ⓤ 〖化〗 히오시아민《동공확대약·진정제》. 〖NL<Gk. *huoskuamos* henbane (*hu- hus* pig, *kuamos* bean)〗
hyp [híp] *n.* [the ~, 흔히 *pl.*] 《古》 =HYPO-

CHONDRIA.

hyp- [háip] ☞ HYPO-.

hyp. 〘數〙 hypotenuse ; hypothesis ; hypothetical.

hy·pae·thral [hipí:θrəl, hai-] *a.* 창공의, (원래 고대 그리스 신전이) 지붕이 없는 ; 옥외(屋外)의.

hy·pal·la·ge [hipǽlədʒi, hai- ; haipǽləgi(:)] *n.* Ⓤ,Ⓒ 〘修·文法〙 환치(법), 치환《apply water to the wound를 apply the wound to water로 쓰는 따위》.

hype [háip] *n.* 《俗》 **1** 피하 주사(침(針)) ; 마약 중독자[판매인]. **2** 속임수, (신용) 사기 ; 과대 광고[선전], 과장해서 팔아 넘김 ; 과대 선전된 사람[것] ; 거스름돈을 속이는 사람. —— *vt.* 속이다 ; (남)에게 거스름돈을 속이다 ; 《美》 (마약으로) 흥분시키다, 자극하다, 부추기다〈*up*〉; (판매를) 활기띠게 하다 ; 과장 선전하다, 강매하다 ; 거짓 선전으로 걸려들게 하다.

hýped-ùp *a.* 《美俗》 인위적인, 가짜의 ; (흥분제를 맞은 듯이) 흥분한.

hýp·er *n.* 《俗》 선전꾼. —— *a.* 흥분 잘하는 ; 매우 흥분[긴장]한.

hy·per- [háipər] *pref.* 「저쪽의」「초월」「초과」「과도」「비상한」의 뜻. 〚Gk. (*huper* over, beyond)〛

hỳper·ácid *a.* 위산 과다(胃酸過多)의.

hỳper·acídity *n.* Ⓤ 〘醫〙 위산 과다(증).

hỳper·áctive *a., n.* 극도로 활동적인 (사람) : ~ children (발달 단계의 특징으로서) 극도로 활동적인 아이들. **-actívity** *n.* 활동 항진(亢進) (상태), 활동 과다.

hyperaesthesia ☞ HYPERESTHESIA.

hỳper·alimentátion *n.* 〘醫〙 (점적(點滴) 주사 따위에 의한) 과영양(過營養).

hỳper·ánxious *a.* 몹시 걱정하는, 지나치게 염려하는.

hỳper·báric *a.* 〘醫〙 고비중(高比重)의《액(液)》; 고압 (산소)의 : a ~ chamber 고압 산소실.

hyperbáric óxygen thérapy *n.* 고농도 산소 요법《일산화탄소 중독·뇌졸중·다발성 경화증(硬化症) 따위에 씀》.

hy·per·ba·ton [haipə́:rbətàn] *n.* Ⓤ 〘文法〙 전치법(轉置法)《The hills echoed. 를 Echoed the hills.로 하는 따위》.

hy·per·bo·la [haipə́:rbələ] *n.* (*pl.* **~s, -lae** [-lì:, -lài]) 〘數〙 쌍곡선. 〚NL (↓)〛

hy·per·bo·le [haipə́:rbəli(:)] *n.* Ⓤ 〘修〙 과장법(誇張法) (cf. LITOTES) ; Ⓒ 과장. 〚Gk.=excess (*hyper*-, *ballō* to throw)〛

hy·per·bol·ic [hàipərbálik] *a.* **1** 〘修〙 과장법의 ; 허풍떠는. **2** 〘數〙 쌍곡선의. **-i·cal·ly** *adv.* 과장해서, 허풍으로.

hy·per·bo·lism [haipə́:rbəlìzəm] *n.* Ⓤ 〘修〙 과장법 사용. **-list** *n.* 과장법 사용자.

hy·per·bo·lize [haipə́:rbəlàiz] *vt., vi.* 〘修〙 과장법으로 표현하다, 과장해서 말하다.

hy·per·bo·loid [haipə́:rbəlɔ̀id] *n.* 〘數〙 쌍곡면.

hy·per·bo·re·an [hàipərbɔ́:riən, -bərí:ən] *a.* **1** 〘그神〙 북방의 평화스러운 땅에 살고 있는 사람의. **2** 북극의, 북극에 사는 ; 지독하게 추운(frigid). —— *n.* **1** [흔히 H~] 〘그神〙 북방의 평화스러운 땅에 사는 사람. **2** 북극인(北極人) ; 북쪽 나라에 사는 사람. 〚cf. BOREAS〛

hỳper·cataléctic *a.* 〘詩學〙 행(行) 끝에 여분의 음절이 있는.

hýper·chàrge *n.* 〘理〙 하이퍼차지《소립자의 하전(荷電) 상태를 나타내는 연산자(演算子)》.

—— *vt.* …에 지나치게 집어넣다[부과하다].

hỳper·cónscious *a.* 의식 과잉의〈*of*〉.

hỳper·corréct *a.* 지나치게 정확한, 지나치게 까다로운 ; 〘言〙 과잉 정정(訂正)의.

hỳper·corréction *n.* Ⓤ 〘言〙 과잉 정정《between you and *me*를 *I*로 잘못 쓰는 현상》.

hỳper·crític *n.* 혹평가.

hỳper·crítical *a.* 혹평하는, 흠을 들춰내는.

hỳper·críticism *n.* Ⓤ,Ⓒ 혹평, 흠잡기.

hỳper·críticize *vt., vi.*

hỳper·dialéctism *n.* 〘言〙 과도 방언 사용.

hy·per·emia, -ae·mia [hàiperí:miə] *n.* 〘醫〙 충혈.

hỳper·esthésia, -aes- *n.* Ⓤ 〘醫〙 지각[촉각] 과민(증).

hỳper·excitabílity *n.* 과(過)흥분(성) ; 흥분성 항진(亢進). **-excítable** *a.*

hỳper·fócal dístance *n.* 〘寫〙 (카메라 렌즈가 잡을 수 있는) 가장 가까운 결상거리.

hỳper·glycémia, -cáe- *n.* 〘醫〙 고[과]혈당증(高[過]血糖症).

hy·per·gol [háipərgɔ̀(:)l, -gòul, -gàl] *n.* 자연성(自然性) 연료.

hỳper·gól·ic [-gɔ́(:)lik, -góul-, -gál-] *a.* (로켓 연료가) 자동 점화성[연소성]의, 자연성의.

hỳper·inflátion *n.* Ⓤ 초(超)인플레이션.

Hy·pe·ri·on [haipíəriən] *n.* **1** 〘그神〙 히페리온《Uranus와 Gaea의 아들 ; 때때로 Apollo와 혼동됨 ; 호머에는 Helios》. **2** 히페리온《토성의 제 7 위성》.

hỳper·irritabílity *n.* Ⓤ 〘醫〙 과잉 자극 감수성.

hỳper·li·pé·mia [-laipí:miə], **-lip·id·émia** [-lìpədí:miə] *n.* 〘醫〙 지방 과잉혈(증), 고(高)지방혈(증).

hỳper·lìpo·pròtein·émia *n.* 〘醫〙 고(高)리포단백혈(증), 리포 단백 과잉혈(증)《혈액에 리포 단백 농도가 증가하는 병》.

hýper·màrket *n.* 《英》 (변두리의) 대형 슈퍼마켓. 〚F *hypermarché* (*hyper*-, MARKET)〛

hy·per·me·ter [haipə́:rmətər] *n.* 〘詩學〙 음절 과잉 시구(詩句) ; 〘古典詩學〙 2행 또는 3행(colon)으로 된 피리어드(period).

hỳ·per·mét·ric, -ri·cal *a.* 《詩》 음절이 과다한.

hỳper·me·tró·pia [-mitróupiə], **-mét·ropy** [-métrəpi] *n.* Ⓤ 〘醫〙 원시(遠視) (↔*myopia*). **-me·tróp·ic, -i·cal** [-mitrápik(əl), -tróu-] *a.*

hy·per·on [háipəràn] *n.* 〘理〙 하이퍼론, 중핵자(重核子). 〚*-on*²〛

hy·per·opia [hàipəróupiə] *n.* =HYPERMETROPIA. **-op·ic** [-ráp-, -róu-] *a.*

hỳper·phágia *n.* 〘醫〙 식욕 항진(증), 과식(증).

hỳper·pi·é·sia [-paií:ziə, -ʒiə] *n.* 〘醫〙 고혈압(hypertension), 이상(異狀) 고압.

hỳper·réal·ìsm *n.* 〘美術〙 하이퍼[초(超)] 리얼리즘(cf. SUPERREALISM).

hýper·scòpe *n.* 〘軍〙 참호용 잠망경.

hỳper·sénsitive *a.* 〘醫〙 감각 과민(성)의, 과민한, (약·알레르기원(源) 따위에 대해) 과민증의 ; 〘寫〙 초고감도의. **~·ness, -sensitívity** *n.* Ⓤ (감각) 과민(성), 과민증〈*to, about*〉.

hỳper·séxual *a.* 성욕 과잉[항진]의.

hỳper·sónic *a.* 극초음속의《음속의 5배 이상》; 〘通信〙 극초음파의《500MHz를 넘는 ; cf. SUPERSONIC》.

hypersónic áirliner *n.* 〘空〙 극초음속 여객기 《마하 4-6》.

hypersónic tránsport *n.* 극초음속 수송기 《略

HST》.

hýper·spàce *n.* 〔數〕 초공간《고차원 유클리드 공간》; 4차원 (이상의) 공간.

hỳper·spátial *a.*

hýper·sthene [-sθiːn] *n.* Ⓤ 〔鑛〕 자소휘석(紫蘇輝石).

hýper·tènsion *n.* Ⓤ 〔醫〕 고혈압(증); 긴장 항진(증); 과도의 긴장.

hỳper·ténsive *a.* 고혈압(성)의. —— *n.* 고혈압 환자.

hỳper·téxt *n.* 하이퍼텍스트, 조직된 문서.

hỳper·thýroid·ìsm *n.* Ⓤ 갑상선 (기능) 항진(증) (Graves' disease). **-thýroid** *a.*, *n.* 〔醫〕 갑상선 기능 항진(증)의 (환자).

hỳper·tónic *a.* 〔生理〕 (특히 근육이) 긴장 과도의; 〔化·生理〕 (용액이) 긴장 과도의; 고혈압의; 고(高)침투압의, 고장(高張) (성)의: ~ solution 고장 용액.

hy·per·tro·phy [haipə́ːrtrəfi] *n.* Ⓤ,Ⓒ 〔生〕 (영양 과다 따위에 의한) 비대(↔*atrophy*); 이상 발달: cardiac ~ 심장 비대. —— *vt.*, *vi.* 비대하게 하다[해 지 다]. **hỳ·per·tróph·ic** [-trǽf-, -tróu-], **hy·pér·tro·phied** *a.* 비대성의, 비후성(肥厚性)의, 이상 발달의. 〖Gk. *-trophia* nourishment〗

hỳper·velócity *n.* 〔理〕 초고속도《특히 우주선·핵입자 따위의 초속 10,000 피트(약 3000m) 이상의 속도》.

hỳper·ventilátion *n.* 〔醫〕 환기(換氣)[호흡] 항진, 과(過)환기. **-véntilate** *vi.*, *vt.*

hy·pe·thral [hipíːθrəl, hai-] *a.* =HYPAETHRAL.

hy·pha [háifə] *n.* (*pl.* **-phae** [-fiː]) 〔植〕 균사.

***hy·phen** [háifən] *n.* 하이픈, 연자 부호(連字符號) 《-》; (담화 중) 음절간의 짧은 휴지(休止).
—— *vt.* 하이픈으로 연결하다.
〖L<Gk.=under one, together (*hypo-*, *hen* one)〗

hýphen·àte *vt.* =HYPHEN. —— *n.* 외국계 시민, (특히) 애국심이 박약한 외국계 미국 시민.

hỳphen·átion *n.*

hý·phen·àt·ed *a.* 하이픈으로 이은; 혼혈의; 외국계 의: a ~ word 하이픈으로 이은 말 / ~ Americans 《美》 외국계 미국인《독일계 미국인(German-Americans), 아일랜드계 미국인(Irish-Americans) 등과 같이 하이픈을 넣어쓰는데서》.

hýphen·ìze *vt.* =HYPHEN.

hypn- [hípn], **hyp·no-** [hípnou, -nə] *comb. form* 「수면」「최면」의 뜻. 〖Gk. *hupnos* HYPNOS〗

hyp·na·gog·ic, -no- [hìpnəgɑ́dʒik] *a.* 최면의.

hỳpno·análysis *n.* 〔精神醫〕 최면 분석《최면술을 이용한 심리 요법을 위한 분석》.

hýpno·dràma *n.* 최면극[연기] 《최면자가 어떤 상황을 연기해 보이기; 최면자에 의한 심리극 (psychodrama)》.

hỳpno·génesis *n.* 최면.

hyp·noid [hípnɔid], **hyp·noi·dal** [hipnɔ́idl] *a.* 수면[최면] 상태의.

hyp·nol·o·gy [hipnɑ́lədʒi] *n.* Ⓤ 최면학, 수면학.

hyp·no·pe·dia, -pae- [hìpnəpíːdiə] *n.* 수면 학습(법). 〖Gk. *paideia* education〗

Hyp·nos [hípnɑs] *n.* 〔그神〕 히프노스《잠의 신(神); 꿈의 신(神) Morpheus의 아버지; 로마 신화의 Somnus에 해당》. 〖Gk. *hupnos* sleep〗

hyp·no·sis [hipnóusəs] *n* (*pl.* **-ses** [-siːz]) Ⓤ,Ⓒ 최면(상태), 최면술: under ~ 최면술에 걸려.
〖NL (↑)〗

hỳpno·thérapy *n.* Ⓤ 최면(催眠)(술) 요법(cf. HYPNOANALYSIS).

hyp·not·ic [hipnɑ́tik] *a.* (약이) 최면성의; 최면술의; 최면술에 걸리기 쉬운.
—— *n.* 최면제(soporific); 최면 상태에 있는 사람; 최면술에 걸리기 쉬운 사람.
-i·cal·ly *adv.* 최면(술)적으로.
〖F<L<Gk. (*hupnoō* to put to sleep)〗

hypnótic regréssion *n.* 최면 회귀《최면술에 의해 전생(前生)의 기억으로 되돌아가기》.

hypnótic suggéstion *n.* 최면 암시《최면 상태에서의 암시 (요법)》.

hyp·no·tism [hípnətìzəm] *n.* Ⓤ 최면술; 최면 상태(hypnosis); 최면학[연구]; (강렬한) 매력, 암시력. **-tist** *n.* 최면술사(師).

hyp·no·tize | **-tise** [hípnətàiz] *vt.* …에게 최면술을 걸다; 《口》 매혹하다. —— *vi.* 최면술을 행하다; 암시를 주다. **-tìz·er** *n.* 최면술사(師).
hýp·no·tìz·able *a.* 잠재울 수 있는, 최면술에 걸리는. **hỳp·no·tìz·abíl·i·ty** *n.* 피(被)최면성(性).
hỳp·no·ti·zá·tion *n.*

hy·po[1] [háipou] *n.* (*pl.* **~s**) Ⓤ 〔寫〕 하이포《정착액용(定着液用) 티오황산나트륨》.
〖*hypo*sulfite〗

hypo[2] *n.* (*pl.* **~s**) =HYPODERMIC; 자극; 마약 중독자. —— *vt.* 피하주사하다; 자극[촉진]하다.

hypo[3] *n.* (*pl.* **~s**) 《口》 히포콘드리아증 환자; 《古》 =HYPOCHONDRIA.

hy·po- [háipou, -pə], **hyp-** [háip] *pref.* 「밑에」「이하」「약간」, 〔化〕「하이포아」의 뜻.
〖Gk. (*hupo* under)〗

hỳpo·acídity *n.* 위산(胃酸) 감소(증), 저산증(低酸症) (↔*hyperacidity*).

hýpo·blàst *n.* Ⓤ 내배엽(內胚葉).

hy·po·caust [háipəkɔ̀ːst] *n.* 〔古로〕 마루밑 난방 장치, 온돌.
〖L<Gk. (*hypo-*, *kaustos* burnt)〗

hýpo·cènter *n.* (핵폭발의) 폭심지(爆心地) (ground zero); (지진의) 진원지.

hỳpo·chlórite *n.* 〔化〕 하이포아염소산염.

hỳpo·chlórous ácid *n.* 〔化〕 하이포아염소산.

hy·po·chon·dria [hàipəkɑ́ndriə] *n.* Ⓤ 〔醫〕 히포콘드리아증, 우울[심기(心氣)]증.
〖L<Gk. (pl.) ‹ *hypochondrium*; melancholy의 발생 장소로 생각되었음〗

hy·po·chon·dri·ac [hàipəkɑ́ndriæ̀k] *a.*, *n.* 히포콘드리아증의 (환자).

hy·po·chon·dri·a·cal [hàipoukɑndráiəkəl] *a.* 히포콘드리아증[우울증]의. **~·ly** *adv.*

hy·po·chon·dri·a·sis [hàipoukɑndráiəsəs] *n.* (*pl.* **-ses** [-sìːz]) 〔醫〕 히포콘드리아증, 심기증(心氣症), 침울증.

hy·po·chon·dri·um [hàipoukɑ́ndriəm] *n.* (*pl.* **-dria** [-driə]) 〔解〕 계륵부(季肋部).

hy·po·co·rism [haipɑ́kərìzəm, hi-, hàipəkɔ́ːr-] *n.* Ⓤ 애칭(으로 부름).

hy·po·co·ris·tic, -ti·cal [hàipəkɔːrístik(əl), -kə-, hìp-] *a.* 〔文法〕 애칭의(endearing), 친애를 나타내는.

hy·po·cot·yl [hàipəkɑ́tl] *n.* 〔植〕 배축(胚軸).

hyp·o·crise, -crize [hípəkràiz] *vi.* 가면을 쓰다, 위선적인 행위를 하다.

***hy·poc·ri·sy** [hipɑ́krəsi] *n.* Ⓤ,Ⓒ 위선; 위선적인 행위: *H*~ is a homage that vice pays to virtue. 《속담》 위선이라는 것은 악이 선에게 바치는 경의다. 〖OF<L<Gk.=acting, feigning〗

***hyp·o·crite** [hípəkrit] *n.*, *a.* 위선자(의).
play the hypocrite 위선적인 태도를 취하다.
〖OF<L<Gk.=actor (↑)〗

hyp·o·crit·ic, -i·cal [hìpəkrítik(əl)] *a.* 위선의,

위선(자)적인. **-i·cal·ly** *adv.*

hýpo·dèrm, -dèrma *n.* =HYPODERMIS. 〖NL<Gk. (*hypo-, derma* skin)〗

hỳpo·dér·mal *a.* 하피의; 표피 밑에 있는.

hỳpo·dérmic *a.* 〔醫〕 피하 (주사용)의: a ~ injection 피하 주사 / a ~ needle [syringe] 피하 주사바늘[주사기]. —— *n.* 피하 주사(기); Ⓤ 피하 주사액. **-mi·cal·ly** *adv.*

hypodérmic tàblet *n.* 〔醫〕 피하 주사용(用) 정제(錠劑).

hỳpo·dérmis *n.* 하피(下皮)《〔植〕 줄기의 표피 밑의 후벽(厚壁) 섬유층; 〔動〕 곤충 따위의 표피 세포층》.

hy·po·gas·tri·um [hàipəgǽstriəm] *n.* (*pl.* **-tria** [-triə]) 〔解〕 하복부. **-gás·tric** *a.*

hýpo·gène *a.* (암석이) 지하에서 생성된, 심성(深成)의: ~ rocks 심성암(深成岩).

hỳpo·glycémia *n.* 〔醫〕 저(低)혈당(증).

hỳpo·phósphate *n.* 〔化〕 하이포인산염.

hỳpo·phósphite *n.* 〔化〕 하이포아인산염.

hỳpo·phosphóric ácid *n.* 〔化〕 하이포인산.

hỳpo·phósphorous ácid *n.* 〔化〕 하이포아인산(亞燐酸).

hy·poph·y·sis [haipáfəsəs, hi-] *n.* (*pl.* **-ses** [-sì:z]) 〔解〕 뇌하수체. 〖NL<Gk.=offshoot〗

hýpo·sprày *n.* 〔醫〕 하이포스프레이《피하 주사 대신에 스프레이로 액체를 피하에 침투시키는 기구》.

hy·pos·ta·sis [haipástəsəs, hi-] *n.* (*pl.* **-ses** [-sì:z]) **1** 〔哲〕 근본 원리, 본질, 실체, 실재(substance); 개체. **2** 〔神學〕 (삼위 일체론의) 위격(位格). **3** 〔醫〕 혈액침체.
hy·po·stat·ic, -i·cal [hàipəstǽtik(əl), hìp-] *a.* 〖L<Gk. (*stasis* standing, state)〗

hypostátic únion *n.* 〔神學〕 위격적(位格的) 결합《그리스도의 신성과 인성의 합체》.

hy·pos·ta·tize [haipástətàiz, hi-], **-size** [-sàiz] *vt.* 본질[실체]화하다, 본질로 생각하다; 실체로 보다. **hy·pòs·ta·ti·zá·tion** *n.*

hy·po·style [háipəstàil] *a.* 〔建〕 다주식(多柱式)의. —— *n.* 다주식 건축. 〖Gk. *stylos* pillar〗

hỳpo·súlfite *n.* 〔化〕 하이포아황산염(亞黃酸鹽); 하이포아황산나트륨《사진 정착제》.

hỳpo·súlfurous *a.* 〔化〕 하이포아황산의: ~ acid 하이포아황산《환원제·표백제용》.

hy·po·tax·is [hàipətǽksəs, -pou-] *n.* 〔文法〕 종속(從屬) (구문) (↔*parataxis*). **-tác·tic** *a.*

hỳpo·ténsion *n.* Ⓤ 저혈압(증).
-ténsive *a., n.* 저혈압인 (사람); 혈압강하성의, 강압(降壓)의(약(藥)).

hỳpo·ténsor *n.* 혈압 강하제.

hy·pot·e·nuse [haipátənjù:s, -z], **-poth-** [-páθ-] *n.* 〔數〕 (직각삼각형의) 빗변. 〖L<Gk.=subtending line (*teinō* to stretch)〗

hypoth. hypothesis; hypothetical.

hỳpo·thálamus *n.* 〔解〕 시상하부(視床下部).

hy·poth·ec [haipáθik, hi-] *n.* Ⓤ 〔로法·스코法〕 저당권, 담보권, 비점유질.
the whole hypothec 《스코 口》 전재산, 전(全)사업.
〖F<L<Gk. (*hypo-, tithēmi* place)〗

hy·poth·e·cate [haipáθəkèit, hi-] *vt.* 저당잡히다, 담보로 넣다. **hy·pòth·e·cá·tion** *n.* Ⓤ,Ⓒ 담보 계약. **-cà·tor** *n.*

hypothenuse ☞ HYPOTENUSE.

hy·po·ther·mia [hàipouθə́:rmiə, -pə-] *n.* 〔醫〕 저(低)체온(증); 저체온(법)《심장 수술을 쉽게 하기 위함》. **-thér·mic** *a.* 저체온(법)의.
〖Gk. *thermē* heat〗

***hy·poth·e·sis** [haipáθəsəs, hi-] *n.* (*pl.* **-ses** [-sì:z]) 가설(假說), 가정(假定); 전제; 단순한 추측, 억측: a working ~ 작업(作業) 가설.
hy·póth·e·sist *n.*
〖L<Gk.=foundation (*hypo-*, THESIS)〗

hy·poth·e·size [haipáθəsàiz, hi-] *vi., vt.* 가설을 세우다, 가정하다.

hy·po·thet·ic, -i·cal [hàipəθétik(əl)] *a.* **1** 가설의, 가정의, 억측의(cf. CATEGORICAL). **2** 가설을 세우기 좋아하는; 〔論〕 조건을 포함하는, 가언적인, 가정적인. —— *n.* [-ical] 가설, 가정; 가정을 포함하는 문장, 가언 명제[삼단 논법].
-i·cal·ly *adv.* 가정하여.

hỳpo·thýroid·ìsm *n.* Ⓤ 갑상선 기능 부전[저하](증). **-thýroid** *a.*

hỳpo·tónic *a.* 〔生理〕 (근육이) 저(긴)장(低(緊)張)의; 〔化〕 (용액이) 저침투압의, 저장성(低張性)의: ~ solution 저장액(低張液).
-tonícity *n.*

hy·pot·ro·phy [haipátrəfi, hi-] *n.* 발육부전.

hyp·ox·emia [hìpaksí:miə, hài-] *n.* 〔醫〕 저(低)산소혈(증). **-émic** *a.*

hyps- [híps], **hyp·si-** [hípsə], **hyp·so-** [hípsou, -sə] *comb. form* 「높이」「높은」의 뜻.
〖Gk. *hupsos* height〗

hyp·sog·ra·phy [hipságrəfi] *n.* Ⓤ 〔地〕 지세(地勢) 측량; 지세; 지세 도시법(圖示法); 측고법(hypsometry).

hyp·som·e·ter [hipsámətər] *n.* 측고계《액체의 끓는점에서 기압을 구하여 토지의 높이를 재는 기계; 삼각법을 이용해 나무의 높이를 재는 기계》.

hyp·som·e·try [hipsámətri] *n.* Ⓤ 측고법.

hỳpso·phóbia *n.* 고소 공포증.

hy·rax [háiəræks] *n.* (*pl.* **~·es, hy·ra·ces** [-rəsì:z]) 〔動〕 바위너구리. 〖Gk.〗

hyrst ☞ HURST.

hy·son [háisən] *n.* Ⓤ 시춘(熙春)차《중국산(産) 녹차의 일종》.

hý spỳ [hái-] *n.* 숨바꼭질(hide-and-seek)《I spy 라고도 함》.

hys·sop [hísəp] *n.* 히솝풀《옛날에 약으로 썼던 박하의 일종》; 〔聖〕 히솝《유태인이 의식 때에 그 가지를 귀신과 재앙을 물리치는데 사용했음》.
〖OE and OF<L<Gk.<Sem.〗

hys·ter- [hístər], **hys·tero-** [hístərou, -rə] *comb. form* 「자궁」「히스테리」의 뜻.
〖Gk.; ⇨ HYSTERIA〗

hys·ter·ec·to·my [hìstəréktəmi] *n.* Ⓤ 〔醫〕 자궁절제(술).

hys·ter·e·sis [hìstərí:səs] *n.* (*pl.* **-ses** [-si:z]) 〔理〕 (자기·전기·탄성 따위의) 이력(履歷) 현상, 히스테리시스. **hỳs·ter·ét·ic** [-rét-] *a.*

hys·te·ria [histíəriə] *n.* Ⓤ 〔醫〕 (특히 여자의) 히스테리; (일반적으로) 병적 흥분.
〖NL<Gk. *hustera* womb; 자궁의 변조(變調)에 의한 여성 특유의 것이라고 생각되었음〗

hys·ter·ic [histérik] *a.* =HYSTERICAL.
—— *n.* 히스테리 환자; 히스테리성(性)의 사람; [보통 *pl.*] 히스테리의 발작, 병적 흥분, 광란.
have hysterics=go (off) [***fall***] ***into hysterics*** 히스테리를 일으키다.
〖Gk. *husterikos* of the womb (↑)〗

hys·tér·i·cal *a.* 히스테리(성)의, 히스테리에 걸린; 병적으로 흥분하는; 《口》 아주 우스꽝스러운. **~·ly** *adv.*

hystérical féver *n.* 〔醫〕 히스테리열(熱).

hỳstero·génic *a.* 히스테리를 일으키는, 히스테리 기인성(起因性)의.

hys·ter·oid [hístərɔ̀id], **hys·ter·oi·dal** [hìstərɔ́idl] *a.* 히스테리 비슷한.

hys·ter·ol·o·gy [hìstərálədʒi] *n.* Ⓤ 자궁학(學).

hys·ter·on pro·ter·on [hístəràn prátəràn] *n.* **1** 〖修〗 도치(倒置)(법) 《보기 I was *bred and born* in England.》. **2** 〖論〗 도역 논법(倒逆論法). 〚Gk.=latter (in place of) former〛

hys·ter·ot·o·my [hìstərátəmi] *n.* Ⓤ 〖醫〗 자궁 절개(술); (특히) 제왕 절개(술).

hy·zone [háizoun] *n.* Ⓤ 〖化〗 3원자 수소, 히존. 〚*hy*drogen+o*zone*〛

Hz, hz hertz.

I

i, I[1] [ái] *n.* (*pl.* **i's, is, I's, Is** [áiz]) **1** 아이《영어 알파벳의 아홉 번째 글자》. **2** 문자 I로 나타내는 음. **3** (로마 숫자) 1 : *ii*, *II*=2 / *ix*, *IX*=9. **4** I자 형(形)(의 것). **5** (연속된 것의) 아홉 번째. ***dot the*** [*one's*] ***i's*** ☞ DOT[1] *v.*

◇**I**[2] [ai, ái, ə] *pron.* (*pl.* **we**) [인칭 대명사 1인칭 단수 주격] 나는, 내가 : *I* am [*I'*m] [aim] a boy. / [긍정을 강조할 때] *I* am [ai ǽm] hungry. 배가 고프다 / Am *I* not right?=《口》 Ain't [An't, 《英》 Aren't] *I* right? 注 (1) 문법적으로는 It's *I*.지만 《口》에서는 It's *me*. 쪽이 보통임 (cf. HIM 2, HER 2) : 《文語》 It is *I*.=《口》 It's me. (2) 인칭이 다른 단수형의 인칭 대명사 또는 명사와 나란히 하는 때는 2인칭, 3인칭, 1인칭의 순서가 관례임 : You [He, She, My wife] and *I* are... ☞ WE 1. (3) I를 문장 속에서 대문자로 쓰는 것은 옛날 필사할 때 발생하기 쉬운 잘못을 피하기 위하여 사용된 편법(便法)에 기인함. ── [ái] *n.* (*pl.* **I's**) [the I] 〔哲〕 자아(自我), 나(ego) : another *I* 제2의 나. 〖OE *ic*=OS *ik*, OHG *ih* (G *ich*), ON *ek*, Goth. *ik*<Gmc. 《美》 *eka*<IE 《美》 *egō* (EGO)〗

i- ☞ Y-.

-i *n. suf.*, *a. suf.* **1** 라틴·이탈리아어계의 명사의 복수형을 만듦 : foc*i*, timpan*i*. **2** 중동 지역명 따위에서 형용사를 만듦 : Israel*i*.

-i- **1** 라틴어계의 복합어의 연결 모음 : aur*i*cula. **2** 어계에 관계없는 단순 연결 모음 : cune*i*form. 〖L〗

I 〔化〕 iodine. **I.** Idaho ; *Iesus* 《L》(=Jesus) ; Independent ; Indian ; Institute ; International ; Island(s) ; Isle(s). **i.** *id* 《L》 (=that) ; interest ; intransitive ; island(s).

-ia[1] [iə, jə] *n. suf.* 그리스어계의 명사를 만들어 「병의 상태」「동식물의 속명」「지역, 사회」「제전(祭典) 이름」을 나타냄 : hyster*ia*. 〖L and Gk.〗

-ia[2] [iə, jə] *n. suf. pl.* 동식물학상의 분류명을 만듦, 또 「특정의 …에 관한[속하는, 기원을 가진] 것」의 뜻의 명사를 만듦 : Mammal*ia*. 〖L〗

-ia[3] [iə, jə] *n. suf.* -IUM의 복수형.

Ia. Iowa.

IAAF, I.A.A.F. International Amateur Athletic Federation(국제 육상 경기 연맹).

IAC International Apprentices Competition(기능 올림픽). **IACP** 《美》 International Association of Chiefs of Police.

I.A.D.A. International Atomic Development Authority.

IADB Inter-American Defense Board ; Inter-American Development Bank(미주 개발은행).

IAEA International Atomic Energy Agency (국제 원자력 기구).

Ia·go [iɑ́:gou] *n.* **1** 남자 이름. **2** 이아고《Shakespeare 작 *Othello*에 나오는 음흉하고 간악한 인물》. 〖Sp.<L ; ⇨ JACOB〗

-ial [iəl, jəl] *a. suf.* =-AL.

IALC instrument approach and landing chart (계기 진입 착륙도). **IAM** International Association of Machinists and Aerospace(《후에 IAMAW》). **IAMAW** International Association of Machinists and Aerospace Workers.

iamb [áiæm*b*] *n.* =IAMBUS. 〖*iamb*us〗

iam·bic [aiǽmbik] *a.*, *n.* 〔韻〕 약강격(弱強格)의 (시구절), 단장격(短長格)의 (시구절) ; (그리스의) 단장격의 풍자시(의) (☞ IAMBUS).

iam·bus [aiǽmbəs] *n.* (*pl.* **~·es, -bi** [-bai]) 〔韻〕 (그리스·라틴시의) 단장격(短長格) (《⏑ —》), (영시의) 약강격(弱強格) (《×´》) (☞ FOOT *n.*). 〖L<Gk. *iambos* iambus, lampoon〗

-ian ☞ -AN[1].

-iana ☞ -ANA.

IAP international airport. **IAPF** Inter-American Peacekeeping Force. **IAPH** International Association of Ports and Harbors(국제 항만 협회(協會)). **IARC** International Agency for Research on Cancer(국제 암연구 기관).

iarovize ☞ JAROVIZE.

IARU, I.A.R.U. International Amateur Radio Union.

IAS indicated airspeed(지시 대기(對氣) 속도).

-i·a·sis [áiəsəs] *n. suf.* (*pl.* **-i·a·ses** [-si:z]) 「병적 상태」「…성(性)의 병」「…에 기인하는 병」의 뜻 : elephant*iasis*, mydr*iasis*, psor*iasis*. 〖L<Gk.〗

IATA [aiɑ́:tə, iɑ́:-] International Air Transport Association.

iat·ric, -ri·cal [aiǽtrik(əl)] *a.* 의사의 ; 치료[의료]의. 〖Gk. (*iatros* physician)〗

-i·at·ric, -i·at·ri·cal [iǽtrik(əl)] *a. comb. form* 「…의 의료의」의 뜻. 〖Gk. (↑)〗

-i·at·rics [iǽtriks] *n. comb. form* (*pl.* ~) 「치료」의 뜻 : ped*iatrics*. 〖↑〗

ia·tro- [aiǽtrou, iǽtrou, -trə] *comb. form* 「의사」「의료」의 뜻. 〖Gk. *iatros* physician〗

iàtro·génesis *n.* 〔醫〕 의원성(醫原性)《의료로 인해 다른 장애나 병발증이 생김》.

iàtro·génic *a.* 의사의 진료[치료]로 인하여 생기는, 의료성의 : an ~ disease 의원병(醫原病). **-i·cal·ly** *adv.*

iàtro·phýsics *n.* 물리 치료 의학 ; 물리 요법.

-i·a·try [áiətri] *n. comb. form* 「치료」의 뜻 : psych*iatry*. 〖L<Gk.〗

IAU, I.A.U. International Association of Universities ; International Astronomical Union. **IAUP** International Association of University Presidents.

IB International Baccalaureate (대학 입학 국제자격 제도). **ib.** ibidem. **IBA** 《英》 Independent Broadcasting Authority. **IBC** International Broadcasting Center(국제 방송 협회).

Ibe·ria [aibíəriə] *n.* 이베리아《스페인과 포르투갈을 포함한 반도》. 〖L *Iberia*<Gk.=Spaniards〗

Ibé·ri·an *a.* 이베리아의 ; 이베리아 사람의 ; 고대 이베리아어의 : the ~ Peninsula 이베리아 반도. —— *n.* 이베리아 사람 ; Ⓤ 고대 이베리아어.

Ibe·ro- [aibíərou, áibərou, -rə] *comb. form.* 「이베리아」의 뜻.

ibex [áibeks] *n.* (*pl.* **~, ~·es, ib·i·ces** [íbəsì:z, áib-]) 아이벡스《알프스·아페닌 산맥 등지에 사는 야생 염소》. 〖L〗

IBF International Badminton Federation(국제 배드민턴 연맹) ; international banking facilities(국제 은행 업무) ; International Boxing Federation(국제 복싱 연맹). **IBI** International Bank for Investment(국제 투자 은행).

ib(id). ibidem.

ibi·dem [íbədèm, ibáidəm ; ibáidem] *adv.* 같은 곳에, 같은 책[장, 절]에. ㊟ 보통 ib(id).의 형으로 인용문·각주(脚注) (footnote) 따위에 쓰임. 〖L=in the same place〗

-ibility ☞ -ABILITY.

ibis [áibəs] *n.* (*pl.* **~, ~·es**) 〔鳥〕 따오기 : the sacred ~ 흑색따오기《고대 이집트의 영조(靈鳥)》. 〖L<Gk.〗

-ible ☞ -ABLE.

IBM Intercontinental Ballistic Missile ; International Business Machines《미국의 컴퓨터 생산·판매 회사 이름》.

ibn- [íbən] *comb. form.* 「아들」의 뜻《이름 앞에 쓰임》. 〖Arab.=son〗

Ib·ra·him [ìbrəhí:m] *n.* 남자 이름. 〖cf. ABRAHAM〗

IBRD, I.B.R.D. International Bank for Reconstruction and Development《국제 부흥 개발 은행 ; 1945년에 설립된 국제 금융기관 ; 속칭 World Bank》.

Ib·sen [íbsən] *n.* 입센. **Hen·rik** [hénrik] ~ (1828-1906) 노르웨이의 극작가·시인.
Ib·se·ni·an [ibsí:niən] *a.* 입센적인 ; 입센주의의. **~·ìsm** *n.* Ⓤ 입센적 수법《문제극 형식으로 사회의 인습적 편견을 적발함》; 입센주의《인습 타파를 주장함》.

IBST International Bureau of Software Test《미국의 소프트웨어 검사 회사》.

ibu·pro·fen [àibju:próufen] *n.* 〔藥〕 이부프로펜《항염제》.

-ic, 《古》 **-ick,** 《古》 **-ique** [-ik] *a. suf.* 「…의」 「…와 같은」 「…의 성질인」 「…로 이루어진」의 뜻 ; 「-ous로 끝나는 형용사보다 원자가가 높은」의 뜻 : hero*ic*, rust*ic*, magnet*ic* ; sulfur*ic* (cf. -OUS 2) ; [명사 전용(轉用)] : crit*ic*, publ*ic* ; [학술명] log*ic*, mus*ic*, rhetor*ic* (cf. -ICS). 〖OF *-ique* or L *-icus* or Gk. *-ikos*〗

IC 〔言〕 immediate constituent ; 〔電〕 integrated circuit (집적(集積)회로). **I.C.** *Iesus Christus* 《L》 (=Jesus Christ). **i.c.** in charge ; *inter cibos* 《L》 (=between meals). **i/c** 〔軍〕 in charge ; in command.

ICA, I.C.A. 《英》 Institute of Contemporary Arts ; International Commodity Agreement (국제 상품 협정) ; International Communication Agency ; 《美》 International Cooperation Administration (국제 협력국). **ICAAAA, IC4A, I.C.4-A** [áisí:fɔ́:réi] Intercollegiate Association of Amateur Athletes of America (미국 대학 아마추어 육상경기자 협회).

-i·cal [-ikəl] *a. suf.* 「…에 관한」 「…의[같은]」의 뜻 : geometr*ical* (geometric<geometry) / mus*ical* (<music). 〖*-ic*〗
活用 대체로 -ic, -ical은 서로 전용(轉用)되지만, 뜻이 달라지는 수가 있음 : ☞ ECONOMIC—ECONOMICAL.

ICAO International Civil Aviation Organization (국제 민간 항공 기구).

Icar·ia [aikéəriə, -kǽər-, i-] *n.* 이카리아(Mod. Gk. **Ika·ría** [i:kərí:ə])《에게 해의 남(南)스포라데스 제도에 있는 그리스령(領)의 섬》.

Icár·i·an[1] *a.* Icarus의[같은] ; 무모한, 모험적인.

Icarian[2] *a.* 이카리아(인)의. —— *n.* 이카리아인.

Ica·rus [íkərəs, ái-] *n.* **1** 〔그 神〕 이카로스《Daedalus의 아들 ; 밀랍으로 붙인 날개로 날다가 너무 높이 올라 태양열로 밀랍이 녹아서 바다에 떨어졌다는 전설적 인물》. **2** 〔天〕 이카루스《태양에 가장 가까이 지나는 소행성》.

ICBM intercontinental ballistic missile.

I.C.B.P. International Council for Bird Preservation.

ICC, I.C.C. International Chamber of Commerce(국제 상공 회의소) ; 《美》 Interstate Commerce Commission(국내 통상 위원회) ; International Control Commission(국제 휴전 감시 위원회).

◇ice [áis] *n.* **1** Ⓤ 얼음 ; 얼음처럼 찬 것 ; [the ~] 빙판 : break through *the* ~ (사람 등이) 얼음이 깨져 빠지다. **2** 《美》 아이스《크림이 들지 않고 과일즙 따위를 얼린 빙과》; 《英》 아이스크림(ice cream) : two ~*s* 아이스(크림) 두개. **3** Ⓤ 냉담 ; 차가운 태도. **4** Ⓤ (과자의) 당의(糖衣) ; 《美俗》 다이아몬드, (일반적으로) 보석. **5** 《美俗》 (부정업자가 경찰에게 주는) 뇌물, 암표상이 극장측에 내는 수수료.
break the ice 마음을 터놓다 ; 실마리를 풀다 ; 입을 떼다 ; 선취점을 얻다.
cut no ice 《口》 쓸모[효과]가 없다(have no effect).
find* [*get*] one's *ice legs 스케이트를 탈 수 있게 되다(cf. *find* one's SEA LEGS).
on thin ice 위험[불안]한 상태로.
—— *vt.* **1** 얼리다 ; 얼음으로 차게 하다(cf. ICED). **2** [+目+副] 얼음으로 덮다 : The lake is already ~*d* ***over***. 호수 전체가 벌써 얼음으로 덮여 있다. **3** (과자 따위에) 당의(糖衣)를 입히다 (cf. ICING). **4** 《美俗》 죽이다 ; 《美俗》 묵살하다, 따돌리다. —— *vi.* [+副] 얼다, 얼음으로 덮이다 ; 결빙하다〈*up*〉; 《美俗》 입다물고 있다, 잠자코 있다 : The windshield has ~*d* ***up***. 운전대 앞 창문에 성에가 꼈다.
~·less *a.* **~·lìke** *a.* 〖OE *īs* ; cf. G *Eis*〗

ICE internal-combustion engine ; International Cultural Exchange. **Ice.** Iceland ; Icelandic.

I. C. E. 《英》 Institution of Civil Engineers(토목 기술 협회).

-ice [əs] *n. suf.* 「상태」 「성질」 「행위」 따위를 나타냄 : just*ice*, serv*ice*. 〖OF<L〗

íce àge *n.* **1** 〔地質〕 빙하시대(glacial epoch). **2** [the I~ A~] 〔考古〕 빙하시대(cf. STONE AGE, BRONZE AGE, IRON AGE).

íce àx(e) *n.* 얼음 깨는 도끼《등산용》, 피켈.

íce bàg *n.* 얼음 주머니(=《美》 ice pack) (cf. ICE CAP 2).

***ice·berg** [áisbə:rg] *n.* 빙산(cf. FLOE) ; 《비유》 냉담[냉정]한 사람 ; 《비유》 빙산의 일각. 〖? Du. (*ijs* ice, *berg* mountain)〗

íceberg lèttuce *n.* 아이스버그 레터스《잎이 양배추처럼 생긴 양상추의 일종》.

íce·blìnk *n.* 빙광(氷光), 빙영(氷映)《빙원(氷原)

의 반사로 지평선 위에 반짝이는 빛》.
íce blùe *n., a.* 담청색(의).
íce·bòat *n.* **1** 빙상 요트. **2** 쇄빙선.
íce·bòund *a.* 얼음에 갇힌, 얼어 붙은 (↔*ice-free*) : an ~ harbor 동항(凍港).
íce·bòx *n.* 아이스박스 ;《美》 냉장고(refrigerator) ;《俗》 독방, 교도소.
raid the icebox 《美》 남의 냉장고에서 물건을 마음대로 꺼내 쓰다.
íce·brèak·er *n.* **1** 쇄빙선. **2** 쇄빙기.
íce càp *n.* **1** (고산·극지 따위의) 만년(빙)설[빙원] (cf. ICE SHEET). **2** (머리에 얹는) 얼음 주머니 (cf. ICE BAG).
íce chèst *n.* 《美》 =ICEBOX.
íce-cóld *a.* 얼음처럼 차가운 ; 냉담한.
***íce crèam** [ˌ ⌐⌐] *n.* 아이스크림 ; 아이스크림 한개 ; =ICE-CREAM CONE : He likes ~. 아이스크림을 좋아한다 / Do you want much ~? 아이스크림을 많이 원하십니까 / Please give me two ~*s.* 아이스크림 두 개 주세요.

〈회화〉
Would you like some *ice cream*? — Yes, please. — What flavor would you like? — Chocolate, please.「아이스크림 좀 드릴까요」「예, 주세요」「어떤 맛이 나는 것으로 하시겠어요」「초콜릿 맛이요」

íce-crèam *a.* (옷이) 바닐라 아이스크림색의.
íce-crèam chàir *n.* (노천 카페 따위에서 쓰는) 팔걸이 없는 작고 둥근 의자.
íce-cream còne[《英》 **còrnet**] *n.* (아이스크림을 담는) 뿔모양의 웨이퍼 ; 거기에 담은 아이스크림.
íce-cream frèezer *n.* 아이스크림 제조기.
íce-cream sóda *n.* 아이스크림 소다.
íce crùsher *n.* (가정용의) 얼음 깨는 기구.
íce crỳstals *n. pl.* 빙정(氷晶) ; 세빙(細氷) (ice needles).
íce cùbe *n.* (전기 냉장고에서 얼리는) 각빙.
iced [áist] *a.* 얼음으로 덮인 ; 얼음을 채운 ; 얼음으로 차게 한 ; 당의를 입힌 : ~ fruits 설탕에 잰[절인] 과일 / ~ water 《英》 빙수(氷水) (=《美》 ice water).
íce dànce[**dàncing**] *n.* 아이스 댄싱《남녀 한쌍이 하는 피겨 스케이팅의 하나》.
iced lolly ☞ ICE LOLLY.
íce·fàll *n.* 얼어 붙은 폭포 ; 빙하의 붕락(崩落).
íce fìeld *n.* (특히 극지방의) 빙원(氷原).
íce·fìsh *n.* 〔魚〕 작은 얼음 조각 같은[반투명의] 각종 물고기 ; 바다빙어과의 물고기.
íce flòe *n.* (바다 위의) (작은) 빙원(氷原).
íce fòot *n.* (극지방의 바다와 접한) 빙벽.
íce-frée *a.* 얼지 않는, 빙결(氷結)되지 않는(↔*icebound*) : an ~ port 부동항(不凍港).
íce hòckey *n.* 〔競〕 아이스 하키.
íce·hòuse *n.* **1** 얼음 창고, 제빙실. **2** =IGLOO.
ice·kha·na [áiskɑ̀:nə, -kæ̀nə] *n.* 빙상 자동차 경주회. 〖*ice*+gym*khana*〗
Icel. Iceland ; Icelandic.
Ice·land [áislənd] *n.* 아이슬란드《북대서양 가운데 있는 공화국 ; 수도 Reykjavik》.
~·er [áislæ̀ndər, -lən-] *n.* 아이슬란드 사람.
Ice·lan·dic [aislǽndik] *a.* 아이슬란드의 ; 아이슬란드인[어]의. —— *n.* Ⓤ 아이슬란드어.
Íceland móss[**líchen**] *n.* 〔植〕 아이슬란드이끼《식용·약용》.
Íceland póppy *n.* 〔植〕 시베리아개양귀비《북극지방산》.
Íceland spár *n.* 〔鑛〕 빙주석(氷洲石)《순수 무색 투명의 방해석(方解石)》.
íce-lòcked *n.* =ICEBOUND.
íce[**íced**] **lólly** *n.* (꼬챙이에 낀) 아이스캔디.
ICEM Intergovernmental Committee for European Migration.
íce machìne *n.* 제빙기.
íce·màn *n.* **1** 《美》 얼음 장수, 얼음 배달인. **2** 빙상 여행에 익숙한 사람 ; 스케이트 링크 관리인. **3** 《美俗》 보석 도둑 ;《美俗》 항상 냉정함을 잃지 않는 도박꾼[선수, 연예인].
íce mílk *n.* 아이스 밀크《탈지유로 만든 빙과》.
íce nèedles *n. pl.* 〔氣〕 세빙(細氷) ; 서릿발.
IC engine [àisí: ⌐] *n.* =INTERNAL-COMBUSTION ENGINE.
íce-òut *n.* 해빙(解氷).
íce pàck *n.* **1** 대부빙군(大浮氷群), 적빙(積氷). **2** 《美》 =ICE BAG.
íce pàil *n.* 얼음통《포도주 병을 차게 하거나 아이스크림 제조에 쓰이는 잔 얼음덩이를 채운 통》.
íce pàlace *n.* 《美俗》 (거울이나 컷글라스 시설을 갖춘) 고급 유곽.
íce pìck *n.* 얼음 깨는 송곳.
íce pìllar *n.* (빙하에 있는) 얼음 기둥.
íce plànt[1] *n.* 〔植〕 메셈브리안테뮴.
íce plànt[2] *n.* 제빙 공장.
íce pòint *n.* 〔理〕 어는점.
íce púdding *n.* 아이스 푸딩《일종의 얼음 과자》.
íce ràin *n.* 우빙(雨氷) (glaze)을 만드는 비 ; 진눈깨비 (sleet).
íce rìnk *n.* (실내) 스케이트장.
íce rùn *n.* 썰매(toboggan)용의 얼음 활주로.
íce sàiling *n.* 빙상 요트 레이스.
íce·scàpe *n.* 빙경(氷景), 극지의 풍경.
íce-scòured área *n.* 빙식(氷蝕) 지역.
íce shèet *n.* 빙상(氷床), 대빙원《남극 대륙이나 Greenland에서 볼 수 있음 ; cf. ICE CAP 1》.
íce shèlf *n.* 선반 얼음《ice sheet의 가장자리》.
íce shòw *n.* 아이스 쇼《빙상에서 스케이터들이 펼치는 리뷰》.
íce skàte *n.* [보통 *pl.*] 빙상 스케이트화.
íce-skàte *vi.* 스케이트를 타다. **íce skàting** *n.* 아이스 스케이팅.
íce stàtion *n.* (남극의) 극지 관측소[기지].
íce stòrm *n.* 진눈깨비.
íce tòngs *n. pl.* [흔히 a pair of ~] 얼음 집게.
íce tràү *n.* (냉장고용의) 제빙 그릇.
íce-ùp *n.* Ⓤ 〔空〕 결빙, 착빙(着氷)《차가운 공중을 통과할 때에 날개에 생김》.
íce wàter *n.* 《美》 빙수, 얼음물(=《英》 iced water).
íce wòol *n.* 광택나는 양털《편물 따위에 씀》.
íce yàcht *n.* =ICEBOAT.
IC4A ☞ ICAAAA. **ICFTU** International Confederation of Free Trade Unions(국제 자유 노동 조합 연맹). **ich.** ichthyology.
Ich·a·bod [íkəbɑ̀d] *n.* 남자 이름. —— *int.* 아아!, 슬프도다 《사라진 영광을 탄식하여》. 〖Heb.=without honor〗
I Ching [í: dʒíŋ, -tʃíŋ] *n.* 역경(易經) (the Book of Changes)《중국의 고전 ; 오경의 하나》; [때때로 i c~] (역경에 의한) 역점(易占).
ichn- [íkn], **ich·no-** [íknou, -nə] *comb. form* 「발자국」「자취」의 뜻. 〖Gk. *ikhnos* footstep〗
ich·neu·mon [iknjú:mən] *n.* **1** 〔動〕 =MON-

GOOSE, (특히) 이집트몽구스. **2** =ICHNEUMON FLY. 〖L<Gk.=tracker, spider-hunting wasp〗
ichnéumon flỳ[wàsp] *n.* 〖昆〗 맵시벌.
ich·nog·ra·phy [iknágrəfi] *n.* Ⓤ 평면 도법(平面圖法).
íchno·lìte *n.* 〖地質〗 족적 화석(足跡化石).
ich·nol·o·gy [iknáləd3i] *n.* 족적(足跡) 화석학, 생흔학(生痕學).
ichor [áikɔːr] *n.* Ⓤ 〖그·로神〗 신들의 혈관을 흐른다는 무색의 영액(靈液); 〖醫〗 농장(膿漿); 〖地〗 화강암질의 용액. **ichor·ous** [áikərəs] *a.* 농장의. 〖Gk.〗
ich·tham·mol [ikθǽmɔ(:)l, -moul, -mɑl] *n.* 〖藥〗 이크타몰《피부 질환용 소독·항염제》.
ich·thy- [íkθi], **ich·thyo-** [íkθiou, -θiə] *comb. form* 「물고기」의 뜻. 〖Gk.〗
ich·thy·ic [íkθiik] *a.* 물고기[어류]의; 물고기 모양의.
ich·thy·og·ra·phy [ìkθiágrəfi] *n.* Ⓤ 어류지(魚類誌), 어류 기재학, 어류학.
ich·thy·oid [íkθiɔ̀id] *a.* 물고기 모양의(fishlike). —— *n.* 물고기 모양 척추동물.
Ich·thy·ol [íkθiɔ̀(:)l, -òul, -ɑ̀l] *n.* 〖藥〗 이히티올《피부병 외용약; 상표명》.
ich·thy·ol·a·try [ìkθiálətri] *n.* 물고기 숭배.
íchthyo·lìte *n.* 물고기의 화석.
ich·thy·ol·o·gy [ìkθiáləd3i] *n.* Ⓤ 어류학. **-gist** *n.* 어류학자, 어류 연구가.
ich·thy·oph·a·gous [ìkθiáfəgəs] *a.* 〖動〗 어식성(魚食性)의, 물고기를 상식(常食)으로 하는.
íchthyo·sàur *n.* 〖古生〗 어룡(魚龍).
ìchthyo·sáurus *n.* =ICHTHYOSAUR. 〖Gk. *sauros* lizard〗

ichthyosaur

ICI, I.C.I. 《英》 Imperial Chemical Industries; International Commission on Illumination.
-i·cian [íʃən] *n. suf.* [-ic(s)로 끝나는 명사·형용사와 연관하여] 「…에 능한 사람」 「…을 배운 사람」 「…가(家)」의 뜻: mathemat*ician*, mus*ician*. 〖F〗
ici·cle [áisikəl] *n.* 고드름; 냉담[냉정]한 사람, 감정이 무딘 사람; 크리스마스트리에 거는 은박 따위의 장식. 〖ICE+*ickle* (obs.) icicle〗
ic·ing [áisiŋ] *n.* **1** Ⓤ (과자에 입힌) 당의, 아이싱《설탕과 달걀 흰자위로 만듦》. **2** Ⓤ 〖空〗 (비행기의 날개에 생기는) 착빙(着氷). 〖ICE〗
ícing sùgar *n.* 《英》 가루 설탕.
ICJ International Court of Justice(국제 사법 재판소).
-ick ☞ -IC.
icky [íki] *a.* (**íck·i·er, íck·i·est**) 《美俗》 끈적끈적한; 불쾌한, 싫은; 지나치게 감상적인; (사람이) 때를 벗지 못한, 시대에 뒤진. —— *n.* 지겨운 녀석, 세상 물정을 모르는 웅고집쟁이[학생]; 스윙 음악을 모르는 사람. 〖s*ticky*의 어린이 발음〗
ícky-póo [-púː] *a.* 《美俗》 =ICKY.
ICL 《英》 International Computers Limited《영국 최대의 컴퓨터 제조 회사》. **ICM** Increased Capability Missile. **ICO** International Coffee Organization(유엔 국제 커피 기관).
icon, ikon, ei·kon [áikɑn] *n.* (회화·조각의) 상, 초상; 우상; 〖그正敎〗 (그리스도·성모·성도·순교자 등의) 성화상(聖畫像), 성상(聖像); 〖컴퓨〗 아이콘, 쪽그림《컴퓨터의 각종 기능·메시지를 나타낸 그림문자》. 〖L<Gk.=image〗
icon- [aikán], **icono-** [aikánou, -nə] *comb. form* 「상(像)」의 뜻. 〖Gk. (↑)〗
icon. iconographic; iconography.
icon·ic [aikánik] *a.* (초)상의; 우상의; 성(화)상의; 〖美術〗 인습적인, 전통적 양식의.
ico·nize [áikənàiz] *vt.* 우상시[화]하다.
icon·o·clasm [aikánəklæ̀zəm] *n.* Ⓤ 성상(聖像)[우상] 파괴(주의) (cf. ICONOCLAST); 인습 타파. 〖↓; *enthusiast*: *-asm* 따위의 유추〗
icon·o·clast [aikánəklæ̀st] *n.* 성상[우상] 파괴(주의)자《8-9세기 동유럽의 카톨릭 교회에서 일어난 성자(聖者)의 화상(畫像) 예배 습관을 타파하고자 한 사람》; (일반적으로) 우상 파괴주의자, 인습[미신] 타파를 주창하는 사람. **icòn·o·clás·tic** *a.* 성상[우상] 파괴(자)의; 인습 타파(주의자)의. 〖ICON, Gk. *klaō* to break〗
ico·nog·ra·phy [àikənágrəfi] *n.* 도상학《화상·조상 따위에 의한 주제의 상징적 제시법》; 도상의 주제; (특히 종교적인) 도상; 초상[조상] 연구(서). **-pher** *n.* 도상학자. 〖Gk.=sketch; ⇨ ICON〗
ico·nol·a·try [àikənálətri] *n.* Ⓤ 우상 숭배. **-ter** *n.* 우상 숭배자. **-trous** *a.*
ico·nol·o·gy [àikənáləd3i] *n.* 도상[해석]학, 초상, 화상; 상징주의; 화상 따위의 묘사[설명]. **-gist** *n.*
ico·nom·e·ter [àikənámətər] *n.* 〖測〗 아이코노미터《투시(透視) 파인더의 일종》; 〖寫〗 자동 조절 직시(直視) 파인더.
icóno·scòpe *n.* 〖TV〗 송상관(送像管)《라디오의 마이크에 해당》.
ico·sa-, ico·si- [aikóusə] *comb. form* 「20」의 뜻. 〖Gk.〗
icòsa·hédron *n.* (*pl.* **~s, -dra**) 〖數〗 20면체.
icòsi·tètra·hédron *n.* (*pl.* **~s, -dra**) 24면체.
ICPO International Criminal Police Organization(☞ INTERPOL).
ICRC International Committee of the Red Cross (국제 적십자 위원회).
-ics [-iks] *n.* (*pl.*) *suf.* 「…학」「…술」「…론」(☞ -IC): eth*ics*, phonet*ics*, tact*ics*. ㊟ 복수어형이지만 (1) 보통 「학술·기술명(名)」으로는 단수 취급: lingust*ics*, opt*ics*, mathemat*ics*, econom*ics*. (2) 구체적인 「활동·현상·특성·규칙」 따위를 가리킬 때는 복수 취급: athlet*ics*, gymnast*ics*, acoust*ics*, eth*ics*. (3) 어떤 것은 단수·복수 두 가지로 취급되는 것도 있음: hyster*ics*. 〖F *-iques* or L *-ica* or Gk. *-ika*〗
I.C.S. 《美》 International Correspondence School(s).
ICSH 〖化〗 interstitial-cell-stimulating hormone. **ICSU** International Council of Scientific Unions. **ICT** inclusive conducted tour《전비용이 포함된 안내원이 딸린 여행》. **I.C.T.** intercoast transport(해로 운송).
ic·ter·ic [iktérik], **-i·cal** [-ikəl] *a.* 황달의, 황달에 걸린; 황달 치료에 쓰는. —— *n.* 황달 치료약.
ic·ter·us [íktərəs] *n.* Ⓤ 〖醫〗 황달(jaundice); 〖植〗 (보리 따위의) 황화병(黃化病).
ic·tus [íktəs] *n.* (*pl.* **~·es, ~**) **1** 《詩》 강음, 양음(揚音). **2** 〖醫〗 급발(急發) 증상, 발작: ~ of sun 일사병. 〖L=stroke (*ico* to strike)〗

ICU 〘醫〙 intensive care unit(집중 치료실).
ICU sỳndrome [àisìːjúː-] *n.* 〘醫〙 집중 치료실 증후군《환자가 중환자실에서 도리어 정신적 불안정 상태가 되는 일》.
***icy** [áisi] *a.* 얼음의, 얼음으로 덮인 ; 얼음 같은, 차가운, 냉담한 : receive an ~ welcome 푸대접을 받다. —— *adv.* 얼음처럼 : His hands were ~ cold. 그의 손은 얼음처럼 차가웠다. **íc·i·ly** *adv.* 얼음같이 ; 쌀쌀하게. **íc·i·ness** *n.* 차가움 ; 냉담함. 〖ICE〗
ícy pòle *n.* 《濠》 = ICE LOLLY.
id[1] [íd] *n.* [the ~] 〘精神醫〙 이드《본능적 충동의 원천》. 〖NL=that ; G *es*의 역(譯)〗
id[2] *n.* 〘生〙 특수 원형질, 유전 기질. 〖G *Idioplasma* IDIOPLASM〗
ID [àidíː] *n.* (방송에서) 국명(局名)을 알리기 위한 중단. —— *vt.* 《口》 (신원을) 밝혀내다, 확인하다. 〖*id*entification〗
ID industrial design(산업 디자인).
-id[1] [id, əd] *n. suf.* 「…의 딸」의 뜻(: Dana*id*, Nere*id*) ; 〘天〙 별자리 이름에 덧붙여 그 별자리에서 떨어지는 유성(流星)의 이름을 만듦 (: Andromed*id*, Perse*id*) ; 〘天〙 「…형 변광성(變光星)」의 뜻(: Cephe*id*) ; 「…왕조의 사람」의 뜻(: Seleuc*id* < Seleucus) ; 서사시의 제목(: Aene*id*). 〖↓〗
-id[2] [id, əd] *n. suf., a. suf.* **1** 〘動〙 그 과(科)에 속하는 동물을 나타냄 : arachn*id*. **2** 「…왕가에 속하는 사람」의 뜻. 〖L *-ides*〗
-id[3] [id, əd] *n. suf.* 라틴어의 명사로부터 명사 어미를 만듦 : carot*id*, chrysal*id*, orch*id*, pyram*id*. 〖F < L < Gk.〗
-id[4] [id, əd] *a. suf.* 라틴어의 동사 또는 명사로부터 상태를 나타내는 형용사를 만듦 : horr*id*, flu*id*, frig*id*, morb*id*, sol*id*. 〖F < L *-idus*〗
-id[5] [id, əd] *n. suf.* = -IDE.
-id[6] [id, əd] *n. suf.* 〘醫〙 「피부진」 「…진」의 뜻 : syphil*id* 매독진, tubercul*id* 결핵진. 〖F < L〗
‡I'd [aid, àid] I had[would, should]의 단축형.
ID airline industry (employee) discount. **Id.**, **Ida.** Idaho. **id.** idem. **I.D.** identification ; inside diameter ; Intelligence Department ; Infantry Division. **IDA** International Development Association.
Ida [áidə] *n.* **1** 여자 이름. **2** 소아시아의 산《에게 해를 내려다 봄》. **3** 아이다산《Crete섬 최고봉의 옛 이름 ; Zeus 탄생지로 전해짐》.
-i·dae [ədìː] *n. pl. suf.* 「…가(家)의 사람들」; 〘動〙 「과(科)」의 뜻. 〖L < Gk. *-idai*〗
Ida·ho [áidəhòu] *n.* 아이다호《미국 북서부의 주 ; 주도 Boise ; 略 Id., Ida.》.
Ìda·hó·an *a., n.* Idaho 주의 (사람).
IDB 《南아》 illicit diamond buyer[buying] ; 《英》 In Daddy's Business 《부친의 직업을 이음》; Industrial Development Board ((유엔) 공업개발 이사회) ; Inter-American Development Bank (미주 개발 은행).
I.D.[ID] card [àidíː ⌐] *n.* 《美》 신분 증명서 (identity card).
IDDD international direct distance dialing(국제 장거리 직통 전화).
-ide [àid] *n. suf.* 「…화합물」 「…계열 원소」의 뜻 : ox*ide*, brom*ide*. 〖G and F ; *oxide*의 유추〗
◇idea [aidíː(ː)ə ; -díə] *n.* **1 a)** [+*that* 節 / +(前+)*wh.* 節·句] 생각, 관념 ; U,C (막연한) 느낌 ; 인식, 지식 ; 사고 방식 : a general ~ 개념 / a fixed ~ 고정 관념 / the young ~ 어린이의 사고 방식 / be shocked at the bare ~ *of* …을 생각만 해도 몸서리치다 / I had no ~ *that* you were coming. 네가 올 줄은 꿈에도 몰랐다 / I have an ~ *that* he is still living somewhere. 그가 아직도 어딘가 살고 있다는 생각이 든다 / I had an ~ we'd win. 어쩐지 이길 것 같은 생각이 들었다 / You cannot have the slightest ~ (*of*) *how* much she has missed you. 그녀가 얼마나 당신을 보고 싶어하는지 당신은 전혀 모르고 있어요 / He had no[little] ~ *what* these words meant. 이말(들)이 무슨 뜻인지 그는 전혀[거의] 몰랐다 / I have no ~ *how to* get there. 거기에 어떻게 가면 좋을지 전혀 모르겠다 / The ~ (of it)! (그런 생각을 하다니) 지독하군!, 어처구니없군! / What an ~! 참 너무하군!, 대단하군! / What's the ~? 무슨 꿍꿍이 속이냐. **b)** 의견, 견해 : force one's ~*s* on others 자기의 생각을 남에게 강요하다. **c)** 착안, 취향, 착상, 고안, 의도(plan) : a man of ~*s* 착상이 풍부한 사람 / a man one ~ = MONOMANIAC / give up the ~ *of* do*ing* …하는 것을 단념하다 / An ~ struck me. 묘안 하나가 떠올랐다 / He is full of original ~*s*. 창의력이 풍부한 사람이다 / Have you got the ~? 의향[취지]을 아시겠습니까 / It was a good ~ of Tom's. 톰은 기발한 착상을 했다 / I have an ~ *for* it[do*ing* it]. 그것을 하는데 대한 생각이 있다. **2** 사상 ; 상상 ; 지식 : Eastern ~*s* 동양 사상. **3** 〘哲〙 이데아, 이념 ; 개념(concept), 표상(表象). **4** [not one's ~] 이상(ideal) ; 《廢》 전형(典型) : That is *not my* ~ of happiness[a gentleman]. 나는 행복[신사]이라는 것이 그런 것이라고는 생각지 않는다. **5** 예감, 직관, 환상 (fancy).
form an idea of …을 마음속에 그리다 ; …을 해석[이해]하다.
get ideas into one's head (실현될 것 같지 않은) 망상을 품다, 잘난 척하다.
the big*[*great*]*idea 《美口》 안, 계획 : What's *the big* ~? 《口》 도대체 무엇을 어떻게 하겠다는 거야《불만의 표시》.

〈회화〉
Why didn't she come? — I have no *idea*. 「왜 그녀는 오지 않았니」 「모르겠는데」

〖L < Gk.=look, form, kind〗
類義語 ***idea*** 생각·관념·지식·사상의 대상으로서 마음속에 존재하는 것 ; 가장 일반적인 말 : express one's *ideas* clearly (자기가 생각하고 있는 바를 명백히 밝히다). ***concept*** 〘哲〙 특수한 예의 지식을 바탕으로 한 그 종류 일반에 대한 개념 : our *concept* of nationalism(민족주의에 대한 우리의 개념). ***conception*** 어떤 사람이 마음속에 품거나 상상하는 생각 ; 때때로 concept와 같은 뜻으로도 쓰임 : She has no *conception* of the duties of a wife. (아내로서의 의무에 대한 생각이 없다). ***thought*** 마음속으로 추리하며 사고할 때에 생기는 생각 : I agree with your *thoughts* of the travel. (당신의 여행 계획에 찬성해요). ***notion*** 완전히 또는 명확[명백]하게 이해되고 있지 않은 생각 또는 불완전[불명확]한 의도 : I have only a vague *notion* of how to proceed. (진행 방법에 대한 구체적인 안이 없다).
idéaed, idéa'd *a.* 착상이 풍부한 ; [복합어를 이루어] (어떠한) 생각을 지닌 : bright-~ 머리가 좋은 / one-~ 편협한.
***ide·al** [aidíːəl ; -díəl] *n.* 이상, 극치(cf. REAL[1]) ;

이상적인 것[사람], 전형(典型) ; 규범 ; 관념.
—— *a.* **1** 이상의, 이상적인, 더할나위 없는 ; 전형적인. **2** 관념적인, 상상(想像)의, 가공적인(↔*real*). **3** 〖哲〗 관념에 관한, 관념론적인, 유심론의 ; 이상[이념]적인. 〚F<L ; ⇨ IDEA〛
類義語 ⟹ MODEL.

idéal·ism *n.* Ⓤ 이상주의(↔*realism*), 이상화(하려는) 기질 ; 〖哲〗 관념론, 유심론(spiritualism) (↔*materialism*) ; 〖藝〗 관념주의《form보다 idea를 존중한다 ; ↔*formalism*》.

idéal·ist *n.* 이상론[주의]자, 몽상가 ; 〖哲〗 관념론자, 유심론자 ; 〖藝〗 관념주의자.
—— *a.* = IDEALISTIC.

***ide·al·is·tic** [aidiːəlístik] *a.* 관념[유심]론적인 ; 이상주의(적)인(↔*realistic*).
-ti·cal·ly *adv.* 관념론[이상주의]적으로.

ide·al·i·ty [àidiǽləti] *n.* Ⓤ 관념성(↔*reality*) ; 이상적임 ; (시적·창조적인) 상상력.

idéal·ìze *vt.* 이상화하다, 이상적이라고 생각하다.
—— *vi.* 이상을 그리다, 이상을 쫓다.
idèal·izátion *n.* Ⓤ,Ⓒ 이상화(된 것).

idéal·ly *adv.* 관념적으로 ; 이상적으로 (말하면) ; 전형적으로.

idéal týpe *n.* 〖社〗 이상형.

idéa màn *n.* 아이디어 맨《새로운 착상을 차례로 내는 사람》.

idéa·mònger *n.* 《美》 아이디어를 파는 사람.

ide·ate [áidièit ; aidíːeit] *vt., vi.* 상상하다 ; 관념화하다 ; 생각하다. —— *n.* 〖哲〗 관념적 대상《관념에 대응한 현실 존재》.

ide·a·tion [àidiéiʃən] *n.* Ⓤ 관념 작용 ; 관념 형성, 관념화. **~·al** *a.*

idée fixe [iːdéi fíːks] *n.* (*pl.* **idées fixes** [—]) 고정 관념 ; 한가지 일에 열중함. 〚F=fixed idea〛

idée re·çue [⌐ rəsjúː] *n.* (*pl.* **idées re·çues** [—]) 일반 관념[관습], 통념.
〚F=received idea〛

idem [áidem, ídem, íːdem] *n., a.* **1** 같은 저자(의). **2** 같은 말(의) ; 같은 책[전거(典據)](의) 《略 id.》. 〚L=the same〛

idem·po·tent [aidémpətənt, áidəmpòutnt] *a.* 〖數〗 멱등(冪等)의. —— *n.* 멱등원(元).

idem quod [ídem kwɑ́d] *adv.* …와 같이(the same as) 《略 i.q.》. 〚L〛

iden·tic [aidéntik, ə-] *a.* **1** 〖外交〗 같은 글의 : an ~ note 동문통첩(同文通牒). **2** =IDENTICAL. 〚L ; ⇨ IDENTITY〛

idén·ti·cal *a.* **1** 똑같은, 동일한(the very same) : the ~ person 동일인, 본인. **2** (서로 다른 것에 대하여) 같은, 일치하는〈*with, to*〉; 동일 원인의 ; 일란성의 : an ~ equation 〖數〗 항등식.
~·ly *adv.* 똑같게, 동일하게 ; 한결같이, 같게.
〚L ; ↑〛
類義語 ⟹ SAME.

idéntical twíns *n.* 〖生〗 일란성 쌍생아(cf. FRATERNAL TWINS).

***iden·ti·fi·ca·tion** [aidèntəfəkéiʃən, ə-] *n.* **1** Ⓤ 동일, 동일함의 증명[확인, 감정] : an ~ card 신분증명서 / ~ papers 신분 증명서《서류》/ an ~ plate (자동차 따위의) 등록 번호판, 넘버 플레이트. **2** Ⓤ 〖精神醫〗 동일시(視), 동일화. **3** 〖社〗 동일시, 일체화, 귀속 의식《어떤 사회집단의 가치·이해를 자기것으로 받아들임》. **4** Ⓤ 〖生〗 같은 무리로 인정하기, 동정(同定).

identificátion paràde *n.* 범인을 확인하기 위해 피의자 등을 줄지어 세우기.

identificátion tàg, 《英》 **identificátion dìsc** *n.* 〖軍〗 인식표.

iden·ti·fy** [aidéntəfài] *vt.* **1** [+目/+目+*as* 補] (…에 틀림없음을) 확인하다, 감정하다 : ~ a body 시체의 신원을 밝히다[확인하다] / The child was *identified* by its clothes. 그 아이는 옷으로 신원이 확인되었다 / She *identified* the bag *as* hers by telling what it contained. 그 가방 속의 내용물을 말함으로써 자기 가방이라는 것을 입증했다. **2** [+目+前+名] **a)** 동일한 것으로 간주하다, 동일시하다 : The mayor *identified* the interest of the citizens ***with his own prosperity. 시장은 시민의 이익을 자신의 번영과 동일시했다. **b)** 〖生〗 같은 무리로 인정하다, 동정하다.
—— *vi.* [+*with*+名] (…와) 자기를 동일시하다, 공감하다 : The audience quickly *identified* ***with*** the characters of the play. 관객은 곧 극중 인물과 같은 심정이 되었다.
identify** one**self** [**become identified**] **with (정당·정책 따위)와 행동을 함께 하다, …와 제휴하다, …에 헌신하다.
idén·ti·able *a.* 신원[정체]을 확인[증명]할 수 있는 ; 동일시할 수 있는, 동일한 것으로 증명할 수 있는.

Iden·ti·kit [aidéntəkit] *n.* **1** 몽타주식 얼굴사진 합성장치《상표명》. **2** [때때로 i~] 몽타주 얼굴 사진. 〚*identi*fication+KIT[1]〛

***iden·ti·ty** [aidéntəti] *n.* **1** Ⓤ 동일함, 일치, 동일성. **2** Ⓤ,Ⓒ 같은 사람[것]임, 본인임 ; 본체, 정체, 신원 : false[mistaken] ~ 사람을 잘못 알기 / establish[prove, recognize] a person's ~ 남의 신원을 확인하다. **3** Ⓤ,Ⓒ 본질, 독자성, 주체성. **4** 〖數〗 항등식. 〚L ; ⇨ IDEM〛

idéntity càrd *n.* 신분 증명서.

idéntity crìsis *n.* 동일성[아이덴티티]의 위기 《청년기나 사회적 변동기에 생기는 동일성 해체의 위기》, 자기 상실.

idéntity fùnction *n.* 〖數〗 항등 함수.

ideo- [ídiə, ái-] *comb. form* IDEA의 뜻. 〚Gk.〛

ídeo·gràm *n.* 표의(表意) 문자《한자 또는 다른 상형 문자 ; cf. PHONOGRAM》.

ìdeo·gràph *n.* =IDEOGRAM.

ìdeo·gráph·ic, -i·cal *a.* 표의적인, 표의 문자의. **-i·cal·ly** *adv.*

ide·og·ra·phy [ìdiɑ́grəfi, ài-] *n.* Ⓤ 상징[부호]에 의한 표의(법) ; 표의 문자 사용.

ideo·log·ic, -i·cal [àidiəlɑ́dʒik(əl), ìd-] *a.* 관념학의 ; 공론(空論)의 ; 관념 형태의.

ide·ol·o·gist [àidiɑ́lədʒəst, ìd-] *n.* 관념학파의 사람, 관념론자 ; 공론가 ; 특정 이데올로기 운동가.

ide·ol·o·gize [àidiɑ́lədʒàiz, ìd-] *vt.* 이데올로기적으로 설명[분석]하다 ; (특정) 이데올로기로 전향시키다.

ideo·logue [áidiəlɔ̀(ː)g, -lɑ̀g] *n.* 관념론자 ; 공상가, 몽상가(visionary) ; 이론가, 특정 이데올로기 창도자. 〚F (역성(逆成)〈 ↓)〛

***ide·ol·o·gy** [àidiɑ́lədʒi, ìd-] *n.* **1** Ⓤ 〖哲〗 관념학[론]. **2** Ⓤ 공리(空理), 공론. **3** 〖社〗 관념 형태, 이데올로기. 〚F (*ideo-*+*-logy*)〛

ìdeo·mótor *a.* 〖心〗 관념 운동성의 ; 관념 운동에 관한.

ides [áidz] *n.* [단수·복수 취급] 〖古로〗 nones부터 8일째《3월·5월·7월·10월의 15일 ; 그밖의 달의 13일》.
Beware the ides of March. 3월 15일을 경계하라《Caesar 암살의 고사에서 ; 흉사의 경고》.
〚OF<L *Idus* (pl.) <Etruscan〛

id est [id ést] 즉, 바꿔 말하면(that is) 《略 i. e.》.

〖L〗

id ge·nus om·ne [id dʒí:nəs ámni] 모두 그 종류의, 그 계급 전체의. 〖L=all of that kind〗

-idia *n. suf.* -IDIUM의 복수형.

-i·din [ədən], **-i·dine** [ədì:n] *n. suf.* 「구조 따위가 다른 화합물과 관련을 가진 화합물」의 뜻 : tolu*idine*. 〖*-ide*〗

id·io- [ídiou, -ə] *comb. form* 「특수한」「특유의」의 뜻. 〖Gk. *idios* private〗

ìdio·adaptátion *n.* 〖生〗 개별 적응.

id·i·o·cy [ídiəsi] *n.* Ⓤ 백치 ; Ⓒ 백치 같은 언행. 〖IDIOT ; *lunacy*의 유추인가〗

ìdio·glós·sia [-glɔ́(:)siə, -glá-] *n.* Ⓤ 〖醫〗 자각 언어증(自覺言語症).

ìdio·gráphic *a.* 개별적 구체적 사례(연구)의, 개성(個性) 기술학의.

id·i·o·lect [ídiəlèkt] *n.* 〖言〗 개인 언어《개인이 어느 한 시기에 쓰는 말의 총칭》.

***id·i·om** [ídiəm] *n.* **1** (어떤 언어 특유의) 관용어법, 숙어, 관용구. **2** 방언 ; 특색 ; (어떤 언어의 일반적) 어법, 어풍, (한 국민의) 언어 ; (어떤 작가·작곡가·시대 따위의) 개성적 표현 형식, 작풍 : the English ~ =the English language. 〖F or L<Gk. *idiomat- idioma* private property (*idios* own)〗

id·i·o·mat·ic, -i·cal [ìdiəmǽtik(əl)] *a.* 관용어법에 맞는[이 많은, 을 포함하는] ; 관용적인 ; (어떤 언어의) 특징을 나타내는, 과연 그 나라 말다운 ; 개성적인. **-i·cal·ly** *adv.* 관용어식으로[적으로]. 〖Gk.=peculiar (↑)〗

Ídiom Néutral *n.* 이디엄 뉴트럴《Volapük를 개량하여 1902년에 발표한 인공 국제 보조어》.

ìdio·mórphic *a.* 고유의 형태를 가진 ; 〖鑛〗 자형(自形)의《본래의 결정 구조를 가짐》. **-phi·cal·ly** *adv.*

id·i·op·a·thy [ìdiápəθi] *n.* 〖醫〗 특발증(特發症)《개인 특유의 병》.

ídio·plàsm *n.* 유전질, 배형질.

id·io·syn·cra·sy, -cy [ìdiəsíŋkrəsi] *n.* (어떤 개인의) 특이성, 특이한 성질[경향, 성격, 표현법] ; (개인의) 특유한 체격[몸매] ; 〖醫〗 특이 체질(cf. ALLERGY). **id·io·syn·crat·ic** [ìdiousinkrǽtik] *a.* 특이질의 ; 특유의(peculiar). **-i·cal·ly** *adv.* 특질적으로.
〖Gk. (*idio-*, *sun* with, *krasis* mixture)〗

***id·i·ot** [ídiət] *n.* 백치 ; 《口》 바보, 천치 ; 〖心〗 백치 (cf. IMBECILE, MORON). 〖OF<L<Gk.=private citizen, layman, ignorant person〗
[類義語] ⟹ FOOL[1].

ídiot bòard *n.* (출연자용의) 대사 지시판《카메라에 비치지 않는 곳에 대본을 표시하는 투사상·두루마리 따위》.

ídiot bòx *n.* 바보 상자《텔레비전의 속칭》.

ídiot càrd *n.* (출연자용의) 텔레프롬프터, 큐카드《대사 따위를 쓴 대형 카드》.

ídiot gìrl *n.* 《俗》 텔레비전 출연자에게 idiot card를 보여주는 여자 직원.

id·i·ot·ic, -i·cal [ìdiátik(əl)] *a.* 백치의 ; 멍청이의(foolish). **-i·cal·ly** *adv.*

ídiot·ìsm *n.* 바보 같은 행동.

ídiot lìght *n.* (차의) 이상 표시등《배터리(액)·오일·휘발유 따위의 부족·이상을 자동적으로 표시함》.

ídiot pìll *n.* 《美俗》 바르비탈정(錠)[캡슐].

ídiot savánt *n.* (*pl.* **ídiot(s) savánts**) 〖心〗 특수 재능을 가진 정신 박약자. 〖F〗

ídiot shèet *n.* =IDIOT CARD.

ídiot's lántern *n.* 《英俗》 텔레비전(television set).

ídiot tàpe *n.* 〖印〗 자동 식자용(用)의 컴퓨터 입력 테이프.

íd·io·tỳpe [áidiə-] *n.* 〖遺〗 유전자형(genotype).

-id·i·um [ídiəm] *n. suf.* (*pl.* **~s, -id·ia** [ídiə]) 「작은 것의」의 뜻. 〖NL<Gk.〗

IDL international date line.

***idle** [áidl] *a.* (**ídl·er ; ídl·est**) **1** 할 일이 없는, 놀고 있는 : the ~ rich 유한 계급 / an ~ spectator 수수 방관하고 있는 사람 / ~ hours 한가한 시간. **2** (사람이) 게으른, 빈둥빈둥 놀고 있는(lazy) (↔ *diligent*). **3** (기계·공장 따위가) 쉬고 있는, 사용치 않는 : ~ money 유휴 자금 / have one's hands ~ 손[짬]이 나다 / lie ~ 쓰이지 않고 있다, (돈 따위) 놀고 있다 / run ~ (기계가) 헛돌다. **4** 헛된, 무효인(useless) ; 근거 없는, 하찮은 : an ~ rumor 근거 없는 소문 / an ~ talk 쓸데없는 이야기 / It is ~ to say that …라고 말해 보아도 소용없다.
at an idle end 일이 없어서 빈둥빈둥하여.
eat idle bread 놀고 먹다.
—— *vi.* **1** [動/+副] 게으름 피우다, 빈둥빈둥 놀고 지내다 : Don't ~ (***about***). 빈둥거리지 마라. **2** (바퀴나 기관이) 공전(空轉)하다. —— *vt.* 빈둥대며 지내다, (시간을) 헛되이 보내다 ; 《美口》 (노동자를) 놀게 하다 ; (기계를) 공전시키다 : He ~*d away* the whole morning. 오전 내내 빈둥거리며 보냈다.
〖OE *idel* empty, useless ; cf. G *eitel*〗
[類義語] (1) (*a.*) ***idle*** 본인의 게으름이나 주위의 사정으로 사람[물건]이(이런 경우 나쁜 의미는 아님) 활동 또는 일하지 않고 있는 : *idle* workers (일없는 노동자) / *idle* machines (사용하고 있지 않은 기계). ***inactive*** 사람 또는 물건이 무슨 이유에서인가 행동[활동]하고 있지 않은 : an *inactive* committee[factory] (휴무 중인 위원회[공장]). ***lazy*** 일하기 싫어하는 또는 일을 해도 열의가 없는 ; 보통 나쁜 의미 : *lazy* pupils (공부 안하는 학생). ***indolent*** 천성적으로 혹은 습관상 그냥 보내기 좋아하여 일하지 않는 : Too many comforts make a man *indolent.* (너무 편안하면 사람이 게을러진다).
(2) (*v.*) ⟹ LOITER.

ídle brèad *n.* 무위 도식.

ídle còst *n.* 〖經營〗 유휴비, 무효 원가.

ídle facìlities *n. pl.* 유휴 시설.

***ídle·ness** *n.* Ⓤ 게으름, 무위, 안일 ; 놀고 있음 : *I*~ is the parent of all vice. 《속담》 게으름은 악덕의 근원.
eat the bread of idleness ☞ BREAD.

ídler *n.* 게으름뱅이(↔ *worker*) ; 쓸모없는 사람 ; =IDLE(R) PULLEY[WHEEL] ; 〖鐵〗 빈차.

ídle(r) gèar *n.* 〖機〗 유동 톱니바퀴[기어].

ídle(r) pùlley *n.* 〖機〗 (벨트나 체인의 유도·죄기용으로 공전하는) 유동바퀴.

ídle(r) whèel *n.* 〖機〗 중간 톱니바퀴《두 개의 톱니바퀴 중간에 쓰이는》 ; =IDLE(R) PULLEY.

idlesse [áidləs, aidlés] *n.* 《詩·古》 안일, 일락(idleness).

idly [áidli] *adv.* 빈둥거리며, 무위로, 아무 하는 일 없이 ; 멍청하게 ; 쓸데없이.

I.D.N. *in Dei nomine* 《L》 (=in the name of God).

Ido [í:dou] *n.* 이도어(語) 《Esperanto를 간략하게 만든 국제 보조어》. 〖*-id*[1]〗

IDO International Disarmament Organization

I

(국제 군축 기구).

***idol** [áidl] *n.* 우상 ; 우상신, 사신(邪神) ; 우상시[숭배]되는 사람[것], 숭배물 : a popular ~ 민중이 숭배하는 대상 / a fallen ~ 숭배자를 잃은[인기가 떨어진] 사람.
make an idol of …을 숭배하다(idolize).
〚OF<L<Gk. *eidōlon* phantom〛

idol·a·ter [aidálətər] *n.* 우상 숭배자 ; 우상교도, 이교도 ; 숭배자, 심취자〈*of*〉.
idól·a·tress [-trəs] *n. fem.*
〚F<L<Gk. (IDOL, *latreuō* to worship)〛

idol·a·trize [aidálətràiz] *vt.* 숭배하다 ; …에 심취하다. —— *vi.* 우상을 숭배하다.

idol·a·trous [aidálətrəs] *a.* 우상 숭배적인, 맹목적으로 심취하는. **~·ly** *adv.*

idol·a·try [aidálətri] *n.* U,C 우상[사신]숭배 ; 맹목적 숭배, 심취.

ídol·ìsm *n.* U,C 우상(偶像) 숭배 ; 맹목적 숭배(idolatry). **ídol·ist** *n.* 《古》 우상 숭배자.

ídol·ìze *vt., vi.* U 우상시[화]하다 ; 탐닉[심취·익애]하다. **-iz·er** *n.*

ìdol·izátion *n.* U 우상시[화] ; 맹목적 숭배, 탐닉, 심취.

ido·lum [aidóuləm ; idóu-] *n.* (*pl.* **-la** [-lə]) **1** = EIDOLON. **2** 심상(心像), 개념, 관념(idea). **3** [흔히 *pl.*] 〔論〕 편견상, 우상, 이돌라.
〚L ; ⇨ IDOL〛

IDP 〔生化〕 inosine diphosphate (이인산이노신) ; 〔컴퓨〕 integrated data processing (집중 정보 처리) ; international driving permit (국제 운전 면허). **IDPS** integrated data processing system(종합 데이터 처리 시스템). **IDR** International Depositary Receipt (국제 예탁 증권). **IDU** International Democrat Union(국제 민주 연합).

Idun [íːdun], **Ithunn** [íːðuːn] *n.* 〔北유럽神〕 이둔《봄의 여신》.

idyl(l) [áidl ; ídil, ái-] *n.* 짧은 서사시, 전원시, 목가 ; (전원시적인) 낭만적인 이야기, 전원 풍경《따위》 ; 〔樂〕 전원시곡.
〚L<Gk. (dim.) <*eidos* form〛

idyl·lic [aidílik, 英+i-] *a.* 전원시의, 목가적인, 전원시풍(風)의. **-li·cal·ly** *adv.* 전원시같이[답게], 전원시적으로.

idyl(l)·ist [áidələst] *n.* 전원[풍경] 시인[작가].

-ie, -y, -ey [i] *n. suf.* **1** 명사에 붙여서 「작은 것」「…에 속하는 것」의 뜻으로 친근감을 나타냄 : dogg*ie* 멍멍 / lass*ie* 아가씨. **2** 형용사에 붙여서 「…한 성질이 있는」의 뜻을 나타냄 : cut*ie*, soft*ie*.
〚Sc. *-y*<*-ie*〛

i. e. [əi íː, ðæ̀t íz] 즉, 다시 말하면. ㊟ 참고서 따위 이외는 보통 that is를 씀(☞ THAT[1] 숙어).

IE, I.E. Indo-European ; industrial engineering. **IEA** International Energy Agency. **IEC** International electrotechnical Commission (국제 전기 기술 위원회(會)). **IECQ** IEC quality assessment system for electronic components (IEC의 전자부품 품질 인증 제도). **IEE** 《英》 Institution of Electrical Engineers. **IEEE** Institute of Electrical and Electronics Engineers (미국 전기·전자 통신학회).

-ier [iər, jər] *n. suf.* 「…에 관한 직업[직종]의 사람」의 뜻 : glaz*ier*, hos*ier*, gondol*ier*, grenad*ier*.
〚*-er*[1] and F<L *-arius*〛

IET Interest Equalization Tax(이자 평형세).

◇**if** [if, ìf, əf]

> (1) if는 주로 종속접속사로서 「만약 …이라면」이라는 가정·조건의 부사절을 이끈다.
> (2) 「…인지 어떤지(whether)」라는 간접의문문을 이루어 명사절을 이끈다.
> (3) 가정·조건을 if 이외에 suppose..., supposing..., provided (that)..., in case (that)..., on condition that... 등으로 쓸 수 있다.

—— *conj.* **1** [가정·조건을 나타내어] 만일 …이라면, …이라고 하면 (cf. UNLESS). **a**) [현재형의 술어 동사를 써서 현재·미래의 불확실한 사실에 관하여 추측해서 말함] : *If* you *are* tired, we will go straight home. 피곤하면 곧장 귀가 합시다 / I shall tell him *if* he *comes.* 그가 오면 말하겠습니다(☞ TILL[1] 活用 (2)). **b**) [과거형을 써서 현재 사실에 반대되는 가정을 나타냄. 귀결의 주절에는 보통 would, should 따위 조동사의 과거형이 쓰임] : *If* you *knew* how I suffered, you would pity me. 내가 얼마나 괴로웠는지 안다면 당신은 나를 동정할 것이오 / *If* I *were* you, I would help him. 내가 너라면 그를 도울텐데(☞ WERE 活用). **c**) [과거 완료를 써서 과거 사실에 반대되는 가정을 나타냄. 주절에는 would, should 따위 조동사의 과거형+완료형의 형식을 씀] : *If* I *had known*, I wouldn't have done it. 만일 내가 알았더라면 그 짓을 안 했을 것이다. **d**) [모든 인칭에 관계 없이 should를 써서 가능성이 희박한 미래의 가정을 나타냄] 만일 …이면 : *If* it *should* rain tomorrow, I shall not come. 만일 내일 비가 오면, 가지 않을 것입니다《If it *rains* tomorrow, ... 는 단순한 예상》. ㊟ (1) 「때」에 관한 용법에서는 if는 대부분 그 일이 불확실할 경우에, when은 확실성이 거의 틀림없을 경우에 쓰임 : *If* he comes[he *should* come] tomorrow .... / When Christmas comes .... (2) 또는 상업문(商業文) 따위에서는 if and when[when and if]으로 사용되는 수도 있지만 일반적인 경우에는 if나 when만을 사용하는 것이 좋음(cf. UNLESS *and until*). (3) 《文語》에서는 if를 생략하고 주어와 (조)동사의 순서를 바꾸어서 가정을 나타내는 수가 있음 : *When* I in your place, ...=*If* I *were* in your place, ... (☞ WERE 活用 (2)) / *Had* I known this, ...=*If* I *had* known this, ... / *Should* it be necessary, ...=*If* it *should* be necessary, ...

2 [양보] 비록[설혹] …이라 할지라도(even though) : *If* he be ever so rich .... 아무리 부자일지라도… / I will do it *if* it kills me. 비록 목숨을 잃을지라도 그것을 하겠다 / His manner, *if* patronizing, was not unkind. 선심을 쓰는 체하기는 했지만, 그의 태도가 불친절하지는 않았다. ㊟ 이 강조형은 even if : *Even if* you do not like it, you must do it. 비록 싫더라도 너는 그것을 해야만 한다.

3 …할 때에는 언제나(whenever) : *If* I feel any doubt, I ask. 의문이 있을 때는 항상 묻는다.

4 [간접 의문문을 이끌어] 《口》 …인지 어떤지(whether) : Try[Ask him] *if* it is true. 과연 정말인지 아닌지 시험해[그에게 물어] 보아라 / I wonder *if* he is at home(=*whether* he is at home *or not*). 그가 집에 있을지 모르겠다《㊟ whether와는 달리 or not을 수반하지 않음》. ㊟ Send me a telegram *if* you are coming. 은 (1) 「올 때에는 전보를 쳐라」도 되고, (2) 「올 것인가 안올것인가 전보를 쳐라」는 뜻도 되므로 (2)에는 if

대신에 whether를 쓰는 것이 좋음.
5 [귀결(apodosis)을 생략한 감탄문 ; 놀람·소망 따위를 나타냄] : *If* I *only* knew! (=I wish I only knew!) 알기만이라도 했으면!《현재 몰라서 탈》/ *If* I haven't lost my watch! 섭섭하게도 시계를 잃어버렸다《앞에 I'm blessed를 보충하기도 함 ; ☞ BLESSED 4》.
as if ☞ AS[1].
if a day [***an inch, a penny,*** etc.] 하루[1인치, 1페니]라도 있다고 한다면, 확실히 : He is seventy *if a day.* 아무리 안 되어도 70세는 되었다《if he is a day old라고 보충해서 생각함》/ The enemy is 2000 strong, *if* a man. 적군은 적어도 2000명은 된다 / He measures six feet, *if an inch.* 키가 6피트는 실히 된다 / I have walked 15 miles, *if a yard.* 15마일은 넘게 걸었다.
if any 비록 있다 하더라도, 설사 있다손치더라도, 만약 있다면 : There are few (books) [There is little (wine)], *if any.* 있다 하더라도 몇 권[조금]밖에 없다 / Correct errors, *if any.* 틀린 것이 있으면 고쳐라.
if anything 어느 편인가 하면 : We were rather anxious, but *if anything,* things seem to be improving. 무척 걱정했으나 사태는 오히려 호전되는 것 같다.
if at all ☞ *at* ALL.
If it had not been for... 만일 …이 없었더라면(But for...) : *If it had not been for* (=Had it not been for) your advice, I could not have done it. 만일 너의 충고가 없었더라면, 나는 그것을 할 수 없었을 것이다.
If it were not for …이 없다면(But for...) : *If it were not for* (=Were it not for) the sun, nothing could live. 만일 태양이 없다면 아무것도 살 수 없을 것이다.
if necessary [***possible***] 필요[가능]하다면 : I will do so, *if necessary.* 필요하다면 하겠다.
if only ☞ IF 5.
What if...? [***!***] ☞ WHAT[1].

〈회화〉
You're always complaining.—You would too *if* you were me. 「당신은 항상 불평이군요」「당신도 내 입장이 되면 마찬가지일거요」

—— [íf] *n.* 조건(condition), 가정(supposition) : There are too many *if*s in his speech. 그의 말에는 「만약」이라는 말이 너무 많다.
⟦OE *gift* ; cf. G *ob* whether, if⟧

IF International (Sports) Federation (국제 경기 연맹(=ISF)). **IF, I.F.** intermediate frequency. **IFAC** International Federation for Automatic Control(국제 자동 제어 연합). **IFAD** International Fund for Agricultural Development《국제 농업 개발 기금 ; 1977년 발족됨 : 본부 Rome》. **IFALPA** International Federation of Air Line Pilots Association. **IFAP** International Federation of Agricultural Producers. **IFC** International Finance Corporation (국제 금융 공사).
íf-clàuse *n.* 〖文法〗 조건절《if로 인도되는 절》.
IFCTU International Federation of Christian Trade Unions.
-if·er·ous [ífərəs] *a. comb. form* =-FEROUS.
IFF 〖軍〗 Identification, Friend or Foe《비행기·군함 따위의 적과 아군 식별장치》.
if·fy [ífi] *a.* 《口》 if가 많은, 조건부의, (국면 따위) 불확실한, 모호한.

IFO identified flying object(확인 비행 물체).
-i·form [əfɔ̀:rm] *a. comb. form* =-FORM.
I formation [ái -] *n.* 〖美蹴〗 I 포메이션《후위가 쿼터백 뒤에서 I자 꼴로 서는 공격 진형》.
IFR instrument flight rules(계기 비행 규칙).
IFRB International Frequency Registration Board(국제 주파수 등록 위원회).
I.F.S. Irish Free State.
I.F.T.U. International Federation of Trade Unions(국제 노동조합 연합).
IFUW International Federation of University Women(국제 대학 여성 협회). **IFV** infantry fighting vehicle (보병 전투차).
-i·fy [əfái] *v. suf.* =-FY.
IG Indo-Germanic. **IG, I.G.** Inspector General. **Ig** immunoglobulin.
igg [íg] *vi.* 《美俗》 무시하다(ignore).
ig·gle [ígəl] *vt.* 《俗》 부추기다, 교사하다. ⟦? EGG[2] on⟧
ig·loo, ig·lu [íglu:] *n.* (*pl.* **~s**) 이글루, 에스키모의 집. ⟦Eskimo=house⟧
ign. ignition.
ig·ne·ous [ígniəs] *a.* 불의, 불같은 ; 〖地質〗 화성(火成)의 : ~ rock 화성암. ⟦L (*ignis* fire)⟧
ig·ness·cent [ignésənt] *a., n.* (강철로 치면) 불꽃이 튀는 (물질).
ig·ni- [ígnə] *comb. form* 「불」「연소」의 뜻. ⟦L (*ignis* fire) ; cf. IGNEOUS⟧
ig·nis fat·u·us [ígnəs fǽtʃuəs] *n.* (*pl.* **ig·nes fat·ui** [ígni:z fǽtʃuài]) 도깨비불, 귀신불 ; 《비유》 사람을 홀리는 것, 환상, 헛된 소망. ⟦L=foolish fire⟧
ig·nite [ignáit] *vt., vi.* 불을 붙이다[이 붙다] ; 발화시키다[하다] ; 높은 열로 가열하다.
ig·nìt·abíl·i·ty, -ibíl- *n.* Ⓤ 가연성(可燃性).
ig·nít·able, -ible *a.* 발화(發火)[점화]성의.
⟦L *ignit- ignio* to set on fire ; ⇨ IGNEOUS⟧
ig·nít·er, -ní·tor *n.* 점화하는 사람 ; 점화기.
ig·ni·tion [igníʃən] *n.* **1** Ⓤ 점화, 발화 ; 연소. **2** 점화 장치.
ignítion kèy *n.* 이그니션 키《엔진 시동용 열쇠》.
ig·ni·tron [ignáitrɑn] *n.* 〖電子〗 이그나이트론《점호자형(點弧子型)의 수은 방전관》.
ig·no·ble [ignóubəl] *a.* 하등의 ; 천한, 볼품없는, 태생이 비천한(↔*noble*). **-bly** *adv.* **~·ness** *n.* ⟦F or L (*in-*[1], NOBLE)⟧
[類義語] ⟹ MEAN[2].
ig·no·min·i·ous [ìgnəmíniəs] *a.* 면목없는, 불명예의, 창피[수치]스러운 ; 굴욕적인. **~·ly** *adv.* **~·ness** *n.*
ig·no·miny [ígnəmìni] *n.* Ⓤ 면목없음, 불명예, 모욕 ; Ⓒ 창피스러운 짓, 추행.
⟦F or L (*in-*[1], L (*g*)*nomen* name)⟧
[類義語] ⟹ DISGRACE.
ig·nor·al [ignɔ́:rəl] *n.* 《英口》 무시(함).
ig·no·ra·mus [ìgnəréiməs] *n.* 《文語》 배우지 못한[무지한] 사람, 아는 체하는 얼간이. ⟦L=we do not know (⇨ IGNORE) ; cf. 영국의 저술가 G. Ruggle (d. 1622)의 소극 *Ignoramus* (1615)⟧
***ig·no·rance** [ígnərəns] *n.* Ⓤ 무식, 무지 ; 모름, 낯섦〈*of*〉 : be *in* ~ *of* …을 모르다 / I was *in* complete ~ *of* his intentions. 그의 의도를 전혀 몰랐다 / *I*~ is bliss. 《속담》 모르는게 약. ⟦F<L ; ⇨ IGNORE⟧
íg·no·rant** *a.* 무식한, 무지한(↔*learned*) ; [+*that* 節 / +(前+)*wh.* 節·句] (어떤 것을) 모르는 : People who live in the city are often ~ ***of farm

life. 도시에 사는 사람은 흔히 농촌 생활을 모른다 / He appeared to be utterly ~ *that* he made that singular noise. 그 이상한 소리를 낸 것이 자기라는 것을 그는 전혀 모르고 있는 것 같았다 / *What* the world will say she is quite ~ ***of.*** 세상이 뭐라고 할지 그녀는 전혀 알지 못했다. **~·ly** *adv.* **~·ness** *n.*

類義語 ***ignorant*** 세상의 일 전반에 대하여 또는 어떤 특정한 것에 대하여 아는 것이 없다 : an *ignorant* man (무식한 사람) / We are *ignorant* of the fact. (그 사실에 대하여 잘 모르고 있다). ***illiterate*** 특히 읽고 쓸 능력이 없는. ***uneducated*** 학교 (때로는 책에 의한) 교육을 받지 않은.

ig·no·ra·tio elen·chi [ìgnəréiʃiòu iléŋki: ; -kai] *n.* 〖論〗 논점(論點) 상위의 허위. 〖L〗

***ig·nore** [ignɔ́:r] *vt.* (남의 의견·호의 따위를) 무시하다, 모르는 체하다 ; 〖法〗 증거불충분으로 불기소시키다 : He tired to ~ my remarks. 그는 나의 의견을 무시하려고 했다.

ignore the bill ☞ BILL[1] 7.

〈회화〉
What caused the accident? — The driver of the truck *ignored* the signal. 「사고의 원인이 무엇이죠」「트럭 운전사의 신호 무시입니다」

ig·nór·able *a.* **ig·nór·er** *n.*
〖F or L *ignoro* not to know (*in-*[1])〗
類義語 ⟹ NEGLECT.

ig·no·tum per ig·no·ti·us [ignóutəm pər ignóuʃiəs, -pèr ignóutiùs] *n.* 모르는 것을 더욱 모를 말로 설명함. 〖L〗

IGO Intergovernmental Organization.

Ig·o·rot, -or·rot [ì:gəróut] *n.* (*pl.* **~, ~s**) (필리핀 군도 Luzon 섬 북부에 사는) 이고로트족 ; Ⓤ 이고로트어.

IGT Institute of Gas Technology (가스 기술 협회) ; 〖電子〗 insulated gate transistor.

IGU International Geographical Union (국제 지리학 연합).

igua·na [igwɑ́:nə] *n.* 〖動〗 이구아나《열대 아메리카산의 큰 도마뱀》. 〖Sp.<Carib〗

Iguan·odon [igwɑ́:nədɑ̀n] *n.* 〖古生〗 금룡(禽龍) 《백악기 공룡의 일종》.
〖*mastodon* 따위의 유추로서 *iguana*에서〗

IGY, I.G.Y. International Geophysical Year.

IHF Institute of High Fidelity (하이파이 기기 제조업자 단체). **ihp, i.h.p., i.hp., IHP** indicated horsepower. **ihp-hr** indicated horsepower hour. **IHS, I.H.S.** Jesus《그리스어의 예수(IHΣOTΣ)의 처음의 3자 IHΣ를 로마자(字)화한 것》. **IHVE** Institution of Heating and Ventilation Engineers. **IIC** International Institute of Communications. **IIF** Institute of International fianance (국제 금융 협회). **IIR** 〖軍〗 imaging infrared (적외선 영상(방식)). **IISI** International Iron and Steel Institute (국제 철강 협회). **IISS, I.I.S.S.** 《英》 International Institute for Strategic Studies 《국제전략 연구소 ; 민간 전략 연구 기관》.

ike [áik] *n.* 《俗》 = ICONOSCOPE.

Ike *n.* **1** 남자 이름《Isaac의 애칭》. **2** 《俗》 유태인 《남자》.

Ikey [áiki] *n.* 남자 이름 ; 《俗》 유태인《남자》 ; 《英俗》 전당포.

ikon ☞ ICON.

il- [il] ☞ IN-[1,2]《1의 앞》 : *il*logical.

IL Illinois. **Il** 〖化〗 illunium. **I/L** import license (수입 허가서).

ILA International Law Association ; International Longshoremen's Association (국제 부두 노동자 협회).

Il Du·ce [il dú:tʃi, -tʃei] *n.* 일두체《이탈리아의 파시스트 당수인 Benito Mussolini의 칭호임 ; cf. FÜHRER》. 〖It. = the leader〗

ile- [íli], **il·eo-** [íliou, -iə] *comb. form* 「회장(回腸)」「회장과」의 뜻 : *ile*itis. 〖L ; ⇒ ILEUM〗

-ile[1] [il, əl, ail ; ail] *a. suf.* 「…에 관계된」「…할 수 있는」「…에 적합한」의 뜻 : serv*ile*, miss*ile*. 〖L *-ilis*〗

-ile[2] [il, əl, ail ; ail] *n. suf.* 「…등분한 하나」의 뜻. 〖*-ile* ; cf. quart*ile*〗

ilea *n.* ILEUM의 복수형.

il·e·ac [íliæ̀k], **il·e·al** [íliəl] *a.* 〖解〗 회장(回腸) (ileum)의.

il·e·i·tis [ìliáiəs] *n.* 〖醫〗 회장염(回腸炎).

il·e·um [íliəm] *n.* (*pl.* **il·ea** [íliə]) 〖解〗 회장(回腸). 〖L *ilium* ; 어형은 ↓와 혼동〗

il·e·us [íliəs] *n.* 〖醫〗 장(腸) 폐색.
〖L<Gk. (*illein* to roll)〗

ilex [áileks] *n.* 〖植〗 사철갈참나무(holm oak) ; 감탕나무속(屬)의 나무, 서양감탕나무. 〖L〗

ILGWU International Ladies' Garment Workers(') Union (국제 여성복 노동조합).

ILHA International League for Human Rights.

ILI index of linguistic insecurity.

il·i·ac [íliæ̀k] *a.* 장골(腸骨) [회장]의 : ~ passion 장폐색증(腸閉塞症). 〖L (*ilia* flanks)〗

Il·i·ad [íliəd] *n.* [the ~] 일리아드《*Homer*가 지었다고 하는 *Troy*의 공방전을 읊은 서사시》 ; 일리아드풍의 서사시 ; 장편시[소설] ; 길게 이어지는 것 : an ~ of woes 계속되는 불행.

il·io- [íliou, -iə] *comb. form* 「장골」의 뜻. 〖L〗

ilk [ílk] *a.* 《스코》 동일한, 같은(same) ; 《스코》 각각의, 제각기의.
—— *n.* 가족, 동류, 무리.
of that ilk 같은 이름[집안, 땅]의 ; 동류의.
—— *pron.* 《스코》 각기. 〖OE *ilca* some (《美》 *i*- that, the same, 《美》 *līk*- LIKE[1])〗

◇**ill** [íl] *a.* (**worse ; worst**) **1** 병든, 편찮은 《㈜ 《美》에서는 대체로 SICK[1]을 씀》 (↔*well*) : be taken ~ = fall ~ 병이 들다 / be ~ *of* [*with*] fever 열병에 걸려 있다 / be ~ in bed 병이 나서 누워 있다. ㈜ 이 뜻으로는 다음의 복합적인 표현 이외에는 항상 predicative로 쓰임 : ~ health 건강하지 못함(cf. a SICK[1] man). **2** 《美》 메스꺼운, 구역나는(=《英》 sick) : feel ~ 속이 울렁거리다. **3** [*attrib.*로 쓰여] 나쁜, 부덕한, 사악한 : ~ deeds 나쁜 행위 / ~ fame 오명, 악평 / ~ news 불길한 소식 / *I* ~ news runs apace. 《속담》 나쁜 소식이 빨리 퍼진다 / *I* ~ weeds grow apace [are sure to thrive]. 《속담》 잡초는 빨리 자란다, 「이 세상에서는 악인이 판친다」. **4** [*attrib.* 로 쓰여] (형편이) 나쁜, 불길한 : ~ fortune [luck] 불행, 불운 / It's an ~ wind that blows nobody (any) good. 《속담》 아무에게도 득이 되지 않는 바람은 불지 않는다, 「갑의 손해는 을에게는 득이 된다」. **5** [*attrib.* 로 쓰여] 심술궂은, 불친절한 ; 성마른, 괴팍한, 기분이 상한 : an ~ man to please 성미가 까다로운 사람 / ~ nature 심술 / an ~ temper [humor] 불쾌, 침울 / ☞ ILL WILL / do a person an ~ turn 남에게 앙갚음하다, 남에게 불친절한 짓을 하다. **6** [*attrib.* 로 쓰여] 서투른, 빈약한, 불충분한 : ~ success 실패. —— *n.* **1** Ⓤ

악, 사악, 죄악, 해 : do ~ 나쁜 짓을 하다. **2** [보통 *pl.*] 불행, 재난, 고난 ; 불리한 일 : social ~*s* 사회악 / the various ~*s* of life 인생의 갖가지 불행. **3** 병고, 질병 (disease).
for good or ill 좋든 나쁘든.
—— *adv.* (**worse** ; **worst**) (↔*well*) **1** 나쁘게 (badly) : behave ~ 못되게 굴다 / It ~ becomes him to speak so. 그런 말씨는 그에게 어울리지 않는다 / It would have *gone ~ with* him. 그는 혼날 뻔했다 / *I~* got, ~ spent. 《속담》 불의의 재물은 오래가지 못한다. **2** 형편이 나쁘게 ; 불친절하게, 심술궂게 : use a person ~ 남을 학대하다. **3** 불완전하게, 불충분하게, 거의 … 없이 (scarcely) : ~ equipped[provided] 장비[공급] 불충분으로 / I can ~ afford the expense. 비용을 낼 형편이 못된다.
be ill off 곤란을 받다, 살림이 쪼들리다, 형편이 나쁘다.
speak [***think***] ***ill of***. . . (남을) 나쁘게 말하다 [생각하다].
take. . . ill (…을) 나쁘게 여기다, 화내다.
〖ME=evil<ON *illr* bad<?〗

ᵒ**I'll** [ail, àil] I will[shall]의 단축형.
ill. illumination ; illustrated ; illustration.
Ill. Illinois.
íll-advísed *a.* 무분별한, 경솔한, 사려없는 (unwise). **-ad·vís·ed·ly** [-ed-] *adv.*
íll-afféct·ed *a.* 호감을 갖고 있지 않은, 복종치 않는〈*toward*〉.
íll-assórt·ed *a.* =ILL-SORTED.
íll-at-éase *a.* 불편한, 불안한 (uneasy).
il·la·tion [iléiʃən] *n.* Ⓤ 〖論〗 추리, 추론 ; 추론의 결과, 결론.
il·la·tive [ílətiv, iléitiv] *a.* 추정적인, 추론(推論)의 ; 추론을 이끌어 내는 : ~ conjunction 〖文法〗 추론 접속사《therefore 따위》. —— *n.* 추론 ; 추론을 이끌어내는 어구. **~·ly** *adv.* 추론에 의하여. 〖L〗
il·láudable [il-] *a.* 칭찬할 수 없는.
-bly *adv.*
íll-beháved *a.* 행실이 나쁜, 버릇 없는.
íll-bé·ing *n.* Ⓤ 나쁜 상태, 불행.
íll blóod *n.* =BAD BLOOD.
íll-bóding *a.* 재수 없는, 불길한.
íll-bréd *a.* 버릇 없이 자란, 행실이 나쁜.
íll bréeding *n.* 버릇[본데]없음.
íll-condítioned *a.* 성질이 못된, 심술궂은 ; 건강 상태가 좋지 않은 ; 악성의.
íll-consídered *a.* 무분별한, 부적당한, 현명하지 못한.
íll-defíned *a.* 정의가 잘못된 ; 불명확한.
íll-dispósed *a.* 성질이 고약한 ; 비협조적인, 악의를 품은〈*toward*〉.
***il·légal** [il-] *a.* 불법[위법]의 (unlawful), 비합법적인. —— *n.* 불법 입국자. **~·ly** *adv.* 불법으로.
ìl·legálity *n.* Ⓤ 위법, 불법, 비합법 ; Ⓒ 불법 행위. 〖F or L (*in*-[1], *legalis* legal)〗
il·légal·ìze [il-] *vt.* 불법[위법]화하다, 비합법화하다.
il·légible [il-] *a.* (문자 따위가) 읽기 어려운, 판독하기 어려운. **il·legibílity** *n.* 읽기[판독하기] 어려움. **-ibly** *adv.*
il·legítimacy [ìl-] *n.* Ⓤ 위법, 비합법 ; 사생(私生), 서출(庶出) ; 부조리, 불합리.
il·legítimate [ìl-] *a.* **1** 위법의. **2** 서출의 : an ~ child 사생아. **3** 부조리한 ; (말·숙어 따위) 잘못 쓰인. —— *n.* 사생아, 서출. —— [-mèit] *vt.* 위법으로 인정하다 ; 사생아로 인정하다 ; 불합리하다고 하다. **~·ly** *adv.* 위법으로, 불합리하게. 〖L *illegitimus* (*in*-[1]) ; 어미는 *legitimate*에 동화(同化)〗
il·legitimátion [ìl-] *n.* Ⓤ 위법이라고 인정함 ; 사생아로서의 인정[선고].
il·legítimatize, il·legítimize [ìl-] *vt.* =ILLEGITIMATE.
íll fáme *n.* 오명, 악평.
íll-fámed *a.* 악명 높은, 평판이 나쁜.
íll-fáted *a.* 불운한, 불행한 ; 불행을 초래하는.
íll-fávored *a.* (얼굴·사람 등이) 못생긴, 추한 (ugly) ; 불쾌한, 싫은.
íll féeling *n.* 악감정, 적의(敵意), 반감.
íll-fóund·ed *a.* 근거가 박약한, 정당한 이유(理由)가 없는.
íll-gótten *a.* 부정 수단으로 얻은, 부정한 : ~ gains 부정 이득.
íll húmor *n.* 기분이 언짢음, 찌무룩함.
íll-húmored *a.* 기분이 언짢은, 찌무룩한.
-húmored·ly *adv.* 기분이 언짢게.
il·líberal [il-] *a.* 인색한 ; 도량이 좁은 ; 교양이 없는, 저속한 ; 반자유주의적인. —— *n.* illiberal 한 사람, (특히) 반자유주의자. **il·liberálity** [il-] *n.* Ⓤ 인색 ; 옹졸 ; 저급, 저속. **~·ly** *adv.* 〖F (*in*-[1], LIBERAL)〗
il·líberal·ìsm [il-] *n.* 반자유주의.
il·lícit [il-] *a.* 불법[부정]의, 불의의, 금제의, 무면허의 : an ~ distiller 밀주 양조자 / ~ intercourse 간통, 밀통. **~·ly** *adv.* **~·ness** *n.* 〖F or L (*in*-[1], LICIT)〗
il·límit·able [il-] *a.* 무한의, 광대한, 끝없는.
il·lìmit·abílity [il-] *n.* 무한함, 광대 무변.
-ably *adv.* 무한히, 끝없이. **~·ness** *n.*
íll-infórmed *a.* 잘 모르는, 소식이 통하지 않는(↔ *well-informed*).
il·lin·i·um [ilíniəm] *n.* 〖化〗 일리늄《금속 원소 ; 기호 Il》. 〖*Ill*inois+-*ium*〗
Il·li·nois [ìlənɔ́i, 美+-nɔ́iz] *n.* 일리노이《미국 중부의 주 ; 주도 Springfield ; 略 Ill., IL》.
Il·li·nois·an [-nɔ́iən, 美+-nɔ́izən], **-noi·an** [-nɔ́iən], **-nois·i·an** [-nɔ́iziən] *a., n.* 일리노이주의 (사람).
Illinóis gréen *n.* 《美俗》 마리화나의 일종.
il·líquid [il-] *a.* (자산을 손쉽게) 현금화할 수 없는 ; 현금 부족의. **~·ly** *adv.*
il·líteracy [il-] *n.* **1** Ⓤ 무식 ; 문맹, 무학. **2** (*pl.* **-cies**) Ⓒ (무식[무학]으로 인하여) 틀리게 말하기[쓰기].
il·líterate [il-] *a.* 읽고 쓸 줄 모르는, 무식한 ; 무학의, 문맹의 ; 교양이 없는. —— *n.* 무교육자 ; 문맹자. 〖L (*in*-[1], LITERATE)〗
類義語 ⟹ IGNORANT.
íll-júdged *a.* 무분별한, 판단을 그르치는.
íll-lóok·ing *a.* 못생긴 ; 인상이 좋지 않은.
íll-mánnered *a.* 버릇없는.
類義語 ⟹ RUDE.
íll-mátched, -máted *a.* 맞지[어울리지] 않는 : an ~ couple 어울리지 않는 한쌍.
íll mém réf *n.* 《美俗》 기억의 혼돈 ; 생각해 내지 못함. 〖*ill*egal *mem*ory *ref*erence〗
íll náture *n.* 심술궂은[비뚤어진] 성격.
íll-nátured *a.* 심술궂은, 마음이 비뚤어진 (bad-tempered). **~·ly** *adv.* 심술궂게.
ᵗ**íll·ness** *n.* **1** Ⓤ (일반적으로) 병 (sickness) (↔ *health*) : He is absent because[on account] of ~. 병으로 쉬고 있다 / He has chest ~. 가슴을 앓

고 있다 / We have had a great deal of ~ here this winter. 이 지역에는 올 겨울 질병이 많았다. **2** (한 가지) 병 : a severe ~ 중병 / Measles is a children's ~. 홍역은 소아병(小兒病)이다.

il·lógic [il-] *n.* Ⓤ 불합리(성), 모순 ; Ⓒ 불합리한 사항. 〖역성(逆成)<↓〗

il·lógical [il-] *a.* 비논리적인, 불합리한. **~·ly** *adv.* 비논리적으로, 불합리하게.

il·logicálity [il-] *n.* Ⓤ 불합리, 비논리성, 모순 ; Ⓒ 불합리한 일 : a book full of *illogicalities* 모순투성이의 책.

íll-ómened *a.* 불길한, 재수없는 ; 불운한(unlucky).

íll-píece *n.* 《俗》 매력없는 동성애 상대.

íll-sórt·ed *a.* 어울리지 않는 ; 《스코》 몹시 불쾌한 : an ~ pair 걸맞지 않는 부부.

íll-spént *a.* 낭비[허비]된.

íll-stárred *a.* 액운을 타고난 ; 불운한, 불행한.

íll-súit·ed *a.* 부적당한, 어울리지 않는.

íll témper *n.* (기분이) 언짢음 ; 성급함.

íll-témpered *a.* 성마른, 화 잘내는.

íll-tímed *a.* 시기를 놓친, 때를 잘못 만난.

íll-tréat *vt.* 학대하다, 냉대하다.
~·ment *n.* Ⓤ 냉대, 학대, 혹사.

íll túrn *n.* **1** 짓궂음《행위 ; ↔*good turn*》: do a person an ~ 남에게 악의에 찬 행위를 하다. **2** (사태의) 악화.

il·lume [ilúːm] *vt.* 《詩》 =ILLUMINATE.

il·lu·mi·na·ble [ilúːmənəbəl] *a.* 비출 수 있는 ; 계발할 수 있는.

il·lu·mi·nance [ilúːmənəns] *n.* 〖光〗 =ILLUMINATION.

il·lú·mi·nant *a.* 발광성의, 비추는. —— *n.* 발광체, 발광물.

***il·lu·mi·nate** [ilúːmənèit] *vt.* **1** …에 등불을 켜다 ; 비추다, 조명하다 : The street was ~*d* by oil lamps. 길거리에는 석유등이 밝혀져 있었다. **2** …에 일루미네이션[전기 장식]을 달다. **3** (사본 따위를) 색무늬·장식 글자 따위로 꾸미다 : an ~*d* manuscript 채색[금박] 사본. **4** 계몽[계발]하다 ; …을 밝혀 설명하다, 밝히다, 해명하다 ; …에 광채를 더하다, …에 영광[명성]을 부여하다.
—— *vi.* 일루미네이션을 달다 ; 밝아지다.
——[-nət] *a.* 《古》 비추어진 ; 《古》 계몽[교화]된[되었다고 자칭하는].
——[-nət] *n.* 《古》 명지(明知)를 얻은[얻었다고 자칭하는] 사람. 〖L (*in-*², *lumen* light)〗

il·lú·mi·nàt·ed *a.* **1** 비친 ; 전기 장식을 단 ; (사본 따위) 채식(彩飾)된 : an ~ car 꽃전차. **2** 계몽[교화]된. **3** 《美俗》 취한(drunk).

il·lu·mi·na·ti [ilùːmənáːtiː] *n. pl.* (*sg.* **-to** [-tou]) **1** 예지를 자랑하는 사람들, (자칭) 철인들. **2** [I~] (18세기 프랑스의) 계몽주의자. **3** [I~] (중세 독일의) 자연신교(自然神敎)와 공화주의를 신봉하는 비밀 결사. 〖L or It. ; ↑〗

il·lú·mi·nàt·ing *a.* **1** 조명하는, 비추는. **2** 분명히 하는, 밝히는, 설명적인, 계몽적인. **~·ly** *adv.*

illúminating projéctile *n.* 〖軍〗 조명탄.

***il·lu·mi·na·tion** [ilùːmənéiʃən] *n.* **1** Ⓤ.Ⓒ 조명 ; 조명도 ; [때때로 *pl.*] 전기 장식, 일루미네이션. **2** Ⓤ 계몽 ; 해명. **3** [*pl.*] (사본의) 채식(彩飾).

il·lu·mi·na·tive [ilúːmənèitiv, -nətiv] *a.* 밝히는, 계몽적인.

il·lú·mi·nà·tor *n.* 빛을 주는 사람[물건], 조명기, 반사경, 발광체 ; 계몽자 ; 사본 채식사(彩飾師).

il·lu·mine [ilúːmən] *vt.* **1** 밝게 하다, 비추다. **2** 《비유》 계몽[계발(啓發)]하다 ; (마음 따위를) 명랑하게 하다, 유쾌하게 하다(brighten).

il·lu·mi·nom·e·ter [ilùːmənámətər] *n.* 조도계(照度計).

íll-úsage *n.* Ⓤ 학대, 혹사 ; 악용, 남용.

íll-úse [-júːz] *vt.* 학대[혹사]하다(ill-treat) ; 악용[남용]하다. ——[-júːs] *n.* Ⓤ 학대, 혹사.

***il·lu·sion** [ilúːʒən] *n.* Ⓤ.Ⓒ 환각, 환영(cf. HALLUCINATION) ; 착각 ; Ⓒ 환상, 망상 ; 그릇된 견해, 오해 : optical ~ 착시(錯視). **~·al** *a.* 환상의, 착각의. **~·ist** *n.* 미망론자, 환상가 ; 눈속임 그림 화가 ; 요술쟁이. **illúsion·àry** [; -əri] *a.* 환상의 ; 환영의, 착각의.
〖F<L (*illudo* to mock<*lus- ludo* to play)〗
類義語 ***illusion*** 어디까지나 현실[진실]답게 보이지만 사실은 존재하지 않거나 아니면 보이는 것과는 전연 별개인 것 : A mirage is an *illusion*. (신기루는 환상이다). ***delusion*** 착각이나 정신착란 때문에 현실[진실]이라고 생각하고 있는 것 : The insane man had a *delusion* that he was a king. (그 정신 이상자는 자기가 왕이라고 착각하고 있었다).

illúsion·ism *n.* Ⓤ 환상설, 미망설(迷妄說) 《실재 세계는 하나의 환영이라는 설》.

il·lu·sive [ilúːsiv] *a.* 착각을 일으키게 하는 ; 사람 눈을 속이는, 환각적인 ; 가공(架空)의. **~·ly** *adv.* 착각하여 ; 환영적으로.

il·lu·so·ry [ilúːsəri] *a.* 사람을 현혹하는 ; 착각에 의한 ; 환각적인 ; 가공의. **-ri·ly** *adv.* 혼미하게.

illust. illustrated ; illustration ; illustrator.

il·lus·trate** [íləstrèit, 美+ilʌ́streit] *vt.* **1** [+目 / +前+名 / +*wh.* 節] 설명하다, 예증하다 : This may be ~*d* by the study of history. 이 사실은 역사의 연구에 의해서 증명될 수 있을 것이다 / He ~*d* the new theory ***with a lot of examples. 많은 예를 들어 새로운 학설을 설명했다 / The work of a pump ~*s how* the heart sends blood around the body. 펌프의 작용은 심장이 어떻게 해서 피를 신체에 순환시키는가를 설명해 준다. **2** [+目 / +目+*with*+名] (책 따위에) 삽화를 넣다, 도해(圖解)하다 : The author has ~*d* the book ***with*** some excellent pictures. 저자는 책에 훌륭한 삽화를 넣었다. —— *vi.* 예를 들어 설명하다, 예증[예시(例示)]하다.
〖L (*in-*², *lustro* to light up)〗

íl·lus·tràt·ed *a.* 삽화가 든, 그림이 든 : an ~ book[newspaper] 삽화가 있는 책[신문].
—— *n.* 《英》 그림[사진]이 든 잡지, 그래프.

***il·lus·tra·tion** [ìləstréiʃən] *n.* **1** 실례, 보기 ; 예증 ; (책의) 삽화, 도해, 그림 : as an ~ 예로서. **2** Ⓤ 도해함, 예를 들어 풀이함.
by way of illustration 실례로서.
in illustration of …의 예증으로서.
類義語 ⟹ INSTANCE.

il·lus·tra·tive [ilʌ́strətiv ; íləstrèitiv] *a.* 실례가 되는, 예증이 되는〈*of*〉. **~·ly** *adv.*

íl·lus·trà·tor *n.* 삽화가 ; 도해자, 설명자.

***il·lus·tri·ous** [ilʌ́striəs] *a.* 유명한, 저명한 ; 화려한. **~·ly** *adv.* **~·ness** *n.*
〖L *illustris* ; ⇨ ILLUSTRATE〗
類義語 ⟹ FAMOUS.

il·lu·vi·al [ilúːviəl] *a.* 〖地質〗 집적(集積)(물(物)[지(地)])의.

il·lu·vi·ate [ilúːvièit] *vi.* 〖地質〗 집적(集積)하다.

il·lu·vi·a·tion [ilùːviéiʃən] *n.* 〖地質〗 집적(작용).

íll wíll *n.* 악의, 악감정(↔*goodwill*) ; 적의, 혐오.
íll-wílled *a.*

íll-wísh·er *n.* 남의 불행을 바라는 사람(↔*well-*

wisher).

il·ly [íl*l*i] *adv.* 《方》 =ILL, BADLY.

ílly·wàck·er *n.* 《濠俗》 (특히 지방의 흥행지 따위를 돌아다니는) 사기꾼.

ILO, I.L.O. International Labor Organization ((유엔) 국제 노동기구). **ILP, I.L.P.** 《英》 Independent Labour Party. **ILS** 〖空〗 instrument landing system (계기(計器) 착륙 장치). **ILTF** International Lawn Tennis Federation (국제 테니스 연맹). **I.L.W.U.** International Longshoremen's and Warehousemen's Union (국제 항만 창고 노동자 조합).

I'm [aim, àim] I am의 단축형.

im- [im] ☞ IN-[1,2]《b, m, p 앞》.

IM individual medley. **I.M.** Isle of Man《Irish Sea에 있는 섬》; International Master.

‡im·age [ímidʒ] *n.* **1** 상(像), 초상, 조상(彫像), 화상(畫像), 영상(影像); 우상. **2** 아주 닮은 사람[물건]: He is the ~ *of* his father. 아버지를 닮았다. **3** 〖光〗 (거울 또는 망막 상의) 영상(映像). **4** 상징, 화신, 전형(type) 〈*of*〉. **5** 〖心〗 심상, 표상, 개념(idea). **6** 〖修〗 형상, 이미지; 비유적 표현《직유(直喩), 은유(隱喩) 따위》: speak in ~*s* 비유를 들어 말하다. **7** 〖컴퓨〗 이미지《어떤 정보가 다른 정보 매체에 그대로 기억되어 있는 것》. —— *vt.* **1** …의 상을 만들다[그리다]; 마음에 그리다, 상상하다; 생생하게 그리다, 묘사하다. **2** 반영하다(reflect). **~·able** *a.* **ím·ag·er** *n.* 〚OF<L *imagin- imago* copy; IMITATE와 같은 어원〛

ímage àdvertising *n.* 이미지 광고《상품의 특성보다는 성적 매력·재미·성공감 따위의 긍정적인 이미지를 심어주려는 광고》.

ímage-buìld·er *n.* 이미지를 형성하는 사람[것].

ímage-buìld·ing *n.* Ⓤ (광고·선전에 의한) 이미지 형성.

ímage convèrter *n.* 〖電子〗 이미지[영상] 변환관(管).

ímage dissèctor *n.* 〖電子〗 해상관(解像管) 《텔레비전 카메라용 진공관의 일종》.

ímage intènsifier *n.* 〖電子〗 이미지[영상] 증배관[증폭관].

ímage·màk·er *n.* 광고[선전]하는 사람, (상품·회사 따위의) 이미지를 만드는 사람, (특히 정치가가 거느리는) 이미지 메이커.

ímage-màk·ing *n., a.* 이미지 형성(의).

ímage órthicon *n.* 〖電子〗 텔레비전 카메라용 전자관.

ímage procèssing *n.* 〖컴퓨〗 영상 (정보) 처리.

ímage pròcessor *n.* 〖컴퓨〗 영상 처리 장치.

ímage-recognítion compùter *n.* 〖컴퓨〗 도형 인식 컴퓨터.

im·ag·ery [ímidʒəri] *n.* Ⓤ [집합적으로] 상, 조상(彫像); 심상; 〖文藝〗 비유적 표현[묘사], 형상(形像), 이미지.

ímagery rehéarsal *n.* 이미지 트레이닝 《운동 선수 등이 자기의 최고 경기[연기]를 상상하면서 최고의 컨디션을 올리려는 훈련법》.

ímage understánding *n.* 화상 이해.

imag·in·able [imǽdʒənəbəl] *a.* 상상할 수 있는, 상상이 미치는 한의. ㈜ 강조하기 위해서 최상급 형용사 또는 all, every, no 따위와 함께 씀: *every* method ~[possible]=*every* ~ method 있을 수 있는 모든 방법 / the *greatest* difficulty ~ 상상도 할 수 없는 큰 곤란. **-ably** *adv.* 상상할 수 있게, 당연히. **~·ness** *n.*

imag·i·nal [imǽdʒənl] *a.* **1** 상상의, 영상의, 심상(心象)의. **2** [, 美+iméidʒənl] 〖動〗 성충(成蟲) (imago)의; 성충 모양의.

***imag·i·nary** [imǽdʒənèri; -nəri] *a.* **1** 상상(상)의: an ~ enemy 가상의 적. **2** 〖數〗 허수(虛數)의(↔*real*). —— *n.* 〖數〗 허수(=~ **númber**).

imàg·i·nár·i·ly [; imǽdʒənəri-] *adv.* 상상으로, 공상으로.

類義語 ***imaginary*** 상상으로서만 존재하는, 따라서 현실상으로는 존재하지 않는: A dragon is an *imaginary* animal. (용은 상상의 동물이다). ***fanciful*** 공상의 산물이거나 별스럽거나 재미있는 것을 암시하는: a *fanciful* land of romance (낭만적인 공상의 나라). ***visionary*** 환상적인; 비현실적이고 실행 불가능한: The travel to the moon is not now a *visionary* dream. (달나라 여행은 이제 망상적인 꿈이 아니다). ***fantastic*** 너무 fanciful해서 믿어지지 않는: a *fantastic* thought of becoming a millionaire betting on horse races (경마에 돈을 걸어 백만장자가 되겠다는 허무맹랑한 생각).

imáginary áxis *n.* 〖數〗 허수축.

imáginary párt *n.* 〖數〗 허수(虛數) 부분.

imáginary únit *n.* 〖數〗 허수 단위.

***imag·i·na·tion** [imæ̀dʒənéiʃən] *n.* Ⓤ 상상; 상상력; 창작력, 구상력(cf. FANCY); 공상, 망상; (예술의) 이해력; Ⓤ,Ⓒ 상상의 산물, 심상; 임기응변의 지혜, 재치: a strong ~ 풍부한 상상력 / beyond all ~ 상상도 못하여 / by a stretch of (the) ~ 무리하게 상상하여.

類義語 ***imagination*** 상상(력); 새로운 심상이나 생각을 그려내거나 듣고 본 것에 새로운 의미를 부여하거나 또는 존재하지 않는 것을 새로이 만들어 내서 진실처럼 보이게 하는 능력: This task requires a good deal of *imagination*. (이 임무는 풍부한 상상력을 필요로 한다). ***fancy*** 공상(력); 현실적으로 믿기 어려운 것을 안출해 내거나 현실의 것과 같은 것을 비현실적인 방법으로 생각해 내는 능력: a product of a child's *fancy* (한 어린아이의 공상의 소산). ***fantasy*** 현실과는 아무 관계가 없는 자유스럽고도 별스러운 fancy. ***daydream*** 장래의 일이거나 있을[생길] 수도 없는 것에 관해서 막연하게 (즐거이) 꾸는 백일몽.

imag·i·na·tive [imǽdʒənətiv, 美+-nèitiv] *a.* **1** 상상(상)의, 상상적인. **2** 상상력[창작력, 구상력]이 풍부한, 상상을 좋아하는. **~·ly** *adv.*

‡imag·ine [imǽdʒən] *vt.* **1** [+目/+*that* 節/+*wh.* 節/+目+補/+目+*as* 補/+目+*to* do/+目+do*ing*/+do*ing*] 상상하다(conceive): No one can ~ modern life without television. 텔레비전이 없는 현대 생활을 아무도 상상할 수 없다 / *I* ~ *that* you are Gulliver! 네가 걸리버라고 상상해봐 / Just ~ *how* angry I was! 얼마나 화가 났었겠나 생각좀 해 봐! / The boy liked to ~ himself an air pilot. 그 소년은 자신이 조종사라고 공상하기를 좋아했다 / I always ~*d* him *as* a soldier. 언제나 그를 군인이라고 상상하고 있었다 / *I* ~ yourself *to be* in his place. 네가 그의 입장에 있다고 상상해 보아라 / Can you ~ them [their] becom*ing* more friendly with each other? 그들이 서로 더 다정해 질 수 있다고 상상해 볼 수 있느냐 / Mary could not ~ marry*ing* John. 메리는 존과 결혼하는 것을 상상할 수도 없었다. **2** [+*that* 節/+*wh.* 節] 생각하다(suppose), 추측[짐작]하다(guess): I~ I have met you before. 전에 만나 뵌 일이 있는 것 같습니다 / I can't ~ *how* you dare to tell me such things.

감히 자네가 나에게 그런 것을 말할 줄은 전혀 생각도 못했네.

〈회화〉
Can you *imagine* a life without cars? — I can hardly *imagine* it. 「자동차 없는 생활을 상상할 수 있나요」 「아무래도 상상하기 어려워요」

── *vi.* 상상하다 ; 상상력을 발휘하다 : Just ~ ! 생각 좀 해보게 !
〖OF<L ; ⇨ IMAGE〗

ímaging ràdar *n.* 〖軍〗 영상 레이더《목표를 스코프상의 점이 아니라 형태로 포착하는》.

im·ag·ism [ímidʒìzəm] *n.* Ⓤ [때때로 I~] 〖文藝〗 사상(寫像) 주의《낭만주의에 대항해서 1912년경에 일어난 시의 풍조 ; 심상의 명확성을 중요 강령으로 함》. **-ist** *n., a.* 사상주의자(의). 〖IMAGE〗

ima·go [iméigou] *n.* (*pl.* **~es, ~s, imag·i·nes** [imǽdʒəni:z ; iméidʒi-]) 〖動〗 (나비·나방 따위의) 성충. 〖NL ; ⇨ IMAGE〗

imam [imá:m], **imaum** [, imɔ́:m] *n.* [흔히 I~] 이슬람교국의 종교적 원수의 칭호 ; (이슬람교 사원의) 사식승(司式僧), 도사(導師).
〖Arab.=leader〗

I. Mar. E. 《英》 Institute of Marine Engineers.

im·bálance *n.* Ⓤ 불균형, 불안정. 주 unbalance 보다 학술적인 말.

im·bálanced *a.* 불균형한, (특히 종교적·인종적으로) 인구비율의 불균형이 현저한.

im·bálm *vt.* =EMBALM.

im·be·cile [ímbəsəl, -sàil ; -sì:l] *a.* 저능한, 우둔한, 바보의(stupid). ── *n.* 저능자, 바보 ; 〖心〗 치우(痴愚)《idiot와 moron의 중간 지능 정도 ; IQ 25-50》. **~·ly** *adv.* **ìm·be·cíl·ic** [-síl-] *a.*
〖F<L=without supporting staff, feeble (*in-*¹, *baculum* stick)〗
類義語 ⟹ FOOL.

im·be·cil·i·ty [ìmbəsíləti] *n.* Ⓤ 저능, 우둔 ; Ⓒ 어리석은 행실[말 따위].

im·béd *vt.* =EMBED.

im·bibe [imbáib] *vt.* (양분 따위를) 흡수하다, 섭취하다 ; (술 따위를) 마시다 ; (사상 따위를) 흡수하다, 동화(同化)하다. ── *vi.* 술을 마시다, 수분[기체, 빛, 열 따위]을 흡수하다.
〖L *in-*²(*bibo* to drink)〗

im·bi·bi·tion [ìmbəbíʃən] *n.* Ⓤ 흡입, 흡수 ; 동화. **~·al** *a.*

im·bítter *vt.* =EMBITTER.

im·bód·i·ment *n.* =EMBODIMENT.

im·bódy *vt.* =EMBODY.

im·bósom *vt.* =EMBOSOM.

im·bri·cate [ímbrikət] *a.* 〖動·植〗 (잎·비늘 따위가) 겹쳐져 있는, (기왓장처럼) 포개어진 (overlapping) ; 겹쳐진 비늘 모양의.
── [ímbrəkèit] *vt., vi.* 기왓장처럼 겹쳐놓다[겹쳐지다], 비늘모양으로 겹쳐서 배열하다.

ìm·bri·cá·tion *n.* 비늘 모양(의 무늬), 덮인 기왓장처럼 겹친 모양(의 구조).

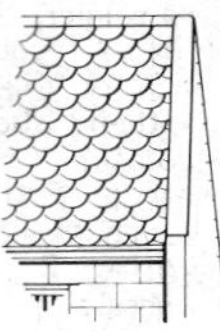
imbrication

im·bro·glio [imbróuljou] *n.* (*pl.* **~s**) (연극의) 복잡한 줄거리 ; (사건의) 뒤얽힘, (정치적) 분규, 뒤죽박죽 ; (인간·국가 간의) 복잡한 오해. 〖It. (*in-*², BROIL¹) ; *embroil*과 혼동〗

im·brue [imbrú:], **em-** [em-] *vt.* [+目/+目+前+名] (손·칼을) 더럽히다, 물들이다, 적시다 : ~ one's sword ***with***[***in***] blood 칼을 피로 물들이다.
〖OF=to bedabble (*in-*², Gmc. BROTH)〗

im·brúte [im-], **em-** [em-] *vt., vi.* 짐승같이 타락(하게) 하다. **~·ment** *n.*

im·bue [imbjú:] *vt.* [+目+*with*+名] **1** …에 스며들게 하다, 물들이다(dye)〈*with*〉. **2** …에 불어넣다, 고취하다 : ~ a mind ***with*** new ideas [patriotism] 새로운 사상[애국심]을 불어넣다.
〖F or L *imbuo* to moisten〗

im·burse [imbə́:rs] *vt.* 《稀》 모으다 ; …에게 돈을 지불하다.

IMC 〖空〗 instrument meteorological conditions (계기 비행 기상 상태). **IMCO** Inter-Governmental Maritime Consultative Organization 《IMO의 옛 이름》. **imdtly** immediately.

I. Mech. E. 《英》 Institution of Mechanical Engineers (기계(機械) 학회).

IMF, I.M.F. International Monetary Fund(국제 통화 기금).

im·ide [ímaid] *n.* 〖化〗 이미드, 이미노, 2급(級)아민. **im·id·ic** [imídik] *a.*

im·in- [ímən], **im·i·no-** [ímənou, -nə] *comb. form* imine의 뜻. 〖AMIN-〗

imine [ími:n, -ˊ] *n.* 〖化〗 이민.

im·i·no [ímənòu] *a.* 〖化〗 이미노….

imip·ra·mine [imíprəmì:n, ìməprǽmi:n, -mən] *n.* 〖藥〗 이미프라민《항울제》.

IMIS 〖컴퓨〗 integrated management information system(집중경영 정보시스템) ; 《美》 integrated motorist information system. **imit.** imitated ; imitation ; imitative.

im·i·ta·ble [ímətəbəl] *a.* 모방할 수 있는.
ìm·i·ta·bíl·i·ty *n.* Ⓤ 모방할 수 있음.

‡im·i·tate [ímətèit] *vt.* **1** 모방하다, 흉내내다 ; 본받다. **2** 모사[모조]하다, …을 닮게 하다 ; …을 닮다 ; 〖生〗 의태(擬態)하다 : The wood was painted to ~ stone. 그 나무는 돌과 비슷하게 색칠해져 있었다.
〖L *imitat-* *imitor* ; ⇨ IMAGE〗
類義語 ***imitate*** 어떤 것을 원본 또는 모델로 하여 모방하다 ; 반드시 원래의 것과 정확하게 일치하지 않아도 됨 : I *imitated* the handwriting of our teacher. (나는 선생님의 필적을 모방했다). ***copy*** 원래의 것을 될 수 있는 대로 정확하게 모방하다[재생하다] : *copy* a picture[page of a book] (사진[책장]을 복사하다). ***mimic*** 가끔 융통성이 없어[바보여서] 꼭 그대로 모방을 하다 : He *mimicked* my speech. (나의 연설을 흉내냈다). ***mock*** 상대를 무시하거나 화를 내게 하기 위하여 흉내내다 : The boys *mocked* the steps of the lame boy. (아이들은 그 다리 저는 소년의 걸음걸이를 흉내냈다). ***ape*** 남을 조롱하려고 또는 하찮은 경쟁심 때문에 흉내내다 : She *aped* the fashions of the French ladies. (그녀는 프랑스 여성들의 유행을 흉내냈다).

ím·i·tàt·ed *a.* 흉내낸 ; 모조의, 가짜의.

***im·i·ta·tion** [ìmətéiʃən] *n.* **1** Ⓤ 모방, 흉내 ; 모조. **2** Ⓒ 모조품, 유사품 ; 위조품, 가짜. **3** (생물의) 모방(행동) ; 〖樂〗 모방 (작법). **4** [형용사적으로] 모조…, 인조…, 가짜… : ~ leather [pearls] 인조 가죽[진주].
give an imitation of …의 흉내를 내다.
in imitation of …을 흉내내어.

imitátion chèese *n.* 모조 치즈.

imitátion mìlk *n.* 대용 우유.

ím·i·tà·tive [; -tətiv] *a.* 모방의, 모방적인, (…

을) 흉내낸〈*of*〉; 모조의 : ~ arts 모방 예술《회화·조각》/ ~ music 의성 음악 / ~ words 의성어. **~·ly** *adv.* 모방하여, 흉내내어. **~·ness** *n.*

ím·i·tà·tor *n.* 모방[모조, 위조]자.

IMM International Monetary Market《국제 통화 시장 ; 미국 시카고에 있는 시카고 상품 거래소의 한 부문》. **I.M.M.**《英》Institution of Mining and Metallurgy.

im·mac·u·la·cy [imǽkjələsi] *n.* 깨끗함, 무구(無垢), 결백, 순결 ; 흠없음.

im·mac·u·late [imǽkjələt] *a.* **1** 더럽지 않은, 티 없는(spotless), 흠없는 : an ~ white shirt 새하얀 셔츠. **2** 결점[오점]이 없는, 완전한 ; 청정한, 순결한, 결백한. **~·ly** *adv.*
〚L (*in*-¹, *macula* spot)〛

Immáculate Concéption *n.*〔카톨릭〕(성모 마리아의) 원죄 없는 잉태.

im·ma·nence [ímənəns] *n.* Ⓤ 내재(성), (신의) 우주에서의 내재(↔*transcendence*), 내재론.
-nen·cy *n.* =IMMANENCE.

ím·ma·nent *a.* 내재하는, 내재적인(inherent)〈*in*〉;〔神學〕우주 내재의.
〚L (*in*-², *maneo* to remain)〛

Im·man·u·el [imǽnjuəl] *n.* **1** 남자 이름. **2**〔聖〕임마누엘《구세주, 그리스도(Christ)》.
〚⇨ EMMANUEL〛

im·matérial [ìm-] *a.* **1** 실체없는, 무형의, 비물질적인 ; 정신상의, 영적인. **2** 중요하지 않은, 하찮은, 대단치 않은. 〚L〛

im·matérial·ìsm [ìm-] *n.* Ⓤ 비물질론, 비유물론, 유심론. **-ist** *n.*

im·materiálity [ìm-] *n.* Ⓤ 비물질성, 비실체성 ; 중요하지 않음.

im·matérial·ìze [ìm-] *vt.* 비물질적으로 하다, 형체를 없애다.

im·matúre [ìm-] *a.* **1** 미숙한, 유약한, 미발달의 ; 미완성의 ; an ~ understanding of life 인생에 대한 유치한 이해 / a powerful but ~ style of writing 힘차지만 미숙한 문체. **2**〔地〕(지형이) 유년기의. —— *n.* 미성숙한 사람[새]. **~·ly** *adv.*
〚L〛

im·matúrity [ìm-] *n.* Ⓤ 미숙 ; 미완성 ; 생경.

im·méasurable [im-] *a.* 잴 수 없는, 무한한, 광대한(vast). **-ably** *adv.* **~·ness** *n.*
-measurabílity *n.*

im·me·di·a·cy [imíːdiəsi] *n.* Ⓤ 직접성 ; 즉시성.

***im·me·di·ate** [imíːdiət] *a.* **1** 즉각의, 조속한, 즉시의 : ~ cash 맞돈 (지불) / ~ delivery[payment] 즉시 인도[지불] / an ~ notice 즉시 통고 / an ~ answer[reply] 즉답 / take ~ action 즉각 행동을 취하다. **2** 직접의(direct) ; 바로 이웃의, 인접한 : an ~ cause 직접 원인 / an ~ neighbor 바로 이웃 사람. **~·ness** *n.* Ⓤ 직접 ; 직접적인 접촉 ; 돌연.
〚OF or L (*in*-¹, MEDIATE)〛

immédiate annúity *n.* 즉시 연금.

immédiate constítuent *n.*〔文法〕직접 구성 요소《이를테면 See him come. 에서는 먼저 See와 him come이, 다음에 him come에서는 him과 come이, 각각 직접 구성 요소로 분석됨 ; 略 IC ; cf. ULTIMATE CONSTITUENT》.

‡**immédiate·ly** *adv.* 바로, 즉시(at once) ; 직접으로 : I wrote him an answer ~. 즉시 그에게 회답을 보냈다. —— *conj.* …하자마자(as soon as) : The boys did all sorts of mischief ~ my back was turned. 내가 돌아서자마자 소년들은 갖은 장난을 다 했다.

im·médicable [im-] *a.* 고칠 수 없는 ; 돌이킬 수 없는.

im·mémorable [im-] *a.* **1** 기억할 가치가 없는. **2** =IMMEMORIAL.

im·memórial [ìm-] *a.* 사람의 기억에 없는, 먼 옛날의, 태고적부터의.
from time immemorial 태고적부터.

***im·mense** [iméns] *a.* 광대한, 막대한(enormous, vast) ;《口》훌륭한. **~·ly** *adv.* 무한히, 막대하게 ;《口》매우, 굉장히. **~·ness** *n.* =IMMENSITY.
〚OF＜L *im*-¹(*mens*- *metior* to measure)= immeasurable〛
類義語 ⟹ HUGE.

im·men·si·ty [iménsəti] *n.* Ⓤ 광대함, 막대함 ; 무한한 공간 ; [*pl.*] 막대한 것.

im·merge [imə́ːrdʒ] *vi.* (물 따위에) 뛰어들다, 뛰어들듯 사라지다. —— *vt.*《古》=IMMERSE.

im·merse [imə́ːrs] *vt.* [+目/+目+*in*+名] **1** 잠그다, 가라앉히다, 담그다, (액체 따위에) 처넣다 ; …에 침례를 베풀다 : *I*~ the cloth ***in*** the boiling dye. 천을 끓는 물감에 담그세요. **2**《비유》**a**) 열중[몰두]시키다 : I am wholly ~*d* ***in*** this business at present. 현재 이 일에 몰두하고 있습니다. **b**) 끌어 넣다, 빠뜨리다 : He is (deeply) ~*d* ***in*** debt. 빚으로 꼼짝 못하고 있다.
immerse one***self in*...** (연구 따위)에 열중[몰두]하다.
〚L (*mers*- *mergo* to dip)〛
類義語 ⟹ DIP.

im·mérs·ible *a.*《美》(전기 기기 따위) 침수 가능한, 내수성(耐水性)의.

im·mer·sion [imə́ːrʃən, -ʒən] *n.* **1** Ⓤ **a**) 담[잠]금, 몰입. **b**)〔宗〕침례 : total ~ 전신 침례(baptism). **2** Ⓤ 열중, 몰두. **3** Ⓤ〔天〕잠입《하나의 천체가 다른 천체의 뒤나 그늘로 들어가기》.

immérsion hèater *n.* 물 끓이는 투입식 전열기《코드 끝에 방수 발열체가 있음》.

im·methódical [ìm-] *a.* 불규칙한, 질서없는, 난잡한.

***im·mi·grant** [ímigrənt] *a.* (타국에서) 이주하는, 내주하는 ; 이민자의(cf. EMIGRANT). —— *n.* **1** (타국에서의) 이주자, 이민. **2**《英》(이주 10년 미만인) 외국인 ; (흑인) 이민의 자손. **3** 이입 식물[동물].

〈회화〉
Are there many *immigrants* in your country? — No, not so many.「당신네 나라에는 이민자들이 많습니까」「그렇게 많지 않아요」

類義語 ⟹ FOREIGNER.

im·mi·grate [íməgrèit] *vi., vt.* (외국으로부터 …로) 이주하다[시키다] (cf. EMIGRATE)〈*into*〉.
〚L (*in*-²)〛

im·mi·gra·tion [ìməgréiʃən] *n.* **1** Ⓤ (입국) 이주, 이민(cf. EMIGRATION) ; Ⓒ (일정 기간내의) 이민(수). **2** [집합적으로] 이민자.

im·mi·nence [ímənəns] *n.* Ⓤ 급박, 긴박(성) ; 절박한 위험.

im·mi·nen·cy [ímənənsi] *n.* 절박, 긴급, 위급(imminence).

***ím·mi·nent** *a.* 급박한, 절박한(impending), 금방이라도 일어날 것 같은, 일촉즉발의.
~·ly *adv.* 절박하게.
〚L *immineo* to be impending ; cf. EMINENT〛
類義語 ***imminent*** 위험·죽음 따위의 불행한 일이 예고도 없이 당장이라도 일어날 듯한. ***impending*** 나쁜 일이 언제 일어날지 몰라 사

I

람을 불안하게 하는.

im·míngle [im-] *vt., vi.* 융합시키다[하다] (blend) ; 혼합하다(intermingle).

im·míscible [im-] *a.* 혼합하기 힘든, 섞이지 않는〈*with*〉.

im·mítigable [im-] *a.* 완화할 수 없는, 달래기 어려운. **-bly** *adv.*

im·mit·tance [immítəns] *n.* 〖電〗 이미턴스 《admittance와 impedance의 총칭》.

im·míx [im-] *vt.* 혼화[혼입]하다.

im·míxture [im-] *n.* 혼합, 혼화 (상태) ; 말려들기, 연루.

im·móbile [im-] *a.* 움직이기 힘드는, 고정된 ; 움직이지 않는, 정지(靜止)의.
〖OF＜L〗

im·mobílity [ìm-] *n.* Ⓤ 부동(성) ; 고정, 정지(靜止).

im·mobilizátion [im-] *n.* 고정, 고정시킴 ; 유통을 막음.

im·móbilize [im-] *vt.* 고정하다 ; 움직이지 않게 하다 ; (군대·함대를) 이동 불가능케 하다 ; (화폐의) 유통을 막다.

im·móderate [im-] *a.* 절제 없는, 중용을 잃은 ; 과도한, 지나친(extreme). **～·ly** *adv.* 과도하게, 지나치게. **～·ness** *n.* 〖L〗
類義語 ⟹ EXCESSIVE.

im·moderátion [im-] *n.* 무절제 ; 극단, 과도.

im·módest [im-] *a.* **1** 버릇없는, 무례한 ; 조심성 없는, 천한, 음란한. **2** 뻔뻔스러운, 주제넘은, 건방진. **～·ly** *adv.* 삼가지 않고 ; 거리낌 없이.
im·módesty [im-] *n.* Ⓤ 불근신, 음란한 행위 ; 거리낌 없음 ; Ⓒ 조심성 없는 짓[말].
〖F or L〗

im·mo·late [íməlèit] *vt.* 희생물로 바치다 ; 《비유》 희생시키다(sacrifice)〈*to*〉.
〖L= to sprinkle with meal〗

ìm·mo·lá·tion *n.* ⓊⒸ 제물로 바침 ; 희생, 순사(殉死).

ím·mo·là·tor *n.* 제물을 바치는 사람.

im·móral [im-] *a.* 부도덕한, 품행이 나쁜, 버릇없는, 몸가짐이 나쁜 ; (책·그림 따위가) 외설스러운(cf. NONMORAL, UNMORAL).
～·ly *adv.* 부도덕하게, 버릇없이.

im·morálity [ìm-] *n.* **1** Ⓤ 부도덕, 패덕 ; 품행이 나쁨 ; 음란, 외설. **2** Ⓒ 부도덕 행위, 추행, 난행, 풍기문란.

Immorálity Àct *n.* [the ～] 《南아》 부도덕법 《백인과 흑인의 결혼·성관계 금지》.

*__im·mórtal__ [im-] *a.* **1** 죽지 않는(undying). **2** 불후(不朽)의, 영원한 : ～ fame 불후의 명성. **3** 신의. —— *n.* 불사신 ; 불후의 명성을 가진 사람 ; [때때로 I～s] 신화의 신들 ; [the I～s] (프랑스의) 아카데미 프랑세즈 회원 ; [때때로 I～s] 고대 페르시아의 친위대. **～·ly** *adv.* 〖L〗

im·mortálity [ìm-] *n.* Ⓤ 불사, 불멸, 불후 ; 무궁 ; 불후의 명성.

im·mórtal·ìze [im-] *vt.* 불멸[불후]하게 하다 ; …에게 영원성[불후의 명성]을 주다.
-ìz·er *n.* **im·mòrtal·izátion** [im-] *n.*

im·mor·telle [ìmɔːrtél] *n.* 〖植〗 =EVERLASTING FLOWER. 〖F〗

im·mótile [im-] *a.* 움직일 수 없는 ; 자동력(自動力)이 없는.

im·móvable [im-] *a.* **1** 동요되지 않는, 움직이지 않는, 부동의. **2** 확고한, 흔들리지 않는 ; 냉정한. **3** 〖法〗 부동산의 : ～ property 부동산.
—— *n.* [보통 *pl.*] 〖法〗 부동산. **-ably** *adv.* 냉정하게 ; 확고하게. **～·ness** *n.* **im·movabílit**
[im-] *n.*

immóvable féast *n.* 고정 축제일《해에 따라 날짜가 변경되지 않는 Christmas 따위》.

immun. immunity ; immunization.

im·mune [imjúːn] *a.* (공격·병균 따위를) 면한 ; 면역성의〈*from, against, to*〉; (과세 따위가) 면제된(exempt)〈*from, to*〉: an ～ body 면역체 ; 항체. —— *n.* 면역자 ; 면제자.
〖L *immunis* exempt (*munis* ready for service)

immúne cómplex *n.* 〖醫〗 면역 복합체, 면역 콤플렉스.

immúne respònse *n.* 면역 반응.

immúne sérum *n.* 〖醫〗 면역 혈청.

immúne survéillance *n.* 〖醫〗 = IMMUNOLOGICAL SURVEILLANCE.

im·mu·ni·ty [imjúːnəti] *n.* Ⓤ (책임·의무의) 면제〈*from*〉; 면역(성), 면역질〈*from*〉; 〖美法〗 소추의 면책.

immúnity bàth *n.* 〖美法〗 면책 특권《증언을 얻기 위해 증인에게 주는 소추 면제 특권》.

im·mun·ize [ímjənàiz] *vt.* 면역이 되게 하다, 면역성을 주다〈*against*〉. **ìm·mu·ni·zá·tion** *n.*

im·mu·no- [ímjənou, imjúː-, -nə] *comb. form* 「면역」의 뜻. 〖IMMUNITY〗

ìmmuno·adsórbent [ˌimjùː-] *n.* 〖生化〗 면역 흡착제.

ìmmuno·ássay [ˌimjùː-] *n.* 〖生化〗 면역학적 검정(법), 면역 측정(법). **-assáy·able** *a.*

ìmmuno·biólogy [ˌimjùː-] *n.* 면역 생물학.

ìmmuno·chémistry [ˌimjùː-] *n.* 면역 화학.
-chémist *n.* **-chémical** *a.* **-ical·ly** *adv.*

ìmmuno·cómpetence [ˌimjùː-] *n.* 〖醫〗 면역성, 면역 능력.

immúno·cỳte *n.* 〖醫〗 면역 세포.

ìmmuno·cỳto·chémistry [ˌimjùː-] *n.* 면역 세포 화학. **-chémical** *a.* **-ical·ly** *adv.*

ìmmuno·defíciency *n.* 〖醫〗 면역 부전(免疫不全) 《면역 기구에 결함이 생긴 상태》: ～ disease 면역 부전증. **-defícient** *a.*

ìmmuno·elèctro·phorésis [ˌimjùː-] *n.* 면역 전기 영동(泳動)(법).

ìmmuno·fluoréscence [ˌimjùː-] *n.* 면역 형광(螢光) 검사(법), 면역 형광법. **-cent** *a.*

im·mu·no·gen [imjúːnədʒən] *n.* 〖醫〗 면역원.

ìmmuno·genétics [ˌimjùː-] *n.* 면역 유전학.

ìmmuno·glóbulin [ˌimjùː-] *n.* 〖生化〗 면역 글로불린《略 Ig》.

ìmmuno·hematólogy [ˌimjùː-] *n.* 면역(免疫) 혈액학.

immunológical survéillance *n.* 〖生理〗 (신체 조직의) 면역 감시(免疫監視) (기구) (immune surveillance).

im·mu·nol·o·gy [ìmjənɑ́lədʒi] *n.* Ⓤ 면역학(免疫學) 《略 immunol.》. **-gist** *n.* 면역학자.

ìmmuno·precipitátion [ˌimjùː-] *n.* 면역 침강(沈降) (반응). **immúno·precìpitate** *n., vt.*

ìmmuno·prótein [ˌimjùː-] *n.* 〖生化〗 면역(免疫) 단백질.

ìmmuno·reáction [ˌimjùː-] *n.* 면역 반응.
-reáctive *a.* 면역 반응성의. **-reactívity** *n.*

ìmmuno·regulátion [ˌimjùː-] *n.* 면역 조정.

ìmmuno·suppréssant [ˌimjùː-] *n., a.* =IMMUNOSUPPRESSIVE.

ìmmuno·suppréssion [ˌimjùː-] *n.* 면역 억제.

ìmmuno·suppréssive [ˌimjùː-] *a., n.* 거부 반응 억제의 (약) ; 면역 억제제.

ìmmuno·survéillance [ˌ, imjù:-] *n.* =IMMUNOLOGICAL SURVEILLANCE.

ìmmuno·thérapy [ˌ, imjù:-] *n.* 〖醫〗 면역요법.

im·mure [imjúər] *vt.* 감금하다, 가두다 ; 벽에 묻어 넣다.

immure one*self in* …에 틀어박히다, 죽치다.

~·ment *n.* Ⓤ 감금, 유폐 ; 죽침.

〖F or L (*murus* wall)〗

im·músical [im-] *a.* 《稀》 =UNMUSICAL.

im·mútable [im-] *a.* 변경할 수 없는, 불변의, 변치[바뀌지] 않는. **-bly** *adv.* **~·ness** *n.*

im·mutabílity [im-] *n.* 〖L〗

immy immediately. **IMO** International Maritime Organization(국제 해사(海事) 기구).

Im·o·gen [ímədʒèn ; -dʒən] *n.* **1** 여자 이름. **2** Shakespeare작 *Cymbeline*의 여주인공《정절의 귀감》. 〖? *Innogen*<OIr.=daughter, girl〗

imp[1] [ímp] *n.* 꼬마 도깨비, 작은 악마 ; 개구쟁이 ; 《古》 아이. 〖OE *impa* young shoot, graft (↓)〗

imp[2] *vt.* (매의 상한 날개에) 깃털을 덧붙이다 ; 《古》 보강[보수]하다(mend).

〖OE *impian* to graft<L *impotus* graft〗

IMP interplanetary monitoring platform(행성간 조사 위성). **IMP, imp** 〖카드놀이〗 International Match Point. **Imp, imp** 〖理〗 indeterminate mass particle(불확정 질량 입자). **Imp.** Imperial ; Imperator. **imp.** imperative ; imperfect ; imperial ; implement ; import ; imported ; importer ; impression ; imprimatur ; imprint ; improper ; improved ; improvement.

im·pact [ímpækt] *n.* Ⓤ,Ⓒ 충돌(collision) ; 충격, 쇼크 ; 효력, 영향(력)〈*on, upon, against*〉 : *on* ~ 충격으로 / the ~ of Hegel *on* modern philosophy 현대 철학에 끼친 헤겔의 영향.

—— [impǽkt] *vt.* …에 꽉 채우다, 밀착시키다〈*in, into*〉 ; …에[와] 충돌하다 ; 나쁜 영향을 주다. —— *vi.* 강한 충격[영향]을 주다, 세게 부딪치다〈*on, against*〉 ; 나쁜 영향을 주다.

〖L=pushed against ; ⇨ IMPINGE〗

ímpact àid *n.* 《美》 (국가 공무원 자녀가 다니는 학구에 지급되는) 연방정부 보조금.

ímpact àrea *n.* (폭탄이나 미사일의) 작렬 지역, 탄착(彈着) 지역.

ímpact cràter *n.* 충돌 화구(火口) 《운석이나 화산 분출물의 낙하로 생긴 구멍》.

impáct·ed *a.* 꽉[빽빽하게] 찬, 빈틈이 없는 ; 〖齒〗 (새 이가 턱뼈 속에) 매복(埋伏)한《젖니 때문에》 ; 《美》 인구 조밀한 ; 《美》 (인구 급증으로 공공 투자 따위의) 재정 부담에 시달리는《지역》.

impácted àrea *n.* 인구 급증 지구.

impácted schóol dìstrict *n.* 《美》 과밀 학구.

ímpact·ful *a.* 강렬한 인상을 주는.

im·pac·tion [impǽkʃən] *n.* Ⓤ 꽉 채움, 밀착시킴 ; 〖醫〗 (신체 일부의) 매복(증).

im·pác·tive *a.* **1** 충격에 의한. **2** 충격적인, 인상에 남는, 강렬한.

ímpact lòan *n.* 〖經〗 임팩트 론《용도의 제약이 없는 외화 차관》.

im·pác·tor, -pác·ter *n.* 충격 장치.

ímpact prìnter *n.* 충격 인쇄기, 임팩트 프린터 《기계적 타격으로 인자하는 프린터 ; cf. NONIMPACT PRINTER》.

ímpact stàtement *n.* (어떤 기획이 환경 따위에 미치는) 영향 평가.

ímpact strèngth *n.* 〖工〗 (재료의) 충격 강도.

ímpact tèst *n.* (재료 따위의) 충격 시험.

im·pair [impέər, -pǽər] *vt.* **1** (힘·질·가치 따위)를 해치다, 손상하다, 떨어뜨리다. **2** (아주) …을 상하게 하다, (건강 따위)를 해치다, 나쁘게 하다 : ~ one's health 건강을 해치다. —— *n.* 《古》 =IMPAIRMENT. **~·er** *n.* **~·ment** *n.* Ⓤ 손상, 해침 ; 감손 ; 〖醫〗 결함, 장애.

〖OF<L=to make worse (*pejor*)〗

類義語 ⟹ INJURE.

im·pala [impǽlə, -pá:lə] *n.* (*pl.* **~s**, ~) 임팔라 《아프리카산의 큰 영양》. 〖Zulu〗

im·pale [impéil] *vt.* (뾰족한 것으로) 꿰찌르다, 꿰다 ; 말뚝에 꿰찌르는 형(刑)에 처하다, 움쭉 못하게 하다(make helpless) ; 〖紋〗 방패 중앙에 수선(垂線)을 그어 (2개의 문장(紋章)을) 합문(合紋)하다. **~·ment** *n.*

〖OF or L (*palus* PALE[2])〗

im·pálpable *a.* 만져도 모르는 ; 감지할 수 없는 ; 실체없는 ; (분말이) 미세한 ; 이해하기 어려운. **-bly** *adv.* **im·palpabílity** *n.* 〖F or L〗

im·pal·u·dism [impǽljədìzəm] *n.* Ⓤ 소택병(沼澤病) ; 말라리아.

im·pánel *vt.* 〖法〗 배심(陪審) 명부에 올리다 ; (배심원을) 명부에서 선택하다. **~·ment** *n.*

im·páradise *vt.* 천당에 보내다, 최상의 행복을 누리게 하다 ; 낙원처럼 만들다.

im·párity *n.* Ⓤ 부동(不同) ; 불균형, 차이.

im·párk *vt.* (동물을) 원내(園內)에 가두다 ; (산림을) 둘러싸서 사냥터로 만들다.

***im·part** [impá:rt] *vt.* [+目+前+名] **1** 나누어 주다, 덧붙이다(bestow, give) : Your presence will ~ an air of elegance *to* the party. 당신이 참석하여 주신다면 파티의 분위기는 한결 우아해질 것입니다. **2** (지식·비밀 따위를) 전하다, 알리다(tell) : I have no secret to ~ *to* you. 너에게 알려줄만한 비밀이 아무것도 없다.

~·able *a.* **ìm·par·tá·tion, ~·ment** *n.* Ⓤ 나누어 줌, 분급 ; 전달. **~·er** *n.* 분급자(分給者) ; (지식 따위의) 전달자. 〖OF<L (*in*-[2], PART)〗

***im·pártial** *a.* 치우치지 않은, 공평한, 공명정대한 (just, fair). **~·ly** *adv.* 공평하게.

類義語 ⟹ FAIR[1].

im·partiálity *n.* Ⓤ 불편 부당, 공평 무사, 공명 정대.

im·pártible *a.* (부동산 따위) 분할할 수 없는, 불가분의(indivisible).

im·páss·able *a.* 통행할 수 없는, 지나갈[통과할] 수 없는. **-bly** *adv.* 지나갈[통행할] 수 없게.

im·pàss·abílity *n.* **~·ness** *n.*

im·passe [ímpæs, -ˊ ; impá:s] *n.* 막다른 골목 (blind alley) ; 난국, 곤경, 지내기 어려움.

im·pássible *a.* 고통을 느끼지 않는 ; 무감각[무신경]의 ; 둔감한 ; 감정이 없는.

im·pás·si·bly *adv.* **~·ness** *n.* **im·passibílity** *n.* 〖OF<L ; ⇨ PASSION〗

im·pas·sion [impǽʃən] *vt.* 감동[감격]시키다. 〖It.〗

im·pás·sioned *a.* 열정을 가진, 정열적인, 열렬한 (ardent) ; make an ~ speech 열변을 토하다.

類義語 ⟹ PASSIONATE.

im·pássive *a.* 고통을 느끼지 않는, 무감각한 ; 의식이 없는(unconscious) ; 무감동의, 열의가 없는 ; 태연한 ; 냉정한, 침착한. **~·ly** *adv.* 무감각하게 ; 태연하게. **~·ness** *n.*

ìm·passívity *n.* Ⓤ 무감각 ; 무신경, 둔감 ; 태연 ; 냉정.

im·paste [impéist] *vt.* 풀칠하다 ; 풀로 봉하다 ; 풀처럼 만들다 ; 그림 물감을 두껍게 칠하다.

im·pas·to [impɑ́:stou, -pǽs-] *n.* (*pl.* ~**s**) 그림물감을 두껍게 칠하는 화법 ; 두껍게 칠해진 그림물감. 〖It.〗

im·pátience *n.* Ⓤ [또는 an ~] [+*to* do] 성급함, 안달 ; 안타까움, 애탐, 초조 ; (고통 · 압박 따위를) 참지 못함 ; (…하고 싶어) 견디지 못함, 간절히 바람 : with ~ 안달이 나서, 조급해서, 안절부절 못하여 / ~ ***of*** restraint 속박을 못참음 / He had a keen ~ ***with*** the dull[*to* leave those people]. 우둔한 사람들에게는 견딜 수 없을 만큼 답답함을 느꼈다[빨리 그 사람들과 헤어지고 싶어 안달이 났다].

im·pa·ti·ens [impéiʃənz ; -ʃiènz] *n.* 〖植〗 봉선화속의 초본(草本). 〖NL ; ↓ 가볍게 대기만 해도 꼬투리가 터지는 데서〗

im·pátient** *a.* **1** 성마른, 안달하는 ; 참을 수 없는, 안절부절 못하는, 침착하지 못한(restless) : He is ~ ***of interruption. 방해를 받아 어쩔줄 모르고 있다 / Don't be ~ ***with*** the children. 아이들을 참을성 있게 대하라 / He was ~ ***for*** his payment. 돈을 받고 싶어 몹시 조바심했다. **2** [+*to* do] 탐이 나서 못견디는, 몹시 …하고 싶은(eager) : The children are ~ *to* go. 아이들은 빨리 가고 싶어 안달을 하고 있다 / We were ~ ***for*** the airplane *to* start. 비행기가 빨리 출발해 주었으면 하고 조바심했다. ~**·ly** *adv.* 성급[초조]하게, 마음 졸이며. ~**·ness** *n.* 〖OF<L〗

im·pávid *a.* 《古》 두려움을 모르는(fearless), 용감한. ~**·ly** *adv.*

im·páwn *vt.* 《주로 英》 담보에 넣다, 저당잡히다.

im·pay·able [impéiəbəl, æmpeɪjɑ́:bl] *a.* = PRICELESS. 〖F〗

im·peach [impí:tʃ] *vt.* [+目/+目+前+名] **1** (특히 공직에 있는 자를) 탄핵하다 ; 고소하다(accuse) ; 비난하다, 헐뜯다(charge) ; (남에게 죄를) 지우다 : They ~*ed* the judge ***for*** taking a bribe. 뇌물을 받았기 때문에 그 판사를 탄핵했다 / He has been ~*ed* ***of*** high treason[***with*** the error]. 대역죄[그 과실]로 문책받았다. **2** (남의 행동 · 성격 따위를) 문제 삼다, 의심하다.
—— *n.* 《古》=IMPEACHMENT.
~**·able** *a.* 탄핵해야 할, 고발[비난]해야 할.
~**·ment** *n.* Ⓤ,Ⓒ 비난 ; 탄핵 ; 고발 ; 이의 신청 : ~*ment* of a judge 법관의 소추.
〖OF *empecher*<L *im*-²(*pedica* fetter)=to entangle〗

im·péarl *vt.* 진주 모양으로 만들다, 진주(같은 구슬)로 장식하다.

im·peccabílity *n.* Ⓤ 죄가 없음, 과실이 없음 ; 무결점.

im·péccable *a.* 죄를 범한 적이 없는, 죄[과실]가 없는 ; 결점이 없는. **-bly** *adv.*

im·péccant *a.* 죄 없는, 결백한.

im·pe·cu·nious [impikjú:njəs, -niəs] *a.* 돈이 없는, 궁핍한(poor). ~**·ly** *adv.* ~**·ness** *n.*
ím·pecù·ni·ós·i·ty [-ɑ́s-] *n.* Ⓤ 무일푼, 가난함.
〖*in*-¹ ; ⇨ PECUNIARY〗

im·ped·ance [impí:dəns] *n.* Ⓤ 〖電〗 임피던스《교류 회로에서의 전압의 전류에 대한 비율》.

im·pede [impí:d] *vt.* 지연시키다, 방해하다, 훼방놓다. 〖L *impedio* to shackle the feet of (*ped-pes* foot)〗
類義語 ⟹ HINDER.

im·ped·i·ment [impédəmənt] *n.* **1** 방해(물), 장애〈*to*〉; 신체 장애 ; (특히) 언어 장애, 말더듬기 : an ~ *in* speech 언어 장애, 말더듬기. **2** [*pl.*]=IMPEDIMENTA. 〖L (↑)〗
類義語 ⟹ OBSTACLE.

im·ped·i·men·ta [impèdəméntə] *n. pl.* 방해물 ; 수화물(手貨物) ; 〖軍〗 행장, 보급품.
〖L (pl.)<↑〗

im·ped·i·men·tal [impèdəméntl], **-ta·ry** [-təri] *a.* 방해가 되는, 장애가 되는.

im·ped·i·tive [impédətiv] *a.* 방해가 될 만한.

im·pel** [impél] *vt.* (**-ll-**) **1** [+目+前+名/+目+副] 추진하다, 재촉하다 ; 몰아세우다 : The strong wind ~*led* their boat ***to shore. 강풍으로 그들의 배는 해안으로 밀려갔다/The prisoners were ~*led forward* by the butt ends of the soldier's muskets. 포로들은 군인들의 총 개머리판으로 쿡쿡 찔려 앞으로 밀려나갔다. **2** [+目+*to* do] 억지로 …시키다(force) : Hunger ~*led* the garrison *to* surrender. 굶주림 때문에 수비대는 항복할 수 밖에 없었다. **ìm·pél·ler, -lor** *n.* 추진시키는 사람[것] ; 〖機〗 날개바퀴, 임펠러.
〖L (*in*-², *pello* to drive)〗
類義語 ⟹ COMPEL.

im·pél·lent *a.* 추진하는(driving), 촉진하는.
—— *n.* 추진력.

im·pend [impénd] *vi.* **1** (위에) 걸려 있다, 드리워지다〈*over*〉. **2** (위험 따위) 임박하다, 절박하다.
〖L (*pendeo* to hang)〗

im·pénd·ence, -cy *n.* Ⓤ 걸려 있기 ; 절박한 상태, 급박, 위급.

impénd·ent *a.* =IMPENDING.

impénd·ing *a.* **1** 절박한, 박두한(imminent). **2** (바위 · 절벽 따위) 튀어나온, (위에서) 돌출한 (overhanging).
類義語 ⟹ IMMINENT.

im·penetrabílity *n.* Ⓤ 뚫고 들어갈 수 없음 ; 〖理〗 불가입성(不可入性) ; 불가해(不可解) ; 무감각, 완고.

im·pénetrable *a.* **1** 꿰뚫을 수 없는 ; 내다볼 수 없는 : ~ darkness 깜깜절벽. **2** (신비 따위) 헤아릴 수 없는, 불가해한(obscure). **3** 무감각한, 둔감한 ; (사상 따위에 대하여) 받아들이지 않는, 완고한 〈*to, by*〉. **4** 〖理〗 불가입성의. **-bly** *adv.* 꿰뚫을 수 없을 만큼 ; 헤아릴 수 없을 만큼 ; 무감각하게. ~**·ness** *n.* 〖OF<L〗

im·pénetrate *vt.* …에 뚫고 들어가다, 깊이 꿰뚫다 ; 깊이 침투하다.

im·pénitence, -cy *n.* Ⓤ 회개하지 않음, 깨우칠 기미가 안 보임, 완고.

im·pénitent *a.* 개전(改悛)의 정이 없는, 완고한. ~**·ly** *adv.* 완고하게. 〖L〗

imper., imperat. imperative.

im·per·a·ti·val [impèrətáivəl] *a.* 〖文法〗 명령법(命令法)의.

im·per·a·tive [impérətiv] *a.* **1** 피할 수 없는, 필수의, 의무적인 ; 긴급한(urgent) ; 긴요한 : It is ~ that we (should) act at once. 좋든지 싫든지 즉시 행동을 취하지 않으면 안된다 / It is utterly ~ for you to carry this message to them. 네가 꼭 이 서신을 그들에게 전달해 주지 않으면 안된다. **2** 명령적인, 단호한 ; 억지의, 강제적인. **3** 〖文法〗 명령법의(cf. MOOD² 2) : the ~ mood 명령법 / an ~ sentence 명령문. —— *n.* 명령(command) ; 의무, 과제 ; 〖文法〗 명령법 ; 명령어[형, 문]. ~**·ly** *adv.* 명령적으로, 엄숙하게.
〖L (*impero* to command) ; 문법 용어는 Gk. *prostaktikē* (*egklisis* mood)의 라틴어 역(譯)〗

im·pe·ra·tor [ìmpərɑ́:tər, -rɑ́:tɔ:r] *n.* 〖로史〗 황제, 대장군, 최고 사령관 ; (일반적으로) 최고 지배자, 원수. 〖L ; cf. EMPEROR〗

im·per·a·to·ri·al [impèrətɔ́ːriəl] *a.* IMPERATOR의[다운].

ìm·percepti·bílity *n.* Ⓤ 지각할 수 없음 ; 극히 적음, 미세(微細)함.

ìm·percéptible *a.* 감지할 수 없는, 알아차릴 수 없을 정도의 ; 미세한, 극히 적은(very slight). **-bly** *adv.* **~·ness** *n.* 〖F or L〗

ìm·percéptive *a.* 감지하지 못하는, 지각력이 없는. **~·ness** *n.*

im·per·ence [ímpərəns] *n.* 《英俗》=IMPUDENCE.

imperf. imperfect ; imperforate.

*__im·pérfect__ *a.* **1** 불완전한, 불충분한 ; 결점[결함]이 있는 ; 〖植〗 불완전한, 자웅이화의 ; 〖法〗 법적 요건이 결여된, 무효의. **2** 〖文法〗 미완료의, 반(半)과거의 : the ~ tense 미완료 시제, 반과거《영어에서는 진행형이 여기에 해당함 ; 보기 He *is* [*was, will be*] *singing.*》. —— *n.* 〖文法〗 미완료 시제.
~·ly *adv.* 불완전하게, 불충분하게. **~·ness** *n.* 〖OF<L〗

impérfect flówer *n.* 〖植〗 불완전화(花).

impérfect fúngus *n.* 〖植〗 불완전 균류(菌類)의 진균(眞菌).

ìm·perféct·ible *a.* 완성할[완성될] 수 없는.

ìm·perféction *n.* Ⓤ 불완전 ; Ⓒ 결점, 흠, 결함(fault).

ìm·perféctive *a.* 〖文法〗 (러시아어 따위의 동사가) 미완료상[형]인.
—— *n.* 미완료상[형](의 동사).

im·pérforate, -rated *a.* 절취선(切取線)이 없는 ; 구멍선이 없는《우표 따위》; 〖解·生〗 있어야 할 구멍이 없는, 무공(無孔)의. —— *n.* 절취선이 없는 우표. **im·perforátion** *n.* 무공, 무개구(無開口), 폐쇄.

*__im·pe·ri·al__ [impíəriəl] *a.* **1 a)** 제국(帝國)의. **b)** 영제국[제정]의 : the *I*~ Conference 대영제국 회의《영본국과 각 자치령 수상의 연락 회의, 지금은 이 명칭이 쓰이지 않음 ; cf. the PREMIERS' Conference》/ ~ preference 영 제국내 특혜관세. **2** 황제[황후]의, 황실의 : the ~ crown 제관 / ~ aspirations 황제로서의 포부 / the ~ family[household] 황실 / the *I*~ Palace 궁궐. **3** 최고의 권력을 가지는. **4** 장엄한, 당당한(majestic). **5** 거만한, 오만한. **6** (상품 따위) 우수한. **7** (도량형이) 영 본국 법정의 표준에 따르는《1971년 미터법 채용으로 폐지》.
—— *n.* **1** 나폴레옹 3세의 수염《아랫입술 밑에 난 뾰족한 수염》. **2** (양지(洋紙)의) 임피리얼 판(判)(《美》 23×31인치, 《英》 22×30인치 크기). **3** 질이 좋은 물건. **~·ly** *adv.* 제왕처럼, 위엄 있게. 〖OF<L ; ⇨ IMPERIUM〗

imperial *n.* 1

Impérial Cíty *n.* [the ~] 제도(帝都)《로마 시(市)의 별칭》.

impérial éagle *n.* 〖鳥〗 흰죽지독수리.

impérial gállon *n.* 영국 갤런(4.546*l*).

impérial·ìsm *n.* Ⓤ 제정 ; 제국주의 ; 영토 확장주의 ; 대영 제국주의.

im·périal·ist *n., a.* 황제 지지자(의) ; 제정[제국]주의자(의) ; 대영 제국주의자(의) ; =IMPERIALISTIC.

im·pè·ri·al·ís·tic *a.* 제정의 ; 제국주의의[적인]. **-ti·cal·ly** *adv.*

impérial·ìze *vt.* 제국의 지배하에 두다 ; 제정화하다 ; 제국주의화하다 ; …에게 위엄을 주다.

impérial présidency *n.* 《美》 제왕적인 대통령제《헌법의 규정을 넘어 강대해진 미대통령의 직[지위]》. **impérial présìdent** *n.*

Impérial Válley *n.* 미국 California 주 남동부의 농경 지방.

im·péril *vt.* (생명·재산 따위를) 위태롭게 하다, 위험하게 하다. 〖*in*-²〗

im·pe·ri·ous [impíəriəs] *a.* **1** 거만한, 건방진 ; 전제적인 : an ~ manner 오만한 태도. **2** 긴급한(urgent), 중대한. **~·ly** *adv.* 전제적으로, 거만하게. **~·ness** *n.* 〖L ; ⇨ IMPERIUM〗

im·pèrish·abílity *n.* Ⓤ 불멸, 불멸성, 불후성.

im·pérish·able *a.* 불멸의, 불사의, 불후의. **-ably** *adv.* 멸하지 않고, 영구히.

im·pe·ri·um [impíəriəm] *n.* (*pl.* **-ria** [-riə], **~s**) 지상권, 절대권, 주권. 〖L=command, dominion ; ⇨ EMPIRE〗

impérium in im·pé·rio [-impíəriòu] *n.* 국가내의 국가, 권력내의 권력. 〖L〗

im·pérmanent *a.* 영속하지 않는, 덧없는, 일시적인(temporal). **~·ly** *adv.*

im·pérmeable *a.* 스며들지 않는, 불침투성의 ⟨*to*⟩. 〖F or L〗

im·pérmeator *n.* (실린더의) 급유기.

ìm·permíssible *a.* 용납할 수 없는.

impers. impersonal.

im·per·scrip·ti·ble [ìmpərskríptəbəl] *a.* 전거(典據)가 없는.

im·pérsonal *a.* **1** 인격을 갖지 않은, 비인격적인 : ~ forces 비인간적인 힘《자연력 따위》. **2** 비개인적인, 개인의 감정을 표시하지 않는 ; 비정한《태도》; 일반적인 : ~ remarks 특정한 사람을 지적하지 않는[추상적인] 비평. **3** 〖文法〗 비인칭의 : an ~ construction 비인칭 구문 / ☞ IMPERSONAL VERB. —— *n.* 〖文法〗 비인칭 동사[대명사]. **~·ly** *adv.* 비인격[비개인]적으로 ; 〖文法〗 비인칭 동사로서. 〖L〗

im·personálity *n.* Ⓤ 비인격성 ; 비개인성.

im·pérsonal·ìze *vt.* 비개인적[비인격적]으로 하다. **im·pèrsonal·izátion** *n.*

impérsonal vérb *n.* 〖文法〗 비인칭 동사《항상 3인칭 단수 ; 보기 *methinks* / It *rains*[*snows, freezes*].》.

im·per·son·ate [impə́ːrsənèit] *vt.* **1** (배우 등이) …의 역을 맡아하다, …으로 분장하다(act) ; 흉내내다 ; …의 음성을 쓰다. **2** 몸으로 나타내다, 구현하다(embody) ; 인격화하다, 의인화하다.
——[-nət, -nèit] *a.* 구현[인격화]된. 〖*in*-², L PERSONA〗

im·pèr·son·á·tion *n.* **1** Ⓤ 인격화, 의인화 ; Ⓒ (…의) 화신, 체현(體現) ⟨*of*⟩. **2** (배우의) 분장법 ; 역을 맡아하기, 흉내.

im·pér·son·à·tor *n.* 분장자 ; (어떤) 역을 맡은 사람 ; 성우(聲優).

im·pértinence, -cy *n.* **1** Ⓤ 부적절, 엉뚱함, 무관계. **2** Ⓤ [+*to* do] 주제넘음, 건방짐, 무례 : They had the ~ *to* say I stole the money. 무례하게도 내가 그 돈을 훔쳤다고 말했다. **3** 부적절[무례]한 행위[말].

im·pértinent *a.* **1** 부적절한, 엉뚱한, 무관한 ⟨*to*⟩. **2** 주제넘은, 건방진, 무례한(impudent) : He was ~ enough to talk back to the older people. 건방지게도 손윗 분들에게 말대꾸를 했다.

~**ly** *adv.* 〖OF or L〗

類義語 ***impertinent*** 꾸중들어 마땅할 만큼 언행이 주제넘고 건방진. ***impudent*** impertinent에 더해서 창피를 모를 정도로 낯이 두꺼운. ***insolent*** 공연히 남을 경멸[모욕]하는 언행을 하는. ***saucy*** 손윗 사람에 대하여 경의를 표함이 없이 경솔하고 건방진.

ìm·pertùrb·abílity *n.* Ⓤ 침착, 냉정(calmness), 태연 자약.

ìm·pertúrb·able *a.* 침착한, 냉정한, 동요치 않는. **-ably** *adv.* 〖L〗

im·perturbátion *n.* Ⓤ 침착, 냉정.

im·per·vi·a·ble [impə́ːrviəbəl] *a.* =IMPERVIOUS.

im·pérvious *a.* (물이나 공기가) 안 통하는, 침투하지 않는 〈*to*〉; (비평에) 영향받지 않는; (…에) 무감각한, 둔감한 〈*to*〉. ~**ly** *adv.* ~**ness** *n.* 〖L〗

im·pe·tig·i·nous [impətídʒənəs] *a.* 〖醫〗 농가진(膿痂疹)(성)의.

im·pe·ti·go [ìmpətáigou, -tíː-] *n.* (*pl.* ~**s**) 〖醫〗 농가진. 〖L *im-*(*peto* to seek)=to assail〗

im·pe·trate [ímpətrèit] *vt.* 탄원하여 얻다; 탄원하다(ask for).

im·pet·u·os·i·ty [impètʃuɑ́səti] *n.* Ⓤ 격렬, 맹렬; 열렬; 조급함; Ⓒ 성급한 언동, 충동.

im·pet·u·ous [impétʃuəs] *a.* 맹렬[격렬]한(violent); 열렬한; 성급한, 충동적인(rash): She regretted her ~ decision. 그녀는 자신의 성급한 결정을 후회했다. ~**ly** *adv.* 맹렬[성급]하게. 〖OF<L (↓)〗

類義語 ⟹ SUDDEN.

im·pe·tus [ímpətəs] *n.* **1** 운동량. **2** 기동력; 세력, 기세; 자극: give[lend] an ~ to …을 촉진하다. 〖L=assault, force; ⇨ IMPETIGO〗

impf. imperfect.

imp. gal., imp. gall. imperial gallon.

im·pi [ímpi] *n.* (*pl.* ~**es**, ~**s**) (남아프리카의 Zulu 또는 Kaffir족 전투원의) 대부대. 〖Zulu〗

im·píety *n.* **1** Ⓤ 신앙심이 없음, 불경건; 불경, 불효. **2** 신앙심이 없는[불경·사악한] 행위[말]. 〖OF or L; ⇨ IMPIOUS〗

im·pig·no·rate [impígnərèit] *vt.* 저당잡히다; 담보물로 잡히다.

im·pinge [impíndʒ] *vi.* [+*on*+名] **1** 치다, 부딪치다, 충돌하다(strike): Rays of light ~ ***on*** the eye. 광선이 눈에 닿다. **2** 범하다, 깨뜨리다, 침해하다: ~ (***up***)***on*** another's rights 타인의 권리를 침해하다. ~**·ment** *n.* 충돌, 충격; 충돌포집(捕集)《공기중의 액적(液滴) 제거법》; 침해, 침범. 〖L *im-*(*pact- pango* to fix)=to drive (thing) at〗

im·píng·er *n.* 공기중의 분진(粉塵) 표본을 채취하는 장치.

im·pi·ous [ímpiəs, impáiəs] *a.* 신앙심이 없는, 경건치 못한; 불경한; 사악한. ~**ly** *adv.* 신앙심이 없게; 불경스럽게; 비뚤어지게. 〖L (PIOUS)〗

ímp·ish *a.* 작은 악마의[같은]; 개구쟁이의, 장난꾸러기의(mischievous). ~**ly** *adv.* 〖IMP[1]〗

im·plácable *a.* 달래기 어려운, 화해하기 어려운, 집념이 강한; 무정한, 무자비한. **im·placabílity** *n.* **-bly** *adv.* ~**ness** *n.* 〖F or L〗

im·plánt *vt.* [+目+*in*+名] 끼워넣다, 심다; 주입하다, 불어넣다, 가르치다; 〖醫〗이식하다; [보통 수동태로](수정란을 자궁벽에)착상시키다: He ~*ed* these ideas ***in*** their minds. 그들의 마음에 이 사상들을 주입시켰다. —— [⌐⌐] *n.* 끼워진[심어진] 것; 〖醫〗 이식(移植) 조직; (외과에서) 임플랜트《치료를 목적으로 체내에 삽입되는 용기에 든 방사성 물질》. ~**·able** *a.* ~**·er** *n.* 〖F or L *im-*(PLANT)=to engraft〗

implántable púmp *n.* 〖醫〗 매몰식 펌프《체내에 삽입하여 인슐린 화학 요법제 따위를 주입하는 장치》.

im·plan·ta·tion [ìmplæ(ː)ntéiʃən; -plɑːn-] *n.* Ⓤ 심기, 이식(移植); 가르치기; 주입, 고취; (자궁내에서의) 착상.

im·pláusible *a.* 인정하기 어려운; 미심쩍은. **-bly** *adv.* ~**·ness** *n.* **im·plausibílity** *n.*

im·plead [implíːd] *vi., vt.* 고소하다, 기소하다; 변호하다, 항변하다.

im·ple·ment [ímpləmənt] *n.* **1** [때때로 *pl.*] 도구, 용구, 기구; [*pl.*] 가구 한 벌: agricultural [farm] ~*s* 농기구. **2** 수단(means); 앞잡이(agent). —— [-mènt] *vt.* **1** …에게 도구를 주다. **2** …의 집행에 필요한 권한을 주다. **3** (약속 따위를) 이행하다, (요구·조건·부족 따위를) 충족시키다. 〖L (*impleo* to fulfil)〗

類義語 ***implement*** 어떤 일을 하기 위하여 사용하는 도구[기구]; 일반적인 말. ***tool*** 특히 목수 등이 사용하는 자질구레한 연장. ***instrument*** 섬세한 일 또는 과학적·예술적인 목적에 사용하는 기구. ***appliance*** 손으로 조작하여 기계력·동력으로 움직이는 일상 생활용 기구.

ìm·ple·mén·tal *a.* 도구의, 도구가 되는; 도움이 되는; 실현에 기여하는.

ìm·ple·men·tá·tion *n.* Ⓤ 이행, 실행.

im·ple·tion [implíːʃən] *n.* 가득 채우기; 충만.

im·pli·cate [ímpləkèit] *vt.* **1** [+目/+目+*in*+名] 연관[연루]시키다, 연좌시키다, 말려 들게 하다, 끌어넣다(involve): be ~*d* ***in*** a crime 범죄에 관련되어 있다. **2** (의미를) 포함[함축]하다(imply). **3** 《古》 엉키게 하다, 뒤얽히게 하다.

〈회화〉
Why did he resign from his post? — He was *implicated* in a scandal. 「그는 왜 사직했습니까」「스캔들에 연루되었기 때문이죠」

—— [-plikət, -pləkèit] *n.* 포함된 것. 〖L *im-*(*plicat- plico* to fold)〗

類義語 ⟹ INVOLVE.

im·pli·ca·tion [ìmpləkéiʃən] *n.* **1** 연좌, 밀접한 관계, 연관: ~ *in* a crime 공범. **2** 포함, 함축; 내포[암시]하고 있는 것, 언외(言外)의 뜻.

by implication 암암리에, 넌지시.

im·pli·ca·tive [implíkətiv, ímpləkèitiv] *a.* 포함하는, 함축적인, 언외의 뜻을 가진; 말려들어간, 연루된. ~**ly** *adv.* ~**·ness** *n.*

im·plic·it [implísət] *a.* **1** 절대적인, 맹목적인, 무조건의: ~ obedience 맹종 / ~ faith 맹신《교리를 그대로 받아들이는》. **2** 함축적인, 은연중 내포한, 암시적인(↔*explicit*): an ~ threat 무언의 협박 / give ~ consent 은연중에 승낙하다. ~**ly** *adv.* 절대적으로; 넌지시, 암암리에. ~**·ness** *n.* 〖F or L; ⇨ IMPLICATE〗

implícit deflátor *n.* 〖經〗 암묵(暗默) 디플레이터《명목치와 실질치를 얻은 후 사후에 명목치를 실질치로 나누어 얻는 수정 인자》.

implícit fúnction *n.* 〖數〗 음함수(↔ *explicit function*).

im·plíed *a.* 함축된; 〖法〗 묵시적인, 은연중의, 언외의(↔*express*).

implíed consént *n.* 암묵의 동의, 묵낙(默諾); 〖美法〗 묵시적 동의.

im·plied·ly [impláiədli] *adv.* 암암리에, 넌지시.

implíed pówers *n. pl.* 《美》 묵시적 권한《헌법에는 규정되어 있지 않지만 국회가 행사할 수 있는》.
im·plode [implóud] *vt.* 〖音聲〗 (파열음을) 나오는 경과음 없이 발음하다, 내파(內破)시키다(↔ *explode*). —— *vi.* 내파(內破)하다 ; (진공관이) 안쪽으로 파열되다.
〖*in*-² ; *explode*에 준한 것〗
im·plo·ra·tion [ìmplɔːréiʃən, -plə-] *n.* Ⓤ,Ⓒ 간청, 탄원, 애원.
im·plór·a·tò·ry [; -təri] *a.* 간청하는, 탄원의.
im·plore** [implɔ́ːr] *vt.* [+目/+目+前+名/+目+*to* do] 간청[탄원·애원]하다 : I ~*d* his forgiveness[him ***for forgiveness]. 나는 그에게 용서를 빌었다 / She ~*d* the king *to* have mercy. 그녀는 왕에게 자비를 베풀어 달라고 간청했다.
〖F or L *im*-(*ploro* to weep)=to invoke with tears〗
類義語 ⟹ BEG.
im·plór·ing *a.* 탄원의, 애원적인 : an ~ glance 애원하는 눈초리. **~·ly** *adv.*
im·plo·sion [implóuʒən] *n.* **1** Ⓤ 〖音聲〗 (파열음의) 내파(↔*explosion*). **2** (진공관의) 내파.
im·plo·sive [implóusiv] *a.* 〖音聲〗 나오는 경과음 없이 발음되는, 내파의.
—— *n.* 내파음(↔*explosive*). **~·ly** *adv.*
im·plu·vi·um [implúːviəm] *n.* (*pl.* **-via** [-viə]) 〖古로〗 임플루비움《안뜰(atrium)의 한가운데 있는 빗물받이 수조(水槽)》. 〖L (*pluo* to rain)〗
***im·ply** [implái] *vt.* [+目/+*that* 節] 함축하다, 포함하다 ; 의미하다(mean) ; 암시하다, 넌지시 비추다(suggest) ; 《廢》 말려들게 하다 : Silence often *implies* resistance. 침묵은 때때로 반항을 의미한다 / His manner *implied that* he had fallen in love with her. 그의 태도는 그가 그녀를 사랑했음을 암시했다.
〖OF<L ; ⇨ IMPLICATE〗
類義語 ⟹ SUGGEST.
im·po [ímpou] *n.* (*pl.* **~s**) 《英口》 =IMPOT.
im·pólder, em- *vt.* 《英》 매립(埋立)하다, 메우다 ; 간척하다(reclaim).
im·pólicy *n.* Ⓤ 졸렬한 술책[계책].
ìm·políte *a.* [+前+名+*of*+名/+*to* do] 무례한, 실례의 : Take care not to be ~ ***to*** the customers. 손님들에게 실례가 되지 않도록 주의하시오 / It was ~ ***of*** you not *to* answer the question. 그 질문에 대답하지 않은 것은 너의 실례였다. **~·ly** *adv.* 무례하게. **~·ness** *n.*
類義語 ⟹ RUDE.
im·pólitic *a.* 생각이 없는, 졸렬한, 불리한, 득책이 아닌. **~·ly** *adv.* 어리석게도, 서투르게.
im·pónder·able *a.* **1** 저울질할 수 없는, 무게가 없는 ; 매우 가벼운, 미량의. **2** 평가할 수 없는.
—— *n.* 불가량물(不可量物)《열·빛 따위》.
im·pònder·abílity *n.*
im·po·nent [impóunənt, ⌐--] *n.* 부과하는 사람.
im·port** [impɔ́ːrt] *vt.* **1** [+目/+目+前+名] 수입하다(↔*export*) ; 끌어들이다 : ~*ed* goods 수입품 / Europe ~*s* coal ***from America. 유럽은 미국에서 석탄을 수입한다 / Don't ~ personal feelings ***into*** a discussion. 토론에 개인적 감정을 개입시키지 마라. **2** [+目/+*that* 節] …의 뜻을 내포하다, 의미하다(mean) : Clouds ~ rain. 구름은 비를 뜻한다 / His words ~*ed that* some change in plans should be made. 그의 말은 계획을 변경해야만 한다는 의미였다. **3** 《古》 …에 중요하다, 중대한 관계가 있다 : It ~*s* us to know …을 아는 것이 우리에게 중요하다. —— *vi.* 중요하다. —— [⌐-] *n.* **1** Ⓤ 수입(importation) ; [보통 *pl.*] 수입품[용역] ; [때때로 *pl.*] 수입(총)액. **2** Ⓤ 취지, 의미. **3** Ⓤ 중요(성) : The matter was *of* great ~. 그 일은 매우 중대했다.
impòrt·abílity *n.* 수입할 수 있음. **impórt·able** *a.* 수입할 수 있는.
〖L *im*-(*porto* to carry)=to bring in〗
類義語 ⟹ MEANING.
‡**im·pór·tance** *n.* **1** Ⓤ 중요[중대](성) ; 《廢》 중대사 ; 《廢》 의미 : be *of* ~ 중요하다(be important) / a matter *of* great ~ 중대한 일 / *of* no ~ 중요하지 않은, 하찮은. **2** Ⓤ 유력, 중요한 지위, 관록 : a person[position] of ~ 중요 인물[지위] / be conscious of[know, have a good idea of] one's own ~ 자부하다, 젠체하다. **3** Ⓤ 오만(cf. SELF-IMPORTANCE) : with an air of ~ 잘난 체하며, 거만하게.

> **importance**의 문장 전환
> The matter is *of* great *importance*.
> → The matter is very *important*.
> (그 문제는 대단히 중요하다 ; → of 8.)

類義語 ***importance*** 가치·의미·영향 따위가 중대[중요]함 ; 가장 일반적인 말 : *importance* of education (교육의 중요성). ***consequence*** importance와 같은 뜻으로도 쓰이나 원래는 효과 또는 결과가 중대[중요]함을 나타냄 : a battle of great *consequence* (중대한 결과를 초래한 전투). ***weight*** 다른 것과 비교하여 어떤 것이 상대적으로 가치·중요성이 있음 : an opinion of great *weight* (비중이 큰 의견). ***significance*** 직접 외면에 나타난다고는 할 수 없으나 어떤 특수한 의미에 있어서 중요성이 있음 : an event of political *significance* (정치적 의미를 지닌 사건).
◇**im·por·tant** [impɔ́ːrtənt] *a.* **1** 중대한, 중요한, 소중한 : The matter is ~ *to* us. 그 일은 우리에게 중요하다 / It is ~ *for* you to do that. 그렇게 하는 것이 너에게 중요하다 / It is very ~ that students should read good books. 학생이 좋은 책을 읽는 것은 매우 중요하다. ☞ 活用. **2** 거드름 피우는 : look ~ 잘난 체하다. **3** (사람·지위 따위가) 유력한, 영향력 있는, (사회적으로) 중요한, 저명한. **~·ly** *adv.* 〖OF<OIt. (L IMPORT to signify, be of consequence)〗
活用 다음과 같은 삽입구에서는 부사형 importantly가 쓰이는 수도 있으나, what is more important의 생략형이라고 생각되므로 important를 쓰는 것이 알맞음(cf. WHAT² 2) : He said it, and (*what is*) *more important*, he actually did it. (그렇게 말했다, 그리고 더 중요한 것은 실제로 그렇게 했다는 것이다).
im·por·ta·tion [ìmpɔːrtéiʃən] *n.* Ⓤ 수입 ; Ⓒ 수입품(↔*exportation*).
ímport bìll *n.* 수입환.
ímport declarátion *n.* 수입 신고.
ímport dúties *n. pl.* 수입 관세.
impórt·ed cábbageworm *n.* 배추벌레《배추흰나비의 애벌레》.
impórt·er *n.* 수입자[상], 수입업자.
ímport lícense *n.* 수입 허가(서).
ímport quóta *n.* 수입 할당[쿼터].
ímport restríction *n.* 수입 제한.
ímport súrcharge *n.* 수입 과징금.
ímport táriff *n.* 수입 관세율.
im·por·tu·nate [impɔ́ːrtʃənət] *a.* 귀찮은, 끈질

I

긴. **~·ly** *adv.* 끈질기게.
〖L *importunus* inconvenient〗

im·por·tune [ìmpɔːrtjúːn, impɔ́ːrtʃən; impɔ́ːtjuːn] *vt.* [+目/+目+前+名/+目+*to* do] …에게 끈질기게 조르다, 성가시게 부탁하다[졸라대다]: Don't ~ me ***with*** your complaints. 귀찮게 불만을 늘어놓지 마라 / He ~*d* me ***for*** a position in my office. 그는 내 사무실에 취직을 시켜달라고 귀찮게 졸라댔다 / My daughter ~*d* me *to* buy the expensive clothes. 딸이 비싼 옷을 사달라고 귀찮게 졸랐다. —— *vi.* 끈질기게 졸라대다; 부당한 방법으로 남에게 환심사다. —— *a.* 《稀》 = IMPORTUNATE. 〖F or L (↑)〗
類義語 ⟹ BEG.

im·por·tu·ni·ty [ìmpɔːrtjúːnəti] *n.* Ⓤ 끈질김; [*pl.*] 끈덕진 요구.

im·pose** [impóuz] *vt.* **1** [+目+*on*+名] **a**) 부과하다, (의무 따위를) 지우다(lay): The teacher usually ~*d* heavy tasks ***on us. 선생님은 항상 우리에게 힘든 과제를 내주었다 / The penalty of death will be ~*d on* him. 그는 사형에 처해질 것이다 / A high gift tax has been ~*d on* the diamond. 고액의 증여세가 그 다이아몬드에 부과되었다. **b**) 강요하다(force): ~ one's opinion ***upon*** others 자기 의견을 남에게 강요하다. **c**) (가짜 따위를) 억지로 떠맡기다, 속여 팔다(palm off): ~ bad wine *on* customers 손님들에게 불량품 포도주를 속여 팔다. **d**) 《古》 (…의 위에) 두다: ~ hands ***on***... 〔宗〕 …에게 안수(按手)하다. **2** 〔印〕 판을 걸다. —— *vi.* [+*on*+名] **1** 속이다; (…에) 편승하다, (특권 따위를) 남용하다; 주제넘게 말참견하다: ~ (***up***)***on*** a person's kindness 남의 친절을 기화로 삼다 / I will not be ~*d upon.* 나는 못 속일걸. **2** 《稀》 위압하다, 감탄시키다. **im·pós·er** *n.*
〖OF<L (*pono* to put)〗

im·pós·ing *a.* 인상적인, 당당한, 훌륭한.
~·ly *adv.*
類義語 ⟹ GRAND.

impósing stòne[**tàble, sùrface**] *n.* 〔印〕 판걸이대.

im·po·si·tion [ìmpəzíʃən] *n.* **1** Ⓤ 과세, 부과. **2** 부과물, 세금, 부담; 《英》 (학생에게) 벌로 과하는 과제《흔히 impo 또는 impot으로 줄임》. **3** 속이기, 사기, 협잡. **4** 남의 호의를 이용하기. **5** 놓음, 둠; 〔宗〕 안수(按手); 〔印〕 판걸기.
〖OF or L; ⇨ IMPOSE〗

im·possibílity *n.* Ⓤ 불가능(성); Ⓒ 있을 수 없는 일, 불가능한 일[것].

‡**im·póssible** *a.* **1** 불가능한: It is ~ (for him) to answer the question. (그가) 그 질문에 답하는 것은 불가능하다 / be ~ *of* achievement[attainment, execution] 성취[도달, 실행]할 수 없다. **2** 있을 수 없는, 믿기 어려운: an ~ rumor 믿기 어려운 소문 / It is ~ that he should have missed the train. 그가 기차를 놓쳤다니 당치도 않다. **3** 《口》 괴상망측한; 참기 어려운, 아주 싫은: an ~ person 아주 싫은 사람.

> **impossible의 문장 전환**
> 다음의 (1)과 (2)의 뜻과 그 문장 전환을 비교하라.
> (1) It was *impossible for* her *to* solve the problem.
> (그녀가 그 문제를 푼다는 것은 불가능했다.)
> → She *could not* solve the problem.
> (그녀는 그 문제를 풀 수 없었다.)
> (2) It is *impossible that* she solved the problem.
> (그녀가 그 문제를 풀었다는 것은 있을 수 없는 일이다.)
> → She *cannot have* solved the problem.
> (그녀가 그 문제를 풀었을 리 없다.)
>
> **impossible의 ○×**
> (×) He was *impossible* to believe her.
> (그는 그녀의 말을 믿을 수가 없었다.)
> (○) It was *impossible* for him to believe her.
> (○) He found it *impossible* to believe her.
> * 위의 잘못된 문장은 다음의 경우와 내용적인 관계를 구별하지 않으면 안된다.
> He was *impossible* to believe.
> (그의 말은 도저히 믿을 수가 없었다.)
> 이 문장에서는 주어(He)가 부정사의 동사(believe)의 의미상의 목적어가 된다. 다시 말해서 다음 문장과 같은 의미가 된다.
> It was *impossible* to believe him.

-bly *adv.* 불가능하게. **~·ness** *n.*
〖OF or L〗

impóssible árt *n.* 개념 예술(conceptual art).

im·post[1] [ímpoust] *n.* 부과금, 세금; 수입세, 관세; 〔競馬〕 부담 중량《레이스에서 핸디캡으로 말이 부담하는 중량》. —— *vt.* 《美》 (수입품)의 관세를 결정하다.
〖OF<L; ⇨ IMPOSE〗

impost[2] *n.* 〔建〕 홍예 받침대.
〖F or It.<L=placed upon (↑)〗

im·pos·tor, -ter [impɑ́stər] *n.* 사기꾼, 협잡꾼; 사칭(詐稱)하는 사람.
〖F<L; ⇨ IMPOST[1]〗

im·pos·tume [impɑ́stʃuːm], **im·pos·thume** [-θuːm] *n.* 《古》 농양(abscess); 도의(道義)의 퇴폐(의 근원).

im·pos·ture [impɑ́stʃər] *n.* ⓊⒸ **1** 사기(행위), 협잡. **2** 편취, 사칭, 야바위.

im·pot [ímpɑt] *n.* 《英口》 (학생에게) 벌로 과하는 숙제. 〖IMPOSITION〗

im·po·tence, -cy [ímpətəns(i)] *n.* Ⓤ 무력, 무능, 무기력, 허약, 노쇠; 〔醫〕 (남성의) 음경 위축, 성교 불능(증), 임포텐스.

ím·po·tent *a.* 무력한, 무기력한, 무능한, 허약한, 무익한; 〔醫〕 (남성이) 음경 위축의, 성교 불능의 (↔ *potent*). —— *n.* 허약자, 무능자, 불능자.
~·ly *adv.* 〖OF<L (*in*-[1])〗

im·pound [impáund] *vt.* **1** (소 따위를) 우리 안에 가두다; (물건을) 둘러 싸다, (사람을) 가두다; (물 따위를) 고이게 하다: ~*ed* water 저수(貯水). **2** 〔法〕 몰수[압수]하다(confiscate).
—— [⌐⌐] *n.* 관개용 저수지. 〖*in*-[2]〗

impóund·ment *n.* 가두는 일; 괴게 한 물, 인공호; 저수량.

im·pov·er·ish [impɑ́vəriʃ] *vt.* 궁핍하게 하다; (토지 따위를) 메마르게 하다, 불모로 하다; 허약하게 하다; …의 흥미를 빼앗다, 지루하게 하다 (make dull). **~·ment** *n.* 곤궁; 피폐; 저하.
〖OF; ⇨ POVERTY〗

im·póv·er·ished *a.* 가난해진; 힘을 잃은; 동식물의 종류[수]가 적은《지역》; (실험에서) 표준보다 자극이 적은, 외부 자극이 (거의) 없는; (토지 따위) 메마른, 피폐된; 허약해진, 쇠약한.
類義語 ⟹ POOR.

im·pówer *vt.* 《廢》 =EMPOWER.

im·practicabílity *n.* ⓊⒸ 실행[실시] 불가능(한 일); 다루기 힘듦, 완고.

im·prácticable *a.* **1** 실행 불가능한(cf. IMPRACTICAL). **2** 《稀》 다루기 어려운, 고집 센. **3** (도로 따위가) 통행할 수 없는. **-bly** *adv.* 실행[사용]할 수 없게 ; 다룰[실행할] 수 없을 정도로.
~·ness *n.*

im·práctical *a.* 실제적이 아닌, 실제에서 거리가 먼, 비실용적인, 실행할 수 없는. 注 《英》에서는 UNPRACTICAL이 보통 ; cf. IMPRACTICABLE.

im·practicálity *n.* Ⓤ 《美》 비실제성, 실행 불능 ; Ⓒ 실제적이 아닌[실행 불가능한] 일.

im·pre·cate [ímprikèit] *vt.* (남이 재난 따위를 당하도록) 빌다 ; 《稀》 (남을) 저주하다 : ~ a curse *upon* a person 남을 저주하다. —— *vi.* 저주하다. **-cà·tor** *n.* 저주하는 사람.
〖L (*in-*², *precor* to pray)〗

ìm·pre·cá·tion *n.* Ⓤ (재난 따위를) 빌기 ; Ⓒ 저주(curse).

im·pre·ca·to·ry [ímprikətɔ̀:ri, imprék- ; ímprikèitəri, imprékətəri] *a.* 저주하는.

ìm·precíse *a.* 부정확한, 애매한.
~·ly *adv.* **~·ness** *n.*

ìm·precísion *n.* 부정확, 애매함.

im·preg [ímpreg] *n.* 합성 수지를 먹인 합판《단단하고 오래감》.

im·prégnable¹ *a.* 난공불락의 ; (비평·논란 따위에) 흔들리지 않는, 끄떡하지 않는 ; 견고한.
im·prèg·na·bíl·i·ty *n.* 난공불락 ; 견고.
-bly *adv.* 견고하게. **~·ness** *n.*
〖OF (*in-*¹, L *prehendo* to take)〗

impregnable² *a.* 수정[수태] 가능한.
〖IMPREGNATE〗

im·preg·nant [imprégnənt] *n.* 함침제(含浸劑).

im·preg·nate [ímpregnèit, -´-] *vt.* **1** 임신[수태]시키다 ; 〖生〗 수정시키다. **2** [+目+*with*+名] **a**) 포화[충만]시키다 : The air of this room is ~*d* ***with*** dampness. 이 방에는 습기가 가득차 있다. **b**) (마음에) 스며들게 하다, 인상지우다(impress), (사상 따위를) …에 불어넣다, 주입하다 ; …에 스며들다, 침투하다 : His books ~*d* my mind ***with*** new ideas. 그의 저서는 나에게 새로운 사상을 불어넣어 주었다.
—— [imprégnət, -neit] *a.* 임신한 ; 스며든, 포화된〈*with*〉; 주입된〈*with*〉.

ìm·preg·ná·tion *n.* 임신 ; 수정 ; 주입, 침투 ; 포화 ; 고취 ; 〖鑛〗 광염(鑛染)작용.
-nà·tor *n.* 〖L ; ⇨ PREGNANT〗

im·pre·sa [impréizə] *n.* (방패 위의) 문장 ; 금언(金言). 〖It.〗

im·pre·sa·rio [ìmprəsá:riòu] *n.* (*pl.* **-ri·òs**) (가극·음악회 따위의) 흥행주, 주최자(organizer) ; (흥행 단체의) 감독 ; 지휘자. 〖It.〗

ìm·prescríptible *a.* 〖法〗 (권리 따위가) 시효로 소멸되지 않는 ; 법령으로 움직일 수 없는 ; 불가침의, 절대적인(absolute). **-bly** *adv.* 법령으로 움직일 수 없게, 어길 수 없게, 절대적으로.
〖L ; ⇨ PRESCRIBE〗

im·press**¹ [imprés] *vt.* (《古》 **im·prest** [imprést]) [+目/+目+前+名] **1** …에 인상지우다, 명심하게 하다 ; 감동시키다 : Many people were ~*ed* by the success of the adventure. 많은 사람들이 그 모험의 성공에 감동했다 / I was deeply ~*ed* ***with the sight. 그 광경에 깊은 감명을 받았다 / This accident ~*ed* ***on*** me the necessity of traffic regulations. 이 사고로 나는 교통 법규의 필요성을 통감했다. **2** (도장을) 누르다, 찍다, 새기다 : He ~*ed* the wax ***with*** a seal[~*ed* a seal ***on*** the wax]. 그는 봉랍에 봉인을 찍었다. **3** 〖電〗 …에 전압을 가하다.
be favorably[***unfavorably***] ***impressed*** 좋은[나쁜] 인상을 받다.
—— [´-] *n.* 날인, 압인 ; 각인 ; 《비유》 흔적, 특징 ; 인상, 감명. 〖OF (*em-*, PRESS¹)〗
類義語 ⟹ AFFECT¹.

im·press² [imprés] *vt.* (《古》 **im·prest** [imprést]) (특히 해군에) 강제 징집하다(press) ; 징용[징발]하다 ; 《비유》 (논의 따위에) 인용[이용]하다.
—— [´-] *n.* 강제 징집, 징용.
〖*in-*²+*press*²〗

impréss·ible *a.* 느끼기 쉬운, 감수성이 예민한(susceptible). **imprèss·ibílity** *n.* 느끼기 쉬움, 감수성, 민감. **-ibly** *adv.*

***im·pres·sion** [impréʃən] *n.* **1** Ⓤ,Ⓒ 인상, 느낌, 감명 : Those are his first ~*s* of Seoul. 그러한 것들이 그의 서울에 대한 첫 인상이다 / leave a favorable[bad] ~ *on* a person 남에게 좋은[나쁜]인상을 남기다 / make an ~ *on* …에게 인상을 주다. **2** [+*that* 節] (막연한) 생각, 느낌, 기분(notion) : He had a vague ~ *that* he had left his house unlocked. 집을 나올 때 문을 잠그지 않고 왔다는 석연치 않은 느낌이 들었다 / I am under the ~ *that* …라고 여기고 있다 / It's my ~ that she is unwilling to join our party. 나는 그녀가 우리들 파티에 참석할 것 같지 않은 생각이 든다. **3** Ⓤ 영향, 효과〈*on, upon*〉: leave no [little] ~ *on* …에 전연[거의] 영향을 주지 않다. **4** 〖印〗 쇄(刷) ; (원판 그대로의) 쇄(cf. EDITION) : the second ~ of the third edition 3판 제2쇄. **5** Ⓤ,Ⓒ 날인, 압인, 각인. **6** 자국, 흔적 ; 〖醫〗 압흔(壓痕). **7** 〖齒〗 인상(印像). **8** (유명한 사람을) 흉내내기.

〈회화〉
What was your first *impression* of him ? — I didn't like him. 「그의 첫 인상은 어땠습니까」 「좋지 않았어요」

~·al *a.* 인상의, 인상적인. **~·al·ly** *adv.*
〖OF<L ; ⇨ IMPRESS¹〗

impréssion·able *a.* 느끼기[감동하기] 쉬운, 감수성(感受性)이 예민한 ; 가소성(可塑性)이 있는 ; (종이 따위가) 인쇄 가능한.
-ably *adv.* **~·ness** *n.* **imprèssion·abílity** *n.* 감수[감동]성, 민감.

impréssion·ìsm *n.* Ⓤ 〖藝〗 인상주의《사물의 외형에 구애되지 않고 그것이 주는 인상을 그대로 표현하려고 함》.

impréssion·ist *n.* 인상주의자 ; 인상주의의 화가[조각가·작가·작곡가] ; 유명인사의 흉내를 내는 연예인. —— *a.* =IMPRESSIONISTIC.

im·près·sion·ís·tic *a.* 인상주의의 ; 인상적인.

***im·pres·sive** [imprésiv] *a.* 강한 인상[깊은 감명]을 주는, 인상[감동]적인, 볼만한.
~·ly *adv.* **~·ness** *n.*

impréss·ment *n.* Ⓤ 징병, 강제 모병 ; 징발, 징용, 수용(收用).

im·prest¹ [ímprest] *n.* (병사나 선원에게 주는) 선불금 ; (국고에서 내는) 전도금. —— *a.* 〖會計〗 선불의, 선금의.
〖*in prest* (OF *prest* advance pay) ; 일설(一說)에 *imprest* (obs.) to lend<It. *imprestare*〗

imprest² *v.* 《古》 IMPRESS¹,²의 과거·과거분사.

ímprest cásh fùnd *n.* 소액 선불 자금.

im·pri·ma·tur [ìmprimá:tər ; -méi-] *n.* (저작물의) 인쇄[출판] 허가《略 imp.》; [때때로 풍자적으로] 허가, 승인, 면허.

〚L=let it be printed〛

im·pri·mis [impráiməs] *adv.* 최초로, 우선 첫째로(in the first place). ㊟ 항목 따위를 나열할 때 그 앞에 둠.
〚L *in primis* among the first〛

im·print [ímprint] *n.* **1** 날인, 압인, 인발 ; (서적 따위의) 간기(刊記)《발행자·인쇄인 주소·성명 따위》. **2** 흔적, 자국(impress) ; 인상(impression) : the ~ of a foot 발자국(footprint) / the ~ of anxiety *on* a person's face 남의 얼굴에 나타난 근심스러운 빛.
—— [-⌐] *vt.* [+目+前+名] **1 a)** 찍다, 누르다(stamp) ; (종이 따위에) 날인하다 : ~ a postmark ***on*** a letter = ~ a letter ***with*** a postmark 편지에 소인을 찍다 / ~ a receipt *with* a seal 영수증에 날인하다. **b)** (…에) 대다, 누르다 : ~ a kiss *on* a person's forehead 누구의 이마에 키스하다. **2** (마음 따위에) 각인하다, 명심하다, 감명시키다(impress) : The scene was ~*ed* ***on*** my memory. 그 광경이 나의 기억에 새겨졌다. **3** (성격·특징 따위를) 인상지우다. **4** [흔히 *p.p.*] 〖動·心〗 각인(刻印)적 학습을 시키다〈*on, to*〉.
〚OF<L ; ⇨ IMPRESS[1]〛

imprínt·ing *n.* 〖動·心〗 각인적 학습《태어나서 바로 익히는 학습 과정으로 그후 지워지거나 잊혀지는 일이 없음》.

***im·pris·on** [imprízən] *vt.* 교도소에 넣다, 수감하다(put in prison) ; 가두어 넣다, 감금하다(shut up), 구속하다. **~·er** *n.*
〚OF (*en-*)〛

imprísоn·ment *n.* Ⓤ 〖法〗 투옥, 유치, 금고형 ; 구금, 감금 : ~ at hard labor 징역.

im·próbable *a.* 있을[일어날]것 같지 않은 ; 정말 같지 않은. **-bly** *adv.* 있을 법하지 않게, 참말 같지 않게. ㊟ 지금은 다음의 구로만 쓰임 : not *improbably* 경우에 따라서는, 어쩌면. **~·ness** *n.*

im·probabílity *n.* 있을 법하지 않은 일, 사실 같지 않음. 〚L〛

im·próbity *n.* Ⓤ,Ⓒ 정직[성실]하지 않음 ; 사악.

im·promp·tu [imprámptjuː] *adv., a.* 즉석에서[의], 준비없이[는], 즉흥으로[의] (extempore) 《예고를 받지 못했거나 예기치 못한 연설 따위에 씀》 : make an ~ speech = speak ~ 즉석 연설을 하다. —— *n.* (*pl.* **~s**) 즉석 연설[연주], 즉흥시 ; 〖樂〗 즉흥곡《따위》 (improvisation).
—— *vt., vi.* = IMPROVISE.
〚F<L *in promptu* in readiness ; ⇨ PROMPT〛

***im·próper** *a.* **1** 부적당한, 알맞지 않은 ; 타당하지 않은, 그릇된. **2** 온당하지 않은 ; 예의에 벗어난, 부도덕한, 천한, 음란한(immoral). **3** 이상한 ; 불규칙적인 ; 변칙적인.
~·ly *adv.* 부적당하게 ; 그릇되게.
〚F or L〛

類義語 ***improper*** 부적당[부적절]한, 관례[관습]상의 규준에 부합되지 않는 ; 가장 뜻이 넓은 말 : *improper* behavior in church (교회에서의 온당치 못한 행위). ***unseemly*** 어떤 특별한 경우에 부적당한, 어울리지 않는 : their *unseemly* merrymaking in the party(그 파티에 어울리지 않는 법석). ***unbecoming*** 어떤 특정한 직업·입장 따위의 사람에게 알맞지 않은 : a conduct *unbecoming* to a gentleman (신사답지 않은 행동). ***indelicate*** 예의 또는 품위가 결여되어 천하고 무례한 : an *indelicate* speech (천한 말씨). ***indecent*** 도덕 또는 예의에 아주 어긋나는 : *indecent* literature(외설 문학).

impróper fráction *n.* 〖數〗 가분수.

impróper íntegral *n.* 〖數〗 특이 적분(特異積分), 광의의 적분.

im·pro·pri·ate [impróuprièit] *vt.* (교회의 재산 따위를) 개인[속인(俗人)]의 손에 넘기다.
—— [-priət, -èit] *a.* (교회 재산이) 개인 소유로 넘어간.
〚L=to make one's own (*in-*[2], PROPER) ; cf. APPROPRIATE〛

im·prò·pri·á·tion *n.* 교회 수입[재산]을 개인의 손에 넘기기 ; 개인 보관의 교회 재산.

im·pró·pri·à·tor *n.* 교회 재산을 보관하는 개인.

ìm·propríety *n.* **1** Ⓤ 부적당, 온당치 않음 ; 잘못, 부정, 틀림 ; Ⓒ 어(구)의 오용《buy를 sell이라고 하는 따위》. **2** 무례한[어울리지 않는] 행위[말] ; 부도덕, 못된 행실. 〚F or L〛

‡im·prove [imprúːv] *vt.* **1** 개량[개선]하다, 진보[향상]시키다(make better) : ~ one's health 건강을 증진하다 / ~ one's English with constant practice 꾸준한 연습으로 영어를 향상시키다. **2** (잘) 이용하다 : ~ the occasion[opportunity] 기회를 잘 이용하다 ; 기회를 잘 잡아 설교하다. **3** (토지를 경작하여) 가치를 높이다. —— *vi.* **1** [動/+前+名] 좋아지다, 호전되다, 진보하다, 증진되다(become better) : His knowledge is *improving.* = He is *improving* ***in*** knowledge. 그의 지식은 향상되고 있다 / Try to ~ as much as possible *in* arithmetic. 할 수 있는 한 산수 실력을 키우도록 힘써라. **2** [+*on*+名] 개량되다 : This can hardly be ~*d* (***up***) ***on***. 이것은 개량의 여지가 거의 없다.
improve away 개량하여 제거하다 ; 개량하려다가 오히려 못쓰게 만들다.
improve one***self*** 향상하다〈*in*〉.
—— *n.* [다음 숙어로]
on the improve 개량[개선]되고 있는.

im·pròv·abíl·i·ty *n.* 개량[개선]할 수 있음 ; 이용할 수 있음. **im·próv·able** *a.* 개량[개선]할 수 있는. 〚ME *em-, improw*(*e*)<AF (OF *prou* profit) ; 어형(語形)은 PROVE의 영향〛

類義語 ***improve, better*** 둘 다 나쁘지 않은 것을 더욱 좋게 한다는 뜻으로 *improve*는 결핍된 것, 필요한 것을 보충하는 것, *better*는 보다 좋은[만족할 만한] 성질·상태로 하는 것을 강조함 : *improve* a process (과정을 개선하다) / You can *better* that work by being more careful. (좀더 조심하면 그 일을 더 잘 해낼 수 있다). ***ameliorate*** 나쁜, 참을 수 없는 상태를 개선하다 : *ameliorate* working conditions (작업 조건을 개선하다).

impróve·ment** *n.* **1** Ⓤ,Ⓒ 개량, 개선〈*in*〉 ; 진보, 향상〈*on*〉 ; Ⓒ 개량한 곳, 개선점 ; 개량[개선]한 것 ; (토지·건물의) 개선(사업), 개량공사, 손질 : You may hope for an ~ ***in the weather. 날씨가 좋아진다고 생각해도 좋다 / It was certainly an ~ (*up*) *on* the previous attempt. 앞서 시도한 바에 비하면 그것은 확실히 진보된 것이었다. **2** Ⓤ 이용, 활용.

im·próv·er *n.* **1** 개량[개선]하는 사람[물건]. **2** (급료 없는·저임금의) 견습 직공.

im·próvidence *n.* Ⓤ 선견지명이 없음, 생각 없음, 준비 없음 ; 낭비.

im·próvident *a.* 선견지명이 없는, 앞일을 생각하지 않는, 준비없는 ; 절약[저축]하지 않는(thriftless). **~·ly** *adv.* 〚F〛

im·prov·i·sa·tion [imprɑ̀vəzéiʃən ; ìmprəvaizéiʃən] *n.* Ⓤ 즉석에서 하기 ; Ⓒ 즉석에서 읊기, 즉흥시[곡], 즉석 연주[그림]《따위》.

im·prov·i·sa·tor [imprάvəzèitər] *n.* 즉흥 시인, 즉흥 연주가. 〖↓〗

im·prov·i·sa·to·re [imprὰvəzətɔ́ːri, 英+-rei] *n.* (*pl.* **-ri** [-ri], **~s**) =IMPROVISATOR. 〖It.〗

im·prov·i·sa·to·ri·al [imprὰvəzətɔ́ːriəl], **im·pro·vi·sa·to·ry** [imprάvəzətɔ̀ːri, ìmprəváizə-; ìmprəvaizéitəri] *a.* 즉석의, 즉흥의.

im·prov·i·sa·tri·ce [imprὰvəzətríːtʃi, 英+-tʃei] *n.* (*pl.* **-ci** [-tʃi], **~s**) 여성 즉흥시인. 〖It.〗

im·pro·vise [ímprəvàiz, 美+⌐-⌐] *vt., vi.* (시·음악 따위를) 즉석에서 짓다[연주하다] (extemporize) ; 임시 변통으로 만들다. **~d** *a.* 즉석에서 지은, 즉흥의. **-vìs·er, -vì·sor** [, 美+⌐-⌐-] *n.* 즉흥 시인, 즉석 연주자.
〖F or It.<L=unforeseen ; ⇨ PROVIDE〗

im·prúdence *n.* Ⓤ 경솔, 경망, 무분별 ; Ⓒ 경솔한 언행.

im·prúdent *a.* [+*of*+名+*to* do] 경솔한, 무분별한, 조심성 없는(indiscreet) : It's ~ *of* you *to* have said so. 그렇게 말하다니 경솔했구나.
~ly *adv.* 경솔하게(도). 〖L〗

ím·pu·dence *n.* Ⓤ [+*to* do] 뻔뻔스러움, 철면피, 건방짐 ; Ⓒ 건방진 행위[말] : None of your ~! 건방지게 굴지 말라! / George had the ~ ***to*** answer his teacher back. 조지는 건방지게도 선생님에게 말대꾸를 했다.

im·pu·dent [ímpjədənt] *a.* [+*to* do] 뻔뻔스러운, 수치를 모르는 ; 건방진 : She was ~ enough to ask me for a holiday. 뻔뻔스럽게도 그녀는 나에게 휴가를 달라고 했다 / It was ~ *of* him *to* say so. 그렇게 말하다니 그는 뻔뻔스러운 사내였다. **~ly** *adv.* 건방지게, 뻔뻔스럽게.
〖L=shameless (*pudeo* to be ashamed)〗
類義語 ⟹ IMPERTINENT.

im·pu·dic·i·ty [ìmpjudísəti] *n.* Ⓤ 파렴치, 후안무치 ; 추잡함 ; Ⓒ 추행(醜行).

im·pugn [impjúːn] *vt.* 논란[비난·공격·배격]하다 ; 이의를 제기하다 ; 반박하다. **~·able** *a.* 비난[공격·반박]의 여지가 있는. **~·ment** *n.* 비난, 공격, 반박.
〖L *im*-(*pugno* to fight)=to assail〗

im·púissance *n.* Ⓤ 무능, 무(기)력, 허약.

im·púissant *a.* 무능[무력]한 ; 무기력한, 허약한.

***im·pulse** [ímpʌls] *n.* **1** 충격, 추진력 ; 〖理〗 충격, 충격량《힘과 시간의 곱》; 〖電〗 임펄스 : give an ~ to …에 자극을 주다, …을 장려하다. **2** Ⓤ,Ⓒ [+*to* do] 충동, (기동(起動)) 자극, 일시적 감정, 우발심 : a man of ~ 충동적인 사람 / on the ~ of the moment 그때의 일시적 충동으로 / You should not be influenced more by ~ than by reason. 이성보다 충동에 더 많은 영향을 받아서는 안된다 / He felt an irresistible ~ *to* cry out at the sight. 그는 그 광경을 보고 크게 소리치고 싶은 충동을 느꼈다.
on impulse 충동에 이끌려, 충동적으로, 생각없이 : act *on* ~ 충동적으로 행동하다.
under the impulse of. . . (호기심 따위)에 끌려서.

〈회화〉
Why did you buy such a large bag?—It was an *impulse.* 「왜 그렇게 큰 가방을 샀니」「충동 구매였어」

—— *vt.* …에 충격을 주다.
〖L (⇨ IMPEL) ; cf. PULSE[1]〗

ímpulse bùying *n.* (특히 소비재의) 충동 구매.
ímpulse búyer *n.* 충동 구매자.

ímpulse chárge *n.* 충격 장약《로켓·미사일 따위를 발사기에서 이탈시키는 데 쓰는 폭약》.

ímpulse kìll *n.* 〖軍〗 (레이저에 의한 미사일의) 충격 파괴.

ímpulse pàss *n.* 〖브레이크댄싱〗 둘이 마주서서 손을 잡고 한 사람의 팔의 율동을 또 한 사람이 받는 것처럼 하여 팔·몸을 흐느적거리는 춤.

ímpulse pùrchase[**bùy**] *n.* 충동 구매한 것.

ímpulse tùrbine *n.* 〖機〗 충격 터빈.

im·pul·sion [impʌ́lʃən] *n.* Ⓤ,Ⓒ 충동, 충격, 자극, 원동력, 추진 ; 일시적 충격.

im·pul·sive [impʌ́lsiv] *a.* 충동적인, 추진적인 ; 일시적 감정에 끌린, 직정(直情)의 ; 〖理〗 충격량의. **~·ly** *adv.* 충동적으로. **~·ness** *n.*
im·pul·siv·i·ty [impʌlsívəti] *n.*
類義語 ⟹ SPONTANEOUS.

im·pu·ni·ty [impjúːnəti] *n.* Ⓤ 형[벌·해]을 받지 않음, 혐의 없음, 무사(히 넘김).
with impunity 형[벌·해]을 받지 않고, 혐의 없이, 무사히 : You cannot do this *with* ~. 이것을 하면 반드시 벌을 받는다.
〖L (*poena* penalty)〗

im·púre *a.* 더러운, 더러워진, 불결한(dirty) ; 불순한, 혼합물이 있는, 혼합된 ; 음란한, 외설의 (obscene).
~·ly *adv.* **~·ness** *n.* 〖L〗

im·púrity *n.* Ⓤ 불결, 불순 ; 음란, 외설(obscenity) ; Ⓒ 불순물, 혼합물, 협잡물(挾雜物) ; 〖理〗 불순물 ; 불순[부도덕]한 행위 : *impurities* in food 음식물 속의 불순물 / remove *impurities* 불순물을 제거하다.

im·pùt·abíl·i·ty *n.* Ⓤ (…의) 탓으로 돌릴 수 있음, 전가할 수 있음〈*to*〉.

im·pút·able *a.* (…의) 탓으로 돌릴수 있는, 전가할 수 있는 : sins ~ *to* weakness 나약한 성격 탓으로 돌릴 수 있는 죄 / No blame is ~ *to* him. 그에게는 아무런 잘못[책임]도 없다. **-ably** *adv.*

im·pu·ta·tion [ìmpjətéiʃən] *n.* Ⓤ (죄 따위를) 뒤집어 씌우기, 전가 ; Ⓒ 비난, 비방, 허물, 오명 : cast an ~ *on*[make an ~ *against*] a person's good name 남의 명성을 손상시키다.

imputátion sỳstem *n.* 〖英經〗 (과세) 귀속방식《배당 이중과세 배제 방식》.

im·pu·ta·tive [impjúːtətiv] *a.* (책임이) 지워진, 전가된, … 탓으로 돌려진. **~·ly** *adv.*

im·pute [impjúːt] *vt.* [+目+*to*+名] (죄·과실 따위를) 뒤집어 씌우다, (…의) 탓으로 돌리다 (ascribe) : He ~*d* his failure ***to*** his ill health. 그는 자기의 실패를 병 탓으로 돌렸다 / How dare you ~ the failure *to* me? 너의 실패를 어떻게 감히 나에게 뒤집어씌우니. **im·pút·er** *n.*
〖OF<L *im*-(*puto* to reckon)=to enter in the account〗
類義語 ⟹ ATTRIBUTE[1].

ìm·putréscible *a.* 썩지 않는, 분해되지 않는.

impv. imperative. **IMU** 〖宇宙〗 inertial measurement unit (관성 측정 장치).

Imu·ran [ímjuræ̀n] *n.* 〖醫〗 이무란《면역 억제약의 일종 ; 상표명》.

◇**in** [in, ən, ín]

(1) 기본 뜻 : 「…의 안에서」
(2) 전치사와 부사로 쓰이는 전치사적 부사 (prepositional adverb)다.
(3) in은 위치 또는 그 장소 내에서의 이동을, into는 그 장소로의 이동을 나타낸다. 그러나 구어에서는 into대신에 in을 쓰는 수도 많다 :

Let's go *in* the house. (집에 들어가자.) / Cut it *in* two. (그것을 둘로 잘라라.)

—— *prep.* **1** [장소·위치·방향] …의 안에[안에서, 안의], …에서(inside of, within) (cf. OUT OF) ; …을 타고 ; …쪽으로[(으)로, 에서] ; [장소의 기능을 생각하여 무관사로] …중(으로), …에 : *in* the house 집(안)에 / a bird *in* a cage 새장 안의 새 / *in* a crowd 군중 속에 / *in* the world 세계에서 / *in* Korea 한국에(서) / *in* London 런던에(서) (☞ AT ㊟(2)) / *in* a car 차를 타고서, 차로 / *in* that direction 그 쪽 (방향)으로 / The sun rises *in* the east. 해는 동쪽에서 뜬다 / in school 재학 중에 ; 교내에 / *in* class 수업중에 / *in* bed 잠자리에, 자고.

2 《주로 口》 [이동] …의 속으로(☞ INTO 1 ㊟) : fall *in* (=into) a river 강에 빠지다 / put one's hands *in* one's pockets 호주머니에 손을 넣다 / Throw it *in* the wastebasket. 그것을 휴지통(속)에 넣어라. ㊟ 다음과 같은 용법은《美口》: He went *in* the house. 집 안으로 들어갔다.

3 [육체적 상태·환경] …의 상태에[로] ; …속에서[을] : go out *in* the rain 비가 오는데 외출하다 / *in* bad[good] health 병으로[건강하여] / *in* prison 옥중에서 / *in* confusion 혼란하여 / *in* full blossom 만발하여 / *in* light 빛을 받아 / a cow *in* milk 젖이 나는 소.

4 [행위·활동] …(에 종사)하여 : *in* search of truth 진리 탐구에 / They had a good time, but I was not *in* it. 그들은 재미있게 놀았으나, 나는 끼지 않았다 / be engaged *in* read*ing* 독서 중이다 / They are busy (*in*) prepar*ing* for the examination. 그들은 시험 준비에 바쁘다.

5 [착용] …을 입고 : *in* uniform 제복을 입고 / a girl *in* blue 푸른 옷을 입은 소녀 / a man *in* spectacles [an overcoat, a red tie] 안경을 쓴[외투를 입은, 빨간 넥타이를 맨] 남자.

6 [범위·영역] …에 있어서, …안에 : *in* one's sight 시야 속에 / *in* my opinion 나의 의견[소견]으로는 / the latest thing *in* cars 최신형 자동차 / *in* one's power 세력 범위에.

7 [정신적·도덕적 상태] …하여 : *in* a rage 몹시 노하여 / *in* despair 절망하여 / *in* difficulties 곤경 속에서 / *in* tears 울면서.

8 [때] **a)** …(안)에, …하는 사이, …중 : *in* another moment 갑자기 / *in* the morning[afternoon, evening] 오전[오후, 저녁]에 / *in* January 1월에 / *in* (the) spring 봄에 / *in* 1980 1980년에 / *in* (the) future 장래에(는) / *in* one's boyhood 소년 시절[어렸을 때]에 / *in* my life[time, lifetime] 내가 살아있는 동안에 / *in* one night 하룻밤 사이에 / *In* (=While) cross*ing* the street, he met with the accident. 길을 건너다가 그는 그 사고를 당했다. ㊟ at 보다 비교적 긴 시간을 나타냄. **b)** …이 지나서[후에]는, …이내에(cf. WITHIN) : *in* a few days 2, 3일 지나서. ㊟ 《美口》에서는 때때로 within과 같은 뜻으로 쓰임. **c)** 《美》…의 동안(에) (for) : the hottest day *in* ten years 10년 중에 가장 더운 날 / I haven't seen him *in* years. 수년 동안 그를 만나지 못했다.

9 [소속·직업] …하여, …에 : *in* the army 입대하여 / *in* society 사교계에(서) / He is *in* computers. 그는 컴퓨터 관계 일을 하고 있다.

10 [관련·제한] **a)** [특정한 부분] …에 (있어서) : a wound *in* the head 머리의 상처 / wounded *in* the leg 다리에 부상당한 / blind *in* one eye 애꾸눈인 / He looked me *in* the face. 내 얼굴을 똑바로 쳐다보았다. **b)** [수량 따위] …에 있어서, …가 : a foot *in* length 길이 1 피트 / One man *in* a thousand can do it. 천 사람 중에 한 사람이 그것을 할 수 있다 / seven *in* number 수는 일곱 / vary *in* size[color] 크기[빛깔]가 다르다 / equal *in* strength 힘이 대등한. **c)** [특정한 분야] …에 있어서, …에 관하여(cf. AT *prep.* 3 b)) : strong[weak] *in* algebra 대수를 잘[잘못]하는 / rich *in* products 산물이 풍부한 / degree *in* physics 물리학 학위.

11 [능력·성격·재능] (누구)의 속에는, …에게는 : as far as *in* me lies 나의 힘이 자라는 데까지 / He had something of the hero *in* his nature[*in* him]. 그에게는 다소 호걸다운 데가 있었다(cf. ABOUT *prep.* 5).

12 [사정·조건] …이므로, (만일 …의 경우)에는 : *in* the circumstances 이러한 사정이므로 / *in* that case (만일) 그 경우에는.

13 [도구·재료·표현 양식] …로, …을 가지고, …로 만든 : paint *in* oils 유화용(用) 그림 물감으로 그리다 / work *in* bronze 청동으로 세공[제작]하다 / a statue (done) *in* bronze 청동의[으로 만든] 상(像), 동상 / speak *in* English 영어로 말하다 / write *in* pencil 연필로 쓰다(cf. WITH *prep.* 3 a)).

14 [방법·형식] …로, …을 가지고 : *in* that manner 그런 방식으로 / *in* this way 이 방법으로, 이렇게 해서 / say *in* a loud voice 큰소리로 말하다.

15 [동격 관계] …라는, 다름 아닌 : I have found a friend *in* John. 나는 존이라는 친구를 얻었다 / *In* him you have a good leader. 그는 너의 좋은 지도자다.

16 [배치·형상] …을 이루어 : *in* a (big) circle (커다란) 원을 이루어 / The boys came out of the room *in* a crowd. 소년들은 떼를 지어 방에서 밖으로 나왔다 / The villagers gathered *in* groups. 마을 사람들은 떼지어 모였다.

17 [이유·동기] …때문에 : cry out *in* alarm 놀라서 외치다 / rejoice *in* one's recovery 회복을 기뻐하다.

18 [목적] …을 하기 위하여 : *in* a person's defense[rescue] 남을 변호[구]하기 위하여 / *in* return for his present 그가 준 선물의 답례로.

19 〖樂〗…조(調)로 : a symphony *in* C minor 다단조의 교향곡.

20 〖文法〗어미[어두]가 …로 끝나서[시작하여] : words *in* '-y' 접미사 '-y'로 끝나는 단어.

as in …의 경우와 같이, …에 있어서와 같이.

be not in it 《美俗》 도저히 당할 수가 없다, 비교가 안되다.

be up to the neck in... ☞ NECK[1] *n.*

in as much as... =INASMUCH AS.

in itself ☞ ITSELF.

in so far as... =INSOFAR as.

in so much that …할 정도로.

in that... 《文語》…라는 점에서, …이므로 (since, because) : Men differ from animals *in that* they can think and speak. 인간은 생각하고 말할 수 있다는 점에서 동물과 다르다.

nine in ten 십중팔구.

not one in ten 열에 하나도 없는.

—— [in] *adv.* **1** 안에[으로], 속에[으로](↔ *out*) ; 집에서 ; 넣어 ; 받아들여 ; (기사 따위가) 실려 : Come (on) *in*. 들어 오십시오 / cut *in* ☞ CUT[1] 숙어 / add *in* ☞ ADD 숙어 / paint *in* ☞ PAINT 숙어 / The word was not *in*. 그 말은

실려 있지 않았다 / This evening I am going to eat *in.* 오늘 저녁은 집에서 식사합니다. **2** 도착하여 : The train is *in.* 열차가 도착해 있다 / The summer is *in.* 여름이 왔다. **3** 유행하여 ; 한창이어서 ; (정당이) 정권을 장악하여 ; (후보자가) 당선되어 : Oysters are now *in.* 굴이 제철을 만났다 / Those hats are *in.* 그런 모자가 유행이다 / The Liberals were *in.* 자유당이 정권을 잡고 있었다 / The fire is *in.* 불타고 있다. **4** (경기에서) 공격측이 되어 ; 〖골프〗 (18홀 코스에서) 후반[9홀]을 마치고 ; 「인」이고.

all in ☞ ALL.

be in for... 《口》 (벌 따위를) 받게끔 되어 있다 (cf. *go in for* ☞ GO *v.* 숙어) : He behaved badly and *is in for* a beating. 그는 행실이 나빴기 때문에 매를 맞아야 한다 / We *are in for* a rainy season. 장마철은 피할 길이 없다.

be in on... …《口》…의 내막을 알고 있다 ; …에 참여하다, 관계하다.

be*[*keep*] *in with... 《口》 …와 친한 사이이다 ; 〖海〗 … 에 접근하고 있다.

breed in and in ☞ BREED.

have it in for... ☞ HAVE *v.*

in and out 안팎으로 ; 보였다 사라졌다 ; 나왔다 들어갔다, 들락날락 ; 온통(thoroughly) : The brook winds *in and out* among the bushes. 개울은 수풀 사이를 꾸불꾸불 흘러가고 있다.

In there ! (안을 가리키며) 저기 저안에 ; 안에 있는 사람들 !

In with it ! 그것을 넣어라 !

In with you ! 안으로 드십시오 !

keep the fire in 불을 피워 두다.

〈회화〉

Is Fred *in*? — No, but he'll be back at any moment. 「프레드 집에 있어요」「없지만 금방 돌아올 거야」

in doing으로 문장 전환

You must be patient *when* you deal with children.

→ You must be patient *in* deal*ing* with children.

(아이들을 대할 때는 참을성이 많아야 한다.)

—— [ín] *a.* 안의, 내부의 ; 정권을 쥐고 있는, 사회적 지위가 높은 ; (경기에서) 공격측의 ; 〖골프〗 후반[9홀]의, 「인」의 ; 안쪽으로 향한 : an *in* patient 입원 환자 / the *in* party 여당(與黨) / the *in* side[team] 〖競〗 공격측.

—— [ín] *n.* **1** [the ~s] 여당, 집권당 ; 〖競〗 공격측. **2** 《美口》 연줄, 연고, 배경.

the ins and outs (하천 따위의) 굴곡(twists and turns), 구석구석〈*of*〉 ; 상세, 자초지종〈*of*〉.

the ins and the outs 여당과 야당.

—— [ín] *vi.* 《英方》 모으다, 수확하다 ; (토지를) 둘러싸버리다.

〚OE=OS, OHG, Goth. *in,* ON *i*<IE〛

In 〖化〗 indium.

in. inch(es) ; inlet.

in-[1] [in] *pref.* 「무(無)[불(不)](not)」의 뜻(cf. UN-, NON-). 注 l 앞에서는 *il-* ; b, m, p 앞에서는 *im-* ; r 앞에서는 *ir-*로 됨 : *in*conclusive. 〚L〛

in-[2] [in] *pref.* IN, ON, INTO, WITHIN, AGAINST, TOWARD(S)의 뜻. 〚IN〛

in-[3] [in] *a. comb. form* 「…의 중의」「중[내]의」의 뜻 : *in*-car. 〚IN〛

in-[4] [ín] *n. comb. form* 「최신 유행의」「동료들 사이만의」의 뜻 : the *in*-thing. 〚IN〛

-in[1] [in] *n. suf.* 「…에 속하는」의 뜻의 그리스・라틴 어계의 형용사 및 그 파생 명사를 만듦 : coff*in.* 〚F<L *-ina*〛

-in[2] [ən, ìn] *n. suf.* 〖化〗 =-INE[2] ; 화학 제품・약품명 따위를 만듦 : podophyll*in.*

-in[3] [ìn] *comb. form* SIT-IN에 따라 집단 항의[시위, 운동], 사교적 집회를 나타내는 복합어를 만듦 : teach-*in* ; be-*in.*

-i·na [íːnə] *n. suf.* **1** 여성형을 만듦 : Georg*ina* ; czar*ina.* **2** 악기명을 만듦 : concert*ina.* **3** 〖生〗 「군(群)」의 뜻 : globiger*ina.* 〚L=belonging to ; cf. *-in*[1]〛

ìn·abílity *n.* Ⓤ [+*to* do] 할 수 없음, 무력, 무능 ; 무자격 : I must confess my ~ *to* help you. 댁을 도와드릴 수가 없음을 말씀드리지 않을 수 없습니다.

in ab·sen·tia [in æbsénʃiə] *adv.* 부재중에. 〚L=in (one's) absence〛

ìn·accessibílity *n.* Ⓤ 가까이하기[도달하기・얻기] 어려움.

ìn·accéssible *a.* 접근하기 어려운, 얻기 힘든 ; 가까이하기 어려운, 도달하기 힘든〈*to*〉. **-bly** *adv.*

in·áccuracy *n.* Ⓤ 부정확, 정밀하지 않음 ; Ⓒ 잘못, 틀림.

in·áccurate *a.* 부정확한, 정밀하지 않은, 잘못된. **~·ly** *adv.* 부정확하게, 소홀하게.

in·áction *n.* Ⓤ 무활동, 활발치 않음, 무위 ; 게으름(idleness) ; 휴지, 휴식(rest).

in·áctivate *vt.* **1** 활발치 않게 하다. **2** 〖生化〗 (혈청 따위를) 비활성화하다. **3** 〖化・理〗 불활성[불선광성]으로 하다. **4** (군대・정부 기관 따위를) 해산하다. **in·activátion** *n.*

in·áctive *a.* **1** 활동하지 않는, 활발치 않은 ; 움직이지 않는 ; 게으른. **2** 〖化・理〗 불활성[불선광성]의 ; 방사능이 없는 ; 〖軍〗 현역이 아닌. **3** 〖生化〗 비활성의. **~·ly** *adv.* 활발치 않게.

類義語 ⟹ IDLE.

ìn·actívity *n.* Ⓤ 무활동, 쉼, 정지 ; 활발치 않음, 무기력, 게으름 ; 불경기.

ìn·adàpt·abílity *n.* Ⓤ 적응[순응]성을 잃음.

ìn·adápt·able *a.* 적응[순응]할 수 없는.

in·ádequacy *n.* Ⓤ,Ⓒ 부적당 ; 불충분 ; (역량 따위의) 부족.

in·ádequate *a.* [+*to* do] 부적당한 ; 불충분한 ; 미숙한, 적응성이 부족한, 사회 부적격의 : The road is ~ ***to*** traffic. 그 길은 통행에 부적당하다 / ~ preparation ***for*** an examination 시험을 치르기에 불충분한 준비 / The production is wholly ~ *to* meet the demand. 그 생산고로는 도저히 수요를 따르지 못한다. **~·ly** *adv.* 부적당하게 ; 불충분하게.

ìn·admíssible *a.* 허용할 수 없는, 승인하기 어려운. **-bly** *adv.* **ìn·admissibílity** *n.* 허용[승인]하기 어려움.

in·ad·vert·ence, -cy [ìnədvə́ːrtns(i)] *n.* Ⓤ 부주의, 태만, 소홀 ; Ⓒ 실수, 잘못.

ìn·ad·vért·ent *a.* 부주의한, 소홀한(inattentive) ; 태만한 ; 우연의, 무심코 저지른. **~·ly** *adv.* 부주의하게, 자기도 모르게.

ìn·advísable *a.* 권할 수 없는, 현명치 못한, 어리석은(unwise). **-ably** *adv.* 어리석게(도). **ìn·advisabílity** *n.*

-i·nae [áiniː] *n. pl. suf.* 아과(亞科)를 나타냄. 〚NL〛

in ae·ter·num [ìn aitérnum, in iːtə́ːrnəm] 영원

히, 영구히. 〚L〛
in·álien·able *a.* (권리 따위) 양도할 수 없는, 빼앗을 수 없는 : the ~ rights of man 인간의 절대적 권리. **in·àlien·abílity** *n.* 양도할 수 없음 ; 빼앗을 수 없음. **-ably** *adv.*
in·álter·able *a.* 바꿀 수 없는, 불변성의. **in·àlter·abílity** *n.* 불변성. **-ably** *adv.* 변경되지 않도록, 불변하게.
in·am·o·ra·ta [inæ̀mərɑ́ːtə] *n.* 정부(情婦), 애인(sweetheart)《여자》. 〚It. (fem.) < ↓ enamored (*in*-², L *amor* love)〛
in·am·o·ra·to [inæ̀mərɑ́ːtou] *n.* (*pl.* **~s**) 정부(情夫), 애인(lover)《남자》. 〚It.〛
ín-and-ín *a.*, *adv.* 동종[동족]교배(同種[同族]交配)의[로] : ~ breeding 동종 교배.
ín-and-óut *a.* (단기로) 매매하는 ;《美俗》좋았다 나빴다 하는《쇼》. —— *n.*《卑》성교.
ín-and-óut·er *n.*《美俗》(상태가) 고르지 못한 선수[예술인].
inane [inéin] *a.* 어리석은 ; 공허한, 텅빈. —— *n.* 공허한 것[일] ; [the ~] 무한한 공간. **~·ly** *adv.* 〚L *inanis* empty〛
in·ánimate *a.* **1** 생명이 없는, 무생물의(lifeless) : ~ matter[nature] 무생물[무생물계]. **2** 활기가 없는(dull). **3** 비정한. **~·ly** *adv.* 〚L〛 類義語 ⟹ DEAD.
in·animátion *n.* 생명이 없음 ; 비활동, 활발치 않음, 무기력.
in·a·ni·tion [ìnəníʃən] *n.* Ⓤ 공허(emptiness) ;〔醫〕기아(성) 쇠약 ; 기아 ; 무기력. 〚L ; ⇨ INANE〛
inan·i·ty [inǽnəti] *n.* **1** Ⓤ 어리석음, 우둔 ; 빔, 공허. **2** 무의미한[어리석은] 짓[말·일]. 〚INANE〛
ìn·appárent *a.* 분명하지 않은 ;〔醫〕불현성(不顯性)의.
ìn·appéasable *a.* 달랠 수 없는, 누일 수 없는, 진정시킬 수 없는.
in·ap·pel·la·ble [ìnəpéləbəl] *a.* 상고[항소]할 수 없는 ; 도전할 수 없는.
in·áppetence, **-cy** *n.* Ⓤ 욕망[욕심]이 없음, 식욕이 없음.
in·ápplicable *a.* 응용[적용]할 수 없는, 들어맞지 않는, 부적당한, 무관계의〈*to*〉. **-bly** *adv.* **in·applicabílity** *n.* 적용[응용]할 수 없음.
in·ápposite *a.* 부적절한(unsuitable) ; 엉뚱한.
ìn·appréciable *a.* 감지할 수 없을 정도의(imperceptible), 아주 근소한, 보잘것없는. **-bly** *adv.* 알 수 없을 정도로, 아주 근소하게.
ìn·appreciátion *n.* Ⓤ (진가(眞價)의) 불인식(不認識), 몰이해.
ìn·appréciative *a.* 진가를 인정하지 않는, 감식력이 없는 ; 인식 부족의.
in·apprehénsible *a.* 이해할 수 없는, 불가해한.
in·apprehénsion *n.* 불가해, 몰이해.
ìn·appróach·able *a.* 접근할 수 없는 ; 당해낼 수 없는 ; 서먹서먹한.
ìn·appró́priate *a.* 부적당한, 온당하지 못한. **~·ly** *adv.*
in·ápt *a.* 서투른(unskillful)〈*at*〉; 부적당한(unfit)〈*for*〉. **~·ly** *adv.*
in·áptitude *n.* Ⓤ 성질에 맞지 않음, 부적당 ; 서투름, 졸렬.
in·árch *vt.*〔園藝〕접붙이다.
in·árguable *a.* 논쟁의 여지가 없는《사실 따위》. **-ably** *adv.*
in·árm *vt.*《詩》껴안다.
***ìn·artículate** *a.* **1** (발음이) 분명치 않은, 말이 되지 않는. **2** (흥분·고통 따위로) 입이 말을 듣지 않는, 말을 못하는 ; 명확하게 의견을 말하지 못하는 : politically ~ 정치적으로 발언권이 없는. **3**〔解·動〕(해파리 따위) 관절이 없는. —— *n.* 무관절류[강]의 동물. **~·ly** *adv.* 불명료하게. 〚L〛
in ar·ti·cu·lo mor·tis [in ɑːrtíkjəlòu mɔ́ːrtəs] *adv.*, *a.* 죽는 순간에[의], 임종에[의]. 〚L〛
ìn·artifícial *a.* 인공을 가하지 않은, 꾸미지 않은, 천진난만한, 자연스러운(natural) ; 비예술적인, 졸렬한. **~·ly** *adv.*
ìn·artístic, **-tical** *a.* 비예술적인 ; 예술을 모르는, 몰취미한. **-tical·ly** *adv.* 비예술적으로.
INAS〔空〕integrated navigation attack system (통합형 항법 공격 시스템).
in·as·much as [ìnəzmʌ́tʃəz] *conj.* **1**《文語》…이므로(seeing that…, since, because). **2**《古》…인 한은(insofar as).
ìn·atténtion *n.* Ⓤ 부주의(한 행동), 태만 ; 무뚝뚝함 : with ~ 부주의하게, 소홀하게.
ìn·atténtive *a.* 부주의한 ; 태만한 ; 되는 대로의 ; 무뚝뚝한. **~·ly** *adv.* 부주의하게.
in·áudible *a.* 알아들을 수 없는, 들리지 않는. **in·audibílity** *n.* 들리지 않음, 청취(聽取) 불능. **-bly** *adv.* 알아들을 수 없도록, 들리지 않을 정도로.
in·au·gu·ral [inɔ́ːgjərəl ; -gju-] *a.* 취임(식)의, 개시[개회]의 : an ~ address 취임 연설 ; 개회사 / an ~ ceremony 취임[개회]식. —— *n.*《美》(대통령의) 취임 연설[식].
in·au·gu·rate [inɔ́ːgjərèit ; -gju-] *vt.* **1** 취임식을 행하여 (사람을) 취임시키다 : A President of the United States is ~*d* every four years. 미합중국 대통령은 4년마다 취임한다. **2** 낙성식[개통식·개업식·개회식]을 하다. **3** (새 시대를) 시작하다 : Watt ~*d* the age of steam. 와트가 증기 시대를 열었다. **-ra·to·ry** [-rətɔ̀ːri ; -təri] *a.* 〚L=to practice augury (*in*-², AUGUR)〛 類義語 ⟹ BEGIN.
in·au·gu·ra·tion [inɔ̀ːgjəréiʃən ; -gju-] *n.* **1** Ⓤ,Ⓒ 정식(正式)개시, 개업, 개회. **2** 취임(식) ; 낙성[개업·개통·제막]식.
Inaugurátion Dày *n.* [the ~]《美》대통령 취임식 날《선거 다음 해의 1월 20일 ; 1934년 이전은 3월 4일》.
in·áu·gu·ràtor *n.* 취임시키는 사람, 서임자(敍任者) ; 개시자, 개회자.
ìn·auspícious *a.* 불길한 ; 불운[불행]한. **~·ly** *adv.* 불길하게 ; 운나쁘게.
inbd. inboard.
ín·bè·ing *n.* 내재(內在) ; 내적[근본] 성질 ; 본질.
ìn-betwéen *a.* 중간적인. —— *n.* 중간적인 것, 중개자.
ín·bòard *a.*, *adv.*〔海·空〕배[비행기] 안의[에](↔*outboard*) ;〔機〕안으로 향한, 내측의. —— *n.* 선내 모터선.
ín·bòard-óut·bòard *a.*, *n.* 선미(船尾)의 추진기와 연결된 선내 모터의 (배).
ín·bórn *a.* 타고난 ; 천부의, 천성의 ;〔醫·生〕선천성의.
ín·bòund *a.* 본국으로 돌아가는, 귀항의(↔*outbound*) ; 도착하는《역·선(線)》, 들어오는 : an ~ track 도착선.
ínbounds lìne *n.*〔美蹴〕필드를 세로로 3등분하는 서로 평행한 두 개의 선.
ín·brèathe *vt.* 들이마시다 ; (사상·생각 따위를) 불어 넣다, 북돋우다(inspire).

ín·bréd *a.* 타고난 ; 동종[근친] 교배[번식]의.
ín·bréed *vt.* 동종[근친] 번식을 시키다 ; (감정·사상 따위를) 내부에 생기게 하다. —— *vi.* 동종 교배하다, 근친 교배[번식]하다 ; (접촉 선택의 범위를 좁게 한정하여) 극도로 순수하게[비생산적으로] 되다. **~·ing** *n.* 동종[근친] 번식.
ín-buílt *a.* = BUILT-IN.
ín·bùrst *n.* 《稀》 돌입, 침입.
inc. inclosure ; included ; including ; inclusive ; income ; incorporated ; increase.
Inc. 《美》[기업명 뒤에] Incorporated(=《英》Ltd.).
In·ca [íŋkə] *n.* **1** [the I~] 잉카 국왕《스페인 사람의 도항 이전의 페루 및 안데스 산맥을 따라 주변에 걸쳐 있던 잉카 제국의 국왕》. **2** 잉카인 : the ~*s* 잉카족. 〚Sp.<Quechua=lord, king〛
In·ca·ic [iŋkéiik] *a.* = INCAN.
Incáic Émpire *n.* [the ~] 잉카 제국《13세기에서 1533년 스페인령이 될 때까지 페루를 중심으로 남미 서해안에 번영한 제국》.
in·calculabílity *n.* Ⓤ,Ⓒ 이루 다 셀 수 없음, 무수 ; 예상[짐작]할 수 없음, 확실치 않음.
in·cálculable *a.* **1** 헤아릴 수 없는, 무수한, 한없이 많은(numerous). **2** 예상[짐작]할 수 없는 ; 믿을 수 없는, 확실치 않은. **-bly** *adv.* 헤아릴 수 없을 만큼, 무수하게.
In·can [íŋkən] *a.* 잉카 인[제국·문화·어]의. —— *n.* 잉카 인 ; 케추아어(Quechua).
in·can·desce [ìnkəndés ; -kæn-] *vi., vt.* 백열(白熱)하다[시키다]. 〚역성(逆成)<↓〛
ìn·can·dés·cent *a.* 백열의, 백열광을 내는 ; 빛나는, 찬란한 ; 열렬한 : an ~ lamp[light] 백열등. **ìn·can·dés·cence** *n.* 백열(광). **~·ly** *adv.* 〚L (*candeo* to become white) ; ⇨ CANDID〛
in·cant [inkǽnt] *vt.* 주문(呪文)을 외다.
in·can·ta·tion [ìnkæntéiʃən] *n.* Ⓤ,Ⓒ 주문(을 외기), 주술, 마법, 마술 ; 주술 의식, 가지 기도(加持祈禱). 〚OF<L *in-*²(*canto* to sing)=to chant, bewitch〛
in·can·ta·to·ry [inkǽntətɔ̀:ri ; -təri] *a.* 마술[주문]의.
in·cap [ínkæp] *n.* 《俗》 = INCAPACITANT.
in·cápable** *a.* **1** [+前+do*ing*] 할 수 없는, (개선 따위를) 허용치 않는, (거짓을) 말하지 못하는 : He is ~ ***of (tell*ing*) a lie. 그는 거짓말을 못하는 사람이다 / I was ~ *of* understand*ing* the significance of the matter. 나는 그 일의 중요성을 이해할 수가 없었다. **2** 무능한, 무력한 ; [+前+do*ing*] (법적으로) 자격이 없는 : ~ workers 무능한 노무자 / drunk and ~ ☞ DRUNK *a.* 1 a) / A foreigner is ~ ***of*** becom*ing* a member of the society. 외국인은 그 협회의 회원이 될 자격이 없다. —— *n.* 무능자. **in·capabílity** *n.* 무능, 불능, 무자격. **-bly** *adv.* **~·ness** *n.*
ìn·capácious *a.* 좁은, 한정된 ; 《古》 지적으로 결함이 있는.
ìn·ca·pác·i·tant [ìnkəpǽsətənt, 英+ìŋ-] *n.* 행동 불능 화학제《최루 가스, 독가스 따위》.
ìn·capácitate *vt.* [+目/+目+前+名] **1** 무능력하게 하다 ; 무능하게 하다 : His illness ~*d* him ***for*** work[work*ing*]. 그는 병으로 인해 일을 할 수 없게 되었다. **2** 〔法〕 …에게서 …의 자격을 빼앗다 : He has been ~*d* ***from*** voting. 그는 선거권을 잃었다.
ìn·capacitátion *n.* 무능력하게[자격없게] 하기 ; 무능력 ; 실격 ; 자격 박탈.
ìn·ca·pác·i·tà·tor *n.* = INCAPACITANT.
ìn·capácity *n.* **1** Ⓤ [+前+do*ing* / +*to* do] 무능, 무력(inability) : ~ ***for*** work[*for* work*ing*] 일을 할 능력이 없음 / ~ *to* act so 그렇게 행동할 힘이 없음. **2** Ⓤ〔法〕 무능력, 무자격, 실격. 〚F or L〛
ín-càr *a.* 자동차 안의, 차내의.
in·car·cer·ate [inkɑ́:rsərèit] *vt.* 《文語》 감금하다, 투옥하다, 유폐(幽閉)하다. **in·càr·cer·á·tion** *n.* 감금, 투옥, 유폐 ; 〔醫〕 감돈(증). 〚L (*carcer* prison)〛
in·car·di·nate [inkɑ́:rdənèit] *vt.* 추기경(cardinal)에 임명하다 ; (성직자를) 교구에 입적시키다. **in·càr·di·ná·tion** *n.*
in·car·na·dine [inkɑ́:rnədàin] *a.* 《古·詩》 살색의, 담홍색의, 연분홍색의 ; 핏빛의. —— *n.* 살색, 담홍색, 연분홍색 ; 진홍색. —— *vt.* 붉은 빛으로 물들이다(redden). 〚F<It. (↓)〛
in·car·nate [inkɑ́:rnət, -neit] *a.* **1** 육체를 갖춘, 사람 모습을 한 : an ~ fiend=a devil ~ 악마의 화신. **2** (관념·추상물 따위가) 구체화한 : Liberty ~ 자유의 화신. —— [inkɑ́:rneit] *vt.* …에게 육체를 부여하다, …의 화신이 되다 ; 구체화하다, 체현(體現)[실현]시키다. 〚L *incarnor* to be made flesh (*caro* flesh) ; cf. CARNAGE〛
in·car·na·tion [ìnkɑ:rnéiʃən] *n.* **1** Ⓤ 육체를 부여하기, 인간화 ; 구체화, 실현 ; Ⓒ 권화, 화신(embodiment) ; 전형 : He is the ~ *of* honesty. 그는 정직 그 자체다. **2** [the I~] 〔神學〕 화육(化肉)《그리스도가 하느님의 아들이 되어 사람으로 지상에 태어남》.
in·cáse *vt.* = ENCASE.
in·cáse·ment *n.* Ⓤ,Ⓒ 그릇(에 넣기).
in·cáution *n.* 부주의.
in·cáutious *a.* 경솔한, 무모한(rash).
INCB International Narcotic Control Board(국제 마약 통제 위원회).
in·cen·di·a·rism [inséndiərizəm] *n.* Ⓤ 방화(放火) (cf. ARSON) ; 선동.
in·cen·di·ary [inséndièri ; -diəri] *a.* **1** 방화의 ; 불붙기 쉬운 ; 선동적인. **2** 소이성(燒夷性)의 : an ~ bomb[shell] 소이탄(firebomb). —— *n.* 방화자[범인] ; 선동자(agitator) ; 소이탄[물질]. 〚L=causing a fire (*incens- incendo* to kindle)〛
in·cen·dive [inséndiv] *a.* 불타기 쉬운, 가연성의, 발화력(發火力)이 있는.
in·cense¹ [ínsens] *n.* **1** Ⓤ 향 ; 향내[향연(香煙)] ; 향기. **2** Ⓤ 《비유》 아부, 아첨하는 말. —— *vt.* …에 향을 피우다 ; …을 위해 분향하다. —— *vi.* 분향하다. 〚OF<L *incensum* thing burnt, incense ; ⇨ INCENDIARY〛
in·cense² [inséns] *vt.* 《文語》 [+目/+目+前+名] (매우) 화나게 하다(enrage) ; 《古》 (감정을) 일으키다 : be ~*d* ***by*** a person's conduct[***at*** a person's remarks] 남의 행위에[남의 말을 듣고] 격노하다 / He was ~*d* ***against*** the slanderer. 그는 중상(中傷)한 사람에게 몹시 화를 냈다 / He became ~*d* ***with*** me. 그는 나에게 몹시 화를 냈다. **~·ment** *n.* 〚OF<L (↑)〛
íncense bùrner *n.* 향로(香爐).
in·cen·so·ry [ínsensəri, 美+-sɔ̀:ri] *n.* 매다는 향로(censer).
in·cen·tive [inséntiv] *a.* 자극적인, 고무[유발, 격려]하는(encouraging) : an ~ speech 격려사 /

~ goods[articles] 보상(報償) 물자. —— *n.* U,C [+*to* do/+前+do*ing*] 격려, 자극, 유인(誘因), 동기 ; (생산성 향상을 위한) 장려금, 양보 : He had not much ~[many ~*s*] ***to*** study(*ing*) any longer[***to*** further study]. 그는 더 이상 연구를 계속할 동기가 별로 없었다. **~·ly** *adv.*
〖L=setting the tune (*cano* to sing)〗
類義語 ⟹ MOTIVE.

incéntive páy[bónus] *n.* (근로자 등에 대한) 생산성 향상 장려금.

incéntive tóur *n.* 보상 장려 여행《판매촉진을 위해 영업원·판매점을 대상으로 함》.

incéntive tríp *n.* 보상 장려 관광 여행《매상 실적이 좋은 판매점 주인에게 행하는 제조 회사 주최의 초대 여행》.

incéntive wàge *n.* (생산) 장려 임금.

in·cept [insépt] *vt.* **1** 〘生〙 섭취하다. **2** 《古》 시작하다. —— *vi.* **1** 《英》 (Cambridge 대학에서) 석사[박사] 학위를 따다. **2** 직(위)에 취임하다.
〖L *in-*²(*cept- cipio*=*capio* to take)=to begin〗

in·cep·tion [insépʃən] *n.* U,C 처음, 발단 ; (예전의 Cambridge 대학에서의) 학위 취득 : at the ~ of …의 시초에.

In·cep·ti·sol [inséptəsɔ̀(:)l, -sòul, -sɑ̀l] *n.* 〘土壤〙 인셉티졸《층위분화(層位分化)가 약간 발달한 토양》.
〖*incept*ion+*-sol* (L *solum* soil) ; cf. HISTOSOL, MOLLISOL, OXISOL, etc.〗

in·cep·tive [inséptiv] *a.* **1** 처음[발단]의. **2** 〘文法〙 동작의 개시를 나타내는, 기동(起動) (상(相))의. —— *n.* 〘文法〙 기동 동사《begin (to do [doing]) 같은 동사》. **~·ly** *adv.*

in·cép·tor *n.* 《英》 (Cambridge 대학의) 학위 취득 후보자.

in·cértitude *n.* U 불확실 ; 불안정(uncertainty), 의혹(疑惑).

in·ces·sant [insésənt] *a.* 끊임[간단]없는, 그칠 새 없는. **~·ly** *adv.* 끊임없이. **~·ness** *n.*
〖F or L (*cesso* to CEASE)〗
類義語 ⟹ CONTINUAL.

in·cest [insest] *n.* U 근친 상간(近親相姦).
〖L (*castus* chaste)〗

íncest tabóo *n.* 근친혼 금기.

in·ces·tu·ous [inséstʃuəs] *a.* 근친 상간의[죄를 범한] ; (관계가) 배타[폐쇄]적인. **~·ly** *adv.*

◇**inch**¹ [íntʃ] *n.* **1** 인치《1/12 피트, 2.54㎝ ; 略 in.》 : an ~ of rain[snow] 1인치의 강우량[강설량]. **2** [*pl.*] 신장, 키 : a man of your ~*es* 너만한 키의 사람. **3** 소량, 소액, 조금 : don't give [budge, yield] an ~ 조금도 양보하지 않다, 한 치도 물러서지 않다.
an inch of cold steel 단검(短劍)으로 한번 찌르기.
by inches (1) 조금씩, 차차. (2) 간신히, 겨우.
every inch 철두 철미, 한치의 빈틈도 없이 : I know *every* ~ of Seoul. 서울의 구석구석까지 다 알고 있다 / He is *every* ~ a scholar. 그는 전형적인[철두 철미한] 학자다.
inch by inch =*by* INCH*es* (1).
to an inch 조금도 틀림없이, 정밀하게.
within an inch of... 《口》 …의 바로 곁에 까지, 거의 …할 정도까지 : flog a person *within* an ~ of his life 남을 때려서 반죽음을 시키다.
—— *vi., vt.* 조금씩 움직이게 하다[움직이다].
〖OE *ynce*<L *uncia* twelfth part ; cf. OUNCE¹〗

inch² *n.* 《스코》 (육지에 가까운) 작은 섬.
〖Gael. *innis*〗

inched [íntʃt] *a.* [수사와 함께 합성어로] …인치의 : 2-~ book 두께 2인치의 책.

ínch·er *n.* (길이·지름 따위가) (…)인치 되는 것 : a eight-~ 8인치 포(砲).

ínch·mèal *adv.* 차츰차츰, 서서히(inch by inch).
by inchmeal =INCHMEAL.
〖*-meal*〗

in·cho·ate [inkóuət] *a.* 방금 시작한, 초기의 ; 불완전한, 미완성의 ; 조직화되지 않은 ; 〘法〙 (권리·이익 따위가) 미확정의, 미발효의.
—— [-èit] *vt.* 시작하다, 창시하다. **~·ly** *adv.*
〖L *inchoo, incoho* to begin〗

in·cho·a·tion [ìnkouéiʃən] *n.* 처음, 발단, 시작, 착수.

in·cho·a·tive [inkóuətiv] *a.* 《稀》 방금 시작한, 시초의 ; 〘文法〙 동작의 개시를 나타내는 : an ~ verb 기동(起動) 동사. —— *n.* =INCEPTIVE.

ínch·wòrm *n.* 〘昆〙 자벌레.

in·ci·dence [ínsədəns] *n.* **1** (사건·영향 따위의) 범위, 발생률 : a high ~ *of* cancer 암의 높은 발생률 / decrease the ~ *of* a disease 질병의 발생률을 감소시키다. **2** (투사물·광선 따위의) 낙하, 투사(의 방향[방식]). **3** U,C 〘理〙 입사(入射). **4** (세금의) 부담(범위) : What is the ~ *of* the tax? 이 세금은 누구에게 물리느냐.
〖OF or L (↓)〗

*__ín·ci·dent__ *n.* **1** 사건 ; 부수적인 사건, 작은 사건 ; (전쟁·폭동 따위의) 사변, 사건 ; (시(詩)·소설 중의) 삽화(episode). **2** 〘法〙 부대적 사물《부수되는 부담 따위》.

〈회화〉
That night a terrible *incident* occurred. — What was it? 「그날밤 무서운 사건이 일어났어요」「무슨 사건이었는데요」

—— *a.* **1** (…에) 일어나기 쉬운, 흔히 있는 : weaknesses ~ *to* human nature 인정에 빠지기 쉬운 약점. **2** 〘法〙 부대적인, 부수의〈*to*〉. **3** 〘理〙 투사의, 입사의〈*on, over*〉 : an ~ angle 입사각 / ~ rays 입사 광선 / rays of light ~ ***(up)on*** a mirror 거울에 투사하는 광선.
〖OF or L (*in-*², *cado* to fall)〗
類義語 ⟹ OCCURRENCE.

in·ci·den·tal [ìnsədéntl] *a.* **1** [+前+do*ing*] (…에) 부수로 생기는, 흔히 생기기 쉬운 : Fatigue is ~ ***to*** a journey[*to* travel*ing*] in a strange land. 미지(未知)의 땅을 여행하면 흔히 피로가 뒤따른다. **2** 우발적인, 부수적인 : ~ expenses 임시비, 잡비 / an ~ image 잔상(殘像).
—— *n.* 부수적[우발적]인 일 ; [*pl.*] 잡비.

incidéntal·ly *adv.* 부수[우발]적으로 ; 말이 난 김에 덧붙여 (말하자면) (by the way).

incidéntal músic *n.* (극·영화 따위의) 부수[반주] 음악.

in·cin·der·jell [insíndərdʒèl] *n.* 〘軍〙 발염(發炎) 젤리《네이팜과 혼합한 젤리 모양의 가솔린 ; 화염방사기·소이탄용》.

in·cin·er·ate [insínərèit] *vt.* 태워서 재로 만들다 (burn up) ; 소각하다 ; 〘化〙 회화(灰化)하다.
—— *vi.* 태워서 재가 되다.
in·cìn·er·á·tion *n.* 소각 ; 〘化〙 회화 ; 화장.
〖L (*ciner- cinis* ashes)〗

in·cín·er·à·tor *n.* (쓰레기 따위의) 소각로 ; 화장로(爐).

in·cíp·i·en·cy, -ence *n.* U 최초, 발단 ; (병 따위의) 초기.

in·cip·i·ent [insípiənt] *a.* 시초의, 초기의, 발단

의 : ~ madness 발광의 전조(前兆) / the ~ light of day 여명의 빛, 서광(曙光). **~·ly** *adv.* 처음에[으로]. 〖L ; ⇨ INCEPT〗

in·ci·pit [ínsəpət] *n.* (중세(中世)의 사본 따위의) 첫마디(어구) ; 시작. 〖L=(here) begins〗

in·cise [insáiz] *vt.* 째다, 절개하다 ; 새기다, 조각하다 ; 〔醫〕 절개하다. 〖OF<L (*cis- cido*=*caedo* to cut)〗

in·císed *a.* 새긴, 조각한 ; 〔醫〕 절개한 ; 〔植〕 (잎이) 결각(缺刻)의, 심렬(深裂)의 : an ~ leaf 〔植〕 결각상(狀)의 잎.

in·ci·sion [insíʒən] *n.* U,C 자르기, 새기기 ; 벤자리, 새긴 자국 ; 〔醫〕 절개(술) ; 〔植〕 결각상(缺刻狀) ; 〔動〕 결각(缺刻). 〖INCISE〗

in·ci·sive [insáisiv] *a.* **1** 예리한 ; 예민한, 기민한 ; (말씨 따위) 쏘는 듯한, 통렬한, 신랄한. **2** 〔解〕 앞니의. **3** 〔醫〕 절개의, 절치의.
~·ly *adv.* **~·ness** *n.*

in·cí·sor *n.* 〔解〕 앞니, 문치(門齒), 송곳니, 절치(切齒).

in·cit·ant [insáitənt] *a.* 자극하는, 흥분시키는.
—— *n.* C 자극물, 흥분제.

in·cite [insáit] *vt.* [+目/+目+前+名/+目+*to* do] 자극하다, 격려하다, 고무하다, 선동하다(cf. EXCITE) : His words ~*d* them ***to*** rebellion. 그의 말에 자극받아 그들은 반란을 일으켰다 / Their captain's example ~*d* the men *to* fight bravely. 지휘관의 본보기에 고무되어 병사들은 용감히 싸웠다. **~·ment, ìn·ci·tá·tion** *n.* 자극, 고무, 선동〈*to*〉 ; 자극물 ; 유인(誘因).
〖OF<L (*cito* to rouse)〗

ìn·civílity *n.* U,C 무례, 버릇 없는 행위[말씨]. 〖F or L〗

in·cívism [, ínsəvìzəm] *n.* U 시민 정신[공공심]이 없음, 비애국적 정신.

incl. inclosure ; including ; inclusive(ly).

ín·clèar·ing *n.* [집합적으로] 《英》〔商〕 수입(受入) 어음 총액, 어음 교환액.

in·clémency *n.* U (날씨가) 사나움, 궂음, (기후가) 혹독함(severity) ; 냉혹함.

in·clément *a.* (날씨가) 험악한, (기후가) 혹독한, 몹시 추운 ; 무정한(unmerciful), 가혹한.
~·ly *adv.* **~·ness** *n.* 〖F or L〗

in·clín·able *a.* **1** …하고 싶어하는, …한 경향이 있는. **2** 호의를 품은〈*to*〉.

in·cli·na·tion** [ìnklənéiʃən] *n.* **1** U,C [+*to* do] 경향, 성향, 성벽, 기호, 좋아하기 : He has an ~ ***to hard work[*to* work hard]. 그는 열심히 일하는 성질이 (있)다 / She felt no ~ *to* marry. 그녀는 결혼에는 마음이 내키지 않았다 / I have a strong ~ ***for*** sports[***toward*** study]. 나는 스포츠를 매우 좋아한다[열심히 공부를 하고 싶다]. **2** U 기울기 ; U,C 경사(도), 기울음 ; C 사면(斜面) ; (고개를) 숙임, 끄덕임, 가벼운 인사. **3** 〔數〕 경도, 경각(傾角), 내려본각(角). **4** 〔宇宙〕 궤도 경사각 ; 〔理〕 (자침의) 복각(dip).
〖OF or L ; ⇨ INCLINE〗

類義語 ***inclination*** 어떤 행동이나 물건에 대하여 막연하게 마음이 기울어지기 : She had an *inclination* to accept his proposal. (그녀는 그의 청혼을 받아들이는 쪽으로 마음이 기울어졌다). ***leaning*** 어떤 방향[사물]으로 마음이 끌리기 ; 결정적으로 그 방향을 선택한 것을 뜻하지는 않음 : He has a *leaning* toward the study of economics. (그는 경제학을 공부하기로 마음이 기울어졌다). ***bent*** 선천적으로 어떤 것을 좋아하는 경향 : She has a *bent* for singing. (그녀는 원래 노래를 좋아한다).

in·cli·na·to·ry [inkláinətɔ̀:ri ; -təri] *a.* 경사의, 경사진.

in·cline** [inkláin] *vt.* **1** [+目+*to* do] [보통 수동태로] (남에게 …하고 싶은) 마음이 생기게 하다 ; 《文語》 (마음을) 향하게 하다 : I *am ~d to* suppose that he is wrong. 그가 틀렸다는 생각이 든다 / The boys felt ~*d to*[for***] work. 소년들은 일을 하고 싶은 마음이 들었다 / Let us ~ our hearts *to* obey God's commandments. 《文語》 우리의 마음을 쏟아 신의 계율에 따르자. **2** 기울이다, 경사지게 하다. **3** [+目/+目+*to*+名] (몸을) 굽히다, (머리를) 숙이다 ; (귀를) 기울이다, 남의 이야기를 듣다 : ~ one's ear ***to*** a person[a request] 남의 말에 귀를 기울이다[요구를 들어주다]. —— *vi.* **1** 기울다, 경사지다. **2** [+*to* do/+*to*+名] …하고 싶어하다, …하기 쉽다 : They ~ *to* think so. 그렇게 생각하고 싶어한다 / I ~*d* ***to*** believ*ing* all men heroes. 남자들은 모두 영웅이라고 믿는 경향이 있었다. **3** [+*to*+名] (…하는[…으로의]) 경향[성향]이 있다 : She ~*s* ***to*** stoutness. 그녀는 쉽게 살찌는 체질이다 / purple *inclining to* red 붉은기가 도는 자줏빛.
—— [ínklain, -ˊ] *n.* 경사(면), 기울기.
〖OF<L (*in-*², *clino* to bend)〗

in·clíned *a.* 경향이 있는 ; 경사가 있는 ; (선·평면과) 어떤 각도를 이루는.

inclíned pláne *n.* 사면(斜面) ; (기울기가 약 45°의) 케이블 철도의 노면[궤도].

in·clin·ing [inkláiniŋ] *n.* =INCLINATION.

in·cli·nom·e·ter [ìnklənɑ́mətər] *n.* 경사계(傾斜計), 경각계(傾角計) ; 복각계(伏角計).

in·clóse *vt.* =ENCLOSE.

in·clósure *n.* =ENCLOSURE.

‡**in·clude** [inklú:d] *vt.* (↔ *exclude*) [+目/+do*ing*] 포함하다, 내포하다 ; (전체의 일부로서) 포함시키다, 산입(算入)시키다 : His duties ~ guard*ing* against accidents. 사고가 일어나지 않도록 주의하는 것도 그의 임무의 한 가지다. 注 때때로 독립분사구를 이끌어서 쓰임 : All on the plane were lost, *including* the pilot. 조종사를 포함하여 비행기 안의 모든 사람을 잃었다 / Price £1, postage ~*d*[*including* postage]. 우송료 포함한 값으로 1 파운드.
include out 《口》 (특별히) 제외하다(exclude).

〈회화〉
Will all these pages be *included* in the test? — That's right. 「이 페이지 전부가 시험 범위입니까」 「그렇다네」

〖L *inclus- includo* to enclose (*claudo* to shut)〗

類義語 ***include*** 전체 중의 부분[요소]으로서 포함하다 : Your name is *included* in the list. (너의 이름도 명부에 포함되어 있다). ***comprise*** 전체의 구성 요소로서 여러 가지 것을 포함하다 : His library *comprises* 2000 volumes. (그의 문고는 책 2000권으로 되어 있다). ***comprehend*** 어떤 생각·진술·개요 따위의 범위나 한계 속에 포함시키다 : The plan *comprehends* several projects. (그 계획은 대여섯가지 작업을 포함한다). ***embrace*** 여러 가지 성질이 다른 것들을 comprehend하다 : The report *embraces* various subjects. (그 보고서는 여러 가지 다른 문제들을 포함하고 있다). ***involve*** 원인과 결과와 같은 관계로 포함되다 : The job *involves* lots of hardship. (그 일에는 많은 어려움이 있다).

in·clúd·ing *prep.* …을 포함하여, …을 넣어서.
in·clu·sion [inklúːʒən] *n.* Ⓤ 포함, 포괄 ; 산입(算入) ; 〔論〕 포섭(包攝) ; 〔生〕 (세포 안으로의) 봉입, 〔鑛〕 포유물. 〖L ; ⇨ INCLUDE〗
inclúsion bòdy *n.* 〔醫〕 봉입체(封入體)《여과성 바이러스에 감염된 세포 안의 미립자》.
***in·clu·sive** [inklúːsiv] *a.* **1** 포함하여, 함께 넣어서, 산입하여(↔*exclusive*), (…부터) …까지 (cf. THROUGH *prep.* 3 c)) : a party of ten, ~ *of* the host 주인을 합하여 열 명의 파티 / pages 5 to 24 ~ 5페이지에서 24페이지까지《5페이지와 24페이지를 포함》. ㊟ 명확을 기하여 both inclusive 라고 하기도 함. **2** 모든 것을 포함한[넣은], 포괄적인. **~·ly** *adv.* 계산에 넣어서 ; 모든 것을 포함하여. 〖L ; ⇨ INCLUDE〗
inclúsive lánguage *n.* 〔言〕 남녀 포괄 용어《man을 humankind로 chairman을 chairperson으로 말하는 따위》.
inclúsive térms *n. pl.* 식비 및 기타 일체를 포함한 숙박료.
in·cog [ínkɑg, -ˊ] *a., adv., n.* 《口》 =INCOGNITO.
incog. incognita ; incognito.
in·cógitable *a.* 《稀》 생각할[믿을] 수 없는.
in·cog·i·tant [inkɑ́dʒətənt] *a.* 생각없는, 지각[분별]없는 ; 사고력이 없는.
in·cog·ni·ta [ìnkɑgníːtə, inkɑ́gnətə] *a.* (여성이) 익명의, 몰래하는, 미행의. —— *n.* 익명의[미행하는] 여자. 〖(fem.) ‹ ↓〗
in·cog·ni·to [ìnkɑgníːtou, inkɑ́gnətòu] *a., adv.* 변명(變名)[익명]의[으로], 암행(暗行)의[으로], 몰래(하는) : a king ~ 미행하는 왕 / travel ~ 신분을 숨기고 다니다.
—— *n.* (*pl.* **~s**) 변명(자), 익명(자), 암행자. 〖It. =unknown (*in-*[1], COGNITION)〗
in·cógnizable *a.* 감지할 수 없는, …을 알아채지 못하는.
in·cógnizance *n.* 인지(認知)할 수 없음, 알아채지 못함.
in·cógnizant *a.* 인지하지 못한, 의식하지 못한, 알아채지 못한〈*of*〉.
ìn·cohérence, -cy *n.* Ⓤ 조리가 서지 않음, 지리멸렬 ; Ⓒ 모순된 생각[말].
ìn·cohérent *a.* 일관되지 않은, 순서[앞뒤]가 맞지 않는, 뒤죽박죽인, 모순된 ; (분노·슬픔으로) 종잡을 수 없는 ; 뿔뿔이 흩어진. **~·ly** *adv.* 모순되어, 지리멸렬하게.
ìn·cohésive *a.* 결합력 없는, 응집성(性)이 없는.
ìn·combústible *a., n.* 불연성의 (물질).
ìn·combustibílity *n.* 불연성(不燃性). **-bly** *adv.* 〖L〗
***in·come** [ínkʌm] *n.* Ⓤ,Ⓒ (정기) 수입, 소득(cf. REVENUE) (↔*outgo*) : earned[unearned] ~ 근로[불로] 소득 / have an ~ of thirty dollars a week 주(週) 30 달러의 수입이 있다 / live within one's ~ 수입내에서 생활을 하다.
〖ME=arrival, entrance<OE (*in*+*come*)〗
íncome accòunt *n.* 손익 계산(서).
íncome bònd *n.* 〔商〕 수익사채(社債)[채권]《기업 수익에 따라 이자가 지급됨》.
íncome fúnd *n.* 인컴 펀드《배당 수익에 중점을 두고 자금을 운영하는 투자 신탁》.
íncome gròup *n.* 〔社〕 소득층《소득 세액이 동일한 집단》.
íncome màintenance *n.* 《美》 (정부의 저소득자에 대한) 생활 보조금.
ín·còmer *n.* 새로 온 사람 ; 이주민 ; 신임자 ; 후계자 ; 침입자.
íncome stàtement *n.* 손익 계산서.
íncome tàx *n.* 소득세.
íncome tàx retúrn *n.* 소득세 신고.
ín·còming *n.* (↔*outgoing*) **1** 들어옴, 도래(到來)〈*of*〉. **2** [*pl.*] 수입, 소득 : ~*s* and outgoings 수입과 지출. —— *a.* 들어오는 ; 후임의, 후계의 ; (이익 따위가) 생기는 : the ~ tide 밀물 / an ~ line 〔電〕 인입선(引入線).
ìn·commensurabílity *n.* Ⓤ 같은 표준으로 잴 수 없음 ; 〔數〕 통분[약분]할 수 없음.
ìn·comménsurable *a.* 같은 표준으로 잴 수 없는, 비교할 수 없는, 엄청나게 다른〈*with*〉; 〔數〕 약분할 수 없는. —— *n.* 같은 표준으로 잴 수 없는 것 ; 〔數〕 약분할 수 없는 수[양(量)].
-bly *adv.* 〖L〗
ìn·comménsurate *a.* **1** 어울리지 않는, 분에 맞지 않는〈*with, to*〉. **2** =INCOMMENSURABLE.
incomménsurate strúcture *n.* 〔理〕 부정합(不整合) 구조.
in·com·mode [ìnkəmóud] *vt.* …에 불편을 느끼게 하다, 폐를 끼치다(trouble) ; 방해하다.
〖OF or L (*in-*[1])〗
ìn·commódious *a.* 불편한, 마땅치 않은, 형편이 나쁜 ; 좁고 답답한.
ìn·commódity *n.* 불편, 거북함, 마땅찮음 ; 마땅치 않은 것.
ìn·communicabílity *n.* 전달할 수 없음, 의사 소통이 불가능함.
ìn·commúnicable *a.* 전달할 수 없는, 무어라고 말할 수 없는 ; 입이 무거운, 말이 없는.
in·co(m)·mu·ni·ca·do [ìnkəmjùːnəkɑ́ːdou] *a., adv.* 통신이 끊어진[끊어져], 외부와의 연락이 끊긴[끊겨] ; 독방에 감금된[감금되어].
〖Sp. =deprived of communication〗
ìn·commúnicative *a.* 말하기를 싫어하는, 입이 무거운, 과묵한, 뚱한(reticent).
ìn·commútable *a.* 교환[환산]할 수 없는 ; 바꿀 수 없는, 불변의.
in·commutátion *n.* =REVERSE COMMUTING.
ìn·compáct *a.* 치밀하지 않은, 느슨한, 꽉 짜이지 못한 ; 산만한.
ín-còmpany *a.* (회)사내의, 기업내의.
in·cómparable *a.* 비교할 수 없는〈*with, to*〉; 비길데 없는(matchless). **-bly** *adv.* 비교가 될 수 없을 만큼, 뛰어나게.
〖OF<L〗
ìn·compatibílity *n.* Ⓤ,Ⓒ 양립하기 어려움, 상반됨, 성미가 맞지 않음 ; 〔理〕 비양립성 ; 〔生〕 불화합성 ; 〔藥〕 배합 금기 ; 〔醫〕 부적합(성).
ìn·compátible *a.* 성미가 맞지 않는 ; 서로 용납치 않는, 양립하기 어려운, 모순되는〈*with*〉; 〔論〕 (두 개 이상의 명제가) 양립하지 않는 ; (직위 따위가) 겸할 수 없는 ; 접목[자가 수정]이 불가능한 ; 〔數〕 =INCONSISTENT ; 〔藥〕 (약이) 배합 금기의 ; 〔醫〕 (혈액이) 부적합한 : ~ color[system] 〔TV〕 비양립식《흑백 수상기에는 수상되지 않는 컬러 텔레비전 방식》. —— *n.* [보통 *pl.*] 양립하지 않는 것, 성격이 맞지 않는 사람 ; 배합 금기의 약 ; [*pl.*] 〔論〕 비양립 명제. **-bly** *adv.*
〖L (*in-*[1])〗
in·cómpetence, -cy *n.* Ⓤ 무능력 ; 부적격 ; 무자격 ; 〔醫〕 (기능) 부전(증) (不全(症)).
in·cómpetent *a.* [+*to* do/+前+do*ing*] 무능한, 쓸모없는(incapable) ; 〔醫〕 기능 부전의 ; 〔法〕 무능력한, 무자격의 : He is ~ *to* manage [***for*** manag*ing*, *as* a manager of] the hotel. 그에게는 호텔을 경영할 힘[자격]이 없다. —— *n.* 무

능한 사람, 부적임자 ;〖法〗무자격자. **~·ly** *adv.* 〚F or L〛

ìn·compléte *a.* 불완전한, 불충분한, 결함이 있는 (imperfect) : ~ (intransitive[transitive]) verbs〖文法〗불완전(자[타])동사. **~·ly** *adv.* 불완전하게, 불충분하게. **ìn·complétion** *n.* 〚L〛

in·compléted páss *n.*〖美蹴〗성공(成功)하지 못한 패스.

ìn·complíance, -cy *n.* 승낙하지 않음, 따르지 않음, 고집이 셈.

ìn·complíant *a.* 순종치 않는, 승낙하지 않는 ; 고집 센.

in·comprehensibílity *n.* Ⓤ 이해할 수 없음, 불가해(성).

in·comprehénsible *a.* 이해할 수 없는 ; (특히 신(神)의 속성(屬性)이) 무한한. **-bly** *adv.* 〚L〛

in·comprehénsion *n.* Ⓤ 몰이해.

in·comprehénsive *a.* 포괄적이 아닌, 범위가 좁은 ; 이해력이 없는[빈약한].

ìn·comprèss·ibílity *n.* Ⓤ 압축할 수 없음, 비(非)압축성.

ìn·compréss·ible *a.* 압축할 수 없는.

ìn·compútable *a.* 셀 수 없는, 헤아릴 수 없는. **-ably** *adv.*

ìn·conceivabílity *n.* Ⓤ 불가해(不可解), 상상도 할 수 없음.

ìn·concéivable *a.* 상상도 할 수 없는, 생각할 수도 없는 ;《口》믿기 어려운. **-ably** *adv.*

ìn·conclúsive *a.* 결론에 도달하지 못한, 결정[확정]적이 아닌, 요령없는. **~·ly** *adv.*

ìn·condénsable, -ible *a.* 응축(凝縮) [응결]되지 않는.

in·con·dite [inkɑ́ndət, -dait] *a.* (문학 작품 따위) 구성이 졸렬한[서투른] ; 다듬지 않은, 조잡한. 〚L *condo* to put together〛

ìn·confórmity *n.* 불일치, 부적합〈*to, with*〉.

in·cóngruent [ˌ, 美+-ˊ--] *a.* 맞지 않는, 일치하지 않는, 조화되지 않는, 적합하지 않은.

ìn·congrúity *n.* Ⓤ 부조화, 부적합 ; Ⓒ 부조화한 사물.

in·cóngruous *a.* **1** 조화되지[일치하지] 않는〈*with, to*〉; 어울리지 않는. **2** (태도 따위) 부조리한, (이야기 따위) 앞뒤가 맞지 않는, 얼토당토 않은. **~·ly** *adv.* 조화되지 않게. 〚L〛

in·con·nu [ìnkənjúː] *n.* 모르는 사람 ; (*pl.* **~s**, ~)〖魚〗북미 북부산의 연어과의 식용어. 〚F〛

ìn·consécutive *a.* 연속되지 않는 ; 일관성이 없는. **~·ly** *adv.* **~·ness** *n.*

in·cónsequence *n.* Ⓤ 비논리성 ; 불합리, 모순 ; 엉뚱함 ; 부조화.

in·cónsequent *a.* 논리적이 아닌, 앞뒤가 맞지 않는(illogical) ; 엉뚱한 ; 부조리한. **~·ly** *adv.* 불합리하게, 엉뚱하게.

in·consequéntial *a.* 대수롭지 않은, 중요하지 않은, 보잘것 없는 ; 불합리한. **~·ly** *adv.* **in·consequentiálity** *n.*

ìn·consíder·able *a.* 중요하지 않은 ; 대수롭지 않은 ; 사소한(small). **-ably** *adv.* **~·ness** *n.* 〚F or L〛

ìn·consíderate *a.* 인정 머리 없는 ; 생각[분별]이 없는, 경솔한(thoughtless). **~·ly** *adv.* 분별[생각]없이 ; 경솔하게. 〚L〛

ìn·considerátion *n.* Ⓤ,Ⓒ 지각없음, 경솔.

ìn·consíst·ency, ìn·consístence *n.* Ⓤ 불일치, 모순 ; 정견(定見)이 없음 ; Ⓒ 모순된 사물.

ìn·consíst·ent *a.* **1** 일치하지 않는, 조화되지 않는〈*with*〉. **2** 모순되는 ; 앞뒤가 맞지 않는 ; 정견(定見)이 없는, 절조(節操)가 없는, 변덕스러운 ;〖數〗(방정식이) 불능의, (문제가) 성립하지 않는. **~·ly** *adv.* 모순되게 ; 변덕스럽게.

ìn·consólable *a.* 위로할 길 없는, 슬픔에 잠긴 (disconsolate) ; 안타까운. **-ably** *adv.* 위로할 수 없을 만큼, 안타깝게. 〚F or L〛

in·cónsonance *n.* (음(音)의) 부조화, 불협화(不協和) ; (언행의) 불일치.

in·cónsonant *a.* 조화되지 않는, 일치하지 않는 ; (음이) 불협화의〈*with, to*〉. **~·ly** *adv.*

ìn·conspícuous *a.* 눈에 띄지 않는, 뚜렷이 나타나지 않는 ;〖植〗꽃이 작고 빛깔이 엷은. **~·ly** *adv.* **~·ness** *n.* 〚L〛

in·cónstancy *n.* Ⓤ,Ⓒ 변하기 쉬움, 부정(不定) ; 변덕, 무정견(無定見) ; 부실, 불신.

in·cónstant *a.* 변덕스러운 ; 변하기 쉬운, 부정(不定)한, 변화가 많은 ; 부실한, 불신의(unfaithful). **~·ly** *adv.* 〚OF<L〛

ìn·consúmable *a.* 태워버릴 수 없는 ; 소비할 수 없는 ; 다 써버릴 수 없을 정도의 ;〖經〗(기계 따위) 소모품이 아닌, 내구재의. **-ably** *adv.*

ìn·contést·able *a.* (사실·증거 따위) 논의의 여지가 없는, 다툴 필요 없는, 명백한. **-ably** *adv.* 의심 없이, 명백하게, 물론. 〚F or L〛

in·cóntinence *n.* **1** Ⓤ 자제(自制)할 수 없음 : ~ of speech 다변(多辯), 수다스러움. **2** Ⓤ 음란(淫亂). **3** Ⓤ〖醫〗(대·소변의) 실금(失禁).

in·cóntinency *n.* =INCONTINENCE.

in·cóntinent[1] *a.* 자제할 수 없는〈*of*〉; 무절제한 ; 음란한 ; (비밀 따위를) 지키지 못하는〈*of*〉;〖醫〗실금의. **~·ly** *adv.* 자제심을 잃고, 앞뒤 생각 없이 ; 음란하게 ; 방자하게. 〚OF or L ; ⇨ CONTINENT[2]〛

incontinent[2] *adv.*《古》곧, 즉시. **~·ly** *adv.* 〚L *in continenti tempore* in continuous time〛

ìn·contróllable *a.* =UNCONTROLLABLE.

in·controvért·ible *a.* 논쟁의 여지가 없는, 다툴 필요가 없는(indisputable), 명백한. **-ibly** *adv.*

ìn·convénience *n.* Ⓤ,Ⓒ [+前+do*ing*] 불편(한 것), 부자유, 폐(가 되는 일) : cause ~ to a person=put a person to ~ 남에게 폐를 끼치다 / You know the *~s* ***of*** go*ing* to the office from such a remote quarter of the city. 시(市)의 이런 변두리에서 통근하는 불편을 아시겠지요. —— *vt.* …에게 불편을 느끼게 하다, 폐를 끼치다 (trouble).

***ìn·convénient** *a.* 불편[부자유]한, 형편이 나쁜 : if (it is) not ~ *to*[*for*] you 불편하시지 않으시다면. **~·ly** *adv.* 불편하게[하리만큼]. 〚OF<L〛

ìn·convèrt·ibílity *n.* Ⓤ 바꿀 수 없음 ; 태환(兌換) 불능.

ìn·convért·ible *a.* 바꿀 수 없는 ; (지폐가) 태환할 수 없는. 〚F or L〛

ìn·convíncible *a.* 납득시킬 수 없는, 고집불통의.

ìn·coórdinate(d) *a.* 동격[동등]이 아닌 ; 조정되어 있지 않은.

ìn·coordinátion *n.* 부동격(不同格) ; 부조정(不調整) ;〖醫〗협조[협동] 불능.

incor., incorp. incorporated.

in·cor·po·ra·ble [inkɔ́ːrpərəbəl] *a.* 합체[가입]할 수 있는.

in·cor·po·rate[1] [inkɔ́ːrpərèit] *vt.* **1** [+目/+目+前+名] 합체(合體)[합동]시키다, 합병[편입]하다 : Part of Germany was *~d* ***into*** Poland according to the Treaty of Versailles. 독일의

일부는 베르사유 조약에 의해서 폴란드에 합병되었다. **2** 법인 조직으로 하다 ; 《美》 (유한 책임) 회사[주식회사]로 하다. **3** [+目/+目+補] 가입시키다(admit) : I was ~*d* a member of the society for the annual fee of $ 500. 연 회비 500 달러로 그 회의 회원이 되었다. **4** 혼합하다(blend) ; 〖컴퓨〗 (기억 장치에) 짜넣다. **5** [+目/+目+前+名] (생각 따위를) 구체화하다(embody) : He ~*d* his new idea ***in*** [***into***] the experiment. 새로운 생각을 그 실험에 구현했다. —— *vi.* [動/+*with*+名] 합동[합체]되다, 결합되다 ; 섞이다 : His company ~*d* ***with*** mine. 그의 회사는 내 회사와 합병되었다. —— [-pərət] *a.* 합동한, 일체화된 ; 법인[회사] 조직의 ; 《古》 구체화된.
〖L (*in-*², *corpus* body)〗

in·cor·po·rate² [inkɔ́:rpərət] *a.* 《古》 형체 없는 ; 영적인.
〖*in-*¹〗

in·cór·po·ràt·ed *a.* **1** 합동[합병·편입]한 ; 법인[회사] 조직의. **2** 《美》 유한 책임의 《Inc. 로 생략하여 주식 회사명 뒤에다 붙임 ; 《英》의 Ltd. (=Limited)에 해 당》 : The U. S. Steel Co., *Inc.* / Smith & Co., *Inc.* / an ~ company 유한 책임회사(=《英》 a limited(-liability) company).

in·còr·po·rá·tion *n.* **1** Ⓤ 혼입 ; 혼합. **2** Ⓤ 결합, 합동, 합병, 편입 ; Ⓒ 결사, 법인 단체, 회사(corporation). **3** Ⓤ 〖法〗 법인격(法人格) 부여, 법인[회사] 설립 ; 문서 병합.

in·cór·po·rà·tive *a.* 합동의, 통합한, 결합한 ; 〖言〗 포합적(抱合的)인.

in·cór·po·rà·tor *n.* 결합[합동]자 ; 《美》 법인[회사] 설립자.

ìn·corpóreal *a.* 형체가 없는, 무형의, 비물질적인 ; 영적인 ; 〖法〗 무체(無體)의《특허권·저작권 따위》 : an ~ hereditament 〖法〗 무체(無體) 유산. **~·ly** *adv.* 〖L〗

ìn·corporéity, ìn·corporeálity *n.* 형체가 없음, 비물질성 ; 무형적 존재《권리·의무 따위》.

ìn·corréct *a.* 부정확한, 틀린 ; 온당치 않은, 부적당한 ; 어울리지 않는. **~·ly** *adv.* **~·ness** *n.*
〖OF or L〗

in·corrigibílity *n.* Ⓤ 고쳐지지 않음, 개선[선도]할 수 없는 상태.

in·córrigible *a.* 교정(矯正)[선도]할 수 없는, 구제할 수 없는 ; 다루기 힘든, 제멋대로의 ; 뿌리 깊은. —— *n.* 교정할 수 없는 사람.
-bly *adv.* 교정할 수 없을 만큼 ; 뿌리 깊게.
〖OF or L〗

ìn·corrúpt *a.* 타락하지 않은, 매수할 수 없는, 청렴한 ; (말이) 올바른, 순수한, (사본이) 잘못이 없는. **ìn·corrúpt·ed** *a.* **~·ly** *adv.*

ìn·corrùpt·ibílity *n.* 썩지 않음 ; 매수당하지 않음, 청렴함.

ìn·corrúpt·ible *a.* 부패[부식, 분해, 붕괴]하지 않는, 불후의 ; 매수되지 않는, 청렴한.
—— *n.* incorruptible한 것. **-ibly** *adv.*
〖OF or L〗

ìn·corrúption *n.* 《古》 썩지 않음 ; 청렴 결백.

ín-còuntry *a.* 국내(에서)의 : the ~ war 내전.

incr. increase ; increased ; increasing.

in·cras·sate [inkrǽseit] *vt.* 〖藥〗 (증발 따위로 액체를) 농축하다 ; 《廢》 =THICKEN. —— *vi.* 《廢》 두꺼워[짙어]지다. —— [-ət, -eit] *a.* 〖植·動〗 비후(肥厚)해진.
ìn·cras·sá·tion *n.*

‡in·crease [inkrí:s, ⌐-] *vi.* [動/+前+名] 늘다, 증가[증대·증진]하다(↔*decrease*) ; 강해지다 : As I walked up the street, the rain ~*d* ***in*** force. 그 거리를 걸어 갈 때에 비가 더욱더 세차게 내렸다 / The percentage has ~*d* ***by*** 15 ***to*** 44. 15 퍼센트가 늘어나서 44 퍼센트가 되었다. —— *vt.* 늘리다, 증가하다(↔*diminish*) ; (영토 따위를) 확대하다 ; 강하게 하다 ; 《廢》 풍부하게 하다 : This will ~ our difficulties. 이것 때문에 우리의 어려움만 늘어날 것이다 / the ~*d* cost of living 증가된 생활비[생활비 증가].
—— [⌐-, -⌐] *n.* **1** Ⓤ,Ⓒ 증가, 증대, 증진 ; 《古》 증식, 번식 ; (사람·동식물의) 자손 : *I* ~ *in* population was a serious problem. 인구의 증가는 심각한 문제였다. **2** 증가액, 증대량 ; 이익, 이자 : There was a steady ~ *in* population. 인구는 꾸준히 증가했다 / The recent ~ *of* scientific knowledge has been remarkable. 최근의 과학 지식의 신장은 괄목할 만한 것이었다.
on the increase 점점 증가[증대]하여, 점증하여 : The membership of the club is *on the* ~. 그 클럽의 회원(수)는 증가하고 있다.
〖OF<L (*in-*², *cresco* to grow)〗
類義語 ***increase*** 크기·양·힘·정도 따위가 늘다 ; 가장 일반적인 말 : *increase* the weight [power] (무게[동력]를 늘리다). ***enlarge*** 특히 크기·양·정도 따위가 늘다 : *enlarge* a building[project] (건물[계획]을 확장[확대]하다). ***augment*** 이미 상당한 크기·양이었던 것을 더욱 크게 하다 ; 격식을 차린 말 : *augment* one's income(수입을 증대시키다). ***multiply*** 수가 늘다 ; 특히 번식하여 늘어나다 : Rats *multiply* rapidly. (쥐들은 급속히 늘어난다).

in·créas·er *n.* 증가시키는 사람[물건].

in·créas·ing *a.* 더욱 더 늘어나는 : An ~ number of(=More and more) people are buying cars. 차를 사는 사람들이 늘어나고 있다.

***in·créas·ing·ly** *adv.* 더욱더, 점점 더, 차차.

incréasing retúrn *n.* 〖經〗 수확체증(收穫遞增) (↔*decreasing return*).

in·cre·ate [inkriéit] *a.* 《古·詩》 창조된 것이 아닌, 본래부터 존재하는.

***in·crédible** *a.* **1** (일 따위가) 믿어지지 않는, 신용할 수 없는(cf. INCREDULOUS) : The story seems ~ *to* me. 그 이야기는 믿을 수 없을 것 같다. **2** 《口》 놀랄 만한, 엄청난 : His appetite was ~. 그의 식욕은 엄청난 것이었다.
in·credibílity *n.* 〖L〗

in·crédibly *adv.* 믿을 수 없을 만큼 ; 《口》 대단히 : She was ~ beautiful. 매우 아름다웠다.

ìn·credúlity *n.* Ⓤ 쉽게 믿지 않음, 의심이 많음.

in·crédulous *a.* (사람이) 쉽게 믿지 않는, 의심이 많은〈*of, about*〉(cf. INCREDIBLE) ; 의심하는 듯한 : an ~ smile 남을 의심하는 듯한 웃음. **~·ly** *adv.* 의심하듯이, 수상쩍게 여기듯이. 〖L〗

in·cre·ment [ínkrəmənt] *n.* **1** Ⓤ 증가, 증대, 증진, 증식 ; Ⓒ 증가량, 증액(增額). **2** Ⓤ 이익, 이득(profit). **3** 〖醫〗 증강 ; 〖數〗 증분(增分) ; 〖農〗 생장량 : unearned ~ 〖經〗 (땅값 따위의) 자연[불로] 증액. 〖L ; ⇨ INCREASE〗

increméntal·ism *n.* (정치적·사회적인) 점진주의[정책]. **-ist** *n.*

increméntal plótter *n.* 〖컴퓨〗 프로그램의 제어하에 컴퓨터의 출력을 문자와 함께 곡선이나 점으로 나타내는 장치.

increméntal repetítion *n.* 《詩》 점증 반복(漸增反復)《극적 효과를 올리기 위해 각 절(節)에서 선행절(先行節)의 일부의 용어를 조금씩 변화시키며 되풀이하기》.

in·créscent *a.* 증대하는 ; (달이) 차가는, 상현의 (↔*decrescent*).

in·cre·tion [inkríːʃən] *n.* 〘生理〙 내분비(물). 〚*in-*²+secretion〛

in·críminate *vt.* **1 a)** …에게 죄가 있다고 하다, …에게 죄를 (뒤집어) 씌우다 ; …을 고소[고발]하다〈*to*〉. **b)** (증거 따위에 의해) (남을) 유죄로 하다 : ~ oneself 자기를 죄에 빠뜨리다, 스스로 죄에 빠지다 / *incriminating* evidence 죄가 되는 증거, 죄증(罪證). **2** …의 탓으로 하다 : Exhaust gas has been ~*d in*[as the cause of] air pollution in cities. 도시의 대기오염은 배기 가스가 주범으로 지목되어 왔다.
incrím·i·nà·tor *n.* **in·crimination** *n.* **-na·to·ry** [inkríminətɔ̀ːri ; -təri, -nèitə-] *a.* 유죄로 하는, 죄를 씌우는.
〚L (*in-*², CRIME)〛

ín·cròss *n.* 인크로스, 동종[근친] 번식에 의한 식물[동물].
—— *vt.* 동종[근친] 번식[교배]시키다.

ín·cróss·brèd *n.* 인크로스브레드, 이품종 근교계간 교잡종.

ín-cròwd *n.* 내부 사정이나 유행에 환한 사람 ; 배타적 집단[그룹].

in·crúst *vt., vi.* =ENCRUST.

in·crus·ta·tion [inkrʌstéiʃən], **en-** [èn-] *n.* **1** Ⓤ 외피(外被)로 덮기[덮이기]. **2** 피각, 외피, (부스럼) 딱지 ; 상감(象嵌). 〚F or L ; ⇨ ENCRUST〛

in·cu·bate [ínkjəbèit, íŋ-] *vt.* **1** (알을) 품다, 부화하다(hatch). **2** 《비유》 숙고하다, 계획하다. **3** (세균을) 배양하다. **4** (조산아 등을) 보육기에 넣어 기르다. —— *vi.* 알을 품다, 둥지에 깃들이다 ; 부화하다 ; 〘醫〙 (병균이) 잠복하다 ; (생각 따위가) 떠오르다.
ín·cu·bà·tive *a.* **in·cu·ba·to·ry** [ínkjəbətɔ̀ːri, íŋ- ; -bèitəri] *a.*
〚L (*in-*², *cubat- cubo* to lie)〛

in·cu·ba·tion [ìnkjəbéiʃən, ìŋ-] *n.* **1** Ⓤ 알을 품음, 포란(抱卵), 부란, 부화(기간) ; (항온(恒溫)) 배양 : artificial ~ 인공 부화. **2** Ⓒ 〘醫〙 잠복(기)(期)(=∼ **pèriod**). **3** 심사숙고, 기도, 계획.

ín·cu·bà·tor *n.* 부화기(器) ; 인큐베이터, (조산아(早産兒)) 보육기 ; 세균 배양기(器) ; 계획을 꾸미는 사람.

íncubator facílity *n.* (고도의 기술·신산업 따위의) 보육적(保育的) 편익 시설.

in·cu·bus [íŋkjəbəs, ín-] *n.* (*pl.* **-bi** [-bài], **~·es**) **1** (잠자는 여자를 범한다는) 악마, 몽마(夢魔) (cf. NIGHTMARE, SUCCUBUS) ; 악몽, 가위눌리기. **2** 압박하는 사람[것]《빚·시험 따위》.
〚L *incubo* nightmare ; ⇨ INCUBATE〛

incudes *n.* INCUS의 복수형.

in·cul·cate [inkʌ́lkeit, ∸-∸] *vt.* [+目/+目+前+名] (사실·사상·지식·습관을) 가르치다, 설명해 주다 : ~ ideas (***up***)***on*** a person[***in*** a person's mind] 사상을 남에게 가르치다[남에게 주입시키다] / He ~*d* love of knowledge *in* the young people. 청년들에게 지식애(知識愛)를 고취시켰다. **ìn·cul·cá·tion** *n.* **in·cúl·ca·tor** *n.*
〚L *in-*²(*culco*=*calco* to trample)=to tread on ; ⇨ CALK[1]〛

in·cúlpable *a.* 죄없는, 나무랄[비난할] 데 없는, 결백한. **-bly** *adv.*

in·cul·pate [inkʌ́lpeit, ∸-∸] *vt.* …에게 죄를 씌우다(incriminate) ; 비난하다, 타박하다.
ìn·cul·pá·tion *n.* **-pa·to·ry** [inkʌ́lpətɔ̀ːri ; -təri] *a.* 죄를 씌우는 ; 연좌의 ; 비난의.
〚L (*culpa* fault)〛

in·cult [inkʌ́lt] *a.* 촌스러운, 세련되지 않은, 상스러운 ; 《古》 (땅이) 경작되지 않은, 미개간의.

in·cúm·ben·cy *n.* **1** Ⓤ,Ⓒ 성직록(祿) 소유자의 직무[임기] ; Ⓒ 재직 기간. **2** 의무, 책무.

in·cum·bent [inkʌ́mbənt] *a.* **1** 의무로서 지워지는 : It is ~ (***up***)***on*** you (=It is your duty) to answer his question. 그의 질문에 대답해 주는 것은 너의 책임이다. **2** 《文語》 기대는, 의지하는 〈*on*〉. **3** (위에서) 덮쳐진 ; (지층이) 겹쳐진, 포개진, 상층의 ; 《詩》 (위에서) 덮일 듯한《어둠·큰 파도 따위》. **4** 현직[재직]의. —— *n.* 성직록(祿) 소유자(cf. BENEFICE), (영국 교회의) 교회를 소유한 목사 ; 《주로 美》 재직자, 현직 의원, 현직자 ; 점유자, 거주자. **~·ly** *adv.*
〚L *in-*²(*cumbo*=*cubo* to lie)=to lie upon〛

in·cum·ber [inkʌ́mbər] *v.* =ENCUMBER.

in·cum·brance [inkʌ́mbrəns] *n.* =ENCUMBRANCE.

in·cu·nab·u·la [ìnkjənǽbjələ] *n. pl.* **1** 1500년 이전의 초기 간행본, 고판본(古版本). **2** 초기, 여명기(期), 요람시대(beginning).
〚L=swaddling clothes (*in-*², *cunae* cradle)〛

in·cur [inkə́ːr] *vt.* (**-rr-**) (부채·손실 따위를) 입다, 지다, 받다, (위험을) 초래하다 : Earthquakes cause us to ~ a great loss of life and property. 지진이 일어나면 생명과 재산에 큰 손해를 초래한다.
〚L (*in-*², *curs- curro* to run) ; cf. CURRENT〛

in·cúrable *a.* 불치의 ; 교정[개량·선도] 불능의 : an ~ disease 불치병.
—— *n.* 불치의 환자 ; 구제하기 어려운 사람.
in·cur·abílity *n.* 불치(不治) ; 교정 불능(矯正不能). **-ably** *adv.* 낫지 않을 정도로 ; 교정할 수 없을 만큼.
〚OF or L〛

in·curiósity *n.* 호기심이 없음, 무관심.

in·cúrious *a.* **1** 호기심이 없는, 꼬치꼬치 캐지 않는. **2** 《文語》 부주의한(heedless) ; 무관심한(indifferent). **3** [보통 부정적으로] 《古》 재미없는(uninteresting) : It's not ~. 상당히 재미있다.
~·ly *adv.* **~·ness** *n.* 〚L〛
類義語 ⟹ INDIFFERENT.

in·cur·rence [inkə́ːrəns, -kʌ́r- ; -kʌ́r-] *n.* (위험·빚·비난 따위를) 초래함, 입음, 짐, 받음.

in·cúr·rent *a.* 유입(流入)하는, 유입용의.

in·cur·sion [inkə́ːrʒən, -ʃən] *n.* 침입, 급습, 내습, 습격〈*on*〉 ; (강물 따위의) 유입. **in·cur·sive** [inkə́ːrsiv] *a.* 침입[유입]하는 ; 침략적인.
〚L ; ⇨ INCUR〛

in·cur·vate [ínkəːrvèit, 美+-∸-] *vt., vi.* 안으로 굽어들게 하다[굽어지다], 굽(게 하)다.
—— [ínkəːrvèit, 美+inkə́ːrvət] *a.* 안으로 굽은, 내곡(內曲)의.
ìn·cur·vá·tion *n.* 안으로 굽음, 만곡(彎曲).

ín·cùrve *n.* 만곡(彎曲) ; 〘野〙 인커브, 내곡구(內曲球)(↔*outcurve*). —— [-∸] *vt., vi.* (안쪽으로) 굽(게 하)다.

ìn·cúrved *a.* 안으로 굽은.

in·cus [íŋkəs] *n.* (*pl.* **in·cu·des** [inkjúːdiːz]) 〘解〙 (중이(中耳)의) 침골(砧骨)(anvil). 〚L〛

in·cuse [inkjúːz] *a.* 각인(刻印)을 찍은《동전 따위 뒷면의》. —— *n.* 각인, 낙인. —— *vt.* (화폐 따위)에 각인하다 ; (그림 따위를) 박아 넣다, 새기다.

Ind [índ] *n.* 《古·詩》=INDIA ; 《廢》=the INDIES.

ind- [índ], **in·di-** [índə], **in·do-** [índou, -də] *comb. form.* 「남색(과 같은)」의 뜻.

〚L ; ⇨ INDIGO〛

Ind- [índ], **In·do-** [índou, -də] *comb. form* 「인도(인(人))의」「인도 유럽 어족의」의 뜻.
〚Gk. (*Indos* India)〛

IND 〘藥〙 investigational new drug 《치험약(治驗藥) ; 투여 실험이 인가된 신약》. **I.N.D.** *in nomine Dei* 《L》 (=in the name of God). **Ind.** Independent ; India (n) ; Indiana ; Indies. **ind.** independence ; independent ; index ; indicated ; indication ; indicative ; indigo ; indirect ; industrial ; industry.

in·da·ba [indɑ́:bɑ:] *n.* 《南아》 (남아프리카 원주민끼리 또는 그들과의) 회의, 협의, 회담 ; 《口》 관심사, 화제. 〚Zulu=business〛

in·da·mine [índəmi:n, -mən] *n.* Ⓤ 〘化〙 인다민 《염기성 유기 화합물 ; 청·녹색 염료 원료》.

in-dash [ìndǽʃ] *a.* (자동차의) 대시보드(dashboard)에 다는.

Ind. E. Industrial Engineer.

in·debt [indét] *vt.* …에게 빚을 지게 하다, …에게 은혜를 입히다.

*__in·debt·ed__ [indétəd] *a.* 부채가 있는⟨*to*⟩ ; 은혜를 받은, 은혜를 입은 : I am deeply ~ ***to*** you ***for*** your assistance. 도와 주셔서 참으로 감사합니다.
~·ness *n.* 부채 ; 은혜 ; 부채액.
〚OF *endetté* ; ⇨ DEBT〛

in·décency *n.* Ⓤ 꼴사나움, 버릇없음, 무례 ; 외설 ; Ⓒ 음란한 행위[말].

in·décent *a.* **1** 버릇없는, 보기 흉한 ; 외설적인. **2** 《口》 부당한, 이치에 닿지 않는.
~·ly *adv.* 버릇없게 ; 음란하게.
〚F or L=unseemly〛
[類義語] ⟹ IMPROPER.

indécent assáult *n.* 〘法〙 강제 외설죄《강간을 제외한 성(性)범죄》.

indécent expósure *n.* 〘法〙 공연(公然) 외설죄(罪).

ìn·decíduous *a.* 〘植〙 잎이 떨어지지 않는, 늘 푸른, 상록의 (evergreen).

ìn·de·cípher·able [-di-] *a.* 판독(判讀)[해독]할 수 없는(illegible).

ìn·decísion *n.* Ⓤ 우유부단. 〚F〛

ìn·decísive *a.* 결정적이 아닌 ; 우유 부단한, 미적지근한 ; 불명확한.
~·ly *adv.*

indecl. indeclinable.

ìn·declínable *a.* 〘文法〙 어미가 변화하지 않는, 불변화의. —— *n.* 불변화사(詞) (particle)《격변화를 하지 않는 단어 ; 명사·대명사·형용사 이외의 품사》. 〚F<L〛

ìn·decompósable *a.* 분해[분석]할 수 없는.

in·décorous *a.* 무례한, 버릇없는, 꼴사나운.
~·ly *adv.* **~·ness** *n.*
〚L=unseemly〛

ìn·decórum *n.* Ⓤ 무례, 버릇없음, 천박함 ; Ⓒ 무례한 짓[행위]. 〚L〛

◇**in·deed** [indí:d] *adv.* **1** [강조] 참으로, 정말로, 진정으로, 진실로, 실(제)로(cf. *in* (*very*) DEED) : I am ~ glad. =I am glad ~. 참으로 기쁘다 / Thank you very much, ~. 정말로 감사합니다 / Very cold ~. 정말 지독한 추위로군 / Yes, ~ != *I*~ yes! 예, 그렇고말고요 / What is that noise? — What is that, ~! 저 소리는 무엇입니까. — [동감(同感)] 정말 무슨 소릴까 ; [반어적] 무슨 소리냐고 묻다니 놀랐는데. **2** [양보] 과연, 정말, 확실히(truly) : I may, ~, be wrong. 과연 내쪽이 잘못인지도 모르겠군. **3** [앞 문장을 강조·부연하여] …이 아니라 실제로는, …은 커녕[…라 할 정도의], 더욱더, 오히려 : He is a cautious man, ~ a timid one. 그는 조심성이 많은 남자가 아니라 실제로는[오히려] 겁쟁이다.
indeed. . . , but 과연 …이지만(it is true…, but) : *I*~ it may be so, *but* it is not always so. 과연 그럴는지도 모르겠지만 언제나 그런 것은 아니다.

〈회화〉
I think you met her here. — I did *indeed.* 「여기서 그녀를 만나셨으리라고 생각합니다만」「실제로 만났습니다」

〈회화〉
I've finished my assignment. — *Indeed?* 「내 연구 과제는 끝냈어」「정말」

—— [ˌ 英+ˊˊ] *int.* [관심·회의·분개·풍자·의문 따위] : *I*~! 흥!, 그래!, 아니 저런!, [반어(反語)적] 설마! / *I*~? 아니 저런.
〚IN, DEED ; 16세기 경까지는 두 단어로 쓰였음〛

indef. indefinite.

in·de·fat·i·ga·ble [ìndifǽtigəbəl] *a.* 지칠줄 모르는, 끈질긴, 끈기가 있는.
-bly *adv.* 지치지 않고, 끈기있게. **~·ness** *n.*
ìn·de·fàt·i·ga·bíl·i·ty *n.*
〚F or L (DE*fatigo* to weary out) ; ⇨ FATIGUE〛

ìn·deféasible *a.* 파기할 수 없는, 무효로 할 수 없는. **-bly** *adv.* **ìn·defeasibílity** *n.*

in·de·fec·ti·ble [ìndiféktəbəl] *a.* 언제까지나 손해보지 않는 ; 썩지 않는, 오래 견디는 ; 결점이 없는 ; 완벽한. **-bly** *adv.*

in·de·fec·tive [ìndiféktiv] *a.* 《稀》 결함 없는, 완전한.

ìn·defénsible *a.* 지키기 어려운 ; 변호[변명]의 여지가 없는, 옹호할 수 없는.
ìn·defensibílity *n.* **-bly** *adv.*

ìn·defínable *a.* 정의[설명]하기 어려운, 말로 설명하기 어려운 ; 막연한, 애매한(vague).
—— *n.* indefinable한 것. **-ably** *adv.* 정의할 수 없을 만큼 ; 막연하게.

*__in·défínite__ *a.* **1** 부정(不定)의 ; 명확하지 않은, 불확정의 ; 불명료한. **2** 〘文法〙 부정(不定)의.
—— *n.* indefinite한 것. **~·ness** *n.* 무한정 ; 불확정 ; 부정. 〚L〛

indéfinite árticle *n.* 〘文法〙 부정 관사《a, an》.

indéfinite íntegral *n.* 〘數〙 부정 적분.

indéfinite·ly *adv.* 불명확하게, 막연하게, 애매하게 ; 무기한으로 : put off a meeting ~ 회의를 무기 연기하다.

indéfinite prónoun *n.* 〘文法〙 부정 대명사.

indéfinite ténse *n.* 〘文法〙 부정시제《완료·계속을 나타내지 않는 것》.

ìn·dehíscent *a.* 〘植〙 (열매가) 터지지 않는, 열개(裂開)하지 않는. **ìn·dehíscence** *n.*

in·del·i·ble [indéləbəl] *a.* 지울[씻을] 수 없는 ; 잊을 수 없는. **-bly** *adv.* 지워지지 않게 ; 영원히.
in·dèl·i·bíl·i·ty *n.*
〚F or L (*deleo* to efface, DELETE)〛

in·délicacy *n.* Ⓤ 천함, 조잡함, 야비, 무례 ; 외설 ; Ⓒ 천한 행위[말].

in·délicate *a.* 천한, 야비한, 버릇없는 ; 외설적인 ; 동정심이 없는 ; 솜씨가 좋지 않은. **~·ly** *adv.*
[類義語] ⟹ IMPROPER.

in·dem·ni·fi·ca·tion [indèmnəfəkéiʃən] *n.* Ⓤ,Ⓒ 보증, 보장 ; 면책 ; 배상[보상](금[물자]).

in·dem·ni·fy [indémnəfài] *vt.* **1** [+目/+目+

前+名] (법적으로) 보호[보증, 보장]하다 : ~ a person ***from*** [***against***] harm 해를 받지 않도록 남을 보호하다. **2** [+目/+目+*for*+名] **a)** (남에게) 책임[형벌]을 면제하다, 면책하다 : ~ a person ***for*** an action 어떤 행위에 대해서 책임을 묻지 않을 것을 남에게 보증하다. **b)** …에게 보상하다, 배상하다 : They offered to ~ us ***for*** our losses. 그들은 우리에게 손실분은 배상하겠다고 제의했다. **-fi·er** *n.*
〖L *indemnis* free from loss (*damnum* loss)〗

in·dem·ni·tee [indèmnətíː] *n.* 피(被)배상자.

in·dem·ni·tor [indémnətər] *n.* 배상자.

in·dem·ni·ty [indémnəti] *n.* Ⓤ (법적) 보호, 보장 ; 면책 ; 보상, 배상 ; Ⓒ 보장이 되는 것 ; 배상금, 변상금.

ìn·demónstrable *a.* 증명할 수 없는, 증명이 불필요한. **-bly** *adv.*

in·dene [índiːn] *n.* 〖化〗 인덴《무색 액상(液狀)의 탄화 수소》.
〖*ind*ole+*-ene*〗

in·dent [indént] *vt.* **1** …에 톱니 모양의 자국을 내다, 톱니 모양으로 만들다 ; (해안선 따위를) 만입(灣入)시키다. **2** 움푹 들어가게 하다 ; (도장 따위를) 찍다, 누르다. **3** (두 통 작성한 계약서 따위를) 톱니 모양으로 자르다 ; (계약서 따위를) 두통 작성하다 ; 《주로 英》 두장으로 된 주문서로 주문하다《한 장은 자기가 보관함》. **4** 〖印〗 (새로운 paragraph의 첫머리를) 들이켜 짜다, 인덴트하다. —— *vi.* 《주로 英》 [+前+名] 주문서를 발송하다 : ~ ***upon*** a person ***for*** some goods 남에게 어떤 상품의 주문서를 발송하다. —— [⌐-, -⌐] *n.* **1** 톱니 모양, 움푹 들어감, 오목함, 오목한 땅 ; 〖印〗 (새로운 paragraph의 첫머리를) 들이켜 짜기, 인덴트. **2** 두장이 잇달린 계약서. **3** 《주로 英》 신청, 청구 ; 〖商〗 주문서 ; 구매 위탁 ; 수탁(受託) 구매품 ; 해외로부터의 주문(서).
〖AF<L (*dent-* *dens* tooth)〗

in·den·ta·tion [ìndentéiʃən] *n.* **1** Ⓤ 톱니 모양으로 만들기. **2** 톱니 모양, 움푹 들어감, 결각(缺刻) (notch) ; (해안선 따위의) 만입. **3** 〖印〗=INDENTION 1.

indént·ed *a.* **1** 톱니 모양으로 된 : an ~ coastline 들쭉날쭉한 해안선. **2** 기한부 도제(徒弟)로 들어간.

indénted móld *n.* 〖建〗 맞물림쇠시리.

in·den·tion [indénʃən] *n.* **1** 〖印〗 (새로운 paragraph의 첫머리를) 들이킴 ; 들여짜서 생긴 공간 (cf. PARAGRAPH). **2** =INDENTATION 1, 2.

in·den·ture [indéntʃər] *n.* **1** (두 통을 작성하고 날인한) 계약서, 증서, 증거문 ; [보통 *pl.*] 도제살이 계약서. **2** Ⓤ 톱니 자국을 내기 ; Ⓒ 새긴 자국. ***take up***[***be out of***] one***'s indentures*** 도제살이의 연기(年期)를 마치다.
—— *vt.* (남의) 고용을 계약서로 결정하다 ; 기한부 도제로 보내다.
〖AF ; ⇨ INDENT〗

in·dé·pen·dan·tiste [*F* ɛ̃depɑ̃dɑ̃tist] *n.* (캐나다의) Quebec 주 독립주의자.

***in·de·pend·ence** [ìndəpéndəns] *n.* **1** Ⓤ 독립, 독립심, 자주 : declare[win] one's ~ 독립을 선언하다[쟁취하다] / live a life of ~ 자활하다. **2** 독립하여[일하지 않고] 살 만한 수입 (independent income).
〖*independ*ent, *-ence*〗

Independénce Dày *n.* 《美》 독립 기념일《7월 4일 ; the Fourth of July라고도 함》.

Independénce Háll *n.* 《美》 (Philadelphia 시에 있는) 독립 기념관《1776년 7월 4일에 독립을 선언했던 곳》.

ìn·de·pénd·en·cy *n.* **1** Ⓤ 독립, 독립심, 자주 ; [I~] 〖基〗 독립 조합 교회주의 (Congregationalism). **2** 독립국.

***ìn·de·pénd·ent** *a.* **1** 독립의, 자주의, 자치의, 자유의, (남에게) 의지하지 않는 : an ~ man [country] 자주적인 사람[독립국] / live ~ 자활하다 / He is ~ *of* his parents. 그는 부모의 도움을 받지 않는다 (cf. DEPENDENT on). **2** 독립심이 강한 ; 멋대로인 : an ~ young woman 독립심이 강한 젊은 여자. **3** 일하지 않고 살 만한 : an ~ income 놀며 살 수 있을 만큼의 수입. **4** 남에게 의지하지 않는, 독자적인 ; 따로따로의 : an ~ thinker 독자적인 생각을 가진 사람 / ~ proofs [research] 독자적인 증거[연구]. **5** 〖政〗 무소속의, 독립당의 ; [I~] 〖基〗 독립 조합 교회파의. **6** 〖文法〗 (절이) 독립의 ; 〖數〗 독립의.
independent of . . . [부사구를 이끌어] …에서 독립하여, …와 관계없이 (apart from) : A wife can have property ~ *of* her husband. 아내는 남편에게서 독립하여 재산을 소유할 수 있다.
—— *n.* **1** 무소속 후보자[의원] ; 독립한 사람. **2** [I~] 독립 조합 교회파(派)의 사람(Congregationalist). 〖*in*-[1]〗

independent adòption *n.* 《美》 공적인 알선 기관을 통하지 않은 입양(入養).

Indepéndent Bróadcasting Authòrity *n.* [the ~] 《英》 독립 방송 공사《1972년 설립된 공공 법인 ; 略 I.B.A.》.

indepéndent chúrch *n.* 《주로 美》 독립 교회 《기성 교파에 속하지 않은 작은 그룹의》.

indepéndent cláuse *n.* 〖文法〗 독립절, 주절.

indepéndent·ist *n.*, *a.* 독립주의[론](자)(의) 《식민지나 자치령의 분리 독립을 주장함》.

in·de·pen·den·tis·ta [ìndepèndentíːstɑː] *n.* Puerto Rico 독립주의[론]자.

indepéndent·ly *adv.* 독립하여, 자주적으로 ; (…와는) 관계 없이〈*of*〉.

indepéndent schóol *n.* 《英》 독립 학교《정부 보조를 받지 않는 사립 학교》.

Indepéndent Télevision Authórity *n.* [the ~] 《英》 독립 텔레비전 공사《현재는 Independent Broadcasting Authority ; 略 I.T.A.》.

indepéndent váriable *n.* 〖數〗 독립 변수.

ín-dépth *a.* 면밀한, 주도한, 상세한, 완벽한 ; 심층의, 철저한《연구 따위》 : an ~ report 철저하게 취재한 기사.

ìn·describable *a.* 형언할 수 없는 ; 막연한.
—— *n.* indescribable한 것.
-ably *adv.* 말로 표현할 수 없을 정도로.
ìn·des·crìb·abíl·i·ty *n.*

ìn·destrúctible *a.* 파괴할 수 없는, 불멸의.
-bly *adv.* **ìn·destructibílity** *n.*

ìn·detérminable *a.* 확정할 수 없는, 해결되지 않는. **-ably** *adv.* 확정할 수 없게, 해결이 되어지지 않게. 〖L (DETERMINE)〗

in·de·ter·mi·na·cy [ìnditə́ːrmənəsi] *n.* =INDETERMINATION.

indetérminacy prìnciple *n.* 〖理〗 =UNCERTAINTY PRINCIPLE.

ìn·detérminate *a.* 부정의 ; 미확정의 ; 〖數〗 (양이) 부정(不定)의 ; 막연한 : an ~ vowel 〖音聲〗 애매한 모음《[ə]》. **~·ly** *adv.* 〖L〗

indetérminate séntence *n.* 〖法〗 부정기형 (不定期刑).

ìn·determinátion *n.* Ⓤ 부정, 불확정, 애매 ; 결

단력이 없음 ; 우유부단.

in·detérminism *n.* Ⓤ 〔哲〕 비(非)결정론, 자유의지론 ; (일반적으로) 불확정, (특히) 예측[예견] 불능(성). **-ist** *n.*

***in·dex** [índeks] *n.* (*pl.* **~·es, in·di·ces** [índəsìːz]) **1** (*pl.* **~·es**) 찾아보기, 색인 ; = CARD INDEX ; = HUMB INDEX ; 장서 목록 ; [the I~] 〔카톨릭〕 금서 목록 ; = INDEX EXPURGATORIUS. **2** 지시하는 것 ; 눈금, (시계 따위의) 바늘. **3** 《비유》 표시, 지침, 지표(指標)〈*of*〉. **4** = INDEX FINGER. **5** 〔印〕 손가락표, 손표 《☞》. **6** (*pl.* **-dices**) 〔數〕 지수(指數), (대수의) 지표, 율(率) : the uncomfortable ~ = the DISCOMFORT INDEX.

〈회화〉
I can't find this information. — Did you look in the *index*? 「이 정보를 찾을 수가 없네」「색인을 보셨습니까」

—— *vt., vi.* **1** (책에) 색인을 달다, 색인에 싣다, (서류에) 철하여 일련 번호를 붙이다 ; 지시하다. **2** (연금 따위를) 물가(지수)에 슬라이드시키다 (=《英》 index-link).
〚L *indic- index* pointer, forefinger, sign ; ⇨ INDICATE〛

ìndex·átion *n.* Ⓤ 지수화 방식, 전면적 물가 슬라이드제(制), 물가 지수 연동 방식《임금 · 값 · 이율을 생활비 지수에 맞추는 일》.

índex càrd *n.* 색인 카드.

índex crìme *n.* 《美》 (FBI의 연차 보고에 발표되는) 중대 범죄.

ín·dexed *a.* 〔經〕 물가 슬라이드 방식의.

índexed sequèntial dáta sèt *n.* 〔컴퓨〕 색인 순차 데이터 세트.

índex·er *n.* 색인 작성자.

índex èrror *n.* 〔測〕 지표(指標) 오차.

Índex Ex·pur·ga·tó·ri·us [-ikspəːrgətɔ́ːriəs] *n.* (*pl.* **Índices Ex·pur·ga·tó·ri·i** [-riiː]) 〔카톨릭〕 (삭제 개소 지정) 금서 목록, 검열을 요하는 도서표《현재 종교법상의 효력은 없음》. 〚L〛

índex fìnger *n.* 집게손가락(forefinger).

índex fòssil *n.* 〔地質〕 표준 화석(化石).

índex fùnd *n.* 《美》 〔經〕 인덱스 펀드《일정 기간의 시장 평균 주가(株價)에 맞게 운용 효과를 가져오는 주식으로 된 투자 기금》.

índex fútures *n. pl.* 〔經〕 주가(株價) 지수 선물(先物) 거래.

índex·ing *n.* = INDEXATION.

Índex Li·bró·rum Pro·hib·i·tó·rum [-laibrɔ́ːrəm prouhìbətɔ́ːrəm] *n.* (*pl.* **Índices Librórum Prohibitórum**) 〔카톨릭〕 금서 목록 《略 the Index》.
〚L=index of prohibited books〛

índex-lìnk *vt.* 《英》 〔經〕 (연금 · 세금 따위를) 물가(지수)에 슬라이드시키다.

índex nùmber *n.* 〔經 · 數 · 統〕 지수(指數).

índex nùmber of príces *n.* 물가 지수.

Índex of Indústrial Prodúction *n.* 〔經〕 (광)공업 생산 지수.

índex of linguístic insecúrity *n.* 〔言〕 언어적 불안정도 지수《略 ILI》.

índex of refráction *n.* 〔光〕 굴절률(refractive index).

indi- [índə] ☞ IND-.

‡In·dia [índiə] *n.* 인도(*Hindi* Bharat)《1947년 영국으로부터 독립 ; cf. PAKISTAN》.
the Republic of India 인도 공화국《1950년 이후의 공식 명칭 ; 수도 New Delhi》.
〚OE<L<Gk. (*Indos* river Indus)〛

Índia còtton *n.* 인도 사라사.

Índia ínk *n.* 《美》 먹(China ink, Chinese ink).

Índia·man [-mən] *n.* 〔史〕 (동인도 회사의) 인도 무역선(船).

‡In·di·an [índiən] *a.* **1** 인도의, 인도제(製)의 ; 인도 사람의 ; (원래) 인도에 사는 유럽인《특히 영국인》의 : an ~ civilian 《英》 인도에 근무하던 영국 문관. **2** 아메리칸 인디언의(= American ~) ; 인디언어(語)의.
—— *n.* **1** 인도 사람(cf. EAST INDIAN, HINDU). **2** 인도에 사는 유럽인《특히 영국인》. **3** 아메리칸 인디언(= American ~) : ☞ RED INDIAN. **4** Ⓤ 인디언어(語). **5** Ⓤ 《美》 옥수수(= ~ corn).

In·di·ana [ìndiǽnə] *n.* 인디애나《미국 중부의 주 ; 주도 Indianapolis ; 略 Ind.》.

Indiána bállot *n.* 〔美政〕 정당별 후보자 명단이 적힌 투표지《party-column ballot 이라고도 함》.

Índian àgent[**àgency**] *n.* 《美》 아메리칸 인디언 관리관[관리소].

In·di·an·an [indiǽnən], **-an·i·an** [-ǽniən] *a., n.* Indiana 주의 (사람)(cf. HOOSIER).

In·di·a·nap·o·lis [ìndiənǽpələs] *n.* 인디애나폴리스《미국 인디애나 주의 주도》.

Índian bréad *n.* = CASSAVA.

Índian clùb *n.* 체조용의 곤봉.

Índian córn *n.* 옥수수(=《英》 maize). ㊟ 미국 · 캐나다 · 오스트레일리아에서는 단순히 corn이라고 함 ; ☞ CORN[1] 2.

Índian créss *n.* 〔植〕 한련화《남미 원산》.

Índian élephant *n.* 〔動〕 인도코끼리.

Índian Émpire *n.* [the ~] 인도 제국(帝國)《독립 이전의 영국령 식민지로서의 인도의 총칭》.

Índian file *n.* 일렬 종대(single file) : march *in* ~ 일렬 종대로 행진하다.

Índian gìft *n.* 《美口》 답례를 바라고 하는 선물.

Índian gìver *n.* 한번 준 것을 다시 빼앗는 사람, 답례를 바라고 물건을 주는 사람.

Índian háy *n.* 《美俗》 마리화나.

Índian hémp *n.* 〔植〕 **1** 인도대마[삼] ; 인도대마로 만든 마(취)약, 마리화나. **2** 북미산의 협죽도(夾竹桃)과의 관목.

Índian ínk *n.* 《英》 = INDIA INK.

Índian·ìsm *n.* 인디언의 특질[문화] ; 인디언의 이익을 도모하는 정책.

Índian·ìze *vt.* (성격 · 습관 따위를) 인도인화(化)하다 ; (정부의 영국인을) 전면적으로[대부분] 인도인으로 바꾸다. **Ìndian·izátion** *n.* 인도인화 정책.

Índian lótus *n.* 〔植〕 연꽃.

Índian mahógany *n.* 인도마호가니.

Índian mállow *n.* 〔植〕 어저귀.

Índian méal *n.* 《주로 英》 = CORNMEAL.

Índian Mútiny *n.* [the ~] 인도 폭동《1857-59년의 벵골의 세포이의 반란》.

Índian Nátional Cóngress *n.* [the ~] 인도 국민 회의(파)《1885년 결성》.

Índian Ócean *n.* [the ~] 인도양.

Índian Pacífic *n.* 인디언 퍼시픽《오스트레일리아의 시드니와 퍼스를 잇는 대륙 횡단 열차》.

Índian pípe *n.* 〔植〕 수정란풀아재비《북미 · 아시아산(産)》.

Índian púdding *n.* 《美》 옥수수 가루 · 우유 · 당밀 따위로 만든 푸딩.

Índian réd *n.* 누르스름한 적색 안료(顔料).

Índian ríce *n.* 〔植〕 줄(풀)(= wild rice).

Índian shót *n.* 〔植〕 칸나(canna).

Índian sígn *n.* [the ~] (적의 힘을 빼앗는) 주술(呪術), 주문(呪文) ; [the ~] 징크스, (특히 상대를 불운하게 하는) 이상한 힘.
have [***put***] ***the Indian sign on*** …에 대해 신통력을 갖다[미치다].
Índian sílk *n.* =INDIA SILK.
Índian súmmer *n.* (특히 미국 북부의 늦가을의) 따뜻한 날씨(cf. ST. LUKE'S [MARTIN'S] SUMMER) ; 평온한 만년(晩年).
Índian Térritory *n.* [때때로 the ~] 〖美史〗 인디언 특별 보호구(區) 《19세기 초에 인디언을 강제 거류시키기 위해 특설한 준주(準州) ; 지금의 Oklahoma 주 동부 지방》.
Índian tobácco *n.* 로벨리아(풀)《북미산 도라지과의 약초》; 인도대마[삼](hemp).
Índian túrnip *n.* 〖植〗 천남성(의 뿌리).
Índian wéed *n.* [the ~] 담배.
Índian wréstling *n.* **1** 팔씨름(=arm wrestling). **2** 누워서 하는 발씨름 ; 서로 한 손을 잡고 상대를 쓰러뜨리는 씨름의 일종.
Índia pàper *n.* 당지(唐紙) ; 인디아지(紙)《질기고 불투명하며 얇고 질이 좋은 인쇄용지》.
Índia prìnt *n.* 인도산(産) 사라사《목판에 의한 날염으로 다채로운 채색의 무늬가 있는 평직 무명》.
índia rúbber *n.* [때때로 I~] 지우개 ; Ⓤ 탄성(彈性)고무.
Índia sìlk *n.* 인도 비단《부드럽고 얇은 비단》.
indic. indicating ; indicative ; indicator.
in·di·cant [índikənt] *a.* 지시[표시]하는. —— *n.* 표시[지시]물 ; 〖醫〗 지시(징후).
***in·di·cate** [índəkèit] *vt.* [+目/+*that* 節] **1** 가리키다(point to), 지시하다, 지적하다 : The hygrometer ~*s* the humidity of the air. 습도계는 공기의 습도를 나타낸다. **2** (몸짓 따위로) 암시하다 ; 간단히 말하다 : The leader ~*d that* the plans had failed. 주모자는 그 계획이 실패했다는 것을 암시했다. **3** …의 표시[징조]다 : Fever ~*s* illness. 열이 있는 것은 병의 징조다. **4** 〖醫〗 (징후 따위가 어떤 요법의) 필요를 나타내다 ; (일반적으로) 필요로 하다, …이 바람직하다 : An operation is ~*d.* 수술이 필요하다.
—— *vi.* 지시를 내다.
〚L (*dico* to make known) ; ⇨ INDEX〛
ín·di·cà·ted *a.* INDICATOR에 지시[표시]된 ; 《英俗》 [*pred.*로 쓰여] 바람직한(desirable).
índicated hórsepower *n.* 도시(圖示)[지시] 마력(馬力)《略 IHP, ihp, i.h.p., i.hp.》.
ìn·di·cá·tion *n.* **1** Ⓤ,Ⓒ [+*of*+do*ing*/+*that* 節] 지시(指示), 지적 ; 표시 ; 징후 : His face gave no ~ ***of*** discontent. 그의 얼굴에는 불만스러운 기색이 조금도 나타나지 않았다 / The painting has every ~ *of* be*ing* genuine. 그 그림은 아무리 보아도 진짜 같다 / There is much ~ [There are many ~*s*] *that* his official statement would bring peace to the world. 그의 공식 성명이 세계에 평화를 초래하리라는 징조가 많은 곳에서 눈에 띈다. **2** Ⓤ (계기(計器)의) 시도(示度), 표시 도수.
in·dic·a·tive [indíkətiv] *a.* **1** 지시하는, 표시하는, 암시하는〈*of*〉. **2** 〖文法〗 직설법의(cf. MOOD² 2) : the ~ mood 직설법. —— *n.* 〖文法〗 직설법.
~·ly *adv.*
〚F<L ; 문법 용어는 Gk. *horistikē* (*egklisis* mood)의 역(譯)〛
ín·di·cà·tor *n.* 지시자[물] ; (신호) 표시기, (차 따위의) 방향 지시기, 표지(標識) ; 〖機〗 압력 지시기 ; 〖工〗 인디케이터《계기(計器)·지침(指針), 문자반 따위》; 〖化〗 지시약(藥) ; (일반적으로) 지표(指標) ; 〖生態〗 지표(생물) ; 〖經〗 경제지표.
in·dic·a·to·ry [indíkətɔ̀:ri ; -təri] *a.* 지시[표시]하는.
***indices** *n.* INDEX의 복수형.
in·di·cia [indíʃiə] *n.* (*pl.* **~, ~s**) 표시 ; 《美》 (요금 별납 우편물 따위의) 증인(證印). 〚L〛
in·di·cial [indíʃəl] *a.* 표시[지시]의 ; 표시[지시]하는〈*of*〉; 색인의, 찾아보기의.
in·di·ci·um [indíʃiəm] *n.* (*pl.* **-cia** [-ʃiə], **~s**) 표시, 징후, 특징 ; 증거.
〚L ; ⇨ INDEX〛
in·dict [indáit] *vt.* [+目/+目+前+名/+目+*as* 補] 〖法〗 기소[고발]하다 : ~ a person ***for*** murder [*as* a murderer, ***on*** a charge of murder] 남을 살인혐의로 기소하다.
~·ee [ìndaití:, -ˊ-ˊ] *n.* 피기소자, 피고. **~·er, -díc·tor** *n.* 기소자. **~·able** *a.* 기소[고발]되어야 할. 〚AF<OF ; ⇨ INDITE〛
indíct·ment *n.* Ⓤ 기소(절차), 고발 ; Ⓒ 기소[고발]장 ; (일반적으로) 비난, 공격 : bring in an ~ *against* a person 남을 기소하다.
in·die [índi] *n., a.* 《美口》 (영화·텔레비전 따위의) 독립 프로그램(의) ; 《美口》 (주요 네트워크 계열외의) 독립 텔레비전국.
〚*inde*pendent〛
In·dies [índi(:)z] *n. pl.* [the ~] 인도 제국《인도·인도차이나·동인도 제도(諸島)의 총칭적 옛날 명칭》.
the East [***West***] ***Indies*** 동[서]인도 제도.
〚(pl.) ‹*Indy* (obs.) India〛
***in·dif·fer·ence** [indífərəns] *n.* **1** Ⓤ 무관심, 냉담, 개의치 않음 : show ~ *to* …을 모른 체하다 / the ~ of the general public *toward* politics 정치에 대한 일반 대중의 무관심. **2** Ⓤ 중요하지 않은 일 : a matter *of* ~ (*to* me) (나에게는) 아무래도 좋은 일.
with indifference 무관심하게, 냉담하게 ; 되는 대로 : treat a person's request [one's work] *with* ~ 남의 요구에 냉담하게 대하다[자기 일을 되는 대로 처리하다].
indífference cùrve *n.* 〖經〗 무차별 곡선.
in·díf·fer·en·cy *n.* 《古》 =INDIFFERENCE.
***in·díf·fer·ent** *a.* **1** (사람이) 무관심한, 냉담한, 개의치 않는 : He is ~ *to* fame [money, worldly success]. 명성[금전, 세속적 성공]에는 개의치 않는다 / He professed himself ~ *as to* the outcome of the negotiations. 교섭의 성과에 대해서는 아무래도 좋다는 생각을 표명했다. **2** 편파적이 아닌, 공평한(impartial), 중립의(neutral). **3** (일이) 중요하지 않은, 관계없는, 아무래도 좋은 : Dangers are ~ *to* us. 위험 따위는 우리의 안중에 없다 / It was utterly ~ *to* her who he was. 그가 어떤 사람이건 간에 그녀에게는 아무래도 좋은 일이었다. **4** 특색이 없는, 무난한, 평범한 ; 서투른 : a very ~ player 매우 서투른 경기[연주]자. **5** 〖理〗 중성(中性)의.
—— *n.* (종교 또는 정치에) 무관심한 사람.
〚OF or L=making no distinction (*in*-¹)〛
類義語 ***indifferent*** 어떤 특정한 사람 또는 물건에 대해서 무관심[냉담]한 ; 특별히 좋아하는 것도 아니고 싫어하는 것도 아닌 : He was *indifferent* in the quarrel. (그는 싸움에 대해서는 무관심했다). ***unconcerned*** 위험·불안한 상태에서도 근심·걱정·불안이 없이 침착해 있는 또는 냉정한[냉담한] : She was *unconcerned* in the confusion. (그녀는 혼란 속에서

도 냉정했다). ***incurious*** 흥미 또는 호기심이 없는 : *incurious* about the news (뉴스에 대해서 흥미가 없는). ***detached*** 어떤 일에 대해서 개인적인 이해관계나 편견이 없기 때문에 공평한 또는 초연한 : He had a *detached* view to the affair. (그는 그 사건에 공평한 견해를 가졌었다). ***disinterested*** 엄밀히는 이기적인 동기나 욕망이 없기 때문에 공평 무사한 것이지만, 《美口》에서는 「흥미를 갖지 않는, 무관심한」이라는 뜻으로도 쓰임 : a *disinterested* reporter (공평 무사한 보고자).

indífferent·ìsm *n.* Ⓤ 무관심주의 ; 〖宗〗 신앙 무차별론.

indífferent·ly *adv.* **1** 무관심하게, 냉담히. **2** 차별 없이, 평등하게. **3** 보통으로, 좋지도 나쁘지도 않게 ; 오히려 나쁘게. ㊟ 흔히 but이나 very를 앞에 붙임. **4** 《古》 공연히.

in·di·gen [índidʒən] *n.* 〖生〗 =INDIGENE.

in·di·gence [índidʒəns] *n.* Ⓤ 빈곤, 가난, 궁핍.

in·di·gene [índədʒìːn] *n.* 본토박이, 원주민, 토착민 ; (동·식물의) 원산종(原產種).
〚F<L=native (*indi-*=*in-*², *gen-* to beget)〛

in·dig·e·nous [indídʒənəs] *a.* 토착의, (그 고장) 고유의, 원산의, 국산의(↔*exotic*) ; 타고난 ; 원주민의 : The plants are ~ *to* Mexico. 그 식물은 멕시코 고유의 것이다. **~·ly** *adv.*

in·di·gent [índidʒənt] *a.* 가난한(poor) ; 《古》 (…이) 결여되어 있는〈*of*〉.
—— *n.* indigent한 사람.
〚OF<L (*indi-* IN-², *egeo* to need)〛

ìn·digést·ed *a.* **1** 소화되지 않는. **2** (계획 따위가) 엉성하기 짝이 없는, 미숙한, 서투른, 생경(生硬)한 ; 신중히 고려되지 않은.

ìn·digést·ible *a.* 소화가 안되는 ; 이해할 수 없는 ; (학설 따위) 받아들이기 어려운 ; 참을 수 없는, 불쾌한. —— *n.* indigestible한 것.
-ibly *adv.* **ìn·digèst·ibílity** *n.* 〚F or L〛

ìn·digéstion *n.* **1** Ⓤ 소화가 안됨 ; 소화 불량, 위약(胃弱) : suffer from ~ 위가 약해서 고생하다. **2** Ⓤ 미숙, 생경(生硬).
〚OF or L〛

ìn·digéstive *a.* 소화 불량(증)의 ; 소화 불량을 일으키는.

in·dign [indáin] *a.* 《古》 가치 없는 ; 《廢》 수치스러운, 면목이 없는 ; 《詩》 (벌 따위) 부당한.
〚OF<L〛

***in·dig·nant** [indígnənt] *a.* 분개한, 화가 난 : The man was hotly ~ *at* the insult. 그 사람은 그 모욕에 몹시 분개했다 / She was ~ *with* him *for* beat*ing* his little brother. 그녀는 그가 동생을 때린 것에 분노를 느꼈다.
~·ly *adv.* 분개하여, 화를 내어.
〚L *indignor* to regard as unworthy (*dignus* worthy) ; cf. ↑〛

***in·dig·na·tion** [ìndignéiʃən] *n.* Ⓤ 분개, 의분, 분노 : The crowd felt great ~ *against* the ruler. 군중은 지배자에게 커다란 분노를 느끼고 있었다 / his ~ *with* the public[*at* the injustice] 세상에 대한[부정에 대한] 그의 분개.
類義語 ⟹ ANGER.

indignátion mèeting *n.* 항의[궐기] 집회.

in·dig·ni·ty [indígnəti] *n.* Ⓤ 경멸, 모욕, 무례(insult) ; Ⓒ 모욕적인 언동, 냉대.

in·di·go [índigòu] *n.* (*pl.* **~s, ~es**) **1** Ⓤ 남빛 ; 〖化〗 인디고. **2** 〖植〗 인디고를 채취하는 식물(=~ **plànt**). —— *a.* 남빛의.
〚Sp. and Port. <L<Gk. *indikon* Indian (dye)〛

índigo blúe *n.* 남빛 ; 〖化〗 인디고 블루.

índigo-blúe *a.* 남빛의.

índigo búnting[**bírd, fínch**] *n.* 〖鳥〗 유리무당새《북미 원산》.

in·di·goid [índəgɔ̀id] *n., a.* 〖化〗 인디고이드(indigoid dye) (의).

índigoid dýe *n.* 〖化〗 인디고이드 물감《인디고 블루와 같은 분자 구조를 가짐》.

in·di·got·ic [ìndəgátik] *a.* 인디고의, 인디고 비슷한, 남색의.

in·dig·o·tin [indígətən, ìndigóu- ; índigəu-] *n.* 〖化〗 인디고틴《천연람(藍) 성분의 하나》.

índigo whíte *n.* [때때로 I~ W~] 백람(白藍) 《인디고를 환원하여 얻은 무색 결정 분말》.

‡in·diréct *a.* **1** (길 따위) 똑바르지 않은, 우회의. **2** (표현 따위) 간접의, 우회하는, 솔직하지 않은 ; 정직하지 않은. **3** 간접적인, 2차적인, 방계의(secondary) : ~ lighting 간접 조명 / ☞ INDIRECT TAX. **4** 〖文法〗 간접적인 : ☞ INDIRECT OBJECT / ☞ INDIRECT SPEECH[NARRATION, DISCOURSE]. **~·ly** *adv.*
〚OF or L〛

índirect aggréssion *n.* 간접 침략 ; (대외) 방송전, 선전.

índirect cóst[**chárge**] *n.* 〖經〗 간접비, 일반경비[비용] 《원가 중에서 생산과 직접 관계가 없는 지대·집세·보험료·광열비·유지비·선전비 따위 ; ↔*direct cost* ; cf. OVERHEAD *n.*》.

índirect díscourse[**spéech, narrátion**] *n.* 〖文法〗 간접화법《보기 He said *that he would come*. 따위 ; cf. DIRECT DISCOURSE》.

índirect évidence *n.* 간접 증거(circumstantial evidence).

índirect expénses *n. pl.* 일반 경비.

índirect fíre *n.* 〖軍〗 간접 (조준) 사격.

in·di·rec·tion [ìndərékʃən, -dai-] *n.* Ⓤ 우회 ; 부정직 ; 사기 ; Ⓒ 부정한 수단.

índirect óbject *n.* 〖文法〗 간접 목적어.

índirect pássive *n.* 〖文法〗 간접 수동태《간접 목적어나 전치사의 목적어를 주어로 하고 있는 수동태 ; 보기 He was given the book. / He was laughed at. 따위》.

índirect prímary *n.* 《美》 간접 예비 선거《당대회에서 후보자를 뽑는 대표자를 선출함 ; cf. DIRECT PRIMARY》.

índirect próof *n.* 〖論〗 간접 증명[논증]법, 귀류법(歸謬法).

índirect quéstion *n.* 〖文法〗 간접 의문.

índirect redúction *n.* 〖論〗 간접 환원법.

índirect táx *n.* 간접세(cf. DIRECT TAX).

ìn·discérn·ible *a.* 식별할 수 없는, 알아보기 힘든, 보이지 않는. —— *n.* 보고 구별하기 힘든 것.
-ibly *adv.*

in·díscipline *n.* 규율 없음, 훈련되어 있지 않음, 무질서함.

***ìn·discréet** *a.* 무분별한, 생각없는, 경솔한.
~·ly *adv.* 무분별하게, 경솔하게.

ìn·discréte *a.* (따로따로) 갈라져 있지 않은 ; 개별적이 아닌 ; 밀착한.

ìn·discrétion** *n.* Ⓤ [+前+do*ing* / +*to* do] 무분별, 생각 없음 ; Ⓒ 경솔한 언동, 조심성 없는 행위 : I warned him against ~ ***in his conversation [*in* choos*ing* his friends]. 나는 그에게 남과 대화시에[친구를 선택할 때] 경솔하지 않도록 주의시켰다 / He had the ~ *to* accept the money. 그는 무분별[경솔]하게도 그 돈을 받았다.
〚OF or L〛

ìn·discríminate *a.* [+前+do*ing*] 무차별의, 가리지 않는, 난잡한 : an ~ reader 낭독하는 사람 / My brother is ~ ***in*** collect*ing* stamps. 아우는 닥치는 대로 우표를 모은다.
~·ly *adv.* 무차별하게.
ìn·discríminating *a.* 무차별의 ; 분별 없는.
ìn·discriminátion *n.* 무차별 ; 무분별.
ìn·discríminative *a.* 무차별의(undiscriminating). **~·ly** *adv.*
‡ìn·dispénsable *a.* 없어서는 안될, 절대 필요한 ; (의무 따위가) 피할 수 없는 : Health is ~ *to* everyone. 건강은 누구에게나 불가결한 것이다 / Both coal and water are ~ *for* steam or electric power. 석탄과 물은 모두 증기나 전력에 절대 필요한 것이다.

> **indispensable**의 문장 전환
> This watch is *indispensable* to me.
> (이 시계는 나에게는 없어서는 안되는 것이다.)
> → I can't *dispense with* this watch.
> → I can't *do without* this watch.
> (이 시계 없이는 지낼 수가 없다.)

—— *n.* 필요 불가결한 것[사람].
-ably *adv.* 반드시, 꼭. **ìn·dispensabílity** *n.* 〖L〗
類義語 ⟹ NECESSARY.
in·dis·pose [ìndispóuz] *vt.* [+目+*to* do / +目+前+名] **1** (…에게) …할 마음을 잃게[없게] 하다, 싫어지게 하다 : Such hot weather ~*s* anyone *to* work hard. 이렇게 더워서는 누구나 열심히 일할 마음이 없어진다 / Heavy taxes ~ a people *to* work hard. 중과세는 국민의 근로 의욕을 잃게 한다. **2** 부적당하게[알맞지 않게 · 불가능하게] 하다. **3** …을 (가벼운) 병에 걸리게 하다. 〖↓의 역성(逆成)인가〗
in·dis·posed [ìndispóuzd] *a.* **1** 기분이 나쁜, 불쾌한, (몸이) 약간 불편한 : He became suddenly ~. 그는 갑자기 기분이 나빠졌다 / I am ~ *with* a headache. 나는 두통이 나서 약간 기분이 좋지 않다. **2** 싫증난, 마음이 내키지 않는〈*to* do, *for, toward* something〉: She seems ~ *to* play tennis. 그녀는 테니스를 하고 싶은 마음이 없는 것 같다 / I am ~ ***for*** any work. 나는 어떤 일에도 마음이 내키지 않는다.
〖L *indispositus* disordered〗
ìn·disposítion *n.* U.C **1** 기분이 언짢음, 찌뿌드드함, 가벼운 병(두통 · 감기 따위) : She has fully recovered from her recent ~. 그녀는 최근의 (가벼운) 병에서 완전히 회복되었다. **2** [+*to* do] 마음이 내키지 않음, 싫어하는 마음〈*to, toward*〉: I felt a certain ~ *to* face reality. 나는 현실에 직면하고 싶지 않은 기분이었다.
ìn·dispútable *a.* 다툴[의론의] 여지가 없는 (unquestionable), 부정할 수 없는, 명백[확실]한 (certain).
-ably *adv.* 명백하게. **ìn·disputabílity** *n.*
ìn·dissóluble *a.* **1** 분해[분리 · 용해]할 수 없는. **2** 해소[파기]할 수 없는, 굳은, 영속적인, 불변의. **-bly** *adv.* **ìn·dissolubílity** *n.*
ìn·distínct *a.* 불명료한, 희미한.
~·ly *adv.* 불명료하게, 희미하게. 〖L〗
ìn·distínction *n.* U 무차별 ; 불명료함.
ìn·distínctive *a.* 눈에 띄지 않는, 특색이 없는.
ìn·distínguish·able *a.* 구분[식별]할 수 없는.
-ably *adv.*
in·dite [indáit] *vt.* (시문(詩文) 따위를) 짓다, 쓰다(compose) ; 《보통 戱》 (편지 따위를) 쓰다 (write) ; 《廢》 받아쓰다. **~·ment** *n.*
〖OF<L (*dicto* to DICTATE) ; ⇨ INDICT〗
in·di·um [índiəm] *n.* U 〖化〗 인듐《금속 원소 ; 기호 In ; 번호 49》. 〖NL (INDIGO, *-ium*)〗
índium ántimonide *n.* 〖化〗 안티몬화(化)인듐《화합물 반도체》.
indiv., individ. individual.
ìn·divért·ible *a.* 옆으로 돌릴 수 없는, 전용[전환]할 수 없는.
‡in·di·vid·u·al [ìndəvídʒuəl] *n.* **1** (집단의 일원으로서의) 개인(cf. SOCIETY) ; 개체 ; (물건의) 한 단위(unit) : a private ~ 한 개인. **2** 사람 : an amusing ~ 재미있는 사람. **3** 〖生〗 개체.
—— *a.* **1** 개개의, 개별의(single, separate) : in the ~ case 개개의 경우에 (있어서) / We use ~ towels. 타월은 따로따로[각자의 것을] 쓰고 있다. **2** 일개인의, 개인적인 ; 개인용의. **3** 독특한, 특유의, 개성을 발휘한 : an ~ style 독특한 문체. **4** 《廢》 분해할 수 없는, 나눌 수 없는.
〖ME=indivisible<L ; ⇨ DIVIDE〗
indivídual·ìsm *n.* **1** U 개인주의(cf. TOTALITARIANISM ; ↔*institutionalism*) ; U 이기주의 (egoism) ; 〖哲〗 개체주의, 개인주의. **2** 개성, (개인의) 특이성.
-ist *n.* **ìn·di·vìd·u·al·ís·tic** *a.*
in·di·vid·u·al·i·ty [ìndəvìdʒuǽləti] *n.* **1** U 개성, 개체성 ; C 개체, 개인, 단일체. **2** [*pl.*] (개인적) 특성, 특질.
indivídual·ìze *vt.* 개개로 구별하다, …에 개성을 발휘시키다[부여하다] ; 개별적으로 다루다[취급하다], 따로따로 열거하다 ; 개별적으로 배려하다.
ìndivìdual·izátion *n.* 개성화, 개별화 ; 차별, 구별.
indivídual·ly *adv.* 개인으로서, 개인적으로 ; 개성을 발휘하여 ; 개개[각개]로, 개별적으로.
indivídual médley *n.* 〖泳〗 개인 혼계영(混繼泳)《略 IM》.
indivídual psychólogy *n.* 개인 심리학 ; (개인차를 다루는) 개성 심리학.
indivídual retírement accòunt *n.* 《美》 개별 퇴직 계산《略 IRA》.
indivídual retírement plàn *n.* 《美》 개별(적립) 퇴직 계산 방식《비(非)연금 대상자가 비과세로 퇴직 때까지 계속하는 일종의 재형 저축》.
in·di·vid·u·ate [ìndəvídʒuèit] *vt.* =INDIVIDUALIZE. 〖L ; ⇨ INDIVIDUAL〗
ìn·di·vìd·u·á·tion *n.* 개체화 ; 개별성, (특히) (개인적) 특성(individuality) ; 〖哲〗 개체화.
ìn·divísible *a.* 분할할 수 없는, 불가분(不可分)의. —— *n.* 분할할 수 없는 것 ; 극미분자, 극소량. **-bly** *adv.* **ìn·divisibílity** *n.* 〖L〗
indo- [índou, -də] ☞ IND-.
Indo- [índou, -də] ☞ IND-.
Índo-Áryan *n., a.* 인도아리안 사람[어](의).
Índo·chína *n.* 인도차이나. 주 넓은 뜻으로 Myanmar, Thailand, Malaya를 포함하는 경우와, 옛 프랑스령 인도차이나《Vietnam, Cambodia, Laos》만을 가리키는 경우가 있음.
Índo-Chinése *a.* 인도차이나(어)의. —— *n.* (*pl.* ~) 인도차이나 사람[어].
in·dócile *a.* 가르치기[훈련시키기, 다루기] 어려운, 순종하지 않는, 말을 듣지 않는.
ìn·docílity *n.*
in·doc·tri·nate [indáktrənèit] *vt.* [+目+前+名] …에게 주입하다, 불어넣다(imbue), 가르치다 : ~ a person ***in*** a principle[***with*** an idea]

남에게 원칙을 가르치다[사상을 불어넣다].
in·dòc·tri·ná·tion *n.* 〖*in-*²〗
Índo-Européan *n., a.* 인도 유럽[인도 게르만] 어족(의). ㊟ 인도 게르만 어족은 인도·서부 아시아·유럽 각국에서 쓰이는 언어의 대부분을 포함하는 대어족(大語族).
Índo-Germánic *n., a.* =INDO-EUROPEAN.
Índo-Híttite *n., a.* 인도히타이트어족(語族)(의).
Índo-Iránian *n., a.* 인도 이란어(의).
in·dole [índoul] *n.* Ⓤ〖化〗인돌《낮은 온도에서 녹는 무색 결정의 화합물 ; 향료·시약 따위에 씀》. 〖*ind*igo, *-ole*〗
índole·acétic ácid *n.* 〖生化〗인돌아세트산.
in·do·lence [índələns] *n.* Ⓤ 나태, 게으름(idleness) ;〖醫〗무통성(無痛性).
ín·do·lent *a.* 나태한, 게으른, 빈둥거리는(lazy), 활동하지 않는(inactive) ;〖醫〗무통성의.
~·ly *adv.*
〖L=not feeling pain (*doleo* to suffer pain)〗
類義語 ⟹ IDLE.
In·dol·o·gy [indálədʒi] *n.* 인도학. **-gist** *n.*
in·dom·i·ta·ble [indámətəbəl] *a.* 굽히지 않는, 꿋꿋한, 불굴의. **-bly** *adv.* 단호하게.
〖L (*in-*¹, DAUNT)〗
In·do·ne·sia [ìndəní:ʒə, -ʃə ; -ziə] *n.* 인도네시아(공화국)《옛 네덜란드령 동(東)인도의 전 지역 ; 수도 Jakarta》; (막연하게) 인도네시아《동인도 여러 나라》.
Ìn·do·né·sian *a.* 인도네시아(인·어)의. —— *n.* 인도네시아 사람 ; Ⓤ 인도네시아어.
***ín·dòor** *attrib. a.* 옥내(屋內)의, 실내의(↔*outdoor*) : ~ games 옥내[실내] 놀이 / ~ relief ☞ RELIEF¹ 2.
índoor báseball *n.* 실내 야구.
índoor plúmbing *n.* 《美口》 변소《옥외 변소와 구별해 사용함》.
***in·dóors** *adv.* 실내에(서) : stay ~ 외출하지 않다, 집안에 틀어박히다 / run ~ 집안으로 뛰어들어가다.

〈회화〉
We were kept *indoors* by the rain all day.—How boring!「비 때문에 온종일 집에 갇혀 지냈어」「야, 지겨웠겠다」

Índo-Pacífic *a.* 인도양·서태평양 지역의.
—— *n.* 인도·태평양 어족《아시아 남동부에서 태평양 제도·오스트레일리아에 걸치는 여러 언어로 이루어진 대(大)어족》.
in·dorse [indɔ́:rs] *vt.* =ENDORSE.
In·dra [índrə] *n.* 〖힌드敎〗인드라《천둥이나 비를 관장하는 Veda의 대표적인 신》.
〖Skt.〗
ín·dràft | **-dràught** *n.* 끌어 들이기, 흡입 ; (공기·물 따위의) 유입〈*of*〉.
ín·dràwn *a.* (숨 따위) 들이마신 ; 마음을 터놓지 않는, 서먹서먹한 ; 내성적인, 소극적인(reserved).
in·du·bi·ta·ble [indjú:bətəbəl] *a.* 의심할 여지가 없는, 확실한, 명백한. —— *n.* indubitable한 것[하기]. **-bly** *adv.* 명백하게. 〖F or L〗
induc. induction.
in·duce [indjú:s] *vt.* **1** [+目+*to* do] 권유하다, 설득하여[권하여] …시키다(persuade) : I could not ~ him *to* abandon his evil ways. 그를 설득하여 나쁜 길과 인연을 끊게 할 수가 없었다 / Nothing shall ~ me *to* obey him. 어떤 일이 있어도 그에게 복종하지 않겠다. **2** 일으키다, 유발하다 : Opium ~*s* sleep. 아편은 잠을 오게 한다. **3**〖論〗귀납(歸納)하다(↔*deduce*). **4**〖電·理〗유도하다 : an ~*d* current 유도 전류.
〖L (*in-*², *duct- duco* to lead)〗
類義語 ⟹ PERSUADE.
in·dúced drág *n.* 〖流體力學〗유도 항력(抗力).
indúced radioactívity *n.* 〖理〗(천연 방사능에 대해) 유도[유발 인공] 방사능(=artificial radioactivity).
indúce·ment *n.* Ⓤ,Ⓒ [+*to* do] 유인(誘引)[유도](하는 것), 자극, 동기 ;〖法〗(소송의) 예비진술 : She had no[little] ~ *to* regenerate herself. 그녀에게는 갱생하고자 하는 마음을 일으키게 하는 것이 아무것도[거의] 없었다.
類義語 ⟹ MOTIVE.
in·dúc·er *n.* INDUCE하는 사람[것] ;〖遺〗유도자, 유도 물질.
in·dúc·ible *a.* 유도[유인]할 수 있는 ; 귀납할 수 있는.
in·duct [indʌ́kt] *vt.* **1** [+目+前+名] 《文語》 **a)** 끌어 들이다, (자리에) 안내하다(lead) ; (비밀 따위를) 전수하다 : ~ a person ***into*** a room[seat] 남을 방[자리]으로 안내하다. **b)** 입회시키다, 취임시키다 : ~ a clergyman ***to*** a benefice 성직자를 녹(祿)을 받는 목사로 취임시키다 / Mr. White has been ~*ed* ***into*** the office of governor. 화이트씨는 지사로 취임했다. **2** 《美》 (징병된 자를) 병역에 복무시키다(draft). **3**〖電〗=INDUCE.
〖INDUCE〗
in·duc·tance [indʌ́ktəns] *n.* Ⓤ,Ⓒ〖電〗인덕턴스, 자기(自己) 유도[감응] 계수.
in·duct·ee [ìndʌktí:] *n.* 《美》 징집병.
in·dúctile *a.* 잡아늘일 수 없는, 연성(延性)이 없는 ; 휘지 않는 ; 순종치 않는.
in·duc·tion [indʌ́kʃən] *n.* **1** Ⓤ 유도, 도입 ;〖電〗유도 ; 감응, 유발. **2** Ⓤ〖論〗귀납(법)《특수한[개개의] 사례에서 일반적인 결론을 도출해 냄 ; ↔*deduction* ; cf. SYLLOGISM》. **3** 《古》 서막(序幕), 서론, 머리말〈*to*〉. **4** (성직·관직의) 취임식. **5** 《美》 입대식, 모병. **6** (비결 따위의) 전수 ; =INDUCTION COURSE. 〖OF or L ; ⇨ INDUCE〗
indúction accèlerator *n.* 유도(誘導) 가속기(betatron).
indúction còil *n.* 〖電〗유도[감응] 코일.
indúction còmpass *n.* 〖空〗자기(磁氣) 유도 컴퍼스《지구 자기장내에서 코일에 나타나는 초전력을 이용해 방위를 앎》.
indúction còurse *n.* (신입 사원 등의) 연수.
indúction hèating *n.* 〖電〗유도 가열《전자 유도로 전류를 유입하여 가열함》.
indúction mòtor *n.* 〖電〗유도 전동기.
indúction pèriod *n.* 〖理·化〗유도기(期).
in·duc·tive [indʌ́ktiv] *a.* **1** 귀납(법)적인(↔*deductive*) : ~ reasoning 귀납 추리. **2** 유도의〈*to*〉;〖電〗유도의, 감응의.
~·ly *adv.* 귀납적으로.
indúctive reáctance *n.* 〖電〗유도 리액턴스.
in·duc·tom·e·ter [ìndʌktámətər ; -tɔ́mi-] *n.* 〖電〗인덕턴스 측정계, 가변(可變) 유도기.
in·dúc·tor *n.* 성직 수여자 ;〖電〗유도자(子) ;〖化〗감응 물질, 유도질(質).
in·due [indjú:] *vt.* =ENDUE.
in·dulge** [indʌ́ldʒ] *vt.* **1** [+目+前+名] [때때로 ~ one*self* 로] (…에) 빠지게 하다, …을 탐닉하다 : He seldom ~*d* him*self* ***in such idle thoughts. 그가 그런 나태한 생각에 잠기는 일은 좀처럼 없었다. **2** 제멋대로 하게 하다, (어린애를) 버릇없이 기르다(spoil) ; (욕망을) 만족시키다 :

Schoolboys used to be less ~*d* than they are now. 옛날 학생들은 지금 학생들보다 더 엄하게 다루어졌다. **3** [+目+*with*+名] 기쁘게 하다, 즐겁게 해주다 : ~ the company ***with*** a song 노래를 불러 모두를 즐겁게 해주다. **4** 〖商〗 (남이나 회사)에게 지불을 유예해주다. —— *vi.* **1** [+*in*+名] 빠지다, 멋대로 하다 : Don't ~ ***in*** tobacco. 담배를 너무 많이 피워서는 안된다. **2** 《口》 (많은) 술을 마시다.
〚L *indulgeo* to give free rein to〛

in·dúl·gence, -cy *n.* **1** Ⓤ 너그러이 보아 주기, 관대. **2** Ⓤ 제멋대로 굶, 방종(=self-indulgence) ; 탐닉, 빠지기〈*in*〉 ; Ⓒ 도락. **3** Ⓤ **a**) 은혜, 특권. **b**) 〖商〗 지불 유예. **4** Ⓤ 〖카톨릭〗 속죄(권) ; Ⓒ 면죄부. **5** Ⓤ 〖英史〗 신앙의 자유. ***the Declaration of Indulgence*** 〖英史〗 (1672, 1687, 1688년의) 신교 자유령.

in·dúl·gent *a.* 제멋대로 하게 하는, 관대한, 엄하지 않은, 응석을 받아주는 : ~ parents 자식에게 관대한 어버이 / They are ~ *to* their children. 그들은 아이들에게 관대하다. **~·ly** *adv.*

in·dult [indʌ́lt] *n.* 〖카톨릭〗 특전《교황이 법률상의 의무를 면제하는 은전》. 〚L=privilege〛

in·du·rate [índjərèit] *vt., vi.* 굳게[단단하게] 하다[되다], 경화하다 ; 무감각[비정, 완고]하게 하다[되다] ; 습관[단련]이 되게 하다(inure).
—— [-rət] *a.* 경화한 ; 무감각한.
〚L (*duras* hard) ; ⇨ ENDURE〛

in·du·ra·tion [ìndjəréiʃən] *n.* Ⓤ 단단하게 함 ; 몰인정, 완고 ; 〖地質〗 (침전물·암석의) 경화(硬化) ; 경화암(岩) ; 〖醫〗 경화, 경결(부)(硬結(部)).
-ra·tive [índjərèitiv, -rət-] *a.* 굳어지는, 경화성의 ; 완고한.

In·dus [índəs] *n.* [the ~] 인더스 강《티베트에서 발원하여 파키스탄을 흘러 아라비아 해에 이르는 강》 : ~ civilization 인더스 문명.
〚Gk.<Pers.<Skt. *sindhu* river〛

in·du·si·um [indjúːziəm] *n.* (*pl.* **-sia** [-ziə, -ʒiə]) 〖植〗 포막(包膜) ; 〖昆〗 포피(包被) ; 〖解〗 포막, (특히) 양막(羊膜) (amnion).
〚NL<L=tunic〛

‡in·dus·tri·al [indʌ́striəl] *a.* 산업(상)의, 공업(상)의, 공업용의 ; 산업[공업]이 (고도로) 발달한 ; 산업[공업]에 종사하는 ; 산업[공업] 노동자의 ; 노동의 : an ~ exhibition 산업 박람회 / ~ workers 공원(工員), 산업 노동자. —— *n.* 《稀》 산업인 ; [*pl.*] 산업[공업]주[회사채].
~·ly *adv.* 〚*industry*+*-al* ; 19세기 F *industriel*의 영향도 있음〛

indústrial áction *n.* 《英》 (노동자의) 쟁의 행동《파업 따위》.
indústrial álcohol *n.* 공업용 알코올.
indústrial América *n.* 미국 산업계 ; 산업면에서 본 미국, 미국 산업.
indústrial archaeólogy *n.* 산업 고고학《산업혁명 초기의 공장·기계·제품 따위를 연구함》.
indústrial árts *n.* [단수 취급] 공예 (기술).
indústrial bánk *n.* 산업은행.
Indústrial Cóurt *n.* 《英》 노동 재판소.
indústrial desígn *n.* 공업 디자인.
indústrial desígner *n.* 공업 디자이너.
indústrial dischárge *n.* 공장[산업] 폐기물.
indústrial diséase *n.* 직업[산업]병(occupational disease).
indústrial dístrict *n.* =INDUSTRIAL PARK.
indústrial éffluent *n.* 공장 폐수.
indústrial enginéering *n.* 생산[산업·경영] 공학《略 IE》. **indústrial enginéer** *n.*
indústrial éspionage *n.* 산업[기업] 스파이.
indústrial estáte *n.* 《英》 =INDUSTRIAL PARK.
indústrial facílities *n. pl.* 산업 설비.
indústrial góods *n. pl.* 산업용 제품 생산재《원재료·가공 재료·설비·보수[수리, 조업용] 소모품 따위》.
indústrial insúrance *n.* =INDUSTRIAL LIFE INSURANCE ; 노동자 보험.
indústrial·ìsm *n.* Ⓤ 산업주의, (대)공업주의.
indústrial·ist *n.* (대)생산회사의 사주[경영자], 산업 자본가 ; 생산업자.
—— *a.* 산업[공업]주의의.
***indústrial·ìze** *vt., vi.* 산업[공업]화하다.
indùstrial·izátion *n.* 산업화, 공업화.
indústrial lífe insùrance *n.* 간이 생명 보험.
indústrial máintenance *n.* 실업자 구제 제도.
indústrial márket *n.* 산업용품[생산재] 시장.
indústrial mélanism *n.* 〖生〗 공업 암화(暗化)[흑화(黑化)]《공업 오염 물질로 검게된 지역의 곤충에게 생기는 공업성 흑색소 과다 변이》.
indústrial microbiólogy *n.* 〖生〗 응용 미생물학(學).
indústrial músic *n.* 전자 악기의 기계적 음을 강조하는 록 음악.
indústrial organizátion *n.* 산업 조직.
indústrial párk *n.* 《美·Can.》 공업 단지.
indústrial pólicy *n.* 산업 정책.
indústrial pollútion *n.* 산업 공해.
indústrial próduct *n.* 산업용 제품.
indústrial próperty *n.* 산업 재산권.
indústrial psychólogy *n.* 산업 심리학.
indústrial relátions *n. pl.* 노사관계 ; 노무관리 ; 산업 관계.
Indústrial Revolútion *n.* [the ~] 〖史〗 산업혁명《18-19세기에 영국을 중심으로 일어난 사회 조직상의 대변혁》.
indústrial róbot *n.* 산업용 로봇.
indústrial schóol *n.* 실업 학교 ; 직업보도 학교《불량아의 선도를 위한》.
indústrial shów *n.* (연예인에 의한) 상품 광고를 위한 연기[쇼].
indústrial sociólogy *n.* 산업 사회학.
indústrial spý *n.* 산업 스파이.
indústrial strífe[dispúte] *n.* 《英》 노동 쟁의.
indústrial strúcture *n.* 산업 구조.
indústrial télevision *n.* 공업용 텔레비전.
indústrial únion *n.* 산업별 노동조합.
indústrial únionism *n.* 산업별 노동조합주의.
indústrial wáste *n.* 산업[공장] 폐기물.

***in·dus·tri·ous** [indʌ́striəs] *a.* 근면한, 부지런한 (diligent). **~·ly** *adv.* 부지런히, 꾸준히.
類義語 ⟹ BUSY.

◇in·dus·try [índəstri] *n.* **1** Ⓤ 산업 ; (제조) 공업 (cf. TRADE, COMMERCE) ; Ⓒ …업(業) ; [집합적으로] 산업 경영자, 산업계 : a man of ~ = INDUSTRIALIST / the broadcasting ~ 방송 사업 / the shipbuilding ~ 조선업. **2** Ⓤ 근면, 부지런함, 노력하며 애씀 : Poverty is a stranger to ~. 《속담》 부지런하면 가난은 없다. **3** 《英口》 (특정 작가·제목에 대한) 연구, 저술.
〚OF or L=diligence〛

in·dwell [indwél] *vt., vi.* 《보통 비유》 (…의) 속[안]에 살다(dwell in), (정신·주의가) 깃들다 〈*in*〉. **~·ing** *a.* 내재(內在)하는. **~·er** *n.*

-ine[1] *suf.* **1** [ən, iːn, ain] [형용사를 만듦] 「…에 관한」 「…로 이루어진」 「…의 성질을 지닌」 :

serpent*ine*. **2** [in] [여성 명사를 만듦] : hero*ine*. **3** [in] [추상 명사를 만듦] : discipl*ine*, doctr*ine*. 〚F, L and Gk.〛

-ine² [iːn, ain, ən] *n. suf.* 〘化〙 [염기(鹽基) 및 원소 명을 만듦] : anil*ine*, caffe*ine*, chlor*ine*, iod*ine*. 〚L or Gk.〛

in·ebri·ant [iníːbriənt] *a., n.* 취하게 하는 (것) (intoxicant).

in·ebri·ate [iníːbrièit] *vt.* (술에) 취하게 하다 ; 도취하게 하다.
—— [-briət] *a., n.* 술에 취한 ; 대주가, 주정뱅이. **in·èbri·á·tion** *n.* 취하게 함, 명정(酩酊) ; 도취. 〚L (*in*-², *ebrius* drunk)〛

in·ebri·e·ty [ìnibráiəti] *n.* Ⓤ 술취하기, 명정 (intoxication) ; 음주벽.

in·édible *a.* 먹기에 알맞지 않은, 먹을 수 없는(cf. UNEATABLE). **in·edibílity** *n.*

in·édit·ed *a.* 미간행[미편집]의.

in·éducable *a.* 교육시킬 수 없는.

in·ef·fa·ble [inéfəbəl] *a.* 말로 표현할 수 없는 ; 말로 다할 수 없는 ; (입에 담지 못할 만큼) 신성한.
-bly *adv.* 말로 표현할 수 없을 만큼.
in·èf·fa·bíl·i·ty *n.* 말로 표현할 수 없음.

ìn·effáce·able *a.* 지울 수가 없는, 지워지지 않는. **-ably** *adv.*

ìn·efféctive *a.* 무효의, 효과가 없는, 쓸데없는, 헛된 ; 효과적이 아닌 ; (사람이) 무능[무력]한.
~·ly *adv.* **~·ness** *n.*

ìn·efféctual *a.* 효과[효력]가 없는, 헛된 ; 무력[무능]한.
~·ly *adv.* **ìn·effectuálity** *n.* 무효, 무익 ; 무력, 무능. 〚L〛

ìn·efficácious *a.* 효력[효험]이 없는. **~·ly** *adv.*

in·éfficacy *n.* Ⓤ 효과가 없음, 무효능(無效能).

ìn·effíciency *n.* Ⓤ 비능률, 무능, 무효력.

ìn·effícient *a.* 효과가 없는 ; (사람이) 무능한, 쓸모없는, (기계 따위) 능률적이 아닌. —— *n.* 무능한 사람, 쓸모 없는 사람[것]. **~·ly** *adv.*

in·e·gal·i·tar·i·an [ìnigæ̀lətέəriən, -tǽər-] *a.* (사회·경제적으로) 불평등한, 불공평한.

ìn·elástic *a.* 탄력[탄성]이 없는 ; 적응성이 없는, 융통성이 없는(rigid).

inelástic collísion *n.* 〘理〙 비탄성 충돌.

inelástic scáttering *n.* 〘理〙 비탄성 산란.

in·élegance *n.* 우아하지[세련되지] 않음, 무풍류(無風流), 멋없음, 촌스러움.

in·élegancy *n.* [보통 *pl.*] 운치 없는 행위[말·문체 따위] ; 《古》 =INELEGANCE.

in·élegant *a.* 우아하지 않은, 풍류를 모르는, 멋없는, 세련되지 않은, 때벗지 못한(unrefined).
~·ly *adv.* 〚F<L〛

in·éligible *a.* (선출될) 자격이 없는, 무자격의 ; 부적임의 ; 부적당한, 바람직하지 못한 ; 부적격인 (unqualified) 〈*for*〉. —— *n.* 부적격자.
in·eligibílity *n.* **-bly** *adv.*

in·éloquence *n.* Ⓤ 눌변.

in·éloquent *a.* 능변이 아닌, 눌변의. **~·ly** *adv.*

in·eluc·ta·ble [ìnilʌ́ktəbəl] *a.* 피할 수 없는, 불가피한(inevitable).
-bly *adv.* **ìn·elùc·ta·bíl·i·ty** *n.*
〚L (*e*-, *luctor* to strive)〛

in·elud·ible [ìnilúːdəbəl] *a.* 피[면]할 수 없는.

in·enar·ra·ble [ìninǽrəbəl] *a.* 이야기[묘사]할 수 없는.

in·ept [inépt] *a.* **1** 어울리지 않는, 부적절한, 표적을 벗어난, 부적당한 ; 터무니없는. **2** 서투른, 솜씨 없는, 무능한. **~·ly** *adv.*
〚L *in*-¹(*eptus*=APT)〛

in·ep·ti·tude [inéptətjùːd] *n.* Ⓤ 부적당, 어리석음 ; Ⓒ 바보 같은 짓[말].

in·équable *a.* 고르지 못한. 〚L〛

in·equálity *n.* **1** Ⓤ 부동(不同), 불평등, 부등(不等) ; 불공평 ; 불균질(不均質) ; Ⓒ 불평등한 일 ; (기후·온도의) 변동. **2** Ⓤ (표면이) 거칢 ; [*pl.*] (표면이) 우툴두툴함, 기복(起伏). **3** 〘數〙 부등식. 〚OF or L〛

in·èqui·láteral *a.* 부등변(不等邊)의 : an ~ triangle 부등변 삼각형.

in·équitable *a.* 불공평한, 불공정한(unjust).
-bly *adv.* 불공평하게.

in·équity *n.* Ⓤ 불공정, 불공평(unjustness) ; Ⓒ 불공평한 사례.

ìn·eradícable *a.* 근절할 수 없는, 뿌리 깊은.
-bly *adv.* 뿌리 깊게.

in·érr·able [, -ér-] *a.* 틀리지 않는, 실수하지 않는. **in·èrr·abílity** *n.*

in·érrant *a.* 틀리지 않는, 실수하지 않는.

ìn·errátic *a.* 탈선하지 않는 ; 떠돌지 않는, 정착한.

in·ert [inə́ːrt] *a.* **1** 〘理〙 자동력이 없는 ; 〘化〙 비활성의, 활성이 없는, 화학 작용을 일으키지 않는 : ~ gas 불활성 가스. **2** 둔한, 완만한, 활발치 못한. —— *n.* 둔한 사람 ; 비활성 물질.
~·ly *adv.* 활발치 않게. **~·ness** *n.*
〚L *inert*- *iners* unskilled ; ⇨ ART¹〛

in·er·tia [inə́ːrʃə, -ʃiə] *n.* **1** Ⓤ 〘理〙 관성, 타성, 타력 : moment of ~ 관성 능률, 타성률. **2** Ⓤ 게으름, 활발치 못함, 지둔 ; 〘醫〙 무력(증).
in·ér·tial *a.*
〚INERT〛

inértia effèct *n.* 〘經〙 관성 효과.

inértial bálance *n.* 〘理〙 관성 저울.

inértial fórce *n.* 〘理〙 관성력(力).

inértial fráme (of réference) *n.* 〘理〙 관성계(inertial system).

inértial guídance *n.* 〘로켓〙 관성 유도.

inértial máss *n.* 〘理〙 관성 질량.

inértial navigátion *n.* (우주선 따위의) 관성 항법 《inertial guidance에 의한 항법》 : ~ system 관성 항법 시스템.

inértial plátform *n.* 〘로켓〙 관성 유도 장치의 가대(架臺).

inértial réference fràme *n.* =INERTIAL SYSTEM.

inértial spáce *n.* 〘宇宙〙 관성 공간《뉴턴의 관성의 법칙이 적용되는 공간》.

inértial sýstem *n.* **1** 〘理〙 관성계(系). **2** 〘로켓〙 관성 (유도) 방식.

inértial úpper stàge *n.* 〘로켓〙 셔틀 상단(上段) 로켓《셔틀 궤도에서 지구 탈출 궤도로 탐사기를 나르기 위한 고체 연료 로켓 ; 略 IUS》.

inértia réel *n.* 《英》 관성 릴《자동차의 좌석 벨트용(用)》.

inértia-rèel bélt[séat bèlt] *n.* 《英》 (자동차 따위의) 자동 조절식 시트 벨트.

inértia sélling *n.* 《英》 강매《멋대로 상품을 보내고 반품하지 않으면 대금을 청구하는 방식》.

ìn·escápable *a.* 피할 수 없는, 면할 수 없는, 불가피한(inevitable). **-ably** *adv.*

in es·se [in ési] *adv., a.* 실재적으로 ; 실재하는 (cf. IN POSSE).
〚L=in being〛

ìn·esséntial *a., n.* 긴요[중요]하지 않은 (것), 없어도 괜찮은 (것) ; 실체가 없는 (것).

in·éstimable *a.* 헤아릴 수 없는, 계산할 수 없

는 ; 평가할 수 없는 ; 더없이 귀중한. **-bly** *adv.* 〖OF<L〗

***in·ev·i·ta·ble** [inévətəbəl] *a.* **1** 피할 수 없는, 면할 수 없는 ; 필연적인 : Death is ~. 죽음은 피할 수 없다 / the ~ hour 죽을 때, 사기(死期). **2** (인물 묘사·이야기 줄거리 따위) 납득이 가는, 꼭 들어맞는. **3** 《口》 붙어다니는, 따라다니는, 한결 같은, 판에 박은 (듯한) : an English gentleman with his ~ umbrella 으레 우산을 가지고 다니는 영국 신사. **4** [명사적으로 ; the ~] 피할 수 없는 일, 필연의 운명. **in·év·i·ta·bly** *adv.* 필연적으로. **in·èv·i·ta·bíl·i·ty** *n.* 피할 수 없음, 불가피 ; 불가 항력, 필연성. 〖L (*evito* to avoid)〗

inévitable áccident *n.* 〔法〕 불가항력 ; 불의의 재난, 천재.

ìn·exáct *a.* 엄밀하지 않은, 부정확한. **ìn·exáctitude** *n.* 부정확, 엄밀하지 않음. **~·ness** *n.* **~·ly** *adv.*

ìn·excítable *a.* 냉정한, 흥분하지 않는.

ìn·excúsable *a.* 변명할 수 없는, 용서하기 어려운. **-ably** *adv.* 〖L〗

in·éxecutable *a.* 실행[수행]하기 어려운, 실행 불가능한.

in·execútion *n.* Ⓤ (명령·법률의) 불이행.

ìn·exértion *n.* 노력 부족 ; 태만, 게으름.

ìn·exháust·ible *a.* **1** 무진장의. **2** 지칠 줄 모르는, 끈기가 있는. **-ibly** *adv.* 무진장하게 ; 지칠 줄 모르게. **ìn·exhàust·ibílity** *n.* 무진장 ; 지칠 줄 모름, 끈기 있음.

ìn·exháustive *a.* 철저하지 않은, 불완전한.

ìn·exístent *a.* 존재하지 않는. **-tence** *n.*

in·ex·o·ra·ble [inéksərəbəl] *a.* 냉혹[무정]한, 용서 없는(relentless) ; 굽힐 수 없는, 움직일 수 없는. **-bly** *adv.* **in·èx·o·ra·bíl·i·ty** *n.* 용서 없음 ; 무정, 냉혹. 〖F or L (*exoro* to entreat)〗

ìn·expéctant *a.* 기대하지 않은.

ìn·expédient *a.* 부적당한, 좋은 방책이 아닌 ; 불편한. **ìn·expédience, -cy** *n.* 불편, 부적당, 좋은 방책이 못됨.

ìn·expénsive *a.* 비용이 들지 않는, 값싼 ; 값에 비해서 품질이 좋은. **~·ly** *adv.* 類義語 ⟹ CHEAP.

ìn·expérience *n.* Ⓤ 무경험, 미숙련, 미숙, 서투름, 물정을 모름. 〖F<L〗

ìn·expérienced *a.* 경험이 없는, 숙련되지 않은, 미숙한〈*in*〉; 세상 물정을 모르는.

in·éxpert *a.* 미숙한, 서투른, 솜씨 없는. —— *n.* 미숙자. **~·ly** *adv.* **~·ness** *n.* 〖OF<L〗

in·éxpiable *a.* **1** 속죄할 수 없는, 죄많은. **2** 《古》 달래기 어려운, 집념이 강한. 〖L〗

in·éxpiate *a.* 속죄되지 않은.

ìn·expláin·able *a.* 설명할 수 없는, 이해하기 힘든[어려운].

in·explícable *a.* 설명[해석]할 수 없는, 불가해한. **-bly** *adv.* 불가해하게 ; 어떤 이유인지. **in·èx·pli·ca·bíl·i·ty** *n.* 설명할 수 없음, 불가해. 〖F or L〗

ìn·explícit *a.* (말이) 명료하지 않은, 모호한. **~·ly** *adv.* **~·ness** *n.*

ìn·explósive *a.* 폭발하지 않는, 비폭발성의.

ìn·expréss·ible *a.* 말로 표현할 수 없는, 형언할 수 없는. —— *n.* 말할 수 없는 것. **-ibly** *adv.* 말로 표현할 수 없게 ; 대단히.

ìn·expréssive *a.* 무표정한 ; 말 없는, 입이 무거운. **~·ly** *adv.* 무표정하게.

in·ex·pug·na·ble [ìnikspʌ́gnəbəl, -pjúː-] *a.* 정복할 수 없는, 난공 불락의 ; (이론 따위) 논파할 수 없는, 씻을 수 없는《증오》. **-bly** *adv.*

ìn·exténsible *a.* 넓힐 수 없는, 넓어지지 않는, 늘일 수 없는.

ìn·exténsion *n.* 불확장.

in ex·ten·so [ìn iksténsou] *adv.* 상세하게, 생략 않고, 완전히 : report ~ 상세히 보고하다. 〖L〗

ìn·extínguish·able *a.* 지울 수 없는 ; 억제할[억누를] 수 없는.

in·ex·tir·pa·ble [inikstə́ːrpəbəl] *a.* (병 따위) 근절하기 힘든.

in ex·tre·mis [ìn ikstríːməs, -stréi-] *adv.* 극한에서, 막다른 한계에서 ; 죽음에 임하여. 〖L〗

ìn·extrícable [, -´---] *a.* 풀 수 없는, 해결할 수 없는 ; 혼잡한 ; 뒤얽힌 ; 탈출할 수 없는. **-bly** *adv.* 〖L ; ⇒ EXTRICATE〗

INF intermediate-range nuclear forces(중거리 핵전력). **inf.** infantry ; inferior ; infinitive ; infirmary ; information ; infra.

ín·fàll *n.* **1** Ⓤ 흘러듦 ; Ⓒ 합류점. **2** Ⓤ 침입, 침략. **3** 낙하.

in·fal·li·bi·lism [infǽləbəlìzəm] *n.* 〖카톨릭〗 교황 무류설[성](無謬說[性]).

in·fallibílity *n.* Ⓤ 오류(誤謬) 없음 ; 절대 확실 : the papal ~ 〖카톨릭〗 교황 무류설(無謬說) / His *I*~ 교황의 존칭.

in·fállible *a.* 전연 잘못이 없는 ; 절대적으로 확실한, 신뢰할 수 있는 ; 반드시 일어나는, 어긋나지 않는 ; 〖카톨릭〗 (교황이) 무류의. —— *n.* 절대 확실한 사람[것]. **-bly** *adv.* 전연 잘못이 없이 ; 확실하게. 〖F<L〗

in·fa·mous [ínfəməs] *a.* **1** 불명예로운, 수치스러운, 파렴치한 : an ~ crime 파렴치죄. **2** 악명높은[평판 나쁜], 이름난(notorious). **3** 《口》 형편없는(very bad) : ~ coffee 질이 아주 나쁜 커피. **4** 〔法〕 (파렴치죄로) 공민권을 박탈당한. **~·ly** *adv.* 악명높게 ; 불명예스럽게. 〖L (↓)〗

in·fa·my [ínfəmi] *n.* Ⓤ 불명예, 악명, 오명 ; Ⓒ 추행(醜行), 비행, 파렴치한 행위 ; Ⓤ〔法〕 (파렴치죄에 의한) 공민권의 상실. 〖L〗 類義語 ⟹ DISGRACE.

in·fan·cy** [ínfənsi] *n.* **1** Ⓤ 유소(幼少), 어릴 때 ; 유년 ; [집합적으로] 유아(infants). **2** Ⓤ 초기 ; 요람기. **3** Ⓤ 〔法〕 미성년(minority). ***in** one's [its] **infancy 어릴 적에 ; 초기에.

***in·fant** [ínfənt] *n.* 유아, 소아《7세 미만》; 〔法〕 미성년자(minor). —— *a.* 유아(용)의, 소아(용)의 ; 유치한, 초기의 ; 〔法〕 미성년의 : ~ food 유아[육아]식(食) / ~ industries 초기 단계에 있는 산업. **~·hòod** *n.* 〖OF<L *infans* unable to speak〗

in·fan·ta [infǽntə] *n.* (스페인·포르투갈의) 공주 ; 왕자(infante)의 배우자. 〖Sp. and Port. *-a* (fem.) ‹ ↑〗

in·fan·te [infǽnti, -tei] *n.* (스페인·포르투갈의) 왕자《왕위 계승자가 아님》. 〖Sp. and Port. *-e* (masc.) ‹INFANT〗

in·fan·ti·cide [infǽntəsàid] *n.* Ⓤ 유아[영아, 신생아] 살해《범죄》; Ⓒ 유아 살해 범인. **in·fàn·ti·cí·dal** *a.* 유아[영아] 살해의. 〖F<L (*-cide*)〗

in·fan·tile [ínfəntàil, -tl, -tìːl, -til ; -tàil] *a.* **1** 유아[어린이] 같은, 어린이다운(childlike) ; 앳된, 유치한(childish) : ~ behavior 어린애 같은

행실. **2** 유아(기)의 ; 초기의, 발달이 안된 초보의 : ~ diseases 소아병.
ìn·fan·tíl·i·ty [-tíl-] *n.* 유아성(性).

ínfantile parálysis *n.* 소아마비 (cf. POLIO).

ínfantile scúrvy *n.* 유아(乳兒) 괴혈병.

in·fan·ti·lism [ínfəntailìzəm, -təlìz-, ìnfǽntəlìz-; infǽntəlìz-] *n.* 〖醫〗 유치증(幼稚症) [소아증] 《성인이 되어도 외모·지능 따위가 어린애 같은 상태의 병》.

in·fan·tine [ínfəntàin, -tì:n] *a.* =INFANTILE.

ínfant mortàlity *n.* (생후 1년 미만의) 유아 사망률《위생·의료·영양 상태 따위의 환경에 크게 좌우되며 일반적으로 선진국에서는 낮고 개발 도상국에서는 높은 경향이 있음》.

ínfant pròdigy *n.* 천재아, 신동.

in·fan·try [ínfəntri] *n.* Ⓤ [집합적으로] 보병 (foot soldiers) : mounted ~ 기마(騎馬) 보병 / two regiments of ~ 보병 2개 연대.
〖F<It. (*infante* youth, foot soldier ‹INFANT)〗

ínfantry·man [-mən] *n.* (개개의) 보병.

ínfant schòol, ínfants' schòol *n.* 《英》 (보통 5-7세의 아동을 교육시키는) 유아 학교 (cf. KINDERGARTEN, PRESCHOOL).

in·farct [infá:rkt] *n.* 〖醫〗 경색(부) (梗塞(部)).

in·farc·tion [infá:rkʃən] *n.* Ⓤ 〖醫〗 경색(梗塞) : myocardial ~ ☞ MYOCARDIAL.

in·fat·u·ate [infǽtʃuèit] *vt.* [+目 / +目+*with*+名] 얼빠지게 하다 ; (…에) 미치게 하다, (남을) 홀리게 하다, 열중하게 하다. —— [-tʃuət] *a.* = INFATUATED. —— [-tʃuət] *n.* 열중해 있는 사람.
〖L ; ⇨ FATUOUS〗

in·fát·u·àt·ed *a.* (…에) 홀린 ; (…에) 미친, 홀딱 반한 : Tom is ~ ***with*** Kate. 톰은 케이트에게 홀딱 반해 있다 / He *was* ~ *with* gambling. 그는 도박에 빠져 있었다. **~·ly** *adv.*

in·fat·u·a·tion [infæ̀tʃuéiʃən] *n.* Ⓤ 열중하게 하기, 홀리기, 반하기 ; 헤매기, 심취(心醉), 열중 ; Ⓒ 심취시키는 것.

ín·fàuna *n.* 〖動〗 바다·호수·하천 따위의 바다 흙 속에 사는 동물(상(相)). **ín·fàunal** *a.*

in·féasible *a.* 실행 불가능한 (impracticable).
in·feasibílity *n.* 실행 불가능.

in·fect** [infékt] *vt.* [+目 / +目+*with*+名] **1** (공기·물 따위에) 병독[병균(病菌)]을 혼입하다[퍼뜨리다] ; …에 질병을 옮기다, 감염[오염]시키다 : an ~*ed* area 전염병 유행 지역 / ~ a person ***with the plague 남에게 역병(疫病)을 옮기다. **2** (악습에) 물들게 하다, 젖어들게 하다 ; (일반적으로) …에게 영향을 주다[미치다], (남을) 같은 기분을 갖게 하다 : He hasn't yet been ~*ed* ***with*** the evils of society. 그는 아직도 사회의 나쁜 풍습에 물들지 않았다.
—— *vi.* 감염되다, 병독이 침범하다. —— *a.* 《古》 감염[전염]된.
〖L *in*-²(*fect*- *ficio*=*facio* to make)=to taint〗

in·fec·tion [infékʃən] *n.* Ⓤ (병독의) 전염, 감염 (cf. CONTAGION) ; 나쁜 감화, 악영향 ; Ⓒ 전염병 : acute ~ 심한 전염성[전염력].

***in·fec·tious** [infékʃəs] *a.* 전염성의, 전염병의 ; 옮기기 쉬운 (catching) (cf. CONTAGIOUS) : Laughter is ~. 웃음은 전염성이다.

〈회화〉
Is it an *infectious* disease? — I'm not sure, but you'd better stay home just in case. 「전염병입니까」「잘은 모르겠습니다만, 만일을 생각해서 집에 있는 편이 좋겠습니다」

~·ly *adv.* **~·ness** *n.* 전염력, 전염성.

inféctious hepatítis *n.* 〖醫〗 전염성 간염.

inféctious mononucleósis *n.* 〖醫〗 전염성 단핵(單核) 세포[구(球)]증.

in·fec·tive [inféktiv] *a.* =INFECTIOUS.

in·fec·tiv·i·ty [ìnfektívəti] *n.* Ⓤ 전염력(力), 전염성.

in·fécund *a.* 열매를 맺지 않는 ; 불임(不姙)의 ; 불모(不毛)의 (barren). **ìn·fecún·dity** *n.* 열매를 맺지 않음 ; 불임 ; 불모.

ìn·felícitous *a.* 불행한, 불운한 ; 부적절한 ; 불완전한. **~·ly** *adv.*

ìn·felícity *n.* Ⓤ 불행, 불운 ; (말 따위의) 부적절함〈*of*〉; Ⓒ 부적절한 표현. 〖L〗

ín·fèlt *a.* 《古》 마음으로 깊이 느낀[사무친], 마음으로부터의.

in·fer** [infə́:r] *v.* (**-rr-**) *vt.* **1** [+目 / +目+*from*+名 / +*that* 節] 추론[추단]하다 : He ~*red* the fact ***from the evidence he had gath ered. 그는 기가 수집한 증거로써 그 사실을 추론했다 / The professors ~*red that* so able a student would make a good scholar. 교수들은 이만큼 유능한 학생이라면 훌륭한 학자가 될 것이라고 판단했다. **2** (결론으로서) 의미[암시]하다 (imply, hint).
—— *vi.* 추론하다.
~·able *a.* 추리[추론]할 수 있는〈*from*〉.
〖L (*in*-², *fero* to bring)〗

類義語 ***infer*** 이미 알고 있는 사실 또는 증거에서 추리하여 어떤 결정 또는 의견에 도달하다 : I *inferred* it from his book. (그의 책에서 그것을 알게 되었다). ***deduce*** 엄밀하게는 일반적인 원리에서 논리적인 추리에 의하여 결론을 끄집어 내다 ; 연역(演繹)하다 : The method was *deduced* from several tests. (그 방법은 수차례의 시험 결과를 거쳐 정해졌다). ***conclude*** 기정의 사실 또는 일반적으로 받아들여지고 있는 생각에서 추리하여 당연한[필연적인] 결론이나 의견에 도달하다 : From the evidence, we *concluded* that she was guilty. (그 증거로 그녀가 유죄라는 결론을 내렸다). ***judge*** 어떤 결론에 도달하기 전에 그 전제가 되는 것을 자세히 조사하여 생각하는 것을 나타냄 : We *judged* from the lessons of the past. (과거의 교훈에서 판단을 했다). ***gather*** 《口》 =infer, conclude : I *gather* from what he said that.... (그가 말한 것에서 …이라고 추측한다).

***in·fer·ence** [ínfərəns] *n.* **1** Ⓤ 추론, 추리 ; Ⓒ 추정, 결론 : the deductive[inductive] ~ 연역 [귀납] 추리 / draw[make] an ~ (*from*) (…에서) 단정을 내리다, 추단하다 / by ~ 추론하여, 추단의 결과로. **2** Ⓤ 함축 (implication).

ínference èngine *n.* 〖컴퓨〗 추론 기구.

in·fer·en·tial [ìnfərénʃəl] *a.* 추리[추론](상)의, 추단한. **~·ly** *adv.*

***in·fe·ri·or** [infíəriər] *a.* **1** (…보다) 하위의, 아래쪽의 ; (…보다) 좋지 않은, 하등의, 열등의 ; 하급의 (↔*superior*) : This wine is ~ *to* that in flavor. 이 포도주는 그 포도주에 비하여 맛이 떨어진다 / A colonel is ~ *to* a general. 대령은 장군보다 하위 계급이다. **2** 〖印〗 밑에 붙이는 (subscript) 《H_2, D_n의 2, n 따위 ; ↔*superior*》. **3** 〖天〗 (행성이) 지구와 태양 사이에 있는 : ☞ INFERIOR PLANET.
—— *n.* **1** 손아랫 사람, 하급자 ; 열등한[못난] 사람[것], 후배. **2** 〖印〗 밑에 붙이는 문자[숫자].
~·ly *adv.*
〖L (compar.) ‹*inferus* low〗

inférior conjúnction *n.* 〖天〗 내합(內合).
inférior cóurt *n.* 하급 법원.
inférior fígure *n.* 〖印〗 밑에 붙는 숫자.
inférior góods *n. pl.* 〖經〗 열등재, 하급재《소득이 늘면 소비량이 감소되는 물건》.
***in·fe·ri·or·i·ty** [infìəriɔ́(:)rəti, -ɑ́r-] *n.* (↔*superiority*) Ⓤ 하위, 열등, 열세 ; 조악(粗惡).
inferióríty còmplex *n.* 〖精神分析〗 열등 복합(複合), 열등감(↔*superiority complex*) ; (흔히) 열등의식, 비뚤어진 마음.
inférior plánet *n.* 〖天〗 내행성(內行星)《지구와 태양 사이에 있는 수성과 금성》.
in·fer·nal [infə́:rnl] *a.* **1** 지옥의(↔*supernal*), 지옥 같은 : the ~ regions 지옥. **2** 악마와 같은, 무도한(hellish). **3** 《口》 지독한, 지긋지긋한.
—— *n.* [*pl.*] 《古》 악마 같은 사람 ; [*pl.*] 《古》 지옥. **in·fer·nal·i·ty** [ìnfə:rnǽləti] *n.* **~·ly** *adv.*
〖OF<L ; ⇨ INFERNO〗
inférnal machíne *n.* 위장 폭파 장치.
in·fer·no [infə́:rnou] *n.* (*pl.* **~s**) **1** [the I~] 지옥편《Dante의 *La Divina Commedia*(신곡(神曲)) 중의 초편》. **2** 지옥(hell) ; Ⓒ 지옥과 같은 곳[광경]. 〖It.<L *infernus* situated below〗
in·fe·ro- [ínfərou, -rə] *comb. form* 「밑에」「아래쪽에」의 뜻. 〖L (*inferus* below)〗
in·fer·rer [infə́:rər] *n.* 추론자, 추측자.
in·fer·ri·ble [infə́:rəbəl] *a.* =INFERABLE.
in·fértile *a.* (토지가) 비옥하지 않은, 불모의(barren) ; 불임(不姙)의. **ìn·fertílity** *n.* 불모, 불임증(不姙症).
〖F or L〗
in·fest [inféSt] *vt.* [+目 / +目+前+名] (해충·해적 등이) 횡행하다, 떼지어 몰려들다 ; 설치다, 만연하다, 우글거리다 ; (벼룩 따위가 동물)에 기생하다 : a house *~ed* ***with*** rats 쥐들이 들끓는 집. 〖OF or L=to assail (*infestus* hostile)〗
in·fes·tant [inféstənt] *n.* INFEST 하는 것[생물], 기생 동물.
ìn·fes·tá·tion *n.* Ⓤ 횡행, 출몰, 만연 ; (기생충 따위의) (체내) 침입.
in·feu·da·tion [ìnfju(:)déiʃən] *n.* Ⓤ 봉토(封土) 수여 ; 봉건적 군신 관계 : the ~ of tithes 10분 1세(稅)를 속인에게 수여함.
〖L ; ⇨ FEE〗
in·fib·u·late [infíbjəlèit] *vt.* (물림쇠로 음부를) 봉쇄하다《성교를 못하도록》.
in·fib·u·lá·tion *n.* 음부 봉쇄술(封鎖術).
〖L ; ⇨ FIBULA〗
in·fi·del [ínfədl] *n.* 신앙심이 없는 사람, 무신론자 ; 〖史〗 이단자, 이교도(異教徒).
—— *a.* 신앙심이 없는(unbelieving) ; 기독교를 믿지 않는, 이교도의, 이단자의.
〖OF or L (*fidelis* faithful ‹ *fides* faith)〗
ìn·fidélity *n.* Ⓤ 기독교를 믿지 않음, 신앙심이 없음, 무신앙 ; 불신, 배신 ; 부정(不貞), 불의 ; Ⓒ 부정한 행위.
ín·field *n.* **1** 〖野·크리켓〗 내야[인필드] 내야수(↔*outfield*) : an ~ fly 내야[인필드] 플라이. **2** 농가 주위[부근]의 텃밭 ; 경지(耕地).
~·er *n.* 내야수(↔*outfielder*).
ínfield hìt *n.* 〖野〗 내야 안타.
ínfield òut *n.* 〖野〗 내야 땅볼 아웃.
ínfield sìngle *n.* 〖野〗 내야 안타.
ín·fight·ing *n.* 〖拳〗 접근전 ; 내분 ; 난전, 난투.
ín·fight·er *n.* 〖拳〗 접근전에 능한 선수.
ín·fill *vt.* (빈 장소를) 메우다, 막다, 충전하다.
—— *n.* =INFILLING.
ín·fill·ing *n.* 공간[틈] 메우기 ; 충전재(材) ; 기존 건물 사이의 공간에 건물을 짓기 : ~ housing 공간 활용 주택.
in·fil·trate [ínfiltrèit, -ˊ-] *vt., vi.* **1** 침윤[침투] 시키다[하다], 스며들(게 하)다. **2** (적지 따위에) 침입시키다[하다], 잠입하다〈*into*〉.
—— *n.* 침입물 ; 〖醫〗 침윤물.
〖*in*-²〗
ìn·fil·trá·tion *n.* Ⓤ 침입, 침투 ; (적지 따위에) 침입, 잠입 ; 〖醫〗 침윤 : ~ of the lungs 폐 침윤 / ~ gallery 집수 암거(集水暗渠).
in·fil·tra·tive [ínfiltrèitiv, infíltrətiv] *a.* 침투[침윤]하는, 침윤성의, 스며드는.
infin. infinitive.
***in·fi·nite** [ínfənət] *a.* (↔*finite*) **1** 무한의 ; 무량의, 무수한, 막대한, 끝없는(boundless) : ~ space 무한한 공간. **2** 〖文法〗 부정형의《인칭 및 수의 제한을 받지 않는 부정사·분사·동명사의 형태에 대해 말함》: an ~ form[verb] 부정형[부정형 동사]. **3** 〖數〗 무한의. —— *n.* [the I~] 무한한 자, 조물주, 신(神)(God) ; [the ~] 무한한 공간[시간] ; 무한대, 무한량 ; 〖數〗 무한.
~·ly *adv.* 무한히, 끝없이 ; 대단히, 극히.
ínfinite hàir *n.* 《해커俗》 극도로[아주] 복잡함[어려움].
ínfinite séries *n.* 〖數〗 무한 급수.
in·fin·i·tes·i·mal [infìnətésəməl] *a.* 미소한 ; 〖數〗 무한소(無限小)의, 미분의. —— *n.* 극미량 ; 〖數〗 무한소.
~·ly *adv.* 미소하게, 무한소로.
〖NL (⇨ INFINITE) ; cf. CENTESIMAL〗
infinitésimal cálculus *n.* 〖數〗 미적분학.
in·fin·i·ti·val [infìnətáivəl] *a.* 〖文法〗 부정사(不定詞)의.
***in·fin·i·tive** [infínətiv] *n.* Ⓤ,Ⓒ 〖文法〗 부정사(不定詞) : ☞ SPLIT INFINITIVE. —— *a.* 부정사의 ; =INFINITE 2.
〖L *in*-¹(*finitivus* definite ‹ *finit- finio* to define)〗
in·fin·i·tude [infínətjù:d] *n.* Ⓤ 무한 ; Ⓒ 무한의 수량 : the ~ *of* the universe 무한한 우주.
an infinitude of. . . 무수한….
〖INFINITE, *-tude*〗
in·fin·i·ty [infínəti] *n.* **1** =INFINITUDE. **2** 〖數〗 무한대《기호 ∞》.
an infinity of. . . 무수의, (수의) 제한이 없는, 막대한 양의.
at infinity 〖數〗 무한대에 있어서[있는].
to infinity 무한하게.
〖OF<L ; ⇨ INFINITE〗
in·firm [infə́:rm] *a.* (허)약한, 쇠약한(weak) ; 연약한 ; 유약한, 박약한 ; 결단력이 없는, 우유부단한 ; 불안정한 : ~ *with* age 노쇠하여 / ~ *of* purpose 의지가 약한. **~·ly** *adv.* **~·ness** *n.* 〖L〗
類義語 ⟹ WEAK.
in·fir·ma·ry [infə́:rməri] *n.* (학교·공장 따위의) 양호실, 진료소.
〖L ; ⇨ INFIRM〗
in·firm·a·to·ry [infə́:rmətɔ̀:ri ; -təri] *a.* (논거 따위를) 약화시키는, 무효로 하는〈*of*〉.
in·fir·mi·ty [infə́:rməti] *n.* Ⓤ 허약, 병약 ; 유약 ; Ⓒ 질병, 질환 ; Ⓒ 결점, 약점.
in·fix [ˏ ˊ] *vt.* 꽂아 넣다, 끼워 넣다, 박다 ; (마음에) 주입시키다, 명심시키다 ; (습관 따위를) 뿌리박게 하다 ; 〖文法〗 (삽입사를) 삽입하다.
—— [ˊˏ] *n.* 〖文法〗 삽입사.
ìn·fix·átion *n.*
infl. influence ; influenced.

in·fla·ces·sion [infləséiʃən] *n.* 〔經〕 인플라세션 《인플레이션을 억제하지 못해 생기는 경기 후퇴》. 〚*infla*tion+re*cession*〛

in fla·gran·te de·lic·to [ìn fləgrǽnti dilíktou] *adv.* 현행범으로. 〚L=in blazing crime〛

in·flame** [infléim] *vt.* **1** [+目/+目+前+名] 흥분시키다, (감정 따위를) 부채질하다, 부추기다 : His ungentlemanlike behavior *~d* the crowd. 그의 비신사적인 행동은 군중을 흥분시켰다 / *~d* ***with rage 격노하여. **2** 불타오르게 하다 ; 뜨겁게 하다, 달아오르게 하다 ; 〔醫〕 …에 염증을 일으키다. —— *vi.* 흥분하다 ; 불타오르다 ; 성을 내다, 달아오르다. 〚OF<L (*in-*^{2})〛

in·flam·ma·ble [inflǽməbəl] *a.* 불타기 쉬운, 가연성의(↔*nonflammable*) ; 격하기 쉬운, 흥분하기 쉬운. —— *n.* 인화성 물질. **-bly** *adv.*
in·flàm·ma·bíl·i·ty *n.* 연소성(燃燒性), 인화성 ; 흥분성.
〚↑ ; F *inflammable*의 영향〛

in·flam·ma·tion [infləméiʃən] *n.* U 점화, 연소, 격노 ; U,C 〔醫〕 염증 : ~ of the lungs 폐렴.

in·flam·ma·to·ry [inflǽmətɔ̀:ri ; -təri] *a.* 〔醫〕 염증을 일으키는, 염증성의 ; 격앙시키는, 선동적인. **-ri·ly** *adv.*

in·flát·able *a.* 팽창시킬 수 있는.

in·flate [infléit] *vt.* **1** (공기·가스 따위로) 부풀게 하다. **2** 〔經〕 (물가 따위를) 끌어올리다 ; (통화를) 팽창시키다(↔*deflate*). **3** [+目+*with*+名] (근육 따위를) 팽창시키다 ; 득의 양양하게 하다 : be *~d* ***with*** pride 뽐내다. **4** 과장하다. —— *vi.* 팽창하다.
in·flát·er, -flá·tor *n.* 부풀리는 장치[기계], (특히) 자전거의 (공기) 펌프.
〚L (*in-*^{2}, *flat- flo* to blow)〛
類義語 ⟹ EXPAND.

in·flát·ed *a.* (공기 따위로) 부푼, 충만된, 팽창한 ; (사람이) 우쭐해진 ; (문체·언어가) 과장된 ; (인플레이션으로 인해) 폭등한, (통화가) 현저하게 팽창된 : ~ language 호언 장담 / ~ prices 폭등한 가격 / the ~ value of land 폭등한 땅값.

in·fla·tion [infléiʃən] *n.* **1** 팽창 ; 〔經〕 인플레이션, 통화 팽창(↔*deflation* ; cf. REFLATION) ; (물가 따위의) 폭등 ; 물가 상승률. **2** U 자랑, 자만 ; 과장.

inflátion accòunting *n.* 인플레이션 회계, 화폐 가치 변동 회계.

inflátion allòwance *n.* 인플레이션 수당.

inflátion·àry [; -əri] *a.* 인플레이션의, 통화 팽창을 유발하는.

inflátionary gáp *n.* 〔經〕 인플레이션 갭《총수요가[총지출이] 총공급[순국민 생산]을 상회했을 때의 그 차》.

inflátion(ary) hèdge *n.* 〔經〕 인플레이션 헤지《화폐가치 하락에 따르는 손실을 막기 위해 부동산·귀금속·주식 따위를 사는 일》.

inflátionary spíral *n.* 〔經〕 악성 인플레이션《물가와 임금의 상호 상승에 의함》.

inflátion·ìsm *n.* 인플레이션 정책, 통화 팽창론. **-ist** *n., a.*

inflátion-pròof *a.* 인플레이션 방어 수단으로서의. —— *vt.* (투자·저축 따위를) 인플레이션으로부터 보호하다《물가 슬라이드 방식 따위에 의해》.

in·flect [inflékt] *vt.* **1** 안으로 굽히다, 굴곡시키다 (bend). **2** 〔文法〕 …을 어형 변화시키다, 굴절시키다. **3** (음성을) 조절하다, …에 억양을 붙이다 (modulate) ; 〔樂〕 (음(音)을) 반음 높이다[낮추다]. —— *vi.* 〔文法〕 굴절[어형 변화]하다.
〚L (*flex- flecto* to bend)〛

infléct·ed *a.* (말이) 변화된, (언어가) 굴절이 있는 ; 〔動·植〕 =INFLEXED.

in·flec·tion | -flex·ion [inflékʃən] *n.* **1** U,C 굽음, 굽힘 ; 굴곡, 만곡. **2** U 음성의 조절, 억양. **3** 〔文法〕 U 굴절, 어형 변화 ; C 변화[굴절]형, 어형 변화에 쓰이는 어미. 〚F or L〛

infléction·al *a.* 굴곡의 ; 〔文法〕 굴절[어미 변화]의[이 있는] ; 억양의 : ~ endings 굴절 어미 / an ~ language 〔言〕 굴절(언)어(synthetic language) (cf. AGGLUTINATIVE language, ISOLATING LANGUAGE).

infléction pòint *n.* 〔數〕 변곡점 ; 〔建〕 반곡점.

in·fléc·tive *a.* 굴곡[굴절]하는 ; 〔文法〕 어형 변화[굴절]를 하는 ; (음이) 억양이 있는.

in·flexed [inflékst] *a.* 〔動·植〕 밑으로[속으로, 축 가까이로] 굽은, 안쪽으로 굽은.

in·flexibílity *n.* U 굽힐 수 없음, 불요성(不撓性) ; 불요 불굴 ; 강직.

in·fléxible *a.* 확고한, 꿋꿋한, 불굴의 ; 강직[완고]한 ; 굽힐 수 없는, 구부러지지 않는 ; 변하지 않는. **-ibly** *adv.* 굽히지 않고 ; 완고하게. 〚L〛
類義語 ⟹ STIFF.

inflexion ☞ INFLECTION.

in·flict** [inflíkt] *vt.* [+目+*on*+名] (타박·상처 따위를) 가하다, 입히다 ; 고통을 주다, 괴롭히다 ; (벌 따위를) 과하다, 주다 : ~ a blow[a wound] ***(up)on a person 남에게 일격을 가하다[상처를 입히다] / The teacher *~ed* punishment *on* the mischievous boy. 선생님은 장난꾸러기 학생에게 벌을 주었다.
inflict** one**self[*one's **company***] ***(up)on*** a person (오래 있거나 하여) 남에게 폐를[괴로움을] 끼치다.
〚L (*flict- fligo* to strike)〛

in·flic·tion [inflíkʃən] *n.* U (고통·벌·타격을) 과함[가함] ; C 형벌, 고통, 어려움, 폐, 성가시게 함.

in·flíc·tive *a.* 가(加)하는, 과(課)하는 ; 형벌의, 고통의, 괴로운.

in-flight *attrib. a.* 비행중의, 기상(機上)의 : ~ meals 기내식 / ~ movies 기내 영화.

ìn·florèscence *n.* U 꽃이 핌, 개화(開花) ; 〔植〕 화서(花序) ; [집합적으로] 꽃.
〚L (*in-*^{2}, FLOURISH)〛

ìn·floréscent *a.* 꽃이 피어 있는.

ín·flòw *n.* U 유입(influx) ; U,C 유입물(流入物) ; C 유입량(量).

‡**in·flu·ence** [influ(:)əns] *n.* **1** U [또는 an ~] 영향, 감화(력), (…의) 작용[탓] : Tides are caused by the ~ *of* the moon and sun. 조수 간만은 달과 태양의 영향으로 일어난다 / the ~ *of* the mind *on* the body 정신이 육체에 미치는 영향 / He had *a* great ~ (*up*) *on* those around him. 주위 사람들에게 커다란 영향을 미쳤다 / What ~ has the East exerted[exercised] *on* the West? 동양은 서양에 어떠한 영향을 미쳐 왔는가. **2** U 세력, 권세, 위세, 영향, 설득력 : the sphere of ~ 세력 범위 / undue ~ 부당한 압박 / *through* a person's ~ 남이 힘써 준 덕분에 / He has used his ~ *for* peace the last ten years. 그는 최근 10년간 평화를 위해 힘썼다 / You have some ~ *with*[*over*] them. 너는 그들을 움직일 힘이 다소 있다. **3** 영향을 미치는 사람[것], 세력가, 유력자 : a bad ~ 도덕적으로 나쁜 영향을 미치는 것[사람] / He's an ~ for good[evil]. 남을 좋은

[나쁜] 쪽으로 이끈다. **4** Ⓤ 〖電〗 유도, 감응. **5** Ⓤ 〖占星〗 (천체에서 발생하는 흐름이 사람의 성격·운명에 미친다고 하는) 감응력.
under the influence of …의 영향을 받고, …한 기세로, …에 좌우되어 : be *under the* ~ *of* drink[liquor] 술에 취해 있다 / He committed the crime *under the* ~ *of* a strong passion. 그는 격정에 사로잡혀 그 죄를 범했다.

〈회화〉
His little sister is a good *influence* on him.— I can see that. 「그의 누이 동생은 그에게 좋은 영향을 미치고 있어」「그런 것 같아」

—— *vt.* …에 영향[감화]을 미치다 ; (사람·행동 따위를) 좌우하다, (부당하게) 움직이다 : The body and the mind ~ each other. 육체와 정신은 서로 영향을 미친다 / She was ~*d* by her mother *to* decline the invitation. 그녀가 초대를 거절한 것은 어머니 탓이었다.
〖OF or L (IN*fluo* to flow in)〗
類義語 (1) (*n.*) ***influence*** 사람이나 물건이 다른 사람이나 물건에 미치는 영향(력). ***authority*** 그 사람의 성격·전문적인 학식 따위로 남을 신용케 하거나 받아들이게 하거나 복종하게 하는 힘 ; 권위. ***prestige*** 빛나는 업적(業績)이나 특출한 성격으로 남에게 존경이나 칭찬의 마음을 일게 하는 힘. ***weight*** 의미가[중요성이] 있는 influence.
(2) (*v.*) ⟹ AFFECT[1].

ínfluence-bùying *n.* 매수(買收)《영향력을 돈으로 사는 일》.

ínfluence pèddler *n.* 《美》 (자신의 지위나 영향력 따위를 이용하여) 실업가와 정부와의 상담을 성사시키는 사람.

ínfluence pèddling *n.* 지위의 이용, 지위를 이용한 부정 행위.

ín·flu·ent *a.* 흘러드는, 유입하는(flowing in).
—— *n.* 유입 ; 유입수, 지류(支流).

in·flu·en·tial** [ìnfluénʃəl] *a.* [+前+do*ing*] 영향을 미치는, 세력이 있는, 유력한(powerful) : in ~ quarters 유력한 방면에 / Those facts were ~ ***in solv*ing* the problem. 그러한 사실들이 그 문제를 해결하는데 크게 작용했다. —— *n.* 큰 영향력을 가진 인물, 유력자, 실력자.
~·ly *adv.* 세도를 부려.

in·flu·en·za [ìnfluénzə] *n.* Ⓤ 〖醫〗 인플루엔자, 유행성 감기《단축형 flu [flúː]》.
〖It. ; ⇒ INFLUENCE ; 질병이 별의 영향이라고 생각되었기 때문에〗

in·flux [ínflʌ̀ks] *n.* Ⓤ 유입(流入) (↔*efflux*) ; Ⓒ (사람·물건의) 도래, 쇄도〈*of*〉; Ⓒ (본류·지류가 합쳐지는) 유입점, 하구(河口) (estuary).
〖F or L (*in-*[2])〗

in·fo [ínfou] *n.* (*pl.* **~s**) 《口》 ＝INFORMATION.

in·fóld *vt.* [+目 / +目+前+名] 싸다 ; 안다, 포옹하다 ; 접다, 개다, 주름을 잡다 : The old woman was ~*ed* ***in*** a shawl. 그 노파는 숄로 몸을 감싸고 있었다.

‡in·form[1] [infɔ́ːrm] *vt.* **1** [+目+*of*+名 / +目+*that* 節 / +目+*wh.* 節 / +目+*wh.*+*to* do] …에게 고하다, 알리다, 통지[통보]하다 : She ~*ed* her parents ***of*** her safe arrival[her parents *that* she had safely arrived]. 양친에게 무사히 도착했음을 알렸다(☞ 活用) / We were ~*ed that* an earthquake had happened in the west. 서부에 지진이 일어났다는 보도가 있었다 / His letter ~*ed* us *how* and *when* he expected to arrive. 그는 편지로 그가 어떻게 언제 도착할 예정인지를 알려 왔다 / Please ~ me *where to* get the tickets. 어디서 차표를 사는지 알려 주십시오. **2** [+目+*with*+名] (감정·생기 따위를) …에 불어넣다, 채우다(fill) ; …에 활기를 띠게 하다 (animate) : God ~*ed* their hearts ***with*** pity. 신은 그들의 마음에 연민의 정을 불어넣었다. **3** (어떤 특징·성격이) …에 넘쳐흐르게 하다, 충만하게 하다 ; 특징지우다.
—— *vi.* **1** [+*against*+名] 밀고하다, 고발하다 : One of the thieves ~*ed* ***against*** the others. 도둑 중 한 사람이 패거리의 다른 사람들을 밀고했다. **2** 지식[정보]을 주다.

inform의 ○×
(×) He *informed* me your success in the examination.
(그가 너의 합격을 알려주었다.)
(○) He *informed* me *of* your success in the examination.
* 이 문장을 다음과 같이 바꿔 쓸 때에는 of는 필요 없다.
He *informed* me that you had succeeded in the examination.

〖OF<L *in-*[2] (FORM)＝to give shape to, describe〗
活用 (1) *inform* a person *of* something은 *tell* a person something보다도 격식을 차린 표현.
(2) 다음과 같은 경우에는 전치사로 about이 쓰임 : We are often *informed about* people that we have never met personally. (우리들은 개인적으로 만난 적이 없는 사람들에 대해서도 알고 있는 경우가 흔히 있다).
類義語 ***inform*** 남에게 사실이나 지식을 전달하여 알게 하다 : He *informed* me of your marriage. (그가 나에게 너의 결혼을 알려 주었다). ***acquaint*** 남에게 이제까지 알지 못한 일을 알리다 : She *acquainted* me of the arrival of her family. (그녀가 나에게 그녀의 가족이 도착한 사실을 알려 주었다). ***notify*** 남이 필요로 하는 또는 적절한 정보를 정식으로 통지하다 : *Notify* us when the submarine comes. (잠수함이 언제 오는지 우리에게 통지해 주시오).

inform[2] *a.* 《古》 (확실한) 형태가 없는, 무정형의 ; 보기 흉한《괴물 따위》. 〖*in-*[1]〗

ín-fórm *a.* 《英》 호조의, (운동선수 등이) 컨디션이 좋은, (경기 따위에 임할) 준비 태세가 갖춰진.

***in·fórmal** *a.* 비공식의 ; 약식의(↔*formal*) ; 격식을 차리지 않는, 스스럼없는, 흉금을 터놓는 ; 평상복의 ; (말 따위) 회화[구어]체의, 평이한 : an ~ visit 비공식 방문 / ~ conversations 비공식 회담. **~·ly** *adv.* 약식으로.

ìn·formálity *n.* Ⓤ 비공식, 약식 ; Ⓒ 약식[형식에 치우치지 않는] 행위.

in·for·mant [infɔ́ːrmənt] *n.* **1 a**) 통지자, 보고자. **b**) 밀고자. **2** 〖言〗 피조사자, 자료[정보] 제공자《그 지방 고유의 문화·언어 따위의 자료를 제공함》.
〖INFORM[1]〗

in for·ma pau·pe·ris [in fɔ́ːrmə pɔ́ːpərəs] *adv.*, *a.* 소송 비용을 면제받는 빈민으로서(의). 〖L〗

inf·or·ma·tics [ìnfərmǽtiks] *n.* 정보 과학 (information science).

‡in·for·ma·tion [ìnfərméiʃən] *n.* **1** Ⓤ [+(前+) *wh.* 節·句 / +*that* 節] 통지, 보고, 정보, 자료, 인포메이션 ; 지식, 견문 ; (경찰의) 통보, 밀고 ;

for your ~ 참고가 되도록 / It was a sad piece [bit] of ~. 그것은 비보였다 / A dictionary gives ~ ***about*** words and phrases. 사전은 어구에 관한 지식을 제공한다 / She has given me accurate ~ ***on*** his death. 그의 죽음에 대해서 정확하게 알려 주었다 / He gave me no ~ ***as to*** *when* the meeting would be held. 모임이 언제 개최될 것인지에 대하여 나에게 아무것도 알려주지 않았다 / I have certain ~ *that* school will be a day earlier this year. 금년에는 학기가 하루 빨리 시작된다는 것을 확실한 소식통으로부터 들어서 알고 있다. **2** Ⓤ (역 · 호텔 · 전화국 따위의) 안내소[원(員)], 접수자, 인포메이션. **3** Ⓤ 〖通信 · 컴퓨〗 정보(data) ; 정보량《비트에 의해서 표시되는 것 ; cf. BIT[4]》. **4** 〖法〗 범죄 신고, 고발(charge) : lodge[lay] an ~ *against* …을 고발하다.

〈회화〉
Where did you get that *information*? — From the radio. 「너는 그 정보를 어디서 얻었니」「라디오에서」

~·al *a.* 정보의, 정보를 제공하는.
〖OF<L ; ⇨ INFORM[1]〗
類義語 ⟹ KNOWLEDGE.

Informátion Àge *n.* 정보(화) 시대.
informátion àgency *n.* 정보국.
informátional pícketing *n.* 《美》 홍보 피케팅 《요구 · 불만 따위를 일반인들에게 알리기 위한 피켓 시위》.
informátion àrt *n.* 정보 예술《정보 전달과 표현에 관한 예술》.
informátion bànk *n.* 〖컴퓨〗 데이터 뱅크, 정보 은행《정보 데이터 library의 집합체》.
informátion bùreau *n.* 정보국[부].
informátion dèsk *n.* 접수처 ; 안내소.
informátion engineèring *n.* 정보 공학.
informátion envìronment *n.* 환경 정보.
informátion explòsion *n.* 정보 폭발《정보량이 폭발적으로 증가하고 있는 현상》.
informátion gàp *n.* 정보 격차《정보 기술의 국제적 격차》.
informátion gìrl *n.* 안내양.
informátion ìndustry *n.* 정보 산업.
informátion-inténsive socìety *n.* 정보(화) 사회.
informátion·ìze *vt.* …을 정보화하다 : ~*d* society 정보화 사회.
informátion márketplace *n.* 정보 시장.
Informátion Nétwork Sỳstem *n.* 고도 정보 통신 시스템.
informátion òffice *n.* (역 따위의) 안내소 : a tourist ~ 여행[관광] 안내소.
informátion òfficer *n.* 공보관, 공보 장교.
informátion on informátion *n.* 정보에 대한 정보《어디서 어떤 정보를 이용할 수 있느냐의》.
informátion pollùtion *n.* 정보 공해, 정보의 범람, 방송 · 출판 따위에 의한 정보의 과다.
informátion pròcessing *n.* (컴퓨터 따위에 의한) 정보 처리.
informátion provìder *n.* 정보 제공(업)자.
informátion retrìeval *n.* 〖컴퓨〗 정보 검색《略 IR》.
informátion revolùtion *n.* 정보 혁명.
informátion scìence *n.* 정보 과학.
informátion superhìghway *n.* 초고속 정보 통신망.
informátion sỳstem *n.* 정보 (처리) 시스템《특히 데이터 처리 시스템에 의한》.
informátion thèory *n.* 정보 이론.
informátion utìlity *n.* 정보의 공공 시설, 정보 공사(公社).
informátion wòrker *n.* 정보 노동자.
in·for·ma·tive [infɔ́ːrmətiv] *a.* 정보의, 지식[정보, 소식]을 주는 ; 견문을 넓히는, 유익한, 교육적인(instructive). **~·ly** *adv.* 〖L (INFORM[1])〗
in·for·ma·to·ry [infɔ́ːrmətɔ̀ːri ; -təri] *a.* =INFORMATIVE.
in·fòr·ma·tó·ri·ly [; infɔ́ːmətərili] *adv.*
in·fórmed *a.* **1** 정보[소식]통의, 소식에 밝은 ; 정보에 근거한 : ~ sources 소식통 / an ~ guess 자세한 정보에 근거한 추측 / I will keep you ~. 계속 연락드리지요. **2** 지식[견문]이 넓은 : an ~ mind 박식한 사람. **~·ly** [, -mədli] *adv.*
infórmed consént *n.* 〖醫〗 고지(告知)에 입각한 동의《수술이나 실험적 치료를 받을 때 자세한 내용을 알고 난 후에 환자가 하는 동의》.
infórm·er *n.* 통지자 ; (특히 범죄의) 밀고자, 고발인 ; (경찰에 정보를 파는) 직업적 정보 제공자.
in·fórm·ing *a.* 교육적인 ; (정보 · 지식원(源)으로서) 유익한, 소용된. **~·ly** *adv.*
in·fra [ínfrə] *adv.* 아래에, 아래쪽에 : see ~ p. 40 40페이지 아래를 보라. 〖L=below〗
in·fra- [ínfrə] *pref.* 「아래에」「하부에」의 뜻. 〖L (↑)〗
in·fract [infrǽkt] *vt.* (법률 · 서약 따위를) 위반하다, 어기다 ; (권리를) 침해하다.
〖L ; ⇨ INFRINGE〗
in·frác·tion *n.* Ⓤ 위반 ; 침해 ; Ⓒ 위반 행위.
in·fra·di·an [infréidiən] *a.* 〖生〗 (생물학적 리듬[주기]이) 1일 1회 미만의.
in·fra dig [ìnfrə díg] *pred. a.* 《口》 =INFRA DIGNITATEM.
ínfra dig·ni·tá·tem [-dìgnətéitəm] *pred. a.* 품격을 손상하는, 체면을 깎는. 〖L〗
ìnfra·húman *a., n.* 인간보다 하위의 (것) ; = ANTHROPOID.
in·fra·lap·sar·i·an [ìnfrəlæpsέəriən, -sǽər-] *n.* 〖神學〗 (칼뱅파의) 타죄 이후설자(墮罪以後說者), 후정론자(後定論者). —— *a.* 타죄 이후설의, 후정론자의. 〖*infra*, L *lapsus* a fall〗
in·frángible *a.* 파괴할 수 없는 ; 범해서는[어겨서는] 안 될《법 · 약속》.
ìnfra·réd *a.* 〖理〗 적외선의, 적외선 이용의 : an ~ film 적외선 필름.
—— *n.* 적외선(cf. ULTRAVIOLET).
infraréd astrónomy *n.* 적외선 천문학.
infraréd detéctor *n.* 〖電子〗 적외선 검파기.
infraréd gúidance mìssile *n.* =HEAT-SEEKING MISSILE.
infraréd radiátion *n.* 적외선(복사).
infraréd ráys *n. pl.* 적외선.
infraréd spectrómeter *n.* 적외선 분광계.
ìnfra·sónic *a.* 〖理〗 음파가 가청(可聽) 이하의, 초저주파(음)의.
ìnfra·sóund *n.* 〖理〗 초저주파 불가청음.
ínfra·strùcture *n.* **1** Ⓤ,Ⓒ (단체 따위의) 하부조직[구조], (경제) 기반 ; 기초 구조, 토대. **2** (수도 · 전기 · 학교 · 에너지 공급 · 폐기물 처리 따위의 사회의) 기간 시설, 산업 기반, 사회적 생산 기반. **3** (NATO의) 영구 기지.
in·fréquent *a.* 희귀한, 드문 ; 보통이 아닌, 진귀한. **in·fréquence, -cy** *n.* 드묾, 희귀(rarity). **~·ly** *adv.* 드물게, 이따금. 〖L〗

類義語 ⟹ RARE[1].

in·fringe [infríndʒ] *vt.* (법규를) 어기다, 범하다 ; (규정을) 위반하다 ; (권리를) 침해하다. —— *vi.* [+*on*+名] 침해[침입]하다 : ~ (***up***)***on*** a person's privacy 남의 사생활을 침해하다. 〖L *in-*[2](*fract- fringo*=*frango* to break)=to break off〗

類義語 ⟹ TRESPASS.

infrínge·ment *n.* **1** (법규) 위반 ; (특허권·판권 따위의) 침해 : copyright ~ 판권 침해. **2** 위반[침해] 행위 : an ~ of national sovereignty 국가의 주권에 대한 침해 행위.

in·frúctuous *a.* 열매를 맺지 않는, 불모(不毛)의 ; 무익한.

in·fu·la [ínfjələ] *n.* (*pl.* **-lae** [-lìː]) 주교관(主教冠) 장식용 띠《주교관의 뒤에 2줄로 늘어뜨려져 있음》; (미사 때 사제의) 예복. 〖L〗

in·fu·ri·ate [infjúərièit] *vt.* 격노시키다(make furious) : be ~*d* at 노발대발하다. —— [-riət] *a.* 격앙된. **~·ly** *adv.* **in·fú·ri·àt·ing·ly** *adv.* **in·fù·ri·á·tion** *n.* 〖L (*in-*[2], FURY)〗

in·fuse [infjúːz] *vt.* **1** [+目+前+名] 붓다, 주입하다 ; (사상 따위를) …에게 불어넣다(inspire), 스며들게 하다 : He ~*d* patriotism ***into*** the hearts of his sons. 자식들의 마음에 애국심을 불어넣었다 / We were ~*d* ***with*** new hope. 새로운 희망에 부풀었다. **2** (약·차 따위를) 달이다, 우려내다. —— *vi.* (차 따위가) 우러나다. **in·fús·er** *n.* 주입자[기], 고취자. **in·fús·i·ble**[1] *a.* 주입할 수 있는 ; 불어넣을 수 있는. 〖L *infus- infundo* ; ⇨ FOUND[2]〗

in·fúsible[2] *a.* 용해되지 않는, 불용해성의. **~·ness** *n.* **in·fùs·ibílity** *n.* 〖*in-*[1]〗

in·fu·sion [infjúːʒən] *n.* **1** Ⓤ 주입, 고취 ; (향료의) 우려냄, 달여냄. **2** 주입물 ; 침액(浸液) ; 혼화물(混和物) ; 달여낸 즙.

In·fu·so·ria [ìnfjuzɔ́ːriə] *n. pl.* 〖動〗 적충류(滴蟲類)《원생 동물 Protozoa의 한 강(綱)》. 〖NL ; ⇨ INFUSE〗

ìn·fu·só·ri·al *a.* 〖動〗 적충의[을 함유한, 으로 이루어진].

ìn·fu·só·ri·an *n., a.* 〖動〗 적충 ; 적충류의.

-ing[1] [iŋ] *suf.* **1** 동작·행위(: driv*ing*), 직업(: bank*ing*), 만들어 낸 것(: build*ing*), 쓰여진 것·재료(: cloth*ing*), 「…된 것」(: wash*ing*), 형상·배치(: color*ing*) 따위를 나타내는 (동)명사를 만듦. 〖OE *-ung, -ing*<Gmc. 《美》 *-ungā* 〗 **2** 현재 분사를 만드는 형용사적으로 쓰여짐. 때로 「…할 것 같은」「…되기에 적당한」의 뜻. 〖OE *-ende* ; 어미는 1과의 혼동〗

-ing[2] [iŋ] *n. suf.* 「…에 속하는[의 일종에 유래하는] 것」의 뜻《때로는 지소사적 의미를 지님》. 〖OE<Gmc. 《美》 *-inga* ; cf. -LING[1]〗

ín·gàther *vt.* 《古》 …을 거둬 들이다, 모으다. —— *vi.* 모이다. **~·ing** *n.* 수납, 수확 ; (사람의) 집합, 집회.

in·géminate *vt.* 되풀이하다, 반복하다.

in·gen·er·ate[1] [indʒénərət] *a.* 《古》 자생(自生)의 ; 자존의, 독립하여 존재하는. 〖*in-*[1]〗

in·gen·er·ate[2] [indʒénərèit] *vt.* …을 발생시키다. —— [-rət] *a.* 타고난, 태어날 때부터의(innate). **~·ly** *adv.* 〖*in-*[2]〗

in·ge·nious [indʒíːnjəs] *a.* 영리한, 솜씨 좋은 ; 교묘한 ; 정교한 ; 독창적인, 착안이 좋은 : an ~ researcher 독창적인 연구가. **~·ly** *adv.* 솜씨 있게 ; 교묘하게. **~·ness** *n.*=INGENUITY. 〖ME=talented<F or L (*ingenium* cleverness)〗

類義語 ⟹ CLEVER.

in·gé·nue [ǽndʒənùː ; ǽːŋʒeinjùː ; *F* ɛ̃ʒeny] *n.* 천진난만[순진]한 소녀(cf. SOUBRETTE) ; 그 역할을 하는 여배우. 〖F (fem.) ‹INGENUOUS〗

in·ge·nu·i·ty [ìndʒən*j*úːəti] *n.* Ⓤ 발명의 재질, 연구력 ; 교묘함, 정교. 〖L (↓) ; 어의는 INGENIOUS와의 혼동〗

in·gen·u·ous [indʒénjuəs] *a.* 솔직한, 정직한, 담백한(frank) ; 천진난만한, 순진한, 꾸밈없는(artless) : an ~ girl 순진한 소녀. **~·ly** *adv.* 솔직하게 ; 천진난만하게. **~·ness** *n.* Ⓤ 솔직함, 담백함, 천진난만함. 〖L *ingenuus* freeborn, frank (《美》 *gen-* to beget)〗

類義語 ⟹ NAIVE.

in·gest [indʒést] *vt.* (음식물 따위를) 섭취하다 ; (사상 따위를) 받아들이다 ; 〖空〗 (제트 엔진의 흡기구(吸氣口)에 이물(異物) 따위를) 빨아들이다, 끌어넣다. **in·ges·tion** [indʒéstʃən] *n.* Ⓤ 음식물 섭취 ; 섭취물. **in·gés·tive** *a.* 음식 섭취의. 〖L (*gest- gero* to carry)〗

in·ges·ta [indʒéstə] *n. pl.* 섭취물. 〖L (↑)〗

in·gle [íŋgəl, íŋəl] *n.* 화로 ; 벽난로(fireplace). 〖Sc.<? Gael. *aingeal* fire, light〗

íngle·nòok *n.* 《英》 =CHIMNEY CORNER 1.

in·glórious *a.* **1** 불명예스러운, 면목없는, 창피한(dishonorable). **2** 이름도 없는, 무명의. **~·ly** *adv.* 불명예스럽게 ; 세상에 알려지지 않아. **~·ness** *n.* 〖L〗

ín·gòal *n.* (럭비의) 인골《골라인과 데드볼 라인 사이의 트라이가 가능한 지역》.

ín·gò·ing *a., n.* 들어오는[오기] : an ~ tenant 새로 세드는 사람, 새로운 차지(借地)인.

in·got [íŋgət] *n.* 주괴(鑄塊), 잉곳, 지금(地金), (특히 금·은) 덩어리. —— *vt.* (지금(地金)을) 잉곳으로 하다. 〖? *in*+*goten* (p.p.)<OE *geotan* to cast ; 일설(一說)에, OF *lingot* ingot of metal을 *l'ingot* (*le* the)와 혼동한 것인가〗

in·gráft *vt.* =ENGRAFT.

ín·gràin *a.* 실[섬유]에 물들인, 바탕을 물들이는 ; 깊이 스며든, 뿌리 깊은 : ~ vices 숙폐(宿弊). —— *n.* 바탕을 물들이는 실 ; 《美》 섬유[실]에 물들인 융단(=~ **càrpet**). —— [-⌐] *vt.* (염료·습관 따위를) 스며들게 하다. 〖C18 *dyed in grain* dyed with kermes through fiber〗

in·gráined *a.* 깊이 스며든 ; 뿌리 깊은 ; 타고난, 철저한.

In·gram [íŋgrəm] *n.* 남자 이름.

in·grate [íngreit] *n.* 은혜를 모르는 사람. —— *a.* 《古》 은혜를 모르는. 〖L (*gratus* GRATEFUL)〗

in·gra·ti·ate [ingréiʃièit] *vt.* [+目+*with*+名] [~ one*self* 로] 마음에 들게 하다, 환심을 사다 : Bob tried to ~ him*self* ***with*** the teacher by giving her presents. 보브는 선생님께 선물을 드려 환심을 사려고 했다. 〖L *in gratiam* into favor〗

in·grá·ti·àt·ing *a.* 알랑거리는, 비위를 맞추려는 : an ~ smile 알랑거리는 웃음. **~·ly** *adv.*

in·grátitude *n.* Ⓤ 은혜를 모름, 망은(忘恩). 〖F or L ; ⇨ INGRATE〗

in·gra·ves·cent [ìngrəvésənt] *a.* 〖醫〗 (병이) 점점 악화하는, 점악성의. **ìn·gra·vés·cence** *n.* (병의) 악화. 〖L *gravo* to grow heavy〗

***in·gre·di·ent** [ingríːdiənt] *n.* 성분, 재료, 합성분, 요소, 원료(component) : the ~*s of* a cake 과자의 재료. 〖L *ingress- ingredior* to enter into〗

類義語 ⟹ ELEMENT.

in·gress [íngres] *n.* **1** Ⓤ 들어가기, 진입. **2** 입구(entrance) ; 입장권, 입장의 자유(↔*egress*). 〚L ; ⇨ INGREDIENT〛

in·grés·sion *n.* 들어감, 진입 ; 〖生〗 이입(移入), 내식(內殖).

in·gres·sive [ingrésiv] *a.* 들어가는, 진입하는 ; 〖文法〗 기동(起動)의(↔*terminate*) ; 〖音聲〗 흡기(류)의. —— *n.* 기동 동사 ; 흡기(류)음.

In·grid [íŋgrəd] *n.* 여자 이름.

ín-gròup *n.* 〖社〗 우리 집단(↔*out-group*) ; 〖心〗 내(內)집단.

ín·gròw·ing *a.* 안으로 뻗는 ; (특히) 발톱이 살 속으로 파고 드는.

ín·gròwn *a.* 안쪽으로 성장한 ; (발톱 따위가) 살 속으로 파고든 ; 천성의, 타고난 ; 자의식 과잉의.

ín·gròwth *n.* 안쪽으로의 성장 ; (발톱이) 살 속으로 파고듦 ; 안쪽으로 자라는 것.

in·guin- [íngwən], **in·gui·no-** [-nou, -nə] *comb. form* 「서혜부(鼠蹊部)의 뜻. 〚L(↓)〛

in·gui·nal [íŋgwənl] *a.* 〖解〗 서혜부(鼠蹊部)의. 〚L (*inguen* groin)〛

in·gúlf, -gúlph *vt.* =ENGULF.

in·gur·gi·tate [ingə́:rdʒətèit] *vt.* 꿀꺽꿀꺽 마시다 ; 탐식하다 ; (소용돌이처럼) 빨아들이다. —— *vi.* 벌떡벌떡 마시다, 걸신들린 듯 먹다. 〚L=to flood (*gurgit-* *gurges* whirlpool)〛

*__in·hab·it__ [inhǽbət] *vt.* …에 살다, 거주하다 ; …에 존재하다, 머물다 ; …에 정통하다 : Various kinds of fish ~ the sea. 바다에는 여러 종류의 어류가 서식한다 / The island is thickly[thinly] ~*ed*. 그 섬에는 주민이 많다[적다]. —— *vi.* 《古》 살다. **~·er** *n.* **inhábit·able** *a.* 살기에 알맞은. 〚OF or L *habito* to dwell, HABIT〛

in·hab·it·an·cy, -ance [inhǽbətəns(i)] *n.* (특정 기간의) 거주 ; 거처 ; 주소.

*__in·háb·it·ant__ *n.* 주민, (영속적인) 거주자〈*of*〉(cf. RESIDENT) ; (어떤 장소에 살고 있는) 서식동물〈*of*〉.

in·hab·i·ta·tion [inhæ̀bətéiʃən] *n.* 주거, 주소 ; 거주, 서식(棲息).

inhábit·ed *a.* 사람이 사는, 주민이 있는.

in·hal·ant [inhéilənt] *a.* 빨아들이는, 흡입하는, 흡입용의. —— *n.* 흡입공(吸入孔) ; 흡입기(器)[장치] ; 흡입약.

in·ha·la·tion [ìnhəléiʃən] *n.* Ⓤ 흡입(법)(↔*exhalation*) ; Ⓒ 흡입제(劑) : the ~ of oxygen 산소 흡입.

in·ha·la·tor [ínhəlèitər] *n.* 흡입기, 흡입 장치.

in·hale [inhéil] *vt., vi.* 흡입(吸入)하다 ; (담배 연기를) 폐까지 들이마시다(↔*exhale*). ——[́, ⌐ ́] *n.* 들이마시기 : take deep ~*s* 깊이 들이마시다. 〚L (*halo* to breathe)〛

in·hál·er *n.* 흡입자 ; 흡입기(器) ; 공기 여과기 ; 호흡용 마스크.

ìn·harmónic, -ical *a.* 부조화의, 불협화의.

ìn·harmónious *a.* 부조화의, 가락이 맞지 않는, 불협화의 ; 불화의. **~·ly** *adv.* 부조화적으로, 조화되지 않고.

in·hármony *n.* 부조화, 불협화 ; 불화.

ín·hàul, ín·hàul·er *n.* 〖海〗 (돛 따위의) 당김줄.

in·here [inhíər] *vi.* [+*in*+名] (성질 따위가) 원래부터 존재하다, 타고나다, (권리 따위가) 부여되어 있다, (뜻이) 포함되어 있다 : Selfishness ~*s* ***in*** human nature. 이기심은 인간성에 내재하는 것이다 / Power ~*d* ***in*** the sovereign. 권력이 주권자에게 부여되었다. 〚L (*haes-* *haereo* to stick)〛

in·her·ence, -cy [inhíərəns(i)] *n.* Ⓤ 고유, 타고남, 천성, 천부(天賦).

*__in·hér·ent__ *a.* 고유의, 본래의, 타고난〈*in*〉: he ~ modesty 그녀의 타고난 겸손 / You must no[t] forget the duties ~ *in* a public official. 공무원(고유)의 직무를 잊어서는 안된다. **~·ly** *adv.* 선천적으로 ; 본질적으로.

*__in·her·it__ [inhérət] *vt.* **1** [+目/+目+*from*+名] (재산·권리 따위를) 이어받다, 상속받다 : H[e] ~*ed* a large fortune ***from*** his father. 아버지로부터 많은 재산을 상속받았다. **2** (성질·특성 따위를) 물려받다, 유전하다 : an ~*ed* character [quality] 〖生〗 유전 형질[특성] / Habits are ~*ed*. 버릇은 유전한다. **3** (일반적으로) (사무 따위를) 물려[인계]받다〈*from*〉. —— *vi.* 재산을 물려받다 ; 상속하다. 〚OF<L=to appoint an heir (*heres* heir)〛

inhérit·able *a.* 상속할 수 있는, 전할 수 있는 ; 상속자가 될 수 있는 ; 유전하는. **inhèrit·abílity** *n.* 상속[계승]할 수 있음. **-ably** *adv.*

*__in·her·i·tance__ [inhérətəns] *n.* **1** Ⓤ 〖法〗 계승, 상속(권) : the ~ tax 《美》 상속세 / by ~ 상속에 의하여. **2** 상속 재산, 유산 ; 이어받은 것, 유전(형질). 〚AF (OF *enheriter* to INHERIT)〛

in·hér·i·tor *n.* (유산) 상속인, 후계자(heir).

in·hér·i·tress [-trəs], **-trix** [-triks] *n.* INHERITOR의 여성형.

in·he·sion [inhí:ʒən] *n.* =INHERENCE. 〚L ; ⇨ INHERE〛

in·hib·it [inhíbət] *vt.* [+目/+目+*from*+名] 방지하다, 억제하다 ; 금하다, 금지하다(prohibit) ; 〖教會法〗 (성직자의) 교권을 정지하다 ; 〖電子〗 (특정한 신호·조작을) 저지하다 : ~ wrong impulses 나쁜 충동을 억제하다 / These provisions of the constitution ~ certain acts ***from*** be*ing* done by the government. 헌법의 이같은 규정들은 어떤 행위가 정부에 의해서 행해지는 것을 금지하고 있다. **in·híb·i·tor, -it·er** *n.* 억제자, 억제물 ; 〖生·化〗 억제제(劑). 〚L *in-*²(*hibit-* *hibeo*=*habeo* to hold)=to hold in, hinder〛

inhíbit·ed *a.* 억제된, 억압된 ; 자기 규제하는, 적극성이 없는, 내성적인 : an ~ person 감정을 겉으로 나타내지 않는 사람, 내성적인 사람.

in·hi·bi·tion [ìnhəbíʃən] *n.* Ⓤ,Ⓒ 억제, 금지, 금제 ; 〖心·生〗 억제(cf. REPRESSION) ; 〖教會法〗 교권 정지 명령 ; 〖英法〗 소송 진행 정지 영장.

in·hib·i·to·ry [inhíbətɔ̀:ri ; -təri], **in·híb·i·tive** *a.* 금지의, 방지[억제]하는.

ín-hòme *a.* 가정내의, 집에 있는, 집에서 할 수 있는. —— *n.* 〖라크로스〗 인홈《상대편 골에 가장 가까운 위치(의 선수)》.

in·homogenéity *n.* 이질(성), 불균등성 ; (등질부(等質部) 중의) 이질 부분.

ìn·homogéneous *a.* 동질[균질·등질]이 아닌.

in·hóspitable *a.* **1** 손님을 거칠게 다루는, 무뚝뚝한, 불친절한. **2** 머물[묵을] 곳이 없는, (황야 따위) 황량한. **-bly** *adv.* 〚F〛

in·hospitálity *n.* Ⓤ 푸대접, 냉대, 무뚝뚝함. 〚L〛

ín-hòuse *a.* 사내의, 기업[조직, 집단] 내부의 : ~ newsletters 사보(社報) / ~ training 사내(社內)[기업내] 훈련[연수]. —— *adv.* 조직[회사]내에서.

ín-house ágency *n.* (특정 광고대리점 전속의) 제작 하청 자회사.

in·húman *a.* **1** 몰인정한, 냉혹한, 잔인한. **2** 비

인간적인 ; 인간과 다른, 초인적인.
~·ly *adv.* **~·ness** *n.* 〖L〗
類義語 ⟹ CRUEL.

ìn·humáne *a.* 동정심[친절미]이 없는, 몰인정[무자비]한. **~·ly** *adv.* 〖L〗

ìn·humánity *n.* Ⓤ 몰인정, 참혹함(cruelty) ; Ⓒ 몰인정한 행위.

ìn·hu·má·tion *n.* 매장, 토장(土葬)(cf. CREMATION).

in·hume [inhjú:m] *vt.* (땅속에) 파묻다, 토장하다. 〖L *humus* ground〗

in·im·i·cal [inímikəl] *a.* **1** 적의가 있는, (…와) 반목하는[하고 있는], 불화한〈*to*〉. **2** (…에) 반하는, 불리한, 유해한〈*to*〉. **~·ly** *adv.* 적의를 가지고 ; 불리하게, 유해하게. 〖L (*inimicus* ENEMY)〗
類義語 ⟹ HOSTILE.

in·ímitable *a.* 흉내낼 수 없는, 독특한, 비길 데 없는. **-bly** *adv.* 〖F or L〗

in·iq·ui·tous [iníkwətəs] *a.* 부정[불법]의, 사악한, 간악한(wicked). **~·ly** *adv.*

in·iq·ui·ty [iníkwəti] *n.* Ⓤ 부정, 불법, 사악 ; Ⓒ 부정[불법] 행위. 〖OF<L (*aeguus* just)〗

INIS International Nuclear Information System (국제 원자력 정보 시스템).

init. initial ; initio.

***in·i·tial** [iníʃəl] *a.* **1** 처음의, 최초의, 첫머리의 : the ~ expenditure 창업비 / the ~ stage 초기, 제1기 / ~ velocity 초속(初速). **2** 어두(語頭)에 있는 : an ~ letter (첫)머리 글자. —— *n.* (첫)머리글자 ; [주로 *pl.*] (이름의) 머리 글자《보기 John Smith의 略 J. S.》: an ~ signature 첫머리 글자만의 서명. —— *vt.* (**-l-** | **-ll-**) …에 (첫)머리 글자로 서명하다. **~·ly** *adv.* 처음에, 첫머리에.
〖L ; ⇨ INITIATE〗

inítial cárrier *n.* 복수의 항공사편을 이어 탈 때의 처음에 타는 항공사.

inítial condítion *n.* 〔數〕 초기 조건.

inítial·ism *n.* **1** 두문자 약어《DDD, IFC처럼 머리글자로 된 약어》. **2** (널리) 두문자어(acronym) 《NATO [néitou] 따위》.

inítial·ize *vt.* 〔컴퓨〕 (counter, address 따위를) 초기화(初期化)하다, 초기값으로 설정하다.

inìtial·izátion *n.* 초기 설정.

Inítial Tèaching Álphabet *n.* 초등 교육용 영어 알파벳《영국의 Sir James Pitman이 창안한 1음 1자의 44문자》.

inítial wórd *n.* 두문자어, (첫)머리 글자로 된 단어《UNESCO 따위》.

ini·ti·ate [iníʃièit] *vt.* **1** 시작하다, 일으키다, 창시하다(begin) : ~ a plan 안을 새로이 세우다 / ~ new methods 새 방법을 생각해 내다. **2** [＋目＋*into*＋名] 가입[입회]시키다 ; (사람에게 비법・비결을) 전하다, 전수(傳授)하다 ; …에게 초보를 가르치다, 기초를 지도하다 : ~ a person ***into*** a society 남을 (회에) 입회시키다 / The teacher ~*d* us *into* the mysteries[secrets] of T'aekwon-do. 선생님은 우리에게 태권도의 비법을 가르쳐 주셨다. **3** (발의권에 의하여 법안・의안을) 제안하다. —— [-ʃiət, -ʃièit] *a.* 기초 지도를 받은 ; 비전(祕傳)을 전수받은 ; 신입(新入)(회(會))의.
—— [-ʃiət, -ʃièit] *n.* 전수를 받은 사람 ; 신입자, 입회자.
〖L (*initium* beginning〈*in-*², *it- eo* to go)〗
類義語 ⟹ BEGIN.

ini·ti·a·tion [inìʃiéiʃən] *n.* **1** Ⓤ 개시, 창시, 창업(創業) ; 기초 지도, 입문서(書). **2** Ⓤ 가입 ; Ⓒ 입회식, 입문식, 가입식, 성년식. **3** Ⓤ 비전[비법]을 전하기, 전수.

***ini·ti·a·tive** [iníʃətiv] *n.* **1** Ⓤ 초보 ; 솔선, 선창(先唱). **2** [보통 the ~] 〔政〕 의안 제출권, 발의권(發議權) : have *the* ~ 우선[발의]권이 있다. **3** Ⓤ 기업심, 독창력, 진취적 정신. **4** Ⓤ 〔軍〕 선제(先制), 기선(機先) ; 주도권.
on** one's **own initiative 솔선해서.
take the initiative 솔선해서 하다, 자발적으로 하다[선수를 치다], 기선을 잡다.
—— *a.* 시초의, 발단의(beginning) ; 초보의.
〖F (INITIATE)〗

iní·ti·à·tor *n.* 창시자 ; 선창자 ; 입회식을 거행하는 사람, 교도자, 전수자.

ini·ti·a·to·ry [iníʃiətɔ̀:ri ; -təri] *a.* 처음의 ; 초보의 ; 입회[입문・입당(入黨)]의.

in·i·tio [iníʃiòu] *adv.* (서적의 장(章)・페이지 따위의) 첫머리에, 모두(冒頭)에《略 init.》. 〖L〗

inj. injection.

***in·ject** [indʒékt] *vt.* [＋目＋前＋名] **1** 주사하다, 주입하다〈*into, with*〉: ~ medicine *into* a vein ＝ ~ a vein *with* medicine 정맥에 약을 주사하다. **2** 삽입하다, 끼우다, 넣다 ; 도입하다〈*into*〉: ~ a remark *into* a conversation 이야기에 한 마디 의견을 말하다. **3** 〔宇宙〕 (인공위성 따위를 궤도에) 쏘아 올리다〈*into*〉: The satellite has been ~*ed into* its orbit. 인공위성은 궤도에 쏘아 올려졌다. **~·ed** *a.* 주사[주입]된 ; 충혈된.
〖L *in-*²(*ject- jicio*＝*jacio* to throw)〗

in·jéct·able *a.* (약물이) 주사 가능한. —— *n.* 주사가능 물질[약물].

***in·jec·tion** [indʒékʃən] *n.* **1** Ⓤ,Ⓒ 주입, 주사 ; 관장(灌腸) ; Ⓒ 주사액, 관장약(藥) ; 〔醫〕 충혈 ; 《비유》 (자금 따위의) 투입 : have[get] an ~ 주사를 맞다 / give[make] an ~ 주사놓다. **2** Ⓤ,Ⓒ (인공위성이나 우주선을) 궤도에 올려놓기(insertion) ; 〔機・空〕 분사(噴射) : fuel ~ 연료 분사.

injéction mòlding *n.* (플라스틱의) 사출 성형(射出成形).

injéction stèelmaking *n.* 〔金屬〕 인젝션 제강법《강 속의 황이나 산도를 제거하는 정련법》.

in·jéc·tor *n.* 주사 놓는 사람 ; 주사기 ; 〔機〕 분사급수기(噴射給水機), 인젝터 : a fuel ~ (엔진의) 연료 분사 장치.

injéctor ràzor *n.* (외날을 갈아 끼우는) 인젝터식 안전 면도기.

ín-jòke *n.* 특정 그룹에만 통용되는[동료들 사이의] 조크.

ìn·judícious *a.* 무분별한(unwise), 생각없는. **~·ly** *adv.* 무분별하게.

In·jun [índʒən] *n.* 《美口》 아메리칸 인디언.

in·junct [indʒʌ́ŋkt] *vt.* 《口》 금지하다.
〖역성(逆成)〈↓〗

in·junc·tion [indʒʌ́ŋ*k*ʃən] *n.* 명령, 훈령, 지령 ; 〔法〕 (법정의) 금지[강제] 명령. 〖L ; ⇨ ENJOIN〗

‡**in·jure** [índʒə*r*] *vt.* **1** 상처나게 하다, …에 상처를 입히다, 아프게 하다 : Two people were ~*d* in the accident. 그 사고로 두 사람이 다쳤다 / ~ one's eye 눈을 다치다. **2** (명예・감정 따위를) 해치다, 손상시키다.

〈회화〉
My brother was *injured* in a car accident. — How terrible! Was he seriously *injured*?
「오빠가 자동차 사고로 다쳤어」「어머나! 중상이니」

ín·jur·er *n.* 가해자.
〖역성(逆成)〈*injury*〗

類義語 ***injure*** 사람이나 사물의 외관・건강・완전함・가치 따위를 손상하다 : *injure* one's reputation (명예를 실추시키다). ***harm*** injure 보다 뜻이 강하여 상대방에게 고통을 주는 것을 암시함 : Don't *harm* the fish in the pond. (못에 있는 물고기를 다치게 하지 마라). ***damage*** 물건을 injure하여 가치를 상실시키거나 쓸모없게 만들다 : The goods were *damaged* by the flood. (홍수로 인해 (많은) 물건들이 손상되었다). ***hurt*** 남을 육체적 또는 정신적으로 상하게 하다 ; 또는 물건을 harm[damage]하다 : I was *hurt* by an accident. (나는 사고로 상해를 입었다). ***impair*** 물건의 가치 또는 힘 따위를 감퇴시키다 : His hearing was *impaired* by age. (나이가 들어 청력이 감퇴되었다).

ín·jured *a.* **1 a**) 상처 입은 : the ~ arm 부상당한 팔 / the ~ party 피해자. **b**) [the ~ ; 명사적으로 복수취급] 부상자들, 다친 사람들. **2** 감정이[명예가] 손상된 : an ~ look 감정이 상한 표정.

in·ju·ri·a [indʒúəriə] *n.* (*pl.* **-ri·ae** [-riìː, -riài]) 〖法〗 권리 침해, 위법 행위(injury).
〚L ; ⇨ INJURY〛

in·ju·ri·ous [indʒúəriəs] *a.* **1** 유해한(harmful) : habits ~ *to* health 건강에 나쁜 습관. **2** 불법인, 부정(不正)한(unjust) ; (말이) 남을 해치는, 중상적인. **~·ly** *adv.* 유해하게 ; 불법으로.

***in·ju·ry** [índʒəri] *n.* **1** 해(害), 위해, 상해, 손해, 손상 : be an ~ *to* …을 손상하다 ; …에 해가 되다 / suffer *injuries to* one's head 머리에 부상을 입다 / do a person an ~ 남에게 위해를 가하다[손해를 주다]. **2** U,C (감정・평판 따위를) 상하게 하기, 무례, 모욕, 명예 훼손 : ~ *to* one's reputation 명예 훼손. **3** 〖法〗 권리 침해, 위법(違法) 행위.

〈회화〉
The game was interrupted because of the player's *injury*. — Was he badly hurt? 「게임은 그 선수의 부상으로 중단되었어」「그 선수 많이 다쳤니」

〚AF<L *in-*[1] (*juria* 〈 *jur- jus* right) = wrong〛
類義語 ⟹ INJUSTICE.

ínjury bènefit *n.* 《英》 산재(產災) 보험금《국가에서 매주 지급함》.

ínjury tíme *n.* 《英》 (축구・럭비・농구 따위에서) 부상에 대한 치료 따위로 소비한 시간 만큼의 연장 시간.

***in·jús·tice** *n.* U 불법, 부정(不正), 불공평 ; C 부정 행위, 비행(非行) (cf. UNJUST).
do a person ***an injustice*** 남을 부당하게 다루다, 남의 가치를 잘못 보다, 남을 오해하다.
類義語 ***injustice*** 남에게 부당한 대우를 하거나 또는 남의 권리를 침해하기. ***injury*** 남에게 법률적인 제재의 대상이 될 만한 손해[손상]를 주기. ***wrong*** = injury ; 특히 사회 전체에 영향을 미칠 것 같은 죄나 비행에 씀.

◇**ink** [iŋk] *n.* **1** U (필기용의) 잉크 ; 인쇄용 잉크 (=printer's ~) : ☞ CHINESE[CHINA, INDIA, INDIAN] INK / INVISIBLE[SYMPATHETIC] INK / write a letter *in* ~ 잉크로 편지를 쓰다. **2** U 〖動〗 (오징어가 내뿜는) 먹물 ; 《美俗》 흑인.
(***as***) ***black as ink*** 새까만 ; 아주 불길한.
—— *vt.* 잉크로 쓰다, 잉크를 칠하다 ; 잉크로 더럽히다[지우다] ; 《美俗》 (계약서 따위에) 서명하다 ; 계약서에 서명케 하여 (누구를) 고용하다.
ink in[***over***] (연필로 그린 밑그림 따위를) 잉크로 칠하다.
〚OF<L<Gk. *egkauston* Roman emperor's purple ink (*en-*[2], CAUSTIC)〛

ínk bàg *n.* 〖動〗 오징어의 고락《먹물 주머니》.

ínk·bèrry [; -bəri] *n.* 〖植〗 **1** 감탕나무과의 낙상홍나무의 일종 ; 그 열매. **2** 유럽[미국]자리공 ; 그 열매.

ínk·blòt *n.* (심리 테스트용의) 잉크 얼룩.

ínkblot tèst *n.* 〖心〗 잉크블롯 테스트(Rorschach test).

ínk bòttle *n.* 잉크병.

ínk·er *n.* 〖印〗 판 롤러 ; 〖通信〗 = INKWRITER.

ínk·fàce *n.* 《美俗・蔑》 흑인, 검둥이.

ínk·fish *n.* 오징어.

ínk·hòld·er *n.* 잉크용 그릇 ; (만년필대 속의) 잉크 넣는 곳.

ínk·hòrn *n.* 뿔로 만든 잉크통. —— *a.* 학자인 체하는, 현학적인.

ínk·ing *n.* (제도 따위에서) 먹통 ; 〖通信〗 (수신할 때의) 인자(印字).

ínk-jèt *a.* (프린터 따위가) 잉크제트 방식의《종이 위에 안개 형태의 잉크를 정전기적으로 분사하는 고속 인자법(印字法)》.

in·kle, in·cle [íŋkəl] *n.* (가선 장식용의) 폭이 넓은 리넨 테이프(에 사용하는 리넨실).

in·kling [íŋkliŋ] *n.* 어렴풋이 알아차리기 ; 암시(hint).
get an inkling of …을 어렴풋이 알다, 알아차리다.
give a person ***an inkling of...*** 남에게 …을 넌지시 비추다, …을 암시하다.
〚ME *inkle* to utter in an undertone, hint at<?〛

ínk·pàd *n.* 스탬프대, 잉크대(臺), 인주(印朱).

ínk·pòt *n.* 잉크 그릇[병](inkwell).

ínk slàb *n.* 〖印〗 잉크(개는) 판 ; 벼루.

ínk·slìng·er *n.* 《俗》 마구 휘갈겨 쓰는 사람 ; 삼류 문인, 편집자, 기자.

ínk·stànd *n.* 잉크스탠드.

ínk·stìck *n.* 《美俗》 만년필.

ínk·stòne *n.* 벼루 ; U 〖化〗 = COPPERAS.

ínk·wèll *n.* (책상 위에 판 구멍에 끼워 넣게 된) 잉크 그릇[병].

ínk·wrìter *n.* 〖通信〗 인자기(印字機) (inker)《수신 인자기》.

ínky *a.* 잉크로 표시를 한[더러워진] ; 잉크 같은 ; 새까만.

ínky-dìnk *n.* 《美俗》 몹시 새까만 흑인.

in·láce *vt.* = ENLACE.

ín·làid [, ⌐⌐] *a.* 표면에 장식을 박아 넣은, 끼워넣은, 상감(象嵌)한 : ~ work 상감 세공.

***in·land** [ínlæ̀nd, -lənd] *n.* 내지(內地), 내륙, 국내, 오지(奧地). —— [-lənd] *a.* **1** (바다에서 먼) 오지의, 내륙의, 벽지의. **2** 《英》 국내의, 내국의, 내지의(internal) : ~ commerce[trade] 국내 무역/~ revenue 《英》 내국세 수입 (=《美》 internal revenue) / an ~ duty 내국세 / an ~ sea 내해(內海). **3** 국내에 한정된, 국내에서 발행되어 지급되는 : an ~ bill (of exchange) 내국환 어음.
—— *adv.* 내륙으로[에], 오지에[로].

ínland·er *n.* 내륙[오지]에 사는 사람.

ínland wáters *n. pl.* [the ~] 내수《하천・호수 따위의 한 나라안의 수역 및 육지에서 3.5마일 이내의 영해》.

in·laut [ínlaut] *n.* 〖音聲〗 (음・음절의) 중간음.

ín-làw *n.* [보통 *pl.*] 《口》 인척(姻戚).
〚역성(逆成) 〈 father-*in-law*, etc.〛

in·lày [, ⌐⌐ ; ⌐⌐] *vt.* [+目/+目+前+名] 박아 넣다 ; …에 상감하다, 아로새기다 ; (도판(圖板) 따

위를) 대지(臺地)에 끼우다 ;〖園藝〗(접붙이는 눈을) 접본(接本)에 끼워넣다 : ~ strips of gold 금을 박아 넣다 / a wooden box *inlaid* ***with*** silver 은으로 상감한 나무 상자. —— *n.* Ⓤ 상감 세공(의 재료), 박아 넣기 세공 ;〖齒〗인레이 ;〖園藝〗눈접붙이기(=~ **gràft**) ; Ⓒ 상감 무늬. **~·er** *n.* 상감 기술자. 〚*in*+*lay*²〛

in·let [ínlet] *n.* **1** 후미, (섬과 섬 사이의) 작은 해협. **2** 입구(↔*outlet*). **3** 삽입물, 상감물 ; 박아 넣기. —— [⌐⌐, ⌐⌐] *vt.* (~ ; **-let·ting**) 박아[끼워] 넣다. 〚*in*+*let*¹ ; 물을 *let in*한 데서〛

in·li·er [ínlàiər] *n.* 〖地質〗내좌층(內座層).

ín-lìne *a.* 〖컴퓨〗인라인의《그때 그때 즉시 처리하는》; (내연 기관이) 열형(列形)의, 직렬의 ; (부품·장치가) 일렬로 나열된.

ín-lìne éngine *n.* 〖機〗직렬형 엔진《내연 기관의 실린더가 크랭크축(軸)을 따라 직선으로 배치되어 있는 것》.

in loc. in loco.

in loc. cit. *in loco citato* 《L》(=in the place cited).

in loco [in lóukou, -lák-] *adv.* 있어야 할 장소에 《略 in loc.》. 〚L=in its place〛

in lóco pa·rén·tis [-pəréntəs] *adv.* 어버이 대신으로, 어버이의 입장에서. 〚L〛

ín·ly [-li] *adv.* 《詩》속으로, 내심으로 ; 마음으로부터(intimately), 완전히, 충분히.
〚OE *innlīce* (*in*, *-ly*¹)〛

ín·lỳ·ing [-lài-] *a.* 내부[안쪽]에 있는, 내륙의.

ín·màrriage *n.* =ENDOGAMY.

INMARSAT International Marine Satellite Organization (국제 해사(海事) 위성 기구).

ín·màte *n.* **1** (병원·교도소 따위의) 피수용자, 입원 환자, 재소자. **2** 동거인, 한 집안 사람.
〚? INN+MATE¹ ; *in*이라 연상되었음〛

in me·di·as res [in mí:diæ̀s rí:z, -médiɑ:s réis] *adv.* 갑자기 이야기[계획]의 한가운데로, 사건의 한가운데로. 〚L=into the midst of things〛

in me·mo·ri·am [in məmɔ́:riəm] *adv.*, *prep.* …의[을] 기념으로[하여] ; (…을) 애도하여.
—— *n.* 묘비명, 추도문. 〚L=in memory of〛

in·mésh *vt.* =ENMESH.

ín-mìgrate *vt.* (같은 나라의 다른 지역에서) 이주해 오다, (집단적·계속적인 이주의 일부로) 외부로부터 이주[이동]해 오다.
ín-mìgrant *n.*, *a.* **ín-migràtion** *n.* Ⓤ (같은 나라의 다른 지역으로부터의) 이주.

ín·mòst [⌐, 英+-məst] *attrib. a.* 가장 깊숙한 곳의 ; (감정 따위) 마음 깊숙한 곳의, 내심의, 깊이 감추어진 : our ~ desire 마음속 깊이 간직한 욕망. 〚OE *innemest* (superl.) ‹ *inne*〛

***inn** [ín] *n.* **1** (시골의) 여인숙(cf. HOTEL), (자그마한) 호텔 ; 음식점, 선술집(tavern). **2** 《古·詩》주거, 주소. **3** 《英古》(런던의 법학도용) 학생숙사.
the Inns of Chancery 〖英〗법학도의 기숙사.
the Inns of Court (변호사 임명권을 가진 런던의) 법학원《the Inner Temple, the Middle Temple, Lincoln's Inn, Gray's Inn의 4법학원》.
—— *vi.*, *vt.* 《古》여인숙에 숙박하다[시키다].
〚OE (IN)〛

INN 《美》Independent Network News 《독립 텔레비전국에 전국 뉴스를 공급하는 서비스 기관》.

in·nards [ínərdz] *n. pl.* 《口》내장 ; 내부, 안, 속.
〚(dial.) INWARDS〛

in·nate [inéit] *a.* 타고난, 나면서부터의, 천부의, 선천적인(↔*acquired*) ; 내재적인, 본질적인 ;〖哲〗본유적(本有的)인 : ~ ideas〖哲〗본유[생득] 관념. **~·ly** *adv.* 타고나면서부터, 본래.
〚L (*natus* born)〛

***in·ner** [ínər] *attrib. a.* 안의, 안쪽의, 내면의(↔*outer*) ; 내면적인, 정신의(spiritual) ; 주관적인(subjective) ; 보다 친한, 내밀[비밀]의 : an ~ room 안방 / an ~ court 안뜰 / the ~ life 정신[영적인] 생활. —— *n.* 과녁의 중심(bull's-eye)과 외권(外圈) 사이의 부분 ; 그 위에 명중하는 총알[화살]. 〚OE *innera* (compar.) ‹ IN〛

ínner bár *n.* [the ~]〖英法〗칙선 변호인단.

ínner cábinet *n.* 《英》(내각 안의) 실력자 그룹 ; (조직내의 소수인에 의한) 비공식 자문 위원회.

ínner círcle *n.* 권력 중추부의 측근 그룹.

ínner cíty *n.* 《美》도심(부) ; (슬럼화된) 대도시 중심부 ; 구(舊)시내 ; [the I~ C~] (베이징 시의) 성내(城內). **ínner-cíty** *a.*

ínner-diréct·ed *a.* 자기의 기준에 따르는, 내부지향적인, 비순응형의(↔*other-directed*).

ínner éar *n.* 〖解〗내이(內耳)(internal ear).

Ínner Líght *n.* 내적인 빛《마음속에서 느껴지는 그리스도의 빛》.

ínner mán[wóman] *n.* [the ~] **1** 마음, 영혼. **2** 《戲》위, 식욕 : refresh[satisfy, warm] *the* ~ 배를 채우다.

ínner márker bèacon *n.* 〖空〗계기 착륙 장치(ILS)의 일부.

Ínner Mongólia *n.* 내몽고.

ínner·mòst [⌐, 英+-məst] *a.* =INMOST.
—— *n.* 가장 깊숙한 곳. **~·ly** *adv.*

ínner pàrt[vòice] *n.* 〖樂〗중간 성부《혼성 합창에서는 알토와 테너, 남성 합창에서는 제2테너와 제1베이스》.

ínner plánet *n.* 〖天〗지구형(型) 행성《태양계 안에서 소행성대(帶)보다 안쪽을 운행하는 행성 ; 수성·금성·지구·화성》.

ínner próduct *n.* 〖數〗내적(內積).

ínner quántum nùmber *n.* 〖理〗내(內)양자수《전각 운동량의 대부분을 표시하는 양자수》.

ínner resérve *n.* (대차 대조표에 싣지 않는) 내부 유보금(留保金), 비밀 적립금.

ínner sánctum *n.* 《口·戲》지성소(至聖所)(sanctum)《사실(私室) 따위》.

ínner·sòle *n.* =INSOLE.

ínner spáce *n.* (의식 경험의 영역 밖에 있는) 정신 세계 ;〖畫〗내적 공간《추상화에서의 깊이의 느낌》; 해면 밑의 세계 ; 대기권.

ínner spéech fòrm *n.* 〖言〗내부 언어형식.

ínner·sprìng *a.* (매트리스 따위가) 용수철이 든.

Ínner Témple *n.* [the ~] (영국의) 4법학원 중의 하나.

ínner tùbe *n.* (자전거 따위의) 속 튜브.

in·ner·vate [inə́:rveit, ínərvèit ; ínə:vèit] *vt.* (신체의 일부에) 신경을 분포시키다 ; (신경을) 자극하여 활동시키다, (신경·기관을) 자극하다.

ìn·ner·vá·tion 〖醫〗*n.* Ⓤ 신경 분포 ; 신경 지배 ; 신경 감응. **~·al** *a.*

in·nérve [i-] *vt.* …에 활기를 주다, 고무하다 ; =INNERVATE.

ínn·hòld·er *n.* =INNKEEPER.

in·ning [íniŋ] *n.* (*pl.* ~**s**) **1 a)** 〖野〗이닝, 회(回) : the first[second] half of the seventh ~ 7회초[말]. **b)** 〖크리켓〗회(回), 타격순. **2** [흔히 *pl.*] (정당의) 정권 담당기(期), (개인의) 능력 발휘 기회, 활약기, 득세 시대 : The Conservative Party now had its ~. 지금은 보수당이 정권을 잡고 있다. **3** (소택지 따위의) 매립, 토지 개량 ;

[*pl.*] 매립지, 간척지. ㊟ 1, 2는《英》에서는 복수형을 ~*s*로 쓰고 단수취급함.
〚*in* (v.) to go in〛

ínn·kèep·er *n.* 여인숙(inn)의 주인.

***in·no·cence** [ínəsəns] *n.* Ⓤ 무죄, 결백 ; (도덕적) 무해(無害) (harmlessness) ; 순결, 천진난만, 순진함(simplicity), 단순, 무지. **-cen·cy** *n.*

***ín·no·cent** *a.* **1** 흠없는, 깨끗한, 순결한, 청정(淸淨)한 ; 무죄의, 결백한(↔*guilty*) : ~ *of* crime 죄를 짓지 않은. **2** 순진한, 죄가 없는, 천진난만한 ; 사람이 좋은, 단순한, 무지한. **3** 해가 없는. **4**《口·戱》(…이) 없는 : a swimming pool ~ *of* (=without) water 물이 없는 수영장.
—— *n.* 결백한 사람 ; 천진난만한 어린이, 무골 호인 ; 바보 ; 신참, 풋내기 ;《美黑人俗》흑인의 시민권 운동을 지지하는 백인.
the Massacre of the Innocents〔聖〕무고한 어린이의 학살《Bethlehem에서 행해졌던 Herod왕의 유아 대학살 ; 마태복음 2 : 16-18》.
the massacre of the innocents《英議會俗》(폐회 직전에 시일이 없기 때문에 행하는) 의안(議案) 묵살.
~·ly *adv.* 죄없이 ; 천진난만하게.
〚OF or L *in-*¹(*nocent- nocens* (part.) ‹ *noceo* to hurt) = harmless〛
類義語 ***innocent*** 의식적으로 나쁜 일을 하지 않는 ; 도덕적·사회적·법률적으로 죄를 짓지 않은. ***blameless*** 도덕상 비난해야 할 또는 책임을 질 만한 점이 없는. ***guiltless*** 사상·의도·행동상 죄가 없는.

in·noc·u·ous [inákjuəs] *a.* **1** 무해한(harmless), 무독의 : ~ snakes 독없는 뱀 / ~ drugs 해가 없는 약제. **2** 박력이 없는, 자극이 없는, 무미건조한. **~·ly** *adv.*
〚L (*nocuus* hurtful) ; cf. INNOCENT〛

in·nóminate [i-] *a.* 무명(無名)의, 익명의.

innóminate bóne *n.*〔解〕관골.

in·no·vate [ínəvèit] *vi.* 혁신하다, 쇄신하다, 새로운 분야를 개척하다(make changes)〈*in*〉.
—— *vt.* (새로운 것을) 받아들이다, 도입하다, 시작하다. **-và·tor** *n.* 혁신자 ; 신제품을 최초로 발견·사용하는 자. 〚L (*in-*², *novus* new)〛

in·no·va·tion [ìnəvéiʃən] *n.* Ⓤ (기술) 혁신, 쇄신, 신기축(新機軸) ; Ⓒ 신제도, 신기한 일[것] : technological ~ 기술 혁신.

in·no·va·tive [ínəvèitiv] *a.* 혁신적인.

in·no·va·to·ry [ínəvətɔ̀:ri ;- təri] *a.* = INNOVATIVE.

in·nóxious [i-] *a.* 해가 없는, 무독의. **~·ly** *adv.* 해가 없게, 독이 없게.

Inns·bruck [ínzbruk, íns-] *n.* 인스브루크《오스트리아의 관광 도시》.

in nu·bi·bus [in njú:bəbəs] *adv.* 구름 속에서 ; 분명하지 않아서. 〚L=in the clouds〛

in·nu·en·do [ìnjuéndou] *n.* (*pl.* **~s, ~es**) 풍자, 비꼼 ; 주석구(注釋句) ; (명예훼손 소송 따위에서의) 진의(眞義)설명. —— *vi.*, *vt.* 비꼬아 말하다.
—— *adv.* 즉, 다시 말하면.
〚L=by nodding at (*in-*², *nuo* to nod)〛

In·(n)u·it [ínjuət, ínju:ət] *n.* (*pl.* **~, ~s**) 이뉴이트《북미·그린란드의 에스키모 ; 캐나다에서의 에스키모족에 대한 공식 호칭》; 이뉴이트어.
〚Eskimo=men, people〛

***in·númerable** [i-] *a.* 셀 수 없는, 무수한.
-bly *adv.* 셀 수 없을 만큼, 무수히. 〚L〛
類義語 ⟹ MANY.

in·númerate [i-] *a.*, *n.*《英》수학[과학]의 기초원리에 대한 이해가 전혀 없는 (사람), 수학을 모르는 (사람). **in·númeracy** *n.*《英》수학에 약함. 〚L〛

in·númerous [i-] *a.*《詩》=INNUMERABLE.

in·nutrítion [ìn-] *n.* Ⓤ 영양 부족, 영양 불량.

in·nutrítious [ìn-] *a.* 자양분이 적은.

ìn·obsérvance *n.* Ⓤ 부주의, 태만(inattention) ; 위반, 무시.

in·occupátion *n.* 무직(無職).

inocula *n.* INOCULUM의 복수형.

in·oc·u·la·ble [inákjələbəl] *a.* 병균 따위를 접종할 수 있는.

in·oc·u·lant [inákjələnt] *n.* =INOCULUM.

in·oc·u·late [inákjəlèit] *vt.* [+目/+目+前+名]
1 a) (병균을) 접종(接種)하다 : ~ a person ***with*** a virus= ~ a virus ***into***[***on***] a person 남에게 병원균을 접종하다 / ~ a person ***for***[***against***] smallpox 남에게 천연두를 접종하다. **b)** (토양을 개량하기 위해 미생물을) 접종하다, 이식하다 ;《古》접붙이다. **2** (사상 따위를) …에게 주입하다, 불어넣다 : ~ young people ***with*** a new idea 젊은이들에게 새 사상을 주입하다.
—— *vi.* 접종하다.
-là·tor *n.* 접종하는 사람 ; (사상 따위의) 고취자 ; 접목하는 사람.
〚L=to engraft (*in-*², *oculus* eye, bud)〛

in·òc·u·lá·tion *n.* **1** Ⓤ.Ⓒ〔醫〕접종 : protective ~ 예방 접종 / vaccine ~ 종두 / have ~*s against* cholera 콜레라 예방 접종을 하다. **2** Ⓤ (사상 따위의) 주입, 감화(感化). **3** Ⓤ〔農〕토양의 개량.

in·óc·u·là·tive [,-lət-] *a.* 접종[종두]의.
in·òc·u·la·tív·i·ty *n.*

in·oc·u·lum [inákjələm] *n.* (*pl.* **-la** [-lə]) 접종물[재료], 이식편, 접종원《세균·바이러스 따위》.

in·ódor·ous *a.* 향기[냄새]가 없는.

ìn·offénsive *a.* 해가 되지 않는, 악의가 없는(innocent) ; (말 따위가) 거슬리지 않는, 불쾌감을 주지 않는, 모난 데가 없는 ; 눈에 띄지 않는(negative). **~·ly** *adv.* 해가 되지 않게, 눈에 띄지 않게.

ìn·offícious *a.* 직무가 없는, 무효의 ;〔法〕도의상의 의무를 다하지 않는 ; 인륜에 어긋난 ;《古》의무 관념이 없는.

in·óperable *a.*〔醫〕수술 불가능한《환자 등》; (일반적으로) 실행할 수 없는 : an ~ plan 실행할 수 없는 계획. 〚F〛

in·óperative *a.* 효험이 없는, 효력이 없는 ; 활동하고 있지 않는.

in·opportúne *a.* 시기를 상실한, 계제가 나쁜(ill-timed) ; 부적당한, 형편이 좋지 않은. **~·ly** *adv.* 계제가 나쁘게, 부적당하게. **~·ness** *n.* 〚L〛

in·or·di·na·cy [inɔ́:rdənəsi] *n.*《古》과도, 지나침 ;《古》지나친 짓.

in·or·di·nate [inɔ́:rdənət] *a.* 과도한, 엄청난, 터무니없는(excessive) ; 난폭한 ; 무절제한, 불규칙한, 방종한 : keep ~ hours 불규칙적인 생활을 하다. **~·ly** *adv.* 과도하게 ; 무절제하게.
〚L ; ⇨ ORDAIN〛
類義語 ⟹ EXCESSIVE.

ìn·orgánic *a.* **1** 생활 기능이 없는, 무생물의(inanimate). **2** (사회 따위가) 유기 조직이 없는, 비유기적인 ; 자연스런[본래의] 생장[생성] 과정을 거치지 않은, 인위적인. **3**〔化〕무기(無機)의, 무기화학의 ;〔言〕(낱말·음 따위가) 비어원적인, 우발적인 : ~ matter[compounds, chemistry] 무기물[화합물, 화학]. **-ical·ly** *adv.*

in·organizátion *n.* 무조직, 무체제.
ìn·ornáte *a.* 꾸밈 없는.
in·ósculate *vi., vt.* (혈관·도관 따위) 접합[연결]하다⟨*with*⟩; (섬유 따위가) 결합하다; (섬유 따위를) 결합시키다. **in·osculátion** *n.*
ino·sín·ic ácid [ìnəsínik-, ài-] *n.* 〖生化〗 이노신산(酸)《근육에 있는 푸린뉴클레오티드의 하나》.
ino·site [ínəsàit] *n.* =INOSITOL.
ino·si·tol [inóusətɔ̀(ː)l, -tòul, -tàl] *n.* 이노시톨《비타민 B복합체의 하나》, 근육당(筋肉糖).
ino·trópic [ìːnə-] *a.* 근육의 수축을 지배하는, 탄력(성)의.
INP index number of prices(물가 지수).
ín·pàtient *n.* 입원 환자(↔*outpatient*).
in per·pe·tu·um [in pərpétʃuəm; -tju-] *adv.* 영구히, 영원히. 〖L〗
ín-pérson *a.* 있는 그대로의, 실황(實況)의; 본인이 직접 나오는: an ~ performance 실연(實演).
ín·phàse *a.* 〖理·電〗 동상(同相)의.
in pláce *n.* 〖美政〗 (반대당에 잠입한) 정치 스파이. 〖agent *in place*〗
ín-plánt *a.* 공장 내의: ~ training (공장 내의) 기술 훈련.
INPO Institute of Nuclear Power Operations (원자력 발전 운영 협회).
in pos·se [in pási] *adv., a.* 잠재적으로[인] (potentially); 잠재하여[하는] (cf. IN ESSE). 〖L=in possibility〗
in·póur *vi., vt.* …에 유입[주입]하다.
in·póur·ing *a.* 흘러드는, 유입하는. —— [⌐⌐-] *n.* Ⓤ 흘러듦, 유입.
in-prínt *a.* 인쇄[증쇄(增刷)]된, 절판되지 않은.
in-prócess *a.* (원료·완제품에 대하여) 제조 과정 중에 있는, 제조 과정의.
in pro·pria per·so·na [in próupriə pəːrsóunə] *adv.* 자기 자신이, 몸소. 〖L〗
ín·pùt *n.* **1** Ⓤ,Ⓒ 〖經〗 (자본의) 투입(량). **2** 〖機·電〗 입력(入力), 인풋; 〖컴퓨〗 입력(↔*output*). —— *vt., vi.* (~, **-pút·ted**) 〖컴퓨〗 (정보 따위를) 입력하다.
ínput/óutput *n.* 〖컴퓨〗 입출력《略 I/O》.
in·quest [ínkwest] *n.* **1** 심리; 배심(陪審); 검시(檢屍)(=coroner's ~). **2** [집합적으로] 검시 배심원. **3** (배심원의) 평결, 결정; 《口》 (시합·사건 따위에 대한 사후의) 검토.
the Last [***Great***] ***Inquest*** 최후의 심판.
〖OF<L; ⇨ INQUIRE〗
in·quíetude *n.* Ⓤ 불안; 동요(動搖) (restlessness). 〖OF or L (QUIET)〗
‡**in·quire** [inkwáiər] *vt.* [+目/+目+*of*+名/+*wh.* 節/+*wh.*+*to* do] 질문[문의]하다, 묻다 (enquire): I will ~ his name. 그의 이름을 물어 봐야겠다 / He ~*d* ***of*** the policeman the best route to Edinburgh. 경찰관에게 에든버러로 가는 제일 좋은 길을 물어 봤다 / She ~*d when* the ticket office would be opened. 언제 매표소가 열리느냐고 물었다 / I will ~ *how to* get there. 그곳에는 어떻게 가는지 물어 봐야겠다. —— *vi.* [動/+前+名] **1** 질문[문의]하다: *I* ~ within. 본문을 참조할 것 / He ~*d* ***about*** train schedules for Liverpool. 리버풀행 열차 시간표에 대해서 물었다. **2** 조사하다⟨*into*⟩.

〈회화〉
What time does the train leave? — I don't know. Let's *inquire*. 「기차는 몇시에 출발하지」「몰라. 물어보자」

inquire after …의 안부를 묻다, …을 문병하다; …에 대해서 물어 보다: She ~*d after* your health. 네 건강에 대해서 물어 보았다.
inquire for …을 찾아가다, …에게 면회를 청하다; (가게 물품 따위를) 문의하다; …의 안부를 묻다: I ~*d for* the book at a bookstore. 책방에서 그 책이 있는지를 물었다 / Someone has ~*d for* you. 어떤 분이 면회를 청하고 있습니다.
inquire into …을 심문하다, 조사하다: The police ~*d into* the case. 경찰은 그 사건을 조사했다.
in·quír·er *n.* 묻는 사람, 심문자; 조사자, 탐구자. 〖OF<L (*in*-², *quisit- quaero* to seek)〗
類義語 ⟹ ASK.
in·quír·ing *a.* **1** 미심쩍은 듯한: an ~ look 미심쩍은 듯한 표정. **2** 탐구적인; 꼬치꼬치 캐기 좋아하는(inquisitive). **~·ly** *adv.* 미심쩍은 듯이, 물어 보고 싶은 듯이.
***in·quiry** [inkwáiəri, 美+ínkwəri] *n.* **1** Ⓤ 묻기, 문의하기; 심문, 조사, 심리: a court of ~ 〖軍〗 사문 회의 / learn something by ~ 문의해서 알다 / on ~ 물어[조사해] 보니. **2** 문의, 조회, 질문; 탐구, 연구(investigation): scientific ~ 과학연구.
make an inquiry 질문하다, 문의하다⟨*about*⟩, 심문하다⟨*into*⟩: All *inquiries* should be *made* to.... 모든 문의 사항은 …에게 할 것.
類義語 ⟹ INVESTIGATION.
inquíry àgency *n.* 《英》 사립탐정사, 흥신소.
inquíry àgent *n.* 《英》 사립 탐정.
inquíry òffice *n.* 《英》 (호텔·역 따위에 있는) 안내소.
inquíry stàtion *n.* 〖컴퓨〗 문의 스테이션《원격(遠隔) 문의를 중앙 계산 시스템에 보낼 수 있는 터미널》.
in·qui·si·tion [ìnkwəzíʃən] *n.* **1** Ⓤ (엄중한) 조사, 탐구, 탐색; Ⓒ (배심의) 심리, 심사(의 보고서). **2** [the I~] 〖카톨릭〗 (이단 심리의) 종교 재판(소)《중세 유럽, 특히 스페인·포르투갈에서 엄중하게 시행되던 제도; 1834년 스페인을 최후로 폐지됨》. **~·al** *a.* **~·ist** *n.*
〖OF<L=examination; ⇨ INQUIRE〗
in·quis·i·tive [inkwízətiv] *a.* 알고[듣고] 싶어하는, 호기심이 많은(curious); 캐묻기 좋아하는, 꼬치꼬치 캐묻는⟨*about*⟩.
~·ly *adv.* 캐묻고 싶어서.
〖F<L (↑)〗
類義語 ⟹ CURIOUS.
in·quis·i·tor [inkwízətər] *n.* 조사자, 심문자; [I~] 종교 재판관: the Grand *I*~ 종교 재판 소장 / the *I*~ General (특히) 스페인의 종교 재판소장. 〖F<L (INQUIRE)〗
in·quis·i·to·ri·al [inkwìzətɔ́ːriəl] *a.* 심문자[조사자]의[같은]; 꼬치꼬치 캐묻는, 캐묻기 좋아하는 (inquisitive).
~·ly *adv.*
in·quórate *a.* 정족수(quorum)에 미치지 않는.
in re [in réi, -ríː] *adv., prep.* …의 소송 사건으로, …에 관해. 〖L〗
ìn-résidence *a.* [보통 복합어를 이루어] (예술가·의사 등이 일시적으로) 대학·연구소 따위에 재주(在住)[재직]하는: an artist-~ at the university 대학에 재주하는 예술가.
INREU 〖空〗 international noise reference unit (국제 소음측정 단위). **I.N.R.I., INRI** *Iesus Nazarenus Rex Iudaeorum* 《L》 (=Jesus of Nazareth, King of the Jews).

ín·ròad *n.* [보통 *pl.*] 내습, 침입, 침략 ; 잠식, 침해 : make ~*s upon*[*into*] …에 침입하다.
—— *vi.* 침입하다 ; 먹어들어가다.
〖*in*+*road* riding〗

ín·rùsh *n.* 침입, 내습 ; 유입(流入).

INS Immigration and Naturalization Service (이민·귀화국) ; inertial navigation system (관성 항법 장치) ; 《美》 International News Service ; Informational Network System(고도 정보 통신 시스템). **ins.** inches ; 《英》 inscribed ; inside ; inspected ; inspector ; insulated ; insulation ; insulator ; insurance.

in·sálivate *vi.* (씹어서 음식에) 침을 섞다.
in·salivátion *n.* 타액 혼합.

ìn·salúbrious *a.* 몸에 해로운, 건강에 좋지 않은 《기후·장소 따위》. **ìn·salúbrity** *n.* 건강에 좋지 않음, 비위생적임. 〖L〗

in·sálutary *a.* 불건전한, 나쁜 영향을 미치는.

íns and óuts *n.* [the ~] (…의) 모든 것, 상세한 것〈*of*〉 : *the* ~ *of* leasing (부동산의) 임대차 계약의 상세한 내용.

***in·sane** [inséin] *a.* **1** 제정신이 아닌, 미친(mad) (↔*sane*) : an ~ asylum[hospital] 정신 병원. **2** 미친 것 같은, 미친 듯한, 상식을 벗어난.
~·ly *adv.* 발광하여 ; 유별나게.
〖L (*in*-¹)〗

in·sánitary *a.* 건강에 좋지 않은, 비위생적인 (unhealthy).

in·sanitátion *n.* 비위생적임 ; 비위생적인 상태[환경].

in·san·i·ty [insǽnəti] *n.* Ⓤ 정신 이상, (급성) 정신병, 광기(狂氣)(↔*sanity*) ; Ⓒ 미친 짓, 어리석은 짓(folly).

in·sa·tia·ble [inséiʃəbəl] *a.* 만족할 줄 모르는, 탐욕스러운, 욕심 많은(greedy)〈*of*〉. **-bly** *adv.*
in·sà·tia·bíl·i·ty *n.* 만족할 줄 모름, 탐욕.
〖OF or L〗

in·sa·ti·ate [inséiʃiət] *a.* =INSATIABLE. 〖L〗

ín·scàpe *n.* 구성 요소, 본질.

in·scribe [inskráib] *vt.* **1** [+目/+目+前+名] **a**) (돌비석·금속판·지면 따위에) 쓰다, 파다, 새기다 : ~ names ***on*** a war memorial 전쟁 기념비에 이름을 새겨 넣다 / The tombstone is ~*d* ***with*** her name and the date of her death. 그 묘비에는 그녀의 이름과 사망일이 새겨져 있다. **b**) 헌사(獻詞)하다(cf. DEDICATE 3) : He ~*d* these poems ***to***[***for***] his patron. 이 시(詩)들을 후원자에게 바쳤다. **c**) (마음에) 명기(銘記)하다 : His mother's words were ~*d* ***in*** his memory. 어머니의 말이 그의 기억에 새겨져 있었다. **2** (신청자 등의 이름을) 기입하다 ; 《英》 (주주(株主)의 이름을) 등록하다 ; (주식을) 사다[팔다] : an ~*d* stock 《英》 등록[기명] 공채[주식]. **3** 〖數〗 (원 따위를) …에 내접(內接)시키다(↔ *circumscribe*) : an ~*d* circle 내접원(圓).
〖L (IN² *script*- -*scribo* to write upon)〗

in·scrip·tion [inskrípʃən] *n.* **1** 명(銘), 비명(碑銘), 비문(碑文), 제명(題名), (화폐 따위의) 명각(銘刻). **2** (기증 도서에 써넣은) 제자(題字), 서명(書名) ; 헌사(cf. DEDICATION). **3** 《英》 (증권·공채의) 기명, 등록 ; [*pl.*] 《英》 기명[등록] 공채[증권]. **~·al** *a.*

in·scrip·tive [inskríptiv] *a.* 명(銘)의, 제명의, 비명(碑名)의. **~·ly** *adv.*

in·scru·ta·ble [inskrú:təbəl] *a.* 헤아릴 수 없는, 불가해한 ; 수수께끼 같은. **-bly** *adv.*
in·scrù·ta·bíl·i·ty, ~·ness *n.* 알 수 없음, 불가지(不可知), 불가사의 ; 이해할 수 없는 사물.
〖L (*scrutor* to search) ; cf. SCRUTINY〗
[類義語] ⟹ MYSTERIOUS.

ín·sèam *n.* (바지의) 가랑이부터 바지단까지의 솔기 ; (구두·장갑의) 안쪽 솔기.

‡**in·sect** [ínsekt] *n.* 〖動〗 곤충 ; (흔히) 벌레 ; 《비유》 벌레처럼 하찮은 사람(cf. WORM).

〈회화〉
I don't like *insects.* — Me neither. 「나는 곤충이 싫어」「나도 그래」

—— *a.* **1** 곤충(용)의 ; 살충용의 : ~ pests 충해(蟲害) / an ~ cabinet 곤충표본 상자. **2** 천한, 인색한.
〖L *insectum* (*animal*) notched (animal) 〈 *in*-² (*sect*- *seco* to cut) ; cf. SECTION〗

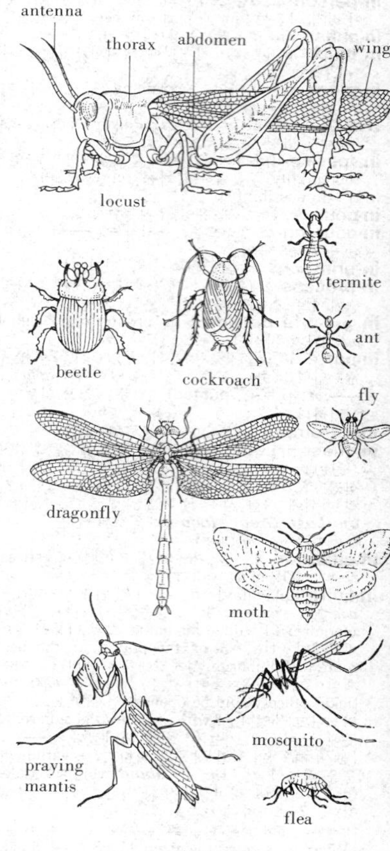

insect

in·sec·tar·i·um [ìnsektéəriəm, -tǽər-] *n.* (*pl.* **-ia** [-iə]) 곤충 사육소, 곤충관(館).
in·sec·ti·ci·dal [insèktəsáidl] *a.* 살충의 ; 살충제(劑)의.
in·séc·ti·cìde [inséktə-] *n.* 살충 ; 살충제《D.D.T. 따위》.
in·séc·ti·fùge [inséktə-] *n.* 구충제.
in·sec·ti·val [ìnsektáivəl] *a.* 곤충같은.
in·sec·ti·vore [inséktəvɔ̀:r] *n.* 식충(食蟲) 동물[식물].
in·sec·tiv·o·rous [ìnsektívərəs] *a.* 곤충을 먹고 사는, 식충의 ; 식충 동물[식물]의.
〖NL (*-vorous*)〗
in·sec·tol·o·gy [ìnsektálədʒi] *n.* 곤충학《특히 인간과 곤충의 경제학적 관계를 연구》.
ínsect pòwder *n.* 구충분(驅蟲粉).
ìn·secúre *a.* 불안정한, 위태로운, 불안한, 자신이 없는 ; 불확실한(unreliable) ; 무너질듯한.
~·ly *adv.* 〖L〗
ìn·secúrity *n.* Ⓤ 불안정, 위험(성) ; 불확실 ; Ⓒ 불안한 것.
in·sem·i·nate [inséməneìt] *vt.* (씨를) 뿌리다, 심다 ; (사상 따위를 마음에) 불어 넣다 ; 정액을 주입시키다 ; 수정시키다.
〖L ; ⇨ SEMEN〗
in·sèm·i·na·tée *n.* 수정자.
in·sèm·i·ná·tion *n.* 파종 ; 정액 주입, 수정(授精) : artificial ~ 인공 수정.
in·sen·sate [insénseit, -sət] *a.* 감각이 없는, 무감각한 ; 생명이 없는 ; 비정(非情)의 ; 무정[잔인]한 ; 이성을 잃은(senseless).
~·ly *adv.* 〖L ; ⇨ SENSE〗
in·sensibílity *n.* Ⓤ 무신경, 무감각⟨*to*⟩ ; 마비 ; 무의식, 인사불성 ; 둔감, 태평, 냉담⟨*to*⟩.
〖F or L〗
in·sénsible *a.* **1** 느낌이 없는, 무감각한 : be ~ *to*[*of*] pain 고통을 느끼지 않다. **2** 의식이 없는, 인사불성의 : be knocked ~ 맞아서 기절하다. **3** 감수성이 없는, 무신경의, 무관심한⟨*of*⟩ ; 냉담한. **4** 눈에 보이지 않을 정도의, 알아차리지 못할 정도의 : by ~ degrees 극히 천천히. **-bly** *adv.* 눈에 보이지 않을 정도로 (천천히), 조금씩.
〖OF or L〗
in·sénsitive *a.* 감각이 둔한, 무감각한, 둔감한, 감수성이 없는⟨*to*⟩ ; 무신경한, 남의 기분을 모르는 ; 영향을 받지 않는 ; (물질이 광선 따위에) 반응하지 않는 : an ~ heart 둔감한 마음 / be ~ *to* light[beauty] 빛[아름다움]을 느끼지 못하다.
~·ly *adv.* **in·sensitívity, ~·ness** *n.* Ⓤ 무감각, 둔감.
in·séntient *a.* 지각이 없는 ; 생명이 없는, 비정의.
in·séntience *n.* Ⓤ 지각력이 없음, 비정.
insep. inseparable.
in·séparable *a.* 나눌 수 없는, 분리할 수 없는 ; 떨어질 수 없는. —— *n.* [*pl.*] 떨어지기 어려운 것[사람] ; 친구. **-bly** *adv.* 불가분하게, 밀접하게.
in·separabílity *n.* Ⓤ 분리할 수 없음, 불가분성. 〖L〗
in·sert** [insə́:rt] *vt.* [+目/+目+前+名] 끼워넣다, 삽입하다 ; 써넣다 ; 게재하다 : ~ a coin ***into[***in***] a slot 동전 투입구에 동전을 넣다 / ~ a clause *in* a sentence 한 문장 안에 하나의 절을 써넣다 / ~ an ad *in* a newspaper 신문에 광고를 게재하다. ——[ˊ-] *n.* 삽입물, 끼워넣는 것 ; (신문 따위의) 끼워[접어]넣는 광고지 ; 〖映〗 삽입 장면 《클로즈업시켜 화면 사이에 끼워넣는 편지 따위》. 〖L (*sert- sero* to join)〗

insért·ed *a.* 끼워넣은 ; 〖植〗 (꽃의 부분 따위에) 착생(着生)한 ; 〖解〗 (근육의 한 쪽 끝 따위에) 부착한.
in·ser·tion [insə́:rʃən] *n.* **1** Ⓤ 삽입, 끼워넣기. **2** 삽입물 ; 써넣기 ; 신문에 끼워[접어]넣는 광고지(insert) ; (레이스나 자수 따위의) 끼워 감치기. **3** 〖宇宙〗 =INJECTION 2. **4** 〖解〗 부착[착생]점.
insértion òrder *n.* 광고게재 신청.
insértion sèquence *n.* 〖遺·生化〗 삽입 배열《略 IS》.
in-sérvice [ˏˊ] *a.* 근무 중의, 현직의 : ~ training 현직 교육.
in·sét *vt.* (~, **-sét·ted**) 삽입하다, 끼워넣다.
——[ˊ-] *n.* (책의) 삽입된 페이지 ; 끼워넣는 광고 ; 삽입도(圖)[그림·사진] ; (꿰매어 넣은) 헝겊 조각 ; 〖鑛〗 반정(斑晶) ; 유입(구), 수로.
ínset phóto *n.* (주요 사진의 일부에 삽입되는) 설명[삽입, 보조] 사진.
in·séverable *a.* 분리될 수 없는 ; 긴밀한.
in·shal·lah [inʃá:lɑ:, ˏ-ˊ] *int.* 〖이슬람敎〗 알라신의 뜻이라면. 〖Arab.=if Allah wills it〗
ín·shòot *n.* 〖野〗 인슛(↔*outshoot*).
ín·shòp *a.* 사업소내의, 사업소 전속의, (사업소에 대하여) 완전도급의, 사업소 안에서 만든.
ín·shóre *a., adv.* (↔*offshore*) 해안에 가까운[가깝게], 연안의[에], 연해(沿海)의[에], 근해의[에] : ~ fisheries[fishing] 근해[연안] 어업.
inshore of …보다 해안에 가깝게.
in·shríne *vt.* 《古》 =ENSHRINE.
◇**in·side** [insáid, ˊ-] *n.* **1** 내부, 안쪽(↔*outside*) : the ~ of the hand 손의 안쪽, 손바닥 / lock a door *on* the ~ 문을 안쪽에서 걸다. **2** (도로 따위의) 집쪽에 가까운 부분. **3** 차안 좌석의 승객 ; 차내 좌석. **4** [보통 the ~] **a**) 내부사정, 속사정, 내막. **b**) 내심, 속셈, 본성. **5** [때때로 *pl.*] 《口》 배, 위(胃) : have a pain in one's ~(*s*) 배가 아프다. **6** 〖野〗 인사이드.
inside out (1) 뒤집어서, 속을 밖으로 나오게 하여 ; 《비유》 크게 혼란하여 : turn a sock ~ *out* 양말을 뒤집다 / The wind has blown my umbrella ~ *out.* 바람에 우산이 뒤집혔다 / The baby turned every thing ~ *out.* 갓난아이는 무엇이나 거꾸로 뒤집어 놓았다. (2) 《口》 구석구석까지, 모조리(thoroughly) : I know London ~ *out.* 런던을 구석구석까지 다 알고 있다.
know the inside of a person 남의 속[본심]을 알다.
the inside of a week 《英口》 주중(週中)《월요일부터 금요일까지》.
——[ˊ-, ˏˊ] *a.* 내부[안쪽]에 있는, 안쪽[내부]의(↔*outside*) ; 실내(용)의 ; 〖野〗 인사이드의 ; 비밀의, 내면의 : ~ information[knowledge] 내정(內情), 내막(內幕).
—— [ˏˊ] *adv.* 내부[내면]에, 안쪽에(↔*outside*) ; 실내에서(indoors) ; 마음속으로.
***inside of*...** 《口》 (1) …이내에(within) : He will be back ~ *of* a week. 그는 1주일 이내에 돌아올 것이다. (2) …의 내부[안쪽]에.
——[ˊ-, ˏˊ] *prep.* …의 내부로[에], …의 안쪽에(within) ; …이내에 : ~ the tent 텐트 속에 / ~ an hour 한 시간 이내에. ☞ 活用.
活用 《美》에서는 inside *prep.* 대신에 때때로 *inside of*를 씀.
ínside addréss *n.* 우편물 내부에 적는 주소.
ínside báll *n.* 인사이드 볼《두뇌적인 작전이나 교묘한 기술을 특징으로 하는 야구》.
ínside bóok *n.* 내막(內幕)을 적은 책, 내부 사정

을 밝힌 책.

íns̀ide-bóoms sàiling *n.* 〖윈드서핑〗 윈드서퍼가 붐(boom)의 안쪽 곧 sail과 붐 사이에 들어서 세일링함.

ínside jób *n.* 《口》 내부 사람이 저지른 범죄, 내부 범죄.

ínside mán *n.* 내근 종업원 ; (조직·회사 안의) 잠입 스파이.

in·sid·er [ìnsáidər] *n.* 내부의 사람(↔*outsider*), 회원, 부원(部員) ; 내막에 밝은 사람, 소식통.

insíder chèat *n.* 〖證〗 내부 소식통에 의한 불공정 거래 행위.

insíder tràding *n.* 〖證〗 내부자 거래《외부 사람이 알 수 없는 내부 정보를 이용해 주식을 거래해서 부당 이득을 취하는 행위로 주식 시장의 공정 원칙에 위배됨》.

ínside skínny *n.* 《美俗》 내막, 내부 사정, 기밀 정보.

ínside-the-párk hóme rún *n.* 〖野〗 펜스를 넘지 않은 홈런.

ínside tráck *n.* (경주의) 안쪽 트랙 ; 《口》 (경쟁상) 유리한 입장.

have*[*be on*] *the inside track 주로(走路)의 안쪽을 달리다 ; 《口》 유리한 입장에 있다.

in·sid·i·ous [insídiəs] *a.* **1** 교활한, 음험한, 방심할 수 없는(cunning) : ~ wiles 간계. **2** (병 따위) 잠행성(潛行性)의 : the ~ approach of age 저도 모르는 새에 늘어가는 나이. **~·ly** *adv.* 음험하게, 교활하게 ; 저도 모르는 사이에.
〖L=cunning (*insidiae* ambush‹*sedeo* to sit)〗

***ín·sìght** *n.* Ⓤ,Ⓒ 통찰력 ; 안식, 식견 : a man of (great) ~ (대단한) 통찰력이 있는 사람 / He gained[had] an ~ *into* human nature. 인간성을 통찰하고 있었다.
〖ME=discernment<? Scand. and LG (*in*-²)〗

ín·sìght·ful *a.* 통찰력이 풍부한.

in·sig·nia [insígniə] *n.* (*pl.* **~, ~s**) 기장(記章), 훈장〈*of*〉 ; (직업 따위의) 표시(signs)〈*of*〉.
〖L (pl.)‹*insigne* (*signum* sign)〗

ìn·signíficance *n.* Ⓤ 하찮음, 사소함 ; 무의미 ; 미천한 신분.

ìn·signíficancy *n.* =INSIGNIFICANCE ; 하찮은 것[사람].

ìn·signíficant *a.* 하찮은, 보잘것없는, 사소한 ; 의미가 없는(meaningless) (↔*significant*) ; (신분·인격 따위가) 천한. —— *n.* 하찮은 사람[것].
~·ly *adv.*

ìn·sincére *a.* 성의가 없는, 정직하지 못한 ; 거짓의, 위선의(deceitful).
~·ly *adv.* 〖L〗

ìn·sincérity *n.* Ⓤ 불성실, 정직하지 못함, 무성의 ; Ⓒ 불성실한 언행.

in·sin·u·ate [insínjuèit] *vt.* **1** [+目/+目+*to*+名/+*that* 節] 빗대어 말하다, 넌지시 말하다, 암시하다(hint) : The doctor ~*d* (***to*** us) *that* the patient would probably die. 의사는 (우리에게) 환자가 아마 살아날 수 없을 것이라고 넌지시 말했다. **2** (사상 따위를 사람의 마음에) 천천히[교묘하게] 스며들게 하다 ; [~ one*self* 로] (…에) 천천히 들어가다[스며들다], 교묘하게 환심을 사다. —— *vi.* 빗대어 빈정대다.

insinuate one***self into*** a person's favor [confidence, friendship] 교묘하게 남의 환심[신뢰심, 우정]을 사다.

-à·tor *n.* 교묘하게 환심을 사는 사람 ; 암시하는 사람.
〖L *in*-²(*sinuo* to curve)=to wind one's way into〗
類義語 ⟹ SUGGEST.

in·sín·u·àt·ing *a.* 넌지시 말하는 ; 교묘하게 환심을 사는, 알랑거리는 : in an ~ voice 간사한 목소리로. **~·ly** *adv.* 넌지시 ; 알랑거리듯이, 영합적으로.

in·sin·u·a·tion [insìnjuéiʃən] *n.* Ⓤ 슬며시[몰래] 들어가기, 잘 영합하기 ; Ⓒ 암시, 넌지시 비치기 : by ~ 완곡하게.

in·sín·u·à·tive [, -ətiv] *a.* 교묘히 환심을 사는, 비위를 맞추는 ; 넌지시 말하는.

in·sip·id [insípəd] *a.* 풍미(風味)가 없는, 맛없는, 김빠진(tasteless) ; 무미 건조한(dull), 재미가 없는. **~·ly** *adv.* 풍미가 없이 ; 무미 건조하게.
〖F or L ; ⇨ SAPID〗

ìn·si·píd·i·ty *n.* Ⓤ 무미, 김빠진 맛, 평범, 무미 건조 ; Ⓒ 평범한 말[생각].

in·sip·i·ence [insípiəns] *n.* 《古》 무지, 우둔.

‡in·sist [insíst] *vi., vt.* [+*on*+名/+*that* 節] 주장하다, 역설하다, 강조하다 : I ~*ed* ***on*** the justice of my cause. 내 주장이 옳다는 것을 강조했다 / Shylock still ~*ed* ***upon*** hav*ing* a pound of Antonio's flesh. 샤일록은 그래도 안토니오의 살점 1파운드를 가져야겠다고 우겼다 / He ~*ed on* my[his brother('s)] pay*ing* the money. 내가[그의 아우가] 그 돈을 치루어야 한다고 주장했다 / She ~*ed that* he (should) be invited to the party. 그를 연회에 초대해야 한다고 주장했다《[주] should를 생략하는 것은 주로 《美》》.

> **insist의 ○×**
> (×) He *insisted* that I paid the money at once.
> (내가 돈을 즉시 치루어야 한다고 그는 주장했다.)
> (○) He *insisted* that I (*should*) *pay* the money at once.
> * 이 insist는 「…해야 한다고 주장하다, …하라고 요구하다」의 뜻이고 다음 문장에서의 insist는 「…이라고 주장하다」이므로 구별해야 한다.
> (○) He *insisted* that I *had paid* the money at once.
> (그는 내가 즉시 돈을 치뤘다고 주장했다.)
>
> **insist의 문장 전환**
> (1) He insisted on my going there.
> → He insisted that I (*should*) *go* there.
> (그는 내가 그곳에 가야 한다고 주장했다.)
> (2) She insisted on his innocence.
> → She insisted that he *was* innocent.
> (그녀는 그가 결백하다고 주장했다.)
> * (1)과 같이 insist가 「명령하다, 요구하다」의 뜻을 나타낼 때에는 that절 속에서는 should를 쓰든가 가정법 현재(인칭에 관계없이 원형)을 쓴다. (2)와 같이 insist가 「(…이다, …하다)고 단언하다」의 뜻을 나타낼 때에는 that절 속의 동사는 인칭·시제에 따라서 일반적인 형을 취한다.

〖L IN*sisto* to stand on, persist〗

in·sís·tence, -cy *n.* **1** Ⓤ 주장, 강조 : ~ *on* one's innocence 무죄의 주장 / with ~ 집요하게. **2** Ⓤ 억지 권고, 강요 : ~ *on* obedience 복종의 강요.

in·sís·tent *a.* **1** [+*on*+do*ing*] 주장하는, 강요하는, 집요한 : an ~ demand 집요한 요구 / In spite of the snow she is ~ ***on*** go*ing* out. 눈이

내리는데도 그녀는 나가겠다고 고집하고 있다. **2** (색깔·소리·가락 따위가) 두드러진. **~·ly** *adv.* 끈덕지게, 끝까지.

in si·tu [in sáitu:, -sítu:] *adv.* 원위치에, 원장소에, 본래의 장소에. 〚L〛

in·snáre *vt.* 《古》 =ENSNARE.

ín·sòak *n.* (물이) 스며들기, 침투; (물을) 흡수하기.

ìn·sobríety *n.* Ⓤ 무절제; 폭음.

ìn·so·fár *adv.* (…하는) 한에 있어서〈*as*〉: He is innocent ~ *as* I know. 내가 아는 한에 있어서 그에게는 죄가 없다. ㊟ 특히 《英》에서는 in so FAR as라고 쓰는 편이 일반적.

insol. insoluble.

in·so·late [ínsoulèit] *vt.* 햇볕에 쬐다. 〚L〛

ìn·so·lá·tion *n.* 햇볕에 쬐기, 햇볕에 말리기; 〔醫〕 일사병; 일광욕. 〚L *insolo* to place in the sun〛

ín·sòle *n.* 구두의 안창, 중창.

in·so·lence [ínsələns] *n.* Ⓤ [+*to* do] 거만, 오만; 건방진 행동[말, 태도]: He had the ~ *to* tell me to leave the room. 건방지게도 나에게 방에서 나가라고 말했다.

ín·so·lent *a.* 건방진, 오만한(arrogant), 무례한 〈*to*〉 (↔*humble*). —— *n.* 건방진 사람. **~·ly** *adv.* 무례하게도, 건방지게도. 〚ME=arrogant<L (*soleo* to be accustomed)〛 類義語 ⟹ IMPERTINENT, PROUD.

in·sol·u·bi·lize [insáljəbəlàiz] *vt.* 녹지 않게 하다, 불용성화(不溶性化)하다.

in·sóluble *a.* 용해되지 않는, 불용해성의; 풀 수가 없는, 해결[설명·해석]할 수 없는. —— *n.* 불용물, 불용분; 해결 불능의 것[문제]. **-bly** *adv.* **in·solubílity, ~·ness** *n.* Ⓤ 불용해성; 해결[설명]할 수 없음. 〚OF or L〛

in·sólvable *a.* =INSOLUBLE.

in·sol·vent [insálvənt] *a.* 지급 불능의, 파산한; 《戲》 돈을 다 써버린; 부채 전액 변제에 불충분한. —— *n.* 지급 불능자, 파산자. **-ven·cy** *n.* Ⓤ 지급 불능, 채무 초과, 파산 (상태).

in·som·nia [insámniə] *n.* Ⓤ 잠잘 수 없음, (특히) 불면증. **in·sóm·ni·ous** *a.* 불면증에 걸린. 〚L=sleepless (*somnus* sleep)〛

in·som·ni·ac [insámniæ̀k] *a., n.* 불면증에 걸린 (환자).

ìn·so·múch *adv.* …의 정도까지, …만큼(to such a degree)〈*as, that*〉; …이므로[하므로], …이니까: The rain fell in torrents ~ *that* we were drenched. 비가 억수로 퍼부었기 때문에 우리들은 흠뻑 젖었다.

insomuch as... 《文語》 =INASMUCH AS 1. 〚ME *in so much*〛

in·son·i·fy [insánəfài] *vt.* 〔光〕 …에 고주파를 발사하여 음향 홀로그램(hologram)을 만들다.

in·sóu·ci·ance *n.* Ⓤ 무관심, 태평. 〚F (↓)〛

in·sou·ci·ant [insú:siənt] *a.* 무관심한, 태평한. 〚F (*in*-[1], *souci* care)〛

in·sóul *vt.* =ENSOUL.

insp. inspected; inspector.

in·span [inspǽn] *vt., vi.* (**-nn-**) 《南아》 (마소에) 멍에를 메우다; (마소를) 수레에 매다. 〚Du. (*in*-[2], SPAN[1])〛

***in·spect** [inspékt] *vt.* 시찰[검사·점검·사열·검열]하다, 조사하다(examine closely): These factories are periodically ~*ed* by government officials. 이들 공장은 정부의 담당 관리가 정기적으로 점검하기로 되어 있다. 〚L IN-[2](*spect-* *specio* to look)〛

類義語 ***inspect*** 과실·결점을 찾아내기 위해 세밀하게 비판적으로 관찰·검사하다. ***scrutinize*** 극히 세밀한 데까지 주의 깊고 철저하게 조사하다. ***examine*** 어떤 것의 상태·성질·효력 따위를 결정하기 위해서 자세하게 관찰하고 검사하다.

***in·spec·tion** [inspékʃən] *n.* Ⓤ,Ⓒ 검사, 조사; 시찰, 감찰, (서류의) 열람, 검열, 사열: a tour of ~ 시찰 여행/*I*~ declined[free]. 《게시》 열람 사절[자유]/on the first ~ 대략 조사한[대충 본] 바로는. **~·al** *a.*

inspéction árms *n.* 〔軍〕 검사총《위치 또는 구령; 총을 양손으로 몸앞에 비스듬히 가짐》.

inspéction càr *n.* 〔鐵〕 검사차《레일의 이상유무를 조사하는》.

in·spéc·tive *a.* 검사[시찰]하는, 주의 깊은, 검열[검사·시찰]의.

in·spéc·tor *n.* 검사관, 감사인, 검열관[자]; 장학사[관]; 경감(=police ~). **~·shìp** *n.*

inspéctor·ate *n.* INSPECTOR의 직분[관할 구역, 지위, 임기]; 검사관 일행, 시찰단.

inspéctor géneral *n.* (*pl.* **inspéctors géneral**) 〔軍〕 감찰감; 감사원장.

in·spec·to·ri·al [ìnspektɔ́:riəl], **-to·ral** [inspéktərəl] *a.* 사찰(관)의; 사찰관[경감]의 직무의.

in·spec·tress [inspéktrəs] *n.* INSPECTOR의 여성형(形).

***in·spi·ra·tion** [ìnspəréiʃən] *n.* **1** Ⓤ 영감(靈感), 인스피레이션; Ⓒ 영감에 의한 착상; 《口》 (별안간 생각난) 묘책. **2** 고취[고무]시키는 사람[일], 격려가 되는 사람[일]. **3** Ⓤ 〔宗〕 신령(神靈) 감응. **4** Ⓤ 흡기(吸氣), 숨을 들이쉬기(↔*expiration*). **5** 시사, 암시.

~·ìsm *n.* Ⓤ 영감설. **~·ist** *n.* 영감론자.

inspirátion·al *a.* 영감을 받은; 영감을 주는; 영감의; 고무하는. **~·ly** *adv.*

in·spi·ra·tor [ínspərèitər] *n.* **1** 감화를 주는 사람. **2** (인공적인) 호흡기, 흡입기(吸入器); (증기 기관의) 주입기, 인젝터.

in·spir·a·to·ry [inspáiərətɔ̀:ri; -təri] *a.* 흡기(吸氣)의; 흡입의.

in·spire** [inspáiər] *vt.* **1** [+目/+目+*to* do] 고무[격려]하다: The teacher ~*d* us *to* work much harder. 선생님은 우리에게 더욱 열심히 공부하라고 격려하셨다. **2** [+目+前+名] **a**) (남에게 어떤 사상·감정을) 일으키게 하다: His conduct ~*d* us ***with distrust. 그의 행동은 우리들에게 불신감을 품게 했다. **b**) (사상·감정 따위를) 불어넣다, 고취하다(infuse): He ~*d* self-confidence ***in***[***into***] his pupils. 학생들의 마음에 자신감을 불어 넣었다. **3** …에게 영감을 주다(☞ INSPIRED). **4** 시사하다(suggest); (소문 따위를) 퍼뜨리다: ~ false stories about a person 남에 대한 헛소문을 퍼뜨리다. **5** (어떤 결과를) 낳게 하다, 생기게 하다, 초래하다: Honesty ~*s* respect. 정직은 존경심을 일으키게 한다. **6** 들이마시다, 빨아들이다. —— *vi.* 영감을 주다; 숨을 들이마시다. 〚OF<L (*spiro* to breathe)〛

in·spíred *a.* **1** 영감을 받은; 영감에 의해서 쓰여진: an ~ poet 영감을 받은 시인. **2** (보도·기사가 당국의) 사주를 받은: an ~ article 어용(御用) 기사.

in·spír·ing *a.* 불어넣는; 고무하는, 감격시키는: an ~ sight 가슴을 뛰게 하는 광경/awe-~ 두려움[경외심]을 품게 하는. **~·ly** *adv.*

in·spírit *vt.* 활기띠게 하다, …의 기운을 북돋우다, 고무하다.
~·ing *a.* 기운을 북돋우는, 격려하는.

in·spis·sate [inspíseit] *vt., vi.* 진하게 하다[되다], 농축하다(thicken) : ~*d* gloom 심한 우울. ── [-sət] *a.* =INSPISSATED.
-sa·tor *n.* **ìn·spis·sá·tion** *n.*
〚L (*spissus* thick)〛

in·spís·sat·ed *a.* 농후한, 농축된.

Inst. Institute ; Institution. **inst.** instant(이달의) ; instrument ; instrumental.

ìn·stabílity *n.* Ⓤ 불안정성 ; (마음의) 불안정, 변하기 쉬움 ;〘理〙불안정(성). 〚F<L〛

in·stáble *a.* =UNSTABLE.

*__in·stall, in·stal__ [instɔ́:l] *vt.* [+目/+目+*in*+名] **1** 취임시키다 ; 자리에 앉게 하다 : She ~*ed* herself[was ~*ed*] ***in*** an armchair. 그녀는 안락의자에 앉았다[앉아 있었다]. **2** 설치하다, 장치[설비]하다, 비치하다 : ~ heating apparatus ***in*** a house 집에 난방 장치를 설치하다. **~·er** *n.* 설치자 ; 임명자. 〚L (*in-*², STALL¹)〛

in·stal·la·tion [ìnstəléiʃən] *n.* **1** Ⓤ 취임 ; Ⓒ 임명식, 임관식. **2** Ⓤ 설치, 가설 ; Ⓒ 설비, 장치. **3** 군사시설, 기지.

installátion tìme *n.* 〘컴퓨〙설치시간, 도입 시간.

instáll·ment | -stál- *n.* **1** 분할불(分割拂)(의 1회분), 분할불의 할부금 : *by*[*in*] monthly[yearly] ~*s* 월[연]부로 / *in* five ~*s* 5회 분할불로 / pay *in* monthly ~*s* of ten dollars 10달러의 월부로 지급하다. **2** (총서(叢書)·연재물 따위의) 1회분, 한 권 : the first ~ of a new encyclopedia 새로운 백과 사전의 제1회분 / a serial *in* three ~*s* 3회의 연재물.
〚C16 *estallment*<AF (*estaler* to fix)〛

instállment bìlling *n.* 〘出版〙예약(豫約) 구독 요금 분할불.

instállment plàn *n.* 《美》분할 지급 방식《판매법의 한 가지 ; cf. HIRE-PURCHASE SYSTEM》: *on the* ~ 분할 지급으로, 월부로.

instállment sèlling *n.* 《美》할부 판매.

In·sta·mat·ic [ìnstəmǽtik] *n.* **1** 인스터매틱《미국 Eastman Kodak사의 고정초점 카메라 ; 상표명》. **2** 《CB俗》경찰의 자동차속도 측정장치.
〚*instant*+auto*matic*〛

‡**in·stance** [ínstəns] *n.* **1** 예, 실례, 사례, 실증 〈*of*〉. **2** 경우, 사실(case) ; 단계(stage) : in this ~ 이 경우에. **3** [단수형으로만 쓰여] 의뢰, 부탁(request) ; 권고, 제의(提議)(suggestion) : *at the* ~ *of* …의 의뢰에 의해, …의 발기로. **4** 〘法〙소송 (절차) ; 《古》탄원.
a court of first instance 제1심 법원.
for instance 예를 들면(for example).
in the first instance 먼저, 첫째로, 제1로 ; 〘法〙제1심에서.
── *vt.* 예로 들다 ; 예증(例證)하다.
〚OF<L *instantia* contrary example〛
類義語 ***instance*** 일반적인 설명을 할 때의 뒷받침 또는 증거의 예로 들 수 있는 사람 또는 물건 : This is an *instance* of his dishonesty. (이것이 그가 부정직하다는 증거다). ***case*** 같은 종류의 일·사실·상황 전체를 설명하는데 알맞은 전형적인 예 : This accident is a *case* of careless management. (이 사고는 관리의 소홀을 보여주는 전형적인 사례다). ***example*** 어떤 그룹의 대표적인 본보기로 쓰여지는 예 : This is an *example* of a romantic poetry. (이것이 낭만시의 전형이다). ***sample*** 전체의 성질이 그것과 완전히 같다는 것을 나타내기 위해 그 일부를 추출해낸 것 : *samples* of wool (양모의 견본). ***specimen*** 흔히 조사·연구 따위의 과학적·기술적인 목적을 위한 sample : *specimens* of lunar rocks (달 암석의 표본). ***illustration*** 어떤 일을 설명하거나 뚜렷이 하기 위해서 도움이 되는 실례 : an *illustration* of the meaning of a word (어휘의 뜻을 나타내는 실례).

ín·stan·cy *n.* 강요 ; 긴박, 절박 ; 《稀》즉각.

*__in·stant__ [ínstənt] *n.* **1** 즉시, 찰나 ; 순간, 순식간(moment) : for an ~ 잠깐 동안, 순간 / in that ~ 그 순간에 / At that ~ the bell rang. 마침 그 때 벨이 울렸다.

〈회화〉
> How did the accident happen? — I don't know. It all happened in an *instant*. 「사고가 어떻게 일어났습니까」「모르겠습니다. 모두가 순식간에 일어난 일이라서요」

2 Ⓤ 인스턴트 식품[음료], (특히) 인스턴트 커피.

〈회화〉
> Do you like coffee? — Not if it's *instant* coffee. 「커피 좋아하십니까」「인스턴트가 아니라면요」

in an instant 즉시, 금방 : *In an* ~ he was again on his feet. 금방 그는 다시 일어섰다.
not an instant too soon 마침 좋은 때에.
on the instant 즉시로, 즉각.
that instant 곧 (그 자리에서), 금방 : I went *that* ~. 곧 그 자리에서 떠났다.
the instant (***that***) …하자마자(as soon as), …하는 즉시 : Let me know *the* ~ the visitor comes. 손님이 오는 즉시 알려 주게.
this instant 바로 지금, 지금 이 자리에서 : Come *this* ~! 지금 곧 오시오.
── *a.* **1** 즉각의, 즉시의. **2** 긴급한, 절박한(urgent) : be in ~ need of help 신속한 구조를 요하다. **3** 이달의《略 inst. ; cf. PROXIMO, ULTIMO》: on the 15th *inst.* 이달 15일에. ☞ 活用. **4** 즉석 요리용의 : ~ mashed potatoes 인스턴트 매시트 포테이토 / ~ coffee 인스턴트 커피. ── *adv.* 《詩》곧. 〚OF or L (*insto* to be present, be urgent <*sto* to stand)〛
活用 instant *a.* 3 및 proximo (=of next month), ultimo (=of last month)는 보통 각각 inst., prox., ult. 로 생략하여 상업문 따위에 사용되어 왔으나 까다로운 표현이므로 (특히 prox., ult. 는) 이전처럼 사용되지 않음. 예를 들어, 「이달 15일」은 통례로 the 15th of this month로 하든가 또는 다시금 정확하게 하려면 그 달의 명칭을 표시하고 「다음달 5일」「지난달 10일」은 각각 the 5th of next month, the 10th of last month로 하든가 혹은 달의 이름을 표시함(cf. DATE¹ *n.* 1 ㈜).

in·stan·ta·ne·ous [ìnstəntéiniəs] *a.* **1** 순간의, 즉시[즉석]의, 즉각적인 : ~ death 즉사 / an ~ photograph 스냅 사진. **2** 동시에 일어나는, 동시적인. **~·ly** *adv.* **~·ness** *n.*

instantáneous sóund prèssure *n.* 〘理〙순간 음압(音壓).

instantáneous (**wáter**) **hèater** *n.* 순간 온수기(器).

ínstant bóok *n.* 인스턴트 북《(1) 선집(選集)처럼 편집이 거의 필요치 않은 책. (2) 사건발생 후 1주일-1개월 이내에 발행되는 속보성(速報性)이 중시

되는 책》.

ínstant càmera *n.* 인스턴트 카메라《촬영 즉시 카메라 안에서 인화되는》.

in·stan·ter [instǽntər] *adv.* 《美·英古·戲》즉시로, 당장(instantly).
⟦L=urgently ; ⇨ INSTANT⟧

in·stan·tial [instǽnʃəl] *a.* 예(例)의[에 관한, 가 되는].

in·stan·ti·ate [instǽnʃièit] *vt.* (학설·주장의) 실증을 들다, 사례를 들어 증명[설명]하다.
in·stàn·ti·á·tion *n.*

ínstant·ìze *vt.* (재료를) 인스턴트 식품화하다, 인스턴트화하다.

ínstant lóttery *n.* 《美》 즉석 복권.

ínstant·ly *adv.* 곧, 즉석에서 : be ~ killed 즉사하다. —— *conj.* …하자마자(as soon as) : *I*~ he saw me he held out his hands. 나를 보자마자 그는 양손을 내밀었다.

in·stant·on [ínstæntɑ̀n] *n.* 〖理〗 인스탠턴《최저 에너지 상태간에 일어나는 상호작용에 대한 가설상의 양자 단위》. ⟦*instant*+-*on*²⟧

ínstant photógraphy *n.* 즉석 사진술《촬영 즉시 인화되는》.

ínstant réplay *n.* 《美》〖TV〗(경기 장면을 슬로 모션 따위로 재생하는) 비디오의 즉시 재생.

in·star [ínstɑːr] *n.* 〖動〗 영(齡)《절지동물의 탈피(脫皮)와 탈피 사이의 중간 형태》.
⟦L=form, image⟧

in·státe *vt.* (사람을) 임명하다 ; 배치하다.

in sta·tu quo [in stéitjuː kwóu, -stǽtʃuː-] *adv., a.* 현상 유지로, 본래대로(의). ⟦L⟧

in·stau·ra·tion [ìnstɔːréiʃən] *n.* 《稀》 회복, 재기, 부흥.

in·stead [instéd] *adv.* 그 대신으로서 ; 그것보다도 : Give me this ~. 대신에 이것을 주시오.
instead of …의 대신으로, …하지 않고, …하기는 커녕〈do*ing*〉: We learned German ~ *of* French. 프랑스어 대신에 독일어를 배웠다 / He sent his brother ~ *of* com*ing* himself. 그가 직접 오지 않고 대신 동생을 보냈다.
⟦ME *in stead* in place⟧

ín·stèp *n.* 발등(cf. the BACK of one's hand), 구두[양말]의 발등 부분. ⟦C16 ; *in*+*step*인가⟧

in·sti·gate [ínstəgèit] *vt.* **1** [+目/+目+*to* do/+目+*to*+名] (사람을) 선동하다, 부추기다, 충동하다, 부추겨 …시키다(incite) : He ~*d* the two boys *to* quarrel. 두 소년을 부추겨 싸움을 붙였다 / They ~*d* him ***to*** the evil deed. 그를 충동하여 나쁜 짓을 하게 했다. **2** (반란 따위를) 선동하다. **ín·sti·gà·tive** *a.* 선동하는, 부추기는. **-gà·tor** *n.* 선동자, 교사자.
⟦L *in*-²(*stigo* to prick)=to stimulate⟧

ìn·sti·gá·tion *n.* Ⓤ 선동, 교사 : *at*[*by*] the ~ *of* …에게 사주되어, …의 선동으로.

in·still, in·stil [instíl] *vt.* (-ll-) [+目/+目+*into*+名] **1** 침투시키다, 스며들게 하다, 서서히 주입시키다 : ~ ideas ***into*** a person's mind 남의 마음에 사상을 주입하다. **2** 《稀》 한 방울씩 떨어뜨리다, 점적하다.
⟦L (*stillo* to drop) ; cf. DISTILL⟧

in·stil·la·tion [ìnstəléiʃən] *n.* **1** Ⓤ,Ⓒ (방울방울) 떨어뜨림, 적하(滴下) ; (사상 따위를) 주입시킴. **2** Ⓤ,Ⓒ 적하물 ;〖醫〗 점적(點滴)(법).

instíl(l)·ment *n.* Ⓤ,Ⓒ =INSTILLATION 1.

in·stinct**¹ [ínstiŋkt] *n.* **1** Ⓤ,Ⓒ 본능 ; 직관 : the ~ of self-preservation 자기 보존의 본능 / the herd ~ ☞ HERD¹ 숙어. **2** [+前+do*ing*] 직각력(直覺力), 천성, 재능 : A camel has a sure ~ ***for find*ing* water. 낙타는 물을 발견하는 확실한 직감력이 있다.
by[***from***] ***instinct*** 본능적으로 : We often do things *by* ~. 사람은 때때로 본능적으로 어떤 일을 한다.
on instinct 본능 그대로 : act *on* ~ 본능대로 행동하다.
⟦ME=impulse<L *in*-²(*stinct*- *stinguo* to prick)=to incite⟧

in·stinct² [instíŋkt] *pred. a.* 가득찬, 넘치는, 스며든 : Her face was ~ *with* benevolence. 그녀의 얼굴은 자애로 넘쳐 흘렀다. ⟦L (p.p.)‹(↑)⟧

in·stinc·tive [instíŋktiv] *a.* 본능적인, 천성의, 직감[직각]적인.
~·ly *adv.* 본능적으로, 직감적으로.
類義語 ⟹ SPONTANEOUS.

in·stinc·tu·al [instíŋktʃuəl] *a.* =INSTINCTIVE.

In·sti·nét sỳstem [ìnstənét-] *n.* 〖美證〗 컴퓨터 커뮤니케이션에 의한 증권 자동매매 시스템.

in·sti·tute** [ínstətjùːt] *vt.* **1** (제도·관습 따위를) 마련하다, 설치하다 ; (정부 따위를) 설립하다 ; (규칙·관례를) 제정하다 ; (조사를) 실시하다, 시작하다, (소송을) 제기하다. **2** [+目+前+名] 임명하다 : ~ a person ***to[***into***] a benefice 남을 성직에 임명하다. —— *n.* **1** (학술·미술의) 학회, 협회, 연구소 ; 그 회관(會館). **2** 《美》 (이공계의) 전문학교, 대학, (대학 부속의) 연구소 ; (교원 등의) 강습회, 연수 : an ~ of technology (이)공과대학, 공업대학 / an adult ~ 성인 강좌 / a farmers' ~ 농사 강습회 / a teachers' ~ 교원 강습[연수]회. **3** 원칙, 규칙, 관행, 관례 ; [*pl.*] (법률학의 원리·강령의) 제요(提要), 주석서, 논설서.
the Institute of Justinian 유스티니아누스 법전(法典).
⟦L *in*-²(*stitut*- *stituo*=*statuo* to set up)=to establish, teach⟧

***in·sti·tu·tion** [ìnstətjúːʃən] *n.* **1** Ⓤ 설립, 창립 ; 제정, 설정 ;〖宗〗 성직 수임(installation) : the ~ of gold standard 금(金) 본위제의 설정. **2** 제도, 법령, 관례. **3** 학회, 협회, 원(院), 단체(society) : a charitable ~ 자선 단체. **4** 공공 기관《학교·병원·클럽 따위》; (학술적·교육적·사회적인) (공익) 시설, 기관, 협회. **5** 《口》 명물, 평판 있는 사람[것].
⟦OF<L ; ⇨ INSTITUTE⟧

institútion·al *a.* 제도상의, 제도화된, 조직화된 ; 회(會)의, 협회의 ;《美》(판매 증가보다는) 기업 이미지 홍보를 위한《광고》; (교육·자선) 단체의, 시설의 ; 대량 소비자용의 ; 획일적이고 개성이 없는 : in need of ~ care 양육[양로]원의 보살핌을 필요로 하는 / ~ food[furniture] (공공) 시설용의 식품[기구].

institútional ádvertising *n.* 〖商〗 기업 광고.

institútional invéstor *n.* 기관 투자가.

institútion·al·ìsm *n.* Ⓤ 공공[자선(慈善)] 단체 따위의 조직 ; 제도[조직] 존중주의 ;〖經〗 제도학파(制度學派). **-ist** *n.*

institútion·al·ìze *vt.* 공공 단체로 하다 ; 규정하다 ; 제도[관행]화하다 ; (범죄자·정신병자 등을) 공공시설에 수용하다.

institútion·àry [; -əri] *a.* 학회[협회]의 ; 제도[규정]의 ; 창시[제정]의 ; 성찬식 제도의 ; 성직 수여의.

in·sti·tu·tive [ínstətjùːtiv] *a.* 제정[설립, 개시]에 이바지하는[도움이 되는] ; 관습적인 ; 설립된.

~·ly *adv.*

ín·sti·tù·tor *n.* 설립자, 제정자 ; 《美》 (감독 교회의) 성직 수임자.

instn. institution. **instns.** instructions. **Inst. P.** Institute of Physics. **instr.** instructions ; instructor ; instrument(s) ; instrumental. **Inst. R.** Institute of Refrigeration.

***in·struct** [instrʌ́kt] *vt.* **1** [+目/+目+*in*+名] …에게 교수하다, 가르치다 : Mr. Brown ~*s* our class *in* English. 브라운 선생님은 우리 학급에서 영어를 가르치신다. **2** [+目+*to* do] …에게 지시[명령]하다 : We ~*ed* the agent *to* sell our estate. 대리인에게 우리 땅을 팔도록 지시하였다. **3** [+目+*that* 節] 통고[보고]하다(inform) : I am ~*ed* by the chairman *that* he has been expelled from the society. 회장으로부터의 통고에 의하면 그는 협회에서 제명되었다는 것이다. **4** (판사가 배심원에게) 사건을 설명하다. **5** 〖컴퓨〗 …에 명령하다.

be instructed in …에 밝다, …에 정통하다.

〚L *instruct*- *instruo* to teach, furnish (*struo* to pile up)〛

類義語 ⟹ ORDER, TEACH.

in·strúct·ed *a.* 교육[훈련]을 받은.

***in·struc·tion** [instrʌ́kʃən] *n.* **1** Ⓤ 교수, 교육(teaching) ; 훈육, 교훈, 가르침 : give[receive] ~ *in* French 프랑스어 교육을 하다[받다]. **2** [*pl.*] [+*to* do] 훈령, 지령, 지시(orders), 사용설명서(=~ **bòok**) : He gave his men ~*s to* start at once. 그는 부하들에게 곧 출발하도록 명령했다. **3** 〖컴퓨〗 명령(어)《기계에 일정한 작업을 시키기 위한 기계어(語)》. **4** [*pl.*] 〖法〗 소송 위임장.

~·**al** *a.* 교수상의, 교육의, 교육[교훈]적인.

instrúctional télevision *n.* 《美》 (유선 방송에 의한) 교육용 텔레비전 프로그램《略 ITV ; 《英》에서는 보통 CCTV》.

in·strúc·tive** *a.* 교육적인, 교훈적인, 유익한 : Those little hints were very ~ ***to me. 그 사소한 힌트[암시]는 내게 매우 유익한 것이었다.

~·**ly** *adv.*

***in·strúc·tor** *n.* (*fem.* **-tress**) 교수하는 사람, 교사, 지도자 ; 《美》 (대학의) 전임 강사 : an ~ *in* English *at* a university 대학의 영어 담당 강사. 注 대부분의 미국 대학에서는 *instructor*, assistant professor, associate professor, professor로 승진한다. **in·struc·to·ri·al** [ìnstrʌktɔ́:riəl] *a.* ~·**shìp** *n.* instructor의 지위[직].

‡in·stru·ment [ínstrəmənt] *n.* **1 a)** (실험용 따위의) 기계(器械), 기구, 도구 ; (비행기·배 따위의) 계기 : surgical ~*s* 외과용 기구 / nautical ~*s* 항해 계기(計器) / fly on ~*s* 계기 비행을 하다. **b)** 악기(=musical ~). **2** 〖法〗 법률 문서《계약서, 증서, 협정서, 위임장 따위》. **3** (남의) 앞잡이, 도구 ; 수단, 방편 ; 계기[동기]가 되는 것[사람]. ── *vt.* (악곡을) 기악용으로 편곡하다 ; …에 기기를 갖추다 ; 문서를 …에 맡기다.

〚OF or L ; ⇨ INSTRUCT〛

類義語 ⟹ IMPLEMENT.

in·stru·men·tal [ìnstrəméntl] *a.* **1** [+前+do*ing*] 수단이 되는, 도움이 되는 : His father was ~ ***in*** get*ting* him the job. 그는 직업을 얻는데 아버지의 도움을 받았다. **2** 기계(器械)의[를 사용하는] : ~ errors 기계 오차 / ~ drawing 용기화(用器畫). **3** 〖樂〗 악기의(cf. VOCAL) : ~ music 기악. **4** 〖文法〗 조격(助格)의 : the ~ case 조격. ── *n.* 〖文法〗 조격《수단을 나타내는 격》 ; 〖樂〗 기악곡. ~·**ly** *adv.* 수단으로서, 간접으로 ; 기계로 ; 악기로 ; 〖文法〗 조격으로서.

〚F<L〛

instruméntal condítioning *n.* 〖心·教〗 도구적 조건 부여《상벌 따위의 강화로 옳은 반응을 이끌어내어 학습시킴》.

instruméntal·ìsm *n.* Ⓤ 〖哲〗 기구(器具)[도구]주의《사상이나 관념은 환경 지배의 도구로서의 유용성(有用性)에 따라 가치가 정해진다고 하는 John Dewey의 설》.

instruméntal·ist *n.*, *a.* 기악가 ; 〖哲〗 기구[도구]주의자(의).

in·stru·men·tal·i·ty [ìnstrəmentǽləti ; -men-] *n.* Ⓤ 도움, 수단, 방편, 매개, 진력(盡力) ; (정부 따위의 대행) 기관 : by[through] the ~ of …에 의하여, …의 도움으로.

instruméntal léarning *n.* 〖心·教〗 도구적 학습(법)《어떤 행위의 결과로 받는 상벌에 의하여 경험적으로 학습함》.

in·stru·men·ta·tion [ìnstrəmentéiʃən ; -men-] *n.* **1** Ⓤ 〖樂〗 악기법 ; 관현악법 ; 〖樂〗 악기 편성. **2** 기계[기구] 사용[설치] ; 기계[기구]류.

ínstrument bòard[pànel] *n.* 계기판(dashboard).

ínstrument flíght rùles *n.* 계기 비행 규칙.

ínstrument flỳing[flìght] *n.* 〖空〗 계기(計器) 비행(↔*contact flying*).

ínstrument lànding *n.* 〖空〗 계기 착륙.

ínstrument lánding sỳstem *n.* 〖空〗 계기 착륙 장치[방식]《略 ILS》.

in·stru·men·tol·o·gy [ìnstrəmentáləʤi] *n.* 계측기학(計測器學). **-gist** *n.* 계측기학자.

ínstrument póinting subsỳstem *n.* 〖宇宙〗 우주 실험실의 실험 장치를 바른 방향으로 안정시키기 위한 기기 및 기술.

ìn·subórdinate *a.* 순종하지 않는, 반항하는, 반항적인 ; 하위(下位)가 아닌, 뒤지지 않는.

── *n.* 순종하지 않는 사람, 반항자.

ìn·subordinátion *n.* Ⓤ,Ⓒ 불순종, 반항(disobedience).

ìn·substántial *a.* 실질이 없는, 공허한 ; 비현실적인 ; 미약한. **ìn·substantiálity** *n.* 〚L〛

in·súffer·able *a.* 참을 수 없는, 비위에 거슬리는. **-ably** *adv.* 견딜 수 없을 만큼.

ìn·suffíciency *n.* Ⓤ 불충분, 부족(lack) ; 불충분한 점, 결점 ; 부적당 ; (신체 기관의) (기능) 부전(不全).

ìn·suffícient *a.* 불충분한, 부족한 ; 부적당한 〈*to*〉, 능력이 없는. ~·**ly** *adv.* 불충분하게 ; 부적당하게. 〚F<L〛

in·suf·flate [ínsəflèit, insʌ́fleit] *vt.* (공기·약품 따위를) 체내에 불어넣다 ; 〖醫〗 취입법(吹入法)으로 치료하다.

ín·suf·flà·tor *n.* 취입기, 취분기(吹粉器) ; (분말 살포에 의한) 지문 현출기(指紋現出器).

in·su·lar [ínsjələr ; -sju-] *a.* **1** 섬의, 섬나라 근성의 ; 섬 사람의 ; 도량이 좁은 ; 고립한, 외떨어진 : ~ prejudices 섬나라적 편견. **2** 〖生理·解〗 랑게르한스 섬의. ── *n.* 《稀》 섬의 주민. ~·**ìsm** *n.* Ⓤ 섬나라 근성, 도량이 좁음. **ìn·su·lár·i·ty** *n.* Ⓤ 섬(나라)임 ; 고립 ; 섬나라 근성, 편협. ~·**ìze** *vt.* 섬나라화(化)하다. 〚L〛

in·su·late [ínsəlèit ; -sju-] *vt.* (육지를) 섬으로 만들다 ; 격리하다, 고립시키다 ; 〖電〗 절연[단열·방음]하다. **-làt·ed** *a.* 격리된 ; 〖電〗 절연된 : an ~*d* wire 절연 전선.

〚L=made into an island〛

ín·su·làt·ing bòard, insulátion bòard *n.* 〖建〗 단열판.
ínsulating òil *n.* 〖電〗 절연유(油).
ínsulating tàpe *n.* 《英》 =FRICTION TAPE.
ìn·su·lá·tion *n.* Ⓤ 격리, 고립 ; 〖電〗 절연 ; 절연체, 절연물[재], 애자, 단열재.
ín·su·là·tor *n.* 격리자[물] ; 〖電〗 절연체[물·재], 애자.
in·su·lin [ínsələn ; -sju-] *n.* Ⓤ 〖醫〗 인슐린《췌장 호르몬 ; 당뇨병 특효약》. 〖NL〗
ínsulin-delívery pùmp *n.* 〖醫〗 인슐린 방출 펌프《당뇨병 환자 치료에 쓰이는 기구》.
ínsulin·ìze *vt.* 인슐린으로 치료하다, …에게 인슐린 요법(療法)을 쓰다.
in·su·lin·o·ma [ìnsələnóumə] *n.* 〖病理〗 췌도(膵島) 세포(선)종(腫), 인슐리노마.
ínsulin shòck[còma] *n.* 〖病理〗 인슐린 쇼크 《인슐린의 대량 주사에 의해 일어나는 쇼크》 : ~ therapy (정신 분열증의) 인슐린 쇼크 요법.
in·su·lite [ínsəlàit ; -sju-] *n.* Ⓤ 절연체.
***in·sult** [insʌ́lt] *vt.* 모욕하다, 창피주다 ; 해치다 : The rebels ~*ed* the flag by throwing mud on it. 반란자들은 진흙을 던져 국기를 모독했다.

〈회화〉
Did you *insult* him?—I don't think so.—Why?「네가 그를 모욕했니」「나는 그렇게 생각하지 않는데. —왜」

—— *vi.* 《古》 교만[무례]한 태도를 취하다.
—— [⌐-] *n.* Ⓤ,Ⓒ 모욕, 무례(한 말[행동]) ; 〖醫〗 손상, 상해(의 원인), 발작 : It's an ~ *to* your dignity. 그것은 너의 품위를 손상시키는 짓이다 / They treated him with cruelty and ~. 그를 잔인하고도 모욕적으로 다루었다.
~·ing *a.* 모욕의, 무례한(insolent).
~·ing·ly *adv.* 모욕하여.
〖OF or L (*insulto* to jump upon, assail)〗
類義語 ⟹ OFFEND.
in·súperable *a.* 정복할 수 없는, 무적의 ; (장애 따위) 이겨내기 어려운, 극복할 수 없는.
-bly *adv.* 이겨낼 수 없을 만큼. **in·superabílity** *n.* Ⓤ 이겨내기 어려움.
ìn·suppórt·able *a.* 지탱할 수 없는, 견딜 수 없는, 참을 수 없는 ; 지지할 수 없는. **-ably** *adv.* 〖F〗
ìn·suppréss·ible *a.* 억누를 수 없는, 억제할 수 없는. **-ibly** *adv.*
in·súr·able *a.* 보험에 들 수 있는 ; 보험에 적합한 : ~ property 피(被)보험 재산 / ~ value 보험 가격.
***in·sur·ance** [inʃúərəns] *n.* **1** Ⓤ 보험(cf. ASSURANCE) ; 보험금(액) ; 보험료(cf. INSURANCE PREMIUM) : accident[endowment] ~ 상해[양로] 보험 / fire ~ 화재 보험 / ☞ LIFE INSURANCE / marine ~ 해상 보험 / unemployment ~ 실업 보험 / ~ *against* traffic accidents 교통 상해 보험 / ~ for life 종신 보험 / an ~ company 보험회사 / sell ~ 보험 판매를 하다. **2** =INSURANCE POLICY : apply for an ~ (policy) 보험을 신청하다. **3** Ⓤ 보증, 책임짐《이 의미로는 ASSURANCE가 일반적》.
〖*ensurance*<OF ; ⇨ ENSURE〗
insúrance àgent *n.* 보험 대리점.
insúrance certìficate *n.* 보험 인수증[계약증].
insúrance pòlicy *n.* 보험 증권[증서] : take out an ~ 보험에 가입하다.
insúrance prémium *n.* 보험료.
in·súr·ant *n.* 보험 계약자 ; 피보험자.
in·sure** [inʃúər] *vt.* **1** [+目/+目+前+名] …에 보험을 들다 ; (보험업자가) …의 보험을 인수하다 : ~ one's property ***against fire 재산에 화재 보험에 들다 / ~ oneself[one's life] ***for*** £ 5000 5000 파운드의 생명 보험에 들다. **2** 보증하다, …의 보증이 되다 ; 안전하게 하다《이 의미로는 ENSURE가 일반적》. —— *vi.* 보험[보증] 계약을 맺다 ; (…을) 막는 수단을 취하다.
〖ENSURE〗
in·súred *a.* 보험에 들어 있는, 보험에 가입한.
—— *n.* [the ~] 피보험자, 보험 계약자, 보험금 수취인.
in·súr·er *n.* 보험업자(underwriter), 보험 회사 ; 보증인.
in·sur·gence, -cy [insə́ːrdʒəns(i)] *n.* Ⓤ,Ⓒ 모반, 폭동, 반란 행위.
in·súr·gent *a.* 반란을 일으킨 ; 《詩》 밀려오는《파도》 : ~ troops 반란군. —— *n.* 폭도, 반란자 ; 〖國際法〗 반정부 운동가[집단] ; 《美》 (정당내의) 반대 분자. 〖L IN²*surrect*- -*surgo* to rise up〗
in·súr·ing clàuse *n.* 보험 인수 약관.
ìn·surmóunt·able *a.* (산 따위) 넘을 수 없는 ; (장애 따위) 이겨내기 어려운(insuperable).
-ably *adv.*
in·sur·rec·tion [ìnsərékʃən] *n.* Ⓤ,Ⓒ 폭동, 반란 (rebellion). **~·al** *a.* 〖OF<L ; ⇨ INSURGENT〗
類義語 ⟹ REVOLT.
insurréction·àry [; -əri] *a.* 폭동의, 반란의 ; 폭동을 일삼는. —— *n.* 폭도, 반란자.
insurréction·ìze *vt.* (국민 등을) 선동하여서 폭동을 일으키게 하다 ; (국가 따위에) 폭동을 일으키다.
ìn·susceptibílity *n.* Ⓤ 무감각, 감수성이 없음.
ìn·suscéptible *a.* **1** 용납하지 않는, 받아들이지 않는 : a disease ~ *of* treatment 치료할 수 없는 병 / a physique ~ *to* disease 병에 잘 걸리지 않는 체질. **2** (감정에) 동하지 않는, 느끼지 못하는, 영향받지 않는 : a heart ~ *of*[*to*] pity 인정을 모르는 마음, 피도 눈물도 없는 마음.
ín·swèpt *a.* (비행기 날개·자동차 앞쪽 따위가) 끝이 뾰족한[가는].
int. interest ; interim ; interior ; interjection ; internal ; international ; interpreter ; intransitive.
in·tact [intǽkt] *pred. a.* 손대지 않은, 손상되지 않은, (완전히) 그대로의, 완전한 ; 처녀의 : keep[leave]... ~ …을 그대로 놓아 두다, …에 손대지 않고 두다 / remain ~ 그대로 남다.
〖L (*tact*- *tango* to touch)〗
in·ta·gli·at·ed [intǽlièitəd, -táː-] *a.* 오목 새김한, 음각(陰刻)의.
in·ta·glio [intǽljou, -táː-] *n.* (*pl.* **~s**) **1** Ⓤ 오목새김 ; Ⓒ 음각(陰刻) 무늬 ; Ⓤ 〖印〗 요각(凹刻) 인쇄 : carve a gem *in* ~ 보석에 무늬를 새기다. **2** 음각한 보석(cf. CAMEO).
—— *vt.* (무늬를) 새겨 넣다, 음각하다.
〖It. (*in*-², TAIL²)〗
intáglio prèss *n.* 오목판 인쇄기.
ín·tàke *n.* **1** (물·공기 따위를) 끌어들이는 흡입구(↔*outlet*). **2** Ⓤ,Ⓒ **a)** 흡입[섭취]량 〈*of*〉. **b)** 채용 인원(수). **3** 좁아진 부분(narrowing). **4** 《英》 매립지, 간척지. **5** 〖機〗 입력(input).
In·tal [íntæl] *n.* 인탈《cromolyn sodium의 상표명》. 〖*int*erference with *al*lergy〗
in·tángible *a.* **1** 만질 수 없는, 만져서 알기 힘든 ; 실체(實體)가 없는, 무형의. **2** 구름을 잡는 것과 같은, 막연한(vague) ; 불가해한. —— *n.* 만

질 수 없는 것 ; 무형의 것 ; 파악하기 어려운 것. **-bly** *adv.* 어렴풋이, 막연하게. **in·tangibílity** *n.* Ⓤ 만져서 알 수 없음 ; 파악할 수 없음, 불가해(不可解). 〖F or L〗

intángible ássets *n. pl.* 〔商〕 무형 자산《특허권 · 영업권 따위》.

in·tar·sia [intɑ́:rsiə] *n.* Ⓤ 상감(象嵌) 세공. 〖It.〗

int. comb. internal combustion.

in·te·ger [íntidʒər] *n.* **1** 〔數〕 정수(整數) (whole number) (cf. FRACTION). **2** 완전한 것, 완전체. 〖L=untouched, whole (*tango* to touch) ; cf. ENTIRE〗

in·te·gra·ble [íntigrəbəl] *a.* 〔數〕 적분 가능한, 가적분(可積分)의. **ìn·te·gra·bíl·i·ty** *n.*

in·te·gral [íntigrəl] *a.* **1** 완전한 ; (완전체를 이루는데) 절대 필요한. **2** 〔數〕 정수의 (cf. FRACTIONAL) ; 〔數〕 적분의 (cf. DIFFERENTIAL). —— *n.* 전체 ; 〔數〕 적분. **in·te·gral·i·ty** [ìntəgrǽləti] *n.* Ⓤ 완전 ; 불가결성.

íntegral cálculus *n.* 〔數〕 적분학.

íntegral constrùction *n.* 〔空〕 통합 구조《대형 구조 부재(部材)를 한 몸체로 만드는 방식 ; 항공기의 주날개 구조에 씀》.

íntegral domáin *n.* 〔數〕 정역(整域).

íntegral tànk *n.* 〔空〕 통합 탱크《기체 외피가 그대로 탱크 표면이 된》.

in·te·grant [íntigrənt] *a.* 완전체를 구성하는, 구성 요소의, 일부분을 이루는(constituent) ; 필수의. —— *n.* (불가결한) 요소, 성분.

in·te·grase [íntəgrèis, -z] *n.* 〔醫〕 인티그라아제 《숙주 세균의 DNA에 프로파지(prophage)의 조합을 촉매하는 효소》.

in·te·grate [íntəgrèit] *vt.* **1** (부분 · 요소를) 전체로 합치다, 통합하다 ; 완전하게 하다. **2** (온도 · 풍속 · 넓이 따위의) 총계[평균값]를 나타내다 ; 〔數〕 적분하다. **3** 조정하다(coordinate). **4** (학교 따위에서) 인종[종교]적 차별을 폐지하다(cf. DESEGREGATE, SEGREGATE). —— *vi.* **1** 통합되다, 일체가 되다. **2** (학교 따위가) 인종[종교]적 차별이 폐지되다. —— [íntəgrət] *a.* 각 부분이 갖춰진 ; 통합된 ; 완전한. 〖L=to make whole ; ⇨ INTEGER〗

ín·te·gràt·ed *a.* **1** 통합[합성]된, 완전한. **2** (회사가) 일관 생산의. **3** 〔心〕 (인격이) 통합[융화]된 (cf. DISSOCIATE) : an ~ personality (육체 · 정신 · 정조(情操)가 모두 균형이 잡혀) 통합[융화]된 인격. **4** (흑인에 대하여) 인종차별 대우를 하지 않는.

íntegrated applicátions pàckage *n.* 〔컴퓨〕 통합 애플리케이션 소프트웨어.

íntegrated báttlefield *n.* 〔軍〕 총합[통합] 전장(戰場)《통상 무기, 화학 · 생물학 무기, 핵무기가 모두 사용되는 형태의 전장》.

íntegrated círcuit *n.* 〔電子〕 집적 회로(集積回路) 《略 IC》.

íntegrated dáta pròcessing *n.* 〔컴퓨〕 통합 자료 처리《略 IDP》.

íntegrated injéction lògic *n.* 〔컴퓨〕 아이스퀘어엘《마이크로프로세서나 반도체 메모리에 이용되는 집적 회로의 한 형식 ; 略 IIL, I²L》.

íntegrated óptics *n.* 집적 광학(集積光學) ; 광집적 회로.

íntegrated RÁM *n.* 〔電子〕 집적화(化) 랜덤 액세스 메모리(IRAM)《의사(擬似) 스태틱 RAM을 가리킴》.

íntegrated sérvices dígital nètwork *n.* 〔通信〕 통합 서비스 디지털망(網)《略 ISDN》.

íntegrated sóftware *n.* 〔컴퓨〕 복수의 응용 프로그램 사이의 데이터 교환을 할 수 있고 동시에 각 작업을 병행해 실행할 수 있는 소프트웨어.

íntegrated sýstem *n.* 〔電子〕 집적 시스템《집적 회로 전반을 가리킴》.

ìn·te·grá·tion *n.* Ⓤ 완성, 통합 ; 〔數〕 적분법 (cf. DIFFERENTIATION) ; 조정 (coordination) ; (학교 따위에서) 인종 차별 폐지 (cf. DESEGREGATION, SEGREGATION) ; 〔電子〕 집적화(集積化).

integrátion·ist *n.* 《美》 인종 차별 폐지론자. —— *a.* 인종 차별 폐지론의.

ín·te·grà·tive [ˌ-grət-] *a.* 완전하게 하는 ; 통합하는 ; 인종 차별 폐지의.

ín·te·grà·tor *n.* 〔數〕 적분기(器), 구적기(求積器) ; 〔컴퓨〕 적분 회로망(網).

***in·teg·ri·ty** [intégrəti] *n.* **1** Ⓤ 고결(高潔), 성실, 청렴 : a man of ~ 고결한 사람. **2** Ⓤ 완전, 무결(無缺) ; 보전(保全) : territorial ~ 영토의 보전. **3** 〔컴퓨〕 보전.
〖OF or L ; ⇨ INTEGER〗
類義語 ⟹ HONESTY.

in·teg·u·ment [intégjəmənt] *n.* (동식물의) 외피《피부 · 가죽 · 껍데기 따위》; (일반적으로) 포피(包皮), 외피(外皮). **-men·tal** [intègjəméntl], **-men·ta·ry** [intègjəméntəri] *a.* 외피[포피]의, (특히) 피부의. 〖L (*tego* to cover)〗

In·tel (Corp.) [íntel(-)] *n.* 인텔《미국의 세계적 반도체 · 마이크로프로세서 제작 회사》.

***in·tel·lect** [íntəlèkt] *n.* **1** Ⓤ 지력, (특히 고도의) 지성, 이지 : human ~ 인간의 지력 / a man of ~ 지적인 사람. **2** [*pl.* 또는 집합적으로] 지식인, 식자 : the ~(s) of the age 당대의 식자 / the whole ~ of the country 전국의 지식 계급.
〖OF or L ; ⇨ INTELLIGENT〗

in·tel·lec·tion [ìntəlékʃən] *n.* Ⓤ 사고(思考) ; Ⓒ (사고의 결과인) 개념(idea).

in·tel·lec·tive [ìntəléktiv] *a.* 지력의, 지성의, 지적인(intellectual) ; 이지적인, 총명한.

***in·tel·lec·tu·al** [ìntəléktʃəl, -tʃuəl] *a.* 지적인, 지력(知力)의 (cf. MORAL) ; 지능적인 ; 지력이 발달한, 이지적인 : the ~ class 지식 계급 / ~ pursuits 지적인 직업. —— *n.* 지식인, 식자.
~·ly *adv.* (이)지적으로. **ìn·tel·lèc·tu·ál·i·ty** *n.* Ⓤ 지적(知的)임, 지성.
類義語 ⟹ INTELLIGENT.

intelléctual·ìsm *n.* Ⓤ **1** 지성주의(知性主義) ; 지성 존중[편중] ; 지적 연구. **2** 〔哲〕 주지(主知)설[주의] ; 〔文藝〕 주지주의.

intelléctual·ìze *vt., vi.* 지적으로 하다, 지성적으로 처리[분석]하다, 지성을 부여하다, 사유(思惟)하다, 사고하다.

intelléctual júnkfood *n.* 손쉽게 얻을 수 있는 별로 가치 없는 정보.

intelléctual próperty *n.* 지적 재산권, 지적 소유권.

***in·tel·li·gence** [intélədʒəns] *n.* **1** Ⓤ 이해력, 지능, 사고력 : human ~ 인지(人知). **2** Ⓤ [+*to* do] 지성, 총명, (우수한) 지혜 : exchange a look of ~ 서로 의미있는 눈짓을 하다 / When a small fire broke out, Tom had the ~ *to* put it out with a fire extinguisher. 작은 화재가 났을 때 톰은 머리를 잘 써서 소화기로 그것을 껐다. **3** [때때로 I~] 지성적 존재 : the Supreme *I*~ 신(神). **4** Ⓤ (특히 중요한 일의) 보도, 정보 ; 첩보기관(secret service) : have secret ~ *of* the enemy's plans 적의 계략에 대한 기밀 정보를 갖고 있다 / an ~ agent 첩보(부)원, 스파이.

〚OF<L INTELLIGENT〛

intélligence bùreau[**depàrtment**] *n.* (특히 군의) 정보부, 정보국.

intélligence òffice *n.* =INTELLIGENCE BUREAU ;《美古》직업 소개소.

intélligence òfficer *n.* 정보 담당 장교.

intélligence quòtient *n.* 〖心〗 지능 지수《정신 연령을 100배 하여 생활 연령으로 나눈 숫자 ; 略 IQ, I.Q.》.

in·tél·li·genc·er *n.* 통보자, 정보 제공자, 내통자 ; 간첩.

intélligence sàtellite *n.* 첩보 위성.

intélligence sèrvice *n.* 정보 기관(cf. SECRET SERVICE).

intélligence shìp *n.* 정보 수집함.

intélligence tèst *n.* 〖心〗 지능 검사[테스트].

***in·tél·li·gent** *a.* **1** 이해력이 있는, 이성적인 ; 이해가 빠른, 총명한, 영리한 ; 지성을 갖춘. **2** (기계가) 식별[판단]력이 있는 ; 〖컴퓨〗 정보 처리 기능이 있는. **3** 《古》 알고 있는〈*of*〉. **~·ly** *adv.* 총명하게, 영리하게.

〚L *intellect- intelligo* to choose between, understand (*inter-*, *lego* to gather, select)〛

類義語 ***intelligent*** 경험으로 무엇을 배우거나 이해하는 능력이 있는 ; 총명한. ***clever*** 이해가 빠른 ; 때로는 완전함 · 깊이가 결여되어 있는 것을 암시함. ***alert*** 빈틈없는, 정세를 재빨리 파악하는. ***bright, smart*** 모두 《口》로는 위의 세 낱말의 뜻으로 쓰인다. ***brilliant*** 보통 사람보다 우수하고 intelligent로 고도의 지식을 가진. ***intellectual*** 예리한 지성과 더불어 고도의 지식 분야에 흥미와 능력을 가진.

in·tel·li·gen·tial [intèlədʒénʃəl] *a.* 지력(知力)의, 지적(知的)인 ; 지력을 지닌, 지력이 뛰어난 ; 통보하는, 정보를 주는.

intélligent prínter *n.* 〖컴퓨〗 인텔리전트[지능] 프린터《편집 · 연산 따위의 처리 능력을 가지고 있어 대형 컴퓨터 기능을 어느 정도 대신할 수 있는 프린터》.

intélligent róbot *n.* 지능 로봇《시각 · 촉각을 지니고 생산 공정이나 품종 변화에 즉응하는 동작을 취할 수 있는 로봇》.

in·tel·li·gen·tsia, -tzia [intèlədʒéntsiə, -gén-] *n.* [보통 the ~] 지식인, 지식 계급, 인텔리겐치아. 〚Russ.<Pol.<L ; ⇨ INTELLIGENCE〛

intélligent términal *n.* 〖컴퓨〗 인텔리전트[지능] 단말기《데이터의 입출력 외에도 편집 · 연산 · 제어 따위의 처리 능력을 어느 정도 갖춘 것》.

in·tel·li·gi·ble [intélədʒəbəl] *a.* 이해할 수 있는, 알기 쉬운〈*to*〉; 〖哲〗 지성으로 알 수가 있는, 지성적인(cf. SENSIBLE 4) : make oneself ~ 자기 말[생각]을 이해시키다. **-bly** *adv.* 알기 쉽게, 명료하게. **in·tèl·li·gi·bíl·i·ty** *n.* Ⓤ 이해할 수 있음 ; 이해도, 명료성.

In·tel·post [íntelpòust] *n.* 《英》 인텔포스트《(1) Intelsat를 통한 국제 전자 우편. (2) 영국 국내 전자 우편》.

In·tel·sat [íntelsæ̀t, -ˊˋ] *n.* 인텔사트, 국제 상업 위성 통신 기구《본부는 Washington, D.C.》. 〚*In*ternational *Tel*ecommunications *Sat*ellite Organization[원래 Consortium]〛

in·témperance *n.* Ⓤ 무절제함, 방종 ; 과도(excess) ; 호주(豪酒), 폭음 ; 난폭함, 무절제한 행위.

in·témperate *a.* **1 a**) 무절제한, 과도한 : ~ language 폭언. **b**) 혹심한, 험악한 : ~ weather. **2** 음주에 빠지는 : ~ habits 호주벽(豪酒癖), 폭음벽. **~·ly** *adv.* 무절제하게, 과도하게. **~·ness** *n.* 〚L〛

‡in·tend [inténd] *vt.* **1** [+*to* do/+do*ing*/+*that* 節/+目] (…할) 작정이다, (…하려고) 생각하다, 꾀하다, 의도하다 : I ~ *to* write to him soon. 곧 그에게 편지를 쓸 작정이다《cf. I ~*ed to have* written to him soon. 곧 편지를 쓸 생각이었다[생각이었으나 쓰지 못했다]》/ He did not ~ pay*ing* the bill, but on second thought(s) paid it. 값을 치를 생각은 아니었으나 다시 생각하여 지급했다 / We ~ *that* these rules shall be put into practice within a month. 이 규칙을 한 달 이내로 실시할 작정이다 / He seemed to ~ no harm. 그는 아무런 악의(惡意)도 품고 있는 것 같지 않았다. ☞ 活用 (1). **2** [+目+前+名/+目+*to* do] (사람 · 물건을 어떤 목적에) 충당하려고 하다, (…하게 할) 작정으로 있다, 예정[지정]하다(design) : I ~ my son ***for*** the church. 아들을 목사가 되게 할 작정이다 / The present was ~*ed for* you. 그것은 너에게 주려던 선물이었다 / She ~*ed* her second son *to* join the army. 차남을 군인이 되게 하려고 생각했었다(☞ 活用 (2)) / This portrait is ~*ed for*[*to* be] me. 이 초상화는 나를 그린다고 그린 것이다. **3** [+目/+目+前+名] 의미하다(mean) ; 〖法〗 해석하다 : What exactly do you ~ ***by*** this word? 이 단어가 의미하는 것은 정확하게 무엇이냐. —— *vi.* **1** 목적[계획]을 가지다, 의도하다. **2** 《古》 출발하다 ; 《古》 앞으로 나아가다. **~·er** *n.*

〚OF<L *in-*[2](*tens-* or *tent- tendo* to stretch)= to stretch out, direct, purpose〛

活用 (1) intend *to* do는 형식적인 표현으로 구어체에서는 보통 이것 대신에 be going to do, be thinking of do*ing* 따위를 쓴다. 즉 I *intend to go* by plane. (비행기로 갈 작정이다)는 문어적이며 구어에서는 I *will go*[*am going, am thinking of going*] by plane. 과 같이 하든가 혹은 I *am intending to go* by plane.과 같이 말한다.

(2) [+目+*to* do]의 문형을 쓸 때 I *intend for* him *to call* her.와 같이 말하는 것은 잘못이며 for를 생략하거나 1의 [+*that* 節]의 문형을 써서 I *intend that* he (*shall*) *call* her. (그가 그녀를 방문하도록 할 작정이다)와 같이 하든가 또는 보다 일반적으로는 I *intend to let*[*have*] him *call* her.와 같이 말한다. ☞ MEAN[1] 活用.

類義語 ***intend*** 어떤 일을 행하려고[말하려고] 하고 있다 : I *intend* to call on you. (너를 방문하려고 한다). ***mean*** 어떤 일을 마음속에서 생각[꾀]하고 있다 ; intend만큼 뚜렷한 목적은 나타내지 않음 : He always *means* to be kind. (언제나 친절하고자 한다). ***design*** 어떤 결과를 이루기 위해서 세심한 계획을 세우다 : They *designed* a plot to overthrow the government. (정부를 전복시키려는 음모를 꾸몄다). ***propose*** 자기 의사를 공공연히 표명하다 또는 자기 자신에게 굳게 다짐하다 : They *proposed* to fight to the last. (최후까지 싸울 것을 다짐했다). ***purpose*** propose에 덧붙여 강한 결의를 암시하다 : He *purposes* to become a statesman. (정치가가 되는 데 뜻을 두고 있다).

inténd·ance *n.* 감독, 관리 ; (스페인 · 프랑스의) 행정 관청, 지방청.

inténd·ancy *n.* Ⓤ,Ⓒ **1** intendant의 직[신분, 지위, 관할 구역]. **2** [집합적으로] 감독관. **3** 지방 행정구.

inténd·ant *n.* 감독자, 감독관 ; (라틴 아메리카 여

러나라의) 지방 장관 ; (스페인 식민지 따위의) 행정관.

in·ténd·ed *a.* 예정된, 예기의, 계획한, 고의(故意)의 ; 《口》 약혼한. —— *n.* 《口》 약혼자(fiancé ; *fem.* fiancée).

in·ténd·ing *a.* 미래의, 지망하는 : an ~ teacher 교사 지망자.

inténd·ment *n.* **1** (법률상의) 참뜻, (법의) 참뜻 해석. **2** 《古》 의도, 목적.

in·ten·er·ate [inténərèit] *vt.* 부드럽게 하다, 연화(軟化)시키다. **in·tèn·er·á·tion** *n.*
〖L *tener* soft〗

***in·tense** [inténs] *a* 심한, 격렬한 ; 지독한 ; 열렬한, 열정적인 ; 일사불란한, 온 신경을 집중한, 열심인 ; (색깔이) 진한, (명암이) 강한 : ~ heat 혹서 / ~ *in* one's studies 공부에 몰두하여.
~·ness *n.* 〖OF or L ; ⇨ INTEND〗

in·tén·si·fi·er *n.* 격렬하게[세게] 하는 것, 증강[증배(增倍)] 장치 ; 〔寫〕 증감제[액] ; 〔文法〕 강조어 ; 〔遺〕 강조 유전자.

in·ten·si·fy [inténsəfài] *vt.* 강하게 하다, 강렬하게 하다, 증강[증배]하다 ; 〔寫〕 보력(補力)하다. —— *vi.* 강해지다, 심해지다.
in·tèn·si·fi·cá·tion *n.* Ⓤ 강하게 함, 강화, 증대 ; 〔寫〕 보력(補力), 증도(增度).

in·ten·sion [inténʃən] *n.* Ⓤ 긴장 ; 강함, 세기 ; 노력 ; (정신의) 집중 ; 〔論〕 내포(內包)(connotation)(↔*extension*) ; 〔經〕 집약적 경영. **~·al** *a.* 〔論〕 내포적인, 내재적인.

***in·ten·si·ty** [inténsəti] *n.* Ⓤ 강렬, 격렬, 맹렬, 엄격성 ; 긴장, 집중 ; 강도, 세기(strength), 효력 ; 〔寫〕 명암도.

in·ten·sive [inténsiv] *a.* **1** 강한, 격렬한. **2** 〔經·農〕 집약적인 ; (일반적으로) 철저한, 집중적인(↔*extensive*) : ~ agriculture 집약 농업 / ~ reading 정독(精讀). **3** 〔文法〕 강의(強意)의, 강조의(emphasizing) ; 〔論〕 내포적인(comprehensive). —— *n.* 강하게 하는 것 ; 〔文法〕 강조어《예컨대 very, awfully 따위》. **~·ly** *adv.* 강하게 ; 집중적으로.

inténsive cáre *n.* 〔醫〕 (중증(重症) 환자에 대한) 집중 치료.

inténsive cáre ùnit *n.* 〔醫〕 집중 치료부[병동]《略 ICU》.

inténsive prónoun *n.* 〔文法〕 강조 대명사《강조 용법의 재귀대명사》.

in·tén·siv·ìsm *n.* (가축의) 집중 사육, 중방목(重放牧)《좁은 지역에서 동물을 집중적으로 번식·사육하기》.

in·tent[1] [intént] *n.* **1** Ⓤ [+*to* do] 의사, 의지, 의향(intention) ; 의도, 목적 ; 궁극의 의도[목적] : *with* evil[good] ~ 악의[선의]로 / The swindler sold the house *with* ~ *to* cheat her. 사기꾼은 그녀를 속일 목적으로 그 집을 팔았다. **2** Ⓤ 의미, 취지, 의의.
to all intents and purposes 어떤 점에서 보아도 ; 사실상, 거의.
〖OF<L ; ⇨ INTEND〗
類義語 ⟹ INTENTION.

intent**[2] *a.* **1** 열심인, 전념(專念)하는 : an ~ look 열심히 지켜보는 눈. **2** [+*on*+do*ing*] 열중하는 : He is ~ ***on his task[*on* do*ing* his best]. 일에 여념이 없다[열심히 최선을 다하고 있다]. **~·ly** *adv.* 열심히, 여념없이. **~·ness** *n.*

in·ten·tion** [inténʃən] *n.* **1** Ⓤ,Ⓒ [+*of*+do*ing*/+*to* do] 의도, 의향, 의사 : I have no ~ ***of ignor*ing* your rights. 자네의 권리를 무시하려는 의향은 없네 / His ~ *to* study English was satisfactory to us. 영어를 공부하겠다는 그의 생각에 우리는 만족스러웠다 / His ~ was to depart a week earlier. 그의 의도는 일주일 더 빨리 출발하려는 것이었다 / Good acts are better than good ~*s*. 선행은 선의보다 낫다. **2** [*pl.*] 《口》 결혼 의사. **3** 의미(meaning), 취지 ; 〔論〕 개념. **4** 〔醫〕 유합(癒合), 치유. **5** 〔神學〕 (미사를 행하는) 특별 목적 : special[particular] ~ 미사가 행해지는[기도가 올려지는] 특별한 대상.
by intention 고의로.
with good intentions 선의로, 성의를 가지고.
without intention 고의가 아니라, 무심코.
with the intention of do*ing* …할 작정으로.
〖OF<L=stretching, purpose ; ⇨ INTEND〗
類義語 ***intention*** 마음 속에 품고 있는 계획·생각 ; 일반적인 말. ***intent*** intention보다 더욱 신중하게 생각한 것을 암시함 ; 약간 형식적인 말로서 주로 법률 용어. ***purpose*** 계획에 대하여 강한 결심을 지니고 있는 것을 나타냄. ***aim*** 어떤 특별한 목적을 가지고 그것을 향해 온갖 노력을 기울이고 있는 것을 나타냄. ***goal*** 목적 달성을 위한 진지한 노력을 암시함. ***end*** 도중의 과정과 수단에 대하여 달성된 최종적인 결과를 뜻함. ***object*** 어떤 필요·욕망의 직접적인 목적(물). ***objective*** 도달할 수 있는 특별한 목적.

inténtion·al *a.* 계획적인, 작의적인, 고의적인(cf. ACCIDENTAL). **~·ly** *adv.* 고의로.
類義語 ⟹ VOLUNTARY.

inténtional báse on bálls *n.* 〔野〕 고의[경원(敬遠)] 4구.

inténtional páss[wálk] *n.* 〔野〕 고의 4구.

in·tén·tioned *a.* [때때로 복합어를 이루어] …할 작정[예정]인, 의향이 …인 : well-[ill-]~ 선의[악의]의.

in·ter [intə́ːr] *vt.* (**-rr-**) 매장하다(bury).
〖OF<Rom. (L *terra* earth)〗

inter. intermediate ; interrogation ; interrogative.

in·ter- [íntər] *comb. form* 「중(中)」「간(間)」「상호」의 뜻 : *inter*collegiate, *inter*sect.
〖OF or L (*inter* between, among)〗

interabang ☞ INTERROBANG.

ìnter·acadèmic *a.* 학교[대학]간의, 학교[대학]에 공통인.

ìnter·áct[1] *vi.* 상호 작용하다, 서로 영향을 주다.

ínter·àct[2] *n.* 《英》 막간, 막간극.
〖F *entr'acte*에 준한 것〗

ìnter·áction *n.* Ⓤ,Ⓒ 상호 작용, 상호간의 영향 ; 〔컴퓨〕 대화.

ìnter·áctive *a.* 서로 작용하는, 상호 작용의 ; 〔컴퓨〕 대화식의.

interáctive cáble tèlevision *n.* =TWO-WAY CABLE TELEVISION.

interáctive informátion retrìeval *n.* 쌍방향 정보 검색.

interáctive vídeo *n.* 쌍방향(雙方向) 텔레비전[비디오].

ìnter·ágency *n.* 중간적[중개] (정부) 기관.
—— *a.* (정부) 각 기관 사이의[으로 구성하는].

in·ter alia [ìntəréiliə] *adv.* (사물·일에 대하여) 그 중에서도, 특히.
〖L=among other things〗

in·ter ali·os [ìntəréiliòus] *adv.* (사람에 대하여) 그 중에서도, 특히.
〖L=among other persons〗

ìnter·allíed *a.* 동맹국간의 ; 연합국측의《제1차 세

계대전에서》.

ìnter-Américan *a.* 미대륙 (여러 나라) 간의 : the *I* ~ Development Bank 미주 개발 은행《略 IADB》.

ìnter-atómic *a.* 원자(상호)간의.

ìnter·bánk *a.* 은행간의, 인터뱅크의.

ìnter·blénd *vt., vi.* 섞다, 뒤섞이다, 혼합하다 〈*with*〉.

ínter·bòrough *a.* 자치 도시[읍·동]간의 ; 둘 이상의 자치 도시[읍·동]에 관한[에 있는]. ── *n.* 자치 도시간 교통《지하철·버스 따위》.

ínter·bràin *n.* 〖醫〗 간뇌(間腦), 사이골.

ìnter·bréed *vt., vi.* 교배(交配)시키다, 잡종을 만들다[이 생기다], 잡종 번식을 하다.

in·ter·ca·lary [intə́:rkəlèri, 美+-lèri] *a.* **1** 윤(閏)(일·달·년)의 : an ~ day 윤일(閏日)《2월 29일》/ an ~ year 윤년(閏年). **2** 사이에 낀 (interpolated) ; 〖地質〗 지층간의. 〖L (↓)〗

in·ter·ca·late [intə́:rkəlèit] *vt.* 윤일[달·년]을 넣다 ; 사이에 끼우다, 삽입하다. 〖L (*calo* to proclaim)〗

in·tèr·ca·lá·tion *n.* 윤일[달·년]을 넣기 ; 사이에 끼움, 삽입 ; 〖地質〗 다른 암질층 사이의 층.

in·ter·cede [intərsí:d] *vi.* [+前+名] 중재하다, 조정하다 : ~ ***with*** a person ***for***[***on behalf of***] his son 남에게 그의 아들을 위하여 좋게 말해주다. 〖F or L *inter*-(CEDE)=to intervene〗

ìnter·céllular *a.* 세포사이에 있는, 세포간의.

ìnter·cén·sal [-sénsəl] *a.* 국세 조사와 다음 국세 조사 사이의 : the ~ period.

***in·ter·cept** [ìntərsépt] *vt.* **1** (사람·물건을) 중도에서 붙들다[빼앗다], 가로채다, (통신을) 엿듣다, 방수(傍受)하다 : ~ a message 통신을 방수하다. **2** (빛·열 따위를) 가로막다 ; (도망치는 것을) 차단하다 : ~ the flight of a criminal 죄수의 탈주로를 차단하다. **3** 〖數〗 두 점[선] 사이에 넣다, 두 점[선]으로 자르다. **4** 〖競〗 인터셉트하다. **5** 〖軍〗 (적기·미사일을) 요격하다. ── [⌐-⌐] *n.* 〖數〗 절편(截片) ; 가로채기 ; 차단, 방해(interception) ; 〖軍〗 (특히 적기·미사일 따위에 대한) 요격 ; 방수(傍受)한 암호 (통신) ; 〖競〗 인터셉트. **in·ter·cép·tive** *a.* 저지하는, 가로 막는, 방해하는. 〖L *inter*-(*cept*- *cipio*=*capio* to take)〗

in·ter·cép·tion *n.* U.C 도중에서 붙잡음[빼앗음], 가로채기, 방수(傍受) ; 차단, 가로막음, 방해 ; 〖軍〗 요격, 저지 ; 〖競〗 인터셉션《인터셉트함, 또 인터셉트당한 포워드 패스》.

in·ter·cép·tor, -cépt·er *n.* 가로채는 사람[것] ; 가로막는 사람[것] ; 〖軍〗 요격기.

in·ter·ces·sion [ìntərséʃən] *n.* U.C 중재, 조정 ; 알선, 주선 : make an ~ *to* A *for* B B를 위해 A에게 좋게 말하다[A에게 B를 주선하다]. **ìn·ter·cés·sor** [-sésər] *n.* 중재자, 조정자 ; 알선자. **-ces·só·ri·al** [-səsɔ́:riəl] *a.* 중재(자)의. **-cés·so·ry** [-sésəri] *a.* 중재의 ; 남을 위한. 〖F or L ; ⇨ INTERCEDE〗

ìnter·chánge *vt.* **1** 교환하다, 바꾸다, 주고받다, 바꾸어 놓다 : ~ gifts[letters] 선물[편지]을 교환하다. **2** [+目/+目+*with*+名] 교체시키다, 번갈아 하다(alternate) : ~ severity ***with*** indulgence 엄격함과 관대함을 번갈아 섞다. ── [⌐-⌐ ;

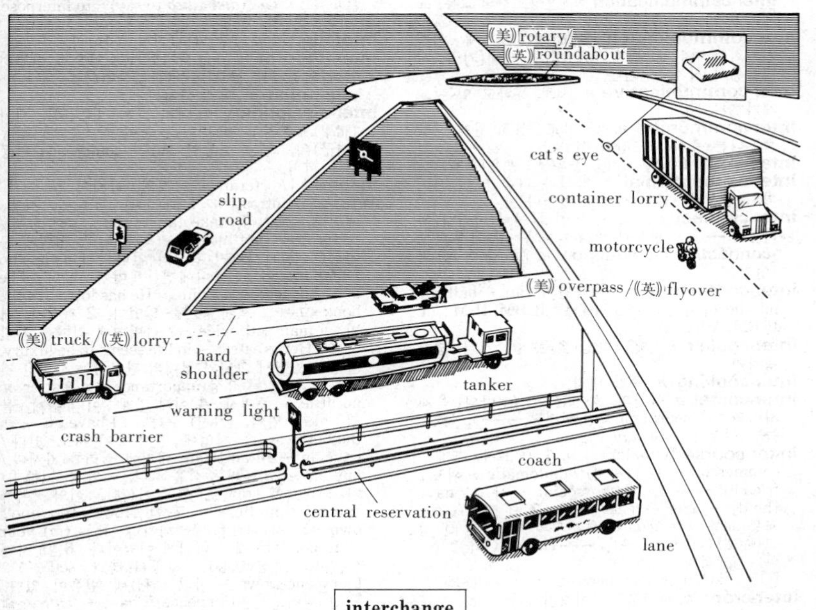

interchange

⌐-⌐] *n.* U.C **1** 교환, 주고받기 ; 교체. **2** (고속도로의) 입체 교차로, 인터체인지. **3** 《英》 (다른 교통 기관으로) 바꿔 타는 역(=∼ **stàtion**).
〚OF〛

ìnter·chánge·able *a.* 교환할 수 있는 ; 교체할 수 있는 : ∼ car parts 교환 가능한 자동차 부품 / 'Problem' and 'question' are sometimes ∼. 'problem'과 'question'은 어느쪽을 사용하여도 무방한 때가 있다《같은 의미를 나타내는 수가 있음》. **-ably** *adv.* **-changeabílity** *n.* 교환[교체] 가능성, 호환성(互換性).

ìnter·cíty *a.* (교통 따위가) 도시 사이의[를 연결하는] : ∼ traffic 도시간[연락] 교통.

Intercíty Tráin *n.* 유럽의 각국 도시를 연결하는 특급《略 IC》.

ìnter·cláss *a.* 학급간의, 학급 대항의.

ìnter·cóllege *a.* =INTERCOLLEGIATE.

ìnter·collégiate *a.* 대학 간의, 대학 연합[대항]의. —— *n.* [*pl.*] (대학 연합 주최의) 대항 경기 대회.

ìnter·colónial *a.* 식민지(상호)간의.
∼**·ly** *adv.*

ìnter·colúmnar *a.* 〖建〗 기둥 사이의.

ìnter·columniátion *n.* U 〖建〗 기둥 사이, 기둥 배치《기둥굵기에 따라서 각 기둥의 위치를 정함》.

ínter·com [-kàm] *n.* [보통 the ∼] 《口》 (배·비행기·회사 따위의) 선내[기내·사내] 통화 장치, 인터폰.

ìnter·commúnicate *vi.* 서로 왕래하다, 서로 연락하다 ; 서로 통신하다 ; (방 따위가) 서로 통하다. —— *vt.* (소식·정보 따위를) 교환하다.
ìnter·communicátion *n.* U 상호간의 교통, 교제, 연락 ; 교통로.

intercommunicátion sỳstem *n.* (배·비행기·회사 따위의) 상호 통신 방식, 선내[기내, 사내] 통화 장치 ; 인터폰.

ìnter·commúnicative *a.* 서로 통하고 있는[교제가 있는].

ìnter·commúnion *n.* U 친교 ; 상호 관계 ; 〖敎會〗 다른 종파 교도간의 성찬식.

ìnter·commúnity *n.* U 공통성 ; 공유(共有).

ìnter·concéption·al *a.* 임신과 다음 임신 사이의, (연속된) 임신 사이에 일어나는.

ìnter·connéct *vt., vi.* 서로 연결[연락]시키다[하다]. —— *n.* (전화에 의한) 내부 연락[통화].
-connéction | **-connéxion** *n.* U 상호 연락[연결].

ìnter·continéntal *a.* 대륙간의 : an ∼ ballistic missile 대륙간 탄도탄《略 ICBM, IBM ; cf. IRBM, MRBM》.

ínter·còol·er *n.* 〖機〗 (다단(多段) 압축기의) 중간 냉각기.

ínter·còol·ing *n.* 중간 냉각.

ìnter·cóstal *a.* 늑간의, 늑간근의 ; (선박의) 늑재 사이의 : ∼ neuralgia 늑간 신경통. —— *n.* 늑간, 늑간근[부]. ∼**·ly** *adv.*

***in·ter·course** [íntərkɔ̀:rs] *n.* **1** U 교통, 교제 : commercial ∼ 통상(관계) / diplomatic ∼ 외교 / friendly ∼ 우호 관계 / social ∼ 사교 / have [hold] ∼ *with* …와 교제하다. **2** U 영적(靈的) 교통[교류] : ∼ *with* God 신과의 영교. **3** U 성교(性交) (=sexual ∼). —— *vt., vi.* 《美俗》 (…와) 성교하다, 섹스하다.
〚OF=exchange, commerce<L ; ⇨ COURSE〛

ìnter·cróp *vt., vi.* 〖農〗 사이짓기하다.
—— [⌐-⌐] *n.* 사이짓기 작물.

ìnter·cróss *vt., vi.* **1** (서로) 교차시키다[하다]. **2** 이종 교배시키다[하다]. —— [⌐-⌐] *n.* **1** 잡종. **2** 이종 교배.

ìnter·crúral *a.* 〖醫〗 가랑이 사이의.

ìnter·cúltural *a.* 이종(異種)문화간의.

ìnter·cúrrent *a.* 사이에 일어나는[생기는], 중간의 ; 〖醫〗 병발(並發)하는, 간헐적(間歇的)인.

ìnter·cút *vt., vi.* 〖映·TV〗 인터컷하다. —— [⌐-⌐] *n.* 인터컷의 필름[장면].

ìnter·dáte *vi.* 《美》 종교[종파]가 다른 사람과 데이트하다.

ìnter·denominátion·al *a.* 각 종파간의.

ìnter·déntal *a.* 잇새의 ; 〖音聲〗 치간(齒間)의《혀끝을 윗니와 아랫니 사이에 대고 발음하는》.
∼**·ly** *adv.*

ìnter·departméntal *a.* 각 부(部)[국(局)·성(省)]간의, (특히 교육기관의) 각 학과 간의.

ìnter·depénd *vi.* 상호 의존하다.

ìnter·depénd·ence, -cy *n.* U 상호 의존.

ìnter·depénd·ent *a.* 서로 의존하는.
∼**·ly** *adv.* 서로 의존하여.

in·ter·dict [ìntərdíkt] *vt.* 금지하다 ; 못하게 하다, 방해하다, 저지하다 ; 〖카톨릭〗 (성사 수여·예배 따위를) 금하다 ; (적의 보급·통신 시설 따위를 폭격·포격 따위로) 파괴하다.
—— [⌐-⌐] *n.* 금지, 금령(禁令), 금제 ; 〖카톨릭〗 성사 수여[예배 따위]의 금지 ; 파문(破門).
ìn·ter·díc·tive *a.* **ìn·ter·díc·tion** *n.* U.C 금지, 금제(禁制), 정지 ; 〖法〗 금치산 선고 ; 〖軍〗 저지《군사 행동의 제지를 위한 포격·폭격》.
ìn·ter·díc·tor *n.* **ìn·ter·díc·to·ry** *a.* 금지의, 금제의.
〚OF<L *inter*-(*dict*- *dico* to say) =to interpose, forbid by decree〛

ìnter·dígital *a.* 손가락[발가락] 사이의.

ìnter·dígitate *vt., vi.* 깍지낀 손모양으로 단단히 얽다[얽히다], 서로 맞물다[맞물리다].
-digitátion *n.* 서로 깍지끼기.

ìnter·dísciplinary *a.* 여러 학문 상호간의, 제학(諸學)제휴의 ; (서로 다른 분야 상호간의) 협동(연구)의, 협동 활동의 : an ∼ conference 협동 연구 회의.

in·ter·dit [*F* ɛ̃tɛrdi] *a.* 금지된, 금제의.

◇**in·ter·est** [íntrəst] *n.* **1** U.C 관심, 흥미, 감흥, 재미남, 호기심 : take (an) ∼ in... ☞ 숙어 / feel a great[not much] ∼ *in* politics 정치에 큰 관심을 갖다[그다지 관심이 없다] / This has no ∼ *for* me. 이것은 나에겐 재미가 없다 / The book has lost ∼ *for* him. =He has lost ∼ *in* the book. 그는 그 책에 흥미를 잃었다. **2** 관심사, 취미 : a man with wide ∼*s* 다방면에 취미를 가진 사람 / Her greatest ∼ in life seems to be luxury. 인생에 있어서 그녀의 최대의 관심사는 사치인 것 같다. **3** U 중요성(importance) : a matter *of* no little ∼ 중대사. **4** 이해 관계 ; 이익 관계, 물권 ; 이권, 권익, (가진) 주(株) : I have an ∼ *in* the business. 그 사업에 관계[출자]하고 있다 / have an ∼ *in* an estate 대지에 권리를 가지다 / buy an ∼ *in* …의 주식을 사다, …의 주주(株主)가 되다. **5** [때때로 *pl.*] 이(利), 이익, 이득(profit) : public ∼*s* 공익 / look after one's own ∼*s* 사리(私利)를 꾀하다 / It is (*to*) your ∼ to go. 가는 것이 너에게 이익이다. **6** U 사리(사욕), 사심(私心), 사정(私情) (=self-∼) : know one's own ∼ 사리(私利)에 빈틈이 없다. **7** U 세력, 신용(influence) : have ∼ *with* …에 세력[신용]이 있다, …에 잘 통하다 / make ∼ *with* 에 잘 통하게 하다, 에 얼굴이 잘 알려

지게 하다 / use ~ *with* …에 진력하다 / through ~ *with* …의 연줄로, …의 연고로. **8** [집합적으로 또는 *pl.*] 업자, (이해)관계자, 주장, (특정 업종[활동분야]의) 동업[주장]자들, 실업계[재계]의 실력자 그룹, …측, …당, …파 : the banking [iron] ~ 은행[제철]업자 / the landed ~ 지주들 / the brewing ~ 양조업(자들) / Protestant ~ 신교파 / the business ~*s* 대사업가들. **9** Ⓤ 이자 : ~ *at* 5% 5부 이자 / ~ *on* a loan 빚[대출, 차관]의 이자 / annual[daily] ~ 연리(年利)[일변] / simple[compound] ~ 단[복]리.

at interest 이자를 붙여서 : *at* 5 percent ~ 5부 이자로(cf. 9) / *at* high[low] ~ 고[저]리(高[低]利)로.

in the interest(s) of... (진리·국가 따위를) 위하여 ; (회사 따위의) 용무로.

of interest (1) 흥미가 있는(interesting) : places *of* ~ 명소(名所) / a matter *of* great ~ *to* me 나에게 매우 흥미 있는 일 / This may be *of* ~ *to* readers in general. 이것이 일반 독자에게게는 흥미가 있을지 모른다. (2) ☞ 3.

take (an) interest in …에 흥미[관심]를 갖다 : He seemed to *take* no ~ at all *in* his food. 음식에는 전혀 흥미가 없는 것 같았다 / He *takes a* great ~ *in* sport(s). 스포츠에 큰 관심을 가지고 있다.

with interest (1) 흥미를 가지고 : I read the story *with* great ~. 그 이야기를 몹시 재미있게 읽었다. (2) 이자를 붙여서 : return a kiss *with* ~ 더욱 세게 키스해 주다.

〈회화〉
Why did you stop reading that book? — I lost *interest* in it.「왜 그 책 읽는 것을 그만두었니」「흥미가 없어졌어」

— *vt.* **1** [+目/+目+*in*+名] …에 흥미를 일으키게 하다, 관심을 갖도록 하다 : The story did not ~ me. 그 이야기가 내겐 재미 없었다 / The professor could ~ the students ***in*** English literature. 교수는 학생들에게 영문학에 관심을 갖도록 할 수 있었다. 注 때때로 수동태로 쓰이며 interested는 형용사적으로 됨[+*to* do](cf. INTERESTING) : I *am* much[very] ~*ed in* music. 음악에 매우 흥미를 느끼고 있습니다(☞ 活用 (1)) / I should *be* ~*ed to* hear the end of the play. 그 연극이 어떻게 끝나는지 듣고 싶은데요. **2** [+目+*in*+名] …에게 이해 관계를 갖도록 하다, 관계[가입]시키(려고 하)다, 끌어 넣다 : Can I ~ you ***in*** a game of bridge? 브리지놀이를 한번 할 마음은 없습니까 / The agent tried to ~ him *in* buy*ing* the house. 중개업자는 그에게 그 집을 사도록 주선했다. ☞ 活用 (2).

interest oneself in …에 흥미를 가지다 ; …에 분주하다.

〖ME *interesse*<AF<L *inter-*(*esse* to be) = to be between, make difference, concern〗

活用 (1) be interested(흥미가 있다)를 수식하는 강조의 부사로서는 much가 보통이며 very는 주로《口》에 쓰임.
(2) *vt.* 1의 의미나 *vt.* 2의 의미에 의하여 He is *interested in* shipping.은「해운업에 흥미를 가지고 있다」라는 의미로도 또「해운업에 관계[투자]하고 있다」라는 의미로도 된다.

‡**ínterest·ed** *a.* **1** 흥미를 가진(cf. INTERESTING ; ☞ INTEREST *vt.* 1 注, 活用) : ~ spectators 흥겨워 하는 구경꾼 / an ~ look 흥겨운 표정. **2** 이해 관계가 있는 : ~ parties 사건의 이해관계자, 당사자 / the person ~ 관계자. **3** 사리(私利)에 좌우된, 사심(私心)이 있는(cf. UNINTERESTED, DISINTERESTED) : ~ motives 불순한 동기. **~·ly** *adv.* 흥미를 가지고 ; 자기의 이득을 생각하여.

ínterest gròup *n.* 〖社〗이익 공동체[집단, 그룹, 단체].

◇**ínterest·ing** *a.* 흥미있는, 재미있는(cf. INTERESTED 1) : an ~ book 재미있는[흥미로운] 책 / The story is very ~ *to* me. 그 이야기는 내게 아주 재미있다(cf. *be* interest*ed to* do ☞ INTEREST *vt.* 1 注).

in an interesting condition [situation]《古》임신하여《완곡한 말》.

It is interesting to do …하는 것은 흥미롭다 : *It is* ~ *to* note[notice] that we are never so unhappy as we suppose. 우리는 결코 우리가 생각하고 있는 것만큼 불행하지 않다는 점에 주목해 보면 흥미가 있다.

~·ly *adv.* 재미있게 ; 재미나게도.

ínterest ràte *n.* 금리, 이율(利率).

ínter·fàce *n.* 중간면, 접촉면 ; 〖理〗계면(界面) ; (상호) 작용을 미치는 영역 ; 상호 작용[전달]의 수단 ; 〖컴퓨〗인터페이스《정보처리기능을 가진 두 부분 사이의 접속, 또는 그 접속을 위한 장치》 : the ~ between the scientist and society 과학자와 사회의 접점. — *vt.* …을 (…에) 잇다 ; (순조롭게) 조화[협력]시키다 ; 〖컴퓨〗(…와) 인터페이스로 접속하다〈*with, to*〉.

ínterface verificátion *n.* 〖로켓〗인터페이스 검사《로켓 발사 때 관련 기기의 상호 작동 상태를 체크하는 검사》.

ìnter·fácial *a.* (결정체의 모서리가) 두 면 사이에 낀 ; 계면(界面)의.

ín·ter·fàcing *n.* 〖服〗(접는 부분의) 심.

ìnter·fáith *a.* 다른 종파[교파, 교도(敎徒)]간의, 종파를 초월한.

in·ter·fere** [ìntərfíər] *vi.* **1** [動/+*with*+名] (사람·사물이) 방해되다, 훼방놓다, 지장을 주다 ; (사물이) 저촉되다 : I shall come if nothing ~*s*. 사정이 허락되면 찾아뵙겠습니다 / Rain and snow ~ ***with the work. 비나 눈이 오면 그 일에 지장이 생긴다 / Don't try to ~ *with* other people's comfort. 남의 편안함을 방해하려 하지 마십시오. **2** [動/+*in*+名] 간섭하다, 참견하다 (meddle) : You should not ~ ***in*** private concerns. 사적인 일에 참견해서는 안된다. **3** (어떤 일에) 발벗고 나서다, 중재[조정]하다(intervene). **4** 〖理〗(광파·음파·전파 따위가) 간섭하다. **5** 〖競〗(불법으로) 방해하다 ; (말이) (자기의) 다리와 다리를 부딪치다 ; 같은 발명의 우선권을 다투다.

〖OF (rflx.) = to strike each other (L *ferio* to strike)〗

類義語 ⟹ MEDDLE.

***ìn·ter·fér·ence** *n.* Ⓤ,Ⓒ **1** 간섭, 참견, 방해 ; 저촉 ; 〖競〗불법 방해 ; (같은 발명의) 우선권 다툼. **2** 〖理〗(광파·음파·전파 따위의) 간섭 ; 〖通信〗방해, 혼신 ; 〖心〗(기억의) 방해.

〖↑ ; DIFFER : DIFFERENCE 따위의 유추〗

ìn·ter·fér·ing *a.* 간섭[참견]하는, 방해하는 ; 남의 일에 덥적거리는.

in·ter·fer·om·e·ter [ìntərfərámətər] *n.* 〖理〗간섭계(干涉計).

in·ter·fer·on [ìntərfíəran] *n.* 〖生化〗인터페론《바이러스 증식 억제 물질》.

〖INTERFERE, *-on*〗

ìnter·flów *vi.* 합류(合流)하다 ; 혼합하다.

—— [ˊ-ˋ] *n.* 합류 ; 혼합.
ìnter·flúent *a.* 합류[혼류]하는.
ìnter·fúse *vt., vi.* 침투[침윤]시키다, 스며들게 하다[들다] ; 혼합시키다[하다].
ìnter·fúsion *n.* U,C 침윤, 침투 ; 혼합.
〖L ; ⇨ FUSE[2]〗
ìnter·fútures *n.* 미래 상관(相關)《OECD 가맹국의 전문가로 구성된 미래 예측 프로젝트》.
ìnter·galáctic *a.* 〖天〗 은하계간(공간)의.
ìnter·generátion·al *a.* 세대 사이의.
ìnter·glácial *a.* 〖地質〗 (두) 빙하시대 중간의, 간빙기의.
interglácial épоch *n.* 간빙기.
ìnter·governméntal *a.* 정부간의 : an ~ agreement 정부간 협정.
ìnter·gráde *vi.* (동식물의 종(種) 따위가) 단계적으로[서서히] 변화하다. —— [ˊ-ˋ] *n.* 중간 단계 [형식, 정도].
ìnter·gróup *a.* 그룹[집단] 사이의, (특히) 다른 민족[인종]간의.
in·ter·im [íntərəm] *n.* **1** 짬, 잠시(meantime) : in the ~ 그 사이에, 그 자리에서. **2** 잠정 조치, 가결정.
—— *a.* 당장의, 임시의, 중간의, 잠시의, 가(假)의, 잠정적인 : an ~ certificate 가(假)증서 / an ~ report 중간 보고. —— *adv.* 그 사이에.
〖L (*inter-*, *-im* adv. suf.) = in the meantime〗
ínterim dívidend *n.* 〖保險〗 (결산기전에 주는) 중간 배당.
ìnter·indivídual *a.* 개인간의.
***in·te·ri·or** [intíəriər] *a.* **1** 안의[에 있는], 내부의, 안쪽의(↔*exterior*), 실내의. **2** 오지의, 내지(內地)의. **3** 내국의, 국내의(↔*foreign*) : ~ trade 국내 무역. **4** 내적인, 정신적인 ; 개인적인, 비밀의. —— *n.* **1** 내부, 내측 ; 실내(도) : the ~ of a Korean house 한국 가옥의 내부. **2** 내륙, 오지(奧地). **3** [the ~] 내정(內政), 내무. **4** (건물의) 내부사진. **5** 내심, 본성. **6** 〖映·劇〗 실내 장면[세트].
the Department* [*Secretary*] *of the Interior 《美》 내무부[장관].
~·ly *adv.* 안[내부]에 ; 내면적으로.
〖L (compar.) ‹ *inter* among〗
intérior ángle *n.* 〖數〗 내각(內角).
intérior ballístics *n.* 포내부 탄도학.
intérior decorátion [**desígn**] *n.* 실내장식.
intérior décorator [**desígner**] *n.* 실내 설계가[장식가], 인테리어 디자이너.
in·ter·i·or·i·ty [intìəriɔ́(:)rəti, -ár-] *n.* U 내적임, 내면[내부]성.
intérior línemen *n.* 〖美蹴〗 공격측 양 엔드를 제외한 안쪽의 5인 선수.
intérior mónologue *n.* 내적 독백《등장 인물의 의식의 흐름을 나타내는 소설내의 독백》.
interj. interjection.
in·ter·ja·cent [ìntərdʒéisənt] *a.* 개재하는, 사이에 있는, 중간의.
in·ter·ject [ìntərdʒékt] *vt., vi.* 불쑥 말참견하다 ; 말난 김에 말하다.
〖L (*ject- jacio* to throw)〗
***in·ter·jec·tion** [ìntərdʒékʃən] *n.* **1** U,C 불의의 외침[발성], 감탄. **2** 〖文法〗 감탄사《ah !, eh ?, Heavens! 따위 ; 略 int., interj.》.
interjéction·al *a.* 삽입적인, 외치는 소리의 ; 〖文法〗 감탄사의. **-al·ly** *adv.*
in·ter·jec·to·ry [ìntərdʒéktəri] *a.* 감탄사의, 감탄사적인 ; 불쑥 끼워 넣은.

ìnter·knít *vt.* 짜[엮어] 맞추다.
ìnter·láboratory [; -ləbɔ́r-] *a.* 연구실간의.
ìnter·láce *vt.* [+目/+目+*with*+名] 짜 맞추다, 섞어 짜다 ; 〖TV〗 (주사선을) 비월(飛越)시키다 ; 혼합시키다 : We make baskets by *interlacing* reeds or fibers. 바구니는 갈대나 섬유를 엮어서 만든다 / The narrative was ~*d* ***with*** anecdotes. 그 이야기에는 일화가 섞여 있었다. —— *vi.* 짜 맞추어지다, 섞어 짜여지다.
~d *a.* 〖紋〗 엇갈리게 짜인 : ~*d* scanning 〖TV〗 = INTERLACING. 〖OF〗
ìnter·lácing *n.* 〖TV〗 비월주사(飛越走査)《영상을 두 선군(線群)으로 나누어 번갈아 주사시키는 방법》.
ìnter·láminate *vt.* 박편 사이에 끼워 넣다 ; 박편으로 하여 번갈아 포개다.
ìnter·lárd *vt.* [+目+*with*+名] (이야기·문장 따위에) 섞다 : The speaker ~*ed* his long speech ***with*** amusing stories. 그 연사는 긴 강연의 군데군데에 재미있는 이야기를 섞어 가며 말했다.
〖F〗
ìnter·láy *vt.* 사이에 (끼워) 넣다.
ínter·lèaf *n.* 끼워 넣은 백지, 속장, 간지(間紙).
—— *vt.* = INTERLEAVE.
ìnter·léave *vt.* [+目/+目+*with*+名] (책에) 백지《따위》를 끼워 넣다 ; …에 꽂아넣다 : The dictionary is ~*d* ***with*** a sheet of blank paper. 그 사전에는 백지가 한장 끼워져 있다.
—— *n.* 〖컴퓨〗 기억 장치를 여러 부분으로 나누고 그 동작 주기를 조금씩 차이지게 하여 등가적(等價的)으로 고속화하는 일.
in·ter·leu·kin [íntərlù:kən] *n.* 〖生化〗 인터루킨《림프 세포나 단핵 백혈구에서 생성되는 저분자량 합성체로 면역 계통의 조정 인자》.
ìnter·líbrary lóan *n.* 도서관 상호 대출 (제도).
ìnter·líne[1] *vt.* [+目/+目+前+名] (문서의) 행간(行間)에 글씨를 써넣다 ; 행 사이에 써넣다[인쇄하다] : The manuscript was ~*d* ***with*** his corrections. 그 원고의 행간에는 그가 정정한 문구가 써넣어져 있었다 / The teacher ~*d* corrections ***on*** the pupils' compositions. 교사는 학생들의 작문의 행간에 수정한 문구를 써넣었다.
—— *vi.* 행간에 글씨를 써 넣다, 행 사이에 인쇄를 하다. 〖LINE[1]〗
interline[2] *vt.* (의복)의 겉감과 안감 사이에 심을 넣다. 〖LINE[2]〗
interline[3] *a.* 둘 이상의 노선에 걸치는[을 이용하는]《수송 기관·운임 따위》.
〖LINE[1]〗
ìnter·línear *a.* 행간(行間)에 쓴[인쇄한] ; 한 줄 걸러서 쓴[인쇄한] ; (성서 따위의) 행 사이에 단 주석[번역]의 : an ~ gloss 행간 주석 / ~ translation 행간 번역. —— *n.* 행간에 인쇄한 책, 행간 번역본.
ìnter·lineátion *n.* U,C 행간에 써넣기.
ínterline bággage tàg *n.* (타항공사 항공기로의) 갈아타기용 꼬리표.
ínterline fàre *n.* = JOINT FARE.
ínterline pàssenger *n.* (타항공사기로) 갈아타는 승객.
ìnter·língua *n.* U 과학자용 인공 국제어.
ínter·lìning *n.* U (의복의) 겉감과 안감 사이에 넣은 심.
ìnter·línk *vt.* 연결하다. —— *n.* 연결 고리.
ìnter·lóck *vi., vt.* 연결하다[시키다], 결합하다, 맞물리(게 하)다 ; 〖컴퓨〗 인터록하다 : ~*ing* signals 〖鐵〗 연동식 신호, 연쇄 신호. —— *a.* (직

물이) 양면 짜기인. ——[⌐-⌐] *n.* 맞물린 상태 ; 연결 ; (안전을 위한) 연동 장치 ; 〖映〗 (촬영과 녹음을 연동시킨) 동시 장치 ; 〖컴퓨〗 인터록《진행 중인 동작이 끝날 때까지 다음 동작이 개시되지 않도록 하는 일[장치]》.

ìnter·lóck·ing diréctorate *n.* 겸임 중역회[제] 《한 회사의 중역이 서로 다른 회사의 중역을 겸임하는 경영법》.

ìnter·locútion *n.* 대화, 문답(dialogue).

in·ter·loc·u·tor [ìntərlɑ́kjətər] *n.* (*fem.* **-tress** [-trəs], **-trice** [-trəs], **-trix** [-trìks]) 대화[대담]자 ; 《美》 흑인 연주단의 사회자 : my ~ 나와 이야기를 하는[했던] 사람, 상대방.
〖L (*locut- loquor* to speak)〗

in·ter·loc·u·to·ry [-lɑ́kjətɔ̀:ri ; -təri] *a.* 대화(체)의, 문답체의 ; 〖法〗 중간(판결)의.

ìnter·lópe [-lóup] *vi.* (남의 일에) 참견하다 ; 주제넘게 나서다 ; 남의 일에 간섭하다, 남의 권리를 침해하다 ; 허가없이 영업하다.
〖역성(逆成) ‹↓〗

in·ter·lop·er [íntərlòupər, ⌐-⌐-] *n.* 방해자, 침입자 ; 무허가 영업자.
〖Du. *loopen* to run ; LANDLOPER 따위에 준한 것〗

in·ter·lude [íntərlù:d] *n.* **1** 막간(interval) ; 막간극, 막간의 연예. **2** 〖樂〗 간주곡. **3** 사이 ; 중간에 일어난 일, 에피소드. **4** 〖史〗 중간극《희극의 시초》. 〖L (*ludus* play)〗

ìnter·lúnar *a.* 달이 보이지 않는 기간의《음력 그믐경의 약 4일간》.

ìnter·márriage *n.* Ⓤ (다른 인종·계급·씨족 간의) 결혼 ; 근친[혈족] 결혼 ; 〖法〗 결혼(marriage).

ìnter·márry *vi.* (이족(異族) 따위가) 결혼에 의해 맺어지다 ‹*with*› ; 근친[혈족] 결혼을 하다.

ìnter·máxillary *a.* 〖解〗 위턱뼈 사이에 있는.

ìnter·méddle *vi.* 간섭하다, 참견하다, 주제넘게 나서다‹*with, in*›.

ìnter·média *n. pl.* **1** INTERMEDIUM의 복수형. **2** 인터미디어《음악·영화·무용·전자 공학 따위를 복합한 예술》. —— *a.* 다양한 미디어를 동시에 사용한.

in·ter·me·di·ary [-mí:dièri ; -diəri] *n.* (일반적으로) 매개 ; 매개자[물] ; 중재인 ; 중간 단계(의 형태[산물]).
through the intermediary of …을 매개[중개]로 하여.
—— *a.* 중간의 ; 중계의, 중개의 : the ~ business 중개업 / an ~ post office 중계 우체국.

***ìnter·médiate** *a.* 중간의 : an ~ range ballistic missile 중거리 탄도탄《略 IRBM ; cf. ICBM, MRBM》. —— *n.* 중간물 ; 중개[매개]자 ; 조정자 ; 《英》 중간시험 ; 〖化〗 중간 생성물[물질] ; 《美》 중형차(車). —— *vi.* 사이에 들다(intervene) ; 중개하다, 조정하다‹*between*›.
~·ly *adv.* **~·ness** *n.* 〖L ; ⇨ MEDIUM〗

intermédiate bóson *n.* 〖理〗 W입자(W particle).

intermédiate énergy núclear phỳsics *n.* 〖理〗 중간 에너지 핵물리학.

intermédiate fréquency *n.* 〖理·通信〗 중간 주파수.

intermédiate hỳbrid *n.* 〖生〗 중간 잡종.

intermédiate rànge ballístic míssile *n.* 중거리 탄도탄《略 IRBM》.

intermédiate schóol *n.* **1** 《美》 중학교(junior high school). **2** 《美》 보통 초등 학교 4-6학년 과정의 학교. **3** 《英》 초등 학교 상급 학년과 중학교의 중간 과정의 학교《12-14세의 학생들을 수용함》.

intermédiate technólogy *n.* 중간 기술《소규모·간단·자족을 내세우며 환경과 자연 보호의 양립을 주창하는 과학 기술(관)》.

ìnter·mediátion *n.* Ⓤ 매개, 중개 ; 조정, 중재.

ìnter·médiator *n.* 중개자 ; 조정자, 중재자.

ìnter·médium *n.* 중간물, 중개[매개]물.

intér·ment *n.* Ⓤ,Ⓒ 매장, 토장(土葬) (burial).
〖INTER〗

in·ter·mez·zo [ìntərmétsou, -médzou] *n.* (*pl.* **-mez·zi** [-métsi:, -médzi:], **~s**) (연극·가극 따위의) 막간의 연예 ; 〖樂〗 간주곡.
〖It. ; ⇨ INTERMEDIATE〗

ìnter·migrátion *n.* Ⓤ 상호 이주(移住).

in·términable *a.* 끝없는, 무한한 ; 장황한, 지리하게 계속되는《연설 따위》 ; [the I~] 무한의 실재, 신(God). **-bly** *adv.* 그칠 줄 모르게, 끝없이.
〖OF or L〗

ìnter·míngle *vt.* [+目/+目+*with*+名] 뒤섞다, 혼합하다(mingle) : The photographs are ~*d* ***with*** news and articles. 사진들 사이에 뉴스와 논설이 끼여 있다. —— *vi.* [動/+*with*+名] 뒤섞이다 : The shadow ~*d* ***with*** the sunshine. 그늘이 햇빛과 뒤섞였다.

in·ter·mis·sion [ìntərmíʃən] *n.* **1** Ⓤ,Ⓒ 중지, 휴지 : work with a short ~ at noon 정오에 잠깐 쉬고 일하다 / without ~ 휴식 없이. **2** 휴식 시간 (break) ; 《美》 (연극 따위의) 막간(=《英》 interval). 〖L ; ⇨ INTERMIT〗

in·ter·mit [ìntərmít] *vt., vi.* (**-tt-**) 일시 멈추다[그치다], 중절[중단]시키다[하다] (suspend), 중지하다 ; 〖醫〗 (신열 따위가) 단속(斷續)하다, (맥박이) 결체(結滯)하다.
〖L (*miss- mitto* to let go)〗

ìn·ter·mít·tent *a.* 간간이 중단되는, 단속하는, 간헐성(間歇性)의 : an ~ spring 간헐천(泉).
—— *n.* 〖醫〗 간헐열. **~·ly** *adv.* 간헐[단속]적으로. **-mít·tence, -tency** *n.* Ⓤ 중단, 단속(斷續), 간간이 그침.

intermíttent cúrrent *n.* (전신(電信)·벨의) 단속 전류.

intermíttent féver *n.* 〖醫〗 (말라리아 따위의) 간헐열(熱).

ìn·ter·mít·ter, -tor *n.* 중단하는 사람 ; 〖映〗 (카메라·영사기의) 간헐 기구(間歇機構).

ìnter·míx *vt.* [+目/+目+*with*+名] 섞다, 혼합하다 : smiles ~*ed* ***with*** tears 눈물 섞인 웃음. —— *vi.* 섞이다 : Oil and water do not ~. 기름과 물은 섞이지 않는다.

ìnter·míxture *n.* Ⓤ 혼합 ; Ⓒ 혼합물.

ìnter·módal *a.* 각종 수송기관을 통합하여 이용하는 : ~ transportation 협동 일관(一貫) 수송.

ìnter·modulátion *n.* 〖電〗 상호 변조 : ~ distortion 〖電子〗 상호 변조 왜곡.

ìnter·móntane, -mónt [-mɑ́nt], **ìnter·móuntain** *a.* 산간의 : an ~ hamlet 산촌.

ìnter·múral *a.* **1** 여러 기관[단체] 간의, 여러 도시간의 : an ~ athletics 기관[도시] 대항 운동 시합. **2** (건물·도시 따위가) 벽에 둘러싸인.

in·tern[1] [intə́:rn, ⌐-] *vt.* (포로 등을 일정한 구역내에) 구금[억류]하다 ; (위험 인물 등을) 강제 수용[격리]하다. ——[⌐-] *n.* 피(被)억류자.
〖F *interner* ; ⇨ INTERNAL〗

in·tern[2], **in·terne** [íntə:rn] *n.* 《美》 인턴, 수련의(醫)《병원에서 실습을 하는 의대 졸업생 ; cf. RESIDENT *n.* 4》 ; 교육 실습행, 교생. —— *vi.* 인턴으로 근무하다.

〚F *interne* (↑)〛

***in·ter·nal** [intə́ːrnl] *a.* **1** 내부의(↔ *external*) : for ~ use 내복의 《약》/ ~ medicine 내과학(cf. SURGERY). **2** 내면적인, 내재적인, 본질적인 : ~ evidence 내적 증거《다른 것에 의하지 않고 자체에 갖춰진 증거》. **3** 내국의, 국내의, 내정(內政)의 : ~ debts[loans] 내국채(內國債) / ~ revenue 《美》 내국세 수입(=《英》 inland revenue) / ~ troubles 내분. **4** 정신적인, 내면적인, 주관적인 ; 〔解〕 체내의. —— *n.* [*pl.*] (사물의) 본질, 실질 ; 내부 ; 내장(entrails).

~·ly *adv.* 내부에, 내면적으로, 국내에서.

in·ter·nal·i·ty [intərnǽləti] *n.* Ⓤ 내재(성).

〚L (*internus* inward)〛

intérnal ángle *n.* 〔數〕 =INTERIOR ANGLE.

intérnal-combústion èngine *n.* 〔機〕 내연(內燃) 기관《略 ICE》.

intérnal éar *n.* 〔解〕 내이(內耳).

intérnal·ize *vt.* 내면적으로 하다, 내면화하다 ; (특히 다른 집단의 가치·습관 따위를) 흡수하다, 습득하다 ; 주관화하다(↔*externalize*).

intèrnal·izátion *n.* 내면화 ; 《美》〔證〕 증권 거래소가 아닌 증권 회사에서 주식을 매매하는 일.

intérnal pollútion *n.* (의약품·식품 유해 물질에 의한) 체내 오염.

Intérnal Révenue Sèrvice *n.* [the ~] 《美》 국세청《略 IRS》.

intérnal secrétion *n.* 〔醫〕 내분비물, 호르몬.

intérnal stórage *n.* 〔컴퓨〕 내부 기억 장치.

internat. international.

‡ìnter·nátional *a.* **1** 국제(상)의, 국가간의, 국제적인, 만국의 : an ~ conference 국제 회의 / an ~ exhibition 만국 박람회 / an ~ servant 국제 공무원《유엔 전문 기관 따위의 직원》/ ~ affairs 국제 문제 / ~ exchange 외국환 / an ~ official record 〔競〕 공인 세계 기록 / ~ public [private] law 국제 공법[사법] / over ~ waters 공해상에서. **2** 국제간에 정해진.

—— *n.* **1** 국제경기 출전자, 국제경기. **2** [때때로 I~] 국제 노동 운동 기관 ; [I~] 국제 노동자 동맹, 인터내셔널《International Workingmen's Association의 略》. **3** 두 나라(이상)에 관계하는 인물[기업, 조직].

the First International 제1 인터내셔널《Marx를 중심으로 런던에서 조직 ; 1864-76》.

the Second International 제2 인터내셔널《파리에서 조직 ; 1889-1914》.

the Third International 제3 인터내셔널《Communist International ; 줄여서 Comintern이라고 함 ; 모스크바에서 조직 ; 1919-43》.

the Fourth International 제4 인터내셔널《1936년 Trotsky를 중심으로 소수 급진론자들이 조직》.

~·ly *adv.* 국제(國際)간에, 국제적으로.

ìn·ter·nà·tion·ál·i·ty *n.* Ⓤ 국제적임, 국제성.

internátional adjudcátion *n.* 국제 재판.

Internátional Áir Trànsport Associàtion *n.* [the ~] 국제 항공 운송 협회《略 IATA》.

Internátional Ámateur Athlétic Federàtion *n.* [the ~] 국제 육상경기 연맹《略 IAAF》.

Internátional Atómic Énergy Àgency *n.* [the ~] 국제 원자력 기구《略 IAEA》.

internátional bálance of páyments *n.* 국제 수지.

Internátional Bánk for Reconstrúction and Devélopment *n.* [the ~] 국제 부흥 개발 은행《略 IBRD ; 속칭 World Bank》.

internátional cándle *n.* 〔光〕 국제 표준 촉광 《1940년까지 쓰여졌던 광도 단위, 현재의 단위는 candela》.

Internátional Chámber of Cómmerce *n.* [the ~] 국제 상업 회의소《略 ICC》.

Internátional Cívil Aviátion Organizàtion *n.* [the ~] (유엔의) 국제 민간 항공 기구《略 ICAO》.

Internátional Códe *n.* [the ~] (선박의) 국제 기(旗)신호 ; 국제 공통 전신 부호.

Internátional Commíttee of the Réd Cróss *n.* [the ~] 국제 적십자 위원회《略 ICRC》.

internátional commódity agrèement *n.* 국제 상품 협정.

internátional cópyright *n.* 국제 저작권.

Internátional Cóurt of Jústice *n.* [the ~] 국제 사법 재판소《略 ICJ》.

internátional dáte lìne *n.* [the ~] 국제 날짜 변경선(date line)《略 IDL》.

Internátional Devélopment Associàtion *n.* [the ~] (유엔의) 국제 개발 협회《略 IDA》.

In·ter·na·tio·nale [ìntərnæ̀ʃənáːl, 美+-nǽl ; *F* ɛ̃tɛrnasjɔnal] *n.* **1** [the ~] 인터내셔널의 노래《공산주의자·노동자들의 혁명가》. **2** 국제 노동자 동맹(International).

〚F (fem.) < *international*〛

Internátional Énergy Àgency *n.* [the ~] 국제 에너지 기구《略 IEA》.

internátional envíronment làw *n.* 국제 환경법.

Internátional Fílm Féstival *n.* 국제 영화제《略 IFF》.

Internátional Geophýsical Yéar *n.* [the ~] 국제 지구 관측년《略 IGY》.

Internátional Ínstitute for Strategic Stúdies *n.* [the ~] 《英》 국제 전략 연구소《略 I.I.S.S.》.

internátional·ìsm *n.* Ⓤ 국제(협조)주의 ; 국제성 ; [I~] 국제 공산[사회]주의.

-ist *n.* 국제주의자 ; 국제법 학자 ; [I~] 국제 공산[사회]주의자.

internátional·ìze *vt.* 국제화하다 ; 국제 관리하에 두다. **internàtional·izátion** *n.* Ⓤ 국제화 ; 국제 관리하에 둠.

Internátional Lábor Organizàtion *n.* [the ~] (유엔의) 국제 노동 기구《略 ILO》.

internátional láw *n.* 국제(공)법.

Internátional Léague for Húman Ríghts *n.* 국제 인권 연맹.

Internátional Mílitary Tribúnal *n.* [the ~] 국제 군사 재판소《略 IMT》.

Internátional Mónetary Fùnd *n.* [the ~] 국제 통화 기금《略 IMF》.

Internátional Olýmpic Commìttee *n.* [the ~] 국제 올림픽 위원회《略 IOC》.

Internátional Organizátion of Jóurnalists *n.* [the ~] 국제 저널리스트 기구《略 IOJ》.

Internátional Péace Cònference *n.* [the ~] 만국 평화 회의.

Internátional Phonétic Álphabet *n.* [the ~] 국제 음표 문자《略 IPA》.

Internátional Phonétic Associátion *n.* [the ~] 국제 음성학 협회《略 IPA》.

Internátional Préss Ínstitute *n.* [the ~] 국제 신문 편집인 협회《略 IPI》.

Internátional Réd Cróss *n.* [the ~] 국제 적십자(사)《略 IRC》.

Internátional Réfugee Organizàtion *n.* [the ~] 국제 난민 구제 기구.

internátional relátions *n.* 국제 관계론.

internátional replý còupon *n.* 국제 반신(返信)우표권.

Internátional Stándard Bóok Nùmber *n.* 국제 표준 도서 번호《略 ISBN》.

Internátional Standardizátion Organizàtion *n.* [the ~] 국제 표준화 기구《略 ISO》.

Internátional Stándard Sérial Nùmber *n.* 《美》국제 표준 간행물 일련 번호《略 ISSN》.

Internátional Sýstem of Únits *n.* 국제 단위계《略 SI》.

Internátional Telecommunicátions Sátellite Consòrtium *n.* [the ~] 국제 상업위성 통신 기구.

internátional térrorism *n.* 국제 테러리즘.

Internátional Tráde Organizàtion *n.* [the ~] 국제 무역 기구《略 ITO》.

internátional únit *n.* 국제 단위《국제 규약으로 정한 전기·열 따위의 단위》.

Internátional Wórkingmen's Associàtion *n.* [the ~] 국제 노동자 동맹《별칭 First International》.

interne ☞ INTERN².

in·ter·ne·cine [ìntərníːsain, -siːn] *a.* 서로 죽이는, 다 같이 쓰러지는 ; 치명적인, 살인적인 ; 내분의 : an ~ war 대(大)격전.
〖L *inter-*(*neco* to kill)=to slaughter〗

in·tern·ee [ìntərníː] *n.* 피억류자, 피수용자(cf. INTERN¹, INTERNMENT).

Ìnter·nét *n.* 인터넷《세계 최대 규모의 미국의 국제 컴퓨터 통신망》.

in·ter·nist [íntəːrnəst] *n.* 내과 의사 ; 《美》일반 개업의(開業醫). 〖*internal*+*-ist*〗

intérn·ment *n.* Ⓤ 유치, 억류, 수용 ; 억류 기간 : an ~ camp (정치범·포로의) 수용소(cf. DETENTION CAMP). 〖INTERN¹〗

ínter·nòde *n.* 〔解·動·植〕 관절《마디와 마디 사이의 부분》.
ìnter·nódal *a.*

in·ter nos [ìntər nóus] *adv.* 우리끼리 이야기지만, 이건 비밀인데.
〖L=between ourselves〗

íntern·shìp *n.* Ⓤ INTERN²의 신분[지위, 기간].

ìnter·núclear *a.* 〔解·生·理〕 핵간의 ; 원자핵과 원자핵 사이에 있는.

in·ter·nun·cial [ìntərnʌ́nsiəl ; -ʃəl] *a.* 〔解〕 (신경 세포가) 개재하는, 각 기관을 연락하는.

ìnter·núncio *n.* (*pl.* **~s**) 중개하는 사자(使者) ; 로마 교황 대리 사절《nuncio의 아래》.
〖It.<L〗

ìnter·oceánic *a.* 대양(大洋)간의.

in·tero·cep·tor [ìntərouséptər] *n.* 〔醫〕 내수용기(內受容器)《체내에 발생하는 자극에 감응함 ; cf. RECEPTOR》.

ìnter·óffice *a.* (같은 조직에서) office와 office 사이의 : an ~ phone[memo] 사내 전화[메모].

ìnter·óperable *a.* 다른 (나라) 기기(機器)와 조작[운전]이 공통인, 공동 이용할 수 있는〈*with*〉.

ìnter·operabílity *n.* 정보 처리 상호 운용(의 가능성) ; 동맹국의 시설·서비스 상호 이용.

ìnter·ósculate *vi.* 서로 섞이다[침투하다] ; (혈관 따위가) 접합[연결]하다 ; (이종(異種) 생물간에) 공통성을 가지다.
-ósculant *a.* **-osculátion** *n.*

interp. interpreter.

ìnter·pandémic *a.* (병의) 대(大)유행기 사이의.

Inter-Parliaméntary Únion *n.* [the ~] 국제 의회 연맹《略 IPU》.

in·ter·pel·lant [ìntərpélənt] *n.* =INTERPELLATOR.

in·ter·pel·late [ìntərpéleit, -pəléit ; intə́ːpelèit] *vt.* (의원이 장관에게) 질의[질문]하다, 설명을 요구하다.
in·ter·pel·la·tion [ìntərpəléiʃən ; intə̀ːpe-] *n.* Ⓤ,Ⓒ (의회에서의 장관에 대한) 질문, 설명 요구.
-pél·la·tor [,-pəléitər ; -pelèitər] *n.* (의회에서의) (대표) 질문자.
〖L=to disturb (*pello* to push)〗

ìnter·pénetrate *vt., vi.* (…에) (완전히) 스며들다, (…에) 침투하다 ; 서로 스며들다[침투하다].
-pénetrable *a.* **-pénetrant** *a.*
-penetrátion *n.* Ⓤ 완전[상호] 침투.
-pénetrative *a.* 서로 침투하는. **~·ly** *adv.*

ìnter·pérson·al *a.* 사람과 사람 사이의, 개인간의, 개인간에 일어나는.
~·ly *adv.*

ínter·phòne *n.* 《美》 (배·비행기·건물내 따위의) 내부[구내] 전화, 인터폰.
〖원래 상표〗

ìnter·pláne *a.* 〔空〕 비행기 상호간의 ; 상하 양날개 사이에 있는.

ìnter·plánetary *a.* 〔天〕 행성(과 태양)간의 ; 태양계 내의 : an ~ probe 행성간 탐측기(機) / ~ space 행성간 (우주) 공간 / an ~ space flight 행성간 우주 비행 / an ~ monitoring platform 행성간 공간 관측 위성.

ínter·plày *n.* Ⓤ 상호 작용〈*of*〉; 작용과 반작용 : the ~ *of* light and shadow 빛과 그림자의 교착.
—— [ˌ-ˈ- ; ˈ-ˌ-] *vi.* 상호간에 작용하다[영향을 미치다].

ìnter·pléad *vi.* 〔法〕 경합 권리 확인 절차를 밟다.
—— *vt.* 경합 권리 확인을 위해 법정에 소환하다.
~·er *n.* Ⓤ 경합 권리자 확인 절차.

In·ter·pol [íntərpɔ̀(ː)l, -pòul, -pɑ̀l] *n.* 인터폴, 국제 경찰(cf. ICPO).
〖*Inter*national *Pol*ice〗

in·ter·po·late [intə́ːrpəlèit] *vt., vi.* (멋대로 자구를 써넣어 원문을) 개찬(改竄)하다 ; (일반적으로) 새 어구(語句)를 삽입하다, 써넣다 ; 〔數〕 (중간항을) 급수(級數)에 보간(補間)[삽입]하다.
in·tèr·po·lá·tion *n.* Ⓤ,Ⓒ 개찬 ; 써넣음 ; 써넣은 어구 ; 〔數〕 보간(법). **-làt·er, -là·tor** *n.* 가필자 ; 개찬자. **-là·tive** [, -lət-] *a.*
〖L INTER *polo* to furbish up ; cf. POLISH〗

ìnter·pólymer *n.* 〔化〕 공중합체(共重合體).

ìnter·populátion·al *a.* 이집단[이민족, 이문화]간의[에 일어나는].

in·ter·pose [ìntərpóuz] *vt.* **1** (인용어구 따위를) 사이에 끼우다[두다], 삽입하다 ; (거부권·이의 따위를) 제기하다. **2** 〔映〕 (화면을) 이중 촬영으로 바꾸다. —— *vi.* **1** [動/+前+名] 사이에 넣다 ; 중재하다 : ~ ***between*** two opponents 다투는 두 사람을 중재하다 / ~ ***in*** a dispute 분쟁을 중재하다. **2** 간섭하다 ; 방해하다(interrupt).
-pós·al *n.* 삽입 ; 개입.
〖F<L (*posit-* *pono* to put) ; cf. POSE¹〗

in·ter·po·si·tion [ìntərpəzíʃən] *n.* Ⓤ 개재(介在)(의 위치) ; 중재 ; 간섭 ; 방해 ; Ⓒ 삽입물 ; 《美》주권(州權) 우위설《주(州)는 그 권한을 침해하는 연방 정부의 조처에 반대할 수 있다는 설》.

***in·ter·pret** [intə́ːrprət] *vt.* **1** [+目/+目+前+名] 해석하다, 설명하다 ; (꿈을) 판단하다 : Can

you ~ the passage? 그 구절을 해석할 수 있습니까 / He ~*ed* those signs ***to*** me. 그 부호를 나에게 풀어 주었다. **2** [+目+*as* 補] (…을 …의 뜻으로) 이해하다 : They ~*ed* her silence *as* concession. 그녀의 침묵을 양보의 뜻으로 풀이했다. **3** 〖藝〗 자기의 해석에 따라서 연주[연출]하다. **4** 〖컴퓨〗 (프로그램을) 기계 언어로 번역처리하다 ; 통역하다. ── *vi.* [動/+前+名] 통역하다 : The girl student kindly ~*ed* ***for*** me. 그 여학생은 친절하게도 나에게 통역을 해 주었다.
〖OF or L (*interpret- interpres* explainer)〗
類義語 ⟹ EXPLAIN.

in·ter·pre·tant [intə́ːrprətənt] *n.* **1** 〖哲〗 해석 경향《기호가 해석자에게 미치는 영향 또는 해석자의 기호에 대한 반응 경향》. **2** =INTERPRETER.

***in·ter·pre·ta·tion** [intə̀ːrprətéiʃən] *n.* U,C 해석, 설명 ; (꿈·수수께끼 따위의) 판단 ; 통역 ; 〖藝〗 (자기 해석에 입각한) 연출[연주].

〈회화〉
What's your *interpretation* of his speech? — I am not sure. 「그의 연설을 어떻게 해석하니」「잘 모르겠어」

~**·al** *a.* 해석상의 ; 통역의.

in·tér·pre·tà·tive [, -tət-] *a.* 해석(용)의, 해석[설명]적인 ; 해석상의.

***intérpret·er** *n.* (*fem.* **-pre·tress** [-prətrəs]) **1** 해석자, 설명자 ; 통역자[관] (cf. TRANSLATOR). **2** 〖컴퓨〗 해석 프로그램, 해석기《지시를 기계 언어로 번역 처리하는》, (카드의) 번역기. ~**·ship** *n.* 통역자의 직분[기량].

in·tér·pre·tive *a.* =INTERPRETATIVE. ~**·ly** *adv.*

intérpretive routíne *n.* 〖컴퓨〗 해석 루틴《원시 언어로 쓰인 명령을 해독하여 곧 그 명령을 실행하는 루틴》.

intérpretive semántics[**théory**] *n.* 〖言〗 해석 의미론.

ìnter·províncial *a.* 주(州) 사이의[에 있는].

ìnter·púlse *n.* 〖天〗 인터펄스《맥동성(脈動星)이 발하는 두 가지 펄스중 2차적인 펄스》.

ìnter·rácial, ìnter·ráce *a.* 다른 인종간의 ; 인종 혼합의, 각 인종간의.

ìnter·rádial *a.* (극피 동물 따위의) 사출부(射出部) (radius) 사이의.

ìnter·régnum *n.* (*pl.* **~s, -na**) **1** (제왕의 사망·폐위 따위에 의한) 공위(空位)기간 ; (내각 경질 따위로 인한) 정치의 공백 기간. **2** (일반적으로) 중지[중절] 기간.
〖L (*regnum* reign)〗

ìnter·reláte *vt.* …을 서로 관계시키다. ── *vi.* 서로 관계를 가지다〈*with*〉.

ìnter·reláted *a.* 서로 관계가 있는 ; 밀접한 관계가 있는.

ìnter·relátion *n.* U,C 상호 관계.

in·ter·rex [íntərrèks] *n.* (*pl.* **ìn·ter·ré·ges** [-ríːdʒiːz]) 공위 기간 중의 집정자, 섭정.
〖L (*rex* king)〗

in·ter·ro·bang, in·tera- [intérəbæŋ] *n.* 감탄 의문부《!와 ?의 합친 모양》.
〖*bang*은 인쇄 속어로 느낌표(!)를 말함〗

interrog. interrogation ; interrogative(ly).

in·ter·ro·gate [intérəgèit] *vt.* **1** [+目/+目+前+名] …에게 질문하다(ask questions), 신문[심문]하다 : The policeman ~*d* him ***about*** the purpose of his journey. 그 경찰은 그에게 여행 목적에 대해서 심문했다. **2** (응답기·컴퓨터 따위에) 응답 지령 신호를 보내다.
〖L (*rogo* to ask)〗
類義語 ⟹ ASK.

in·tèr·ro·gá·tion *n.* U,C 질문, 심문, 신문 ; 의문 ; 의문부(호) ; 〖通信〗 (펄스열(列)에 의한) 호출 신호.
a note[***point, mark***] ***of interrogation*** = INTERROGATION MARK[POINT].

interrogátion màrk[**pòint**] *n.* 〖文法〗 물음표 《?》(question mark).

***in·ter·rog·a·tive** [ìntərágətiv] *a.* **1** 의문의, 의문을 나타내는, 미심쩍은 : look ~ 미심쩍은 표정을 짓다. **2** 〖文法〗 의문의 : ~ adjective 의문 형용사 / ~ adverbs 의문 부사 / ~ pronouns 의문 대명사 / an ~ sentence 의문문. ── *n.* 〖文法〗 의문사, (특히) 의문 대명사. ~**·ly** *adv.* 미심쩍게 생각하여, 의심스러워서.

in·tér·ro·gà·tor *n.* 질문[심문]자 ; 〖通信〗 질문[호출]기(機).

in·ter·rog·a·to·ry [ìntərágətɔ̀ːri ; -təri] *a.* 의문의, 질문의, 의문을 나타내는. ── *n.* 질문, 의문 ; 심문, 신문 ; [*pl.*] 〖法〗 심문 조서.

ín ter·ró·rem clàuse [-terɔ́ːrəm-] *n.* 〖法〗 (유언서 중의) 협박적 조항《유언에 이의를 제기하는 자는 유산을 받을 수 없다는 취지의 조항》.
〖L *in terrorem* in terror〗

‡**in·ter·rupt** [ìntərʌ́pt] *vt.* **1** [+目/+目+*in*+名] 가로막다, 저지하다, (이야기 따위를) 가로채어 중단시키다 ; 중단하다 : The view was ~*ed* by a high wall. 전망이 높은 담때문에 가로막혀졌다 / A strange sound ~*ed* his speech[him ***in*** his speech]. 기묘한 소리가 그의 이야기를 중단시켰다. **2** 〖컴퓨〗 개입 중단하다, 가로채다. ── *vi.* 저지하다, 중단하다 : It is rude to ~ when someone else is speaking. 남이 말하고 있을 때 가로막는 것은 실례다. ── [, ⌐-⌐] *n.* 일시 정지, 중절 ; 단절 ; 격차(gap) ; 〖컴퓨〗 (새 프로그램을 위해 진행 중인 프로그램을 중지시키는) 일시 정지 지시(회로), 개입 중단, 가로채기.
~**·ible** *a.* 〖L ; ⇨ RUPTURE〗

interrúpt·ed *a.* 가로막힌, 차단된, 중단된, 중절(中絶)한 : ~ current 〖電〗 단속전류.
~**·ly** *adv.* 단속(斷續)적으로.

interrúpted scréw *n.* 나선이 단속적으로 있는 나사못.

interrúpt·er, -rúp·tor *n.* 차단물[인] ; (전류) 단속기 ; (무기의) 안전 장치.

***ìn·ter·rúp·tion** *n.* U,C 중단, 방해 ; 중절, 불통, 중지 : ~ of electric service 정전(停電).
without interruption 끊임없이, 잇따라.

ìnter·scholástic *a.* 학교간의, 학교 대항의.

ìnter·schóol *a.* 학교 대항의 : an ~ match 학교 대항 시합.

in·ter se [ìntər séi] *adv., a.* 그들 사이에서만[만의] (between themselves) ; 그들끼리만의 ; 비밀리에 ; 동일 육종간에[의].
〖L=among[between] themselves〗

***in·ter·sect** [ìntərsékt] *vt.* 가로지르다. ── *vi.* (선·면 따위가) 서로 엇갈리다, 교차하다.
〖L=to divide ; ⇨ SECTION〗

***in·ter·sec·tion** [ìntərsékʃən] *n.* U 가로지름, 교차, 횡단 ; C (도로의) 교차점 ; 〖數〗 교점(交點), 교선(交線) ; 공통(부)분.

intersèction·al[1] *a.* 교차하는 ; 공통부의.

ìnter·séction·al[2] *a.* 각부[지역]간(間)의 : ~ games 지구 대항 경기.

ìnter·sénsory *a.* 복수(複數)의 [전(全)] 감각 기

능을 동시에 사용하는.

ìnter·sérvice *a.* (육·해·공의) 2개[3개]의 군부 간의.

ínter·sèssion *n.* 학기와 학기 사이.

ínter·sèx *n.* 〖生〗 간성(의 생물); =UNISEX.

ìnter·séxual *a.* 이성간의; 남녀 양성 사이의; 〖生〗 간성(間性)의: ~ love 이성애(異性愛). **~·ly** *adv.* **-sexuálity** *n.*

ínter·spàce [; ⌐-⌐] *n.* Ⓤ (두 물체 사이의) 공간, 빈틈, 중간. —— [⌐-⌐; ⌐-⌐] *vt.* …의 사이에 공간을 두다[남기다]; …의 사이의 공간을 차지하다.

ìnter·specífic, -spécies *a.* 〖生〗 이종간의 《잡종 따위》, (잡종 따위가) 2종 사이에서 생긴.

in·ter·sperse [ìntərspə́:rs] *vt.* [+目+前+名] (…에) 흩뿌리다, 산재시키다, 흩뜨리다: The sky was ~*d* ***with*** stars. 하늘에는 별이 총총히 수놓여져 있었다 / Bushes are ~*d* ***among*** the trees. 덤불이 나무들 틈 사이에 산재해 있다. 〖L; ⇨ SPARSE〗

in·ter·sper·sion [ìntərspə́:rʃən, -ʒən] *n.* Ⓤ 살포, 산포(散布); 산재, 점재.

in·ter·sta·di·al [ìntərstéidiəl] *n.* 〖地〗 간빙기(間氷期)《빙상(氷床)의 생장과 축소 사이의 휴지기》.

ínter·stàte *a.* (호주·미국 따위에서) 각 주(州)간의, 각 주 연합의: ~ commerce 주간(州間) 통상 / ~ highways 주간(州間) 고속 자동차 도로 / the *I*~ Commerce Commission 《美》 주간(州間)[국내] 통상 위원회《略 ICC》. —— *n.* 《美》 주간 고속 자동차 도로.

ìnter·stéllar *a.* 별과 별사이의, 행성(行星)간의.

ìnter·stérile *a.* 이종(異種) 교배가 불가능한. **-sterílity** *n.*

in·ter·stice [intə́:rstəs] *n.* 틈새기, 갈라진 틈, 찢어진 틈, 구멍(crevice); (시간의) 간격. 〖L *interstitium* (*stit*- *sisto* to stand)〗

in·ter·sti·tial [ìntərstíʃəl] *a.* 벌어진[찢어진] 틈의, 빈틈의, 금의; 〖解〗 세포 조직의 사이에 있는, 간질(間質)성의.

interstítial-céll-stìmulating hòrmone *n.* 〖生化〗 간(間)세포 자극 호르몬《황체(黃體) 형성 호르몬; 略 ICSH》.

interstítial cómpound *n.* 〖化〗 침입형[간극] 화합물(化合物).

ìnter·strátify *vi., vt.* 〖地質〗 지층과 지층 사이에 개재하다[시키다]. **-stratificátion** *n.*

ìnter·subjéctive *a.* 간(間)주관적인, 상호[공동, 집합] 주관적인. **~·ly** *adv.* **-subjectívity** *n.*

in·ter·tex·tu·al·i·ty [ìntərtèkstʃuǽləti] *n.* 《文語》 텍스트간의 관련성.

ìnter·téxture *n.* Ⓤ 합쳐[섞어] 짜기; Ⓒ 합쳐 짠 천, 교직(交織).

ìnter·tídal *a.* 만조와 간조 사이의, 간조(間潮)의: ~ marsh 조간(潮間) 소택지. **~·ly** *adv.*

ìnter·tríbal *a.* (다른) 종족 간의.

in·ter·tri·go [ìntərtráigou] *n.* (*pl.* **~s**) 〖醫〗 간찰진(間擦疹). 〖L (*trit*- *tero* to rub)〗

ìnter·trópical *a.* 남북 양회귀선 사이의, 열대 지방의.

ìnter·twíne *vt.* [+目/+目+*with*+名] 서로 얽히게 하다, 한데 얽다[짜다], 짜넣다(interlace): There was a fence ~*d* ***with*** ivy. 담쟁이덩굴이 얽혀 있는 울타리가 있었다. —— *vi.* 한데 얽히다[꼬이다].

ìnter·twíst *vt., vi.* 서로 뒤얽히게 하다[뒤얽히다], 서로 꼬이게 하다[꼬이다](intertwine). —— [⌐-⌐] *n.* 서로 뒤얽히기[뒤엉키기], 서로 뒤엉킨 상태.

In·ter·type [íntərtàip] *n.* 자동식자(植字)[사식]기《Linotype와 비슷함; 상표명》.

ìnter·univérsity *a.* 대학(교)간의, 대학 연합의, 대학 대항의(cf. INTERCOLLEGIATE).

ìnter·úrban *a.* 도시 간의: ~ railways[highways] 도시간의 철도[도로]. —— *n.* 도시 연락 전차[버스].

***in·ter·val** [íntərvəl] *n.* **1** (장소의) 간격, 거리; (시간의) 간격, 사이: *at* an ~ *of* five years 5년 간격으로 / *at* ~*s of* fifty feet[two hours] 50피트[두 시간] 간격을 두고 / *at* long[short] ~*s* 가끔[때때로] / *at* regular ~*s* 일정한 시간[간격]을 두고 / *in* the ~ 그 사이에. **2** (정도·질·양 따위의) 차, 격차. **3** 《英》 (연극·음악회 따위의) 막간, 휴게 시간(=《美》 intermission). **4** 〖樂〗 음정(音程).
at intervals 띄엄띄엄, 여기저기에; 때때로, 종종, 이따금.
〖L *inter*-(*vallum* rampart)=space between ramparts〗

in·ter·vale [íntərvəl, -vèil] *n.* 《美》 구릉 사이의 저지(低地)《특히 강가의 경작지》. 〖↑; VALE[1]에 동화(同化)〗

ínterval sígnal *n.* 〖라디오〗 (프로그램 사이에 내보내는) 송신 계속 신호.

ínterval tràining *n.* 인터벌 트레이닝《전력 질주와 조깅을 반복하는 연습 방법》.

ìnter·vársity *a.* 《英》 =INTERUNIVERSITY.

ìnter·véin *vt.* …을 (정맥처럼) 얽어 맞추다, 교차시키다.

in·ter·vene [ìntərví:n] *vi.* [動/+前+名] **1** 사이에 끼다[일어나다], 끼어 들다, 개재하다(lie); 훼방놓다: I will see you tomorrow, should nothing ~. 별일 없으면 내일 뵙겠습니다 / A week ~*s* ***between*** Christmas ***and*** New Year's. 크리스마스와 신년 사이에는 한 주일이 있다. **2** 조정하다, 중재하다; 간섭하다: ~ ***between*** two quarreling parties 싸우고 있는 두 파 사이를 중재하다 / ~ ***in*** a dispute 분쟁의 조정에 나서다 / ~ *in* the civil war of a foreign country 외국의 내전에 간섭하다. **3** 〖法〗 (제 3자가) 소송에 참가하다. 〖L (*vent*- *venio* to come)〗

in·ter·ve·nient [ìntərví:njənt] *a.* 사이에 드는[일어나는], 간섭[개재]하는. —— *n.* 사이에 든 것[사람]; 중재[간섭]자.

in·ter·ven·tion [ìntərvénʃən] *n.* Ⓤ,Ⓒ 사이에 들기, 개재; 조정, 중재, 간섭; 〖法〗 소송 참가; 〖美教〗 부모의 자녀 교육; 상품 은닉, 매석(賣惜): armed ~ 무력 간섭. **~·al** *a.*

intervéntion·ist *n.* (자국 경제·타국 정치에) 정부 간섭을 주장하는 사람, 간섭주의자. —— *a.* 간섭주의의. **-ìsm** *n.*

ìnter·vértebral *a.* 〖解〗 추간(椎間)의. **~·ly** *adv.*

intervértebral dísk *n.* 〖解〗 추간(椎間) 연골, 추간(원)판.

‡in·ter·view [íntərvjù:] *n.* 회견, 대담; (입사 따위의) 면접, (기자 등의) 취재 방문, 인터뷰, 방문[회견] 기사: a morning ~ 아침 인터뷰 / have[hold] an ~ with …와 회견하다 / He will give an ~ to the student representatives. 학생 대표와 회견할 것이다. —— *vt.* (남과) 회견[면접]하다; (기자가 남을) 방문 (취재)하다. —— *vi.* 면

접[인터뷰]하다.
〚F *entrevue* (*s'entrevoir* to see one another (*inter-*, VIEW))〛

in·ter·view·ee [ìntərvju:íː] *n.* 피회견자.

ínterview·er *n.* **1** 회견자, 면회자, 면접자 ; 탐방기자. **2** (현관의) 내다보는 구멍.

Ínter·vìsion *n.* 동유럽 8개국 텔레비전국(局) 사이의 프로그램 교환 방식.

in·ter vi·vos [ìntər víːvous, -vái-] *adv., a.* 〔法〕 (증여·신탁 따위) 생존자 사이에서[의].
〚L=among the living〛

ìnter·vocálic *a.* 〔音聲〕 모음 사이에 있는.

in·ter·volve [ìntərválv] *vt.* 한데 감다, 서로 얽히게 하다.

ìnter·wár *a.* 양 대전(兩大戰) 사이의.

ìnter·wéave *vt.* [+目/+目+前+名] 섞어 짜다, 짜 넣다 ; 뒤섞다 : ~ truth ***with*** fiction 진실과 허구를 뒤섞다. —— *n.* 인터위브, 한데 짜기 ; 혼교(混交).

ìnter·wínd [-wáind] *vt., vi.* 감아넣다, 서로 얽히게 하다[얽히다].

ìnter·wíndow trànsfer *n.* 〔컴퓨〕 윈도간(間) 전송.

ìnter·wórk *vt.* …을 섞어 짜다. —— *vi.* 서로 작용하다.

ìnter·zónal, -zóne *a.* 지역간의 : ~ competition 지역간 경쟁.

in·tes·ta·cy [intéstəsi] *n.* Ⓤ 유언을 남기지 않고 죽음 ; 유언 없이 죽은 사람의 유산.

in·tes·tate [intésteit, -tət] *a.* (적법한) 유언(장)을 남기지 않은 : die ~ 유언 없이 사망하다. —— *n.* 유언 없는 사망자.
〚L ; ⇨ TESTAMENT〛

in·tes·ti·nal [intéstənl] *a.* 장[창자]의 : ~ disorder 장(腸)의 장애[질환] / ~ worms 회충. **~·ly** *adv.*

intéstinal bactéria *n.* 〔生〕 장내 세균.

intéstinal cáncer *n.* 장암.

intéstinal flú *n.* 설사나 구토를 일으키는 유행성(性) 감기.

intéstinal fórtitude *n.* 《美》 용기와 인내, 담력, 배짱《guts의 완곡한 표현》.

in·tes·tine [intéstən] *n.* [보통 *pl.*] 장(腸) : the large[small] ~ 대[소]장. —— *a.* 내부의 ; 국내의(civil, domestic) : an ~ war 내란.
〚L=internal (*intus* within)〛

in·thing [ínθiŋ] *n.* 유행(하는 것), 풍조.

in·thral(l) [inθrɔ́ːl] *vt.* =ENTHRALL.

in·thróne *vt.* =ENTHRONE.

in·ti·fa·da [intəfáːdə] *n.* 인티파다《이스라엘의 West Bank 및 Gaza Strip 점령에 저항하는 팔레스타인들의 투쟁으로 1987년 12월부터 전개됨》.

in·ti·ma·cy [íntəməsi] *n.* **1** Ⓤ 친밀, 친교 ⟨*between*⟩ : be on terms of ~ 친밀한 사이이다. **2** 정통, 숙지 ; 《婉》 정교(情交), (남녀가) 몰래 정을 통하는 사이 ; [*pl.*] 친밀을 나타내는 애무《포옹·키스 따위》.

***in·ti·mate**[1] [íntəmət] *a.* **1** 친밀한, 극친한 ; 《婉》 성관계를 맺고 있는 ; 친근감을 주는 ; 있기에 편한 ; 작은 인원을 대상으로 하는 : ~ friends [friendship] 친우[친교] / be on ~ terms with …와 친한 사이다 ; 《婉》 …와 성관계를 맺고 있다. **2** 상세한(close), (지식이) 깊은 ; 본질적인 (intrinsic) : have an ~ knowledge of the facts 그 사실을 자세히 알고 있다. **3** 일신상의, 개인적인 : one's ~ affairs 개인적인 일. **4** 마음속으로부터의, 충심의. —— *n.* 친우, (특히 비밀을 털어놓을 수 있는) 막역한 벗, 절친한 친구. **~·ly** *adv.* 친밀하게 ; 마음속으로부터.
〚L (*intimus* inmost)〛
類義語 ⟹ FAMILIAR.

in·ti·mate[2] [íntəmèit] *vt.* [+目/+目+前+名/+*that* 節] **1** 《古》 공표하다(announce), 고시하다(notify) : They ~*d* (***to*** the press) the premier's illness. 수상의 병이 (보도 기관에) 발표되었다. **2** 암시하다, 넌지시 알리다, 내보(內報)하다(hint) : She ~*d* (***to*** me) *that* she intended to marry him. 그 남자와 결혼할 작정이라는 것을 (나에게) 넌지시 알렸다.
〚L=to proclaim (↑)〛
類義語 ⟹ SUGGEST.

in·ti·ma·tion [ìntəméiʃən] *n.* Ⓤ,Ⓒ 통고, 예고, 통달, 발표, 고시(announcement) ; 넌지시 알림, 암시(hint).

in·tim·i·date [intímədèit] *vt.* [+目/+目+前+名] 위협하다 ; 협박하여 …시키다⟨*into*⟩ : He was ~*d* ***into*** silence. 그는 협박을 당하여 잠자코 있었다.
-dàt·ing·ly *adv.* **-dà·tor** *n.* 위협자, 협박자.
in·tìm·i·dá·tion *n.* Ⓤ 으름장, 위협, 협박.
-da·to·ry [-dətɔ̀ːri ; -təri] *a.* 협박의, 위협적인.
〚L=made afraid ; ⇨ TIMID〛

in·ti·mist [íntəməst] *a.* 개인의 내적 경험[심리]을 묘사한. —— *n.* 심리 묘사 작가.

in·tim·i·ty [intíməti] *n.* 친밀 ; 비밀.

in·tinc·tion [intíŋkʃən] *n.* 〔宗〕 성찬의 빵을 포도주에 적심. 〚L ; ⇨ TINGE〛

in·títle *vt.* 《古》 =ENTITLE.

in·tit·ule [intítʃuːl] *vt.* (법안·서적 따위에) 명칭[제목]을 붙이다《보통 과거분사형으로 씀》.

intl., intnl. international.

◇**in·to** [(자음 앞) ìntə, (모음 앞) ìntu, íntuː]

> (1) in은 전치사와 부사로 겸용되나, into는 전치사 전용이다.
> (2) 전치사로서도 in은 원칙적으로 장소를 나타내고 때로 방향을 가리키는 데 대해 into는 전적으로 방향을 나타낸다.

—— *prep.* (↔*out of*) **1** [진입·침입·주입·탐사·새로운 상태로 들어가기] …속에[으로], …에[으로] : come ~ the house 집으로 들어오다 / look ~ the box 상자 속을 들여다보다 / far [well] ~ the night 밤늦게까지 / inquire ~ a matter 사건을 조사하다 / get ~ difficulties 곤란에 빠지다. 注 in이 「정지」를 나타내는데 대하여 into는 원래 「동작」을 나타내지만 into 대신에 in을 쓰는 수도 있음 : ☞ IN *prep.* 2. **2** [변화·결과] …으로 (하다·되다) : turn water ~ ice 물을 얼음이 되게 하다 / make flour ~ bread 밀가루로 빵을 만들다 / translate English ~ Korean 영어를 한국어로 번역하다 / The rain changed ~ snow. 비가 눈으로 바뀌었다 / A caterpillar turns ~ a butterfly. 모충(毛蟲)은 나비로 탈바꿈한다 / frighten[reason] a person ~ compliance 남을 위협하여[이치를 따져] 따르게 하다. **3** 〔數〕 …을 나눠(서) : 2 ~ 6(=6 divided by 2) goes 3 times[equals 3]. 6÷2=3.

> 〈회화〉
> Step *into* my office. — Thank you. 「내 사무실로 들어오십시오」「고맙습니다」

〚OE (IN, TO)〛

ín·tòed *a.* 발가락이 안쪽으로 굽은.

***in·tólerable** *a.* 견딜 수 없는, 참을 수 없는 (unbearable)〈*to*〉; 《口》 안타까운, 화가 나는; 과도한, 터무니 없는《수·양》. —— *adv.* 《廢》 극히. **-bly** *adv.* 견딜 수 없을 만큼. 〖OF or L〗

in·tólerance *n.* Ⓤ 견딜 수 없음; (다른 의견을 받아들일 만한) 아량이 없음, 좁은 도량(narrow-mindedness).

in·tólerant *a.* **1** 견딜 수 없는: ~ *of* oppression 압박을 참을 수 없는. **2** 도량이 좁은, 편협한, (다른 의견 따위를) 받아 들이지 않는〈*of*〉. —— *n.* 도량이 좁은 사람. **~·ly** *adv.* 편협하게. 〖L〗

in·tómb *vt.* 《古》 =ENTOMB.

in·to·nate [íntənèit] *vt.* =INTONE.

***in·to·na·tion** [ìntənéiʃən, -tou-] *n.* **1** Ⓤ 영송(詠誦), 읊음, 영창(詠唱), 음창(吟唱). **2** Ⓤ,Ⓒ 〖音聲〗 인토네이션, (소리의) 억양, 음조, 어조, 가락(cf. STRESS). **~·al** *a.*

in·tóne *vt., vi.* (기도문 따위를) 음창하다, 영창하다; 억양(抑揚)을 붙이다. 〖L (*in-*²)〗

in to·to [in tóutou] *adv.* 전체로서, 완전히. 〖L=on the whole〗

ín·tòwn [ˊˋ] *a.* 도시 중앙의[에 있는].

in·toxed [intákst] *a.* 《美俗》 마리화나에 취한[가 효과가 있는].

in·tox·i·cant [intáksikənt] *a., n.* 취하게 하는 (것), 마취제; 알코올성 음료.

in·tox·i·cate** [intáksəkèit] *vt.* [+目/+目+前+名] 취하게 하다; 흥분시키다, 열중시키다; 〖醫〗 중독시키다(poison): They were ~*d* ***with victory[***by*** success, ***from*** wine]. 그들은 승리[성공, 술]에 (도)취했다. —— [-sikət] *a.* 《古》 취한 (intoxicated). 〖L (*in-*², TOXIC)〗

in·tóx·i·càt·ing *a.* 취하게 하는, 도취시키는: ~ drinks 주류(酒類). **~·ly** *adv.*

in·tòx·i·cá·tion *n.* Ⓤ 취함; 흥분, 열중, 도취; 〖醫〗 중독.

intr. intransitive.

in·tra- [íntrə] *comb. form* 「안에」「내부[안쪽]에」의 뜻: *intra*cardiac 심장내의. 〖L=inside〗

ìntra·artérial *a.* 〖解〗 동맥안의[을 통하는], 동맥주사의.

in·tráctable *a.* **1** 다루기 힘든, 힘에 겨운, 고집불통의(stubborn). **2** (병 따위가) 낫지 않는, 난치(성)의. **3** 처치[가공]하기 어려운. **-bly** *adv.* 고집스럽게. **in·tractabílity** *n.* Ⓤ 다루기 힘듦, 고집셈; 처치 곤란. 〖L〗

íntra·dày *a.* 하루 동안에 일어나는, 하루 중의.

ìntra·dérmal, -mic *a.* 〖解〗 피내(皮內)의. **-dérmal·ly, -dér·mi·cal·ly** *adv.*

intradérmal tést *n.* 〖醫〗 피내(皮內) 시험《면역테스트》.

in·tra·dos [íntrədàs, -dòu, intréidas; intréidɔs] *n.* (*pl.* ~[-dòuz, -dàs, -das; -dɔs], **~·es** [-dàsəz; -dɔ̀siz]) 〖建〗 (아치의) 내륜(內輪), 홍예의 내만곡선(內彎曲線). 〖F (*dos* back)〗

ìntra·galáctic *a.* 은하계 안의.

ìntra·génic *a.* 〖遺〗 유전자내의.

ìntra·governméntal *a.* 정부내의《항쟁·협력》.

ìntra·molécular *a.* 분자내의.

ìntra·múral *a.* 도시[학교, 건물 따위]의 벽[경계, 구역] 내의, (특히) 학교[교내]만의(↔*extramural*); 대학의 연구[교육]의 일부를 이루는: ~ athletics 교내[학내] 경기회. 〖L *murus* wall〗

in·tra mu·ros [íntra: mú:rous] *adv.* (도시 따위의) 성 안에(서); 시내에(서); 대학 구내에(서); 비밀[내밀]히. 〖L (↑)〗

ìntra·múscular *a.* 〖解〗 (주사 따위가) 근육내의 《略 IM》.

ìntra·nátional *a.* 국내(만)의.

intrans. intransitive.

in·tran·si·geance, -cy [intrǽnsədʒəns(i), -zə-] *n.* Ⓤ 타협하지 않음, 비협력(적 태도). **-geant** *a., n.* 비타협적인 (사람) (uncompromising). 〖F〗

in·tránsitive *a.* 〖文法〗 자동(사)의(↔ *transitive*): an ~ verb=a verb ~ 자동사《略 vi., v.i.》. —— *n.* 자동사. **~·ly** *adv.* 자동사로서, 자동사적으로. 〖L〗

in·trant [íntrənt] *n.* 《古》 =ENTRANT.

ìntra·óperative *a.* 〖醫〗 (외과) 수술중의.

ìntra·párty *a.* 정당내의.

ìntra·pérson·al *a.* 개인 내면에서 일어나는, 개인내의.

ìntra·populátion *a.* 주민간의[에 행해지는].

ìntra·státe *a.* 《美》 주내(州內)의: ~ commerce 주내 통상.

ìntra·úterine *a.* 〖解〗 자궁내의.

intraúterine devíce *n.* 자궁내 피임 기구[링] 《略 IUD》.

ìntra·váscular *a.* 혈관내의.

ìntra·vehícular *a.* 탈것[(특히) 우주선] 안(에서)의 (↔*extravehicular*).

ìntra·vénous *a., n.* 정맥(내)의, 정맥주사(의) 《略 IV》: an ~ injection / ~ feeding 정맥 급식. **~·ly** *adv.*

intravénous dríp *n.* 〖醫〗 점적(點滴) 정맥 주사, 정맥내 적주(滴注)(법).

ín·trày *n.* (사무실의) 도착[미결] 서류함(cf. OUT-TRAY).

ìntra·zónal *a.* 〖地〗 간대성(間帶性)의《토양》; 지역내의.

intrazónal sóil *n.* 〖土壤〗 간대(間帶) 토양.

in·treat [intrí:t] *vt.* 《古》 =ENTREAT.

in·trénch *vt., vi.* =ENTRENCH.

in·trep·id [intrépəd] *a.* 용감한, 대담한(fearless): ~ courage 강용(剛勇). **~·ly** *adv.* 용감하게. 〖F or L (*trepidus* fearful)〗

in·tre·pid·i·ty [ìntrəpídəti] *n.* Ⓤ 대담, 강용, 두려움을 모름; Ⓒ 대담[용감 무쌍]한 행위.

in·tri·ca·cy [íntrikəsi] *n.* Ⓤ 복잡(함); [*pl.*] (일·수속 따위) 복잡한 것.

in·tri·cate [íntrikət] *a.* 뒤얽힌, 복잡한(complicated); 난해(難解)한. **~·ly** *adv.* 복잡하게. 〖L=to entangle (*in-*², *tricae* tricks)〗 類義語 ⟹ COMPLEX.

in·tri·g(u)ant [ìntrigá:nt; íntrigənt; *F* ɛ̃trigɑ̃] *n.* (*fem.* **-g(u)ante** [ìntrigá:nt; *F* ɛ̃trigɑ̃:t]) 음모자, 책략가; 밀통자, 정부.

in·trigue** [intrí:g, íntri:g] *n.* **1** Ⓤ,Ⓒ 음모. **2** 밀통(密通), 불의. **3** Ⓤ (연극의) 줄거리, 구성. —— [-ˊ] *vi.* [動/+前+名] 음모를 꾀하다, 술책을 쓰다; 밀통하다: ~ ***with Tom ***against*** Jones 존스에 대해서 톰과 음모를 꾸미다. —— *vt.* …의 호기심[흥미]을 돋우다(fascinate); 술책을 써서 손에 넣다[달성하다]; 《稀》 …을 당혹[곤혹]케 하다. **in·trígu·er** *n.* 음모자. 〖F＜It.; ⇨ INTRICATE〗

in·trígu·ing *a.* 호기심[흥미]을 돋우는, 재미있는, 매혹적인. **~·ly** *adv.*

in·trin·sic [intrínsik, -zik] *a.* 본래 갖추어진, 고유한, 본질적인(inherent) ; 〖解·醫〗 내재성[내인성]의(↔*extrinsic*(*al*)). **-trín·si·cal** *a.* **-si·cal·ly** *adv.* 본질적으로.
〖ME=interior<OF<L *intrinsecus* inwardly〗

intrínsic fáctor *n.* 〖生化〗 내재성 인자.

intrínsic semicondúctor *n.* 〖電子〗 고유[진성] 반도체.

in·tro [íntrou] *n.* (*pl.* **~s**) 《口》 (대중 음악의) 첫 부분, 전주(前奏), 서주(序奏) ; 《口》 (정식) 소개(introduction). —— *vt.* 소개하다.

in·tro- [íntrou, -trə] *pref.* 「안으로」의 뜻 : *intro*gression. 〖L=to the inside〗

intro(**d**). introduction ; introductory.

‡**in·tro·duce** [ìntrədjú:s] *vt.* **1** [+目/+目+*into*+名] **a**) 집어넣다 ; 가져오다, 첫수입하다, 전하다 : Buddhism was ~*d* ***into*** China from India. 불교는 인도에서 중국으로 전해졌다. **b**) 끼워넣다(insert) : ~ a key ***into*** a lock 자물쇠에 열쇠를 끼워넣다. **c**) (젊은 여자를 사교계에) 데뷔시키다, 소개하다 : ~ a girl ***into*** society. **d**) 〖文法〗 (접속사 따위가 절(節)을) 이끌다. **e**) (의안 따위를) 제출하다 : ~ a bill ***into*** Parliament 법안을 의회에 제출하다. **2** [+目/+目+*to*+名] 소개하다 : Mrs. White, may I ~ Mr. Green? 화이트 여사, 그린 선생을 소개합니다 / Allow me to ~ myself. 제 소개를 하겠습니다 / A hostess should ~ strangers ***to*** each other at a party. 여주인은 파티에서 초면의 사람들을 서로 소개시켜 주지 않으면 안된다. **-dúc·er** *n.* 소개자 ; 수입자 ; 전래자(傳來者) ; 창시자.
〖L (*duct- duco* to lead)〗

類義語 ***introduce*** 어떤 사람을 소개하다 ; 두 사람을 인사시키다 : *introduce* a new friend to her (새 친구를 그녀에게 소개하다). ***present*** 어떤 사람을 손윗 사람에게 정식[형식적]으로 소개하다 ; 격식을 차린 말 : Freshmen are *presented* to the president. (신입생은 총장에게 소개된다).

in·tro·duc·tion** [ìntrədʌ́kʃən] *n.* **1** Ⓤ 채용 ; 도입, 창시 ; 첫수입, 전래, 도래(渡來) ; (의안 따위의) 제출〈*of*〉. **2** 소개, 피로(披露) : a letter of ~ 소개장 / make an ~ ***of A ***to*** B A를 B에게 소개하다. **3** 서문, 머리말, 서언(緖言). **4** 입문(서), 개론, 서설〈*to*〉 : an ~ *to* economics 경제학 입문. **5** 〖樂〗 서주부, 전주곡(prelude). **6** 끼워 넣기, 삽입(insertion)〈*into*〉.

〈회화〉
Do you two need an *introduction*? Jane, this is Jim. — How do you do, Jim? 「두 사람을 소개해야 되나. 제인, 이분은 짐이야」「짐. 안녕하세요」

類義語 ***introduction*** 본론으로 이끌기 위한 설명이 되는 예비적인 부분 ; 서론. ***preface*** 본론과는 별개의 것으로 그 본래의 목적·계획·준비의 상태 따위를 서술한 것. ***foreword*** 짧은[간단한] preface. ***preamble*** 헌법·조약 따위의 전문(前文) ; 형식적인 말. ***prologue*** 극·시 따위의 예비적인 설명 부분으로 내용의 소개 따위를 하는 것.

in·tro·duc·tive [ìntrədʌ́ktiv] *a.* =INTRODUCTORY.

in·tro·duc·to·ry [ìntrədʌ́ktəri] *a.* 소개의, 서론의, 머리말의(prefatory) ; 예비의(preliminary) : ~ remarks 서언.

introdúctory príce *n.* 〖出版〗 시험(試驗) 구독료《새로운 독자 확보를 위한 할인 대금》.

in·tro·gres·sion [ìntrəgréʃən] *n.* 〖遺〗 유전자 이입(移入), 유전질 침투 ; 들어감[옴].

in·tro·it [íntrouət, íntrɔit] *n.* [I~] 〖카톨릭〗 입당송(入堂誦) ; 〖英國敎〗 성찬식 전에 부르는 노래. 〖OF<L *introitus* entrance (INTRO*eo* to go in)〗

in·tro·ject [ìntrədʒékt] *vt., vi.* 〖心〗 (남의 특질·태도를) 자기 것으로 받아들이다[느끼다] ; 투입하다, 받아들이다.

in·tro·jec·tion [ìntrədʒékʃən] *n.* Ⓤ 〖心〗 투입, 섭취《대상의 속성을 자기 것으로 동화》.

in·tro·mis·sion [ìntrəmíʃən] *n.* Ⓤ,Ⓒ 삽입 ; 입장[가입] 허가.

in·tro·mit [ìntrəmít] *vt.* (**-tt-**) 《古》 들어오게 하다 ; 삽입하다. **-mít·tent** *a.* 들어오게 하는, 끼워 넣을 수 있는.

in·tron [íntrɑn] *n.* 〖生化〗 개재 배열.
〖*intr*agenic regi*on*〗

In·tro·pin [íntrəpən] *n.* 인트로핀《심장 활동 자극약 ; 상표명》.

in·trorse [intrɔ́:rs] *a.* 〖植〗 안쪽으로 향한, 내향(內向)의(↔*extrorse*).
〖L *introversus*〗

in·tro·spect [ìntrəspékt] *vi.* 내성(內省)하다, 내관(內觀)하다, 자기 반성하다.
〖L (*spect- specio* to look)〗

in·tro·spec·tion [ìntrəspékʃən] *n.* Ⓤ 내성, 내관(內觀), 자기 반성(self-examination).

ìn·tro·spéc·tive *a.* 내성적인, 내관적인, 자기 반성의. **~·ly** *adv.* 내성적으로.

in·tro·ver·si·ble [ìntrəvə́:rsəbəl] *a.* (사상 따위를) 내향시킬 수 있는.

in·tro·ver·sion [ìntrəvə́:rʒən, -ʃən] *n.* Ⓤ 내향(內向), 내성 ; 〖醫〗 내전(內轉), 안으로 굽기 ; 〖心〗 내향성(↔*extroversion*). 〖EVERSION, DIVERSION 따위의 유추로 *introvert*에서〗

in·tro·ver·sive [ìntrəvə́:rsiv] *a.* 내향(성)의, 내성적인.

in·tro·vert [íntrəvə̀:rt] *n.* 〖心〗 내향성의 사람, 내성적인 사람(↔*extrovert*). —— *a.* 안으로 향한 ; (사람이) 내향[내성]적인. —— [ˌ-ˊ-] *vt.* (마음·생각을) 안으로 향하게 하다, 내성시키다 ; 〖動·醫〗 (기관·장기를) 안으로 뒤집어 넣다. —— *vi.* 내성에 잠기다 ; 내성적 (성격)이 되다. **~·ed** *a.* 〖NL (*verto* to turn)〗

ìn·tro·vér·tive *a.* =INTROVERSIVE.

in·trude** [intrú:d] *vt.* **1** [+目+*upon*+名] 밀어붙이다, 강요하다 : You must not ~ your opinions ***upon others. 자기의 의견을 남에게 강요해서는 안된다. **2** [+目+*into*+名] 밀어 넣다 : The man ~*d* himself ***into*** our conversation. 그 남자는 우리들의 이야기에 끼어들었다. **3** 〖地質〗 관입(貫入)시키다. —— *vi.* **1** [+*upon*+名/動] (남의 일에) 끼어들다, 훼방놓다 : I don't like to ~ ***upon*** your privacy. 너의 사생활에 끼어들고 싶지 않다 / He ~*s upon* our hospitality. 우리의 후한 대접을 기화로 그는 주제넘게 나선다 / I hope I am not *intruding* (*upon* you). 방해가 되지는 않겠지요. **2** 밀고 들어오다, 침입하다〈*into*〉. **3** 〖地質〗 관입하다.
〖L (*trus- trudo* to thrust)〗
類義語 ⟹ TRESPASS.

in·trúd·er *n.* 침입자, 난입자(亂入者) ; 훼방꾼, 주제넘게 참견하는 사람 ; 〖空〗 (야간의) 습격기.

in·tru·sion [intrú:ʒən] *n.* Ⓤ,Ⓒ (의견 따위의) 강요〈*upon*〉 ; (장소에의) 침입〈*into*〉(↔*extrusion*) ; 〖法〗 (무권리자의) 토지 침입, 불법 점유 ; 〖地質〗

(마그마의) 관입, 관입암(岩).
⟦OF or L ; ⇨ INTRUDE⟧
in·tru·sive [intrú:siv] *a.* 강제적인 ; 침입하는, 밀고 들어오는 ; 주제넘게 나서는 ; 훼방을 놓는 ; 〘地質〙 관입(성)의 ; 〘言〙 (비(非)어원적으로) 끼어든, 감입의《소리·문자 따위》: an ~ arm of the sea 후미 / an ~ rock 관입암(岩) / ~ sound 감입음《idea of [aidíərəv]의 r음 따위》.
~·ly *adv.* **~·ness** *n.*
in·trúst *vt.* =ENTRUST.
in·tu·bate [íntjubèit] *vt.* 〘醫〙 …에 관(管)을 삽입하다.
in·tu·ba·tion [ìntjubéiʃən] *n.* Ⓤ 〘醫〙 삽관법(插管法).
in·tu·it [intjú:ət] *vt., vi.* 직관[직각(直覺)]으로 알다[이해하다].
⟦L *in-*²(*tuit- tueor* to look) =to consider⟧
in·tu·i·tion [ìntjuíʃən] *n.* 직각(直覺), 직관, 직관력 ; Ⓒ 직각[직관]에 의한 지식.
intuítion·al *a.* 직각의, 직각[직관]적인. **~·ly** *adv.* **~·ìsm** *n.* Ⓤ 〘哲〙 직관론《진리의 인식은 직관에 의한 것이라 함》. **~·ist** *n.* 직관론자.
intuítion·ìsm *n.* Ⓤ 〘心〙 (외계의 사물은 직관적으로 인식된다고 하는) 직관설. **-ist** *n.* 직각[직관]론자.
in·tu·i·tive [intjú:ətiv] *a.* 직각[직관](적)인(↔ *discursive*) ; 직관력이 있는.
~·ly *adv.* 직관적으로. **~·ness** *n.*
in·tú·i·tiv·ìsm *n.* =INTUITIONALISM.
in·tu·mesce [ìntjumés] *vi.* (열 따위로) 부어[부풀어]오르다 ; 거품이 일다 ; 비등하다.
⟦L (*tumeo* to swell)⟧
in·tu·mes·cence [ìntjumésəns] *n.* Ⓤ 팽창, 부어오름, 끓어오름 ; Ⓒ 종기(swelling).
-cent *a.* 팽창성의, 부어오르는.
in·tus·sus·cept [ìntəsəsépt] *vt., vi.* 〘醫〙 (장관(腸管)의 일부 따위를) 함입(陷入)[중적(重積)]시키다[하다] ; 중적(증)이 되다.
in·tus·sus·cep·tion [ìntəsəsépʃən] *n.* Ⓤ 섭취(작용) ; (사상의) 섭취, 동화(同化) ; 〘醫〙 장중적(腸重積)증 ; 〘生〙 (세포의) 삽입 생장.
INTV 《美》 Association of Independent Television Stations Inc.《독립 텔레비전국 연맹 ; 3대 텔레비전 네트워크에 속하지 않는》.
in·twíne *vt.* =ENTWINE.
in·twíst *vt.* =ENTWIST.
Inuit ☞ INNUIT.
in·u·lin [ínjələn] *n.* Ⓤ 〘生化〙 이눌린.
in·unc·tion [inʌ́ŋkʃən] *n.* Ⓤ 기름 바르기, 도유(塗油)(anointing) ; 〘醫〙 (고약의) 도찰(塗擦)(요법) ; 연고(unguent).
in·un·dant [inʌ́ndənt] *a.* 넘치는, 넘쳐흐르는.
in·un·date [ínəndèit ; ínʌn-] *vt.* [+目/+目+ *with*+名] **1** 범람케 하다, 물에 잠기게 하다, …로 침수하다 : The ground was ~*d* ***with*** water. 땅은 물에 잠기었다. **2** 충만시키다, 밀어닥치다 : a place ~*d* ***with*** visitors 방문객이 쇄도하는 장소. **ìn·un·dá·tion** *n.* Ⓤ 범람, 침수 ; Ⓒ 홍수, 큰물 ; Ⓤ 충만, 횡일(橫溢) ; 쇄도(deluge)〈*of*〉.
-dà·tor *n.* **in·un·da·to·ry** [inʌ́ndətɔ̀:ri ; -təri] *a.* 홍수의[와 같은].
⟦L *in-*²(*undo* to flow ‹ *unda* wave)⟧
ìn·urbáne *a.* 도시적 품위가 없는, 세련되어 있지 않은 ; 천한, 품위없는, 버릇없는, 조야한.
ìn·urbánity *n.* Ⓤ 천함, 품위없음.
in·ure [injúər] *vt.* [+目+*to*+名/+目+*to* do] 익숙케 하다, 단련하다 : be ~*d* ***to*** distress 고통에 익숙해[단련되어] 있다 / ~ oneself *to* do …에 자기 자신을 길들이다. —— *vi.* 〘法〙 효력이 발생하다, 유효하다.
~·ment *n.* Ⓤ 익힘, 익숙해짐.
⟦AF (IN, *eure* work<L *opera*)⟧
in·úrn *vt.* 유골 단지(urn)에 넣다[간수하다] ; 매장하다(bury).
in·útile *a.* 무익한, 쓸모없는(useless).
⟦F<L⟧
ìn·utílity *n.* 무익, 쓸모없음(uselessness) ; Ⓒ 쓸모없는 사람[것].
inv. invented ; inventor ; invoice.
in vac·uo [in vǽkjuòu] *adv.* 진공내에 ; 사실과는 관계없이, 현실에서 유리되어.
⟦L=in a vacuum⟧
***in·vade** [invéid] *vt.* (타국을) 침략하다 ; …에 내습하다 ; …에 밀어닥치다(throng) ; (소리·병·감정 따위가) …을 침범하다, 휩쓸다 ; (권리 따위를) 침해하다 : The enemy ~*d* our country. 적은 우리 나라를 공격해 들어왔다 / Italy is ~*d* by many tourists from all parts of Europe. 이탈리아에는 유럽 여러 나라로부터 많은 관광객이 몰려든다 / ~ one's privacy 사생활에 끼어들다.
in·vád·er *n.* 침략자[국], 침입자[군].
⟦L (*vas- vado* to go)⟧
類義語 ⟹ TRESPASS.
in·vag·i·nate [invǽdʒənèit] *vt.* 칼집에 넣다, 거두다 ; 〘發生·醫〙 (관·기관 따위의 일부를) 함입(陷入)시키다. —— *vi.* 들어가다, 끼이다, 함입하다. —— [-nət, -nèit] *a.* 칼집에 넣은, 함입한.
in·vag·i·na·tion [invæ̀dʒənéiʃən] *n.* 칼집에 넣음[들어 있음] ; 〘發生〙 함입(陷入) ; 〘醫〙 함입 ; 장중적(腸重積)(증) ; 함입부.
***in·va·lid**[1] [ínvələd ; -lì:d] *a., n.* 병약한 (사람), 병이 든 (사람) ; 환자용의 : my ~ wife 병든 아내 / an ~ diet 환자용 식사. —— [, 美+-lìd] *vt.* 병약하게 하다 ; [보통 수동태로] 병약자[병자]로 취급하다, 상이병(傷痍兵) 명부에 기입하다 : He was ~*ed* home. 그는 상이병으로서 송환되었다. —— *vi.* 병약해지다.
⟦L (*in-*¹)⟧
in·válid[2] *a.* (논거 따위) 박약한, 가치없는 ; 근거[설득력]없는 ; 논리적으로 모순된《의론·변명 따위》; 〘法〙 무효의.

〈회화〉
This ticket is *invalid*. — Why? What's wrong with it? 「이 표는 무효입니다」「왜요. 뭐가 잘못됐습니까?」

~·ly *adv.* ⟦↑⟧
in·val·i·date [invǽlədèit] *vt.* 무효로 하다(↔ *validate*). **in·vàl·i·dá·tion** *n.* Ⓤ 무효로 함[됨], 실효(失效).
ínvalid chàir *n.* 환자용 바퀴 달린 의자.
ínvalid·hòod *n.* =INVALIDISM.
ínvalid·ìsm *n.* Ⓤ 병약, 숙환 ; 앓는 몸 ; 병약자의 비율.
ìn·valídity[1] *n.* Ⓤ 무효.
invalidity[2] *n.* 폐질 (취로 불능) ; =INVALIDISM.
invalídity bènefit *n.* 《英》 (국민보험에 따른) 질병 급부, 상병(傷病) 수당《略 IVB》.
in·váluable *a.* 평가할 수 없을 정도로 귀중한, 매우 귀중한(cf. VALUELESS).
-ably *adv.*
類義語 ⟹ COSTLY.
in·van·dra·re [ínvɑ̀:ndrɑ:rə] *n.* (*pl.* ~) (스웨덴에서 일하는) 외국인 노동자(cf. GASTARBEITER).

〚Swed.〛

In·var [invɑ́ːr] *n.* Ⓤ 불변강(不變鋼)《강철과 니켈의 합금 ; 정밀계기 따위에 사용함 ; 상표명》.

in·váriable *a.* 불변의 ; 〖數〗 일정한, 상수(常數)의. —— *n.* 불변의 것 ; 〖數〗 상수, 불변량. **~·ness** *n.* **in·variabílity** *n.* Ⓤ 불변(성). 〚F or L〛

***in·váriably** *adv.* 일정불변하게 ; 항상, 언제나.

in·váriant *a.* 변화하지 않는, 불변의, 고른. —— *n.* 〖數〗 불변식, 불변량. **~·ly** *adv.*

***in·va·sion** [invéiʒən] *n.* **1** Ⓤ,Ⓒ 침입, 침략 : make an ~ *upon* …에 침입하다, …을 엄습하다. **2** Ⓤ,Ⓒ (권리 따위의) 침해. 〚F or L ; ⇨ INVADE〛

invásion of prívacy *n.* 사생활 침해.

in·va·sive [invéisiv] *a.* 침입하는, 침략적인, 침해의 ; 침습성의《암세포》.

in·vec·tive [invéktiv] *n.* Ⓤ 독설, 비난, 매도 ; [보통 *pl.*] 욕설, 악담(curses). —— *a.* 악담의, 비난의, 매도의, 욕설의. 〚OF (L *invect- inveho* to go into, assail)〛

in·veigh [invéi] *vi.* 심하게 항의하다, 통렬하게 비난하다, 욕설을 퍼붓다, 악담을 하다〈*against*〉. 〚L (↑ ; *vect- veho* to carry)〛

in·vei·gle [invéigəl, -víː-] *vt.* [+目+*into*+名] 유인하다, 꾀어 들이다, 농락하다 : The salesman ~*d* the girl ***into*** buy*ing* the ring. 그 점원은 소녀를 꾀어 그 반지를 사게 했다. **~·ment** *n.* 〚ME *enve(u)gle*<AF<OF *aveugler* to bind〛 類義語 ⟹ LURE.

‡in·vent [invént] *vt.* **1** 발명하다, 창안하다 : Watt ~*ed* the steam engine. 와트는 증기기관을 발명했다. **2** 날조하다, 조작하다 ; (이야기 따위를) 상상력으로 만들다, 창작하다 : ~ an excuse 핑계를 꾸며내다.

〈회화〉
Do you know when television was *invented*? — No, I don't. 「텔레비전이 언제 발명되었는지 아니」「아니, 몰라」

in·vén·tor, ~·er *n.* 발명[고안]자, 발명가. 〚ME=to discover<L IN²*vent- -venio* to come upon, find〛

‡in·ven·tion [invénʃən] *n.* **1** Ⓤ,Ⓒ 발명, 창안(cf. DISCOVERY) : make an ~ 발명하다 / Lawn tennis is of English ~. 테니스는 영국에서 창안된 것이다. **2** 발명품, 신안(新案). **3** 날조, 조작, 꾸며낸 일 : a newspaper full of ~*s* 날조 기사로 가득 찬 신문. **4** Ⓤ 발명의 재능, 발명력 : Necessity is the mother of ~. 《속담》 필요는 발명의 어머니. **5** 〖樂〗 인벤션《대위법의 건반용 곡》 ; 〖修〗 (말의 적절한) 내용 선택.

in·vén·tive *a.* 발명의 (재능이 있는), 독창적인.

invéntor-túrned-búsinessman *n.* 발명가 사업가《자기의 발명품으로 기업을 차리는》.

in·ven·to·ry [ínvəntɔ̀ːri ; -təri] *n.* **1** (상품·가재·재산 따위의) (재고)목록, 재고품(在庫品) 명세서 ; 재고품(stock) ; 《美》 재고 조사(stocktaking) : take ~ 재고 조사를 하다. **2** (상세한) 표, 목록 ; 개관, 조사. **3** 천연 자원 조사 일람《특히 한 지방의 야생 생물수》 ; (카운셀링용의 적성·특기 따위를 기록한) 인물 조사 기록 ; 목록 작성. —— *vt.* (가재·상품 따위를) 목록에 기입하다, …의 목록을 작성하다 ; 《美》 …의 재고를 조사하다. —— *vi.* (재산 따위가) 목록상 …의 가치가 있다. 〚L ; ⇨ INVENT〛 類義語 ⟹ LIST.

ínventory adjústment *n.* 재고 조정.

ínventory finànce *n.* 재고 금융.

ìn·verácity *n.* Ⓤ 참되지 않음, 불성실 ; 허위, 거짓(untruth).

In·ver·ness [ìnvərnés] *n.* [또는 i~] 인버네스《남자용의 소매없는 외투》.

in·verse [invə́ːrs, ⌐−] *a.* 역(逆)의, 반대의, 전도된 ; 〖數〗 역(함)수의 : the ~ square law=the law of ~ square 〖理〗 역제곱 법칙. —— *n.* 역, 역수, 반대(의 것). —— [−⌐] *vt.* 《稀》 역으로 하다. **~·ly** *adv.* 역으로, 반대로, 반비례하여. 〚L=turned in ; ⇨ INVERT〛

ínverse fúnction *n.* 〖數〗 역함수.

ínverse propórtion *n.* 〖數〗 반비례, 역비례 : in ~ to …에 반비례하여.

ínverse rátio *n.* 〖數〗 반비, 역비.

in·ver·sion [invə́ːrʒən, -ʃən] *n.* Ⓤ,Ⓒ 역(逆), 전도, 도치, 전치(轉置) ; 〖文法〗 어순 전도(轉倒), 도치(법) ; 〖論〗 역환법(逆換法) ; 〖遺〗 역위(逆位) ; 〖樂〗 자리바꿈 ; 〖化·理〗 반전 ; 〖結晶〗 전이 ; 〖氣〗 (대기의) 역전 ; 〖數·音聲〗 반전 ; 〖電〗 (직류에서 교류로의) 반전 ; 〖컴퓨〗 반전《말속의 각 비트 위치값을 역으로 하는 연산》 ; 〖通信〗 (엿듣기 방지를 위한 주파수 스펙트럼의) 반전(反轉) ; 〖精神醫〗 성(性)대상 도착, 동성애.

in·ver·sive [invə́ːrsiv] *a.* 전도의, 역의, 반대의.

***in·vert** [invə́ːrt] *vt.* **1** 거꾸로[반대로] 하다, 전도시키다 : ~ a glass 유리 컵을 엎어 놓다. **2** 〖樂〗 자리바꿈시키다 ; 〖音聲〗 (혀를) 반전하다 ; 〖化〗 전화(轉化)하다. —— [⌐−] *a.* 〖化〗 전화한. —— [⌐−] *n.* 〖建〗 역(逆) 아치 ; 〖化〗 전화, 뒤바꿈 ; 〖精神醫〗 성욕 도착자, 동성애자. 〚L=to turn the wrong way round (*vers- verto* to turn)〛 類義語 ⟹ REVERSE.

in·vert·ase [invə́ːrteis, -z] *n.* 〖生化〗 전화 효소(轉化酵素), 인베르타아제.

in·vértebrate *a.* 〖動〗 척추[등뼈]가 없는 ; 《비유》 기골이 없는, 우유부단한. —— *n.* 〖動〗 무척추동물 ; 《비유》 기골이 없는 사람. 〚L〛

invért·ed *a.* **1** 거꾸로 된, 역의. **2** 〖音聲〗 반전(反轉)[도설(倒舌)]의 : an ~ consonant 도설 자음《혀끝을 위 안쪽으로 말아 발음함 ; 미국 영어의 r-coloring 따위》. **3** 〖精神醫〗 성욕 도착의, 동성애의.

invérted árch *n.* 〖建〗 역(逆)아치.

invérted cómma *n.* 〖印〗 인용 부호(quotation marks).

invérted ímage *n.* 〖理〗 도립상(倒立像).

invérted snób *n.* 자기보다 아래 계급을 가장하고 자기 계급을 경멸하는 자.

invért·er *n.* 〖電〗 (직류를 교류로 바꾸는) 인버터, 변환 장치[기] ; 뒤바꿈기.

ínvert sóap *n.* 역성(逆性) 비누.

ínvert súgar *n.* 전화당(轉化糖).

in·vest** [invést] *vt.* **1** [+目/+目+*in*+名] 투자하다 : I have no money to ~. 투자할 돈이 없다 / He ~*ed* his money ***in stocks and bonds. 주식과 증권에 돈을 투자했다. **2** 〖軍〗 포위하다. **3** [+目+*with*+名/+目] **a)** …에게 착용시키다, 입게 하다(clothe) ; (기장·훈장 따위를) 달게 하다, 수여하다 ; 취임[즉위]시키다 : The bishop ~*ed* the king ***with*** the crown. 주교(主教)는 왕에게 왕관을 씌웠다 / Darkness began to ~ the

earth. 땅거미가 대지를 덮기 시작했다. **b)** (성질·권력 따위를) 수여하다, 부여하다 : I ~*ed* my lawyer ***with*** complete power to act for me. 변호사에게 대행의 전권을 위임했다 / He was ~*ed with* an air of dignity. 어딘지 모르게 위엄을 갖추고 있었다. —— *vi.* **1** [動/+*in*+名] 투자하다 : ~ ***in*** stocks 주식에 투자하다. **2** [+*in*+名] 《口·戱》 사다 ; 돈을 쓰다 : ~ ***in*** a new hat 새 모자를 사다.
in·vés·tor *n.* 투자자 ; 포위자 ; 서임자, 수여자. 〚F or L=to clothe (*vestis* clothing) ; 「투자하다」는 It. *investire*에서〛

***in·ves·ti·gate** [invéstəgèit] *vt., vi.* 조사하다, 문초하다, 연구하다(examine) : We are thoroughly *investigating* the cause of the accident. 그 사고의 원인을 철저하게 조사중이다.
-ga·ble [-gəbəl] *a.* 조사[연구]할 수 있는.
-gà·tor *n.* 조사자, 연구자 ; 수사원[관].
〚L (*vestigo* to track〈VESTIGE)〛

***in·ves·ti·ga·tion** [invèstəgéiʃən] *n.* U,C 조사〈*of, into*〉, 문초, 연구(examination) ; 연구 논문, 조사 보고 : It is under ~. 그것은 조사중이다 / (up)on ~ 조사해 본즉, 조사한 결과 / make ~ *into* …을 조사하다.
類義語 ***investigation*** 모든 것을 조사하여 숨겨진 사실이나 진실을 찾아내는 일. ***examination*** 사람 또는 물건을 엄밀히 관찰하고 시험하여 그 가치 따위를 결정하는 일. ***inquiry*** 특히 질문을 하여 행하는 조사.

investigátion néw drúg *n.* 〔醫〕 연구용 신약《동물 실험 후 사람에게 임상시험을 위한》.

in·vés·ti·gà·tive, in·ves·ti·ga·to·ry [invéstigətɔ̀:ri ; -təri] *a.* 조사의, 문초의, 연구의.

invéstigative repórting[jóurnalism] *n.* (범죄·부정 따위에 관한) 매스컴[기자]의 독자적 조사에 의한 보도.

in·ves·ti·tive [invéstətiv] *a.* 관직[자격]을 수여하는 ; 임관[자격 부여]의[에 관한].

in·ves·ti·ture [invéstətʃər] *n.* **1 a)** (관직·성직 따위의) 수여, 임관, 서임(敍任)〈*with*〉; 수여식, 임관[인증]식. **b)** (자격의) 부여〈*with*〉. **2** U (옷을) 입힘 ; 피복, 의류. **3** 《稀》 포위.

***invést·ment** *n.* **1** U 투자, 출자 ; C 투자 자본 ; 투자금 ; 투자의 대상 : a good ~ 유리한 투자 / make an ~ *in* …에 투자하다. **2** 〔軍〕 포위, 봉쇄(封鎖). **3** =INVESTITURE 1 a). **4** U 착용시킴(clothing).

invéstment bànk *n.* 투자 은행.

invéstment bànker *n.* 증권 인수업자《장기 자본 시장에서 자금 조달을 행하는 금융기관》.

invéstment càsting *n.* 〔冶〕 매 몰[정 밀(精密)] 주조(법).

invéstment còmpany *n.* 투자 (신탁) 회사.

invéstment fùnd *n.* 투자신탁 재산 ; 투자 (신탁) 회사.

invéstment retùrns *n. pl.* 〔證〕 투자 수익.

invéstment táx crèdit *n.* 〔經〕 투자 세액 공제(控除).

invéstment trùst *n.* =INVESTMENT COMPANY.

in·vet·er·a·cy [invétərəsi] *n.* U 뿌리 깊음, 완고 ; 만성 ; 집념이 강함, 숙원(宿怨).

in·vet·er·ate [invétərət] *a.* (질병·습관 따위) 뿌리 깊은 ; 집념이 강한 ; 만성의, 상습적인 : an ~ enemy 숙적(宿敵) / an ~ disease 고질병, 지병 / an ~ habit 상습 / ~ indolence 고질적인 게으름/ an ~ smoker 상습 흡연자. **~·ly** *adv.* 〚L (*in-*², *veter- vetus* old)〛

in·víable *a.* 생존 불가능한 ; (재정적으로) 살아남을 수 없는.

in·vid·i·ous [invídiəs] *a.* 비위에 거슬리는, (불공평하여) 불쾌한 ; (지위·명예 따위가) 남의 시기를 받기 쉬운. **~·ly** *adv.* **~·ness** *n.* 〚L=full of ENVY〛

in·vig·i·late [invídʒəlèit] *vi.* 망보다, 감시하다 ; 《英》 시험 감독을 하다. —— *vt.* 《廢》 경계시키다. 〚L (*in-*², *vigilo* to watch〈VIGIL)〛

in·vig·o·rant [invígərənt] *n.* 강장제(tonic).

in·vig·o·rate [invígərèit] *vt.* …에게 기운을 북돋우다, 활기띠게 하다, 상쾌하게 하다, 고무하다.
in·víg·o·ràt·ing *a.* 격려하는, 상쾌한.
in·vìg·o·rá·tion *n.* U 격려 ; 고무.
〚L ; ⇒ VIGOR〛
類義語 ⟹ ANIMATE.

in·víg·o·rà·tive [, -rət-] *a.* 기운나게 하는, 활력을 주는 ; 격려하는.

in·víg·o·rà·tor *n.* 기운나게 하는 사람[것] ; 강장제, 자극제.

in·vin·ci·ble [invínsəbəl] *a.* 이길 수 없는, 패배시킬 수 없는, 무적의. **in·vìn·ci·bíl·i·ty** *n.* U 무적. **-bly** *adv.* 이길 수 없게.
〚OF<L〛

Invíncible Armáda *n.* [the ~] 〔史〕 (스페인의) 무적 함대《1588년 영국 해군에 의해 격파됨》.

in·víolable *a.* (신성하여) 더럽힐 수 없는, 불가침의. **-bly** *adv.* **in·violabílity** *n.* U 불가침(성), 불가침권, 신성. 〚F or L〛

in·víolate *a.* 침범되지 않은 ; 신성한, 모독받지 않은, 더럽혀지지 않은 : keep a town ~ 마을을 지켜 침범하지 못하게 하다.
〚L (*in-*¹, VIOLATE)〛

in·vis·cid [invísəd] *a.* 점도(粘度)가 영(零)인, 무점성의.

in·visibílity *n.* U 눈에 보이지 않음, 숨어 있음, 불가시성(不可視性).

***in·vísible** *a.* **1** 눈에 보이지 않는 : an ~ man (공상 과학 소설 따위에서의) 투명 인간 / Germs are ~ *to* the naked eye. 세균은 육안으로는 보이지 않는다. **2** 얼굴을 내놓지 않는, 모습을 드러내지 않는 : He remains ~ when out of spirits. 기분이 좋지 않을 때는 사람을 만나지 않는다. **3** 눈에 보이지 않을 만큼 작은 ; 똑똑히 보이지 않는 ; 확실하지 않은. **4** 내밀한, 공개되지 않은.
invisible exports and imports 〔經〕 무역외 계정(計定)[수지]《운임·보험료·수수료·관광객의 소비 따위》.
—— *n.* 눈에 보이지 않는 것 ; [the ~] 영계(靈界)(↔*the visible*) ; [the I~] 신(神) ; 무역외 수지의 한 항목, 용역. **-bly** *adv.* 눈에 보이지 않도록, 눈에 띄지 않을 만큼.
〚OF or L〛

invísible bálance *n.* 〔經〕 무역외 수지.

invísible cáp *n.* [the ~] 요술 모자《이것을 쓰면 모습이 남의 눈에 안 보인다는》.

invísible éxports *n. pl.* 〔經〕 무형 수출품, 무역외 수출《특허료 수입·외국 상품 수송료·보험요금 따위》.

invísible glàss *n.* 불가시 유리 ; 무반사 유리.

invísible góvernment *n.* 《美》 보이지 않는 정부《CIA의 별칭》.

invísible gréen *n.* 진한 녹색《흑색(黑色)과 구별하기 힘듦》.

invísible hánd *n.* 〔經〕 보이지 않는 손《A. Smith의 설(說) : 자기의 이익추구가 보이지 않는 손에 의해 사회 전체의 이익으로 연결됨》.

invísible ímports *n. pl.* 〖經〗 무형 수입품, 무역외 수입(↔*invisible exports*).

invísible ínk *n.* 은현(隱顯) 잉크.

invísible ménder *n.* 짜깁기 따위를 업으로 하는 사람.

invísible ménding *n.* 짜깁기.

invísible supplý *n.* 시장외 재하(在荷)《시장에 출하되지 않은 곡물 따위의 농산물》.

invísible tráde *n.* 보이지 않는 무역《운임·관광 따위 상품 이외의 무역》.

‡**in·vi·ta·tion** [ìnvətéiʃən] *n.* **1** U,C [+*to* do] 초대, 초빙, 권유 ; C 초대[안내]장 : a letter of ~ 초대장 / admission by ~ only 입장은 초대객에 한함 / at the ~ of …의 초청으로 / go to a party *on* ~ 초대를 받고 파티에 가다 / send out ~*s to* a dinner party 만찬회의 초대장을 내다 / accept [decline] an ~ (*to* a party) (파티의) 초대에 응하다[를 거절하다] / He has accepted an ~ *to* take charge of the glass works. 그는 그 유리 공장의 경영을 맡아달라는 초빙에 응했다. **2** 유인 ; 매력, 유혹 ; 도전〈*to*〉.

invitátion·al *a.* (참가자가) 초대자에 한한《시합·전람회 따위》; 의뢰한《기사 따위》.

invitátional tóurnament *n.* 〖競〗 초청경기《주최국 초대에 따라 참가할 수 있는》.

in·vi·ta·to·ry [inváitətɔ̀:ri ; -təri] *a.* 초대의 ; 권유의. —— *n.* 초대사《특히 시편 95》.

◇**in·vite** [inváit] *vt.* **1** [+目+*to*+名/+目+*to* do/+目+副] 초대하다, 초청하다(ask) : They ~*d* me ***to*** the wedding. 나를 결혼식에 초대해 주었다 / We ~*d* her *to* have dinner with us. 그녀에게 만찬을 함께 들자고 초대했다 / My father and mother have been ~*d* ***out*** *to* dinner. 양친은 식사에 초대받고 나가셨습니다. **2** [+目+*to* do] (남에게 …할 것을) 청하다, 권하다, 촉구하다 : The audience were ~*d* *to* express their opinions. 청중은 자기네들의 의견을 말해달라는 청을 받았다. **3** (사람의 의견·질문 따위를) 구하다, 원하다, 청하다. **4** [+目/+目+*to* do] 끌다, (마음 따위를) 유혹하다 : Every scene ~*s* the ravished eye. 어떤 장면이나 보는 사람의 눈길을 끈다 / The warm weather ~*d* me *to* go out for a walk. 날씨가 따뜻하여 산책 나가고 싶어졌다. **5** (비난·위험 따위를) 가져오다, 초래하다(bring on) : His practical joke ~*d* our anger. 그의 심술궂은 장난으로 우리들은 화를 내고 말았다.

〈회화〉
May I *invite* him to the party? — Of course.
「그를 파티에 초대해도 좋습니까」「물론이지」

—— [ˊ-] *n.* 《口》 초대(장), 초청.
〖OF or L〗
類義語 ⟹ CALL.

in·vít·ing *a.* 초대하는 ; 유혹적인, 마음을 빼앗는 ; 좋아[맛있어] 보이는. **~·ly** *adv.*

in vi·tro [in ví:trou] *a., adv.* 시험관[유리관] 속의[에], 생체(조건)밖의[에서]. 〖L〗

in vítro fertilizátion *n.* =EXTERNAL FERTILIZATION.

in vi·vo [in ví:vou] *adv., a.* 생체(조건) 내에서(의). 〖L=in a living (thing)〗

in·vo·ca·tion [ìnvəkéiʃən] *n.* U,C (신에의) 기도, 기원 ; (도움·지원의) 탄원, 청원 ; 주문으로 악마를 불러냄 ; 그 주문 ; 시신(詩神) Muse에게 작시(作詩)의 영감을 비는 말 ; (권위를 갖게 하거나 정당화하기 위해) 예를 인용함 ; (법률에) 호소함 ; (법의) 발동, 실시. **~·al** *a.*
〖OF＜L ; ⇨ INVOKE〗

in·voc·a·to·ry [invákətɔ̀:ri ; -təri] *a.* 기도의, 기원의.

in·voice [ínvɔis] *n.* 〖商〗 송장(送狀)[청구서](에 의한 송부), (송장에 적힌) 화물 ; 명세기입 청구서 : a consular ~ 영사(領事) 송장. —— *vt.* …의 송장[청구서]을 작성[제출]하다 ; 송장에 적다 ; …에게 송장을 보내다 ; (화물을) 적송(積送)하다. —— *vi.* 송장을 작성[제출]하다. 〖(pl.)〈*invoy* ENVOY ; -*ce*는 DICE, TRUCE 따위 참조〗

in·voke [invóuk] *vt.* **1** (신의 도움 따위를) 빌다. **2** (법에) 호소하다, 의지하다, 발동하다 ; 갈망하다, 간절히 바라다, 염원하다. **3** (영혼 따위를) 불러내다. **4** (법을) 실시하다(enforce). **5** 원용(援用)하다. 〖L (*voco* to call)〗

in·vo·lu·cre [ínvəlù:kər] *n.* 〖植〗 총포(總苞) ; 〖解〗 피막(被膜), 막낭(膜囊) ; 보자기, 덮개.
〖F or L ; ⇨ INVOLVE〗

in·vo·lu·crum [ìnvəlú:krəm] *n.* (*pl.* **-cra** [-krə]) =INVOLUCRE. 〖L=wrapper〗

in·vóluntary *a.* **1** 본의 아닌, 기분이 내키지 않는 (unwilling). **2** 무심결의, 무의식중의 : ~ manslaughter 〖法〗 과실치사(죄). **3** 〖解〗 불수의(不隨意)의(↔*voluntary*) : ~ muscle 불수의 근. **-ri·ly** *adv.* 모르는 사이에 ; 본의 아니게. **-ri·ness** *n.* 무의식, 본의 아님, 우연. 〖L〗
類義語 ⟹ SPONTANEOUS.

in·vo·lute [ínvəlù:t] *a.* 복잡한, 뒤얽힌 ; 〖植·動〗 나선상(螺旋狀)으로 감긴, 안으로 말린. —— *n.* 〖數〗 신개선(伸開線). —— *vi.* 안으로 말리다[감기다] ; (출산 후 자궁이) 원상태로 돌아가다, 퇴축(退縮)하다 ; 아주 없어지다. **~·ly** *adv.*
〖L (p.p.)〈INVOLVE〗

ín·vo·lùt·ed *a.* 뒤얽힌 ; (자궁 따위가) 원상태로 돌아간.

in·vo·lu·tion [ìnvəlú:ʃən] *n.* **1** U,C 말아넣기 ; 안으로 말림, 회선(回旋). **2** U,C 복잡, 혼란 ; 〖文法〗 (주어와 술어 사이에 절이나 구가 들어 있는) 복잡 구문. **3** U,C 〖數〗 대합(對合)(↔*evolution*). **4** U,C 〖生〗 퇴화(degeneration) ; 〖醫〗 퇴축(退縮)《해산 후의 자궁의 수축 따위》.

‡**in·volve** [inválv] *vt.* **1** [+目/+do*ing* / +目+*in*+名] 포함하다, (부수적으로) 수반하다 ; 의미하다(imply), 필요로 하다(require) ; …에 영향을 주다[관계하다] : This question ~*s* embarrassing explanations. 이 문제에는 구차한 설명이 필요하다 / It would ~ liv*ing* apart from my family. 그러면 나는 가족과 떨어져서 살게 됩니다 / Persistent effort was ~*d* ***in*** completing the work. 그 일을 성취하는 데는 부단한 노력이 필요했다 / The financial project ~*s* us all. 그 재정 계획은 우리 모두에게 영향이 있다. **2** [+目+前+名] 말아[얽어] 넣다, 연루(連累)시키다[끌어넣다], 빼지도 박지도 못하게 하다 : The mistake ~*d* me ***in*** a great deal of trouble. 그 잘못으로 인해서 대단한 곤경에 빠지게 되었다 / He is ~*d in* debt[*in* a conspiracy]. 빚을 져서 꼼짝달싹 할 수 없다[음모에 연루되어 있다] / He got ~*d* ***with*** the conspirators. 그 음모자들과 연관을 맺게 되었다. **3** [+目+*in*+名] [주로 수동태로] 열중시키다 : My son *is* ~*d* ***in*** working out the puzzle. 내 아들은 그 수수께끼를 풀려고 애를 쓰고 있다. **4** 감다, 싸다(wrap). **5** 복잡하게 하다, 뒤얽히게 하다. **in·vólv·er** *n.*
〖L *in*-[2](*volut*- *volvo* to roll) =to surround〗
類義語 (1) ***involve*** 뒤얽혀서 곤란한 또는 불유쾌한 혼란 상태에 사람이나 물건을 말려들게 하

다 : We do not want to be *involved* in the war. (그 전쟁에 말려드는 것을 원하지 않는다). ***implicate*** 남을 불명예스러운 또는 나쁜 일에 관계시키다 : He was *implicated* in a crime. (그는 범죄에 관련되었다).
(2) ⟹ INCLUDE.

in·vólved *a.* 뒤얽힌, 복잡한, 알기 어려운 ; 혼란한 ; (경제적으로) 곤란한 상태에 빠져 있는 ; (사건 따위에) 말려든.

in·vólve·ment *n.* Ⓤ 말려듦, 휩쓸려듦, 연루(連累), 빼지도 박지도 못하는 관계〈*in*〉; Ⓒ 곤란한 일, 성가심 ; 재정 곤란.

invt(y). inventory.

in·vúlnerable *a.* 상처를 입힐 수 없는, 불사신의 ; 이길 수 없는 ; (토론에서) 반박할 수 없는. **-bly** *adv.* **in·vulnerabílity** *n.* Ⓤ 상처를 입힐 수 없음, 불사신 ; 공격[설득] 불능. 〖L〗

***in·ward** [ínwərd] *adv.* 속으로, 안에서 ; 마음 속으로 ; 몰래 : a road curving ~ 안쪽으로 굽은 도로 / turn one's thought ~ 내성(內省)하다.
—— *a.* **1** 안의, 내부의 ; 안쪽으로의, 내향(內向)의(↔*outward*) ; 〖商〗 수입(輸入)의. **2** 내적인, 정신적인, 영적인, 마음의. **3** (목소리 따위가) 낮은. —— *n.* **1** 내부 ; 내심 ; 정신, 진수. **2** [*pl.*] [ínərdz, -wərdz] 《口》 배 ; (음식으로서의) 내장. **3** [*pl.*] 《英》 수입세[품].
〖OE *innanweard*〗

ínward·ly *adv.* 내부로, 안쪽으로 ; 마음속으로 ; 몰래, 비밀리에, 낮은 목소리로 : speak ~ 낮은 소리로 말하다.

ínward·ness *n.* Ⓤ 본질(essence), 참뜻 ; 내적[정신적]인 것 ; 영성(spirituality).

ín·wards *adv.* =INWARD. 〖ME〗

in·wéave *vt.* 짜 넣다, 섞어 짜다.

ín·wórks *a.* 공장 안(에서)의.

in·wráp *vt.* =ENWRAP.

in·wréathe *vt.* =ENWREATHE.

in·wróught *a.* (무늬 따위) 짜[꿰매] 넣은, 자수(刺繡)한, 상감(象嵌)한〈*in, on*〉; (직물 따위에) 무늬를 짜[꿰매] 넣은〈*with* a pattern〉; 잘 섞은, 혼합된〈*with*〉.

Io [áiou] *n.* 〖그神〗 이오《Zeus의 사랑을 받았으나 Hera의 질투 때문에 흰 암소로 변한 여자》.

Io 〖化〗 ionium. **Io.** Iowa. **I/O** 〖컴퓨〗 input/output(입출력).

I/O bús *n.* 〖컴퓨〗 입출력 버스《입출력 기기의 접속을 위한 외부 공통 모선(母線)》.

IOC International Olympic Committee.

I/O contróller *n.* 〖컴퓨〗 입출력 제어 장치.

IOCS 〖컴퓨〗 input/output control system.

IOCU International Organization of Consumers Union(국제 소비자 연맹 기구).

iod- [áiəd], **io·do-** [áiədou, -də] *comb. form* 「요오드」의 뜻. 〖F ; ⇨ IODINE〗

io·date [áiədèit] *n.* 〖化〗 요오드산염. —— *vt.* 요오드로 처리하다(iodize).

iod·ic [aiádik] *a.* 〖化〗 요오드의.

iódic ácid *n.* 〖化〗 요오드산.

io·dide [áiədàid] *n.* Ⓤ,Ⓒ 〖化〗 요오드화물(化物) : ☞ SILVER IODIDE.

io·dine [áiədàin, -dì:n], **-din** [áiədən] *n.* Ⓤ 〖化〗 요오드《기호 I ; 번호 53》: ~ preparation 요오드제(劑) / tincture of ~ 요오드팅크.
〖F *iode*<Gk. *iōdēs* violet colored (*ion* violet) ; 그 증기의 색에서〗

íodine-xénon dàting *n.* 요오드-크세논 연대 측정《지질학상의 표본 연대 결정법》.

io·dism [áiədìzəm] *n.* Ⓤ 〖醫〗 요오드 중독(증).

io·dize [áiədàiz] *vt.* 요오드로 처리하다 ; 요오드를 함유시키다.

ìodo·chlòr·hydróxy·quin [-kwən] *n.* 〖藥〗 요오드클로르히드록시퀸《질(膣) 트리코모나스 감염증 따위에 쓰는 국부 살균제》.

io·do·form [aióudəfɔ̀:rm, -ád-] *n.* Ⓤ 〖化〗 요오드포름. 〖IODINE ; *chloroform*에 준한 것〗

io·dous [aióudəs, áiədəs] *a.* 〖化〗 요오드의 ; 요오드 같은[에 관한].

Iof·fé bár [jafí:-] *n.* 〖理〗 요페 막대《핵융합 장치에서 바깥 자기장 방향으로 전류를 통한 막대》. 〖M.S. *Ioffe* 1962년 실험에 성공한 구소련의 물리학자〗

I. of M. Isle of Man. **I. of W.** Isle of Wight. **I.O.G.T., IOGT** International Order of Good Templars. **IOJ** International Organization of Journalists(국제 저널리스트 기구). **I.O.M., I.o.M.** Isle of Man. **IOM** International Organization for Migration(국제 이주 기구).

ion [áiən, -an] *n.* 〖理·化〗 이온 : a positive ~ 양(陽)이온(cation) / a negative ~ 음(陰)이온(anion). 〖Gk. =going〗

-ion [-jən, ([ʃ, ʒ, tʃ, dʒ] 다음에서는) -ən] *n. suf.* 「상태」 「동작(의 결과)」를 나타냄 : un*ion*, pot*ion* ; relig*ion* ; miss*ion*, quest*ion*.
〖F or L〗

íon èngine *n.* 〖空〗 이온 엔진(ion rocket).

íon ètching *n.* 〖理〗 이온 에칭《금속·유리·폴리머·생체 조직 따위에 고에너지 이온을 쬐인 다음 이것을 부식시키는 방법》.

íon exchànge *n.* 〖理·化〗 이온 교환(交換).

íon-exchànger *n.* 〖化〗 이온 교환체[기].

Io·nia [aióuniə] *n.* 이오니아《그리스의 Athens를 중심으로 하는 지방》.

Ió·ni·an *a.* 이오니아(인)의 ; 〖樂〗 이오니아식(式)의 ; 〖哲〗 이오니아파(派)의.
—— *n.* 이오니아인 ; 〖哲〗 (고대 그리스의) 이오니아파의 자연철학자.

Iónian Séa *n.* [the ~] 이오니아해(海).

ion·ic [aiánik] *a.* 〖理〗 이온의. 〖ION〗

Ionic *a.* 이오니아(인)의 ; 〖韻〗 이오니아 시각(詩脚)의 ; 〖建〗 이오니아식(式)의 : the ~ dialect 이오니아어. 〖L<Gk. *Iōnikos*〗

iónic bónd *n.* 〖化〗 이온 결합.

iónic mobílity *n.* 〖化〗 이온 이동도.

Iónic órder *n.* [the ~] 〖建〗 이오니아식《대접받침에 소용돌이 조각이 있는 것》.

íon implantàtion *n.* 〖理〗 이온 주입(注入)《반도체를 얻는 방법의 하나》.

io·ni·um [aióuniəm] *n.* Ⓤ 〖化〗 이오늄《토륨의 방사성 동위 원소 ; 기호 Io ; 번호 90》.

ìon·izátion *n.* Ⓤ 〖化〗 이온화(化), 전리(電離).

íon·ìze *vt., vi.* 이온화(化)하다, 전리하다.
íon·ìz·er *n.* 이온화[전리] 장치.

íonized clúster bèam *n.* 〖理〗 새 박막(薄膜) 성장 기술.

íon mìlling *n.* 〖理〗 =ION ETCHING.

ióno·phòre [aiánə-] *n.* 〖生化〗 이온 투과 담체(擔體). 〖*ion*+*-o-*+*-phore*〗

iono·sonde [aiánəsànd] *n.* 〖工〗 이온존데《전리층의 이온층의 높이를 전파의 반사에 의해 측정·기록하는 장치》.

ióno·sphère [aiánə-] *n.* 〖理〗 이온층, 전리층.

íon plàting *n.* 〖理〗 이온 플레이팅《각종 이온을 수(數) 킬로 전자 볼트 가속하여 기판(基板)에 대

고 부착력이 강한 막을 형성하는 방법》.
íon propùlsion *n.* (우주 로켓의) 이온 추진.
íon ròcket *n.* =ION ENGINE.
íon-selèctive fíeld-effèct transìstor *n.* 〖電子〗 이온 선택 전기장 효과 트랜지스터《略 ISFET》.
íon tàil *n.* 〖天〗 (혜성의) 이온 꼬리(plasma tail).
I.O.O.F., IOOF Independent Order of Odd Fellows.
I/O pórt *n.* 〖컴퓨〗 입출력 포트《데이터의 입출력을 행하기 위한 회로》.
-ior[1] [-iər] *suf.* 라틴어계 형용사의 비교급을 만듦 : jun*ior*, sen*ior*, infer*ior*. 〖L〗
-ior[2] | **-iour** [-iər, -jər] *n. suf.* 「…하는 사람」의 뜻 : sav*io* (*u*) *r*, pav*io* (*u*) *r*. 〖-*or*[1]〗
io·ta [aióutə] *n.* **1** 이오타《그리스어 알파벳의 아홉 번째 글자 *I, ι* ; 로마자(字)의 I, i에 해당함》. **2** 미소(微小) ; [부정문에서] 아주 조금(도 …없다), 티끌만큼(도 …없다) : There is *not* an ~ of …이 조금도 없다. 〖Gk. *iōta*〗
io·ta·cism [aióutəsìzəm] *n.* 이오타(*ι*)를 지나치게 다른 글자 대신에 쓰는 일 ; 이오타화(化)《본래 다른 모음이나 중모음을 모두 [i:] 음화하는 그리스어의 경향》.
IOU, I.O.U., i.o.u. [àiòujúː] *n.* (*pl.* **~s**) 약식 차용 증서. 〖*I owe you*의 음역〗
-iour ☞ -IOR[2].
-ious [-iəs, -jəs] *a. suf.* 「…의 특징을 가진」「…으로 가득찬」의 뜻 : cur*ious*.
I.O.W., I.o.W. Isle of Wight.
Io·wa [áiəwə ; áiəuə] *n.* 아이오와《미국 중서부의 주(州) ; 略 Ia., IA》. **Ío·wan** *a., n.* Iowa 주의 (사람).
IP, I.P. information provider(정보 제공자) ; initial point ; 〖野〗 innings pitched(투구 횟수) ; input primary ; intermediate pressure. **IPA** International Phonetic Alphabet[Association] ; isopropyl alcohol. **IPC** International Patents Classification(국제 특허 분류).
ip·e·cac [ípikæ̀k], **ipe·cac·u·an·ha** [ìpəkæ̀kjuǽnjə] *n.* 토근(吐根)《남아메리카산의 꼭두서니과 식물의 뿌리 ; 토제(吐劑)·하제(下劑)에 쓰임》 ; 그 식물.
〖Port.<Tupi-Guarani=emetic creeper〗
IPECK International Private Economic Council of Korea(국제 민간 경제 협의회).
Iph·i·ge·nia [ìfədʒənáiə] *n.* 〖그神〗 이피게니아 《Agamemnon과 Clytemnestra의 딸》.
IPI International Press Institute. **IPL** initial program loader[loading]. **ipm, i.p.m., IPM** inches per minute. **IPPNW** International Physicians for the Prevention of Nuclear War(핵전쟁 방지 국제 의사회). **IPR** Institute of Pacific Relations. **ips, i.p.s., IPS** inches per second(테이프 리코더의 스피드 표시).
ip·se dix·it [ìpsi díksət] *n.* (*pl.* **~s**) 독단(적인 말[주장]). 〖L〗
ip·si·láteral [ìpsi-] *a.* (신체의) 동측(同側)(성)의. **~·ly** *adv.*
ip·sis·si·ma ver·ba [ipsísəmɑː wə́rbɑː] *n. pl.* 바로 그대로의 말. 〖L=the very words〗
ip·so fac·to [ìpsou fǽktou] *adv.* 바로 그 사실에 의하여, 사실상. 〖L=by that very fact〗
ip·so ju·re [ìpsou dʒúəri] *adv.* 법률 그 자체에 의하여. 〖L〗
Ips·wich [ípswitʃ] *n.* 입스위치《잉글랜드 Suffolk 주의 주도(州都)》.
IPU Inter-Parliamentary Union(국제 의원 연맹). **IQ, I.Q.** intelligence quotient(지능 지수(指數)) ; improved quality(품질 향상). **i.q.** *idem quod* 《L》 (=the same as).
-ique ☞ -IC.
ir- [i] ☞ IN-[1,2]《r앞에 쓰임》 : *ir*rational.
IR 〖컴퓨〗 information retrieval. **IR, ir, i-r** 〖理〗 infrared. **Ir** 〖化〗 iridium. **Ir.** Ireland ; Irish. **I.R.** Inland[Internal] Revenue ; intelligence ratio.
Ira [áiərə] *n.* 남자 이름. 〖Heb.=watchful〗
I.R.A., IRA Irish Republican Army《아일랜드 공화국군 ; 반영(反英) 지하 조직》 ; 《美》 individual retirement account(개인 퇴직 적립금).
ira·de [irɑ́ːdi] *n.* (터키 황제의) 칙령서. 〖Turk.<Arab.〗
Irak ☞ IRAQ.
Iraki ☞ IRAQI.
IRAM integrated RAM.
Iran [irǽ(ː)n, irɑ́ːn ; irɑ́ːn] *n.* 이란《수도 Teheran ; 옛 이름은 Persia》.
the Plateau of Iran 이란 고원.
Irán·ic *a.* =IRANIAN.
〖Pers. *Irān* Persia〗
Ira·ni [irɑ́ːni] *a., n.* =IRANIAN.
Ira·ni·an [iréiniən, ai-] *a.* 이란(인)의 ; 이란어계(語系)의. —— *n.* 이란인 ; Ⓤ 이란어.
Iraq, Irak [irɑ́ːk, 美+irǽk] *n.* 이라크《수도 Baghdad》. **Iráq·i·an, Irák-** *n., a.* =IRAQI.
Iraqi, Iraki [irɑ́ːki, 美+irǽki] *n.* 이라크인 ; Ⓤ 이라크어. —— *a.* 이라크의 ; 이라크인[어]의. 〖Arab.〗
IRAS Infrared Astronomical Satellite《적외선 천문 위성 ; 1982년 발사》.
iras·ci·ble [irǽsəbəl, aiə-] *a.* 성을 잘 내는, 성미가 급한, 성마른 ; 성난《대답》.
-bly *adv.* **iràs·ci·bíl·i·ty, ~·ness** *n.*
〖OF<L (*irascor* to grow angry‹IRE)〗
irate [airéit, ⌐-] *a.* 성난, 노한.
~·ly *adv.* **~·ness** *n.*
〖L (*ira* anger, IRE)〗
I.R.B. Irish Republican Brotherhood.
IRBM intermediate range ballistic missile. **IRC** International Red Cross.
ire [áiər] *n.* Ⓤ 《詩》 (심한) 노여움, 분노(anger). —— *vt.* 성내다. 〖OF<L *ira*〗
Ire. Ireland.
íre·ful *a.* 성난, 성마른. **~·ly** *adv.* **~·ness** *n.*
***Ire·land** [áiərlənd] *n.* 아일랜드《아일랜드 공화국과 북아일랜드》.
the Republic of Ireland 아일랜드 공화국《전 이름은 Irish Free State(1922-37), Eire(1937-49) ; 수도 Dublin》.
Ire·ne [airíːni, 美+airíːn] *n.* **1** 여자 이름. **2** [airíːni] 〖그神〗 이레네《평화의 여신》.
〖Gk. =(messenger) of peace〗
iren·ic, -i·cal, ei·ren- [airíːnik(əl), -ré-] *a.* 평화[융화]에 도움이 되는 ; 평화주의의, 평화적인, 협조적인. 〖Gk. *eirēnikos* EIRENICON〗
irenicon ☞ EIRENICON.
irén·ics *n.* 평화 신학《기독교 각 파의 화해·협조의 방법을 연구함》.
iren·ol·o·gy [àirənɑ́lədʒi] *n.* 평화학[연구]《국제 관계론의 일부》.
Ir. Gael. Irish Gaelic.
Ir gene [àiɑ́ːr ⌐] *n.* 〖生化〗 Ir 유전자《면역 응답

유전자). 〖*i*mmune *r*esponse〗

ir·ghiz·ite [íərgəzàit] *n.* 〔地〕 이르기즈석(石)《카자흐 공화국에서 발견된 실리카가 풍부한 텍타이트(tektite)》.

ir·id- [írəd, ái-], **ir·i·do-** [írədou, ái-, -də] *comb. form* 「무지개」「홍채」「이리듐」의 뜻. 〖Gk. ; ⇨ IRIS〗

ir·i·da·ceous [ìrədéiʃəs, ài-] *a.* 〔植〕 붓꽃과의, (특히) 붓꽃속의. 〖L ; ⇨ IRIS〗

irides *n.* IRIS의 복수형.

ir·i·des·cence [ìrədésəns] *n.* Ⓤ 무지개 빛깔, 진주빛《보는 각도에 따라 색이 변함》.

ìr·i·dés·cent *a.* **1** 무지개 빛깔의, 진주빛의. **2** (재기(才氣) 따위가) 번뜩이는. **~·ly** *adv.* 〖*irid-*, *-escent*〗

irid·ic [irídik, ai-] *a.* 〔化〕 이리듐(산)의[을 포함한] ; 〔解〕 홍채(虹彩) (iris)의.

irid·i·um [irídiəm, airíd-] *n.* Ⓤ 〔化〕 이리듐《금속원소 ; 기호 Ir ; 번호 77》. 〖NL (*irid-*, *-ium*)〗

ir·i·dol·o·gy [ìrədálədʒi] *n.* 〔醫〕 홍채학(虹彩學). **-gist** *n.*

ir·i·dos·mine [ìrədázmən, àiə-], **-mi·um** [-miəm] *n.* Ⓤ 〔鑛〕 이리도스민《오스뮴(osmium)과 이리듐의 천연산의 합금》.

iris [áiərəs] *n.* (*pl.* **~·es, ir·i·des** [írədiːz, áiə-]) **1** 붓꽃속(屬)의 식물 ; 그 꽃. **2** 〔解〕 (안구의) 홍채(虹彩). **3** 무지개 (모양의 것), (해·달의) 무리 ; 무지개 색의 광채[아치·테] ; 아이리스《무지개색·광채가 있는 석영[수정]》. **4** 〔寫〕 =IRIS DIAPHRAGM. ── *vt.* 무지개 같이 하다 ; 〔映·TV〕 (조리개를 조작하여) 아이리스인[아웃]으로 하다〈*in, out*〉. **~ed** *a.* 〖L<Gk. *irid-* *iris* rainbow〗

Iris[1] *n.* **1** 여자 이름. **2** 〔그神〕 이리스《무지개의 여신》. 〖Gk. (↑) ; 명명(命名)은 꽃의 연상인가〗

Iris[2] *n.* 적외선 경보 시스템《누군가 침입하여 적외선을 차단하면 버저가 울리게 된 시스템》. 〖*i*nfra*r*ed *i*ntruder *s*ystem〗

íris dìaphragm *n.* (사진기·현미경 따위의) 조리개.

***Irish** [áiəriʃ] *a.* 아일랜드의, 에이레(공화국)의 ; 아일랜드인[어]의. ── *n.* Ⓤ **1** 아일랜드어. **2** [the ~] 아일랜드인[군인]. **3** [다음 숙어로] 《口》 짜증《아일랜드인은 성급해서 걸핏하면 화를 낸다고 여겨진 데서》.
get** one**'s Irish up 뱃성을[화를] 내(게 하)다. **~·ness** *n.* 〖OE *Iras* the Irish〗

Írish búll *n.* =BULL[3].

Írish cóffee *n.* 아이리시 커피《위스키를 넣고 거품을 낸 크림을 띄운 설탕 탄 뜨거운 커피》.

Írish confétti *n.* (공격용으로서의) 돌이나 기와 조각.

Írish dáisy *n.* 〔植〕 식용[서양]민들레(dandelion).

Írish Énglish *n.* 아일랜드 (사투리) 영어.

Írish Frée Stàte *n.* [the ~] 아일랜드 자유국《아일랜드 공화국의 전 이름 ; cf. EIRE》.

Írish Gáelic *n.* 〔言〕 아일랜드의 게일어《아일랜드의 공용어이나 쇠퇴하는 경향임》.

Írish·ìsm *n.* Ⓤ 아일랜드풍 ; Ⓒ 아일랜드 사투리[어법].

Írish·ìze *vt.* 아일랜드화[풍으로]하다.

Írish·man [-mən] *n.* 아일랜드인.

Írish móss *n.* 〔植〕 진두발(carrageen).

Írish potáto *n.* 《美》 감자《sweet potato와 구별하여》.

Írish Renáissance *n.* [the ~] 아일랜드 문예부흥《19세기말 Yeats, Synge 등이 중심》.

Írish Repúblic *n.* [the ~] 아일랜드 공화국(the Republic of Ireland).

Írish Repúblican Ármy *n.* [the ~] 아일랜드 공화국군《아일랜드 민족주의자의 반영(反英) 비합법 조직 ; 略 I.R.A.》.

Írish·ry *n.* [집합적으로] 아일랜드(계(系))인 ; 아일랜드풍[기질].

Írish Séa *n.* [the ~] 아이리시해《아일랜드와 잉글랜드 사이에 있음》.

Írish sétter *n.* 아이리시 세터《적갈색의 세터종(種)의 개》.

Írish stéw *n.* 양고기[쇠고기]·감자·양파 따위를 넣은 스튜《요리명》.

Írish térrier *n.* 아이리시 테리어《털이 곱슬곱슬한 작은 개》.

Írish twéed *n.* 아이리시 트위드《옅은 색의 날실과 짙은 색의 씨실로 짠 튼튼한 천 ; 남자 양복·코트감》.

Írish whískey *n.* (보리로 만드는) 위스키.

Írish wólfhound *n.* [때때로 I~ W~] 아이리시 울프하운드《몸집이 큰 사냥개》.

íris-ìn *n.* 〔映·TV〕 아이리스인《화면의 일부로부터 점차 둥글게 전체로 넓어지는 촬영법》.

íris-òut *n.* 〔映·TV〕 아이리스아웃《화면 전체로부터 점차 둥글게 중심부로 줄어들면서 없어지는 촬영법》.

iri·tis [airáitəs] *n.* Ⓤ 〔醫〕 홍채염(虹彩炎). 〖G (IRIS, *-itis*)〗

irk [ə́ːrk] *vt.* [보통 it를 주어로] 싫증나게[지루하게] 하다, 따분하게 하다 : It ~*s* me to write letters. 편지를 쓰는 것은 성가시다[번거롭다]. ── *n.* 지루함(의 원인) ; 《英俗》 =ERK. 〖ME<? ; cf. ON *yrkja* to work〗

írk·some *a.* 싫증나는, 넌더리나는, 성가신 ; 지루한. **~·ly** *adv.* **~·ness** *n.*

IRLS infrared linescan《적외선 라인스캔 장치 ; 텔레비전 같은 화상에서 찬 곳은 어둡게 더운 곳은 밝게 비치는 장치》.

Ir·ma [ə́ːrmə] *n.* 여자 이름. 〖*Erma* (Gmc. =universal)〗

IRNA Islamic Republic News Agency(이슬람 공화국 국영 통신).

IRO, I.R.O. 《英》 Inland Revenue Office ; International Refugee Organization.

◇**iron** [áiərn] *n.* **1** Ⓤ **a)** 철《금속원소 ; 기호 Fe ; 번호 26》 : cast[pig, wrought] ~ 주(鑄)[선(銑), 연(鍊)]철 / Strike while the ~ is hot. ☞ HOT 1 a). **b)** 쇠같이 단단함[강함], 강고(強固) : a man of ~ 의지가 굳은 사람 ; 냉혹한 사람 / muscles of ~ 쇠같이 단단한 근육 / a will of ~ 굳은 의지. **2** 철제 기구[도구] : **a)** 아이언, 다리미, 인두 : ☞ CURLING IRONS. **b)** =BRANDING IRON. **c)** 〔골프〕 아이언《금속제의 헤드가 달린 골프채 ; cf. WOOD *n.* 7》. **d)** [보통 *pl.*] (마구의) 등자(鐙子) (stirrup). **e)** [*pl.*] 족쇄, 수갑 : in ~*s* 족쇄(足鎖)[수갑]가 채워져서. **3** Ⓤ 〔醫〕 철분, 〔藥〕 철제(劑).
(*as*) *hard as iron* 쇠처럼 단단한 ; 엄격한, 냉혹한.
have* (*too*) *many irons in the fire 한꺼번에 여러 가지 일에 손을 대고 있다.
rule* (. . .) *with a rod of iron (사람·나라 따위) 압제[학정]를 하다.
── *attrib. a.* **1** 쇠의, 쇠로 만든. **2** 철과 같은, 철과 같이 단단한[강한] : an ~ will 강철같은 의지. **3** 냉혹한.

── *vt.* **1** [+目/+目+目/+目+*for*+名] …을 다리미질[인두질]하다 : Won't you ~ me this suit[~ this suit ***for*** me]? 이 양복 좀 다려주지 않겠어요. **2** …에 수갑[족쇄]을 채우다. **3** …에 쇠를 씌우다[펴다·두드리다], 장갑(裝甲)하다.
── *vi.* 다리미질하다.
iron out …을 다리미질하다; (길을) 롤러로 고르다; 원활케 하다; (곤란·문제 따위를) 제거하다, 해결[해소]하다; (가격의) 변동을 억제하다.
〖OE *īren, īserm*<Gmc. (G *Eisen*)<? Celt.〗

Íron Áge *n.* **1** [the i~ a~] 〖그神〗 흑철(黑鐵) 시대《Golden Age, Silver Age, Bronze Age에 연속되는 가장 타락한 시대》; 《비유》 (인류의) 타락 시대, 말세. **2** [the ~] 〖考古〗 철기 시대(cf. ICE AGE, STONE AGE, BRONZE AGE).

íron·bàrk *n.* 유칼리나무(=∠ **trèe**)《단단하고 좋은 재목이 됨》.

íron bòmb *n.* 〖軍〗 맹폭탄《유도장치가 없는》.

íron·bóund *a.* **1** 철로 싸인[감겨진]; 단단한, 휘지 않는, 엄한, 바꾸기 힘든. **2** (해안 따위) 바위가 많은. **3** 수갑[족쇄]을 채운.

Íron Cháncellor *n.* [the ~] 철혈 재상《독일의 비스마르크의 별명》.

íron·clád *a.* 철갑의, 장갑의《주로 군함에 대해서; cf. ARMORED》; 《美》 격파할 수 없는; 엄격한.
── [∠∠] *n.* (옛날의) 장갑함(裝甲艦).

Íron Cróss *n.* (프로이센·오스트리아의) 철십자 훈장.

íron cúrtain *n.* [the ~, 흔히 the I~ C~] 철의 장막《구소련측과 서방측을 분리했던 정치적·사상적인 벽; cf. BAMBOO CURTAIN》.

Íron Dúke *n.* [The ~] 영국 장군 Wellington 공작의 별명; 노급함(弩級艦) (Dreadnought); 《英俗》 행운, 요행.

íron·físt·ed *a.* 구두쇠의(stingy); 무정한; 냉혹한(ruthless).

íron fòunder *n.* 주철 제조(업)자.

íron fòundry *n.* 주철소, 제철소.

íron-gráy *n., a.* 철회색(鐵灰色)(의).

íron hánd *n.* 압제, 가혹함.

íron·hánd·ed *a.* 냉혹한; 압제적인.

íron·héart·ed *a.* 무정한, 냉혹한.

íron hórse *n.* 《口》 (초기의) 기관차.

íron hóuse *n.* 《美俗》 감방, 감옥.

iron·ic, -i·cal [airánik(əl)] *a.* 반어(反語)의; 비꼬는, 풍자적인. **-i·cal·ly** *adv.* 빈정대어; 얄궂게도. 〖F or L<Gk. =dissembling; ⇨ IRONY¹〗

íron·ing *n.* Ⓤ 다리미질; 다리미질하는 의류[천]《따위》.

íroning bòard[**tàble**] *n.* 다리미[인두]판[대].

iro·nist [áiərənəst] *n.* 빈정대는 사람, 비꼬기 잘하는 사람.

iro·nize¹ [áiərənàiz] *vt., vi.* 비꼬듯이[빈정대며] 말[행동]하다.

íron·ìze² *vt.* (영양으로서) …에 철분을 섞다.

íron·lìke *a.* 쇠처럼 강한[단단한].

íron lúng *n.* 철폐(鐵肺)《심장 근육마비 환자 등에 쓰는 철제 호흡 보조 장치》.

íron mán *n.* 《美俗》 1달러 지폐[은화]; 끈기있게 해내는 사람, 뚝심 있는[터프한] 선수, 철인; 《濠》 철인경기《수영·서핑·경주 따위를 겨룸》; 《美俗》 (칼립소의) 드럼통 고수(鼓手); 로봇.

íron·màster *n.* 철기 제조업자, 제철업자, 철공장 주인.

íron mòld *n.* (천 따위에 묻은) 쇠의 녹[쇳물], 잉크의 얼룩.

íron-mòld *vt., vi.* 쇠의 녹 따위로 더럽히다[더러워지다].

íron·mònger *n.* 《英》 철물상.

íron·mòn·gery *n.* Ⓤ 《英》 철물류, 철기류(hardware); 철물업; Ⓒ 철물 가게.

íron-ón *a.* 다리미로 붙일 수 있는 : ~ T-shirt transfer 다리미[아이언]로 프린트하는 T셔츠용의 전사 도안.

íron óxide *n.* 〖化〗 산화철(酸化鐵).

íron-pùmp·er *n.* 《俗》 역도[보디빌딩]하는 사람.

íron pýrite(s) *n.* 〖鑛〗 황철광.

íron ràtion *n.* 비상 휴대 식량(emergency ration).

íron rúle *n.* 냉혹한 정치[통치].

íron sànd *n.* 사철(砂鐵).

íron·sìde *n.* **1** 어기찬 사람. **2** [I~s] Cromwell이 거느린 철기병; [단수취급] Cromwell의 별명. **3** [*pl.*] [단수취급] 철갑선.

íron·smìth *n.* 철공소의 직공, 제철공; 대장장이.

íron·stòne *n.* Ⓤ 철광(석).

íron tríangle *n.* 《美》 철의 삼각지대[삼각형]《정부 정책에 압력을 주는 기업·국회 의원·관료 기구》.

íron·wàre *n.* Ⓤ 철기, 철물《특히 부엌용품》.

íron·wèed *n.* 〖植〗 베르노니아속의 각종 초본.

íron·wòod *n.* Ⓤ,Ⓒ 경질재(硬質材)(의 수목).

íron·wòrk *n.* **1** Ⓤ (구조물의) 철로 된 부분; 철제품; 철세공[공작]. **2** [*pl.*] [단수·복수 취급] 철공소, 제철소. **íron·wòrk·er** *n.* 철공, 철골(鐵骨) 조립공.

***iro·ny¹** [áiərəni] *n.* Ⓤ 반어(反語); (은근히) 빈정댐, 아이러니, 비꼼, 빗댐(cf. SARCASM); 반어법; Ⓒ 비꼬는 언동[사건] : life's *ironies* 인생의 짓궂은 장난/Socratic ~ ☞ SOCRATIC.
the irony of fate[***circumstances***] 운명의 장난, 기연(奇緣).
〖L<Gk. *eirōneia* pretended ignorance (*eirōn* dissembler)〗
類義語 ⟹ WIT.

irony² [áiərni] *a.* 철의, 철제의; 쇠 같은.
〖IRON〗

Ir·o·quoi·an [ìrəkwɔ́iən] *n., a.* 이로쿼이인(의); 이로쿼이어(의).

Ir·o·quois [írəkwɔ̀i, -kwɑ̀:z] *n.* (*pl.* ~[-z]) 이로쿼이족(族)《New York 주에 살고 있는 아메리칸 인디언》; 이로쿼이어. ── *a.* 이로쿼이인(人)[족, 어]의.

IRP¹ [àiɑ̀:rpí:] *vt.* 《해커俗》 (거의 같은 과정을) 반복해 하다.

IRP² 《Iran》 Islamic Republican Party.

ir·rádiance [i-] *n.* Ⓤ 광휘(光輝); 〖理〗 (방사선의) 조사(照射); 〖電〗 방사도(放射度).
ir·rádiancy *n.*

ir·rádiant *a.* 빛나는, 번쩍이는, 찬란한.

ir·rádiate [i-] *vt.* **1** 비추다. **2** [+目/+目+*with*+名] 명백히 하다; (얼굴 따위를) 기쁨으로 빛나게 하다; (친절·애교 따위를) 베풀다, 쏟다; 《비유》 (문제에) 광명을 던지다, 밝히다 : faces ~*d* ***with*** joy 기쁨으로 빛나는 얼굴. **3** 방사선으로 치료하다; 일광[자외선]을 쬐다.
── *vi.* 《古》 찬란히 빛나다. ── *a.* 반짝반짝 빛나는. **-à·tor** *n.* 방사선 조사 장치.
〖L *irradio* to shine on (*radius* ray)〗

ir·rádiated [i-] *a.* 조사(照射)를 받은; 〖紋〗 광선에 둘러싸인, 방사상의 빛에 싸인.

ir·radiátion [i-] *n.* Ⓤ 발광(發光), 방열, 조사(照射); (방사선) 조사, 방사선 치료(법); 광휘(irradiance); 계발, 계몽.

ir·rádi·à·tive *a.* 빛나는; 계몽적인.

ir·rátional [i-] *a.* 이성(理性)이 없는, 도리를 모르는; 불합리한; 〖數〗 무리(無理)(수)의, 부진근수(不盡根數)의(↔*rational*). —— *n.* 불합리한 것[일]; 〖數〗 무리수. **~·ly** *adv.* 불합리하게. 〖L (*in-*¹)〗

類義語 ***irrational*** 이성[이치]에 맞지 않는, 비합리적인, 지적(知的)이 아닌: It is *irrational* to be afraid of the number 13. (13이란 숫자를 두려워하는 것은 불합리하다). ***unreasonable*** 이성이 부족하여 무분별·방종·탐욕·외고집 및 편견을 가지고 있는: an *unreasonable* demand [price] (터무니없는 요구[값]).

ir·rátional·ìsm [i-] *n.* Ⓤ 비합리주의; 불합리, 무분별. **-ist** *n.*

ir·rationálity *n.* Ⓤ 이성이 없음; 불합리, 부조리; Ⓒ 불합리한 생각[언동].

ir·rátional·ìze *vt.* 불합리[부조리]하게 하다.

irrátional númber *n.* 〖數〗 무리수.

Ir·ra·wad·dy [ìrəwádi] *n.* [the ~] 이라와디 강 《미얀마에서 Bengal 만으로 흘러듦》.

ir·réalism *n.* 이리얼리즘《리얼리즘과 관계없이 쓴 소설의 작풍》.

ir·reclàim·able [i-] *a.* 돌이킬 수 없는, 회복[교정]할 수 없는; 개간할 수 없는, 매립할 수 없는. **-ably** *adv.*

ir·récognizable [i-] *a.* 인식할 수 없는, 분간할 수 없는.

ir·reconcilabílity *n.* Ⓤ 화해[조화]할 수 없음.

ir·reconcílable [ir-] *a.* 화해할 수 없는, 융화하기 어려운; 조화[양립]되지 않는, 모순되는 (conflicting). —— *n.* 비타협파의 사람; [*pl.*] 서로 상충하는 생각[신념].

ir·recóver·able [i-] *a.* 돌이킬 수 없는, 회복[회수]할 수 없는. **-ably** *adv.*

ir·re·cu·sa·ble [ìrikjú:zəbəl] *a.* 반대[거부]할 수 없는.

ir·redéem·able [i-] *a.* **1** 되살 수 없는; 교정할 수 없는, 구제할 수 없는. **2** (국채 따위가) 상환되지 않는, 태환(兌換)되지 않는: ~ bank notes 불환(不換) 지폐. —— *n.* 무상환 공채. **-ably** *adv.*

ir·re·den·ta [ìridéntə] *n.* 미회수지《민족적으로 같으나 타민족 지배아래 있는 땅》. 〖It. =unredeemed〗

ir·re·den·tism [ìridéntizəm] *n.* Ⓤ [보통 I~] 〖이탈리아史〗 회복(回復)주의《이탈리아어가 통용되는 지역을 이탈리아에 합병하려고 한 19세기 말의 운동》; (일반적으로) 민족 통일주의. **-tist** *n.*, *a.* 〖It. (↑)〗

ir·redúcible [ì-] *a.* **1** 돌릴[바꿀·돌이킬] 수 없는〈*to*〉. **2** 줄일 수 없는, 삭감할 수 없는; 〖數〗 약분할 수 없는; 〖醫〗 정복(整復) 불능의. **-ibly** *adv.*

ir·refórm·able [i-] *a.* 교정할 수 없는, 구제하기 어려운; 변경을 허용치 않는.

ir·ref·ra·ga·ble [iréfrəgəbəl, ìrifrǽgə-] *a.* 논박할 수 없는, 다툴 여지가 없는, 확실한; 범할[움직일] 수 없는《법률 따위》. **-bly** *adv.*

ir·refrángible [ì-] *a.* (법률 따위) 범할 수 없는; 〖光〗 굴절하지 않는. **-bly** *adv.*

ir·refútable [ì-, iréfjə-] *a.* 반박할 수 없는. **-ably** *adv.*

irreg. irregular; irregularly.

ir·regárd·less [ì-] *a.*, *adv.* 《俗》 =REGARDLESS.

***ir·régular** [ir-] *a.* **1** 불규칙한, 변칙의. **2** 고르지 않은, 같지 않은, 정연하지 않은; (길 따위) 울퉁불퉁한. **3** (절차 따위가) 불법인, 반칙적인, 무효의. **4** (행위 따위) 규율이 서지 않은, 단정치 못한: ~ conduct 난봉. **5** 정규(正規)가 아닌: ~ troops 비정규군. **6** 〖文法〗 불규칙(변화)의: ~ conjugation (동사의) 불규칙 활용 / ~ verbs 불규칙 동사. —— *n.* 비정규병, [*pl.*] 비정규군; [*pl.*] 규격에 맞지 않는 상품, 2급품. **~·ly** *adv.* 불규칙하게; 고르지 못하게. 〖OF<L〗

類義語 ***irregular*** 정해진 습관·규칙·순서대로 행해지고 있지 않은: an *irregular* marriage (변칙적인 결혼). ***abnormal, anomalous*** 모두 정상 상태·보통의 형(型)에서 벗어나고 있다는 뜻이나, *abnormal*은 모양이 비정상적인 것을 강조하며, *anomalous*는 예외적인 상태를 강조: *abnormal* lack of emotion (감정의 비정상적인 결핍) / in an *anomalous* situation (예외적인 상황에서). ***unnatural*** 자연의 법칙[도리]에 반한: a most *unnatural* crime against humanity (인간의 도리에 가장 어긋나는 범죄).

ir·regulárity [ir-] *n.* **1** Ⓤ 불규칙, 변칙; 정연하지 못함, 고르지 못함. **2** 불규칙한 것; 반칙, 불법; [*pl.*] 나쁜 행실; 길이 울퉁불퉁함; 변비.

ir·rélative [ir-] *a.* 관계[관련]가 없는〈*to*〉; 연고가 없는; 짐작이 틀리는, 엉뚱한.

ir·rélevance, -cy [ir-] *n.* Ⓤ 무관계, 부적절, 엉뚱함; 현대성의 결여; Ⓒ 잘못 짚은 비평, 당치 않은 질문《따위》.

ir·rélevant [ir-] *a.* 관계없는, 부적절한, 엉뚱한, 당치 않은〈*to*〉; 현대성이 없는, 시대에 뒤진. **~·ly** *adv.* 관계없이, 엉뚱하게.

ir·relíevable [ì-] *a.* 구조[구제]하기 어려운; 제거할 수 없는《고통 따위》.

ir·relígion [ì-] *n.* Ⓤ 무종교, 무신앙. 〖F or L〗

ir·relígious [ì-] *a.* 무종교의; 신앙심 없는, 경건치 못한(impious). **~·ly** *adv.*

ir·remédiable [ì-] *a.* 치료할 수 없는, 불치(不治)의; 돌이킬 수 없는, 회복할 수 없는. **-bly** *adv.* 〖L〗

ir·remíssible [ì-] *a.* 용서할 수 없는; 면할 수 없는. **-bly** *adv.*

ìr·removabílity *n.* Ⓤ 옮길 수 없음, 제거[면직]할 수 없음.

ir·remóvable [ì-] *a.* 옮길 수 없는, 움직일 수 없는, 제거할 수 없는; 면직시킬 수 없는, 종신직의. **-ably** *adv.* 옮길[면직시킬] 수 없도록.

ir·réparable [ir-] *a.* 수선[회복]할 수 없는, 돌이킬 수 없는. **-bly** *adv.* 〖OF<L〗

ir·repéal·able [ì-] *a.* (법률이) 폐지[취소]할 수 없는.

ir·replàce·able [ì-] *a.* 바꾸어 놓을 수 없는, 대신할 것[사람·물건]이 없는; 두번 다시 얻기 어려운, 대체할 수 없는.

ìr·reprèss·ibílity *n.* 억누를 수 없음.

ir·représs·ible [ì-] *a.* 누를[제어할] 수 없는, 참을 수 없는. —— *n.* 《口》 (충동 따위) 억누를 수 없는 사람. **-ibly** *adv.*

ìr·repròach·abílity *n.* 비난할 점이 없음, 흠잡을 데 없음.

ir·repróach·able [ì-] *a.* 비난할 여지가 없는, 결점이 없는, 나무랄 데 없는(blameless). **-ably** *adv.* 나무랄 데 없이. 〖F〗

ìr·resìst·ibílity *n.* 저항할 수 없음, 당해낼 수 없음; 매력적임.

ir·resíst·ible [ì-] *a.* **1** 저항할 수 없는: an ~ force 불가항력. **2** 누를 수 없는, 금지시킬 수 없는; (매력 따위가) 사람을 뇌쇄시키는. **3** 꼼짝 못하게 하는. **-ibly** *adv.* 〖L〗

ir·résolute [ir-] *a.* 결단력이 없는, 우유 부단한, 망설이는. **~·ly** *adv.*
ir·resolútion *n.* Ⓤ 결단성이 없음.
ir·resólvable [ì-] *a.* 분해[분리·분석]할 수 없는; 해결할 수 없는.
ir·respéctive [ì-] *a.* (…에) 상관없는. ㈜ 보통 of를 수반하여 부사구를 이끎: ~ *of* sex[age] 성별[연령]에 관계없이, 남녀[노소]의 구별없이 / It must be done ~ *of* cost. 비용의 다소에 관계없이 하지 않으면 안된다.
ìr·respéctive·ly *adv.* (…에) 관계없이〈*of*〉.
ir·réspirable [ir-, ìrispáiə-] *a.* (공기·가스 따위가) 호흡에 적당치 않은.
ìr·responsibílity *n.* Ⓤ 책임을 지지 않음, 무책임한 행위[사람].
ir·respónsible [ì-] *a.* 책임지지 않는, 책임이 없는〈*for*〉; 책임감이 없는, 무책임한; 믿을 수 없는. —— *n.* 책임(감)이 없는 사람. **-bly** *adv.* 무책임하게(도).
ir·respónsive [ì-] *a.* 응답하지 않는, 반응이 없는, 감응이 없는〈*to*〉.
ir·reténtion [ì-] *n.* Ⓤ 보유[보지]할 수 없음: ~ of urine 〖醫〗 요실금(尿失禁).
ir·reténtive [ì-] *a.* 보유[보지]할 수 없는.
ir·retráce·able [ì-] *a.* 다시 고칠 수 없는, 돌이킬 수 없는. **-ably** *adv.*
ir·retríevable [ì-] *a.* 회복할 수 없는, 돌이킬 수 없는. **-ably** *adv.*
ir·réverence [i-] *n.* Ⓤ 불경(不敬), 불손.
ir·réverent *a.* 불경한, 불손한.
~·ly *adv.* 불경[불손]하게(도).
ir·revérsible [ìr-] *a.* **1** 거꾸로 할[뒤집을] 수 없는; 역전[역행]할 수 없는. **2** 철회할 수 없는, 취소[변경]할 수 없는. **-ibly** *adv.*
ir·revocabílity *n.* Ⓤ 되부를 수 없음; 취소[철회·변경] 불가능.
ir·révocable [ir-] *a.* 되부를 수 없는; 취소[변경]할 수 없는: an ~ loss 돌이킬 수 없는 손실. **-bly** *adv.* 〖L〗
ir·ri·ga·ble [írigəbəl] *a.* 관개(灌漑)할 수 있는.
ir·ri·gate [írəgèit] *vt.* (토지에) 물을 대다[끌어 넣다], 관개하다(water); 〖醫〗 (상처 따위를) 씻다[관주(灌注)하다]. —— *vi.* 관개하다; 〖醫〗 세척하다. **-gà·tor** *n.* 관개자[장치]; 〖醫〗 관주기. 〖L (*in-*², *rigo* to moisten, lead water)〗
***ìr·ri·gá·tion** *n.* **1** Ⓤ 관개; 물을 댐: an ~ canal [ditch] 용수로. **2** Ⓤ 〖醫〗 세척[관주]법.
ír·ri·gà·tive *a.* 관개의, 관개용의.
ir·ri·ta·bil·i·ty [ìrətəbíləti] *n.* Ⓤ 성을 잘냄, 성급함; 〖生理〗 자극 감응[반응]성, 과민성, 흥분성.
ir·ri·ta·ble [írətəbəl] *a.* **1** 성을 잘 내는, 성급한 (touchy); 애를 태우는(fretful). **2** (기관·상처 따위) (자극에) 민감한, 흥분성의. **-bly** *adv.* 성급하게; 예민하게.
írritable héart *n.* 〖醫〗 흥분하는 마음, 과민 심장 (cardiac neurosis).
ir·ri·tan·cy[1] [írətənsi] *n.* Ⓤ 초조함, 안절부절 못함; 곤혹, 노여움.
irritancy[2] *n.* 〖法〗 무효, 취소; =IRRITANT CLAUSE.
ír·ri·tant[1] *a.* 자극하는, 자극성의.
—— *n.* 자극물[제]. 〖IRRITATE[1]〗
irritant[2] *a.* 〖法〗 무효로 하는. 〖IRRITATE[2]〗
írritant cláuse *n.* 〖스코法〗 무효 조항.
ir·ri·tate**[1] [írətèit] *vt.* **1** [+目/+目+前+名] 초조하게[짜증나게] 하다, 성나게 하다, 속타게 하다: I was ~*d* by my son's foolish questions. 아들의 바보같은 질문에 화가 났다 / He was ~*d* ***with[***against***] you. 그는 너에 대해서 화를 내고 있었다 / Don't be ~*d* ***at*** my sadness. 내가 슬퍼한다고 해서 속태우지 말게. **2** 〖醫〗 자극하다, 염증을 일으키다. 〖L *irrito* to provoke〗
類義語 ***irritate*** 가장 범위가 넓은 말로서 일시적이건 장기간이건 남을 노하게 하다. ***provoke*** 심하게 초조한 울화, 때로는 원한을 품은 분노를 일으키게 하다. ***nettle*** 성나게 하는 것 보다는 오히려 국국 찌르는 것처럼 자극하여 초조하게 하다. ***exasperate*** 남의 인내심이나 자제력을 잃게 할 정도로 몹시 화나게 하다.
irritate[2] *vt.* 〖法〗 무효로 하다, 실효시키다. 〖L *in-*[1] (*ritus*=*ratus* established)=invalid〗
ír·ri·tàt·ed *a.* 자극된, 염증을 일으킨, 따끔따끔한.
ír·ri·tàt·ing *a.* 화나게 하는; 따끔따끔하게 하는. **~·ly** *adv.*
ìr·ri·tá·tion *n.* **1** Ⓤ 속타게 함; 초조, 격앙(激昻), 화; 〖醫〗 자극(상태), 염증. **2** Ⓒ 짜증[안달]나게 하는 것, 자극시키는 것.
ír·ri·tà·tive *a.* 자극성의.
ir·rupt [irʌ́pt] *vi.* **1** 침입[돌입]하다〈*into*〉. **2** (집단으로) 난폭한 행동을 하다. **3** 〖生態〗 (개체수가) 급격히 증가하다. 〖L; ⇨ RUPTURE〗
ir·rúp·tion *n.* Ⓤ,Ⓒ 돌입, 침입, 난입.
ir·rup·tive [irʌ́ptiv] *a.* 돌입하는; 침입[난입]하는; 〖地質〗 =INTRUSIVE. **~·ly** *adv.*
IRS, I.R.S. 《美》 Internal Revenue Service.
IRSG International Rubber Study Group(유엔 국제 고무 연구회).
ir·tron [ə́:rtrɑn] *n.* 〖天〗 (은하 중심의) 적외선원(源). 〖*infra*red spec*trum*+*-on*〗
Ir·ving [ə́:rviŋ] *n.* 어빙. **1 Washington ~** (1783-1859) 미국의 수필가·단편 작가. **2** Sir **Henry ~** (1838-1905) 영국의 명배우. 〖OE=sea friend; green river〗
Írving·ìte *n.* 《때때로 蔑》 어빙파의 신자《스코틀랜드 교회 목사 Edward Irving(1792-1834)의 교의를 바탕으로 한 Catholic (and) Apostolic Church의 신도》.
°**is** [iz, (유성음 다음) z, (무성음 다음) s, íz] *vi.* BE의 3인칭·단수·직설법(直說法)·현재형.
is- [áis], **iso-** [áisou, -sə] *comb. form* 「같은」「동일한」「이성질체」의 뜻. 〖Gk. *isos* equal〗
Is. Isaiah; Island. **is.** island; isle. **IS, I.S.** Intermediate School; Irish Society. **ISA** international standard atmosphere; International Sugar Agreement(국제 설탕 협정). **Isa.** 〖聖〗 Isaiah.
Isaac [áizək, -zik] *n.* **1** 남자 이름《애칭 Ike》. **2** 〖聖〗 이삭《Abraham의 아들; Jacob과 Esau의 아버지》. 〖Heb. =laughter〗
Is·a·bel, -belle [ízəbèl], **-bel·la** [ìzəbélə] *n.* 여자 이름《Elizabeth의 변형; 애칭 Bel》.
is·a·bel·la [ìzəbélə] *n., a.* 회황색(의).
ìs·acóustic *a.* 등음향(等音響)의.
Is·a·do·ra [ìzədɔ́:rə], **-dor(e)** [ízədɔ̀:r] *n.* 여자 이름. 〖(fem.); ⇨ ISIDORE〗
isa·go·ge [áisəgòudʒi, ⌐-⌐-] *n.* (학문 분야 따위에 대한) 안내, 서설(introduction); =ISAGOGICS. 〖Gk.〗
isa·gog·ic [àisəgɑ́dʒik] *a.* (특히 성서의 연혁을) 안내하는, 서설적인.
isa·góg·ics *n.* 서론적 연구, 성서 서론《성서의 문헌학적 연구》, 성서입문.
Isai·ah [aizéiə; -záiə] *n.* **1** 남자 이름. **2 a)** 〖聖〗

이사야(헤브라이의 대예언자 ; 기원전 720년 경의 사람). **b)** 〔聖〕 이사야(The Book of the Prophet ~)(구약성서 중의 한 편 ; 略 Is(a).). 〖Heb. =Yahweh's salvation〗

is·állo·bàr *n.* 〔氣〕 등기압 변화선. **is·àl·lo·bár·ic** [-bǽr-] *a.*

ISAM 〔컴퓨〕 Indexed Sequential Access Method(색인 순차 도달 방식).

isa·tin [áisətən] *n.* Ⓤ 〔化〕 이사틴(의 결정 화합물)(염료용).

-isation ☞ -IZATION.

ISBN International Standard Book Number(국제 표준 도서 번호).

Is·car·i·ot [iskǽriət] *n.* **1** 〔聖〕 가룟(예수를 배신한 유다(Judas)의 성(姓)). **2** (일반적으로) 배신자, 배반자.

is·che·mia, -chae- [iskí:miə] *n.* Ⓤ 〔醫〕 (혈관 수축에 의한) 국소 빈혈. **-mic** *a.* 〖NL<Gk. (*iskhō* to keep back)〗

is·chi·um [ískiəm] *n.* (*pl.* **is·chia** [ískiə]) 〔解〕 좌골(座骨). **ís·chi·al** *a.* 좌골의, 좌골 근처에 있는. **is·chi·ad·ic** [ìskiǽdik] *a.* **is·chi·at·ic** [ìskiǽtik] *a.* 〖L<Gk.〗

ISD international subscriber dialing(가입자 직통 국제 전화). **ISDN** integrated services digital network(통합 서비스 디지털 통신망, 종합 정보 통신망).

-ise ☞ -IZE.

is·en·trop·ic [àisəntrápik] *a.* 〔理〕 등(等)엔트로피의.

Iseult [isú:lt, i:zú:lt] *n.* **1** 여자 이름. **2** 이주(아서 왕 전설에서 Tristram의 애인). 〖Gmc. =ice+rule〗

ISF International Sports Federation(국제 경기연맹).

ISFET ion-selective field-effect transistor.

-ish [iʃ] *a. suf.* [형용사·명사에 자유로이 붙음] **1** 「…의」 「…에 속하는」 「…성(性)의」의 뜻 : Engl*ish*, Ir*ish*. **2** [흔히 경멸적으로] 「…와 같은」 「…다운」 : fool*ish*, child*ish*. **3** 「약간 …의」 「…기미의」 「좀 …한」 : whit*ish*, cold*ish*. **4** 《口》 「대략 …무렵」 「…쯤의」 : 4 : 30-*ish* 4시 반경 / thirty*ish* 30세쯤의. 〖OE -*isc*=OS, OHG -*isc*〗

Ish·ma·el [íʃmiəl ; -meiəl] *n.* 〔聖〕 이스마엘(Abraham의 아들 ; 창세기 16 : 11) ; 추방당한 사람, 따돌림 받은자(outcast). 〖Heb. =whom God hears〗

Ish·ma·el·ite [íʃmiəlàit] *n.* **1** 〔聖〕 Ishmael 의 자손. **2** 추방당한 사람, 사회에서 버림받은 자. 〖창세기 16 : 12〗

ISI Inter Services Intelligence(파키스탄의 군정보기관) ; Iron and Steel Institute.

Is·i·dor(e) [ízidɔ̀:r] *n.* 남자 이름. 〖Gk.=gift of Isis〗

isin·glass [áiziŋglæ̀(:)s, -zin- ; -glɑ̀:s] *n.* Ⓤ 부레풀 ; 젤라틴 ; 〔鑛〕 운모(雲母)(mica). 〖변형 ‹Du. *huisenblas* sturgeon's bladder〗

Isis [áisəs] *n.* 〔이집트神〕 이시스(풍요와 수태를 관장하는 여신).

isl. (*pl.* **isls.**) [때때로 Isl.] island ; isle.

Is·lam [izlɑ́:m, is-, -lǽm, ´-] *n.* **1** Ⓤ 이슬람[마호메트]교, 회교. **2** [집합적으로] 이슬람교도. **3** 이슬람 문화[문명] ; 이슬람교국[세계]. 〖Arab. =submission (to God) (*aslama* to resign oneself)〗

Is·la·ma·bad [islɑ́:məbɑ̀:d, izlǽməbæ̀d ; izlɑ́:mɑ:bɑ̀:d] *n.* 이슬라마바드(파키스탄의 수도).

Íslam fundaméntalism *n.* 이슬람 원리주의 (cf. MOSLEM FUNDAMENTALISM).

Is·lám·ic *a.* 이슬람[마호메트]교의, 회교의 ; 이슬람교도의, 이슬람교적(的)인.

Islámic Jihád *n.* 이슬라믹 지하드(중동지역에서 암약하는 이슬람교 시아파(派) 테러집단).

Islám·ism *n.* Ⓤ 이슬람교, 마호메트교(Mohammedanism) ; 이슬람 문화.
-ist *n.* 이슬람교도.

Islám·ite *n.* 이슬람교도(Muslim).

Is·lam·ize [ízləmàiz, islɑ́:maiz, -lǽm-, iz-] *vt.* 이슬람(교)화하다 ; …에게 이슬람교를 신봉시키다. **Ìslam·izátion** *n.*

◇is·land [áilənd] *n.* **1** 섬(略 is.) : They live *on* [《주로 英》 *in*] an ~. 그들은 섬에 살고 있다 / The pirates buried the treasure *in* an ~. 해적들은 그 보물을 섬에 묻었다 / *in* the Hawaiian *I*~*s* 하와이 제도(諸島)에서. **2** 섬과 비슷한 것 ; 고립된 언덕 ; (도로의) 안전 지대(=safety ~) ; 고립된 것[장소, 집단]. **3** 〔海〕 (항공모함 우현(右舷)의) 아일랜드(함교(艦橋)·포대·굴뚝 따위를 한데 모은 구조물). **4** [형용사적으로] 섬의(insular), 섬모양의 : an ~ empire 섬 제국 / an ~ platform 〔鐵〕 섬식(式) 플랫폼, 양측[면] 플랫폼(상하행 양선(兩線)의 발착에 병용).
the Island of Saints 성인도(聖人島)(아일랜드의 별칭).
the Island of the Blessed 〔그神〕 극락도(선한 사람이 죽은 후에 가서 산다는 바다 멀리 서쪽에 있는 상상의 섬).
—— *vt.* 섬으로 만들다 ; 고립시키다 ; (섬처럼) 산재시키다.
~·er *n.* 섬의 주민, 섬사람, 섬나라 국민.
〖OE *īgland* (*ī*(*e*)*g* island, LAND) ; -*s*-는 ISLE에서〗

ísland úniverse *n.* 〔天〕 섬 우주(galaxy의 옛 이름).

isle [áil] *n.* 《詩》 섬, 작은 섬(산문에서는 고유명사의 일부로서만 사용).
the Isle of Man ☞ MAN.
the Isle of Wight ☞ WIGHT.
—— *vt.* 작은 섬으로[처럼] 만들다 ; 작은 섬 (같은 곳)에 두다 ; 고립시키다. —— *vi.* 작은 섬에 살다[머물다].
〖OF *ile*<L *insula* ; -*s*-는 L에 따른 것 (15세기)〗

is·let [áilət] *n.* 아주 작은 섬, 작은 섬(과 비슷한 것). 〖OF (dim.) ‹ISLE〗

ism [ízəm] *n.* 주의, 학설, 이즘(doctrine). 〖↓〗

-ism [-ìzəm, ´-izəm] *n. suf.* **1** [행동·상태·작용] : barbar*ism*, hero*ism*. **2** [체계·주의·신앙] : Darwin*ism*, Calvin*ism*. **3** [특성·특징] : Americ*anism*. **4** [병적 상태·이상] : alcohol*ism*. 〖OF<L<GK. ; ⇨ -IZE〗

Is·ma·ili, -ma'·ili [ìsmɑ:í:li, ìz-], **Is·ma·ili·an** [ìsmɑ:ilí:ən, ìz-] *n.* 이스마일파의 신도(이슬람교 Shi'a파 중의 한 분파).

◇is·n't [ízənt] is not의 단축형.

iso [áisou] *n.* (*pl.* **~s**) 《美俗》 독방(獨房). 〖*iso*lation〗

iso- [áisou, -sə] ☞ IS-.

ISO International Standardization Organization (국제 표준화 기구) ; International Sugar Organization(유엔 국제 설탕 기구).

I.S.O. 《英》 (Companion of the) Imperial Service Order.

ìso·agglutinátion *n.* Ⓤ 〔醫〕 (혈액형 따위의) 동

종 혈구 응집 (반응).

ìso·ámyl ácetate *n.* 〖化〗 아세트산이소아밀《무색의 액체 ; 조미료·향료용》.

íso·bàr *n.* 〖氣〗 등압선(等壓線) ; 〖理·化〗 동중체(同重體) ; 동중핵(核) ; 등압식.
〖Gk. =of equal weight〗

ìso·bár·ic [-bǽr-] *a.* 〖氣〗 등압을 나타내는 ; 〖理·化〗 동중체(同重體)의, 동중핵의 : an ~ line 등압선.

íso·bàth *n.* (해저·지하의) 등심선(等深線).

ìso·báth·ic *a.* 등심(선)의.

ìso·bútyl *n.* 〖化〗 이소부틸《이소부탄에서 유도된 1가의 치환기》.

isobútyl nítrate *n.* 〖化〗 질산 이소부틸《이소부틸 알코올에서 얻어진 무색의 액체 ; 마약 대용품》.

iso·cheim, -chime [áisəkàim] *n.* 〖氣〗 등한선(等寒線), (겨울의) 등온선.
〖Gk. *kheima* winter weather〗

ìso·chromátic *a.* 〖光〗 등색(等色)의 ; 〖寫〗 정색성(整色性)의.

isoch·ro·nal [aisákrənl] *a.* 등시(성)의.

isóch·ro·nìsm *n.* Ⓤ 등시성.

isoch·ro·nous [aisákrənəs] *a.* =ISOCHRONAL.
~·ly *adv.*

ìso·clínal *a.* 등복각(等伏角)의 ; 〖地質〗 등(等)경사의 : an ~ valley 등사곡(等斜谷).
—— *n.* =ISOCLINIC LINE.

íso·clìne *n.* 〖地質〗 등사습곡(等斜褶曲).

iso·clin·ic [àisəklínik] *a.* =ISOCLINAL.

isoclínic líne *n.* 〖理〗 등복각선(等伏角線).

isoc·ra·cy [aisákrəsi] *n.* 평등 참정권, 만민 등권 정치. **iso·crat·ic** [àisəkrǽtik] *a.*

ìso·cýanate *n.* 〖化〗 이소시안산염《플라스틱·접착제 따위에 쓰임》.

íso·dòse *a.* 등선량(等線量)의《등량(等量)의 방사선을 받는 점[지대]의》.

ìso·dynámic *a.* 등력(等力)의 ; 등자력(等磁力)의. —— *n.* 등자력선.

ìso·dynám·ical *a.* =ISODYNAMIC.

isodynámic líne *n.* 〖理〗 등자력선.

ìso·énzyme *n.* =ISOZYME.

ìso·gaméte [, -gǽmi:t] *n.* 〖生〗 동형 배우자(配偶子).

isog·a·mous [aiságəməs] *a.* 〖生〗 (2개의) 동형 배우자에 의해 생식하는.

isóg·a·my *n.* 〖生〗 동형 배우자생식, 동형 배우.

iso·ge·ne·ic [àisoudʒəní:ik] *a.* 동계(同系)의 (syngeneic) : ~ graft 동종[동계] 이식.

isog·e·nous [aisádʒənəs] *a.* 〖生〗 동원(同原)의, 동생(同生)의.

iso·gloss [áisəglɔ̀(:)s, -glàs] *n.* 〖言〗 등어선(等語線)《언어적 특징을 달리하는 두 지역을 구분하는 언어 지도상의 선》 ; 한 지방 특유의 언어적 특색(特色).

ìso·glúcose *n.* 이소글루코오스《전분질 곡물에서 얻는 설탕 대용물》.

iso·gon·ic [àisəgánik], **isog·o·nal** [aiságənl] *a.* 등각(等角)의 ; 〖電〗 등편각(等偏角)의 ; 〖生〗 등생장(等生長)의. —— *n.* =ISOGONIC LINE.

isogónic[isogónal] líne *n.* 등편각선(等偏角線), 등방위각선(等方位角線).

iso·hy·et [àisəháiət] *n.* 〖氣〗 등강수량선(等降水量線). **~·al** *a.*

ISO-IS International Standardization Organization-International Standard(국제 표준화 기구의 국제 규격).

iso·la·ble [áisələbəl, 美+ís-] *a.* 고립[격리]할 수 있는.

iso·late** [áisəlèit, 美+ís-] *vt.* [+目/+目+*from*+名] **1** 고립시키다, 분리[격리]하다 : a community that had been ~*d* ***from civilization 문명으로부터 고립된 사회. **2** 〖醫〗 (전염병 환자를) 격리하다. **3** 〖化〗 단리(單離)시키다 ; 〖菌〗 (특정균을) 분리하다 ; 〖電〗 절연하다(insulate).
isolate one***self from all society*** 사회와 일체의 교제를 끊고 혼자 지내다.
—— [-lət, -lèit] *a.* =ISOLATED.
—— [-lət, -lèit] *n.* 격리된 것, 격리 집단.
〖역성(逆成) ‹ *isolated* (F *isolé*<It.<L) ; ⇨ INSULATE〗

íso·làt·ed *a.* 고립된, 격리된 ; 〖化〗 단리된 ; 〖電〗 절연된 : an ~ house 외딴 집.

ísolated cámera *n.* 〖TV〗 부분 촬영용 비디오 카메라.

ísolated póint *n.* 〖數〗 고립점(acnode).

íso·làt·ing lànguage *n.* 〖言〗 고립(언)어《중국어 따위》.

ìso·lá·tion [àisəléiʃən, 美+ìs-] *n.* Ⓤ,Ⓒ **1** 고립(화), 고독. **2** 격리, 분리 ; 교통 차단 ; 〖化〗 단리(單離) ; 〖電〗 절연 ; 격리 사유. **3** 〖生〗 (혼합 집단에서의 개체·특정균의) 분리 ; (생체 조직·기관 따위의) 분리.
in isolation 고립[분리]하여.
~·ìsm *n.* Ⓤ 고립주의, 쇄국주의 ; 《美》 먼로주의. **~·ist** *n.* 고립주의자.

isolátion hòspital *n.* 격리 병원.

isolátion wàrd *n.* 격리 병동.

iso·la·tive [áisəlèitiv, ìs- ; -lət-] *a.* 〖言〗 (음변화가) 독립적으로 생기는《모든 환경에서 생김 ; cf. COMBINATIVE》, 고립성의.

iso·la·to [àisəléitou, -zə-] *n.* (*pl.* **~es**) (신체적·정신적으로 동료에게서 떠난) 고립자. 〖It.〗

íso·là·tor *n.* 격리하는 사람[것] ; 소음[진동] 절연 장치 ; 〖電〗 절연체(insulator).

Isolde [isóuldə ; izɔ́ldə] *n.* 여자 이름.

Iso·lette [àisəlét] *n.* 미숙아 보육기《상표명》.
〖*isol*ate+bassin*et*〗

iso·mer [áisəmər] *n.* 〖化〗 이성질체(異性質體) ; 〖理〗 이성(원자)핵(核).
〖G<Gk. (*meros* share)〗

iso·mer·ic [àisəmérik] *a.* 〖化〗 이성질체의.

isom·er·ism [aisámərìzəm] *n.* Ⓤ 〖化〗 (화합물 따위의) 이성질 현상 ; 〖理〗 (핵종(nuclide)의) 이성(원자)핵 현상.

isom·er·ize [aisáməràiz] *vt., vi.* 〖化〗 이성질체가 되다[로 하다], 이성화하다.

isom·er·ous [aisámərəs] *a.* 같은 수의 부분[점·표]으로 이루어지는 ; 〖植〗 꽃[잎, 꽃받침 따위]의 수가 같은, 등수(等數)의 ; 〖化〗 이성질체의.

ìso·métric, -rical *a.* 크기[길이, 면적, 부피, 각, 둘레]가 같은, 등척성(等尺性)의 ; 〖結晶〗 등축(等軸)의 ; 〖韻〗 같은 운율의 ; ISOMETRIC DRAWING의 ; ISOMETRICS의. —— *n.* =ISOMETRIC DRAWING ; =ISOMETRIC LINE.

isométric dráwing *n.* 등거리 도법.

isométric éxercise *n.* =ISOMETRICS.

isométric líne *n.* 〖理〗 등적(等積) 곡선 ; (지도의) 등거리선.

ìso·mét·rics *n.* [단수·복수 취급] 등척(等尺) 운동(isometric exercise) 《어느 특별한 근육을 강화하기 위한 일련의 등척성 수축 운동》.

isom·e·try [aisámətri] *n.* 크기가 같음, 같은 길이[면적, 체적, 각] ; 〖數〗 등장(等長) 변환 ; (지도의) 등거리법 ; (해발의) 등고(等高) ; 〖生〗 등생장

(等生長), 상대 생장.
íso·mòrph *n.* 〖化·結晶〗 이종(異種) 동형체[물].
ìso·mórphic *a.* 동형(同形)의, 동일 구조의 ; 〖數〗 동형(同型)의.
ìso·mórph·ism *n.* Ⓤ 〖生·化〗 동형(同形)이질[이종] ; 유질 동상(類質同像) ; 〖言〗 구조 동일성.
ìso·mórphous *a.* 이질 동상의.
iso·ni·a·zid [àisənáiəzəd] *n.* Ⓤ 이소니아지드, 이소니코틴산 하이드라지드《항결핵제》.
ìso·nicotínic ácid *n.* 〖化〗 이소니코틴산(酸)《주로 이소니아지드를 만드는 데 씀》.
ison·o·my [aisánəmi] *n.* (법적인) 동권(同權), 권리 평등.
ìso·óctane *n.* Ⓤ 〖化〗 이소옥탄《가솔린의 내폭성(耐爆性) 판정의 표준으로 쓰이는 탄화(炭化)수소의 일종》.
iso·phote [áisəfòut] *n.* 등조선(等照線).
iso·pi·es·tic [àisoupaiéstik] *a.* 〖氣·理〗 등압의. —— *n.* 등압선(isobar).
iso·pleth [áisəplèθ] *n.* 〖數·氣·地〗 등치선(等値線). 〚Gk. *plēthos* fullness〛
iso·pod [áisəpɑ̀d] *a., n.* 〖動〗 등각류(等脚類)의 (동물).
iso·prene [áisəprìːn] *n.* Ⓤ 이소프렌《인조 고무의 구성 물질》.
Iso·prin·o·sine [àisəprínəsìːn, -sən] *n.* 이소프리노신《B 세포와 T 세포를 자극하여 바이러스 감염을 막는 데 쓰이는 실험약 ; 상표명》.
ìso·própyl *n.* 〖化〗 이소프로필(기(基)).
isoprópyl álcohol *n.* 〖化〗 이소프로필 알코올《살균용》.
iso·pyc·nic [àisoupíknik] *a.* 등[정(定)] 밀도의 ; 밀도차를 이용한 분리 기술의[에 의한].
isos·ce·les [aisásəlìːz] *a.* 〖數〗 2등변의《3각형 따위》. 〚L (*iso*-, Gk. *skelos* leg)〛
isósceles tríangle *n.* 〖數〗 이등변 삼각형.
ìso·séismal *n., a.* 등진선(等震線)(의). **-séismic** *a.*
íso·spìn *n.* 〖理〗 하전(荷電) 스핀(isotopic spin).
isos·ta·sy [aisástəsi] *n.* (힘의) 균형 ; 〖地質〗 지각 평형설, 아이소스타시《지각의 평형을 유지하는 것은 지표 아래 암석의 중력적 함몰에 기인한다는 가설》. **ìso·státic** *a.* 지각 평형설의.
iso·therm [áisəθə̀ːrm] *n.* 〖氣〗 등온선 ; 〖理·化〗 등온(곡)선《일정 온도에서의 압력과 부피의 관계를 나타냄》.
iso·ther·mal [àisəθə́ːrməl] *a.* 등온선의 : the ~ layer[line, zone] 등온층[선, 대(帶)]. —— *n.* 등온선. **~·ly** *adv.*
isothérmal région *n.* =STRATOSPHERE 1.
iso·tone [áisətòun] *n.* 〖理〗 동(同)중성자핵, 아이소톤.
iso·ton·ic [àisətánik] *a.* 〖理·化〗 등장(等張)(성)의 ; 〖生理〗 (근육이) 등(긴(緊))장의 ; 〖樂〗 등음(等音)의. **ìso·tonícity** *n.* Ⓤ 등장.
iso·tope [áisətòup] *n.* Ⓤ 〖理〗 아이소토프, 동위원소 ; 핵종(核種)(nuclide) : ~ theraphy 아이소토프 요법. 〚Gk. *topos* place〛
iso·top·ic [àisətápik] *a.* 동위(원소)의.
isotópic spín *n.* =ISOSPIN.
iso·tron [áisətràn] *n.* 〖理〗 아이소트론《동위 원소 전자(電磁)분리기의 일종》 : an ~ separator 동위 원소 분리기.
iso·trop·ic [àisətróupik, -tráp-] *a.* 〖理·生〗 등방성(等方性)의, 균등성의. 〚Gk. *tropos* turn〛
isot·ro·py [aisátrəpi] *n.* Ⓤ 〖理〗 등방성(等方性) (↔*aeolotropy*).
íso·tỳpe *n.* 〖生〗 (분류상의) 동기준(同基準) 표본 ; 〖統〗 동형상(同形像)《그래프에서 단위로 쓰이는 그림·약도 또는 부호 ; 그 한 개가 일정한 수를 나타냄》 ; 아이소타이프 통계도.
iso·typ·ic, -i·cal [àisətípik(əl)] *a.* ISOTYPE의 ; 〖結晶〗 동형의.
iso·zyme [áisəzàim] *n.* 〖生化〗 이소 효소, 아이소자임.
ISP [ísp] *n.* (로켓의) 추진력. 〚*i*mpulse *sp*ecific〛
I spy [ái ⌐] *n.* 숨바꼭질(hide-and-seek).
Isr. Israel ; Israeli.
Is·ra·el [ízriəl, -reiəl] *n.* **1** 〖聖〗 이스라엘《Jacob의 별명 ; 창세기 32 : 28》. **2** [집합적으로] 이스라엘의 자손, 이스라엘 사람, 유태인(Jew) ; 신의 선민, 기독교도. **3** 이스라엘 왕국《B.C. 10-8세기경 Palestine의 북부에 있었음》. **4** 이스라엘 공화국《1948년에 창건된 유태인의 나라 ; 수도 Jerusalem》. **5** 남자 이름. —— *a.* =ISRAELI. 〚Heb. *yisrā'ēl* striver with God (창세기 32 : 28)〛
Is·rae·li [izréili] *a.* (현대의) 이스라엘(인)의. —— *n.* (*pl.* **~s**, ~) (현대의) 이스라엘인[국민].
Is·ra·el·ite [ízriəlàit] *n.* 이스라엘[야곱]의 자손, 유태인(Jew) ; 신의 선민. —— *a.* 이스라엘의. **Ís·ra·el·ìt·ish** *a.* 이스라엘의.
ISRD International Society for Rehabilitation of the Disabled(신체 장애자 갱생 국제협회). **ISSA** International Social Security Association(국제 사회보장 협회). **ISSN** 《美》 International Standard Serial Number《국제 표준 간행물 일련 번호 ; 정기 간행물에 대해 의회 도서관에서 내림》.
is·su·able [íʃu(ː)əbəl] *a.* **1** 발행[발포(發布)]할 수 있는 ; 발행이 인가된《통화·채권 따위》. **2** 〖法〗 (소송 따위의) 쟁점이 될 수 있는 ; (이득 따위가) 생기는 ; 얻을 수 있는. **-ably** *adv.*
is·su·ance [íʃu(ː)əns] *n.* Ⓤ 발행, 발포(發布) ; 발급, 급여.
is·sue** [íʃuː] *vi.* **1** [+*from*+名/+副] 나오다, 발(發)하다, 유출하다, 분출하다 : A stream ~*s* ***from the lake. 한 줄기의 냇물이 그 호수로부터 흘러나오고 있다 / Smoke ~*d forth from* the volcano. 연기가 그 화산에서 솟아 올랐다. **2** [+*in*+名] (결과로) 끝나다(end)〈*in*〉 : The game ~*d* ***in*** a tie. 게임은 동점으로 끝났다. **3** 유래하다, 일어나다 ; 《古》 (자손으로) 태어나다, 나오다〈*from*〉 ; 발행되다. —— *vt.* **1** [+目/+目+*to*+名] 내다, 발하다, 발포하다 ; 간행[발행]하다, 출판하다 ; 유포시키다 ; (약속 어음을) 발행하다 : Stamps are ~*d* by the government. 우표[인지]는 정부가 발행한다 / Cheap return tickets are ~*d* ***to*** all South Coast resorts. 남해안의 관광지 행(行)은 할인 왕복표가 발행되고 있다. **2** [+目+*to*+名/《주로 美》+目+目] 배급하다, 지급하다, 발급하다 : Notebooks were ~*d* ***to*** the students. 노트가 학생들에게 지급되었다 / They ~*d* an extra blanket *to* each soldier[《주로 美》 ~*d* each soldier an extra blanket]. 각 병사에게 모포를 한장씩 여분으로 배급했다.
—— *n.* **1** 발행물 ; (특히 출판의) 발행부수[고], …호, (제…)쇄(刷) : today's ~ of a paper 금일 발행한 신문 / the March ~ of a magazine 3월호 잡지. **2** Ⓤ,Ⓒ 발포, 발행, (약속어음 따위의) 발행 ; Ⓒ (군수품 따위의) 배급(품), 급여, 발급 : the ~ *of* stamps[a newspaper] 우표[신문]의 발행 / the day of ~ 발행일. **3** 유출점, 출구〈*of*〉, 강어귀. **4** Ⓤ,Ⓒ 유출, 쏟아져 나옴 ; Ⓒ 유

출물 : an ~ *of* blood=a bloody ~ 출혈. **5** (진행의) 결과, 결말 : the ~ *of* a war 전쟁의 결과 / bring a matter to an ~ 일의 끝[결말]을 짓다. **6** 계쟁(係爭)[논쟁]점, 논점, 문제 ; 논쟁, 토론 : an ~ of fact[law] 〖法〗 사실[법률]상의 쟁점 / make an ~ of …을 문제화하다. **7** Ⓤ 〖法〗 자식, 자녀, 자손 : die without male ~ 아들 없이 죽다.

at issue (1) 계쟁[논쟁] 중으로[의], 미해결로[의] : the point[question] *at* ~ 쟁점, 문제점. (2) 불화로, 다투어서〈*with*〉.

face the issue 사실을 사실로서 인정하고 그에 대처하다.

in issue 논의되고 있는, 쟁의(爭議)중의.

in the issue 결국은, 요컨대.

join issue 의견이 대립하다, 논쟁하다 : *join* ~ *with* a person (*up*) *on* a point 어떤 점에 대해서 남과 토론을 벌이다.

a point of issue 쟁점(爭點).

take issue with …와 다투다, 대립하다, (남)의 의견에 이의를 제기하다.

〈회화〉
What is your opinion on this *issue*? — No comment.「이 문제를 어떻게 생각하니」「노 코멘트야」

〖OF=exit (L *exitus* ; ⇨ EXIT)〗

類義語 (1) (*v.*)⟹ RISE.
(2) (*n.*)⟹ EFFECT.

íssue·less *a.* 자식[자손]이 없는 ; 결과가 없는 ; 쟁점이 없는.

ís·su·er *n.* 발행인.

íssu·ing hòuse *n.* 《英》 발행 회사《회사의 주식·사채 발행을 알선함》.

-ist [əst, ist] *n. suf.*「…하는 사람」「…주의자」「…을 신봉하는 사람」「…가(家)」의 뜻 : ideal*ist*, novel*ist*, special*ist*. ㊟ -ism과 달라 영미 모두 악센트가 없음. —— *a. suf.*「…한 성질의」의 뜻. 〖F and L<Gk. -*istēs* ; ⇨ -IZE〗

Is·tan·bul [ìstənbúːl, -tæn-, -tɑːn-, -təm-] *n.* 이스탄불《터키의 최대 도시·옛수도 ; 옛이름 Constantinople》.

isth. isthmus.

isth·mi·an [ísmiən ; ísθ-, íst-, ísm-] *a.* 지협의 ; [I~] 그리스 Corinth 지협의 ; [I~] 파나마 지협의. —— *n.* 지협에 사는 사람 ; [I~] 파나마 지협의 주민.

Ísthmian Canál Zòne *n.* [the ~] 파나마 운하지대.

Ísthmian Gámes *n. pl.* [the ~] Corinth지협의 경기《Olympian, Pythian, Nemean Games와 함께 고대 그리스 4대 경기회의 하나 ; Corinth 지협에서 2년마다 개최하였음》.

isth·mus [ísməs ; ísθ-, íst-, ísm-] *n.* (*pl.* **~·es, -mi** [-mai]) **1** 지협. **2** 〔解·植·動〕 협부(峽部). **3** [the I~] 파나마 지협 ; 수에즈 지협. 〖L<Gk.〗

-is·tic [ístik], **-is·ti·cal** [ístəkəl] *a. suf.* -IST, -ISM의 어미를 가진 명사의 파생 형용사를 만듦 : de*istic*, lingu*istic*, the*istic*. 〖L<Gk.〗

is·tle [ístli] *n.* Ⓤ 이스틀리《열대 아메리카산 식물의 섬유 ; 부대·깔개·그물 따위를 만듦》. 〖Am. Sp.〗

Is·tria [ístriə] *n.* 이스트리아《아드리아 해(海) 북단에 튀어나온 반도》. **Ís·tri·an** *a., n.* 이스트리아(인(人))의 ; 이스트리아인.

ISV International Scientific Vocabulary(국제 과학 용어).

◇it¹ [it, ət]

(1) it은 이미 화제에 올랐던 사물을 가리키는 기본적인 용법이 있다.
(2) 문장 중에서 뒤에 오는 요소를 대표하는 용법이 있다. 강조구문도 그 예다.
(3) 날씨·계절·거리·시간 따위를 나타내는 비인칭 it의 용법이 있다.

—— *pron.* (*obj.* **it** ; *poss.* **its** ; *pl.* **they**) 그것, 저것 ; [주어] 그것은[이] ; [동사의 목적어] 그것을, 그것에 ; [전치사의 목적어] 《역어(譯語) 부정(不定)》. **1** [이미 언급한 무생물·어구·성별이 불분명하거나 그것을 고려하지 않을 때의 어린이·동물을 가리킴] : He took a stone and threw *it.* 돌을 주워 (그것을) 던졌다 / I said, "Come on!" but he didn't hear *it.*「오시오」라고 말했으나 그에겐 (그것이) 들리지 않았다 / The child lost *its*(=his *or* her) way. 그 아이는 길을 잃었다 / The dog wags *its*(=his) tail. 개가 꼬리를 친다.

2 [마음 속에 있거나 또는 문제시되고 있는 사람·물건·사정·사건·행동 따위를 가리킴] : Go and see who *it* is. 가서 누군지 봐라.

3 [글 첫머리 또는 중간에 놓고 뒤에 오는 사실상의 주어 또는 목적어로서의 구·절 따위를 대표하는 형식적인 주어 또는 목적어를 이룸] : *It* is impossible *to* master English in a month or two. 한두 달에 영어를 숙달하기란 불가능하다 / *It* will be difficult *for* him *to* come so early. 그가 그렇게 일찍 오는 것은 어려울 것이다 / *It* is certain *that* we shall succeed. 우리들이 성공하는 것은 확실하다 / *It* is strange *that* he should say so. 그가 그렇게 말하다니 이상하다 / *It* is said *that* she is ill in bed. 그녀는 병으로 누워 있다고 한다[하는 소문이다] / I make *it* a point *to* get up early. 아침 일찍이 일어나기로 하고 있다 / I take *it that* you will act at once. 네가 즉시 할 것으로 믿는다 / *It* is a nuisance, this delay. 정말로 곤란한데, 이렇게 늦으면 / *It* is no use trying. 해봐야 헛일이다.

4 [비인칭 동사(impersonal verb)의 주어로서 또한 날씨·한난(寒暖)·명암·때·기타 사정·상태·거리 따위를 막연하게 가리킴] : *It* is raining. 비가 오고 있다 / *It* is getting hot. 더워진다 / *It* is Friday (today). 오늘은 금요일이다 / *It* looks like snow. 눈이 내릴 것 같다 / *It* will soon be New Year. 곧 새해가 된다 / *It* is 2 miles to the station. 역까지 2마일이다 / *It* says, "Keep to the Left."「좌측 통행」이라고 쓰여 있다 / *It* says in the Bible *that*…. 성서에 …라고 쓰여져 있다 / *It* says in the papers *that* …라고 신문에 나와 있다 / How dark *it* is! 꽤 어두운데 / How goes *it* with you today? 오늘은 기분이 어떻습니까 / How long does *it* take from here to the park? 여기서 공원까지 얼마쯤 (시간이) 걸립니까 / Had *it* not been for you, what would I have done? 네가 없었더라면 나는 어떻게 했을까.

5 《口》 **a**) [자동사·타동사·전치사의 막연한 목적어로서] : Let's walk *it.* 걸어가자 / Deuce take *it*! 아차!, 큰일인데! / You'll catch *it* from your father. 아버지한테 야단맞을게다 / Give *it* him! 그 녀석을 혼내줘라 / I had a good time of *it.* 유쾌한 시간을 보냈다 / Let's make a night of *it.* 밤새도록 마시자. **b**) [명사를 임시동사로 한 다음에 막연하게 목적어로서] : If we miss the bus, we must foot *it*. 버스를 놓치면 걸어갈 수 밖에 없다 / cab *it* 택시로 가다 / lord *it* ☞ LORD 숙어 / king *it* ☞ KING 숙어 / queen *it* ☞ QUEEN 숙어.

6 [*it is*[*was*]...*that*[*who, whom, which*]의 구문에서 문장의 주어·(동사 또는 전치사의) 목적어·부사어구를 돋보이게 한다] : *It is* the price *that* frightens him. 그를 놀라게 한 것은 그 가격이다 / *It was* Franklin *who* wrote "God helps them that help themselves." 「하늘은 스스로 돕는자를 돕는다」라고 쓴 것은 프랭클린이었다 / *It was* Mary (*that*) we saw. 우리가 본 것은 메리였다 / *It was* peace *that* they fought *for*. 그들이 싸운 것은 평화를 위해서였다 / *It was* in this year *that* the war broke out. 전쟁이 발발한 것은 이 해였다. ㊟ 이 it 다음의 be 동사의 시제(時制)는 clause 내의 동사에 따라서 is 또는 was가 되며 clause 내의 동사의 인칭은 바로 앞의 명사·대명사에 일치한다 : It is *I* that[who] *am* to blame. 나쁜 것은 나입니다.

7 [명사적으로] [ít] **a**) (놀이의) 술래(tagger). **b**) 《口》 극치, 완전, 이상(the ideal) ; 중요인물 : In that blue dress she is *it*. 그녀가 저 푸른 드레스를 입은 모습은 일품이다 / As a Christmas gift, this is really *it*. 크리스마스 선물로서 이것은 정말로 이상적이다. **c**) 《口》 성적 매력(sex appeal) ; [형용사적으로] 《俗》 섹시한.

〚OE *hit* (neut. nom. and acc.) 〈HE[1]〛

it[2] [it] *n.* Ⓤ 《英口》 =ITALIAN VERMOUTH.

I.T. income tax ; inclusive tour[terms]. **It., Ital.** Italian ; Italy. **ITA** International Tin Agreement(국제 주석 협정). **I.T.A., ITA** Independent Television Authority. **I.T.A., i.t.a.** Initial Teaching Alphabet. **ital.** italic(s) ; italicized.

Ita·lia [itáːljɑː] *n.* ITALY의 이탈리아어 이름.

***Ital·ian** [itǽljən, 美+ə-] *a.* **1** 이탈리아의 ; 이탈리아인의. **2** 이탈리아어[식]의.

—— *n.* **1** 이탈리아인. **2** Ⓤ 이탈리아어. **3** = ITALIAN VERMOUTH.

〚It. *italiano* (*Italia* Italy)〛

Ital·ian·ate [itǽljənət, -èit] *a.* 이탈리아화한, 이탈리아식의. —— [-èit] *vt.* =ITALIANIZE.

Itálian clóth *n.* 털로 짠 공단의 일종《안감용》.

Itálian dréssing *n.* 〔料〕 마늘·꽃박하로 맛을 낸 샐러드 드레싱.

Itálian fóotball *n.* 《美俗》 폭탄《공갈 협박꾼의 용어》.

Itálian gréyhound *n.* 이탈리아종 그레이하운드《애완견》.

Itálian hánd(**writing**) *n.* 이탈리아 서체《표준 초서체 ; cf. GOTHIC》.

Itálian·ìsm *n.* Ⓤ 이탈리아식 ; 이탈리아 정신, 이탈리아 사람의 기질 ; Ⓒ 이탈리아 어투[사투리].

Itálian·ist *n.* 이탈리아(어) 연구가.

Itálian·ìze *vi., vt.* 이탈리아식으로 되다[하다], 이탈리아화하다.

Itálian sándwich *n.* 이탈리안 샌드위치.

Itálian sónnet *n.* 〔韻〕 이탈리아식 소네트 《Petrarch에 의해 시작된 것으로, 전반 8행과 후반 6행의 2부로 나뉘어지는 14행 시》.

Itálian vermóuth *n.* 이탈리안 베르무트《달콤한 베르무트》.

Itálian wárehouse[**wárehouseman**] *n.* 《英》 이탈리아 특산 식료품 상점[상인]《마카로니·과일·올리브유 따위를 팖》.

***ital·ic** [itǽlik] *a.* **1** 〔印〕 이탤릭체의. **2** [I~] 옛 이탈리아(인·어)의, 〔言〕 이탤릭 어파의.

—— *n.* **1** [주로 *pl.*] 이탤릭체 글자《어구의 강조·선명(船名)·출판물명·외래어 따위를 표시하는 데 씀 ; cf. ROMAN》. **2** Ⓤ [I~] 〔言〕 이탤릭 어파. 〚L *italicus*<Gk. ; ⇨ ITALIAN〛

Ital·i·cism [itǽləsìzəm] *n.* =ITALIANISM.

ital·i·cize [itǽləsàiz] *vt.* (활자를) 이탤릭체로 하다 ; (이탤릭체를 표시하기 위해) …에 밑줄을 치다 ; 강조하다, 눈에 띄게 하다. —— *vi.* 이탤릭체를 쓰다.

itálic týpe *n.* 〔印〕 이탤릭《활자》.

Ita·lo- [itǽlou, -lə, ai-] *comb. form* 「이탈리아의」「이탈리아와」의 뜻. 〚L〛

Itálo·phìle *a., n.* 이탈리아(풍(風))을 좋아하는 (사람).

‡It·a·ly [ítəli] *n.* 이탈리아《수도 Rome》.

IT & T 《美》 International Telephone and Telegraph Corporation(국제 전화 전신 회사).

ITAR-TASS Informational Telegraph Agency of Russia-TASS(러시아 국영 통신사).

ITC International Trade Charter(국제 무역 헌장) ; International Traders Club ; 《美》 International Trade Commission(국제 무역 위원회) ; investment tax credit(투자 세액 공제).

itch [ítʃ] *n.* **1** 가려움 ; [the ~] 옴, 개선(疥癬). **2** 참을 수 없는 욕망, 갈망〈*for, to* do〉 ; 정욕, 색욕. **3** 《美俗》〔撞球〕 친 공을 포켓에 떨어 뜨리기.

have an itch for …하고 싶어 못견디다.

—— *vi.* **1** 가렵다, 근질거리다. **2** [+前+名/+*to* do] …하고 싶어서 좀이 쑤시다, …이 탐이 나서 못견디다, 초조해 하다〈*for* a thing〉. **3** 《美俗》 (포켓 당구에서 친 공이) 포켓에 떨어지다.

—— *vt.* (발 따위에) 가려움증을 일으키다 ; 안달나게 하다, 애타게 하다 ; 《비표준》 (피부를) 긁다.

be itching for …이 하고 싶어 못견디다, …이 탐이 나서 어쩔 줄 모르다.

one***'s fingers itch for***[***to*** do] …하고 싶어 손이 근질거리다.

ítch·ing *n., a.* 가려움 ; 갈망〈*for*〉 ; =ITCHY : have ~*ing* ears 몹시 듣고 싶어하다.

〚OE *giccan* ; cf. G *jucken*〛

ítch mìte *n.* 옴벌레, 개선충(疥癬蟲).

ítchy *a.* 옴[개선(疥癬)]에 걸린 ; 가려운 ; …을 갖고 싶어 못견디는.

‡it'd [itəd] it had[would]의 단축형.

-ite [àit] *suf.* **1** [명사·형용사 어미] 「…의 사람(의)」「…의 신봉자(의)」: Israel*ite*, Sem*ite*. **2** [화석·염류·폭약·상품 따위의 명칭] : ammon*ite*, sulph*ite*, dynam*ite*, ebon*ite*.

〚OF<L<Gk. *-itēs*〛

***item** [áitəm] *n.* **1** 항목, 조항, 종목, 품목, 세목 : ~*s of* business 영업 종목. **2** (신문 따위의) 기사, 한 항목 : an ~ *of* news 한 기사 / local ~*s* (신문의) 지방 기사.

item by item 한 항목씩, 한 조목 한 조목씩.

—— [, 美+áitem] *adv.* 하나…《항목을 차례로 열거할 때》 ; 마찬가지로, 다시 또.

—— *vt.* 《古》 항목으로 기입하다 ; 《古》 메모하다.

〚L=likewise ; (n.) 〈 (adv.)〛

類義語 ***item*** 표·목록 따위에 포함되어 있는 개개의 항목 : *items* in a catalogue (목록의 여러 항목). ***detail*** 전체의 구조·설계 따위의 일부를 이루는 작은 부분 : *details* of a plan (계획의 세목). ***particular*** 전체의 한 단위로서 독자적인 성격을 띤 것 : Nobody wants to hear all the *particulars* of your troubles. (당신의 어려움을 낱낱이 들어줄 사람은 없어요).

ítem·ìze [áitəm-] *vt.* 조목별로 쓰다, 항목별로 나누다, 명세로 기재하다 : an ~*d* account[bill] 명세 계산서.

ítem vèto *n.* 《美》 (의결 법안에 대한 주(州)지사의) 부분 거부권.

it·er·ant [ítərənt] *a.* 되풀이하는, 반복하는.

it·er·ate [ítərèit] *vt.* 되풀이하다(repeat) ; 되풀이하여 말하다 ; 〖컴퓨〗 …을 반복하다.
〖L (*iterum* again)〗

ìt·er·á·tion *n.* U,C 되풀이, 반복 ; C 되풀이되는 것 ; 〖數〗 반복법《축차근사의 방법》.

it·er·a·tive [ítərətiv, -rèit-] *a.* 반복의 ; 〖文法〗 반복(상)의 ; 〖컴퓨〗 (어떤 루프나 일련의 스텝 따위를) 반복하는 : the ~ aspect 〖文法〗 반복상(反復相). —— *n.* 〖文法〗 반복상.

-ites *n. suf.* -ITIS의 복수형.

ITF International Trade Fair(국제 견본 시장) ; International Trade Federation(국제 운수 노조 연맹).

ít gírl *n.* 《俗》 섹시한[매력적인] 여자.

Ith·a·ca [íθikə] *n.* 이타카《그리스 서쪽의 섬 ; 신화의 Odysseus[Ulysses]의 고향》.

Ithunn ☞ IDUN.

Ithu·ri·el [iθjúəriəl] *n.* Milton작 *Paradise Lost*에 나오는 천사《Satan의 정체를 폭로함》.

Ithúriel's spéar *n.* 진위를 가리는 확실한 기준.

ithy·phal·lic [ìθəfǽlik] *a.* **1** 바커스 제례의, (바커스제(祭)에 쓰인) 남근상(phallus)의. **2** 바커스 찬가에 쓰는 운율의 ; 외설적인. —— *n.* 바커스 찬가율의 시 ; 외설시(詩).
〖L<Gk. (*ithus* straight)〗

-it·ic [ítik] *a. suf.* -ITE, -ITIS에 대응하는 형용사를 만듦. 〖F<L<Gk. *-itikos*〗

itin·er·a·cy [aitínərəsi, ə-] *n.* =ITINERANCY.

itin·er·an·cy [aitínərənsi, ə-] *n.* U,C 순회, 순력, 편력 ; 순회자의 단체 ; 순회 설교.

itín·er·ant *a.* **1** 순회하는, 순력(巡歷)의, 편력중인 : an ~ trader 행상인. **2** 지방 순회의 : an ~ judge[library] 순회 재판관[도서관] / an ~ preacher (메서디스트 교회의) 순회 전도[포교]사. —— *n.* 편력자 ; 순회 전도사 ; 순회 판사 ; 행상인, 순회 흥행사[배우]《등》.
〖L (*itiner- iter* journey)〗

itínerant eléctron *n.* 〖理〗 편력 전자.

itin·er·ary [aitínərèri, ə- ; -rəri] *n.* 여정, 도정 ; 여행기 ; 여행 안내서 ; 여행 일정 계획서. —— *a.* 순회하는, 순력하는 ; 여정(旅程)의, 여로의.

itin·er·ate [aitínərèit, ə-] *vi.* 순회하다, 순력(巡歷)하다, 순회 설교하다 : an *itinerating* library 이동 도서관, 회람 문고.

-i·tion [íʃən] *n. suf.* 동작·상태를 나타냄 : defin*ition*, exped*ition*. 〖L〗

-i·tious [íʃəs] *a. suf.* 「…의 (성질이 있는)」의 뜻 : expedi*tious*. 〖L〗

-i·tis [áitəs] *n. suf.* (*pl.* **~·es, -it·i·des** [ítədì:z], **-i·tes** [áiti:z, í:-]) 「염증」; (*pl.* **~·es**) 「…에 의한 병」「…에 강요당하는 괴로움」「…에 대한 강한 성벽」「…광」「…중독」의 뜻 : bronch*itis*. 〖Gk.〗

-i·tive *a. suf.* =-IVE. 〖L〗

ǂit'll [ítl] 《口》 it will[shall]의 단축형.

ITO, I.T.O. International Trade Organization (국제 무역 기구).

-i·tol [ətɔ̀(:)l, ətòul, -tɑ̀l] *n. suf.* 〖化〗 「다가(多價) 알코올」의 뜻. 〖*-ite, -ol*〗

ITOS 《美》 improved Tiros(cf. TIROS).

-i·tous [-ətəs] *a. suf.* -ITY로 끝나는 명사에 대응하는 형용사를 만듦 : felic*itous*, calam*itous*.
〖F<L〗

◇its [its, əts] *pron.* [IT의 소유격] 그것의, 저것의, 그….

ǂit's [its, əts] 《口》 it is[has]의 단축형(cf. 'TIS).

ITS international temperature scale.

ǂit·self [itsélf] *pron.* **1** [강조용법] 그 자체, 바로 그것 : Even the well ~ was empty. 우물마저 말라 있었다. **2** [재귀 용법] : The hare hid ~. 토끼가 자취를 감추었다.
by itself (1) 그것만으로써, 단독으로, 다른 것과 떨어져서 : The house stands *by* ~ on the hill. 그 집 한 채만 언덕 위에 서 있다. (2) 스스로, 자동적으로 : The machine works *by* ~. 그 기계는 자동적으로 움직인다.
for itself 혼자 힘으로, 단독으로.
in itself 본래는, 본질적으로.
of itself 스스로, 자연히 : The fire went out *of* ~. 불은 저절로 꺼졌다.
〖OE (IT[1], SELF)〗
活用 ☞ MYSELF.

ITT(C) International Telephone and Telegraph Corporation 《미국의 전신 전화 회사명》. **ITTF** International Table Tennis Federation (국제 탁구 연맹).

it·ty-bit·ty [ítibíti], **it·sy-bi·tsy** [ítsibítsi] *a.* 《口》 조그마한, 사소한 ; 《蔑》 곰상스런 ; 《口》 세세한 부분으로 된. 〖*little bit*의 유아어인가 ; 또는 *bit*의 영향을 받은 *little*의 가중 유아어인가〗

ITU, I.T.U. International Telecommunication Union(국제 전기 통신 연합).

-i·tude *n. suf.* =-TUDE.

ITV industrial television(공업용 텔레비전) ; 《美》 instructional television(수업용 유선 텔레비전 프로그램) ; 《英》 Independent Television《I.B.A.가 행하는 텔레비전 방송》.

-i·ty [-əti] *n. suf.* 상태·성질·정도 따위를 나타냄 : prob*ity*, par*ity*. 〖OF<L *-itas*〗

IU international unit(국제 단위). **IU(C)D, I.U.(C.)D.** intrauterine (contraceptive) device(피임용 자궁내 링). **IUCN** International Union for Conservation of Nature and Natural Resources(국제 자연 보호 연맹).

IUE satellite [àijù:í: -] *n.* 국제 자외선 탐사 위성(衛星).

-ium [-iəm, jəm] *n. suf.* 라틴어계(語系) 명사, 화학 원소의 명사를 만듦 ; 기관부명(器官部名)·생체 조직명 따위를 나타냄 : med*ium*, prem*ium*, rad*ium*, irid*ium* / hypogastr*ium*, mycel*ium*.
〖L<Gk.〗

IUPAC International Union of Pure and Applied Chemistry(국제 순수 응용화학 연합). **IUS** 〖宇宙〗 inertial upper stage(셔틀 상단 로켓). **IV, i.v.** initial velocity(초속도) ; intravenous(ly). **IVA** 〖宇宙〗 intravehicular activity(선내 활동).

Ivan [áivən] *n.* **1** 남자 이름. **2** 이반. (1) ~ III (1440-1505) 통칭 the Great(이반 대제). (2) ~ IV (1530-84) 통칭 the Terrible(이반 뇌제(雷帝)).
〖Russ. ; ⇨ JOHN〗

Ivan·hoe [áivənhòu] *n.* 아이반호《Sir Walter Scott의 소설명 ; 그 주인공 이름》.

Ivan Iva·no·vi(t)ch [ivá:n ivá:nəvitʃ] *n.* 전형적인 러시아(군)인(cf. JOHN BULL).

IVB invalidity benefit.

◇I've [aiv] 《口》 I have의 단축형.

-ive [-iv] *a. suf.* 「…의 경향이 있는」「…의 성질을 띤」의 뜻 : nat*ive*, capt*ive*, fest*ive*, sport*ive*, massive. 〖OF<L -*ivus*〗

IVF in vitro fertilization(체외 수정).

ívied *a.* 담쟁이덩굴(ivy)이 무성한, 담쟁이덩굴로 덮인.

Ivor [áivər, í:-] *n.* 남자 이름. 〖Celt. =(one who carries) yew(=bow) ; cf. Welsh *Ifor* lord〗

Ivo·ri·an [áivəriən] *n., a.* 코트디부아르(Ivory Coast)인(의).

ivo·ry [áivəri] *n.* **1** Ⓤ 상아(象牙)(cf. TUSK) ; (하마·해상(海象) 따위의) 어금니 : artificial ~ 인조 상아 / ☞ BLACK IVORY. **2** [*pl.*] 《俗》 **a)** 상아로 만든 물건《당구공·피아노의 건반·주사위 따위》. **b)** 이(teeth) : show one's *ivories* 이를 드러내다. **3** Ⓤ 상아빛.
the gate of ivory ☞ GATE[1] *n.*
— *a.* 상아로 만든 ; 상아와 같은 ; 상아빛의.
ívo·ried *a.* 상아제의, 상아 비슷한.
〖OF (L *ebor- ebur*) ; cf. ELEPHANT〗

ívory bláck *n.* 아이보리 블랙《상아를 태워서 만든 흑색 안료》.

Ívory Cóast *n.* [the ~] 코트디부아르《서아프리카의 공화국 ; 정식 명칭은 the Republic of Côte d'Ivoire ; 수도 Abidjan》.

ívory dóme *n.* 《美俗》 지식인, 전문가.

ívory gáte *n.* 〔그神〕 (잠의 집의) 상아문《이 문에서 허망한 꿈이 나온다 함 ; cf. *the* GATE *of horn*》.

ívory nùt *n.* 상아야자나무(ivory palm)의 열매.

ívory[ívory-nùt] pàlm *n.* 〔植〕 상아야자나무.

ívory pàper *n.* 화가가 쓰는 광택이 있는 고급 마분지.

ívory ràider[hùnter] *n.* 《俗》 (산업계로부터의) 유능 졸업생에 대한 스카우트.

ívory tówer *n.* 상아탑《실사회에서 격리된 사상·예술 또는 꿈의 세계, 특히 대학》.

ívory-tówered *a.* 세속과 인연을 끊은, 상아탑에 사는 ; 인가에서 멀리 떨어진.

ívory-tówer·ism *n.* Ⓤ 현실도피주의.

ívory·tỳpe *n.* 아이보리타이프《컬러 효과를 내는 사진 ; 지금은 안 쓰임》.

ívory yéllow[whíte] *n.* 유백색.

ivy [áivi] *n.* **1** Ⓤ 〔植〕 담쟁이덩굴(=English ~) : a house covered all over with ~ 담쟁이덩굴로 온통 덮인 집 / ☞ POISON IVY. **2** [보통 I~] 《口》 IVY LEAGUE의 대학. **3** [보통 I~] 여자 이름. — *a.* 학원의, 학구적인 ; 순학리적인 ; [보통 I~] IVY LEAGUE의.
〖OE *īfig* ; cf. G *Efeu*〗

Ívy Léague *n.* [the ~] 아이비 리그《미국 북동부의 명문 8개 대학 : Harvard, Yale, Columbia, Princeton, Brown, Pennsylvania, Cornell, Dartmouth ; 이 8개 대학으로 이루어진 운동 경기 연맹》. — *attrib. a.* 《美》 아이비 리그 대학(출신)의, 아이비 리그(식)의 : an ~ college 아이비 리그 대학 / an ~ suit 아이비 리그식의 양복.

Ívy Léaguer *n.* Ivy League 학생[졸업생].

ívy vìne *n.* 〔植〕 개머루속의 일종《미국 중부산》.

I.W., IW index word ; inside width ; Isle of Wight ; isotopic weight. **IWA** International Whaling Agreement(국제 포경 협정) ; International Wheat Agreement(국제 소맥 협정).
IWC International Whaling Commission ; International Wheat Council(UN의 국제 소맥 이사회).

iwis, ywis [iwís] *adv.* 《古》 확실히 ; 참말로 (certainly).

IWSG International Wool Study Group.

I.W.T.D. 《英》 Inland Water Transport Department. **I.W.W., IWW** Industrial Workers of the World(세계 산업 노동 조합).
I.X., IX Jesus Christ.

-ix *n. suf.* -or의 남성 명사에 대한 여성 명사 어미 : inheritr*ix* (cf. -ESS[1]).

ix·ia [íksiə] *n.* 〔植〕 붓꽃과 식물의 일종《남아프리카산 ; 관상 식물》. 〖L<Gk.〗

Ix·i·on [iksáiən] *n.* **1** 〔그神〕 익시온《Hera를 범하려다 Zeus의 노여움을 사서 Ixion's wheel에 묶임》. **2** 〔理〕 익사이온《제어 핵융합 연구의 실험용 자기경(磁氣鏡)》.

Ixíon's whèel *n.* 〔그神〕 신벌(神罰)을 받은 Ixion이 묶인 (영구히 회전하는) 불의 수레바퀴.

IYDP International Year of Disabled Persons(국제 장애자의 해).

I(y·)yar [í:jɑ:r] *n.* 이야르《유태력의 제 8 월, 현행 태양력으로 4-5월》.

iz·ard [ízərd] *n.* 〔動〕 새미(chamois)《피레네산맥산》. 〖F *isard* < ?〗

-iza·tion, 《英》 **-isa-** [əzéiʃən ; ai-] *n. suf.* [-IZE, -ISE로 끝나는 동사의 명사를 만듦] : civil*ization*, real*ization*.

-ize, 《英》 **-ise** [àiz] *v. suf.* 「…로 하다」「…화하다」의 뜻 : Anglic*ize*, crystall*ize*. ㈜ 다만 chastise, supervise 따위는 《美》·《英》에서 다같이 -ise임. 〖OF<L<Gk.〗

iz·zard [ízərd] *n.* 《古·方》 Z자(字).
from A to izzard 처음부터 끝까지, 완전히.
〖C18 *ezed* < ? F *et zède*〗

iz·zat [ízət] *n.* Ⓤ 《인도》 체면, 명성, 명예, 자존심 ; 위엄. 〖Arab. =glory〗

iz·zer [ízər] *n.* 《美》 기민하고 정력적인 사람.

Iz·zy [ízi] *n.* 남자 이름《Isador(e), Isidor(e), Israel의 애칭》.

J

j, J [dʒéi] *n.* (*pl.* **j's, js, J's, Js** [-z]) **1** 제이 《영어 알파벳의 열 번째 글자》; (연속된 것의) 열 번째(의 것). **2** J자형의 것. **3** 제이 펜(J pen) 《J자표가 붙은 폭이 넓은 펜촉》.
J joule. **J.** James; Journal; Judge; Justice.
ja [jɑ́ː] *adv.* 네(yes). 〖G〗
Ja. James; January. **JA** 〔自動車國籍表示〕 Jamaica. **J.A.** Joint Agent; Judge Advocate.
J/A, j/a joint account.
já·al gòat [dʒéiəl-, jɑ́ːəl-] *n.* 〔動〕 (북아프리카·아라비아 산악 지방산(産)의 뿔이 긴) 누비아산양. 〖Heb. GAEL〗
jaap [jɑ́ːp] *n.* 《南아》 멍텅구리, 촌놈. 〖Afrik.〗
jab [dʒǽ(ː)b] *v.* (**-bb-**) *vt.* **1** (주먹 따위로) 날쌔게 쥐어박다, 〔拳〕 잽을 먹이다. **2** [+目/+目+前+名] (끝이 뾰족한 것으로) 쿡 찌르다; 푹 찌르다(stab); (물건을) 푹 찔러 넣다: Don't ~ my arm ***with*** the stick.=Don't ~ the stick ***into*** my arm. 그 막대기로 내 팔을 찌르지 말게.
— *vi.* [+前+名] (팔꿈치·뾰족한 것 따위로) 찌르다, 꿰찌르다; 〔拳〕 잽을 먹이다: ~ ***at*** one's opponent 상대방에게 잽을 먹이다.
— *n.* 갑자기 찌르기, 〔拳〕 잽; 〔軍〕 두 번 찌르기 《찔러 꽂은 총검을 빼내지 않고 다시 찌르기》; 《口》 (피하) 주사; 접종.
〖JOB[2]〗
jab·ber[1] [dʒǽbər] *vt.* [+目/+目+副] (알아듣지도 못할 말을) 지껄이다; (원숭이 따위가) 깩깩 소리지르다: ~ French 프랑스어로 빠르게 지껄이다/~ ***out*** one's prayers 중얼거리며 기도를 올리다. — *vi.* [動/+副] 마구 지껄이다; 깩깩 소리를 지르다: The foreigners were ~*ing* ***away.*** 외국 사람들은 뭔가 마구 지껄이고 있었다. — *n.* Ⓤ 알아듣지 못할 정도로 빠르게 지껄임(chatter).
〖ME (imit.)〗
jabber[2] *n.* 《口》 (피하) 주사기. 〖JAB〗
jab·ber·wocky, -wock [dʒǽbərwɑ̀k(i)] *n.* Ⓤ 무의미한[이해할 수 없는] 말(nonsense); [형용사적으로] 횡설수설하는.
〖*Jabberwocky*: Lewis Carroll, *Through the Looking-Glass* 중의 난센스한 시(詩)〗
jáb-òff *n.* 《美俗》 마약 피하주사(의 효력).
ja·bo·ney, ji- [dʒəbóuni] *n.* 《美俗》 새로 온 외국인[이민]; (완력이 센) 악당; 경호원, 보디가드.
jab·o·ran·di [dʒæbərǽndi, ʒæb-, 美+-rændíː] *n.* 〔植〕 야보란디《남미산(産) 운향과(科) 식물》; Ⓤ 그 말린 잎 《이뇨·발한제》.
ja·bot [ʒæbóu, dʒǽbou; ʒǽbou] *n.* **1** (여성복 앞가슴에 늘어뜨린) 레이스 주름 장식. **2** (옛날 남자용 셔츠의) 가슴의 주름 장식.

jabot 2

〖F=crop of bird〗
J.A.C. Junior Association of Commerce.
ja·cal [həkɑ́ːl] *n.* (*pl.* **-ca·les** [-kɑ́ːleis], **~s**) 《美》 (멕시코·미국 남서부 지방의) 토벽으로 만들어진 초가집.
〖Am. Sp. <Nahuatl〗
jac·a·ran·da [dʒækərǽndə, ʒæk-, 美+-rændɑ́ː] *n.* 자카란다《열대 아메리카산(産) 능소화과(科)의 수목》; Ⓤ 그 목재.
ja·cinth [dʒǽsənθ, dʒéi-] *n.* =HYACINTH 3; Ⓤ 불그스름한 오렌지색.
〖OF or L HYACINTH〗
jack[1] [dʒǽk] *n.* **1** [J~] 남자 이름《John, 때때로 James, Jacob의 애칭》. **2** [J~, ~] 남자(man), 놈(fellow), 소년(boy) (cf. GILL). ㊟ 흔히 every man을 강조하는 뜻으로 every man ~, every ~ one (of them) 따위의 어구에 쓰임. **3** [때때로 J~] 선원(船員), 수병(sailor); 노동자, 잡역부. **4** 〔카드놀이〕 잭(knave): the ~ of diamonds 다이아몬드 잭. **5** 밀어 올려서 받치는 기구, 잭《나사 잭·수압 잭·자동차 잭 따위》; 〔電〕 플러그를 꽂는 구멍. **6** 고기를 꼬챙이에 꿰어서 돌리면서 굽는 기구. **7** 선수기(船首旗)《국적을 표시하는 작은 기》. **8** [복합어를 이루어] 보통보다 작은 것. **9** 동물의 수컷(↔*jenny*), (특히) 수탕나귀. **10** =JACKDAW; =JACKRABBIT; =JACKSNIPE; =APPLEJACK. **11** =JACKLIGHT.
before you could [***can***] ***say Jack Robinson*** ☞ JACK ROBISON.
every Jack 《口》 이것저것 모두.
every man jack (***of them***) 누구나 다, 모두.
Jack and Gill [***Jill***] 젊은 남녀(cf. Every *J*~ has his *Gill*. 누구나 짝은 있다).
Jack of all trades, and master of none. 《속담》 무엇이든 다 할 수 있다는 사람에게 뛰어난 재주는 없다(cf. JACK-OF-ALL-TRADES).
on one***'s Jack*** (***Jones***) 《俗》 혼자서(alone).
— *a.* (당나귀 따위가) 수컷의.
— *vt.* (차 따위를) 잭으로 들어올리다; 횃불[섬광등]로 야간의 고기잡이[사냥]를 하다, (특히) 밤중에 사슴을 밀렵하다.
jack off 《英俗》 가버리다, 도망치다.
jack up ⑴ 잭으로 밀어[들어]올리다. ⑵ 《英》 (일·계획 따위를) 내던지다, 포기하다(give up). ⑶ 《美口》 (가격·임금 따위를) 인상하다(raise); (남을) 꾸짖다, …에게 해야 할 일을 깨우치다. ⑷ 《濠口》 거부하다, …에 저항하다.
〖JOHN; 어형은 F *jacque* James와의 연상(聯想)〗
jack[2] *n.* (중세 보병의) 소매 없는 가죽 상의; 《古》 (혁제(革製)의) 맥주잔, 조끼(blackjack).
〖F *jaque*<?〗
jack[3] *n.* 뽕나무과(科)의 빵나무의 일종; 그 열매.
〖Port. *jaca*<Malayalam〗
jack[4] *vi.* [다음 숙어로]
jack off 《美卑》 자위하다(masturbate).
〖*ejaculate*〗
jàck-a-dándy [-ə-] *n.* 멋쟁이, 맵시 내는 사내.

jack·al [dʒǽkɔːl, -əl] *n.* **1** 재칼《개과(科)의 육식 동물》. **2** 남의 앞잡이로 일하는 사람《jackal은 사자를 위해 먹이를 찾는다고 믿어진 데서》; 나쁜 사람, 사기꾼; [형용사적으로] 앞잡이의.
—— *vi.* (**-ll-**) 남의 부하가 되다.
〖Turk.<Pers.〗

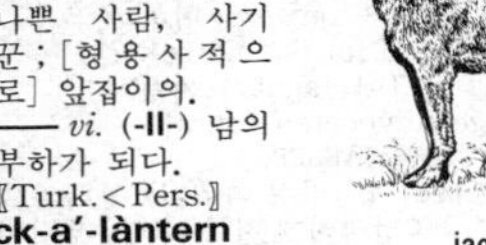
jackal 1

jáck-a'-làntern [-ə-] *n.* =JACK-O'-LANTERN.

jack·a·napes [dʒǽkənèips] *n.* **1** 《古》 원숭이 (monkey). **2** (원숭이 처럼) 건방진[잔꾀가 많은] 사람, 되바라진 아이; 멋쟁이.
〖ME *Jack Napis* Suffolk 공(公) William de la Pole (d. 1450)의 별명〗

jack·a·roo, jack·e·roo [dʒæ̀kərúː] *n.* 《濠口》 (목장의) 풋내기 일꾼. —— *vi.* 《濠口》 풋내기로 일하다.
〖*Jack*+kanga*roo*〗

jáck·àss *n.* **1** 수탕나귀. **2** [; 보통 -ɑ̀ːs] 《口》 얼간이, 바보. 〖JACK¹〗

jáck·bòot *n.* (무릎 위까지 올라오는) 장화《원래는 17-18세기의 기병용》; 《비유》 강압적 행위[정신], 강제, 횡포.
—— *vt.* 강압적으로 복종시키다.

jáckboot tàctics *n.* 강제[강압]적인 수단, 협박 전술.

jáck·dàw *n.* 〔鳥〕 갈가마귀; 《비유》 수다쟁이.

***jack·et** [dʒǽkət] *n.* **1** (소매가 달린) 짧은 상의, 재킷《따로 또는 한 벌의 양복의 일부로서 입음; cf. NORFOLK[ETON, DINNER] JACKET》. **2** 피복물(被覆物); (과열을 막는) 물 재킷, 냉각통; (포신(砲身) 따위를) 싸는 것; (개·고양이 따위의) 털가죽. **3 a)** (책의) 재킷 《book jacket [wrapper], dust cover[jacket, wrapper], (paper) wrapper라고도 함》; (레코드의) 재킷. **b)** 종이 표지 책의 표지《책 크기보다 여분이 있게 하여 안쪽으로 접어넣음》; (소책자·목록 따위의) 표지. **c)** 《美》 (서류 따위를 넣어) 봉하지 않은 봉투. **4** 감자 껍질: potatoes boiled *in* their ~*s* 껍질째 삶은 감자.
dust** a person**'s jacket (***for*** him) ☞ DUST (*v.*).
—— *vt.* …에게 재킷을 입히다; 피복하다; (책 따위에) 재킷을 씌우다.
〖OF (dim.) ‹JACK²〗

Jáck Fróst *n.* 서리, 엄한(嚴寒), 엄동추위, 동장군《의인화(擬人化)》.

jáck·hàmmer *n.* 휴대용 소형 착암기.

Jack·ie [dʒǽki] *n.* 여자 이름; 남자 이름.
〖(dim.); ⇨ JACQUELINE, JACK〗

jáck-in-a-bòx *n.* (*pl.* **jácks-, ~·es**) **1** 〔植〕 헤르난디아《열대산(產)》. **2** =JACK-IN-THE-BOX.

jáck-in-òffice *n.* (*pl.* **jácks-**) [때때로 J~] 거드름 피우는[거만한] 하급 관리.

jáck-in-the-bòx *n.* (*pl.* **~·es, jácks-**) [때때로 J~] 뚜껑을 열면 괴상한 인형이 불쑥 튀어나오는 장난감 상자; 〔機〕 차동(差動) 장치 (differential gear); 《美》 〔動〕 집게.

Jáck-in-the-Grèen *n.* (*pl.* **~s, Jácks-**) (May Day 놀이에서) 푸른 잎으로 덮인 광주리 속에 든 남자[아이].

jáck-in-the-púlpit *n.* (*pl.* **~s, jácks-**) 〔植〕 (북미산(產)) 천남성.

jáck jòb *n.* 《俗》 자위 (masturbation).

Jáck Kétch [-kétʃ] *n.* 《英》 교수형 집행인.
〖17세기 영국의 유명한 교수 형리의 이름에서〗

jáck·knìfe *n.* **1** 잭나이프《튼튼한 휴대용 대형 나이프》. **2** 〔泳〕 잭나이프《다이빙의 일종》.
—— *vt., vi.* **1** 잭나이프로 자르다[찍다]. **2** 접어 구부리다, 꺾여지다, (트레일러 트럭이나 차량이) 90° 이하의 각도로 꺾일 것처럼 되다; 〔泳〕 잭나이프(다이빙)을 하다.

jáck làdder *n.* 줄사다리.

jáck·lèg *a., n.* 미숙한 (사람); 파렴치[부정직]한 (사람); 임시 변통의 (것).
〖*jack*¹+*-leg* (cf. black*leg*)〗

jáck·lìght *n.* 《美俗》 (야간의 고기잡이[사냥]에 쓰는) 횃불, 섬광등(閃光燈). —— *vt.* =JACK¹.
~·er *n.* jacklight를 써서 고기잡이[사냥]하는 사람; (특히) 사슴 밀렵자(密獵者).

jáck-of-àll-trádes, jáck of àll trádes *n.* (*pl.* **jácks-**) [때때로 J~] 만물박사, 무엇이든지 할 수 있는 사람(cf. JACK¹ 숙어).

jáck-òff *n.* 《俗》 아둔패기, 얼간이; 자위.

jáck-o'-làntern [-ə-] *n.* **1** 도깨비불, 여우불 (will-o'-the-wisp). **2** 호박으로 만든 초롱《속을 후벼내고 눈·코·입 따위를 뚫은 것; 미국에서 Halloween (10월 31일)에 아이들이 만들어서 가지고 놂》.

jáck plàne *n.* (대형의) 건목 대패, 막대패.

jáck·pòt *n.* **1** 〔《카드놀이》〕 (포커에서) 한쌍이나 그 이상의 jack 패가 나올 때까지 계속해서 거는 돈; (bingo, slot machine의) 계속 거는 돈[상금]. **2** (퀴즈 따위에서 정답자가 나오지 않아 쌓인) 다액의 상금. **3** 《口》 (뜻밖의) 큰 횡재, 대성공. **4** 공동 자금, 출자금.
hit the jackpot 《美俗》 계속 건 돈을 타다, 적립된 상금을 획득하다; 대성공하다.
〖C20<?; *jack*¹ playing card+POT인가〗

jáck-púdding *n.* [때때로 J~] 광대 (buffoon).

jáck·ràbbit *n.* 잭산토끼《북미 서부산(產)》.

jáck-ràbbit stárt *n.* 《口》 (자동차의) 급격한 발진(發進)[스타트], 돌연한 출발.

Jáck Róbinson *n.* [다음 숙어로]
before you could [***can***] ***say Jack Robinson*** 《口》 눈깜짝할 사이에, 갑자기.

jacks [dʒæks] *n. pl.* [단수 취급] 잭스《고무공을 튀기면서 정해진 방식으로 jackstone을 위로 던지거나 받거나 하면서 노는 아이들의 놀이》.

jáck·scrèw *n.* 〔機〕 나사식(式) 잭.

jáck·snìpe *n.* 〔鳥〕 꼬마도요.

Jack·son [dʒǽksən] *n.* **1** 잭슨. **Andrew ~** (1767-1845) 미국 제7대 대통령(1829-37). **2** 남자 이름. **Jack·so·ni·an** [dʒæksóuniən] *a., n.* A. Jackson의 (지지자).
〖=son of Jack〗

jáck stàff *n.* 〔海〕 뱃머리의 깃대.

jáck·stày *n.* 〔海〕 잭스테이《(1) 활대 위쪽에 댄 금속[나무] 막대 또는 로프. (2) 돛의 오르내림을 원활케 하는 고리》.

jáck·stòne *n.* (놀이에 쓰는) 돌멩이 또는 금속제의 작은 구슬; [~s, 단수 취급] =JACKS.

jáck·stràw *n.* 짚으로 만든 인형; 나뭇[뼈, 상아] 조각《놀이용》; [~s, 단수 취급] 나뭇[뼈] 조각을 탁상에 쌓아 놓고 다른 것을 움직이지 않고 하나씩 빼내는 놀이.

jáck-tár *n.* [때때로 J~] 선원, 수병.

jáck tòwel *n.* 회전식 긴 타월.

jáck-ùp *n.* **1** 증가. **2** 《美》 (물가 따위의) 등귀, 인상. **3** (바다 밑에 다리를 내릴 수 있는) 해저 유전 굴착용 작업대.

Ja·cob [dʒéikəb] *n.* **1** 남자 이름. **2** 〔聖〕 야곱 《Isaac의 차남으로 Abraham의 손자》. 〚Heb.=supplanter〛

Jac·o·be·an [dʒæ̀kəbí(ː)ən] *a.* 영국왕 James 1세 시대(1603-25)의 ; 〔家具〕 암갈색의. —— *n.* James 1세 시대의 사람 《문인·정치가 등》. 〚L (*Jacobus* James ; ↑)〛

Ja·co·bi·an [dʒəkóubiən, jɑː-] *n.* 〔數〕 함수[야코비] 행렬식, 야코비안《독일의 수학자 K. G. J. Jacobi (1804-51)의 이름에서》.

Jac·o·bin [dʒǽkəbən] *n.* **1** (프랑스의) 도미니크회(會)의 수사(修士) (Dominican friar). **2 a)** 자코뱅당원 《프랑스 혁명의 과격 공화주의의 정당원 ; Paris에 있었던 도미니크회(會)의 수도원에서 회합을 열었음 ; cf. SANSCULOTTE》. **b)** 과격 정치가, 파괴적 개혁자. **~·ìsm** *n.* 자코뱅주의 ; 과격 급진주의. 〚OF ; ⇨ JACOBEAN〛

Jac·o·bin·ic, -i·cal [dʒæ̀kəbínik(əl)] *a.* 자코뱅당[주의]의 ; 과격한.

Jac·o·bite [dʒǽkəbàit] *n.* 〔英史〕 James 2세파(派)의 사람 ; Stuart 왕가 지지자. 〚L ; ⇨ JACOBEAN〛

Jácob's ládder *n.* **1** 〔聖〕 야곱이 꿈에서 본 하늘까지 닿는 사닥다리. **2** 〔海〕 밧줄 사닥다리 (rope ladder).

Jácob's stáff *n.* 〔測〕 (측량기의) 받침대 ; 거리[고도] 측정기.

Ja·co·bus [dʒəkóubəs] *n.* =UNITE[2].

jac·o·net [dʒǽkənèt ; -nət] *n.* 엷게 짠 흰 무명. 〚Urdu (*Jagannath* 인도의 생산지)〛

Jac·quard [dʒǽkɑːrd ; dʒəkɑ́ːrd] *n.* 자카드(=∠ **lòom**) 《프랑스 Lyon의 J. M. Jacquard (1752-1834)가 발명한 문직용(紋織用) 직기》.

Jac·que·line [dʒǽkələn, -liːn ; dʒǽkliːn] *n.* 여자 이름. 〚F (fem.) ; ⇨ JACK〛

Jac·que·rie [ʒɑ̀ːkəríː, ʒæ̀k-] *n.* [the ~] 농민 폭동《특히 1358년 프랑스의》. 〚F=peasantry (*Jacques* JACOB)〛

jac·ta alea est [jɑ́ːktɑː ɑ́ːliɑ̀ː ést] 주사위는 던져졌다 (The DIE[2] is cast.). 〚L〛

jac·ta·tion [dʒæktéiʃən] *n.* **1** 자랑, 허풍떨기. **2** =JACTITATION 2.

jac·ti·ta·tion [dʒæ̀ktətéiʃən] *n.* **1** 허풍, 자랑 ; 〔法〕 사칭 ; 권리 비훼(誹毁). **2** 〔醫〕 (열병환자 등의) 몸부림.

Ja·cuz·zi [dʒəkúːzi, dʒæ-] *n.* 자쿠지《분류식 기포(噴流式氣泡) 목욕탕[풀(pool)] ; 상표명》.

jade[1] [dʒéid] *n.* Ⓤ 비취(翡翠), 옥 ; 비취색(=∠ **gréen**). —— *a.* 비취로 만든 ; 비취색의. 〚F<Sp. (*piedra de*) *ijada* (stone of) the colic< L *ilia* flanks ; 복통에 효험이 있다고 여겨졌음〛

jade[2] *n.* **1** 말, 야윈 말, 길들이지 않은 말. **2** 《蔑·戲》 닳고 닳은 여자 ; 계집 ; 말괄량이. —— *vt.* (말을 지칠 정도로) 혹사하다 ; (일반적으로) 지치게 하다 ; 《廢》 바보 취급하다, 웃음거리로 만들다. —— *vi.* 녹초가 되다. 〚ME< ?〛

jade·ite [dʒéidait] *n.* 〔鑛〕 경옥(硬玉)《jade의 가장 단단한 종류》.

jae·ger, ja-, jä-, ya- [jéigər] *n.* **1** [, 美+ dʒéi-] 〔鳥〕 도적갈매기. **2** [때때로 J~] (옛 독일·오스트리아군의) 저격병 ; 《稀》 사냥꾼. 〚G *Jäger* huntsman〛

Jaeger *n.* 순모직물의 일종《상표명》.

jag[1] [dʒǽ(ː)g] *n.* (암석 따위의) 뾰족한 모서리 ; (톱니와 같이) 깔쭉깔쭉함 ; 《口》 찌르기. —— *vt.* (**-gg-**) *vt.* (톱 따위로) 자른 자국을 내다, …을 깔쭉깔쭉하게 하다 ; 들쭉날쭉하게 자르다 ; 《方》 찌르다. —— *vi.* 꽂히다〈*at*〉. 〚ME (? imit.)〛

jag[2] *n.* 《方》 소량의 짐 ; 《俗》 술잔치 ; 술취함, 명정(酩酊) : have a ~ on …에 취하다. 〚C16 (dial.)=load for one horse< ?〛

Jag *n.* 《英口》 재규어 (Jaguar) 《자동차》.

J.A.G. Judge Advocate General.

jager, jäger ☞ JAEGER.

jag·ged[1] [dʒǽgəd] *a.* (바위 따위가) 톱니와 같은, 깔쭉깔쭉한 ; 들쭉날쭉하게 자른 ; (말·생각이) 모나는, 가시돋친. **~·ly** *adv.* 깔쭉깔쭉하게. **~·ness** *n.* 〚JAG[1]〛

jagged[2] [dʒǽ(ː)gd] *a.* 《美俗》 술취한. 〚JAG[2]〛

jag·gery [dʒǽgəri] *n.* Ⓤ (인도산(産) 코코야자나무에서 채취하는) 재거리 ; 조당(粗糖). 〚Hindi〛

jág·gy *a.* =JAGGED[1].

jág·hòuse *n.* 남성 동성애자의 매춘굴.

jag·uar [dʒǽg(jə)wɑːr ; -gjuər] *n.* **1** 〔動〕 재규어 (American leopard). **2** [J~] 재규어《영국제의 고급 승용차》.

Jah [dʒɑ́ː, jɑ́ː], **Jah·ve, -veh** [jɑ́ːvei, 美+-ve], **Jah·we(h)** [jɑ́ːwe] *n.* =JEHOVAH.

jai alai [háiəlài, hàiəlái] *n.* Ⓤ 하이알라이《스페인·중남미에서 행해지는 handball과 비슷한 구기》. 〚Sp. <Basque〛

‡jail, gaol [dʒéil] *n.* 구치소 ; 교도소, 감옥 (prison) ; Ⓤ 구치, 투옥, 교도소 생활 : be in ~ 구치되어 있다, 교도소에 들어가 있다 / be sent to ~ 구치소[교도소]로 보내지다 / break [escape from] ~ 탈옥하다. —— *vt.* 투옥하다 (put in jail). —— *vi.* 교도소에 들어가다. 〚OF<Rom. (dim.) <L CAGE〛

活用 《美》에서는 jail ; 《英》에서는 공용어로서는 gaol이라 쓰지만 보통 구별없이 쓴다.

jáil·bàit *n.* 《美俗》 성적 매력이 있는 나이 어린 소녀《육체 관계를 가질 경우 미성년 강간죄가 성립됨》 ; 성적 매력이 있는 여자.

jáil·bìrd *n.* 《口》 상습범 ; 죄수 ; 전과자.

jáil·brèak *n.* 《美口》 탈옥. **~·er** *n.* 탈옥수.

jáil càptain *n.* 《俗》 교도소장.

jáil delìvery *n.* 《美》 (구치소에서의) 집단 탈옥 ; (특히) 강제 석방.

jáil·er, jáil·or, gáol- *n.* (구치소·교도소의) 간수 (keeper), 교도관.

jáil fèver *n.* (옛날 교도소에서 유행한) 발진티푸스 (typhus).

jáil·hòuse *n.* 《美》 교도소.

jáilhouse làwyer *n.* 《美俗》 죄수의 권리 따위를 제기하여 논하는 죄수.

Jain [dʒáin], **Jai·na** [dʒáinə] *a.* 자이나교(教)의. —— *n.* 자이나 교도. 〚Hindi<Skt.=of a Buddha or saint (*ji* to conquer)〛

Jáin·ism *n.* 자이나교《불교 비슷한 교리를 가진 인도의 한 종교》.

Ja·kar·ta, Dja- [dʒəkɑ́ːrtə] *n.* 자카르타《인도네시아의 수도 ; 옛 이름 Batavia》.

jake[1] [dʒéik] *a.* 《美俗》 좋은 (fine), 훌륭한, 나무랄 데 없는. —— *n.* **1** 《美》 확실한[신용할 수 있는] 인물. **2** 《美》 Jamaica ginger를 이용한 위스키 대용주, 메틸 알코올. 〚C20< ?〛

jake[2] *n.* 시골뜨기 ; 《蔑》 놈, 녀석.

jáke fláke *n.* 《俗》 따분한 놈, 어떻게 하든 상관없는 녀석.

jáke·lèg *n.* 《美俗》 만취, 명정(酩酊).
jakes [dʒéiks] *n.* 《古·方》 옥외 변소 ; 《英方》 오물, 똥.
Ja·kob [dʒéikəb] *n.* 남자 이름.
〖G, Swed. ; ⇨JACOB〗
Jakob-Creutzfeldt disease ☞ CREUTZFELDT-JAKOB DISEASE.
JAL Japan Air Lines (일본항공).
jal·ap, -op [dʒǽləp, dʒɑ́:-] *n.* Ⓤ 〖植〗 할라파 《멕시코산(產)》; 할라파의 뿌리 《뿌리를 말린 생약으로 하제(下劑)》.
〖F<Sp.<Aztec *Xalapan* 멕시코의 지명〗
ja·lop(·p)y, jal·lopy [dʒəlɑ́pi] *n.* 《美口》 낡은 [구식] 자동차[비행기]. 〖C20< ?〗
jal·ou·sie [dʒǽləsì: ; ʒǽlu(:)zì:] *n.* 가는 널빤지로 엮은 발(Venetian blind), 덧문.
〖F ; ⇨ JEALOUSY〗
jam[1] [dʒǽ(:)m] *n.* **1** Ⓤ 잼(cf. PRESERVE *n.* 1) : bread and ~ 잼을 바른 빵. **2** Ⓤ 《주로 英俗》 유쾌한[쉬운] 것 : real ~ 아주 즐거운 일, (놀이 비슷한) 아주 쉬운 일.
money for jam 《英俗》 쉬운 돈벌이 ; 뜻하지 않은 행운.
── *vt.* (-**mm**-) (과일을) 잼으로 만들다 ; (빵 따위)에 잼을 바르다. 〖? *jam*[2]〗
jam**[2] *v.* (-**mm**-) *vt.* **1** [+目 / +目+前+名] (가득) 쑤셔넣다, 무리하게 밀어넣다, 눌러 찌그러뜨리다 : ~ various things ***into a box 상자에 여러 가지의 것을 쑤셔넣다 / ~ a fist *into* a person's face 주먹으로 남의 얼굴을 한 대 치다 / ~ one's finger ***in*** the door 문에 손가락이 끼다 / The cat was[got] ~*med* ***between*** the two cars. 그 고양이는 두 대의 차 사이에 끼어 짓눌렸다. **2** [+目 / +目+前+名] (장소를) 막다(block up) : The traffic was completely ~*med* by the crowd. 교통은 군중으로 인해 완전히 마비되었다 / The stream has been ~*med* ***with*** logs. 그 내는 통나무로 막혀 있다. **3** [+目 / +目+副] (기계의 일부를) 움직이지 않게 하다 : A misstroke will ~ the typewriter keys. 잘못 치면 타이프라이터의 키가 움직이지 않게 된다 / ~ ***on*** the brakes (힘껏) 브레이크를 걸다. **4** 〖通信〗 (주파수가 가까운 전파를 보내어) (방송·신호를) 방해하다.
── *vi.* **1** [動 / +前+名] (좁은 장소에) 꽉 차다, 빽빽이 들어서다, (비좁은 곳에서) 밀치락달치락하다 : We ~*med* ***into*** the elevator. 우리는 엘리베이터에 꽉 차게 탔다. **2** (기계 따위에 이물이 끼어서) 움직이지 않게 되다 : The window has ~*med*, I can't open it. 창문이 움직이지 않아 열 수가 없다.
── *n.* **1** (기계의) 고장, 정지(stoppage) ; 가득 차 있는 것, 서로 밀기, (차량 따위의) 붐비기[혼잡]. **2** 《口》 궁지, 곤란(difficulty) : be in[get into] a ~ 궁지에 빠지다.

〈회화〉
What took you so long ? — There was a bad traffic *jam.* 「왜 그렇게 시간이 걸렸니」「교통 체증이 심했어」

── *a.* 《美俗》 이성애의《동성연애자의 용어》.
── *adv.* 완전히, 온통.
〖C18 (imit.)〗
Jam. Jamaica ; 〖聖〗 James.
Ja·mai·ca [dʒəméikə] *n.* 자메이카 《West Indies 제도에 있는 나라 ; 1962년 영국에서 독립 ; 수도 Kingston》.
Ja·mái·can *a., n.* 자메이카 섬의 (사람).
Jamáica gínger *n.* 자메이카생강《Jamaica산(產)의 ginger ; 그것에서 채취하는 향미료 ; 또 그 뿌리의 의료용 분말》.
Jamáica rúm *n.* 자메이카 럼(rum)《향기가 강한 고급 럼》.
ja·mais vu [*F* ʒamɛ vy] *n.* 〖精神醫〗 미시감(未視感)《경험했으면서도 첫 경험인 것처럼 느끼는 일 ; cf. DÉJÀ VU》.
jám àuction[pìtch] *n.* (가게 내부로) 손님을 끌어들여 하는 판매, 소리치며 팔기 ; 값싼 물건[모조품]을 소리치며 파는 가게.
jamb, jambe [dʒǽ(:)m] *n.* 〖建〗 문설주 ; 버팀기둥, (대문·현관 따위의) 옆기둥 ; [*pl.*] 벽난로의 양쪽 가의 석벽(石壁). 〖OF *jambe* leg<L〗
jam·beau [dʒǽmbou], **-bart** [-bɑ:*r*t], **-ber** [-bə*r*] *n.* (*pl.* **-beaux** [-bouz], **-barts**, **-bers**) (중세 갑옷의) 정강이받이.
〖AF *jambe* leg, *-eau*<L *-ellus* (n. suf.)〗
jam·bo·ree [dʒæ̀mbərí:] *n.* **1** 흥겨운 소동[회합·연회]. **2 a**) (정당·경기연맹 따위의) 축제 소동의 여흥이 곁들인 대회. **b**) 잼버리《전국적·국제적인 Boy Scouts 대회 ; cf. CAMPOREE》.
〖C19< ?〗
James [dʒéimz] *n.* **1** 남자 이름 《애칭 Jim, Jimmy, Jimmie》. **2** 〖聖〗 **a**) 야고보《그리스도 12사도의 한 사람으로 Zebedee의 아들 ; 또 한 사람의 야고보와 구별하기 위하여 St. James the Greater (대(大) 야고보)라고 불리움》. **b**) 야고보 《그리스도 12사도의 한 사람 ; 다른 한 사람의 야고보와 구별하기 위하여 St. James the Less (소(小) 야고보)라고 불리움》. **3** 〖聖〗 야고보서(書) (the General Epistle of James)《신약성서 중의 한 편 ; 略 Jam.》. **4** 제임스. **a**) **Henry** ~ (1843-1916) 미국의 소설가 ; 영국에 상주하여 귀화(1915년) ; W. James의 동생. **b**) **William** ~ (1842-1910) 미국의 심리학자·철학자.
James I 제임스 1세(1566-1625) 《Stuart가(家) 초대의 영국왕(1603-25), 또 제임스 6세라 칭하여 스코틀랜드 왕(1567-1625) ; 치세 중에 Authorized Version이 완성됨》.
James II 제임스 2세(1633-1701) 《영국왕, 또 제임스 7세라 칭하여 스코틀랜드 왕(1685-88) ; 명예혁명(the Glorious Revolution)으로 왕위를 빼앗기고 프랑스로 망명》.
〖⇨JACOB〗
jám·mer *n.* **1** 방해 전파 (발신기), 재머. **2** Roller Derby에서 상대팀 선수보다 1바퀴 이상 앞질러 득점하는 선수 ; 《재즈俗》 jam session에 나가는 사람.
jám·ming *n.* 〖通信〗 전파 방해.
jám·my *a.* (잼처럼) 진득진득한, 잼 같은 ; 《英口》 유쾌한, 용이한 ; (시험이) 쉬운 ; 행운의.
── *adv.* 운좋게. 〖JAM[1]〗
ja·moke [dʒəmóuk] *n.* 《美俗》 커피.
〖*java*+*mocha*〗
jám-páck *vt.* 《口》 가득 채우다, 꾹꾹 쑤셔넣다, 억지로 밀어넣다(cram). **~ed** *a.* 《口》 빈틈 없이 꽉 채운, 꽉꽉 쑤셔넣은.
jams [dʒǽ(:)mz] *n. pl.* **1** 《口》 =PAJAMAS. **2** 무릎까지 오는 수영 팬츠. 〖C20<? pa*jama*s〗
jám sèssion *n.* 《口》 즉흥 (밴드) 재즈 연주회.
jám-ùp *n.* 혼잡 ; 정체, 지체. ── *a.* 아주 좋은, 일급의.
Jan. January.
Ja·na·ta [dʒʌ́nətɑ̀:, dʒənɑ́:tə] *n.* 《인도》 공중, 대중, 민중 ; (인도의) 인민당. 〖Hindi〗
Jane [dʒéin] *n.* **1** 여자 이름. **2** [j~] 《美俗》 여

자(woman), 계집애(girl) ; 연인 ; (여자) 변소. 〖⇨ JOAN〗

Jáne Crów *n.* 《美俗》 여성 차별. 〖JIM CROW를 빗댄 말〗

Jáne Dóe [-dóu] *n.* 〖美法〗 제인 도《소송에서 당사자의 본명이 불분명할 때 쓰는 여성의 가명》.

jang [dʒǽŋ] *n.* 《卑》 음경(陰莖), 자지.

jan·gle [dʒǽŋgəl] *vt., vi.* **1** 땡그랑땡그랑[딸랑딸랑] 울리게 하다[울리다]. **2** 시끄럽게 지껄이다, 아우성치다 ; 싸우다, 말다툼하다(wrangle). **3** (신경을) 극도로 곤두서게 하다 : ~*d* nerves 매우 흥분된 신경. —— *n.* **1** Ⓤ (종 따위의) 가락이 맞지 않는 소리 ; 소란. **2** 싸움, 말다툼. 〖OF< ? Gmc. ; cf. MDu. *jangelen* to grumble〗

jan·is·sary [dʒǽnəsèri ; -səri], **jan·i·zary** [-zèri ; -zəri] *n.* [흔히 J~] 터키의 옛날 근위병 ; 터키 병사 ; 《비유》 (압제자 등의) 앞잡이, 졸개. 〖F<It.<Turk. =new troops〗

‡jan·i·tor [dʒǽnətər] *n.* 수위, 문지기(doorkeeper) ; 《美》 (빌딩·학교 따위의) 관리인, 청소부, 잡역부. —— *vi.* 수위[관리인]로 일하다. 〖L (*janua* door)〗

jank [dʒǽŋk] *vi.* 《美空軍俗》 (대공 포화를 피하기 위해) 기수(機首)를 휙 돌리다. 〖cf. JINK〗

jan·kers [dʒǽŋkərz] *n.* 《英軍俗》 (군기 위반자에 대한) 징벌 ; 군기 위반자 ; 영창.
on jankers (군기 위반으로) 징벌을 받아. 〖C20< ?〗

Jan·sen·ism [dʒǽnsənìzəm] *n.* 〖카톨릭〗 얀센주의[신조(信條)]《네덜란드의 신학자 C. Jansen (1585-1638)의 교회개혁 정신을 받든 주장》. **-ist** *n.*

◇Jan·u·ary [dʒǽnjuèri ; -əri] *n.* 1월《略 Ja(n).》. 〖AF<L *Januarius* (*mensis* month) of JANUS〗

Ja·nus [dʒéinəs] *n.* 〖로神〗 야누스《머리의 앞뒤에 얼굴이 있는 신으로서 문(門)의 수호신》. 〖L=doorway, archway〗

Jánus-fàced *a.* (Janus처럼) 얼굴이 두 개 있는 ; 대칭적인 두 면이 있는 ; 《비유》 표리 있는, 사람을 속이는(deceitful).

Jánus gréen *n.* 〖化〗 야누스 그린《생체 염색용》.

Jap [dʒǽp] *a., n.* 《口·蔑》 =JAPANESE ; [j~] 《美俗》 (야비한) 기습. —— *vt.* [j~] 《美俗》 매복시키다, …을 기습하다, 속여서 불시에 치다.

Jap. Japan ; Japanese.

ja·pan [dʒəpǽn] *n.* **1** Ⓤ 옻(칠)(lacquer). **2** Ⓤ 칠기. —— *vt.* (**-nn-**) …에 옻칠을 하다, 옻칠로 광택을 내다. —— *a.* 옻칠한, 칠기의.
ja·pán·ner *n.* 옻칠하는 사람.

***Japan** *n.* 일본《수도 Tokyo》.
—— *a.* =JAPANESE.

japán bláck *n.* 흑칠(黑漆).

Japán Cúrrent[Stréam] *n.* [the ~] 일본 해류《구로시오(黑潮) 해류라고도 함》.

***Jap·a·nese** [dʒæ̀pəníːz, -s] *a.* 일본의 ; 일본인[어]의.
—— *n.* (*pl.* ~) 일본인 ; 일본어《略 Jap.》.

Jápanese béetle *n.* 〖昆〗 콩풍뎅이.

Jápanese encephalítis *n.* 일본 뇌염.

Jápanese ísinglass *n.* 한천(寒天), 우무.

Jápanese ívy *n.* 〖植〗 담쟁이덩굴.

Jápanese persímmon *n.* 〖植〗 감나무 ; 감나무 열매.

Jápanese quínce *n.* 〖植〗 명자나무 ; 비파나무.

Jápanese ríver fèver *n.* 일본하열, 양충병《리케차에 의한 일본 특유의 풍토병》.

Jap·a·nesque [dʒæ̀pənésk] *a.* 일본식[풍]의.

Japán·ism *n.* Ⓤ **1** 일본어법. **2** 일본 심취[애호] ; 일본풍, 일본인의 특질.

Jap·a·nize [dʒǽpənàiz] *vt.* [때때로 j~] 일본화하다, 일본식으로 하다. **Jàp·a·ni·zá·tion** *n.*

Ja·pano- [dʒəpǽnou, -nə] *comb. form* 「일본」의 뜻. 〖*Japan, -o-*〗

Jap·a·nol·o·gy [dʒæ̀pənɑ́lədʒi] *n.* Ⓤ 일본학, 일본 연구. **-gist** *n.*

Japáno·phìle *n.* 일본을 좋아하는 사람, 친일파.

jape [dʒéip] *n.* 《文語》 농담(joke) ; 장난(trick). —— *vi.* 농담을 하다 ; 장난치다. —— *vt.* 장난치다. **jáp·ery** *n.* 농담, 익살. 〖ME< ?〗

Ja·pheth [dʒéifəθ ; -feθ] *n.* 남자 이름 ; 〖聖〗 야벳《Noah의 셋째 아들》. 〖Heb.=extension〗

Ja·phet·ic [dʒəfétik ; dʒei-] *a.* 야벳(Japheth)의 ; 《古》 〖言〗 인도 유럽계의.

Ja·pon·ic [dʒəpɑ́nik] *a.* 일본의 ; 일본 특유의.

ja·pon·i·ca [dʒəpɑ́nikə] *n.* 〖植〗 **1** 동백나무(camellia). **2** 명자나무(Japanese quince). 〖L (fem.) ‹ *japonicus* Japanese〗

Jap·o·nism [dʒǽpənìzəm] *n.* =JAPANISM.

‡jar[1] [dʒɑ́ːr] *n.* (아가리가 넓은) 병, 항아리 ; 그 분량 : a jam ~ 잼 담는 그릇 / a ~ *of* strawberry jam 딸기잼 한 병. 〖F<Arab.〗

jar[2] *v.* (**-rr-**) *vt.* **1** (삐걱삐걱·덜컥덜컥) 진동시키다 : His heavy footsteps ~*red* the table. 그가 쿵쿵 걷는 바람에 테이블이 흔들렸다. **2** (갑작스런 충격 따위로) (가슴이) 덜컥 내려앉게 하다, …에게 충격을 주다 : She was ~*red* by her mother's death. 그녀는 어머니의 죽음에 가슴이 덜컥 내려앉았다.
—— *vi.* **1** [動 / +前+名] (삐걱삐걱) 소리나다 ; 덜커덕거리다, 삐걱삐걱 흔들리다(rattle) ; (마찰하는 듯한 소리를 내어) 부딪치다 : The iron gate ~*red* ***against*** the wall. 그 철문이 담벼락에 부딪치며 콰당하고 소리가 났다. **2** [+*on*+名] (귀·신경 따위에) 거슬리다 : The noises ~*red* (***up***)***on*** me[*on* my ears, *on* my nerves]. 그 소리가 나에게[귀에, 신경에] 거슬렸다. **3** [動 / +*with*+名] (진술·행동 따위가) 충돌하다, 어긋나다 ; 말다툼하다(quarrel) ; 조화되지[일치하지] 않다 : His view always ~*s* ***with*** mine. 그의 의견은 언제나 나의 의견과 어긋난다.
—— *n.* **1** (신경에 거슬리는) 삐걱거리는 소리, (귀에 거슬리는) 잡음. **2** 심한 진동 ; 충격(shock) ; (신체·정신에의) 장애. **3** (의견 따위의) 충돌, 부조화, 불화, 알력.
at* (*a*) *jar 사이가 나쁜. 〖C16< ? imit.〗

jar[3] *n.* 《口》 (문의) 회전. 㸃 다음 숙어에만 씀.
on* (*the*[*a*]) *jar (문이) 약간 열리어(ajar). 〖CHAR[2] (obs.) turn ; cf. AJAR[1]〗

jar·di·niere, -nière [dʒɑ̀ːrdəníər, ʒɑ̀ːrdənjéər ; ʒɑ̀ːdinjéər] *n.* (장식용의) 화분. 〖F=female gardener ; ⇨ GARDEN〗

jár·fùl *n.* 항아리[단지·병]에 가득(한 양).

jar·gon[1] [dʒɑ́ːrgən, 美+-gɑn] *n.* **1** Ⓤ 이해할 수 없는 말, 횡설수설, 헛소리 ; 변말, 사투리, 방언. **2** Ⓤ,Ⓒ (특수한 사람들에게만 통하는) 특수 용어, 은어(隱語)(cant) ; (일반인은 알아들을 수 없는) 전문어 ; Ⓤ 특수 용어[전문어]투성이의 말[이야기]. —— *vi.* 알아듣지도 못할 말을[로] 지껄이다. 〖OF< ? ; imit. 인가〗

jargon[2] *n.* =JARGOON.

jar·go·naut [dʒɑ́ːrgənɔ̀ːt] *n.* 《戲》 은어를 많이 쓰는 사람. 〖*jargon*+argo*naut* ; cf. ARGOT〗

jar·go·nelle, -nel [dʒɑ̀:rgənél] *n.* 〖植〗 조생 서양배의 한 품종. 〚F (dim.) ‹JARGOON〛

járgon·ìze *vi., vt.* 뜻을 알 수 없는[어려운] 말을 쓰다[말로 말하다]; (어휘·문법을 간소화하여) 속된 구어[은어]로 바꾸다.

jar·goon [dʒɑ:rgú:n] *n.* 〖鑛〗 자곤《백색·회백색의 지르콘》. 〚F<It.‹? ZIRCON〛

jár-hèad *n.* 《美中部》 노새(mule); 《美軍俗》 해병대원.

jarl [jɑ́:rl] *n.* 〖史〗 (북유럽 고대의) 족장(族長), 귀족. 〚ON〛

jar·o·vize, yar·o-, iar·o- [jɑ́:rəvàiz] *vt.* 〖農〗 춘화(春花) 처리를 하다. 〚Russ. *yara* spring〛

jár·ring *n.* **1** Ⓤ 삐걱거림, 진동. **2** Ⓤ 부조화, 알력, (이해 따위의) 충돌. —— *a.* 삐걱거리는, 귀에 거슬리는, 삐걱삐걱 소리나는; 조화되지 않는: a ~ note 귀에 거슬리는 음조. **~·ly** *adv.*

jar·v(e)y, -vie [dʒɑ́:rvi] *n.* 합승 마차의 마부, 경장 이륜 마차 마부.

Jar·vik-7 [dʒɑ́:rviksévən] *n.* 자빅 7형 인공 심장 《Robert Jarvik 박사가 설계》.

Jas. James.

ja·sey [dʒéizi] *n.* 《英口》 (털실로 된) 가발(wig). 〚변형(變形)‹? *jersey*〛

jas·mine, -min [dʒǽzmən, dʒǽs-] *n.* 〖植〗 재스민《인도 원산의 상록관목; 꽃에서 향수를 채취함》; Ⓤ 재스민 향수; 재스민 색《밝은 노랑》. 〚C16<F<Arab.<Pers.〛

Ja·son [dʒéisən] *n.* **1** 남자 이름. **2** 〖그神〗 이아손《금으로 된 양털(the Golden Fleece)을 획득한 용사; cf. ARGONAUT》. 〚Gk.=? healer〛

jas·pé [zæspéi, dʒæs-; ∸-] *a.* 벽옥(碧玉) 모양의; (특히) 여러가지 색의 줄무늬를 넣은《면직물》. 〚F=mottled (↓)〛

jas·per [dʒǽspər] *n.* Ⓤ 〖鑛〗 벽옥(碧玉). 〚OF<L<Gk. *iaspis*〛

Ja·ta·ka [dʒɑ́:təkə] *n.* 자타카, 본생경(本生經) 《석가모니의 전생을 이야기한 불경》. 〚Skt.〛

ja·to, JATO [dʒéitou] *n.* (*pl.* **~s**) 〖空〗 분사식 촉진 이륙; =JATO UNIT. 〚*j*et-*a*ssisted *t*ake*o*ff〛

játo ùnit *n.* 이륙 보조 로켓.

jaun·dice [dʒɔ́:ndəs, 美+dʒɑ́:n-] *n.* **1** Ⓤ 〖醫〗 황달. **2** 《비유》 편벽, 편견. —— *vt.* **1** 황달에 걸리게 하다. **2** [보통 *p.p.*로] (남에게) 편견을 갖게 하다. 〚OF (*jaune* yellow)〛

jáun·diced *a.* **1** 《稀》 황달에 걸린. **2** 시의심(猜疑心)이[질투가] 심한, 편견을 가진.
take a jaundiced view of …에 대하여 비뚤어진 견해를 갖다.

jaunt [dʒɔ́:nt, 美+dʒɑ́:nt] *n.* (근거리의) 소풍, 산책, 유람(excursion). —— *vi.* [動/+前+名] 소풍[유람]을 가다[하다]: They ~*ed* ***about*** [***round, through***] the orchards. 그들은 과수원을 돌아 다녔다. 〚C16<?〛

jáunt·ing[jáunty] càr *n.* (특히 아일랜드의) 경장(輕裝) 이륜 마차.

jaun·ty [dʒɔ́:nti, 美+dʒɑ́:n-] *a.* **1** 쾌활한, 명랑한; 의기 양양한, 뽐내는. **2** 말쑥한(stylish), 멋진. **jáun·ti·ly** *adv.* 명랑하게, 마음이 들떠서; 뽐내어. **-ti·ness** *n.* 〚C17 *jentee*<F GENTLE; 어미는 $-y^4$에 동화(同化)〛

Jav. Javanese.

Ja·va [dʒɑ́:və, 美+dʒǽvə] *n.* **1** 자바《인도네시아 공화국의 주된 섬; 수도 Jakarta가 있음》. **2** Ⓤ [때때로 j~] 《美》 자바산(産)의 커피. **3** 자바종(種)의 닭.

Jáva màn *n.* [the ~] 〖人類〗 자바 원인(猿人) 《자바에서 발굴된 화석에서 볼 수 있는 원시인》.

Já·van *a.* 자바의. —— *n.* 자바 섬 사람.

Java·nese [dʒɑ̀:vəní:z, 美+dʒæ̀v-, -s] *a.* **1** 자바의. **2** 자바 섬 사람의; 자바어(語)의. —— *n.* (*pl.* ~) 자바 섬 사람; 자바어(語)《略 Jav.》.

Jáva spárrow *n.* 〖鳥〗 문조《자바 원산》.

jav·e·lin [dʒǽvələn] *n.* **1** 던지는 창(dart); 투창병. **2** [the ~] 〖競〗 창던지기(=∼ **thròw**). **3** 〖軍〗 종렬 비행 편대. 〚F<Celt.〛

Ja·vél(le) wàter [ʒəvél-, dʒə-, dʒǽvəl-] *n.* 자벨 수(水) 《(1) 하이포아염소산(亞鹽素酸)나트륨의 수용액(水溶液)으로 표백·살균·방부용. (2) 하이포아염소산칼륨의 수용액》. 〚*eau de Javel*의 부분역(譯); *Javel(le)*은 현재 Paris의 일부에 포함되는 옛 도시의 이름〛

***jaw** [dʒɔ́:] *n.* **1** 턱, (특히) 아래턱: the lower [upper] ~ 아래[위]턱. **2** [*pl.*] 입 부분(mouth) 《상하 턱뼈와 이를 포함》. **3** [*pl.*] (골짜기 따위의) 좁다란 입구; (집게 따위의) 집는 부분. **4** 《口》 수다; 잔소리, 욕지거리, 설교(lecture): Hold[Stop] your ~! 잠자코 있어!
into [***out of***] ***the jaws of death*** 사경(死境)에 빠져[에서 벗어나].
—— *vi.* 《俗》 지껄이다; 잔소리하다. —— *vt.* 《俗》 (남에게) 설교하다(lecture). 〚OF *joe* cheek, jaw<?〛

jáw·bòne *n.* **1** 턱뼈, (특히) 아래턱뼈; 《美俗》 수다쟁이. **2** 《美俗》 재정상의 신용(credit); 대부, 융자: on ~ 신용대부로, 외상으로. —— *vt.* **1** 《美口》 (정부 따위가 힘이나 직권이 아닌) 설득을 시도하다; 《美俗》 으르며 설득하다; 꾸짖다, 잔소리하다; 《美軍俗》 사격훈련하다. **2** 《美俗》 빌리다, 외상으로 사다. —— *vi.* **1** 《美口》 설득에 힘쓰다. **2** 《美俗》 재정상의 신용을 얻기 위해 열심히 말하다; 한담하다; 대부하다. —— *adv.* 《美俗》 신용으로, 분할로.

jáw·bòning *n.* Ⓤ 《美口》 기업[노동 조합]에 가격[임금] 억제를 권하는 정부의 강력한 설득.

jáw·brèak·er *n.* 《口》 **1** 매우 발음하기 힘든[딱딱한] 말(cf. TONGUE TWISTER). **2** 몹시 딱딱한 사탕. **3** 광석 파쇄기.

jáw·brèak·ing *a.* 《口》 (이름 따위가) 매우 발음하기 어려운.

jáw·cràck·er *n.* 《美俗》 =JAWBREAKER.

jáw-jàw *n.* Ⓤ 《英俗》 장황하게 지껄임, 장광설. —— *vi.* 장황하게 지껄이다[논의하다].

ja·wohl [*G* javó:l] *adv.* 그렇고 말고, 아무렴《ja의 강조어》.

jay [dʒéi] *n.* **1** 〖鳥〗 어치《유럽산》; 어치와 비슷한 새. **2** 수다쟁이; 멍텅구리, 얼간이. 〚OF<L *gaius, gaia*〛

Jay·cee [dʒéisí:] *n.* 《美口》 청년회의소(Junior Chamber of Commerce) (의 회원). 〚*j*unior *c*hamber〛

jay·gee [dʒéidʒí:] *n.* 〖美海軍〗 중위. 〚*j*unior *g*rade〛

jáy·hàwk *vt.* 《美口》 습격해서 약탈하다; 《美口》 가져가다. —— *n.* 《美口》 =JAYHAWKER; 《美中西部》 괴짜.

jáy·hàwk·er *n.* [때때로 J~] 《美》 (노예 제도 반대의) 유격병, 게릴라《남북전쟁 당시의》; [J~] Kansas 주(州) 사람의 별명.

jay·vee [dʒéiví:] *n.* 《美口》 =JUNIOR VARSITY; [보통 *pl.*] 그 멤버. 〚*j*unior *v*arsity〛

J

jáy·wàlk *vi.* 《口》 교통 규칙이나 신호를 무시하고 길을 건너다. **~·er** *n.* **~·ing** *n.* 〖JAY〗

jazz** [dʒǽ(ː)z] *n.* **1** Ⓤ 〖樂〗 재즈 ; 재즈 춤. **2** Ⓤ 《俗》 광란, 흥분, 활기. —— *a.* **1** 재즈의 : a ~ band 재즈 악단 / a ~ fan 재즈 팬 / ~ music 재즈 음악 / a ~ singer 재즈 가수[싱어]. **2** 재즈식의, 재즈적인. **3** (콘트라스트가 강하여) 얼룩덜룩한, 잡색(雜色)의(motley). —— *vi.* **1** 재즈 춤을 추다 ; 재즈 음악을 연주하다. **2** 《俗》 흥겹게[힘차게] 행동하다. —— *vt.* **1** 재즈식으로 연주[편곡]하다. **2** 《俗》 [+目 / +目+副] 신바람나게 하다, 활기를 돋우다 : Let's ~ the banquet ***up, shall we? 좀 더 연회를 신나게 합시다.
〖C20< ? ; 〖樂〗은 'copulation'에서 인가〗

jazz·bo [dʒǽzbou] *n.* (*pl.* **~s**) 《美俗》 세련된 옷차림의 분별있는 남자, 미남 ; 《蔑》 흑인 남자, 흑인 병사.

jázzed *a.* 《美俗》 활기찬, 재미있는.

jázzed-ùp *a.* 다채롭게[화려하게] 한.

jaz·zer·cise [dʒǽzərsàiz] *n.* Ⓤ 재즈 댄스의 일종 《재즈 음악에 맞춰 추는 에어로빅 보다 격렬한 춤》.

jázz lòft *n.* 《美》 (실험적) 재즈 연주용인 빌딩 상층 플로어.

jázz·màn [ˌ -mən] *n.* 《美》 재즈 연주가.

jaz·zo·thèque [dʒǽzətèk] *n.* 재즈를 생연주하는 디스코텍. 〖*jazz*+disco*thèque*〗

jázz-róck *n.* 〖樂〗 재즈록《재즈와 로큰롤을 혼합시킨 음악》.

jázzy *a.* 재즈적인, 재즈풍(風)의 ; 《美俗》 광란적인, 활기찬 ; 화려한, 현란한(flashy).

J.C. Jesus Christ ; Julius Caesar ; jurisconsult.
J.C.B. *Juris Canonici Baccalaureus* 《L》 (=Bachelor of Canon Law) ; *Juris Civilis Baccalaureus* 《L》 (=Bachelor of Civil Law).
J.C.C. Junior Chamber of Commerce.
J.C.D. *Juris Canonici Doctor* 《L》 (=Doctor of Canon Law). **JCL** 〖컴퓨〗 job control language. **J.C.L.** *Juris Canonici Lector* 《L》 (=Reader in Canon Law) ; *Juris Canonici Licentiatus* 《L》 (=Licentiate in Canon Law).
JCS Joint Chiefs of Staff. **jct(n).** junction.

JD [dʒèidíː] *vi.* 《美俗》 비행을 저지르다, 나쁜 짓을 하다. —— *n.* 비행 소년[소녀].
〖*j*uvenile *d*elinquent〗

J.D. *Juris Doctor* 《L》 (=Doctor of Law) ; *Jurum Doctor* 《L》 (=Doctor of Laws) ; 《口》 juvenile delinquency.

JDL, J.D.L. Jewish Defense League《유태인 방위 연맹 ; 유태인의 우익 과격파 조직》.

Je. June.

***jeal·ous** [dʒéləs] *a.* **1** 질투심 많은 ; 시기하는, 시샘하는(envious) : a ~ wife 질투 많은 아내 / Tom is ~ *of* John's marks. 톰은 존의 성적을 시샘하고 있다. **2** (권리 따위를) 지키는데 급급한 ; (깊이 의심할 정도로) 방심하지 않는, (자기 것을) 빼앗기지 않으려고 조심하는 : watch with a ~ eye 방심하지 않고 감시하다 / be ~ *of* its rights 권리를 잃지 않으려고 주의를 게을리하지 않다. **3** 〖聖〗 (하느님이) 다른 신을 섬기는 것을 허락지 않는. **~·ly** *adv.* 시기하여 ; 방심하지 않고.
〖OF<L ; ⇨ ZEALOUS〗

jeal·ou·sy** [dʒéləsi] *n.* **1** Ⓤ 시기, 질투, 시샘 ; Ⓒ (특정한) 시샘(의 감정), 질투의 처사[말] : burning with ~ 질투에 불타서. **2** [+*of*+do*ing*] Ⓤ 빈틈 없는 배려, 경계심 : their ~ ***of entrust*ing* too much power to the State 나라에 권한을 지나치게 위임하지 않으려고 하는 그들의 경계심. 〖OF (↑)〗

***jean** [dʒíːn] *n.* **1** Ⓤ [때때로 ~s, 단수취급] 진 피륙, 올이 가는 능직 면포《운동복·작업복용》. **2** [*pl.*] 진 천[데님(denim)]으로 만든 바지, 진스《운동복·작업복용, 특히 미국의 teenager 등이 착용 ; cf. BLUE JEANS》 ; (일반적으로) 바지.
〖OF (L *Janua* Genoa)〗

Jeanne d'Arc [*F* ʒɑːn dark] *n.* =JOAN OF ARC.

jéans·wèar [dʒíːnz-] *n.* 진웨어《진으로 만든 캐주얼웨어》.

jea·sly, jea·sely [dʒíːzli] *a.* 《美俗》 하찮은, 시시한. 〖C20< ?〗

Jedda ☞ JIDDA.

jed·gar [dʒédgər] *n.* 《美俗》 역(逆) 스파이 프로그램《자기 단말(端末)의 데이터가 누군가에게 읽히고 있음을 알리는 프로그램》.

jee ☞ GEE[2].

jeep [dʒíːp] *n.* (군용 따위의) 지프 ; [J~] 지프《간편하고 능률적인 소형 자동차 ; 상표명》.
〖G. P.=*g*eneral-*p*urpose ; E. C. Segar (d. 1938)의 만화 Eugene the *Jeep*의 영향이 있음〗

jée·pers (créepers) [dʒíːpərz(-)] *int.* 《美》 야 !, 저런 !, 이런 !, 어머나《가벼운 놀람 따위를 나타냄》.

jéep-jòckey *n.* 《美陸軍俗》 트럭 운전병.

jeep·ney [dʒíːpni] *n.* 지프니《지프를 개조한 10인승 합승 버스》. 〖*jeep*+jit*ney*〗

jeer [dʒíər] *vi.* [動 / +*at*+名] 조롱하다, 깔보다 : Don't ~ ***at*** a cripple. 불구자를 조롱해서는 안된다. —— *vt.* 희롱하다, 야유하다, 비웃다. —— *n.* 조롱, 비웃기. **~·ing·ly** *adv.* 조롱하여, 깔보아. 〖C16< ?〗
類義語 ⟹ SCOFF.

jeers [dʒíərz] *n. pl.* 〖海〗 아래돛 활대를 오르내리게 하는 복합 도르래.
〖ME< ?〗

jee·ter [dʒíːtər] *n.* 《美俗》 버릇없고 칠칠치 못한 남자 ; 《美陸軍俗》 중위, 소위(lieutenant).
〖*Jeeter* Lester E. Caldwell, *Tobacco Road* 중의 인물〗

jeez [dʒíːz] *int.* =JEEPERS. 〖JESUS〗

jeff [dʒéf] *vt.* 《美黑人俗》 상투적인 말로 (남을) 속이다.

Jeff *n.* 남자 이름《Geoffrey, Jeffrey의 애칭》 ; 《美黑人俗》 딱딱한 놈, 따분한 놈 ; 촌놈.

Jef·fer·son [dʒéfərsən] *n.* 제퍼슨. **Thomas ~** (1743-1826) 미국 독립선언의 기초자로 제3대 대통령(1801-09). 〖OE=son of Geoffrey〗

Jef·fer·so·ni·an [dʒèfərsóuniən] *a.* Thomas Jefferson류(流)(의 민주주의)의.
—— *n.* Thomas Jefferson 숭배자.

Jef·frey [dʒéfri] *n.* **1** 남자 이름. **2** 제프리. **Francis ~** [Lord ~] (1773-1850) 스코틀랜드의 문예 비평가·법률가 ; Wordsworth, Keats, Byron 등을 혹평함. 〖⇨ GEOFFREY〗

jehad ☞ JIHAD.

Je·ho·vah [dʒihóuvə] *n.* 〖聖〗 여호와《구약성서의 신》 ; 전능한 신(the Almighty).
〖Heb. YHWH(=Yahweh)에서 adōnai 'my lord'의 모음을 적용시킨 잘못된 글자 번역〗

Jehóvah's Wítnesses *n. pl.* 여호와의 증인《절대 평화주의를 신봉하고 종교에 관해서는 정부의 권위조차도 인정하지 않는 기독교의 일파 ; 1872년 창시》.

Je·hu [dʒíːhjuː ; -hjuː] *n.* 〖聖〗 예후 《이스라엘의 왕》 ; [때때로 j~] 《口·戲》 마부(driver), 난폭하게 모는 마부. 〖Heb.=Yah is God〗

je·jun- [dʒidʒúːn], **je·ju·no-** [-nou, -nə] *comb. form.* 「공장(空腸)」의 뜻. 〖L〗

je·june [dʒidʒúːn] *a.* **1** 빈약한, 부족한; 영양가가 낮은; 불모(不毛)의(barren); 무미건조한(dry). **2** 미숙한, 단순한.
〖C17=empty, fasting<L *jejunus*; 2는 *juvenile* 과의 혼동인가〗

je·ju·nec·to·my [dʒiːdʒunéktəmi] *n.* U,C 〖醫〗 공장(空腸) 절제(술).

je·ju·num [dʒidʒúːnəm] *n.* (*pl.* **-na** [-nə]) 〖解〗 공장(空腸). 〖L (neut.) ‹ *jejunus* JEJUNE〗

Je·kyll [dʒékəl, dʒíːkəl, 美+dʒéi-] *n.* 지킬 (박사) 《R. L. Stevenson 작의 이중 인격을 다룬 소설 *The Strange Case of Dr. Jekyll & Mr. Hyde* 의 주인공》.
Jekyll and Hyde (착한 일면(Jekyll)과 악한 일면(Hyde)을 지닌) 이중 인격자.

jell [dʒél] *vi., vt.* 《口》 젤리 모양으로 되다[하다]; (계획·의견 따위) 굳어지다, 굳히다, (거래·계약을) 매듭짓다.
── *n.* U,C 《美口》 젤리(jelly).
〖역성(逆成) ‹ *jelly*〗

jel·lied [dʒélid] *a.* 젤리 모양이 된; 젤리를 바른.

jéllied gásoline *n.* 젤리화 가솔린(napalm).

jel·li·fy [dʒéləfài] *vi., vt.* 《美》 젤리 모양이 되다, 젤리 모양으로 하다.

Jell-O [dʒélou] *n.* 젤로 《식후 다과용 젤리과자; 상표명》.

***jel·ly** [dʒéli] *n.* **1** U 젤리; 젤리 모양의 것; U,C 젤리《과자》; 〖動〗 해파리. **2** 도덕적[감정적]으로 말끔하지 않은 상태《우유부단·불안 따위》. **3** 쉬운 것[일]; 《美俗》 무료로 손에 넣은 것. **4** 《俗》 귀여운 여자 아이; 《卑》 섹스.
beat a person ***to*** [***into***] ***a jelly*** 녹초가 되도록 패주다.
── *vi., vt.* 젤리가 되다[로 만들다]; 젤리 모양으로 굳어지다[굳히다], 조려져서 엉기다.
〖OF *gelée* frost, jelly<L (*gelo* to freeze)〗

jélly bàby *n.* 아기 모양의 젤리《과자》; 《美俗》 암페타민 정제.

jélly bàg *n.* 젤리를 거르는 주머니.

jélly bèan *n.* 젤리 빈《콩 모양의 사탕과자》; 《美俗》 암페타민 정제.

jélly bòmb *n.* 젤리 모양의 가솔린 소이탄.

jélly dòughnut *n.* 젤리가[잼이] 든 도넛.

jélly·fish *n.* **1** 해파리. **2** 《口》 줏대 없는 사람, 의지가 약한 사람.

jélly ròll *n.* 젤리 롤(Swiss roll)《젤리를 바른 얇은 스펀지케이크를 만 과자》; 《美俗》 애인; 《美卑》 섹스.

jélly shòes *n. pl.* 젤리 슈즈《폴리에틸렌으로 만든 투명·반투명의 컬러풀한 신; 여름에는 샌들로 신음》.

jem·a·dar [dʒémədàːr] *n.* (인도에서) 인도인 사관《중위에 해당》; 인도인 경찰, 관리.
〖Urdu〗

je·mi·mas [dʒəmáiməz] *n. pl.* 《英口》 고무 장화.

jem·my [dʒémi] *n.* 《英》 (도둑의) 짧은 쇠지레; 양의 머리《식용》; (두꺼운) 외투. ── *vt.* = JIMMY. 〖*James*의 애칭〗

Je·na [*G* jéːnə] *n.* 예나《독일의 도시》.

Jéna glàss *n.* 예나 유리《붕소·아연 따위를 함유함; 화학·광학 기재, 온도계용》.

je ne sais quoi [*F* ʒənsɛkwa] *n.* 형용하기 어려운 것. 〖F=I do not know what〗

Jenghiz[**Jenghis**] **Khan** ☞ GENGHIS KHAN.

Jen·ner [dʒénər] *n.* 제너. **Edward** ~ (1749-1823) 영국의 의사; 종두(법)의 발견자.

jen·net [dʒénət] *n.* 스페인종의 작은 말; 암탕나귀. 〖OF<Cat. *ginet* Zenete 승마에 뛰어난 부족〗

jen·ne·ting [dʒénətiŋ] *n.* 조생종 사과의 일종.
〖F *Jeannet* (dim.) ‹ JOHN; 'St. John's apple'의 뜻인가〗

jen·ny [dʒéni] *n.* **1** 자동 기중기. **2** =SPINNING JENNY. **3** 동물의 암컷(↔*jack*), (특히) 암탕나귀 (=∼ **àss**).

jeop·ard [dʒépərd] *vt.* =JEOPARDIZE.

jeop·ar·dize [dʒépərdàiz] *vt.* 위태롭게 하다, 위험에 빠뜨리다.

jeop·ard·ous [dʒépərdəs] *a.* 위험한.
~·ly *adv.*

jeop·ar·dy [dʒépərdi] *n.* U **1** 위험(risk). **2** 〖法〗 위험《형사 피고인이 유죄 판결이 됨》.
be in jeopardy 위태롭게 되어 있다.
── *vt.* =JEOPARDIZE.
〖OF *iu parti* divided play, uncertain issue; ⇨ JOKE, PART〗
類義語 ⟹ DANGER.

Jeph·thah [dʒéfθə] *n.* 〖聖〗 입다《이스라엘의 사사(士師); 사사기 11 : 29-40》.
〖Heb.=opposer〗

Jer. 〖聖〗 Jeremiah; Jeremy; Jerome; Jersey.

jer·boa [dʒə(ː)rbóuə] *n.* 〖動〗 캥거루쥐《아프리카산(産)》.
〖L<Arab. =flesh of loins, jerboa〗

jerboa

jereed ☞ JERID.

jer·e·mi·ad [dʒèrəmáiəd, 美+-æd] *n.* 비탄, 원한; 슬픈 이야기. 〖↓, *-ad*〗

Jer·e·mi·ah [dʒèrəmáiə] *n.* **1** 〖聖〗 예레미야《히브리의 비관적 예언자》. **2** 예레미야(the Book of the Prophet Jeremiah)《구약성서 중의 한 편; 略 Jer.》. 〖Heb. =Yah is high〗

Jer·i·cho [dʒérikòu] *n.* 〖聖〗 여리고《팔레스타인의 옛 도시》.
Go to Jericho! 《口》 귀찮아!, 시끄럽다!, 냉큼 없어져라!
the rose of Jericho 〖植〗 안산수(安産樹)《열대 건조지에서 나는 겨자과(科)의 1년초》.

je·rid, je·reed, jer·reed [dʒəríːd] *n.* **1** (터키·이란·아라비아 기병의) 창던지기. **2** (마상(馬上)) 창던지기 경기. 〖Arab. =rod〗

***jerk**[1] [dʒə́ːrk] *n.* **1** 갑자기 힘껏 잡아당기기[밀기·비틀기·찌르기·던지기]: give a ~ 홱 잡아당기다 / stop[pull] with a ~ 갑자기 멈추다[홱 당기다]. **2** [*pl.*] **a**) (근육이나 관절의) 반사 운동, 경련; [the ~s] (종교적 감동 따위에서 일어나는) 손발·얼굴 따위의 경련적 동작, 약동: ☞ KNEE JERK. **b**) 《英口》 체조(physical jerks). **3** 《俗》 얼간이, 바보, 철부지. **4** 〖力道〗 용상. **5** 《美俗》 (철도의 짧은) 지선(支線).
── *vt.* **1** [+目/+目+前+名] 홱 움직이게 하다[당기다·밀다·찌르다·비틀다·던지다]: ~ reins 고삐를 홱 당기다. **2** [+目/+目+副] (내뱉듯이) 갑자기 말하다: He ~*ed* ***out*** an insult at me. 그는 갑자기 나에게 욕설을 퍼부었다.
── *vi.* [動/+副/+補] 홱 움직이다, 덜커덕덜커덕 흔들리며 가다; 씰룩씰룩하다; 경련을 일으키다: Our wagon ~*ed* ***along.*** 우리 포장마차는 덜커덕덜커덕 흔들리며 갔다 / The door ~*ed*

open. 문이 확 열렸다.
〖C16<? imit.〗

jerk² *vt.* (특히 쇠고기를) 육포(肉脯)로 만들다《저장하기 위함》. ── *n.* Ⓤ 육포, 건조육(肉).
〖역성(逆成)‹*jerky*²〗

jer·kin [dʒə́:rkən] *n.* **1** (16-17세기의 남자용의) 짧은 상의《주로 가죽으로 만듦》. **2** (여성용의) 소매없는 짧은 조끼. 〖C16<?〗

jerkin 1

jérkin·hèad *n.* 상부의 일부를 비스듬히 잘라낸 모양의 지붕.

jérk tòwn *n.* 《美俗》 조그만 시골 마을.

jérk·wàter *n.* 《美口》 지선(支線)의 열차 ; 급수 정차지.
── *a.* 간선(幹線)에서 떨어져 나간, 지선의 ; 시골의 ; 보잘것없는, 시시한, 소소한.

jérky¹ *a.* 실룩실룩[홱] 움직이는, 경련을 일으키는 듯한, 어색하게[부자유스럽게] 움직이는 ; 변덕스러운. 〖JERK¹〗

jerky² *n.* 건조육(肉). 〖(Am.) Sp. CHARQUI〗

Jer·o·bo·am [dʒèrəbóuəm] *n.* 〖聖〗 여로보암《기원전 10세기 북왕국 이스라엘 최대의 왕》; [j~] 《英》 큰 술병.

jer·ri·can [dʒérikæ̀n] *n.* 제리캔《5갤런들이 (폴리에틸렌) 통 ; 주로 휘발유용》.
〖*Jerry*+*can* ; 원래 독일제(製)〗

jer·ry¹ [dʒéri] *n.* 《英俗》 실내 변기 ; =JEROBOAM.
〖? *jeroboam*〗

jerry² *a.* 날림공사의(jerry-built) ; 빈약한, 임시변통의. ── *n.* 《美俗》 막일꾼, 육체 노동자 ; 《美俗》 (감추기 좋은) 소형 권총. 〖? JERRY〗

jerry³ *a.* 《美俗》 [다음 숙어로]
be*[*get*] *jerry (잘) 알고 있다, 이해하(고 있)다 ‹*on, on to, to*›.
〖C20<?〗

Jerry *n.* **1** 남자 이름《Gerald의 애칭》; 여자 이름《Geraldine의 애칭》. **2** 《英口》 독일병, 독일인(人). 〖변형(變形)‹? *German*〗

jérry-buìld *vt., vi.* (집을) 날림으로 짓다, 날림집을 짓다 ; 날림으로 만들다. **~·er** *n.* 날림집을 짓는[솜씨가 서투른] 목수 ; 날림집을 지어 파는 (투기적) 업자. **~·ing** *n.* 날림 공사, 날림집.
〖역성(逆成)‹↓〗

jérry-buìlt *a.* 날림 공사의 ; 조잡한. 〖JERRY²〗

jérry càn *n.* =JERRICAN.

jerrymander ☞ GERRYMANDER.

jérry shòp *n.* 《美》 싸구려 맥주집.

Jer·sey [dʒə́:rzi] *n.* **1** 저지(섬)《영국 해협에 있는 섬》; 저지종(種)의 소《Jersey 섬 원산의 젖소》. **2** 《美》 =NEW JERSEY. **3** [j~] 모직의 운동셔츠 ; (여성용) 메리야스 속옷 ; Ⓤ 저지《모직 옷감의 일종》. ── *a.* Jersey 섬(산(産))의 ; 메리야스의, 털실로 짠.

Jérsey gréen *n.* 《美俗》 마리화나의 일종.

Je·ru·sa·lem [dʒirú:sələm, 美+-zə-] *n.* 예루살렘《Palestine의 옛 수도 ; 1949년 아랍 지구와 유태 지구로 분할되어 전자는 요르단에 속하고 후자는 이스라엘 공화국의 수도가 되었음 ; 예부터 기독교도·유태인·이슬람교도의 순례의 성도》.

Jerúsalem ártichoke *n.* 〖植〗 뚱딴지 ; 그 덩이 줄기《식용》.
〖*Jerusalem*<It. *girarole* sunflower〗

Jerúsalem cróss *n.* 예루살렘 십자가《끝이 각각 T자형으로 된 십자가》.

Jerúsalem póny *n.* 《戯》 당나귀(donkey).

Jes·per·sen [jéspərsən] *n.* 예스페르센. **Otto** ~ (1860-1943) 덴마크의 언어·영어 학자.

jess [dʒés] *n.* (매의) 젓갖.
── *vt.* (매)에게 젓갖을 매다. 〖OF〗

jes·sa·min(e) [dʒésəmən] *n.* =JASMIN(E).

Jes·se [dʒési] *n.* **1** 남자 이름. **2** 〖聖〗 이새《다윗(David)의 아버지》. **3** Ⓤ.Ⓒ [j~] 《方》 몹시 꾸짖음[때림](beating).
give** a person **jesse 《美口》 누구를 꾸짖다.
〖Heb. =Yah exists〗

Jésse trèe *n.* 〖聖〗 이새의 나무《이새에서 예수까지의 계도를 나뭇가지로 나타냄》.

Jésse wìndow *n.* 이새의 창《Jesse tree를 중심으로 한 색유리창》.

Jes·sie [dʒési] *n.* 여자 이름.

***jest** [dʒést] *n.* **1** 농담(joke), 익살 ; 장난 : break[drop] a ~ 농담하다[익살부리다]. **2** 웃음거리, 놀림감 : be a standing ~ 언제나 놀림감이 되다.
in jest 장난으로, 농담으로(as a joke) (cf. *in* EARNEST¹).
── *vi.* [動/+前+名] 농담하다, 희롱하다 ; 농으로 돌려버리다 : He often ~*s* ***about*** serious problems. 그는 걸핏하면 신중한 문제를 농으로 돌려버린다 / You mustn't ~ ***at*** me. 나를 희롱해서는 안된다 / I have no friend to ~ ***with***. 나는 함께 농담을 할 만한 친구가 없다. ── *vt.* (남을) 조롱하다, 웃음거리로 만들다.
〖ME=exploit<OF<L (*gero* to do)〗
類義語 ⟹ JOKE.

jést·bòok *n.* (골계) 소화집(笑話集)(jokebook), 만담책.

jést·er *n.* **1** 농담하는 사람. **2** (특히 중세 왕후·귀족이 거느린) 광대(fool).

jést·ing *n.* 익살, 농담 ; 우스꽝스러움 ; 시시함.
── *a.* 농담의 ; 농담을 좋아하는, 익살맞은, 우스꽝스러운 ; 시시한. **~·ly** *adv.*

Je·su [dʒí:zu: ; -zju:] *n.* 《古·詩》 [때때로 호칭] = JESUS. 〖OF〗

Jesu·it [dʒéʒuət, dʒéʒu-, -zu-] *n.* 〖카톨릭〗 **1** 예수회(會)(the Society of Jesus)에 속하는 수사, 예수회 회원[신도]. **2** [j~] 음흉한 사람, 음모가 ; 궤변가. 〖F or NL ; ⇨ JESUS〗

Jesu·it·ic, -i·cal [dʒèʒuítik(əl), dʒèʒu-, -zu-] *a.* 예수회의 ; [j~] 음흉한, 교활한.

Jésuit·ìsm *n.* 예수회의 교리 ; [때때로 j~] 교활, 음흉함 ; 궤변.

jésuit·ry *n.* [흔히 J~] 《보통 蔑》 Jesuit 같은 언동[신조], 궤변, 음흉함, 교활. 〖예수회는 「목적은 수단을 정당화한다」고 생각하고 있다고 함〗

Jésuit(s') bàrk *n.* 키나나무껍질(cinchona).

***Je·sus** [dʒí:zəs] *n.* 예수, 예수 그리스도(=~ Chríst).
Jesus (***Christ***) ***!*** 《俗》 이거 놀랐는데 !, 빌어먹을 !, 제기랄 !
the Society of Jesus 예수회《카톨릭 교회의 수도회 ; 1534년에 Ignatius Loyola가 창설 ; 略 S.J.》.
〖Heb.=Savior〗

Jésus bòots[**shòes**] *n. pl.* 《美俗》 (히피들이 신는) 남자용 샌들.

Jésus bùg *n.* 〖昆〗 소금쟁이(water strider)《예수가 물 위를 걸은 데서》.

Jésus frèak *n.* 《口》 열광적인 기독교 신자《Jesus Movement의 참가자》.

Jésus Mòvement[**revolùtion**] *n.* 《美》 (기성 교회·종파에서 독립한) 젊은이들의 크리스트

교 운동.

Jésus pèople *n. pl.* Jesus Movement의 참가자(者).

*__jet__[1] [dʒét] *n.* **1** 분사, 분출, 사출(射出)(spurt); 사출하는 흐름, 분출물 : a ~ *of* water[gas] 물[가스]의 분출. **2** 분출구, 뿜어내는 구멍 : ☞ GAS JET. **3** =JET PLANE; =JET ENGINE.
— *vt., vi.* (-tt-) **1** 분사[사출·분출]시키다[하다]. **2** 제트기로 가다[여행하다, 수송하다].
〚F *jet(er)*<L *jacto* to throw〛

jet[2] *n.* **1** Ⓤ 흑옥(黑玉), 패갈탄(貝褐炭)《새카만 석탄》. **2** Ⓤ 흑옥색, 칠흑(漆黑). — *a.* 흑옥(제)의; 칠흑의.
〚OF<L<Gk.〛

JET [dʒét] Joint European Torus《EC 9개국이 공동개발한 tokamak형 핵융합 실험장치》.

jét·abòut *n.* (상용·유람 따위에) 제트기를 이용하는 사람, 제트기 여행자.

jét àge *n., a.* 제트기 시대(의).

jét áirplane *n.* =JET PLANE.

jét bèlt *n.* 인간 제트, 제트 벨트(jump belt)《개인용 분사 장치; 7-8m 높이에서 단거리를 비행》.

jét-bláck *a.* 칠흑의.

jét·bòrne *a.* 제트기로 운반되는.

jét éngine *n.* 제트 엔진.

jét fatìgue[exhàustion] *n.* =JET LAG.

jét·fòil *n.*《英》제트 엔진을 장치한 수중익선(水中翼船).

jét-hòp *vi.* 제트기로 여행하다.

jét làg *n.* 제트기 피로《제트기로 여행할 때의 시차로 인한》.

jét·lìner *n.* 제트 여객기.

jet·on, jet·ton [dʒétn] *n.* (카드놀이 따위의) 득점 계산용 산가지(counter), 칩.
〚F (*jeter* to add up accounts, JET[1])〛

jét·pàck *n.* (등에 지도록 만든) 개인용 분사 추진기(機).

jét pláne *n.* 제트기, 분사 추진식 비행기.

jét·pòrt *n.* 제트기 전용 비행장.

jét pówer *n.* 제트 동력.

jét-propélled *a.* 제트[분사] 추진식의.

jét propúlsion *n.* (비행기·선박의) 제트 추진 《略 JP; cf. ROCKET PROPULSION》.

jet·sam [dʒétsəm] *n.* **1** Ⓤ〔海上保險〕투하(投荷)《조난을 당할 때 선체를 가볍게 하기 위해 바닷물에 던지는 화물; cf. FLOTSAM 1》. **2** Ⓤ = FLOTSAM 2.
〚JETTISON〛

jét sèt *n.* [the ~]《口》(유람을 위해서 제트기 따위를 타고 돌아다니는) 부유한 사교계의 사람들.
jét sètter *n.*《口》제트족의 한 사람.

jét strèam *n.*〔氣〕제트 기류, 분류(噴流).

jét sỳndrome *n.* 제트기 증후군(症候群)《jet lag의 정식 명칭》.

jet·ti·son [dʒétəsən, -zən] *n.* Ⓤ〔海上保險〕투하(投荷)(행위);《비유》포기. — *vt.* (배에서) (화물을) 투하하다; (항공기에서 폭탄·화물·연료 따위를) 던져 버리다; (일반적으로) (장애물 따위를) 내던지다(throw away).
〚AF *getteson*; ⇨ JET[1]〛

jet·ty[1] [dʒéti] *n.* 둑; 방파제; 부두(pier); (건물의) 돌출부. — *vi.* 돌출하다.
〚OF *jette* (JET[1])〛

jetty[2] *a.* 흑옥(黑玉)의[같은], 흑옥색의, 칠흑의.
〚JET[2]〛

jét wàsh *n.*〔空〕제트 엔진으로 후미에 생기는 기류(氣流).

Jét·wày *n.* 제트웨이《여객기와 터미널 건물을 잇는 신축통(伸縮筒)식 승강용 통로; 상표명》.

jeu [*F* ʒø] *n.* (*pl.* **jeux** [—]) 놀이, 장난;〔樂〕연주. 〚F=play, game<L *jocus* jest〛

jeu de mots [*F* ʒø də mo] *n.* 재담, 익살.
〚F=play of words〛

jeu d'es·prit [*F* ʒø dɛspri] *n.* (*pl.* **jeux d'es·prit** [—]) 경구(警句); 명언.

jeu·nesse do·rée [*F* ʒœnɛs dɔre] *n.* 돈 많고 멋진 청년 신사, 귀공자. 〚F=gilded youth〛

*__Jew__ [dʒúː] *n.* (*fem.* JEWESS) **1** 유태인; 헤브라이 사람. **2** [때때로 j~] 욕심 많은 고리 대금업자, 수전노 : an unbelieving ~ 의심 많은 사람.
(as) rich as a Jew 거부(巨富)인.
go to the Jews 고리 대금업자에게 돈을 빌리러 가다.
— *a.* 유태인의(Jewish).
— *vt.* [보통 j~]《口·蔑》속이다, 속여 넘기다; 심하게 값을 깎다, 값을 깎아 내리다 : ~ down 값을 깎다.
〚OF<L *judaeus*<Gk. *ioudaios*<Aram.〛

Jéw-bàit·ing *n.* Ⓤ (조직적인) 유태인 박해.

‡**jew·el** [dʒúːəl] *n.* **1 a**) 보석(gem); (보석을 박은) 장신구, 옥(玉)장식. **b**) 석(石)《시계의 베어링 따위에 쓰는 보석 따위》. **2**《비유》귀중한 사람[물건], 보배 : a ~ *of* a boy 소중한 사내아이. **3** 보석 같은 것《별 따위》. — *vt.* (-l-|-ll-) [+目/+目+*with*+名] [보통 *p.p.*로] 보석으로 장식하다, …에 주옥(珠玉)을 박아 넣다; (팔뚝 시계 따위에) 베어링 보석을 박다 : a ~*ed* ring 보석을 박은 반지 / The sky was ~*ed* ***with*** stars. 하늘에는 별이 보석처럼 총총히 박혀져 있었다.
〚AF, OF<?; 일 설(一說)에 OF (dim.)‹*jeu* game, play, JOKE〛

jéwel bòx[càse] *n.* 보석 상자.

jéwel·er|-el·ler *n.* **1** 보석세공인. **2** 보석상인, 귀금속상. **3** 정밀 과학 기구 제작[수리] 전문가.

*__jéwel·ry|-el·lery__ *n.* **1** Ⓤ [집합적으로] 보석류, (보석을 박은) 장신구류(jewels) : ☞ COSTUME JEWELRY. **2** Ⓤ 보석 세공[장식].

jéwel·wèed *n.*〔植〕봉숭아《북미산(產)》.

Jéw·ess *n.*《때때로 蔑》유태인 여자.

jéw·fìsh *n.*〔魚〕농어과(科)의 큰 물고기.

Jéw for Jésus *n.* 유태인 기독교도《예수를 유태인으로 인정하고 구세주임을 전도하는 유태인 교단의 일원》.

*__Jéw·ish__ *a.* 유태인의; 유태인 특유의, 유태인다운; 유태교의(↔*ethnic, gentile*).
— *n.* Ⓤ =YIDDISH.

Jéwish cálendar *n.* [the ~] 유태력(曆)《천지창조를 기원전 3761년으로 함》.

Jéwish Chrístian *n., a.* 유태인 기독교도(의), (특히) Jew for Jesus(의).

Jéw·ry *n.* **1** Ⓤ [집합적으로] 유태인[민족](the Jews). **2** 유태인 사회; 유태인 종교[문화];《古》유태인 지구(地區)(ghetto).

Jéw's-èar *n.* 목이버섯.

Jéws'[Jéw's] hàrp *n.* [때때로 j~]〔樂〕비파적(琵琶笛), 유태인 하프《입에 물고 손가락으로 타는 악기》.

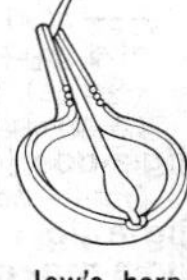
Jew's harp

Jez·e·bel [dʒézəbèl, -bl] *n.*〔聖〕이세벨《Israel왕 Ahab의 왕비, 사악한 여자》; [때때로 j~] 염치없는 여자; 독부, 요부.
〚⇨ ISABELLA〛

JFK, J.F.K. John Fitzgerald

Kennedy.

jg, j.g. 〖美海軍〗 junior grade (하급(下級)).

Jiang Jie·shi [dʒiáːŋ dʒiéʃíː], **Chiang Kai·shek** [; tʃǽŋ káiʃék] *n.* 장제스(蔣介石) (1887-1975)《중국의 군인·정치가·중화 민국 총통(總統)》.

Jiang·su [dʒiáːŋsúː], **Kiang·su** [; kjǽŋsúː] *n.* 장쑤(江蘇)《중국 동부의 성(省)》.

Jiang·xi [dʒiáːŋʃíː], **Kiang·si** [; kjǽŋsíː] *n.* 장시(江西)《중국 남동부의 성(省)》.

jib[1] [dʒíb] *n.* **1** 〖海〗 지브, 뱃머리의 삼각돛 : ☞ FLYING JIB. **2** [흔히 *pl.*] 《웨일스南部》 찡그린 얼굴, 찌푸린 얼굴 ; 《廢》 (얼굴을 찌푸릴 때 쑥 나온) 아랫입술 ; 《廢》 얼굴, 코.
slide one***'s jib*** 《美俗》 분별을 잃다, 미치다 ; 《美俗》 마구 떠들어 대다.
the cut of a person***'s jib*** 《口》 풍모, 풍채, 옷차림 ; 《口》 성격.
—— *vt., vi.* (**-bb-**) 〖海〗 (돛·돛대의 활대 따위를) 한쪽 뱃전에서 다른쪽 뱃전으로 돌리다 ; (돛이) 빙그르르 돌다. 〖C17< ?〗

jib[2] *n.* 〖機〗 지브《기중기의 앞으로 내뻗친 팔뚝 모양의 긴 장치》. 〖↑ ; cf. GIBBET〗

jib[3] *vi.* (**-bb-**) **1** (말 따위가) 옆으로 틀거나 뒷걸음질하여 나아가려 하지 않다. **2** [動/+前+名] 《비유》 주저하다, 꽁무니를 빼다 : He ~*bed* ***at*** undertak*ing* the job. 그는 그 일을 맡기를 주저했다 / My horse sometimes ~*s* ***at*** a car. 내 말은 가끔 차가 오면 움직이려 하지 않는다.
—— *n.* =JIBBER. **jíb·ber** *n.* 뒷걸음치는[버릇이 고약한] 말 ; 망설이는 사람. 〖C19< ?〗

jíb bóom *n.* 〖海〗 (이물의) 제2 사장(斜檣).

jíb cràne *n.* 지브 크레인《회전 붐이 있는 기중기》.

jíb dòor *n.* 벽과 같은 평면에 달아 페인트칠하거나 종이를 발라 문처럼 보이지 않게 한 문.

jibe[1] [dʒáib] *vi.* 〖海〗 (종범(縱帆) 또는 그 활대가) 한쪽 뱃전에서 반대쪽 뱃전으로 급회전하다, 그렇게 되도록 배의 진로를 바꾸다. —— *vt.* (돛)의 방향을 바꾸게 하다. —— *n.* 돛의 방향을 바꾸기. 〖Du. *gijben*〗

jibe[2] ☞ GIBE.

jibe[3] *vi.* 《美口》 조화되다, 일치하다〈*with*〉. 〖C19< ?〗

Jid·da [dʒídə], **Jed·da** [dʒédə] *n.* 지다, 제다《사우디아라비아 서부의 홍해에 면한 도시》.

jif·fy [dʒífi], **jiff** [dʒíf] *n.* 《口》 순간(moment) : I'll be there in a *jiffy.* 곧 그곳에 가겠습니다. 〖C18< ?〗

jig [dʒíg] *n.* **1** 지그《속도가 빠르고 경쾌한 4분의 3 박자의 춤》 ; 지그 무도곡. **2** 〖機〗 지그《송곳 따위를 구멍뚫을 위치에 정확하게 맞추어 주는 공작기구》. **3** 〖鑛〗 선광기. **4** 《俗·方》 농담, 못된 장난. **5** 《美俗·蔑》 흑인, 깜둥이.
The jig is up. 《俗》 만사[이젠] 다 틀렸다, 볼장 다 봤다.
—— *v.* (**-gg-**) *vi.* **1** 지그를 추다. **2** [+副] 급격히 상하로 움직이다 : He ~*ged* ***up*** and ***down*** in anger. 그는 화가 나서 몸을 몹시 떨었다.
—— *vt.* **1** [+目/+目+副] 급격히 상하로 움직이게 하다 : ~ a child (***up*** and ***down***) 아이를 (상하로) 흔들어 어르다. **2** (광석을) 지그로 선광(選鑛)하다.

jig·a·boo [dʒígəbùː] *n.* (*pl.* **~s**) 《蔑》 흑인(negro). 〖*jig*+*-aboo* (cf. BUGABOO)인가〗

jig-a-jig ☞ JIG-JOG.

jig·a·ma·ree [dʒígəməríː, ⌐‑‑⌐] *n.* 《口》 (이름을 붙이기 힘든) 새로운 고안물.

jig·ger[1] [dʒígər] *n.* **1** 지거《칵테일 따위를 만들 때 쓰는 작은 계량컵》 ; 그 용량《보통 1½온스》 ; 《美俗》 한 잔. **2** 〖골프〗 지거《대가리가 작은 어프로치용의 아이언 클럽 ; cf. IRON *n.* 2 c)》. **3** 〖海〗 보조돛 ; 소형 어선 ; =JIGGERMAST. **4** 〖通信〗 진동 변성기. **5** 《口》 장치, 물건(gadget). **6** 〖鑛〗 선광기, 선광부(夫). **7** 지그를 추는 사람.
—— *vt.* 《俗》 …에 쓸데없이 참견하다, 방해하다, 후무리다 ; 엉망으로 하다. —— *int.* [흔히 ~s] 《美俗》 정신차려, 도망쳐 !

jigger[2] *n.* 〖昆〗 모래벼룩(chigoe) ; 《美》 진드기의 일종(chigger).

jíg·gered *a.* 《口》 **1** =DAMNED : Well, I'm ~ ! 그럴 리가 있나 !, 맙소사 !, 설마 ! **2** 술에 취한 ; 《北英》 몹시 피곤한. 〖BUGGERED의 완곡인가〗

jígger·màn [, -mən] *n.* 기계 녹로로 세공하는 직공 ; 《美俗》 망꾼, 파수꾼.

jígger·mast [-məst, -mæ̀st] *n.* 〖海〗 (돛대가 네 개인 배의) 맨 끝 돛대.

jig·gery-po·kery [dʒígəripóukəri] *n.* 《口》 속임수, 협잡 ; 시시한[허튼] 소리(nonsense). 〖C19< ? ; cf. Sc. *joukery-pawkery* (*jouk* to dodge, skulk)〗

jiggins ☞ JUGGINS.

jig·gle [dʒígəl] *vt.* 가볍게 흔들다. —— *n.* (가벼운) 흔들림. —— *a.* =JIGGLY. 〖JIG or JOGGLE[1]〗

jíg·gly *a.* 흔들리는, 불안정한 ; 《美俗》 성적인 흥미를 돋우는. —— *n.* [*pl.*] 여배우가 선정적인 몸놀림을 하는 텔레비전 장면.

Jiggs [dʒígz] *n.* 지그스《미국의 만화가 George McManus (1884-1954)가 그린 신문 연재 만화의 주인공 ; 아내는 Maggie》.

jíg-jòg, jíg-jìg, jíg-a-jòg [-ə-] *n., vi.* 상하 움직임의[을] 반복(하다) ; 《卑》 성교(하다).

jíg·sàw *n.* 실톱《곡선으로 켜는데 씀》 ; =JIGSAW PUZZLE. —— *vt.* 실톱으로 켜다[자르다] ; 뒤얽힌 형태로 늘어놓다. 〖JIG〗

jígsaw púzzle *n.* 지그소 퍼즐《조각 그림을 맞추어 한 그림으로 만드는 장난감》.

ji·had, je- [dʒihǽd, -háːd] *n.* [때때로 J~] **1** 이슬람교도의 이교도 정벌, 성전(holy war). **2** 《비유》 (주의 따위의) 옹호[반대] 운동(crusade). 〖Arab.〗

Ji·lin [dʒíːlín], **Ki·rin** [kíːrín] *n.* 지린(吉林)《중국 북동부의 성》.

jill ☞ GILL[3].

jil·lion [dʒíljən] *n.* 방대한 수. —— *a.* 방대한 수의, 무수한. 〖MILLION, BILLION에 준한 것〗

jilt [dʒílt] *n.* 바람둥이 여자, 남자를 버리는 여자.
—— *vt.* (여자가 애인을) 실컷 농락한 후에 차버리다. 〖C17< ? ; cf. *jillet* flirtatious girl〗

Jim [dʒím] *n.* 남자 이름《James의 애칭》.

Jím Crów *n.* 《美口》 **1** 《蔑》 흑인(Negro) ; (특히 흑인에 대한) 인종 차별《특히 미국 남부의》. **2** [보통 j~ c~] 레일[철봉]을 구부리는 장치.
—— *a.* 인종 차별의, 흑인을 차별하는 ; 흑인 전용의 : a ~ car 흑인 전용차.
—— *vt.* (흑인 등을) 인종 차별하다, 차별 대우하다. 〖19세기 아메리카 흑인의 노래의 후렴 'jump, Jim Crow'에서〗

jím-dándy *a., n.* 《美口》 훌륭한 (것·사람).

jim·i·ny, jim·mi·ny [dʒíməni] *int.* 《口》 허《놀람·가벼운 저주》. 〖*geminy* ; ⇨ GEMINI〗

jim-jam [dʒímdʒæ̀m] *vi., vt.* (**-mm-**) 《口》 재즈풍으로 연주하다 ; 《口》 다채롭게 하다, 활기띠게 하다, 떠들썩하게 하다.

jim·jams [dʒímdʒæ̀mz] *n. pl.* 《俗》 =DELIRIUM TREMENS ; [보통 the ~] 대단한 신경질, 불안 (the jitters). 『JAM[2]의 자의적 가중 ; *delirium tremens*의 변형(變形)인가』

jim·my [dʒími] *n.* **1** (도둑의) 짧은 쇠지레. **2** 〖鐵〗 석탄차. —— *vt.* 쇠지레로 비틀어 열다. 『↓』

Jim·my, Jim·mie [dʒími] *n.* **1** 남자 이름 《James 의 애칭》. **2** 《口》 =SCOT ; 《濠》 (입국) 이민 ; 《美俗》 GM제의 자동차[엔진].

Jímmy Wóod·ser [-wúdsər] *n.* 《濠口》 혼자서 술마시는 남자 ; 혼자 마시는 술.

jimp [dʒímp] *a.* 《스코》 홀쭉한 ; 빈약한. —— *adv.* 가까스로, 거의 …없이.

jím·son(·wèed) [dʒímsən(-)] *n.* 〖植〗 [흔히 J~] 흰독말풀속의 식물. 『*Jamestown*, Virginia』

Jin·ghis Khan [dʒíŋgizká:n, dʒíŋgiz-] *n.* = GENGHIS KHAN.

jin·gle [dʒíŋgəl] *n.* **1** 딸랑딸랑[짤랑짤랑]하는 소리, 전화벨 소리. **2** 동음(同音)[유사음]의 반복 ; 각운·두운 따위로 인해 듣기 좋게 울리는 시 ; 듣기 좋게 배열된 말 ; 《美俗》 전화를 걸기 ; 《濠俗》 돈(money). **3** (아일랜드 등지의) 징글 마차《한 마리가 끄는 이륜의 포장마차》.
—— *vi., vt.* **1** 딸랑딸랑[짤랑짤랑] 울리다[울리게 하다] ; 딸랑딸랑 소리내며 움직이다[나아가다] : The bell ~*d.* 종이 딸랑딸랑 울렸다. **2** (시구가) 어조가 듣기 좋게 울리다 ; (시구)의 운을 맞추다 ; (시구가) 압운하다(rhyme).
jín·gly *a.* 딸랑딸랑[짤랑짤랑] 울리는 ; 듣기 좋게 울리는. 『ME (imit.)』

jíngle bèll *n.* **1** 〖海〗 조타실에서 지시를 보내기 위해 기관실에 설치한 벨. **2** 썰매의 방울 ; (가게 문에 달린) 내객을 알리는 종.

jíngle-jángle *n.* 연달아 딸랑딸랑[짤랑짤랑] 울리는 소리.

jin·go [dʒíŋgou] *n.* (*pl.* ~**es**) 무모한 강경 외교론자, 주전론자, 맹목적 애국자(chauvinist).
By* (*the living*) *jingo ! 《口》 천만에, 결단코 《강조적인 표현》.
—— *a.* (감정적인) 대외 강경의, 주전론의.
—— *vi.* 극단적인 대외 강경론을 주장하다.
~·ìsm *n.* (감정적인) 애국주의, 주전론.
~·ist *n., a.* **jìn·go·ís·tic** *a.*
『요술쟁이의 주문(呪文) ; Jesus의 완곡어인가』

jink [dʒíŋk] *vi., vt.* 속이다 ; 《英》 재빨리 몸을 비키다 ; 《美俗》 (비행기가) 교묘하게 대공 포화를 피하다. —— *n.* 속임 ; 《英》 날쌔게 몸을 비킴 ; [*pl.*] 들떠서 떠들기.
『Sc. (imit.)』

jinn [dʒín], **jin·nee**, **jin·ni** [dʒəní:, dʒíni] *n.* (*pl.* **jinns**, ~) 〖이슬람神〗 정령(精靈) (genie). 『Arab. ; cf. GENIE』

JINS [dʒínz] *n.* 《美》 감독을 필요로 하는 소년·소녀(Juvenile(s) In Need of Supervision).

jinx [dʒíŋ*k*s] 《口》 *n.* 재수 없는[불길한] 물건[사람] ; 불운, 불길, 징크스 : put a ~ *on* …에게 불행을 초래하다 / break[smash] the ~ 징크스를 깨다. —— *vt.* 《美》 (남에게) 불운[불행]을 가져다 주다 ; …에 트집을 잡다. 『C20 < ? L *jynx* wryneck, charm ; 점쟁이의 마술에 쓰인 데서』

ji·pi·ja·pa, jip·pi·jap·pa [hì:pihá:pɑ:] *n.* **1** 〖植〗 파나마풀. **2** (그 잎의 섬유로 만든) 파나마 모자. 『Sp.』

jism, gism [dʒízəm] *n.* 《俗》 원기, 정력, 활력 ; 《俗》 흥분 ; 《卑》 정액(semen), 정자(sperm). 『C20 < ?』

jis·som [dʒísəm] *n.* 《卑》 =JISM.

jit·ney [dʒítni] *n.* 《美俗》 **1** 5센트 백동전(nickel). **2** 소형 버스《원래 승차료가 5센트인데서 유래함》. —— *a.* 5센트의, 싸구려 물건의, 저급한. 『C20 < ?』

jit·ter [dʒítər] *vi.* 《口》 신경질부리다, 안절부절못하다. —— *n.* [the ~s] 심한 신경질, 초조, 공포감 : have *the* ~*s* 신경과민이 되다, 겁을 집어 먹다. —— *a.* 흠칫흠칫하는, 신경질적인.
『C20 < ? ; *chitter* to shiver의 변형(變形)인가』

jítter·bùg *n.* 《口》 **1** 스윙(음악) 광《스윙 음악을 들으면서 열광적으로 춤추는 재즈광(狂)》 ; 지르박(을 추는 사람). **2** 몹시 신경질적인 사람. —— *vi.* 요란하게 춤추다, 지르박을 추다.

jít·tery *a.* 《口》 신경과민의.

jive [dʒáiv] *n.* **1** 선정적인 스윙(음악). **2** Ⓤ 《美俗》 수상한 것, 무책임한 말, 허풍을 떪 ; 스윙광(狂)의 은어, 최신 유행어, 특수 용어. **3** 화려한 상품[복장] ; 《美俗》 마리화나 담배 ; 《美卑》 성교. —— *vt.* (음악을) 선정적으로 연주하다 ; 《美俗》 놀리다, 속이다. —— *vi.* 스윙을 연주하다 ; 스윙에 맞추어 춤추다 ; 《美俗》 (신어·은어 따위를 사용하여) 실없는[뜻모를] 말을 하다. —— *a.* 《美俗》 속이는, 거짓의, 가짜의. 『C20 < ?』

jíve stìck *n.* 《美俗》 마리화나 담배.

jizz [dʒíz] *n.* 《卑》 정액(semen). 『*jism*』

JJ. Judges ; Justices. **Jl.** July. **Jn.** June. **jn.** junction. **Jno.** John. **jnr.** junior. **jnt.** joint.

jo[1] [dʒóu] *n.* 《美俗》 커피. 『⇨ JOE』

jo[2] *n.* (*pl.* **jóes**) [흔히 호칭으로] 《스코》 연인, 애인(sweetheart). 『JOY』

Jo *n.* 여자 이름《Josephine의 애칭》.

Jo. John ; Joseph ; Josephine.

Joan [dʒóun], **Jo·an·na** [dʒouǽnə] *n.* 여자 이름. 『(fem.) ; ⇨ JOHN』

joan·ie [dʒóuni:] *a.* 《美俗》 케케묵은, 낡은, 시대에 뒤진.

Joan of Arc [dʒóun əv á:rk] *n.* 잔다르크 (1412-31) 《백년전쟁에서 국난을 구한 프랑스 농부의 딸 ; 영국군에 체포되어 화형을 당했으나 1920년 성인(聖人)으로 추서되어 St. Joan이라 불림》.

◇job[1] [dʒáb] *n.* **1 a)** [+前+do*ing*] 일, 잔일, 삯일 : a bad ~ 수지가 안맞는 일 ; 실패, 헛일 / do odd ~*s* 허드렛일을 하다 / Tom has the ~ ***of*** wash*ing* the car. 톰은 자동차를 세차(洗車)하는 일을 한다. **b)** (일반적으로) 만들어진 것《특히 우수한 기계·승용차 따위》 : a nice little ~ 좋은 제품. ㊟ 이 용법은 주로 직업용어. **c)** 《俗》 물건, (뛰어난) 인물. **2** (공직을 이용한) 부정행위, 독직(瀆職), (특히) 부정인사. **3** 《英口》 사태, 사건(affair), 운(luck) : a good[bad] ~ 다행한[난처한] 사태. **4** 《口》 범죄, 도둑질(theft), 강도(robbery) ; 《美俗》 무책임한 말, 허세. **5** 직업, 근무처, 지위(position), 직종 : He got a part-time ~ *as* a waiter. 그는 시간제 웨이터 일자리를 얻었다. **6 a)** 직무, 역할, 기능. **b)** 《口》 매우 어려운 일 : It is a ~ to do it in a day. 하룻동안에 그것을 한다는 것은 어려운 일이다 / He had a ~ find*ing* the house. 그는 그 집을 찾는데 애먹었다. **7** 〖컴퓨〗 조브《컴퓨터로 처리되는 작업 단위》. **8** [*pl.*] 헐값으로 파는 물건《책 따위》.
by the job 도급(계약)으로, 청부로.
do** a person's **job for him 《俗》 남을 일어나지 못하게 만들다, …을 해치우다, 망쳐놓다.
make a good job of it 《口》 잘 해내다[해치우다], 철저하게 하다.
make the best of a bad job ☞ BEST.
on the job 일에 종사하고 있는 동안에 ; 《口》 분

J

주하게 일하여, 일에 전력을 다하여 ;《俗》방심하지 않고, 경계하여.
out of a job 실직하여(out of work).

〈회화〉
Where did you find a *job*? — At a bank.「어디서 일하게 되었니」「은행에서」

—— *a.* 임대(용)의 ; 삯일의 ; 잡물 인쇄의 ; 직업의 ; 고용의.
—— *v.* (**-bb-**) *vi.* **1** 삯일[잔일]을 하다 : a ~*bing* gardener (임시의) 품팔이 정원사. **2** (공직을 이용하여) 부정한 돈벌이를 하다.
—— *vt.* **1** (주식을) 매매하다 ; 중매(仲買)하다, 도매로 넘기다. **2** [+目/+目+*into*+名] (공직을) 부정한 돈벌이에 이용하다 ; 직권을 남용해서 (남을) 유리하게 해주다 ;《美俗》속이다, (남에게서) 속여 빼앗다 : He ~*bed* his friend ***into*** the post. 그는 직권을 이용하여 친구를 그 자리에 앉혔다. **3**《英》(말·마차 따위를) 세를 받고 빌려주다. **4** (일을 몇 사람에게) 청부시키다.
〚C16<?; cf. *job* (obs.) lump〛
類義語 ⟹ TASK, POSITION.

job[2] *vi., vt.* (**-bb-**) =JAB ;《濠》강타하다.
job pop《美俗》(마약을) 피하 주사하다.
〚ME (?imit.) ; cf. JAB〛

Job [dʒóub] *n.* **1**〔聖〕욥《헤브라이의 족장(族長)으로 인내·믿음의 전형》. **2** 욥기(the Book of Job)《구약성서 중의 한 편》.
〚Heb. =? pious *or* persecuted〛

jób àction *n.*《美》(노동자의) 태업 ; 준법 투쟁.

jób anàlysis *n.* 일의 분석《작업·위험·종업원의 자격 따위를 조사하는 일》.

job·a·thon [dʒɑ́bəθɑ̀n] *n.*《美》텔레비전 직업 안내《장시간 계속되는 텔레비전 구인(求人)·구직 프로그램》. 〚*job*[1]+mar*athon*〛

jo·ba·tion [dʒoubéiʃən] *n.*《英口》장황한 잔소리. 〚*jobe* to reprimand tediously〛

jób bànk *n.* 직업 소개 은행《정부 기관에 의한 직업 알선 업무 ; 컴퓨터 처리에 의함》.

jób·ber *n.* **1** 도매상《싼 물건을 많이 사서 조금씩 팖》. **2** 허드레꾼, 삯꾼. **3**《英》(거래소의) 장내 중매인(仲買人) (=《美》dealer)《broker와 구별하여》. **4** 공직을 이용하여 사리(私利)를 꾀하는[사복을 채우는] 사람. **5** (하루 단위로) 말을 세놓는 사람. 〚JOB[1]〛

job·ber·nowl [dʒɑ́bərnòul] *n.*《英口》바보.
〚? *jobard* (obs.) blockhead, *nowl*〈NOLL〛

jób·bery *n.* Ⓤ (공직을 이용하여) 부정한 벌이를 하기, 오직(汚職) ; 이권을 탐함.

jób·bing *n.* =PIECEWORK ; =JOBBERY ; =BROKING.

jóbbing wòrk *n.* (명함·전단·포스터 따위) 잡물 인쇄.

jób·cènter *n.*《英》공영 직업 소개소.

jób classificàtion *n.* 직종[직무]분류《적성·기술·경험·교육에 따른 직무·직제의 분류》.

jób contról lànguage *n.*〔컴퓨〕작업 통제 언어《略 JCL》.

Jób Còrps *n.*《美》직업부대(部隊)《실업(失業) 청소년을 위한 직업 훈련 센터의 운영 조직》.

jób còsting *n.* 개별 원가 계산(법).

jób descrìption *n.* 직무 내용 설명서.

jób fèstival[fàir] *n.*《美》(대학 구내에서 구인 회사가 행하는) 취직 설명회.

jób·hòld·er *n.* 일정한 직업이 있는 사람 ;《美口》공무원.

jób-hòpping *n.* (눈앞의 이익을 찾아) 직장을 전전하기. **jób-hòp** *vi.* **jób-hòpper** *n.*

jób-hùnt·er *n.*《口》구직자. **jób-hùnt·ing** *n.*《口》구직.

jób·less *a.* 일자리가 없는, 실직중인 ; 실업자를 위한 ; [the ~] 실업자들 : ~ insurance 실업 보험 / a ~ rate 실업률. **~·ness** *n.*

jób lòt *n.* 몰아서 싸게 팔고 사는 물건, 한 무더기에 얼마로 흥정하여 파는 물건 ; 잡다한 저급의 사람[물건]의 집합.

jób·màster *n.*《英》말[마차] 세놓는 집의 주인.

jób òrder *n.* (노동자에 대한) 작업[제작] 지시서.

jób prìnter *n.*《英》(전단·포스터·명함 따위의) 잡물 인쇄업자.

jób-shàr·ing *n.* 한 정규 고용의 일을 둘이서 나누어서 하는 새로운 노동 형태 : a ~ system 한 가지 일을 두 사람 이상이 하는 취업 형태.

jób shèet *n.* (노동자에게 주는) 작업 지시서, 작업표(票).

jób strèam *n.*〔컴퓨〕작업의 흐름《순번으로 실행되는 일련의 작업》.

jób táx crèdit *n.* 고용 감세(雇用減稅)《고용 장려책의 하나로 신규 채용자의 임금 비율에 따라 일정액을 법인세에서 감액하기》.

jób tìcket *n.* (노동자에 대한) 작업표《작업 요령의 지시와 실(實)작업 시간의 기록용》; =JOB ORDER.

jób wòrk *n.* 도급[삯]일 ;〔印〕(명함·전단 따위의) 잡물 인쇄[조판].

joc. jocose ; jocular.

jock[1] [dʒɑ́k]《口》*n.* 경마의 기수(jockey) ; =DISC JOCKEY.

jock[2] *n.*《卑》(남성의) 성기(genitals).
〚C18<?; *jockum, jockam* (old sl.) penis에서 인가〛

jock[3] *n.*《美口》(남자 운동 선수의) 국부용 서포터(jockstrap) ;《美俗》(특히 학교·대학의) 운동 선수. 〚*jock*strap〛

Jock *n.*《英俗》스코틀랜드 사람 ;《英軍俗》스코틀랜드 고지 지방의 병사 ;《스코·아일》시골 청년.
〚Sc. ; ⇨ JACK〛

jock·ette [dʒɑkét] *n.* 여성 (경마) 기수.

jock·ey [dʒɑ́ki] *n.* (전문적인 경마의) 기수 ;《俗》(탈것·기계 따위의) 운전자, 조종자 ; =DISC JOCKEY. —— *vt.* **1** 기수로서 (말을) 타다. **2** 잘 조종[조작]하다, 유리하게 움직이게 하다. **3** [+目+副/+目+前+名] (사람을) 속여서 …시키다 : He ~*ed* me ***away***[***out of*** my money]. 그는 나를 속여서 멀리했다[돈을 뜯어냈다] / George was ~*ed* ***into*** buy*ing* the land. 조지는 사기에 걸려 그 토지를 샀다. —— *vi.* 경마기수[운전자, 조종자]를 하다 ; 속임수를 쓰다, 사기치다 (cheat).
jockey for position〔競馬〕상대를 밀어 젖히고 앞으로 나가다 ;〔요트〕교묘하게 조종하여 유리한 위치로 나가다 ;《口》유리한 입장에 서려고 획책하다.
〚*Jockey* (dim.)〈*Jock*〛

jóckey càp *n.* 기수모(騎手帽).

jóckey clùb *n.* 경마 클럽.

jóck ìtch *n.*〔醫〕(샅·음부의) 백선, 완선(頑癬). 〚JOCK[2]〛

jocko [dʒɑ́kou] *n.* (*pl.* **jóck·os**)〔動〕침팬지 ; 원숭이.
〚F<(W. Afr.)〛

jóck·stràp *n.* (남자 운동 선수가 사용하는) 국부용 서포터(=《美》supporter) ;《美俗》(특히 학교·대학의) 운동 선수.

〚*jock*³+*strap*〛
jo·cose [dʒoukóus] *a.* 우스꽝스러운, 농담의, 익살맞은(facetious). **~·ly** *adv.* 익살맞게.
〚L (*jocus* jest)〛
類義語 ⟹ HUMOROUS.
jo·cos·i·ty [dʒoukásəti] *n.* Ⓤ 재미나고 익살맞은 것, 우스꽝스러움; [*pl.*] 익살맞은 언행, 농담.
joc·u·lar [dʒákjələr] *a.* 익살스러운, 우스꽝스러운, 우스운, 풍자적인(humorous). **~·ly** *adv.* 익살맞게, 농담으로. **joc·u·lar·i·ty** [dʒɑ̀kjəlǽrəti] *n.* 익살; 농담; 우스꽝스러운[익살맞은] 언행.
〚L (*joculus* (dim.) ‹JOCOSE)〛
類義語 ⟹ HUMOROUS.
joc·und [dʒákənd, 美+dʒóu-] *a.* 명랑한, 쾌활한, 즐거운. **~·ly** *adv.* **jo·cun·di·ty** [dʒoukʌ́ndəti] *n.* 명랑, 쾌활; 쾌활한 언행.
〚OF<L *jucundus* pleasant (*juvo* to delight)〛
jodh·pur [dʒádpər] *n.* [*pl.*] 승마용 바지《윗부분은 헐렁하고 무릎 이하가 꼭 끼는》.
Jo·die [dʒóudi] *n.* [때때로 j~] 《美軍俗》 민간인 남자《군인에 대하여》; 병역 불합격자, 징병 유예자; (특히) 출정 중에 자기들의 여자 친구와 노는 남자.
joe [dʒóu] *n.* 《美口》 커피. 〚JAVA〛
Joe *n.* **1** 남자 이름《Joseph의 애칭》. **2** 《口》 여보게, 자네《이름을 모르는 사람에 대한 호칭》. **3 a)** [흔히 j~] 《口》 남자, 녀석(fellow), 놈(guy): He's a good ~. 그는 좋은 놈이야. **b)** 《俗》 (미국의) 병정, 병사(soldier) (cf. GI); 《俗》 미국 사람. **c)** 《英俗》 하찮은 일만 하게 되는 남자.
—— *vt.* 《美俗》 (남)에게 알리다.
Jóe Blów *n.* **1** 《美·濠》 보통 시민, 보통 사람[남자]; 《美俗》 이름을 모르는 사람, 아무개; 《美軍俗》 젊은 남자 시민, 징집병(徵集兵). **2** 《美俗》 음악가, 연주자; 《美俗》 허풍선이.
Jóe Cóllege *n.* 《口·蔑》 (학교생활을 즐기는) 전형적인 남자 대학생; 《俗》 학생, 풋내기.
Jo·el [dʒóuəl] *n.* **1** 〔聖〕 요엘《히브리의 예언자》. **2** 〔聖〕 요엘《구약성서 중의 한 편》.
〚Heb.=Yah is God〛
Jóe Míller *n.* 진부한 익살, 케케묵은 익살; 소화집(笑話集). 〚John Motley, *Joe Miller's Jestbook* (1739); Joe Miller는 그 전년(前年)에 죽은 Drury Lane 극단의 어릿광대〛
joe-pýe wèed [dʒòupái-] *n.* 〔植〕 등골나물.
〚C19<?〛
Jóe Stórch *n.* 《美俗》 =JOE ZILSCH.
jo·ey¹ [dʒóui] *n.* 《濠口》 새끼 짐승, (특히) 캥거루의 새끼; 어린애; 임시 고용인, 막일꾼.
〚(Austral.)〛
joey² *n.* 《英俗》 3펜스 화폐《원래는 4펜스 화폐》.
Jóe Zílsch [-zílʃ] *n.* 《美俗》 평균적인 시민, 보통 사람.
***jog**¹ [dʒág] *v.* (**-gg-**) *vt.* **1** 가만히 밀다[찌르다], 흔들다; (말을) 느린 속보(jog trot)로 달리게 하다; (주의를 끌기 위하여) 살짝 찌르다(nudge): He ~*ged* me[my elbow]. 나를[나의 팔꿈치를] 살짝 찔렀다 / The horseman ~*ged* the reins. 기수는 고삐를 살짝 흔들었다. **2** 《비유》 (기억을) 불러일으키다: He tied a string on his finger to ~ his memory. 그는 (어떤 것을) 잊지 않기 위해 손가락에 끈을 동여맸다.
—— *vi.* **1** [動/+副/+前+名] 터덜터덜[터벅터벅] 걷다[타고 가다]; (말이) 느린 속보로 달리다: The cart ~*ged* ***down*** (the narrow road). 짐수레는 (좁다란 길을) 덜거덕거리며 지나갔다. **2** 《美》 (운동을 위해) 천천히 가볍게 뛰다, 조깅하다; 떠나다(depart): We must be ~*ging.* 이제 떠나기로 합시다. **3** [+副] 그럭저럭 해나가다[진척되다]: We are just ~*ging* ***along***[***on***]. 그럭저럭 해나가고 있다.
—— *n.* **1** 가벼운 흔들림; 가볍게 밀기, 찌르기(nudge). **2** 《비유》 환기시키는 것; 재촉. **3** (말의) 느린 속보(jog trot).
jóg·ger *n.* jog하는 사람.
〚ME (? imit.)〛
jog² *vi.* (**-gg-**) 《美》 급히 방향을 바꾸다, (길 따위가) 갑자기 꺾이다. —— *n.* 《美》 (선 또는 면이) 울퉁불퉁함, 고르지 않음. 〚JAG¹〛
jog·a·thon [dʒágəθɑ̀n] *n.* 조깅 마라톤, 장거리(長距離) 조깅.
Jog·bra [dʒágbrɑ̀:] *n.* 조깅용 브래지어《상표명》.
jóg·ging *n.* Ⓤ 조깅.
jógging pànts *n. pl.* 조깅 팬츠.
jógging shòes *n. pl.* 조깅 슈즈.
jógging sùit *n.* 조깅 슈트, 조깅 복장.
jog·gle¹ [dʒágəl] *vt.* 흔들다. —— *vi.* 가볍게 흔들리다(shake). —— *n.* 가벼운 흔들림.
〚(freq.) ‹JOG¹〛
joggle² *n.* 〔建·機〕 장부(에 의한 접합).
—— *vt.* 장부로 조립하다, 서로 맞물리다. 〚JOG²〛
jóg·gling bòard *n.* **1** 도약대, 스프링 보드; = SEESAW. **2** 《美俗》 그네.
jóg tròt *n.* 터벅터벅 걷기, 터덜터덜 걷기; 〔馬〕 느릿느릿한 규칙적인 속보; 《비유》 단조롭고 평범한 방식[생활]. —— *vi.* jog trot으로 나아가다.
Jo·han·nes·burg [dʒouhǽnəsbə̀:rg] *n.* 요하네스버그《남아프리카 공화국의 공업 도시; 부근은 금·다이아몬드의 산지》.
Jo·han·nine [dʒouhǽnain, -ən] *a.* 〔聖〕 사도 요한(John)의; 요한복음의.
Jo·han·nis·berg·er [jouhǽnəsbə̀:rgər] *n.* 독일 Rhine 지방산의 각종 백포도주.
John [dʒán] *n.* **1** 남자 이름《애칭 Johnny, Jack》. **2** 〔聖〕 세례 요한(John the Baptist)《요단 강에서 그리스도에게 세례를 베풀었음》. **3** [Saint ~] 〔聖〕 성 요한《그리스도의 12사도의 한 사람; 신약성서의 요한복음·요한서·요한계시록의 저자》. **4** 〔聖〕 요한복음(the Gospel according to St. John)《신약성서 중의 한 편》. **5** 존왕(1167?-1216) 《영국의 왕(1199-1216), 1215년 Magna Carta에 서명했음; 흔히 John Lackland 라고 불리움》. **6 a)** [때때로 j~] 《俗》 남자(man), 놈(fellow) (cf. JACK¹ 2); 《俗》 (법률을 지키는) 양심적인 시민, 일반 시민. **b)** [때때로 j~] 봉, 매춘부의 손님. **c)** [j~] 《口》 변소, (특히) 남자용 공중 변소.
〚L *Jo(h)annes*<Gk.<Heb.=Yah is gracious〛
Jóhn Bárleycorn *n.* [의인적으로 쓰여] 맥아가 든 술, 맥주, 위스키; [의인적으로 쓰여] 《戲》 보리의 낟알.
Jóhn Bírch Society *n.* [the ~] 《美》 존 버치 협회《1958년에 창설된 미국의 반공 극우 단체》.
Jóhn Búll *n.* (전형적인) 영국인; 영국민(cf. JONATHAN, UNCLE SAM). **~·ism** *n.* 영국인 기질. 〚John Arbuthnot, *The History of John Bull* (1712)에서〛
Jóhn Chínaman *n.* 《보통 蔑》 중국인.
Jóhn Cítizen *n.* 《口》 일반 시민, 보통 사람.
Jóhn Dóe *n.* **1** 〔法〕 존 도《소송에서 당사자의 본명 불명일 때 쓰는 남성의 가명; cf. JANE DOE》. **2** 보통[평범한] 사람.
John Doe and Richard Roe (소송 사건에서) 원고와 피고.

J

Jóhn Dóry *n.* (*pl.* **Jóhn Dó·ries**) 〔魚〕 달고기.
Jóhn Háncock *n.* 《美口》 자필 서명(signature) : Put your ~ on that check. 수표에 서명하시오. 〖독립 선언의 서명 중 John Hancock의 것이 획이 굵고 선명했던 데서〗
Jóhn Hóp *n.* 《濠俗》 경찰관.
John·ian [dʒóuniən] *n.* 《英》 (Cambridge 대학의) St. John's College의 재학생[졸업생].
Jóhn Láw *n.* 《美俗》 경찰 ; 경찰관.
John·ny, -nie [dʒáni] *n.* **1** 남자 이름《John의 애칭》. **2** 《口》 놈, 녀석(cf. JACK). **3** 《口》 멋쟁이, 빈둥거리는 젊은 남자. **4** 《英》 (특히 런던 사교계의) 고등 룸펜, 난봉꾼(man-about-town). **5** 《口》 (남자용) (공중) 변소(toilet). **6** 《濠俗》 순경. **7** [j~] (입원 환자용의) 소매가 짧고 깃이 없이 뒤가 터진 웃옷. **8** [j~] 《英》 콘돔.
Jóhnny Ápple·sèed *n.* 조니 애플시드(1774-1845) 《본명 John Chapman ; 개척시대에 사과나무 묘목을 미국 변경 지역에 나누어 주며 다녔다는 전설의 인물》.
jóhnny bàg *n.* 《英俗》 콘돔.
jóhnny·càke, jón·ny- [dʒáni-] *n.* Ⓤ,Ⓒ 《美》 옥수수빵 ; 《濠》 얇게 구운 밀가루 빵.
Jóhnny Canúck *n.* 《Can.》 **1** 캐나다《의인적(擬人的) 표현》. **2** 캐나다 사람《구어적 표현》.
Jóhnny còllar *n.* [때때로 j~] 앞이 트인 딱 붙는 작고 둥근 깃.
Jóhnny-còme-láte·ly *n.* (*pl.* **-láte·lies, Jóhn·nies-còme-láte·ly**) 《口》 신참자(新參者), 신출내기, 풋내기 ; 새 가입자 ; 벼락 부자.
—— *a.* 신참의, 풋내기의 ; 최신의.
Jóhnny-júmp-ùp *n.* 《美》 제비꽃.
Jóhnny-on-the-spót *n.* 《口》 기다렸다는 듯이 무엇이나 하는 사람, 돌발[긴급] 사태에 곧 대처할 수 있는 사람.
—— *a.* 즉석의, 기다렸다는 듯한.
Jóhnny Ráw *n.* 《口》 신출내기, 신병.
Jóhnny Réb *n.* 《口》 (남북 전쟁 당시의) 남군의 병사 ; 《美俗》 남부 백인(Rebel).
Jóhnny Tróts *n.* 《美俗》 설사(diarrhea).
Jóhn o'Gróat's (**Hòuse**) [-gróuts(-)] *n.* 스코틀랜드의 최북단(最北端)의 땅(이라고 일반적으로 생각되어 온 곳).
from John o'Groat's (***House***) ***to Land's End*** 영국의 끝에서 끝까지, 영국내.
Jóhn Pául *n.* **1** 요한 바오로 1세. ~ **I** (1912-78) 로마 교황. **2** 요한 바오로 2세. ~ **II** (1920-) 폴란드 태생의 로마 교황(1978-).
John Q. Public[**Citizen**] [⌐ kjúː ⌐] *n.* 《口》 [의인적으로] 평범한 일반 시민, 일반 대중.
Jóhn Ráw *n.* 미숙한 사람, 초보자.
John·son [dʒánsən] *n.* **1** 존슨. **Lyndon Baines** ~ (1908-73) 미국의 제36대 대통령. **2** 존슨. **Samuel** ~ (1709-84) 영국의 문학가 · 사전 편찬가. **3** 《美俗》 방랑자 ; 《俗》 페니스 ; 《俗》 포주.
Jóhnson & Jóhnson *n.* 존슨 앤드 존슨《미국의 소비자용 보건 · 의료품의 대 메이커》.
Jóhnson cóunter *n.* 〔컴퓨〕 존슨 계수기.
John·son·ese [dʒànsəníːz, -s] *n.* Samuel Johnson식의 문체《라틴어가 많고 과장된 문체》.
John·so·ni·an [dʒansóuniən] *a.* Samuel Johnson(식)의 ; 장중한《문체》.
—— *n.* Samuel Johnson 연구가[모방자, 숭배자].
Jóhnson Spáce Cènter *n.* [the ~] 존슨 우주기지《미국 Texas주 Houston에 있는 우주 개발기지 ; 정식 명칭은 Lyndon B. Johnson Space Center》.

Jóhn the Bàptist *n.* 〔聖〕 세례 요한.
joie de vi·vre [*F* ʒwa də viːvr] *n.* 삶의 기쁨. 〖F=joy of living〗
°**join** [dʒɔ́in] *vt.* **1** [+目/+目+前+名] 접합[결합]하다 ; 연결하다[시키다](connect) ; 결합시키다(unite) : ~ one thing ***to*** another 어떤 것을 다른 것과 연결시키다 / ~ two persons ***in*** marriage[friendship] 두 사람을 결혼시키다[의 우정]를 맺게 하다]. **2** [+目/+目+*in*+名] …에 가담하다, 가입하다, …와 한패[…의 동료]가 되다 (소속 부대 · 본선(本船)에) 귀임하다 : ~ the army 군대에 입대하다 / ~ a church 교회의 신자가 되다 / Go now, and I'll ~ you later. 먼저 가라, 나중에 내가 합류할게 / Won't you ~ us *in* the game? 함께 게임을 하지 않겠습니까. (강 · 큰 길에) 합치다, 합류하다 : The stream ~*ed* the river just below the bridge. 냇물은 다리 바로 아래서 큰 강에 합류하고 있었다. **4** 《口》 인접하다(adjoin) : His farm ~*s* mine. 그의 농장은 내 농장에 인접해 있다. —— *vi.* **1** [動/+副/+前+名] 합쳐지다(meet) ; (대지 따위가) 접속하다 : *Where* do those two roads ~? 그 두 길은 어디서 합쳐집니까 / These rivers ~ ***a***[t] that town. 이 강들은 그 마을에서 합류한다. [+前+名/+副] 한패가 되다, 참가하다(take part) : ~ ***in*** the election campaign 선거운동에 참가하다 / ~ ***with*** another *in* an action 남과 함께 행동에 참가하다 / I'll ~ *in* (*with* you) if you are raising a subscription. 당신이 기부금을 모금하고 있다면 나도 한몫 끼겠소.
join battle 전쟁을 시작하다.
join forces (***with…***) (…와) 힘을 합치다, 협력하다.
join hands 손을 맞잡다 〈*with* another〉 ; 제휴하다〈*in* an action〉.
join up 동맹을 맺다 ; 입대[입회]하다.
—— *n.* 접합 부분[점 · 선 · 면], 이은 자리 ; 〔數〕 합집합(union).
〖OF *joindre*<L *junct- jungo* ; cf. YOKE〗
類義語 ***join*** 둘 이상의 것을 결합하다[잇다] ; 가장 흔히 쓰는 말 : *join* two edges with glue(두 끝을 아교로 붙이다). ***combine*** 둘 이상의 것이 섞여 각 요소가 구별이 되지 않음 : *combine* brandy and soda(브랜디와 소다를 섞다). ***unite*** 둘 또는 그 이상의 것이 join 혹은 combine하여 하나의 통일된 것으로 되다 : Several regions were *united* to form a state (여러 지역이 연합되어 한 국가를 형성했다). ***connect*** 도구 · 재료 또는 어떤 관계로 말미암아 결합되다 : The two towns are *connected* by a railroad. (두 마을이 철도로 연결됐다). ***link*** 확고하고 강하게 connect하다 : They are *linked* together by a friendship. (그들은 우정으로 함께 맺어져 있다). ***associate*** 동료 · 친구라는 관계로 결합하다 : He was *associated* in the group. (그는 그 그룹에 가입되었다).
join·der [dʒɔ́indər] *n.* 접합, 결합, 합동 ; 〔法〕 공동 소송 ; (쟁점의) 합일, 결정. 〖AF (↑)〗
jóin·er *n.* **1** 결합자, 접합물. **2** 소목장이, 가구장이(cf. CARPENTER, CABINETMAKER). 주 영국에서 많이 사용 ; 미국에서는 그저 carpenter라고 함. **3** 《口》 많은 단체[회]에 가입하는 (것을 좋아하는) 사람.
jóin·ery *n.* Ⓤ 가구 만드는 일, 소목일 ; 가구류.
*__joint__ [dʒɔint] *n.* **1** 접합(법) ; 접합 부분[점 · 선 · 면], 이음매, 접점 ; 〔木工〕 (목재의) 장부로 이은 부분 ; 〔機〕 이은 부분, 조인트 : a universal ~

J

☞ UNIVERSAL *a.* 5. **2** 〖解〗 관절. **3** 〖植〗 (가지·잎의) 마디, 연결 부분. **4** 〖地質〗 (암석의) 갈라진 틈, 절리(節理). **5** (푸줏간에서 마디에 따라 자른) 큰 고깃덩어리, 크게 자른 뼈붙은 고기. **6** 《俗》 (원래 밀주를 판) 비밀 술집, 싸구려 레스토랑; 《俗》 (일반적으로) (사람이 모이는) 장소; 매점. **7** 《俗》 마리화나 담배; 《俗》 총(gun); 《俗》 (피하 주사용의) 주사침; 《卑》 음경.
out of joint 탈구하여, 관절을 삐어; 《비유》 고장나서, 뒤죽박죽이 되어(disordered).
put a person***'s nose out of joint*** ☞ NOSE.
— *vt.* **1** (이음매에서) 이어 맞추다; …의 이음 자리를 회반죽으로 메우다[칠하다]. **2** 이음매[마디]에서 나누다; (고기를) 큰 덩어리로 베어내다.
— *vi.* 꼭 합체하다; 〖植〗 (곡물 따위가) 마디가 나다.
— *attrib. a.* **1** 공동의; 합동[연합]의, 공유의; 연대(連帶)의(↔*several*): a ~ effort=~ efforts (두 사람 이상이 힘을 합치는) 협력 / a ~ offense 공범 / ~ ownership 공유권 / a ~ responsibility[liability] 공동 책임, 연대 책임 / during their ~ lives 〖法〗 두 사람이[모두] 살고 있는 동안. **2** 〖數〗 둘 이상의 변수를 갖는. **3** 《俗》 훌륭한, 멋진. **~·less** *a.* 이음매가 없는; 관절이 없는. **~·ly** *adv.* 공동으로; 연대적으로.
〚OF (p.p.)〈JOIN〛
jóint accóunt *n.* (은행의) 공동 예금 계좌.
jóint áction *n.* 〖法〗 공동 소송.
jóint áuthor *n.* 공저자(共著者) (의 한 사람).
Jóint Chìefs of Stáff *n.* [the ~] 《美》 합동 참모 본부[회의] 《略 JCS》.
jóint commíttee *n.* (의회의) 양원 합동 위원회.
jóint consultátion sỳstem *n.* 노사 협의제.
jóint convéntion *n.* 《美》 (국회·주의회의) 양원 합동 회의.
jóint cústody *n.* 〖法〗 (이혼하거나 별거 중인 양친에 의한) 공동 친권(親權).
jóint·ed *a.* 이음매[관절]가 있는: a ~ fishing rod 조립식 낚싯대.
jóint·er *n.* 접합 도구; 접합하는 사람; 다듬는 데 쓰는 긴 대패; 톱날 세우는 줄; 〖石工〗 줄눈흙손; 〖農〗 삼각 보습.
jóint fámily[hóusehold] *n.* 합동[집합] 가족 《2세대 이상의 혈통자가 동거하는 가족 단위》.
jóint fàre *n.* 결합 운임《둘 이상의 항공 회사가 하나의 운임으로 공시한 것》.
jóint flóat *n.* 〖經〗 (특히 EC 제국의) 공동 변동 환율제.
Jóint Fórce *n.* 〖美軍〗 통합군《미군에는 9개의 통합군이 있음》.
jóint ìll *n.* (망아지 따위의) 관절염.
jóinting rùle *n.* 접자.
jóint lòading *n.* 공동 혼재(共同混載)《두개사(社) 이상의 혼재 화물업자가 각기의 혼재 화물을 병합시켜 보다 큰 할인 운임을 적용하여 차익의 증대를 꾀하는 수송방법》.
jóint resolútion *n.* 《美》 (양원의) 공동[합동]결의(決意) (cf. CONCURRENT RESOLUTION).
jóint·ress, join·tur·ess [dʒɔ́intʃərəs] *n.* 〖法〗 과부 자산(jointure) 취득권이 있는 여자.
jóint retúrn *n.* (부부의 수입을 합쳐서 한 몫으로 한) 소득세 종합 신고(서).
jóint séssion[méeting] *n.* 《美》 (양원) 합동(合同) 회의.
jóint stóck *n.* 〖經〗 공동 자본.
jóint-stóck còmpany *n.* 《英》 주식 회사; 《美》 합자 회사.
jóint stòol *n.* 조립식 의자.
join·ture [dʒɔ́intʃər] *n.* 〖法〗 과부 자산《남편이 죽은 후에 처의 소유로 귀속되도록 정해진 토지 재산》. — *vt.* (처에게) 과부 자산을 설정하다.
〚OF<L; ⇨ JOIN〛
jóint vénture *n.* 합작 투자 (업체), 합동 시공.
joist [dʒɔ́ist] *n.* 〖建〗 (마루 판자나 천장을 지탱하는) 들보, 장선. — *vt.* …에 장선을 대다, 들보를 건너지르다. **~·ed** *a.* 장선을 댄.
〚OF *giste*<L=support (*jaceo* to lie, rest)〛
jo·jo·ba [həhóubə] *n.* 〖植〗 호호바《북미산 회양목과의 소관목; 씨에서 기름을 짬》. 〚Am. Sp.〛
◇**joke** [dʒóuk] *n.* **1** 농담, 희롱, 익살(jest): ☞ PRACTICAL JOKE / crack[make] a ~ about a thing[person] 사물[사람]에 대해 농을 하다 / have a ~ with a person …와 농담을 하다 / play a ~ on a person 남을 조롱[희롱]하다 / take a ~ 놀려도 화내지 않다, 농담을 웃으며 받아들이다 / It's no ~. 농담이 아니야. **2** 웃음거리; 우스운 일, 희롱의 대상: He is the ~ *of* the town. 그는 마을의 웃음거리다.
for a joke 농담삼아.
in joke 농담으로.
— *vi.* 농담하다, 희롱하다: I'm just *joking.* 그저 농담이야.

〈회화〉
Finish this work by 5:00.—You must be *joking.* 「이 일을 5시까지 끝내시오」「농담이시겠죠」

— *vt.* [+目/+目+前+名] 놀리다: They often ~*d* Tom ***on*** his baldness. 곧잘 톰의 대머리를 놀렸다.
joking apart [***aside***]=***apart from joking*** 농담은 그만하고.
jók·ing·ly *adv.* 농담으로, 익살로.
jóky *a.* 농담을 좋아하는.
〚L *jocus* jest, game〛
類義語 ***joke*** 사람을 웃기기 위해서 지껄이거나 만들거나 한 익살·농담·장난. ***jest*** 웃음거리·풍자 따위가 포함되는 말.
jóke·bòok *n.* =JESTBOOK.
jok·er [dʒóukər] *n.* **1** 농담을 하는 사람, 익살꾼. **2** 《俗》 [보통 경멸적으로] 놈(fellow). **3** 〖카드놀이〗 조커《특별한 패; 때때로 으뜸패로 씀》. **4** 뜻밖의 곤란; 책략, 속임수.
jóke·smìth *n.* 《口》 유머[개그] 작가.
jo·lie laide [*F* ʒɔli lɛd] *n.* (*pl.* **jo·lies laides** [—]) 미인은 아니지만 매력적인 여자(belle laide).
Jo·liot-Cu·rie [*F* ʒɔljokyri] *n.* 졸리오 퀴리. **1** **(Jean-) Frédéric** ~ (1900-58) 프랑스의 물리학자; Nobel 화학상(1935). **2** **Irène** ~ (1897-1956) Curie 부처의 장녀, 1의 아내; 프랑스의 물리학자; Nobel 화학상(1935).
jol·li·fi·ca·tion [dʒɑ̀lifəkéiʃən] *n.* U,C 환락, 흥청망청 놀기.
jol·li·fy [dʒɑ́ləfài] *vt.* 즐겁게 하다, 명랑하게 하다. — *vi.* 즐기다; (술을 마시고) 흥겨워하다.
jol·li·ty [dʒɑ́ləti] *n.* U 즐거움, 명랑; 환희, 환락.
***jol·ly** [dʒɑ́li] *a.* **1** 즐거운, 유쾌한, 흥겨운, 명랑한(merry). **2** (술이) 거나하게 취한, 기분좋게 취한. **3** 《英口》 **a)** 멋진, 기분좋은, 즐거운(pleasant, delightful): a ~ fellow (같이 있으면 즐거운) 유쾌한 남자. **b)** 굉장한(big, large). **c)** 《英口》 [때때로 반어적으로] 엄청난, 지독한: a ~ fool 형편없는 바보 / What a ~ mess I am

J

in! 이거 큰일났구나! —— *adv.* 《英口》 매우, 몹시(very) : have a ~ good time 매우 유쾌한 시간을 갖다 / You will be ~ late. 자네는 꽤 늦어지겠군. —— *n.* 《口》 남을 기쁘게 할 언행·태도, 추켜세우기; 《口》 들떠 시끄럽게 하기, 흥분; = JOLLY BOAT; 《英俗》 해병대원.

—— *vt.* 《口》 **1** [+目+副] 기쁘게 해주다, 추어주다(flatter) : I was *jollied* ***along*** and agreed to join in the work. 추어 주는 바람에 그 일에 참가할 것을 동의했다. **2** (남을) 조롱하다, 놀리다(kid). **jól·li·er** *n.* 추어주는[놀리는] 사람.

〖OF *jolif* gay, pretty < ? ON *jōl* YULE〗

jólly bòat *n.* (선박에 부속된) 조그만 보트. 〖C18 < ? ; cf. C16-17 *jolywat*, *gellywatte* and YAWL〗

Jólly photómeter [; *G* jó:li-] *n.* 〔理〕 욜리 광도계. 〖Philipp Gustav von *Jolly* (d. 1884) 독일의 물리학자〗

Jólly Róger *n.* 해적기(black flag)《검정 바탕에 두개골과 두 개의 뼈를 교차시킨 그림을 흰 빛깔로 그렸음》.

jolt [dʒóult] *vt.* [+目/+目+前+名] (마차 따위가) 급격히 심하게 흔들리게 하다; (좌석에서) 흔들어 떨어뜨리다; 충격을 주다, 깜짝 놀라게 하다: The coach ~*ed* its passengers ***over*** the miserable road. 그 마차는 험한 길을 덜커덕거리며 손님을 태우고 지나갔다.

—— *vi.* [動/+副] 덜커덕덜커덕 흔들리다, 흔들리며 가다: The cart ~*ed* ***along***. 그 짐차는 덜커덕덜커덕 흔들리며 갔다. —— *n.* 심한 상하의 움직임, 급격한 동요; 쇼크, 충격. **~·er** *n.* 동요가 심한 것[탈것]. **~·ing·ly** *adv.* **jólty** *a.* 동요가 심한, 덜커덕덜커덕 흔들리는.

〖C16 < ? ; *joll* to strike + *jot* to bump인가〗

jólt·er-hèad *n.* 《古·方》 멍텅구리.

Jon. Jonathan.

Jo·nah [dʒóunə] *n.* **1 a)** 〔聖〕 요나《히브리의 예언자》. **b)** 〔聖〕 요나《구약성서 중의 한 편》. **2** 흉사·불행을 가져오는 사람. —— *vt.* [때때로 j~] = JINX. 〖Heb. = dove〗

Jónah wòrd *n.* 말더듬이가 발음하기 어려운 말.

Jo·nas [dʒóunəs] *n.* = JONAH.

Jon·a·than [dʒánəθən] *n.* **1** 남자 이름. **2** 미국 사람, (특히) New England의 주민(cf. UNCLE SAM, JOHN BULL) : ☞ BROTHER JONATHAN. **3** 《美》 홍옥《사과의 일종》.

〖Heb. = Yah has given〗

Jones [dʒóunz] *n.* 존스. **Daniel** ~ (1881-1967) 영국의 음성학자. 〖JOHN〗

jon·gleur [dʒáŋglər; *F* ʒɔ̃glœ:r] *n.* 중세 프랑스의 음유(吟遊)시인. 〖F < OF *jogleour* JUGGLER〗

jon·quil [dʒáŋkwəl, dʒán-] *n.* 〔植〕 노랑수선화, 나팔수선화. 〖F or NL < Sp. (dim.) ‹ JUNCO〗

Jon·son [dʒánsən] *n.* 존슨. **Ben(jamin)** ~ (1573?-1637) 영국의 시인·극작가.

Jor·dan [dʒɔ́:rdn] *n.* **1** [the ~] 요르단 강《Palestine의 강》. **2** 요르단《옛 이름 Trans-Jordan; 수도 Amman》. **Jor·da·ni·an** [dʒɔ:rdéiniən] *n., a.* 요르단 사람(의).

Jórdan álmond *n.* 스페인산(産)의 아몬드《제과용》; (착색 당의(着色糖衣)의) 아몬드 과자.

〖? F or Sp. *jardin* GARDEN; 어형은 ↑에 동화(同化)〗

jo·rum [dʒɔ́:rəm] *n.* 주발 모양의 큰 잔; 그 한 잔(의 양)《특히 punch용》; 대량.

〖? *Joram* 금·은·놋그릇을 가지고 David에게 파견된 사람(사무엘하 8 : 10)〗

Jos. Joseph; Josephine; Josiah.

Jo·sé [houséi] *n.* 남자 이름. 〖Sp.; ⇨ JOSEPH〗

Jo·seph [dʒóuzəf] *n.* **1** 남자 이름《애칭 Jo, Joe》. **2** 〔聖〕 요셉《야곱의 아들》; 지조가 굳은 남자. **3** [Saint ~] 〔聖〕 성(聖) 요셉《그리스도의 어머니 마리아의 남편으로 나사렛의 목수》.

〖Heb. = Yah increases (children)〗

Jóseph disèase *n.* 〔醫〕 조지프 병(病).

Jo·se·phine [dʒóuzəfì:n] *n.* 여자 이름《애칭 Jo, Josie》. 〖(fem.); ⇨ JOSEPH〗

Jo·seph·son [dʒóuzəfsən] *n.* 조지프슨. **Brian D(avid)** ~ (1940-) 영국의 이론 물리학자; 노벨 물리학상(1973).

Jósephson devìce *n.* 〔電子〕 = JOSEPHSON JUNCTION DEVICE.

Jósephson effèct *n.* 〔理〕 조지프슨 효과《두 개의 초전도체가 절연막으로 격리되어 있을 때 양자 사이에 전위차가 없어도 전류가 흐르는 현상》.

Jósephson júnction devìce *n.* 〔電子〕 조지프슨 접합 소자(素子).

josh [dʒáʃ] *vt., vi.* 《美口》 조롱하다, (…에게) 농담을 하다. —— *n.* 희롱, 농담. 〖C19 < ?〗

Josh. 〔聖〕 Joshua.

Josh·ua [dʒáʃuə] *n.* **1** 남자 이름. **2 a)** 〔聖〕 여호수아《이스라엘 민족의 지도자, Moses의 후계자》. **b)** 〔聖〕 여호수아(the Book of Joshua) 《구약성서 중의 한 편; 略 Josh.》.

〖Heb. = Yah saves〗

Jóshua trèe *n.* 〔植〕 북미 남서부 사막의 유카(yucca)의 일종.

Jo·si·ah [dʒousáiə] *n.* 남자 이름.

〖Heb. = Yah supports〗

Jo·sie [dʒóuzi] *n.* 여자 이름《Josephine의 애칭》.

jos·kin [dʒáskən] *n.* 《英俗》 시골뜨기.

〖? *Jo*seph + -*kin*〗

joss [dʒɔ́(:)s, dʒás] *n.* (중국인이 섬기는) 우상, 신상(神像); 《口》 운(運). 〖? Port. *deos* < L DEUS〗

jos·ser [dʒásər] *n.* 《英俗》 바보, 멍텅구리; 녀석, 놈(fellow). 〖↑; cf. 《濠》 = clergyman〗

jóss hòuse *n.* (중국의) 절(temple).

jóss stìck *n.* (joss 앞에 피우는) 선향(線香).

jos·tle [dʒásəl] *vt.* [+目/+目+副/+目+前+名] (난폭하게) 밀다, 찌르다; 밀어 제치고 지나가다: He ~*d* me *away*. 그는 나를 밀어 제쳤다 / He ~*d* his way ***out of*** the hall. 그는 사람을 밀어 제치고 홀에서 나가 버렸다. —— *vi.* [+前+名] **1** 밀다, 부딪치다, 헤치고 나아가다: ~ ***through*** a crowd 군중을 밀어 헤치고 나아가다 / The demonstrators ~*d* ***against*** the police. 데모대(隊)는 경찰과 격돌했다. **2** 빼앗으려고 서로 다투다: The people ~*d* ***with*** one another ***for*** the seat. 사람들은 서로 밀치락달치락하며 그 자리에 앉으려고 했다.

—— *n.* 서로 밀치기, 혼잡.

〖ME *justle* (freq.) ‹ JOUST〗

jot [dʒát] *n.* (극히) 조금, 약간(whit).

not a jot = ***not one jot*** (***or tittle***) 조금도 …(하지) 않다.

—— *vt.* (-tt-) [+目+副] 간단히 적어두다: *J*~ ***down*** his license number. 그 남자의 면허증 번호를 적어두어라.

jót·ter *n.* 메모하는 사람; 메모장, 비망록.

jót·ting *n.* 메모, 약기.

〖L < Gk. IOTA; cf. 마태복음 5 : 18〗

Jo·tun, -tunn [jɔ́:tun] *n.* 〔北유럽神〕 요툰《신들과 자주 다툰 거인족》.

Jo·tun·heim, -tunn- [jɔ́:tunhèim] *n.* 〔北유럽

神》 요툰헤임《거인족 Jotun들의 나라로 Midgard의 변두리 산중에 있다고 함》.

joual [ʒwáːl] *n.* [때때로 J~] (프랑스계 캐나다인의) 교양 없는 사람이 쓰는 프랑스어. 〚Can. F=horse〛

joule [dʒúːl, dʒául] *n.* 〔理〕 줄《전기 에너지의 실용 단위; =10 million ergs; 기호 J》. 〚↓〛

Joule *n.* 줄. **James Prescott** ~ (1818-89) 영국의 물리학자.

Jóule's láw *n.* 〔理〕 줄의 법칙《(1) 도선(導線)에 흐르는 전류에 의한 발열(發熱)[줄 열]의 양은 전류의 제곱 및 저항에 비례함. (2) 일정량의 이상(理想) 기체의 내부 에너지는 부피에는 관계 없고 온도만의 함수임》. 〚↑〛

jounce [dʒáuns] *vt., vi.* 덜컹덜컹 흔들다[흔들리다], 덜커덕거리다(bump, jolt). —— *n.* 동요. 〚ME< ?〛

jour. journal(ist); journey(man).

*__jour·nal__ [dʒə́ːrnl] *n.* **1 a**) 일지, 일기. ㊟ 보통 diary 보다 문학적인 것을 말함. **b**) 〔簿〕 분개장(分介帳); 〔海〕 항해 일지(logbook); [the J~s] 국회 의사록. **2** 일간신문, 신문; 정기 간행물《특히 시사적인 내용을 다룬 것》; 잡지《특히 학술 단체 따위의 기관지》: a monthly ~ 월간 잡지. **3** 〔機〕 저널《굴대의 목》. 〚OF<L DIURNAL〛

jóurnal bòx *n.* 〔機〕 축상자(軸箱子), 저널 박스.

jour·nal·ese [dʒə̀ːrnəlíːz, -s] *n.* Ⓤ 신문 잡지 어법[문체], 저널리즘 문체; 신문[보도] 용어(cf. OFFICIALESE).

*__jóurnal·ìsm__ *n.* Ⓤ 저널리즘; 신문 잡지 편집[경영](업), 신문 잡지 기고[집필](업); 신문 잡지계(界); 보도(관계); (신문 잡지조의) 문장; [집합적으로] 신문잡지.

*__jóurnal·ist__ *n.* 저널리스트; 신문잡지 기자, 신문잡지 기고가; 신문잡지업자; 보도 관계자.

jour·nal·is·tic [dʒə̀ːrnəlístik] *a.* 신문 잡지적인, 신문 잡지 기자류(流)의.

jóurnal·ìze *vt., vi.* 일기에 적다, 일기를 쓰다; 〔簿〕 분개(分介)하다, 분개장에 기입하다; 신문잡지업에 종사하다.

‡**jour·ney** [dʒə́ːrni] *n.* **1** (보통 육로의) 여행 (cf. VOYAGE): a ~ of three months = a three months' ~=a three-month ~ 3개월간의 여행 / a ~ into the country 시골여행 / be (away) *on* a ~ 여행 중이다 / go[start, set out] *on* a ~ (*to*...) (…로) 여행을 떠나다 / make[take, undertake] a ~ 여행을 하다 / A pleasant ~ to you! =I wish you a good[happy] ~. 그럼, 즐거운 여행이 되기를! **2** 여정, 행정; 행로: a day's ~ from here 여기에서 하루의 여정.

one***'s journey's end*** 여로(旅路)의 끝; (인생) 행로의 끝.

〈회화〉
I hope you had a pleasant *journey*? — Yes, fairly pleasant, thank you. 「여행은 즐거웠겠죠」「네, 덕분에 아주 즐거웠습니다」

—— *vi.* 여행하다.

〚OF *jornee* day, day's work or travel<L (*diurnus* daily〈*dies* day)〛

類義語 ⟹ TRAVEL.

jóurney·man [-mən] *n.* **1** 숙련 노동자, (도제기간을 마치고 제구실하는) 직인(cf. APPRENTICE); 기능을 습득한 직공; 《古》 날품팔이 일꾼. **2** =JOURNEYMAN CLOCK.

jóurneyman clóck *n.* 〔天〕 기상대의 보조 시계.

jóurney·wòrk *n.* Ⓤ (직공이 하는) 도급 일; 《비유》 대수롭지 않은 일.

joust [dʒáust] *n.* 마상(馬上) 창시합; [*pl.*] (중세 기사의) 마상 창시합 대회(tournament).

—— *vi.* 마상 창시합을 하다.

〚OF=to come together<L (*juxta* near)〛

Jove [dʒóuv] *n.* =JUPITER.

By Jove! 신께 맹세코; 천만에!, 어림없지《놀람·찬성·강조 따위를 나타냄》.

〚L *Jov- Jupiter*〛

jo·vi·al [dʒóuviəl, -vjəl] *a.* 명랑한, 즐거운, 유쾌한(merry). **~·ly** *adv.* 명랑하게.

〚F<L *jovialis* of JUPITER; 목성(木星)이 그 운수를 타고 태어난 사람에게 미치는 영향에서〛

jo·vi·al·i·ty [dʒòuviǽləti] *n.* Ⓤ 즐거움, 유쾌함, 명랑; [*pl.*] 명랑한 말[행위].

Jo·vi·an [dʒóuviən] *a.* **1** Jove 신(神)의; (Jove 신과 같이) 위풍 당당한(majestic). **2** 목성(木星)(Jupiter)의.

Jo·vi·ol·o·gist [dʒòuviɑ́lədʒəst] *n.* 목성학자.

jow [dʒáu] *n.* 《스코》 종소리, 방울소리.

—— *vt.* (종·방울을) 울리다; (특히 머리를) 때리다, 치다.

jowl[1] [dʒául, 美+dʒóul] *n.* 턱(jaw), 아래턱; 뺨; (돼지의) 턱밑살.

〚ME *chevel* jaw<OE *ceafl*〛

jowl[2] *n.* (사람·소·돼지의) 턱밑의 처진 살, (닭 따위의) 육수(肉垂); [보통 *pl.*] (노인의) 볼이나 목의 처진 살; 물고기의 대가리 부분《요리용》.

〚ME *cholle* neck; head of man, beast, or fish<OE *ceole*〛

jówly [dʒáuli] *a.* 이중턱의, 군턱의.

◇**joy** [dʒɔ́i] *n.* **1** Ⓤ 즐거움, 기쁨(delight): to my ~ 즐겁게도 / with ~ 기꺼이 / dance[jump] for ~ 기뻐 날뛰다 / I wish you ~ (of your success). (성공을) 축하합니다! / Oh ~! 아아, 기쁘다. **2** 기쁨을 주는 것: the ~*s* and sorrows of life 인생의 기쁨과 슬픔, 고락.

Give you joy! 다행한 일이다, 축하한다.

in joy and in sorrow 기쁘거나 슬프거나: My wife has been my good companion *in* ~ *and in sorrow.* 아내는 기쁠 때나 슬플 때나 나의 좋은 반려자였다.

—— *vi.* 《古·詩》 [+前+名] 기뻐하다(rejoice): ~ ***in*** a friend's success 친구의 성공을 기뻐하다.

—— *vt.* 《古·詩》 기쁘게 해주다.

〚OF<L *gaudia* (*gaudeo* to rejoice)〛

類義語 ⟹ PLEASURE.

jóy·ance 《古·詩》 *n.* 기쁨; 즐거움; 오락《행위》.

jóy·bèlls *n. pl.* 축하의 종.

jóy bòy *n.* 《俗》 호모의 젊은 사내.

jóy bùtton[**bùzzer**] *n.* 《俗》 클리토리스(clitoris)《레스비언 용어》.

Joyce [dʒɔ́is] *n.* **1** 여자 이름; 남자 이름. **2** 조이스. **James** ~ (1882-1941) 아일랜드의 소설가·시인. 〚OF=joy; Gmc.=a Geat〛

jóy·dìsk *n.* 조이디스크(cursor disk).

*__jóy·ful__ *a.* 즐거운, 기쁜, 반가운: a ~ heart 기쁨에 찬 마음 / ~ news 반가운 소식 / a ~ look 즐거워 보이는 표정[눈치]. **~·ly** *adv.* **~·ness** *n.*

類義語 ⟹ HAPPY.

jóy·hòuse *n.* 《美俗》 매음굴(brothel).

jóy-jùice *n.* 《美俗》 술(liquor).

jóy knòb *n.* 《美俗》 (차 따위의) 핸들, (비행기의) 조종간(桿); 《美卑》 음경.

jóy·less *a.* 기쁨이 없는, 외로운. **~·ly** *adv.*

jóy·ous *a.* =JOYFUL. **~·ly** *adv.* **~·ness** *n.*

J

類義語 ⟹ HAPPY.

joy·pop [dʒɔ́ipɑ̀p] *vi.* (**-pp-**) 《俗》 (중독이 되지 않을 정도로) 가끔 마약을 쓰다, 마약을 피하 주사하다. **-pòp·per** *n.* 《俗》 마약[(특히) 마리화나]을 처음 쓰는 사람 ; 가끔 마약을 쓰는 사람.

jóy-pòwder *n.* 《美俗》 모르핀.

jóy·rìde *n.* 《口》 재미로 하는 드라이브 《특히 무모하게 속력을 내거나 남의 자동차를 무단으로 타고 다니는 것》 ; (비용이나 결과를 생각 않는) 무모한 행동[행위]. —— *vi.* 《口》 장난으로 마구 자동차를 몰고 돌아다니다 ; 《美俗》 가끔 마약을 쓰다. **jóy·rìd·er** *n.* joyride 하는 사람 ; 《美俗》 가끔 마약을 쓰는 사람.

jóy smòke *n.* 《美俗》 마리화나 담배.

jóy stìck *n.* 《口》 조종간, (일반적으로) 수동식 조절 장치 ; 《卑》 음경 ; 《美俗》 아편[마리화나]용 파이프 ; 〔컴퓨〕 조이 스틱《손잡이의 움직임을 신호로 바꾸어 입력하는 장치》.

jóy swìtch *n.* 〔컴퓨〕 조이 스위치《joy stick 비슷한 컴퓨터의 입력 장치》.

JP jet propulsion. **J.P.** Justice of the Peace.

J particle [dʒéi ⌐] *n.* =J/PSI PARTICLE.

J pen [dʒéi ⌐] *n.* J자표가 있는 폭이 넓은 펜촉.

JPL Jet Propulsion Laboratory《NASA의 제트 추진 연구소》. **Jpn.** Japan ; Japanese. **J.P.S.** Jewish Publication Society.

J/psi par·ticle [dʒéisái ⌐] *n.* 〔理〕 제이·프시 입자《전자 질량의 약 6,000배의 질량을 가지며 수명이 매우 길》.

Jr., jr., Jr junior.

J.R.C. Junior Red Cross(청소년 적십자).

JSA Joint Security Area(공동 경비 구역).

JSC Johnson Space Center《존슨 우주 센터 ; 미국의 유인 우주 비행 관제 센터》.

J smoke [dʒéi ⌐] *n.* 《美俗》 마리화나 담배.

JSP 〔컴퓨〕 Josephson signal processor(조지프슨 신호 처리 장치). **jt.** joint. **J.T.C.** Junior Training Corps. **Ju.** June.

ju·ba [dʒúːbə] *n.* 주바《아이티나 미국 남부 흑인의 활발한 춤》.

ju·bi·lant [dʒúːbələnt] *a.* (환성을 올리며) 기뻐하는, 환희에 취한[취하여 있는].
-lance, -cy *n.* 환희. **~·ly** *adv.*

ju·bi·late [dʒúːbəlèit] *vi.* 환희에 넘치다, 환호하다 ; 기념제를 경축하다. **jù·bi·lá·tion** *n.* 환희, 환호 ; 경축, 축제.
〖L *jubilo* to shout (esp. for joy)〗

Ju·bi·la·te [jùːbəlɑ́ːtei, dʒùː-, dʒuːbəléiti ; -lɑ́ːti] *n.* 〔聖〕 시편 제100편, 그 악곡 ; 부활절 후 제3 일요일 ; [j~] 환희의 노래, 환호.

ju·bi·lee [dʒúːbəliː, ⌐-⌐] *n.* **1** 〔유태史〕 유빌리[안식]의 해《유태 민족이 Canaan에 들어간 해로부터 기산하여 50년마다의 해》 ; 〔카톨릭〕 성년(聖年) ; 대사(大赦)의 해. **2 a)** 50[25]년제(祭). **b)** 축제, 축전, 가절(佳節) : ☞ DIAMOND JUBILEE / the golden ~ 50년 축전 / the silver ~ 25년 축전. **c)** Ⓤ 환희(great joy) ; (미래의 기쁨을 노래한) 흑인 민요. —— *n.* 〔料〕 =FLAMBÉ.
〖OF＜L＜Gk.＜Heb.=ram, ram's horn trumpet, jubilee ; 후에 JUBILATE와 연상〗

Jud. 〔聖〕 Judges ; 〔聖書外典〕 Judith. **jud.** judge ; judgment ; judicial ; judiciary.

Judaea ☞ JUDEA.

Ju·dah [dʒúːdə] *n.* **1** 유태《팔레스타인의 옛 왕국》. **2** 남자 이름. **3** 〔聖〕 유다《Jacob의 넷째 아들》. 〖Heb.=praised〗

Ju·da·ic, -i·cal [dʒuːdéiik(əl)] *a.* 유태(민족[교])의, 유태인[풍]의(Jewish).
〖L＜Gk. ; ⇨ JEW〗

Ju·da·i·ca [dʒuːdéiəkə] *n.* 유태(교)의 문물, 유태 문헌.

Ju·da·ism [dʒúːdeiìzəm, -də-, -di-] *n.* **1** Ⓤ 유태교(리). **2** Ⓤ 유태주의, 유태(교)적 사고법[생활(태도)] ; [집합적으로] 유태인.
-ist *n.* 유태교도 ; 유태주의자.

Ju·da·ize [dʒúːdeiàiz, -də-, -di-] *vt., vi.* **1** 유태인풍으로 하다[되다], 유태식(式)으로 하다[다], 유태교화(化)하다.
-ìz·er *n.* **Jù·da·i·zá·tion** *n.*

Ju·das [dʒúːdəs] *n.* **1** 〔聖〕 유다《그리스도 12사도의 한 사람, 후에 그리스도를 배신함》 ; 배신자(traitor). **2** [보통 j~] (문 따위의) 엿보는 구멍(peephole). —— *a.* 후림새[미끼 짐승]로 쓰여지는. 〖⇨ JUDE〗

Júdas-còlored *a.* 머리털이 붉은.
〖*Judas* Iscariot의 머리털이 붉었다는 전설에서〗

Júdas kíss *n.* 유다의 입맞춤 ; 《비유》 위선적인 호의, 반역 행위.

Júdas trèe *n.* 〔植〕 서양박태기나무《유다가 목매달았다고 하는 나무》, (일반적으로) 박태기나무.

jud·der [dʒʌ́dər] *vi.* 《英》 심하게 진동하다[삐걱거리다]. —— *n.* 〔樂〕 (특히 소프라노 발성중에 일어나는) 음성 긴장도의 급격한 변화 ; 《英》 (엔진·기계 따위의) 심한 진동[삐걱거림].
〖imit. ; cf. SHUDDER〗

Jude [dʒúːd] *n.* **1** 남자 이름. **2 a)** [Saint ~] 성 유다. **b)** 〔聖〕 유다서(書)(the General Epistle of Jude) 《신약 성서 중의 한 편》 ; 유다《유다서의 저자》. 〖Heb.=praise〗

Ju·dea, -daea [dʒuːdíːə] *n.* 유태 《팔레스타인 남부의 고대 로마령》. **Ju·d(a)é·an** *a., n.* 유태의 ; 유태인(의).

Ju·deo-, -daeo- [dʒuːdéiou, -díː-] *comb. form* 「유태인[교]의[에 관한]」「유태와…」의 뜻. 〖L〗

Judg. 〔聖〕 Judges.

◇judge [dʒʌ́dʒ] *n.* **1** 재판관, 판사(cf. JUSTICE, MAGISTRATE) : a preliminary [an examining] ~ 예심판사 / the presiding ~ 재판장 / the chief ~ 재판장, 재판소장. **2** (경기·토론 따위의) 심판 ; 심사원. **3** 전문가, 감정가(connoisseur) : be no [a good] ~ *of* …의 감정을 못하다[잘하다]. **4** [the J~] 최고 절대의 심판자《신(神)·그리스도》. **5 a)** 〔유태史〕 심판하는 사람, 사사(士師). **b)** [J~s, 단수취급] 〔聖〕 사사기(士師記) (the Book of Judges) 《구약 성서 중의 한 편 ; 略 Judg.》.
(as) grave as a judge 자못 엄숙한.
—— *vt.* **1** 재판하다, 심리하다(try) ; 재결하다, …에 판결을 내리다 : Only God can ~ man. 신만이 사람을 심판할 수 있다. **2** [+目 / +目+前+名] …에게 판단을 내리다(cf. *vi.* 3) ; 비판[비난]하다 : ~ a person ***by*** his looks 용모로 사람을 판단하다. **3** [+目 / +目+補] 심판하다 ; 심사[감정]하다 : Mr. Smith ~*s* the dogs at the contest. 스미스씨가 품평회(品評會)에서 개의 심사를 한다 / She was ~*d* "Miss USA." 그녀는 미스 아메리카로 선발됐다. **4** [+目+補 / +目+*to* do / +*that* 節 / +*wh.* 節] (…라고) 판단하다, (…라고) 생각하다(think) : He ~*d* it better to put off his departure. 그는 출발을 늦추는 편이 낫다고 판단했다 / I ~*d* her *to be* a typist. 그 여자가 타이피스트라고 판단했다 / We ~*d that* we could not start because of rain. 우리는 비 때문에 출발하는 것은 무리라고 생각했다 / I cannot ~

whether he is honest or not. 나는 그가 정직한지 그렇지 않은지 판단할 수 없다.
—— *vi.* **1** 재판하다 ; 판결을 내리다. **2** [動/+前+名] 심판하다 ; 심사원이 되다 : ~ ***at*** the dog show 개의 품평회(品評會)에서 심사하다. **3** [動/+前+名] 판단을 내리다, 단정하다(cf. *vt.* 2) : ~ ***by*** [***from***] appearances 외견으로 판단하다 / Don't ~ ***of*** a man *by* his education. 교육만으로 사람을 판단해서는 안된다.
judging from [***by***] …으로 미루어보아 : *Judging from* what you said, he must be a very good man. 네가 말하는 것으로 미루어보아 그는 매우 선량한 사람임에 틀림없다.
~·ship *n.* judge의 직[지위, 임기, 권한].
〖OF < L *judic-* *judex* (*jus* right, law, *-dicus* speaking)〗
類義語 (1) (*n.*) ***judge*** 주어진 권한 또는 전문적인 지식·경험에 의하여 쟁의(爭議)를 재결하거나 사물의 가치를 판단하는 사람 : a *judge* of a contest(품평회의 심사원). ***arbiter*** 특정 사건에 대하여, 특히 강한 권위를 가지고 재결을 내리는 사람 : an *arbiter* of a dispute(논쟁의 중재인). ***referee, umpire*** 모두 법정이나 스포츠 용어로 어떤 일을 결정[해결]해야 할 사람.
(2) (*v.*) ⟹ INFER.
júdge ádvocate *n.* 〖軍〗 법무관《略 J.A.》, (군법회의의) 판사.
jùdge ádvocate géneral *n.* [the ~] 〖軍〗 (미국 육·해·공군 및 영국 육·공군의) 법무감, 법무총감《略 J.A.G.》.
júdge-màde *a.* 〖法〗 판결례의, 판례의, 판사가 내린 판례에 의하여 결정된 : the ~ law 판례법.
judg·mat·ic, judge-, -i·cal [dʒʌdʒmǽtik(əl)] *a.* 《口》 사려분별이 있는, 현명한.
***júdg·ment | júdge·ment** *n.* **1 a**) Ⓤ 재판, 심판. **b**) 판결. **c**) 판결의 결과 확정된 채무, 그 판결문 : a written ~ 판결문. **2** [the J~] 〖神學〗 최후의 심판《때때로 the Last Judgment라고 함 ; cf. JUDGMENT DAY》. **3** (신의 심판으로서의) 천벌, 처벌, 재난 ; 《古》 〖聖〗 정의 : It is a ~ *on* you *for* getting up late. 그것은 네가 늦잠을 잔데 대한 벌이다. **4** U,C 판단, 심사, 감정 ; Ⓤ 판단[비판]력, 사려분별, 양식, 식견(good sense) : in my ~ 나의 판단[생각]으로는 / make a ~ 판단을 하다[내리다]. **5** 의견, 견해(opinion) : form a ~ 의견을 세우다〈*on, of*〉. **6** 비판, 비난.
pass judgment (***up***)***on*** a person[case] 사람[사건]에 대한 판결을 내리다.
sit in judgment 재판하다〈*on* a case〉 ; 판단을 내리다, 비판하다〈*upon*〉.
the Day of Judgment = the JUDGMENT DAY.
the judgment of God (옛날) 신의(神意) 재판.
〖OF ; ⇨ JUDGE〗
júdgment crèditor *n.* 〖法〗 판결(에 따른) 채권자(者).
Júdgment Dày *n.* **1** [the ~] 〖宗〗 최후 심판의 날(doomsday). **2** [j~ d~] (재판의) 판결일.
júdgment dèbt *n.* 판결(에 따른) 채무.
júdgment dèbtor *n.* 판결(에 따른) 채무자.
júdgment sèat *n.* 판사석(席) ; 법정 ; [때때로 J~] (최후의 심판 날의) 심판의 뜰.
júdgment sùmmons *n.* 《英》 (확정 판결에 따른 채무 불이행에 대한) 채무자의 구금(拘禁)을 위한 소환장.
ju·di·ca·ble [dʒú:dikəbəl] *a.* (쟁의 따위가) 재판으로 해결될 수 있는.
ju·di·ca·tive [dʒú:dikèitiv ; -kə-] *a.* 재판[심판]할 권한[능력]을 갖춘.
ju·di·ca·to·ry [dʒú:dikətɔ̀:ri ; -təri] *a.* 재판(상)의, 사법의. —— *n.* **1** 재판소. **2** Ⓤ 사법 행정.
ju·di·ca·ture [dʒú:dikətʃər, -tʃùər, -kèitʃər, dʒu:díkətʃər] *n.* **1** Ⓤ 사법[재판]권. **2** Ⓤ 재판관의 권위[직권]. **3** Ⓤ 사법사무. **4** 사법부, 재판소 ; 재판관(judges).
the Supreme Court of Judicature 《英》 최고법원《고등법원과 대법원으로 구성됨》.
〖L (*judico* to judge)〗
ju·di·cial [dʒu:díʃəl] *a.* **1** 사법(司法)의, 재판의 ; 재판관의, 재판에 의한(cf. LEGISLATIVE, EXECUTIVE) : the ~ bench 판사들[일동] / ~ murder 법의 살인《적법이기는 하나 부당한 사형》/ ~ police 사법 경찰 / ~ separation 재판상의 별거(legal separation). **2** 재판관과 같은[에 어울리는]. **3** 판단력이 있는, 분별 있는, 비판적인(critical) ; 공정한, 공평한(impartial). **4** 천벌의 : ~ blindness 천벌에 의한 눈멂.
~·ly *adv.* 사법상 ; 재판에 의해서 ; 재판관답게.
〖L (*judicium* judgment 〈 JUDGE)〗
judícial revíew *n.* 사법 심사(권).
ju·di·ci·ary [dʒu:díʃièri, -ʃəri ; -ʃiəri] *n.* 사법부 ; 재판관(judges) ; 사법 제도. —— *a.* 사법의, 재판소의, 재판관의(judicial) : ~ proceedings 재판절차. 〖L ; ⇨ JUDICIAL〗
ju·di·cious [dʒu:díʃəs] *a.* 사려분별이 있는, 현명한(wise). **~·ly** *adv.* 현명하게. **~·ness** *n.*
〖F < L ; ⇨ JUDICIAL〗
類義語 ⟹ WISE.
Ju·dith [dʒú:dəθ] *n.* **1** 여자 이름《애칭 Judy》. **2** 〖聖〗 유딧《구약 경외 성서의 한 편 ; 略 Jud.》.
〖Heb. = jewess ; (fem.) 〈 JUDAH〗
Ju·dy [dʒú:di] *n.* **1** 여자 이름《Judith의 애칭》. **2** 주디《Punch-and-Judy-show의 여주인공》; [j~] 《俗》 여자, 처녀, 계집아이.
***jug**[1] [dʒʌ́g] *n.* **1** 《英》 (아가리가 넓고 손잡이가 달린) 주전자(=《美》 pitcher). **2** (맥주의) 조끼, 조끼 한잔. **3** 《俗》 교도소(prison) ; 《俗》 (엔진의) 기화기, 카뷰레터(carburetor) ; 《俗》 은행, 금고 ; [보통 *pl.*] 《俗》 유방 : in ~ 교도소에 들어가. —— *vt.* (**-gg-**) **1** [보통 *p.p.*로] (토끼 고기 따위를) 오지 그릇에 넣어 고다 : ~*ged* hare 오지 그릇에 넣어 곤 토끼 고기. **2** 《俗》 감옥에 넣다 ; 《英俗》 맥주를 따르다.
〖? *Jug* JOAN 따위의 애칭〗
jug[2] *n.* (nightingale 따위의) 울음소리.
—— *vi.* (**-gg-**) (nightingale 따위가) 짹짹 울다.
〖imit.〗
juga *n.* JUGUM의 복수형.
ju·gal [dʒú:gəl] *n., a.* 〖解〗 광대뼈(의).
〖L ; ⇨ JUGUM〗
ju·gate [dʒú:geit, -gət] *a.* 〖生〗 대생(對生)으로 된 ; 〖植〗 대생엽이 있는 ; (경화(硬貨)의 의장(意匠) 따위) 연결된, 일부 겹친.
—— *n.* 《美》 (특히 대통령과 부통령 후보의) 두 얼굴을 그린 배지(badge). 〖L *jugum* YOKE〗
júg bànd *n.* 《美》 (주전자·빨래판 같은 보통 악기가 아닌 것을 이용하여 재즈·포크 송 따위를 연주하는) 잡동사니 악대.
júg-èared *a.* 《俗》 (주전자의 손잡이처럼) 크게 돌출한 귀가 달린.
Ju·gend·stil [*G* jú:gəntʃti:l] *n.* 〖美術〗 = ART NOUVEAU.
júg·fùl *n.* (*pl.* **~s**) 주전자로 하나 가득(한 양) ; 많음 ; 대량.
Jug·ger·naut [dʒʌ́gərnɔ̀:t, 美+-nɑ̀:t] *n.* **1** 〖인

도神〕 (비슈누(Vishnu) 신의 제8화신인) 크리슈나(Krishna) 신상(神像)《이 신상을 태운 수레에 깔려 죽으면 극락 왕생을 할 수 있다고 믿었음》. **2** [때때로 j~] 《비유》 (인간의 맹목적 복종이나 무서운 희생을 강요하는) 절대적인 힘[주의·제도 따위], 불가항력적인 것.
〖Hindi *Jagannath* lord of the world〗

jug·gins [dʒʌ́gənz], **jig·gins** [dʒíg-] *n.* 《俗》 얼간이, 바보, (사기의) 봉.
〖? *Juggins* (인명 ‹JUG[1]) ; cf. MUGGINS〗

jug·gle [dʒʌ́gəl] *vi.* **1** [動/+*with*+名] 요술을 부리다, 곡예를 하다 : The conjurer ~*s* ***with*** two balls. 그 요술쟁이는 두 개의 공으로 요술을 부린다. **2** [+*with*+名] (사람을) 속이다 ; (사실을) 왜곡(歪曲)하다 : ~ ***with*** the figures 숫자를 속이다.
— *vt.* **1** [+目/+目+副/+目+前+名] …으로 요술을 부리다 : ~ several plates 몇 개의 접시를 써서 요술을 부리다 / ~ an egg *away* 요술을 부려 달걀을 없어지게 하다 / ~ a thing ***into*** another thing 요술로 어떤 물건을 다른 것으로 바꾸다. **2** 공작하다, 협잡하다 : ~ one's figures [the account] 숫자[계산]를 속이다. **3** [+目+*out of*+名] (사람을) 속여서 빼앗다(cheat) : He ~*d* her ***out of*** what little she had. 속여서 그녀의 조금밖에 없는 돈을 빼앗았다. **4** 〖野〗 (공을) 저글하다. — *n.* **1** U.C 요술. **2** U.C 사기, 협잡, 기만.
〖L *joculor* to jest (⇨ JOKE) ; 일설(一說)에 OF *jo(u)glere* juggler의 역성(逆成)〗

júg·gler *n.* 요술쟁이, 마술사 ; 사기꾼 : a ~ with words 궤변가. 〖OF<L=joker, jester (↑)〗

júg·glery *n.* U 마술, 요술 ; 사기.

júg·hèad *n.* 《俗》 노새(mule) ; 바보, 얼간이.

Jugoslav(ia) ☞ YUGOSLAV(IA).

jug·u·lar [dʒʌ́gjələr, dʒú:-] *a.* 〖解〗 목 부분의 ; 인후부의. — *n.* 경정맥(頸靜脈) (=∠ **véin**) ; [the ~] 《비유》 (적의) 최대의 약점, 급소.
〖L (*jugulum* collarbone ‹YOKE)〗

ju·gu·late [dʒʌ́gjəlèit, dʒú:-] *vt.* 목을 잘라 죽이다 ; 〖醫〗 (병세의 악화를) 강력한 요법으로 막다.

ju·gum [dʒú:gəm] *n.* (*pl.* **ju·ga** [-gə], **~s**) 〖昆〗 계수(繫垂), 날개추 ; 〖植〗 우상복엽(羽狀複葉).
〖L=yoke〗

‡juice [dʒú:s] *n.* **1** U.C (과일·야채·고기 따위의) 국물, 즙(汁), 액, 주스 : a glass of orange ~ 오렌지 주스 한잔 / a mixture of fruit ~*s* 과일즙의 믹스. **2** U.C 분비액 : gastric[digestive] ~*s* 위액. **3** U **a**) 본질, 정수(精髓) (essence) ‹*of*›. **b**) U 《口》 원기, 활기(vitality). **4** U 《口》 전기 ; 《俗》 가솔린, 석유《기타 동력원이 되는 액체》 ; [보통 the ~] 《美俗》 술, 위스키 ; 《俗》 마약. **5** 《美俗》 (도박·공갈 따위로 얻은) 돈, 이익 ; 《美俗》 좋은 지위, 힘, (정치적인) 영향력.
— *vt.* **1** …의 즙액을 짜내다. **2** …에 즙을 타다. **3** 《方·俗》 (소의) 젖을 짜다. **4** 《美俗》 (경기 전에 경주마·경기자에게) 마약 주사를 놓다.
— *vi.* 《美俗》 마약 주사를 맞다.
~·less *a.* 즙(汁)이 없는, 건조한.
〖OF<L=broth, juice〗

júice dèaler *n.* 《美俗》 암흑가의 고리 대금업자, 폭력 금융업자.

júice·hèad *n.* 《俗》 술고래, 모주꾼.

júice-jòint *n.* 《美俗》 (카니발의) 청량 음료 매점 ; 알코올류를 파는 스탠드.

júice lòan *n.* 《美俗》 고리 대금업자의 대부금, 고리채(高利債).

júice màn *n.* 《美俗》 고리 대금업자, 빚 수금원.

jui·cer [dʒú:sər] *n.* **1** 과즙(果汁)[야채즙]짜는 기구, 주서. **2** 《劇俗》 무대 조명 담당자. **3** 《美俗》 술고래.

***juicy** [dʒú:si] *a.* **1** 수분이 많은, 다즙의, 즙이 많은(succulent) ; 《口》 (날씨가) 비 내리는 ; (길 따위가) 질척질척한 ; 〖美術〗 (색채가) 윤기가 있는 ; 《俗》 육감적인, 멋진. **2** 《口》 흥미 진진한 ; 《口》 활기가 있는(lively), 기운찬. **3** 《口》 벌이가 되는, 수입이 좋은.
júic·i·ly *adv.* **-i·ness** *n.* 〖JUICE〗

ju·ju [dʒú:dʒu:] *n.* (서부 아프리카 원주민의) 부적(charm), 주물(呪物), 액막이 ; 마력 ; 금기.
〖? F *joujou* toy ; cf. Hausa *djudju* fetish〗

ju·jube [dʒú:dʒu:b] *n.* 〖植〗 대추나무(열매) ; (대추 냄새가 나는) 젤리. 〖F or L<Gk. *zizuphon*〗

júju mùsic *n.* 〖樂〗 주주 뮤직《아프리카의 리듬과 최신(最新)의 일렉트릭 사운드를 혼합한 새로운 포퓰러 뮤직》.

juke[1] [dʒú:k] *vt., n.* 《美俗》 (미식 축구 따위에서) 거짓 동작으로 (상대를) 속이다[속이기].
〖? *jouk* (dial.) to cheat〗

juke[2] *n.* 《美俗》 =JUKEBOX ; =JUKE HOUSE.
— *vi.* 《美俗》 주크박스의 음악에 맞추어 춤추다. 〖Gullah *juke* disorderly〗

júke·bòx *n.* 주크박스《요금을 넣고 단추를 누르면 자기가 택한 곡이 나옴》. 〖↑, BOX[1]〗

júke hòuse *n.* 《美南部》 싸구려 여인숙[술집] ; 《美南部》 매춘굴.

júke jòint *n.* 《美俗》 (JUKEBOX가 있는) 싸구려 음식점 ; (도로변의) 선술집.

Jukes [dʒú:ks] *n.* [the ~] 주크가(家)《New York 주(州)에 실재했던 한 집안의 가명(假名)으로 빈곤·범죄·질병 따위의 악질 유전의 전형 ; cf. KALLIKAK》.

Jul. Jules ; Julius ; July.

ju·lep [dʒú:ləp] *n.* **1** U (먹기 힘든 약에 가미하는) 설탕물 ; 〖醫〗 물약. **2** U 《美》 줄렙《위스키에 설탕·박하 따위를 탄 청량 음료》.
〖OF<Pers. *gulāb* rose water〗

Ju·lia [dʒú:ljə] *n.* 여자 이름.

Ju·lian [dʒú:ljən] *n.* 남자 이름. — *a.* Julius Caesar의 ; 율리우스력의.

Ju·li·ana [dʒù:liǽnə ; -á:nə, -ǽnə] *n.* 여자 이름.

Júlian cálendar *n.* [the ~] 율리우스력(曆) 《Julius Caesar가 제정한 옛 태양력 ; cf. GREGORIAN CALENDAR》.

Ju·lie [dʒú:li] *n.* 남자 이름《Julius의 애칭》.

ju·li·enne [dʒù:lién, ʒù:-] *n.* 〖料〗 잘게 썬 야채가 든 묽은 수프 ; [형용사적으로] (고기·야채·과일 따위를) 잘게 썬 : ~ potatoes[peaches] 잘게 썬 감자[복숭아]. — *vt.* 잘게 썰다.
〖F (*Jules* or *Julien* 사람 이름)〗

Ju·li·et [dʒú:ljət, dʒù:liét, ∠-∠] *n.* **1** 여자 이름. **2** 줄리엣《Shakespeare 작 *Romeo and Juliet*의 여자 주인공》. 〖It (dim) ; ⇨ JULIA〗

Júliet càp *n.* 보석 따위로 장식된 머리 뒷 부분에 쓰는 여성모(帽)《반정장(半正裝)·신부 의상용》.

Juliet cap

Ju·lius [dʒú:ljəs] *n.* 남자 이름《애칭 Jule, Julie》.
〖L=? downy-bearded〗

Julius Caesar ☞ CAESAR.

◇Ju·ly [dʒu(:)lái, dʒə-] *n.* (*pl.* **~s**) 7월《略 Jul., Jy.》:

~ the Fourth 7월 4일《미국의 독립기념일 ; =INDEPENDENCE DAY》. 〚AF<L (*Julius* Caesar) ; cf. AUGUST, MARCH〛

jum·ble[1], **-bal** [dʒʌ́mbəl] *n.*《美》고리 모양의 얄팍한 사탕과자. 〚변형 <? *gimmal* GIMBALS〛

jumble[2] *vt.* [+目/+目+副] 난잡하게 하다, 뒤범벅으로 만들다 ; (사람의) 머리를 혼란시키다 : Don't ~ *up* the things in the drawer. 서랍속의 물건을 뒤범벅으로 만들어서는 안된다. —— *vi.* 뒤범벅이 되다, 뒤섞이다 ; 무질서하게 떼를 지어 나아가다. —— *n.* **1** 뒤범벅(이 된 것), 잡동사니 (medley). **2** 혼란(disorder) ; 동요 : fall into a ~ 혼란에 빠지다.

júm·bly *a.* 뒤죽박죽의, 혼란한.

〚? imit. ; *joll* (dial.) to bump+*tumble*인가〛

類義語 ⟹ CONFUSION.

júmble sàle *n.*《英·濠》(자선 bazzar 따위의) 잡화[중고품]를 싸게 파는 시장, 싸구려 시장 (rummage sale).

júmble shòp *n.*《英》잡화점, 염가품[싸구려] 판매점.

jum·bo [dʒʌ́mbou] *n.* (*pl.* **~s**)《口》커다란[거대한] 것, 거한(巨漢), 거대한 짐승 ;《口》=JUMBO JET. —— *a.* 유난히 큰(huge) ;《口》특대(特大)의. 〚? Mumbo *Jumbo*〛

júmbo·ize *vt.* (탱커 따위를) (초)대형화하다.

júmbo jét *n.* 점보 제트《초대형 여객기》.

jum·buck [dʒʌ́mbʌ̀k] *n.*《濠口》양(羊).

◇**jump** [dʒʌ́mp] *vi.* **1** [動/+副/+前+名] 뛰다, 뛰어오르다, 도약하다(leap) ; (짐승이) 장애물을 뛰어넘다 : ~ *aside* 홱 비켜서다 / ~ for joy ☞ JOY *n.* 1 / I ~*ed* ***up out of*** the chair. 의자에서 벌떡 일어섰다 / ~ ***over*** a fence 담을 뛰어넘다 / ~ ***into*** a taxi 택시에 뛰어올라 타다 / ~ ***to*** one's feet ☞ *to* one's *feet* (☞ FOOT) / ~ *to* [***at***] a conclusion《비유》속단하다. **2** [動/+前+名/+副] 약동하다 ; (놀라서) 움찔하다 ; (충치 따위가) 쑤시다 ;《美俗》홍청거리며 떠들어대다, 활기가 있다 ; 직업을 이리저리 바꾸다 : My heart ~*ed* when I met her. 그녀를 만났을 때 내 가슴은 뛰었다 / I ~*ed* ***at*** the unexpected news. 그 뜻밖의 소식에 나는 움찔했다. **3** [動/+副] (물가 따위가) 폭등하다 ; 빠르게 출세[승진]하다 ; (화제가) 비약하다 : Prices have ~*ed* (***up***). 물가가 갑자기 올랐다. **4** [+*with*+名] 일치하다 (agree) : That ~*s* ***with*** the spirit of the age. 그것은 시대 정신과 일치한다. **5**〖映〗화면이 끊어져서 건너뛰다 ;〖체스〗상대방의 말을 뛰어넘어서 잡다.

〈회화〉
How did you feel when you got the notice that you had passed? — I was so happy I was *jumping* up and down. 「합격 통지를 받았을 때 기분이 어땠니」「나는 너무 좋아서 팔딱팔딱 뛰었어」

—— *vt.* **1** 뛰어넘다 : The ditch was so broad that nobody could ~ it. 도랑의 폭이 넓어서 아무도 뛰어넘을 수 없었다 / A train ~*ed* the rails [track]. 열차가 탈선했다. **2** [+目/+目+*over*+名] 뛰어넘게 하다 : He managed to ~ his horse ***over*** the hurdle. 말에게 그 허들을 뛰어넘게 할 수 있었다. **3** 뛰어오르게[뛰게] 하다, 어르다, 달래다(dandle) : A woman was ~*ing* her baby ***on*** her knees. 한 부인이 무릎 위에서 갓난아기를 어르고 있었다. **4** (물가를) 올리다. **5** (사냥감을) 뛰어 오르게 하다 ; (사람·신경을) 갑자기 놀라게 하다(startle). **6**《美俗》피하다, 도망치다 ; 놓이 뛰다 : ~ town 마을에서 도망치다. **7** (책을) 건너 뛰어 읽다(skip over). **8** 횡령하다 : ~ a claim 남의 토지[광산]를 횡령하다. **9**《口》(화물차에) 몰래 타다. **10**《美口》갑자기 습격하다, …에 덤벼들어 강탈하다 ; 비난하다. **11** [보통 *p.p.*로] (감자 따위를) 프라이 팬에 튀기다. **12**〖체스〗상대방의 말을 뛰어넘어서 잡다.

jump at . . . (1) ☞ *vi.* 1. (2) (초대·제의·직업 따위에) 달려들다, 기꺼이 응하다 : He ~*ed at* the offer. 그는 그 제안에 쾌히 응했다.

jump down a person***'s throat*** ☞ THROAT.

jump off 나가다, 시작하다 ;〖馬〗장애 비월의 결승 라운드를 시작하다[에 나가다].

jump out of one's ***skin*** ☞ SKIN.

jump the queue ☞ QUEUE.

jump (***up***)***on*** . . . (사람 등)에게 덤벼들다 ;《口》(남을) 통렬하게 비난[공격]하다, 호되게 꾸짖다 : Miss Black ~*ed on* a nodding pupil. 블랙 선생님은 꾸벅꾸벅 졸고 있는 학생을 호되게 꾸짖었다.

—— *n.* **1** 뛰기, 뛰어오르기, 도약(leap) : the broad[long] ~ 멀리뛰기 / the pole ~ 장대 높이뛰기 / the (running) high ~ 높이뛰기. **2** 낙하산 강하. **3** (보통 비행기에 의한) 짧은 여행 (hop). **4** [보통 the ~s]《口》(알코올 중독 따위의) 신경성 경련[떨림], 섬망증(譫妄症) (delirium tremens). **5** (토론 따위의) 급전(急轉), 중절 (break). **6** (가격·시세 따위의) 급등 : a ~ ***in*** exports 수출 급증. **7**〖체스〗상대방의 말을 뛰어넘어서 잡기.

all of a jump《口》움찔움찔하여.

at a jump 훌쩍 뛰어, 단번에.

get [***have***] ***the jump on*** . . .《美俗》(먼저 시작했으므로) …보다 우세하다, …을 앞지르다.

give a person ***a jump*** [***the jumps***]《口》남을 깜짝 놀라게 하다.

on the jump《口》=*all of a* JUMP ;《美口》동분서주하여, 부산하게, 눈코 뜰 사이 없이.

—— *a.* **1**〖재즈〗템포가 빠른, 빠른 템포의 ;《口》신경질적인, 벌벌 떠는. **2** 낙하산 (부대)의.

—— *adv.*《廢》정확히, 꼭.

〚C16<? imit. ; cf. LG *gumpen* to jump〛

類義語 ***jump*** 지면·물체의 표면·어떤 한 점에서 공중으로 뛰다[뛰어오르다] : He *jumped* from a chair. (그는 의자에서 벌떡 일어났다). ***leap*** 공중으로 높이 또는 어느 점까지 뛰어오르다 ; jump보다 경쾌하고 활기가 있는 것을 암시함 : *leap* across a brook (시내를 건너뛰다). ***spring*** 돌연 재빠르게 또는 힘찬 기세로 jump 또는 leap하다 : The girl *sprang* up with fear. (소녀는 공포에 질려 펄쩍 뛰었다).

júmp àrea *n.*〖軍〗낙하산 부대의 강하지(降下地)《적진 후방》.

júmp bàll *n.*〖籠〗(시합 개시의) 점프 볼.

júmp bèlt *n.* =JET BELT.

júmp bìd *n.*〖카드놀이〗(bridge에서) 필요 이상으로 올리는 금액[점수] ; 그 선언.

júmp blùes *n. pl.*〖樂〗점프 블루스《1940년대에 유행한 리드미컬한 블루스》.

júmp cùt *n.* (영화의) 화면을 건너뛰게 함.

júmp-cùt *vi.*

júmped-ùp *a.* 신흥(新興)의.

júmp·er[1] *n.* **1** 도약하는 것[사람] ; 도약 선수. **2** 뛰어오르는 벌레《벼룩 따위》.

〚JUMP〛

***jumper**[2] *n.* **1** 점퍼, 작업용 상의《선원 등이 입음》.

2 (여성·어린이용의) 점퍼 드레스[스커트]. 3 《英》 (블라우스 위에 입는 것으로 보통 머리부터 입는) 헐거운 상의, 스웨터《여성·어린이용》. 4 [*pl.*] 롬퍼스(rompers).
〖? *jump* (dial.) short coat < ? F *jupe*〗

júmp hèad *n.* (신문·잡지의) 다른 페이지로 계속된 기사의 표제.

júmp·ing *n.* Ⓤ 도약. ── *a.* 도약하는, 뛰는《동물》; 도약[점프](용(用))의 : a ~ rope 줄넘기용의 줄.

júmping bèan[**sèed**] *n.* 〖植〗 멕시코산(產) 대극과(科) 식물의 종자《속에 든 벌레가 움직이는데 따라 씨가 움직임》.

júmping gène *n.* 〖遺〗 움직이는 유전자.

júmping jàck *n.* 1 (손발이나 몸통이 연결되어 있어서 거기에 달려 있는 끈[막대기]을 잡아 당기면 여러가지 동작을 하는) 춤추는 인형. 2 〖스포츠〗 거수(擧手)도약 운동《차려 자세에서 뛰면서 발을 벌리고 머리 위에서 양손을 마주쳤다가 다시 원상태로 돌아오는》.

júmp·ing-óff plàce[**pòint**] *n.* 《美》 1 인가(人家)에서 멀리 떨어진 곳; 외딴 곳. 2 극한, 막다른 곳. 3 (여행·사업·연구 따위의) 기점, 출발점(point of departure).

júmp jèt *n.* 《英口》 수직 이착륙기(VTOL).

júmp jòckey *n.* 《英》 〖競馬〗 장애물 경주 기수.

júmp lìne *n.* (신문·잡지 따위에서) 기사의 후속 페이지의 지시.

júmp·màster *n.* 〖軍〗 (낙하산 부대의) 강하 담당 장교.

júmp nùmber *n.* 〖樂〗 점프 넘버《리드미컬한 가락의 록이나 재즈곡(曲)》.

júmp-òff *n.* 출발(점), (공격·경쟁의) 개시; (장애물 경주에서 동점이 된 말의) 결승전.

júmp ròpe *n.* 《美》 줄넘기의 줄(skipping rope).

júmp sèat *n.* (자동차 따위의) 접는 식의 보조석; (마차 안의) 가동(可動) 좌석.

júmp shòt *n.* 〖籠〗 점프 슛.

júmp-stàrt *vt.* (자동차를) 밀어서 시동이 걸리게 하다.
── *n.* (자동차를) 밀어서 시동걸기.

júmp·sùit *n.* 낙하산 강하용 복장; 그와 비슷한 위 아래가 붙은 캐주얼 웨어.

júmpy *a.* 도약성의; (병적으로) 씰룩씰룩하는, 경련성의; 신경질적인.

Jun. June; Junior; Junius. **jun.** junior.

Junc., junc. junction.

jun·co [dʒʌ́ŋkou] *n.* (*pl.* **~s, ~es**) 〖鳥〗 흰멧새《북미산(產)》. 〖Sp.<L *juncus* rush plant; 사는 장소에서〗

junc·tion [dʒʌ́ŋk∫ən] *n.* 1 a) Ⓤ 접합, 연접(連接), 연락; 〖電子〗 (반도체 내의 전기적 성질이 다른 부분의) 접합. b) Ⓒ 접합점; (고속도로의) 교차점; (강의) 합류점. 2 연락역, 갈아타는 역; 〖電〗 접합기. 3 〖文法〗 연결《*barking dogs*와 같이 1차어와 2차어의 결합으로 이루어지는 어군(語群); cf. NEXUS》. 〖L; ⇨ JOIN〗

júnction bòx *n.* 〖電〗 접속상자.

júnction transìstor *n.* 〖電子〗 접합(接合) 트랜지스터.

junc·ture [dʒʌ́ŋkt∫ər] *n.* 1 Ⓤ 접속, 연결, 접합; 관절; Ⓒ 접합점, 연락 부분. 2 전기(轉機), 정세; 위기(crisis) : *at* this ~ 이 중대시기에, 차제에. 3 〖言〗 연접(連接)《말하고 있는 도중에 숨이 끊어지는 느낌; 예컨대 a name과 an aim은 연접 위치의 차이에 따라 구별됨》. 〖L; ⇨ JOIN〗

◇**June** [dʒúːn] *n.* 6월《略 Jun., Je.》. 〖OF<L *Junius* month of JUNO〗

Júne bèetle[**bùg**] *n.* 왕풍뎅이《유럽·북미산》.

Júne·bèrry [,-bəri] *n.* 〖植〗 채진목류의 나무(의 열매).

Jung·frau [júŋfrau] *n.* [the ~] 융프라우《스위스 Alps 산맥 중의 고봉; 해발 4164m》.

***jun·gle** [dʒʌ́ŋgəl] *n.* 1 [보통 the ~] (인도·말레이시아 반도 따위의) 총림(叢林)(지대), 정글, 밀림 : the law of the ~ 정글의 법칙《약육강식》/ cut a path through the ~ 정글속에 길을 트다. 2 《비유》 혼란, 착잡; 미궁. 3 비정한 생존경쟁(의 장); 《俗》 (특히 대공황 때의) 실업자나 부랑자의 캠프, (도시의 실업자의) 집합소. 〖Hindi<Skt.=desert, forest〗

júngle bùnny *n.* 《蔑》 흑인, 니그로.

júngle càt *n.* 인도의 살쾡이.

júngle féver *n.* (밀림지 발생의) 정글열(熱).

júngle fòwl *n.* 〖鳥〗 멧닭《닭의 원종》.

júngle gým *n.* 정글 짐《나무나 철봉을 가로 세로로 얽어 만든 아동용 운동 시설로 초등학교·유치원 따위에 만들어 놓음》.

júngle jùice *n.* 《俗》 (특히 자기 집에서 빚은 싸구려의) 독한 술, 밀조주; 《濠俗》 등유.

júngle ròt *n.* 《俗》 열대의 피부병.

júngle tèlegraph *n.* =BUSH TELEGRAPH.

jún·gly *a.* 정글[밀림]의.

‡**jun·ior** [dʒúːnjər] *a.* 1 a) 연소한(younger) 《특히 두 형제 중의 동생·같은 이름의 부자 중의 아들·같은 이름의 학생 중의 연소자를 가리킴; cf. SENIOR》 : John Smith ~ 동생[아들]인 존 스미스. ㊟ 보통 John Smith, Jr. 의 형식을 취하나 콤마는 생략하는 경우가 많고 또 jr.로 쓰는 경우도 있음.

> **junior를 이용한 문장 전환**
> She is three years *younger than* I.
> → She is three years *junior to* me.
> → She is *junior to* me *by* three years.
> → She is three years my *junior*.
> (그녀는 나보다 세살 아래다.)

b) 청소년용의. 2 후진의, 하위(下位)의, 〖法〗 (채권 따위의) 후순위(後順位)의 : a ~ partner (합명회사의) 하급 사원. 3 《美》 (4년제 대학·고교의) 3학년의; (2년제 대학의) 1학년의 : the ~ class (4년제 대학의) 3학년; (2년제 대학의) 1학년. 4 소형의, 소규모의 : a ~ hurricane 소규모의 허리케인.
── *n.* 1 a) 손아래, 연소자 : He is my ~ by three years. =He is three years my ~. 그는 나보다 세 살 (손)아래다. b) 후진, 후배 : my ~*s* 나의 후배들. 2 a) [때때로 J~] 아들, 2세. b) 젊은 여성, 아가씨 : coats for teens and ~*s* 10대 소녀나 젊은 여성용의 웃옷. 3 《美》 (4년제 대학·고교의) 3학년생; (2년제 대학의) 1학년생 (cf. FRESHMAN, SOPHOMORE, SENIOR).
〖L (compar.) <*juvenis* young〗

júnior cóllege *n.* (미국의) 2년제 대학, (한국의) 전문대학; 성인 교육 학교.

júnior combinátion ròom *n.* (Cambridge 대학의) 학생 사교실《略 J.C.R.; cf. JUNIOR COMMON ROOM》.

júnior cómmon ròom *n.* (Oxford 대학 따위의) 학생 사교실《略 J.C.R.》.

júnior hígh (**schòol**) *n.* 《美》 하급 고등학교 《7, 8, 9학년의 3년제; 다음은 senior high school로 올라감》, (한국의) 중학교.

ju·nior·i·ty [dʒùːnjɔ́(ː)rəti, -njɑ́r-] *n.* **1** 연소, 손아래. **2** 후진, 후배 ; 하급, 하위.
Júnior Léague *n.* [the ~] 《美》 여자 청년 연맹 《상류 여성들로 구성된 사회봉사 활동 단체》.
Júnior Léaguer *n.* 여자 청년 연맹 회원.
júnior míss *n.* 《美》 소녀[젊은 여성] 《13세에서 15-6세》 ; 주니어 (사이즈)《날씬한 젊은 여성용의 옷 사이즈》.
júnior schóol *n.* 《英》 (7-11세 아동을 교육하는) 초등학교(cf. PRIMARY SCHOOL).
júnior vársity *n.* 《美》 대학[고교] 운동부의 2군 팀《varsity의 하위 ; cf. JAYVEE》.
ju·ni·per [dʒúːnəpər] *n.* 〖植〗 향나무속(屬)의 식물《상록 교목 ; 그 솔방울은 약용·향료용》.
〖L *juniperus*〗
junk[1] [dʒʌ́ŋk] *n.* **1** Ⓤ 못쓸 것, 폐물《고철·허섭쓰레기 따위》 ; 《美俗》 시시한 이야기[상연물], 싸구려 ; 《俗》 마약, 헤로인 : be on the ~ 마약 중독이다. **2** Ⓤ (큰) 덩어리(lump, chunk), 두터운 조각〈*of*〉. **3** 〖海〗 소금에 절인 고기. **4** 낡은 밧줄 토막. **5** (향유고래의) 두부(頭部) 지방 조직.
── *vt.* 《美口》 (못쓸 것으로) 던져버리다 ; 《俗》 (경기자·경주마)에게 흥분제[마약 주사]를 놓다.
〖ME *jonke* old useless rope〗
junk[2] *n.* 정크《중국해(海) 부근에서 사용하는 보통 3개의 마스트가 있고 바닥이 평평한 돛배》.
〖F, Port. or Du.<Jav. *djong*〗
júnk àrt *n.* 폐물 이용 조형 미술. **júnk àrtist** *n.* 폐물 이용 조형 미술가.
júnk-bàll *n.* 《野俗》 변칙 투구법의 속구. ── *a.* 변칙(투구)의.
júnk bònd *n.* 《美》 정크채(債)《신용도가 낮아 얼른 보기에 쓰레기(junk)나 다름없는 채권이지만 위험성이 높은 만큼 이율도 높음》.
júnked úp *a.* 《美俗》 마약[헤로인]에 취해 있는.
júnk·er *n.* 《美俗》 고물 자동차, 부서진 기계 ; 마약 상습자[밀매인]. 〖JUNK[1]〗
Jun·ker [júnkər] *n.* **1** 융커《독일의 귀족·특권계급의 귀공자》. **2** 융커 당원 《19세기 중엽의 프로이센의 보수적 귀족 당원》.
~·dom *n.* 융커 계급[사회]. **~·ism** *n.* 융커 정체(政體)[정책, 주의]. 〖G=young lord〗
jun·ket [dʒʌ́ŋkət] *n.* **1** Ⓤ 응유(凝乳) ; Ⓒ 응유제 식품. **2** 유람 여행, 환락 ; 연회(feast) ; 《美》 (관비의) 유람 여행. ── *vi.* 야외로 놀러 가다 ; 《美》 (관비로) 유람 여행하다. ── *vt.* …을 유람 여행으로[주연을 베풀어] 대접하다.
〖OF *jonquette* rush basket (used for junket)<L *juncus* rush〗
jun·ke·teer [dʒʌ̀ŋkətíər], **júnket·er** *n.* 《美》 관비로 (비공식) 여행하는 사람.
júnk fòod *n.* 정크 푸드《칼로리는 높으나 영양가가 낮은 스낵풍의 식품》 ; (식품 대체물이 든) 즉석 식품 ; 시시한[쓸모 없는] 것.
júnk·hèap *n.* =JUNKYARD ; 《俗》 고물 자동차.
junk·ie [dʒʌ́ŋki] *n.* 《口》 =JUNKMAN 1 ; 《蔑》 마약 중독자 ; (널리) 무엇에 미친 사람, 몰두한 사람, 열광자. 〖JUNK[1]〗
júnk jèwelry *n.* 《美口》 싸구려 모조 장신구.
júnk màil *n.* 《美》 쓰레기통행(行)의 우편물《광고 우편물 따위의 수취인의 명시도 없이 오는 제3종 우편물》.
júnk·màn *n.* **1** 《美》 고물장수, 폐품업자. **2** [-mən] 정크의 선원.
júnk scùlpture *n.* =JUNK ART.
júnk scùlptor *n.*
júnk shòp *n.* 고물선구상(船具商)(marine store) ; 《蔑》 고물상.
júnky *n.* 《口》 =JUNKIE.
── *a.* 잡동사니의, 2급품의.
júnk·yàrd *n.* 고철[넝마]을 쌓아 두는 곳.
Ju·no [dʒúːnou] *n.* **1** 〖로神〗 주노《Jupiter의 아내, 〖그神〗의 Hera에 해당》. **2** Ⓒ 고상한 미인(queenly woman). **3** 〖天〗 제3번째 소행성(小行星). 〖L ; 'youthful one'의 뜻인가〗
Ju·no·esque [dʒùːnouésk] *a.* (여성이) 당당하고 기품이 있는, 풍채가 훌륭한 ; 풍만한. 〖↑〗
Junr., junr. junior.
jun·ta [dʒʌ́ntə, 美+hún-, 美+hʌ́n-, 英+dʒún-] *n.* **1** (스페인·남미 따위의) 행정 기관, (특히 혁명 정권 수립 후의) (군사) 정권, (혁명) 평의회. **2** =JUNTO. 〖Sp. and Port.<L *juncta*‹JOIN〗
jun·to [dʒʌ́ntou] *n.* (*pl.* ~**s**) (정치상의) 비밀결사, 도당(徒黨)(faction). 〖↑〗
***Ju·pi·ter** [dʒúːpətər] *n.* **1** 〖로神〗 주피터《모든 신들의 왕이며 하늘의 지배자 ; 〖그神〗의 Zeus에 해당 ; cf. JOVE, JUNO》. **2** 〖天〗 목성(木星).
〖L *Jup(p)iter* (JOVE, PATER)〗
Júpiter Effèct *n.* 목성 효과《행성 직렬에 의한 태양계에의 영향》.
Júpiter Sýmphony *n.* 주피터 교향곡《Mozart의 제41번 교향곡》.
jura *n.* JUS의 복수형.
ju·ral [dʒúərəl] *a.* 법률상의, 사법상의 ; (도덕상의) 권리·의무에 관한. **~·ly** *adv.* 〖JUS〗
ju·rant [dʒúərənt] *a., n.* 〖法〗 선서하는 (사람).
Ju·ras·sic [dʒuərǽsik] *a.* 〖地質〗 쥐라기(紀)[계(系)]의 : the ~ period 쥐라기(紀).
── *n.* [the ~] 〖地質〗 쥐라기[계].
〖F (*Juar* mountains) ; cf. TRIASSIC〗
ju·rat [dʒúəræt] *n.* **1** (프랑스나 Channel Islands 의) 종신[명예] 치안판사 ; (특히 Cinque Ports 의) 시(市) 관리. **2** 〖法〗 선서 진술서의 끝 부분 《선서 장소·일시·선서자 및 선서 입회관의 성명이 기재됨》.
〖L=sworn man (*juro* to swear)〗
ju·ra·to·ry [dʒúərətɔ̀ːri ; -təri] *a.* 〖法〗 선서의.
Jur. D. *Juris Doctor* 《L》 (=Doctor of Law).
ju·rid·i·cal [dʒuərídikəl] *a.* **1** 사법상[재판상]의(judicial) : ~ days 재판기일, 개정일. **2** 법률상의(legal) ; 재판관 직무의, 판사직의 : a ~ person 법인(法人). **~·ly** *adv.* 사법상 ; 법률상.
〖L (JUS, *dico* to say)〗
ju·ri·met·rics [dʒùərəmétriks] *n.* 계량(計量)법학《사회과학의 과학적 분석법을 써서 법률문제를 다룸》. **jù·ri·mét·ri·cist, jù·ri·met·rí·cian** *n.*
ju·ris·con·sult [dʒùərəskɑ́nsʌlt, 美+-kənsʌ́lt] *n.* 법률[민법]학자. 〖L〗
jurisd. jurisdiction.
ju·ris·dic·tion [dʒùərəsdíkʃən] *n.* 《略 jurisd.》 Ⓤ 사법[재판]권 ; 지배(권), 관할권 ; Ⓒ (사법) 관할구, 관구 : have[exercise] ~ *over* …을 관할하다. **~·al** *a.* 사법권의, 재판권의 ; 관할권의 ; 관할의. 〖OF and L ; ⇨ JUS, DICTION〗
Jú·ris Dóctor [dʒúərəs-] *n.* 법학박사.
〖NL=doctor of law〗
jurisp. jurisprudence.
ju·ris·pru·dence [dʒùərəsprúːdəns] *n.* Ⓤ 법학, 법률[법리]학《略 jurisp. ; cf. LAW 1 d)》 : medical ~ 법의학. **-pru·den·tial** [-pruːdénʃəl] *a.*
〖L ; ⇨ JUS, PRUDENT〗
jù·ris·prú·dent *a.* 법률[법리]에 정통한. ── *n.* 법률학자, 법리학자.
ju·rist [dʒúərəst] *n.* **1** 법학자 ; 《英》 법학도. **2**

《美》 법률 전문가(lawyer)《재판관·변호사 등》. 〖F or L ; ⇨ JUS〗

ju·ris·tic, -ti·cal [dʒuərístik(əl)] *a.* 법학자적인, 법학도의 ; 법학의, 법률상의.

jurístic áct *n.* 법률 행위.

jurístic pérson *n.* 〖法〗 법인(artificial person).

ju·ror [dʒúərər, 美+-rɔ:r] *n.* **1** 배심원(juryman). **2** 선서자(cf. NONJUROR). **3** (경쟁·전시회 따위의) 심사위원. 〖AF<L ; ⇨ JURY[1]〗

***ju·ry**[1] [dʒúəri] *n.* **1** 〖法〗 배심(陪審)《시민 중에서 선정된 12명의 배심원들이 사실 심리에 임하여 피고가 유죄(guilty)냐 무죄(not guilty)냐에 대해서 평결(verdict)을 내림》: coroner's ~ ☞ CORONER / ☞ GRAND JURY / ☞ PETTY JURY / ☞ TRIAL JURY. **2** (콩쿠르·전시회 따위의) 심사위원회[단].

a trial by jury 배심(에 의한) 재판.

be [sit, serve] on a jury 배심원으로 있다[이 되다, 의 직을 맡다].

the jury of public opinion 《비유》 (어떤 문제를 재결(裁決)하는) 세론, 여론.

—— *vt.* (출품작 따위를) 심사하다 ; (미술전 따위)에의 전시 작품을 고르다.

〖OF *juree* oath, inquiry<L (*juro* to swear)〗

jury[2] *a.* 〖海〗 임시의, 응급의(temporary). 〖C17<? ; cf. F *ajurie* aid〗

júry bòx *n.* (법정의) 배심원석.

júry fìxer *n.* 《美俗》 배심원 매수자.

júry·man [-mən] *n.* 배심원.

júry màst *n.* 〖海〗 응급 마스트, 임시 돛대.

júry of mátrons *n.* 부인 배심《임신을 이유로 피고가 사형 집행정지를 청구했을 때 임신 판정을 하는 기혼부인의 배심》.

júry-pàck·ing *n.* 배심원 확보, 배심원 매수.

júry pròcess *n.* 〖法〗 배심원 소환 영장.

júry-rìg *n., vt.* 〖海〗 응급 장비(로 바꾸다).

júry-rìgged *a.* 〖海〗 응급 장비의.

júry ròom *n.* 배심원실.

jus [dʒʌ́s] *n.* (*pl.* **ju·ra** [dʒúərə]) 〖法〗 법, 법률 ; 법적 권리. 〖L *jur- jus* law, right〗

jus. justice.

jus ca·non·i·cum [dʒʌ́s kənɑ́nəkəm] *n.* 교회법(canon law). 〖L〗

jus ci·vi·le [dʒʌ́s siváili(:), -ví:-] *n.* 시민법, 민법(civil law). 〖L〗

jus di·vi·num [jú:s diwí:num] *n.* 신법(神法) ; 신권(神權). 〖L〗

jus gen·ti·um [dʒʌ́s dʒénʃiəm] *n.* 만민법 ; 국제법. 〖L〗

jus na·tu·ra·le [dʒʌ́s nætʃəréili(:)], **jus na·tu·rae** [dʒʌ́s nətjúəri:] *n.* 자연법. 〖L〗

jus san·gui·nis [dʒʌ́s sǽŋgwənəs] *n.* 〖法〗 혈통주의《출생아는 부모가 시민권을 가진 나라의 시민권을 얻는다는 원칙》. 〖L〗

jus·sive [dʒʌ́siv] *a.* 〖文法〗 명령을 나타내는.

—— *n.* 명령법[어·격·형].

〖L *juss- jubeo* to command〗

jus so·li [dʒʌ́s sóulai, -li:] *n.* 〖法〗 출생지주의《출생아는 태어난 나라의 시민권을 얻는다는 원칙》. 〖L=right of the soil〗

◇**just**[1] [dʒʌ́st] *a.* (보통 **more** ~ ; **most** ~) **1** (사람·행위 따위가) 바른, 공정한, 공명정대한 : He tried to be ~ *to* all the people concerned. 관계된 모든 사람에게 공평하려고 애썼다 / She is fair and ~ in judgment. 그녀의 판단은 공정하다. ㈜ 비교변화는 보통 more, most를 붙인다 : Nobody could be *more* ~ than he. 그 남자만큼 공명정대한 사람은 없을 게다. **2** 정당한(lawful) ; (요구·보수 따위가) 타당한 : It's only ~ that he should claim it. 그가 그것을 요구하는 것은 너무도 당연하다. **3** (생각 따위가) 충분히 근거 있는 : a ~ opinion 지당한 의견.

—— [dʒəst, dʒʌst, dʒʌ́st] *adv.* **1** 바로, 틀림없이, 꼭(exactly, precisely) (cf. JUSTLY) : ~ then= ~ at that time 바로 그 때 / ~ as you say 바로 말씀하신 그대로 / ~ as it is[was] 그대로 / ~ there 꼭 그 장소에 ; 꼭 저기에 / That is ~ it [the point]. 바로 그것[그 점]이다. **2** [완료형에 부가하여] 바로 지금 (…한 찰나) : He *has* (only) ~ *come*. 바로 지금 왔다(cf. JUST[1] *now*). **3** [때때로 only를 동반하여] 간신히, 겨우(barely) : *only* ~ enough 겨우, 간신히 / I was (*only*) ~ in time for school. 간신히 학교(등교) 시간에 댔다. **4** 《口》 아주(quite), 정말로(really) : I am ~ starving. 정말 배고파 죽겠다 / It is ~ splendid. 그저 훌륭할 따름이다. **5** [부정 의문형의 반어] 《俗》 전적으로, 대단히 : Do you like beer? — Don't I ~! 맥주를 좋아하시나요 — 좋아하는 정도가 아니지요 (아주 좋아해요)! **6** 다만, 겨우(only) : ~ a little 겨우 조금 / I came ~ because you asked me to come. 네가 와달라고 해서 온 것이다. **7** [명령형의 뜻을 완화시켜] 좀, 조금 : *J*~ look at this picture. 이 그림을 좀 보시오 / *J*~ fancy[think of it]. 좀 생각해 보아라 / *J*~ a moment, please. 잠깐 기다려 주시오.

just about 《美口》 (1) 대체로, 거의(almost) ; 겨우 그럭저럭, 가까스로(barely). (2) [의미를 강조해서] 바로, 전적으로(quite) : ~ *about* everything 이것저것 모두.

〈회화〉
Is the work done? — *Just about.* 「일은 끝났니」「거의」

just now (1) [상태를 나타내는 동사의 현재형과 함께 쓰여] 바로 지금 : I'm very busy ~ *now.* 바로 지금 아주 바쁘다. (2) [주로 동작을 나타내는 동사의 과거형과 함께 쓰여] 이제 막, 바로 전에 : He came ~ *now.* (cf. JUST[1] *adv.* 2). (3) [때때로 미래형과 함께 쓰여] 이내, 곧 : I'll come ~ *now.* 곧 가겠습니다.

just on 《英口》 거의 …되기 시작하여, 이럭저럭 …(nearly) : It was ~ *on* three o'clock. 그럭저럭 3시가 되었다.

just so 바로[꼭] 그대로(quite so) : Everything passed ~ *so.* 만사가 꼭 그대로 진행되었다.

〈회화〉
May I help you? — No. I'm *just* looking. 「무엇을 찾으십니까」「아네요, 그냥 구경 좀 하려고요」

〖OF<L *justus* (*jus* right)〗

類義語 ⟹ FAIR[1].

just[2] *n., vi.* =JOUST.

Just. Justinian. **just.** justice.

***jus·tice** [dʒʌ́stəs] *n.* **1** Ⓤ 정의 ; 공정(rectitude) ; 공평, 공명 정대(fairness) : social ~ 사회 정의. **2** Ⓤ 정당, 타당, 올바름(rightness). **3** Ⓤ (당연한) 응보, 보답 ; 처벌 : ☞ POETIC JUSTICE. **4 a)** Ⓤ 사법, 재판. **b)** 사법[재판]관(judge) ; 치안판사(magistrate) ; 《英》 최고법원 판사 : the Chief *J*~ 재판(소)장, 《美》 대법원장. **5** [J~] 정의의 여신《양손에 저울과 검(劍)을 쥐고 눈을 가리고 있음》.

bring a person ***to justice*** 사람을 법에 따라 처단하다.
do a person[something] ***justice*** = ***do justice to*** a person[something] (1) (인정해야 할 점은 인정하여) 정당하게 취급하다, …을 공정하게 평하다 : It is impossible to *do* ~ *to* the subject in a short article. 짤막한 논설로 그 문제를 충분히 다룰 수는 없다 / To *do* him ~, we must say that.... 공정하게 평하면 그는 …이다. (2) …을 실물 그대로 나타내다(cf. FLATTER 2) : This picture does not *do* her ~. 이 사진은 그녀의 실물 그대로 나와 있지 않다《실물보다 못하다》. (3) 《戲》 배불리 먹다 : I *did* ample ~ *to* the repast. 음식을 실컷 먹었다.
do one***self justice*** 솜씨를 충분히 발휘하다.
in justice to a person …을 공정하게 평한다면.
~·shìp *n.* 판사의 직[임무, 임기].
〖OF<L *justitia* ; ⇨ JUST[1]〗

jústice cóurt *n.* 치안판사 재판소《치안판사가 경미한 사건의 재판이나 중대한 사건의 예심을 하는 하급 재판소》.

jústice of the péace *n.* 치안판사《작은 사건의 재판이나 선서의 확인·결혼식의 입회 따위를 하는 지방 판사 ; 보통 지방의 유지로 무보수의 명예직 ; 유급 판사는 police magistrate》.

jústice's wárrant *n.* 〖法〗 치안판사의 영장.

jus·ti·cia·ble [dʒʌstíʃiəbəl] *a.* 사법(司法) 판단에 적합한, 재판에 회부되어야 할.

jus·ti·ci·ar [dʒʌstíʃiɑ̀ːr, -ʃiər] *n.* 〖英史〗 최고사법관《Norman 시대 및 Plantagenet 왕조 초기의》 ; 고등 법원 판사.
〖L ; ⇨ JUSTICE〗

jus·ti·ci·ary [dʒʌstíʃièri ; -ʃiəri] *n.* 사법관 ; = JUSTICIAR. —— *a.* 사법(상)의.

jús·ti·fì·able [ˌ ----] *a.* 정당하다고 인정되는, 변명할 수 있는, 지당한 : ~ homicide (정당 방위 따위에 의한) 정당 살인.
-ably *adv.* **jùs·ti·fì·abíl·i·ty** *n.* 정당함, 이치에 맞음.

jústifiable abórtion *n.* = THERAPEUTIC ABORTION.

jus·ti·fi·ca·tion [dʒʌ̀stəfəkéiʃən] *n.* **1** Ⓤ (행위의) 정당화, (정당하다고 하는) 변명, 변명의 사유. **2** Ⓤ 〖神學〗 (신에 의하여) 의롭다고 여겨지기, 죄가 없다고 인정되기.
in justification of …을 정당화하기 위하여, …을 변호하여.

jus·ti·fi·ca·tive [dʒʌ́stəfəkèitiv], **-to·ry** [dʒʌstífikətɔ̀ːri ; dʒʌ́stəfəkèitəri] *a.* 정당화하는 ; 변명[해명]의.

jús·ti·fì·er *n.* 변명자 ; 〖印〗 조판할 때 여백을 메우는 큰 공목 ; 정판공.

jus·ti·fy** [dʒʌ́stəfài] *vt.* **1** [+目/+目+前+名] (사람의 행위·진술 따위를) 옳다고 주장하다, 정당하다고 변명하다 : ~ oneself 자기의 행위를 변명하다, …의 정당함을 입증하다 / ~ one's action 자기의 행동을 변명하다 / He was fully *justified* ***in leav*ing* the matter untouched. 그 문제를 손대지 않고 둔 것은 충분한 이유가 있어서였다. **2** [+目/+do*ing*] …의 정당한 이유가 되다, (사정이 행위를) 정당화하다 : The benefit *justifies* the cost. 이익만 본다면 비용은 문제가 아니다 / The end *justifies* the means. 《속담》 목적은 수단을 정당화한다 / That you were drunk does not ~ your violat*ing* the rule. 네가 술에 취해 있었다고 해서 규칙을 위반해도 좋다는 이유는 될 수 없다. **3** 〖印〗 (활자의) 자간[행간]을 조정하다. **4** 〖神學〗 신이 (죄인을) 의롭다고 하다, 죄가 없다고 용서하다. —— *vi.* 〖法〗 (어떤 행위에 대해서) 충분한 근거를 제시하다.
〖F<L=to do justice to ; ⇨ JUST[1]〗

Jus·tin [dʒʌ́stən] *n.* 남자 이름.
〖⇨ JUSTUS〗

Jus·ti·na [dʒʌstíːnə], **-tine** [-tíːn] *n.* 여자 이름. 〖(fem.) ; ↑〗

Jus·tin·i·an [dʒʌstíniən] *n.* 유스티니아누스 1세 (483-565)《동로마제국 황제 ; 「유스티니아누스 법전」을 만들게 했음》.

Justínian Códe *n.* [the ~] 유스티니아누스 법전《17세기 이후에는 Corpus Juris Civilis로도 불림》.

júst intonátion *n.* 〖樂〗 순정(純正)조율.

jus·tle [dʒʌ́səl] *v., n.* = JOSTLE.

júst·ly *adv.* 바르게, 정당[타당]하게, 공정하게 ; 정확히 ; 당연히(cf. JUST[1] *adv.* 1) : He has been ~ rewarded. 그는 정당한 보수를 받고 있다 / [문장 전체를 수식하여] She ~ said so. 그녀가 그렇게 말한 것은 옳았다.

júst·ness *n.* Ⓤ 올바름, 공정 ; 타당, 정당.

Jus·tus [dʒʌ́stəs] *n.* 남자 이름.
〖L=just *or* upright〗

jut [dʒʌ́t] *vi.* (**-tt-**) [動 / +副 / +前+名] 돌출하다, 튀어 나오다(project) : The pier ~*ted* ***out*** [*forth*] (***from*** the shore) ***into*** the sea. 방파제가 (해안에서) 바다로 돌출해 있었다.
—— *n.* 돌기, 돌출부, 돌출한 끝.
〖JET[1] ; 일설(一說)에 역성(逆成) ‹*jut*ty〗

jute [dʒúːt] *n.* Ⓤ 인도삼, 황마(黃麻), 주트의 섬유 ; 주트《범포·밧줄·부대 따위의 재료》.
〖Bengali<Skt.=braid of hair〗

Jute *n.* 주트인 ; [the ~s] 주트족(族)《5-6세기에 Angles, Saxons와 함께 영국에 침입한 게르만 민족》. 〖OE *Eotas*, *Iotas*=Icel. *Iótar* people of Jutland〗

Jut·land [dʒʌ́tlənd] *n.* 유틀란트《덴마크의 대부분과 독일 북부를 이루는 반도》.

jut·ty [dʒʌ́ti] *vi., vt.* 《古》 돌출하다[시키다].
—— *n.* (건물의) 돌출부(jetty) ; 《古》 돌제(突堤). 〖변형(變形) ‹JETTY[1]〗

juv. juvenile.

ju·ve·nes·cence [dʒùːvənésəns] *n.* **1** Ⓤ 젊음, 청춘(youth) ; 소년기. **2** Ⓤ 회춘(回春).

jù·ve·nés·cent *a.* 청년[청춘]기(期)에 이른 ; 젊은(youthful) ; 회춘하는.

ju·ve·nile [dʒúːvənàil, 美+-nl] *a.* **1** 소년[소녀]의, 젊은(young, immature). **2** 어린이다운 ; 소년[소녀]에 알맞은 : ~ books 소년 소녀를 위한 책 / ~ literature 아동문학 / a ~ part[role] 아역(兒役) / ~ delinquency (18세 미만의) 소년범죄[비행] / ~ delinquent 비행(非行)소년. **3** 〖地〗 (기체·물 따위가) 지표에 처음 나온, 초생의 : ~ water 초생수.
—— *n.* 소년, 소녀 ; 미성년, 청소년 ; 아역 ; 젊은이 역을 맡아하는 배우 ; [*pl.*] 소년 소녀를 위한 읽을 거리[책].
〖L (*juvenis* young)〗
類義語 ⟹ YOUNG.

júvenile cóurt *n.* 소년 재판소《보통 18세 미만(未滿)의》.

júvenile diabétes *n.* 〖醫〗 소년형 당뇨병.

júvenile hórmone *n.* 〖生〗 애벌레 호르몬.

júvenile òfficer *n.* 소년 계도(啓導)경찰관.

júvenile-ón·sèt diabétes *n.* 〖醫〗 소년형(型) 당뇨병.

ju·ve·ni·lia [dʒù:vəníliə] *n. pl.* (작가의) 초기[젊었을 때]의 작품(집).
〚L ; ⇨ JUVENILE〛

ju·ve·nil·i·ty [dʒù:vəníləti] *n.* Ⓤ 유년(幼年), 연소 ; 젊음 ; 유치(幼稚) ; [집합적으로] 소년 소녀 (young people) ; 미성년자 ; [*pl.*] 연소자[어린이]다운 언행.

ju·ve·noc·ra·cy [dʒù:vənákrəsi] *n.* 젊은 세대에 의한 정치(↔*gerontocracy*) ; 젊은 세대에 의한 정치가 행해지고 있는 나라[사회].
〚L *juvenis* young+-*o*-+-*cracy*〛

ju·vie, ju·vey [dʒú:vi] *n.* 《美俗》 **1** 비행 소년. **2** 소년 구치소, 소년원.

jux·ta- [dʒʌ́kstə] *comb. form* 「가까운」「곁에」의 뜻. 〚L〛

jux·ta·pose [dʒʌ̀kstəpóuz, ⌐⌐⌐] *vt.* 나란히 하다[세우다·놓다], 가지런히 하다.
〚역성(逆成) < ↓〛

jux·ta·po·si·tion [dʒʌ̀kstəpəzíʃən] *n.* Ⓤ,Ⓒ 나란히 놓기, 병렬.
〚F<L (*juxta*-, *pono* to put)〛

JV, J.V., j. v. junior varsity.

JWB, J.W.B. Jewish Welfare Board.

jwlr, jwlr. jeweler. **J.X.** *Jesus Christus* 《L》 (=Jesus Christ). **Jy.** July.

Jyl·land [jú:læn] *n.* 《Dan.》 =JUTLAND.

K

k, K [kéi] *n.* (*pl.* **k's, ks, K's, Ks** [-z]) **1** 케이《영어 알파벳의 열한번째 글자》. **2** K[k]자(字) ; K자형의 것, K기호로 표시되는 것. **3** [K] (*pl.* **K**) 〖컴퓨〗 1024 바이트(=2^{10} bytes)《기억 용량의 단위 ; 2의 거듭제곱 중 1000에 가장 가까운 수》. **4** (로마 숫자의) 250 ; 〖野〗 삼진 ; 〖數〗 *z*축에 평행하는 단위 벡터.

K 〖數〗 constant ; cumulus ; 〖化〗 kalium(=potassium) ; 〖理〗 Kelvin. **K.** King(s) ; Knight ; 〖樂〗 Köchel (number). **K., k.** 〖電〗 capacity ; karat(=carat) ; kilogram(s) ; 〖체스〗 king ; knight ; knot(s) ; kopeck(s) ; krone.

ka., ka cathode. **kA** kiloampere(s).

Kaa·ba, Ka'·ba, Caa- [kɑ́:bə] *n.* [the ~] 카바《Mecca에 있는 이슬람교도가 가장 존중·숭배하는 신전》. 〖Arab. =square building〗

kab ☞ CAB³.

kab(b)ala(h) ☞ CABALA.

KABC Korean Audit Bureau of Circulations (한국 신문·잡지 발행 부수 공사 기구).

kabele ☞ KEBELE.

ka·bob [kəbɑ́b, 美+kéibɑb], **ke·bab** [kəbɑ́b], **ke·bob** [kəbɑ́b], **ca·bob** [kəbɑ́b, 美+kéibɑb] *n.* [보통 *pl.*] 카바브《양념을 한 작은 고깃점과 야채를 꼬챙이에 꿰어 구운 것》. 〖Urdu<Arab.〗

ka-boom [kəbú:m] *int.* 우르르, 꽝《천둥 소리 따위》. 〖imit.〗

Ka·bul [kɑ́:bəl, kəbú:l ; kɔ́:bəl, kəbúl] *n.* 카불《아프가니스탄의 수도》.

Ka·byle [kəbáil] *n.* (*pl.* ~, ~**s**) 카바일족《북아프리카의 Berber족의 하나》; Ⓤ 카바일어(語).

ka·chi·na [kətʃí:nə] *n.* (*pl.* ~**s**, ~) (북미 인디언의 수호신으로서) 비의 신. 〖Hopi=supernatural〗

kad·dish [kɑ́:diʃ ; kǽdiʃ] *n.* (*pl.* **kad·di·shim** [kɑ:díʃim]) [때때로 K~] 〖유태教〗 (사망한 근친의 복상(服喪) 중에) 매일 교회의 예배에서 외는 Aramaic어(語)의 기도. 〖Aram. =holy〗

ka·di [kɑ́:di, kéi-] *n.* =CADI.

KAF Korean Asia Fund.

kaf·fee·klatsch [kɔ́(:)fiklæ̀tʃ, kɑ́:-, -fei-, -klɑ̀:tʃ] *n.* [흔히 K~] =COFFEE KLATSCH. 〖G〗

Kaf·fir, Kaf·ir [kǽfər] *n.* 카피르인《남아프리카 Bantu족》; Ⓤ 카피르어(語) ; [때때로 k~] 《蔑》 (이슬람교도 쪽에서 본) 이교도. 〖Arab. =infidel〗

kaf·fi·yeh, kef- [kəfí:jə] *n.* 카피예《아랍 유목민 등이 쓰는 두건 ; 머리에서 어깨에 걸쳐 쓰고 머리띠로 고정시킴》. 〖Arab.〗

kaffiyeh

kaf·ir [kǽfər] *n.* 〖植〗 옥수수의 일종(=∼ **còrn**)《남아프리카 원산(原産)》.

Kafir¹ ☞ KAFFIR.

Kaf·ir² [kǽfər] *n.* (*pl.* ~, ~**s**) 카피르족《아프가니스탄 북동부에 삶》.

Kaf·ka [kǽfkɑ:, kɑ́:fkə] *n.* 카프카. **Franz ~** (1883-1924) 프라하 태생인 오스트리아의 유태인 소설가.

kaftan ☞ CAFTAN.

kaiak ☞ KAYAK.

kail [kéil] ☞ KALE.

káil·yàrd, kále- *n.* 《스코》 채소밭, 채원(菜園) (kitchen garden).

káilyard schòol *n.* =KALEYARD SCHOOL.

kai·nite [káinait, kéi-], **-nit** [kainí:t] *n.* Ⓤ 카이나이트《비료로 쓰는 칼륨염》. 〖G (Gk. *kainos* new)〗

kai·ser [káizər] *n.* [때때로 K~] 황제(emperor), 카이저《신성 로마 제국·독일 제국·오스트리아 제국의 황제의 칭호》. 〖L CAESAR〗

kai·se·rin [káizərən] *n.* 황후.

KAIST Korea Advanced Institute of Science and Technology(한국 과학 기술원).

ka·ka [kɑ́:kə] *n.* 〖鳥〗 카카앵무새《뉴질랜드산(產)》. 〖Maori〗

kak·o·to·pia [kæ̀kətóupiə] *n.* 절망향(絕望鄕) (↔*Utopia*).

KAL Korean Air Lines《Korean Air의 옛 이름》.

ka·la azar [kɑ̀:lə əzɑ́:r] *n.* Ⓤ 〖醫〗 흑열병(黑熱病), 칼라 아자르《아시아 열대 지방의 말라리아성 전염병》. 〖Hindi=black disease〗

Kal·a·ha·ri [kæ̀ləhɑ́:ri] *n.* [the ~] 칼라하리 사막《남아프리카 공화국·나미비아·보츠와나에 걸치며 Bushman이 거주함》.

ka·lash·ni·kov [kəlǽʃnikɔ̀:f, -lɑ́:ʃ- ; -kɔ̀f] *n.* 칼라슈니코프《러시아 연방의 경기관총》. 〖Russ.〗

kale, kail [kéil] *n.* Ⓤ **1** 〖植〗 케일《무결구성(無結球性) 양배추의 일종》. **2** 《스코》 양배추, 야채 ; 양배추[야채] 수프. **3** 《美俗》 돈, 현금. 〖COLE의 북부 방언〗

ka·léi·do·scòpe [kəláidə-] *n.* 만화경(萬華鏡) ; 《비유》 변화 무쌍한 것.
the kaleidoscope of life 인생 만화경.
ka·lèi·do·scóp·ic, -i·cal [-skɑ́p-] *a.* 만화경적인 ; 변화 무쌍한, 복잡 다양한. **-i·cal·ly** *adv.* 〖Gk. *kalos* beautiful, *eidos* form, *-scope*〗

kalends ☞ CALENDS.

Ka·le·va·la [kɑ̀:ləvɑ́:lə] *n.* [the ~] 칼레발라《핀란드의 민족적 서사시》.

kaleyard ☞ KAILYARD.

káleyard schòol *n.* [the ~] 채원파(派)《사투리를 많이 써서 스코틀랜드 농민의 일상 생활을 묘사한 19세기말의 영국 작가의 일파》.

ka·li [kɑ́:li] *n.* 〖植〗 =SALTWORT.

kaliph ☞ CALIPH.

ka·li·um [kéiliəm] *n.* 〖化〗 칼륨《보통 potassium이라고 함 ; 기호 K ; 번호 19》.

kal·li·din [kǽlədən] *n.* 〖生化〗 칼리딘《칼리크레인의 작용으로 혈장 글로불린에서 생성되는 키니네》.

Kal·li·kak [kǽləkæ̀k] *n.* 캘리캑가(家) 《미국

New Jersey 주(州)에 실재했던 한 집안의 가명(假名) ; 이복(異腹) 자손의 한쪽 가계는 우수한 인물이 배출되었고 다른 쪽은 주정뱅이 · 저능아 · 범죄자가 속출하였음).

kal·li·krein [kǽləkràin] *n.* 〖生化〗 칼리크레인《혈장에서 키니네를 유리시키는 효소》. 〚G (*calli*-, Pan*kre*as pancreas, -*in*)〛

kal·mia [kǽlmiə] *n.* 〖植〗 칼미아《북미산(産) 석남과의 상록 교목》. 〚Peter *Kalm* (d. 1779) 스웨덴의 식물학자〛

ka·long [kɑ́:lɔ(:)ŋ, -lɑŋ] *n.* 〖動〗 큰박쥐《말레이 반도산(産)》. 〚Jav.〛

kal·pa [kɑ́:lpə, kǽl-] *n.* 〖힌두教〗 겁(劫), 칼파《매우 긴 시간의 단위》. 〚Skt.〛

kal·so·mine [kǽlsəmàin, -mən] *n.*, *vt.* =CALCIMINE.

Ka·ma [kɑ́:mɑ:] *n.* **1** 〖힌두神〗 카마《사랑의 신》. **2** Ⓤ [k~] 욕망, 정욕. 〚Skt. =love〛

ká·ma·gràph [kɑ́:mə-] *n.* 카마그래프《인쇄식 원화 복제기(複製機) ; 그 복제화(畫)》.

ka·ma·gra·phy [kəmɑ́:grəfi] *n.* 〖印〗 카마그래프 원화 복제법.

Ka·ma·su·tra, K- S- [kɑ̀:məsú:trə] *n.* 카마수트라《인도의 힌두 성애경전(性愛經典)》.

Kam·chat·ka [kæmtʃǽtkə] *n.* [the ~] 캄차카 반도.

kame [kéim] *n.* 〖地〗 카메《빙하로 운반된 모래나 자갈 언덕》. 〚Sc. COMB[2]〛

Kam·pa·la [kɑːmpɑ́:lə ; kæm-] *n.* 캄팔라《우간다의 수도》.

kam·pong, cam- [kǽmpɔ(:)ŋ, -pɑŋ, kɑ́:m-, -ˊ] *n.* (말레이시아의) 부락, 작은 촌락. 〚Malay〛

kamp·tu·li·con [kæm*p*tjú:likɑ̀n] *n.* Ⓤ 마루 깔개[양탄자]의 일종《리놀륨의 전신(前身)》.

Kam·pu·chea [kæ̀mpətʃí:ə] *n.* 캄푸치아《캄보디아(Cambodia)의 옛 이름》.

Kan. Kansas.

Ka·naka [kənǽkə, kǽnəkə] *n.* 카나카인(人)《하와이 및 남태평양 제도의 원주민》.

ka·na·mýcin [kæ̀nə-] *n.* 〖藥〗 카나마이신《결핵 · 적리(赤痢) 따위 그램 음성균에 의한 전염병에 효험이 있는 항생 물질》.

Kan·chen·jun·ga [kæ̀ntʃəndʒʌ́ŋgə], **Kang-** [kǽŋ-], **Kin·chin-** [kìntʃən-] *n.* 칸첸중가《히말라야 산맥(山脈)에 있는 세계 제3의 고봉(高峰) (8598m)》.

kan·ga[1], **khan-** [kɑ́:ŋgə, -gɑ:] *n.* 캉가《동아프리카 여성이 몸에 걸치는 화려한 무늬의 얇은 면포》. 〚Swahili〛

kan·ga[2] [kǽŋgə] *n.* 《濠口》 캥거루 ; 돈(money). 〚↓〛

kan·ga·roo [kæ̀ŋgərú:] *n.* (*pl.* ~**s**) **1** 〖動〗 캥거루. **2** 《英》 오스트레일리아 사람 ; [*pl.*] 《英俗》 서부 오스트레일리아 광산주(株). —— *vi.*, *vt.* (클러치 조작이 미숙하여 차가) 덜컥하고 나가다 ; (위증으로 남을) 유죄로 만들다. 〚? (Austral.)〛

kangaróo acàcia *n.* 〖植〗 바늘아카시아.

kángaroo clósure *n.* [the ~] 《英》 캥거루식 토론 종결법《위원장이 수정안을 선택하여 토의에 부치고 그밖의 것은 생략함》.

kángaroo cóurt *n.* 《美口》 사적(私的) 재판[탄핵], 인민 재판《재판의 진행이 캥거루의 보행(步行)처럼 불규칙하며 비약적인 데서》.

kangaróo pòcket *n.* 〖服〗 캥거루 포켓《옷의 앞판 중앙에 다는 큰 주머니》.

kangaróo ràt *n.* 〖動〗 캥거루쥐《미국 서부 · 멕시코산(産)》.

kangaróo-tàil sóup *n.* 캥거루 꼬리 수프《오스트레일리아의 진미》.

kangaróo thòrn *n.* =KANGAROO ACACIA.

kángaroo tìcket *n.* 《美》 캥거루 티켓《대통령 선거전에서 부통령 후보쪽이 정치적으로 더 강력할 때》. ㊟ 일반적인 용법은 아님. 〚뒷발이 강한 kangaroo의 이미지와 「공권 후보자 명부」의 뜻인 ticket을 조합한 것〛

ka·noon [kɑnú:n] *n.* 〖樂〗 카눈《치터의 일종》. 〚Turk.〛

Kans. Kansas.

Kan·san [kǽnzən] *a.*, *n.* 미국 Kansas 주(州)의 (사람).

Kan·sas [kǽnzəs] *n.* 캔자스《미국 중부의 주(州) ; 略 Kan. 또는 Kans.》.

Kánsas Cíty *n.* 캔자스시티《Kansas 주(州)의 도시》.

Kánsas Cíty Stándard *n.* 〖컴퓨〗 캔자스 시티 규격《오디오 카세트 테이프에 대한 데이터의 기록 · 재생을 위한 규격 ; 略 KCS》.

Kansu ☞ GANSU.

Kant [kǽnt, 美+kɑ́:nt ; *G* kánt] *n.* 칸트. **Immanuel** ~ (1724-1804) 독일의 철학자.

Kánt·ian *a.* 칸트 (철학)의 ; 칸트학파의. —— *n.* 칸트 철학도.

Kánt·ism *n.* Ⓤ 칸트 철학.

Kánt·ist *n.* 칸트학파의 사람.

kao·liang [kɑ̀uliɑ́:ŋ, kèiouliǽŋ] *n.* 〖植〗 고량(高粱), 수수. 〚Chin.〛

ka·olin, -line [kéiələn] *n.* Ⓤ 〖鑛〗 고령토, 도토(陶土) ; 〖化〗 카올린《함수규산(含水珪酸) 알루미늄》 : ~ porcelain 자기(磁器). 〚F<Chin.〛

ka·on [kéiɑn] *n.* 〖理〗 K 중간자. **ka·ón·ic** *a.* 〚K, -*on*〛

Ka·pell·meis·ter [kəpélmàistə*r*, kɑ:- ; kæ-] *n.* (*pl.* ~) 〖樂〗 악장(樂長), 악단 또는 성가 합창대의 지휘자 ; 《蔑》 어용(御用) 악장. 〚G=chapel master〛

kapéllmeister mùsic *n.* [때때로 K~] 악장(樂長) 음악《독창성이 없는 틀에 박힌 음악》.

ka·pok, ca- [kéipɑk, kǽpək] *n.* Ⓤ 〖植〗 케이폭, 판야《동남 아시아 여러 나라에서 나는 판야나무의 씨를 싸고 있는 솜 ; 주로 베개 · 이불속 · 구명대에 넣음》. 〚Malay〛

kápok trèe *n.* 판야나무.

kap·pa [kǽpə] *n.* 카파《그리스어 알파벳의 열번째 글자 *K*, *k* ; 영어의 K, k에 해당》. 〚Gk.〛

ka·put, -putt [kɑpú(:)t, kə- ; kæ-] *pred. a.* 《口》 못쓰게 된, 아주 결딴난, 파손된, 파멸된 ; 《口》 완전히 시대에 뒤진. 〚G〛

karabiner ☞ CARABINER.

Ka·ra·chi [kərɑ́:tʃi] *n.* 카라치《파키스탄 남부 아라비아해에 면한 항구도시》.

Ka·ra·ko·ram, -rum [kɑ̀:rəkɔ́:rəm] *n.* [the ~] 카라코람, 카라코룸《Kashmir 지방 북부의 산맥》.

kar·a·kul [kǽrəkəl], **car·a·cul** [kǽrəkəl] *n.* [흔히 K~] 카라쿨《양의 일종 ; 중앙 아시아산(産)》 ; 그 모피. 〚Russ.〛

kar·at [kǽrət] *n.* 캐럿 (=《英》 carat)《순금 함유도의 단위 ; 순금은 24 karats ; 略 k., kt.》. 〚CARAT〛

ka·re(e)·ba [kərí:bə] *n.* 카리바《자메이카 남자의 짧은 소매 셔츠》. 〚C20 (? Afr.)〛

Kar·en [kǽrən ; kərén] *n.* 여자 이름. 〚Dan. ; ⇨ CATHERINE〛

ka·rez·za [kɑːrézə] *n.* 〖醫〗 보류 성교《도중에 움직임을 멈추고 시간을 끌면서 만족감을 높임》.

kar·ma [kɑ́:*r*mə, kə́:*r*-] *n.* **1** [때때로 K~] 〖힌

두敎》 갈마(羯磨), 업(業) ; 〖佛敎〗 인과 응보, 업보(業報), 인연 ; 숙명(론). **2** 《美口》 (사람·물건·장소에서 직감적으로 느껴지는) 특징적인 분위기. **kár·mic** *a.* 갈마의, 숙명적인.
〖Skt.=work, fate〗

Kár·man cànnula[càtheter] [kɑ́:rmən-] *n.* 〖醫〗 카먼 캐뉼러《흡인법을 이용한 낙태용 기구》. 〖Harvey *Karman* 고안자인 미국인〗

ka·roo, kar·roo [kərú:] *n.* (*pl.* ~**s**) 카루《남아프리카의 건조성(性) 고원》.
the Great Karroo (남아프리카 공화국 Cape 주 남부의) 대고원(大高原).
〖Hottentot〗

ka·ross [kərɑ́s] *n.* (남아프리카 원주민의) 소매 없는 모피 외투. 〖Afrik.〗

karst [kɑ́:rst] *n.* 〖地〗 카르스트 지형《침식된 석회암 대지》. 〖G〗

kart [kɑ́:rt] *n.* 어린이용 놀이차 ; =GO-CART.

kar·tel [kɑ́:rtel] *n.* (남아프리카의 소달구지에 장치한) 나무 침대.

kar·tell [kɑ:rtél, kɑ́:rtl] *n.* =CARTEL.

kary-, cary- [kǽri], **kar·yo-, car·yo-** [kǽriou, -riə] *comb. form* 「핵(核)」「인(仁)」의 뜻. 〖Gk.〗

kàryo·kinésis *n.* Ⓤ 〖生〗 (간접) 핵분열, 유사 분열(mitosis). **-kinétic** *a.*

káryo·plàsm *n.* Ⓤ 〖生〗 핵질(核質).
kàryo·plásmic *a.*

kar·y·o·tin [kæ̀rióutən, kǽriə-] *n.* Ⓤ 〖生〗 핵질, 염색질.

káryo·tỳpe *n.* 〖發生〗 핵형(核型).
kàr·yo·týp·ic, -i·cal [-típ-] *a.* **-ical·ly** *adv.* **-tỳp·ing** *n.*

kar·zey, -zy, -sey [kɑ́:rzi] *n.* 《英俗》 변소.

kas·bah [kǽzbɑ:, kɑ́:z-] *n.* (북아프리카 여러 도시의) 성채 ; (북아프리카 도시의) 원주민 구역 ; 홍등가. 〖F<Arab.〗

Kásch·in-Béck diséase [kǽʃinbék-] *n.* 캐신벡병《시베리아 동부, 중국 북부 지역의 풍토병으로 주로 소아(小兒)에게 발생하는 전신성(全身性) 골(骨)관절증》.

ka·sha [kɑ́:ʃə] *n.* 카샤《동유럽의 요리 ; 밀가루로 만든 죽의 일종》. 〖Russ.〗

Kasha [kǽʃə] *n.* 캐셔《여성복을 만드는 모직의 일종 ; 상표명》.

kasher ☞ KOSHER.

Kash·mir [kǽʃmiər, kǽʒ-, ⌐⌐ ; kæʃmíər] *n.* **1** 카슈미르《인도·파키스탄 북부의 지방 ; 1947년 이후 양국간의 분쟁 지역》. **2** [k~] =CASHMERE.

Kash·miri [kæʃmíəri, 美+kæʒ-] *n.* (*pl.* ~, ~**s**) 카슈미르인 ; 카슈미르어《인도 게르만 어족 Indic 어파의 하나》.

Kash·mir·ian [kæʃmíəriən, 美+kæʒ-] *a.* 카슈미르(인)의. —— *n.* =KASHMIRI.

kat(a)- [kǽt(ə)] ☞ CAT-.

kat·a·bat·ic [kæ̀təbǽtik] *a.* 〖氣〗 (바람·기류가) 하강하는, 하강 (기류)의, 하강 기류에 의해 생기는(↔*anabatic*).

katabolism ☞ CATABOLISM.

ka·tal [kətɑ́:l] *n.* 카탈《효소 촉매 활성의 국제 단위(單位)》.

kàta·thermómeter *n.* 공랭(空冷) 온도계, 카타 온도계《온도가 강하하는 속도에 따라 냉각력이나 공기 흐름의 속도를 측정하는 기구》.

Kate [kéit] *n.* 여자이름《Katharine 따위 애칭》.

Kath·a·rine [kǽθərən], **Kath·a·ri·na** [kæ̀θəríːnə], **Kath·e·rine** [kǽθərən], **Kath·ryn** [kǽθrən] *n.* 여자 이름《애칭 Kate, Kitty 따위》. 〖⇨ CATHERINE〗

kathode ☞ CATHODE.

Kathy, Kath·ie [kǽθi], **Ka·tie** [kéiti] *n.* 여자 이름《Katherine, Katherina 따위의 애칭》.

kation ☞ CATION.

Kat·man·du, Kath- [kæ̀tmændú:] *n.* 카트만두《네팔의 수도》.

Ka·tri·na [kətríːnə], **Kat·rine**[1] [kǽtrən, -ri:n] *n.* 여자 이름. 〖⇨ KATHERINE〗

Kat·rine[2] [kǽtrən] *n.* [Loch ~] 카트린 호(湖)《스코틀랜드 중부의 아름다운 호수》.

Kat·te·gat [kǽtigæ̀t] *n.* [the ~] 카테가트 해협《덴마크와 스웨덴 사이의 해협》.

ka·tu·sa [kətú:sə] *n.* (미육군에 파견 근무하는) 한국 군인, 카투사.
〖*K*orean *A*ugmentation *T*roops to *U*nited *S*tates *A*rmy〗

Ka·ty [kéiti] *n.* 여자 이름.

ka·ty·did [kéitidìd] *n.* 〖昆〗 미국산(產)의 수염이 긴 여치. 〖imit.〗

katz·en·jam·mer [kæ̀tsəndʒǽmər] *n.* 《美口》 숙취 ; 불안, 고민 ; 요란한 항의 (소리).
〖G=cats' wailing〗

Kau·ai [káuai, kɑ̀:u:ɑ́:i ; kɑ:wɑ́:i:] *n.* 카우아이《하와이주(州), Oahu섬 북서부에 있는 화산섬》.

kau·ri, -rie, -ry [káuəri] *n.* 〖植〗 카우리소나무《뉴질랜드산(產) 침엽수의 일종 ; 수지를 채취함》 ; 카우리수지(=≁ **rèsin**). 〖Maori〗

ka·va, ca·va [kɑ́:və], **ká·va·ká·va** *n.* 〖植〗 카와《폴리네시아산의 관목》 ; 그 뿌리로 만든 술.

ka·vass [kəvɑ́:s] *n.* (터키의) 무장 경찰관.
〖Turk.〗

kay [kéi] *n.* (알파벳의) K[k] ; 《美俗》 (복싱에서) 녹아웃, KO.

Kay *n.* **1** 〖Welsh (L *Caius* rejoice)〗 남자 이름. **2** 여자 이름《Katharine 따위의 애칭》.

kay·ak, kai·ak [káiæk] *n.* 카약 《(1) 노젓는 사람이 앉는 자리 이외는 가죽으로 씌운 에스키모인의 카누. (2) 같은 모양의 스포츠용 작은 배》.
〖Eskimo〗

kayak

kayo [kéióu] *n.* (*pl.* **káy·ós**) =KNOCKOUT. —— *vt.* 《俗》 KO[녹아웃]시키다 ; 소용없게 하다.

Ka·zak(h) [kəzɑ́:k, -zǽk] *n.* 카자흐족 ; 카자흐어《튀르크 어군(Turkic)의 하나》.

Ka·zak(h)·stan [kɑ̀:zɑ:kstɑ́:n] *n.* 카자흐스탄《카스피해 북쪽에 위치해 있는 공화국 ; 수도 Astana》.

ka·zoo [kəzú:] *n.* (*pl.* ~**s**) **1** 카주《목제 또는 금속제의 관에 장선(catgut)이나 종이를 바른 장난감 피리》. **2** 《俗》 궁둥이(buttocks) ; 항문(anus).
tootle one's own kazoo 허풍떨다.
〖imit.〗

KB 〖체스〗 king's bishop. **K.B.** King's Bench ; Knight Bachelor. **KBA** Korean Broadcasters Association(한국 방송 협회). **K.B.E.** Knight (Commander of the Order) of the British Empire (영제국 기사장(騎士長)). **KBP** 〖체스〗 king's bishop's pawn. **kbps** kilobits per second. **KBS** Korean Broadcasting System. **kc, kc.** kilocycle. **K.C.** King's College ;

King's Counsel; Knight Commander; Knights of Columbus. **kcal, kcal.** kilocalorie(s). **K.C.B.** Knight Commander of the Bath. **KCCI** Korea Chamber of Commerce and Industry. **KCIA** Korean Central Intelligence Agency (cf. ANSP). **K.C.I.E.** Knight Commander (of the Order) of the Indian Empire. **KCL** King's College《London 대학의》. **K.C.M.G.** Knight Commander of St. Michael and St. George. **KCS** 〔通信〕 thousand characters per second 《초당 1000문자; 문자의 전송 속도 단위》; 〔컴퓨〕 Kansas City Standard. **kc/s** kilocycles per second. **K.C.S.I.** Knight Commander (of the Order) of the Star of India. **K.C.V.O.** Knight Commander of the (Royal) Victorian Order. **KD** 《쿠웨이트》 dinar(s). **K.D., k.d.** 〔商〕 kiln-dried; 〔商〕 knocked-down(부품 수출 현지 조립 판매 방식). **KDFC** Korean Development Finance Corporation(한국 개발 금융 공사).

KD furniture [kéidíː ⌐] *n.* 조립식 가구. 〖*k*nocked-*d*own〗

KDI Korea Development Institute(한국 개발원).

KE Korean Air《국제 항공 약칭; 옛 이름 KAL》.

K. E., KE kinetic energy.

kea [kéiə, 美+kíːə] *n.* 〔鳥〕 (뉴질랜드산(産)) 케아앵무새. 〖Maori (imit.)〗

Keats [kíːts] *n.* 키츠. **John ~** (1795-1821) 영국의 시인.

kebab, kebob ☞ KABOB.

ke·be·le [kəbéilei], **ka-** [kɑː-] *n.* (1974년 에티오피아 군사 정권에 의해 만들어진) 도시부(部)의 자치 조직《도시 통치의 기본 단위》. 〖Amh.〗

keck [kék] *vi.* 구역나다, 욕지기나다〈*at*〉; 몹시 싫어하다. 〖imit.〗

ked·dah [kédə] *n.* =KHEDAH.

kedge [kédʒ] *vt., vi.* 작은 닻의 밧줄을 잡아당겨 (배를) 이동시키다[배가 이동하다]. —— *n.* 작은 닻(=~ **ànchor**). 〖C17? *cagge* (obs.), *cadge* (dial.) to bind, tie〗

ked·ger·ee [kédʒəriː, ⌐-⌐] *n.* 케저리《쌀·달걀·파·콩 따위가 든 인도 요리; 유럽에서는 생선·달걀·쌀 따위로 만듦》. 〖Hindi〗

KEDO Korean Energy Development Organization(한반도 에너지 개발 기구).

keek [kíːk] *vi.* 《스코》 들여다보다, 엿보다. —— *n.* 엿보기; 《美俗》 치한, (특히 의류업계의) 산업 스파이. 〖ME *kike*〗

keel [kíːl] *n.* **1** 〔海〕 용골(龍骨). **2** 《詩》 배. **3** 〔植〕 용골 꽃잎; 〔動〕 용골돌기; [the K~] 〔天〕 용골자리(Carina).

lay down a keel 용골을 붙박다, 배를 기공하다, 배의 건조를 시작하다.

on an even keel (배·비행기가 전후 좌우로) 수평을 유지하여; 《口》 안정된, 침착한.

—— *vt.* [+目/+目+副] **1** (배를) 뒤집어엎다: The ship lay ~*ed* ***over*** at low tide. 그 배는 썰물로 뒤집혔다. **2** (사람 등을) 넘어뜨리다, 졸도시키다: The continued heat ~*ed* ***over*** quite a few people. 더위가 계속되어 상당한 (수의) 사람들이 졸도했다. —— *vi.* [+副] (배가) 뒤집히다; 별안간 쓰러지다; 《口》 졸도하다(faint): He ~*ed* ***over*** onto the bed. 침대에 털썩 쓰러졌다.

~·less *a.*

〖ON; cf. OE *ceole* throat, beak of ship〗

kéel·age *n.* 〔海〕 정박세(稅), 입항세.

kéel·blòck *n.* (배의 건조때에 괴는) 용골 굄목.

kéel·bòat *n.* 《美》 킬보트《미국 서부의 하천에서 쓰는 화물 운송선(船)》.

Kée·ler pólygraph [kíːlər-] *n.* 킬러식(式) 거짓말 탐지기(lie detector). 〖Leonarde *Keeler* (d. 1949) 미국의 범죄학자로 그것의 발명자〗

kéel·hàul *vt.* **1** 〔海〕 밧줄로 묶어 배밑을 잠수하게 하다《옛날에 행했던 뱃사람에 대한 벌》. **2** 몹시 꾸짖다, 야단치다. 〖Du.; ⇒ KEEL, HAUL〗

kee·li·vine [kíːlivàin] *n.* 《스코》 연필.

kéel lìne *n.* 〔海〕 수미선(首尾線), 용골선《배밑바닥의 중심선》.

keel·son [kélsən, kíːl-] *n.* 〔船〕 내(內)용골. 〖LG; ⇒ KEEL, SWINE (목재의 이름으로서)〗

Keelung ☞ CHILUNG.

keen**[1] [kíːn] *a.* **1** 날카로운, 예리한(sharp) (↔ *dull*): a knife with a ~ edge 날이 예리한 칼. **2** 모진, 통렬한(incisive). **3** (바람·추위 따위가) 지독한, 살을 에는 듯한(cutting); 강렬한, 격렬한: a ~ competition 치열한 경쟁. **4** (통찰력·지력(知力) 따위가) 예민한; 빈틈이 없는. **5** [+前+do*ing*/+*to* do/+*that* 節] 《口》 열심인, 간절히 바라고 있는: a ~ sportsman 스포츠에 열심인 사람 / He is ~ ***on his work [*on* collect*ing* stamps]. 일에[우표 모으기에] 아주 열심이다 / Bill was ~ ***about*** yacht*ing*. 빌은 요트타기에 열중하고 있었다 / He is very ~ *to* go abroad. 해외에 나가기를 간절히 바라고 있다 / She is ~ *on* her son('s) enter*ing* college [~ *that* her son should enter college]. 자식이 대학에 들어가기를 간절히 바라고 있다. **6** 《口》 열애(熱愛)하는, 열중한: He is ~ *on* Helen. 그는 헬렌을 아주 좋아한다.

(as) keen as mustard 열중하여.

~·ness *n.* 〖OE *cēne*; cf. G *kühn* bold〗

類義語 ⟹ EAGER, SHARP.

keen[2] *n.* 《아일》 (죽은 사람에 대하여 곡하며 부르는) 애가(哀歌), 통곡(lament).

—— *vi., vt.* (죽은 사람에 대하여) 통곡하다(bewail); 울음소리를 내다; (남의) 죽음을 울며 슬퍼하다. **~·er** *n.* 《아일》 (장례식 따위에 고용되어) 곡하는 사람. 〖Ir. *caoinim* to wail, lament〗

kéen-édged *a.* 날이 날카로운, 예리한.

kéen-éyed *a.* 눈이 날카로운, 혜안(慧眼)의.

kéen·ly *adv.* 날카롭게; 엄격하게; 예민하게; 통렬하게, 열심히.

kéen-sét *a.* 공복인; 갈망하고 있는〈*for*〉.

◇**keep** [kíːp] *v.* (**kept** [képt]) *vt.* **1** [+目/+目+前+名/+目+目] 지속하다, 보유(保有)하다; 보존하다(preserve), 맡아 두다, 머물게 하다(reserve): You may ~ the change. 거스름돈은 가지시오 / She has *kept* all the letters from him. 그녀는 그에게서 온 편지를 모두 보관하고 있다 / *K~* the film ***in*** a dark and cool room. 필름은 어둡고 서늘한 방에 간수해 두시오 / I'll ~ this ***for*** future use. 이것을 장래 쓸 수 있도록 간직해 두겠소 / Please ~ a good cut of beef *for* me [~ me a good cut of beef] every week. 매주 좋은 부위의 쇠고기 한 덩어리씩을 내 몫으로 떼어 놓으시오.

2 [+目/+目+前+名] (약속·비밀 따위를) 지키다, 다하다(fulfil); (법률·규칙 따위에) 따르다(obey): ~ one's word 약속을 지키다 / ~ faith ***with*** one's friend 친구에 대해서 신의를 지키다.

3 (의식·축제 따위를) 거행하다, 축하하다

(celebrate) : ~ the Sabbath 안식일을 지키다. **4** [+目/+目+前+名] 지키다, 보호[보관]하다 ; …을 손질하다 : ~ goal (축구 따위에서) 골을 지키다, 문을 수비하다 / God ~ you!(=May God guard you!) 신의 가호가 있으시길!, 몸조심하세요! / This garden is always *kept* well. 이 정원은 언제나 잘 손질되어 있다 / Banks ~ money ***for*** us. 은행은 우리의 돈을 맡아 준다 / Will you ~ this jewel *for* me? 이 보석을 보관해 주시겠습니까.

5 (가족을) 부양하다(support) ; (하인 등을) 고용하다 ; (자가용차 따위를) 소유하다 ; (가축·개·고양이 따위를) 사육하다 ; (첩을) 두다 : ~ oneself 자활하다 / ~ a dog 개를 키우다 / He ~*s* a large family. 대가족을 부양하고 있다.

6 (상점·학교 따위를) 경영[관리]하다(manage) : ~ a shop 상점을 경영하다.

7 (상품을) 갖추어 놓다, 팔고 있다 : That store ~*s* canned goods. 저 가게에서는 통조림 식품을 팔고 있다.

8 (장부·일기 따위를) 적다 : ~ a diary 일기를 적다 / ~ accounts ☞ ACCOUNT 숙어 / ~ books ☞ BOOK *n.* 5 b).

9 [+目+補/+目+do*ing*/+目+副/+目+前+名] (어떤 상태로) 유지하다, …하여 두다 ; 계속 …하게 하다[시키다] : I *kept* myself warm by walking up and down. 주위를 왔다갔다하면서 몸을 계속 따뜻하게 했다 / Let's ~ it a secret. 그것을 비밀로 해두자 / It's so cold ; ~ the stove burn*ing*. 추우니까 난로를 계속 때시오 / I'm sorry I have *kept* you wait*ing* so long. 오래 기다리게 해서 죄송합니다.

10 [+目+副/+目+前+名] (어떤 장소에) 머물게 하다[가두다], 구류하다 : The snow *kept* them *indoors.* 눈 때문에 그들은 집안에 갇혀 있었다 / I won't ~ you *long.* 시간이 오래 걸리지 않도록 하지요 / The suspect was *kept* ***in*** custody. 용의자는 구류중에 있었다.

11 [+目+*from*+名] 방해하다, …하지 못하게 하다(prevent) : What has *kept* you ***from*** help*ing* her? 어째서 그녀를 아직 도와주지 않고 있습니까 / I had to put crampons on my shoes to ~ me *from* slip*ping.* 미끄러지지 않도록 구두에 스파이크 창을 대지 않으면 안되었다 / She could not ~ the tears *from* her eyes. 그녀는 눈물을 참을 수 없었다.

12 (어떤 동작·상태를) 계속하다 : ~ one's way 외곬으로 가다 / ~ silence 침묵을 지키다 / ~ watch 계속 감시를 하다 / ~ count of the corn 곡물의 양을 언제나 달아 두다 / This clock ~*s* good time. 이 시계는 시간이 정확하다.

〈회화〉
He *kept* his promise.—I knew he would.「그는 약속을 지켰어」「그럴줄 알았어」

— *vi.* **1** [+副/+前+名] 줄곧 …으로[에] 있다 ; 계속 나아가다[움직이다] : ~ *together* 서로 붙어 있다 / *K*~ straight ***on.*** 그대로 곧장 가시오 / ~ ***at*** home 줄곧 집에 있다 / ~ ***to*** the right=~ *right* 우측 통행하다 / *K*~ ***along***[***up, down***] this street for two miles or so. 이 거리를 2마일 정도 따라[올라, 내려] 가십시오. **2** [+補/+do*ing*/+前+名] 계속 (어떤 상태에) 있다 ; …하기를 계속하다 : Please ~ quiet. 아무쪼록 조용히 해주십시오 / He *kept* awake. 줄곧 깨어 있었다 / The child *kept* cry*ing.* 아이는 계속 울었다(cf. KEEP *on* (2) 주) / We should ~ ***in*** touch with the scientific activity of the world. 항상 세계의 과학계 활동과 접촉하지 않으면 안된다. **3** (음식물이 썩지 않고) 오래가다(last) ; (통지·사건 따위가 곧 이야기[처리]되지 않고) 뒤로 미루어도 되다 : This milk won't ~ till tomorrow morning. 이 우유는 내일 아침까지 가지 못한다 / The matter will ~ till morning. 그 일(을 처리하는 것)은 아침까지 해도 된다. **4** [+前+名] …하지 않고 있다, 삼가다 : She couldn't ~ ***from*** weep*ing.* 울지 않고서는 견딜 수 없었다. **5** 《口》 (수업이) 계속 행하여지다 : Will school ~ all day? 오늘 수업이 종일 있나요. **6** 《英口》 거주하다, 체재하다 ; 하숙하다.

keep at... (*vt.*) (1) (남에게) …을 계속시키다 : I'm going to ~ them *at* their task. 그들에게 계속 일을 시킬 작정입니다. (*vi.*) (2) …을 끊임없이 노력하다, 열심히 하다 : *K*~ *at* it! 계속해서 해라, 힘을 내라. (3) =KEEP *on at.*

keep away (1) (*vt.*) 가까이 갈 수 없게[못오게] 하다 : What *kept* you *away* last night? 무슨 일로 어젯밤 당신은 오지 못했습니까 / *K*~ the matches *away from* the children. 애들이 있는 곳에 성냥을 두지 않도록 하시오. (2) (*vi.*) 가까이 하지 않다, 피하다 : *K*~ *away from* the water's edge. 물가에 가까이 가서는 안된다.

keep back (*vt.*) (1) (남을) 가까이 못하게 하다, 근접 못하게 하다 ; (물건을) 넣어 두다 ; 보류하다 : The mob was *kept back* by the police. 폭도는 경찰에 의해 진압되었다. (2) (물건을) 챙겨[떼어]두다 : He always ~*s back* ten dollars *from* his wages. 급료에서 언제나 10달러를 떼어둔다. (3) (비밀 따위를) 감추다, 숨겨두다 : I suspect he ~*s* something *back from* me. 그는 나에게 무엇인가 숨기고 있는 것 같다. (*vi.*) (4) 들어앉아 있다.

keep down (1) (*vt.*) (반란 따위를) 진압하다 ; (감정 따위를) 억누르다 ; (잡초 따위가) 자라지 못하게 하다 ; (경비 따위를) 늘리지 않다 ; (음식물을) 토하지 않고 받아들이다 : She could not ~ *down* her excitement. 흥분을 억누를 수가 없었다 / ~ *down* extra expenses 가외의 경비지출을 억제하다. (2) (*vi.*) (몸을) 앉은 채로[누운 채로] 있다.

keep a person ***going*** (의사 등이) 남의 목숨을 이어주다 ; 남을 재정적으로 원조하다.

keep house ☞ HOUSE[1].

keep in (*vt.*) (1) (감정 따위를) 억제하다 : I could not ~ my indignation *in.* 분노를 억제할 수가 없었다. (2) 가두어 넣다 ; (벌로 학생을) 남게 하다. (3) (불을) 타게 해놓다. (*vi.*) (4) 틀어박히다. (5) (불이) 타고 있다 : The fire *kept in* all night. 불은 밤새도록 타고 있었다.

keep...in mind ☞ MIND.

keep in with …와 사이좋게 지내다.

keep it up 《口》 (어려움을 무릅쓰고) 계속하다 ; 척척 해나가다.

keep off (*vt.*) (1) (적·재해 따위를) 막다, 가까이 못오게 하다, 피하다 ; (화제(話題) 따위)를 피하게 하다 : She *kept* her eyes *off.* 눈길을 돌렸다. (*vi.*) (2) 떨어져 있다, 가까이하지 않다 ; (비·눈 따위가) 오지 않다, 그치다 : If the rain ~*s off,* .... 만일 비가 오지 않는다면…. (3) [off는 *prep.*] …에서 멀어지다 ; …을 말하지 않고 두다, (화제(話題) 따위를) 피하다 : *K*~ *off* the grass. 잔디밭에 들어가지 마시오.

keep on (*vt.*) (1) 옷을 입은 채로 있다 ; 계속하여 고용하다 : ~ one's shoes *on* 구두를 신은 채

로 있다 / ~ a lazy maid *on* 게으른 하녀를 계속 고용하다. (*vi.*) (2) [+do*ing*] (…을) 계속하다 : He *kept on* smok*ing* all the time. 줄곧 담배를 피워 댔다. ㊟ *keep* do*ing*(☞ *vi.* 2)은 동작이나 상태의 계속을 나타내는데 *keep on* do*ing*은 그때까지의 단속(斷續)적인 동작의 반복을 나타냄. (3) 전진을 계속하다(cf. *vi.* 1) ; 일을 계속하다 : They *kept on*, tired as they were. 지쳐 있었으나 쉬지 않고 일을 계속했다.
keep on at... 《口》 (남에게) 성가시게 말하다[조르다], …에게 잔소리하다.
keep one***'s chin up*** ☞ CHIN.
keep one***self to*** one***self*** 혼자 외로이 있다, 교제를 피하다.
keep one***'s feet*** ☞ FOOT.
keep one***'s hand in*** ☞ HAND.
keep open house ☞ HOUSE[1].
keep out (1) (*vt.*) 안에 들이지 않다, 쫓아내다 : Shut the windows and ~ the cold *out*. 창을 모두 닫아 찬 공기가 들어오지 않게 하시오. (2) (*vi.*) 밖에 있다, 안에는 없다 : Danger ! *K~ out* ! 위험 ! 출입 금지.
keep out of... (싸움 따위에) 가담하지 않다.
keep the[one***'s***] ***house*** ☞ HOUSE[1].
keep to... (시간·규정 따위를) 굳게 지키다 ; (집·본 궤도를) 떠나지 않다 ; (본론)에서 벗어나지 않다, 이탈하지 않다.
keep to one***self*** (물건·정보 따위를) 남에게 주지 않다[알리지 않다].
keep under 누르다, 제지하다 ; 온순하게 하다, 복종시키다 : We managed to ~ the fire *under*. 가까스로 불길을 잡을 수 있었다.
keep up (*vt.*) (1) 지탱하다, 유지하다 ; 계속하다 ; (체면·원기·가격 따위를) 보지(保持)하다 : ~ *up* a house 살림을 꾸려나가다 / ~ *up* the same pace 같은 페이스를 유지하다 / ~ *up* an attack 공격을 계속하다 / ~ *up* a contact with our planes 아군 비행기와 접촉을 계속하다 / *K~ up* your spirits. (최후까지) 기운을 내라. (2) 밤에 깨어 있게 하다 : Mother ~*s* me *up* every night till twelve. 어머니는 매일밤 12시까지 나를 못자게 하신다. (*vi.*) (3) (병·역경 따위에) 꺾이지 않다, 굴하지 않다 ; (가격 따위가) 비싼 채로 있다 ; 좋은 날씨가 계속되다 : Prices will ~ *up*. 물가는 계속 오를 것이다 / if the weather ~*s up* 좋은 날씨가 계속된다면.
keep up with... (사람·시세 따위)에 뒤지지 않다, 뒤지지 않고 함께 걷다, 지지 않고 따라가다 ; (방문·서신 왕래 따위로) …와 교제를 계속하다 : It is rather difficult for an old man to ~ *up with* the times. 노인이 시대에 뒤지지 않고 따라가기란 어려운 일이다.
── *n.* **1** Ⓤ 생활필수품, 음식물 ; 생활비 ; (동물의) 사육비 : earn one's ~ 생활비를 벌다. **2** (성(城)의) 중심탑, 본성(本城). **3** Ⓤ 《稀》 유지 ; 보존(cf. KEEPING) ; 관리인, 감시인 ; 감옥 : be in good[bad] ~ 보존 상태가 좋다[나쁘다] / be worth one's ~ 보존할[기를, 사육할] 가치가 있다. **4** 〔美蹴〕 =KEEP PLAY ; [~s, 단수취급] 진짜 따먹기로 하는 구슬치기.
for keeps (1) (놀이 따위에서) 딴 것은 돌려주지 않는 조건으로 : Let's play marbles *for* ~*s*. 진짜 따먹기로 공기놀이를 하자. (2) 《口》 언제까지나, 영원토록 : You may have this *for* ~*s*. 이것을 너에게 주겠다《돌려주지 않아도 된다》.
〖OE *cēpan* to observe < ? ; cf. OS *kapōn* to look, ON *kōpa* to stare〗

類義語 ***keep*** 어떤 물건을 계속해서 가지다 또는 어떤 상태로 보지[유지]하다 ; 가장 보편적인 말. ***retain*** 격식을 차리는 말로서 단단히 보유하여 잃지 않으려는 마음을 암시함 : He tried to *retain* his position. (그는 지위를 유지하려고 노력했다). ***withhold*** 보유해 두고 내어 놓는[주는] 것을 거절하는 마음을 나타냄 : *withhold* one's consent (승낙을 보류하다). ***reserve*** 잠시 동안 또는 장래에 사용하기 위해 간직해 두다 : These seats are *reserved* for you. (이 좌석은 너를 위해서 예약해 놓은 것이다).

***kéep·er** *n.* **1** 지키는 사람 ; 망보는 사람, 교도관 ; 보호자(guard) ; 《英》 사냥터지기(gamekeeper). **2** 관리인, 보관자 ; 경영자, 임자, 주인, 양육주(養育主), 사육주(飼育主) : ☞ BEEKEEPER, SHOPKEEPER, STOREKEEPER. **3** 〔競〕 수비자, 키퍼 ; 시간 기록 담당원(timekeeper) : ☞ GOALKEEPER. **4 a)** (수레의) 제동 장치 ; 걸쇠 ; (결혼 반지가 빠지지 않게 하는) 보조 반지 ; (문의) 빗장 구멍. **b)** 보자자(保磁子)《자력 보존을 위해 U자형 자석 끝에 걸치는 연철(軟鐵) 막대》. **5** (저장할 수 있는) 야채[과일] : a good[bad] ~ 오래 저장할 수 있는[없는] 과일[야채].
the Lord Keeper (***of the Great Seal***) ☞ GREAT SEAL 2.

kéep-fít *a.* 건강을 위한 : Every morning he gives her ~ lessons. 매일 아침 그는 그녀에게 보건 체조를 개인지도 하고 있다.

kéep-fít clàss *n.* [때때로 *pl.*] 《口》 보건 체조[트레이닝] 교실.

kéep·ing *n.* **1** Ⓤ 유지, 보유 ; 보존, 저장 ; 관리, 보관, 수호 : in good[safe] ~ 잘[안전하게] 보존[보관]되어. **2** Ⓤ 부양(扶養), 사육, 양육 ; 사료, 음식물. **3** Ⓤ 조화, 일치, 상응(相應) : *in ~ with* …와 조화[일치]되어 / What he does is *out of ~ with* his words. 그가 하는 행동은 말과 일치하지 않는다. **4** 보류, 유치 ; [*pl.*] 보류 물품. **5** (의식·습관의) 준수, 축하, 의식을 행하기.
have the keeping of …을 맡고 있다.
in one***'s keeping*** 보관하여 : The papers are *in* my ~. 서류는 내가 보관하고 있다.

kéeping ròom *n.* 《古》 거실(居室).

kéep-lòck *n.* 《俗》 (수감자의) 독방 감금 징벌.

kéep plày *n.* 〔美蹴〕 쿼터백이 공을 갖고 달리는 공격 플레이.

kéep·sàke *n.* **1** 기념품, 유품(으로 남긴 것) (memento, souvenir). **2** (19세기초에 유행한) 선물용 장식책. ── *a.* 선물용 장식책 같은, 곱게 꾸민.

kees·hond [kéishɔ̀(ː)nd, kíːs-, -hɑ́nd, -t] *n.* (*pl.* **~s, -hon·den** [-dən]) [때때로 K~] 케이스혼드《네덜란드 원산(原産)의 큰 파수견》. 〖Du. ; *kees* < ? *Cornelis* Cornelius〗

kef [kéf, kéif, kíːf], **kief** [kíːf] *n.* (흡연용 마약에 의한) 몽환경(夢幻境) ; 흡연용 마약《마리화나 따위》. 〖Arab.〗

keg [kég] *n.* 작은 통《보통 용량 5-10갤런들이》. 〖ON *kaggi* < ?〗

keg·ler [kéglər], **keg·e·ler** [kégə-] *n.* 《美口》 볼링하는 사람(bowler).

keg·ling [kégliŋ] *n.* =BOWLING.

keis·ter, kees-, keys-, kies-, kis·ter [kíːstər, kái-] *n.* 《美俗》 가방, 슈트케이스 ; 궁둥이 ; 뒷주머니, 포켓 ; 금고. 〖C20 < ?〗

Keith [kíːθ] *n.* 남자 이름. 〖Sc. = ? woods〗

Kel·ler [kélər] *n.* 켈러. **Helen** (**Adams**) ~ (1880-1968) 미국의 여류 작가·사회 사업가·교

육가 ; 맹롱아(盲聾啞)의 3중고를 극복하여 세계평화 운동에 공헌했음.

Kel·logg [kélɔ(:)g, -lɑg] *n.* 켈로그. **Frank Billings** ~ (1856-1937) 미국의 정치가 ; Nobel 평화상(1929) 수상자.

Kéllogg-Bri·ánd Páct [-briɑ̃-] *n.* [the ~] 켈로그브리앙 조약《1928년 전쟁의 불법화와 국제 분쟁의 평화적 해결을 다짐한 조약 ; 미국·영국·프랑스·독일 따위의 여러 나라가 조인》.

Kéllogg (Péace) Pàct *n.* = KELLOGG-BRIAND PACT.

Kells [kélz] *n.* [The Book of ~] 켈즈 서(書)《9세기초에 완성된 라틴어 복음서》.

ke·loid, che- [kíːlɔid] *n.* 켈로이드《상처가 아문 뒤에 돋는 군살》. —— *a.* 켈로이드의. 〖Gk.〗

kelp [kélp] *n.* Ⓤ 켈프《특히 표착 해조류의 총칭》; 켈프 재《표착 해조류를 태운 것 ; 요오드를 채취함》. —— *vi.* 켈프 재를 채취하기 위해 해조류를 태우다. 〖ME< ?〗

kel·pie[1], **kel·py** [kélpi] *n.* 〖스코傳說〗 물의 요정《보통 말 모양이며 여행하는 나그네 등을 빠져 죽게 한다고 함》. 〖C18< ? Celt. ; cf. Sc. Gael. *cailpeach* colt〗

kelpie[2] *n.* 《濠》 켈피《중형의 목양견(牧羊犬)》. 〖*Kelpie* (개의 이름)〗

kel·son [kélsən] *n.* =KEELSON.

kelt [kélt] *n.* 《스코》 (산란 직후의) 살빠진 연어. 〖ME< ?〗

kel·ter [kéltər] *n.* 《英》 =KILTER.

Kelt(ic) ☞ CELT(IC).

kel·vin [kélvən] *n.* 〖理〗 켈빈《절대 온도의 단위 ; 기호 K》. —— *a.* [K~] 켈빈[절대] 온도 (눈금)의. 〖↓〗

Kelvin *n.* 켈빈. **William Thomson** ~(1824-1907) 아일랜드 태생의 영국 물리학자. 〖Celt. =warrior friend〗

Kélvin scàle *n.* 〖理〗 켈빈[절대](온도) 눈금.

Ke·mal Ata·türk [kemáːl àːtɑːtə́ːrk] *n.* 케말 아타튀르크[본명(本名) **Mus·ta·fá** [mustɑːfáː] **Kemál**] (1881-1938)《터키 장군, 초대 대통령(1923-38) ; Atatürk는 국부(國父)란 뜻의 칭호》.

kemp [kémp] *n.* (양털에서 가려낸) 거친 털. 〖ON〗

Kem·pis [kémpəs] *n.* 켐피스. **Thomas à** ~ (1380?-1471) 독일의 수사(修士)·저술가.

kempt [kémpt] *a.* (머리 따위를) 빗질한, (집 따위가) 깨끗한, 말쑥한. 〖역성(逆成) ‹ *unkempt*〗

ken[1] [kén] *n.* Ⓤ 안계(眼界), 시야 ; 지력(知力) 범위 : A spire swam into my ~. 첨탑이 나의 시야에 들어왔다 / beyond[outside, out of] one's ~ 시야 밖에, 보이지 않는 곳에 / Abstract words are beyond the ~ *of* children. 추상적인 말은 아이들에게는 이해되기 어렵다.
—— *v.* (**-nn-** ; **kent**) *vt.* 《스코·北英》 알다, 알고 있다. —— *vi.* 《스코》 알고 있다.
〖OE *cennan* to make known ; cf. CAN[1], ON *kenna*〗

ken[2] *n.* 《俗》 (도둑의) 소굴, 은신처(den). 〖? *kennel*[1]〗

Ken. Kentucky.

Ken·ne·dy [kénidi] *n.* 케네디. **John Fitzgerald** ~ (1917-63) 미국의 제35대 대통령(1961-63) ; Texas 주의 Dallas에서 암살됨.

Kénnedy Róund *n.* [the ~] 케네디 라운드《GATT의 관세 일괄 인하 협정(1964-67) ; 케네디 대통령이 제창하였음》.

Kénnedy Spáce Cènter *n.* (NASA의) 케네디 우주 센터《Florida 주(州)의 Cape Canaveral에 있음》.

ken·nel[1] [kénl] *n.* **1** 개집 ; [*pl.*] (수렵대 본부의) 개집. **2** 오두막집. **3** (사냥개 따위의) 떼. —— *vt., vi.* (**-l-** | **-ll-**) 개집에 넣다[들어가다] ; 개집에 살다. 〖AF<L (*canis* dog)〗

kennel[2] *n.* 도랑, 하수구(gutter). 〖C16 *cannel* <AF *canel* CHANNEL[1]〗

kénnel clùb *n.* 애견가 클럽.

Ken·neth [kéniθ] *n.* 남자 이름. 〖Ir. =handsome〗

kén·ning *n.* 〖修〗 완곡 대칭법(婉曲代稱法), 케닝《주로 고대 영시(英詩)나 Edda에서 볼 수 있는 일종의 은유(隱喩) 표현 ; 예를 들면 heofoncandel (=heaven candle)이 'sun'의 뜻》. 〖ON ; ⇨ KEN[1]〗

Ken·ny [kéni] *n.* 남자 이름.

Kénny mèthod[**trèatment**] *n.* 〖醫〗 케니 요법《소아마비 치료법으로 온열·운동 요법을 절충한 것》. 〖Elizabeth *Kenny* (d. 1952) 오스트레일리아의 간호사〗

ke·no, kee-, ki-, qui- [kíːnou] *n.* (*pl.* ~**s**) 《美》 키노《빙고 비슷한 도박의 일종》. 〖C19< ? ; 일설(一說)에 F *quine*, *-o*〗

ke·no·sis [kənóusəs] *n.* Ⓤ 〖神學〗 (그리스도가 인간의 형체를 가지는 데 따른) 신성(神性) 포기. 〖Gk. (*kenoō* to empty)〗

ken·o·tron [kénətrɑ̀n] *n.* 〖電〗 케노트론《저(低)전류·고(高)전압용 정류기(整流器)로 쓰는 고진공 이극관(二極管)》. 〖Gk. *kenos* empty〗

Ken·sing·ton [kénziŋtən] *n.* 켄징턴《옛 London의 수도 자치구 중의 하나》.

Kénsington and Chélsea *n.* 켄징턴 첼시《London 자치구의 하나》.

ken·speck(·le) [kénspèk(əl)] *a.* 《北英·스코》 눈에 띄는, 명백한. 〖*kenspeck* <Scand. ; ⇨ KEN[1]〗

kent *v.* KEN[1]의 과거·과거 분사.

Kent [ként] *n.* 켄트《잉글랜드 남동부의 주(州) ; 주도 Maidstone》.
a man of Kent Medway강 동쪽 태생인 켄트인 (cf. *a* KENTISH *man*). 〖OE=open country〗

Ként bùgle *n.* =KEY BUGLE.

Ként·ish *a.* Kent 주(州)의.
a Kentish man Medway 강 서쪽 태생인 켄트인(cf. *a man of* KENT).

Kéntish fíre *n.* 《英》 (청중이 일제히 치는) 긴 박수《짜증·비난의 표시》.

Kéntish rág *n.* 켄트석(石)《Kent산(産)의 단단한 석회석 ; 건축재》.

kent·ledge [kéntlidʒ] *n.* Ⓤ 〖海〗 선철 밸러스트. 〖F *quintelage*〗

Ken·tucky [kəntʌ́ki ; ken-] *n.* 켄터키《미국 중동부의 주(州) ; 주도 Frankfort ; 略 Ky., Ken.》.
Ken·túck·i·an *a., n.*

Kentúcky cóffee trèe *n.* 〖植〗 켄터키커피나무《북미산(產)의 콩과(科)의 교목 ; 열매는 이전에 커피 대용으로 사용하였음》.

Kentúcky Dérby *n.* 켄터키 더비《Kentucky 주에서 매년 5월 첫번째 토요일에 행해지는 경마》.

Ken·ya [kíːnjə, kén-] *n.* 케냐《동아프리카 중동부의 영연방내에 있는 공화국 ; 원래 영국 식민지로 1963년에 독립 ; 수도 Nairobi》.

Ken·ya·pi·the·cus [kènjəpiθíːkəs, kìːnjəpíθəkəs, kèn-] *n.* 〖古生〗 케냐 원인(原人), 케냐피테

K

쿠스《케냐의 Victoria호 부근에서 발견됨》.

Ké·ogh plàn [kíːou-] *n.* 《美》 키오 플랜《자영업자를 위한 퇴직금 적립 계획》. 〚Eugene J. *Keogh*(1907-) 미국의 정치가〛

kepi [kéipi(ː)] *n.* 케피《프랑스 군모; 윗부분이 평평함》. 〚F<G (dim.)‹*Kappe* cap〛

Kep·ler [képlər] *n.* 케플러. **Johannes** ~ (1571-1630) 독일의 천문학자.

◇**kept** [kept] *v.* KEEP의 과거·과거분사. ── *a.* 금전상의 원조를 받고 있는; 남몰래 도움을 받는: a ~ mistress[woman] 첩(妾) / a ~ press 어용 신문.

kept·ie *n.* 《美俗》 첩.

kepi

Ker. Kerry.

ker- [kər] *comb. form* 「쿵」「털썩」「짤까닥」의 뜻을 첨가하는 강조어. 〚imit.〛

ke·ram·ic [kəræ̀mik] *a., n.* =CERAMIC.

ke·ram·ics [kəræ̀miks] *n.* =CERAMICS.

ker·at- [kérət], **ker·a·to-** [-tou, -tə] ☞ CERAT-.

ker·a·tin [kérətən] *n.* Ⓤ 〔化〕 케라틴, 각질.

ker·a·ti·tis [kèrətáitəs] *n.* (*pl.* **-tit·i·des** [-títədiːz]) Ⓤ 〔醫〕 각막염.

kérato·plàsty *n.* 〔醫〕 각막 이식[형성](술).

ker·a·tose [kérətòus], **cer-** [sér-] *a.* 각질(角質)의; 각질 해면류의. ── *n.* (해면류(海綿類)의) 각질 섬유.

ker·a·to·sis [kèrətóusəs] *n.* (*pl.* **-ses** [-siːz]) 〔醫〕 (피부의) 각화증(角化症).

ker·a·tot·o·my [kèrətátəmi] *n.* 〔醫〕 각막(角膜) 절개(술).

kerb [kəːrb] *n.* 《英》 =CURB *n.* 4. ── *vt.* (보도)에 갓돌을 대다. 〚변형(變形)‹*curb*〛

kérb màrket *n.* (증권의) 장외 시장(curb).

kérb·stòne [-stòun] *n.* 《英》 =CURBSTONE.

kérb wéight *n.* (자동차 따위의) 장비 중량, 차량 중량[무게].

ker·chief [kə́ːrtʃəf, -tʃiːf] *n.* (*pl.* **~s, -chieves** [-tʃəfs, -tʃiːvz]) (여성의) 스카프; 목도리(neckerchief); 손수건(handkerchief). **~ed** *a.* 스카프를 쓴, 목도리를 두른. 〚AF *courchef*; ⇨ COVER, CHIEF〛

kerf [kəːrf] *n.* **1** (도끼 따위로 찍은) 자국, 톱질한 자국; 나무의 잘라낸 자국. **2** 절단(cutting). ── *vt.* 그은 자국[벤 자리, 손도끼 자국]을 내다. 〚OE *cyrf* cutting; cf. CARVE〛

ker·fuf·fle, car-, kur- [kərfʌ́fəl] *n.* 《英口》 소동(騷動), (야단) 법석, (하찮은 일에 대한) 말다툼‹*about, over*›. ***fuss and kerfuffle*** 공연한 대소동[법석]. ── *vt.* 《스코》 엉망으로 만들다. 〚Sc. (*fuffle* to disorder)<(imit.)〛

ker·mes [kə́ːrmi(ː)z] *n.* (*pl.* ~) 연지벌레(의 암컷); Ⓤ 연지, 양홍(洋紅)《선홍색의 황화(黃化) 안티몬》; 〔化〕 무정형(無定形) 황화 안티몬. 〚F<Arab. and Pers.; CRIMSON과 같은 어원〛

ker·mis, -mess, kir·mess [kə́ːrməs] *n.* (네덜란드 등지의) 축젯날에 서는 장; 《美》 북적거리는 자선시(慈善市). 〚Du.〛

kern[1], **kerne** [kəːrn] *n.* 〔印〕 장식 꼬리《이탤릭체 활자 *f*의 상단과 하단, *y*의 하단처럼 활자의 몸체에서 돌출한 부분》. ── *vt., vi.* (…에) kern을 사용하다[달다]. 〚? F *carne* corner〛

kern[2], **kerne** [kəːrn, 美+kéərn] *n.* **1** 〔史〕 (고대 아일랜드의) 경무장 보병(대). **2** 《古》 아일랜드 농부. 〚Ir. =band of soldiers〛

ker·nel [kə́ːrnl] *n.* **1** (복숭아 따위의) 인(仁)‹*of*›; (보리 따위의) 낟알(grain). **2** (문제 따위의) 핵심, 골자, 요점(gist)‹*of*›. **3** 〔理〕 핵(核)《가전자(價電子)를 제거한 원자》; 〔數〕 핵(cf. CORE). ── *v.* (**-l-** | **-ll-**) *vt.* (핵[인]처럼) 둘러싸다. ── *vi.* (익어서) 핵[인]이 생기다. **~ed** | **~led** *a.* 핵[인]이 있는. 〚OE (dim.)‹CORN[1]〛

kérnel séntence *n.* 〔文法〕 핵문(核文)《문장의 생성 기반이라고 상정(想定)되는 가장 기본적인 구조의 문장》.

kero [kérou] *n.* 《濠》 =KEROSINE.

ker·o·sine, -sene [kérəsìːn, 美+kæ̀r-, ⌐-⌐, 美+kæ̀r-] *n.* Ⓤ 《美》 등유(=《英》 paraffin oil): a ~ lamp 석유 램프 / a ~ heater 석유 스토브. 〚Gk. *kēros* wax〛

Ker·ry [kéri] *n.* **1** 케리《아일랜드의 주(州)》. **2** 케리종(種)의 검은 젖소: ~ blue (terrier) 케리 블루 (테리어)《아일랜드 원산의 사냥개》.

ker·sey [kə́ːrzi] *n.* 커지《(1) 투박한 나사; 바지나 작업복용(用). (2) 모 또는 모와 목면의 능직 천; 코트용(用); 그 의복》. 〚ME‹? *Kersey*, Suffolk〛

ker·sey·mere [kə́ːrzimìər] *n.* =CASHMERE. 〚C18 *cassimere* (변형(變形))‹CASHMERE; 어형은 ↑에 동화(同化)〛

ke·ryg·ma [kərígmə] *n.* 〔聖〕 (복음의) 선교(宣教), 전도. **ker·yg·mat·ic** [kèrigmǽtik] *a.* 〚Gk.〛

kes·trel [késtrəl] *n.* 〔鳥〕 황조롱이. 〚ME<? OF *casserelle* (dial.), *crécerelle*〛

ket- [két], **ke·to-** [kíːtou, -tə] *comb. form* 〔化〕 「케톤」의 뜻. 〚G; ⇨ KETONE〛

ketch [ketʃ] *n.* 〔海〕 케치《연안용(用) 쌍돛대 범선의 일종》. 〚? CATCH〛

ketchup ☞ CATSUP.

ke·tone [kíːtoun] *n.* Ⓤ 〔化〕 케톤. 〚G *keton* (변형(變形))‹*aketon* ACETONE〛

ke·to·sis [kitóusəs] *n.* (*pl.* **-ses** [-siːz]) 〔醫〕 케토시스, 케톤증(症).

ketch

ket·tle** [kétl] *n.* **1** 솥, 탕관; 주전자. **2** =KETTLEDRUM. **3** 〔地質〕 (빙하바닥의) 구혈(甌穴)(=⌐ **hòle**). ***a pretty [***nice***] ***kettle of fish*** 야단 법석, 북새통, 분규(mess). 〚ON *ketill*=OE *cietel*<Gmc. <L (dim.)‹*catinus* bowl〛

kéttle·drùm *n.* **1** 〔樂〕 케틀드럼《반구형의 통에 가죽을 씌워 만든 북으로 관현악의 주요한 타악기》. **2** 《俗》 오후의 다과회《19세기에 유행》. **kéttle·drùmmer** *n.* 케틀드럼을 치는 사람.

kéttle hòlder *n.* 뜨거운 주전자를 쥐는 행주.

keV kiloelectron volt.

kev·el, kev·il [kévəl] *n.* 〔海〕 닻줄 계류용 큰 고리. 〚OF〛

Kev·in [kévin] *n.* 남자 이름. 〚Ir. =handsome birth〛

Kev·lar [kévlɑːr] *n.* 케블라《강한 합성 섬유로 타이어 코드·방탄복 따위에 쓰임; 상표명》.

Kew [kjú:] *n.* 큐《London 서부 교외 주택지구》.
Kéw Gárdens *n. pl.* [때때로 단수취급] 큐 가든《KEW에 있는 국립 식물원》.
kew·pie [kjú:pi] *n.* 큐피《요정》; [K~ (doll)] 큐피 인형《상표명》. 〖*Cupid*, *-ie*〗
ǂkey[1] [kí:] *n.* **1** 열쇠 : lay[put] the ~ under the door 문 밑에 열쇠를 놓아두다《집을 폐쇄한 표시》. **2** 열쇠 모양의 것. **3** [the ~] 요소, 관문 : *the* ~ *to* the Mediterranean 지중해의 관문《Gibraltar》. **4 a**) (문제·사건 따위의) 해답, 해결의 열쇠[실마리](clue) ; (성공 따위의) 비결 : the ~ *to* a mystery 미스터리를 푸는 열쇠. **b**) (외국 서적의) 직역본 ; (수학·시험 문제의) 해답서 ; (동·식물의) 검색표. **c**) (지도·사전 따위의) 기호[약어]표. **d**) 중요인물 ; 《美俗》 Ivy League에 속하는 대학의 학생. **5** (시계의) 태엽 감개(watch key) ; 〖建〗 =KEYSTONE. **6** (타이프라이터 따위의) 키, 글쇠 ; 〖電〗 전건(電鍵) ; (오르간·피아노·취주악기의) 키, 건(鍵). **7** 〖樂〗 (장단의) 조(調) : the major[minor] ~ 장[단]조. **8** (소리의) 고저, 어조 : speak *in* a high[low] ~ 높은[낮은] 어조로 말하다 / *in* a minor ~ 침통한[슬픈] 어조로 / all *in* the same ~ 모두 같은 음조로, 단조롭게. **9** 《비유》 (사상·표현·색채 따위의) 기조(tone), 양식(mode). **10** 〖植〗 = SAMARA. **11** 〖美蹴〗 플레이의 계기가 되는 상대방의 위치·행동.
have*[*get*] *the key of the street 《戲》 밤에 쫓겨나다, 잘 곳이 없어지다.
hold* (*in hand*) *the key of …의 열쇠[급소]를 쥐다.
—— *a.* 기본적인, 중요한, 기조(基調)의 ; 해결의 열쇠가 되는 : a ~ color 기본색 / a ~ position [issue] 중요한 지위[문제].
—— *vt.* **1** [+目+前+名] (이야기·행동 따위를) 정황[분위기]에 맞추다 : ~ one's speech ***to*** the occasion 그 자리의 분위기에 맞춰서 이야기하다. **2** …에 자물쇠를 채우다 ; 자물쇠[쇠줄·빗장 따위]로 잠그다. **3 a**) (악기를) 조율(調律)하다. **b**) (문제집 따위에) 해답을 달다. **4** 〖建〗 (아치에) 사북돌을 끼워넣다(cf. KEYSTONE). **5** (광고가 들어갈 자리를) 부호로 지시하다《신문·잡지의 레이아웃에서》; (광고의 반향을 알기 위해) 광고 속에 기호를 넣다. **6** (벽토·페인트 따위가 잘 먹도록) 표면을 거칠게 하다 ; (회반죽·페인트 따위가) 잘 먹게 하다.
—— *vi.* **1** 자물쇠를 채우다. **2** 〖美蹴〗 상대의 움직임을 지켜보다〈*on*〉. **3** =KEYBOARD.
key up (1) …의 어조를 높이다, 음조를 올리다 : ~ a piano *up to* concert pitch 피아노의 음조를 합주음조로 높이다. (2) 《비유》 긴장시키다, 고무하다 ; (요구 따위의) 어조를 강하게 하다(raise) : The coach ~*ed up* the team for the game. 코치는 그 시합을 위해서 팀의 사기를 북돋아 주었다. 〖OE *cæg*(*e*) < ? ; cf. MLG *keige* spear〗
key[2] *n.* 산호초(礁)(cay) ; 《古》 =QUAY. 〖Sp. *cayo* shoal, reef ; QUAY의 영향〗
kéy accòunt *n.* (회사 따위의) 주요 고객.
kéy·bòard *n.* **1** (피아노·타이프라이터·식자기·컴퓨터 따위의) 건반(鍵盤), 키보드, 글쇠판. **2** (재즈·팝 뮤직의) 건반 악기, 키보드. **3** (호텔 프런트 따위에서) 객실 열쇠를 걸어두는 판.
—— *vt.* (정보[원고]를) 키보드를 두드려 입력하다[식자하다].
—— *vi.* 건반[키보드]을 조작하다.
~·er *n.*
kéyboard ínstrument *n.* 건반악기.
kéy·bòard·ist *n.* 건반 악기[키보드] 연주자.
kéy bùgle *n.* 유건(有鍵) 나팔《옛 악기》.
kéy càse *n.* (가죽 따위로 만든) 열쇠 주머니.
kéy chàin *n.* (여러 개의 열쇠들을 한데 꿰는) 열쇠 꾸러미.
kéy chìld *n.* 부모가 맞벌이하는 집 아이《부모가 돌아올 때까지 열쇠를 갖고 있는 데서》.
kéy clùb *n.* (각자 열쇠를 갖고 있는) 회원제 비밀 나이트 클럽.
kéy cúrrency *n.* 기축(基軸)[국제] 통화《국제간의 결제에 사용되는 특정국의 통화》.
keyed [kí:d] *a.* 건(鍵)이 있는 : a ~ instrument 유건 악기《피아노·오르간 따위》.
kéy frùit *n.* =SAMARA.
kéy·hòle *n.* 열쇠 구멍 ; 마개 구멍 : look through [listen at] a ~ 열쇠 구멍으로 엿보다[엿듣다].
—— *a.* 《口》 기밀에 저촉된《보고 따위》; (신문·잡지 기자 등이) 내막을 쓰고 싶어하는.
kéyhole sàw *n.* (열쇠 구멍 따위를 뚫기 위한) 둥근톱.
kéyhole sùrgery *n.* 〖醫〗 레이저 광선을 이용한 수술(Band-Aid surgery).
kéy índustry *n.* 기간 산업《전력·화학 공업이나 탄광업·철강업 따위》.
kéy·less *a.* (문 따위) 열쇠가 없는 ; (시계가) 태엽 감개가 필요없는 : a ~ watch 《英》 =STEM-WINDER.
kéy líght *n.* (사진의 피사체를 비추는) 주(主)광선.
kéy líme píe *n.* 키라임파이《미국 Florida 주 남부의 명물 요리》.
kéy·lìne *n.* 〖廣告〗 (교정쇄나 삽화 따위의 복사물을 사용한) 인쇄 광고의 레이 아웃.
kéy·màn *n.* (기업 따위의) 중심[중요] 인물.
kéy máp *n.* 윤곽지도, 개념도.
kéy mòney *n.* 《英》 (셋집의) 보증금, 권리금.
kéy·mòve *n.* 〖체스〗 승부를 결정짓는 첫 수.
Keynes [kéinz] *n.* 케인스. **John Maynard** ~ (1883-1946) 영국의 경제학자. **~·ian** *a.*, *n.* 케인스학파[이론]의 (사람).
kéy·nòte *n.* **1** 〖樂〗 으뜸음《음계의 제1음》. **2** 《비유》 (연설 따위의) 요지, (행동·정책·성격 따위의) 기조 : give the ~ to …의 기본방침을 정하다 / strike[sound] the ~ of …의 기조를 살피다 / The ~ of his speech was Christian love. 그의 연설의 요지는 기독교적 사랑이었다. —— *vt.* …의 으뜸음[기조]을 정하다 ; 《美》 …의 정책[시정방침]을 발표하다 ; 기조 연설을 하다 ; 강조하다. **kéy·nòter** *n.*
kéynote addréss[**spéech**] *n.* 《美》 기조연설《당 대회 따위에서 당면한 주요 과제·방침·정책 따위를 표명하는 연설》.
kéynote spèaker *n.* 기조 연설을 하는 사람.
kéy·pàd *n.* 키패드《컴퓨터나 텔레비전의 부속 장치로서 손 위에 놓고 수동으로 정보를 입력하거나 채널을 선택하거나 하는 작은 상자꼴의 것》.
kéy pàttern *n.* 만자(卍字) 무늬, 뇌문(雷紋).
kéy·phòne *n.* 《英》 버튼식(式) 전화기(push-button telephone).
kéy pùnch *n.* 〖컴퓨〗 키펀치, 건반 천공기(鍵盤穿孔機) ; =CARD PUNCH.
kéy·pùnch *vt.* (펀치 카드나 종이 테이프에) 천공기로 구멍을 내다.
kéy pùrse *n.* =KEY CASE.
kéy rìng *n.* (많은 열쇠를 꿰는) 열쇠 고리.
kéy sèat *n.* 키 홈.
kéy·sèt *n.* (타자기 및 식자기 따위의) 건반, 키보드(keyboard).

K

kéy sìgnature *n.* 〔樂〕 조표(調標)(♯(sharp), ♭(flat) 따위).
kéy·smìth *n.* 열쇠 제조업자.
kéy státion *n.* 〔라디오·TV〕 키 스테이션, 본국(本局)《네트워크 프로그램을 보내는 방송국》.
kéy·stòne *n.* **1** 〔建〕 (아치 꼭대기의) 사북돌, 쐐기돌(key). **2** 《비유》 요지, 근본 원리⟨*of*⟩. **3** 《野俗》 2루(壘).
kéystone sàck[**cùshion**] *n.* 《美野俗》 2루.
Kéystone Státe *n.* [the ~] 미국 Pennsylvania 주의 속칭《독립 당시 13주의 중앙부에 위치한 데서 연유》.
kéy·stròke *n.* (타자기·컴퓨터 따위의) 키를 치기, 글쇠 누름.
—— *vt., vi.* 키를 치다[두드리다].
kéy vísual *n.* 〔廣告〕 텔레비전 광고에서 가장 중요한 포인트가 되는 화면.
kéy·wày *n.* 〔機〕 =KEY SEAT ; (자물쇠의) 열쇠 구멍.
Kéy Wést *n.* 키웨스트《미국 Florida반도 남방의 섬 ; 해군기지》.
kéy wòrd *n.* **1** (문장·암호 따위의 해독에) 열쇠가 되는 말, 키 워드, 핵심어. **2** (철자·발음 따위의 설명에 사용되는) 예시어(例示語).
kéy-wòrd-in-cóntext *a.* 표제어가 문맥 속에 놓인 형식으로 배열된《색인 따위 ; cf. KWIC》.
KFP Korean Fighter Program(한국의 차세대 전투기 사업). **KFX** Korean Foreign Exchange (한국 정부 보유 외환).
kg. keg(s) ; kilogram(s). **K.G.** Knight of the Garter. **KGB, K.G.B.** [kèidʒìːbíː] *Komitet Gosudarstvennoi Bezopasnosti* 《Russ.》 (=Committee of State Security). **K.G.C.** Knight Grand Cross. **K.G.F.** Knight of the Golden Fleece. **kgm** kilogram(s). **kg-m** kilogram-meter(s). **KGPS, kgps** kilogram(s) per second.
Kha·ba·rovsk [kəbáːrəfsk] *n.* 하바로프스크《시베리아 동부 Amur강 연안의 중심 도시》.
khad·dar [káːdər], **kha·di** [káːdi] *n.* Ⓤ 《인도》 손으로 짠 무명. 〖Hindi〗
kha·ki [káːki, kǽki] *a.* 카키색[다갈색, 황갈색]의 ; 카키색 천의. —— *n.* (*pl.* **khá·kis**) **1** Ⓤ 카키색. **2** Ⓤ 카키색 옷감[천] ; Ⓒ [*pl.*] 카키색 군복[제복].
get into khaki 육군에 입대하다.
〖Urdu=dusty〗
kháki elèction *n.* 《英》 (일반적으로) 비상시에 편승하여 행하는 정략 선거.
khal·if [kǽlif, kéi-, kɑːlíːf], **kha·li·fa** [kəlíːfə, kɑː-] *n.* =CALIPH.
Khál·i·fat agitátion [kǽləfæ̀t-] *n.* 《인도》 칼리파 운동《이슬람교국을 이교국의 간섭으로부터 회복하려는 이슬람교도의 정치 운동》.
khal·i·fate [kǽləfèit] *n.* =CALIPHATE.
kham·sin [kæmsíːn, kǽmsən] *n.* 〔氣〕 캠신 열풍《봄에 사하라 사막에 휘몰아치는 이집트에서 불어오는 뜨거운 바람》.
〖Arab.〗
khan[1] [kɑːn, kǽ(ː)n] *n.* 〔史〕 칸, 한(汗)《중앙아시아 여러나라의 통치자의 존칭 ; 몽고·터키 지방의 군주의 칭호》. **khán·ate** [-eit, -ət] *n.* 칸의 지위[영토]. 〖Turk. =lord〗
khan[2] *n.* 대상(隊商)의 숙박소(caravansary).
〖Arab. =inn〗
khanga ☞ KANGA[1].
khan·sa·mah [káːnsəmɑ̀ː, kɑnsɑ́ːmə] *n.* 《인도》 (영국 가정의) 인도인 집사. 〖Hindi〗
Khar·toum, -tum [kɑːrtúːm] *n.* 하르툼《White Nile강과 Blue Nile 강이 합류하는 곳에 있는 수단의 수도》.
khed·a(h), ked·dah [kédə] *n.* (인도의) 야생 코끼리 생포용 울짱 모양의 덫. 〖Hindi〗
khe·dive [kədíːv] *n.* (터키 정부 파견의) 이집트 총독. 〖F<Turk.<Pers. =prince〗
khi [kái] *n.* =CHI.
khid·mat·gar, -mut·gar [kídmətgɑ̀ːr] *n.* 《인도》 (영국인 가정의) 사환, 식당 하인. 〖Hindi〗
Khmer [kəméər ; kméər, kmɔ́ːr] *n.* **1** [the ~ Republic] 크메르 공화국《캄보디아의 옛 공식명(1970-75)》. **2** (*pl.* ~, **~s**) 크메르족[인]《인도차이나 남부에 분포한 캄보디아의 주요 민족》; 크메르어. **Khmér·ian** *a.*
Khmér Róuge *n.* 크메르 루주《캄보디아내의 혁명 세력》.
Kho·mei·ni [xouméini, kou-, hou-] *n.* 호메이니. Ayatollah **Ruhollah Mussaui** ~ (1900-89) 이란 이슬람 공화국의 최고 지도자(1979-89).
K.H.P. Honorary Physician to the King.
Khru·shchev [kruʃ(tʃ)ɔ́ːf, -(tʃ)éf, -v, krúːʃ-] *n.* 흐루시초프. **Nikita** (**Sergeevich**) ~ (1894-1971) 구소련 공산당 지도자 ; 수상(1958-64).
K.H.S. Honorary Surgeon to the King.
khud [kʌ́d] *n.* 《인도》 산허리의 급경사 ; 협곡 : a ~ stick 등산 지팡이.
Khu·fu [kúːfuː], (Gk.) **Che·ops** [kíːɑps] *n.* 쿠푸《Giza에 거대한 피라미드를 건설한 이집트 제4왕조의 왕(2613?-?2494 B.C.)》.
khur·ta, kur- [kúərtɑː] *n.* 쿠르타《소매가 길고 느슨하며 칼라가 없는 인도의 셔츠》.
〖Hindi〗
khy·ber [káibər] *n.* [흔히 K~] 《英》 엉덩이 (ass). 〖↓〗
Khýber Páss *n.* [the ~] 카이바르 고개《아프가니스탄과 파키스탄의 국경에 있음》; =KHYBER.
kHz kilohertz. **Ki.** Kings. **K.I.A.** killed in action(전사자).
kia ora [kìːə ɔ́ːrə] *int.* 《N. Zeal.》 건강하시기를!《친밀감을 나타내는 말》. 〖Maori〗
kib·ble[1] [kíbəl] *vt.* (곡물 따위를) 거칠게 빻다[갈다]. —— *n.* Ⓤ 거칠게 빻은 낟알. 〖C18<?〗
kibble[2] *n.* 키블《광석 따위를 담아 올리는 광산용 두레박》. —— *vt.* 키블로 담아 올리다.
〖G *Kübel*=OE *cyfel*, <L *cupellus* corn measure (dim.) ⟨CUP〗
kib·butz [kibú(ː)ts] *n.* (*pl.* **-but·zim** [-bu(ː)tsíːm]) 키부츠《이스라엘의 집단 농장》.
~·nik [-nik] *n.* 키부츠 주민.
〖Heb. =gathering〗
kibe [káib] *n.* (추위로) 손발이 틈, 동상.
gall [***tread on***] a person***'s kibes*** 남의 아픈 곳을 건드리다, 남의 감정을 상하게 하다.
kib·itz [kíbəts, kəbíts] *vi.* 《美俗》 (내기 따위에서) 훈수하다 ; 쓸데없는 말참견을 하다.
〖Yid. <G (*Kiebitz* lapwing, busy boy)〗
kib·itz·er [kíbətsər, kəbíts-] *n.* 《美口》 **1** 노름의 구경꾼, 훈수하는 사람. **2** 쓸데없는 참견을 하는 사람. 〖Yid. ; cf. G *kiebitzen*〗
kib·la(h) [kíblə, -lɑː] *n.* **1** (이슬람교도가 기도할 때 향하는) 메카의 Kaaba 방향. **2** 메카 요배(遙拜). 〖Arab.〗
ki·bosh, ky- [káibɑʃ, 美+-́, 美+ki-] *n.* Ⓤ 《俗》 억누르는[막는] 것《지금은 다음 숙어로만》.
put the kibosh on …에게 결정타를 먹이다, …

을 쳐부수다, 망그러뜨리다, 해치워 결말짓다.
—— *vt.* 《稀》 방해하다, 좌절시키다.
〖C19 < ?〗

‡kick[1] [kík] *vt.* **1** [+目/+目+副/+目+前+名] 차다, 걷어차다 : ~ a football 축구공을 차다 / ~ *off* one's shoes 신을 걷어차듯 휙 벗다 / ~ a hole ***in*** something 어떤 물건을 차서 구멍을 내다. **2** [+目+副] (차서) 쫓아내다 ; (구혼자 등을) 퇴짜놓다, (신청을) 거절하다(reject), (고용인을) 해고시키다 : ~ a person *out* 사람을 (차서) 쫓아내다[해고하다] / ~ a person *downstairs* 사람을 아래층으로 차서 내몰다[집에서 쫓아내다]. **3** (총이) 반동으로 튀다. **4** 〔蹴〕 (골에) 공을 차넣다. —— *vi.* **1** 차다 ; (말이) 뛰다 : The child was ~*ing* and crying. 그 아이는 발버둥이 치며 울고 있었다. **2** (총이) 반동하다(recoil). **3** [動/+前+名] 《口》 반발하다, 반항[반대]하다 ; 불평하다 : The farmers ~*ed* ***at***[***against***] the government's measure. 농민들은 정부의 조치에 반발했다.

kick a man when he's down 넘어진 사람을 차다 ; 《비유》 약점을 이용하여 몹쓸 짓을 하다.

kick against the pricks[***goad***] (소가 성이 나서) 몰이채를 차다 ; 《비유》 오기로[쓸데없이] 반항을 하다가 상처를 입다 ; 양심에 위배되는 행동을 하다.

kick around 《口》 (사람을) 난폭하게 다루다, 학대하다, 혹사하다, 괴롭히다 ; 방랑하다.

kick back 되차다 ; 《美口》 되튀다 ; (훔친 물건을 두목에게) 바치다.

kick down the ladder ☞ LADDER.

kick in 《俗》 (차금·분담금 따위를) 지불하다 ; 죽다(die).

kick off 걷어차다 ; 걷어차듯이 벗다(cf. *vt.* 1) ; 〔蹴〕 킥오프하다(cf. KICKOFF) ; 《俗》 죽다.

kick one***'s heels*** ☞ HEEL[1].

kick out 차서 쫓아내다 ; 해고하다(cf. *vt.* 2) ; 〔蹴〕 공을 선 밖으로 차내다(cf. KICKOUT).

kick over the traces ☞ TRACE[2].

kick the bucket ☞ BUCKET.

kick the wind[***clouds***] ☞ WIND[1], CLOUD.

kick up (1) 차올리다 ; (먼지 따위를) 차서 일게 하다. (2) 《美》 (소란을) 일으키다 ; 불순(不順)해지다 : ~ *up* a row[fuss, dust, shine, shindy] 소동[파란]을 일으키다.

kick up a person***'s heels*** ☞ HEEL[1].

kick up one***'s heels*** ☞ HEEL[1].

kick a person ***upstairs*** 《戱》 (필요하지 않은) 사람을 이름뿐인 높은 자리에 앉히다(shelve).

—— *n.* **1** 차기, 걷어차기 : give a ~ at …을 한 번 차다. **2** Ⓤ (발사한 총포의) 반동(recoil). **3** 《口》 반대, 거절, 항의. **4** [the ~] 《俗》 해고(解雇) : get[give] *the* ~ 해고되다[하다]. **5** 〔蹴〕 (공의) 차기, 킥 ; 차는 사람 : ☞ FREE KICK / ☞ PENALTY KICK. **6** Ⓤ 《口》 흥분, 스릴 ; 반발력, 원기 ; (위스키 따위의) 자극성(刺戟性).

get a kick out of... 《口》 …에서 자극을 받다, …이 재미있다.

get more kicks than halfpence 친절한 대접[감사, 칭찬]은 커녕 도리어 봉변을 당하다.

〖ME *kike* < ? Scand. ; cf. Icel. *keikja* to bend backward〗

kick[2] *n.* (병의) 불룩한 바닥. 〖C19 < ?〗

kíck·bàck *n.* 《美口》 (거친) 대답 ; (훔친 물건의) 반환 ; 가로채기, 상납(上納), 리베이트(rebate).

kíck·bàll *n.* 킥볼《야구 비슷한 아이들의 구기 ; 배트로 치는 대신에 발로 큰 공을 참》.

kíck·dòwn *n.* (자동차의) 킥다운《자동 변속기가 달린 자동차에서 액셀러레이터를 힘껏 밟고 저속으로 기어를 변속하기》 ; 킥다운 장치.

kíck·er *n.* **1** 차는 사람 ; (축구 따위의) 키커 ; 차는 것, 차는 버릇이 있는 말. **2** 《口》 반항자 ; 불평자. **3** 되튀는 것. **4** 《俗》 (보트에 장치하는 착탈식의) 선외(船外) 모터(outboard motor).

kícker ròcket *n.* 키커 로켓《인공위성을 궤도에 올리기 위한 booster rocket의 보조 로켓》.

kíck·ing stràp *n.* **1** (말이 차지 못하게 궁둥이에 채우는) 가죽띠. **2** [*pl.*] 《戱》 (군인의) 배낭의 가죽끈.

kícking tèam *n.* 〔美蹴〕 킥오프·펀트·필드골 따위의 플레이 때에 출장하는 팀(suicide squad).

kíck·òff *n.* 〔蹴〕 킥오프《시합개시·득점후의 시합 재개 때 placekick 하기》 ; 《美口》 시작, 개시(start) (cf. BULLY-OFF).

kíck·òut *n.* 〔蹴〕 킥아웃(하는 것) (cf. KICK *out*) ; 《美俗》 해고, (군대에서의) 추방.

kíck pàrty *n.* 《美俗》 LSD파티.

kíck plèat *n.* 킥 플리트《걷기 편하게 스커트 따위의 앞이나 옆에 잡은 주름》.

kick·shaw(s) [kíkʃɔ̀ː(z)] *n.* **1** 《古·蔑》 공들인 요리, 진미. **2** 쓸데없는 장식 ; (기발하나) 보잘것 없는 것. 〖F *quelque chose* something〗

kíck·sòrt·er *n.* 〔理〕 파고(波高) 분석기, 킥소터.

kíck·stànd *n.* (자전거·모터사이클의) 뒷받침 살, 킥스탠드.

kíck stàrt(er) *n.* (모터사이클 따위의) 발로 밟는 시동 장치, 킥 스타터.

kíck stìck *n.* 《美俗》 마리화나 담배.

kíck tùrn *n.* 〔스키〕 킥 턴《일단 정지했다가 스키를 한짝씩 180° 방향 전환하는 기술》 ; 〔스케이트보드〕 킥 턴《앞바퀴를 뜨게 하여 방향을 바꾸기》.

kíck·ùp *n.* (발을) 차올리기 ; 《口》 소동(row).

kíck·wòrm *n.* 〔브레이크댄싱〕 킥웜《자벌레처럼 기면서 전진하는 춤》.

kícky *a.* (말 따위가) 차는 버릇이 있는 ; 《俗》 멋진, 재미있는, 자극적인, 원기 왕성한, 활기 있는 ; 《美俗》 최신의, 세련된 모양의, 최신 유행의.

‡kid[1] [kíd] *n.* **1** 염소새끼. **2** Ⓤ **a**) 염소새끼 고기. **b**) 염소새끼 가죽, 키드가죽(kidskin) ; [*pl.*] 키드제(製)의 장갑. **3** 《口》 아이(child) ; 《美俗》 (권투 선수 등의 이름 앞에 붙이는) 신진(新進) … : our ~ 《英方》 나의 아우[누이동생]. **4** 《美俗》 엉터리, 실없는 소리. —— *a.* 키드(제)의 ; 《口》 연하의, 미숙한.

—— *vt., vi.* (**-dd-**) **1** (염소·영양이) 새끼를 낳다. **2** 《口》 속이다, 협잡하다, 놀리다 : Are you ~*ding* ? = You're ~*ding* (me) ! 농담이겠지 !

No kidding ! 정말이야, 농담이 아니야.

〖ON *kith* ; cf. G. *Kitze*〗

kid[2] *n.* (뱃사람의) 음식물 나르는 나무통. 〖? KIT[1]〗

Kidd [kíd] *n.* 키드. **William** ~ (1645?-1701) 스코틀랜드 태생인 영국의 해적·항해자 ; 통칭 Captain ~.

Kid·der·min·ster [kídərmìnstər] *n.* 키더민스터《잉글랜드 중서부 Hereford and Worcester 주의 도시》 ; 그 곳 원산의 양탄자(=~ **càrpet**).

kid·die, kid·dy [kídi] *n.* 염소새끼 ; 《口》 어린애(child).

kíddie càr *n.* (어린이용) 세발 자전거 ; 《美》 스쿨 버스(school bus).

kid·di·er [kídiər] *n.* 《英方》 (야채 따위의) 호객(呼客) 상인.

kíd·dish *a.* =CHILDISH.
~·ly *adv.* **~·ness** *n.*

K

kid·dle [kídl] *n.* (고기잡이) 통발, 어살. 〖AF〗
kid·do [kídou] *n.* (*pl.* **~s, ~es**) 《美俗》 (친한 사이의 호칭으로서) 자네, 너, 야. 〖KID[1]〗
kíd glóve *n.* 키드가죽 장갑.
handle*[*treat*] *with kid gloves 《口》 신중히 다루다.
kíd-glóve(d) *a.* 키드가죽 장갑을 낀 ; 너무 점잖은[얌전한] ; 미지근한, 미온적인 : ~ methods 미온적 방법.
kíd léather *n.* 키드가죽《염소새끼의 무두질한 가죽 ; 주로 장갑용》.
kíd lìt *n.* 《俗》 아동물《아동 문학보다 넓은 뜻의 어린이용 읽을 거리》. 〖*kid lit*erature〗
kid·nap [kídnæ̀p] *vt.* (**-pp-, -p-**) (아이를) 꾀어내다, 유괴하다. —— *n.* 유괴.
kìd·nap·(p)ée *n.* 유괴된 사람. **kíd·nàp·(p)er** *n.* 유괴자 ; 납치자.
〖역성(逆成) ‹ *kidnapper* (KID[1], *nap* to NAB)〗
kid·ney [kídni] *n.* **1** 〖解〗 신장(腎臟), 콩팥. **2** 기질, 종류, 형(type) : a man of that[this] ~ 그러한 [이러한] 기질을 가진 사람 / a man of the right ~ 성질이 좋은 사람. 〖ME< ?〗
kídney bàsin *n.* 〖醫〗 고름을 받아내는 그릇.
kídney bèan *n.* 〖植〗 강낭콩.
kídney-bùst·er *n.* 《美俗》 힘든 일[운동].
kídney machìne *n.* 인공 신장.
kídney-pìe *n.* 키드니파이《소·양 따위의 콩팥을 넣어 만든 파이》; 《濠俗》 겉발림 말, 눈속임, 겉만 번드르르하게 보이기.
kídney potàto *n.* 신장[콩팥] 모양의 감자.
kídney-shàped *a.* 신장[콩팥] 모양의, 강낭콩 모양의.
kídney stòne *n.* 〖鑛〗 연옥(nephrite) ; 〖解〗 신장 결석(結石).
kídney trànsplant *n.* 신장 이식.
ki·dol·o·gy [kidáləd͡ʒi] *n.* 《英口》 우스운[웃기는, 익살스러운] 것[사람], 놀림감이 되는 것[사람]. 〖KID[1] (v.)〗
kíd·pòrn *n.* 《美口》 미성년자 포르노《미성년자를 모델로 한 포르노 영화나 사진》.
kíd·skìn *n.* Ⓤ 염소새끼의 가죽.
kíd·stàkes, -stèaks *n.* 《濠俗》 속임(수), 눈비음(pretence).
kíd[kíd's, kíds'] stùff *n.* 《口》 어린애 같은 짓[장난].
kid·ult [kídʌlt] *n.* 〖TV〗 어린이·어른을 위한 연속 모험 영화.
kid·vid [kídvid] *n.* 《俗》 어린이를 위한 텔레비전 방송 프로그램. 〖*kid*+*vid*eo〗
Kiel [kí:l] *n.* 킬《독일 Schleswig-Holstein주의 주도 ; 킬 운하(the ~ **Canál**)는 Elbe 하구(河口)와 발트 해를 연결함》.
kiel·ba·sa [kjelbá:sə, kil-] *n.* (*pl.* **-si, -sy**[-si], **~s**) 마늘이 든 폴란드의 훈제 소시지. 〖Pol.<Russ.〗
kier [kíər] *n.* (표백·염색용) 큰솥, 표백조(槽). 〖ON *ker* tub〗
Kier·ke·gaard [kíərkəgὰ:rd] *n.* 키에르케고르. **Sören Aabye** ~ (1813-55) 덴마크의 철학자·신학자.
kie·sel·gu(h)r [kí:zəlgùər] *n.* Ⓤ 〖地〗 (다공질의) 규조토. 〖G (*Guhr* earthly deposit)〗
Ki·ev [kí:jef, -jev] *n.* 키예프《우크라이나 공화국의 수도》.
kif [kí(:)f], **ki·fi** [kí:fi] *n.* =KEF.
kife [káif] *vt.* 《美俗》 속여서 빼앗다, 훔치다.
Ki·ga·li [kigá:li] *n.* 키갈리《Rwanda의 수도》.
kike [káik] *n.* 《美俗》 유태인(Jew). 〖C20< ? ; 유태계 이민의 인명에 많은 -*ki*에서 인가〗
kíke-kìll·er *n.* 《美俗》 곤봉, 경찰봉.
Ki·ku·yu [kikú:ju:] *n.* (*pl.* **~, ~s**) (케냐의) 키쿠유족 ; 키쿠유어《Bantu제어(諸語)중의 하나》.
kil. kilderkin ; kilogram(s) ; kilometer(s).
kil·der·kin [kíldərkən] *n.* (16-18갤런들이) 중간치의 (술)통 ; 그 한 통의 양.
〖ME *kinderkin*<MDu. (dim.) ‹ *kintal* QUINTAL〗
Kil·i·man·ja·ro [kìləmənd͡ʒá:rou] *n.* [Mount ~] 킬리만자로《탄자니아(Tanzania)에 있는 화산으로 아프리카의 최고봉(5895m)》.
Kil·ken·ny [kilkéni] *n.* 킬케니《아일랜드 남동부의 주(州) ; 略 **Kilk.**》.
◇**kill**[1] [kíl] *vt.* **1** 죽이다, 살해하다 ; (식물을) 말려 죽이다(blight) : ~ animals 동물을 죽이다 / ~ oneself 자살하다 / He was ~*ed* in the war. 전쟁에서 죽었다 / The frost ~*ed* the buds. 서리로 봉오리가 말라죽었다. **2** (병·바람 따위의) 기세를 꺾다, 진정시키다 ; (효과를) 약하게 하다, (색깔 따위를) 중화하다(neutralize) : That scarlet curtain ~*ed* the room. 저 진홍색 커튼 때문에 방 색깔이 드러나 보이지 않았다 / The trumpets ~ the strings. 트럼펫 때문에 현악기 소리가 들리지 않는다. **3** (애정·희망 따위를) 소멸시키다, 파괴하다(destroy) : ~ one's hopes 희망을 잃게 하다 / ~ one's affection 애정을 시들게 하다. **4** (시간을) 소비하다 : ~ time 심심풀이로 시간을 보내다. **5** (의안·제의를) 부결하다, 묵살하다 ; (혹평하여) 매장하다. **6** 〖테니스〗 되받아 치지 못하게 강타하다 ; 〖蹴〗 (공을) 딱 멈추게 하다. **7** 〖印〗 (필요 없는 부분을) 지우다, 삭제하다. **8** 《口》 (복장·모습·눈길 따위가 사람을) 뇌쇄시키다, 황홀케 하다 ; …을 포복 절도하게 하다.

〈회화〉
He was *killed* in a traffic accident. — I'm very sorry to hear that. 「그가 교통사고로 죽었어」 「저런 안됐구나」

—— *vi.* **1** 살인하다, 살생하다 : Thou shalt not ~. 〖聖〗 살인하지 말지니《출애굽기 20 : 13》. **2** 《口》 사람을 뇌쇄[압도]하다(cf. KILLING *a.* 3) : She was got up to ~. 그녀는 넋을 잃을 만큼 멋진 옷차림을 하고 있었다. **3** [+副] (소·돼지 따위가 도살되었을 때 얼마의) 고기가 나다 : Pigs do not ~ *well*[Pigs ~ *badly*] at that age. 그 나이가 되면 돼지는 고기가 많이 나지 않는다. **4** (식물이) 말라 죽다.
kill by inches (조금씩) 괴롭혀서 죽이다.
kill off 절멸(絶滅)시키다 : The insecticide will ~ *off* the insect pests. 그 살충제로 해충은 절멸할 것이다.
kill two birds with one stone ☞ BIRD.
kill a person ***with kindness*** 친절이 지나쳐 도리어 화를 입히다.
—— *n.* (사냥에서 짐승을) 죽이기, 잡기 ; (사냥의) 불치.
be in at the kill 사냥에서 짐승을 죽일 때 자리를 같이하다 ; (행동 따위를) 최후까지 지켜보다.
〖ME *cullen, killen* ; QUELL과 같은 어원인가〗
類義語 ***kill*** 「죽이다」의 뜻의 가장 일반적인 말. ***slay*** 《文語》 고의로 또는 폭력을 써서 죽이다. ***murder*** 불법으로 계획적인 살해를 하다 ; 극악·냉혹을 암시함. ***assassinate*** 정치상의 요인을 암살하다. ***execute*** 법률상의 판결에 따라 처형하다. ***dispatch*** 찌르거나 쏘거나 하는 직접적인 행동으로 재빠르게 죽이다.

kill² *n.* 《美方》 수로(水路), 개울(creek). ㊟ 주로 지명으로 쓰임. 〖Du. =channel〗

kíll-and-rún wár *n.* 유격전, 게릴라전.

Kil·lar·ney [kilɑ́:rni] *n.* [the Lakes of ~] 킬라니호(湖)《아일랜드 남서부에 있는 아름다운 세개의 호수》.

kill·deer [kíldìər], **-dee** [-di:] *n.* (*pl.* ~, **~s**) (북미산) 물떼새의 일종. 〖imit. ; 울음 소리에서〗

kíll·er *n.* **1** 죽이는 것[사람] ; 살인자 ; 살인 청부업자, 살인귀(murderer) ; 도살자 : a humane ~ ☞ HUMANE 1. **2** (마리화나 따위) 강렬한 것 ; 《美俗》 경이적인 사람[것], 무서운 놈.

kíller díll·er [-dílər] *n.* 《俗》 이례적인[유다른] 것[사람].

kíller rày wéapon *n.* =DEATH RAY weapon.

kíller sàtellite *n.* 위성 파괴 위성《상대국의 인공위성 격추용》.

kíller wèed *n.* 《美俗》 합성(合成) 헤로인(angel dust).

kíller whàle *n.* 〖動〗 흰줄박이물돼지《돌고래의 일종》.

kíll fèe *n.* (출판되지 않은 원고에 지불되는) 원고료(原稿料).

kil·lick [kílik] *n.* 닻 대신 쓰는 돌 ; 소형 닻. 〖C17< ?〗

kil·li·fish [kílifìʃ] *n.* 〖魚〗 송사리류의 물고기.

kíll·ing *a.* **1** 죽이는, 치사의(fatal) ; 말라죽게 하는 : a ~ frost 식물을 말라 죽게 하는 서리. **2** 죽을 것 같은 ; 힘드는 : I rode at a ~ pace. 죽을 힘을 다해 전속력으로 말을 달렸다. **3** 《口》 우스워서 참을 수 없는 ; 뇌쇄적인, 황홀한 : a ~ story 우스워서 참을 수 없는 이야기 / Jane looked ~ in gray. 제인은 회색 옷을 입었을 때 매우 매력적이었다. —— *n.* **1** Ⓤ,Ⓒ 살해 ; 도살(屠殺) ; Ⓒ = KILL¹. **2** 《口》 큰 벌이, 대성공 : make a ~ *in* stocks 주식으로 크게 돈을 벌다. **~·ly** *adv.* 《口》 참을 수 없을 정도로《웃음 따위》 ; 뇌쇄할 만큼.

kílling bòttle *n.* (채집한 곤충을 죽이기 위한) 독이 든 병.

kíll·jòy *n.* (고의로) 흥을 깨는 사람[것].

kil·lock, kil·loch [kílək] *n.* =KILLICK.

kíll ràtio[ràte] *n.* 살상자율《전쟁·폭동 따위에서 적과 아군의 사상자 비율》.

kíll shòt *n.* (테니스·탁구 따위에서) 상대가 받아 칠 수 없도록 친 결정타.

kíll-tìme *a., n.* 심심풀이의 (일·오락).

kiln [kíln, kíl] *n.* (벽돌을 굽거나 홉을 건조시키는 따위의) 가마, 노(爐)(furnace) : a brick[lime] ~ 벽돌[석회] 가마 / a hop ~ 홉 건조장. —— *vt.* kiln에 건조하다. 〖OE *cylene*<L *culina* kitchen〗

kíln-drỳ *vt.* 인공건조하다 : *kiln-dried* flooring 인공건조시킨 마루용 널빤지.

Kíl·ner jár [kílnər-] *n.* 식품 보존용의 밀폐식 유리 용기《상표명》.

***kilo** [kí(:)lou] *n.* (*pl.* **~s**) 킬로《kilogram, kilometer, kiloliter 따위의 단축형》. 〖F〗

kilo- [kílə, -lou, kí:lə] *comb. form* 킬로《=10^3 ; 略 k》. 〖F<Gk. *khilioi* thousand〗

kílo·bàr *n.* 〖理〗 킬로바《압력의 단위 ; =1000 bars ; 略 kb》.

kílo·bàud *n.* 〖컴퓨〗 킬로보《정보전송 속도의 단위 ; =1000 baud》.

kílo·bìt *n.* 〖컴퓨〗 킬로비트《=1000 bits》.

kílo·bỳte *n.* 〖컴퓨〗 킬로바이트《=1000 bytes》.

kílo·càlorie *n.* 킬로칼로리《=1000 calories》.

kílo·cỳcle [kílə-] *n.* 〖電〗 킬로사이클《주파수의 단위 ; 略 kc ; 지금은 kilohertz로 함》.

kílo·eléctron vólt *n.* 〖理〗 킬로 전자 볼트《=1000 electron volts ; 略 keV》.

kilog. kilogram(s).

‡**kílo·gràm(me)** *n.* 킬로그램《=1000 grams ; 略 kg》.

kílo·gràm-méter *n.* 〖理〗 킬로그램미터《일의 단위 ; 1킬로그램의 중량을 1미터 올리는 데 필요한 일의 양 ; 略 kg-m》.

kílo·hèrtz *n.* 〖理〗 킬로헤르츠《주파수의 단위 ; =1000 hertz ; 略 kHz》.

kílo·lìter [kílə-] *n.* 킬로리터《=1000 liters ; 略 kl》.

kilom. kilometer(s).

‡**ki·lo·me·ter** | **-tre** [kilɑ́mətər, kíləmì:-, -lou-] *n.* 킬로미터《=1000 meters ; 略 km》.

ki·lo·met·rage [kilɑ́mətridʒ] *n.* (행정(行程)·여정(旅程)의) 킬로미터수(數), 주행 킬로미터수.

kilo·met·ric, -ri·cal [kìləmétrik(əl)] *a.* 킬로미터의.

kílo·ràd *n.* 〖理〗 킬로래드《방사선 흡수선량(吸收線量)의 단위 ; =1000 rads ; 略 krad》.

kilos. kilograms ; kilometers.

kílo·stère *n.* 킬로스티어《부피의 단위 ; 1000세제곱 미터》.

kílo·tòn *n.* 1000톤 ; 킬로톤《TNT 1000톤에 해당하는 원자 폭탄과 수소 폭탄 따위의 파괴력》.

kílo·vòlt *n.* 〖電〗 킬로볼트《전압의 단위 ; =1000 volts ; 略 kv》.

kílo·wàtt [kílə-] *n.* 〖電〗 킬로와트《전력의 단위 ; =1000 watts ; 略 kW》.

kílo·wàtt-hóur *n.* 〖電〗 킬로와트시(時)《에너지·전력량의 단위 ; 略 kWh》.

Kil·roy [kílrɔi] *n.* 킬로이《다음 숙어로 사용하는 정체 불명의 인물을 가리킴》.

Kilroy was here. 킬로이 대령《제2차 세계 대전 때 미군이 각지에 남겨 놓은 낙서 문구》.

kilt [kílt] *n.* **1** 킬트《스코틀랜드 고지인(高地人) 남자·군인이 착용하는 체크 무늬의 짧은 스커트》 ; 킬트풍의 스커트. **2** [the ~] 스코틀랜드 고지인의 복장. —— *vt.* …에 세로 주름을 잡다(pleat) ; (자락을) 걷어 올리다, 접어 올리다(tuck up). —— *vi.* 민첩하게 움직이다. 〖Scand. ; cf. Dan. *kilte* (*op*) tuck (up), ON *kjalta* shirt, lap〗

kílt·ed *a.* 주름을 잡은 ; 킬트를 입은.

kil·ter [kíltər] *n.* [주로 다음의 구로] 정상 상태, 순조, 조화, 균형, 호조(好調) : in[out of] ~ 좋은[나쁜] 상태에. 〖C17< ?〗

kilt·ie, kilty [kílti] *n.* 《스코》 **1** 킬트(kilt)를 입은 사람. **2** 스코틀랜드 고지인 연대의 병사.

Kim [kím] *n.* 남자[여자] 이름 ; 킴《Kipling의 동명 소설의 주인공인 인도에 있는 아일랜드 소년 Kimball O'Hara의 통칭》. 〖OE=royal〗

Kim·ber·ley [kímbərli] *n.* 킴벌리《남아프리카 공화국 중부의 도시 ; 다이아몬드의 산지》.

kim·ber·lite [kímbərlàit] *n.* Ⓤ 킴벌라이트《다이아몬드를 함유》. 〖*Kimber*ley+*-lite*〗

kim·ble [kímbəl] *vi.* 《美俗》 (호감을 사려고) 열심히 노력하다.

kim·chi, kim·chee [kímtʃi] *n.* 김치. 〖Korean〗

kin [kín] *n.* **1** Ⓤ [집합적으로] 혈연, 친족, 친척(relatives) : kith and ~ ☞ KITH 숙어 / We are ~ *to* the President. 우리들은 대통령과 친척이다. **2** Ⓤ 혈연관계(kinship). **3** 일족, 가문 ;

K

동류, 동질.
near of kin 근친의.
next of kin 가장 가까운 친척(인) : He is *next of* ~. 그는 가장 가까운 친척이다.
of kin 친척으로 ; 같은 종류로[의]〈*to*〉.
── *a.* 혈족인, 친족인[의](related) ; 동질의, 같은 종류의 : be ~ *to* …의 친척이다 ; …와 닮다, …에 가깝다. **~·less** *a.* 친척이 없는.
〖OE *cynn* ; cf. ON *kyn* family, L GENUS〗

-kin [kən], **-kins** [kənz] *n. suf.* 「…의 작은 것」의 뜻 : lamb*kin* ; Sim*kin*(‹Simon, Samuel) ; Jen*kin*(‹John).
〖Du. ; cf. G *-chen*〗

ki·na [kíːnə] *n.* (*pl.* **~, ~s**) 키나《파푸아뉴기니의 화폐 단위 ; =100 toea ; 기호 Ka》.

ki·nase [káineis, kín-, -z] *n.* Ⓤ〔生化〕키나아제. 〖*kinetic, -ase*〗

kin·chin, -chen [kíntʃən], **kinch** [kíntʃ] *n.* 아이, 꼬마(child)《원래 도둑의 은어》: ~ lay 심부름가는 아이한테서 돈을 빼앗기.
〖G (dim.) ‹ *Kind* child〗

kin·cob [kíŋkɑb] *n.* Ⓤ (금·은실로 수놓은) 인도 비단. 〖Urdu‹Pers. (*kamkā* damask)〗

◇**kind**[1] [káind] *a.* **1** [+*of*+名+*to* do / +*to* do] 친절한, 상냥한(tender), 동정심 많은, 인정있는(sympathetic) : You were very ~ ***to*** us. 우리들에게 매우 친절하였다 / It is very[so] ~ ***of*** you *to* lend me the book. 책을 빌려주셔서 정말 감사합니다 / Will you be ~ enough *to* write[be so ~ as *to* write] this letter for me? 미안하지만 편지를 대신 써 주시겠습니까. **2** (편지 따위) 마음으로부터의(cordial) : Give my ~ regards to your brother. 형님께 안부 전해주시오 / with ~ regards 경구(敬具)《편지의 끝맺음말》. **3** (기후 따위가) 온화한(mild) ; 부드러운, (…에) 좋은[무해한]〈*to*〉. **4** 다루기 쉬운, 고분 고분한.
〖ME=natural, well-disposed‹OE *gecynde* natural, native (↓)〗
類義語 ***kind, kindly*** 다른 사람에 대하여 친절하게 동정심을 베푸는 것을 뜻하며, 같은 뜻이기는 하나 *kind*는 때로 동정이나 친절한 마음·성격을 강조하고 *kindly*는 어떤 성질·외관·동작 따위로 인해 친절함을 나타내는 것을 강조한다 : a person *kind* to animals (동물을 아끼는 사람) / the *kindly* attentions of a nurse (간호사의 친절한 보살핌).

◇**kind**[2] *n.* **1 a**) 종류(sort, variety) : a ~ *of* apple[metal] 사과[금속]의 일종, 일종의 사과[금속] / a new ~ *of* lighter 새로운 종류[신식]의 라이터 / this[that] ~ *of* book=a book *of* this[that] ~ 이러[저러]한 종류의 책 / this ~ *of* metal= metal *of* this ~ 이 종류의 금속 / Books *of* this ~ are.... =《口》These ~ *of* books are....=《稀》This ~ *of* book is.... 이 종류의[이러한] 책은 …이다 / all[different, many] ~*s of* people 여러가지[많은] 부류의 사람들 / These ~*s of* books are.... =Books *of* these ~*s* are.... =《稀》These ~*s of* book are.... 이들 몇 종류의 책은 …이다 / What ~ *of* (a) man is he?=《文語》 *Of* what ~ is this man? 그는 어떤 사람입니까. 주 *kind of*에 연결되는 단수형의 Ⓒ에 a(n)을 붙이는 것은 구어적이며 감정적인 색채를 띠는 경우에 많음 ; sort of...에 있어서도 같음 : What ~ *of* trees are these? 이것(들)은 무슨 (종류의) 나무입니까. **b**) [+*to* do] (…하는) 종류(의 사람) : He is not the ~ (*of* person) *to* do[who does] things by halves. 일을 어중간하게 할 (그런 성질의) 사람은 아니다. **c**) (동식물 따위의) 유(類), 족(族)(race), 종(種)(species), 속(屬)(genus) : the cat ~ 고양이속 / ☞ (HU)MANKIND. **2**《古》(본래의) 하는 법, (특유의) 방법(manner, way). **3** Ⓤ 본질, 성질(character), 질(quality) : The two differ *in* ~, not in degree. 양자는 성질이 다르지 정도의 차이가 있는 것은 아니다. **4**〔宗〕성체(聖體)《빵과 포도주》. **5** Ⓤ 물품, 현품(現品)(cf. *in* KIND[2] (2)). **6** Ⓤ《古》자연(nature).
after its[one's] ***kind***《古》그 본성에 따라, 자기 나름대로.
a kind of... 일종의…(☞ 1 a)) ; 대개 …라 할 수 있는[…에 가까운](cf. KIND[2] *of*, *of a* KIND[2]) : *a* ~ *of* gentleman 대체로 신사라고 말해도 좋을 사람.
all kinds of... 여러 종류의… ; 다수[다량]의 (many, much) : *all* ~*s of* flowers 여러 종류의 꽃 / *all* ~*s of* money 두둑한[많은] 돈.
in a kind 어느 정도는, 얼마만큼은 ; 말하자면.
in kind (1) 본래의 성질이, 본질적으로(cf. 3). (2) (지급을 돈이 아닌) 물건[현물]으로 ; (앙갚음을) 같은 종류로[것으로] : payment *in* ~ 물납(物納) / an allowance *in* ~ 현물급여(給與) / I repaid his insult *in* ~. 그의 모욕에 대해서 나도 모욕으로 응수했다.
kind of [káindəv, -də] [부사적으로]《口》거의, 다소, 어느 편인가 말하자면 : It's ~ *of* good. 좋은 편이다 / I ~ *of* expected it. 조금은 기대하고 있었다. 주 와전되어서 때때로 *kind o'*, *kind a'*, *kinda*, *kinder*라 쓰고 주로 형용사, 때로는 동사에 수반된다(cf. SORT *of*).
nothing[***not anything***] ***of the***[***that***] ***kind*** 조금도 닮지 않은, 결코[전혀] 그렇지 않은 : I shall do *nothing of the* ~. 나는 그런 짓은 결코 하지 않겠다.
of a kind 같은 종류의 ; 일종의, 이름뿐인, 가짜의(cf. *a* KIND[2] *of*) : all *of a* ~ 모두 같은 종류의, 모두 한결같이 / a gentleman *of a* ~ 사이비 신사 / coffee *of a* ~ (커피라고는 그저 이름뿐인) 맛없는 커피.
something of the kind 대개 그런 것 : I wanted *something of the* ~. 그런 것이 있었으면 싶었다.
〖OE *cynd*(*e*) nature, race ; cf. KIN〗
類義語 ***kind*** 공통적으로 같은 성질이나 모양을 가지고 있어서 같은 종류로 분류되는 것 : What *kind* of cake do you like best? (너는 어떤 종류의 과자를 제일 좋아하느냐). ***sort*** kind와 같은 뜻으로도 쓰이나 보통은 매우 막연하게 닮은 점을 가진 것들의 뜻 : I don't like that *sort* of game. (나는 그런 게임은 좋아하지 않는다). ***type*** 다른 것과는 확실히 다른 공통적인 특색을 가진 그룹 또는 그 형(型) : a new *type* of car(새로운 형의 차).

kinda, kind·er [káində]《口》[발음 철자] = KIND[2] *of*.

kin·der·gar·ten [kíndərgɑ̀ːrtn, 美+-gɑ̀ːrdn] *n.* Ⓤ,Ⓒ 유치원《4-6세의 아이들을 위한 것 ; cf. NURSERY SCHOOL, INFANT SCHOOL》. 주 용법은 school(학교)에 준함.
〖G=children's garden〗

kíndergarten·er, -gart·ner [-gɑ̀ːrtnər] *n.* (유치)원아 ; 유치원 선생.

kínd·héart·ed *a.* 친절한, 마음이 상냥한, 인정이 많은(kindly, sympathetic).
~·ly *adv.* 친절히, 인정있게. **~·ness** *n.*

***kin·dle** [kíndl] *vt.* **1** [+目/+目+副] 태우다, …

에 불을 피우다 ; 밝게 하다, 빛나게 하다(light up) : ~ a twig[a fire] with a match 성냥으로 작은 가지에 불을 붙이다[모닥불을 피우다] / The rising sun ~*d* the castle. 아침 해로 성이 타 오르는 것 처럼 빛났다 / The sparks ~*d* (***up***) the paper. 불꽃으로 인해 종이가 타올랐다. **2** [+目/+目+前+名] (정열 따위를) 타오르게 하다(inflame) ; 선동하다(stir up) : The lecturer ~*d* the interest of the audience. 강사는 청중의 흥미를 북돋았다 / That ~*d* him ***to*** courage. 그 일로 그는 용기가 솟았다. ── *vi.* **1** 불붙다(catch fire), 타오르다, 불타다 : The damp wood will never ~. 젖은 나무는 결코 타지 않는다. **2** [動/+*with*+名] (얼굴 따위가) 빛나다(glow), 화끈해지다 ; 번쩍번쩍 빛나다(flash) ; 흥분하다, 격하다 : The young man's face ~*d* as he talked about his adventure. 자신의 모험담을 이야기할 때 젊은이의 얼굴은 빛났다 / Her eyes ~*d* ***with*** curiosity. 그녀의 눈은 호기심으로 빛났다. 〖ON *kynda* to kindle ; cf. ON *kindill* candle, torch〗

kindle[2] *vt.* (토끼가 새끼를) 낳다. ── *vi.* (토끼가) 새끼를 낳다. ── *n.* (토끼 따위의) 새끼, 한 배 새끼. 〖ME=offspring, young〗

kínd·less *a.* (사람이) 불쾌한, 마음에 안드는 ; (풍토가) 쾌적하지 않은 ; 《廢》 무정한 ; 《古》 부자유스러운. **~·ly** *adv.*

kínd·li·ly *adv.* 친절히, 상냥하게 : He thanked me ~. 그는 나에게 공손히 감사를 표했다. 注 kindly (*adv.*)쪽이 일반적.

kínd·li·ness *n.* U 친절, 온정 ; C 친절한 행위 ; U (기후의) 온화(溫和).

kín·dling *n.* **1** 점화(點火), 발화 ; U,C 흥분. **2** U 불쏘시개.

***kínd·ly** *a.* **1** 친절한, 상냥한, 동정심 있는(considerate) : a ~ smile 상냥한 미소 / He gave the boy ~ advice. 그 소년에게 동정어린 충고를 했다. **2** (기후·환경 따위가) 온화한, 상쾌한 ; (토지 따위가) 적합한, 알맞은(favorable) 〈*for*〉. **3** 《古》 자연의, 천연의 ; 타고난 ; 《英古》 토착의, 본토박이의. ── *adv.* **1** 친절하게, 정성스럽게, 상냥하게 : Speak ~ to children. 아이들에겐 부드럽게 말하세요 / He treated me ~. 그는 나를 친절하게 대했다 / She ~ helped me. 친절하게도 나를 도와 주었다. **2** 부디 (…해주십시오)(please) : Will[Would] you ~ shut the door? 문을 좀 닫아 주십시오. **3** 쾌히(agreeably) ; 충심으로(cordially) : I took his advice ~. 그의 충고를 쾌히 받아들였다[선의로 생각했다] / Thank you ~. 참으로 감사합니다. **4** 자연히, 무리하지 않고(naturally). 注 지금은 다음 숙어로만 사용.

take kindly to... (자연히) …을 좋아하다, …에 정들다.

類義語 ⟹ KIND[1].

***kínd·ness** *n.* **1** U [+*to* do] 친절, 상냥함〈*of* heart〉 ; 애정(love), 호의(goodwill), 우정 : Thank you for your ~. 친절에 감사드립니다 / Would you have the ~ *to* pull up the window? 미안하지만 창을 올려 주시겠습니까.

> **have the kindness**의 문장 전환
> He *had the kindness to* show me the way to the station. (그는 친절하게도 역으로 가는 길을 가리켜 주었다.)
> → He *was kind enough to* show me the way to the station.
> → He *was so kind as to* show me the way to the station.
> → It *was very kind of* him *to* show me the way to the station.

2 친절한 행위[태도] : Will you do me a ~? 부탁 드릴 것이 있습니다(만) / He has done [shown] me many ~*es*. 나에게 여러 가지 친절을 베풀어 주었다.

kindness of …씨의 호의에 의하여, …씨의 편에 (by[with] favor of) 《인편으로 보내는 편지의 봉투에 쓰는 문구》.

out of kindness (이해 관계가 아닌) 친절한 마음에서 : He did it for you *out of* ~. 그는 그것을 친절한 마음에서 너에게 해준 것이다.

> 〈회화〉
> Thank you for your many *kindness*. ─ Don't mention it. It was my pleasure. 「여러가지로 친절을 베풀어 주신데 대해 감사드립니다」「별 말씀을 다 하십니다. 그저 잘 해 드리고 싶었을 뿐입니다」

kind o' [káində] [발음 철자] 《口》 =KIND[2] *of*.

***kin·dred** [kíndrəd] *n.* **1** U 혈연, 혈족관계(relationship) ; 일족, 일문(一門) : claim ~ *with* …와 혈연이라고 말하다. **2** [복수취급] 친척(親戚), 친족(인 사람들) : All of his ~ are dead. 그의 친족은 모두 죽고 없다. **3** 《古》 (질의) 유사, 동종(affinity)〈*with*〉. ── *a.* **1** 혈연의. **2** 같은 성질의 ; 동종[질]의, 동류의(similar). 〖ME=kinship (KIN, *-red*<OE *rǣden* 'condition)〗

kindsa [káindzə] [발음 철자]=kinds of.

kine[1] [káin] *n. pl.* 《方·詩》 암소(cows). 〖OE〗

kine[2] *n.* 〖理〗 카인《속도의 cgs 단위 ; =1cm/sec.》. 〖Gk. *kineō* to move〗

kin·e·ma [kínəmə] *n.* 《英》 =CINEMA. 〖Gk. ↓〗

kin·e·mat·ic, -i·cal [kìnəmǽtik(əl), kài-] *a.* 〖理〗 운동학적인[상의]. 〖Gk. *kinēmat- kinēma* motion (*kineō* to move)〗

kìn·e·mát·ics *n.* U 〖理〗 운동학(運動學).

kin·e·máto·gràph [kìnəmǽtə-, kài-] *n.* = CINEMATOGRAPH.

kin·e·scope [kínəskòup, kái-] *n.* 〖電子〗 키네스코프《브라운관의 일종》 ; (그것을 이용한) 텔레비전 영화. 〖*Kinescope* 상표〗

ki·ne·sics [kəníːsiks, kai-, -ziks] *n.* 동작학《신체 동작과 그 의미 전달 기능의 체계적 연구》.

ki·ne·si·ol·o·gy [kənìːsiálədʒi, kai-, -zi-] *n.* U (신체) 운동학 ; 운동 요법.

ki·nè·si·o·lóg·ic, -i·cal *a.*

ki·ne·sis [kəníːsəs, kai-] *n.* (*pl.* **-ses** [-siːz]) 〖生理〗 무정위(無定位) 운동. 〖Gk.=motion〗

-ki·ne·sis [kəníːsəs, kai-] *n. comb. form.* (*pl.* **-ses** [-siːz]) 「분열」의 뜻. 〖Gk.〗

kin·es·the·sia, -aes- [kìnəsθíːʒiə, kài-], **-sis** [-səs] *n.* (*pl.* **-sias, -ses** [-siːz]) 〖生理〗 운동 감각, 근육 운동 지각(知覺).

kin·es·thet·ic [kìnəsθétik, kài-] *a.* 〖生理〗 근육 운동 지각(성)의.

ki·net- [kənét, kai-, -níːt], **ki·ne·to-** [-nétou, -níː-, -tə] *comb. form* 「운동」의 뜻. 〖Gk. ; ⇨ KINETIC〗

ki·net·ic [kənétik, kai-] *a.* **1** 〖理〗 운동(학상)의. **2** 활동적인, 동적인(dynamic) (↔*static*).

K

〖Gk. (*kineō* to move)〗

kinétic árt *n.* 키네틱 아트《동력·빛의 효과 따위에 의한 움직임을 기조로 하는 조각·아상블라주 따위》. **kinétic árt·ist** *n.* kinetic art를 다루는 예술가.

kinétic énergy *n.* 〖理〗 운동 에너지.

ki·net·i·cist [kənétəsəst, kai-] *n.* 동역학 전문가; =KINETIC ARTIST.

ki·nét·i·cìsm *n.* =KINETIC ART.

ki·nét·ics *n.* 〖理〗 동역학(↔*statics*).

kinétic théory *n.* 〖理〗 기체 분자 운동론; 열 운동론.

ki·ne·tin [káinətən] *n.* 〖生化〗 키네틴《세포 분열의 자극 작용이 있는 식물 호르몬》.

kineto- ☞ KINET-.

kinéto·chòre *n.* 〖生〗 동원체(動原體)(centromere).

kinéto·gràph *n.* (초기의) 활동 사진 촬영기.

Kinéto·scòpe *n.* (초기의) 활동 사진 영사기《상표명》.

kín·fòlk, kíns·fòlk, kín·fòlks *n. pl.* 친척, 일가, 친족.

◇**king** [kíŋ] *n.* **1** 왕, 국왕, 제왕(帝王), 군주(↔*subject*; cf. QUEEN); [K~] 신(神), 상제(上帝), 그리스도: the *K~* of Sweden 스웨덴 국왕 / *K~* George Ⅵ 조지 6세 / the *K~*'s enemy 《英》 적국(인) / He became ~ (of England) in 1936. 그는 1936년에 (영국)왕이 되었다 / *K~*'s weather ☞ WEATHER *n.* 1., QUEEN 活用. **2** 거물; …왕(cf. LORD 7); 《英》 문장원 장관《King of Arms의 略》: a railroad[railway] ~ 철도왕. **3** 왕으로 불리는 동물[식물 따위]; 가장 우수한 것, 가장 큰 것, (과일 따위의) 최상품: the ~ *of* beasts 백수(百獸)의 왕《사자》 / the ~ *of* birds 조류(鳥類)의 왕《독수리》 / the ~ *of* fish 어류(魚類)의 왕《상어》 / the ~ *of* the forest 숲의 왕《오크나무》 / the ~ *of* the jungle 정글의 왕《호랑이》. **4** 〖카드놀이〗 킹; 〖체스〗 킹, 왕: the ~ of spades 스페이드의 킹[왕] / check the ~ 장(군)을 부르다. **5** [the K~s] 〖聖〗 열왕기(the Book of Kings)《구약 성서 중의 한 편; 상하 두 편으로 되어 있음》.

fit for a king 왕후(王侯)에 어울리는, 사치한, 최고의.

the King of Heaven 신(God).

the king of terrors 〖聖〗 사신(死神)(Death).

the king of the castle 높은 데서 서로 밀어떨어뜨리는 놀이; 상급자, 대장.

the King of Waters 백강(百江)의 왕《아마존강(江)》.

── *a.* [때로 복합어를 이루어] (중요성·크기 따위가) 최상[최고, 최대]의.

── *vi.* [주로 it을 수반하여] 왕처럼 행동하다, 군림하다.

── *vt.* 왕이 되다.

king it (…에 대해서) 왕같이 행동하다, 뽐내다, 지배하다〈*over*〉(cf. LORD[QUEEN] *it*).

〖OE *cyning, cyng*<Gmc. (KIN, *-ing*[2]); cf. G *König*〗

King *n.* 킹. **Martin Luthur ~, Jr.** (1929-68) 미국의 종교가·흑인 운동의 지도자; Nobel 평화상(1964).

Kíng Árthur *n.* =ARTHUR 2.

kíng·bìrd *n.* 극락새(bird of paradise)《미국산》.

kíng·bòlt *n.* 〖機〗 킹볼트; 〖建〗 중심볼트.

Kíng Chárles's héad *n.* 언제나 화제(話題)로 삼는 이야기, 고정관념. 〖Dickens의 *David Copperfield*중의 Mr. Dick의 이야기는 언제나 Charles 1세가 목이 잘려 죽은 것에 귀착되었음〗

Kìng Chárles (spániel) *n.* 흑갈색의 애완용 작은 개. 〖*Charles* Ⅱ〗

kíng cóbra *n.* 〖動〗 킹코브라《인도 원산(原產)의 독사》.

kíng cráb *n.* 〖動〗 투구게.

kíng·cràft *n.* Ⓤ (왕의) 치국책(治國策), 통치[정치적] 수완, 왕도(王道).

kíng·cùp *n.* =BUTTERCUP; 《주로 英》 =MARSH MARIGOLD.

***kíng·dom** *n.* **1** 왕토(王土), 왕령(realm); 왕국(cf. QUEENDOM). **2** 왕의 통치, 왕정; 《古》 왕권. **3** 〖宗〗 신정(神政), 신의 나라: the ~ of Heaven 신의 나라, 천국 / Thy ~ come. 〖聖〗 나라이 임(臨)하옵시며. **4 a)** 〖生〗 (분류학상의) 계(界)(cf. CLASSIFICATION): the animal[plant, mineral] ~ 동[식, 광]물계. **b)** (학문·예술 따위의) 세계, 분야(realm).

come into one***'s kingdom*** 권력[세력]을 잡다.

〖OE〗

kíngdom cóme *n.* 《口》 내세, 천국; 의식 불명, 죽음: gone to ~ 저 세상에 가, 죽어.

Kíng Émperor *n.* 〖史〗 영국왕 겸 인도 황제《옛날의 칭호》.

kíng fèrn *n.* 〖植〗 고비(royal fern).

kíng·fish *n.* **1** 북미산의 큰[맛이 좋은] 물고기《총칭》. **2** 《口》 거물, 거두.

kíng·fish·er *n.* 〖鳥〗 물총새.

kíng-hìt *n., vt.* 《濠口》 (특히 부정한) K.O. 펀치(를 가하다).

Kìng Jámes[Jámes's] Vérsion[Bíble] *n.* [the ~] 《주로 美》 흠정(欽定) 영역 성서 (☞ AUTHORIZED VERSION). 〖*James* Ⅰ〗

King Kong [kíŋ kɔ́(:)ŋ, -káŋ] *n.* **1** 킹콩《영화 따위에 등장하는 거대한 고릴라》; 거한(巨漢). **2** [k~ k~] 《俗》 독한 싸구려 술.

Kíng Kóng pìll *n.* 《俗》 진정제(sedative); 바르비탈계(系) 약제(barbiturate).

Kíng Léar *n.* 리어 왕《Shakespeare작 4대 비극의 하나; 그 주인공》.

kíng·less *a.* 왕이 없는; 무정부 상태의.

kíng·let *n.* **1** 《흔히 蔑》 소왕(小王), 소국의 왕[군주]. **2** 〖鳥〗 상모솔새.

kíng·lìke *a.* 왕[왕자] 다운(kingly).

── *adv.* 《詩·稀》 왕자답게.

kíng·ling *n.* 소국의 왕.

Kíng Lóg *n.* 어리석은 왕, 혼군(昏君); 무능한 인물《Aesop 우화에서; cf. KING STORK》.

kíng·ly *a.* 왕의, 왕자의; 왕자에 어울리는, 왕다운(cf. QUEENLY). ── *adv.* 《古·詩》 왕자답게, 왕자에 어울리게.

kíng·màker *n.* 국왕 옹립자; (요직의 배정 따위에 참여하는) 정당 실력자.

kíng(-)of(-)árms, Kíng(-)of(-)Árms *n.* (*pl.* **kings(-)**) (영국 따위의) 문장원 장관.

Kíng of kíngs[Kíngs] *n.* **1** [the ~] 상제(上帝), 신(神). **2** [king of kings] 왕 중의 왕, 황제《옛날 페르시아 따위 동방 제국(諸國)의 왕의 칭호(稱號)》.

kíng pènguin *n.* 〖鳥〗 킹펭귄《황제펭귄 다음으로 몸집이 큼》.

kíng·pìn *n.* (볼링에서의) 헤드핀, (또는) 5번 핀; 〖機〗 =KINGBOLT; 《口》 우두머리, 중심 인물, 주재자, 중심[중요 부분]을 이루는 것. ── *a.* 《口》 가장 중요한, 중요 부분을 이루는, 제일의.

kíng pòst[pìece] *n.* 〖建〗 왕대공(cf. QUEEN

K

POST).
Kíng's ádvocate *n.* 국왕 고문 변호사.
Kíng's Bénch (Divìsion) *n.* [the ~]·〔英法〕 (고등 법원(High Court)의) 왕좌부(王座部).
Kíng's Bírthday *n.* [the ~] 《英》 국왕 탄신일.
Kíng's Cóunsel *n.* 《英》 칙선(勅選) 변호사《略 K.C.; 여왕일 때는 Queen's Counsel》.
Kíng's Énglish *n.* [the ~] (교양인이 쓰는 잉글랜드 남부의) 순수[표준] 영어.
Kíng's èvidence *n.* 《英》 공범자에 대한 공소(公訴)의 증인 (cf. STATE'S EVIDENCE).
turn King's evidence 공범자에게 불리한 증언을 하다.
kíng's évil *n.* [the ~] 연주창(scrofula). 〚옛날에 왕이 만지면 낫는다고 여겨졌음〛
kíng's híghway *n.* 《英》 공도(公道), 국도.
kíng·ship *n.* Ⓤ 왕의 신분; 왕위, 왕권; 왕의 존엄; 왕의 지배[통치](력); 왕정.
kíng·sìde *n.* 〔체스〕 (백(白)쪽에서 보아) 체스판의 오른쪽 부분.
kíng-sìze, -sìzed *a.* 《口》 **1** 특별히 긴[큰], 킹사이즈의: a ~ cigarette 대형 궐련. **2** (침대가) 특대형의《76×80인치; cf. QUEEN-[TWIN-]SIZE》.
kíng snàke *n.* 킹뱀《미국산 독이 없는 큰 뱀》.
kíng's ránsom *n.* 왕이 포로가 되었을 때의 몸값; 엄청난 돈: worth a ~ 매우 가치가 큰.
Kíng's Regulátions *n. pl.* 《英(연방)》 (군인에게 내리는) 행동 규정.
Kíng's Schólar *n.* 《英》 왕실 장학 기금의 장학생(奬學生).
Kíng's spéech *n.* [the ~] 《英》 의회 개회[폐회] 때의 칙어(勅語).
Kings·ton [kíŋstən] *n.* 킹스턴《자메이카의 수도; 해항(海港)》.
Kíngston upon Thámes *n.* 킹스턴어폰템스《잉글랜드 Surrey주(州)의 주도》.
Kíng Stórk *n.* 폭군《이솝 우화에서》.
kíng trùss *n.* 〔建〕 왕대공 지붕틀.
Kíng Tùt *n.* 〔브레이크댄싱〕 킹 터트《고대 이집트 벽화 인물 동작 같은 손발 놀림의 춤》.
ki·nin [káinən] *n.* Ⓤ 〔生化·藥〕 키닌《근육 속에서 생성되는 호르몬의 하나; 식물의 세포 분열을 자극하고 동물의 평활근을 수축시킴》.
kink [kíŋk] *n.* **1** (실·밧줄 따위의) 꼬임, 비틀림, 도도록한 매듭 ‹*in* a rope, wire, thread, etc.›. **2** (성질의) 비꼬임, 뒤틀림, 변덕. **3** (근육의) 실룩임, 경련(痙攣)(crick). **4** 《美》 결함(defect). —— *vi., vt.* 꼬이다[꼬다], 비틀리다[비틀다], 비꼬이다[비꼬다].
〚LDu.〛
kin·ka·jou [kíŋkədʒù:] *n.* 〔動〕 킹카주《나무 위에 살며 밤에 활동하는 너구리 비슷한 작은 짐승》.
〚F< Algonquian〛
kínky *a.* **1** 꼬인; (머리털이) 곱슬머리인. **2** 굽어진, 휘어진(crooked). **3** 원기가 좋은, 위세있는《말》. **4** 《英口》 야릇한, 괴팍한(queer); (특히) 성적으로 도착된, (약간) 변태의. **5** 《美俗》 부정한, 훔친, 장물의.
—— *n.* 《美俗》 장물, (특히) 도난차.
kínky bóot *n.* 《英》 (보통 검은 가죽의) 여성용 긴 부츠.
kínky héad[nób] *n.* 《蔑》 흑인.
kin·ni·kin·nic(k) [kìnikənák, ⌐--⌐] *n.* Ⓤ 키니키닉《건조시킨 잎이나 수피(樹皮)의 혼합물로 담배에 섞거나 담배 대용품으로 씀》.
〚Algonquian〛
ki·no [kí:nou] *n.* (*pl.* **~s**) 키노《수용성 수지(樹脂)》. 〚(W. Afr.)〛
-kins ☞ -KIN.
Kin·sey [kínzi] *n.* 킨제이. **Alfred Charles ~** (1894-1956) 미국의 동물학자; 1948년과 1951년에 각각 남·여의 성(性)행동에 관한 연구 보고 (Kinsey Reports)를 발표.
kinsfolk ☞ KINFOLK.
Kin·sha·sa [kinʃá:sə, kínʃɑ:sɑ:; kinʃá:zə, -sə] *n.* 킨샤사《Zaire의 수도; 옛 이름 Léopoldville》.
kín·ship *n.* **1** Ⓤ 친척관계, 혈족관계. **2** Ⓤ (성질 따위) 유사, 근사(近似).
kínship fámily *n.* 〔社〕 친족 가족, 확대 가족 (extended family).
kíns·man [-mən] *n.* 혈족[친척]의 남자; 일가 사람; 인척.
kíns·wòman *n.* 혈족[친척]의 여자.
ki·osk, ki·osque [kí:ɑsk, kái-, kiɑ́sk] *n.* **1** (터키의) 정자, 키오스크. **2** 키오스크풍의 간이 건축《역전·광장 따위에 있는 신문·잡지·담배 따위를 파는 매점》.
〚F< Turk. =pavilion< Pers.〛
Ki·o·wa [káiəwɔ̀:, -wɑ̀:, -wèi] *n.* (*pl.* **~, ~s**) 카이오와족《북미 서부의 유목 인디언; 현재는 Oklahoma 주(州)에 거주》; 카이오와어(語).
kip[1] [kíp] *n.* **1** 킵가죽《어린 또는 작은 짐승의 가죽》. **2** 킵가죽의 다발.
〚ME< ?; cf. MDu. *kipp*〛
kip[2] [kíp] *n.* 《俗》 하숙; 여인숙; 잠자리; 《英》 잠자기. —— *vi.* (**-pp-**) 《英》 잠자다.
〚C18< ?; cf. Dan. *kippe* mean hut〛
kip[3] [kíp, gíp] *n.* (*pl.* **~, ~s**) 킵《Laos의 화폐 단위; 기호 K》. 〚Thai〛
kip[4] [kíp] *n.* 킵《중량의 단위; 1000파운드》.
〚*ki*lo+*p*ound[1]〛
kip[5] [kíp] *n.* 《濠》 two-up이라는 노름에서 동전을 튀겨올리는 나뭇조각.
Kip·ling [kípliŋ] *n.* 키플링. **Rud·yard** [rʌ́djərd, rʌ́dʒərd] ~ (1865-1936) 영국의 단편 소설가·시인; Nobel 문학상(1907).
kip·per [kípər] *n.* **1** 산란기 또는 그 후의 연어[송어]의 수컷. **2** 훈제한 청어(cf. BLOATER).
—— *vt.* (연어·청어 따위에) 소금을 쳐서 훈제하다. 〚ME< ?; COPPER(그 색깔)에서 인가〛
Kir·ghiz, -giz [kiərgí:z; kɔ́:giz] *n.* (*pl.* **~, ~es**) **1** 키르기스인《중앙 아시아의 키르기스 초원 지방에서 유목생활을 하는 몽고족》. **2** Ⓤ 키르기스어.
Ki·ri·bati [kíəribæ̀s, ⌐-⌐] *n.* 키리바시《태평양 중부의 섬으로 구성된 공화국; 수도 Tarawa》.
kirk [kɔ́:rk, kíərk] *n.* 《스코·北英》 교회; [the K~] 스코틀랜드 장로 교회(Kirk of Scotland).
〚ON *kirkja*=OE CHURCH〛
kírk·man [-mən] *n.* 스코틀랜드 장로 교회 신자; 성직자.
kírk sèssion *n.* (스코틀랜드 장로 교회의) 최하위 장로 회의.
Kír·li·an photógraphy [kíərliən-] *n.* 키를리안 사진(술)《(생물) 피사체를 전기장(電氣場)에 놓음으로써 그 물체에서 복사되는 발광(發光)을 필름에 기록하는 방법》.
〚Semyon D. *Kirlian*, Valentina K. *Kirlian* 1939년경 활약한 구소련의 발명가〛
kirmess ☞ KERMIS.
kirsch(·was·ser) [kíərʃ(vɑ̀:sər)] *n.* Ⓤ 버찌술《버찌로 빚음》.
〚G=cherry(water)〛
kir·tle [kɔ́:rtl] *n.* 《古》 **1** 여성용 하의《skirt 또는 petticoat》. **2** 짧은 겉옷《남성용의 tunic, 여성용

의 gown).
〖OE *cyrtel*〗

kish·ke, -ka [kíʃkə] *n.* 〖유태料〗 키슈카《소시지의 일종》. 〖Yid.〗

kis·met [kízmet, kís-, -mət], **-mat** [-mət] *n.* Ⓤ 운명(destiny), 천명, 숙명 ; [흔히 K~] 알라의 의지. 〖Turk.<Arab. (*kasama* to divide)〗

‡**kiss** [kís] *n.* **1** 키스, 입맞춤 : give a ~ to …에게 키스하다 / blow[throw] a ~ to …에게 키스를 보내다. **2** 《詩》 가볍게 스치는 것 ; (미풍 따위가) 가볍게 스쳐가는 것 ; 〖撞球〗 (공과 공의) 접촉, 키스. **3** 당과(糖菓)의 일종.
— *vt.* **1** [+目/+目+*on*+名/+目+目] …에 키스하다 : ~ a person *on* the lips[cheek] = ~ a person's lips[cheek] 사람의 입술[뺨]에 키스하다 / Father ~*ed* us good-bye. 아버지는 우리에게 작별 키스를 하셨다. **2** 《詩》 (미풍·파도가) …에 가볍게 스치다.
— *vi.* 키스하다 ; 〖撞球〗 (공과 공이) 접촉[키스]하다 : ~ and be friends 키스하여 화해하다.
kiss away (눈물 따위를) 키스로 씻어버리다 : She ~*ed away* the child's tears. 그녀는 아이에게 키스를 해서 눈물을 씻어 주었다.
kiss hands [***the hand***] 제왕의 손에 키스하다 《대신 등의 취임 의식》.
kiss one***'s hand to*** a person 남에게 키스를 보내다.
kiss the Bible [***the Book***] 성서에 입을 맞추어 선서(宣誓)하다.
kiss the dust [***ground***] 엎드리다, 굴욕을 맛보다 ; 죽음을 당하다.
kiss the rod 달게 벌을 받다.
〖OE (v.) *cyssan*<(n.) *coss* ; cf. G *küssen, Kuss*〗

kíss·able *a.* 키스하고 싶어지는《입·입술》. **~·ness** *n.* **-ably** *adv.*

kíss áss *n.* 《卑》 아첨꾼, 아첨.

kíss-áss *a.* 《卑》 아첨하는, 빌붙는.

kíss cùrl *n.* 《英》 =SPIT CURL.

kíss·er *n.* 키스하는 사람 ; 《俗》 입, 얼굴.

kíss·ing *a., n.* 키스하는[하기].

kíssing bùg *n.* 〖昆〗 침노린재류의 흡혈 곤충 ; 키스광(狂) ; 키스하고 싶은 욕망.

kíssing cóusin *n.* 만나면 키스할 정도의 사촌 ; =KISSING KIN ; 친한 사람[벗] ; 《美俗》 (플라토닉한 관계의) 친구 ; 《美俗》 서로 닮은 사람.

kíssing crùst *n.* 《俗》 (구울 때 다른 빵에 닿아서 생긴) 빵껍질의 연한 부분.

kíssing disèase *n.* 키스병, 전염성 단핵증(單核症).

Kis·sin·ger [kísəndʒər] *n.* 키신저. **Henry Alfred** ~ (1923-) 미국의 정치학자·정치가.

kíssing gàte *n.* 《英》 (한 사람씩 드나들게 된) V자형의 회전문.

kíssing kín [**kínd**] *n.* 인사로 키스를 나눌 정도의 먼 친척, 먼[소원한] 친척(kissing cousin) ; 《美俗》 그대로 베낀 것, 꼭 닮은 것.

kíss-in-the-ríng *n.* 키스놀이《남녀가 둥글게 둘러앉고 술래가 그 중 한 이성 뒤에 손수건을 떨어뜨리고 도망치면 그 사람이 술래를 쫓아가서 키스를 하는 옛 시골놀이》.

kíss-me-quìck *n.* 야생의 꼬까오랑캐꽃 ; 앞이마의 애교 머리 ; 뒷머리에 쓰는 테없는 모자.

kíss-òff *n.* **1** 《美俗》 해고, 파면(dismissal) ; 절연, 손을 끊음 : give the ~ 해고하다. **2** 죽음 ; 〖撞球〗 가벼운 접촉, 키스.

kis·sól·o·gy *n.* 키스학. **-gist** *n.* 키스학 연구가.

KIST Korean Institute for Science and Technology(한국 과학 기술 연구원).

Ki·swa·hi·li [kiswɑːhíːli] *n.* 스와힐리어(Swahili)

kit[1] [kít] *n.* **1** Ⓤ 〖軍〗 장구(裝具) ; (일반적으로) 장비, 복장 : ~ inspection (군인의) 복장 검사. **2** =KIT BAG. **3** 연장[도구] 상자 ; 도구 한벌 ; Ⓤ,Ⓒ (여행·운동 따위의) 용구 : a first-aid ~ 구급낭[상자] / (a) golfing[skiing] ~ 골프[스키] 용품. **4** 《口》 전부, 모두 : the whole ~ (and caboodle) 누구든지[무엇이든지] 모두.
— *vt., vi.* (**-tt-**) 《英》 (…에게) 장비[복장]를 갖추(게 하)다.
〖MDu. =wooden tankard<?〗

kit[2] *n.* 고양이 새끼 ; 여우 새끼《따위》.
〖*kit*ten〗

kit[3] *n.* 작은 바이올린《옛날의 댄스 교사용》.
〖C16<? ; L *cithara* CITHERN인가〗

kít bàg *n.* =KNAPSACK ; 여행 가방.

Kít-Cát (**Clùb**) *n.* [the ~] 키트캣 클럽《1703년 런던에 설립된 Whig 당원의 클럽》.

kít-cát (**pórtrait**) *n.* 반신보다 작지만 양손을 포함하는 초상화.

◇**kitch·en** [kítʃən] *n.* 부엌, 취사장, 주방 ; 조리부 ; 《樂俗》 타악기 부문 ; 《스코》 부식물 : a ~ chair[table] 취사장용 의자[테이블] / a ~ stove 부엌[요리]용 스토브.
〖OE *cycene*, <L *coquina*〗

kítchen càbinet *n.* 부엌용 찬장 ; [때때로 K~ C~] (대통령·주지사 등의) 사설 고문단.

kítchen·er *n.* **1** 요리사 ; (특히 수도원 따위의) 취사담당. **2** 《英》 요리용 화덕, 레인지.

kìtchen·étt(te) *n.* 《美》 (특히 아파트의) 간이 취사장. 〖-*et*〗

kítchen èvening *n.* 《濠》 (여자 친구들이) 결혼 전의 신부를 위해 선물로 부엌용품을 각각 가지고 와서 벌이는 축하 파티(kitchen tea, 《美》 kitchen shower).

kítchen gàrden *n.* 가정용 채소밭.

kítchen gàrdener *n.* 야채 재배 농가.

kítchen knìfe *n.* 식칼, 부엌칼.

kítchen·màid *n.* (요리사 밑에서 일을 돕는) 가정부.

kítchen mìdden *n.* 〖考古〗 조개무덤.

kítchen phỳsic *n.* 《戲》 (환자용) 영양물[식].

kítchen políce *n.* 〖美軍〗 취사(반) 근무《종종 가벼운 벌로서 과해짐 ; 略 K.P.》 ; 취사병.

kítchen rànge *n.* 취사용 화덕, 레인지.

kítchen shòwer *n.* 《美》 =KITCHEN EVENING.

kítchen sínk *n.* 부엌의 싱크대.
everything [***all***] ***but*** [***except***] ***the kitchen sink*** 《口·戲》 생각할 수 있는 모든 것, 이것저것 모두.

kítchen-sínk *a.* 《英》 (생활의 추한 면을 묘사한) 극단적으로 사실주의적인《그림·연극 따위》.

kítchen stùff *n.* (특히 야채 따위의) 요리 재료 ; 부엌에서 나오는 찌꺼기.

kítchen tèa *n.* 《濠》 =KITCHEN EVENING.

kítchen ùnit *n.* (조리용 스토브·싱크대·찬장 따위의) 유닛식 부엌세트(의 한 가지).

kítchen·wàre *n.* Ⓤ 부엌용품[도구].

Kítch·in cỳcle [kítʃin-] *n.* 〖經〗 키친 순환《약 40개월 주기의 경기 파동》.

***kite** [káit] *n.* **1** 〖鳥〗 솔개. **2** (솔개와 같은) 욕심꾸러기, 사기꾼. **3** 연. **4** 《商俗》 융통 어음.
fly [***send up***] ***a kite*** 연을 날리다 ; 《비유》 인기를 알아보려고 탐문하다, (여론 따위의) 반응을 알아보다 ; 융통 어음을 발행하다.
fly one***'s own kite*** 《俗》 사리(私利)를 꾀하다.

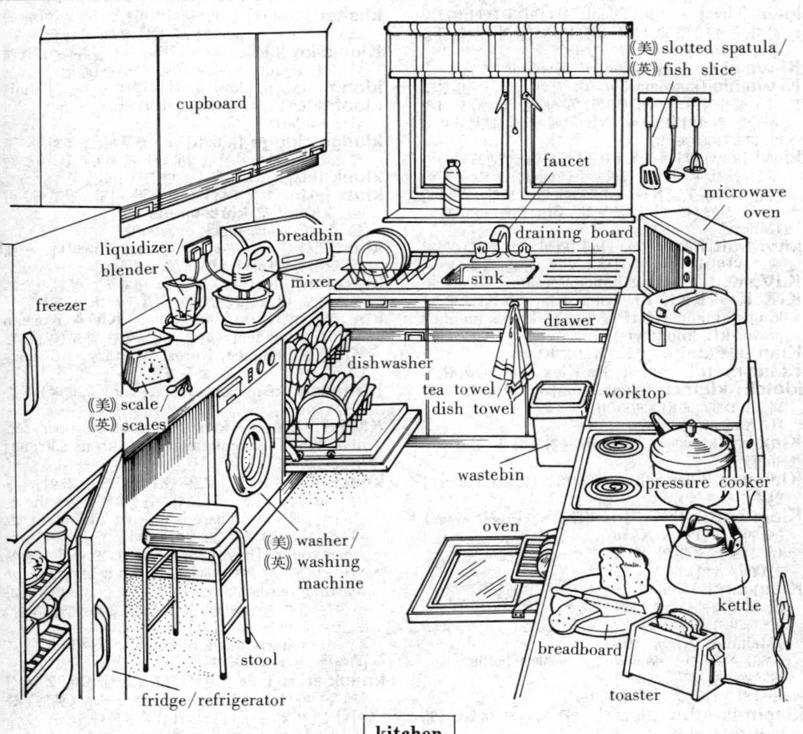

kitchen

—— *vi.*, *vt.* 솔개처럼 날쌔게 날다[움직이다]; 《商俗》 융통 어음으로 돈을 마련하다; 융통 어음을 발행하다.
〖OE *cȳta* < ?; cf. G *Kauz* owl〗

kíte ballóon *n.* 〔空〕 연모양의 계류 기구《군용》.

kíte·màrk *n.* 카이트마크《영국 규격협회(BSI)의 증명 표시》.

kitemark

ki·ten·ge [kiːtéŋge] *n.* =KHANGA. 〖Swahili〗

kith [kíθ] *n.* [집합적으로] **1** 친구, 지인(acquaintances). **2** 친척(kin). [다음 숙어로]
kith and kin 친척과 지기(知己)(friends and relations); 일가 친척(kindred).
〖OE *cȳth*(*th*) knowledge < *cuth* (⇨ CAN[1]); cf. (UN)COUTH〗

kitsch [kítʃ] *n.* 저속한 작품[공예품]; (그런 작품에서 볼 수 있는) 저속한 허식성. **kítschy** *a.*
〖G=trash〗

***kit·ten** [kítn] *n.* 고양이 새끼; (흔히 작은 동물의) 새끼; 《英》 말괄량이.
have (a litter of) kittens =***have a kitten*** 《口》 몹시 걱정[당황]하다; 《美俗》 발끈하다, 몹시 흥분하다.
—— *vi.*, *vt.* (고양이가 새끼를) 낳다; 재롱부리다, 아양떨다. 〖AF (dim.) < *chat* CAT; 어미는 *-en*[4]에 동화(同化)〗

kítten·ish *a.* 고양이 새끼 같은; 재롱을 부리는(playful); 말괄량이의; 요염한.

kit·ti·wake [kítiwèik] *n.* 〔鳥〕 세가락갈매기. 〖imit.; 울음 소리에서〗

kit·tle [kítl] *a.* 간지러운; 다루기 힘든, 성가신; 미묘한. —— *vt.* 간질이다; (아첨 따위로) 기분좋게 하다. 〖ME=to tickle < ? ON *kitla*〗

kíttle càttle *n.* 《英·美方》 변덕스러워서 다루기 힘든 사람들[것들]; 《美俗》 믿을 수 없는 녀석[녀석들, 패거리].

Kítt Péak [kít-] *n.* 키트피크《미국 Arizona 주(州) 남부의 산; 세계 최대급 천문대가 있음》.

kít·ty[1] *n.* 《兒》 고양이 새끼(kitten). 〖KIT[2]〗

kitty[2] *n.* 〔카드놀이〕 (각자가 딴 돈에서 자릿값·팁 따위로 떼어놓는) 적금 단지; 건 돈 전부, 판돈; (일반적으로) 공동 출자[적립]금, 자금. 〖C19 < ?; cf. KIT[1]〗

Kitty *n.* 여자 이름《Catharine, Catherine, Katherine의 애칭》.

kítty-còrner(ed) *a.*, *adv.* =CATERCORNER.

K

ki·va [kíːvə] *n.* 키바《Pueblo 인디언의 (반(半))지하의 큰 방; 종교 의식·회의·그 밖의 일에 사용함》. 〖Hopi〗

Ki·wa·ni·an [kəwɑ́ːniən] *n.* Kiwanis 회원.

Ki·wa·nis [kəwɑ́ːnəs] *n.* Ⓒ 키와니스 클럽《실업계·전문직계의 이상(理想) 향상 및 상(商)도덕의 유지를 위해 1915년에 Detroit에서 결성된 단체; cf. SERVICE CLUB》.

ki·wi [kíːwi(ː)] *n.* **1** 〔鳥〕 키위《뉴질랜드에서만 사는 꽁지와 날개가 없는 주금(走禽)으로 몸집이 작은 타조류》; [K~] 《英口》 뉴질랜드인. **2** 《口》 (항공 관계의) 지상 근무원. **3** =KIWI FRUIT. 〖Maori〗

kíwi frùit[**bèrry**] *n.* 〔植〕 키위 (프루트)《뉴질랜드 따위에서 나는 과일; 중국 원산(原產)》.

KJV, K.J.V. King James Version.

K.K.K., KKK Ku Klux Klan. **KKt** 〔체스〕 king's knight. **KKtP** 〔체스〕 king's knight's pawn. **kl.** kiloliter(s).

Klan [klǽ(ː)n] *n.* =KU KLUX KLAN.

Kláns·man [-mən] *n.* Ku Klux Klan의 회원.

klatch, klatsch [klǽtʃ, klɑ́ːtʃ] *n.* 잡담회, 간담회 (cf. COFFEE KLAT(S)CH). 〖G *Klatsch* gossip〗

Klax·on [klǽksən] *n.* 클랙슨《자동차용 경적; 상표명》.

Klee·nex [klíːneks] *n.* 클리넥스《tissue paper의 일종; 상표명》.

Kléin bòttle [kláin-] *n.* 〔數〕 클라인의 관(管) [단지]. 〖Felix *Klein* (d. 1925) 독일의 수학자(數學者)〗

Klein bottle

Klein·ian [kláiniən] *a., n.* 〔精神分析〕 클라인 학파의 (지지자). 〖Melanie *Klein* (d. 1960) 아동 정신 분석에 새로운 경지를 개척한 독일의 여류 분석가(分析家)〗

klepht [kléft] *n.* (옛 그리스의) 게릴라 대원; (일반적으로) 산적. **kléph·tic** *a.* 〖Gk. (↓)〗

klept- [klépt], **klep·to-** [kléptə, -tou] *comb. form* 「도둑질」의 뜻. 〖Gk. *kleptēs* thief〗

klep·to [kléptou] *n.* (*pl.* **~s**) 《美俗》 절도광(狂) (kleptomania).

klep·toc·ra·cy [kleptɑ́krəsi] *n.* 도둑 정치.

klèpto·mánia, clep·to- [klèptə-] *n.* Ⓤ (병적인) 도벽(盜癖).

klèpto·má·niac *n., a.* 절도광(의), (병적인)도벽이 있는.

klick, klik [klík] *n.* 《美軍俗》 =KILOMETER.

klíeg lìght [klíːg-] *n.* 클리그 라이트《원래 영화 촬영용의 아크 등(燈)》. 〖John H. *Kliegl* (d. 1959), Anton T. *Kliegl* (d. 1927) 독일 태생인 미국의 조명 전문가〗

Klíne·fel·ter's sỳndrome [kláinfeltərz-] *n.* 〔醫〕 클라인펠터 증후군《남성의 성염색체 이상으로 인한 선천성 질환; 왜소 고환(睪丸)·불임(不姙) 따위를 수반함》. 〖Harry F. *Klinefelter* (1912-) 미국의 의사〗

Klíne tèst[**reàction**] [kláin-] *n.* 〔醫〕 클라인 시험《매독 혈청의 침강 반응》. 〖Benjamin S. *Kline* (d. 1968) 미국의 병리학자〗

klip·spring·er [klípsprìŋər] *n.* 〔動〕 클립스프링거《아프리카 남부 산악지의 작은 영양》. 〖Afrik. =rock springer〗

klis·ter [klístər] *n.* Ⓤ 클리스터《스키용의 연한 왁스》. 〖Norw. =paste; cf. OE *clǣg* clay〗

Klon·dike [klɑ́ndaik] *n.* [the ~] 클론다이크《캐나다의 Yukon 강 유역으로 금산지(產地)》.

klong [klɔ́(ː)ŋ, klɑ́ŋ] *n.* (타이의) 운하. 〖Thai〗

kloof [klúːf] *n.* (남아프리카의) 협곡. 〖Du. =cleft〗

kludge, kluge [klúːdʒ] *n.* 클루지《부조화한 구성 요소로 이루어진 (컴퓨터) 장치》. 〖C20<?〗

klunk [klʌ́ŋk] *int.* 쿵!, 탕! 〖imit.〗

klutz [klʌ́ts] *n.* 《美俗》 솜씨 없는 사람, 얼간이, 바보. **klútzy** *a.* **klútz·i·ness** *n.* 〖Yid.<G *Klotz* block of wood〗

klux [klʌ́ks] *vt.* [흔히 K~] 《美俗》 때리다, …에게 린치를 가하다. 〖Ku *Klux* Klan〗

klys·tron [klístrɑn, klái-] *n.* 〔電子〕 클라이스트론, 속도 변조관(變調管). 〖*Klystron* 상표〗

km. kilometer(s); kingdom. **KMA** Korean Military Academy(한국 육군 사관 학교(學校)). **KMAG** [kéimæg] Korea Military Advisory Group(주한 미군사 고문단).

K-meson [kéimíːzɑn, -méz-, -sɑn] *n.* 〔理〕 K중간자(kaon).

KMPS, kmps, km/sec kilometer per second. **KMT** Kuomintang. **kn.** krona; krone; kronen.

knack [nǽk] *n.* **1** [보통 단수형만으로 쓰여] [+前+do*ing*] 기교, 교묘한 수; 요령: get the ~ 요령을 배우다 / There is a ~ ***in*** (do*ing*) it. 그것(을 하는데)에는 요령이 있다 / You can do it when you get[have] the ~ ***of*** it. 요령을 알게 되면 너도 할 수 있다 / He has a happy ~ *of* teach*ing* mathematics. 그는 수학을 요령있게 가르치는 법을 알고 있다. **2** 기교를 요하는 일; 《古》 교묘하게 만든 것[장치]. 〖? ME=sharp knock or sound<LG (imit.)〗 類義語 ⟹ TALENT.

knáck·er *n.* **1** 《英》 폐마(廢馬) 도살업자. **2** 폐선[폐옥] 따위를 사들이는 사람. ── *vt.* 《英俗》 죽이다; [보통 수동태로] 기진맥진하다. 〖C19<?; cf. *nacker* saddler<Scand.〗

knácker's yàrd *n.* 《英》 =KNACKERY.

knáck·ery *n.* 폐마 도살장.

knack·wurst, knock- [nɑ́kwəːrst, -wuərst] *n.* frankfurter 보다 짧고 굵은 매콤한 소시지.

knácky *a.* 요령을 터득한, 익숙한; 교묘한.

knag [nǽ(ː)g] *n.* 나무옹이, 옹두리, (물건을 거는) 나무못(wooden peg). 〖ME〗

knág·gy *a.* 나무에 마디[옹이]가 많은[투성이의]; 울퉁불퉁한.

knap[1] [nǽp] *vt.* (**-pp-**) **1** (차돌을) 망치로 깨다. **2** 딱 부러뜨리다; 툭 치다, 똑똑 두드리다; 덥석 물다. ── *n.* 툭 치기, 딱 쪼개기. 〖ME (imit.); cf. Du. *knappen* to crack〗

knap[2] *n.* 《方》 언덕 꼭대기; 언덕, 작은 야산. 〖OE *cnæpp* top〗

knáp·per *n.* 부수는 사람; 돌 깨는 망치.

knáp·sàck *n.* 배낭(背囊), 륙색(rucksack, kit bag). 〖G (*knappen* to bite, SACK[1])〗

knáp·wèed *n.* 〔植〕 수레국화속(屬)의 식물. 〖KNOP, WEED[1]〗

knar [nɑ́ːr] *n.* 나무의 마디, 나무 옹이, 옹두리.

knave [néiv] *n.* **1** 악한, 무뢰한. **2** 《古》 남자아이; 머슴; 신분이 낮은 남자. **3** 〔카드놀이〕 잭(jack). 〖OE *cnafa* boy, servant; cf. G *Knabe*〗

knav·ery [néivəri] *n.* Ⓤ 속임수, 악당 근성; Ⓒ 무뢰한 행동, 부정행위.

knav·ish [néiviʃ] *a.* 악한 같은, 무뢰한의 ; 부정한, 발칙한. **~·ly** *adv.* 부정하게.

knead [ní:d] *vt.* **1** 반죽하다, 개다. **2** (근육 따위를) 주무르다, 안마하다(massage). **3** (인격을) 도야하다, 닦다. **4** 혼합[단접(鍛接)]하다.
—— *vi.* 단련하다. 〖OE *cnedan* ; cf G *kneten*〗

knéad·ing tròugh *n.* 반죽통, 반죽그릇.

›**knee** [ní:] *n.* **1** 무릎, 무릎 관절(cf. LAP[1]) ; (옷의) 무릎 부분 ; (동물의) 무릎, (특히 말·개 따위 앞발의) 무릎(↔*hock*), (조류의) 경골(脛骨) : draw up one's ~*s* 무릎을 세우다 / fall[go] on a ~ 한쪽 무릎을 꿇다 / rise on the ~*s* 무릎으로 서다 / He was down on his ~*s.* 그는 무릎을 꿇고 있었다. **2** 무릎 모양의 물건, 받침나무, 모나게 굽은 나무[쇠] ; 〖建〗 우재(隅材).
at** one's **mother's knees 어머니 슬하에서, 어릴 때에.
bend [***bow***] ***the knee to*** [***before***] …에게 무릎을 꿇고 탄원하다 ; …에게 절하다 ; …에게 굴종하다.
bring a person ***to*** his ***knees*** 남을 굴종시키다.
drop the knee=***fall*** [***go*** (***down***)] ***on*** one***'s knees*** 무릎 꿇다 ; 무릎 꿇고 탄원하다[절하다].
get knee to knee with …와 무릎을 맞대고 의논하다.
give [***offer***] ***a knee to*** …을 무릎으로 받쳐서 쉬게 하다《권투 시합 따위에서》; …을 시중들다.
gone at the knees 《俗》 (말이) 늙어 빠져서 ; (바지가) 무릎이 닳아 해어져.
on one***'s hands and knees*** (사람이) 땅에 엎드려.
on one***'s knees*** 무릎을 꿇고 ; (무릎을 꿇고) 기도하는 ; 지쳐 빠져서.
on the knees of the gods 인력이 미치지 않는 ; 미정의.
sit knee to knee 무릎을 맞대고 앉다.

〈회화〉
What did you do to your *knee*? — I fell off my bike and scraped it. 「무릎이 어떻게 된거야」 「자전거에서 떨어지는 바람에 까졌어」

—— *v.* (~**d**) *vt.* 무릎으로 치다[건드리다] ; (틀 따위를) 곡재(曲材)로 접합하다, …에 까치발을 대다 ; 《口》 (바지의) 무릎을 부풀리다. —— *vi.* 굽히다〈*over*〉; 《廢》 (예배를 위해) 무릎을 꿇다.
〖OE *cnēo*(*w*) ; cf. G *Knie*〗

knée àction *n.* 자동차 앞바퀴 상하동 장치《자동차 앞바퀴를 좌우 따로 따로 아래위로 움직이게 하는 장치》.

knée brèeches *n. pl.* (궁안의 내관 등이 입는) 반바지.

knee breeches

knée·càp *n.* **1** 〖解〗 슬개골(膝蓋骨) (patella). **2** 무릎받이. —— *vt.* (테러리스트 등이) 무릎[다리]을 꿰뚫다.

knée·càp·ping *n.* (총·전기 드릴로) 슬개골에 구멍을 내는 처벌법 ; 무릎 쏘기《테러리스트 등의》.

knée-déep *a., adv.* 무릎 깊이의[로], 무릎까지 빠져서 ; 열중하는, 깊이 빠져서 : The snow lay ~. 눈이 무릎까지 쌓였다 / I waded ~ through the stream. 나는 무릎까지 빠지며 강을 건너갔다.

knée-hígh *a., adv.* 무릎 높이의[로].

knée·hòle *n.* (책상 아래 따위의) 두 무릎을 넣을 수 있는 공간 : a ~ desk 양쪽에 층층서랍이 달린 책상.

knée jèrk *n.* 무릎[슬개(膝蓋)] 반사《각기(脚氣)의 진단에 이용함》.

knée-jèrk *a., n.* 《口》 자동적인[예상대로의] (반응) ; 자동적으로[예상대로] 반응하는 (사람).

knée jòint *n.* 〖解〗 슬관절(膝關節) ; 〖機〗 경첩.

kneel** [ní:l] *vi.* (**knelt** [nélt], **~ed**) [動/+前+名/+副] 무릎을 굽히다, 무릎을 꿇다 : ~ ***in prayer 무릎을 꿇고 기도하다 / He *knelt* ***to*** his master. 주인 앞에 무릎을 꿇었다 / She *knelt* ***down*** *to* pull a weed from the flower bed. 화단에 무릎을 꿇고 앉아서 잡초를 뽑았다.
—— *n.* kneel하기.
~·er *n.* 무릎 꿇는 사람 ; 무릎에 까는 방석.
〖OE *cnēowlian* ; ⇨ KNEE〗

knée-lèngth *a.* (옷·부츠 따위가) 무릎까지 오는. —— *n.* 무릎까지의 길이(의 옷).

knée·let *n.* (보호용의) 무릎받이.

knéel·ing bùs *n.* 《美》 차체를 길가 보도의 높이로 낮출 수 있는 버스.

knée·pàd *n.* (옷의) 무릎에 덧대는 것.

knée·pàn *n.* 〖解〗 슬개골(kneecap).

knée·ròom *n.* (자동차·비행기 따위 좌석의) 무릎 공간.

knée-slàpper *n.* 《美》 (무릎을 탁 칠만한) 기막힌 농담.

knées-ùp *n.* 《英》 활기 넘치는 댄스 파티.
〖'*Knees-up*, Mother Brown'으로 시작되는 댄스곡(曲)〗

knée swèll *n.* 〖樂〗 (오르간의) 무릎으로 미는 증음기(增音器).

knee·sy, -sie [ní:zi] *n.* 《口》 (남녀가 테이블 밑으로) 무릎과 무릎을 부딪치며 새롱거림(cf. FOOTSIE).

knée·tòp *n.* 〖컴퓨〗 =LAPTOP.

knée-trèmbler *n.* 《英俗》 선 자세로의 성교.

knell [nél] *n.* **1** 종소리 ; 조종(弔鐘)《사람의 사망·장례를 알리는 교회의 종》. **2** 흉조〈*of*〉.
ring [***sound, toll***] ***the knell of*** …의 조종을 울리다 ; 《비유》 …의 폐지[몰락]를 알리다.
—— *vi.* (조종이) 울리다 ; 구슬픈 소리를 내다 ; 불길하게 울리다. —— *vt.* (흉사 따위를) 알리다 ; 종을 쳐서 부르다[모으다].
〖OE *cnyll*(*an*) ; 어형은 *bell*의 영향인가〗

***knelt** *v.* KNEEL의 과거·과거분사.

Knes·set, -seth [knéset] *n.* 크네세트《이스라엘의 국회로 단원제임》.
〖Heb. =gathering〗

◇**knew** *v.* KNOW의 과거형.

knick·er·bock·er [níkərbɑ̀kər] *n.* **1** [K~] 니커보커《New Amsterdam(지금의 New York)에 처음으로 이주한 네덜란드 사람》; (특히 네덜란드계의) 뉴욕 사람. **2** [*pl.*] (무릎 아래에서 졸라 매는 헐렁한) 반바지.
〖Diedrich *Knickerbocker* : W. Irving이 *History of New York* (1809)의 저자명으로 쓴 이름〗

knick·ers [níkərz] *n. pl.* **1** 《口》 =KNICKERBOCKERS. **2** 여성용 드로어즈. —— *int.* 《英俗》 제기랄《경멸·초조 따위를 나타냄》. 〖↑〗

kníckers bàndit *n.* 《美俗》 속옷 도둑.

knick·knack, nick- [níknæ̀k] *n.* 자그마한 장식물 ; 작은 장신구 ; 장식용 골동품.
~·ery *n.* [집합적으로] 작은 장식품류. **~·ish** *a.*
〖가중(加重) ‹ *knack* (obs.) trinket〗

◇**knife** [náif] *n.* (*pl.* **knives** [náivz]) **1** 나이프, 창칼 ; 부엌칼. **2** 수술용 칼, 메스 ; [the ~] 외과

K

수술 : have a horror of *the* ~ 수술을 아주 싫어하다. **3** 〔機〕 (절단기의) 칼날. **4** 《詩》 칼, 검(劍) (sword), 단검(短劍) (dagger).

before you can say knife 《英》 별안간에 ; 갑자기.

cut like a knife (바람 따위가) 살을 에는 듯이 차다.

get [***have***] one***'s*** [***the***] ***knife into*** …에게 원한을 나타내다[품다] ; 신랄하게 비판하다.

a knife and fork 식사용 나이프와 포크 ; 식사 (meal) : play *a* good[capital] ~ *and fork* 배부르게 먹다.

under the knife 수술을 받으며 : The patient died *under the* ~. 환자는 수술 도중에 죽었다.

war to the knife 혈전(血戰), 사투(死鬪).

── *vt.* **1** 나이프로 자르다[찌르다], 찔러 죽이다. **2** 《美口》 (음흉한 수단으로) 해치우려고 하다, 몰래 반대파를 위하여 일하다[투표하다].

── *vi.* (나이프로) 베어 가르다, 죽죽 베어나아가다. 〖OE *cnīf* <ON ; cf. G *Kneif*〗

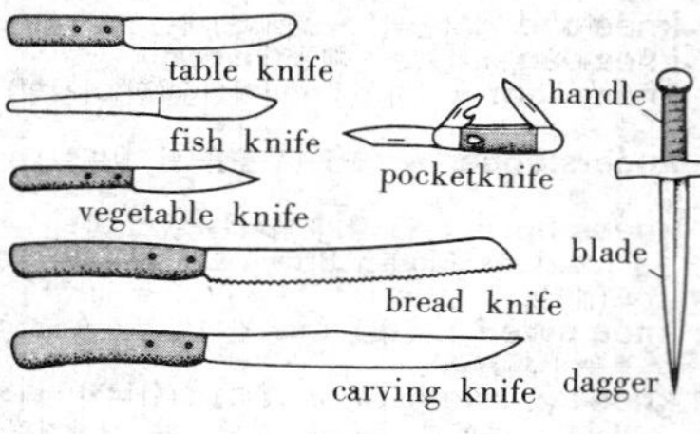

knife

knífe·bòard *n.* 칼가는 대.

knífe-bòy *n.* 〔英史〕 (식탁의) 나이프를 치우는 따위의 허드렛일을 하기 위해 고용된 소년.

knífe-èdge *n.* 칼날 ; 예리한 것 ; 〔登山〕 칼날 같은 능선(稜線) ; (국면을 일변시킬 만한) 갈림길[고비].

knífe-èdged *a.* 칼날 같은 날이 있는 ; (능선 따위) 칼날 같은.

knífe grìnder *n.* 칼 가는 사람[도구].

knífe machìne *n.* 칼 가는 기계.

knífe plèat *n.* 나이프 플리트《같은 방향으로 칼날처럼 다림질하여 잡은 주름》.

knífe-pòint *n.* 나이프의 끝.

at knife-point 칼로 위협받아[을 들이대고].

knífe rèst *n.* (식탁용의) 칼 놓는 대.

knífe swìtch *n.* 나이프 스위치《칼날꼴 개폐기》.

***knight** [náit] *n.* **1** (중세의) 기사 ; (귀부인을 수행하는) 무사. ㊟ 봉건시대의 명문 자제가 page² 에서 squire로 승진해서 무공을 세우면 knight가 됨 ; 나이트에 취임하는 의식을 accolade라고 일컬으며 토지와 황금박차(spurs)가 하사되었음. **2** 《英》 나이트작(爵), 사(士)작(knight bachelor). ㊟ baronet 다음으로서 1대에 한한 영작(榮爵), Sir의 칭호가 허용되어 Sir John Jones 《약식으로는 Sir John》로 불리우고, 아내는 Lady Jones《정식으로는 Dame Mary Jones》라고 불림. **3** 훈(勳)작사《훈장에 의해서 훈작사단(Orders of Knighthood)의 하나에 속함 ; cf. COMPANION¹ 5, KNIGHT COMMANDER, KNIGHT GRAND CROSS》 : a ~ of the Bath[Garter] 바스[가터] 훈작사(勳爵士). **4** (우애·자선 단체 따위의) 회원(member). **5** (주의·사상에 헌신적으로 일하는) 용사, 의인 ; (도구·장소 따위를 수반하여 별명으로서) …에 관계하는 사람. **6** 〔체스〕 나이트, 말.

a knight of the air [***brush, cue, needle*** [***thimble***], ***pen*** [***quill***], ***pestle***] 《戲》 비행사[화가, 당구사, 재봉사, 문사, 약제사].

the Knights of the Round Table 원탁의 기사단(☞ ROUND TABLE).

── *vt.* 나이트 작위를 수여하다(cf. DUB¹).

〖OE *cniht* boy, youth, servant ; cf. G *Knecht*〗

kníght·age *n.* **1** [집합적으로] 기사단 ; 훈작사단. **2** 훈작사 명부.

kníght báchelor *n.* (*pl.* **kníghts báchelor(s)**) 《英》 (어느 훈작사단에도 속하지 않는) 최하급 훈작사.

kníght bánneret *n.* (*pl.* **kníghts bánneret(s)**) (옛날의) 배너릿 훈작사《baron의 아래, 다른 knight 보다는 위》.

kníght commánder *n.* (*pl.* **kníghts commánders**) 《英》 (바스 훈작사단 따위의) 중급 훈작사(cf. KNIGHT 3, BATH¹).

kníght-érrant *n.* (*pl.* **kníghts-**) **1** (중세의) 무술 수행자(修行者), 편력(遍歷)하는 기사. **2** 협객 ; 돈키호테 같은 인물.

kníght-érrant·ry *n.* Ⓤ 무술 수행 ; 의협(義俠)적 행위.

kníght gránd cróss *n.* (*pl.* **kníghts gránd cróss**) 《英》 (바스 훈작사단 따위의) 상급 훈작사 (cf. KNIGHT 3, BATH¹).

kníght·hood *n.* **1** Ⓤ 무사[기사] 신분 ; 기사의 기질(氣質) ; 기사도. **2** Ⓤ,Ⓒ 나이트 작위, 훈작사의 지위 ; 훈작사 계급 : receive a ~ 나이트 작위를 받다. **3** [집합적으로] 훈작사단[들].

Kníght Hóspitaler *n.* 〔史〕 호스피털 기사단원 (☞ KNIGHTS HOSPITALERS).

kníght in shíning ármor *n.* 《口·反語》 갑옷이 번쩍이는 기사《의협심이 강하고 여성에게 헌신적인 남자》.

kníght·ly *a.* **1** 기사의 ; 훈작사의. **2** 기사다운 ; 의협적인(chivalrous). ── *adv.* 《古》 기사답게 ; 의협적으로.

kníght of the róad *n.* 《英口·戲》 트럭 운전사 ; 노상 강도 ; 행상인, 세일즈맨(salesman) ; 방랑자, 부랑자.

kníght[**kníght's**] **sèrvice** *n.* 〔史〕 기사의 봉사[의무] ; 충실한 근무.

Kníghts Hóspitalers *n. pl.* [the ~] 호스피털 기사단《11세기경 Jerusalem에 순례자 보호를 목적으로 생김》.

Kníghts Témplars *n. pl.* [the ~] 템플 기사단《(1) 〔史〕 the Knights of the Temple 또는 the Poor Soldiers of the Temple이라고도 하며 1119년경 Jerusalem 성지와 그 순례자의 보호를 위해서 조직된 정치·군사적 단체. (2) 미국의 Freemasons의 비밀 결사》.

knish [kəníʃ] *n.* 〔유태料〕 감자, 고기 따위를 밀가루 반죽으로 싸서 튀기거나 구운 것. 〖Yid.〗

knit** [nít] *v.* (**knít·ted, knit ; -tt-**) *vt.* **1** [+目/+目+前+名] 짜다, 뜨다 : ~ cloth by machine 옷감을 기계로 짜다 / ~ gloves ***out of wool = ~ wool ***into*** gloves 털실로 장갑을 뜨다. **2** [+目/+目+副] 밀착시키다, 접합하다 (join) ; (상호 이익·결혼 따위로) 굳게 결합하다 (unite) : ~ broken bones 부러진 뼈를 잇다 / ~ bricks *together* 벽돌을 붙여 쌓다 / The two

families were ~ *together* by marriage. 두 가문은 결혼으로 굳게 맺어졌다. **3** (눈살을) 찌푸리다 : ~ the brows 이맛살을 찌푸리다. —— *vi.* **1** 뜨개질을 하다 : My sister has been ~*ting* since the morning. 누이는 아침부터 줄곧 뜨개질을 하고 있다. **2** [動/+副] 결합하다 ; 밀착하다, 유착(癒着)하다 : The broken bones ~ (*together*). 부러진 뼈는 이어져 붙는다[유착한다]. **3** (눈살·얼굴 따위가) 찌푸려지다, 주름살 짓다.
knit up 짜깁기하다 ; (토론 따위를) 종결하다[짓다] ; 결합하다.
—— *n.* **1** 짜기, 짜는 법, 편물, (뜨개질의) 코 ; 편물 의류, 니트. **2** (미간 따위의) 주름 잡기.
〖OE *cnyttan* to tie in ; cf. KNOT[1]〗

knít·ted *a.* 짜인, 편물(編物)의 ; 메리야스의 : a ~ article 메리야스 제품.

knít·ter *n.* 짜는 사람, 메리야스공 ; 편물기, 메리야스 기계.

knít·ting *n.* Ⓤ 짜기, 뜨개질 ; 뜨개질 세공 ; 편물 ; 메리야스 천.

knítting machìne *n.* 메리야스 기계 ; 털실 편물기(編物機).

knítting nèedle *n.* 뜨개바늘, 편침(編針).

knít·wèar *n.* Ⓤ 니트웨어《털실로 짠 의류》; 메리야스류(類).

***knives** *n.* KNIFE의 복수형.

***knob** [náb] *n.* **1** 혹, 혹 같은 마디. **2** (도어·서랍 따위의) 손잡이 ; 깃봉, (난간 따위의) 법수(法首) ;《口》(전기기구의) 손잡이 : Turn the ~ to the right. 손잡이를 오른편으로 돌리시오. **3**《美》작고 둥근 언덕. **4** (설탕·석탄 따위의) 작고 둥근 덩어리 ;《俗》머리(nob). —— *v.* (**-bb-**) *vt.* …에 손잡이를 달다. —— *vi.* 혹이 생기다〈*out*〉.
〖MLG *knobbe* knot, knob, bud ; cf. KNOP, NOB[1], NUB〗

knóbbed *a.* 마디가 있는 ; (맨 끝이) 혹 모양으로 된 ; 손잡이가 달린.

knób·bing *n.* (석재(石材)의) 초벌 다듬질.

knob·ble [nábəl] *n.* 작은 혹, 사마귀 ; 작고 둥근 덩어리.

knób·by *a.* 마디[혹]가 많은, 혹 모양의 ; 울퉁불퉁한, 마디가 울퉁불퉁하게 올라온 ;《美》둥근 구릉성(丘陵性)의, 둥글게 언덕진 ; 복잡한, 곤란한 ; 완강한. **knób·bi·ly** *adv.* **-bi·ness** *n.*

knób·kèr·rie [-kéri] *n.* 투봉(投棒)《남아프리카의 Kafir족(族)이 무기로 쓰는 knobstick》.

knób·stìck *n.* **1** 끝부분에 혹이 달린 몽둥이 ; 투봉. **2**《英俗》파업 파괴[방해]자(blackleg).

knobkerrie

◇**knock** [nák] *vt.* **1** [+目/+目+副/+目+前+名/+目+補] (머리·공 따위를) 치다, (문을) 두드리다 ; 쳐서 …이 되게 하다 : ~ the door 문을 두드리다《㊟ *vi.* 1의 용법보다 드묾》/ She ~*ed off* the bee *from* her bonnet[~*ed* the bee *off* her bonnet]. 보닛에서 벌을 털어 버렸다 / Someone ~*ed* me ***on*** the head. 누군가가 나의 머리를 쳤다 / The blow ~*ed* him senseless. 그 일격으로 그는 기절했다. **2** [+目+前+名] 부딪치다 : He ~*ed* his head ***against***[***on***] the wall. 머리를 벽에 부딪쳤다. **3**《英俗》놀라게 하다, 깜짝 놀라게 하다, 강한 인상을 주다 : We were ~*ed* by her beauty. 그녀의 아름다움에 완전히 놀랐다. **4**《美俗》욕하다, 헐담하다(decry). —— *vi.* **1** [動/+前+名] 두드리다(beat, rap) : Someone was ~*ing* ***at***[***on***] the door. 누군가가 문을 두드리고 있었다. ㊟ at은 행위의 대상을, on은 타격의 장소를 강조함 ; 단《美》에서는 흔히 on을 사용하는 경향이 있음. **2** [+*against*+名] 부딪치다, 충돌하다(bump) : The waves ~*ed* ***against*** the rocks. 파도가 바위에 부딪쳤다. **3** (기관이) 덜컹덜컹 소리를 내다(cf. KNOCKING). **4**《美俗》욕하다 ; 비판하다.

〈회화〉
Someone is *knocking* at the door. — I'll go and see who it is. 「누군가 문을 두드리고 있어」「내가 가서 알아볼게」

knock about[***around***] (1) (*vt.*) 계속 두드리다, 쥐어박다 ; 거칠게 다루다 ; (파도·폭풍이 배를) 뒤흔들다 : He was ~*ed about*[*around*] by the crowd. 그는 군중에게 심하게 맞았다. (2) (*vi.*)《口》방랑하다 : He used to ~ *about* in the park. 그는 자주 그 공원을 헤매곤 했다.
knock against …에 부딪치다, …에 충돌하다 (cf. *vi.* 2) ; …와 우연히 만나다 : I ~*ed against* an old friend at the station yesterday. 어제 역에서 옛 친구를 우연히 만났다.
knock back《주로 英俗》(술 따위를) 단숨에 마시다, 실컷 먹다.
knock down (1) 쳐서[때려] 눕히다 : The man was ~*ed down* by a bus. 그 남자는 버스에 치여서 쓰러졌다. (2) (집 따위를) 헐다 ;〖商〗(수송 따위를 위해서 기계 따위를) 분해[해체]하다(cf. SET *up*). (3) (토론 따위를) 뒤집다, 논박하다. (4)《口》(값을) 내리다 ; (사람을) 깎아 내리다 ; (경매에서) 경락하다, (물건을) 낙찰시키다 : They have ~*ed down* the prices at the store. 그 점포에서는 값을 인하했다 / We ~*ed* him *down* 5 percent. 그에게 5퍼센트 할인해 주었다 / We ~*ed* him *down to* 3000 won. 그에게 할인해서 3000원으로 해주었다 / The picture was ~*ed down to* Mr. A *for* $150[a song]. 그 그림은 150달러[헐값]로 A씨에게 낙찰되었다. (5)《英口》(사회자가) 지명하다 : ~ *down* a person *for* a song 남에게 노래를 부르게 지명하다. (6)《美俗》급료로서 받다, 벌다(earn).
knock a person***'s head off*** ☞ HEAD.
knock home (못 따위를) 단단히 박다 ; (토론 따위에서) 철저히 논박하다.
knock in 때려[쳐서] 넣다 : ~ *in* a wedge[nail] 쐐기[못]를 박다 / *K*~ *in* the top of the barrel, please. 그 통의 뚜껑을 못박아 주세요.
knock a person ***into the middle of next week*** ☞ WEEK.
knock on〖럭비〗(공을) 녹 온하다.
knock off (1) 두드려 떨어버리다(cf. *vt.* 1). (2)《口》재빨리 끝내다[써버리다], 척척 해치우다 : He ~*ed off* his work. 일을 척척 해치웠다. (3)《口》(일을) 중지하다 : Let's ~ *off* for the day. 오늘은 이것으로 끝냅시다. (4)《口》떼어 버리다 ; 깎아 내리다, 할인하다 : ~ *off* 10 cents *from* the price (정가에서) 10센트를 깎다.
knock. . .on the head (사람 등의) 머리를 때리다, 머리를 때려 기절하게 하다[죽이다](cf. *vt.* 1) ; (계획 따위를) 좌절시키다.
knock (one***self***) ***out***《美口》힘이 빠지다, 매우 지치다.
knock out (1) 두들겨 내쫓다 ; (파이프를) 두드려서 재를 털다. (2)〖拳〗녹아웃시키다(cf. KNOCKOUT) ;《비유》압도하다, 지게 하다 ;〖野〗(투수를) 녹아웃시키다. (3)《口》(계획 따위를) 급

K

히 생각해 내다[세우다].

knock over 《俗》 쓰러뜨리다, 때려 눕히다 ; (곤란 따위를) 물리치다 ; 압도하다, 항복케 하다 ; 감탄시키다, 탄성을 지르게 하다 ; 《俗》 강탈[강도]하다, 빼앗다 ; 《美俗》 (경찰이) 덮치다, 급습하다 ; 《美俗》 붙잡다, 검거하다 ; 《美俗》 마시다, 먹다, 소비하다.

knock the bottom out of... ☞ BOTTOM.

knock the breath out of a person***'s body*** 남을 깜짝 놀라게 하다.

knock their heads together 강경 수단을 써서 싸움을 말리다.

knock together (1) 심하게 부딪치다 ; 세차게 충돌하다 : Her knees began to ~ *together* from fear. 두려움으로 그녀의 무릎은 부들부들 떨리기 시작했다. (2) 급히 만들다[조립하다] : Those houses were ~*ed together* after the war. 그 집들은 전후에 급조(急造)된 것이었다.

knock under 항복하다(submit)〈*to*〉.

knock up (1) 쳐올리다 ; (상대의 손을) 불쑥 쳐들다. (2) 문을 두드려서 (사람을) 깨우다 : Please ~ me *up* at six o'clock tomorrow morning. 내일 아침 6시에 깨워주시오. (3) 황급히 만들다 : They were ~*ing up* hotels all over the city. 시 전역에서 매우 급하게 호텔을 짓고 있었다. (4) 《口》 지치게 하다[지치다] : The climbing ~*ed* us *up*. 등산으로 우리는 지쳐버렸다. (5) 〖크리켓〗 공을 마구쳐서 (점수를) 얻다.

knock up against = KNOCK *against*.

── *n*. **1 a**) 두들기기, 구타(blow) ; 문을 두드리기[두드리는 소리] : get a ~ *on* the head 머리를 구타당하다 / A ~ *at*[*on*] the door was heard. 문을 두드리는 소리가 들렸다(cf. *vi*. 1 ㊟). **b**) 《美口》 비난 ; 《美口》 불행, 재난 ; 역전. **2** (발동기의) 노킹(하는 소리). **3** 〖野〗 노크《수비 연습 따위를 위한 타구》 ; 〖크리켓〗 타격 차례, 순번(innings).

take the knock 《俗》 (경제적으로) 타격을 받다, 쪼들리다.

〚OE *cnocian* = ON (? imit.)〛

類義語 ⟹ STRIKE.

knóck·abòut *a*. **1** 소란스러운(noisy) ; (연극이) 소란하고 난폭한. **2** (옷 따위) 막일에 입는. **3** 《口》 방랑하는, 여기저기 돌아다니는. ── *n*. **1** 소란하고 거친 연극 ; 방랑자. **2** 《美》 (돛으로 달리는) 소형 요트.

knóck·bàck *n*. 《濠口》 거절, 퇴짜 ; 《죄수俗》 가출옥 허가를 받지 못함.

knóck·dòwn *a*. **1** 때려눕히는 ; 압도적인. **2** 분해가 되는, 조립식의, 접을 수 있는. **3** (경매 따위) 최저 가격의. ── *n*. 때려눕히기, (때려눕힐 만한) 타격 ; 에누리, 할인 ; 조립식 가구.

knóck-dòwn-(and-)drág-òut *a*. 가차없는, 철저한.

── *n*. 가차없는 다툼[싸움], 철저한 논쟁.

knócked-dówn *a*. 〖商〗 조립용 부품[유닛]으로 이루어진, 조립식의.

knóck·er *n*. **1** 두드리는 사람, 문을 두드리는 사람. **2** (현관의) 문 두드리는 고리쇠, 노커《방문자가 신호로 두드리는 쇠고리》. **3** 《美口》 독설가, 험구가.

knocker 2

knóck·er-úp *n*. 《英》 사람을 깨우며 돌아다니는 사람 ; (선거에서) 후보자를 위해 투표자를 (집에서) 나오게 하는 사람.

knóck for knóck agréement *n*. 〖保險〗 노크 포 노크 협정《가령 A사와 계약한 차(車)와 B사와 계약한 차 사이에 사고가 났을 때 그 손해 보상을 각각의 회사가 부담하고 피차 보험 청구는 하지 않는다는 자동차 보험 회사간의 협정》.

knóck·ing *n*. **1** ⓊⒸ 문을 두드리기[두드리는 소리]. **2** Ⓤ (발동기의) 노킹 현상, 폭연(爆燃).

knócking cópy *n*. 《英》 = COMPARATIVE ADVERTISING ; 신문의 노골적인 비평기사.

knócking shòp *n*. 《英俗》 갈보집(brothel).

knóck-knée *n*. 〖醫〗 외반슬(外反膝) ; [*pl*.] 안짱다리, 엑스각(脚)(cf. BOWLEG).

knóck-knéed *a*. 엑스각(脚)[안짱다리]의(cf. BANDY-LEGGED).

knóck-knóck *n*. 《美》 (경찰의) 강제 침입권《강제 (가택) 수사할 수 있는 권리》.

knóck-òff *n*. (일 따위를) 중지하기 ; 〖機〗 작동이 잘 이루어지지 않을 때의 자동 정지(장치).

knóck-òn *a*. (전자(電子) 따위) 충돌로 인해 방출되는. ── *n*. **1** 도미노 효과《연쇄 효과》. **2** 〖럭비〗 녹온《볼을 손 또는 팔에 닿게 해서 앞쪽으로 보내기 ; 반칙》.

knóck·òut *n*. **1** 맹렬한 타격 ; 〖拳〗 녹아웃《略 K.O., k.o.》 : a technical ~ 티케이오, 테크니컬 녹아웃《略 TKO》. **2** 《美俗》 압도적인 것 ; 굉장한 미인 ; 히트한 영화. ── *a*. (타격이) 맹렬한 : a ~ blow (녹아웃시킬 것 같은) 맹렬한 펀치.

knóckout dròps *n. pl*. 《俗》 몰래 음료수에 떨어뜨리는 마취제, (특히) 포수 클로랄(chloral).

knóck-òver *n*. 《美俗》 강도.

knóck·ùp *n*. 가벼운 연습《운동 선수가 특히 시합 시작 전에 함》.

knoll[1] [nóul] *n*. 작은 산, 둥근 언덕 ; 사주(砂洲). 〚OE *cnoll* hilltop ; cf. G *Knolle* lump〛

knoll[2] *n*. 《古》 종소리(knell). ── *vt*. (종을) 울리다 ; (때를) 종소리로 알리다 ; 종을 쳐서 불러들이다. ── *vi*. (종이) 울리다(knell).

〚ME (? imit.)〛

knop [náp] *n*. **1** = KNOB. **2** 〖建〗 꽃봉오리 모양의 장식《꽃·잎 따위를 양각한 기둥머리》.

〚LDu. = bud〛

knop·kie·rie [knápkiəri] *n*. 《南아》 = KNOBKERRIE.

Knos·sos, Cnos·sus [(kə)násəs] *n*. 크노소스《에게 문명의 중심지였던 Crete섬의 고도(古都)》.

Knós·si·an *a*.

***knot**[1] [nát] *n*. **1** 매듭(tie, bow) : a ~ *in* a rope [(neck)tie] 밧줄[넥타이]의 매듭 / ☞ RUNNING KNOT / make[tie] a ~ 매듭을 짓다. **2** 장식용의 매듭진 끈 ; 나비[꽃] 매듭, (견장 따위의) 장식 매듭 ; (머리의) 틀어올림〈*on*〉. **3** (사람·물건의) 무리, 집단(group), 일단〈*of*〉 : gather *in* ~*s* 삼삼 오오로 모이다. **4** 혹, 사마귀 ; 〖解〗 결절(結節) ; (나무 줄기의) 마디, 옹이 ; 판자의 옹이. **5** 〖海〗 측정선(測程線)의 결절 ; 〖海·空〗 노트 ; [오용] 해리(nautical mile). **6** 어려운 일, 난국, 난제(cf. GORDIAN KNOT). **7** (문제의) 요점, (이야기·극의) 줄거리(plot). **8** 연분, 인연(bond) : the nuptial ~ 부부의 연분. **9** 《英》 = PORTER'S KNOT.

tie oneself* (*up*) *in*[*into*] *knots 곤경[혼란]에 빠지다.

tie the knot 혼인하다(marry).

── *v*. (**-tt-**) *vt*. [+目/+目+副/+目+前+名] (끈 따위를) 매다(tie, fasten) ; …에 매듭을 짓다 ; …을 싸서 매다 ; 매듭 끈으로 장식을 하다 ; (이맛살을) 찌푸리다(knit) ; 얽히게 하다 : ~ a

parcel 소포를 묶다 / ~ two strings *together* 2개의 끈을 한데 매다 / She ~*ted* her things (***up***) ***into*** a bundle. 소지품을 한 묶음으로 묶었다.
—— *vi.* **1** 매듭을 짓다. **2** 묶이다 : This rope does not ~. 이 밧줄은 묶이지 않는다. **3** 매듭[마디]지다 ; 한 덩어리가 되다.
〚OE *cnotta* ; cf. G *knoten* to KNIT〛

knot² *n.* (*pl.* **~, ~s**) 〘鳥〙 (북극산(産)) 붉은어깨도요.
〚ME< ?〛

knót gàrden *n.* 〘園藝〙 장식 정원《복잡한 기하학적 디자인으로 됨》.

knót·gràss *n.* 〘植〙 마디풀.

knót·hèad *n.* 바보(dumbbell).

knót·hòle *n.* 옹이 구멍, 절혈(節穴).

knót·less *a.* 매듭이 없는 ; 결절(結節)이[옹이가] 없는.

knót·ted *a.* **1** 마디가 있는, 마디투성이의 ; 매듭[장식]이 있는. **2** 얽힌 ; 곤란한.

knót·ting *n.* Ⓤ **1** 결절(結節). **2** (직물의) 실의 매듭제거. **3** =KNOTWORK.

knót·ty *a.* **1** 결절의[이 있는], 마디[옹이]투성이의 ; 매듭이 많은. **2** 혼란한, 복잡한, 분규된, 해결 곤란한.

knót·wòrk *n.* Ⓤ 매듭 장식[세공].

knout [náut, nú:t] *n.* 채찍《옛날 러시아에서 가죽을 엮어 만든 형구(刑具)》; [the ~] 매로 때리는 형벌. —— *vt.* …에게 태형(笞刑)을 가하다.
〚Russ.<Scand. ; cf. ON *knūtr* KNOT¹〛

◇**know** [nóu] *v.* (**knew** [njú:] ; **known** [nóun]) *vt.* **1** [+目/+*that* 節/+*wh.* 節/+*wh.*+*to* do/+目+*to* do/+目+*as* 補] 알다, 알고 있다 ; 이해하다, 이해하고 있다 : He ~*s* the real truth of the matter. 사건의 진상을 알고 있다 / *K*~ yourself. 너 자신을 알라 / I ~ all about that. 그 일이라면 잘 알고 있다, 그런 일이라면 말할 필요 없이 잘 안다 / ~ a thing or two ☞ THING 숙어 / be ~*n* to... ☞ KNOWN / I ~ *that* she was once a singer. 그녀가 한때 가수였던 것을 알고 있다 / You must ~ *that* …을 아셔야 합니다 / Do you ~ *when* he will arrive here? 그가 언제 여기에 도착하는지 알고 있느냐 / There is no ~*ing what* may happen to them. (=It is impossible to ~....) 그들에게 무슨 일이 일어날지 알 수 없다 / Who ~*s if* it may be so? 그렇지 않다고 장담하지 못한다, 그럴지도 모른다 / Do you ~ *how to* drive a car? 차 운전을 할 줄 아십니까 / I ~ him *to* be ill. 그가 아프다는 것은 알고 있다 《I ~ *that* he is ill. 보다 문어적》 / We ~ him *as* honest and reliable. 그가 정직하고 믿음직한 사람이라는 것을 알고 있다.
2 숙지[정통]하다 ; (남과) 잘 알고 있다, …와 친숙하다, 교제하다 : She ~*s* French. 프랑스어를 알고 있다[한다] / He ~*s* literature. 문학에 정통하다 / Do you ~ Mr. Brown? 브라운씨를 잘 압니까, 브라운씨와 친합니까 / I ~ him by sight [name]. (이름[얼굴]은 모르나) 그의 얼굴[이름]은 알고 있다 / I have ~*n* him since I was a little boy. 어릴 때부터 그를 알고 있다 / Do they ~ each other very well? 그들은 친한 사이냐.
3 [+目/+目+原形] (공포·고통 따위를) 알다, 체험하다, …의 체험을 가지다 : I *knew* poverty in my childhood. 어린 시절에 빈곤을 맛보았다 / He ~*s* life. 인생을 알고 있다 / I have never ~*n* him *tell* a lie. (내가 아는 바로는) 그가 거짓말한 적은 없다. ㊟ [+目+原形]의 형은 know가 완료형 (또는 과거형)의 경우에만 사용됨.
4 [+目/+目+前+名] 인정하다, 보고 (…라고) 알다(recognize) ; 구별이 되다, 식별(識別)하다(can tell) : I *knew* him at once. 곧 그라는 것을 알았다 / A tree is ~*n* by its fruit. 나무는 그 열매에 의해서 구별된다 / ~ a goat ***from*** a sheep 염소와 양을 가려낼 수 있다 / ~ right *from* wrong 옳고 그른 것을 알고 있다 / ~ a hawk *from* a handsaw ☞ HAWK¹ 숙어.
5 《古》〘聖·法〙 (성적으로 여자를) 알다 : Adam *knew* Eve. 아담은 이브를 알았다.

〈회화〉
I don't *know* what to wear. — Why don't you wear your blue dress? 「뭘 입어야 할지 모르겠어」「청색 드레스가 어때」

—— *vi.* [動/+前+名] 알고 있다, 알다 ; (확실히) 인식하고 있다 : He thinks he ~*s* better than anybody. 자신이 누구보다도 더 잘 알고 있다고 생각한다 / Tomorrow's a holiday. — I ~. 내일은 휴일이야 — 알고 있어 / I don't ~ ***about*** that. 그것은 전혀 모른다 ; [의심 따위를 나타내어] 글쎄, 어떨까 / I don't ~ *about* you, but I would like to have a rest now. 너는 (어떨지) 잘 모르겠는데 나는 이제 좀 쉬고 싶다 / I ~ ***of*** him, but I don't *know* him. 그의 소문은 듣고 있으나 직접 아는 사이는 아니다《뒤의 know는 *vt.* 2의 의미》 / This is the best method I ~ *of.* 내가 알고 있는 바로는 이것이 가장 좋은 방법이다.

all one ***knows*** 알고[할 수] 있는 모든 일, 전력 ; [부사적으로] 될 수 있는 한, 전력을 다해서.

don't you know =*you* KNOW.

God [***Heaven***] ***knows*** (1) [+*that* 節] 신(神)은 알고 있다, 맹세코 …이다, 확실히… : *God* [*Heaven*] ~*s that* it is true. 그것은 신에 맹세코 진실이다. (2) [+*wh.* 節] 신만이 알다, 아무도 모르다(=Nobody ~*s*) : *God* [*Heaven*] (=Nobody) ~*s where* he fled. 그가 어디로 도망쳤는지 아무도 모른다 / The man has gone *God* [*Heaven*] (=nobody) ~*s where.* 그 남자가 어디로 갔는지 아무도 모른다《기척도 없이 사라졌다》.

I want to know. 《美口》 원 저런, 정말인가《놀람·의문을 나타냄》.

know better (***than...***) [+名/+*to* do] …하지 않을 정도는 알고 있다, …정도의 분별은 있다 : I ~ *better than to* quarrel. 다툴 만큼 어리석지는 않다 / I ~ *better.* 그런 일은 없다, 그런 수에는 넘어가지 않는다 / You ought to ~ *better.* 너는 무분별하다, 나잇값도 못한다.

know life 인생의 안팎을 알다.

know one***'s own business*** 쓸데없는 짓을 삼가다.

know the time of day 무엇이나 잘 알고 있다, 이야기가 통하다, 빈틈이 없다.

know a person ***to speak to*** (만나면) 말을 걸 정도로 아는 사이다.

know what's what 《口》 ☞ WHAT¹.

make...known …을 알리다, 공표하다 : *make* oneself ~*n* 이름을 스스로 대다, 자기 소개를 하다 / She *made* ~*n* her intention. 자신의 의도를 알렸다.

Not if I know it! 《口》 누가 그런짓을 하겠나.

not know [***know not***] ***what*** [***where, why, how, when***] 무엇[어디, 왜, 어째서, 언제]인지 모르는 것(=God[Heaven] ~*s*) : He began to do he *knew not what.* 그는 (스스로도) 뭐가 뭔지 알 수 없는 일을 하기 시작했다.

not that I know (***of***) 내가 아는 바로는 그렇지

않다(☞ THAT² 6 [주]) : Has he been ill or something? — *Not that I ~ of.* 그는 아프든지 무슨 일이 있지요 — 내가 아는 바로는 그렇지 않은데요.

What do you know (about) that? 《美口》 놀랐는데, 그럴리가!

Who knows? 뭐라 말할 수 없다 ; (…)일지도 모른다, 어쩌면 : I hope it will clear up tomorrow. — *Who ~s?* 내일은 개면 좋겠는데 — 글쎄요 / The book may become a best-seller, *who ~s?* 어쩌면 그 책이 베스트셀러가 될지도 모른다.

you know 알다시피 ; 그렇지요, 네! (cf. you see ☞ SEE¹ *vi.* 2) : He is angry, *you ~.* 그는 화내고 있단 말이에요!

—— *n.* 《口》 지식(information). [다음 숙어로]

in the know 잘 알고 있는, 사정에 정통한.

〖OE *(ge)cnāwan* ; CAN¹, KEN¹, L *nosco* come to know 따위와 같은 어원〗

knów·able *a.* **1** 알 수 있는, 인식할 수 있는. **2** 가까워질 수 있는, 알기 쉬운.

—— *n.* [보통 *pl.*] 알 수 있는 사물.

knów-àll *a., n.* 《口》 아는 것이 많은 (사람) ; 아는 체하는 (사람).

knów·er *n.* **1** 아는 사람, 이해하는 사람. **2** 〖哲〗 인식아(我).

knów-hòw *n.* Ⓤ 《원래 美》 실제적 지식 ; (제조 따위의) 기술(technique) ; 비결(skill) ; 기술 정보 : business ~ 장사의 비결 / the ~ *of* space travel 우주여행의 기술.

knów·ing *a.* **1** 사물을 아는, 지식이 있는 ; 잘 알고 있는. **2** 약삭 빠른, 빈틈없는 ; 아는 체하는 : ~ looks 알고 있는 듯한 표정. **3** 고의의. **4** 《口》 (모자 따위가) 멋있는. —— *n.* 알기 ; 정통 ; 지(知), 지식.

knów·ing·ly *adv.* 아는 듯한 표정으로, 아는 체하여 ; 빈틈없이 ; 알면서, 고의로(on purpose) : She has never ~ hurt anybody. 그녀는 누구의 감정도 고의로 해친 적은 없다 / ~ kill 〖法〗 고의로 살해하다.

knów-it-àll *a., n.* 《口》 아는 체하는 (사람), 똑똑한 체하는 (사람).

‡**knowl·edge** [nálidʒ] *n.* **1** Ⓤ 아는 바 ; 소식, 정보(news) : It is a matter of common ~. 그것은 일반적으로 알려진 일이다《상식이다》 / *K~ of* the disaster soon spread. 참사 소식은 순식간에 퍼졌다. **2** Ⓤ [또는 a ~] 인식, 이해 : ~ *of* good and evil 선악의 인식 / *a ~ of* the truth 사실의 이해. **3** Ⓤ 견문, 지식 ; 학식, 학문 ; [또는 a ~] (사실을) 알고 있는 것, 숙지, 정통 : scientific ~ 과학 지식 / He has *a* (good) ~ *of* English. 영어를 (잘) 알고 있다. **4** Ⓤ 경험 : ~ *of* life 인생 경험.

come to one*'s* ***knowledge*** 알 수 있게[알게] 되다 : The thing *came to* my ~ later. 그 일은 나중에 알았다.

to (the best of) a person*'s* ***knowledge*** 알고 있는 바로는[한에서는] : It has never before, *to* my ~, been translated into Korean. 내가 아는 바로는 그것은 아직 한국어로 번역이 되지 않았다.

> **to a person's knowledge**의 문장 전환
> *To (the best of) my knowledge,* he is a reliable man.
> → *As far as I know,* he is a reliable man. (내가 알고 있는 한 그는 신뢰할 수 있는 사람이다.)

without a person*'s* ***knowledge*** = ***without the knowledge of*** a person 사람들에게 알리지 않고, 무단(無斷)으로 : He left for Europe *without the ~ of* his friends. 친구들에게 알리지 않고 유럽으로 떠났다.

〖ME *knaulege* (KNOW, OE *-lǣcan* < *-lāc* ; cf. wed*lock*)〗

[類義語] ***knowledge*** 연구나 관찰 따위에 의해서 수집된 사실의 총체, 그것에 대한 이해 : a *knowledge* of physics (물리학 지식). ***information*** 독서·관찰·사람들의 소문 따위로 얻어진 사실 또는 지식 ; 반드시 확실성 또는 유용성의 관념을 포함하지는 않고, 또한 서로 관계가 없고 체계가 없는 지식을 암시하는 경우도 있음 : gather useful *information* (쓸모있는 정보를 수집하다). ***learning*** 연구, 특히 언어·문학·철학·역사 따위의 공부에 의해서 얻은 knowledge : a man of *learning* (학식있는 사람). ***wisdom*** 넓은 지식과 경험에 의해서 얻어진 뛰어난 판단력과 이해력. ***science*** 체계적·이론적인 learning으로 사실을 모아서 거기에서 일반적인 진리를 추론하려는 것 ; 정확성·확실성을 강조함 : Weather forecast is not a guesswork but a *science.* (일기 예보는 주먹구구가 아니라 과학이다).

knówledg(e)·able *a.* 《口》 지식이 있는, 잘 알고 있는 ; 식견(識見)이 있는, 총명한 ; 의식적인, 고의의. **-ably** *adv.* **knòwledg(e)·abílity** *n.* **~·ness** *n.*

knówledge bàse *n.* 〖컴퓨〗 지식 베이스《필요 지식을 일정 format으로 정리·축적한 것》.

knówledge-bàsed sýstem *n.* 〖컴퓨〗 지식 베이스 시스템《knowledge base에 의거하여 추론하는 시스템》.

knówledge engineèr *n.* 지식 공학자《전문가 시스템의 기본 설계를 담당하는 인공 지능 분야의 기술자》.

knówledge engineèring *n.* 지식 공학《인공 두뇌의 응용 시스템을 개발하는 한 분야》.

knówledge ìndustry *n.* 지식 산업《인간의 정신적·지적 욕구를 충족시키기 위한 산업의 총칭》.

knówledge-inténsive ìndustry *n.* 지식 집약(형) 산업.

knówledge mòdule *n.* Tele-learning에서 전화기와 홈컴퓨터의 접속 장치.

◇**known** [noun] *v.* KNOW의 과거분사.

—— *a.* 알려진 ; 이미 아는, 기지(旣知)의 : a ~ number 〖數〗 기지수 / He is ~ *to* the public. 그는 대중에게 이름이 알려져 있다. —— *n.* 〖數〗 기지수(known quantity) ; 알려진 사실.

knówn défect làw *n.* 〖美法〗 결함 통고 의무법《중고차를 팔 때 그 차의 고장난 데나 결함을 구입자에게 문서 따위로 알려야 하는 업자의 법률적 의무 ; cf. LEMON LAW》.

knów-nòthing *n.* **1** 아무것도 모르는 사람, 무학문맹인 사람. **2** 불가지론자(不可知論者) (agnostic). **3** [K~-N~] 〖美史〗 아메리카당《1853-56년경 이민 제한과 미국 태생의 시민에 의한 집권을 주장하였음》 ; 그 당원.

—— *a.* 아무것도 모르는, 무학 문맹의 ; 불가지론적인.

knówn quántity *n.* 〖數〗 기지수(旣知數) ; 잘 알려진 사람[것].

knów-whàt *n.* 《口》 목표를 앎, 목적 의식.

knów-whỳ *n.* 《口》 까닭[이유, 동기]을 알기.

knt. knight.

knuck·le [nʌ́kəl] *n.* **1** (특히 손가락 밑부분의) 지

관절(指關節), 손가락 마디 ; [보통 the ~s] (주먹의) 지관절부, 주먹뼈. **2** (네발 짐승의) 슬관절(膝關節) 돌기 ; (송아지·돼지의) 슬관절의 살. **3** 〖機〗 (연결의) 암[수]톨쩌귀 ; =KNUCKLE JOINT. **4** [~s, 단수 또는 복수취급] =BRASS KNUCKLES. **5** 〖建·船〗 (배·지붕 따위의) 모서리.

give*[*get*] *a rap on*[*over*] *the knuckles (어린이를[가] 벌로) 손가락 마디를 때리다[맞다]; 《비유》 꾸짖다[꾸중을 듣다], 호되게 때리다[맞다], 타박하다[받다].

— *vt.* 주먹으로 쿡 때리다, 손가락 마디로 때리다[누르다, 비비다] ; (구슬을) 튀기다.

— *vi.* 굴복하다⟨*to*⟩ ; 솟아[튀어]오르다.

knuckle down (1) 《口》 (일 따위를) 침착하게 대처하다⟨*to*⟩. (2) =KNUCKLE *under*.

knuckle under 굴복[항복]하다(submit)⟨*to*⟩. 〚LDu. (dim.) ‹ *knoke* bone〛

knúckle·bàll *n.* 〖野〗 너클볼《집게 손가락과 가운뎃손가락을 구부려 공에 대고 던지는 느린 공》. **~·er** *n.* 너클볼을 잘 던지는 투수.

knúckle·bòne *n.* 지관절(指關節)의 뼈(cf. KNUCKLE *n.* 1) ; (네발 짐승의) 지골(趾骨).

knúckle bùster *n.* 《美俗》 주먹싸움.

knúckle-dùst·er *n.* (격투 따위를 할 때) 주먹에 끼우는 둥근 쇠(=《美》 brass knuckles) (로 싸우는 사람).

knuckle-duster

knúckle·hèad *n.* 바보, 얼간이. **knúckle-héad·ed** *a.* 얼뜬, 어리석은.

knúckle jòint *n.* 지관절 ; 〖機〗 너클이음《2개의 막대기를 회전식 핀으로 이음》.

knuck·ler [nʌ́klər] *n.* 《野俗》 =KNUCKLEBALL.

knúckle sàndwich *n.* 《俗》 주먹을 한방 먹임 ; 주먹다짐.

knúckle-wàlk *vi.* (고릴라·침팬지 따위가) 앞발의 발가락 등쪽을 땅에 대고 걷다.

knucks [nʌ́ks] *n.* 《美俗》 =BRASS KNUCKLES.

knur [nə́:r] *n.* (나무의) 마디, 옹이 ; 단단한 혹 ; (trapball 따위에 쓰이는) 나무공. 〚ME *knorre* (변형(變形)) ‹KNAR〛

knurl [nə́:rl] *n.* 마디, 혹 ; (금속 표면의) 도톨도톨한 쇠알 ; (경화·용두 따위의) 들쭉날쭉한 것. — *vt.* …에 혹을 만들다 ; (경화)를 깔쭉깔쭉하게 하다. **~y** *a.* 마디[혹]가 많은. 〚↑ ; 어형은 *gnarl*의 영향인가〛

knut [nʌ́t] *n.* 《英·戲》 멋쟁이(nut).

KO, K.O., k.o. [kéióu] *n.* (*pl.* **~'s**) 녹아웃. — *vt.* (**~'d** ; **~'ing** ; **~'s**) 녹아웃시키다.

koa [kóuə] *n.* 〖植〗 (하와이산(産)) 아카시아의 일종. 〚Haw.〛

ko·a·la [kouɑ́:lə] *n.* 〖動〗 주머니곰부치[코알라] 《호주산(産)》 ; 그 모피. 〚(Austral.)〛

KOBACO Korean Broadcasting Advertising Corporation(한국 방송 광고 공사).

ko·bo [kɔ́:bɔ:] *n.* (*pl.* ~) 코보《나이지리아의 화폐 단위 ; =1/100 naira》. 〚*copper*〛

ko·bold [kóubɔ:ld, -bɑld, -bould ; kɔ́bəuld] *n.* 〖독일神〗 작은 마귀 ; 땅의 요정. 〚G ; ⇨ COBALT〛

KOC Korean Olympic Committee(한국 올림픽 위원회).

Köch·el (number) [*G* kœ́çəl (⌐)] *n.* 쾨헬 번호《Mozart의 작품을 Ludwig von Köchel (1800-77)이 연대순으로 정리하여 매긴 작품 번호 ; 略 K.》.

Ko·dak [kóudæk] *n.* 코닥《미국 Eastman Kodak 사에서 제작한 소형 카메라 ; 상표명》.

Kod·a·vi·sion [kóudəvìʒən] *n.* 코다비전《미국 Eastman Kodak사가 제작한 8밀리 비디오》.

Ko·di·ak [kóudiæ̀k] *n.* **1** 코디액《Alaska 만(灣)의 서쪽 섬》. **2** 〖動〗 =KODIAK BEAR. **3** 《美俗》 경찰관.

Kódiak bèar *n.* 〖動〗 코디액불곰《알래스카산의 지상 최대의 육식 동물》.

ko·el, ko·il [kóuəl] *n.* 〖鳥〗 (인도·오스트레일리아산(産)의) 긴꼬리뻐꾸기. 〚Hindi〛

K. of C. Knight(s) of Columbus.

koh-i-noor [kóuənùər] *n.* **1** [K~] 코이누르 《1849년 이래 영국 왕실 소장의 인도산(産) 대형 다이아몬드》. **2** [흔히 K~] 일품(逸品), (특히) 고가(高價)의 대형 다이아몬드. 〚Pers. =mountain of light〛

kohl [kóul] *n.* Ⓤ 콜먹《아라비아 여자들이 눈썹을 그리는 데 사용하는 안티몬 따위의 가루》. 〚Arab. ; ⇨ ALCOHOL〛

kohl·ra·bi [koulrɑ́:bi, -rǽbi, ⌐-⌐] *n.* (*pl.* **~es**) 〖植〗 알줄기 양배추. 〚G‹It.‹L (COLE, RAPE[2])〛

Ko·hóu·tek (cómet) [kəhóutek-, -hú:-] *n.* 코호테크 혜성《1973년 최초로 출현》. 〚Luboš *Kohoutek* 20세기의 구체코슬로바키아의 천문학자〛

Koi·ne [kɔinéi, ⌐⌐, kiní: ; kɔ́ini:] *n.* Ⓤ [the ~] (기원전 5-3세기의) 표준 그리스어《신약성서는 이 말로 쓰여졌음》. 〚Gk. =common〛

Ko·jak [kóudʒæk] *n.* 주(州) 경찰관.

ko·la [kóulə] *n.* =COLA[1].

kóla nùt *n.* 콜라나무 열매《청량음료의 자극제》.

ko·lin·sky, -ski [kəlínski] *n.* (*pl.* **-skies**) 〖動〗 족제비 ; Ⓤ 그 모피. 〚Russ.〛

kol·khoz, -khos, -koz [kɑlkɔ́:z, -xɔ́:z, -hɔ́:z, -s] *n.* (*pl.* **~·es, kol·khozy** [-zi]) 집단 농장, 콜호스(collective farm) ; 콜호스식 농업제도. 〚Russ.〛

Köln [*G* kœln] *n.* 쾰른《Cologne의 독일어명》.

Kom·in·tern [kɑ̀məntə́:rn] *n.* =COMINTERN.

ko·mi·tad·ji, co- [kòumətɑ́:dʒi, kɑ̀m-] *n.* 코미타지《발칸 제국(諸國)의 게릴라병(兵)》. 〚Turk. =rebel〛

ko·mi·teh [koumí:tei] *n.* (이란의) 혁명 위원회, 코미테《1979년에 발족》.

Kom·so·mol [kɑ̀msəmɔ́(:)l, -mɑ́l, ⌐-⌐] *n.* 콤소몰 《(구소련의) 공산 청년 동맹》. 〚Russ.〛

ko·na [kóunə] *n.* 코나《하와이에서 겨울에 부는 남서풍》. 〚Haw.〛

Kong·zi [kɔ́:ŋzí:] *n.* 공자(☞ CONFUCIUS).

ko·nim·e·ter [kounímətər] *n.* (공기 속의) 먼지 측정기.

ko·ni·ol·o·gy [kòuniɑ́lədʒi] *n.* 대기 오염학(學) 《대기 속의 먼지 기타 불순물의 동식물에 대한 영향을 연구함》. 〚Gk. *konia* dust〛

koodoo ☞ KUDU.

kook [kú:k] *n.* 《美俗》 괴짜, 기인(奇人), 미치광이 ; 서핑의 초심자. 〚C20 ‹? CUCKOO〛

kook·a·bur·ra [kúkəbə̀:rə, -bʌ̀rə ; -bʌ̀rə] *n.* 〖鳥〗 큰물총새(laughing jackass)《우는 소리가 웃음소리 같음 ; 오스트레일리아산》. 〚(Austral.)〛

kóoky, kóok·ie *a.* 《美俗》 기인(奇人)의, 괴짜의, 미친 ; 색다른, 첨단의. **kóok·i·ness** *n.* 〚KOOK〛

koo·lah [kú:lə] *n.* =KOALA.

Kóol-Àid *n.* 《CB俗》 알코올 음료 ; 맥주.

kop [kάp] *n.* 《南아》 언덕, (작은) 산.
〖Afrik. =head〗

ko·pec(k), ko·pek, co·peck [kóupek] *n.* 코펙《러시아 연방의 동화(銅貨), 또 화폐 단위 ; =1/100루블(ruble)》.
〖Russ. (dim.) ‹ *kopye* lance ; 원래 창을 든 Ivan 4세의 상(像)에서〗

kop·je, kop·pie [kάpi] *n.* 《南아》 작은 언덕, 작은 산.
〖Afrik. *koppie*, Du. *kopje* (dim.) ; ⇒ KOP〗

Kor. Korea ; Korean.

ko·ra [kɔ́ːrɑː, -rə] *n.* 코라《류트(lute) 비슷한 아프리카 기원의 21현(絃) 악기》. 〖(Senegal)〗

Ko·ran [kɔːrάːn, -rǽn, kə-, kɔ́ːræn] *n.* [the ~] 코란《이슬람교 경전》. **Ko·ran·ic** [kɔːrǽnik, kə-] *a.* 〖Arab. =recitation〗

◇**Ko·rea** [kəríə, 美+kou-] *n.* 한국《the **Repúblic of** ~ ; 수도 Seoul ; 略 ROK》.

◇**Ko·ré·an** *a.* 한국의 ; 한국인[어]의.
—— *n.* **1** 한국인 : a second-generation ~ 한국인 2세. **2** Ⓤ 한국어.

Ko·re·a·na [kəːriάːnə] *n.* 한국 관계의 문헌, 한국 사정, 한국지(誌).

Koréan Áir *n.* 대한항공(cf. KAL).

Koréan azálea *n.* 〖植〗 진달래.

Koréan gínseng *n.* 고려 인삼.

Koréan láwn gràss *n.* 〖植〗 잔디.

Ko·re·an·ol·o·gy [kəːriənάlədʒi] *n.* 한국학, 한국 연구.

Koréan pìne *n.* 〖植〗 잣나무.

Koréan vélvet gràss *n.* 〖植〗 잔디의 일종.

Koréan Wár *n.* [the ~] 한국 전쟁《1950년 6월 25일-1953년 7월 27일》.

Koréa Stráit *n.* [the ~] 대한 해협, 현해탄.

Ko·rec·type [kəréktaip] *n.* 《美》 코렉타이프《타자기의 오자(誤字) 수정액(液) ; 상표명》.

kórf·bàll [kɔ́ːrf-] *n.* 코프볼《농구 비슷한 남녀 혼합 구기(球技) ; 네덜란드에서 시작》.
〖Du. *korfbal* (*korf* basket, *bal* ball)〗

Kór·sa·koff's psychósis[sýndrome] [kɔ́ːrsəkɔ̀ːfs-] *n.* 〖精神醫〗 코르사코프 정신병[증후군], 건망 증후군《알콜 중독과 극도의 영양부족이 원인》.

ko·ru·na [kɔ́(ː)rənὰː, kάr-, kɑrúːnə] *n.* (*pl.* **ko·ru·ny** [-rəni], **~s, ko·rum** [-rəm]) 체코·슬로바키아의 화폐 단위《100 halers》.
〖Czech=CROWN〗

K.O.S.B. King's Own Scottish Borderers.

ko·sher [kóuʃər], **ka·sher** [kάːʃər, kɑʃéər] *a.* 〖유태敎〗 유태인의 율법에 맞는, 정결한《음식·식기·음식점 따위》; 적법한 식품을 판매[사용]하는 ; 《口》 순수한, 진짜의 ; 응당한, 적당한.
—— *n.* 《口》 적법한[정결한] 식품[음식점].
—— *vt.* 적법[정결]하게 하다.
〖Heb. =proper〗

Ko·sy·gin [kəsíːgən] *n.* 코시긴. **Aleksei ~** (1904-80) 구소련의 수상(1964-80).

Ko·tex [kóutèks] *n.* 코텍스《1회용 생리대 ; 상표명》: a ~ machine 코텍스의 자동 판매기.

ko·tow [kóutáu], **kow·tow** [káutáu] *n.* 고두(叩頭)의 예(禮). —— *vi.* 고두하다〈*to*〉; 아부하다, 빌붙다〈*to*〉. 〖Chin. =to knock the head〗

KOTRA Korea Trade Promotion Corporation (대한 무역 진흥 공사).

kot·wal [kóutwɑːl ; kɔ́t-] *n.* 《Hind.》 경찰서장 ; 도시장관.

kot·wa·lee [kóutwɑːli ; kɔ́t-] *n.* (인도의) 경찰서. 〖Hindi〗

kou·mis(s), kou·myss, ku·miss, ku·mis, ku·mys [kuːmís, kúː(ː)məs] *n.* 쿠미스《말·낙타 따위의 젖으로 만든 아시아 유목민의 술 ; 약용으로 하는 데도 있음》. 〖Russ.<Tartar〗

kour·bash [kúərbæʃ] *n., vt.* =KURBASH.

kowtow ☞ KOTOW.

KP 〖체스〗 king's pawn. **K.P.** kitchen police ; Knights of Pythias ; Knight of (the Order of) St. Patrick.

K particle [kéi -] *n.* 〖理〗 케이 입자[중간자] (kaon).

kpc kilopersec(s). **KPH, k.p.h.** kilos per hour. **KR** 〖체스〗 king's rook. **Kr** 〖化〗 krypton. **kr.** kreutzer ; krona ; krone(n) ; kroner. **K.R.** King's Regiment ; King's Regulations.

kraal [krάːl, krɔ́ːl] *n.* 《南아》 (원주민의) 울타리를 두른 집단 생활지[부락] ; 그 촌락 공동체 ; (울타리로 두른) 오두막(hut) ; (양·소의) 우리.
—— *vt.* 울타리로 두르다.
〖Afrik.<Port. *curral*<Hottentot〗

krad [kéiræd] *n.* (*pl.* ~, **~s**) 〖理〗 =KILORAD.

kraft [krǽ(ː)ft ; krάːft] *n.* 크라프트지《시멘트 부대용》. 〖G=strength〗

kráft ènvelope *n.* 크라프트지(紙) 봉투《우편용·사무용 따위》.

krait [kráit] *n.* 〖動〗 (인도·보르네오 따위에 사는) 코브라의 일종. 〖Hindi〗

kra·ken [krάːkən] *n.* 노르웨이 앞바다에 나타난다는 전설적 괴물. 〖Norw. (dial.)〗

K ration [kéi -] *n.* 〖美軍〗 K호 휴대 식량《3상자로 1일분》.
〖A.B. *K*eys (1904-) 미국의 생리학자〗

kraut [kráut] *n.* [흔히 K~] 《蔑》 독일 사람[병사, 군속]. 〖G〗

Kra·zy Kat [kréizi kǽt] *n.* 크레이지 캣《미국의 만화가 George Herriman(1880-1944)의 만화 주인공인 검은 고양이》.

KRC Korean Red Cross(대한 적십자사).

KREEP [kríːp] *n.* 크리프《달에서 채취한 황갈색의 유리 같은 광물》. 〖*K* (=potassium)+*REE* (=*r*are-*e*arth *e*lement)+*P* (=*p*hosphate)〗

Krem·lin [krémlən] *n.* [the ~] (Moscow에 있는) 크렘린 궁전 ; 구소련 정부.
〖F<Russ.<Tartar〗

kre·o·sote [kríː(ː)əsòut] *n.* =CREOSOTE.

kreu·zer, kreut·zer, creut·zer [krɔ́itsər] *n.* 옛날 독일과 오스트리아에서 사용했던 동화(銅貨)[은화(銀貨)].

Krieg·spiel [kríːgspìːl] *n.* 병기(兵棋)《장교의 전술 지도를 위한 반상(盤上) 전쟁 놀이》.
〖G (*Krieg* war, *Spiel* game)〗

Kriem·hild [kríːmhilt], **-hil·de** [-hildə] *n.* 크림힐트《Nibelungenlied에서 Siegfried의 아내》.

Kril·i·um [kríliəm] *n.* 크릴리엄《acrylonitrile로 만드는 토양 개량제 ; 상표명》.

krill [kríl] *n.* (*pl.* ~) 크릴《남극해산(產)의 새우 비슷한 갑각류》. 〖Norw. *kril* young fish〗

krim·mer, crim- [krímər] *n.* 크림 지방산(產)의 새끼양 모피.

kris [krí(ː)s] *n.* =CREESE. 〖Malay〗

Krish·na [kríʃnə] *n.* 〖힌두敎〗 크리슈나《Vishnu의 제8 화신(化身)》. **~ìsm** *n.* Ⓤ 크리슈나 숭배.
〖Skt. =black〗

Kriss Krin·gle [krís kríŋgəl] *n.* 산타클로스.
〖G〗

kro·mes·ki, -ky [krouméski, krə-] *n.* 〖料〗 러

시아식 크로켓.
〚Russ. (dim.) 〈 *kroma* slice of bread〛

kro·na[1] [króunə] *n.* (*pl.* **-nor** [-nɔːr, -nər]) 크로나《스웨덴의 화폐 단위 ; =100 öre ; 기호 kr.》; 그 은화.
〚Swed. (KRONE[1])〛

kro·na[2] [króunə] *n.* (*pl.* **-nur** [-nər]) 크로나《아이슬란드의 화폐 단위 ; =100 aurar ; 기호 kr.》; 그 화폐.
〚Icel. =CROWN〛

kro·ne[1] [króunə, 美+krúː-] *n.* (*pl.* **-ner** [-nər]) 크로네《덴마크·노르웨이의 화폐 단위 ; =100 öre ; 기호 kr.》; 그 은화.
〚Dan. and Norw. =CROWN〛

kro·ne[2] [króunə] *n.* (*pl.* **-nen** [-nən]) 크로네《본래의 독일 10마르크 금화 ; 본래의 오스트리아의 은화》. 〚G =crown〛

Kroo [krúː], **Kroo·boy** [-bɔ̀i] *n.* 크루인《Liberia 해안에 사는 흑인》.

KRP 〔체스〕 king's rook's pawn. **K.R.R.** King's Royal Rifles. **K.R.R.C.** King's Royal Rifle Corps.

Krú·ger flàp [krúːgər-] *n.* 〔空〕 크루거 플랩《항공기 날개 앞쪽에 장치된 보조 날개》.

kruller ☞ CRULLER.

kryp·ton [kríptɑn] *n.* Ⓤ 〔化〕 크립톤《희(稀)가스류 원소 ; 기호 Kr ; 번호 36》.
〚Gk. ; ⇨ CRYPT〛

KS Korean (Industrial) Standards(한국 공업 표준 규격) ; 〔美郵〕 Kansas. **K.S.** 《英》 King's Scholar. **KSC** Kennedy Space Center.

Kshat·ri·ya [(kə)ʃǽtrijə, tʃǽt-] *n.* 크샤트리아 《인도 4성(姓) 중의 제2 계급 ; 귀족과 무사 ; cf. CASTE》. 〚Skt.〛

K.S.L.I. King's Shropshire Light Infantry. **Kt.** Knight. **kt** kiloton(s). **kt.** karat[carat] ; knight ; knot(s). **K.T.** Knight of (the Order of) the Thistle ; Knight(s) Templar(s). **Kt. Bach.** Knight Bachelor. **KTC** Korean Trade Commission(한국 무역 위원회). **KTS** Korean Tourist Service(한국 관광 공사).

K^2, K 2 [kéi túː] *n.* K^2 (봉(峰))《(Kashmir 지방의) Karakoram 산맥에 있는 세계 제2의 고봉(高峰) ; 8611m》.

Kua·la Lum·pur [kwáːlə lúmpuər, 美+-lʌ́m-] *n.* 콸라룸푸르《말레이시아의 수도》.

KUB 〔醫〕 kidneys, ureter, bladder (신장, 요관, 방광).

Ku·blai Khan [kúːblai káːn, -blə-] *n.* 쿠빌라이 칸《원(元)나라의 초대 황제 ; 1215-94》.

ku·chen [kúːkən, -xən] *n.* (*pl.* ~) (건포도가 든) 독일식 과자. 〚G〛

ku·dos [kjúːdɑs, -douz ; kjúːdɔs] *n.* (*pl.* ~) Ⓤ 《口》 명성, 영광, 영예. 〚Gk.〛

ku·du, koo·doo, koe·doe [kúːduː] *n.* (*pl.* ~, ~**s**) 〔動〕 쿠두《남아프리카산(産)의 큰 영양》.
〚Afrik.〛

Ku·fic [kjúːfik] *n.*, *a.* =CUFIC.

Ku·gel·blitz, ku- [kúːgəlblìts] *n.* 〔氣〕 구전(球電) (ball lightning) 《지름 20cm 정도의 광구(光球)로 나타나 공중을 천천히 이동하다가 소리도 없이 사라지는 매우 드문 형태의 번개》. 〚G〛

Ku Klux (Klan) [kúː klʌ́ks (klǽ(ː)n), kjúː-] *n.* [the ~] 3K단(團), 큐 클럭스 (클랜)《남북 전쟁 후 남부 여러주에서 결성된 비밀 결사 ; 略 K.K.K., KKK》. **Kú Klúx·er** *n.* 3K 단원.
〚? Gk. *kuklos* circle+CLAN〛

kuk·ri [kúkri] *n.* 쿠크리《네팔의 Gurkha 족이 쓰는 날이 넓은 단도》. 〚Hindi〛

kukri

ku·lak [kúːlæk, kjúː-, 美+kju(ː)lǽk] *n.* (*pl.* ~**s**, **ku·la·ki** [-ki]) (제정 러시아의) 부농(富農).
〚Russ. =fist, tight-fisted person〛

Kul·tur [kultúər] *n.* Ⓤ (특히 나치 시대에 국민 정신 고양(高揚)에 이용된) 정신 문화 ; 문화 ; 《蔑》 독일 문화. 〚G=CULTURE〛

Kultúr·kampf [-kɑ̀ːmpf] *n.* 문화 투쟁《독일 제국 정부와 로마 카톨릭 교회와의 분쟁(1873-87)》.
〚G (*Kampf* conflict)〛

ku·ma·ra [kúːmərə] *n.* 《N. Zeal.》 고구마.
〚Maori〛

kumiss, kumis, kumys ☞ KOUMISS.

küm·mel [kíməl ; kúm-] *n.* Ⓤ 퀴멜주(酒)《커민(cumin) 따위로 조미한 리큐어》.
〚G ; ⇨ CUMIN〛

kum·quat, cum- [kʌ́mkwɑ̀t] *n.* 〔植〕 금귤(의 열매). 〚Cantonese〈Chin. 진쥐(金橘)〛

kung fu [kʌ́n fúː, kúŋ fúː] *n.* 궁푸(功夫)《중국의 권법(拳法)》. 〚Chin.〛

Kuo·min·tang [kwóumìntǽŋ] *n.* [the ~] 국민당《쑨 원(孫文)에 의하여 1911년 결성》.

kur·bash [kúərbæʃ] *n.* 가죽채찍《터키·이집트 따위에서 옛날 형구로 씀》.
under the kurbash 강제 노동으로.
—— *vt.* 가죽 채찍으로 때리다. 〚Turk.〛

kur·cha·to·vi·um [kə̀ːrtʃətóuviəm] *n.* 〔化〕 쿠르차토븀《element 104의 명칭의 하나 ; 기호 Ku》.
〚I.V. *Kurchatov* (d. 1960) 구소련의 물리학자〛

Kurd [kə́ːrd, 美+kúərd] *n.* 쿠르드인《Kurdistan에 사는 호전적인 이슬람교도인 유목민》.

Kúrd·ish *a.* Kurdistan의 ; 쿠르드인[어]의.
—— *n.* Ⓤ 쿠르드어.

Kur·di·stan [kùərdəstǽn, kəːr- ; kəːdistáːn] *n.* (터키·이란·이라크에 걸친) 고원 지대《주민은 주로 쿠르드인》.

Ku·ril(e)s [kúrilz, kuríːlz], **Kú·ril(e) Íslands** *n. pl.* [the ~] 쿠릴 열도.

kur·saal [kə́ːrzəl] *n.* (해수욕장·온천장 따위에 있는 카지노풍의) 오락장 ; 휴양자를 위한 공공 건물. 〚G=cure room〛

kurta ☞ KHURTA.

ku·ru [kúəruː] *n.* 〔醫〕 쿠루《New Guinea 고지인에게 볼 수 있는 치명적인 바이러스성 뇌 신경병》.
〚(New Guinea) =trembling〛

ku·rus [kərúːʃ] *n.* (*pl.* ~) 쿠루시《터키의 화폐 단위 ; =1/100 lira》. 〚Turk.〛

Ku·wait, -weit [kuwéit] *n.* 쿠웨이트《아라비아 북동부의 이슬람교국 ; 그 수도》.
Ku·wai·ti [kuwéiti] *a.*, *n.* 쿠웨이트(인)의 ; 쿠웨이트인.

Kuz·nets cỳcle [kúznets-, kʌ́znəts-] *n.* 〔經〕 쿠즈네츠 순환(building cycle)《미국의 경제학자 S. Kuznets의 설로 15년에서 25년의 주기를 갖는 경기 파동》.

kv, kV, kv. kilovolt(s). **kVA, k.V.A., kva** kilovolt-ampere(s). **kVAr, kvar** kilovar(s).

kvas(s), quass [kəváːs, kwáːs, kfáːs] *n.* Ⓤ 크바스《보리·엿기름·호밀로 만드는 맥주와 비슷한 러시아의 알코올 성분이 적은 청량 음료》.
〚Russ.〛

kvell [kəvél] *vi.* 《美俗》 마음껏 즐기다 ; 만족스럽게 기뻐하다, 히죽히죽 웃다. 〖Yid.〗

kvetch [kəvétʃ, kfétʃ] *n.* 《美俗》 불평가 ; 불평, 푸념. ── *vi.* 늘 불평만 하다, 투덜거리다 ; …라고 불평을 말하다 : My mother is unhappy unless she has something to ~ about. 어머니께서는 불평할 만한 것이 없으면 오히려 불행하시다. 〖Yid.〗

kw, kW, kw. kilowatt(s). **K.W.** Knight of Windsor.

Kwangtung ☞ GUANGDONG.

kwash·i·or·kor [kwæ̀ʃiɔ́ːrkər, -kɔːr, 美+kwɑ̀ʃ-] *n.* 〖醫〗 쿼시오커《아프리카의 단백질 결핍성 소아 영양 실조증》. 〖(Ghana) = red boy〗

kwe·la [kwéilə, kwélə] *n.* 퀠라《아프리카 남부의 Bantu족 간의 비트 음악》.

K.W.H., kWh, kwh(r)., kw-hr kilowatt-hour.

KWIC [kwík] *n.* 〖컴퓨〗 표제어가 문맥에 포함된 채 배열된 색인. 〖*k*ey *w*ord *i*n *c*ontext〗

KWOC [kwɑ́k] *n.* 〖컴퓨〗 표제어가 문맥 앞에 위치하도록 배열된 색인.
〖*k*ey *w*ord *o*ut of *c*ontext〗

KY 〖美郵〗 Kentucky. **Ky.** Kentucky.

ky·a·nite [káiənàit] *n.* = CYANITE.

ky·a·nize [káiənàiz] *vt.* 염화제이수은수(水)를 붓다, 염화제이수은수로 (재목의) 부식을 방지하다. 〖J. H. *Kyan* (d. 1850) 영국의 발명자〗

kyat [kiɑ́ːt, tʃɑ́ːt] *n.* 차트《미얀마의 화폐 단위 ; = 100 pyas ; 기호 K》.
〖Burmese〗

kyle [káil] *n.* 《스코》 좁은 수로(水路), 해협.

ky·lin [kíːlín] *n.* 기린(麒麟)《중국의 상상의 동물》 〖Chin.〗

ky·loe [káilou] *n.* 〖動〗 스코틀랜드 고지산(高地産)의 뿔이 길고 몸집이 작은 소. 〖C19< ?〗

ký·mo·gràm [káimə-] *n.* (kymograph로 기록된) 동태(動態) 기록, 카이모그램.

ký·mo·gràph *n.* 〖醫〗 카이모그래프, 동태(動態) 기록기(器)《맥박·혈압 따위의 파동 곡선 기록 장치》; 〖空〗 항공기의 진동 측정기.
 ky·mog·ra·phy [kaimɑ́grəfi] *n.* 동태 기록.
 kỳ·mo·gráph·ic *a.* 〖Gk. CYME, *-graph*〗

ky·pho·sis [kaifóusəs] *n.* (*pl.* **-ses** [-siːz]) 〖醫〗 척추 후만증(後彎症).
 ky·phót·ic [-fɑ́t-] *a.*
〖NL<Gk. (*kuphos* humpbacked)〗

ky·rie [kírièi ; -rii] *n.* [때때로 K~] = KYRIE ELEISON.

kýrie elé·i·son [-eléiəsɔ̀ːn ; -iléisən] *n.* [때때로 K~ E~] 기도문《「주여 불쌍히 여기소서」의 뜻 ; 그리스 정교 및 카톨릭에서는 미사의 처음에 쓰이며 영국 국교회에서는 십계에 대한 응창으로 쓰임》; 〖樂〗 키리에.
〖L<Gk. = Lord, have mercy〗

L

l, L [él] *n.* (*pl.* **l's, ls, L's, Ls** [-z]) **1** 엘《영어 알파벳의 열두번째 글자》. **2** L자형(의 것) ;〖機〗L자형관(管) ;〖建〗L자형의 퇴, 물림. **3** (로마 숫자의) 50 : *L*VI=56. **4** [the L]《美》고가 철도 (elevated railroad) : an *L* station 고가 철도역 / ride on *the L* 고가 철도를 타다.

l- 〖化〗[lì:vou, èl, él] *pref.*「좌선성의」의 뜻 ; [보통 L-] [èl, él]「특정 탄소 원자에 있어서 좌선성 글리세린 알데히드와 유사한 입체 배치를 나타내는」의 뜻. 〖*lev-*〗

L 〖電子〗(회로도(圖) 따위에서) inductor ;〖光〗lambert(s) ; large ;〖理〗latent heat ; Latin ;《英》learner(-driver)《임시면허 운전자 차에 표시하는》; left ; lek(s) ; lempira(s) ;〖理〗length ; pound(s) (☞ £) ; lira(s) ; longitude ;〖電〗self-inductance. **L.** Lady ; Law ; Left ; *liber* 《L》(=book) ; Liberal ; Licentiate ;〖生〗Linnaean, Linnaeus ; Lodge ; London ; Lord. **L., l.** lake ; latitude ; law ; league ; left ; length ; (*pl.* **LL., ll.**) line ; link ; low. **l.** land ; large ; leaf ; *libra* 《L》(=pound) ; lira(s) ; lire ; liter(s) ; lumen. **£** *libra*(*e*) 《L》(=pound(s) sterling). **LA** laboratory automation(실험실·연구소 자동화). **La** 〖化〗lanthanum. **La.** Louisiana. **L. A.** Latin America ; law agent ; Legislative Assembly ;《英》Library Association ; Local Agent ; Local Authority ; Los Angeles ; low altitude. **L/A** 〖商〗landing account ; letter of authority.

la[1]**, lah** [lá:] *n.* 〖樂〗라《장음계의 제6음》.
〖L *labii* ; cf. GAMUT〗

la[2] [lɔ́:, 美+lá:] *int.* 《古·方》저봐, 보라, 야《놀람·강조 따위를 나타냄》.
〖OE ; LO의 약형(弱形)〗

laa·ger [lá:gər] *n.* 《南아》(마차로 둘러싸 방비한) 마차 방벽 야영(野營). ── *vt.* (사람·차량을) 마차 방벽으로 배치하다. ── *vi.* 마차 방벽을 치다[치고 야영하다]. 〖Afrik.〗

lab [lǽ(:)b] *n.* 《口》랩, 연구[실험]실[동(棟)] ; 실험 ; (경찰의) 감식(鑑識). 〖*lab*oratory〗

Lab. Labor ; Laborite ; Labrador.

La·ban [léibən] *n.* 남자 이름. 〖Heb.=white〗

lab·a·rum [lǽbərəm] *n.* (*pl.* **~s, -ra** [-rə]) **1** 후기 로마 제국의 군기《Constantine 대제 때의 것》. **2** (카톨릭 교회 따위의) 행렬기(旗). 〖L〗

labarum 2

lab·e·fac·tion [læ̀bəfǽkʃən] *n.* 동요 ; 쇠약 ; 쇠퇴, 몰락.
〖L *labefacio* to weaken〗

***la·bel** [léibəl] *n.* **1** 딱지, 찌지, 레테르, 꼬리표, 부전(附箋). **2** (고무풀이 뒷면에 칠해져 있는) 우표. **3** (사람·단체 따위에 붙이는) 부호, 표지. **4** (레코드판 중앙의) 라벨, 레이블, (레코드 (회사)의 상표로서의) 레이블, (특정한 레이블의) 레코드, (의료품의) 상표, 브랜드. **5** 〖建〗(문·창 위에 있는) 비막이 돌(dripstone). **6** 〖컴퓨〗라벨, 이름표《수치가 아닌 문자로서의 기호》.
── *vt.* (-l- | -ll-) **1** [+目/+目+補] …에 찌지[꼬리표]를 붙이다 : baggage ~*ed* for Paris 파리행 꼬리표가 붙어 있는 수화물 / The bottle was ~*ed* "Poison". 병에는「독약」이라는 레테르가 붙어 있었다. **2** [+目+*as* 補/+目+補] (찌지를 붙여서) 분류하다, …에 명칭을 붙이다 : They ~*ed* him *as* a demagogue[him a liar]. 그를 선동 정치가라고 불렀다[거짓말쟁이라고 했다].
~·er | **lá·bel·ler** *n.* **~·able** *a.*
〖OF=ribbon< ? Gmc. ; cf. LAP[1]〗

la·bel·lum [ləbéləm] *n.* (*pl.* **-la** [-lə]) 〖植〗(난초과 식물의) 입술 모양의 꽃잎.
〖L (dim.) ‹LABRUM〗

labia *n.* LABIUM의 복수형.

la·bi·al [léibiəl] *a.* **1** 〖解·動〗입술의, 입술 모양의(liplike). **2** 〖音聲〗순음(脣音)의. ── *n.* 〖音聲〗순음(=∠ **pípe**)《[p, b, m, f, v] 따위》.
~·ly *adv.* **~·ìsm** *n.* 〖音聲〗순음(脣音)으로 발음하는 경향. 〖L (↑)〗

lábial·ìze *vt.* 〖音聲〗(소리를) 순음화(化)하다.
làbial·izátion *n.*

lábia ma·jó·ra [-mədʒɔ́:rə] *n. pl.* 〖解〗대음순(大陰脣). 〖L〗

lábia mi·nó·ra [-mənɔ́:rə] *n. pl.* 〖解〗소음순. 〖L〗

la·bi·ate [léibièit, -ət] *a.* 〖植〗(화관(花冠)·꽃받침이) 입술 모양의, 순형(脣形)의. ── *n.* 〖植〗꿀풀과의 식물.

la·bile [léibəl, -bail] *a.* 〖理·化〗불안정한, 변화를 일으키기 쉬운. 〖OF=prone to err〗

la·bio- [léibiou, -biə, 英+-bjəu, 英+-bjə] *comb. form*「입술」의 뜻. 〖L ; ⇨ LABIUM〗

làbio·déntal *a.* 〖音聲〗순치음의. ── *n.* 순치음《[f, v] 따위》.

la·bi·um [léibiəm] *n.* (*pl.* **la·bia** [-biə]) 입술 ; [*pl.*] 〖解〗음순(陰脣) ;〖動〗(곤충 따위의) 아랫입술 ;〖植〗(순형 화관의) 아래 순판(脣瓣).
〖L=lip〗

‡la·bor | **la·bour** [léibər] *n.* **1** Ⓤ 노동, 근로, 고심, 노고(勞苦), 노력 : hard ~ (형법의) 고역, 중노동. **2** 일, 작업(piece of work) : a ~ of love 〖聖〗좋아서 하는 일, 독지(篤志) 사업 / the twelve ~*s* of Hercules 헤라클레스의 열두 가지 공업(功業). **3** Ⓤ 노동계급(cf. CAPITAL), [집합적으로] 육체노동자 ; [보통 L~] 《英》=the LABOUR PARTY : *L*~ and Capital 노동자와 자본가, 노사 / the Department[Secretary] of *L*~《美》노동부[장관] / the Ministry[Minister] of *Labour* 《英》노동부[장관]. **4** [*pl.*] 속세의 일 : His ~*s* are over. 그의 일생은 끝났다. **5** Ⓤ 출산, 진통(=~ pains) : easy[hard] ~ 순[난]산 / be ***in*** ~ 분만(分娩)중이다.
── *vi.* **1** [動/+前+名/+*to* do] 노동하다, 부지런히 일하다 ; 애쓰다, 노력하다 : ~ ***at*** a dic-

L

tionary 사전편찬에 정력을 쏟다 / ~ ***in*** a great cause 대의를 위하여 진력하다 / Let us ~ ***for*** a better future. 보다 나은 미래를 위해 노력하자 / He ~*ed to* complete the task. 그 일을 완성하기 위해 애썼다. **2** [+副/+前+名] 힘겹게 나아가다 ; (배가) 몹시 흔들리다 ; 난항(難航)하다 〈*through, in*〉: An old woman ~*ed* ***up*** (the hill). 노파는 애를 쓰면서 (언덕을) 올라 갔다 / The ship was ~*ing* ***through*** the heavy seas. 배는 거친 바다에서 난항을 계속하고 있었다. **3** 삶의 괴로움을 맛보다. **4** [+前+名] 산고를 겪다. —— *vt.* 고심해서 만들다 ; 상설(詳說)하다 : ~ an argument 논점을 상설하다.

labor under …로 괴로워하다[고민하다], (오해 따위)를 하고 있다 : ~ *under* a persistent headache 지독한 두통으로 괴로워하다 / He is ~*ing under* a great error. 큰 잘못을 저지르고 있다.

labor** one**'s way 곤란을 무릅쓰고 나아가다.

—— *a.* 노동의, 노동자의 ; [L~] 노동당의 : a ~ dispute 노동 쟁의. 〖OF<L=work〗

類義語 ⟹ WORK.

lab·o·ra·to·ri·al [læ̀bərətɔ́:riəl] *a.* 실험실의[을 이용한].

*__lab·o·ra·to·ry__ [lǽbərətɔ̀:ri ; ləbɔ́rətəri] *n.* **1** 실험실, 시험소, 연구실[소] (cf. LAB) ; 실험(시간) 《교과 과정으로서의》; 제련소. **2** [형용사적으로] 실험실(용)의 : a ~ rat 실험용 쥐. 〖L=workshop ; ⇨ LABOR〗

láboratory disèase *n.* 〔醫〕 (특히 실험 동물의) 실험용 질환, 실험병《인위적으로 동물에게 질환을 발생시킴》.

láboratory schòol *n.* 《美》 (교생 실습을 위한) 대학부속 실험학교.

Lábor Bànk *n.* (노동 조합이 주주가 되어 경영하는) 노동 은행[금고].

lábor bòss *n.* 규모가 큰 노조의 간부.

lábor càmp *n.* 강제 노동 수용소 ; (미국 서부의) 이주 노동자 수용 시설.

lábor cóntent *n.* 〔經〕 (상품의 원가 중에서 차지하는 원료비에 대한) 가공[노동] 가치.

Lábor Dày *n.* 《美 · Can.》 노동자의 날《9월의 첫째 월요일로 각주의 법정휴일 ; 유럽의 May Day에 해당함》.

lá·bored *a.* **1** (문장 따위) 고심한 흔적이 있는 ; 무리한, 억지의, 부자연스러운(cf. EASY *a.* 5) : a ~ style 부자연스런 문체. **2** (동작 · 호흡 따위) 곤란한, 괴로운(hard) ; 굼뜬.

類義語 ⟹ ELABORATE.

lábor·er *n.* 노동자, 인부, 비숙련공.

Labor Exchange ☞ LABOUR EXCHANGE.

lábor fòrce *n.* 〔經〕 노동력 ; 노동 인구.

lábor·ing *a.* 노동에 종사하는 ; 애쓰는, 고생하는, 괴로워하는, 고민하는 : a ~ girl 여자 공원(工員) / the ~ class(es) 노동 계급.

lábor-intènsive *a.* 많은 노동력이 필요한, 노동집약형의 : ~ industry 노동 집약형 산업.

la·bo·ri·ous [ləbɔ́:riəs] *a.* 힘드는, 곤란한, 성가신 ; (사람 · 동물이) 열심히 일하는, 근면한 ; (문체 따위) 고심한 흔적이 보이는. **~·ly** *adv.* 애써서, 고심해서. **~·ness** *n.* 〖OF<L ; ⇨ LABOR〗

Lábor·ìsm *n.* Ⓤ **1** 노동당의 강령[주의]. **2** 노동

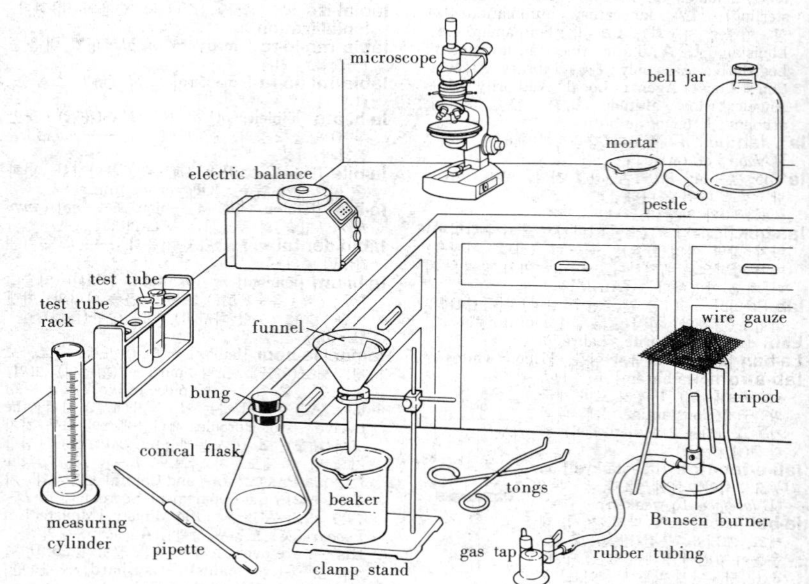

laboratory

자 존중.
là·bor·ís·tic *a.* 노동당의 ; 노동자 존중의.
lábor·ite *n.* 노동자 옹호 단체의 일원 ; [L~] 노동자 옹호 정당원, 노동당원 ; [L~]＝LABOURITE.
lábor-mánagement *n.* 노사(勞使). —— *a.* 노사의 : ~ issues 노사 문제[분쟁].
Lábor-Mánagement Relátions Àct *n.* [the ~] 《美》 노사 관계법《Taft-Hartley Act의 공식 명칭》.
lábor màrket *n.* 노동 시장.
lábor mòvement *n.* 노동 (조합) 운동.
lábor pàins *n. pl.* 산고, 진통.
lábor pàrty *n.* (일반적으로) 노동당.
lábor relàtions *n. pl.* 노사(勞使) 관계.
lábor·sàving *n., a.* 노동절약(의) ; 힘을 더는 : a ~ device[appliance] 노동 절약 장치[기구].
lábor skàte *n.* 《美俗》 노동 조합원, 노조원.
lábor·some *a.* 힘이 드는 ; (배가) 흔들리기 쉬운.
lábor spỳ *n.* (회사가 고용하여 노조 활동을 감시하는) 노동 스파이.
lábor tùrnover *n.* 노동 이동《신규 채용자·해고자의 평균 노동자에 대한 백분율》.
lábor ùnion *n.* 《美》 노동 조합(trade union).
labour ☞ LABOR.
Lábour Exchànge *n.* [흔히 l~ e~] 《英》 직업 안정국 ; [l~ e~] (공공의) 직업 소개 (사업).
La·bour·ite [léibəràit] *n.* 《英》 노동당원, 노동당 의원(cf. CONSERVATIVE, LIBERAL).
Lábour Pàrty *n.* [the ~] 《英》 노동당(黨) (cf. CONSERVATIVE PARTY).
Lab·ra·dor [lǽbrədɔ̀ːr] *n.* 래브라도《북미 Hudson 만과 대서양 사이에 있는 반도 ; 그 반도 동부 지역》.
lab·ra·dor·ite [lǽbrədɔːràit] *n.* 〔鑛〕 조회장석(曹灰長石).
Lábrador retríever[dóg] *n.* 래브라도 리트리버《캐나다 원산의 새 사냥개·경찰견·맹도견》.
la·bret [léibrət] *n.* (미개인의) 입술 장식《입술에 구멍을 뚫고 다는 조개껍데기·나뭇조각 따위》.
la·brum [léibrəm] *n.* (*pl.* **~s, -bra** [-brə]) 〔動〕 윗입술(↔*labium*). 〖L＝lip ; cf. LABIUM〗
LABS low-altitude bombing system(저공 폭격 시스템).
la·bur·num [ləbə́ːrnəm] *n.* 〔植〕 노랑꽃등《유럽산(産) ; 콩과(科) 식물》. 〖L〗
lab·y·rinth [lǽbərìnθ] *n.* **1** 미궁(迷宮), 미로(maze) ; (정원 따위의) 미로원(迷路園) : a ~ of streets 매우 복잡한 길. **2** 분규, 복잡한 관계, 얽히고 설킨 사건. **3** [the L~] 〔그神〕 라비린토스《Daedalus가 Crete 섬의 왕 Minos를 위해 만든 미궁》. **4** 〔解〕 내이(內耳). 〖F or L<Gk.〗

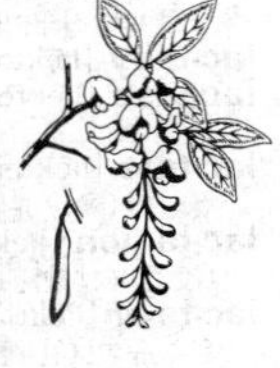
laburnum

lab·y·rin·thi·an [læ̀bərínθiən] *a.* ＝LABYRINTHINE.
lab·y·rin·thic [læ̀bərínθik] *a.* ＝LABYRINTHINE.
lab·y·rin·thine [læ̀bərínθain ; -θiːn, -θən] *a.* 미궁의[같은] ; 복잡한, 엉클어진 ; (내이(內耳)의) 미로의.
lac[1] [lǽk] *n.* Ⓤ 〔染〕 라크《니스의 원료 ; 도료》 ; 라크 염료. 〖Hindi〗
lac[2], **lakh** [lɑ́ːk, lǽk] *n.* 《인도》 10만(萬) ; (특히) 10만 루피 ; 《비유》 대단히 많음. 〖Hindi<Skt.＝mark, sign〗
LAC, L.A.C. leading aircraft(s)man.
lác·co·lìth [lǽkə-], **-lìte** *n.* 〔地質〕 병반(餠盤), 라콜리스《떡 모양의 암체(岩體)》.
***lace** [léis] *n.* **1** (구두 따위의) 끈, 끈 끈 : shoe ~*s* 구두끈. **2** Ⓤ 레이스 : gold[silver] ~ 금[은]몰 / ~ for a dress 드레스용의 레이스.
—— *vt.* **1** 레이스로 장식하다, …에 가선[가장자리 장식]을 두르다[달다]. **2** [＋目/＋目＋副] 끈으로 묶다[졸라매다] : ~ (***up***) one's corset (tight) 코르셋의 끈을 (단단히) 졸라매다 / ~ one's waist ***in*** 허리를 끈으로 졸라매다. **3** [＋目＋副/＋目＋*through*＋名] (끈 따위를) 꿰다 (pass) : ~ a cord ***through*** (a hole) (구멍에) 가는 줄을 꿰다. **4** [＋目＋*with*＋名] **a)** 짜맞추다, 섞어짜다(interlace), 수놓다(embroider) : a handkerchief ~*d* ***with*** a green string 녹색실로 수놓은 손수건. **b)** 줄무늬로 짜다(streak) : a white petunia ~*d* ***with*** purple 보라색 줄무늬가 있는 흰 피튜니아. **c)** (알코올성 음료를) …에 가미하다(flavor) : a cup of coffee ~*d* ***with*** brandy 브랜디를 섞은 한 잔의 커피. **5** 《口》 매질하다.
—— *vi.* **1** [動/＋副] 끈으로 매어지다 ; (끈으로) 허리를 졸라매다 : These shoes ~ easily. 이 구두끈은 매기 쉽다 / This corset ~*s* (***up***) at the side. 이 코르셋은 옆에서 졸라매게 되어 있다. **2** [＋*into*＋名] 《口》 때리다, 공격하다 ; 비난하다, 헐뜯다 : ~ ***into*** a person 남을 공격하다[헐뜯다]. 〖OF (L *laqueus* noose)〗
láce-cùrtain *a.* (노동자 계급에 대하여) 중산 계급의 ; 중산 계급을 동경하는, 허세를 부리는, 젠체하는.
laced [léist] *a.* 끈이 달린[으로 매는] ; 레이스로 장식된 ; 알코올을 가미한.
Lac·e·dae·mon [læ̀sədíːmən] *n.* ＝SPARTA.
Lac·e·dae·mo·ni·an [læ̀sədəmóuniən] *a., n.* ＝SPARTAN.
láce glàss *n.* 레이스 무늬가 있는 유리 그릇.
láce pàper *n.* 레이스 무늬가 있는 종이.
láce pìllow *n.* 레이스 뜨는 받침대《쿠션 모양의 것으로 무릎 위에 놓음》.
lac·er·a·ble [lǽsərəbəl] *a.* 찢을 수 있는, 찢어지기 쉬운.
lac·er·ate [lǽsərèit] *vt.* **1** 잡아찢다(tear). **2** (마음·감정 따위를) 상하게 하다, 괴롭히다.
—— [ˌ-rət] *a.* ＝LACERATED. 〖L (*lacer* torn)〗
lác·er·àt·ed *a.* 찢어진, 찢긴.
lac·er·a·tion [læ̀səréiʃən] *n.* Ⓤ,Ⓒ 찢기 ; (감정 따위를) 상하게 하기, 고뇌 ; Ⓒ 열상, 찢긴 자리.
la·cer·tian [ləsə́ːrʃiən], **lac·er·til·i·an** [læ̀sərtíliən] *a., n.* 도마뱀류의 (동물).
la·cet [leisét] *n.* (레이스 무늬를 넣은) 끈목.
láce-ùp *a.* (구두가) 끈으로 매는, 편상화의.
—— *n.* [보통 *pl.*] 편상화, 부츠.
láce·wìng *n.* 〔昆〕 풀잠자리.
láce·wòrk *n.* Ⓤ 레이스 세공, 레이스 무늬.
lach·es [lǽtʃəz, léi-] *n.* (*pl.* ~) 〔法〕 태만(怠慢)(죄). 〖AF and OF (L *lasche* lax)〗
Lach·e·sis [lǽtʃisis, lǽki- ; lǽki-] *n.* 〔그·로神〕 라케시스《운명의 3여신(the Fates) 중의 하나》. 〖Gk.＝destiny〗
lach·ry·mal, lac·ri-, lac·ry- [lǽkrəməl] *a.* 눈물의, 눈물을 잘 흘리는 : a ~ duct[sac] 누관(淚管)[눈물주머니] / ~ glands 눈물샘.
—— *n.* ＝LACHRYMATORY ; [*pl.*] 〔解〕 눈물샘. 〖L (*lacrima* tear)〗

L

lach·ry·ma·tion [læ̀krəméiʃən] *n.* Ⓤ 눈물을 흘림, 욺. 〚L (*lacrimo* to weep)〛

lach·ry·ma·tor [lǽkrəmèitər] *n.* 최루 물질, 최루 가스(tear gas).

lach·ry·ma·to·ry [lǽkrəmətɔ̀ːri ; -mətəri] *a.* 눈물의 ; 눈물을 자아내게 하는 : ~ gas[shells] 최루 가스[탄]. ── *n.* 눈물단지《고대 로마에서 애도자의 눈물을 받아담았다고 함》. 〚L *lacrima* tear〛

lach·ry·mose [lǽkrəmòus] *a.* 눈물이 많은 ; 눈물을 흘리게 하는, 슬픈. **~·ly** *adv.* 〚L ; ⇨ LACHRYMAL〛

lac·ing [léisiŋ] *n.* **1** Ⓤ 레이스를 달기 ; 무늬 넣기, 수 놓기. **2** Ⓤ 끈 종류 ; 레이스(의 가선) ; 금[은]몰. **3** 《口》 매질하기(thrashing). **4** (커피 따위에 넣는) 소량의 알코올성 음료.

la·cin·i·ate [ləsínièit, -ət], **-at·ed** [-èitəd] *a.* 가장자리에 술이 달린, 톱니 모양의 가장자리가 있는 ; 〖動·植〗 가늘고 길게 갈라진, 들쭉날쭉한, 톱니 모양의.

lác ìnsect *n.* 〖昆〗 라크깍지벌레.

‡**lack** [læk] *n.* Ⓤ (필요한 또는 바람직한 것의) 결핍, 부족(want, absence)〈*of*〉; Ⓒ 부족한[결핍된] 것 : supply the ~ 부족한 것을 공급하다.

for*[*from*] *lack of …가 없기 때문에 : It cannot be discussed here *for* ~ *of* space. 그것은 지면이 없으므로 여기에서는 논할 수 없다.

have no lack of …가 부족하지 않다, …가 많이 있다.

── *vt.* 부족하다, …이 없다 : He ~*s* common sense. 상식이 없다 / I ~*ed* the money with which to finish it. 그것을 마무리할 돈이 모자랐다. 㽣 수동태로는 사용되지 않음. ── *vi.* [動/+前+名] 없다, 부족하다《보통 LACKING 형으로 사용됨》: They did not ~ ***for*** customers. 고객(顧客)이 있었다.

〚MDu. and MLG *lak* deficiency〛

類義語 ***lack*** 필요한 것, 가지고 싶은 것이 전혀 없거나 충분하지 못하다 : He *lacks* experience. (경험이 부족하다). ***want, need*** lack의 의미 이외에 긴급하게 보충할 필요가 있는 것을 나타낸다 : The sufferers *want*[*need*] immediate help. (이재민은 즉각적인 도움을 바라고 있다[필요로 한다]).

lack·a·dai·si·cal [læ̀kədéizikəl] *a.* 활기가 없는, 전념하지 않는 ; 나른한, 고민하는 듯한, 생각에 잠긴 듯한 ; 감상적인 ; 젠체하는, 멍청한. **~·ly** *adv.* **~·ness** *n.* 〚↓, *lackadaisy* < ALACK *the day*〛

lack·a·day [lǽkədèi], **-dai·sy** [-dèizi] *int.* 《古》 아, 슬프도다! (alas).

lack·er [lǽkər] *n., vt.* ＝LACQUER.

lack·ey, lac·quey [lǽki] *n.* 하인, 종복(從僕)(footman)《보통 제복을 입음》; 아첨꾼(toady). ── *vt., vi.* …의 하인 노릇을 하다 ; 굽실거리다, 아첨하다. 〚F < Cat. < Sp. ALCALDE〛

láck·ing *pred. a.* 결핍된, 부족한(cf. LACK *vi.*) : She is ~ *in* common sense. 상식이 부족하다 / Money is ~ for the trip. 여행하기에는 돈이 부족하다. ── *prep.* [*vt.* 로서의 LACK의 현재분사형에서] 《文語》 …이 없다면(without) : *L*~ anything better, use what you have. 더 좋은 것이 없다면 지금 있는 것을 사용하라.

láck-in-óffice *n.* 관직을 구하는 사람, 엽관자.

láck·lànd *a., n.* 토지가 없는 (사람).

láck·lùster *a.* 빛[광택]이 없는, (눈 따위가) 생기가 없는, 흐리멍덩한, 미온적인, 활기가 없는(dull, dim). ── *n.* 빛[광택, 활기]의 결여.

láck·wìt *n., a.* 멍청이(의), 얼간이(의).

La·combe [ləkóum] *n.* 라콤종(種)(의 돼지)《캐나다 Alberta 주의 Lacombe 시험장에서 개량해낸 베이컨용 흰 돼지》.

La·co·nia [ləkóuniə] *n.* 라코니아《그리스 남부의 옛 나라 ; 수도 Sparta》.

la·con·ic, -i·cal [ləkánik(əl)] *a.* 간결(簡潔)한, 간명(簡明)한(concise) ; 쓸데없는 말을 하지 않는 : a *laconic* answer 간결한 대답. **-i·cal·ly** *adv.* 간결하게, 간명하게, 간단히. 〚L < Gk. (*Lakōn* Spartan)〛

la·con·i·cism [ləkánəsìzəm] *n.* ＝LACONISM.

lac·o·nism [lǽkənìzəm] *n.* Ⓤ 간결(簡潔), 간결한 표현[말투] ; Ⓒ 간명한 문장, 경구(警句).

lác òperon *n.* 〖生化〗 락토오스 오페론《락토오스의 대사에 관여하는 유전자군(群)》.

lac·quer [lǽkər] *n.* Ⓤ 래커 ; 옻칠 ; [집합적으로] 칠기(漆器)(＝**~ wàre**) ; 헤어 스프레이 ; 매니큐어용 에나멜. ── *vt.* …에 래커를 칠하다 ; 옻칠을 하다. **~·er** *n.* 옻칠장이, 래커칠하는 사람. 〚F *lacre* sealing wax＝LAC[1]〛

lacquey ☞ LACKEY.

lacrimal ☞ LACHRYMAL.

lac·ri·ma·tion, lac·ry- [læ̀krəméiʃən] *n.* ＝LACHRYMATION.

lac·ri·ma·tor, lac·ry- [lǽkrəmèitər] *n.* ＝LACHRYMATOR.

lac·ri·ma·to·ry, lac·ry- [lǽkrəmətɔ̀ːri ; -mətəri] *a., n.* ＝LACHRYMATORY.

la·crosse [ləkrɔ́(ː)s, -krás] *n.* Ⓤ 라크로스《하키와 비슷한 구기의 일종으로 한팀이 열 사람씩으로 하는 캐나다의 국기(國技)》; cf. CROSSE》. 〚F (*la* the)〛

lacrosse

lact- [lækt], **lac·ti-** [lǽktə], **lac·to-** [lǽktou, -tə] *comb. form* 「젖」의 뜻. 〚L *lact-* *lac* milk〛

Lact·Aid [lǽktèid] *n.* 랙트에이드《젖당 소화제 ; 상표명》.

lac·ta·ry [lǽktəri] *a.* 젖의, 젖 같은.

lac·tase [lǽkteis, -z] *n.* Ⓤ 〖化〗 락타아제《젖당 분해 효소》.

lac·tate [lǽkteit] *vi.* 젖이 나다. ── *n.* Ⓤ 〖化〗 젖산염(鹽). 〚L *lacto* to suckle ; ⇨ LACTIC〛

lac·ta·tion [læktéiʃən] *n.* Ⓤ 젖 분비(기), 수유(授乳)(기간).

lac·te·al [lǽktiəl] *a.* 젖의, 유즙(乳汁)의 ; 젖 같은 ; 유미(乳糜)를 보내는[넣는] : a ~ gland 〖解〗 젖샘. ── *n.* [*pl.*] 〖解〗 유미관(乳糜管). **~·ly** *adv.* 〚L ; ⇨ LACTIC〛

lac·te·ous [lǽktiəs] *a.* 젖의[과 같은] ; 《古》 유백색(乳白色)의.

lac·tes·cent [læktésənt] *a.* 젖 같은 ; 젖빛의 ; 젖이 나오는 ; 젖 같은 액체를 분비하는. **-cence** *n.* Ⓤ 유화(乳化) ; 젖 같은 상태[액체] ; (식물의) 유즙액 (분비) ; 젖빛.

lac·tic [lǽktik] *a.* 젖의 ; 젖에서 얻는 ; 〖化〗 젖산을 생성하는. 〚L *lact-* *lac* milk〛

láctic ácid *n.* 〖化〗 젖산.

láctic ácid bactèria *n. pl.* 〖菌〗 젖산균.

lac·tif·er·ous [læktífərəs] *a.* 젖 (같은 액체)를 분

비하는. 〖L (*lactic*, *-ferous*)〗

acto- [lǽktou, -tə] ☞ LACT-.

àcto·bacíllus *n.* 〔菌〕 젖산 간균.

àcto·fér·rin [-férən] *n.* 〔生化〕 락토페린(포유류의 젖 단백질의 하나).

àcto·flávin *n.* 〔生化〕 =RIBOFLAVIN.

lac·tom·e·ter [læktámətər] *n.* 검유기(檢乳器) ; 유즙(乳汁) 비중[농도]계.

làcto-òvo-vegetárian *n.* 유제품·계란도 먹는 채식주의자, 유란(乳卵) 채식주의자.

lácto·scòpe *n.* 검유기.

lac·tose [lǽktous, -z] *n.* Ⓤ 〔化〕 락토오스, 젖당. 〖*lact-*, *-ose*〗

làcto-vegetárian *n.* (유제품은 먹지만 계란은 안먹는) 채식주의자.

la·cu·na [ləkjúːnə] *n.* (*pl.* **-nae** [-niː, -kúːnai], **~s**) 공백 ; 탈문(脫文), 탈락, 결문(缺文)〈*in*〉; (지식 따위의) 빈틈, 결함〈*in*〉; 〔解〕 요와(凹窩), 빈틈, 움푹 들어간 곳. 〖L=pool ; ⇨ LAKE[1]〗

la·cu·nar [ləkjúːnər] *n.* 〔建〕 우물천장 ; (*pl.* **lac·u·nar·ia** [lækjənέəriə, -nǽər-]) 우물천장의 개판(蓋板), 정간(井間).

lacunar

la·cus·trine [ləkʌ́strən, -train] *a.* 호수의, 호상(湖上)의 ; 호수에서 나는[사는] : the ~ age[period] 호상 생활 시대. 〖L ; ⇨ LAKE[1] ; cf. L *palustris* marshy〗

lacy [léisi] *a.* 끈의 ; 레이스 같은.

lác·i·ly *adv.* 레이스 모양으로. 〖LACE〗

lad [lǽ(ː)d] *n.* **1** 젊은이, 소년(↔*lass*) ; 어린 자식. **2** (일반적으로) 《口》 남자(man) : my ~*s* 제군(諸君). **3** 《스코》 연인, 애인. **4** 《英》 마구간지기. 〖ME< ? ; OE 별명 *Ladda*인가〗

lad·der [lǽdər] *n.* **1** 사다리 ; 교수대의 사다리 : climb up[down] a ~ 사다리를 오르다[내려오다] / Walking under a ~ is said to bring bad luck. 사다리 밑을 지나면 뭔가 불길한 일이 생긴다고 한다. **2** 사다리 모양의 것 ; 《주로 英》 (양말의) 올이 풀리기(=《美》 run). **3 a**) 《비유》연줄, 수단 : a ~ *of* success 성공의 수단. **b**) (신분·지위 따위의) 단계 : the (social) ~ 출세가도.

begin from the bottom of the ladder 비천한 신분에서 입신(立身)하다.

get one***'s foot on the ladder*** 착수하다.

get up[***mount***] ***the ladder*** 사다리를 오르다 ; 《俗》 교수형에 처해지다.

kick down[***away***] ***the ladder*** (***by which*** one ***rose***) 출세의 길을 터준 친구[직업 따위]를 버리다.

〈회화〉
What happened to your arm? — I fell off a *ladder.* 「팔은 어떻게 된거야」「사다리에서 떨어졌어」

— *vi.* **1** 점차 위로 오르다 ; 출세하다〈*to*〉. **2** 《英》 (양말의) 올이 풀리다(=《美》 run). — *vt.* …에 사다리를 설치하다 ; …에 사다리로 오르다 ; 《英》 (양말을) 올이 풀리게 하다. 〖OE *hlǽd*(*d*)*er* ; cf. LEAN[1], G *Leiter*〗

ládder-bàck *n.* 등받이가 사다리 모양인 의자.

ládder còmpany *n.* (소방서의 사다리차를 조작하는) 사다리반.

ládder drèdge *n.* 래더 드레지《준설기》.

ládder·próof *a.* 《英》 올이 풀리지 않는《양말》.

ládder stìtch *n.* 십자수(놓기).

ládder tòurnament *n.* 사다리 토너먼트.

ládder·tròn *n.* 〔理〕 래더트론《하전(荷電) 입자 가속장치의 일종》.

ládder trùck *n.* 《美》 사다리 (소방)차.

lad·die [lǽdi] *n.* **1** 《애칭》 젊은이, 젊은 분(cf. LASSIE). **2** 《俗》 너, 자네, 군(君) (old chap). 〖LAD〗

lade [léid] *v.* (**lád·ed** ; **lad·en** [léidn], **lád·ed**) *vt.* **1** …에 화물[짐]을 싣다, 적재(積載)하다 《LOAD보다 문어적인 말》; (화물·짐을) 배[차]에 싣다. **2** [주로 *p.p.* 로] 《비유》 (책임 따위를) 지우다 ; 괴롭히다(☞ LADEN). **3** (국자 따위로) 푸다(ladle). — *vi.* 짐을 싣다 ; 푸다. 〖OE *hladan* ; cf. G *laden* to load, LAST[4]〗

lad·en [léidn] *v.* LADE의 과거분사. — *a.* **1** 짐을 실은, 화물을 적재한 ; (과실이) 많이 달린 〈*with*〉 : trees ~ ***with*** fruit 열매가 많이 달린 나무. **2** [보통 복합어를 이루어] 괴로워[고민]하는 : a lady ~ ***with*** grief 슬픔으로 괴로워하는 여인 / famine-~ districts 흉작 지방.

la-di-da, la-de-da, lah-di[**de**]**-dah** [láːdidáː] *n.* 《口》 젠체하는 사람 ; 뽐내는 태도[행동, 말]. — *a.* 《口》 뽐내는, 고상한 체하는. — *vi.* 《口》 뽐내다, 거드름 피우다. — *int.* 《口》 얼씨구, 피! 〖imit.〗

ládies' cháin *n.* [때때로 L~ C~] 스퀘어 댄스의 일종.

ládies' dày *n.* [때때로 L~ D~] (스포츠·극장 따위의) 여성 초대[우대]일.

ládies' gállery *n.* 《英》 (하원의) 여성 방청석.

ládies' màn *n.* 여성과 사귀기 좋아하는 남자 ; 여자에게 인기 있는 사내 ; 여성과 잘 사귀는 남자.

ládies' ròom *n.* 여성용 화장실.

ládies'[**lády's**] **trèsses** *n.* (*pl.* ~) 〔植〕 타래난초속의 각종 난초.

la·di·fy, la·dy·fy [léidifài] *vt.* 귀부인으로 만들다 ; 귀부인 대우하다.

lad·ing [léidiŋ] *n.* Ⓤ 짐싣기, 적재(積載), 선적(船積) (loading) ; 선화(船貨), 화물 : a bill of ~ ☞ BILL[1] 숙어.

la·dle [léidl] *n.* 국자. — *vt.* **1** [+目/+目+副/+目+前+名] 국자로 푸다, 뜨다(scoop) ; 퍼내다 : ~ (***out***) the soup 수프를 뜨다 / ~ soup ***into*** the plate 접시에 수프를 퍼담다. **2** [+目+副] 《비유》 (차별없이) 나누어 주다 : ~ ***out*** praise 찬사를 보내다. **~·fùl** *n.* 국자 하나 가득. 〖OE *hlǣdel* ; ⇨ LADE〗

Lad·o·ga [lǽdəgə, láː-] *n.* [Lake ~] 라도가 호(湖)《러시아 공화국 북서부 Finland 만 북동쪽의 유럽 최대의 호수》.

◇**la·dy** [léidi] *n.* **1** 귀부인, 숙녀《고귀한 출신으로 행동이 고상한 여자 ; ↔*gentleman*》: the *L*~ of [with] the Lamp=Florence NIGHTINGALE. **2** [L~] 레이디. 주 영국에서 Lord(후작·백작·자작·남작) 또는 Sir (baronet 또는 knight) 칭호를 가진 사람의 부인 및 공작·후작·백작의 딸에 대한 경칭으로 성 앞에 붙여 쓴다. **3 a**) 여자, 부인《woman에 대한 정중한 대용어》: a *ladies'* room=LADY 5. **b**) [*pl.*] 《호칭》 부인, (숙녀) 여러분(↔*gentlemen*) : *Ladies* and Gentlemen (신사 숙녀) 여러분. **c**) 《호칭》 마님, 아씨 ; 아가씨 《다음과 같은 경우를 제외하면 MADAM이 일반적임》: my ~ 마님, 아씨《특히 고귀한 부인에 대한 하인의 말》/ young ~ 《口》 아가씨. **4** 애인 (ladylove) ; 《古·俗》 아내, 부인(wife) : my

L

young ~ 나의 약혼녀[연인]. **5** [ladies('), 때때로 Ladies(') ; 단수취급] ⟪주로 英⟫ 여성용 화장실[토일렛] (ladies' room) (cf. GENTLEMAN 3). **6** [형용사적으로] 여(류)…, 부인… : a ~ aviator 여류 비행가⟪이 용법으로는 woman이 자주 쓰인다⟫ / a lady doctor 여의사.
a lady of leasure 유한 부인.
a lady of the bedchamber =LADY-IN-WAITING.
not (***quite***) ***a lady*** 숙녀다운 교양이 없는 ; 숙녀답지 못한 ; 초라한 옷차림을 하고 있는.
Our Lady 성모(聖母) 마리아.
the first lady (***of the land***) ☞ FIRST LADY.
the lady of the house 주부(主婦).
〖OE *hlǣfdige* loaf kneader (*hlāf* bread, ⟪美⟫ *dig-* to knead ; cf. DOUGH) ; cf. LORD〗
類義語 ⟹ WOMAN.

Lády àltar *n.* 성모 성당의 제단.
lády bèar *n.* ⟪CB俗⟫ 여자 교통 경찰관.
lády·bìrd, -bùg *n.* 〖昆〗 무당벌레.
Lády Bóuntiful *n.* [보통 l~ b~] 여성 자선가.
lády bréaker *n.* ⟪CB俗⟫ 시민 라디오 교신을 요청하는 여성 교신자.
lády chàir *n.* 손가마⟪두 사람이 손을 마주 잡아서 만드는 가마 모양의 것⟫.
Lády Chàpel *n.* 성모 성당⟪대교회당·대성당에 부속되어 있음⟫.
Lády Dày *n.* 성모 마리아의 축일⟪3월 25일 ; 영국에서는 QUARTER DAY의 하나⟫.
〖OE *hlǣfdigan* (gen.) (Our) Lady's〗
lády fèrn *n.* 〖植〗 참새발고사리.
lády·finger *n.* ⟪美⟫ 가늘고 긴 손가락 모양인 카스텔라식의 과자.
lády frìend *n.* 여자 친구, 애인.
ladyfy ☞ LADIFY.
lády-hélp *n.* ⟪英⟫ 주부를 돕는 여자 일꾼, 가정부.
lády·hòod *n.* Ⓤ 귀부인[숙녀]의 신분[품위] ; [집합적으로] 귀부인들, 숙녀들.
lády-in-wáit·ing *n.* (*pl.* **ládies-**) (여왕·왕녀의) 시녀, 여관(女官).
lády-kìll·er *n.* 여자를 잘 호리는 남자.
lády·kin [-kən] *n.* **1** 작은 귀부인[숙녀] (little lady). **2** ⟪애칭⟫ 아가씨.
lády·lìke *a.* 귀부인다운, 고상한, 정숙한 ; (남자가) 연약한, 유약한.
lády·lòve *n.* 연인, 애인 (sweetheart) ⟪여자⟫.
Lády Máyoress *n.* ⟪英⟫ 런던 시장 부인 (cf. LORD MAYOR).
lády páramount *n.* (*pl.* **ládies páramount**) [the ~] 양궁 경기의 여자 선수 담당 임원.
lády's compànion *n.* 여성용 방물 그릇 ; 반짇고리.
lády's-fìnger *n.* 〖植〗 손가락 모양의 열매가 달리는 식물⟪벌노랑이 따위⟫ ; 〖植〗 콩과 식물의 일종 ; 〖植〗 오크라아욱 (okra).
lády·shìp *n.* 숙녀[귀부인]의 신분[품위] ; [때때로 L~ ; 레이디의 칭호를 가진 여성에 대한 경칭] 영부인, 영애(令愛) : your *L*~ 영부인, 마님, 아씨⟪you를 대신하는 호칭⟫ / her *L*~ 영부인, 마님, 아씨⟪she, her를 대신하여 씀⟫.
lády's máid *n.* 몸종, 시녀, 하녀.
lády's slìpper *n.* 〖植〗 개불알꽃.
lády's-smòck *n.* 냉이류의 잡초.
lády's thùmb *n.* 〖植〗 여뀌의 일종.
la·e·trile [léiətril] *n.* [때때로 L~] 레이어트릴⟪살구·아몬드 따위의 씨로 만드는 제암제⟫.
〖*lae*vorotaryni*trile*〗
laev-, laevo- ☞ LEV-.
laevulose ☞ LEVULOSE.
La·fay·ette [læ̀fiét, lὰ:- ; lὰ:faiét ; *F* lafajɛt] **1** 남자 이름. **2** 라파예트. **Marquis de** (1757-1834) 프랑스의 군인·정치가 ; 미국의 독립전쟁 때에 활약함.
Láf·fer cùrve [lǽfər-] *n.* 〖經〗 래퍼 곡선⟪세율이 높아감에 따라 세수가 늘지만 어느 점을 넘으면 오히려 세수가 줄어듦 ; 세율과 세수[경제 활동]와의 상관 관계를 나타냄⟫.
〖Arthur B. *Laffer* 20세기 미국의 경제학자〗
LAFTA Latin American Free Trade Association (라틴아메리카 자유무역 연합).
lag**[1] [lǽ(:)g] *v.* (**-gg-**) *vi.* **1** [動/+副/+*behind*+名] 더디다 ; 느릿느릿 걷다, 꾸물거리다 (linger) : The tall boy *~ged* ***behind in the race. 키가 큰 사내 아이는 경주에서 뒤처졌다 / We should not ~ *behind* other nations in the exploitation of the air. 항공개발에서 다른 나라에 뒤져서는 안된다. **2** 〖撞球〗 (순번을 정하기 위해) 공을 치다. **3** (흥미·관심 따위가) 줄다. ── *vt.* **1** 더디다. **2** (유리 구슬·동전 따위를) 던지다. ── *n.* **1** Ⓤ,Ⓒ 지연 ; 〖機·電〗 늦어지는 것, 지체(량) (cf. LEAD[1] *n.* 9) : a time ~ 시간적 지체 / ☞ CULTURAL LAG. **2** (구슬치기·당구에서 순번을 정하기 위해) 던지기[치기]. ── *a.* 제일 뒤의 ; ⟪方⟫ 늦어진.
〖C16=(v.) to hang back, (n.) hindmost person; LAST[1]의 유아어(幼兒語) (*fog*, *seg*, *lag*=1st, 2nd, last)에서인가〗
類義語 ⟹ LINGER.
lag[2] *n.* 통의 널판 ; (보일러 따위 단열용의) 겉씌우개, 피복재(被覆材). ── *vt.* (**-gg-**) 겉씌우개로 덮다. 〖? Scand. ; cf. ON *lögg* barrel rim ; LAY와 같은 어원〗
lag[3] *vt.* (**-gg-**) ⟪俗⟫ 투옥하다 ; 구류하다, 체포하다 (arrest). ── *n.* **1** 죄수 : an old ~ 상습범. **2** 복역 기간. 〖C19< ?〗
lag·an [lǽgən] *n.* 〖法〗 (해난 때의) 부표(浮標) 달린 투하물(投荷物). 〖L< ? Gmc.〗
lág bòlt *n.* =LAG SCREW.
Lag b'Omer [lá:g bəóumər, lǽg-] *n.* 〖유태敎〗 33일절⟪유월절의 제2일부터 금기 생활을 하는 49일간 중 33일째에 해당하는 축제일⟫.
La·geos [léidʒəs] *n.* 레이저스⟪미국이 1976년에 쏘아올린 측지 위성⟫.
la·ger [lá:gər] *n.* 저장 맥주(=∠ **béer**) ⟪ALE 보다 순하며 빛깔이 연한 맥주⟫. 〖G *Lager-bier* beer brewed for keeping (*Lager* store)〗
lag·gard [lǽgərd] *n.* **1** 느린 사람, 꾸물거리는 사람. **2** 〖證〗 실기주(失機株). ── *a.* 느린, 더딘. **~·ly** *adv.* **~·ness** *n.* 〖LAG[1]〗
lág·ger *n.* =LAGGARD ; 〖經〗 지행(遲行) 지표 (lagging indicator[index]). 〖LAG[1]〗
lág·ging[1] *a.* 느린, 더딘. ── *n.* 지체. **~·ly** *adv.* 〖LAG[1]〗
lagging[2] *n.* 보온(재) ; (보일러 따위의) 보온 피복(被覆), 단열(재) ; 〖建〗 흙막이판. 〖LAG[2]〗
lágging ìndicator[**index**] *n.* 〖經〗 =LAGGER.
la·gn(i)appe [lænjǽp, ∠-] *n.* ⟪美⟫ (물건을 산 손님에게 주는) 경품. 〖La. F〗
la·goon, -gune [ləgú:n] *n.* 라군, 석호(潟湖) ; 늪, 못 ; 초호(礁湖) ⟪환초로 둘러싸인 해면⟫ ; (배수처리용의 인공·천연) 저수지.
〖F, It., Sp.<L LACUNA〗
La·gos [léigɑs] *n.* 라고스⟪Nigeria의 수도⟫.

La·grange [*F* lagrɑ̃ʒ] *n.* 라그랑주. Comte **Joseph Louis** ~ (1736-1813) 프랑스의 수학자·천문학자.
La·gráng·ian póint [ləgrɑ́:ndʒiən-] *n.* 〖天〗 라그랑주 점《두 천체간의 인력과 원심력이 균형을 이루는 점; 이 점에 있는 물체는 정지한 대로임》.
lág scrèw *n.* (상부가 볼트형인) 래그(나무) 나사 (lag bolt).
LAIA Latin American Integration Association 《중남미 통합 연합; LAFTA의 후신》.
la·ic [léiik] *a.* =LAICAL. —— *n.* 속인(俗人), 평신도(layman). 〖L<Gk.; ⇨ LAY³〗
lá·ical *a.* (성직자에 대해) 속인의(lay), 세속의. **~·ly** *adv.* 속인처럼, 세속적으로. 〖LAY³〗
la·icism [léiəsìzəm] *n.* Ⓤ 세속주의.
la·icize [léiəsàiz] *vt.* 환속(還俗)시키다; 속인에게 맡기다; (공직 따위를) 속인에게 개방하다. 〖LAY³〗
◇**laid** [léid] *v.* LAY¹의 과거·과거분사. —— *a.* 누운.
láid-báck *a.* 《俗》 마음편한, 느긋한; 구애받지 않는; 무감동한; 냉담한.
láid-óff *a.* 일시 해고된.
láid páper *n.* 평행선이나 교차선이 비치게 되어 있는 종이.
◇**lain** *v.* LIE¹의 과거분사.
Laing [lǽŋ, léiŋ] *n.* 레잉. **R(onald) D(avid)** ~ (1927-) 영국의 정신과 의사; 반(反)정신 의학의 대표적 제창자. **~·ian** *a., n.* 레잉설의; 그 설의 지지자.
lair¹ [lέər, lǽər] *n.* (야수의) 우리, 굴; 은신처; 쉬는 곳. —— *vi., vt.* (야수가) 굴에서 자다; 우리[굴]에 넣다. 〖OE *leger*<Gmc. 《美》 *leg-* LIE¹ (OHG=bed, camp, G *Lager* storehouse)〗
lair², **lare** *n.* 《濠俗》 화려하게 모양을 낸 남자. —— *vi.* 한껏 모양을 내다〈*up*〉. **láiry** *a.* 〖? *leery*〗
laird [lέərd, lǽərd] *n.* 《스코》 지주(地主). 〖LORD〗
lais·ser-al·ler, lais·sez- [*F* lɛseale] *n.* (자유) 방임; 방종. 〖F=let go〗
lais·sez-faire, lais·ser- [lèseifέər, -fǽər, léi-, -zei-] *n.* Ⓤ 무간섭주의, (자유) 방임주의《일절 간섭하지 않는 정치 태도나 시장 원리에 맡겨 두고 별도의 개입·간섭을 하지 않는 경제 정책을 말함》. —— *a.* 무간섭주의의, (자유) 방임주의의. 〖F=let do〗
lais·sez-pas·ser, lais·ser- [*F* lɛsepɑse] *n.* (여권 대용의) 통행 허가증. 〖F=let pass〗
la·ity [léiəti] *n.* Ⓤ [the ~; 집합적으로] 속인들 (laymen) (↔*clergy*); 평신도들; 풋내기들. 〖LAY³〗
La·ius [láiəs, léijəs] *n.* 〖그神〗 라이우스《Thebes의 왕이며 Oedipus의 아버지》.
◇**lake**¹ [léik] *n.* 호수, 호(湖); (공원 따위의) 분수, 연못(pond): the *L~s*=the LAKE DISTRICT / ☞ GREAT LAKES. 〖F *lac*<L *lacus* basin, pool, lake〗
lake² *n.* Ⓤ 레이크《진홍색 안료(顔料)》; 진홍색. —— *vt., vi.* (혈색소가 혈장 속에 녹아서) 혈액이[을] 진홍색[적자색]이 되다[으로 하다]. 〖LAC¹〗
Láke Dìstrict[**Còuntry**] *n.* [the ~] (잉글랜드 북서부의) 호수지방(the Lakes).
láke dwèller *n.* (유사 이전의) 호상 생활자.
láke dwèlling *n.* (특히 유사 이전의) 호상 가옥.
láke·frònt *n.* [the ~] 호숫가, 호반(湖畔)의 산책장소.
láke·lànd [, -lənd] *n.* 호수 지방.
láke·let *n.* 작은 호수.
Láke Pòets *n. pl.* [the ~] 호반(湖畔) 시인 《Lake District에 살았던 Wordsworth, Coleridge, Southey 등》.
Láke schòol *n.* [the ~] 호반 시인파(派).
láke·sìde *n.* [the ~] 호숫가, 호반: *by the* ~ 호반에서.
Láke Státe *n.* [the ~] 미국 Michigan 주(州)의 속칭.
láke tròut *n.* 〖魚〗 호수산(産)의 송어[연어]; (미국 5대호산) 송어의 일종.
láke·vìew *a.* 호수가 보이는.
lakh ☞ LAC².
La·ko·da [ləkóudə] *n.* 광택 있는 호박색 물개의 모피. 〖Bering 해(海)의 Pribilof 제도(諸島)의 지명에서〗
laky [léiki] *a.* **1** 〖LAKE¹〗 호수의, 호수 같은, 호수가 많은. **2** 〖LAKE²〗 진홍색의.
-la·lia [léiliə] *n. comb. form* 「(어떤 형의) 언어 부전」의 뜻. 〖L (Gk. *lalia* chat)〗
Lal·lan [lǽlən] *a.* 《스코》 스코틀랜드 저지(低地) (Lowlands)의. —— *n.* [때때로 *pl.*] 스코틀랜드 저지의 사투리.
la(l)·la·pa·loo·za, lol·la·pa·loo·sa, lol·la·pa·loo·za [lɑ̀ləpəlú:zə] *n.* 《美俗》 뛰어나게 우수한[기발한] 것[사람, 사건]; 모범으로 삼을 만한 걸작.
lal·la·tion [læléiʃən] *n.* 〖音聲〗 r음을 l음으로 잘못 발음하기; 어린 아이의 불완전한 발음.
lal·ly·gag [lǽligæ̀g] *vi.* (-gg-) 《美俗》 **1** 빈둥거리다. **2** (남 앞에서) 서로 껴안고 애무하다; 교미[성교]하다. —— *n.* 빈둥거리기; 서로 껴안고 애무하기.
lam¹ [lǽ(:)m] *vt., vi.* (**-mm-**) 《俗》 (지팡이 따위로) 치다, 때리다, 강타하다: ~ *into* …을 매질하다. 〖? Scand.; cf. ON *lemja* to beat so as to LAME¹〗
lam² *vi.* (-mm-) 《美俗》 급히 도망치다〈*out*〉; 때리다, 때려눕히다. —— *n.* 쏜살같이 달아나기, 도주. 〖C20<?〗
Lam. 〖聖〗 Lamentations (of Jeremiah).
lam. laminated.
la·ma [lɑ́:mə] *n.* 라마승(僧). **Láma·ism** *n.* 라마교. **Láma·ist** *n.* 라마교도. 〖Tibetan〗
La·ma·is·tic [lɑ̀:maístik] *a.* 라마교(도)의.
La·marck [ləmɑ́:rk] *n.* 라마르크. **Jean de** ~ (1744-1829) 프랑스의 생물학자·진화론자. **~·ian** *a.* 라마르크 (진화론)의. **~·ism** *n.* 라마르크의 진화설, 용불용설(用不用說).
la·ma·sery [lɑ́:məsèri; -səri] *n.* 라마교의 사원. 〖F; ⇨ LAMA〗
La·maze [ləméiz] *a.* 〖醫〗 라마즈(법)의《Pavlov의 조건 반사를 응용한 자연 무통 분만법》. 〖Fernand *Lamaze* (d. 1957) 프랑스의 산부인과 의사〗
***lamb** [lǽ(:)m] *n.* **1** 양새끼, 어린양. **2** Ⓤ 어린양 고기(cf. MUTTON). **3** =LAMBSKIN. **4** 순진한 사람, 유순한 사람; 《口》 속기 쉬운 사람; 《애칭》 착한 아이, 아가. **5** 교회의 어린 신자.
in two shakes of a lamb's tail ☞ SHAKE *n.* 5.
like a lamb 유순한; 속기 쉬운.
the Lamb (of God) 하느님의 어린양, 그리스도(Christ).

a wolf [***fox***] ***in lamb's skin*** 어린양의 가죽을 쓴 이리[여우], 위선자.
—— *vt., vi.* (양이 새끼를) 낳다.
⟦OE; cf. G *Lamm*⟧

Lamb *n.* 램. **Charles** ~ (1775-1834) 영국의 수필가·비평가; 필명은 Elia.

lam·baste, -bast [læmbéist, -bǽst] *vt.* 《口》 세게 때리다[채찍질하다]; 심하게 꾸짖다.
⟦LAM[1], BASTE[2] to thrash⟧

lamb·da [lǽmdə] *n.* 람다《그리스어 알파벳의 열한번째 글자; Λ, λ; 영자의 L, l에 해당》; 〔化〕 람다《부피의 단위: $10^{-3}cm^3$, 10^{-6} liter》; 〔遺〕 람다파지, λ파지《대장균에 감염되는 박테리오파지의 하나; 대장균의 유전자를 도입하여 다른 것에 전송하는 능력을 가짐》. ⟦Gk.⟧

lamb·da·cism [lǽmdəsizəm] *n.* =LALLATION.

Lámb dìp *n.* 〔理〕 램의 공명 진동 강하.

lamb·doid [lǽmdɔid], **-doi·dal** [læmdɔ́idl] *a.* 삼각형의, 람다꼴의.

lamb·dol·o·gy [læmdɑ́lədʒi] *n.* Ⓤ 람다파지 (lambda)의 연구.

lam·ben·cy [lǽmbənsi] *n.* Ⓤ (불꽃·빛의) 어른거림; (기지(機知) 따위의) 경묘(輕妙)함.

lám·bent *a.* (불꽃·빛이) 어른거리는, 희미하게 빛나는; (눈·하늘 따위가) 부드럽게 빛나는; (기지 따위가) 경묘한. **~·ly** *adv.*
⟦L *lambo* to lick⟧

lam·bert [lǽmbərt] *n.* 〔光〕 람베르트《휘도의 cgs 단위》. ⟦J.H. *Lambert* (d. 1777) 독일의 수학자·물리학자⟧

Lam·beth [lǽmbəθ] *n.* 런던 남부의 자치구.

Lámbeth degrée *n.* CANTERBURY 대주교가 수여하는 명예 학위.

Lámbeth Pálace *n.* CANTERBURY 대주교의 런던 궁전.

lámb·ing *n.* Ⓤ 출산기의 암양을 돌보기.

lamb·kin [lǽmkin] *n.* 양새끼; 《애칭》 귀여운[착한] 아이.

lámb·lìke *a.* 어린양 같은; 온순한, 유순한, 상냥한; 순진한.

lam·bre·quin [lǽmbərkən, -bri-] *n.* (창문 따위의 위쪽에) 장식으로 드리운 천. ⟦F⟧

lámb's frý *n.* (프라이·튀김용으로 쓰는) 양새끼의 고환[내장].

lámb·skìn *n.* 어린양의 모피《장식용》; Ⓤ 무두질한 어린양 가죽.

lámb's-quàrter(**s**) *n.* (*pl.* **-quarters**) 〔植〕 **1** 명아주. **2** 명아주과 갯는쟁이속의 총칭.

lámb's wòol *n.* 어린양의 털; 어린양의 털로 짠 모직물.

lámb-tìme *n.* 《美學生俗》 봄(의 계절).

***lame**[1] [léim] *a.* **1** 절름발이의, 절룩거리는(crippled); (팔 따위) 아파서 잘 움직이지 못하는. **2** 불충분한; 서투른: Sleeping too long is a ~ excuse for being late. 늦잠 잔 것은 지각의 변명이 될 수 없다. **3** (운율이) 불완전한(halting): a ~ meter[verse] 불완전한 운율[운문]. **4** 《美俗》 아무것도 모르는, (시대에) 뒤진; (농담 따위가) 재미없는, 하찮은, 약한.
be lame of [***in***] ***a leg*** 한쪽 다리를 절다.
go [***walk***] ***lame*** 절뚝거리다.
help a lame dog over a stile 《비유》 곤경에 처해 있는 사람을 도와 주다.
—— *vt.* 절름발이로 만들다; 불완전[불충분]하게 하다: be ~*d* for life 평생 불구가 되다.
—— *vi.* 절름발이가 되다[절룩거리다].
—— *n.* 《美俗》 (시대에) 뒤떨어진 놈, 대단히 촌스러운 사람. **~·ly** *adv.* 절룩거리면서; 서투르게. **~·ness** *n.* ⟦OE *lama*; cf. G *lahm*⟧

lame[2] [léim, 美+lǽm] *n.* (갑옷 따위를 만들 때 얽어매어 하나로 만드는) 얇은 금속 판금.
⟦L LAMINA⟧

la·mé [lɑːméi, læ-; lɑ́ːmei] *n.* Ⓤ 라메《금실·은실 따위를 넣어 짠 천》. ⟦F⟧

láme·bràin *n.* 《口》 우둔한 사람.
~ed *a.* 어리석은, 우둔한.

láme dúck *n.* 쓸모없는[없게 된] 사람[물건], 생활력이 없는 사람, 변변치 않은 사람; 패잔병; 낙오자; 파산자; 《美》 재선에 실패했으나 남은 임기를 채우고 있는 의원[지사, 대통령].

la·mell- [ləmél], **la·mel·li-** [ləmélə] *comb. form.* LAMELLA의 뜻. ⟦NL (↓)⟧

la·mel·la [ləmélə] *n.* (*pl.* **~s, -mel·lae** [-méliː, -lai]) 얇은 판, 얇은 층, 얇은 잎.
⟦L (dim.) <LAMINA⟧

la·mel·lar [ləmélər] *a.* LAMELLA (모양)의, 잎 모양의, 층 모양의. **~·ly** *adv.*

lam·el·late [lǽməlèit, ləméleit, -lət], **-lat·ed** [lǽməlèitəd, ləméleit-] *a.* LAMELLA로 된[가 있는]; =LAMELLIFORM.

la·mel·li·branch [ləméləbræ̀ŋk] *a., n.* 〔動〕 판새류의 (동물), 쌍각류(雙殼類).
la·mèl·li·brán·chi·ate [-brǽŋkiət, -èit] *a., n.* 판새류(瓣鰓類)의 (조개).

laméll·i·fòrm *a.* 얇은 판 모양을 한, 비늘 모양의.

la·ment** [ləmént] *vt.* **1** 슬퍼하다, 애도하다: We all ~*ed* the death of our friend. 모두 친구의 죽음을 슬퍼했다. **2** 애석해 하다: ~ a person's absence 남이 없는 것을 애석해 하다. —— *vi.* [動/+前+名] 슬퍼하다, 비탄하다; (소리를 내어) 울다: Why is she ~*ing*? 왜 그녀는 슬퍼하고 있느냐 / ~ ***for the death 죽음을 슬퍼하다 / ~ (***over***) one's loss 자신의 손실을 한탄하며 슬퍼하다. —— *n.* 비탄, 한탄; 애도의 시(詩), 애가(哀歌). ⟦F or L (*lamentum* (n.), *-tor* (v.))⟧

lam·en·ta·ble [lǽməntəbəl, 美+ləmén-] *a.* 슬픈, 슬퍼해야 할, 통탄할(deplorable); 《詩》 구슬픈; 《蔑》 보잘것없는, 초라한, 빈약한.
-bly *adv.* **~·ness** *n.*

lam·en·ta·tion [læ̀məntéiʃən; -men-] *n.* **1** Ⓤ 비탄, 애도; Ⓒ 비탄의 소리, 〔樂〕 애가(哀歌). **2** [L~s; 단수취급] 〔聖〕 예레미야애가(the L~s of Jeremiah)《구약성서 중의 한편; 略 Lam.》.

lamént·ed *a.* **1** 애도되는, 애석하게 여기는. **2** 유감스러운, 한탄스러운.
the late lamented 고인(故人), (특히) 망부(亡夫).

la·mia [léimiə] *n.* (*pl.* **-mi·as, -mi·ae** [-miìː]) **1** 〔그·로神〕 상반신은 사람이고 하반신은 뱀인 여자 괴물. **2** 요부, 마녀; 흡혈귀.
⟦L<Gk.⟧

la·min- [lǽmən], **lam·i·ni-** [lǽmənə], **lam·i·no-** [lǽmənou, -nə] *comb. form.* LAMINA의 뜻.

lam·i·na [lǽmənə] *n.* (*pl.* **-nae** [-nìː, -nài], **~s**) 얇은 판(板), 얇은 조각, 얇은 층[막]. ⟦L⟧

lam·i·na·ble [lǽmənəbəl] *a.* 얇은 조각[판]으로 펼 수 있는.

lam·i·nal [lǽmənəl], **lam·i·nar** [lǽmənər], **lam·i·nary** [lǽmənèri; -nəri] *a.* 얇은 판자[조각] 모양의, 얇은 판자로[조각으로] 된.

láminar flów *n.* 〔流體力學〕 층류(層流)《층을 이루어 흐르는 흩어짐이 없는 흐름》.

lam·i·nate [lǽmənèit] *vt.* 얇은 판으로 자르다[두드려 펴다]; …에 얇은 판을 씌우다; 적층판(積層

板)으로 만들다 ; (플라스틱 따위의) 박판을 씌우다[접착시키다]. —— *vi.* 얇은 판으로 되다.
——[, -nət] *a.* 얇은 판[조각] 모양의.
——[, -nət] *n.* 박판 제품, 합판 제품.
〖LAMINA〗

lám·i·nàt·ed *a.* 얇은 조각[판]으로 된.

láminated wóod *n.* 적층재(積層材), 집성재(集成材).

lam·i·na·tion [læ̀mənéiʃən] *n.* Ⓤ 얇은 판[조각]으로 하기[되기] ; Ⓤ,Ⓒ 얇은 조각 모양(의 것).

lam·ing·ton [lǽmiŋtən] *n.* 《濠》 래밍턴《초콜릿을 바르고 코코넛을 뿌린 네모난 스펀지 케이크》. 〖Lord *Lamington* Queensland 주지사(d. 1901)〗

lamini- ☞ LAMIN-.

Lam·mas [lǽməs] *n.* 《英》 추수절(=∼ **Dày**)《옛날 8월 1일에 행하여졌음》.
latter Lammas 결코 오지 않는 날.
〖OE *hlāfmæsse* (LOAF[1], MASS[1])〗

lam·mer·gei·er, -gey·er, -geir [lǽmərgàiər] *n.* 〔鳥〕 수염수리《유럽 최대의 맹금》.

‡lamp [læmp] *n.* **1** 램프 ; 등불 ; 초롱, 가스등, 전등, (전기) 스탠드 ; 알코올 램프(spirit lamp) ; 안전등, 태양등 : the Lady of[with] the *L*∼ = Florence NIGHTINGALE. **2** 《비유》 (마음·지식 따위의) 광명 ; 《詩》 태양[달·별] ; 《文語》 횃불. **3** [*pl.*] 《俗》 눈(eyes).
pass [***hand***] ***on the lamp*** 지식의 진보[문화의 발전]에 공헌하다.
smell of the lamp (문장 따위) 밤새워 고심해서 쓴 흔적이 보이다.
—— *vt.* 등불[램프]을 준비하다[갖추다] ; 《詩》 비추다(illuminate) ; 《美俗》 보다. —— *vi.* 빛나다, 비치다. 〖OF<L<Gk. *lampas* torch〗

lam·pas[1] [lǽmpəs] *n.* Ⓤ (말의) 구개종(口蓋腫). 〖OF〗

lampas[2] *n.* Ⓤ 무늬가 있는 명주. 〖MFlem.〗

lámp·blàck *n.* Ⓤ 그을음 ; 흑색 그림물감.

lámp chìmney *n.* 램프의 등피.

lám·per èel [lǽmpər-] *n.* **1** = LAMPREY. **2** = CONGO SNAKE.

lámp hòlder *n.* (전등의) 소켓.

lámp·hòuse *n.* 램프하우스《영사기·확대기 따위의 광원이 들어 있는 부분》.

lam·pi·on [lǽmpiən] *n.* (색유리의) 작은[꽃] 등.

lámp·lìght *n.* Ⓤ 램프 불빛, 등불 : read by ∼ 등불 밑에서 독서하다.

lámp·lìght·er *n.* (가스등 시대의 가로등의) 점등부(點燈夫) ; 점등 용구.
run like a lamplighter 빨리 달리다.

lam·poon [læmpúːn] *n.* 풍자문[시](諷刺文[詩]).
—— *vt.* 글[시]로 풍자하다. **∼·er, ∼·ist** *n.* 풍자문 작가. **∼·ery** *n.* 풍자문 쓰기 ; 풍자 (정신).
〖F *lampon* ‹? *lampons* let us drink ; ⇨ LAP[2]〗

lámp·pòst *n.* 가로등 기둥.

lam·prey [lǽmpri, -prei] *n.* 〔魚〕 칠성장어.
〖OF *lampreie*<L *lampreda*〗

lámp·shàde *n.* 램프의 갓, 조명 기구의 갓.

lámp stànd *n.* 램프 스탠드.

lámp·wìck *n.* 램프의 심지, 등심.

lam·ster [lǽmstər], **lam·is·ter, lam·mis-** [lǽməstər] *n.* 《俗》 (법률로부터의) 도망자.
〖*lam*[2]〗

LAN local area network.

lan·ac [lǽnæk] *n.* 〔空〕 (착륙시의) 항공기 유도 레이더 시스템.
〖*l*aminar *a*ir *n*avigation and *a*nti*c*ollision〗

la·nai [lɑːnáːi, lənái] *n.* (하와이풍의) 베란다.
〖Haw.〗

la·nate [léineit], **-nat·ed** [-neitəd] *a.* 양털 모양의(woolly), 양털로 덮인. 〖L (*lana* wool)〗

Lan·ca·shire [lǽŋkəʃiər, -ʃər] *n.* 랭커셔《잉글랜드 북서부의 주 ; 면업(綿業) 지대 ; 중심 도시는 Lancaster (옛 주도), 주도 Preston》.

Láncashire hótpot *n.* 〔料〕 랭커셔풍의 핫포트《양고기와 감자로 만든 스튜》.

Lan·cas·ter [lǽŋkəstər] *n.* **1** 랭커스터 왕가《1399-1461년 사이의 영국 왕조》. **2** 랭커스터《Lancashire의 옛 주도》.

Lan·cas·tri·an [læŋkǽstriən] *a.* **1** Lancaster의, 랭커셔주의. **2** 〔英史〕 랭커스터 왕가(출신)의 ; 붉은장미당(黨)의. —— *n.* 랭커셔주의 주민 ; 〔英史〕 랭커스터 왕가의 사람 ; 붉은장미 당원《장미전쟁(Wars of the Roses)중 랭커스터 왕가를 도왔음 ; ↔ *Yorkist*》.

lance [læ(ː)ns ; lɑ́ːns] *n.* **1** (창(槍)기병이 사용하는) 창(槍) ; [*pl.*] 창기병(lancers). **2** (물고기를 찌르는) 작살. **3** = LANCET.
break a lance with …와 시합[논쟁]하다.
—— *vt.* 창으로 찌르다 ; 〔醫〕 랜싯(lancet)으로 절개(切開)하다. —— *vi.* 돌진하다. 〖F<L〗

lánce bombardìer *n.* (영국 포병대의) 상병, 상등 포병《bombardier의 하위(下位)》.

lánce còrporal *n.* 〔英陸軍〕 일등병 ; 〔美海兵隊〕 일병.

lánce·fish *n.* 〔魚〕 까나리의 일종.

lánce-jàck *n.* 《英陸軍俗》 = LANCE CORPORAL.

lánce·let *n.* 〔動〕 창고기. 〖LANCE〗

Lan·ce·lot, Laun·ce- [lǽ(ː)nsələt ; lɑ́ːnslət] *n.* 아서(Arthur)왕의 원탁기사 중 으뜸가는 용사.

lan·ce·o·lar [lǽ(ː)nsiələr ; lɑ́ːn-], **lan·ce·o·late** [lǽ(ː)nsiəlèit, -lət ; lɑ́ːn-] *a.* 〔生〕 창끝 모양의 ; (잎이) 피침형(披針形)의.
〖L *lanceola* (dim.) ‹ LANCE〗

Lánce mìssile *n.* 랜스 미사일《미육군이 보유한 핵탄두 지대지 미사일 ; 주항거리 75km》.

lanc·er [lǽ(ː)nsər ; lɑ́ːns-] *n.* 창기병(槍騎兵).

lánce sèrgeant *n.* 〔英軍〕 중사, 당직 하사.

lánce snàke *n.* 〔動〕 = FER-DE-LANCE.

lan·cet [lǽ(ː)nsət ; lɑ́ːn-] *n.* **1** 〔醫〕 랜싯, 피침(披針). **2** 〔建〕 = LANCET WINDOW ; 〔建〕 = LANCET ARCH. 〖OF ; ⇨ LANCE〗

láncet àrch *n.* 〔建〕 랜싯[첨두] 아치.

láncet wíndow *n.* 〔建〕 랜싯[첨두]창(窓).

lánce·wòod *n.* 창자루·차축·활·장대 따위에 쓰이는 단단한 목재 ; 그 재목을 산출하는 나무.

lán·ci·fòrm [lǽ(ː)nsi- ; lɑ́ːnsi-] *a.* 창 모양의.

lan·ci·nate [lǽ(ː)nsənèit ; lɑ́ːn-] *vt.* 찌르다, 꿰뚫다 ; 째다. **-nàt·ing** *a.* 찌르는, 꿰뚫는, 쑤시는 듯이 아픈, 쿡쿡 쑤시는. **làn·ci·ná·tion** *n.* 찌르기, 찢기 ; 쑤시는 듯한 아픔, 심한 아픔.

Lancs. Lancashire.

◇land [læ(ː)nd] *n.* **1** Ⓤ 땅, 육지(↔*sea*). **2** Ⓤ (땅의 질·경작의 적부(適否)에서 본) 토지, 지면 ; [*pl.*] 지대, 지역 ; (도랑 따위로 구획된) 경지, 목초지 : arable[barren] ∼ 경작[불모]지 / work on the ∼ 경작[농업]에 종사하다 / There was not much ∼ to cultivate in the village. 마을에는 경작할 수 있는 토지가 적었다. **3 a)** 《文語》 나라, 국토(country) ; 국민 : one's native ∼ 고국(故國) / About this time of every year many visitors come here from all ∼*s.* 매년 이맘때에는 각국에서 많은 관광객이 이곳을 방문한다. **b)** 영역, …의 세계 : the ∼ of dreams 꿈속의 나라 ; 이상향(理想鄕) / the ∼ of the living 〔聖〕

L

현세, 이세상. **4** [*pl.*] **a**) 영토, 지방(region). **b**) 소유지, 토지 ; 〖法〗 부동산 : He owns ~*s*. 그는 지주(地主)다. **5** [the ~] 전원, 시골. **6** [감탄사적으로] 《美·Can.》 =LORD. ㊟ 완곡하게 가벼운 저주·놀람을 나타내는데 쓰인다 : Good ~! 어마!, 이런!, 이키! / (for the) ~'s sake=~('s) sake 제발, 정말로.

by land 육로로(↔*by sea*) : *by* ~ and sea = *by* sea and ~ 육해 양로(兩路)로.

clear the land 〖海〗 육지를 떠나다, 난바다로 나가다.

close with the land 〖海〗 육지에 접근하다.

land of milk and honey 젖과 꿀이 흐르는 땅 《출애굽기 3 : 8, 민수기 16 : 13》, 더없이 풍요로운 땅 ; 하늘의 은총.

Land of the Morning Calm 고요한 아침의 나라《한국의 별칭》.

make (***the***) ***land*** =***sight the land*** 〖海〗 육지를 보다, 육지가 보이는 곳에 오다.

see how the land lies 형세를 보다.

the land o' [***of***] ***cakes*** =SCOTLAND《별칭》.

the Land of Promise ☞ PROMISED LAND.

touch [***reach***] ***land*** (바다에서) 육지로 (위험을) 피하다 ; 《비유》 든든한 발판을 얻다.

—— *vt.* **1** [+目/+目+前+名] **a**) 상륙시키다, 양륙(揚陸)하다 ; 착륙시키다 : The pilot ~*ed* the airplane ***in*** a field. 조종사는 기체를 들판에 착륙시켰다. **b**) 탈것에서 내리다, 하차[하선]시키다 : The passengers were safely ~*ed* ***on*** the island. 승객들은 안전하게 그 섬에 내려졌다. **2** [+目+*in*+名/+目] 《英》 (사람을 곤란한 상태 따위에) 빠지게 하다 : This ~*ed* me ***in*** great difficulties. 이것 때문에 나는 매우 곤란해졌다 / be nicely ~*ed* 《反語》 곤경에 빠져 있다. **3** (물고기를 잡아) 끌어[낚아] 올리다 ; 《口》 차지하다, 획득하다. **4** [+目+目] 《口》 (타격 따위를) 가하다(deal) : He ~*ed* me a blow ***in*** the face. 나의 얼굴에 일격을 가했다.

—— *vi.* [動/+前+名] **1** 상륙하다, 착륙하다, 착수(着水)하다 ; 내리다, 하차하다 : The passengers ~*ed*. 승객들은 하차[하선]했다 / The U. N. troops ~*ed* ***in*** Egypt. 국제연합군은 이집트에 상륙했다 / The steamer ~*ed* ***at*** the pier. 기선이 부두에 닿았다. **2** 닿다⟨*at, in*⟩, (말이) 일등으로 들어오다 ; (나쁜 상태에) 빠지다⟨*in*⟩ ; 뛰어내리다[넘다].

⟨회화⟩
What time will we *land* in New York? — At 10 : 30. 「뉴욕에 몇시에 도착하니」「10시 반에」

land an account 고객을 유치하다.

land like a cat =***land on*** one***'s feet*** 《英》 (난관을) 어려움없이 벗어나다, 운이 좋다.

land on 《俗》 (…을) 꾸짖다, 혹평하다.

〖OE ; cf. G *Land*〗

lánd àgency *n.* 《美》 토지매매 소개소[업] ; 《英》 토지 관리소.

lánd àgent *n.* 《美》 토지매매 주선업자 ; 《英》 토지 관리인.

lánd àrmy *n.* 《英》 =WOMEN'S LAND ARMY.

lánd àrt *n.* 〖美術〗 =EARTH ART.

lan·dau [lǽndɔː, 美+-dau] *n.* 랜도 마차《2인승 4륜 마차》 ; 랜도형 자동차.
〖*Landau* 독일 Bavaria의 도시〗

lan·dau·let, -lette [lændɔːlét, -də-] *n.* 소형 랜도 마차 ; 랜도형 자동차《coupé의 일종》.
〖*-let* (dim.)〗

lánd bànk *n.* 토지[부동산] 저당 은행.

lánd-bàse(d) *a.* 지상 기지 발진(發進)의 : a ~ missile 지상 기지 발진 미사일.

lánd brèeze *n.* 〖氣〗 육풍(陸風)(↔*sea breeze*).

lánd càrriage *n.* 육운(陸運), 육상 운반.

lánd cràb *n.* 큰게《번식할 때만 물에 들어감》.

lánd·ed *a.* **1** 토지를 소유한 : a ~ proprietor 지주 / the ~ classes 지주계급 / the ~ interest 지주측(側). **2** 토지의[로 된] : ~ estate[property] 토지, 소유지, 부동산. **3** 양륙(揚陸)한. **4** 궁지에 빠진, 곤란한.

lánd·er *n.* **1** 상륙자 ; 하역 인부. **2** 〖鑛〗 수갱구(竪坑口)에서 짐부리는 광부.

lánd·fàll *n.* **1** 〖海〗 (긴 항해 끝에) 처음 육지를 봄 ; 〖空〗 착륙 ; 육지 접근[상륙] : a good [bad] ~ 예측대로[과 다르게] 육지를 봄. **2** 뜻밖의 토지 소유권 획득《부자 친척 등의 사망에 의함 ; cf. WINDFALL》. **3** =LANDSLIDE 1.

lánd·fill *n.* 《美》 **1** 매립지. **2** 매립식 쓰레기 처리 ; 토지 매립.

lánd fòrce *n.* [때때로 *pl.*] 지상부대, 지상군.

lánd·fòrm *n.* 지형, 지세(地勢).

lánd frèeze *n.* 토지 동결《정부에 의한 매매·소유권 이전의 제한》.

lánd gìrl *n.* 《英》 WOMEN'S LAND ARMY의 대원(隊員).

lánd-gràbber *n.* **1** 토지 횡령자. **2** 《아일》 소작인을 쫓아내고 그 토지를 사는[빌리는] 사람.

lánd grànt *n.* (정부의) 무상 토지 불하 ; 그 불하 토지《대학·도로·철도 노선 따위》.

land·grave [lǽndgrèiv] *n.* (중세 독일의) 백작(伯爵) ; (제정 독일의) 영주. **land·gra·vine** [lǽndgrəvìːn] *n.* (중세 독일의) 백작 부인, 영주 부인 ; 여(女) 백작. 〖MLG ; cf. MARGRAVE〗

lánd·hòld·er *n.* 지주 ; 차지인(借地人).
lánd·hòld·ing *n., a.* 토지 소유(의).

lánd-hùnger *n.* 토지 소유욕, 영토 확장열.
lánd-húngry *a.*

***lánd·ing** *n.* **1** [U,C] 상륙 ; 양륙(揚陸) ; 〖空〗 착륙, 착수 ; 하차 : make[effect] a ~ 상륙[착륙, 착수]하다 / moon ~ 달착륙 / ~ charges[rates] 양륙료(揚陸料) / ☞ BELLY LANDING / soft ~ 연(軟)착륙. **2** =LANDING PLACE. **3** (계단의) 층계참. **4** 어획.

lánding àrea *n.* 착륙 구역 ; 상륙 지역.

lánding bèam *n.* 〖空〗 (계기 착륙용의) 착륙 빔.

lánding cràft *n.* 〖美海軍〗 상륙용 주정(舟艇).

lánding field[**gròund**] *n.* 비행장.

lánding flàp *n.* 〖空〗 (주날개 뒤쪽 가장자리의) 착륙용 보조 날개, 착륙 플랩.

lánding fòrce *n.* (적전) 상륙 부대 ; 해병대.

lánding gèar *n.* 〖空〗 착륙 장치.

lánding màt *n.* 《美》 (비행기의) 이착륙장에 사용하는 망 모양의 강철제 매트.

lánding nèt *n.* (낚은 물고기를 건져 올리는 데 쓰는) 뜰채.

lánding pàrty *n.* 상륙 부대.

lánding plàce *n.* 상륙장, 양륙장, 부두(埠頭) ; =LANDING 3.

lánding shìp *n.* (장거리 항해가 가능한) 대형 상륙용 주정(舟艇), 상륙용 함정.

lánding stàge *n.* 부두, 잔교(棧橋).

lánding strìp *n.* 〖空〗 =AIRSTRIP.

lánding vèhicle *n.* 〖宇宙〗 착륙선(着陸船).

lánd-jòbber *n.* 토지 투기꾼, 토지 중개인.

***lánd·làdy** *n.* **1** (여관·하숙 따위의) 여주인, 안주인. **2** 여가장. **3** 여지주(cf. LANDLORD).

lánd làw *n.* [보통 *pl.*] 토지(소유)법.
Lánd Léague *n.* 《아일》 소작인 동맹(1879-81).
länd·ler [léntlər] *n.* 렌틀러《남부 독일·오스트리아 고지의 농촌에서 추는 3박자의 춤으로 왈츠의 전신; 그 곡(曲)》. 〖G〗
lánd·less *a.* 토지가 없는, 토지를 소유하지 않은; 육지가 없는.
lánd·lìne *n.* 《美》 수송로; (전신의) 지상 통신선; 땅과 바다의 경계; 지평선.
lánd·lòcked *a.* (나라·만(灣) 따위) 육지로 둘러싸인; (물고기가) 바다와 떨어져 살고 있는, 민물에 사는.
***lánd·lòrd** *n.* **1** (여관·하숙 따위의) 주인. **2** 가장. **3** 지주(landowner) (cf. LANDLADY); 《英古》 영주. **~·ism** *n.* Ⓤ 지주임; 지주 기질(氣質); 지주 제도 (지지). **~·ly** *a.* 지주 (특유)의.
land·lo(u)p·er [lǽndlòupər] *n.* 부랑자.
lánd·lùbber *n.* 《蔑》〔海〕 풋내기 선원; =LANDSMAN 1.
lánd·man [-mən] *n.* =LANDSMAN.
lánd·màrk *n.* **1** 경계표(지), 육표(陸標)(cf. SEAMARK). **2** (항해자·여행자의) 육상의 목인(目印), 목표《특징적인 수목·건물 따위》. **3** 《비유》 (역사상의) 현저한[획기적인] 사건⟨*in*⟩; 전통적 규범; 역사적 건조물.
lánd·màss *n.* 광대한 토지; 대륙.
lánd mèasure *n.* 토지 측량 단위(계(系)).
lánd mìne *n.* 지뢰; 투하 폭탄(aerial mine).
land·oc·ra·cy [lændɑ́krəsi] *n.* 《戱》 지주계급.
land·o·crat [lǽndəkræ̀t] *n.* 지주계급의 사람.
Lánd of Enchántment *n.* [the ~] New Mexico주의 속칭.
lánd òffice *n.* 《美》 국유지 관리국.
lánd-òffice búsiness *n.* 《美口》 막대한 건수를 한꺼번에 처리하는 거래 활동; 활기있는 영업 활동, 급성장한 사업.
lánd·òwn·er *n.* 토지 소유자, 지주.
lánd·òwn·ing *n.* Ⓤ 토지 소유. —— *a.* 지주(로서)의: ~ classes 지주계급.
lánd pàtent *n.* 토지 권리증.
lánd plàne *n.* 육상 비행기.
lánd-pòor *a.* 《美》 쓸모없는 토지를 많이 가지고 있으면서 돈에 궁색한, 돈이 되지 않는 넓은 토지를 지나치게 가진.
lánd pòwer *n.* 매우 강한 지상 병력을 소유한 나라; (육군) 지상 병력.
lánd ràil *n.* 〔鳥〕 =CORNCRAKE.
lánd refòrm *n.* 농지 개혁.
Lánd-Ròver *n.* 랜드로버《지프와 비슷한 영국제 농공업용 자동차; 상표명》.
lánd·sàil·ing *n.* 랜드세일링《돛달린 3륜차를 타고 모래 위를 달리는 놀이》.
Land·sat [lǽndsæ̀t] *n.* 랜드샛《미국의 지구 자원 탐사 위성》. 〖*Land sat*ellite〗
***land·scape** [lǽndskèip] *n.* **1** 경치, 풍경, 경관(scenery), 전망, 조망(prospect). **2 a)** 풍경화(cf. SEASCAPE). **b)** Ⓤ 풍경화법. —— *a., adv.* 〔印〕 가로로 긴, 가로로 길게《책·페이지·삽화에 대하여》. —— *vt.* (조원술(造園術)을 써서) 미화[녹화]하다. —— *vi.* 조원에 종사하다. 〖Du.; ⇨ LAND, -SHIP〗
類義語 ⟹ VIEW.
lándscape àrchitect *n.* 조경사, 정원사; 풍치 도시 계획 기사.
lándscape àrchitecture *n.* 조원(造園)술[법], 풍치적 도시 계획술.
lándscape gàrdener *n.* 정원사.
lándscape gàrdening *n.* 조원술[법].
lándscape màrble *n.* 랜드스케이프 대리석《풍경을 그린 듯한 무늬가 있는》.
lándscape pàinter *n.* 풍경화가.
lándscape pàinting *n.* 풍경화(법).
lánd·scàp·er *n.* 정원사.
land·scap·ist [lǽndskèipəst] *n.* =LANDSCAPE PAINTER.
Land's End, Lands End [lǽndz énd] *n.* [the ~] 랜즈엔드《잉글랜드 남서단 Cornwall 주 서쪽 끝의 곶; Great Britain 섬의 최서단(最西端)에 있음; cf. JOHN O'GROAT'S》.
lánd sèrvice *n.* 군 병역, 육상 근무.
lánd shàrk *n.* (상륙한 선원을 속여먹는) 부두 사기꾼; =LAND-GRABBER.
lánd·sìck *a.* 〔海〕 (배가) 육지에 너무 접근하여 자유롭게 움직이지 못하는; 육지를 동경하는.
***lánd·slìde** *n.* 《원래 美》 **1** 사태(沙汰), 산사태. **2** (선거의) 압도적[일방적] 대승리. —— *vi.* 사태를 일으키다; (선거에서) 압도적 승리를 거두다.
lánd·slìp *n.* 《英》 =LANDSLIDE 1.
lánds·man [-mən] *n.* **1** 육상 생활자(cf. SEAMAN). **2** 〔海〕 풋내기 선원[뱃사람].
lánd stèward *n.* 토지 관리인.
Land·sturm [*G* lántʃturm] *n.* 〔軍〕 (전쟁시의) 국가 총동원; 국민병.
lánd subsìdence *n.* 지반 침하(地盤沈下).
lánd survèyor *n.* (토지) 측량사.
lánd swèll *n.* (해안 가까이의) 파도의 굽이침.
Land·tag [lɑ́:nttɑ̀:k] *n.* (독일의) 주의회.
lánd tàx *n.* 지세(地稅).
lánd-to-lánd *a.* (미사일이) 지대지(地對地)의.
lánd·wàit·er *n.* 《英》 수출입세 담당 세관원.
lánd·ward *a., adv.* 육지쪽의[으로](↔*seaward*), 육지에 가까운.
lánd·wards *adv.* =LANDWARD.
lánd·wàsh *n.* (해안의) 고조선(高潮線), (바닷가로의) 파도의 밀려옴.
Land·wehr [lɑ́:ntvèiər; lǽnd-] *n.* 〔軍〕 예비군. 〖G〗
lánd wìnd *n.* =LAND BREEZE.
lánd yàcht *n.* 사상(砂上) 요트《경주용》.
***lane** [léin] *n.* **1** (산울타리·집 따위 사이의) 좁은 길, 골목길, 샛길; 옆길: a blind ~ 막다른 골목 / It is a long ~ that has no turning. 《속담》 쥐구멍에도 볕들 날이 있다, 「모든 일에는 반드시 변화가 있는 법」. **2** (줄지어선 사람 사이의) 통로; (기선·비행기 따위의) 규정 항로. **3** 레인; 차선《자동차가 일렬로 통행하게 되어 있는 도로의 일부》. **4** (단거리 경주의) 코스; =BOWLING ALLEY. **5** [the L~] 《英》 =DRURY LANE. 〖OE<?; cf. Du. *laan* avenue〗
láne chànge[chànging] *n.* (자동차 따위의) 차선 변경.
láne ròute *n.* 대양(大洋) 항로선(ocean lane).
lang [lǽŋ] *a.* 《스코》 =LONG.
lang. language(s).
lang·lauf [lɑ́:ŋlàuf] *n.* 〔스키〕 장거리 경주. 〖G〗
lang·ley [lǽŋli] *n.* 〔理〕 랭글리《태양 복사(輻射)의 단위; 1제곱 센티미터당 1그램 칼로리》.
Láng·muir pròbe [lǽŋmjuər-] *n.* 〔理〕 랭뮤어 탐침(探針)《플라스마 밀도 계측용 탐침의 하나》.
lan·gouste [*F* lɑ̃gust] *n.* 〔動〕 닭새우.
lan·gous·tine [*F* lɑ̃gustin] *n.* 〔動〕 (북대서양산의) 바다가재.
lang syne [læ̀ŋ sáin, -záin] *adv., n.* 《스코》 오래전(에), 옛날. 〖Sc.=long since〗

L

◇**lan·guage** [lǽŋgwidʒ] *n.* **1** Ⓤ (일반적으로) 언어 : spoken[written] ~ 구어(口語)[문어(文語)] / computer ~ 컴퓨터 언어 / The doctor talked to the horse *in* horse ~. 의사는 그 말에게 말의 언어로 이야기했다. **2** (어떤 한 나라의) 국어, …어. 㽕 어떤 나라의 국어를 말할 경우 the Korean[English *etc.*] ~는 Korean[English *etc.*] 보다 딱딱한 표현. **3** Ⓤ 술어, 전문어. **4** Ⓤ 어법, 문체, 언어사용, 말씨 : fine ~ 아름답게 꾸민 말씨, 미문체(美文體) / strong ~ 거친 말. **5** Ⓤ (새·짐승 따위의) 울음 소리 ; (음성·문자를 사용하지 않는 몸짓 따위의) …말[언어] : ☞ FINGER LANGUAGE / the ~ *of* flowers 꽃말 / the ~ *of* the eyes 눈으로 하는 말. **6** Ⓤ 어학, 언어학. **7** Ⓤ《英卑》상스러운 말, 욕(=bad ~) : use ~ to a person 남에게 상스러운 말을 하다. **8**〘컴퓨〙언어《정보를 전달하기 위한 일련의 표현·약속·규칙》.
in the language of …의 말을 빌려서 말하면.
speak the same[a person*'s*] ***language*** 《비유》 사고방식《따위》이 일치하다, 마음이 서로 통하다.

〈회화〉
Do you speak any foreign *languages*? — Yes, I can speak French and Spanish.
「외국어 하는 것 있습니까」「네, 프랑스어와 스페인어를 합니다」

〖OF (L *lingua* tongue)〗

lánguage àrts *n. pl.* (학과목으로서의) 국어, 언어 과목《영어의 사용 능력 양성을 위한 읽기·쓰기·말하기 따위》.
lánguage fàmily *n.* 어족.
lánguage làboratory[**màster**] *n.* 어학 실습실[교사].
lánguage plànning *n.* 언어 정책, 언어 표준화 계획《한 사회에서 사용되고 있는 여러가지 언어나 방언을 근거로 그 사회의 공용어를 선정하거나 육성을 꾀하기》.
lánguage pròcessor *n.*〘컴퓨〙언어 처리기.
lánguage sìgn *n.*〘言〙언어 기호.
lánguage univèrsal *n.* 언어의 보편적 특성.
langue [*F* lɑ̃ːg] *n.* 랑그《추상적 언어 체계 ; cf. PAROLE》. 〖F ; ⇨ LANGUAGE〗
langue d'oc [*F* lɑ̃ːg dɔk] *n.* 오크 어(語)《중세 프랑스 남부에서 사용된 로망스어 ; 오늘날에는 프로방스어(Provençal)에 남아 있음》.
langue d'oïl [*F* lɑ̃ːg dɔil] *n.* 오일 어(語)《중세 프랑스 북부에서 사용된 로망스어 ; 현대 프랑스어의 기초》.
lan·guid [lǽŋgwəd] *a.* 노곤한, 맥없는, 느슨한, 활발하지 못한, 원기[기력, 열의] 없는, 힘없는 ; 잔뜩 찌푸린《날씨 따위》; 무신경한 ; 마음이 내키지 않는, 무관심한. **~·ly** *adv.* 노곤하게, 힘없이. **~·ness** *n.* 〖F or L (*langueo* to languish)〗
lan·guish [lǽŋgwiʃ] *vi.* **1** 노곤해지다, 맥이 풀리다, 원기가 없어지다, 쇠약해지다, 여위다 ; 번민하다. **2** [動/+前+名] 동경하다, 그리워하다 : She ~*ed* ***for*** some kind words. 다정한 말을 몹시 듣고 싶어했다. **3** 시들다, 이울다 : All the flowers have ~*ed* from lack of water. 꽃은 물이 없어서 모두 시들어 버렸다. **4** 즐겁지 않은[괴로운·재미없는] 생활을 하다, 괴롭게 살다 ; 슬픈 표정을 짓다. **~·er** *n.* **~·ment** *n.* Ⓤ 쇠약, 여윔 ; 고뇌, 비탄 ; 사랑의 번민.
〖OF<Rom. (↑)〗
lán·guish·ing *a.* **1** 점점 쇠약해지는. **2** 번민하는, 감상적인. **3** 꾸물대는, 오래 끄는. **~·ly** *adv.*
lan·guor [lǽŋgər, 美+lǽŋər] *n.* Ⓤ 노곤함, 권태 ; 무기력 ; 음울함 ; 괴로운 것〈*of*〉; (사랑의) 번민 ; 침체(沈滯) : the ~ *of* the sky 음울한 날씨. ── *vi.* 쇠해지다, 쇠약하다.
〖OF<L ; ⇨ LANGUID〗
lán·guor·ous *a.* 노곤한, 나른한, 지친 ; 지루한, 울적한. **~·ly** *adv.* **~·ness** *n.*
lan·gur [lʌŋgúər] *n.*〘動〙랑구르원숭이《아시아 남부산》. 〖Hindi〗
lan·iard [lǽnjərd] *n.* =LANYARD.
la·ni·ary [léiniəri ; lǽniəri] *a.* (이가) 찢기에 알맞은. ── *n.* 송곳니.
la·nif·er·ous [lənífərəs], **la·nig-** [lənídʒ-] *a.*〘生〙(양털 모양의) 털이 있는. 〖L *lana* wool〗
Lan·i·tal [lǽnətæl] *n.* 인조 양털《카세인(casein)으로 만들어냄 ; 원래 이탈리아제》.
lank [lǽŋk] *a.* 여윈, 호리호리한 ; (머리털이) 길고 부드러운, 곱슬거리지 않는. **~·ly** *adv.* **~·ness** *n.* 〖OE *hlanc* loose ; cf. FLANK, LINK[1]〗
lánky *a.* 빼빼 마른, 호리호리한.
lánk·i·ly *adv.* **-i·ness** *n.*
lan·ner [lǽnər] *n.*〘鳥〙래너매《남유럽산 ; 특히 매 사냥용의 암컷》. 〖OF=wool weaver〗
lan·ner·et [lǽnərèt, ⌐-⌐] *n.*〘鳥〙래너매의 수컷.
lan·o·lin [lǽnələn], **-line** [-lən, -liːn] *n.* Ⓤ〘化〙라놀린《정제 양모지(脂) ; 연고·화장품 원료》. 〖G (L *lana* wool, OIL)〗
lan·sign [lǽnsain] *n.*〘言〙=LANGUAGE SIGN.
Lan·sing [lǽnsiŋ] *n.* 랜싱《Michigan 주의 주도·공업 도시》.
lans·que·net [lǽnskənèt] *n.* **1**〘史〙(16-17세기경의 독일의) 용병(傭兵). **2** 카드놀이의 일종. 〖F〗
lan·ta·na [læntéinə] *n.*〘植〙란타나《마편초과의 관목·초목의 총칭 ; 관상용》.
lan·tern [lǽntərn] *n.* **1** 초롱 ; 손전등, 각등(角燈), 랜턴, 칸델라 ; 등롱(燈籠) : a Chinese ~ 초롱 / a dark ~ 차광식 초롱 / a ~ procession [parade] 제등(提燈) 행렬. **2** 환등기(=magic ~), 슬라이드 영사기. **3** (등대의) 등실(燈室). **4**〘建〙채광창 ; 꼭대기탑.
〖OF<L<Gk. *lamptēr* torch〗
lántern fìsh *n.*〘魚〙바늘치《주로 심해성의 발광어(發光魚)》.
lántern flỳ *n.*〘昆〙꽃매미.
lántern jàw *n.* 홀쭉한 턱 ; [*pl.*] 여윈 얼굴.
lántern-jáwed *a.* 볼이 움푹하고 턱이 나온.
lántern pìnion *n.*〘機〙랜턴 피니언,〘時計〙작은 바퀴(trundle)《작은 핀 톱니바퀴》.
lántern slìde *n.* (영사용) 슬라이드.
lan·tha·nide [lǽnθənàid, -nəd] *n.*〘化〙란탄족(族)《기호 Ln》. 〖G (*lanthan*um, *-ide*)〗
lánthanide sèries *n.* [the ~]〘化〙란탄 계열.
lan·tha·num [lǽnθənəm] *n.* Ⓤ〘化〙란탄《희토류 금속원소 ; 기호 La ; 번호 57》.
〖NL (Gk. *lanthanō* to escape notice) ; cerium oxide 속에서 검출되지 않았기 때문〗
lant·horn [lǽnthɔːrn, lǽntərn] *n.*《英》=LANTERN.
Lán·tian mán [lǽntjæn-], **Lán·t'ien mán** [-tjèn-] *n.*〘考古〙란톈원인(藍田原人)《중국 산시성(陝西省)에서 발견된 홍적세 중기 화석인류》.
la·nu·gi·nose [lənjúːdʒənòus], **-nous** [-nəs] *a.* 솜털이 나 있는, 솜털의.
LANWAIR [lǽnwὲər] *n.* 육해공항(陸海空港), 육해공 터미널《철도나 버스역, 항구, 공항을 유기

적으로 결합한 거대 시설 또는 그 연락시설》. 〚*land*+*water*+*air*〛

lan·yard [lǽnjərd] *n.* 〔海〕 매는 밧줄 ; 〔軍〕 (대포 발사용의) 잡아당기는 밧줄. 〚OF *laniere* ; 어미는 YARD²에 동화(同化)〛

Lao [láu] *n.* (*pl.* ~, ~**s**) 라오족[어].

La·oc·o·ön [leiɑ́kouɑ̀n] *n.* 〔그神〕 라오콘《Troy의 Apollo 신전의 사제(司祭) ; Troy 전쟁에서 그리스군의 목마의 계략을 알아차렸기 때문에 그의 자식과 함께 Athena 여신이 보낸 두 마리의 바다뱀에 감겨 죽음》.

La·od·i·ce·an [leiɑ̀dəsíːən ; lèiəudisíən] *a., n.* 종교·정치에 냉담한 (사람), 열의없는 (사람).

La·os [láus, lɑ́ːous ; láuz, láus] *n.* 라오스《인도차이나 북서부의 공화국 ; 수도 Vientiane》.

La·o·tian [láuʃiən, leióuʃən] *n.* 라오스인 ; Ⓤ 라오스어. ── *a.* 라오스(인·어)의.

Lao-tsu [láudzʌ́ ; láutsúː], **Lao-tze** [láudzʌ́ː ; láutséi], **Lao·zi** [láuzʌ́] *n.* 노자(老子) (604?-531 B.C.)《중국의 철학자 ; cf. TAOISM》.

***lap**¹ [lǽp] *n.* **1** 무릎《앉은 자세에서 허리에서 무릎까지 ; cf. KNEE》; (스커트 따위의) 무릎 부분, 무릎 : *in*[*on*] one's ~ 무릎 위에. **2** 늘어진 것, 자락(flap). **3** 《詩》 산간의 움푹 들어간 곳, 움푹한 것, 골짜기 ; 표면(surface)〈*of*〉. **4** (두개의 물건이) 겹친 부분, 겹친 것. **5** 〔競〕 (경주로의) 한 바퀴 : *on* the last ~ 최후의 한 바퀴에서[로]. **6** (실·새끼 따위의) 한번 감기. **7 a**) (어머니의 무릎 같은) 길러 주는 환경[장소], 안락한 장소. **b**) 지배, 보호, 관리, 책임.

fall into** a person**'s lap 남의 생각대로 되다, 척척 일이 되어가다 : Everything *fell into* his ~. 무엇이든지 그의 뜻대로 되었다.

in the lap of Fortune=***in Fortune's lap*** 운이 좋아서.

in the lap of luxury 아주 사치스럽게.

in the lap of the gods 사람의 힘이 미치지 않는 곳에서.

── *v.* (**-pp-**) *vt.* **1** [+目+*over*+名] 겹치게 하다 : ~ one shingle ***over*** another 지붕 판자를 나란히 겹쳐놓다. **2** [+目(+前)] 품다, 껴안다, 둘러싸다 : She ~*ped* her children. 아이들을 껴안았다 / a beautiful valley ~*ped in* the hill 언덕에 둘러싸인 아름다운 골짜기. **3** [+目+副/+目+前] 싸다, 걸치다, 감다(wrap) : She ~*ped* the blanket ***around*** (her). 몸에 담요를 둘렀다 / The old man ~*ped* himself ***in*** a warm blanket. 노인은 따뜻한 모포로 몸을 감쌌다. **4** 〔競〕 한 바퀴(이상) 앞서다 ; …을 한 바퀴 돌다.

── *vi.* [動/+副] 겹쳐지다(overlap) ; 포개지다, 씌워지다 ; 불거지다 : The shingles ~*ped* ***over*** (=overlap) beautifully. 지붕 판자가 아름답게 겹쳐져 있었다.

lapped in luxury 사치에 빠진.

〚OE *læppa* lappet, piece ; cf. G *Lappen*, ON *leppr* rag〛

lap² *v.* (**-pp-**) *vt.* **1** [+目/+目+副] 핥다(lick) : The cat ~*ped* ***up*** all the milk in the saucer. 고양이는 접시의 우유를 다 핥아먹었다. **2** [+目+副] (발림말 따위를) 열심히 듣다, 진짜로 받아들이다〈*up*〉 : The students ~*ped up* his illuminating lecture. 학생들은 그의 계몽적인 강연을 열심히 들었다. **3** (파도 따위가 해안을) 씻다. ── *vi.* [動/+前+名] (파도 따위가) 씻다, 철썩철썩 밀려오다 : Ripples were ~*ping* ***against*** the boat. 잔잔한 물결이 보트에 찰싹찰싹 밀려오고 있었다.

── *n.* **1** 핥기 ; 한번 핥는 분량. **2** Ⓤ (해안을 치는) 파도[물결] 소리. **3** (개에게 주는) 유동식(流動食). 〚OE *lapian* ; cf. G *Löffel* spoon〛

lap·ar- [lǽpər], **lap·a·ro-** [lǽpərou, -rə] *comb. form* 「복벽(腹壁)」의 뜻. 〚Gk. *lapara* flank〛

láparo·scòpe *n.* 복강경(腹腔鏡)《직접 보고 수술하기 위해 복벽으로 삽입하는 광학 기계》.

lap·a·ros·co·py [lӕpərɑ́skəpi] *n.* 복강경 검사[수술](법).

lap·a·rot·o·my [lӕpərɑ́təmi] *n.* Ⓤ 개복수술.

La Paz [lə pǽz, -pɑ́ːz ; lɑː pǽz] *n.* 라파스《남미 볼리비아의 수도》.

láp bèlt *n.* (자동차 따위의 허리 부분에 매는) 좌석용 안전 벨트(cf. SAFETY BELT).

láp·bòard *n.* 무릎 위에 놓고 테이블 대신 사용하는 판자.

láp compùter *n.* 휴대용 컴퓨터.

láp dissòlve *n.* 〔映〕 랩 디졸브, 오버랩.

láp·dòg *n.* 애완용의 작은 개.

la·pel [ləpél] *n.* [보통 *pl.*] (상의·코트 따위의) 접은 옷깃 : wear a flower *in* one's ~ 옷깃에 꽃을 달고 있다. 〚LAP¹〛

la·pélled *a.* 옷깃이 접힌.

lapél mìke *n.* 옷깃에 꽂는 소형 마이크.

láp·fùl *n.* (*pl.* ~**s**) 무릎 위에 가득, 앞치마 가득.

lap·i·cide [lǽpəsàid] *n.* 석공(石工), 비명(碑銘) 조각공.

lap·i·dar·i·an [lӕpədéəriən, -dǽər-] *a.* =LAPIDARY.

lap·i·dar·ist [lǽpədərəst, ləpíd-] *n.* 보석 전문가.

lap·i·dary [lǽpədèri ; -dəri] *a.* **1** 돌의. **2** 옥[보석] 세공의, 보석을 깎는, 옥을 가는. **3** 돌에 새긴[조각한] ; 비문(碑文) (체)의, 비명(碑銘)에 적합한. ── *n.* 보석 세공인[술] ; 보석 전문가. 〚L ; ⇨ LAPIS〛

lap·i·date [lǽpədèit] *vt.* 돌을 던지다, 돌로 때려 죽이다. **làp·i·dá·tion** *n.*

la·pid·i·fy [ləpídəfài] *vt., vi.* 돌이 되게 하다[되다], 석화(石化)하다[되다].

lap·i·dist [lǽpədəst] *n.* 보석 세공인 ; 보석 전문가(專門家).

la·pil·lus [ləpíləs] *n.* (*pl.* **-pil·li** [-pílai, -liː]) 〔地質〕 화산력(火山礫). 〚L (dim.) < LAPIS〛

lap·in [lǽpən] *n.* 토끼 ; 토끼의 모피. 〚F〛

lap·is [lǽpəs, léi-] *n.* (*pl.* **lap·id·es** [lǽpədìːz]) 석(石)《특히 광물·보석명에 사용함》. 〚L *lapid- lapis* stone〛

lap·is la·zu·li [lӕpəs lǽzjəlài, -li, -ʒə-] *n.* 〔鑛〕 청금석(青金石), 라피스라즐리《12월의 BIRTHSTONE》; 군청《청금석에서 채취하는 안료》; 유리색(瑠璃色), 군청색. 〚L *lazuli* AZURE〛

láp jòint *n.* 〔建〕 겹쳐 잇기(cf. BUTT JOINT).

Lap·land [lǽplӕnd] *n.* 라플란드《유럽 최북부의 지역》. ~·**er** *n.* 라플란드인(Lapp).

La Pla·ta [lə plɑ́ːtə] *n.* 라플라타《아르헨티나 동부의 라플라타 강 어귀의 도시》; =Río de la PLATA.

La Pláta òtter *n.* 〔動〕 라플라타수달《아르헨티나산 ; 절멸 위기에 있음》.

Lapp [lǽp] *n.* **1** =LAPLANDER. **2** Ⓤ 라플란드어. ── *a.* 라플란드인[어]의. 〚Swed. ; cf. MHG *lappe* simpleton〛

lap·pet [lǽpət] *n.* **1** (의복 따위의) 늘어진 부분 ; (모자의) 귀덮개. **2** (칠면조 따위의) 늘어진 살 ; 귓불(lobe). ~·**ed** *a.* 〚LAP¹〛

Lápp·ish *a., n.* 라플란드(Lapland) (인[어])의 ; Ⓤ 라플란드어.

láp pòol *n.* 랩 풀《너비 5, 길이 20피트 정도의 작

은 풀》.

láp ròbe *n.* 《美》 무릎 덮개(=《英》 rug).

lapse** [lǽps] *n.* **1** 실패, 과실, 실책(slip) : a ~ *of* the pen[tongue] 오기(誤記)[실언] / a ~ *of* memory 착각. **2** (일시적인) 타락, 좌절 : a ~ *into* crime 죄를 범하기 / a ~ *from* faith 배신. **3** (때의) 경과, 추이 ; 공백, 중단 : a long ~ *of* time 긴 세월의 흐름. **4** 《古》 (물의) 고요한 흐름 〈*of*〉. **5** 〖法〗 (권리 · 특권의) 소멸, 실효 ; (습관 따위의) 쇠퇴, 소실. **6** (고도 증가에 따르는 기온 · 기압 따위의) 저하 ; (지위 · 수량 따위의) 하강, 감소. ── *vi.* **1** [動/+前+名] (도덕적으로) 일탈하다, (죄악 따위에) 빠지다, 타락하다 ; 죄를 짓다 ; (어떤 상태로) 후퇴[쇠퇴]하다 : ~ ***from diligence ***into*** idleness 근면에서 나태로 타락하다 / The castle ~*d into* ruin. 그 성은 폐허가 되었다. **2** 〖法〗 (조건 또는 상속인 등이 없어 권리 · 재산 따위가 남에게) 넘어가다〈*to*〉 ; 실효(失效)[소멸]하다, (임기가) 끝나다. **3** (시간이) 모르는 사이에 지나가다〈*away*〉. ── *vt.* (권리를) 잃다.
〖L (*laps- labor* to slip, fall)〗

lápsed *a.* 지나간, 폐지된 ; 타락한, 신앙을 잃은 ; 남의 손에 넘어간, 무효가 된.

lápse ràte *n.* 〖氣〗 (고도(高度)에 비례되는) 기온 체감율.

láp-sìze *a.* 랩사이즈의, 무릎에 얹을 만한 크기의 : a ~ computer 휴대용 컴퓨터.

láp·stòne *n.* (제화점의) 무릎돌《무릎에 얹고 가죽을 두드리는》.

láp·stràke, -strèak *a., n.* 겹판으로 만든 (배).

láp stràp *n.* (특히 비행기의) 좌석 벨트(seat belt) ; =LAP BELT.

lap·sus [lǽpsəs] *n.* (*pl.* ~) **1** 잘못, 실수. **2** 〖醫〗 하수(下垂). 〖L ; ⇨ LAPSE〗

lap·sus ca·la·mi [lɑ́:psus kɑ́:ləmì:, lǽpsəs kǽləmài] *n.* 잘못 씀, 오기.
〖L (*calamus* reed (pen))〗

lap·sus lin·guae [lǽpsəs líŋgwi:, lɑ́:psus líŋgwai] *n.* 잘못 말하기, 실언(失言).
〖L (LINGUA)〗

láp tìme *n.* 〖競〗 랩 타임《트랙을 한바퀴 도는데 또는 수영 코스의 편도 혹은 왕복에 소요되는 시간》.

láp·tòp *n.* 〖컴퓨〗 무릎에 얹어 놓을 만한 크기의 휴대용 퍼스널 컴퓨터.

La·pu·tan [ləpjú:tən, -tn] *a.* 라푸타섬의 ; 공상적인, 뜬구름을 잡는 것 같은 ; 불합리한. ── *n.* 라푸타섬 사람《Swift작 *Gulliver's Travels*에 나오는 부도(浮島)의 주민 ; 터무니없는 일만 꿈꿈》 ; 공상가(空想家).

láp·wìng *n.* 〖鳥〗 댕기물떼새(pewit).
〖OE ; ⇨ LEAP, WINK ; 나는 모양에서 ; 어형은 LAP[1], WING에 동화(同化)〗

lapwing

lar *n.* LARES의 단수형.

LARA, Lara Licensed Agency for Relief of Asia(공인 아시아 구제기관, 라라) : ~ goods 라라 물자.

lar·board [lɑ́:rbərd, -bɔ̀:rd] *n., a.* 〖海〗 좌현(左舷)(의). ㊟ 지금은 STARBOARD와의 혼동을 피해서 PORT[3]를 쓴다.
〖? *ladboard* side on which cargo was taken in (⇨ LADE) ; 어형은 STARBOARD의 영향〗

LARC low-altitude ride control(저공 비행 제어(制御)).

lar·ce·nous [lɑ́:rsənəs] *a.* 절도의, 도둑질하는, 손버릇이 나쁜. **~·ly** *adv.*

lar·ce·ny [lɑ́:rsəni] *n.* Ⓤ 〖法〗 절도죄[범] ; Ⓒ 절도, 도둑질(theft). ㊟ 영국에서는 지금은 theft를 씀. **lár·ce·ner, lár·ce·nist** *n.* 절도범, 도둑.
〖AF<L *latrocinium* (*latro* robber<Gk.)〗

larch [lɑ́:rtʃ] *n.* 〖植〗 낙엽송 ; Ⓤ 그 재목.
〖G *Lärche*<L *laric- larix*〗

lard [lɑ́:rd] *n.* Ⓤ 라드《돼지 비계에서 정제한 반고체의 기름 ; cf. FAT》 ; 《口》 (인체의) 여분의지방. ── *vt.* **1** (맛을 돋구기 위해서 요리전에) 돼지고기 혹은 베이컨 조각을 집어넣다 ; …에 라드를 바르다. **2** [+目+*with*+名] 《비유》 (이야기 · 문장 따위를) 윤색하다 : The lecturer ~*ed* his long speech ***with*** some amusing stories. 강사는 긴 강의에 재미있는 이야기를 곁들였다.
~·lìke *a.* =LARDACEOUS.
〖OF=bacon<L *lardum* ; cf. Gk. *larinos* fat〗

lar·da·ceous [lɑ:rdéiʃəs] *a.* 라드 (모양 · 질)의 ; 〖醫〗 =AMYLOID.

lárd-àss, lárd-bùcket *n.* 《美俗》 **1** 얼간이, 멍청이(lard-head). **2** 뚱보 ; 식충이.

lar·der [lɑ́:rdər] *n.* 고깃간 ; 식료품실 ; 식품저장실(cf. PANTRY) ; 저장식품. **~·er** *n.* 식품실 담당자. 〖F<L ; ⇨ LARD〗

lárd-hèad *n.* 《美俗》 얼간이, 멍청이.

lárd·ing nèedle[**pìn**] *n.* 〖料〗 살코기 따위에 베이컨을 끼우는 기구.

lárd òil *n.* 라드유(油)《윤활유 · 등유 따위》.

lar·don [lɑ́:rdən], **-doon** [lɑ:rdú:n] *n.* Ⓤ (살코기 사이에 끼우는) 베이컨이나 돼지고기 조각.
〖F ; ⇨ LARD〗

lárdy *a.* 라드의 ; 돼지비계가 많은.

lárdy-dárdy [-dɑ́:rdi] *a.* 《俗》 젠체하는, 사내답지 못하게 여자처럼 모양을 낸.

lar·es [léəri:z, lɑ́:r-, lǽər-, 美+léir-] *n. pl.* (*sg.* **lar** [lɑ́:r]) 〖古로〗 라레스《가정의 수호신, 특히 조상의 여러 영혼 ; cf. PENATES》.
lares and penates 가신(家神) ; 가재(家財), 가보 ; 가정(home).
〖L〗

◇large [lɑ́:rdʒ] *a.* (↔*small, little*) **1 a)** 큰(great, big). **b)** 넓은(spacious) ; 대규모의 : a ~ area 넓은 지역. **c)** 《廢》 상당한(considerable) ; 다수의(numerous) ; 다량의, 풍부한(copious). **2** (비교적) 큰, 좀 지나치게 큰 : the ~ intestine 〖解〗 대장(大腸). **3** 《廢》 도량이 넓은, 관대한 ; (권한 따위) 광범한 : have a ~ heart 도량이 넓다 / a man of ~ experience 경험이 풍부한 사람 / ~ insight 탁견(卓見). **4** 〖海〗 순풍의. **5** 과장한, 허풍떠는.
large of limb=***with large limbs*** 손발이 큰.
on the large side 어느 쪽이냐 하면 큰 쪽(의).
── *n.* 《廢》 돈의 씀씀이가 큼.
at large ⑴ 상세하게, 충분히 : The question was discussed *at* ~. 그 문제는 상세하게 논의되었다. ⑵ (범인 등이) 잡히지 않고 ; 확실한 단서 없이, 막연하게 ; 미정으로 : The murderer is still *at* ~. 살인범은 아직 체포되지 않고 있다. ⑶ 전체적으로, 일반적으로, 널리 : the public *at* ~ 사회 전반.
in (***the***) ***large*** 대대적으로, 대규모로 ; 일반적으로(cf. *in* LITTLE).
── *adv.* **1** 크게, 대대적으로 : write ~ 글자를 크게 쓰다. **2** 자만하여, 과장하여 : talk ~ 호언장담하다.

by and large ☞ BY[1] *adv.*
〚OF＜L *largus* copious〛
類義語 ***large, big, great*** 다같이「큰」의 뜻으로 사용되지만 엄밀하게는 다음과 같이 구별한다. *large* 용적이나 양이 큰 : a *large* building [amount] (큰 건물[대량]). *big* 부피·무게·정도가 큰 : a *big* tree[mistake] (큰 나무[실수]) / *big* business(큰 사업). *great* 크기·정도가 커서 인상적인, 당당한, 위대한, 또한 놀랄 정도의 뜻을 함축함 : a *great* ocean [victory] (대양[대승리]).

lárge-éyed *a.* =WIDE-EYED.
lárge-hánd·ed *a.* 손[통]이 큰 ; 아낌없이 쓰는(generous).
lárge-héart·ed *a.* 마음이 넓은(large-minded) ; 인정이 많은, 박애(博愛)의(charitable).
***lárge·ly** *adv.* 크게, 충분히, 주로, 대부분(은) ; 풍부하게, 아낌없이 ; 넓게, 대규모로 ; 과장하여 : The fear of the dark is found ~ among children. 어두움을 두려워하는 마음은 대부분의 아이들에게서 볼 수 있다.
lárge-mínd·ed *a.* 도량이 큰, 관용의, 관대한(tolerant). **~·ly** *adv.* **~·ness** *n.*
lárge·ness *n.* **1** Ⓤ 크기, 광대, 다대(多大). **2** Ⓤ 관대 ; 위대함 ; 허풍떨기.
lárge páper edition *n.* 대판(大判) 특제본, 호화판(édition de luxe).
lárger-than-lífe *a.* 실물보다 큰 ; 과장된 ; 영웅적인, 서사시적인.
lárger trúth *n.* (저널리즘에서) 전체적인 진실, 종합적인 실정, (개개의 현상에 대하여) 전체상.
lárge-scàle *a.* 대규모의 ; 큰 축척의, 확대한.
lárge-scale integrátion *n.* 〔電子〕 고밀도[대규모] 집적(회로)《略 LSI》.
lárge-sóuled *a.* =LARGE-HEARTED.
lar·gess(e) [lɑːrdʒés, 美+ˊ-] *n.* Ⓤ,Ⓒ 아낌 없이 금품을 주기 ; Ⓤ (아낌 없이 주어진) 선물, 과분한 부조 ; 손이 큼. 〚OF＜L ; ⇨ LARGE, -ICE〛
lárge-státured *a.* (삼림이) 교목과 관목으로 이루어진.
lárge-týpe *a.* 대형 활자로 인쇄한《책 따위》.
lar·ghet·to [lɑːrgétou] *a., adv.* 〔樂〕 라르게토, 약간 느린[느리게]. —— *n.* (*pl.* **~s**) 라르게토(의 악장). 〚It.(dim.)〈LARGO〛
larg·ish, large- [lάːrdʒiʃ] *a.* 조금 큰.
lar·go [lάːrgou] *a., adv.* 〔樂〕 라르고, 아주 느린[느리게](cf. PRESTISSIMO). —— *n.* (*pl.* **~s**) 라르고(의 악장). 〚It.=broad〛
lar·i·at [lǽriət, léər-] *n.* 《美》 (가축을 잡는 가늘고 긴 삼 따위의) 고리 올가미 ; (목초를 먹는 가축을) 매는 밧줄. —— *vt.* 고리 올가미[매는 밧줄]로 잡다[매다]. 〚Sp. *la reata* (*reatar* to tie again＜L *re-*, *apto* to adjust)〛
***lark**[1] [lάːrk] *n.* 종달새(skylark) ; 종달새 비슷한 작은 새 ; 《비유》 시인(poet) ; 가수(singer) : If the sky fall, we shall catch ~*s.* 《속담》 하늘이 무너지면 종달새를 잡겠지《쓸데없는 걱정은 안하는게 좋다》.
(as) happy as a lark 매우 즐거운.
rise with the lark 일찍 일어나다.
〚OE *lāferce*, *læwerce*＜? ; cf. G *Lerche*〛
lark[2] *n.* 장난, 희롱, 농담, 유쾌 : have a ~ 장난치다, 까불다 / up to one's ~*s* 장난에 정신이 팔려 / What a ~ ! 아 재미있다 !
for a lark 농담으로(in jest) : I only said it *for a* ~. 농담으로 이야기했을 뿐이다.
—— *vi.* [動/+副] 희롱하다, 까불다, 들뜨다 : Children are ~*ing* ***about*** on the road. 아이들이 길에서 장난치고 있다. —— *vt.* 조롱하다, 놀리다.
~·er *n.* **~·ish, lárky** *a.* 까부는, 장난치는.
lárk·i·ness *n.*
〚C19 ? *lake* to frolic〛
lárk·some *a.* (마음이) 들뜬.
lárk·spùr *n.* 〔植〕 참제비고깔.
larn [lάːrn] *vt., vi.* 《口》 깨닫게 하다, 알게 하다 ; 《俗·戲》 =LEARN. 〚LEARN의 방언형〛
La·rousse [*F* larus] *n.* 라루스.
Pierre Athanase ~ (1817-75) 프랑스의 문법학자·사서(辭書) 편찬자.
lar·ri·gan [lǽrigən] *n.* 래리건《목재 벌채 인부 등이 신는 기름으로 무두질한 가죽 장화》.
〚C19＜?〛
lar·ri·kin [lǽrikən] *n.* 《濠·美俗》 깡패, 건달, 불량 소년. —— *a.* 난폭한, 불량한. 〚? LARRY〛
lar·rup [lǽrəp] *vt.* 《口》 (실컷) 때리다, 패다 ; 때려 눕히다(beat). —— *vi.* 꾸물꾸물[덜커덕덜커덕] 움직이다. —— *n.* 타격, 일격.
lar·ry[1] [lǽri] *n.* 《美俗》 [때때로 L~] 잡동사니 상품 ; 구경하고 값만을 물어보는 손님. —— *a.* 시시한, 가짜의《상품》.
larry[2] *n.* 〔鑛〕 바닥이 열리게 되어 있는 광차(鑛車). 〚LORRY〛
Larry *n.* 남자 이름《Laurence, Lawrence의 애칭》.
Lars [lάːrz] *n.* 남자 이름.
〚Swed. ; ⇨ LAWRENCE〛
lar·va [lάːrvə] *n.* (*pl.* **-vae** [-viː, -vai], **~s**) 〔昆〕 애벌레(cf. PUPA, IMAGO) ; 유생(幼生) ; 유태(幼態)동물《올챙이 따위》. 〚L=ghost, mask〛
lár·val *a.* 애벌레의 ; 미숙한.
lar·vi- [lάːrvə] *comb. form* 「애벌레」의 뜻.
〚LARVA〛
lárvi·cìde *n.* 애벌레를 죽이는 약제, 살충제.
—— *vt.* 살충제로 처리하다.
làrvi·cídal *a.*
la·ryng- [ləríŋ, læ-, leə-], **la·ryn·go-** [-ŋgou, -ŋgə] *comb. form* 「후두(喉頭)(larynx)」의 뜻.
〚Gk.〛
la·ryn·ge·al [lærəndʒíːəl, ləríndʒiəl] *a.* 〔解〕 후두부(喉頭部)의, 후두 치료용의 ; 〔音聲〕 후두[성문]음의. —— *n.* 〔解〕 후두부 ; 〔音聲〕 후두[성문(聲門)]음. **~·ly** *adv.*
laryngéal cáncer *n.* 후두암.
larynges *n.* LARYNX의 복수형.
lar·yn·gi·tis [lærəndʒáitəs] *n.* Ⓤ 〔醫〕 후두염.
làr·yn·gít·ic [-dʒít-] *a.*
laryngo·phòne *n.* Ⓤ 목에 대는 송화기.
laryngo·scòpe *n.* 〔醫〕 후두경(喉頭鏡).
lar·yn·gos·co·py [lærəŋgάskəpi, -rən-] *n.* Ⓤ 후두경 검사(법).
lar·yn·got·o·my [lærəŋgάtəmi, -rən-] *n.* Ⓤ 〔醫〕 후두 절개(술).
lar·ynx [lǽriŋks] *n.* (*pl.* **~·es, la·ryn·ges** [ləríndʒiːz]) 〔解〕 후두(喉頭). 〚NL＜Gk.〛
la·sa·gna, -gne [ləzάːnjə, -zǽnjə] *n.* Ⓤ 〔料〕 얇고 납작한 모양의 파스타(pasta)에 치즈·토마토 소스·국수·저민 고기를 여러 층으로 넣어 만든 이탈리아 요리. 〚It.〛
las·car [lǽskər] *n.* (외국 선박에 고용된) 인도인 선원. 〚Urdu and Pers.=army, camp〛
las·civ·i·ous [ləsíviəs] *a.* 음탕한, 호색의 ; 도발적인. **~·ly** *adv.* **~·ness** *n.*
〚L (*lascivius* wanton, sportive)〛
lase [léiz] *vi., vt.* 레이저 광선을 발하다, …에 레이저 광선을 쬐다 ; (결정(結晶)이) 레이저용으로 쓰이다. **lás·able** *a.*
〚역성(逆成) < ↓〛

la·ser [léizər] *n.* 〔理〕 원자 램프, 레이저(optical maser)《분자[원자]의 고유 진동을 이용하여 빛을 방출시키는 장치》. 〚*l*ight *a*mplification by *s*timulated *e*mission of *r*adiation〛

láser bèam *n.* 레이저 빔[광선]; 《CB俗》 경찰의 자동차 속도 측정 장치.

láser béam prìnter *n.* 레이저 빔 인쇄 장치[기]《레이저광을 사용한 전자복사식 인쇄 장치》.

láser bòmb *n.* 레이저 폭탄《(1) 레이저 유도 폭탄. (2) 레이저 수소 폭탄》.

láser càne *n.* (맹인용) 레이저 적외선 지팡이.

láser càrd *n.* 레이저 카드《레이저 광선에 의해 데이터를 기록·재생할 수 있는 카드》.

láser fùsion *n.* 〔理〕 (대(大)출력 레이저광의 조사(照射)에 의한) 레이저 핵융합.

láser gỳroscope *n.* 레이저 회전의(儀).

láser mèmory *n.* 〔컴퓨〕 레이저 기억장치.

láser microinscríption *n.* (보석 따위의) 도난(盜難) 대책으로 육안으로 안보이는 미세한 기호를 레이저로 명각(銘刻)하는 시스템.

láser prìnter *n.* 레이저 프린터[인쇄기]《고속 인쇄가 가능》.

láser ràdar *n.* 레이저 레이더.

láser rànger *n.* 레이저 거리 측정기.

láser rànging *n.* 레이저 거리 측정법.

láser rìfle *n.* 레이저총《무기 또는 기구》.

láser sùrgery *n.* 〔外科〕 레이저 수술《레이저 광선으로 생체 세포를 파괴》.

***lash**[1] [læ(ː)ʃ] *n.* **1** 채찍의 유연한 부분, 채찍끈. **2** 매질; [the ~] 태형(笞刑); 통렬한 비난: under *the* ~ 체형을 받아; 통렬한 비난을 받고서. **3** (비·바람·파도 따위의) 세찬 부딪침; 재빠른 움직임: the ~ of sleet on the door 문에 세차게 휘몰아치는 진눈깨비. **4** =EYELASH.

── *vt.* **1** 매로 때리다, 치다; …에 부딪치다, 세차게[날카롭게] 때리다: The wind was *~ing* the sails. 바람이 돛에 심하게 몰아치고 있었다. **2** 꾸짖다, …을 비꼬다, 욕하다. **3** [+目+*into*+名] 자극하다, 격앙시키다: ~ oneself ***into*** a fury 격노하다. **4** (손발·꼬리 따위를) 잽싸게[맹렬하게] 움직이다: The lion in the cage *~ed* its tail. 우리속의 사자가 갑자기 꼬리를 세차게 흔들었다. **5** 《英》 (돈 따위를) 낭비하다. ── *vi.* [+前+名] 세게 치다 〈*at*〉; (눈물·비 따위가) 쏟아지다, 세차게 부닥치다, 내리치다; 격렬히 비난하다; 잽싸게[맹렬하게] 움직이다; 《英》 낭비하다: The strong easterly wind *~ed* ***at*** our faces. 강한 동풍이 우리들의 얼굴에 휘몰아쳤다 / The rain was *~ing* hard ***against*** the door. 비는 문에 세차게 내리치고 있었다.

lash out 세차게 때리다 〈*at*〉; 돌진하다(rush out); (말이) 걷어 차다〈*at*〉; 욕[폭언]을 하다〈*against*〉, 혹평하다, 비난하다; (돈 따위를) 무턱대고 쓰다[낭비하다], 대금을 지불하다.
〚ME (? imit.)〛

lash[2] *vt.* (밧줄·끈 따위로) 묶다, 매다: ~ one piece *to* another / ~ two pieces *together* / ~ something *down*[*on*] 물건을 묶다[잡아매다].
〚OF *lachier* to LACE〛

LASH, lash[3] [læ(ː)ʃ] *n., a.* 래시선(船)[시스템](의)《화물을 적재한 거룻배를 그대로 배 위에 싣는 화물선[해운 방식]》.
〚*l*ighter-*a*board-*sh*ip〛

lashed [læ(ː)ʃt] *a.* 속눈썹이 있는[…한]: long-~ 속눈썹이 긴.

lásh·er[1] *n.* **1** 《英》 봇둑; 《英》 봇둑을 넘쳐 흐르는 물, 봇둑 밑의 물 웅덩이. **2** 채찍질하는 사람; 비난자, 질책자. 〚LASH[1]〛

lasher[2] *n.* (밧줄·끈 따위로) 묶는 사람; 〔海〕 졸라매는 밧줄. 〚LASH[2]〛

lásh·ing[1] *n.* **1** 채찍질; 빗대어서 빈정댐, 세찬 질책. **2** [*pl.*] 《口》 많음(plenty)〈*of*〉: strawberries with *~s of* cream 크림을 듬뿍 친 딸기. 〚LASH[1]〛

lashing[2] *n.* 묶기; 결속재(結束材), 매는 줄; 끈, 밧줄. 〚LASH[2]〛

lásh·less *a.* 속눈썹이 없는.

lásh-ùp *n., a.* 《英口》 급히 임시 변통한 것(의); 즉석에서의 고안품《따위》; 장비, 설비; 《俗》 실패[실수](를 한), 너저분(해 진).

Las·ki [læski] *n.* 라스키. **Harold** (**Joseph**) ~ (1893-1950) 영국의 사회주의자·경제학자·저술가(著述家).

L-asparaginase [él-] *n.* 〔生化〕 엘아스파라기나아제《백혈병의 치료에 사용》.

lasque [læ(ː)sk; láːsk] *n.* 지스러기 다이아몬드.
〚? Pers.=piece〛

lass [læ(ː)s] *n.* **1** 젊은 여자, 계집애, 소녀(↔ *lad*). **2** 《方·俗》 아가씨《다정한 호칭으로》. **3** 연인(sweetheart).
〚ON *laskwa* unmarried〛

Lás·sa fèver [lǽsə-, láːsə-] *n.* 〔醫〕 라사열《바이러스에 의한 사망률이 높은 급성 열병》.
〚*Lassa* 나이지리아 서부의 도시, 발견지〛

las·sie [lǽsi] *n.* 소녀, 계집애; 《애칭》 아가씨 (cf. LADDIE).

las·si·tude [lǽsətjùːd] *n.* Ⓤ 나른함, 권태, 피로; 마음이 내키지 않음.
〚F or L (*lassus* weary)〛

las·so [lǽsou, læsúː] *n.* (*pl.* **~s, ~es** [-z]) 올가미밧줄. ── *vt.* (야생마 따위를) 올가미밧줄로 잡다. 〚Sp. *lazo* LACE〛

◇**last**[1] [læ(ː)st; láːst] *a.* [LATE의 최상급; cf. LATEST] **1** [the ~] 최후의, 마지막의, 최종의(↔ *first*): *the* ~ page of the book 그 책의 마지막 페이지 / *the* ~ Monday of every month 매월 마지막 월요일 / *the* ~ two[three, four] days=*the* two[three, four] ~ days 최후의 2[3, 4]일 (☞ 活用) / ☞ LAST WORD 1.

2 최후에 남은: She spent her ~ cent. 마지막 남은 1센트까지 써버렸다.

3 a) 바로[이]앞의, 작(昨)…, 지난…, 요전… (cf. NEXT *a.* 1): ~ evening 어제 저녁 / ~ Monday=on Monday ~ 요전 월요일에 / ~ January=in January ~ 지난 1월에 / ~ summer 지난 여름 / He looked very happy ~ time I saw him. 요전에 만났을 때는 대단히 행복한 것 같았다 / in[during] *the* ~ century 전세기에[전세기 동안에] / in *the* ~ fortnight 지난 2주간에 / ~ year 지난해(cf. the year before (그)전해). **b)** [보통 the ~] 최근의: *The* ~ (news) I heard.... 최근의 소식으로는… / I hope you received my ~ (letter). 요전의 편지는 받았을 것으로 압니다. **c)** [the ~] 최신 (유행)의 (newest): *the* ~ (=latest) thing *in* hats 최신형 모자 / ☞ LAST WORD 2.

4 [the ~] 가장 …할 것 같지 않은; 가장 부적당한[어울리지 않는]: *the* ~ man (in the world) I want to see 내가 가장 보고 싶지 않은 사람 / The author should be *the* ~ man *to* talk about his work. 저자는 자신의 작품에 대해서는 언급을 가장 삼가하는 사람이어야 한다.

> **the last를 이용한 문장 전환**
> He never tells a lie.
> → He is *the last* person to tell a lie.
> (그는 결코 거짓말을 할 사람이 아니다.)
> I never expected to see you here.
> → You are *the last* person I expected to see here. (설마 여기서 너를 만나게 될 줄은 생각도 못했다.)

5 [the ~] **a**) 최상의(supreme) : It is of *the* ~ importance. 그것이 가장 중요한 일이다. **b**) 최하(위)의, 최저의(lowest) : *the* ~ boy in the class 학급에서 맨 꼴찌인 학생.
6 결정적인, 최후의, 궁극적인(final) : ☞ LAST WORD 1.
for the last time 최후로, 그것을 끝으로 : I saw her *for the* ~ *time.* 그녀와는 그것을 마지막으로 그후엔 만나지 않았다.
in one's[***its***] ***last moment*** 죽음에 임박하여, 말기에.
in the last place = LASTLY.
on one's[***its***] ***last legs*** ☞ LEG *n.*
put the last hand to …을 끝맺음[완성]하다.
the last but one[***two***] 끝에서 두[세]번 째.
(***the***) ***last thing*** 최후로.
the last days 죽을 무렵 ; (세계의) 말기, 종말, 마지막 날.
to the last man 최후의[마지막] 한 사람까지 ; 철저하게.

> 〈회화〉
> I really slept well *last* night. — You do look rested. 「간밤에는 정말 잘 잤어요」「충분히 휴식을 취한 얼굴이야」

— *adv.* [LATE의 최상급] **1** 최후로, 가장 마지막으로(finally) : ~-mentioned 마지막으로 진술한 / He was ~ seen walking along the street. 그가 거리를 거닐고 있는 것을 본 것이 마지막이었다. **2** 이전에, 전회(前回)에, 최근에.
last but not least 《셰익스피어》 차례로는 맨 끝이지만 중요하기로는 무엇에도 뒤지지 않는, 끝으로 중요한 점을 말하겠지만.
last of all 최후로, 마지막으로.

> 〈회화〉
> When did you see her *last*? — Two weeks ago. 「그녀를 최근에 본 것이 언제였습니까」「2주 전이었습니다」

— *n.* **1 a**) [+*to* do] 최후의 것[사람] : I thought every moment would be my ~. 순간순간이 나의 최후인가 생각했다 / He was the first to come and *the* ~ *to* leave. 그는 제일 먼저 와서 맨 나중에 돌아갔다. **b**) 최근의 소식[편지] (☞ *a.* 3 b)). **2** 최후(the end) ; 결말, 마지막 모습 ; 죽음, 임종, 종말. **3** 《美》 (주·월 따위의) 말(末) (end) (↔*first*) : They came back *the* ~ *of* May. 5월말에 돌아왔다.
at last 최후로, 드디어(cf. FINALLY) : *At* ~ we found it. 드디어 우리들은 그것을 찾았다.
at long last 겨우.
...before last 그저께…, 지지난… : the night [month, year, *etc.*] *before* ~ 그저께 밤[지지난달, 재작년 따위].
breathe one's ***last*** (***breath***) ☞ BREATHE.
hear the last of it 마지막까지 듣다 : We shall never *hear the* ~ *of it.* 그것은 언제까지나 사람들의 이야깃거리로 남을 것이다.
look one's ***last*** 마지막을 지켜보다 ; …을 쫓아내다 ; …와 절교하다.
see the last of …을 마지막으로 보다.
to[***till***] ***the last*** 최후까지 ; 《文語》 죽을 때까지 : hold on *to the* ~ 최후까지 버티다.

> 〈회화〉
> He was the *last* to come. — That figures. He's always late. 「그가 마지막으로 왔습니다」「뻔하지, 그는 항상 늦으니까」

〖OE *latost*, *latest* (superl.) < *læt* (a.), *late* (adv.) ; -*t*-의 결락(缺落)은 BEST와 같음〗
[活用] *a.* 1의 경우 the *last* two days = the two *last* days와 같이, 수사가 적은 수를 나타낼 경우에는 last를 수사의 앞 뒤 어느 편에 두어도 상관없으나 앞에 두는 것이 보통. 수사가 많은 수를 나타 낼 경우에는 last는 그 앞에 둔다 : the *last* fifteen pages of the book (그 책의 마지막 15페이지). ☞ FIRST [活用].
[類義語] ***last*** 연속되는 것들의 가장 「마지막의」의 뜻으로 그 뒤에는 아무것도 오지 않는 것을 나타낸다 : She was the *last* one to come. (그녀가 마지막으로 왔다). ***final*** 순서의 마지막으로서 종결을 나타냄 : the *final* examination (최종 시험). ***terminal*** 사물[상황·현상]의 끝·한계·말단의 : the *terminal* station(종착역). ***ultimate*** 진행·노력 따위가 더 이상 나아갈 수 없는 최종적[최후적]인 한계의 : the *ultimate* end of the earth (지구의 맨끝).

last**[2] *vi.* [動/+副/+前+名] **1** 계속되다 ; 지속[존속]하다, 견디어 내다 : while our money ~*s* 돈이 있는 한 / The lecture ~*ed* (for***) two hours. 강연은 두 시간 (동안) 계속되었다. **2** 지탱하다, 손상되지 않다, 쇠하지 않다 ; 오래 가다, 오래 쓰이다 : He will not ~ much *longer.* 앞으로 더 오래 살지는 못할 것이다 / A camel can store enough water in its body to ~ *more* than a week. 낙타는 그 몸에 일주일분 이상의 물을 저장해 둘 수 있다. — *vt.* [+目/+目+目] …에 충분하다, 족하다(suffice) : This food will ~ (me) a fortnight. 이 정도 음식물이면 2주간은 충분하겠지. [注] 수동태로는 쓰이지 않음.
last out …의 끝까지 견디어 내다[충족되다].
— *n.* [U] 지속력, 지구력, 끈기. 〖OE *lǣstan* < Gmc. 《美》 *laist*- LAST[3] (G *leisten* to perform)〗
[類義語] ⟹ CONTINUE.

last[3] *n.* (제화용의) 골.
measure a person's foot by one's ***own last*** ☞ FOOT.
stick to one's ***last*** 자신의 본분을 지키다, 쓸데없는 말참견을 하지 않다(cf. COBBLER 1).
— *vt., vi.* 구두 골에 맞추다.
~·er *n.* 구두 골에 맞추는 사람[기계].
〖OE *lǣste* last[3], *lǣst* boot, *lāst* footprint ; cf. G *Leisten*〗

last[4] *n.* 라스트《중량의 단위, 보통 4000파운드》. 〖OE *hlæst* load < Gmc. 《美》 *hlath*- LADE (G *Last*)〗

lást acròss *n.* 달려오는 열차 앞을 누가 마지막으로 건너는가를 겨루는 어린이 놀이(= **lást acròss the róad**).
lást ágony *n.* 죽을 때의 고통, 단말마(斷末魔).
lást crý *n.* [the ~] 최신 유행의 물건, 최근의 풍조. 〖F DERNIER CRI〗
Lást Dáy *n.* [the ~] 최후의 심판일, 세상 종말의 날(Day of Judgment).

lást dítch *n.* 최후의 방위[저지]선[거점]; 막판: (fight) to the ~ 최후까지 (싸우다).
lást-dítch *a.* 절대 절명의, 결사적인, 끝까지 버티는; 완강한. **~·er** *n.* 끝까지 버티는 사람.
Las·tex [lǽsteks] *n.* 라스텍스《무명실에 고무를 먹인 실의 일종; 상표명》.
lást hurráh *n.* 《美》 최후의 일[노력·시도]. 〚미국의 작가 Edwin O'Connor (d. 1968)의 노(老) 정치가의 최후의 선거전을 그린 소설 *The Last Hurrah* (1956)에서〛
lást·ing *a.* 영속하는, 내구력이 있는, 영구 (불변)의(↔*transient, temporary*). ── *n.* 《古》 내구성, 장수(長壽).
~·ly *adv.* **~·ness** *n.* Ⓤ 영속성.
Lást Júdgment *n.* [the ~] 최후의 심판(일)《하느님이 세상이 끝날때 인류에게 내린다고 함》.
lást láugh *n.* 최후의 승리.
lást lícks *n. pl.* 《美俗》 (지는 것이 확정적인 쪽의) 최후의 찬스; (일반적으로) 최후의 기회.
lást·ly *adv.* 최후로, 끝으로, 결론으로서.
lást mínute *n.* 최후의 순간, 막판.
lást-mínute *a.* 최후의 순간의, 막판의.
lást nàme *n.* 《美》=SURNAME 1(↔*first name*; ☞ NAME 1 ㊟).
lást óffices *n. pl.* [the ~] 장례식, 장의(葬儀).
lást póst *n.* 〖英軍〗 소등(消燈) 나팔; 장례식의 나팔 취주.
lást quárter *n.* 〖天〗 (달의) 하현(下弦).
lást resórt *n.* 최후의 호소 수단.
lást rítes *n. pl.* [the ~] 〖카톨릭〗 종부성사(終傅聖事), 병자(病者)의 성사.
lást stráw *n.* [보통 the ~] 끝내 견디기 힘든 부담[행위·사정](cf. STRAW *n.* 1), 인내의 한계를 넘게 하는 것: His laughing was *the* ~. 그가 웃었기 때문에 더 이상 참을 수 없게 되었다 / Her sitting up all that night was *the* ~. 그날밤 철야한 것이 끝내 그녀를 쓰러지게 했다.
Lást Súpper *n.* [the ~] 최후의 만찬(晩餐)《그리스도가 처형되기전 열두제자와 함께 함》; 그 그림《특히 da vince 작품》.
lást thíng *n.* [the ~] 최신 유행(품); [the L~ T~s] 세상의 종말을 알리는 여러 사건; [the (four) ~s] 기독교의 네가지 종말《죽음·심판·천국·지옥》. ── *adv.* [(the) ~] 《口》 최후에, (특히) 자기 전에.
lást trúmp[trúmpet] *n.* [the ~] 기독교 최후 심판의 나팔소리《죽은 자를 불러 일으켜 심판에 복종시킴》.
lást wórd *n.* [the ~] **1** 마지막 말; 유언; 결정적인 말; 최종적 결정권: *the* ~ *on* the future of science 과학의 장래에 대한 결정적 의견. **2** 완전한[흠 잡을데 없는] 것; 최신 유행품[발명품] (the last thing), 최우량품: *the* ~ *in* motorcars 최신형 자동차.
have*[*say*] *the last word (토론 따위에서) 남을 아무 말 못하게 하다, 결정적 발언을 하다.
Las Ve·gas [lɑːs véigəs; lǽs-] *n.* 라스베이거스《미국 Nevada 주의 환락 도시》.
Las Végas lìne *n.* [the ~] 《美》 미식 축구 도박에 거는 돈의 비율.
Las Végas Nìght *n.* 《美》 (교회나 비영리 단체의 모금 활동으로서 허용되는) 합법적 도박 모임.
lat [lɑ́ːt, lǽt] *n.* (*pl.* **~s, la·ti** [-ti(ː)], **la·tu** [-tuː]) (1922-40년의) 라트비아(Latvia)의 화폐 단위. 〚Latvian〛
lat. latitude. **Lat.** Latin; Latvia.
Lat·a·kia [lætəkíːə] *n.* Ⓤ 터키산의 고급 담배.

latch [lætʃ] *n.* 걸쇠, 빗장, =NIGHT LATCH; 〖電子〗 래치 (회로).
on*[*off*] *the latch 걸쇠를 걸고[벗기고].
── *vt.* …에 걸쇠를 걸다[잠그다]. ── *vi.* 걸쇠가 잠기다: The door won't ~. 문의 걸쇠가 잘 잠기지 않는다.
〚*latch* (dial.) to seize<OE *læccan*〛
látch·er-òn *n.* 《口》 치근치근 들러붙는 사람.
latch·et [lǽtʃət] *n.* 《古·聖》 (가죽) 구두끈.
látch·kèy *n.* 걸쇠의 열쇠, 바깥문의 열쇠.
látchkey chìld(ren) *n.* (*pl.*) =KEY CHILD.
látch·strìng *n.* 걸쇠의 끈.
hang out*[*draw in*] *the latchstring for 《美》 …에게 집에 자유롭게 드나들게 허용하다[허용하지 않다].
◇late [léit] *a.* (**lát·er, lat·ter** [lǽtər]; **lát·est, last** [lǽ(ː)st; lɑ́ːst]) ㊟ LATER, LATEST는 「때」의, LATTER, LAST[1]는 「순서」의 관계를 나타낸다《각항 참조》. **1 a)** 늦은, 늦어진, 지각한: I was very ~ ***for*** school this morning. 오늘 아침 학교에 굉장히 늦었다 / It is never too ~ to mend. 《속담》 잘못을 고치는데 너무 늦다는 법은 없다. **b)** [+*in*+do*ing*] 여느 때보다 늦은, 밤부터의, 철늦은(↔*early*): ~ dinner 밤의 정찬(正餐) / (a) ~ marriage 만혼(晩婚) / It is getting ~. 밤이 깊어가고 있다 / Spring is ~ ***in*** com*ing*. 봄이 오는 것이 늦다. ㊟ 마지막 표현법 가운데 do*ing* 앞의 전치사 in은 《口》에서는 때때로 생략된다(cf. LONG[1] *adv.* ㊟): You must not be ~ (*in*) get*ting* home. 집에 도착하는 것이 늦어지면 안된다. **2** 마지막에 가까운, 후기의, 말기(末期)의(↔*early*): ~ spring 늦봄 / the ~ eighteenth century 18세기말 / the ~ period of one's life 만년 / (a boy) in his ~ teens 10대 후반의 (소년). ㊟ 비교급을 쓰면 시기가 한층 불명료해진다: the *later* Middle Ages 중세말경. **3** 근간의, 요즈음의, 최근의(recent): in ~ years 근년(에는). **4** [*attrib.*로 써서] **a)** 앞서[이전]의(former, ex-): the ~ prime minister 전(前)수상. ㊟ b)의 의미와 혼동하기 쉬운 때에는 피하는 것이 좋다. **b)** 최근에 죽은, 고(故)…: My ~ father 선친 / the ~ Mr. Brown 고 브라운씨.
of late years 근년, 요 몇해 동안.
(*rather*[*very*]) *late in the day* 느지막이, 너무 늦게, 늦어서; 좋은 기회를 잃고.

〈회화〉
I will be back in thirty minutes. — Don't be *late*! 「30분 후에 돌아올게」「늦지 않도록 해」

── *adv.* (**lát·er; lát·est, last**) **1** 늦어서, 지각하여: Five minutes *later* he came in. 5분 늦어서 그가 들어왔다 / Better ~ than never. 《속담》 늦더라도 안하느니보다 낫다.

late의 ○×
(×) This watch is five minutes *late*.
(이 시계는 5분 늦다.)
(○) This watch is five minutes *slow*.
* 「5분 빠르다」는 five minutes *fast*라고 한다. 「빠르다」에 대하여 「더 간다」는 gain, 「늦다」에 대하여 「덜 간다」는 lose를 쓴다.

2 a) (시각이) 늦게, 밤늦게, 늦게까지, 밤늦게까지(↔*early*): dine ~ 늦게 저녁을 먹다 / ~ in the morning[at night] 아침[밤] 늦게. **b)** (시기가) 늦게: bloom[ripen] ~ 꽃[결실]이 늦게 핀다[늦다] / ~ in the eighteenth century 18세기말

L

에. **3** 최근, 요즘(lately) 《주 다음과 같은 경우에서는 《詩》》: as ~ as last month 바로 지난달. **4** 《文語》 전에는, 이전에는(formerly) : Mr. Smith, ~ *of* the UN Secretariat 최근까지 국제연합 사무국에 근무한 스미스씨.

soon or late 《稀》 조만간, 언젠가는(sooner or later).

stay [***sit***] ***up*** (***till***) ***late*** 늦게까지 깨어 있다[자지 않고 있다].

—— *n.* [다음의 숙어로]

of late 최근(lately).

~·ness *n.* 늦음, 더딤, 느림, 지각.

〖OE (adv.) *late* < (a.) *læt* slow ; cf. G *lass* slow, OE *lettan* to LET²〗

類義語 (1) ***late*** 사람 또는 물건이 예정된 시기·시각에 늦은 : You'll be *late* for the train. (기차 시간에 늦겠다). ***tardy*** 동작이 굼뜨거나·부주의·태만에 의해서 적당한, 또는 지정한 시간에 늦은 : a *tardy* payment (지연된 지불).
(2) ⟹ DEAD.

láte bírd *n.* 밤에 놀러 다니는 사람.

láte blíght *n.* 〔植〕 (사상균(絲狀菌)에 의한 감자·토마토 따위의) 역병(疫病), 잎마름병.

láte blóom·er *n.* 만성형(晩成型)의 사람.

láte-blóom·ing *a.* 늦게 피는 ; 늦게 번창하는, 만성형의.

láte·còmer *n.* 늦게 온[참가한] 사람 ; 신참자, 최근 들어온 것.

lat·ed [léitəd] *a.* 《古·詩》 =BELATED.

la·teen [lətíːn, læ-] *a.* 〔海〕 큰 삼각돛의 : a ~ sail 큰 삼각돛《특히 지중해에서 사용됨》.
—— *n.* 큰 삼각돛 ; 큰 삼각돛배.
〖F (*voile*) *latine* Latin (sail)〗

latéen-rìgged *a.* 〔海〕 큰 삼각돛을 단.

láte fée *n.* 《英》 (전보 따위의) 시간 외 특별요금 ; (등록 따위의) 지체료.

***láte·ly** *adv.* 최근, 요즈음(of late) : I have not seen him ~. 최근 그를 만나지 못했다 / Has he been here ~ ? 그는 요즘 여기에 왔습니까 / She was here only ~. 바로 최근에 여기에 왔다.
till lately 최근까지.
〖OE *lætlīce* ; ⇨ LATE〗
活用 특히 《英》에서는, 부정·의문문에 또는 only와 함께 쓰이는 경향이 있다(cf. RECENTLY).

láte módel *n.* (자동차 따위의) 신형(新型).

lat·en [léitn] *vt., vi.* 늦어지게 하다[되다], 늦다.

la·ten·cy [léitənsi] *n.* Ⓤ 숨어 있는 것, 보이지 않음 ; 잠복, 잠재(潛在).

látency pèriod *n.* 〔精神醫〕 잠재기(期) ; 〔生·心〕 =LATENT PERIOD.

látency tìme *n.* 〔컴퓨〕 회전 대기 시간, 호출 시간.

láte-níght *a.* 심야의, 심야 영업의 : a ~ show (텔레비전의) 심야 프로그램.

la·ten·si·fi·ca·tion [leitènsəfəkéiʃən, lə-] *n.* 〔寫〕 잠상 보력(潛像補力)《현상 전의 잠상을 증감(增減)시키기》. 〖*latent*+in*tensification*〗

la·tent [léitənt] *a.* 숨어 있는, 보이지 않는, 잠재하는 ; 잠복성(潛伏性)의 ; 〔醫〕 잠복성[기]의 ; 〔心〕 잠재성의 : dangers ~ *in* the situation 그 사태의 밑바닥에 숨어 있는 위험 / ~ powers 잠재(능)력. —— *n.* (육안으로는 잘 보이지 않는) 범죄 현장의 지문. **~·ly** *adv.*
〖L (*lateo* to be hidden)〗
類義語 ***latent*** 존재하고 있으나 겉으로는 나타나지 않는 : a *latent* disease (잠복성 질환).
potential 지금은 미발달 상태에 있으나 충분히 발달할 가능성이 있는 : *potential* profit (잠재적 이익). ***dormant*** 마치 잠자고 있는 것처럼 외견상으로는 활동하고 있지 않은 : a *dormant* volcano (휴화산).

látent demànd *n.* 잠재 수요.

látent héat *n.* 〔理〕 숨은 열.

látent ímage *n.* 〔寫〕 숨은 영상.

látent léarning *n.* 〔心〕 잠재 학습.

látent pèriod *n.* 〔醫〕 (병의) 잠복기 ; 〔生·心〕 잠복기[시간]《자극으로부터 반응까지의 시간》.

látent róot *n.* 〔數〕 행렬(matrix)의 고유 방정식의 근(根).

láte-ón·set *a.* 〔醫〕 지발성(遲發性)[후발성]의, 노년이 되어 발생하는.

‡lat·er [léitər] *a.* [LATE의 비교급] 더 늦은[뒤의] (☞ LATE 1, 2).

> **late의 비교급 later와 latter**
> (×) The *later* half of the program was very interesting.
> (그 프로그램의 후반은 아주 재미있었다.)
> (○) The *latter* half of the program....
> *「전반」은 the *former* half가 아니라 the *first* half다.

—— *adv.* 후에, 나중에(afterward).
later on 나중에 (↔*earlier on*) : He will find it wrong ~ *on*. 그것이 틀린 것을 나중에 알게 될 것이다.
See you later ! ☞ SEE¹.
sooner or later ☞ SOON.

> 〈회화〉
> What does the weather forecast say ? — Fair, *later* cloudy.「일기예보는 어떻게 나왔니」「맑은 후 구름이래」

-l·a·ter [-̀lətər] *n. comb. form* 「숭배자」의 뜻 : icono*later*. 〖Gk.〗

lat·er·al [lǽtərəl] *a.* 옆(으로)의, 옆에서의 ; 측면의(cf. LONGITUDINAL) ; 〔生〕 측생(側生)의 ; 〔音聲〕 측음의 : a ~ branch (of a family) (친족의) 방계(傍系). —— *n.* **1** 옆쪽 ; 옆 부분에 있는 물건, 측면에서 생기는 것 ; 〔植〕 측생아(側生芽)[지(枝)] ; 〔美蹴〕 =LATERAL PASS. **2** 〔音聲〕 측음(側音)《[l]》. —— *vi.* 〔美蹴〕 래터럴 패스를 하다.
~·ly *adv.* 〖L (*later-* *latus* side)〗

láteral búd *n.* 〔植〕 곁눈.

láteral cháin *n.* 〔化〕 곁사슬(side chain).

lat·er·al·i·ty [lætərǽləti] *n.* 좌우차(左右差), 편측성(偏側性)《대뇌·손 따위 좌우 한쌍의 기관의 좌우 기능 분화》.

láteral líne *n.* 〔魚〕 옆줄, 측선(側線).

láteral páss *n.* 〔美蹴〕 래터럴 패스《골라인과 거의 평행한 패스》.

láteral thínking *n.* 수평사고(水平思考)《상식·기성 개념에 의하지 않는 비연역적 사고법》.

Lat·er·an [lǽtərən] *n.* [the ~] 라테란 궁전《원래 로마 교황의 궁전으로 지금은 미술관》; 라테란 성당《로마에 있는 교회로 카톨릭교의 총본산》.

Láteran Cóuncil *n.* 〔카톨릭〕 라테란 공의회(公議會)《1123-1517년 사이에 다섯번 라테란 궁전에서 개최되었음》.

Láteran Tréaty *n.* [the ~] 〔史〕 라테란 조약《1929년 이탈리아와 로마 교황청 사이의 조약 ; 바티칸 시국(市國)을 독립국으로 발족시킴》.

láter-dáy *a.* =LATTER-DAY.

lat·er·ite [lǽtəràit] *n.* 〔地質〕 라테라이트, 홍토

(紅土). **làt·er·ít·ic** [-rít-] *a.*
〚L *later* brick〛

lat·er·i·za·tion [lӕtərəzéiʃən ; -rai-] *n.* 〖地質〗 라테라이트화(化) (작용).

***lat·est** [léitəst] *a.* **1** [LATE의 최상급] 최근[최신]의 : the ~ fashion 최신 유행 / the ~ news 최신 뉴스 / the ~ thing 신기한 것, 최신 발명품 / his ~ novel 그의 최신 소설. **2** 가장 늦은, 최후의. —— *n.* [the ~] 최신의 것, 최신 뉴스[유행].
at* (*the*) *latest 늦어도 : Be here at 9 *at* (*the*) ~. 늦어도 아홉시까지는 여기로 오시오.
—— *adv.* 가장 늦게.

láte·wòod *n.* 추재(秋材).

la·tex [léiteks] *n.* (*pl.* **~·es, lat·i·ces** [lǽtəsìːz, léi-]) U.C (고무 나무 따위의) 유액, 라텍스.
〚L=liquid〛

lath [lǽ(ː)θ, -ð ; láːθ] *n.* (*pl.* **~s** [lǽ(ː)ðz, lǽ(ː)θs ; láːðz], ~) 〖建〗 욋가지, 외(椳) ; 욋가지 비슷한 것 ; 엷은 나뭇조각 ; 여윈 사람.
(***as***) ***thin as a lath*** 말라빠진.
—— *vt.* 욋가지를 대다. **~·lìke** *a.*
〚OE *lætt* ; cf. G *Latte*〛

láth-and-pláster shéd *n.* 오두막집.

lathe [léið] *n.* 〖機〗 선반(旋盤) (=turning ~) ; (도공용의) 녹로. —— *vt.* 선반[녹로]에 걸다.
〚? ME *lath* a support＜Scand. ; cf. LADE〛

láthe dòg *n.* 〖機〗 (선반의) 돌리개.

lath·er[1] [lǽðər ; láː-] *n.* U 비누 거품 ; (말의) 거품 같은 땀 ; 《口》 흥분[동요] 상태, 노염.
(***all***) ***in a lather*** 땀에 흠뻑 젖어 ; 《口》 흥분하여, 동요하여, 화가 나서.
—— *vt.* **1** (수염깎기 위해서) …에 비누 거품을 칠하다. **2** 《口》 후려 갈기다. —— *vi.* (비누가) 거품이 일다 ; (말이) 땀투성이가 되다.
〚OE *lēathor* ; cf. ON *lauthr* washing soda, foam〛

lath·er[2] [lǽ(ː)θər ; láːðər] *n.* 욋가지를 엮는 사람.
〚LATH〛

láth·ery *a.* 비누 거품의[같은] ; 거품이 인, 거품투성이의 ; (거품처럼) 공허한.

láth·hòuse *n.* 〖園藝〗 라스하우스《차양 육묘실(育苗室)》.

la·thi, la·thee [láːti] *n.* 나무에 철테를 끼운 곤봉 《인도의 경찰봉》. 〚Hindi〛

láth·ing [lǽ(ː)θiŋ, -ðiŋ ; láːθiŋ], **láth·wòrk** *n.* U 외(椳) 엮기 : [집합적으로] 외(laths).

lathy [lǽ(ː)θi ; láːθi] *a.* 욋가지 같은 ; 말라빠진 ; 호리호리한.

lati *n.* LAT의 복수형.

lati- [lǽtə] *comb. form* 「넓은」의 뜻.
〚L (*latus* broad)〛

latices *n.* LATEX의 복수형.

la·tic·i·fer [leitísəfər] *n.* 〖植〗 라텍스를 함유한 식물 세포[도관(導管)].

lat·i·cif·er·ous [lӕtəsífərəs, lèi-] *a.* 〖植〗 라텍스를 함유[분비]하는.

lat·i·fun·dism [lӕtəfʌ́ndizəm] *n.* 대(大)토지소유. **-dist** *n.* 대토지 소유자. 〚L *fundus* estate〛

lat·i·fun·di·um [lӕtəfʌ́ndiəm] *n.* (*pl.* **-dia** [-diə]) (고대 로마의) 광대한 소유지.

lat·i·me·ria [lӕtəmíəriə] *n.* 〖魚〗 라티메리아《아프리카 동해안에 현존하는 coelacanth로 「살아 있는 화석」의 하나》.
〚Marjorie E.D. Courtenay-*Latimer* (1907-) 남아프리카의 박물관장〛

***Lat·in** [lǽtin, -tn] *a.* **1** 라틴의, 라티움(Latium)의 ; 라틴어의, 라틴계의, 라틴 민족의 : the LATIN CHURCH / the ~ peoples[races] 라틴 민족《프랑스·스페인·포르투갈·이탈리아·루마니아 따위의 민족》. **2** 로마 카톨릭(교회)의. —— *n.* 라틴계(系)의 사람 ; 고대 로마사람 ; (로마) 카톨릭교도 ; U 라틴어《略 L》: ☞ OLD LATIN / ☞ LOW LATIN / ☞ MEDIEVAL LATIN / ☞ NEW LATIN / ☞ VULGAR LATIN.
Classical Latin 고전 라틴어《대개 75 B.C.-175 A.D.》.
Modern Latin 근대 라틴어《1500년 이후》.
thieves' Latin 도둑들 사이에 쓰이는 은어.
~·less *a.* 라틴어를 모르는.
〚OF or L (*Latium*)〛

Látin álphabet *n.* 라틴 문자, 로마자.

Látin América *n.* 라틴 아메리카《스페인어·포르투갈어가 쓰이는 중앙·남아메리카, 멕시코, 서인도 제도의 대부분 ; cf. SPANISH AMERICA》.

Látin Américan *n.* 라틴 아메리카인.

Látin-Américan *a.* 라틴 아메리카(인)의.

Látin Américan Frée Tráde Assocìation *n.* 중남미 자유무역 연합《1961년 발족되었음 ; 略 LAFTA ; 1981년 LAIA로 개편》.

Látin·àte *a.* 라틴어의, 라틴어에서 유래한, 라틴어와 비슷한.

Látin Chúrch *n.* [the ~] 라틴 교회, 로마 카톨릭 교회.

Látin cróss *n.* 라틴 십자《세로가 긴 십자》.

lat·i·ne [lǽtinə] *adv.* 라틴어로(는).
〚L=in Latin〛

Látin·ìsm *n.* U.C 라틴어풍[어법] ; 라틴적 성격[특징].

Látin·ist *n.* 라틴어 학자 ; 라틴 문화 연구가.

la·tin·i·ty [lætínəti, lə-] *n.* [흔히 L~] 라틴어 사용(능력) ; 라틴어풍(語風)[어법(語法)] ; 라틴적 특징, 라틴성(性).

látin·ìze *vt.* [흔히 L~] 라틴어풍으로 하다 ; 라틴(어)화하다 ; 라틴어로 옮기다 ; 고대 로마풍으로 하다. —— *vi.* 라틴어법을 사용하다.
làtin·izá·tion *n.* **-ìz·er** *n.*

la·ti·no [lætíːnou, lə-] *n.* (*pl.* **~s**) 《美》 [때때로 L~] (미국에 사는) 라틴 아메리카 사람.

Látin Quàrter *n.* [the ~] (파리의) 라틴가(街), 카르티에라탱《학생·예술가가 많이 사는 곳》.
〚F *Quartier Latin*〛

Látin ríte *n.* 〖카톨릭〗 라틴식 전례(典禮).

Látin róck *n.* 〖樂〗 라틴 록《보사노바와 재즈가 혼합된 록》.

Látin schòol *n.* 라틴어 학교《라틴어·그리스어 교육을 중시하는 중등 학교》.

Látin squàre *n.* 〖數〗 라틴 방진(方陣)《n종의 숫자[기호 따위]를 n행·n열에 각 한번씩 나타내도록 늘어놓은 것 ; 통계 분석용》.

lat·ish [léitiʃ] *a.* 약간 느린, 조금 늦은.

***lat·i·tude** [lǽtətjùːd] *n.* **1** U 〖地·天〗 위도(cf. LONGITUDE) ; 〖天〗 황위(黃緯) (celestial latitude) : terrestrial ~ 지구 위도 / the north [south] ~ 북[남]위 / *in* ~ 18°N. 북위 18도의 지점에서. **2** [*pl.*] (위도에서 보았을 때의) 지방 : cold ~*s* 한대지방 / high ~*s* 극(極)지방 / low ~*s* 적도 부근. **3** U (견해·사상·행동 따위의) 허용 범위, 자유(freedom). **4** 《稀》 범위, 정도. **5** U 〖寫〗 (사진 노출의) 관용도(寬容度).
out of one***'s latitude*** 영역[분수] 밖에서, 격에 맞지 않게.
〚ME=breadth＜L (*latus* broad)〛

làt·i·tú·di·nal *a.* 〖地〗 위도의.

lat·i·tu·di·nar·i·an [lӕtətjùːdənέəriən, -nǽər-]

a. 자유주의의 ; 〖宗〗 교의[신조]에 얽매이지 않는 ; [흔히 L~] (영국 국교회 내의) 광교파(廣敎派)의. —— *n.* 자유주의자 ; 〖宗〗 광교파의 사람.
~·ìsm *n.* Ⓤ (신교상의) 자유주의 ; 광교회주의.
La·ti·um [léiʃiəm] *n.* 라티움《현재의 로마 남동쪽에 있었던 옛나라로 로마제국의 근원》.
lat·o·sol [lǽtəsɔ̀(ː)l, -sòul, -sɑ̀l] *n.* 라토솔《적황색의 열대성 토양》.
la·tria [lətráiə] *n.* 〖카톨릭〗 신(神)에게만 바치는 최고 예배. 〖L<Gk.=service〗
la·trine [lətríːn] *n.* (특히 병사·병원·공장 따위의) (공중) 변소. 〖F<L *latrina* (*lavo* to wash)〗
-l·a·try [-lətri] *n. comb. form* 「숭배」의 뜻 : mono*latry*, helio*latry*, bardo*latry*. 〖Gk.〗
lat·ten, lat·tin [lǽtn] *n.* (옛날 교회용 기구로 쓰이던) 황동(黃銅)의 합금판 ; 양철 ; (일반적으로) 얇은 금속판. 〖OF,<Turk.〗
***lat·ter** [lǽtər] *attrib. a.* [LATE의 비교급] **1** 후방(後方)의, 마지막의, 끝의, 후반(後半)의 : the ~ half 후반부 / the ~ 10 days of May 5월 하순. **2** [the ~, 때때로 대명사적으로 써서] (둘 중의) 후자(의) (↔*the former*), (셋 이상) 맨 나중(의) : Of the two, the former is better than *the* ~. 양자 중에서 전자가 후자보다 낫다. **3** 요즘의, 작금(昨今)의 (recent).
in these latter days 근래는, 최근에는.
one***'s latter end*** 최후, 죽음.
~·ly *adv.* 최근, 요즈음(lately) ; 후기[말기]에, 뒤에. 〖OE *lætra* later (compar.) ‹ *læt* LATE〗
látter dáy *n.* [the ~] =LAST DAY.
látter-dáy *a.* 근대의, 당대의 ; 뒤의, 차기의.
Látter-dày Sáint *n.* 《美》 말일(末日) 성도《Mormon교도의 자칭》.
látter·mòst [, -məst] *a.* 최후의, 맨 마지막의.
látter-wìt *n.* 《美》 뒷생각, 일이 끝난 다음에 떠오르는 지혜.
lat·tice [lǽtəs] *n.* **1** 창살 ; 격자창(格子窓)(lattice-window). **2** =LATTICEWORK. —— *vt.* …에 격자를 붙이다 ; 격자무늬로 하다. **lát·ticed** *a.* 격자 모양으로 만든, 창살을 댄. **~·lìke** *a.* 〖OF *lattis* (*latte* LATH)〗
láttice bèam[fràme, gìrder] *n.* 〖建〗 래티스 거더, 격자보.
láttice trùss *n.* 〖建〗 래티스 트러스《격자 모양의 뼈대》.
láttice·wìndow *n.* 격자창.
láttice·wòrk *n.* Ⓤ 창살 만들기[세공] ; 창살.
lát·tic·ing *n.* Ⓤ 격자 만들기[세공].
latu *n.* LAT의 복수형.
LA túrnabout [éléi-] *n.* 《俗》 =AMPHETAMINE.
Lat·via [lǽtviə] *n.* 라트비아《발트해 연안 공화국 ; 1991년 소연방에서 독립 ; 수도 Riga》.

latticewindow

Lát·vi·an *a.* 라트비아(어·인)의. —— *n.* 라트비아인 ; Ⓤ 라트비아어.
lau·an [lúːɑːn, -´-, lauɑ́ːn] *n.* Ⓒ 〖植〗 나왕《필리핀 원산(原産)》 ; Ⓤ 나왕재. 〖Tagalog〗
laud [lɔ́ːd] *vt.* 칭찬하다, 찬미(讚美)[찬양]하다 (praise). ㊟ 찬미가에 사용하는 외에는 드묾.
laud a person ***to the skies*** ☞ SKY.
—— *n.* 칭찬, 찬미 ; (특히) 찬송가.
~·er *n.* 칭찬하는 사람.
〖OF<L (*laudlaus* praise)〗
làud·abílity *n.* Ⓤ 칭찬할 만함.
láud·able *a.* 《文語》 칭찬할 만한, 훌륭한, 장한 ; 〖醫〗 건전한. **-ably** *adv.* 장하게, 훌륭하게.
lau·da·num [lɔ́ːdənəm] *n.* Ⓤ 〖醫〗 아편 팅크 ; 《廢》 (일반적으로) 아편제(劑).
〖NL< ? *ladanum* ; Paracelsus의 조어〗
lau·da·tion [lɔːdéiʃən] *n.* Ⓤ 상찬, 찬미.
lau·da·tor [lɔ́ːdeitər, -´-] *n.* 칭찬자, 찬미자.
lau·da·tor tem·po·ris ac·ti [laudɑ́ːtɔːr témpəris ɑ́ːktiː] *n.* 과거를 찬미하는 사람. 〖L〗
lau·da·to·ry [lɔ́ːdətɔ̀ːri ; -təri], **lau·da·tive** [-dətiv] *a.* 찬미[상찬]의.
◇**laugh** [lǽ(ː)f ; lɑ́ːf] *vi.* **1** [動/+前+名] (소리를 내어) 웃다(cf. SMILE) : Everybody ~*ed* heartily. 모두들 마음껏 웃었다 / He ~*s* best who ~*s* last. 《속담》 최후에 웃는 자가 가장 잘 웃는다, 너무 성급하게 기뻐하지 마라 / Don't ~ ***at*** him. 그를 비웃지마라. **2** 《비유》 (물·경치·곡식 따위가) 미소짓다, 생기가 넘치다. —— *vt.* **1** [동족 목적어를 이끌어] …한 웃음을 웃다 : He ~*ed* a long, bitter *laugh.* 오랫동안 씁쓸한 웃음을 지었다. **2** 웃음으로 나타내다 : He ~*ed* assent. 웃음으로 동의했다. **3** [+目+副/+目+前+名/+目+補] [때때로 one*self* 로] 웃어서 (어떤 상태에) 이르게 하다 : He ~*ed* my fears[doubts] *away.* 나의 두려움[의혹]을 일소에 붙였다《전혀 문제시하지 않았다》 / He tried to ~ her ***out of*** the foolish belief. 그녀에게 그 어리석은 생각을 웃어 넘겨 버리도록 하려 했다 / They ~*ed* them*selves* ***into*** convulsions. 그들은 폭소를 터뜨렸다 / The old man ~*ed* him*self* helpless. 노인은 걷잡을 수 없이 웃었다.
burst out laughing 폭소를 터뜨리다.
laugh at... ⑴ …을 보고[듣고] 웃다, …을 즐거워 하다 : ~ *at* a funny story 우스운 이야기를 듣고 웃다. ⑵ …을 비웃다, …을 냉소하다 : ☞ *vi.* 1 / Nobody likes to be ~*ed at.* 비웃음을 당하고 싶은 사람은 아무도 없다 / People ~*ed at* him *for* being poor. 사람들은 그가 가난하다고 비웃었다. ⑶ (곤란·위험·놀라게 하는 것 따위)를 대수롭지 않게 여기다, …을 무시하다 : ~ *at* troubles 걱정거리를 대수롭지 않게 여기다.

> **laugh의 ○×**
> (×) He *was laughed* by his classmates.
> (그는 반 친구들의 웃음거리가 되었다.)
> (○) He *was laughed at* by his classmates.
> *「…을 비웃다」는 *laugh at*...이므로 수동태에서도 at이 있어야 한다.

laugh away 일소에 붙이다 ; 웃어 버리다(cf. *vt.* 3) ; 웃음으로 넘기다.
laugh down 웃음으로 말을 막다, 웃음으로 들리지 않게 하다 : ~ a speaker *down* 웃음으로 변사를 방해하다 / ~ a proposal *down* 제안을 일소에 붙이다.
laugh in a person***'s face*** 맞대놓고 비웃다.
laugh in[up] one***'s sleeve*** 남몰래 웃다.
laugh off 어물어물 웃어 넘기다, 일소에 붙이다 : ~ *off* a threat 협박을 일소에 붙이다.
laugh on the wrong[other] side of one***'s face[mouth]*** 웃다가 갑자기 울상이 되다.
laugh out 깔깔대고 웃다, 웃음을 터뜨리다.
laugh out loud 소리를 내어[큰 소리로] 웃다.
laugh...out of court 웃어버려 …을 문제로 삼지 않다.
laugh over …을 생각하고[읽으며] 웃다, 웃으면

서 …을 토론하다 : We ~*ed over* the letter. 우리는 그 편지를 읽으면서 웃었다.
laugh a person ***to scorn*** 《古》 남을 비웃다.
── *n.* 웃음(cf. SMILE) ; 웃음소리 ; 웃는 투 ; 《口》 농담, 웃음거리 ; [*pl.*] 기분 전환, 놀이 : give a ~ 웃음 소리를 내다 / have a good [hearty] ~ 크게[마음껏] 웃다〈*at, about, over*〉.
burst [***break***] ***into a laugh*** 웃음을 터뜨리다.
have [***get***] ***the laugh of*** …을 되웃어 주다.
have the laugh on one***'s side*** (먼젓번에는 웃음거리가 되었으나) 이번에는 웃을 차례가 되다.
~·er *n.* 웃는 사람, 잘 웃는 버릇이 있는 사람 ; 《美 · 스포츠》 완전히 일방적인 경기.
〖OE *hlæhhan, hliehhan* ; cf. G *lachen,* OE *hlōwan* to moo, LOW², (imit.) 기원〗
[類義語] ***laugh*** 소리내어 웃다 ; 가장 일반적인 말. ***chuckle*** 혼자 즐거워하면서 킥킥거리다, 가만히 웃다. ***giggle, titter*** 남모르게 소리 죽여 웃다 또는 당황해서 웃다. *titter*는 고상하게 웃는 것을 의미할 때도 있다. ***smile*** 소리없이 웃다 ; 선의의 기쁨이 보통이나 악의가 있는 즐거움을 나타낼 때도 있다. ***grin*** 이를 드러내어 크게 웃다 ; 장난기 섞인 즐거움, 쾌활함 또는 어리석음 따위를 나타낸다.

láugh·able *a.* 우스운, 재미있는.
-ably *adv.* **~·ness** *n.*
[類義語] ⟹ FUNNY.

láugh-ìn *n.* 희극, 웃음거리 ; 〖放送〗 코미디[개그] 프로그램 ; 웃어대며 하는 항의.

láugh·ing *a.* **1** 웃고 있는, 웃는 듯한 ; 즐거운 듯한, 쾌활한. **2** 웃을 만한, 우스운 : It is no[not a] ~ matter. 웃을 일이 아니다. ── *n.* Ⓤ 웃음(laughter) : hold one's ~ 우스운 것을 참다 / burst one's sides with ~ ☞ BURST 숙어.
~·ly *adv.* 웃어서, 웃으면서 ; 비웃듯이.

láughing gàs *n.* 〖化〗 소기(笑氣)《아산화질소》.

láughing gúll *n.* 〖鳥〗 **1** 붉은부리갈매기. **2** 웃음갈매기《우는 소리가 웃음 소리와 비슷한 데서 ; 북미산(産)》.

láughing hyéna *n.* 〖動〗 웃는하이에나《우는 소리가 악마의 웃음 소리와 닮았다고 해서》.

láughing jáckass *n.* 〖鳥〗 웃는물총새《호주산(産)》.

Láughing Philósopher *n.* [the ~] 웃는 철인(哲人)《Democritus 또는 G. B. Shaw의 속칭》.

láugh·ing·stòck *n.* 웃음거리, 웃음감.

láugh lìne *n.* 웃을 때의 눈가의 주름 ; 웃기는 말, 짧은 농담.

láugh·màker *n.* 《口》 희극 작가, 코미디언.

‡**laugh·ter** [lǽ(ː)ftər ; lɑ́ːf-] *n.* Ⓤ 웃음 ; 웃음 소리 ; 《古》 웃음 거리 : roar with ~ 크게 웃다. [注] LAUGH (*n.*) 보다 오래 계속되는 것으로 웃는 행위와 소리에 중점을 두는 말.
burst one***'s sides with laughter*** ☞ BURST.
burst [***break out***] ***into*** (***fits of***) ***laughter*** 웃음을 터뜨리다.
〖OE *hleahtor* ; ⇨ LAUGH〗

láugh tràck *n.* 〖TV〗 (희극적인 장면 뒤에 내보내는) 녹음된 웃음소리.

launce [lɑ́ːns, lǽ(ː)ns, lɔ́ːns] *n.* 〖魚〗 까나리.

Launcelot ☞ LANCELOT.

launch**¹ [lɔ́ːntʃ, 美+lɑ́ːntʃ] *vt.* **1** [+目/+目+前+名] **a**) 진수시키다, (보트 따위를) 물에 띄우다 : A new ship was ~*ed* ***from the supports. 새 배가 가대(架臺)로 부터 진수되었다. **b**) 내보내다, 진출시키다 : ~ a plane ***from*** an aircraft carrier 비행기를 항공 모함에서 발진시키다 / ~ one's son ***in*** (***to***) politics 자식을 정계에 진출시키다. **2** 시작하다, 착수하다(begin) : ~ an attack 공격을 시작하다. **3** [+目/+目+前+名] (화살 · 창 따위를) 쏘다, 내던지다(hurl), (미사일을) 발사하다, 발진시키다, 쏴 올리다 ; (타격을) 가하다(strike) ; (비난 따위를) 퍼붓다 ; (명령을) 내리다 : ~ the offensive ***against*** another 상대에게 공세로 나가다. ── *vi.* **1** 날아오르다, 발진하다, 발사되다 ; 기세 좋게 착수하다, (이야기 따위를) 시작하다 ; 강한 어조로 계속해서 말하다, 돈을 펑펑 쓰다. **2** [+*into*+名/+副] 나서다, 착수하다 : ~ ***out into*** a new life 새로운 인생을 시작하다 / The soldiers ~*ed* ***into*** a violent attack on the fortress. 병사들은 그 요새를 맹렬히 공격하기 시작했다.
── *n.* 진수 ; 발진, 발사 ; (위성 따위의) 쏘아올림 ; 〖船〗 진수대.
〖AF *launcher* ; ⇨ LANCE〗

launch² *n.* **1** 론치, 기정(汽艇)《유람용 따위》. **2** 론치《대형 함재(艦載)보트》.
〖Sp. *lancha* pinnace < ? Malay〗

láunch còmplex *n.* (유도탄의) 발사시설.

láunch·er *n.* 〖軍〗 발사통[장치].

láunch·ing *n.* **1** Ⓤ,Ⓒ (배의) 진수, 진수식 ; (로켓 따위의) 발사, 쏘아 올리기, 발진〈*of*〉. **2** Ⓤ,Ⓒ (사업 · 제도 따위의) 착수, 시작, 창설 ; (잡지 따위의) 발간〈*of*〉.

láunch(**·ing**) **pàd** *n.* (미사일 · 로켓 따위의) 발사대 ; 《비유》 도약대, 출발점 ; 《美俗》 마약 주사를 맞으러 가는 장소.

láunching plàtform *n.* = LAUNCHING PAD ; = LAUNCHING SITE.

láunch(**ing**) **shòe** *n.* (기체(機體)에 부착된 로켓탄의) 발사가(發射架).

láunching sìte *n.* (미사일 · 로켓 따위의) 발사기지, 발사장.

láunching wàys *n.* [단수 · 복수취급] 〖船〗 진수대.

láunch vèhicle *n.* (우주선 · 인공 위성 따위의) 발사용 로켓(booster rocket).

láunch wìndow *n.* 〖宇宙〗 (로켓 · 우주선 따위의) 발사 가능 시간대(帶) ; 《口》 (사업 따위를 시작하는) 호기(好機).

laun·der [lɔ́ːndər, 美+lɑ́ːn-] *vt.* **1** 세탁하다 ; 빨아서 다리미질하다 : She ~*ed* her clothes well [badly]. 옷을 잘[잘못] 세탁했다. **2** (부정 금품을 합법적인 것으로) 위장하다. ── *vi.* [+副] 세탁하다 ; 세탁이 잘 되다 : This linen ~*s well.* 이 리넨은 세탁이 잘 된다.
~·er *n.* 세탁하는 사람, 세탁소. **~·able** *a.*
〖*lavender* washerwoman < OF ; ⇨ LAVE¹〗

laun·der·ette [lɔ̀ːndərét, 美+lɑ̀ːn-] *n.* 코인론드리《동전 투입식의 자동 세탁기 · 건조기 따위를 설치한 셀프 서비스의 임대 세탁기점 ; cf. LAUNDROMAT》. 〖상표명〗

láunder·ing *n.* 세탁하기, 빨아서 다리기 ; 부정자금 정화《부정한 돈의 출처를 알지 못하게 함》.

laun·dress [lɔ́ːndrəs, 美+lɑ́ːn-] *n.* 세탁하는 여자(laundrywoman).

Laun·dro·mat [lɔ́ːndrəmæ̀t, 美+lɑ́ːn-] *n.* 《美》 〖상표〗 론드로마트《셀프서비스의 코인론드리(launderette)》.

***laun·dry** [lɔ́ːndri, 美+lɑ́ːn-] *n.* **1** 세탁장 ; 세탁소, 클리닝점(店) ; Ⓤ 클리닝(업). **2** [집합적으로] 세탁물 : send out *the* ~ 세탁물을 보내다. **3** 부정 금품을 합법적으로 보이기 위한 장소.
〖ME *lavendry* < OF ; 어형은 *launder*의 영향〗

láundry bàg *n.* 세탁물을 넣는 자루.
láundry bàsket *n.* 세탁 바구니《뚜껑이 달린 대형 바구니》.
láundry lìst *n.* 상세한 긴 표(表)[리스트].
láundry·màn [, -mən] *n.* 세탁업자《주인 또는 고용인》.
láundry ròom *n.* 세탁실.
láundry·wòman *n.* =LAUNDRESS.
lau·ra [lάːvrə] *n.* 〖基〗 동방교회의 대수도원.
〖Gk.=lane, alley〗
Lau·ra [lɔ́ːrə] *n.* 여자 이름《애칭 Laurie》.
〖L (fem.) ; ⇨ LAURENCE〗
Lau·ra·sia [lɔːréiʃə, -ʒə] *n.* 〖地〗 라우라시아 대륙《지금의 북미 대륙·유라시아로 이루어진 초대륙(超大陸) ; 고생대 말기에 분리되었다고 함》.
〖*Laur*entian+Eur*asia*〗
lau·re·ate [lɔ́(ː)riət, lάr-] *a.* (명예의 표시인) 월계(月桂)관을 쓴 ; 명예[영관]를 받은 ; 월계수로 만든 : a poet ~ 계관 시인. —— *n.* 영관을 받은 사람, 수상자 ; 계관 시인. —— [-rièit] *vt.* 영예[영관]를 주다 ; 계관 시인으로 임명하다. **~·shìp** *n.* Ⓤ 계관 시인의 지위[직].
〖L (*laurea* laurel wreath) ; ⇨ LAUREL〗
lau·re·a·tion [lɔ̀(ː)riéiʃən, lὰr-] *n.* 계관 수여 ; 계관시인의 임명 ; 《古》 (대학의) 학위 수여.
***lau·rel** [lɔ́(ː)rəl, 美+lάːr-] *n.* **1** 월계수 ; 《美》 아메리카 석남(石南). **2** [~(s)] (승리의 표시로서의) 월계수의 잎[가지], 월계관. **3** [~s, 단수·복수 취급] 명예, 영관(榮冠) ; 승리 : win[gain, reap] ~*s* 영예를 얻다, 칭찬을 받다.
look to** one's **laurels 명성을 잃지 않도록 조심하다.
rest on** one's **laurels 성공에 만족하다.
—— *vt.* (**-l-** | **-ll-**) …에게 월계관을 주다 ; …에게 영예를 주다.
láu·rel(l)ed *a.* 월계관을 쓴 ; 영관을 얻은.
〖ME *lorer*<OF<Prov.<L *laurus* bay³ ; *-l*은 이화(異化)〗
láurel wàter *n.* 로럴수(水)《월계수 잎을 쪄서 얻은 것으로 진통제 따위에 쓰임》.
Lau·rence [lάrəns, 美+lɔ́ːr-] *n.* 남자 이름《애칭 Larry, Laurie》.
〖L=(a man of) *Laurentum* (이탈리아의 옛 도시) <? LAUREL〗
Lau·ren·tian [lɔːrénʃən] *a.* **1** 캐나다에 있는 ST. LAWRENCE 강의 ; 〖地〗 로렌시아계(系)의. **2** D. H.[T. E.] LAWRENCE의.
Lauréntian Pláteau[Shíeld] *n.* [the ~] 〖地〗 로렌시아 대지(臺地)[순상지(楯狀地)].
Lau·ret·ta [lɔːrétə] *n.* 여자 이름《Laura의 애칭》.
〖(dim.) ; ⇨ LAURA〗
láu·ric ácid [lɔ́(ː)rik-, lάr-] *n.* 〖化〗 라우르산.
Lau·rie [lɔ́ːri] *n.* 남자 이름《Laurence, Lawrence의 애칭》 ; 여자 이름《Laura의 애칭》.
lau·rus·tine [lɔ́ːrəstàin] *n.* 〖植〗 =LAURUSTINUS.
lau·rus·ti·nus, -res- [lɔ̀ːrəstáinəs] *n.* 〖植〗 가막살나무《인동과의 상록관목》.
Lau·sanne [louzǽn ; *F* lozan] *n.* 로잔《스위스 서부의 레만 호반의 도시》.
laus Deo [láus déiou] 신(神)께 찬미있을지어다 ; 신께 감사하라. 〖L〗
lav [lǽ(ː)v] *n.* 《口》 화장실(lavatory).
lav. lavatory.
***la·va** [lάːvə, 美+lǽvə] *n.* Ⓤ (유동상(狀)의) 용암(熔岩) ; (응고된) 용암, 소석(燒石) (cf. PUMICE) ; Ⓒ 용암층(=~ bed).
〖It. (L *lavo* to wash)〗
láva bèd[fìeld] *n.* 용암층[원(原)].
la·va·bo [ləvéibou, 美+-vάː-] *n.* (*pl.* **~s, ~es**) [흔히 L~] 〖카톨릭〗 세수식(洗手式)《미사 때 신부가 손을 씻는 의식》 ; 세수식용의 수건[대야].
〖L=I will wash (LAVA)〗
la·vage [ləvάːʒ, læ-, lǽvidʒ] *n.* Ⓤ,Ⓒ 세척 ; 〖醫〗 (위·장 따위의) 세척. 〖F〗
la·va·la·va [lὰːvəlάːvə] *n.* 라발라바《Samoa섬 및 남양제도의 원주민이 입는 사라사제의 허리 두르는 천》. 〖Samoan〗
la·va·lier(e), la·val·liere [lὰːvəlíər, lǽv-] *n.* 보석을 박은 가는 고리 모양의 목걸이의 일종.
〖F ; Duchesse de *La Vallière* (d. 1710) Louis 14세의 애첩〗
la·va·tion [lævéiʃən, lei-] *n.* 씻기, 세정(washing) ; 씻는 물, 세정수. **~·al** *a.*
***lav·a·to·ry** [lǽvətɔ̀ːri ; -təri] *n.* 《美》 세면실, 화장실 ; (벽에 붙인) 세면대 ; (수세식) 변기 ; 변소 ; 《美·英古》 세면기.
〖L ; ⇨ LAVE¹〗
lávatory páper *n.* =TOILET PAPER.
lave¹ [léiv] *vt.* 《詩》 **1** 씻다(wash), 담그다. **2** (물결이 기슭을) 씻다 ; (물 따위를) 붓다, 퍼내다.
—— *vi.* 《古》 목욕하다(bathe).
〖OF<L *lavat- lavo* to wash ; OE *lafian* to pour water on과 합체한 것인가〗
lave² *n.* 《스코》 남은 것[찌꺼기].
〖OE *lāf* ; ⇨ LEAVE¹〗
lav·en·der [lǽvəndər] *n.* **1** Ⓤ 〖植〗 라벤더《향기로운 꿀풀과의 식물》, 라벤더의 말린 꽃[줄기] 《의류의 방충제로 씀》 ; 라벤더 향수. **2** Ⓤ 라벤더색《연보랏빛》.
lay up in lavender 《비유》 다음날에 쓰기 위해 소중히 보존하다.
—— *a.* 연보랏빛의. —— *vt.* (의류)의 사이에 라벤더를 넣다, …에 라벤더로 향기가 나게 하다.
〖AF *lavendre*<L *lavandula*〗

lavender 1

lávender òil *n.* 라벤더유(油).
lávender wàter *n.* 라벤더 향수.
lav·er¹ [léivər] *n.* 〖聖〗 세반(洗盤)《유태의 사제가 손·발 씻는 데 쓴 청동대야》 ; 《古》 세례반(盤), (손을 씻기 위한) 세반, 대야 ; (분수 따위의) 수반(水盤). 〖OF<L ; ⇨ LAVE¹〗
laver² *n.* Ⓤ 〖植〗 김, 갈파래《따위》. 〖L〗
lav·er·ock [lǽvərək, léivrək], **lav·rock** [lǽvrək] *n.* 《스코》 종달새(lark).
La·vin·ia [ləvíniə] *n.* 여자 이름. 〖L=?〗
lav·ish** [lǽviʃ] *a.* **1** [+前+do*ing*] 아낌없는, 마음이 후한, 대범한(generous) : A rich man can be ~ ***of[***with***] money. 부자는 돈을 쓰는데 대범해질 수 있다 / She was ~ ***in*** her gifts[*in* spend*ing* money]. 아낌없이 선물을 했다[돈을 썼다]. **2** 낭비벽이 있는, 사치스러운. **3** 풍부한, 충분한, 남아 돌아가는(abundant) ; 과다한, 터무니없는 : ~ expenditure 낭비. —— *vt.* [+目+前+名] 아낌없이[선뜻] 주다 ; 낭비하다 : You need not ~ kindness *on* those ungrateful people. 그렇게 배은 망덕한 사람들에게 괜히 친절할 필요가 없다. **~·er** *n.* 낭비자. **~·ly** *adv.* 아끼지 않고, 헙헙하게 ; 함부로. **~·ment** *n.* **~·ness** *n.*
〖OF *lavasse* deluge ; ⇨ LAVE¹〗
類義語 ***lavish, profuse*** 무제한·관대하게, 때로는 부당할 정도로 선뜻 주는 ; *lavish*가 뜻이 강함 : a *lavish*[*profuse*] display of hospitality (아낌없이 환대를 베풂). ***extravagant*** 부당하

L

게 많이 낭비하는 : an *extravagant* living (지나치게 낭비하는 생활). ***prodigal*** 너무 낭비가 심하므로 결국 가난해지리라는 것을 암시함 : *prodigal* with money (돈을 물쓰듯 하는).
luxuriant 극히 풍부한, 풍부하게 생산되는 : a *luxuriant* land (풍요한 토지).

La·voi·sier [*F* lavwazje] *n.* 라부아지에. **Antoine Laurent** ~ (1743-94) 프랑스의 화학자 ; 산소를 발견한 근대 화학의 시조.

La·vop·tik [ləvάptik ; -vɔ́p-] *n.* 눈의 세정제《상표명》.

°**law**[1] [lɔ́:] *n.* **1 a)** Ⓤ (일반적으로) 법, 법률 : by ~ 법률에 의하여, 법률적으로 / a man of ~ 법률가 / ☞ NATURAL LAW / *L*~ and order should always be maintained. 치안[법과 질서]은 항상 유지되어야 한다 / It is good[bad] ~. 그것은 적법[합법]이다[비합법, 불법이다] / His word is ~. 그의 말은 법이다《절대 복종해야 함》/ Necessity[Hunger] knows[has] no ~. 《속담》 필요[굶주림] 앞에는 법이 없다, 「사흘 굶어 도둑질 안할 놈 없다」. **b)** (개개의) 법률, 법규 : A bill becomes a ~ when it passes the Congress. 법안은 국회를 통과하면 법률이 된다. **c)** Ⓤ [the ~] 법《법률·법규의 전체》, 국법 : *the* ~ of the land 국법 / Everybody is equal before *the* ~. 법 앞에서는 만인이 평등하다. **d)** Ⓤ 법률학, 법학(cf. JURISPRUDENCE) ; [보통 the ~] 법률업, 변호사직, 법조계 : study[read, go in for *the*] ~ (변호사가 되기 위해) 법률을 공부하다 / be bred to *the* ~ 변호사[법관]로 양성되다 / be learned [versed] in *the* ~ 법률에 정통하다 / follow *the* ~ 법률을 업으로 삼다, 변호사를 하고 있다.
2 Ⓤ 법률적 수단[절차], 소송, 기소 : be at ~ 소송[재판] 중이다 / contend at ~ 재판[법정]에서 다투다.
3 Ⓤ (분립하는 특수한) …법 : common ~ 보통[관습]법 / private[public] ~ 사법[공법] / international ~ =the ~ of nations 국제법.
4 a) Ⓤ.Ⓒ (일반적으로) 관례, 관습, 규정 ; (종교상의) 계율, 율법 : moral ~ 도덕률 / the ~*s* of honor 예의 범절 / the ~*s* of God 신(神)의 법도 / the new[old] ~ 〖聖〗 신약[구약]. **b)** Ⓤ.Ⓒ (과학·철학상의) 법칙, 이법, 원리(principle) : the ~ of gravitation 인력의 법칙 / the ~ of mortality 생자필멸(生者必滅)의 철칙 / the ~*s* of motion (뉴턴의) 운동법칙 / the ~ of nature 자연의 법칙 / the ~ of self-preservation 자기 보존의 본능 / the ~*s* of thought 논리적 추론(推論)의 법칙 / ☞ PARKINSON'S LAW. **c)** Ⓤ.Ⓒ (기술·예술상의) 원칙, 법 : the ~ of painting 화법(畫法) / the ~ of meter 운율법. **d)** [the ~*s*] (운동 경기의) 규칙, 규정(rules) : *the* ~*s of* tennis 테니스의 규칙. **e)** 《英》 (경기 따위에서의) 시간[거래]상의 핸디캡, 선발 시간, 앞선[선진(先進)] 거리, 유예. **5** [the ~] 《비유·口》 법의 집행자, 경찰관, 경찰 : *the* ~ in uniform 제복을 입은 경찰관.
be a law unto one***self*** 자기 마음대로 하다, 관례를 무시하다.
a Doctor of Laws[***in Law***] 법학박사《略 LL. D.》.
give the law to …을 복종시키다.
go to law with[***against***] …에 대해 법적 조치를 취하다, (남)을 기소[고소]하다.
have[***take***] ***the law of***[***on***] ... =*go to* LAW *with*[*against*]....
lay down the law (1) 명령[독단]적인 말투를 쓰다, 명령하다. (2) 꾸짖다.
take the law into one***'s own hands*** (법률의 힘을 빌리지 않고) 제멋대로 제재를 가하다, 린치를 가하다.
the Law (***of Moses***) 〖聖〗 모세의 율법 ; =the PENTATEUCH ; 구약성서.
the law of the jungle ☞ JUNGLE 1.
the law of the Medes and Persians 〖聖〗 메디아와 페르시아의 법률《바꾸기 어려운 규정·제도·습관 ; 다니엘 6 : 12》.
under law 법치(法治)하에서, 합법적으로[인].
—— *vi., vt.* 《口·方》 소송하다, 고소하다, 법적 조치를 취하다.
〚OE *lagu*<ON=thing laid down ; LAY[1]와 같은 어원〛

[類義語] ***law*** 국가의 권력자 또는 입법부가 제정하는 성문법과 관습에 의한 불문법이 있다. 「법」이란 뜻의 가장 일반적인 말 : the *law* of the country(국법). ***rule*** 권력으로 정해진 것은 아니나, 질서·규율을 유지하기 위하여 일반적으로 지켜지는 규칙 : the *rules* of baseball (야구의 규칙). ***regulation*** 어떤 그룹이나 조직의 통제·운영을 위해 권한을 갖고 정한 규약 : school *regulations* (학칙). ***statute*** 지방 공공 단체가 제정하는 조례(條例).

law[2] [lɔ́:], **laws** [lɔ́:z] *int.* 《方》 뭐(라고), 큰일났군, 저런《놀람을 나타냄》. 〚LORD〛

LAW 〖軍〗 light anti-tank weapon(경(輕)대전차 무기).

láw-abìding *a.* 준법의, 법률을 지키는 : ~ people (법률을 잘 지키는) 양민. **~·ness** *n.*

láw and órder *n.* 법과 질서(가 유지되고 있기[있는 상태]), 안녕 질서.
láw-and-órder *a.* 법과 질서를 중시하는, 치안[단속] 강화의.

láw bìnding *n.* 법률서 장정《law calf, law sheep, buckram 따위를 쓴 견고한 제본》.

láw·bòok *n.* 법률서적, 법학관계 서적.

láw·brèak·er *n.* 법률 위반자, 범죄자 ; 《口》 법규에 적합하지 않은 것. **láw·brèak·ing** *n., a.* 법률 위반(의).

láw càlf *n.* (법률서적 따위의 장정에 쓰는) 고급 송아지 가죽.

láw cènter *n.* 《英》 (무료) 법률 상담소.

láw clèrk *n.* 법학도, 변호사·판사 등의 조수.

láw·còurt *n.* 법정.

Láw Còurts *n. pl.* [the ~] 《英》 왕립 재판소 (the Royal Courts of Justice).

Láw Dày *n.* 《美》 법의 날《1958년에 시작 ; 매년 5월 1일》.

láw dày *n.* 지불기일.

láw enfòrcement *n.* 법의 집행 : ~ officers.
láw-enfòrcer *n.* 법의 집행자, 경찰관.

láw enfòrcement àgency *n.* 《美》 법집행기관, 경찰 기관《경찰 관계 기관의 총칭》.

láw Frénch *n.* 법률용 프랑스어《중세부터 17세기까지 England의 법률 용어로 쓰인 Norman-French》.

láw fírm *n.* 《美》 (대규모의) 법률 사무소.

*__láw·ful__ *a.* **1** 합법[적법]의, 정당한 ; 준법의. **2** 법률이 인정하는, 법률상 유효한, 법정(法定)의 : ~ age 법정 연령, 성년 / ~ money 법정 화폐, 법화(法貨). **~·ly** *adv.* 합법적으로, 올바르게. **~·ness** *n.* 합법, 적법.

[類義語] ***lawful*** 법률·규칙의 문구 보다도 오히려 정신에 합치되는 ; 넓은 의미에서는 법의 해석상 허용되는 : a *lawful* business (합법적인 사업).

L

legal 법조문에 일치하는, 법조문에 정해진 : a *legal* profession (합법적인 직업). ***legitimate*** 자격 또는 권리가 법률·관습·전통 따위에 의하여 정당하다고 인정된 : a *legitimate* claim (정당한 권리).

láw·gìver *n.* 입법자, 법률 제정자.
láw·gìving *n., a.* 입법(의).

láw-hànd *n.* 법률문서체, 공문서체.

lawk(s) [lɔ́:k(s)] *int.* 《英卑》 이키, 야단났군《놀람을 나타냄》. 〖LORD ; cf. LAW[2]〗

láw·less *a.* **1** 법률이 없는[시행되지 않는], 법을 지키지 않는, 비합법적인, 불법의. **2** 무법의, 불합리한, 다루기 힘든 : a ~ man 무법자(outlaw). **~·ly** *adv.* **~·ness** *n.*

Láw Lòrd *n.* 《英》 (상원의) 법관(法官) 의원.

láw·màker *n.* 입법자, (국회) 의원.
láw·màking *n., a.* 입법(의).

láw·man [-mən] *n.* (*pl.* **-men** [-mən]) 《美》 법의 집행관, 경찰관, 보안관.

láw mérchant *n.* (*pl.* **láws mérchant**) [the ~] 상관습법(商慣習法), 상법(mercantile law) ; 《英》 =COMMERCIAL LAW.

***lawn**[1] [lɔ́:n, 美+lɑ́:n] *n.* **1** 잔디밭 : a tennis ~ 테니스용 잔디 코트. **2** 《古》 숲속의 빈터(glade).
láwny[1] *a.* 잔디의[같은], 잔디가 많은[로 덮인]. 〖ME *laund* glade<OF<Celt. ; ⇨ LAND〗

lawn[2] *n.* Ⓤ 론, 한랭사(寒冷紗)《아주 얇은 고급 무명 또는 면포 ; 영국국교회에서 주교(bishop)의 법의의 소매(sleeves)를 만듦》; 영국국교회 주교의 직[직위]. **láwny**[2] *a.* 한랭사로 만든[와 비슷한]. 〖*Laon* 북프랑스의 산지(産地)〗

láwn bòwling *n.* 《美》 론 볼링《잔디밭에서 나무공을 굴리는 구기(球技)》.

láwn mòwer *n.* 잔디 깎는 기계 ; 《野俗》 땅볼(grounder) ; 《美西部俗》 양(羊).

láwn pàrty *n.* 《美》 원유회(garden party).

láwn sàle *n.* 자기 집의 뜰앞에 불필요한 물건을 늘어놓고 팔아 치우기.

láwn sànd *n.* 《英》 잔디용의 모래《비료·제초제가 들어 있음》.

láwn síeve *n.* 한랭사(寒冷紗)[명주]로 된 체.

láwn sléeves *n. pl.* **1** (영국 국교회의 bishop의 법의인) 론제(製)의 소매. **2** [단수·복수 취급] bishop의 직[지위].

láwn sprìnkler *n.* 〖園藝〗 스프링클러, 회전 살수기(撒水器).

láwn tènnis *n.* 론 테니스《잔디밭에서 하는 테니스 ; cf. COURT TENNIS》; (일반적으로) 테니스.

láwn tràctor *n.* 트랙터식 잔디 깎는 기계.

láw òffice *n.* 《美》 법률 사무소.

láw òfficer *n.* **1** 법무관. **2** 《英》 법무장관[차관], 《스코》 검찰총장.

Law·rence [lɔ́:rəns, lɑ́r- ; lɔ́rəns] *n.* **1** 남자 이름《애칭 Larry, Laurie》. **2** 로렌스. (1) **D(avid) H(erbert)** ~ (1885-1930) 영국의 소설가·시인. (2) **Ernest Orlando** ~ (1901-58) 미국의 물리학자 ; cyclotron을 발명 ; Nobel 물리학상(1939). (3) **T(homas) E(dward)** ~['~ of Arabia'] (1888-1935) 영국의 고고학자·군인·작가. 〖⇨ LAURENCE〗

Law·ren·cian, -tian [lɔːrénʃən] *a.* D. H.[T. E.] LAWRENCE의.

law·ren·ci·um [lɔːrénsiəm] *n.* Ⓤ 〖化〗 로렌슘《인공 방사성 원소 ; 기호 Lr ; 번호 103》. 〖E. O. *Lawrence*〗

laws ☞ LAW[2].

láw schòol *n.* (대학의) 법학부.

láw shèep *n.* (법률서적 따위의 장정에 쓰이는) 고급 양가죽.

Láw Socìety *n.* 로 소사이어티《1825년 창설된 잉글랜드·스코틀랜드의 사무 변호사회(會) ; 사무 변호사(solicitor)의 등록이 위탁되어 있고 회원의 행동에 강한 규제 권한이 있음》.

Láw·son critèrion [lɔ́:sən-] *n.* 〖理〗 로슨의 조건《핵융합로(爐)에서 에너지를 빼내는 데 필요한 조건 : 특정 온도에서의 플라스마 입자 밀도와 밀폐 시간의 곱으로 표시, 보통 10^{14} cm^{-3}·s》. 〖J. D. *Lawson* 20 세기의 영국의 물리학자〗

láw stàtion *n.* 《英俗》 경찰서.

láw stàtioner *n.* 법률가용 서류상(書類商) ; 《英》 법률가용 서류상 겸 대서인.

láw·sùit *n.* 소송 (사건) : enter[bring in] a ~ *against* …에 대하여 소송을 제기하다.

láw tèrm *n.* 법률 용어 ; 재판 개정기간.

‡**law·yer** [lɔ́:jər, lɔ́iər] *n.* 법률가, (특히) 변호사 ; 법률학자(jurist) ; 법률 전문가 : a good[a poor, no] ~ 법률에 밝은[어두운] 사람.
~·lìke *a.* **~·ly** *a.*
[類義語] ***lawyer*** 일반적으로 변호사를 말함. 《美》 ***counselor,*** 《英》 ***barrister*** 법정에서 소송 사건을 다룰 수 있는 권한이 있는 변호사. 《美》 ***attorney,*** 《英》 ***solicitor*** 보통은 의뢰인을 대신하여 계약서·유언장의 작성이나 재산을 처분할 권한이 있는 변호사.

láwyer-lóbbyist *n.* 《美》 로비스트 변호사.

lax[1] [lǽks] *a.* **1** (특히 규율·행위·몸가짐 따위가) 해이해진, 야무지지 못한, 느슨한, 방종한(loose) : He is ~ *in* morals. 품행이 단정치 못하다. **2** (장(腸)이) 이완(弛緩)된, 설사하는(loose). **3** 〖音聲〗 (혀의 근육이) 이완(弛緩)된(↔*tense*). **4** (꽃송이가) 드문. —— *n.* 〖音聲〗 이완음 ; 《方》 설사.
~·ly *adv.* 느슨하게. **~·ness** *n.* 느슨함, 태만. 〖L *laxus* loose ; SLACK와 같은 어원〗

lax[2] [lɑ́:ks] *n.* 〖魚〗 연어(salmon)《노르웨이산》. 〖Norw. (ON *lax*) and Sc. (OE *leax*)〗

lax·a·tion [lækséiʃən] *n.* Ⓤ 이완, 느슨함, 방종, 완만 ; 변통.

lax·a·tive [lǽksətiv] *a.* 대변을[설사를] 나오게 하는 ; 완하성의. —— *n.* 하제(下劑), 설사약.
~·ly *adv.* **~·ness** *n.* 〖OF or L (*laxo* to loosen) ; ⇨ LAX[1]〗

lax·i·ty [lǽksəti] *n.* Ⓤ,Ⓒ 해이함, 단정치 못함, 방종 ; (말투·문체 따위의) 정확치 못함, 애매함 ; 부주의, 소홀.

◇**lay**[1] [léi] *v.* (**laid** [léid]) *vt.* **1** [+目/+目+前+名/+目+副] 놓다, 눕히다(cf. LIE[1] *vi.* 1) ; 매장하다 : She *laid* her hand ***on*** her son's shoulder. 아들의 어깨에 손을 얹었다 / ~ a person ***to*** rest 남을 매장하다 / She *laid* the doll ***down*** carefully. 인형을 조심스럽게 눕혔다 / ~ oneself *down* (*on* the ground) (땅에) 눕다.
2 깔다, 쌓다(dispose), 부설[건조]하다, 설치하다, 나란히 놓다 : ~ bricks 벽돌을 쌓다 / He tried to ~ his future course. 장래의 나아갈 길을 위해 노력했다.
3 준비하다, (식탁을) 차리다 ; (상보를) 덮다 : ~ the table *for* dinner 저녁상을 차리다.
4 안출[고안]하다(devise) : ~ one's plans 계획을 세우다.
5 [+目+*on*+名] **a**) (신뢰·강세(強勢) 따위를) 두다 : In his lecture Mr. Smith *laid* great emphasis ***on*** world peace. 스미스씨는 강연에서 세계 평화를 크게 강조했다. **b**) (무거운 짐·의

무·벌을) 부과하다(impose) : Heavy taxes are *laid on* wine and tobacco. 술과 담배에 세금이 무겁게 부과되어 있다.
6 (알을) 낳다 : Hens ~ eggs. 암탉은 알을 낳는다 / a new-*laid* egg 갓 낳은 알.
7 [+目/+目+補] 쓰러뜨리다, 때려 눕히다 : The rainstorms have *laid* all the crops low. 폭풍우로 농작물이 모조리 쓰러졌다(cf. 17).
8 가라앉히다, 안심시키다 : ~ a ghost ☞ GHOST / A shower has *laid* the dust. 소나기가 먼지를 가라앉혔다.
9 [+目+前+名] 돌리다, 전가(轉嫁)하다 (ascribe) : ~ a crime ***to*** his charge 죄를 그의 책임으로 돌리다.
10 신청(申請)하다, 주장하다, 제시[제출]하다, 개진(開陳)하다 : ~ claim to an estate 토지에 대한 권리를 주장하다.
11 [+目+*at*+名] (고소인이 손해액을) 정하다 (fix) : ~ damages ***at*** $1000 손해액을 1000달러로 정하다.
12 [+目/+目+*on*+名/+目+目/+目+*that* 節] 걸다(bet) : She *laid* $1000 ***on*** the horse. 그 말에 1000달러를 걸었다 / I'll ~ (you) ten dollars *that* he will win. 그가 이긴다는 것에 10달러를 걸겠다.
13 (새끼 따위를) 꼬다, 짜다, 뜨다, 엮다.
14 [+目+*with*+名] (…의 표면을) 덮다, 씌우다(cover, coat), …에 흩뿌리다 : ~ a corridor ***with*** a carpet 복도에 양탄자를 깔다 / The wind *laid* the garden *with* leaves. 바람이 정원에 나뭇잎을 흐트러뜨렸다.
15 겨누다, 조준(照準)하다(aim) : ~ a gun 총을 겨누다.
16 [+目+前+名] [보통 수동태로] (이야기 따위의 장면을) 설정하다(locate) : The scene *is laid* ***in*** London in the nineteenth century. 그 장면은 19세기의 런던을 배경으로 하고 있다.
17 [+目+補] (어떤 상태로) 해두다, 하다 : ~ one's chest bare 앞가슴을 드러내다 / The war *laid* the country waste. 전쟁으로 그 나라는 황폐해졌다 / Mother has been *laid* low by bad fever. 어머니는 몹시 열이 나서 계속 누운채로 계신다.
── *vi.* 알을 낳다 ; 내기를 하다〈*on*〉; 보증하다 ; 힘을 다하다, 전렴하다 ;《方·口》준비하다, 계획하다.
lay about (one) 사방에서 공격하다 ; 격전하다 (cf. 7) ; 정력적으로 활동하다.
lay apart ☞ APART.
lay aside 치우다, 제쳐놓다, 간직해 두다 ; (습관 따위를) 버리다, 그만두다, 포기하다 ; 감당 못하게 하다, 일하지 못하게 하다 : He *~s aside* every Sunday *for* golf. 매주 일요일을 골프치는 날로 정해 놓고 있다.
lay asleep 잠들게 하다, 영면(永眠)케 하다 ; 방심하게 하다.
lay away 치워두다 ; 저축하다 ; (상품을) LAYAWAY로서 유치하다 ; [보통 수동태로] 매장하다.
lay bare ☞ *vt.* 17, BARE[1].
lay by 비축하다, 간직하다, 불행에 대비하다.
lay down (1) 아래에 놓다, 내려 놓다 ; (펜을) 놓다(☞ *vt.* 1). (2) 세우다, 건조하다, 부설하다 : ~ *down* a cable 케이블[해저 전선]을 부설하다. (3) (대금의 일부를) 미리 지불하다 ; (돈을) 걸다. (4) (포도주 따위를) (지하실에) 저장하다. (5) 주장하다, 단언하다 ; (원칙 따위를) 규정하다, 정하다 : ~ it *down that* …라고 주장하다 / ~ *down* the law ☞ LAW[1] 숙어. (6) (무기·목숨 따위를) 버리다 ;《俗》그만두다, 사직하다 : The burglars *laid down* their arms and surrendered. 그 강도들은 무기를 버리고 항복했다 / ~ *down* one's life 생명을 내던지다 / He would not ~ *down* his work until it was finished. 일을 완수할 때까지는 중단하려고 하지 않았다. (7) (밭에 농작물을) 심다, 뿌리다 : ~ *down* the land *in*[*to, under, with*] grass 땅에 목초(牧草)를 심다, 토지를 목초지로 하다 / ~ *down* cucumbers 오이씨를 뿌리다[가꾸다].
lay eyes on... ☞ EYE *n.*
lay fast ☞ FAST[2] *adv.*
lay for... 《口》…을 숨어 기다리다, 매복(埋伏)하다.
lay in (모아서) 저장하다, 사들이다 ;《口》세게 때리다 ;《俗》먹다 ;〖園藝〗임시로 심다, (어린 가지를) 손질하다.
lay into... 《俗》…을 때리다, …을 꾸짖다, 심하게 비난하다.
lay it on thick 짙게 바르다 ;《俗》세게 때리다, 세게 치다 ;《俗》터무니없이 말하다, 바가지 씌우다 ; = *lay it on with a* TROWEL.
lay it on with a trowel ☞ TROWEL.
lay off (1) 제쳐[간직해] 두다 ; 그만두다, 그치다(stop) : *Lay off* teasing. 조롱하지 마시오. (2) (공장 따위의) 조업을 일시 정지하다 ; (불황으로) (종업원을) 일시 해고하다, 귀휴(歸休)시키다(=《英》stand off). (3)《美》(코트 따위를) 벗다. (4) (토지를) 구획하다, 구분하다(mark off). (5) (*vi.*)《美》쉬다, 휴양하다. (6)〖海〗(기슭에서) 떨어지게 하다, 떨어지다.
lay on (1) (타격 따위를) 호되게 먹이다. (2) (페인트 따위를) 칠하다. (3) (세금·책임 따위를) 부과하다 ; (명령 따위를) 내리다. (4)《英》(가스·전기 따위를) 끌다, 부설하다 : In the new house gas and water have not yet been *laid on*. 새집에는 아직도 가스와 수도를 설치하지 않고 있다. (5) (모임·요리 따위를) 준비하다, 제공하다 : We decided to ~ *on* a concert for the guests. 손님들을 위해서 음악회를 열 준비를 하기로 했다. (6) (*vi.*) 세게 때리다 ; 공격[습격]하다.
lay** one**'s bones ☞ *lay* BONE[1] *n.*
lay** one**'s heart*[*plans*] *bare ☞ *lay* BARE[1].
***lay** one**self out for*[*to* do]...** 《口》…에[…하려고] 노력하다, 착수하다 : She *laid* her*self out to* make her guests comfortable. 손님들을 기분좋게 하려고 애썼다.
lay on the colors too thickly ☞ COLOR *n.*
lay...*(*up*)*on the table ☞ TABLE *n.*
lay open ☞ OPEN *a.*
lay out (1) 펼치다, 진열하다, (광경 따위를) 전개하다 : I *laid out* my evening clothes. 야회복을 꺼내 보았다 / A glorious sight was *laid out* before our eyes. 장엄한 광경이 눈앞에 펼쳐졌다. (2) (시체의) 입관(入棺) 준비를 하다. (3)《口》기절시키다, 때려 눕히다, 죽이다(kill) ; 몹시 꾸짖다 : The boxer was *laid out* with a blow under the jaw. 그 복서는 턱밑을 한 대 얻어맞고 푹 쓰러졌다. (4) 설계하다, 안(案)을 세우다 ; (서적 따위의) 지면 배열[레이아웃]을 하다 : ~ *out* the garden 정원을 설계해서 꾸미다. (5) (돈을) 내다, 쓰다, 투자하다 : We must ~ *out* our money carefully. 주의해서 돈을 쓰지 않으면 안된다.
lay over (*vt.*) 칠하다, 씌우다 ;《美》연기하다 ;《美方·俗》…보다 낫다 ; (*vi.*)《美》연기되다 ;《美》(갈아타기 위해) 기다리다, 도중하차하다.
lay the odds ☞ ODDS.

lay the papers ☞ PAPER.

lay to (1) [to는 *adv.*] 〖海〗 (뱃머리를 바람 불어오는 쪽으로 향하여) 정선시키다[하고 있다]. (2) 노력하다, 진력(盡力)하다, …에 전력을 기울이다 : The crew *laid to* their oars. 선원들은 노젓기에 전력을 기울였다. (3) 때려 눕히다.

lay...to a person 《古》=***lay...at***[***to***] a person***'s door*** …을 남에게 전가시키다.

lay together 한데 모으다 ; 견주어 생각하다, 비교하다.

lay...to rest[***sleep***] …을 쉬게 하다, 잠자게 하다 ; …을 매장하다.

lay a person ***under obligation*** ☞ OBLIGATION.

lay a person ***under restraint*** ☞ *under* RESTRAINT.

lay up (1) 쓰지 않고 두다, 비축하다 : He is ~*ing up* trouble *for* himself. 스스로 나중에 곤란하게 될 일을 하고 있다. (2) [수동태로] (병으로 사람이) 일할 수 없게 하다, 틀어 박히게 하다 : I was *laid up* with a cold. 감기에 걸려 자리에 누워 있었다. (3) 〖海〗 계선(繫船)하다.

—— *n.* **1** 위치, 지형, 방향 ; 형세, 상태 : the ~ *of* the land 지세(地勢) ; 정세. 주 이 용법으로는 LIE[1](*n.*) 쪽이 좋다고 함. **2** 계획 ; 《口》 직업, 장사, 일. **3** (새끼·밧줄의) 꼬임새[꼬는 법]. **4** 숨는 곳, 집 ; 산란(産卵). **5** (이익·어획물의) 분배 ; 《美》 대가. **6** 섹스의 상대, 여자, 성교.
〖OE *lecgan* ; cf. LIE[1], G *legen*〗

◇**lay**[2] *v.* LIE[1]의 과거형.

lay[3] *attrib. a.* **1** (성직자에 대하여) 평신도의, 속인(俗人)의(↔*clerical*) : a ~ sermon 속인설교 / a ~ reader ☞ READER 7. **2** 전문가가 아닌, 본업이 아닌 : a ~ opinion 비전문가의 의견.
〖F<L<Gk. (*laos* people) ; ⇨ LAIC〗

lay[4] *n.* 이야기체로 된 시 ; 노래, 시 ; 새의 지저귐.
〖OF< ? Gmc. (OHG *leih* song)〗

láy·abòut *n.* 《英》 부랑자, 게으름뱅이.

láy ánalyst *n.* 의사가 아닌 정신 분석가.

láy·awày *n.* (예약 할부 판매의) 유치(留置) 상품 《대금 완납 때 인도함》.

láyaway plàn *n.* 예약 할부제.

láy bròther[**sìster**] *n.* 평수사[수녀]《수도회의 막일을 하는》.

láy-bỳ *n.* **1** 교통에 지장이 없도록 도로를 넓혀 만든 노변 주차장. **2** 두 배가 비킬 수 있도록 운하·수로를 넓혀 놓은 부분. **3** 《英》 철도의 대기 선로. **4** 《美》 마지막 경작작업.

láy clérk *n.* 〖英國敎〗 대성당의 성가대원 ; 교구 서기(parish clerk).

láy commúnion *n.* 속인으로서 교회원임 ; 평신도의 영성체.

láy dày *n.* [*pl.*] 〖商〗 선적[양륙] 기간《이 기간 중에는 체선료(滯船料)를 면제》; 〖海〗 정박일.

láy déacon *n.* 평신도의 부제(副祭)[집사].

láy-dòwn *n.* 〖카드놀이〗 브리지에서 보여 주어도 승리가 확실한 끗수 ; 《美俗》 실패 ; 《美俗》 (아편굴에서 치르는) 아편 흡인 대금.

***lay·er** [léiər] *n.* **1** 놓는[쌓는·까는] 사람. **2** 〖競馬〗 돈을 거는 사람, 돈내기 하는 사람(cf. BACKER). **3** 알 낳는 닭 : a good[bad] ~ 알을 잘 낳는[낳지 않는] 닭. **4** 층, 쌓임, 겹침, 칠하기 : ~*s* of brick 벽돌층. **5** 〖園藝〗 휘묻이.

—— *vt.* 층으로 하다 ; 휘묻이하다.

—— *vi.* 층을 이루다, 층으로 되다 ; (가지에서) 뿌리박다 ; (작물이 비·바람에) 쓰러지다.

~ed *a.* 층을 이루고 있는, 켜로 된.

láyer·age *n.* 〖園藝〗 휘묻이《줄기로부터 가지를 휘어 한 끝을 땅속에 묻어 뿌리가 내린 후 그 가지를 잘라 분리시키는 번식법》.

láyer càke *n.* 레이어 케이크《켜 사이에 잼·크림 따위를 바른 카스텔라》.

láy·ered lóok *n.* 〖服〗 레이어 룩, 껴입는 옷 스타일(cf. LAYERING).

láyer·ing *n.* **1** 〖園藝〗 휘묻이(법). **2** 〖地圖〗 (지형의) 단채색(段彩色) 표현법. **3** 〖服〗 껴입기《길이나 형이 다른 옷을 가지고》.

láyer-stòol *n.* 〖園藝〗 휘묻이용(用)의 어미 그루[나무].

lay·ette [leiét] *n.* 갓난아기 용품 한 벌《배내옷·기저귀·침구 따위》.
〖F (dim.) <OF *laie* drawer<MDu.〗

láy fígure *n.* **1** (관절이 있는) 인체 모형, 모델 인형《조각가·화가 등이 옷을 입힌 효과를 보기 위하여 사용함 ; cf. MANNEQUIN 2》. **2** 《비유》 유명무실한 사람, 쓸모 없는 사람 ; (소설 따위의) 비실제적 인물. 〖*lay* ‹ *layman* lay figure<Du. *leeman* (led joint)〗

láy·ing *n.* **1** 쌓기 ; 놓기 ; 설치 ; (가스 따위를) 끌어들이기, 부설. **2** (새끼·밧줄 따위의) 꼬기. **3** 초벌칠. **4** (닭의) 산란(수)(産卵(數))《일정 기간의》. **5** (포의) 조준.

láying ón of hánds *n.* 〖基〗 안수(按手)《서품식[신앙 치료]에서 축복을 받는 사람의 머리[몸]에 성직자가 손을 얹는 일》.

láy lórd *n.* 《英》 (상원의) 비법관(非法官) 의원 (cf. LAW LORD).

láy·man [-mən] *n.* (성직자에 대하여) 평신도, 속인(俗人) ; (법률·의학의) 비전문가, 문외한.

láy·òff *n.* (일시적인) 해고(解雇)(기간), 귀휴(歸休) ; (일시적인) 강제 휴업 ; (선수 등의) 시합[활동] 중지 기간, 시즌 오프 ; 《美俗》 실업중인 배우.

láy of the lánd *n.* [the ~] 《美》 지세 ; 《비유》 형세, 정세, 실정, 실태, 현상.

see[***find out, discover,*** ect.] ***the lay of the land*** 형세를 보다[확인하다].

láy·òut *n.* **1** (정원·공장 따위의) 터잡기, 배치, 설계 ; U,C (신문·잡지·서적 따위의) 지면 배열, 레이아웃 ; 설계법[업] : an expert in ~ 설계[레이아웃]의 전문가. **2** 《美》 형세, 사태. **3** 《美》 도박용구, 세트, 도구 한 벌. **4** (공들여) 나열한 것, 차려놓은 음식(spread). **5** 《美口》 (설비가 잘 된) 곳[저택, 회사].

láy·òver *n.* 《美》 (여행·행동 따위의 잠시) 중단, 도중 하차[정거].

láy·pèrson *n.* 평신도, 속인《성직자에 대하여》; 비전문가, 문외한《전문가에 대하여》.

láy rèader *n.* 〖英國敎·카톨릭〗 평신도 독서자(讀書者)《약간의 예배의 주재가 허용됨》; 일반 독자, 문외한 독자.

láy rèctor *n.* 〖英國敎〗 속인 교구장(敎區長) 《rector의 십분의 일세(稅)를 받는 평신도》.

láy shàft *n.* 〖機〗 보조축(軸).

láy·stàll *n.* 《英》 쓰레기 버리는 곳, 쓰레기더미.

láy-ùp *n.* **1** (잠시) 쉼[쉬게 함], 휴식. **2** 〖籠〗 레이업(슛)《바스켓 바로 밑에서 한 손으로 하는 점프 슛》. **3** 합판(合板) 짜맞추기《제작》. **4** 강화 플라스틱 제법.

láy vícar *n.* 〖英國敎〗 대성당(에 배속된) 서기.

láy·wòman *n.* (수녀가 아닌) 여성 평신도 ; (법률·의학 따위의 전문가에 대하여) 초보자《여성》.

laz·ar [lǽzər, 美+léizər] *n.* 병든 거지, (특히) 나병 환자 : a ~ house 나(癩)병원. 〖*Lazarus*〗

laz·a·ret·to [læ̀zərétou], **-ret(te)** [-rét] *n.* (*pl.*

~**s**) 격리병원, 나병원(癩病院) ; 검역소[선] ; 〔海〕 (선미 쪽의) 식료품 저장실, 창고.

Laz·a·rus [lǽzərəs] *n.* **1** 남자 이름. **2** [때때로 l~] 거지《특히 나병의》, 가난한 사람 ; 〔聖〕 나사로《요한복음 11 및 누가복음 16》.

laze [léiz] *vi.* 《口》 게으름피우다 ; 빈둥빈둥 지내다 : ~ all day 하루종일 빈둥거리다.
—— *vt.* [+目+副] 게으름피우며[빈둥거리며] 지내다 : ~ *away* the afternoon 오후를 빈둥거리며 보내다.
—— *n.* 빈둥거리며 보내는 시간, 유유 자적.
〖역성(逆成) < *lazy*〗

la·zu·li [lǽzjəlài, -li, lǽʒə-] *n.* =LAPIS LAZULI.

laz·u·rite [lǽzjəràit, lǽʒə-] *n.* 〔鑛〕 청금석(靑金石), 라주라이트.

‡**la·zy** [léizi] *a.* **1** 태만한, 게으른(↔*diligent*) ; 느려 빠진 : a ~ fellow 나태한 사람 / a ~ correspondent 편지 쓰기를 싫어하는 사람. **2** 께느른한, 졸음이 오는, 나른한 : a ~ afternoon 나른한 오후. —— *vi.*, *vt.* =LAZE.
lá·zi·ly *adv.* **lá·zi·ness** *n.* 게으름, 나태.
〖? MLG *lasich* feeble〗
類義語 ⟹ IDLE.

lázy·bàck *n.* (차내 의자의) 등널, 팔걸이.

lázy·bònes *n.* (*pl.* ~) 《口》 게으름뱅이.

lázy dáisy stìtch *n.* 〔刺繡〕 레이지 데이지 스티치《가늘고 긴 고리 끝을 작은 스티치로 고정시킨 꽃잎 모양의 스티치》.

lázy dóg *n.* 《美俗》 (공중에서 폭발시키는 인명 살상용의) 산열탄(散裂彈).

lázy éye[**éyes**], **lázy-èye blíndness** *n.* 약시(弱視).

lázy jàck *n.* 〔機〕 굴신(屈伸) 잭.

lázy Súsan *n.* [때때로 l~ s~] 《美》 회전식 쟁반(=《英》 dumbwaiter)《식탁용》.

lázy tòngs *n. pl.* (멀리 떨어져 있는 물건을 집는 데 쓰는) 집게.

lazy tongs

laz·za·ro·ne [læ̀zəróuni, lɑ̀dzə-] *n.* (*pl.* **-ni** [-niː]) (Naples의) 부랑자, 거지. 〖It.〗

LB letter box ; light bomber ; 〔美蹴〕 linebacker. **lb.**, **lb** (*pl.* **lb.**, **lbs.**) *libra*, (*pl.*) *librae* 《L》 (=pound). **L.B.** landing barge ; *Lit*(*t*)*erarum Baccalaureus* 《L》 (=Bachelor of Letters[Literature]) ; local board(지방국).

L-band [él-] *n.* 〔通信〕 엘밴드《390-1550 MHz의 주파수대 ; 위성 통신용》.

L bàr[**bèam**] [él-] *n.* L형 강철봉.

L. Bdr., **L/Bdr.** Lance Bombardier. **lbf** 〔理〕 pound-force. **LBO** leveraged buyout. **lbr** labor ; lumber. **lbs.** *librae* 《L》(=pounds).
LC Lance Corporal ; 〔美海軍〕 landing craft ; liquid crystal. **LC**, **L.C.** 《英》 Lord Chamberlain ; 《英》 Lord Chancellor ; Lower Canada. **L/C**, **l/c.** 〔商〕 letter of credit. **l.c.** *loco citato* 《L》 (=in the place cited) ; 〔印〕 lowercase. **LCC** 〔宇宙〕 launch control center.
L.C.C., **LCC** London County Council. **LCD** liquid crystal digital(액정(液晶) 디지털 시계) ; 〔電子〕 liquid crystal display[diode] (액정표시 장치, 액정 소자). **L.C.D.**, **l.c.d.**, **LCD**, **lcd** 〔數〕 lowest[least] common denominator. **L.Cdr.**, **LCDR** Lieutenant Commander. **L.C.F.**, **l.c.f.**, **LCF**, **lcf** lowest common factor. **L.Ch.** 《英》 Lord Chancellor. **L.C.J.** Lord Chief Justice.
L.C.L., **l.c.l.** 〔商〕 less-than-carload(lot).
L.C.M., **l.c.m.**, **LCM**, **lcm** lowest [least] common multiple. **L. Cpl.**, **L/Cpl.** lance corporal. **LCT** Landing Craft Tank ; local civil time. **LD** *Laus Deo* 《L》 (=praise be to God) ; *Literarum Doctor* 《L》 (=Doctor of Letters) ; 〔精神醫〕 learning disability(학습 곤란증) ; learning-disabled ; 〔醫·藥〕 lethal dose《치사량 ; LD_{50}, LD-50은 50% 치사량》.
LD, **L.D.** Low Dutch. **L.D.** Lady Day ; line of departure ; long distance. **Ld.** limited ; Lord.

'ld [d] 《稀》 would.

LDC [èldìːsíː] *n.* 저개발국(less developed country).

L-D converter [èldíː -] *n.* 〔冶〕 L-D 전로(轉爐).

LDDC least developed among developing countries (후발(後發) 개발 도상국). **LDEF** 〔宇宙〕 long duration exposure facility《장시간 노출 위성 ; 본선(本船)에서 분리되어 장시간 우주공간에서 실험을 함》. **ldg** landing ; leading ; loading ; lodging. **LDL** 〔生化〕 low-density lipoprotein(저밀도 리포프로테인).

L-dopa [él-] *n.* Ⓤ 〔藥〕 엘도파《파킨슨 병의 치료에 쓰는 아미노산의 일종 ; L은 levo-》.

Ldp. Ladyship ; Lordship. **LDPE** low-density polyethylene. **ldr.** leader.

L-driver [él-] *n.* 《英》 가(假)면허 운전자《L은 learner》.

ldry. laundry. **L.D.S.** Latter-day Saints ; Licentiate in Dental Surgery(치과개업 면허 소유자). **LE** leading edge. **Le** leone(s). **le.**, **l.e.** 〔美蹴〕 left end. **£E** Egyptian pound(s).

-le[1] [l] *n. suf.* **1** 〖OE *-il*〗「작은 것」의 뜻 : icic*le*, knuck*le*. **2** 〖OE *-ol*, *-ul*〗「…하는 사람[도구]」의 뜻 : bead*le*, gird*le*, lad*le*.

-le[2] [l] *v. suf.* 「반복(反復)」을 나타냄 : dazz*le*, fond*le*. 〖OE *-lian*〗

-le[3] [l] *a. suf.* 「…하는 경향이 있는」의 뜻 : fick*le*, nimb*le*. 〖OE *-ol*〗

lea[1] [líː, 美+léi] *n.* 《詩》 넓은 땅, (특히) 풀밭, 초원, 목초지 ; 목장.
〖OE *lēa*(*h*) ; cf. OHG *lōh* thicket〗

lea[2] [líː] *n.* 직조하는 실의 길이의 단위.
〖ME *lee* (? OF *lier* < L *ligo* to bind)〗

L.E.A., **LEA** 《英》 Local Education Authority.
lea. league ; leather.

leach[1] [líːtʃ] *vt.* 거르다 ; 걸러내다, (가용물(可溶物)을) 받다, 추출하다 ; 물에 담가 우리다.
—— *vi.* 걸러지다 ; 용해하다.
—— *n.* 거르기 ; 거른 액체, 잿물, 삼출 성분 ; 여과기 ; 거름 잿물통.
〖? *letch*(obs.) to wet < ? OE *leccan* to water ((caus.) < LEAK)〗

leach[2] ☞ LEECH[2].

leach·ate [líːtʃeit] *n.* 삼출액(滲出液), 거른 액체.

leach·ing [líːtʃiŋ] *n.* 〔化〕 우려냄, 침출(浸出)(물) ; 〔農〕 용탈(溶脫).

léachy *a.* 다공질(多孔質)의(porous), 물을 통과시키는《흙 따위》.

◇**lead**[1] [líːd] *v.* (**led** [léd]) *vt.* **1** [+目/+目+副/+目+前+名] 인도하다, 안내하다(conduct) ; 끌고 가다 : He kindly *led* me ***in***[***out***, *back*]. 친절하게도 나를 안에까지[바깥까지, 다시 되돌아가게] 안내해 주었다 / The guide *led* us

to the hut. 안내원은 우리를 오두막까지 안내해 주었다.
2 선도하다, …의 선두에 서다 ; 지도하다, 지휘하다, 이끌다(direct) : A baton twirler *led* the brass band. 악대 지휘자가 브라스밴드의 선두에 서서 갔다 / A general ~*s* an army. 장군은 군대를 지휘한다.
3 〖競〗 리드하다 ; …에서 첫째다 ; 〖카드놀이〗 (특정한 패를) 첫 패로서 내놓다.
4 a) [+目+*to*+名] (길 따위가 사람을) 인도하다, 데리고 가다, 《비유》 (결과로서 …까지) 이끌다 : This road will ~ you ***to*** the station. 이 길로 가면 역이 나옵니다.

> **lead를 이용한 의문문의 문장 전환**
> How did you come to this conclusion?
> (어떻게 해서 이 결론에 도달했느냐)
> → What *led* you to this conclusion?
> (직역 : 무엇이 너를 이 결론으로 이끌었느냐)

b) [+目+*to* do] 유인하다, 끌어들이다, (…하는) 기분이 되게 하다(induce) ; 유혹하다 : Fear *led* him *to* tell lies. 그는 무서워서 거짓말을 했다 / She is *led to* reflect upon what she has done. 자기가 한 일을 반성할 마음이 들었다.
5 [+目/+目+前+名] 끌다, 이끌다, 옮기다(convey) ; …을 통과시키다(pass) : ~ a rope ***through*** a pulley 도르래에 밧줄을 끼우다.
6 a) 지내다, 보내다, 살다(spend) : After his father's death he *led* a poor life for many years. 아버지가 돌아가신 뒤 그는 오랫동안 가난한 생활을 했다. **b)** [+目+目] 보내게 하다, 살게 하다 : He *led* that boy a dog's life. 그 소년에게 비참한 생활을 하게 했다.
7 〖法〗 (증인을) 유도 심문하다 ; 《英》 (소송의) 주임 변호사를 맡다 ; 〖스코法〗 증언하다.
—— *vi.* **1** 앞장 서서 가다, 안내하다, 선도하다 ; 지휘하다, 인솔하다, 선창(先唱)을 하다 ; 〖樂〗 지휘자가 되다 ; 〖英法〗 주임 변호사가 되다〈*for*〉.
2 [動/+前+名/+*as* 補] **a)** 〖競〗 리드하다 : The horse *led* easily. 그 말은 쉽게 이겼다. **b)** 뛰어나다(excel), 수위(首位)다 : ***In*** English[*As* a swimmer] John ~*s* in the class. 존은 영어에서는[수영 선수로서는] 반에서 첫째다. **3** [+前+名/+副] (도로 따위가 …에) 이르다, 통하다 ; 《비유》 (결과가 …로) 되다 : All roads ~ ***to*** Rome. ☞ ROME / We met an old peasant in the lane ~*ing to* the farm. 그 농장으로 가는 오솔길에서 나이든 농부를 만났다 / These experiments *led to* discoveries in the nature and use of electricity. 이 실험들은 전기의 성질과 용도에 대한 발견을 가져왔다 / The door ~*s* ***into*** the room. 그 문은 방으로 통하게 되어 있다 / That path ~*s* directly *here*. 그 작은 길은 곧장 이곳으로 통하고 있다 / The arguments *led nowhere*. 그 논쟁은 결국 결론없이 끝났다. **4** 〖카드놀이〗 맨 처음에 패를 내다.
lead a person ***a pretty***[***jolly***] ***dance*** ☞ DANCE *n.*
lead away [보통 수동태로] 데려가다, 꾀어내다, 끌어 넣다.
lead off (1) (*vt.*) 데리고[끌고] 가다 ; (…에서) 시작하다 ; (회)의 선두 타자를 맡다. (2) (*vi.*) 시작하다, 입을 열다.
lead on 꾀다, 꾀어 들이다, (남을) 마음 내키게 하다〈*to* do〉.
lead out ☞ *vt.* 1 ; (여자를 댄스 따위로) 자리에서 이끌어내다.
lead the way ☞ WAY[1].
lead up …의 선수를 쓰다.
lead up to …으로 차츰 이끌다[유인하다], …으로 말을 돌리다 ; 결국은 …인 셈이 되다 : What is she ~*ing up to*? 그녀의 속셈은 무엇일까, 그녀는 무슨 말을 하려고 마음먹고 있는 것일까.
—— *n.* **1** [the ~] 선도, 솔선 ; 지휘, 지도, 지도적 지위 ; 통솔력 : take *the* ~ 선도하다, 솔선하다, 좌지우지하다〈*in, among*〉. **2** [the ~, a ~] 지시, 안내(directions) ; 본보기 : follow *the* ~ of …의 본보기를 따르다 / give a person a ~ 남에게 본보기를 보이다, 모범을 보여 격려하다〈*in*〉. **3** 《口》 문제 해결의 실마리, 단서(clue). **4** [the ~] 〖競〗 리드, 앞지름, 우세(priority) ; [a ~] 리드 거리[시간]. **5** 〖劇〗 주연, 주역, 주연 배우. **6** 〖카드놀이〗 제일 먼저 내는 패, 선수(의 권리). **7** (물레방아에 물을 끌어들이는) 도랑. **8** (말·개 따위의) 끄는 줄. **9** 〖電〗 도선(導線), 안테나의 인입선 ; 〖鑛〗 광맥 ; 도맥(導脈) ; 〖機〗 리드 《(왕복 증기기관 따위에서) 피스톤의 행정(行程)보다 밸브의 행정이 앞서 있기 ; cf. LAG[1] *n.*》. **10** (신문 기사의) 머리글, 톱 기사 ; 〖라디오·TV〗 톱 뉴스.
follow a lead 전례를 따르다, 지도에 따라 행동하다 ; 〖카드놀이〗 제일 처음에 내는 사람을 따라 패를 내다.
—— *a.* 선도하는, 모두(冒頭)의 ; (신문·라디오·텔레비전의) 주요 기사의, 톱 뉴스의.
〚OE *lǣdan*＜Gmc. (《美》 *laidhō* to LOAD ; G *leiten*)〛
類義語 ⟹ GUIDE.

***lead**[2] [léd] *n.* **1** Ⓤ 〖鑛〗 납《금속원소 ; 기호 Pb ; 번호 82》 ; 납 제품 : red ~ 적연(赤鉛), 연단(鉛丹) / white ~ 흰 납, 백분. **2** 측연(測鉛), (낚싯줄의) 추(plummet). **3** [*pl.*] 《英》 지붕이는데 쓰는 함석, 함석 지붕 ; (유리창의) 납창틀. **4** Ⓤ 납총알(bullets) ; (난로 따위를 닦는) 흑연(黑鉛)(black lead) ; Ⓒ 연필의 심. **5** 〖印〗 인테르《행간을 채우는 납조각》.
(***as***) ***dull as lead*** 납처럼 칙칙한 색의 ; 《口》 매우 얼빠진.
(***as***) ***heavy as lead*** 매우 무거운.
cast[***heave***] ***the lead*** 수심(水深)을 재다.
swing the lead 《英俗》 꾀병을 부리다, 일하는 체하다(malinger).
—— *attrib. a.* 납의, 납으로 만든, 납을 함유한 : a ~ pipe 연관(鉛管).
—— *vt.* 납을 씌우다[입히다] ; …에 납으로 추를 달다 ; (창문에) 납창틀을 대다 ; …에 납을 채우다 ; 〖印〗 …에 인테르를 끼우다. **~·ed** *a.* 납으로 만든, 납으로 씌워진[채워진, 처리된] ; 납중독에 걸린 ; (가솔린에) 납을 첨가한.
〚OE *lēad* ; cf. G *Lot* plummet〛

léad ácetate [léd-] *n.* 〖化〗 아세트산(酸)납.
léad ársenate [léd-] *n.* 〖化〗 비산(砒酸)납《살충제(殺蟲劑)》.
léad ballóon [léd-] *n.* 실패(한 계획).
léad cárbonate [léd-] *n.* 〖化〗 탄산납《백색 안료(顔料)》.
léad chrómate [léd-] *n.* 〖化〗 크롬산납《유독의 황색결정 ; 안료·산화제》.
léad cólic [léd-] *n.* 〖醫〗 납산통(痛)(painter's colic).
léad dióxide [léd-] *n.* 〖化〗 이산화납《산화제·전지의 전극에 쓰임》.
léaded gásoline [lédid-] *n.* 가연(加鉛) 휘발유

《옥탄값을 높이기 위하여 납을 첨가함》.

lead·en [lédn] *a.* 납으로 만든 ; 납빛의 ; 답답한, 둔한, 나른한 ; 부담이 되는, 성가신 ; 무기력한, 활발치 못한 ; 가치 없는 ; 단조로운. —— *vt.* leaden으로 하다. **~·ly** *adv.* **~·ness** *n.*

léaden-éyed *a.* 거슴츠레한, 졸린 눈의.

Léad·en·hall (Márket) [lédnhɔ̀:l(-)] *n.* 레든홀《London의 14세기 이래의 조수(鳥獸) 육류 시장 ; 현재는 야채류 따위도 취급하여 일반인도 살 수 있음》.

léaden-héart·ed *a.* 무정(無情)한, 무자비한 ; 무기력한.

léaden séal [lédn-] *n.* 봉납《물건을 묶은 철사 끝에 매단 각인(刻印) 납조각》.

‡**lead·er** [lí:dər] *n.* **1** 선도자, 지도자, 리더 ; 《英》 (정당의) 당수 ; 수령, 주장 ; 지휘관 ; 주창자, 주역. **2** 주임 변호사 ; (순회 재판의) 수석 변호사. **3** 〖樂〗 (관현악단의) 제1바이올린 연주자 ; (취주악단의) 제1코넷 연주자 ; (합창단의) 제1소프라노 ; 《美》 (관현악단의) 지휘자. **4 a)** 《英》 사설, 논설 ; 〖法〗 유도 심문. **b)** 〖映〗 자막. **c)** =LOSS LEADER. **5** (마차의) 선두 말(↔*wheeler*) ; 향도선(嚮導船). **6** 〖機〗 주륜(主輪), 주동부(主動部) ; 도화선 ; (수도·스팀의) 도관. **7** 〖植〗 어린 가지. **8** [*pl.*] 〖印〗 리더《목차 따위에서 알아보기 쉽게 하기 위한 점선 또는 파선(破線)》. **9** 〖解〗 힘줄.

lead·er·ette [lì:dərét] *n.* 《英》 짧은 사설.

Léader of the Hóuse (of Cómmons [Lórds]) *n.* 〖英議會〗 (하원[상원]) 원내총무.

léader of the opposítion *n.* 〖英議會〗 야당 원내 총무.

***léad·er·shìp** *n.* **1** Ⓤ 지휘자[수령]의 지위[임무]. **2** Ⓤ 지도, 지휘, 통제, 통솔 ; 지도권 ; 지도력, 통솔력. **3** 지도부, 수뇌부.

léader wrìter *n.* 《英》 (신문의) 논설 위원(=《美》 editorial writer).

léad-fóot·ed [léd-] *a.* 《美俗》 아둔패기의, 쓸모없는, 얼 빠진.

léad-frèe [léd-] *a.* 무연(無鉛)의 : ~ gasoline.

léad glànce [léd-] *n.* 방연광(方鉛鑛).

léad glàss [léd-] *n.* 납유리《산화납이 섞임》.

léad-ìn [lí:d-] *n.* 〖電〗 (안테나 따위의) 도입선 ; (방송 광고의) 도입부. —— *a.* 도입의.

***lead·ing**[1] [lí:diŋ] *n.* Ⓤ 지도, 선도, 지휘, 통솔 ; 통솔력(leadership). —— *a.* **1** 인도하는, 선도하는, 지도[지휘]하는. **2** 굴지의, 제일류[급]의, 뛰어난 : a ~ figure in economic circles 경제계의 중진 / the ~ countries of Europe 유럽의 일류국들. **3** 주요한, 주된(chief) ; 주역의, 주연의 : play the ~ part[role] 주역을 맡다.
〖LEAD[1]〗
類義語 ⟹ CHIEF.

lead·ing[2] [lédiŋ] *n.* Ⓤ 납세공 ; 납으로 만든 틀. 〖LEAD[2]〗

léading árticle *n.* **1** 《英》 사설, 논설(leader, editorial). **2** (신문·잡지의) 주요기사. **3** 《英》 =LOSS LEADER.

léading blóck *n.* 〖海〗 리딩 블록, 도활차(導滑車).

léading búsiness *n.* [집합적으로] 극의 주역[대역(大役)].

léading cáse *n.* 〖法〗 (자주 언급되는 유명한) 주요 판례.

léading cóunsel *n.* 《英》 수석 변호사 ; 왕실 변호사, (순회 재판의) 수석 변호사.

léading dóg *n.* 《濠》 (양떼의) 선도견(犬).

léading édge *n.* 〖空·氣〗 프로펠러 앞쪽의 가장자리 ; 〖電〗 (펄스의) 진폭이 증대되는 부분.

léading índicator *n.* 〖經〗 (경기 동향을 나타내는) 선행지표.

léading lády *n.* 주연 여배우.

léading líght *n.* **1** (항구·운하 따위의) 길잡이 등(燈). **2** 중요한 인물, 지도적인 사람 ; 태두(泰斗), 대가(大家).

léading mán *n.* 주연 남자배우.

léading màrk *n.* 〖海〗 (배의 항구 출입시의) 도표(導標).

léading mótive *n.* =LEITMOTIV.

léading nóte *n.* =LEADING TONE.

léading quéstion *n.* 유도 심문.

léading rèin *n.* (말 따위의) 끄는 고삐 ; [*pl.*] = LEADING STRINGS.

léad-in gróove *n.* (레코드 가장자리의) 도입(導入)홈.

léading séaman *n.* 〖英海軍〗 일등병.

léading stàff *n.* **1** 소의 코뚜레에 단 막대기. **2** 지휘봉.

léading strìngs *n. pl.* 손으로 끄는 줄《어린 아이의 보행 연습용》 ; 지도, 보호 ; 속박 : be in ~ 아직 혼자 힘으로 해나갈 수 없다.

léading tóne *n.* 《美》〖樂〗 이끎음(leading note, subtonic)《음계 중의 제7음》.

léad-in wíre *n.* (백열등 따위의 전류) 도입선.

léad jòint [léd-] *n.* 《美俗》 (유원지 따위의) 장난감 사격장(場).

léad·less [léd-] *a.* 무연의《가솔린 따위》 ; 탄환을 재지 않은.

léad lìne [léd-] *n.* 〖海〗 측연선(測鉛線) (sounding line).

léad·man *n.* 노동자 십장, 작업반장(foreman).

léad monóxide [léd-] *n.* 〖化〗 일산화납, 밀타승(密陀僧).

léad nítrate [léd-] *n.* 〖化〗 질산납.

léad·òff [lí:d-] *n.* (일·게임의) 시작, 착수 ; 〖拳〗 선제 일격 ; 〖野〗 일번 타자, (각 회의) 선두 타자.

léad-òff *a.* 최초(最初)의, 선두의 : a *lead-off* batter 선두 타자.

léad óxide [léd-] *n.* 〖化〗 일산화납.

léad péncil [léd-] *n.* 연필.

léad-pìpe cínch, léad-pìpe [léd-] *n.* 《美俗》 아주 쉬운[확실한] 것.

léad pòison [léd-] *n.* 《美俗》 총탄에 의한 사망.

léad pòisoning [léd-] *n.* 〖醫〗 납중독(plumbism, saturnism) ; 《美俗》 총탄에 의한 사망.

léads and lágs [lí:dz-] *n.* 〖商〗 환시세 변동에 대처하기 위해 수출입대금의 대외 결제를 앞당기거나 늦추는 일.

léad scréw [lí:d-] *n.* 〖機〗 어미나사《선반(旋盤)의 왕복대(臺)를 움직이는 나사》.

leads·man [lédzmən] *n.* 〖海〗 측연수(測鉛手), 측심원.

léad stòry *n.* (신문 따위의) 톱기사.

léad·swìng·ing [léd-] *n.* 《英俗》 게으름피우고 일을 하지 않음, 게으름피우기.
-swìng·er *n.*

léad tetraéthyl [léd-] *n.* =TETRAETHYL LEAD.

léad tìme [lí:d-] *n.* 리드 타임《(1) 제품의 고안[계획, 설계]에서 완성에 이르는 기간. (2) 주문에서 배달까지의 기간》.

léad-ùp [lí:d-] *n.* (다른 일의) 사전준비가 되는 것, 앞서가는 것.

léad wóol [léd-] *n.* 철관(鐵管)의 이음매 따위를 메우는 솜 모양의 납.

léad·wòrk [léd-] *n.* 납세공(細工).

leady [lédi] *a.* 납 같은, 납빛의 ; 납을 함유한.

‡leaf[1] [lí:f] *n.* (*pl.* **leaves** [lí:vz]) **1** 잎, 나뭇잎, 풀잎 : a ~ blade 잎새 / dead *leaves* 마른잎 / ☞ LEAF BUD / ☞ LEAF MOLD. **2** [집합적으로] 군엽(群葉) (foliage). **3** 꽃잎 (petal) ;《美俗》상추 (lettuce) ;《俗》마리화나 ; [the ~]《美俗》코카인. **4** 잎 모양의 것 ; (책의) 한 장《두 페이지》; (창 · 셔터 · 접는 문짝 · 가동교 따위의) 가동 부분, (접는 식 테이블의) 자재판(自在板) ; Ⓤ (금속의) 박(箔)《foil보다 얇음》: a ~ gold=GOLD LEAF. **5** (상품으로서의) 찻[담뱃]잎 : ☞ TEA-LEAF. **6** LEAF FAT의 한 층.
come into leaf 잎이 나다[나기 시작하다].
in leaf 잎이 나와서.
the fall of the leaf 잎이 질 무렵, 가을.
turn over a new leaf 마음을 고치다, 생활을 일신하다.
── *vi.* 《美》잎이 나오다. ── *vt.* (책장을) 넘기다〈*through*〉: ~ ***through*** (the pages of) a dictionary 사전을 쭉 훑어 보다.
~·less *a.* 잎이 없는. **~·less·ness** *n.* **~·lìke** *a.* 잎 같은.
〖OE *lēaf* ; cf. G *Laub*〗

leaf[2] *n.* 《英軍俗》휴가, 사가(賜暇) (furlough).

léaf·age *n.* Ⓤ [집합적으로] 잎(leaves, foliage) ; (도안 따위의) 잎 (모양) 장식.

léaf bèet *n.* =CHARD.

léaf bèetle *n.* 〔昆〕잎벌레《총칭》.

léaf bùd *n.* 〔植〕잎눈(cf. FLOWER BUD).

léaf bùtterfly *n.* 〔昆〕가랑잎나비.

léaf clìmber *n.* 〔植〕잎자루나 잎이 변태한 덩굴손으로 감아 올라가는 덩굴 식물.

léaf cùrl *n.* 〔植〕(복숭아잎 따위의) 잎말이병.

léaf cútting *n.* 〔園藝〕잎꽂이.

léaf-cutting[**léaf-cutter**] **bée** *n.* 〔昆〕가위벌과(科)에 속하는 벌의 총칭(upholsterer bee).

leafed [lí:ft] *a.* 잎이 있는 ; 잎이 …인(leaved) : a four-~ clover 네잎 클로버.

léaf fàll *n.* 낙엽.

léaf fàt *n.* 엽상 지방(葉狀脂肪)《특히 돼지 신장 주위에 있는 지방》.

léaf grèen *n.* 엽록소(chlorophyll) ; 리프 그린《황록색》.

léaf·hòpper *n.* 〔昆〕매미충.

léaf ìnsect *n.* 〔昆〕대벌레류의 곤충《날개가 나뭇잎과 비슷한 곤충으로 남아시아에 많음》.

léaf làrd *n.* 리프 라드《엽상 지방(leaf fat)으로 만든 중성 라드》.

léaf·let *n.* **1** 〔植〕작은 잎《겹잎의 한조각》; 어린 잎 ; 잎 모양의 기관. **2** 낱장 광고, 전단 ; (신문 따위에 끼워 넣는) 인쇄물, 리플릿.
── *vi., vt.* (…에) 광고[전단]를 돌리다.

lèaf·let·éer *n.* 《때때로 蔑》광고 문안 작성자 ; 광고 돌리는 사람.

léaf mòld *n.* **1** 부엽토(腐葉土), 부식토(腐植土) (cf. HUMUS). **2** 잎에 생기는 곰팡이.

léaf mùstard *n.* 〔植〕갓.

léaf-ràking *n.* (실업자에게 일거리를 주기 위한 원래는 필요없는) 헛일, 무익한 일.

léaf ròll *n.* (감자의) 잎말이병(病).

léaf spòt *n.* 〔植〕잎 점무늬병(病).

léaf sprìng *n.* 〔機〕판 스프링.

léaf·stàlk *n.* 잎자루(petiole).

léafy *a.* **1** 잎이 많은, 잎이 우거진 : a ~ shade 녹음, 나무그늘. **2** 잎으로 된, 잎이 만드는. **3** 넓은 잎의 ; 잎 모양의. **léaf·i·ness** *n.*

léafy spúrge *n.* 〔植〕흰대극.

***league**[1] [lí:g] *n.* **1** 동맹, 연맹, 리그 ; 맹약(盟約). **2** [집합적으로] 연맹 참가자[단체 · 국가] (leaguers). **3** (야구 따위의) 경기 연맹 : a ~ match 리그전(戰). **4** (품질 · 등급에 의한) 부류, 범주.
in league with …와 동맹[맹약 · 연합]하여.
the League (***of Nations***) 국제연맹《1919-46년 ; 현재의 the United Nations의 전신》.
── *vt.* [+目/+目+副/+目+*with*+名] 동맹[연맹 · 맹약]을 맺게 하다 ; 단결[연합]시키다 : The two countries were ~*d together* [***with*** each other]. 그 양국은 서로 동맹을 맺고 있었다.
── *vi.* 동맹[연맹]하다 ; 단결하다.
〖F or It. (L *ligo* to bind)〗
類義語 ⟹ ALLIANCE.

league[2] *n.* 리그《거리 단위 ;《英 · 美》에서는 약 3마일》; 지적(地積) 단위《1제곱 리그》.
〖L<Celt. ; cf. OE *leowe*〗

léa·guer[1] *n.* 연맹 가입자[단체 · 국(國)] ;〖野〗연맹의 선수.

leaguer[2] *n.* 《古》포위 공격 ; 포위진. ── *vt.* 《古》포위하다(beleaguer).

léague tàble *n.* 《英》(스포츠의) 연맹 참가단체 성적순위 일람표, (일반적으로) 성적[실적] 대비 일람표.

Le·ah [lí:ə ; líə] *n.* 여자 이름.
〖Heb. = ? (wild) cow〗

leak** [lí:k] *vi.* **1** 새다 ; 새어 나오다 ; (배에 물이) 스며들다. **2** [+副] (비밀 따위가) 새다〈*out*〉;《俗》소변을 보다 : The secret has ~*ed* ***out. 비밀이 누설되었다.

〈회화〉
I smell gas. — It must be *leaking.* 「가스냄새야」「가스가 새는 게 분명해」

── *vt.* 새게 하다 ; (비밀 따위를) 누설하다 : The pipe ~*s* gas. 그 파이프는 가스가 샌다.
── *n.* **1** 새는 곳[구멍], 새기〈*in*〉: spring [start] a ~ 새는 곳이 생기다, 새기 시작하다. **2** 새는 물, 새어 나오는 증기[가스] ; 누출량(漏出量) (leakage) ;〔電〕리크, 누전(漏電). **3** 《俗》방뇨 : do[have, take] a ~ 소변을 보다. **4** (비밀 따위의) 누설 ; 비밀 누설자 ; 누설 경로.
~·er *n.* **~·less** *a.* 〖? LG ; cf. ON *leka* to drip, OE *leccan* to moisten〗

léak·age *n.* **1** Ⓤ 새기, 새어 나옴 ; (비밀 따위의) 누설〈*of*〉. **2** 새는 양, 누출량 ;〔商〕누손(漏損).

léak·pròof *a.* 새지 않는 ;《美》비밀이 지켜지는 ; 기밀누설 방지의.

léaky *a.* **1 a**) 새는 구멍이 있는, 새는, 새기 쉬운. **b**) 오줌을 잘 싸는. **2** 비밀을 누설하기 쉬운 : a ~ vessel 비밀을 지키지 못하는 사람, 수다쟁이.

leal [lí:l] *a.* 《古 · 스코》충실한, 성실한(loyal).
the land of the leal 천국.
〖AF ; ⇨ LOYAL〗

‡lean[1] [lí:n] *v.* (**leaned** [lí:nd ; lént, lí:nd], 《英》**leant** [lént]) *vi.* **1** [+前+名] 기대다, 비스듬히 기대다, 의지하다 : An old woman came along the road ~*ing* ***on*** her staff. 한 할머니가 지팡이에 의지하면서 길을 따라왔다 / He ~*ed* ***against*** the wall. 벽에 비스듬히 기댔다. **2** [+副/+前+名] 윗몸을 구부리다, 굽히다, 뒤로 젖히다 ; 기울다, 구부러지다 : ~ *forward* in walking 구부정하게 걷다 / ~ *back* in a chair 윗몸을 뒤로 젖히고 의자에 앉다 / The tree ~*ed* ***over*** in the wind. 그 나무는 바람에 휘었다 / They were on board ~*ing over* the rail. 배의 난간에 기대고

있었다 / I ~*ed* ***out of*** the window and shouted to the boy in the street. 창문에서 윗몸을 내밀고 거리에 있는 소년을 향해 소리쳤다. **3** [+*toward*+名] (…으로) 기울다, …의 경향이 있다 : His interest ~*s* ***toward*** politics. 그의 관심은 정치쪽으로 기울고 있다. **4** [+*on*+名] 의지하다, 의존하다 : ~ ***on*** a friend's advice 친구의 충고에 의지하다. —— *vt.* [+目+前+名] 기대어 놓다, 기대어 세우다 ; 기울어지게 하다, 구부리다 : He ~*ed* his back ***against*** the wall. 그는 벽에 등을 기댔다 / He ~*ed* his elbows ***on*** the desk. 그는 책상에 팔꿈치를 짚었다.

lean over backward (너무 지나쳤던 것을 고치기 위해) 정반대의 태도로 나오다, 이전과는 딴판으로 …하다〈*to* do〉; (남의 편의를 위해) 가능한 한 노력하다.

—— *n.* Ⓤ 기울기, 경사(slope) ; 치우침, 구부러짐(bend). 〖OE *hleonian* ; cf. G *lehnen*, L *inclino* to INCLINE〗

***lean**[2] *a.* **1** 야윈(thin), 홀쭉한 ; (고기가) 기름기 없는, 살코기의(↔*fleshy, fat*). **2** 결핍된, 수확이 적은, 흉작의 : ~ crops 흉작 / a ~ year 흉년. **3** 영양분이 없는 ; 알맹이가 없는, 빈약한 ; 불모(不毛)의. **4** 이익이 적은, 수지가 안 맞는. **5** (광석·석탄·연료 가스 따위) 저품질의, 저품위의. **6 a**) 〖印〗 (글자의 획이) 가는. **b**) (문체가) 힘차고 간결한. —— *vt.* lean으로 하다, (특히) (혼합기를) 얇게 하다. —— *n.* Ⓤ 지방[비계]가 없는 고기, 살코기(↔*fat*) ; 벌이가 안되는 일. **~·ly** *adv.* **~·ness** *n.* 〖OE *hlǣne*〗

類義語 ⟹ THIN.

Le·an·der [liǽndər] *n.* **1** 남자 이름. **2** 〖그神〗 레안드로스《Hero의 연인》. 〖Gk. =lion man〗

lean·er [líːnər] *n.* 기대는[의지하는] 사람.

léan gréen *n.* 《美學生俗》 돈, 달러 지폐.

léan·ing *n.* **1** 기울기, 경사. **2** 경향, 성벽(性癖) ; 기호, 편애(偏愛) : a man with literary ~*s* 문학에 취미가 있는 사람 / have[show] a ~ *toward* the law 법률에 쏠려 있다.

the Leaning Tower of Pisa 피사의 사탑(斜塔) (☞ PISA).

類義語 ⟹ INCLINATION.

‡**leant** *v.* 《英》 LEAN[1]의 과거·과거 분사.

léan-tò *a.* 달아낸, 달개의 : a ~ roof [shed] 원채에서 달아낸 지붕[광].

—— *n.* (*pl.* **~s**) 달개집, 달아낸 광[지붕].

‡**leap** [líːp] *v.* (**~ed** [líːpt, lépt ; lépt, líːpt], **leapt** [lépt, líːpt]) *vi.* **1** [動/+前+名] 뛰다, 날뛰다, 약동하다 : Look before you ~. 《속담》 유비 무환 ; 실행하기 전에 잘 생각하라, 돌다리도 두드려 보고 건너라 / She ~*ed* ***for***[***with***] joy at the good news. 그녀는 그 좋은 소식을 듣고 기뻐 날뛰었다. 注 비유적 또는 문어적 용법 이외에는 jump가 일반적. **2** (화제·상태 따위가) 비약하다, 갑자기 바뀌다 ; (생각이 갑자기) 떠오르다. **3** (기회·제의 따위에) 덤벼들다, 응하다 : He ~*ed* ***at*** the chance without any hesitation. 그는 조금도 주저하지 않고 그 기회를 덥석 잡았다.

—— *vt.* **1** 뛰어넘다 : ~ a ditch 도랑을 뛰어넘다. **2** [+目/+目+*over*+名] 뛰게 하다, 뛰어넘게 하다 : The hunters ~*ed* their horses ***over*** all the obstacles. 사냥꾼들은 말에게 그 장애물을 모두 뛰어넘게 했다. **3** (수컷이) 교미하다.

leap out of one's ***skin*** (기뻐서) 날뛰다.

leap to one's ***feet*** 뛰어오르다, (기뻐서·놀라서) 후다닥 일어나다.

leap to the eye 곧 눈에 띄다, 곧 알아차리다.

—— *n.* 뛰기, 도약(跳躍)(jump) ; 한 번 뛰는 거리[높이], 뛰어넘어야 할 것[곳], 뛸 곳 ; 교미 ; (화제·상태 따위의) 비약, 급격한 변화 : with a ~ 단번에 뛰어서, 별안간.

a leap in the dark 무모한 짓, 폭거.

by leaps and bounds 껑충껑충, 급속도로.

~·er *n.* 뛰는 사람 ; 잘 뛰는 말.

〖OE *hlēapan* ; cf. G *laufen* to run〗

類義語 ⟹ JUMP.

léap dày *n.* (윤년(閏年)의) 윤일《2월 29일》.

léap·fròg *n.* 등넘기 (놀이).

—— *vt., vi.* (**-gg-**) (구부린 사람의 등을 짚고) 등넘기 놀이를 하다〈*over*〉; 앞서거니 뒤서거니하다[하며 전진하다] ; 앞지르다, 뛰어넘다 ; (장애물을) 피하여 지나가다.

léap·ing héebies *n.* [the ~] 《美俗》 = HEEBIE-JEEBIES.

Léaping Léna *n.* 《野俗》 외야수 앞에 떨어지는 플라이.

léap sècond *n.* 윤초(閏秒).

‡**leapt** *v.* LEAP의 과거·과거 분사.

léap yèar *n.* 윤년(cf. COMMON YEAR).

léap-yèar *a.* 윤년의 : a ~ proposal 여성으로부터의 청혼《윤년에만 허용됨》.

Lear [líər] *n.* 리어왕《Great Britain 섬의 전설의 왕 ; Shakespeare 작 *King Lear*의 주인공》.

◇**learn** [lə́ːrn] *v.* (**~ed** [-d, -t ; -t, -d], **learnt** [lə́ːrnt]) *vt.* **1** [+目/+*to* do/+*wh.*+*to* do] 배우다, 익히다, 가르침을 받다(cf. STUDY) ; 공부하다, 연습하다 ; 외다, (…하게) 되다 : ~ a thing or two ☞ THING 숙어 / She is ~*ing* French. 불어를 공부하고 있다 / Has he ~*ed*[~*t*] *to* speak English[*how to* skate]? 그는 영어를 말할 수 있게 되었니[스케이트 타는 법을 배웠니] / You must ~ *to* be more patient. 좀 더 참을 줄을 알아야 한다. **2** [+目/+目+前+名/+*that* 節/+*wh.* 節] 알다, 듣다 : I ~*ed*[~*t*] it ***from***[***of***] him that they had an accident. 그들이 사고를 당했다는 것을 그에게서 들었다 / I'm sorry to ~ *that* he has failed in business. 그가 사업에 실패했다니 참 안됐다 / We have not yet ~*ed*[~*t*] *whether* he arrived safely. 그가 무사히 도착했는지 안했는지 아직 모르고 있다 / I am[have] yet to ~ *why* that is so. 왜 그런지 나는 아직 모른다. **3** 《卑·戲·方》 가르치다(teach).

—— *vi.* **1** [動/+前+名] 배우다, 익히다, 가르침을 받다, 외다 : He ~*s* fast[slowly]. 그는 빨리[더디] 외운다 / You must ~ ***about*** the duties of a weatherman. 기상 통보관의 임무를 배우지 않으면 안된다. **2** [+*of*+名] 알다, 듣다 : He ~*ed*[~*t*] ***of*** her marriage from his friend. 그는 친구에게서 그녀의 결혼 소식을 들었다[듣고 알았다].

learn by heart 암기하다.

~·able *a.* 배울 수 있는.

〖OE *leornian* ; cf. LORE[1], G *lernen*〗

類義語 ***learn*** 공부나 경험에 의하여 지식이나 기술을 습득하다[익히다] : *learn* cooking (요리법을 익히다). ***study*** 학문·미술·외국어 따위를 체계적으로 노력하여 공부하다 : *study* physics (물리학을 공부하다).

learn·ed [lə́ːrnəd] *a.* **1 a**) 학문[학식]이 있는, 박학한, 박식한(↔*ignorant*) : a ~ man 학자 / my ~ friend[brother] 《英》 박식한 친구《하원·법정 따위에서 변호사가 상대방 변호사에게 쓰는 경칭》 / He is ~ *in* the law. 그는 법률에 정통해 있다 / He looked very ~. 그는 매우 학자다운 풍

모를 지니고 있었다. **b**) 학문상의, 학문[학구]적인 ; 학문의 : a ~ book[journal] 학술서적[잡지] / a ~ society 학회 / the ~ professions 지적 직업《원래는 신학·법학·의학의 세 가지 직업을 일컬었음》. **2** [lə́ːrnd, -t] 학습에 의해 터득된, 후천적인《기능·반응 따위》. **~·ly** [-nəd-] *adv.* 학자답게. **~·ness** [-nəd-] *n.*

léarn·er *n.* 학습자, 학생, 제자 ; 초학자 : a ~'s dictionary 학습 사전.

léarner-dríver *n.* 《英》 가(假)면허 운전자((L-driver)).

***léarn·ing** *n.* **1** 배우기 ; 학문, 학식, 지식 ; 박학 : a man of ~ 학자. **2** (지식·기능의) 습득 ; 〖心〗 학습.

類義語 ⟹ KNOWLEDGE.

léarning compùter *n.* 학습용 컴퓨터.

léarning contról *n.* 학습 제어.

léarning cùrve *n.* 〖心·敎〗 학습 곡선.

léarning disabìlity *n.* 〖精神醫〗 학습불능(증)《읽기·쓰기·계산 따위의 기술 습득의 저해 ; 신경 조직의 기능 장애와 관계가 있음》.

léarn·ing-dis·ábled *a.* 학습불능(증)의.

◇**learnt** *v.* LEARN의 과거·과거분사.

lease[1] [líːs] *n.* **1** 차지(借地)[차가(借家)] 계약, 임대차(계약) : take a furnished house *on* a ~ of ten years 10년 계약으로 가구(家具) 딸린 셋집을 빌리다. **2** 임차권 ; 차용[임대차] 기간. **3** (건강 따위의) 허용되는 기간.

by*[*on*] *lease 임대[임차]로 : take the land *on* ~ 토지를 임차하다.

take*[*get*] *a new*[*fresh*] *lease of*[《美》 *on*] *life (지병이 완쾌하여) 수명이 길어지다 ; (물건이) 보다 오래가게 되다[쓰게 되다].

—— *vt.* (땅 따위를) 임대[임차]하다, 빌리다.

—— *vi.* (땅 따위가) 임대차 대상이다 ; (사람이) 임대 행위를 하다.

léas·able *a.* (땅이) 임대[임차]할 수 있는.

léas·er *n.*

〖AF *les* (*lesser* to let<L *laxo* to loosen)〗

類義語 ⟹ HIRE.

lease[2] *n.* 베틀의 날실이 교차하는 곳 ; (길쌈의) 무늬(leash).

lease[3] [líːz] *n.* 《方》 공유지, 공동 방목장.

〖OE *lǣs*〗

léase·bàck [líːs-] *n.* 임대차 계약부 매각《매각한 뒤 임차하기》.

léase cràft [líːs-] *n.* 임대 우주공장《무중력 상태나 진공을 이용하여 실험·생활·활동을 할 수 있게 설비된 우주 구조체를 임대하는 구상》.

léase·hòld [líːs-] *n.* 차지(借地), 토지 임차권 ; 정기 임차권. —— *a.* 임차의, 조차(租借)의.

~·er *n.* 차지인(借地人).

léase-lénd [líːs-] *n.*, *v.* =LEND-LEASE.

leash [líːʃ] *n.* **1** 가죽끈, 쇠사슬 ; 속박 ; 통제. **2** (개 따위가 한데 매인) 세 마리 한 조. **3** (길쌈의) 무늬.

hold*[*have*]. . .*in leash …을 가죽끈으로 매어 놓다 ; 《비유》 …을 속박[지배]하다.

strain at the leash (사냥개가) 도망치려고 가죽끈을 끌어당기다 ; 《비유》 자유를 갈망하다.

—— *vt.* 가죽끈으로 매다, 속박하다 ; 지배하다 ; 《비유》 억제하다.

〖OF *lesse* ; ⇨ LEASE[1]〗

léash làw *n.* 기르는 사람의 소유지 밖에서는 개를 매두어야 한다는 조례.

leas·ing [líːziŋ, -siŋ ; -siŋ] *n.* 《古》 허위.

◇**least** [líːst] *a.* (↔*most*) 가장 작은, 가장 적은, 최소의.

not the least (1) 최소의 …도 없다(not...at all) : In summer there is*n't the* ~ rain in that part of the country. 여름이 되면 그 지방에는 비가 조금도 내리지 않는다 / He had*n't the* ~ knowledge of me. 그는 나에 대해서는 조금도 모르고 있었다. (2) [nót을 강조하여] 적지 않은, 많은(great) : There's *nót the* ~ danger. 적지 않은 위험이 있다.

—— *n.* 최소(最小) ; 최소량[액].

at* (*the*) *least 적어도(↔*at* (*the*) *most*) ; 적으나마, 여하튼(at any rate) : These eggs will cost *at* ~ two thousand won. 이 계란들은 적어도 2000원은 할 것이다 / You must *at* ~ try. 해보기라도 해야지.

not in the least 조금도 …하지 않다, 조금도 … 아니다(not at all) : It does*n't* matter *in the* ~. 그런 일은 조금도 관계없다.

***to say the least* (*of it*)** 줄잡아 말하여도, 적어도.

—— *adv.* 가장 적게.

least of all 가장 …이 아니다, 무엇보다도 …하지 않다 : I like that ~ *of all.* 그것이 가장 싫다.

not the least =*not in the* LEAST.

〖OE *lǣst*, *lǣsest* (superl.) ‹ LESS〗

léast cómmon denóminator *n.* [the ~] 〖數〗 최소 공통 분모(分母)《略 L.C.D.》; 《비유》 공통항(項).

léast cómmon múltiple *n.* [the ~] 〖數〗 최소 공배수(最小公倍數) (lowest common multiple)《略 L.C.M.》.

léast·est *n.* [the ~] 《俗》 최소(最小), 최소(最少) (량) (the least).

léast signíficant bít *n.* 〖컴퓨〗 최하위 비트《略 LSB》.

léast signíficant dígit *n.* 최하위 숫자《가장 오른쪽의 숫자 ; 略 LSD》.

léast squáres *n. pl.* 〖統〗 최소 제곱법.

léast·wàys *adv.* 《方》 =LEASTWISE.

léast·wìse *adv.* 《口》 =*at* LEAST.

leat [líːt] *n.* 《英》 (물레방아 따위에 물을 대는) 수로(水路).

***leath·er** [léðər] *n.* **1** Ⓤ 가죽, 무두질한 가죽 : a ~ dresser 가죽 직공 / ☞ PATENT LEATHER. **2** 가죽 제품 : **a**) 가죽끈, 등자(鐙子) 가죽 ; 《俗》 지갑. **b**) [the ~] (야구·크리켓·축구의) 공 ; [the ~] (당구의) 큐의 끝. **c**) [*pl.*] 가죽으로 만든 반바지. **3** 《俗》 (사람의) 피부(skin). **4** 《美俗》 사디즘[매저키즘] 행위.

Nothing*[*There is nothing*] *like leather ! 《속담》 제것보다 더 소중한 것은 없다, 「자화자찬」, 자기의 이익이 첫째다.

—— *vt.* 가죽을 무두질하다, …에 가죽을 붙이다[대다] ; 《口》 (가죽끈 따위로) 때리다(flog).

—— *a.* 가죽의, 가죽 제품의 ; 《美俗》 (가죽 옷 따위를 좋아하는) 사디스트[매저키스트]의.

〖OE *lether* ; cf. G *Leder*〗

léather·bàck *n.* 〖動〗 장수거북《큰 바다거북의 일종임》.

léather-bòund *a.* (책이) 가죽 표지인, 가죽 장정인.

léather càrp *n.* 〖魚〗 가죽잉어.

léather·clòth *n.* 가죽천, 레더클로스《표면에 도료를 발라 가죽과 비슷하게 만든 방수천》.

Leath·er·ette [lèðərét] *n.* 모조 가죽《상표명》.

léather·hèad *n.* **1** 《口》 바보, 멍청이. **2** (이탈리아의) 테러방지 특수 부대원《가죽으로 복면을 했

음》. **léather-héad·ed** *a.*
léather·jàcket *n.* 〖魚〗 쥐치 ; 각다귀의 애벌레.
léather·lèaf *n.* 〖植〗 진퍼리꽃나무.
léather-lùnged *a.* 《口》 큰소리로 지껄여 대는.
léather mèdal *n.* 《美俗》 =BOOBY PRIZE.
leath·ern [léðərn] *a.* 《美》《英古》 가죽의, 가죽제의 ; 가죽질의.
léather·nèck *n.* 《美俗》 해병대원(marine) ; 무뚝뚝한 남자. 〖19세기 중엽의 해병대원 제복에 달았던 가죽 옷깃에서〗
Leath·er·oid [léðərɔ̀id] *n.* 모조[인조] 가죽《제본용 ; 상표명》.
léather·wàre *n.* 가죽 제품.
léather wédding *n.* 혁혼식(革婚式)《결혼 4주년 기념일》.
léather·wòod *n.* 〖植〗 디르카《북미산의 서향과의 관목》.
léath·ery *a.* 가죽 같은 ; 가죽 빛깔의 ; (쇠고기 따위가 가죽처럼) 질긴(tough).

◇**leave**[1] [líːv] *v.* (**left** [léft]) *vt.* **1 a)** [+目/+目+*for*+名] (장소를) 떠나다, 나가다, 출발하다 : People had to ~ their towns and villages. 사람들은 자기네들의 읍이나 마을을 떠나지 않으면 안되었다 / We ~ here tomorrow. 내일 이곳을 떠납니다 / I ~ home ***for*** school at eight. 여덟시에 집을 나와 학교에 간다. **b)** (업무 따위를) 그만두다, 탈퇴[산회]하다 ; (학교를) 졸업[퇴학]하다 ; (고용주에게서) 휴가를 얻다 : ~ one's job 일을 그만두다, 사직하다 / ~ school 졸업[퇴학]하다 / His secretary has *left* him without notice. 그의 비서는 예고 없이 그만두었다.
2 [+目/+目+前+名] 놓고 가다 ; 둔채 잊다, 두고 가다 ; 버리다, 돌보지 않다 : *Where* did you ~ your umbrella? 우산을 어디에 두고 왔느냐 / He *left* his wife[old friend]. 그는 아내[옛 친구]를 돌보지 않았다 / I *left* it ***in*** the train. 기차에 두고 왔다 / You must ~ your personal effects in the locker. 개인 소지품은 그 사물함 속에 넣어 두어야 한다 / She *left* her textbooks ***on*** the desk. 그녀는 교과서를 책상 위에 두고 갔다 / Don't ~ your work ***till*** tomorrow. 일을 내일까지 미루지 마라.
3 [+目+補/+目+過分/+目+do*ing*/+目+*to* do/+目+*to*+名/+目] (…의 상태로) 놓아 두다, 내버려두다, 방치하다 ; (…으로) 만들다(make) : You have *left* the door open. 네가 문을 열어 놓았구나 / The insult *left* me speechless. 그 모욕을 당하고 나는 말도 나오지 않았다 / *L*~ things as they are. 현재의 상태대로 두시오 / He *left* the remark unnoticed. 그 말을 무신경하게 넘겨버렸다 / Better ~ it unsaid. 말하지 않는 것이 상책 / You must always ~ your room lock*ed*. 방에는 언제나 자물쇠를 채워 놓지 않으면 안된다 / Somebody has *left* the water run*ning*. 누구인가 물이 흘러나오게 내버려 두었다 / Let's ~ her *to* solve the problem. 그녀에게 그 문제를 맡겨 풀도록 하자 / *L*~ him in peace ***to*** his foolish dreams. 한가로이 부질없는 꿈을 꾸도록 내버려 두자 / Shall I cut this word out? — No, ~ it. 이 단어를 삭제할까요 — 아니, 그대로 놓아 두시오.
4 [+目/+目+目/+目+前+名/+目+do*ing*] 남기다, 남겨 두다 : Two from four ~*s* two. 4 빼기 2는 2 / There was little coal *left*. 석탄은 거의 남아 있지 않았다 / He *left* her everything.= He *left* everything ***to*** her. 그녀에게 모든 것을 남겨 놓았다 / I was *left* no choice.=No choice was *left* (*to*) me. 나에게는 선택의 여지가 없었다 / *L*~ a bone ***for*** the dog. 개에게 뼈다귀를 남겨 주어라 / She was *left* stand*ing* there. 그녀는 뒤에 남겨져서 거기에 서 있었다.
5 [+目/+目+目/+目+*to*+名/+目+補] (처자·재산 따위를) 남기고 죽다, 남기다 : She was badly[well] *left*. 그녀는 유족으로서 생활이 곤란[풍족]했다 / He *left* his wife 3000 pounds. 그는 아내에게 3000파운드를 남기고 죽었다 / She was *left* a big fortune by her husband. 그녀는 사망한 남편에게서 거액의 재산을 물려받았다 / He has *left* his estate ***to*** his son. 아들에게 토지를 유산으로 남겼다 / The man *left* his children poor. 그 남자가 죽자 아이들은 가난에 시달렸다.
6 [+目+*to*+名/+目+*to* do] (사람에게 물건을) 맡겨 놓다, 맡기다, 예치(預置)하다, 의뢰하다 : I'll ~ the choice of his occupation ***to*** him [~ him *to* choose his occupation]. 직업의 선택을 그에게[그에게 직업을 선택하도록] 맡기겠다 / I('ll) ~ it[that] *to* you, sir. 뜻대로 하십시오, (계산은) 처분대로 하시면 됩니다 / Please ~ your message ***with*** my wife. 전할 말은 아내에게 일러 놓으시오.
7 [+目/+目+前+名] (집배원이) 배달하다 : The postman has *left* this letter ***for*** you. 집배원이 당신에게 이 편지를 가져왔다.
8 통과하다 : ~ the building on the right 건물을 오른쪽으로 보면서 지나가다.

〈회화〉
All right. *Leave* it to me. — I'm counting on you. 「좋아. 나한테 맡겨」「너만 믿는다」

— *vi.* [動/+前+名] 가버리다(go away) ; 떠나다, 출발하다(depart), (기차·배 따위가) 떠나다 ; 졸업하다 : It's time for us to ~. 이젠 떠나야 할 시간입니다 / I'm *leaving* ***for*** Liverpool next Monday. 내주 월요일에 리버풀로 떠납니다.

〈회화〉
Don't forget to lock the door when you *leave*. — Don't worry. I'll do it. 「나갈 때 문 잠그는 거 잊지마」「걱정마, 잠글 테니까」

be nicely left 《口》 감쪽같이 속아 넘어가다.
get left 《口》 버림받다 ; 패배하다.
leave things ***about*** 물건을 이리저리 내버려 두다, 어질러 놓다.
leave. . .alone ☞ ALONE.
leave. . .at that 《口》 (일을) 그 정도로 해두다, …을 그 정도로 해서 중지하다.
leave. . .behind …을 놓고 가다, …을 잊고 놓아 두다 ; (처자·재산·명성·피해 따위를) 남기고 죽다 ; 앞지르다 ; 통과하다, 지나가다 : I found that the umbrella had been *left behind*. 그 우산을 누군가 잊고 가버린 것을 알았다 / He *left* a great name *behind* him. 그는 위대한 명성을 남기고 세상을 떠났다.
leave a person ***cold***[***cool***] 남의 흥미를 끌지 못하다 : The news *left* me *cold*. 그 소식을 듣고도 나는 아무런 느낌도 없었다[태연했다].
leave go 《口》 놓아 주다 ; 마음쓰지 않다, 묵인하다 : Don't ~ *go* until I tell you. 내가 말할 때까지 놓아 주지 마라.
leave go of. . . 《口》 =LEAVE *hold of.*
leave hold of …을 놓다, 놓아 주다, …에서 손을 떼다.
leave a person ***in the air*** 남에게 불안감을 갖게 하다.

leave a person ***in the lurch***＝***leave*** a person ***stranded*** 남이 곤란에 빠진 것을 내버려 두다[못 본 체하다].
leave...in (자구(字句) 따위를 생략하지 않고) 그대로 놓아 두다, 남기다(cf. LEAVE *out*).
leave no stones unturned 백방으로 손을 쓰다, 온갖 수단을 강구하다〈*to* do〉.
leave off 그만두다(stop) ; 금하다 ; (옷을) 입지 않다, 벗다 : He has *left off* the work. 이미 일을 중지했다 / You had better ~ *off* your coat now. 이젠 외투를 입지 않는[벗는] 편이 낫다 / *L*~ *off* bit*ing* your nails. 손톱을 물어 뜯지 마라 / [*vi.*로] Where did we ~ *off* last time? 요전에 어디서 그만두었지요.
leave out 나간 대로 내버려 두다 ; 빠뜨리다(cf. LEAVE...*in*) ; 제외하다, 무시하다, 잊어버리다(omit) : See that no one is *left out* at the party. 파티에는 어느 누구도 (초대에서) 빠뜨리는 일이 없도록 주의하시오.
leave a person ***out in the cold*** ☞ COLD *n.*
leave over 《英》 남기다, 남게 하다 ; 미루다, 연기하다.
leave...severely alone ☞ SEVERELY.
leave a person ***to*** him***self*** [***to*** his ***own devices***] 남을 자기가 하고 싶은 대로 하게 내버려 두다, 방임하다.
leave well alone ☞ *leave*...ALONE.
Take it or leave it. ☞ TAKE[1].
── *n.* 〖撞球〗 치고 난 뒤의 공의 위치, 〖볼링〗 처음 투구한 뒤에 남은 핀.
〖OE *lǣfan*＜Gmc. ＝to remain ; cf. G *bleiben*, OE *belīfan* to be left over〗
[類義語] ⟹ GO.

leave[2] *n.* **1** Ⓤ [＋*to* do] 허락, 허가(permission) : Give me ~ *to* go home. 집으로 가게 해 주시오 / You have my ~ *to* act as you like. 허락할테니 마음 내키는 대로 하시오 / I beg ~ *to* inform you of it. 통지해 드립니다 / I take ~ *to* consider the matter settled. (독단적인 것 같으나) 본건은 낙착된 것으로 간주합니다. **2 a)** Ⓤ (특히 공무원·군인이 받는) 휴가, 말미 : ask for ~ 휴가를 신청하다 / ☞ SICK LEAVE. **b)** (신청에 따른) 휴가 (기간) : a six months' ~ (of absence) 6개월의 휴가 / We have two ~*s* in a year. 1년에 두 번의 휴가가 있다. **3** Ⓤ 작별(farewell).
by [***with***] ***your leave*** 실례지만.
get one***'s leave*** 면직(免職)되다.
have [***go on***] ***leave*** 휴가를 얻다.
on leave 휴가를 얻어, 휴가로.
take (one***'s***) ***leave of*** …에게 작별 인사를 하다, 작별을 고하다.
take leave of one***'s senses*** 미친 것처럼 행동하다 : Have you *taken* ~ *of* your *senses*? 너는 머리가 돈 것이 아니냐.
a ticket of leave ☞ TICKET *n.*
without leave 무단으로, 함부로.
〖OE *lēaf* ; cf. LIEF, LOVE, G *Urlaub* permission, *erlauben* to permit〗

leave[3] *vi.* (식물이) 잎을 내다, 잎이 나다.
〖LEAF〗

leaved [líːvd] *a.* **1** (어떤) 잎이 있는 ; 잎이 …장의. **2** (문짝 따위) …짝으로 된 : a two-~ door 두짝 문.

léave·lòok·er *n.* 《英》 (시(市)의) 시장(市場) 감시원.

leav·en [lévən] *n.* **1** Ⓤ 효모(酵母), 발효소(醱酵素) (yeast). **2** 《비유》 감화[영향]를 주는 것 ; 기미(氣味), 기운, 기색(tinge) : the ~ of reform 개혁의 기운.
the old leaven 〖聖〗 묵은 누룩《고린도 전서 5 : 6, 7》 ; 고쳐지지 않은 낡은 습관.
── *vt.* **1** (이스트를 넣어) 부풀어오르게 하다, 발효시키다. **2** …에 영향을 미치다 ; 스며들게 하다, 기미를 보이다〈*with*〉.
〖OF＜L *levamen* relief (*levo* to raise)〗

léaven·ing *n.* **1** 발효시키는 것 ; 효모. **2** 《비유》 영향(을 미치는 것), 감화.

leav·er [líːvər] *n.* 떠나는[버리는] 사람.

‡**leaves**[1] *n.* LEAF의 복수형.

leaves[2] *n. pl.* 《美俗》 블루 진, 청바지.
〖*Levi's*〗

léave-tàking *n.* Ⓤ 작별(인사), 고별.

leav·ings [líːviŋz] *n. pl.* 남은 것, 찌꺼기, 쓰레기, 지스러기, 부스러기.

Leb. Lebanese ; Lebanon.

Leb·a·nese [lèbəníːz] *a.* 레바논(인)의.
── *n.* (*pl.* ~) 레바논인.

Leb·a·non [lébənən] *n.* 레바논《북쪽과 동쪽은 Syria와 접하고, 남쪽은 Israel과 접해있는 지중해 동안(東岸)의 공화국 ; 수도 Beirut》.

Lébanon cédar *n.* 〖植〗 레바논시더《히말라야시더의 일종》.

Le·bens·raum [léibənsràum, -bənz-] *n.* 생활권(圈)《나치스가 주장한 정치적·경제적 발전에 필요한 영토》 ; [l~] (일반적으로) 생활권.
〖G＝living space〗

Le·blang [ləblǽŋ] *vi., vt.* 《美俗》 (극장 입장권을) 할인해서 팔다, (쇼의) 입장료를 할인하다.
〖Joe *Leblang* 입장권의 매매 알선업자〗

Le·boy·er [ləbɔ́iər ; *F* ləbwaje] *a.* 〖醫〗 르부아예법의, 태아보호 분만법의. 〖Frederick *Leboyer* 20세기의 프랑스의 산과 의사〗

lech [létʃ] *vi.* 《口》 호색(好色)가처럼 행동하다 ; 색정을 일으키다 ; 갈망하다〈*after, for*〉. ── *n.* 갈망(craving), (특히) 색욕 ; 호색가. ── *a.* 호색적인, 음란한. 〖역성(逆成) ‹ *lecher*〗

lech·er [létʃər] *n.* 호색가.
〖OF (*lechier* to lick＜Gmc. ; ⇨ LICK)〗

lécher·ous *a.* 호색적인, 음란한 ; 색정(色情)을 일으키는, 도발적인.
~·ly *adv.* **~·ness** *n.*

lech·ery [létʃəri] *n.* Ⓤ 호색 ; 색욕(色慾) (lust).

léch·ing *a.* 방종한, 방탕한.

lec·i·thin [lésəθən] *n.* Ⓤ 〖生化〗 레시틴《신경 세포 및 노른자위 속에 있는 인지질(燐脂質)》.

le·cith·in·ase [ləsíθənèis, -z] *n.* Ⓤ 〖生化〗 레시티나아제《인지질(燐脂質)을 가수분해하는 효소》.

lec·tern [léktərn] *n.* (교회의) 성서 낭독대(臺).
〖OF＜L (*lect*- *lego* to read)〗

lec·tion [lékʃən] *n.* Ⓤ (어떤 장구(章句)의 특정한 판본(版本)에서의) 이문(異文) ; 〖敎會〗 (예배 때 낭독하는) 성구 ; 일과(lesson).

lec·tion·ary [lékʃənèri ; -ʃən-əri] *n.* (교회에서 낭독하는) 성구집(聖句集).

lec·tor [léktɔːr, -tər] *n.* 〖敎會〗 성구를 낭독하는 사람 ; (주로 유럽 대학의) 강사.
~·shìp *n.*

léc·to·tỳpe [léktə-] *n.* 〖生〗 (원저(原著) 발표 후에 지정된

lectern

종(種)·아종(亞種)의) 선정 기준 표본.

***lec·ture** [léktʃər] *n.* **1** 강의, 강연, 강화(講話) 〈*on*〉; 강의[강연] 원고. **2** 설교, 잔소리, 훈계 : give him a ~ 그에게 잔소리하다 / have a ~ from …의 설교를 듣다.
read** a person **a lecture 남에게 훈계하다, 설교하다.
—— *vi.* [動/+前+名] 강의[강연]하다 : ~ ***on*** chemistry ***to*** a class 어떤 반에 화학 강의를 하다. —— *vt.* …에게 강의하다; …에게 설교하다, 훈계하다, 꾸짖다.
〖OF or L ; ⇨ LECTERN〗
類義語 ⟹ SPEECH.

lécture hàll *n.* 강당, 강의실.

léc·tur·er *n.* **1** 강연자; 훈계자. **2** (대학 따위의) 강사 : a ~ *in* English *at*...University …대학 영어 강사.

lécture ròom *n.* 강당, 강의실.

lécturer·shìp *n.* Ⓤ 강사의 직[지위].

lécture thèater *n.* 계단식 강당[교실].

lécture tòur *n.* 강연 여행.

◇**led** [léd] *v.* LEAD¹의 과거·과거 분사. —— *a.* 지도[지배] 받는, 이끌리는 : a ~ horse (끌려 가는) 말, (바꿔 타기 위한) 예비 말.

LED [èlì:dí:, léd] 〖電子〗 light-emitting diode (발광(發光) 다이오드).

Le·da [lí:də] *n.* 〖그神〗 레다《Castor, Pollux, Helen, Clytemnestra의 어머니; Zeus가 백조의 모습을 하고 구애하여 아내로 삼았다》.

léd càptain *n.* 아첨꾼, 알랑쇠.

le·der·ho·sen [léidərhòuzən] *n. pl.* (특히 독일 남부 Bavaria 지방에서 입는) 가죽 반바지.
〖G=leather trousers〗

***ledge** [lédʒ] *n.* (벽에서 불쑥 나온) 선반(shelf); 선반처럼 튀어나온 바위, (특히 기슭에 가까운 바닷속의) 바위 선반; 광맥. **~d** *a.* 선반[바위 선반]이 있는. 〖? ME *legge* to lay¹〗

ledg·er [lédʒər] *n.* **1** 〖會計〗 원장(元帳), 장부 : a ~ balance 원장 잔고. **2** 〖建〗 비계에 가로 댄 통나무; (무덤의) 평석(平石), 대석(臺石).
—— *vi.* 던질 낚시로 낚다.
〖ME *legger* book retained in a specific place<? Du. (*leggen* to LAY¹)〗

lédger bàit *n.* (던질 낚시의) 바닥 미끼《바닥에 가라앉음》.

lédger bòard *n.* 울짱 위에 건너지른 평평한 가로대; (계단의) 난간판(板), (비계의) 가로 대는 널빤지; 〖木工〗 장선받이(ribbon).

lédger lìne *n.* 〖樂〗 덧줄, 가선(加線); 바닥 미끼를 단 낚싯줄.

lédger tàckle *n.* 〖낚시〗 찌가 없이 봉을 던져서 하는 던질낚시의 낚시 도구.

lee [lí:] *n.* Ⓤ 〖海〗 바람이 불어가는 쪽(↔*windward*); (일반적으로) (바람 따위를) 피하는 곳, 가리는 곳, (…의) 그늘.
have the lee of... (1) …의 바람 불어가는 쪽에 있다. (2) …보다 열등하다, …보다 불리하다.
under*[*on*] *the lee 바람이 불어가는 쪽에.
under the lee of …의 그늘에 (피하여), …에 가려져서.
—— *a.* 〖海〗 바람이 불어가는 쪽의(↔*weather, windward*) : the ~ side 바람이 불어가는 쪽.
〖OE *hlēo* ; cf. G *Lee*〗

Lee *n.* **1** 남자 이름. **2** 리. **Robert Edward** ~ (1807-70) 미국 남북전쟁시 남군의 지휘관.
〖OE=(dweller at) the meadow〗

lée·bòard *n.* 〖海〗 측판(側板)《배가 바람에 밀려 내려가지 않도록 평저선(平底船)의 바람이 불어가는 쪽 뱃전에 댄 널빤지》.

leech¹ [lí:tʃ] *n.* **1** 〖動〗 거머리; 《비유》 흡혈귀, 고리 대금업자, 기생충 같은 인간. **2** 《古》 의사.
stick like a leech 달라붙어서 떨어지지 않다.
—— *vt.* (사람에게) 거머리를 붙여서 피를 빼다; 고혈을 빨다; 《古》 치료하다. —— *vi.* 달라붙다.
~lìke *a.* 거머리[흡혈귀] 같은.
〖OE *lǣce* physician; 「거머리」 (OE *lǣce*)와는 다른 말, 치료에 거머리를 이용한 데서 동화〗

leech², **leach** *n.* 〖海〗 돛의 가장자리.
〖? Gmc. (MLG *līk* boltrope)〗

léech·cràft *n.* 《古》 의술.

LEED [lí:d] *n.* 〖理〗 저(低)에너지 전자 회절《고체 표면을 연구하는 실험 수단으로 씀》.
〖*l*ow *e*nergy *e*lectron *d*iffraction〗

Lée-Énfield (rìfle) *n.* 〖英軍〗 리엔필드총《1900년부터 사용된 3탄창의 착검식 라이플 총》.
〖James P. *Lee* (d. 1904) 미국(美國)의 발명가, ENFIELD〗

leek [lí:k] *n.* 〖植〗 부추; 회색이 섞인 녹색, 연한 황록색(=∠ **grèen**).
eat the leek 굴욕을 참다.
not worth a leek 전혀 값어치가 없다.
〖OE *lēac* ; cf. G *Lauch*〗

LEEP 《美》 Law Enforcement Education Program.

leer¹ [líər] *n., vi.* 곁눈(으로 훌겨보다), 심술궂은 눈초리(로 보다)〈*at, upon*〉. **~·ing·ly** *adv.* 곁눈질하여. 〖? *leer* (obs.) cheek<OE *hlēor* ; 'to glance over one's cheek'의 뜻인가〗

leer² ☞ LEHR.

leer³ *a.* 《英方》 짐이 없는, 빈(empty, unladen); 허기진, 공복의, 배고픈.

leery [líəri] *a.* 《俗》 의심많은, 조심하는; 곁눈질하는; 빈틈없는. **léer·i·ly** *adv.* **-i·ness** *n.*

lees [lí:z] *n. pl.* (포도주 따위의) 재강, 찌꺼기(dregs) : the ~ of life 보잘것없는 여생.
drink*[*drain*] *to the lees 남김없이 마시다; 《비유》 온갖 고초를 다 겪다.
〖(pl.)<OF *lie*<L〗

lée shòre *n.* 바람이 불어가는 쪽의 해안《폭풍시 배가 위험》; 곤경 : on a ~ 곤란에 빠져.

leet¹ [lí:t] *n.* 〖英法史〗 영주 재판소(=court ~); 영주 재판소의 관할구[개정일].
〖AF or L *leta*〗

leet² *n.* 《스코》 관직 후보자 선발표(表).
〖ME *lite*〗

lée tìde *n.* =LEEWARD TIDE.

lée·ward [,《海》 lú:ərd] *n.* Ⓤ 바람 불어가는 쪽(↔*windward*) : on the ~ of …의 바람 불어가는 쪽에 / to ~ 바람 불어가는 쪽을 향하여. —— *a.* 바람 불어가는 쪽의. —— *adv.* 바람 불어가는 쪽에[으로].

Lée·ward Íslands [lí:wərd-] *n. pl.* [the ~] 리워드제도《(1) 서인도제도 북쪽의 군도. (2) 서인도 제도 동쪽의 옛 영국 식민지. (3) 남태평양의 프랑스령 Polynesia의 Society제도 서쪽의 군도》.

léeward tíde *n.* 순풍조(順風潮)《바람과 같은 방향으로 흐르는 조류》.

lée·wày *n.* **1** Ⓤ 풍압《배·비행기가 바람 때문에 그 진로에서 바람 불어가는 쪽으로 밀려 가는 일》; 풍압차[각]. **2** Ⓤ (시간의) 손실, 지체. **3** Ⓤ (공간·시간·돈 따위의) 여지, 여유 : We have an hour's ~ to take the express. 그 급행(열차)를 타는데 한 시간의 여유가 있다.
have leeway 풍압차(差)가 있다; 활동의 여지

가 있다.
make up (***for***) ***leeway*** 뒤진 것을 만회하다.
◊**left**[1] [léft] *attrib. a.* (↔*right*) 왼편의 ; 왼쪽[좌측]의, 좌익(左翼)의, 왼손의 ; [흔히 L~] (정치적·사상적으로) 좌파의, 혁신적인 : the ~ hand 왼손 ; 좌측, 왼쪽 / the ~ bank of a river 강의 왼쪽 기슭《하류를 향해서》/ on the ~ hand of …의 왼쪽에.
marry with the left hand 신분이 낮은 여자와 결혼하다.
— *adv.* 왼쪽에, 좌측에 : turn ~ 왼쪽으로 돌다 / *L*~ ! 〖美海軍〗 키를 왼편으로 ! (cf. PORT[3] ; ↔*right*).
Left face[***turn***] ***!*** 좌향 좌 !
— *n.* **1** 왼쪽, 왼편, 좌측 : sit *on* a person's ~ 남의 좌측에 앉다 / *to* the ~ *of* …의 왼편에 / turn *to* the ~ 왼쪽으로 돌다 / *on* the ~ *of* …의 왼쪽[좌측]에 / Keep *to* the ~. 좌측 통행. **2** [보통 the L~] 〖政〗 좌파(세력), 혁신파, 급진파(cf. RIGHT*n.* 6, CENTER *n.* 5). **3** 〖軍〗 좌익 ; 〖野〗 좌익(수) ; 〖拳〗 왼손으로 치기.
over the left (***shoulder***) 《俗》 거꾸로 말하면, 끝으로부터.
〚OE 《美》 *lyft* weak, worthless ; cf. Du., LG *lucht*〛
◊**left**[2] *v.* LEAVE[1]의 과거·과거 분사.
Léft Bánk *n.* [the ~] (파리 센 강의) 좌안(左岸)《센강 남안(南岸) ; 예술가·학생이 많음》.
léft-bráin *n.* 좌뇌(左腦)《대뇌의 좌반구》.
léft fíeld *n.* 〖野〗 레프트 필드, 좌익 ; 주류[대세]에 동떨어진 곳.
be (***way***) ***out in left field*** 《美口》 (완전히) 잘못되다, 틀리다 ; 머리가 이상하다.
léft fíelder *n.* 〖野〗 좌익수.
léft·fóot *n., a.* 《美俗》 프로테스탄트(의).
léft-fóot·ed *a.* 왼발잡이의 ; 서투른, 어색한.
***léft-hánd** [ˌ léftǽnd] *a.* 왼손[왼편]의 ; 왼쪽으로 감는 : ~ traffic 좌측 통행.
léft-hánd·ed [ˌ léftǽn-] *a.* **1** 왼손잡이의(cf. RIGHT-HANDED) ; 솜씨 없는, 서투른. **2** 의심스러운, 애매한, 성의가 없는. **3** (결혼이) 신분이 다른 ; 내연의. **4** 좌회전의 ; (도어·자물쇠를) 왼쪽으로 돌리는, (나사를) 왼쪽으로 비트는. **5** (도구 따위가) 왼손[왼손잡이]용의. **6** 《古》 불길한 (sinister). — *adv.* 왼손으로[을 써서].
~·ly *adv.* **~·ness** *n.*
léft-hánd·er [ˌ léftǽn-] *n.* 왼손잡이 (사람) ; 왼손잡이 투수 ; 왼손으로 치기 ; 불시의 습격.
léft-hànd rúle *n.* [the ~] 〖理〗 (플레밍의) 왼손 법칙.
léft·ie *n., a.* 《口》 =LEFTY.
léft·ish *a.* 좌파의, 좌익적인.
léft·ist *a., n.* [때로 L~] 좌익[좌파]의 (사람), 혁신파의 (사람), 급진주의적인 (사람) (↔*rightist*) ; 《美口》 왼손잡이.
léft·ism *n.* 좌익주의.
léft jústify *n.* 〖컴퓨〗 왼쪽으로 행의 첫 머리를 맞추는 인자(印字) 형식 ; 일반 편지의 타자 형식《워드 프로세서의 명령어》.
léft-jùstify *vt.* …을 왼쪽으로 가지런히 하다.
léft-làid *a.* (밧줄이[을]) 왼쪽으로 꼬인[꾼].
léft-lèan·ing *a.* (정치적으로) 좌경인.
léft lúggage *n.* 《英》 (역의 보관소 따위에) 맡겨둔 수화물.
léft-lúggage òffice *n.* 《英》 수화물[휴대물] 임시 보관소(=《美》 checkroom).
léft·mòst *a.* 제일 왼쪽의, 극좌의.
léft-of-cénter *a.* 중앙 좌측을 차지하는 ; (정치적으로) 좌파[혁신파]의.
léft·òver *a.* 나머지의 ; 먹다[쓰다, 팔다] 남은.
— *n.* [흔히 *pl.*] 남은 것, (특히) 먹다 남은 것, 남은 밥 ; 시대착오의 구습[자취], 흔적.
léft shóulder *n.* 《CB俗》 반대쪽 차선(車線)의 단속[도로 정보].
léft stáge *n.* 〖劇〗 (객석을 향하여) 무대의 왼쪽, 무대를 향해서 오른쪽.
léft-tènd·ing *a.* =LEFT-LEANING.
léft-ventrícular-ássist devìce *n.* 〖醫〗 인공 심장.
léft·ward *a.* 왼쪽의, 좌측의. — *adv.* 왼쪽에[으로]. **léft·wards** *adv.* =LEFTWARD.
léft wíng *n.* **1** (정당 따위의) 좌익, 좌파, 급진파(↔*right wing*). **2** 〖競〗 레프트 윙.
léft-wíng *a.* 좌익의, 좌파의. **léft-wíng·er** *n.* 좌파 사람.
léfty *n.* 《俗》 왼손잡이《때때로 별명》 ; 왼손잡이 투수 ; 왼손잡이용 도구[용품] ; 좌익[좌파]의 사람.
— *a., adv.* 왼손의[으로].
◊**leg** [lég, 美+léig] *n.* **1** 다리, 정강이(cf. FOOT) ; (식용으로 하는 동물의) 다리·발 부분 : a ~ of mutton 양의 다리고기 / He was shot in the ~. 그는 다리에 총을 맞았다. **2** (책상·컴퍼스 따위의) 다리 ; 〖數〗 변《삼각형의 밑변을 제외한》 ; (기계 따위의) 지지부(支持部), 지주. **3** (옷의) 다리 부분 : the ~ of a stocking 스타킹의 다리 부분. **4** 〖크리켓〗 경기장에서 타자의 왼쪽 후방 부분 : the long[short] ~ 위켓에서 먼[가까운] 야수(野手) 또는 수비 위치. **5** 〖海〗 (배의) 한 직행 구간[거리] ; 《口》 (전행정 중의) 한 구간(stage) ; 《口》 (장거리 비행의) 1행정, 한번 날기. **6** 《古》 (오른 발을 뒤로 빼고 왼쪽 다리를 굽히는) 절 : make a ~ 절을 하다. **7** 〖競〗 (2-3회째에 승부가 결정되는 경우의) 선승(先勝) ; 《口》 (두 게임으로 한 시합이 되는 경우의) 한 게임.
as fast as one***'s legs would carry*** one 전속력으로.
change the legs (말이) 보조를 바꾸다.
fall (***up***) ***on*** one***'s legs*** =*fall on* one's *feet* ☞ FOOT.
feel[***find***] one***'s legs*** (갓난아기가) 걸을 수 있게 되다 ; 《비유》 자신이 생기다.
get[***be***] ***on*** one***'s legs*** 일어서다, (일어서서) 연설하다 ; (회복하여) 걸을 수 있게 되다 ; 독립하다, 번성하다(cf. *on* one's *feet* ☞ FOOT).
give a person ***a leg up*** 남을 부축하여 말 따위에 태우다 ; 《비유》 남을 돕다.
hang a leg 우물쭈물하다, 꽁무니를 빼다.
keep one***'s legs*** 쓰러지지 않다, 서서 버티다.
not have a leg to stand on 《口》 (논리가) 성립되지 않다, 입증할 수 없다 ; 빈털터리다.
on one***'s***[***its***] ***last legs*** 다 죽게 되어서, 기진맥진하여.
on one***'s legs*** (연설하기 위해) 일어서서 ; (병후에) 걸어다니게 되어 ; 번영하여.
pull a person***'s leg*** 《口》 남을 조롱하다, 속이다, 얕보다 : He's *pulling* our ~*s.* 그는 우리를 속이고 있다.
put one***'s best leg forward***[***foremost***] ☞ FOREWARD.
run off one***'s legs*** (일이 많아) 피로에 지치다.
set a person ***on*** his ***legs*** 남을 일어서게 하다《건강을 회복시키다, 독립시키다》.
shake a leg 《俗》 춤추다 ; 서두르다.
show a leg 《俗》 나타나다 ; (잠자리에서) 일어

나다.
stand on** one's **own legs 자립하다, 자력으로 하다.
stretch** one's **legs 다리를 뻗다 ; (오랫동안 앉아 있은 뒤에) 산책하러 나가다.
take to** one's **legs 달아나다, 도망치다.
try it on the other leg 《俗》 최후의 수단[비법]을 쓰다.
walk** a person **off** his **legs 남을 지칠 때까지 걷게 하다.
—— *vi.* (**-gg-**) 《口》 [흔히 ~ it] 걷다, 달리다, 도망치다 ; 분기하다, 일어서다 ; 취재하러 돌아다니다, 발로 취재하다.
〖ME<ON *leggr* leg, bone〗

leg. legal ; legate ; 〔樂〕 legato ; legend ; legislation ; legislative ; legislature.

leg·a·cy [légəsi] *n.* 유산, 유증(遺贈)(재산) ; 이어받은 것 : a ~ hunter 유산을 노리고 아첨하는 사람 / a ~ duty 유산 상속세 / a ~ of hatred [freedom] 대대로 내려오는 원한[자유의 전통]. 〖OF<L ; ⇨ LEGATE[2]〗

***le·gal** [lí:gəl] *a.* (↔*illegal*) **1** 법률(상)의, 법률에 관한 ; 관습법상의(cf. EQUITABLE) : a ~ adviser 법률고문 / a ~ offense 법률상의 죄. **2** 법률이 요구[지정]하는, 법정(法定)의. **3** 적법한, 정당한(lawful) : People approved of the just and ~ penalty of his crime. 사람들은 그의 죄에 대한 정당하고 합법적인 형벌에 찬성했다. **4** (형평법(equity)에 대하여) 보통법(common law)의(cf. EQUITABLE). **5** 변호사의[와 같은]. **6** 〔神學〕 율법주의의. —— *n.* 합법적인 것, 법률 요건 ; [*pl.*] 법정 투자 ; 《英俗》 (택시의) 팁 없는 요금[미터 요금](을 내는 손님). **~·ly** *adv.* 법률적[합법적]으로, 법률상. 〖OF or L (*leg- lex* law)〗
類義語 ⟹ LAWFUL.

légal áge *n.* 법정 연령, 성년(lawful age).

légal áid *n.* 법률 구조(救助)《극빈자에 대한 변호사의 무료 봉사 따위》.

légal authorizátion *n.* 법적인 승인.

légal béagle *n.* **1** 《美俗韻俗》 민완[수완 있는] 변호사 ; 증거를 찾아다니는 사람. **2** 《CB俗》 교본대로 교신하는 시민 주파수대 라디오 이용자.

légal cáp *n.* 《美》 법률 용지《8½×13-16인치 크기의 괘선 용지》.

le·gal·ese [lì:gəlí:z, -s] *n.* Ⓤ 난해한 법률 용어[표현법].

légal fíction *n.* 법적 의제(擬制)《회사를 법인으로 인격화하는 따위》.

légal hóliday *n.* 《美》 법정 휴일(=《英》 bank holiday).

légal·ìsm *n.* 〔神學〕 율법주의 ; (법의 정신보다는 조문에 구애받는 극단적인) 법률 존중주의 ; 관료적 형식주의(red-tapism).
-ist *n.* 법률 존중주의자, 형식주의자 ; 〔宗〕 율법주의자. **lè·gal·ís·tic** *a.* 법률을 존중하는, 형식에 구애받는. **-ti·cal·ly** *adv.*

le·gal·i·ty [li(:)gǽləti] *n.* Ⓤ 적법, 합법, 정당성 ; [*pl.*] 법률상의 의무 ; [*pl.*] 법적 견지[국면].

légal·ìze *vt.* 법률상 정당하다고 인정하다 ; 공인하다, 적[합]법화하다. **lègal·izátion** *n.* 법률화, 적법화, 합법화 ; 공인, 인가.

légal mán *n.* 법인(legal person).

légal médicine *n.* 법의학(forensic medicine).

légal mémory *n.* 〔法〕 법률적 기억《관행이 법적 효력을 갖게 되는 최저 기한으로 약 20년》.

légal néedle *n.* 《CB俗》 (법정 제한속도인) 25마일(로 하는 운전).

légal pád *n.* 법률 용전(用箋)《8.5×14인치 크기의 누런 괘선 용지철》.

légal pérson *n.* =LEGAL MAN.

légal procéedings *n. pl.* 소송 절차.

légal represéntative *n.* 유언 집행자, 유산 관리인(人).

légal resérve *n.* (은행 · 보험회사 따위의) 법정 준비금.

légal separátion *n.* =JUDICIAL separation.

légal sérvices làwyer *n.* =POVERTY LAWYER.

légal ténder *n.* 법화(法貨).

lég àrt *n.* 여자의 각선미를 강조한 사진.

le·gate[1] [ligéit] *vt.* 유산으로 물려주다.
〖L *legat- lego* to bequeath, commit〗

leg·ate[2] [légət] *n.* 로마 교황의 해외 파견 사절, 교황 특사 ; 공식 사절《대사 · 공사 등》.
〖OF<L *legat- lego* to depute〗

légate a lá·te·re [-ɑ: lɑ́:tərèi] *n.* 교황 전권 특사. 〖L〗

leg·a·tee [lègətí:] *n.* 〔法〕 유산 수취인, (동산의) 수유자. 〖LEGATE[1]〗

leg·a·tine [légətàin, -tì:n, -tən] *a.* 교황 사절의, 교황 사절이 이끄는.

le·ga·tion [ligéiʃən] *n.* 공사[사절]의 파견[임무] ; [집합적으로] 공사관 직원, 공사 일행 ; 사절단 ; 공사관. 〖F or L ; ⇨ LEGATE[2]〗

le·ga·to [ligɑ́:tou] *a., adv.* 〔樂〕 레가토의[로], 부드러운[럽게], 음을 끊지 않는[않고]《略 leg. ; ↔ *staccato*》. —— *n.* (*pl.* **~s**) 레가토 연주법 ; 레가토의 악절.
〖It. (p.p.)=bound (L *ligat- ligo* to bind)〗

le·ga·tor [ligéitər] *n.* 유증자(遺贈者), 유언자.

lég bàil *n.* 《口》 탈주, 도망.
give*[*take*] *leg bail 탈주하다, 탈옥하다 (decamp).

lég befòre wícket *n.* 〔크리켓〕 타자가 발로 공을 받아 멈추기《반칙임》.

lég bỳe *n.* 〔크리켓〕 공이 타자의 (손 이외의) 몸에 맞았을 때의 득점.

***leg·end** [lédʒənd] *n.* **1** 전설, 전해오는 이야기, 신화, 성인[위인]전집 ; 전설[신화]적 인물 : the ~*s* of King Arthur and his knights 아서왕과 그 기사들의 전설 / the (Golden) *L*~ 성인전(聖人傳). **2** Ⓤ 전설 문학 : famous *in* ~ 전설상 유명한. **3** (메달 · 화폐 표면 따위의) 명각(銘刻)(inscription) ; (도표 따위의) 범례《사용 부호의 설명》 ; (삽화의) 설명문(caption).
〖OF<L ↓〗

le·gen·da [lədʒéndə] *n. pl.* (교화 · 계발(啓發)을 위해 읽어야 할 수난기 따위에서의) 설화(說話).
〖L=things to be read (gerund.) ‹ *lego* to read〗

légend·àry [; -əri] *a.* 전설(상)의 ; 전설적인 ; 믿기 어려운, 터무니없는. —— *n.* 전설집, (특히) 성인전(聖人傳) ; 그 필자.
lèg·en·dár·i·ly [, lédʒəndərəli] *adv.*

légend·ìze *vt.* 전설화하다.

légend·ry *n.* [집합적으로] 전설집, 고전집.

leger [lédʒər] *n.* =LEDGER.

leg·er·de·main [lèdʒərdəméin] *n.* Ⓤ 요술(의 빠른 손재주) ; 속임수, 허위 ; 궤변(詭辯).
〖F=light of hand〗

le·ger·i·ty [lədʒérəti, le-] *n.* 민활, 기민.

léger lìne *n.* 〔樂〕 덧줄, 가선(加線).

leges *n.* LEX의 복수형.

leg·ged [légəd, léig- ; légd] *a.* [복합어를 이루어] 다리가 있는, 다리가 …한 : four-~ 네 다리의 /

bow~ 안짱다리의.

leg·ger [légər] *n.* =LEGMAN.

leg·gings [léɡiŋz, 美+léig-], **leg·gins** [léginz, 美+léig-] *n. pl.* 정강이받이, 각반(脚絆) ; (유아용) 레깅스 《보온용 바지 ; cf. GAITER》.

lég guàrd *n.* [보통 *pl.*] (야구・아이스하키 따위의) 정강이받이, 레그 가드(cf. SHIN GUARD).

lég·gy *a.* 다리가 날씬한 ; 〖植〗 줄기[대]가 상당히 긴. **lég·gi·ness** *n.*

lég·hemoglóbin [lég-] *n.* 〖植〗 (콩과(科)의) 뿌리혹 헤모글로빈《질소 고정에 관여함》. 〚*legume*+*hemoglobin*〛

Leg·horn [léghɔːrn, -gərn ; legɔ́ːn] *n.* **1** 레그혼종(種)《닭》. **2** Ⓤ [보통 l~] 모자 따위를 엮어 만드는 밀짚의 일종 ; Ⓒ 밀짚모자.

leg·i·ble [lédʒəbəl] *a.* (필적・인쇄가) 읽기 쉬운 (easily read) (cf. READABLE1) ; (마음속 따위를) 훤히 알 수 있는, 명료한. **-bly** *adv.* 읽기 쉽게. **lèg·i·bíl·i·ty** *n.* 읽기 쉬움, 판독(判讀)할 수 있음, 해독하기 쉬움. 〚L (*lego* to read)〛

le·gion [líːdʒən] *n.* **1** 군대, 군단(軍團) ; 군인단 ; (퇴역 군인의) 재향군인회 (전국연맹) : the American[British] *L*~ 미국[영국] 재향군인회 / ☞ FOREIGN LEGION. **2** 〖古로〗 군단 《소수의 기병을 포함해 3000-6000의 병력으로 이루어진 보병대 ; cf. CENTURY 3》. **3** 《文語》 다수, 많음 (multitude)〈*of*〉. **4** 〖生〗 (동식물 분류의) 아강(亞綱).

the Legion of Honor (프랑스의) 레종 도뇌르 훈위[훈장].

Their name is Legion. 〖聖〗 내 이름은 군대이니라《마가복음 5 : 9》.

── *a.* 다수의, 무수한 : Legends about him are ~. 그에 관한 전설은 아주 많다.

〚OF<L *legion- legio* (*lego* to gather)〛

légion·àry [; -əri] *a.* **1** 고대 로마 군단의, 군단으로 이루어진 ; (일반적으로) 군단의. **2** 《文語》 다수의, 무수의. ── *n.* 고대 로마의 군단병 ; 미국[영국] 재향 군인회의 회원. 〚L (↑)〛

lé·gioned *a.* 군단을 이룬, 대(隊)를 이룬.

le·gion·naire [liːdʒənéər, -nǽər] *n.* =LEGIONARY ; (프랑스) 외인부대의 대원 ; 《美》 (특히) 미국 재향 군인회의 회원.

legionnáires'[legionnáire's] disèase *n.* 〖醫〗 재향 군인병《중증의 대엽성(大葉性) 폐렴의 하나》. 〚1976년 미국 재향 군인회 대회에서의 발생이 최초로 확인된 것인 데서〛

lég·ìron *n.* 족쇄(shackle).

legis. legislation ; legislative ; legislature.

leg·is·late [lédʒəslèit] *vi.* [動/+前+名] 법률을 제정하다, (…에) 필요한 법규를 제정하다〈*for*〉; (법적으로) 금지하다, 억제하다〈*against*〉: ~ ***against*** overtime work 법률로 시간외 노동을 금지하다. ── *vt.* [+目+前+名] 《美》 법률로 … 시키다 : ~ a person ***into***[***out of***] office 법률에 의해 남을 임관[퇴임]시키다.

〚역성(逆成)〈↓〛

***leg·is·la·tion** [lèdʒəsléiʃən] *n.* Ⓤ 법률 제정, 입법 ; [집합적으로] 법률, 제정법, 입법조치. 〚L LEX, *latus* (p.p.)〈*fero* to carry〛

leg·is·la·tive [lédʒəslèitiv ; -lə-] *a.* 법률을 제정하는, 입법상의 ; 입법권이 있는, 입법부의(cf. JUDICIAL, EXECUTIVE) : a ~ bill 법률안, 법안 / the ~ body 입법부《의회・국회》. ── *n.* Ⓤ 입법권 ; Ⓒ 입법부. **~·ly** *adv.*

législative assémbly *n.* [때때로 L~ A~] (미국에서 양원제 시행의 일부 주(州)와 캐나다 단원제 시행의 주의) 입법부 ; [때때로 L~ A~] 하원 ; [the L~ A~] 프랑스 혁명기의 입법 의회.

lég·is·là·tor *n.* 법률 제정자, 입법자 ; 입법부 의원. **~·shìp** *n.* 〚L (LEX, *lator* proposer)〛

leg·is·la·to·ri·al [lèdʒəslətɔ́ːriəl] *a.* =LEGISLATIVE.

leg·is·la·tress [lédʒəslèitrəs], **-la·trix** [lédʒəslèitriks] *n.* 여성 입법자, 여성 의원.

leg·is·la·ture [lédʒəslèitʃər, 英+-lətʃ-] *n.* 입법부(府), 입법기관 ; 《美》 (특히) 주(州)의회 : a two-house ~ (상하) 양원제의 입법부[의회].

le·gist [líːdʒəst] *n.* 법률학자, 법률통(通).

le·git [lədʒít] *a.* 《美俗》 합법의, 진짜의, 정식의 ; 정극(正劇)의 ; 무대극의. ── *n.* 합법적인 것, 정식의 것 ; 정극(legitimate drama). 〚*legit*imate〛

le·git·i·ma·cy [lidʒítəməsi] *n.* **1** Ⓤ 합법성, 적법. **2** Ⓤ 적출(嫡出), 정통, 정계(正系).

***le·git·i·mate** [lidʒítəmət] *a.* **1 a**) 합법의, 적법의, 정당한(lawful) ; 합리적인(reasonable). **b**) 적출(嫡出)의 : a ~ son 적자. **2** 〖劇〗 본격적인, 정통한 ; 진짜의 : the ~ drama[theater] (희극이나 멜로드라마 또는 《美》에서는 영화・텔레비전 따위에 대하여) 정통극[연극], 무대극, 정극(正劇) / the ~ stage (정식의) 무대극. **3** [명사적으로 ; the ~] 《俗》 본격극, 정극. ── [-mèit] *vt.* **1** 합법으로 인정하다, 합법[정당]화하다. **2** (서자를) 적출로 인정하다. **~·ly** [-mətli] *adv.* 합법적으로, 정당하게. **le·gìt·i·má·tion** *n.* 적법[합법]화 ; 적출로 인정함.

〚L (p.p.)〈*legitimo* to legitimize ; ⇨ LEX〛

類義語 ⟹ LAWFUL.

le·git·i·ma·tize [lidʒítəmətàiz] *vt.* =LEGITIMATE.

le·git·i·mist [lidʒítəməst] *n.* [흔히 L~] 정통주의자《특히 프랑스에서 부르봉 왕가를 옹호한 사람》. ── *a.* 정통주의의, 정통왕조파의.

le·gít·i·mìsm *n.* 정통주의. **le·gìt·i·mís·tic** *a.*

le·git·i·mize [lidʒítəmàiz] *vt.* =LEGITIMATE.

le·gìt·i·mi·zá·tion *n.* =LEGITIMATION.

lég·màn [, -mən] *n.* (*pl.* **-men** [-mèn, -mən]) 《美口》 〖新聞〗 취재[탐방] 기자《취재는 하지만 기사는 쓰지 않음》; (일반적으로) 취재 담당자, (조사하기 위한) 정보 수집자, 외근하는 조수.

lég-of-mútton, -o'- [-ə-] *a.* 양의 다리 모양의, 삼각형의《돛・옷깃 따위》.

le·gong [léigɔːŋ] *n.* 레공《두 소녀가 추는 Bali섬의 전통 무용》. 〚Balinese〛

lég òpener *n.* 《英俗》 여자를 유혹하기 위해 마시게 하는 독한 칵테일《Bloody Mary 따위 ; cf. SCREWDRIVER》.

lég-pùll *n.* 짓궂은 장난, 속여넘기기, 조롱.

lég-rèst *n.* (환자용의) 발 얹는 대(臺).

lég ròom *n.* (극장・자동차 따위의 좌석 앞의) 다리를 뻗을 수 있는 공간.

lég shòw *n.* 《口》 각선미를 보이는 리뷰(revue) (cf. STRIPTEASE).

leg·ume [légjuːm, ligjúːm] *n.* 〖植〗 콩과(科)의 식물 ; 꼬투리(pod) ; (요리로서의) 야채.

〚F<L=pulse, bean (*lego* to pick, gather) ; 손으로 따는 데서〛

le·gu·men [ligjúːmən, le-] *n.* =LEGUME.

le·gu·min(e) [ligjúːmən, le-] *n.* Ⓤ 〖化〗 레구민《콩과(科) 식물의 종자 속에 있는 단백질》.

le·gu·mi·nous [ligjúːmənəs, le-] *a.* 콩의 ; 〖植〗 콩과(科)의.

lég ùp *n.* 《口》 도움, 원조 ; =HEAD START.
lég wàrmer *n.* 발목에서 넓적다리까지를 덮는 뜨개질한 여성용 방한구.
lég·wòrk *n.* Ⓤ 《美口》 걷기, 걸어다님 ; 탐방 《LEGMAN의 일》 ; (범죄 따위의) 상세한 조사 ; (기획·기업의) 실제적 관리 ; 육체적 행동을 요하는 부분.
le·ha·yim, -cha·yim [ləxɑ́:jim] *n.* 건배, 축배. 〖Heb.〗
lehr, leer [líər] *n.* 유리 풀림로(爐). 〖G〗
le·hua [leihú:ɑ:] *n.* 레이후아《태평양 제도에서 나는 붉은 꽃이 피는 도금양과의 단단한 나무》. 〖Haw.〗
lei¹ [léi, léii(:)] *n.* 레이《하와이 제도에서 머리에 쓰거나 목에 거는 화환(花環)》. 〖Haw.〗
lei² *n.* LEU의 복수형.
Leib·ni(t)z [láibnəts] *n.* 라이프니츠. **Gottfried Wilhelm von** ~ (1646-1716) 독일의 철학자.

lehua

Lei·ca [láikə] *n.* 라이카《독일제 카메라 ; 상표명》.
Leices·ter [léstər] *n.* **1** Leicestershire의 주도. **2** 레스터종(種)의 양.
Leices·ter·shire [léstərʃìər, -ʃər] *n.* 레스터셔 《잉글랜드 중부의 주》.
Léi Dày *n.* 하와이의 May Day.
Léi·den·frost phenòmenon [láidənfrɔ̀:st-] *n.* [the ~] 〖理〗 라이덴프로스트 현상《(1) 고온의 고체 표면상의 액체가 증기층을 생성하여 고체 표면에서 절연되는 현상. (2) 물질과 반(反)물질의 경계에 생긴다고 하는 위와 같은 모양의 가설적 현상》. 〖Johann G. *Leidenfrost* (d. 1794) 독일의 물리학자〗
Leigh [lí:] *n.* 남자 이름. 〖⇨ LEE〗
Lei·la(h) [lí:lə, 美+léi-] *n.* 여자 이름. 〖Pers. =(dark as) night〗
Leip. Leipzig.
Leip·zig [láipsig ; *G* láiptsiç] *n.* 라이프치히《독일 동부의 도시, 출판업·음악의 중심지》.
leis·ter [lí:stər] *n., vt.* 작살(로 찌르다).
***lei·sure** [lí:ʒər, léʒ-, léiʒ- ; léʒ-] *n.* Ⓤ [+*to* do/+前+do*ing*] 여가, 틈, 한가한 시간 : I have no ~ *to* read[*for* read*ing*]. 나는 한가히 책을 읽을 틈이 없다.
  at leisure 짬이 나서, 한가하여 ; 서두르지 않는, 천천히, 여유가 있어 : He was *at* ~ then. 그때는 한가했다.
  at** one**'s leisure 짬이 날 때, 한가한 때 : You can do it *at* your ~. 한가한 때 그것을 해도 좋다.
  wait a person***'s leisure*** 남이 틈이 날[형편이 좋을] 때까지 기다리다.
  —— *attrib. a.* 한가한, 손이 노는, 볼 일이 없는 (free) ; 여가의 : ~ time 여가. **~d** *a.* 틈[짬]이 있는, 한가한 ; 느긋한 : (the) ~*d* class(es) 유한계급. **~·less** *a.* 짬이 없는, 바쁜. **~·ness** *n.* 〖AF *leisour*<OF *leisir* (L *licet* it is allowed)〗 類義語 ⟹ SLOW.
léisure·ly *a.* 여유 있는, 느긋한, 서둘지 않는. —— *adv.* 느릿하게, 느긋하게. **-li·ness** *n.*
léisure sùit *n.* 레저 슈트《셔츠 재킷과 슬랙스로 된 레저용 의복》.
léisure-tíme *a.* 일을 하지 않는 때의, 여가의.
léisure·wèar *n.* 레저웨어《여가를 즐길 때에 입는 옷》.
Leit. Leitrim.
leit·mo·tiv, -tif [láitmoutì:f] *n.* **1** 〖樂〗 라이트모티브, 시도 동기(示導動機). **2** (행위 따위에 일관된) 주목적, 중심 사상, 이상. 〖G=leading motive ; ⇨ LEAD¹, MOTIVE〗
Lei·trim [lí:trəm] *n.* 리트림《아일랜드 북부의 주(州) ; 略 Leit.》.
lek¹ [lék] *n.* 렉《알바니아의 화폐 단위 ; 기호 L ; 100 qindarka》. 〖Alb.〗
lek² *n.* 멧닭 따위의 새가 모여 구애하는 장소. —— *vi.* (**-kk-**) 새가 lek에 모이다. 〖Swed.〗
lek·ker [lékər] *a.* 《南아口》 좋은, 멋진, 즐거운. 〖Afrik.〗
lek·var [lékvɑ:r] *n.* 파이에 넣는 자두 잼. 〖Hung.〗
Lem [lém] *n.* 남자 이름. 〖cf. LEMUEL〗
LEM [lém] lunar excursion module.
lem·an [lémən, lí:-] *n.* 《英古》 애인, 정부(情夫), 정부(情婦).
Le Mans [*F* lə mɑ̃] *n.* 르망《프랑스 북서쪽에 있는 도시로 해마다 6월에 자동차의 24시간 내구(耐久) 경주가 열리는 곳》.
Le Máns stàrt *n.* 르망식 스타트《자동차 경주의 출발 방식의 하나 ; 경주자는 차에서 떨어져 섰다가 신호와 함께 뛰어가 승차하고 엔진을 시동하여 발진함》.
lem·ma [lémə] *n.* (*pl.* **~s, -ma·ta** [-tə]) 보조정리(補助定理), 부명제(副命題) ; 테마, 주제 ; (사전 따위의) 표제어(headword). 〖L<Gk. =thing assumed (*lambanō* to take)〗
lem·me [lémi(:)] [발음 철자] 《口》 let me.
lem·ming [lémiŋ] *n.* 〖動〗 레밍, 나그네쥐《북유럽산(産) ; 번식이 극에 달했을 때 바다를 향해 대이동하여 빠져죽는 「나그네쥐의 집단 자살」로 알려짐》. 〖Norw.〗
***lem·on**¹ [lémən] *n.* **1** 레몬 ; 레몬나무 ; Ⓤ (홍차 따위에 넣는) 레몬(의 풍미) : I like ~ with[in my] tea. 홍차에 레몬(을 넣는 것)이 좋다 / The pudding is flavored with ~. 그 푸딩은 레몬 맛이 곁들여 있다. **2** Ⓤ 레몬빛, 담황색(=~ **yéllow**). **3** 《俗》 불쾌한 것[일·사람], 시시한 것, 맛[재미] 없는 것. **4** 《黑人俗》 밝은 피부색의 매력적인 흑인 여자, =MULATTO ; 《俗》 매력 없는 여자(cf. PEACH). **5** 《口》 불량품《결함있는 차(車) 따위》. **6** [보통 *pl.*] 《美俗》 (작은) 가슴, 유방. **7** 《美俗》 불순물이 섞인[위조한] 마약. **8** 《口》 혹평, 통렬한 반박 ; 《軍俗》 수류탄. —— *a.* 레몬이 들어있는 ; 레몬빛의, 담황색의. —— *vi.* 《美俗》 (당구에서) 초심자 같은 플레이를 하다. 〖OF *limon*<Arab. ; cf. LIME²〗
lemon² *n.* 〖魚〗 =LEMON SOLE.
lem·on·ade [lèmənéid] *n.* Ⓤ 레모네이드, 레몬스쿼시《레몬과즙에 소다수를 넣은 음료 ; =《英》 lemon squash》.
lémon chèese[**cùrd**] *n.* 레몬에 설탕·달걀 따위를 섞어 끓여 잼처럼 만든 것《빵에 바르거나 파이에 넣음》.
lémon dròp *n.* 레몬 드롭《캔디》.
lémon káli [-kǽli, -kéi-] *n.* 《英》 레몬 칼리수(水).
lémon làw *n.* 《美俗》 불량품법《불량품의 교환·환불의 청구 권리를 정한 주법(州法)》.
lémon lìme *n.* 《美》 레몬 라임《무색의 투명한 탄산 음료》.
lémon sòda *n.* 《美》 레몬 소다《레몬 맛이 나는 탄

산음료》.

lémon sòle *n.* 〖魚〗 레몬가자미《유럽산》. 〚F *limande*〛

lémon squásh *n.* 《英》 =LEMONADE.

lémon squèezer *n.* 레몬을 짜는 기구.

lém·ony *a.* 레몬 맛[향기]이 나는.

lem·pi·ra [lempíərə] *n.* 렘피라《Honduras의 화폐 단위 ; 기호 L ; 100 centavos》. 〚Am. Sp. *Lempira* 16세기 남미 인디언 추장〛

Lem·u·el [lémjuəl] *n.* 남자 이름. 〚Heb. =devoted to God〛

le·mur [líːmər] *n.* 〖動〗 여우원숭이. 〚NL (↓)〛

lemur

lem·u·res [lémjəriːz, lémərèis] *n. pl.* (고대 로마인의 신앙에서) 야행(夜行)하는 사자(死者)의 혼령 ; 악령(惡靈). 〚L〛

lem·u·roid [lémjərɔ̀id] *a., n.* 여우원숭이(와 같은) ; 〖動〗 여우원숭이 아목(亞目)의 (동물).

Le·na [líːnə] *n.* **1** 여자 이름《Helena, Magdalene의 애칭》. **2** [, léinə] [the ~] 레나 강(江)《시베리아 중동부의 강》.

◇**lend** [lénd] *v.* (**lent** [lént]) *vt.* **1** [+目+目/+目+*to*+名/+目] 빌려주다(↔*borrow*) ; 대여하다 : *L*~ me your bicycle for ten minutes or so, will you? 10분 정도 자전거를 빌려주시지 않겠습니까《注 수동태에서는 I *was lent* this bicycle. 보다도 This bicycle *was lent* me. 쪽이 보통》/ I cannot ~ it *to* everybody. 아무에게나 빌려줄 수는 없다 / Banks ~ money and charge interest. 은행은 돈을 빌려주고 이자를 받는다. **2** [+目+*to*+名] 도와주다, (원조를) 해주다 ; 첨가하다, 덧붙이다 : This dress will ~ charm ***to*** you. 이 옷을 입으면 매력적일 것이다 / This fact ~*s* probability *to* the story. 이 사실로 보면 그 이야기는 그럴듯하다.

〈회화〉
Hi, John. Could you *lend* me some money? — Sorry, I'm broke.「어이, 존. 돈 좀 빌려주겠니」「미안해. 한 푼도 없어」

— *vi.* (돈을) 꾸어 주다 : He neither ~*s* nor borrows. 돈을 빌려주지도 않고 꾸지도 않는다.

lend a hand ☞ HAND *n.*

lend an ear[one***'s ear***(***s***)] ***to...*** ☞ EAR[1].

lend itself to …의 도움이 되다, …에 알맞다 : This encyclopedia ~*s itself to* children[many uses]. 이 백과사전은 어린이에게 도움이 된다[여러 가지의 목적에 알맞다].

lend one***self to*** …에 유용하다 ; …에 힘을 다하다, …에 골몰하다 : You should not ~ your*self to* such a transaction. 그러한 거래에 참여해서는 안된다.

lend out (책을) 대출하다.

— *n.* 《口》 빌리기, 차용.

~·**able** *a.* 빌려줄 수 있는 : ~*able* funds 대출(貸出) 자금. ~·**er** *n.* 빌려주는 측[사람] ; 대금(貸金)업자, 고리대금업자.

〚ME *lēne*(*n*) <OE *lǣnan* (⇨ LOAN[1]) ; 지금의 어형은 ME의 과거형에서〛

lénd·ing *n.* 빌려주기 ; [*pl.*] 빌려입는 옷.
— *a.* 빌려주는.

lénding lìbrary *n.* **1** 대출 문고[서점](=《美》 rental ~). **2** (관외 대출을 하는) 공공 도서관.

lénd-léase *n.* U (무기) 대여.
— *vt.* (무기 따위를) 대여하다.

Lénd-Léase Àct *n.* [the ~] 《美》 무기대여법《1941년 제정》.

lenes *n.* LENIS의 복수형.

◇**length** [léŋkθ] *n.* **1** U,C 길이, 장단(長短) ; 세로 ; 키(cf. BREADTH) : the ~ *of* a pool[rope, sentence] 풀[밧줄, 문장]의 길이 / 3 meters in ~ 길이 3미터.

> **length의 문장 전환**
> The *length* of the table is 2 meters.
> → The table is 2 meters *in length*.
> → The table is 2 meters *long*.
> (그 테이블은 길이가 2미터다.)
> This is three times the *length* of that.
> → This is three times as *long* as that.
> (이것은 길이가 저것의 3배다.)

2 U,C (시간적인) 길이, 기간 〈*of*〉 : the ~ *of* a speech[vacation] 연설[휴가]의 길이 / a journey *of* some ~ 상당히 긴 여행 / for a ~ *of* time 상당 기간 동안. **3** 길기 : be tired with the ~ *of* a meeting 회합이 길어서 피로하다. **4** (보트의) 정신(艇身), (경마의) 마신(馬身) ; 〖弓術〗 사정(射程) : win by a ~ 1정신[1마신(馬身)] 차로 이기다. **5** U,C 〖音聲·樂〗 (음의) 길이, 음량. **6** [go와 함께] [+*of*+do*ing*] (행동의 철저한) 범위, 정도 : *go* all ~*s*=*go to* great[any] ~ 어떤 일이든지 하다, 철저히 하다 / I will not *go* the ~ *of* assert*ing* it. 그것을 주장하려고까지는 생각지 않는다. **7** (특정 표준의) 길이 ; …만큼의 거리.

at full length 온몸을 쭉 펴고, 큰 대자로, 장황하게 ; 자세하게 : He lay *at full* ~ upon his stomach. 배를 깔고 길게 엎드려 있었다.

at great length 장황하게, 지루하게 ; 상세히.

at length (1) 드디어, 마침내. 注 at last 보다 형식을 취하는 구 : I have *at* ~ accomplished what I have been waiting for. 기대하고 있던 것을 드디어 성취했다. (2) 충분히, 자세하게, 장황하게 ; 오랫동안.

at some length 꽤 길게[상세히].

find[***get, have, know, take***] ***the length of*** a person***'s foot*** ☞ FOOT.

keep a person ***at arm's length*** ☞ ARM[1].

measure one***'s*** (***own***) ***length*** 큰 대(大)자로 쓰러지다.

one***'s length of days*** 장명, 장수(長壽).

over[***through***] ***the length and breadth of*** …의 전체에 걸쳐, …을 남김없이, 샅샅이.

〚OE *lengthu* ; ⇨ LONG〛

-length [lèŋkθ] *a. comb. form* 「…까지 미치는 길이의」의 뜻. 〚↑〛

◇**length·en** [léŋkθən] *vt.* 길게 하다, 늘이다 : I want to have my coat ~*ed*. 이 웃옷의 길이를 늘려 주기 바란다. — *vi.* **1** 길어지다, 늘어나다 : The days ~ in spring. 봄에는 낮이 길어진다 / The shadows ~. 땅거미가 진다 ; 《비유》 점점 늙어간다 ; 죽음이 가까워진다 / His face ~*ed*. 언짢은 표정을 지었다. **2** [+*into*+名] 늘어나서 (…이) 되다 : Summer ~*s* ***into*** autumn. 여름이 지나 가을이 된다.

lengthen out 몹시 늘이다 ; 점점 길어지다.

類義語 ***lengthen*** 시간적·공간적으로 길게 하다 : *lengthen* a skirt (스커트를 길게 하다). ***extend*** 현재의 점 또는 한계·범위보다도 더욱 앞으로 길게 하다 : The conference was *extended* to Wednesday. (회의는 수요일까지 연장되었다). ***prolong*** 예정의[정상의 · 적당한] 기간[시일]보다 연장하다 : The prince *prolonged* his stay. (왕자는 체류를 연장했다).

léngth·màn *n.* 《英》 (일정 구간의 선로[도로]를 맡는) 보수[정비]원.

léngth·wàys *adv.* 길게, 세로로.

léngth·wìse *a., adv.* 세로의[로], 긴[길게].

léngthy *a.* (시간이) 긴 ; 장황한 ; 지루한. **léngth·i·ly** *adv.* 길게. **-i·ness** *n.*

le·ni·ent [lí:niənt] *a.* **1** 관대한, 너그러운, 아량이 있는, 인정이 많은 : He is ~ *toward*[*to*] the children. 그는 어린이에게 관대하다. **2** 느슨한, 가벼운. **lé·ni·ence, -cy** *n.* 관대함, 온후(溫厚) ; 인자함, 자비심이 많음. **~·ly** *adv.* 관대하게. 〖L (*lenis* mild)〗

Len·in [lénən] *n.* 레닌. **Nikolai** ~ (1870-1924) 구소련의 혁명가. **~·ìsm** *n.* 레닌주의. **~·ist, ~·ìte** *n., a.* 레닌주의자(의).

Len·in·grad [lénəngræ̀d] *n.* 레닌그라드 《러시아 연방 북서부의 해안 도시 ; 1991년 Sankt Peterburg로 개칭》.

le·nis [lí:nəs, léi-] *n.* (*pl.* **le·nes** [lí:ni:z, léineis]) 〔音聲〕 연음(軟音)《[b], [d], [g] 따위》. —— *a.* 연음의. 〖L *lenis* mild〗

len·i·tive [lénətiv] *a.* 진정시키는(soothing), 완화하는. —— *n.* 〔醫〕 진정제, 완화제 ; (슬픔 따위를) 진정시키는 것. **~·ly** *adv.*

len·i·ty [lénəti] *n.* Ⓤ 자비심이 많음 ; Ⓒ 관대한 조치[행위].

le·no [lí:nou] *n.* (*pl.* **~s**) Ⓤ,Ⓒ 일종의 거즈 직물. 〖F *linon* (*lin* flax<L)〗

***lens** [lénz] *n.* 렌즈 ; (사진기의) 복합 렌즈 ; 〔解〕 (눈알의) 수정체 : grind ~*es* 렌즈를 갈다 / The ~ of the eye and the ~ of a camera form images. 눈의 수정체와 카메라의 렌즈는 영상을 맺는다. 〖L *lent- lens* lentil ; 모양의 유사에서〗

léns-càre brúsh *n.* ＝BLOWER BRUSH.

léns·man [-mən] *n.* ＝PHOTOGRAPHER.

◇**lent** *v.* LEND의 과거 · 과거 분사.

Lent [lént] *n.* **1** 〔宗〕 사순절(四旬節), 대재절(大齋節), 수난절《Ash Wednesday에서 Easter Eve까지의 40일간, 황야의 그리스도를 기념하기 위하여 단식이나 참회를 함》. **2** [*pl.*] 《英》 Cambridge 대학 춘계 보트레이스. 〖*Lenten*〗

len·ta·men·te [lèntəméntei, -ti] *adv., a.* 〔樂〕 느리게[느린], 렌타멘테로[의]. 〖It.〗

len·tan·do [lentá:ndou] *adv., a.* 〔樂〕 점점 느리게[느린], 렌탄도로[의] (becoming slower). 〖It.〗

lent·en [léntən] *a.* [때때로 L~] 사순절의 ; 고기를 넣지 않은 ; 소박한 ; 궁상맞은, 음침한 : ~ fare (고기를 넣지 않은) 요리. 〖OE *lencten* springtime (? WGmc. 《美》 *lang*-LONG) ; 해가 길어지는 데서인가〗

len·tic [léntik] *a.* 〔生態〕 (호수 · 연못 따위의) 정수(靜水)의[에 서식하는], 정수성의. 〖L *lentus* slow, immovable〗

len·ti·cel [léntəsèl] *n.* 〔植〕 피목, 껍질눈.

len·tic·u·lar [lentíkjələr] *a.* **1** 렌즈 모양의, 콩 모양의, 양면이 볼록한. **2** (눈알의) 수정체의. **3** 렌즈의. 〖L ; ⇨ LENS〗

len·ti·cule [léntəkjù:l] *n.* 필름의 지지체면(支持體面)에 부가되는 미세한 볼록 렌즈 ; 영사 스크린 위의 물결무늬.

lén·ti·fòrm [léntə-] *a.* ＝LENTICULAR.

len·til [léntl] *n.* 〔植〕 렌즈콩. 〖OF<L ; cf. LENS〗

len·tisc, -tisk [léntisk] *n.* ＝MASTIC TREE.

Lént lìly[**róse**] *n.* 〔植〕 **1** 《英》 ＝DAFFODIL **2** ＝ MADONNA LILY.

len·to [léntou] *a., adv.* 〔樂〕 렌토의[로], 느린[느리게] (↔*allegro*). —— *n.* (*pl.* **~s**) 렌토의 악장[악구]. 〖It.〗

len·toid [léntɔid] *a.* 양면 볼록 렌즈 모양의.

Lént tèrm *n.* 《英》 봄 학기《크리스마스 휴가 후에 시작하여 부활절 무렵에 끝남》.

Leo [lí:ou] *n.* **1 a**) 남자 이름. **b**) 레오《13명의 로마 교황의 이름》. **2 a**) 〔天〕 사자자리(the Lion), (십이궁(宮)의) 사자궁(☞ ZODIAC). **b**) 사자자리에 태어난 사람. 〖OE<L ; ⇨ LION〗

Le·on [lí:ɑn ; lí(:)ən] *n.* 남자 이름. 〖Sp. ; ⇨ LEO〗

Le·o·na [li(:)óunə] *n.* **1** 여자 이름. **2** 《美俗》 엄격한[잔소리가 많은] 여자. 〖(fem.) ; ⇨ LEON〗

Leon·ard [lénərd] *n.* 남자 이름. 〖Gmc. ＝brave as a lion (lion＋hardy)〗

Le·o·nar·do [lì:əná:rdou] *n.* 레오나르도 (☞ DA VINCI). 〖It. ; ⇨ LEONARD〗

le·one [li(:)óun, -ni] *n.* (*pl.* **~, ~s**) 리온《시에라리온의 화폐 단위 ; 기호 Le ; 100 cents》.

Le·on·i·das [liánədəs, -dæ̀s] *n.* **1** 남자 이름. **2** 레오니다스(?-480 B.C.)《스파르타의 왕》. 〖Gk. ＝lionlike〗

Le·o·nids [lí:ənədz], **Le·on·i·des** [liánədì:z] *n. pl.* 〔天〕 사자자리 유성군(流星群)(＝**Léonids mèteors**)《11월 15일경 해마다 사자자리에서 흐르는 것처럼 보임》.

le·o·nine [lí:ənàin] *a.* 사자의[와 같은] ; 당당한, 용맹스러운. 〖OF or L ; ⇨ LION〗

Le·o·no·ra [lì:ənɔ́:rə] *n.* 여자 이름《애칭 Nora》. 〖⇨ ELEANOR〗

leop·ard [lépərd] *n.* **1** 〔動〕 표범(panther) ; 표범 가죽 : the American ~＝JAGUAR / the hunting ~＝CHEETAH / ☞ SNOW LEOPARD. **2** 〔紋〕 얼굴을 정면(正面)으로 향하고 오른쪽 앞발을 들고 있는 옆을 향한 사자《잉글랜드의 문장》. **3** [형용사적으로] 표범과 같은 반점이 있는.

Can the leopard change his spots ? 〔聖〕 표범이 그 반점을 변할 수 있느뇨《성격은 좀처럼 못 고치는 것 ; 예레미야 13 : 23》.

~·ess *n.* 암표범.

〖OF<L<Gk. ; ⇨ LION, PARD[1]〗

léopard-skìn céase-fire *n.* 쌍방이 점령지역을 유지한 상태의 정전(停戰).

léopard spòt *n.* (특히 정전(停戰) 때의) 산재하는 군의 점령 지역.

Le·o·pold [lí:əpòuld ; líə-] *n.* 남자 이름. 〖Gmc. ＝people＋bold〗

le·o·tard [lí:ətà:rd] *n.* (곡예사 · 댄서 등이 입는) 몸에 착 붙는 긴 소매의 원피스 ; [때때로 *pl.*] ＝TIGHTS. 〖Jules *Léotard* (d. 1870) 프랑스의 곡예사〗

leotard

LEP [lép] 〔理〕 large electron-positron (collider) (대형 전자 · 양전자 충돌형 가속기).

Lep·cha [léptʃə] *n.* (*pl.* **~, ~s**) (인도의) 렙차족(族) ; 렙차어.

lep·er [lépər] *n.* 나병 환자 : a ~ colony (외딴섬 따위의) 나환자 수용소 / a ~ house 나(癩)병원. 〖OF *lepre* leprosy<L<Gk. (*lepros* scaly)〗

lep·id- [lépəd], **lep·i·do-** [-dou, -də] *comb. form* 「비늘」의 뜻.

〚Gk. *lepid-* *lepis* scale〛

le·pid·o·lite [lipídəlàit, lépi-] *n.* Ⓤ 〔鑛〕 리티아 운모(雲母), 비늘 운모.

lep·i·dop·te·ran [lèpədɑ́ptərən] *a.* 〔昆〕 인시류(鱗翅類)[나비목](Lepidoptera)의, 비늘 날개를 가진. ── *n.* (*pl.* **~s, -tera** [-tərə]) 나비목의 곤충, 나비류. **lèp·i·dóp·te·ral** [-tərəl] *a.* 〔昆〕 나비류(類)의. **-ter·ous** [-tərəs] *a.* 나비류의, 비늘 날개를 가진《나비·나방 따위》.

〚NL (*lepid-*, Gk. *pteron* wing)〛

lep·i·dop·ter·ist [lèpədɑ́ptərəst] *n.* 나비류 연구가[학자].

lep·o·rine [lépəràin] *a.* 토끼의[같은].

lep·ra [léprə] *n.* Ⓤ =LEPROSY.

lep·re·chaun [léprəkɔ̀ːn, -kɑ̀n] *n.* 〔아일傳說〕 (잡히면 보석을 숨긴 곳을 가르쳐 준다는 장난을 좋아하는) 작은 요정(妖精).

〚OIr. (*lu* small, *corp* body)〛

lep·ro·sar·i·um [lèprəséəriəm, -sǽər-] *n.* (*pl.* **~s, -ia** [-iə]) 나(癩)병원.

lep·rose [léprous] *a.* 〔生〕 비듬 같은, 비늘[비듬] 모양의.

lep·ro·sy [léprəsi] *n.* Ⓤ 나병;《비유》(사상·도덕적인) 부패[퇴폐, 악영향](의 근원): moral ~ (남에게 감염되기 쉬운) 도덕적 부패, 타락.
lep·rot·ic [leprɑ́tik] *a.* 나병의, 나병에 걸린.
〚↓〛

lep·rous [léprəs] *a.* 나성(癩性)의, 나병에 걸린; 비늘 모양의, 비늘[딱지]로 덮인(leprose). **~·ly** *adv.* **~·ness** *n.* 〚OF<L; ⇨ LEPER〛

-lep·sy [lèpsi] *n. comb. form* 「발작」의 뜻: cata*lepsy*, epi*lepsy*, nympho*lepsy*.

〚Gk.=seizure〛

lept- [lépt], **lep·to-** [léptou, -tə] *comb. form* 「작은」「미세한」「얇은」의 뜻《주로 동식물 용어에 씀》. 〚Gk.; ⇨ LEPTON[1]〛

lep·ton[1] [leptɑ́n] *n.* (*pl.* **-ta** [-tɑ́ː]) 고대 그리스의 작은 동전; 현대 그리스의 화폐 단위《drachma의 100분의 1》.

〚Gk. (neut.) ‹ *leptos* small, thin〛

lep·ton[2] [léptɑn] *n.* 〔理〕 렙톤, 경입자(輕粒子)《전자(電子)·중성 미립자 따위》. **lep·tón·ic** *a.*
〚*lept-*, *-on*〛

lépton nùmber *n.* 〔理〕 경입자수《존재하는 경입자 수에서 반(反)경입자수를 빼고 얻은 수》.

lep·to·spire [léptəspàiər] *n.* 〔菌〕 렙토스피라 세균. **lep·to·spi·ral** [lèptəspáiərəl] *a.*

lep·to·spi·ro·sis [lèptəspaiəróusəs] *n.* (*pl.* **-ses** [-siːz]) 〔醫·獸醫〕 렙토스피라증(症).

Le·pus [líːpəs] *n.* 〔天〕 토끼자리(the Hare).
〚L〛

Le·roy [lərɔ́i, líːrɔi] *n.* 남자 이름.
〚OF=the king〛

les [léz] *n., a.* [때때로 L~]《口》동성애하는 여자, 동성애의(lesbian).

LES 〔空〕 launch escape system.

Les·bi·an [lézbiən] *a.* **1** LESBOS 섬의. **2** [보통 l~] (여성간의) 동성애의(cf. HOMOSEXUAL).
── *n.* Lesbos 섬 사람; (고대 그리스어의) 레스보스 방언; [보통 l~] 여성 동성애자, 레스비언. **~·ìsm** *n.* 여성의 동성애(sapphism).
〚L<GK.; ⇨ LESBOS〛

les·bine [lézbain] *n.* 《美俗》 =LESBO.

les·bo [lézbou] *n.* (*pl.* **~s**) 《口》 여성 동성애자 (lesbian).

Les·bos [lézbɑs] *n.* 레스보스 섬《에게 해 북동부의 그리스의 섬》.

Lésch-Ný·han sỳndrome [léʃnáihən-] *n.* 〔醫〕 레슈-나이한 증후군《정신 박약·무도병적인 운동을 특징으로 하는 사내아이의 유전성 질환》.
〚M. *Lesch* (1936-), W. L. *Nyhan* (1926-) 둘다 미국의 소아과 의사〛

lése[**léze**] **májesty** [líːz-], **lèse ma·jes·té** [; *F* lɛz majɛste] *n.* 〔法〕 불경죄(不敬罪), 대역죄(high treason); (전통적 관습·신앙 따위에 대한) 모독. 〚F<L=injured sovereignty〛

le·sion [líːʒən] *n.* 〔醫〕 (조직·기능의) 장애, 상해, 손상(injury); 정신적 상해.
── *vi.* …에 장애를 일으키다.
〚OF<L (*laes-* *laedo* to injure)〛

Les·ley [lésli; léz-] *n.* 여자 이름. 〚(fem.); ↓〛

Les·lie [lésli; léz-] *n.* **1** 남자 이름;《稀》여자 이름. **2** 《俗》 동성애를 하는 여자.
〚Sc. =garden of hollies〛

Le·so·tho [ləsóutou, 英+-súːtuː] *n.* 레소토《아프리카 남부, 남아프리카 공화국에 둘러싸인 왕국; 수도 Maseru》.

◇**less** [lés] *a.* [LITTLE의 비교급; cf. LESSER] **1** [양] …보다 적은, 더욱 적은(↔*more*): eat ~ meat 고기를 덜 먹다 / *L*~ noise, please! 좀더 조용히 하시오. ㊟「양」이 아니고「수」의 경우는 fewer를 씀. *less* people 보다 *fewer* people 쪽이 보통; 또 복수명사가 올 때는 보통 *fewer* students와 같이 쓰지만《美》에서는 *less* students도 씀. **2** [크기] …보다 작은, 더욱 작은: May your shadow never grow[be] ~! ☞ SHADOW 1 a). **3** 뒤지고 있는, 그다지 중요치 않은; 신분이 낮은.

〈회화〉
We have *less* homework today. — We're lucky, aren't we? 「오늘은 숙제가 적어」「잘됐잖아」

── *n.* 보다[더욱] 소수[소량·소액]: Some had more, others ~. 더 많이 가지고 있는 사람도 있었고, 또 더 적게 가진 사람도 있었다 / *L*~ *of* your nonsense! 허튼소리 좀 작작 하시오 / *L*~ *than* 20 of them remained. 그 중에 20명[개]도 못 남았다. ── *adv.* [LITTLE의 비교급] **1** [형용사·명사를 수식하여] …보다 적게, 더욱 적게, …만큼은 아니고: Try to be ~ exact. 그렇게 엄격하지 않도록 하시오《구어에서는 Try *not* to be so exact. 라고 하는 편이 보통》. **2** [동사를 수식하여] 적게: He was ~ scared *than* surprised. 그는 겁냈다기 보다는 놀랐다(=not so much... as) / The ~ said the better. 《속담》 말은 적을수록 좋다.

in less than no time 《戲》 곧, 당장.

little less than 거의 …와 같은 정도의.

more or less ☞ MORE.

much*[*still*] *less [부정적 어구 뒤에] 하물며[더군다나] …은 아니다: I do not say that he is careless, *much*[*still*] ~ that he is dishonest. 그가 조심성이 없다고 말하는 것은 아니며 불성실하다는 것은 더군다나 아니다.

no less than …에 못지 않게(even), …와 마찬가지로: He gave me *no* ~ *than* (=as much as) $500. 그는 나에게 500달러나 주었다(cf. He gave me no more than(=only) $10. 그는 나에게 10달러밖에 주지 않았다) / My father has *no* ~ *than* (=as many as) two hundred books. 아버지에게는 책이 200권이나 있다. ㊟ 같은 뜻의 *no* FEW*er than*은「수」에만 사용함.

no less...than... (1) …에 못지 않게, …와 같은 정도로: She is *no* ~ beautiful *than* her sis-

ter. 그녀는 언니 못지 않게 아름답다. (2) …와 다름없이 : He is *no* ~ a person *than* the king. 그는 다름아닌 바로 왕 그 사람이다.
none the less*=*not the less*=*no less 그래도 역시, 그럼에도 불구하고.
not less than... (1) …보다 나을망정 못하지는 않다(as...as) : You are *not* ~ rich *than* he. 그보다 더 부자면 부자지 못하지는 않다. (2) 적어도 … : This camera did *not* cost ~ *than* $200. 이 카메라는 적어도 200달러는 했다.
nothing less than... (1) 꼭 …만큼, 적어도 …정도는 : We expected *nothing* ~ *than* (=the same thing as) an attack. 적어도 공격이 있으리라고 예상했다. (2) …와 다름없는, …만큼의 : It is *nothing* ~ *than* fraud. 사기(詐欺)나 다름없다. (3)《稀》 전혀 …하지 않다 : We expected *nothing* ~ *than*(=anything rather than) an attack. 설마 공격이 있을 줄은 예측하지 못했다.
—— *prep.* …을 뺀(minus) : a year ~ three days 3일 모자라는 1년.
〖OE *lǣssa* (a.), *lǣs* (adv., n.) <Gmc. (compar.) <《美》 *laisa*〗

-less [ləs] *suf.* **1** [명사에 자유로이 붙여 형용사를 만듦] …이 없는, …이 빠진 : end*less*. **2** [동사에 붙여 형용사를 만듦] …할 수 없는, …하기 힘든 : cease*less*. **3** [드물게 부사를 만듦] …없이 : doubt*less*. 〖OE *-lēas* (*lēas* devoid of)〗

léss devéloped *a.* 기술화·산업화가 잘 되어 있지 않은, 저개발의.
less developed countries 저개발국, 발전 도상국《略 LDC》.

les·see [lesíː] *n.* 〖法〗 임차인(賃借人), 차지인(借地人), 세든 사람(tenant) (↔*lessor*).

léss·en *vt.* **1** 적게[작게] 하다, 감하다, 줄이다(diminish) : The driver ~*ed* the speed. 운전자는 속도를 늦추었다. **2** 얕보다, 업신여기다 : You must not ~ his services to us. 우리들에 대한 그분의 노고를 가볍게 봐서는 안된다. —— *vi.* 적게[작게] 되다, 줄어들다 : His resources ~*ed*. 그의 자력(資力)은 감소했다.
[類義語] ⟹ DECREASE.

Les·seps [lésəps ; *F* lesɛps] *n.* 레셉스. **Ferdinand Marie de** ~ (1805-94) 프랑스의 기사(技師)·외교관 ; Suez 운하 건설자.

less·er [lésər] *a.* 보다 작은[적은], 작은[적은] 쪽의. [注] 때때로 LESS의 뜻으로 쓰임《보기 Choose the ~ of two evils. 두 재앙 중 가벼운 쪽을 택하라》, 주로 가치·중요성에 대해서 쓰임 : a ~ nation 약소국.
—— *adv.* [보통 복합어를 이루어] 보다 적게 : ~ known 그다지 유명하지 않은.

Lésser Antílles *n. pl.* [the ~] 소(小)앤틸리스 제도(Caribbees)《서인도 제도 동쪽의 군도》.

Lésser Ásia *n.* 소아시아.

Lésser Béar *n.* [the ~] 〖天〗 작은곰자리(Ursa Minor).

Lésser Dóg *n.* [the ~] 〖天〗 작은개자리(Canis Minor).

lésser pánda *n.* 〖動〗 소(小)팬더(bear cat, cat bear)《히말라야·중국·미얀마산》.

léss·ness *n.* Ⓤ 한층 적음, 열등, 하등.

◇**les·son** [lésən] *n.* **1** 학과, 과업, 배움. **2** (교과서 중의) 과(課) : *L*~ 2 제2과. **3** [때때로 *pl.*] (연속적인) 수업, 연습, 레슨 : give ~*s* ***in*** music 음악을 가르치다 / take[have] ~*s in* Latin 라틴어를 배우다. **4** 〖宗〗 일과《아침·저녁의 기도시간 때 읽는 성서의 일부분》 : the first ~ 제1일과(日課)《구약성서의 일부》 / the second ~ 제2일과《신약성서의 일부》. **5** 교훈, 훈계 ; 본보기 ; 질책 : Let this be a ~ *to* you. 이번 일을 교훈으로 삼으시오.
hear a person *his* ***lesson*** 남의 학과 복습을 도와주다.
learn one*'s* ***lesson*** 경험으로 배우다.
teach[***give, read***] a person ***a lesson*** 남을 훈계하다, 남에게 설교하다.
—— *vt.* 훈계하다, 견책(譴責)하다 ; 훈련하다.
〖OF *leçon*<L (*lect- lego* to read)〗

les·sor [lésɔːr, -⌐] *n.* 〖法〗 대지인(貸地人), 집을 세놓는 사람(↔*lessee*). 〖AF ; ⇨ LEASE〗

lèss-than-cár·lòad *a.* (화물중량이) CARLOAD에 미달하기 때문에 CARLOAD RATE를 적용할 수 없는《略 L.C.L.》.

***lest** [lest, lèst, lést] *conj.* **1** …하지 않도록(so that...not), …하면 안되므로(for fear that...) : Hide it ~ he (*should*) see it. 그가 보면 안되니까 감추시오.

> **lest의 문장 전환**
> He hurried *lest* he (should) miss the train.
> → He hurried *for fear* (*that*) he should miss the train.
> → He hurried *for fear of* missing the train.
> → He hurried *so that* he would[might] *not* miss the train.
> → He hurried *so as*[*in order*] *not* to miss the train.
> (열차를 놓치지 않도록 그는 서둘렀다.)

2 [fear, afraid, frightened 따위에 계속될 때] …하지나 않을까 하고(that...) : I was afraid ~ he *should* come too late. 그가 너무 늦게 오지 않을까하고 걱정했다.
〖ME *lest*(*e*) <*the læste*<OE *thȳ lǣs the* whereby less that〗
[活用] lest는 문어로 보통 회화에는 쓰지 않음 ; lest 뒤에 《英》에서는 should를 《美》에서는 가정법 현재를 쓰는 것이 보통.

Les·ter [léstər] *n.* 남자 이름. 〖⇨ LEICESTER〗

◇**let**[1] [lét] *v.* (~ ; **lét·ting**) *vt.* **1** [+目+[原形]] …시키다(allow to) : He won't ~ anyone enter the room. 누구도 그 방에 들이려고 하지 않는다 / Please ~ me know when the lessons begin. 수업이 언제 시작되는가를 알려 주시오. [注] (1) 이 뜻으로는 보통 수동태로 쓰이지 않음. (2) let go, let fall 따위와 같이 관용적인 동사어군(語群)을 이루는 것은 때때로 [動+[原形]+目]의 어순으로 쓰임(☞ 숙어). **2** [+目+[副] / +目+[前]+[名]] 가게[오게] 하다, 통과시키다, 움직이게 하다 : *L*~ the blinds ***down***! 차양을 내려달라 / He ~ me ***into*** his study. 나를 서재에 들어가게 했다. **3** [+目+補] (어떤 상태로) 만들다, 해두다 : Don't ~ that dog loose. 그 개를 풀어주지 마라 / *L*~ my things alone. 내 물건은 그대로 놔두시오. **4** 《주로 英》 대여하다, 임대(賃貸)하다(rent) : This house is to ~[to be ~]. 이 집은 셋집입니다 / House[Room] to ~. 《게시》 셋집[셋방] 있음. **5** [+目 / +目+*to*+[名]] (일을) 청부 맡게 하다, 내주다 : ~ a contract 도급주다 / ~ some work ***to*** a carpenter 목수에게 일을 청부시키다. **6** (액체·기체를) 빠지게 하다, 새게 하다 : ~ a sigh 한숨을 쉬다 / ~ (a person) blood (남의) 피를 뽑다, 방혈(放血)하다(cf. BLOODLETTING) / He was ~ blood. 그는 피를 뽑혔다. —— *vi.* [+

副/+前+名]《주로 英》 세를 놓다, 세들 사람이 있다(be rented) : The room ~s *well*. 그 방은 비싸게 세놓을 수 있다[세들려는 사람이 많다] / The house ~s ***for*** 200,000 won a month. 이 집은 월세가 20만원이다.

—— *auxil. v.* [1인칭·3인칭의 명령법을 써서 「권유·명령·가정·허가」 따위를 나타냄]. 주 (1) 권유의 let us의 문장의 부가의문은 shall we?로 된다 : *L~ us*[*L~'s*] go home at once, *shall we?* 곧 집으로 돌아갑시다. (2) let us의 부정형(形)은 don't let us가 가장 보통 : 《文語》 *L~'s not*[《口》 *Don't ~'s=L~'s don't*] speak any more. 이제 그 이야기는 그만두자, 더 이상 말하지 말자. (3) 권유의 뜻으로는《口》에서는 흔히 Let's로 된다. 발음은 악센트가 없고 [lets]가 보통임 (cf. *L~* us [létəs] go. 우리를 가도록 해다오[놓아 달라] ; ☞ *vt.* 1) / *L~ him* do what he will. 그가 하고 싶은 일을 시켜라 / *L~* the two lines be parallel. 두 선이 평행이라고 가정하자[한다면 …] / *L~* there be no mistake. 실수 없도록 해.

let alone ☞ ALONE *a.*

let…be …을 내버려 두다, 개의치 않다 : *L~* me[it] *be.* 나를[그것을] 내버려 둬.

let down (1) 낮추다, 내리다(cf. *vt.* 2) ; (지탱하지 못하고) 떨어뜨리다 ; 속도를 늦추다. (2) 낙담시키다, 실망시키다 ; (…의 위신 따위를) 욕되게 하다 : ~ a person *down* easily[gently] (굴욕을 느끼지 않도록) 남을 점잖게 깨우쳐주다 / He has been badly ~ *down.* (모두에게 버림을 받고) 그는 역경[몹시 곤경]에 빠져 있다.

let drive (***at…***) ☞ DRIVE *v.*

let fall=***let…drop*** 떨어뜨리다 ; 흘리다 ; 무심코 지껄이다[입 밖에 내다] : He ~ *fall* words. 그는 무심코 지껄였다.

let…go 가게 하다 ; 해방[방면]하다 ; (가진 물건을) 놓다 ; 눈감아 주다, 너그럽게 봐주다 ; 해고(解雇)하다 : *L~* them *go.* 저 사람들을 석방시켜 주시오 / He ~ *go* his hold. 그는 쥐고 있는 것을 놓았다 / ~ one*self go* ☞ 숙어. 주 이 의미의 let go는 take[get] hold *of*에서의 유추(類推)에 의하여 of를 붙여 쓰는 수도 있다 : *L~ go of* my arm. 내 팔을 놓아 줘.

let in 넣다, 들여보내다 : Please ~ me *in* (the house). (집)안으로 들여보내 주시오 / Open the window to ~ *in* fresh air. 신선한 공기가 들어오게 창문을 여시오.

let in for… (손실·곤란 따위)에 빠지다, …에 말려들다 : I didn't know that I was *~ting* my*self in for* the unpaid work. 그 때에는 무보수의 일을 시작하려고 한다는 것을 알아채지 못했다.

let (***…***) ***into…*** (1) …에 넣다, …에 들여보내다(cf. *vt.* 2) ; (창문 따위를) …에 끼워넣다. (2) (비밀 따위)를 알리다 : I was ~ *into* the secret. 나는 그 비밀을 알게 되었다. (3) 《口》 …을 공격하다, 때리다 ; …을 욕하다.

let it go at that 그 정도로 넘기다, 더 이상 문제삼지 않다.

let loose 풀어주다, 놓아주다, 해방하다(cf. *vt.* 3) ; 제멋대로[저 좋은 대로]시키다 ; 폭발시키다 : He ~ *loose* his fury. 그는 노여움을 폭발시켰다.

Let me[***us***] ***see.*** (의문·생각 따위를 나타내어) 글쎄, 가만있자.

let (***…***) ***off*** (1) (총을) 쏘다, 발사하다 ; (농담 따위를) 내뱉다 ; 방면하다, 가볍게 처벌하다 : ~ *off* fireworks 불꽃을 쏘아 올리다 / He was ~ *off with* a reprimand. 그는 훈계만으로 방면되었다. (2) (물줄기·불길 따위를) 멎게 하다, 끄다. (3) [off는 *prep.*] (형벌)을 면제하다.

let on 《口》 (1) 고자질하다, (비밀을) 누설하다, 폭로하다 <*about, that*> : I didn't ~ *on that* he had seen her. 그가 그녀를 만났던 사실을 나는 말하지 않았다. (2) 《美》 꾸며대다, …인 체하다.

let (***…***) ***out*** (1) (*vt.*) 내어[놓아] 주다 ; 흘러나가게 하다, 흘리다 ; (빛·향기 따위를) 발산(發散)하다(emit) ; 입 밖에 내다 ; (의복을) 펼치다, 느슨하게 하다, 늘이다 ; (말 따위를) 빌려주다, 임대(賃貸)하다 ; 《美口》 (학교 따위를) 해산시키다 : *L~* the bird *out of* the cage. 그 새를 새장에서 놓아 주시오. (2) (*vi.*) (사람에게) 무섭게 치며[차며] 덤벼들다, 욕설을 퍼붓다 <*at*> ; 《美口》 휴가가 되다, 해산하다, 끝나다.

let one***self go*** 자제(自制)할 수 없게 되다, 열중[열광]하다, 실컷 하다.

let one***self loose*** ☞ LOOSE.

let…pass ☞ PASS.

let slide 풀어주다 ; 내버려 두다.

let slip 자유롭게 해주다 ; (기회를) 놓치다 ; (비밀 따위를) 무심코 누설하다.

let up 《口》 그치다, 누그러지다 ; (폭풍우가) 잔잔해지다, (비가) 덜해지다 : The rain never ~ *up* all night. 비는 밤새도록 그치지 않았다.

let well (***enough***) ***alone*** ☞ *let*…ALONE.

—— *n.* 《英》 빌려주기, 대부, 임대(lease) : get a ~ for the rooms 방에 세 들 사람을 구하다.

〖OE *lǣtan* ; cf. LATE, G *lassen*〗

類義語 (1) ***let*** 적극적인 동의·허가를 나타내는 수도 있으나 오히려 반대나 저항을 하지 않는다고 하는 소극적인 의미로도 쓰임 ; 또한 때로는 부주의·태만·능력 부족 따위로 어떤 일이 발생하는 대로 놓아둔다는 뜻도 나타낸다 : Don't *let* this happen again. (이런 일이 다시 일어나서는 안된다). ***permit, allow*** 둘 다 모두 권한[권력]이 있는 사람이 동의·허가를 하는 것인데 *permit*은 적극적으로[기꺼이] 허가를 부여하는 것, *allow*는 적극적으로 권유하지 않는 것으로 금지·방해는 하지 않는다는 소극적인 의미를 포함하기도 한다 : We were *permitted* to smoke in this room. (이 방에선 담배피우는 것이 허락되었다) / Father *allowed* me to climb a mountain. (아버지는 나에게 산에 오르는 것을 허락하셨다).

(2) ⟹ HIRE.

let[2] *vt.* (~, **lét·ted** ; **lét·ting**) 《古》 방해하다.

—— *n.* **1** 《古》 방해, 장애. **2** (테니스 따위의) 레트《네트를 스쳐 들어간 서브 공 따위》.

without let or hindrance 〖法〗 아무런 장애도 없이.

〖OE *lettan* (*læt* LATE) ; cf. Icel. *letja* to hinder〗

-let [lət] *n. suf.* 「작은 것」 「몸에 지니는 것」의 뜻 : ring*let*, stream*let*. 〖OF *-elet*〗

letch [létʃ] *vi., n., a.* =LECH.

lét·dòwn *n.* 이완(弛緩), 감소 ; 쇠퇴 ; 하강(下降), 감속 ; 《口》 실망 ; 굴욕.

LETF 〖宇宙〗 Launch Equipment Test Facility (발사장치 시험 시설).

le·thal [líːθəl] *a.* 죽게 하는, 치사의, 치명적인 (fatal) : ~ ash (핵폭발로 인한) 죽음의 재 / a ~ attack 치명적인 공격 / a ~ chamber (처형용) 가스실 ; (동물용의) 무통(無痛) 가스 도살실 / a ~ dose (약의) 치사량 / ~ weapons 흉기 ; 죽음의 병기(兵器)《핵(核)무기를 말함》.

—— *n.* 치사 유전자종 ; =LETHAL GENE.

~·ly *adv.* **le·thal·i·ty** [liːθǽləti] *n.* 치명적임. 〖L (*letum* death)〗

類義語 ⟹ MORTAL.

léthal géne[**fáctor**] *n.* 〖生〗 치사(致死) 유전자[인자(因子)].

léthal mutátion *n.* 〖生〗 치사 돌연 변이.

léthal yéllowing *n.* 〖植〗 고사성 황화병(枯死性黃化病)《자메이카에서 발견된 종려나무의 전염병 ; 바이러스 비슷한 미생물이 원인》.

le·thar·gic, -gi·cal [ləθɑ́:rdʒik(əl), le-] *a.* 기면성(嗜眠性)[증(症)]의 ; 기면(상태)의 ; 무기력한, 활발하지 못한 ; 둔감한 : a ~ stupor 기면성 혼미. **-gi·cal·ly** *adv.*

leth·ar·gize [léθərdʒàiz] *vt.* 기면(嗜眠) 상태에 빠뜨리다, 무기력하게 하다, 졸음을 오게 하다.

leth·ar·gy [léθərdʒi] *n.* **1** Ⓤ 〖醫〗 기면. **2** Ⓤ 무기력 ; 무감각.
〚OF<L<Gk. *lēthargia* drowsiness〛

Le·the [lí:θi] *n.* **1** 〖그神〗 레테, 망각의 강《저승의 나라 Hades에 있으며 그 물을 마시면 생전의 모든 것을 잊는다고 함》. **2** Ⓤ [l~] 망각.

Le·the·an [liθí:ən, lí:θiən] *a.* 레테(Lethe)의 ; 과거를 잊게 하는.

lét-ìn nóte *n.* 〖印〗 할주(割註)《본문 중에 작은 활자로 삽입하는 주석》.

Le·ti·tia [lití(:)ʃə ; -tíʃiə] *n.* 여자 이름.
〚L=gladness〛

Le·to [lí:tou] *n.* 〖그神〗 레토《Zeus의 애인 ; Apollo와 Artemis의 어머니》.

lét-òff *n.* 벌을 면하기 ; 싫은 일을 모면하기 ; 《口》 넘치는 활력[기운].

lét-òut *n.* 《英》 (곤란·의무 따위에서) 빠져 나갈 구멍, 출구 ; 《美俗》 해고.

Let·ra·set [létrəsèt] *n.* 〖印〗 레트라셋《인쇄용 사식(寫植)문자 ; 시트에 붙어 있는 것을 떼어서 씀 ; 상표명》.

‡**let's** [lèts, lès] let us의 단축형(☞ LET[1] *auxil. v.*).

Lett [lét] *n.* 레트족(族)《Baltic Sea 연안의 주민》; Ⓤ 레트어(Latvian).
〚G *Lette*<Lettish *Latvi*〛

Lett. Lettish.

lét·ta·ble *a.* 빌려줄 수 있는, 빌려주기에 알맞은.

◇**let·ter**[1] [létər] *n.* **1** 글자, 문자 : the 26 ~*s* of the English alphabet 영어 알파벳의 26문자. **2** 편지, 서한 : an open ~ 공개장. **3** [*pl.*] 읽기와 쓰기 ; 문학, 교양, 학문 ; 문필업 : art and ~*s* 문예 / a man of ~*s* 문인, 저술가, 학자 / a doctor of ~*s* 문학박사 / the profession of ~*s* 저술업 / the republic[world] of ~*s* 문학계, 문단 / teach a child his ~*s* 어린이에게 읽기·쓰기를 가르치다. **4** [the ~] (내용·정신에 대하여) 문자 그대로의 의미, 글자의 뜻, 자구(字句) : *the* ~ *of* the law 법률 조문[문면(文面)] / keep *the* ~ of the law[an agreement] (참뜻·정신을 무시하고) 법문[계약]의 조건을 글자 뜻대로 이행하다. **5** [보통 *pl.*] 증서, 면허장, …증[장] : a ~ of attorney 위임장 / a ~ of credit 신용장 / ~(*s*) of credence (대사·공사 등 정부 대표의 외교 사절에게 주는) 신임장(credentials) / ☞ LETTERS PATENT. **6** 활자체 ; 〖印〗 활자(type). **7** [*pl.*] (약어로 표시된 개인의) 칭호·직함 ; 《美》 학교의 약자 마크《운동선수 등이 사용하는 것을 허가함 ; cf. NUMERAL 2》: win one's ~ ☞ 숙어.
by letter 편지로, 서면으로.
in letter and in spirit 형식과 정신 모두.
not know** one's **letters 문맹(文盲)이다, 낫놓고 기역자도 모르다 : He *scarcely knows* his ~*s.* 그는 읽기도 쓰기도 못한다.
to the letter 문자 그대로, 엄밀하게 : carry out instructions *to the* ~ 지시를 엄수하다.
win** one's **letter 《美學生》 선수가 되다(cf. *win* one's CAP[FLANNELS]).

〈회화〉
Who's the *letter* from — It's from a friend in Pusan. 「누구한테서 온 편지니」「부산에 있는 친구한테서 온거야」

— *vt.* **1** …에 글자를 찍다[넣다] ; …에 표제를 달다. **2** 문자로 분류하다 ; 인쇄하다. — *vi.* 글자를 넣다 ; 《美口》 (운동 경기 따위에서 상으로) 학교의 약자(略字) 마크를 받다.
〚OF<L *littera* 알파벳의 문자〛

letter[2] *n.* (부동산을) 세놓는 사람, 대주(貸主), 임대인. 〚LET[1]〛

létter-and-télephone-càll campáign *n.* 《美》 불량상품 선전이나 해로운 텔레비전 프로그램의 폐지·개선을 위하여 그 담당자·제작자에게 하는 편지·전화 항의.

létter bàlance *n.* 편지 다는 저울.

létter bòmb *n.* 우편 폭탄《폭탄을 장치한 우편물(物)》.

létter bòok *n.* 서신철(書信綴).

létter-bòund *a.* (법률 따위가) 자구[글자 뜻]에 구애된.

létter bòx *n.* 《英》 우편함[통](=《美》 mailbox).

létter·càrd *n.* 봉함 엽서.

létter càrrier *n.* 《美》 집배원(postman).

létter càse *n.* (휴대용) 편지 넣는 케이스.

létter chùte *n.* 레터 슈트《고층 건물에서 우편물을 한 곳에 모으기 위해 설치함》.

létter dàter *n.* 일부인(日附印).

létter dròp *n.* 우편물 투입구.

lét·tered *a.* **1** 읽기·쓰기를 할 수 있는. **2** 학문[교양·문학의 소양]이 있는. **3** 글자를 넣은.

léttered díal *n.* 문자가 표시된 다이얼《유럽과 미국의 전화》.

létter file *n.* 편지철.

létter·fòrm *n.* (디자인·알파벳 발달사에서 보여지는) 문자의 형태 ; 편지지.

létter fòunder *n.* 활자 주조자[공].

létter·gràm *n.* 서신 전보.
〚*letter*+tele*gram*〛

létter·hèad *n.* 편지지 윗 부분의 인쇄 문구《회사명·주소·전화 번호·전신 약호 따위》; 그것이 인쇄된 편지지.

létter·ing *n.* Ⓤ 문자 쓰기[새기기] ; 쓴[새긴] 문자, 명(銘)〈*on*〉; (쓰거나 새긴) 문자의 배치[체재], 글자체 ; 레터링.

léttering pèn *n.* 레터링 펜《글자 도안용 펜촉》.

létter·less *a.* 무식한, 교육을 받지 않은, 문맹의.

létter lòck *n.* 글자를 맞춰 여는 자물쇠.

létter·màn [, -mən] *n.* 《美》 (모교의 약자(略字) 마크를 부착할 수 있는) 운동 선수.

létter míssive *n.* (*pl.* **létters míssive**) (상급자로부터 내려지는) 명령[권고, 허가]서 ; (국왕이 교회에 내리는) 감독 후보자 지명서.

létter òpener *n.* 편지 개봉용 칼.

létter pàd *n.* (한장씩 떼어 쓰게 된) 편지지.

létter pàper *n.* 편지지(notepaper).

létter-pérfect *a.* 대사(臺詞)[학과]를 잘 외는(cf. WORD-PERFECT) ; (문서·교정 따위) 완전한 ; 문자 그대로의, 축어적인.

létter pòst *n.* 《英》 제1종 우편(=《美》 first-class matter).

létter·prèss *n.* **1** Ⓤ 〖印〗 활자 인쇄(방식), 활자

인쇄물. **2** 《주로 英》 (책의) 본문, 문자 인쇄면《삽화에 대하여》. **3** 활판 인쇄기.

létter pùnch *n.* 문자 타인기(打印器).

létters clóse *n. pl.* 〖法〗 봉함 칙허장(勅許狀).

létter·sèt *n.* 〖印〗 레터셋 인쇄(법) ; 드라이 오프셋. 〚*letter*press+off*set*〛

létter shèet *n.* 봉함 엽서.

létter-sìze *a.* (종이가) 편지지 크기의, 8½×11인치 크기의.

létters pátent *n. pl.* 〖法〗 개봉 칙허장.

létters rógatory *n. pl.* 〖法〗 (다른 법원에 대한) 증인조사 의뢰장(狀), (외국 법원에 대한) 증거 조사 의뢰장.

létter stàmp *n.* 편지의 소인(消印).

létters testaméntary *n. pl.* 〖法〗 유언 집행장.

létter stòck *n.* 〖證〗 비공개주(株).

létter télegram *n.* (국제 전보의) 서신 전보《요금이 싸나 보통 전보보다 느림 ; 略 LT》.

létter·wèight *n.* =PAPERWEIGHT ; =LETTER BALANCE.

létter wrìter *n.* **1** 편지를 쓰는 사람, (특히) 편지 대서인. **2** 모범 서간문.

Let·tic [létik] *a., n.* =LETTISH ; 레트어파(의).

lét·ting *n.* 《英》 임대 ; 셋집, 임대 아파트.

Létt·ish *n., a.* 레트인[어](의).

let·tre de ca·chet [*F* lɛtr də kaʃɛ] *n.* (*pl.* **let·tres de cachet** [—]) 〖史〗 구금 영장, 체포영장《프랑스 혁명 전의》. 〚F=sealed letter〛

***let·tuce** [létəs] *n.* **1** 〖植〗 상추, 양상추. **2** 《美俗》 지폐, 현찰, 달러 지폐(greenbacks). 〚OF<L *lactuca* (*lact- lac* milk) ; 그 액에서〛

Let·ty [léti] *n.* 여자 이름.

lét·ùp *n.* 감소, 감속 ; 《口》 (노력 따위의) 해이(解弛) ; 《口》 정지, 휴지, 중지.
without a letup 끊임없이.

leu [léu, léiu:], **ley** [léi] *n.* (*pl.* **lei** [léi]) 레우《루마니아의 화폐 단위 ; 기호 L ; 100 bani》. 〚Rum. =lion〛

leuc- [lú:k], **leu·co-** [lú:kou, -kə], **leuk-** [lú:k], **leu·ko-** [lú:kou, -kə] *comb. form* 「흰」 「백혈구」 「백질(白質)」의 뜻. 〚Gk. *leukos* white〛

leu·ce·mia [lu:sí:miə] *n.* =LEUKEMIA. **-mic** *a., n.*

leu·cine [lú:si:n, -sən], **-cin** [-sən] *n.* 〖化〗 류신《빈혈제》.

leu·cite [lú:sait] *n.* 백류석(白榴石). **leu·cít·ic** [-sít-] *a.*

léu·co bàse [lú:kou-] *n.* 〖化〗 류코 염기(鹽基)《염료를 환원하여 수용성으로 만든 무색 또는 담색(淡色)의 화합물》.

leu·co·ma, -ko- [lu:kóumə] *n.* 〖醫〗 백반(白斑) ; 각막(角膜) 백반.

leu·co·ma·ine [lú:kəmèin, lu:kóuməì:n, -in] *n.* 〖生化〗 류코마인《생물체의 대사(代謝)에 의해 생긴 질소기(基)》.

léuco·tòme *n.* 〖醫〗 백질(白質) 절단용 메스.

leu·cot·o·my, -kot- [lu:kátəmi] *n.* 〖醫〗 (대뇌의) 백질(白質) 절단(술).

leu·enképhalin [lù:-] *n.* 〖生化〗 류엔케팔린《뇌에서 생성되며 진통 작용을 하는 화학 물질》.

leuk- [lú:k], **leuko-** [lú:kou, -kə] ☞ LEUC-.

leu·ke·mia, -kae- [lu:kí:miə] *n.* Ⓤ 〖醫〗 백혈병(白血病). **-mic** *a.* 백혈병의. 〚G (Gk. *leukos* white, *haima* blood)〛

leu·ko·cyt- [lù:kəsáit], **leu·ko·cy·to-** [-sáitou, -tə], **leu·co·cy·t(o)-** [-sáit(ou), -t(ə)] *comb. form* 「백혈구」의 뜻. 〚↓〛

léuko·cỳte, -co- *n.* 백혈구. **-cyt·oid** [lú:kəsàitɔid] *a.* 〚*leuko*-, *-cyte*〛

lèuko·cy·tó·sis, -co- [-saitóusəs] *n.* 〖醫〗 백혈구 증가(증). **-cy·tót·ic** [-tát-] *a.*

leu·kon [lú:kan] *n.* 〖生理〗 류콘《백혈구와 그 기원 세포》. 〚NL<Gk. (neut.) ‹ *leukos* white〛

leu·ko·pe·nia, -co- [lù:kəpí:niə] *n.* Ⓤ 백혈구 감소(증). **-pé·nic** *a.*

leu·kor·rhea, -cor- [lù:kərí:ə] *n.* 〖醫〗 백대하(白帶下), 냉. **-rhé·al** *a.*

lev [léf] *n.* (*pl.* **le·va** [lévə]) 레프《불가리아의 화폐 단위 ; 기호 Lv ; 100 stotinki》. 〚Bulgarian=lion〛

lev- [lí:v], **le·vo-** [-vou, -və], **lae·v(o)-** [lí:v(ou), -v(ə)] *comb. form* 「왼쪽의」 「좌선성의」의 뜻. 〚L〛

Lev. 〖聖〗 Leviticus.

lev·al·lor·phan [lèvəlɔ́:rfən] *n.* 〖藥〗 레발로르판《모르핀 중독으로 인한 호흡장애 치료용》.

le·vam·i·sole [ləvǽməsòul] *n.* 〖藥〗 레바미솔《구충제 ; 세포 매개성 면역을 높이는 작용이 있어 암이나 감염증 치료 효과가 기대되고 있음》.

le·vant [ləvǽnt] *vi.* 《英》 (빚·내깃돈 따위를 갚지 않고) 도망치다, 행방을 감추다. **~·er**[1] *n.* 도망자. 〚↓〛

Levant *n.* **1** [the ~] 레반트《동부 지중해 및 그 섬과 연안 제국》. **2** Ⓤ [l~] 레반트 모로코《원래 레반트 지방에서 난 염소·양·바다표범 따위의 고급 가죽(=∼ **morócco**)》. 〚F=point of sunrise, east (pres. p.) ‹ *lever* to rise<L ; ⇨ LEVY〛

levánt·er[2] *n.* 지중해의 강한 동풍 ; [L~] 레반트(Levant)인.

Lev·an·tine [lévəntàin, -tì:n, 美+ləvǽn-] *a.* 레반트의 ; 레반트 교역의. —— *n.* **1** 레반트 사람. **2** [l~] 튼튼한 능라(綾羅)의 일종.

le·va·tor [livéitər] *n.* (*pl.* **lev·a·to·res** [lèvətɔ́:ri:z], **~s**) **1** 〖解〗 거근(擧筋). **2** 〖外科〗 리베이터, 기자(起子)《두개골의 함몰 부분을 들어 올리는 수술 기구》. 〚L=one who lifts〛

lev·ee[1] [lévi] *n.* 《美》 **1** 충적제(沖積堤). **2** (강의) 제방, 강둑(embankment) ; (논의) 두렁, 논둑. **3** 선창, 부두(quay).
—— *vt.* …에 제방을 쌓다.
〚F *levée* (p.p.) ‹ *lever* to raise ; ⇨ LEVY〛

le·vee[2] [lévi, ləví:, ləvéi] *n.* 접견《군주 또는 그 대리인이 남자에게만 함》 ; 프랑스 궁정의 집회 ; 《美》 대통령의 접견(회) (cf. DRAWING ROOM 3). 〚F *levé* ‹ *lever* rising (↑)〛

‡**lev·el** [lévəl] *a.* **1** 납작[평탄]한, 수평의(even) : two ~ tablespoonfuls of sugar 식탁용 큰 숟가락 2개에 깎아 담은 분량의 설탕. **2** 같은 수준[높이]의, 동등한, 같은 정도의 : a ~ race 대등한 경주 / a building ~ *with* the spire of the church 교회 첨탑과 같은 높이의 건물. **3** 〖樂·音聲〗 평조(平調)의. **4** 《口》 균형잡힌, 온건한 ; 공평한.
do one's level best 《口》 전력[최선]을 다하다 : He *did* his ~ *best* to make money. 그는 돈을 벌기 위해 전력을 다했다.
—— *adv.* 수평으로, 평평하게 ; 똑바로, 일직선으로 ; (…와) 수평[같은 높이]으로, 대등하게.
—— *n.* **1** 수평 ; 수평면, 평면 ; 평지, 평원 : the ~ of the sea 해면(cf. SEA LEVEL). **2** 동일 수준[수평], 고도(高度) (altitude) : *at* the ~ of one's eyes 눈 높이로 / The glasses were filled

with water, each one *at* a different ~. 유리컵에는 각기 다른 높이로 물이 담겨 있었다 / Water finds its ~. 물은 낮은 곳으로 흐른다. **3** Ⓤ,Ⓒ (사회적·정신적) 표준, 수준(standard) : a conference *at* cabinet minister ~ 각료급 회의 / a speech ~ = a ~ of speech 어계(語階). **4** 〔機〕 수준의[기] ; (통신·측량의) 레벨 수준 측정. **5** 〔鑛〕 수평 갱도(坑道).

find** one's (**own**) **level 분에 맞는 지위를 얻다, 알맞은 곳에 자리잡다.

on a level with …와 같은 높이로[수준으로] ; …와 동격으로.

on the level 《口》 (1) 공평한 ; 정직한 ; 진짜의 : Is the account *on the* ~? 그 말은 신용할 수 있을까. (2) 공평하게 ; 정직하게.

out of level 평평하지 않은.

—— *v.* (-l- | -ll-) *vt.* **1** [+目/+目+副] **a)** 평평하게 하다, 고르다 ; 수평으로 놓다 : ~ a road ***up***[***down***] before building 건물을 짓기 전에 도로를 고르게 돋우다[깎아 내리다]. **b)** 평균하다 ; 한결같게 하다 ; 평등하게 하다. **2** [+目/+目+前+名] 겨누다(aim) ; 돌리다, 퍼붓다(direct) : ~ one's pistol ***at*** a target 권총을 과녁을 향해 겨누다 / ~ a criticism ***against*** a person 남에게 비난을 퍼붓다. **3** [+目+前+名] 쓰러뜨리다, 뒤집어 엎다 : ~ a building ***to***[***with***] the ground = 《文語》 ~ a building ***in*** the dust 건물을 무너뜨리다[도괴(倒壞)하다]. **4** (땅의) 고저를 수준의로 측량하다.

—— *vi.* 수평으로 되다 ; 수준의로 측량하다 ; 정직하게 말하다 ; 겨냥하다, 조준하다〈*at*〉.

level off 평평하게 하다[해지다] ; 〔空〕 수평 비행으로 이동하다 ; (증가·감소에서) 안정에 이르다, 보합 상태를 이루다.

〖OF (L *libella* plummet line (dim.) ‹ *libra* balance)〗

類義語 ***level*** 표면이 수평이며 기복이 없는 : a *level* ground (평평한 운동장). ***flat*** 표면이 오목하거나 돌출이 없는 ; 반드시 표면이 수평이라고는 할 수 없음 : a *flat* wall (평평한 벽). ***plane*** 상상 또는 기하학적인 의미로서 평면의 : a *plane* chart (평면의 해도(海圖)). ***even*** 표면에 불규칙하게 울퉁불퉁한 데가 없고 한결같이 flat한《반드시 level이 아니라도 무방함》: an *even* surface (고른 표면). ***smooth*** 줄·대패질 또는 연마를 했기 때문에 표면이 까칠까칠하지 않고 평평하며 매끄러운 : a *smooth* floor (매끄러운 마루).

lével cróssing *n.* 《英》 평면 교차, (수평) 건널목(=《美》 grade crossing).

lév·el·er | **-el·ler** *n.* **1** 수평이 되게 하는 사람 ; (고저(高低)를) 고르는 것. **2** 평등주의자, 평등론자. **3** 수준 측량수 ; (높낮이를) 고르는 기구, 땅 고르는 기구.

lével flíght *n.* 〔空〕 수평 비행.

lével-héad·ed *a.* 온건한, 냉정한, 분별이 있는 (sensible). **~·ly** *adv.* **~·ness** *n.*

lév·el·ing | **-el·ling** *n.* **1** Ⓤ 평평[수평]하게 하기 ; 땅 고르기. **2** Ⓤ 수평 운동. **3** Ⓤ 〔言〕 (어형 변화·발음 따위의) 수평화, 단순화. **4** 고저[수준] 측량. **5** 균일화, 평준화. **6** Ⓤ (사회의) 평등화[계급 타파] 운동.

léveling ròd[**stàff**] *n.* 〔測〕 수준 가늠자[조척(照尺)], 표척(標尺), 함척(函尺).

lével-pég *vi.* 대항자 사이의 평형을 유지하다, 실력이 백중하다, 동점이다.

lével pég·ging *n., a.* 동점(인), 백중지세(의).

***lev·er** [líːvər, 美+lév-] *n.* **1** 〔機〕 지렛대, 레버 (cf. SIMPLE MACHINE) : ☞ CONTROL LEVER. **2** 《비유》 (목적 달성의) 수단, 지레.

—— *vt.* 지레로 움직이다[비틀어 열다]〈*along, away, out, over, up,* etc.〉. —— *vi.* 지레를 쓰다. 〖AF (L *levo* to raise ; ⇒ LEVY)〗

léver·age *n.* **1** Ⓤ 지레의 힘[작용] ; Ⓒ 지레 장치. **2** Ⓤ 《비유》 (목적을 이루기 위한) 수단 ; 권력, 세력. **3** 차입 자본 이용(의 효과), 재무 레버리지(율), 레버리지. —— *vt., vi.* (회사에) 레버리지를 도입하다 ; 《美》 차입 자본에 의해 투기를 하게 하다[하다].

léveraged búyout *n.* 주로 차입금에 의존하는 회사 매수.

lev·er·et [lévərət] *n.* 토끼 새끼, 그 해에 태어난 토끼. 〖AF (dim.) ‹ *levre* (L *lepor- lepus* hare)〗

léver scàles *n. pl.* 대저울(steelyard).

Le·vi [líːvai] *n.* **1** 남자 이름. **2** 〔聖〕 레위《Jacob과 Leah의 셋째 아들 ; 창세기 29 : 34》 ; 레위족(族) ; LEVITE.

levi·able [léviəbəl] *a.* (세금 따위) 부과[징수]할 수 있는 ; (화물 따위) 과세할 수 있는. 〖LEVY〗

le·vi·a·than [liváiəθən] *n.* **1** 〔聖〕 거대한 바다 짐승《악의 상징》. **2** 거대한 것 ; (특히) 거선(巨船). **3** [L~] (전체주의) 국가. —— *a.* 거대한. 〖L < Heb.〗

lev·i·gate [lévəgèit] *vt.* 빻다 ; 닦다(polish) ; 섞어 반죽으로 하다 ; 가루[풀]같이 만들다.

lèv·i·gá·tion *n.* 빻기.

lev·in [lévən] *n.* 《詩》 번갯불(flash of lightning).

lev·i·rate [lévərət, líː-, -rèit] *n.* 죽은 사람의 형제가 그 미망인과 결혼하는 관습. 〖L *levir* brother-in-law〗

Le·vi's [líːvaiz] *n.* 리바이스《진즈 ; 미국의 Levi Strauss 회사의 상표명》.

lev·i·tate [lévətèit] *vt., vi.* (심령술 따위로) 공중에 뜨게 하다[뜨다]. **lèv·i·tá·tion** *n.* 공중 부양(浮揚). 〖L *levis* light ; *gravitate*에 준한 것〗

Le·vite [líːvait] *n.* 〔유태史〕 레위(Levi)족의 사람, 레위 사람《특히 신전에서 제사장을 보좌함》. 〖L < Gk. < Heb.〗

Le·vit·ic, -i·cal [livítik(əl)] *a.* 〔聖〕 레위인[족]의 ; 레위인의 제식(祭式)의, 레위기(記) 중의 율법의[에 정해진].

Le·vit·i·cus [livítikəs] *n.* 〔聖〕 레위기(記) 《구약 성서 중의 한 편 ; 略 Lev.》.

lev·i·ty [lévəti] *n.* Ⓤ 경솔, 들뜬 기분 ; 변덕, 경거망동 ; Ⓒ 천박한 행동 ; Ⓤ 《稀》 가벼움(lightness). 〖L (*levis* light)〗

levo- [líːvou, -və] ☞ LEV-.

lévo·dòpa *n.* = L-DOPA.

lèvo·rótatory, -rótary *a.* 왼쪽으로 도는, 좌선성(左旋性)의.

lev·u·lose, laev- [lévjəlòus, -z] *n.* Ⓤ 〔化〕 좌선당(左旋糖), 과당(果糖)(fructose).

levy [lévi] *vt.* **1** [+目/+目+*on*+名] 징수하다, 부과하다 ; 〔法〕 차압하다(seize) : ~ taxes ***on*** people 사람들에게 세금을 부과하다. **2** (전쟁을) 시작하다 : ~ war (up) on[against] …에 대하여 전쟁을 시작하다. **3** 소집하다, 징집[징용]하다.

—— *vi.* 징세[과세]하다 ; 재산을 압수하다.

—— *n.* **1** Ⓤ,Ⓒ 부과, 징세 ; 징수(액) : a capital ~ 자본 과세. **2** Ⓤ,Ⓒ 〔軍〕 소집, 징용 ; 소집 인원, 징집병수(數) ; [the levies] 소집 군대 : a ~ in mass 국민군 소집, 국가 총동원. 〖OF *levée* (p.p.) ‹ *lever* to raise < L *levo* (*levis* light)〗

lewd [lú:d] *a.* 음탕한, 호색(好色)의. **~·ly** *adv.* **~·ness** *n.* 〖OE *lǣwede* lay, vulgar, ill-mannered, base< ?〗

Lew·es [lú:əs] *n.* 루이스《잉글랜드 남부 East Sussex 주의 주도(州都)》.

lew·is [lú:is] *n.* 돌을 들어올리는 철제 쐐기 모양의 집게.

Lewis *n.* **1** 남자 이름《Lew의 애칭》. **2** 루이스. **Sinclair** ~ (1885-1951) 미국의 소설가. 〖Gmc. =loud, famous+fight, warrior〗

Léwis gùn *n.* 루이스식 경기관총《제1차 세계 대전 때 사용》. 〖I. N. *Lewis* (d. 1931) 미국의 군인·발명가〗

lew·is·ite [lú:əsàit] *n.* Ⓤ 루이사이트《미란성(糜爛性) 독가스의 일종》. 〖W. L. *Lewis* (d. 1943) 미국의 화학자〗

lex [léks] *n.* (*pl.* **le·ges** [lí:dʒi:z, léigeis]) 법률(law). 〖L *leg- lex*〗

lex. lexicon.

lex·eme [léksi:m] *n.* 어휘소(素), 어휘 항목《사전적 단어》. 〖*lexicon*+*-eme*〗

lex·i·cal [léksikəl] *a.* (어떤 국어의) 어휘의 ; 사전(편집)의 ; 사전적인(cf. GRAMMATICAL). **~·ly** *adv.* 사전적[식]으로. **lèx·i·cál·i·ty** [-kǽl-] *n.* 〖LEXICON〗

léxical éntry *n.* 〔言〕 어휘 항목 기재 사항.

léxical ítem *n.* 〔言〕 어휘 항목《lexicon을 이루는 단위》.

léxical méaning *n.* 〔言〕 사전적 의미《낱말의 문법적인 기능과는 관계없는 기본적인 뜻 ; cf. GRAMMATICAL MEANING》.

lexicog. lexicographer ; lexicographical ; lexicography.

lex·i·cog·ra·phy [lèksəkágrəfi] *n.* Ⓤ 사전 편집(법). **-pher, -phist** *n.* 사전 편집자(者). **lèx·i·co·gráph·ic, -i·cal** *a.* 사전 편집상의. **-i·cal·ly** *adv.*

lex·i·col·o·gy [lèksəkálədʒi] *n.* Ⓤ 어의학(語義學). **-gist** *n.* 어의(語義)학자.

lex·i·con [léksikən, 美+-səkàn] *n.* (*pl.* **-ca** [-sikə], ~**s**) **1** (특히 그리스어(語)·헤브라이어·아라비아어 따위의 옛 언어) 사전(dictionary). **2** (특정한 언어·작가·작품·분야 따위의) 어휘 ; 어휘집 ; 〔言〕 어휘 목록. 〖NL<Gk. ; ⇨ LEXIS〗

lex·i·co·statístics [lèksəkou-] *n.* 〔言〕 어휘 통계학. **-statístic, -tical** *a.*

léxi·gràm [léksə-] *n.* 단어 문자《단일 어의(語義)를 나타내는 도형[기호]》.

lex·ig·ra·phy [leksígrəfi] *n.* (한자 같은) 일자일어법(一字一語法).

lex·is [léksəs] *n.* (특정의 언어·작가 등의) 어휘 ; 용어집 ; 〔言〕 어휘론. 〖Gk. =speech, word (*legō* to speak)〗

lex ta·li·o·nis [léks tæ̀lióunəs] *n.* (피해와 같은 수단에 의한) 복수법, 앙갚음. 〖L〗

ley [léi, 美+lí:] *n.* 목초지. 〖LEA[1]〗

Ley·den, Leiden [láidn] *n.* 레이덴《네덜란드 서부의 도시》.

léyden blúe *n.* [때때로 L~] 코발트 블루.

Léyden jàr *n.* 〔電〕 라이덴 병(瓶) 《일종의 축전기(器)》.

léy fàrming *n.* 곡식과 돌려짓기 농법《곡식과 목초를 번갈아 재배하기》.

lez, lezz [léz], **lez·zy** [lézi] *n.* 《俗》 여성 동성연애자, 레스비언(Lesbian).

leze majesty ☞ LESE MAJESTY.

L. F. 〔電〕 low frequency. **lf.** left field(er). **L. G.** Life Guards ; Low German. **l.g.** 〔蹴〕 left guard. **L/G** letter of guarantee(지불 보증서). **LGM** little green man《SF에서 지적(知的)인 우주인》. **lgth.** length. **lgtn.** long ton. **LH, L. H., l. h.** left hand (왼손(쓰기)). **L. H.** lower half. **L. H. A.** 《英》 Lord High Admiral.

Lha·sa [lá:sə, lǽsə] *n.* 라사《Tibet의 수도》.

Lhása térrier *n.* (*pl.* ~**s**) 라사 테리어《사자 비슷한 작은 테리어종의 개》.

L. H. C. 《英》 Lord High Chancellor. **L. H. D.** *Litterarum Humaniorum Doctor* 《L》 (=Doctor of the Humanities 인문학 박사). **l. h. d.** left-hand drive.

L-head [él-] *a.* (엔진이) 흡기와 배기의 두 밸브를 실린더의 한쪽에 배치한, L헤드형의, L형의.

LH(-)RH 〔生化〕 luteinizing hormone-releasing hormone (황체 호르몬 방출 인자[호르몬]).

li [lí:] *n.* (*pl.* **li, lis** [lí:z]) (중국의) 리(里)《약 0.6 km》.

Li 〔化〕 lithium. **L. I.** Light Infantry ; Long Island.

li·a·bil·i·ty [làiəbíləti] *n.* **1** Ⓤ [+*to* do] (의무로서의) 책임이 있음 ; 책임, 부담, 의무(cf. RESPONSIBILITY) : limited[unlimited] ~ 유한[무한] 책임 / ~ *for* a debt 채무 / ~ *for* military service 병역의 의무 / ~ *to* a tax 납세의 의무. **2** [*pl.*] 부채, 채무(debts) (↔*assets*). **3** (…의) 경향이 있음, (…에) 걸리기[빠지기] 쉬움 : ~ *to* error 틀리기 쉬움 / ~ *to* disease 병에 걸리기 쉬움. **4** [+前+do*ing*] 불리(한 것)(↔*asset*).

liabílity insùrance *n.* 책임 보험.

***li·a·ble** [láiəbəl] *pred. a.* **1** (법률상) 책임을 져야 할, 책임있는 : You are ~ *for* all damage. 너에게 손해 배상의 전 책임이 있다. **2** (…에) 처해져야 할, 복종해야 할, (…을) 받아야 할, 모면할 수 없는 : Citizens are ~ *to* jury duty. 시민은 배심(陪審)의 일을 맡을 의무가 있다 / Man is ~ *to* diseases. 사람은 병을 모면할 수가 없다. **3** [, 美+láibəl] [+*to* do] **a**) …하기 쉬운, 자칫하면 …하기 쉬운(apt) : Difficulties are ~ *to* occur. 어려운 일이란 자칫 생기기 쉽다 / He is ~ *to* get angry. 그는 성을 잘 낸다. **b**) 《美口》 …할 것 같은(likely) : We are ~ *to* be in New York next week. 아마도 우리는 내주에 뉴욕에 갈 것 같다. **~·ness** *n.* 〖AF<OF<L (*ligo* to bind)〗 類義語 ⟹ LIKELY.

li·aise [liéiz] *vi.* 《軍俗》 연락 장교로 근무하다 ; (…와) 연락을 취하다, 접촉하다, 연대하다〈*with, between*〉. 〖역성(逆成) 〈 ↓〗

li·ai·son [liéizɑn, lí:əzàn, -zən, lì:eizɔ́:ŋ] *n.* **1** Ⓤ 〔軍〕 연락, 접촉 ; Ⓤ,Ⓒ [일반적으로] 연락 : a ~ officer 연락장교 / act as ~ between...and …와 …사이의 연락 임무를 맡다. **2** 간통, 밀통. **3** 〔音聲〕 연음, 연성(連聲)《특히 프랑스어에서 앞 어미의 자음과 다음 낱말의 첫 모음을 잇는 발음, 또 영어에서 r음을 다음 단어의 첫 모음과 잇는 발음》. — *vi.* 접촉하다, 관계하다(liaise). 〖F (*lier* to bind<L ; ⇨ LIABLE)〗

li·a·na [liá:nə, liǽnə], **li·ane** [liá:n] *n.* (열대 지방산) 각종 덩굴 식물. 〖F (↑)〗

Liao·dong [liáudúŋ], **-tung** [; ljáutúŋ] *n.* 랴오둥(遼東)《중국 랴오닝 성의 반도 ; 서쪽에 랴오둥만이 있음》.

Liao·ning [liáuníŋ ; ljáuníŋ] *n.* 랴오닝(遼寧)《중

국 북동부의 성》.

*__li·ar__ [láiər] *n.* 거짓말쟁이.
〚OE *lēogere* ; ⇨ LIE²〛

__líar('s) dìce__ *n.* 포커 다이스(poker dice)의 일종《상대에게 주사위를 보이지 않고 던짐》.

__li·as__ [láiəs] *n.* Ⓤ 청색 석회암《영국 남서부산》; [L~] 흑(黑)쥐라(Jura)통(統).
__Li·as·sic__ [laiǽsik] *a.* 〚OF *liois* < ? Gmc.〛

__lib__ [líb] *n., a.* 《口》 여성 해방 운동(의), 리브(의).
〚*liberation*〛

__Lib.__ Liberal ; Liberia. __lib.__ librarian ; library ; *liber* (L) (=book).

__li·ba·tion__ [laibéiʃən] *n.* __1__ 신주(神酒), 헌주(獻酒), 제주(祭酒). __2__ 《戲》 술, 술잔치.
〚L (*libo* to pour as offering)〛

__líb·ber__ *n.* 《口》 여성 해방 운동가.

__líb·bie__ *n.* 《美口》 =LIBBER.

__Lib·by__ [líbi] *n.* 여자 이름《Elizabeth의 애칭》.

__lib. cat.__ library catalogue (장서 목록).

__li·bel__ [láibəl] *n.* __1 a)__ Ⓤ〘法〙(문서에 의한) 명예훼손죄(cf. SLANDER). __b)__ 비방[중상]하는 글. __2__ 《口》 모욕[불명예]이 되는 것, 모욕 : This photograph is a ~ *on* him. 이 사진은 실물보다 훨씬 못하다. ── *v.* (**-l-** | **-ll-**) *vi.* 비방[중상·모욕]하다. ── *vt.* (남의) 중상 문서를 공개하다 ; (남을) 중상하다 ; (사람의 품성·용모 따위를) 충분히 표현하지 않다. __-bel·(l)er, -bel·(l)ist__ *n.* 중상자(中傷者), 명예 훼손자.

__li·bel·ant, -lant__ [láibələnt] *n.* 〘法〙 (해사(海事)[종교] 재판소에서의) 원고(原告) ; 중상[비훼]하는 사람(libeler).

__li·bel·ee, -lee__ [làibəlí:] *n.* (해사[종교] 재판소에서의) 피고.

__lí·bel·ous, -lous__ *a.* 중상하는, 비방하는 ; 남을 중상하기 좋아하는. __~·ly__ *adv.*

*__lib·er·al__ [líbərəl] *a.* __1__ 선심쓰는, 후한, 통이 큰(generous) ; 인색하지 않은 : He is ~ *of* his money[*of* promises]. 선뜻 돈을 잘 낸다[선뜻 약속을 잘한다]. __2__ 많은, 풍부한(plentiful) : a ~ supply 풍부한 공급. __3__ 관대한, 도량이 넓은, 개방적인, 편견이 없는〈*in*〉. __4__ 글자 뜻에 구애받지 않는, 자유로운 : a ~ translation 의역(意譯). __5__ 《古》 신사에게 어울리는, 일반 교양의. __6__ = LIBERALISTIC ; 〘政〙 자유[진보]주의의 ; [L~] 《英》 자유당의(cf. CONSERVATIVE, LABOR) : ~ democracy 자유 민주주의 / the *L*~ Party 자유당. __7__ 《口》 대충 말해서 …의 ; 대체적인 : a ~ four o'clock 4시경. ── *n.* liberal한 사람 ; 자유주의자 ; [L~] 자유당원(cf. CONSERVATIVE, LABOURITE), 자유당 지지자. __~·ness__ *n.*
〚ME=suitable for a free man<OF<L (*liber* free (man))〛
類義語 ⟹ PROGRESSIVE.

__líberal árts__ *n. pl.* (현대 대학의) 교양 과목《인문학·사회 과학·자연 과학·어학 따위의 모든 학과》; (중세의) 학예(學藝)《문법·논리학·수사학·산술·기하학·음악·천문학의 7과목》.

__líberal educátion__ *n.* [the ~] 일반 교양 교육《직업 교육·전문 교육에 대해 인격 교육에 중점을 둠》.

__líberal féminism__ *n.* 자유주의적 여권 확장론《점진적 개량론》.

__líberal·ìsm__ *n.* Ⓤ (정치·경제·종교상의) 자유[진보]주의.

__líberal·ist__ *n.* 자유[진보]주의자.
__lìb·er·al·ís·tic__ *a.* 자유주의적인.

__lib·er·al·i·ty__ [lìbərǽləti] *n.* __1__ Ⓤ 마음이 너그러움, 후함, 인색하지 않음 ; 관대함, 대범함 ; 공평무사. __2__ [*pl.*] 선사, 선물.

__líberal·ìze__ *vt.* __1__ 자유주의적으로 하다 ; (규칙 따위를) 완화시키다, 늦추다. __2__ (무역·상품 따위를) 자유화하다. ── *vi.* 《稀》 자유주의화하다 ; 너그러워지다. __-ìz·er__ *n.* __lìberal·izátion__ *n.* 자유화(自由化).

__líberal·ly__ *adv.* __1__ 자유롭게 ; 마음이 후하게 ; 관대하게 ; 개방적으로, 편견(偏見)없이, 공평하게. __2__ 《口》 대강, 대충 말해서.

__líberal-mínd·ed__ *a.* 마음이 너그러운[후한].

__líberal stúdies__ *n.* 《英》 (과학·기술 따위를 전공하는 학생을 위한) 일반 교양 과정.

__lib·er·ate__ [líbərèit] *vt.* [+目/+目+*from*+名] __1__ 자유롭게 하다 ; 해방[석방·방면]하다 : ~ slaves 노예를 해방하다 / ~ a man ***from*** bondage 사람을 석방하다. __2__ 〘化〙 유리시키다 ; 〘理〙 (힘을) 작용시키다. __3__ 《俗》 훔치다, 약탈하다 ; 《美俗》 (점령지의 여성)과 성교하다. __líb·er·àt·ed__ *a.* 해방된, 자유로운. 〚L (*liber* free)〛
類義語 ⟹ FREE.

__lib·er·a·tion__ [lìbəréiʃən] *n.* Ⓤ 해방, 석방 ; (권리·지위의) 평등화 ; 〘化〙 유리(遊離). __~·ìsm__ *n.* 국교(國敎) 폐지론 ; 해방주의. __~·ist__ *n., a.* 국교 폐지론자(의) ; 해방론자(의).

__liberátion theòlogy__ *n.* 해방 신학.
__liberátion theòlogist__ *n.* 해방 신학자.

__líb·er·à·tor__ *n.* 해방자《특히 피압박 민족 따위의》.

__Li·be·ria__ [laibíəriə] *n.* 라이베리아《서아프리카의 공화국 ; 수도 Monrovia》. __Li·bé·ri·an__ *a., n.* 라이베리아의 (사람). 〚? L *liber* free〛

__lib·er·tar·i·an__ [lìbərtéəriən] *a.* 자유 의지론을 주장하는 ; (특히 사상·행동의) 자유를 주장하는, 자유론의 ; 자유 의지론자의. ── *n.* 자유 의지론자 ; 자유론자. __~·ìsm__ *n.* 자유 의지론.

__li·ber·ti·cide__ [ləbə́:rtəsàid] *n.* 자유 파괴자 ; 《稀》 자유 파괴. ── *a.* 자유를 파괴하는.

__lib·er·tin·age__ [líbərtì:nidʒ, -tə-] *n.* =LIBERTINISM.

__lib·er·tine__ [líbərtì:n, 英+-tàin] *n.* 방탕한 사람, 난봉꾼 ; [보통 경멸적으로] (종교상의) 자유 사상가. ── *a.* 방탕한, 주색에 빠진 ; [보통 경멸적으로] 자유 사상의, 도덕률 폐기론의.
__lib·er·tin·ism__ [líbərtənìzəm, -ti:-] *n.* 방탕, 방자, 난봉 ; (종교상의) 자유 사상 ; (성 도덕상의) 자유주의.
〚L=freedman ; ⇨ LIBERTY〛

*__lib·er·ty__ [líbərti] *n.* __1__ Ⓤ 자유, 해방, 석방, 방면(放免) : religious ~ 종교의 자유 / natural ~ 천부의 자유권《자연율에만 복종하는 것》/ ~ of conscience ☞ CONSCIENCE 숙어 / ~ of speech ☞ SPEECH / ~ of the press ☞ PRESS¹ *n.* 5. __2__ Ⓤ (…할) 자유, 권리(↔*slavery*). __3__ [+前+do*ing*/+*to* do] 방종, 제멋대로의 행동 : take [be guilty of] a ~ 제멋대로의[실례되는] 행동을 하다 / I take the ~ ***of*** tell*ing* you this. 실례지만 당신에게 이 일을 말씀드리겠습니다 / I shall take the ~ *to* remind you of it. 그것을 상기하시도록 감히 말씀드리겠습니다. __4__ [*pl.*] (칙허(勅許)·시효로 얻은) 특권(privileges)《자치권·선거권·참정권 따위》. __5__ 〘哲〙 선택[의지]의 자유. __6__ 〘海〙 (단기의) 상륙 허가《보통 48시간 이내》; 《美俗》 휴일, 단기 휴가 : break ~ 규정 시간에 귀선(歸船)하지 않다. __7__ 〘英史〙 (특권이 인정된 시(市) 외의) 특별 행정구 ; 특별 자유구(區) 《죄수가 살도록 허가된 감옥 밖의》.
at liberty 자유롭게 ; 마음대로 …할 수 있는 ; 한

가하여 ; 실직하여 ; (물건이) 쓰이지 않고 (있는) : I'll be *at* ~ next week. 내주는 한가하겠지 / You are *at* ~ *to* choose. 마음대로 골라도 좋습니다 / a desk *at* ~ 비어 있는 책상.
set. . .at liberty …을 자유롭게 해주다, …을 방면하다.
take liberties with …에게 버릇없이 굴다 ; …을 제멋대로 고치다, (사실을) 왜곡하다 ; (명예 따위를) 손상시키다.
the Statue of Liberty 자유의 여신상《New York 만(灣) Liberty Island에 있음 ; 왼손에「Liberty Enlightening the World」라고 새겨진 판을 든 1886년 프랑스에서 선물한 동상》.
〚OF<L (*liber* free)〛
類義語 ⟹ FREEDOM.
Líberty Bèll *n.* [the ~]《美》자유의 종《1776년 7월 4일 독립 선언일에 울렸던 종》.
líberty bòat *n.*〔海〕상륙 허가를 받은 선원을 운반하는 보트.
Líberty bònd *n.*《美》(제1차 대전 때 모집한) 자유[전시(戰時)] 공채.
líberty càp *n.* 자유의 모자(Phrygian cap)《자유를 상징하는 삼각 두건》.
líberty háll *n.* 하고 싶은 대로 행동할 수 있는 장소[상황], (특히) 손님이 마음대로 행동할 수 있는 집, 예절의 구애를 받지 않는 집.
líberty hòrse *n.* (서커스의) 기수없이 재주부리는 말.
Líberty Ísland *n.* 리버티 섬《자유의 여신상이 있는 미국 New York 만에 있는 작은 섬》.
líberty·màn *n.*《英》〔海〕상륙 허가를 받은 선원.
Líberty shìp *n.*《美》제2차 대전 중에 미국에서 대량 건조한 약 1만톤급 수송선.
li·bid·i·nal [ləbídənəl, -bídnl] *a.* 리비도(libido)의, 본능적인. **~·ly** *adv.*
li·bid·i·nous [ləbídənəs] *a.* 호색의, 육욕적인 (lustful) ; 선정(煽情)적인.
~·ness *n.* **~·ly** *adv.* 〚L (↓)〛
li·bi·do [ləbíːdou, -bái-] *n.* (*pl.* **~s**) **1** Ⓤ〔精神分析〕리비도《모든 행위의 숨은 동기를 이루는 근원적 욕망》. **2** Ⓤ 애욕, 성적 충동.
〚L *libidin- libido* lust〛
Lib-Lab [líblæ̀b] *a.*, *n.*《英》자유당과 노동당 제휴파의 (자유당원)《19세기 말의 영국 노동조합 운동을 지지했음》. **Líb-Láb·bery** *n.*
LIBOR [líbər] London Inter-Bank Offered Rate《런던 은행간 거래 금리 ; 국제 금융거래의 기준이 되는 금리임》.
li·bra [líːbrə, láibrə] *n.* (*pl.* **-brae** [líːbrai, láibriː]) **1** 중량 파운드(pound)《略 lb., lb》: 5 *lb*(*s*) 5파운드. **2** [líːbrə] 영국의 통화 파운드《略 £ ; ☞ POUND[1] 活用》: £5 5파운드. **3** [L~]〔天〕천칭자리(the Balance) ; 천칭궁(宮) (cf. *the signs of the* ZODIAC).
〚L=pound weight, balance〛
li·brar·i·an [laibréəriən] *n.* 사서(司書) ; 도서관 직원, 도서 담당. **~·shìp** *n.* 도서관원의 직[지위] ;《英》=LIBRARY SCIENCE.
◇**li·brary** [láibreri, -brəri, -bri ; -brəri] *n.* **1** 도서관, 도서실 : a traveling ~ 순회 문고[이동 도서관] / a walking ~ 만물 박사, 박식한 사람 / the *L*~ of Congress《美》국회 도서관《略 LC》. **2** (개인의) 문고, 서고(書庫) ; 장서 ; 서재, 독서실. **3** 독서 클럽, 독서회. **4** …총서(叢書), 문고 : a Shakespeare ~ 셰익스피어 총서. **5** (레코드·테이프 따위의) 라이브러리《수집물 또는 시설》;〔컴퓨〕(프로그램·서브루틴 따위의) 라이브러리, 자료관 ; (신문사 따위의) 자료실(morgue) ;《美》대출 도서관, 대본집(rental library).

〈회화〉
Why did you go to the *library* ? — To borrow some books.「도서관에는 왜 갔니」「책 좀 빌리려고」

〚OF<L (*liber* book)〛
líbrary bìnding *n.* 도서관용 책《모양보다 견고성을 중시 ; cf. EDITION BINDING》.
líbrary càrd *n.* (도서관의) 대출 카드.
líbrary edìtion *n.* (대형으로 튼튼하게 만든) 도서관판, 도서관용 특제판(cf. TEXT EDITION, TRADE EDITION).
líbrary ràte *n.*〔美出版〕도서관 요금《서적이 도서관·교육 기관 따위에 송부될 때의 우편 요금》.
líbrary schòol *n.* 도서관 학교《사서[도서관원] 양성을 위함》.
líbrary scíence *n.* 도서관학.
líbrary shòts *n. pl.*〔放送〕필요시에 대비해 분류·보관해 두는 해양·기념적 건조물·동물 따위 일반적인 테마를 촬영한 필름.
líbrary stèps *n. pl.* (접을 수 있는) 서고용 사닥다리.
li·brate [láibreit] *vi.* (저울대처럼) 흔들려 움직이다, 진동하다, 떨다 ; 균형잡히다. —— *vt.*《古》균형잡히게 하다, …의 무게를 재다.
〚L ; ⇨ LIBRA〛
li·bra·tion [laibréiʃən] *n.* Ⓤ 진동 ;〔天〕(달 따위의) 칭동(秤動) ; 균형. **~·al** *a.*
librátion pòint *n.*〔天〕칭동점(秤動點).
li·bret·tist [ləbrétəst] *n.* 오페라의 가사[대본] 작자(作者).
li·bret·to [ləbrétou] *n.* (*pl.* **~s**, **-bret·ti** [-bréti(ː)]) (오페라의) 가사, 대본.
〚It. (dim.)〈*libro* book<L *liber*〛
Li·bre·ville [líːbrəvìl] *n.* 리브르빌《가봉(Gabon)의 수도》.
Lib·ri·um [líbriəm] *n.* 리브리움《진정제의 일종 ; 상표명》.
Lib·ya [líbiə] *n.* 리비아《아프리카 북부의 공화국 ; 수도 Tripoli》.
Líb·y·an *a.* 리비아(인)의. —— *n.* 리비아인 ; 베르베르인 ; Ⓤ 베르베르어.
Líbyan Désert *n.* [the ~] 리비아 사막《사하라 사막의 일부》.
lice *n.* LOUSE의 복수형.
***li·cense, li·cence** [láisəns] *n.* (《英》에서는 licence가 보통) **1** [+*to* do] ⓊⒸ 승낙, 허가 ; 인가, 면허 ; Ⓒ 면허장, 인가서, 감찰 : a ~ plate [tag] 번호판(number plate)《자동차 따위의 등록 번호판》/ a ~ *to* practice medicine 의사 개업 면허장 / a ~ *to* hunt 수렵 면허(장) / a special ~《英》결혼 특별 허가증《예고를 필요로 하지 않음》/ ☞ DRIVER'S LICENSE. **2** Ⓤ 방종, 번덕, 방탕, (지나친) 자유. **3** Ⓤ (창작상의) 파격(破格), 일탈(逸脫), 허용 : ☞ POETIC LICENSE.
under license 허가[감찰]를 받고.
—— *vt.* [+目/+目+*to* do] 면허[인가]하다 ; …에게 면허장을 주다 ; 허가하다(allow) : He has been ~*d to* practice medicine. 그는 개업의 면허를 받았다. **lí·cens·able** *a.* 허가[인가, 면허] 할 수 있는. **~·less** *a.*
〚OF<L (*licet* it is allowed)〛
類義語 (1) (*n.*) ⟹ FREEDOM.
(2) (*v.*) ⟹ AUTHORIZE.
lí·censed *a.* **1** 인가된, 면허를 받은, 감찰을 받고

있는, 관허(官許)의 : a ~ victualler 《英》 주류(酒類) 판매 면허의 음식점 주인 ; 여인숙[선술집] 주인 / a ~ house 주류 판매 면허점. **2** 세상이 인정하는 : a ~ jester (군주 옆에서) 직언(直言)이 허용된 어릿광대.

lícensed práctical núrse *n.* 《美》 (주(州) 따위의 정식 면허를 가진) 유자격[준(準)] 간호사《略 LPN》.

lícensed prémises *n. pl.* 《英》 주류 판매 면허점(店).

lícensed vocátional núrse *n.* (캘리포니아 주·텍사스 주에서) LICENSED PRACTICAL NURSE 《略 LVN》.

li·cens·ee, -cenc·ee [làisənsíː] *n.* 면허[인가] 받은 사람, 감찰을 받은 사람 ; 주류 면허 판매인[소지자].

lícense nùmber *n.* (자동차) 번호판의 번호.

lí·cens·er, -cen·sor *n.* 허가[인가]자, 검열관.

lí·cens·ing làws *n. pl.* [the ~] 《英》 사전 허가제법《주류 판매의 시간과 장소를 규제하는 법률》.

li·cen·ti·ate [laisénʃiət, 美+-ʃièit] *n.* 면허장 소유자, (의학·법률 따위에서) 개업인가를 받은 사람 ; [lisén-] (유럽·캐나다 대학에서) bachelor와 doctor 사이의 학위(보유자) ; (특히 장로교회의) 미취임 유자격 목사. **~·shìp** *n.*
〖L ; ⇨ LICENSE〗

li·cen·tious [laisénʃəs] *a.* 방탕한, 음란한 ; 멋대로의, 방종한 ; 규율[규범]에 반항적인.
~·ly *adv.* **~·ness** *n.*
〖L ; ⇨ LICENSE〗

li·cet [láiset] *a.* 허가된, 합법의. 〖L〗

lich [lítʃ] *n.* 《英方》 시체. 〖OE *līc* corpse〗

li·chee [líːtʃiː] *n.* =LITCHI.

li·chen [láikən] *n.* Ⓤ 〔植〕 지의(地衣), 이끼 ; 〔醫〕 태선(苔癬). ── *vt.* 이끼로 뒤덮다.
~ed *a.* 이끼가 낀[로 덮인]. **líchen·ous** [-əs], **-ose** [-ous] *a.* 지의의[와 같은, 가 많은].
〖L<Gk.〗

lich-gate ☞ LYCH-GATE.

lích-hòuse *n.* 시체 임시 안치소, 영안실.

lic·it [lísət] *a.* 합법적인, 정당한(↔*illicit*).
~·ly *adv.* **~·ness** *n.*
〖L ; ⇨ LICENSE〗

lick** [lík] *vt.* **1** [+目/+目+副/+目+前+名/+目+補] **a**) 핥다 : The dog ~*ed* my hand. 개는 내 손을 핥았다 / The dog ~*ed* ***up the spilt milk. 개는 엎질러진 우유를 모조리 핥았다 / The baby ~*ed* the jam ***off*** the spoon. 갓난아기는 숟가락에 묻은 잼을 핥아먹었다 / He ~*ed* the plate clean. 그는 접시를 깨끗이 핥았다. **b**) (파도가) 스치다, (불길이) 너울거리다 : The flames ~*ed* ***up*** the buildings in a second. 불길이 순식간에 건물을 삼켜 버렸다. **2** 《口》 **a**) [+目/+目+前+名] (회초리·막대 따위로) 때리다, 때려서 (결점 따위를) 고치다 : I cannot ~ the fault ***out of*** him. 아무리 때려도 그의 결점은 고쳐지지 않는다. **b**) 지우다, 능가하다 : This ~*s* me. 이것엔 손들었어《이건 무언지 통 모르겠어》. ── *vi.* **1** (불길·물결 따위가) 핥듯이 움직이다, 너울거리다. **2** 《口》 이기다, 승리하다. **3** 《俗》 서둘다, 속력을 내다 : as hard as one can ~ 쏜살같이, 전속력으로.

lick creation 《口》 무엇보다도 낫다, 뒤지지 않다, 비할 데 없다.

lick. . .into shape 《口》 …을 제구실을 하게 하다, 그럴듯하게 만들다, …에 형상을 만들다《곰은 갓난새끼를 핥아서 그 형상을 만든다고 함》.

lick one***'s chops***[***lips***] ☞ CHOP², LIP *n.*

lick one***'s wound***(***s***) 상처를 치료하다 ; 《비유》 패배(敗北)에서 재기하다.

lick the dust ☞ DUST *n.*

lick a person***'s shoes***[***boots***]=《俗》 ***lick*** a person***'s spittle*** 아첨하다, 알랑거리다.

── *n.* **1** 핥기, 한 번 핥기. **2** 소량 ; (페인트 따위의) 한 번 칠하기[칠하는 분량] : I don't care a ~ about her. 그녀에 관한 일에는 조금도 개의치 않는다《전혀 무관심함》. **3** 《美》 동물이 소금을 핥으러 가는 곳(=salt ~). **4** 《口》 강타 ; 《美口》 한바탕의 수고. **5** 《俗》 속력, 속도(speed) : at a great[tremendous] ~=(at) full[quite a] ~ 전속력으로, 급히 서둘러서.

give. . .a lick and a promise (일을) 되는 대로 해치우다, 날림으로 하다.
〖OE *liccian* ; cf. G *lecken*〗

lick·er·ish [líkəriʃ] *a.* **1** 미식을 즐기는. **2** 음식을 많이 가리는, 식성이 까다로운. **3** 게걸스러운, 탐식하는. **4** 호색적인, 음탕한.
~·ly *adv.* **~·ness** *n.*
〖AF *likerous*, OF LECHER*ous*〗

líck·e·ty-splít, -cút [líkəti-] *adv.* 《口》 전속력으로, 맹렬하게, 급히 서둘러.
〖? LICK (cf. at full *lick*), SPLIT〗

líck·ing *n.* **1** 핥음 ; 한번 핥기. **2** 《口》 호되게 때리기 ; 패배 : have[take] a ~ 패배하다.
── *adv.* 《方》 대단히.

líck·pènny *n.* 《古》 잔돈푼까지도 빠짐없이 챙기는 것[사람] ; 돈에 사족을 못쓰는 사람.

líck·spìttle, -spìt *n.* 아첨꾼, 알랑쇠.
── *vt., vi.* 알랑거리다.

lic·o·rice, li·quo- [líkərəs, 美+-kəriʃ] *n.* Ⓤ 〔植〕 감초(의 뿌리)《약·과자 따위의 향료》.
〖AF<L<Gk. (*glukus* sweet, *rhiza* root)〗

lic·tor [líktər] *n.* 〔古로〕 릭토르《FASCES를 들고 집정관의 앞장을 서서 죄인을 포박하던 관리》.
〖L ; cf. L *ligo* to bind〗

***lid** [líd] *n.* **1** 뚜껑⟨*of*⟩. **2** 눈꺼풀(eyelid). **3** 《俗》 모자 ; (서적의) 표지. **4** 〔植·貝〕 덮개, 딱지. **5** 《口》 규제, 억제, 단속.

put the lid on. . . 《英口》 (계획·행동 따위를) 끝장나게 하다, …을 망쳐버리다 ; (…을) 능가하다, 무엇보다도 뛰어나다 ; 《美》 …을 금지하다.
── *vt.* (**-dd-**) 뚜껑을 덮다, 씌우다.

líd·ded *a.* (…의) 뚜껑[덮개]이 있는 ; 눈꺼풀이 …한. **~·less** *a.* 뚜껑이 없는 ; 눈꺼풀이 없는 ; 《古·詩》 한잠도 자지 않는, 경계를 게을리 하지 않는(vigilant). 〖OE *hlid*<Gmc. (《美》 *hlidh-* to cover ; G *Lid*)〗

li·dar [láidɑːr] *n.* Ⓤ 라이다《마이크로파 대신 펄스 레이저광을 내는 레이더와 비슷한 장치》.
〖*l*ight+ra*dar*〗

Li·do [líːdou] *n.* 리도《이탈리아의 Venice에 가까운 해변 휴양지》 ; [l~] (*pl.* **lí·dos**) 야외 수영장.
〖L *litus* shore〗

◇lie¹ [lái] *vi.* (**lay** [léi] ; **lain** [léin], 《古》 **lien** [láiən] ; **lý·ing**) **1** [動/+副/+前+名] **a**) 눕다, 드러눕다(cf. LAY¹ *vt.* 1) : He *lay* ***down on*** the bed. 그는 침대에 드러누웠다. **b**) 묻혀 있다, 지하에 잠들다 : Her body ~*s* ***in*** the churchyard. 그녀의 유해는 그 교회 묘지에 묻혀 있다. **c**) (물건이) 사용되지 않고 있다 : money *lying* ***at*** the bank 은행에서 잠자고 있는 돈. **d**) 다(be situated) : Windsor ~*s* west of London. 윈저는 런던의 서쪽에 있다. **e**) 펼쳐져 있다(stretch) ; (길이) 통하고 있다 : The village *lay*

across the river. 마을은 강 건너편에 있었다 / Life ~*s* ***before*** you. 여러분의 인생은 지금부터다. **f**) 존재하다, 발견되다, (…의 관계에) 있다 (exist) : There ~*s* the difficulty. 거기가 어려운 대목이다 / Hard weeks of bloody fighting *lay ahead.* 피비린내나는 격전의 수주일이 앞에 놓여 있었다 / The choice ~*s* ***between*** death and dishonor. 죽음이냐 치욕이냐, 둘 중에 하나를 택해야 한다. **2** [+補/+過分/+do*ing*/+前+名] (어떤 상태에) 가로놓여 있다, 놓여 있다, 있다(be kept) : ~ asleep 누워서 잠자고 있다 / ~ ill (in bed) 병으로 누워 있다 / ~ dead 죽어 있다 / She closed her eyes and *lay* quiet. 그녀는 눈을 감고 조용히 누워 있었다(cf. 1 a)) / The whole town *lay* spread out before me. 마을 전체가 내 눈 앞에 펼쳐져 있었다(cf. 1 e)) / The goods ~ wast*ing* in the warehouse. 상품은 창고 속에 방치되어 있다(cf. 1 c)) / They *lay* ***in*** ambush [wait] for us. 매복하여 우리를 기다리고 있었다.

as far as in one ***lies*** 자기의 힘이 미치는 한 : I'll do it *as far as in* me ~*s*. 내 힘이 닿는 한 하겠습니다.

Let it lie. 그대로 놓아 두시오.

lie along 《古》 큰대자로 누워 있다 ; 〖海〗 옆 바람을 받고 (배가) 한쪽으로 기울다.

lie along the land [***shore***] 〖海〗 해안을 따라 항해하다.

lie at a person***'s door*** (책임이) …에게 있다 : The responsibility doesn't ~ *at your door.* 그 책임은 당신에게 없다.

lie at a person***'s heart*** 남의 사모[흠모]를 받고 있다.

lie at one***'s heart*** 걱정거리다.

lie back 뒤로 기대다, 반듯이 눕다 : She *lay back* in the armchair. 그녀는 안락 의자에 기대어 앉아 있었다.

lie by …에 보관되어 있다 ; 가만히 있다 ; 쓰이지 않고 있다, 제쳐놓고 있다 ; 〖海〗 =LIE[1] *to.*

lie close 숨어 있다 ; 한데 뭉쳐 있다.

lie down 드러눕다(cf. 1 a)) ; 굴복하다 : take an insult *lying down* 모욕을 감수하다.

lie down on the job 《口》 일을 게을리 하다.

lie down under... (모욕 따위를) 감수하다.

lie in (1) …에 존재하다, …에 있다(consist in) : The greatest charm of traveling ~*s in* its new experiences. 여행의 최대 매력은 새로운 경험에 있다 / He'll do as much as ~*s in* his power. 그는 힘이 닿는 한 할 것이다. (2) 늦잠을 자다. (3) 산욕(産褥)으로 눕다.

lie off 잠시 일을 쉬다, 휴식하다 ; 〖海〗 (육지나 다른 배에서) 약간 떨어져 있다.

lie on (one***'s***) ***hand*** (***s***) ☞ HAND *n.*

lie on the head of... ☞ HEAD *n.*

lie open 열려 있다, (남의 눈에) 띄게 되다.

lie out of one***'s money*** 지불을 못받고 있다.

lie over 연기되다, (심의 사항 따위가 처리되지 않은 채) 보류되다 ; (기한 후에도 어음 따위가) 지불되지 않고 있다.

lie to (1) 〖海〗 (이물을 바람이 불어오는 쪽으로 돌려) 거의 정지하고 있다. (2) …에 전력을 다하다 : ~ *to* the oars 필사적으로 노를 젓다.

lie under... (의심 따위)를 받다, …한 일[꼴]을 당하다.

lie up 은퇴하다, 틀어박히다 ; (병으로) 틀어박히다 ; 〖海〗 (배가) 선거(船渠)에 들어가다, 계선되어 있다.

lie (***up***) ***on*** …의 의무[책임]다, …의 양어깨에 달려 있다 ; …에 달리다 ; …에게 무거운 짐이 되다 : What I ate ~*s* heavy *on* my stomach. 먹은 음식이 위에 심한 부담을 주고 있다(cf. *lie* HEAVY (*up*) *on*).

lie with... (1) …의 역할[의무·죄]이다 : It ~*s with* us to decide the matter. 그 일을 결정짓는 것은 우리가 할 일이다. (2) =LIE[1] *in* (1). (3) 〖聖〗 …와 함께 자다, 동침하다.

—— *n.* **1** 《주로 英》 방향, 위치, 방면 ; 상태, 형세(cf. LAY[1] *n.*). **2** (동물의) 서식처, 보금자리, 굴. **3** (골프에서) 공의 위치.

〚OE *licgan* ; cf. G *liegen*〛

‡lie[2] *n.* **1** 거짓말 ; 허위(falsehood) (↔*truth*) ; 사기 : tell a ~ 거짓말을 하다 / a white ~ 악의가 없는 거짓말 / a pack of ~*s* ☞ PACK *n.* 3 / a tissue of ~*s* ☞ TISSUE. **2** 거짓말을 했다는 비난 : I wouldn't take the ~. 거짓말을 했다는 비난을 감수하려 하지 않았다.

act a lie (행위로) 속이다.

give a person ***the lie*** 거짓말을 했다고 해서 남을 비난하다 : *give* a person *the* ~ in his throat ☞ THROAT 숙어.

give the lie to... (1) 거짓말을 했다고 해서 (남을) 비난하다. (2) (가설 따위) 거짓임을 증명하다, …에 모순되다(belie).

—— *v.* (~**d** ; **lý·ing**) *vi.* [動/+前+名] 거짓말을 하다 ; (물건이) 사람을 속이다[현혹시키다] : You're *lying* ***to*** me. 나에게 거짓말을 하고 있다.

—— *vt.* [+目+副/+目+前+名] 거짓말하여[속여서] 빼앗다 : ~ *away* one's reputation 거짓말하여 평판을 떨어뜨리다 / ~ a person ***into*** [***out of***]... 남을 속여서 …에 빠뜨리다[을 빼앗다].

lie in one***'s teeth*** [***throat***] 《古·戱》 새빨간 거짓말을 하다.

〚OE (n.) *lyge,* (v.) *leogan* ; cf. G *Lüge, lügen*〛

類義語 ***lie*** 사실과 다르다는 것을 알면서도 남을 속이거나 중상하기 위해 말하는 것 ; 보통 도덕적으로 비난하는 기분이 포함됨. ***falsehood*** 고의적으로 하는 거짓말이지만 때로는 부득이한 경우의 거짓말도 포함됨. ***fib*** 대수롭지 않게 허용되는 정도의 가벼운 거짓말.

líe-abèd *n.* 《口》 늦잠꾸러기.

Líe álgebra *n.* 〖數〗 리 대수(《노르웨이 수학자 Marius Sophus (1842-99)가 생각해 낸 대수》).

líe-bỳ *n.* 《英》 고속 도로의 대피 차선 ; (철도의) 측선, 대피선.

Liech·ten·stein [líktənstàin] *n.* 리히텐슈타인 《오스트리아와 스위스 사이에 있는 나라》.

lied [lí:d ; *G* lí:t] *n.* (*pl.* **lie·der** [lí:dər]) 〖樂〗 리트, 독일 가곡(歌曲). 〚G=song〛

Lie·der·kranz [*G* lí:dərkrants] *n.* **1** 향기가 짙은 치즈의 일종《상표명》. **2** 가곡집 ; 독일의 남성 합창단. 〚G=wreath of songs〛

líe detèctor *n.* 《口》 거짓말 탐지기 : give a person a ~ test 남을 거짓말 탐지기로 조사하다.

líe-dòwn *n.* 드러눕기, 휴식, 낮잠 ; 드러누워 버티는 동맹 파업(cf. SIT-DOWN).

lief [lí:f, lí:v] *adv.* (~**·er**) 《古·文語》 기꺼이, 쾌히 (willingly). 注 다음 구문에만 사용 : *would* [《文語》 *had*] *as* ~...(*as*...) (…보다) …하는 편이 낫다 / I *would* [*had*] ~*er* (=rather) cut my throat *than* do it. 그것을 하느니 차라리 목을 베고 죽는 편이 낫다. —— *a.* 《古》 즐거운, 좋아하는 ; 사랑하는, 귀여운(dear).

〚OE *lēof* dear, pleasant ; cf. LEAVE, LOVE, G *lieb*〛

liege [líːdʒ] *n.* **1** (봉건 제도에서) 군주, 왕후 : My ~ !《호칭》우리 임금님, 전하. **2** (봉건 제도에서) 가신(家臣) : His Majesty's ~*s* 폐하의 신하. —— *a.* **1** 군주(로서)의, 지상(至上)의 : a ~ lord 영주. **2** 신하(로서)의 ; 충실한 : ~ homage 신하의 예 / a ~ subject 신하.
〖OF<L<? Gmc.〗

líege màn, líege·man [, -mən] *n.* 충성을 맹세한 신하[부하], 충실한 신봉자.

Líe gròup [líː-] *n.* 〖數〗 리 군(群)《위상군(位相群)의 구조를 가진 실(實)해석적 다양체》.

líe-ìn *n.* 《英》 아침잠, 늦잠 ; =LIE-DOWN.

lien [líːən ; lí(ː)ən] *n.* 〖法〗 선취 특권, 유치권 〈*on*〉 ; 담보권. **~·or** *n.* 〖OF<L (*ligo* to bind)〗

li·er [láiər] *n.* 눕는 사람. 〖LIE[1]〗

li·erne [liə́ːrn] *n.* 〖建〗 (고딕 양식의 둥근 천장을 잇는) 서까래.

líe shèet *n.* 《美俗》 트럭 운전 일지(log).

lieu [lúː] *n.* [다음 숙어로]
in lieu of …의 대신에(instead of).
〖OF<L *locus* place〗

Lieut. Lieutenant. **Lieut. Col.** Lieutenant Colonel.

lieu·ten·ant [luːténənt ; 《英陸軍》 leftén-, 《英海軍》 lətén-] *n.* 《略 Lieut., 복합어의 경우는 Lt.》 **1** 〖美陸軍·空軍·海兵〗 중위(first ~), 소위(second ~) ; 〖英陸軍〗 중위 ; 〖海軍〗 대위 : ~ junior grade 《美》 해군 중위. **2** 상관 대리, 부관(deputy). **3** 《美》 (경찰·소방서의) 대장(隊長) 보좌(cf. CAPTAIN 3). **lieu·tén·an·cy** *n.* lieutenant의 직[지위·임기].
〖OF (LIEU, TENANT=holder)〗

lieuténant cólonel *n.* 육[공]군 중령.

lieuténant commánder *n.* 해군 소령.

lieuténant géneral *n.* 육[공]군 중장.

lieuténant góvernor *n.* 《英》 (식민지의) 부총독, 총독 대리 ; 《美》 (주(州)의) 부지사.

Lieut. Gen. 《英》 Lieutenant General.

Lieut. Gov. 《英》 Lieutenant Governor.

◇life [láif] *n.* (*pl.* **lives** [láivz]) **1** Ⓤ 생명 ; 생존, 존명(存命) : the origin of ~ 생명의 기원 / the struggle for ~ 생존 경쟁 / have no regard for human ~ 인명(人命)을 존중하지 않다 / take a person's ~[one's own ~] 남을 죽이다[자살하다] / We won the battle at great sacrifice of ~. 많은 생명[인명]을 희생하여 그 전투에 승리했다 / While there is ~, there is hope. 《속담》 목숨이 있는 한 희망이 있다. **2 a)** (개인의) 명(命) ; 생애《출생부터 죽을 때까지》, 일생, 수명 : a long [short] ~ 장수[단명] / for all one's ~ =in one's ~ 일생 동안에, 태어나서부터 (지금까지) / Many *lives* were lost. 사망자 다수. **b)** (무생물의) 수명 : a machine's ~ 기계의 수명. **c)** 종신형(=~ sentence). **3** Ⓤ [집합적으로] 살아 있는 것, 생물 : animal[vegetable] ~ 동[식]물 / bird ~ 조류(鳥類). **4** Ⓤ,Ⓒ 생활 (상태), 살기 : city [town] ~ 도시생활 / married[single] ~ 결혼[독신] 생활 / He led an exemplary ~. 모범적인 생활을 하였다 / live a happy ~ 행복한 생활을 하다, 행복하게 살다 / the simple ~ ☞ SIMPLE *a.* 4. **5** Ⓤ 인생, 인생사 ; 속세, 이 세상 : this ~ 이 세상, 현세 / the other ~ 저 세상, 내세 / the eternal[everlasting, immortal] ~ 영원한 생명, 내세 / Such is ~. 그런 것이 인생이다, (어찌해도) 별 수 없다. **6** 전기, 언행록(biography). **7** Ⓤ 원기, 정력, 활기, 생기 ; 활기[생기]를 주는 것, 활력 ; 신선함 : full of ~ 원기가 넘쳐 ; (거리 따위가) 번화하여 / with ~ 힘차게 / the ~ (and soul) of the party 모임에서 인기있는 사람 / Put some ~ into your study. 공부에 정력을 좀 쏟으시오. **8** Ⓤ 실물, 진짜 ; 실물 크기(의 모양) : a picture taken from (the) ~ 실물을 사생(寫生)한 그림 / paint...from ~ …을 사생하다. **9** Ⓤ 〖宗〗 구원, 새 세상, 재생. **10** 〖保險〗 피보험자 : a good[bad] ~ 평균 수명에 달할 가망이 있는[없는] 사람. **11** 〖撞球〗 다시 할 기회.

all one***'s life*** (***through***) =***through life*** 평생 : I shall be grateful to you *all* my ~. 당신의 은혜는 평생 잊지 않겠어요.

as I have life 확실히.

as large [***big***] ***as life*** 실물 크기의 ; 틀림없이, 정말로 ; 《戱》 몸소《오다 따위》.

bring...to life …을 소생시키다 ; 활기차게 하다.

come to life 소생하다, 되살아나게 하다 ; 활기를 띠다.

escape with life and limb 큰 상처[손해]를 입지 않고 도망치다(cf. *safe in* LIFE *and limb*).

for life 일생(의), 종신(의), 무기의[로] : an official appointed *for* ~ 종신직《관공서의》.

for one***'s life*** =***for dear*** [***very***] ***life*** 필사적으로, 전력을 다하여 : He ran *for dear* ~. 그는 필사적으로 뛰었다.

for the life of one [보통 부정구문으로] 《口》 아무리 해도 (…않다) : I can't *for the* ~ *of* me understand it. 나는 아무리 해도 그것을 이해할 수 없다.

have the time of one***'s life*** 《口》 일찍이 없었던 즐거운 시간을 보내다.

in life (1) 살아 있는 동안에는, 생명이 붙어 있는 한, 생전에 ; 이 세상에서 : late *in* ~ 만년에 / get on *in* ~ 출세하다. (2) [all, no 따위를 강조하여] 아주, 전혀 : with *all* the pleasure *in* ~ 몹시 기뻐서 / *Nothing in* ~ will induce him to give up the plan. 어떤 것도 그에게 그 계획을 포기하게 하지는 못할 것이다.

a matter [***case***] ***of life and*** [***or***] ***death*** 사활(死活)의 문제.

not on your life 《口》 결코 …하지 않다(by no means).

on your life 반드시, 기필코(by all means).

paint...to the life …을 실물 그대로 그리다[사생(寫生)하다].

safe in life and limb 몸과 생명에 별 탈없이 (cf. *escape with* LIFE *and limb*).

see [***learn***] ***life*** 세상을 보다[알다], 널리 경험하다 : He has *seen* nothing of ~. 그는 세상 물정을 전혀 모른다.

take one***'s life in*** one***'s hands*** (위험한 줄 알면서도) 목숨을 걸고 하다(risk one's life).

the change of life ☞ CHANGE *n.* 1.

the water of life ☞ WATER *n.*

upon [***'pon***] ***my life*** 목숨을 걸고, 맹세코 ; 이것 놀랐는데 !

—— *a.* 긴급 구제(救濟)를 위한《재정 조치》, 긴급 우선의.
〖OE *līf* ; cf. LIVE[1], G *Leib* body〗

life-and-déath *a.* 생사에 관계되는, 죽느냐 사느냐의.

life annùity *n.* 종신 연금.

life assùrance *n.* 《英》 생명 보험.

life bèlt *n.* 구명대(救命帶) ; 안전 띠[벨트] (safety belt).

life·blòod *n.* **1** Ⓤ 생피. **2** Ⓤ 활력[원기]의 근

원, 원천, 생명소(生命素); 입술[눈꺼풀]의 경련.
life·boat *n.* 구명정, 구조선; 《美俗》 은사(恩赦), 특사(特赦), 감형, 재심.
lifeboat èthic(s) *n.* 구명 보트의 윤리 《위급시는 도덕적 윤리보다도 사태의 긴급[편의]성을 행동 원리로 하는 사고 방식》.
life brèath *n.* 목숨을 지탱시키는 호흡; 영감(靈感)을 주는 힘, 정신의 양식.
life bùoy *n.* 구명 부표(浮標)[부이].
life càre *n.* 라이프 케어《종신 의료 혜택을 받으며 영주 가능한 아파트식의 주거》.
life càst[màsk] *n.* 살아 있는 사람의 얼굴을 석고로 뜬 얼굴형(型) (cf. DEATH MASK).
life clàss *n.* 실제 모델을 쓰는 미술 교실.
life cóurse *n.* 〔社會〕 라이프 코스《생애에 걸친 인간의 발달을 역사적인 시각에서 포착한 것》.
life cỳcle *n.* 〔生〕 생활 주기, 생활사(史), 라이프 사이클.
life estàte *n.* 〔法〕 종신 부동산(권).
life expèctancy *n.* 평균 여명(餘命)《어떤 나이의 사람이 금후 생존을 예상할 수 있는 연수》.
life-fòrce *n.* =ÉLAN VITAL.
life fòrm *n.* 생물 형태.
life-gìving *a.* 생명[생기]을 주는; 기운을 북돋우는, 활기를 돋구는.
life·guàrd *n.* **1** 수영장의 감시[구조]원. **2** 《英》 근위대(近衛隊); 친위대. —— *vt.* (사람의) 생명을 보호하다. —— *vi.* lifeguard로 근무하다.
Life Guàrds *n. pl.* [the ~] 《英》 근위 기병대(cf. HORSE GUARDS).
Life Guàrdsman *n.* 《英》 근위 기병.
life hístory *n.* 〔生〕 생활사(史)《발생에서 죽음에 이르기까지의 생활 과정·변화》; =LIFE CYCLE; (어떤 개인의) 일대기, 전기(傳記).
life insùrance *n.* 생명 보험.
life ìnterest *n.* 〔法〕 종신 부동산권, 종신 재산 소유권《소유자의 평생동안 권익이 인정되나, 그의 사후에 다른 사람에게 양도될 수 없음》.
life jàcket *n.* 구명 재킷(life vest).
life kìss *n.* 입을 맞대고 하는 인공 호흡(kiss of life).
life·less *a.* **1** 생명이 없는, 죽은; 기절한: fall ~ 기절하다. **2** 생물이 살고 있지 않은. **3** 활기가 없는, 맥이 풀린(dull). **~·ly** *adv.* 죽은 것[송장]처럼; 맥없이. **~·ness** *n.* 〖OE *līflēas*〗
[類義語] ⟹ DEAD.

life jacket

life·lìke *a.* 살아 있는 것 같은; (초상화 따위가) 실물과 똑같은, 실물 그대로의, 생생한.
life·lìne *n.* **1** 구명삭(索). **2** (우주 유영자·잠수부의) 생명줄. **3** 《비유》 유일한 의지. **4** [보통 L~] 〔手相〕 생명선. **5** (고립 지역으로의) 물자 보급로, 생명선《중요 항로, 수송로 따위》. **6** 생활의 최저선.
life·lòng *a.* 일생동안의, 평생의: a ~ parting 생이별.
lifelong educátion *n.* 〔教育〕 평생 교육.
life·man·shìp [-mən-] *n.* 《口》 인생에서 다른 사람보다 우위에 서기 위한 술책[사교술].
life mèmbership *n.* 종신 회원의 신분; 종신 회원수; 전(全)종신 회원.
life mèmber *n.* 종신 회원.
life nèt *n.* (소방용의) 구명망(網).
life òffice *n.* 생명 보험회사.
life-or-déath *a.* =LIFE-AND-DEATH.
life péer *n.* (영국의) 일대(一代) 귀족.
life péerage *n.* 일대 귀족(의 작위).
life pòlicy *n.* 생명 보험 증서.
life presèrver *n.* 구명구(救命具)《구명 재킷 따위》; 《英》 (끝에 납을 박은) 무겁고 (짧은) 지팡이《호신용; cf. LOADED cane》.
life prèsident *n.* [때때로 L~ P~] (아프리카 국가 따위의) 종신 대통령.
lif·er [láifər] *n.* 《俗》 무기 징역수(囚); 무기형의 선고; 직업 군인; 그 일에 평생을 바친 사람.
life ràft *n.* 구명 뗏목.
life rìng *n.* =LIFE BUOY.
life-rìsk·ing *a.* 목숨을 건.
life·sàver *n.* 인명 구조자; 《英口》 수[해]난 구조대원; 《美口》 곤경에서 구해주는 사람[것].
life·sàving *a.* 구명의; 《美》 수[해]난 구조의: the *L*~ Service 《美》 수[해]난 구조대. —— *n.* 인명 구조(법), (특히) 수[해]난 구조(법).
life scìence *n.* [보통 *pl.*] 생명 과학《physical science에 대하여 생물학·생화학·의학·심리학 따위》.
life séntence *n.* 종신형, 무기 징역.
life-síze(d) *a.* 실물[등신] 크기의.
life spàce *n.* 〔心〕 생활 공간.
life spàn *n.* **1** 수명《특정 생물체의 최장 생명》. **2** 생애(lifetime).
life·sprìng *n.* 생명의 원천[근원].
life strìngs *n. pl.* 생명줄, 목숨.
life-stỳle *n.* (개인·집단 특유의) 사는 방식, 생활 양식, 라이프 스타일.
life-sùpport *a.* 생명 유지를 위한; (환경 따위가 야생 동식물의) 생명을 유지하는, 서식이 가능한; 〔醫〕 생명 유지 장치의[를 부착한]. —— *n.* 생명 유지 장치, 생명 유지적 요법.
life-support sỳstem *n.* **1** 〔宇宙工學〕 생명 유지 장치《우주선내·해저 탐험용 또는 의학용》. **2** 〔生態〕 생활 유지계(系), 생활 보지계(保持系)《생활 유지에 필요한 모든 환경 요소를 하나의 계(系)로서 취급하는 개념》.
life-support technòlogy *n.* 생활 지원 기술《신체 장애자·노인의 생활과 건강을 위함》.
life tàble *n.* 〔統〕 생명표.
life tènant *n.* 〔法〕 종신 부동산권자.
life tèst *n.* 내구(耐久) 시험.
life-thréatening *a.* 생명을 위협하는, 생명에 관계되는.
***life·tìme** *n.* 일생, 생애, 평생: during one's ~ 일생 동안에 / It is the chance of a ~. 그것은 생애에 다시없는 좋은 기회다 / It is all in a[one's] ~. 모두 운명이다. —— *a.* 생애의, 일생의: a ~ guarantee 일생의 보증(인).
lifetime emplòyment *n.* 종신 고용《정년 퇴직 때까지 한 회사에서 근무하는 고용 형태》.
life vèst *n.* =LIFE JACKET.
life·wày *n.* 생활 방식[양식].
life·wórk *n.* Ⓤ 일생[필생]의 사업.
life zòne *n.* 생물 분포대(帶), 생활대, 생물 지리대(帶).
LIFO [láifou] *n.* Ⓤ 〔會計·컴퓨〕 후입 선출법(後入先出法) (last in, first out).
‡lift [líft] *vt.* **1** [+目/+目+副] 들어[끌어]올리다, 올리다, 들다; 안아올리다; (크리켓의 공을) 쳐올리다; (눈·얼굴 따위를) 쳐들다; 《美》 (세율·물가 따위를) 인상하다(raise): I could not ~ the stone. 그 돌을 들어올릴 수 없었다 / ~ ***up***

one's eyes 쳐다보다, 우러러보다. **2** 향상시키다, 고상하게 하다. **3** (농작물을) 캐내다. **4** (천막을) 걷다(remove); (금지 따위를) 해제하다: ~ a siege 포위를 풀다. **5** [+目/+目+*from*+名]《口》(가축을) 훔치다; (남의 문장 따위를) 도용하다, 표절하다;《俗》(일반적으로) 훔치다, 슬쩍 훔치다: These lines are ~*ed* ***from*** Wordsworth. 이들 시구(詩句)는 워즈워스의 시에서 표절되었다. **6**《美》(부채·저당금 따위를) 지불하다, 청산하다(pay off). **7** (성형 수술로) 얼굴의 주름살을 없애다[펴다](cf. FACE-LIFTING).
── *vi.* **1** 올라가다, 열리다: This lid won't ~. 이 뚜껑은 열리지 않는다. **2** (구름·안개·비·어둠 따위가) 걷히다, 개다: The fog soon ~*ed*. 안개가 이내 걷혔다. **3** (배가) 파도를 타다. **4** (마루·융단 따위가) 들떠 오르다.
lift a hand 약간의 수고를 하다〈*to* do〉.
lift a [one***'s***] ***hand against*** …을 치다, …을 치겠다고 위협하다.
lift one***'s hand*** 서약하다, 맹세하다.
lift one***'s hat*** 모자를 약간 쳐들다《인사의 표시》.
lift off (로켓 따위를) 쏴 올리다, 발사하다.
lift up (청중을) 정신적으로 고양(高揚)[앙양]시키다.
lift (***up***) one***'s hands*** 양손을 올려 기도하다.
lift (***up***) one***'s*** [it***s***] ***head*** 두각을 나타내다; 기운이 나다, 원기가 회복되다; 자랑하고 싶어하다, 자존심을 갖다.
lift (***up***) one***'s heart*** 원기를 내다; 희망을 가지다; 기도를 드리다.
lift up one***'s heel against*** …을 차며 덤비다; …을 들볶다.
lift up one***'s horn*** 야심을 품다, 득의 양양하다, 뽐내다.
lift (***up***) one***'s voice against*** …에 항의하다.
── *n.* **1** 들어[끌어]올리기, 올리기: give a stone a ~ 돌을 들어올리다 / the proud ~ of her head 그녀의 거만하게 얼굴을 쳐든 자세. **2** 상향(上向)〈*of*〉. **3** (한 번에 들어올리는[올라가는]) 중량(물), 짐. **4** (땅의) 융기(隆起). **5** 승진, 승급, 입신 출세(rise)〈*in*〉. **6** (보행자를) 차에 태워주기; 도와주기, 거들어 주기(help): give a person a ~ 남을 함께 태워주다; 남에게 도움을 주다〈*with*〉. **7** (정신의) 앙양. **8**《英》승강기, 엘리베이터(=《美》elevator); (소형의) 화물 엘리베이터; 기중기(起重機); (스키어를 나르는) 리프트(=ski ~): take the ~ to the top floor 맨 위층까지 엘리베이터로 가다. **9** 공수(空輸)(력)(cf. AIRLIFT). **10** (구두의) 뒤축 가죽의 한 장. **11** 절도.

〈회화〉
I'll give you a *lift* to the hotel. — Thank you. Could you drop me off at the entrance? 「호텔까지 태워다 드리죠」「고맙습니다. 입구에서 내려주시겠어요」

〖ON *lypta*＜Gmc. (《美》*luftuz* air); cf. LOFT〗
類義語 ***lift*** 주로 무거운 물건을 힘들여서 지면이나 낮은 곳에서 높은 데로 들어올리다: Help me *lift* the package. (짐짝 올리는 것을 도와주시오). ***raise*** lift와 같은 뜻이나 특히 한쪽 끝을 들어올려 수직으로 세우다, 또는 낮은 데서 높은 데로 올리다: *Raise* a fallen post. (쓰러진 장대를 세워라). ***heave*** 노력[고생]하여 들어올리다: *heave* a huge box onto a truck(큰 상자를 트럭에 들어올리다). ***hoist*** 무거운 것을 기계의 힘으로 들어올리다: *hoist* steel beams by a crane (기중기로 쇠들보를 들어올리다). ***elevate*** lift나 raise의 뜻으로 쓰는 일은 지금은 드물며 주로 보다 높은 지위, 고상한 상태로 높인다는 의미가 일반적임: Reading good books *elevates* our mind. (좋은 책을 읽는 것은 우리의 정신을 고상하게 한다). 注 위의 elevate 이외의 말들 모두 비유적으로 보다 높은[좋은] 상태로 만든다는 뜻으로도 쓰임.

líft·bàck *n.* 리프트백 차(車)《급경사가 진 뒷부분의 지붕을 개폐(開閉)할 수 있는 자동차》.
líft·bòy *n.*《英》엘리베이터 보이.
líft brìdge *n.* 승개교(昇開橋).
líft·er *n.* 들어올리는 것[사람];《俗》도둑, 들치기(cf. SHOPLIFTER).
líft·gìrl *n.*《英》엘리베이터 걸.
líft·ing *n.* 들어올림: weight ~ 역도.
lífting bòdy *n.*〖空·宇宙〗양력(揚力) 물체《대기 중에서는 양력을 발생하는 형상인 로켓 추진의 무익기(無翼機); 우주 공간·대기권 비행용》.
lífting scrèw *n.* **1** 나선 기중기(起重機). **2**〖空〗승강 추진기.
líft·màn *n.*《英》엘리베이터 운전원(=《美》elevator operator).
líft-òff *n.*〖空〗(헬리콥터 따위의) 이륙(離陸); (로켓 따위의) 발진(發進), 쏘아 올리기, 쏘아 올리는 순간. ── *a.* 들어올릴 때만 벗겨지게 한《뚜껑 따위》.
líft pùmp *n.* 양수펌프, 빨펌프(cf. FORCE PUMP).
líft-slàb *a.*〖建〗리프트슬래브 공법의, 잭 공법의《마루·지붕 따위의 콘크리트 슬래브를 평지에서 만들어 그것을 소정의 위치에 들어올려 설치함》.
líft trùck *n.* 적재용 트럭, 기중기 달린 소형 화물 운반차.
lig·a·ment [lígəmənt] *n.* **1** 줄, 끈, 띠. **2**〖解〗인대(靭帶);《古》연줄, 기반(羈絆). **-men·tal** [lìgəméntl], **-men·ta·ry** [lìgəméntəri], **-men·tous** [lìgəméntəs] *a.*
〖L=bond; ⇨ LIGATE〗
li·gan, li·gen [láigən, líg-] *n.*〖法〗=LAGAN.
li·gase [láigeis, -z, lígeis] *n.*〖生化〗리가아제《핵산 분자를 결합하는 효소》.
li·gate [láigeit, -ˊ] *vt.*〖醫〗묶다, 잡아매다, (혈관 따위를) 결찰(結紮)하다.
〖L *ligo* to bind〗
li·ga·tion [laigéiʃən] *n.*〖醫〗결찰(結紮).
lig·a·ture [lígətʃər, -tʃùər] *n.* **1** 묶기, 잡아매기. **2** 끈, 띠; 기반(bond);〖醫〗결찰(사)(結紮(絲)). **3**〖樂〗이음줄. **4**〖印〗합자(合字)《œ, fi 따위》. ── *vt.* 묶다, 잡아매다(tie).
〖L; ⇨ LIGATE〗
li·ger [láigər] *n.* 라이거《수사자와 암호랑이의 교배 잡종; cf. TIGON》. 〖*li*on+*tiger*〗
◇**light**[1] [láit] *n.* **1** U 빛, 광선; 밝음, 광명, 광휘(光輝), 빛남(↔*darkness*): *in* ~ 빛을 받아, 빛에 비치어 / Come over here *in* the ~. 이쪽 밝은 곳으로 오시오 / He read the letter *by* the ~ of the candle. 촛불 빛으로 그 편지를 읽었다. **2** U 일광; 낮, 백주; 여명: the ~ of day 대낮의 빛 / before ~ 날이 새기 전에 / before the ~ fails 날이 저물기 전에. **3** U 명백, 밝음, 노출(露出)(exposure). **4 a**) 발광체, 광원; 천체; 등대(lighthouse). **b**) [때때로 집합적으로] 등불, 등, 불빛: ☞ TRAFFIC LIGHT / put out the ~ 등불을 끄다 / The whole house shook, and the ~*s* went out. 집 전체가 흔들려 불이 나갔다. **5** U《詩》시력; [*pl.*]《俗》눈(eyes). **6** U〖畫〗밝은 부분(↔ *shade*): ☞ HIGHLIGHT. **7** (채광) 창

구, 채광용의 창. **8** Ⓤ 〖法〗 채광권(採光權), 일조권. **9** (발화를 돕는) 불꽃, 불길 ; 점화물, 성냥 ; (담뱃)불 : a box of ~*s* 성냥 한 갑 / get a ~ 불을 얻다 / put a ~ to …에 불을 붙이다, …을 때다 / strike a ~ (성냥 따위로) 불을 켜[붙이]다 / Will you give me a ~? (담뱃)불 좀 빌립시다. ㊟ 이 뜻으로 fire는 쓰지 않음. **10** 지도적인 인물, 대가, 권위자 : shining ~*s* 대가(大家)들. **11 a**) [*pl.*] 정신적 능력, 재능 ; 지식. **b**) Ⓤ 지성, 명지(明知). **12** Ⓤ [또는 a ~] 《비유》 광명, (문제의 설명에) 단서가 되는 사실[발견] : throw[cast, shed] (a) new ~ (*up*) *on* …에 새로운 (해결의) 빛을 던지다 / give ~ (*up*) *on* …을 명백히 하다. **13** 보는 각도, 견해 ; 양상(aspect) : He saw it *in* a favorable ~. 그것을 유리하게 해석했다[좋은 의미로 풀이했다]. **14** [*pl.*] (무대의) 각광(=footlights) : before the ~*s* 무대에 나와, 각광을 받고. **15** Ⓤ 〖宗〗 천광(天光), 영광(靈光), 빛〈*of*〉; 〖聖〗 영광, 복지.

according to** one's **lights 자기의 견해[능력]에 따라서 : We should act *according to* our ~*s*. 각자의 견해[능력]에 따라 행동해야 한다.

between the lights 저녁 때에, 황혼에.

between two lights 《俗》 한밤중에 ; 어둠을 틈타서.

bring. . .to light …을 밝은 곳으로 끌어내다, 폭로하다, 드러내다 : Many new discoveries have been *brought to* ~. 많은 새로운 발견이 나타나고 있다.

by the light of nature 직감으로, 자연히.

come to light 밝은 데로 나오다, 나타나다, 탄로나다.

get[stand] in** a person's **light 남의 빛을 가로막다 ; 방해가 되다 : *stand in* one's own ~ 스스로 자기의 향상을 방해하다, 불이익을 자초하다.

get out of the light 방해되지 않도록 하다.

in a good[bad] light 잘 보이는[보이지 않는] 곳에(서) (cf. *place*[*put*]*. . .in a good*[*bad*] LIGHT).

in the light of. . . (1) …에 비추어서, …을 고려하여[하면] (in view of) ; …의 관점에서 : *In the ~ of* the rapid changes of the world, we also have to change our ways of thinking. 세계의 급격한 변화를 감안하여 우리들도 사고방식을 바꾸지 않으면 안된다 / He explained the phenomenon *in the ~ of* recent scientific knowledge. 그 현상을 최근의 과학 지식에 비추어[의 입장에서] 설명했다. (2) …로서 ; …와 같이 ; …의 모습으로 : appear *in the ~ of* …와 같이 보이다[생각되다].

in the light of** a person's **countenance ☞ COUNTENANCE *n.* 2.

light and shade 빛과 그늘 ; 《비유》 명암 ; 두드러진 차이[대조].

lights out 〖軍〗 소등(消燈) 나팔.

place[put]. . .in a good[bad] light …을 좋게[나쁘게] 보이게 하다, 유리[불리]하게 보이게 하다.

see the light (1) 《文語》 태어나다 ; (책 따위가) 간행되다 ; 빛을 보다 : His book of poetry will *see the* ~ (*of day*) before long. 그의 시집은 머지않아 빛을 보게 될 것이다. (2) 깨닫다 ; 《美》 개종(改宗)하다.

stand in** a person's **light =*get in* a person's LIGHT.

the light of** one's **eyes 마음에 드는 것, 가장 사랑하는 사람.

〈회화〉
What's wrong with the *light*?—I think the bulb has burnt out. 「전등이 어떻게 된거야」 「전구가 나간 모양인데」

—— *a.* (↔*dark*) **1** 밝은(bright) : It's getting ~. (날이) 밝아온다. **2** (색깔이) 연한, 엷은(pale) : ☞ LIGHT BLUES / ~ brown 담갈색(淡褐色) / ~ hair 밝은 빛깔의 머리.

—— *v.* (**lit** [lít], **~·ed**) ㊟ 《英》에서는 과거형으로 lit, 특히 과거 분사·형용사로서는 lighted를 씀 ; 《美》에서는 일반적으로 과거형에도 lighted가 보통. *vt.* **1** [+目/+目+副] **a**) …에 불을 붙이다, 점화(點火)하다, 불을 켜다 : a ~*ed* oven 불을 지핀 화덕. **b**) (불을) 지피다, 태우다(kindle). **c**) …에 등불을 켜다, 비추다 ; 조명하다, 밝게 하다 : The room is ~*ed* by four windows. 방은 네 개의 창문으로 채광할 수 있도록 되어 있다 / During the daytime the earth is *lit **up*** by the sun. 낮동안 지구는 태양으로 인해 밝다 / The town is brightly *lit up*. 그 마을은 휘황찬란하게 전등이 켜져 있다. **d**) (얼굴을) 빛나게 하다 ; 환하게 하다, 활기띠게 하다(brighten) : His face was ~*ed* by a smile. =A smile *lit **up*** his face. 그의 얼굴은 미소로 밝아졌다. **2** [+目+副/+目+前+名] 등불을 밝혀 길을 안내하다 : The boy ~*ed* me ***on*** my way. 그 소년은 등불을 들고 나를 안내했다.

—— *vi.* **1** [動/+副] **a**) 불이 붙다, 켜지다, 타다 ; 등불을 켜다 : The room brightly *lit **up***. 방은 환하게 불이 켜져 있었다. **b**) 밝아지다, 빛나다, 비치다 : The sky has ~*ed **up***. 하늘이 밝아졌다. **c**) (얼굴·눈이) 빛나다, 환해지다 : Her face *lit **up*** when she saw me. 나를 보자 그녀의 얼굴은 기쁨으로 빛났다. **2** 《口》 담뱃불을 붙이다, 담배를 피우다〈*up*〉.

〖OE *lēoht, līht* ; cf. G *Licht*, L *lux* light, Gk. *leukos* white〗

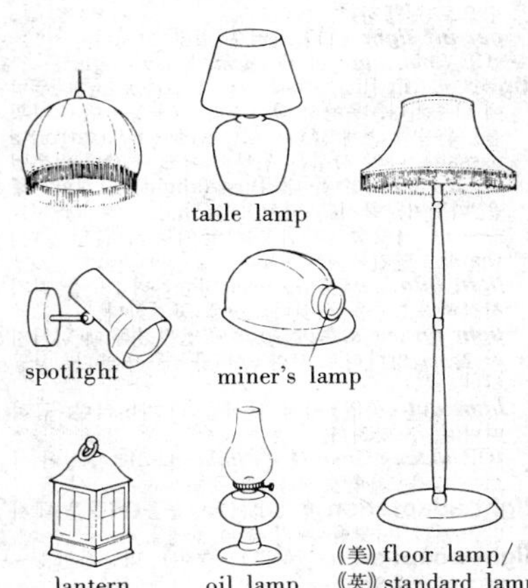

light

◇**light**² *a.* **1** [+*to* do] 가벼운(↔ *heavy*) : a ~ overcoat 가벼운 외투 / The box is ~ *to* carry. 이 상자는 운반하기에 가볍다. **2** (작업 따위) 용이한, 편한. **3** 소화 잘되는, 산뜻한. **4** (처벌 따위) 엄하지 않은, 부드러운, 관대한. **5** 딱딱하지 않은 ; 오락적인. **6** 우아한, 날씬한. **7** (화폐·분동(分銅) 따위) 법정 중량에 부족한 : ~ weight 중량 부족 / give ~ weight 눈금을 속이다. **8 a**) (비중·밀도 따위가) 작은, 가벼운 ; 푹신푹신한 ; (흙이) 무른, 부스러지기 쉬운 : ~ metal(s) 경금속. **b**) (술 따위) 알코올 성분이 적은 : ~ beer 약한 맥주 / ☞ LIGHT WINE. **9** (정도가) 경미한, 가벼운 : a ~ eater 소식가 / a ~ offense 경범(輕犯) / a ~ rain 가랑비 / a ~ wind 미풍(cf. LIGHT AIR[BREEZE]). **10** 경쾌한 ; 경장(輕裝)의, 실은 짐이 가벼운, 적재량이 적은 : ~ footsteps 경쾌한[가벼운] 발걸음 / ~ cavalry 경기(輕騎)(병) / a ~ machine gun 경(輕)기관총. **11** 천박한, 사소한, 하찮은. **12** 경묘(輕妙)한, 재치있는. **13** 즐거운 듯한, 마음 편해 보이는 ; 쾌활한 ; 들뜬 ; 걱정이 없는. **14** 경솔한, 마음이 들떠 있는 ; 변덕스러운 ; 바람난, 행실이 좋지 않은. **15** (머리가) 어지러운, 현기증나는. **16** 〖音聲〗 강세가 없는, 약음의.

have a light hand [***touch***] 손재주가 비상하다, 솜씨가 좋다〈*for*〉; 수완이 있다.

light in hand 제어하기 쉬운, 다루기 쉬운.

light in the head 현기증나는, 기분이 이상한 ; 어리석은.

light of fingers 손버릇이 나쁜.

light of foot 발걸음이 가벼운[빠른].

make light of …을 경시하다, 깔보다.

with a light heart 선선히, 쾌활하게, 경쾌하게 ; 경솔히.

— *adv.* 가볍게 ; 경쾌하게, 가벼운 옷차림으로 ; (잠이) 깨기 쉽게 ; 용이하게(easily) ; 손쉽게, 간단하게 : *L*~ come, ~ go. 《속담》 얻기 쉬운 것은 잃기도 쉽다, 쉽게 번돈은 몸에 붙지 않는다 / sleep ~ 선잠을 자다 / travel ~ 가벼운 차림으로 여행하다.

get off light 《口》 가벼운 벌로 그치다.

〖OE *lēoht, līht* ; cf. G *leicht*, L *levis* light²〗

light³ *v.* (**lit** [lít], **~·ed**) *vi.* **1** [+*on*+名] 뜻밖에 마주치다, 우연히 찾아내다 ; (물품·단서 따위를) 우연히 손에 넣다 : My eyes ~*ed* (***up***)***on*** a passage. 나의 시선은 우연히 어느 구절에 멈추었다. **2** 《古》 내리다, 내려앉다(alight) ; (재앙·행운 따위가) 불시에 닥쳐오다〈*on*〉.

— *vt.* (밧줄 따위를) 끌어올리다[당기다] (haul) ; 당기는 것을 돕다.

light into... 《美俗》 …에 엄습하다 ; …을 먹기 시작하다 ; …을 꾸짖다, …을 공격하다.

light on one***'s feet*** [***legs***] (떨어졌을 때 넘어지지 않고) 양다리로 서다 ; 《비유》 운이 좋다, 성공하다.

light out 《美俗》 갑자기[서둘러] 가버리다, 급히 떠나다, 도망치다.

〖OE *līhtan*<Gmc. (《美》 *linht-* LIGHT² ; 실어 나르는 짐을 '가볍게 하는'의 뜻)〗

líght adaptàtion *n.* 〖眼科〗 명순응《어두운 데서 밝은 데로 나왔을 때의 눈의 순응》.

líght-adàpt·ed *a.* 〖眼科〗 (눈이) 명순응한 : ~ eyes 명순응안.

líght áir *n.* 〖海·氣〗 실바람.
[類義語] ⟹ WIND¹.

líght áirplane *n.* (특히 자가용의) 경비행기.

líght ále *n.* 라이트 에일《영국의 병맥주》.

líght-ármed *a.* 〖軍〗 경장비의.

líght artíllery *n.* 〖軍〗 경포《구경 105mm 이하》.

líght blúes *n. pl.* 《英》 Cambridge 대학의 선수[응원단·응원하는 사람].

líght bómber *n.* 〖軍〗 경폭격기.

líght bréeze *n.* 〖海·氣〗 남실바람.
[類義語] ⟹ WIND¹.

líght bùlb *n.* 백열 전구.

líght cháin *n.* (면역 글로불린의) 경쇄(輕鎖), L 사슬(cf. HEAVY CHAIN).

líght cólonel *n.* 《美俗》 중령.

líght contròl *n.* 등화 관제.

líght créam *n.* 라이트 크림《유지방 함유율이 낮고 묽》.

líght-dày *n.* 〖天〗 광일(光日)《1광년의 1일》.

líght dùe[**dùty**] *n.* 등대세(燈臺稅).

líght·ed pén *n.* 라이트 펜《상단에 꼬마 전구가 든 볼펜으로 어두운 데서 편리》.

líght emìtting díode *n.* 〖電子〗 발광 다이오드 《略 LED》.

light·en¹ [láitn] *vt.* **1** 밝게 하다, 비추다 ; 점화하다 : They tried in vain to ~ the tunnel. 지하도를 밝게 하려고 했으나 허사였다. **2** 명백하게 하다, 확실하게 하다, 알기 쉽게 하다. **3** …의 빛깔을 엷게[연하게] 하다, …의 그림자를 희미하게 하다. **4** (얼굴을) 밝게 하다, (눈을) 빛나게 하다.

— *vi.* 환해지다 ; 반짝이다, 빛나다 ; 밝아지다 ; 번갯불이 번쩍이다(flash).

lighten² *vt.* 가볍게 하다, (배 따위)의 짐을 가볍게 하다 ; 완화[경감]하다, 누그러뜨리다 ; 기운을 북돋우다, 기쁘게 하다, 즐겁게 하다.

— *vi.* (배·마음 따위가) 가벼워지다 ; (마음이) 편해지다 : My heart ~*ed* at his joke. 그의 농담으로 마음이 편해졌다.

líght éngine *n.* (차량을 끌고 있지 않은) 단행(單行) 기관차.

líght·er¹ *n.* 불을 켜는 사람[것] ; 점등부(點燈夫) ; 점등[점화]기, 라이터, 불쏘시개《나무》.
〖LIGHT¹〗

lighter² *n.* 〖海〗 거룻배.

— *vt.* 〖海〗 거룻배로 나르다.

〖MDu. (LIGHT³=to unload)〗

líghter·age *n.* 거룻배 삯 ; Ⓤ 거룻배 운반 ; [집합적으로] 거룻배.

líghter·man *n.* 거룻배 사공.

líght·er-than-áir *a.* 〖空〗 공기보다 가벼운《비행선·기구(氣球) 따위》; 경항공기의 : a ~ craft 경항공기.

líght·fàce *n.* Ⓤ 〖印〗 획이 가는 활자(체), 라이트 페이스(↔*boldface*). **~d** *a.*

líght-fàst *a.* (햇볕을 쐬어도) 색이 바래지 않는, 내광성(耐光性)의. **~·ness** *n.*

líght-fíngered *a.* 손재주가 훌륭한 ; 손버릇이 나쁜, 소매치기를 잘하는 : a ~ gentleman 소매치기. **~·ness** *n.*

líght fíngers *n. pl.* 버릇이 나쁜 손 : have ~ 손버릇이 나쁘다.

líght-fòot *a.* =LIGHT-FOOTED. — *vt.* [~ it으로] 발걸음도 가볍게 나아가다 ; 《美俗》 법정(法定) 속도로 운전하다.

líght-fóot·ed *a.* 걸음이 빠른[가벼운] ; 활발한, 민첩한(nimble).

~·ly *adv.* **~·ness** *n.*

líght·fòot·ing *n.* 《CB俗》 법정(法定) 속도 운전.

líght guìde *n.* 빛 도파로(導波路), 빛 가이드 (light pipe)《적은 손실로 빛을 전송(傳送)할 수 있는 유리 섬유 따위》.

líght-hánd·ed *a.* **1** 손재주가 좋은, 솜씨 좋은. **2** 손에 든 것이 별로 없는, 소득이 없는. **3** 일손이 모자라는.
líght·hèad *n.* 생각이 없는 사람 ; 머리가 멍청한 사람.
líght-héad·ed *a.* 머리가 핑핑 도는(dizzy) ; 마음이 변하기 쉬운 ; 경솔한, 생각이 없는.
~·ly *adv.* **~·ness** *n.*
líght·héart·ed *a.* 마음 편한, 쾌활한, 태평한 ; 명랑한. **~·ly** *adv.* **~·ness** *n.*
light héavyweight *n.* 〚拳〛 라이트 헤비급의 선수(☞ BOXING WEIGHTS).
líght-hòrseman *n.* 경기병(輕騎兵).
líght-hòur *n.* 〚天〛 광시(光時) (cf. LIGHT-YEAR).
líght·hòuse *n.* 등대 : a ~ keeper 등대간수, 등대지기 / a ~ man 등대지기.
líght hóusekeeping *n.* 단출한 살림 ; 《美俗》 동서(同棲) 생활.
líght índustries *n. pl.* 경공업.
líght ínfantry *n.* 경(장)(輕(裝)) 보병대.
líght·ing *n.* Ⓤ 채광 ; 조명(법) ; 무대 조명 ; 조명기구 ; 점화 ; (회화 따위의) 명암 : ~ fixtures 조명 기구.
líght·ing-ùp tìme *n.* 점등 시각[시간], (특히 차량의) 법정 점등 시각.
líght·ish *a.* 약간 밝은, 다소 밝은 ; 약간 중량이 부족한 ; 다소 적재화물이 적은.
líght-légged *a.* 걸음이 빠른.
líght·less *a.* 빛이 없는, 어두운 : ~ light 〚理〛 흑광(黑光). **~·ness** *n.*
***líght·ly** *adv.* **1** 가볍게, 살짝, 조용히. **2** 민첩하게, 재빨리. **3** 손쉽게, 편히. **4** 부드럽게, 온화하게. **5** 경솔히, 경박하게, 아무렇게나 ; 얕보고, 경시하여. **6** 쉽게 : *L*~ come, ~ go. = Light come, light go(☞ LIGHT[2] *adv.*). **7** 명랑[쾌활]하게, 들떠서 ; 태연하게. **8** 조금 ; 간단하게.
get off lightly = get off light (☞ LIGHT[2] *adv.*).
líght mèter *n.* 광도계 ; 〚寫〛 노출계(exposure meter).
líght-mínd·ed *a.* 경솔[경박]한, 무책임한.
~·ly *adv.* 경솔하게, 불성실하게.
líght·ness[1] *n.* Ⓤ 밝음 ; 밝기 ; 색깔이 엷음[연함, 엷음].
lightness[2] *n.* Ⓤ 가벼움 ; 민첩, 기민 ; 솜씨 좋음 ; 경솔 ; 불성실 ; 부드러움 ; 소화가 잘됨 ; 온화, 우아.
***light·ning** [láitniŋ] *n.* Ⓤ 번개, 전광(電光) ; 생각지도 않은 행운 ; 《美口》 싸구려 위스키 : forked [chain(ed)] ~ 포크[체인]형 전광 / The house was struck by ~. 그 집에 벼락이 떨어졌다.
like lightning 번개같이, 순식간에.
—— *a.* 번개의[와 같은] ; 몹시 빠른.
at* [*with*] *lightning speed 번개같은 속도로, 순식간에.
—— *vi.* 전광을 발하다.
〚LIGHTEN[1]〛
líghtning arrèster *n.* 피뢰기(避雷器).
líghtning bèetle[bùg] *n.* 《美》 반디[개똥벌레] (firefly).
líghtning condùctor *n.* 피뢰침(의 도선).
líghtning ròd *n.* 피뢰침 ; 《美俗》 제트 전투기.
líghtning strìke *n.* 낙뢰, 벼락 ; 전격 파업.
líghtning wàr *n.* 전격전.
líght óil *n.* 경유(輕油) ; 경질(輕質) 원유.
líght-o'-lóve *n.* 바람둥이 여자(wanton), 매춘부 ; 정부《남녀》.
líght ópera *n.* 경가극(輕歌劇), 오페레타(operetta).
líght pèn *n.* 〚컴퓨〛 라이트 펜, 광전 펜《펜 같은 모양으로 표시 스크린 위에 특정의 점이나 글자를 쓰면 그것이 입력(入力)의 효과를 냄》.
líght pípe *n.* = LIGHT GUIDE.
líght·pláne *n.* (특히 자가용) 경비행기.
líght pollùtion *n.* (천체 관측 따위에 지장을 주는 도시 따위의 인공 빛에 의한) 빛 공해.
líght·pròof *a.* 빛이 통하지 않는.
líght quántum *n.* 〚理〛 광양자(光量子).
líght ráil *a.* 경궤조(輕軌條) (방식)의.
líght ráilway *n.* 《英》 경편 철도.
líght reàction *n.* 〚植〛 명반응(明反應)《광합성(光合成)의 제1단계》; 〚動〛 (빛에 대한) 조사(照射) 반응.
líghts *n. pl.* 가축의 허파《특히 개·고양이 따위의 먹이》. 〚LIGHT[2] ; cf. LUNG〛
líght-scùlpture *n.* 광선 조각《투명 소재에 전기 조명을 결합시킨 조각적 작품》.
líght-sècond *n.* 〚天〛 광초(光秒) (cf. LIGHT-YEAR).
líght-sénsitive *a.* 빛에 민감한, 빛을 잘 느끼는.
líght·shìp *n.* 〚海〛 등대선《등대 구실을 하는 배》.
líght shòw *n.* 라이트 쇼《슬라이드·다채로운 빛 따위를 사용한 전위 예술 표현》.
líght sìgnal *n.* 등불 신호.
líght-skìrts *n. pl.* [단수취급] 바람둥이 여자.
líght·some[1] *a.* 《文語》 민첩한 ; 고상한, 우아한 ; 쾌활한, 즐거운 ; 경박한. **~·ly** *adv.* **~·ness** *n.* Ⓤ 민첩함 ; 우아함 ; 쾌활성 ; 경박함.
〚LIGHT[2]〛
lightsome[2] *a.* 빛나는, 번쩍이는 ; 밝게 조명된, 밝은. 〚LIGHT[1]〛
líghts-óut *n.* 〚軍〛 소등 명령[신호, 나팔] ; 소등 시간 ; 정전 ; 《美俗》 죽음.
líght-strùck *a.* 〚寫〛 (필름 따위가) 광선이 새어 들어 못쓰게 된, 광선에 노출된.
líght tòwer *n.* 등대(lighthouse).
líght tràcer *n.* 예광탄(曳光彈).
líght tràp *n.* 유아등(誘蛾燈) ; 〚寫〛 차광 장치.
líght wáter *n.* (중수에 대해) 보통 물, 경수(輕水) : a ~ reactor 경수로(爐)《경수를 냉각 감속재로 쓰는 동력로》.
líght wàve *n.* 〚理〛 광파(光波).
líght-wèek *n.* 〚天〛 광주(光週) (cf. LIGHT-YEAR).
líght·wèight *n.* 표준 중량 이하의 사람[동물] ; 〚拳〛 라이트급 선수(☞ BOXING WEIGHTS) ; 《美口》 하찮은 사람. —— *a.* 경량의, 표준 중량 이하의 ; 라이트급의 ; 진지하지 못한 ; 하찮은.
líght whísky *n.* 라이트 위스키《알코올 성분이 적고 향기가 순한 미국산 위스키》.
líght wíne *n.* Ⓤ [종류를 말할 때는 Ⓒ] 독하지 않은 포도주《주로 식사용 ; cf. TABLE WINE》.
líght·wòod *n.* 《美南部》 불쏘시개용 나무, (특히) 관솔 ; 가벼운 재질의 나무.
líght-yèar *n.* 〚天〛 광년(光年).
lign- [lígn], **lig·ni-** [lígnə], **lig·no-** [lígnou, -nə] *comb. form* 「나무」「리그닌」의 뜻.
〚L (*lignum* wood)〛
lig·ne·ous [lígniəs] *a.* 〚植〛 (풀이) 나무 같은, 목질(木質)의(woody) (cf. HERBACEOUS).
〚L *lignum* wood〛
lig·ni·fy [lígnəfài] *vt., vi.* 〚植〛 (고등 식물이) 목질화하다. **lìg·ni·fi·cá·tion** *n.* 목질화(木質化), 나무화.

lig·nin [lígnən] *n.* Ⓤ 〔化〕 리그닌, 목질소.
lig·nite [lígnait] *n.* Ⓤ 갈탄(褐炭), 아탄(亞炭). 〖F〗
lígno·càine [-kèin] *n.* 〔化〕 리그노카인《국소 마취제로 쓰이는 결정 화합물》.
lig·nose [lígnous] *n.* 〔化〕 목질소(木質素)《lignin의 한 성분》; 폭발물(의 일종).
lig·num vi·tae [lígnəm váiti] *n.* (*pl.* **~s**) 〔植〕 유창목(癒瘡木)《열대 지방산의 참나무》; Ⓤ 그 목재. 〖L=wood of life〗
lig·ro·in(e) [lígrouən] *n.* Ⓤ 〔化〕 리그로인《석유 에테르의 일종; 용제로 쓰임》.
lig·u·la [lígjələ] *n.* (*pl.* **-lae** [-lì:, -lài], **~s**) 〔植〕 =LIGULE; 〔昆〕 입술 혀.
lig·u·late [lígjəlet, -lèit] *a.* 〔植〕 혀 모양의: the ~ corolla 혀 모양 꽃부리.
lig·ule [lígju:l] *n.* 〔植〕 소설(小舌), 입혀; (엉거시과 식물의) 혀 모양의 꽃부리. 〖L=strap〗
lík·able, líke- *a.* 마음에 드는; 호감이 가는. **-ably** *adv.* **lìk·abíl·i·ty, ~·ness** *n.*
◇**like**[1] [láik] *a.* (**more** ~, **most** ~; 때때로 **lík·er, -est**) ㊟ 때때로 목적어가 따름; 이 때는 전치사로도 볼 수 있음(cf. *adv.*). **1** 같은, 유사한(similar); 동등한(equal): a ~ sum 같은 액수 / in ~ manner[wise] 《文語》 마찬가지로(in the same way). **2** …와 비슷한, …와 같은(resembling): What is she ~? 그녀는 어떤 사람이냐 / *L*~ master, ~ man. 《속담》 그 주인에 그 하인 / *L*~ father, ~ son. 《속담》 그 아버지에 그 아들 / He is very ~ his father. 아버지와 아주 많이 닮았다. **3** …의 특징을 나타내고 있는, …에 어울리는, …다운: Such behavior is ~ him. 이러한 행동은 (과연) 그 사람답다. **4** [*pred.*로 써서] [+do*ing*] **a**) …할 듯한, …할 것 같은: It looks ~ rain(*ing*). 비가 올 것 같다(cf. LOOK *like*). **b**) 《口》 …하고 싶은: I feel ~ go*ing* out for a walk. 산책을 하고 싶(은 기분이)다. **5 a**) 《古》 아마 …일 것 같은(likely): It is ~ we shall see him no more. 아마도 그를 다시 만나지 못하겠지. **b**) 《古·口》 거의 …할 뻔한(about)〈*to* do〉: He was ~ *to* have drowned. 하마터면 빠져 죽을 뻔했다.
anything like …따위는 도저히, 여간해서, 결코(at all) (cf. *something* LIKE[1]): He does not want *anything* ~ labor. 힘이 드는 일 따위는 결코 바라지 않는다.
like nothing on earth ☞ NOTHING *pron.*
none like... =*nothing* LIKE[1] (1).
nothing like... (1) …만한 것은 없다(none like...): There is *nothing* ~ travel by air. 비행기 여행 만큼 좋은 것은 없다. (2) 조금도[전혀] …아니다(not at all): That book is *nothing* ~ as [so] good as this one. 저 책은 이 책과는 도저히 비교가 되지 않는다.
something like (1) 약간 …와 같은, 다소 …와 비슷한; 거의, 약, 그럭저럭(about): The airship was shaped *something* ~ a cigar. 비행선은 엽궐련과 비슷한 모양으로 만들어졌다 / They walked *something* ~ 5 miles. 약 5마일쯤 걸었다. (2) 《英口》 [like에 [láik] 라고 악센트를 붙여] 굉장한, 멋진, 훌륭한, 위대한(=SOME *a.* 4): *something* ~ a party 멋진 파티, 성회(盛會) (=《美》 some [sʌ́m] party) / This is *something* ~ (=is splendid)! 《英俗》 이거 굉장한데!
── *adv.* ㊟ 형용사의 경우와 마찬가지로 뒤에 목적격이 올 때는 전치사로도 생각할 수 있다. **1** …듯이, …처럼, …와 마찬가지로: Do it ~ this. 이렇게 하시오 / I won't do it ~ you. 너처럼은 하지 않는다.

> **like의 ○×**
> (×) The climate here is *like* Southern California.
> (이곳의 기후는 남(南)캘리포니아와 비슷하다.)
> (○) The climate here is *like that of* Southern California.
> * 비슷한 것은 이곳의 「기후와 남캘리포니아의 기후」이므로 that of (=the climate of)가 필요하다.

2 《口》 아마도, 필경(probably): very ~=~ enough ☞ 숙어. **3** [어구의 말미에 붙여] 《俗》 말하자면, 대체로, 마치(kind of): He looked angry ~. 마치 성내고 있는 것 처럼 보였다.
(*as*) *like as not* 《口》 아마도, 십중팔구(cf. LIKELY *adv.*).
like a book ☞ BOOK *n.*
like anything [***fun, mad, the devil***] 《口》 대단히, 심히, 몹시; 극히: sell ~ *fun* 신이 날 정도로 잘 팔리다 / He praised me ~ *anything.* 나를 대단히 칭찬했다.
like as... 《古》 꼭 …처럼(just as).
like so many 동수(同數)의 …와 같이, 마치 …처럼: The lights were shining ~ *so many* stars. 불빛이 마치 별처럼 반짝이고 있었다.
very like*=*like enough 《口》 아마도 (그럴 것이다), 그럴지도 모른다.
── [-, ⌐] *conj.* 《口》 ☞ 活用. **1** …하듯이, …와 같이, …처럼(as): I cannot do it ~ you do. 네가 하는 것처럼 할 순 없다. **2** 마치 …와 같이, 마치 …처럼(as if): It looks ~ he means to go. 그는 갈 작정인 것 같다 / She ran ~ she was mad. 그녀는 미친듯이 달렸다.
── *n.* **1** 비슷한 사람[물건]; 같은 사람[것]; 동류, 동배(equal): Did you ever hear *the* ~ *of* it? 너는 그러한 것을 들은 적이 있느냐 / We shall never see his ~ again. 그와 같은 사람은 다시 볼 수 없을 것이다 / *L*~ attracts[draws to] ~. = *L*~ (will) to ~. 《속담》 끼리끼리 어울린다, 유유 상종 / *L*~ cures ~. 《속담》 이열 치열(以熱治熱) / *L*~ for ~. 《속담》 은혜는 은혜로, 원한은 원한으로 갚다. **2** 부합되는 것; 필적; [*pl.*] 같은 종류의 것. **3** [the ~] 〔골프〕 동수타(同數打)《상대와 같은 타수가 되는 1타》.
and the like 기타 같은 종류의 것(AND *so forth* [*on*] 따위 보다도 형식에 치중한 표현): Wheat, oats *and the* ~ are cereals. 밀·귀리 따위는 곡류다.
or the like 또는 그런 종류의 다른 것.
the likes of... 《口》 …같은 사람들: *the* ~*s of* me 나와 같은 (못난) 사람들, 나 같은 놈 / *the* ~*s of* you 당신과 같은 (높은) 분들.
〖OE *gelīc*; '같은 형체·모양(LICH)'의 뜻 cf. G *gleich*〗
活用 *conj.* 으로서의 like는 《英》에서는 때때로 비속적(卑俗的)인 것으로 취급되나 《美》에서는 특히 《口》에서 널리 쓰이고 있음. 그러나, 2의 뜻으로는 《美》에서도 남부에서는 꽤 널리 사용되지만 일반적으로는 피하는 것이 좋음; 단, 2의 뜻이라도 다음과 같은 일종의 단축절에 쓰는 것은 인정되고 있음: She ran *like* mad. (미친 듯이 달렸다) / The dress looks *like* new. (그 드레스는 새것 같다).

◇like[2] *vt.* **1** [+目/+*to* do/+do*ing*/+目+*to* do/+目+do*ing*/+目+補/+目+過分] 좋아하다(be fond of), 마음에 들다 ; 바라다, 원하다 ; …하고 싶다 : Do you ~ fruit? 과일을 좋아합니까 / Henry was the best ~*d* boy of them all. 헨리는 그들 전체에서 사람들이 가장 좋아하는 소년이었다 / I ~ your impudence. 《反語》 건방진 녀석 같으니 / I should ~ *to* see her. 그녀를 만나보고 싶다(cf. 숙어) / She ~*s* read*ing*. 그녀는 독서를 좋아한다 / I ~ boys *to* be lively. 남자 아이는 활발한 것이 좋다 / I don't ~ you go*ing* out alone at night. 네가 밤에 혼자 외출하는 것은 질색이다 / I ~ my tea hot. 뜨거운 차가 좋다 / I ~ the eggs boil*ed*. 계란은 삶은 것이 좋다. ☞ 活用. **2** (음식 따위가) …의 건강[체질]에 맞다(suit) : I ~ it, but it does not ~ me. 좋아하기는 하나 체질에는 맞지 않는다.

〈회화〉
How do you *like* your steak? — Well-done, please.「스테이크를 어떻게 해 드릴까요」「충분히 익혀 주세요」

── *vi.* 마음에 들다[맞다], 마음이 내키다(be pleased) : You may do as you ~. 마음 내키는 대로 해도 좋다.

I[We] ***should***[***would, 'd***] ***like,*** You[He, She, They] ***would***[***'d***] ***like*** …하고 싶다, …을 바라다(注 1인칭에 쓰는 would는 주로 《美》, 단《口》에서는 《英》에서도 쓰임) : I'*d* ~ *to* go. 가고 싶습니다 / *Would* you ~ another cup of coffee? 커피 한 잔 더 드시겠습니까 / If you *would* ~ me *to* tell you about Korea, I will do so. 한국에 대해서 얘기를 듣고 싶다면 말씀해 드리지요. 注 should[would] have liked의 뒤에서는 완료 부정사가 아니라 단순 부정사가 쓰임 : He *would have ~d to* come alone. =He *would ~ to have come* alone. 가능하면 혼자서 오고 싶어했는데《이루지 못한 소망을 바라다》.

if you like 좋으시다면 ; 그렇게 말하고 싶다면 : Come *if you ~*. 좋으시다면 오십시오 / I am shy *if you ~*. [shý라고 강조하면] 제가 내성적이라고 말씀하신다면 그 말씀도 좋아요 (저는 내성적이니까요) ; [Í 라고 강조하면] 나야 내성적이라는 말을 들어도 좋지만 (그렇지 않은 사람도 있다).

── *n.* [보통 *pl.*] 좋아함, 기호(嗜好) (likings) : one's ~*s* and dislikes [díslaiks] 좋아하는 것과 싫어하는 것. 〚OE *līcian* ; ↑과 같은 어원〛

活用 *vt.* 1에서는 [(+目)+*to* do]와 [(+目)+do*ing*]의 동사형이 다 쓰이나 구체적인 특정한 경우에 대해서 말할 때에는 부정사를 쓰며 평상시 반복되는 일반적인 행동에 대해서 말할때에는 동명사를 쓰는 수가 많다 : I should[would] *like* to play the piano *now*. (지금 피아노를 치고 싶다) / She *likes* play*ing* the piano. (피아노 치는 것을 좋아한다) / I would *like* you *to* run an errand this afternoon. (오늘 오후에 심부름을 가 줘야겠다.) 따라서, I would like *for* you to run an errand. 는 틀림.

類義語 ***like*** 마음에 들다, 좋아하다 ; 어떤 사람 또는 물건에 친근감을 갖거나 어떤 사물에 즐거움이나 만족을 느낀다는 뜻. 그러나 강렬한 감정을 나타내지는 않음. ***love*** like 보다 강한 감정과 애정을 나타냄.

-like [làik] *suf.* [명사에 자유로이 붙여 형용사를 만듦] …와 같은, …다운 : gold*like*, woman*like*. 〚LIKE[1]〛

likeable ☞ LIKABLE.

like·li·hood [láiklihùd] *n.* Ⓤ [또는 a ~] [+*of*+do*ing* / +*that* 節] 있을 수 있는 일, 가망, 가능성(probability) : There was no ~ ***of*** his win*ning*. 그가 이길 가망은 전혀 없었다 / There is a strong ~ *that* the matter will soon be settled. 사태가 곧 해결될 가능성이 크다.

in all likelihood 아마도, 십중팔구.

líke·li·ness *n.* =LIKELIHOOD.

‡like·ly [láikli] *a.* (**more ~, líke·li·er ; most ~, líke·li·est**) **1 a**) 있을 것 같은(probable) ; 가망성이 있는, 그럴듯한 : a ~ result 생길 듯한 결과 / his *most* ~ halting place 그가 꼭 쉬고 있을 것 같은 장소 / A ~ story! [흔히 반어적으로] 설마. **b**) [+*to* do] [또는 It is ~ that...의 구문으로] …할 것 같은, …일[할] 듯한 : He is ~ *to* come. 올 것 같다 / It is ~ *to* be cold in November. 11월에는 추워질 것 같다 / There's not ~ *to* be much traffic tonight. 오늘 밤은 통행이 많을 것 같지 않다 / *It is* not ~ *that* he should have written it. 그가 그것을 쓴 것 같지는 않다. **2** [+*to* do] 적당한(suitable), 안성맞춤의〈*for*〉: I called at every ~ house. 마음에 드는 집은 모조리 방문했다 / He looked a ~ man ***for*** the job. 그 일에는 그가 적임자로 보였다 / I could not find any ~ place *to* fish near there. 나는 그 근처에서는 낚시질 할 만한 곳을 찾아낼 수 없었다. **3** 가망이 있는, 유망한(promising) : a ~ young man 유망한 청년. **4** 《美》 매력적인, 호감이 가는 ; 즐거운(enjoyable).

〈회화〉
Who do you think is most *likely* to succeed? — Me, of course.「누가 가장 성공하리라고 생각하니」「물론 나지」

── *adv.* [보통 most, very 를 수반하여] 아마도, 필시 : She has *most* ~ lost her way. 아마도 길을 잃은 것 같다 / He will *very* ~ be at home tomorrow. 아마도 내일은 집에 있을 것이다.

(***as***) ***likely as not*** 아마도, 다분히, 어쩌면 …할 듯하여(very probably) (cf. LIKE[1] *adv.*) : He'll fail *as ~ as not*. 아마도 실패할 것이다 / *L~ as not*, her estimate won't be very good. 어쩐지 그녀의 평가는 그다지 좋지 않을 것 같다. 〚ON ; ⇨ LIKE[1]〛

類義語 (1) ***likely*** 일어날 가망이 있는 ; 보통 좋은 일에 씀 : He is *likely* to win the game. (그 게임에 이길 것 같다). ***liable*** 엄밀하게는 달갑지 않은 일이 생기기 쉬운, 달갑지 않은 일이 되기 쉬운 : He is *liable* to be dismissed. (해고당할 것 같다). ***apt*** 선천적·습관적으로 어떤 것으로 되기 쉬운 경향[성질]을 가진 : A careless person is *apt* to make mistakes. (조심성 없는 사람은 과실을 저지르기 쉽다).
(2) ⟹ PROBABLE.

líke-mínd·ed *a.* 같은 마음[의견·취미]의, 동지의, (…와) 마음[뜻]이 맞는〈*with*〉.
~·ly *adv.* **~·ness** *n.*

lik·en [láikən] *vt.* [+目+前+名] (…에) 비유하다(compare), 흉내내다, 비(교)하다 : ~ virtue *to* gold 덕(德)을 황금에 비유하다. 〚LIKE[1]〛

***líke·ness** *n.* **1 a**) Ⓤ 비슷함, 유사 : There is some ~ *between* the brothers. 그 형제는 어딘가 닮은 데가 있다. **b**) 흡사한 것 ; 유사점 : a family ~ 가족간의 닮은 점. **2 a**) 초상, 초상화, 사진 : a good[bad, flattering] ~ 닮은[닮지 않은, 실물보다 잘 된] 사진[초상]. **b**) 흡사한 사람[것] : a living ~ 아주 꼭 닮은 사람[것]. **3** 외관, 겉모

양 : an enemy *in the ~ of* a friend 같은 편으로 가장한 적.

[類義語] ***likeness*** 외관·성질 따위가 아주 흡사한 것 : The son has remarkable *likeness* to his mother. (그 아들은 어머니를 꼭 닮았다). ***similarity*** 부분적으로 닮은 것 : This coup d'état bears a certain *similarity* to a revolution. (이 쿠데타는 일면 혁명과도 흡사했다). ***resemblance*** 외견상 또는 표면상으로 닮은 것 : There is some *resemblance* between leopards and lions. (표범과 사자는 서로 흡사한 점이 있다). ***analogy*** 근본적으로 전혀 다른 물건 사이의 어떤 성질이 흡사한 것 : the *analogy* between a heart and a pump (심장과 펌프 사이의 유사점.

líke-néw *a.* 신품[새것] 같은 : The laminated surface keeps a ~ appearance. 플라스틱을 입힌 표면은 늘 새것처럼 보인다.

***líke·wìse** *adv.* **1** 똑같이, 마찬가지로(similarly) : Go and do ~. 가서 똑같이 하시오. **2** 그리고 또한(also), 게다가(moreover) : He is ~ our leader. 게다가 그는 우리들의 지도자다.

[活用] 2는 접속사적인 성질이 있어 접속부사라고 불리는 수도 있으나 연결어(connective)는 아니므로 and나 together[along] with, as well as 따위의 대신으로 쓸 수는 없다. 따라서 The king, *together with* two aides, is expected in an hour. (왕은 두명의 측근자와 함께 한 시간 후에는 도착할 예정이다)를 The king, *likewise* two aides, is expected in an hour. 라고 할 수는 없다.

li·kin, le·kin, li·ken [líːkíːn] *n.* Ⓤ (중국의) 이금세(釐金稅). 〚Chin.〛

***lik·ing** [láikiŋ] *n.* Ⓤ,Ⓒ 좋아함 ; 애호, 기호, 취미 〈*for, to*〉.

have a liking for …을 좋아하다, …에 취미를 가지다.

on liking 우선 임시로[해보고].

take a liking for[***to***] …이 마음에 들다.

to** one**'s liking 마음에 들어, 취미에 맞아서.

Li·kud [likúːd] *n.* 리쿠드《이스라엘의 우익 연합 정당》. 〚Heb.=alliance〛

li·lac [láilək, -læk, -lɑk] *n.* **1** 〔植〕 자정향(紫丁香), 라일락, 릴라. **2** Ⓤ [집합적으로] 라일락[릴라] 꽃 : a bunch of ~ 한 송이의 라일락 꽃. **3** Ⓤ 라일락색(色), 엷은 자색. —— *a.* 라일락색의. 〚F＜Sp.＜Arab.＜Pers. (*nīlak* bluish)〛

lilac 1

lil·i·a·ceous [lìliéiʃəs] *a.* 나리[백합]의[같은] ; 〔植〕 백합과(科)의.

lil·ied [lílid] *a.* 《詩》 백합같은[이 많은].

Lil·li·put [lílipʌ̀t, -pət] *n.* 소인국(小人國)《Swift 작 *Gulliver's Travels* 속에 나오는 상상의 나라》.

Lil·li·pu·tian [lìləpjúːʃiən] *a.* 소인국(小人國)의 ; [흔히 l~] 몹시 작은 ; [흔히 l~] 도량이 좁은. —— *n.* Lilliput 사람 ; [흔히 l~] 소인(小人).

Li·lo [láilou] *n.* (*pl.* **~s**) 《英》 라일로《해수욕 따위에 쓰이는 플라스틱[고무] 에어매트리스 ; 상표명》. 〚*lie low*〛

lilt [lílt] *n.* 명랑하고 쾌활한 곡조[가곡·음절] ; 경쾌한 동작 : sing *with* a ~ 경쾌한 곡조로 노래하다. —— *vt., vi.* 곡조에 맞춰 노래하다, 명랑[쾌활]하게 노래[말]하다 ; 경쾌하게 움직이다.

~·ing *a.* **~·ing·ly** *adv.* **~·ing·ness** *n.* 〚ME＜? ; cf. Du. *lul* pipe, *lullen* to lull〛

‡lily [líli] *n.* **1** 〔植〕 백합, 나리 ; 백합꽃 : ☞ EASTER LILY / ☞ TIGER LILY / ☞ WATER LILY / paint the ~ ☞ PAINT *v.* 숙어. **2** 순결한 사람 ; 새하얀 것. **3** [보통 *pl.*] (프랑스 왕가의) 백합 문장.

the lilies and roses 《비유》 백합과 장미처럼 아름다운 얼굴, 미모.

—— *a.* 백합의, 백합처럼 흰[맑은·아름다운]. 〚OE＜L *lilium*〛

líly-lívered *a.* 겁많은, 겁쟁이의.

líly of the válley *n.* 〔植〕 독일은방울꽃.

líly pàd *n.* (물에 떠 있는) 큰 수련의 잎.

líly-whíte *a.* **1** 백합처럼 흰 ; 결점이 없는, 결백한, 순수한. **2** 흑인 참정 반대의, 인종차별 지지의. —— *n.* **1** 《美》 흑인 참정 반대운동 조직의 일원, (특히 공화당 내의) 흰 백합파의 일원. **2** [*pl.*] 《美俗》 시트 ; [*pl.*] 《美俗》 귀부인의 손, (일반적으로) 손.

lim. limit.

L.I.M. linear-induction motor.

Li·ma [líːmə] *n.* 리마《페루의 수도》.

lí·ma (bèan) [láimə(-)] *n.* 〔植〕 리마콩《식용으로 널리 재배됨》. 〚↑〛

***limb**[1] [lím] *n.* **1** 수족(手足), 날개(wing) ; 〔生〕 외지(外肢). **2** 큰 가지(bough) ; 십자가의 4개의 가지 중의 하나. **3** (문장의) 구(句), 절(clause). **4** 《口》 앞잡이, 부하 ; 개구쟁이 : a ~ *of* the devil[of Satan] 악마의 앞잡이《장난꾸러기·개구쟁이 등》/ a ~ *of* the law[the bar] 법률의 앞잡이《경찰관·법률가·법관》.

limb from limb 갈기갈기《찢다 따위》.

a limb of the sea 작은 만(灣).

out on a limb 《口》 대단히 불리한 처지에서.

—— *vt.* …의 손발을 끊다 ; …의 가지를 자르다. 〚OE *lim* ; *-b*는 ↓의 영향으로 16세기부터〛

[類義語] ⟹ BRANCH.

limb[2] *n.* **1** 〔天〕 (태양·달 따위의) 가장자리, 주변. **2** 〔植〕 잎가장자리, 엽변(葉邊) ; (꽃의) 확대부. 〚F or L ; ⇨ LIMBUS, LIMBO〛

lim·bate [límbeit] *a.* 〔生〕 가장자리가 있는, (꽃 따위가) 딴 색의 가장자리가 있는.

limbed [límd] *a.* [보통 복합어를 이루어] 수족[가지·날개]이 …한.

lim·ber[1] [límbər] *a.* **1** 나긋나긋한, 유연한. **2** 경쾌한. —— *vt., vi.* 나긋나긋하게 하다[되다]〈*up*〉. 〚? LIMBER[2] ; 그 shaft의 움직임에서인가〛

limber[2] *n.* 〔軍〕 (포(砲)의) 앞차. —— *vt., vi.* (포가(砲架)에) 앞차를 연결시키다 ; 포와 앞차를 잇다〈*up*〉. 〚? L (*limon- limo* shaft) ; *-b-*는 cf. SLUMBER〛

limber[3] *n.* [때때로 *pl.*] 〔海〕 (배 밑바닥 양쪽의) 오수로(汚水路). 〚변형(變形)＜F *lumière* light[1], hole＜L *luminare* lamp〛

lim·bic [límbik] *a.* 〔解〕 대뇌 변연계(邊緣系)의.

límb·less *a.* 손발[날개·가지]이 없는.

lim·bo [límbou] *n.* (*pl.* **~s**) **1** Ⓤ [때때로 L~] 지옥의 변방(邊方)《지옥과 천국 사이에 있으며 기독교를 접할 기회가 없었던 선인 또는 세례를 받지 못한 유아 등의 영혼이 머무는 곳》. **2** Ⓤ 망각(oblivion). **3** 구치소, 교도소 ; 감금, 구류. 〚L (*in*) *limbo* ; ⇨ LIMBUS〛

límb regeneràtion *n.* 〔生〕 사지재생(四肢再生)《도마뱀·도롱뇽 따위의 잘린 몸의 일부를 재생하는 힘》.

Lim·burg [límbəːrg] *n.* 림부르크《(1) 유럽 서부에

있었던 중세의 공국(公國) ; 현재는 네덜란드와 벨기에로 나누어짐. (2) 네덜란드 남동부의 주(州). (3) (F **Lim·bourg** [F lɛ̃buːr]) 벨기에 북동부에 있는 주(州)》.

Lim·burg·er [límbəːrgər] *n.* 림버거 치즈(= ~ **chèese**, **Límburg chèese**)《벨기에의 Limburg 산(産)의 향기와 맛이 강하고 부드러운 치즈》.

lim·bus [límbəs] *n.* (*pl.* **~·es**, **-bi** [-bai]) 〖動·植〗(다른 부분과 색·구조가 다른) 가(장자리), 주변 ; 지옥(地獄)의 변방, 림보(limbo). 〖L=hem, border〗

*__lime__[1] [láim] *n.* **1** Ⓤ 석회, (특히) 생석회 ; 칼슘, (토지 개량용의) 칼슘 화합물 : burnt[caustic] ~ 생석회(quicklime) / fat[rich] ~ 부(富)석회 / ~ and water 석회수 / slaked ~ 소(消)석회. **2** Ⓤ (새 잡는) 끈끈이(birdlime). —— *vt.* **1** …에 석회를 뿌리다, 석회로 소독하다[처리하다] ; (생가죽 따위를) 석회수에 담그다. **2** …에 끈끈이를 바르다 ; 끈끈이로 잡다 ; 《비유》 덫에 걸리게 하다. —— *a.* 석회(암)의[으로 이루어진]. 〖OE *līm* ; cf. LOAM, G *Leim*〗

lime[2] *n.* 라임 열매《유자·레몬의 일종》. 〖F<Arab. ; cf. LEMON[1]〗

lime[3] *n.* 〖植〗 참피나무(= ~ tree) (cf. LINDEN).

lime·ade [laiméid] *n.* Ⓤ 라임수(水). 〖C19〗

líme·bùrn·er *n.* 석회 굽는 사람, 석회 제조자.

líme glàss *n.* 석회 유리.

Lime·house [láimhaus] *n.* 라임하우스《London 동부에 있는 East End의 한 지구 ; 중국인이 많아 Chinatown이라고도 함》.

líme jùice *n.* 라임 과즙(果汁).

líme-jùicer *n.* 《濠》 새로 온 영국인 ; 《美俗》 영국 수병, 영국배 ; 영국인. 〖괴혈병 예방으로 영국배에서 라임 과즙을 마시게 한 데서〗

líme·kìln *n.* 석회 굽는 가마.

líme·lìght *n.* **1** **a)** Ⓤ 석회광(石灰光)《석회로 만든 막대나 구(球)를 산수소 불꽃에 댔을 때에 일어나는 강렬한 백광(白光)》 ; 회백등(灰白燈)《옛 무대 조명용》. **b)** 《英》 =SPOTLIGHT. **2** [the ~] 《비유》 주목의 대상, 남의 이목을 끄는 처지 : He seems fond of *the* ~. 남 앞에 나서기를 좋아하는 것 같다 / *in the* ~ 각광을 받고, 두드러지게, 남의 눈을 끌어. —— *vt.* 스포트라이트를 받다, 각광[주목]을 받게 하다.

li·men [láimən ; -men] *n.* (*pl.* **~s**, **lim·i·na** [límənə]) 〖心〗 역(閾), 식역(識閾)(threshold). 〖L〗

líme pìt *n.* 석회 수조《짐승 가죽을 담가서 털을 없앰》 ; 석회(굽는) 가마.

lim·er·ick [límərik] *n.* 리머릭《약약강격(弱弱強格)의 5행 희시(戲詩)》. 〖"Will you come up to *Limerick*?"이라는 노래의 후렴에서〗

líme·stòne *n.* Ⓤ 석회석, 석회암 : ~ cave [cavern] 종유(동)굴.

líme trèe *n.* 〖植〗 참피나무《피나무과(科)》. 〖변형(變形) ‹ *line* = *lind* LINDEN〗

líme-twìg *n.* 새잡는 끈끈이를 바른 나뭇가지 ; 덫, 함정.

líme·wàsh *n.* (벽칠에 쓰는) 석회도료, 횟물. —— *vt.* …에 횟물을 칠하다.

líme·wàter *n.* Ⓤ 석회수.

limey [láimi] *n.* [때때로 L~] 《美俗·蔑》 영국 수병, 영국인 ; 영국배. —— *a.* 《美》 영국(인)의. 〖*lime*-juicer, *-y*[3]〗

lim·ing [láimiŋ] *n.* 라이밍《산성비(acid rain)의 대책으로 하천·호수에 석회를 살포하여 중화시키는 일》.

‡**lim·it** [límət] *n.* **1** 극한, 한도, 한계(선) ; 제한 ; 경계(boundary) ; [*pl.*] 범위, 구역 : ☞ AGE LIMIT / reach the ~ of one's patience 참는 것이 한도에 이르다, 이젠 더 참을 수 없게 되다 / the ~*s* of one's abilities 능력의 한계 / The invention appears to have no ~*s* in applicability. 그 발명은 무한히 응용될 수 있는 것처럼 생각된다 / There is a ~ *to* everything. 모든 것에는 한도가 있다 / The sky is the ~. 《俗》 천정부지(天井不知)다, (도박에서) 얼마든지 걸겠다(cf. 3) / ☞ OFF LIMITS. **2** 〖商〗 지정가격. **3** (도박의) 최대액. **4** [the ~] 《口》 (참는 것의) 극한 : That's [He's] *the* ~. 그것은[그 녀석은] 더 참을 수 없다. **5** 〖數〗 극한(값).

go to any limit 어떠한 일이든지 하다.
know no limits 한이 없다, 끝이 없다.
out of all limits 터무니없이.
set a limit to …을 제한하다.
to the limit 《美》 충분히, 극단으로.
to the utmost limit 극도에까지.
within limits 적당하게.
within the limits of …의 범위내로[에서].
without limit 한[제한]없이.

—— *vt.* [+目/+目+前+名] 한하다, 한정하다, 제한하다 ; 〖法〗 정하다, 특정하다, 한정하다 : I was told to ~ the expense ***to*** $20. 비용을 20달러 한도로 제한하라는 분부를 받았다 / Social conversations should be ~*ed to* a short period of time. 사교적인 담화는 짧은 시간에 끝마쳐야 한다. **~·able** *a.* 〖L *limit- limes* boundary, frontier〗

類義語 ***limit*** 이 이상은 넘어서는 안되는 공간·시간·범위 따위의 제한[한도]을 정하다 : *Limit* your speed to 20 miles per hour. (시속 20마일 이내로 제한하라). ***bound*** 어떤 경계·범위 내로 한정하다 : a hill *bounded* by rivers(강으로 둘러싸인 언덕). ***restrict*** 완전히 경계로 포위하며 그 안에 한정하다 : These problems are *restricted* to the city area. (이런 문제들은 그 도시에 한한 것이다). ***confine*** 일정한 범위에 제한하여 거기에 가둬두다 : The prisoner was *confined* in a tower. (그 죄인은 탑 속에 갇혔었다).

lim·i·tary [límətèri ; -təri] *a.* 제한된, 제한적인 ; 경계(상)의 ; 한정된, 유한의.

*__lim·i·ta·tion__ [lìmətéiʃən] *n.* **1** Ⓤ,Ⓒ 한정, 제한 ; 극한 : because of ~*s of* space 지면(紙面)에 제한이 있으므로. **2** (지능·능력 따위의) 한도, 한계 : know one's ~*s* 자기의 분수를 알고 있다. **3** 〖法〗 출소(出訴) 기한〈*of*〉, (재산·법률의) 유효기한. **~·al** *a.*

lim·i·ta·tive [límətèitiv] *a.* 한정된, 제한적인.

límit·ed *a.* **1** 제한된, 유한(有限)의(restricted) ; 얼마 안 되는, 좁은 : ~ ideas 편협한 생각 / a person of ~ means 자력(資力)이 부족한 사람 / The resources were very ~. 자원이 매우 적었다. **2** 《美》 (열차 따위) 승객수와 정차역을 제한하는, 특별급행의 ; 《英》 (회사가) 유한책임의《略 Ltd.》 : a ~ express 《美》 특급(열차). **3** 〖政〗 입헌제(立憲制)의(↔*absolute*).
—— *n.* 《美》 특별 급행 열차[버스] ; 《英》 유한(책임)회사.

límit·ed-áccess híghway *n.* (출입 제한 방식의) 고속도로(expressway)《무료의 것은 특별히 freeway라 함》.

límited edítion *n.* 한정판.

límited eugénics *n.* 한정 우생학《세포의 유전

자 구조를 바꾸어 결합아의 출생·기형·질병 따위를 방지하는 시도》.
límited liabílity *n.* (회사 따위의) 유한책임.
límit·ed(-liabílity) cómpany *n.* 《英》 유한책임 회사《회사명 뒤에 Limited 또는 약자 Ltd., Ld.를 붙임; 《美》는 Inc. (Incorporated)》.
límited mónarchy *n.* 입헌 군주 정치[정체] (constitutional monarchy).
límited pártnership *n.* 합자 회사.
límited-sérvice bànk *n.* =NONBANK BANK.
límited wár *n.* 국지[제한] 전쟁, 국지전.
límit·er *n.* 제한하는 사람[것]; 〖電〗 리미터《진폭 제한 회로》.
límit·ing *a.* 제한하는.
límiting ádjective *n.* 〖文法〗 제한적 형용사 《this, some 따위》.
límiting fàctor *n.* (생물의 생장·인구 규모 따위를 제한하는) 제한 인자.
límiting nùtrient *n.* 〖生態〗 제한적 영양 물질《호수의 부(富)영양화를 늦추는 물질》.
límit·less *a.* 무한의; 무제한의; 무기한의; 광대한. **~·ly** *adv.*
límit lìne *n.* 《美》 횡단보도의 흰 선.
límit màn *n.* 최대의 핸디캡을 가진 경주자(↔ *scratch man*).
límit òrder *n.* 지정가 주문《특정 가격으로 매매의 집행을 요구하는 주문》.
lim·i·trophe [límətrðuf, -trɔ̀(:)f] *a.* (지역 따위가) 접하는, 인접한, 국경의.
límits-to-grówth mòdel *n.* 〖經〗 성장 한계설.
lim·my [límí] *n.* 《美俗》 (가택 침입) 강도의 연장 (한 벌).
limn [lím] *vt.* 《古》 (그림을) 그리다; (말로) 묘사하다. 〖ME *lumine* illuminate<OF<L *lumino* to ILLUMINATE〗
lim·ner [límnər] *n.* 화가, (특히) 초상화가.
lim·net·ic [limnétik], **lim·nic** [límnik] *a.* 담수의; 민물에 사는.
lim·nol·o·gy [limnálədʒi] *n.* Ⓤ 호소학(湖沼學); 담수(淡水) 생물학. 〖Gk. *limnē* lake〗
limo [láimou] *n.* (*pl.* **lím·os**) =LIMOUSINE.
li·mo·nite [láimənàit] *n.* Ⓤ 〖鑛〗 갈철광.
Li·mou·sin [*F* limuzɛ̃] *n.* 리무쟁소《프랑스 원산의 육우(beef cattle)》.
lim·ou·sine [líməzì:n, ⌐-⌐] *n.* 리무진《운전석과 객석 사이에 (움직이는) 유리 칸막이가 있는 상자형 자동차; 공항과 시내 사이를 왕복하는 여객 송영용 소형 버스; 5인승의 고급택시》. 〖F (↑)〗
límousine líberal *n.* 돈 많은 자유주의자.
***limp**[1] [límp] *vi.* 절름거리다; (고장으로 배가) 느릿느릿 나아가다; (시가(詩歌)의) 운율[억양]이 흐트러지다. —— *n.* 절름발이: have[walk with] a ~ 절름거리며 걷다. **~·er** *n.* **~·ing·ly** *adv.* 〖? *limp-halt* (HALT²) (obs.) lame〗
limp[2] *a.* **1** 유연한, 나긋나긋한(flexible) (↔ *stiff*); 누글누글한. **2** 약하디 약한, 원기가 없는 (spiritless); 맥이 빠진; 피로한: (as) ~ as a doll[rag] 축 늘어져서. **3** 〖製本〗 (표지 따위) 마분지를 쓰지 않은. **~·ly** *adv.* 맥없이, 나긋나긋하게. **~·ness** *n.* 〖C18〈? LIMP¹ hanging loose; cf. Icel. *limpa* looseness〗
límp·en *vi.* 절름발이가 되다.
lim·pet [límpət] *n.* **1** 〖貝〗 삿갓조개류(類). **2** 《戱》 지위를 놓치지 않으려고 달라붙어 있는 관리 《등》. 〖OE *lempedu*<L; LAMPREY와 같은 어원〗
lim·pid [límpəd] *a.* 깨끗한, 맑은, 투명한(clear); 명쾌한. **~·ly** *adv.* **~·ness** *n.* 〖F or L; cf. LYMPH〗
lim·pid·i·ty [limpídəti] *n.* Ⓤ 맑음, 투명, 청명함; 명쾌.
limp·kin [límpkən] *n.* 두루미류의 새《미국 남동부·서인도 제도 등지에 서식함》.
límp wríst *n.* 계집애 같은 사내, 호모.
límp-wríst(·ed) *a.* 암떤; 연약한, 유약한; 동성연애의.
limy [láimi] *a.* **1** 석회질의; 석회로 덮인; 석회를 함유하는. **2** 끈끈이를 바른; 끈적끈적한. 〖LIME¹〗
lin [lín] *n.* =LINN.
lin. lineal; linear; liniment.
lin·able [láinəbəl] *a.* =LINEABLE.
lin·ac [línæk] *n.* 〖理〗 =LINEAR ACCELERATOR.
lin·age, line·age [láinidʒ] *n.* Ⓤ 일렬 정렬[정돈], 일직선; (인쇄물의) 행수(行數); (원고료의) 행수에 따른 지급. 〖LINE¹〗
li·nar [láinɑ:r] *n.* 〖天〗 몇 가지 화합물에 특유한 선스펙트럼 파장의 전극파만을 복사하는 점상(點狀)의 전파원. 〖*line*+*star*〗
linch·pin, lynch- [líntʃpìn] *n.* (바퀴가 빠지지 않게 굴대의 끝에 끼운) 바퀴 고정 쐐기[핀]; 《비유》 가장 중요한 부분, 요점. 〖OE *lynis* axletree〗

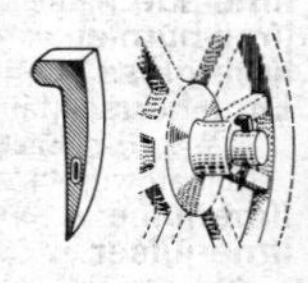
linchpin

Lin·coln [líŋkən] *n.* **1** 남자 이름. **2** 링컨. **Abraham ~** (1809-65) 미국의 제16대 대통령(1861-65). **3** = LINCOLNSHIRE. **4** 링컨《미국 Nebraska 주(州)의 주도》. 〖OE<L=lake colony〗
Lin·coln·shire [líŋkənʃiər, -ʃər] *n.* 링컨셔《잉글랜드 중동부의 주; 주도 Lincoln》.
lin·crus·ta [linkrʌ́stə] *n.* 린크러스터《장식도안을 프린트한 두꺼운 벽지》. 〖상표 *Lincrusta* Walton〗
linc·tus [líŋktəs] *n.* 〖藥〗 빨아 먹는 기침약. 〖L (*lingo* to lick)〗
lin·dane [líndein] *n.* 린덴《살충제로 쓰임》. 〖T. van der *Linden* 20세기 네덜란드의 화학자〗
Lind·bergh [líndbə:rg] *n.* 린드버그. **Charles Augustus ~** (1902-74) 처음으로 대서양을 무착륙 횡단한(1927) 미국의 비행사.
lin·den [líndən] *n.* 〖植〗 린덴《참피나무류의 총칭; cf. WHITEWOOD》. 〖OE *lind*(*e*); cf. LIME³〗
Lind·say, -sey [líndzi] *n.* 남자 이름.
°**line**[1] [láin] *n.* **1 a**) 밧줄, 노끈, 새끼. **b**) 낚싯줄: fish with rod and ~ ☞ ROD 1 / wet one's ~ 낚싯줄을 드리우다 / throw a good ~ ☞ 숙어. **c**) 측선(測線): ☞ PLUMB LINE.
2 철사; 〖電〗 전선, 통신선: *L*~('s) busy. 《美》 (전화에서) 통화 중입니다(=《英》 Number's engaged.) / Hold the ~, please. 끊지 말고 기다려 주세요.
3 a) 선, 줄기, 괘(罫), 라인; 묘선(描線), 운필(運筆); 〖數〗 (직)선; 〖樂〗 (5선지의) 선; 이음매 (seam): a straight ~ 직선 / draw the ~ ☞ 숙어 / ~ and color ☞ 숙어. **b**) (얼굴의) 주름살 (wrinkle); 손금: She has deep ~*s* in her face. 그녀의 얼굴은 깊게 주름살져 있다.
4 [매매로 *pl.*] 윤곽(outline): He has good ~*s* in his face. 그는 얼굴 윤곽이 반듯하다.
5 a) (문자의) 행; 한줄, 일필(一筆), 단신(短信)(note); 〖컴퓨〗 (프로그램의) 행(行): drop

[send] a person a ~ 남에게 몇자 적어 보내다. **b**) (시의) 한 행, 시구(詩句) (verse). **c**) [*pl.*] 단시(短詩)〈*upon* a subject, *to* a person〉. **d**) [*pl.*] 벌과(罰課)《학생에게 벌로서 쓰게 하는 몇 줄의 라틴어 시》. **e**) [*pl.*] 결혼증명서(=marriage ~s). **f**) [*pl.*] 대사(臺詞).
6 계열, 역대 ; 친척들, (같은 시대의) 동족 ; 계통, 가계(家系) : the male ~ 남계(男系) / come of a good ~ 집안이 좋다 / in a direct ~ 직계로서[의].
7 노선(路線), 진로, 길(course, route).
8 (열차 · 버스 따위의) 노선 ; 항공로 ; (정기) 항로 ; 선로, 궤도 : the main ~ 본선 / a branch ~ 지선 / the up[down] ~ 상행[하행]선 / You'll find a bus stop across the ~. 선로의 건너편에 버스 정류장이 있습니다 / ☞ AIRLINE.
9 [때때로 *pl.*] 방침, 주의 ; 경향, 방향 : *on* economical ~*s* 경제적인 방침으로 / go *on* wrong ~*s* 방침을 그르치다 / *Along* what ~*s* is the novel written? 그 소설은 어떠한 경향으로 쓰였느냐.
10 a) 장사, 직업(trade, profession) : *in* the banking ~ 은행가로서 / What ~ (of business) are you *in*? 무슨 사업을 하십니까. **b**) 기호(嗜好), 취미, 장기(長技) ; 전문 : It is not *in* my ~ to interfere. 간섭하는 것은 내 성미에 맞지 않는다. **c**) 방면, 분야.
11 경계선 ; 경계(border) ; 한계(선).
12 a) 줄, 열(row) ; 《美》 (차례를 기다리는) 사람의 줄(=《英》 queue) : *in* a ~ 일렬로, 정렬하여 / the bread ~ 빵 배급받는 사람의 줄. **b**) 〔軍〕 횡대(橫隊) (cf. COLUMN 3) ; 전투선, 방어선 ; 참호 : form into ~ 정렬하다 / form ~ 횡대를 만들다 / draw up *in* ~ 횡대로 되다 / stand in ~ 《美》 일렬로 서다 / wheel into ~ 횡대로 되다 / a ~ of battle 전열(戰列), 전선. **c**) [*pl.*] 〔軍〕 야전 보루, 《英》 야영 텐트의 열(列).
13 [*pl.*] 처지, 운, 운명 : hard ~*s* 불운, 불행.
14 라인《(1) 〔理〕 자기력선속의 단위 : =1 maxwell. (2) 〔植〕 길이의 단위 : =1/12인치》.
15 〔商〕 (상품의) 종류, 등급 ; 재고품, 구입(품) ; 〔保〕 (보험의) 종류, 종목 : a expensive ~ *in* foreign books 값비싼 외국 서적.
16 [the ~] 〔英軍〕 전열(戰列) 보병, 상비병《근위병과 포병 · 기병 · 공병 이외의 전부》 ; 〔美軍〕 전투부대 전부, 함대, 정규군.
17 [the ~] 적도 : cross *the* ~ 적도를 통과[횡단]하다.
18 〔美蹴〕 =GOAL LINE.
19 〔TV〕 주사선(走査線).
all along the line (승리 따위) 전선에 걸친[걸쳐서] ; 도처에, 모두.
below the line 일정한 표준에 이르지 않은.
bring. . .into line …을 정렬시키다, 일렬로 하다 ; 일치[협력]시키다〈*with*〉.
by* (*rule and*) *line 정확히.
come into line 일렬로 나란히 서다 ; 동의[협력]하다〈*with*〉 ; 올바른 행동을 하다.
draw the*[*a*] *line 경계를 짓다, 구별을 짓다 : *draw a* ~ between … 을 구별하다 / One must *draw the* ~ somewhere. 참는 데에도 한계가 있다 / He knows where[when] to *draw the* ~. 자기의 분수를 알고 있다 / I *draw the* ~ *at* (us*ing*) violence. 폭력(을 쓰는 것)은 용서할 수 없다[참을 수 없다].
fall into line 열에 끼다 ; (남과) 행동을 같이하다〈*with*〉.
get a line on. . . 《口》 …의 정보를 얻다, 알다.
give a person ***line enough*** 《비유》 남을 잠시 자유롭게 내버려 두다.
have a line on. . . 《口》 …의 정보를 가지고 있다, 지식이 있다.
hit the line 〔美蹴〕 (공을 가지고) 상대편 라인의 돌파를 시도하다.
in line with …와 나란히 ; …와 일치해서, 조화하여 ; …에 따라서.
in*[*out of*] *one's line (이해) 관계가 있는[없는] ; 성미에 맞아[안맞아] ; 잘[잘못]하는.
(***just***) ***on the line*** 어느 쪽도 아닌.
line and color 선과 색《그림의 두 요소》.
a line of fire 사선(射線) ; 공격[포화]에 노출된 장소.
line upon line 〔聖〕 착착 ; 《口》 휴업하여.
on a line 평균해서, 같은 높이로 ; 대등하게.
on the line (1) (그림 따위를 관람자의) 눈 높이로 : His picture was hung *on the* ~. 그의 그림은 (잘 보이게) 눈 높이로 걸려 있었다. (2) 어느 쪽도 아닌 채로. (3) 즉시.
on the lines of …와 같은, …와 (꼭) 닮은.
out of line 한 줄이 아닌 ; 일치돼 있지 않은 ; 관습에 어긋나는, 건방진.
read between the lines 행(行) 사이를 읽다, 말[글] 속의 숨은 뜻을 알아내다.
a ship of the line 《古》 전열함(戰列艦)《예전의 포 74문 이상을 갖추고 있었던 전함》.
shoot a line 《口》 허풍떨다, 큰소리치다.
take a strong line 강경한 조치를 취하다.
take*[*keep to*] *one's own line 자기의 갈 길을 가다 ; 자신의 길을 지키다.
the line of beauty 〔美術〕 미선(美線)《S자 모양의 곡선》.
the line of flow 유선(流線).
the line of force 〔理〕 역선(力線) ; 자기력선(磁氣力線).
the line of fortune (손금의) 운명선.
the line of Life (손금의) 생명선.
throw a good line 낚시질을 잘하다.
toe the line ☞ TOE *v.*
— *vt.* **1** …에 선[괘선]을 긋다 ; (눈)에 아이라인을 긋다 ; 선으로 구획하다 ; [때로 *p. p.*로] …에 주름살을 짓다 ; 〔野〕 (라이너를) 치다 : a face ~*d* by age 나이가 많아 주름진 얼굴. **2** [+目/+目+副/+目+*with*+名] 한 줄로 나란히 하다 ; (벽 · 거리 따위를) 따라 나란히 세우다 ; …을 따라 (한줄로) 세우다 : Cars are ~*d* ***up*** along the road. 자동차가 길을 따라 늘어서 있다 / a street ~*d* ***with*** trees=a tree-~*d* street 가로수의 길. **3** …을 따라 늘어서다 : Cars ~*d* the curb. 차가 보도의 가장자리에 늘어서 있었다.

〈회화〉
Why are those people *lined* up? — They're trying to get tickets for a concert. 「저 사람들은 왜 줄을 서 있는 겁니까」「음악회의 입장권을 사려는 거죠」

— *vi.* [+副] 늘어서다 ; 〔野〕 라이너를 치다 : The soldiers ~*d* ***up*** for inspection. 병사들은 열병(閱兵)을 위해 한 줄로 정렬했다.
line out (설계도나 그림의) 윤곽을 그리다.
***line through*[*across*]** …에 줄을 그어 지우다.
line up 일렬로 세우다[늘어서다] ; 진용을 갖추다, 정돈하다.
— *a.* 선의, 선으로 된.
〚OE *līne* rope, row or F *ligne*<L *linea* (*linum*

flax)】

line² *vt.* [+目/+目+*with*+名] **1** …에 안을 대다, 안을 붙이다 ; …의 안감이 되다 : ~ a dress ***with*** silk 드레스에 비단 안감을 대다. **2** 《비유》 (주머니·배 따위를) 꽉 채우다, 두둑하게 하다 : He ~*d* his purse[pockets] well with bribery. 그는 뇌물을 받아서 사복(私腹)을 채웠다. 【안감으로 리넨을 사용한 데서】

line³ *vt.* (짐승이) 교미[흘레]하다. 【OF *ligner* ; cf. ALIGN】

line⁴ *n.* 《古》 아마(亞麻) ; 리넨 ; 아마[리넨]실. 【LINEN】

líne·able *a.* 한 줄로 세울 수 있는.

lin·eage¹ [líniidʒ] *n.* Ⓤ (보통 명문가의) 혈통, 계통 ; 계보 ; 일족, 친족. 【OF ; ⇨ LINE¹】

lineage² ☞ LINAGE.

líne ahéad *n.* 〖海軍〗 종진(縱陣) ; 〖軍〗 종대.

lin·eal [líniəl] *a.* **1** 직계의, 정통의(cf. COLLATERAL) : a ~ ascendant[descendant] 직계존[비]속. **2** 선조로부터의. **3** 선(모양)의(linear) : ~ promotion (관리의) 선임순(先任順) 승진.
— *n.* 직계 비속. **~·ly** *adv.*
【OF ; ⇨ LINE¹】

lin·ea·ment [líniəmənt] *n.* [보통 *pl.*] **1** 얼굴[눈·코] 생김새, 인상(人相) : He shows the ~*s* of a Mongol face. 몽고 사람의 얼굴 생김새다. **2** 외형, 윤곽. **3** 특징. 【L ; ⇨ LINE¹】

líne and stáff organizàtion *n.* 〖經營〗 직계참모조직《라인 조직의 지휘명령 계통의 장점을 살리면서 전문적·기술적 지식을 통해 측면에서 라인 부문을 돕게끔 스태프 부문을 짜맞춘 조직 ; cf. LINE ORGANIZATION》.

lin·ear [líniər] *a.* **1** 선의, 직선의 ; 선 모양의, (선처럼) 가늘고 긴 ; 선적인. **2** 〖數〗 1차의. **3** 〖植·動〗 실 모양의, 길쭉한. **4** 〖컴퓨〗 리니어. 【LINE¹】

Linear A [⌐ éi] *n.* 선문자(線文字) A《기원전 18-15세기경 Crete 섬에서 썼던 문자 ; 미해독》.

línear accélerator *n.* 〖理〗 선형 가속 장치.

línear álgebra *n.* 〖數〗 선형(線形) 대수(학).

línear ámplifier *n.* 《CB俗》 개인용 주파수대(帶)의 출력을 수백 와트나 증폭시키기.

línear chíp *n.* 〖電子〗 선형 칩.

línear equátion *n.* 〖數〗 일차방정식.

linear IC [⌐ áisíː] *n.* 〖電子〗 리니어 아이시, 리니어[아날로그] 집적 회로.

línear-indúction mótor *n.* 〖電〗 =LINEAR MOTOR.

línear méasure *n.* 척도(법), 길이(의 단위).

línear mótor *n.* 〖電〗 리니어[선형] 모터《추력(推力)이 직선으로 발생하는 전동기》.

línear mótor càr *n.* 리니어 모터를 추력(推力)으로 한 차량.

línear perspéctive *n.* 직선 원근법.

línear prógramming *n.* 〖數·經〗 선형 계획(법) ; 〖컴퓨〗 선형 계획 프로그래밍.

línear spáce *n.* 〖數〗 선형 공간.

lin·eate [líniət, -ièit], **-eat·ed** [-ièitəd] *a.* 선이 있는.

lin·ea·tion [lìniéiʃən] *n.* 직선을 긋기, 선으로 구분하기 ; 윤곽(輪郭) (outline) ; (시행(詩行) 따위의) 선상 배열 ; 선의 배열 ; (암석 구조의) (평행) 선 구조, 리니에이션.

líne·bàck·er *n.* 〖美蹴〗 라인배커《방어 라인 바로 뒤를 수비하는 선수 ; 略 LB》.

líne contròl *n.* 〖通信〗 회선 제어(回線制御).

lined¹ [láind] *a.* 줄[괘선]을 친 : ~ paper 괘지(罫紙). 【LINE¹】

lined² *a.* 안(감)을 댄. 【LINE²】

líne dràwing *n.* 선화《펜화·연필화 따위》.

líne dríve *n.* 〖野〗 라이너(liner)《일직선으로 날아가는 타구》.

líne èditor *n.* 라인 에디터《저자와 긴밀히 연락하면서 편집작업을 진행시키는 편집자》 ; 줄 편집기.

líne engràving *n.* 줄새김, 선조(線彫)(화) ; 선조동판화.

líne fèed *n.* 개행 문자(改行文字), 줄바꿈《인자(印字)[표시]를 다음 행의 같은 위치에 이동시키는 제어 문자》.

líne fishing *n.* (그물이 아닌) 낚시질.

líne gràph *n.* 꺾은선 그래프.

líne ìtem *n.* 〖商〗 품목명《주문서나 송장에 기재되는 회계상의 항목》.

líne-ítem vèto *n.* 《美》 (대통령의) 개별 조항 거부권.

líne jùdge *n.* 〖스포츠〗 선심(線審).

líne màn *n.* 《濠·N. Zeal.》 (해안에 대기하는) 인명 구조 대원.

líne·man [-mən] *n.* (*pl.* **-men** [-mən]) **1** 가선[보선]공, 철도보선공 ; 〖測〗 측량 조수. **2** 〖美蹴〗 전위《center, guard, tackle, end 중의 한 선수》.

***lin·en** [línən] *n.* **1** Ⓤ 아마포(亞麻布), 리넨, 아마사(絲), 마사 ; [*pl.*] 리넨류(類) (=⌐ **góods**). **2** Ⓤ [집합적으로] 리넨[옥양목] 제품《셔츠·칼라·시트·책상보 따위》. **3** Ⓤ 리넨지(=~ paper).
***wash** one's **dirty linen at home**[**in public**]* 집안의 수치를 외부에 드러내지 않다[드러내다].
— *a.* 리넨(제)의 ; 리넨처럼 흰 : a ~ handkerchief 마(麻) 손수건.
【OE *līnen* ; cf. LINE¹, G *Leinen*】

línen dràper *n.* 《英》 리넨[셔츠]류 상인.

línen páper *n.* 리넨지(紙).

línen wédding *n.* 아마혼식《결혼 12주년 기념》.

líne òfficer *n.* 〖軍〗 (전투 부대를 지휘하는) 병과장교(cf. STAFF OFFICER).

líne of scrímmage *n.* 〖美蹴〗 스크리미지 라인《공격·수비가 뉴트럴 존을 끼고 대치하는 라인》.

líne of síght *n.* (사격·측량 따위의) 조준선(= **líne of síghting**) ; 〖天〗 시선(視線)《관찰자와 천체를 잇는 직선》 ; 〖眼〗 =LINE OF VISION ; 〖放送〗 가시선《지평선에 막히지 않고 송신·수신 안테나를 잇는 직선》.

líne of vísion *n.* 〖眼〗 시선(line of sight)《주목하는 물체와 눈의 황반을 잇는 직선》.

líne organizàtion *n.* 〖經營〗 라인[직계] 조직《최고위층의 의사가 경영체의 말단에까지 그 명령과 권한이 한 라인으로 이어진 조직 ; cf. STAFF ORGANIZATION》.

líne-òut *n.* 〖럭비〗 라인 아웃《공이 터치라인 밖으로 나간 뒤 상대팀 선수가 공을 던져 넣어 경기를 속행하는 플레이》.

líne prìnter *n.* 〖컴퓨〗 라인 프린터, 인행기(印行機), 줄인쇄기.

líne prìnting *n.* 〖컴퓨〗 인행자(印行字).

***lin·er¹** [láinər] *n.* **1** 정기선《특히 대양 항해의 대형 쾌속선 ; cf. TRAMP》 ; 정기 항공기(airliner). **2** 전열함(戰列艦). **3** 선을 긋는 사람[기구] ; 아이 라이너. **4** 〖野〗 라이너(line drive). 【LINE¹】

liner² *n.* 안을 대는 사람 ; 안감 ; 〖機〗 (마멸 방지용) 덧입힘쇠, 덧쇠 ; (코트의 뗄 수 있는) 안감, 라이너 ; (보통 녹음된 음악이나 연주가에 대한 설명이 인쇄되어 있는 레코드 따위의) 재킷, 그 설명문, 라이너. 【LINE²】

líner pòol *n.* 땅에 판 구덩이 안쪽에 비닐을 댄 가

정용 풀.
líner tràin *n.* 《英》 (컨테이너 수송용(用)) 쾌속화물 열차.
líne scòre *n.* 〖野〗 라인스코어《대전한 양팀의 득점표, 실책수(失策數), 타수, 안타 따위를 기록한 경기 기록》.
líne sègment *n.* 〖數〗 선분(線分).
líne-shòot *vt.* 《口》 자랑거리를 이야기하다.
—— *n.* 자랑, 큰소리. **~·er** *n.* 《口》 자랑꾼.
línes·man [-mən] *n.* (*pl.* **-men** [-mən]) 〖軍〗 전열(戰列) 보병 ; 보선공(保線工) ; 〖球技〗 선심(線審) ; 〖球技〗 전위(lineman).
líne·ùp *n.* 사람의 줄 ; (특히) 용의자의 열 ; 〖球技〗 (시합개시 때의) 정렬, (선수의) 진용, 라인업 ; (일반적으로) 멤버, 구성 ; 단결.
ling[1] [líŋ] *n.* 〖魚〗 대구 비슷한 식용어.
〚? MDu. ; LONG[1]과 같은 어원〛
ling[2] *n.* 〖植〗 석남과의 식물. 〚ON *lyng*〛
-ling[1] [liŋ] *n. suf.* **1** [명사에 붙이는 지소사(指小辭)로 때때로 경멸적인 뜻을 수반함] : duck*ling*, prince*ling*. **2** [명사·형용사·부사에 붙여] 「…에 속하는[관계 있는] 사람[것]」의 뜻 : dar*ling*, nurs(e)*ling*, young*ling*.
〚OE ; ⇨ -LE[1], -ING〛
-ling[2] [liŋ], **-lings** [liŋz] *adv. suf.* 「방향」 「상태」의 뜻을 나타냄 : side*ling*, dark*ling*.
〚OE〛
lin·gam [líŋgəm], **-ga** [-gə] *n.* 남근상(男根像) 《힌두교의 Siva신의 표상》.
〚Skt.=mark, characteristic〛
lin·ger** [líŋgər] *vi.* [動/+副/+前+名] 우물쭈물하다[떠나기를 망설이다], 빈둥거리다 ; (겨울·의심·습관 따위가) 좀처럼 지나가지 않다[없어지지 않다·떨어지지 않다] ; (병·전쟁이) 질질 끌다, 시간이 걸리다 : Somebody is still ~*ing* ***about [***around***]. 아직도 그 근방을 서성거리는 사람이 있다 / The superstition still ~*s* ***on*** among them. 미신은 그들 사이에 아직도 사라지지 않고 남아있다 / She ~*ed* ***over*** her work till late at night. 밤늦게까지 일을 질질 끌었다.
—— *vt.* [+目+副] 질질 끌게 하다, (시간을) 어정버정 보내다〈*away, out*〉 : I ~*ed away* my days on a sickbed. 나는 그럭저럭 병상에서의 날들을 보냈다 / The old man ~*ed out* his life. 노인은 그럭저럭 살아갔다.
〚ME=to dwell (freq.) 〈 *leng* to prolong〈OE *lengan* to lengthen ; ⇨ LONG[1]〛
類義語 ***linger*** 외출하는[떠나는] 것이 싫어서 우물쭈물 망설이고 있다 : She *lingered* at her lover's room. (그녀는 애인방에서 우물쭈물 하고 있었다). ***loiter*** 걷다가 멈추기도 하고 빈둥거리며 걷다 ; 느릿느릿 정처 없이 걷는 것을 나타냄 : Mary *loitered* along the street till late. (메리는 늦게까지 거리를 빈둥거리며 걸었다). ***lag*** 필요한 속도·보조를 유지하지 않고 남과의 진행이나 일에 뒤지다 : After half an hour some of the runners began to *lag*. (30분이 지나자 처지기 시작하는 주자(走者)가 생겼다).
lin·ge·rie [làːndʒəréi, læ̀n-, -ríː ; lǽnʒəri ; *F* lɛ̃ʒri] *n.* Ⓤ (주로 여성·소아용의) 속옷류, 란제리 ; 《古》 리넨 제품. 〚F (*linge* linen)〛
lín·ger·ing *a.* **1** 오래 끄는, 우물쭈물하는 : a ~ disease 오래 끄는 병 / ~ snow 잔설(殘雪). **2** 주저하는, 미련이 있는. **~·ly** *adv.*
lin·go [líŋgou] *n.* (*pl.* **~s, ~es**) 《蔑》 (외국어·술어·문체 따위의) 뜻 모를 말 ; 〖言〗 전문어.
〚? Port. *lingoa* ; ⇨ LINGUA〛
-lings ☞ -LING[2].
lingu- [liŋgw], **ling·gui-** [liŋgwə], **lin·guo-** [líŋgwou, -gwə] *comb. form* 「언어」 「혀」의 뜻.
〚L (↓)〛
lin·gua [líŋgwə] *n.* (*pl.* **-guae** [-gwiː, -gwai]) 혀 ; 설상(舌狀) 기관 ; 언어.
〚L=tongue, language〛
língua frán·ca [-frǽŋkə] *n.* (*pl.* **~s, línguae fráncae** [-frǽŋkiː]) [흔히 L~ F~] 링궈 프랭커 《지중해 동부에서 쓰이는 이탈리아어(語)·프랑스어·스페인어·아라비아어·그리스어·터키어의 혼합어》 ; 혼성 외국어.
〚It.=Frankish tongue〛
lin·gual [líŋgwəl] *a.* **1** 혀의 ; 〖音聲〗 설음(舌音)의. **2** 말의, 언어의 : ~ studies 언어연구.
—— *n.* 〖音聲〗 설음, 설음자《t, d, th, s, n, l, r》.
~·ly *adv.* 설음으로 ; 언어로서.
〚L ; ⇨ LINGUA〛
lin·gua·phone [líŋgwəfòun] *n.* 어학 (학습용) 레코드 ; [L~] 그 상표명.
lín·gui·fòrm [líŋgwə-] *a.* 혀 모양의.
lin·gui·ne, -ni [liŋgwíːni] *n. pl.* 링귀니《손으로 친 파스타(pasta) ; 그것을 쓴 이탈리아 요리》.
〚It.=little tongues (dim.) 〈 LINGUA〛
lin·guist [líŋgwəst] *n.* **1** 여러 외국어에 정통한 사람, 어학자 : a good[bad] ~ 어학에 능숙한[서툰] 사람 / I'm no[a good] ~. 어학은 서툴다[자신이 있다]. **2** 언어학자.
lin·guis·tic, -ti·cal [liŋgwístik(əl)] *a.* 언어의, 말의 ; (언)어학(상)의 : *linguistic* science 언어학. **-ti·cal·ly** *adv.* 언어학적으로.
linguístic átlas *n.* 〖言〗 언어지도(地圖).
linguístic fórm *n.* 〖言〗 언어 형식(speech form) 《의미를 가지는 구조상의 단위 ; 문장·구(句)·단어 따위》.
linguístic geógraphy *n.* 언어지리학(dialect geography) 《언어학의 한 부문》.
lin·guis·ti·cian [lìŋgwəstíʃən] *n.* 《稀》 언어학자.
linguístic insecúrity *n.* 〖言〗 언어적 불안정도 《자기가 하는 말에 대하여 자신이 없음을 이름》.
linguístic rélativism *n.* 〖言〗 언어 상대설(론) (=Sapir-Whorf hypothesis) 《사고(思考)는 언어에 의해 상대화된다는 주장》.
lin·guís·tics *n.* Ⓤ 언어학(學) : comparative [descriptive, general, historical] ~ 비교[기술(記術), 일반, 역사] 언어학.
linguístic semántics *n.* 〖言〗 언어학적 의미론 《자연 언어의 의미의 언어학적 연구》.
linguístic stóck *n.* 〖言〗 어계(語系) ; 어떤 어계의 언어[방언]를 사용하는 민족.
linguístic univérsal *n.* 〖言〗 언어의 보편적 특성(cf. FORMAL UNIVERSAL).
lin·gu·late [líŋgjələt, -lèit], **-lat·ed** [-lèitəd] *a.* 혀 모양의.
lin·i·ment [línəmənt] *n.* Ⓤ,Ⓒ 〖醫〗 도포약(塗布藥). 〚L (*linio* to smear)〛
li·nin [láinən] *n.* 〖化〗 리닌 ; 〖生〗 핵사(核絲).
lin·ing [láiniŋ] *n.* **1** 안을 대기[붙이기·받치기] ; Every cloud has a silver ~. ☞ CLOUD *n.* 1. **2** Ⓤ 안감. **3** (지갑·호주머니·위(胃) 따위의) 알맹이, 내용물. **4** 내층(內層), 내면. 〚LINE[2]〛
***link**[1] [líŋk] *n.* **1** (쇠사슬의) 고리 ; [보통 *pl.*] (커프스 따위의) 짝단추(cf. CUFF LINKS) ; (뜨개질의) 코, 끈 꿰는 구멍 ; (줄줄이 연결된 소시지 따위의) 한 토막. **2** 〖機〗 링크, 연접봉(連接棒), 연동장치 ; 〖測〗 링크《1/100 chain》. **3** 결합시키는 사람[것], 잇는 것 ; 유대 ; 연결 ; 관련 ; 〖化〗 결

합(bond). **4** 링크, 연계. —— *vt.* [+目/+目+副/+目+前+名] 연접하다, 잇다 ; 짜맞추다(hook) : These are closely ~*ed together.* 이들은 밀접하게 관련되어 있다 / ~ a thing ***to*** another 어떤 것을 다른 것과 잇다 / He ~*ed* his arm ***in*** hers. 그녀와 팔짱을 끼었다. —— *vi.* [+副] 연결되다, 이어지다 : The facts finally ~*ed* ***up***. 그 사실은 결국 연관되어진 것이다. **~·er** *n.* 〖ON=chain ; cf. LANK〗
類義語 ⟹ JOIN.

link² *n.* 횃불《옛날 밤길의 등불용》; =LINKBOY. 〖? L *li(n)chinus* wick, candle<Gk. *lukhnos* light〗

línk·age *n.* 연합 ; 연쇄 ; 결합 ; 연관(聯關)외교 ; 〖遺〗 (동일 염색체상의 유전자의) 연쇄, 연관, 링키지 ; 〖化〗 (원자의) 결합(방식) ; 〖機〗 링크[연동] 장치 ; 〖컴퓨〗 연계《몇 개의 프로그램, 루틴을 연결하여 하나의 프로그램으로 함》. 〖LINK¹〗

línkage èditor *n.* 〖컴퓨〗 연계(連繫) 편집기.

línkage gròup *n.* 〖遺〗 연쇄군《동일 염색체상에 있는 유전자군》.

línk·bòy *n.* (옛날 밤길에) 횃불을 드는 소년.

línk(·ing) vèrb *n.* 〖文法〗 연결동사(copula).

línk·man [-mən] *n.* (*pl.* **-men** [-mən]) 횃불 드는 사람 ; (퀴즈 프로그램 따위의) 사회자 ; 중개자.

línk mòtion *n.* 〖機〗 링크 장치, 연동 장치.

links [líŋks] *n. pl.* **1** [단수 또는 복수 취급] 골프장(golf course) : There is *a* (golf) ~ in our neighborhood. 우리의 이웃에 골프장이 있습니다 / The Lakeside *L*~ are not crowded. 「호반(湖畔) 골프장」은 붐비지 않는다. **2** 《스코》 (해안을 따라 기복이 있는) 모래언덕, 사구(砂丘). 〖*link* rising ground<OE *hlinc* ridge〗

línks·man [-mən] *n.* 골프치는 사람.

Línk tráiner *n.* 〖空〗 (지상에서의) 계기(計器) 비행 연습 장치 ; 자동차 운전의 모의 연습 장치《상표명》. 〖Edward *Link* 미국인으로 그 고안자〗

línk·ùp *n.* 결합, 연합 ; 결합물[요인] ; 요소가 결합하여 하나의 기능을 다하는 것.

línk·wòrk *n.* U,C 사슬 세공 ; 연동장치 ; 연쇄.

linn [lín] *n.* 《스코》 폭포 ; 협곡 ; 절벽. 〖Gael.〗

Linn. Linn(a)ean.

Lin·nae·an, -ne- [ləníːən, -néi-, líni-] *a.* 린네(Linnaeus)의 ; 린네식 식물 분류법의. —— *n.* 린네식 식물 분류법에 따르는 사람.

Lin·nae·us [ləníːəs, -néi-] *n.* 린네. **Carolus** ~ (1707-78) 스웨덴의 식물학자 ; 식물 분류법의 창시자.

lin·net [línət] *n.* 〖鳥〗 붉은가슴방울새. 〖OF (*lin* flax) ; 그 열매를 먹는 데서〗

li·no [láinou] *n.* (*pl.* **~s**) U =LINOLEUM.

li·no·cut [láinoukʌ̀t] *n.* 리놀륨 인각판(印刻版) ; 그 판화.

li·no·le·um [lənóuliəm, -ljəm] *n.* U 리놀륨《마루의 깔개》. 〖L *linum* flax, *oleum* oil〗

Li·no·type [láinətàip] *n.* 〖印〗 라이노타이프, 주조 식자기(cf. MONOTYPE) ; [흔히 l~] 라이노타이프 인쇄물. —— *vt., vi.* [l~] 라이노타이프로 식자하다. **lí·no·tỳp·er, -ist** *n.* 라이노타이프를 치는 사람. 〖*line of type*〗

lin·sang [línsæŋ] *n.* 〖動〗 린상《사향고양이과 ; 아시아산》. 〖Malay〗

lin·seed [línsìːd] *n.* U 아마(亞麻)씨. 〖OE *līn sǣd* ; ⇨ LINE⁴, SEED〗

línseed càke *n.* 아마씨 찌꺼기《가축의 사료》.

línseed mèal *n.* 아마씨 가루.

línseed òil *n.* 아마씨 기름.

lin·sey(-wool·sey) [línzi(wúlzi)] *n.* U 삼[무명]과 털의 교직물 ; 《비유》 저급한 혼합물 ; 혼란스러운 말[행동].

lin·stock [línstɑ̀k] *n.* 도화간(導火桿)《옛대포의 화승(火繩)에 불을 붙일 때 썼음》. 〖C16 *lintstock*<Du. (*lont* match)〗

lint [línt] *n.* U 린트《리넨의 한쪽을 보풀을 일으켜 붕대용으로 쓰는 부드러운 메리야스천》; 목화의 긴 섬유, 조면(繰綿)(ginned cotton) ; (식물 섬유로서의) 아마. 〖? OF *linette* (*lin* flax)〗

lin·tel [líntl] *n.* 〖建〗 상인방(上引枋)《창·입구 따위의 위에 댄 가로대》; 상인방돌. **lín·tel(l)ed** *a.* 상인방(돌)이 있는. 〖OF=threshold (cf. LIMIT) ; L *limen* threshold와 혼동〗

línt·er *n.* 실 보푸라기를 뽑아내는 기계 ; [*pl.*] 솜에서 실을 뽑을 때 나는 보푸라기.

liny [láini] *a.* 선을 그은, 줄을 친 ; 선[주름]이 많은 ; 〖美術〗 선을 너무 많이 쓴.

‡li·on [láiən] *n.* (*pl.* **~s**, ~) **1** 라이온, 사자《그 용맹스런 자태에서 the King of Beasts (짐승의 왕)이라 불리움》: ☞ LION'S PROVIDER. **2** 《비유》 **a**) 용맹스러운 사람. **b**) 이름 날리는 사나이, 총아, 명사, 인기 문인《등》: the ~ of the day 당대의 인기인[총아] / make a ~ of a person 남을 입을 모아 칭찬하다(cf. LIONIZE). **3** [*pl.*] 《英》 (도시 따위의) 명소, 명물, 구경거리 : see[show] the ~*s* 명소를 구경[안내]하다. **4** 〖紋〗 사자인(印)[문장] : the ~ and unicorn 사자와 일각수《영국 왕실의 가문(家紋)의 상징》/ the British *L*~ 영국(민). **5** [the L~] 〖天〗 사자자리(Leo). **6** [L~] 라이온스 클럽의 회원《Lions Club(s)은 1917년에 창설되어 세계 각지에 지부가 있음 ; cf. SERVICE CLUB》.

an ass in a lion's skin ☞ ASS¹.

a lion in the way[***path***] 앞길에 가로놓인 (특히 상상적인) 난관.

put[***place, run***] one***'s head into the lion's mouth*** 위험하기 짝이 없는 곳에 기꺼이 들어가다, 큰모험을 하다.

twist the lion's[***Lion's***] ***tail*** (특히, 미국 기자가) 영국의 비위에 거슬리는 것을 말하다[쓰다, 행하다].

〈회화〉
Do you like *lions*? — Only at the zoo. 「사자 좋아하니」「동물원에 있는 사자만」

~·ess *n.* 암사자. **li·on·et** [láiənèt] *n.* 사자 새끼. **líon·hòod, líon·shìp** *n.* U 인기 있는 남자. **~·lìke** *a.* 사자 같은[비슷한]. 〖AF<L *leon-* leo<Gk.〗

líon·hèart *n.* **1** 용맹스러운 사람. **2** [L~-H~] 사자심왕《영국왕 Richard 1세의 별명》.

líon·héart·ed *a.* 용맹스러운.

líon-hùnt·er *n.* **1** 사자 사냥꾼. **2** 명사를 쫓아다니는[초대하고 싶어하는] 사람.

líon·ìze *vt.* **1** 입을 모아 칭찬하다, 떠받들다, 명사 취급을 하다. **2** 《英》 …(의 명승)을 구경하다 ; (남에게) 명승지를 안내하다. —— *vi.* 명사와 교제하고 싶어하다 ; 《英》 명승 구경을 하다. **lìon·izátion** *n.*

Líons Clùb *n.* 라이온스 클럽《1917년 미국에서 창립된 사회봉사 단체》.

Líons Internátional *n.* 국제 라이온스 협회《1917년 창설된 국제적 사회봉사회》. 〖*L*iberty, *I*ntelligence, *O*ur *N*ation's *S*afety (이 협회의 슬로건)〗

líon's móuth *n.* [the ~] 매우 위험한 장소.

líon's províder *n.* 《古》 =JACKAL ; 하수인, 앞잡이 ; 알랑쇠.

líon's shàre *n.* [the ~] 가장 좋은[큰] 몫, 가장 좋은 부분, 노른자위 ; 단물 : take *the* ~ 제일 좋은[큰] 몫을 차지하다, 단물을 빨다.

líon tàmer *n.* 사자 조련사.

◇**lip** [líp] *n.* **1** 입술 ; [*pl.*] (발음기관으로서의) 입 : one's upper[lower, under] ~ 윗[아랫]입술. **2** Ⓤ 《俗》 수다 ; 주제넘은 말 ; 《美俗》 (특히 형사 전문의) 변호사 : None of your ~! 건방진 소리 마라! **3** 입술 모양의 것 ; (물주전자 따위의) 주둥이, (찻잔·구멍 따위의) 가장자리, 가〈*of*〉; 〖動〗 (고둥의) 아가리 ; (공구의) 날 ; 〖樂〗 (오르간의 플루 파이프의) 구멍 위쪽 ; (관악기의) 입을 대는 부분, (관악기 연주에서의) 입술의 위치.

bite one***'s lip***(***s***) 입술을 깨물다 ; 분노[고뇌·웃음 따위]를 참다.

curl one***'s lip***(***s***) 입술을 삐죽 내밀다《경멸·혐오의 표정》.

hang one***'s lip*** 울상을 짓다.

hang on a person***'s lips*** 남의 말에 귀를 기울이다[매료되다].

keep[***carry, have***] ***a stiff upper lip*** ☞ STIFF.

lick[***smack***] one***'s lips*** (맛있어서) 입맛을 다시다, (먹고 싶어서) 군침을 삼키다.

make (***up***) ***a lip*** (불평·모욕을 나타내어) 입을 삐쭉거리다.

put[***lay***] one***'s finger to*** one***'s lips*** (조용하라는 신호로) 입술에 손가락을 갖다 대다.

shoot out the lip 〖聖〗 (경멸하여) 입술을 삐쭉거리다.

steeped to the lips in... (악덕·죄 따위가) 완전히 몸에 배어.

── *a.* **1** 입술의 ; 말뿐인 : ~ admiration 말뿐인 칭찬 / ☞ LIP SERVICE. **2** 〖音聲〗 입술의, 순음(脣音)의 (labial).

── *v.* (**-pp-**) *vt.* **1** …에 입술을 대다. **2** (물·파도가 기슭을) 찰싹찰싹 치다 (lap). **3** 〖골프〗 공을 (구멍의) 가장자리에 맞히다 ; (공이 구멍의) 가장자리까지 이르다. **4** 속삭이다 (murmur).

── *vi.* 입술을 쓰다《관악기를 연주할 때》; 키스하다 ; (물이) 찰싹찰싹 소리를 내다.

〖OE *lippa* (⇨ LABIUM) ; cf. G *Lippe*〗

lip- [líp, láip], **lipo-** [lípou, -pə, lái-] *comb. form* 「지방」의 뜻. 〖Gk. (*lipos* fat)〗

li·pase [láipeis, líp-, -z] *n.* 〖生化〗 리파아제《췌액(膵液)이나 어떤 종류의 씨 속에 있는 지방분해 효소》. 〖Gk. *lipos* fat〗

líp-bàlm *n.* 《英》 입술 크림 (=《美》 chapstick).

líp còmfort *n.* 말뿐인 위안, 일시적인 위안.

líp contròl *n.* 립 콘트롤《트럼펫 따위를 불 때 입술 모양을 바꿔 음색을 변화시키는 주법》.

líp-déep *a.* 겉만의, 말뿐인.

li·pec·to·my [lipéktəmi] *n.* 〖醫〗 (비만 따위의) 지방 조직 절제(술), 지방 제거(술).

líp-glóss *n.* 립글로스《입술 화장품》.

li·pid [láipəd, lípəd], **li·pide** [láipəd, lípəd, -paid] *n.* 〖生化〗 지질(脂質). **li·pid·ic** [lipídik] *a.*

líp lànguage *n.* 시화(視話)《농아자가 입술의 움직임으로 의사를 소통하는 대화》.

líp mícrophone *n.* (잡음이 들어가는 것을 막기 위하여) 입술 가까이에 갖다 대는 마이크로폰.

Li Po [lí:bóu, -póu ; -póu] *n.* 이 백(李白) (701-762)《중국 당(唐)나라 때의 시인》.

lipo- [lípou, -pə, lái-] ☞ LIP-.

lìpo·fús·cin [-fúsən] *n.* 〖生化〗 지갈소(脂褐素), 리포푸신.

li·pog·ra·phy [lipágrəfi, lai-] *n.* 부주의로 인한 글자[음절]의 탈루, 탈자.

lip·oid [lípɔid, lái-] *a.* 〖生化〗 지방질의, 지방 비슷한. ── *n.* 리포이드, 유지질(類脂質).

lì·po·pòly·sáccharide *n.* 〖生化〗 리포 다당류[체(體)].

lìpo·prótein *n.* Ⓤ 〖生化〗 지방[리포] 단백(질).

lípo·sòme *n.* 〖化〗 리포솜《인지질(燐脂質)의 현탁액에 초음파 진동을 가하여 생기는 미세한 피막(被膜) 입자》.

li·po·trop·in [lìpətróupən, lài-] *n.* 〖生化〗 리포트로핀《뇌하수체에서 분비되는 지방분해 호르몬》.

lipped [lípt] *a.* 입술[주둥이]이 있는 ; …입의 : a ~ jug 따르는 주둥이가 있는 주전자 / red-~ 붉은 입술을 한.

lip·per [lípər] *n.* 〖海〗 바다의 잔 물결.

Líp·pes lòop [lípəs-] *n.* 리퍼스 루프《이중 S자형 플라스틱 피임구》.

〖J. *Lippes* 20세기의 미국의 의사〗

lip·pie [lípi] *n.* 《濠俗》 (막대기 모양의) 입술 연지, 립스틱 (lipstick).

líp prìnt *n.* (물건 표면에 묻은) 입술 자국, 입술 무늬, 순문.

líp·py *a.* 《口》 입술이 큰 ; 《口·方》 건방진 (말씨의), 수다스러운.

líp-rèad [-rì:d] *vt., vi.* (…을) 독순술(讀脣術)로 이해하다, 시화(視話)하다. **~·er** *n.*

líp·rèad·ing *n.* (농아자의) 독순술, 시화(視話).

líp·ròund·ing *n.* 〖音聲〗 원순화(圓脣化).

líp·sàlve *n.* Ⓤ 입술에 바르는 연고(軟膏) ; 《비유》 아첨.

líp sèrvice *n.* 입에 발린 말, 말뿐인 호의 ; 말뿐인 신앙심.

líp·slìp·per *n.* 《美俗》 (재즈의) 관악기 연주자.

líp spèaker *n.* 순화자(脣話者)《청각 장애자와 말할 수 있는 사람》.

líp spèaking *n.* 독순술.

***líp·stìck** *n.* Ⓤ,Ⓒ 입술 연지, 립스틱 : use much ~ 입술 연지를 많이 쓰다 / She had two ~*s* in her vanity case. 그녀의 화장 케이스에는 루즈가 두 개 들어 있었다. ── *vt., vi.* 입술 연지를 바르다.

lip-sync, -synch [lípsìŋk] *vt., vi., n.* Ⓤ 〖TV·映〗 녹음[녹화]에 맞추어 말[노래]하다[하기].

〖*lip synch*ronization〗

liq. liquid ; liquor.

li·quate [láikweit] *vt.* 〖冶〗 녹이다, 용해하다 ; 용석(溶析)[용출(溶出)]하다.

li·quá·tion *n.* Ⓤ 〖冶〗 용석, 용출.

liq·ue·fa·cient [lìkwəféiʃənt] *n.* 액화제(劑), 용해제 ; 〖醫〗 (특히) 액화[용해]제《수은·요오드 따위》. ── *a.* 액화를 조장하는[일으키는].

liq·ue·fac·tion [lìkwəfǽkʃən] *n.* Ⓤ 액화(液化), 용해 : ~ of coal 석탄액화. **lìq·ue·fác·tive** *a.* 액화(성)의, 용해성의, 액화하기 쉬운.

líq·ue·fied nátural gás *n.* 액화 천연 가스《略 LNG》.

líquefied petróleum gàs *n.* 액화 석유 가스《略 LPG》.

liq·ue·fy [líkwəfài] *vt., vi.* 녹이다, 녹다 ; 용해시키다[하다] ; 액화하다. **líq·ue·fi·able** *a.* 액화[용해]할 수 있는. **-fi·er** *n.* 〖OF<L ; ⇨ LIQUID〗

li·ques·cent [likwésənt] *a.* 액화하기 쉬운.

li·qués·cence, -cen·cy *n.*

li·queur [likə́:r, -kjúər] *n.* Ⓤ [종류를 말할 때는 Ⓒ] 리큐어《향료·감미가 들어 있는 독한 술로 주

로 식후에 작은 잔으로 마심》; Ⓒ 리큐어 한 잔. —— *vt.* …을 리큐어로 맛을 내다, …에 리큐어를 타다. 〖OF＝LIQUOR〗

***liq·uid** [líkwəd] *n.* **1** U,C 액체(cf. FLUID, GAS, SOLID). **2** 〖音聲〗 유음(流音)《[l, r] 때로는 [m, n, ŋ] 따위》. —— *a.* **1** 액체의, 액상(液狀)의; 유동체의(cf. CONCRETE, DRY, GASEOUS, SOLID): ~ air 액체 공기 / ~ food 유동식《환자용》/ ~ milk 액유(液乳)《분유에 대하여 보통의 우유; cf. EVAPORATED MILK》. **2** (하늘·눈 따위) 투명한, 맑은; (눈이) 눈물어린. **3** 유동성의, 움직이기 쉬운, 불안정한(unstable); 융통성 있는, (재산·담보 따위가) 현금으로 바꾸기 쉬운: ~ assets [capital] 유동자산[자본]. **4** (소리·시 따위) 유창한(fluent), 흐르는 듯한; 〖音聲〗 유음(流音)의. **~·ly** *adv.* **~·ness** *n.*
〖L (*liqueo* to be fluid)〗
類義語 ***liquid*** 액체; 고체도 기체도 아닌 것. ***fluid*** 유동하는 물질; 고체나 기체나 다 무방.

liq·ui·date [líkwədèit] *vt.* **1** (빚을) 청산하다; 변제하다; (부채·손해의) 액수를 법적으로 결정하다; (회사의 부채·자산을) 정리하다. **2** 《口》 (증권을) 현금화하다. **3** 제거하다, 폐지하다, 일소하다. **4** 《婉》 없애버리다, 해치우다, 죽이다 (murder). —— *vi.* 정리하다, 청산하다.
-dà·tor *n.* 청산인.
〖L＝to make clear, melt; ⇨ LIQUID〗

líq·ui·dà·tion *n.* U (빚의) 청산, 정리; 일소, 타파; 제거, 살해, 근절.
go into liquidation 청산[파산]하다.

líquid chromatògraphy *n.* 〖化〗 액체 크로마토그래피《물질 분석법의 하나》.

líquid-còoled *a.* (기관이) 수냉식의.

líquid crýstal *n.* 〖化〗 액정(液晶): ~ display 〖電子〗 액정(液晶) 표시[디스플레이]《略 LCD》.

líquid díet *n.* 유동식(流動食).

líquid fíre *n.* 〖軍〗 액화(液火)《화염방사기용(用) 액체》.

líquid gláss *n.* 물유리《규산나트륨의 진한 수용액(水溶液)》.

li·quid·i·ty [likwídəti] *n.* U 유동성; 유창함; (소리의) 맑음.

liquídity ràtio *n.* 유동성 비율《은행 유동 자산의 총예금고에 대한 비율》.

líquid·ize *vt.* 액화(液化)하다; (과일·야채 따위를) 믹서로 갈다.

líq·uid·ìz·er *n.* (요리용) 믹서(＝《美》 blender).

líquid làser *n.* 〖電子〗 액체 레이저.

líquid méasure *n.* 액량(단위)《gill, pint, quart, gallon 따위; cf. DRY MEASURE》.

líquid mémbrane *n.* 〖藥〗 액상막(膜).

líquid óxygen *n.* 액체 산소.

líquid petrolátum[páraffin] *n.* 〖化〗 유동파라핀《무색·무미·무취의 정제된 석유》.

líquid propéllant *n.* 〖로켓〗 액체 추진제.

líquid prótein *n.* 액체 단백《농축 단백질 조제; 체중 감량용이나 식이 요법에 이용되었으나 지금은 위험이 높아 사용하지 않음》.

***li·quor** [líkər] *n.* **1** U,C 알코올 음료, 술, 주류: intoxicating ~ 술 / ~ traffic 주류판매 / malt ~ 맥주《ale, beer, porter 따위》/ spirituous ~(*s*) 증류주, 화주《brandy, gin, rum, whiskey 따위》/ vinous ~ 포도주. **2** U 분비액; (차 따위를) 달인 즙(汁); 양조물. **3** [, líkwɔːr] U 〖藥〗 물약; 용액: ~ ammoniac 암모니아수(水).
be in liquor*＝*be* (*the*) *worse for liquor 술에 취하다[취해 있다].
take*[*have*] *a liquor 《口》 한잔 하다.
—— *vt.* **1** 용액에 담그다; (가죽 제품에) 기름을 바르다. **2** 《口》 (남에게) 술을 마시게 하다〈*up*〉. —— *vi.* 《口》 독한 술을 진탕 마시다.
〖OF＜L＝a LIQUID〗

liquorice ☞ LICORICE.

líquor·ish *a.* ＝LICKERISH; 술을 좋아하는; 알코올성의. **~·ly** *adv.* **~·ness** *n.*

líquor stóre *n.* 《美》 주류판매점.

líquor-úp *n.* 《俗》 음주.

li·ra [líərə, líːrə] *n.* (*pl.* **li·re** [-rei; -ri], **~s**) 리라 《이탈리아의 화폐단위; ＝100 centesimi》; 1리라화(貨)[지폐]. 〖It.＜Prov.＜L *libra* pound〗

Li·sa [líːsə, -zə; líːzə, lái-] *n.* 여자 이름《Elizabeth의 애칭》.

Lis·bon [lízbən] *n.* 리스본《포르투갈의 수도》.

Li·se [líːsə, -zə; -zə], **Li·sette** [lizét] *n.* 여자 이름《Elizabeth의 애칭》.

lisle [láil] *n.* 라일실, 레이스사(絲)(＝~ **thrèad**) 《질긴 무명실의 일종》.

lisp [lísp] *vi.* 혀가 잘 돌지 않는 발음을 하다《six를 [θíkθ]로 발음하는 따위》. —— *vt.* [＋目/＋目＋副] 혀가 잘 돌지 않는 소리로 말하다: The child ~*ed* ***out*** his prayers. 그 아이는 혀가 잘 돌지않는 말로 기도를 했다. —— *n.* 혀가 잘 돌지 않는 발음: speak with a ~ 혀가 잘 돌지 않는 소리로 지껄이다.
〖OE *āwlispian* (*wlisp* lisping (a.) 〈 (imit.))〗

LISP *n.* 〖컴퓨〗 리스프, 리스트 처리 루틴.
〖*list processor*[*processing*]〗

lísp·ing *n.* U 혀가 잘 돌지 않는 발음; (어린애의) 혀짤배기 말. —— *a.* 혀짤배기의. **~·ly** *adv.*

lis·som(e) [lísəm] *a.* 유연한, 나긋나긋한; 민첩한(agile). —— *adv.* 유연하게, 경쾌하게.
〖C19 *lithesom* (LITHE, *-some*)〗

◇**list**[1] [líst] *n.* 표, 일람표, 목록(catalogue), 리스트, 명부(roll), 명세서, 가격표(＝price ~); 상장주(株), 일람표: a ~ of members 회원 명부 / the free ~ 무료입장자 명부; 면세품 목록 / draw up[make] a ~ 표[목록]를 작성하다.
close the list 모집을 마감하다.
lead*[*head*] *the list 수위를 차지하다.
on the active*[*reserve, retired*] *list 현역[예비역, 퇴역]으로.
on*[*in*] *the list 명부[표]에 올라: pass first [last] *on the* ~ 첫번째[꼴찌]로 합격하다.
on the sick list 〖원래 軍〗 질병으로, 병환중.
—— *vt.* **1** 목록[명부]에 올리다[기입하다]; (주식을) 상장주(上場株) 명부에 올리다, 기재하다; 기록하다. **2** 《古》 ＝ENLIST. —— *vi.* (상품이) 가격표에 기재되다; 《古》 ＝ENLIST.
〖F＜It.＜Gmc.; cf. G *Liste*〗
類義語 ***list*** 뜻의 범위가 가장 넓은 말; 명칭·숫자 따위의 항목을 나열한 것. ***catalogue*** 상품·진열품의 표나 도서관의 카드처럼 보통 알파벳순으로 또는 일정한 순서를 세워 배열된 list. ***inventory*** 상품·재산 따위의 항목별의 list, 특히 상업관계로 매기(每期) 작성되는 재고 조사표. ***register*** 이름이나 사건 따위의 항목이 정식으로 기록돼 있는 서적 따위. ***roll*** 어떤 단체[조직]의 멤버의 list; 특히 출근[출석]을 조사하기 위한 것.

list[2] *n.* **1** 피륙의 가장자리[폭], 식서; (말 따위의) 얼룩무늬, (판자에서 잘라낼 수 있는) 갸름한 변재; 이랑. **2** [*pl.*] ☞ LISTS. —— *vt.* (판자 따위)의 끝을 갸름하게 잘라내다; (밭)에 LISTER[2]로 이랑을 내다[파종하다]; …에 식서[가장자리천]

를 대다. 〖OE *līste* ; cf. G *Leiste* ridge〗
list[3] *vi.* (배 따위가) 기울다, 경사지다(lean over) ⟨*to*⟩. —— *vt.* 기울이다. —— *n.* 기울기, 경사 ⟨*to*⟩. 〖C17<?〗
list[4] *vt., vi.* (**~ed**, 《古》~ ; **~ed** ; [3인칭 단수현재] **~**, **~eth**) 《古》…의 마음에 들다 ; 바라다, 원하다⟨*to* do⟩ : The wind bloweth where it *~eth.* 〖聖〗 바람이 임의로 분다. —— *n.* 《古》 희망, 좋아함. 〖OE *lystan* (⇨ LUST) ; cf. G *lüsten*〗
list[5] *vt., vi.* 듣다, 경청하다(listen (to))⟨*to*⟩. 〖OE *hlystan* (*hlyst* hearing) ; cf. LISTEN〗
líst bròker *n.* DIRECT MAIL 용(用)이 예상되는 손님의 리스트를 임대하는 업자.
líst·ed *a.* (주식이) 상장(上場)된 ; 표[명부, 리스트]에 실린 ; 전화 번호부에 실린. 〖LIST[1]〗
lísted búilding *n.* 《英》 문화재 지정 건조물.
lísted stóck *n.* 상장 주식.
◇**lis·ten** [lísən] *vi.* **1** [動/+*to*+名] 듣다, 경청하다 (cf. HEAR) : *L~* ! What's that noise ? 들어봐, 무슨 소린가(cf. *Listen !* ☞ 숙어) / He *~ed* ***to*** me[*to* the music]. 내가 하는 말[음악]에 귀를 기울였다 / I like to ~ *to* the radio. 라디오 듣기를 좋아한다. 注 listen to가 hear에 준해서 [+目+do*ing*/+目+原形]의 형으로 쓰이는 수가 있다 (cf. LOOK *vi.* 1) : We *~ed to* the band play*ing*. 악대가 연주하고 있는 것을 들었다 / She liked to ~ *to* children talk. 그녀는 아이들의 얘기를 듣기 좋아했다. **2** [+*to*+名] 들어주다, 따르다(yield) : *L~* ***to*** the advice of your father and mother. 양친의 충고를 잘 들으시오. **3** [+補/+*to*+名] 《美口》 (…처럼) 들리다, 생각되다 (sound) : It doesn't ~ reasonable ***to*** me. 나에게는 그것이 정당하다고는 생각되지 않는다.

〈회화〉
He doesn't *listen* to me. — That's a problem, isn't it ?「그는 내 말을 귀담아 듣지않아」「그것이 문제야」

—— *vt.* 《古》 …에 경청하다.
Listen ! [감탄사적으로 써서 상대방의 주의를 재촉함 ; cf. *vi.* 1 ; LOOK !, LOOK *here !*] 하여튼 들어봐요, 저 말이야.
listen for …에[을 예기하고] 귀를 기울이다 : We *~ed* carefully *for* the footfalls. 그 발소리에 주의깊게 귀를 기울였다.
listen in (등록자 이외의 사람이) 청강하다(=《美》audit) ; 〖라디오〗 청취하다(listen) ; (전화·남의 말을) 도청하다, 몰래 듣다(eavesdrop) : I *~ed in to* the President this morning. 오늘 아침 대통령 담화를 라디오에서 들었다.
—— *n.* 《口》 듣기 : have a ~ 듣다, 경청하다. 〖OE *hlysnan* ; *-t-*는 LIST[5]에서〗
類義語 ⟹ HEAR.
lísten·er *n.* 경청자 ; 청강생(=《美》 auditor) ; 〖라디오〗 청취자 : a good ~ (상대방의 말 따위를) 잘 들어주는 사람 / ~ research (라디오의) 인기 프로그램 조사.
lísten·er-ín *n.* (*pl.* **-ers-ín**) 라디오 청취자 ; 도청(盜聽)하는 사람.
lísten-ìn *n.* (라디오 따위의) 청취 ; 도청, 엿듣기.
lísten·ing *n.* 경청. —— *a.* 주의하는 ; 경청하는 ; 열중한.
lísten·ing-ín *n.* U 라디오 청취.
lísten·ing pòst *n.* 〖軍〗 청음초(聽音哨)《소리에 의해 적의 동정을 살핌》; (정치·경제상의) 비밀 정보 수집 장소.
líst·er *n.* **1** 〖LIST[1]〗 리스트[카탈로그]를 작성하는 사람 ; 세액(稅額) 사정자. **2** 〖LIST[2]〗 동력 경운기, 배토[골파기] 쟁기 ; 자동 파종장치가 부착된 경운기, 농기구.
lis·te·ria [listíːəriə] *n.* 〖菌〗 리스테리아《세균의 일종으로 고열·마비 따위를 가져옴》.
lis·te·ri·osis [listìərióusəs] *n.* (*pl.* **-oses** [-siːz]) 〖獸醫·醫〗 리스테리아 감염증.
lis·ter·ism [lístərìzəm] *n.* U [때때로 L~] 〖醫〗 (석탄산에 의한) 리스터 소독법.
lis·ter·ize [lístəràiz] *vt.* …에 리스터 소독을 하다. **-ìz·er** *n.*
líst·ing[1] *n.* U 표에 올림 ; 표의 작성, 목록 작성 ; 표의 기재사항[항목] ; 일람표, 목록. 〖LIST[1]〗
listing[2] *n.* **1** (천의) 변폭. **2** LISTER 2에 의한 이랑 일구기[두렁 만들기, 파종]. 〖LIST[2]〗
lísting requírements *n.* 상장 기준.
líst·less *a.* **1** 마음이 내키지 않는, 무관심한, 열의 없는, 대수롭지 않게 여기는(indifferent). **2** 노곤한, 맥풀린, 귀찮은. **~·ly** *adv.* **~·ness** *n.* 〖ME (*list* (obs.) inclination⟨LIST[4]⟩)〗
líst príce *n.* 카탈로그표 가격, 정가.
lists [lísts] *n.* [단수·복수취급] (중세의 창 시합장(tiltyard)의) 울타리(palisades) ; (일반적으로) 시합장 ; 《비유》 경쟁무대(arena) : enter the ~ against …에 도전하다 ; …의 도전에 응하다. 〖LIST[2]〗
Liszt [líst] *n.* 리스트. **Franz** ~ (1811-86) 헝가리의 피아니스트·작곡가.
◇**lit**[1] [lít] *v.* LIGHT[1]의 과거·과거분사. —— *a.* 《俗》 취한(drunk)⟨*up*⟩.
lit[2] *n.* U 《口》 문학(literature). —— *a.* 문학의 (literary) : a ~ course[student].
lit. literal ; literally ; literary ; literature ; liter.
lit·a·ny [lítəni] *n.* **1** 〖宗〗 연도(連禱)《사제(司祭)가 외는 기도에 모두가 화창(和唱)하는 형식》; [the L~] (기도서 중의) 연도(cf. SUFFRAGE 3). **2** 《비유》 장황한[반복이 많은] 설명, 지루한 이야기⟨*of*⟩. 〖OF<L *litania*<Gk.=prayer〗
Lit. B. =LITT. B.
li·tchi [láitʃiː, líː-, laitʃíː] *n.* 〖植〗 여지 ; 그 열매. 〖Chin. 여지(荔枝)〗
lít-crít *n.* 《口》 문학 비평, 문예평론(가).
Lit. D. =LITT. D.
-lite, -lyte [làit] *n. comb. form* 「석(石)」「광물」「화석」의 뜻 : chryso*lite*, meteoro*lite*. 〖Gk. ; ⇨ -LITH〗
Li·tek [láitek] *n.* 라이텍《긴 수명, 절전형의 형광등 ; 상표명》. 〖*Li*ght *Tek*nology Corp.〗
li·ter | li·tre [líːtər] *n.* 리터《1000 cc ; 略 l., lit.》. 〖F<L<Gk. *litra*〗
lit·er·a·cy [lítərəsi] *n.* U 읽기·쓰기의 능력(↔ *illiteracy*).
lit·er·ae hu·ma·ni·o·res, lit·ter- [lítərài huːmɑ̀nióːreis] *n. pl.* 인문학(人文學)《특히 옥스퍼드 대학의 고전 연구, 또는 그 B. A. 학위를 얻기 위한 시험 ; 略 Lit. Hum. [lít hʌ́m]》. 〖L=the more humane studies〗
*__lit·er·al__ [lítərəl] *a.* **1** 문자(상)의 : a ~ error 오자, 오식(誤植). **2** 문자대로의 ; 글자 뜻[자구(字句)]에 구애되는(↔*free*) ; 어휘 하나하나의 : in the ~ sense of the word 그 낱말이 나타내는 글자 그대로의 의미에 있어 / a ~ translation 직역, 축어역(逐語譯). **3** (사람·머리가) 융통성 없는, 평범한, 멋없는(matter-of-fact). **4** (문자 그대로) 정확한, 꾸밈없는 ; 과장하지 않은, 거짓없는. —— *n.* 오자, 오식. **~·ism** *n.* U 문자 그대로 해

석하기 ; 직해(直解) [직역] 주의 ; 〖美術·文藝〗 직사(直寫)주의. **~·ist** *n.* **~·ness** *n.* **lit·er·al·i·ty** [lìtərǽləti] *n.* 글자 뜻대로임 ; 자구대로의 해석[의미].
〖OF or L ; ⇨ LETTER¹〗

lìt·er·al·ís·tic *a.* 문자에 구애되는, 직역주의의 ; 〖美術〗 직사주의의.

líteral·ìze *vt.* 글자 뜻대로 해석하다, 자구(字句)에 구애되다(cf. SPIRITUALIZE).

***líteral·ly** *adv.* **1** 글자 그대로, 낱말 그대로(↔ *figuratively*) ; 축어적(逐語的)으로 : translate ~ 직역하다 / interpret a person's order ~ 명령을 말 그대로 해석하다 / take a person (too) ~ 남의 하는 말을 말 그대로 (지나치게) 받아들이다. **2** [과장하여] 문자 그대로, 전부, 진짜로 (exactly), 사실상, 꼭, 완전히(practically) : The fortress was ~ destroyed. 요새는 완전히 파괴되었다.

***lit·er·ary** [lítərèri ; lítərəri] *a.* **1** 문학의, 문학적인, 문필의, 문예의 ; 학문(상)의 : ~ works [writings] 문학작품, 저작물 / ~ property 저작권. **2** 문학에 정통한 ; 저술을 업으로 삼는 : a ~ man 문학자, 학자, 저작가. **3** 문어(文語)의(↔ *colloquial*) : ~ style 문어체. 〖L ; ⇨ LETTER¹〗

líterary ágency *n.* 저작권 대리업.

líterary ágent *n.* 저작권 대리인[업자]《(1) 저자를 대신하여 출판사를 찾는 사람. (2) 출판사를 위해 마땅한 원고·저자를 물색하는 사람》.

lit·er·ate [lítərət] *a.* **1** 글을 읽고 쓸 수 있는(↔ *illiterate*). **2** 교양 있는(educated) ; 박학의, 박식한(well-read). **3** 문학의, 문학에 정통한.
—— *n.* **1** 글을 읽고 쓸 수 있는 사람. **2** 학자, 교육받은 사람(learned man).
〖L *litteratus* learned ; ⇨ LETTER¹〗

lit·e·ra·ti [lìtərɑ́:ti:, 美+-réitai] *n. pl.* (*sg.* **lit·er·a·tus** [lìtərɑ́:təs]) 지식계급 ; 문학자들.
〖L (pl.) < ↑〗

lit·e·ra·tim [lìtərɑ́:təm, -réi-] *adv., a.* 한자 한자로[의], 축자적(逐字的)으로[인] (letter for letter), 문자 그대로(literally). 〖L〗

lit·er·a·tion [lìtəréiʃən] *n.* (음성·말의) 문자 표기, 문자화.

lit·er·a·tor [lítərèitər, lìtərɑ́:tɔr] *n.* 문인, 문학자, 저작가.

‡lit·er·a·ture [lítərətʃər, 美+-tʃùər, lítərtʃùər, -tʃər] *n.* **1** Ⓤ 문학, 문예 ; 문학 작품 ; 저술, 문필업 : English ~ 영문학 / Elizabethan [18th century] ~ 엘리자베스조(朝) [18세기] 문학 / follow ~ 문필을 업으로 삼다 / light ~ 경(輕)문학, 대중문학 / polite ~ 순[미(美)] 문학 / a doctor of ~ 문학박사. **2** 논문, 조사[연구] 보고서 ; Ⓤ 문헌 : travel ~ 여행 문헌 / the ~ *of* dairy farming 낙농에 관한 문헌 / the ~ *on* Korea in English 한국에 관한 영어로 된 문헌. **3** Ⓤ 《口》 (광고·전단 따위의) 인쇄물(printed matter). **4** Ⓤ 《古》 학문, 학식.
〖ME=literary culture<L ; ⇨ LITERATE〗
活用 literature가 특정한 나라 따위의 「문학」을 뜻할 때 문어체에서는 Countable로도 쓰임 : The long tradition of the English language has produced one of the world's richest *literatures.* (영어의 오랜 전통은 세계에서 가장 풍요한 문학의 하나를 낳게 하였다).

lith- [líθ], **litho-** [líθou, -θə] *comb. form* 「석(石)」「리튬」의 뜻 : *litho*graphy.
〖Gk. *lithos* stone〗

-lith [lìθ] *n. comb. form* 「돌로 만든 것」「결석」「석(石)」의 뜻 : mega*lith,* aero*lith.* 〖Gk.〗

Lith. Lithuania ; Lithuanian. **lith.** lithograph ; lithographic ; lithography.

lith·arge [líθɑ:rdʒ, 美+-ˊ] *n.* Ⓤ 〖化〗 일산화납.

lithe [láið, -θ] *a.* 나긋나긋한, 유연한. **~·ly** *adv.* **~·ness** *n.* 〖OE *līthe* ; cf. G *lind* mild〗

líthe·some *a.* 경쾌한, 민첩한.

lith·ia [líθiə] *n.* Ⓤ 〖化〗 산화(酸化)리튬.

líthia wáter *n.* 리튬염수《통풍약》.

lith·ic [líθik] *a.* 돌의, 돌로 만든 ; 〖醫〗 결석(結石)의 ; 〖化〗 리튬의. 〖Gk. *lithos* stone〗

-lith·ic [líθik] *a. comb. form* 「…석기 문화의」의 뜻 : Paleo*lithic,* Neo*lithic.* 〖↑〗

lith·i·um [líθiəm] *n.* Ⓤ 〖化〗 리튬《가장 가벼운 금속원소 ; 기호 Li ; 번호 3》.

litho., lithog. lithograph ; lithographic ; lithography.

lítho·gràph *n.* 석판(화), 리토그래프.
—— *vt.* 석판으로 인쇄하다. **li·thog·ra·pher** [liθɑ́grəfər] *n.* 석판공 ; 석판화가.
〖역성(逆成) < ↓〗

li·thog·ra·phy [liθɑ́grəfi] *n.* Ⓤ 석판술, 석판인쇄 ; 평판 인쇄. **lìth·o·gráph·ic, -i·cal** *a.* 석판(인쇄)의. **-i·cal·ly** *adv.* 〖G〗

lith·oid [líθɔid], **li·thoi·dal** [liθɔ́idəl] *a.* 돌 같은, 돌 모양의.

li·thol·o·gy [liθɑ́lədʒi] *n.* Ⓤ 암석학 ; 〖醫〗 결석학(結石學).

lítho·phỳte *n.* 산호충(珊瑚蟲) ; 암생(岩生)식물.

lítho·pone [-pòun] *n.* 〖化〗 리토폰《백색 안료》.

lítho·prìnt *vt.* 석판으로 인쇄하다. —— *n.* 석판 인쇄물. **~·er** *n.*

lítho·sphère *n.* 암석권(圈) ; 지각.

li·thot·o·my [liθɑ́təmi] *n.* Ⓤ 〖醫〗 (방광결석의) 절석[쇄석]술(切石[碎石]術).

Lith·u·a·nia [lìθjuéiniə] *n.* 리투아니아《발트 해(海) 연안에 있는 공화국으로 1991년에 독립 ; 수도 Vilnius》.

Lìth·u·á·ni·an *a., n.* 리투아니아의 ; 리투아니아 사람(의) ; 리투아니아어.

Lit. Hum. literae humaniores.

lithy [láiði] *a.* 《古》 유연한(lithe).

lit·i·gant [lítigənt] *a.* 소송에 관계가 있는 : the ~ parties 소송 당사자. —— *n.* 〖法〗 소송당사자《원고 또는 피고》.

lit·i·gate [lítigèit] *vi.* 소송을 제기하다. —— *vt.* 법정에서 다투다. **lit·i·ga·ble** [lítigəbəl] *a.* 법정에서 투쟁할 수 있는. **lìt·i·gá·tion** *n.* Ⓤ 소송, 기소. 〖L (*lit- lis* lawsuit)〗

li·ti·gious [lətídʒəs, li-] *a.* 소송[논쟁]을 좋아하는 ; 소송할 수 있는[하여야 할] ; 소송(상)의. **~·ly** *adv.* **~·ness** *n.*
〖OF or L (*litigium* dispute ; ↑)〗

lit·mus [lítməs] *n.* Ⓤ 〖化〗 리트머스《청색 물감》.
〖ON=dye moss〗

lítmus·less *a.* 긍정도 부정도 않는, 중립적인.

lítmus pàper *n.* 〖化〗 리트머스 시험지.

lítmus tèst *n.* 〖化〗 리트머스 시험 ; 《비유》 그것만 보면 사태가[본질 따위가] 명백해지는 한 가지 사실.

li·to·tes [láitətì:z, -tou-, 美+lít-, 美+laitóu-] *n.* (*pl.* ~) 〖修〗 Ⓤ 완서(緩叙)(법) (meiosis)《예컨대 *not bad* (=pretty good)과 같이 반의어의 부정을 써서 강한 긍정을 나타내는 표현법 ; cf. HYPERBOLE》. 〖L<Gk. (*litos* plain, meager)〗

***litre** ☞ LITER.

Litt. B. *Litterarum Baccalaureus* 《L》 (=Bachelor of Letters[Literature]) (문학사).

Litt. D. *Litterarum doctor* 《L》 (=Doctor of Letters[Literature]) (문학 박사).

***lit·ter** [lítər] *n.* **1** Ⓤ (동물의) 깔깃, 까는 짚; 외양간 두엄. **2** (개·돼지 따위의) 한 배의 새끼: a ~ of pigs[puppies] 한 배의 돼지[개]새끼. **3** Ⓤ 흐트러져 있는 것, 잡동사니; 쓰레기, 찌꺼기: No *L*~. 《게시》 쓰레기를 버리지 말 것. **4** Ⓤ [또는 a ~] 난잡, 혼란: *a* ~ *of* knowledge 산만한 지식 / I was appalled at the ~ of the room. 그 방이 어지럽혀져 있는 것을 보고 아연실색했다. **5** 가마; 들것(stretcher).

at a litter 한 배에서《몇 마리 낳다 따위》.

in a litter 어지럽게 흩어져.

in litter (개·돼지 따위가) 새끼를 밴.

— *vt.* **1** [+目/+目+*with*+名/+目+副] (물건을) 흩뜨리다; (방 따위를) 어질러 놓다: The yard was ~*ed* ***with*** bottles and cans. 안뜰에는 병과 깡통이 흩뜨려져 있었다 / Don't ~ ***up*** your room. 방을 어질러 놓지 마시오. **2** (개·돼지 따위가 새끼를) 낳다. **3** (마구간·마루 따위에) 짚을 깔다; (말을 위해) 잠자리 짚을 깔다〈*down*〉.

— *vi.* (개·돼지 따위가) 새끼를 낳다, 《俗》 아이를 낳다. **2** 쓰레기[지스러기]를 흩뜨리다. 〖AF<L (*lectus* bed)〗

lit·ter·a·teur, -tér- [lìtərətə́ːr, -túər] *n.* 문학자, 문인. 〖F<L=(inferior) grammarian〗

lítter·bàg *n.* (자동차 안 따위에서 사용하는) 쓰레기 주머니.

lítter·bìn, lítter·bàsket *n.* 《英》 (거리의) 쓰레기통.

lítter·bùg *n.* 《美》 (길거리·공원 따위 공공 장소에) 휴지·쓰레기 따위를 버리는 사람.

lítter·lòut *n.* 《英》 =LITTERBUG.

lítter·màte *n.* (개·돼지 따위의) 한 배의 새끼.

lít·tery *a.* **1** 난잡한(untidy), 어질러진, 흐트러진. **2** 깔짚의, 짚이 깔린.

lít·ter·i·ness *n.*

◇**lit·tle** [lítl] *a.* **A** ㊟ (1) 보통명사에 붙여 「작은, 귀여운」「인색한」 따위의 뜻; 양을 나타내는 보통명사가 따르면 물질·추상명사에도 쓰임: a ~ drop[glass] of whiskey 겨우 한 방울[한 잔]의 위스키. (2) 비교는 형상을 나타내는 경우에는 보통 **small·er**; **small·est**를 대용한다; **lít·tler**; **lít·tlest**는 《美口》에서 쓰이나, 《英》에서는 《俗》 또는 《方》; cf. LESSER. **1** (↔*big, large*) 작은, 젊은, 어린; 귀여운(cf. SMALL): ~ birds 작은 새 / a ~ farm 작은 농장 / (my) ~ man [호칭] 아가야! / our ~ ones 우리집 아이들 / the ~ Smiths 스미스(가)의 아이들(the Smith children). **2** (↔*great*) **a**) 어린애 같은; 사소한; 조그마한, 인색한, 비열한: a ~ mind 좁은 도량 / a person's ~ game 어린애 같은 수작 / We know his ~ ways. 그의 유치한 수법을 알고 있다 / *L*~ things amuse ~ minds. 《속담》 소인은 하찮은 일에 흥미를 느낀다. **b**) [명사적으로; the ~] 대단치 않은[권력이 없는] 사람들(↔*the great*). **3** (시간·거리 따위가) 짧은: our ~ life 우리들의 짧은 생애 / He will be back in a ~ while. 그는 곧 돌아올 것입니다 / I'll go a ~ way with you. 잠깐 동행하겠습니다.

B ㊟ 물질·추상명사에 붙여 「소량의」의 뜻; 비교는 **less**; **least**. **1** (↔*much*) [a를 붙이지 않는 부정적 용법] 조금밖에 없는, 거의 없는(not much): There is ~ hope. 희망은 거의 없다 / We had (very) ~ snow last year. 작년에는 눈이 (참으로) 조금 왔다 / Office jobs require ~ physical effort. 사무실 근무는 육체적인 노력이 거의 필요치 않다. **2** [a ~ 의 형태로 긍정적 용법] 조금은 (있다), 적으나마 (있다) (↔*no, none*) (cf. a FEW): There is *a* ~ hope. 희망이 조금은 있다. ㊟ (1) a little과 little과의 차이는 기분의 문제로서 전자는 「있음」, 후자는 「없음」의 관념을 강조함(cf. FEW). (2) 때때로 의례적인 형식으로서 some의 대용: May I have *a* ~ coffee? 커피(좀) 마실 수 있습니까 / Let me give you *a* ~ mutton. 양고기를 (조금) 드리겠습니다 / May I have *a* ~ money? 돈 좀 얻을 수 있을까요. **3** [the ~, what ~의 형태로] 얼마 안되는: I gave him *the* ~ money (that) I had. = I gave him *what* ~ money I had. 얼마 안 되는 돈을 몽땅 그에게 털어 주었다.

but little 아주 조금의(only a little): I have *but* ~ money. 돈이 조금밖에 없다.

go but a little way to …에 좀처럼 미치지 않다, …에 불충분하다.

little. . ., if any=***little or no*** …이 있다손치더라도 극히 조금의, 조금밖에 또는 전혀 없는, 거의 없는: I have ~ hope, *if any*.=I have ~ *or no* hope. 희망은 거의 없다.

no little 적지 않은, 많은(very much).

not a little 적지 않은.

only a little 조금밖에 없는(cf. *but* LITTLE).

some little 소량의, 조금의, 다소의(a little) (cf. *some* FEW): There was *some* ~ ink left. 잉크가 조금 남아 있었다.

〈회화〉
What's the matter with your finger?—Oh, it's only a *little* burn. 「손가락은 어떻게 된거니」「약간 데었을 뿐이야」

— *adv.* (**less**; **least**) **1** [a를 붙이지 않는 부정적 용법] **a**) 거의 …않다: ~ known actors 거의 알려지지 않은 배우들 / They see each other *very* ~. 여간해서 만나는 일이 없다. **b**) [동사 앞에 놓여서] 전혀 …않다(not at all): I ~ knew. 전혀 알지 못했다 / *L*~ did I dream of a letter coming from him. 그에게서 편지가 올 줄은 꿈에도 생각지 못했다. **2** [a ~ 의 형태로 긍정적 용법] **a**) 조금, 조금은: She seemed to be *a* ~ afraid. 조금 무서워하는 눈치였다. ㊟ 비교급의 형용사·부사를 수반하는 수가 많음: He is *a* ~ *better*. (건강 상태가) 조금 낫다 / *A* ~ *more*[*less*] sugar, please. 설탕을 조금 더[덜] 주시오 / The growth of the plants was delayed by the cold *a* ~ *longer*. 그 식물의 성장은 추위로 약간 늦어졌다. **b**) (시간·거리가) 잠깐, 조금: Wait *a* ~. 좀 기다려라.

little less[***better***] ***than*** …와 거의 마찬가지로 큰[나쁜], …나 별다름 없는: It is ~ *better than* robbery. 그것은 도둑질이나 다름없다.

little more than …와 거의 마찬가지로 적은[짧은], …와 거의 같은 정도의: It costs ~ *more than* a dollar. 값은 거의 1달러 정도다.

— *pron.* (**less**; **least**) **1** [a를 붙이지 않는 부정적 용법] 조금(밖에 …없음), 소량, 약간, 근소한 시간[거리]: He has seen ~ of life. 세상 물정에 어둡다 / *L*~ remains to be said. 더 할 말이 없다 / There is ~ to choose between them. 어느 쪽이나 비슷비슷하다 / Knowledge has ~ to do with wisdom. 지식은 지혜와 그다지 관계가 없다. ㊟ 원래 형용사이기 때문에 명사용법에서도 very, rather, so, as, too, how 따위의 부사로 수식될 수 있음《이와 같은 것은 FEW *pron.* 1에 대해서도 적

용됨》: *Very* ~ is known about him. 그에 대해서는 거의 알려져 있지 않다 / I got *but* [*very, rather*] ~ out of him. 그에게서 거의 얻은 것이 없었다. **2** [a ~의 형태로 긍정적 용법] 조금, 약간, 잠시 : He drank *a* ~ of the water. 물을 조금 마셨다. **3** [the ~ (that), what ~ 의 형태로] 얼마 안되는 것 : I did *the* ~ *that* [*what* ~] I could. 미력이나마 전력을 다했다.

after a little 조금 있다가, 잠시 후에.

by little and little = ***little by little*** 조금씩, 점점.

Every little helps. 《속담》 티끌 모아 태산.

for a little 잠깐 (사이).

in little 소규모로[의] (on a small scale) ; 세밀화(畫)로 그려[그린], 축사(縮寫)[축소]하여[한] (cf. *in* LARGE).

little if anything = ***little or nothing*** 거의 … 하지 않다.

make little of …을 경시하다.

not a little 적지 않게, 많이 : She was *not a* ~ surprised. 적지 않게 놀랐다.

quite a little 《口》 다량, 매우, 풍부, 많이 : He knew *quite a* ~ about it. 그는 그것에 대해서 꽤 많이 알고 있었다.

〖OE *lȳtel* (*lȳt* few + *-el*) ; cf. OHG *luzzil*〗

類義語 ⟹ SMALL.

Líttle América *n.* 리틀 아메리카《남극의 Ross 해(海) 남부에 있는 미국의 탐험 관측 기지》.

Líttle Assémbly *n.* [the ~] 《口》 국제연합 소위원회, 소총회.

Líttle Béar *n.* [the ~] 〖天〗 작은곰자리 (Ursa Minor) (cf. GREAT BEAR ; ☞ DIPPER 4).

líttle bìt *n.* 《美俗》 매춘부.

Líttle Córporal *n.* [the ~] 나폴레옹 1세(世)의 별명.

Líttle Dípper *n.* [the ~] 《美》 〖天〗 소북두칠성 (☞ DIPPER 4).

Líttle Dóg *n.* [the ~] 〖天〗 작은개자리 (Canis Minor).

Líttle Énglander *n.* 소(小)영국주의자, 영토확장 반대자.

Líttle Énglandìsm *n.* 소(小)영국주의《영국 본국의 이익은 영국 제국의 영토확장에 기대하기 보다는 본국의 무역 촉진에 더욱 힘써야 한다고 주장, 제국의 팽창에 반대》.

Líttle Enténte *n.* 소협상《1921년에 성립한 구체코슬로바키아・구유고슬라비아・루마니아 3국간의》.

líttle fínger *n.* 새끼손가락.

líttle gò *n.* 《英口》 예비 시험《Cambridge 대학에서 학위를 얻기 위한 1차 시험 ; cf. GREAT GO》.

líttle hóurs *n. pl.* [때때로 L~ H~] 밤중의 1・2시경 (small hours) ; 〖카톨릭〗 낮의 성무일과.

Líttle Lèague *n.* 《美》 (12살 미만의) 소년 야구리그 (cf. PONY LEAGUE).

líttle magazíne *n.* (판형(判型)이 작은) 동인(同人)잡지.

líttle máma *n.* 《美俗》 짧은 시민 라디오용(用) 안테나.

líttle mán *n.* 하찮은 녀석, 인색한 놈 ; 《英》 그럭저럭 꾸려나가는 상인[장색 등] ; 평범한[보통] 사내 ; 사내아이.

líttle Máry *n.* 《英口》 배, 위 (stomach).

líttle móther *n.* (동생들을 돌보는) 어머니를 대신하는 딸.

líttle Néddy [**Néd**] *n.* 《英》 Neddy (= N.E.D.C.)의 분과회[전문 위원회].

líttle·ness *n.* Ⓤ 적음 ; 조금, 근소 ; 편협, 인색함, 도량이 좁음.

líttle pèople *n. pl.* [the ~] (작은) 요정들 ; 어린이들 ; 난쟁이들 ; 일반 서민.

líttle revíew *n.* (특히 비평・소개 따위가 중심인) LITTLE MAGAZINE.

Líttle Rhódy [-róudi] *n.* [the ~] Rhode Island 주의 속칭.

líttle théater *n.* 소극장 ; 《美》 소극장용 연극.

líttle tóe *n.* 새끼발가락.

líttle wóman *n.* [the ~] 《口》 집사람, 아내.

lit·to·ral [lítərəl, 美+lìtərǽl, 美+-rάl] *a.* **1** 해안의, 연해의 : the *L*~ Province 연해주(沿海州). **2** 〖生態〗 해안에 사는, 물가에서 나는. —— *n.* 연해 지방 ; 〖生態〗 연안대.

〖L (*litor-* *litus* shore)〗

li·tur·gic, -gi·cal [lətə́ːrdʒik(əl), li-] *a.* 전례의, 예배식의 ; 성찬식의. **-gi·cal·ly** *adv.* 예배식[기도서]에 의하여.

li·túr·gics *n.* 전례학, 전례론.

lit·ur·gist [lítərdʒəst] *n.* 전례학자 ; 전례식문(式文) 편집자[작자] ; 전례형식 엄수자 ; 예배식 사제 [사회 목사].

lìt·ur·gís·tic *a.*

lit·ur·gy [lítərdʒi] *n.* 전례, 예배식 ; 기도식문(文) ; [the L~] (영국 국교의) 기도서, (그리스 정교(正教)의) 성찬식.

〖F or L<Gk. = public worship〗

liv·abil·i·ty, live- [lìvəbíləti] *n.* (가축・가금(家禽)의 생존율 ; (사람이) 살기 좋음, 거주 적성(居住適性).

liv·able, live- [lívəbəl] *a.* (생활 따위) 사는 보람이 있는 ; (집・기후 따위) 사는데 적합한, 살기 좋은 ; (사람이) 함께 살아갈 수 있는, 사귀기 쉬운.

°**live**[1] [lív] *vi.* **1** [+副/+前+名] 살다, 거주하다 (dwell) : *Where* do you ~? 어디에 사십니까 / Mr. Smith ~*s* ***at*** 3 Barrack Road. 스미스씨는 바라크 로드의 3번지에 산다 / The wading birds like to ~ ***in*** the south. 섭금류(涉禽類)의 새는 남쪽에서 살고 싶어한다 / He ~*s* ***in*** Seoul. 서울에 살고 있다. 주 진행형은 일시적 주거를 말할 경우나 주관적 감정을 넣어 말할 때나 계속의 뜻을 명시할 때에 쓰임 (cf. LIVING[1] 1 a)) : He *is living in* London. (이전에는 다른 곳에서 살았지만) 그는 이제 런던에 살고있다 / I *am* now *living* in a very pleasant flat. 지금 매우 쾌적한 아파트에 살고 있습니다 / They have *been living* in England since 1990. 1990년 이래 영국에 살고 있다. **2** [動/+前+名] (죽지 않고) 살고 있다 : How are fish able to ~ ***in*** (the) water? 물고기는 어떻게 물속에서 살 수 있을까 / He still ~*s*. 그는 아직 살아 있다《주 이 표현보다는 He *is* still [living]. 과 같이 하는 것이 일반적》. **3** [動/+*to* do] 오래 살다, 살아가다 : ~ long 장수하다 / *L*~ and learn! 《속담》 오래 살고 볼 일이다 / *L*~ and let ~. 《속담》 자기도 살고 남도 살게하라 / He ~*d to* see his children's children. 그는 오래 살아 손자까지 보았다. **4** [+副/+前+名/+補] 생활하다, 살다 : ~ *honestly* 정직하게 살다 / ~ fast ☞ FAST[1] 숙어 / ~ hard ☞ HARD *adv.* 숙어 / ~ *high* 사치스럽게 살다 / ~ *well* 유복하게 살다 ; 올바른 생활을 하다 / ~ ***in*** ease 편하게 살다 / ~ ***on*** a small income 적은 수입으로 생활을 하다 / Most people ~ ***by*** work*ing*. 대개의 사람들은 일해서 먹고 산다 / ~ single 독신생활을 하다 / ~ free from care 별다른 걱정없이 생활하다 / He ~*d*

and died a bachelor. 평생을 독신으로 지냈다. **5** 인생을 즐기다, 재미있게 살다 : Let us ~ while we may. 목숨이 있는 한 즐겁게 살자. **6** [動/+前+名] (무생물이) 그대로 남다, 존속하다(survive) ; (배 따위가) 부서지지 않고 있다 ; (그림의 인물 따위가) 생생하다 : His memory ~*s*. 그에 대한 추억은 지금도 아직 생생하다, 그의 이름은 지금도 기억하고 있다 / The boat had ~*d* ***in*** the rough sea. 그 배는 거친 바다에서 벗어났다.
—— *vt.* **1** [동족 목적어와 함께] …의 생활을 하다 : ~ a happy[a simple, an idle] *life* 행복한[간소한, 나태한] 생활을 하다 / ~ a double *life* 이중 생활을 하다 / He ~*d* a rich and comfortable *life* in the mountain country. 산간 지방에서 유복하고 쾌적한 생활을 보냈다. **2** (생활 속에) 나타내다, 실행하다 : ~ a lie 거짓된 생활을 하다 / What other people preached he ~*d*. 다른 사람이 설교한 것을 그는 실천했다.
(***as sure***) ***as I live*** 매우 확실하게.
live by one***'s hands***[***fingers' ends***] ☞ HAND, FINGER.
live by[***on***] one***'s wits*** ☞ WIT[1].
live down (불명예·죄과 따위를) 나중의 행위로 보상하다 ; (슬픔 따위를) 세월이 감에 따라 잊어버리게 되다.
live in (1) [in은 *prep.*] …에 거주하다[살다] (☞ *vi.* 1, 2, 4, 6) ; (방에) 늘 살다, …을 평생 쓰다《㊟ 수동태로도 쓰임》: This room does not seem to *be* ~*d in*. 이 방은 사람이 살고 있는 것 같지 않다. (2) [in은 *adv.*] (주인 집에서) 기식하면서 근무하다(cf. LIVE *out*).
live in[***within***] one***self*** 고독하게 살다.
live in the past 옛일만 생각하면서 살다, 과거에 살다.
live off …에 기식하다 ; …에 폐를 끼치다, …을 양식으로 하다 : ~ *off* the land (농부 등) 토지의 수확[농작물]으로 생활하다 / ~ *off* the country (일선의 군대가) 현지의 식량에 의존하다.
live on (1) [on은 *prep.*] …을 주식으로 하다 ; …을 먹고 살다 ; …을 식량으로 하다, …에 기식하다(cf. FEED *vi.* 2) ; …을 근본으로[의지]하여 생활하다(cf. *vi.* 4) : The Korean ~ largely *on* rice. 한국인은 대체로 쌀을 주식으로 한다 / ~ *on* air 공기를 마시고 살다《아무것도 먹지 않고 있다》 / ~ *on* one's wife('s earnings) 아내의 벌이로 살아가다 / ~ *on* one's relatives 친척에 의지하고[폐를 끼치고] 살다. (2) [on은 *adv.*] 삶을 이어가다.
live out (1) 통근하다(cf. LIVE *in*) ;《美》(가정부로) 일하러 나가다. (2) (*vt.*) 살아 남다, (환자가) 고비를 넘기다, (폭풍 따위를) 견디어내다 : ~ *out* the night 그 밤을 무사히 견디어내다.
live through (어려움을 헤치며) 살아나가다 : He's not likely to ~ *through* this winter. 그의 목숨은 올 겨울을 넘기지 못할 것 같다.
live to one***self*** 고독하게 살다, 두문불출하다 ; 남과 사귀지 않다.
live under …의 지배하에 살다, …에 세를 들어[소작을 하고] 있다.
live upon... =LIVE *on* (1).
live up to …에 맞게 살다 ; (주의 따위)에 순종하여[부끄럽지 않은] 행동을 하다 : I found it hard to ~ *up to* the high principle. 그 고상한 주의를 그대로 실행에 옮기는 일은 어렵다는 것을 알았다.
live with …와 함께 살다, …와 동거[동서]하다.
〖OE *libban, lifian*＜Gmc.《美》 *libh-* to remain (G *leben*) ; cf. LIFE〗

***live**[2] [láiv] *attrib. a.* (cf. ALIVE) **1** 살아 있는(living) ;《戲》진짜의, 산(채의) : a ~ bait (낚시의) 산 미끼 / a real ~ burglar 진짜 강도. **2** (불 따위가) 일고 있는, 불타고 있는. **3** 활기 있는, 발랄한 ; 활동적인, 위세가 당당한 ; 빈틈없는 ; 한창 토론중인, (문제·활동 따위) 당면한 : a ~ issue[question] 당면문제. **4** 운전하는, 일하는. **5** 유효한 ; (폭탄이) 아직 폭발하지 않은, (성냥을) 아직 켜지 않은, 전류가 통한 : a ~ cartridge 실탄 / a ~ bomb 실폭탄 ; 불발탄 / ☞ LIVE WIRE. **6** (광물 따위) 천연 그대로의, 아직 캐내지 않은(native) ; (공기 따위) 신선한. **7** (방송·연주 따위) 녹음이 아닌, 생방송의, 라이브의 ; 실연(實演)의, 영화가 아닌 : a ~ broadcast 생방송 / a ~ program 생방송 프로그램(cf. RECORD[1] 2). **8**《口》근대적인, 유행중의 : ~ ideas 최신사상. —— *adv.* 생중계로, 실황으로.
~·**ness** *n.* 〖*alive*〗

liveable ☞ LIVABLE.

líve áxle [láiv-] *n.* 〖機〗 활축(活軸).

líve bàll [láiv-] *n.* 〖美蹴〗 플레이중인 공.

líve-bèar·er [láiv-] *n.* 태생어(魚).

líve cènter [láiv-] *n.* 〖機〗 (선반의) 주축 센터.

-lived [lívd, láivd] *a. comb. form* 「생명이 …한」의 뜻 : long-~ 오래 사는 ; 영속[지속]하는.

líve fìsh [láiv-] *n.* 활어.

líve-ìn [lív-] *a.* (주인집에서) 숙식하며 일하는 (cf. LIVE-OUT) ; 동거하고 있는《애인》; (특정 장소에의) 거주에 관한. —— *n.* (항의 행동으로서의 직장 따위에의) 입주(入住) ; 동거하는 상대.

***live·li·hood** [láivlihùd] *n.* 살림, 생계 : earn [gain, get, make] a ~ by writing 문필업으로 생계를 유지하다 / pick up a scanty ~ 겨우[근근이] 생활하다. 〖OE *līflād* ; ⇨ LOAD〗
類義語 ⟹ LIVING[2].

líve lóad [láiv-] *n.* 〖土·建〗 짐무게, 활하중(活荷重)《교량에 대한 자동차 따위 ; ↔*dead load*》.

líve·lòng [lív-] *a.*《詩》기나긴, 오랜 : the ~ day 하루 종일. 〖ME=dear long (⇨ LIEF, LONG[1]) ; 어형은 *live*[1]에 동화(同化)한 것〗

***live·ly** [láivli] *a.* **1** 기운찬, 활발한, 움직임이 경쾌한 : a ~ discussion 활발한 토론. **2** (곡 따위가) 명랑한, 쾌활한, 활기찬 : The streets were ~ *with* Christmas shoppers. 거리는 크리스마스의 쇼핑 손님으로 활기를 띠고 있었다. **3** 자극적인 ; (색채가) 산뜻한, 강렬한 ; (묘사 따위) 실감나는, 생생한 ; 예민한 ; (감정 따위가) 세찬, 격렬한 : a ~ sense of gratitude 강한 사의(謝意). **4** (공이) 잘 튀는, 스피드가 있는 ; (바람이) 상쾌한, 신선한 ;〖海〗(배가) 물결에 가볍게 흔들리는. **5**《戲》아슬아슬한, 손에 땀을 쥐게 하는.
have a lively time (***of it***) 크게 활약하다 ; 고통을 겪다.
make things[***it***] ***lively for*** a person 남을 난처하게[아슬아슬하게] 만들다.
—— *adv.* 힘차게 ; 생생하게.
líve·li·ly *adv.* **líve·li·ness** *n.*
類義語 ***lively*** 생생하고 활기·정력에 넘쳐 활발한 : a *lively* song (활기찬 노래). ***animated*** 활발하고 명랑하고 힘찬 : an *animated* step(생동하는 발걸음). ***gay*** 쾌활하고 기분이 명랑하고 즐거운 : a *gay* life(즐거운 인생).

liv·en [láivən] *vt., vi.* 명랑[쾌활]하게 하다[해지다], 활기를 띠게 하다[띠다]〈*up*〉.

líve òak [láiv-] *n.* 〖植〗 떡갈나무의 일종《미국 남

부산(產)》.

líve òne [láiv-] *n.* 《美俗》 활기찬[재미있는] 곳[사람] ; 괴짜, 별난 사람 ; 돈 잘 쓰는 사람 ; 잘 넘어 가는[봉잡히기 쉬운] 사람.

líve-òut [lív-] *a.* 통근하는《하인 ; cf. LIVE-IN》 : ~ system 통근제.

líve párking [láiv-] *n.* 운전자가 차에 탄 채로의 주차.

***liv·er**[1] [lívər] *n.* **1** 〔解〕 간 : a ~ complaint = ~ trouble 간장병. ㊟ 옛날에는 감정의 원천이라고 생각되었음 : hot ~ 열정 ; 다정 / white[lily] ~ 겁쟁이. **2** Ⓤ (송아지·돼지·닭 따위의) 간《식용》. **3** Ⓤ 간장 색깔, 다갈색(=~ **còlor**).
〖OE *lifer* ; cf. G *Leber*〗

liver[2] *n.* **1** …한 생활을 하는 사람 : a fast ~ 방탕자 / a good ~ 덕이 있는 사람 ; 미식가(美食家) / a hearty ~ 대식가 / a plain ~ 소박한 생활을 하는 사람. **2** 사는 사람, 거주자. 〖LIVE[1]〗

líve ráil [láiv-] *n.* 송전 레일.

líver-còlo(u)red *a.* 간장빛[다갈색]의.

líve recórding [láiv-] *n.* 생녹음.

-lív·ered *a. comb. form* 「간이 …한」「…한 기질이 있는」 : white-~ 겁 많은.

líver èxtract *n.* 간 익스트랙트《빈혈에 유효》.

líver flùke *n.* 간에 기생하는 흡충(吸蟲).

liv·er·ied [lívərid] *a.* 제복[정복]을 입은.

liv·er·ish [lívəriʃ] *a.* 간장병의 ; 간이 나쁜 ; 성미가 까다로운(bilious).

líver òil *n.* 간유.

Liv·er·pool [lívərpù:l] *n.* 리버풀《잉글랜드 Merseyside 주(州)의 주도》. —— *a.* 리버풀(시)의. **Liv·er·pud·li·an** [lìvərpʌ́dliən] *a., n.*

líver sàusage *n.* (주로 간으로 만든) 간 소시지.

líver spòts *n. pl.* 기미《간질환에 의한》.

líver transplantàtion *n.* 간이식.

líver wìng *n.* 《戲》 오른팔.

líver·wòrt *n.* 〔植〕 이끼류의 식물.

liv·er·wurst [lívərwə̀:rst, -wùərst, -wùʃt] *n.* 《美》 = LIVER SAUSAGE.
〖G *Leberwurst*의 부분역(譯)〗

liv·ery[1] [lívəri] *n.* **1 a)** 제복, 정복 ; (동업조합원 등의) 제복. **b)** (특수한) 옷차림 : the ~ *of* grief [woe] 상복(喪服). **2** (특히) 말의 정식량(定食糧). **3** 말[마차] 세 놓는 집, 마차업 ; 《美》 = LIVERY STABLE. **4** = LIVERY COMPANY. **5** 〔法〕 (토지 따위의 재산 소유자에의) 인도, 양여.
at livery (말이) 사육료를 받고 사육되는.
in livery 제복을 입고.
out of livery 평복을 입고.
take up one***'s livery*** 동업조합원이 되다.
〖AF *liveré*, OF *livrée* (p.p.) ‹ *livrer* to DELIVER〗

livery[2] *a.* = LIVERISH. 〖LIVER[1]〗

lívery còmpany *n.* 《英》 (원래 조합원이 제복을 입는 London의) 동업조합.

lívery cùpboard *n.* (장식적인) 찬장 ; 《古》 양식을 넣어두는 찬장.

lívery·man [-mən] *n.* **1** 《英》 (London의) 동업조합원. **2** 말[마차] 세 놓는 사람.

lívery stàble[bàrn] *n.* 말[마차] 대여소 ; 말[탈것] 보관소.

***lives** *n.* LIFE의 복수형.

líve stéam [láiv-] *n.* (보일러에서 갓 생긴 고압의) 사용되지 않은 증기.

líve·stòck [láiv-] *n.* Ⓤ 가축(cf. DEAD STOCK) : ~ farming 목축, 축산.

líve tàg [láiv-] *n.* 〔廣告·TV〕 녹음[녹화]된 CM 끝에서 아나운서가 생으로 더하는 짧은 끝맺음말.

líve·tràp [láiv-] *vt.* (짐승을) 올가미로 생포하다.

líve·wàre [láiv-] *n.* 컴퓨터 종사자[요원].

líve·wèight [láiv-] *n.* 생(生)체중《도살전의 가축의 체중》.

líve wíre [láiv-] *n.* 전기가 통해 있는 도선(導線) [전선] ; 《口》 활동가, 정력가 ; 《美俗》 돈씀씀이가 헤픈 사람.

liveyere ☞ LIVYER.

liv·id [lívəd] *a.* 납빛의, 흙빛의 ; (멍든 것처럼) 검푸른 ; 《英口》 격노한 : ~ *with* anger[cold] 성나서[추위로] 파랗게 질린. **~·ly** *adv.* **~·ness** *n.*
li·vid·i·ty [livídəti] *n.* 흙빛, 납빛.
〖F or L (*liveo* to be black and blue)〗

‡liv·ing[1] [líviŋ] *a.* **1 a)** 살아 있는(↔*dead*) : a ~ model 산 표본 / all ~ things 온갖 생물 / a ~ corpse 산송장. **b)** 현존의, 현대의 : ~ English 현용(現用) 영어, 산영어 / a ~ language 현용 언어. **2** 생활의 : ~ expenses 생활비 / ~ quarters 거처, 숙소. **3** 활발한, 활기찬(lively) ; 강한 ; 생명[활기]을 주는. **4** (물 따위) 끊임없이 흐르는 ; (석탄 따위) 타고 있는 ; (바위 따위) 자연 그대로의, 아직 파내지 않은 : ~ water 유수(流水). **5** (초상 따위) 실물 같은, 꼭 닮은 : the ~ image of his father 아버지와 꼭 닮음. **6** [명사적으로 ; the ~][집합적으로] 생자(生者), 현존자 : in the land of *the* ~ 살아서, 현존하여.
within living memory 현존하는 사람들의 기억에 남아있는.
類義語 ***living, alive*** (*pred.*) 살고 있는, 힘차게 활동[활약]하고 있는 것을 암시함 : a *living* language (현용 언어) / The superstition is still *alive* among the natives. (원주민사이에는 아직도 미신이 남아 있다). ***animate*** 죽은 것 또는 무기물에 대해 생명이 있는 유기체를 말함 : the *animate* nature (생물계). ***animated*** 무생물에 대하여 쓰이며, 생명이 주어진 ; 활력이 [활기가] 주어져서 생생해진 : *animated* discussion(활발한 토론). ***vital*** 생명을 유지하는데 없어서는 안된다는 뜻 ; 또한 생물이 지니는 정력·활동에 대해서도 쓰임 : *vital* energies (생명력).

‡living[2] *n.* **1** Ⓤ 생존, 생활(방법) : good ~ 윤택한 (식)생활 / plain ~ and high thinking 생활은 간소하고 사고(思考)는 원대하게《Wordsworth의 글귀에서》 / the art[standard] of ~ 삶의 요령[생활 수준]. **2** [보통 단수취급] 생계, 살림(livelihood) ; 생계(책) : earn[gain, get, make, obtain] a ~ as an artist 화가로서 생계를 세우다 / Most of them make their ~ by trade. 그들의 대부분은 장사를 하여 살아가고 있다. **3** 《英》 〔宗〕 성직록(聖職祿) (benefice).
類義語 ***living*** 단지 생활, 생계의 뜻 : work for one's *living*(살기 위해서 일하다). ***livelihood*** living과 같은 뜻이나 때때로 사람이 수입을 얻기 위해서 하는 일 또는 그 급료에 대해서도 쓰임 : deprive a person of his *livelihood* (살 길을 빼앗다).

líving cóst *n.* 생계비(cost of living).

líving déath *n.* 산송장 같은[전혀 기쁨이 없는] 생활, 비참한 생활.

líving fóssil *n.* 산화석, 화석 동물《실러캔스 따위》 ; 《口》 시대에 뒤진 사람.

líving-ìn *a.* (고용인 등이) 더부살이 하는, 입주(入住)하는.

líving líkeness *n.* 꼭 닮음, 빼쏨.

líving nécessaries *n. pl.* 생활 필수품.

líving-òut *a.* 통근하는(↔*living-in*).

líving pícture *n.* 활인화(活人畫) (tableau vivant) ; 영화.
***líving ròom** *n.* 거실(sitting room).
líving spàce *n.* 생활권(圈), 생활 공간 ; (주거의) 거주 부분.
líving stándard *n.* 생활 수준(standard of living).
Liv·ing·stone [líviŋstən] *n.* 리빙스턴. **David ~** (1813-73) 스코틀랜드 태생인 아프리카 탐험가.
líving théater *n.* [the ~] (텔레비전·영화에 대해) 무대 연극.
líving wáge *n.* 최저 생활 임금.
líving wíll *n.* 사망 선택 유언, 사망 희망서《불치의 상병(傷病)으로 식물인간이 되느니 죽기를 원한다는 문서 ; cf. RIGHT-TO-DIE》.
li·vre [líːvər, -vrə] *n.* 리브르《옛날 프랑스의 화폐 단위 및 은화》. 〖F ; ⇨ LIBRA〗
Livy [lívi] *n.* 리비우스(59 B.C.-A.D. 17)《로마의 역사가 Titus Livius의 영어명》.
liv·yer [lívjər], **liv(e)·yere** [livjéər, ⌐—] *n.* (캐나다 북동부에서 어획기에만 오는 어부에 대하여) 정주자(定住者). 〖*live here*〗
Lix·i·scope [líksəskòup] *n.* 릭시경(鏡), 저선량(底線量) X선 화상경(畫像鏡).
lix·iv·i·ate [liksívièit] *vt.* (혼합물)에서 가용 물질을 용액으로 분리하다, 삼출하다.
liz [líz] *n.* 《美俗》 (여자) 동성애자(lesbian).
Liz [líz], **Li·za** [láizə] *n.* 여자이름《Elizabeth의 애칭》.
liz·ard [lízərd] *n.* 〔動〕 도마뱀 : a house ~ 도마뱀붙이. 〖OF *lesard* < L *lacertus*〗
liz·zie [lízi] *n.* 《俗》 (값싼) 소형 자동차.
liz·zy [lízi] *n.* 《美俗》 = LIZ.
Liz·zie, Lizzy [lízi] *n.* 여자 이름《Elizabeth의 애칭 ; cf. LIZA》.
L. J. (*pl.* **L. JJ.**) Lord Justice. **Lk.** 〔聖〕 Luke.
'll [l] will[때로 shall]의 단축형(形)《보기 I'*ll*》.
LL. Late Latin ; law Latin ; lending library ; limited liability ; Lord Lieutenant ; lower left ; Low Latin. **ll.** leaves ; lines ; *loco laudato* 《L》 (=in the place cited).
lla·ma [láːmə] *n.* (*pl.* **~s**, ~) 〔動〕 야마 ; Ⓤ 야마의 털(로 짠 나사). 〖Sp. < ? Quechua〗
lla·ne·ro [lɑːnéərou] *n.* (*pl.* **~s**) llano의 주민.
lla·no [láːnou, lǽn-, jáː-] *n.* (*pl.* **~s**) (남미 아마존강 이북의) 수목이 없는 대초원.
LL. B. *Legum Baccalaureus* 《L》 (=Bachelor of Laws). **LL. D.** *Legum Doctor* 《L》 (=Doctor of Laws). **LLDC** least less developed countries (후발 도상국).
Llew·el·lyn [lu(ː)élən] *n.* 남자 이름. 〖Welsh=lionlike〗
LL. M. *Legum Magister* 《L》 (=Master of Laws).
Lloyd [lɔ́id] *n.* 남자 이름. 〖Welsh=gray〗
Llòyd Geórge *n.* 로이드 조지. **David ~** (1863-1945) 영국의 정치가.
Lloyd's [lɔ́idz] *n.* **1** (런던의) 로이드 해상 보험협회. **2** =LLOYD'S REGISTER.
Llóyd's ágent *n.* 로이드 대리점[인].
Llóyd's Líst *n.* 로이드 해사일보(海事日報).
Llóyd's Régister *n.* 로이드 선급(船級) 협회 (The ~ of Shipping)《공익법인》; 로이드 선박통계[등록부].
Llóyd's únderwriter *n.* 로이드 보험자.
LLTV low-light (level) TV(저광량(底光量) 텔레비전).
LM [lém] *n.* 달 착륙선(lunar module).
L.M. Licentiate in Medicine ; Licentiate in Midwifery ; long meter[measure] ; Lord Mayor ; lunar module. **L.M.G.** light machine gun. **L.M.P.** 〔醫〕 last menstrual period. **L.M.S.** London Missionary Society. **LMT** local mean time. **Ln** 〔化〕 lanthanide. **ln** 〔數〕 natural logarithm. **LNA** low-noise amplifier (저잡음 증폭기). **lndg.** landing. **lndry.** laundry.

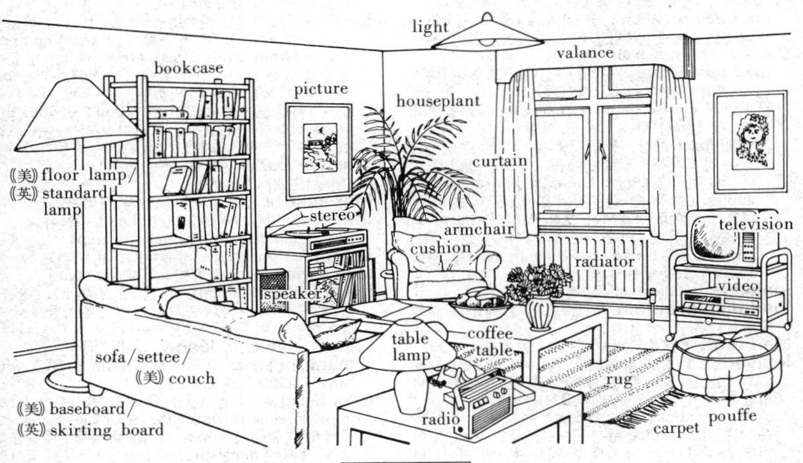

living room

LNG liquefied natural gas.

lo [lóu] *int.* ⟪古⟫ 보라! 자! 보시오! (Look!, See!) : *Lo* and behold! 이건 또 어찌된 일인가! 〖OE *lā* (int.) and ME *lō*=*lōke* look〗

loach [lóutʃ] *n.* 〔魚〕 미꾸라지. 〖OF<?〗

‡**load** [lóud] *n.* **1** 짐, 적하(積荷) (burden) ; 부담 ; (정신상의) 무거운 짐, 걱정, 근심 : bear a ~ on one's shoulders 짐을 지다 / a ~ *of* care[grief] 마음에 걸리는 걱정[슬픔] / a teaching ~ 수업부담, 담당시간수(數). **2** 한 짐, 한 차, 한 바리 ; 적재량 ; 일의 양, 분담량. **3** (화약·필름 따위의) 장전(裝塡), 장탄. **4** [때때로 *pl.*] ⟪口⟫ 잔뜩, 다수(plenty) : ~*s of* people[money] 많은 사람[돈]. **5** 〔理·機·電〕 하중, 부하 ; 용량 ; 〔遺〕 하중⟪유해 유전자의 존재에 따른 생존 능력의 저하⟫. **6** 〔컴퓨〕 로드⟪(1) 입력 장치에 데이터 매체를 걺. (2) 데이터나 프로그램 명령을 메모리에 넣음⟫. **7** 〔商〕 부가료⟪배달료·출장료 따위⟫.

have a load on one***'s mind***[***conscience***] 마음에 걸리는[양심에 가책되는] 일이 있다.

take a load off one***'s mind*** 마음의 부담을 덜어주다, 안심시키다.

── *vt.* **1** [+目/+目+*with*+名] **a**) …에 짐을 싣다[지우다], 적재하다(cf. LADE) : ~ a ship ***with*** coal 배에 석탄을 싣다. **b**) (테이블 따위에) 잔뜩 올려놓다 ; …에 채워 넣다, 무거운 부담을 지우다 ; …에게 마구 주다 ; (…을) 괴롭히다 : The tree was ~*ed* ***with*** fruit. 나무에는 과실이 잔뜩 열려 있었다 / ~ a person *with* compliments 남에게 몹시 아첨을 하다 / a man ~*ed with* care 걱정으로 괴로워하는 사람. **2** (총포에) 탄알을 재다, 장전(裝塡)시키다(charge) ; (카메라에) 필름을 넣다, (필름을) 끼워넣다 : I am ~*ed.* 탄알을 잰 총을 가지고 있다. **3** (주사위·지팡이 따위에) 납을 박다(cf. LOADED dice) ; (술에) 다른 것을 섞다. **4** 〔컴퓨〕 (프로그램·데이터를) 보조[외부] 기억장치에서 주기억장치로 넣다, 로드하다.

── *vi.* **1** 장전하다 ; 장탄하다. **2** 짐을 싣다 ; 짐을 지다, 짐을 쌓다. **3** ⟪口⟫ 잔뜩 채워 넣다.

load down (***with***. . .) (차 따위)에 (…을) 잔뜩 싣다 ; (남)에게 (부담·책임 따위를) 많이 지우다, (…으로) 괴롭히다.

load up (***with***. . .) (짐을) 싣다, 포개 싣다 ; ⟪口⟫ 잔뜩 채워 넣다[포식하다].

〖OE *lād* course, journey, carrying ; cf. LEAD[1], LODE, G *Leite* ; 뜻은 *lade*의 영향〗

類義語 ***load*** 사람·동물·탈 것 따위로 운반하고 있는 것 ; 비유적으로는 마음의 무거운 짐으로 되어 있는 것[일] : The cart had a *load* of apples. (그 손수레는 사과를 잔뜩 싣고 있었다). ***burden*** 현재에는 보통 심신의 부담이 되는 슬픔·걱정·의무·노동 따위에 쓰임 : His large family became a *burden* to him. (대가족은 그에게 부담이 되었다).

load·age [lóudidʒ] *n.* Ⓤ 적재량.

lóad displàcement *n.* 〔海〕 만재 배수량(滿載排水量)[톤수].

lóad dràft *n.* 〔海〕 만재 흘수선(吃水線).

lóad·ed *a.* **1** 짐을 실은[진]. 注 이 뜻으로는 보통 LADEN을 씀. **2** (총기가) 탄알을 잰, (카메라가) 필름이 들어 있는, 장전한. **3** (납 따위를) 박은 : a ~ cane[stick] (무기용으로) 손잡이에 납을 박은 지팡이 / ~ dice 협잡 주사위⟪납을 박아 넣어 어떤 특정한 눈이 나오게 한 것⟫. **4** (술 따위) 다른 것을 섞은. **5** ⟪俗⟫ 만취(滿醉)한.

lóad·er *n.* **1** 짐을 싣는 사람 ; 〔機〕 로더, 적재기(積載機) ; 장전기(裝塡器) ; 장전자(者). **2** 〔컴퓨〕 로더, 올리개⟪외부 매체에서 프로그램 따위를 주기억에 올리기 위한 (상주) 루틴⟫. **3** [복합어를 이루어] …장전 장치의 총[포] : breech*loader.*

lóad fàctor *n.* 〔電〕 부하율(負荷率) ; 〔空〕 좌석 이용률.

lóad·ing *n.* Ⓤ **1** 짐싣기, 선적(船積), 하역 ; 짐, 뱃짐 ; 장전(裝塡), 장약(裝藥) ; 증량[첨가]제 ; 충전재. **2** 〔電〕 장하(裝荷) ; 〔空〕 익면(翼面)하중 ; 〔心〕 인자 부하(因子負荷) ; 로딩⟪비디오테이프를 VTR에 세트하여 녹화·재생할 수 있는 상태로 함⟫. **3** 〔商〕 =LOAD, (특히) (생명 보험의) 부가 보험료 ; ⟪濠⟫ 부가급, 수당.

lóading brìdge *n.* 로딩 브리지⟪공항의 터미널 빌딩에서 항공기까지를 잇는⟫.

lóading còil *n.* 〔電〕 장하(裝荷) 코일.

lóad lìne[**wàter-line**] *n.* 〔海〕 만재 흘수선.

lóad lòck *n.* 〔理〕 로드 록⟪진공 장치에 예비 배기실을 두고 전체의 진공을 깨지 않고 시료(試料)를 내고 들일 수 있는 방법⟫.

lóad·màster *n.* 〔空〕 기상 수송 담당원.

LoADS low altitude defense system ⟪저공 방위 시스템 ; ABM으로 대기권내에서 요격⟫.

lóad shédding *n.* 〔電〕 전력 평균 분배(법).

loadstar ☞ LODESTAR.

lóad·stòne, lóde·stòne *n.* 천연 자석 ; 흡인력이 있는 것 ; 사람을 끄는 것.

‡**loaf**[1] [lóuf] *n.* (*pl.* **loaves** [lóuvz]) **1** 한 덩어리의 구운 빵, 빵 한 덩어리(cf. BREAD, ROLL *n.* 5) : a brown[white] ~ 흑[흰]빵 한 개 / Half a ~ is better than no bread. ⟪속담⟫ 반쪽이라도 없느니보다 낫다. **2** ⟪美⟫ =LOAF CAKE. **3** Ⓤ,Ⓒ 〔料〕 로프⟪저민 고기나 생선살 따위를 빵가루·달걀 따위에 묻혀서 빵 모양으로 구운 것⟫. **4** 막대 사탕(=sugarloaf) ; ⟪英⟫ (양배추 따위의) 덩이, 통. **5** ⟪英俗⟫ 머리 ; 두뇌.

loaves and fishes 〔聖〕 사리, 일신의 이익, 세속적 이득.

use one***'s loaf*** 머리를 쓰다, 잘 생각하다.

〖OE *hlāf* ; cf. G *Laib*〗

loaf[2] *vi.* [動/+副] 빈둥빈둥 놀고 지내다 ; 빈둥거리며 일하다 ; 빈둥[어슬렁]거리다 : You must not ~ ***about*** while others are working. 남들이 일하고 있는데 빈둥빈둥 놀아서는 안된다 / ~ ***on*** the job 게으름피우며 일하다. ── *vt.* [+目+副] (시간을) 놀며 보내다 : Don't ~ your life *away.* 빈둥거리며 인생을 보내지 마라. ── *n.* 놀며 지내기 ; 빈둥거리기 : have a ~ 빈둥거리다.

on the loaf 빈둥빈둥 돌아다니며.

〖역성(逆成) ‹? *loafer*〗

lóaf cáke *n.* ⟪美⟫ 막대 모양의 케이크.

lóaf·er *n.* 빈둥거리는 사람(idler) ; 부랑아. 〖?G *Landläufer* land runner, tramp〗

Loafer *n.* (moccasin 비슷한) 간편화(靴).

lóaf súgar *n.* 막대 설탕(cf. SUGARLOAF).

loam [lóum, 美+lúːm] *n.* Ⓤ 양토(壤土), 찰흙, 롬⟪모래·진흙·짚·유기물 따위의 혼합물로서 벽돌·회반죽 따위를 만듦⟫. ── *vt.* 롬으로 덮다[채우다]. **~·less** *a.* **lóamy** *a.* 롬(질)의. **lóam·i·ness** *n.* 〖OE *lām*<WGmc. (⟪美⟫ *lai-* to be sticky) ; cf. LIME[1]〗

***loan** [lóun] *n.* **1** Ⓤ 대출(貸出), 빌려주기(lending) : I asked them for the ~ of the money. 그들에게 대출을 신청했다. **2** Ⓒ 대차물 ; 대출금 ; 공채, 차관 : domestic and foreign ~*s* 내국채와 외국채 / public[government] ~*s* 공채[국채] / raise a ~ 공채를 모집하다. **3** 외래의 풍습⟪따위⟫ ; =LOANWORD. **4** 일시적 의무[근무].

have. . . on loan …을 차입(借入)하고 있다.
have the loan of …을 차용하다, …을 빌려달라고 하다 : Can I *have the* ~ *of* the typewriter? 타이프라이터를 빌릴 수 있을까요.
— *v.* 《㈜ 《英》에서는 LEND가 보통》 *vt.* [+目/+目+目] 《美》 대출하다, (돈을) 대여하다 : I ~*ed* (=lent) him my tuxedo. 그에게 약식 예복을 빌려 주었다. — *vi.* 돈을 빌려 주다.
~·able *a.*
〖ON *lān*; cf. LEND, OE *lǣn*, G *leihen*〗

lóan collèction *n.* (미술품을 빌려 모아 개최하는) 명작(名作) 전시회.

lóan còmpany *n.* (개인에게 융자를 하는) 금융 회사.

loan·ee [louníː] *n.* 빌리는 사람, 채무자.

lóan·er *n.* 대출자, 대여자 ; (수리 기간 중 손님에게 빌려 주는) 대체품《대차(代車) 따위》.

lóan gòd *n.* 외래신(外來神)《타민족에게서 전래한 신(神)》.

lóan hòlder *n.* 공채 증서 보유자, 채권자, 저당권자(mortgagee).

lóan·ing *n.* 《스코》 좁은 길(lane) ; (소의) 젖 짜는 곳, 착유소.

lóan mỳth *n.* 외래 신화.

lóan òffice *n.* 대금(貸金) 취급소 ; 전당포 ; 신규 공채 청약소.

lóan-òut *n.* 《美俗》 (전속 영화배우를 타사로) 대출(貸出)하기.

lóan shàrk *n.* 《口》 고리 대금업자(usurer).

lóan-shàrk·ing *n.* 《口》 고리 대금업.

lóan sỳndicate *n.* 차관 인수 재단.

lóan translàtion *n.* 차용 번역어(구) 《외국어를 문자 그대로 번역하는 일 : 프랑스어의 raison d'état를 reason of state로 하는 따위》.

lóan·wòrd *n.* 차용어, 차입어, 외래어.

***loath** [lóuθ, 美+lóuð] *pred. a.* [+*to* do] 싫은, 역겨운 : The boy was ~ *to* be left alone. 소년은 홀로 뒤에 남게 되는 것이 싫었다.
nothing loath 싫기는커녕, 기꺼이(cf. NOTHING *adv.*).
〖OE *lāth* hostile ; cf. G *leid* sorry〗
類義語 ⟹ RELUCTANT.

loathe [lóuð] *vt.* **1** [+目/+*to* do/+do*ing*] 몹시 싫어하다 ; 싫어서 속이 메스꺼워지다 : She ~*s* spiders. 거미를 아주 싫어한다 / I ~ *to* wash[~ wash*ing*] dishes. 접시 닦기는 아주 싫다. **2** 《口》 좋아하지 않다, 싫다 : I ~ wine. 나는 술은 좋아하지 않는다. **lóath·er** *n.*
〖OE *lāthian* (↑)〗
類義語 ⟹ HATE.

loath·ful [lóuðfəl] *a.* 《스코》 싫어하는(reluctant) ; 《稀》 =LOATHSOME.

loath·ing [lóuðiŋ] *n.* Ⓤ 싫음, (심한) 혐오 : be filled with ~ 싫어서 견딜 수가 없다. — *a.* 혐오를 느끼는. **~·ly** *adv.*
類義語 ⟹ AVERSION.

loath·ly[1] [lóuðli, lóuθ-] *a.* =LOATHSOME.

loath·ly[2] [lóuθli, lóuð-] *adv.* 마지못하여.

loath·some [lóuðsəm, 美+lóuθ-] *a.* 싫은 ; 싫어서 견딜 수 없는, 지긋지긋한 ; 속이 메스꺼워지는, 역겨운. **~·ly** *adv.* **~·ness** *n.*

***loaves** *n.* LOAF[1]의 복수형.

lob[1] [láb] *vi., vt.* (**-bb-**) **1** 느릿느릿[맥없이] 걷다[달리다·움직이다]〈*along*〉. **2** (공을) 로브로 보내다[치다] ; 높이 활 모양을 그리게 던지다[쏘다] ; 높고 느린 공을 쳐보내다《코트의 구석에 떨어지도록》 ; 〔크리켓〕 낮고 느리게 던지다. — *n.* 솜씨 없는 사람 ; 《美俗》 굼벵이, 얼간이 ; 〔테니스〕 로브《높고 완만하게 쳐올림 ; 그 공》 ; 〔크리켓〕 로브《언더핸드의 슬로볼》 ; 높이 활모양을 그리게 던진[쏜] 것 ; 〔野〕 높은 플라이.
lób·ber *n.* 〖? LDu. ; '매달린 것'의 뜻인가〗

lob[2] *n.* =LOBWORM.

lob- [lóub], **lo·bo-** [-bou, bə] *comb. form* LOBE의 뜻.

LOB 〔野〕 left on bases (잔루(殘壘)).

lo·bar [lóubər, -bɑːr] *a.* 〔植〕 (잎이) 갈라진 ; 귓불의 ; 폐(肺)(엽(葉))의.

lo·bate [lóubeit], **-bat·ed** [-beitəd] *a.* 〔生〕 열편(裂片)이 있는, 열편(모양)의.

lo·ba·tion [loubéiʃən] *n.* Ⓤ 〔生〕 분열 형성 ; 열편(裂片).

***lob·by** [lábi] *n.* **1** 로비, (현관) 홀《휴게실·응접실 따위로 쓰는 복도 ; cf. PARLOR》. **2** 《英》 로비《의원이 원외자와의 회견에 씀 ; =《美》 cloakroom》 ; 투표자 대기 복도(=division ~). **3** 《美》 원외단(院外團), 압력 단체.

〈회화〉
I'll wait for you in the hotel *lobby*. — OK. I'll try not to be long. 「호텔 로비에서 기다릴게」 「그래, 오래 걸리지 않도록 할게」

— *vi.* (의회의 로비에서) 진정 운동하다, 의안 통과[정책결정]에 압력을 넣다.
— *vt.* [+目/+目+*through*+名] 운동하여 (의안을) 통과시키(려고 하)다 : ~ a bill ***through*** Congress 운동하여 의회에서 의안을 통과시키다.
~·er *n.* 〖L *lobia* LODGE〗

lóbby correspòndent *n.* 《英》 의회 출입기자, 정치기자.

lóbby-fódder *n.* 《英》 (이익 집단에 봉사하는) 유착 의원(들).

Lóbby·ing Regulátion Àct *n.* 《美》 로비 활동 규제법《1946년 성립》.

lóbby·ìsm *n.* Ⓤ 《美》 (원외의) 의안 통과[부결] 운동, 진정 운동 ; 압력 행사. **-ist** *n.* 원외 활동원, (특히) 보수를 받고 원외 운동을 대행하는 사람, 로비스트.

lobe [lóub] *n.* 둥근 돌출부 ; 귓불 ; 〔解〕 엽(葉)《폐엽·간엽 따위》 ; 〔植〕 열편(裂片), 판(瓣) ; 〔機〕 돌출부. 〖L<Gk. *lobos* lobe, pod〗

lo·bec·to·my [loubéktəmi] *n.* Ⓤ 〔醫〕 폐엽절제술(肺葉切除術).

lobed [lóubd] *a.* 〔植〕 잎 모양의 ; 천열(淺裂)의.

lo·be·lia [loubíːljə, -liə] *n.* 〔植〕 로벨리아《초롱꽃과(科)의 식물》.
〖M. de *Lobel* (d. 1616) 플랑드르의 식물학자〗

lob·lol·ly [láblàli] *n.* **1** 《方》 진한 죽 ; 《美方》 진창. **2** (미국 남부 지방산의) 소나무의 일종.
〖*lolly* (dial.) soup〗

lóblolly bòy[**màn**] *n.* 《英·美古》 해군 군의관의 조수.

lo·bo [lóubou] *n.* (*pl.* **~s**) (캐나다 삼림지대·미국 북서부산) 몸집이 큰 회색늑대.
〖Sp.<L LUPUS〗

lo·bot·o·mize [loubátəmàiz] *vt.* 〔醫〕 …에게 lobotomy를 해주다. **~d** *a.* lobotomy를 받은 ; 《비유》 생기 없는, 멍청한.

lo·bot·o·my [loubátəmi] *n.* 〔醫〕 대뇌의 백질(白質) 절단(술).
〖*lobe*, *-o-*, *-tomy*〗

lob·scouse [lábskàus] *n.* Ⓤ 고기·야채·비스킷 따위를 재료로 한 스튜《선원의 음식》.
〖C18<? *lob* (dial.) to boil, *scouse* broth〗

lob·ster [lɑ́bstər] *n.* 〔動〕 바닷가재, 로브스터《가재 비슷한 대형의 해산 갑각류의 총칭》; 검푸르나 끓이면 빨개짐; 미국에서는 뉴잉글랜드 특히 Main 주의 특산; cf. SHRIMP, PRAWN》; 닭새우(= spiny[rock] ~).
(as) red as a lobster (얼굴 따위) 새빨간.
── *vi.* 로브스터를 잡다.
〖OE *lopustre*＜L *locusta* lobster, LOCUST〗

lobster

lóbster-èyed *a.* 퉁방울눈의, 눈이 툭 불거진.
lóbster jòint *n.* (파이프 따위의) 자재 접합부.
lóbster·man [-mən] *n.* 로브스터 포획업자, 바닷가재 잡이[전문]의 어부.
lóbster pòt[tràp] *n.* 로브스터 잡이 통발.
lóbster shìft[trìck] *n.* 《美口》 (신문 기자의) 야간 근무.
lob·u·lar [lɑ́bjələr] *a.* 소열편(小裂片)의; 작은 잎 모양의. **~·ly** *adv.* 〖LOBULE〗
lob·ule [lɑ́bjuːl] *n.* 소열편(小裂片); 〔解〕 소엽(小葉); 귓불. 〖*lobe*, *-ule*〗
lób·wòrm *n.* 갯지렁이.
〖LOB² = pendulous object〗
LOC 〔軍〕 lines of communication (후방 연락선, 병참선).
‡**lo·cal** [lóukəl] *a.* **1** 장소의, 토지의. **2** 지방의[적인], 한 고장 특유의. 注 local은 「전역·전국」에 대한 「특정 지역의, 지방적」의 뜻이고, 수도에 대한 「지방의, 시골의」의 뜻인 provincial과 다름: the ~ press 지방신문. **3** (병 따위) 국소의, 국부의[적인]; (생각이) 좁은, 편협한: a ~ pain 국부적인 진통 / ~ anesthesia ☞ ANESTHESIA. **4** (전화가) 근거리의, 시내의; 동일 구내의, 「시내 배달」《봉투에 쓰는 주의 표시》; 〔컴퓨〕 구내의《통신회선을 통하지 않고 직접 채널을 통하여 컴퓨터와 접속된 상태》. **5** 〔鐵〕 (직행에 대하여) 단구간(短區間)의; 각 역마다 정차하는(cf. EXPRESS): a ~ train 각 정거장마다 정차하는 열차. **6** 〔數〕 궤적의.
── *n.* **1** 보통[완행] 교외열차(local train). **2** 지방민. **3** 지방 개업의사(= ~ **dóctor**). **4** (신문의) 시내 잡보, 지방 기사; 〔라디오·TV〕 (전국 방송이 아닌) 지방 프로그램. **5** 《美》 노동조합 지부; 지방 구단[팀]. **6** [the ~] 《英口》 근처의 술집[영화관]. 〖OF＜L (*locus* place)〗
lócal áction *n.* 〔法〕 속지적(屬地的) 소송《특정 지역에 관련된 원인에 의한 소송》; 국지 행위《불법 침입 따위; cf. TRANSITORY ACTION》.
lócal área nètwork *n.* 기업내[지역] 통신망 《略 LAN》.
lócal assémbly *n.* 지방 의회.
lócal authórity *n.* 《英》 지방 자치체.
lócal autónomy *n.* 지방 자치제.
lócal cáll *n.* 〔電話〕 시내 통화.
lócal cólor *n.* 지방색, 향토색; (그림 따위의) 부분적 색채.
lócal commúnity *n.* 지역 사회.
lócal cóntent bìll *n.* 《美》 = DOMESTIC-CONTENT BILL.
lócal cóntent legislàtion *n.* 로컬 콘텐트법, 자동차 부품 국내 조달법.
lo·cale [loukɑ́ːl, -kǽl] *n.* 현장, 장소〈*of*〉; (소설·영화 따위의) 무대.
〖F; ⇨ LOCAL; cf. MORALE〗
lócal examinátions *n. pl.* 《英》 지방 시행 시험《대학이 각 지방에서 행함》.
lócal góvernment *n.* 지방 자치; 《美》 지방 자치체(의 행정관들).
lócal góvernment dìstrict *n.* 《Can.》 주정부 직할지.
lócal gróup *n.* [때때로 L~ G~] 〔天〕 국부 은하군(局部銀河群).
lócal impróvement dìstrict *n.* 《Can.》 = LOCAL GOVERNMENT DISTRICT.
lócal inhábitants tàx *n.* 주민세.
lócal·ìsm *n.* Ⓤ **1** 지방적임, 지방색. **2** Ⓒ 지방 사투리, 방언. **3** 향토 편애, 지방 제일주의; 지방 근성, 편협. **-ist** *n.* **lò·cal·ís·tic** *a.*
lócal·ìte *n.* 그 고장 사람[주민].
lo·cal·i·ty [loukǽləti] *n.* **1** (어느) 장소; 산지; 토지, 지방, 현장: the ~ *of* a plant[a murder] 어떤 식물의 산지[살인 사건의 현장]. **2** Ⓤ (어떤 장소에) 있음, 장소에 대한 감각[육감]: have a good sense[bump] of ~ 장소에 대한 감각[육감]이 좋다, 길눈이 밝다.
lòcal·izátion *n.* Ⓤ 국한(局限); 지방 분권(分權); 지방화(化); 국지(局地) 해결; 위치 측정(測定): ~ of industry 〔經〕 산업의 지방 분산.
lócal·ìze *vt.* **1** 배치하다, 두다. **2** 한 지방[국부]으로 제한하다: ~ a disturbance 소동을 국부화시키다. **3** …에 지방적 특색을 부여하다, 지방화하다. **4** (주의를) 집중하다〈*upon*〉. ── *vi.* 특정한 지역에 모이다.
ló·cal·ìz·er *n.* 〔空〕 로컬라이저《계기 착륙용 유도 전파 발신기》.
lócal líne *n.* (철도의) 지방 노선(↔*main line*).
lócal·ly *adv.* 장소[그 고장]상, 위치적으로; 이[그] 땅에, 가까이에; 지방[국부]적으로; 지방주의로.
lócal nétwork *n.* 〔컴퓨·通信〕 기업내[지역] 정보 통신망.
lócal óption *n.* 지방 선택권《주류 판매 따위에 관해 지방 주민이 투표로 결정하는 권리》.
lócal préacher *n.* 지방 설교사《특정 지역에 한하여 설교가 허용된 평신도》.
lócal tíme *n.* 〔天〕 지방시(時), 현지 시간.
lócal véto *n.* (지방 주민의) 주류 판매 거부권.
lócal wár *n.* 국지전(局地戰).
lócal wínd *n.* 국지풍.
lócal yókel *n.* 《CB俗》 시(市) 경찰관《주(州) 경찰관 또는 고속도로 순찰자에 대해서》.
Lo·car·no [loukɑ́ːrnou] *n.* 로카르노《스위스 남동부의 도시》.
the Pact of Locarno = ***the Locarno Pact*** [***Treaty***] 로카르노 협정《1925년 영국·이탈리아·독일·프랑스·벨기에 사이에 체결된 안전보장조약》.
the spirit of Locarno 로카르노 정신《특히 독일·프랑스간의 숙원(宿怨) 포기를 말함》.
lo·cate** [lóukeit, -´] *vt.* **1** [+目+副 / +目+前+名] 《美》 **a)** 배속[배치]하다; (관청·점포 따위를) 두다, 정하다; (공장 따위를) 설립하다, (가게를) 차리다: *Where* is the new school to be ~*d*? 새 학교는 어디에 짓기로 되어 있습니까 / They ~*d* their new office ***on Main Street. 새로운 사무소를 중심가에 설치했다. **b)** [수동태로] 위치하고 있다, 있다(be situated): The country *is* ~*d* ***in*** the northern part of Europe. 그 나라는 북유럽에 있다. **2** (적진을) 탐색하다, 찾아내다(find out); 장소[위치]를 표시하다. ── *vi.* 《美》

거처를 정하다(settle). 〖L ; ⇨ LOCUS〗

lo·cat·er, -ca·tor [loukéitər, ´--] *n.* 《美》 토지[광구] 경계 설정자 ; 위치 탐사 장치, 청음기, 레이더(radiolocator).

***lo·ca·tion** [loukéiʃən] *n.* **1** Ⓤ 위치의 선정, 위치 설정. **2** 위치, 장소, 소재지 ; (어떤 목적을 위해 구획된) 장소, 부지 : a good ~ *for* the new school 새 학교에 알맞은 부지. **3** Ⓤ 〖映〗 야외 촬영(지), 로케이션 : be on ~ 야외 촬영중이다 / shoot ~ scenes 로케이션[야외 촬영]하다. **~·al** *a.* **~·al·ly** *adv.*

loc·a·tive [lákətiv] 〖文法〗 *a.* 처소격(處所格)의, 위치를 가리키는[나타내는].
— *n.* Ⓤ 처소격, 위치격(格)(의 말).
〖*vocative*에 준하여 LOCATE에서〗

locator ☞ LOCATER.

loc. cit. [lák sít] 《L》 =LOCO CITATO.

loch [lák, láx] *n.* 《스코》 호수 ; (좁은) 후미, 내포(內浦)(inlet). 〖Gael.〗

lo·chia [lóukiə, lák-] *n.* (*pl.* ~) 〖醫〗 오로(惡露) 《분만 후의 배설물》. **ló·chi·al** *a.*

Lóch Néss mónster *n.* [the ~] 네스 호(湖)의 괴수, 네시(Nessie)《스코틀랜드의 Ness호에 산다고 함》.

loci *n.* LOCUS의 복수형.

‡**lock**[1] [lák] *n.* **1** 자물쇠 ; 제륜(制輪) 장치 ; 총기의 발사 장치 ; 안전장치. **2** (레슬링에서의) 로크, 조르기. **3** 서로 뒤엉키기, 달라붙기 ; (교통혼잡으로) 움직이지 않는 상태, 정체. **4** 수문, 갑문(閘門)(= ~ gate) ; 〖機〗 기갑(氣閘)(=air ~) : a ~ keeper 수문지기. **5** 구치소, 유치장. **6** 《英》 성병 병원(=~ hospital).

keep*[*place*]*...under lock and key …에 자물쇠를 채워 두다.

lock, stock, and barrel 전부, 모조리 다《「총기의 각 부분 모두」의 뜻에서》.

on*[*off*] *the lock 자물쇠를 채우고[잠그고].

— *vt.* **1** …에 자물쇠를 잠그다 ; 채우다, 닫다(shut) : ~ a door, suitcase, *etc.* **2** [+目+副/+目+前+名] (물건을) 챙겨 넣다 ; 가두어 넣다 : He ~*ed* ***up*** the book before going away. 떠나기 전에 그 책을 챙겨 넣고 채워버렸다 / He usually ~*s* himself ***into*** his study. 그는 대개 혼자 서재에 틀어 박혀 있다. **3** [+目/+目+前+名/+目+副] **a**) 고착시키다 ; 바퀴를 못돌게 하다 : The fisherboat was ~*ed* ***in*** ice. 고깃배가 얼음에 갇혀서 움직일 수 없게 되었다. **b**) 맞물리게 하다, 맞물려 움직일 수 없게 하다 ; 맞잡다, 끌어안다 : The gears were ~*ed.* 기어가 얽혀서 움직이지 않았다 / She ~*ed* her arms ***about*** his neck. 그녀는 양팔로 그의 목을 껴안았다 / ~ one's fingers[arms] *together* 깍지끼다[팔짱끼다]. **4** …에 수문(水門)[갑문]을 설치하다 ; (배를) 수문을 통과시키다(convey)〈*up, down*〉.

〈회화〉
Are you sure the door is *locked* ? — Positive.
「문이 잠긴 것 틀림없니」「틀림없어」

— *vi.* **1** 자물쇠가 잠기다, 닫히다 : The door ~*s* automatically. 그 문은 자동적으로 잠긴다 / This suitcase won't ~. 이 여행가방은 도무지 잠기지 않는다. **2** (톱니바퀴 따위가) 움직이지 못하게 되다, 엉키다. **3** 수문을 통과하다.

lock away (자물쇠가 있는 상자·서랍 따위에) 챙겨 넣다 : The boy carefully ~*ed away* his toys. 그 소년은 장난감을 소중히 챙겨 넣었다.

lock in 가두어 넣다, 감금하다 ; 챙겨 넣다 : ☞ *vt.* 3.

lock out 내쫓다 ; (공장을) 폐쇄하다(cf. LOCKOUT) ; 해고시키다 : If I am not in by eleven o'clock, I shall be ~*ed out.* 11시까지 돌아가지 않으면 쫓겨난다.

lock up (1) …에 자물쇠를 굳게 채우다, 폐쇄하다 ; 감금하다 ; 챙겨 넣다(cf. *vt.* 2). (2) (자본을) 고정시키다 : He had all his capital ~*ed up in* the business. 그는 사업에 전자본을 투자했었다 / ~*ed up* capital 고정자본.
〖OE *loc* ; cf. G *Loch* hole〗

lock[2] *n.* **1** (머리의) 타래, (한 타래의) 말린 머리 ; (양털·면화의) 타래. **2** [*pl.*] 두발. **3** (양털·잡초 따위의) 소량, 한줌.
〖OE *locc* ; cf. G *Locke*, Du. *lok* curl〗

lóck·age *n.* Ⓤ,Ⓒ 수문설비 ; 수문의 구축[사용·개폐] ; 수문의 통과[통과세].

lóck-awày *n.* 《英》 장기 증권.

lóck·dòwn *n.* 《美》 (죄수의 감방 안으로의) 엄중한 감금 ; 구류 상태 ; 구류 기간.

Locke [lák] *n.* 로크. **John** ~ (1632-1704) 영국의 철학자.

Lock·e·an, -i·an [lákiən] *a.* John Locke(의 철학)의. — *n.* Locke 철학의 신봉자.

lócked-ín *a.* 고정된, 변경할 수 없는, 물러날 수 없는 ; (자본 이득이 생기면 과세되므로) 투자금을 움직일 수 없는[움직이지 않는].

lóck·er *n.* 자물쇠를 잠그는 사람[것] ; (자물쇠가 달린) 식기 찬장, 로커 ; 〖海〗 (선원 각자의 옷·무기 따위를 넣는) 궤, 상자.

have not a shot in the locker ☞ SHOT[1].

lócker pàper *n.* 냉동 식품용 포장지.

lócker plànt *n.* (유료) 냉동 식품 저장소.

lócker ròom *n.* (체육관·공장·클럽의) 라커 룸 《옷 따위를 넣어둠》.

lócker-ròom *a.* (탈의실에서 주고 받는) 추잡스런 《말·농담》.

lock·et [lákət] *n.* 로켓《소형 사진·머리털·기념품 따위를 넣어 시계줄이나 목걸이 따위에 다는 작은 금합(金盒)》.
〖OF (dim.) ‹ *loc* latch ; cf. LOCK[1]〗

lóck gáte *n.* 수문, 갑문.

Lock·heed [lákhiːd ; lɔ́k-] *n.* 《美》 록히드《비행기 제조 회사명》; 그 회사의 비행기.

lóck hòspital *n.* 《英》 성병(性病) 병원.

Lockian ☞ LOCKEAN.

lóck·ìn *n.* **1** 변경 불능이 됨, 움직이지 않게 됨, 고정화 ; 속박, 제약, 꼼짝 못함. **2** (항의 집단 따위가) 건물 따위를 점거함, 점거. **3** 감금, 연금.

lóck·ing *n.* (브레이크 댄스의) 로킹《매우 과장된 동작의 코미디 댄스》.

lóck·jàw *n.* Ⓤ 〖醫〗 (파상풍 초기의) 개구(開口) 장애 ; (널리) 파상풍(tetanus).

lóck·kèep·er *n.* 수문(水門)지기.

lóck·nùt [´, ´´] *n.* 〖機〗 로크 너트《(1) 다른 너트에 겹치는 보조 너트. (2) 세게 조이면 스스로 고정되는 너트》.

lóck·òn *n.* Ⓤ,Ⓒ 레이더 따위에 의한 자동 추적.

lóck·òut *n.* 공장 폐쇄, 로크아웃(cf. STRIKE) ; (일반적으로) 내쫓음.

lócks·man [-mən] *n.* 수문지기, 수문 관리인 (lockkeeper).

lóck·smìth *n.* 자물쇠 제조업자.

lóck·stèp *n.* (죄수 등의) 간격을 좁힌 일렬 행진 ; 고정된[융통성 없는] 방식. — *a.* 너무 엄격한, 융통성이 없는.

lóck·stìtch *n.* 재봉틀 박음질, 이중[겹] 박음질,

감침질.

lóck·ùp *n.* **1** 유치장, 구치소 ; 교도소 ; Ⓤ.Ⓒ 감금. **2** 폐문 시간. **3** (자본의) 고정 ; 고정 자본(액). —— *a.* 자물쇠를 채우는[채운].

lóck wàsher *n.* 〖機〗 로크[스프링] 와셔 ; 〖生〗 (전위에 의해 단백질 분자에 생기는) 나선 구조.

lo·co[1] [lóukou] *n.* (*pl.* **~s, ~es**) 로코풀《미국산의 독이 있는 콩과(科) 식물》; Ⓤ 로코풀 중독에 의한 가축의 뇌병(腦病) ; 《俗》 미친 사람. —— *vt.* 로코풀에 중독시키다 ; 《俗》 미치게 하다. —— *a.* (가축이) 로코풀 중독에 걸린 ; 《俗》 미친. 〖Sp.＝insane, crazy〗

loco[2] *n.* (*pl.* **~s**) 《口》 기관차(locomotive). —— *a.* 《口》 기관차의.

loco[3] *a., adv.* 〖樂〗 지정대로의 음역의[으로]. 〖It.〗

lo·co- [lóukou, -kə] *comb. form* 「이동」의 뜻. 〖L＝in the place ; ⇨ LOCUS〗

lo·co ci·ta·to [lóukou saitéitou, 美＋-táː-] *adv.* 그 인용문 중에, 상기 인용문 중《略 l.c., loc. cit.》. 〖L＝in the place cited〗

lóco disèase *n.* 〖獸醫〗 로코병(locoism).

Lo·co·fo·co [lòukəfóukou] *n.* (*pl.* **~s**) 〖美史〗 (1835년경의) 민주당 급진파(의 사람) ; (일반적으로) 민주당원 ; [l~] (예전에 쓰였던) 그으면 쉽게 점화되는 성냥. **~·ism** *n.*

lóco·ìsm *n.* 〖獸醫〗 로코병(loco disease) 《가축이 로코풀을 먹고 걸리는 신경병》.

lóco·man [-mən] *n.* 《英口》 철도원(員), (특히) 기관사.

lo·co·mo·bile [lòukəmóubəl, 美＋-biːl] *n.* 자동 추진차[기관]. —— *a.* 자동추진식의 ; 이동하는[할 수 있는] : a ~ crane 이동식 기중기.

lo·co·mote [lóukəmòut] *vi.* (특히 제힘으로) 움직여 다니다. 〖역성(逆成) ＜↓〗

lo·co·mo·tion [lòukəmóuʃən] *n.* Ⓤ 운동(력) ; 이동(력) ; 운전(력) ; 여행(travel) ; 교통 수단. 〖L *loco* (＜LOCUS), MOTION〗

***lo·co·mo·tive** [lòukəmóutiv] *n.* **1** 기관차(＝∠ **éngine**) (cf. ELECTROMOTIVE). **2** [*pl.*] 《英俗》 다리(legs) : Use your ~*s*! 걸어라. **3** 《美學生俗》 (천천히 약하게 시작하여 점차 빠르고 세어지는) 기관차식 응원법.
—— *a.* **1** 운동의, 이동하는 ; 자동 추진식의 ; 운전의 ; 운동[이동]성의, 이동력 있는 ; 여행의, 여행을 좋아하는 : a ~ tender 탄수차(炭水車) / a ~ engineer 《美》 기관사(＝《英》 engine driver) / the ~ organs 이동 기관《발 따위》. **2** 경제 성장을 촉진하는, 경기 자극적인.

lo·co·mo·tor [lòukəmóutər] *n.* 운동[운전]력이 있는 것[사람] ; 이동 발동기 ; 이동물.
—— [, ∠-∠-] *a.* 전위(轉位)의, 이동하는 ; 운전의.

locomótor atáxia *n.* 〖醫〗 보행성(性) 운동 실조(증).

lo·co·mo·to·ry [lòukəmóutəri] *a.* 운동[이동]하는[에 관한] ; (몸의) 운동 기관의.

lóco·wèed *n.* 〖植〗 로코풀(crazyweed)《미국 남서부 평원에 많은 콩과의 식물 ; 가축에 유해》.

loc·u·lus [lákjələs] *n.* (*pl.* **-li** [-lài, -lìː]) **1** 〖動·解·植〗 실(室), 포(胞), 방(房). **2** 고분(古墳)안의 현실(玄室). 〖L〗

lo·cum [lóukəm] *n.* 《口》 ＝LOCUM TENENS.

lócum-té·nen·cy [-tíːnənsi, -tén-] *n.* 대리로서의 직무, 대리 자격.

lócu té·nens [-tíːnenz, -ténənz] *n.* (*pl.* **lócum te·nén·tes** [-tinéntiːz]) 임시 대리인, (특히) 대리 목사 ; 대진(代診). 〖L＝(one) holding place〗

lo·cus [lóukəs] *n.* (*pl.* **lo·ci** [lóusai, -kai, -kiː], **lo·ca** [lóukə]) **1** 현장, 장소, 위치, 소재지 ; 중심(지). **2** 〖機〗 궤적(軌跡). 〖L＝place〗

lócus clás·si·cus [-klǽsikəs] *n.* (*pl.* **lo·ci clas·si·ci** [lóusai klǽsəsài, -kai klǽsəkài, -kiː klǽsəkìː]) 표준구(句), 전거가 있는 구(句). 〖L〗

lo·cus in quo [lɔ́ːkəs in kwóu] *n.* (사건의) 현장, 현위치. 〖L〗

lócus stán·di [-stǽndi, -dai] *n.* (*pl.* **lóci stán·di**) 인정된 입장 ; 〖法〗 제소권. 〖L〗

lo·cust [lóukəst] *n.* **1** 메뚜기, 방아깨비 ; 걸신들린 것처럼 먹는 사람, 파괴적인 인물. **2** 《美》 매미(cicada). **3** 〖植〗 (북미산의) 아카시아의 일종 ; 유럽 콩나무《쥐엄나무 비슷한 상록 교목》. 〖OF＜L (*locusta* locust, LOBSTER)〗

lócust bèan *n.* 〖植〗 CAROB의 깍지.

lócust yèars *n. pl.* 궁핍한 세월.

lo·cu·tion [loukjúːʃən] *n.* Ⓤ 말씨, 말투 ; 어법, 화술(話術), 표현 ; Ⓒ 관용어법, 숙어(idiom). 〖OF or L (*locut- loquor* to speak)〗

locútion·àry [; -əri] *a.* 〖言〗 발어(發語)의《발화(發話)의 물리적 행위에 관한 것을 말함》.

locútionary áct *n.* 〖言〗 발화 행위.

loc·u·to·ry [lákjətɔ̀ːri ; -təri] *n.* (수도원 따위의) 담화실 ; (수도원의) 면회용 격자창.

lode [lóud] *n.* (암석의 갈라진 틈을 메운) 광맥 ; 풍부한 원천 ; 《英方》 수로. 〖LOAD〗

lo·den [lóudn] *n.* Ⓤ 두꺼운 방수포(防水布) ; 암녹색.

lode·star, load- [lóudstàːr] *n.* **1** 길잡이가 되는 별 ; [the ~] 북극성. **2** 희망[주목]의 대상, 지표, 지침.

lodestone ☞ LOADSTONE.

lodge** [ládʒ] *vi.* [＋副/＋前＋名] **1** 숙박[투숙]하다, 묵다 ; 하숙[기숙]하다 : We ~*d there* that night. 그날 밤은 그곳에서 묵었다 / He is *lodging* ***at Mrs. Wilson's[***with*** Mr. and Mrs. Wilson]. 윌슨 부인집[윌슨 부부의 집]에 하숙하고 있다. **2** (탄알 따위가 몸속에) 박히다, 들어가다 ; (화살 따위가) 꽂히다 : The bullet has ~*d* ***in*** his lung. 총알이 그의 폐에 박혔다. **3** (농작물이 바람에) 쓰러지다. —— *vt.* **1 a)** 숙박[투숙]시키다 ; 하숙시키다 : Can you board and ~ me? 하숙시켜 주시겠습니까. **b)** [수동태로] [＋目＋副] (방의) 설비가 좋다[나쁘다] : The hotel is *well*[*ill*] ~*d.* 그 호텔은 설비가 좋다[나쁘다]. **2** [＋目/＋目＋前＋名] **a)** (탄알 따위를) 쏘아 박다 ; (화살을) 꽂다 : The explorer ~*d* a bullet ***in*** the tiger's heart. 탐험가는 호랑이의 가슴에 탄알을 쏘아 박았다. **b)** 맡기다(deposit) : ~ money ***in*** a bank [***with*** a person] 돈을 은행에[남에게] 맡기다. **c)** (고소장·신고서 따위를) 제출하다, 내다 ; (반대 따위를) 제기하다 : I ~*d* a complaint *against* him ***with*** the police. 그에 대하여 경찰에 고소를 제기하였다. **d)** (권한 따위를) 위임하다 : ~ power ***in*** [***with,*** *in* the hands of] a person 남에게[의 손에] 권한을 위임하다. **3** (바람이 농작물을) 쓰러뜨리다. —— *n.* **1** 《古》 오두막집, 조그만 집. **2 a)** (대저택·공원·대학·공장 따위의) 문지기집, 수위실. **b)** (수렵기 따위에 사용하는) 별장, 「오두막집」. **c)** 《美》 (유흥지 따위의) 여관, (관광)호텔. **3** 《英》 (Cambridge 대학 따위의) 학장 관사(cf. LODGING 3). **4** (공제조합·비밀결사 따위의) 지방 지부(의 집회소), [집합적으로] 지부 회원들. **5** (북미 인디언의) 천막집. **6** 비버

[수달]의 굴.
〚OF *loge* arbor²<L *lobia*<Gmc. (⇨ LEAF) ; cf. LOBBY와 이중어〛

lodg·er [ládʒər] *n.* 숙박인, 하숙인, 동거인, 세들어 사는 사람 : take in ~*s* 하숙을 치다.

lodg·ing [ládʒiŋ] *n.* **1** Ⓤ 하숙 ; 숙박 : board and ~ 식사 딸린 하숙 / dry ~ 식사없이 잠만 자는 하숙 / ask for a night's ~ 하룻밤 묵어가기를 청하다. **2** 주소, 숙소 ; [*pl.*] 셋방, 하숙방 : live in ~*s* 셋방살이를 하다. **3** [보통 *pl.*] 《英》 (Oxford 대학의) 학장 관사(cf. LODGE *n.* 3).
find* (*a*) *lodging for the night 하룻밤 묵을 곳을 구하다[이 생기다].
make* [*take* (*up*)] *one's lodgings 하숙하다.

lódging hòuse *n.* (주로 식사 없는) 하숙집(㊟ BOARDINGHOUSE보다 격이 낮음).

lódging-ròom *n.* 침실(bedroom).

lódging tùrn *n.* 〖鐵〗 (승무원이 도착역에서 1박하는) 외박 근무.

lodg·ment | lodge- [ládʒmənt] *n.* **1** 숙박 ; 숙소, 하숙. **2** 〖軍〗 점령, 점령 후의 응급 방어 공사 ; 거점, 발판 ; 안정된 지위. **3** (토사 따위의) 퇴적, 침전. **4** (항의 따위의) 제기 ; 〖法〗 (담보 따위의) 공탁 ; 예금.
effect* [*find, make*] *a lodgment 진지를 점령하다, 발판을 마련하다.

lo·ess [lóuəs, lés, lʌ́s, lɔ́:s] *n.* 〖地質〗 뢰스(미시시피 강·라인 강 유역, 중국 북부 등지의 풍적 황토). **~·i·al, ~·al** *a.*
〚Swiss G=loose〛

L. of C. 〖軍〗 line of communication (병참선).

lo-fi [lóufái] 《口》 *a.* (녹음 재생이) 하이파이가 아닌, 충실도가 낮은. ── *n.* (녹음 재생의) 저충실도, 로파이. 〚*low-fi*delity〛

loft [lɔ́(:)ft, láft] *n.* **1** 고미다락(attic) ; (헛간·마구간의) 다락(짚·건초 따위를 저장함) ; (교회·회관·강당 따위의) 상층, 위층의 관람석(gallery) ; 《美》 (창고·공장 따위의) 위층. **2** 비둘기장(pigeon house) ; [집합적으로] 비둘기떼. **3** 〖골프〗 로프트(골프채 머리 뒤쪽의 경사진 부분) ; (공을) 올려치기. ── *vt.* **1** 고미다락에 저장하다 ; 비둘기장에 넣다[넣어 기르다]. **2** 〖골프〗 (공을) 높이 쳐올리다. ── *vi.* 공을 높이 올리다 ; 치솟다.
〚OE<ON=air, upper room ; ⇨ LIFT〛

LOFT [lɔ́(:)ft, láft] *n.* 〖天〗 저주파 전파 망원경(0.5-1 MHz의 주파수대의 전파 관측을 함).
〚*lo*w *f*requency radio *t*elescope〛

lóft àrtist *n.* 창고 위층을 아틀리에로 쓰고 있는 예술가[화가].

lóft bómbing *n.* 〖空〗 로프트 폭격법(비행기의 안전을 위해 저공으로 접근했다가 급상승하며 폭탄을 투하).

lóft·er *n.* 〖골프〗 로프터(올려칠 때 사용하는 머리가 쇠로 된 골프채(☞ IRON 2 c)).

lóft jàzz *n.* 창고·다락방에서 연주되는 참신하고 반(反)상업적인 재즈.

lófty *a.* **1** 매우 높은, 우뚝 솟은(towering). **2** 고상한, 고원한 ; 당당한. **3** 거만한 : ~ contempt [disdain] 남을 거들떠 보지도 않는 거만한 태도.
lóft·i·ly *adv.* 높게 ; 고상하게 ; 거만하게.
-i·ness *n.*
類義語 ⟹ HIGH.

***log**¹ [lɔ́(:)g, lág] *n.* **1** 통나무 ; 장작 ; 《비유》 동작이 느린 사람 : ☞ KING LOG / in the ~ 통나무 채로. **2** 〖海〗 측정기(測程器)(항행중의 배의 속력을 잼) : heave [throw] the ~ 측정기를 투입하다, 배의 속력을 재다. **3 a)** 〖海·空〗 항해[항공]일지. **b)** (엔진 따위의) 공정(工程)일지 ; (실험 따위의) 기록 ; 여행일지. **4** 〖컴퓨〗 로그(전자 계산기의 입출력 정보 따위를 기록한 데이터).
(***as***) ***easy as rolling off a log*** 아주 쉬운 ; 매우 간단한.
roll logs for a person 동료를 위하여 원조하다 ; 동료끼리 칭찬하다(cf. LOGROLL).
Roll my log and I'll roll yours. 네가 나를 도와 준다면 나도 너를 도와 주겠다.
sleep like a log 곯아 떨어지다.
── *v.* (**-gg-**) *vt.* **1** 통나무로 자르다 ; (재목을) 베어내다. **2** 〖海〗 …의 항정(航程)을 기입하다, 항해일지에 기입하다. **3** (공정(工程) 따위를) 기록하다. **4** (배·비행기로 예정된 속도를) 나가다, (어떤 시간·거리)의 기록을 달성하다. ── *vi.* 통나무를 잘라내어 반출하다.
log in (컴퓨터에) 등록하다, 기록하다.
〚ME<? Scand. (ON *lāg* fallen tree)〛

log² *n.* =LOGARITHM.

log- [lɔ́(:)g, lág], **logo-** [lɔ́(:)gou, lág-, -gə] *comb. form* 「말」「이야기」「사고(思考)」의 뜻(모음 앞에서는 log-). 〚Gk. (LOGOS)〛

-log [lɔ̀(:)g, làg] ☞ -LOGUE.

log. logic ; logistic.

lo·gan·ber·ry [lóugənbèri ; -bəri] *n.* 〖植〗 로건베리(raspberry와 blackberry와의 잡종). 〚James H. *Logan* (d. 1928) 미국의 재판관·원예가〛

logan stone ☞ LOGGAN STONE.

log·a·rithm [lɔ́(:)gəriðəm, lág-] *n.* 〖數〗 로그, 대수(對數) : a table of ~*s* 로그표.
lòg·a·ríth·mic, -mi·cal *a.* **-mi·cal·ly** *adv.*
〚NL (Gk. *logos* reckoning, *arithmos* number) ; 1614년 J. Napier의 조어(造語)〛

logaríthmic fúnction *n.* 〖數〗 로그 함수.

logaríthmic scále *n.* 로그자 ; 로그 눈금.

lóg·bòok *n.* =LOG¹ 3.

lóg càbin *n.* 통나무집.

lóg chìp *n.* 〖海〗 측정판(測程板).

loge [lóuʒ] *n.* (극장의) 우대석, 특별 관람석.
〚F ; cf. LODGE〛

lóg·gan [**lóg·an**] **stòne** [lágən(-)] *n.* 흔들 바위. 〚*logan*=(dial.) *logging* rocking〛

logged [lɔ́(:)gd, lágd] *a.* **1** 《美》 통나무로 만든. **2** (재목·배 따위가) 물에 젖어 무거워진 ; (땅이) 질퍽질퍽한.

lóg·ger *n.* 《美》 나무꾼 ; 통나무 적재기(積載機) ; 통나무 운반용 트랙터 ; 자동 기록기.

lógger·hèad *n.* **1** 《古》 얼간이, 바보. **2** 〖動〗 바다거북(=~ **tùrtle**) ; 〖鳥〗 (북미산의) 때까치의 일종. **3** (보트의) 밧줄을 감는 기둥.
at loggerheads with …와 사이가 틀어져.
fall* [*get, go*] *to loggerheads 서로 치고받기 시작하다.
〚? *logger* (dial.) wooden block〛

log·gia [lóudʒiə, ládʒə, 美+lɔ́:-] *n.* (*pl.* **~s, -gie** [-dʒei]) 〖建〗 로지아(이탈리아 건축 양식에 특유한 한쪽에 벽이 없는 방 또는 복도 혹은 거실).
〚It.=LODGE〛

loggia

lóg·ging *n.* Ⓤ 목재(木材)를 베어내기 ; 벌목량(伐木量).

lóg hòuse *n.* =LOG CABIN.

logia *n.* LOGION의 복수형.

***log·ic** [ládʒik] *n.* **1** Ⓤ 논리학 ; Ⓒ 논리학 서적 : deductive[inductive] ~ 연역(演繹)[귀납(歸納)] 논리학. **2** Ⓤ 논리, 논법 ; 바른 논리, 조리 ; 이치로 따지기, 왈가왈부하지 못하게 하는 힘, 위력 : special ~ (어떤 특별한 사물에 대한) 특별 논법 / the ~ of events[facts] 사건[사실]의 필연성, 필연적인 인과(관계). **3** 〖컴퓨〗 논리《컴퓨터 회로 접속 따위의 기본 원칙, 회로 소자의 배열》.
chop logic ☞ CHOP[3].
〚OF<L<Gk.=pertaining to reason (LOGOS)〛

***lóg·i·cal** *a.* 논리학(상)의, 논리(상)의 ; 논리적인 ; 분석적인, 연역적인 ; (논리상) 필연의 ; 〖컴퓨〗 논리(회로)의. **~·ness** *n.* **~·ly** *adv.* 논리상, 논리적으로 ; 필수적으로.
〚L (↑)〛

lógical átomism *n.* 〖哲〗 논리적 원자론《모든 명제(命題)는 독립된 단일 요소로 분석할 수 있다는 이론》.

log·i·cal·i·ty [làdʒəkǽləti] *n.* Ⓤ 논리에 부합됨, 논법[추리]의 정확함.

lógical lánguage *n.* 논리형 언어.

lógical operátion *n.* 〖컴퓨〗 논리 연산.

lógical pósitivism[empíricism] *n.* 〖哲〗 논리적 실증주의.

lógic ànalyzer *n.* 〖電子〗 조직 애널라이저《논리 IC, 마이크로프로세서 따위의 논리 회로가 바로 동작하고 있는가를 조사하는 시험 장치》.

lógic círcuit *n.* 〖컴퓨〗 논리 회로.

lo·gi·cian [loudʒíʃən, 英+lɔ-] *n.* 논리학자.

log·i·co- [ládʒikou, -kə] *comb. form* 「논리(학)」의 뜻.

lo·gie [lóugi] *n.* (연극에서 쓰는) 가짜 보석.

lo·gi·on [lóugiàn ; lɔ́g-] *n.* (*pl.* **lo·gia** [-giə], **~s**) 성전(聖典) 외의 그리스도의 어록(語錄) ; (종교가·현인 등의) 명언(名言), 금언(金言).
〚Gk. (dim.) ‹ LOGOS〛

-lo·gist [-lədʒəst] *n. suf.* 「…학자」「연구자」의 뜻 : geo*logist.* 〚*-logy, -ist*〛

lo·gis·tic[1], **-ti·cal**[2] [loudʒístik(əl), 英+lɔ-] *a.* 기호 논리학의 ; 논리학의, 논리주의의 ; 〖數〗 산정(算定) 곡선의. —— *n.* [-tic] 기호 논리학 ; 논리 계산 ; 《稀》 산술(算術), 계산법.

lo·gis·tics [loudʒístiks, 英+lɔ-] *n.* [단수·복수취급] 〖軍〗 병참학 ; 후방[병참]근무《수송·숙영(宿營)·식량 따위에 관한 사무》.
lo·gís·tic[2], **-tical**[2] *a.*
〚F (*loger* to lodge)〛

lóg·jàm *n.* 《美》 (강에 떠내려가 한군데로 모인) 통나무의 몰림 ; 막다름(deadlock) ; 정지, 봉쇄.

lóg lìne *n.* 〖海〗 측정선(測程線).

logo [lɔ́(:)gou, lág-] *n.* (*pl.* **lóg·os**) 《口》 심볼 마크[표지, 의장, 상표](의 합자활자) ; 모토, 표어.
〚*logo*type〛

LOGO, Logo [lɔ́(:)gou, lág-] *n.* 〖컴퓨〗 로고《turtle을 사용하는 graphics나 재귀(再歸)명령의 사용 따위를 특징으로 하는 프로그래밍 언어 ; 주로 교육·인공지능 연구용》.

logo- [lɔ́(:)gou, lág-, -gə] ☞ LOG-.

lògo·céntrism *n.* 로고스 중심주의《문자언어를 경시하고 음성언어를 중시하는 태도》.

lóg·òff *n.* 〖컴퓨〗 단말(端末)의 사용을 끝내는 기계 조작의 순서, 접속끝.

lógo·gràm *n.* 어표(語標)《dollar를 $로 표시하는 따위》 ; 약호《shilling을 s.로 표시하는 따위》 ; 속기용 약자.

lògo·gram·mát·ic *a.*

lógo·gràph *n.* =LOGOGRAM ; 〖印〗 =LOGOTYPE.

lo·gog·ra·pher [lougágrəfər, 英+lɔ-] *n.* (헤로도투스 이전의 그리스의) 산문 사가(史家) ; (직업적) 연설 기초자.

lógo lìne *n.* =TAG LINE.

lo·gom·a·chy [lougáməki, 英+lɔ-] *n.* 언쟁, 말다툼, 설전 ; 글자 맞추기 놀이.

lògo·mánia *n.* =LOGORRHEA.

lóg·òn *n.* 〖컴퓨〗 단말(端末) 사용에 있어 메인 컴퓨터에 접속하기 위한 여러가지 조작의 순서, 접속시작.

lògo·phóbia *n.* Ⓤ 언어 공포[불신].

log·or·rhea [lɔ̀(:)gəríːə, làg-] *n.* 〖醫〗 (지리 멸렬한) 병적 요설(饒舌). **lòg·or·rhé·ic** *a.*

lo·gos [lóugas, -gous ; lɔ́gɔs] *n.* (*pl.* **lo·goi** [-gɔi]) [L~] 〖聖〗 하나님의 말씀(the Word) ; (삼위일체의 제2위인) 그리스도(Christ) ; [보통 L~] 〖스토아哲〗 이성, 로고스. 〚Gk.=reason, discourse, word (*lego* to speak, choose)〛

lògo·thérapy *n.* 〖精神醫〗 로고치료《실존 분석적 정신 요법》.

logo·type [lɔ́(:)gətàip, lág-] *n.* 〖印〗 합자활자(合字活字)《in, an 따위 한 단어 또는 한 음절을 하나로 주조한 활자 ; cf. LIGATURE》.
〚Gk. *logos* word, TYPE〛

lóg·ròll *vt.* 《원래 美》 (의안을) 협력하여 통과시키다. —— *vi.* **1** 서로 돕다, 서로 칭찬하다. **2** 통나무 굴리기에 참가하다. **~·er** *n.* 협력하여 의안을 통과시키는 의원. 〚역성(逆成) ‹ ↓〛

lóg·ròll·ing *n.* Ⓤ (협력해서 하는) 통나무 굴리기 ; 결탁 ; 서로 칭찬하기 ; (일반적으로) 협력.

-logue, -log [lɔ̀(:)g, làg] *n. suf.* 「이야기」「편찬」「연주」「연구생」의 뜻 : cata*logue,* pro*logue.*
〚F ; ⇨ LOGOS〛

lóg·wòod *n.* 〖植〗 로그우드 《콩과의 작은 교목》.

lo·gy [lóugi], **log·gy** [, lági] *a.* 《美》 (동작·머리가) 굼뜬, 멍청한 ; 둔한 ; 탄력 없는.
〚? Du. *log* heavy〛

-lo·gy [-lədʒi] *n. suf.* **1** 「말하기」「말」「담화」의 뜻 : eu*logy* ; tauto*logy.* **2** 「학문」「…론」「…학」의 뜻 : geo*logy* ; philo*logy.*
〚F or L or Gk. *-logia* ; ⇨ LOGOS〛

loid [lɔ́id] *n., vt.* 《俗》 셀룰로이드 조각(으로 자물쇠를 열다). 〚cellu*loid*〛

loin [lɔ́in] *n.* **1** [*pl.*] 허리(부분). **2** Ⓤ (짐승의) 허리고기 : ~ of mutton 양의 허리고기. **3** [*pl.*] 음부, 생식기, 《詩》 자궁.
be sprung from a person***'s loins*** 어떤 사람의 자식으로 태어나다.
fruit[child] of one***'s loins*** 자기의 자식.
gird up one***'s loins*** ☞ GIRD[1].
〚OF (L *lumbus*)〛

lóin·clòth *n.* 음부(陰部)를 가리는 띠, 들보, 허리에 두르는 천.

loir [lɔ́iər, lwáːr] *n.* 〖動〗 유럽산(産) 큰겨울잠쥐.
〚F<L〛

Loire [*F* lwaːr] *n.* [the ~] 루아르 강《프랑스 최대의 강》.

Lo·is [lóuəs] *n.* 여자 이름. 〚Gk.〛

loi·ter** [lɔ́itər] *vi.* [動/+前+名] 빈둥거리다, 빈들빈들 걷다 ; 늑장부리다, 헛되이 시간을 보내다 (loaf) : Don't ~ ***on your way home from school. 학교에서 돌아오는 길에 헛되이 시간을 보내서는 안된다. —— *vt.* [+目+副] 빈들빈들 살다, 하는 일 없이 시간을 보내다 : The prisoners ~*ed away* their time. 죄수들은 하는 일 없이 시

간을 보냈다. **~·ing·ly** *adv.* 빈둥[꾸물]거리며. 〖MDu. *loteren* to wag about〗
類義語 (1) ***loiter*** 아무런 목적도 없이 또는 빈둥거리며 돌아다니다 ; 헛되이 시간을 보내는 것을 암시함 : *loiter* around till late (늦게까지 할일없이 헤매다). ***dawdle*** 쓸데없는 일에 시간을 낭비하여 작업이 진척되지 않다 : Don't *dawdle* over your coffee. (커피를 마시는데 너무 시간을 낭비하지 마라). ***dally*** 부질없는 일에 시간을 낭비하다 : He *dallied* away the afternoon. (오후를 빈둥빈둥 보냈다). ***idle*** 평소[여느 때처럼] 일을 게을리하다, 또는 몸을 움직이지 않다 : Don't *idle* away your time. (너의 (귀중한) 시간을 허비하지 마라).
(2) ⟹ LINGER.

Lo·ki [lóuki] *n.* 〖北유럽神〗 로키《불화·파괴·재난의 신》.

Lok Sa·bha [lóuk səbɑ́ː] *n.* (인도 국회의) 하원 (the House of the People).

Lo·la [lóulə], **Lo·le·ta** [loulíːtə] *n.* 여자 이름 《Charlotte, Dolores의 애칭》. 〖Sp.〗

loll [lɑ́l] *vi.* **1** [+副] (혀 따위가) 축 늘어지다 : The dog let its tongue ~ ***out***. 개는 혀를 축 늘어뜨렸다. **2** [+前+名/+副] 축 늘어져 기대다 ; 빈들거리다 : ~ ***in*** a chair[***on*** a sofa, ***against*** a wall] 의자[소파, 벽]에 축 늘어져 기대다 / They were ~*ing* ***about*** on the grass. 초원의 여기저기에서 한가로이 쉬고 있었다. ── *vt.* **1** [+目+副] (혀를) 축 늘어뜨리다 : I saw the dog ~*ing* its tongue ***out***. 그 개가 혀를 축 늘어뜨리고 있는 것을 보았다. **2** (머리·손발 따위를) 힘없이 늘어뜨리다[내밀다]. ── *n.* 《古》 축 늘어져 기대기 ; (동물이) 혀를 축 늘어뜨리기. 〖ME< ? imit. ; cf. MDu. *lollen* to doze〗

lollapalooza, -sa ☞ LA(L)LAPALOOZA.

Lol·lard [lɑ́lərd] *n.* 〔英宗史〕 14-15세기에 걸친 Wycliffe파의 교도. **~·ism, ~·ry, ~·y** *n.* Ⓤ 위클리프주의《Wycliffe가 주창한 종교적 혁신 사상》. 〖MDu.=mumbler (*lollen* to mumble)〗

lól·ling·ly *adv.* 축 늘어져 ; 빈둥거려, 느긋하게.

lol·li·pop, -ly- [lɑ́lipɑ̀p] *n.* [보통 *pl.*] (막대기에 붙인 딱딱한) 사탕과자 ; 《英》 아동(兒童) 교통 정리원이 갖고 있는 교통 지시판. 〖? *lolly* (dial.) tongue, POP[1]〗

lóllipop màn *n.* 《英口》 아동 교통 정리원.

lóllipop wòman *n.* 《英口》 주부 교통 정리원.

lol·lop [lɑ́ləp] *vi.* 《口》 **1** 느릿느릿[터벅터벅] 걷다. **2** 튕기듯 나아가다. ── *n.* 《美俗》 **1** 강타. **2** (음식의) 고봉. 〖? *loll*, *-op* (gallop, trollop 따위의 어미)〗

lol·ly [lɑ́li] *n.* **1** 《英口》 =LOLLIPOP. **2** 《濠》 단 과자. **3** 한턱 내기 ; 촌지(寸志) ; Ⓤ 《英俗》 돈. ***do the***[one's] ***lolly*** 《濠口》 짜증내다.

Lolly *n.* 여자 이름《Laura의 애칭》.

lol·ly·gag [lɑ́ligæ̀g] *n.* =LALLYGAG.

lollypop ☞ LOLLIPOP.

lólly wàter *n.* 《濠口》 (착색) 청량 음료.

Lo-Lo [lóulóu] *n.* 수직형 하역 방식《크레인·데릭(derrick)을 사용하는 컨테이너선의 하역 방식》. 〖*l*ift on, *l*ift off〗

Lom·bard [lɑ́mbərd, -bɑːrd, lʌ́m-] *n.* **1 a)** 〔史〕 (6세기에 이탈리아를 정복한 게르만 민족인) 롬바르드족(族)의 사람. **b)** Lombardy 인. **2** 금융업자, 은행가. ── *a.* Lombardy (인)의.
Lom·bár·di·an [lɑmbɑ́ːr-, lʌm-] *a.*
〖MDu. or OF<It.<L<Gmc.〗

Lom·bar·dic [lɑmbɑ́ːrdik, lʌm-] *a.* Lombardy (인)의 ; (미술·건축 따위) Lombardy식의.

Lómbard Strèet *n.* 롬바드가(街)《영국 London의 은행가 ; cf. WALL STREET, THROGMORTON STREET》; 런던의 금융계 ; (일반적으로) 금융계[시장].
Lombard Street to a China orange 《비유》 확실한 일, 틀림없는 일.

Lom·bar·dy [lɑ́mbərdi, -bɑːr-, lʌ́m-] *n.* 롬바르디아《이탈리아 북부의 주(州) ; 주도 Milan》.

Lómbardy póplar *n.* 〔植〕 서양포플러.

Lo·mé [louméi] *n.* 로메《Togo 공화국의 수도》.

Lomé Convention [⌐-⌐] *n.* 로메 협정《1975년 토고의 Lomé에서 체결된 EEC와 ACP 제국간의 경제발전 원조 협정》.

Lo·mond [lóumənd] *n.* [Loch ~] 로먼드 호《스코틀랜드 서부의 호수》.

Lom·o·til [lɑ́mətìl, lóu-] *n.* 로모틸《설사약의 하나 ; 특히 여행자용 ; 상표명》.

lon. longitude. **Lond.** London ; Londonderry.

Londin:, London : *Londiniensis* (L) (=of London)《Bishop of London의 서명에 쓰임 ; cf. CANTUAR :》.

◇Lon·don [lʌ́ndən] *n.* **1** 런던《영국 남동부의 항구도시 ; 잉글랜드 및 영국의 수도》. **2 Jack ~** (1876-1916) 미국의 작가.
~·er *n.* 런던 사람. **~·ìze** *vt.*

Lóndon Áirport *n.* 런던 공항《Heathrow Airport의 통칭》.

Lóndon Brídge *n.* the City of London과 템스강 남안 지구를 잇는 다리.

Lóndon bróil *n.* 〔料〕 런던 브로일《소의 옆구리살을 구운 스테이크 ; 비스듬히 얇게 썰어 내놓음》.

Lóndon Cóunty Cóuncil *n.* [the ~] 런던 시의회《1965년 이후는 Greater London Council ; 略 L.C.C.》.

Lon·don·der·ry [lʌ́ndəndèri, ⌐-⌐-] *n.* 북아일랜드의 주 ; 그 주도.

Lóndon·ìsm *n.* Ⓤ 런던풍(風)[사투리·말씨].

Lóndon ívy *n.* [the ~] (예전의) 런던의 짙은 안개[연기].

Lóndon partícular *n.* [the ~] (예전의) 런던의 명물《짙은 안개》.

Lóndon príde *n.* 〔植〕 웅달바위취《범의귀과》.

lóndon smóke *n.* [때로 L~] 우중충한 잿빛.

lone [lóun] *attrib. a.* 《文語》 고독한, 쓸쓸한, 허전한 ; 독신의, 미망인의 《여자》 ; 고독을 사랑하는 ; 적적한 ; 인적이 드문 ; 단 하나의 : a ~ flight 단독 비행 / ☞ LONE WOLF. ── *n.* [다음 숙어로] (***on***[***by***]) one's ***lone*** 혼자만(으로), 단독(으로), 혼자서.
〖*alone*〗
類義語 ⟹ ALONE.

lóne hánd *n.* 〔카드놀이〕 자기편의 도움없이 이길 수 있는 유리한 패(를 가진 사람) ; 단독 행동(을 하는 사람) : play a ~ 단독 행동을 하다.

◇lóne·ly *a.* **1** 고독한, 고립된, 외톨이의 ; 적막한, 허전한 : She felt ~. 고독했다 / I was ~ *for* my family. 가족이 그리워했다. **2** 인적이 드문.
lóne·li·hòod, -li·ness *n.* 쓸쓸함, 적막 ; 외로움, 고립.
類義語 ⟹ ALONE.

lónely héarts *n. pl., a.* 친구[배우자]를 구하는 고독한 (중년의) 사람들(의).

lónely páy *n.* 《美俗》 (자동화에 따른 노동 시간 감소 때문에 생기는) 수입 감소를 보충하기 위한 임금 인상.

lon·er [lóunər] *n.* 《口》 혼자 있는[있고 싶어하는]

사람[동물]; 단독 행동하는[자립적인] 사람.

Lóne Ránger *n.* [the ~] 론 레인저《미국 서부의 치안을 위해 활약하는 라디오·텔레비전·영화 따위의 주인공》.

***lóne·some** *a.* **1** 《주로 美》 쓸쓸한, 외로운; 고독한: be ~ *for...* (가족 등)을 그리워하다. **2** 인적이 드문. **~·ly** *adv.* **~·ness** *n.*

類義語 ⟹ ALONE.

Lóne Stár Státe *n.* [the ~] 미국 Texas 주(州)의 속칭. 〖주기(州旗)의 하나의 별에서〗

lóne wólf *n.* 《美口》 혼자서 행동하는 사람.

◇**long**[1] [lɔ́(:)ŋ, láŋ] *a.* (**~·er** [-ŋg-]; **~·est** [-ŋg-]) **1 a**) (길이·거리·시간 따위가) 긴(↔*short*): a ~ hit 〔野〕 장타(長打) / ~ years 다년간 / of ~ standing 오래 계속된, 오랫동안의 / How ~ is the ladder? 그 사다리는 얼마나 깁니까 / It will be[not be] ~ before we know the truth. 진상은 여간해서 모를 것이다[얼마 안가서 알 것이다].

> **it not long before**의 문장 전환
> *It will not be long before* we shall meet again.
> → We shall meet again *before long.*
> → We shall meet again *soon.*
> (가까운 장래에 또 만나게 될 것입니다.)

b) 《口》 [이름 앞에 붙여] 키가 큰. **c**) (모양이) 길쭉한; (시력·청력 따위가) 멀리 미치는: a ~ memory 좋은 기억력. **2 a**) (시간·행위 따위가) 길게 느껴지는, 따분한, 지루한: a ~ lecture 지루한 강의 / Today was a ~ day. 오늘은 길게 느껴지는 하루였다. **b**) …이상, 충분한: a ~ hour 한 시간 이상. **c**) 항목이 많은; 많은: a ~ bill 많이 밀린 계산[외상]; 장기어음 / a ~ family 《口》 (애들이 많은) 대가족 / by ~ odds ☞ ODDS 숙어. **3** [길이를 나타내는 말 뒤에] 길이가 …인, (…의) 길이인(cf. WIDE): It is three feet ~. 길이가 3피트다. **4** (…에) 부족하지 않은, 충분히 가지고 있는〈*on*〉: He is ~ *on* hope. 그에게는 희망이 충분히 있다. **5** 〔音聲·韻〕 (모음·음절이) 장음의; (흔히) 강음의, 장음절의.

at the longest 오래 걸려도, 늦어도(cf. *n.*).

be a long time (*in*) do*ing* 꽤 시간이 걸리다 (cf. *adv.* 주): Spring *is a ~ time* (*in*) com*ing.* 봄이 꽤 더디 온다.

by a long way 훨씬《능가하다 따위》.

in the long run 결국.

make a long arm[***neck***] ☞ ARM[1], NECK *n.*

pull[***make, wear***] ***a long face*** ☞ FACE *n.*

take long views 먼 장래의 일을 고려하다.

― *adv.* **1 a**) 길게, 오래; 오랫동안 걸려: live ~ 오래 살다 / ~*er* and ~*er* 점점 길게 / He has been ~ dead. 그가 죽은 지 오래다 / He will not be ~ for this world. 오래 살지는 못할 것이다 / How ~ have you been in the army? 군대에 들어간 지 얼마나 됩니까. **b**) [때를 나타내는 부사 또는 접속사 앞에서] (어떤 때보다) 훨씬 (전 또는 후에): ~ ago 먼 옛날에 / ~ since 훨씬 전[옛날]에 / ~ before 훨씬 전에. **2** [기간을 나타내는 명사에 all을 붙여] …동안 줄곧: *all* day[night] ~ 온종일[밤새도록] / *all* summer ~ 한 여름 내내.

as[***so***] ***long as*** …하는 동안은[한은](while); …만 하면(if only): Stay here *as* ~ *as* you want to. 있고 싶은 대로 여기에 있도록 하시오 / Any book will do *as* ~ *as* it is interesting. 재미만 있다면[재미나면] 어떤 책이라도 좋다 / You may stay here *so* ~ *as* you keep quiet. 조용하게만 한다면 여기에 있어도 좋다.

no longer 이미 …하지 않다: I could wait for him *no ~er.* 더 이상 그를 기다릴 수 없었다 / A visit to the moon is *no ~er* a fantastic dream. 달 여행은 이제는 허망한 꿈이 아니다.

> 〈회화〉
> He is *no longer* in Korea. — Oh, really? When did he leave? 「그는 이미 한국에 없어」 「아니 정말. 언제 떠났는데」

So long ! ☞ SO LONG.

― *n.* **1** Ⓤ 오랫동안(a long time): It will not take ~. 오래 걸리지 않을 것이다. **2** [the ~] 《英俗》 하기 휴가; 긴 것; 장황한 이야기; [*pl.*] 장기 채권. **3** 〔音聲·韻〕 장음, 장음절. **4** 〔樂〕 장음표《중세 르네상스기(期)에 쓰인 음표 이름》.

at (***the***) ***longest*** 길어봐야, 기껏(cf. *a.*).

before long 머지않아, 얼마 안가서(soon) (cf. long before ☞ *adv.* 1 b)): We shall know the truth *before* ~. 얼마 안가서 그 진상이 밝혀질 것이다.

for long 오랜동안. 주 위와 같은 숙어의 long은 형용사의 독립용법이므로, 그 앞에 부사를 둘 수가 있다: He won't be away *for very* ~. 그는 그다지 오래 가 있지는 않았을 것이다.

the long and the short of it 요컨대, 결국: *The ~ and the short of it* is that the plan was a failure. 요컨대[결국] 계획은 실패한 것이다. 〖OE *long, lang*; cf. G *lang*〗

long**[2] *vi.* [+前+名/+*to* do] 사모하다, 동경하다, 열망[갈망]하다(yearn): They are ~*ing* ***for peace. 평화를 간절히 바라고 있다 / He ~*ed to* return home and become a peasant once more. 고향에 돌아가서 다시 한번 농부가 되고 싶다고 생각했다 / He ~*ed for* you *to* write him a letter. 그는 당신이 편지를 써 보내줄 것을 고대하고 있었습니다. 〖OE *langian* seem LONG[1] to〗

long. longitude.

-long *suf.* -ling[2]의 변형《명사·형용사에 붙여 부사를 만듦》: side*long,* head*long.*

lóng agó *n.* [the ~] 먼 옛날. ― *adv.* 옛날에.

lóng-agó *a.* 옛날의: in the ~ days 옛날에.

lon·gan [láŋgən] *n.* 용안(龍眼)《중국산 무환자과의 상록 교목》; 용안육(肉). 〖Chin.〗

lóng árm *n.* 긴 팔; (손이 안 닿는 곳에 페인트를 칠한다든지 할 때 쓰는) 긴 보조봉(棒).

lóng-àrm *a.* 긴 보조봉을 단. ― *vi., vt.* 《美俗》 히치하이크를 하다[로 가다].

lóng-awáit·ed *a.* 대망의, 오랫동안 기다렸던.

lóng báll *n.* 〔野〕 홈런; 〔蹴〕 긴 패스.

Lóng Bèach *n.* 롱비치《미국 California 주 Los Angeles 남쪽의 도시·해수욕장》.

lóng·bìll *n.* 부리가 긴 새, (특히) 도요새.

lóng·bòat *n.* (범선에 실린) 대형 보트.

lóng·bòw [-bòu] *n.* 큰 활, 긴 활.

draw[***pull***] ***the longbow*** 과장하다, 허풍떨다.

lóng·clòth *n.* Ⓤ 얇고 가벼운 고급 무명《유아복·속옷용》.

lóng clóthes *n. pl.* 《英》 (갓난아기의) 배내옷.

lóng dáte *n.* 〔商〕 장기의 지급[상환] 기일.

lóng-dáted *a.* 〔商〕 장기의《어음·채권 따위》.

lóng dístance *n.* 《美》 장거리 전화(=《英》 trunks): by ~ 장거리 전화로.

lóng-dístance *a.* **1** 《美》 먼 곳의, 장거리의: a ~ call 《美》 장거리 전화의 통화[호출](=《英》 trunk call) / a ~ cruise 원양 항해 / a ~ flight[race, telephone] 장거리 비행[경주, 전화] / a

~ friend 먼 곳에 있는 친구. **2** (일기예보가) 장기의. —— *adv.* 장거리 전화로 : talk ~ with … 와 장거리로 이야기하다. —— *vt.* …에게 장거리 전화를 걸다.

lóng-dístance càrrier *n.* 장거리 전화업자.

lóng divísion *n.* 〖數〗 긴나눗셈《12 이상의 수로 나누는》.

lóng dózen *n.* 13개.

lóng-dráwn, -dràwn-óut *a.* 길게 늘인[잡아늘인] ; 오래 계속되는.

lóng drínk *n.* 탄산수 따위를 탄 술《하이볼 따위》.

longe [lʌ́ndʒ, lándʒ], **lunge** [lʌ́ndʒ] *n.* (말을 원형으로 달리게 하기 위한) 말 다루는 고삐 ; 원형 조마장. —— *vt.* (말을) 훈련시키다. 〖F〗

lóng-éared *a.* 귀가 긴 ; 나귀 같은, 바보인.

lóng éars *n. pl.* 《비유》 밝은 귀 ; 나귀 ; 바보.

lon·ge·ron [lándʒərən, -ràn] *n.* [보통 *pl.*] (비행기 동체(胴體)의) 세로대, 주종재(主縱材). 〖F=girder〗

lon·geur [lɔːŋgə́ːr] *n.* =LONGUEUR.

lon·ge·val, -gae- [landʒíːvəl] *a.* 《古》 목숨이 긴, 장수의.

lon·gev·i·ty [landʒévəti] *n.* Ⓤ 장수, 장명(長命), 장생(長生) ; 수명, 생명 ; 생애 : ~ pay 〖美軍〗 연공가봉(年功加俸). 〖L (*longus* long, *aevum* age)〗

lóng fáce *n.* 우울[침울]한 얼굴.

lóng-fáced *a.* 얼굴이 길쭉한 ; 슬퍼 보이는, 침울한 (얼굴의) ; 엄숙한(solemn).

Lóng·fèllow *n.* 롱펠로. **Henry Wadsworth** ~ (1807-82) 미국의 시인.

lóng fíeld *n.* 〖크리켓〗 타자로부터 가장 먼 외야 ; =LONG OFF, LONG ON.

lóng fínger *n.* 가운뎃손가락 ; [*pl.*] 집게손가락과 가운뎃손가락과 약손가락.

lóng fírm *n.* 《英》 엉터리[유령] 회사.

lóng gàme *n.* 〖골프〗 롱 게임《날아간 거리로 겨루는 게임》.

lóng gréen *n.* 《美俗》 (달러) 지폐 ; 《俗》 현금, 현찰, (특히) 큰 돈 ; 《方》 사제담배.

lóng·hàir *n.* 《口》 인텔리겐치아, 머리를 길게 기른 예술가, (특히) 고전 음악의 작곡가[연주가·애호가] ; 장발족. —— *a.* 장발의 ; 고전 음악을 애호하는 ; (음악이) 고전적인 ; 인텔리겐치아 같은. **~ed** *a.* =LONGHAIR.

lóng·hànd *n.* Ⓤ 보통 필기법(cf. SHORTHAND) : in ~ (속기가 아닌) 보통으로 쓴.

lóng hául *n.* 장기간 ; (화물의) 장거리 수송 ; 장기에 걸친 곤란[일].

for* [*over, in*] *the long haul 《口》 긴 안목으로 보면, 결국은(in the long run).

lóng-hául *a.* 장기간의 ; 장거리 (수송)의.

lóng·hèad *n.* 머리가 긴 사람 ; 선견.

lóng·héad·ed *a.* 머리가 긴 ; 선견 지명이 있는 ; 현명한. **~·ness** *n.*

lóng-hèrald·ed *a.* 전부터 예고되었던.

lóng hítter *n.* 《美俗》 주호(酒豪), 술고래.

lóng hóp *n.* 〖크리켓〗 튀어서 멀리 나는 공.

lóng·hòrn *n.* 뿔이 긴 소 ; (적의 비행기에 대한) 음향 탐지기.

lóng hòrse *n.* 〖체조〗 뜀틀《기구·경기》.

lóng hóurs *n. pl.* [the ~] 밤중의 11, 12시경《시계가 종을 오래 치는 시간 ; cf. SMALL HOURS》.

lóng hòuse *n.* (특히 Iroquois족의) 길게 붙은 공동 주택, 일자집.

lóng húndred *n.* 120.

lóng húndredweight *n.* 《英》 112 파운드.

lon·gi- [lándʒə] *comb. form* 「긴」의 뜻. 〖L (*longus* long)〗

lon·gi·corn [lándʒəkɔ̀ːrn] *a.* 촉각[뿔]이 긴. —— *n.* 하늘소.

long·ies [lɔ́(ː)ŋiz, láŋ-] *n. pl.* 긴 속바지.

lóng·ing *n.* Ⓤ,Ⓒ [+*to* do] 갈망, 열망, 동경, 사모 : She has a great ~ ***for*** home. 고향을 몹시 그리워하고 있다 / His ~ *to* see his native country became stronger. 고국을 보고 싶다는 그의 열망은 점점 강해졌다. —— *a.* 갈망하는, 동경하는. **~·ly** *adv.* 갈망[열망]하여, 동경하여. 〖LONG[2]〗

lóng ínterest *n.* 〖證〗 (강세가 예상되는) 보유 주식수.

lóng·ish *a.* 약간 긴, 기름한.

Lòng Ísland *n.* 롱 아일랜드《미국 New York 주 남동부에 있는 섬》.

***lon·gi·tude** [lándʒətjùːd] *n.* **1** Ⓤ,Ⓒ 〖地〗 경도《略 lon(g).; cf. LATITUDE》. **2** Ⓤ 〖天〗 황경(黃經). **3** Ⓤ 《戱》 세로, 길이(length). 〖L *longitudo* length (*longus* long)〗

lòn·gi·tú·di·nal *a.* **1** 경도[경선]의. **2** 세로의, 길이의(cf. LATERAL) ; 장기적인. **~·ly** *adv.* 세로로(cf. TRANSVERSE) ; 길이로는.

longitúdinal redúndancy chèck cháracter *n.* 〖컴퓨〗 수평 중복 검사 문자.

longitúdinal sùrvey *n.* 추적 조사《같은 조사 대상에 관한 일정 기간에 걸친 조사·통계 따위》.

Lóng Jóhn *n.* 《美俗》 키다리.

lóng jòhns *n. pl.* (손목·발목[무릎]까지 덮는) 긴 속옷.

lóng jùmp *n.* [the ~] 《英》 멀리뛰기.

lóng·lèaf (píne), lóng-lèaved píne *n.* 〖植〗 왕솔나무《미국 남부산》 ; 왕솔나무 목재.

lóng-légged *a.* 다리가 긴 ; 《비유》 빠른.

lóng·lìne [ˊ-ˋ] *n.* 〖漁業〗 (긴) 주낙. **-líner** *n.* 주낙배 (선원).

lóng-líved [-lívd, -láivd] *a.* 장수의 ; 영속하는. **~·ness** *n.*

lóng màn *n.* 〖美蹴〗 롱맨(deep receiver)《하나의 패스 플레이로 가장 깊숙한 지점에 까지 달리는 리시버》.

Lóng Márch *n.* [the ~] 장정(長征)《1934년 중국 공산당의 옌안(延安)까지의 대행군》.

lóng mèasure *n.* 척도(尺度), 길이의 단위 ; [ˊ-ˋ] 〖韻〗 =LONG METER.

lóng méter *n.* 〖韻〗 장율(長律)《강약격 4각(脚) 4행 연구(連句) ; 8음절 4행의 찬미가조(調)》.

lóng néck *n.* 《美口》 목이 긴 병에 든 맥주, (맥주의) 큰 병.

lóng óff *n.* 〖크리켓〗 투수의 왼쪽 후방의 야수.

lóng ón *n.* 〖크리켓〗 투수의 오른쪽 후방의 야수.

Lóng Párliament *n.* [the ~] 〖英史〗 장기의회 (1640-60).

lóng-péríod *a.* 장기의 ; 긴 주기의.

lóng píg *n.* (식인종이 먹는) 사람 고기, 인육.

lóng plày *n.* 엘피판.

lóng-pláy·ing *a.* 엘피판의 : a ~ record 엘피판.

lóng positìon *n.* (주식의) 매입 보유.

lóng púll *n.* 장기(에 걸친 일·시련) ; 장거리 (여행) ; (술 따위의) 덤.

lóng pùrchase *n.* 〖證〗 강세 매입.

lóng púrse *n.* 부(富).

lóng-ránge *a.* 장거리에 달하는 ; 장기에 걸친 ; 원대한 : a ~ gun[flight] 장거리포(砲)[비행] / a ~ plan 장기 계획.

lóng·rèach *a.* 멀리 미치는, 먼 데까지 걸치는, 세력 범위가 넓은.

lóng relíef pìtcher *n.* 〖野〗 긴 이닝을 던지는 구원 투수.
lóng róbe *n.* [the ~] **1** 긴 옷《성직자 · 법관의 제복 ; cf. SHORT ROBE》. **2** [집합적으로] 성직자, 법률가.
lóng rún *n.* 장기간 ; 장기 흥행.
lóng-rún *a.* 장기간의[에 걸친] (long-term) ; 긴 안목으로 본 ; 장기 흥행의.
lóng-rún·ning *a.* 장기간에 걸친.
lóng sàle *n.* 〖證〗 실주 매도, 현물(주) 매도.
lóng·shìp *n.* (북유럽에서 사용한) 갤리(galley) 비슷한 배.
lóng·shòre *a.* 연안의, 해안에서 일하는 ; 해항[항만]의 : ~ fishery 연안 어업.
lóngshore·man [-mən] *n.* 부두 인부, 항만 노동자 ; 근해 어부.
lóng-shórt stòry *n.* (보통보다) 긴 단편소설.
lóng shòt *n.* **1** 〖映〗 원거리 촬영. **2** (도박 따위의) 큰 차(long odds). **3** 대담한[희망이 별로 없는 · 곤란한] 기획[기도].
by a long shot 크게 뛰어나게 : John was the best runner in the race, *by a* ~. 존은 경주에서 단연 뛰어난 주자였다.
not by a long shot ☞ SHOT.
lóng síght *n.* 원시(遠視) ; 선견지명, 멀리[앞일을] 내다봄 : have ~ 먼 데를 잘 보다 ; 선견지명이 있다.
lóng-síght·ed *a.* 원시의 ; 먼 데를 볼 수 있는 ; 선견지명[탁견(卓見)]이 있는, 현명한.
~·ly *adv.* **~·ness** *n.*
lóng·some *a.* 기다란. **~·ly** *adv.* **~·ness** *n.*
lóng·spún *a.* 길게 늘인 ; 기다란, 지루한.
lóng-stánd·ing *a.* 여러 해에 걸친, 다년간의.
lóng stòp *n.* 〖크리켓〗 롱 스톱《wicketkeeper의 바로 뒤에서 그가 놓치는 공을 잡는 역》; (바람직하지 않은 것을 막판에 저지[억제]하는 사람[것], 최후의 수단.
lóng-súffer·ing *a., n.* 참을성 있는[있음] ; 인내심이 강한[강함].
lóng súit *n.* 〖카드놀이〗 같은 짝을 4장 이상 쥐고 있을 때의 그 가진 패 ; 《口》 장점, 유리한 입장.
lóng·tàil *n.* 〖鳥〗 열대새《펠리컨류 ; 열대 바다에 사는 새》.
lóng·tàiled cúckoo *n.* 〖鳥〗 긴꼬리뻐꾸기(=KOEL).
lóng-tailed tít *n.* 〖鳥〗 제주오목눈이《유럽 · 아시아 북부산》.
lóng-tèrm *a.* 장기의 : a ~ contract 장기 계약 / a ~ loan 장기 대출. **~·er** *n.* 장기 복역수.
lóng-term mémory *n.* 〖心〗 장기(간) 기억.
lóng·tìme *a.* 오랜, 오랫동안의
-tìmer *n.* 고참자 ; 장기 복역수.
lóng tóm *n.* 사금을 이는 긴 홈통 ; [보통 L~ T~] 장거리포 ; 《俗》 (일반적으로) 포, 대포 ; [때때로 L~ T~] 《俗》 고성능 망원렌즈 ; 〖鳥〗 제주오목눈이 (long-tailed tit).
lóng tón *n.* 롱톤, 영국톤《=2240파운드 ; 略 L/T, l. t.》.
lóng tóngue *n.* 다변, 수다.
lóng-tóngued *a.* 수다스러운.
longue ha·leine [lɔ́:ŋg æléin] *n.* 오랫동안의 노력 : a work *of* [*de*] ~ 부단한 노력을 요하는 일[저작]. 〖F=long breath〗
lon·guette [lɔ(:)ŋgét, lɑŋ-; *F* lɔ̃gɛt] *a., n.* 〖服〗 미디(midi)의 (스커트[드레스]).
〖F=somewhat long〗
lon·gueur [lɔ:ŋgə́:*r* ; *F* lɔ̃gœ:r] *n.* (*pl.* **~s** [-z]) [흔히 *pl.*] (책 · 극 · 음악 따위의) 장황하고 지루한 대목. 〖F=length〗
lóng únderwear *n.* 《美俗》 통속적[감상적]으로 연주하는 재즈 ; (즉흥 연주를 못하는) 서투른 재즈 연주자 ; (미리) 써 둔 편곡 ; 클래식 음악.
lóng vác *n.* 《英口》 =LONG VACATION.
lóng vacátion *n.* 《英》 (대학 · 법정 따위의) 여름 휴가《보통 8, 9, 10월의 3개월》.
lóng víew *n.* 장기적 요인을 중시하는 연구[대처] 방법, 장기적 시야에 입각한 고찰.
lóng wáve *n.* 〖通信〗 장파(↔*short wave*).
lóng·wàys *a., adv.* =LENGTHWISE.
lóng·wéar·ing *a.* 《美》 =HARD-WEARING.
lóng-wínd·ed [-wínd-] *a.* 숨이 긴 ; 《비유》 장광설의, 이야기가 긴. **~·ly** *adv.* **~·ness** *n.*
lóng-wíre antènna[**àerial**] *n.* 〖通信〗 장도파(長導波) 안테나[공중선(線)]《길이가 파장의 수 배임》.
lóng·wìse *a., adv.* =LENGTHWISE.
lóng·wòol *n.* 털이 길고 거친 양.
loo[1] [lú:] *n.* (*pl.* **~s**) 〖카드놀이〗 루《벌금을 판돈에 합치는 게임》; 루의 판돈[벌금]. —— *vt.* (루에서 진 사람)에게 벌금을 물리다.
〖*lanterloo*<F *lantur*(*e*)*lu* ; 17세기의 유행가의 후렴〗
loo[2] *n.* (*pl.* **~s**) 《英口》 화장실(toilet).
〖C20<? ; ? F *l'eau* water or *lieux d'aisance* place of conveniences, toilet〗
loo·by [lú:bi] *n.* 멍청이, 얼간이.
〖ME ; ⇨ LOB[1]〗
loo·ey, loo·ie [lú:i] *n.* 《美軍俗》 =LIEUTENANT.
loo·fa(**h**) [lú:fə] *n.* 〖植〗 수세미외.
loo·gan [lú:gən] 《美俗》 *n.* 얼간이, 멍청이 ; 프로복서 ; 졸때기, 깡패 ; 맥주.
◇**look** [lúk] *vi.* **1** [動/+副/+*at*+名] (주의해서) 보다, 바라보다, 주시하다 ; 찾다(cf. LOOK *for*) ; (놀라서) 눈을 휘둥그렇게 뜨다 : *L*~! ☞ 숙어 / She ~*ed* but didn't see. 보고 있었으나 아무것도 눈에 보이지 않았다 / I wasn't ~*ing.* (자세히) 보고 있지 않았다 / He just stood there ~*ing.* 그저 거기에 서서 멍하니 바라보고 있었다 / I ~*ed* (everywhere), but couldn't find it. 여기저기 찾았으나 보이지 않았다 / *L*~ ***up at*** the sky on some clear night. 언젠가 맑게 개인 밤에 하늘을 쳐다보시오. 주 look at이 see에 준하여 [+目+do*ing*/+目+原形]의 형태로 쓰이는 수가 있다 (cf. LISTEN 1) : He ~*ed at* the rain com*ing* down. 비가 내리는 것을 바라보았다 / *L*~ *at* the dog jump. 《美》 개가 뛰어오르는 것을 보시오. **2** [+前+名/+*that* 節] 《비유》 유의(留意)하다 ; 조사하다 : Let's ~ ***at*** these facts. 이 사실에 주목하여 보자 / *L*~ (***to*** it) *that* everything is ready. 만반의 준비를 해놓으시오. **3** [+補] 얼굴 생김새[모양]가 …이다, (…로) 보이다, (…) 인 듯싶다, (…라고) 생각되다(appear) : He ~*s* ill [glum]. 몸이 불편한 모양이다[울적한 얼굴을 하고 있다] / This ~*s* very good. 이것은 꽤 좋은 것 같다 / He ~*s* (like) a good man. 그는 좋은 사람 같다《주 like를 생략하는 것은 주로 《英》》 / I didn't like to ~ a fool[foolish]. 바보처럼 보이고 싶지는 않았다 / They ~*ed* as if they were wearing black coats. 검정 상의를 입고 있는 것처럼 보였다 / It ~*s* as though we should have a storm. 폭풍우라도 불어닥칠 것 같다. 주 특히 《美》에서는 [+*to* do]의 형태로도 쓰임 : It ~*ed* *to* be about eight feet tall. 보건대 높이 8피트 정도였다. **4** [+副/+前+名] (집 따위가) 향하고

있다, 면(面)하고 있다 : His house ~*s south*[**on** the river]. 그의 집은 남향이다[강에 면하고 있다]. **5** [부정사를 수반하여] 예기하다, 기대하다 : I ~ *to* hear from you again. 또 편지를 기다리겠습니다.

〈회화〉
She *looks* happy.—I'm told her father is coming back from abroad today. 「그녀가 즐거운 모양이야」「오늘 아버지가 외국에서 돌아오신다는 이야기를 들었어」

— *vt.* **1** …한 눈초리[표정]를 하다, 눈짓[태도]으로 나타내다 : She ~*ed* her thanks. 감사의 뜻을 눈짓으로 나타냈다 / ~ daggers at... ☞ DAGGER 숙어. **2** [+目+前+名] 노려[흘겨]보아 …시키다 : I ~*ed* him ***to*** shame. 그를 노려보아 무안하게 만들었다 / The policeman ~*ed* him ***into*** silence. 경찰은 그를 쏘아보아 아무말도 못하게 했다. **3** 눈여겨보다 : ~ a person in the face ☞ FACE *n.* 숙어 / ~ a gift horse in the mouth ☞ GIFT HORSE 숙어.

look의 ○×
(×) He *looked at* me in the face.
(그는 내 얼굴을 보았다.)
(○) He *looked me* in the face.
* 만일 in the face가 없다면 He looked me. 는 잘못이고 He *looked at* me. 라고 해야만 한다.

4 [+*wh.* 節] (…인가를) 확인하다, 조사해 보다 : Do ~ *what* you are doing! 네가 무엇을 하고 있는가를 잘 확인해 봐라.

Look! [감탄사적으로 써서 상대방의 주의를 촉구함 ; cf. *vi.* 1 ; LOOK *here*!, LISTEN!] 자!, 봐라!, 어때!, 그것 봐!

look about 둘러보다 ; 둘러보며 찾다〈*for*〉: He ~*ed* all *about* to see what had happened. 무슨 일이 일어났나하고 주위를 둘러보았다.

look about one 주위를 둘러보다 ; 신변을 주의하다, 경계하다 ; 신중히 생각하다.

look after …을 배웅하다 ; …에 유의하다, …을 보살피다[돌봐주다] ; …을 구하다 : I'll ~ *after* baby when you're gone. 부재 중에 갓난아기를 보살펴 드리지요.

look ahead ☞ AHEAD.

look alive ☞ ALIVE.

look around =LOOK *round.*

look at... (1) …을 보다, 바라보다, 눈여겨보다 (cf. *vi.* 1) : The hotel is not much to ~ *at.* 그 호텔은 보건대 대수롭지 않다[그다지 눈에 차지 않는다] / *to* ~ *at...* ☞ 숙어. (2) …을 검사하다, 조사하다 ; …을 고찰하다, …에 주의하다(cf. *vi.* 2). (3) [won't, wouldn't에 붙여] …을 염두에도 두지 않다, 상대하지 않다 : He *wouldn't* ~ *at* my suggestion. 나의 제안은 아예 거들떠보지도 않았다.

look back (1) 돌아다보다 ; 회고(回顧)하다〈*upon, to*〉. (2) [보통 never를 붙여] 주저하다 : Since that day he has *never* ~*ed back.* 그날 이후 그는 결코 주저하는 일이 없었다.

look down 내려다보다, 아래를 보다 ; (물가 따위가) 내림세가 되다.

look down one***'s nose at...*** ☞ NOSE *n.*

look down* (*up*)*on... (1) …을 내려다보다 : You may be able to ~ *down upon* the woods you have just passed through. 방금 지나온 숲이 내려다보일지도 모른다. (2) …을 얕보다, 경멸하다 ; …에 냉담하다.

look for... (1) …을 찾다, …을 더듬어 찾다 (search) (cf. *vi.* 1) : She ~*ed* in her bag *for* the key of the house but could not find it. 핸드백을 열고 집의 열쇠를 찾아봤으나 눈에 띄지 않았다. (2) …을 기대하다, 기다리다 : I'll ~ *for* you about two o'clock. 2시경에 당신을 기다리고 있겠습니다.

look forth 멀리 내다보다, 멀리 바라보다.

look forward to... ☞ FORWARD.

look forward to의 ○×
(×) He is *looking forward to see* his grandfather.
(그 남자는 할아버지와 만날 것을 고대하고 있다.)
(○) He is *looking forward to seeing* his grandfather.
* to는 부정사의 to가 아니고 전치사의 to이므로 동명사가 따른다. with a view to doing (…할 목적으로) 따위와 같음.

Look here! [항의 · 질책 · 명령 따위의 앞에서, 감탄사적으로 써서 상대방의 주의를 촉구함] 이봐!, 어이!, 좀 들어봐라(See here!, Look you!).

look in 잠깐 들여다보다 ; 잠깐 들르다〈*on*〉; 《美》 텔레비전을 보다(cf. WATCH *vt.* 1 a)) : He ~*ed in* a shop window. 가게의 창을 잠깐 들여다보았다 / The boy ~*ed* long *in* the man's eyes. 소년은 그 사람의 눈을 오랫동안 응시했다 / Please ~ *in* (*on* me *at* my office) tomorrow. 내일 (사무실로 나를) 방문해 주십시오.

look into... (1) …을 들여다보다, …을 엿보다 : He seemed to ~ *into* my eyes. 그는 내 눈을 주시하고 있는 것 같았다. (2) …을 조사하다, 연구하다 : The police promised to ~ *into* the matter. 경찰은 그 사건을 조사해 보겠다고 약속했다. (3) (책 따위를) 대충 훑어보다 : ~ *into* a dictionary 사전을 펴 보다.

look like …인 것 같다(cf. *vi.* 3) : Penguins ~ *like* men in[with] tailcoats. 펭귄은 연미복을 입은 사람처럼 보인다 / It ~*s like* rain(*ing*). 비가 내릴 것 같다 / He ~*s like* win*ning.* 그가 이길 것 같다 / Let me tell you a little of what this university town ~*s like.* 이 대학촌은 어떤 곳인지 조금 얘기해 드리지요.

look on (1) (…을) 관찰[방관]하다 ; (책 따위를) (…와) 함께 보다〈*with*〉: You all play and I'll ~ *on.* 너희들 모두 해 보아라, 나는 보고만 있겠다 / He always ~*s on* the bright side of things. 그는 언제나 사물의 밝은 면만을 본다. (2) [또는 ~ *upon*] [+目+*as* 補](…라고) 간주하다, 생각하다(regard) : We ~ *on* him *as* an impostor. 그를 사기꾼이라고 생각한다. (3) [또는 ~ *upon*] (어떤 감정을 가지고) 바라보다 : She ~*ed on* me *with* fear. 나를 두려워하며 바라보았다. (4) [또는 ~ *on to,* ~ *upon*] …에[로] 향해 있다 : The bathroom ~*s on* (*to*) the garden. 목욕실은 정원에 면해 있다.

look one***'s age*** 나이에 알맞게 보이다.

look one***self again*** 다시 원기를 회복[재기]한 것 같다.

look out (1) 밖을 내다보다 : I was ~*ing out at* the view. 바깥 경치를 내다보고 있었다. (2) 망보다, 경계하다, 주의하다 ; 돌보다 : We must ~

out for the wet paint. 갓 칠한 페인트에 주의해야 한다 / *L*～ *out for* the baby while I go shopping. 쇼핑가는 동안 아이를 돌봐 주시오. (3) (…에) 면하고 있다, …향이다 : The room ～*s out on* (*to*) the sea. 방은 바다에 면하고 있다. (4) (*vt.*) 《주로 英》 살펴서 고르다 : She ～*ed out* some old clothes *for* the bazar. 바자를 위해서 헌 옷 몇 벌을 골랐다.

〈회화〉
Look out of the window. — What's out there? 「창 밖을 좀 봐」「밖에 뭐가 있는데」

look out (***of***) …에서 밖을 내다보다《of를 생략하는 것은 《美》》: I was ～*ing out* (*of*) the window. 창가에서 밖을 내다보고 있었다.
look over (1) …을 대강 훑어보다[점검하다] ; (*vt.*) 일일이 조사[음미]하다 : Please ～ *over* the paper before you submit it. 제출 하기전에 서류를 대강 훑어봐 주시오. (2) 눈감아 주다, 간과하다《이 의미로는 OVERLOOK쪽이 일반적》. (3) …너머로 보다 : ～ *over* one's[a person's] shoulder 어깨 너머로 보다.
look round 둘러보다 ; 구경하며 돌아다니다 ; 잘 조사하다 ; 곰곰이 생각하다.
Look sharp ! ☞ SHARP *adv.*
look small ☞ SMALL.
look through (1) …을 통하여 보다 : ～ *through* a telescope 망원경으로 들여다보다 / ～ *through* the splits 갈라진 틈으로 들여다보다. (2) …을 대충 조사하다, 다시 조사하다 ; (*vt.*) 충분히 점검하다 : ～ *through* a book 책을 죽 훑어보다 / Have you ～*ed* the papers *through* already? 벌써 서류를 검토하셨습니까. (3) (…을) 통해 보이다 : Jealousy ～*ed through* her eyes. 질투심이 그녀의 눈에 나타나 있었다. (4) 알아채다 : ～ *through* a man 남의 속마음을 알아채다.
look to. . . (1) …에 주의하다, …의 뒤를 보살피다 : *L*～ *to* your tools. 도구에 주의하시오 / ～ *to* it that... (☞ *vi.* 2). (2) …에 의지하다, …을 기대하다 ; 《美》 …을 지향하다 : I ～ *to* him *for* help. 나는 그에게 도움받기를 기대하고 있다 / We were ～*ing to* you *to* make a speech. 당신께서 강연해 줄 것을 기대하고 있었습니다. (3) …에 면하다 : a hothouse that ～*s to* the south 남향받이의 온실.
look toward. . . (1) …쪽을 향하다, …에 면하다 : a window ～*ing toward* the east 동쪽을 향하고 있는 창문. (2) 《美》 …으로 기울다, …을 지향하다 : Conditions ～ *toward* war. 전쟁이 일어날 듯 한 정세다. (3) 《口》 …을 위해 축배하다.
look up (1) (*vi.*) 올려다[쳐다]보다, 눈을 치뜨다 (cf. *vi.* 1) : He ～*ed up* from his work. 그는 일하다가 올려다보았다. (2) 《口》 (경기 따위) 좋아지다, 상승하다, (물가가) 오르다. (3) (*vt.*) (사전에서) 찾다 : *L*～ *up* the word in your dictionary. 그 단어를 사전에서 찾아보시오. (4) (*vt.*) 《口》 방문하다 : She told me to ～ her *up* if I came to New York. 그녀는 내가 뉴욕에 오면 방문해 달라고 말했다.
look (. . .) ***up and down*** (…을) 샅샅이 찾다 ; (…을) 아래위로 훑어보다.
look upon ☞ LOOK *on.*
look up to …을 존경[칭찬]하다 : They all ～*ed up to* him *as* their leader. 그들은 모두 그를 지도자로 우러러 보았다.
look well[***ill***] 건강한[건강하지 못한] 것 같다 (cf. *vi.* 3) ; (일이) 잘 될[안될] 것 같다.
Look you ! 조심해라(mind).
to look at …의 모습으로 (판단해) 보건대 : *To* ～ *at* him, you'd never think he is a millionaire. 그의 모습으로 보아서는 결코 그가 백만장자라고는 생각되지 않을 것이다.
—— *n.* **1** 보기, 일견(glance)〈*at*〉. **2 a**) 눈초리, 눈매, 안색(顔色) ; 모양, 외관 : the ～ *in* his eye(s)[face] 그의 눈초리[안색] / the ～ of the sky 날씨 / a ～ of age 고색(古色), (시대의) 이취 / He turned to me with a puzzled ～. 의아한 표정으로 나를 돌아다보았다 / I don't like the ～ of him. 나는 그의 모습이 맘에 들지 않는다 / We are going to have snow, by the ～ of it. 어쩐지 눈이 올듯한 기미가 보인다. **b**) [*pl.*] 얼굴 생김새, 표정, 용모 : have good ～*s* 미모(美貌)다, 얼굴이 잘 생겼다 / You can't judge a person by his ～*s.* 남을 얼굴 생김새로 판단할 수는 없다. **3** (유행 따위의) 형, 디자인.
have a look for …을 찾다 : Let's *have a* ～ *for* it together. 자 한번 같이 찾아봅시다.
have[***take, give***] ***a look at*** …을 (슬쩍) 보다, …을 대충 훑어보다 : We *had a* good ～ *at* the picture. 그 그림을 유심히 보았다 / It was always my wish to *take a* ～ *at* Israel. 나는 늘 이스라엘이 어떤 곳인가를 보고 싶어했다.
have a look of …와 약간 닮다, 모습이 …하다.
take on an ugly look (사태가) 험악해지다.

〈회화〉
What does the label say? — Let's have a *look at* it. 「그 라벨에는 뭐라고 쓰여있지요」「어디 한 번 봅시다」

〖OE *lōcian* ; cf. G *lugen* to look out〗
類義語 (1) (*v.*) ***look*** 보기 위해서 눈을 목적물 쪽으로 돌리다 ; 가장 흔히 쓰는 말 : *Look* at this picture. (이 그림을 보라). ***gaze*** 놀라거나 기쁘거나 또는 흥미를 느껴 열심히 눈여겨보다 : *gaze* at the spectacle (그 광경을 넋을 잃고 보다). ***stare*** 놀람·호기심 따위로 눈을 크게 뜨고 주시하다 : The girl *stared* at the strangers. (그 외국인을 뚫어지게 쳐다보았다). ***gape*** 놀람·호기심 따위로 넋을 잃고 쳐다보다 ; 무지 또는 순진성을 암시함 : The people stood *gaping* at their ruined houses. (자기네들의 황폐한 집을 보고 우두커니 서 있었다). ***glare*** 격렬한 감정 또는 분노를 품고 노려보다 : She *glared* at the boy. (그 소년을 노려보았다).
(2) (*v.*) ⟹ SEE.
(3) (*v.*) ⟹ APPEAR.
(4) (*n.*) ⟹ APPEARANCE.

lóok-ahèad *n.* 〖컴퓨〗 예견[예지] 능력《여러가지 다른 가능성·단계 따위를 예지·계산할 수 있는 능력》.
lóok-alìke 《美》 *a., n.* 꼭 닮은 (사람[것]).
lóok·dòwn *n.* 〖魚〗 대서양의 전갱이과(科)의 실전갱이 비슷한 물고기.
lóok-dòwn rádar *n.* 〖軍〗 (비행기에 실은) 하방(下方) 탐사 레이더《저공의 이동 물체를 탐사함》.
lóok·er *n.* 보는 사람 ; 풍채가 …한 사람 ; 《口》 미인, 미남자(=good-～).
lòok·er-ón *n.* (*pl.* **lòok·ers-ón**) 방관자, 구경꾼 (spectator) : *Lookers-on* see most of the game. 《속담》 구경꾼이 한수 더 본다.
lóok-ìn *n.* **1** 잠깐 들여다보기 ; 잠깐 방문하기 : Let's give Jack a ～. 잭을 잠깐 찾아가 보자 / have a ～ 잠깐 들여다보다(cf. 2). **2** 《口》 승산, 이길 가망 : have a ～ 이길 것 같다(cf. 1) / No

man got a ~ *with* him. 그에게 이길만한 사람은 아무도 없었다.

lóok·ing *a.* …으로 보이는, …듯한 : angry-~ 성난 듯한 표정의.

lóoking glàss *n.* 거울, 체경(mirror)《이 뜻은 mirror가 일반적》; Ⓤ 거울유리.

lóok·ing-glàss *a.* 《口》 거꾸로[정반대]의.

lóok·ing-ìn *n.* 텔레비전의 시청.

lóok in páss *n.* 〖美蹴〗 tight end로 던져지는 타이밍이 빠른 패스플레이의 하나.

lóok·it 《美口》 *vt.* [감탄사적으로] 봐라(look at). ── *int.* 들어라, 들어봐.

lóok·òut *n.* **1** 망보기, 조심, 경계(watch). **2** 조망, 전망 ; 가망성, 전도(prospect) : It's a bad ~ for him. 그의 전도가 걱정이다. **3** 감시소, 망루 ; 〖海〗 [lúkaut] 감시인[선(船)]. **4** 《口》 임무, 일 : That is my ~. 그것은 내가 알아서 할 일이다《참견 마라》/ It's your (own) ~. 그것은 너(자신)의 책임이다.

keep a lookout 망을 보다, 주의하다, 경계하다 〈*for*〉.

on the lookout 감시하며, 경계하여〈*for* something, *to* do〉.

Lóokout Bóok *n.* 《美》 입국 금지자 명단.

lóok-òver *n.* 음미(吟味), 조사, 점검 : give it a ~ 그것을 검사하다.

lóok-sèe *n.* 《俗》 **1** 죽 훑어 봄, 검사, 조사 ; 시찰 : have[take] a ~ 점검하다, 시찰하다. **2** 《美》 (거리의 약장수 등의 휴대용) 의사 면허증 ; (병사의) 통행증 ; (일반적으로) 허가증, 감찰.

lóok·ùp *n.* 조사, 검사 ; 〖컴퓨〗 순람(順覽)《키로써 항목이 구별되어 있는 배열이나 표에서 데이터 항목을 골라내는 프로그래밍 기법》.

loom[1] [lú:m] *n.* 직조기, 베틀.
〖OE *gelōma* tool ; cf. HEIRLOOM〗

loom[2] *vi.* [+副/+前+名/+補] **1** 어렴풋이 나타나다, 흐릿하게 보이다 : The dark outline of a jet ~*ed* ***through***[***out of***] the mist. 제트기(機)의 거무스름한 윤곽이 안개 속에[에서] 어렴풋이 나타났다. **2** (위험·걱정거리 따위가) 불안스럽게 다가오다 : Dangers were ~*ing ahead.* 위험이 불안스럽게 다가오고 있었다 / Fears ~*ed* large in our minds. 공포감이 우리들 마음속에 크게 자리잡았다. ── *n.* 어렴풋이 나타남.
〖C16< ? East Frisian *lōmen* to move slowly〗

loom[3] *n.* 〖鳥〗 **1** 아비(loon). **2** 바다오리, 바다쇠오리. 〖ON (Swed. *lom*)〗

L.O.O.M. 《美》 Loyal Order of Moose《1888년 Kentucky 주에 설립된 우애 조합》.

loon[1] [lú:n] *n.* 〖鳥〗 아비《아비속의 큰회색머리아비 ; 아비 따위의 총칭》: (as) crazy as a ~ 꼭 미친 것 같은《아비가 위험을 피할 때의 동작과 기묘한 울음소리에서》. 〖LOOM[3]〗

loon[2] *n.* 《스코·古》 게으름뱅이 ; 바보 ; 건달 ; 시골뜨기 ; 얼간이 ; 젊은이. 〖ME< ?〗

loon[3] *vi.* 《英》 날뛰다, 까불다, 덧없이 보내다. 〖↑〗

lóon pànts[**tròusers**] *n. pl.* 《英》 (반바지에 대하여) 긴 바지. 〖panta*loon*〗

loo·ny, loo·ney, lu·ny [lú:ni] *a.* 《口》 미친, 미치광이의, 머리가 돈(crazy) ; 바보같은, 어리석은. ── *n.* 미친 사람(lunatic).
lóo·ni·ness *n.* 〖LUNATIC〗

lóony bìn *n.* 《口》 정신 병원, 정신병자 병동.

***loop**[1] [lú:p] *n.* **1** 고리, 테, 올가미《실·끈 따위로 만드는》; (피륙의) 식서(飾緖) ; (깃대를 꿰는) 고리 ; 고리 모양의 손잡이[멈춤쇠] ; [the ~] 피임링(IUD). **2 a**) (선로의) 환상선, 루프선(=~ line)《본선과 갈라졌다가 다시 합치는 것 ; cf. BELT LINE》; [the L~] (미국 Chicago 시의 환상선에 둘러싸인) 상업 중심 지구. **b**) 〖電〗 폐[환상] 회로. **3** 만곡선(彎曲線), 만곡 ; 〖스케이트〗 루프《한쪽 날로 그린 곡선》. **4** 〖空〗 공중제비(비행)(loop-the-loop). **5** 〖理〗 진폭(振幅)의 파복(波腹)《정상진동 또는 정상파에서 진폭이 극대가 되는 곳》.

knock[***throw***] a person ***for a loop*** …을 어안이 벙벙하게 하다, 흥분[혼란]시키다 ; 곤란한 상태에 빠뜨리다.

── *vt.* 고리로 만들다, 고리로 두르다 ; …에 귀를 달다 ; (고리로) 묶다〈*up, back*〉; 고리로 매다〈*together*〉. ── *vi.* 고리를 만들다, 고리가 되다.

loop the loop 공중제비(비행)를 하다 ; (자전거로) 공중제비하다.
〖ME< ? ; cf. Gael. *lub* loop〗

loop[2] *n.* 《古》 =LOOPHOLE.

lóop antènna[**àerial**] *n.* 루프 안테나.

looped [lú:pt] *a.* 고리로 된, 고리의 ; 《美俗》 술취한(drunk).

lóop·er *n.* 자벌레 ; (재봉틀 따위) 실의 고리를 만드는 장치 ; 메리야스의 코를 만드는 기계.

lóop·hòle *n.* **1** 총쏘는 구멍, 총안(銃眼) ; (벽 따위에 뚫은) 작은 구멍《통풍·채광·관찰용 따위》. **2** 《비유》 도망치는 길, 빠져나가는 구멍 : a ~ in the law 법의 허점.
── *vt.* (벽 따위에) 총안을 만들다.
〖LOOP[2], HOLE〗

lóop knòt *n.* (가장 간단한) 루프 매듭.

lóop lìne *n.* 〖鐵·通信〗 환상선, 루프선.

lóop-the-lóop *n.* 〖空〗 공중제비 ; (자전거 따위의) 공중 곡예.

lóopy *a.* **1** 고리가 많은, 고리로 된. **2** 《俗》 미친.

◇**loose** [lú:s] *a.* **1** 풀린, 자유로운(free) : break ~ 탈출하다, 속박을 벗어나다 / cast ~ 풀어놓다, (스스로) 떨어져 나오다 / get ~ 도망치다 / shake oneself ~ 몸을 뿌리치다. **2** 매여있지 않은, 떨어져 있는 : the ~ end of a cord 밧줄의 매듭짓지 않은 끝 / come ~ 느슨해지다, 풀리다. **3** 묶지 않은, 철하지 않은, 포장하지 않은, 흐트러진 : ~ coins[cash, change] 푼돈, 잔돈 / a ~ leaf 철하지 않은[빼내어 자유로이 쓸 수 있는] 종이 / ~ milk 달아서 파는 우유 / I keep my money ~ in my pocket. 나는 돈을 아무렇게나 호주머니에 넣어둔다. **4** 늘어진, 헐거운, 느슨한(slack). **5** (문·이·기계 부분 따위) 헐거운, 덜거덕거리는, 흔들흔들하는(↔*fast*). **6** (대형(隊形) 따위) 산개(散開)한 : in ~ order 〖軍〗 산[소]개 대형으로. **7** (직물 따위) 올이 성긴, (흙이) 부슬부슬한 : ~ sand 부슬부슬한 모래 / a ~ weave 올이 성긴 직물. **8** 짜임새가 없는, 헐렁한, 축 늘어진, 흐물흐물한 ; (근육이) 물렁한, (골격이) 단단하지 못한, (육체적으로) 축 처진 ; 설사기가 있는 : a ~ frame 다부지지 못한 체격 / a ~ tongue 입이 가벼움, 수다 / ~ bowels 설사. **9** (마음이) 해이(解弛)한, 산만한 ; (말·생각 따위가) 치밀하지 못한, 부정확한 : ~ talk 산만한 얘기, 조리없는 대화 / in a ~ sense 막연한 의미로. **10** 절제없는, 품행이 단정치 못한(↔*strict*). **11** 〖化〗 유리된. **12** 〖크리켓〗 부정확한 ; 〖美蹴〗 스크럼을 짜지 않은 : a ~ ball 부정확한[하게 던져진] 공.

at loose ends=***at a loose end*** ☞ LOOSE END.

cut loose 떼어내다 ; 관계를 끊다 ; 도망치다 ;

《口》 신이 나서 떠들다.
let one***self loose*** 《口》 서슴없이[제멋대로] 지껄이다[하다].
turn [***let, set***] ***loose*** (동물 따위를) 풀어주다 ; (탄알을) 발사하다 ; 포문을 열다, 마구 쏘다 ; 《비유》 해방하다, 방목(放牧)하다〈(*up*) *on*〉.
with a loose rein ☞ REIN *n*.
—— *adv*. 느슨하게(loosely) : work ~ (나사 따위가) 느슨해지다 / Patriotism sat ~ on them. 애국심 같은 건 그들에게 있어서 아무래도 좋았다.
—— *n*. [다음 숙어로]
give (***a***) ***loose to*** . . . (감정 · 공상)이 쏠리는 대로 맡겨두다.
on the loose 《口》 자유롭게 되어, 해방되어 ; 신이나서 떠들며.
—— *vt*. 《㊟ LOOSEN의 편이 보통》 **1** (매듭 따위를) 풀다, 끄르다. **2** 풀어주다, 자유롭게 해주다. **3** 늦추다, 떼어놓다 : ~ one's hold (of...) (…에서) 손을 늦추다. **4** (화살 · 총을) 쏘다, 발사하다 〈*off*〉. —— *vi*. 화살[총]을 쏘다〈*at*〉.
~·ness *n*. 느슨함, 헐거움, 산만 ; 조잡, 방종 ; 설사.
〖ON *lauss* ; cf. OE *lēas* untrue, G *los* loose〗
lóose bóard wàlk *n*. 《CB俗》 울퉁불퉁한 길.
lóose-bódied *a*. (옷 따위가) 헐렁한.
lóose-bòx *n*. 놓아 기르는 마구간.
lóose cóver *n*. (의자 따위의) 씌우개, 커버(=《美》 slipcover).
lóose énd *n*. **1** (끈 · 깔개 따위의) 묶지[고정되지] 않은 끝[가] ; 쇠고리[걸쇠]가 벗겨진 부분 : tack down a ~ on the carpet 카펫의 들뜬 부분을 고정시키다. **2** [보통 *pl*.] (일 따위에서) 미결 부분 : tie[clear] up (the) ~*s* 매듭[결말]을 짓다, 마무리하다.
at a loose end =《美》 ***at loose ends*** 미해결인 채 ; 혼란하여 ; 일정한 직업이 없이, 장래의 목표도 없이, (하는 일이 없어) 자신을 주체 못하는 ; 무질서하게.
lóose fish *n*. 난봉꾼.
lóose-fítting *a*. (옷 따위가) 낙낙한, 헐거운.
lóose-jòint bùtt *n*. 경첩의 일종.
lóose-jóint·ed *a*. **1** 관절[이은 곳]이 헐거운 ; 자유로 움직이는 ; 짜임새가 느슨한. **2** 근골이 가냘픈. **~·ness** *n*.
lóose júice *n*. 《CB俗》 알코올 음료.
lóose-lèaf *a*. 가제식(加除式)의, 루스리프식의 《장부 따위의 페이지를 마음대로 뺐다 끼웠다 할 수 있는》 : a ~ binder 루스리프식 노트.
—— *n*. 가제식 출판물.
lóose-límbed *a*. 수족이 자유로이 움직이는, 사지가 유연한, 운동을 잘하는.
lóose-lípped *a*. =LOOSE-TONGUED.
lòose·ly *adv*. 느슨하게, 헐겁게 ; 흐트려서 ; 조잡하게, 부정확하게 ; (올이) 성기게 ; 단정치 못하게, 짜임새 없게 ; 막연히.
lóose-mínd·ed *a*. 머리[정신]가 산만한.
lóose mórals *n*. *pl*. 품행이 단정치 못함.
loos·en [lúːsən] *vt*. (↔*tighten*) **1** 느슨하게 하다 ; 풀다, 떼어놓다, 놓아주다, 흐트리다. **2** …의 손을 늦추다. **3** 변이 나오게 하다 ; (기침을) 가라앉히다 : ~ the bowels 변을 보다.
—— *vi*. 느슨해지다 ; 흐트러지다, 풀어지다.
loosen up 《美口》 인색하게 굴지 않고 돈을 내다 ; 탁 터놓다, 흉금을 터놓고 이야기하다.
lóose-príncipled *a*. 지조가 없는.
lóose séntence *n*. 〖修〗 산열문(散列文) 《주절이 끝난 뒤에 종속절이나 기타 수식 어구가 계속되는 문장 ; 담화체에 많음 ; ↔*periodic sentence*》.
lóose·strìfe *n*. 〖植〗 까치수염속(屬)의 초본, (특히) 좁쌀풀.
lóose-tóngued *a*. 입이 가벼운, 수다스러운.
lóos·ish *a*. 풀어질 듯한, 느슨해 보이는, 팽팽한 맛이 없는.
loot, lieut [lúːt] *n*. Ⓤ 전리품 ; 약탈품 ; 약탈 (행위) ; (관리의) 부정이득 ; 《口》 선물, 구입물 ; 《俗》 돈(money), 재산, 값나가는 물건. —— *vt*., *vi*. 약탈하다 ; 부정이득을 취하다. **~·er** *n*. 약탈자 ; 부정 이득자. 〖Hindi〗
lop[1] [láp] *vi*., *vt*. (**-pp-**) **1** (가지를) 베다〈*off*, *away*〉 ; 가지를 치다, 깎아 다듬다(trim). **2** (목 · 손발 따위를) 자르다〈*off*, *away*〉. **3** (쓸데없는 부분을) 없애다. —— *n*. 가지치기, 깎아 다듬기 ; 쳐낸 가지.
〖ME=branches cut off<OE 《美》 *loppian* ; cf. LOBE, *lip* (obs.) to prune〗
lop[2] *vi*. (**-pp-**) **1** 축 늘어지다, 매달리다 ; 축 늘어져 자다[기대다]. **2** 빈둥거리다〈*about*〉. **3** (토끼 따위가) 깡총깡총 뛰어가다. —— *n*. 귀가 늘어진 토끼. 〖? imit. ; cf. ↑, LOB〗
lop[3] *vi*. (**-pp-**) 잔물결이 일다. —— *n*. 잔물결.
lop[4] *n*. 《북잉글랜드》 벼룩(flea).
〖? ON (*hlaupa* to LEAP)〗
lope [lóup] *vi*. (토끼 따위가) 깡총깡총 뛰다, (사람이) 날듯이 걷다, 성큼성큼 뛰어가다〈*along*〉.
—— *n*. (동물의) 도약, 성큼성큼 뛰기.
〖ON ; ⇨ LEAP〗
lóp-èar *n*. =LOP[2].
lóp-èared *a*. (토끼 따위) 귀가 늘어진.
loph- [láf, lóuf], **lopho-** [láfou, lóu-, -fə] *comb. form* 「관(冠)」「술」의 뜻. 〖Gk. *lophos* crest〗
lopho·phore [láfəfɔ̀ːr, lóu-] *n*. 〖動〗 (의(擬)연체동물의 입 주위의) 촉수관(觸手冠).
lòpho·phór·ate [-fɔ́ːrət] *a*. 〖動〗 촉수관의.
—— *n*. 촉수관(觸手冠) 동물.
lóp·py[1] *a*. 휘늘어진, 매달린, 야무지지 못한.
〖LOP[2]〗
loppy[2] *n*. 《濠俗》 (목장의) 잡역부.
〖? LOP[4]〗
lóp·síded *a*. 한쪽으로 기운 ; 균형이 잡히지 않은 (uneven) : ~ trade 편무역(片貿易).
~·ly *adv*. **~·ness** *n*.
loq. loquitur.
lo·qua·cious [loukwéiʃəs, 英+lɔ-] *a*. 말이 많은, 수다스러운 ; (새 · 물소리가) 시끄러운. **~·ly** *adv*. **~·ness** *n*. 〖L (*loquor* to speak)〗
lo·quac·i·ty [loukwǽsəti, 英+lɔ-] *n*. Ⓤ 다변(多辯), 수다 ; 떠들썩함.
lo·quat [lóukwɑt] *n*. 〖植〗 비파나무 (열매).
〖Chin. (Cantonese) 노귤(櫨橘)〗
lo·qui·tur [lákwətər] *vi*. 〖劇〗 (누가) 말하다《略 loq.》. ㊟ 배우 이름 뒤에 붙여서 쓰는 무대 지시어. 〖L=he[she] speaks〗
lor, lor' [lɔ́ːr] *int*. 《英卑》 아이구, 이런 ! 〖LORD〗
Lo·ra [lɔ́ːrə] *n*. 여자 이름. 〖⇨ LAURA〗
lo·ral [lɔ́ːrəl] *a*. 〖生〗 새의 눈과 윗부리 사이 부분의(cf. LORE[2]).
lo·ran [lɔ́ːrən, -ræn] *n*. Ⓤ 로란《선박 · 항공기가 무선국으로부터 받은 전파의 도착 시간차를 측정하여 자기의 위치를 산출하는 장치 ; cf. SHORAN》.
〖*lo*ng-*ra*nge *n*avigation〗
lor·cha [lɔ́ːrtʃə] *n*. (선체는 서양식, 돛은 중국식의) 쾌속 범선. 〖Port.〗
‡**lord** [lɔ́ːrd] *n*. **1** 지배자, 주인, 우두머리 : ☞ FIRST LORD. **2** [보통 the L~] 하느님(God) ;

[보통 our L~] 주(主) (the Savior), 그리스도 : ☞ LORD'S SUPPER / in the year of *our L~* 1997 서기 1997년에 / *L~* knows who[where] he is. 그가 누구인지[어디에 있는지] 하느님만이 안다《아무도 모른다》. **3** 임금《국왕의 존칭》. **4** 〖史〗(봉건 시대의) 영주. **5** 《英》 귀족(peer), 상원 의원 ; 경(卿)《후(侯)·백(伯)·자(子)·남작 및 공(公)·후작의 아들, 백작의 장자, archbishop, bishop의 존칭 ; cf. LADY 2》; 《호칭》 my *L~* ☞ 숙어. **6** 《詩·戲》 남편. **7** 거물, …왕 : a cotton ~ 면업왕(綿業王) (cf. KING 2). **8** 축하연의 사회자.

(as) drunk as a lord 몹시 취하여.
be lord of …을 영유하다.
(Good) Lord! = ***Lord bless me*** [***us, you, my soul***] ***!*** = ***Lord have mercy!*** 오오!, 이런!, 어머나! 《놀람을 나타내는 소리》.
live like a lord 사치스럽게 지내다.
my Lord [***lord***] [milɔ́:rd ; (흔히 변호사의 발음은) milʌ́d] 각하! 㕘 후작 이하의 귀족, Bishop, Lord Mayor, 고등법원 판사의 경칭 ; 지금은 Bishop 및 법정에서 고등법원 판사에 대한 경칭 외에는 격식을 차린 경우에만 쓰임.
Oh, Lord! = ***O Lord!*** = ***Lord God*** 오오! 《놀랐을 때의 발성》.
one***'s lord and master*** 《戲》 남편.
our sovereign lord the King 국왕 폐하.
swear like a lord 욕을 함부로 입에 담다.
the Lord of Lords 그리스도.
the Lord President of the Council 《英》 추밀원(樞密院) 의장.
the Lords (성직계·속계의) 상원 의원.
the lords of creation 만물의 영장《인간》; 《戲》 남자.
treat like a lord 정중히 대접하다, 융숭하게 대하다, 상감 모시듯 하다.

—— *vi.* [+*over*+名] [보통 수동태로] 마구 뽐내다 : I will not *be ~ed* **over.** 내게 큰소리치지 못하게 하겠다. —— *vt.* 귀족으로 만들다.

lord it (…에 대하여) 뻐기다, 좌지우지하다 ⟨*over*⟩(cf. KING[QUEEN] *it*) : He *~ed it over* his household. 집안에서는 임금님 행세를 했다.
〖OE *hlāford* < *hlāfweard* loaf keeper ; ⇨ LOAF[1], WARD〗

Lòrd Ádvocate *n.* [the ~] 《스코》 검찰 총장.
Lòrd Bíshop *n.* 주교(主教)《공식적인 호칭》.
Lòrd Chámberlain (of the Hóusehold) *n.* [the ~] 《英》 궁내부[의전] 장관.
Lòrd Chíef Jústice (of Éngland) *n.* [the ~] 《英》 수석 판사[재판관]《略 L. C. J.》.
Lòrd Háw Hàw [-hɔ́:hɔ̀:] *n.* 호호 경(卿)《제2차 대전중 독일에서 영국으로 선전 방송을 한 William Joyce의 가명》.
Lòrd Hígh Ádmiral *n.* 〖英史〗 해군 대신.
Lòrd Hígh Cháncellor *n.* [the ~] 《英》 대법관《의회 개회 기간중에는 상원의장으로 국새를 보관하며 형평법 재판소의 장관 ; 略 L.H.C., L.C.》.
lórd-in-wáit·ing *n.* 《英》 (왕가(王家)·황태자가(家)의) 시종《귀족 출신의 남자》.
Lórd Lieutėnant *n.* (*pl.* **Lórds Lieutėnant**) 《英》 주(county)지사 ; 아일랜드 총독(總督)《1922년까지》.
lórd·ling *n.* 소군주(小君主), 소공자 ; 보잘 것 없는 귀족.
lórd·ly *a.* 군주[귀족] 다운, 숭고한, 위엄 있는, 당당한, 호탕한 ; 뽐내는, 오만한. —— *adv.* 군주[귀족]답게 ; 오만하게. **-li·ness** *n.*
Lòrd Máyor *n.* 《英》 (London 따위 대도시의) 시장 ; [the ~] (특히) 런던 시장《명예직으로서 임기는 1년》: ~'s Day 런던 시장 취임식날《11월 9일》/ the ~'s Show (취임식 당일의) 런던 시장 취임 피로행렬(披露行列).
lórd-of-the-flíes *a.* 동물적인, 야수적인, 식인(食人)의.
lor·do·sis [lɔ:rdóusəs] *n.* (*pl.* **-ses** [-si:z]) 〖醫〗 척추 전만증(前彎症).
Lòrd Prívy Séal *n.* [the ~] 《英》 옥새 상서(玉璽尙書).
Lórd Protéctor *n.* [the ~] 〖英史〗 호민관(護民官)《공화정 시대 Cromwell 부자의 칭호》.
Lòrd Próvost *n.* [the ~] (스코틀랜드 대도시의) 시장(市長).
Lord's [lɔ́:rdz] *n.* Lord's Cricket Ground(런던의 크리켓 경기장)의 약칭.
〖Thomas *Lord* (d. 1832) 창설자〗
Lórds Commíssioners *n. pl.* [the ~] 《英》 (재무부 따위의) 최고 위원회 위원.
Lórd's dày *n.* [the ~] 주일《일요일》.
lórd·ship *n.* **1** Ⓤ 귀족[군주]의 신분, 군림(君臨) ; 통치권, 영주의 권력⟨*over*⟩; 지배⟨*over*⟩, 영유 ; 영지. **2** [흔히 L~] 《英》 각하《공작을 제외한 귀족 및 재판관의 존칭 ; ☞ LORD 5》.
his lordship (=he) ; ***your lordship*** (=you) 각하《lord에 대하여 또는 풍자적으로 보통 사람에게도 쓰임》.
lòrd spíritual *n.* (*pl.* **lòrds spíritual**) 《英》 성직 상원의원《bishop 또는 archbishop ; cf. LORD TEMPORAL》.
Lórd's Práyer *n.* [the ~] 〖聖〗 주기도문《마태복음 6 : 9-13, 누가복음 11 : 2-4》.
Lórd's Súpper *n.* [the ~] 최후의 만찬(Last Supper) ; 성찬(聖餐), 성만찬식.
Lòrd Stéward of the Hóusehold *n.* [the ~] 《英》 궁내부 장관.
Lórd's táble *n.* [the ~] 성찬대 ; 제단.
Lórds·town sỳndrome [lɔ́:rdztaun-] *n.* 《美》 자동 조립 라인에서 일하는 근로자의 욕구불만 증상. 〖*Lordstown* : Ohio 주(州)의 도시로 GM의 완전 자동화 조립공장이 있음〗
lòrd témporal *n.* (*pl.* **lòrds témporal**) 《英》 성직자 이외의 상원의원(cf. LORD SPIRITUAL).
lore[1] [lɔ́:r] *n.* Ⓤ **1** (전승(傳承)적) 습득 지식 ; 민간 전승(cf. FOLKLORE) ; (특정 분야에 대한) 과학적 지식 ; (특정한 개인·집단·지방에 관한) 전설. **2** (일반적으로) 학문, 지식. **3** 《古》 가르침, 교훈 : animal ~ 동물에 관한 지식 / ghost ~ 괴담집(怪談集).
〖OE *lār* learning (⇨ LEARN) ; cf. G *Lehre*〗
lore[2] *n.* 〖鳥〗 콧등《새의 눈과 윗부리 사이의 부분》.
lo·re·al [lɔ́:riəl] *a.* 〖L=strap〗
Lo·re·lei [lɔ́(:)rəlài, lɑ́r-] *n.* 〖傳說〗 로렐라이《라인 강 기슭의 바위 위에 나타나 아름다운 노래로 뱃사공을 유혹해서 난파시켰다고 하는 마녀》.
Lo·rentz [lɔ́:rents] *n.* 로렌츠. **Hendrik Antoon** ~ (1853-1928) 네덜란드의 물리학자 ; Nobel 물리학상(1902).
Lórentz fòrce *n.* 〖理〗 로렌츠 힘《자기장[전기장] 속을 운동하는 하전(荷電) 입자에 작용하는 힘》. 〖↑〗
Ló·renz cùrve [ló:rɛnts-] *n.* 〖經〗 로렌츠 곡선《소득 분포의 불평등을 나타내는 도표》.
Lo·ren·zo [lɔ:rénzou] *n.* 남자 이름.
〖⇨ LAURENCE〗
Lo·ret·ta [lɔ:rétə] *n.* 여자 이름. 〖⇨ LAURETTA〗

lor·gnette [lɔːrnjét] *n.* 손잡이가 달린 안경[쌍안경] ; 오페라 글라스(opera glasses).
〖F (*lorgner* to squint)〗

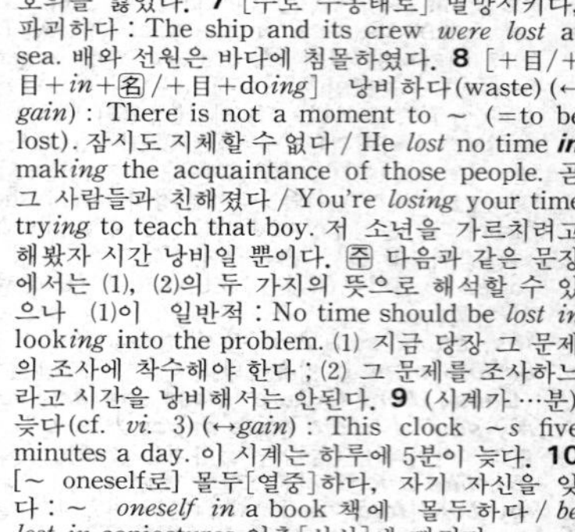
lorgnette

lor·gnon [*F* lɔrɲɔ̃] *n.* **1** 안경, (특히) 코안경. **2** =LORGNETTE. 〖↑〗

lor·i·cate [lɔ́(ː)rəkèit, lár-, -kət], **-cat·ed** [-kèitəd] *a.* 〖動〗 각(殼)으로 덮인.

lor·i·keet [lɔ́(ː)rəkìːt, lár-, ⌣-⌣] *n.* 〖鳥〗 진홍잉꼬의 일종. 〖*lory*+*-keet* ; *parakeet* 따위의 유추〗

lo·ris [lɔ́ːrəs] *n.* 〖動〗 로리스, 늘보원숭이. 〖F< ? Du. (obs.) *loeris* clown〗

lorn [lɔ́ːrn] *a.* 《詩》 고독한, 의지할 곳 없는(forlorn) ; 쓸쓸한, 외로운. **~·ness** *n.* 〖(p.p.) ‹ *leese* (obs.) to LOSE〗

Lor·na [lɔ́ːrnə] *n.* 여자 이름.

Lor·raine [ləréin, lɔː- ; lɔ-] *n.* **1** 여자 이름. **2** 로렌《프랑스 동부의 지방》. 〖F=(girl) of Lorraine〗

lor·ry [lɔ́(ː)ri, lári] *n.* **1** 《英》 트럭(=《美》 truck[1]) (cf. VAN[1]) ; 광차(鑛車) (cf. TRUCK[1] 3). **2** (차체가 낮고 긴) 사륜(輪)짐마차. 〖C19< ? ; 인명(人名) LAURIE인가〗

lórry-hòp *vi.* 《英俗》 트럭 편승 여행[무전 여행]을 하다(cf. HITCHHIKE).

lo·ry [lɔ́ːri] *n.* 〖鳥〗 진홍잉꼬의 일종《오스트레일리아·뉴기니산(産)》. 〖Malay〗

LOS 〖美蹴〗 line of scrimmage ; line of sight (조준선).

los·able [lúːzəbəl] *a.* 잃기[분실하기] 쉬운.

Los Al·a·mos [lɔ(ː)sǽləmòus, lɑ-] *n.* 로스앨러모스《미국 New Mexico 주 북부의 도시 ; 원자력 연구의 중심지》.

Los An·ge·les [lɔ(ː)sǽndʒələs, -lìːz, lɑ- ; -lìːz] *n.* 로스앤젤레스《California 주의 항구 도시 ; 미국 제 3의 도시 ; 略 L.A.》. **Los Angeléno, Los An·ge·le·an** [lɔ(ː)sæ̀ndʒəlíːən, lɑ-] *n.* 로스앤젤레스 사람(Angeleno).

◇**lose** [lúːz] *v.* (**lost** [lɔ́(ː)st, lást]) *vt.* **1** 잃다 ; 두고 잊어버리다, 유실(遺失)하다 : Don't ~ the money. 돈을 잃지 마라 / He has *lost* his keys. 열쇠를 잃어버렸다 / She has *lost* her sense of direction. 그녀는 방향 감각을 잃어버렸다 / I was *losing* my temper. 울컥 화가 치밀었다 / ~ interest ☞ INTEREST *n.* 1 / She *lost* her only son in a car accident. 외아들을 자동차 사고로 잃었다. **2** (질병·공포 따위를) 벗어나다(get rid of) : I have *lost* my cold. 감기가 나았다 / ~ one's fear 무서움이 없어지다. **3** (길을) 잃다, 헤매다 : The traveler *lost* his way in the mountains. 여행자가 산속에서 길을 잃었다. **4** [+目/+目+前+名] 보지[듣지] 못하다(miss) ; (기차 따위를) 놓치다(↔*catch*) ; 얻지 못하다 : ~ one's train[a bus, a sale, the post] 열차[버스·판매·우편] (시간)에 늦다 / Your last few words were *lost* ***in*** the strange sounds. 마지막 몇마디는 이상한 소리 때문에 듣지 못했습니다. **5** (승부 따위에) 지다 ; (상을) 못타게 되다(↔*win*) : ~ a race[battle] 경주[전투]에 패배하다. **6** [+目+目] 잃게 하다(cost) : This *lost* them the victory. 이 때문에 그들은 승리를 놓쳤다 / His impudence *lost* him her favor. 그는 태도가 불손했기 때문에 그녀의 호의를 잃었다. **7** [주로 수동태로] 멸망시키다, 파괴하다 : The ship and its crew *were lost* at sea. 배와 선원은 바다에 침몰하였다. **8** [+目/+目+*in*+名/+目+do*ing*] 낭비하다(waste) (↔*gain*) : There is not a moment to ~ (=to be lost). 잠시도 지체할 수 없다 / He *lost* no time ***in*** mak*ing* the acquaintance of those people. 곧 그 사람들과 친해졌다 / You're *losing* your time try*ing* to teach that boy. 저 소년을 가르치려고 해봤자 시간 낭비일 뿐이다. 주 다음과 같은 문장에서는 (1), (2)의 두 가지의 뜻으로 해석할 수 있으나 (1)이 일반적 : No time should be *lost in* look*ing* into the problem. (1) 지금 당장 그 문제의 조사에 착수해야 한다 ; (2) 그 문제를 조사하느라고 시간을 낭비해서는 안된다. **9** (시계가 …분) 늦다(cf. *vi.* 3) (↔*gain*) : This clock ~*s* five minutes a day. 이 시계는 하루에 5분이 늦다. **10** [~ oneself로] 몰두[열중]하다, 자기 자신을 잊다 : ~ *oneself in* a book 책에 몰두하다 / *be lost in* conjectures 억측[상상]에 빠지다.

〈회화〉

Why did you *lose* interest in your school life? — Because I *lost* patience with the boring lessons. 「왜 학교 생활에 흥미를 잃었니」「지겨운 강의를 참을 수 없게 되었기 때문이야」

— *vi.* **1** 실패하다(fail) ; 지다(be defeated) : I'm afraid our team will ~. 어쩐지 우리 팀이 질 것 같다. **2** [動/+前+名] 손해를 입다, 손해보다 : You've *lost* ***by*** your honesty. 너는 정직하기 때문에 도리어 손해를 보고 있다 / He *lost* ***on*** the contract. 그 계약으로 그는 손해를 봤다. **3** (시계가) 늦다(cf. *vt.* 9) : This watch ~*s* *by* twenty seconds a day. 이 시계는 하루에 20초 늦는다. **4** 쇠퇴하다, 약해지다 : ~ *in* speed 속력이 줄다.

be lost in... (1) …에 휩쓸려 보이지 않다[안들리다] (cf. *vt.* 4) : He *was* quite *lost in* the crowd. 그는 군중속에 휩쓸려 전혀 보이지 않게 되었다. (2) (생각에) 골몰[열중]하고 있다(cf. *vt.* 10) : *be lost in* reverie 공상에 잠기다 / *be lost in* wonder 너무 경탄하여 무아지경이 되다.

be lost to... (1) …으로부터 외톨이가 되다[따돌림을 당하다], …에서 사라지다 : For some time I *was lost to* the world. 얼마동안 나는 세상에서 외톨이가 되어 있었다 / She *was lost to* sight. 시야에서 사라졌다. (2) …의 영향을 받지 않다, …을 느끼지 않다 : He *was lost to* pity [shame]. 아무런 동정[수치]도 느끼지 않았다.

be lost* (*up*)*on …에 효과가 없다 : My joke [advice] *was* not *lost upon* her. 나의 농담[충고]을 그녀는 잘 알아들었다.

lose one***self*** (1) 길을 잃다 ; 제정신을 잃다, 어찌할 바를 모르다(cf. LOST 5) : He *lost* him*self* (=got lost) in the wood. 그는 숲속에서 길을 잃었다. (2) (…에) 몰두하다 : He *lost* him*self in* thought[a comic]. 그는 사색에 잠겨[만화책에 열중하고] 있었다. (3) 보이지 않게 되다 : Soon the moon *lost* it*self* in the clouds. 이내 달은 구름 속으로 사라졌다.

lose out 《美口》 (경쟁 따위에서) 지다 ; 실패하다 ; 손해보다.

lose out on [***to***]... 《美口》 (상대방)에게 지다.

lose sight of... ☞ SIGHT *n.*

lose time (1) 시간을 손해보다[낭비하다]. (2) (시계가) 늦게 가다.

lose track of... ☞ TRACK *n.*

lose way ☞ WAY.
〖OE *losian* to perish (*los* loss) ; OE *lēosan* to lose의 영향도 있음〗

lo·sel [lóuzəl, 美+lúː-, 美+lɑ́z-] *n.* 《古·方》 방탕한 사람, 무뢰한. ── *a.* 쓸모없는.
〖ME (? *leese* ; ⇨ LORN)〗

los·er [lúːzər] *n.* **1** 실패자, 손실자, 분실자(紛失者) (↔*gainer*) : You shall not be the ~ *by* it. 그 때문에 너에게 손해를 끼치지는 않겠다. **2** (경기에서) 진 편, (경마에서) 진 말 ; 패자 : a good [bad] ~ 깨끗이 지는[지고 군소리 많은] 사람 / *L~s* are always in the wrong. 《속담》 「이기면 충신, 지면 역적」. **3** 《美口》 전과자 ; (형사상의) 유죄 확정자 : a two-time ~ 전과 2범인 사람. **4** 《美俗》 폐를 끼치는 사람, 멍청이. **5** 〖野〗 패전 투수. **6** 《英》〖撞球〗=HAZARD 2.

los·ing [lúːziŋ] *a.* 지는, 손해를 보는, 성공을 기대할 수 없는(↔*winning*) : a ~ game[pitcher] 이길 가망이 없는 시합[패전 투수] / fight a ~ battle (with...) (…와) 승산이 없는 싸움을 하다. ── *n.* 실패, 패배 ; [*pl.*] (투기 따위의) 손실.

lósing strèak *n.* 연패(連敗) (↔*winning streak*) : a six-game ~ 6연패.

‡loss [lɔ́(ː)s, lɑ́s] *n.* **1** Ⓤ 상실, 분실, 유실 : These floods bring *loss* of life and terrible suffering. 이러한 홍수는 인명의 손실과 무서운 재난을 가져온다. **2** 손실(물), 손해 ; 손실액(↔*profit*). **3** 감손(減損), 줄어듦 ; 소모, 소비, 낭비(waste) : ~ in weight 무게의 감소, 감량. **4** Ⓤ 실패, 패배. **5** (보험금을 지급하게 되는) 사망[손해] ; [*pl.*] 〖軍〗 사상자(수), 손해 : suffer great [heavy] *~es* 큰 손해를 입다.
at a loss (1) [+*to* do/+*wh.*+*to* do] 당황하여, 어찌할 바를 몰라서 : I was so surprised that I was quite *at a ~ for* words. 너무 놀라서 무슨 말을 해야 할지 전혀 몰랐다 / He was *at a ~ to* discover it. 그는 그것을 찾지 못해 당황했다. (2) (사냥개가 목표·대상물이 남긴) 냄새[흔적]를 잃고. (3) 손해를 보고 : The goods were sold *at a ~* (*of* £50). 그 상품은 (50파운드의) 손해를 보고 팔렸다.

〈회화〉
I'm at a *loss* what to do. ― Don't worry. Everything will work out okay. 「어찌해야 좋을지 갈피를 못잡겠어」 「걱정하지마. 모든 것이 잘 풀릴거야」

for a loss 우울하여, 몹시 지쳐서.
loss of face 체면을 잃기.
without loss of time 지체없이, 당장에.
〖ME *los* 역성(逆成) ‹ *lost* (p.p.) ‹ LOSE〗

löss [lés, lʌ́s] *n.* =LOESS.

lóss lèader *n.* 〖商〗 손님을 끌기 위한 상품, (손해를 보며 싸게 파는) 특매품.

lóss·màker *n.* 《英》 적자 기업. **-màking** *a.* 계속 적자가 나는.

lóss ràtio *n.* 〖保險〗 손해율《지급 보험금의 수입 보험료에 대한 비》.

lóssy *a.* 〖電〗 손실이 있는《도선(導線)·유전체(誘電體) 따위》.

◇lost [lɔ́(ː)st, lɑ́st] *v.* LOSE의 과거·과거분사.
── *a.* **1** 잃어버린, 분실한 ; 행방불명의(missing) : ~ territory 실지(失地). **2** 진, 놓쳐버린. **3** 허비한, 헛수고를 한 : ~ labor 헛수고, 고생. **4** 죽은 ; 파손된 ; 멸망한 : ~ souls 지옥에 떨어진 혼백 / give up *for* ~ 죽은 것으로 단념하다. **5** 길을 잃은 ; 당황한(bewildered) ; 방심한 듯한 : a ~ child 미아(迷兒) / ~ sheep 〖聖〗 잃어버린 양 《정도(正道)에서 벗어난 사람》 / a ~ look 어리둥절한[방심한듯한] 표정 / get ~ 길을 잃다, 미아가 되다 ; 어찌할 바를 모르다. **6** 열중한, 몰두한 : He seems ~ in thought. 그는 깊은 사색에 잠긴 것 같다.
the lost and found 분실물 취급소.

lóst cáuse *n.* 실패한[실패할 것이 뻔한] 주의[주장, 목표, 운동].

Lóst Generátion *n.* [the ~] 잃어버린 세대《1차 대전후의 환멸과 회의에 찬 미국의 젊은 세대》; 이 세대를 대표하는 작가군(群)《Hemingway, Fitzgerald, Dos Passos 등》.

lóst mótion *n.* **1** 〖機〗 헛돌기, 공전(空轉). **2** 시간[에너지]의 낭비.

lóst próperty *n.* 유실물(遺失物) : a ~ office 유실물 취급소.

lóst ríver *n.* 없어지는 강《바다와 호수 따위로 흘러가지 못하고 도중에서 소실되는 건조지대의 강》.

◇lot [lɑ́t] *n.* **1** 제비 ; Ⓤ 제비뽑기, 추첨 ; [the ~] 추첨법 : cast *~s* 제비를 뽑다, 제비로 결정하다 / The ~ fell upon him. 제비뽑기에서 그가 당첨되었다. **2** 몫(share). **3** 운, 운명(destiny) ; 신분, 상태 : a hard ~ 쓰라린 운명 / It falls to[It is] one's ~ to do.... 사람이 …할 운명에 놓여있다. **4** 대지(垈地), 지구, 부지 ; 《美》 토지의 한 구획 ; 영화 촬영소, 스튜디오 : one's house and ~ 《美》 가옥과 대지 / a parking ~ 《美》 주차장. **5** (상품·경매품의) 한 무더기 ; (사람·물건의) 떼, 벌 : a tough ~ of people 불굴의 정신을 가진 사람들. **6** [a ~ ; 때때로 ~s] 《口》 많음 (cf. DEAL[2]) (㊟ 수·양에 다 쓰나 보통 의문문이나 부정문에서는 쓰이지 않고 many, much가 이를 대신함) : There are *a ~ of* nice parks in San Francisco. 샌프란시스코에는 멋진 공원이 많이 있다 / We always have *a ~ of* rain in June. 6월에는 해마다 비가 많이 온다 / Sometimes we have very little snow, but sometimes there's *a ~*. 때로 눈은 조금밖에 내리지 않으나 때로는 많이 내리는 수도 있다 / There are *~s of* tigers in India. 인도에는 호랑이가 많이 있다 / I got *~s of* things from Mommy and Daddy. 여러 가지 물건을 엄마와 아빠한테서 받았습니다. ㊟ 부사적으로도 쓰임 : I want *a ~* [*~s*] more. 훨씬 많이 갖고 싶어요 / You've changed *~s*[*a ~*]. 당신은 많이 변했군요. **7** 《口》 놈, 보잘것 없는 물건 : a bad ~ 악인, 질이 좋지 않은 녀석.
by lot 제비로, 추첨으로.
by [***in***] ***lots*** 따로따로 나누어, 몫으로 나누어.
cast in one***'s lot with***. . . = *throw in* one's LOT *with*....
the (***whole***) ***lot***=***all the lot*** 《口》 무엇이든 〈*of*〉 : That's *the* ~. 그것이 전부다.
throw [***cast***] ***in*** one***'s lot with*** …와 운명을 같이하다.

〈회화〉
How shall we choose who'll go ? ― Let's draw *lots*. 「누가 갈것인가를 어떻게 정하지」 「제비 뽑기를 합시다」

── *vt.* (**-tt-**) **1** (토지 따위를) 구분하다 (divide) ; (물품을) 구분하다〈*out*〉. **2** 할당하다.
── *vi.* 제비뽑기를 하다.
〖OE *hlot* portion, choice ; cf. G *Los*〗

Lot *n.* **1** 남자 이름. **2** 〖聖〗 롯《Abraham의 조카. Sodom의 멸망으로 일족이 달아날 때에 뒤를 돌아다본 그의 아내는 소금 기둥이 되었음 ; 창세기

13 : 1-12, 19 : 1-26). 〚Heb.= ?〛

lo·ta(h) [lóutə] *n.* 《인도》 둥근 물단지《놋쇠 또는 구리로 만든》. 〚Hindi〛

loth [lóuθ, -ð] *a.* =LOATH.

Lo·thar·io [louθá:riòu, -θéəri-, -θǽri-] *n.* (*pl.* **~s**) 색골, 난봉꾼.
〚Nicholas Rowe, *The Fair Penitent* 중의 인물〛

Lo·thi·an [lóuðiən] *n.* 로디언《1975년에 신설된, 스코틀랜드 Forth 만(灣) 남쪽에 위치하는 주》.

lót hòpper *n.* 《美俗》 (영화의) 엑스트라.

lo·tion [lóuʃən] *n.* Ⓤ,Ⓒ 외용(外用)물약, 씻는 약 ; 화장수, 로션 : an eye ~ 안약.
〚OF or L (*lot- lavo* to wash)〛

lotos ☞ LOTUS.

lots [láts] *adv.* 《口》 대단히 ; [비교급과 함께] 훨씬 더(much). —— *n.* ☞ LOT.

lot·ta [látə] *a.* 《美俗》 많은(a lot of).

lot·tery [látəri] *n.* **1** 복권(福券), 제비뽑기 ; 추첨 분배 : a ~ ticket 추첨권, 복권. **2** 운, 운수.
〚? Du. ; ⇨ LOT〛

lóttery whèel *n.* (북 모양의) 회전식 추첨기.

Lot·tie, Lot·ty [láti] *n.* 여자 이름《Charlotte의 애칭》.

lot·to [látou] *n.* (*pl.* **~s**) Ⓤ 로토《다섯장의 숫자 카드를 깔아 놓고 주머니 속에서 숫자가 적힌 패를 꺼내어 수를 맞추는 놀이》. 〚It.<Gmc.〛

lo·tus, lo·tos [lóutəs] *n.* **1** 〖植〗 연(蓮) : a ~ bloom 연꽃. **2** 〖그神〗 로토스《그 열매를 먹으면 속세의 고통을 잊고 즐거운 꿈을 꾼다고 생각했음》. 〚L<Gk. ; cf. Heb. *lōt* myrrh〛

Lotus *n.* 로터스《영국 Lotus Cars 회사제의 스포츠 카》.

lótus-èat·er *n.* **1** 〖그神〗 lotus의 열매를 먹고 속세의 근심을 잊은 사람. **2** 쾌락주의자.

lótus-èat·ing *n., a.* 열락(悅樂)(을 일삼는).

lótus lànd *n.* 열락의 나라, 도원경.

lótus posítion[pósture] *n.* 〖요가〗 연화좌(蓮花座) ; 〖禪〗 결가부좌(結跏趺坐).

Lou [lú:] *n.* 남자 이름《Louis의 애칭》; 여자 이름《Louisa, Louise의 애칭》.

louche [lú:ʃ] *a.* 수상쩍은 ; 교활한 ; 평판이 나쁜. 〚F〛

‡**loud** [láud] *a.* **1** (음성·소리가) 높은, 큰 소리의, 높은 소리의(↔*low*) ; 시끄러운(noisy) : *in* a ~ voice 고성(高聲)으로 / *with* a ~ noise 큰 소리를 내어. **2** [+*in*+do*ing*] 열심인 ; 성가신 : He was ~ ***in*** demands[*in* denounc*ing* it]. 그는 귀찮게 요구했다[그것을 비난했다]. **3** 《口》 화려한, 야한(showy) (↔*quiet*) ; (태도 따위) 야비한, 품위없는 ; 주제넘은(obtrusive) ; (냄새 따위) 지독한. —— *adv.* 높은 소리로, 큰 소리로. ㊟ 이 뜻으로 「시끄럽다」는 것을 나타내는 LOUDLY가 쓰이는 수도 있음.
out loud 소리내어, 큰 소리로.

〈회화〉
Will you speak a little *louder*? — Yes, of course. 「좀 더 큰소리로 말씀해 주세요」「네, 알았습니다」

〚OE *hlūd* ; cf. G *laut*〛
類義語 ***loud*** 「소리가 높은, 큰」의 뜻으로 반드시 시끄럽다는 것을 말하는 것은 아님. ***noisy*** 끊임없이 혹은 언제까지나 큰 소리를 내어 시끄럽고 귀에 거슬리며 불쾌한 것을 나타냄.

lóud·en *vi., vt.* 목소리가 커지다[를 크게 하다], 소란스러워지다[스럽게 하다].

lóud-háil·er *n.* 고성능 확성기(=《美》 bullhorn).

lóud·ish *a.* 좀 소리가 높은, 좀 시끄러운 ; 야한.

‡**lóud·ly** *adv.* **1** 큰 소리로 ; 시끄럽게(cf. LOUD *adv.*) : talk ~ 큰 소리로 지껄이다. **2** 《口》 화려하게, 야하게 : ~ dressed 야한 옷차림으로.

lóud·mòuth *n.* 《口》 큰 소리로[시끄럽게] 지껄이는 사람, 안 해도 좋을 말을 하는 사람, 잘난 체 큰 소리치는 사람.

lóud·mòuthed [-ðd, -θt] *a.* 목소리가 큰 ; 소란스러운.

lóud·ness *n.* Ⓤ 음의 강도, 음량(音量) ; 큰 소리 ; 시끄러움 ; 《口》 야함, 화려함.

lóud·spèak·er *n.* 확성기.

lóudspeaker vàn *n.* 《英》 (확성기를 갖춘) 선전차(=《美》 sound truck).

lóud-spóken *a.* 목소리가 큰.

Lóu Géhrig's disèase *n.* 〖醫〗 루게릭 병《근(筋)위축성 측삭(側索) 경화증》.
〚*Lou Gehrig*이 이 병으로 죽은데서〛

lough [lák, lάx] *n.* 《아일》 호수, (좁은) 강의 후미. 〚Ir. ; ⇨ LOCH〛

lou·ie, lou·ey [lú:i] *n.* =LOOEY.

Louie *n.* 남자 이름《Louis의 애칭》; 여자 이름《Louisa, Louise의 애칭》.

Lou·is [lú:i, lú:əs] *n.* **1** 남자 이름. **2** [, *F* lwi] (프랑스의 왕) 루이《1세부터 18세까지 있음》. **3** [l~] [lú:i] (*pl.* ~) =LOUIS D'OR.
〚F ; ⇨ LEWIS〛

Lou·i·sa [lu(:)í:zə], **Lou·ise** [lu(:)í:z] *n.* 여자 이름《Louis의 여성형 ; 애칭 Lu》.
〚F (fem.) ; ↑〛

lou·is d'or [lù:idɔ́:r] *n.* (*pl.* ~) 혁명 전의 프랑스 금화(金貨)《20프랑 금화》.
〚F (*Louis* XIII, *d'or* of gold)〛

Lou·i·si·ana [luì:ziǽnə, lù:əzi- ; lu(:)ì:zi-] *n.* 루이지애나《미국 남부의 주 ; 주도 Baton Rouge ; 略 La.》. **-si·án·an, -an·ian** [-ǽniən, -ǽnjən] *a., n.* Louisiana의 (사람).

Louisiána Púrchase *n.* [the ~] 루이지애나 매입지(買入地)《미국이 1803년 프랑스로부터 사들인 토지로 지금의 Louisiana 주보다 훨씬 넓음》.

Lou·is Qua·torze [lú:i kətɔ́:rz] *a.* 루이 14세 시대(풍)의《건축·장식 양식 따위》.

Louis Quinze [⌐ kǽnz] *a.* 루이 15세 시대(풍)의, (그 시대의) 로코코풍의.

Louis Seize [⌐ séiz] *a.* 루이 16세 시대(풍)의《로코코 양식의 반동으로 직선적인 고전주의로의 과도기를 나타냄》.

Louis Treize [⌐ tréiz] *a.* 루이 13세 시대(풍)의《건축은 르네상스 초기 것보다 중후하고 기품이 있고, 가구·실내 장식은 기하학적 의장을 썼음》.

lounge [láundʒ] *vi.* [動/+前+名] **1** 어슬렁어슬렁 걷다, 빈둥빈둥 거닐다 : There were some men and women *lounging* ***about*** the street. 거리에 여러 명의 남녀가 어슬렁거리고 있었다. **2** 축 늘어져 기대다, 한가롭게 눕다 : The men were *lounging* ***over*** the bar[***in*** the armchairs]. 남자들이 한가롭게 주점의 카운터에[안락 의자에] 기대어 있었다.
—— *vt.* [+目+副] (시간을) 빈둥거리며 보내다(idle) : He ~*d away* the time. 그는 빈둥거리며 시간을 보냈다.
—— *n.* **1** 어슬렁어슬렁 걷기, 만보(漫步). **2** (호텔·클럽 따위의) 사교실, 담화실, 휴게실 ; 거실. **3** 침대의자, 안락의자(=~ chair).

lóung·er *n.* 어정버정 거니는 사람 ; 빈둥빈둥 노는 사람, 게으름뱅이(idler). **lóung·ing·ly** *adv.* 빈둥빈둥.

lóunge bàr *n.* 《英》 (퍼브(pub) [호텔] 내의) 고급 바.
lóunge càr *n.* 〖美鐵〗 (안락 의자·바 따위를 갖춘) 특등 객차.
lóunge chàir *n.* 안락 의자.
lóunge lìzard *n.* 《口》 건달 청년 ; =GIGOLO.
lóunge sùit *n.* 《英》 신사복(=《美》 business suit).
loupe [lúːp] *n.* 돋보기, 루페《시계공·보석공 등의 확대경》.
lour, loury, etc. ☞ LOWER², LOWERY, etc.
louse [láus] *n.* **1** 〖昆〗 (*pl.* **lice** [láis]) 이 ; (새·물고기·식물 따위의) 기생충. **2** (*pl.* **lóus·es**) 《口》 비열한 놈, 인간 쓰레기.
—— [láus, -z ; -z] *vt.* 이를 잡다.
louse up 망치다, 혼란시키다.
〖OE *lūs,* (pl.) *lȳs* ; cf. G *Laus*〗
lóuse·wòrt *n.* 〖植〗 송이풀속(屬)의 각종 초본.
lousy [láuzi] *a.* **1** 이가 꾄, 이 투성이의 ; (비단이) 반점투성이의. **2** 《俗》 더러운, 비열한, 정말 싫은, 추접한. **3** 《俗》 많이 있는〈*with*〉.
lout [láut] *n.* 버릇없는 놈, 시골뜨기. —— *vt.* 《廢》 무지렁이 취급을 하다 ; 깔보다, 멸시하다.
lóut·ish *a.* 버릇없는, 촌뜨기 같은.
~·ly *adv.* **~·ness** *n.*
lou·ver, -vre [lúːvər] *n.* **1** (중세 건물에 많은) 고미다락 창(窓), 정탑(頂塔) (lantern). **2** (자동차의) 방열(防熱) 구멍. **3** 〖建〗 **a**) 미늘 모양의 창살대기. **b**) [*pl.*] 미늘 판(=~ **bòards**). **c**) 미늘 창문. 〖OF *lover* skylight＜? Gmc.〗
Lou·vre [lúːvr] *n.* [the ~] (파리의) 루브르 박물관《원래는 왕궁》.
lov·able, love- [lʌ́vəbəl] *a.* 사랑할 만한, 사랑스러운, 애교있는. **-ably** *adv.* **~·ness** *n.*
lov·age [lʌ́vidʒ] *n.* 〖植〗 미나리과의 약초.
◇**love** [lʌ́v] *n.* **1** Ⓤ [때로 a ~] **a**) 사랑, 애정 : ~ and hate 사랑과 미움, 애증(愛憎) / ~ *of* (one's) country 애국심 / He had a peculiar ~ *for* the boy. 그 소년에게 특별한 애정을 품고 있었다. **b**) 좋아함, 호의(liking)〈*of*〉; 좋아하기, 애호, 애착, 취미〈*of, for*〉: a labor of ~ ☞ LABOR *n.* 2. **c**) (안부를 전하는) 인사 : Give[Send] my ~ to …에게 안부 전해 주시오. **2 a**) Ⓤ 연애, 연모〈*of, for, toward*〉; 성욕, 색정 ; 성교 : (one's) first ~ 첫사랑 / free ~ 자유연애(론). **b**) Ⓒ 사랑하는 사람(darling) ; 애인, 연인《보통 여성》 (sweetheart) (cf. LOVER). **c**) [L~] 연애의 신(神), 큐피드(Cupid). **3** Ⓤ (하느님의) 사랑, 자비 ; 경애, 숭경(崇敬)〈*of*〉. **4** 《口》 유쾌한 사람, 아름다운 것[사람] : my ~ (부부간의 호칭) 여보, 당신 ; (아이들을 부를 때) 얘야 / What a ~ of a dog! 야아 참 예쁜[귀여운] 개로구나. **5** Ⓤ 〖테니스〗 0점, 무득점 : ~ all 0대 0.
at love 〖테니스〗 상대방에게 득점을 주지 않고.
fall in love with …와 사랑에 빠지다, …에 반하다.
for love 좋아서 ; 무료로 ; (내기를) 걸지 않고 (cf. *for* MONEY).
for love or money [부정구문] 아무리 하여도 (…않다) : It can't be had *for* ~ *or money.* 그것은 절대로 손에 넣을 수 없다.
for the love of …때문에, 까닭에.
for the love of Heaven [***your children*** *etc.*] 제발.
in love with …에 반해서 ; …을 좋아하여.
make love to …에게 구애하다, …에게 사랑을 호소하다 ; …와 자다, 성교하다.
out of love 사랑하는 마음에서, 좋아하기 때문에 ; (…이) 싫어져서, 사랑도 식어서〈*with*〉: fall *out of* ~ *with* …가 싫어지다.
There is no love lost between them. (처음부터) 그들 사이에는 아무런 애정도 없다 ; 《古》 (그래도 아직) 그들은 사랑하고 있다.
—— *vt.* **1** 사랑하다, 귀여워하다, 소중히 하다 ; 연모하다, 반하다 : They ~*d* each other. 그들은 서로 사랑하고 있었다 / *L*~ me, ~ my dog. 《속담》「아내가 귀여우면 처가집 말뚝보고도 절한다」. **2** [+目/+*to* do/+目+*to* do/+do*ing*] …을 매우 좋아하다(like very much) ; 찬미하다 : Most children ~ ice cream. 아이들은 대개 아이스크림을 좋아한다 / She ~*s to* be[~*s* be*ing*] admired by young men. 젊은 사내들이 추어올려 주는 것을 좋아한다 / Will you join us? — I should ~ *to.* 우리와 합치지 않겠어요 — 기꺼이 그렇게 하지요 / I ~ you *to* dress well. 네가 멋진 옷차림을 하면 정말 좋다. 㞕 for를 쓰는 것은 《口》 : She'll ~ *for* you *to* come with her. 그녀는 당신이 동행한다면 기뻐할 것이다. **3** (동·식물이 …을) 좋아하다, 필요로 하다 : Some plants ~ shade. 식물중에는 그늘을 좋아하는[에서 자라는] 것도 있다. **4** 애무하다 ; 성교하다.
—— *vi.* 사랑하다, 애정을 품다.
I love my love with an A [***a B*** *etc.*] ***because*** she ***is amiable*** [***beautiful*** *etc.*]. 일종의 벌금 놀이(FORFEITS)에서 쓰는 문구.
Lord love you! 저런! 《남의 실수 따위에 놀라는 소리》.
〖OE (v.) *lufian,* (n.) *lufu* ; cf. LIEF, G *Liebe*〗
類義語 (1) (*n.*) ***love*** 아주 귀엽다고 생각하는 기분 또는 깊은 헌신 ; 여러 관계 또는 대상에 대하여 쓰여짐. ***affection*** 다사롭고 상냥한 마음, 보통은 love 만큼 강하지는[깊지는] 않으나 오래 계속되는 것 : She lost her *affection* for her lover. (연인에 대한 애정이 식었다). ***attachment*** 사람이나 물건에 끌리거나 결부돼 있는 기분 ; 애착 : My father has still an *attachment* to his old overcoat. (아버지는 아직도 낡은 외투에 애착심을 갖고 계신다).
(2) (*v.*) ⟹ LIKE².
lóve affàir *n.* 연애사건, 정사〈*with*〉; 열광.
lóve àpple *n.* 《古》 토마토(tomato).
〖cf. F *pomme d'amour*〗
lóve bèads *n. pl.* (사랑과 평화를 상징하는 히피들의) 염주식 목걸이.
lóve-begótten *a.* 사생(私生)의, 서출(庶出)의.
lóve·bìrd *n.* 〖鳥〗 (아프리카산의) 작은 잉꼬《암수가 거의 떨어져 있는 법이 없음》; [*pl.*] 《口》 열애 중인 남녀 ; 몹시 정다운[잉꼬] 부부.
lóve bòat *n.* 《美俗》 남녀 혼합 승무원을 갖는 해군 함정(cf. COED CREW).
lóve-bòmb·ing *n.* 《美》 (cult의 신자 획득을 위한 계획적인) 애정 공세.
lóve-bùbbles *n. pl.* 《英俗》 (여성의) 유방, (특히) 모양새 좋은 젖통이.
lóve chìld *n.* 사생아(bastard).
lóved òne *n.* 가장 사랑하는 사람, 연인 ; [*pl.*] 가족, 친척 ; [때때로 L~ O~] 사망한 가족[친척], 고인(故人).
lóve drùg *n.* 《美俗》 최음제(催淫劑).
lóve fèast *n.* 애찬, 아가페 ; (메서디스트회파 따위를 모방한) 애찬회 ; 우정의 주연, 친목회.
lóve gàme *n.* 〖테니스〗 완승(love set).
lóve generátion *n.* [the ~] 히피족.
lóve hàndle *n.* [보통 love handles] 《美俗》 러

브 핸들《특히 여성이 남성의 허리 둘레의 군살을 가리킬 때 말함》.
lóve-háte *n., a.* 격렬한 애증(愛憎)(의) : ~ relations 격렬한 애증 관계.
lóve·hòle *n.* 《俗》 여성의 성기, 질.
lóve-ìn *n.* 《俗》 (히피족 등의) 사랑의 모임.
lóve-in-a-míst *n.* 〔植〕 니겔라꽃.
lóve-in-ídle·ness *n.* 〔植〕 들에서 나는 세 가지 빛깔의 제비꽃.
lóve·jùice *n.* **1** 정액, 애액(愛液). **2** 최음약, 미약(媚藥).
lóve knòt *n.* 사랑의 매듭《사랑의 표시로 리본을 매는 법》.
Love·lace [lʌ́vleis] *n.* 러브레이스. **Richard** ~ (1618-58) 영국의 왕당파 시인.
lóve·less *a.* **1** 사랑이 없는; 매정한. **2** 붙임성이 없는, 귀염성이 없는.

love knot

lóve lètter *n.* 연애 편지, 러브 레터.
lóve-lìes-bléed·ing [-làiz-] *n.* 줄맨드라미.
lóve lìfe *n.* 《口》 성(性)생활.
lóve·lòck *n.* **1** (여자의) 애교머리. **2** (옛날 상류 사회의 남자가) 귀언저리에 매어 늘어뜨린 머리.
lóve·lòrn *a.* 실연(失戀)한; 사랑에 번민하는.
‡**lóve·ly** *a.* **1** 아름다운, 귀여운, 사랑스러운; 애교가 있는(charming); (인격이) 훌륭한, 뛰어난, 경애해야 할 : a ~ child 귀여운 아이 / ~ weather 매우 좋은 날씨. **2** 《口》 기쁜, 멋진, 유쾌한 : We had a ~ time together. 우리는 함께 즐거운 시간을 보냈다.

〈회화〉
Here's your birthday present. — Oh! It's *lovely*, Tom. Thank you. 「생일 선물이야」「와 멋있어, 톰. 고마워」

── *adv.* 《口》 멋지게, 근사하게. ── *n.* 《口》 미인《연예인·모델 등》; 아름다운 것. **-ness** *n.* 사랑스러움; 아름다움; 매력, 애교; 훌륭함.
類義語 ⟹ BEAUTIFUL.
lóve·màking *n.* Ⓤ 구애, 구혼(courtship); 성교, 사랑의 행위.
lóve màtch *n.* 연애 결혼.
lóve·màte *n.* 연인, 애인(lover).
lóve nèst *n.* 사랑의 보금자리.
lóve-pòtion, -phìlter *n.* 미약(媚藥).
‡**lov·er** [lʌ́vər] *n.* **1** 연인, 애인《단수일 때는 보통 남자; cf. SWEETHEART, LOVE》, 구혼자; 정부(情夫); [*pl.*] 연인[애인]들 : ~'s knot=LOVE KNOT. **2** 애호자, 헌신자〈*of*〉.
lóvers' láne *n.* (공원 따위의) 사랑의 산책길.
lóver's léap *n.* 실연자가 자주 투신 자살하는 낭떠러지.
lóver's[lóvers'] quárrel *n.* 치정 싸움.
lóve scène *n.* 정사 장면.
lóve sèat *n.* 2인용 의자[소파].
lóve sèt *n.* =LOVE GAME.
lóve·sìck *a.* 사랑에 고민하는, 상사병에 걸린. **lóve·sìck·ness** *n.* Ⓤ 상사병.
lóve·some *a.* 《古·方》 매혹적인, 아름다운; 다정스런; 요염한.
lóve sòng *n.* 사랑의 노래, 연가.
lóve stòry *n.* 사랑 이야기, 연애소설.
lóve-tòken *n.* 사랑의 표시(의 선물).
lovey [lʌ́vi] *n.* 《英口·호칭》 여보, 당신.
lovey-dovey [lʌ́vidʌ́vi] *a.* 《口》 (맹목적으로) 사랑한, 홀딱 반한; 지나치게 감상적인, 매우 달콤한. ── *n.* =LOVEY; 우애(友愛).
***lov·ing** [lʌ́viŋ] *a.* **1** (사람을) 사랑하는, 애정있는, 다정한(cf. BELOVED) : Your ~ friend 당신의 친한 벗으로부터《친구간의 편지의 매듭말》. **2** 충실한, 충성스러운(loyal). **~·ly** *adv.* 애정을 기울여, 귀여워하여, 친절히. **~·ness** *n.*
lóving cùp *n.* 우애의 잔《은으로 만든 큰 잔, 원래는 연회의 끝판에 돌려가며 마신 것; 지금은 우승배》.
lóving-kínd·ness *n.* Ⓤ 친애, 정, (특히 신의) 자애, 인자.
◇**low**[1] [lóu] *a.* **1** 낮은(↔*high*); (온도·위도 따위) 낮은 : a ~ brow[forehead] 좁은 이마 / a ~ ceiling 낮은 천장 / a ~ hill 낮은 산[언덕]. **2** (물이) 줄어든, 수위가 낮은; 간조(干潮)의 : ☞ LOW TIDE / The Blue Nile is ~ in the winter months. 청나일(강)은 겨울에는 수위가 낮다[물이 줄어든다]. **3** 옷깃이 낮은. **4** (음성·소리가) 낮은, 작은, 저음의 : speak in a ~ voice[whisper] 낮은 목소리로 속삭이듯 얘기하다. **5** (몸이) 약한; 원기가 없는, 의기 소침한, 침울한 : ~ spirits 무기력, 의기 소침. **6** 영양분이 적은, 저질의, 빈약한 : a ~ grade of rice 저질(低質)의 쌀. **7 a)** (계급·위치 따위가) 낮은, 천한 : ~ *in* one's class 신분이 낮은 / of ~ birth 천한 태생의 / ~ life 하층생활. **b)** 《稀》 저자세의, 겸손한. **c)** 미발달의, 단순한, 미개의 : ~ forms of life 하등생물. **8** 버릇없이 자란, 조야(粗野)한; 하등의, 저급한, 천한; 음란한. **9** 값이 싼(cheap); 적은, (평가 따위가) 낮은 : We have a ~ opinion of liars. 누구나 거짓말쟁이(의 말)을 높이 평가하지 않는다. **10** (열·압력 따위가) 약한, 낮은; (속력이) 느린. **11** 〔音聲〕 혀의 위치가 낮은. **12** (호주머니에) 돈이 얼마없는 : be ~ *in* one's pocket 호주머니에 돈이 얼마 없다. **13** [주로 비교급으로] 최근의(recent) : of a ~*er* date 보다 근년의. **14** [L~] 〔敎會〕 저교회파의(☞ LOW CHURCH).
at (***the***) ***lowest*** (수·양 따위가) 적어도, 아무리 낮아도.
── *adv.* **1** 작게; 목소리를 낮추어 : speak ~ 낮은 소리로 말하다. **2** 싸게(cheaply) : buy ~ and sell high 싸게 사서 비싸게 팔다. **3** 낮은 가락으로, 낮은 소리로(↔*loud*). **4** 조식(粗食)을 하여, 검소[알뜰]하게 : live ~ 검소하게 살다. **5** 천하게, 비열하게, 타락하여; (지위·신분 따위) 낮게. **6** 적은 노름 밑천으로. **7** 풀이 죽어서. **8** 《古》 (연대(年代)가) 현대에 가깝게.
bring low (재산·건강·위치 따위를) 줄게 하다, 쇠약하게 하다, 몰락시키다; 수치스럽게 하다(humble).
fall low 타락하다.
lay low 멸망시키다, 죽이다; 묻다; 타도하다; 영락시키다; 병상에 눕게하다.
lie low 쭈그리고 앉다; 쓰러져 있다, 죽어 있다; 《口》 가만히 때가 오기를 기다리다.
low down 훨씬 아래에; 천대하여, 냉대하여.
play it low (***down***) (***up***)***on*** …을 냉대하다.
play low 소액의 내기를[노름을] 하다.
run low (자금 따위가) 고갈되다, 결핍하다.
── *n.* **1** 낮은 것. **2** Ⓤ 《美》 (자동차의) 최저속 기어, 로(기어)(low gear)(cf. HIGH *n.* 1) : on[in] ~ 로(기어)로 / go into ~ 저속 기어로 바꾸다. **3** 〔카드놀이〕 가장 끝수가 낮은 패; 제일 낮은 득점. **4** 〔氣〕 저기압(cf. HIGH *n.* 4). **5** 《美》

최저 수준[기록·숫자], 최저 가격(cf. HIGH *n.* 3) : an all-time ~ 이제까지의 최저(기록) / a new ~ 최저 값, 최저 기록.
~·ness *n.* 낮음 ; 천함 ; 염가 ; 원기가 없음.
〚ME *lowe, lāh*<ON *lagr*〛
類義語 ⟹ MEAN^{2}.

low^{2} *vi., vt.* (소가) 음매하고 울다(moo) ; 울부짖듯 말하다〈*forth*〉. —— *n.* (소의) 음매! 하고 우는 소리. 〚OE *hlōwan*〛

low^{3}**, lowe** [lóu] *n.* 《스코》 불꽃. —— *vi.* 불타다. 〚ON ; OE *lēoht* LIGHT^{1}와 같은 어원〛

LOW 〔軍〕 launch on warning 《경보 즉시 발사 ; 핵공격이 감지되는 즉시 착탄 전에 보복 공격하는 미국의 핵전략》.

lów·bàll *vt., n.* 사람을 속이는 듯한 싼 값[견적](을 (고객)에게 보이다).

lów béam *n.* (자동차 헤드라이트의) 하향 근거리용 광선, 로 빔(cf. HIGH BEAM).

lów blóod prèssure *n.* 〔醫〕 저혈압.

lów blów *n.* 〔拳〕 로 블로《벨트 아래를 치는 반칙》; (일반적으로) 비열[치사]한 짓.

lów·bórn *a.* 천한 태생의.

lów·bòy *n.* 《美》 다리가 짧은 옷장(cf. HIGHBOY).

lowboy

lów·bréd *a.* 버릇[예의] 없이 자란, 야비한.

lów·bròw *n.* 《口》 교양[지성]이 낮은 사람, 저급한 사람(↔*highbrow* ; cf. MIDDLEBROW).
—— [∸∸] *a.* 교양이 낮은 (사람에게 알맞은).

lów-brówed *a.* 이마가 좁은 ; (바위가) 튀어나온 ; (건물의) 입구가 낮은, 어두컴컴한 ; 《口》 교양이 낮은.

lów-cal [-kæl] *a.* 저칼로리의《식사》. 〚*cal*orie〛

lów cámp *n.* 예술적으로 진부한 것을 무의식적으로 그냥 사용하는 일.

Lów Chúrch *n.* [the ~] 저교회파(低敎會派)《영국 국교의 일파로 교리나 의식보다 복음을 강조함 ; cf. BROAD CHURCH, HIGH CHURCH》.
Lów Chúrch·man [-mən] *n.* 저교회파(派)의 사람.

lów-cláss *a.* =LOWER-CLASS.

lów cómedy *n.* 저속한 희극. **lów comédian** *n.* 저속한 희극 배우[코미디언].

lów-còst *a.* 비용이 적게 드는, 헐한, 값싼.

Lów Còuntries *n. pl.* [the ~] (북해 연안의) 저지대《지금의 벨기에·네덜란드·룩셈부르크에 해당》.

lów-cóuntry *a.* Low Countries의.

lów-dòwn *a.* 《口》 천한 ; 야비한, 비열한 ; 타락한.
—— *n.* =LOWDOWN.

lów·dòwn *n.* [the ~] 《口》 실정, 내막.
get [***give***] ***the lowdown on*** …의 내막을 알다[알리다].

Lów Dútch *n.* =LOW GERMAN.

Low·ell [lóuəl] *n.* 로웰. **1 Amy** ~ (1874-1925) 미국의 여류시인·비평가. **2 James Russel** ~ (1819-91) 미국의 외교관·시인·평론가.
〚F<Gmc.=little wolf〛

‡**low·er**^{1} [lóuər] *vt.* **1** 낮추다, 내리다, 낮게 하다(↔*heighten*) ; (보트 따위를) 내리다 ; (눈을) 내리깔다. **2** (가치 따위를) 떨어뜨리다(degrade) ; (정도를) 저하시키다 : ~ the standard of life 생활수준을 낮추다 / ~ the infant death rate 유아사망률을 줄이다. **3** 누르다, 꺾다, 기를 죽이다 (humble) : ~ one's dignity 품위를 떨어뜨리다 / ~ oneself 몸을 굽히다, 굴복하다. **4** …의 힘[체력]을 줄이다[약하게 하다]. **5** (값을) 싸게 하다, 내리다. **6** 〔樂〕 가락을 낮추다. **7** (음식을) 삼키다(swallow) ; 《口》 (술을) 마시다.

〈회화〉
Can you *lower* the price? — I'm sorry, but that's not possible. 「좀 싸게 해 줄 수는 없습니까」「미안하지만 그럴 수 없습니다」

—— *vi.* **1** 〔海〕 보트[돛·돛대의 활대]를 내리다〈*away*〉. **2** 내려가다, 낮아지다 ; 줄다 ; (가격 따위가) 하락하다 : The moon is ~*ing* slowly. 달이 천천히 기울어가고 있다. **3** 〔樂〕 가락이 낮아지다.
—— *a.* [LOW^{1}의 비교급] **1** 보다 낮은, 낮은 편의 ; 하급의, 하부의 ; 열등한, 하층의 ; 남부의 ; (값이) 보다 싼, 더 싼 : ~ animals 하등동물 / a ~ boy 《英》 (public school의) 하급생 / one's ~ lip ☞ LIP *n.* **2** [L~] 〔地質〕 전기(前期)의 (earlier) (↔*Upper*) : the *L*~ Devonian 전기 데본기(紀).
—— *adv.* LOW^{1}의 비교급. —— *n.* 아래턱용의 의치(義齒) ; (배·열차 따위의) 하단 침대.
〚LOW^{1}〛

low·er^{2}**, lour** [láuər] *vi.* **1** 얼굴을 찡그리다 (frown) 〈*at,* (*up*) *on*〉. **2** (날씨가) 험악해지다 ; (천둥 따위가) 칠 것 같다. —— *n.* 찌푸린 얼굴, 떨떠름한 얼굴(scowl) ; 험악(한 날씨).
〚ME *louren* to scowl ; cf. G *lauern* to lurk〛

Lówer Califórnia *n.* 캘리포니아 반도(Baja California)《California만과 태평양 사이에 있는 멕시코 북부의 길쭉한 반도》.

Lówer Cánada *n.* 캐나다 퀘벡 주의 옛 이름.

lówer·cáse *n.* Ⓤ 〔印〕 소문자 (활자) (small letters)《cf. UPPERCASE ; 略 lc, l.c.》. —— *a.* 소문자의, 소문자로 쓰인[인쇄된]. —— *vt.* 소문자로 인쇄하다, (대문자를) 소문자로 바꾸다.

lówer cáse *n.* 〔印〕 로어 케이스《소문자·숫자·구두점 따위를 넣는 하단의 활자 케이스 ; cf. UPPER CASE》.

lówer chámber *n.* [the ~] =LOWER HOUSE.

lówer cláss *n.* **1** 하층 계급, 노동자 계급. **2** [the ~es] 하층 사회(의 사람들).

lówer-cláss *a.* **1** 하층 계급의. **2** 열등한, 저급(低級)한.

lówer·cláss·man [-mən] *n.* 4년제 대학의 1, 2 학년생.

lówer cóurt *n.* 하급 법원.

lówer críticism *n.* (성서의) 하등(下等)[본문] 비평, 자구(字句)만에 의한 성서 비평(↔*higher criticism*).

lówer déck *n.* **1** 하갑판. **2** 〔英海軍〕 [the ~ ; 집합적으로] 하사관·수병들(cf. FORECASTLE, QUARTER-DECK, WARDROOM). **3** 〔新聞〕 부표제.

Lówer Émpire *n.* [the ~] 동로마 제국.

Lówer Fórty-éight [**48**] *n.* (알래스카·하와이를 제외한) 미국 본토 48주.

lówer hóuse *n.* [the ~, 때때로 the L~ H~] 하원(下院) (cf. UPPER HOUSE).

low·er·ing^{1} [lóuəriŋ] *a.* 낮게 하는 ; 비천한, 비열한, 타락시키는 ; 체력을 약화시키는. —— *n.* 저하, 저감(低減). 〚LOWER^{1}〛

low·er·ing^{2} [láuəriŋ] *a.* (날씨가) 험악한, 금방[지금]이라도 비가 올 듯한, 흐린 ; 기분이 언짢은 (frowning), 음울한(gloomy). **~·ly** *adv.*
〚LOWER^{2}〛

lówer mánagement *n.* **1** 하급 관리. **2** 하급 관리층[자] (cf. MIDDLE MANAGEMENT, TOP MANAGEMENT).
lówer·mòst [, 英+-məst] *a.* 최저의, 밑바닥의.
lówer órders *n. pl.* [the ~] =LOWER CLASS 2.
lówer régions *n. pl.* [보통 the ~] 지옥(hell) ; 《戱》 지하층, 하인방.
lówer schòol *n.* 《英》 public school의 5학년(fifth form) 이하의 학급.
lówer wórld *n.* [the ~] 지하계, 저승, 지옥 ; 지상, 현세.
low·ery, lou·ry [láuəri] *a.* 날씨가 험악한 ; 기분이 언짢은, 음침한.
lówest cómmon denóminator *n.* [the ~] 〖數〗 최소 공통분모《略 L.C.D., l.c.d.》; 《비유》 (이해·가치관 따위의) 최소 공통항(項).
lówest cómmon múltiple *n.* [the ~] 〖數〗 최소 공배수《略 L.C.M., l.c.m.》.
lów explósive *n.* (흑색 화약 따위와 같이) 폭발력이 약한 화약.
lów-fát mílk *n.* 저지방유《전유(全乳)와 탈지유의 중간으로 지방분을 줄인 우유》.
lów·flỳing *a.* 저공 비행의.
lów fréquency *n.* 〖通信〗 저주파《30-300kHz. ; 略 LF》; 낮은 주파수(↔*high frequency*).
lów-fréquency *a.* 〖通信〗 장파의, 저주파의.
lów géar *n.* 《美》 〖自動車〗 로[저속] 기어(first gear=《英》 bottom gear) (cf. LOW[1] *n.* 2 ; HIGH GEAR).
Lów Gérman *n.* 저지(低地) 독일어《북부 독일에서 쓰이는 방언 ; 略 L.G.》.
lów-gràde *a.* 하급의, 저질의.
lów-íncome *a.* 저수입의, 저소득의.
lów·ing *a.* 음매하고 우는. —— *n.* Ⓤ 소울음소리.
lów-kéy *a.* **1** 삼가는 투의, 감정을 겉에 드러내지 않은, 저자세의. **2** 〖寫〗 화면이 어둡고 명암의 대비가 적은. **~ed** *a.* (감정·표현을) 누른.
low·land [lóulənd, -læ̀nd] *n.* **1** 저지(低地) (↔*highland*). **2** [때때로 *pl.*] 저지[평원] 지방 ; [the ~s] 스코틀랜드 저지 지방《스코틀랜드의 남동부 ; cf. *the* HIGHLANDS》. —— *a.* 저지(低地)의 ; [L~] 스코틀랜드 저지(방언)의.
~·er *n.* 저지에 사는 사람 ; [L~er] 스코틀랜드 저지 사람.
Lów Látin *n.* 저(低)라틴어《175-600년경》.
lów-lével *a.* 하급의, 저수준의 ; 신분이[지위가] 낮은 (사람의) ; 저지의 ; 〖原子〗 방사성이 낮은.
lów-lével lánguage *n.* 〖컴퓨〗 저급 언어《인간의 언어보다 기계 언어에 가까운 프로그램 언어》.
lów·lìfe *n.* (*pl.* 보통 **~s**) 《美俗》 저속한[타락한] 인간, 비열한 녀석 ; 사회의 하층민.
lów-líved [-lívd, -láivd] *a.* 미천[야비]한, 하층 생활을 하는.
lów·ly *a.* 지위가 낮은, 신분이 천한 ; 초라한 ; 저급한 ; (생물 따위가) 미(未)진화의 ; 겸손한 ; 평범한. —— *adv.* 천하게 ; 초라하게 ; 겸손하게 ; 작은 소리로 ; 싼 값으로.
lów·li·ness *n.* 굽실거림, 겸손 ; 신분이 낮음 ; 천함, 치사함.
[類義語] ⟹ HUMBLE.
lów-lýing *a.* 낮은, 저지(低地)의.
Lów Máss *n.* (주악이 없는) 독창 미사.
lów-mínd·ed *a.* 마음이 더러운, 천박한, 비열한.
lów-néck(ed) *a.* (여성복의) 목의 깃을 크게[깊이] 판(cf. HIGH-NECKED).
lów-númbered *a.* 이른 번호의.
lów-pítched *a.* 음조가 낮은, 저음역(低音域)의 ; 경사가 완만한.
lów póint *n.* 최악의 상태, 저조.
lów pollútion càr *n.* 저공해차.
lów pósture *n.* 저자세(low profile).
lów-pówered *a.* 저출력의, 마력이 낮은 ; (렌즈의) 배율이 낮은.
lów-préssure *a.* 저압의 ; 저기압의 ; 만사 태평한, 유장(悠長)한 ; 온건하고 설득력이 있는, 부드러운 분위기의.
lów prófile *n.* 저자세(인 사람), 겸손한 태도[방법](을 취하는 사람).
keep*[*maintain*] *a low profile 저자세다.
lów-prófile *a.* 높이가 낮은, 편평한 ; 눈에 띄지 않는, 겸손한.
lów-prófile tíre *n.* 〖車〗 편평(扁平) 타이어《높이에 비해 폭이 넓음》.
lów relíef *n.* 얕은 돋을 새김.
lów-rènt hóme *n.* 집세가 싼 주택.
lów·rìder *n.* 《美俗》 **1** 차대(車臺)를 낮게 한 차 ; 그 차를 운전하는 사람 ; 핸들을 높게 한 모터사이클을 운전하는 사람. **2** 슬럼가(街)의 (난폭한) 젊은이 ; (동료 죄수로부터 돈을 갈취하는) 교도소내의 깡패.
lów·rìding *n.* 《美》 차대를 극단적으로 낮춘 차를 몰고 다니기.
lów-ríse *a.*, *n.* 층수가 적은 (건물) : ~ apartment house 저층 아파트.
lów séason *n.* [the ~] (행락 따위가) 한산한 시기, 시즌오프 ; 비수기.
lów silhouétte *n.* =LOW PROFILE.
lów-spírit·ed *a.* 의기 소침한, 기운없는, 우울한. **~·ly** *adv.* **~·ness** *n.*
lów-súlfur *a.* 저유황의《석탄·석유 따위》.
Lów Súnday *n.* 백의(白衣)의 주일《부활절(Easter) 다음의 최초의 일요일》.
lów tèa *n.* 《美》 =PLAIN TEA(cf. HIGH TEA).
lów-technólogy *a.* (일용품 생산에 이용되는 정도의) 수준이 낮은 공업 기술의(cf. HIGH-TECHNOLOGY).
lów ténsion *n.* 〖電〗 저전압(低電壓).
lów-ténsion *a.* 저전압(低電壓)의.
lów-tést *a.* (휘발유가) 끓는점이 높은, 휘발도가 낮은.
lów tíde *n.* 간조(때) ; 간조 때의 수위.
low·velt [lóufelt, -velt] *n.* [때때로 L~ ; Low-Velt] 《南아》 Transvaal 주(州)나 Swaziland 동부의 저지. 〚Afrik. *laevelt*〛
lów wáter *n.* 간조(干潮) (low tide), (강·호수 따위의) 저수위 ; 《비유》 부진[궁핍] 상태(↔*high water*) : at ~ 간조(시)에[가 되어] / be in ~ 돈이 궁하다, 융돈이 옹색하다 ; 의기 소침하다.
lów-wáter màrk *n.* 간조표(干潮標), 저수위표 ; 《비유》 최저[최악]의 상태, (궁핍의) 밑바닥 〈*of*〉.
Lów Wéek *n.* 부활절 다음의 일요일부터 시작되는 1주일간.
lox[1] [lɑ́ks] *n.* (*pl.* ~, **~·es**) 훈제(燻製)한 연어. 〚Yid.〛
lox[2] *n.* Ⓤ 액체 산소. —— *vt.* (로켓)에 액체 산소를 공급하다. 〚*l*iquid *ox*ygen〛
lóxo·dròme [lɑ́ksə-] *n.* 〖海〗 항정선(航程線) (rhumb line).
loxo·drom·ic, -i·cal [lɑ̀ksədrɑ́mik(əl)] *a.* 〖海〗 항정선의, 등사 항법(等斜航法)[등사 곡선]의 ; 메르카토르도법의. 〚Gk. *loxos* oblique〛
lox·y·gen [lɑ́ksidʒən] *n.* Ⓤ 액체 산소. 〚*l*iquid *oxygen*〛

loy·al [lɔ́iəl] *a.* 충성스러운 ; 충실[성실]한⟨*to*⟩ ; 정직한, 고결한 ; ⦅廢⦆ 법이 인정하는 : a ~ friend 충실한 친구 / a ~ subject 충신 / He was ~ ***to*** his country. 그는 국가에 충성했다.

〈회화〉
He's a *loyal* worker, isn't he? — He sure is. He's been here for 30 years.「그는 충실한 일꾼이잖아」「맞아. 그는 여기서 30년이나 일했어」

—— *n.* [보통 *pl.*] 충신, 애국자. **~·ly** *adv.*
⟦OF＜L ; ⇨ LEGAL⟧
類義語 ⟹ FAITHFUL.

lóyal·ìsm *n.* Ⓤ 충성 ; (특히 반란 때의) 근왕(勤王)주의.

lóyal·ist *n.* 충신, 근왕가(勤王家) ; [L~] 〖英史〗 왕(王)[보수] 당원(Tory) ; [때때로 L~] 〖美史〗 (독립전쟁 때의) 영국당원, 독립 반대자 ; [L~] (스페인 내란(1936-39) 때의) 정부 지지자, 반(反)프랑코 장군파.

lóyal·ty *n.* Ⓤ 충의(忠義), 충절, 근왕 ; 충실, 성실, 정절(貞節). ⟦OF⟧

lóyalty òath *n.* ⦅美⦆ (공직 취임자에게 요구되는 반체제 활동을 아니한다는) 충성 선서.

Loy·o·la [lɔióulə] *n.* 로욜라. **Ignatius** [ignéiʃiəs] ~ (1491-1556) 스페인의 성직자 ; 예수회(會)의 창설자.

loz·enge [lázəndʒ] *n.* **1** 마름모꼴. **2** 마름모꼴의 당과(糖菓), (마름모꼴의) 단맛이 든 정제(錠劑) ⦅기침약 따위⦆. **3** 마름모 꼴의 창 유리. **4** (보석의) 마름모꼴의 면(面)(facet). **5** 〖紋〗 마름모꼴의 문장.
⟦OF＜? Gaulish⟧

LP [élpí:] *n.* (레코드의) 엘피판⦅상표명⦆.
⟦*L*ong *P*laying⟧

LP linear programming ; line printer. **L. P.** Labor Party ; Lord Provost. **L. P., l. p.** low pressure. **l. p.** large paper ; long primer.

L-PAM [élpǽm] *n.* 〖化〗 l-페닐알라닌 머스터드 ⦅나이트로젠 머스터드의 일종 ; 항암제⦆.
⟦*l*-*p*henyl*a*lanine *m*ustard⟧

LPCVD 〖化〗 low-pressure chemical vapor deposition (감압 화학적 기상 성장법). **LPG** liquefied petroleum gas. **LPGA** Ladies Professional Golf Association(여자 프로 골프 협회).

LP-gas [élpí:-] *n.* 액화 석유 가스, LP가스, LPG.

L-plate [él-] *n.* ⦅英⦆ (임시 면허 운전자의 차에 표시하는) L자(字)의 표지판.
⟦*l*earner *plate*⟧

L-plat·er [élplèitər] *n.* ⦅英⦆ 임시 면허 운전자.

LPM, lpm 〖컴퓨〗 lines per minute (행 / 분).

LPN, L.P.N. licensed practical nurse.

LPPE 〖化〗 low-pressure polyethylene (저압법 폴리에틸렌). **lpt** ⦅해커俗⦆ line printer (일행분의 글자를 단위로 인자하는 장치). **LPTV** low power television (저출력 텔레비전). **L. R.** living room ; Lloyd's Register ; log run ; lower right. **Lr.** lawrencium. **LRBM** long-range ballistic missile. **LRC** 〖컴퓨〗 longitudinal redundancy check character. **L. R. C. S.** League of Red Cross Societies(적십자사 연맹). **LRF** 〖生化〗 luteinizing hormone-releasing factor. **LRL** Lunar Receiving Laboratory. **LRSI** 〖宇宙〗 low-temperature reusable surface insulation (저온용 내열(耐熱) 타일). **LRTNF** 〖軍〗 long-range theater nuclear force (장거리 전역 핵전력). **LRU** 〖軍〗 line replaceable unit⦅라인 교환식 유닛 ; 작전지역 부근에서 고장부분을 유닛채 교환수리하는⦆. **LRV** lunar roving vehicle. **L. S.** Licentiate in Surgery ; Linnaean Society. **L.S., l.s.** left side ; letter signed ; *locus sigilli* ⦅L⦆ (=the place of the seal) ; long shot. **LSA** Linguistic Society of America (미국 언어학회). **LSAT** Law School Admissions Test.

LSD[1] [èlèsdí:] *n.* 〖藥〗 (리세르그산 디에틸아미드, 엘 에스 디(=~ **25** [twéntifáiv]) ⦅정신 분열 같은 증상을 일으키는 환각제⦆.
⟦*l*y*s*ergic acid *d*iethylamide⟧

LSD[2] [èlèsdí:] *n.* 〖美海軍〗 상륙용 주정.
⟦*L*anding *S*hip, *D*ock⟧

L.S.D. Lightermen, Stevedores & Dockers.

£.s.d., l.s.d., L. S. D [élèsdí:] *n.* **1** (옛 영국 화폐 제도의) 파운드 · 실링 · 펜스⦅보통 구두점은 £5 6s. 5d.⦆. **2** ⦅口⦆ 금전, 돈, 부(富) : a matter of ~ 돈 문제, 돈만 있으면 되는 일 / a worshiper of ~ 돈의 노예. ⟦L *librae, solidi, denarii* pounds, shillings, pence의 머리글자⟧

L.S.De·ism [èlèsdí:izəm] *n.* ⦅戲⦆ 금력 숭배, 배금주의.

L.S.E. London School of Economics and Political Science (런던대학 사회 과학부). **LSI** large scale integration(고밀도 집적회로). **L. S.O., LSO** London Symphony Orchestra (런던 교향악단). **LSS** Lifesaving Service(해난(海難) 구조대) ; 〖宇宙〗 life-support system(생명 유지 장치).

LST [èlèstí:] *n.* 군대 · 전차 따위의 상륙에 쓰이는 함정. ⟦*l*anding *s*hip, *t*ank⟧

LST, l. s. t. local standard time (지방 표준시). **L.S.W.R.** London & South-Western Railway. **'lt** [lt] wilt[1] ; shalt. **LT** letter telegram. **Lt.** Lieutenant. **l.t.** left tackle ; local time ; long ton. **L.T.A.** Lawn Tennis Association ; London Teachers' Association. **Lt. Col., LTC** Lieutenant Colonel. **Lt. Comdr., Lt. Cdr.** Lieutenant Commander. **LTD** laser target designator (레이저 목표 조사기). **Ltd., ltd.** [límətəd] limited. **Lt. Gen., LTG** Lieutenant General. **Lt. Gov.** Lieutenant Governor. **L. Th.** Licentiate in Theology. **LTJG** Lieutenant Junior Grade. **L.T.L.** 〖商〗 less-than-truckload. **LTR** living together relationship (동서(同棲), 내연 관계). **ltr.** letter ; lighter.

Lu [lú:] *n.* 남자 이름⦅Louis의 애칭⦆ ; 여자 이름 ⦅Louisa, Louise의 애칭⦆.

Lu 〖化〗 lutetium. **LU** 〖理〗 loudness unit (음량의 단위).

Lu·an·da [luǽndə], **Lo-** [lou-] *n.* 루안다⦅앙골라의 수도 · 항구 도시⦆.

lu·au [lu:áu, --] *n.* 하와이식 연회(宴會).
⟦Haw.⟧

lub. lubricant ; lubricating.

Lu·ba [lú:bə] *n.* (*pl.* ~, **~s**) **1** 루바족⦅콩고 민주 공화국 남동부에 사는 흑인족의 하나⦆. **2** Ⓤ 루바어⦅Bantu어의 하나, 특히 칠루바(Tshiluba)어⦆.

lub·ber [lʌ́bər] *n.* (덩치 큰) 굼뜬 사람, 얼간이 ; 〖海〗 풋내기 선원. **~·ly** *a., adv.* 어색한[하게], 서투른, 서투르게, 재미없는, 미련하게.
⟦? OF *lobeor* swindler (*lober* to deceive) ; cf. LOB[1]⟧

lúbber's hòle *n.* 〖海〗 장루(檣樓) 승강구.

lúbber('s) lìne[màrk] *n.* 〖海 · 空〗 방위 기선(方位基線).

lube [lú:b] *n.* 《口》 윤활유(=∼ **òil**) ; =LUBRICATION. 〖*lub*ricating oil〗
lu·bra [lú:brə] *n.* 《濠》 원주민 여자 ; 《俗》 (일반적으로) 여자.
lu·bri·cant [lú:brikənt] *n.* 매끄럽게[원활하게] 하는 것 ; 윤활유, 기계유, (윤)활제. ── *a.* 윤활성[용]의, 매끄럽게 하는.
lu·bri·cate [lú:brəkèit] *vt.* **1** …에 기름을 치다[바르다](oil) ; 매끄럽게 만들다 ; 〔寫〕 …에 윤내는 약을 바르다. **2** 《口》 (사람을) 매수하다, 뇌물을 주다 ; 술을 권하다.
── *vi.* 윤활제 구실을 하다 ; 윤활제를 쓰다 ; 취하다 : *lubricating* oil 윤활유, 기계유.
lù·bri·cá·tion *n.* Ⓤ 매끄럽게 하기, 마찰 감소, 윤활 ; 주유(법). **lú·bri·cà·tive** *a.* 윤활성의. 〖L (*lubricus* slippery)〗
lú·bri·cà·tor *n.* 매끄럽게 하는 사람[것] ; 윤활 장치 ; 주유기, 기름치기 ; 〔寫〕 광택제, 윤내기.
lu·bri·cious [lu:bríʃəs] *a.* 미끄러운, 평활한 ; 붙잡기 곤란한, 불안정한 ; 정해지지 않은, 무상한 ; 교활한(tricky) ; 음탕한, 도발적인.
lu·bric·i·ty [lu:brísəti] *n.* **1** Ⓤ 매끄러움, 평활(平滑). **2** Ⓤ 《비유》 잡기 힘듦 ; 동요, (정신적) 불안정 ; 무상 ; 음탕 ; 호색 문학.
lu·bri·cous [lú:brikəs] *a.* =LUBRICIOUS.
lu·bri·to·ri·um [lù:brətɔ́:riəm] *n.* 《美》 (주유소 내의) 윤활유 교환장 ; 주유소. 〖*-orium*〗
Lu·can [lú:kən] *a.* 성(聖) 누가(St. Luke)의 ; 누가에 의한 복음서의.
Lu·cas [lú:kəs] *n.* 남자 이름. 〖⇨ LUKE〗
luce [lú:s] *n.* 〔魚〕 (다 자란) 파이크. 〖OF〗
lu·cent [lú:sənt] *a.* 빛나는, 번쩍이는 ; (반)투명한. **lú·cen·cy** *n.* Ⓤ 광휘(光輝), 투명(성). 〖L ; ⇨ LUCID〗
lu·cerne, lu·cern [lu:sə́:rn] *n.* Ⓤ 《英》 〔植〕 = ALFALFA.
〖F<Prov.=glowworm ; 그 빛나는 종자에서〗
luces *n.* LUX의 복수형.
Lu·cia [lú:ʃiə ; -sjə] *n.* 여자 이름.
〖(fem.) ; ⇨ LUCIUS〗
Lu·cian [lú:ʃən ; -sjən] *n.* **1** 남자 이름. **2** 루키아노스(2세기 그리스의 풍자 작가).
〖Gk.= ? ; LUCIUS와 연상(聯想)〗
lu·cid [lú:səd] *a.* **1 a)** 《詩》 빛나는, 밝은. **b)** 맑은, 투명한(clear). **c)** 두뇌가 명석한 ; 명쾌한, 알기쉬운 ; 선명한. **2** 〔醫〕 (의식 따위가) 뚜렷한, (미치광이가) 평정을 되찾은, 제정신의. **3** 〔天〕 육안으로.
∼·ly *adv.* 투명하게 ; 명쾌하게. **∼·ness** *n.*
〖F or It.<L=bright (*luceo* to shine) ; ⇨ LUX〗
lúcid dréam *n.* 〔心〕 명석몽(明晳夢), 자각몽(夢)(꿈 꾸고 있는 것을 자각하면서 꾸는 꿈).
lúcid ínterval *n.* 〔醫〕 평정기(平靜期)(미치광이가 잠깐 정신이 든 동안) ; 소란 중의 고요한 한 때, 폭풍우 중의 일시 잠잠한 때.
lu·cid·i·ty [lu:sídəti] *n.* Ⓤ 맑음, 투명 ; 명료, 명석 ; (광인(狂人)의) 정상 상태.
Lu·ci·fer [lú:səfər] *n.* **1** 샛별(Phosphorus), (샛별로서의) 금성(金星) (Venus). **2** 〔聖〕 마왕(魔王) (Satan) : (as) proud as ∼ 마왕과 같이 거만한. **3** Ⓒ [l∼] 황린(黃燐) 성냥(=∼ **màtch**).
〖OE<L=light bringing, morning star (LUX, L *fero* to bring)〗
lu·cif·er·ase [lu:sífərèis, -z] *n.* Ⓤ 〔生化〕 루시페라아제, 발광(發光) 효소.
lu·cif·er·in [lu:sífərən] *n.* (개똥벌레 따위의) 발광소(發光素).
lu·cif·er·ous [lu:sífərəs] *a.* 《稀》 빛나는, 번쩍이는 ; 밝게 해 주는 ; 계발(啓發)하는.
lu·cif·u·gous [lu:sífjəgəs], **-gal** [-gəl] *a.* 〔生〕 햇빛을 싫어하는, 배일성(背日性)의.
Lu·cil(l)e [lu(:)sí:l] *n.* 여자 이름(애칭 Lucy).
〖L ? (dim.) ; ⇨ LUCIA〗
Lu·cin·da [lu:síndə] *n.* 여자 이름(애칭 Lucy).
〖L ; ⇨ LUCY〗
Lu·cite [lú:sait] *n.* 투명 합성 수지(비행기의 창 · 점포의 장식창 따위에 쓰임 ; 상표명).
Lu·ci·us [lú:ʃiəs ; -sjəs] *n.* 남자 이름.
〖L=light〗
‡luck [lʌ́k] *n.* **1** Ⓤ 운(chance), 운수, 재수. **2** Ⓤ [+*to* do] 행운. **3** Ⓤ 행운을 가져오는 것, 재수 좋은 물건(술잔 따위) : have no ∼ 운이 나쁘다 / I had the ∼ *to* see her there. 다행히 거기서 그녀를 만났다 / This time the[my] ∼ was out. 이번엔 운이 없었다, 이번엔 운이 따르지 않았다.
as luck would have it 운 좋게[나쁘게].
㊟ luck 앞에 good, ill 따위를 쓰는 수도 있다.
bad [***ill, hard***] ***luck*** 불운 : *Bad* ∼ *to* you [him] ! 이[저] 빌어먹을 놈 !
down on one***'s luck*** 《口》 운수가 사나워져서, 운이 기울어서, 불행하게.
for luck 재수 있기를 빌며, 운이 좋으라고 : I bought[kept] the article *for* ∼. 그 물건을 운 좋으라고 샀다[간직했다].
good luck 행운 : by *good* ∼ 운 좋게도 / *Good* ∼ was with him, and he found a job at once. 운수가 좋아서 그는 곧 일거리를 얻었다 / *Good* ∼ (*to* you) ! =I wish you *good* ∼. 행운을 빕니다 ; 부디 안녕하시기를 !
in [***out of, off***] ***luck*** 운이 좋아서[나빠서].
Just my luck ! 《口》 《反語》 제기랄, 또 글렀군 !, 전혀 운이 없는데 !
try one***'s luck*** 운에 맡기고 해보다, 되든 안되든 [흥하든 망하든] 해보다〈*at*〉.
with luck 운이 좋으면 : *With* ∼, the patient will recover. 운이 좋으면 환자는 회복될 것이다.
worse luck [삽입구로서] 공교롭게, 재수없게.
── *vi.* 《美口》 운좋게 잘되다[성공하다]〈*out*〉; 운좋게 우연히 만나다[맞닥뜨리다]〈*out, on onto, into*〉; 《反語》 아주 운이 나쁘다, (특히 전장 따위에서) 죽다〈*out*〉.
〖ME<MDu. *luc*< ? ; cf. G *Glück*〗
***lúck·i·ly** *adv.* 운 좋게 ; [문장 또는 절을 수식하여] 다행히도 : His son has passed the examination ∼. 그의 아들은 운 좋게 시험에 합격했다 / *L*∼ I was at home when he called. 다행히도 그가 찾아왔을 때 나는 집에 있었다.
lúck·i·ness *n.* Ⓤ 행운.
lúck·less *a.* 불행한, 불운한, 재수 없는 ; 혜택이 없는. **∼·ly** *adv.* **∼·ness** *n.*
lúck mòney *n.* 《英》 =LUCKPENNY.
lúck·pènny *n.* Ⓤ 《英》 재수 좋으라고 지니는 돈, 판 사람이 산 사람에게 재수 좋으라고 주는 돈.
‡lúcky *a.* **1** [+*to* do/+*that* 節] 운이 좋은, 행운의, 요행인 : a ∼ beggar[dog] 운이 좋은 사람, 행운아 / a ∼ guess[hit, shot] 요행수 / You are ∼ ***in*** what you undertake. 무엇을 하여도 너는 운이 좋다 / He was ∼ *to* escape being killed in that accident. 그 사고를 당하고도 무사하다니 그는 운이 좋았다 / I was ∼ *that* I had missed the boat that was wrecked. 조난당한 배를 놓쳐 안 탔으니 운이 좋았다. **2** 행운을 가져오는, 상서로운 : That was his ∼ day. 그날 그는 운이 좋았다, 길일이었다. **3** 시의를 얻은, 때를 맞춘.

—— *n.* **1** 운이 좋은 것 ; 행운을 가져오는 것. **2** 《英俗》 도망. **3** 《스코》 할머니《부르는 말》.
cut[***make***] one***'s lucky*** 《英俗》 도망치다.
類義語 ***lucky*** 《口》 노력의 결과가 아니고 우연히 [뜻밖에] 일어난 행운의 일[것]에 씀 : a *lucky* hit(우연한 요행수). ***fortunate*** lucky 보다 중요[중대]한 일에 쓰이며, 또 그 효과, 영속성이 있는 것을 나타내는 수가 있음 : a *fortunate* choice of one's wife (좋은 아내를 만난 행운). ***happy*** 행복해서 얻는 즐거움을 강조함 : a *happy* encounter that resulted in marriage (결혼에까지 이른 행운의 만남).
lúcky bág *n.* =GRAB BAG ; 〖海〗 유실물 담아두는 것.
lúcky díp *n.* 《英》 =GRAB BAG ; 행운의 통(놀이)《톱밥 따위 속에 손을 넣어 물건을 꺼내기》.
lu·cra·tive [lú:krətiv] *a.* 유리한, 수지 맞는, 돈이 벌리는[되는] (profitable) ; 〖法〗 무상으로 얻은 : a ~ business 유리한 사업.
~·ly *adv.* **~·ness** *n.* 〚L (↓)〛
lu·cre [lú:kər] *n.* Ⓤ (금전적인) 이익, 이득 (profit) ; 부(富) ; 《보통 蔑》 금전 : filthy ~ 부정 이득, 나쁜 돈. 〚F or L (*lucrum* gain)〛
Lu·cre·tia [lukrí:ʃiə ; lu(:)krí:ʃjə] *n.* **1** 여자 이름. **2** 고대 로마 전설에 나오는 절개 굳은 여자의 이름 ; (일반적으로) 정절(貞節)의 귀감, 열녀. 〚L〛
lu·cu·brate [lú:kjəbrèit] *vi.* (특히 등불 밑에서) 일[공부]하다 ; 애쓰다 ; 노작(勞作)을 낳다. 〚L=to work by lamplight (LUX)〛
lù·cu·brá·tion *n.* Ⓤ (등불 밑에서의) 공부, 묵상 ; Ⓒ 힘들인 저작, 노작.
lu·cu·lent [lú:kjələnt] *a.* 명쾌한, 선명한, 명백한 (clear) ; 《稀》 밝은. **~·ly** *adv.*
Lu·cul·lan [lu:kʌ́lən], **Lu·cul·li·an** [lu:kʌ́liən] *a.* 부유한 ; 사치스러운. 〚↓〛
Lu·cul·lus [lu:kʌ́ləs] *n.* 루쿨루스. **Lucius Lucinius** ~ (110 ? -57 B.C.) 로마의 장군 ; 여생을 사치스럽게 지냈음.
lu·cus a non lu·cen·do [lú:kəs ei nán lu:séndou] *n.* 역설적인[모순된 언설에 의한] 어원 설명(語源說明) ; 터무니없는 억설, 조리가 안서는 말. 〚L〛
Lu·cy [lú:si] *n.* 여자 이름. 〚⇨ LUCIA〛
Lúcy Stón·er [-stóunər] *n.* 여성의 여권 옹호론자, (특히) 여성이 결혼 후에도 결혼 전의 성(姓)을 사용할 것을 주장하는 사람. 〚*Lucy Stone* (d. 1893) 미국의 여성 참정권론자〛
lud [lʌ́d] *n.* 《英》 [발음 철자] =LORD《호칭》.
—— *int.* 《古》 아 ! 《낙담·놀람 따위를 나타냄》.
My lud 재판장님《변호사가 재판장을 부를 때》.
Ludd·ite [lʌ́dait] *n., a.* **1** (영국의 산업 혁명에 반대하여 기계 파괴 따위의 폭동을 일으킨 직공 단원) 러다이트(의). **2** 기계화[합리화]에 반대하는 사람(의), 기술 혁신 반대자(의).
Lúdd·it·ish *a.* **Lúdd·ism, Ludd·it·ism** [lʌ́daitìzəm] *n.* 〚? Ned *Ludd* 1779년경 활약한 파괴 활동의 지도적 인물〛
lude [lú:d] *n.* 《美俗》 =QUAALUDE.
lúded òut *adv.* 《俗》 (Quaalude로) 아주 취하여 [기분이 좋아서].
lu·di·crous [lú:dəkrəs] *a.* 쑥스런, 익살스러운, 우스꽝스러운. **~·ly** *adv.* **~·ness** *n.* 〚L=done in sport (*ludicrum* stage play)〛
lu·do [lú:dou] *n.* (*pl.* **~s**) 《英》 Ⓤ 주사위 놀이의 일종《주사위와 산가지·말판을 씀》. 〚L=I play〛
lu·es [lú:i:z] *n.* (*pl.* ~) 〖醫〗 매독 ; 역병(疫病), 페스트 ; 전염병. **lu·et·ic** [lu:étik] *a.* 매독의[에 걸린]. 〚L〛
luff [lʌ́f] *n.* 〖海〗 **1** 세로돛의 앞깃《마스트에 접하고 있는 부분》. **2** 《英》 (뱃머리의) 만곡부(灣曲部). **3** (배가) 바람을 안고 나아가기. —— *vt., vi.* (…의) 뱃머리를 바람 불어오는 쪽으로 돌리다 〈*up*〉 ; (요트 경기에서) 상대편의 바람을 막으려고 앞으로 나아가다. 〚OF < ? LG〛
luf·fa, -fah [lʌ́fə] *n.* =LOOFAH. 〚Arab.〛
Lúft·han·sa Gérman Áirlines [lúfthæ̀nzə-] *n.* 루프트한자 독일 항공《略 LH》.
Luft·waf·fe [lúftvɑ̀:fə] *n.* (나치스 시대의) 독일 공군. 〚G〛
lug[1] [lʌ́g] *v.* (-gg-) *vt.* **1** [+目/+目+副/+目+前+名] 힘껏 끌다 ; 질질 끌다, 억지로 데리고 가다 : He ~*ged* a heavy handcart ***along***. 무거운 손수레를 힘껏 끌었다 / I ~*ged* the box ***into*** the room. 그 상자를 질질 끌어 방에 들였다. **2** [+目+副/+目+*into*+名] (관계 없는 말을) 끄집어내다 : He ~*ged* the subject ***in***[***into*** his speech]. 그 화제를 부자연스럽게[억지로 강연에] 끄집어 냈다. —— *vi.* 세게 끌다〈*at*〉 ; 무거운 듯이 움직이다. —— *n.* **1 a**) 세게[난폭하게] 당기기. **b**) 끌리는 것, (과일·야채 수송용의) 얕은 상자 ; 《美口》 무거운 것 ; 〖海〗 =LUGSAIL ; 《美俗》 헌금(의 요구) ; (정당의 비용을 위한) 강제 기부금. **2** [~s] 《美俗》 거드름 피우기 : put on ~*s* 뽐내다, 거드름 피우다.
put[***drop***] ***the lug on*** a person 《美俗》 남에게 돈을 뜯다.
〚? Scand. ; cf. Swed. *lugga* to pull one's hair〛
lug[2] *n.* **1** 《스코》 귀, 귓불. **2** 돌기, 돌출부, 귀, 손잡이, 자루 ; (차륜을 차축에 고정하기 위한) 너트 : a ~ bolt 귀 달린 볼트. **3** 《俗》 녀석, 놈, (일정한 직업이 없는) 게으름뱅이.
〚ME=(dial.) ear < ? Scand. ; cf. ↑〛
lug[3] *n.* =LUGWORM.
luge [lú:ʒ] *n.* (스위스에서 사용하는) 1인승의 터보건(toboggan), 썰매, 루지. —— *vi.* 루지로 활주하다. 〚Swiss F〛
***lug·gage** [lʌ́gidʒ] *n.* Ⓤ 《英》 =BAGGAGE.

〈회화〉
Do you have much *luggage* ? — Just two suitcases and a bag. 「짐이 많습니까」 「슈트케이스 두개와 백 하나 뿐입니다」

〚LUG[1]〛
lúggage ràck *n.* (열차 따위의) 선반, 그물 선반.
lúggage vàn *n.* 《英》 =BAGGAGE CAR.
lug·ger [lʌ́gər] *n.* 〖海〗 러거《LUGSAIL이 있는 소형 범선》.

lugger

lúg·hòle [, lʌ́goul] *n.* 《美俗》 귓구멍. 〚LUG[2]〛
lúg nùt *n.* (자동차 바퀴용의) 큰 너트.
lúg·sàil [, 《海》 -səl] *n.* 〖海〗 러그세일《상단보다 하단이 긴 네모꼴의 돛》.
lu·gu·bri·ous [lugjú:briəs] *a.* 슬픈 듯한, 애처로운(sad), 우울한(dismal). **~·ly** *adv.* 슬픈듯이. **~·ness** *n.* 〚L (*lugeo* to mourn)〛
lúg·wòrm *n.* (낚싯밥으로 쓰는) 갯지렁이.
Luing [líŋ] *n.* 링《가축 소의 한 품종 ; 스코틀랜드 Luing 섬 출산의 육우》.

Lu·kan [lú:kən] *a.* ＝LUCAN.

Luke [lú:k] *n.* **1** 남자 이름. **2** [St. ~] 성 누가. **3** 〖聖〗 누가복음(the Gospel according to St. Luke)《신약성서 중의 한 편》.

luke·warm [lú:kwɔ́:rm; ⌐⌐] *a.* **1** 미지근한 (tepid). **2** 미온적인, 마음이 내키지 않는, 열의 없는 ; 마지못해하는.

〈회화〉
Is the bath water hot? — No, it's just *lukewarm.* 「목욕물은 뜨겁습니까」「아뇨, 그저 미지근합니다」

~·**ly** *adv.* ~·**ness** *n.*
〚*luke* (dial.) warm＜? OE *hlēow* warm〛

LULAC League of United Latin-American Citizens《美》(라틴 아메리카 시민 연맹).

lull [lʌ́l] *vt.* **1** [＋目/＋目＋前＋名] (어린애를) 달래다, 어르다 ; 잠재우다 ; (의혹·불안 따위를 속여서) 진정시키다 : She ~*ed* the crying child ***to*** sleep. 우는 아이를 달래어 잠재웠다. **2** [보통 수동태로] (파도·폭풍우 따위를) 가라앉히다, 누그러뜨리다 : The wind[sea] *was ~ed.* 바람[바다]은 잤다. —— *vi.* 조용해지다, 멈추다, 자다 : The wind suddenly ~*ed.* 바람이 갑자기 잠잠해졌다. —— *n.* 마음을 달래주는 듯한[듣기 좋은] 소리 ; (폭풍우의) 진정 ; 뜸함 ; 일시적인 고요함[중지] ; 중간 휴식, (병의) 소강(小康) : a ~ *in* the wind 바람이 잠잠함 / a ~ *in* the talk 이야기의 두절. 〚ME (imit.)〛

lull·a·by [lʌ́ləbài] *n.* 자장가(cradlesong). —— *vt.* 자장가를 불러 잠재우다 ; (일반적으로) 달래다. 〚*lulla* (↑), -*by* (cf. BYE-BYE)〛

lu·lu [lú:lu:] *n.* 《美俗》 뛰어난 사람[것], 일품, 미인 ; (의원 등의) 특별 수당.
〚가중(加重)〈*lieux*〛

Lulu *n.* 여자 이름《Louisa, Louise의 애칭》.

lumb- [lʌ́mb], **lum·bo-** [lʌ́mbou, -bə] *comb. form* 「요추(腰椎)」의 뜻. 〚L (*lumbus* loin)〛

lum·ba·go [lʌmbéigou] *n.* (*pl.* **~s**) Ⓤ 〖醫〗 요통(腰痛). 〚L〛

lum·bar [lʌ́mbər, -bɑ:r] *a.* 〖解〗 허리(부분)의 : the ~ vertebra 요추(腰椎). —— *n.* 요동맥[정맥] ; 요신경 ; 요추(골). 〚L (↑)〛

lum·ber[1] [lʌ́mbər] *n.* **1** Ⓤ 잡동사니, 찌꺼기, 성가신 것[사람] : a ~ room 잡동사니 두는 곳, 헛간. **2** Ⓤ 《美·Can.》 (톱질해 놓은) 재목, 제재목(＝《英》 timber), 건재 ; 《野俗》 배트. **3** 《俗》 집, 방, (특히) 훔친 물건을 숨기는 곳. —— *vt.* **1** 《美》 (재목을) 베어내다. **2** [＋目/＋目＋副/＋目＋*with*＋名] (방·장소 따위를) 막다, 방해하다 ; …에 허드레 물건을 쑤셔 넣다 : The room was ~*ed* (***up***) ***with*** furniture. 방에는 가구가 (가득히) 차 있었다. —— *vi.* 잡동사니로 장소를 가로막다 ; 《美》 재목을 베내다 ; 《美》 제재하다. —— *a.* 재목으로 된 ; 재목을 파는, 제재용의. ~·**er** *n.* 제재업자. ~·**ing**[1] *n.* 제재(업).
〚? LUMBER[2] or *Lombard* ; '롬바르디아 인(人)(의 전당포)'의 뜻〛

lumber[2] *vi.* [＋副] 쿵쿵거리며 걷다, (전차가) 굉음을 내며 나아가다, 육중하게 움직이다 : The locomotive ~*ed* ***along***[***by, past,*** *etc.*]. 기관차가 굉음을 내며 지나갔다.
~·**ing**[2] *a.* 쿵쿵거리며 (무거운 듯이) 나아가는[움직이는] ; (무거워서) 다루기 힘든 ; 방대한 ; 둔중한, 둔감한. ~·**ing·ly** *adv.*
〚ME＜? imit. ; cf. *lome* LAME[1]〛

lúmber·jàck *n.* 재목 벌채인, 벌채 노동자 ; ＝LUMBER JACKET.

lúmber jàcket *n.* 벌목꾼의 작업복을 본뜬 웃옷.

lúmber·man [-mən] *n.* (*pl.* **-men** [-mən]) 벌목(伐木) 인부 ; 제재업자.

lúmber·mìll *n.* 제재소(sawmill).

lúmber ròom *n.* 《英》 잡동사니 창고, 헛간.

lúmber·some *a.* 다루기 거북한, 성가신.

lúmber·yàrd *n.* 《美·Can.》 재목 두는 장소.

lu·men [lú:mən] *n.* (*pl.* **-mi·na** [-mənə], **~s**) 〖理〗 루멘《광속(光束)의 단위 ; 略 lm》.
〚L *lumin- lumen* light, opening〛

Lu·mière [*F* lymjɛ:r] *n.* 뤼미에르. **Auguste Marie Louis Nicolas** ~ (1862-1954), **Louis Jean** ~ (1864-1948) 프랑스의 화학자 형제 ; 영화 촬영기·영사기를 발명.

lu·min- [lú:mən], **lu·mi·ni-** [lú:mənə], **lu·mi·no-** [lú:mənou, -nə] *comb. form* 「빛」의 뜻.
〚L LUMEN〛

Lu·mi·nal [lú:mənæ̀l, -nɔ̀:l, -nl] *n.* 루미날《phenobarbital의 상표명 ; 진정 최면제》.

lúminal árt *n.* 채색 전광에 의한 시각 예술.

lu·mi·nance [lú:mənəns] *n.* 발광성(發光性) ; 발광 상태 ; 〖理〗 명시도(明視度)《조명면(照明面)이 눈에 주는 밝기》, 휘도(輝度).

lu·mi·nary [lú:mənèri ; lú:minəri] *n.* **1** 발광체《특히 태양·달》; (인공의) 조명등. **2** 《비유》 선각자, (정신적) 지도자, 유명인, 기라성(綺羅星).
—— *a.* 광명의, 발광(發光)하는.
〚OF or L ; ⇨ LUMEN〛

lu·mi·nesce [lù:mənés] *vi.* 냉광(冷光)을 발하다.

lu·mi·nés·cence *n.* Ⓤ 〖理〗 (열이 없는) 발광, 냉광(冷光).

lù·mi·nés·cent *a.* 발광성의 ; 발광의 ; 발광용의 : ~ creatures 발광(發光) 생물.

lu·mi·nif·er·ous [lù:mənífərəs] *a.* 빛을 발하는, 발광성의.

lu·mi·nist [lú:mənəst] *n.* 빛을 효과적으로 취급하는 화가.

lúminist árt *n.* ＝LUMINAL ART.

lu·mi·nol [lú:mənoul, -nɔ:l] *n.* 〖化〗 루미놀《혈흔(血痕)의 검출에 쓰임》.

lu·mi·nos·i·ty [lù:mənɑ́səti] *n.* Ⓤ 광휘(光輝), 광명 ; 광도(光度) ; (복사 에너지의) 발광 효율 ; Ⓒ 발광물[체] ; 〖理〗 (물체·색채의) 밝기.

lu·mi·nous [lú:mənəs] *a.* **1** 빛을 내는, 빛나는, 번쩍이는 ; 밝은 ; 〖理〗 불꽃[광속]의 : a ~ body [organ] 발광체[기관(器官)] / a ~ watch 야광시계. **2** 총명한(intelligent) ; 명료한. **3** 계발적(啓發的)인. ~·**ly** *adv.* ~·**ness** *n.*
〚L ; ⇨ LUMEN〛
類義語 ⟹ BRIGHT.

lúminous énergy *n.* 〖光〗 시감(視感) 에너지《기호 Q_v》.

lúminous éxitance *n.* 〖光〗 광속(光束) 발산도《기호 M_v》.

lúminous flúx *n.* 〖光〗 광속(光束)《보통 lumen으로 표시 ; 기호 Φ_v》.

lúminous inténsity *n.* 〖光〗 광도(光度)《보통 candle로 표시 ; 기호 I_v》.

lúminous páint *n.* 발광[야광] 도료.

lú·mi·sòme [lú:mə-] *n.* 〖生〗 루미솜《발광생물 세포 속의 발광 과립》.

lum·me, lum·my [lʌ́mi] *int.* 《英俗》 야아, 아아, 오오《놀람·흥미·찬성을 나타내는 소리》.
〚(Lord) *love me*〛

lum·mox, lum·mux [lʌ́məks, -iks] *n.* 《美口》 (손)재주없는 사람, 멍청이, 뒤틈바리.

〖C19 (U.S. and dial.) < ?〗

***lump**[1] [lʌ́mp] *n.* **1** 덩어리 ; 각(角)설탕 한 개 ; 한 뭉치 : a ~ *of* sugar 각설탕 (한 개) / How many ~*s* in your coffee, Tom? 톰, 커피에 (각)설탕 몇개 넣을까 / He is a ~ *of* selfishness. 그는 이기심 덩어리(같은 사나이)다. **2** 혹, 부스럼 (swelling) : a ~ *on* the forehead 이마의 혹. **3** 《蔑》 땅딸보 ; 멍청이, 바보. **4** 다수, 다량. **5** [*pl.*] 채찍질(의 벌), 당연한 응보, 비판. **6** [the ~] 《英》 [집합적으로] (일괄해 맞돈을 받는) 임시 (건설) 노동자.

a lump of clay 한 덩어리의 진흙 ; 〖聖〗 인간.
all of a lump 통틀어, 한 덩어리가 되어 ; 온통 부어 올라서.
feel [***have***] ***a lump in*** one***'s*** [***the***] ***throat*** (감동하여 또는 슬픔으로) 목이 메다, 가슴이 뿌듯해지다.
in a [***one***] ***lump*** 동시에.
in [***by***] ***the lump*** 일괄(一括)하여, 전체로.
—— *a.* 한뭉치로 된, 일괄적인 : ~ sugar 각설탕 / ~ work 일괄적인 청부작업.
—— *vt.* **1** 한 덩어리로 하다 ; …에 덩어리[혹]를 만들다. **2** [+目/+目+副/+目+前+名] 총괄하다 ; (차이를 무시하고) 일률적으로 다루다, 총괄적으로 말하다 : The expenses ought to be ~*ed together.* 경비는 일괄하여 계산해야 한다 / ~ an item ***with*** another 한 항목을 다른 항목과 함께 다루다 / ~ several things ***under*** one name 몇 가지의 사항을 한 명목으로 일괄하다. **3** [+目+前+名] (있는 돈을) 몽땅 걸다 : ~ the money ***on*** a horse 한 마리의 말에 돈을 전부 걸다.
—— *vi.* **1** 한 덩어리[일단(一團)]가 되다, 부풀어서 덩어리지다. **2** 무거운 걸음으로[터벅터벅] 걷다〈*along*〉; 털썩 주저앉다〈*down*〉.
〖ME < ? Scand. ; cf. Dan. *lump*(*e*) lump〗

lump[2] *vt.* 《口》 참다《다음 표현에만 쓰임》: If you don't like it, you may [can] ~ it. 설사 당신이 싫더라도 참으시오《싫다고 해봤댔자 별 수 없다》. 〖C16 < ? imit.〗

lump[3] *n.* = LUMPFISH. 〖MLG, MDu. ; cf. LUMP[1]〗

lump·ec·to·my [lʌmpéktəmi] *n.* 〖醫〗 유방의 종양(腫瘍) 제거 (수술).

lum·pen [lʌ́mpən] *a.* 계급의식이 빈약한 ; 룸펜의, 부랑[떠돌이] 생활을 하는. —— *n.* (*pl.* ~, ~s) lumpenproletariat에 속하는 사람. 〖G〗

lúmpen·prol(e) [-pròul] *n.* = LUMPEN.

lúmpen·proletáriat *n.* Ⓤ 계급 의식이 부족하여 혁명 세력이 되지 못하는 부랑(노동자)층. 〖G ; K. Marx의 조어(造語)〗

lúmp·er *n.* **1** 《美》 부두 노동자, 하역 인부. **2** 《英》 소청부인(小請負人), 중매인(仲買人). **3** (사물을) 총괄적으로 매듭짓는[분류하는] 사람 ; (생물 분류상의) 병합파의 분류학자.

lúmp·fish *n.* 〖魚〗 도치과에 속하는 물고기《북대서양산(產)》.

lúmp·ish *a.* **1** 덩어리 같은 ; 땅딸막한 ; 덩어리지고 묵직한. **2** 얼뜬, 우둔한, 멍청한.
~·ly *adv.* **~·ness** *n.*

lúmp·sùck·er *n.* = LUMPFISH.

lúmp súm *n.* (일괄해서 한번에 지급하는) 총액, 일괄[일시] 지급(금액) ; 일괄 도급 : in a ~ 일괄하여, 상당한 대금을 현금으로.

lúmp-súm *a.* 일괄해서 …의 : ~ return (보험금 · 소득세의) 일괄 환불.

lúmpy *a.* **1** 덩어리[혹] 투성이의, 덩어리로 덮인, 가루 반죽이 덩어리진. **2** (바람이 불어서) 잔물결이[파도가] 인. **3** 땅딸막하고 굼뜬. **4** 모양이 흉한 ; 우툴두툴한 ; 딱딱한《문체 따위》. **5** 《美俗》 서툴게 연주된 ; 《美俗》 불만스러운.
lúmp·i·ly *adv.* **-i·ness** *n.*

lúmpy jáw *n.* 〖獸醫〗 (가축 따위의) 턱혹병, 방선균병(放線菌病) (actinomycosis).

Lu·na [lúːnə] *n.* **1** 〖로神〗 루나《달의 여신 ; cf. DIANA, ARTEMIS, PHOEBE》. **2** [흔히 l~] 〖冶〗 은. **3** [l~] 〖昆〗 = LUNA MOTH. 〖L = moon〗

lúna·bàse *n., a.* 〖天〗 달의 바다 부분[평탄부](의) (↔*lunarite*).

lu·na·cy [lúːnəsi] *n.* Ⓤ 정신 이상, 광기(狂氣) ; 〖法〗 심신 상실 ; [*pl.*] 어리석은 짓, 미친 짓 : Commission of *L*~ 정신 감정 위임 / Commissioner in *L*~ 정신병원 검사위원. 〖LUNATIC〗

lúna mòth *n.* 〖昆〗 일종의 큰 나방《미국산》.

luna·naut [lúːnənɔ̀ːt] *n.* = LUNARNAUT.

Lúna Párk *n.* 루나 파크《New York 시 Coney Island에 있는 유원지》; (일반적으로) 유원지.

***lu·nar** [lúːnər] *a.* **1** 달의, 태음의(cf. SOLAR) ; 달 표면의 ; 달 비슷한 : a ~ rocket 달 로켓. **2** 달의 작용에 의한. **3** 초승달 모양의 ; (광선 따위의) 푸르스름한, 희미한. **4** 〖解〗 반달형 뼈의. **5** 〖冶 · 醫〗 은(銀)의, 은을 포함한. —— *n.* 《口》 (항해 따위를 위한) 달관측. 〖L ; ⇨ LUNA〗

lúnar cálendar *n.* (태)음력.

lúnar cáustic *n.* 〖醫 · 化〗 (막대 모양의) 질산은(窒酸銀).

lúnar cólony *n.* 달 식민지《미래에 건설할》.

lúnar cýcle *n.* 〖天〗 = METONIC CYCLE.

lúnar dáy *n.* 태음일《약 24시간 50분 ; cf. SOLAR DAY》.

lúnar dístance *n.* 〖海〗 월거(月距), 태음거리《달과 태양 또는 별과의 각거리(角距離)》.

lúnar eclípse *n.* 〖天〗 월식(月蝕).

lúnar excúrsion mòdule *n.* (우주선 모선에서 분리된) 달 착륙선《略 LEM》.

lúnar férry *n.* 달 페리《지구 주위 궤도상의 우주 정거장과 달 주위 궤도상의 우주 정거장, 또는 월면사이를 왕복할 연락선》.

lúnar fúel tànker *n.* 달 연료 탱커《달 주위 궤도상의 우주 정거장이나 월면(月面)으로 연료를 나를 탱커》.

lúnar grávity *n.* 달의 인력.

lúnar horízon *n.* [the ~] 월평선《달의 지평선》.

lu·nar·i·an [luːnέəriən, -nǽər-] *n.* (상상의) 달세계 주민 ; 달 전문가[물리학자]. —— *a.* 달의[에 사는].

lu·na·rite [lúːnəràit] *n., a.* 〖天〗 달 고지(高地)부분(의) (↔*lunabase*).

lúnar lánder *n.* 달 착륙선.

lúnar lánding *n.* 달 착륙.

lúnar máss *n.* 〖天〗 달의 질량《7.35×10^{25}g》.

lúnar módule *n.* 달 착륙선《略 LM》.

lúnar mónth *n.* 태음월(太陰月), 음력 한 달《29일 12시간 44분 ; 흔히 4주간》.

lúnar·naut [-nɔ̀ːt] *n.* 달탐색 우주 비행사.

lúnar nódes *n. pl.* 〖天〗 달의 교점《달 궤도와 황도(黃道)의 교차점》.

lúnar observátion *n.* 〖海〗 월(月)거리법《월거(lunar distance)를 관측하여 행하는 항법》.

lúnar órbit *n.* 〖天〗 **1** 달의 공전(空轉) 궤도. **2** (달 탐사기의) 달 둘레를 도는 궤도.

Lúnar Órbiter *n.* 《美》 (아폴로 계획 준비를 위해 발사된) 달 탐색 무인 탐사기.

lúnar pólitics *n.* 가공적인 문제, 비현실적인 일.

lúnar próbe *n.* 달 탐사(기(機)) (moon probe).

lúnar ráinbow *n.* 〖氣〗 달 무지개 (moonbow)《월광에 의한》.

lúnar róver, lúnar róving vèhicle *n.* 월면 작업차.

lúnar·scàpe *n.* 달표면 ; 월면의 풍경, 월면 사진.

lúnar spácecraft *n.* 달 로켓.

lúnar tréaty *n.* 달 조약《1971년 구 소련이 유엔에 제안한 달의 평화적 이용에 관한 조약》.

lúnar yéar *n.* 태음년《달의 운행에 의함 ; 12개월로 SOLAR YEAR 보다 약 11일 짧음》.

lu·nate [lú:neit] *a.* 반달[초승달] 모양의. 〖L ; ⇨ LUNA〗

***lu·na·tic** [lú:nətìk] *n.* 미치광이, 〖法〗 정신 이상자 ; 변태자, 어리석은 사람, 괴짜. —— *a.* 정신 이상의 (insane) ; (행동 따위) 미치광이 같은, 어리석은. 〖OF＜L ; ⇨ LUNA〗

lúnatic asỳlum *n.* 정신 병원. ㊟ 지금은 보통 mental hospital[home, institution]이라고 함.

lúnatic frínge *n.* (정치 운동 따위의) 소수 과격파, 일부 광신적 이단분자들.

lu·na·tion [lu:néiʃən] *n.* 태음월, 삭망월(朔望月)《초승달부터 다음 초승달까지의 기간》. 〖L ; ⇨ LUNA〗

◇**lunch** [lʌ́ntʃ] *n.* **1** U,C (DINNER 를 저녁 식사라고 하는 경우의) 점심, 런치. **2** U,C 《美》 (일반적으로) 가벼운 식사(《美》에서는 시간을 불문하고, 《英》에서는 주식 (dinner)과 아침 식사 사이에 먹는 것). **3** U,C 도시락 : a ～ box 도시락(상자) / a picnic ～ 피크닉의 도시락. **4** 간이 식당.

〈회화〉
Are you going to eat in the cafeteria today? — No, I've brought my *lunch*.「오늘은 식당에서 먹을거니」「아냐, 도시락을 싸왔어」

—— *vi.* 점심[런치]을 먹다. —— *vt.* …에게 점심을 제공하다. —— *a.* 《美俗》 어리석은, 무능한, 모자라는. 〖*lunch*eon〗

lúnch cóunter *n.* 《美》 간이 식당의 식탁 ; 런치용 식탁 ; 간이 식당.

***lunch·eon** [lʌ́ntʃən] *n.* **1** U,C 점심, 런치(㊟ LUNCH 보다 형식적인 말) ; C (특히 정식의) 오찬, 오찬회. **2** (노동자의) 오전의 샛밥(빵과 치즈 또는 베이컨 따위의 간단한 것).
—— *vi.* 점심을 먹다. 〖C17＜?〗

lúncheon bàr *n.* 《英》 ＝SNACK BAR.

lun·cheon·ette [lʌ̀ntʃənét] *n.* 《美》 간이 식당, (학교·공장 따위의) 구내 식당.

lúncheon mèat *n.* 고기와 곡류 따위를 갈아 섞어 조리한 (통조림) 식품.

lúncheon vòucher *n.* 《英》 식권《고용주가 지급하는, 특정 식당에서 사용하는》.

lúnch·ròom *n.* 간이 식당, 학교·공장 따위의 구내 식당.

lúnch·tìme *n.* U 점심 시간, 런치 타임 : at ～ 점심 시간에.

lúnchtime abòrtion *n.* 《口》 진공 흡인식 임신 중절. 〖짧은 시간에 완료하는 데서〗

lune [lú:n] *n.* 〖幾〗 활꼴 ; 반달 모양의 것 ; 《詩》 달 ; [*pl.*] 광기(狂氣)의 발작. 〖F ; ⇨ LUNA〗

lu·nette [lu:nét] *n.* 초승달 모양의 것 ; 〖建〗 둥근 [초승달 모양의] 채광용 창문 ; 〖築城〗 안경보(眼鏡堡) ; 반제철(半蹄鐵) ; 루넷《그림으로 장식한 둥근 지붕 또는 천장의 반원형》; (시계의) 평면 유리 뚜껑 ; 단두대(斷頭臺)의 목넣는 구멍 ; (말의) 눈가리개. 〖F (dim.) 〈LUNE〗

***lung** [lʌ́ŋ] *n.* **1** 〖解〗 폐, 허파 ; 〖動〗 폐낭. **2** 《비유》 (대도시 안팎의) 공기가 맑은 공터, 공원 : the ～*s* of London 런던 시내 또는 부근의 공지·광장·공원. **3** 《美》 인공 심폐 (장치) ; (잠수함의) 탈출 장치.
at the top of one***'s lungs*** 목청껏.
have good lungs 목소리가 크다.
try one***'s lungs*** 힘껏 소리치다.
〖OE *lungen* ; '가벼운 장기(臟器)'의 뜻인가 ; cf. LIGHT², LIGHTS, G *Lunge*〗

lunge¹ [lʌ́ndʒ] *n.* **1** (특히 펜싱 따위의) 찌르기 (thrust). **2** 돌출 ; 돌입, 돌진, 약진〈*at, out*〉. —— *vi.* [動/+副/+*at*+名] 찌르다 ; 돌출[돌진] 하다 ; (말이) 차다(kick) ; 〖拳〗 스트레이트로 치다 : He ～*d* ***out***[～*d* ***at*** his adversary]. 그는 돌진했다[적에게 돌격했다]. —— *vt.* (무기를) 쑥 내밀다.
〖C17 *allonge*＜F＝to lengthen (*long* LONG¹)〗

lunge² *n.* ☞ LONGE.

lunged [lʌ́ŋd] *a.* 폐가 있는 ; [복합어를 이루어] 폐가 …한 : weak-～ 폐가 약한.

lung·er [lʌ́ŋər] *n.* 《美口》 폐병 환자.

lúng féver *n.* 폐렴(肺炎).

lúng·fish *n.* 〖魚〗 폐어(肺魚).

lun·gi, lun·gyi, lung·ee [lúŋgi(:)] *n.* 《인 도》 허리에 감는 천. 〖Hindi and Pers.〗

lúng-pòwer *n.* U **1** 발성력, 성량(聲量) ; (발성력으로 본) 폐의 힘. **2** (도시의) 녹지대, 공원.

lúng sàc *n.* 폐낭.

lúng transplantátion *n.* 폐이식.

lúng·wòrt *n.* 〖植〗 지치과의 식물 ; 《英》 이끼의 일종《폐병에 효험이 있다고 함》.

lu·ni- [lú:ni] *comb. form* 「달」의 뜻 : *luni*solar. 〖L LUNA〗

Lu·nik [lú:nik] *n.* 《Russ.》 루니크《구소련의 달 관측용 로켓》.

lu·ni·log·i·cal [lù:nəlɑ́dʒikəl] *a.* 달 연구의, (특히) 달 지질연구의.

lùni·sólar *a.* 태양과 달과의 ; 태양과 달의 인력에 의한.

lunisólar périod *n.* 〖天〗 태음 태양 주기《태음력과 태양력이 일치하는 주기 : 532년》.

lunisólar precéssion *n.* 〖天〗 일월 세차(日月歲差).

lùni·tídal *a.* 달에 의한 조수의 움직임의[에 관한], 월조(月潮)의.

lunitídal ínterval *n.* 월조(月潮) 간격《어떤 지점에서 달이 자오선을 통과한 때부터 다음 고조(高潮)까지의 시간》.

lun·ker [lʌ́ŋkər] *n.* 큰 것, (특히 낚시의) 대어.

lúnk(·hèad) [lʌ́ŋk(-)] *n.* 《美口》 멍텅구리 (blockhead), 바보. **lúnk·héad·ed** *a.* 《美口》 어리석은.

Lu·no·khod [lù:nəxɔ́:t] *n.* 루노호트《구소련의 자동 무인 월면 탐사기》. 〖Russ.＝moon walker ; ⇨ LUNA〗

lu·nu·la [lú:njələ] *n.* (*pl.* **-lae** [-lì:, -lài]) 초승달 모양(의 것) ; 〖數〗 활꼴(lune) ; 〖天〗 위성.

lú·nu·lar *a.* 초승달 모양의.

lu·nu·late [lú:njəlèit], **-lat·ed** [-leitəd] *a.* 초승달 모양의 무늬가 있는, 초승달 모양의.

luny ☞ LOONY.

Lu·pin [*F* lypɛ̃] *n.* 뤼팽. **Ar·sène** [*F* arsɛn] ～ 프랑스의 M. Leblanc의 탐정 소설의 주인공.

lu·pine¹, **-pin** [lú:pən] *n.* 〖植〗 루피너스《콩과에 속하는 다년생 풀》; [*pl.*] 루피너스의 종자. 〖↓〗

lu·pine² [lú:pain] *a.* 이리의, 이리와 같은(wolfish) ; (이리와 같이) 맹렬한(fierce) ; 게걸스러운 (ravenous). 〖L ; ⇨ LUPUS〗

lu·pous [lúːpəs] *a.* 〔醫〕 낭창성(狼瘡性)의.

lu·pus [lúːpəs] *n.* 〔醫〕 낭창(狼瘡) ; [L~] 〔天〕 이리자리(the Wolf). 〖L=wolf〗

lurch[1] [lə́ːrtʃ] *n.* (배·차 따위가) 갑자기 기울기 ; 비틀거림 ; 《美》 경향, 버릇, 기호(嗜好).

give a lurch 갑자기 기울다.

── *vi.* 갑자기 기울다 ; 비틀거리다, 비틀거리며 걷다(stagger). 〖*lee-lurch* (변형(變形)) < *lee-latch* drifting to LEEward < ?〗

lurch[2] *n.* 대패, (특히) 러치《cribbage에서 규정 득점의 반도 못미치고 짐》; 궁지, 곤경.

leave a person ***in the lurch*** 사람을 궁지에 버려두다, 못본체 하다.

── *vt.* (상대를) 러치로 이기다 ; 《古》 궁지에 빠지다. 〖F (obs.) *lourche* backgammon과 비슷한 게임(에서의 대패)〗

lurch[3] *vi.* 《英古·英方》 (사냥감을 찾아) 헤매다[숨다]. ── *vt.* 《古》 속이다 ; 《廢》 훔치다. ── *n.* 《廢》 lurch하기.

lie at (***on***) ***the lurch*** 《古》 숨어서 기다리다.

〖ME ? LURK〗

lúrch·er *n.* **1** 좀도둑 ; 사기꾼 ; 스파이 ; 밀렵자. **2** 《英》 밀렵용 사냥개《특히 밀렵자(密獵者)가 사용》. 〖↑〗

***lure** [lúər] *n.* **1** 매혹(魅惑), 유혹하는 것, 사람의 마음을 끄는 것, 매력(attraction) : the ~ of adventure / Cities have a ~ *for* young people from the country. 도시는 시골 청년에게 매력을 준다. **2** 미끼새(decoy)《매사냥꾼이 매를 불러들이는 데 쓰는 새모양으로 만든 것》; 가짜 미끼.

── *vt.* **1** [+目+副/+目+前+名] 유혹하다, 꾀어들이다, 꼬드기다 : I was ~*d away* ***from*** my study. 나는 유혹에 못이겨 공부를 게을리했다 / The desire for wealth ~*d* them ***into*** questionable dealings. 그들은 돈에 눈이 어두워 수상쩍은 거래에 손을 댔다. **2** (매를) 불러들이다. 〖OF < Gmc. ; cf. OE *lathian* to invite〗

類義語 ***lure*** 욕망·탐욕·호기심 따위에 의하여 저항할 수 없을 정도로 유혹되다 ; 특히 유해[사악]한 것에 마음이 끌리다 : He was *lured* by the false hope of profits. (이득을 보려는 헛된 희망에 사로잡혔다). ***allure*** 감각·감정·이익 따위에 의하여 유혹되다, 나쁜 뜻은 없음 : Switzerland *allures* many tourists. (스위스는 많은 여행자들을 유혹한다). ***entice*** 교묘한[교활한] 수단이나 감언이설로 유혹하거나 꾀어 내다 ; 좋은 뜻으로도 나쁜 뜻으로도 쓰임 : He *enticed* the boy away from home. (그 소년을 집에서 꾀어냈다). ***seduce*** entice하여 나쁜[불법한] 일을 시키다, 또는 순결[정절(貞節)]을 잃게 하다. ***tempt*** 상대편이 신중함이나 판단력을 기할 수 없을 정도로 강하게 유혹하다 : We *tempted* him to accept our proposal. (우리의 제안을 받아들이도록 강요했다). ***inveigle*** 속이거나 알랑거려서 사람을 유혹하다 : They *inveigled* him with false promises. (거짓 약속으로 그를 유혹했다). ***decoy*** 기만하기 위해 거짓 꾸밈새로 사람이나 동물을 함정에 빠뜨리다 : Artificial birds are used to *decoy* wild birds. (야생의 새를 유인(誘引)하기 위해 모조(模造) 새가 이용된다). ***beguile*** 사람을 속이거나 꾀어내기 위해서 교묘한 수단[장치]을 쓰다 : The man was *beguiled* of all his money. (그 사람은 가진 돈을 모조리 사기당했다).

Lur·ex [lúəreks] *n.* 루렉스《플라스틱에 알루미늄을 씌운 섬유 ; 의복·가구용 ; 상표명》.

lur·gy, -gi [lə́ːrgi] *n.* [보통 the dreaded ~] 병. 〖영국의 익살맞은 라디오 프로그램 *The Goon Show*에서 만들어져 유행어가 된 가공의 전염병〗

lu·rid [lúərəd] *a.* **1** (하늘·풍경·전광·구름 따위) 불타 오르듯이 붉은, 무시무시한 ; (눈초리가) 매서운 ; (빛깔 따위가) 지나치게 화려한, 야한 (gaudy) : the ~ covers of paperbacks 화려한 책[종이] 표지. **2** 어쩐지 기분 나쁜, 무서운, 꺼림칙한 ; 선정적인(sensational) : a ~ story 오싹해지는 이야기 / cast a ~ light on facts[a person's character] 사실[사람의 성격]을 무시무시하게 나타내다. **3** 창백한(wan). **~·ly** *adv.* **~·ness** *n.* 〖L=pale yellow〗

lurk [lə́ːrk] *vi.* [動/+前+名] 숨다 ; 숨어 기다리다, 잠복하다 ; 숨어 있다, 잠재하다 ; 살금살금 걷다, 잠행하다 : a ~*ing* place 잠복처 / A leopard was ~*ing* ***in*** the jungle. 표범 한마리가 밀림 속에 숨어 있었다 / Some uneasiness still ~*ed* ***in*** my memory. 일말의 불안감이 아직도 내 기억에 도사리고 있었다.

── *n.* **1** 《英》 밀행, 잠복 ; 《英俗》 잠복 장소, 거처. **2** 《英》 협잡, 사기. **3** 《濠俗》 (잘하기 위한) 작전, 궁리, 계략.

on the lurk 남몰래 노리고 있는(spying).

~·er *n.* **lúrk·ing·ly** *adv.* 몰래, 숨어서.

〖ME ? LOUR, *-k* (freq.) ; cf. TALK〗

類義語 ***lurk*** 나쁜 또는 협박할 목적으로 눈에 띄지 않는 곳에 숨어 기다리다. ***skulk*** 살금살금 사람 눈을 피하여 잠적하거나 숨어 다니다 ; 공포 또는 겁을 집어 먹는 것을 암시할 때가 있다. ***sneak, slink*** 양쪽 다 남에게 보이거나 말이 들리지 않도록 숨는 뜻인데, *sneak*는 음흉[비겁]한 목적을, *slink*는 공포·죄악 따위를 암시하는 수가 많다. ***prowl*** 먹이를 찾아 헤매는 것처럼 살금살금 방심하지 않고 돌아다니다.

lus·cious [lʌ́ʃəs] *a.* **1** 맛이 단, 향기가 좋은 ; 달콤한, 감미로운(delicious) ; 관능적인, 육감적인, 요염한. **2** (표현·문체 따위를) 지나치게 꾸민, 화려한 ; 끈질긴. **~·ly** *adv.* **~·ness** *n.*

〖? *licious* < DELICIOUS〗

lush[1] [lʌ́ʃ] *a.* **1** 푸릇푸릇한, 싱싱한 ; 푸른 풀이 많은[우거진], 무성한. **2** 풍부한 ; 경기가 좋은 ; 관능적인 ; 화려한. **3** (말이) 지나치게 수식적인.

〖? *lash* (dial.) soft ; ⇨ LACHES〗

lush[2] *n.* Ⓤ 《俗》 술 ; 술취한 사람 ; 알코올 중독.

── *vi., vt.* (술을) 마시다[먹이다].

〖C18 ; LUSH[1]의 익살스러운 말의 용법인가〗

lúshy *a.* 《俗》 술취한(drunk).

Lu·si·ta·nia [lùːsətéinjə ; ljùː-] *n.* **1** 루시타니아《이베리아 반도의 옛지명 ; 지금의 포르투갈과 스페인의 일부》. **2** [the ~] 루시타니아호《1915년 5월 7일 독일 잠수함에 격침된 영국 여객선 ; 이를 계기로 미국이 제1차 세계대전에 참전함》.

Lu·so- [lúːsou] *comb. form* 「포르투갈」의 뜻. 〖↑〗

***lust** [lʌ́st] *n.* **1** Ⓤ,Ⓒ 강한 욕망, 열망, 갈망 : a ~ *for* gold 황금욕 / the ~ *of* conquest 정복욕. **2** Ⓤ,Ⓒ 색정, 육욕 : the ~*s* of the flesh 육욕(肉慾). **3** 번뇌. **4** 《廢》 환희, 희망.

── *vi.* **1** [+前+名] (명성·부 따위를) 열망[갈망]하다 : A miser ~*s* ***after***[***for***] gold. 수전노는 악착같이 돈에 욕심낸다. **2** 〔聖〕 색욕을 일으키다 〈*after*〉.

〖OE ; cf. LIST[4], G *Lust* pleasure, desire〗

lúst·er[1] *n.* 갈망자 ; 호색한.

lus·ter[2] | **lus·tre**[1] [lʌ́stər] *n.* **1** Ⓤ 광택, 윤 ; 빛,

번쩍임 : throw[shed] ~ on …에 빛을 주다. **2** Ⓤ 영광, 영예, 명예. **3** Ⓤ 윤내는 재료, 광택제. **4** 샹들리에, 다리 달린 촛대. —— *vt.* (천·도자기 따위)에 윤[광택]을 내다 ; 영예[광휘]를 주다[더하다]. —— *vi.* 윤[광택]이 나다 ; 빛나다.
lús·tered *a.* 광택이 있는.
〚F<It. (L *lustro* to illuminate)〛
lus·ter[3] | **lus·tre**[2] *n.* 5년간.
〚LUSTRUM〛
lúster·wàre *n.* Ⓤ 광채가 있는 일종의 도자기.
lúst·ful *a.* **1** 호색의, 음란한(lewd). **2** 《古》 기운 좋은, 건강한(lusty).
~·ly *adv.* **~·ness** *n.*
lustra *n.* LUSTRUM의 복수형.
lus·tral [lʌ́strəl] *a.* 깨끗이 하는, 부정(不淨)을 씻는 ; 5년 마다의, 5년에 한 번의.
lus·trate [lʌ́streit] *vt.* 재계(齋戒)하다, 깨끗이 하다. **lus·trá·tion** *n.* ⓊⒸ 정화, 재계(식).
lus·trine [lʌ́strən], **lus·tring** [lʌ́striŋ] *n.* 비단의 일종.
lus·trous [lʌ́strəs] *a.* 광택이 나는, 빛나는, 번쩍이는 ; 저명한.
~·ly *adv.* 번쩍번쩍하게, 광채가 나게.
類義語 ⟹ BRIGHT.
lus·trum [lʌ́strəm] *n.* (*pl.* **-tra** [-trə], **~s**) 대재계(大齋戒)《특히 옛 로마에서 5년마다 행한》; (옛 로마의) 인구 조사 ; 5년간. 〚L〛
lusty [lʌ́sti] *a.* 튼튼한, 건장한 ; 원기 왕성한, 활발한, 정력적인 ; 큰, 뚱뚱한 ; (음식 따위가) 풍부한 ; 호색의, 색욕이 왕성한.
lúst·i·ly *adv.* 힘차게, 원기있게, 활발하게 ; 왕성하게 ; 진심에서. **lúst·i·ness** *n.* 강장, 원기 왕성. 〚LUST〛
lu·sus (na·tu·rae) [lú:səs (nətú:ri:, -túərai)] *n.* 자연의 변덕, 조화(造化)의 장난 ; 〔生〕 이형(異形), 기형물. 〚L〛
lutanist ☞ LUTENIST.
lute[1] [lú:t] *n.* 류트《기타 비슷한 14-17세기의 현악기》. —— *vi.* 류트를 연주하다[타다]. —— *vt.* (곡을) 류트로 타다. 〚F<Arab.〛
lute[2] *n.* (관(管)의 이음매에 바르는) 봉니(封泥)《가스·액체가 새는 것을 막음》.
—— *vt.* …에 봉니를 바르다.
〚OF or L *lutum* mud〛
lu·te- [lú:ti], **lu·teo-** [lú:tiou, -tiə] *comb. form* 「(난소의) 황체(黃體)」「황색을 띤」의 뜻.
〚L (*lutum* weld[2])〛
lutecium ☞ LUTETIUM.
lu·te·in [lú:tiən, -ti:n] *n.* 〔化〕 루테인《혈청·노른자위 따위의 황색소(黃色素)》.
lútein·ìze *vt.* 〔生化〕 …에 황체를 형성시키다.
—— *vi.* 황체 형성하다.
lú·te·in·ìz·ing hórmone *n.* 〔生化〕 황체(黃體) 형성[화(化)] 호르몬《略 LH》.
lúteinizing hórmone-relèasing hórmone [fàctor] *n.* 〔生化〕 황체 형성[화] 호르몬 방출 호르몬[인자]《略 LHRH, L(H)RF》.
lu·te·nist, -ta- [lú:tənəst] *n.* 류트 연주자.
luteo- [lú:tiou, -tiə] ☞ LUTE-.
lùteo·lýsin *n.* 〔生化〕 황체 융해소(融解素).
lùteo·tróphic, -trópic *a.* 황체를 자극하는.
lùteo·tró·phin [-tróufən], **-pin** [-pən], **luteo·tró·phic hórmone** *n.* 〔生化〕 황체(黃體) 자극 호르몬.
lu·te·ous [lú:tiəs] *a.* 〔生〕 진한 주황빛의.
lute·string [lú:tstriŋ] *n.* **1** LUTE[1]의 현(絃). **2** = LUSTRINE.

lu·te·ti·um, -ci·um [lu:tí:ʃiəm] *n.* Ⓤ 〔化〕 루테튬《희토류(稀土類) 원소 ; 기호 Lu ; 번호 71》.
〚F (↑)〛
Luth. Lutheran.
Lu·ther [lú:θər] *n.* **1** 남자 이름. **2** 루터. **Martin** ~ (1483-1546) 독일의 종교개혁자. **~·ism** *n.* = LUTHERANISM.
〚Gmc.=famous warrior〛
Lúther·an *a.* 루터(Luther)의, 루터교(파)의.
—— *n.* 루터 신봉자, 루터교도. **~·ism** *n.* Ⓤ 루터(교)의 교의(敎義). **~·ize** *vi., vt.*
lut·ist [lú:təst] *n.* =LUTANIST ; 류트 제조인.
luv [lʌ́v] *n.* [발음철자] 《英》 여보, 당신《호칭》.
lux [lʌ́ks] *n.* (*pl.* **~, ~·es, lu·ces** [lú:si:z]) 〔光〕 럭스《조명도의 국제단위 ; 略 lx.》.
〚L *luc-, lux* light〛
Lux. Luxembourg.
lux·ate [lʌ́kseit] *vt.* (관절 따위를) 삐다, 탈구시키다. **lux·á·tion** *n.* 〔醫〕 탈구.
〚L *luxo* to dislocate〛
luxe [lúks, lʌ́ks, lú:ks] *n.* 우아, 고상(elegance), 호화. —— *a.* 호화로운(cf. DELUXE).
〚F<L *luxus* excess〛
Lux·em·bourg, -burg [lʌ́ksəmbə̀:rg] *n.* 룩셈부르크《벨기에 동쪽의 대공국(大公國) ; 그 수도》.
lux·on [lúksɑn] *n.* 〔理〕 룩산《광속도로 운동하는 질량 제로인 입자의 총칭》. 〚LUX, *-on*[2]〛
lux·u·ri·ant [lʌgʒúəriənt, lʌkʃúər-] *a.* 다산(多産)의, (땅이) 기름진(fertile) ; 무성한 ; 풍부한 ; (장식·문체 따위가) 화려한, 현란한(flowery) : a ~ imagination 풍부한 상상력 / ~ prose 미문(美文). **lux·ú·ri·ance,** 《古》 **-an·cy** *n.* Ⓤ 무성(茂盛) ; 다산(多産) ; 풍부 ; (문체의) 화려함.
~·ly *adv.* 무성하여 ; 풍부하게.
〚L ; ⇨ LUXURY〛
類義語 ⟹ LAVISH.
lux·u·ri·ate [lʌgʒúərièit, lʌkʃúər-] *vi.* **1** 무성하다, 우거지다. **2** 호화롭게 살다, 사치하다. **3** [+*in*+名] 탐닉하다, 즐기다 : Some people ~ ***in*** flattery. 아첨을 일삼는 사람도 있다.
lux·ù·ri·á·tion *n.*
***lux·u·ri·ous** [lʌgʒúəriəs, lʌkʃúər-] *a.* 사치스러운, 호화로운 ; 대단히 기분이 좋은 ; 최고급의 ; 방종한 ; 쾌락을 좇는. **~·ly** *adv.* **~·ness** *n.*
〚OF<L ; ⇨ LUXURY〛
***lux·u·ry** [lʌ́kʃəri, 美+lʌ́gʒə-] *n.* **1** Ⓤ 사치, 호사 : live in ~ 호화롭게 살다. **2** 사치품, 고급품. **3** Ⓤ 유쾌함, 쾌락, 만족(감). —— *a.* 사치스런, 호화로운 ; 고급… : ~ food 고급 식품 / a ~ hotel 고급 호텔. 〚OF<L ; ⇨ LUXE〛
Lu·zon [lu:zɑ́n] *n.* 루손 섬《필리핀 제도 북부의 최대의 섬》.
LV luncheon voucher. **lv.** leave(s) ; livre(s).
LV, Lv. lev.
LVN, L.V.N. licensed vocational nurse.
LVT landing vehicle, tracked. **LW** long wave.
L.W., LW low water. **Lw** 〔化〕 lawrencium 《현재는 Lr가 보통》. **LWIR** long-wave infrared(장파장 적외선). **L.W.M., l.w.m.** low-water mark. **lwop** leave without pay.
L.W.V. League of Women Voters. **lx** 〔光〕 lux.
LXX Septuagint.
-ly[1] [li, (l로 끝나는 말에서는) i] *adv. suf.* [형용사·명사에 붙여서] : bold*ly* ; smiling*ly*.
〚OE *-līce* (↓)〛
-ly[2] *a. suf.* [명사에 자유로이 붙여서] **1** 「…같은」「…의 성질이 있는」의 뜻 : king*ly*, man*ly*. **2** 「되

풀이해서 일어나는」의 뜻 : dai*ly*, month*ly*.
〖OE -*lic*<Gmc. *likam* form ; ⇨ LIKE², LICH〗

ly·ase [láieis, -z] *n.* 〔生化〕 리아제《탈(脫) 탄산효소(=decarboxylase) 따위의 효소》.

ly·can·thrope [láikənθròup, laikǽn-] *n.* 〔醫〕 이리가 되었다고 믿고 있는 정신병자 ; 이리가 된 사람.

ly·can·thro·py [laikǽnθrəpi] *n.* Ⓤ **1** (전설·이야기에서) 이리로 변하거나 남을 변하게 하는 둔갑술(cf. WEREWOLF). **2** 〔醫〕 낭광(狼狂)《자신을 이리라고 여기고 그런 동작을 하는 정신병》.
〖Gk.〗

ly·cée [liséi ; líːsei ; *F* lise] *n.* (프랑스의) 국립 고등학교, 대학 예비학교.

ly·ce·um [laisíː(ː)əm, láisiəm] *n.* **1** [the L~] 아리스토텔레스(Aristotle)가 철학을 가르친 아테네의 학원 ; 아리스토텔레스 학파(cf. ACADEMY, PORCH). **2** 학원, 학회《강당과 도서관 따위가 있음》. **3** 《美》 문화운동[단체] ; 문화회관. **4** = LYCÉE. 〖L<Gk. (*Lukeios* epithet of Apollo)〗

lych [lítʃ] *n.* 《英古》 =LICH.

lých-gàte, lích- [lítʃ-] *n.* (지붕이 있는) 묘지문(墓地門). 〖*lich*<OE *līc* corpse, GATE〗

lych-gate

lych·nis [líknəs] *n.* (*pl.* **~·es**) 〔植〕 동자꽃속(屬).

Ly·cia [líʃiə ; -siə] *n.* 리키아《고대 소(小)아시아의 한 지방》.

ly·co·pod [láikəpɑ̀d] *n.* =LYCOPODIUM.

ly·co·po·di·um [lài-kəpóudiəm] *n.* 〔植〕 석송속(石松屬)의 식물.

Ly·cur·gus [laikə́ːrgəs] *n.* 리쿠르고스《기원전 9세기경의 고대 스파르타의 입법자》.

lydd·ite [lídait] *n.* Ⓤ 〔化〕 리다이트《주로 피크린산(酸)으로 된 고성능 폭약》.
〖*Lydd* 영국 남서부의 실험지〗

Lyd·ia [lídiə] *n.* **1** 리디아《소아시아 서부의 부유한 옛 왕국》. **2** 여자 이름.
〖Gk.= (woman) of Lydia〗

Lýd·i·an *a.* LYDIA의 ; 리디아인[어]의 ; 육감적인, 관능적인(sensuous) ; 감미로운 ; 애조띤 ; 유약한, 환락적인 : ~ airs 애조, 애곡(哀曲) / ~ stone 규판암(珪板岩), 시금석(試金石). —— *n.* 리디아인 ; Ⓤ 리디아어.

lye [lái] *n.* Ⓤ 잿물 ; (세탁용) 알칼리액 ; (일반적으로) (합성) 세제.
〖OE *lēag* ; cf. ON *laug* hot bath, G *Lauge*〗

ly·ing¹ [láiiŋ] *v.* LIE¹의 현재분사. —— *n.* Ⓤ 드러누움 ; 드러누울 장소, 침소(寢所). —— *a.* 드러누워 있는 : low-~ land 저지(低地).
take lying down 무조건 항복하다.

lying² *v.* LIE²의 현재분사. —— *a.* 거짓말하는 ; 허위의 : a ~ rumor 근거없는 소문. —— *n.* Ⓤ 거짓말하기 ; 허위, 허언.
~·ly *adv.* 거짓말하여, 허위로.

lýing-ín *n.* (*pl.* **lyings-in, ~s**) Ⓤ 해산 자리에 들기 ; 분만. —— *a.* 해산의 ; 산부인과의 : a ~ hospital 산부인과 병원.

lýing-in-stàte *n.* (헌화를 위한 공적인 인물의) 유해의 일반 공개.

lyke·wake [láikwèik] *n.* 《英》 철야, 밤샘.

Lyle [láil] *n.* 남자 이름.
〖ME<OF=(man of) the island〗

Ly·man [láimən] *n.* 남자 이름.
〖OE=homestead by wood ; snow birth〗

Lýme arthrítis [láim-] *n.* 〔醫〕 라임 관절염《발열과 살갗에 붉은 반점을 수반하는 격통 있는 관절염》.
〖*Lyme* 이 병이 처음으로 관찰된 Connecticut 주(州)의 도시〗

lýme gràss [láim-] *n.* 〔植〕 갯보리류(類).

lymph [límpf] *n.* Ⓤ 〔生理〕 림프, 림프액 ; 〔醫〕 혈청(血淸), 두묘(痘苗) (vaccine lymph) ; 《古》 맑은 샘[시냇]물 ; 수액(樹液).
〖F or L *lympha* water〗

lymph- [límf], **lym·pho-** [límfou, -fə] *comb. form* 「림프」의 뜻. 〖↑〗

lymph·ade·nop·a·thy [limfӕ̀dənɑ́pəθi] *n.* 〔醫〕 림프절 장애[질환], 림프절증.

lymphadenópathy-assóciated vìrus *n.* 〔醫〕 림프절종(節腫) 대관련 바이러스.

lym·phan·gi- [limfǽndʒi], **-gio-** [-dʒiou, -dʒiə] *comb. form* 「림프관의」의 뜻.
〖NL *lymphangion*〗

lym·phan·gi·og·ra·phy [limfӕ̀ndʒiɑ́grəfi] *n.* 〔醫〕 림프관 조영[촬영](법).
lym·phàn·gio·gráph·ic *a.*

lym·phat·ic [limfǽtik] *a.* **1** 〔生理〕 림프(액)의 ; 림프를 통하게 하는[분비하는] : a ~ gland 림프샘. **2** (사람이) 림프질(質)[체질]의, (선병질로) 피부가 창백한 ; 굼뜬, 지둔(遲鈍)한(sluggish) ; 무기력한 : a ~ temperament 점액질.
—— *n.* 〔解〕 림프선 ; 림프관(管).

lýmph nòde *n.* 〔解〕 림프절.

lympho- [límfou, -fə] ☞ LYMPH-.

lýmpho·cỳte *n.* 림프구(球)[세포].

lỳmpho·granulóma *n.* (*pl.* **~s, -mata**) 〔醫〕 (서혜) 림프 육아종(肉芽腫). **-lómatous** *a.*

lymphogranulóma ve·né·re·um [-vəníəriəm] *n.* 〔醫〕 서혜[성병성] 림프 육아종《제4성병 ; 略 LGV》.

lym·phog·ra·phy [lìmfɑ́grəfi] *n.* =LYMPHANGIOGRAPHY.

lymph·oid [límfɔid] *a.* 림프(성(性))의 ; 림프(구(球)) 모양의.

lym·pho·kine [límfəkàin] *n.* 〔生化〕 림포카인《항원(抗原)에 의해 활성화된 림프구(球)(T세포)가 방출하는 가용성(可溶性) 단백 전달 물질의 총칭 ; 세포 매개 면역 따위에 관여함》.

lym·pho·ma [limfóumə] *n.* (*pl.* **~s, -ma·ta** [-tə]) 〔醫〕 림프종(腫).

lym·pho·poi·e·sis [lìmfəpɔiíːsəs, -fou-] *n.* (*pl.* **-ses** [-siːz]) 〔醫〕 림프구[세포·조직] 형성.
-ét·ic [-ét-] *a.*

lỳmpho·sarcóma *n.* (*pl.* **~s, -mata**) 〔醫〕 림프 육종(肉腫). **-sarcómatous** *a.*

lỳmpho·tóxin *n.* 림포톡신《동물 세포내에서 바이러스의 증식을 저해하는 물질》.

lymph·ous [límfəs] *a.* =LYMPHOID.

lyn·ce·an [linsíːən, ⌐--] *a.* 스라소니의 ; 스라소니 같은 ; 스라소니의 눈 같은.

lynch [líntʃ] *vt.* 사형(私刑)에 처하다, 린치[사형]을 가하여 죽이다.
〖*lynch law*〗

lýnch·ing *n.* 린치(를 가함), 폭력적인 사적 제재《특히 교수형》.

lýnch làw *n.* 사형(私刑), 린치.
〖*Lynch's law* ; Captain W. *Lynch* (d. 1820) Virginia 주(州)의 치안판사〗

lynchpin ☞ LINCHPIN.

Lynd [línd] *n.* 린드. **Robert** ~ (1879-1949) 아일랜드 태생인 영국의 수필가.
Lyn·da [líndə] *n.* 여자 이름.
Lyn·don [líndən] *n.* 남자 이름.
Lynn [lín] *n.* 남자 이름《Lincoln의 애칭》; 여자 이름《Caroline, Carolyn의 애칭》.
lynx [líŋks] *n.* (*pl.* ~, **~·es**) **1** 〔動〕 스라소니 ; Ⓤ 그 모피. **2** [(the) L~] 〔天〕 살쾡이자리. 〚L<Gk.〛
lýnx-éyed *a.* 눈이 날카로운[좋은].
lyo- [láiou, láiə] *comb. form* 〔化〕「분산」의 뜻. 〚Gk. *luō* to dissolve〛
Ly·on[1] [láiən] *n.* 스코틀랜드의 문장원 장관(紋章院長官).
Lyon[2] [*F* ljɔ̃], **Ly·ons** [láiənz] *n.* 리옹《프랑스 남동부의 도시》.
ly·on·naise [làiənéiz] *a.* 〔料〕 얇게 썬 양파와 함께 기름에 튀긴, 리옹풍(風)의. 〚F (*à la*) *lyonnaise* (in the manner) of Lyons〛
lýo·phìle *a.* 〔化〕 =LYOPHILIC ; 냉동 건조의 ; 냉동 건조에 의해 얻어진.
lýo·phìled *a.* 냉동 건조에 의해 얻어진.
lỳo·phílic *a.* 〔化〕 (콜로이드가) 친액성(親液性)의, 친화력(親和力)이 강한 : ~ colloid 친액 콜로이드.
ly·oph·i·lize [laiɑ́fəlàiz] *vt.* …을 냉동 건조하다(freeze-dry). **-lìz·er** *n.* (저장을 위한 조직·혈액 따위의) 냉동 건조기[장치].
ly·òph·i·li·zá·tion *n.*
lỳo·phóbic *a.* 〔化〕 (콜로이드가) 소액성(疎液性)의, 친화력이 약한 : ~ colloid 소액(疎液) 콜로이드.
lyr. lyric.
Ly·ra [láiərə] *n.* 〔天〕 거문고자리. 〚L LYRE〛
ly·rate [láiəreit, -rət], **ly·rat·ed** [láiəreitəd] *a.* 〔生〕 수금(竪琴)같은.
lyre [láiər] *n.* **1** (고대 그리스의) 수금(竪琴)《4-11현》, 리라 ; [the ~] 서정시. **2** [the L~] 〔天〕 = LYRA. **3** 〔樂〕 (취주 악대용) 악보꽂이. 〚OF<L *lyra*<Gk.〛
lýre·bìrd *n.* 〔鳥〕 (호주산) 리라새.
lýre·flòwer *n.* 〔植〕 금낭화(錦囊花) (bleeding heart).

lyre 1

lyr·ic [lírik] *a.* **1** 서정(시)의, 서정적인 : a ~ poet 서정시인 / ~ poetry 서정시. **2** 음악적인, 오페라풍의.
— *n.* 서정시 (cf. EPIC) ; [흔히 *pl.*] (유행가 따위의) 가사. 〚F or L<Gk. ; ⇨ LYRE〛
lýr·i·cal *a.* 서정시조(調)의 ; 감상적인, 감정을 과장한 ; =LYRIC. **~·ly** *adv.*
lýric dráma *n.* [the ~] 가극.
lyr·i·cism [lírəsìzəm] *n.* **1** 서정시체(體)[조·풍(風)]. **2** Ⓤ 고조된 감정, 서정미 ; 감상.
lyr·i·cist [lírəsəst] *n.* 서정 시인 ; 작사가.
lyr·i·cize [lírəsàiz] *vi.* 서정시를 쓰다 ; 서정시로 쓰다. — *vt.* 서정시의 형태로 하다 ; 서정적으로 표현하다.
lýric théater *n.* 오페라 극장 ; [the ~] 오페라.
lyr·ist [lírəst] *n.* =LYRICIST ; [láiərəst] LYRE를 켜는 사람.
lys- [láis], **ly·si-** [láisə], **ly·so-** [láisou, -sə] *comb. form* LYSIS의 뜻. 〚Gk.〛
-lyse ☞ -LYZE.
Ly·sen·ko·ism [liséŋkouìzəm] *n.* 리센코 학설《체세포(體細胞) 변화는 환경의 영향으로 다음 세대에 유전할 수 있다는 구소련 농학자 T. D. Lysenko (1898-1976)의 학설》.
ly·sér·gic ácid [ləsə́ːrdʒik-, lai-] *n.* 〔化〕 리세르그산. 〚hydro*lysis*+*ergot*+*-ic*〛
lysérgic ácid di·éth·yl·amide [-daiéθəl-əmàid, -léi-, -éθələmàid] *n.* 〔化〕 리세르그산 (디에틸아미드).
ly·sin [láisən] *n.* 〔生化〕 리신, 세포 용해소《적혈구나 세균을 용해하는 항체》.
ly·sine [láisiːn] *n.* Ⓤ 〔生化〕 리신《아미노산(酸)의 일종》.
ly·sis [láisəs] *n.* (*pl.* **-ses** [-siːz]) 〔醫〕 병세 감퇴, (열이나 질환의) 소산(消散) ; 〔生化〕 리신에 의한 세포 용해[용균(溶菌)]. 〚NL<Gk. *lusis* dissolution〛
-l·y·sis [-ləsəs, láisəs] *comb. form* (*pl.* **-l·y·ses** [-ləsiːz]) 「분해」의 뜻 : ana*lysis*, para*lysis*. 〚↑〛
lyso- [láisou, -sə] ☞ LYS-.
ly·so·gen [láisədʒən] *n.* 〔生〕 용원(溶原), 용원균(溶原菌).
lỳso·génic *a.* 〔生〕 (바이러스가) 용원성(溶原性)인 (temperate) ; (세균이) prophage를 보유하는. **-ge·nic·i·ty** [-dʒənísəti] *n.*
lysogénic convérsion *n.* 〔生〕 용원화 변환.
ly·sog·e·nize [laisɑ́dʒənàiz] *vt.* 〔菌〕 용원화(溶原化)하다. **ly·sòg·e·ni·zá·tion** *n.*
ly·sog·e·ny [laisɑ́dʒəni] *n.* 〔菌〕 용원성(溶原性).
Ly·sol [láisɔ(ː)l, -soul, -sɑl] *n.* 리졸《소독약 ; 상표명》.
lýso·sòme *n.* 〔生化〕 리소좀《세포질내의 과립(顆粒)으로 많은 가수분해 효소를 함유함》.
lỳ·so·sóm·al *a.* **-sóm·al·ly** *adv.*
ly·so·staph·in [làisəstǽfən] *n.* 〔生化〕 리소스타핀《포도상 구균에서 얻어지는 항균성 효소》.
lýso·zỳme *n.* 〔生化〕 리소자임《박테리아 용해 효소의 일종》.
lys·sa [lísə] *n.* 〔醫〕 광견병 (rabies). 〚Gk.〛
-lyte[1] [làit] *n. comb. form* 「분해를 일으키는 것」의 뜻 : electro*lyte*. 〚Gk.=soluble ; ⇨ LYO-〛
-lyte[2] ☞ -LITE.
lyt·ic [lítik] *a.* 세포 용해(소)의, 리신의. **-i·cal·ly** *adv.*
-lyt·ic [lítik] *a. suf.* 「분해의」「분해하는」의 뜻. 〚Gk. =able to loose ; ⇨ LYO-〛
Lyt·ton [lítn] *n.* 리턴. **1 Edward George Earle** ~ **Bulwer-**~, 1st Lord ~(1803-73) 영국의 소설가·극작가·정치가. **2 Edward Robert Bulwer-**~, 1st Earl of ~ 영국의 시인·극작가·외교가 ; 1의 아들로 필명은 Owen Meredith.
-lyze, -lyse [-làiz] *v. comb. form* [-lysis에 대응하는 타동사를 만듦] : ana*lyze*.
L.Z., LZ landing zone.

M

m, M [ém] *n.* (*pl.* **m's, ms, M's, Ms** [-z]) **1** 엠《영어 알파벳의 열 세번째 글자》. **2** M자형(의 것). **3** (로마 숫자의) 천.

M 〖理〗 Mach ; magnitude ; 〖通貨〗 markka ; 《濠》〖映〗 Mature 《16세 이상》; 〖論〗 middle term ; 〖化〗 molar. **M, M., m, m.** 〖通貨〗 mark ; *meridies* 《L》 (=noon) ; million(s). **M., M** Majesty ; Manitoba ; Marquis ; Marshal ; Master ; Medicine ; Medieval ; Medium ; mega- ; Member ; Meridian ; metal ; mezzo ; Middle ; molecular weight ; moment ; Monday ; 《俗》 money ; Monsieur ; 《俗》 morphine ; 《英》 motorway ; Mountain. **m.** maiden (over) ; male ; manual ; mare ; married ; martyr ; masculine ; 〖機〗 mass ; 〖樂〗 measure ; medicine ; medieval ; medium ; meridian ; meter(s) ; middle ; midnight ; mile(s) ; milli- ; mill(s) ; minim ; minute 《英》〖氣〗 mist ; 〖處方〗 mix ; modification of ; modulus ; month(s) ; moon ; morning ; mountain.

M'- [mək, mæk, ([k, g] 앞에서) mə, mæ] *pref.* = MAC-.

'm 1 [m] 《口》 =AM. **2** [əm] 《口》 =MA'AM : Yes'*m.* 네, 부인 / No'*m.* 아니오, 부인.

m- meta-.

***ma** [mɑ́:, mɔ́:] *n.* 《口》 엄마(cf. PA[1]).
〖*mamma*[1]〗

Ma 〖化〗 masurium ; 〖樂〗 major. **mA, ma, ma.** 〖電〗 milliampere(s). **m/a** my account. **M.A.** *Magister Artium* 《L》 (=Master of Arts) ; 〖心〗 mental age ; Military Academy. **M.A.A.** Master of Applied Arts. **MAAG** Military Assistance Advisory Group.

‡ma'am *n.* **1** [mǽ(:)m, mɑ́:m] 《英》 마마《여왕·왕족 부인에 대한 존칭》. **2** [məm, m] 《口》 부인, 손님, 선생님《여성 일반에 대한 호칭》: Yes, ~ [jésm]. 네, 부인[손님·선생님].
〖MADAM〗

M.A. and A. Master of Aeronautics and Astronautics.

má-and-pá *a.* =MOM-AND-POP.

maar [mɑ́:r] *n.* (*pl.* **~s, maare** [mɑ́:rə]) 마르《1회의 폭발로 생긴 밑바닥이 평평한 원형의 (물이 가득찬) 화구(火口)》. 〖G〗

M.A. Arch. Master of Arts in Architecture.

Mab [mǽ(:)b] *n.* 여자 이름《Mabel의 애칭》.

MAB 《美》 Marine Amphibious Brigade(해병대 수륙 양용전 여단). **M.A.B.** Metropolitan Asylums Board. **M.A.B.E.** Master of Agricultural Business and Economics.

Ma·bel [méibəl] *n.* 여자 이름《애칭 Mab》.
〖L=lovable〗

Ma Bell [mɑ́: bél] *n.* 《美》 마 벨《the American Telephone & Telegraph Company의 별칭 ; 벨 엄마의 뜻》.

mábe (pèarl) [méib-] *n.* 반구형 양식 진주.

mac, mack [mǽk] *n.* 《英口》 =MACKINTOSH ; 《美口》 =MACKINAW.

Mac *n.* 《口》 스코틀랜드 사람 ; 아일랜드 사람 ; 《美口》 야, 이봐, 자네《이름을 모르는 남자를 부를 때의 호칭》; 남자 이름. 〖Gael. =son〗

Mac- [mək, mæk, ([k, g] 앞에서) mə, mæ] *pref.* 「…의 아들」의 뜻《스코틀랜드계 또는 아일랜드계의 성에 붙임 ; 略 Mc-, M[c]-, M'-》. 〖MAC〗

MAC Military Armistice Commission ; 《美》 Military Airlift Command(군사 공수 사령부). **Mac.** 〖聖〗 Maccabees. **M.A.C.** Master of Arts in Communications. **M.Ac.** Master of Accounting.

ma·ca·bre [məkɑ́:brə, -bər], **-ber** [-bər] *a.* 무시무시한, 소름이 끼치는, 기분 나쁜 ; 죽음을 주제로 하는 ; danse macabre의[를 연상시키는].
〖F< ? *Macabé* Maccabee ; MACCABEES 살육을 다룬 중세의 miracle play에서인가〗

ma·ca·co [məkɑ́:kou] *n.* (*pl.* **~s**) 〖動〗 여우원숭이(lemur). 〖Port.<(Afr.)〗

mac·ad·am [məkǽdəm] *n.* 머캐덤 도로《자갈을 깔고 타르 따위로 굳혀서 노면을 만든 것》; Ⓤ〖土〗 (머캐덤 도로용의) 자갈, 쇄석(碎石).
〖J. L. *McAdam* (d. 1836) 이 공법(工法)을 발명한 스코틀랜드의 기사〗

macádam·ìze *vt.* (도로를) 머캐덤 공법으로 포장하다. **macàdam·izátion** *n.* 머캐덤 공법[포장].

Ma·cao, Ma·cau [məkáu] *n.* 마카오《중국 남부의 Hong Kong 대안에 있음》.

ma·caque [məkɑ́:k, 美+-kǽk] *n.* 〖動〗 짧은 꼬리원숭이《아시아·아프리카산》. 〖F<Port.〗

mac·a·ro·ni, mac·ca- [mæ̀kəróuni] *n.* **1** Ⓤ 마카로니(cf. SPAGHETTI, VERMICELLI) ; 《美俗》 마카로니 비슷한 가늘고 긴 것《라디오 안테나·튜브 따위》. **2** (*pl.* **~s, ~es**) (18세기 영국에서) 대륙에서 돌아온 멋쟁이 ; 《古》 (일반적으로) 멋쟁이 (fop). **3** 《俗》 이탈리아 사람.
〖It.<Gk. =barley food〗

mac·a·ron·ic [mæ̀kərɑ́nik] *a.* 《古》 뒤범벅된 (mixed) ; (라틴어 또는 라틴어 어미를 현대어에 섞은) 우아한 문체와 속된 문체가 혼합된, 아속혼효체(雅俗混淆體)의. —— *n.* [*pl.*] 아속혼효체 광시 ; 뒤범벅 ; 접속곡.

macaróni chéese *n.* 〖料〗 마카로니 치즈《마카로니에 치즈 따위를 섞어 구운 것》.

macaróni mìlls *n.* 《美俗》 제재소(sawmill).

mac·a·roon [mæ̀kərú:n] *n.* 마카롱《계란 흰자위·설탕·아몬드 따위로 만든 과자》.
〖F<It. ; ⇨ MACARONI〗

Mac·Ar·thur [məkɑ́:rθər] *n.* 맥아더. **Douglas** ~ (1880-1964) 미국의 육군 원수, 일본 점령 연합군 최고 사령관(1945-51).

Ma·cart·ney [məkɑ́:rtni] *n.* 〖鳥〗 (남아시아산의) 등이 붉은 꿩의 일종.
〖George 1st Earl *Macartney* (d. 1806) 영국의 외교관〗

ma·cás·sar òil [məkǽsər-] *n.* [흔히 M~] 마

카사르 향유《머릿기름 ; 19세기에 사용됨》.

Ma·cau·lay [məkɔ́:li] *n.* 매콜리. **Thomas Babington** ~ (1800-59) 영국의 역사가·평론가·정치가.

ma·caw [məkɔ́:] *n.* **1** 〖鳥〗 머코앵무새《남미·중미산(産)》. **2** 〖植〗 머코야자《남미산(産)》. 〚Port. *macao* < ?〛

Mac·beth [məkbéθ, mæk-] *n.* 맥베스《Shakespeare작의 4대 비극의 하나 ; 그 주인공》.

Macc. Maccabees.

Mac·ca·bae·us [mæ̀kəbí:əs] *n.* 마카바이우스. **Judas** ~ (d. 160 B.C.) 유태의 애국자로 Maccabees의 지도자.

Màc·ca·bé·an, -báe·an *a.* Maccabaeus의 ; Maccabees족의.

Mac·ca·bees [mǽkəbi:z] *n. pl.* **1** [the ~] 시리아왕의 학정으로부터 유태를 구한 기원전 2세기의 유태 애국자의 일족(一族). **2** [단수취급] 〖聖〗 마카베오서(書)《略 Mac(c).》.

mac·ca·boy, -co- [mǽkəbɔ̀i], **-baw** [-bɔ̀:], **ma·cou·ba** [məkú:bə] *n.* 코담배의 일종. 〚F〛

mac·chi·net·ta [mɑ̀:kənétə] *n.* 드립 커피(drip coffee) 끓이는 기구.

Mac·Don·ald [məkdɑ́nəld] *n.* 맥도널드. **James Ramsay** ~ (1866-1937) 영국의 정치가, 노동당 당수 ; 수상(1924, 1929-35).

mace[1] [méis] *n.* **1** 철퇴의 일종《끄트머리에 쇠갈고리가 달린 중세 기사의 무기》. **2 a)** 곤봉 모양의 권표(權標)《영국의 시장·대학 총장 등의 직권의 표상》; [the M~] 영국 하원 의장의 직장(職杖). **b)** =MACE-BEARER. 〚OF<Rom. =club〛

mace[2] *n.* Ⓤ 메이스《육두구의 겉껍질을 말린 것 ; 향미료용·약용》. 〚OF<L *macir* oriental spice ; *macir*를 *macis*로 잘못 읽고 게다가 그것을 pl. 어미로 잘못 쓴 것〛

mace[3] *n.* 《俗》 사기 ; 사기꾼. —— *vt.* 《俗》 사기치다 ; 강요하다, 공갈치다. 〚C18< ?〛

Mace *n.* 메이스《최루가스에 사용하는 신경마비제 ; 상표명》. —— *vt.* [보통 m~] (폭도 등을) Mace로 공격[진압]하다.

máce-bèar·er *n.* 권표를 받드는 사람.

Maced. Macedonia(n).

ma·cé·doine [mæ̀sədwɑ́:n] *n.* **1** 마세드완《야채·과실 따위의 젤리 요리》. **2** 뒤범벅, 오합지졸. 〚F〛

Mac·e·do·nia [mæ̀sədóunjə, -niə] *n.* 마케도니아《1992년 유고슬라비아로부터 독립 선언 ; 수도 Skopje》.

Màc·e·dó·ni·an *a.* 마케도니아(사람)의 ; 마케도니아어의. —— *n.* 마케도니아 사람[어].

mac·er·ate [mǽsərèit] *vt., vi.* **1** 물[더운 물]에 담가서 부드럽게 하다[되다]. **2** (단식하여) 쇠약하게 하다[쇠약해지다]. 〚L *macero* to soften, soak〛

Mach [mɑ́:k, mǽk ; mǽk] *n.* [때때로 m~] 〖理〗 마하(Mach number)《유체 중의 물체의 속도와 음속《시속 약 1,200킬로미터》의 비 ; Mach one은 음속과 동일한 속도》. 〚Ernst *Mach* (d. 1916) 오스트리아의 물리학자·철학자〛

M

mach. machine ; machinery ; machinist.

mach·er [mǽxər] *n.* 《美蔑》 거물, 대장. 〚Yid.〛

ma·chete [məʃéti, -tʃéti ; -ʃéti, -tʃéiti] *n.* (중남미 원주민의) 칼, 일종의 손도끼. 〚Sp. (*macho* club<L)〛

Mach·i·a·vel·li [mæ̀kiəvéli] *n.* 마키아벨리. **Niccolò** ~ (1469-1527) 이탈리아 Florence의 외교가·정치가로 책모(策謀)정치를 주창한 사람.

Machiavélli·an *a.* 마키아벨리류(流)의, 책모정치의. —— *n.* 책모가, 책사.

~·ism *n.* 마키아벨리주의《정치목적을 위해서는 수단을 가리지 않음》.

Màch·i·a·vél·lism *n.* =MACHIAVELLIANISM.

ma·chic·o·late [mətʃíkəlèit] *vt.* 〖築城〗 (성루(城樓)에) 총안(銃眼)을 만들다.

-làt·ed *a.* (성루가) 총안(銃眼)이 있는.

ma·chìc·o·lá·tion *n.* 〖築城〗 돌출 총안(銃眼)《성문·성벽 따위의 돌출 부분과 그 벽에 설치한 구멍 ; 적의 공격을 방어할 때 여기에서 돌·불·뜨거운 물 따위를 퍼부었음》.

ma·chi·cou·lis [mɑ̀:ʃikú:li] *n.* =MACHICOLATION. 〚F〛

machin. machine ; machinery ; machinist.

mach·i·nate [mǽkənèit, 美+mǽʃ-] *vi.* 책모하다. —— *vt.* (음모를) 꾸미다, 꾀하다(plot).

-nà·tor *n.* 책사(策士), 모사(謀士), 책모가(plotter). 〚L=to contrive ; ⇨ MACHINE〛

mach·i·na·tion [mæ̀kənéiʃən, 美+mæ̀ʃ-] *n.* [보통 *pl.*] 음모, 책모, 책략(策略).

◊**ma·chine** [məʃí:n] *n.* **1** 기계, 기계 장치 : the age of the ~=the ~ age 기계 시대. **2** 재봉틀 ; 자전거 ; 자동차 ; 비행기 ; 타이프라이터 ; 자동판매기 ; 컴퓨터 ; 《英》 인쇄 기계(press). **3** 기관, 기구 ; (정당 따위의) 조직 ; 그 지배 집단, 파벌 ; (옛날 무대 효과를 높이는) 장치. **4** 기계적으로 일하는[움직이는] 사람. **5** (시·극에 나타나는) 초자연적인 힘[인물] : a god from the ~=DEUS EX MACHINA. **6** [형용사적으로] 기계(용)의 ; 기계에 의한, 정밀한, 규격화된.

by machine 기계로 : The products are packaged *by* ~. 제품은 기계로 포장된다.

—— *vt.* 기계로 만들다, 기계로 마무리하다, 기계에 걸다 ; …을 재봉틀로 박다 ; 인쇄기에 걸다 ; 기계화하다 ; 정밀하게 만들다, 규격화하다.

—— *vi.* 기계로 가공되다.

〚F<L<Gk. =pulley〛

machíne àrt *n.* 기계 예술, 머신 아트《기계 공학·전자 공학 따위의 장치를 이용한 예술》.

machíne bòlt *n.* 〖機〗 머신 볼트, 기계 볼트.

machíne chéck interrùpt *n.* 〖컴퓨〗 기계 검사 인터럽트.

machíne còde *n.* =MACHINE LANGUAGE.

machíne còver *n.* 사무실의 사무기기를 덮어두는 플라스틱제 덮개.

machíne fìnish *n.* (종이의) 기계 다듬질《초지기(抄紙機)에 달린 캘린더(calender)로 광을 내는 마무리법》.

machíne gùn *n.* 기관총, 머신 건.

machíne-gùn *vi.* 기총소사(機銃掃射)하다 ; 기관총을 발사하다. —— *vt.* 기관총으로 쏘다. —— *a.* 기관총의[같은] ; 빠르고 단속적인.

machíne gùnner *n.* 기관총 사수.

machíne-hóur *n.* 기계의 1시간당 작업량.

machíne intèlligence *n.* =ARTIFICIAL INTELLIGENCE.

machíne lànguage *n.* 〖컴퓨〗 기계어《컴퓨터가 이해할 수 있는 명령어》.

machíne·lìke *a.* 기계같은, 정확한, 기계적인.

machíne-máde *a.* 기계로 만든(↔*handmade*) ; 틀에 박힌.

machíne·man [-mən] *n.* (*pl.* **-men** [-mən]) 기계공 ; 《英》〖印〗 인쇄공(pressman) ; 착암기를 다

루는 사람.

machíne-médiated lèarning *n.* 컴퓨터 따위의 기계를 매체로 한 학습.

machíne músic *n.* 신시사이저·컴퓨터를 이용한 대중 음악의 총칭.

machíne pístol *n.* 자동 권총; 경기관총(burp gun).

machíne pòlitics *n.* 《蔑》 조직정치《정치조직의 힘으로 선거전의 승리나 입법을 꾀하는 일》.

machíne-rèad·able *a.* 〔컴퓨〕 그대로 컴퓨터로 처리할 수 있는, 기계 판독이 가능한.

machíne rífle *n.* 자동 소총(automatic rifle).

machíne ròom *n.* 《英》 인쇄실(=《美》 pressroom).

***ma·chin·ery** [məʃíːnəri] *n.* **1** Ⓤ 기계류; (기계의) 가동부분; (시계 따위의) 기계 장치: ~ insurance 기계 보험 / Mass production needs a great deal of ~. 대량 생산에는 많은 기계가 필요하다. **2** (정치 따위의) 조직, 기구, 기관; (무대 효과를 높이기 위한) 장치, 취향; (소설·극 따위에서 어떤 효과를 노린 소박한) 방법, 수법.

machíne scrèw *n.* 〔機〕 (기계 부품을 꽉 죄는) 작은 나사.

machíne scùlpture *n.* 기계 조각.

machíne-sèwed *a.* 재봉틀로 박은.

machíne shòp *n.* 기계 공장.

machíne tìme *n.* (컴퓨터 따위의) 총작동시간.

machíne tòol *n.* 공작 기계, 공구.

machíne translátion *n.* (컴퓨터 따위에 의한) 기계[자동] 번역.

machíne vìsion *n.* 기계가 물체를 시각적으로 인식하는 일.

machíne-wàsh *vt.* 세탁기로 빨다. **~·able** *a.*

machíne wòrd *n.* 〔컴퓨〕 기계어.

machíne wòrk *n.* 기계 작업.

machín·ing cènter [məʃíːniŋ-] *n.* 〔機〕 복합 공작기계.

ma·chin·ist [məʃíːnəst] *n.* 기계 제작공[수리공]; (공작) 기계공; (일반적으로) 기계 운전자; 《英》 (특히) 봉제공; 〔美海軍〕 기관(機關) 준위; 《美》 (정당의) 간부제 지지자; 《古》 (극장의) 무대장치 담당자.

ma·chis·mo [mɑːtʃíːzmou, -tʃíz-] *n.* 사내다움; 과시된 힘. 〖Mex. Sp.; ⇨ MACHO〗

Mách·mèter *n.* 〔理〕 (음속에 대한 상대 속도를 재는) 마하계(計).

Mách nùmber *n.* 〔理〕 마하(Mach).

ma·cho [mάːtʃou] *n.* (*pl.* **~s**) (건장한) 사나이; =MACHISMO. —— *a.* 사내다운, 늠름한, 남자다움을 강조한. 〖Mex. Sp.〗

mácho·dràma *n.* 《美俗》 사내다움[남성우위]을 강조한 영화[극].

macht·po·li·tik [mάːktpoulitíːk] *n.* [흔히 M~] 무력[강권] 정치. 〖G=power politics〗

-ma·chy [-məki] *n. comb. form* 「싸움」의 뜻: logo*machy*. 〖Gk. *makhos* fighting〗

mack[1] ☞ MAC.

mack[2] [mæk] *n.* 《俗》 뚜쟁이; 유객(誘客)꾼. 〖*mack*erel〗

mack[3] *n.* 굴뚝과 마스트의 기부(基部)가 겹친 구조. 〖*ma*st+sta*ck*〗

Mack *n.* **1** 남자 이름. **2** 《口》 여봐《이름을 모르는 남자에 대한 호칭》. 〖⇨ MAC〗

Mac·ken·zie [məkénzi] *n.* **1** [the ~] 매켄지《캐나다 서부지방에서 북극해로 흐르는 강》. **2** 매켄지《캐나다 Northwest Territories의 중부·서부를 차지하는 행정구》.

mack·er·el [mǽkərəl] *n.* (*pl.* **~s**, ~) 〔魚〕 고등어《북대서양산》. 〖AF<OF<MDu. =go-between, broker〗

máckerel brèeze[gàle] *n.* 고등어 바람《고등어 잡이에 알맞은 약간 센 바람》.

máckerel gùll *n.* 〔鳥〕 제비갈매기(tern).

máckerel píke *n.* 〔魚〕 꽁치.

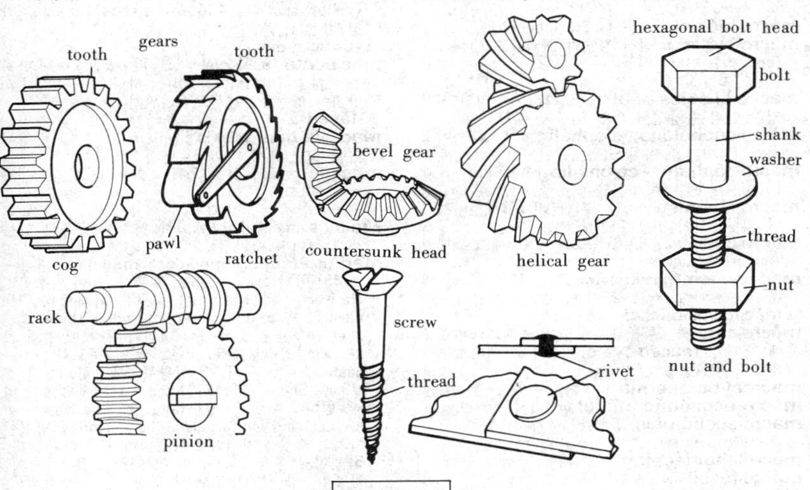

machinery

máckerel shàrk *n.* 〖魚〗 청상아리.
máckerel ský *n.* 〖氣〗 비늘 하늘 구름.
mack·i·naw [mǽkənɔ̀ː] *n.* 《美》 화려한 바둑판무늬의 두꺼운 담요(=**M∼ blànket**) ; 바둑판무늬의 두꺼운 모직으로 만든 더블의 짧은 코트 (=**M∼ còat**) ; (옛날 오대호 지방에서 사용한) 평저선(平底船) (=**M∼ bòat**).
〖*Mackinaw* City Michigan 주(州)의 도시명〗
mack·in·tosh, mac·in- [mǽkəntɑ̀ʃ] *n.* Ⓤ 매킨토시《고무를 입힌 방수포(防水布)》 ; Ⓒ 방수외투《略 mac(k)》.
〖C. *Macintosh* (d. 1843) 고안자로 스코틀랜드의 화학자〗
mack·le [mǽkəl] *n.* 〖印〗 이중 인쇄, 잘못된 인쇄 ; 얼룩. —— *vt., vi.* …에 얼룩을 묻히다[이 묻다] ; 잘못 인쇄하다, 인쇄가 흐리다[흐려지다].
〖MACLE〗
máck·màn [, -mən] *n.* 《俗》 =MACK².
ma·cle [mǽkəl] *n.* 〖鑛〗 쌍정(雙晶) ; (광물의) 얼룩, 변색. **má·cled** *a.* 〖F〗
Mac·leod [məkláud] *n.* 남자 이름.
Mac·mil·lan [məkmílən] *n.* 맥밀런. **Harold** ∼ (1894-1986) 영국의 정치가.
ma·con [méikən] *n.* Ⓤ (제2차 대전 중의) 양고기 베이컨. 〖*m*utton+b*acon*〗
Mâ·con [*F* mɑkɔ̃] *n.* Ⓤ 프랑스산 포도주.
macr- [mǽkr], **mac·ro-** [mǽkrou, -rə] *comb. form* 「긴」「큰」의 뜻(↔*micr-, micro-*).
〖Gk. (*makros* long, large)〗
mac·ra·me, -mé [mǽkrəmèi ; məkrɑ́ːmi] *n.* Ⓤ 매듭실 장식 ; 마크라메(레이스)《가구의 가장자리 장식용》.
〖Turk.<Arab. =bedspread〗
macro¹ [mǽkrou] *a.* 큰, 눈에 띄는 ; 대량[대규모]의 ; 현미경을 필요로 하지 않는. 〖*macr-*〗
macro² *n.* (*pl.* **∼s**) 〖컴퓨〗 =MACROINSTRUCTION.
màcro·análysis *n.* 〖化〗 보통량 분석(分析) (↔*microanalysis*).
màcro·biósis *n.* 장수(長壽) (longevity).
màcro·biótic *a.* 선식 장수법(禪式長壽法)의 : ∼ food 장수[건강] 식품. —— *n.* 선식 장수법 실천[신봉]자.
màc·ro·bi·ót·ics *n.* 선식 장수법, 자연식의 식사법《동양의 음양설에 의한 식품의 배합》.
màcro·céphalous, -cephálic *a.* 〖人類〗 이상하게 큰 머리를 가진 ; (두개골이) 이상하게 큰.
màcro·céphaly, -ce·phá·lia [-səféiliə] *n.* Ⓤ 〖人類〗 대두(大頭) ; 〖醫〗 대두증.
màcro·chémistry *n.* 거시(巨視) 화학《현미경이나 미량분석이 필요하지 않음》.
mácro·còde *n.* 〖컴퓨〗 매크로 코드, 매크로 명령 (macroinstruction).
mac·ro·cosm [mǽkrəkɑ̀zəm] *n.* **1** [the ∼] 대우주(↔*microcosm*). **2** 전체, 총체, 복합체.
màc·ro·cós·mic *a.*
mácro·cỳte *n.* 〖醫〗 대적혈구(大赤血球)《빈혈증에 생김》. **màc·ro·cýt·ic** [-sít-] *a.* 대적혈구성의 ; 대구성(大球性)의.
macrocýtic anémia *n.* 〖醫〗 대적혈구성 빈혈.
màcro-económic mòdel *n.* 거시 경제모델.
màcro·económics *n.* 〖經〗 거시 경제학(↔*microeconomics*).
màcro·enginéer·ing *n.* 거대 프로젝트 공학.
mácro·fòssil *n.* 〖古生〗 (육안으로 관찰할 수 있는) 대형 화석(化石).
màcro·gaméte [, -gǽmiːt] *n.* 〖生〗 대배우자 (大配偶者), 자성(雌性) 대배우자.

mácro·gràph *n.* 확대도, 육안도《실제 크기 이상의 그림·사진》.
mac·rog·ra·phy [məkrɑ́grəfi] *n.* Ⓤ **1** 육안검사 (↔*micrography*). **2** (정신이상에 의한) 이상대서 (異常大書) ; 육안도 제작법.
màcro·instrúction *n.* 〖컴퓨〗 매크로[모듬] 명령 (macro).
màcro·linguístics *n.* 대(大)언어학《언어연구 부문의 총칭》.
màcro·meteorólogy *n.* 거시 기상학. **-gist** *n.*
mac·rom·e·ter [məkrɑ́mətər] *n.* 〖光〗 (원거리 측정용) 측거기(測距器).
màcro·mólecule, mácro·mòle *n.* 〖化〗 고분자(高分子) ; 거대분자.
ma·cron [méikrɑn, mǽk-, -rən ; mǽkrən] *n.* 〖音聲〗 (모음 위쪽에 붙이는) 장음 부호《보기 cāme, bē》. 〖Gk. ; ⇨ MACR-〗
màcro·photógraphy *n.* (저(低) 확대율의) 확대사진(술(術)).
màcro·phýsics *n.* 거시 물리학(↔*microphysics*).
mácro·phỳte *n.* 〖生〗 대형 수생(水生)식물.
mácro·scàle *n.* 대규모, 거시적 규모(↔*microscale*).
mac·ro·scop·ic, -i·cal [mæ̀krəskɑ́pik(əl)] *a.* 육안으로 보이는(↔*microscopic*) ; 천문학적 차원[숫자]의 ; 〖理·數〗 거시적인.
màcro·sociólogy *n.* 거시 사회학.
mácro·spòre *n.* 〖植〗 =MEGASPORE.
mácro·strùcture *n.* 매크로 구조[조직]《확대하지 않고도 육안으로 보이는 금속·신체(身體)의 일부 따위》.
mácro·thèory *n.* 매크로 이론.
M.A.C.T. Master of Arts in College Teaching.
mac·u·la [mǽkjələ] *n.* (*pl.* **-lae** [-lìː, -lài], **∼s**) (광물의) 흠 ; 〖解〗 (피부의) 반점 ; (태양·달 따위의) 흑점 ; 〖解〗 (망막(網膜)의) 황반(黃斑) (yellow spot) (=∼ **lútea**). **mác·u·lar** *a.* 흠[반점]이 있는.
〖L=spot, mesh〗
mac·u·late [mǽkjəlèit] *vt.* 《古·文語》 …에 반점을 찍다 ; 더럽히다, 불결하게 하다. —— [-lət] *a.* 반점이 있는 ; 불결한, 더러워진.
-làt·ed *a.*
mac·u·la·tion [mæ̀kjəléiʃən] *n.* Ⓤ 《古》 반점이 있음 ; Ⓒ (표범 따위의) 반점 ; 오점 ; 오욕.
mac·ule [mǽkjuːl] *n.* 〖解〗 (피부의) 반점 ; 〖印〗 =MACKLE.
—— *vt., vi.* =MACKLE.
Ma·cy's [méisiz] *n.* 메이시 백화점《뉴욕에 있는 세계 최대의 백화점》.
‡**mad** [mǽ(ː)d] *a.* (**mád·der ; mád·dest**) **1** [+*to* do] 미친(crazy) ; 몹시 흥분한, 눈이 뒤집힌 : He was ∼ *with* joy. 미친듯이 기뻐했다 / He must be ∼ *to* do such an imprudent thing. 그가 그런 경솔한 짓을 하다니 머리가 돈 것이 틀림 없다. **2** 미친 것 같은, 바보 같은, 무모한 : in ∼ haste 몹시 서둘러. **3** 열광한, 열중한, 상기[흥분]된 : She is ∼ *about* him. 그 남자에게 홀딱 반해 있다. **4** 《口》 성난(angry) : She was ∼ *at* her husband *for* forget*ting* her birthday. 남편이 자기의 생일을 잊었다고 남편에게 마구 화를 냈다. **5** 들떠서 흥청거리는, 매우 명랑한. **6** (동물이) 광포한 ; 공수병(恐水病)에 걸린. **7** [부사적으로] 바보처럼, 미친 듯이, 몹시.
(as) mad as a (March) hare [***as a hatter***] ☞ HARE, HATTER.

drive*[*send*] a person *mad 남을 발광시키다 ; 화나게 하다, 미치게 하다.
go*[*run*] *mad 머리가 돌다, 미치다.
***go*[*run*] *mad after*[*over*]** …에 열중하다.
like mad 《口》 미치광이처럼, 맹렬히(cf. *like* SIN ; ☞ LIKE[1] *adv.*).

〈회화〉
What made you so *mad*? — I'm *mad* at your behavior. 「무엇 때문에 그렇게 화가 났니」「네가 하는 짓거리에 화가 난거야」

— *n.* 《美口》 분노, 화를 냄 : have a ~ *on* … 에 화를 내다.
— *v.* (**-dd-**) *vt.* 몹시 화나게 하다 ; 《古》 발광시키다.
— *vi.* 광란하다.
〚OE *gemǣd*(*e*)*d* (p.p.) ＜《美》 *gemǣden* (*gemād* insane, silly) ; cf. OHG *gameit* foolish〛

MAD [mǽ(:)d] *n.* ＝MUTUAL ASSURED DESTRUCTION.

Mad. Madam.

Mad·a·gas·car [mæ̀dəgǽskər] *n.* 마다가스카르 《아프리카 남동해안 앞바다의 섬 ; 공화국 ; 수도 Antananarivo》. — *a.* 마다가스카르에서의 ; 마다가스카르풍(風)의. **Màd·a·gás·can** *a.*, *n.* 마다가스카르(Madagascar) (사람)의 ; 마다가스카르 사람.

‡mad·am [mǽdəm] *n.* **1** (*pl.* **mes·dames** [meidɑ́:m, -dǽm ; méidæm]) [흔히 M~] 마님, 부인 《호칭의 경칭》. ㈜ 기혼·미혼의 구별 없이 여성에 대한 공손한 호칭으로 또한 Madam 또는 Dear Madam이라 하여 (미지의) 부인 앞으로의 편지 첫머리에 씀(cf. (Dear) SIRS). **2** (*pl.* **~s**) [흔히 the ~] 《口》 주부 ; 《婉·蔑》 마담《매춘굴의 안주인》; 《英口》 주제넘게 나서는 처녀 ; 《口》 남을 부리기 좋아하는 여자. 〚↓〛

***mad·ame** [mədǽm, mæ- ; (성(姓) 앞에) mæ̀dəm] *n.* **1** (*pl.* **mes·dames** [meidɑ́:m, -dǽm ; méidæm]) [보통 M~] 부인(夫人), 마님《프랑스에서 보통 기혼 부인에게, 영국에서 외국 부인에 대한 호칭, 그 성·칭호에 붙이는 경칭 ; 略 Mme., (*pl.*) Mmes. ; cf. MRS.》. **2** (*pl.* **~s**) (매춘굴의) 안주인.
〚OF *ma dame* my lady〛

Mádame Tussáud's *n.* (런던의) 터소 납인형관(cf. *the Chamber of* HORRORS).

mád àpple *n.* 〔植〕 가지(eggplant).

mád·bàll *n.* 《美俗》 (점쟁이의) 수정알.

mád-bráined *a.* 격하기 쉬운, 물불을 가리지 않는, 무모한.

mád·càp *n.* 물불을 가리지 않는 사람, (특히) 무모[경솔]한 처녀. — *a.* 물불을 가리지 않는, 경솔한, 충동적인, 무모하게 덤비는.

mád·càp·pery *n.* 무모함, 경솔, 무턱대고 함.

MADD 《美》 Mothers Against Drunk Drivers (음주운전 반대 어머니회).

mad·den [mǽdn] *vt.*, *vi.* 미치게 하다[미치다] ; 격분[흥분]하게 하다, 격분[흥분]하다. 〚MAD〛

mádden·ing *a.* 미치게 하는 ; 화가 치밀어 오르는 ; 맹렬한. **~·ly** *adv.*

mad·der [mǽdər] *n.* Ⓤ 〔植〕 꼭두서니속(屬)의 식물 ; 〔染〕 (인조) 꼭두서니 염료 ; 꼭두서니색, 진홍색. 〚OE〛

mád·ding *a.* 《稀》 미친, 광란의 : far from the ~ crowd 속세와 멀리 떨어져.

mád·dish *a.* 미친 것 같은.

mád-dòctor *n.* 《古》 정신과 의사.

◇made [méid] *v.* MAKE의 과거·과거분사.
— *a.* **1** 만든, 만들어진 ; 조작한 ; 여러 가지 재료로 조리한 : a ~ dish 여러 가지의 재료로 만들어진 요리《casserole 따위》. **2** 매립한 : ~ ground 매립지(埋立地). **3** 성공이 확실한(cf. MAKE *vt.* 9) ; 《美俗》 갑자기 출세한, 유명해진, 부자가 된 : a ~ man 성공한[이 확실한] 사람. **4** [복합어를 이루어] **a**) 몸집이 …한(built) : slightly-~ 호리호리한. **b**) …로 만든, …제의 : American-~ cars 미국제 자동차 / home-~ goods 국산품 / ready-~ clothes 기성복. — *n.* 《美俗》 (곱슬머리 따위를) 곧게 한 머리털.

made-for-TV [ˊ-fərtí:ví:] *a.* 텔레비전용(用)으로 만든.

Ma·dei·ra [mədíərə, -déərə] *n.* **1** 마데이라《아프리카 북서쪽에 있는 포르투갈령의 섬》. **2** Ⓤ 마데이라《마데이라 섬에서 나는 백포도주》; Ⓒ 카스텔라의 일종(=~ **càke**).

Madéira tópaz *n.* 〔鑛〕 ＝CITRINE.

mad·e·leine [mǽdələn, mæ̀dəléin] *n.* 마들렌《소형의 컵케이크(cupcake)의 일종》. 〚*Madeleine* Paulmier 19세기 프랑스의 과자 제조인〛

Mad·e·leine, Mad·e·line [mǽdələn] *n.* 여자 이름.
〚F ; ⇨ MAGDALENE〛

ma·de·moi·selle [mæ̀dəmwəzél, mæmzél] *n.* (*pl.* **~s** [-z], **mes·de·moi·selles** [mèidəmwəzél]) **1** [M~] …양(孃), 아가씨, 영양《Miss에 해당 ; 略 Mlle., (*pl.*) Mlles.》. **2** 젊은 프랑스 여자 ; 프랑스 여자 (가정)교사.
〚F (*ma* my, *demoiselle* DAMSEL)〛

máde-óver *a.* 다시 만든.

máde-to-méasure *a.* 몸에 맞추어서 만든《옷·구두》.

máde-to-órder *a.* 주문하여서 만든(↔*ready-made*) ; 꼭 맞는 : a ~ suit 주문복.

máde-úp *a.* **1** 만든, 꾸며낸, 가공의 ; 인공적인 (artificial) ; 화장한, 분장한 ; (넥타이가) 매어져 있는 : a ~ tie 매어져 있는 넥타이. **2** 결의가 굳은. **3** 〔印〕 정판(整版)한, 조판한 ; 완성된, 마무리된 ; 포장된.

Madge [mǽ(:)dʒ] *n.* 여자 이름《Margaret의 애칭(愛稱)》.

Mád Hátter's disèase *n.* 미나마타병(病).

mád·hòuse *n.* (옛날의) 정신 병원 ; 혼란[대소동]이 일어나는 곳.

ma·dia [méidiə] *n.* 〔植〕 (남미산) 엉거시과의 식물《그 열매에서 채취하는 기름은 올리브 기름의 대용품》.

Mad·i·son [mǽdəsən] *n.* 매디슨. **James ~** (1751-1836) 미국 제4대 대통령(1809-17) ; the Father of the Constitution이라고 불림.

Mádison Ávenue *n.* 매디슨가(街)《New York 시에 있는 미국 광고업의 중심지》.

Mádison Squáre Gárden *n.* 매디슨 스퀘어 가든《New York 시에 있는 대규모의 실내 스포츠 흥행장》.

***mád·ly** *adv.* 미친 사람[미친 것]처럼 ; 열광하여, 맹렬히 ; 바보같이, 어리석게(도) ; 《口》 몹시, 극단적으로.

Madm. Madam.

mád·màn [ˊ, -mən ; -mən] *n.* 광인(狂人) (lunatic) ; 이성을 잃은 남자.

mád mòney *n.* 《口》 여자가 가진 비상금[교통비]《데이트 후 혼자 돌아올 경우를 위한》; 《口》 비축한 용돈.

***mád·ness** *n.* Ⓤ 광기, 정신착란 ; 열광, 광희(狂

흠) ; 미친 짓 ; 격노 ; 광견병 : canine ~ ☞ CANINE / love to ~ 열애하다.

Mad·oc [mǽdək] *n.* 남자 이름. 〚Welsh=fortunate〛

Ma·don·na [mədɑ́nə] *n.* [the ~] 성모 마리아 ; [m~] 성모 마리아의 화상[조상(彫像)] ; [m~] 《古》 사모님, 아가씨. 〚It. =my lady〛

Madónna lìly *n.* 〔植〕 불란서나리.

Ma·dras *n.* **1** [mədrǽs, -drɑ́ːs] 마드라스《인도 남동부의 타밀나두(Tamil Nadu) 주(州)의 주도 ; 타밀나두주의 옛 이름》. **2** [mǽdrəs, mədrǽs, -drɑ́ːs] Ⓤ [흔히 m~] 마드라스 무명.

ma·dre [mɑ́ːdrei] *n.* 어머니(mother). 〚Sp.〛

mad·re·pore [mǽdrəpɔ̀ːr ; ⌐-⌐] *n.* 〔動〕 녹석(綠石), 석산호(石珊瑚).

Ma·drid [mədríd] *n.* 마드리드《스페인의 수도》.

mad·ri·gal [mǽdrigəl] *n.* 서정적인 단시(短詩), 소연가(小戀歌) ; 〔樂〕 마드리갈《보통 4-6성부(聲部)로 이루어진 무반주의 성악 합창》 ; (일반적으로) (무반주) 합창곡 ; 가곡. 〚It.<L=of the womb, simple ; ⇨ MATRIX〛

mad·ri·lene [mæ̀drəlén, -léin] *n.* Ⓤ 마드릴렌《토마토를 넣은 마드리드풍(風)의 콩소메》. 〚F (*consommé*) *madrilène* Madrid consommé〛

ma·du·ro [mədúərou] *a., n.* (*pl.* **~s**) 짙은 갈색의 맛이 독한 (궐련), 마두로(의). 〚Sp.〛

mád·wòman *n.* 미친 여자.

mád·wòrt *n.* 〔植〕 **1** =ALYSSUM. **2** 냉이속의 잡초. **3** 이전에 꼭두서니 대신 쓰인 지치과(科)의 일년초.

Mae [méi] *n.* 여자 이름《Mary의 애칭》.

M.A.E. Master of Aeronautical[Aerospace] Engineering ; Master of Art Education ; Master of Arts in Education[Elocution].

Mae·ce·nas [mi(ː)síːnəs ; -næs] *n.* **1** 마이케나스. **Gaius Cilnius** ~(70?-8 B.C.) 로마의 문예 보호자로 Virgil 및 Horace의 친구. **2** (*pl.* **~·es**) (일반적으로) (문학·미술의) 후원자.

M.A.Ed. Master of Arts in Education.

mael·strom [méilstrəm, -strɑm ; -strəum] *n.* **1** 큰 소용돌이 ; [the M~] 노르웨이 서해안의 큰 소용돌이. **2** 《비유》 큰 동요, 대혼란 : a ~ *of* traffic 교통의 대혼란 / the ~ *of* war 전쟁의 소용돌이, 전란(戰亂). 〚Du. (*malen* to grind, whirl, *stroom* stream)〛

mae·nad, me- [míːnæd] *n.* [흔히 M~] 〔그神〕 주신 Dionysus의 무녀(巫女) ; 광란한 여자. 〚L<Gk. (*mainomai* to be mad)〛

M.Aero.E. Master of Aeronautical Engineering.

mae·sto·so [maistóusou, -zou] *a., adv.* 〔樂〕 장엄한[하게]. —— *n.* (*pl.* **~s**) 장엄한 곡[악장]. 〚It. =majestic ; ⇨MAJESTY〛

mae·stro [máistrou] *n.* (*pl.* **~s, -stri** [-striː]) **1** 대음악가, 대작곡가, 명지휘자. **2** (예술의) 거장(巨匠), 대가. 〚It. =master〛

Mae·ter·linck [méitərlìŋk, mét-, mǽt-] *n.* 마테를링크. **Maurice** ~ (1862-1949) 벨기에의 극작가·시인.

Mae West [méi wést] *n.* [흔히 m~ w~] 《俗》 해상 구명조끼 ; 《美軍俗》 전차의 일종 ; 《鄙俗》 유방(breast). 〚Mae *West* (1892-1980) 미국의 글래머 여배우〛

MAF 《美》 Marine Amphibious Force(해병수륙양용전 부대).

Maf·féi gálaxy [mɑːféii(ː)-] *n.* 〔天〕 마페이 은하《은하계를 에워싸는 국부(局部) 은하군(群)의 하나》. 〚P. *Maffei* (1968년에 존재를 발견한) 이탈리아의 천문학자〛

maf·fick [mǽfik] *vi., n.* 《英口》 (승전보 따위로) 축제 소동을 벌이다[벌이기].

Ma·fia, Maf·fia [mɑ́ːfiə, mǽf- ; mǽfiə, mɑːfíːə] *n.* [the ~] 마피아(단)《19세기에 Sicily 섬을 근거지로 했던 반사회적 비밀집단 ; 이탈리아·미국을 중심으로 하는 국제적 범죄 조직》 ; (일반적으로) 폭력 혁명주의자의 비밀결사. 〚It.〛

Ma·fi·ol·o·gy [mɑ̀ːfiɑ́lədʒi, mæ̀f-] *n.* 마피아 (범죄조직) 연구.

ma·fi·o·so [mɑ̀ːfióusou, mæ̀f-, 美+-zou] *n.* (*pl.* **-si** [-siː, 美+-ziː], **~s**) 마피아의 일원. 〚It. ; ⇨ MAFIA〛

mag[1] [mǽ(ː)g] *n.* 《英俗》 반(半)페니 (주화). 〚C18< ?〛

mag[2] *n.* 《口》 =MAGAZINE.

mag[3] *n., vi.* 《英方》 =CHATTER. 〚*mag*pie〛

mag[4] *a.* 〔컴퓨〕 자기(磁氣)의, 자성(磁性)을 띤. —— *n.* 자성체. 〚*mag*netic〛

Mag *n.* 여자 이름《Margaret의 애칭》.

mag. magazine ; magnesium ; magnetic ; magnetism ; magneto ; magnets ; magnitude.

‡**mag·a·zine** [mæ̀gəzíːn, 美+⌐-⌐] *n.* **1** 잡지 ; (일요 신문의) 특집란. **2** (군용의) 창고, (특히) 탄약고, 화약실 ; (연발총의) 탄창 ; (연료 자급 난로의) 연료실. **3** 〔映·寫〕 매거진《필름을 넣는 금속제 용기》. **4** (저장된) 군수품 ; 자원지, 보고. **5** 《美俗》 6개월의 금고형.

〈회화〉
Do you get any *magazines*? — Yes. We subscribe to *Time*. 「잡지를 보고 계십니까」「네, 타임을 구독하고 있습니다」

-zín·ist [, 美+⌐-⌐-] *n.* 잡지 기고가[편집자]. 〚F<It.<Arab.=storehouse〛

magazíne-fòrmat *a.* (텔레비전 프로그램이) 잡지 형식의, 잡지식 구성의.

magazíne gùn[rìfle, pìstol] *n.* 연발총.

magazíne stòve *n.* 연료자급(自給) 스토브.

mag·con [mǽgkɑn] *n.* 〔天〕 마그콘《달·행성의 지표에서의 자성(磁性) 물질의 응축》. 〚*mag*netic *con*centration〛

Mag·da [mǽgdə] *n.* 여자 이름《Magdalene의 애칭(愛稱)》.

Mag·da·la [mǽgdələ] *n.* 〔聖〕 막달라《팔레스타인(Palestine) 북부의 도시 ; 막달라 마리아의 출생지 ; 누가복음 8 : 2》.

Mag·da·len [mǽgdələn] *n.* **1** 여자 이름. **2** [때때로 m~] 갱생한 매춘부 ; [m~] 매춘부 갱생원. **3** [mɔ́ːdlən] 모들린《Oxford 대학의 칼리지의 하나》. 〚⇨ MAGDALENE〛

Mag·da·lene [mǽgdələn, -lìːn] *n.* **1** 여자 이름. **2** [mǽgdəlìːn ; mæ̀gdəlíːni] [the ~] 〔聖〕 막달라 마리아. **3** [때때로 m~] =MAGDALEN 2. **4** [mɔ́ːdlən] 모들린《Cambridge 대학의 칼리지의 하나》. 〚Heb. =(woman) of MAGDALA〛

Mag·da·le·ni·an [mæ̀gdəlíːniən] *n., a.* 〔考古〕 (구석기 시대 최후기의) 마들렌 문화기(期)(의).

Mag·de·burg [mǽgdəbə̀ːrg ; *G* mákdəburk] *n.* 마그데부르크《독일 Elbe 강변의 상공업 도시》.

Mágdeburg hémisphere *n.* 〔理〕 마그데부르크의 반구(半球).

mage [méidʒ] *n.* 《古》 마법사(magician) ; =MAGUS ; 학자.

Ma·gel·lan [mədʒélən ; -gél-] *n.* 마젤란. **Ferdinando** ~ (1480?-1521) 포르투갈 항해가.
the Strait of Magellan 마젤란 해협《남미의 남단에 있음》.
Ma·gel·lan·ic [mæ̀dʒəlǽnik ; -gi-] *a.*

Magellánic Clóud *n.* 〖天〗 마젤란운(雲).

ma·gen·ta [mədʒéntə] *n.* Ⓤ 마젠타《새빨간 아닐린 염료》; 짙은 홍색. ── *a.* 짙은 홍색의.

Mag·gie [mǽgi] *n.* **1** 여자 이름《Margaret의 애칭》. **2** 매기《Jiggs의 아내》.

Mággie-Jíggs Sỳndrome *n.* 아내가 남편에게 폭력을 가하는 병적 경향.

Mággie's dràwers *n.* 《美軍俗》 표적을 벗어난[서투른] 사격.

mag·got [mǽgət] *n.* **1** 구더기. **2** 변덕, 기상(奇想) (whim). **3** 《美俗》 담배(꽁초).
have a maggot in one***'s head*** [***brain***] 《口》 변덕스러운 생각을 품다, 공상을 품다.
when the maggot bites 마음 내킬 때에.
〚? 변형(變形) ‹ *maddock*＜ON＝worm〛

mág·goty *a.* 구더기가 들끓는 ; 변덕스러운.

Ma·ghreb, Ma·ghrib [mʌ́grəb] *n.* [the ~] 마그레브, 마그리브《아프리카 북서부 모로코·알제리·튀니지와 때로 리비아를 포함하는 지방》.
〚Arab. ＝the West〛

Ma·gi [méidʒai] *n. pl.* (*sg.* **Magus**) [the (three) ~] 〖聖〗 (그리스도 탄생 때 예배하러 온) 동방의 세 박사 ; [the ~] 마기《고대 메디아 및 페르시아의 세습적인 조로아스터교 사제 계급》; [m~] 마술사들. 〚L＜Gk.＜OPers.〛

Ma·gi·an [méidʒiən, 美＋-dʒai-] *a.* Magi의 ; [m~] 마술의. ── *n.* ＝MAGUS.
~·ìsm *n.* (고대 메디아 및 페르시아의) 마기교(敎) (Zoroastrianism).

‡**mag·ic** [mǽdʒik] *n.* Ⓤ 마법, 마술 ; 요술, 기술(奇術) ; 이상한 힘, 마력, 매력 ‹*of*› : ☞ BLACK MAGIC / natural ~ 기술(奇術)《신력(神力)에 의하지 않는 것》.
as (***if***) ***by magic*** ＝***like magic*** 당장에, 신기하게(도).
── *a.* [보통 *attrib.*으로 써서] 마법의[같은], 신기한, 불가사의한 ; 매력적인 (cf. MAGICAL).
── *vt.* (**-ick-**) 마법을 걸다 ; 마법으로 바꾸다[만들어내다] ; 마법으로 없애다.
〚OF＜L＜Gk. *magikos* ; ⇨ MAGI〛

mág·i·cal *a.* 마술적인, 불가사의한, 매력적인 ; 마법의 ; 신기한(cf. MAGIC) : The effect was ~. 효과는 신통했다.
~·ly *adv.* 신기하게(도), 신통하게(도).

mágic búllet *n.* **1** 마법의 탄환《박테리아·바이러스·암세포만을 파괴하는 약제》. **2** (복잡한 문제의) 해결책.

mágic cárpet *n.* 마법의 융단《이것 위에 앉으면 하늘을 날아서 어디든지 갈 수가 있다고 함》.

mágic círcle *n.* 마법의 원《마법사가 지면에 그리는 원으로, 그 속에 있는 자는 마법에 걸림》.

Mágic Éye *n.* 매직 아이《라디오의 수신기가 수신 전파에 동조(同調)하고 있는지의 여부를 나타내는 일종의 진공관 ; 상표명》; [m~ e~] 광전지.

mágic hánd *n.* 매직 핸드《방사성 물질 따위를 원격 조종에 의하여 다루는 장치》.

***ma·gi·cian** [mədʒíʃən] *n.* 마술사 ; 기술사(奇術師), 요술사(conjurer).

mágic lántern *n.* 환등기(幻燈器)《지금은 projector라고 함》.

Mágic Márker *n.* 매직 마커《속건성(速乾性)의 유성(油性) 잉크의 펠트 펜 ; 상표명》; [m~ m~]《俗》 리허설에서는 거의 움직이려 하지 않는 댄서.

mágic mírror *n.* 마법의 거울《미래의 일·멀리 있는 것을 비춘다는》.

mágic múshroom *n.* 마법의 버섯《환각유발 물질을 함유함》.

mágic númber *n.* 〖理〗 마법수(數)《비교적 안정도가 높은 원자핵 속의 양자와 중성자의 수를 나타내는 수》; 〖野〗 매직 넘버《우승 결정까지의 승수(勝數)》.

mágic réalism *n.* 〖美術〗 환상적 사실주의《미세한 점까지 사실에 철저한 환상적인 표현 방법》.
〚G *magischer Realismus*의 역(譯)〛

mágic spót *n.* 〖生化〗 매직 스폿《구아노신 사인산(四燐酸)을 일컬음 ; 리보솜 RNA의 합성을 저지한다고 함》.

mágic squáre *n.* 마방진(魔方陣)《가로나 세로나 대각선으로나 그 합한 수가 항상 같은 숫자 배열표(表)》.

mag·i·cube [mǽdʒəkjùːb] *n.* 〖寫〗 정육면체의 사진용 섬광 전구의 일종. 〚*magic*＋*cube*〛

magilp ☞ MEGILP.

Ma·gi·not [mǽʒənòu, mǽdʒ-, ´-`; *F* maʒino] *n.* 마지노. **André** ~ (1877-1932) 프랑스의 정치가·육군 장관.

Máginot Lìne *n.* [the ~] **1** 마지노선《1927-36년에 프랑스의 육군 장관 André Maginot가 구축케 한 독일·프랑스 국경의 요새 방어선 ; cf. SIEGFRIED LINE》. **2** 《비유》 절대적으로 맹신되고 있는 방위선.

Máginot-mìnd·ed *a.* 수세(守勢)의, 방어만 일삼는.

mag·is·te·ri·al [mæ̀dʒəstíəriəl] *a.* **1** 주인[교사]에게 어울리는. **2** 행정 장관의. **3** 공평한 ; (의견·문장 따위가) 권위있는, 중요한 ; 엄연한, 고압적인 ; (태도 따위가) 오만한. **~·ly** *adv.*
〚L ; ⇨ MASTER[1]〛

mag·is·te·ri·um [mæ̀dʒəstíəriəm] *n.* 〖카톨릭〗 교권(敎權).

mag·is·tery [mǽdʒəstèri ; -stəri] *n.* 〖鍊金術〗 자연의 변성력(變成力)[치유력], 현자(賢者)의 돌 (philosopher's stone).

mag·is·tral [mǽdʒəstrəl, mədʒístrəl] *a.* 교사(敎師)의 ; magistrate의 ; 권위 있는, 독단적인 ; 〖藥〗 특별 처방의(↔*officinal*) : the ~ staff (학교의) 교직원. **~·ly** *adv.*

mag·is·trate [mǽdʒəstrèit, -trət] *n.* **1** (사법권이 있는) 행정 장관, 지사, 시장 : the chief[first] ~ 원수, 대통령, (자치주의) 지사. **2** 치안판사, 경범죄(輕犯罪) 판사(justice) (cf. JUDGE).
〚L ; ⇨ MASTER[1]〛

mágistrates' cóurt *n.* (magistrate가 경범죄 재판이나 예심(豫審)을 하는) 경범죄[하급] 재판소, 치안판사 재판소.

Mag·le·mo·si·an, -se·an [mæ̀gləmóusiən] *n.*, *a.* 〖考古〗 (북유럽 중석기 시대 전기의) 마글레모제 문화(의).
〚*Maglemose* 석기가 발굴된 덴마크의 지명〛

mag·lev, mag-lev [mǽglev] *n.* 자기부상식(磁氣浮上式) 고속철도. 〚*mag*netic *lev*itation〛

mag·ma [mǽgmə] *n.* (*pl.* **~s, -ma·ta** [-tə]) (광물·유기물질의) 연한 덩어리 ; Ⓤ,Ⓒ 〖地質〗 암장(岩漿), 마그마 ; 과즙을 짜고 남은 찌꺼기 ; 《古》 앙금, 침전물. 〚L＝dregs〛

magn- [mǽgn], **mag·ni-** [mǽgnə] *comb. form* 「큰(great, large)」의 뜻(↔*micro-*) : *magni*fy.
〚L ; ⇨ MAGNUM〛

magn. magnetic ; magnetism ; magneto.

M

Mag·na C(h)ar·ta [mǽgnə ká:rtə] *n.* **1** Ⓤ 〖英史〗 대헌장, 마그나 카르타《1215년 영국 John 왕이 인민의 권리와 자유를 보증한 것 ; 영국 헌법의 기초》. **2** (일반적으로) 권리·특권·자유를 보장한 기본적 법령[문서]. 〚L=great charter〛

mag·na cum lau·de [má:gnə kum láudə, mǽgnə kʌm lɔ́:di] *adv., a.* 우등으로[의], 제 2 위로[의]. 〚L=with great praise〛

mag·na·li·um [mægnéiliəm] *n.* 〖化〗 마그날륨《알루미늄과 마그네슘의 합금》.

mag·na·nim·i·ty [mæ̀gnənímәti] *n.* Ⓤ 아량(이 넓음), 도량이 큼 ; [*pl.*] 관대한 행위.

mag·nan·i·mous [mægnǽnəməs] *a.* 도량이 큰, 관대한, 아량이 있는 ; 고결한. **~·ly** *adv.* 관대히. 〚L (*magnus* great, *animus* mind)〛

mag·nate [mǽgneit, -nət] *n.* [때때로 경멸적으로] 실력자, 권력자, 고관, 부호, 거물, …왕 ; 〖史〗 귀족 : a coal ~ 석탄왕. 〚L (*magnus* great)〛

mag·ne·sia [mægní:ʃə, 美+-ʒə] *n.* Ⓤ 〖化〗 마그네시아, 고토(苦土)《산화 마그네슘의 백색분말[결정]》: carbonate of ~ 탄산 마그네시아 / milk of ~ 마그네시아유(乳)《하제(下劑)·제산제(制酸劑) 및 내화벽돌 재료》. **-sian** *a.* 〚*Magnēsia* (*lithos* stone) of Magnesia 그리스 북부의 산지(產地)〛

magnésia álba *n.* 〖化〗 탄산 마그네시아 (magnesium carbonate).

mag·ne·site [mǽgnəsàit] *n.* 〖鑛〗 마그네사이트.

mag·ne·si·um [mægní:ziəm, 美+-ʒəm] *n.* Ⓤ 〖化〗 마그네슘《금속 원소 ; 기호 Mg ; 번호 12》: ~ carbonate[chloride] 탄산[염화] 마그네슘 / ~ sulfate 황산 마그네슘. 〚MAGNESIA〛

magnésium hydróxide *n.* 〖化〗 수산화(水酸化) 마그네슘.

magnésium lìght[flàre] *n.* 〖寫〗 마그네슘광(光)《야간 촬영용》.

magnésium óxide *n.* 〖化〗 산화 마그네슘.

***mag·net** [mǽgnət] *n.* **1** 자석, 자철(磁鐵) : a bar ~ 막대자석 / a horseshoe[U] ~ 말굽자석 / a natural ~ 천연자석. **2** 사람을 끄는 사람[것]. 〚L<Gk. *magnēt- magnēs* of MAGNESIA〛

mag·net- [mægní:t, -nét], **mag·ne·to-** [-tou, -tə] *comb. form* 「자력(磁力)」「자기(磁氣)」「자성(磁性)」 「자전기(磁電氣)」의 뜻 : *magneto*-chemistry. 〚↑〛

***mag·net·ic** [mægnétik] *a.* **1** 자석의, 자기의 ; 자기를[자성(磁性)을] 띤 ; 지구 자기의 ; 자기 컴퍼스의 : a ~ body 자성체. **2** 마음을 끄는, 매력 있는 : a ~ personality 매력 있는 인물. **3** 《古》 최면술의 (mesmeric).
—— *n.* 자성 물질. **-i·cal·ly** *adv.*

magnétic ámplifier *n.* 〖電子〗 자기 증폭기.

magnétic anómaly *n.* 〖地質〗 (지구 자기장(磁氣場)의) 자기(磁氣)이상.

magnétic áxis *n.* 〖理〗 자축(磁軸).

magnétic béaring *n.* 〖海〗 자침(磁針) 방위.

magnétic búbble *n.* 〖電子〗 자기(磁氣) 버블《가닛 결정 따위의 자성재(磁性材) 속에 발생하는 원통자구(圓筒磁區) ; cf. BUBBLE MEMORY》.

magnétic cárd *n.* 〖컴퓨〗 자기(磁氣) 카드.

magnétic círcuit *n.* 〖理〗 자기(磁氣) 회로.

magnétic cómpass *n.* 〖海〗 나침반.

magnétic córe *n.* 〖컴퓨〗 자기(磁氣) 코어, 자기 알맹이《기억소자의 일종》; 자심(磁心) ; 자극철심(磁極鐵心).

magnétic cóurse *n.* (선박·비행기의) 자침로(磁針路).

magnétic declinátion[deviátion] *n.* 〖測〗 자기 편각, 자침편차(磁針偏差) (declination).

magnétic detéctor *n.* 〖通信〗 자침 검파기.

magnétic dípole móment *n.* 〖電〗 자기 쌍극자(雙極子) 모멘트.

magnétic dísk *n.* 〖컴퓨〗 자기 디스크, 자기(저장)판.

magnétic domáin *n.* 〖理〗 (강자성체(強磁性體)의) 자구(磁區).

magnétic drúm *n.* 〖컴퓨〗 자기 드럼.

magnétic élement *n.* 〖地球理〗 (지구 표면의) 자기 요소 ; 〖工〗 자기 소자(素子).

magnétic equátor *n.* 자기 적도(aclinic line).

magnétic explorátion *n.* 〖地質〗 자기 탐광(법)(探鑛(法)).

magnétic fíeld *n.* 〖理〗 자기장(磁氣場).

magnétic flúx *n.* 〖理〗 자기력선속 ; 자기장(磁氣場) (magnetic field).

magnétic flúx dènsity *n.* 〖電〗 자기력선속 밀도(magnetic induction).

magnétic fórce *n.* 〖理〗 자기력.

magnétic héad *n.* (테이프 리코더의) 자기 헤드.

magnétic héading *n.* 〖航行〗 자침(磁針)이 향한 방향.

magnétic indúction *n.* 〖理〗 자기 유도, 자기력선속 밀도(magnetic flux density).

magnétic ínk *n.* 자성(磁性)[자기] 잉크.

magnétic levitátion propúlsion sỳstem *n.* 자기부상 추진시스템《초고속철도에 쓰임 ; cf. MAGLEV》.

magnétic merídian *n.* 〖地〗 자기 자오선.

magnétic míne *n.* 〖海軍〗 자기기뢰《해저(海底)에 부설함》.

magnétic móment *n.* 〖電〗 자기 모멘트.

magnétic néedle *n.* 자침(磁針).

magnétic nórth *n.* 자기 북극.

magnétic permeabílity *n.* 〖理〗 투자율.

magnétic phóto àlbum *n.* 자기 사진 앨범《점착성이 있어 사진을 직접 붙일 수 있음》.

magnétic píckup *n.* 자기 픽업《중·고급 레코드 플레이어에 보통 쓰이고 있는 것》.

magnétic póle *n.* 〖理〗 자기극(磁氣極).

magnétic poténtial *n.* 〖電〗 자기 퍼텐셜.

magnétic quántum nùmber *n.* 〖理〗 자기 양자수(量子數).

magnétic recórder *n.* 자기 녹음기.

magnétic recórding *n.* 자기 녹음[기록].

magnétic résonance *n.* 〖理〗 자기 공명.

mag·nét·ics *n.* 자기학.

magnétic semicondúctor *n.* 자성 반도체.

magnétic stórm *n.* 자기(磁氣) 폭풍《지구 자기장의 급변》.

magnétic strípe *n.* 〖理〗 자기대(帶)《현금카드·신용카드 따위에 붙인 흑갈색의 띠》.

magnétic susceptibílity *n.* 〖理〗 자화율.

magnétic tápe *n.* 〖電子〗 자기 테이프.

magnétic tápe recòrder *n.* 자기 테이프 녹음기, 테이프 리코더.

magnétic tápe ùnit[drìve] *n.* 〖컴퓨〗 자기 테이프 장치《컴퓨터의 입출력 또는 대량의 보조 기억에 쓰여지는 장치》.

magnétic wíre *n.* 자기강선(鋼線)《자기 녹음용 와이어》.

mágnet·ìsm *n.* Ⓤ 자기(磁氣) ; 자성(磁性) ; 자력 ; 자기학 ; 사람을 끄는 힘 ; (지적·도덕적) 매력 ; 최면술 : induced ~ 유도자기 / terrestrial

M

[earth] ～ 지구자기(地球磁氣).
-ist *n.* 자기학자.
mag·ne·tite [mǽgnətàit] *n.* Ⓤ 〖鑛〗 자철광, 마그네타이트.
mag·ne·ti·za·tion [mæ̀gnətəzéiʃən ; -tai-] *n.* Ⓤ 자화(磁化) ; 자성(磁性) ; (청중 등이) 매료된 상태, 열중, 근청(謹聽).
mag·ne·tize [mǽgnətàiz] *vt.* 자력을 띠게 하다, 자화(磁化)하다 ; (마음을) 끌다, 매혹하다 ; 《古》 …에게 최면술을 걸다. ── *vi.* 자화하다.
-tìz·er *n.* **mág·ne·tìz·able** *a.*
mág·ne·tìz·ing fórce *n.* 〖理〗 자화력(磁化力), 자계 강도(磁界强度).
mag·ne·to [mægní:tou] *n.* (*pl.* **~s**) 〖電〗 (내연기관의) 고압 자석 발전기, 마그네토.
〖*magneto*electric machine〗
magneto- [mægní:tou, -nétou, -tə] ☞ MAGNET-.
magnéto bèll *n.* 자기 전령(電鈴).
magnèto·cárdio·gràph *n.* 〖醫〗 자기 심전계(心電計).
magnèto·chémistry *n.* 자기 화학.
magnéto·dìsk *n.* 〖天〗 마그네토디스크《행성의 자기권(磁氣圈) 주변의 강력한 자력선에 의해 형성되는 원통형의 구역》.
magnèto·eléctric *a.* 자전기(磁電氣)의.
-electrícity *n.*
magnéto·gàs·dynámics *n.* 자기[전자] 기체(磁氣[電磁]氣體) 역학 ; =MAGNETOHYDRODYNAMICS.
magnéto·gràm *n.* 자력(磁力) 기록.
magnéto·gràph *n.* 자력 기록기.
magnéto·hỳdro·dynámics *n.* 자기[전자] 유체(磁氣[電磁]流體) 역학(=hydromagnetics) 《略 MHD》 ; 자기 유체 역학 발전, 전자(電磁) 유체 발전.
mag·ne·tom·e·ter [mæ̀gnətámətər] *n.* 자력계(磁力計), 자기계(磁氣計).
màg·ne·tóm·e·try *n.* 자기[자력] 측정.
magnèto·mótive fórce *n.* 〖理〗 기자력.
mag·ne·ton [mǽgnətàn] *n.* 〖理〗 자자(磁子).
magnèto-óptics *n.* 자기 광학.
magnéto·pàuse *n.* 자기 권계면(圈界面)《자기권의 바깥 경계》.
magnéto·phòne *n.* 마그네토폰《마이크로폰의 일종》.
magnéto·plàsma·dynámics *n.* =MAGNETOHYDRODYNAMICS.
magnèto·resíst·ance *n.* 〖理〗 자기 저항.
magnéto·scòpe *n.* 자력[자기](磁力[磁氣]) 검출기.
magnéto·shèath *n.* 〖地球理〗 자기초(鞘), 자기권의 외피층.
magnéto·sphère *n.* (지구 따위의) 자기권《대기권의 최상층부》.
magnèto·státic *a.* 정(靜)자기의, 정자기장의.
magnèto·státics *n.* 정자기학(靜磁氣學).
magnèto·stríction *n.* Ⓤ 〖理〗 자기변형《자력에 의한 신축》.
magnéto sỳstem *n.* (전화의) 자석식.
magnèto·táctic *a.* 〖生〗 magnetotaxis의.
magnéto·tàil *n.* 〖地球理〗 자기권(磁氣圈) 꼬리《자기권 안에서 태양풍(太陽風)에 의해 태양에서 멀어지는 방향으로 길게 뻗은 부분》.
magnèto·táxis *n.* 자기 주성(走性), 주자성(走磁性)《자기장(磁氣場)에 반응하여 생물이 나타내 보이는 운동》.
magnèto·télephone *n.* 자석식 전화.
mag·ne·tron [mǽgnətràn] *n.* 〖電子〗 마그네트론, 자전관(磁電管)《단파용 진공관》.
magni- [mǽgnə] ☞ MAGN-.
mágni·cìde *n.* 요인 암살.
mag·nif·ic, -i·cal [mægnífik(əl)] *a.* 《古》 장엄한, 숭고한, 당당한 ; 호언장담의, 과대한.
Mag·nif·i·cat [mægnífikæ̀t, mɑ:njífikɑ̀:t] *n.* 〖聖〗 성모 마리아의 송가《누가복음 1 : 46-55》 ; [m～] (일반적으로) 송가(頌歌).
mag·ni·fi·ca·tion [mæ̀gnəfəkéiʃən, məgnìf-] *n.* Ⓤ,Ⓒ 확대(한 것), 확대도[사진] ; 과장 ; 칭찬, 찬미 ; 〖光〗 배율(倍率).
mag·nif·i·cence [mægnífəsəns] *n.* Ⓤ 장대, 장엄(한 아름다움), 장려 ; 훌륭함 ; [M～ ; 경칭] 폐하, 전하, 각하.
in magnificence 장대하게.
***mag·níf·i·cent** *a.* **1** 장대한(grand), 장엄한, 장려한 : a ～ spectacle 장관(壯觀). **2** 당당한, 훌륭한, (생각 따위가) 고상한, 격조 높은 : a ～ manner 의젓한 태도. **3** 엄청난, 막대한 : a ～ inheritance 막대한 유산. **4** 《口》 굉장한, 멋진, 근사한. **5** [M～] 위대한《고인의 칭호로서》. **~·ly** *adv.* 훌륭하게, 멋지게 ; 당당하게. 〖F or L *magnificus* (*magnus* great)〗
mag·nif·i·co [mægnífikòu] *n.* (*pl.* **~es, ~s**) (옛날 Venice의) 귀족 ; (일반적으로) 귀인, 고관(grandee), 큰 인물, 거물.
mág·ni·fi·er *n.* 확대[과장]하는 것[사람] ; 확대경[렌즈], 돋보기.
mag·ni·fy [mǽgnəfài] *vt.* **1** (렌즈 따위로) 확대하다 ; 크게 보이게 하다. **2** 과장하다. **3** 《古》 찬미하다. **4** 《稀》 증대하다. ── *vi.* (렌즈 따위가) 확대력이 있다, 확대되어 보이다.
magnify** one**self against …에 대하여 거드름피우다[뽐내다].
mág·ni·fi·able *a.*
〖OF or L ; ⇨ MAGNIFICENT〗
mágnify·ing glàss *n.* 확대경, 돋보기.
mágnifying pòwer *n.* 〖光〗 배율(倍率).
mag·nil·o·quence [mægníləkwəns] *n.* Ⓤ 과장된 말투[문체] ; 호언장담, 흰소리.
mag·níl·o·quent *a.* (말・사람 등이) 호언장담하는, 허풍떠는 ; 과장된. **~·ly** *adv.*
〖L (MAGN-, *-loquus* speaking)〗
***mag·ni·tude** [mǽgnətjù:d] *n.* **1** (길이・규모・수량 따위의) 크기, 양. **2** 중대(성), 중요함 ; 위대함, 고결. **3** 〖天〗 등급, 광도(光度). **4** 〖數〗 크기. **5** (지진의) 진도(震度).
of the first magnitude 가장 중요한 ; 일류의 ; 〖天〗 일등성의.
〖L (*magnus* great)〗
mag·no·lia [mægnóuljə] *n.* 〖植〗 **1** 목련. **2** = TULIP TREE.
〖P. *Magnol* (d. 1715) 프랑스의 식물학자〗
Magnólia Stàte *n.* [the ～] Mississippi 주(州)의 속칭.
mag·non [mǽgnən] *n.* 〖理〗 마그논《스핀파(波)(spin wave)를 양자화한 준(準)입자》.
〖*magnetic*＋*-on*²〗
mag·nox¹ [mǽgnɑks] *n.* 마그녹스(=～ **reàctor**)《영국이 초기에 개발한 탄산가스 냉각 원자로》.
〖*mag*nesium *no ox*idation〗
magnox² *n.* 마그네슘 합금의 일종《산화하지 않는 마그네슘》.
mag·num [mǽgnəm] *n.* (*pl.* **~s**) 매그넘《약 1.5 리터들이 큰 술병》 ; 매그넘 탄약통 ; 손목뼈.

〚L (neut.) ‹ *magnus* great〛
mágnum bó·num [-bóunəm] *n.* (감자·서양자두의) 대형 우량품종. 〚L〛
mágnum ópus *n.* (문학·예술 따위의) 대작, 걸작 ; (개인의) 주요작품, 대표작 ; 큰 사업. 〚L〛
ma·got [məgóu] *n.* **1** 사기[상아]로 만든 괴상한 상(像). **2** 〔動〕 =BARBARY APE.
mag·pie [mǽgpai] *n.* Ⓤ **1** 까치《총칭》; 까치를 닮은 새. **2** 수다쟁이 ; 잡동사니 수집가 ; [형용사적으로] 잡동사니를 모으고 싶어하는. **3** 《英軍俗》 과녁의 밖에서 두번째 원(에 명중한 탄환), 그 득점. 〚*Mag* ‹ *Margaret*, PIE[2]〛
M. Agr. Master of Agriculture.
Mag·say·say [mɑːgsáisai] *n.* 막사이사이. **Ramon** ~ (1907-57) 필리핀의 정치가.
mags·man [mǽgzmən] *n.* 《英俗》 사기[협잡]꾼.
mág tápe *n.* 《口》 =MAGNETIC TAPE.
MAGTF 〔軍〕 Marine Air Ground Task Force.
mag·uey [mǽgwei, 美+məgéi] *n.* 〔植〕 대형 용설란.
Ma·gus [méigəs] *n.* (*pl.* **Magi**) Magi의 한 사람 ; [m~] 조로아스터교(敎)의 사제, (고대의) 점성술사, 마술사.
mág whéel *n.* 마그 휠《마그네슘제(製)의 자동차용 바퀴 ; 고가(高價)》.
Mag·yar [mǽgjɑːr, 美+mɑ́ːg-, 美+mɑ́ːdʒɑːr] *n.* (*pl.* ~**s**) 마자르 사람《헝가리의 주요 민족》; Ⓤ 마자르어. —— *a.* 마자르 사람[어]의.
Ma·ha·bha·ra·ta [məhɑ́ːbɑ́ːrətə], **-tum** [-rətəm] *n.* [the ~] 마하바라타《고대 인도의 대서사시로 문화·정치의 근본 성전의 하나》. 〚Skt.〛
ma·ha·lo [mɑːhɑ́ːlou] *n.* 《Haw.》 고맙습니다 (thanks).
ma·ha·ra·ja, -jah [mɑ̀ːhərɑ́ːdʒə, -ʒə] *n.* (인도의) 대왕, (특히) 인도 토후국의 왕. 〚Hindi=great rajah (*maha* great)〛
ma·ha·ra·ni, -nee [mɑ̀ːhərɑ́ːni] *n.* maharaja의 부인 ; rani보다 고위의 왕녀, (특히) 인도 토후국의 여왕. 〚Hindi=great rani ; ↑〛
ma·ha·ri·shi [məhɑ́ːrəʃi, -riː-, mɑ̀ːhəríːʃi] *n.* [때때로 M~] (힌두교의) 도사(導師)(의 칭호) ; 지도자, 정신적 지도자. 〚Hindi〛
ma·hat·ma [məhɑ́ːtmə, -hǽt-] *n.* (인도의) 대성(大聖) ; [M~] 인도에서 숭고한 인격자로 존경받는 성자(의 이름에 붙이는 경칭) ; (일반적으로) (…계의) 거장(巨匠) : *M*~ Gandhi 마하트마 간디. **~ìsm** *n.* 〚Skt. =great soul〛
Ma·ha·ya·na [mɑ̀ːhəjɑ́ːnə] *n.* 〔佛敎〕 대승불교 (cf. HINAYANA). 〚Skt. =great vehicle〛
Mah·di [mɑ́ːdi] *n.* 〔이슬람敎〕 구세주.
Mah·dism [mɑ́ːdizəm] *n.* Mahdi 강림 신앙.
Ma·hi·can, Mo- [məhíːkən] *n.* (*pl.* ~, ~**s**) **1** 마히칸족(族)《원래 Hudson 강 상류지역에 살았던 북미 인디언》; 마히칸어(語)《Algonquian 어족》. **2** =MOHEGAN.
mah-jongg, -jong [mɑ́ːʒɑ́ːŋ, -dʒɑ́ːŋ, -dʒɑ́ŋ, -dʒɔ́ːŋ] *n.* Ⓤ 마작(麻雀). —— *vi.* 마작에서 이기다. 〚상표 *Mah-Jongg*＜Chin.〛
mahl·stick [mɔ́ːlstìk] *n.* =MAULSTICK.
ma·hog·a·ny [məhɑ́gəni] *n.* **1** 〔植〕 마호가니 ; Ⓤ 마호가니재(材) ; Ⓤ 적갈색. **2** [the ~] 《古》 (마호가니재의) 식탁.
have one***'s knees under*** a person***'s mahogany*** 남과 같이 식사하다.
put [***stretch***] one***'s legs under*** a person***'s mahogany*** 남의 환대를 받다.
with one***'s knees under the mahogany*** 식탁에 앉아서.
〚C17＜?〛
Ma·hom·et [məhɑ́mət, méiə-], **-ed** [-əd] *n.* = MOHAMMED. **Ma·hóm·e·tan, -hóm·i·dan** [-dən] *a., n.* =MOHAMMEDAN.
Ma·hound [məhúːnd, -háund] *n.* **1** 《古》 = MOHAMMED. **2** [-húːn] 《스코》 악마.
ma·hout [məháut] *n.* (인도의) 코끼리 부리는 사람. 〚Hindi＜Skt. =of great measure, high official〛
Mah·rat·ta [mərɑ́ːtə] *n.* (*pl.* ~, ~**s**) 마라타족《인도 서부·중부의 호전적 민족 ; 1818년 멸망》. 〚Hindi＜Skt.=great kingdom〛
***maid** [méid] *n.* **1** 하녀, 가정부, 메이드《종종 복합어에 쓰임 : bar~, house~, nurse~》: ☞ LADY'S MAID. **2** 《文語》 아가씨, 소녀(girl) ; 《古》 미혼 여자, 처녀 : ☞ OLD MAID.
a maid of all work 허드렛일하는 하녀, 잡역부 ; 《비유》 여러 가지 일을 하는 사람.
a maid of honor (1) 여관(女官), 궁녀, 시녀. (2) 《美》 신부의 들러리서는 처녀(cf. MATRON *of honor*).
the Maid of Orléans 오를레앙의 처녀(Joan of Arc).
〚*maid*en ; cf. G *Magd*〛
mai·dan [maidɑ́ːn] *n.* (인도·파키스탄 등지의) 연병장(練兵場), 광장《장터 따위로 사용됨》. 〚Arab.〛
***maid·en** [méidn] *n.* 《古·詩》 소녀, 처녀 ; 《英》 처녀 연설 ; 일년째의 목본(木本) ; 이길 수 없는 말[개](의 경주).
—— *attrib. a.* **1** 처녀의[인], 미혼의 ; 처녀다운 : a ~ lady 미혼 여성 / one's ~ name 구성(舊姓)《여성의 결혼 전의 성 ; cf. NEE》. **2** 처음의 : a ~ battle 첫 싸움 / a ~ flight 처녀 비행 / a ~ speech (특히 의회에서의) 처녀 연설 / a ~ voyage 처녀 항해. **3** 아직 사용하지 않은 ; (경주마 따위) 한번도 이겨 본 적이 없는 : a ~ sword 새칼 / a ~ horse 이겨 본 적이 없는 경주마.
~·ish *a.* 처녀의, 처녀다운. **~·lìke** *a.* 처녀 같은, 얌전한, 수줍은.
〚OE *mægden* (dim.) ‹ *mægeth* ; cf. G *Mädchen*〛
máiden assíze *n.* 《英》 심리 안건(案件)이 없는 순회 재판.
máiden·hàir (fèrn) *n.* 〔植〕 섬공작고사리·공작고사리 따위의 각종 양치식물.
máidenhair trèe *n.* =GINKGO.
máiden·hèad *n.* Ⓤ 처녀막(hymen) ; 처녀성 (virginity) ; 《古》 신선미(freshness), 순결.
máiden·hòod *n.* 처녀로 있음 ; 처녀시절.
máiden·ly *a.* 처녀의 ; 처녀 다운, 조심성 있는, 수줍은. —— *adv.* 《古》 처녀와 같이.
máiden óver *n.* 〔크리켓〕 무득점의 오버.
máiden pìnk *n.* 〔植〕 각시패랭이꽃.
máid·hòod *n.* =MAIDENHOOD.
máid-in-wáit·ing *n.* (*pl.* **máids-in-wáit·ing**) (여왕·왕녀의 미혼인) 궁녀, 시녀.
Máid Márian *n.* 5월의 여왕《morris dance의 중심 인물인 여성역》; =MORRIS DANCE ; 수녀 마리안《Robin Hood의 애인》.
máid·sèrvant *n.* 가정부, 하녀(cf. MANSERVANT).
Maid·stone [méidstən, -stoun] *n.* 메이드스톤《잉글랜드 남동부 Kent 주의 주도(州都)》.
ma·ieu·tic, -ti·cal [meijúːtik(əl), mai-] *a.* 〔哲〕 (소크라테스의) 산파술의《사람의 심중의 막연한

M

생각을 문답을 통해 끌어내어 그것을 명확하게 인식시키는 방법). 〖Gk.〗
mai·gre [méigər] *a.* 〔카톨릭〕 (음식·요리가) 육류(肉類)가 들어있지 않은, 어육을 삼가고 채식하는, 정진(精進)의 《날》.
〖F=lean ; cf. MEAGER〗
maihem ☞ MAYHEM.
◇**mail**[1] [méil] *n.* **1** [흔히 the ~s] 우편(제도) : by ~ 《美》 우편으로(=《英》 by post) / send by air ~ 항공편으로 보내다 / first-[second-, third-] class ~ 《美》 제1[제2, 제3]종 우편. **2 a**) [집합적으로] 우편물 : Delivery of ~ was delayed by the storm. 폭풍우로 우편물의 배달이 늦어졌다 / Is there any ~ for me this morning? 오늘 아침 내게 온 우편물이 있습니까. **b**) (1회편으로 집배되는) 우편물 : open one's [the] ~ 우편을 개봉하다 / When does the next ~ leave? 다음 우편은 언제 나갑니까. **3** 《英》 우편물 우송 열차[선, 비행기], 우편 집배원. **4** 《古》 = MAILBAG. **5** [M~] …신문.
— *vt.* 《美》 우편으로 보내다, 우송하다 ; 《美》 우체통에 넣다(=《英》 post).
~·able *a.* 《美》 우송할 수 있는[이 인가된].
〖OF *male* wallet<WGmc.〗
活用 mail *n.*은 영국에서는 외국으로 가는 우편(물)에 쓰이며 일반적으로는 post를 사용하는 수가 많다.
mail[2] *n.* Ⓤ 쇠사슬[미늘] 갑옷 : a coat of ~ ☞ COAT 숙어. — *vt.* 쇠사슬 갑옷을 입히다, 무장시키다.
〖OF *maille*<L MACULA〗

mail[2]

mail[3] *n.* 《古·스코》 세금, 연공(年貢), 집세《따위》.
〖OE〗
máil·bàg *n.* 《美》 우편낭, 행낭(=《英》 postbag).
máil·bòat *n.* 《美》 우편선.
máil bòmb *n.* (열면 폭발하는) 우편폭탄.
***máil·bòx** *n.* **1** 《美》 우체통 (=《英》 pillar-box) : mail a letter at a ~ 편지를 우체통에 넣다. **2** 《美》 (개인용) 우편함(=《英》 letter box).
máil càr *n.* 《美》 (철도의) 우편차.
máil càrrier *n.* 《美》 =MAILMAN.
máil-càrt *n.* 《英》 우편차 ; (손으로 미는) 유모차.
máil·chùte *n.* 메일슈트《빌딩의 위층에서 아래층의 우편함에 우편물을 떨어뜨리는 장치》.
máil·clàd *a.* 쇠사슬 갑옷을 입은.
máil clèrk *n.* 《美》 우체국 직원.
máil còach *n.* (옛날의) 우편마차.
máil dày *n.* 우편 배달일.
máil dròp *n.* 《美》 **1** 우편함, 편지통 ; 편지 투입구. **2** (거처와 다른) 우편전용 주소.
mailed [méild] *a.* 갑옷을 입은, 장갑(裝甲)의.
máiled físt *n.* [the ~] 무력(에 의한 위협) ; 위압(威壓).
máil·er *n.* 우편 발신인 ; 우편 이용자 ; 우송 담당자 ; 우편 발송 사무기(mailing machine) ; 우송중 우편물 보호를 위한 용기 ; =MAILBOAT.
máil flàg *n.* 〔海〕 우편기(旗).
Máil·gràm *n.* 《美》 메일그램《Teletype형 전자우편 ; 상표명》.
máil·ing[1] *n.* 우송 ; 우편물 ; 1회분의 발송 우편 : ~ list 우송물 수취인 명부 / ~ machine 우편 발송 사무기 / ~ table 우편물 구분대. 〖MAIL[1]〗
mailing[2] *n.* 《스코》 **1** 소작[임대] 농지. **2** 소작료. 〖MAIL[3]〗
máiling slèeve *n.* 우편물 우송 보호통.
máiling tùbe *n.* (신문·잡지 따위를 우송키 위한) 마분지통(筒)《양끝에 뚜껑이 있음》.
mail·lot [maióu, mɑːjóu] *n.* (무용·체조용의) 타이츠 ; (원피스 스타일로 어깨끈이 없는) 마이요형(型) 여성 수영복 ; 저지 스웨터[셔츠].
〖F ; cf. MAIL[2]〗
***máil·màn** *n.* 《美》 우편집배원(=《英》 postman).
máil mèssenger *n.* 우편물 운송인《우체국과 비행장이나 철도역 사이의》.
máil òrder *n.* 통신에 의한 주문 ; 통신 판매.
máil-òrder *a.* 통신 판매(회사)의. — *vt.* 통신 판매로 보내다[사다].
máil-order bríde *n.* 《Can.俗》 (결혼 상담소 따위를 통하여) 편지 왕래로 정해진 신부.
máil-order hòuse[fìrm] *n.* 통신 판매점[판매회사].
máil pèrson *n.* 우편 집배원《mailman에 대한 남녀 포괄 용어》.
máil·pìece *n.* 《英》 우편물, 우송품, 봉함 우편물.
máil·plàne *n.* 우편(비행)기.
máil·ster *n.* 우편 집배원이 사용하는 삼륜 스쿠터.
máil tràin *n.* 우편 열차.
maim [méim] *vt.* (손·발을 잘라) 불구로 만들다(cripple) ; 쓰지 못하게 하다. — *n.* 《廢》 심한 상처 ; 결함.
〖OF *mahaignier*< ?〗
maimed [méimd] *a.* 불구의.
‡**main**[1] [méin] *attrib. a.* **1** 주요부를 이루는 ; 주요한 ; 〔文法〕 주부의 : the ~ body 〔軍〕 주력 부대, 본대 ; (서류의) 본문 / a ~ event ☞ EVENT 3 / the ~ force 〔軍〕 주력 / the ~ plot (연극 따위의) 본 줄거리(cf. SUBPLOT) / a ~ road 주요 도로 ; 본가도(本街道)(↔ *sideway*) ; 본선 / a ~ street 중심가 (☞ MAIN STREET). **2** 충분한, 모든 힘을 다들인 ; 광대한 : by ~ force 전력을 다하여, 힘껏.
have an eye to the main chance 자기의 이익을 꾀하다.
— *n.* **1** (수도·가스·전기 따위의) 본관, 간선(service main) (cf. SERVICE PIPE) ; [보통 *pl.*] (건물로 끌어들이는) 본선 ; (철도의) 간선로 ; [~s ; 형용사적으로] 《英》 본선에서의 (전력 공급에 의한) : a supply (water) ~ 송수[급수] 본관. **2** 《詩》 망망대해. **3** 《稀》 본토(mainland) : ☞ SPANISH MAIN. **4** 주요부, 요점 ; (큰) 힘, 세력 : (with) might and ~ ☞ MIGHT[2] 숙어. **5** 〔海〕 =MAINMAST, MAINSAIL.
for[in] the main 대개, 주로, 대체로.
— *vt.* 《俗》 (헤로인 따위를) 정맥에 주사맞다.
〖OE *mægen* strength ; cf. MAY[1]〗
類義語 ⟹ CHIEF.
main[2] *n.* 닭싸움, 투계(cockfighting) ; 궁술[권투] 시합 ; 부르는 수《hazard에서 주사위를 던지기 전에 예언하는 5에서 9까지의 임의의 수》, 주사위를 흔듦. 〖? MAIN[1] chance〗
máin bráce *n.* 〔海〕 큰 돛대의 가름대(main yard)를 돌리기 위해 맨 굵은 밧줄.
splice the main brace 〔海〕 선원에게 술을 특별히 내주다 ; 술을 마시다 ; 만취하다.
máin chánce *n.* 절호의 기회 ; 사리(私利), 자기의 이익.
have[keep] an eye to the main chance 이해타산이 빠르다, 사리를 도모하다.
máin cláuse *n.* 〔文法〕 주절(主節)(↔*subordinate clause*).

M

máin cóurse *n.* **1** 〔海〕 =MAINSAIL. **2** = COURSE *n.* 6.
máin cróp *n.* 〔農〕 (조생이나 만생(晩生)과 구별하여) 한창 나올 시기에 수확되는 작물[품종].
máin cúrrent *n.* 주류.
máin déck *n.* 〔海〕 주(主)갑판, 메인 덱.
máin drág *n.* 《口》 중심가, 번화가 ; 마약상 · 매춘부가 우글거리는 거리.
Maine [méin] *n.* 메인《미국 New England의 한 주(州) ; 주도 Augusta ; 略 Me.》.
from Maine to California 미국 전토를 통해서 (cf. JOHN O'GROAT'S).
máin·fràme *n.* 〔컴퓨〕 메인프레임《주변 단말기에 대해 컴퓨터 본체》; 〔電〕 본(本)배선반(盤).
máin hátch *n.* 〔海〕 주 창구(艙口).
***main·land** [méinlæ̀nd, -lənd ; -lənd] *n.* 본토, 대륙《부근의 섬 · 반도와 구별하여》.
~·er *n.* 본토인.
máin líne *n.* **1** (철도 · 도로 · 항공로 · 버스노선 따위의) 간선, 본선(↔*local line*) ; 《俗》 정맥(에의 마약주사). **2** 《美俗》 돈 ; 부자들, 엘리트《본래 New York과 Philadelphia를 연결하는 철도 연선(沿線)의 주민》; (교도소의) 식당 ; 텔레비전 방송국간의 동축(同軸) 케이블.
máin·lìne *vi.* 《俗》 마약을 정맥에 주사하다.
── *a.* 간선(幹線)의[을 따라서 있는] ; 중심적인 위치를 차지하는, 주요한 ; 주류의, 체제측의.
máin·lìner *n.* 간선을 운행하는 탈 것 ; 《俗》 마약을 정맥에 주사하는 사람 ; 《美俗》 엘리트.
***máin·ly** *adv.* 주로 ; 대개는, 대부분.
máin·màst [,《海》 -məst] *n.* 〔海〕 메인 마스트, 주 마스트《배에서 제일 큰 돛대》.
main·per·nor [méinpərnər] *n.* 〔法〕 보석(保釋) 보증인.
máin plàne *n.* 〔空〕 큰 날개.
máin·prìze *n.* 〔法〕 mainpernor의 보증에 의한 피구금자의 보석.
máin quéen *n.* 《美俗》 (언제나 정해놓고 사귀는) 여자친구 ; 호모의 여자역.
máin rìgging *n.* 〔海〕 큰 돛대 삭구(索具).
máin róyal *n.* 〔海〕 큰 돛대의 로열(돛).
máin·sàil [,《海》 -səl] *n.* 〔海〕 메인세일, 주범(主帆), 주 마스트의 맨 아랫돛.
máin·shèet *n.* 〔海〕 메인시트《mainsail의 돛을 조종하는 세로 밧줄》.
máin·sprìng *n.* **1** (시계의) 큰[어미] 태엽(cf. HAIRSPRING). **2** 주인(主因), 주요 동기.
máin squéeze *n.* 《美俗》 (조직의) 중요 인물, 우두머리, 보스, 상사 ; 마누라 ; 애인, 그녀.
máin·stày *n.* **1** 〔海〕 대장지삭(大檣支索) ; 〔機〕 기계 조종의 주요한 줄. **2** 《비유》 믿고 의지하는 것, 대들보, 중진 ; 주요한 생업.
máin stém *n.* 《美俗》 큰 거리, 중심가(main drag) ; 본선 ; 본류(本流).
máin stóre[**stórage**] *n.* 〔컴퓨〕 주기억 장치.
máin·strèam *n.* (지역 · 수계(水系)의) 본류, 주류 ; (사상 · 운동 따위의) 주류, 주조(主潮), (사회의) 대세. ── *attrib. a.* 주류의 ; 스윙 재즈의 《Dixieland와 현대 재즈의 중간》. ── *vt., vi.* 《美》 (특수 아동을) 보통 학급에 참가시키다 ; 《俗》 주류[대세]에 편입시키다[순응시키다].
máinstream cùlture *n.* 주류(主流)문화《어떤 사회에서 우세한 가치관이나 행동 양식》.
máinstream smòke *n.* 주류 연기《흡연시 직접 마시는 연기》.
máin·strèet *vi.* 《美 · Can.》 중심가에서 선거 운동을 하다.
Máin Strèet *n.* 《美》 (소도시의) 큰 거리[번화가](cf. HIGH STREET) ; (소도시 특유의) 평범하고 단순한 실리주의적인 사고방식[생활, 습관].
***main·tain** [meintéin, mən-] *vt.* **1** 지속[계속]하다 : They have ~*ed* friendly relations with each other for more than ten years. 10년 이상이나 우정을 지속하고 있다. **2** 유지하다, 지탱하다 ; 보존하다(preserve) ; (차 · 집 · 길 따위를) 보수하다 : ~ the roads 도로의 보수를 게을리 하지 않다. **3** 부양하다, 먹여 살리다(support) : ~ a wife and family 처자를 부양하다 / ~ oneself 자활하다 / His aunt ~*ed* him at the university. 그의 숙모가 그의 대학 학비를 대주었다. **4** 지지[후원 · 옹호]하다 ; (공격으로 부터) 지키다(defend) : ~ one's rights 권리를 지키다. **5** [+目 / +*that* 節] 주장하다, 고집하다(assert) : I ~*ed* my innocence. 나의 결백을 주장했다 / He ~*ed that* all men are not always equal. 만인이 반드시 평등한 것은 아니라고 주장했다.
maintain one'***s ground against*** …에 대하여 자기의 입장을 고수하다 : They ~*ed* their *ground against* the enemy. 적에 대해 그들의 거점[근거]을 계속 지켰다.
~·able *a.* maintain할 수 있는.
〖OF＜L (*manus* hand, *teneo* to hold)〗
類義語 ⟹ SUPPORT.
maintáined schóol *n.* 《英》 공립 학교.
maintáin·er *n.* maintain하는 사람 ; =MAINTAINOR.
main·tain·or [meintéinər] *n.* 〔法〕 소송 방조자.
***main·te·nance** [méintənəns] *n.* **1** Ⓤ 지속 ; 보존, 보수(保守) ; 유지, 보전, 정비 : the ~ *of* peace 평화의 유지 / the ~ *of* way 〔鐵〕 보선(保線). **2** Ⓤ 주장 ; 옹호. **3** Ⓤ 부양(비) ; 생계.
〖OF ; ⇨ MAINTAIN〗
máintenance drùg *n.* 유지약《마약 중독 환자의 금단(禁斷) 증상을 막기 위하여 합법적으로 주어지는 마약》.
máintenance màn *n.* (빌딩 따위의) 보수 담당자 ; (기계의) 정비원[공].
máintenance òrder *n.* 〔法〕 부양비 지급 명령《재판소가 남편에게 내리는 처자에 대한》.
máintenance thèrapy *n.* 〔醫〕 유지 요법《탐닉증(耽溺症)에 대한 치료법의 하나로 금단 증상의 완화 · 해독 효과 증진을 기할 수 있음》.
máin·tòp *n.* 〔海〕 큰 돛대의 장루(檣樓).
máin-topgállant *n.* [보통 복합어를 이루어] 큰 돛대의 윗돛대, 그 돛[활대].
máin-topgállant màst *n.* 큰 돛대의 윗돛대.
màin-tóp·màst [,《海》 -məst] *n.* 〔海〕 큰 돛대의 중간 부분.
màin-tóp·sàil [,《海》 -səl] *n.* 〔海〕 큰 돛대의 중간 돛.
máin vérb *n.* 〔文法〕 본동사《일반 동사를 조동사와 구별하는 명칭》.
máin yàrd *n.* 〔海〕 큰 돛대의 가름대.
Mai·sie [méizi] *n.* 여자 이름.
〖Sc. (dim.) ; ⇨ MARGARET〗
mai·so(n)·nette [mèizənét, 美+-sə-] *n.* 작은 집 ; 《英》 집 한 채를 구획지어 따로따로 임대[매매]할 수 있게 한 이층 주택.
〖F (dim.) ‹ *maison* house〗
mai tai [mái tái] *n.* 마이 타이《럼 · 레몬 · 파인애플주스의 칵테일》.
〖Tahitian〗
maî·tre [méitər, -trə, mét- ; métrə] *n.* =MASTER[1].
〖F〗

M

maître d', mai·tre d' [ˊ díː] *n.* (*pl.* **~s**) 《口》 =MAÎTRE D'HÔTEL.
maître d'hô·tel [ˊ doutél] *n.* (*pl.* **maî·tres d'hôtel** [-trəz-]) (일반적으로) 하인의 우두머리; (호텔의) 주인[지배인]; (대갓집의) 가령(家令). 〚F=master of house〛
maize [méiz] *n.* **1** Ⓤ 《英》 〔植〕 옥수수(의 열매) (Indian corn). 주 미국·캐나다에서는 보통 corn 이라고 함. **2** Ⓤ 옥수수 색깔, 엷은 황색. 〚F or Sp.< (Carib)〛
mai·ze·na [meizíːnə] *n.* 《英》 옥수수 가루.
maj. major; majority.
Maj. Major.
***ma·jes·tic, -ti·cal** [mədʒéstik(əl)] *a.* 위엄 있는, 장엄한, 당당한, 웅대한. **-ti·cal·ly** *adv.* 類義語 ⟹ GRAND.
***maj·es·ty** [mǽdʒəsti] *n.* **1** Ⓤ 위엄(dignity); 장엄. **2** Ⓤ 주권. **3** [M~; 대명사 소유격을 수반하여] 폐하.
Her Majesty the Queen 여왕 폐하.
His [***Her***] (***Imperial***) ***Majesty*** 황제[황후] 폐하(略 H.I.M., H.M.).
His Majesty's Ship 제국 군함(略 H.M.S.).
Their (***Imperial***) ***Majesties*** 양(兩) 폐하.
Your Majesty 폐하《직접 아뢸 때의 호칭》.
〚OF<L *majestas*; ⇨ MAJOR〛
Maj. Gen. Major General.
maj·lis, mej·lis, maj·les, mej·liss [mædʒlís, medʒ-] *n.* [때때로 M~] (북아프리카·서남 아시아의) 집회, 협의회, 법정; (특히) 이란의 국회. 〚Pers.〛
ma·jol·i·ca [mədʒálikə, -jál-], **-iol-** [-jál-] *n.* Ⓤ 마졸리카《르네상스 시대에 이탈리아에서 만들어진 장식적 도자기》; 마졸리카풍(風)의 도자기. 〚It.; *Majorca*섬의 옛 이름〛
‡ma·jor[1] [méidʒər] *a.* (↔*minor*) **1** (둘 가운데서) 큰 쪽의, 과반의, 주된: the ~ part (of...) (…의) 대부분, 과반수 / the ~ vote 다수표 / the ~ opinion 다수의견. **2** 성년의, 성인이 된. **3** 주요한, 중대한; 일류의; 《美·濠》 (대학에서) 전공의 《학과》: a ~ question 중요한 문제 / the ~ industries 주요 산업. **4** 《英》 (학교 따위에서 성이 같은 사람 가운데) 연장[고참]의(cf. SENIOR): Smith ~ 나이가 위인 스미스. **5** 〔樂〕 장조(長調)의: a ~ interval 장음정 / the ~ scale 장음계.
—— *n.* (↔*minor*) **1** (지위·중요성에서) 상위자; 〔法〕 성년자, 성인. **2** 《美》 (학위를 따기 위한) 전공 학과[학생]. **3** 〔論〕 대명사(大名辭) (major term), 대전제(major premise). **4** 〔樂〕 장조(major key), 장음계(major scale). **5** [the ~s] 〔美野〕 메이저 리그(☞ MAJOR LEAGUE).
—— *vi.* [+*in*+名] 《美·濠》 전공하다: He ~*ed* ***in*** history. 역사를 전공했다.

〈회화〉
> What do you want to study there?—I'm thinking of *majoring* in mathematics. 「거기서 무엇을 공부하고 싶니」「수학을 전공할까 생각해」

〚L (compar.) ‹ *magnus* great〛
major[2] *n.* 육군 소령(略 Maj.); 《軍俗》 특무 상사 (sergeant major); 〔軍〕 (특수 부문(部門)의) 장(長). 〚↑〛
májor ángle *n.* 〔數〕 우각(優角).
májor áxis *n.* 〔數〕 (원뿔 곡선의) 장축(長軸).
Ma·jor·ca [mədʒɔ́ːrkə, məjɔ́ːrkə] *n.* 마요르카 《지중해 서부 발레아레스 제도 최대의 섬으로 피한지; 스페인령》.
májor cúrrency *n.* 주요 통화《달러·마르크·파운드·엔 따위》.
ma·jor·do·mo [mèidʒərdóumou] *n.* (*pl.* **~s**) **1** (왕가·대가의) 가령(家令), 집사장. **2** 《戲》 하인의 우두머리(butler), 집사(steward). 〚Sp., It.〛
ma·jor·ette [mèidʒərét] *n.* =DRUM MAJORETTE.
májor géneral *n.* 육군[공군·해병대] 소장(略 Maj. Gen.).
ma·jor·i·tar·i·an [mədʒɔ̀(ː)rətéəriən, -dʒɑ̀r-] *n.*, *a.* 다수결주의(자)(의); 《美》 말없는 다수의 일원(silent majoritarian). **~·ism** *n.* 다수결주의.
***ma·jor·i·ty** [mədʒɔ́(ː)rəti, -dʒɑ́r-] *n.* (↔*minority*) **1** [보통 복수취급, 양에 대해 쓰일 때는 단수취급] 대다수, 대부분, 태반: The ~ *of* people prefer peace to war. 대다수의 사람은 전쟁보다 평화를 원한다. ☞ 活用 (1). **2** [단수·복수취급] 다수당, 다수파: The ~ *is* always able to impose its will on the minority. 다수당은 언제나 그 의사를 소수당에게 강요할 수가 있다 / The ~ *was* [*were*] determined to press *its* [*their*] proposal. 다수파는 그 안을 밀어붙이려고 결의하고 있었다. ☞ 活用 (2). **3 a)** 《美》 과반수, 절대다수(absolute majority). **b)** (상대방을 앞지른) 득표차; (3인 이상이 경합할 때에) 다른 후보자들의 득표 총수를 넘은 수(cf. PLURALITY): *by* a large ~ 큰 차를 내어 / *by* a ~ of … 의 차로 / be in (the) ~ *by* …명[표]만큼 수가 많다 / If A got twelve votes, B seven, and C three, A had a ~ of two and a plurality of five. 만약에 A가 12표, B가 7표, C가 3표를 얻었다면, A의 득표수는 B, C의 득표 총수를 2표 상회(上廻)하고, 차점자 B와의 차는 5표가 되는 셈이다. ☞ 活用 (3). **c)** [형용사적으로] 대다수의[에 의한]: a ~ decision 다수결. **4** Ⓤ 〔法〕 성년, 정년(丁年): reach [attain] one's ~ 성년이 되다. **5** [the ~; 집합적으로] 죽은 사람(the dead). **6** Ⓤ 육군[공군, 해병대] 소령의 계급[직].
join [***go over to, pass over to***] ***the*** (***great*** [***silent***]) ***majority*** 죽다, 죽은 사람 수에 들다(die).
〚F<L; ⇨ MAJOR〛
活用 (1) 1의 뜻인 majority를 강조하는 형용사로서 때때로 great가 쓰인다: The *great majority* approved the policy. (대다수의 사람은 그 정책에 찬동했다). 누그러진 표현에서는 양에 관해서도 사용하여 We spent the *majority* of the day there. (하루의 대부분을 거기서 보냈다)와 같이 말하는 수도 있으나 보통은 We spent *most* [*the greater part*] of the day there. 라고 한다. 이와 같이 「대부분」이라는 뜻으로는 most (of) 나 the greater part (of)를 사용하고 majority는 대립관념으로서 minority (소수(파))를 의식하고 있을 때에 한해서 사용하는 편이 좋다.
(2) 2의 뜻인 majority는 다른 다수파와의 비교상 양적인 한정을 가할 필요가 있을 때에만 형용사로서 great, greater, greatest를 수반한다.
(3) 3 b)의 뜻인 majority는 의미강조를 위하여 great, greater, greatest를 자유로이 붙일 수 있다: Mr. Brown was elected by the *greatest majority*. (브라운씨가 가장 큰 득표차로 당선되었다).
majórity lèader *n.* 다수당[여당] 당수.
majórity rùle *n.* 〔政〕 다수결 원칙.
majórity vèrdict *n.* (배심원의 과반수에 의한) 다수 평결.

M

májor kéy *n.* 〔樂〕 장조.

májor léague *n.* 《美》 메이저 리그, 대(大)리그 《2대 프로 야구 리그의 하나 ; National League 또는 American League ; cf. MINOR LEAGUE》.

májor léaguer *n.* 메이저 리그의 선수.

májor-médical *n.* 《美》 고액 의료비 보험.
—— *a.* 고액 의료비 보험의.

májor párty *n.* 대정당, 다수당.

májor plánet *n.* 〔天〕 대행성《(1) minor planet에 대하여 태양계의 9행성의 하나. (2) 지구형 행성에 대하여 목성(木星)형의 4행성, 곧 목성·토성·천왕성·해왕성의 하나》.

májor prémise[**prémiss**] *n.* 〔論〕 대전제.

májor próphets *n. pl.* [the ~] 〔聖〕 대예언자 《Isaiah, Jeremiah, Ezekiel, Daniel의 4인》; [the M~ P~] 대예언서.

májor súit *n.* 〔카드놀이〕 (브리지에서) 하트 또는 스페이드의 짝패《점수가 큼》.

májor térm *n.* 〔論〕 대명사(大名辭).

ma·jus·cule [mǽdʒəskjùːl, 美+mədʒʌ́skjuːl] *a.* (고사본의) 대문자(大文字)(체)의 ; 대문자로 쓰여진(↔*minuscule*).
—— *n.* 대문자(체).
〚L *majuscula* (*lettera*)〛

◇**make** [méik] *v.* (**made** [méid]) *vt.* **1** [+目/+目+目/+目+前+名] **a**) 만들다, 제작[제조]하다, 조립하다, 건설[건조]하다《㊟ 대형의 것에는 build를 많이 씀》; 창작하다, 저술하다 ; 작성하다 ; 제정하다, 설치하다 : God *made* man. 신은 인간을 창조했다 / I am not *made* that way. 천성이 그렇게 돼 있지 않다 / Her mother *made* her new dress. 어머니는 그녀에게 새 옷을 만들어 주었다 / Kate is *making* clothes ***for*** her doll. 케이트는 인형에게 입힐 옷을 만들고 있다. **b**) 만들어 내다, 쌓아 올리다, 발달시키다 : ~ one's own life 생활방침[일생의 방향]을 정하다 / ~ a name for oneself ☞ NAME 숙어. **c**) 마련하다, 정비하다 : ~ a bed 잠자리 준비를 하다, 잠자리를 정리하다 / ~ tea 차를 끓이다.
2 발생케 하다, …의 원인이 되다 : ~ a noise 소리를 내다, 떠들다 / ~ trouble[war] 소동[전쟁]을 일으키다.
3 a) [+目/+目+目] …이 되다 : He will ~ an excellent scholar. 훌륭한 학자가 될 것이다 / She will ~ him a good wife. 그의 좋은 아내가 될 것이다《㊟ 'She will make herself a good wife for him.' (☞ 7 a))의 뜻》. **b**) 구성하다, (합계가) …이 되다 : Two and two ~ four. 2 더하기 2는 4 / A hundred cents ~ a dollar. 100센트면 1달러가 된다. **c**) [+目/+目+目] …에 충분하다, …에 유용하다 : The account ~*s* good reading. 그 보고서는 읽어 볼만하다 / This length of cloth will ~ you a suit. 이 정도 길이의 천이면 너의 양복 한 벌을 만들 수 있을 것이다.
4 a) 얻다 ; 벌다 : ~ a fortune 팔자를 고치다, 부자가 되다 / ~ one's[a] living 생계를 이어가다. **b**) 〔競〕 득점하다. **c**) 〔카드놀이〕 (한 번) 이기다 ; (패를) 내고 이기다 ; (으뜸 패의) 이름을 말하다, 정하다 ; (트럼프를) 뒤섞다, 치다(shuffle) : ~ a trick 1회 이기다. **d**) …에 닿다 : The ship *made* port on Saturday. 배는 토요일에 입항했다. **e**) 《口》 (탈 것의) 시간에 맞추다, (뒤쫓아) 따라 붙다(cf. MAKE *it*) : If you hurry, you can ~ the next train. 서두르면 다음 열차시간에 맞출 수 있습니다. **f**) (거리를) 나아가다, 가다 : Some airplanes can ~ 1,500 miles an hour. 비행기에 따라서는 1시간에 1,500마일을 나는 것도 있다 / ~ one's way ☞ WAY[1] 숙어. **g**) 《口》 (팀 따위의) 멤버[회원]가 되다 ; (리스트 따위에) 이름이 오르다.

〈회화〉
> How much does he *make* ? — I'm not sure, but I think he has a large income. 「그 사람은 얼마나 버니」「잘은 모르지만 꽤 많은 것으로 알고 있어」

5 a) [+目/+目+目] 하다, 행하다 ; 진술하다 ; 체결하다 : ~ an effort 노력하다 / ~ a speech 연설하다 / ~ arrangements 확실히 결정하다 / ~ a person an offer 남에게 제안하다. **b**) 먹다(eat) : ~ a good dinner 맛있게[배부르게] 먹다. **c**) [목적어로서 동사와 같은 근원의 명사를 수반하여] : ~ (an) *answer*=answer / ~ a *pause*=pause / ~ *progress*=progress / ~ *haste*=hasten / ~ a rude *reply*=reply rudely.

〈회화〉
> Just a moment. I have a phone call to *make*. — Go ahead. I'll wait. 「잠깐 기다려, 나 전화 걸 데가 있어」「걸어, 기다릴게」

6 a) [+目+補] 산정[측정]하다, 어림하다 ; 생각하다, 간주하다 : What time do you ~ it? 몇 시라고 생각합니까 / I ~ it 5 miles. 5마일이라고 생각한다. **b**) [+目+*of*+名] (…에 대해) …라고 생각하다[추단하다] : I could ~ nothing ***of*** his words. 그가 한 말을 전혀 알아듣지 못했다 / What am I to ~ *of* your behavior? 너의 행위를 어떻게 생각하면 좋을까 / I don't know what to ~ *of* it. 어떻게 생각해야 좋을지 모르겠다.
7 a) [+目+補] …을 …로 하다 ; …을 …으로 보이게 하다 : Flowers ~ our rooms cheerful. 꽃이 있으면 방이 훤해진다 / This answer *made* him angry. 이 대답은 그를 화나게 했다 / This portrait ~*s* him too old. 이 초상화에서 그의 모습은 너무 늙어 보인다 / He soon learned to ~ himself useful by performing many services for us. 이내 그는 우리를 위해서 여러 가지 봉사를 하여 쓸모있는 사람이 되고자 애쓰게 되었다 / I will ~ him my servant. 그를 하인으로 삼겠다. **b**) [+目+過分] …을 …시키다[하도록 하다] : Too much wine ~*s* men *drunk*. 술을 과음하면 취하게 된다 / I *made* myself *understood* in English. 영어로 의사소통을 했다.
8 [+目+原形] (강제적으로 또는 비강제적으로) …에게 …시키다 : I *made* him go. 그를 (무리하게) 가게 했다. ㊟ 수동태 뒤에서는 부정사에 *to*가 쓰임 : He was *made to* go. 그는 갈 수밖에 없었다 / Can you ~ the car go faster? 차를 좀 더 빨리 몰 수 없습니까 / The author ~*s* the pair live happy ever after. 작가는 그 한 쌍이 그후 행복하게 살아가는 것으로 (작품을) 끝맺고 있다.
9 (사람을) 성공시키다, (사람의) 성공[출세 따위]을 확실하게 하다(cf. MADE 4) : The new work will ~ him. 그 신작(新作)은 틀림없이 그를 유명하게 만들 것이다.
10 〔電〕 (전류를) 통하게 하다(close), (회로를) 닫다.
—— *vi.* **1** 만들다, 제작하다. **2** [+補] …이 되다《*make*…는 *make* oneself…의 略》: ~ merry ☞ MERRY 숙어 / ~ sure ☞ SURE 숙어 / ~ bold to do ☞ BOLD 숙어. **3** 《口》 **a**) [as if, as though를 붙여서] (…처럼) 행동하다 ; …하는 체하다(pretend) : He *made as if* [*as though*] to strike me. 마치 나를 때릴듯한 몸짓을 했다 / He

M

made as if he were ill. 아픈 척했다 / She ～*s* [*made*] *as if* she knew everything. 무엇이든지 아는 체한다[했다]. **b**) [＋*to* do] …하기 시작하다, 하려고 하다(begin) : He *made to* strike her and then stopped. 그녀를 때리려다가 손을 멈추었다. **4** [＋前＋名 / ＋副] 나아가다, 향해 가다 ; 향하고 있다, 지시하다 : All the evidence ～*s* ***in*** the same direction. 모든 증거가 같은 쪽을 가리키고 있다 / ～ for, ～ off, ～ toward, *etc.* ☞ 숙어. **5** 만조가 되다 ; (조수가) 들기[나가기] 시작하다. **6** 〖카드놀이〗 트럼프를 섞다(shuffle).

have (***got***) ***it made*** 《美俗》 (사람이) 성공이 보장되어 있다, 성공할 것임에 틀림없다.

make after... 《古》 …을 추적하다.

make against …을 불리하게 하다, …을 방해하다, 약화시키다.

make as if [***as though***]... ☞ *vi.* 3 a).

make at …을 향해 전진하다, 습격하다 : The dog *made* straight *at* him with a roar. 개는 으르렁거리면서 쏜살같이 그에게 덤벼들었다.

make away 뛰어 달아나다, 도망치다.

make away with …을 가져가다, 채가다 ; 멸망시키다, 모조리 소비하다, 파기(破棄)하다, 죽이다 ; (돈을) 다 써버리다.

make believe [＋*that* 節 / ＋*to* do] …인 체하다, 가장하다(pretend) (cf. MAKE-BELIEVE) : Let's ～ *believe that* we're Indians. 우리가 인디언인 척 가장(假裝)하자 / The girl dressed in her mother's evening gown and *made believe to* be Cinderella at the ball. 소녀는 어머니의 야회복을 입고 무도회에 신데렐라로 가장(假裝)했다 / The boys *made believe that* they were[*made believe to* be] explorers in the South Pole. 소년들은 남극의 탐험가 놀이를 했다.

make do with [***without***]... (대용품 따위)로 […없이] 때우다.

make for... (1) …의 방향으로 나아가다 : Seeing a light, I *made for* it. 불빛을 보고 그 방향으로 나아갔다 / Where was he *making for* ? 그는 어느쪽으로 가고 있었느냐. (2) …을 습격하다 : The bull *made for* her. 숫소가 그녀를 들이받았다. (3) …에 도움을 주다, …을 촉진하다 : To uphold all that ～*s for* good relations between nations is to help bring about peace. 국가간의 우호 관계에 이바지하는 모든 것을 지지하는 것은 평화를 가져오는 데 도움이 된다.

make...from …에서[을 원료·본으로 하여] …을 만들다《注 주로 재료가 변형되어 제품이 되는 경우에 씀 ; cf. MAKE...*of* (1)》 : American cider is *made from* apples. 미국의 사이다는 사과로 만들어진다 / We can ～ chemical fibers *from* petroleum. 석유에서 화학섬유를 만들 수 있다.

make...into... (원료·물체·사람 등에 가공·제작·감화·영향을 주어) …을 …으로 만들다, …으로 하다 : Plastics are *made into* telephone parts, fountain pens, piano keys, and many other things. 합성 수지는 전화의 부품·만년필·피아노의 키, 기타 여러 가지의 물건으로 만들어진다.

make it 《口》 이룩하다 ; 출세[성공]하다 ; 《美口》 시간에 대다(cf. *vt.* 4 e)) : You will ～ *it* if you hurry. 서두르면 시간에 댈 수 있을 것이다.

make it do 때우다, 임시변통하다.

make it up to a person 남에게 변상하다(cf. MAKE *up* (6)).

make it up (***with...***) (…와) 화해하다(cf. MAKE *up* (8)).

make...of... (1) (재료)로 …을 만들다《注 주로 재료의 형체가 제품에 남아 있는 경우에 씀 ; cf. MAKE...*from*》 : Their houses were *made of* trees they had cut down. 그들의 집은 자기네들이 벌채한 나무로 지어졌다 / He *made* a little statue (*out*) *of* soft clay. 부드러운 점토로 조그만 조상(彫像)을 만들었다(cf. MAKE...*out of*). (2) …을 …로 하다 : He *made* a confidante *of* me. 나를 마음의 친구로 삼았다《注 He *made* me his confidante. 보다도 비유적인 함축이 많음》. 注 수동태에서는 : I *was made* a fool *of.* 나는 바보로 취급되었다(cf. They *made* a fool *of* me.). (3) …을 …라고 생각하다(☞ *vt.* 6 b)).

make off 급히 떠나다, 도망치다 : The thief *made off with* their diamonds. 도둑은 그들의 다이아몬드를 가지고 도망쳤다.

make one (***of the party***) (일행에) 끼다.

make one***self strange*** ☞ STRANGE.

make or break [***mar***] …이 성공하느냐 실패하느냐, …의 운명을 좌우하다.

make out (1) 기초(起草)하다, 쓰다 : ～ *out* a list of the members 회원 명부를 작성하다. (2) (이럭저럭) 정리하다, 완성하다《注 MAKE *up* 쪽이 일반적》. (3) (겨우) 식별하다, 판독(判讀)하다, 인지하다 : He could barely ～ *out* something like an island in the hazy distance. 멀리 안개속에 섬과 같은 것을 어렴풋이 분간할 수 있었다. (4) [＋目 / ＋*wh.* 節] 이해[납득]하다 : I can't ～ *out what* he wants. 그가 무엇을 바라고 있는지 전혀 모르겠다. (5) [＋目 / ＋*that* 節 / ＋目＋*to* do] …와 같이 말하다[암시하다], 증명하려고 하다 ; 입증하다 : He *made out that* he was a friend of mine. 그는 나의 친구인양 말했다 / He ～*s* himself *out to be* richer than he really is. 실제 이상으로 자기를 부자처럼 보이려고 한다. (6) 《口·원래 美》 [＋副] 해나가다(get along) ; (어떤 결과가) 되다 : His store is *making out* very well. 그의 점포는 매우 번성하고 있다 / How are you *making out* in your job ? 당신 일은 잘 되어 가고 있습니까. (7) 《俗》 서로 애무하다(neck).

make...out of... ＝MAKE...*of*... (1). 注 단, out of는 of보다도 「(어떤 재료)에서」라는 뜻이 강하며, 특히 술어동사에서 떨어진 위치에 있는 경우에 많이 쓰인다 : We ～ a great many things *out of* paper. 종이로 대단히 많은 것을 만든다.

make over (1) 양도[이관]하다 : The king *made over* the kingdom *to* his son. 왕은 왕국을 아들에게 물려줬다. (2) 변경하다, 고쳐 만들다 : ～ *over* an old overcoat 낡은 웃옷을 뜯어 고치다. (3) 《口》 …에 대하여 분명히 나타내다.

make the best of... ☞ BEST.

make toward …을 향해 전진하다 ; …쪽을 가리키다.

make up (1) 정리하다, 싸다 ; (옷을) 맞추다, 꿰매서 잇다, (*vi.*) 만들어지다 ; (약을) 조제하다 ; 작성[편집·기초]하다 ; (잠자리를 특별히) 마련하다 ; (불을) 계속 때다, 석탄 《따위》을 때서 화력을 세게 하다 : ～ *up* hay *into* bundles 마른 풀을 다발로 묶다. (2) (여러 요소에서) 구성[조성]하다 : The Morse code is *made up of* dots and dashes. 모스 부호는 점과 선으로 되어 있다. (3) (계산·지불을) 조정하다 ; (말을) 날조하다 : The story is *made up.* 그 이야기는 꾸며낸 것이다. (4) (*vt., vi.*) 화장하다 ; 〖劇〗 분장하다(cf. MAKEUP 2) : The actor *made* (himself) *up* for the part of Hamlet. 그 배우는 햄릿 역으로 분장했다. (5) 〖印〗 (난·페이지를) 짜다, 정판(整版)하다, 메이

크업하다(cf. MAKEUP 3). (6) 메우다, (보충하여) 완전하게 하다 ; 변상하다 : We must ~ the loss *up* next month. 내달에 가서는 손실을 만회하지 않으면 안된다 / In his old age he tried to ~ *up for* what he had refused to do when he was young. 나이가 들어서야 그는 젊었을 때 하려고 하지 않았던 것을 보충하려고 하였다 / Let me ~ *up to* him *for* what he has suffered. 그가 손해를 낸 것을 내가 변상토록 해 주시오. (7) (시험을) 다시 치르다, …의 추가 시험을 보다. (8) (분쟁·싸움 따위를) 원만히 수습하다 ; (남과) 화해하다 : I once quarreled with him but now have *made* it *up* (*with* him). 그와 전에 싸운 적이 있으나 이제는 화해했다.

make up** one's **mind ☞ MIND *n.*

make up to... 《口》 …에게 환심을 사려고 하다, …에게 알랑거리다, 접근하다.

make with... 《美俗》 (1) …을 움직이다, 사용하다(use). (2) …을 제출하다, 제기하다(bring out).

── *n.* **1 a)** U,C 만듦새, …제(製), 제작(법) : home[foreign] ~ 국산[외제] / *of* Korean [American] ~ 국산[미제]의 / a new ~ of car 신형차 / This is our own ~. 우리 점포에서 만든 것입니다. **b)** U,C 모양, 형, 형상 ; 구조, 구성 ; 체격 ; 성격, 기질. **c)** U,C 제작고, 제조량, 생산고. **2** U,C 〖電〗 (회로의) 접속(↔*break*), 전류를 통하게 하는 것 : ~ and break 전기회로의 개폐.

on the make 《口》 돈벌이[승진]에 열중하여 ; 《俗》 섹스 상대를 구하고 (있는).

〖OE *macian*＜WGmc. (《美》 *mak-* fit, suitable ; G *machen*) ; MATCH²와 같은 어원〗

類義語 ***make*** 제작하다, 어떤 물건이 생기게 하다란 뜻의 가장 일반적인 말. ***form*** 만든 물건에 대해 뚜렷이 윤곽·구조·설계 따위를 부여하는 것을 나타냄. ***shape*** 거푸집에 넣거나 절단하거나 때리거나 하여 특수한 형상으로 만들어 내다. ***fashion*** 특히 발명의 능력, 교묘한 설계, 숙련 따위를 의미함. ***construct*** 어떤 설계에 따라 부분[부품]을 정연하게 조립하다. ***manufacture*** 기계를 사용하여 대규모로 원료에서 제품을 제조하다. ***fabricate*** 규격의 부품을 모아서 조립하다.

máke-and-bréak *a.* 〖電〗 회로 단속기의 ; 개폐(식)의.

máke-belìeve *n.* U 가장(假裝), 거짓(cf. MAKE *believe*) ; C …인 체하는 사람 : That's all ~. 모두 거짓이다. ── *attrib. a.* 허위의, 거짓의, 가장된 ; 가공의, 상상상의 : ~ sleep 꾀잠 / a ~ story (동화 따위의) 가공의 이야기 / Children live in a ~ world of their own. 아이들은 그들만의 공상 세계에서 산다.

máke-dò *a., n.* (*pl.* ~**s**) 임시 변통의 (물건), 대용의 (물건).

máke·fàst *n.* 〖海〗 배를 매어 두는 부표[말뚝].

máke-gàme *n.* 웃음거리.

máke-gòod *n.* 보상 광고.

máke-or-bréak *a.* 성패(成敗) 양단간의, 결과가 극단적인 : ~ issue 성패를 판가름하는 문제.

***mak·er** [méikər] *n.* **1** 만드는 사람, 제작자 ; 메이커(manufacturer). **2** [the M~, one's M~] 조물주, 신(God) : go to[meet] *one's M~* 죽다. **3** 《古》 시인. **4** 〖商〗 약속 어음 발행인.

máke·rèady *n.* 〖印〗 (인쇄 직전의) 조판 조정.

máker-úp *n.* (*pl.* **mákers-úp**) 〖印〗 정판공(整版工) ; 제품 조립공[포장공].

máke·shìft *n., a.* 임시변통(의), 임시적 방편의 (수단), 미봉책.

類義語 ⟹ RESOURCE.

máke·ùp *n.* **1** 조립, 구성, 구조, 마무리 ; 체질, 성질 : the ~ of a committee 위원회의 구성. **2** U,C (배우 등의) 메이크업, 얼굴 단장, 분장, (여자의) 화장 ; U (배우·여자의) 화장품(cosmetics) : What a clever ~ ! 참으로 훌륭한 분장인걸 ! / She uses too much ~. 화장을 너무 짙게 한다. **3** 〖印〗 조판, 정판, (신문 조판물의) 전면 합판 ; 조판물. **4** 지어낸 이야기. **5** 《美口》 추가 시험, 재시험, 보강.

máke·wèight *n.* 부족한 중량을 채우는 물건 ; 평형추(平衡錘) ; 《비유》 무가치한 것, 대용물(밖에 안되는 사람).

máke-wòrk *n.* (노동자를 놀리지 않게 하기 위한) 불필요한 작업.

mak·ing [méikiŋ] *n.* **1** U **a)** 만들기, 제조 (과정), 제조법 ; 구조, 구성 : These troubles are all *of* your own ~. 이러한 말썽은 모두 네 스스로가 만들어낸[자초한] 것이다. **b)** 발전[발달] 과정 ; [the ~] 성공의 원인[수단] : Long years of training were *the* ~ *of* him. 다년간의 훈련이 그의 성공의 근원이 되었다. **2** U [보통 *pl.*] 원료, 재료, 필요한 것 ; [*pl.*] 《美》 궐련의 재료. **3** [흔히 the ~s] 요소, 소질 : He has (in him) *the ~s of* a statesman. 정치가의 소질이 있다. **4** U,C 제작(물), 생산 ; 1회의 제조량. **5** [*pl.*] 이익, 돈벌이.

in the making 제조[형성]중의, 발달중인, 수업(修業)중인 : a doctor *in the* ~ 수련중인 의사, 의사 견습생.

〖OE ; ⇨ MAKE〗

-mak·ing [mèikiŋ] *a. comb. form* 「기분을 …으로 하는」의 뜻. 〖MAKE〗

ma·ko [má:kou] *n.* (*pl.* ~**s**) 〖魚〗 청상아리(=~ **shàrk**). 〖Maori〗

mal- [mæl] *comb. form* 「악」「불규칙」「불량」「부전」「이상」의 뜻. 〖F *mal* badly＜L *male*〗

Mal. 〖聖〗 Malachi ; Malay ; Malayan.

Ma·la·bo [mɑlá:bou, mə-] *n.* 말라보《적도(赤道) 기니의 수도》.

màl·absórption *n.* (영양물의) 흡수 불량.

mal·ac- [mǽlək], **mal·a·co-** [mǽləkou, -kə] *comb. form* 「유연」의 뜻.

〖Gk. *malakos* soft〗

Ma·lac·ca [məlǽkə] *n.* 말라카《말레이시아 연방의 한 주(州) ; 그 주의 주도》.

the Strait*(*s*) *of Malacca 말라카 해협.

malácca cáne *n.* 등나무 줄기 ; 등나무(rattan) 제의 지팡이.

Mal·a·chi [mǽləkài] *n.* **1** 〖聖〗 말라기《유태의 예언자》. **2** 〖聖〗 말라기서(書)《구약성서중의 한 편 ; 略 Mal.》. 〖Heb.〗

mal·a·chite [mǽləkàit] *n.* U 〖鑛〗 공작석(孔雀石). 〖OF＜L＜Gk.〗

málaco·dèrm *n.* 〖動〗 말미잘(목의 강장동물).

mal·a·col·o·gy [mæ̀ləkálədʒi] *n.* 〖動〗 연체동물학. **-gist** *n.*

màl·adápt *vt.* 부적당하게 적용[응용]하다. 〖역성(逆成) 〈 *maladapted*〗

màl·adaptátion *n.* 순응불량, 부적응.

-adáptive *a.*

màl·adápt·ed *a.* 부적합한〈*to*〉.

màl·addréss *n.* 재치없음, 부적응, 서투름.

màl·adépt *a.* 충분한 능력이 없는, 부적격인〈*to* do〉.

màl·adjúst·ed *a.* **1** 조절[조정]이 잘 안된[불충

분한]. **2** 〔心〕 환경에 적응하지 못하는, 부적응의 : a ~ child 부적응아.
màl·adjústive *a.* 조절 불량의 ; 부적응의.
màl·adjúst·ment *n.* U,C 조절[조정] 불량 ; 부적응 ; (사회적·경제적인) 불균형.
màl·admínister *vt.* (공무의) 처리를 그르치다 ; (정치·경영을) 잘못하다. **màl·administrátion** *n.* 실정(失政) ; (공무 따위의) 실책, 부주의.
màl·adróit *a.* 서투른, 솜씨없는 ; 꾀[재치]없는. **~·ly** *adv.* **~·ness** *n.* 〚F〛
mal·a·dy [mǽlədi] *n.* (특히 만성적인) 질병 ; 《비유》 병폐, 결함, 폐해 : a social ~ 사회적 병폐. 〚OF (*malade* sick)〛
ma·la fi·de [mǽlə fáidi] *a.*, *adv.* 불성실한[하게], 악의를 가진[가지고] (↔ *bona fide*). 〚L=in bad faith〛
ma·la fi·des [mǽlə fáidi:z] *n.* 불성실, 악의(↔ *bona fides*). 〚L=bad faith〛
Mál·a·ga [mǽləgə] *n.* 말라가《(1) 스페인산의 달콤한 포도주 ; 스페인 남부의 수출항의 이름 Málaga에서. (2) 말라가 원산의 머스캣종의 백포도》.
Mal·a·gasy [mæ̀ləgǽsi] *a.* Madagascar인[어]의.
—— *n.* (*pl.* ~, **-gás·ies**) 마다가스카르인[어].
Malagásy Repúblic *n.* [the ~] 말라가시 공화국《Madagascar의 옛 이름》.
ma·la·gue·na, -ña [mæ̀ləgéinjə, mɑ̀:-] *n.* 말라게냐《fandango 비슷한 스페인 Málaga 지방의 민요·무용》.
mal·aise [mæléiz, mə-] *n.* 불안, 불쾌함, 어쩐지 기분이 좋지 않음. 〚OF ; (*mal*-, EASE)〛
mal·a·mute, mal·e- [mǽləmjù:t] *n.* 에스키모개. 〚Alaska Eskimo의 부족명(部族名)〛
mal·apert [mǽləpə̀:rt] *a.*, *n.* 《古》 염치 없는 (사람), 뻔뻔스러운 (사람).
màl·appórtioned *a.* (주(州)·선거구의) 의원 정수가 불균형인.
màl·appórtion·ment *n.* 의원 정수의 불균형.
mal·a·prop [mǽləprɑ̀p] *n.* **1** [Mrs. M~] 맬러프롭(부인)《R. B. Sheridan의 극 *The Rivals*에 등장하는 노부인 ; 말의 오용으로 유명》. **2** = MALAPROPISM. —— *a.* 말을 우스꽝스럽게 오용하는, 당치않은, 우스운. **màl·a·próp·ian** *a.*
málaprop·ìsm *n.* U 말을 우스꽝스럽게 잘못 쓰기《a nice arrangement of epithets 대신에 a nice *derangement* of *epitaphs*로 하는 따위》; C 우스꽝스럽게 잘못 쓰는 말.
mal·ap·ro·pos [mæ̀læprəpóu, ⌐-⌐-⌐] *a.*, *adv.* 시기에 맞지 않는[않게], 당치 않은[않게], 부적당한[하게], 계제가 나쁜[나쁘게]. —— *n.* 당치 않은 것. 〚F〛
ma·lar [méilər, -lɑ:r] *a.*, *n.* 뺨의 ; 광대뼈(의).
ma·lar·ia [məléəriə, -lǽər-] *n.* U 〔醫〕 말라리아 ; (특히 소택지의) 독기(毒氣). **ma·lár·i·al, -lár·i·an, -lár·i·ous** *a.* 말라리아(성)의 ; 독기의. 〚It. =bad air〛
malárial féver *n.* 〔醫〕 말라리아 열 ; 전염성 빈혈증(症).
ma·lar·k(e)y [məlɑ́:rki] *n.* 《美口》 시시한 이야기, 말도 되지 않는 이야기. 〚C20< ?〛
màl·assimilátion *n.* 〔醫〕 동화(同化) 불량 (malabsorption).
Mal·a·thi·on [mæ̀ləθáiən, -ɑn] *n.* 말라티온《살충제 ; 상표명》.
Ma·la·wi [məlɑ́:wi] *n.* 말라위《아프리카 남동부의 공화국 ; 수도 Lilongwe ; cf. Nyasaland》.
~·an *a.*, *n.*
Ma·lay [məléi, 美+méilei] *a.* 말레이인[어]의 ; 말레이 반도의 ; 말레이시아의. —— *n.* 말레이인 ; U 말레이어(語). 〚Malay *malāyu*〛
Ma·laya [məléiə] *n.* 말레이 반도.
Mal·a·ya·lam, -laam [mæ̀ləjɑ́:ləm ; mæ̀liɑ́:ləm] *n.* U 말라얄람어《인도 남서 해안 말라바르 지방의 드라비다어》; 말라얄람 문자.
Ma·lay·an [məléiən, 美+méileiən] *n.* 말레이 인[어]. —— *a.* 말레이인의.
Maláy Archipélago *n.* [the ~] 말레이 제도.
Ma·layo- [məléiou, mei-, -ə] *comb. form* 「말레이인[어]」의 뜻. 〚*Malay*〛
Maláyo-Polynésian *a.* 말레이-폴리네시아인[어족]의. —— *n.* 폴리네시아의 말레이인 ; 말레이-폴리네시아 어족(Austronesian).
Maláy Península *n.* [the ~] 말레이 반도.
Ma·lay·sia [məléiʒə, -ʃə ; -ziə] *n.* 말레이시아《수도 Kuala Lumpur》.
Ma·lay·sian [məléiʒən, -ʃən] *a.*, *n.* 말레이시아의, 말레이제도의 ; 말레이인(의).
Mal·colm [mǽlkəm] *n.* 남자 이름. 〚Sc. Gael.〛
Malcolm X [⌐ éks] *n.* 맬컴 엑스(1925-65)《미국의 흑인 지도자 ; 암살됨》.
màl·conformátion *n.* U 불완전한 형태 ; 보기 흉한 꼴.
màl·contént *a.* (정치·현상 따위에) 불만인, 불평하는, 반항적인. —— *n.* **1** 불평가, 반항자. **2** U 불평, 불만. 〚F〛
màl·contént·ed *a.* =MALCONTENT.
mal de mer [mǽl də méər] *n.* 뱃멀미. 〚F=sickness of sea〛
mal de siè·cle [*F* mal də sjɛkl] *n.* 삶에 대한 권태, 염세.
màl·distribútion *n.* U 불균형 배분[분포].
Mal·dives [mɔ́:ldaivz, -di:vz] *n. pl.* 몰디브《인도양상에 있는 공화국》.
mal du pays [*F* mal dy pei] *n.* 향수병.
‡male [méil] *n.* (↔*female*) 남자, 남성 ; 수컷, 웅성(雄性) 동식물. —— *a.* **1** 사내[남성]의, 수컷의 ; 〔機〕 수의《플러그·나사》: a ~ screw 수나사. **2** 〔植〕 수술만 있는. **3** 남성적인. 〚OF<L *masculus* (*mas* a male)〛
類義語 ⟹ MANLY.
male- [mǽlə] *comb. form* =MAL-.
mále bónding *n.* 남자끼리의 정리(情理)[동지의식].
mále cháuvinism *n.* 남성 우월주의[사상]. **-ist** *n.* 남성 우월주의[사상]자.
male·dict [mǽlədìkt] *a.* 《古·文語》 저주받은. —— *vt.* 저주하다.
male·dic·tion [mæ̀lədíkʃən] *n.* 저주, 악담, 중상, 비방(↔*benediction*). 〚L ; ⇨ MALE-〛
male·fac·tion [mæ̀ləfǽkʃən] *n.* 범행, 나쁜 짓.
male·fac·tor [mǽləfæ̀ktər] *n.* (*fem.* **-fàctress**) 악인 ; 범인. 〚L (*fact*- *facio* to do)〛
mále férn *n.* 〔植〕 관중《고사리의 일종 ; 뿌리줄기는 구충제용》.
ma·lef·ic [məléfik] *a.* 해를 끼치는, 해로운(harmful). —— *n.* 〔占星〕 흉성(凶星). 〚L ; ⇨ MALE-〛
ma·lef·i·cence [məléfəsəns] *n.* U,C 유해(有害) ; 나쁜 짓, 악행.
ma·léf·i·cent *a.* 해로운〈*to*〉; 나쁜 짓을 하는(↔ *beneficent*). 〚역성(逆成)< ↑〛

ma·lé·ic ácid [məlíːik-, -léi-] *n.* 〖化〗 말레산.

mále ménopause *n.* 남성의 갱년기(期) (metapause).

malemute ☞ MALAMUTE.

ma·lev·o·lence [məlévələns] *n.* Ⓤ 악의(惡意), 해치려는 마음.

ma·lév·o·lent *a.* 악의 있는 ; 남의 불행을 기뻐하는(↔*benevolent*). 〖OF or L (*volo* to wish)〗

mal·fea·sance [mælfíːzəns] *n.* Ⓤ,Ⓒ 〖法〗 (특히 관공리의) 불법[부정] 행위(cf. MISFEASANCE) ; 나쁜 짓.

mal·féa·sant *a.* 부정을 행하는. —— *n.* 부정 행위자, 독직 공무원 ; 범죄자.

màl·formátion *n.* Ⓤ,Ⓒ 보기 흉한 것 ; 기형.

mal·fórmed *a.* 흉하게 생긴, 기형의.

mal·fúnction *n.* Ⓤ (기계·신체 따위의) 부조(不調), 기능 부전(不全) ; 기능 불량 ; 〖컴퓨〗 잘못된 동작. —— *vi.* (기계·장치 따위가) 제대로 움직이지 않다.

ma·li [máːli] *n.* 《인도》 정원사 계급의 사람. 〖Hindi〗

Mali *n.* 말리《아프리카 서부의 공화국 ; 원래 프랑스령 수단 ; 수도 Bamako》. —— *a.* 말리의.

mál·i·bu bòard [mæləbùː-] *n.* 말리부 보드《2.6 m쯤 되는 유선형의 플라스틱제 파도타기판(板)》. 〖South California의 *Malibu Beach*에서〗

mal·ic [mælik, méi-] *a.* 사과의 ; 사과에서 얻은 : ~ acid 〖生化〗 말산(酸), 사과산. 〖F (L *malum* apple)〗

***mal·ice** [mæləs] *n.* Ⓤ (적극적인) 악의, 적의, 원한 ; 〖法〗 범의(犯意) : bear ~ (*to*[*toward*] a person *for* something) (남에게 어떤 일로) 적의[원한]를 품다. 〖OF<L (*malus* bad)〗

類義語 ***malice*** 상대방을 손상시키려는 의지 또는 상대방이 괴로워하는 것을 보고 기뻐하는 강한 적의[악의]. ***spite*** 사소한 행동 속에 나타난 남을 해치거나 괴롭히는 비열한 감정, 또는 시기심이나 원한. ***grudge*** 실제 또는 상상(想像) 속의 원한에 의한 악의로서 때때로 복수[보복]를 하려고 하는 심정을 포함함.

málice afórethought[**prepénse**] *n.* 〖法〗 예모(豫謀)의 범의, 살의(殺意) : with *malice aforethought* 예모의 악의를 가지고, 고의로 / of *malice prepense* 가해 의지[살의]를 가지고.

ma·li·cious [məlíʃəs] *a.* 악의[적의]있는, 심술궂은 ; 〖法〗 부당한《체포 따위》. **~·ly** *adv.* 악의를 품고, 심술궂게. **~·ness** *n.* ＝MALICE.

malícious míschief *n.* 〖法〗 고의에 의한 기물 손괴.

ma·lign [məláin] *a.* 유해한, 악의를 품은(↔ *benign*) ; 〖醫〗 악성의. —— *vt.* 비방하다, 중상하다(speak ill of) : Innocent persons are sometimes ~*ed.* 결백한 사람이 중상을 받는 수가 있다 / His face ~*s* him. 그는 얼굴과는 딴판으로 선한 사람이다. **~·er** *n.* 비방자, 중상자. 〖OF or L (*malus* bad)〗

ma·lig·nan·cy, -nance [məlígnəns(i)] *n.* Ⓤ 강한 악의, 적의, 격렬한 증오 ; (질병의) 악성.

ma·líg·nant *a.* 악의[적의]있는 ; 해로운, 유해한 ; (병이) 악성인, 불치(不治)의(↔*benignant*). —— *n.* 《古》 악의를 품은 사람 ; [M~] 〖英史〗 불만분자《Charles 1세 시대의 왕당원을 일컬음》. **~·ly** *adv.* 〖L ; ⇨ MALIGN〗

malígnant melanóma *n.* 〖醫〗 악성 흑색종(腫)《피부암의 일종》.

malígnant pústule *n.* 〖醫〗 악성 농포(膿疱).

M

ma·lig·ni·ty [məlígnəti] *n.* **1** Ⓤ 악의, 원한 ; Ⓒ [흔히 *pl.*] 악의에 찬 행위[감정]. **2** Ⓤ (병의) 악성, 불치.

ma·li·hi·ni [màːlihíːni] *n.* 《Haw.》 신참자, 타관 사람.

ma·line [məlíːn] *n.* [때때로 M~] ＝MALINES 1.

ma·lines [məlíːn ; mælíːn] *n.* (*pl.* ~ [-líːnz]) [때때로 M~] **1** 말린《벨기에산(産)의 망사(網紗)》. **2** ＝MECHLIN.

ma·lin·ger [məlíŋgər] *vi.* (특히 병사 등이) 꾀병을 부리다. 〖F *malingre* sickly〗

ma·lism [méilizəm] *n.* 현세는 악(惡)이라는 설.

mal·i·son [mæləzən, -sən] *n.* 《古》 저주.

mall [mɔ́ːl, mæl, 美+máːl] *n.* **1 a)** (나무 그늘이 진) 산책길 ; [; mæl] [the M~] 《英》 London의 St. James 공원의 나무 그늘이 많은 산책길. **b)** [; mæl] 〖史〗 팰맬(pall-mall) 구회(장), 팰맬용의 나무 망치(mallet). **2** 《美》 차량 진입이 금지된 상점가, 쇼핑 센터. **3** ＝MEDIAN STRIP. 〖원래 pall-mall이 행해진 *the Mall* (〈MAUL)에서〗

mal·lard [mælərd] *n.* (*pl.* ~, ~**s**) **1** 〖鳥〗 청둥오리(wild duck) ; 《古》 청둥오리 수컷. **2** Ⓤ 청둥오리 고기. 〖OF〗

mal·lea·bil·i·ty [mæ̀liəbíləti, -ljə-] *n.* Ⓤ (금속의) 가단성(可鍛性), 전성(展性) ; 유순성.

mal·le·a·ble [mæliəbəl, mæljə-] *a.* **1** 버릴 수 있는, 두들겨 펼 수 있는. **2** 유순[온순]한, 가르치기 쉬운(pliable). 〖OF<L ; ⇨ MALLET〗

málleable cást íron *n.* 〖冶〗 가단주철(可鍛鑄鐵) ; (용접·제련용) 순철(純鐵).

málleable íron *n.* ＝MALLEABLE CAST IRON ; ＝WROUGHT IRON.

mal·lee [mæliː] *n.* 〖植〗 말리《오스트레일리아의 건조 지대에서 자라는 유칼리나무속(屬)의 상록 관목》; 그 숲.

mal·le·o·lus [məlíːələs] *n.* (*pl.* **-li** [-lài]) 〖解〗 복사뼈.

mal·let [mælət] *n.* (보통 나무로 만든) 망치 ; (croquet 따위의) 타구용 망치. 〖OF (dim.) 〈 *mail*<L ; ⇨ MAUL〗

mal·le·us [mæliəs] *n.* (*pl.* **mal·lei** [mæliài, -liìː]) 〖解〗 (중이(中耳)의) 망치뼈.

mal·low [mælou] *n.* 〖植〗 아욱속(屬)의 식물, (특히) 당아욱. 〖OE<L *malva*〗

malm [máːm, 美+máːlm] *n.* Ⓤ 부드러운 백악암, 백악토 ; Ⓤ,Ⓒ 백악 기와(=∼ brìck).

Mal·mai·son [mæ̀lməzɔ́ːŋ ; mælméizɔːŋ] *n.* 말메이종《온실 재배하는 카네이션의 일종》.

malm·sey [máːmzi, 美+máːlm-] *n.* Madeira 원산의 달콤한 백포도주. 〖MDu., MLG<Gk. *Monemvasia* 그리스의 산지(産地)〗

mal·nóurished *a.* 영양 실조[불량]의.

màl·nutrítion *n.* Ⓤ 영양 실조[불량].

màl·occlúsion *n.* Ⓤ 〖齒〗 부정 교합(不正咬合).

mal·ódor *n.* 악취.

mal·ódor·ant *a., n.* 악취나는 (것).

mal·ódor·ous *a.* 악취를 풍기는.

ma·lo·láctic [mæ̀lou-, mèi-] *a.* (포도주에서) 세균에 의해 말산(酸)이 젖산으로 변하는.

Mal·pi·ghi [mælpí(ː)gi] *n.* 말피기. **Marcello** ~ (1628-94) 이탈리아의 해부학자 ; 생물 연구에 현미경을 도입했음. **Mal·pí·ghi·an** *a.*

Malpíghian túbule[**túbe, véssel**] *n.* 말피기관《곤충의 배설기관》.

màl·posítion *n.* Ⓤ 위치가 나쁨 ; 〖醫〗 (태아의) 위치 이상(異常).

mal·práctice *n.* Ⓤ,Ⓒ 의료[진료]과오, 의료 사

고;〔法〕 배임 행위;(일반적으로) 부정 행위.
màl·practítion·er *n.* 배임[위법, 부정] 행위자;부정 치료자.
malpráctice insùrance *n.* 의료 과실 보험《의사·병원이 의료 과실 소송에 대비하여 가입하는 보험》.
malpráctice sùit *n.* 의료 과실 소송《환자가 의사·병원을 상대로 내는 손해배상 소송》.
Mal·raux [*F* malro] *n.* 말로. **André** ~ (1901-76) 프랑스의 소설가.
Mal $ Malaysian dollar(s).
M.A.L.S. Master of Arts in Library Science.
malt [mɔ́:lt] *n.* **1** Ⓤ 엿기름, 맥아(麥芽);누룩;《口》 맥아주(酒). **2** [형용사적으로] 맥아의.
—— *vt., vi.* 엿기름이 되게 하다[되다];엿기름으로 만들다.
〚OE *m(e)alt*; cf. MELT, G *Malz*〛
M.A.L.T. Master of Arts in Language Teaching.
Mal·ta [mɔ́:ltə] *n.* 몰타《지중해의 Sicily섬 남쪽에 있는 섬;그 섬을 중심으로 하는 공화국;수도 Valletta》.
Málta féver *n.* 〔醫〕 몰타열(熱), 파상열(波狀熱)《몰타 섬 근해에서 유행하는 간헐열》.
malt·ase [mɔ́:lteis, -z] *n.* Ⓤ 〔生化〕 말타아제.
mált·dùst *n.* Ⓤ 엿기름 찌꺼기.
málted (mílk) *n.* 맥아유《탈수한 밀크와 맥아로 만든 용해성의 분말》.
Mal·tese [mɔ:ltí:z, -s] *a.* 몰타(섬)의, 몰타인[어]의. —— *n.* (*pl.* ~) 몰타인;몰타어(語).
〚MALTA〛
Máltese cát *n.* 몰타 고양이《청회색으로 털이 짧은 사육 고양이》.
Máltese cróss *n.* 몰타 십자장(☞ CROSS 주).
Máltese dóg *n.* 몰티즈《spaniel의 일종》.
málte èxtract *n.* 맥아정(精), 몰트 익스트랙트.
mal·tha [mǽlθə] *n.* 천연 아스팔트의 일종. 〚Gk.〛
mált·hòuse *n.* 엿기름 제조[저장]소.
Mal·thus [mǽlθəs] *n.* 맬서스. **Thomas Robert** ~ (1766-1834) 영국의 경제학자.
Mal·thu·sian [mælθjú:ʒən, -ziən, 美+mɔ:l-] *a.* 맬서스(주의)의. —— *n.* 맬서스주의자. **~·ism** *n.* 맬서스주의[학설], 그의 인구론. 〚↑〛
málting *n.* **1** Ⓤ 엿기름 제조(법). **2** =MALT-HOUSE.
mált-kìln *n.* 엿기름 건조용 가마.
mált lìquor *n.* 맥아(양조)주, 엿기름으로 만든 술《ale, beer, stout 따위》.
mált·man [-mən] *n.* 엿기름 제조인(maltster).
malt·ose [mɔ́:ltous, -z] *n.* 〔化〕 말토오스, 엿당.
mal·tréat *vt.* 학대[혹사]하다(abuse).
~·ment *n.* 학대, 냉대, 혹사. 〚F〛
málte·ster *n.* 엿기름 제조[판매]인, 누룩 장수.
〚MALT〛
málte sùgar *n.* =MALTOSE.
málte whìskey *n.* (몰트) 위스키.
málte·wòrm *n.* 《古》 술꾼, 술고래(tippler).
málty *a.* 엿기름의[비슷한];《俗》 술취한.
mal·va·ceous [mælvéiʃəs] *a.* 〔植〕 아욱과의.
〚L; ⇨ MALLOW〛
mal·ver·sa·tion [mælvərséiʃən] *n.* Ⓤ 오직(汚職), 배임(corruption);공금 유용(流用).
〚F (*mal-*, L *versor* to behave)〛
mam [mǽ(:)m] *n.* 《英兒·方》 =MAMA(cf. DAD).
ma·ma [má:mə, məmá:; məmá:] *n.* =MAMMA[1].
máma-and-pápa *a.* =MOM-AND-POP.
máma's bòy *n.* 《美俗·蔑》 여자 같은 사내아이, 응석꾸러기, 과보호된 사내 아이.
mam·ba [má:mba:] *n.* 〔動〕 맘바《남아프리카산의 코브라과의 큰 독사》.
〚Zulu *imamba*〛
mam·bo [má:mbou] *n.* (*pl.* **~s**) 맘보《rumba와 비슷한 빠른 리듬의 Haiti 기원의 무곡·춤》.
—— *vi.* 맘보를 추다.
mam·e·lon [mǽmələn] *n.* 주발[유방] 모양의 작은 산.
Ma·mie [méimi] *n.* 여자 이름《Mary, Margaret의 애칭》.
Mam·luk [mǽmlu:k], **Mam·e·luk(e)**, **Mam·a·luke** [mǽməlù:k] *n.* **1** 〔史〕 (이집트 및 시리아를 지배한) 맘루크 왕조 사람(1250-1517)《군주가 노예용병 출신인데서 이 이름이 있음;1811년 까지 실권을 가짐》. **2** [보통 Mameluke, 흔히 m~] (이슬람교국(敎國)에서의) 백인 노예《터키 사람·몽고 사람·슬라브 사람 등》, 노예 용병. 〚F<Arab. =slave〛
mam·ma[1] [má:mə, məmá:; məmá:] *n.* 《兒》 엄마(cf. PAPA). 〚유아의 *ma, ma* (imit.)〛
mam·ma[2] [mǽmə] *n.* (*pl.* **-mae** [mǽmi:, -mai]) (포유동물의) 유방(udder), 젖통이.
〚OE<L〛
***mam·mal** [mǽməl] *n.* 〔動〕 포유동물.
〚L (*mamma*[2] a breast)〛
Mam·ma·lia [mæméiliə] *n. pl.* 〔動〕 포유류.
mam·má·li·an *a., n.* 포유류의 (동물).
mam·ma·lif·er·ous [mæ̀məlífərəs] *a.* 〔地質〕 (지층이) 포유동물의 화석을 함유하고 있는.
mam·mal·o·gy [məmǽlədʒi, mæ-] *n.* 포유류[동물]학.
mam·ma·ry [mǽməri] *a.* 유방의: ~ cancer 유방암(乳房癌) / ~ glands 젖샘.
mam·mee, ma·mey, mam·ie, mam·mey [ma:méi, -mí:; mæmí:] *n.* 〔植〕 마메아《열대 아메리카산 물레나무과(科)의 나무》;그 열매.
mam·mif·er·ous [mæmífərəs] *a.* 유방이 있는;=MAMMALIAN.
mám·mi·fòrm [mǽmə-] *a.* 유방 모양의.
mam·mil·la, ma·mil·la [mæmílə] *n.* (*pl.* **-lae** [-li:]) 〔解〕 유두, 젖꼭지(같은 돌기(突起)).
mam·mock [mǽmək] *n.* 《古·方》 (천)조각, 단편. —— *vt.* 조각내다;분쇄하다.
mám·mo·gràm, -gràph [mǽmə-] *n.* 〔醫〕 유방 X선 사진.
mam·mog·ra·phy [mæmágrəfi] *n.* Ⓤ (유방암 검사용의) 유방 뢴트겐 조영법(造影法).
mam·mon [mǽmən] *n.* Ⓤ 부(富)《의인적(擬人的)으로 낮추어서 말함》;[M~] 부(富)의 신(神): worshipers of *M*~ 배금(拜金)주의자들.
~·ish *a.* 황금 만능주의의, 배금주의의. **~·ìsm** *n.* 배금주의. **~·ist, ~·ìte** *n.* 배금주의자.
〚L<Gk.<Aram. =riches〛
mám·mo·plàsty [mǽmə-] *n.* 〔醫〕 유방 형성(술)(乳房形成(術)).
mam·moth [mǽməθ] *n.* 매머드《빙하시대의 거상(巨象)》;거대한 것. —— *a.* 거대한(huge).
〚Russ.<Tartar (? *mamma* earth);굴을 파고 산다고 생각되었기 때문인가〛
Mámmoth Cáve *n.* 매머드 동굴《미국 Kentucky 주(州) 중서부에 있는 대종유(大鍾乳) 동굴;국립공원》.
mam·my, mam·mie [mǽmi] *n.* 《兒》 엄마(cf. DADDY);[흔히 경멸적으로]《美南部》 흑인 할멈[유모]. 〚MAMMA[1]〛
mámmy chàir *n.* 《海俗》 풍랑시 배의 승객을 구

명 보트로 실어내리는데 쓰는 바구니[의자].

mámmy clòth *n.* (아프리카 흑인이 몸에 감는) 선명한 빛깔의 무명천.

mámmy tràder *n.* 《西Africa》 시장에서 물건을 파는 여자.

mámmy wàgon[**lòrry, bùs**] *n.* 《西Africa》 소형 승합 트럭《사람·짐을 실어나르는 양쪽이 개방된 탈 것》.

mam·pa·ra, mom- [mɑːmpáːrə] *n.* 《南아口》 손재주가 없는 흑인, 쓸모 없는 사람, 바보.

mam·zer, mom·zer, mom·ser [mámzər] *n.* **1** 맘제르《유태교에서 인정하지 않는 결혼으로 인해 생긴 자식》. **2** 《美俗》 보기 싫은 놈, 늘 빌리기만 하는 녀석, 식객. 〖Yid.〗

◊**man** [mǽ(ː)n] *n.* (*pl.* **men** [mén]) **1** (성인인) 사내, 남자(↔*woman*; cf. GENTLEMAN). **2** [때때로 M~; 관사 없이 단수; 집합적으로] 사람, 인간, 인류(mankind): *M~* is mortal. 사람은 죽음을 면할 수 없다. **3 a)** [부정 대명사적으로] 사람(one): What can a ~ do in such a case? 이러한 경우에 어떻게 하면 좋을 것인가 / any ~ 누구라 할지라도. **b)** …하는 사람, …가(家); (개개의) 사람, 개인(person): a ~ of action 활동가 / a ~ of science 과학자 / a medical ~ 의학자 / All *men* must die. 《속담》 사람은 모두 죽게 마련이다. **4** 남편(husband): ~ and wife ☞ 숙어. **5 a)** 머슴, 하인; 노동자, 종업원, 고용인; 부하; 〖史〗 가신(家臣): masters and *men* 주인과 피고용인 / Stanley's *men* got out of the boat. 스탠리의 부하들은 배에서 내렸다. **b)** [보통 *pl.*] 병사, 수병, 하사관: officers and *men* 사관과 병사, 장병. **6** 팀의 일원, 멤버《남자》; (체스·체커 따위의) 말(piece). **7** 어른이 된 남자, 제구실을 하는 남자; 사내다운 남자, 대장부; 버젓한 사람, 중요한[저명한] 사람: Be a ~. 남자답게 하시오 / make a person a ~ (고생 따위가) 사람을 남자답게 만들다, 성공시키다 / make a ~ of a person 남을 버젓한 사람으로 만들다. **8** 《호칭》 여봐, 어이, 이것 봐: My ~! 어이! 《손아랫 사람에게》 / my little ~ 아가(my dear boy) / old ~ 자네 / Hurry up, ~ (alive)! 어서[어이], 서둘러라! **9** 안성맞춤인 사람; 적합한 상대(의 사람). **10** (대학의) 재학생, 학생; 출신자. **11** 《美俗》 [the M~] **a)** (흑인쪽에서 본) 권력자, 백인(사회); 체제. **b)** 경찰(관), 형사. **c)** 고용주, 보스; (재즈 밴드 따위의) 리더. **d)** 마약 판매인. **12** [주로 복합어를 이루어] 배(ship) (cf. -MAN 3): ☞ MAN-OF-WAR. **13** 《美俗》 1달러.

(all) to a man 만장일치로; 최후의 한 사람까지, 남김없이.

as a man 제구실을 하는 남자[인간]로서; 일치 협력하여.

be** one**'s own man 남의 지배를 받지 않다; 정신 상태가 올바르다.

between man and man 남자 대 남자로.

a man about town ☞ TOWN.

a man among men 사나이 중의 사나이.

man and boy [부사구로서] 소년 시대부터 줄곧, 일생동안.

man and wife 부부: They are[became] ~ *and wife.* 그들은 부부다[가 되었다].

man for man=***man to man*** 일대일로; 개인으로서 비교하면.

a man of affairs ☞ AFFAIR.

a man of all work 무슨 일이든지 하는 사람, 만능가.

a man of blood ☞ BLOOD.

a man of God ☞ GOD.

a man of letters ☞ LETTER *n.* 3.

a man of the world ☞ WORLD.

mistake** one**'s man 상대방을 잘못 보다.

no man 《文語》 어떤 사람이라도 …않다 (nobody).

one***'s man of business*** ☞ BUSINESS.

of all men ☞ OF.

play the man 남자답게 행동하다.

the man in the moon ☞ MOON.

the man in[《美》***on***] ***the street*** ☞ STREET.

the Man of Blood and Iron ☞ BLOOD.

— *vt.* (**-nn-**) **1** …에 병사를 배치하다《근무나 방어를 위해서》; (배에) 사람을 태우다; (지위·관직 따위에) 사람을 앉히다. **2** [+目/+目+*for*+名] [특히 ~ one*self* 로] …에게 용기를 북돋우다, 격려하다: He ~*ned* him*self* ***for*** the ordeal. 그 시련을 견디려고 분투했다.

man it out 사내답게 관철하다[행동하다].

〖OE *man(n)*, (pl.) *menn*; cf. G *Mann*〗

Man *n.* [the Isle of ~] 맨 섬《영국의 Irish Sea의 섬; 중심 도시 Douglas》.

-man [mən, mæ̀n] *comb. form* (*pl.* **-men** [mən, mèn]) **1** 「…나라 사람」「…에 사는 남자」의 뜻: English*man*; country*man*. **2** 「직업·신분」따위를 나타냄(cf. -WOMAN): police*man*. **3** 「…선(船)」의 뜻(cf. MAN *n.* 12): merchant*man*.

Man. Manila (paper); Manitoba. **man.** manual.

mán-abòut-tówn *n.* (*pl.* **mén-**) (고급 나이트 클럽 따위에 출입하는) 사교가, 오입쟁이, 플레이보이; (런던 사교계의) 멋쟁이 신사.

man·a·cle [mǽnikəl] *n.* **1** [보통 *pl.*] 수갑, 쇠고랑. **2** 《비유》 속박. — *vt.* …에게 수갑을 채우다; 속박하다. 〖OF<L (dim.) ‹*manus* hand〗

ᵻman·age [mǽnidʒ] *vt.* **1** (사업 따위를) 처리하다, 경영[관리]하다; (사람을) 통어하다, 잘 다루다[구슬리다]; (말 따위를) 잘 부리다; (배를) 조종하다, 다루다. **2** [+*to* do] 가까스로 …하다, 잘 …하다: I ~*d to* get out at the right station. 간신히 목적한 역에서 내릴 수 있었다 / He ~*d* (=was foolish enough) *to* make a mess of it. 《戱》 그녀석 엉망을 만들어 놓았군. **3** 《口》 [can, be able to를 수반하여] 해치우다, 먹다.

〈회화〉
Can you *manage* another slice?—Sorry, I've had enough. 「한 조각 더 드실래요」「됐어요, 많이 먹었습니다」

— *vi.* [動/+前+名] 일을 처리하다; 그럭저럭 해나가다: I think I can ~ by myself. 혼자서 그럭저럭 해나갈 것 같다 / She won't be able to ~ ***without*** help. 도움을 받지 않고는 해나갈 수 없을 것이다 / ***With*** a hundred dollars I could ~. 100달러만 있으면 어떻게 될 것 같다.

— *n.* 《廢》 =MANAGEMENT.

〖It. *maneggiare* (L *manus* hand)〗

類義語 ***manage*** 권한을 가진 사람이 교묘히 사람을 이용하여 세밀한 데까지 신경을 써서 어떤 목적을 달성하다, 또는 어떤 사업을 하다: He *manages* a big firm. (큰 회사를 경영한다). ***conduct*** 행정적 수완이나 지식·지혜를 발휘하여 어떤 목적을 위해 움직이는 단체를 지휘·감독하다: *conduct* an election campaign (선거운동을 지휘하다). ***direct*** 세밀한 점까지 일일이 감독하기 보다 오히려 충고·지도를 하다: *direct* the construction of a building (건축 공

사를 지시 감독하다). ***control*** 규칙 또는 제약을 두어 엄중히 지도하여 지배하다 : A captain *controls* his ship and its crew. (선장은 배와 선원을 통제한다).

mánage·able *a.* 다루기 쉬운 ; 제어하기 쉬운, 온순한 ; 처리하기 쉬운. **mànage·abílity** *n.* 다루기 쉬움, 통제할 수 있음 ; 온순한 성격.

mán·aged cúrrency *n.* 〘經〙 통제 화폐, 관리 통화.

mánaged néws *n.* 《政俗》 정부측 발표의 뉴스 《내용을 정부측에 유리하도록 조작한》.

***mánage·ment** *n.* **1** Ⓤ 취급, 제어, 조종 ; 경영, 관리, 지배, 단속 ; 처리 ; 경영[지배]력, 경영 수완. **2** Ⓤ 변통 ; 술책. **3** Ⓤ,Ⓒ [집합적으로] 경영 간부(진), 경영자(측), 고용[사용]자측, 관리자 : a strong ~ 강력한 경영진 / The ~ refused to come to terms. 경영자측은 타협을 거절했다 / A consultation will be held between ~ and labor. 노사(勞使)간에 협의가 이루어질 것이다.

mánagement accòunting *n.* 원가 계산(cost accounting).

mánagement consùltant *n.* 경영 컨설턴트.

mánagement engineèring *n.* 경영[관리(管理)] 공학.

mánagement informàtion sỳstem *n.* (컴퓨터를 사용한) 경영[관리] 정보 체계《略 MIS》.

mánagement scìence *n.* 〘經營〙 경영 과학, 관리 공학.

mánagement shàres *n. pl.* 《英》 임원주(任員株).

mánagement tráining èxercise *n.* 경영자 훈련.

‡**mán·ag·er** *n.* **1** 지배인, 관리자, 경영자, 간사, 주사 ; 감독 ; (연예인·흥행 단체 따위의) 매니저 ; (프로 스포츠 팀[선수]의) 감독, (학생팀의) 매니저 : ~'s shares 임원 주식 / ☞ STAGE MANAGER. **2** 처리자 ; 수완가 ; 수단꾼 : a good [bad] ~ (특히 주부들의) 살림[변통] 잘하는[못하는] 사람. **3** 〘英法〙 관재인(管財人) ; [*pl.*] 〘英議會〙 양원 협의회 위원.

mánager·ess [; mæ̀nidʒərés, ---́] *n.* 여자 지배인, 여자 관리인.

man·a·ge·ri·al [mæ̀nədʒíəriəl] *a.* **1** manager의. **2** 취급[조종·경영]의 ; 관리[지배]의 ; 단속하는 ; 처리하는.

managérial·ist *n.* (사업·정치 따위의) 관리정책 신봉자, 통제주의자.

mán·ag·ing *n.* Ⓤ manage하는 것. —— *a.* **1** manage하는 ; 수뇌의. **2** 경영[처리]을 잘하는. **3** 《古》 검소한 ; 인색한. **4** 참견하기 좋아하는, 덥적이는.

mánaging diréctor *n.* 상무이사.

mánaging éditor *n.* 편집장, 편집 주간.

mánaging pártner *n.* 업무(業務) 집행사원(cf. SLEEPING PARTNER).

Ma·na·gua [mənɑ́ːgwə ; -nǽg-] *n.* **1** [Lake ~] 마나과호(湖)《니카라과 서부의 호수》. **2** 마나과 《니카라과의 수도》.

man·a·kin [mǽnikən] *n.* 〘鳥〙 춤새 ; [새이름 외에] =MANIKIN.

Ma·na·ma [mənǽmə ; -nɑ́ː-] *n.* 마나마《바레인의 수도》.

ma·ña·na [mənjɑ́ːnə] *adv.* 내일 ; 금명간. —— *n.* 내일 ; 미래의 어느날[때]. 〖Sp.〗

mán àpe *n.* 유인원(類人猿) ; 화석 인류.

Man·a·slu [mǽnəsluː] *n.* 마나슬루《히말라야 산맥의 고봉》.

mán-at-árms *n.* (*pl.* **mén-**) 〘史〙 병사, (특히 중세의) 중기병(重騎兵). 〖cf. F *homme à armes*〗

man·a·tee [mǽnətìː ; ---́] *n.* 〘動〙 바다소《아메리카·아프리카 열대지방의 대서양 해역의 넓고 둥근 꼬리가 있는 바다소》. 〖Sp.<Carib〗

ma·nav·el·ins, -il- [mənǽvəlɪnz] *n. pl.* 《俗》 (음식물의) 찌꺼기 ; 《海俗》 (선구(船具)의) 잡동사니.

Man·ches·ter [mǽntʃèstər, -tʃəs- ; -tʃis-] *n.* 맨체스터《영국 Greater Manchester 주(州)의 상공업 도시 ; 방적업의 중심지》.

Mánchester gòods *n. pl.* 《英》 면포류.

Mánchester Schòol *n.* [the ~] 〘經〙 맨체스터 학파《1830년대의 자유무역주의파》.

Mánchester térrier *n.* 맨체스터 테리어《흑색 바탕에 다갈색 반점이 있는 애완견》.

man·chet [mǽntʃət] *n.* 《古》 최고 품질의 밀가루 빵 ; 《英方》 방추형(紡錘型)의 빵, 흰빵《한 개》.

mán-chìld *n.* (*pl.* **mén-chìldren**) 《古》 사내아이(boy).

man·chi·neel [mæ̀ntʃəníːl] *n.* 〘植〙 열대 아메리카산 대극과(科)의 독있는 나무. 〖F<Sp. (dim.) ‹ *manzana* apple〗

Man·chu [mǽntʃuː, -́] *n.* (*pl.* **~, ~s**) 만주인(滿州人) ; Ⓤ 만주어(語). —— *a.* 만주의 ; 만주인[어]의.

Man·chu·ria [mæntʃúəriə] *n.* 만주. —— *a.* 만주(풍)의. **Man·chú·ri·an** *a., n.*

Manchúrian cándidate *n.* (어떤 조직·외국 기관 따위에서) 세뇌받은 사람, 꼭두각시. 〖미국의 작가 Richard Condon (1915-)의 소설 *The Manchurian Candidate* (1952)에서〗

man·ci·ple [mǽnsəpəl] *n.* (대학·수도원 따위의) 식료품 구입 담당원, 식사 준비를 하는 사람(steward). 〖OF<L *mancipium*〗

Mancun : *Mancuniensis* 《L》 (=of Manchester) 《Bishop of Manchester의 서명에 씀》.

Man·cu·ni·an [mænkjúːniən] *a., n.* Manchester의 (주민). 〖L *Mancunium* Manchester〗

-man·cy [mænsi] *n. comb. form* 「… 점(占)」의 뜻 : necro*mancy.* 〖OF<Gk. =oracle〗

mand [mǽnd] *n.* 〘言〙 맨드《듣는 이에게 어떤 행동을 취하도록 말하는 명령 따위》.

M & A merger and acquisition.

man·da·la [mʌ́ndələ] *n.* Ⓤ 〘美術〙 만다라(曼荼羅)《기하학적 도형으로 신상(神像) 또는 신의 속성이 그려져 있음》. 〖Skt. =circle〗

man·da·mus [mændéiməs] *n.* 〘英法〙 **1** =MANDATE 2. **2** (옛날에 업무의 집행을 명하던) 칙서(勅書). —— *vt.* 《口》 …에 직무 집행 영장을 송달하다, 집행 영장으로 위협하다. 〖L=we command〗

man·da·rin [mǽndərən] *n.* **1 a**) (중국 청나라 시대의) 관리. **b**) 음(陰)의 실력자로 보이는 고관, 유력한 정치가 ; 보수적 관공리 ; (지식·문예 세계의, 특히 반동적인) 거물, 대가. **2** Ⓤ [M~] 북경관어(北京官語)《중국의 표준어》. **3** 만다린 코트《청나라의 관리가 착용한 소매가 넓은 비단 천의 긴 웃옷 ; 현재는 여성의 야회복》. **4 a**) =MANDARIN ORANGE. **b**) 밀감색, 노란색을 띤 주황색. —— *a.* (중국의 옛날의) 고급 관리(풍)의 ; 정교한《문체》. 〖Port.<Malay<Hindi *mantri*<Skt.=counsellor〗

man·da·rin·ate [mǽndərənèit] *n.* [집합적으로]

M

고급 관료 ; 고급 관료 정치.
mándarin cóllar *n.* 〖服〗 만다린 칼라.
mándarin dúck *n.* 〖鳥〗 원앙새.
man·da·rine [mǽndərən] *n.* =MANDARIN ORANGE.
mándarin órange *n.* 〖植〗 만다린 오렌지(의 나무).
man·da·tary [mǽndətèri ; -təri] *n.* **1** (국제 연맹의) 위임 통치국. **2** 〖法〗 수임자[국] ; 대리인[국] ; 명령 수반자.
man·date [mǽndeit, -dət] *n.* **1** 명령, 지령 (order) : a doctor's ~ 의사의 지시. **2** (상급 재판소에서 하급 재판소로의) 직무집행영장. **3** (선거민의 의원에 대한) 요구. **4** 〖法〗 위임 ; (국제 연맹에서의) 위임 통치(령). **5** (특히 성직 수임(授任)의) 로마 교황의 명령. **6** 〖法〗 (무상) 서비스 계약. —— [mǽndeit] *vt.* **1 a)** (국제 연맹이) 위임 통치국으로 지정하다 : a ~*d* territory (국제 연맹으로부터의) 위임 통치령. **b)** …에게 권한을 위양하다. **2** 명령하다, 지령하다, 요구하다.
mán·da·tor *n.* 명령자, 위임자.
〖L *mandat- mando* to command(? MANUS, *do* to give)〗
man·da·to·ry [mǽndətɔ̀:ri ; -təri] *a.* 명령의, 위임의 ; 위임된 ; 강제적인, 의무적인 ; 《古》 필수의 (obligatory) : a ~ power (국제 연맹의) 위임 통치국 / ~ rule [administration] 위임 통치 / a ~ clause 필수 조항. —— *n.* =MANDATARY.
〖L (↑)〗
mán-dáy *n.* 한 사람당 하루의 노동량(cf. MAN-HOUR).
man·di·ble [mǽndəbəl] *n.* 〖解·動〗 아래턱, 하악골(下顎骨) ; (절지동물의) 대악(大顎) ; 〖鳥〗 아랫[윗]부리.
〖OF or L (*mando* to chew)〗
man·do·la [mændóulə] *n.* 〖樂〗 만돌라《대형 만돌린》. 〖It.〗
man·do·lin, -line [mæ̀ndəlí:n, mǽndələn] *n.* 〖樂〗 만돌린. **màn·do·lín·ist** *n.* 만돌린 연주자.
〖F<It. (dim.)<↑〗
man·drag·o·ra [mændrǽgərə] *n.* 〖植〗 =MANDRAKE. 〖OE<L<Gk.〗
man·drake [mǽndreik] *n.* 〖植〗 **1** 《美》 =MAYAPPLE. **2** 만드레이크《뿌리에 독이 있으며 최면제에 사용됨 ; 원래 수면제·설사약으로 쓰였음》. 〖↑〗
man·drel, -dril [mǽndrəl] *n.* 《英》 (광부의) 곡괭이(pick) ; 〖機〗 (선반의) 굴대, 축 ; (주조용의) 심쇠《쇠로 된 속골》.
〖C16<? F *mandrin* lathe〗
man·drill [mǽndrəl] *n.* 〖動〗 맨드릴《서아프리카산(産) ; 개코원숭이와 비슷하나 꼬리가 짧고 몸집이 큼》. 〖? *man*+*drill*[4]〗
man·du·cate [mǽndʒəkèit] *vt.* 《文語》 씹다 (chew), 먹다.
〖L *manducat- manduco* to chew〗
mane [méin] *n.* (말이나 사자의) 갈기 ; 《戱》 (갈기 같은) 탐스러운 머리털 : Why have you got that ~ of hair on your forehead? 너는 왜 그 덥수룩한 머리를 이마에 늘어뜨리고 있니.
~d *a.* 갈기가 있는.
〖OE *manu* ; cf. G *Mähne*〗
mán-èat·er *n.* 식인종 ; 식인 동물《호랑이·사자·상어 따위》.
ma·nège, ma·nege [mænéiʒ, mə-] *n.* Ⓤ 마술(馬術) ; Ⓒ 마술 연습소 ; Ⓤ 조련된 말의 동작과 보조. 〖F<It. ; ⇨ MANAGE〗

mán èngine *n.* 《廢》 〖鑛山〗 갱내 승강기.
ma·nes [má:neis, méini:z] *n. pl.* **1** [흔히 M~] 마네스《로마인의 신앙에서 죽은 사람의 영혼, 특히 조상의 망령(亡靈) 및 명계(冥界)의 신(神)들》. **2** [단수취급] (숭배[위령]의 대상이 되는) 죽은 사람의 영혼. 〖L〗
Ma·net [mænéi, mɑ:-] *n.* 마네. **Édouard** ~ (1832-83) 프랑스의 인상파 화가.
***ma·neu·ver, -noeu-** [mənjú:vər] *n.* **1** 전술적 행동, 기동(機動) 작전. **2** [*pl.*] 대연습. **3** 기술을 요하는 조작 (방법). **4** 교묘한 조치 ; 묘책 ; 책략, 공작.
—— *vi.* **1** 전술적으로 행동하다 ; 연습(演習)하다 ; 책동하다. **2** [動/+前+名] 책략을 부리다 : He is always ~*ing* ***for*** some advantage. 항상 유리한 지위를 차지하려고 획책하고 있다. **3** (정당 따위가) 전략적으로 정책[입장] 따위를 전환하다.
—— *vt.* **1** (군대를) 전술적으로 행동시키다 ; 연습시키다. **2** [+目/+目+前+名] 잘 조종하여 …시키다, 계략을 써서 …시키다 : He ~*ed* his car ***into*** a small space. 그는 차를 잘 몰아 좁은 장소에 넣었다 / She ~*ed* herself ***out of*** the embarrassing position. 그녀는 잘 조처하여 난처한 입장에서 벗어났다.
~·able *a.* 조작[조종, 운전]할 수 있는.
〖F<L *manu operor* to work with the hand〗
Manéuverable Reéntry Véhicle *n.* 기동 핵탄두《略 MARV》.
mán-for-mán defénse *n.* =MAN-TO-MAN DEFENSE.
mán Fríday *n.* [흔히 M~] 충실한 하인《Robinson Crusoe의 하인 이름에서》.
mán·ful *a.* 남자다운, 용맹스러운, 굳게 결심한 (resolute, manly). **~·ly** *adv.* 남자답게, 용감하게, 단호히. **~·ness** *n.*
man·gan- [mǽŋgən], **man·ga·no-** [mǽŋgənou, -nə], **man·ga·ni-** [-nə] *comb. form* 〖化〗 「망간(manganese)」의 뜻.
man·ga·nate [mǽŋgənèit] *n.* 〖化〗 망간산염.
man·ga·nese [mǽŋgəni:z, -s, ⌐--⌐] *n.* Ⓤ 〖化〗 망간《금속원소 ; 기호 Mn ; 번호 25》.
〖F<It. =MAGNESIA〗
mánganese nódule *n.* 망간 단괴(團塊), 다(多) 금속 단괴.
mánganese stéel *n.* 망간강(鋼)《구조용(構造用) 특수강》.
man·gan·ic [mæŋgǽnik] *a.* 〖化〗 망간의 ; 망간 비슷한 ; 망간에서 채취된.
man·ga·nite [mǽŋgənàit] *n.* 〖鑛〗 수(水)망간광 ; 〖化〗 아(亞)망간산염(酸鹽).
mange [méindʒ] *n.* **1** Ⓤ (개·소 따위의) 옴, 개선(疥癬). **2** Ⓤ 피부의 불결《가벼운 뜻으로》.
〖OF=itch (*mangier* to eat<MANDUCATE)〗
man·gel(-wur·zel) [mǽŋgəl(wə̀:rzəl)], **mán·gold(-)** [mǽŋgould(-), -gəld(-) ; -gəld(-)] *n.* 사료용 사탕무, 사료비트《가축 사료》.
〖G=beet(root)〗
man·ger [méindʒər] *n.* 여물통, 구유(cf. CRIB 2) ; (뱃머리의) 물막이 칸, 닻줄 구멍.
a dog in the manger 《口》 심술쟁이《Aesop 이야기에서》.
〖OF<L ; ⇨ MANDUCATE〗
mánger bòard *n.* 〖海〗 뱃머리의 물막이 판자.
man·gle[1] [mǽŋgəl] *vt.* **1** 마구 썰다, 난도질하다 : The body was found horribly ~*d.* 시체는 무참하게 난도질된 상태로 발견되었다. **2** (비유)

엉망진창을 만들다 ; (그릇된 발음·부적절한 인용 따위로 말 뜻을) 알 수 없게 하다.
mán·gler *n.*
〖AF *ma(ha)ngler* (freq.) ‹? MAIM〗

mangle[2] *n.* **1** (세탁물의) 주름 펴는 기계, 마무리하는 기계, 압착 롤러. **2** 《英》 (예전의) 탈수하는 기계. —— *vt.* 압착 롤러[탈수기]로 펴다[짜다]. 〖Du. *mangel*〗

man·go [mǽŋgou] *n.* (*pl.* **~s, ~es**) 〖植〗 망고(나무) ; 망고 열매. 〖Port.〗

mán-gòd *n.* (*pl.* **mén-gòds**) 신인(神人) (cf. DEMIGOD) ; 인간이기도 하고 신이기도 한 사람.

mangold(-wurzel) ☞ MANGEL(-WURZEL).

man·go·nel [mǽŋgənèl] *n.* (중세 군용의) 투석기(投石機).

man·go·steen [mǽŋgəstìːn] *n.* 〖植〗 망고스틴(나무)《열대 아시아산(産)》; 그 열매《과실의 여왕이라 일컬음》. 〖Malay〗

man·grove [mǽngrouv, mǽŋ-] *n.* 〖植〗 맹그로브, 홍수(紅樹)《열대의 강어귀·해변에 자라는 삼림성의 수목》. 〖C17‹ ? ; 어형은 *grove* 에 동화〗

mangrove

man·gy, -gey [méindʒi] *a.* 옴[개 선](mange)에 걸린[투성이의] ; 불결한 ; 초라한.
mán·gi·ly *adv.* 〖MANGE〗

mán·hàndle *vt.* 인력으로 움직이다 ; 《俗》 거칠게[난폭하게] 다루다, 학대하다.

mán-hàter *n.* 사람을 싫어하는 사람 ; 남자를 싫어하는 사람.

Man·hat·tan [mænhǽtn, mən-] *n.* **1 a**) 맨해튼《New York 시(市)의 중심을 이루는 한 구(區)로 번화가·금융가·센트럴파크가 있음》. **b**) = MANHATTAN ISLAND. **2** [때때로 m~] 맨해튼《위스키·베르무트·비터즈 따위를 재료로 하는 칵테일》. **~·ìte** *n.*

Manháttan (Enginéer) Dístrict *n.* [the ~] 맨해튼 (기술원) 관구(管區)《제2차 세계 대전중의 미(美) 육군의 원자폭탄 개발 계획》.

Manháttan Ísland *n.* 맨해튼 섬《섬 전체가 맨해튼 구(區)를 형성함》.

Manháttan·ìze *vt.* (도시를) 고층화(化)하다.

Manháttan Próject *n.* [the ~] 맨해튼 계획《Manhattan Engineer District의 비공식 암호 명칭》.

mán héad òn *n.* 〖美蹴〗 수비측 라인 선수가 공격측 라인 선수와 정면으로 맞대하여 낮은 자세를 취하기.

mán·hòle *n.* **1** Ⓤ 맨홀 ; 잠입구(口). **2** 〖鐵〗 (터널 속의) 대피소 ; 《俗》 여성 성기.

mánhole còver *n.* 《美俗》 (핫케이크·레코드판 따위) 맨홀 뚜껑 모양의 것 ; 《俗》 생리대.

mán·hood *n.* **1** Ⓤ 인성, 인격. **2** Ⓤ 성인, 성년(成年), 청장년 시절. **3** Ⓤ 남자임 ; 남자다움, 용감성(manliness) : be in the prime of ~ 남자로서 한창 때다. **4** [집합적으로] 성인 남자 : the ~ of Scotland 스코틀랜드의 모든 남성.

mánhood súffrage *n.* 성년 남자 선거권.

mán-hòur *n.* 〖經營〗 1인당 1시간의 노동량(cf. MAN-DAY).

mán·hùnt *n.* (조직적인) 범인 추적.

Ma·ni [máːni] *n.* 마니(216?-?276)《페르시아의 예언자로 마니교(敎)의 시조》.

ma·nia [méiniə, -njə] *n.* **1** Ⓤ 〖醫〗 조병(躁病). **2** [+*for*+do*ing*] 열광, …광(狂)[열], 마니아 : He has a ~ ***for*** speculation[*for* collect*ing* stamps]. 투기[우표수집]광(狂)이다. 〖L‹Gk. (*mainomai* to be mad) ; *mind*와 같은 어원〗

-ma·nia [méiniə] *n. comb. form* **1** 「…광(狂)」의 뜻 : klepto*mania*. **2** 「열광적 성벽」「심취(心醉)」의 뜻 : biblio*mania*. 〖↑〗

ma·ni·ac [méiniæ̀k] *a.* 광란의, 광기(狂氣)의. —— *n.* 미친 사람(madman) ; 열중하는 사람, …광 : fishing ~*s* 낚시광들. 〖L‹Gk. ; ⇨ MANIA〗

ma·ni·a·cal [mənáiəkəl] *a.* =MANIAC.

man·ic [mǽnik, méinik] *a.* 〖精神醫〗 조병(躁病)의. —— *n.* 조병환자. 〖MANIA〗

mánic-depréssive *a., n.* 〖精神醫〗 조울병(躁鬱病)의 (환자).

mánic-depréssive psychósis *n.* 〖精神醫〗 조울병.

Man·i·chae·an, -che- [mæ̀nəkí(ː)ən] *a.* 마니교(도)의 ; 마니교 신앙의. —— *n.* 마니교도 ; 마니교적 이원론의 신봉자.

Man·i·ch(a)e·ism [mǽnəkìːizəm] *n.* Ⓤ 마니교《페르시아 사람 Mani가 3세기경 제창한 종교》.

Man·i·chee [mǽnəkìː] *n.* 마니교도.

man·i·chord [mǽnəkɔ̀ːrd] *n.* =CLAVICHORD.

man·i·cure [mǽnəkjùər] *n.* **1** Ⓤ 매니큐어 ; 미조술(美爪術) ; Ⓒ 그 시술(施術) : have a course in ~ 미조술을 배우다 / have a ~ 매니큐어를 하다. **2** =MANICURIST. —— *vt.* …에게 매니큐어를 해주다.
〖F (MANUS, L *cura* care)〗

mán·i·cùr·ist *n.* 매니큐어사(師), 미조사.

***man·i·fest** [mǽnəfèst] *a.* 명백한, 뚜렷한(evident)‹*to*› : It is ~ *to* all of us. 그것은 우리 모두가 분명하게 아는 일이다.
—— *vt.* **1** 명백하게 하다, 명시하다 ; 증명하다 : ~ the truth of a statement 기술(記述)[진술]이 진실임을 증명하다. **2** (감정 따위를) 겉으로 나타내다, 표현하다, 표명하다 : She ~*ed* no desire to see her relatives. 친척을 만나보고 싶다는 것을 조금도 내색하지 않았다. **3** 〖商〗 적화(積貨) 목록에 기재하다.
—— *vi.* (유령 따위가) 나타나다(appear).
manifest itself (유령·징후 따위가) 나타나다, 명백해지다 : The tendency ~*ed itself* in many ways. 그 경향은 여러 가지 면에서 나타났다.
—— *n.* 〖商〗 적화(積貨) 목록[명세서] ; 비행기의 승객명단 ; (가축·식품 따위를) 운반하는 급행 화물 열차. **~·ly** *adv.* 명백히, 확실하게.
〖OF or L *manifestus* struck by the hand(*manus*)〗

man·i·fes·tant [mæ̀nəféstənt] *n.* 시위 운동 참가자, 시위 행위를 하는 사람.

man·i·fes·ta·tion [mæ̀nəfestéiʃən] *n.* Ⓤ,Ⓒ 표명, 명시, 나타남 ; 정견 발표(revelation) ; 시위 행동, 시위 운동 ; 영혼의 형체화 ; 형체화한 영혼.

man·i·fes·ta·tive [mæ̀nəféstətiv] *a.* 표명[명시]하는.

man·i·fes·to [mæ̀nəféstou] *n.* (*pl.* **~s, ~es**) 선언서, 성명서 : the Communist *M*~ 공산당 선언. —— *vi.* 선언서[성명서]를 발표하다.

man·i·fold [mǽnəfòuld] *a.* **1 a**) 다수의 ; 여러 가지의, 다방면의(various) ; 많은, 수많은 ; 동시에 몇가지 기능을 다하는. **b**) 같은 종류의 부속품으로 된《장치 따위》. **2** (여러 가지 이유로) 그렇게 말하는 것도 지당한《악당·거짓말쟁이》.
—— *adv.* 몇배로, 크게. —— *n.* **1** 다양성‹*of*›. **2**

(복사기[지]로 복사한) 사본 ; 〖機〗 다기관(多岐管). — *vt.* (편지 따위를) 복사기[지]로 (몇 장이고) 사본을 찍어내다 ; 배가[배증]하다 ; (액체를) 다기관(多岐管)으로 모으다. — *vi.* 복사 방식으로 사본을 만들다.
〚OE ; ⇨ MANY, FOLD〛

mánifold pàper *n.* 복사지.

man·i·kin [mǽnikən] *n.* **1** 꼬마둥이, 난쟁이(dwarf). **2** 인체 해부 모형. **3** =MANNEQUIN. 〚Du. (dim.)〈MAN〛

Ma·nila [mənílə] *n.* **1** 마닐라《필리핀의 수도 ; cf. QUEZON CITY》. **2** [때때로 m~] 마닐라삼(=∽ **hémp**) ; [m~] 마닐라 종이(=∽ **páper**) ; [때때로 m~] 마닐라여송연(=∽ **cigár**).
— *a.* [m~] 마닐라 종이[삼]로 만든.

Maníla fòlder *n.* 마닐라 폴더《서류철용》.

Maníla rópe *n.* 마닐라 로프《마닐라삼으로 만든 질긴 밧줄》.

Ma·nil·la [mənílə] *n.* =MANILA.

man·i·oc [mǽniɑ̀k, 美+méi-], **man·i·o·ca** [mæ̀nióukə] *n.* =CASSAVA.

man·i·ple [mǽnəpəl] *n.* (카톨릭교 사제(司祭)가 왼쪽 팔에 드리우는) 성대(聖帶) ; 〖古로〗 보병 중대《60-120명》.
〚OF or L=handful ; ⇨ MANUS〛

ma·nip·u·la·ble [mənípjələbəl] *a.* 다룰 수 있는, 조종[조작]할 수 있는. **ma·nìp·u·la·bíl·i·ty** *n.*

ma·nip·u·lar [mænípjələr] *a.* **1** 〖古로〗 보병 중대의[에 관한]. **2** =MANIPULATIVE.
— *n.* 〖古로〗 보병 중대 대원.

ma·nip·u·late [mənípjəlèit] *vt.* **1** (손으로) 교묘히 다루다, 조종하다 : ~ the levers of a machine 기계의 지렛대를 조종하다. **2** 잘 처리하다 ; (시장·시장 가격을) 교묘히 조작하다 ; (장부 따위를) 속이다, 농간부리다 ; (사람을) 조종하다 : ~ stocks[the market, public opinion] 주식[시장, 여론]을 조작하다 / ~ figures 숫자를 조작하다 / ~ accounts 계산을 속이다.
— *vi.* 능란하게 다루다[조종하다], 속임수를 쓰다, 잔꾀를 부리다. **ma·níp·u·là·tive** [, -lətiv], **ma·níp·u·la·tò·ry** [; -lèitəri] *a.* 손으로 다루는 ; 교묘하게 다루는 ; 속임수의, 농간부리는.
-làt·able *a.* 교묘히 다룰 수 있는, 조종할 수 있는. 〚역성(逆成)〈↓〛

ma·nìp·u·lá·tion *n.* **1** Ⓤ,Ⓒ 교묘한 취급. **2** Ⓤ,Ⓒ 〖商〗 시장 조작, 조작된 시세, 선매(煽買). **3** Ⓤ,Ⓒ 속임수, 잔꾀.
〚F ; ⇨ MANIPLE〛

ma·níp·u·là·tor *n.* **1** 손으로 능란하게 다루는 사람 ; 조종자. **2** 속이는[조작하는] 사람. **3** 〖商〗 시세를 조작하는 사람. **4** 머니퓰레이터《방사성 물질 따위 위험물을 다루는 기계장치》.

Man·i·to·ba [mæ̀nətóubə] *n.* 매니토바《캐나다 중부의 주(州) ; 주도 Winnipeg》.

man·i·tou, -tu [mǽnətùː], **-to** [-tòu] *n.* (*pl.* **~s**) (북미 인디언의) 신(神)(의 상) ; 영(靈), 초자연력. 〚Algonquian〛

mán jàck *n.* 《口》 개인《남자 ; ☞ JACK[1]》.

‡**màn·kínd** *n.* Ⓤ **1** [보통 단수취급] 인류(the human race), 인간(human beings) : all ~ 전인류 / He is of the opinion that ~ does not appear to be progressing. 인류가 진보하고 있는 것처럼 보이지 않는다는 의견이다 / *M*~ owes immense benefits to Jenner. 인류는 제너에게 막대한 은혜를 입고 있다. **2** [∸] 남성(the male sex), 남자(men) (↔*womankind*).

mán·lìke *a.* 사람 같은 ; 남자 같은 ; 남자다운(↔ *womanlike*) ; (여자가) 남자 이상으로 씩씩한.

*__mán·ly__ *a.* **1** 사내다운(↔*womanly*), 씩씩한, 용감한. **2** 남성적인. **3** (여자가) 남자와 같은, 남자 이상으로 굳건한. — *adv.* 《古》 남자답게 ; 남자 못지 않게. **-li·ness** *n.* 남성적임, 용감, 과단.
[類義語] ***manly*** (↔*womanly*) 남자다운 ; 용기·독립심·명예심 따위를 강조하여 좋은 의미를 나타냄. 또 (남자의) 성인다운 뜻에도 쓰여짐 : a *manly* conduct (남자다운 행동). ***masculine*** (↔*feminine*) 여성적인 성질[성격]에 대하여 남성적인 힘·활기 따위의 특색을 말함 : a *masculine* voice (남성적인 목소리). ***mannish*** (↔*womanish*) 여자이면서 남자 같은, 남성의 특징을 지닌, 남자 복장을 모방한 ; 경멸적인 뜻으로 쓰는 수도 있음 : a *mannish* manner of the girl (그 소녀의 남자 같은 태도). ***male*** (↔ *female*) 사람·동식물에 사용하여 단순히 남자[수컷]의 뜻 : *male* animals (동물 수컷들).

mán-machìne sýstem *n.* 〖電子〗 **1** 맨머신 시스템《인간과 기계·장치를 구성 요소로 하는 체계》. **2** 인간과 컴퓨터와의 대화 형식에 의해 작업을 진행시키는 시스템.

mán-máde *a.* 인조(人造)의, 인공의, 합성의 : a ~ satellite[moon] 인공 위성 / ~ fibers 합성 섬유 / ~ calamities 인재(人災).

mán-mílliner *n.* (*pl.* **~s**, **mén-mílliners**) **1** (남자인) 여성 모자류 제조 판매인. **2** 멋쟁이(fop). **3** 하찮은 일에 기를 쓰는 사람.

mán-mìnute *n.* 한 사람당 일분간의 노동량(cf. MAN-HOUR).

mán-mònth *n.* 한 사람당 일개월간의 노동량(cf. MAN-HOUR).

Mann [mɑ́ːn, mǽn ; mǽn] *n.* 만. **1 Heinrich ~** (1871-1950) 독일의 소설가 ; Thomas의 형. **2 Thomas ~** (1875-1955) 한때 미국에 거주했던(1938-53) 독일의 소설가 ; 마의 산(1924), 노벨 문학상 수상(1929).

mann- [mǽn], **man·no-** [mǽnou, -nə] *comb. form* 「만나(manna)」의 뜻.

man·na [mǽnə] *n.* **1** Ⓤ 〖聖〗 만나《옛날 이스라엘 사람이 아라비아의 광야에서 신으로부터 받았다는 음식물》. **2** 신이 내리신 음식, 영혼의 양식 ; 만나와 비슷한 것, 하늘에서 베푼 물건 ; 아주 맛있는 것. 〚OE<L<Gk.<Aram.<Heb.〛

mánna àsh *n.* 〖植〗 만나물푸레나무《남유럽·소아시아산(産) 목서과(科)의 나무 ; 달콤한 액체를 분비함》.

manned [mǽnd] *a.* 사람을 태운 : a ~ spacecraft 유인(有人) 우주선.

mánned expedítion *n.* 〖宇宙〗 유인 탐사.

mánned submérsible *n.* 유인 잠수선[정]《잠수 심도 300-1100 m의 것이 많음》.

man·ne·quin [mǽnikən] *n.* **1** 마네킹, 패션 모델《백화점·패션 쇼 따위에서 신형 의상을 입어 보이는 여성》. **2** 마네킹《양복점·화실 따위에서 쓰는 모델 인형 ; cf. LAY FIGURE 1》.
〚F=MANIKIN〛

‡**man·ner** [mǽnər] *n.* **1** 방법, 방식 : *in* like ~ 마찬가지로, 또한 / *in* this ~ 이런 식으로 / *In* what ~...? 어떠한 방식으로… / *after* that ~ 그렇게 해서. **2** 태도, 모습, 거동(behavior) : a gracious ~ 우아한 태도 / I don't like her ~. 그녀의 태도가 마음에 들지 않는다. **3** [*pl.*] 예의, 예절 : He has no ~*s.* 버릇이 없다 / Where are your ~*s*? 너 버릇이 나쁘구나《어린이에게 말함》 / It is bad ~*s* to speak with your mouthful. 음식을 입안 가득 넣고 얘기하는 것은 예의가 아

니다. **4** [흔히 *pl.*] 풍습, 습관 : ~*s* and customs 풍속과 관습. **5 a**) (예술 따위의) …류(流), 양식, 수법 : develop a ~ of one's own 일가를 이루다, 일파를 형성하다. **b**) 습성, 버릇(mannerism). **6** 《文語》종류(kind) : What ~ *of* man is he? 그는 어떤 사람인가.

an adverb of manner 〖文法〗 양태의 부사 《well, carefully, fast, so, how 따위》.

all manner of... 온갖 종류의… (all kinds of...) (cf. 6).

by all [***no***] ***manner of means*** 《古》 =*by all* [*no*] MEANS.

in a manner 《古》 어떤 의미에서는 ; 다소는.

in a manner of speaking 《古》 말하자면.

make [***do***] one***'s manners*** 《古》 절[인사]하다.

no manner of... 조금도 …없다(cf. 6) : There can be *no* ~ *of* doubt. 의심할 여지가 전혀 없다.

to the manner born 원래[천성이] …에 적합[익숙]한 : He is a scientist *to the* ~ *born.* 타고난 과학자다.

〖AF<L=of the hand (*manus*)〗

類義語 (1) ***manner*** 사람의 습관적인, 또는 특색으로 되어 있는 태도·행동·말투 따위 : her elegant *manner* (그녀의 고상한 태도).
bearing 몸짓·버릇·자세·걷는 법 따위 사람의 신체상 또는 정신상의 특징을 나타내는 태도 : a military *bearing* (군인의 자세).
carriage bearing 중에서, 특히 몸의 거동(擧動)면을 강조함 : a queenly *carriage* (여왕다운 거동).
demeanor 사람의 태도나 특성을 나타내는 몸 거동 : a calm *demeanor* (침착한 태도).
(2) ⟹ WAY.

mán·nered *a.* **1** [복합어를 이루어] 예절이 …한 : well-[ill-]~ 예절이 바른[바르지 못한]. **2** 매너리즘에 빠진, 틀에 박힌 ; 젠체하는.

mánner·ìsm *n.* 매너리즘《문학·예술의 표현 수단이 틀에 박혀 있는 것》; (언행·몸짓 따위의) 버릇. **-ist** *n.* 매너리즘 작가 ; (특이한) 버릇이 있는 사람.

man·ner·is·tic [mæ̀nərístik] *a.* 버릇이 있는 ; 매너리즘의, 습관적인.

mánner·less *a.* 버릇 없는.

mánner·ly *a., adv.* 예의 바른[바르게], 공손한[하게], 얌전한[하게].

man·ni·kin [mǽnikən] *n.* 《美》 =MANIKIN.

mán·nish *a.* **1** (여자가) 남자와 같은, 여자답지 못한(↔*womanish*). **2** (어린이가) 어른 티를 내는. **3** 남자풍의.

類義語 ⟹ MANLY.

man·ni·tol [mǽnətɔ̀(ː)l, -tòul, -tɑ̀l], **man·nite** [mǽnait] *n.* Ⓤ 〖化〗 만니톨.

ma·no [máːnou] *n.* (*pl.* **~s**) (맷돌의) 위짝. 〖Sp. =hand〗

ma·no des·tra [máːnou déstrə] *n.* 〖樂〗 오른손, 우수(右手) (destra mano). 〖It.〗

manoeuvre ☞ MANEUVER.

mán-of-áll-wòrk *n.* (*pl.* **mén-**) (고용되어 가정의 잡일을 하는) 무엇이나 두루할 수 있는 사람, 잡역부.

mán-of-wár *n.* (*pl.* **mén-**) 《古》 (보통 옛날의) 군함(warship).

ma·nom·e·ter [mənámətər] *n.* 압력[기압]계 (pressure gauge). 〖F (Gk. *manos* thin)〗

mano·met·ric [mæ̀nəmétrik] *a.* 압력계로 잰.

mán-on-mán *a., adv.* 《美·Can.》 (팀 경기에서) 맨투맨의[으로].

man·or [mǽnər] *n.* 《英》 (봉건시대의) 장원(莊園) ; (영주의) 영지 ; (일반적으로) 소유지 ; 《美》 영대차지(永代借地) ; 《英俗》 경찰의 관할 구역.

the lord [***lady***] ***of the manor*** 영주.

〖AF (L *maneo* to remain)〗

mánor hòuse [**sèat**] *n.* (장원(莊園) 내의) 영주의 저택.

ma·no·ri·al [mənɔ́ːriəl] *a.* 영지의, 장원의.

manórial cóurt *n.* 영주 재판소.

ma·no si·ni·stra [máːnou səníːstrə] *n.* 〖樂〗 왼손, 좌수(左手). 〖It.〗

máno·stàt *n.* 〖理〗 압력차를 이용한 정류량(定流量) 장치.

mán-o'-wár bìrd [**hàwk**] [-nə-] *n.* 〖鳥〗 = FRIGATE BIRD.

mán·pàck *a.* 한 사람이 운반할 수 있는 (설계의), 휴대용의 : a ~ radio 휴대용 라디오.

mán-pórtable *a.* (특히 병기 따위가) 한 사람으로 운반[이동]가능한 : a ~ missile 휴대 가능한 미사일.

mán pòwer *n.* 인력 ; 〖機〗 인력《공률(工率)의 단위 ; =1/10마력》, 인력에 의한 공률 ; =MANPOWER.

mán·pòwer *n.* 유효 총인원 ; 인적 자원 ; (한 나라의) 군사 동원 가능 총인원 ; 〖勞動〗(유효)노동력 ; =MAN POWER.

man·qué [mɑːŋkéi] *a.* (*fem.* **-quée** [—]) [명사 뒤에 붙여] 잘 안된, 되다가 만 ; 지망의 : a poet ~ 되다가 만 시인 ; 시인 지망자.

〖F (p.p.) ‹ *manquer* to lack〗

mán-ràd *n.* 1인당 1래드(rad)의 방사선량(量), 인(人)래드《방사선 조사량(照射量)의 단위 ; =100 ergs/gram》.

mán-ràte *vt.* (로켓·우주선 따위의) 유인(有人) 비행의 안전성을 보증하다.

mán-rèm *n.* 1인당 1렘(rem)의 방사선량(量), 인(人)렘《방사선 조사량(照射量)의 단위 ; =1 roentgen》.

mán·ròpe *n.* 〖海〗 난간(欄干) 밧줄.

man·sard [mǽnsɑːrd] *n.* 〖建〗 이중물매의 지붕 (=∠ **ròof**) (cf. CURB ROOF) ; 그 지붕의 다락방(attic). 〖F〗

manse [mǽ(ː)ns] *n.* (특히 스코틀랜드 장로 교회의) 목사관(牧師館) ; 《稀》 대저택, 관(館) (mansion). 〖L ; ⇨ MANOR〗

mán·sèrvant *n.* (*pl.* **mén·sèrvants**) 하인, 머슴 (cf. MAIDSERVANT).

mán·shìft *n.* 집단적 근무 교대 ; (교대에서 교대까지의) 근무 시간, (그 시간 중의) 한사람의 노동량(量).

-man·ship [mənʃip] *n. suf.* 「…기량」「…수완」의 뜻 : pen*manship*. 〖games*manship*〗

***man·sion** [mǽnʃən] *n.* **1** 대(大)저택, 관(館) (cf. RESIDENCE) ; 장원 영주의 저택. **2** [보통 M~ ; *pl.*] 《英》 맨션(=《美》 apartment house).

〖OF<L=a staying ; ⇨ MANOR〗

mánsion hòuse *n.* **1** 《英》 (영주·지주의) 저택(mansion) ; [the M~ H~] 런던 시장 공관. **2** 《美》 큰 집.

mán-sìze(d) *a.* 어른[남자] 사이즈의 ; 대형의 ; 《美俗》 곤란한, 힘드는.

mán·slàughter *n.* Ⓤ 살인 (cf. HOMICIDE) ; 〖法〗 고살(故殺) (죄).

mán·slày·er *n.* 살인자.

man·sue·tude [mǽnswitjùːd, 美+mænsúːə-] *n.* 《古》 온순, 유순.

man·ta [mǽntə] *n.* **1 a**) 만타《(1) 스페인·중남

미(中南美)·북미 남서부 등지에서 외투·어깨걸이·두건 따위에 쓰는 네모진 천 ; 말·짐을 덮는 캔버스 천. (2) 만타천으로 만든 외투·어깨걸이》. **b**) 〔軍〕 =MANTLET. **2** 〔魚〕 큰가오리(devilfish) (=∠ **ràу**). 〚Am. Sp.〛

mán-táilored *a.* (여성복이) 남자옷 비슷하게 재단된.

man·teau [mæntóu, ∠-] *n.* 망토, 외투. 〚F MANTLE〛

man·tel [mǽntl] *n.* 벽난로 위의 가로대 ; =MANTELPIECE ; =MANTELSHELF. 〚OF<L=cloak〛

mántel bòard *n.* 벽난로의 장식 선반.

man·tel·et [mǽntəlèt, -lət] *n.* 짧은 망토 ; 〔軍〕 휴대용 탄환막이 방패.

mántel·pìece *n.* **1** 벽난로의 앞장식. **2** = MANTELSHELF.

mántel·shèlf *n.* 벽난로 선반.

mántel·trèe *n.* 벽난로 위의 가로대《나무 또는 돌로 됨》.

man·tic [mǽntik] *a.* 점(占)의 ; 예언적인, 예언력이 있는. —— *n.* 점술. 〚Gk. ; ⇨ MANTIS〛

man·tid [mǽntəd] *n., a.* 〔昆〕 버마재비(의), 사마귀(의).

man·til·la [mæntílə, -tíːjə] *n.* 만틸라《스페인·멕시코 등지의 여자가 머리에서 어깨에 걸치는 큰 베일》. 〚Sp. (dim.) ‹ *manta* MANTLE〛

mantilla

man·tis [mǽntəs] *n.* (*pl.* ~·**es**, **-tes** [-tiːz]) 〔昆〕 사마귀. 〚Gk. =prophet〛

man·tis·sa [mæntísə] *n.* 〔數〕 (대수(對數)의) 가수(假數), 거짓수(cf. CHARACTERISTIC).

‡**man·tle** [mǽntl] *n.* **1** 망토, 외투 ; 《비유》 (권위 따위의 상징으로서의) 옷. **2** 덮개, 덮어 씌운 것 : a ~ of darkness 밤의 장막. **3** 벽의 외장 ; (가스 등(燈)의) 맨틀 ; (물레방아의) 홈통 ; 〔動·植〕 외투(막), 외피. **4** 〔地質〕 맨틀《지구의 핵과 지각과의 중간에 있는 층》.

One*'s* ***mantle falls on*** [***descends to***] another. 갑의 정신적 감화가 을에게 미친다.

—— *vt.* 망토로 싸다 ; 덮다, 싸다 ; 감추다 : Snow ~*d* the ground. 눈이 지면을 온통 덮었다.

—— *vi.* (액체에) 더껑이가 앉다 ; 거품으로 덮이다 ; (빛 따위가) 퍼지다 ; (얼굴이) 붉어지다, (혈기가) 돌다. 〚OF ; ⇨ MANTEL〛

mántle plùme *n.* 〔地質〕 맨틀 플룸《맨틀 심부에서 생기는 마그마의 상승류》.

mántle·ròck *n.* 표토(表土), 상암층(上岩層)《지각 위의 무른 암석층》.

mant·let [mǽntlət] *n.* =MANTELET.

mán-to-mán *a.* (대화 따위가) 솔직한, 흉금을 털어놓는 ; 〔스포츠〕 맨투맨의 : a ~ talk 흉금을 털어놓고 이야기하기.

mán-to-mán defénse *n.* 맨투맨 디펜스《농구 따위에서의 대인 방어법 ; cf. ZONE DEFENSE》.

Man·tóux tèst [mæntúː-, ∠--] *n.* 〔醫〕 망투 테스트《결핵 검사의 일종》. 〚C. *Mantoux* (d. 1956) 프랑스의 의사〛

man·tra [mǽntrə, mɑ́ːn-] *n.* 〔힌두敎〕 만트라, 진언(眞言)《기도할 때 외는 주문(呪文)》. 〚Skt. =speech, instrument of thought〛

mán·tràp *n.* (영내 침입자를 잡기 위한) 사람 잡는 함정 ; 인명에 위험한 장소 ; (도박장 따위의) 유혹의 장소 ; 매혹적인 여자 ; (잠재적인) 위험(성).

man·tua [mǽntʃuə, -tuə] *n.* 〔史〕 (17-18세기경 유럽에서 유행한) 여성용의 헐렁한 상의. 〚MANTEAU〛

mántua-màker *n.* 여성복 양재사[재단사], 드레스메이커.

manu- [mǽnju] *comb. form* 「손으로」 「손에 의한」의 뜻.

***man·u·al** [mǽnjuəl] *a.* 손의, 손으로 하는, 수동(手動)의, 수세공(手細工)의 ; 육체를 쓰는 ; 편람의 : ~ exercises 〔軍〕 집총 훈련 / a ~ fire engine 소방용 수동(手動) 펌프 / ~ labor 손일, 육체노동 / ~ training 수공(手工)(과목) / a ~ worker 육체노동자. —— *n.* **1** 소책자 ; 편람, 입문[안내]서, 지침(handbook) : a teacher's ~ (교과서의) 교사용 지도서. **2** 〔軍〕 (소총 따위의) 조작(법). **3** 〔樂〕 (오르간의) 건반(cf. PEDAL). ~·**ly** *adv.* 손(끝)으로 ; 수세공(手細工)으로. 〚OF<L (*manus* hand)〛

mánual álphabet *n.* (벙어리·귀머거리가 쓰는) 수화(手話) 문자(finger alphabet).

man·u·code [mǽnjəkòud] *n.* 〔鳥〕 극락새. 〚F<Malay〛

manuf., manufac. manufactory ; manufacture(d) ; manufacturer ; manufacturing.

man·u·fac·to·ry [mæ̀njəfǽktəri] *n.* 《古》 제조소, 공장《지금은 factory를 씀》.

***man·u·fac·ture** [mæ̀njəfǽktʃər] *n.* **1** Ⓤ (대규모의) 제조, 제작 ; (특정한) 제조공업 : steel ~ 제강업(製鋼業) / *of* home[foreign, English, Korean] ~ 국내[외국, 영국, 한국]에서 만든. **2** [*pl.*] 제품, 제조품. **3** (일반적으로) 만들기, 형성 ; 《蔑》 (문예 작품 따위의) 남작(濫作).

—— *vt.* **1** 제조[제작]하다 : A big factory ~*s* goods in large quantities by using machines. 큰 공장은 기계를 이용해서 상품을 대량으로 제조한다. **2** 《蔑》 (문예 작품 따위를) 남작(濫作)하다. **3** (말을) 날조하다, 조작하다.

—— *vi.* 제조[제작]하다.

-tur·al *a.* 제조[가공](업)의.

〚F<It., and L *manufactum* made by hand (*manus*)〛

類義語 ⟹ MAKE.

màn·u·fác·tured gás *n.* (천연가스에 대하여) 제조[도시] 가스.

manufáctured ímport *n.* 제품 수입.

***màn·u·fác·tur·er** *n.* (대규모의) 제조업자, 메이커 ; (특히) 공장주.

manufácturer's ágent *n.* 〔商〕 메이커 대리점 《1개 회사 또는 여러 회사의 비(非)경합 제품을 어느 한 지구에서 수수료제로 판매하는 대리점》.

màn·u·fác·tur·ing *a.* 제조(업)의 ; 제조업에 종사하는 : a ~ industry 제조[가공]업.

—— *n.* Ⓤ 제조(공업).

man·u·mis·sion [mæ̀njəmíʃən] *n.* Ⓤ (노예·농노의) 해방.

man·u·mit [mæ̀njəmít] *vt.* (**-tt-**) (노예·농노를) 해방[석방]하다. **màn·u·mít·ter** *n.*

man·u·mo·tive [mæ̀njəmóutiv] *a.* 수동(手動)의, 손으로 운전하는.

man·u·mo·tor [mæ̀njəmóutər] *n.* 수동차(車).

ma·nure [mənjúər] *n.* (유기질) 비료 ; 거름(cf. FERTILIZER) : artificial ~ 인공비료 / barnyard [farmyard] ~ 구비(廐肥)[퇴비] / green ~ 녹비(綠肥). —— *vt.* (토지)에 비료를 주다.

ma·núr·er *n.* 〚AF *mainoverer* MANEUVER〛

ma·nus [méinəs, 美+mɑ́ː-] *n.* (*pl.* ~) 〔解〕 (척추동물의) 앞발, 손 ; 〔로法〕 부권(夫權)《남편이 매

매혼에 의해 아내에게 갖는 절대 지배권 따위), 재산 소유권 ; 〔英法〕 선서(자).
〚L=hand ; ⇨ MANUAL〛

***man·u·script** [mǽnjəskrìpt] *a.* 손으로 쓴, 필사(筆寫)[타이프]한, 사본의, 원고의.
—— *n.* 사본, 고본(稿本), 원고(略 MS.) ; Ⓤ (인쇄에 대하여) 손으로 쓰기.
in manuscript 원고로, 손으로 써서, 인쇄되지 않은 : The book is still *in* ~. 그 책은 아직도 원고인 채로 있다.
〚L *manuscriptus* written by hand (↑, SCRIBE)〛

mán·ward *adv.* 《稀》 인간을 향하여(cf. GODWARD) ; 인간에 관하여. —— *a.* 인간에 관계한, 인간을 향한.

mán·wàtch·ing *n.* Ⓤ 인간 행동학 ; 인간 행동의 관찰.

mán-wèek *n.* 1인(人)당 1주간(週間)의 노동량 (cf. MAN-HOUR).

mán·wìse *adv.* 인간적으로 ; 남성적으로.

Manx [mæŋks] *a.* 맨 섬(Isle of Man) (태생)의 ; 맨 섬어(語)의. —— *n.* Ⓤ 맨 섬어(語)(지금은 쇠퇴하여 사용하지 않음) ; [the ~ ; 복수취급] 맨 섬 사람.
〚ON (OIr. *Manu* Isle of Man)〛

Mánx cát *n.* 〔動〕 맨섬고양이(꼬리가 없음).

Mánx·man [-mən] *n.* 맨 섬 사람.

◇**many** [méni]

> (1) many는 가산명사의 복수형과 함께 쓴다.
> (2) 구어에서는 주로 의문문·부정문에 쓰이며, 구어의 긍정문에서는, 특히 목적어로 many 대신에 a lot of, plenty of, lots of, a good [great] many, a large number of 따위를 쓰는 일이 많다.
> (3) 긍정문에서는 주어의 수식어로 또는 so, how, too, as 따위와 함께 쓰인다.

—— *a.* (**more ; most**) 다수의, 많은(↔*few*) (cf. MUCH) : *M*~ people die of cancer. 많은 사람이 암으로 죽는다 / How ~ eggs are there in the kitchen? 부엌에 계란이 몇 개 있습니까.
—— *pron.* 다수 : *M*~ of us were tired. 우리는 대부분 지쳐 있었다 / How ~ have you got? 몇 개 가졌니.

> 〈회화〉
> You may choose any book you like. — There are so *many*, I don't know which one to choose. 「아무거나 마음에 드는 책을 골라」「워낙 많아서 어느 것을 골라야 할지 모르겠어」

—— *n.* 다수 ; [the ~ ; 복수취급] 대중, 서민(↔ *the few*).
a good many [복수취급] 꽤 많은 수(의), 상당한 수(의) (cf. *a good* FEW ; *a great* MANY).
a great many [복수취급] 매우 많음[많은], 다수(의). 㕜 a good ~ 보다 뜻이 강함 : There were *a great*[*good*] ~ of them. 그러한 것은 매우[상당히] 많이 있었다.
as many 같은 수의 : There were ten accidents in *as* ~ days. 10일 동안에 10건(件)의 사고가 있었다.
as many again 배수(倍數)의.
as many as …만큼이나 ; …만큼 전부 : *as* ~ *as* you like 네가 원하는 (수) 만큼.
as [***like***] ***so many*** 동수의[그것 만큼의] ; …와 같이 : We worked *like so* ~ bees. 벌처럼 부지런히 일했다.
be one too many 하나가 더 많다 ; 불필요한 [남는] 것이다.
be one too many for …보다 낫다, …의 힘에 겹다.
many a. . . 《文語》 [단수형의 명사·동사를 수반하여] 수많은 : *M*~ *a* man has failed. 많은 사람이 실패했다 / ~ *a* time ☞ TIME 숙어.

> **many의 ○×**
> (×) *Many a* student *have* failed in the examination.
> (많은 학생이 시험에 떨어졌다.)
> (○) *Many a* student *has* failed in the examination.
> ☆ *many a* student=many students지만 many a ~는 단수 취급

not many 《口》 소수의.
so many 동수(同數)의, 그것 만큼의 (수의) (as many) : in *so* ~ words 노골적으로[분명하게] (말하다 따위) / *So* ~ men, *so* ~ minds. 《속담》 십인십색(十人十色).
〚OE *manig* ; cf. G *manch*〛
[類義語] ***many*** 단순히 「수(數)가 많은」의 뜻. ***numerous*** many에 대한 격식을 차린 말로서, 몇겹이고 중복된[떼짓는] 것을 나타내는 수가 많음 : *numerous* errors (몇 번이고 거듭되는 실수). ***innumerable*** 셀 수 없을 만큼 수가 많은 ; 때때로 과장해서 사용됨 : He got *innumerable* fan letters. (부지기수의 팬 레터를 받았다).

mán-yèar *n.* 한 사람당 일년간의 노동량.

mány-héad·ed *a.* 여러 개의 머리를 가진, 다두의 : the ~ beast[monster] 히드라(Hydra) ; 《蔑》 민중, 군중.

mány-mínd·ed *a.* 변덕스러운.

mány·plìes *n.* [보통 단수취급] 〔解·動〕 중판위(重瓣胃)(반추 동물의 제3위(胃)).

mány-síded *a.* 다방면의[에 걸친], 다예(多藝)의, 다능한 ; 〔數〕 다변(多邊)의.

mány-válued *a.* 〔數〕 다가(多價)의(함수).

man·za·nil·la [mæ̀nzəníːjə, -nílə] *n.* 만사니야(술)(스페인산(産)의 쌉쌀한 셰리). 〚Sp.〛

man·za·ni·ta [mæ̀nzəníːtə] *n.* 〔植〕 철쭉과(科)의 상록 관목(미국 서부산(産)) ; 그 열매.
〚Am. Sp.〛

Mao [máu] *a.* (옷이) 중국식[스타일]의 : a ~ cap[jacket] 인민모[복].
〚*Mao* Zedong〛

MAO 〔生化〕 monoamine oxidase(모노아민 옥시다아제).

Máo flú *n.* 홍콩 감기(Hong Kong flu).

MAOI monoamine oxidase inhibitors(모노아민 옥시다아제 저해약(沮害藥) ; 항울약(抗鬱藥)·혈압 강하제).

Mao·ism [máuizəm] *n.* 마오쩌둥(毛澤東)주의.

Máo·ize *vt.* …을 마오쩌둥의 영향하에 두다, 마오쩌둥주의로 전향시키다.

Ma·o·ri [máːɔːri, máuri ; máuri] *a.* 마오리족[어]의. —— *n.* (*pl.* ~, **~s**) Ⓤ 마오리족(뉴질랜드 원주민) ; Ⓤ 마오리어(語).
〚(New Zealand)〛

Máori·lànd *n.* 뉴질랜드. **~·er** *n.*

mao(-)tai [máutái] *n.* Ⓤ 마오타이주(茅臺酒)(중국 구이저우성(貴州省)산의 독한 증류주).

Mao Ze·dong [máu zʌ́dɔ́ːŋ], **Mao Tse-tung** [máu zədúŋ, -tsə- ; -tséitúŋ] *n.* 마오쩌둥, 모택동(毛澤東) (1893-1976)(중국의 정치가, 공산당 주

석(1945-76), 중화인민공화국 주석(1949-59)》.

◇**map** [mǽp] *n.* **1** 지도(cf. CHART, ATLAS) ; 천체도(天體圖) ; 〖生〗 유전학적 지도 ; [*pl.*] 《美俗》 = SHEET MUSIC ; 《美俗》 (부도) 어음. **2** 《俗》 얼굴, 낯짝. **3** 〖數〗 함수 ; 도표 ; 〖數〗 사상.
off the map 《口》 쇠퇴한, 중요하지 않은 : wipe *off the* ~ (도시 따위) 파괴하다, 전멸시키다.
on the map 《口》 축에 끼는, 중요한 : put...*on the* ~ (도시 따위를) 유명하게 하다.
paint the map red ☞ RED.
— *v.* (**-pp-**) *vt.* …의 지도[천체도]를 작성하다.
— *vi.* (유전자가) 위치하다.
map out (지도에) 정밀하게 표시하다 ; …의 계획을 정밀히 세우다.
~·lìke *a.* **máp·per** *n.*
〖L *mappa* cloth, napkin〗

MAP 《美》 Military Assistance Program(대외 군사 원조 계획) ; modified American plan.

***ma·ple** [méipəl] *n.* Ⓒ 단풍나무 ; Ⓤ 단풍나무 재목 ; Ⓤ 단풍당(糖)의 풍미(風味) ; 담갈색.
〖OE *mapeltrēow*〗

máple lèaf *n.* 단풍나무 잎《Canada의 표장》.

máple súgar *n.* 단풍당(糖).

máple sýrup *n.* 단풍 당밀.

máp·màker *n.* 지도 작성[제작]자.

máp·màking *n.* 지도 작성.

máp·ping *n.* 지도 작성 ; 〖數〗 사상(寫像), 함수 ; 도표화.

máp-rèad·er *n.* 지도를 볼 줄 아는 사람 : a good [poor] ~ 지도를 잘 볼 줄 아는[모르는] 사람.

Ma·pu·to [məpúːtou] *n.* 마푸토《모잠비크(Mozambique)의 수도》.

ma·quette [mækét] *n.* (조각·건축용의) 작은 모형. 〖F<It. (dim.) ‹ *macchia* spot〗

ma·quil·lage [mæ̀kijɑ́ːʒ] *n.* 메이크업, 화장(품). 〖F〗

ma·quis [mɑːkíː, mǽkiː] *n.* (*pl.* ~ [-*z*]) **1** (지중해 연안의) 관목 지대. **2** [때때로 M~] 마키《제2차 대전 당시 프랑스의 반독(反獨) 유격대, 또 그 대원》; 지하 운동 조직(의 일원).
〖F=brushwood<It.=thicket〗

ma·qui·sard [mæ̀kizɑ́ːr, -zɑ́ːrd] *n.* [흔히 M~] Maquis의 일원. 〖F〗

mar [mɑ́ːr] *vt.* (**-rr-**) 흠을 내다 ; 몹시 상하게 하다 ; 망쳐 놓다, 못쓰게 만들다 ; 《古》 (몸을) 상처내다 ; 《古》 방해하다 : Nothing ~*red* the unanimity of the proceedings. 만장 일치로 처리하는 데 방해되는 것은 없었다.
make [***mend***] ***or mar*** ☞ MAKE *v.*
— *n.* 흠, 결점 ; 장애.
〖OE *merran* to obstruct, waste ; cf. OHG *mierran* to obstruct〗

MAR [mɑ́ːr] *n.* 《美》 전방향 동시 주사(走査) 레이더 시스템. 〖*m*ultifunction *a*rray *r*adar〗

Mar. March ; Maria. **mar.** marine ; maritime ; married. **M.A.R.** Master of Arts in Religion.

mar·a·bou, -bout[1] [mǽrəbùː] *n.* 〖鳥〗 (서아프리카산(産)) 큰 두루미 ; 그 깃털《장식용》.
〖F<Arab. (↓) ; 신성한 새라고 한 데서〗

mar·a·bout[2] [mǽrəbùː] *n.* [흔히 M~] 이슬람교의 수사, 은자(隱者), 성자 ; 그 무덤.
〖F<Port.<Arab. =holy man〗

ma·raca [mərɑ́ːkə, -rǽkə] *n.* 〖樂〗 마라카스《흔들면 소리가 나는 리듬 악기 ; 보통 양손에 하나씩 들고 울리므로 복수형으로 씀》.

már·ag·ing stéel [mɑ́ːrèidʒiŋ-] *n.* 마레이징강(鋼)《18-25%의 니켈을 함유한 강철》.

ma·rás·ca (**chèrry**) [mərǽskə-] *n.* 〖植〗 야생 버찌《maraschino의 원료》. 〖It.〗

mar·a·schi·no [mæ̀rəskíːnou, -ʃíː-] *n.* (*pl.* **~s**) Ⓤ 마라스키노《버찌로 만드는 리큐어》. 〖It.〗

maraschíno chérry *n.* 마라스키노에 담근 버찌《요리나 과자에 곁들임》; 〖植〗 =MARASCA.

ma·ras·mus [mərǽzməs] *n.* Ⓤ 〖醫〗 (온몸의) 쇠약, 소모(emaciation). **ma·rás·mic** *a.* 쇠약성의, 소모증의.
〖L<Gk. (*marainō* to wither)〗

***mar·a·thon** [mǽrəθɑ̀n ; -θən] *n.* **1** [M~] 마라톤《Athens 북동에 위치하는 평야로 옛 싸움터》. **2** [때때로 M~] 마라톤(경주) (=∠ **ràce**) 《표준 거리는 42.195km》, (일반적으로) 장거리 경주 ; 큰 인내력을 요하는 경쟁, 지구전 ; 장기간에 걸친 [끈기있는] 기획[활동]. **3** [형용사적으로] 마라톤의, 장기간의 : a ~ runner[speech, effort] 마라톤 주자[연설, 장기간에 걸친 노력].

ma·raud [mərɔ́ːd] *vi., vt.* 약탈[습격]하다‹*on*› : ~*ing* hordes 비적(匪賊). — *n.* 《古》 습격.
~·er *n.* 약탈자. 〖F (*maraud* rogue)〗

mar·a·ve·di [mæ̀rəvədíː, mæ̀rəvéidi] *n.* (*pl.* **~s**) 〖史〗 스페인의 옛 금[동]화.
not worth a maravedi 한푼의 가치도 없는.

***mar·ble** [mɑ́ːrbəl] *n.* **1** Ⓤ 대리석《때때로 냉혹[무정]한 것으로 비유됨》: a heart of ~ 냉혹[무정]한 마음. **2** [*pl.*] 대리석 조각물. **3** (아이들의) 공깃돌 ; [~s ; 단수취급] 공기놀이 : a game of ~*s* 공기놀이 / play ~*s* 공기놀이를 하다. **4** [형용사적으로] 대리석(제)의 ; 대리석 같은[비슷한] ; 단단한, 차가운, 무정한 ; 매끄러운 ; 흰 : a ~ statue 대리석상 / a ~ brow 매끄러운 하얀 이마. **5** [*pl.*] 《俗》 분별, 지적 능력 : lose one's ~*s* 《俗》 머리가 돌다, 분별이 없다.
(***as***) ***hard*** [***cold***] ***as marble*** 대리석처럼 단단한[차가운] ; 냉혹[무정]한.
— *vt.* (책 가장자리·종이·비누 따위를) 대리석 무늬로 하다.
〖OF<L *marmor*<Gk. =gleaming stone ; 어형은 r-r>r-l의 이화(異化)〗

márble càke *n.* 〖製菓〗 마블 케이크《빛깔이 서로 다른 두가지 케이크 재료를 한 틀에 넣고 구운 대리석 무늬의 케이크》.

már·bled *a.* 대리석으로 마무리한 ; 대리석을 많이 사용한 ; 대리석 무늬의.

márble-édged *a.* 〖製本〗 가장자리에 대리석 무늬를 넣은.

márble·héart·ed *a.* 무정[냉혹]한.

mar·ble·ize, -bel- [mɑ́ːrbəlàiz] *vt.* =MARBLE.

már·bling *n.* **1** Ⓤ 대리석 무늬의 착색, 마블링. **2** Ⓒ (책 가장자리·종이 따위의) 대리석 무늬.

már·bly *a.* 대리석 같은 ; 대리석을 사용한 ; 차가운, 냉담한.

Mar·burg [mɑ́ːrbəːrg ; *G* mɑ́ːrburk] *n.* 마르부르크《독일 헤센 주(州)의 도시》.

Márburg disèase *n.* 〖醫〗 마르부르크병(病)《고열·출혈을 수반함》. 〖↑〗

marc [mɑ́ːrk] *n.* (과일의) 즙을 짜고 난 찌꺼기. 〖OF〗

MARC machine readable catalog《마크, 기계 가독(可讀) 목록 ; 컴퓨터 처리가 가능한 출판물 데이터 베이스》.

Mar·can [mɑ́ːrkən] *a.* 성(聖) 마가(St. Mark)의.

mar·can·do [mɑːrkɑ́ːndou] *a., adv.* 〖樂〗 = MARCATO. 〖It.〗

mar·ca·site [mɑ́ːrkəsàit, -zàit, ∸-zíːt] *n.* Ⓤ 〖鑛〗 백철광(白鐵鑛). 〖L<Arab.<Pers.〗

mar·ca·to [mɑːrkɑ́ːtou] *a., adv.* 〖樂〗 마르카토의[로], 음 하나하나를 똑똑하게. 〖It.〗

mar·cel [mɑːrsél] *n.* 마르셀 웨이브(=∼ **wàve**)《물결 모양의 머리 스타일》. —— *vt.* (**-ll-**) 물결 모양으로 하다, …을 마르셀 웨이브로 하다. 〖*Marcel* Grateau (d. 1936) Paris의 이발사〗

mar·cel·la [mɑːrsélə] *n.* 일종의 능직 면포[아마포]. 〖MARSEILLES 최초의 제조지〗

Marcella *n.* 여자 이름. 〖It. (fem. dim.)〗

mar·ces·cent [mɑːrsésənt] *a.* 〖植〗 (식물의 어떤 부분이) 떨어지지 않고 시드는[말라 죽는], 고조(枯凋)[조위(凋萎)]하는. 〖L (*marceo* to wither)〗

march**[1] [mɑ́ːrtʃ] *vi.* **1** [動/+副/+前+名] 행진하다, 천천히 보조를 맞추어 걷다 ; 진군[행군]하다 : The troops ∼*ed* ***by[***in, out, off***]. 군대는 행진하여 지나갔다[몰려들었다, 나갔다, 지나쳐버렸다] / They ∼*ed* ***into***[***through***] the town. 그 도시로[시내를] 행진했다 / The soldiers began ∼*ing* ***on*** the fortress. 병사들은 요새를 향해 진격을 개시했다. **2** (사건 · 학문 따위가) 발전하다, 진전하다.
—— *vt.* [+目+副/+目+前+名] 전진케 하다, 행군시키다, 몰아내다 ; 끌어가다 : They ∼*ed* the soldiers ***on***[***through*** the town]. 병사들을 계속[시내로] 행진시켰다 / He was ∼*ed* off [*away*] ***to*** jail. 교도소로 끌려갔다.
march past 분열 행진하다(cf. MARCH-PAST).
—— *n.* **1** Ⓤ 행진, 행군 : a line of ∼ 행진로. **2** 하루의 행진 거리 ; 긴 (특히 괴로운) 여행 ; 행진의 보조, (보통 발걸음 · 빠른 발걸음의) 보행 : a ∼ of ten miles 10마일의 행군 / a forced ∼ 강행군. **3** 〖樂〗 마치, 행진곡 : a dead[funeral] ∼ 장송 행진곡. **4** [the ∼] 진행, 진전, 발달 : *the* ∼ *of* time 때의 경과 / *the* ∼ *of* civilization 문명의 진보.
Double march ! 〖구령〗 뛰어 가 !
on[***in***] ***the march*** 진행중에.
steal a march (***up***)***on*** …에 살금살금 다가가다 ; …에게 선수를 치다.
the March of Dimes 《美》 소아마비 구제 모금 운동.
〖OF *marcher* (L *marcus* hammer) ; cf. MARK[1]〗

march[2] *n.* **1** [보통 *pl.*] (특히 분쟁중인) 경계지(역). **2** 국경, 경계 ; 변경. **3** [the M∼es] 〖英史〗 잉글랜드와 스코틀랜드 또는 웨일스와의 경계 지방. **4** (행정관의) 관할 구역.
riding the marches 〖史〗 (도시 따위의) 경계 순시[검분].
—— *vi.* 인접하다〈*with, upon*〉.
〖OF<L<Gmc. 《美》 *markō* MARK[1]〗

◇**March** *n.* 3월《略 Mar.》 : ∼ 3[third] 3월 3일 《three라고 읽는 수도 있음》.

〈회화〉
When do you expect John back ? — He will return home about the middle of *March.*
「존은 언제 돌아옵니까」「3월 중순 경에 돌아올 겁니다」

〖OF<L *Martius* (*mensis* month) of MARS〗

March. Marchioness.

Mär·chen [G mɛ́ːrçən] *n.* (*pl.* ∼) 이야기(tale), (특히) 동화 ; 민화(民話), 전설 이야기(folktale).

márch·er[1] *n.* 행진하는 사람.

marcher[2] *n.* 국경 지대 거주자, 변경의 주민 ; (잉글랜드의) 국경 관할관, 변경 지방의 영주(=∼ **lòrd**). 〖MARCH[2]〗

márch·ing òrders *n. pl.* 출발[진격] 명령 ; 《口》 작업 진행 명령 ; 《英口》 해고 명령[통지], (애인에 대한) 절연(통고)(=《美》 walking papers).

mar·chio·ness [mɑ́ːrʃənəs] *n.* 후작 부인[미망인](cf. MARQUIS) ; 여 후작. 㝎 ☞ MARQUISE.

márch·lànd *n.* 국경 지대, 변경 지방.

march·pane [mɑ́ːrtʃpèin] *n.* Ⓤ 아몬드와 설탕을 넣고 짓이겨 만든 과자.

márch-pàst *n.* 분열 행진(cf. MARCH[1] *past* ; FLYOVER).

Mar·cia [mɑ́ːrʃə] *n.* 여자 이름.
〖L (fem.) ; ⇨ MARCUS〗

mar·co·ni [mɑːrkóuni] *n.* 《古》 =MARCONIGRAM.
—— *vt., vi.* 무선 전신을 치다.
〖MARCONI〗

Marconi *n.* 마르코니. **Guglielmo** ∼ (1874-1937) 이탈리아의 전기학자, 무선 전신 발명자.

marcóni·gràm *n.* 《古》 =RADIOGRAM.

marcóni·gràph *n.* (마르코니식) 무선 전신기.

Már·co Pó·lo [mɑ́ːrkou póulou] *n.* 마르코폴로 (☞ POLO).

Mar·cus [mɑ́ːrkəs] *n.* 남자 이름《애칭 Mark》.
〖L MARS〗

Márcus Au·ré·lius [-ɔːríːljəs, -liəs] *n.* 마르쿠스 아우렐리우스(121-180)《로마 황제로서 스토아 철학자》.

Mar·di Gras [mɑ́ːrdi grɑ̀ː, ∸∸] *n.* 참회 화요일 《사육제의 마지막 날》.
〖F=fat Tuesday〗

mare[1] [méər, mǽər] *n.* (말 따위의) 암컷, (특히) 암말 : Money makes the ∼ (to) go. 《속담》 돈만 있으면 귀신도 부릴 수 있다《금전만능》 / The gray ∼ is the better horse. 《속담》 엄처 시하다.
〖OE 《美》 *mēre* ; cf. OE *mearh*, G *Mähre* jade〗

ma·re[2] [mɑ́ːrei, méəri] *n.* (*pl.* **ma·ria** [mɑ́ːriə]) **1** 바다. **2** [보통 M∼] 〖天〗 바다《달 · 화성 따위의 표면의 어두운 부분》. 〖L=sea〗

ma·re clau·sum [mɑ́ːrei kláusəm, -sum, -klɔ́ː-, méəri-] *n.* 영해(領海). 〖L=closed sea〗

Ma·re Im·bri·um [mɑ́ːrei ímbriəm, méəri-] *n.* 〖天〗 (달 표면의) 비의 바다(Sea of Showers [Rains]). 〖NL〗

ma·re li·be·rum [mɑ́ːrei líːbərum, méəri-] *n.* 〖國際法〗 공해(公海).
〖L=free sea〗

ma·rem·ma [mərémə] *n.* (*pl.* **-rem·me** [-rémiː]) (특히 이탈리아 서부의) 해안 습지(濕地). 〖It.〗

ma·ren·go [məréŋgou] *a.* [때때로 M∼ ; 후치] 〖料〗 마렝고풍의《올리브유 · 토마토 · 버섯 · 포도주 따위로 만든 소스를 친》. 〖↓〗

Marengo *n.* 마렝고. **1** 이탈리아 북서쪽의 마을《1800년 나폴레옹 1세가 오스트리아군에게 대승한 곳》. **2** 나폴레옹 1세가 발행한 이탈리아의 금화.

máre's nèst *n.* (*pl.* **∼s, máres' nèsts**) **1** (대발견처럼 보이지만 실은) 보잘 것 없는 일[것] ; 존재하지 않는 것 ; 기대에 어긋남. **2** 북적거림, 혼란한 상태.

máre's tàil *n.* (*pl.* **∼s, máres' tàils**) **1** 〖植〗 쇠뜨기말, 속새, 망초. **2** [*pl.*] 〖氣〗 마미운(馬尾雲)《권운(卷雲)의 일종으로 비의 전조》.

Ma·re Tran·quil·li·ta·tis [mɑ́ːrei træŋkwìlitɑ́ːtis, méəri-] *n.* 〖天〗 (달 표면의) 고요의 바다.
〖NL〗

mar·fak [mɑ́ːrfæk] *n.* 《美俗》 버터.

marg [mɑ́ːrdʒ] *n.* 《口》 마가린(margarine).

marg. margin ; marginal.

Mar·ga·ret [máːrɡərət] *n.* 여자 이름《애칭 Madge, Marge, Margery 따위》. 〖Gk. =pearl〗

mar·gar·ic [mɑːrɡǽrik] *a.* 진주의, 진주 같은.

margáric ácid *n.* 〖化〗 마르가르산(酸).

mar·ga·rine [máːrdʒərən, -dʒəriːn ; màːdʒəríːn], **-rin** [máːrdʒərən] *n.* Ⓤ 인조 버터, 마가린. 〖F<Gk. *margaron* pearl ; cf. MARGARIC〗

mar·ga·ri·ta [màːrɡəríːtə] *n.* Ⓤ 마르가리타《테킬라(tequila)에 라임[레몬]과 오렌지맛의 리큐어를 가미한 칵테일》. 〖Am. Sp. ; 인명 *Margarita* Margaret인가〗

mar·gay [máːrɡei, -ˊ] *n.* 〖動〗 (중남미산(産)) 살쾡이.

marge[1] [máːrdʒ] *n.* 《古·詩》 =MARGIN 1, 2.

marge[2] *n.* 《口》 마가린(margarine).

Marge *n.* 여자 이름《Margaret, Margery의 애칭》; 《俗》 레스비언의 여자역.

Mar·gery [máːrdʒəri] *n.* 여자 이름《애칭(愛稱) Marge》. 〖OF ; ⇨ MARGARET〗

Mar·gie [máːrdʒi] *n.* 여자 이름《Margaret의 애칭(愛稱)》.

***mar·gin** [máːrdʒən] *n.* **1** 가장자리, 가, 끝 ; (강의) 기슭 : sit *on* the ~ of a river 강가에 앉다. **2** 난외(欄外), 여백, 마진 : write down *in* the ~ 난외에 써넣다. **3** 한계(에 가까운 상태) : the ~ of cultivation 경작의 한계 / *on* the ~ of bare subsistence 근근이 살아가는. **4** (시간·경비 따위의) 여유, (활동의) 여지 ; (찬반 투표 따위의) 표차 : a ~ of error 잘못이 발생할 여지. **5** 〖商〗 매매(賣買) 가격의 차이, 차액의 이익금, 마진 ; 〖證〗 증거금, 보증금.
buying on margin 투기 매입.
by a narrow margin 아슬아슬하게, 간신히.
go near the margin (도덕상으로) 아슬아슬한 데까지 가다, 「불장난을 하다」.
── *vt.* **1** 가장 자리를 대다. **2** …의 난외에 쓰다, …에 난외의 주(註)를 달다. **3** 〖證〗 …에게 보증금을 지불하다.
── *vi.* 추가 증거금을 지불하다.
〖L *margin- margo* border ; cf. MARK[1]〗
類義語 ⟹ BORDER.

márgin·al *a.* **1** 가장자리[가·끝]의 ; 변경의, (…에) 인접한. **2** 한계의, 막다른, 최저의 ; (토지가) 생산력이 (거의) 없는 : ~ profits 〖經〗 한계 수익 / ~ land 불모지. **3** 난외에 쓴 : ~ notes 난외의 주(註). 〖L (↑)〗

márginal cóst *n.* 〖經〗 한계 비용.

mar·gi·na·lia [màːrdʒənéiliə] *n. pl.* 난외의 주(註)(marginal notes), 난외에 써넣은 것. 〖NL ; ⇨ MARGINAL〗

márgin·al·ìze *vt.* 사회의 진보[주류]에서 처지게 하다, 사회적으로 무시하다.

márginal mán *n.* 한계인(限界人), 주변인《이질의 두 문화에 속하면서 어느 쪽에도 충분히 동화되지 못하는 사람》.

márginal séa *n.* [the ~] 〖法〗 연안해, 연해《해안선으로부터 3.5 법정 마일 이내의 해역》.

márginal utílity *n.* 〖經〗 한계 효용.

mar·gin·ate [máːrdʒənət, -nèit] *a.* 가장자리[테두리]를[가] 댄[달린]. ──[-nèit] *vt.* …에 가장자리[테두리]를 대다[달다].
màr·gin·átion *n.*

márgin relèase *n.* (타자기의) 마진 릴리스.

márgin requìrements *n. pl.* 〖證〗 증거금 규정액[소요 비용].

Mar·got [máːrɡou, 美+-ɡət] *n.* 여자 이름. 〖F (dim.) ; ⇨ MARGARET〗

mar·grave [máːrɡreiv] *n.* 〖史〗 (신성 로마 제국의) 후작, 변경 태수(太守).

mar·gra·vine [máːrɡrəvìːn, ˊ-ˊ] *n.* margrave의 부인[미망인].

mar·gue·rite [màːrɡjəríːt] *n.* 〖植〗 마거리트《daisy의 일종》. 〖F<L *margarita* pearl ; ⇨ MARGARINE〗

maria *n.* MARE[2]의 복수형.

Ma·ria [məríːə, -ráiə ; -ráiə, -ríə] *n.* 여자 이름. 〖Du., G, It., Sp. ; ⇨ MARY〗

ma·ri·a·chi [màːriáːtʃi] *n.* (멕시코의) 거리의 악대(의 일원) ; 그 음악. 〖Mex. Sp.〗

mar·i·age de con·ve·nance [*F* marjaːʒ də kɔ̃vnɑ̃ːs] *n.* (*pl.* **mariages de convenance** [*F* —]) 정략 결혼(marriage of convenience).

Mar·i·an[1] [méəriən, mǽər-, méiri-] *n.* 여자 이름《Marianne의 다른 형태》.

Marian[2] *a.* 성모(聖母) 마리아의 ; (영국·스코틀랜드의) 여왕 메리(Mary)의 ; 〖로史〗 마리우스(Marius)파의.
── *n.* **1** 성모 마리아 숭배자. **2** (영국·스코틀랜드의) 여왕 메리(Mary)의 지지자. **3** 〖로史〗 마리우스 당원.

Mar·i·á·na Íslands [mèəriǽnə-, mæ̀ər-] *n. pl.* [the ~] 마리아나 제도《Philippine 제도의 동쪽에 있는 제도》.

Mar·i·anne [mèəriǽn, mæ̀ər-], **-an·na** [-ǽnə, 英+-áːnə] *n.* 여자 이름. 〖F (dim.) ; ⇨ MARY〗

Ma·ria The·re·sa [məríːə təréisə, -zə] *n.* 마리아 테레지아(1717-80)《오스트리아 대공비(大公妃), 헝가리 및 보헤미아의 여왕 ; Marie Antoinette의 어머니》.

mári·cùlture [mǽrə-] *n.* (자연 환경을 이용한) 해양[해중] 목장, 해중 양식[재배].

Ma·rie [məríː, 英+máːri] *n.* 여자 이름. 〖F ; ⇨ MARY〗

Marie An·toi·nette [ˊ æ̀ntwənét] *n.* 마리 앙투아네트(1755-93)《프랑스왕 Louis 16세의 비(妃) ; 프랑스 혁명 재판에서 처형됨》.

Mar·i·et·ta [mèəriétə] *n.* 여자 이름. 〖It. (dim.) ; ⇨ MARY〗

Mar·i·gold [mǽrəɡòuld, mér-] *n.* **1** 여자 이름. **2** [m~] 〖植〗 마리골드, 금잔화. 〖*Mary* (? the Virgin), *gold* (dial.) marigold〗

ma·ri·jua·na, -hua- [mæ̀rəhwáːnə] *n.* Ⓤ (인도산(產)의) 삼, 대마(大麻) ; 마리화나《그 말린 잎과 꽃으로 만든 환각제 ; 궐련처럼 말아서 피움》. 〖Am. Sp.〗

ma·rim·ba [mərímbə] *n.* 마림바《xylophone과 비슷한 악기》. 〖(Congo)〗

ma·ri·na [məríːnə] *n.* (해안의) 산책길 ; 계류장 ; (요트 따위의 설비가 있는) 부두. 〖It. and Sp.<L ; ⇨ MARINE〗

marimba

Marina *n.* 여자 이름. 〖L=of the sea〗

mar·i·nade [mæ̀rənéid] *n.* 매리네이드《식초 및 포도주에 향료 따위를 혼합한 액체 ; 여기에 고기나 생선을 담금》; 매리네이드에 절인 고기[생선].
── *vt.* =MARINATE.
〖F<Sp. (*marinar* to pickle in brine ; ⇨

MARINE)〛
ma·ri·na·ra [mɑ̀ːrənɑ́ːrə, mæ̀rənǽrə] *n.* 〖料〗 마리나라(토마토·양파·마늘·향신료로 만든 이탈리아 소스). ── *a.* 마리나라를 친.
mar·i·nate [mǽrənèit] *vt.* (고기·생선 따위를) 매리네이드에 담그다; (샐러드)에 프렌치 드레싱을 치다. ── *vi.* 매리네이드 절임이 되다. 〚It. or F; ⇨ MARINE〛
***ma·rine** [məríːn] *a.* **1** 바다[해양]의; 〖氣〗 해양성의; 바다에 사는, 해산(海産)의: a ~ cable 해저 전선 / a ~ laboratory 임해(臨海) 실험소 / ~ products 해산물. **2** 항해(용)의, 해사(海事)의, 해운업의; 선박의; 해상 무역의: a ~ court 해원(海員) 심판소 / ~ law 해상법 / a ~ policy 해상 보험 증권 / ~ transportation 해운(海運). **3** 해상 근무의; 해병대(원)의; 해군의: a ~ power 해군력.
── *n.* **1** (한 나라의) 선박(船舶), 해상세력: the mercantile[merchant] ~ (한 나라가 보유한) 상선, 해운력. **2** [때때로 M~] 해병 대원; (영국 해병대의) 신병(최하급); 《英俗》 무지하여 바보같은 선원; [the M~s] 해병대: *the* Royal *M~s* 영국 해병대. **3** 바다 그림; 바다 풍경.
Tell that to the* (*horse*) *marines !*＝*That will do for the marines ! 《口》 그런 소리를 누가 믿는담, 거짓말 마라.
〚OF<L; ⇨ MARE²〛
maríne bèlt *n.* [the ~] 영해(領海).
maríne biólogy *n.* 해양 생물학.
Maríne Còrps *n.* [the ~] 《美》 해병대.
maríne engineér *n.* 〖海〗 조기(造機) 기사, 선박 기관사.
maríne engineéring *n.* 선박 공학.
maríne glúe *n.* 머린 글루(나무 갑판의 틈새를 메운 뒤에 그 위에 바르는 내수(耐水) 접착제).
maríne insùrance *n.* 해상 보험.
maríne lóok *n.* 〖服〗 세일러복(服) 스타일을 본뜬 의상.
maríne meteorólogy *n.* 해양 기상학.
maríne phýsics *n.* 해양 물리학.
mar·i·ner [mǽrənər] *n.* **1** 해원(海員), 선원, 뱃사람(sailor): ☞ MASTER MARINER / a ~'s card 해도(海圖). **2** [M~] 미국의 행성 탐사용 무인 우주선.
máriner's còmpass *n.* 나침의(羅針儀).
máriner's nèedle *n.* 나침.
maríne scíence *n.* 해양 과학.
maríne sèdiment *n.* 해저 퇴적물.
maríne snów *n.* 〖海洋〗 바다 눈(죽은 플랑크톤이 분해되거나 작은 덩어리가 되어 눈오듯이 바다 밑으로 가라앉는 현상).
maríne stóre *n.* 선박용 물자(선구(船具)·양식(糧食) 따위); 중고 선구류(를 취급하는 상점).
maríne technólogy *n.* 해양 공학, 해양 기술.
Mar·i·ol·a·try [mɛ̀əriɑ́lətri, mæ̀əri-, 美+mèiri-] *n.* Ⓤ 《蔑》 성모 마리아 숭배; 여성 숭배.
Mar·i·on [mɛ́əriən, mǽər-] *n.* 여자 이름; 남자 이름. 〚(masc. var.) / (dim.); ⇨ MARY〛
mar·i·o·nette [mæ̀riənét, 美+mèr-] *n.* **1** 꼭두각시(puppet), 마리오네트. **2** [M~] 여자 이름. 〚F (↑)〛
mar·i·pó·sa (**lìly**[**tùlip**]) [mæ̀rəpóuzə(-), -sə(-)] *n.* 〖植〗 마리포사튤립(미국 서부 및 멕시코산(産)인 백합과의 식물).
Mar·i·sat [mǽrəsæ̀t] *n.* 《美》 (해군·민간 공용의) 해사(海事) 통신 위성.
〚*mari*time *sat*ellite〛
mar·ish [mǽriʃ] *n., a.* 《古·詩》 늪[습지](의).
mar·i·tal [mǽrətl] *a.* 결혼의; 부부의; 《古》 남편의. **~·ly** *adv.* 혼인상, 부부로서.
〚L (*maritus* husband)〛
mar·i·time [mǽrətàim] *a.* **1** 바다[해상]의, 해사의, 해운상의; 바다와 관계 있는, 해상 무역의: ~ affairs 해사(海事) / a ~ association 해사 협회 / ~ insurance＝MARINE INSURANCE / ~ law 해상법(海商法) / a ~ museum 해사(海事) 박물관 / ~ power 제해권. **2** 해안 가까이에 사는, 연해의: a ~ people 해양 민족. **3** 항해의.
── *n.* [the M~s] 연해주. 〚L; ⇨ MARE²〛
máritime clímate *n.* (대륙성 기후에 대해) 해양성 기후.
Máritime Próvinces *n. pl.* [the ~] 연해주 (the Maritimes)(캐나다 남동부 대서양에 면한 Nova Scotia, New Brunswick, Prince Edward Island의 3주(州)).
Mar·i·us [mɛ́əriəs, mǽər-] *n.* 마리우스. **Gaius** ~ (155?-86 B.C.) 로마의 장군·집정관.
mar·jo·ram [mɑ́ːrdʒərəm] *n.* Ⓤ 〖植〗 마요라나(꿀풀과(科); 약용·요리용). 〚OF<L<?〛
Mar·jo·rie [mɑ́ːrdʒəri] *n.* 여자 이름.
〚F; ⇨ MARGERY〛
°**mark**¹ [mɑ́ːrk] *n.* **1** 표, 자국, 흉터, 흔적; 얼룩: make dirty ~*s* 얼룩지게 하다. **2** 기호, 부호; 각인(刻印), 검인; 〖컴퓨〗 표지, 마크: punctuation ~*s* 구두점(句讀點). **3** 목표, 표적(target), 겨냥(aim); (웃음거리의) 대상; (속아넘어가는) 상대방, 봉: aim at the ~ 표적을 겨누다 / an easy ~ 이용하기 좋은 사람. **4 a)** 점수; (성적의) 평점: a bad[good] ~ 악[선]행점; 오[미]점 / good[bad] ~*s* 좋은[나쁜] 점수 / get[gain] 80 ~*s in* English 영어에서 80점을 받다. **b)** [*sg.*만으로 써서] 한계(점)(limit), 표준(standard): below[beneath] the ~ 표준에 이르지 못하고. **5** +[×]표(글자를 쓰지 못하는 사람이 서명 대신에 씀): make one's ~ (서명 대신에) ×표 (따위)를 하다. **6** 〖競〗 출발점: toe the ~ 스타트 전에 발끝으로 구획선을 밟다. **7** 감화: He left his ~ on the thought of the age. 그 시대의 사상에 영향을 끼쳤다. **8** 〖史〗 경계선, 변경지. **9** 징후, 증거, 특색: ~*s* of old age 노령의 징후 / the ~*s* of a gentlemen 신사의 특징. **10** [보통 of ~] 유명, 주목: a man *of* ~ 저명인사. **11** 상표; [흔히 M~, 채용 순서를 나타내는 숫자와 함께 형용사적으로] (특별 양식의 무기·비행기 따위에 적어 넣는) 형식 기호: a *M~* 4 tank 4호 전차(戰車). **12** 〖볼링〗 스페어(spare), 스트라이크.
beside the mark 과녁을 벗어나서; 엉뚱하게; 요령 없이.
beyond the mark 지나치게, 과도하게.
cut the mark (화살이) 과녁에 미치지 못하고 떨어지다.
get off the mark 스타트를 끊다; 착수하다.
(***God***[***Heaven***]) ***bless***[***save***] ***the mark !*** 아차 실례!; 이런 고마울 데가 있나; 이게 웬일이야(놀람·비웃음·비꼼 따위).
hit the mark 적중하다, 목적을 달성하다.
make* one*'s mark ☞ 5; 명성을 얻다, 성공하다⟨*on*⟩.
miss* one*'s mark 적중하지 못하다, 목적을 이루지 못하다.
***on your mark*(*s*)** 〖競〗 제자리에 (서라)! (cf. 6): *On your* ~(*s*)! Get set! Go! 제자리에! 준비! 땅!

overshoot the mark 도를 지나치다.
short of the mark 과녁[표준]에 못미치는.
take one***'s mark amiss*** 겨냥을 잘못하다, 실수하다.
up to the mark 《口》 표준에 달하여, 나무랄 데 없는; 건강한, 원기왕성한.
wide of the mark = *beside the* MARK.

〈회화〉
He got full *marks* on the English test.—Wow! That's great!「그는 영어 시험에 만점을 받았어」「와! 대단하다」

—— *vt.* **1** (답안 따위를) 채점하다; (경기의 득점을) 기록하다: ~ a test 시험지를 채점하다. **2 a**) …에 표를 하다; …에 오점[상처 자국 따위]을 남기다: ~ the sheep 양에 소유 표시를 하다. **b**) [+目/+目+前+名/+目+補] …에 도장[스탬프·각인(刻印) 따위]을 찍다; …에 이름[번호 따위]을 적다; (상품에) 정가를 매기다: ~ one's clothes ***with*** one's name = ~ one's name ***on*** one's clothes 옷에 이름을 적어 넣다/the door ~*ed* E. P. Smith E. P. Smith라는 문패가 달려 있는 문. **c**) 〖軍〗 …에 향도(嚮導)[기준(基準) 따위]를 지정하다. **d**) 《英》〖蹴 따위〗 마크하다《상대방에게 접근해 있다가 공 받는 것을 방해함》. **e**) 〖사냥〗(사냥감을) 놓친 곳에 표를 하여 기억하다〈*down*〉. **3** [+目/+目+*with*+名] (부호·점·선 따위로) 지시하다, …의 한계를 나타내다; [때때로 수동태로] 특색[특징]있게 하다; 명백히 하다, 눈에 띄게 하다: ~ a river on the map 지도에 강을 표시하다/The tendency *is* strongly ~*ed.* 그러한 경향이 현저하다/The river ~*s* the frontier between the two sections. 그 강이 두 지구의 경계를 나타내고 있다/A leopard *is* ~*ed* ***with*** black spots. 표범에는 뚜렷한 검은 반점(斑點)이 있다. **4** [+目/+*wh.* 節] …에 주의를 기울이다, 주목하다: *M*~ my words. = *M*~ what I am telling you. 내가 말하는 것을 주의해서 들으시오/*M*~ carefully *what* he will do. 그가 무엇을 하는지 주의해서 잘 보시오. —— *vi.* **1** 표를 하다; 채점하다; 득점을 기록하다. **2** 주의하다, 생각하다.
mark (***a day***) ***with a white stone*** ☞ WHITE.
mark down 적어 넣다, 기입하다; …에 표를 하다(cf. *vt.* 2 e)); …에 가격 인하 표를 붙이다; 값을 내리다; (답안 따위의) 점수를 내리다.
mark off 구별[구획]하다.
mark out 구획[설계·계획]하다; 줄을 그어 지우다; [보통 *p.p.*] 선발하다, …의 운명을 결정하다〈*for*〉.
mark time (1) 〖軍〗 제자리 걸음을 하다. (2) 《비유》 (일이) 진행되지 않다, 제자리 걸음하다; (사람이) 관망하다, (매매를) 보류하다.
mark up 더 적어 넣다; 값을 올리다; 기호를 붙이다; (답안 따위의) 점수를 올리다.
〖OE (n.) *mearc,* (v.) *mearcian*<Gmc. 《美》 *markō* boundary (G *Mark*); cf. MARCH²〗
類義語 ⟹ SIGN.

mark² *n.* 마르크《독일의 화폐단위; 기호 m., M.; cf. DEUTSCHE MARK》; 1마르크 화폐.

Mark *n.* **1** 남자 이름. **2** 〖聖〗 마가《사도(使徒) Paul의 친구》. **3** 〖聖〗 마가복음(the Gospel according to St. Mark)《신약성서 중의 한 편》. 〖⇨ MARCUS〗

Mark Antony ☞ ANTONY 2.

Mar·ká·ri·an gálaxy [mɑːrkɑ́ːriən-] *n.* 〖天〗 마르카리안 은하《1968년에 아르메니아의 천문학자 B. E. Markarian이 발견한 활동은하》.

márk càrd *n.* 〖컴퓨〗 마크 카드《광학 판독기를 써서 데이터를 입력하기 위한 카드》: a ~ reader 마크 카드 판독기.

márk·dòwn *n.* 〖商〗 가격 인하(폭) (↔*markup*).

marked [mɑ́ːrkt] *a.* **1** 표[기호]가 있는. **2** 두드러진, 저명한, 눈에 띄는; 주의를 끄는; 명백한: a ~ difference 현저한 차이/a ~ man 주의 인물; 유망 인물; 유명 인사.
〖OE (p.p.)〈MARK¹〗

márked cár *n.* 《美》 (경찰의) 패트롤 카(patrol car).

márk·ed·ly [-ədli] *adv.* 현저하게, 두드러지게, 명백하게.

márk·er *n.* **1 a**) 표[부호]를 붙이는 사람[물건·도구]; (카드놀이의) 산가지(counter); 안표; (특히) 서표(書標) (bookmark). **b**) 묘표, 묘석, 기념비《따위》; 《美》 이정표(milestone). **2** (당구 따위의) 득점 기록 담당자; 채점자; 출석 조사 담당자, 점호 담당자. **3** 면밀한 관찰가.
not a marker to[***on***]... 《美俗》 …와는 비교가 안되는.

márker bèacon *n.* 〖空〗 마커 비컨《비행기의 위치를 알리는 지상 비컨국(局)》.

márker crúde *n.* 기준 원유.

márker príce *n.* 〖石油〗 기준 가격.

◇**mar·ket** [mɑ́ːrkət] *n.* **1 a**) (특히 가축·식료품의) 장; 시장; 시장에 모인 사람들: The last ~ was on Thursday. 지난 장은 목요일에 섰다. 注 단순한 장소로서가 아니라 주로 매매를 생각할 때 이 낱말은 흔히 관사없이 쓰인다(cf. CHURCH, SCHOOL): The farmer took his pigs to (the) ~. 그 농부는 돼지를 (팔려고) 장에 끌고 갔다/Mother goes to (the) ~ every morning. 어머니는 매일 아침 시장에 (찬거리를 사러) 가신다. **b**) = MARKET DAY. **2** 매매, 거래; [the ~] …시장; 소비처, 수요; 매매의 기회; 시황(市況); 시장 가격, 시세; 판로, 시장: The ~ has risen [fallen]. 시세가 올랐다[내렸다]/There is a good ~ *for* used cars. 중고차의 수요가 많다. **3** 《美》 식료품점, 슈퍼마켓: a meat ~ 정육점.
at the market 〖證〗 시장 가격으로; 제일 좋은 값으로.
bring one***'s eggs***[***hogs, goods***] ***to a bad***[***the wrong***] ***market*** 오산하다, 예상 착오를 하다, 예상이 어긋나다.
bring...to market …을 팔려고 내놓다.
come into the market (물건이) 시장에 나오다, 시판되다.
corner the market ☞ CORNER *vt.* 3.
find a market for …을 살 작자가 나서다, …의 판로가 생기다.
hold the market 매점하여 시장을 좌우하다.
in market 매매되어.
in[***on***] ***the market*** 시장에 나와 있는, 팔 것으로 내놓은.
in the market for... (사람이) …을 사려고 나서서.
make a[one***'s***] ***market of*** …을 매물(賣物)로 하다; …으로 이익을 얻다, …을 이용하다.
mar a person***'s***[one***'s***] ***market*** 남[자기]의 장사를 망쳐 놓다.
mend one***'s market*** 장사의 경기를 회복시키다[호전시키다].
play the market 《美》 증권에 투자하다.
put[***place***]***...on the market*** = *bring...to*

MARKET.
—— *vi.* 시장에서 거래하다[사다]; (식료품 따위의) 쇼핑을 하다, 장을 보다.
—— *vt.* (물건(物件)을) 시장에서 팔다, 시장에 내놓다.
〖ME<AF<L (*mercor* to trade); cf. MERCHANT〗
márket·able *a.* 시장 판매에 알맞은, 잘 팔리는; 시장에서 현재 매매되고 있는.
-ably *adv.* 잘 팔려서. **màrket·abílity** *n.* 시장성, 팔 수 있음. **~·ness** *n.*
márket anàlysis *n.* 〖經〗 시장 분석.
márket bàsket *n.* 장바구니; 〖經〗 마켓 바스켓 《생계비의 변동을 산출하는데 지표가 되는 연도를 100으로 계산한 어떤 연도의 비교 구매 능력》.
márket bòat *n.* (어선에서 어시장까지의) 어류 수송선; 보급품 수송선.
márket cróss *n.* 시장의 십자가《중세 때 시장에 세웠던 것》.
márket dày *n.* 장날.
márket ecònomy *n.* 시장 경제.
mar·ke·teer [mɑ̀ːrkətíər] *n.* 《美》 시장 상인.
márket·er *n.* 《美》 장꾼, 장보러 가는 사람; 시장에서 매매하는 사람; 마켓 경영자; 마케팅 담당자 (cf. SHOPPER).
márket gàrden *n.* 《英》 시장에 낼 야채[과수] 재배원(園) (=《美》 truck farm).
márket gàrdener *n.* 《英》 채[과수]원 경영자.
márket gàrdening *n.* 시장 원예(園藝).
márket·ing *n.* **1** Ⓤ 시장에서의 매매; (시장에서) 물건 사기; 시장에 팔려고 내놓기 : do one's ~ 물건을 사다 / go ~ (장에) 물건 사러 가다; (장에) 물건 팔러 가다. **2** Ⓤ 〖經〗 마케팅《제조 계획에서 최종 판매에 이르기까지의 모든 과정》.
márketing chànnel *n.* 유통 경로.
márketing informátion sỳstem *n.* 마케팅 정보 시스템《略 MIS》.
márketing mànager *n.* 마케팅 매니저《시장 분석·제품 계획·판매 촉진 따위의 활동을 통제하는 업무 담당자》.
márketing mìx *n.* 마케팅 믹스[통합]《통제 가능한 마케팅 구성 요소를 유기적으로 통합함》.
márketing pròcess *n.* 마케팅 프로세스[과정]《기업의 사명·목표를 달성하기 위해 마케팅 기회를 확인·분석·선택하여 이용하기 위한 경영 관리 과정》.
márketing resèarch *n.* 시장 조사, 마케팅 리서치《market research를 포함하여 가격정책·유통 광고 전략 따위 시장 거래 전반에 걸친 정보를 수집하는 조사》.
márketing stràtegy *n.* 마케팅 전략.
márket màker *n.* 〖證〗 마켓 메이커《어떤 특정 주식을 갖고 있어 언제라도 매매에 응할 수 있는 업자》.
márket nìche *n.* 특정 시장, 한정 시장.
márket òrder *n.* 현재 시세로의 매매 주문.
márket óvert *n.* 공개 시장.
márket·plàce *n.* 시장; 상업 중심지; (의견·아이디어 따위의 무형 가치 교환의) 중심지.
márket potèntial *n.* 시장의 잠재 능력.
márket prìce *n.* 시장 가격, 시가.
márket resèarch *n.* 시장 조사《상품·서비스에 대한 소비자의 기호 조사》.
márket reséarcher *n.* 시장 조사 전문가.
márket-rìpe *a.* 아직 충분히 익지 않은《시장에 나올 때에야 알맞게 익을 정도》.
márket segmentàtion *n.* 시장 세분화.
márket shàre *n.* 〖經〗 시장 점유율.
márket tòwn *n.* 장이 서는 읍.
márket vàlue *n.* **1** 시장 가치(↔*book value*). **2** =MARKET PRICE.
mar·khor [mɑ́ːrkɔːr], **-khoor** [-kuər] *n.* (*pl.* **~s,** ~) 마코르《카슈미르·투르키스탄 따위의 산악 지방의 야생 염소》.
〖Pers.〗
márk·ing *n.* **1** Ⓤ mark 하기; 채점. **2** Ⓒ 표(mark), 점; (조류 따위에 붙이는) 표지(標識); (새의 깃이나 짐승 가죽의) 반문(斑紋), 무늬; (우편의) 소인; (항공기 따위의) 심벌 마크.
—— *a.* 특징 있는, 특출한.
márking gàuge *n.* 〖木工〗 턱촌목.
márking ìnk *n.* 불변색 잉크.
márking ìron *n.* 화인(火印), 낙인(烙印).
márking pèn *n.* 마킹 펜《펜촉이 펠트·나일론·플라스틱 따위로 된 펜의 일종》.
mark·ka [mɑ́ːrkkɑː, 英+-kə] *n.* (*pl.* **-kaa** [-kɑː], **~s**) 마르카《핀란드의 화폐 단위 : =100 pennia; 기호 M, Mk》.
〖Finn.; ⇨MARK[2]〗
Mar·kov [mɑ́ːrkɔːf, -v], **-koff** [-f] *n.* 마르코프. **Andrei Andreevich** ~ (1856-1922) 러시아의 수학자.
Márkov[Márkoff] chàin *n.* 〖數〗 마르코프 연쇄(連鎖).
márks·man [-mən] *n.* 사수(射手), 저격병; 사격의 명수; 〖美軍〗 2등 사수(의 계급); 〖스포츠〗 사격 선수의 별칭. **~·shìp** *n.* 사격술[솜씨], 궁술. **márks·wòman** *n.* 여자 명사수.
Márk Táp·ley [-tǽpli] *n.* 매우 쾌활[명랑]한 사람《Dickens의 소설 *Martin Chuzzlewit* 중의 인물》.
márk tóoth *n.* 말의 앞니《나이를 나타내는 오목한 홈이 있음》.
Mark Twain [mɑ́ːrk twéin] *n.* 마크 트웨인 (1835-1910)《미국의 작가 Samuel L. Clemens의 필명》.
márk·ùp *n.* **1** 〖商〗 가격 인상(↔*markdown*); 가격 인상폭; (판매 가격을 정하는) 원가에 대한 가산액《보통 판매 가격을 기준으로 하여 백분율로 나타냄》. **2** 《美》 법안의 최종 절충 (단계). **3** 〖印〗 활자 지정.
márkup cálculator *n.* 가산율 계산기《판매가를 정할 때 도매가에 가산할 비율을 계산함》.
marl[1] [mɑ́ːrl] *n.* Ⓤ (비료로 쓰는) 이회토(泥灰土); Ⓤ,Ⓒ 이회 벽돌; 《詩》 흙(earth).
—— *vt.* …에 이회토를 뿌리다.
〖OE<L *margila*〗
marl[2] *vt.* 〖海〗 marline으로 감다.
〖ME *marlyn* to tie〗
mar·la·ceous [mɑːrléiʃəs] *a.* 이회질(泥灰質)의.
Marl·bor·ough [mɑ́ːrlbəːrə, -bʌrə, -bərə, mɔ́ːl-; -bərə] *n.* 말버러《잉글랜드 남부 Wiltshire의 도시; 내란때 왕당파에게 포위됨(1642)》.
Márlborough Hòuse *n.* 말버러 하우스《London에 있는 영국 왕실의 별장; 현재는 공개되어 회의장으로 사용되고 있음》.
Mar·le·ne [mɑːrlíːnə, -léinə] *n.* 여자 이름.
〖G (dim.); ⇨ MAGDALENE〗
mar·lin[1] [mɑ́ːrlən] *n.* (*pl.* ~, **~s**) 〖魚〗 돛새치과(科)의 큰 물고기《청새치 따위》.
〖*marlin*spike〗
mar·line, mar·lin[2] [mɑ́ːrlən], **-ling** [-liŋ] *n.* 〖海〗 말린《두 가닥으로 꼰 가는 밧줄》.
〖Du. (*marren* to bind, *line*[1])〗

márlin(e)·spìke, márling- *n.* 밧줄을 꿰는데 쓰는 송곳 같은 돗바늘.

márlinespike séamanship *n.* 밧줄을 다루는 기술.

marl·ite [mɑ́:rlait], **márl·stòne** *n.* 〖鑛〗 풍화(風化)하지 않는 이회암(泥灰岩)의 일종.

marlin(e)spike

Mar·lowe [mɑ́:rlou] *n.* 말로. **Christopher ~** (1564-93) 영국의 극작가·시인.

márl·pìt *n.* 이회토(泥灰土) 채취장.

márly *a.* 이회토(泥灰土) 비슷한; 이회질의; 이회토로 된.

marm [mɑ́:rm] *n.* 《俗》 =MA'AM.

***mar·ma·lade** [mɑ́:rməlèid] *n.* Ⓤ 마멀레이드 《오렌지·레몬 따위의 jam》; [형용사적으로] 오렌지색의 (줄무늬가 있는).
〖F<Port. (*marmelo* quince)〗

MARMAP [mɑ́:rmæ̀p] 《美》 Marine Resources Monitoring Assessment and Prediction (해양생물 자원 조사).

mar·ma·tite [mɑ́:rmətàit] *n.* 철섬아연광(鐵閃亞鉛鑛). 〖*Marmato* 남미 콜롬비아의 지명〗

Már·mes mán [mɑ́:rməs-] *n.* 마르미스 원인 《1965년 워싱턴 주에서 발견된 11,000년 전의 인류》. 〖R. J. *Marmes* 발견지의 소유자〗

mar·mite [mɑ́:rmait] *n.* **1** (금속 또는 도자기의) 큰 요리 냄비; 그 냄비에 담아서 내놓는 수프. **2** [M~] 마마이트《고기·수프의 조미료로 쓰는 이스트; 상표명》. 〖F=cooking pot〗

mar·mo·lite [mɑ́:rməlàit] *n.* 백온석(白溫石)《사문석(蛇紋石)의 일종》.
〖Gk. *marmairō* to sparkle, *-lite*〗

mar·mo·re·al [mɑ:rmɔ́:riəl], **-re·an** [-riən] *a.* 《詩》 대리석의[같은]; 매끄러운, 하얀, 차가운. **~·ly** *adv.*
〖L; ⇨ MARBLE〗

mar·mo·set [mɑ́:rməsèt, -zèt] *n.* 〖動〗 비단원숭이《열대 아메리카산》. 〖OF=grotesque figure (? *marmouser* to mumble (imit.))〗

mar·mot [mɑ́:rmət] *n.* 〖動〗 마모트. ㊟ 기니피그(guinea pig)와는 다름.
〖OF (? L *mur- mus* mouse, *mons* mountain)〗

mar·o·cain [mǽrəkèin, 美+∸-∸] *n.* Ⓤ 매러케인 《명주 따위의 묵직한 크레이프(crepe) 옷감》.
〖F=Moroccan〗

Mar·o·nite [mǽrənàit] *n.* 〖基〗 마론파 교도《주로 레바논에 살며 아람어의 전례(典禮)를 따르는 귀일(歸一) 교회의 일파; 1182년부터 로마 카톨릭 교회와 정식 교류 관계에 있음》.
〖*Marōn* 5세기 시리아의 개조(開祖)〗

Máronite Chúrch *n.* 마론 교회.

ma·roon[1] [mərú:n] *n.* Ⓤ 적갈색, 밤색; Ⓒ (경보용의) 폭죽, 꽃불. ── *a.* 적갈색[밤색, 고동색]의. 〖F<It.<Gk.=chestnut〗

maroon[2] *n.* [보통 M~] 마룬《서인도 제도의 산중에 사는 흑인; 원래는 탈주 노예》; 무인도에 버려진 사람, 유배된 사람. ── *vt.* 섬으로 귀양보내다; (홍수 따위가) 고립시키다. ── *vi.* 빈둥빈둥 놀다. 〖C17<F<Sp. *cimarrón* dwelling on peaks, wild (*cima* peak)〗

már·plòt *n.* 쓸데없이 참견하여 계획을 망쳐 놓는 사람.

Marq. Marquess; Marquis.

marque[1] [mɑ́:rk] *n.* **1** 타국[적국] 선박 나포 면허장. **2** 보복(적인 약탈).
〖F (*marcar* to seize as pledge)<Gmc.〗

marque[2] *n.* (스포츠카 따위의) 형(型), 차명(車名), 모델; (차명을 나타내는) 표지(標識).
〖F=MARK[1], brand〗

mar·quee [mɑ:rkí:] *n.* **1** 《英》 (서커스·야유회 따위의) 큰 천막. **2** 《美》 (극장·호텔 따위의) 입구의 차양(marquise).
〖F; *marquise*의 어미가 복수로 잘못된 것〗

mar·quess [mɑ́:rkwəs], **mar·quis** [mɑ́:rkwəs, mɑ:rkí:] *n.* (*pl.* **~·es** [-səz], **mar·quis** [-kí:z]) 《英》 **1** 후작, 후(侯) (cf. MARCHIONESS, NOBILITY). **2** (영국에서) 공작(duke)의 장남의 경칭. ㊟ 영국에서는 현재 자기 나라의 후작에게는 보통 marquess를 씀(cf. MARQUISE 1); 2의 경우도 같음.
〖OF; ⇨ MARCH[2]〗

mar·que·try, -terie [mɑ́:rkətri] *n.* Ⓤ (가구 장식의) 상감 세공, 나뭇조각을 박아 넣은 세공.
〖F; ⇨ MARQUE[2]〗

mar·quis·ate [mɑ́:rkwəzət, -sət] *n.* 후작의 신분; 후작령(領).

mar·quise [mɑ:rkí:z] *n.* (*pl.* **~s** [-kí:z(əz)]) **1** =MARCHIONESS. ㊟ 영국에서는 자기 나라 이외의 사람에게 씀. **2** =MARQUEE. **3** 보석, (특히) 다이아몬드; 그 보석을 박은 반지.
〖F (fem.) ‹ *marquis* MARQUESS〗

mar·qui·sette [mɑ̀:rkwəzét] *n.* Ⓤ 얇고 가벼운 천의 일종《커튼·여성 옷감 따위에 씀》.
〖F (dim.) ‹ ↑〗

már·quois scàle [mɑ́:rkwɔiz-] *n.* 〖測〗 평행선을 긋는 기구.

már·ram (gràss) [mǽrəm(-)] *n.* =BEACH GRASS. 〖ON=sea haulm〗

Mar·ra·no [mərɑ́:nou] *n.* (*pl.* **~s**) 마라노《중세 스페인·포르투갈에서 박해에 못이겨 기독교도가 된 유태[무어]인》.

‡mar·riage [mǽridʒ] *n.* **1** Ⓤ,Ⓒ 결혼: (an) early ~ 조혼 / (a) late ~ 만혼 / a ~ of convenience 정략 결혼 / Scotch ~ =COMMON-LAW MARRIAGE / his[her] uncle *by* ~ 시[처]삼촌. **2** Ⓤ [또는 a ~] 결혼생활〈*with*〉. **3** 결혼식, 혼례 (wedding): a church ~ 교회 결혼 / his ~ *to* Miss White 그와 화이트양과의 결혼(식). **4** 밀접한 결합: the ~ of intellect *with* good sense 지성과 양식의 결합. **5** Ⓤ,Ⓒ 〖카드놀이〗 매리지 《bezique, pinochle 따위에서 같은 패의 킹과 퀸이 갖춰지는 것; 그 선언》.
give* [*take*]*...in marriage …을 시집보내다, 사위를 맞다.
〖OF (*marier* to MARRY[1])〗
類義語 ***marriage*** 결혼(식)의 뜻의 일반적인 말. ***matrimony*** 새로운 느낌의 낱말로 특히 결혼에 따르는 종교적 의식이나 권리·의무 또는 정신적인 결합을 강조함. ***wedlock*** 현재는 특히 법률적인[정식] 결혼의 뜻에 사용함. ***wedding*** 결혼식 또는 그 후의 피로연. ***nuptials*** 형식에 치우친[점잔빼는] 말로 화려한 의식 따위를 암시함.

márriage·able *a.* 혼기에 이른, (연령이) 결혼에 적당한: (be of) ~ age 결혼할 시기(에 있다).

màrriage·abílity *n.* 결혼 적령.

márriage àrticles *n. pl.* (결혼 전에 미리 재산권·상속권을 정하는) 결혼 약정서.

márriage bèd *n.* 신혼 부부의 동침.

márriage bròker *n.* (전문적인) 결혼 중매인[업자], 중매쟁이.

márriage bùreau *n.* 결혼 상담소.
márriage certìficate *n.* 결혼 증명서.
márriage còntract *n.* 혼인전(前) 계약; = MARRIAGE SETTLEMENT.
márriage encòunter *n.* 몇 쌍의 부부가 그룹을 지어 부부 사이의 문제를 솔직히 토론하여 부부 관계를 개선하려는 방법.
márriage guìdance *n.* 결혼 생활 지도.
márriage lìcense *n.* 결혼 허가증.
márriage lìnes *n.* [보통 단수취급] 《英》 = MARRIAGE CERTIFICATE.
márriage màrket *n.* 《英》 결혼 시장《결혼 적령기에 있는 남녀의 수요와 공급》.
márriage pènalty *n.* 《美》 맞벌이 부부에게 불리한 세제(稅制)《각자 수입이 있는 남녀가 부부로서 신고하는 것보다 각자 독신으로 신고하는 쪽이 유리하게 취급됨》.
márriage pòrtion *n.* 결혼 지참금(dowry).
márriage sèrvice *n.* (교회에서의) 결혼식.
márriage sèttlement *n.* 혼인(전) 계승적 부동산 처분; 부부 재산 계약.
márriage tàx *n.* 《美》 결혼세《맞벌이 부부에 대한 세제》.
*__már·ried__ *a.* **1** 결혼한, 처[남편]가 있는, 부부(간)의(↔*single*): a ~ couple 부부 / ~ life 결혼생활 / ~ love 부부애. **2** 밀접한 관계에 있는, 헌신적인.
—— *n.* (*pl.* ~**s**, ~) 기혼자.
márried prìnt *n.* 《英》 사운드트랙을 이용하여 화상과 음성이 함께 녹음된 영화 필름.
mar·ron [*F* marɔ̃] *n.* **1** 〖植〗 유럽밤《요리·과자용》. **2** [*pl.*] = MARRONS GLACÉS.
mar·rons gla·cés [*F* marɔ̃ glase] *n. pl.* 마롱 글라세《시럽에 삶아 당의를 입힌 밤》.
〚F=iced chestnut; cf. GLACÉ〛
*__mar·row__[1] [mǽrou] *n.* **1** Ⓤ 〖解〗 뼈골, 골수; 척수; 《비유》 마음속, 정화(精華), 정수(精粹); 자양분이 많은 음식물: the pith and ~ of a speech ☞ PITH 2. **2** Ⓤ 힘, 활력: the ~ of the land 국력. **3** 《英》 = VEGETABLE MARROW.
to the marrow (***of*** one's ***bones***) 골수까지, 순수한, 철저하게: be chilled *to the* ~ 뼛속까지 얼어붙다 / He is an artist *to the* ~ (*of* his *bones*). 그는 순수한 예술가다.
~·less *a.*
〚OE *mearg*; cf. G *Mark*〛
marrow[2] *n.* 《北英》 상대, 동료; 짝패; 배우자, 동반자; 애인.
〚ME *marwe* fellow worker < ? Scand. (Icel. *margr* friendly)〛
márrow bèan *n.* 강낭콩《알이 굵은》.
márrow·bòne *n.* 골수가 들어있는 뼈《요리용》; [*pl.*] = CROSSBONES; [*pl.*] 《戲》 무릎(knees).
Bring him to his marrowbones! 그놈을 때려 눕혀라!
get [***go***] ***down on*** one's ***marrowbones*** 무릎을 꿇다.
márrow·fàt *n.* 〖植〗 알이 굵은 완두콩의 일종 (= ≈ **pèa**).
márrow squàsh *n.* 《美》 = VEGETABLE MARROW.
már·rowy *a.* **1** 골수(marrow)가 있는. **2** 강한; 내용이 있는; 간결하고 힘찬.
◇**mar·ry**[1] [mǽri] *vt.* **1** …와 결혼하다: John asked Grace to ~ him. 존은 그레이스에게 결혼신청을 했다 / May cousins ~ each other? 사촌끼리 결혼해도 좋은가요.

> **marry의 ○×**
> (×) His daughter *married with* [*to*] a rich man.
> (그의 딸은 부자와 결혼했다.)
> (○) His daughter *married* a rich man.
> ☆ 수동태에서는 to를 쓴다.
> She *was married to* a rich man.
> (그녀는 부자와 결혼했다.)

2 [+目/+目+副/+目+*to*+名] **a**) 결혼시키다; (딸을) 시집보내다, 출가시키다; (아들을) 장가보내다: She has three daughters to ~ (***off***). 시집보낼 딸이 셋 있다 / He *married* his son ***to*** an architect's daughter. 아들을 건축가의 딸과 결혼시켰다. **b**) (목사가) …의 결혼식을 거행하다: The minister *married* them. 목사가 그들의 결혼식을 거행했다. **c**) [수동태로] 결혼해 있다[하다]: They have *been married* two years. 두 사람은 결혼한지 2년 된다 / She is *married* ***to*** a diplomat. 외교관과 결혼해서 살고 있다 / He had *been married to* an American actress. 그는 미국 여배우와 결혼해 있었다 / They[He] *got married* soon after that. 두 사람은[그는] 그후 곧 결혼했다. 注 *get* married는 대체로 *be* married와 같은 뜻으로 쓰이지만 때때로 계속적 상태와 구별하여 행위의 완료를 암시함. **3** 《비유》 굳게 결합시키다. **4** 〖海〗 (밧줄 따위를) 꼬아 합치다. —— *vi.* [動/+補] 결혼하다, 시집가다, 사위[며느리]를 맞아들이다: ~ late in life 늦게 결혼하다 / ~ for love [money] 연애[돈을 노리고] 결혼하다 / *M*~ in haste, and repent at leisure. 《속담》 서둘러 결혼하면 뒤늦게 후회한다 / He *married* very young. 꽤 젊었을 때 결혼했다.
marry into... (다른 집안)으로 시집가다: She *married into* a rich family. 부잣집으로 시집갔다 / ~ *into* the purple ☞ PURPLE *n.* 숙어.
〚OF < L (*maritus* husband); ⇨ MARRIAGE〛
marry[2] *int.* 《古·方》 저런!, 어머나!, 참!, 그까짓《놀람·단언·분노 따위의 발성》.
Marry come up! 별꼴 다 보겠네!, 뭐라고!, 이것 참 놀랐는데!
〚(the Virgin) *Mary*〛
*__Mars__ [mɑ́ːrz] *n.* **1 a**) 〖로神〗 마르스《군신(軍神); 〖그神〗의 Ares에 해당; cf. BELLONA》. **b**) 전쟁, 용사. **2** 〖天〗 화성.
〚L *Mart- Mars*〛
MARS manned astronautical research station (유인 우주 조사 정거장).
Mar·sa·la [mɑːrsɑ́ːlə] *n.* **1** 마르살라《이탈리아 Sicily 서부의 항구도시》. **2** 마르살라《마르살라산(産)의 달콤한 백포도주》.
Mar·seil·laise [mɑ̀ːrsəléiz; *F* marsɛjɛːz] *n.* [보통 La ~] 라 마르세예즈《프랑스 국가》.
〚F (fem. a.) < ↓〛
Mar·seille *n.* **1** [*F* marsɛj] 마르세유《프랑스 지중해 연안의 항구 도시》. **2** [m~] [mɑːrséil] = MARSEILLES.
Mar·seilles [mɑːrséilz] *n.* **1** [, mɑːrséi] Marseille의 영어명. **2** Ⓤ [m~] 마르세유 직(織)《튼튼한 무명, 이불용》.
Marséilles sóap *n.* 마르세유 비누《원래 올리브유로 만들었음》.
*__marsh__ [mɑ́ːrʃ] *n.* Ⓤ,Ⓒ 습지, 늪, 소택지《보통 풀이 나있고 주기적으로 물에 잠김; cf. SWAMP》; 《美方》 초지.
〚OE *mer*(*i*)*sc*; cf. MERE[2], G *Marsch*〛

mar·shal** [mɑ́ːrʃəl] *n.* **1** 《美》 연방 보안관《연방 재판소의 집행관 ; cf. SHERIFF》; (어떤 도시의) 경찰[소방] 서장 ; =FIRE MARSHAL. **2** 〖軍〗 육군 원수《미국에서는 General of the Army, 영국에서는 field marshal》. **3** 《英》 공군 원수(=**M~ of the Róyal Áir Fòrce**) : an air chief ~ 공군 대장 / an air ~ 공군 중장 / an air vice-~ 공군 소장. **4** (모임의) 접대담당, 의식담당, 사회자. **5** 의전관. **6** =PROVOST MARSHAL. **7** 《英》 = EARL MARSHAL. —— *v.* (**-l-** | **-ll-**) *vt.* **1** (군대 따위를) 정렬시키다 ; 정돈[정리]하다 : ~ evidence 증거를 정리하다. **2** [+目+前+名] (격식을 차리고) 안내하다, 인도하다 : They were ~*ed* ***before [***into*** the presence of] the Queen. 여왕 앞으로 안내되었다. **3** 〖法〗 …의 배당 순위를 정하다. **4** (문장(紋章)을) 바탕에 배열하다.
—— *vi.* 정렬[집합]하다 ; 정리[정돈]되다.
~·cy, ~·shìp *n.* marshal의 직[지위].
〖OF<L<Gmc. (《美》 *marhaz* horse, MARE[1], 《美》 *skalkaz* servant)〗

márshal·ing yàrd *n.* 〖鐵〗 조차장(操車場).

mar·shall [mɑ́ːrʃəl] *n., v.* =MARSHAL.

Márshall Íslands *n. pl.* [the ~] 마셜 제도(諸島)《1986년 독립한 태평양 서부의 섬나라 ; 수도 Majuro》.
〖John *Marshall* 영국의 해군 장교·탐험가〗

Márshall Plàn *n.* [the ~] 마셜 플랜《미국 국무장관 G. C. Marshall이 제안한 유럽 부흥 계획 ; cf. EUROPEAN RECOVERY PROGRAM》.

mársh fèver *n.* 말라리아.

mársh gàs *n.* 메탄.

mársh gràss *n.* 《美俗》 시금치(spinach).

mársh hàrrier *n.* 〖鳥〗 개구리매.

mársh hàwk *n.* 〖鳥〗 아메리카잿빛개구리매《북미산(產)》.

marsh·mal·low [mɑ́ːrʃmèlou, -mæl- ; -mǽl-] *n.* **1** 〖植〗 서양축규화, 분홍접시꽃. **2 a)** 마시멜로《원래는 서양축규화 뿌리로 만든 과자, 지금은 전분·시럽·설탕·젤라틴 따위로 만듦》. **b)** 《美俗·蔑》 백인 ; 《美俗》 겁쟁이.

márshmallow shòes *n. pl.* 《美俗》 (여자애들이 신는) 밑창이 두껍고 뒤축이 없는 구두.

mársh màrigold *n.* 〖植〗 누운동이나물《성탄꽃과(科)의 초본(草本)》.

márshy *a.* 습지(대)의, 늪의 ; 소택지에 나는.

Mar·so·khod [mɑ̀ːrsəxɔ́ːt] *n.* 구소련의 화성 표면 탐사차.

Márs·quàke *n.* 화성의 지진.

mar·su·pi·al [mɑːrsúːpiəl ; -sjúː-] *a.* 〖動〗 육아낭의[이 있는] ; 유대류(有袋類)의.
—— *n.* 유대동물《주머니쥐·캥거루 따위》.
〖Gk. *marsupion* pouch (dim.) 〈 *marsipos* purse〗

mar·su·pi·um [mɑːrsúːpiəm ; -sjúː-] *n.* (*pl.* **-pia** [-piə]) 〖動〗 (유대동물의) 육아낭(育兒囊).
〖NL ↑〗

mart [mɑ́ːrt] *n.* 《文語》 장(場) (marketplace), 시장(market) ; 상업 중심지 ; 경매실 ; 《古》 정기시 ; 《廢》 매매, 거래. —— *vt.* 《古》 매매[장사]하다. 〖Du. ; ⇨ MARKET〗

Mart *n.* 여자 이름《Martha의 애칭》.

Mart. Martial.

mar·tél·lo (tòwer) [mɑːrtélou(-)] *n.* [흔히 M~] 〖史〗 (해안의) 원형 포탑(砲塔).
〖Corsica 섬의 *Mortella* 곶에 있었음〗

mar·ten [mɑ́ːrtən] *n.* (*pl.* **~, ~s**) 〖動〗 담비 ; Ⓤ 담비의 모피.
〖MDu.<OF<Gmc. ; cf. OE *mearth* marten〗

Mar·tha [mɑ́ːrθə] *n.* **1** 여자 이름《애칭 Mart, Marty, Mat, Matty, Pat, Patty》. **2** 〖聖〗 마르다《Lazarus의 누이》.
〖Aram.=lady〗

mar·tial [mɑ́ːrʃəl] *a.* **1** 전쟁의[에 알맞은] : ~ music 군악 / a ~ song 군가. **2** 용감한, 호전적인(warlike) : a ~ people 호전적인 국민. **3** 군인다운. **4** 무력(武力)의, 병사의, 군사의, 육해군의(↔*civil*) : ~ rule 군정(軍政). **5** [M~] 군신(軍神)의 ; [M~] 화성(火星)의.
~·ly *adv.* 용감하게. **~·ness** *n.*
〖OF or L=of MARS〗
類義語 ⟹ MILITARY.

mártial árt *n.* (동양의) 무술, 무도(武道)《태권도·쿵후·검도 따위》.

mártial·ìsm *n.* Ⓤ 상무(尙武)의 정신.

mártial·ìze *vt.* 전쟁 준비를 갖추게 하다 ; …의 사기를 북돋우다.

mártial láw *n.* 계엄(령) ; 〖國際法〗 교전법규.

Mar·tian [mɑ́ːrʃən ; -ʃjən] *a.* 군신(軍神)의 ; 화성(인)의. —— *n.* 화성인. 〖MARS〗

Mar·tian·ol·o·gist [mɑ̀ːrʃənɑ́lədʒəst] *n.* 화성 연구 학자.

mar·tin [mɑ́ːrtən] *n.* 〖鳥〗 흰털발제비.

Martin *n.* 남자 이름. 〖L=of Mars〗

mar·ti·net [mɑ̀ːrtənét, ⌐-⌐] *n.* 훈련이 엄한 사람[군인], 규율가 ; 까다로운 사람.
〖Jean *Martinet* 17세기 프랑스의 연병관〗

mar·tin·gale [mɑ́ːrtəngèil, -tiŋ-] *n.* **1** (말의) 가슴걸이 끈. **2** 〖海〗 마틴게일《제 2 사장(斜檣)을 아래쪽에 지탱시키는 밧줄》. **3** 곱태우기《질 때마다 거는 돈을 곱절로 걺》.

mar·ti·ni [mɑːrtíːni] *n.* [때때로 M~] 마티니《진과 베르무트를 혼합한 칵테일》.
〖? *Martini* and Rossi 이탈리아의 베르무트 판매업자〗

Mar·tin·mas [mɑ́ːrtənməs, 美+-mæs] *n.* 성(聖) 마르틴의 축일《11월 11일》.

mart·let [mɑ́ːrtlət] *n.* 〖鳥〗 흰털발제비(martin) ; 〖紋〗 발없는 새《분가한 넷째 아들의 문장》.
〖OF〗

Marty [mɑ́ːrti] *n.* 여자 이름《Martha의 애칭》.

***mar·tyr** [mɑ́ːrtər] *n.* **1** 순교자 ; 순난자(殉難者), 희생자〈*to*〉 : die a ~ *to* one's principle 주의(主義)를 위해 목숨을 바치다. **2** (질병 따위로) 늘 시달리는 사람, 수난자 : He was a ~ *to* gout. 오랫동안 통풍(痛風)으로 시달렸다.
make a martyr of …을 희생시키다, …을 괴롭히다.
make a martyr of one***self*** (좋은 평을 얻기 위해서) 수난자 행세를 하다.
—— *vt.* 주의[신앙] 때문에 죽이다 ; 박해하다, 괴롭히다.
〖OE<L<Gk. *martur* witness〗

mártyr·dom *n.* Ⓤ,Ⓒ 순교, 순난(殉難), 순사(殉死) ; 수난, 고통, 고난.

mar·tyr·i·um [mɑːrtíriəm] *n.* (*pl.* **-r·ia** [-riə]) 순교자의 유품(遺品)이 보존돼 있는 곳, 순교의 유적 ; 순교자 기념 성당 ; 납골당(納骨堂), 매장소(埋藏所).

mártyr·ìze *vt.* 순교자로서 죽이다, 희생시키다 ; 괴롭히다(torment). —— *vi.* 순교자가 되다 ; 순교자처럼 행동하다.
màrtyr·izátion *n.*

mar·tyr·ol·a·try [mɑ̀ːrtərɑ́lətri] *n.* Ⓤ 순교자 숭배(崇拜).

mar·tyr·ol·o·gy [mɑ̀ːrtərɑ́lədʒi] *n.* Ⓤ 순교사

(史) ; 순교자 열전(列傳) ; 순교록.
-**gist** *n.* 순교사학자 ; 순교자 열전 기자(記者).
màr·tyr·o·lóg·i·cal *a.*
mar·tyry [mɑ́:rtəri] *n.* 순교자의 묘소·예배당.
MARV [mɑ́:rv] *n.* 〖軍〗 기동(機動) 핵탄두 (탑재 미사일). —— *vt.* …에 기동 핵탄두를 장비하다. 〖*Ma*neuverable *R*eentry *V*ehicle〗
mar·vel** [mɑ́:rvəl] *n.* **1** 놀라운 일, 경이, 불가사의 ; 놀라운 사람[물건] : a ~ *of* learning 놀랄 만한 학자 / The new bridge is a ~ *of* construction and beauty. 그 새 다리는 경탄할 만한 구조와 미를 지니고 있다 / The ~ is that.... 이상한 것은 …하는 것이다. **2** Ⓤ 《古》 놀라움, 경탄(astonishment). —— *v.* (-**l**- | -**ll**-) *vi.* [+*at*+名/+*that* 節] 놀라다 : I can only ~ ***at your skill. 다만 당신의 기술에 경탄할 뿐입니다 / I ~ *that* he was able to succeed against such odds. 그가 그같은 불리한 조건하에서 성공했다는 것은 경탄할 수밖에 없다. —— *vt.* [+*wh.* 節] 놀라다 ; 불가사의하게 여기다, 수상히 여기다(wonder) : I ~ *how* you will manage to do it. 네가 그것을 어떻게 해낼지 의심스럽다. 注 marvel의 동사 용법은 문어적이며 be SURPRISED, WONDER를 사용하는 것이 일반적.
〖OF<L (*miror* to wonder at)〗
márvel-of-Perú *n.* 〖植〗 분꽃.
***mar·vel·ous, -vel·lous** [mɑ́:rvələs] *a.* **1** 놀랄 만한, 신기한, 믿어지지 않는, 기묘한 ; 《口》 훌륭한, 최고의, 굉장한(excellent) : ~ power 불가사의한 재능. **2** [명사적으로 ; the ~] 기이(奇異), 거짓말 같은 사건.
~·**ly** *adv.* 이상하게 ; 훌륭하게.
類義語 ⟹ WONDERFUL.
mar·vie, -vy [mɑ́:rvi] *int.* 《美俗》 멋있는데, 근사하군.
Mar·vin [mɑ́:rvən] *n.* 남자 이름.
〖Celt.=sea friend〗
Marx [mɑ́:rks] *n.* 마르크스. **Karl** ~ (1818-83) 독일의 경제학자·사회주의자.
Márx·ian *a.* 마르크스(주의)의.
—— *n.* 마르크스주의자.
Márx·ism *n.* Ⓤ 마르크스주의《Marx의 역사·경제·사회학설》. -**ist** *a., n.*
Márxism-Léninism *n.* Ⓤ 마르크스레닌주의.
Márxist-Léninist *n., a.*
Mary [méəri, mǽəri, 美+méiri] *n.* **1** 여자 이름 《애칭 Moll, Molly, Poll, Polly》. **2** 성모 마리아. **3** 메리 스튜어트. ~ **Stuart** (1542-87) 스코틀랜드의 여왕.
〖Gk.<Heb.=wished-for child or bitterness ; cf. MIRIAM〗
Máry Ánn *n.* 《俗》 =MARY JANE ; 《俗》 택시의 요금 미터《운전 기사의 용어》.
Máry Jáne *n.* [때때로 m~ j~] 《俗》 마리화나.
Mary·land [mérələnd ; méərilæ̀nd, mériland] *n.* 메릴랜드《미국 동부 대서양 연안의 주(州) ; 주도 Annapolis ; 略 Md.》.
~·**er** [, -læ̀ndər] *n.* 메릴랜드 사람.
Mary·le·bone [mǽrələbən, mǽribən, 英+mɑ́:libən] *n.* 런던 중서부의 지구(地區) ; 1965년 이후 Westminster 구(區)의 일부.
Máry Mágdalene *n.* 〖聖〗 막달라 마리아《그리스도에 의하여 개심한 여성》.
Máry·màss *n.* 성모 영보(聖母領報) 대축일《3월 25일》.
mar·zi·pan [mɑ́:rtsəpɑ̀:n, -pæ̀n ; mɑ́:zipæ̀n] *n.* 마지판《설탕·달걀·밀가루·호두와 으깬 아몬드를 섞어 만든 과자》. 〖G<It.〗
-**mas** [məs] *n. comb. form* 「…제(祭)」「…축일」의 뜻 : Christ*mas*. 〖⇨ MASS[2]〗
mas., masc. masculine.
Ma·sai [mɑsái, ∸-] *a., n.* (*pl.* ~, ~**s**) 마사이족(의) 《아프리카의 케냐와 탄자니아에 사는 유목 민족》 ; 마사이어(의).
mas·cara [mæskǽrə ; -kɑ́:-] *n.* Ⓤ 속눈썹용 화장품, 마스카라. —— *vt.* …에 마스카라를 칠하다. 〖It.=MASK〗
mas·con [mǽskɑn] *n.* 매스콘《달 표면의 질량(質量) 집중 지대》. 〖*mass*+*con*centration〗
mas·cot [mǽskət, 美+-kɑt] *n.* 마스코트, 행운을 가져오는 사람[동물·물건] ; 행운의 부적.
〖F<Prov. (dim.) ‹ *masco* witch〗
***mas·cu·line** [mǽskjələn] *a.* (↔*feminine*) **1 a)** 남자의, 수컷의 ; 남자다운, 힘센, 용감한. **b)** (여자가) 남자 같은. **2** 〖文法〗 남성의(cf. FEMININE, NEUTER) : the ~ gender 남성 / a ~ noun 남성 명사. —— *n.* 〖文法〗 **1** [the ~] 남성. **2** 남성 명사[대명사 따위].
~·**ness** *n.* 남성미. 〖OF<L ; ⇨ MALE〗
類義語 ⟹ MANLY.
másculine énding *n.* 〖韻〗 남성 행말(行末)《시의 행 끝의 음절에 강세를 두는 것 ; cf. FEMININE ENDING》.
másculine rhýme *n.* 〖韻〗 남성운(男性韻)《시의 행말에 강세가 있는 음절만 압운(押韻)하는 것 ; cf. FEMININE RHYME》.
más·cu·lin·ist [-lən-, -lìn-] *n.* 남권(男權)주의자(cf. FEMINIST). 〖*feminist*에 준한 것〗
mas·cu·lin·i·ty [mæ̀skjəlínəti] *n.* 남자다움, 남성적임, 강직하고 씩씩함.
más·cu·lin·ìze *vt.* (여성을) 남성화하다.
màs·cu·lin·i·zá·tion *n.*
mase [méiz] *vi.* 마이크로파를 증폭하다, 메이저(maser) 역할을 하다. 〖역성(逆成) ‹ *maser*〗
Mase·field [méisfi:ld, 美+méiz-] *n.* 메이스필드. **John** ~ (1878-1967) 영국의 계관시인·소설가·비평가.
ma·ser [méizər] *n.* 메이저《분자[원자]에서 방출되는 마이크로파(波) 에너지의 증폭[발진]기》 : an optical ~=LASER. 〖*m*icrowave *a*mplification by *s*timulated *e*mission of *r*adiation〗
Ma·se·ra·ti [mɑ̀:zərɑ́:ti] *n.* 마세라티《이탈리아 Officine Alfieri Maserati 사제(社製)의 스포츠카[고급 승용차]》.
〖Alfieri *Maserati* 동사(同社)의 창업자〗
Mas·e·ru [mǽzərù:] *n.* 마세루《Lesotho의 수도》.
mash[1] [mǽ(:)ʃ] *n.* **1** Ⓤ 짓이겨서 걸쭉하게 만든 것. **2** Ⓤ 밀기울·겨 따위를 더운 물에 푼 마소의 사료. **3** Ⓤ 엿기름 물《맥주 원료》. **4** Ⓤ 《口》 매시트 포테이토《으깬 감자》 ; 《비유》 뒤범벅, 뒤섞임, 혼합.
all to (a) mash 아주 곤죽이 되도록 《삶다》.
—— *vt.* **1** (감자 따위를) 으깨다. **2** (엿기름에) 더운 물을 타다.
〖OE *māsc* ; cf. G *Maisch* crushed grapes〗
mash[2] *vt., vi.* 《古俗》 반하게 하다 ; 구애하다, 설득하다 ; 농탕치다.
be mashed on …에게 반하다.
—— *n.* 홀딱 반한 상대, 애인 ; 《美俗》 정사(情事) ; 《英》 난봉꾼.
〖역성(逆成) ‹MASHER[2] (? ↑)〗
MASH mobile army surgical hospital (육군 이동 외과 병원).
másh·er[1] *n.* mash하는 사람[기계] ; 감자 으깨는

기구.

masher[2] *n.* 《俗》 색한, 플레이보이, 난봉꾼. 〚? MASH[1]〛

mash·ie, mashy [mǽʃi] *n.* 〔골프〕 매시《5번 아이언》.

máshie ìron *n.* 매시 아이언《4번 아이언》.

máshie nìblick *n.* 〔골프〕 매시 니블릭《7번 아이언 ; 쇠로 된 헤드가 달린 클럽》.

másh nòte *n.* 《俗》 (짧은) 연애 편지.

másh tùb[**tùn**] *n.* 엿기름을 만드는 통.

mashy ☞ MASHIE.

mas·jid, mus- [mʌ́sdʒəd] *n.* 이슬람교(敎) 사원(mosque). 〚Arab.〛

***mask** [mǽ(:)sk ; mɑ́:sk] *n.* **1** 복면, 탈 ; (보호) 마스크 ; 방독면, 산소 마스크 ; (거즈 따위로 만든) 마스크 ; 《美俗》 (교통 경찰 등이 하는 눈 주위를 다 가리는) 큰 선글라스. **2** 가면 ; 가장한 사람 ; =MASQUERADE ; 가면을 쓴 사람 ; 가면극 : The children wore Halloween ~*s.* 아이들은 할로윈 가면을 썼다. **3** 데스 마스크(death mask) ; (석고 따위로 떠낸) 얼굴형. **4** 〔築城〕 (포대(砲臺)의) 차폐물, 차폐각면보(遮蔽角面堡). **5** 《美俗》 얼굴, 낯짝 ; 《비유》 가장, 구실 〈*for*〉 ; (일반적으로) 덮어가리는 것. **6** 〔寫〕 (사진·영상의 크기[광량(光量) 따위]를 정하는) 마스크 ; 〔印〕 불투명 스크린 ; 〔電子〕 마스크 《회로 패턴이 인쇄된 유리판 ; 직접 회로 제조용》.

assume [***put on, wear***] ***a mask*** 가면을 쓰다 ; 정체를 감추다.

throw off one***'s mask*** 가면을 벗다 ; 정체를 드러내다.

under the mask of …의 가면을 쓰고, …을 핑계삼아.

── *vt.* **1** …에 가면을 씌우다, 가면으로 가리다, 변장하다. **2** [+目/+目+前+名] 감추다, 가리다 : He ~*ed* his intentions ***behind*** an air of indifference. 그는 무관심을 가장하여 자기의 의도를 은폐했다. **3** 〔軍〕 차폐[엄폐]하다 ; (적을) 감시하여 그 행동을 방해하다. **4** 〔料〕 (고기 요리 따위)에 소스를[조미한 국물을] 끼얹다. **5** (냄새·소리 따위를) 차단하다. ── *vi.* 가면을 쓰다 ; 변장하다 ; 본심을 감추다.

~·able *a.* **~·lìke** *a.*

〚F<It.<Arab. =buffoon〛

masked [mǽ(:)skt ; mɑ́:skt] *a.* **1** 가면을 쓴, 변장한(disguised) : a ~ ball 가면[가장(假裝)] 무도회. **2** 가리워진, 덮인. **3** 〔軍〕 차폐된. **4** 〔醫〕 잠복성의(latent). **5** 〔植〕 가면 모양의.

másk·er *n.* 복면한 사람 ; 가장 무도회 참가자 ; 가면극 배우.

másk·ing *n.* Ⓤ 복면을 하기, 가면을 쓰기 ; 〔印〕 마스킹《사진정판 때 색채·농담 따위를 수정, 차폐 효과를 내는 일》; 〔劇〕 차폐물.

másking tàpe *n.* 마스킹 테이프《페인트를 칠할 때 칠하지 않는 부분을 보호하는 테이프》.

másk wòrk *n.* 〔電子〕 마스크 워크《반도체 칩 표면에 인쇄되는 회로 패턴》.

mas·lin [mǽzlən] *n.* 《英方》 밀과 호밀을 섞은 것, 그것으로 만든 빵.

mas·och·ism [mǽsəkìzəm, 美+mǽz-] *n.* **1** 피(被)학대성 변태 성욕, 매저키즘《이성에게 학대를 받음으로써 쾌감을 느낌 ; cf. SADISM》. **2** 자학적 성향. **-ist** *n.* 피학대 음란증 환자, 매저키스트. 〚L. von Sacher-*Masoch* (d. 1895) 오스트리아의 작가〛

ma·son [méisən] *n.* **1** 석공 ; 벽돌[콘크리트]공(工) ; 〔昆〕 =MASON BEE. **2** [M~] 비밀 공제 조합원(Freemason). ── *vt.* 돌[벽돌]로 만들다[강화하다].
〚OF<? Gmc. ; cf. MAKE〛

máson bèe *n.* 〔昆〕 진흙·모래 따위로 집을 짓고 단독으로 사는 벌의 총칭.

Máson-Díxon lìne *n.* [the ~] 메이슨 딕슨선(線)《미국 Maryland 주와 Pennsylvania 주의 경계선 ; 노예해방 전에는 남부와 북부의 경계를 이룸 ; Mason and Dixon's line이라고도 함》.

Ma·son·ic [məsɑ́nik] *a.* **1** 비밀 공제 조합의 : a ~ lodge 비밀 공제 조합원 집회소. **2** [m~] 석공[돌세공]의.
── *n.* Freemason의 간친회.

Ma·son·ite [méisənàit] *n.* 메소나이트《단열용 경질(硬質) 섬유판 ; 상표명》.
〚W. H. *Mason* (d. ? 1947) 미국의 공학자〛

Máson jàr *n.* 가정에서 식료품을 저장하는 데 쓰는 유리병《금속 또는 유리로 된 마개가 있음》.
〚J. L. *Mason* (d. 1902) 미국의 특허권 취득자〛

máson·ry *n.* Ⓤ **1** 석공[벽돌공·콘크리트공]의 직(職) ; 석[벽돌·콘크리트]공술(術). **2** 돌[벽돌·콘크리트] 공사 ; 석조[벽돌·콘크리트 건조] 건축. **3** [M~] =FREEMASONRY.

máson·wòrk *n.* Ⓤ =MASONRY.

masque [mǽ(:)sk ; mɑ́:sk] *n.* (16-17세기에 영국에서 유행한) 가면극(의 각본) ; 가장 무도회.
másqu·er *n.* =MASKER.
〚C16 (변형(變形)) ‹ *mask*〛

***mas·quer·ade** [mæ̀skəréid] *n.* 가면[가장] 무도회(cf. FANCY DRESS BALL) ; 가장(假裝)(복) ; 《비유》 핑계, 허구(pretense). ── *vi.* [動/+副] 가면[가장] 무도회에 참가하다 ; 변장하다 ; …인 체하다 : He ~*d as* a prince. 그는 왕자로 변장했다. **-ád·er** *n.* 가장 무도회 참가자.
〚Sp. (↑)〛

***mass**[1] [mǽ(:)s] *n.* **1** 덩어리(lump) ; 밀집, 집단, 모임 : a ~ *of* rock 바윗 덩어리, 큰 바위. **2** [때때로 *pl.*] 다수, 다량 ; [the ~] 대부분, 주요부 : a ~ *of* letters 산더미 같은 편지 / *the* (great) ~ *of*... 대부분[대다수]의… / *The* ~ *of* modern people are swayed by advertising. 대부분의 현대인은 광고에 좌우된다. **3** [the ~es] 대중, 서민(↔*the classes*). **4** 크기, 양, 부피(bulk). **5** Ⓤ 〔理〕 질량. **6** 〔美術〕 매스《작품 중의 일괄된 단위 구성 부분을 나타내는 색조·덩어리》 : see one's subject matter in ~*es* (화가 등이) 소재를 (세부(細部)에 구애받지 않고) 매스적(的)으로[하나의 덩어리로] 보다.

be a mass of …투성이다.

in the mass 일괄하여, 전체적으로, 전체로서.

── *a.* 대중의, 대량의, 대규모의 ; 전체의 : ~ education 대중 교육 / a ~ game 단체 경기, 매스게임 / ~ formation 밀집 대형.

── *vt.* 한덩어리[일단]로 만들다 ; 집합시키다.

── *vi.* 한덩어리가 되다 ; 집합하다 : The clouds had ~*ed* in the west. 서쪽에 구름이 몰려 있었다.

〚OF<L *massa*<Gk.=barley cake〛

類義語 ⟹ BULK.

mass[2] [mǽ(:)s, 英+mɑ́:s] *n.* Ⓤ,Ⓒ [흔히 M~] 〔카톨릭〕 미사 ; 미사 성제(聖祭) ; 미사곡(曲) ; Ⓒ 미사(전(典))서 : High[Solemn] *M*~ 대미사, 장엄 미사 《분향·주악이 따름》 / Low *M*~ (분향·주악이 없는) 독송(讀誦) 미사 / ☞ BLACK MASS / a ~ for the dead 위령 미사, 추선(追善).

by the mass 맹세코, 틀림없이.

go to mass 미사에 참례하다.
read [***say***] ***Mass*** 미사를 올리다.
〚OE<L *missa* dismissal ; 미사의 마지막 말 L *Ite, missa est* (*ecclesia*) Go, (the congregation) is dismissed에서 인가〛

Mass. Massachusetts.

mas·sa [mǽsə] *n.* 《美俗》 =MASTER[1].

Mas·sa·chu·setts [mæ̀sətʃúːsəts] *n.* 매사추세츠《미국 New England의 주 ; 주도 Boston ; 略 Mass.》.

Massachúsetts bállot *n.* 〔美政〕 후보자 이름을 정당 표시와 함께 알파벳순으로 배열한 투표지 《office-block ballot 이라고도 함 ; cf. INDIANA BALLOT》.

Massachúsetts Ínstitute of Technólogy *n.* [the ~] 매사추세츠 공과대학(the M.I.T.).

mas·sa·cre [mǽsikər] *n., vt.* (**-sa·cring**) 대량 학살(하다), 몰살(시키다) ; 뒤죽박죽[엉망](으로 하다) ; 《口》 (스포츠 따위에서) 압도(하다), 완패(시키다).
the Massacre of the Innocents ☞ INNOCENT.
〚OF<?〛

máss àction *n.* 〔化〕 질량작용 ; 〔心〕 (뇌 기능의) 양작용설(量作用說) ; 〔社〕 대중 행동 ; 〔心〕 (태아·신생아의) 전체 미분화 운동.

mas·sage [məsɑ́ːʒ, -dʒ ; mǽsɑːʒ, -dʒ] *n.* Ⓤ,Ⓒ 마사지, 안마, 안마 치료. —— *vt.* 마사지[안마]하다 ; 부추기다, 회유하다 ; 《俗》 후려 갈기다.
mas·ság·er *n.* 마사지사, 안마사 ; 마사지기계. **-ság·ist** *n.*
〚F (*masser* to rub)〛

masságe párlor *n.* 안마 시술소.

máss behávior *n.* 〔心〕 대중 행동.

máss bèll *n.* 미사의 종(鐘).

máss bòok *n.* [때때로 M~] 미사전서(典書) (missal).

máss-circulátion *a.* 대량 부수 발행의.

máss communicátion *n.* 대중 전달《신문·라디오·텔레비전 따위에 의한》.

máss·cult [-kʌ̀lt] *n., a.* 《口》 대중 문화(의).
〚*mass*[1]+*cult*ure〛

máss défect *n.* 〔理〕 질량 결손, 질량차.

máss drìver *n.* 우주 기재 발사 장치.

mas·sé [mæséi ; mǽsi] *n.* 〔撞球〕 마세《큐를 수직으로 세워서 치기》.
〚F=hammered ; ⇨ MACE[1]〛

massed [mǽst] *a.* 밀집된 ; 집중된, 하나로 뭉친.

máss énergy *n.* 〔理〕 질량 에너지.

máss-énergy equàtion *n.* 〔理〕 질량-에너지 방정식(方程式).

máss-énergy equìvalence *n.* 〔理〕 질량-에너지 등가(等價).

mas·seur [mæsə́ːr, mə-] *n.* (*fem.* **-seuse** [-səːrz, -súːz]) 마사지사, 안마사. 〚F〛

máss gráve *n.* 공동 묘지.

máss hystéria *n.* 집단 히스테리.

mas·si·cot [mǽsəkɑ̀t, 美+-kòut] *n.* 〔鑛〕 마시코트《일산화납으로 된 황색의 광물 ; 안료·건조제용》. 〚F〛

mas·sif [mæsíːf, mǽsif] *n.* 〔地質〕 대산괴(大山塊) ; 단층지괴(斷層地塊).
〚F ; ⇨ MASSIVE〛

***mas·sive** [mǽsiv] *a.* **1** 크고 무거운[단단한], 육중한. **2** (체격·용모 따위가) 굳센 ; 야무진. **3** 〔地質〕 괴상(塊狀)의. **4** 대규모의, 큰, 대량의 ; (약 따위가) 정량 이상의 : ~ layoffs 대량의 일시해고 / on a ~ scale 대규모로. **5** 〔醫〕 (병이) 조직의 넓은 범위에 미치는.
~·ly *adv.* **~·ness** *n.* 무겁고 큼, 묵직함.
〚OF<L ; ⇨ MASS[1]〛

mássive retaliátion *n.* 〔軍〕 대량(大量) 보복 (전략).

máss léave *n.* (인도에서 항의하기 위해 다수의 종업원이 하는) 일제 휴가.

máss mán *n.* 대중 사회를 구성하는 개인, 개성을 상실한 인간.

máss-márket *a.* 대중 시장의, 대량 판매용의. —— *vt.* (상품을) 대량 판매하다.

máss márketing *n.* 판매자가 모든 잠재적 매수자에 대하여 취하는 마케팅 형태 또는 관행.

máss-márket páperback *n.* 문고본.

máss medicátion *n.* (상수도에 약품을 넣는 따위의) 집단 투약.

máss médium *n.* (*pl.* **máss média**) [보통 *pl.*] 대중 전달의 매체, 매스 미디어《신문·잡지·영화·방송 따위》.

máss méeting *n.* (특히 정치적인) 대회, 국민[민중] 대회.

máss móvement *n.* 집단 이동(移動) ; 〔社〕 대중 운동.

máss nòun *n.* 〔文法〕 물질명사.

máss númber *n.* 〔理〕 질량수(質量數)《원자핵을 구성하는 양성자와 중성자의 수》.

máss observátion *n.* 《英》 여론 조사, 세정(世情) 조사.

máss prìest *n.* [흔히 경멸적으로] 카톨릭 사제.

máss-prodúce *vt.* 대량(大量) 생산하다, 양산(量産)하다.

máss-prodúced *a.* 대량 생산된, 양산된.

máss prodúction *n.* 대량 생산, 양산.

máss psychólogy *n.* 군중 심리.

máss rátio *n.* 〔宇宙〕 질량비.

máss socíety *n.* 대중 사회.

máss spéctrograph *n.* 〔理〕 질량 분석기.

máss spectrómeter *n.* 〔理〕 질량 분석계.
máss spectrómetry *n.* 〔理〕 질량 분석(법).

máss stórage *n.* 〔컴퓨〕 대용량 기억 (장치).

máss tránsit *n.* 대량 수송 수단.

máss tránsport *n.* (버스·전차 따위의 공공 수송기관에 의한) 대량 수송.

mássy *a.* 《詩》 =MASSIVE 1.
máss·i·ness *n.* =MASSIVENESS.

***mast**[1] [mǽ(ː)st ; mɑ́ːst] *n.* **1** 〔海〕 돛대, 마스트. **2** 마스트 모양의 기둥《무전탑 따위》, (기중기·안테나 따위의) 지주 ; (비행선의) 계류탑(繫留塔) (mooring mast).
before [***afore***] ***the mast*** 〔海〕 평선원으로서.
—— *vt.* (배에) 돛대를 세우다 ; (돛을) 올리다.
〚OE *mæst* ; cf. G *Mast*, L *malus* pole〛

mast[2] *n.* Ⓤ 떡갈나무·너도밤나무·밤나무 따위의 열매《특히 돼지 사료》.
〚OE *mæst* ; cf. G *Mast*, MEAT〛

mast- [mǽst], **mas·to-** [mǽstou, -tə] *comb. form* 「유방」「유두(乳頭)」의 뜻 : *mast*itis.
〚Gk. (*mastos* breast)〛

mas·ta·ba(h) [mǽstəbə] *n.* (고대 이집트의) 돌·벽돌 따위로 지은 무덤.
〚Arab.=stone bench〛

mas·tec·to·my [mæstéktəmi] *n.* Ⓤ,Ⓒ 〔醫〕 유방 절제(술).

◇**mas·ter**[1] [mǽ(ː)stər ; mɑ́ːs-] *n.* **1 a**) 지배자 ; 두목 ; 선장 ; 고용주, 주인(cf. SERVANT) ; (노예·가축 따위의) 소유주, 사육주(owner) ; 가장

(cf. MISTRESS) ; 교장 ; 《英大學》 학장 : ~ and man 주인과 하인. **b**) (단체의) 회장, 단장, 지부장 ; 관리관 : ☞ PAST MASTER. **c**) [the M~] 〔聖〕 주(主) 《그리스도》. **2** 교사 ; 스승, 종장(宗匠) ; 명장(名匠), 명인[대가](의 작품) : a language [music, riding] ~ 어학[음악, 승마] 교사 / ☞ SCHOOLMASTER / ☞ OLD MASTER. **3** [M~] (하인이 주인집 소년에 대한 경칭으로서) 도련님, 젊은 나리, …군(君) : *M*~ Davy 데이비 도련님. **4** [M~] 석사(학위)《doctor와 bachelor의 중간 학위》 : *M*~ of Arts 문학 석사《略 M.A., A.M.》. **5** [*pred.*로 ; 보통 관사 없음] 자유로이 구사할 수 있는 사람, 숙련자, 정통한 사람 ; 승자, 정복자(victor) (cf. *be* MASTER *of*...). **6** 《스코》 자작[남작]의 장남, 도련님. **7** 〔法〕 판사보(補). **8 a**) 모형(matrix), 원판, (레코드의) 원반, (테이프의) 마스터 테이프. **b**) (다른 장치의 작동을 컨트롤하는) 모(母)장치(cf. SLAVE) ; 〔通信〕 주국(主局).

be master in one***'s own house*** 일가(一家)의 주인이다, 남의 간섭을 받지 않다.

be master of …의 소유주다 ; …을 자유로이 할 수가 있다 ; …에 정통하다 : *be* ~ *of* one*self* 자제(自制)하다 / He *is* ~ *of* the situation. 형세[국면]에 능숙하게 대처해 나가고 있다 / He *is* ~ *of* several languages. 몇 나라의 말을 자유 자재로 구사할 수 있다.

be one***'s own master*** 남의 속박을 받지 않다.

make one***self master of*** …에 숙달하다, …을 자유 자재로 쓰다[구사하다].

a master of ceremonies ☞ CEREMONY.

the Master of the Horse 《英》 거마(車馬) 관리관《영국 왕실 제3위의 관위(官位)》.

the Master of the Rolls 〔英法〕 기록 장관《현재는 고등법원 판사》.

—— *a.* 주인의, 지배자인, 우두머리의 ; 최상의, 우수한, 훌륭한 : one's ~ passion 지배적 감정, 주정(主情) / a ~ carpenter 뛰어난 목수.

—— *vt.* **1** …의 주인이 되다, 지배하다 ; 정복하다, 이기다 ; (정욕 따위를) 억제하다 ; (동물을) 길들이다. **2** …에 숙달하다, 충분히 습득하다, 마스터하다.

〈회화〉
It is difficult to *master* a foreign language in a year or two. — Yes. It takes much longer for most people. 「1, 2년안에 외국어를 자유 자재로 구사할 수 있게 되기는 어려워」「그래. 대부분의 사람은 훨씬 더 오래 걸리지」

〖OE *mægester*＜L *magister* ; 도중에서 OF *maistre*의 영향이 있음 ; cf. MAGISTRATE〗

mást·er[2] *n.* [흔히 복합어를 이루어] 마스트가 …개인 배 : a four-~ 마스트가 4개인 배. 〖MAST[1]〗

máster anténna *n.* 마스터 안테나《텔레비전의 전파를 대형 안테나로 수신하여 케이블을 통해 가입자에게 분배함》.

máster-at-árms *n.* (*pl.* **másters-**) 〔海軍〕 선임 위병(衛兵) 하사관.

máster bédroom *n.* 주(主)침실《집안에서 가장 큰 침실 ; 부부용》.

máster buílder *n.* 건축 청부업자 ; 훌륭한 건축가 ; 《비유》 명인.

Máster Cárd *n.* 마스터 카드《미국의 대표적인 크레디트 카드의 하나》.

máster cláss *n.* (일류 음악가가 지도하는) 상급 음악 세미나, 마스터 클래스.

máster clóck *n.* (전자(電子) · 전기 시계의) 어미 시계.

máster·dom *n.* Ⓤ **1** 학교 교사의 신분[직]. **2** master의 학위. **3** 지배, 지배력.

máster file *n.* 〔컴퓨〕 기본 파일, 으뜸(기록)철.

máster·ful *a.* **1** 건방진, 제멋대로 하는(domineering), 주인티를 내는. **2** ＝MASTERLY. ~**·ly** *adv.* ~**·ness** *n.*

máster glánd *n.* 〔解〕 뇌하수체.

máster-hánd *n.* 명수, 명인(expert)〈*at*〉.

máster·hòod *n.* ＝MASTERSHIP.

máster kéy *n.* **1** (여러 가지 자물쇠에 맞는) 마스터 키, 곁쇠. **2** 《비유》 난문(難問)의 해결책.

máster·less *a.* 주인이 없는 ; 방임된, 집없는.

máster·ly *a.* 명인[대가]다운 ; 명수의, 숙달한, 훌륭한(cf. MASTERFUL) : a ~ stroke 대가의 일필(一筆). —— *adv.* 대가에 어울리게 ; 솜씨 좋게, 훌륭하게.

máster máriner *n.* 〔海〕 선장.

máster máson *n.* 숙련된 석공, 석공의 우두머리 ; [때때로 M~ M~] 비밀 공제 조합원(Freemason)의 제3급 회원.

máster mechánic *n.* 직공장, 감독 기술자 ; 숙련공.

máster·mìnd [ˌ 美+ˋˊ] *n.* **1** 위대한 지능(의 소유자), 선각자. **2** 《美》 (계획 따위의) 지도자. —— *vt.* (배후에서) 지휘[조종]하다.

***máster·pìece** *n.* 걸작, 명작, 대표작.

máster plán *n.* 종합 기본 계획, 전체 계획.

máster pólicy *n.* 〔保險〕 모(母)증권.

máster ráce *n.* 지배자 민족《나치스의 게르만 민족처럼 스스로를 우수한 민족이라고 보고 타민족을 지배하려고 함》.

mas·ter's [mǽ(ː)stərz ; mάːs-] *n.* (*pl.* ~) ＝MASTER'S DEGREE.

máster's degrèe *n.* 석사 학위.

máster sérgeant *n.* 〔美陸軍〕 상사(cf. SERGEANT).

máster·shìp *n.* **1** master이기. **2** master의 직[지위, 권한]. **3** Ⓤ 숙달, 숙련, 정통〈*of, in*〉. **4** Ⓤ 지배(력), 통어〈*over*〉.

máster-sláve manìpulator *n.* 매직 핸드《방사성 물질 따위와 같이 인체에 위험한 물체를 다루는 데 씀》.

máster·stròke *n.* 뛰어난 솜씨, 신기, 걸작.

máster tòuch *n.* 천재의 번뜩임, 훌륭한 수완.

máster·wòrk *n.* ＝MASTERPIECE.

mas·tery [mǽ(ː)stəri ; mάːs-] *n.* **1** Ⓤ 지배 ; 정복, 승리 ; 통어력. **2** Ⓤ 정통, 숙련, 전문 기술[지식]. **3** Ⓤ 우월 ; 우승.

gain[***get, obtain***] ***the mastery*** 지배권[력]을 얻다 ; 이기다 ; 정통하다〈*of, over*〉.

mástery léarning *n.* 〔敎〕 완전 습득 학습.

mást·hèad *n.* **1** 〔海〕 마스트의 끝, 돛대의 꼭대기 ; 돛대 꼭대기의 감시원 : a ~ light (흰빛의) 돛대 꼭대기의 등. **2** (신문 · 잡지의 명칭 · 발행인 · 편집자 · 소재지 따위를 기재한) 발행인란. —— *vt.* (기 따위를) 돛대 꼭대기에 달다 ; (벌로서) 마스트 꼭대기에 오르게 하다.

mást hòuse *n.* **1** 돛대 제작소. **2** 돛대 부근의 갑판실《전기 장치가 있음》.

mas·tic [mǽstik] *n.* **1** Ⓤ 유향수지(乳香樹脂)(액). **2** 유향수. **3** Ⓤ 유향주《터키 · 그리스의 포도주의 일종》. **4** 석회의 일종. **5** 담황색. 〖OF＜L＜Gk.〗

mas·ti·cate [mǽstəkèit] *vt.* 씹다, 씹어서 잘게 하다(chew) ; (고무 따위를) 곤죽으로 만들다.

mas·ti·ca·ble [mǽstikəbəl] *a.* 씹을 수 있는.
màs·ti·ca·bíl·i·ty *n.* **màs·ti·cá·tion** *n.* 저작(咀嚼), (음식 따위를) 씹음.
〖L<Gk. *mastikhaō* to gnash the teeth〗

más·ti·cà·tor *n.* 씹는 사람[것]; 분쇄기, 고기 다지는 기계.

mas·ti·ca·to·ry [mǽstikətɔ̀:ri; -təri] *a.* 저작의, 씹기에 알맞은.
—— *n.* (껌·담배 따위) 씹는 것.

mas·tiff [mǽstəf] *n.* 마스티프《맹견의 일종》.
〖OF *mastin*<L (*mansuetus* tame)〗

mas·ti·tis [mæstáitəs] *n.* (*pl.* **-tit·i·des** [-táitədì:z]) Ⓤ 〖醫〗 유선염(乳腺炎).
〖Gk. *mastos* breast〗

masto- ☞ MAST-.

mas·to·don [mǽstədàn, -dən] *n.* **1** 〖古生〗 마스토돈《어금니에 유방 모양 돌기가 있는 큰 코끼리》. **2** 매우 큰 것[사람]. 〖NL (Gk. *mastos* breast, *odont- odous* tooth)〗

mastodon

mas·to·dont [mǽstədànt] *a.* 마스토돈과 같은 이빨이 있는; 마스토돈의.
—— *n.* =MASTODON. **màs·to·dón·tic** *a.*

mas·toid [mǽstɔid] *a.* 〖解·動〗 젖꼭지 모양의; 유양(乳樣) 돌기(부)의.
—— *n.* 유양 돌기.
〖F or NL<Gk. (*mastos* breast)〗

mas·toid·itis [mæ̀stɔidáitəs] *n.* 〖醫〗 유양(乳樣) 돌기염.

mas·tur·bate [mǽstərbèit] *vi., vt.* (자신 또는 남에게) 수음(手淫)을 하다. **-bà·tor** *n.*
〖L<?〗

màs·tur·bá·tion *n.* Ⓤ 수음(手淫), 자위.

ma·su·ri·um [məsjúəriəm] *n.* Ⓤ 〖化〗 마수륨《금속원소; 기호 Ma; 번호 43; technetium의 옛이름》.

***mat¹** [mǽt] *n.* **1** 매트, 돗자리, 거적, 자리, 멍석. **2** (현관 앞의) 신발 바닥 닦개(doormat); 욕실 매트(bath mat). **3** (꽃병 따위의) 밑받침; 《美》 (사진 따위의) 대지, 매트. **4** (커피·설탕 따위를 넣는) 포대; 그 양. **5** 〖海〗 (삭구(索具)에) 덧대는 거적. **6** 헝클어짐; (초목이) 무성함: a ~ of hair 헝클어진 머리. **7** 매트《속을 가득히 채운 두텁고 푹신한 깔개; 체조경기용 따위》. **8** 《美俗》 여자, 마누라.
leave a person ***on the mat*** 남을 문간에서 쫓아버리다.
on the mat 〖軍〗 (견책·심문받기 위해) 소환되어, 처벌되어(cf. *on the* CARPET).
—— *v.* (**-tt-**) *vt.* **1** …에 돗자리[매트]를 깔다[로 덮다]. **2** [+目/+目+副] 헝클어지게 하다: His hair was wet and *~ted together.* 그의 머리는 물에 젖어 헝클어져 있었다 / ☞ MATTED¹.
—— *vi.* 헝클어지다, 엉키다.
〖OE *m(e)att(e)*<WGmc.<L=matt of rushes〗

mat², matt(e) [mǽt] *a.* (빛깔·광택 따위가) 희미한, 광택이 없는, 윤을 없애는. —— *n.* 윤을 없애기[없앤 면]; 윤을 없애는 기구; (그림·사진 따위의 둘레를 싸는 흰색·금색의 두꺼운 종이로 만든) 장식테. —— *vt.* (**-tt-**) (금속면을) 흐리게 하다; 윤[광택]을 없애다(frost); (그림 따위)에 장식테를 대다.
〖F<Arab.; ⇨ MATE²〗

mat³ *n.* 《口》 〖印〗 지형, 자모(matrix).

Mat *n.* 남자 이름《Matthew의 애칭》; 여자 이름《Martha의 애칭》.

mat. material; matinee; matins; maturity.

M.A.T. Master of Arts in Teaching.

mat·a·dor [mǽtədɔ̀:r] *n.* **1** 마타도어《막대에 매단 붉은 천을 쥐고 검으로 소를 죽이는 주역의 투우사; cf. PICADOR》. **2** 〖카드놀이〗 (quadrille 따위에서) 으뜸패 중의 한 장.
〖Sp. (*matar* to kill; ⇨ MAT²)〗

mát bòard *n.* 대지(臺紙)《액자의 그림 밑에 대는 두꺼운 종이》.

‡match¹ [mǽtʃ] *n.* **1** 성냥 (한 개비): a box of *~es* 성냥 한 갑 / light[strike] a ~ 성냥을 긋다[켜다]. **2** (옛날 총포의 발화에 쓰였던) 화승(火繩), 도화선(cf. MATCHLOCK).
〖OF<? L *myxa* wick, lamp nozzle〗

‡match² *n.* **1** 짝, 쌍의 한 쪽. **a**) 경쟁[대전]상대, 호적수; (성질 따위에서) 필적하는[동등한] 사람[것]: meet[find] one's ~ 호적수를 만나다 / He has never met his ~. 진 일이 없다. **b**) (짝의 한 쪽·상대로서) 적합한 사람[것], 어울리는 사람[것]. **c**) (적격의) 배우자; 연분, 결혼: She will make a good ~ for any man. 어떠한 남성에게도 좋은 배우자가 될 것이다 / ☞ LOVE MATCH / make a ~ 중매를 서다 / She has made a good ~. 좋은 배우자를 만났다. **2** 《英》 시합, 경기. ㊟ baseball, boxing, cricket, golf, tennis, wrestling 따위의 시합(cf. GAME¹ 3, SET *n.* 7): play a ~ 시합을 하다.
be a match for …에 필적하다: He *is* more than *a ~ for* me. 내게는 힘겨운 상대다.

〈회화〉
I want to watch the next *match.* — Me, too. It should be a good one. 「나는 다음 경기를 보고 싶어」「나도 그래. 멋진 경기가 될거야」

—— *vt.* **1** …에 필적하다, …의 좋은 상대가 되게 하다: For wine no country can ~ France. 포도주에 관한 한 프랑스와 경쟁할 만한 나라는 없다. **2 a**) …와 조화되게 하다, 어울리게 하다; …와 걸맞게 하다, 배합하다: The color of the tie *~es* the suit. 그 넥타이 색깔은 양복과 잘 어울린다 / a hat to ~ a brown dress 갈색 옷과 조화되는 모자. **b**) [+目/+目+目] …와 어울리는 것을 찾아내다[손에 넣다]: Will you ~ (me) this cloth? 이 천에 어울리는 것을 찾아 주시겠습니까. **3** [+目+*against*+名] 경쟁[대항]시키다: *M*~ your strength ***against*** Tom's. 톰과 힘을 겨뤄보시오. **4** [+目/+目+*with*+名] 결혼시키다 (marry): ~ a person ***with*** another 어떤 사람을 다른 사람과 결혼시키다.
—— *vi.* [動/+*with*+名] **1** 걸맞다, 조화되다, 어울리다(agree): The curtains and the wallpaper ~ well. 커튼과 벽지가 잘 어울린다 / These ribbons do not ~ ***with*** your hat. 이 리본은 당신 모자에 어울리지 않습니다. **2** 부부가 되다(marry): Let beggars ~ ***with*** beggars. 《속담》 거지는 거지끼리 어울린다, 「유유상종」.
match up 잘 조화하다[시키다].
match up to …에 필적하다, 미치다, (기대 따위)를 이루다.
~·able *a.* 필적하는, 어울리는.
〖OE *gemæcca* mate, companion (⇨ MAKE); Gmc.에서 'fit, suitable'의 뜻〗
類義語 ⟹ PLAY.

mátch·bòard *n.* 〘木工〙 은촉물림 판자.
mátch·bòard·ing *n.* 은촉물림.
mátch·bòok *n.* 매치북《하나씩 떼어 쓰게 되어 있는 종이 성냥첩》.

matchboard

mátch·bòx *n.* 성냥갑 ; 《俗》 작은 집 : a ~ of a house 성냥갑처럼 조그만 집.
mátch bòy[**gìrl**] *n.* 성냥팔이 소년[소녀].
mátched órder *n.* 〘證〙 담합(談合) 매매 ; = WASH SALE.
match·et [mǽtʃət] *n.* =MACHETE.
mátch·fòld·er *n.* =MATCHBOOK.
mátch·ing *a.* (색·외관이) 어울리는, 조화된.
mátching fùnd *n.* (수익자의 출자에 따라 정부·단체·개인 등이 내는) 보조금.
mátch jòint *n.* 〘建〙 사개.
mátch·less *a.* 무적의, 무쌍한, 비길데 없는, 견줄 자가 없는, 뛰어난.
~·ly *adv.* 비길데 없이, 뛰어나게. **~·ness** *n.*
mátch·lòck *n.* 화승총(火繩銃).
mátch·màker *n.* **1** 결혼 중매인 ; 경기의 대전 계획을 짜는 사람. **2** 성냥 제조인.
mátch·màking *n.* **1** Ⓤ 결혼 중매를 섬 ; 경기의 대전표 작성. **2** Ⓤ 성냥 제조.
mátch·màrk *n.* (조립하기 편리하도록 기계 부품 따위에 붙이는) 대조인(印). —— *vt.* …에 대조인을 붙이다.
mátch plày *n.* 〘골프〙 매치 플레이《쌍방이 이긴 홀의 수대로 득점을 계산 ; cf. MEDAL PLAY》.
mátch póint *n.* 〘競〙 승패를 결정하는 최후의 1점, 매치 포인트.
mátch·stìck *n.* 성냥개비.
mátch·ùp *n.* =MATCH².
mátch·wòod *n.* Ⓤ 성냥개비용 나무.
make matchwood of...*=*reduce...to matchwood …을 산산조각[박살]내다.
***mate**¹ [méit] *n.* **1** 배우자의 한 쪽《남편 또는 아내》; (새 따위의) 한 쌍의 한 쪽 ; 《古》 필적하는 것[사람], 동등한 것[사람] ; (장갑·구두 따위의) 한쪽 : Where's the ~ to this shoe? 이 구두의 다른 한짝은 어디 있니? **2** 〘海〙 (상선의) 항해사 : the chief[first] ~ 1등 항해사. **3** 〘海·海軍〙 조수 ; 《美》 해군 하사관 : a boatswain's ~ 장범(掌帆) 하사관 / a gunner's ~ 장포(掌砲) 하사관. **4** (노동자 사이의) 한패, 동료, 친구 ; 「형제」「형씨」《노동자·선원 등 사이에서의 친근한 호칭》.
go mates with …의 동료가 되다.
—— *vt., vi.* 동료로 하다[가 되다]〈*with*〉; (새 따위를) 짝짓게 하다, 교미하다(pair)〈*with*〉.
〚MLG<WGmc. 《美》 *gamato* messmate ; ⇨ MEAT, OE *gemetta*〛
mate² *int., n.* 〘체스〙 장군이야!, 외통 장군(cf. STALEMATE).
give (***the***) ***mate*** (***to...***) (…에게) 외통 장군을 부르다.
—— *vt.* 외통 장군을 부르다.
〚F *eschec mat* CHECKMATE〛
ma·té, ma·te³ [máːtei, mǽtei] *n.* **1** Ⓤ 마테 차 (Paraguay tea) ; Ⓒ 그 나무. **2** 마테 차 그릇.
〚F<Sp.=vessel in which the herb is steeped〛
ma·te·las·sé [máːtəlɑːsèi] *n., a.* 마틀라세직(의) 《돋을무늬가 있는 일종의 견모교직》. 〚F〛
mate·lot [mǽtlou] *n.* 《英俗》 뱃사람. 〚F〛
mat·e·lote, -lotte [mǽtəlòut, mætlóut] *n.* Ⓤ 〘料〙 마틀로트《포도주·양파·생선 따위를 넣고 끓인 생선 요리》.
〚F (↑)〛
ma·ter [méitər] *n.* 《英學俗》 어머니, 엄마(cf. PATER) ; 〘醫〙 뇌막(腦膜). 〚L〛
Máter Do·lo·ró·sa [-dòuləróusə] *n.* 슬픔에 잠긴 성모《그림·조각 따위에서 십자가 아래서 슬퍼하고 있는 성모 마리아상(像)》.
〚L=sorrowful mother〛
ma·ter·fa·mil·i·as [mèitərfəmíliəs, mɑ̀ː- ; -təfə-] *n.* 어머니, 주부.
〚L=mother of a family〛
◇**ma·te·ri·al** [mətíəriəl] *n.* **1** Ⓤ,Ⓒ 원료(raw material), 재료 : dress ~*s* 여성복 천. **2** Ⓤ,Ⓒ (양복 따위의) 옷감 : There is enough ~ for two suits. 두 벌분의 옷감이 충분히 있다. **3** Ⓤ 제재, 자료, 데이터 : We have been collecting ~ *for* this dictionary. 이 사전을 위해서 자료를 수집해 왔다. **4** [*pl.*] 용구, 도구 ; = MATÉRIEL : writing ~*s* (펜·잉크·종이 따위의) 문방구, 필기 도구.
—— *a.* **1** 물자(상)의, 물질적인(↔*moral, spiritual*) ; 유형(有形)의, 구체적인 : a ~ being 유형물 / ~ civilization 물질 문명 / a ~ element 요소. **2** 육체상의 ; 감각적인, 관능적인 : ~ pleasure 관능적 쾌락. **3** 〘論〙 질료적인, 실체상의(↔*formal*) ; 유물론의 ; 〘法〙 재결(裁決)에 영향을 끼치는, 실질적인 : ~ evidence 중대한 증거. **4** 소중한, 중대한(important) : be ~ *to* …에게 중요하다.
〚OF<L ; ⇨ MATTER〛
類義語 (1) (*n.*) ⟹ MATTER.
(2) (*a.*) ***material*** 물질로 이루어진 : *material* object(물질적 객체[대상]). ***physical*** 오감(五感)으로 인식되는 물질의, 또는 과학적으로 측정되는《힘 따위》: *physical* weight[pressure] (물리적 중량[압력]). ***corporeal*** 구체적인 형상(形狀)을 가진 것으로 접촉할 수 있는 : *corporeal* things (유형물).
matérial cáuse *n.* 〘哲〙 질료인(質料因).
matérial implicátion *n.* 〘論〙 질료[실질] 함의(含意).
matérial·ìsm *n.* Ⓤ 〘哲〙 유물론[주의](↔*idealism, spiritualism*) ; 〘美術〙 실물주의, 실질묘사 ; 실질[실리]주의.
-ist *n., a.* 유물론자 ; 실리주의자(者) ; 유물론(자)적인.
ma·tè·ri·al·ís·tic *a.* 유물론(자)적인.
-ti·cal·ly *adv.* 유물론적으로.
ma·te·ri·al·i·ty [mətìəriǽləti] *n.* Ⓤ 물질성, 유형, 실질성, 구체성 ; 유형물 ; 중요성.
matèrial·izátion *n.* Ⓤ 구체화, 체현(體現), 물질화, 구현.
matérial·ìze, 《英》 **-ìse** *vt.* …에 형체를 부여하다 ; (영혼을) 육체적으로 나타내다 ; (…을) 구체화하다, 실현하다 ; 물질[실리]적으로 하다.
—— *vi.* **1** (영이) 육체적으로 나타나다 ; (일반적으로) 갑자기 출현하다. **2** (소원·계획 따위가) 실현되다 : His plan may ~. 그의 계획이 실현될는지도 모른다.
matérial·ly *adv.* **1** 물질[유형]적으로 ; 〘哲·論〙 질료적으로, 실질적으로(↔*formally*). **2** 실리적으로 ; 크게, 현저하게.
matérial nóun *n.* 〘文法〙 물질 명사.
matérials-inténsive *a.* (산업·기술 따위가) 기재[설비] 집약형의, 대량의 기재[설비]를 필요로 하는.

matérials scíence *n.* 재료 과학.
matérial wítness *n.* 중요 증인[참고인].
ma·te·ria med·i·ca [mətíəriə médikə] *n.* [집합적으로] 약물, 약종(drugs) ; Ⓤ 약물학.
〖L=medical material〗
ma·té·ri·el, -te- [mətìəriél] *n.* Ⓤ 물질적 재료[설비] (cf. PERSONNEL) ; 군수품. 〖F〗
ma·ter·nal [mətə́:rnl] *a.* 어머니의, 모성의, 어머니 다운(motherly) (cf. PATERNAL) ; 어머니 쪽의 ; 《戱》 엄마의 ; 임산부의 ; 〔言〕 모어(母語)의 : a ~ association 어머니회(會) / ~ love 모성애. **~·ly** *adv.* 어머니로서, 어머니와 같이 ; 어머니 쪽에.
〖OF or L ; ⇨ MATER〗
ma·ter·ni·ty [mətə́:rnəti] *n.* **1** Ⓤ 어머니임(motherhood), 어머니가 되기 ; 모성(애), 어머니다움. **2** 산부인과 (병원) ; [형용사적으로] 임산부를 위한, 출산(용)의 : ~ apparatus 분만기구 / ~ bag (자선(慈善)의) 출산용품 주머니 / a ~ benefit 출산 수당 / a ~ center 임산부 상담소.
〖F<L ; ⇨ MATER〗
matérnity hòspital *n.* 산과(産科)병원, 산원.
matérnity núrse *n.* 조산원, 산파.
matérnity róbe *n.* 임산부복.
mat·ey, maty [méiti] *a.* (**mát·i·er ; -i·est**) 《英口》 친구의, 흉허물 없는, 친한<*with*>.
—— *n.* 친구, 동료. 〖MATE[1]〗
***math** [mǽ(:)θ] *n.* Ⓤ 《美口》 =MATHEMATICS.
math. mathematical ; mathematician ; mathematics.
***math·e·mat·ic, -i·cal** [mæ̀θəmǽtik(əl)] *a.* **1** 수학(상)의, 수리[수학]적인 : *mathematical* instruments 제도 기구(器具). **2** 매우 정확한, 엄밀한 ; 완전한 ; 명확한, 확실한.
-i·cal·ly *adv.* 수학상[적으로].
mathemátical lógic *n.* 수리 논리학(symbolic logic).
mathemátical statístics *n.* 수리 통계학.
mathemátical tábles *n. pl.* 수표(數表)《로그표·삼각 함수표 따위》.
math·e·ma·ti·cian [mæ̀θəmətíʃən] *n.* 수학자.
‡**màth·e·mát·ics** *n.* **1** Ⓤ 수학 : applied[mixed] ~ 응용 수학. **2** [단수·복수취급] 수학의 운용, 운산(運算), 계산.

〈회화〉
I am weak in *mathematics.* — I am, too. 「나는 수학에 약해」「나도 그래」

〖F or L<Gk. (*manthanō* to learn)〗
maths [mǽ(:)θs] *n.* 《英口》 =MATHEMATICS.
ma·ti·co [mətí:kou] *n.* (*pl.* **~s**) 〔植〕 마티코《열대 아메리카산 후추속의 초목 ; 잎은 지혈용》.
〖*Mateo* Matthew : 그 약효를 발견한 스페인 병사의 이름인가〗
ma·tière [*F* matjɛ:r] *n.* 소재, 재료, 화재(畫材), 마티에르.
Ma·til·da, -thil- [mətíldə] *n.* 여자 이름《애칭 Matty, Pat, Patty, Tillie, Tilly》.
〖Gmc.=might+battle〗
mat·in | mat·tin [mǽtən] *a.* =MATINAL ; [흔히 M~] MATINS의. —— *n.* [때때로 *pl.*] 《古·詩》 새의 아침 지저귐.
mátin·al *a.* 아침의 ; 아침 기도의.
mat·i·nee, -née [mæ̀tənéi ; mǽtinèi] *n.* **1** 주간 흥행(興行), 마티네(cf. SOIREE). **2** 여성 실내복의 일종.
〖F=what occupies a morning ; ⇨ MATINS〗
matinée coat[**jacket**] [∸∸] *n.* 마티네 코트《유아용 모직 상의》.
matinée ìdol *n.* (특히 1930-40년대에) 여자에게 인기있는 배우.
mat·ing [méitiŋ] *n.* 결혼시키기 ; 교배[교미](기) : the ~ season 교미기.
mat·ins | mat·tins [mǽtənz] *n. pl.* [때때로 단수취급, 흔히 M~] **1 a**) 〔英國教〕 아침 기도. **b**) 〔카톨릭〕 (성무일과의) 조과(朝課). **2** 《詩》 새의 아침 지저귐. 〖OF<L (*matutinus* of the morning<*Matuta* goddess of dawn)〗
mat·lo(w) [mǽtlou] *n.* (*pl.* **~s**) 《英俗》 = MATELOT.
mát·man [-mən] *n.* 《俗》 레슬링 선수.
matr- [mǽtr, méitr], **ma·tri-** [-trə], **ma·tro-** [-rou, -rə] *comb. form* 「어머니」의 뜻.
〖L ; ⇨ MATER〗
mat·rass, -ras, -trass [mǽtrəs] *n.* 매트라스《목이 긴 달걀 모양의 플라스크 ; (분석 시험용) 유리관(管)》. 〖F〗
ma·tri·arch [méitriὰ:rk] *n.* 여자 가장(家長)[족장] (cf. PATRIARCH). **mà·tri·ár·chal** *a.*
〖MATER ; *patriarch*의 잘못된 분석·유추에 의함〗
ma·tri·archy [méitriὰ:rki] *n.* Ⓤ 모계가족제, 여족장제(女族長制) (cf. PATRIARCHY).
ma·tric [mətrík] *n.* 《英口》 대학 입학 시험.
matrices *n.* MATRIX의 복수형.
mat·ri·cide [mǽtrəsàid, méi-] *n.* Ⓤ 모친 살해《범죄》; Ⓒ 모친 살해범(cf. PATRICIDE).
màt·ri·cí·dal *a.*
〖L (MATER, *-cide*)〗
ma·tric·u·lant [mətríkjələnt] *n.* 대학 입학(지원)자 ; 신규 입회 회원.
ma·tric·u·late [mətríkjəlèit] *vt., vi.* 대학에 입학을 허가하다[입학하다] ; 정규 회원으로 입회를 허가하다[입회하다] ; 《英》 matriculation을 치르다[에 합격하다]. —— [-lət] *n.* 대학 입학자.
〖L=to enroll ; ⇨ MATRIX〗
ma·tric·u·la·tion [mətrìkjəléiʃən] *n.* Ⓤ,Ⓒ 대학 입학 허가, 입학식 ; 《英》 대학 입학 자격 시험《현재는 GCE에서 대신함》.
màtri·fócal *a.* 어머니 중심의.
màtri·líneage *n.* 모계(母系).
màtri·líneal *a.* 모계(母系)(주의)의.
mátri·lìny *n.* 모계제(制).
mátri·lòcal *a.* 처가 거주의《부부가 아내의 가족과 동거하는 혼인 양식》.
mat·ri·mo·ni·al [mæ̀trəmóuniəl] *a.* 결혼의 ; 부부의 : a ~ agency 결혼 상담소.
~·ly *adv.* 결혼에 의하여, 부부로서.
mat·ri·mo·ny [mǽtrəmòuni ; -məni] *n.* Ⓤ 결혼, 혼인 ; 부부관계, 결혼생활 : enter into ~ 결혼하다 / unite persons in holy ~ 남을 정식으로 결혼시키다.
〖AF<L *matrimonium* ; ⇨ MATER〗
類義語 ⟹ MARRIAGE.
ma·trix [méitriks, mǽt-] *n.* (*pl.* **-tri·ces** [méitrəsì:z, mǽt-], **~·es**) **1** 모체, 기반<*of*>, 발생원 ; 〔菌〕 모체. **2** 주형(鑄型), 모형(mold) ; (레코드의) 원판 ; 〔印〕 (활자 주조의) 자모 ; 모형(母型), 지형. **3** 〔鑛〕 모암(母岩), 맥석(脈石). **4** 〔數〕 행렬 ; 〔文法〕 모형문(matrix sentence). **5** 《古》 자궁(womb) ; 〔컴퓨〕 매트릭스《입력 도선과 출력 도선의 회로망》.
—— *vt.* (신호·채널을) 매트릭스화하다.
〖L=womb, female animal used for breeding<MATER〗

mátrix mánagement *n.* 매트릭스 매니지먼트《전문 스태프를 분산 배속하여 현지의 일상 업무 조언자 겸 중앙 스태프로서의 역할을 하게 함》.
mátrix sèntence *n.* 〖言〗 모형문(母型文)《보기 The book that I want is gone.의 the book is gone》.
mátrix sýstem *n.* 매트릭스 시스템《개인이 종적 계열 조직뿐 아니라 횡적 계열 프로젝트 팀의 일원이기도 한 경영 시스템》.
ma·tron [méitrən] *n.* **1** (품위가 있고 나이가 지긋한) 기혼 여성, 부인(夫人). **2** 수간호사, (공공시설의) 가정부장, (여자 종업원의) 여자 감독, 여사감(女舍監), 보모 : a police ~ 《英》 (교도소의) 여성 교도관. **3** (새끼를 낳게 하기 위해 사육하는) 암컷의 가축.
a matron of honor 결혼식에서 신부의 시중을 드는 기혼 여성(cf. MAID *of honor*).
~·age *n.* matron임 ; [집합적으로] matron 들. **~·al** *a.* matron의. **~·shìp** *n.* matron임 ; matron의 직[임무].
〚OF<L *matrona* ; ⇨ MATER〛
mátron·ìze *vt.* matron답게 하다 ; matron으로서 관리[감독]하다, (젊은 여성의) 곁에서 시중들다 (chaperon).
── *vi.* matron이 되다[의 임무를 다하다].
mátron·ly *a.* 기혼 여성다운 ; 품위있는(dignified), 침착한 ; 풍채가 좋은(portly).
mat·ro·nym·ic [mæ̀trənímik] *a., n.* 모친[모계 조상]의 이름에서 딴 (이름) (↔*patronymic*).
MATS [mǽts] Military Air Transport Service 《군용 항공 수송부 ; MAC(Military Airlift Command)의 옛 이름》.
Matt [mǽt] *n.* 남자 이름《Matthew의 애칭》.
Matt. 〖聖〗 Matthew ; Matthias.
mat·ta·more [mǽtəmɔ̀ːr] *n.* 지하실[창고].
matte ☞ MAT[2].
mát·ted[1] *a.* **1** 매트(mat)를 깐. **2** (머리 따위가) 헝클어진, (잡초가) 무성한 : ~ hair 텁수룩한[헝클어진] 머리털.
matted[2] *a.* 광택을 없앤. 〚MAT[2]〛
◇**mat·ter** [mǽtər] *n.* **1** Ⓤ 물질, 물체(↔*mind, spirit*) ; 재료(material) ; …질, …소(素), …체 : animal ~ 동물질 / coloring ~ 색소 / solid ~ 고체. **2** Ⓤ (종기·상처의) 고름(pus). **3** Ⓤ 〖哲〗 질료(↔*form*) ; 〖論〗 명제의 본질. **4** Ⓤ 재료 ; (서적 따위의) 내용(substance) : His speech contained very little ~. 그의 연설은 내용이 형편없이 빈약했다. **5** Ⓤ 인쇄[필기]물 ; 우편물 : printed ~ 인쇄물 / postal ~ 우편물 / first-class ~ 제1종 우편물. **6 a**) 문제(subject) ; 일, 사건 ; [*pl.*] (막연하게) 일, 사태, 사정 : a money ~ = a ~ of money 금전 문제 / It's a ~ of time now. 이젠 시간이 문제다 / a ~ of life and death 사활(死活)이 걸린 문제 / a ~ of the greatest importance [secret] 극히 중요한 [극비] 사항 / a ~ *of* opinion 견해상의[이론(異論)이 있을 수 있는] 문제 / a ~ in dispute[question] 논쟁중인 문제 / a ~ in hand 당면 문제 / take ~*s* easy[seriously] 일을 안이하게[진지하게] 생각하다. **b**) [the ~] 지장, 곤란, 고장, 사고(trouble) : Nothing is *the* ~ (*with* me). 아무런 일도 없다 / Is there anything *the* ~ *with* her? 그녀에게 무슨 일이 생겼니. **c**) 문제 삼을 일, 큰일 : It is[makes] no ~. 아무 일도 아니다 / What ~? 무슨 상관이냐 / He stopped to see what was *the* ~. 무슨 일인가[어떻게 됐는가] 보려고 멈췄다. **d**) 〖法〗 (입증된) 사항 ; 진술. **7** 원인이 되는 사항, (…의) 씨(cause) : It is a ~ *for* [*of*] regret. 유감스러운 일이다 / It is no laughing ~. 웃을 일이 아니다 / a hanging ~ ☞ HANGING *a.* **8** Ⓤ 〖印〗 조판, 원고(copy).
a matter of... (1) …의 문제(cf. 6 a)). (2) 대략(about) : I paid *a* ~ *of* ten dollars. 약 10달러를 지불했다.
(as) a matter of course 당연한[말할 것도 없는] 일(로서) (cf. MATTER-OF-COURSE) : Freedom of speech is taken *as a* ~ *of course.* 언론의 자유는 당연지사로 생각되고 있다.
as a matter of fact 실은, 사실상 : *As a* ~ *of fact,* he was pretending to be ill. 사실상 그는 꾀병을 부리고 있었던 것이다. ㊟ 《口》에서는 (a) matter of fact로 하는 수도 많다.
for that matter = ***for the matter of that*** 그 일이라면, 그것에 대해서는.
in the matter of …에 관해서(는) : He was very strict *in the* ~ *of* money. 금전 문제에 있어서는 매우 엄격했다.
no matter what [***which, who, where, when, why, how***]... 설령 무엇이[어느 것이, 누가, 어디서, 언제, 왜, 어떻게] …라 하더라도 : *No* ~ *what* (=Whatever) he says, don't go. 그가 어떤 말을 하더라도 가지 마라.
to make matters worse ☞ WORSE.
What is the matter with...? ☞ 회화 ; 《口》 …은[으로] 괜찮지[상관없지] 않니.

〈회화〉
What's the matter (*with* you)? — I don't know. I just don't feel well. 「어떻게 된거야」「모르겠어. 그냥 기분이 좋지 않아」

── *vi.* [주로 it을 주어로 하여, 부정 또는 의문 구문에 사용해서] [動/+前+名] 문제가 되다, 중대하다 : What does *it* ~ (**to** you)? (너와) 상관없지 않느냐《what은 부사적》 / *It* does*n't* ~ **about** me. 내 일은 아무렇게나 돼도 좋다 / *It* does*n't* ~ a bit if we are late. 늦더라도 조금도 염려할 것 없다 / *It* does*n't* ~ *how* you do it. 어떠한 방식이라도 무방하다. ㊟ 위의 세 개의 보기에서 it은 clause의 내용을 미리 나타내고 있다.

〈회화〉
I've broken a glass. — It doesn't *matter.* 「잔을 깨뜨렸어요」「괜찮아」

── *vt.* 중대하다고[가치있다고] 보다.
〚AF<L *materia* timber, substance〛
類義語 ***matter*** 어떤 공간을 차지하는 물체[물질] : *Matter* may be gaseous, liquid, or solid. (물질은 기체나 액체 또는 고체로 이루어져 있다). ***material*** 어떤 물건을 만들기 위해 사용되는 물질 : raw *material* (원료). ***substance*** 외형에 대하여 실질적인 내용을 구성하는 것 : an elastic *substance* (탄성체).
Mat·ter·horn [mǽtərhɔ̀ːrn, mάː-] *n.* [the ~] 마터호른《알프스 산맥 중의 높은 봉우리 ; 이탈리아와 스위스의 국경에 위치 ; 4,478m》.
mátter-of-cóurse *a.* 당연한, 말할 것도 없는.
mátter-of-fáct *a.* 사실의, 실제[사무]적인 ; 무미건조한, 평범한. **~·ly** *adv.*
mát·tery *a.* 고름이 가득찬 ; 고름이 나는.
Mat·thew [mǽθjuː] *n.* **1** 남자 이름《애칭 Mat(t)》. **2** 〖聖〗 마태《예수의 12제자 중의 한 사람》. **3** 〖聖〗 마태복음(the Gospel according to St. Matthew)《신약성서 중의 한 편》.
〚Heb. =gift of Yahweh〛

Mat·thi·as [məθáiəs] *n.* 남자 이름.
《L<Gk. MATTHEW》
mattin ☞ MATIN.
mát·ting[1] *n.* Ⓤ 매트 재료 ; [집합적으로] 매트, 거적, 돗자리, 깔개. 《MAT[1]》
matting[2] *n.* 광택을 없애기[없앤 면] ; (그림의) 장식 테두리. 《MAT[2]》
mattins ☞ MATINS.
mat·tock [mǽtək] *n.* 곡괭이. 《OF *mattuc*<? ; cf. L *mateola* club》
mat·toid [mǽtɔid] *n.* 《稀》 (미치광이에 가까운) 정신[성격] 이상자, 괴짜.

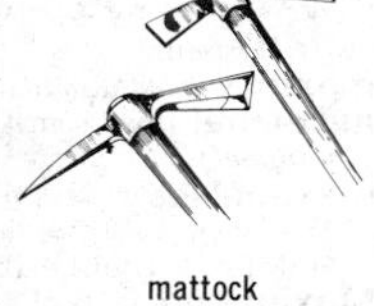
mattock

***mat·tress** [mǽtrəs] *n.* **1** (솜·짚·털 따위를 넣은) 침대요, 매트리스. **2** 〖土〗 (호안(護岸) 공사의) 섶나무 다발, 잔 나뭇가지 다발 ; 침상(沈床)기초.
《OF<It.<Arab. =place where something is thrown》
Mat·ty [mǽti] *n.* 여자 이름《Martha의 애칭》.
mat·u·rate [mǽtʃərèit] *vi., vt.* 〖醫〗 곪다, 곪게 하다 ; 성숙하다[시키다].
mat·u·ra·tion [mæ̀tʃəréiʃən] *n.* Ⓤ 화농 ; 성숙, 원숙. **~·al** *a.*
ma·tur·a·tive [mətjúrətiv, mǽtʃərèi- ; mətjúə-, -tʃúə-] *a.* 〖醫〗 빨리 곪게 하는.
—— *n.* 화농제.
***ma·ture** [mətjúər, -tʃúər ; -tjúər, -tʃúər] *a.* **1** 성숙한, 어른의, 분별이 있는, 원숙한 : the ~ age 분별력이 있을 나이. **2** 완전히 발달[분화]한, 다 생장[성장]한 ; (과일 따위) 익은 ; (포도주·치즈 따위) 숙성한. **3** 심사숙고한, 현명한 ; 신중한 : a ~ scheme 빈틈없는 계획. **4** 〖商〗 (어음 따위) 만기의(due). **5** 〖地質〗 (지형적으로) 장년기의. **6** 〖醫〗 곪은. —— *vt.* 성숙시키다(ripen) ; 완성하다, 단련시키다 : His hard experiences *~d* him[his character]. 쓰라린 경험으로 말미암아 그의 인격은 원숙해졌다. —— *vi.* 성숙[원숙]하다 ; 〖商〗 만기가 되다.
《L *maturus* timely, mature》
類義語 ⟹ RIPE.
***ma·tu·ri·ty** [mətjúərəti, -tʃú-] *n.* **1** Ⓤ 성숙, 원숙, 완성, 완전한 발달[발육] : ~ of judgment 원숙한 판단 / come to[reach] ~ 성숙[원숙]해지다. **2** Ⓤ 〖商〗 (어음의) 만기(일). **3** 〖醫〗 화농. **4** 〖地質〗 장년기《지형 윤회 중 산형(山形)이 가장 험한 시기》.
matúrity márket *n.* 중·노년층 시장《45세에서 65세까지의 수입이 가장 높고 충분한 여가를 가진 연령층을 대상으로 하는 미개척 시장으로 최근 주목되고 있음》.
matúrity-ón·sèt diabétes *n.* 〖醫〗 중·노년성 당뇨병.
matúrity stàge *n.* 〖마케팅〗 제품 성숙 단계《매상 증가 속도는 떨어지지만 이윤이 안정되는 것이 특징임》.
ma·tu·ti·nal [mæ̀tʃutáinl, mətjú:tənəl] *a.* 아침의, 이른 아침의, 이른(early). **~·ly** *adv.*
《L ; ⇨ MATIN》
maty ☞ MATEY.
mat·za(h) [mǽtsə] *n.* (*pl.* **~s**) =MATZO.
mat·zo, -zoh [má:tsə, -tsou] *n.* (*pl.* **-zoth** [-tsout, -θ, -s], **-zos, -zohs** [-tsəz, -səs, -souz]) [단수·복수취급 ; 때때로 -zoth 또는 -zo(h)s] 무교병(無酵餠)《유태인이 유월절에 먹음》. 《Yid.》
maud [mɔ́:d] *n.* 스코틀랜드의 양치는 목동이 어깨에 걸치는 회색 체크 무늬의 모직 숄 ; 그것으로 만든 여행용 담요.
Maud(e) [mɔ́:d] *n.* 여자 이름《Matilda의 애칭》 ; 《美俗》 여자.
maud·lin [mɔ́:dlən] *a.* 눈물을 잘 흘리는, 감상적인 ; 눈물이 헤픈 ; 술에 취하면 우는.
—— *n.* Ⓤ 눈물을 잘 흘림, 감상적임.
~·ly *adv.* **~·ness** *n.*
《OF *Madeleine*<L ; ⇨ MAGDALEN》
Maugham [mɔ́:m] *n.* 몸. (**William**) **Somerset** ~ (1874-1965) 영국의 소설가·극작가.
mau·gre, -ger [mɔ́:gər] *prep.* 《古》 …에도 불구하고(in spite of).
《OF=spite, ill will》
Maui [máui] *n.* 마우이 섬《하와이 제도 중의 북서쪽에 위치한 화산섬》.
maul, mall, mawl [mɔ́:l] *n.* **1** 큰 나무망치, 메. **2** 시끄러운 싸움. —— *vt.* **1** (상처가 날 정도로) 때리다, (때려서) 상처를 입히다 ; 쳐부수다 ; 뭇매질하다, 혼내다 ; 거칠게 다루다 : He was *~ed* (*about*) by the angry crowd. 분노한 군중으로부터 뭇매질을 당했다. **2** 혹평하다.
《OF<L *malleus* hammer ; cf. MALLET》
類義語 ⟹ BEAT[1].
mául·er *n.* 물건을 난폭하게 다루는 사람 ; 혹평가 ; [흔히 *pl.*] 《英俗》 손, 주먹 ; 권투 선수, 레슬링 선수.
maul·stick [mɔ́:lstìk] *n.* (화가의) 팔받침《세밀한 부분을 그릴 때 화필을 쥔 손을 받치는 막대》.
《Du. (*malen* to paint)》
Mau Mau [máu màu] *n.* (*pl.* **~s**, ~) 마우마우단(團)《폭력으로 케냐에서 유럽 사람을 추방할 것을 목적으로 하는 아프리카 원주민의 비밀결사》, 마우마우단원.
maund [mɔ́:nd] *n.* 마운드《인도·터키·이란 등지에서 사용하는 형량 단위 ; 보통 82.286 pounds, ≒37.3kg》.
maun·der [mɔ́:ndər] *vi.* **1** 두서없이 지껄이다. **2** 어슬렁거리다, 멍하니 쏘다니다〈*about*〉.
《? *maunder* (obs.) beggar, to beg》
Máunder mínimum *n.* (1645-1715년의) 태양의 불규칙 활동기《태양의 흑점이 거의 보이지 않게 되었음》.
《E. Walter *Maunder* 19세기 영국의 천문학자》
maun·dy [mɔ́:ndi, 美+má:n-] *n.* 〖宗〗 세족식(洗足式)《Maundy Thursday에 빈민의 발을 씻겨주고 물품을 선사하는 의식》.
《OF *mandé*<L ; ⇨ MANDATE》
Máundy mòney *n.* 《英》 세족(洗足) 목요일에 왕실에서 하사하는 빈민 구제금.
Máundy Thúrsday *n.* 〖聖〗 세족 목요일, 성(聖)목요일《Good Friday의 전날, 즉 Easter 직전의 목요일》.
Mau·pas·sant [*F* mopasɑ̃] *n.* 모파상. **Guy de** ~ (1850-93) 프랑스 작가.
Mau·reen [mɔ:rí:n] *n.* 여자 이름《아일랜드 사람에게 많음》.
《Ir. (dim.) ‹ *Maura* ; ⇨ MARY》
Mau·riac [*F* mɔrjak] *n.* 모리아크.
François ~ (1885-1970) 프랑스 작가 ; 노벨 문학상 수상(受賞) (1952).
Mau·rice [mɔ́(:)rəs, mɑ́r-] *n.* 남자 이름.
《F<L=moorish or dark-skinned》
Mau·ri·ta·nia [mɔ̀(:)rətéiniə, mɑ̀r-, -njə] *n.* 모

리타니《아프리카 북서부 대서양에 면한 독립국; 수도 Nouakchott》.

Mau·ri·ti·us [mɔːríʃiəs; məríʃəs] *n.* 모리셔스《인도양상의 섬나라; 수도 Port Louis》.

Mau·rois [*F* mɔrwa] *n.* 모루아. **André** ~(1885-1967) 프랑스의 소설가·전기 작가.

Mau·ser [máuzər] *n.* 모제르 총《연발총의 일종; 상표명》.
〖P. P. von *Mauser* (d. 1914) 독일의 발명가〗

mau·so·le·um [mɔ̀ːsəlíː(ː)əm, -zə-] *n.* (*pl.* **~s, -lea** [-líː(ː)ə]) **1** [the M~] 대영묘(大靈廟)《기원전 4세기경 소아시아의 할리카르나소스(Halicarnassus)에 건립된 것으로 세계 7대 불가사의의 하나》. **2** 웅장한 무덤, 능묘(陵墓), 능.
〖L<Gk. *Mausōlos* Mausolus (d. ?353 B.C.) Caria의 왕〗

mau·vaise honte [*F* movɛːz ɔ̃ːt] *n.* 이유없는 수줍음, 겸손, 사양. 〖F=ill shame〗

mau·vais goût [*F* movɛ gu] *n.* 악취미.

mau·vais pas [*F* movɛ pa] *n.* 곤란, 곤경.

mau·vais quart d'heure [*F* movɛ kaːr dœːr] *n.* 지겨운[괴로운, 불쾌한] 한 때.
〖F=bad quarter of an hour〗

mauve [móuv, 美+mɔ́ːv] *n.* Ⓤ 연한 자줏빛 아닐린 염료; 연한 자줏빛. ── *a.* 연한 자줏빛의.
〖F<L; ⇨ MALLOW〗

ma·ven, ma·vin [méivən] *n.*《美俗》전문가, 그 방면에 정통한 사람, 숙련자. 〖Yid.〗

mav·er·ick [mǽvərik] *n.*《美》**1** 낙인이 없는 송아지; 무리에서 떨어진 말[소]. **2**《口》(정당 따위에) 협조하지 않는 사람, 무소속의 사람, 이단자, 「독불 장군」(lone wolf). ── *a.* 낙인 없는, 무리에서 떠난, 독립 독행의. ── *vi.* 무리에서 떨어지다.
〖S. A. *Maverick* (d. 1870) 자기의 소에 낙인(烙印)을 찍지 않은 Texas의 목장주〗

ma·vis [méivəs] *n.* **1**〖鳥〗노래지빠귀《유럽·아시아산(産)》. **2** [M~] 여자 이름.
〖OF=(obs.) thrush〗

ma·vour·neen, -nin [məvúərniːn, -vɔ́ːr-] *n.*, *int.* 사랑하는 사람, 당신《호칭》. 〖Ir.〗

maw[1] [mɔ́ː] *n.* 위(胃)(stomach); (특히 반추(反芻) 동물의) 제4위(胃); (새의) 모이주머니;《戲》(사람의) 위; 입, 식도;《비유》심연, 깊은 구렁.
〖OE *maga* stomach; cf. G *Magen*〗

maw[2] *n.*《美中南部》어머니(ma, mother).

mawk·ish [mɔ́ːkiʃ] *a.* **1** 욕지기나는; 맥빠진. **2** 걸핏하면 눈물짓는, 감상적인. **~·ness** *n.*
〖*mawk* (obs.) MAGGOT〗

mawl ☞ MAUL.

máw sèed *n.* 양귀비씨.

máw·wòrm *n.*〖動〗회충; 위선자.

max [mǽks] *n.*, *a.*《俗》=MAXIMUM.
to the max《美俗》극도로, 극히, 아주; 처음부터 끝까지 내리.
── *adv.* 최대한으로. ── *vt.* …을 최대한으로 쓰다. ── *vi.* (컴퓨터의 능력이) 한계에 이르다.

Max *n.* 남자 이름《Maximilian의 애칭》.

max. maxim; maximum.

maxi [mǽksi] *n.* (*pl.* **máx·is**)《口》맥시《복사뼈까지 오는 스커트나 코트; 1960년대말에 유행》; 몹시 큰 것.
── *a.*《口》맥시의; (보통보다) 대형인, 한층 긴;《俗》=MAXIMUM. ── *vi.*《美俗》대성공하다. 〖*maxi*mum; cf. MINI〗

max·i- [mǽksi] *comb. form* 「큰…」「긴…」의 뜻(↔*mini-*): *maxi*skirt. 〖↑〗

max·il·la [mæksílə] *n.* (*pl.* **-lae** [-liː, -lai], **~s**)〖解〗상악(골)(上顎(骨));〖動〗(절지 동물의) 작은 턱, 작은 아가미.
〖L=jaw〗

max·il·lary [mǽksəlèri; mæksíləri] *a.* maxilla의. ── *n.* 상악골.

max·im [mǽksəm] *n.* 격언, 금언; 처세술; 좌우명; 일반 원칙, 원리.
〖F or L (*maximus* greatest (superl.)〈*magnus*)〗

Maxim *n.* **1** 남자 이름. **2** 맥심. Sir **Hiram Stevens** ~ (1840-1916) 미국 태생인 영국의 발명가; 자동 기관총을 발명. **3** =MAXIM GUN.
〖L *Maxim*us〗

***maxima** *n.* MAXIMUM의 복수형.

max·i·mal [mǽksəməl] *a.* 최대한의, 극대의(↔*minimal*).

máximal·ist *n.* 최대한의 요구를 내걸고 타협하지 않는 사람, 과격주의자; [M~] 구소련의 사회주의자의 일파(Bolshevik).

Máxim gùn *n.* 맥심포《구식의 속사 기관총》.

Max·i·mil·ian [mæ̀ksəmíljən] *n.* 남자 이름.
〖Gmc.<L (*Maximus*+*Aemilianus*)〗

maxi·min [mǽksəmìn] *n.*〖數〗맥시민《어떤 한 조(組)의 극소값 중의 최대값》; 맥시민값《게임 이론에서 최소의 득점을 최대로 하는 수법》.
〖*maxi*mum+*mini*mum〗

max·i·mize [mǽksəmàiz] *vt.* **1** 극한까지 증가[확대, 강화]하다;〖數〗(함수의) 최대값을 구하다, 최대화(化)하다. **2** 최대한으로 활용[중요시]하다(↔*minimize*). ── *vi.* 가장 광의로 해석하다. **màx·i·mi·zá·tion** *n.*

***max·i·mum** [mǽksəməm] *n.* (*pl.* **-ma** [-mə], **~s**) 최고점, 최대한[량], 극한;〖數〗극대(↔*minimum*): a ~ of ten years in prison 최고 10년형. ── *a.* 최대[최고](한도)의, 극한의, 극대의: a ~ dose〖醫〗극량(極量) / a ~ load 최대 적재량.
〖NL; ⇨ MAXIM〗

máximum permítted mìleage *n.* 최대 허용 거리《국제 항공 운임에서; 略 MPM》.

máximum príce *n.* (허용된) 최고 가격.

máximum thermómeter *n.* 최고 온도계.

máxi·skìrt *n.* 맥시스커트.

max·well [mǽkswel, -wəl] *n.*〖理〗맥스웰《자기력선속(磁氣力線束)의 단위; 略 Mx》.

◇**may**[1] [mèi, méi]

> (1) may는 「…해도 괜찮다」는 「허가」와 「…일지도 모른다」는 「가능성·추측」을 나타낸다.
> (2) 「…일지도 모른다」의 부정문 may not에서 not은 may가 아니라 본동사를 부정한다: He *may not* be at home. =It is possible that he is *not* at home. (그는 집에 없을 지도 모른다.) / He *may not* come. (그는 안올지도 모른다.)
> (3) 「허가」를 나타내는 may는 구어에서는 can을 대신 쓸 때가 많다. 단, 의문문에서는 May I…?가 더 공손한 표현이며 Can I…?는 좀 속된 느낌을 줄 수가 있다. 그러나 평서문에서는 You can….하는 편이 You may….보다 부드러운 느낌을 준다.
> (4) 「가능성」을 나타내는 경우 may는 yes나 no를 기대하는 의문문에는 쓰지 않는다. 대신에 다음과 같이 표현한다: Is it likely to [Do you think it will] rain?

── *auxil. v.* (*p.* **might**) **1** [mei, me,《弱》mə]

a) [허가] …하여도 좋다[괜찮다] (cf. MUST[1]) : You ~ go there at once. 즉시 거기에 가도 좋다 / *M*~ I smoke here?—Yes, you ~ (smoke). 여기서 담배를 피워도 됩니까—네, (피워도) 됩니다. ☞ 活用 (1). **b**) [인용(認容)] …라고 해도 지장없다, …라고 말하는 것은 당연하다 : You ~ *well* think so. 자네가 그렇게 생각하는 것도 무리가 아니다. ☞ 活用 (2).
2 [추측] **a**) [가능성] (1) …인지도 모른다 : It ~ be (=Perhaps it is) true. 정말인지도 모른다 / He ~ come, or he ~ *not.* 올지도 모를 일이고, 안올지도 모른다. ☞ 活用 (3). (2) [가능을 나타내는 문장 중의 명사절에서] : It is possible *that* he ~ come tomorrow. 그는 어쩌면 내일 올지도 모른다《㊟《文語》에서는 It ~ be that he will come tomorrow.》. (3) [may+have done, have been] …했는지도[하였는지도] 모른다 : He ~ *have said* so. 그렇게 말했는지도 모른다 / It ~ *not have been* raining then. 그때는 비가 내리고 있지 않았는지도 모른다. **b**) [의문문에서 불확실한 뜻을 강조하여] (도대체·누구·무엇) …일까, …인지도 몰라 : Who ~ you be? 누구신가요.
3 a) 《文語》 [기원·소망·저주] 부디 …이기를, …하여 주시옵소서 : Long ~ he live! 그의 장수(長壽)를 비나이다 / *M*~ you succeed! 부디 성공하시기를 / *M*~ it please your honor! 삼가 아뢰옵니다. ㊟ 이 용법에서는 어순(語順)은 항상 「조동사 may+주어+동사」. **b**) 《주로 文語》 [요구·희망 따위를 나타내는 문장 다음의 명사절에서] : I hope he ~ (=will) succeed. 그가 성공하기를 바란다 / I'm afraid the rumor ~ be true. 어쩌면 그 소문은 사실인지도 모른다.
4 [가능] 할 수 있다(can) : as best one ~ 될 수 있는 대로, 어떻게든지 하여 / Gather roses while you ~. 할 수 있을[젊을] 때 장미꽃을 모아라《청춘은 두 번 다시 오지 않는다》 / He who runs ~ read. 그는 달리면서도 읽을 수 있다. ㊟ 이 의미에서는 보통 CAN[1]을 씀.
5 [목적이나 결과를 나타내는 부사절에서] …하기 위하여, …할 수 있도록 : Tell him about it *so that* he ~ be forewarned. 미리 마음의 준비를 할 수 있도록 그에게 그것을 말해 주시오. ㊟ 《口》에서는 때때로 이 may 대신에 CAN[1]을 씀 : He works hard *so that* he ~ [*can*] pass the examination. 시험에 합격하려고 열심히 공부한다.
6 [양보를 나타내는 부사절에서] 설사 …라 할지라도 : Whoever ~ say so [No matter who ~ say so], you need not believe him. 누가 그렇게 말하더라도 그의 말을 믿을 필요는 없다. ㊟ 구어에서는 때때로 may를 쓰지 않고, Whoever *says* so [No matter who *says* so] ….와 같이 씀.
7 (법령 따위로) …해야 한다(shall, must).
be that as it may 어떻든 간에, 그것은 그렇다 치고(however that may be).
come what may 무슨 일이 있더라도.
may as well do (***as not***)... ☞ WELL[1] *adv.* (cf. 1 b)).
may well do …하는 것도 당연하다 ☞ 1 b) ; ☞ WELL[1] *adv.*

〈회화〉
May I sit here?—Yes, you *may.* 「여기 앉아도 될까요」「네, 그럼요」

〚OE *mæg* (1인칭·3인칭 단수 직설법 현재) < *magan* to be strong, be able ; cf. MAIN[1], MIGHT[2], G *mögen*〛
活用 (1) 1 a)의 의미의 may에 대해서 다음 여러 점에 주의. i) 부정의 가벼운 금지의 뜻으로 may not을 쓰는 수도 있으나 보통은 must not : You *may not* smoke here. (여기서는 담배를 피우지 못하게 되어 있다). cf. You *must not* smoke here. (여기서는 담배를 피워서는 안된다). ii) 부가의문에서는 may대신에 must가 쓰이기도 한다 : I mustn't do it, *must* (=may) I? (내가 그것을 해서는 안됩니까). (2) 1 b)의 의미의 may의 부정은 cannot : You *may* call him a genius, but you *cannot* call him a man of character. (그를 천재라고 부르는 것은 좋으나 인격자라고 부를 수는 없다). (3) 2 a) (1)의 의미의 부정은 may not (cf. CAN[1]) : He *may not* succeed. (성공하지 못할는지도 모른다) / You *may not* believe it, but that's true. (그것을 믿지 않을지도 모르나 사실이다).

may[2] [méi] *n.* 《古》 =MAIDEN.
〚OE *mǣg* kinsman, kinswoman ; cf. ON *mær*〛

◇**May** [méi] *n.* **1** 5월 ; 《비유》 청춘. **2** [m~] 〖植〗 산사나무(hawthorn) ; 그 꽃(cf. MAYFLOWER). **3** [*pl.*] 《英》 (Cambridge 대학의) 5월 시험 ; [the ~s] 5월 조정 경기《5월말 또는 6월초》. **4** = MAY DAY. **5** 여자 이름.
the Queen of (the) May = MAY QUEEN.
—— *vi.* [흔히 m~] 5월제[메이 데이]에 참가하다 ; 5월[봄]에 꽃을 따다.
〚OF<L〛

ma·ya [mɑ́:jɑ:, -jə, máiə] *n.* 〖힌두教〗 **1** 마야《현상의 세계를 움직이는 원동력》; 마력 ; 환영, 허망. **2** [M~] 환영의 여신.
má·yan *a.* 〚Skt.〛

Ma·ya [mɑ́iə] *n.* (*pl.* ~, ~**s**) 마야인(人) ; [the ~s] 마야족(族) ; Ⓤ 마야어(語).
〚(Guatemala and Mexico)〛

Ma·yan [mɑ́iən] *a.* 마야족(族)[인(人)]의 : the ~ civilization 마야 문명.
—— *n.* 마야인 ; Ⓤ 마야어.

máy·àpple *n.* [때때로 M~] 〖植〗 매자나무과(科) 포도필룸속(屬)의 풀《5월에 달걀 모양의 노란 열매를 맺음》; 그 열매.

‡**may·be** [méibi(:), 美+mébi] *adv.* 어쩌면, 아마(perhaps).
as soon as maybe 될 수 있는 한 빨리(as soon as possible).

〈회화〉
Maybe it will rain tomorrow.—I hope not. 「어쩌면 내일 비가 올지도 몰라」「안 왔으면 좋겠어」

〚*it may be*〛

Máy bèetle [**bùg**] *n.* =COCKCHAFER.

máy·bùsh *n.* 〖植〗 산사나무류(hawthorn).

May·day [méidèi, -ˊ] *n.* (비행기·선박의 무선으로 발신하는) 조난 신호.
〚F *m'aider* help me〛

Máy Dày *n.* 5월제(祭)《5월 1일》; 메이 데이, 노동절《5월 1일 ; cf. LABOR DAY》.

Máy-Decémber márriage *n.* (젊은 여자와 늙은 남자의 결혼처럼) 나이 차가 너무 많이 나 어울리지 않는 결혼.

Máy dèw *n.* 5월 (초하루)의 아침 이슬《미용에 좋고 의약적 효과가 있다고 믿었음》.

may·est [méiəst, meist] *auxil.v.* 《古》 MAY[1]의 직설법 2인칭 단수 현재형 : thou ~ =you may.

May·fair [méifèər, -fæ̀ər] *n.* 메이페어《London의 Hyde Park 동쪽의 고급 주택지》; 《비유》 런던 사교계.

Máy·flòwer *n.* **1** 5월에 꽃이 피는 초목, (특히)《英》 산사나무, 《美》 노루귀, 아네모네. **2** [the ~] 메이플라워호(號)《1620년 Pilgrim Fathers를 태우고 영국에서 신대륙으로 건너간 배의 이름》.

máy·flỳ *n.* **1** [때때로 M~] 〖昆〗 하루살이 ; 《英》 날도래. **2** 제물낚시의 일종.

Máy gàme *n.* 5월제(祭)의 놀이 ; (일반적으로) 법석, 흥겨운 놀이 ; 장난(frolic).

may·hap [méihæ̀p, 美+ˊ-ˊ] *adv.* 《古》 =PERHAPS. 〖*it may hap*〗

may·hem, mai- [méihem, 美+méiəm] *n.* **1** **a)** 〖法〗 신체 상해《폭력으로 손·발·눈·이 따위에 입히는 상해》. **b)** 의도적 손상, 폭력 ; 《口》 소란. **2** (비평·논설 따위에서의) 필요 이상의 비난, 고의적인 명예 훼손, 중상.
〖AF *mahem* ; ⇨ MAIM〗

máy·ing *n.* Ⓤ [때때로 M~] 5월제의 축하놀이(에 참가하기) ; 5월제의 꽃따기.

Máy mèetings *n. pl.* 5월 회의《5월에 런던에서 열리는 종교·자선 따위를 위한 모임》.

May·nard [méinərd] *n.* 남자 이름.
〖Gmc.=strong+hardy〗

mayn't [méiənt] 《口》 MAY[1] not의 단축형.

***may·on·naise** [mèiənéiz, ˊ-ˊ ; mèiənéiz] *n.* Ⓤ 마요네즈(소스)《달걀 노른자위·올리브유·식초·레몬 따위로 만듦》; 마요네즈를 친 요리.
〖F‹? *mahonnaise mahonnais* of Mahon (Minorca의 항구)〗

***may·or** [méiər, méər, (특히 인명(人名) 앞에서) meər ; méər] *n.* 시장, 읍장, 동장 : ☞ LORD MAYOR. **máyor·al** *a.* **máyor·shìp** *n.* 시장[읍장]의 직[신분]. **máyor·al·ty** *n.* 시장[읍장]의 직[임기].
〖OF *maire*<L MAJOR〗

máyor·ess *n.* 《美》 여(女)시장 ; 《英》 시장 부인.

máy·pòle *n.* [때때로 M~] 5월제의 기둥《꽃·리본 따위로 장식하여 5월제에 그 주위를 돌며 춤을 춤》; 키가 큰 남자.

may·pop [méipɑ̀p] *n.* 〖植〗 꽃시계덩굴의 일종.

Máy quèen *n.* 5월의 여왕《5월제의 여왕으로 선발된 소녀 ; 화관을 씀》.

mayst [méist] *auxil. v.* 《古》 MAY[1]의 주어가 2인칭 단수 thou일 때의 현재형 : thou ~ =you may.

Máy·thòrn *n.* =HAWTHORN.

Máy·tìde, Máy·tìme *n.* Ⓤ 5월(의 계절).

máy trèe *n.* 《英》 〖植〗 산사나무속(屬)의 식물.

Máy Wéek *n.* 《英》 Cambridge 대학에서 5월의 조정 경기가 거행되는 주일.

maz·ard [mǽzərd] *n.* 〖植〗 마자드 ; 《古》 머리(head), 얼굴.
〖*mazer*+*-ard*〗

maz·a·rine [mæ̀zəríːn, 美+ˊ-ˊ, 美+-rən] *a.* 진한 남빛의.
—— *n.* 진한 남빛 ; 진한 남빛의 옷.
the mazarine robe 런던시 참사회원의 제복.

Maz·da [mǽzdə] *n.* 〖페르시아神〗 선신(善神) ; (암흑에 대한) 광명 ; (상표로서) 일종의 백열 전등. **~·ism** *n.* =ZOROASTRIANISM.

maze [méiz] *n.* 미로, 미궁 ; 분규, 혼란 ; 당황 : in a ~ 당황하여. —— *vt.* [보통 *p.p.*로] 어리둥절하게 하다, 당황하게 하다 : *be ~d* 어리둥절하다, 당황하다.
〖ME AMAZE〗

ma·zel [máːzəl] *n.* 《美俗》 운, 행운(幸運).
〖Yid.〗

ma·zel[ma·zal] tov [máːzəl tɔ́ːv, -f] *int.* 축하합니다(congratulations). 〖Heb.〗

ma·zer [méizər] *n.* 큰 술잔. 〖ME〗

ma·zu·ma, me- [məzúːmə] *n.* 《美俗》 현금, 돈(money). 〖Yid.〗

ma·zur·ka, -zour- [məzə́ːrkə, -zúər-] *n.* 마주르카《폴란드의 경쾌한 춤》; 그 곡.
〖F or G<Pol.=(dance) of *Mazur* (Mazovia 폴란드의 한 지방)〗

ma·zut [məzúːt] *n.* Ⓤ 연료유(油)(fuel oil).

mazy [méizi] *a.* **1** 구불구불한 ; 미로(迷路)와 같은 ; 혼란한. **2** 당황한.

Mb megabit. **mb** millibar(s) ; millibarn(s). **M.B.** *Medicinae Baccalaureus* 《L》 (=Bachelor of Medicine). **MBA** 〖軍〗 main battle area. **M.B.A.** Master of Business Administration (경영 관리학 석사). **MBE** molecular-beam epitaxy. **M.B.E.** Master of Business Economics ; Master of Business Education ; Member (of the Order) of the British Empire. **MBFR** Mutual and Balanced Force Reductions (중부 유럽 상호 균형 병력 삭감 교섭).

mbi·ra [embíərə] *n.* 〖樂〗 엠비라《나무·금속의 가늘고 긴 판을 나열하여 한쪽 끝을 고정시키고 다른 끝을 튀겨 울리는 아프리카의 악기》.
〖Bantu〗

MBK medications and bandage kit(의약품·붕대 키트). **MBO** 〖經營〗 management by objectives《목표 관리 ; 작업의 자주성을 중시함》. **M. Brit. I.R.E.** Member of the British Institution of Radio Engineers. **M.B.S., MBS** 《美》 Mutual Broadcasting System(뮤추얼 방송 회사).

m.c. [émsíː] *vt., vi.* (**m.c.'d** ; **m.c.'ing**) 《口》 (…의) 사회를 보다.

Mc- [mək, mæk] *pref.* =MAC-.

mc megacurie ; megacycle ; millicurie ; millicycle. **MC** master of ceremonies(사회자) ; 《英》 Member of Congress (국회의원).

MCA monetary compensation amount. **MCAT** Medical College Admissions Test. **MCC** Mission Control Center. **M.C.C.** 《英》 Marylebone Cricket Club ; Member of the County Council.

Mc·Car·thy [məkɑ́ːrθi] *n.* 매카시. **1 Eugene Joseph** ~ (1916-) 미국의 전 상원의원 ; 베트남 전쟁에 반대하여 1968년 대통령 선거에 출마함. **2 Joseph R(aymond)** ~ (1908-57) 미국 공화당의 상원의원(1946-57) ; 마구잡이로 정적(政敵)을 공산주의자로 몰아 잡아 들여 미국 정계를 혼란에 빠뜨렸음. **3 Mary (Therese)** ~ (1912-89) 미국의 소설가·비평가.

McCárthy·ìsm *n.* Ⓤ 극단적인 반공운동, 매카시 선풍.
〖Joseph R. *McCarthy*〗

Mc·Coy [məkɔ́i] *n.* [the (real)~] 《口》 확실한 사람[것], 진짜. —— *a.* 《俗》 훌륭한(excellent), 일류의(first-rate).
〖Kid *McCoy* (미국의 프로복서 Norman Selby (d. 1940)의 링 이름) ; 같은 성의 무명선수와 구별하기 위해〗

M. Ch., M. Chir. *Magister Chirurgiae* 《L》 (=Master of Surgery). **MCI** 〖컴퓨〗 machine check interruption(기계 검사 인터럽션).

Mc·In·tosh [mǽkintɑ̀ʃ] *n.* 〖園藝〗 캐나다 Ontario 주(州) 원산(原産)의 진홍색 사과.

Mc·Kin·ley [məkínli] *n.* [Mount ~] 매킨리산(山)《미국 Alaska 주 중앙부 Rocky 산맥 중에 있는 북미의 최고봉 ; 6,194 m》.

MCL, M.C.L. Marine Corps League ; Master of Civil Law ; Master of Comparative Law.

Mc·Lu·han [məklúːən] *n.* 맥루안. **Marshall** ~ (1911-80) 캐나다의 커뮤니케이션 이론가.

McLúhan·ìsm *n.* Ⓤ 맥루안 이론《매스 미디어와 사회 변화의 관계를 논함》; 맥루안 용어(用語).

MCO mill culls out ; miscellaneous charge order. **MCP** 《口》 male chauvinist pig ; Member of the College of Preceptors. **MCR** 《英》 Middle Common Room. **M.C.S.** Master of Commercial Science ; Master of Computer Science ; Military College of Science ; missile control system. **Mc/s** megacycles per second. **MCSP** Member of the Chartered Society of Physiotherapy. **mCur** 〖理〗 microcurie(s). **MD** 〖美郵〗 Maryland ; Middle Dutch. **Md** 〖化〗 mendelevium. **Md.** Maryland. **M/D, m/d** month's (after) date(날짜 후 …개월). **M.D.** Managing Director ; *Medicinae Doctor* 《L》(=Doctor of Medicine) ; Medical Department. **MDA** methylene dioxyamphetamine 《환각제》; Mutual Defense Assistance (상호 방위 원조). **MDAP** Mutual Defense Assistance Program(상호 방위 원조 계획).

M-day [ém-] *n.* 《美》 동원일(動員日)《실질적인 전투 개시일》: the ~ plans 동원 계획.
〚*m*obilization *day*〛

MDC more developed country 《developed country의 다른 말》. **MDL** Military Demarcation Line(군사 분계선). **Mdlle.** Mademoiselle. **Mdm.** Madam. **Mdme.** Madame. **MDR** Minimum Daily Requirement. **MDS** multipoint distribution service《다지점(多地點) 분배 서비스 ; 유료 텔레비전의 일종》. **M.D.S.** Master of Dental Surgery. **mdse.** merchandise. **MDSS** management decision support system(경영 의사 결정 지원 시스템). **MDT** 《美》 Mountain Daylight Time(산악 여름 시간). **MDu.** Middle Dutch.

◇**me** [mìː, míː, mi] *pron.* **1** [I의 목적격] 나를 ; 나에게, 나한테 : [직접 목적어] They know *me* very well. / [간접 목적어] Father gave *me* a book. / [전치사의 목적어] She spoke to *me*. **2** [míː] 《口》 =I : [be 뒤에서] It's *me*. 접니다 ☞ I² 주 (1) / [as, than이나 but 뒤에서] You're as tall as[taller than] *me*. 너는 키가 나와 같다[보다 크다] / Nobody else went but *me*. 나 외에는 아무도 가지 않았다 / [관용적으로] I want to see the movie. ―*Me*, too. 그 영화를 보고 싶다―나도 그래. **3** 《古·詩》 [재귀적으로] 나 자신에게[을](myself) : I got *me* a wife. 아내를 얻었다 / If I don't respect *me*, nobody else will. 자존심이 없으면 남도 존경해 주지 않는다. **4** [míː] [감동·놀람 따위를 나타내어 감탄사적으로] : Ah *me*! 아아! / Dear *me*! 이런, 저런! **5** 《口》 [동명사의 주어] =MY : Father is very proud of *me* having succeeded him. 내가 아버지의 뒤를 이은 것을 큰 자랑으로 여기신다.

〈회화〉
Who broke the glass? — Not *me*. 「누가 잔을 깼니」「난 아냐」

〚OE (acc. and dat.) ‹ I²〛

ME Middle East ; Middle English ; microelectronics ; medical engineering(의용 공학). **Me** 〖化〗 methyl. **Me.** Maine. **M.E.** Master of Engineering ; Mechanical[Military, Mining] Engineer ; Methodist Episcopal ; Middle English ; Most Excellent ; 《美》 Movie Editor(영화란 담당 기자). **Mea.** Meath.

mea cul·pa [míːə kʌ́lpə] *n.* 자기 과실의 긍정[시인]. ―― *int.* 내 탓으로, 자기 과실에 의해.
〚L=through my fault〛

mead[1] [míːd] *n.* 《詩》 =MEADOW.
〚OE *mǣd* < Gmc. (《美》 *mētwā* mowed land) ; ⇨ MOW[1]〛

mead[2] *n.* Ⓤ 벌꿀술.
〚OE *me(o)du* ; cf. G *Met*, Gk.=wine〛

***mead·ow** [médou] *n.* Ⓤ,Ⓒ 초원(草原)(☞ PASTURE), 목초지 ; (특히) 강변의 풀이 무성한 미개간의 저지.
〚OE *mǣdwe* ‹ *mǣd* MEAD[1]〛

méadow clòver *n.* 〖植〗 붉은 토끼풀(red clover)《사료용》.

méadow fòxtail *n.* 〖植〗 큰뚝새풀.

méadow gràss *n.* 〖植〗 습한 땅에서 잘 자라는 각종 풀.

méadow·làrk *n.* 〖鳥〗 찌르레기 비슷한 새《북미산(產)》.

méadow mùshroom *n.* 〖植〗 주름버섯《식용(食用)》.

méadow·swèet *n.* 〖植〗 조팝나무, 참터리풀.

méad·owy *a.* 목초지(牧草地)의, 목초지 같은, 풀밭이 많은.

mea·ger | **-gre** [míːgər] *a.* 마른 ; 빈약한, 결핍된, 불충분한 ; 풍족하지 못한 ; 무미건조한.
~·ly *adv.* **~·ness** *n.*
〚AF *megre* < L *macer* lean〛
類義語 ⟹ SCANTY.

◇**meal**[1] [míːl] *n.* **1** 식사(때) : at ~*s* 식사 때에 / have[take] a ~ 식사하다 / eat between ~*s* 간식하다. **2** 한끼(분) : a square ~ 충분한 식사. **3** 《英》 한번에 짜는 우유 분량.
make a* (*hearty*) *meal of …을 (배불리) 먹다 ; 매우 중요한 것처럼 말하다.
―― *vi.* 식사하다.
〚OE *mǣl* appointed time, meal ; cf. G *Mahl* meal, *Mal* time〛

meal[2] *n.* Ⓤ (곡물의) 체에 치지 않은 굵은 가루, 맷돌로 탄[간] 가루(cf. FLOUR) ; 굵은 가루 같은 것 ; 《美》 =CORNMEAL ; 《스코·아일》 =OATMEAL. 〚OE *melu* ; cf. G *Mehl*〛

-meal [mìːl] *adv. comb. form* 《현재는 稀》 「한번에 …씩」의 뜻.
〚OE ; ⇨MEAL[1]〛

meal·ie [míːli] *n.* [보통 *pl.*] 《南아》 옥수수.
〚Afrik. *milie* < Port. *milho* MILLET〛

méal òffering *n.* 〖聖〗 (이스라엘 사람의) 곡물의 제물《밀가루·소금에 기름이나 향료를 친 것 ; cf. MEAT OFFERING》.

méal pàck *n.* 《美》 가열하기만 하면 먹을 수 있도록 한 포장 요리.

méals on whéels *n.* 노인·신체 장애자에 대한 급식 배달 봉사 ; 《美俗》 소를 실은 트럭.

méal tìcket *n.* 식권 ; 《口》 생계의 기반, 수입원 ; 《美口》 의지가 되는 사람.

méal·tìme *n.* Ⓤ (일상적인) 식사 시간 : at ~ 식사 때[시간]에.

méaly *a.* **1** 가루 모양의, 굵은 가루의. **2** 가루가 나오는 ; 가루를 뿌린. **3** (말이) 반점이 있는. **4** (안색이) 창백한(pale). **5** =MEALYMOUTHED.
〚MEAL[2]〛

méaly·bùg *n.* 〖昆〗 벚나무깍지벌레과(科) 곤충의 총칭.

méaly·móuthed [-máuðd, -θt] *a.* 완곡하게[듣기 좋게] 말하는; 구변이 좋은; (어구가) 완곡한 표현에 적당한.

◇**mean**[1] [míːn] *v.* (**meant** [mént]) *vt.* **1** [+目/+do*ing*/+目+前+名/+目+*as* 補+*that* 節] 의미하다(cf. CONNOTE), (…라는 것을) 표시하다; …할 작정으로 말하다: What does this phrase ~? 이 숙어는 어떤 뜻이냐/I ~ what I say. =I ~ it. (농담이 아니라) 진심으로 말하는 것입니다/Culture ~*s* try*ing* to perfect oneself and one's own mind. 교양이란 자기와 자기 자신의 정신을 완성시키고자 노력하는 것을 의미한다/What do you ~ ***by*** your boast? 어떠한 의도로 그렇게 자랑하느냐/What did he ~ *by* "coward"? 그가 겁쟁이라고 말한 것은 무슨 의미였을까/I ~*t* it ***for***[*as*] a joke. 농담으로 한 말입니다/I ~ *that* you are a liar. 너는 거짓말쟁이란 말이다. ☞ 活用.
2 [+目+前+名] …만큼의 뜻을 내포하다, (어떤) 중요성을 갖다: It ~*s* nothing ***to*** me. 그것은 내게는 무의미하다/Your sympathy will ~ a great deal *to* him. 너의 동정은 그에게는 귀중한 것일 게다.
3 [+目/+目+目/+目+前+名/+目+*to* do/+*to* do] 뜻을 두다, …할 작정이다; 예정[계획]하다, 꾀하다; [수동태] 나타낼 생각이다, (사람·물건을) 어떤 용도로 정하다: ~ business ☞ BUSINESS 숙어/~ mischief 마음 속에 악의를 품고 있다/I ~ him no offense. 그에게는 아무런 악의(惡意)도 품고 있지 않다/I ~*t* this picture ***for*** her. 이 그림을 그녀에게 줄 작정이었다/He was ~*t for*[*to* be] a physician. 의사로 타고났다, 의사가 되게끔 키워졌다/I certainly ~ them *to* send it back to me. 물론 그들에게서 그것을 돌려받을 작정이다/Is this figure ~*t to* be a 9 or a 7? 이 숫자는 9라고 쓴 것이냐, 7이라고 쓴 것이냐/We admire the ambition of one who ~*s to* be a manly man. 남자다운 남자가 되려고 뜻을 둔 사람의 포부에 경탄한다/You don't ~ *to* say so! 설마! (농담이겠지). ☞ 活用.
—— *vi.* [+副/+前+名] [well, ill을 수반하여] (…에게 호의[악의]를) 품고 있다: She ~*t well* ***by***[***to***] you. 너에게 호의를 갖고 있었다.
〚OE *mǣnan*; cf. MIND, G *meinen*〛
活用 「의미하다」 (*vt.* 1)의 뜻인 mean은 [+do*ing*]으로 쓰며, 「…할 작정이다」(*vt.* 3)의 뜻인 mean은 [+*to* do] 또는 [+目+*to* do]로 씀: That *means* risk*ing* your life. (그것은 당신의 생명을 거는 것을 의미해요)/I *meant to* wait for him. (그를 기다릴 작정이었다)/I didn't *mean* you *to* do it. (자네에게 그것을 시킬 작정은 아니었네). 그리고 마지막 문장에 for를 써서: I didn't *mean for* you *to* do it.이라고 할 수는 없다. ☞ INTEND 活用 (2).
類義語 ⟹ INTEND.

***mean**[2] *a.* **1** (정도·재능 따위가) 보통의, 평범한. **2** 비천한; 초라한. **3** 비열한, 상스러운, 치사한, 인색한: He is ~ *about* money. 그는 돈에 인색하다. **4** 심술궂은(spiteful); (개·말 따위) 곧잘 흥분하는. **5**《口》부끄러운, 기를 못펴는(ashamed); 기분이 언짢은: feel ~ 부끄럽게 여기다, 기가 죽다, 거북하다; 기분이 좋지 않다. **6**《美口》어려운(difficult): a ~ problem to solve 난제(難題). **7**《美俗》솜씨좋은(skillful), 굉장한: She played a ~ game of bridge. 그녀는 브리지를 잘했다.
have a mean opinion of …을 업신여기다, …을 경멸하다: He *has a* ~ *opinion of* himself. 그는 자신을 비하하고 있다.
no mean 꽤 훌륭한: He is *no* ~ poet. 꽤 훌륭한 시인이다/The task requires *no* ~ courage. 그 일은 상당한 용기가 필요하다.
〚OE (*ge*)*mǣne*; cf. G *gemein* common〛
類義語 ***mean*** 품성이나 행동이 비열하여 경멸할 만한: a *mean* attempt to cheat him (그를 속이려는 비열한 계획). ***base*** 욕심이 많고 비겁하기 때문에 자신의 의무보다도 이익을 앞세우는: a *base* motive to betray one's friend (친구를 배반하는 비열한 동기). ***ignoble*** 높은 덕성이나 지성이 없는: work for an *ignoble* purpose (천한 목적을 위해 일하다). ***abject*** 한심할 정도로 자존심이 결여되어 있는: an *abject* servant (비굴한 하인). ***vile*** 메스꺼울 정도로 부정한 또는 비열한《a *vile* thought(옳지 못한 생각). ***low*** 상스럽고 조야한 또는 타락하여 비열한《mean보다 의미가 강함》: *low* taste [talk] (저속한 취미[말]).

mean[3] *a.* **1** (시간·거리·수량·정도 따위가) 중간의. **2** 중용(中庸)의; 평범한(average). **3**〖數〗평균의: ☞ GREENWICH (MEAN) TIME.
for the mean time 그 동안만, 일시적으로.
in the mean time[***while***] =*in the* MEANTIME.
—— *n.* **1** [*pl.*] ☞ MEANS. **2** (양끝의) 중앙; 중등; 중용(中庸). **3**〖數〗평균, 평균값(=∠ **válue**);〖論〗중명사(中名辭), 매명사(媒名辭)(=∠ **térm**);〖樂〗가온음자리《alto 또는 tenor》.
〚AF<L *medianus* MEDIAN〛

méan cálorie *n.* 평균 칼로리.

me·an·der [miǽndər] *vi.* [動/+前+名] **1** 굽이쳐 흐르다, 곡류(曲流)하다: The brook ~*ed* ***through***[***across***] the meadow. 그 시냇물은 초원을 굽이쳐 흐르고 있었다. **2** 정처없이 헤매다.
—— *vt.* 곡류시키다, 굽이쳐 흐르게 하다, 구부러지게 하다. —— *n.* **1** [*pl.*] (강물이) 굽이쳐 흐름; 구불구불한 길, 미로(迷路). **2** 만보(漫步), 산책; [보통 *pl.*] 우회(迂廻)하는 여행.
〚L<Gk. (*Maiandros* Phrygia의 S자형으로 알려진 강)〛

meánder·ing *n.* **1** 구불구불한 길. **2** 어슬렁어슬렁 거닐기. **3** 만담; 두서없는 이야기.
—— *a.* **1** 굽이쳐 흐르는. **2** 두서없이 이야기하는; 만담하는.
~·ly *adv.* 굽이쳐; 정처없이.

méan deviátion *n.*〖統〗평균 편차.

méan dístance *n.* [the ~]〖天〗평균 거리《근일점 거리와 원일점 거리와의 평균》, (쌍성(雙星)의) 평균 거리.

me·an·drous [miǽndrəs] *a.* 구불구불한, 물결 모양의.

méan frée páth *n.*〖理〗(기체 분자 따위의) 평균 자유 행로, 평균 자유 행정(行程).

mean·ie, meany [míːni] *n.* 구두쇠; 독설을 퍼붓는 불공평한 비평가; (연극·문학 작품 따위의) 악역(惡役).
〚MEAN[2]〛

‡**méan·ing** *n.* U,C 의미(sense); 뜻, 취지; 생각, 목적, 저의; 효력, 효능: a word with several ~*s* 여러 가지 뜻을 가진 낱말/There isn't much ~ in the passage. 이 구절은 그다지 의미가 없다/What's the ~ of this? (화를 내며) 이건 어찌된 일이냐/Seasickness has no personal ~ for me. 나는 전혀 뱃멀미를 하지 않는다[뱃멀미라

곤 모른다].

with meaning 의미있게 : She glanced at him *with* ~ . 의미심장하게 그 남자를 힐끗 보았다.

—— *a.* (눈초리 따위가) 의미심장한, 의미있는 듯한 ; …할 생각[작정]인 (intending) : well-[ill-] ~ 선의[악의]의.

~·ly *adv.* 의미있는 듯이, 일부러. **~·ness** *n.*

類義語 ***meaning*** 언어·몸짓·행동·그림 따위에 의해 표현되어 남에게 이해되도록 계획된 것 ; 가장 일반적인 말 : the *meaning* of a word [sentence] (단어[문장]의 뜻). ***sense*** 특히 어구가 갖는 특별한 의미 : This word has some slangy *senses.* (이 단어에는 약간 속어적 뜻이 있다). ***import*** 어떤 말이나 행위에 내포되는 의미 전체 : I got the *import* of her words. (그녀의 말뜻을 알았다). ***purport*** 문서·담화 따위의 취지[요지] ; 형식적인 낱말 : the *purport* of the letter (그 편지의 취지). ***signification*** 기호[부호] 따위에 의하여 관습적으로 이해되는 의미[의의] : the *signification* of the ace of hearts ((카드의) 하트 에이스의 패가 뜻하는 것). ***significance*** 표면상으로 또는 공공연하게 표명된 의미에 대하여 배후에 숨겨진 미묘한 함축 : She often has a look of great *significance.* (그녀는 때때로 의미 심장한 표정을 짓는다).

méan·ing·ful *a.* **1** 뜻있는 ; 의미 심장한 ; 의의 있는, 값어치 있는 : a ~ glance 의미 심장한 시선 / a ~ outcome 값어치있는 결과. **2** 〖言〗 의미 있는 (significant).

~·ly *adv.* 뜻깊게, 의미있게. **~·ness** *n.*

méan·ing·less *a.* 무의미한, 하찮은.

méan·ly *adv.* **1** 빈약하게 ; 초라하게 : He is ~ dressed. 그는 초라한 복장을 하고 있다. **2** 상스럽게. **3** 비열하게, 인색하게.

think meanly of …을 경멸하다.

〖MEAN[2]〗

méan·ness *n.* Ⓤ 보잘것없음, 조악(粗惡), 빈약함 ; 천함, 비열, 야비 ; 인색 ; Ⓒ 비열한 언행.

méan propórtional *n.* =GEOMETRIC MEAN.

‡means [mi:nz] *n. pl.* **1** [단수·복수 취급] [+*to* do / +前+do*ing*] 방법, 수단 (way) : a ~ ***to*** an end 목적에 이르기 위한 수단 / Do you know of any ~ *to* get there? 거기에 가는 방법을 아십니까 / a ~ ***of*** communication[transport] 통신[교통] 기관 / There *is*[*are*] no ~ *of* learn*ing* the truth. 진상을 알 방도가 없다 / The city authorities are looking for *a* ~ *of* improv*ing* the traffic situation. 시(市) 당국은 교통사정 개선의 방안을 찾고 있다 / With the progress of scientific knowledge new ~ *of* destruction have been devised. 과학 지식의 발달과 더불어 새로운 파괴 방법이 고안되기에 이르렀다 / *by* fair ~ 정당한 수단으로 / *by* fair ~ or foul 수단을 가리지 않고. **2** [복수취급] 자력(資力), 수입, 재산, 부(富) : a man of ~ 자산가 / live beyond[within] one's ~ 분에 넘치게[맞게] 생활하다 / His ~ permit him to live comfortably. 그는 재산이 있어서 편하게 살 수 있다.

by all means 반드시, 기필코 ; [대답을 강조하여] 좋고 말고, 부디 : I will come *by all* ~. 반드시 찾아 뵙겠습니다 / May I come? — *By all* ~. 방문해도 좋을까요 — 부디 오십시오.

by any means 어떻게든 ; 아무리 해도, 도무지 : Can you contact him *by any* ~? 어떻게든 그에게 연락할 수 없을까요 / I don't think you can persuade him *by any* ~. 어떠한 수단으로도 그를 설득시키지 못할 것이다.

by means of …에 의하여, …을 써서, …으로 : We express our thoughts *by* ~ *of* words. 말로써 생각을 표현한다.

by no means 결코 …하지 않다[이 아니다] : It is *by no* ~ easy to satisfy everyone. 모두를 만족시킨다는 것은 결코 쉽지 않다.

> **by no means**의 문장 전환
> It is *by no means* perfect.
> → It is *far from*[*anything but*, *not at all*] perfect.
> (그것은 결코 완전하지 않다.)

by some means of other 어떻게 해서든지 : They had to get through the jungle *by some* ~ *of other.* 어떻게 해서든지 밀림을 빠져나가지 않으면 안되었다.

ways and means 방법, 수단 ; 세입(歲入)의 방도, 재원 : He was always thinking of *ways and* ~ *to* lighten the farmer's work. 농부의 일을 덜어줄 방법을 언제나 생각하고 있었다.

méan séa lèvel *n.* 평균 해면《해발 기준》.

méans of prodúction *n.* (마르크스 경제학에서 말하는) 생산 수단.

méan sólar dáy *n.* 〖天〗 평균 태양일.

méan sólar tìme *n.* 〖天〗 평균 태양시.

méan·spírit·ed *a.* 비열한, 천한 (base).

méans tèst *n.* 《英》 (생활 보호 따위를 받을 사람의) 자산 조사.

méans-tèst *vt.* (보조금·수당)의 지급에 관한 자산 조사를 하다.

méan sún *n.* 〖天〗 평균 태양《천구의 적도를 평균 각(角)속도로 움직이는 가상 태양》.

◇meant *v.* MEAN[1]의 과거·과거분사.

***méan·tìme** *n.* [the ~] 짬, 그 동안.

in the meantime 그 동안에, 그럭저럭하는 동안에 ; 이야기는 바뀌어 (한편).

—— *adv.* =MEANWHILE.

méan tìme *n.* 〖天〗 평균시《(1) =MEAN SOLAR TIME. (2) =GREENWICH MEAN TIME》.

méan·whìle *n.* [the ~] =MEANTIME. —— *adv.* **1** 그 사이에 ; 그럭저럭하는 동안에 ; 이야기는 바뀌어 (한편). **2** 동시에.

meany ☞ MEANIE.

meas. measure.

mea·sled [mí:zəld] *a.* 홍역의[에 걸린].

***mea·sles** [mí:zəlz] *n.* [보통 단수취급] 〖醫〗 홍역, 마진(痲疹) : false[French, German] ~ 풍진(風疹) / catch[have] (the) ~ 홍역에 걸리다[걸려 있다].

〖MLG and MDu. *masel*(*e*) pustule ; cf. MAZER〗

mea·sly [mí:zəli] *a.* **1** 홍역의[에 걸린]. **2** 《口》 불충분한, 빈약한, 조악한, 하급의.

méa·sur·able *a.* **1** 측정할 수 있는 (정도의) : come within a ~ distance of …에 접근하다. **2** 중요한 : a ~ figure 중요한 인물.

méa·sur·ably *adv.* 측정할 수 있을 정도로 ; 적당히 ; 《美》 어느 정도까지, 다소.

◇mea·sure [méʒər, 美+méi-] *vt.* **1** [+目 / +目+*for*+名] 측정하다, …의 치수를 재다 : ~ a piece of ground 토지를 측량하다 / *M*~ me ***for*** a new suit. 새로 맞출 양복의 치수를 재 주시오. **2** [+目 / +目+*by*+名] **a**) (인물 등을) 평가하다 (estimate), 판단하다 (judge) : A man's character can be ~*d* ***by*** the types of men with whom he associates. 사람의 성격은 그 사람이 교제하고 있는 사람들의 유형으로 판단할 수 있다. **b**) 조정

하다(adjust) : ~ one's behavior ***by*** another person 남(의 행동)에 따라 자기의 행동을 조절하다. **3** 《詩》 가다, 걷다, 편력하다(traverse). ── *vi.* **1** 측정하다, 치수를 재다. **2** [+補] (…의 길이·폭·높이 따위가) (…만큼) 되다 : The rowing boat ~*s* 20 feet. 그 보트의 길이는 20피트다 / The cell ~*d* eight by five by eight feet high. 그 작은 방은 내림 8피트, 안길이 5피트, 높이 8피트였다.

measure off …을 재어서 자르다, 구획하다.

measure one*'s* (***own***) ***length*** ☞ LENGTH.

measure one*'s* ***strength with...*** ☞ STRENGTH.

measure out 재어서 나누다, 할당하다.

measure swords ☞ SWORD.

measure up 필요하다고 생각되는 만큼의 자격[재능, 능력]이 있다.

measure up to... (1) 길이[폭·높이]가 …에 이르다 : The lake ~*s up to* 100 miles across. 그 호수는 폭이 100마일에 이르고 있다. (2) 《美》 (희망·이상·표준 따위)에 알맞다, 달하다, 일치하다.

measure a person ***with*** one*'s* ***eye*** 남을 머리부터 발끝까지[아래위로] 훑어보다.

── *n.* **1** (질량의 양적 비교의) 기준, 측정 단위, 척도. **2** Ⓤ 계량법, 도량법 ; Ⓒ 도량(度量)의 단위 ; 부셸(bushel)《두량(斗量)의 단위》; 되 ; 자, 줄자(tape measure) : cubic[solid] ~ 부피, 용적 / dry[liquid] ~ 건(乾)량[액량] / square[superficial] ~ 넓이 / ~ of capacity 용량. **3** 측정, 측량, 계측 ; 치수, 두량(斗量), 분량, 넓이. **4** (평가·판단 따위의) 규준(規準), 척도(criterion)〈*of*〉. **5** 정도, 적당 ; 한도, 정도(degree) : a ~ *of*... 어느 정도의, 다소의…. **6** Ⓤ 운율(meter) ; 〖樂〗 박자(time) ; Ⓒ 마디(bar) ; Ⓒ 《古》 (특히 느리고 장중한) 춤 : ☞ COMMON MEASURE 1. **7** 법안(bill) : bring in[adopt, reject] a ~ 안(案)을 제의[채택, 부결]하다. **8** [때때로 *pl.*] [+*to* do] 조치, 수단, 방법 : take[adopt] ~*s* 조치를 취하다, 대책을 강구하다 / The Government has taken ~*s to* preserve order. 정부는 질서유지의 대책을 강구했다 / Strong ~*s* should be taken *against* wrongdoers. 범죄자에 대해 강경한 대책을 세워야 한다. **9** 〖數〗 약수(約數) : ☞ COMMON MEASURE 2.

above[***beyond, out of***] ***measure*** 극도로, 엄청나게, 굉장히.

by measure 치수를 재어서, 측정하여.

for good measure 분량을 넉넉하게, 덤으로.

give full[***short***] ***measure*** 넉넉하게[부족하게] 재다.

have a person***'s measure to an inch*** 사람의 됨됨이를 속속들이 알고 있다.

in (***a***) ***great***[***large***] ***measure*** 상당히, 대부분.

in a[***some***] ***measure*** 다소, 어느정도(to some degree).

keep measure(***s***) 박자를 맞추다 ; 중용(中庸)을 지키다.

keep measures with …에게 관대하게 하다.

measure for measure 오는 말에 가는 말, 즉각적인 보복.

set measures to …을 제한하다.

take a person***'s measure*** = ***take the measure of*** a person 남의 치수를 재다 ; 《비유》 사람됨을 보다.

take the measure of a person***'s foot*** 남의 사람됨[역량]을 보다.

to measure 치수에 맞추어.

tread a measure 《古》 춤추다.

within[***without***] ***measure*** 적당[과도]하게.

méas·ur·er *n.* 재는 사람 ; 계량기.

〖OF<L (*mens- metior* to measure)〗

méa·sured *a.* **1** 정확히 잰, 표준에 의거한 ; 알맞은. **2** 고려한, 신중한 : speak in ~ terms 신중히 말하다, 조심스럽게 말하다. **3** 운(韻)을 다는 ; 정연한, 박자가 고른 : walk with ~ steps 서서히 보조를 맞추어 걷다.

méasure·less *a.* 무한한, 무량(無量)의.

***méasure·ment** *n.* Ⓤ 측량, 측정 ; Ⓒ 측정값, 양, 치수, 크기, 넓이, 길이, 두께, 깊이 ; Ⓤ 도량법 ; [*pl.*] 《口》 (가슴·웨이스트·힙 따위의) 치수, 사이즈 : inside[outside] ~ 안[바깥] 치수 / the ~*s* of a room 방의 크기[치수].

méasurement càrgo[**gòods, frèight**] *n.* 용적(계산) 화물.

méasurement tòn *n.* 〖船〗 (재화(載貨)) 용적톤《보통 40세제곱 피트 ; ☞ TON 2》.

méa·sur·ing *n., a.* 측정(의), 측량(용(用)의).

méasuring chàin *n.* 체인, 측쇄(測鎖).

méasuring cùp *n.* 계량컵, 눈금이 새겨진 컵.

méasuring lìne *n.* = MEASURING CHAIN.

méasuring rùle *n.* 자.

méasuring wòrm *n.* 〖昆〗 자벌레.

◇**meat** [mí:t] *n.* **1** Ⓤ **a**) (식용 짐승)고기(cf. FISH 2) : butcher's ~ 가축의 고기 / ☞ DARK MEAT / inside ~ 내장 / light[white] ~ 흰 살코기《닭의 가슴·날개 따위의 살》/ red ~ 적육(赤肉)《소·양 따위의 살》. **b**) 《美》 (게·새우·조개·계란·밤 따위의) 먹을 수 있는 부분, 살. **c**) 《비유》 알맹이, 내용, 실질 ; (문제·이야기의) 요점, 주지, 대의, 골자 : a speech full of ~ 내용이 충실한[들을 만한] 연설. **2** Ⓤ 《古》 음식물(food) ; 식사(meal) : One man's ~ is another man's poison. 《속담》 갑의 약은 을의 독(毒). **3** 마음의 양식[즐거움] ; 좋아하는 것. **4** 《美호모俗》 매력적인 남자.

as full of...as an egg is of meat …이 꽉 차서, 가득 차서 : That book is *as full of* errors *as an egg is of* ~. 저 책은 온통 오식투성이다.

be meat and drink to a person 남에게 더할 나위 없는 즐거움이다.

be meat for one*'s* ***master*** 지나치게 좋다.

~·less *a.* 고기가 없는.

〖OE *mete* food<Gmc. (《美》 *mat-* to measure ; cf. METE[1])〗

méat and potátoes *n.* [단수·복수 취급] 《美口》 중심부, 기초, 기본, 근본 ; [a person's ~] 좋아하는[잘하는] 것, 기쁨.

méat-and-potátoes *a.* 《美口》 기본적인, 중요한 ; 현실적인, 일상적인 ; 만족할 만한.

méat·àx(**e**) *n.* **1** 고기를 써는 식칼. **2** 엄한 조치, (특히) 예산 따위의 대폭 삭감. ── *a.* 대담한, 가혹한. ── *vt.* …을 과감하게 정리하다 ; …을 크게 삭감하다.

méat bàg *n.* 《美俗》 위, 밥통.

méat·bàll *n.* 〖料〗 고기 완자, 미트볼 ; 《美海軍俗》 (무훈을 칭송하는) 표장 페넌트 ; 《俗》 (운동 경기의) 우승 페넌트 ; 《美俗》 지겨운 녀석, 얼간이. ── *vt.* 《美俗》 때리다.

méat càrd *n.* 《美俗》 식권(meal ticket).

méat chòpper[**grìnder**] *n.* 고기 저미는 기계.

méat clèaver *n.* 대폭 절약 ; 고기를 써는 큰 칼.

méat·èat·er *n.* 《美俗》 (뇌물을 요구하는) 부패한

경찰관(cf. GRASSEATER).
méat flỳ *n.* 〖昆〗 쉬파리(flesh fly).
méat·hèad *n.* 《美俗》 바보, 얼뜨기.
méat hòoks *n. pl.* 《美俗》 손, 주먹.
méat·màn *n.* 푸주한(butcher).
méat màrket *n.* 식육 시장; 《美》 정육점(=《英》 butcher's shop).
méat òffering *n.* 〖聖〗 예물(禮物), (특히) = MEAL OFFERING《민수기 7 : 13》.
méat-pàck·ing *n.* Ⓤ 《美》 (도살에서 가공·도매까지 하는) 정육업. **-pàck·er** *n.*
méat píe *n.* 고기 파이.
méat ràck *n.* 《美俗》 (상대를 찾기 위해) 동성 연애자가 모이는 곳; 보디빌딩 체육관(館).
méat sàfe *n.* 《英》 =SAFE *n.* 2.
méat scrèen *n.* 고기 굽는 데 쓰는 화열 반사판(火熱反射板).
méat shòw *n.* 《美俗》 (카바레나 나이트클럽의) 플로어 쇼.
méat tèa *n.* 고기 요리가 곁들여 나오는 차.
me·a·tus [miéitəs] *n.* (*pl.* ~[, -tu:s], ~·**es**) 〖解〗 도(道) : the urethral ~ 요도(尿道). 〚L〛
méat wàgon *n.* 《俗》 병원차, 구급차; 영구차; 죄수 호송차.
meaty [míːti] *a.* 고기의[가 많은]; 내용이 충실한; 요령 있는.
mec, mech [mék] *n.* 《美口》 =MECHANIC.
M.E.C. Member of the Executive Council.
Mec·ca [mékə] *n.* 메카. **1** 사우디아라비아 서부의 도시《마호메트(Muhammad)의 탄생지, 이슬람교의 성지(聖地)》. **2** Ⓒ [때때로 m~] 《비유》 **a**) 가보고 싶은 곳; 동경의 대상 : Stratford-on-Avon is a ~ for tourists. 스트래트퍼드온에이번은 관광객에게는 꼭 가보고 싶은 곳이다. **b**) 발상지, 기원의 땅.
Mécca bàlsam *n.* =BALM OF GILEAD.
Mec·cano [məkǽnou, me-, -káː-] *n.* 메카노《금속[플라스틱] 조립 세트의 장난감; 상표명》.
mech. mechanic(al); mechanics; mechanism; mechanized.
mech·an- [mékən], **mech·a·no-** [mékənou, -nə] *comb. form* 「기계(의)」의 뜻. 〚L<Gk. (*mēkhanē* MACHINE)〛
***me·chan·ic** [məkǽnik] *n.* 직공, 직인(職人); 기계공, 수리공, 정비공; (도박 따위의) 책략꾼. —— *a.* 《稀》 손으로 하는 일의, 손 기술의; 《古》 기계적인, 단조로운, 소극적인. 〚OF and L<Gk.; ⇨ MACHINE〛
***me·chán·i·cal** *a.* **1** 기계(상)의; 공구의; 기계로 만든 : ~ power 기계력. **2** 기계적인, 무의식의, 자동적인; 무표정의; 〖哲〗 기계론적인; 유물(론)적인. **3** 기계학[역학]의; 물리적인; 마찰에 의한 : the ~ equivalent of heat 〖理〗 일당(當) 열량(熱量). —— *n.* **1** 기계적인 부분[구조], 기구; [*pl.*] =MECHANICS; =MECHANICAL BANK. **2** 《古》 직공(mechanic). **3** 〖印〗 =PASTEUP.
mechánical advántage *n.* 〖機〗 기계적 확대율《지레·도르래·수압기 따위의 기기(機器)에 의한 힘의 확대율》.
mechánical áptitude *n.* 기계를 만지는 소질[재주·재능].
mechánical bánk *n.* 기계 장치(裝置)한 저금통《장난감》.
mechánical bráin *n.* 인공 두뇌.
mechánical dráwing *n.* 제도, 용기화(用器畫), 기계제도(製圖).
mechánical engineéring *n.* 기계공학.
mechánical héart *n.* 인공 심장.
mechánical ínstrument *n.* 자동 연주 악기.
mechánical péncil *n.* 《美》 샤프 펜슬(=《英》 propelling pencil).
mechánical scánning *n.* 〖TV〗 기계적 주사(走査)《안테나를 회전시킴으로써 방향 주사를 하는 방식》.
mechánical tránsport *n.* 〖英陸軍〗 자동차 부대《略 M.T.》.
mech·a·ni·cian [mèkəníʃən] *n.* 기계기사; 기계공(mechanic).
me·chán·ics *n.* **1** Ⓤ 역학; 기계학 : applied ~ 응용역학 / *M*~ is a branch of physics. 역학은 물리학의 한 부문이다. **2** [단수·복수취급] 기계적인 부분[일]; 조작 방법, 수순; (제작) 기교(technique), 기술(적인 면), 수공예 : The ~ *of* writing are attained through rigorous training. 작문의 기법은 엄격한 수련에 의해 얻어진다.
***mech·a·nism** [mékənìzəm] *n.* **1 a**) 기구, 구조, 메커니즘; 기계 장치; 기계. **b**) Ⓤ 기계작용. **2** Ⓤ 〖哲·生〗 우주 기계관, 기계론(↔*vitalism*); Ⓤ,Ⓒ 〖藝〗 기교, 수법, 테크닉《style, expression에 대하여》; 〖心〗 심리 과정; 〖精神分析〗 기제(機制) : ~ of defense=DEFENSE MECHANISM. **3** 〖言〗 기계주의(cf. MENTALISM).
mech·a·nist [mékənəst] *n.* **1** =MECHANICIAN. **2** 〖哲〗 기계론자, 유물론자.
mech·a·nis·tic [mèkənístik] *a.* 기계론[주의](자)의; 기계 작용의.
mech·a·nize [mékənàiz] *vt.* 기계화하다(cf. MOTORIZE) : Rice farming has been ~*d* in the United States. 미국에는 벼농사가 기계화되어 있다 / a ~*d* unit 기계화 부대.
mèch·a·ni·zá·tion *n.* (특히 군의) 기계화.
mechano- [mékənou, -nə] ☞ MECHAN-.
mèchano·chémistry *n.* 기계 화학《화학 에너지의 기계 에너지로의 변환을 다룸》. **-chémical** *a.*
mèchano·recéptor *n.* 〖生·生理〗 물리적 자극의 수용기(受容器), 기계 수용기.
mèchano·thérapy *n.* 기계 요법, 기계적 치료법《마사지 따위》.
Me·che·len [méxələn] *n.* 메헬렌(*F* Malines, *Eng.* Mechlin)《벨기에 북부 Antwerp 주(州)의 도시; 레이스 제조로 알려짐》. 〚Flem.〛
Mech·lin [méklən] *n.* =MECHELEN; 메클린 레이스(=∼ **láce**)《Mechelen의 무늬가 든 레이스》; =MALINES.
Med [méd] *n.* 《口》 지중해(지방)
med. medical; medicine; medium.
Med. Medieval.
M. Ed. Master of Education.
***med·al** [médl] *n.* 메달; 훈장; 기장(記章).
the Medal for Merit 《美》 공로장(章)《일반 시민에게 수여됨》.
the Medal of Honor =*the* CONGRESSIONAL *Medal* (*of Honor*).
the reverse of the medal 문제의 이면, 사물의 숨은 일면.
—— *vt.* (-**l**- | -**ll**-) 《稀》 …에게 메달을 수여하다.
méd·al(l)ed *a.* 메달을 받은; 기장을 단. 〚F<It.<L; ⇨ METAL〛
med·al·et [médəlèt, ∸∸∸] *n.* 작은 메달.
med·al·ist | **-al·list** [médələst] *n.* 메달 제작[의장·조각]가; 메달 수집가; 상패(賞牌) 수령자, 메달리스트.
me·dal·lic [mədǽlik] *a.* 메달의[에 관한, 에 그려

진] : ~ art 메달 제작 기술.

me·dal·lion [mədǽljən] *n.* 큰 메달 ; (초상화 따위의) 원형 돋을새김.
〖F<It. (aug.)〈*medaglia* MEDAL〗

médal plày *n.* 〔골프〕 메달 플레이(stroke play) 《한 코스의 타수가 가장 적은 사람부터 순위를 정함 ; cf. MATCH PLAY》.

médal wìnner *n.* 〔스포츠〕 메달 수상자.

med·dle** [médl] *vi.* **1** [+*in*+名/動] 간섭[참견]하다, 관여하다 : Don't ~ ***in other people's affairs. 남의 일에 참견하지 마라 / He's always *meddling.* 항상 쓸데없는 참견을 한다. **2** [+*with*+名] (공연히) 만지작거리다, 주무르다.
〖OF<L ; ⇨ MIX〗
類義語 ***meddle*** 자기가 말할 권리가 없는 것과 부탁받지 않은 것에 지나친 참견을 하다 : *meddle* in another's business (남의 일에 참견하다). ***tamper*** 쓸데없는 일에 참견하거나 허락없이 물건을 만지작거리거나 하여 좋지 않은 영향[변경]을 주다 : Don't *tamper* with the lock. (자물쇠에 손대지 마라). ***interfere*** 쓸데없는 참견[말참견]을 하여 방해하다 : *interfere* with the disputes of the neighbors (이웃 사람의 말다툼에 참견하다).

méddle·some *a.* 간섭[참견]하기 좋아하는. **~·ly** *adv.* **~·ness** *n.*
類義語 ⟹ CURIOUS.

méd·dling *n.* (쓸데없는) 간섭, 참견. —— *a.* 참견하는, 간섭하는.

Mede [mí:d] *n.* 메디아의 주민, 메디아 사람.

Me·dea [mədí(:)ə] *n.* 〔그神〕 메데이아《Jason의 금양털(=the Golden Fleece) 획득을 도운 여자 마법사》. 〖Gk.=cunning〗

mé dècade *n.* 《美》 미(me)의 10년《사람들이 개인적 행복과 만족의 추구에 골몰한 1970년대 ; cf. ME GENERATION》.

med·e·vac [médəvæ̀k] *n.* [때때로 M~] 〔美軍〕 부상자 구출용 헬리콥터, 구급 헬리콥터.
—— *vt.* (**-vàck-**) 구급 헬리콥터로 나르다.
〖*med*ical-*evac*uation〗

Méd·flỳ *n.* =MEDITERRANEAN FRUIT FLY.

MedGr. Medieval Greek.

me·di- [mí:di], **me·dio-** [-diou, -diə] *comb. form* 「중간」의 뜻.
〖L ; ⇨ MEDIA²〗

***media**¹ *n.* MEDIUM의 복수형 ; [the ~ ; 보통 복수 취급] 매스컴 매체.

me·dia² [mí:diə] *n.* (*pl.* **-di·ae** [-diì:, -diài]) 〔解〕 혈관의 중막(中膜) ; 〔昆〕 중맥(中脈) ; 〔音聲〕 중음(中音)《유성 파열 자음》.
〖L (fem.)〈*medius* middle〗

Media *n.* 메디아《카스피 해의 남쪽에 있었던 옛 왕국 ; 현재의 이란 북서부》. **Mé·di·an** *a., n.*

média blìtz *n.* 매스컴에 의한 대선전.

média bòard *n.* 전자 흑판.

média bùyer *n.* (광고 대행회사의) 매체 세일즈 담당자.

me·di·ac·ra·cy [mì:diǽkrəsi] *n.* 미디어크라시 《정보화 사회를 배경으로 신문·방송 따위가 절대적인 힘을 갖게 된 경향》.

me·di·a·cy [mí:diəsi] *n.* 개재(介在), 매개 ; 조정 (mediation).

mediaeval ☞ MEDIEVAL.

média evènt *n.* (매스컴 보도를 예상한) 꾸며진 사건[행사] ; (매스컴에 확대[과장] 보도된) 조작된 대사건 ; (텔레비전 따위의) 특별 프로그램.

mèdia·génic *a.* 《美》 매스 미디어[(특히) 텔레비전]용의, 매스컴을 잘 타는.

média kìt *n.* (광고 권유를 위한) 자료 한 벌《광고 요금표·독자 분석표 따위》.

me·di·al [mí:diəl] *a.* 중간에 있는, 중앙의 ; 평균의 ; 보통의 : a ~ consonant 낱말[형태소(素)]의 중간 자음(子音) 글자. **~·ly** *adv.*
〖L (*medius* middle)〗

média·lànd *n.* 매스컴의 세계.

média·man [-mən] *n.* =MEDIAPERSON ; (광고 대행사의) 매체 조사원.

média mìx *n.* 미디어 믹스《필름·테이프 따위 각종 미디어를 동시에 이용한 행사[기획]》.

mèdia·mórphosis *n.* 미디어에 의한 사실의 왜곡, 왜곡 보도.

me·di·an [mí:diən] *a.* 중앙의, 중간의, 한가운데의 : the ~ artery[vein] 〔解〕 정중(正中) 동맥[정맥] / the ~ nerve 〔解〕 정중 신경 / the ~ line 〔數〕 중선. —— *n.* **1** 〔解〕 정중 동맥[정맥·신경 따위]. **2** 〔數〕 중앙값, 메디안 ; 〔數〕 중점, 중선. **3** 《美》 =MEDIAN STRIP.
〖F or L ; ⇨ MEDIUM〗

Median *a.* Media의 ; 메디아인[어]의.
—— *n.* 메디아인(Mede) ; 메디아어.

médian póint *n.* [the ~] (삼각형 또는 일반적으로 평면상의) 중점(中點).

médian stríp *n.* 《美》 (고속도로의) 중앙 분리대 (=《英》 central reserve)《넓은 차도의 차선을 좌우로 구분하는 대상(帶狀) 지대》.

média pàcket *n.* (광고 대행사 따위가 작성하는) 뉴스 매체용(用) PR 자료《특히 주요 사건에 초점을 맞춤》.

média·pèrson *n.* (신문·라디오·텔레비전 따위의) 기자, 통신원, 리포터.

média·spèak *n.* 미디어어(語), 매스컴어(語).

média-shỳ *a.* 매스컴을[인터뷰를] 싫어하는, 매스컴 공포증의.

me·di·ate [mí:dièit] *vi.* [動/+*between*+名] 조정하다, 중재하다, 화해시키다 : ~ ***between*** A ***and*** B [the two] A와 B[양자간]를 조정하다.
—— *vt.* (협정·강화 따위를) 조정하여 성립시키다 ; (선물 따위를) 전하다 ; (정보 따위) 전달의 매개를 하다. —— [-diət] *a.* 중개의, 간접의(↔ *immediate*). **~·ly** *adv.* 중간에 서서 ; 간접으로.
〖L=to be in the middle ; ⇨ MEDIUM〗

me·di·a·tion [mì:diéiʃən] *n.* Ⓤ 조정, 중재 ; 중개 ; 화해.

me·di·a·tize [mí:diətàiz] *vt.* (공국(公國)을) 예속시키다, (대국이 소국을) 병합하다.
mè·di·a·ti·zá·tion *n.*

mé·di·à·tor *n.* 중재인, 조정자, 매개자 ; [the M~] 신과 인간의 중개자(仲介者)《그리스도》.

me·di·a·to·ri·al [mì:diətɔ́:riəl] *a.* 중재인의 ; 중재[조정]의. **~·ly** *adv.*

me·di·a·tress, -trice [mí:dièitrəs], **-trix** [mì:diéitriks] *n.* MEDIATOR의 여성형(形)《특히 성모 마리아》.

Med·i·bank [médəbæ̀ŋk] *n.* 《濠》 국민 건강 보험 제도. 〖*medi*cal+*bank*〗

med·ic¹ [médik] *n.* 개자리속(屬)의 각종 다년초 [목초]. 〖L<Gk. =Median grass〗

medic² *n.* 《美口》 의사(doctor) ; 의학도 ; 위생병. 〖L *medicus* physician (*medeor* to cure)〗

me·di·ca·ble [médikəbəl] *a.* 치료할 수 있는, (병을) 고칠 수 있는(curable).

Med·ic·aid [médikèid] *n.* [흔히 m~] 《美》 (65세 미만의 저소득자·신체 장애자를 위한) 의료 보장 제도. 〖*medic*al+*aid*〗

Médicaid míll *n.* 《美》 Medicaid하에서 과잉 진료나 과다 청구를 하는 진료소.

‡med·i·cal [médikəl] *a.* **1** 의료의, 의학의, 의술의, 의사의 ; 의료용의 : a ~ school[student] 의과 대학[의학도] / ~ care 의료 / a ~ checkup 건강 진단, 검진 / ~ jurisprudence 법의학 / ~ examination 건강 진단 / a ~ examiner 검시관(檢屍官) (cf. CORONER) / a ~ man 의학자, 의사 / a ~ officer 보건소원, 진료소원 / a ~ practitioner 개업의 / ~ science 의학 / the ~ art 의술 / under ~ treatment 치료중에. **2** 내과의(cf. SURGICAL) : a ~ case 내과 환자 / a ~ ward and a surgical ward 내과 병동과 외과 병동. **3** 《古》 =MEDICINAL. —— *n.* 《口》 의학도 ; 의사 ; 신체검사, 건강 진단, 검진.
~·ly *adv.* 의학[의술]적으로 ; 의학[의술, 의약]에 의하여. 〚F or L ; ⇨MEDIC[2]〛

médical atténdant *n.* 주치의(醫).

médical cènter *n.* 《주로 美》 의료 센터《(1) 지방 자치체나 의과 대학 따위가 설립한 종합 의료 센터. (2) 몇 사람의 개업의가 한 건물에 입주하여 전과(全科) 진료에 가까운 체제를 갖춘 병원》.

médical certíficate *n.* 진단서, 의료 설명서.

médical imáging *n.* 의학 화상(畫像)《각종 기기로 체내의 상태를 화상화함》.

me·dic·a·ment [mədíkəmənt, médi-] *n.* 약, 약제, 약물, (특히) 내복약(cf. MEDICINE 4).
—— *vt.* 약물로 처리[치료]하다.

Méd·i·càre [médi-] *n.* [때때로 m~] 《美·Can.》 메디케어《65세 이상의 고령자를 대상으로 한 정부의 의료 보장 제도》. 〚*medical*+*care*〛

med·i·cas·ter [médəkæ̀stər] *n.* 가짜 의사.

med·i·cate [médəkèit] *vt.* …에 의료를 베풀다, …에 약물을 섞다 : a ~*d* bath 약탕욕 / ~*d* soap 약용 비누. 〚L *medicor* to heal ; ⇨ MEDIC[2]〛

med·i·ca·tion [mèdəkéiʃən] *n.* Ⓤ 약물 치료[처리] ; 약물.

méd·i·cà·tive *a.* =MEDICINAL.

méd·i·cà·tor *n.* (약제의) 투약(投藥) 기구.

Med·i·ce·an [mèdəsíːən, -tʃíː-] *a.* Medici가의.

méd·i·chàir [médə-] *n.* 〖醫〗 진찰의자《사람의 생리 기능의 상태를 검사하기 위한 전자(電子) 진찰기가 달린 의자》. 〚*medical*+*chair*〛

Med·i·ci [médətʃiː] *n.* [the ~] 메디치가(家)《14-16세기의 이탈리아 Florence 시의 명문 집안으로 문예·미술 보호에 공헌했음》.

me·dic·i·nal [mədísənl] *a.* 약의, 의약의 ; 약효가 있는, 치유력이 있는(curative) : a ~ herb 약초 / ~ substances 약물. —— *n.* 의약, 약물.
~·ly *adv.* 약으로서 ; 의약으로.

‡med·i·cine [médəsən ; médisin] *n.* **1** Ⓤ 의학, 의술 : clinical ~ 임상의학 / preventive ~ 예방의학 / practice ~ (의사가) 개업하고 있다. **2** Ⓤ 내과(치료) (cf. SURGERY) : domestic ~ 가정치료 ; 가정 상비약 / study ~ and surgery 내외과를 연구하다. **3** Ⓤ (북미 인디언 사이의) 주술(呪術), 마법. **4** Ⓤ,Ⓒ 내복약 ; 약, 약제, 약물 : patent ~ 특허 의약품, 매약 / the virtue of ~ 약의 효능 / a good (kind of) ~ *for* a cough 기침에 잘 듣는 양약(良藥).
give a person ***a dose***[***taste***] ***of his own medicine*** 《美口》 상대방에게 같은 수법으로 보복하다.
take one***'s medicine*** 벌을 감수하다, 싫은 것을 억지로 참다.
—— *vt.* …에 약을 주다[투여하다], 약으로 치료하다. 〚OF＜L *medicina* ; ⇨ MEDIC[2]〛

médicine bàll *n.* 메디신 볼《큰 가죽 공을 순차적으로 던지는 운동 경기 ; 그 공》.

médicine càbinet *n.* 세면장의 (약)장.

médicine chèst *n.* 약상자.

médicine dànce *n.* (북미 인디언 등의 병마를 쫓아내기 위한) 무당춤, 주술춤.

médicine màn *n.* (북미 인디언의) 주술의(醫).

médicine shòw *n.* (약 행상인이 예능인을 써서 손님을 모으는) 의약품 선전 판매쇼《특히 19세기 미국에서 유행》.

med·i·co [médikòu] *n.* (*pl.* ~**s**) 《口》 의사 ; 의학도. 〚It.＜L ; ⇨ MEDIC[2]〛

med·i·co- [médikou, -kə] *comb. form* 「의료의」 「의료와…」 「의학의」의 뜻. 〚L ; ⇨ MEDIC[2]〛

mèdico·botánical *a.* 약용 식물학의.

mèdico·galvánic *a.* 전기 요법의.

mèdico·légal *a.* 법의학(法醫學)의.

***me·di·e·val, -di·ae-** [mìːdiíːvəl, mèd- ; mèd-] *a.* 중세(풍)의, 중고의(cf. ANCIENT, CLASSICAL, MODERN) ; 《古》 예스러운, 구식의 : ~ history 중세사. —— *n.* 중세의 사람.
~·ly *adv.* 중세풍(風)으로.
〚L *medium aevum* middle age(s)〛

mediéval Gréek *n.* =MIDDLE GREEK.

mediéval·ism *n.* Ⓤ 중세 취미 ; 중세 시대 정신[사조], 중세적 관습 ; 중세 연구.

mediéval·ist *n.* 중세 연구가, 중세 사학자 ; (예술·종교 따위의) 중세 찬미자.

mediéval·ìze *vt.* 중세풍으로 하다.
—— *vi.* 중세 연구를 하다 ; 중세의 이상[습관 따위]을 따르다.

Mediéval Látin *n.* 중세 라틴어《약 600-1500년간의 라틴어 ; 略 ML》.

Me·di·na [mədíːnə] *n.* 메디나《사우디아라비아 북서부의 도시 ; Muhammad의 묘가 있으며 Mecca 다음가는 이슬람교의 성지(聖地)》.

me·di·o·cre [mìːdióukər] *a.* 보통의(average) ; 평범한(commonplace), 열등한(inferior).
〚F or L=halfway up a mountain (*ocris* rugged mountain)〛

me·di·oc·ri·tize [mìːdiɑ́krətàiz] *vt.* 평범[범용(凡庸)]하게 하다, 시시하게 하다.

me·di·oc·ri·ty [mìːdiɑ́krəti] *n.* Ⓤ 평범, 보통, 범용(凡庸) ; Ⓒ 평범한[보통] 사람.

Medit. Mediterranean.

med·i·tate** [médətèit] *vt.* **1** 꾀하다, 계획하다 : ~ a journey to Paris 파리로의 여행을 계획하다 / ~ revenge 복수를 꾀하다. **2** 묵상하다, 숙고하다. —— *vi.* [動 / +*on*+名] 묵상[명상]하다, 심사숙고하다(ponder) : The monk ~*d* (up***)***on*** holy things for hours. 그 수사는 몇 시간이고 성스러운 일에 대해서 묵상했다.
〚L *meditor* to reflect on ; ⇨ METE[1]〛

類義語 ***meditate*** 조용히 정신을 집중(集中)하여 생각에 잠기다 ; 지적·내성적인 사고를 암시함 : *meditate* on the situation of one's future life (미래의 생활상을 곰곰이 생각하다). ***ponder*** 어떤 일을 여러 각도에서 신중하게 충분히 고려하다 : *ponder* over one's remark (자신의 의견을 심사숙고하다). ***muse*** 어떤 일에 몰두하여 생각하다, 묵상하다 ; meditate 만큼 지적인 의미(意味)는 없음 : *muse* over the good old days (지나간 좋은 시절을 회상하다). ***ruminate*** 반추(反芻)하듯 마음속에서 되풀이하여 숙고하다 : *ruminate* on the strange event of the last Sunday (지난 일요일의 기이한 사건을 되풀이하여 깊이 생각하다).

med·i·ta·tion [mèdətéiʃən] *n.* Ⓤ,Ⓒ 심사숙고, 묵상 ; [*pl.*] 명상록 : deep in ~ 명상에 잠겨 / The *M~s* of Marcus Aurelius 마르쿠스 아우렐리우스의 「명상록」.

méd·i·tà·tive [ˌ -tətiv] *a.* 명상적인 ; 명상에 잠기는 ; 깊이 생각하는. **~·ly** *adv.*
類義語 ⟹ PENSIVE.

méd·i·tà·tor *n.* 묵상하는 사람, 명상하는 사람, 묵상가(默想家).

***Med·i·ter·ra·ne·an** [mèdətəréiniən, -njən] *a.* 육지로 둘러싸인, 지중해(地中海)의 : the ~ race 지중해 연안에 사는 코카서스 인종 / the ~ Sea 지중해. —— *n.* [the ~] 지중해 : ~ fever 〖醫〗 지중해열《지중해 연안에서 발생하는 각종 열병》.
〚L=inland (*medius* middle, TERRA)〛

Mediterránean frúit flỳ *n.* 〖昆〗 지중해 초파리의 일종(Medfly).

***me·di·um** [mí:diəm] *n.* (*pl.* **~s, -dia** [-diə]) **1 a)** 중위(中位), 중간, 가운데쯤, 중용 : the[a] happy ~ 중용, 중도. **b)** 중간 크기의 것. **c)** 《口》 M 사이즈 옷. **2** 매개물, 매질(媒質), 매체, 도체(導體) ; 〖理〗 (물질의 존재·현상의) 매체 ; 〖化〗 (반응의) 매질 ; 〖生〗 배양기(培養基) ; (동식물 표본의 보존·전시용의) 보존액 : Is water the ~ *of* sound? 물은 소리의 매체(媒體)인가. **3** (정보 전달 따위의) 매개, 수단, 방편(means) : Television is now an important ~ *of* communication. 텔레비전은 오늘날 중요한 보도기관이다 / the ~ *of* circulation 통화(通貨). **4** 환경, 생활 조건. **5** 〖畫〗 전색제(展色劑)《그림물감을 푸는 기름·물 따위》; 화가가 쓰는 재료[기법], 제작용의 재료. **6** (*pl.* **~s**) 무당, 영매(靈媒). **7** 〖數〗 중항, 평균값(mean). **8** 〖論〗 매명사(媒名辭). **9** 중판(中判)《종이의 크기》.
by*[*through*] *the medium of …의 매개로, …을 통하여, …에 의해서 : Some historians view facts *through the* distorting ~ *of* their prejudices. 역사가 중에는 사실을 왜곡된 편견을 가지고 보는 사람이 있다.
—— *a.* 중위[중등·중간]의 ; 보통의(average) ; (스테이크 따위의 굽는 정도가) 중간의, 미디엄의 : a man of ~ height 중키의 사람.
〚L (neut.) ‹ *medius* middle〛
活用 medium (*n.*)의 복수형(複數形)은 *media* 또는 *mediums*지만, 《美》에서는 일반적으로 후자를 쓰는 경향이 있다. 매매로 *media*를 단수형으로 오해하여 부정 관사를 붙이거나 -s를 붙여서 다시 복수형으로 만드는 예가 있으나 이것은 비표준적이며 일반적으로 인정되고 있지 않다 (cf. AGENDA, DATA).

médium artíllery *n.* 〖美軍〗 중형포(中型砲)《구경 105-155밀리》.

médium bómber *n.* 중형 폭격기.

médium fréquency *n.* 〖通信〗 중파(中波), 헥토미터파《300-3000 kilohertz ; 略 MF》.

me·di·um·ism [mí:diəmìzəm] *n.* Ⓤ 영매법.

me·di·um·is·tic [mì:diəmístik] *a.* 무당의, 영매(靈媒)의[같은].

me·di·um·ize [mí:diəmàiz] *vt.* 강신의 영매(靈媒)로 삼다, 영매 상태로 이끌다.

médium ránge ballístic míssile *n.* 준중거리 탄도 미사일《略 MRBM》.

médium-scàle integràtion *n.* 〖電子〗 중(中)규모 집적《略 MSI》.

médium shòt *n.* 〖映·TV〗 미디엄 숏《무릎 위까지 찍는 인물 촬영법》.

médium-sízed *a.* 중형(中型)의, 중판(中判)의, 미디엄 사이즈의.

médium wáve *n.* 〖通信〗 중파(中波)《파장(波長) 545-200 m》.

med. jur. medical jurisprudence.

med·lar [médlər] *n.* 〖植〗 돌배나무 비슷한 나무 ; 그 열매.
〚OF *medler* (L<Gk. *mespilē*)〛

Med·lars, MEDLARS [médlɑ:rz] *n.* 《美》 (컴퓨터에 의한) 의학 문헌 분석 검색 시스템 (cf. MEDLINE). 〚*Med*ical *L*iterature *A*nalysis and *R*etrieval *S*ystem〛

med·ley [médli] *n.* 잡동사니, 뒤범벅 ; 잡다한 집단 ; 〖樂〗 접속곡, 혼성곡, 메들리 ; =MEDLEY RELAY ; 《古》 잡기(雜記) ; 난전(亂戰) : a ~ of furniture, Korean and Western 한국식과 서양식의 잡다한 가구류. —— *a.* 혼합한, 주워 모은. —— *vt.* 뒤섞다, 혼합하다.
〚OF<L ; ⇨ MEDDLE〛

médley rèlay[ràce] *n.* 메들리 릴레이[경주].

MEDLINE [médlain] *n.* 《美》 (이용자가 단말기에서 직접 자료를 얻어낼 수 있는) 의학 문헌 검색 시스템. 〚*MED*LARS+on-*line*〛

Mé·doc [meidɑ́k, médɔk] *n.* Ⓤ 메도크《프랑스 남서부 Médoc산(產) 적포도주》. 〚F〛

med·speak [médspì:k] *n.* 의사(醫師)의 말, 의학 용어.

med-tech [médtèk] *n., a.* 의용(醫用) 기술(의).
〚*med*ical *tech*nology〛

me·dul·la [mədʌ́lə] *n.* (*pl.* **~s, -lae** [-li:, -lai]) 〖解〗 골수(marrow), 수질(髓質) ; 연수(延髓) ; 〖植〗 고갱이. 〚L ; ⇨ MEDIUM〛

medúlla ob·lon·gá·ta [-ɑ̀blɔ(:)ŋgɑ́:tə, -lɑŋ-] *n.* (*pl.* **~s, medúllae ob·lon·gá·tae** [-ɑ̀blɑŋgɑ́:ti:, -tai, -lɑŋ-]) 〖解〗 연수. 〚L〛

med·ul·lary [médəlèri, médʒə- ; medʌ́ləri] *a.* 〖解〗 골수[수질]의, 연수의 ; 〖植〗 고갱이의.

Me·du·sa [mədjú:sə, -zə ; -zə] *n.* **1** 〖그神〗 메두사《세자매 괴물(Gorgons) 중의 하나임》. **2** [m~] (*pl.* **-sae** [-si:, -sai, -zi:, -zai ; -zi:], **~s**) 〖動〗 해파리(jellyfish).
〚L<Gk. *Medousa*〛

meed [mí:d] *n.* 《古·詩》 보수(reward) ; 포상, 상여 ; 충분한 몫 ; 당연히 받아야 할 것.
〚OE *mēd* ; cf. G *Miete* rent, Gk. *misthos* reward〛

meek [mí:k] *a.* **1** (온)순한, 유화한, 참을성 있는. **2** 굴종적인, 기백 없는, 용기 없는(spiritless) (cf. HUMBLE, MODEST).
***(as) meek as a lamb*[*a maid, Moses*]** 양처럼 순한, 아주 얌전한.
meek and mild 온순한 ; 기백 없는.
~·ly *adv.* **~·ness** *n.*
〚ON=gentle〛

méek-èyed *a.* 온순한 눈매의.

meer·kat, mier- [míərkæ̀t] *n.* 〖動〗 미어캣《몽구스류의 작은 육식 동물 ; 남아프리카산》.

meer·schaum [míərʃəm, 美+-ʃɔ:m] *n.* **1** Ⓤ 해포석(海泡石). **2** 해포석제의 파이프.
〚G=sea-foam〛

◇**meet**[1] [mí:t] *v.* (**met** [mét]) *vt.* **1 a)** …와 만나다, 마주치다, …와 스쳐지나가다 : I *met* her on [in] the street. 그 여자를 거리에서 만났다 / They often *met* each other. 두 사람은 종종 만났다. **b)** (길·강 따위가) …와 합치다, …와 교차하다. **c)** …에 접촉하다, 닿다 : ~ the eye[ear] 보이다[들리다] / He *met* my glance with a smile. 미소를 지은 채 나와 시선이 마주쳤다. **d)** …와 면회[면담]하다 ; …와 아는 사이가 되다 :

The hosts *met* their guests at the restaurant. 주인 내외는 레스토랑에서 손님을 맞이했다 / I have already *met* Mr. Smith. 스미스씨와는 이미 상면(相面)한 적이 있습니다 / I'm glad to ~ you. 뵙게 되어 반갑습니다《㊟ 초면의 인사 ; 그리고《英》에서는 위의 표현보다는 *How do you* DO? 가 일반적 ; cf. SEE[1] *vt.* 5 a)》/ I want all of you to ~ my friend Anna Hill. 《美》 여러분에게 내 친구인 안나 힐을 소개하고자 합니다. ㊟ 1의 뜻인 meet는 보통 수동태에서는 사용하지 않음.
2 마중나가다 : I'll ~ your boat. 배까지 마중 나가겠습니다 / You will be *met* at the station by my wife. 역까지 아내가 마중나갈 것입니다.
3 a) …와 회전(會戰)하다. **b**) …에 직면[대항]하다, 대처하다(cope with) : ~ the situation 사태에 대처하다 / Every preparation was being made to ~ the typhoon. 태풍에 대비하여 만반의 준비를 갖추는 중이었다.
4 《文語》 …와 조우(遭遇)하다《이 뜻으로는 MEET *with*가 일반적》: He *met* misfortune on the return journey. 돌아오는 길에 불행을 당했다.
5 …에 응하다, 충족시키다(satisfy), (희망을) 이루어주다 ; 지불하다, 결제하다 ; 변명하다 : ~ a person's wishes 남의 소망을 들어주다 / ~ one's obligations 의무를 다하다.

〈회화〉

Thank you for coming to *meet* me.—It's good to see you again. 「마중 나와주셔서 고맙습니다」「다시 만나서 기뻐요」

—— *vi.* **1** [動 / +副] 마주치다, 만나다 ; 회합하다 : When shall we ~ again? 언제 다시 만날까요 / They ~ *together* once a year. 1년에 한번 모인다. **2** (집회가) 열리다 : Congress will ~ next month. 국회는 내달에 열린다. **3** (차 따위가) 엇갈려 지나가다 ; (선·도로 따위가) 교차하다 ; (양끝이) 합치다 ; 서로 접하다 : The two trains ~ at Taejŏn. 두 열차는 대전에서 엇갈린다 / This belt won't ~ round my waist. 이 혁대는 내 허리 둘레에는 맞지 않을 것이다 / Their eyes *met.* 두 사람의 시선이 마주쳤다. **4** (여러가지 성질이 하나로) 결합하다 : His is a nature in which courage and caution ~. 그는 용기와 신중함을 겸비한 사람이다.
meet a person ***in the face*** ☞ FACE *n.*
meet trouble halfway 쓸데없는 걱정을 하다.
meet up with... 《美口》 …에 따라붙다 ; (남과 우연히) 마주치다.
meet with... (1) …을 경험하다, (뜻밖의 사태·불행 따위)를 당하다 : She *met with* an accident that resulted in her death. 사고를 당하여 그 때문에 죽었다. ㊟ cf. ~ *with* criticism (수동적으로) 비판을 받다 / ~ criticism (능동적으로) 비판에 응하다(cf. *vt.* 5). (2) (…을 우연히) 만나다. ㊟ 이 뜻으로는 이것 대신에 《美》에서는 MEET *up with*를, 《英》에서는 happen to meet 또는 meet...by chance를 쓰는 경향이 있음.
—— *n.* **1** 모임, 경기 대회《㊟ 《英》에서는 보통 MEETING》: an air ~ 비행대회 / an athletic ~ 운동회. **2** (사냥 출발전의 사냥꾼·사냥개의) 총집합 ; 회합 장소. **3** 〔數〕 교점(交點), 교선.
〖OE *mētan*<Gmc. (《美》 *mōtan* meeting ; cf. MOOT)〗

meet[2] *a.* 《古》 적당한(fit)〈*for* a thing, *to* do〉.
~·ly *adv.* 상당히 ; 적당히.
〖OE *gemǣte* (⇨ METE[1]) ; cf. G *gemäss*〗

‡méet·ing *n.* **1** 회합, 모임, 집합 ; 만남, 면회. **2** 조우(遭遇) ; 회전, 결투. **3** 교차(점), 합류(점). **4** (특수한) 회, 대회, 집회 ; [M~] (특히 Quaker 교도의) 예배회 : call a ~ 회의를 소집하다 / hold a ~ 회의를 개최하다[열다] / open a ~ 개회사를 하다. **5** 회중(會衆) : address the ~ 회중에게 인사말을 하다.
speak in meeting 《美》 (공식으로) 의견을 발표하다.
[類義語] ***meeting*** 어떤 일을 토론하거나 결정짓기 위하여 한 집단의 사람들이 모이는 것.
assembly 사교·종교상의 예배·토론·행동 따위를 위한 공식적인 집회. ***gathering*** 몇 사람의 비공식적인 격의없는 모임.

méet·ing·hòuse *n.* **1** 《英》 비국교도의 예배당. **2** 《美》 교회 ; (Quaker 교도의) 예배당.
méeting plàce *n.* 회장(會場), 집회소(所) ; 합류점(點).
Meg [még] *n.* 여자 이름《Margaret의 애칭》.
mega- [mégə], **meg-** [még] *comb. form* **1** 「유별나게 큰」. **2** 메가《$=10^6$》.
〖Gk. *megal- megas* great〗
méga·bàng *n.* 《美俗》 거대 핵전력.
méga·bìt *n.* 메가비트, 백만 비트《컴퓨터의 정보 단위 ; $=10^6$ bits ; 略 Mb》.
méga·bùck *n.* 《美俗》 100만 달러, 거액의 돈.
méga·buìlding *n.* 거대 빌딩.
méga·bùsiness *n.* 초거대 기업.
méga·bỳte *n.* 메가바이트《컴퓨터의 정보 단위 ; $=10^6$ bytes》.
mèga·cephálic, -céphalous *a.* 머리가 큰.
méga·chìp *n.* 〔電子〕 메가칩《단일 소자(素子)상에 100만 비트의 정보량을 기억시킬 수 있는 반도체 메모리》.
méga·cìty *n.* 인구 100만 이상의 도시.
méga-corporàtion *n.* 매머드[거대] 기업.
méga·còurt·room *n.* 거대 법정《원고나 변호사 수가 아주 많은 공해(公害) 재판 따위의 일괄 심리를 위해 특설(特設)하는 대법정》.
méga·cùrie *n.* 〔理〕 메가큐리《$=10^6$ curies ; 略 mc》.
méga·cỳcle *n.* 〔通信〕 메가사이클《$=10^6$ cycles ; 略 mc》.
méga·dèaler *n.* 자동차 판매업자 여럿이 모여 판매 집단을 만든 것.
méga·dèath *n.* Ⓤ 백만명의 죽음《핵무기에 의한 피해 계산 단위》.
méga·dòse *n.* (약의) 대량 투여.
—— *vt.* 대량 투여하다.
méga·dỳne *n.* 〔理〕 메가다인《cgs 단위계(系)의 힘의 단위 ; $=10^6$ dynes》.
méga·fòg *n.* 농무 경보(濃霧警報) 장치.
méga·fòlly *n.* 엄청난 바보짓.
méga·gròwth *n.* 초고도 성장.
méga·hèrtz *n.* 메가헤르츠, 100만 헤르츠《특히 전파의 주파수 ; 略 MHz》.
méga·hìt *n.* 대(大) 히트 작품.
méga·ìndustry *n.* 거대 산업.
méga·jèt *n.* 〔空〕 메가제트《jumbo jet보다 크고 빠름》.
méga·jùmp *n.* Ⓤ 대급증(大急增).
meg·al- [mégəl], **meg·a·lo-** [mégəlou, -lə] *comb. form* 「큰」「거대한」「과대한」의 뜻.
〖MEGA-〗
-megalia ☞ -MEGALY.
méga·lìth *n.* 〔考古〕 (유사 이전의) 거석(巨石).
mèga·líth·ic *a.* 거석의.
mègalo·mánia *n.* Ⓤ 〔醫〕 과대 망상.

-**mániac** *a.*, *n.* 과대 망상의 (환자).
meg·a·lop·o·lis [mègəlápələs] *n.* 거대 도시, 메갈로폴리스.
mèg·a·lo·pól·i·tan [-tən] *a.*, *n.* 거대 도시의 (주민), 대도시권의 (주민).
meg·a·lo·saur [mégələsɔ̀:r] *n.* 〖古生〗 메갈로사우루스《육식성 공룡》.
mèg·a·lo·sáu·ri·an *a.*, *n.*
-meg·a·ly [mégəli], **-me·ga·lia** [məgéiljə] *n. comb. form* 「비대」「거대」의 뜻.
〖NL ; ⇨ MEGA-〗
méga·machìne *n.* (비인간적으로 기능을 하는) 테크놀러지가 지배하는 거대한 사회.
méga·mèrger *n.* (기업의) 대형 합병.
méga·mèter *n.* 100만 미터, 1,000킬로미터.
mèga·millionáire *n.* 억만장자, 대부호.
méga·phòne *n.* 메가폰, 확성기 ; 대변자.
—— *vt.*, *vi.* 메가폰으로 알리다, 큰 소리로 알리다. 〖Gk. *phōnē* sound〗
mèga·próblem *n.* 거대 문제.
méga·ràd *n.* 메가래드, 100만 래드《흡수선량(量)의 단위 ; $=10^6$ rads》.
mèga·scópic *a.* 확대된 ; 육안으로 보이는, 육안으로 관찰한.
méga·spòre *n.* 〖植〗 대포자(大胞子).
méga·strùcture *n.* 거대 고층[초대형] 빌딩.
méga·tànker *n.* 거대 유조선《20만 톤 이상의》.
méga·tèchnics *n.* 거대 과학 기술.
méga·tòn *n.* 100만 톤, 메가톤《핵무기의 폭발력을 재는 단위 ; 1 메가톤은 TNT 100만 톤의 폭발력에 상당함 ; 略 MT》. **-tòn·nage** [-idʒ] *n.* 메가톤 수《메가톤 단위로 측정한 핵무기의 파괴력》.
mèga·tón·ic *a.*
méga·trènd *n.* 메가트렌드《현대 사회의 주요 동향[경향]》.
mega·tron [mégətràn] *n.* 〖電子〗 메가트론, 등대관(管)《등대 모양의 진공관》.
méga·vèrsity *n.* 매머드 대학《교사(校舍)가 산재해 있는 multiversity》.
méga·vìtamin *a.* 비타민 다량 투여의[에 의한] : ~ therapy 비타민 다량 투여 요법. —— *n.* [*pl.*] 다량의 비타민.
méga·vòlt *n.* 〖電〗 메가볼트, 100만 볼트《略 Mv》.
méga·wàtt *n.* 〖電〗 메가와트, 100만 와트《略 Mw》.
mé generàtion *n.* 《美》 미 제너레이션, 자기 중심 세대《me decade의 세대》.
Meg·ger [mégər] *n.* 메거《megohmmeter의 상표명 ; 절연 시험기의 일종》.
Me·gil·lah [məgílə] *n.* **1** (*pl.* **-gil·loth** [-lout, -θ]) 〖聖〗 메길라《에스더(the Book of Esther)가 수록된 유태인 두루마리 책 ; 퓨림 제 때 유태 교회에서 낭독됨》. **2** (*pl.* **~s**) [m~, 때때로 the whole m~] 《俗》 장광설, 장황한 이야기[설명].
me·gilp, ma- [məgílp] *n.* 유화(油畫)용 기름《아마인유에 테레빈유나 니스 따위를 섞은 것》.
még·òhm *n.* 〖電〗 메그옴, 100만 옴《전기 저항 단위 ; $=10^6$ohms ; 略 MΩ》.
még·òhm·mèter *n.* 〖電〗 메그옴계(計), 메거.
me·grim [mí:grəm] *n.* **1** Ⓤ,Ⓒ 〖醫〗 편두통. **2** [*pl.*] 우울. **3** [*pl.*] (가축의) 어지럼증(staggers). **4** Ⓤ,Ⓒ 공상, 변덕.
〖OF MIGRAINE〗
mei·o·sis [maióusəs] *n.* (*pl.* **-ses** [-si:z]) **1** Ⓤ 〖修〗 =LITOTES. **2** 〖生〗 (세포의) 감수 분열.
mei·ót·ic [-át-] *a.* 〖NL<Gk. (*meiōn* less)〗
mé·ism *n.* 자기 중심주의.
Méiss·ner effèct [máisnər-] *n.* 〖理〗 마이스너 효과《초전도체를 자기장에서 전이(轉移) 온도로 냉각시키면 자성을 잃는 현상》.
〖F. W. *Meissner* (1882-1974) 독일의 물리학자〗
Mei·ster·sing·er [máistərsìŋər, 美+-zìŋ-] *n.* (*pl.* ~, **~s**) (14-16세기 독일의) 공장가인(工匠歌人), 마이스터징거. 〖G=mastersinger〗
Méjico ☞ MEXICO.
Mek·ka [mékə] *n.* =MECCA.
Me·kong [mèikɔ́(:)ŋ, -káŋ ; mì:kɔ́ŋ] *n.* [the ~] 메콩강.
Mékong Délta *n.* [the ~] 메콩 델타《메콩강 어귀의 삼각주》.
mela- [mélə], **mel-** [mél], **melo-** [mélou, -ə] *comb. form* 「검은」의 뜻.
〖Gk. (*melan- melas* black)〗
mel·a·mine [méləmi:n] *n.* Ⓤ 〖化〗 멜라민《석회질소로 만드는 화합물로 멜라민 수지의 원료》; 멜라민 수지(樹脂) (=∠ **rèsin**) ; 멜라민 수지로 만든 플라스틱.
me·lan- [məlǽn, me-, mélən], **me·lano-** [məlǽnou, me-, mélənou, -nə] *comb. form* 「검은」「멜라닌」의 뜻. 〖Gk. ; ⇨ MELA-〗
mel·an·cho·lia [mèlənkóuliə] *n.* Ⓤ 우울증.
mel·an·cho·li·ac [mèlənkóuliæ̀k] *n.* 우울증 환자. —— *a.* 우울증에 걸린.
mel·an·chol·ic [mèlənkálik] *a.* 우울한 ; 우울증의. —— *n.* 우울증 환자.
***mel·an·choly** [mélənkàli ; -kəli] *n.* Ⓤ (습관적·체질적인) 우울, 울적함 ; 우울증. —— *a.* **1** 우울한, 수심에 잠긴. **2** 슬픈, 침울한.
〖OF<L<Gk. (*melan- melas* black, *kholē*bile) ; cf. GALL[1]〗
Mel·a·ne·sia [mèləní:ʒə, -ʃə ; -ziə] *n.* Ⓤ 멜라네시아《오스트레일리아 대륙 북동쪽의 제도》.
Mèl·a·né·sian *a.* 멜라네시아의 ; 멜라네시아 사람의 ; 멜라네시아 어의. —— *n.* **1** 멜라네시아 사람. **2** 멜라네시아 어《Melanesia의 Malayo-Polynesian 제어(諸語)를 집합적으로 이름》.
mé·lange [*F* melɑ̃:ʒ] *n.* 혼합물 ; 잡기(雜記), 문집. 〖F (*mêler* to mix)〗
me·la·ni·an [məléiniən] *a.* 흑색의 ; [보통 M~] 머리·피부가 검은, 흑색인종의.
〖Gk. *melan- melas* black〗
me·lan·ic [məlǽnik] *a.* 흑색의 ; 〖醫〗 흑색증(症)의. —— *n.* 흑색증 환자 ; 흑색인(종).
Mel·a·nie [méləni] *n.* 여자 이름. 〖Gk.=black〗
mel·a·nin [mélənən] *n.* Ⓤ 멜라닌, 흑색소.
mel·a·nism [mélənìzəm] *n.* 〖動〗 흑화(黑化), 흑색소(黑色素)[멜라닌] 침착(沈着), 멜라니즘 ; 흑성(黑性) ; 〖醫〗 =MELANOSIS.
-nist *n.* 흑색인. **mèl·a·nís·tic** *a.*
mel·a·nize [mélənàiz] *vt.* 멜라닌화[흑화(黑化)]하다 ; 검게 하다.
mel·a·noch·roi [mèlənákrouài] *n. pl.* [때때로 M~] 〖人種〗 (코카서스 인종 중에서) 얼굴이 희고 머리가 검은 종족.
mel·a·noid [mélənɔ̀id] *a.* 유흑색소(類黑色素)의 ; melanosis의. —— *n.* 멜라닌 같은 물질, 멜라노이드.
mel·a·no·ma [mèlənóumə] *n.* (*pl.* **~s**, **-ma·ta** [-tə]) 〖醫〗 흑색종(腫).
mel·a·no·sis [mèlənóusəs] *n.* (*pl.* **-ses** [-si:z]) Ⓤ 〖醫〗 흑색증, 흑색소 침착증(沈着症).
mel·a·not·ic [mèlənátik] *a.* 흑색의 ; 〖醫〗 흑색증의[에 걸린].

mel·a·nous [mélənəs] *a.* 〖人種〗 검은 머리에 거무스름한 피부를 한.

Mel·ba [mélbə] *n.* 멜바. Dame **Nellie** ~ (1861-1931) 옛 이름 Helen Porter Mitchell ; 오스트레일리아의 소프라노 가수.
do a Melba 《濠口》 몇 회나 「고별 공연」을 하다.

Mélba tóast *n.* [때때로 m~] 얇고 바삭바삭하게 구운 토스트. 〖↑〗

Mel·bourne [mélbərn] *n.* 멜버른《오스트레일리아 남동부의 항구 도시》.

meld[1] [méld] *vt., vi.* 〖카드놀이〗 (손에 가진 패를 보여) 득점을 선언하다. —— *n.* 가진 패를 보이기, 득점의 선언 ; 득점이 되는 패의 짝맞춤.
〖G *melden* to announce ; cf. OE *meldian*〗

meld[2] *vt., vi.* 섞다, 섞이다 ; 합병[융합]시키다[하다] (merge). 〖*melt*+*weld*〗

me·lee, mê·lée [méilei, -́ ; mélei] *n.* 치고받기, 난투, 혼전, 혼잡 ; 격론 : the rush-hour ~ 러시아워의 대혼잡. 〖F ; ⇨ MEDLEY〗

-me·lia [mí:liə, mél-, -ljə] *n. comb. form* 「…(사) 지증((四)肢症)」의 뜻.
〖NL (Gk. *melos* limb)〗

mel·ic [mélik] *a.* 노래의, 가창용(歌唱用)의《서정시 ; 특히 기원전 7-5세기의 반주를 동반하는 정교한 그리스 서정시를 말함》.

mel·i·lite [méləlàit] *n.* 〖鑛〗 황장석(黃長石), 멜릴라이트.

mel·i·nite [mélənàit] *n.* Ⓤ 멜리나이트《강력한 폭약의 일종》.

me·lio·rate [mí:ljərèit, -liə-] *vt., vi.* 좋게 하다, 개선[개량]하다 ; 좋아지다.
mé·lio·rà·tive [; -rə-] *a.* 개량에 유용한.
〖L (*melior* better)〗

mè·lio·rá·tion *n.* Ⓤ,Ⓒ 개량, 개선 ; 〖言〗 (역사적 변화에 의한 어의의) 향상.

me·lio·rism [mí:ljərìzəm, -liə-] *n.* Ⓤ 〖哲〗 세계 개선론, 사회 개량론.
mé·lio·rist *n.* 개선론자. **mè·lio·rís·tic** *a.*

me·lis·ma [milízmə] *n.* (**-ma·ta** [-tə]) **1** 〖樂〗 멜리스마《한 음절에 다수의 음표를 붙이는 장식적인 성악 양식》. **2** =CADENZA.

Me·lis·sa [məlísə] *n.* 여자 이름. 〖Gk.=bee〗

me·lit·tin [məlítən] *n.* 〖生化〗 멜리틴《꿀벌 독침의 독액 성분》.

mel·ler [mélər] *n.* 《美俗》 =MELODRAMA.

mel·líf·lu·ent *a.* =MELLIFLUOUS. **~·ly** *adv.*

mel·lif·lu·ous [melífluəs] *a.* (목소리·음악 따위가) 부드럽고 아름다운, 감미로운, 유려한 ; (과자 따위) 꿀[단맛]이 듬뿍 든.
~·ly *adv.* **~·ness** *n.*
〖OF or L (*mel* honey, *fluo* to flow)〗

mel·lo·tron [mélətràn] *n.* Ⓤ 멜로트론《컴퓨터로 프로그래밍한 전자 건반 악기》.

***mel·low** [mélou] *a.* **1** (과일이) 익은 ; 부드러운, 달콤한. **2** (술이) 향기로운, 잘 빚어진. **3** (소리·음·색·문체 따위가) 부드럽고[풍부하고] 아름다운. **4** (토질이) 부드러운, 기름진. **5** (인간이) 원숙한, 세련된, 온건한 ; 침착한. **6** 명랑한, 《口》 거나하게 취한.
—— *vt., vi.* 부드럽게 하다[되다], 익히다[익다] ; 풍부하고 윤택하게 하다[되다] ; 원숙하게 하다[해지다].
mellow out 《美俗》 (마약으로) 기분이 좋아지다 ; 기분이 풀리다, 느긋하게 하다 ; 격함이 없어지다, 원만해지다.
~·ly *adv.* **~·ness** *n.*
〖? OE *melw-* *melu* soft, MEAL[2]〗

類義語 ⟹ RIPE.

melo-[1] [mélou, -ə] *comb. form* 「노래(song)」의 뜻. 〖Gk. ; ⇨ MELODY〗

melo-[2] [mélou, -ə] ☞ MELA-.

me·lo·de·on [məlóudiən] *n.* 멜로디언《아코디언의 일종》 ; =AMERICAN ORGAN.

me·lod·ic [məládik] *a.* (주된) 가락의 ; 곡조가 아름다운. **-i·cal·ly** *adv.*

me·lod·i·ca [məládikə] *n.* 멜로디카《피아노 같은 건반이 있는 하모니카 비슷한 악기》.

me·lód·ics *n.* 〖樂〗 선율[가락]법[학].

me·lo·di·ous [məlóudiəs] *a.* 가락적인, 곡조가 아름다운(sweet-sounding), 음악적인(musical).
~·ly *adv.* 가락적으로, 아름다운 소리[곡조]로.
~·ness *n.*

mel·o·dist [mélədəst] *n.* 가락이 아름다운 곡의 작곡가[성악가].

mel·o·dize [mélədàiz] *vt.* 가락적으로 하다, …의 음조를 아름답게 하다. —— *vi.* 가락을 만들다.

melo·dra·ma [mélədrà:mə, 美+-dræ̀mə] *n.* Ⓤ,Ⓒ 멜로드라마《감상적인 통속극》 ; Ⓒ (옛날의) 음악이 딸린 통속극 ; Ⓤ 연극 같은 사건[언동].
〖F (Gk. *melos* song, F *drame* DRAMA)〗

mèlo·dra·mát·ic, -i·cal [-drəmǽtik(əl)] *a.* 멜로드라마풍(風)의[적인] ; 연극 같은.
-i·cal·ly *adv.*

mèlo·drá·ma·tist *n.* 멜로드라마 작가.

mèlo·drá·ma·tìze *vt.* 멜로드라마식으로 하다.

***mel·o·dy** [mélədi] *n.* **1** 〖樂〗 멜로디, 선율, 가락 (tune). **2** Ⓤ 해조(諧調) ; 아름다운 음악 ; 노래하기에 적당한 시. **3** 가곡, 가락, 곡조 : old Irish *melodies* 옛 아일랜드 가곡.
〖OF<L<Gk. (*melos* song, ODE)〗

mèlo·mánia *n.* Ⓤ 음악광.

***mel·on** [mélən] *n.* **1** 멜론 (muskmelon) ; 수박 (watermelon) : a alice of ~ 멜론 한 조각. **2** 멜론 모양의 것 ; 튀어 나온 배. **3** 《美俗》 (주주에의) 특별 배당, (동료간에 분배하는) 이익, 벌이.
〖OF<L<Gk. *mēlon* apple〗

mélon-cùtting *n.* Ⓤ 《美俗》 많은 액수의 특별 배당금 분배.

mélon sèed *n.* 《美》 (New Jersey 부근 늪 지대에서 쓰는) 사냥용의 작은 평저선(平底船).

Mel·pom·e·ne [melpáməni: ; -ni(:)] *n.* 〖그神〗 멜포메네《비극의 여신 ; the muses중의 하나》.

‡melt [mélt] *v.* (**~·ed ; ~·ed, mol·ten** [móultn] 注 MOLTEN은 지금은 *attrib. a.*로서만 쓰임) *vi.* **1** [動 / +*in*+名] 녹다, 용해(溶解)하다 : The ice ~*ed.* 얼음이 녹았다 / Both sugar and salt ~ ***in*** water. 설탕이나 소금이나 다 물에 녹는다 / Let the cough drop ~ *in* your mouth. 이 정제 기침약을 입안에 넣고 녹이시오. **2** [+副 / +*into*+名] 차츰차츰 변하다[섞이다] ; 점차로 사라지다[없어지다·엷어지다] : The sun rose and the snow soon ~*ed away.* 해가 떠오르자 눈은 이내 녹아버렸다 / The sea seemed to ~ ***into*** the sky at the horizon. 수평선에서 바다는 하늘과 하나가 된 것처럼 보였다. **3** [動 / +前+名] (감정 따위가) 누그러지다 ; 측은한 생각이 들다 ; (용기가) 약해지다 : Her heart ~*ed* at this sight. 이 광경에 그녀의 마음은 누그러졌다. **4** (소리가) 부드럽게 울리다.
—— *vt.* **1** 녹이다, 용해시키다 : Fire ~*s* ice. 불은 얼음을 녹인다. **2** 흩뜨리다, 엷게 하다 〈*away*〉. **3** 누그러뜨리다, 감동시키다 : Pity ~*ed* her heart. 측은한 생각이 들어 그녀의 마음은 누그러졌다.

melt down (금속을) 녹이다.
melt into tears ☞ TEAR[1].
melt into (***thin***) ***air*** ☞ AIR.
melt up 《美》 녹이다.
—— *n.* 용해 ; 용해[용융]물 ; 용해량.
〖OE *meltan* ; MALT와 같은 어원 ; Gmc.에서 'dissolve의 뜻'〗

類義語 ***melt*** 열을 가하여 고체를 서서히 녹이다 : The heat *melted* the lead. (열에 의해 납이 녹았다). ***dissolve*** 고체를 액체 속에 넣어 녹여서 액체 성분으로 만들다 : *dissolve* some sugar in a cup of tea. (차 한 잔에 약간의 설탕을 타다). ***thaw*** freeze의 반대로 언 것에 열을 가하여 본래의 액체[부드러운 상태]로 환원시키다 : The sun has *thawed* the ice. (햇빛이 얼음을 녹였다).

mélt·dòwn *n.* **1** (금속의) 용융(熔融) ; (아이스크림 따위가) 녹음. **2** (원자로의) 노심(爐心) 용해《냉각 장치의 고장에 의한 그 내부 온도의 이상 상승으로 우라늄(연료)나 노의 바닥이 녹는 일》.
mélt·ed *a.* 녹은, 용해(溶解)한 (cf. MOLTEN).
mélt·er *n.* 용해 장치[기구], 용융실(熔融室) ; 용해업자.
mélt·ing *a.* **1** 녹는 ; 누그러지게 하는, (감정·마음을) 누그러뜨리는 : the ~ mood 울고 싶은 심정. **2** (얼굴·표정이) 감상적인. **3** (소리가) 애수를 자아내는 ; 부드러운.
—— *n.* Ⓤ 용해, 융해.
mélt·ing·ly *adv.* 녹이듯이 ; 상냥하게.
mélting pòint *n.* 〖理〗 융(해)점, 녹는점 : The ~ of ice is 0℃ or 32°F. 얼음의 녹는점은 섭씨 0도 또는 화씨 32도다.
mélting pòt *n.* **1** 도가니 (crucible). **2** 《비유》 인종이 뒤섞인 나라《특히 미국》.
go into the melting pot 완전히 변혁[개조]되다, (감정 따위가) 누그러지다.
put [***cast***]... ***into the melting pot*** …을 뜯어 고치다, 전적으로 다시 하다.
mel·ton [méltən] *n.* Ⓤ 멜턴《모직물의 일종》. 〖↓〗
Mélton Mów·bray [-móubrei] *n.* 《英》 고기 파이의 일종.
〖Leicestershire의 도시 이름〗
mélt·wàter *n.* 얼음[눈]이 녹은 물.
Mel·ville [mélvil] *n.* 멜빌. **Herman** ~ (1819-91) 미국의 소설가.
mem [mém] *n.* 멤《헤브라이어 알파벳의 열세번째 글자 ; 로마자의 m에 해당》. 〖Heb.〗
mem. member ; memento ; memoir ; memorandum ; memorial.
°**mem·ber** [mémbər] *n.* **1** (단체의) 한 사람, 구성원 ; 회원, 사원, 부원, 단원 ; 의원 ; (조직체의) 일부분 : a ~ *of* a committee 위원회의 일원(一員), 위원 / a ~ *of* Christ 기독교도. **2** 《古》 (신체의) 일부, 일부 기관, (특히) 손발 : the unruly ~ 〖聖〗 혀《야고보서(書) 3 : 5-8》. **3** 정당의 지부. **4** 〖數〗 항, 변 ; (집합의) 요소 ; 〖建〗 부재(部材), 구재(構材).
〖OF<L *membrum* limb〗
mémber bánk *n.* 《美》 회원 은행《Federal Reserve System(연방 준비 제도)에 가맹한 은행》 ; 어음 교환 가맹 은행.
mém·bered *a.* **1** 몇 개의 부분으로 된[갈라진]. **2** [보통 복합어를 이루어] …한 회원을 보유한 : many-~ 많은 회원을 보유한.
***mémber·shìp** *n.* **1** Ⓤ 회원[사원, 의원]임, 그 지위[직] : a ~ card 회원증. **2** [집합적으로] 회원 ; 회원수 : have a large ~ [a ~ of 100] 다수 [100명]의 회원을 보유하다.
mémbership-wìde *a.* 전(全)회원 규모의 : ~ vote 전원 투표.
mémbers-ònly *a.* 회원제의.
mem·bra·na·ceous [mèmbrənéiʃəs] *a.* =MEMBRANOUS.
mem·brane [mémbrein] *n.* 〖解〗 (얇은) 막 ; Ⓤ 피막 ; 양피지. **mem·brán·al** *a.*
〖L=skin, parchment ; ⇨ MEMBER〗
mem·bra·ne·ous [membréiniəs], **mem·bra·nous** [mémbrənəs] *a.* 막(膜)(모양)의, 막질(膜質)의.
mem·brum (**vi·ri·le**) [mémbrəm (viráili)] *n.* 남근(男根), 음경(陰莖). 〖L ; ⇨ MEMBER〗
mem·con [mémkàn] *n.* 《美口》 (회담 따위에서 적어두는) 담화 메모. 〖*memo*+*con*versation〗
me·men·to [məméntou] *n.* (*pl.* **~s**, **~es**) 기념물, 유품 ; 추억거리 ; 《戱》 추억, 회상 ; 《古》 경고(警告)(하는 것).
〖L (impv.) ‹ *memini* to remember〗
meménto mó·ri [-mɔ́:rai, -ri:] *n.* (*pl.* ~) 죽음의 상징《해골 따위》 ; 죽음의 경고.
〖L=remember you must die〗
Mem·non [mémnɑn] *n.* **1** 〖그神〗 멤논《트로이 전쟁에서 Achilles에게 살해된 에티오피아 왕》. **2** 멤논《이집트왕 Amenhotep 3세의 거대한 상(像) ; 이집트의 Thebes 부근에 있음》.
memo [mémou] *n.* (*pl.* **mém·os**) 《口》 = MEMORANDUM.
mem·oir [mémwɑ:r, -wɔ:r] *n.* **1 a**) [*pl.*] 자서전, 회상록, 회고록. **b**) 전기, 약전(biography) ; (고인(故人)의) 언행록. **2** 연구 논문[보고] ; [*pl.*] (학회 따위에서 발행하는) 논문집, 학회지.
〖F ; ⇨ MEMORY〗
mém·oir·ist *n.* 회고록 집필자.
mem·o·ra·bil·ia [mèmərəbíliə, -ljə] *n. pl.* 기억할 만한 사건 ; 중요 기사. 〖L ; ⇨ MEMORABLE〗
mem·o·ra·bil·i·ty [mèmərəbíləti] *n.* Ⓤ 잊혀지지 않는 일[사람] ; Ⓒ 기억할 만한 사건[인물].
***mem·o·ra·ble** [mémərəbəl, 美+mémərbəl] *a.* 기억할 만한, 현저한, 잊을 수 없는, 중대한.
—— *n.* [보통 *pl.*] 《古》 잊혀지지 않는 일[것].
-bly *adv.* 기억에 남도록, 두드러지게.
〖L=worth mentioning ; ⇨ MEMORY〗
***mem·o·ran·dum** [mèmərǽndəm] *n.* (*pl.* **~s**, **-da** [-də]) **1** 각서, 비망록, 메모(memo). **2** (외교상의) 각서. **3** 〖法〗 적요(摘要) ; (조합의) 규약, (회사의) 정관(定款).
〖L (neut. sg. gerund.) ‹ *memoro* to bring to mind〗
***me·mo·ri·al** [məmɔ́:riəl] *n.* **1** 기념물, 기념관, 기념비. **2** 각서 ; [보통 *pl.*] 기록, 연대기. **3** 청원서, 진정서. —— *a.* **1** 기념의 ; 추도의 : a ~ tablet 기념패(牌) ; 위패 / a ~ service 추도식. **2** 기억의. —— *vt.* =MEMORIALIZE.
〖OF or L ; ⇨ MEMORY〗
Memórial Dày *n.* 《美》 전몰장병기념일(日) (Decoration Day)《남북전쟁 이후의 전사자의 묘를 꽃으로 장식함 ; 5월의 마지막 월요일, 전에는 30일 ; 남부 9주(州)에서는 4월 26일, 5월 10일 또는 6월 3일》.
memórial·ist *n.* 청원서 기초자 ; 진정인 ; 진정서 서명인.
memórial·ìze *vt.* **1** …을 위한 기념식을 거행하다, 기념하다. **2** …에 청원서를 제출하다, 건의하다, …에게 진정하다.

memórial párk *n.* 《美》 묘지(cemetery).
me·mo·ria tech·ni·ca [mimɔ́ːriə téknikə] *n.* 기억술, 기억법. 〖L=artificial memory〗
mém·o·ried *a.* 추억이 많은; [복합어를 이루어] 기억(력)이 …한 : well-~ 기억력이 좋은.
me·mo·ri·ter [məmɔ́ːrətèər, -mɑ́r-, -tər; mimɔ́ritər] *adv.* 기억하여, 암기로. ── *a.* 기억[암기]을 요하는, 외는. 〖L〗
mem·o·rize [méməràiz] *vt.* **1** 기억[암기]하다. **2** 《古》 기록하다. ── *vi.* 암기하다.
mèm·o·ri·zá·tion *n.* 기억, 암기.
‡mem·o·ry [méməri] *n.* **1** 생각해 내기, 기억하고 있기, 기억(력) : speak from ~ 암송하다, 암기해서 말하다. **2** (개인의) 기억력 : He has a bad ~ for names. 이름을 잘 기억하지 못한다 / The incident stuck in my ~. 그 사건은 나의 기억에 뚜렷이 남아 있었다. **3** 기억 내용; 추억, 생각나는 것, 추모의 정; 남아 있는 기억(모두) : my earliest *memories* 아주 어렸을 때의 기억. **4** 과거의 일[사적]; 사후의 명성 : of blessed[happy, glorious, etc.] ~ 고(故)…《죽은 왕후·성인·명사에 대한 상투적인 송덕(頌德)의 말》. **5** 기념. **6** Ⓤ 기억의 범위 : within living ~ 지금도 사람들의 기억에 생생하여 / beyond[within] the ~ of men[man] 유사(有史) 이전[이후]의. **7** 〖컴퓨〗 **a**) Ⓤ,Ⓒ 기억(력); 기억 용량. **b**) 기억 장치, 메모리(store). **8** 〖動〗 기억《행동이 경험에 의해 부단히 복원되는 것》. **9 a**) (금속·플라스틱 따위의) 소성(塑性) 복원(력)(plastic memory). **b**) (일반적으로) (사물·조직 따위의) 복원작용, 복원력.
commit...to memory …을 암기[기억]하다.
if my memory serves me (***correctly***) 내 기억이 틀림없다면.
in memory of …을 기념하여 : They erected a statue *in ~ of* Lincoln. 링컨을 기념[추모]하여 동상을 건립하였다.
to the best of one***'s memory*** 기억하고 있는 한 : *To the best of* my ~, that happened in 1995. 내가 기억하고 있는 바에 의하면 그 일은 1995년에 일어났다.
to the memory of... =***to*** a person***'s memory*** (남의) 영전(靈前)에 바쳐, …을 추모하여 : The library will be dedicated *to the ~ of* her husband. 그 도서관은 그녀의 죽은 남편의 영전에 바쳐질 것이다《기념 도서관이 될 것이다》.

〈회화〉
Do you have a good *memory*? — So-so. 「너는 기억력이 좋니」「그저 그래」

〖OF<L (*memor* remembering); MOURN과 같은 어원〗
類義語 ***memory*** 한 번 배운 것, 경험한 것 따위를 외우는 힘 또는 상기하는 힘; 기억력 : He has a good[poor] *memory*. (기억력이 좋다[나쁘다]). ***remembrance*** 어떤 사건이나 사물을 다시금 생각해 내는 것 또는 그 과정 : We have the terrible *remembrance* of the war. (그 전쟁의 끔찍한 기억이 생생하다). ***recollection*** 반쯤 잊혀진 일 또는 까맣게 잊은 것을 노력하여 (자세히) 상기함 : My *recollection* of the journey is not so clear. (그 여행의 기억이 그렇게 분명치 않다). ***reminiscence*** 과거의 사건이나 경험을 조용히[그리운 듯이] 상기함, 추억(담) : her *reminiscence* of her first love (첫사랑의 추억).
mémory bànk *n.* 〖컴퓨〗 기억 장치, 데이터 뱅크(data bank).
mémory càrd *n.* 〖컴퓨〗 메모리 카드《자기(磁氣) 테이프 대신 반도체 메모리 칩을 내장한 카드》.
mémory drùm *n.* 〖心〗 메모리 드럼《학습할 사항이 주기적으로 제시되는 회전식 장치》; = MAGNETIC DRUM.
mémory tràce *n.* 〖心〗 기억 흔적(engram)《학습의 물질적 기초가 되는 뇌수(腦髓) 따위가 지속적으로 나타내는 변화》.
mémory vèrse *n.* 성서 중 암기를 필요로 하는 말[구]《주일 학교 같은 데서》.
mém·sàhib [mém-] *n.* 《인도》 마님《서양의 기혼 부인에 대한 경칭》. 〖*ma'am*+*sahib*〗
◇men *n.* MAN의 복수형.
men- [mén], **meno-** [ménou, -ə] *comb. form* 「월경 (기간)」의 뜻.
〖Gk. *mēn*- *mēn* moon, month〗
MENA Middle East News Agency 《중동통신; 이집트의 국영 통신사》.
men·ace** [ménəs] *n.* Ⓤ,Ⓒ 협박, 위협, 공갈《㊟ threat 보다도 문어적》; Ⓒ 귀찮은 존재, 말썽꾸러기. ── *vt.* [+目/+目+前+名] 위협하다, 공갈치다 : The rising river ~*d* the village ***with destruction. 강물이 불어나서 마을이 괴멸될 위험에 직면했다. **mén·ac·ing·ly** *adv.* 위협하듯; 험악하게, 절박하게.
〖L *minax* threatening (*minor* to threaten)〗
類義語 ⟹ THREATEN.
menad ☞ MAENAD.
mé·nage, me·nage [meinɑ́ːʒ] *n.* 가정(家庭), 세대; 가정(家政).
〖OF=dwelling<L; ⇨ MANSION〗
mé·nage à qua·tre [*F* menaːʒ a katr] *n.* (각각 또는 서로 성적(性的) 관계를 갖는 남녀 두쌍의) 4인 가족[공동 생활].
mé·nage à trois [*F* menaːʒ a trwɑ] *n.* (부부와 그 한쪽 애인과의) 3인 가족, 「3각 관계」.
me·nag·er·ie [mənǽdʒəri, -nǽʒ-] *n.* 순회 동물원; [집합적으로] (동물원 따위의) 동물(의 떼).
〖F; ⇨ MENAGE〗
men·ar·che [ménɑːrki, mənɑ́ː-] *n.* Ⓤ 〖生理〗 초경(初經), 초조(初潮).
Men·ci·us [ménʃiəs] *n.* 맹자(孟子)(372?-?289 B.C.).
‡mend [ménd] *vt.* **1** 고치다, 수선하다 : ~ a person's shoes 남의 구두를 수선하다. **2** (행실 따위를) 고치다 : ~ one's ways[manners] 행동을 고치다[예절을 바르게 하다] / Least said, soonest ~*ed*. 말이 적으면 화(禍)도 적다, 「입은 모든 화(禍)의 근원」. **3** 개선[개량]하다 : Crying will not ~ matters. 운다고 해서 사태가 개선되지는 않는다. **4** (꺼질듯한 불을) 피우다; 건강한 몸이 되다. ── *vi.* **1** (사태가) 호전되다; (고장·잘못 따위가) 고쳐지다; (환자가) 병이 차츰 나아지다. **2** 개심하다 : It's never too late to ~. 《속담》 허물 고치기를 꺼리지 마라.
end or mend 폐지하거나 개선하다.
mend or mar =MAKE *or mar.*
── *n.* 수선; 개량; 수선한 부분.
on the mend (병이) 차도가 있어; (사태가) 호전되어.
~·able *a.* 〖AF; ⇨ AMEND〗
類義語 ***mend*** 부서지거나 깨지거나 닳아진 것을 수리[수선]하여 다시 쓸 수 있도록 하다; 현재는 큰 물건에 쓰지 않음 : *mend* a toy [shoe] (장난감[구두]을 고치다). ***repair*** 파손된 것, 사용한 것, 노후한 것 따위를 수리하다; mend

보다 복잡한 구조의 물건에 많이 쓰인다 : *repair* a watch[camera] (시계[카메라]를 수리하다). ***patch*** 구멍이나 금이 간 곳에 같은 질의 것을 메워서 고치다 ; 「임시 변통」의 뜻을 내포하는 수가 있다 : *patch* a coat (코트를 깁다).

men·da·cious [mendéiʃəs] *a.* 《文語》 허위의 ; 거짓말하는 : a ~ boy 곧잘 거짓말하는 아이. 〚L *mendac- mendax*〛

men·dac·i·ty [mendǽsəti] *n.* U,C 거짓말하는 버릇 ; 허위, 거짓말(lie).

Men·del [méndl] *n.* 멘델. **Gregor Johann** ~ (1822-84) 오스트리아의 유전학자.

Men·de·le·ev, -le·yev [mèndəléiəf] *n.* 멘델레예프. **Dmitri Ivanovich** ~ (1834-1907) 러시아의 화학자 ; 1869년에 주기율(週期律)을 발표.

Mendeléev's láw *n.* 〖化〗 (원소의) 주기율(periodic law).

men·de·le·vi·um [mèndəlí:viəm] *n.* U 〖化〗 멘델레븀《방사성 원소 ; 기호 Md, Mv ; 번호 101》. 〚D. I. *Mendeleev*〛

Men·de·li·an [mendí:liən, -ljən] *a.* 〖生〗 멘델(의 법칙)의. —— *n.* 멘델학설 지지자.

Méndel·ìsm *n.* U 〖生〗 멘델리즘《멘델의 유전학설 ; cf. EUGENICS 2》.

Méndel's láws *n. pl.* 〖遺〗 멘델 (유전) 법칙.

Men·dels·sohn [méndəlsən ; *G* méndəlszo:n] *n.* 멘델스존. **Felix** ~ (1809-47) 독일의 작곡가.

ménd·er *n.* 수선인 ; 정정(訂正)자.

men·di·can·cy [méndikənsi] *n.* 걸식을 하기 ; 걸식(생활) ; 탁발.

mén·di·cant *a.* 구걸하는, 탁발(托鉢)의 : a ~ friar (카톨릭의) 탁발 수사 / a ~ order 탁발 수도회. —— *n.* 거지, 동냥 아치 ; [흔히 M~] 탁발 수사(修士). 〚L (*mendicus* beggar)〛

men·dic·i·ty [mendísəti] *n.* = MENDICANCY. 〚OF<L (↑)〛

ménd·ing *n.* **1** U 수선. **2** 고칠 것, 파손품 ; 수선할 곳.

ménding tàpe *n.* 멘딩 테이프《표면이 불투명하게 코팅되어 있어 그 표면에 글자를 쓸 수 있는 플라스틱 접착 테이프》.

Men·e·la·us [mènəléiəs] *n.* 〖그神〗 메넬라오스《스파르타 왕 ; Helen의 남편이며 Agamemnon의 남동생》.

mén·fòlk(s) *n. pl.* 남성 ; (한 집안의) 남자들.

M. Eng. Master of Engineering.

mén·go·vìrus [méŋgou-] *n.* 〖菌〗 멩고바이러스《뇌심근염(腦心筋炎)을 일으킴》.

Meng·zi [mʌ́ŋdzʌ́], **Meng-tzu** [; méŋtsú:], **-tze, -tse** [; -tséi] *n.* = MENCIUS.

men·ha·den [menhéidn] *n.* (*pl.* ~, ~**s**) 〖魚〗 청어의 일종《비료용 또는 기름을 짬》.

men·hir [ménhiər] *n.* 〖考古〗 멘히르, 선돌《기둥 같은 큰 돌을 땅에 세운 유사 이전의 유적 ; cf. DOLMEN》. 〚Breton *men* stone, *hir* long〛

me·ni·al [mí:niəl] *a.* 하인의, 천한 일을 하는 ; 천한(mean) ; 비굴한 ; 하찮은.
—— *n.* 하인, 머슴 ; 상놈. **~·ly** *adv.* 하인으로서 ; 천하게. 〚AF *meinie* MEINY ; ⇨ MANSION〛

Mé·nière's syndrome[disease] [mənjéərz ⌐, mei-] *n.* 〖醫〗 메니에르 증후군, 메니에르병《알레르기성 미로수증(迷路水症) ; 난청·현기증·이명(耳鳴) 따위를 수반함》.
〚P. *Ménière* (d. 1862) 프랑스의 의사〛

me·ning- [məníŋ, me-], **me·nin·gi-** [-níndʒə], **me·nin·go-** [-níŋgou, -gə] *comb. form* 「뇌막」 「수막」의 뜻. 〚MENINX〛

me·nin·ge·al [məníndʒiəl, mènəndʒí:əl] *a.* 수막(髓膜)의.

meninges *n.* MENINX의 복수형.

men·in·gi·tis [mènəndʒáitəs] *n.* (*pl.* **-git·i·des** [-dʒítədì:z]) U 〖醫〗 수막염(髓膜炎), 뇌막염.

me·ninx [mí:niŋks, mén-] *n.* (*pl.* **me·nin·ges** [məníndʒi:z]) [보통 *pl.*] 〖解〗 수막(髓膜).
〚Gk. *mēnigx* membrane〛

me·nis·cus [mənískəs] *n.* (*pl.* **-ci** [-nískai, -ki:], **~·es**) **1** 초승달 모양(의 것). **2** 〖理〗 모세관 내의 액체 표면의 요철(凹凸). **3** (접시 모양의) 요철 렌즈. **4** 〖數〗 초승달 모양의 도형.
〚L<Gk.=crescent (dim.) ‹ *mēnē* moon〛

Men·no·nite [ménənàit] *n.* 메노(Menno)파 교도《16세기 Friesland에서 일어난 신교의 일파》.

meno-[1] [ménou, -ə] ☞ MEN-.

meno-[2] [ménou, -ə] *comb. form* 「보류」 「정위(定位)」의 뜻. 〚Gk. *menein* to remain〛

me·nol·o·gy [mənɑ́lədʒi] *n.* (성인(聖人)에 대한) 축일표(祝日表).

meno·pause [ménəpɔ̀:z] *n.* U 폐경기(閉經期), 갱년기 ; 갱년기 장애.
〚NL (Gk. *mēn* month, PAUSE)〛

me·no·rah [mənɔ́:rə] *n.* (유태교의 제식(祭式) 때 쓰는) 아홉[일곱] 갈래로 된 큰 촛대.
〚Heb.=candlestick〛

men·or·rhea, -rhoea [mènərí:ə] *n.* 〖醫〗 (정상적인) 월경 ; 월경 과다(증).

mens [ménz] *n.* 마음, 정신. 〚L〛

men·sal [ménsəl] *a.* **1** 식탁(용)의. **2** 《稀》 매달의(monthly).

mensch [ménʃ, -tʃ] *n.* (*pl.* **men·schen** [-ʃən, -tʃən]) 《美俗》 훌륭한[고결한] 사람. 〚Yid.〛

men·ses [ménsi:z] *n.* [단수·복수 취급] 〖生理〗 월경(기간) ; 월경 분비물.
〚L (pl.) ‹ *mensis* month〛

Men·she·vik [ménʃəvìk, 美+-vì:k] *n.* (*pl.* **~s, -vi·ki** [mènʃəvíki, 美+-ví:ki]) 멘셰비키《러시아 사회민주 노동당 온건파의 일원(一員) ; cf. BOLSHEVIK》.

Men·she·vism [ménʃəvìzəm] *n.* 멘셰비키의 정책[사상]. **-vist** *n., a.*

mén's líb[liberátion] *n.* [때때로 M~ L~] 《美》 남성 해방 운동(그룹)《전통적으로 남성에게 주어진 역할로부터의 해방》.

mens rea [ménz rí:ə] *n.* 〖法〗 범의(犯意).
〚L=guilty mind〛

mén's ròom *n.* 《美》 남자 화장실.

mens sa·na in cor·po·re sa·no [méins sɑ́:nə in kɔ́:rpəre sɑ́:nou] 건전한 신체에 건전한 정신《교육의 이상》.
〚L=a sound mind in a sound body〛

men·stru·al [ménstruəl] *a.* 월경의 ; 《古》 매달의(monthly). 〚L (*menstruus* monthly)〛

ménstrual extráction *n.* (임신 초기 단계에서 하는) 자궁 흡인 중절법, 월경 추출(抽出) 중절법 (cf. VACUUM ASPIRATION, KARMAN CANNULA).

men·stru·ate [ménstruèit, 美+-strèit] *vi.* 월경(月經)하다.

mèn·stru·á·tion *n.* U 월경 ; C 월경 기간.

men·stru·ous [ménstruəs] *a.* 월경의[이 있는].

men·stru·um [ménstruəm] *n.* (*pl.* **~s, -strua** [-struə]) 용매(溶媒), 용제(溶劑) (solvent).
〚L=menses ; ⇨ MENSTRUAL〛

men·su·ra·ble [ménʃərəbəl] *a.* 측정할 수 있는. **mèn·su·ra·bíl·i·ty** *n.*
〚F or L ; ⇨ MEASURE〛

men·su·ral [ménʃərəl] *a.* **1** 도량(度量)에 관한. **2** 〖樂〗 정량(定量)의.

men·su·ra·tion [mènʃəréiʃən ; -sjuə-] *n.* Ⓤ 계량 ; 측정법, 측량법, 구적법(求積法). 〚L ; ⇨ MENSURABLE〛

méns·wèar, mén's wèar *n.* 남성용 장식품, 신사복.

-ment [mənt] *suf.* **1** [동사 (드물게 형용사)에서 명사를 만들어 결과·상태·동작·수단 따위를 나타냄] : move*ment*, pay*ment*. **2** [위와 같은 명사에서 동사를 만듦] : compli*ment*, experi*ment*. 〚F<L *-mentum*〛

***men·tal**[1] [méntl] *a.* **1 a**) 마음의, 정신의, 심적인(↔*physical*) : ~ effort(s) 정신적 노력 / ~ health 정신상의 건강, 건전한 정신 / ~ hygiene 정신 위생 / a ~ worker 정신 노동자. **b**) 텔레파시의, 독심술의. **2** 지적인, 지력(知力)의 : ~ age 〖心〗 정신 연령《略 M. A.》. **3** 정신병(자)의[을 다루는] ; 《口》 정신 박약의 : a ~ specialist 정신병 전문의 / a ~ home 정신병자 보호 수용소 / a ~ hospital 정신병원. **4** 암기로 하는 : ~ arithmetic[calculation, computation] 암산(暗算) / make a ~ note of …을 기억해두다.
—— *n.* 《口》 정신병 환자, 정신 박약자 ; 《俗》 미치광이. 〚OF or L (*ment- mens* mind)〛

mental[2] *a.* 〖解〗 턱의(genial). 〚F (L *mentum* chin)〛

méntal bòdy *n.* 멘탈체(體)《육체에 겹쳐 영계(靈界)에 거주하는 몸 ; cf. ASTRAL BODY, ETHEREAL BODY》.

méntal crúelty *n.* 정신적 학대《종종 이혼의 사유로 인정됨》.

méntal defèctive *n.* 정신 병자[박약자].

méntal defíciency *n.* 저능, 정신 박약《idiocy, imbecility, moronity를 전부 포함》.

méntal diséase[**disórder, íllness**] *n.* 정신 장애, 정신병.

méntal héaling *n.* 정신 요법.

méntal·ìsm *n.* Ⓤ 〖哲〗 유심론, 정신주의 ; 〖心·言〗 심리주의, 멘탈리즘(cf. BEHAVIORISM, MECHANISM). **mèn·tal·ís·tic** *a.*

méntal·ist *n.* 유심론자.

men·tal·i·ty [mentǽləti] *n.* Ⓤ 정신력, 지성 ; Ⓒ 심적[정신적] 상태[경향], 심리, 정신구조, 심성(心性) : a childish ~ 어린아이 같은[유치한] 사고 방식.

méntal·ly *adv.* 정신적으로, 지적으로 ; 마음속에서 ; 지력(知力)상(↔*physically*).

méntal pátient *n.* 정신병자.

méntal reservátion *n.* 〖法〗 심중(心中)[의중(意中)] 유보(留保)《진술·선서에서 관계되는 중대한 사항을 숨기는 일》.

méntal retardátion *n.* 정신 지체, 정신 박약 (mental deficiency).

méntal telépathy *n.* 정신 감응, 독심술.

méntal tést *n.* 지능 검사, 멘탈 테스트.

men·ta·tion [mentéiʃən] *n.* Ⓤ 정신 작용[기능], 지적 활동(성) ; 정신 상태, 심의과정(心意過程).

men·thene [ménθiːn] *n.* Ⓤ 〖化〗 멘텐《무색 유상(油狀)의 테르펜 탄화수소》.

men·thol [ménθɔ(ː)l, -θoul, -θɑl] *n.* Ⓤ 〖化·藥〗 멘톨, 박하뇌(薄荷腦).
—— *a.* =MENTHOLATED. 〚G (L MINT[1])〛

men·tho·lat·ed [ménθəlèitəd] *a.* 멘톨을 함유한 ; 멘톨로 처리한.

men·ti·cide [méntəsàid] *n.* 〖心〗 정신 살해《정신적·육체적 고통이나 사상 훈련으로 정상적인 사상을 파괴하기 ; cf. BRAINWASHING》.

‡men·tion [ménʃən] *vt.* [+目 / +目+*to*+名 / +*that* 節] 말하다, 언급하다(refer to) ; …의 이름을 들다(name), 잠깐[…하는 김에] 언급하다 ; …에 경의[칭찬]의 뜻을 나타내다 : She ~*ed* all the flowers in the garden. 정원에 있는 모든 꽃 이름을 말했다 / That is worth ~*ing*. 그것은 말해 둘 가치가 있다 / I ~*ed* your name ***to*** him. 당신의 성함을 그에게 말해 두었습니다 / She ~*ed* (*to* me) *that* she knew you. 그녀는 (나에게) 당신을 알고 있다고 말했다.

> **mention**의 ○×
> (×) She didn't *mention about* it.
> (그녀는 그 일에 관하여 말하지 않았다.)
> (○) She didn't *mention* it.
> ☆ mention은 타동사로 직접 목적어를 취하므로 전치사는 필요없다. 자동사 talk 따위의 경우와는 다르다.
> (○) She didn't *talk about* it.

be honorably mentioned 등외(等外)가작에 들다.
be mentioned in dispatches ☞ DISPATCH.
Don't mention it. 천만에요《사례, 사과에 대해 응답으로》.

〈회화〉
> It was very kind of you to invite us. — *Don't mention it.* Thank you for coming. 「우리를 초대해 주셔서 감사합니다」「별 말씀을. 와주셔서 감사합니다」

not to mention = ***without mentioning*** 은 차치하고, …은 말할 것도 없이(to say nothing of) : We can't afford a car, *not to* ~ the fact that we have no garage. 차고가 없는 것은 말할 나위도 없고 우리는 자동차 같은 건 살 형편이 못 된다.
—— *n.* **1** Ⓤ 언급, 진술, 기재 : at the ~ of …의 말이 나오면, …의 것을 말한다면 / make ~ of …을 들다, …에 언급하다, …을 특별히 내세워 말하다 / *M*~ was made of it. 그것에 대한 말이 있었다. **2** 이름을 드는 것 ; 존평, 표창 ; 등외 가작 : a ~ in dispatches ☞ DISPATCH *n.* 숙어 / Mr. Brown received an honorable ~. 브라운씨는 포상을 받았다[등외 가작에 들었다]. 〚OF<L *mention- mentio* a calling to mind〛

mén·tioned *a.* [보통 복합어를 이루어] 언급한 : above ~ 전술한, 상기(上記)의.

Men·tor [méntɔːr, 美+-tər] *n.* **1** 〖그神〗 멘토르《Odysseus가 그의 아들의 교육을 맡긴 훌륭한 지도자》. **2** [m~] 좋은 지도[조언]자 ; (지도) 교사. 〚F<L<Gk.〛

***menu** [ménjuː, 美+méi-] *n.* **1** 식단표(食單表), 메뉴 ; 일람표, 프로그램. **2** 식품, 요리 : a light ~ 간단한 요리[식사]. **3** 〖컴퓨〗 메뉴, 차림표《프로그램의 기능 따위가 일람표로 표시된 것》. 〚F<L ; ⇨ MINUTE[2]〛

ménu-dríven *a.* 〖컴퓨〗 메뉴(menu)에 따라 조작하는 구조의 : a ~ graphic operation 메뉴 방식의 컴퓨터 그래픽 조작.

me·ow [miáu] *n.* 야옹《고양이 울음 소리》 ; 악의에 찬 발언.
—— *vi.* (고양이가) 야옹! 하고 울다 ; 심술궂은 평을 하다. 〚imit.〛

MEOW [miːáu] 《蔑》 moral equivalent of war 《전쟁에 임할 때와 같은 정도의 정신적 노력》.

MEP Member of the European Parliament (유럽 의회 의원(議員)). **mep, m.e.p.** 〖機〗 mean effective pressure(평균 유효 압력).

me·per·i·dine [məpérədìːn, -dən] *n.* 〖藥〗 메페리딘《합성 진통제·진경제(鎭痙劑)》.

Meph·is·toph·e·les [mèfəstɑ́fəlìːz] *n.* 메피스토펠레스《Faust 전설, 특히 Goethe의 *Faust*중의 악마》; 악마(와 같은 사람); 음험한 인물. 〖G<?〗

Meph·is·to·phe·li·an, -le- [mèfəstəfíːliən, məfìs-] *a.* 메피스토펠레스적인, 악마같은, 냉혹한, 냉소적인, 교활한, 음험한.

me·phit·ic, -i·cal [məfítik(əl)] *a.* 악취[독기]가 있는.

me·phi·tis [məfáitəs] *n.* **1** (땅 속에서 풍기는) 독기; 악취. **2** [M~] 〖로神〗 메피티스《역병(疫病)의 여신》. 〖L〗

me·pro·ba·mate [mèproubǽmeit, məpróubəmèit] *n.* 〖藥〗 메프로바메이트《정신 안정제》.

meq. milliequivalent. **Mer.** Mercury. **mer.** meridian; meridional.

mer-[1] [mə́ːr] *comb. form* 「바다」의 뜻. 〖ME *mere* sea〗

mer-[2] [mér], **mero-** [mérou, -ə] *comb. form* 「넓적다리」의 뜻. 〖Gk. (*mēros* thigh)〗

mer-[3] [mér], **mero-** [mérou, -ə] *comb. form* 「부분(적)」의 뜻. 〖Gk. (*meros* part)〗

-mer [mər] *n. comb. form* 〖化〗 「특정 부류에 속하는 화합물(化合物)」의 뜻(cf. -MERE) : iso*mer*, meta*mer*, poly*mer*. 〖Gk. (↑)〗

merc [mə́ːrk] *n.* 《口》 =MERCENARY.

Merc *n.* Mercedes-Benz의 애칭.

mer·can·tile [mə́ːrkəntìːl, -tàil; -tàil] *a.* 상업의, 상인의; 〖經〗 중상(重商)주의의; 이익을 노리는, 장사를 좋아하는 : a ~ agency 〖商〗 상업 흥신소 / ~ law 상법 / the ~ marine=MERCHANT MARINE / a ~ paper 〖商〗 상업어음. 〖F<It.; ⇨ MERCHANT〗

mércantile sỳstem *n.* 〖經〗 중상주의.

mer·can·til·ism [mə́ːrkəntiːlìzəm, -tai-; -ti-, -tai-] *n.* **1** Ⓤ 〖經〗 중상주의; (일반적으로) 상업 본위[주의] (commercialism). **2** Ⓤ 상인 기질. **-ist** *n.* 중상주의자.

mer·capt- [mə(ː)rkǽpt], **mer·cap·to-** [-kǽptou, -tə] *comb. form* 「메르캅탄의」의 뜻.

mer·cap·tan [mə(ː)rkǽptæn] *n.* Ⓤ 〖化〗 메르캅탄《불쾌한 냄새가 나는 유기 황화합물》. 〖↓〗

Mer·ca·tor [məːrkéitər] *n.* 메르카토르. **Gerardus** ~ (1512-94) 네덜란드의 지리학자.

Mercátor('s) projéction *n.* 〖地圖〗 메르카토르식 투영 도법(投影圖法).

Mer·ce·des [mərséidiːz; mə́ːsidìːz] *n.* **1** 여자이름. **2** =MERCEDES-BENZ. 〖Sp.= (Our Lady of) Mercies〗

Mercédes-Bénz *n.* 메르세데스 벤츠《독일 Daimler-Benz사제(社製)의 승용차》. 〖*Mercedes* : 구(舊) Daimler사(社)의 오스트리아 사람 패트런(patron)인 E. Jenkins의 딸 이름〗

mer·ce·nary [mə́ːrsənèri; -sinəri] *a.* **1** 돈만 바라는, 보수를 목적으로 하는 : ~ motives 금전상의 동기. **2** (외국 군대에) 고용된(hired). —— *n.* 용병(傭兵); 고용된 사람, 《稀》 돈이라면 무슨 짓이든 다 하는 사람. **mèr·ce·nár·i·ly** [ˌ ---; mə́ːsinərili] *adv.* 돈만 탐내어, 욕심부려서. 〖L; ⇨ MERCY〗

mer·cer [mə́ːrsər] *n.* 《英》 포목상, (특히) 비단 장수. 〖AF<L (*merc - merx* merchandise, goods)〗

mércer·ìze *vt.* (무명류를) 가공처리하다, 머서 가공을 하다 : ~*d* cotton 광택을 낸 무명.
mèrcer·izátion *n.* 머서가공《무명류에 광택을 내기 위한 가성(苛性) 알칼리 처리법》.

mer·cery [mə́ːrsəri] *n.* 《英》 비단; 포목점.

*__mer·chan·dise__ [mə́ːrtʃəndàiz, -s] *n.* **1** 상품, [집합적으로] 제품 : general ~ 잡화. **2** 《古》 매매, 상거래. —— *v.* [-z] *vi.* 매매하다(trade). —— *vt.* **1** …을 매매[거래]하다(deal in). **2** 〖商〗 …을 상품화해서 판매를 꾀하다, …의 판매 촉진을 꾀하다, 효과적으로 선전하다.
-dìs·er *n.* 상인. 〖OF; ⇨ MERCHANT〗

mér·chan·dìs·ing *n.* Ⓤ 〖商〗 상품화 정책, 판매 촉진책, 머천다이징《시장조사를 중심으로 하는 합리적·포괄적인 판매 촉진책》.

‡**mer·chant** [mə́ːrtʃənt] *n.* **1** 상인, (특히) 무역 상인; 《英》 도매 상인(cf. SHOPKEEPER) : a ~ of death 죽음의 상인, 군수산업자본가. **2** 《美·스코》 소매 상인; 상점주. **3** 《口》 놈, 녀석(fellow); 《俗》 …광(狂) : a speed ~ (자동차의) 스피드광(狂).
The Merchant of Venice 베니스의 상인 《Shakespeare작의 희극》.
—— *a.* 상선의; 상업의; 상인다운; 외판의; 표준 규격[형]의 : a ~ town 상업도시.
—— *vt.* 매매하다, 장사하다.
—— *vi.* 《古》 장사하다.
〖OF<L (*mercor* to trade); ⇨ MERCER〗

mérchant·able *a.* 장사거리가 되는, 시장성의.

mérchant advénturers *n. pl.* 〖史〗 모험 상인 《중세 말기에서 근세 초기에 걸쳐 모직물 수출을 독점했던 영국의 상인 조합; Antwerp, Hamburg 따위의 국제 시장에 무역 거점을 가지고 있었음》.

mérchant bànk *n.* 《英》 머천트 뱅크《외국환어음 인수, 증권 발행을 주업무로 하는 금융 기관》.

mérchant fléet [《美》 **maríne**, 《英》 **návy**] *n.* [집합적으로] (일국의) 상선, 그 상선원.

mérchant·man [-mən] *n.* 《古》 상인; 상선 (merchant ship[vessel]).

mérchant prínce *n.* 호상(豪商).

mérchant sérvice *n.* 해상 무역, 해운업; (한 나라의) 전(全)상선(원).

mérchant shíp [**véssel**] *n.* 상선(商船) (merchantman).

mer·ci [*F* mɛrsi] *int.* 고맙습니다(thank you).

Mer·cia [mə́ːrʃiə] *n.* 머시아《7-8세기에 잉글랜드 중남부에 있었던 Anglo-Saxon 족의 왕국》.

Mér·cian [-ʃiən] *a., n.* 머시아의, 머시아인[방언]의; 머시아인[방언].

mer·ci beau·coup [*F* mɛrsi boku] 대단히 고맙습니다(thank you very much).

mer·ci·ful [mə́ːrsifəl; -ful] *a.* 자비로운, 인정이 많은 〈*to*〉; 은혜로운, 행운의 : a ~ death 안락사 / a ~ king 자비로운 왕 / He is ~ to others. 그는 다른 사람에 대하여 인정이 많다. **~·ly** *adv.* 인정많게, 관대히; [문장 전체를 수식하여] 고맙게도, 다행히. **~·ness** *n.* Ⓤ 자비로움, 인정많음. 〖MERCY〗

mer·ci·less [mə́ːrsiləs] *a.* 무자비한, 무정한, 잔혹한 〈*to*〉. **~·ly** *adv.* 무자비하게, 냉혹하게. **~·ness** *n.* Ⓤ 무자비, 잔혹.

mer·cur- [mə(ː)rkjúər, mə́ːrkjuər], **mer·cu·ro-** [-rou, -rə] *comb. form* 「수은(水銀) (mercury)」의 뜻.

mer·cu·rate [mə́ːrkjərèit] *vt.* 수은염(水銀鹽)으로 처리하다, 수은과 화합시키다.
—— [-rət, -rèit] *n.* 제이 수은염류.

mer·cu·ri·al [mə(:)rkjúəriəl] *a.* **1** 수은(水銀)의, 수은을 함유한 : a ~ barometer=MERCURY BAROMETER / ~ chloride=MERCURIC chloride / ~ ointment 수은 연고 / ~ poisoning 수은 중독. **2** [M~] 〚로神〛 머큐리신(神)의 ; [M~] 수성(水星)의. **3** 민활한, 재치있는 ; 명랑한, 소탈한, 쾌활한 ; 변덕스러운.
── *n.* Ⓤ,Ⓒ 〚藥〛 수은제(劑). **~·ly** *adv.* 민활[쾌활, 명랑]하게, 경쾌하게.

mercúrial gáuge *n.* 수은 압력계.

mercúrial·ìsm *n.* 수은 중독(hydrargyrism).

mer·cu·ri·al·i·ty [mə(:)rkjùəriǽləti] *n.* Ⓤ 민활, 쾌활, 흥분성 ; 변덕 ; 재치 있음.

mercúrial·ìze *vt.* **1** 〚醫〛 수은제로 치료하다 ; 〚寫〛 수은 증기에 쐬다. **2** 활발[민첩, 쾌활]하게 하다.

Mer·cu·ri·an [mə(:)rkjúəriən] *a.* 《古》=MERCURIAL. ── *n.* 〚占星〛 수성을 수호성(守護星)으로 하여 태어난 사람 ; 〚手相〛 수성운(運)이 좋은 사람《활발하여 실업계·정계에 맞음》.

mer·cu·ric [mə(:)rkjúərik] *a.* 〚化〛 수은의[을 함유한] ; 〚化〛 제 2 수은의 : ~ chloride 염화 제 2 수은.

mer·cu·rize [mɔ́:rkjəràiz] *vt.* 〚化〛 수은과 화합시키다, 수은염으로 처리하다(mercurate).

mercuro- [mə(:)rkjúərou, -rə] ☞ MERCUR-.

Mer·cu·ro·chrome [mə(:)rkjúərəkròum] *n.* Ⓤ 〚藥〛 머큐로크롬《상표명》.

mer·cu·rous [mərkjúərəs, mɔ́:rkjərəs ; mɔ́:kjurəs] *a.* **1** 수은의[을 함유한]. **2** 〚化〛 제 1 수은의 : ~ chloride 염화 제 1 수은.

***mer·cu·ry** [mɔ́:rkjəri] *n.* **1 a)** Ⓤ 〚化〛 수은《금속 원소 ; 기호 Hg ; 번호 80》. **b)** 〚藥〛 수은제. **c)** Ⓤ 수은주 ; 청우계, 온도계 : The ~ is rising. 수은주가 올라가고 있다 ; 날씨가 좋아지고 있다. **2 a)** [M~] 〚로神〛 머큐리《장사의 신 ; 웅변가·직인(職人)·상인·도둑의 수호신 ; 〚그神〛의 Hermes에 해당함》. **b)** Ⓒ [흔히 M~] 《古》 사자(使者) (messenger). **c)** [흔히 M~] 보도자《신문·잡지의 명칭》. **3** [M~] 〚天〛 수성(水星). **4** [M~] 머큐리《미국제(製)의 승용차 ; Ford사(社)의 한 파트에서 만듦》. 〚L *Mercurius* Roman messenger god ; ⇨ MERCER〛

mércury àrc *n.* 수은 아크《수은 증기 속의 아크 방전(放電)》.

mércury barómeter *n.* 수은 기압계.

mércury cèll *n.* 수은 전지.

mércury chlóride *n.* 〚化〛 염화 수은.

mércury contaminátion *n.* 수은 오염.

mércury póisoning *n.* 수은 중독.

mércury pollútion *n.* 수은 오염[공해].

mércury swìtch *n.* 〚電〛 수은 스위치.

mércury(-vápor) làmp *n.* 수은등, 수은 램프, 태양등.

***mer·cy** [mɔ́:rsi] *n.* **1** Ⓤ 자비, 연민, 인정, 용서 : have ~ (*up*) *on*=show ~ *to* …에게 자비를 베풀다, …을 불쌍히 여기다 / the Sisters of *M*~ ☞ SISTER 숙어. **2** 《口·古》 행운(幸運), 은혜 (blessing) : That's a ~! 그거 고마운데 / What a ~ that...! …이라니 고맙기도 해라!
at the mercy of …의 처분대로, …에 좌우되어 : His life was[lay] *at the* ~ *of* his captor. 그의 생명은 그를 붙잡은 사람의 손에 달려 있었다《그 사람 마음대로 할 수 있었다》/ The ship was *at the* ~ *of* the wind and the waves. 배는 바람과 파도에 이리저리 떠밀리고 있었다.
for mercy's sake 부디 자비를, 제발.
(Have) mercy (up) on us! =***Mercy!*** 아이구!, 저런!
leave to the tender mercies[mercy] of... 《反語》 …의 처분[뜻]에 맡기다, …의 손으로 혼내주다.
〚OF＜L *merces* reward, pity ; ⇨ MERCER〛

mércy flìght *n.* 구급 비행《원격지의 중환자나 부상자를 병원까지 항공기로 운반하는 일》.

mércy kìlling *n.* (고통받는 불치의 병 환자에게 베푸는) 안락사(술) (euthanasia).

mércy sàkes *n. pl.* 《CB俗》 강한 감탄을 나타내는 말《연방 통신 위원회가 금지한 four-letter word를 대신하는 표현》.

mércy sèat *n.* 〚聖〛 속죄소《계약의 궤의 순금 뚜껑》; 〚유태敎〛 하느님의 어좌(御座).

mércy stròke *n.* (사형수나 빈사 상태에 있는 사람에게 가하는) 최후의 일격.

merde [*F* mɛrd] *n.* 배설물, 똥 ; 시시한 녀석.

***mere**[1] [míər] *attrib. a.* ([강조적으로] **mér·est**) **1** 한낱 …의, 단순한, 전혀 …에 지나지 않는 : She's a ~ child. 한낱 어린애에 불과하다 / *M*~ words are not enough. 말만으로는 충분치 않다 / The ~ sight of land reassured the sailors. 육지를 본 것만으로도 선원들은 안심하였다 / By the *merest* chance, I heard that.... 참으로 우연히 …라고 들었다 / That is the *merest* folly. 그것이야말로 어리석기 짝이 없는 일이다. **2** 《古》 순수한 ; 《廢》 완전한, 절대의.
〚AF＜L *merus* unmixed〛

mere[2] *n.* 《詩·古》 호수, 못.
〚OE ; cf. G *Meer*, L *mare*〛

-mere [mìər] *n. comb. form* **1** 〚生〛「부분」「분절」의 뜻. **2** 〚化〛 =-MER. 〚MER-[3]〛

Mer·e·dith [mérədəθ] *n.* **1** 남자 이름 ; 여자 이름. **2** 메레디스. **George** ~ (1828-1909) 영국의 소설가·시인. 〚Welsh=? sea+lord〛

***mére·ly** *adv.* **1** 단지 (…에 불과하게)《only보다 격식을 차린 말》: not ~...but also... ☞ NOT 숙어. **2** 《廢》 단순히, 완전히.

me·ren·gue [məréŋgei] *n., vi.* 메렝게《아이티·도미니카의 무용 ; 또는 그 리듬》(를 추다).
〚Am. Sp.＜Haitian Creole〛

mer·e·tri·cious [mèrətríʃəs] *a.* (장식·문체 따위) 저속한, 야한 ; 《옛투》 갈보의[같은], 음란한.
〚L (*meretric- meretrix* prostitute＜*mereo* to earn money)〛

mer·gan·ser [mə(:)rgǽnsər] *n.* (*pl.* **~s**, ~) 〚鳥〛 비오리 따위의 잠수오리《비오리·바다비오리 따위》. 〚L *mergus* diver, *anser* goose〛

merge [mɔ́:rdʒ] *vt.* [+目 / +目+前+名] 융합되게 하다, 합류하다, 몰입시키다 ; (회사 따위를) 합병하다 ; 점차 …으로 바뀌다 : Fear was gradually ~*d* ***in*** curiosity. 공포는 차츰 호기심으로 변해갔다 / These states were ~*d* ***into*** the Empire. 이 국가들은 제국에 합병되었다. ── *vi.* [+前+名] 융합하다, 몰입하다 ; 합병되다, 서로 통합되다 ; 《美俗》 …와 결혼하다 : Dawn ~*d* ***into*** day. 새벽의 여명이 차츰 밝아졌다 / The settlers soon ~*d* ***with*** other peoples. 이주민들은 곧 다른 민족과 융합되었다. **mér·gence** *n.* Ⓤ 몰입 ; 소실(消失) ; 합병. 〚L *mers- mergo* to dip〛
類義語 ⟹ MIX.

merg·ee [mə:rdʒí:] *n.* (흡수) 합병의 상대(회사).

merg·er [mɔ́:rdʒər] *n.* **1** Ⓤ,Ⓒ 〚法〛 합병, 합동 ; (기업의) 흡수 합병 ; (재산법상의) 혼동. **2** 〚言〛 (소리의) 융합《2개(이상)의 대립적인 소리가 1개의 소리로 대치되는 현상》.

mérgers and acquisítions *n. pl.* 〖經〗 합병과 매수《略 M & A》.
me·rid·i·an [mərídiən] *n.* **1** 〖地〗 자오선, 경선(經線) : the first[prime] ~ 기준[본초(本初)] 자오선《경도 0도의 선 ; 영국의 Greenwich를 통과함》. **2** 《古》 정오(noon). **3** (태양이나 별의) 최고점 ; 절정, 극점(極點), 전성기 : the ~ *of* life 한창 일할 나이, 장년기. **4** 《古》 (독특한) 환경, 취미, 능력.
calculated for the meridian of... 《古》 …의 취미[습관, 능력 따위]에 적합한.
—— *a.* 자오선의 ; 정오의 ; 정점의, 절정의 : the ~ altitude 자오선 고도 / the ~ sun 정오의 태양. 〖OF or L (*meridies* midday)〗
me·rid·i·o·nal [mərídiənl] *a.* **1** 자오선의, 경선의. **2** 남부(사람)의, 남유럽의, (특히) 남부 프랑스인의. —— *n.* 남국(南國)의 주민, 남유럽인, [때때로 M~] (특히) 남부 프랑스인.
me·ringue [məræ̃ŋ] *n.* **1** Ⓤ 머랭《설탕과 계란 흰자위 따위를 섞어서 굽거나, 파이 따위에 얹어 구운 것》. **2** 머랭 과자. 〖F< ?〗
me·ri·no [məríːnou] *n.* (*pl.* **~s**) **1** 메리노양(羊)《스페인 원산》. **2** Ⓤ 메리노 모직물 ; 메리노 (털) 실. —— *a.* 메리노 양모로 만든. 〖Sp.< ?〗
-m·er·ism [mərìzəm] *n. comb. form* 「화학 구성 단위의 배열이[관계가] …이기」「…으로 이루어지기」의 뜻. 〖*-mer*³+*-ism*〗
mer·i·stem [mérəstèm] *n.* 〖植〗 분열조직.
mer·it** [mérət] *n.* **1** Ⓤ [+前+do*ing*] 우수함, 가치 ; 장점, 미점(美點) ; 메리트(↔*demerit*) : He has the ~ ***of offend*ing* none. 누구의 비위도 거슬리지 않는 장점이 있다. **2** [보통 *pl.*] 공적, 공훈, 공로 ; 훈장 : a scholar of distinctive ~ 공로가 현저한 학자. **3** (학교에서 벌점에 대한) 상점(賞點) ; 〖神學〗 공덕(功德). **4** [*pl.*] 상당한 상[벌], 공과, 진가 ; 〖法〗 시비, 곡직(曲直) : *on* one's own ~*s* 실력으로, 진가에 따라 / *on* the ~*s* of the case 사건의 시비곡직에 따라 / the ~*s* and demerits [díːmèrəts] of capital punishment 사형에 대한 시비[공과].
make a merit of...* = *take merit to one***self for*** …을 자기 공로인 체하다, …을 자만하다.
the Order of Merit 《英》 메리트 훈위(勳位) [훈장]《略 O.M.》.
—— *vt.* (상·벌·감사·비난 따위를) 받을 만하다(deserve). —— *vi.* 보답을 받다 ; 〖神學〗 공덕(功德)을 얻다.
〖OF < L (*meritum* value (p.p.) ‹ *mereor* to deserve)〗
mérit bònus *n.* 능률제 보너스(cf. MERIT INCREASE).
mérit·ed *a.* 가치 있는, 당연한, 정당한. **~·ly** *adv.*
mérit ìncrease[**ràise**] *n.* 능률제 승급.
mer·i·toc·ra·cy [mèrətákrəsi] *n.* Ⓤ (교육상의) 능력주의 ; 능력주의 사회 ; 실력사회 ; 실력 본위의 엘리트 계급[사회]. 〖MERIT, *-o-*, *-cracy*〗
mer·i·to·crat [mérətəkræ̀t] *n.* (배경이나 재력이 아니고) 개인의 실력으로 권력을 잡은 자, 실력자.
mer·i·to·ri·ous [mèrətɔ́ːriəs] *a.* 가치[공적, 공훈]있는, 갸륵한, 칭찬할 만한, 기특한.
~·ly *adv.* **~·ness** *n.* 〖L ; ⇨ MERIT〗
mérit ràting *n.* 인사 고과(考課), 근무 평정 : ~ system 인사 고과제, 사정(査定) 승진제.
mérit shòp *n.* 〖建〗 메리트 숍《건설 입찰에서 조합 가입과는 관계없이 필요 조건이 가장 미비한 응찰자와 하청 계약을 맺는 일》.
mérit sỳstem *n.* 《美》 실적[실력] 본위의 임용·승진 제도(cf. SPOILS SYSTEM).
merle, merl [mɔ́ːrl] *n.* 《古·스코》 = BLACKBIRD. 〖OF<L〗
mer·lin [mɔ́ːrlən] *n.* 〖鳥〗 쇠황조롱이《매의 일종 ; 미국산》.
Merlin *n.* 멀린《Arthur왕 전설에 나오는 마술사·예언자》. 〖Celt.=sea+hill〗
mer·lon [mɔ́ːrlən] *n.* 〖築城〗 총안(銃眼) 사이의 돌출벽.
mer·maid [mɔ́ːrmèid] *n.* (암컷) 인어(人魚) ; 수영 잘하는 여자, 여자 수영 선수. 〖MERE², MAID〗
Mérmaid Távern *n.* [the ~] 인어정(人魚亭)《엘리자베스조(朝)의 문인(文人)들의 모임 장소가 되었던 London의 요리집》.
mer·man [mɔ́ːrmæ̀n] *n.* (수컷) 인어 ; 수영 잘하는 남자, 남자 수영 선수.
mero- [mérou, -rə] ☞ MER-²,³.
méro·blàst *n.* 〖生〗 부분 할란(割卵)《난할(卵割)을 완전히 하지 않은 것》.
mèro·hédral *a.* (결정(結晶)이) 면(面)이 없는.
me·ro·pia [məróupiə] *n.* 〖醫〗 부분맹(部分盲), 불완전맹(盲).
-m·er·ous [-mərəs] *a. comb. form* 〖植·昆〗 「…(의 부분)으로 나뉜」의 뜻 : di*merous*.
〖*-mer*³+*-ous*〗
Mer·o·vin·gi·an [mèrəvíndʒiən] *a., n.* 〖프史〗 메로빙 왕조《486-751년간의 최초의 프랑크 왕조》의 (사람[지지자]) (cf. CAROLINGIAN).
〖F<L *Merovingi* (*Meroveus* 전설상의 왕)〗
mero·zo·ite [mèrəzóuait] *n.* 〖動〗 (포자충류(胞子蟲類)의) 낭충(娘蟲).
mer·ri·ment [mérimənt] *n.* Ⓤ 명랑한 소동, 재미나서 웃어댐 ; 환락(歡樂).
‡mer·ry [méri] *a.* **1** 명랑[유쾌]한, 들떠서 떠드는, 쾌활한 : the *M*~ Monarch 명랑한 국왕《영국 왕 Charles 2세의 속칭》. **2** 《古》 즐거운(pleasant) : *M*~ England 즐거운 영국《예로부터의 영국의 별칭》/ I wish you a ~ Christmas. = A ~ Christmas to you! 크리스마스를 축하합니다. **3** 《口》 거나하게 취한 기분의.
(***as***) ***merry as a cricket*** [***a grig, a lark***] 매우 명랑하여.
make merry 들뜨다, 유쾌하게 놀다.
make merry over …을 놀리다, 조롱하다.
mér·ri·ly *adv.* 즐겁게 ; 명랑하게, 유쾌히.
〖OE *myr*(*i*)*ge* agreeable, pleasant ; cf. MIRTH ; (통설(通說)) OHG *murg* short와 같은 어원으로 'brief, transitory'의 뜻인가〗
mèrry-ándrew *n.* [흔히 M~-A~] 어릿광대, 익살꾼(clown) ; 야바위꾼의 앞잡이.
mérry dáncers *n. pl.* 《스코》 북극광(aurora borealis).
mérry-go-ròund [-gou-, -gə-] *n.* 회전목마 ; 선회, 급회전 ; 어지럽게 돌아감, 몹시 바쁨.
mérry·màker *n.* 들떠 법석거리는 사람.
mérry·màking *n.* Ⓤ 환락, 술잔치, 축제 소동.
—— *a.* 들떠서 떠드는, 명랑한.
mérry·man [-mən] *n.* 《古》 어릿광대.
mérry mén *n. pl.* 《戱》 종자(從者), 수행원 ; 무법자들.
mérry·thòught *n.* 《英》 = WISHBONE.
Mer·sey [mɔ́ːrzi] *n.* [the ~] 머지 강(江)《아이리시 해(海)로 흐르는 강 ; 강 어귀에 Liverpool이 있음》.
Mer·sey·side [mɔ́ːrzisàid] *n.* 머지사이드《잉글랜드 북서부의 주 ; 주도 Liverpool》.
Mérsey sòund *n.* [the ~] 머지 사운드

Liverpool sound)《1960년대에 Liverpool을 중심으로 결성된 the Beatles 등의 음악》.

Mer·tén·si·an mímicry [mərténziən-] *n.* 〖動〗 머텐스 의태(擬態)《유해(有害) 동물이 무해(無害) 동물과 아주 비슷하게 흉내내는 의태》. 〚Robert *Mertens* 독일의 파충류 학자〛

Mer·thi·o·late [mə(:)rθáiəlèit, -lət] *n.* 메르티올레이트《살균 소독제; 상표명》.

Mer·vin [mə́:rvən] *n.* 남자 이름. 〚⇨ MARVIN〛

mes- [méz, mí:z, més, mí:s; més], **meso-** [mézou, mí:-, -sou, -zə, -sə; mésə(u)] *comb. form* 「중앙」「중간」「중위(中位)」의 뜻. 〚L<Gk. (*mesos* middle)〛

me·sa [méisə] *n.* 〖地質〗 메사, 대지(臺地). 〚Sp.=table<L〛

més·al·li·ance [meizǽliəns; *F* mezaljɑ̃:s] *n.* 신분이 낮은 사람과의 결혼. 〚F (*més-* MIS-)〛

me·sati- [məzǽtə] *comb. form* 「중위」의 뜻. 〚Gk. *mesatos* midmost〛

mesc [mésk] *n.* 《美俗》 =MESCALINE.

mes·cal [meskǽl, mə-] *n.* **1** Ⓤ 메스칼《용설란으로 만든 증류주(酒)》. **2** 〖植〗 용설란; 선인장의 일종: ~ buttons 메스칼 선인장의 두부(頭部)《환각제》. 〚Sp.<Nahuatl〛

mes·ca·line [méskələn, -lì:n], **-lin** [-lən] *n.* 메스칼린《mescal에서 뽑은 알칼로이드; 흥분제》.

mesdames *n.* MADAM, MADAME 또는 MRS.의 복수형《略 Mmes.》.

mesdemoiselles *n.* MADEMOISELLE의 복수형.

me·seems [misí:mz] *vi.* (*p.* **-séemed**) 《古》 생각컨대 …이다(it seems to me) (cf. METHINKS).

me·sem·bry·an·the·mum, -bri- [məzèmbriǽnθəməm] *n.* 〖植〗 사철채송화. 〚NL (Gk. *mesēmbria* noon, *anthemon* flower)〛

mès·encéphalon *n.* 〖解〗 중뇌(midbrain). **-encephálic** *a.*

mes·en·tery [mésəntèri, méz-; mésəntəri] *n.* 〖解〗 장간막(腸間膜).

mesh [méʃ] *n.* **1** 그물코, 메시, (체 따위의) 눈. **2** [*pl.*] 망사(網絲), 그물 세공; 그물, 철망. **3** [보통 *pl.*] 함정, 올가미, 법망. **4** 〖機〗 (톱니바퀴의) 맞물림.
in mesh (톱니바퀴가) 맞물려서.
the meshes of the law 법망(法網).
—— *vt.* 그물로 잡다; 〖機〗 (톱니바퀴를) 맞물리게 하다. —— *vi.* [動/+*with*+名] 그물에 걸리다; 〖機〗 맞물리다: The teeth of the small gear ~ ***with*** the teeth of a larger one. 작은 톱니가 큰 톱니와 서로 맞물린다. 〚Du.; cf. OE *max*, G *Masche*〛

meshegoss ☞ MISHEGOSS.

me·shu·ga·zine [məʃúgəzì:n] *n.* (주로 학생들이 취미로 편집·발행하는) 반(反)권위적이며 풍자적인 잡지. 〚*meshuga*+*magazine*〛

me·shu(g)·ga, -ge [məʃúgə] *a.* 《俗》 머리가 돈(crazy). 〚Yid., Heb.〛

mésh·wòrk *n.* Ⓤ 그물 세공, 망.

me·si·al [mí:ziəl, 美+-si-] *a.* 정중(正中)의; 중간의, 중위(中位)의: the ~ plane 정중면(面).

mes·ic [mézik, mí:z-, mí:s-, més-; mí:zik] *a.* 〖生態〗 중습(中濕)[적습(適濕)]성의, 중생(中生)의; 〖理〗 중간자의.

me·sio- [mí:ziou, -si-] *comb. form* 「중간과 …의」의 뜻. 〚*mesi*al+-*o*-〛

mes·mer·ic [mezmérik, 美+mes-] *a.* 최면술의; 황홀케 하는, 매력적인. **-i·cal·ly** *adv.*

mes·mer·ism [mézmərìzəm, 美+més-] *n.* Ⓤ 최면술; 〖心〗 최면(상태). **-ist** *n.* 최면술사.

mes·mer·ize [mézməràiz, 美+més-] *vt.* …에게 최면술을 걸다; [보통 *p.p.*로] 매혹하다, 감화시키다. **mès·mer·izá·tion** *n.* Ⓤ 최면술을 걸기; 최면 상태.

mesne [mí:n] *a.* 〖法〗 가운데의, 중간의(intermediate): ~ profits 중간 이득/~ process (소송의) 중간 영장. —— *n.* 〖史〗 중간 영주(領主)(=~ **lórd**).

meso- [mézou, mí:-, -sou, -zə, -sə; mésə(u)] ☞ MES-.

méso·blàst *n.* 〖發生〗 =MESODERM.

méso·càrp *n.* 〖植〗 중과피(中果皮). **mèso·cárpic** *a.*

mé socìety *n.* 자기(自己) 중심 사회.

mèso·cýclone *n.* 〖氣〗 메소사이클론, 중형 저기압《큰 뇌우역(雷雨域) 주변에 발생하는 직경 16 km에 이르는 사이클론》.

méso·dèrm *n.* 〖發生〗 중배엽(cf. ECTODERM, ENDODERM).

méso·lèct *n.* 〖言〗 중층(中層) 방언《상층방언(acrolect)과 하층방언(basilect)의 중간에 있는 언어 변종(變種)》.

Mèso·líthic *n., a.* 〖考古〗 중석기시대(의) (cf. PALEOLITHIC, NEOLITHIC): the ~ era 중석기시대.

méso·mòrph *n.* 평균 체격의 사람; 투사형(鬪士型)[근골(筋骨)체질]의 사람; 〖植〗 중생식물.

mèso·mórphic *a.* 〖心〗 중배엽형의, 투사형[근골질]의; 〖植〗 중생식물적인 (cf. ECTOMORPHIC, ENDOMORPHIC).

me·son [mí:zɑn, 美+méz-, 美+mí:s-, 美+més-] *n.* 〖理〗 중간자(中間子). 〚*mesotron*〛

méson fàctory *n.* 〖理〗 중간자(中間子) 발생 장치, 중간자 공장.

mèso·pelágic *a.* 〖生態〗 중심해(中深海)의: ~ zone 중심 해수층《수심 200-1000 m의 층》.

méso·phìle *n.* 내저온(耐低溫) 세균(cf. THERMOPHILE).

méso·phỳll *n.* Ⓤ 〖植〗 엽육(葉肉).

méso·phỳte *n.* 〖植〗 중생(中生) 식물《적절한 습도에서 성장함; cf. HYDROPHYTE, XEROPHYTE》.

Mes·o·po·ta·mia [mèsəpətéimiə] *n.* **1** 메소포타미아《서남아시아의 Tigris, Euphrates 강 유역에 있었던 고대 왕국》. **2** 이라크(Iraq)의 옛 이름. **3** [m~] 두 강 사이에 낀 지역. 〚Gk.=between rivers〛

Mès·o·po·tá·mi·an *n., a.* 메소포타미아 사람(의); [m~] 강 사이에 낀 지역의.

méso·scàle *a.* 〖氣〗 (태풍·구름 따위가) 중간 규모의.

meso·scaph, -scaphe [mésəskæ̀f, -skèif, mí:sə-] *n.* 중심해(中深海) 잠수정. 〚프랑스의 심해(深海) 탐험가 Jacques Piccard (1922-)가 발명·명명(命名)〛

méso·sphère *n.* 〖氣〗 중간권《전리층(ionosphere)과 외기권(exosphere)의 중간; 지표에서 약 48-80 km》.

mèso·thórax *n.* 〖昆〗 중흉(中胸).

méso·tròn *n.* 〖理〗 meson의 옛 이름.

Mèso·zóa *n. pl.* 〖動〗 중생(中生) 동물.

Mèso·zóic *a.* 〖地質〗 중생대(中生代)의: the ~ era 중생대. —— *n.* [the ~] 〖地質〗 중생대. 〚Gk. *zōion* animal〛

mes·quite, -quit [məskí:t, me-] *n.* 〖植〗 콩과의

관목《미국 남서부산(産)》.

***mess** [més] *n.* **1** 어지르기, 난잡, 혼란 ; 불결(한 것) ; 실수(blunder) ; 성가심, 곤혹 : clear up the ~ 어지른 것을 정리하다 / get into a ~ 난처해지다, 혼란[분규]하다. **2** (특히 군대에서) 함께 식사하는 동료 ; 회식 : be at ~ 회식중이다 / go to ~ 회식하다. **3** (특히 유동성인) 음식물 ; (물기가 많아) 맛이 없는 음식 ; 혼합 음식물《사냥개 따위에 주는 것》. **4** 《美》 한 접시분의 음식 ; 《美》 (우유의) 한 번 짠 분량. **5** 《美俗》 바보, 얼간이 ; 《美俗》 이상한 녀석.

in a mess 혼란[분규]에 빠져 ; 진흙투성이가 되어 ; 곤경에 처하여, 당황하여.

make a mess of 《口》 …을 망쳐놓다.

make a mess of it 실수를 저지르다.

a mess of pottage 〔聖〕 한 그릇의 죽《값진 것을 희생하여 얻은 물질적 쾌락 ; 창세기 25 : 29-34》 ; 눈앞의 작은 이익.

— *a.* 《美俗》 **1** 부도덕한, 무너진. **2** 멋진, 굉장한(excellent).

— *vt.* **1** [+目 / +目+副] 난잡하게 하다, 망쳐놓다, 실수하다 ; 《俗》 혼란시키다 : The late arrival of the train ~*ed* ***up*** all our plans. 기차가 늦게 도착하여 우리들의 모든 계획은 엉망이 되었다. **2** 《口》 거칠게 다루다, 때려눕히다, 혼내주다 ; 《口》 (정신적으로) 상처를 입히다. — *vi.* **1** [+*with*+名 / +副] (군대의 식당에서) 회식하다 : He ~*ed* ***with*** them. 그들과 회식했다[어울렸다] / The privates ~*ed* ***together***. 그 병사들은 회식했다. **2** 무모한 짓을 하다 ; 물장난[흙장난]을 하다.

mess about [***around***] 《口》 ⑴ (*vi.*) 만지작거리다 ; 꾸물거리며 하다. ⑵ (*vt.*) 어지르다 ; …으로 실수를 저지르다 ; (사람을) 들볶다, 혹사하다.

〚OF=dish of food<L *missus* course of meal (↓)〛

‡mes·sage [mésidʒ] *n.* **1** [+*that* 節] 통신, 메시지 ; 전언(傳言), 전갈 ; 서신, 전보 : a congratulatory ~ 축전, 축사 / an oral[a verbal] ~ 말로 전하는 소식[전갈] / The servant brought him the ~ *that* someone wanted to speak with him over the telephone. 어떤 사람한테서 전화가 왔다고 하인이 그에게 알려왔다. **2** (공식적인) 메시지 ; (대통령의) 교서(敎書). **3** (성자·예언자가 전하는) 경고, 신탁(神託) ; (예술 작품 따위의) 교훈, 의미. **4** (심부름꾼이 맡은) 용무, 심부름(errand) : do[go *on*] a ~ 심부름 가다 / send a person *on* a ~ 남을 심부름 보내다. **5** 〔情報工〕 통보, 메시지《한 단위로 생각되는 어군》 ; 〔生化〕 전달 암호, 메시지《아미노산이 단백질 합성을 하는 순서를 지정하는 유전 정보》.

〈회화〉
Will you leave a *message* ? — Just tell him I called. 「전할 말씀이 있으신가요」「제가 전화했더라고만 전해주세요」

— *vt.* **1** 통보[통신]하다, 알리다. **2** …에(게) 통지하다 ; …에(게) 지시하다. — *vi.* 통신하다.

〚OF (L *miss- mitto* to send)〛

méssage remóte cóncentrator *n.* 〔컴퓨〕 원격 메시지 집중기.

méssage swìtching *n.* 〔컴퓨〕 (데이터 통신에서) 메시지 스위칭《어떤 단말 장치에서 보낸 메시지를 지정된 다른 단말 장치로 보내는 방식》 : a ~ unit 메시지 스위칭 장치.

méssage ùnit *n.* 《美》 (전화요금 계산의) 통화(通話) 단위.

mes·sa·line [mèsəlíːn, ⌐⌐⌐] *n.* Ⓤ 수자직(繻子織) 같은 능직 비단. 〚F〛

méss·bòy *n.* (배의) 식당 사환.

méss·dèck *n.* 《英》 〔海〕 (하급 승무원의 거실 및 식당이 있는) 하갑판(下甲板).

messeigneurs *n.* MONSEIGNEUR의 복수형.

***mes·sen·ger** [mésəndʒər] *n.* **1** 통신 전달자, 사자(使者), 전령 ; (전보·편지 따위의) 배달인 ; 심부름꾼 : an Imperial ~ 칙사(勅使) / send a letter by (a) ~ 사자에게 편지를 가지고 가게 하다. **2** 선구자, 전조. **3** 연줄에 다는 종잇조각. **4 a)** 〔生化〕 전달자, 메신저《유전 정보를 전달하는 화학물질》. **b)** 〔海〕 보조삭, (체인·로프·케이블 따위의) 구동삭.

〚OF *messager* (⇨ MESSAGE) ; -*n*-은 *harbinger, passenger, scavenger* 따위와 같은 삽입음〛

messenger RNA [⌐ ɑ̀ːrènéi] *n.* 〔生〕 전령(傳令) RNA, 메신저 리보 핵산《略 mRNA》.

méss hàll *n.* 《美》 (군대·공장 따위의) 식당.

Mes·si·ah [məsáiə] *n.* **1** 구세주, (유태인이 갈망한) 메시아, (기독교에서의) 그리스도. **2** [m~] (피압박자 따위의) 구세주(救世主), 해방자. 〚Heb.=anointed〛

mes·si·an·ic [mèsiǽnik] *a.* [흔히 M~] 구세주의, 구세주적인 (이상 시대의).

Messiánic Jéws *n. pl.* 예수를 자기의 구세주로 여기는 유태인.

mes·si·a·nism [məsáiənìzəm, me-, 美+mésiə-] *n.* [때때로 M~] 메시아 신앙 ; (어떤 주의·운동 따위의 정당성에 대한) 절대적 지지[신념].

Mes·si·as [misáiəs] *n.* =MESSIAH.

mes·sieurs [mésərz ; *F* mesjø] *n. pl.* (*sg.* **monsieur**) 제군, 여러분《略 MM., Messrs.》.

méss jàcket *n.* 메스 재킷《군대에서 준(準)의례적인 때에 입는 앞이 트인 짧은 웃옷》.

méss kìt[**gèar**] *n.* 휴대용 식기 세트.

méss·màte *n.* 《稀·文語》 (주로 군대·배에서) 같이 식사하는 동료.

méss·ròom *n.* =MESS HALL.

Messrs. [mèsərz, ⌐⌐] *n.* =MESSIEURS《Mr.의 대용 복수형》 : ~ J. P. Brown & Co. 제이 피 브라운 상회 귀중(貴中).

méss sérgeant *n.* 〔軍〕 취사반장.

méss tàble *n.* 공동 식탁.

méss·tìn *n.* 반합(飯盒), 휴대용 식기.

mes·suage [méswidʒ] *n.* 〔法〕 (부속 건물이나 주변의 토지 따위를 포함한) 가옥.

〚AF=dwelling‹MÉNAGE〛

méss·ùp *n.* 《口》 혼란, 분규 ; 실패, 실책 : a bit of a ~ 약간의 실수[착오].

méssy *a.* (**mess·i·er** ; **-i·est**) 어질러 놓은, 지저분한, 더러운 ; 《口》 (사람이) 칠칠치 못한 ; 《美俗》 부도덕한, 방종한 ; 귀찮은《문제》 ; 난잡한 ; 복잡한. 〚MESS〛

mes·ti·zo [mestíːzou] *n.* (*pl.* **~s, ~es**) (특히 스페인[포르투갈] 사람과 북미 인디언과의) 혼혈인. 〚Sp.〛

◇met *v.* MEET¹의 과거·과거 분사.

met. metaphor ; metaphysics ; meteorological ; meteorology ; metrological ; metropolitan.

Met [mét] *n.* [the ~] 《口》 (New York 시(市)의) 메트로폴리탄 미술관 ; =METROPOLITAN OPERA HOUSE ; =METROPOLITAN POLICE.

meta- [métə], **met-** [mét] *pref.* 「후속」「후위(後位)」 ; 「변화」「변성(變成)」 ; 「초월」「한층 높은 계형(階型)의」 ; 「…의 이성질체(異性質體)」 ; 「탈수에 의해서 얻어진, 무수(無水)…」의 뜻 ;

〖化〗 메타. 〖Gk. (*meta* with, after)〗

me·tab·a·sis [mətǽbəsəs] *n.* (*pl.* **-ses** [-sì:z]) 〖醫〗 증변(症變), 전이(轉移); 〖修〗 주제 전이.

met·a·bol·ic, -i·cal [mètəbálik(əl)] *a.* 〖生·生理〗 물질 대사의; 〖動〗 변태하는, 변형하는.

me·tab·o·lism [mətǽbəlìzəm] *n.* Ⓤ 〖生·生理〗 물질 대사(cf. CATABOLISM, ANABOLISM); 〖動〗 변태, 변형.
〖Gk. *meta-*(*ballō* to throw) = to change〗

me·tab·o·lite [mətǽbəlàit] *n.* 〖生化〗 대사(代謝) 산물; 물질 대사에 필요한 물질.

me·tab·o·lize [mətǽbəlàiz] *vt., vi.* 물질대사시키다[하다].

me·tab·o·ly [mətǽbəli] *n.* = METAMORPHOSIS.

mèta·cárpal *a.* 〖解〗 장부(掌部)의; 장골의.
—— *n.* 장골.

mèta·cárpus *n.* 〖解〗 장부(掌部), (특히) 장골. 〖NL〗

méta·cènter *n.* 〖理〗 (부력(浮力)의) 경심(傾心). **mèta·céntric** *a.* 경심의.

mèta·communicátion *n.* 〖心〗 초(超)커뮤니케이션《시선·동작·몸짓·태도 따위에 의함》.

mèta·fémale *n.* = SUPERFEMALE.

mèta·gálaxy *n.* 〖天〗 전우주(宇宙).

met·age [mí:tidʒ] *n.* Ⓤ (공공 기관에서 행하는 적화(積貨)의) 검량(檢量), 계량(計量); 검량[계량]세(稅).

mèta·génesis *n.* 〖生〗 진정 세대 교번.
-genétic, -génic *a.* **-genétical·ly** *adv.*

‡**met·al** [métl] *n.* **1** Ⓤ,Ⓒ 금속, 금속원소; 합금: made of ~ 금속제의 / a worker in ~*s* 금속 세공사 / base[imperfect] ~*s* 비금속《동·철·납 따위》 / heavy[light] ~*s* 중[경]금속 / noble[perfect] ~*s* 귀금속《금·은 따위》. **2** [*pl.*] 《英》 궤조, 레일: leave[run off, jump] the ~*s* (열차가) 탈선하다. **3** Ⓤ [보통 road ~] 《英》 길에 까는 자갈, 쇄석(碎石). **4** 《비유》 본성, 기질, 본질 (cf. METTLE): He is made of true ~. 천성이 정직하다. **5** 금속제품; 〖軍〗 전차, 장갑차; 〖海軍〗 장비포수(砲數); 〖印〗 활자 금속, 금속 활자; 조판. **6** 용해된 유리; 용해 주철. **7** 〖紋〗 금색, 은색. **8** 《美俗》 = HEAVY METAL《음악》.
—— *vt.* (**-l-** | **-ll-**) **1** …에 금속을 입히다. **2** (도로에) 자갈을 깔다: a ~*ed* road 자갈을 깐 도로.
—— *vi.* 《美俗》 heavy metal을 연주하다.
〖OF or L<Gk. *metallon* mine〗

méta·lànguage *n.* Ⓤ,Ⓒ 〖言〗 메타 언어《어떤 기호[언어] 체계를 분석·기술하는 경우에 사용되는 한층 고차적인 기호[언어] 체계》.

métal detéctor *n.* 금속 탐지기.

métal fatìgue *n.* 금속의 피로(도).

mèta·linguístics *n.* 〖言〗 후단(後段) 언어학《언어와 언어 이외의 문화면과의 관계를 다루는 언어학의 한 부문》.

metal(l). metallurgical; metallurgy.

me·tall- [mətǽl], **me·tal·lo-** [-lou, -lə] *comb. form* 「금속(metal)」「(분자중에) 금속원자[이온]를 함유한」의 뜻.

mét·alled *a.* 《英》 포장(鋪裝)한.

me·tal·li- [mətǽli] *comb. form* 「금속」의 뜻.

***me·tal·lic** [mətǽlik] *a.* 금속의; 금속성[질]의; 금속을 함유하는; 금속 특유의, 금속과 유사한; 쇳내 나는; 쇳소리의《음성》: ~ soap 금속 비누《도료 건조제·방수 가공용》.

metállic cúrrency *n.* 경화(硬貨).

metállic róad *n.* 《美》 포장 도로.

met·al·lif·er·ous [mètəlífərəs] *a.* 금속을 함유하는[산출하는]: ~ mines 광산.
〖L = yielding metal; ⇨ METAL〗

met·al·line [métələn, -làin] *a.* 금속의, 금속 비슷한; 금속을 함유한[산출하는].

met·al·lize, -al·ize [métəlàiz] *vt.* 금속으로 입히다, 금속화하다; (고무를) 경화(硬化)시키다.

metállo·ènzyme *n.* 〖生化〗 금속 효소.

metállo·gràph *n.* 금속조직 관찰용 현미경; 금속판 인쇄(물); 금속표면 확대도.

met·al·log·ra·phy [mètəlágrəfi] *n.* 금속조직학, 금상학(金相學); 금속판 인쇄.

met·al·loid [métəlɔ̀id] *a.* 금속 같은; 〖化〗 준금속의; 유(類)금속성의, 양성(兩性) 금속의.
—— *n.* 〖化〗 준금속; 유금속《비소·규소 따위》, 양성 금속.

metállo·phòne *n.* 철금(鐵琴).

met·al·lur·gy [métələ̀:rdʒi; metǽlədʒi] *n.* Ⓤ 야금(술[학]). **-gist** *n.* 야금가, 야금학자.
mèt·al·lúr·gi·cal, -gic *a.* 야금(冶金)(술[학])의. **-gi·cal·ly** *adv.*
〖Gk. *metallon* METAL, *-ourgia* working〗

métal-óxide semicondúctor *n.* 〖電〗 금속 산화물 반도체《略 MOS》.

métal skí *n.* 메탈 스키《경합금으로 된 스키》.

métal spràying *n.* 금속 용사(溶射).

métal tàpe *n.* 〖電子〗 메탈 테이프《고밀도 자기(磁氣) 테이프》.

métal·wàre *n.* 금속제품《특히 부엌용》.

métal·wòrk *n.* Ⓤ 금속 세공(품). **~·er** *n.* 금속 세공사[직공]. **~·ing** *n.* Ⓤ 금공(업)(金工(業)).

mèta·mále *n.* = SUPERMALE.

meta·mer [métəmər] *n.* 〖化〗 이성질체.

méta·mère *n.* 〖動〗 체절(體節).

meta·mer·ic [mètəmérik] *a.* 〖化〗 구조[동족] 이성의; 〖動〗 체절의[로 이루어진], 체절제의.

me·tam·er·ism [mətǽmərìzəm] *n.* Ⓤ 〖化〗 구조[동족] 이성; 〖動〗 체절제.

mèta·mórphic, -mórphous *a.* 변형의, 변태의; 〖地質〗 변성(變成)의: a ~ rock 변성암.
-mór·phi·cal·ly *adv.*

mèta·mórphism *n.* Ⓤ 〖地質〗 변성 (작용); = METAMORPHOSIS.

meta·mor·phose [mètəmɔ́:rfouz, -s] *vt.* [+目/+目+*into*+名] 변태(變態)시키다, 변형시키다(transform); 〖地質〗 변성(變成)시키다: The witch ~*d* the people ***into*** animals. 마녀가 사람들을 동물로 둔갑시켰다.
—— *vi.* 변태[변형]하다〈*into*〉.

meta·mor·pho·sis [mètəmɔ́:rfəsəs] *n.* (*pl.* **-ses** [-sì:z]) Ⓤ,Ⓒ 〖動〗 변태; 〖醫〗 변성, 변태; (마력·자연력에 의한) 변형(작용); (일반적으로) 변질, 변신, 변용(變容): the ~ of tadpoles *into* frogs 올챙이에서 개구리로의 변태. 〖L<Gk. *meta-*(*morphoo* ‹ *morphē* shape) = to transform〗

mèt·análysis *n.* 〖言〗 이(異)분석 《보기 ME *an ekename*> Mod. E *a nickname*》.

méta·pàuse *n.* 남성의 갱년기.

metaph. metaphor(ical); metaphysical; metaphysician; metaphysics.

méta·phàse *n.* 〖生〗 (유사(有絲) 분열의) 중기(中期) (cf. PROPHASE).
mèta·phás·ic [-féizik] *a.*

met·a·phor [métəfɔ̀:r, -fər; -fər] *n.* **1** Ⓤ,Ⓒ 〖修〗 은유(隱喩), 암유(暗喩), 메타포(cf. SIMILE) 《보기 All nature *smiled.* 만물은 모두 미소지었다》: mixed ~ 혼유(混喩). **2** 유사한[상징하는] 것. **met·a·phor·i·cal** [mètəfɔ́(:)rikəl, -fár-] *a.*

은유[비유]적인. **-i·cal·ly** *adv.* 은유로, 비유적으로. 〖F or L<Gk. *meta-*(*pherō* to bear)=to transfer〗

méta·phràse *n., vt.* 직역(하다), 축어역(逐語譯)(하다) (cf. PARAPHRASE).

meta·phrast [métəfræ̀st] *n.* 번안가, 번역자, (특히 산문을 운문으로 바꾸는) 전역자(轉譯者).
mèta·phrás·tic, -ti·cal *a.* 직역[축어역]적인. **-ti·cal·ly** *adv.*

meta·phys·ic [mètəfízik] *n.* =METAPHYSICS; 형이상학의 체계[이론]. —— *a.* 《稀》 = METAPHYSICAL.

mèta·phýs·i·cal *a.* **1** 〔哲〕 형이상학의; 순수 철학적인. **2** 형이상(形而上)의(↔*physical*); 극히 추상적인, 매우 세밀하고 꼼꼼한, 난해(難解)한. **3** [흔히 M~] 형이상파(派)의: the ~ poets 형이상파 시인《17세기 초기의 영국에서 비유나 기지(機智)에 기교를 부린 지성파 시인 John Donne 등》. **4** 《古》 초자연적인; 공상적인. —— *n.* [흔히 M~] 형이상파 시인.
~·ly *adv.* 형이상(학)적으로.

mèta·physícian, -phýsicist *n.* 형이상학자, 순수 철학자.

mèta·phýs·ics *n.* Ⓤ 형이상학, 순수철학; 학문 이론; 탁상공론(卓上空論), 추상적 논의.
〖OF<L<Gk. *ta meta ta phusika* the things after the 'Physics' of Aristotle〗

meta·plasm [métəplæ̀zəm] *n.* Ⓤ,Ⓒ 〔文法〕 어형 변이(語形變異); 〔生〕 (세포의 원형질에 대해) 후형질(後形質).
mèta·plas·mic [-plǽzmik] *a.*

mèta·pólitics *n.* 정치 철학; 《蔑》 공론 정치학.

mèta·psýchic, -psýchical *a.* 심령(心靈) 연구의.

mèta·psýchics *n.* 심령 연구.

mèta·psychólogy *n.* Ⓤ 〔心〕 초(超)심리학.

mèta·sequóia *n.* 〔植〕 메타세쿼이아《화석(化石) 식물이라고 생각되었으나 중국에서 자생종(自生種)이 발견된 낙엽 침엽 교목》.

mèta·stáble *a.* 〔理·化·冶〕 준안정(準安定)의. —— *n.* 준안정원자[분자, 이온, 원자핵 따위].
-stábly *adv.* **-stabílity** *n.* 준안정성[도].

me·tas·ta·sis [mətǽstəsəs] *n.* (*pl.* **-ses** [-sìːz]) 〔醫〕 (환부의) 전이(轉移); 〔理〕 (전자·핵자의) 전이; 《稀》 물질 신진 대사(metabolism); 〔修〕 (화제의) 급전환.
〖L<Gk.=removal, transition〗

me·tas·ta·size [mətǽstəsàiz] *vi.* 〔醫〕 전이(轉移)하다.

mèta·társal *n., a.* 〔解〕 중족골(中足骨)(의), 척골(蹠骨)(의).

mèta·társus *n.* 〔解〕 중족골(中足骨), 부골전부(跗骨前部), 척골(蹠骨); 〔昆〕 (곤충의) 척절; 〔鳥〕 경골(脛骨)에서 지골(趾骨)에 이르는 부분. 〖L〗

me·tath·e·sis [mətǽθəsəs] *n.* (*pl.* **-ses** [-sìːz]) Ⓤ,Ⓒ 〔文法〕 자위(字位)[음위(音位)] 전환《보기 *ax*>*ask*》; 〔化〕 복분해(複分解)(double decomposition); 〔醫〕 환부전위(患部轉位).
〖L<Gk.=transposition〗

mèta·thórax *n.* 〔昆〕 후흉(後胸).
-thorácic [-θɔːrǽsik] *a.*

mé·ta·yage [mètəjáːʒ; méteijàːʒ] *n.* 반타작 제도, 분익 농법(分益農法). 〖F〗

mé·ta·yer [mètəjéi; méteijèi] *n.* 반타작 소작인, 분익(分益) 농부. 〖F〗

Meta·zoa [mètəzóuə] *n. pl.* 〔動〕 후생(後生) 동물(cf. PROTOZOA).

mete[1] [míːt] *vt.* **1** 《文語》 (상벌·보수 따위를) 할당하다, 부여하다(allot)〈*out*〉. **2** 《古·詩·方》 재다(measure).
〖OE *metan* to measure; ⇨ MEET[2]〗

mete[2] *n.* 경계(석).
metes and bounds 〔法〕 경계, 구획.
〖OF<L *meta* boundary〗

mèt·empírics, -empíricism *n.* 초(超)경험론, 선험 철학. **-empíricist** *n.* 초경험론자.
-empírical *a.* 경험적 세계를 초월한, 초경험적인, 선험적인.

me·tem·psy·cho·sis [mètəmsaikóusəs, mətèmpsi-] *n.* (*pl.* **-ses** [-siːz]) Ⓤ,Ⓒ 영혼의 재생, 윤회(輪廻).
〖L<Gk. (*meta-*, *en-* in, *psukhē* soul)〗

mèt·enképhalin *n.* 〔生化〕 뇌에서 만들어지는 진통성 물질.

me·te·or [míːtiər, 美+-tiɔ̀ːr] *n.* **1** 유성(流星)(shooting star); 유성체, 운석(隕石); 《비유》 일시적으로 화려한 것. **2** 〔氣〕 (번개·무지개·눈 따위의) 대기 현상.
〖Gk.=something aloft (*meteōros* lofty)〗

me·te·or- [míːtiər], **me·teo·ro-** [míːtiərou, -rə] *comb. form* meteor의 뜻.

meteor. meteorological; meteorology.

me·te·or·ic [mìːtiɔ́(ː)rik, -ár-] *a.* **1** 유성(流星)의: ~ iron[stone] 운철(隕鐵)[운석]. **2** 대기의, 기상(氣象)상의. **3** 유성과 같은; 일시적으로 화려한, 급속한.

meteóric shówer *n.* =METEOR SHOWER.

méteor·ìte *n.* 운석; 유성체.

mè·te·or·ít·ics *n.* 유성[운석]학.

me·te·óro·gràph [mìːtiɔ́ːrə-, -tiárə-; míːtiərə-] *n.* (고층) 자기 기상계.

méteor·òid *n.* 〔天〕 운성체(隕星體), 유성체(流星體).

meteorol. meteorological; meteorology.

me·te·or·o·lite [mìːtiɔ́ːrəlàit; míːtiərə-], **-lithe** [-liθ] *n.* 〔地質〕 석질운석(石質隕石).

me·te·o·ro·log·ic, -i·cal [mìːtiərəládʒik(əl)] *a.* 기상의, 기상학상의: a *meteorological* balloon [observatory, station] 기상 관측 기구[기상대, 측후소].
-i·cal·ly *adv.*

Meteorológical Óffice *n.* [the ~] 《英》 기상청《국방부 소속》.

meteorológical rócket *n.* 기상 관측용 로켓.

meteorológical sátellite *n.* 기상 위성(衛星)(weather satellite).

me·te·o·rol·o·gy [mìːtiərálədʒi] *n.* Ⓤ 기상학; (특정 지방의) 기상.
-gist *n.* 기상학자.
〖F or Gk.; ⇨ METEOR〗

méteor shòwer *n.* 〔天〕 유성우(流星雨)《일시적으로 많은 유성이 보이는 것》.

‡**me·ter**[1] | **me·tre** [míːtər] *n.* **1** 미터《길이의 단위; =100cm》. **2** Ⓤ 〔韻〕 운율(韻律); 보격; Ⓒ 〔樂〕 박자, 리듬.
〖OE and OF<L<Gk. *metron* measure〗

***meter**[2] *n.* **1** (자동) 계량기, 미터; 우편요금미터: a gas ~ 가스 계량기. **2** 재는 사람, (특히) 계량 담당관.
—— *vt.* 미터로 재다; 요금 별납 우편의 증인(證印)을 찍다.
—— *vi.* 액체를 계량하다.
〖METE[1]〗

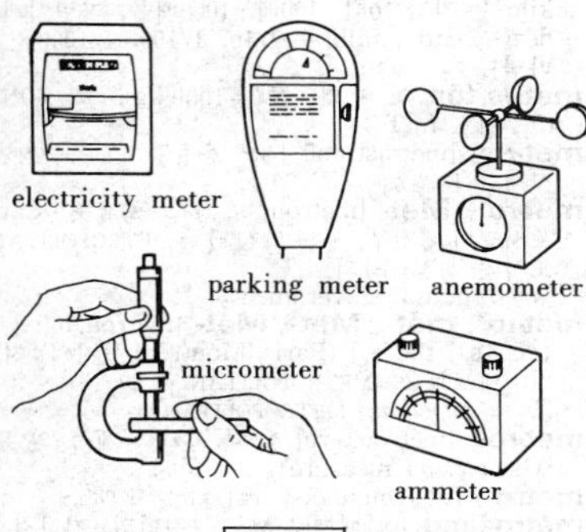

meter

-me·ter [-mətər, -mì:tər] *n. comb. form* 「…계(計)(기(器))」「…미터」「…보격」의 뜻: baro*meter*, gaso*meter*; kilo*meter*; penta*meter*.
〚Gk. *metron* measure〛

méter·age *n.* Ⓤ 계량기로 재기, 측정; 미터 요금.

métered máil *n.* 요금 별납 우편.

méter màid *n.* 주차 위반 단속 여자경찰관.

méte·wànd, méte·yàrd *n.* Ⓤ《비유》계량[평가] 기준.

meth. method;〖藥〗methamphetamine;《美俗》Methedrine. **Meth.** Methodist.

meth- [méθ], **metho-** [méθou, -ə] *comb. form* 「메틸(methyl)」의 뜻.

mèth·acrýlic ácid *n.*〖化〗메타크릴산(酸).

meth·a·done [méθədòun], **-don** [-dàn] *n.*〖藥〗메타돈《진통제》.

méthadone màintenance *n.*〖醫〗메타돈 유지[치료]법《헤로인 중독 따위의 치료중에 메타돈을 대용 마약으로서 투여》.

mèth·amphétamine *n.* Ⓤ 메탐페타민《중추 신경 흥분제》.

meth·ane [méθein] *n.* Ⓤ〖化〗메탄. 〚METHYL〛

méthane sèries *n.*〖化〗메탄열(列).

meth·an·o·gen [məθǽnədʒən] *n.*〖生〗메탄 생성 미생물《발생적(發生的)으로 박테리아·동식물 세포와는 다름》.

meth·a·nol [méθənɔ̀(:)l, -nòul, -nàl] *n.* Ⓤ〖化〗메탄올.

meth·a·qua·lone [mèθəkwéiloun] *n.*〖藥〗메타쿠알론《진정·최면제》.

Meth·e·drine [méθədrì:n, -drən] *n.* 메테드린《methamphetamine의 상품명》.

me·theg·lin [məθéglən] *n.* Ⓤ 벌꿀술. 〚Welsh〛

me·thinks [miθíŋks] *vi.* (*p.* **me·thought** [-θɔ́:t])《古·詩·戲》…이라고 생각되다(it seems to me) (cf. MESEEMS). 〚OE; ⇨ ME, THINK〛

metho [méθou] *n.* **1** (*pl.* **méth·os**)《濠口》변성(變性) 알코올(methylated spirits) (중독자). **2** [M~] (*pl.* **Méth·oes**)《濠口》=METHODIST.

‡meth·od [méθəd] *n.* **1** [+前+do*ing*] 방법, (특히) 조직적 방법; [흔히 *pl.*] 행동 양식, 경영 방법: ~*s* ***of*** payment 지급 방식 / the ~ *of* residues〖數〗잉여법(剩餘法) / He has introduced a new ~ *of* teach*ing* a foreign language. 새로운 외국어 교수법을 소개했다 / *after* the American ~ 미국식(式)으로. **2** Ⓤ 질서, 정연함; 순서; 수단: There is ~ in his madness.《셰익스피어》그는 미치광이지만 조리는 있다, 보기보다는 무모하지 않다. **3**〖生〗분류법.
〚F or L<Gk.=a going after, pursuit (of knowledge) (*meta-*, *hodos* way)〛
類義語 ⟹ WAY.

Method. Methodist.

me·thod·i·cal, -ic [məθádik(əl)] *a.* (규칙적이고 조직적인) 방법에 따른, (질서) 정연한, 계통적인(systematic); 규칙바른(orderly); 정성들인; 방법의, 방법론적인. **-i·cal·ly** *adv.*
類義語 ⟹ ORDERLY.

méthod·ìsm *n.* 규율 바른 방법;《稀》일정한 방식의 실천;《稀》방법[형식]의 편중; [M~] 메서디스트파(派)(의 교의).

méthod·ist *n.* **1** [M~] 메서디스트 교도. **2**《蔑》종교적으로 까다로운 사람;《稀》형식 존중가;〖生〗계통적 분류가. ── *a.* [M~] 메서디스트파의: the *M*~ church 메서디스트 교회.

Mèth·od·ís·tic, -ti·cal *a.* **1** 메서디스트(교)파의. **2** [m~] 순서있는, 엄격한.

méthod·ìze *vt.* 방식화하다, 순서를 세우다, 조직화하다; [때때로 M~] 메서디스트 교도로 만들다. ── *vi.* [때때로 M~] 메서디스트 교도답게 처신하다.

meth·o·do·log·i·cal [mèθədəládʒikəl] *a.* 방법의, 방법론의, 방법론적인.

meth·od·ol·o·gy [mèθədálədʒi] *n.* Ⓤ 방법학[체계], 원리체계;〖論〗방법론;〖教〗교육 방법론;〖生〗계통적 분류법. **-gist** *n.* 방법론학자.
〚L; ⇨ METHOD〛

meth·o·trex·ate [mèθətrékseit, mì:-] *n.*〖藥〗메토트렉사이트(amethopterin)《급성(急性) 백혈병에 쓰임》.

methought *vi.* METHINKS의 과거형.

me·thoxy [məθáksi, me-] *a.*〖化〗메톡시기(基)를 함유한.

me·thoxy- [məθáksi, me-] *comb. form* 「메톡시기」의 뜻. 〚↑〛

me·thoxy·flu·rane [meθàksiflúərein] *n.*〖藥〗메톡시플루란《전신흡입 마취제》.

meths [méθs] *n. pl.*《英口》메탄올이 든 술.

Me·thu·se·lah [məθjú:zələ] *n.*〖聖〗므두셀라《노아의 홍수 이전의 유태족 족장으로 969세까지 살았다는 사람; 창세기 5:27》; [m~]《흔히 戲》(일반적으로) 장수자, 시대에 뒤진 사람.
(***as***) ***old as Methuselah*** 매우 장수하는.
〚Heb.=man of God〛

meth·yl [méθəl, 英+mí:θail] *n.* Ⓤ〖化〗메틸, 메틸기(基). 〚G or F (역성(逆成))<G *methylen*, F *méthylène* METHYLENE〛

méthyl álcohol *n.*〖化〗메틸 알코올(wood alcohol) (cf. ETHYL ALCOHOL).

méthyl·àte *n.* Ⓤ〖化〗메틸레이트. ── *vt.* (알코올에) 메틸을 섞다. **méth·yl·àtor** *n.* **mèth·yl·átion** *n.* Ⓤ 메틸화.

méth·yl·àt·ed spírit(s) *n.* 메탄올 변성(變性) 알코올《음용(飲用) 불가; 램프·히터용(用)》.

méthyl blúe *n.* 메틸청(靑)《청색의 산성 염료; 펠기용 잉크나 생체 염료에 쓰임》.

méthyl chlóride *n.*〖化〗염화 메틸《무색 기체; 냉각·국부 마취용》.

meth·yl·do·pa [mèθəldóupə] *n.*〖藥〗메틸도파《혈압 강하제》.

meth·yl·ene [méθəlì:n, -lən] *n.*〖化〗메틸렌.
〚F (Gk. *methu* wine, *hulē* wood)〛

me·thyl·ic [məθílik] *a.* 〖化〗 메틸의, 메틸을 함유하는.

méthyl·mèrcury *n.* 〖化〗 메틸 수은《살충제용》.

me·tic·u·lous [mətíkjələs] *a.* 사소한 일에 너무 마음을 쓰는, 좀스러운, 소심한(overscrupulous) ; 《口》 세심한, 엄밀한, 신중한〈*about, in*〉. **~·ly** *adv.* 너무 세심하게, 꼼꼼히. **~·ness** *n.* 〚L＝full of fear (*metus* fear)〛

mé·tier, me·tier [métjei, -ˊ] *n.* 직업 ; 전문(분야), (개인의) 특기 ; 전문 기술. 〚F＜L＝service ; ⇨ MINISTER〛

mé·tis [meitíːs, me-] *n.* (*pl.* ~ [meitíːs, -tíːz, me-] ; *fem.* **-tisse** [meitíːs, me-]) [때때로 M~] (특히 캐나다 프랑스인과 북미 인디언 사이의) 혼혈아. 〚F〛

METO Middle East Treaty Organization《중동 조약 기구 ; 1955년 설립 ; 후에 CENTO》.

Mét Òffice *n.* **1** [the ~] ＝METEOROLOGICAL OFFICE. **2** Ⓤ [집합적으로] 기상청 직원.

Me·tol [míːtɔ(ː)l, -toul, -tɑl] *n.* Ⓤ 〖寫〗 메톨《사진 현상약 ; 상표명》.

meton. metonymy.

Me·tón·ic cýcle [metɑ́nik-] *n.* 메톤 주기《율리우스력(曆)에서 만월이 다시 같은 날에 오는 19년의 주기》. 〚Gk. *Meton* 기원전 5세기경의 Athens의 천문학자〛

met·onym [métənìm] *n.* 〖修〗 환유어(換喩語). 〚역성(逆成)＜↓ ; *synonym*의 유추〛

me·ton·y·my [mətɑ́nəmi] *n.* Ⓤ 〖修〗 환유(換喩) 《king 대신에 crown을 쓰는 따위 ; cf. SYNECDOCHE》. **met·onym·ic, -i·cal** [mètənímik(əl)] *a.* 환유적(換喩的)인. **-i·cal·ly** *adv.* 〚L＜Gk. (*meta-, onuma* name)〛

mé-tóo *vt.* 《口》 흉내내다(imitate), 추종하다. —— *a.* 모방하는, 추종하는, 편승하는. **~·er** *n.* 모방자. **~·ist** *n.* **~·ism** *n.* Ⓤ 모방(주의), 추종.

met·o·pe [métəpìː, -toup] *n.* 〖建〗 메토프《도리아식으로 두개의 triglyphs 사이에 끼워진 4각의 벽면》 ; 〖解〗 앞머리, 앞이마.

metr- [métr], **me·tro-** [míːtrou, mét-, -rə] *comb. form* 「자궁」「수(髓)」「핵심」의 뜻. 〚Gk. (*mētra* uterus)〛

Met. R. the Metropolitan Railway.

Met·ra·zol [métrəzɔ̀(ː)l, -zòul, -zɑ̀l] *n.* 〖醫〗 메트라졸《중추신경 흥분제 ; 상표명》.

‡**metre**, etc. ☞ METER[1], etc.

Met·re·cal [métrikəl] *n.* 저(低)칼로리의 대용식품《상표명》.

met·ric [métrik] *a.* **1** 미터(법)의 ; 미터법을 실시하고 있는. **2** ＝METRICAL. —— *n.* 측정 규준 ; 〖數〗 거리 ; 《稀》 ＝METRICS. 〚F ; ⇨ METER[1]〛

-met·ric, -met·ri·cal [métrik(əl)] *a. comb. form* 「계량기의[로 단]」「계량의」의 뜻. 〚↑〛

mét·ri·cal *a.* **1** 운율의, 운문의. **2** 측량[측정](용)의. **3** ＝METRIC.

met·ri·cate [métrikèit] *vt., vi.* 《英》 미터법화하다, 미터법으로 이행하다(metricize).

mèt·ri·cá·tion *n.* Ⓤ 미터법화(法化)[이행].

me·tri·cian [mətríʃən], **met·ri·cist** [métrəsəst] *n.* ＝METRIST.

met·ri·cize [métrəsàiz] *vt.* 미터법으로 고치다[나타내다] ; 운문으로 하다, 운율적으로 하다. —— *vi.* 미터법으로 이행하다[을 채용하다].

mét·rics *n.* Ⓤ 운율학[론] ; 측정 기준.

métric sỳstem *n.* [the ~] 미터법《도량형법으로 단위를 각각 meter, liter, gram으로 한다 ; 십진법에 의해 그리스어계(語系)의 deca-, hecto-, kilo-는 각각 10배, 100배, 1000배를, 라틴어계의 deci-, centi-, milli-는 1/10, 1/100, 1/1000을 나타냄》.

métric tón *n.* 미터 톤《＝1000 kg ; ☞ TON 1 c) ; 기호 M.T.》.

met·rist [métrəst, míː-] *n.* 운율학자 ; 운문작가, 작시가(作詩家).

met·ro[1], **Met-** [métrou] *n.* (*pl.* **~s**) 《美·Can.》 도시권의 행정부. —— *a.* 《口》 ＝METROPOLITAN ; 도시권 행정(부)의. 〚*metro*politan government〛

met·ro[2], **mét-, Met-, Mét-** [métrou, míː-] *n.* (*pl.* **~s**) [the ~] (Paris, Montreal 등지의) 지하철, 메트로(cf. METROPOLITAN *a.* 1). 〚F *métropolitain* METROPOLITAN〛

met·ro-[1] [métrou, -rə] *comb. form* 「계측」의 뜻. 〚Gk. *metron* measure〛

metro-[2] [míːtrou, mét-, -rə] ☞ METR-.

métro·lànd *n.* [때때로 M~] (런던의) 지하철 지구《도심지》 ; 그 주민. **~·er** *n.*

Métro·lìner *n.* 《美》 Amtrak의 고속철도《특히 New York과 Washington, D.C.사이를 연결함》.

me·trol·o·gy [metrɑ́lədʒi] *n.* Ⓤ 도량형학, 계측학 ; 도량형. **mèt·ro·lóg·i·cal** [mètrə-] *a.* 도량형(학)의.

met·ro·mánia [mètrou-] *n.* Ⓤ 작시광(狂).

met·ro·ni·da·zole [mètrənáidəzòul] *n.* 〖藥〗 메트로니다졸《trichomoniasis의 치료에 쓰임》.

met·ro·nome [métrənòum] *n.* 〖樂〗 메트로놈《박절기(拍節器)》. 〚Gk. *metron* measure, *nomos* law〛

met·ro·nom·ic, -i·cal [mètrənɑ́mik(əl)] *a.* 메트로놈의 ; (템포가) 기계적으로 규칙적인.

me·tro·nym·ic [mìːtrənímik, mèt-] *a., n.* 모계(母系)의 이름을 딴[모계를 나타내는] (이름) (↔ *patronymic*).

***me·trop·o·lis** [mətrɑ́pələs] *n.* **1** 수도(capital) ; [the ~, 흔히 the M~] 《英口·戲》 London의 별칭. **2** 중심지, 주요 도시, 대도시. **3** 대본산 소재지 ; 대주교(大主教)[대감독] 관구(管區). **4** (고대 그리스 따위의 식민지의) 본국. 〚L＜Gk. (*mētēr* mother, *polis* city)〛

***met·ro·pol·i·tan** [mètrəpɑ́lətn] *a.* **1** 수도의 ; 대도시의 ; 도시(인)의, 도시적인 ; [M~] 《英》 런던의 : the ~ district 특별도시 자치구 / the *M*~ Railway 런던 지하철도(cf. METRO). **2** 대주교[대감독] 관구의 ; 본산의 : the ~ bishop 대주교, 대감독. **3** (식민지에 대하여) 모국의 ; 모국산(産)의. —— *n.* **1** 대도시의 시민, 도시인. **2** 〖宗〗 대주교, 대감독. 〚L＜Gk. (↑)〛

metropólitan área *n.* (대)도시권(圈).

metropólitan cóunty *n.* 《英》 특별도시, 메트로폴리스주(州)《잉글랜드의 지방제도 개혁 때 생긴 대도시를 주도(州都)로 하는 주》.

Metropólitan Manila *n.* (Quezon City 등지를 포함한) 메트로폴리탄 마닐라.

Metropólitan Ópera Hòuse *n.* [the ~] (뉴욕의) 메트로폴리탄 오페라 극장《1966년부터는 Lincoln Center에 신관을 짓고 재개》.

Metropólitan Políce *n.* [the ~] 《英》 런던시 경찰청(the London police).

-m·e·try [ˊ-mətri] *n. comb. form* 「측정법[학, 술]」의 뜻 : geo*metry*, chrono*metry*. 〚Gk. ; ⇨ METER[1]〛

Met·ter·nich [métərnik, -niç] *n.* 메테르니히. **Klemens** ~ (1773-1859) 오스트리아의 정치가.

met·tle [métl] *n.* **1** Ⓤ 성미, 기질(cf. METAL). **2** Ⓤ 열정, 패기; 원기, 기개(氣槪).
(**up**) **on** one**'s mettle** 분발하여.
put [**set**] a person (**up**) **on** [**to**] his **mettle** 남을 격려하다[분발시키다].
〖변형(變形) ‹METAL〗

mét·tled *a.* 《古》 =METTLESOME.

méttle·some *a.* 《文語》 기운찬, 위세[용기] 있는, 혈기 왕성한(highmettled).

me·um [míːəm] *pron.* 나의 것. 〖L〗

me·um et tu·um [míːəm et túːəm, méəm-] *n.* 나의 것과 너의 것, 재산의 구별. 〖L〗

meu·nière [mənjéər] *a.* 〖料〗 뫼니에르의《밀가루를 묻혀 버터로 구운》.
〖F=miller's wife〗

mev, Mev, MeV [mév] *n.* (*pl.* ~) 〖理〗 메가 일렉트론 볼트《100만 전자 볼트》.
〖*m*ega *e*lectron *v*olts〗

MEV, Mev million electron volt.

mew[1] [mjúː] *n., vi.* (고양이가) 야옹야옹 (울다) (cf. MIAOW); 갈매기 울음 소리 : The cat ~*ed.* 고양이가 야옹야옹 울었다. 〖imit.〗

mew[2] *n.* [보통 sea ~] 〖鳥〗 갈매기.
〖OE *mǣw*; cf. G *Möwe*〗

mew[3] *n.* **1** 매장《털갈이 할 동안 가두어 둠》. **2** (새의) 깃털 갈기, (새의) 둥지; 숨는 곳. —— *vt.* **1** [+目/+目+副] (매를) 매장에 넣다, 둥지에 들어가게 하다; 《비유》 가두다 : ~ oneself **up** 틀어박히다. **2** 《古》 (매 따위가 깃털을) 갈다.
〖OF〗

MEW measure of economic welfare(경제 복지 지표).

mewl [mjúːl] *vi.* (갓난아기 등이) 가냘프게 울다; =MEW[1]. —— *n.* (약한) 울음소리. 〖imit.〗

mews [mjúːz] *n.* [단수취급] 《英》 (골목길에 면하거나 안마당을 둘러싼) 마구간(stables); 그 골목길[안뜰].
〖MEW[3]; 원래, Charing Cross의 왕의 매장(the Mews)이 있던 자리에 마구간이 설치된 데서〗

MEX 〖자동차 국적 표시〗 Mexico.

Mex. Mexican; Mexico.

Mex·i·cali [mèksikǽli, -káːli] *n.* 멕시칼리《멕시코 북서부 Baja California 주(州)의 주도》.

Mexicáli revènge *n.* 《俗》 멕시코 여행자가 걸리는 설사.

Mex·i·can [méksikən] *a.* 멕시코(인[어])의.
—— *n.* 멕시코인; Ⓤ 멕시코어《특히 멕시코의 인디언어; 略 Mex.》.
〖Sp. (*Mexitli* Aztec war god)〗

Méxican brówn *n.* 멕시코제의 흑갈색 헤로인.

Méxican Spánish *n.* 멕시코의 스페인어.

Méxican stándoff *n.* 막다른 곳, 무승부.

Méxican Wár *n.* [the ~] 멕시코 전쟁 (1846-48)《미국과 멕시코의 전쟁》.

Mex·i·co [méksikòu] *n.* 멕시코(Sp. **Mé·ji·co** [méhikou], Mex. Sp. **Mé·xi·co** [méhikou]) 《공식명 the **Uníted Méxican Státes**(멕시코 합중국); 수도 Mexico City; 略 Mex.》.

México Cíty *n.* 멕시코시티《멕시코의 수도》.

MEZ *Mitteleuropäische Zeit* 《G》(=Central European time)(중부 유럽 표준시).

mezuma ☞ MAZUMA.

me·zu·za(h) [məzú(ː)zə] *n.* (*pl.* **~s**, **-zu·zot** [-zout], **-zu·zoth** [-zouθ]) 〖유태教〗 신명기(申命記)의 몇 절을 기록한 작은 양피지(羊皮紙) 조각.

mezz [méz] *n.* 《美俗》 마리화나 담배.

mez·za·nine [mézəniːn, ˌ-ˈ-, -tsə-], **mézzanine flòor stòry** *n.* **1** 〖建〗 중이층(中二層) 《보통 1층과 2층의 중간》. **2** 《英》〖劇〗 무대 밑; 《美》〖劇〗 2층 좌석(의 맨앞 몇줄). 〖F<It. (dim.) ‹*mezzano* middle<L; ⇨ MEDIAN〗

mez·zo [métsou, médzou] *adv.* 〖樂〗 적절하게 : ~ forte 조금 세게《略 mf》/ ~ piano 조금 여리게《略 mp》. —— *n.* (*pl.* **~s**) 《口》 =MEZZO-SOPRANO.
〖It. <L *medius* middle〗

mézzo-relíevo *n.* (*pl.* **~s**) Ⓤ,Ⓒ 반양각(半陽刻), 반(半)돋을새김(cf. ALTO-RELIEVO, BASSO-RELIEVO). 〖It.〗

mézzo-sopráno *n., a.* 〖樂〗 메조소프라노(의) 《soprano와 contralto의 중간》; Ⓒ 메조 소프라노 가수(의). 〖It.〗

mézzo·tìnt *n.* Ⓤ 메조틴트《명암(明暗)의 배합을 주로 한 그물눈 동판에 새기는 동판술》; Ⓒ 메조틴트판(版). —— *vt.* 메조틴트판으로 새기다.
〖It.〗

MF, mf, m.f. medium frequency(중파). **MF, M.F.** Middle French. **M.F.** machine finish; Master of Forestry; 〖印〗 modern face. **mf** 〖樂〗 mezzo forte; 〖電〗 microfarad(s). **mF, mf** millifarad(s). **M.F.A.** Master of Fine Arts. **MFA** Multi-Fiber Arrangement(다국간 섬유 협정). **mfd.** manufactured. **mfg(.)** manufacturing. **M.F.H.** 《英》 Master of Foxhounds. **MFl(.)**, **MFlem(.)** Middle Flemish. **M.F.N.** most favored nation 최혜국(最惠國). **MFO** Multinational Force and observers(다국적 감시군). **M.F.R.** 〖美軍〗 Multi-Function-Array Radar. **mfr.** (*pl.* **mfrs.**) manufacture(r). **M.F.S.** Master of Foreign Study. **mfs.** manufactures. **M.F.V.** motor fleet vessel. **MG, M.G., m.g.** machine gun; 《美俗》 machine gunner. **Mg** 〖化〗 magnesium. **M.G.** Major General; Military Government. **MGB** *Ministerstvo Gosudarstvennoi Bezopasnosti* 《Russ.》 (=Ministry of State Security); motor gunboat. **M.G.C.** Machine-Gun Corps. **MGk(.)** Medieval[Middle] Greek. **MGM** Metro-Goldwyn-Mayer《미국의 영화회사; 현재는 MGM/UA Entertainment Co.》. **MGr(.)** Medieval [Middle] Greek. **Mgr(.)** (*pl.* **Mgrs.**) Manager; Monseigneur; Monsignor. **mgr(.)** manager. **mg(rm).** milligram(s). **mgt.** management. **MH** Medal of Honor; mobile home. **MHD** magnetohydrodynamic(s). **MHG** Middle High German. **MHK** Member of the House of Keys.

mho [móu] *n.* (*pl.* **~s**) 모《전기 전도율의 단위; ohm을 거꾸로 쓴 것》.

M.H.R. Member of the House of Representatives(하원의원). **MHS** message handling system《서로 다른 정보 단말장치끼리의 상호통신을 위한 변환 시스템》. **MHW, m.h.w.** mean high water. **MHz, Mhz** megahertz.

mi [míː] *n.* 〖樂〗 (도레미파 창법(唱法)의) 「미」《장음계의 제3음; cf. SOL-FA》. 〖L *mira*〗

mi- [mái], **mio-** [máiou, -ə] *comb. form* 「보다 작은[적은]」「열등한」의 뜻.
〖Gk. (*meiōn* less)〗

MI 〖美郵〗 Michigan. **M.I.** 《英》 Military Intelligence (군사 정보부). **mi.** mile(s); mill(s). **M.I.A., MIA** 〖軍〗 missing in action《전투 후 행방불명된 병사[미국인]》.

Mi·ami [maiǽmi, 美+-mə] *n.* 마이애미《미국 Florida 주 남동부 해안 도시; 피한지(避寒地)》.
Miámi Béach *n.* 마이애미비치《Florida 주 남동부 Miami 부근의 도시》.
mi·aow, -aou [mi(:)áu] *n., vi.* (고양이가) 야옹(하고 울다) (cf. MEW[1]). 〖imit.〗
mi·as·ma [miǽzmə, mai-] *n.* (*pl.* **-ma·ta** [-tə], **~s**) (소택지 따위에서 발생하는) 독기(毒氣); (일반적으로) (위험한) 발산물; 악영향; 요기(妖氣); 살기.
mi·ás·mic, mi·ás·mal, -mat·ic [màiæzmǽtik, mì:əz-] *a.* 독기의, 유독한: *miasmatic* fever 말라리아 열. 〖Gk.=defilement〗
mi·aul [miául, mió:l] *n., vi.* =MEOW; =CATERWAUL.
Mic. 〔聖〕 Micah.
mi·ca [máikə] *n.* Ⓤ 〔鑛〕 운모(雲母), 돌비늘. 〖L=crumb〗
mi·ca·ceous [maikéiʃəs] *a.* 운모 (모양)의; 운모를 함유한; 반짝반짝하는(sparkling).
Mi·cah [máikə] *n.* **1** 남자 이름. **2 a)** 〔聖〕 미가《Hebrew의 예언자》. **b)** 미가《구약성서 중의 한 편; 略 Mic.》. 〖*Micaiah*; ⇨ MICHAEL〗
míca schìst[slàte] *n.* 〔鑛〕 운모편암(片岩)[점판암(粘板岩)].
Mi·caw·ber [məkó:bər] *n.* [Mr. ~] 미코버. **Wilkins ~**《Dickens의 소설 *David Copperfield*에 나오는 낙천가》.
Micáwber·ìsm *n.* Ⓤ 공상적 낙천주의《Dickens 작 *David Copperfield*중의 인물 Micawber에서》.
***mice** *n.* MOUSE의 복수형; 《美俗》 (텔레비전 시청자로서의) 어린이(children).
mi·cell(e) [məsél, mai-], **-cel·la** [-sélə] *n.* 〔理·化·生〕 교질입자(膠質粒子), 미셀.
mi·cél·lar *a.* **-lar·ly** *adv.*
Mich. Michaelmas; Michigan.
Mi·chael [máikəl] *n.* **1** 남자 이름. **2** 〔聖〕 대천사 미가엘. 〖Heb.=who is like the Lord?〗
Mich·ael·mas [míkəlməs] *n.* 미카엘 축일《9월 29일; 영국에선 사분기 지불일(quarter days)의 하나》: ~ goose 미카엘 축일에 먹는 거위.
Míchaelmas dàisy *n.* 〔植〕 =ASTER.
Míchaelmas tèrm *n.* 《英大學》 제1학기, 가을학기《10월초에서 크리스마스까지의》.
Mi·chel·an·ge·lo [màikəlǽndʒəlòu, mìk-, mì:kəlá:n-] *n.* 미켈란젤로. ~ **Buonarroti** (1475-1564) 이탈리아의 조각가·화가·건축가·시인.
Mich·i·gan [míʃigən] *n.* 미시간《미국 중북부의 주; 略 Mich.》; [Lake ~] 미시간 호《5대호의 하나》. **Mich·i·ga·ni·an** [mìʃigéiniən], **~·ite** *a., n.* **Mich·i·gan·der** [mìʃigǽndər] *n.*
Míchigan róll[bánkroll] *n.* 《美俗》 고액권을 한장 얹은 가짜 돈 뭉치.
mick [mík] *n.* [때때로 M~] 《俗·蔑》 아일랜드 사람. 〖*Michael*〗
mick·ey, micky [míki] *n.* **1** [때때로 M~] 《俗·蔑》 아일랜드 사람. **2** [보통 M~] 《俗》 =MICKEY FINN. **3** 《英口》 원기, 자랑.
***take the mickey* (*out of...*)** 《英口》 놀리다, 못살게 굴다; 모욕하다.
Mickey *n.* 남자 이름《Michael의 애칭》.
Míckey Fínn *n.* 《俗》 미키 핀《마취제[완하제]를 탄 술; 그 약》.
Míckey Móuse *n.* **1** 미키 마우스《W. Disney의 만화 주인공》; 《俗》 전기식 폭탄 투하 장치; 《美黑人俗·蔑》 어리석은 녀석, 백인; 《美俗》 성병 예방 영화; (군대에서의) 접근전 해설 영화; 《美俗》 여성의 음부; 《美俗》 불필요한 일; 간단한 일, (대학에서) 쉬운 과목[강의]; 《美俗》 당선이 확실한 입후보자(cf. HUMPTY-DUMPTY); 엉망(진창), 혼란. —— *a.* [때때로 m~ m~] 《美俗》 (음악 따위가) 감상적인; 겉만 그럴듯한; 유치한; 싸구려의; 간단한; 시시한; 삼류의; 작은. —— *vi.* 《美俗》 빈둥빈둥 지내다.
mìckey-móuse *vt.* 《口》 (만화영화 따위에서) 화면에 꼭맞는 배경음악을 넣다.
mick·le [míkəl], **muck·le** [mʌ́kəl] *a.* 《古·스코》 많은, 다량의; 큰. —— *adv.* 많이. —— *n.* 대량, 다량: Many a little[pickle] makes a ~. = Every little makes a ~. 《속담》 티끌 모아 태산. 〖ON; cf. OE *micel* much〗
MICR 〔컴퓨〕 magnetic ink character recognition(자기(磁氣) 잉크 문자 판독[인식]).
micra *n.* MICRON의 복수형.
mi·cro [máikrou] *a.* 아주 작은, 초미니의. —— *n.* (*pl.* **~s**) 초미니 스커트[드레스 따위].
mi·cro- [máikrou, -krə], **micr-** [máikr] *comb. form* **1** (↔ *macro-*) 「소(小)…」 「미(微)…」 「현미경에 의한」 「확대의」 「미소 사진의」의 뜻. **2** 마이크로(=10^{-6}). 〖Gk. (*mikros* small)〗
mìcro·análysis *n.* Ⓤ,Ⓒ 〔化〕 미량 분석. **-ánalyst** *n.* **-ánalizer** *n.* **-analýtic, -ical** *a.*
mícro·bàlance *n.* 미량 천칭(天秤).
mícro·bàr *n.* 〔理〕 마이크로바, 100만분의 1바《압력의 단위》.
mi·crobe [máikroub] *n.* 미생물, 세균《편의적인 총칭》: ~ bombs[warfare] 세균탄[전].
mi·cró·bi·al, -bi·an, -bic *a.* 미생물의; 세균에 의한. 〖F (Gk. *mikros* small, *bios* life)〗
micróbial céll *n.* 〔生〕 미생물의 균체(菌體).
micróbial transformátion *n.* 〔生〕 미생물 변환(biological conversion).
mìcro·biólogy *n.* Ⓤ 미생물학, 세균학(細菌學) (bacteriology). **-gist** *n.* **-biológical, -ic** *a.* **-ical·ly** *adv.*
mi·crob·ism [máikroubìzəm] *n.* Ⓤ (세균 따위로 인한) 부패; 화농(化膿).
mícro·bòok *n.* (확대경으로 읽는) 극소본, 마이크로 북.
mícro·bòt *n.* 초소형 로봇.
mícro·bùrst *n.* 순간적 돌풍《비행기 사고의 원인이 됨》.
mícro·bùs *n.* 마이크로버스.
mìcro·cámera *n.* 현미경 사진용 카메라.
mícro·càpsule *n.* (약품의) 미소(微小) 캡슐.
Mi·cro·card [máikroukà:rd] *n.* 마이크로카드《책·신문 따위의 축사(縮寫)카드; 상표명》.
mìcro·céphaly *n.* 〔人類〕 소두(小頭)《두개(頭蓋) 내용량이 1350cc 미만》; 〔醫〕 (이상) 소두증. **-cephálic** *a., n.* **-céphalous** *a.* 〔醫〕 소두(小頭)의, 이상(異狀) 소두의.
mìcro·chémistry *n.* 미량화학. **-chémical** *a.*
mícro·chìp *n.* 〔電子〕 마이크로칩, 극미 박편(薄片)《전자 회로의 구성 요소가 되는 미소한 기능 회로(回路)》.
mìcro·chronómeter *n.* 초(秒)시계.
mìcro·círcuit *n.* 〔電子〕 초소형[마이크로] 회로, 집적(集積) 회로(integrated circuit).
-círcuit·ry *n.* [집합적으로] 초소형[마이크로] 회로.
mícro·circulátion *n.* 〔生理〕 미소(微小)순환;

미소순환계. **mícro·círculatory** *a.*

mícro·clìmate *n.* Ⓤ 〔氣〕 소(小)기후《한 국지(局地)의 기후》; 미(微)기후《소기후보다 작은 지점의 기후》. **mìcro·climátic** *a.*

mìcro·climatólogy *n.* Ⓤ 소[미]기후학(小[微]氣候學). **-gist** *n.* **-climatológic, -ical** *a.*

mìcro·clóse *a.* 대단히 가까운[정밀한].

mìcro·cóccus *n.* (*pl.* **-cócci**) 〔菌〕 단구균(單球菌), 미(微)구균. **-cóccal** *a.*

mícro·còde *n.* 〔컴퓨〕 마이크로코드《microprogramming에서 쓰이는 코드》.

mìcro·compúter *n.* 〔컴퓨〕 마이크로컴퓨터, 소형 전산기.

mìcro·cóntinent *n.* 〔地質〕 대륙형 소암반(大陸型小岩盤).

mícro·còpy *n.* 축소복사(물)《서적·인쇄물을 microfilm으로 축사(縮寫)한 것》. —— *vt.* 축소 복사하다. —— *vi.* 축소 복사를 만들다.

mìcro-córneal léns *n.* 소각막(小角膜) 렌즈《각막만을 덮는 콘택트 렌즈; cf. HAPTIC LENS》.

mi·cro·cosm [máikrəkɑ̀zəm] *n.* **1** 소우주, 소세계(↔*macrocosm*). **2** (우주의 축도로서의) 인간(사회); 축도(縮圖).

in microcosm 소규모로.

〚F or L<Gk.; ⇨ COSMOS〛

mì·cro·cós·mic *a.* 소우주의, 소세계의. **-i·cal·ly** *adv.*

microcósmic sált *n.* 〔化〕 인염(燐塩).

mícro·cràck *n.* 미소(微小) 균열《유리 따위》. —— *vi., vt.* 미소균열이 생기다[생기게 하다].

mìcro·crýstalline *a.* 〔鑛〕 미정질(微晶質)의.

mícro·cùlture *n.* 협역(狹域) 문화《문화 단위로서의 소집단 문화》; (미생물·세포의) 현미경 관찰용의 배양. **mìcro·cúltural** *a.*

mícro·cùrie *n.* 〔理〕 마이크로퀴리《1퀴리의 100만분의 1》.

mícro·cỳte *n.* 〔生〕 미소 세포, 미소체; 〔醫〕 소(小)적혈구. **mì·cro·cýt·ic** [-sít-] *a.*

mìcro·disséction *n.* 〔生〕 현미(顯微) 해부.

mìcro·distribútion *n.* 〔生態〕 미소(微小) 분포.

mícro·dòt *n.* 마이크로도트《점 크기만하게 축소한 사진》; 《俗》 농축 LSD가 든 작은 정제. —— *vt.* …의 마이크로도트를 만들다.

mìcro·éarth·quàke *n.* 미소(微小) 지진.

mìcro·económics *n.* 미시(적)(微視(的)) 경제학(↔*macroeconomics*).

-económic *a.*

mìcro·eléctrode *n.* 마이크로[현미(顯微)] 전극(電極).

mìcro·electrónics *n.* 마이크로 일렉트로닉스, 극소 전자공학, 초소형 전자기술.

-electrónic *a.* **-i·cal·ly** *adv.*

mícro·èlement *n.* 〔生化〕 미량 원소(微量元素)(trace element).

mìcro·encápsulate *vt.* (약 따위를) 마이크로캡슐에 넣다. **-encapsulátion** *n.*

mícro·fàrad *n.* 〔電〕 마이크로 패럿《전기 용량의 실용 단위; 1 farad의 100만분의 1》.

mícro·fiche [-fì(:)ʃ] *n.* (*pl.* ~, ~**s**) (여러 페이지분을 수록하는) 마이크로필름 카드.

mìcro·fílament *n.* 〔生〕 (세포질내의) 미세섬유.

mícro·film *n.* 축사(縮寫) 필름, 마이크로필름(cf. BIBLIOFILM, MICROCOPY). —— *vt.* 축사 필름에 찍다. **~·able** *a.* **~·er** *n.*

mícro·fòrm *n.* 인쇄물의 극소 축쇄(縮刷)법; 그 인쇄물; 축소복사(microcopy). —— *vt.* 축소복사하다.

mìcro·fóssil *n.* 〔古生〕 미화석(微化石).

mícro·gàuss *n.* 〔理〕 마이크로가우스《100만분의 1가우스》.

mícro·gràm *n.* 마이크로그램《100만분의 1그램》.

mícro·gràph *n.* 가는 글씨 쓰는 기구; 현미경 사진[그림](↔*macrograph*); 미동(微動) 확대 측정기. —— *vt.* micrograph에[로] 찍다.

mìcro·gráphics *n.* [단수취급] (microform을 쓴) 미소축쇄(微小縮刷)(업).

-gráphic[1] *a.* **-ical·ly**[1] *adv.*

mi·crog·ra·phy [maikrágrəfi] *n.* Ⓤ 현미경 관찰물의 촬영[묘사, 연구](법); 현미경 검사; 세서(細書)[세사(細寫)]술(術)(↔*macrography*).

mì·cro·gráph·ic[2] *a.* **-i·cal·ly**[2] *adv.*

mícro·gràvity *n.* 마이크로 중력《특히 인력이 거의 없는 우주 궤도의 상태》.

mícro·gròove *n.* (LP 레코드용(用)의) 좁은 홈; [M~] LP레코드《상표명》.

mi·crohm [máikròum] *n.* 〔電〕 마이크로옴《=100만분의 1 ohm; 기호 $\mu\Omega$》. 〚*micr-*+*ohm*〛

mìcro·injéction *n.* Ⓤ 현미(顯微) 주사.

mícro·kìd *n.* 컴퓨터를 좋아하는 아이.

mícro·lèns *n.* 〔寫〕 마이크로렌즈《극소 사진 촬영용의 고해상력 렌즈》.

mícro·lìth *n.* 〔考古〕 세석기(細石器); 〔醫〕 소결석(小結石).

mi·crol·o·gy [maikrálədʒi] *n.* Ⓤ **1** 미물학(微物學). **2** 꼬치꼬치 캐기.

mìcro·machíne *n.* 〔機·電子〕 마이크로 기계.

mìcro·machíning *n.* 마이크로 기계 가공.

mìcro·manipulátion *n.* 극미(極微) 조작.

mi·cro·ma·tion [màikrouméiʃən] *n.* 〔컴퓨〕 COM 따위를 사용하여 컴퓨터의 처리 결과를 마이크로필름에 출력하는 방법. 〚*micro*filming+auto*mation*〛

mìcro·mechánics *n.* 〔機·電子〕 마이크로 공학《micromachine의 연구개발 분야》. **-ical** *a.*

mícro·mèsh *a.* 그물코가 매우 촘촘한, 마이크로 메시의《스타킹 따위》.

mìcro·metástasis *n.* 〔醫〕 (암조직의) 미소전이(微小轉移).

mìcro·méteorite *n.* Ⓤ 〔天〕 미소 운석(微小隕石), 유성진(流星塵); 우주진(塵).

-meteorític *a.*

mìcro·méteoroid *n.* 〔天〕 유성진.

mìcro·meteorólogy *n.* Ⓤ 〔氣〕 미(微)기상학.

-gist *n.* **-meteorológical** *a.*

mi·crom·e·ter[1] [maikrámətər] *n.* **1** (현미경·망원경의 미소 거리[각도] 측정용의) 측미계(測微計), 측미척. **2** =MICROMETER CALIPER.

mìcro·métrical *a.* 〚F〛

mícro·mèter[2] *n.* 마이크로미터(micron)《100만분의 1m; 기호 μm》.

micrómeter cáliper *n.* 〔機〕 마이크로미터 캘리퍼스, 측미경기(測微徑器).

micrómeter scrèw *n.* 〔機〕 미동(微動) 측정나사, 마이크로미터 스크루.

mi·crom·e·try [maikrámətri] *n.* Ⓤ 측미법[술].

mìcro·mícron *n.* 마이크로미크론《=100만분의 1 micron; 기호 $\mu\mu$》.

mìcro·míni *a.* 《口》 초소형의. —— *n.* **1** 초소형의 것. **2** 아주 짧은 미니스커트.

mìcro·míniature *a.* (전자 부품이) 초소형인.

mìcro·míniaturize *vt.* (전자 기기 따위를) 초소형화하다. **mìcro·miniaturizátion** *n.*

mìcro·míni·compùter *n.* 마이크로미니컴퓨터

《16비트 이상의 마이크로 프로세서를 쓴 것》.

mìcro·módule *n.* 〖電子〗 마이크로모듈《인공 위성 따위에 쓰는 초(超)소형 전자 회로의 단위》.

mìcro·morphólogy *n.* 〖土壤〗 미세[미소] 구조 ; (전자현미경 따위에 의해 밝혀지는) 미세 구조(의 연구). **-morphológic, -ical** *a.* **-ical·ly** *adv.*

mi·cron [máikrɑn] *n.* (*pl.* **~s, mi·cra** [máikrə]) **1** 미크론《1 m의 100만분의 1 ; 기호 μ》. **2** 〖理·化〗 마이크론《직경 0.2-10μ의 교상(膠狀)미립자》. 〚Gk. (neut.) ‹ *mikros* small〛

mícro·nèedle *n.* 현미침(顯微針).

Mi·cro·ne·sia [màikrəní:ʒə, -ʃə] *n.* 미크로네시아《1986년 독립한 태평양 서부 멜라네시아 북쪽의 소군도 ; 수도 Palikir》.

Mì·cro·né·sian *a.* 미크로네시아(인[어])의. —— *n.* 미크로네시아인[어].

mìcron·i·zá·tion *n.* 미분화(微粉化).

mi·cron·ize [máikrənàiz] *vt.* 미분화하다.

mìcro·núcleus *n.* 〖動〗 (다핵성 원생 동물, 특히 섬모충의) 소핵(小核). **-núclear** *a.*

mìcro·nútrient *n., a.* 〖生化〗 미량 영양소《비타민 따위》(의), 무기염류(의).

mìcro·órganism *n.* 미생물《박테리아 따위》.

mìcro·paleontólogy *n.* 미(微)고생물학. **-gist** *n.* **-paleontológical, -ic** *a.*

mìcro·phóbia *n.* 〖醫〗 미생물[미소물] 공포증.

***mícro·phòne** *n.* 마이크로폰(mike), (무전기 따위의) 송화기. **mì·cro·phón·ic** [-fɑ́n-] *a.*

mìcro·phóto·gràph *n.* 축소 사진 ; 마이크로필름의[으로 복제한] 사진, 마이크로 사진 ; 현미경 사진(photomicrograph). —— *vt.* …의 마이크로 사진을 찍다. **-photográphic** *a.* **-photógrapher** *n.* **-photógraphy** *n.* 축소 사진술 ; 현미경 사진술.

mìcro·phýsics *n.* 미시적(微視的) 물리학《분자·원자·원자핵 따위의 연구 ; ↔*macrophysics*》. **-phýsical** *a.* **-ical·ly** *adv.*

mícro·phỳte *n.* 미소(微小) 식물 ; 박테리아. **mìcro·phýtic** *a.*

mi·crop·o·lis [maikrɑ́pələs] *n.* (대도시의 시설을 갖춘) 소형도시.

mìcro·populátion *n.* 〖生態〗 (특정 환경내의) 미생물 집단 ; 협역(狹域) 생물집단.

mícro·pòre *n.* 〖化〗 (촉매(觸媒)의) 미크로세공(細孔) ; (표면 기술의) 미시공(微視孔) ; 〖地〗 세공극(細孔隙) ; 〖冶〗 미소 공동(微小空洞). **mìcro·pórous** *a.* 미공(微孔)이 있는, 미공성의. **mìcro·porósity** *n.*

mícro·prìnt *n., vt.* 축소[마이크로] 사진 인화(로 만들다).

mícro·prìsm *n.* 〖寫〗 마이크로프리즘《촛점 스크린상에 있는 미소(微小) 프리즘 ; 촛점이 맞지 않으면 상이 흐려짐》.

mícro·pròbe *n.* 〖化〗 마이크로프로브《전자 빔을 이용한 시료(試料)의 미량분석용 장치》.

mìcro·prócess *vt.* (데이터를) 마이크로프로세서[소형 처리기]로 처리하다.

microprócess·ing ùnit *n.* 〖컴퓨〗 마이크로프로세싱 장치, 소형 처리 장치.

mícro·pròcessor [ˌ ˊ-ˊ--; ˊ-ˊ--] *n.* 〖컴퓨〗 마이크로프로세서, 마이크로 처리 장치, 소형 처리기《마이크로 컴퓨터의 중앙 처리 장치》.

mìcro·prógram *n.* 〖컴퓨〗 마이크로프로그램《마이크로프로그래밍에서 쓰는 루틴(routine)》. —— *vt.* (컴퓨터에) 마이크로프로그램을 짜넣다.

mìcro·prógramming *n.* 〖컴퓨〗 마이크로프로그래밍《기본 명령을 다시 기본적 동작으로 분석하여 기본 명령을 프로그램하기》.

mìcro·publicátion *n.* **1** =MICROPUBLISHING. **2** 마이크로 출판물.

mìcro·públish·ing *n.* (microform에 의한) 마이크로 출판, 마이크로폼 간행. **mìcro·públish** *vt., vi.* **mìcro·públish·er** *n.*

mìcro·pulsátion *n.* 〖地球理〗 지자기 미맥동(微脈動), 초단맥동.

mícro·quàke *n.* =MICROEARTHQUAKE.

mìcro·rádio·gràph *n.* 초미립자 고해상도(高解像度) 건판을 이용한 X선 사진, 마이크로라디오그래프《수백 배로 확대한 것》.

mícro·rèad·er *n.* 마이크로필름 확대 투사 장치.

mìcro·revolútion *n.* 마이크로 혁명《미세 기술의 대변혁》.

mícro·ròcket *n.* 마이크로로켓《실험용의 극소형 로켓》.

mícro·sàmple *n.* 현미시료(顯微試料)[표본], (실험 따위에 쓰이는) 물질의 극미표본.

mícro·scòpe** *n.* 현미경 ; [the M~] 〖天〗 현미경자리 : a reading ~ 잔 글씨를 읽는 현미경. ***put...under the microscope 세밀히 살피다.

mi·cro·scop·ic, -i·cal [màikrəskɑ́pik(əl)] *a.* 현미경의[에 의한] ; 현미경적인 ; 현미경 관찰의 ; 극히 작은, 극미의 ; 〖理〗 미시적(微視的)인 (↔*macroscopic*) : a *microscopic* organism 미생물. **-i·cal·ly** *adv.* 현미경(적)으로.

mi·cros·co·py [maikrɑ́skəpi] *n.* Ⓤ 현미경 사용(법)[검사(법)] ; 현미경에 의한 검사, 검경(檢鏡) : by ~ 현미경 검사로. **-pist** *n.* 현미경 (숙련) 사용자.

mícro·sècond *n.* 마이크로초(秒)《100만분의 1초 ; 기호 μs》.

mícro·sèction *n.* 현미경 검사용의 얇은 절편(切片), 현미(顯微)절편.

mícro·sèism *n.* 〖地球理〗 맥동(脈動)《지진 이외의 원인에 의한 지각(地殼)의 미약한 진동》. **mìcro·séismic** *a.* **-seismícity** *n.*

mìcro·séismo·gràph *n.* 미동계(微動計), 맥동계(脈動計).

mìcro·seismómetry *n.* Ⓤ 미동(微動)측정법.

mícro·skìrt *n.* 마이크로 스커트, 초(超)미니스커트《미니스커트보다 짧음》.

mícro·slèep *n.* 〖生理〗 마이크로 수면《깨어 있을 때의 순간적인 잠, 깜빡 졸기》.

mícro·slìde *n.* 마이크로슬라이드《초미생물의 현미경 검사용 유리판》.

mícro·sòme *n.* 〖生〗 마이크로솜《세포질 안의 미립체(微粒體)》. **mì·cro·só·mal, -só·mic** *a.*

mìcro·spèctro·photómeter *n.* 현미 분광 광도계[측광계].

mìcro·spéctro·scòpe *n.* 현미 분광기(分光器).

mícro·sphère *n.* 〖生〗 마이크로스피어《중심소체를 둘러싼 투명한 부위》. **mìcro·sphérical** *a.*

mícro·spòre *n.* 〖植〗 소포자(小胞子), 작은 홀씨.

mícro·stàte *n.* 미소(微小)국가《특히 최근 독립한 아시아·아프리카의 작은 나라》.

mícro·strìp *n.* 종래의 접시형 안테나를 대신하는 얇은 원반꼴 안테나.

mícro·strùcture *n.* Ⓤ 미(세)구조《현미경에 의해서만 볼 수 있는 생물(조직)·금속·광물 따위의 구조》. **mìcro·strúctural** *a.*

mícro·stùdy *n.* (어떤 분야의) 극소 부분의 연구, 한정적[특수] 연구.

mìcro·súrgery *n.* 현미(顯微)수술《현미경을 써서 하는 미세한 수술[해부]》. **-súrgical** *a.*

mícro·tèach·ing *n.* 〖敎〗 교직 실습생이 수명의 학생을 대상으로 5-20분간 수업하는 것을 녹화하여 평가하는 방식.
mìcro·téktite *n.* 〖海洋〗 극미(極微) 텍타이트《해저 침전물 중의 미세한 우주진(塵)의 일종》.
mícro·tèxt *n.* 마이크로텍스트《microform 모양으로 된 텍스트》.
mícro·tèxture *n.* (암석·금속 따위의) 미(微)구조. **mìcro·téxtural** *a.*
mícro·thèory *n.* 마이크로 이론《개개의 작은 이론을 설명하는》.
mícro·tòme *n.* 마이크로톰《현미경 검사용의 생체 조직 따위를 얇게 자르는 기구》.
mícro·transmìtter *n.* 마이크로 전자 송신기《감시·추적 따위에 쓰임》.
mìcro·túbule *n.* 〖生〗 미소관(微小管)《세포의 원형질에서만 볼 수 있는 극소관》.
mìcro·víllus *n.* 〖生〗 미세 융모, 융털 모양 돌기. **-víl·lar** [-víl-] *a.* **-víllous** *a.*
mícro·wàve *n.* 〖電〗 마이크로파(波), 극초단파《파장이 1 m-1 cm의 전자파》.
mícrowave lánding sỳstem *n.* 〖空〗 마이크로파 착륙 장치《略 MLS》.
mícrowave óven *n.* 전자 레인지.
mícrowave sìckness *n.* 〖醫〗 극초단파병(病)《극초단파에 노출되어 생기는 신체 장애》.
mícro·wòrld *n.* 현미경 아래 펼쳐지는 미세(微細)한 세계.
mícro·zỳme *n.* 발효 미생물.
mi·crur·gy [máikrəːrdʒi] *n.* (현미경을 사용해서 미세한 것을 다루는) 현미조작(법), 〖生·醫〗 현미 해부.
mic·tu·rate [míktʃərèit, -tə-; -tju-] *vi.* 방뇨[배뇨(排尿)]하다, 오줌을 누다(urinate).
mic·tu·ri·tion [mìktʃəríʃən, -tə-; -tju-] *n.* Ⓤ 배뇨(排尿); 《古》 빈뇨(頻尿). 〚L (desiderative) < *mict- mingo* to make water〛
mid[1] [míd] *a.* [흔히 복합어를 이루어] 중앙의, 가운데[복판]의, 중간의: the ~ finger 가운뎃 손가락 / ~-October 10월 중순경 / in ~ air 공중에, 허공에 / in ~ summer 한여름에.
── *n.* 《古》 =MIDDLE.
〚OE 《美》 *midd*; cf. G *mitte*, ON *midhr*〛
mid[2], **'mid** [mid, mìd] *prep.* 《詩》=AMID.
mid. middle; [흔히 M~] midshipman.
míd·àfter·nóon *n.* 오후의 중간쯤 되는 때《대략 3-4 p.m. 전후》.
míd·áir *n.* Ⓤ 공중, 상공: ~ collision 공중 충돌 / ~ refueling 공중 급유.
in midair 어중간한 상태로.
Mi·das [máidəs] *n.* **1** 〖그神〗 미다스《손에 닿는 모든 것을 황금으로 변하게 했다는 Phrygia의 왕》. **2** Ⓒ (일반적으로) 큰 부자.
the Midas touch 돈 버는 재주.
MIDAS [máidəs] Missile Defense Alarm System (미사일 경보 방어 시스템).
Míd-Atlàntic *a.* **1** (영어가) 영어와 미어의 중간 성격의: ~ English 영미 공통 영어. **2** (상품이) 영미 양국에 두루 쓰이게 만든.
míd·bràin *n.* 〖解〗 중뇌(中腦).
mìd·cóntinent *n.* 대륙 중앙부.
míd·còurse *n., a.* 〖軍〗 미드코스(의) 《미사일로켓의 분사가 끝나 대기권으로 재돌입할 때까지의 비행 기간; 이 사이에 궤도 수정을 함》: a ~ correction[guidance] 중간 궤도 수정[유도].
mid·cult [mídkʌ̀lt] *n.* **1** 〚*mid*dlebrow+*cul*ture〛 Ⓤ,Ⓒ [보통 M~] 《口》 중류 문화《고급 문화와 대중문화의 중간》. **2** 〚*mid*dle-class *cult*ure〛 중류사회 문화.
***mid·day** [míddèi, ⌐⌐] *n., a.* 정오(의), 한낮(의): at ~ 정오에 / a ~ meal 점심 / a ~ nap 낮잠. 〚OE *middæg*; ⇨ MID[1], DAY〛
mid·den [mídn] *n.* 〖考古〗 패총, 조개무지 (kitchen midden); 《英方》 퇴비(dunghill); 쓰레기 더미. 〚Scand.; cf. MUCK〛
◇mid·dle [mídl] *a.* **1** 한가운데의, 중간의, 중앙의: the ~ point of the road 도로의 중간지점. **2** 중위(中位)의, 중류의, 중등의, 보통의: a man of ~ stature[height] 중키[보통키]의 남자 / follow[take] a[the] ~ course 중용[중도]을 취하다. **3** 중세의; [M~] 〖地層〗 중기(中期)의(cf. UPPER, LOWER); [M~] 〖言〗 중기의(cf. OLD, MODERN). **4** 〖論〗 중명사(中名辭)의; 〖文法〗 중간태(態)의.
── *n.* **1** [the ~] 중앙, 한가운데; 중간(부분); 중도: about the ~ of the 19th century 19세기 중엽. **2** (인체) 몸통, 허리: fifty inches (a)round the ~ 몸통[허리]둘레 50인치. **3** 중간물, 매개물; 중재자. **4** 〖論〗 중명사(中名辭), 매사(媒辭) (middle term); 〖文法〗 (그리스어 따위의 동사의) 중간태(態) (middle voice); [보통 *pl.*] 〖商〗 중급품.
at the middle of …의 중간[도중]에.
in the middle of …의 도중에, …의 한가운데에; …을 한창 하는 중에, …에 몰두하여: be *in the ~ of* dinner 한창 식사중이다.
of middle size 중간 정도[보통] 크기의.
── *vi., vt.* 한가운데[중앙, 중간]에 놓다; 〖蹴〗 (공을) 좌익[우익]에서 전위 중앙으로 차 보내다; 〖海〗 (돛 따위를) 중앙에서부터 개다[접다].
〚OE *middel* (MID[1], *-le*); cf. G *mittel*〛
[類義語] ***middle*** center처럼 엄밀하지 않고 중앙부분을 나타냄. ***center*** 원, 원형을 이루는 것의 주위나 선의 양극단으로부터 등거리에 있는 중심(점)을 나타냄. ***midst*** middle의 뜻으로 보통 in the *midst* of 따위로 쓰임. ***heart*** 중심부나 중요지점을 나타냄.
míddle áge *n.* 중년, 장년, 초로《대개 40-60세》.
míddle-áged *a.* 중년의.
míddle-áged spréad *n.* 중년에 뚱뚱해지기.
Míddle Áges *n. pl.* [the ~] 〖史〗 중세(기).
Míddle América *n.* 중앙 아메리카; 미국의 중서부; (보수적인) 미국의 중산층.
míddle árticle *n.* 《英》 (신문·잡지 따위의) 문학적 수필《사설과 평론의 중간에 싣는》.
Míddle (Atlántic) Státes *n. pl.* [the ~] New York, New Jersey 및 Pennsylvania주(州); Delaware와 Maryland주를 포함하기도 함.
míddle·brèak·er *n.* 골타는 농기구[경운기].
míddle·bròw *n., a.* 《口》 지식[학문, 교양]이 중간 정도인 사람(의), 어느 정도 교양이 있는 사람(의) (cf. HIGHBROW, LOWBROW).
míddle·bròwed *a.* **~·ism** *n.*
middle C [⌐ síː] *n.* 〖樂〗 중앙 다《1점 다; 그 음을 내는 건반》.
míddle cláss *n.* 중류[중간, 중산] 계급.
míddle-cláss *a.* 중류[중산] (계급)의.
míddle cóurse *n.* [the ~] 중도(中道), 중용.
míddle dístance *n.* **1** [the ~] 〖畫〗 (특히 풍경화(畫)의) 중경(中景) (middle ground) 《그림의 전경과 배경의 중간; cf. BACKGROUND, FOREGROUND》. **2** 〖競〗 (육상 경기의) 중거리《보통 400-1500m 경주》.
míddle dístillate *n.* 〖石油〗 중간 유분(溜分)

《등유와 경유》.
Míddle Dútch *n.* 중세 네덜란드어《12-15세기》.
míddle éar *n.* 〖解〗 중이(中耳).
míddle-éarth *n.* 《古·詩》 이승, 지구.
Míddle Éast *n.* [the ~] 중동《흔히 리비아에서 아프가니스탄까지의 지역을 이름》.
Míddle Éast Wàr *n.* 중동전《1968년 이스라엘의 독립 후 4차례 있었던 이스라엘과 Arab 국가들간의 전쟁》.
Míddle Éastern *n.* 중동의.
míddle échelon *n.* 중간 관리직 계층.
Míddle Énglish *n.* 중세 영어《약 1150-1500년; 略 ME》.
míddle fínger *n.* 가운뎃손가락.
Míddle Flémish *n.* 중세(中世) 플라망어(語)《14-16세기》.
Míddle Frénch *n.* 중세 프랑스어《14-16세기; 略 MF》.
míddle gàme *n.* (체스 따위의) 중반전.
Míddle Gréek *n.* 중세 그리스어《약 600-1500년 경까지의 그리스어; 略 MGk.》.
míddle gróund *n.* **1** [the ~] =MIDDLE DISTANCE 1. **2** 중용, 중도; (하천이나 항해 가능 수역의) 모래톱.
míddle-gróund·er *n.* 중도(中道)를 걷는[중용을 택하는] 사람.
míddle guárd *n.* 〖美蹴〗 미들 가드《디펜스 태클 사이에서 오펜스의 센터 정면에 위치하는 디펜스 플레이어》.
Míddle Hígh Gérman *n.* 중세 고지(高地) 독일어《12-15세기; 略 MHG》.
Míddle Kíngdom[Émpire] *n.* [the ~] 고대 이집트의 중왕국(中王國); 중화제국(中華諸國); (널리) 중국.
Míddle Látin *n.* =MEDIEVAL LATIN.
míddle lífe *n.* 중류 계급; 중년(middle age); 《英》 중류생활.
míddle línebacker *n.* 〖美蹴〗 미들 라인배커《3인으로 편성한 linebacker의 중앙에 위치한 선수》.
Míddle Lów Gérman *n.* 중세 저지(低地) 독일어《12-15세기; 略 MLG》.
míddle·màn *n.* **1** 중간 상인《생산자와 소매상 또는 소비자와의 중간에 섬》, 브로커. **2** 중개자, 매개자: act as a ~ *for* another 남을 위해 중개의 수고를 하다. **3** 중용(中庸)을 취하는 사람.
míddle mánagement *n.* 중간(경영) 관리자층《부·국장급; cf. EXECUTIVE》.
míddle mánager *n.* 중간 관리자[직(職)].
míddle·mòst *a.* 제일 한가운데의.
míddle náme *n.* 《美》 미들 네임, 중간 이름《사람 이름이 3요소로 되어있을 때의 가운데 부분; 보기 John Fitzgerald Kennedy의 Fitzgerald; ☞ NAME 1 [주]》; 《비유》 사람의 가장 특징적인 성격[성질].
míddle-of-the-róad *a.* 중용을 취하는, 중도(中道)의, (정책 따위가) 온건파의. **~·er** *n.* 중도주의자; 온건파의 사람. **~·ism** *n.* Ⓤ 중도주의.
míddle pássage *n.* [the ~, 흔히 the M~ P~] (아프리카 서해안과 서인도 제도 사이의) 대서양 중간 항로.
Míddle Páth *n.* 〖佛敎〗 중도(中道) 《쾌락과 금욕의 양극단에 치우치지 않는 수행법(修行法)》.
míddle-róad·er *n.* =MIDDLE-OF-THE-ROADER.
mid·dl·es·cence [mìdəlésəns] *n.* (사람의) 중년기; 장년. 〖*adolescence*에 준하여 MIDDLE에서〗
míddle schòol *n.* 중학교(junior high school).
Mid·dle·sex [mídlsèks] *n.* 미들섹스《원래 영국 남동부, London의 북서부를 포함한 주; 1965년 Greater London에 편입됨; 略 Middx., Mx》.
míddle-sízed *a.* 중간 크기의.
Middle States ☞ MIDDLE ATLANTIC STATES.
míddle térm *n.* 〖論〗 중명사(中名辭); 〖數〗 중항(中項)(mean).
Míddle·tòwn *n.* 미들타운《전형적인 미국 중산층의 문화를 대표하는 도시의 가명(假名)》.
míddle vóice *n.* 〖文法〗 중간태(中間態) 《그리스어 따위의 동사에서》.
míddle wátch *n.* 야반(夜半)당직《오전 0시부터 4시까지》.
Míddle Wáy *n.* =MIDDLE PATH.
míddle·wèight *n.* **1** 평균 체중인 사람. **2** 〖拳〗 미들급(의 선수)(☞ BOXING WEIGHTS).
Míddle Wést *n.* [the ~] 미국 중서부《애팔래치아 산맥의 서쪽, 록키 산맥의 동쪽, Ohio 강·Missouri 주·Kansas 주 이북의 지역》.
Míddle Wéstern *a.* 미국 중서부의.
Míddle Wésterner *n.* 미국 중서부의 주민.
mid·dling [mídliŋ, -lən] *a.* 중간급의, 보통의, 2류의; 《口》 (건강 상태가) 그저 그런. ── *adv.* 《口》 중간급으로, 꽤, 그럭저럭. ── *n.* [보통 *pl.*] 〖商〗 중등품, 2급품; [*pl.*] 밀기울이 섞인 거친 사료용 곡물.
Middx. Middlesex.
mid·dy [mídi] *n.* 《口》 =MIDSHIPMAN; 《美》 =MIDDY BLOUSE.
míddy blòuse *n.* 미디 블라우스《세일러복형(型)의 옷깃이 달린 블라우스; 여성·어린이용》.
Míd·éast *n.* 《美》 =MIDDLE EAST.
~·ern *a.*
mìd-éngined *a.* (자동차에서) 엔진이 운전석 뒤[차체 중간]에 달린.
Míd-Européan *a.* 중부 유럽의.
míd·èvening *n.* Ⓤ 저녁때; 밤중.
míd·field *n.* 미드필드, 경기장의 중앙부, 필드 중앙(의 선수). **~·er** *n.*
Mid·gard [mídgɑːrd], **-garth** [-ð] *n.* 〖北유럽神〗 인간계, 땅《하늘과 지옥의 중간에 위치》; 이 세상(this world).
midge [mídʒ] *n.* (모기 따위의) 작은 곤충, (특히) 각다귀; 꼬마. 〖OE *mycg(e)*; cf. G *Mücke*〗
midg·et [mídʒət] *n.* **1** 〖昆〗 각다귀; 난쟁이, 꼬마. **2** 극소형의 것[자동차, 보트]. ── *a.* 표준보다 작은; 극소형의: a ~ lamp 꼬마 전등. 〖C19 (↑)〗
[類義語] ⟹ DWARF.
Mídget·màn *n.* 《美》 미지트맨《Minuteman이나 MX보다 훨씬 소형이며 핵탄두도 하나뿐인 이동식 미사일》.
Míd Glamórgan *n.* 미드 글러모건《1974년에 신설된 웨일스 남부의 주》.
míd·gùt *n.* 〖發生〗 중장(中腸).
míd·héaven *n.* 중천, 중공(中空); 〖天〗 자오선(meridian).
midi [mídi] *n.* (mini와 maxi의) 중간 길이의 스커트[드레스], 미디. ── *a.* 미디의, 중형의. 〖*midi*skirt; *mini*-에 준하여 *mid*¹에서〗
Mi·di [midíː; *F* midi] *n.* 남쪽, 남부(南部); 남부 프랑스.
mi·di·nette [mìdənét] *n.* 《俗》 (Paris의) 여공, 여점원, (특히 양장점의) 여자 재봉사. 〖F〗
míd·ìron *n.* 〖골프〗 미드아이언《2번 아이언; cf. IRON *n.* 2 c)》.
Midl., MidL Midlothian.
mid·land [mídlənd, -lænd] *n.* **1** 중부 지방[내륙

지방]; [the M~s] 잉글랜드 중부 지방; [the M~] 미국 중부 지방. **2** [M~] 중부 방언 (☞ MIDLAND DIALECT). —— *a.* **1** 중부 지방의, 내륙의. **2** [M~] **a)** 잉글랜드 중부 지방의; 미국 중부 지방의. **b)** 중부 방언의.

Mídland díalect *n.* [the ~] **1** 잉글랜드 중부 지방 방언(이 중에서 London을 포함한 동부 지방 방언이 근대 영어의 표준이 되었음). **2** 미국 중부(지방) 방언.

Mídland séa *n.* [the ~] 《詩》 지중해.

míd·lèg *n.* 다리의 중앙부; 곤충의 가운뎃다리. —— [⌐⌐] *adv.* 다리의 중간쯤까지.

Míd-Lènt Súnday *n.* 사순절(節) (Lent)의 넷째 일요일(Mothering Sunday).

míd-lìfe *n.* 중년(middle age).

míd-lífe crísis *n.* 중년의 위기(청년기가 끝남을 자각함으로써 생김).

míd·lìne [ˏ⌐⌐] *n.* (신체 따위의) 중선(中線).

Mid·lo·thi·an [midlóuðiən] *n.* 미들로디언(스코틀랜드 남동해안에 있던 옛 주).

míd-màshie *n.* 〖골프〗 미드마시(number three iron)(3번 아이언).

míd·mórning *n.* (일출·기상·근무개시에서 정오에 이르는) 오전의 중간.

míd·mòst *a.* (제일) 한가운데의(middlemost). —— *adv.* 중심부에, 한가운데에. —— *prep.* …의 중심부에. —— *n.* 중심부.

midn. midshipman.

‡**míd·nìght** *n.* Ⓤ 한밤중, 자정, 야반(夜半); 캄캄한 어둠: at ~ 한밤중에.
—— *a., adv.* 한밤중의[에].
(as) dark [black] as midnight 아주 캄캄한.
burn the midnight oil ☞ OIL.

mídnight sún *n.* [the ~] 한밤중의 태양(극지(極地)의 한여름에 볼 수 있음).

míd·nòon *n.* 《稀》 한낮, 정오(midday).

míd·òcean rídge *n.* 〖地質〗 중앙 해령(海嶺).

míd óff *n.* 〖크리켓〗 투수 왼쪽에 있는 야수(의 위치).

míd ón *n.* 〖크리켓〗 투수 오른쪽에 있는 야수(野手)(의 위치(位置)).

míd·pòint [ˏ⌐⌐] *n.* 중심점, 중앙[중간]점; (경과·활동·시간의) 중간점; 〖數〗 중점(中點).

míd·rìb *n.* 〖植〗 잎의 중륵맥(中肋脈), 주맥(主脈)(central vein).

mid·riff [mídrif] *n.* 〖解〗 횡격막(diaphragm); 몸통의 중간 부분; 여성복의 몸통 부분.
〖OE=mid belly (*hrif* belly)〗

míd·sèction *n.* 중앙부, 중간 부분; 《口》 명치.

míd·seméster *n., a.* 학기 중간(의).

míd·shìp *n., a.* 배의 중앙부(의).

míd·shìp·man [-mən] *n.* 《英》 해군 소위 후보생; 《美》 해군사관학교 생도, 해군 장교 후보생(middy) (cf. CADET).

míd·shìps *adv., a.* =AMIDSHIPS.

míd·sìze *a.* 중형의. —— *n.* 중형차.

***midst** [mídst, mítst] *n.* 《文語》 한가운데, 중앙, 가운데(middle): in the ~ of us[you, them]=in our[your, their] ~ 우리들[너희들, 그들]중에서 / I opened the door and entered in the ~ of that perfect silence. 문을 열고 찬물을 끼얹은 듯한 침묵속으로 들어갔다 / from[out of] the ~ of …의 한가운데서. —— *prep.* 《詩》 =AMIDST.
—— *adv.* 한가운데에[에서].
〖ME *middest, middes* < *in middes, in middan* (⇨ MID¹); *-t*는 첨자(cf. WHILST, AMONGST)〗

'midst *prep.* =AMID(ST).

míd·stréam [ˏ⌐⌐] *n.* Ⓤ 내[강물]의 한복판, 중류(中流); (일의) 도중; (기간의) 중간쯤: *in* ~ 중류에.

míd·súmmer [ˏ⌐⌐] *n.* Ⓤ 한여름, 성하(盛夏), 하지 무렵(6월 21일경).

mídsummer dàisy *n.* 프랑스데이지.

Mídsummer('s) Dáy *n.* 세례 요한의 축일(6월 24일; 《英》 quarter days의 하나).

Mídsummer Éve[Níght] *n.* 《英》 Midsummer Day의 전날밤.

mídsummer mádness *n.* 극도의 광란(한여름의 달과 열기에 의한 것이라고 상상됐음).

Mídsummer Níght's Dréam *n.* [A ~] 「한여름 밤의 꿈」(Shakespeare작의 희극).

míd·tèrm *n., a.* 학기[《美》 임기] 중간(의): a ~ examination 중간시험 / a ~ election 《美》 중간선거.

míd·tòwn [ˏ⌐⌐] *n., a., adv.* 번화가[상업지구]와 주택가의 중간 지구(의, 에서).

míd-Victórian *a.* [흔히 M~] 빅토리아 왕조 중기의; 구식의, (도덕적으로) 엄격한. —— *n.* [흔히 M~] 빅토리아 왕조 중기의 사람; 빅토리아 중기의 사상[취향]을 가진 사람; 구식인 사람, 엄격한 사람.

míd·wáy [ˏ⌐⌐] *a., adv.* 중도의[에], 중간쯤의[에]. —— [⌐⌐] *n.* **1** 〖*Midway* Plaisance(1893년 박람회의 오락장이였던 Chicago 공원의 일부)〗 **a)** 《美》 (박람회 따위의) 중앙로(여흥장·오락장 따위가 있음). **b)** 《美俗》 복도, 통로; 《美俗》 구치소의 통로. **2** 《古》 중도, 중간.

Míd·way Íslands [mídwèi-] *n. pl.* [the ~] 미드웨이 제도(Hawaii 제도 북서쪽에 있음; 미국령(領)).

míd·wèek *n., a.* 주(週)의 중간쯤(의); [M~] (퀘이커파에서) 수요일.

mìd·wéek·ly *a., adv.* 주(週)의 중간쯤의[에].

Míd·wést *n.* [the ~] 《美》 =MIDDLE WEST.

Míd·wést·ern *a.* 《美》 =MIDDLE WESTERN.
~·er *n.* 미국 중서부 사람.

mid·wife [mídwàif] *n.* 조산원, 산파; 《비유》 산파역. —— *vt.* (**~d, -wived** [-vd]; **-wìf·ing, -wìv·ing** [-viŋ]) 산파역을 맡다.
〖ME (OE *mid* with, WIFE woman); 'one who is with the mother'의 뜻〗

mid·wife·ry [mídwàifəri; -wìf-] *n.* Ⓤ 산파[조산]술, 산과학.

míd·wìng *a.* 〖空〗 날개가 기체(機體)의 중앙에 붙어 있는.

míd·wínter [ˏ⌐⌐] *n., a.* 겨울 중간(의), 한겨울(의), 동지(무렵의).

míd·yèar *n.* 《美》 **1** Ⓤ 1년 중간; 학년 중간. **2** [*pl.*] 《口》 중간 시험(cf. FINAL *n.* 3).
—— *a.* 1년 중간쯤의; 학년 중간의.

M.I.E.E. Member of the Institution of Electrical Engineers.

mien [mí:n] *n.* Ⓤ 《文語》 풍채, 태도, 모습.
〖? *demean*²; F *mine* expression, aspect의 영향(影響)〗

miff [míf] *n.* 《口》 쓸데없는 싸움; 발끈하기.
in a miff 불끈하여, 발끈 성을 내어.
—— *vi., vt.* 발끈 성을 내다[내게 하다]〈*with, at*〉. 〖? imit.; cf. G *muffen*〗

míffy *a.* 《口》 과민한, 불끈하기 쉬운.

MI 5 《英》 Military Intelligence, section five.

mig, migg [míg] *n.* 《方》 유리 구슬.

Mig, MIG, MiG [míg] *n.* 미그(구소련제 제트전투기). 〖Artem *M*ikoyan *i*(=and) Mikhail

Gurevich 구소련의 두 사람의 설계자〗

mig·gle [mígəl] *n.* =MIG ; [~s, 단수취급] 유리구슬 놀이.

MIGA Multilateral Investment Guarantee Agency(국제 투자 보증 기구).

◇**might**[1] [màit, máit]

> (1) 조동사 may의 과거형이다.
> (2) 직설법에서는 보통 시제의 일치에 따라서만 쓰인다.
> (3) 가정법에서는 should, would, could와 더불어 must와 마찬가지로 인칭·시제에 따른 어형 변화 없이 쓰인다.

—— *auxil. v.* **1 a)** [시제(時制)의 일치에 의해 MAY에 준해서 종속절 안에서 씀] : Tom worked hard so that his mother ~ be happier. 톰은 어머니를 보다 더 행복하게 해 드리려고 열심히 일했다(cf. MAY 5). **b)** [간접화법에 있어서] : I said (that) he ~ go. 그가 가도 좋다고 말했다(I said, "You may go.") / I said (that) it ~ rain. 비가 올지도 모른다고 말했다(I said, "It may rain."). **2** [가정법에 써서] **a)** [사실과 반대의 조건·상상] : [조건절(節)로] If I ~ give a guess, I should say.... 짐작하건대 …가 아닐까요《겸손한 용법》. **b)** [귀결절로] : [현재에 대하여] I ~ do it if I wanted to. 원하기만 하면 할 수 있을텐데《실은 원하지 않았음》/ You ~ fail if you were lazy. 게으름을 피우고 있으면 실패할지도 모른다 / [과거에 대해서] I ~ have done it if I had wanted to. 원했더라면 할 수도 있었을 텐데《실은 원하지 않았다》. **c)** [조건절의 내용을 은연중에 포함한 완곡한 표현법] : [의뢰] You ~ (=I request you to) post this for me. 이것을 우체통에 넣어 주시지 않겠습니까 / [비난] You ~ at least apologize. 적어도 (잘못했다고) 사과하는 것이 도리다 / [유감] I ~ have been a rich man. (되려고만 했으면) 부자가 되었을 것을《이미 늦음》/ [가능] It ~ be true. 진실일지도 모른다 / [허가] *M*~ I ask your name? 존함을 여쭈어봐도 괜찮겠습니까 (㊟ May I...? 보다 공손함) / *M*~ I come in? — Yes, you ~. 들어가도 괜찮습니까 — 예, 들어오세요.

as might have been expected... 아니나 다를까 …였다.

might as well... ☞ WELL[1] *adv.*

might as well do...***as...*** ☞ WELL[1] *adv.*

〈회화〉
> *Might* I use your new car? — Yes, of course you may[can]. 「당신의 새차를 써도 괜찮겠습니까」「예, 그렇게 하세요」 ☆ Yes, of course you might.라 든가 No, of course you might not.이라고는 하지 않는다.

***might**[2] [máit] *n.* Ⓤ 힘, 세력, 권력, 실력 ; 완력 ; 우세함 : *M*~ is right. 《속담》 힘은 정의다, 「이기면 충신 지면 역적」.

by might 완력으로, 힘으로.

with all one***'s might*** = (***with***) ***might and main*** 힘껏, 열심히, 전력을 다하여.

〚OE *miht*<Gmc.(《美》 *mag*- MAY[1] ; G *Macht*)〛

míght-have-bèen [-əv-] *n.* 일어 났을지도 모를 일 ; (더) 큰 인물이 되었을지도 모를 사람.

míght·i·ly *adv.* 힘차게, 과격하게 ; 《口》 대단히 (very).

míght·i·ness *n.* Ⓤ 강력, 강대, 위대함 ; [M~] [칭호로서] 각하, 전하.

mightn't [máitnt] might not의 단축형.

***mighty** *a.* **1** (사람·물체가) 센, 강력한, 강대한 : a ~ ruler 강력한 지배자. **2** 《口》 거대한, 굉장한, 비상한(great) : make a ~ bother 매우 성가신 일을 저지르다 / a ~ hit 대히트, 대성공.
—— *adv.* 《口》 몹시(mightily) (cf. AWFUL) : It is ~ easy. 매우 쉽다 / You seem ~ anxious. 몹시 걱정하고 있는 것 같다.

mi·gnon [minján, -njʌ́n, ⌐-] *a.* (*fem.* **-gnonne** [—]) 작고 아름다운, 자그맣고 예쁘장한. —— *n.* **1** [M~] 여자 이름. **2** 〖料理〗 =FILET MIGNON. 〚F=little, small〛

mi·gnon·ette [mìnjənt] *n.* **1** Ⓤ 〖植〗 향레세다. **2** Ⓤ 회록색(灰綠色). 〚F (dim.) < ↑〛

mi·graine [máigrein, mí:-] *n.* Ⓤ,Ⓒ 편두통. 〚F<L<Gk. *hēmicrania* (*hemi*-, CRANIUM)〛

mi·grain·eur [*F* migrɛnø:r] *n.* 편두통 환자.

mi·grant [máigrənt] *a.* 이주[이동]하는《특히 새에 대하여》. —— *n.* 이주자 ; 철새 ; 회귀어 ; 이주[계절] 노동자.

mi·grate [máigreit, -⌐] *vi.* [動/+前+名] 이주하다 ; (새·물고기가) 정기적으로 이동하다 ; (보다 넓은 지역으로) 퍼지다, 확산하다 : Most birds ~ ***to*** warmer countries in the winter. 대부분의 새는 겨울에 따뜻한 지방으로 이동한다.
—— *vt.* 이주[이동]시키다.
〚L *migrat*- *migro* to change one's residence or position〛

> 類義語 ***migrate*** 다른 지방·나라로 이주하다《사람의 경우는 새로운 땅에 정주한다는 뜻이며 동물의 경우는 계절에 따른 주기적 이동을 말함》. ***emigrate*** (떠나보내는 나라에서 보아) 사람이 다른 나라로 가서 정주하다. ***immigrate*** (받아들이는 나라에서 보아) 사람이 새로운 나라로 건너와서 정주하다.

mi·gra·tion [maigréiʃən] *n.* **1** Ⓤ,Ⓒ 이주, 전주(轉住) ; 이동. **2** Ⓒ [집합적으로] 이주자군(群). **3** (특히 물고기의) 회귀. **4** 〖化〗 (분자내의) 원자 이동 ; 〖電〗 (전기분해에서) 이온의 이동.

mí·gra·tor [⌐, -⌐-] *n.* 이주자 ; 이동 동물, 철새.

mi·gra·to·ry [máigrətɔ̀:ri ; -təri] *a.* **1** 이주하는, 이주성(移住性)의(↔*resident*, *sedentary*) : a ~ bird 철새. **2** 표류[방랑]성의.

M.I.J. Member of Institute of Journalists.

mike[1] [máik] *n.* 《口》 마이크 : a ~-side account 실황(實況) 방송. —— *vt.* 마이크로 방송[녹음]하다 ; …에 마이크를 사용하게 하다. —— *vi.* 마이크를 사용하다.

mike[2] *vi.* 《英俗》 게으름피우다, 빈둥거리다.
—— *n.* Ⓤ 게으름피우기, 빈둥거림 : be on the ~ 빈둥빈둥 놀고 있다. 〚C19< ?〛

Mike *n.* 남자 이름《Michael의 애칭》.

Míke Fínk *n.* 마이크 핑크(1770?-1823)《미국의 전설적 영웅 ; 사격의 명수》.

míke frìght *n.* 《美》 마이크 공포증.

Mi·ko·yan [mì:koujá:n] *n.* 미코얀. **Anas·tas** [ɑ̀:nəstɑ́:s] **Ivanovich** ~ (1895-1978) 구소련의 정치가.

mil [míl] *n.* **1** 〖藥〗 =MILLILITER. **2** 밀《1000분의 1인치》. **3** 천, 1000. **4** 〖軍〗 밀《각도의 단위, 원주의 1/6400》.

mil. military ; militia.

mi·la·dy, -di [miléidi, 美+mai-] *n.* 마님, 부인《원래 영국 귀부인에 대하여 유럽 대륙의 사람이 부를 때 썼음》; 유행의 첨단을 걷는 여성, 상류 부인. 〚F<E *my lady* ; cf. MILORD〛

milage ☞ MILEAGE.

Mi·lan [məlǽn, 美+-lɑ́:n] *n.* 밀라노(It. **Mi·la·no** [milɑ́:nou]) 《이탈리아 북부 Lombardy 주(州)의 주도》.

Mil·a·nese [mìləní:z, -s] *a.* 밀라노 (사람)의. —— *n.* (*pl.* ~) 밀라노 사람.

milch [míltʃ, mílk, mílks] *a.* 젖이 나는, 젖을 짜는 : a ~ cow 젖소 ; 《비유》 돈줄, 수입의 근원. 〚OE *-milce* ; cf. OE *melcan* to MILK〛

***mild** [máild] *a.* **1** 온후한, 친절한, 얌전한, 점잖은〈*of* manner, *in* disposition〉. **2** 관대한, 너그러운 : (a) ~ punishment 가벼운 벌. **3** (기후 따위가) 온화한, 따뜻한, 평온한, 화창한. **4** (음식물·담배 따위가) 자극성이 없는, 순한(↔ *strong*) ; (맥주 따위) 맛이 달콤한, 마일드한(↔ *bitter*) : a ~ cigarette 순한 담배. **5** (병이) 가벼운 : a ~ case 경증(輕症).
draw it mild ☞ DRAW.
—— *n.* 《英口》 마일드(=《英》 ∠ **ále**)《bitter보다 홉 향기가 약한 흑맥주》.
〚OE *milde* ; cf. G *mild*〛
類義語 ⟹ SOFT.

míld and bítter *n.* 《英》 마일드 앤드 비터《마일드와 비터의 생맥주를 반반 섞은 맥주》.

míld-cúred *a.* (베이컨·햄 따위를) 너무 짜지 않게 한.

míld·en *vi., vt.* 온순[온화, 약]하게 되다[하다].

mil·dew [míldjù:] *n.* Ⓤ 곰팡이 ; 〔植〕 백분병균(白粉病菌) ; 노균병(露菌病). —— *vt., vi.* 곰팡이가 생기게 하다[생기다]. **míl·dèwy** *a.*
〚OE *mildēaw, meledēaw*＜Gmc.=honeydew〛

míld·ly *adv.* 온화하게, 공손하게, 상냥하게 ; 너그럽게, 조심하듯 ; 약간, 조금 : He was ~ surprised. 그는 약간 놀랐다.
to put it mildly 조심성 있게[삼가] 말하자면.

míld-mán·nered *a.* (태도가) 온순한, 온화한.

Mil·dred [míldrəd] *n.* 여자 이름.
〚OE=mild+power〛

míld stéel *n.* 연강(軟鋼)《저(低)탄소강》.

◇**mile** [máil] *n.* **1 a**) 마일《1760 야드 ; ≒1.609 km ; 정식명 statute mile》: a distance of 10 ~*s* 10마일의 거리 / for ~*s* (and ~*s*) 몇 마일에 걸쳐서 / ☞ THREE-MILE LIMIT. **b**) =NAUTICAL MILE. **2 a**) [흔히 *pl.*] 상당한 거리[정도] : miss the target by a ~ 과녁에서 완전히 (멀리) 빗나가다. **b**) [*pl.* ; 부사적으로] 훨씬, 아주 : It's ~*s* (=far) better[easier]. 그것이 훨씬 낫다[용이하다]. **3** 1마일 경주(=∠ **ràce**).
not a hundred miles from …에서 그다지 멀지 않게, …의 부근[가까이]에서, 대체로 …의 어림으로.
〚OE *mīl*＜WGmc.＜L (pl.)〈*mille* thousand〛

mile·age, mil·age [máilidʒ] *n.* **1** 총 마일수, 이정(里程) ; (철도 따위의) 마일당 요금 ; 《美》 (공무원 등의) 마일당 여비[부임수당] ; (차의 가솔린 1마일당) 주행 마일수 : in actual ~ 실제 마일수로. **2** 《口》 이익, 유용성, 은혜 : get full ~ out of …을 충분히 이용하다.

míleage sùrcharge *n.* 항공운임 할증금.

míleage tìcket *n.* (마일수에 의한) 회수권.

míle màrker *n.* 《CB俗》 주간(州間) 고속도로변의 번호 붙인 마일 표지.

mile·om·e·ter, mi·lom·e·ter [mailɑ́mətər] *n.* (차·자전거의) 주행 마일계(odometer).

míle·pòst *n.* 마일표(標), 이정표 ; 〔競馬〕 마일포스트《골 1마일전 지점의 표지》.

mil·er [máilər] *n.* 《口》 1마일 경주의 선수[말].
〚MILE〛

-mil·er [máilər] *n. comb. form* 「…마일 경주(자)」의 뜻.

Miles [máilz] *n.* 남자 이름.
〚F＜Gmc.=? merciful〛

Mi·le·sian [mailí:ʒən ; -zjən] *a.* 《戲》 아일랜드의(Irish). —— *n.* 아일랜드인. 〚Spain에서 쳐들어가서 지금의 아일랜드인(人)의 선조가 되었다고 하는 전설적인 왕 Milesius에 연유함〛

míle·stòne *n.* **1** 도표를 나타내는 표석, (돌의) 마일표(標), 이정표. **2** 《비유》 (역사·인생 따위의) 중대시점, 획기적 사건.

mil·foil [mílfɔ̀il] *n.* 〔植〕 (서양의) 톱풀.
〚OF＜L (*mille* thousand, FOIL[1])〛

milia *n.* MILIUM의 복수형.

mil·i·a·ria [mìliέəriə, -ǽər-] *n.* Ⓤ 〔醫〕 속립진(粟粒疹) ; 땀띠(prickly heat, heat rash).
mìl·i·ár·i·al *a.*

mil·i·ary [mílièri ; míljəri] *a.* 좁쌀 모양의, 좁쌀만한 ; 〔醫〕 속립 발진(粟粒發疹)의 : ~ fever 속립(진)열(熱) / ~ gland[tuberculosis] 속립선(腺)[결핵].

mi·lieu [miljú:, -ljə́: ; mí:ljə:] *n.* (*pl.* **~s, mi·lieux** [-z]) 환경(environment).
〚F (*mi* MID[1], LIEU)〛

milíeu thèrapy *n.* 〔心〕 (생활 환경을 바꾸는) 환경 요법.

milit. military.

mil·i·tance [mílətəns] *n.* =MILITANCY.

mil·i·tan·cy [mílətənsi] *n.* Ⓤ 교전상태 ; 투쟁성, 호전성, 투지.

míl·i·tant *a.* 교전상태의 ; 호전적인(warlike), 투쟁적인. —— *n.* 전투적인 사람, (특히 정치활동의) 투사, 활동가 ; 전투원. **~·ly** *adv.*
〚OF＜L ; ⇨ MILITARY〛

mil·i·tar·ia [mìlətέəriə, -tǽər-] *n. pl.* 군수품 수집품《병기·군복·기장(記章) 따위》.

mil·i·tar·i·ly [mìlətérəli, ∠-∠--; mílitərili] *adv.* 군사적으로 ; 군사적 입장에서.

mil·i·ta·rism [mílətərìzəm] *n.* 군인 정신 ; 군국주의(cf. PACIFISM).

mil·i·ta·rist [mílətərəst] *n.* 군국주의자, 군사 우선주의자 ; 군사 연구가[전문가], 전략가. —— *a.* 군국주의적인, 군사 우선주의의.
mìl·i·ta·rís·tic *a.* 군국주의의. **-ti·cal·ly** *adv.*

mil·i·ta·rize [mílətəràiz] *vt.* 군국주의화하다, …에게 군사교육을 실시하다, 군대화하다.
mìl·i·ta·ri·zá·tion *n.* 군국화 ; 군국주의 고취.

***mil·i·tary** [mílətèri ; -təri] *a.* **1** 군의, 군대적인 ; 군사(상)의, 군인의, 군용의(↔*civil*) : a ~ band 군악대 / ~ government 군정(軍政) / ~ law 군법 / a ~ man 군인 / a ~ march 군대 행진곡 / ~ training 군대[군사]교육 / ~ prowess 무용(武勇). **2** 호전[전투]적인(warlike). **3** 육군의(↔ *naval*) : a ~ hospital 육군 병원 / ~ police 헌병대《略 MP》/ a ~ policeman 헌병 / a ~ review 열병식(閱兵式). —— *n.* **1** [the ~ ; 집합적으로] 군, 군대, 군부 : *The* ~ were called out to put down the riot. 폭동을 진압하기 위해 군대가 출동했다. **2** [the ~] 군인들, (특히) 육군 장교들.
the Military Knights of Windsor 《英》 윈저기사단《가터 훈장을 받은 퇴역 군인단 ; 특별 수당이 지급되며 Windsor 궁내에 살게 됨》.
〚OF or L (*milit- miles* soldier)〛
類義語 ***military*** 군대 및 군인에 관계 있는 : *military* uniform (군인 제복). ***martial*** 전쟁 또는 군대에 관한 ; 특히 군대의 위용(偉容)·규율

따위를 강조함 : *martial* music (군악). **warlike** 전쟁 또는 전쟁 준비에 의한 호전적인[공격적인] 기풍을 말함 : a *warlike* nation (호전적 국민).

mílitary acàdemy *n.* [the M~ A~] 육군 사관학교 ; 군대식 훈련을 중시하는 (전원 기숙사제의) 사립학교.

mílitary àge *n.* 징병 연령.

military attaché [ㅗㅗ] *n.* 대사[공사]관 전속 육군 무관.

mílitary chést *n.* 군자금.

Mílitary Cróss *n.* 《英》 전공(戰功) 십자 훈장 《略 M.C.》.

mílitary enginéering *n.* 군사 공학, 공병학.

mílitary-indústrial cómplex *n.* (군부와 군수 산업과의) 군산(軍產) 복합체《略 MIC》.

mílitary intélligence *n.* 군사 정보 ; (육)군 정보부.

mílitary schóol *n.* 군대 조직의 사립 학교 ; 육군 사관 학교(military academy).

mílitary scíence *n.* 군사(과)학 ; 군사 교련[교육 과정].

mílitary sérvice *n.* 병역 ; 〖史〗 (중세의 차지인(借地人)의) 군역(軍役) ; [*pl.*] 무공(武功).

mílitary téstament[**wíll**] *n.* (전쟁터에서의 군인의) 구두 유언.

mílitary tóp *n.* (군함의) 전투 장루(檣樓).

mil·i·tate [mílətèit] *vi.* **1** [+*against*+名] 작용하다, 영향을 미치다 : A number of factors ~*d* ***against*** our success. 여러 가지 원인으로 말미암아 우리는 성공하지 못했다. 注 militate *in favor of*... 는 드물게 쓰임. **2** 《廢》 군인이다, 참전하다. 〚L=to be a soldier ; ⇨ MILITARY〛

mi·li·tia [məlíʃə] *n.* 시민군, 민병 ; 《美》 국민군 (cf. NATIONAL GUARD). **~·man** [-mən] *n.* 민병(民兵), 국민병, 의용병. 〚L=military service ; ⇨ MILITARY〛

mil·i·um [míliəm] *n.* (*pl.* **mil·ia** [míliə]) 〖醫〗 속립종(粟粒腫).

◇**milk** [mílk] *n.* Ⓤ **1** 젖, 유즙 ; 밀크, 우유 : a glass of ~ 우유 한 컵 / a ~ diet 우유 식사 / cow's ~ 우유 / ☞ SKIM(MED) MILK / ☞ WHOLE MILK. **2** (식물·과실 따위의) 젖 상태의 수액(樹液), 유액. **3** 유제(乳劑) : ~ of magnesia ☞ MAGNESIA / ~ of sulfur 황유(黃乳).

as like as milk to milk 《文語》 꼭 그대로의.

(as) white as milk (젖과 같이) 아주 흰.

get[***come***] ***home with the milk*** 《英俗》 아침에 집에 돌아오다.

go off milk (젖소 따위) 젖이 안나오다.

a land of milk and honey 〖聖〗 젖과 꿀이 흐르는 땅(cf. CANAAN).

milk and water 물 탄 우유 ; 《비유》 김빠진 이야기, 시시한 감상(cf. MILK-AND-WATER).

milk for babes 〖聖〗 (책·설교·의견 따위가) 어린이용의 것, 초보자의 것.

spilt milk 엎지른 우유 ; 돌이킬 수 없는 일 : It's no use crying over *spilt* ~. (속담) 지나간 일을 한탄한들 소용없다,「엎지른 물은 담을 수 없다」.

the milk of human kindness 《셰익스피어》 선천적인 인정, 마음이 착함.

〈회화〉
Do you take *milk* in your coffee? — Yes, please.「커피에 밀크를 넣어드릴까요」「네, 넣어주세요」

— *a.* 우유를 내는 ; 우유를 얻기 위해 사육하는.

— *vt.* **1** …에서 젖을 짜다 ; …에서 즙(汁)[독]을 빼내다. **2** …에게서 착취하다. **3** 《俗》 (전선에서) 통신을 도청하다. — *vi.* 젖이 나다, 젖을 내다 : Our cows are ~*ing* well. 우리 소는 젖이 잘 난다. 〚OE *milc* ; cf. G *Milch*〛

mílk-and-wáter [-ən*d*-] *a.* 부질없는, 생기 없는, 무던히 감상적인, 맥빠진.

mílk bàr *n.* 우유·아이스 크림·샌드위치 따위를 파는 가게 또는 코너.

mílk càn *n.* (운반용의) 우유통.

mílk chócolate *n.* 밀크 초콜릿.

mílk·er *n.* 젖짜는 사람, 젖짜는 기구 ; 젖소, 젖을 내는 가축《소·염소 따위》.

mílk fèver *n.* 〖醫〗 (산부의) 유열(乳熱).

mílk-flòat *n.* 《英》 우유 배달(마)차.

mílk glàss *n.* 젖빛 유리.

mílk·ing *n.* 착유, 젖짜기 ; 1회의 착유량.

mílking machìne *n.* 젖짜는 기계.

mílking stòol *n.* 착유용(搾乳用) (세발) 의자.

mílk jèlly *n.* 과일이 든 밀크 젤리.

mílk lèg *n.* 〖醫〗 (산후(產後)에 일어나는) 백고종(白股腫).

mílk-lívered *a.* 겁 많은.

mílk lòaf *n.* 밀크가 든 흰 빵.

mílk·màid *n.* 젖짜는 여자 ; 낙농장에서 일하는 여자(dairymaid).

mílk·màn [ˌ -mən] *n.* 젖짜는 남자 ; 낙농장에서 일하는 남자 ; 우유 배달부(dairyman).

mílk pòwder *n.* 분유(dried milk).

mílk púdding *n.* 《英》 쌀이나 타피오카 따위를 우유에 섞어 구운 푸딩.

mílk pùnch *n.* 밀크 펀치《우유·술·설탕 따위를 섞은 음료》.

mílk rànch *n.* 《美》 낙농장(酪農場).

mílk rùn[**ròund**] *n.* 우유 배달 ; 《口》 늘 정해진 여정[코스] ; 《空軍俗》 정기 정찰[폭격] 비행 ; 《空俗》 (국제선에 비해) 단거리 반복 비행.

mílk shàke *n.* 《원래 美》 밀크 셰이크.

mílk·shèd *n.* (특정 도시 따위로) 우유 공급(하는 근교의) 낙농지.

mílk sìckness *n.* 〖醫〗 우유병(病)《독풀을 먹은 젖소의 젖을 마시고 생기는 병》.

mílk snàke *n.* 회색의 독 없는 작은 뱀.

mílk·sòp *n.* 유약한 남자, 소심한 사람, 뱅충맞이.

mílk sùgar *n.* 유당(乳糖), 락토오스(lactose).

mílk tòast *n.* 밀크 토스트《뜨거운 밀크에 적신 토스트》.

mílk-tòast *a.* 《美》 마음이 약한, 활기 없는 ; 미적지근한. — *n.* =MILQUETOAST.

mílk tòken *n.* 《N. Zeal.》 우유권(券)《빈병과 함께 필요한 우유만큼 매수를 현관 앞에 놓아두면 그 매수만큼 우유가 배달됨》.

mílk tòoth *n.* 젖니, 유치(乳齒) (cf. PERMANENT TOOTH, SECOND TOOTH).

mílk tràin *n.* 《美》 새벽에 우유를 싣기 위해 거의 모든 역에서 정차하는 보통 열차.

mílk vètch *n.* 〖植〗 자운영속(屬)의 풀.

mílk wàgon *n.* 《美俗》 체포자[죄수] 호송차.

mílk wàlk *n.* 우유 배달 구역.

mílk·wèed *n.* 〖植〗 유액(乳液)이 나는 풀, (특히) 고들빼기.

mílk whíte *n.* 유백색. **mílk-whíte** *a.*

mílk·wòod *n.* 유액(乳液)을 분비하는 여러 가지 열대 식물의 속칭.

mílk·wòrt *n.* 〖植〗 애기풀속(屬)의 목초《소의 젖을 많이 나게 한다고 믿었음》.

***mílky** *a.* **1** 젖 같은, 유백색의. **2** 젖을 섞은 ; 젖

을 내는 ; (식물이) 유액을 분비하는. **3** 유약한.

***Mílky Wáy** *n.* [the ~] 〖天〗 은하(수), 하늘의 강(江) (the Galaxy).

***mill**[1] [míl] *n.* **1** (바람·물·증기력 따위를 이용한) 제분기 ; 제분소, 물방앗간 : The ~*s* of God grind slowly. 《속담》 하늘의 응보는 더딜 때가 있지만 반드시 내려진다. **2** 분쇄기 ; (커피콩·후추 따위의) 빻는 기구 : a coffee ~ 커피(씨)를 가는 기구 / a pepper ~ 후추 가는 기구. **3** (제조) 공장, 제작소(cf. FACTORY, SHOP) ; 제재소(saw mill) ; 《비유》 기계적인 것을 만들어내는 곳, …제조소 : a cotton[paper, steel] ~ 방적[제지, 제강]공장. **4** (단순 동작 반복의) 제작 기계《연마기·압연기 따위》; 《俗》 (자동차·배·비행기의) 엔진 ; 《俗》 타이프라이터. **5** 《口》 복싱 시합, 치고 받기 ; 《美俗》 유치장. **6** [the ~] (경화 가장자리의) 깔쭉깔쭉한 부분.

draw water to** one's **mill 아전인수하다.

go [***put***] ***through the mill*** 쓰라린 경험을 하다[시키다], 단련되다[하다].

the run of (***the***) ***mill*** ☞ RUN.

— *vt.* **1** 맷돌로 갈다, 제분기[물방아, 기계]에 걸다 ; 제분하다, 분쇄하다 ; (무쇠를) 막대모양으로 만들다 ; 축융기(縮絨機)로 …천의 올을 촘촘하게 하다 ; (초콜릿 따위를) 개다, 저어서 거품을 일게 하다. **2** [특히 *p.p.*] (주화의 가장자리를) 깔쭉깔쭉하게 하다 : A dime is ~*ed.* 10센트 은화는 가장자리가 깔쭉깔쭉하다. — *vi.* **1** 맷돌[제분기 따위]을 쓰다. **2** (가축이나 사람 등이) 떼지어 빙빙 돌다〈*about, around*〉.
〖OE *mylen*<Gmc.<L *mola* grindstone〗

mill[2] *n.* 《美》 밀《화폐의 계산단위 ; 1000분의 1달러》. 〖L ; ⇨ MILLESIMAL〗

Mill *n.* 밀. **John Stuart ~** (1806-73) 영국의 경제학자·철학자(cf. UTILITARIANISM).

mill- *pref.* 「천(千)… 」의 뜻.

mil·lage [mílidʒ] *n.* 달러당 1000분의 1의 과세율《특히 부동산 거래에서》.

míll·bòard *n.* Ⓤ (책의) 표지용 마분지.

míll·dàm *n.* 물방아용의 둑[연못].

mille·feuille [*F* milfœːj] *n.* 크림을 넣은 여러층의 파이(cf. NAPOLEON).

mil·le·nar·i·an [mìlənéəriən] *a.* 천년의, 천의 ; 천년기(期)의 ; 지복천년(至福千年)(신자)의. — *n.* 지복천년설을 믿는 사람.

millenárian·ìsm *n.* 〖基〗 지복천년설(의 신앙) ; (일반적으로) 지복의 시대가 도래한다고 믿음.

mil·le·nary [mílənèri, məlénəri] *a.* 천(千)의[으로 된], 천년(기)의 ; 지복천년설 신자의. — *n.* 천년간 ; 천년기 ; 지복천년설 신자 ; 천년제(祭) (cf. CENTENARY).
〖L (*milleni* one thousand each) ; cf. BIENNIAL〗

mil·len·ni·al [məléniəl] *a.* 천년간의, 천년기의.
~ìsm *n.* =MILLENARIANISM.
~ist *n.* =MILLENARIAN.

mil·len·ni·um [məléniəm] *n.* (*pl.* **~s, -nia** [-niə]) **1** 천년간, 천년기(期)[제(祭)] ; [the ~] 〖聖〗 지복(至福)천년《그리스도가 재림하여 이 세상을 통치한다고 하는 신성한 천년간》. **2** 《비유》 (특히 이상(理想)으로서의) 황금 시대.
〖*biennium*의 유추로 L *mille* thousand에서〗

millénnium bùg *n.* 〖컴퓨〗 밀레니엄 버그《컴퓨터의 2000년 인식 오류》.

millepede, -ped ☞ MILLIPEDE.

mil·le·pore [míləpɔːr] *n.* 〖動〗 의혈산호(珊瑚).

míll·er *n.* 제분소, 제분업자, 물방앗간 주인 : Every ~ draws water to his own mill. 《속담》 아전인수(我田引水) / Too much water drowned the ~. 《속담》 「지나침은 모자람만 못하다」.
〖MILL[1] ; 일설에 MLG, MDu. *molner, mulner*가 어형상(語形上) *mill*[1]에 동화(同化)된 것〗

Míller ìndex *n.* (결정면(結晶面)의 표시에 사용하는) 밀러 지수(指數).
〖W. H. *Miller* (d. 1880) 영국의 광물학자〗

mil·ler·ite [mílərὰit] *n.* Ⓤ 〖鑛〗 침상(針狀) 니켈광. 〖↑〗

míller's-thúmb *n.* 〖魚〗 둑중개류(類)의 작은 민물고기.

mil·les·i·mal [məlésəməl] *n., a.* 1000분의 1(의).
〖L (*mille* thousand)〗

mil·let [mílət] *n.* Ⓤ 기장·조·수수 따위 : African [Indian] ~ 수수 / German[Italian] ~ 조 / ~ grass 〖植〗 나도겨이삭.
〖F (dim.) < *mil* < L *milium*〗

Mil·let [*F* milɛ] *n.* 밀레. **Jean François ~** (1814-75) 프랑스의 화가.

míll hànd *n.* 제분공 ; 직공, 방적공.

míll hòrse *n.* 연자매 말.

míll·hòuse *n.* 제분소 ; 프레이즈(fraise)반(盤) 작업소.

mil·li- [mílə] *comb. form* 「1000분의 1」의 뜻 (☞ METRIC SYSTEM). 〖L (*mille* thousand)〗

mìlli·ámpere *n.* 〖電〗 밀리암페어《1000분의 1암페어》.

mil·liard [míljɑːrd, -liὰːrd] *n., a.* 《英》 10억(=《美》 billion) (의). 〖F (*mille* thousand)〗

mílli·bàr *n.* 〖氣〗 밀리바《기압의 단위 ; 1000분의 1바 ; 1바는 수은주 약 750mm 높이의 압력》.

Mil·li·cent, Mil·i- [míləsənt] *n.* 여자 이름.
〖Gmc.=work+strong〗

mìlli·cúrie *n.* 〖理〗 밀리퀴리《1000분의 1퀴리》.

mílli·cỳcle *n.* 〖電〗 밀리사이클《1000분의 1사이클 ; 기호 mc》.

mílli·gràm(me) *n.* 밀리그램《1000분의 1그램》.

mílli·lìter | -tre *n.* 밀리리터《1000분의 1리터》.

***mílli·mèter | -tre** *n.* 밀리미터《1000분의 1미터》.

mìlli·mícro- *comb. form* 「10억분의 1」의 뜻.

mìlli·mícron *n.* 밀리미크론《1000분의 1미크론》.

mil·line [míllὰin, -ˊ] *n.* 〖廣告〗 발행 부수 100만부당 1 agate line의 스페이스 단위.

mil·li·ner [mílənər] *n.* 여성 모자 제조[판매]인《보통 여자임》. 〖*Milaner* ; ⇨ MILAN〗

mílline ràte *n.* 〖廣告〗 1 milline당의 광고료.

mil·li·nery [mílənèri ; -nəri] *n.* Ⓤ 여성 모자류 ; 여성 모자 제조 판매업.

míll·ing *n.* **1** Ⓤ (맷돌로) 가는 것, 제분. **2** Ⓤ 〖機〗 프레이즈반으로 깎기, (금속면의) 평삭(平削) ; (모직물의) 축융(縮絨) ; (주화 가장자리를) 깔쭉깔쭉하게 하기, 깔쭉이.

mílling cùtter *n.* 〖機〗 밀링 커터《milling machine의 프레이즈》.

mílling machìne *n.* 〖機〗 프레이즈반(盤) (miller) ; 〖紡績〗 축융기.

◇**mil·lion** [míljən] *n.* (*pl.* **~s,** 수사 다음에서는 ~) **1** 100만, 100만개, 100만명 ; 100만 달러[파운드《따위》] : a [two] ~ and a half=one[two] and a half ~*s* 150[250]만 / many[a few] ~*s of* dollars =many[a few] ~ dollars / two ~ *of* these people 이 사람들 중의 200만명 / Among the eight ~ are a few hundred to whom this does not apply. 그 800만 중에는 이것이 적용되지 않는 수백명의 사람이 포함되어 있다 / He made a ~ [two ~(*s*)]. 그는 100[200]만 (달러·파운드 따위)나 벌었다. 㪅 《美》에서는 지금은 He made

two ~. (200만 달러나 벌었다)라고 무변화 복수형을 쓰는 것이 보통. **2** [*pl.*] 수백만, 다수, 무수 : ~*s of* motorcars 수백만대의 자동차 / ~*s of* miles of highways (총계) 수백만 마일에 달하는 간선 도로. **3** [the ~(s)] 대중(the masses). —— *a.* 100만의 ; 다수의, 무수의 : a[three] ~ people 100[300]만명 / a few ~ people 수백만 명 / a ~ questions 무수한 문제.
〖OF< ? It. (aug.) ‹ *mille* thousand〗

***mil·lion·aire, -lion·naire** [mìljənέər, -nǽər, ⌐–⌐] *n.* (*fem.* **-air·ess** [-néərəs, -nǽərəs, ⌐–⌐–]) 백만장자, 대부호(cf. BILLIONAIRE). 〖F (↑)〗

míllion·fòld *a., adv.* 100만배의[로].

mil·lionth [míljənθ] *n., a.* 제 100만[100만번째](의) ; 100만분의 1(의).

mil·li·pede, -le- [míləpìːd], **-ped** [-pèd] *n.* 〖動〗 노래기《절지 동물의 하나》.
〖L=wood louse (*mille* thousand, *-ped*)〗

mílli·rèm *n.* 〖理〗 밀리렘《방사선의 생체 실효선량(生體實效線量)의 단위 ; 1000분의 1렘 ; 기호 mrem》.

mílli·ròentgen *n.* 〖理〗 밀리뢴트겐《1000분의 1뢴트겐 ; 기호 mr, mR》.

mílli·vòlt *n.* 〖電〗 밀리볼트《1000분의 1볼트 ; 기호 mV, mv》.

míll·pònd, -pòol *n.* 물방아용(用) 저수지 ; 《戲》(북)대서양.
(as) calm[smooth] as a millpond (바다 따위가 거울처럼) 조용한, 잔잔한.

míll·ràce *n.* 물방아용 유수(流水)(를 끄는 도랑).

míll rùn *n.* 광석의 함유물 검사 ; =MILLRACE ; 제재한 목재 ; 공장에서 갓 나온 보통 물품 ; 보통 물건[사람].

míll-rún *a.* 보통의, 일반적인(average) ; 《美》 공장에서 갓 나온.

Mílls bòmb[grenàde] [mílz-] *n.* 밀스 수류탄《중량 1.5파운드의 강력한 수류탄》.
〖Sir W. *Mills* (d. 1932) 영국의 발명가〗

míll scàle *n.* 〖冶〗 흑피(黑皮)《강재(鋼材)를 열간 압연할 때 표면에 생기는 산화물의 층》.

míll·stòne *n.* 맷돌 ; 《비유》 눌러 으깨는 것, 무거운 짐.
(as) hard as the nether millstone 무자비한[하게], 냉혹 무정한[하게].
between the upper and the nether millstone 꼼짝달싹 못하여, 궁지에 빠져.
dive into a millstone=look into[through] a millstone=see far in[into, through] a millstone [보통 풍자적으로] 감각[시력, 통찰력]이 매우 예리하다, 약삭빠르고 빈틈없다.

míll·strèam *n.* =MILLRACE.

míll·tàil *n.* (물방아의) 방수 도랑.

míll whèel *n.* 물방아(의 바퀴).

míll·wòrk *n.* **1** Ⓤ 물방아[제조소]의 기계(작업). **2** Ⓤ (제조 공장의) 목공 제품《문·창틀 따위》.

míll·wrìght *n.* 물방아를 만드는 목수 ; (공장의) 기계 설치[수리]공.

Mil·ly [míli] *n.* 여자 이름.

mi·lo [máilou] *n.* (*pl.* **~s**) 〖植〗 마일로《기장 비슷한 수수의 일종》 ; 가축 사료.

milometer ☞ MILEOMETER.

mi·lord [milɔ́ːrd] *n.* 각하, 나리《영국의 귀족·신사에 대하여 유럽 대륙 사람이 부를 때 썼음》 ; 영국 신사[귀족]. 〖F<E *my lord* ; cf. MILADY〗

milque·toast [mílktoust] *n.* [흔히 M~] 《美》 마음이 약한 남자, 뱅충맞이《신문 만화의 주인공 이름에서》.

mil·reis [mílrèis, -ʃ] *n.* (*pl.* ~ [-s, -ʃ, -z, -ʒ]) 브라질의 옛 경화(硬貨) ; 그 화폐 단위 ; 옛 포르투갈 금화.

MILSTAR [mílstɑ̀ːr] *n.* 〖美軍〗 전략 전술 중계용 군사 통신위성 계획. 〖*mil*itary *s*trategic, *t*actical, *a*nd *r*elay satellite communications program〗

milt[1] [mílt] *n.* Ⓤ (물고기 수컷의) 어정(魚精), 이리(cf. ROE[1]) ; (물고기의) 정소(精巢). —— *a.* (물고기 수컷이) 수정 가능한. —— *vt.* (물고기 알을) 수정(受精)시키다 ; (인공 부화를 위해 물고기의) 알[정자]을 빼내다.
~·er *n.* 산란기의 물고기 수컷.
〖OE *milt*(*e*) ; cf. G *Milz*〗

milt[2] *n.* 〖解〗 지라, 비장(spleen).

Mil·ton [míltən] *n.* **1** 남자 이름. **2** 밀턴. **John** ~ (1608-74) 영국의 시인.
〖OE=mill town ; middle homestead〗

Mil·ton·ic [miltɑ́nik], **Mil·to·ni·an** [miltóuniən, -njən] *a.* 밀턴의 ; 밀턴풍(風)[류(流)]의, (밀턴의 문체와 같이) 장엄한, 웅대한.

Mil·town [míltaun] *n.* 밀타운《meprobamate의 상품명》.

Mil·wau·kee [milwɔ́ːki] *n.* 밀워키《미국 Wisconsin 주(州) 남동부 미시간 호반의 도시》.

Milwáukee gòiter *n.* 《美俗》 밀워키 갑상선종(甲狀腺腫)《맥주를 즐기는 사람의 나온 배》. 〖↑〗

mim [mím] *a.* 《方》 말이 적은, 조심스러운 ; 얌전[점잔]빼는 ; 새침한(prim).

MIM mobile intercepter missile(지상 이동식 대공 미사일).

mim. mimeograph(ed).

mime [máim, míːm] *n.* **1** (고대 그리스·로마의) 몸짓 광대극, 무언극(無言劇) ; (현대의) 흉내 연극, (팬터)마임. **2** 어릿광대 ; 마임 배우, 흉내쟁이. —— *vi.* 익살 연극을 하다, 몸짓 광대극을 하다 ; 무언극을 하다. —— *vt.* 흉내내다, …의 연기를 하다, (생각 따위를) 무언의 몸짓으로 나타내다. 〖L<Gk. *minmos* imitator (*mimeo- mai* to imitate)〗

M. I. Mech. E. Member of the Institution of Mechanical Engineers.

mim·eo [mímiòu] *n.* (*pl.* **mím·e·òs**) 등사 인쇄물. —— *vt.* =MIMEOGRAPH.

mím·eo·gràph [mímiə-] *n.* 등사판 ; 등사 인쇄물. —— *vt., vi.* 등사판으로 인쇄하다.
〖*Mimeograph* 상표명〗

mi·me·sis [məmíːsəs, mai-] *n.* **1** Ⓤ 〖動〗 의태(擬態). **2** Ⓤ 〖修〗 모사(模寫)《언어의 모방에 의한 인물 묘사법》. 〖Gk.=imitation ; ⇨ MIME〗

mi·met·ic [məmétik, mai-] *a.* 모방의 ; 〖動〗 의태(擬態)의 ; 〖言〗 의성의 : ~ word 의성어《hiss, splash 따위》. **-i·cal·ly** *adv.* 〖L ; ⇨ MIME〗

mimétic díagram *n.* 〖電子〗 모식도(模式圖)[표시판]《공장 기계의 작동 상태 따위를 램프의 점멸 따위로 표시함》.

mim·ic [mímik] *a.* 흉내를 잘 내는 ; 모조(模造)의, 가짜의 ; 모의의(imitated) : a ~ battle 모의전 / ~ tears 거짓 눈물 / the ~ stage 흉내로 하는 연극, 광대극.
—— *n.* 모방자(者), (특히) 몸짓광대.

〈회화〉
He is a good *mimic.* — Yes. He's a good entertainer. 「그는 흉내를 잘내요」「그래요, 연예인 소질이 있어요」

—— *vt.* (**-ick-**) 흉내내다, 모방하다, 흉내내어 조

롱하다 ; …와 꼭 닮다 ; 〖動〗 의태하다 : Some animals ~ objects in their environment. 동물 중에는 주위에 있는 물체로 의태하는 것이 있다.
mím·i·cal *a.* **mím·ick·er** *n.*
〖L<Gk. (*mimos* mime)〗
類義語 ⟹ IMITATE.

mímic bóard *n.* 미믹 보드《컴퓨터를 이용하여 복잡한 시스템을 램프의 점멸 따위로 도식화하여 나타내는 표시판》.

mímic·ry *n.* **1** Ⓤ 흉내 ; Ⓤ 모조품 ; Ⓒ 〖生〗 의태(擬態) : in ~ of …을 흉내내어.

M. I. Min. E. Member of the Institution of Mining Engineers.

mim·i·ny-pim·i·ny [mímənipíməni] *a.* 점잔빼는, 젠체하는.

mim-mem [mímmém] *a.* (언어 학습이) 모방 기억 연습의[에 의한].
〖*mimi*cry+*mem*orization〗

mi·mo·sa [məmóusə, -zə, mai-] *n.* 〖植〗 함수초(含羞草), 감응초 ; 아카시아의 일종.
〖L ; ⇨ MIME〗

Min. Minister ; Ministry.

min., min mineralogy ; minim(s) ; minimum ; mining ; minor ; minute(s).

mi·na[1] [máinə] *n.* (*pl.* **~s, -nae** [-ni:, -nai]) 무나, 미나《(1) 고대 소아시아의 중량·통화 단위. (2) 고대 그리스·이집트의 중량 단위》.

mina[2] *n.* =MYNA.

Mina *n.* 여자 이름《Wilhelmina의 애칭》.

mi·na·cious [mənéiʃəs] *a.* =MINATORY.

mi·nac·i·ty [mənǽsəti] *n.* Ⓤ 위협(threat).

mi·nar [məná:r] *n.* (인도 건축 따위의) 작은 탑.
〖Arab.〗

min·a·ret [mìnərét, ⌐-⌐] *n.* (이슬람교 사원의) 첨탑. 〖F or Sp.<Turk.<Arab.=lighthouse〗

min·a·to·ry [mínətɔ̀:ri, mái- ; -təri], **mìn·a·tó·ri·al** *a.* 《文語》 위협적인, 협박하는(menacing).
〖L (*minor* to threaten)〗

mi·nau·dière [*F* minodjɛ:r] *n.* 미노디에르《화장품 따위를 넣는 작은 장식 그릇》. 〖F=affected〗

mince [míns] *vt.* **1** (고기 따위를) 잘게 저미다. **2** 조심스럽게[완곡하게] 말하다. ── *vi.* **1** 점잔빼며 발을 조금씩 떼며 걷다 ; 젠체하며 행동[말]하다. **2** 요리 재료를 잘게 썰다.
not mince matters[(one'***s***) ***words***] 서슴없이 솔직히 말하다.
── *n.* **1** Ⓤ 잘게 썬 고기, 잘게 저민 고기(mincemeat). **2** 《美俗》 촌스러운 사람 ; 따분한 사람 ; 《美俗》 호모. 〖OF<L ; ⇨ MINUTE[2]〗

mínce·mèat *n.* Ⓤ 민스미트《건포도·설탕·사과·향료 따위에 때때로 다진 고기를 섞은 것 ; mince pie의 재료》.
make mincemeat of …을 잘게 다지다 ; 《비유》 …을 분쇄하다, …을 난도질하다.

mínce píe *n.* 민스 파이《mincemeat가 든 둥글고 작은 파이 ; 크리스마스용 과자》.

minc·ing [mínsiŋ] *a.* 점잔빼는, 거드름 피우는, 으스대는 ; 점잔빼며 걷는 ; 다지는데 쓰는.
~·ly *adv.* 뽐내며, 시치미 떼며.

Míncing Làne *n.* 《英》 차 따위의 도매업.

◇**mind** [máind] *n.* **1** Ⓤ **a**) 마음, 정신(↔ *body, matter*) ; 이성, 정기 ; 〖心〗 정신 : ~ and body 심신. **b**) 지성, 지력(cf. HEAD *n.* 4, HEART *n.* 2) ; 창조적 사고력, 상상력. **c**) 정신상태, 정신적 특질 : a state[frame] of ~ 심정, 기분 / a turn[cast] of ~ 기질. **2** (…한) 마음[지성]을 가진 사람, 사람 : a noble ~ 고결한 사람 / a little ~ 소인(小人). **3** [+*to* do] 의견, 생각, 의향 ; 기호, 희망 ; 주의 ; 고려 : the popular ~ 세인(世人)의 마음, 인심 / the public ~ 여론, 세론(世論) / change one's ~ 생각을 바꾸다, 생각을 고치다 / disclose[speak, tell] one's ~ 의견을 말하다, (솔직하게) 생각을 털어놓다 / I am *of* your ~. 너와 같은 의견이다(cf. *be of a*[*one*] MIND) / I have a[no] ~ *to* go for a walk. 산책할 생각이다[생각이 없다]. **4** Ⓤ 기억(력).
after one'***s mind*** 마음에 맞는, 기호에 맞는[맞아서].
a piece[***bit***] ***of*** one'***s mind*** ☞ *give* a person *a piece*[*bit*] *of* one's MIND.
apply[***bend***] ***the mind to*** …에 마음을 쓰다, …에 고심하다.
at the back of one'***s mind*** ☞ BACK *n.* 2.
awake to one'***s full mind*** 《비유》 눈을 뜨다, 제정신이 들다.
bear[***have, keep***]***...in mind*** …을 유의하다, 명심하다.
be of a[***one***] ***mind*** 같은 의견이다. 㸃 a는 the same의 뜻.
be out of one'***s mind*** 제정신이 아니다 : He *is* evidently *out of* his ~. 그는 분명히 제정신이 아니다.
bring[***call***]***...to mind*** …을 생각해 내다.
cross[***come into, enter***] one'***s mind*** 생각나다, (어떤 일이) 문득 머리에 떠오르다.
give a person ***a piece***[***bit***] ***of*** one'***s mind*** 남에게 거리낌[기탄]없이 한마디 하다, 직언하다, 남을 꾸짖다.
give one'***s*** (***whole***) ***mind to*** …에 전념하다.
go out of one'***s mind*** 잊혀지다 ; 발광하다 : The incident completely *went out of* his ~. 그 사건을 그는 까마득히 잊어버렸다.
have a good[***great***] ***mind to*** do... 몹시 …하고 싶어하다 : I *had a good* ~ *to* shake the girl. 그 소녀의 마음을 흔들어 놓고 싶었다.
have a mind of one'***s own*** 자기의 주견(主見)을 가지고 있다.
have half a mind to do …할까 말까 생각하고 있다.
have...in mind=*bear...in* MIND.
have...(***up***)***on*** one'***s mind*** …을 염려하고 있다, 걱정하다.
in one'***s mind*** …의 생각으로는.
in one'***s mind's eye*** ☞ MIND'S EYE.
in one'***s right***[***sound***] ***mind*** 제정신으로.
in two[***twenty***] ***minds*** 마음이 흔들려서, 결단이 서지 않아〈*about*〉.
keep an open mind 결정짓지 않고 있다.
keep...in mind=*bear...in* MIND.
keep[***have***] one'***s mind*** (***up***)***on*** …에 전념[유의]하다, …을 줄곧 생각하다.
know one'***s own mind*** 결심이 서 있다.
lose one'***s mind*** 발광하다.
make up one'***s mind*** (1) [+*to* do / +*that* 節 / +*wh.* 節] 결심하다 : *Make up* your ~ *to* get up earlier in the morning. 아침에 좀더 일찍 일어나겠다고 결심하시오 / She *made up* her ~ never *to* marry. 절대로 결혼하지 않겠다고 결심했다 / He *made up* his ~ *that* he would devote his whole life to the study of science. 과학 연구에 일생을 바칠 것을 결심했다 / Early in life, he *made up* his ~ *what* he wanted to be. 일찍이 그는 앞으로 어떤 사람이 될 것인가를 결심했다. (2) [+*that* 節 / +*to*+名] 결단을 내리다, (…에)

틀림없다고 생각하다 ; 별도리가 없다고 생각하다, 단념하여 (…라고) 생각하다 : The poor lady *made up* her ~ *that* she was not going to get well. 불쌍하게도 그 부인은 자기의 병은 영 낫지 않을 것으로 생각했다 / You must *make up* your ~ ***to*** *that.* 너는 단념하고 그것을 받아 들여야해 ; 그건 각오할 수밖에 없다.

off one***'s mind*** 마음을 떠나, 잊혀져서.

on one***'s mind*** 마음[신경]에 걸려.

open one***'s mind to*** …에게 마음[생각]을 털어놓다.

pass out of one***'s mind*** 잊혀지다.

put a person ***in mind of...*** 남에게 …을 상기시키다.

rush upon one***'s mind*** 갑자기 생각나다.

set one***'s mind*** **(*up*)*on...*** = *keep* one*'s* MIND (*up*) *on.*

take one***'s mind off*** …에서 주의를 딴 데로 돌리다.

time out of mind ☞ TIME.

to one***'s mind*** …의 생각으로는 ; 마음에 들어, 기분에 흡족하여 : *To* my ~ he acted too thoughtlessly. 내가 보기에는 그는 너무 경솔하게 행동했다 / He found the work very much *to* his ~. 그 일이 매우 마음에 들었다.

turn one***'s mind to*** …에 주의[생각]를 기울이다, …에 전념하다.

with...in mind …을 마음[의중(意中), 염두]에 두고.

—— *vt.* **1** [때때로 명령] [+目/+*that* 節] 주의[유의]하다 ; 경계하다 ; 따르다, …의 말하는 것을 듣다 ; …을 돌보다, 감시하다 : *M*~ the step. 발밑 조심 / *M*~ your own business. 자기 일이나 잘 해라《쓸데없는 참견 마라》/ *M*~ the baby for half an hour. 30분간 그 어린애를 봐 주시오 / You should ~ your mother. 어머니 말씀을 들어야 한다 / *M*~ what I tell you. 내가 말하는 것을 잘 들으시오 / *M*~ you don't spoil it. 그것을 망치지 않도록 주의해야 해. **2** [부정 · 의문 · 조건] [+目 / +do*ing* / +目+do*ing*] 걱정하다, 귀찮게 여기다, 싫어하다 : *Never* ~ the expense. 비용같은 것은 걱정할 것 없어 / I do*n't* ~ hard work, but I do ~ insufficient pay. 일이 힘든 것은 상관 없으나 급료가 적은 것만은 싫다 / I should *not* ~ a drink. 한 잔 하는 것도 나쁘지는 않다 / Do[Would] you ~ shut*ting* the door? 실례지만 문 좀 닫아주시겠습니까《注 would를 쓰는 것은 한층 공손한 말투》/ I don't ~ your[you] smok*ing* here. 여기에서 담배를 피워도 괜찮습니다《注 you를 쓰는 것은 《口》》.

〈회화〉
Do you *mind* me using your telephone? — No, not at all. 「전화 좀 써도 될까요」「네, 물론이죠」

—— *vi.* **1** 주의하다, 조심하다 ; 배려하다 ; 말하는 것을 듣다 : If you don't ~, you'll get hurt. 주의하지 않으면 다치게 될 것이다 / This dog ~*s* well. 이 개는 시키는대로 잘 한다. **2** [부정 · 의문 · 조건] [動/+*about*+名/+*wh.* 節] 반대하다 (object) ; 마음을 쓰다, 염려하다, 마음에 걸리다 : We'll rest here if you do*n't* ~. 괜찮으시다면 여기서 쉽시다 / Do[Would] you ~ if I open [opened] the window? 창문을 열어도 괜찮으시겠습니까《注 대답은 보통 No, I don't[shouldn't]. (좋고 말고요)》/ *Never* ~! 걱정하지 마라, 아무 일도 아니다, 염려할 것 없어 / *Never* ~ ***about*** that. 그것은 조금도 염려하지 마시오 / I don't ~ *which* of them will come to me. 그들 중에서 누가 와도 내게는 상관없다.

〈회화〉
Which would you like, tea or coffee? — I don't *mind.* 「홍차로 하시겠어요, 커피로 하시겠어요」「아무거나 좋습니다」

Mind and do... 《口》 [명령] 주의해서 …하시오 : *M*~ *and* tell me as soon as you can. 되도록 빨리 보고해 주시오.

mind one***'s P's and Q's*** ☞ P.

Mind **(*you*)*!*** 《口》 알겠어 (너), 잘들어라《양보 또는 조건 제시를 수반하는 삽입문구》.

Mind your eye. 《口》 주의하시오(Be careful).

〚OE *gemynd* memory, thought ; cf. OHG *gimunt*〛

mínd-bènd·er *n.* 《俗》 환각제(사용자) ; 움찔하게 하는 것 ; 용케 남의 기분을 바꿔놓는 사람, 회유하는 사람.

mínd-bènd·ing *a.* 《俗》 환각성의 ; 정신에 이상을 가져오는 ; 움찔하게 하는, 압도적인.

mínd-blòw *vt.* 《俗》 …에게 충격을 주다, 흥분시키다.

mínd blòwer *n.* 환각제 (사용자) ; 황홀한 체험.

mínd-blòw·ing *a.* 《俗》 환각작용을 하는, 환각제의, 압도하는.

mínd-bòggling *a.* 《口》 아주 놀라운, 믿을 수 없는, 믿기 어려운.

mínd cùre *n.* 정신 요법.

mínd·ed *a.* **1** [*pred.*로만 써서] [+*to* do] (…하고 싶은) 마음이 있는 : If you are so ~, ... 그렇게 할 생각이라면… / He would help us if he were ~ *to* do so. 그가 우리를 도와 주겠다는 마음만 있다면 도울 수 있을텐데. **2** [복합어를 이루어] **a**) …한 마음의 : feeble-~ 의지박약한 / commercially-~ 장사 기질의. **b**) …에 열심인 : ☞ AIR-MINDED.

mínd·er *n.* [보통 복합어를 이루어] 돌보는[감시하는] 사람.

mínd-expànd·er *n.* 환각제.

mínd-expànd·ing *a.* 의식을 확대[예민하게]하는 ; 환각을 일으키는.

mínd-fùck *vt.* 《俗》 (남을 자유자재로) 조종하다 ; 혼란시키다. —— *n.* 남을 마음대로 다루는 사람 ; 사태를 혼란시키는 일.

mínd·ful *a.* [*pred.*로 써서] [+*to* do] 유의하는, 잊지 않는, 주의하는 : He is ~ ***of*** his duties. 자기의 책무를 소중히 한다 / Be ~ ***to*** follow my advice. 주의하여 내 충고에 따르도록 하시오. **~·ly** *adv.* 마음에 두고, 주의하여. **~·ness** *n.*

mínd·less *a.* [*pred.*로 써서] 마음에 두지 않는, 무관심한, 소홀히 하고 있는, 부주의한〈*of*〉; 어리석은 ; 머리를 쓰지 않는《일》.

~·ly *adv.* 지각없이, 부주의로. **~·ness** *n.*

min·don [máindɑn] *n.* 정신소(素)《텔레파시 따위의 정신 전달을 맡는 물질의 가상명》.

〚*mind*+-*on*²〛

mínd rèader *n.* 사람의 마음을 꿰뚫어 보는 사람, 독심술(讀心術)을 하는 사람.

mínd rèading *n.* 독심술(cf. TELEPATHY).

mínd-sèt *n.* 심적 경향, 사고[해석] 방식.

mínd's èye *n.* 마음의 눈, 심안(心眼) (↔*outward eye*).

in one***'s*** [***the***] ***mind's eye*** 기억[상상]으로.

mínd spàcer *n.* 《美俗》 환각제.

mine[1] [máin] *pron.* [I에 대응하는 소유 대명사] **1** 나의 것(cf. HERS, HIS 2, OURS, THEIRS, YOURS) : This umbrella is yours, not ~. 이 우산은 내것이 아니라 네것이다 / *M*~ is an old family. 우리 집안은 오래 된 가문이다《㈜ My family is an old one. 보다 문어적》/ Your eyes are blue and ~ are dark. 너의 눈은 파랗고 내 눈은 검다 / The game is ~. 승리는 나의 것이다. **2** [of ~ 의 형식으로] 나의 : a friend *of* ~ 나의 어떤 친구《㈜ 일정치 않은 사람 ; my friend는 특정한 사람》/ this book *of* ~ 나의 이 책 ☞ 活用. **3** 나의 가족[편지, 책무] : He was kind to me and ~. 나와 내 가족에게 친절했다 / Have you received ~ of the fifth? 5일자 나의 편지를 받으셨습니까 / It is ~ to protect him. 그를 보호하는 것은 나의 책임이다.

〈회화〉
Whose dictionary is this? — It's *mine.* 「이것은 누구의 사전이니」「내 거야」

—— [màin, máin] *a.* [주로 모음·h 앞 ; 명사 뒤에 두는 수도 있음]《古·詩》=MY : ~ eyes 나의 눈 / lady ~ =my lady. 〖OE *mīn*<Gmc. (G *mein*) <IE (locative) 〈《美》 *me* ME〗

活用 my는 a, an, this, that, no 따위와 나란히 하여 명사 앞에 둘 수 없으므로 my를 of mine으로 하여 명사 뒤에 둔다 ; of yours[his, hers, ours, theirs]에도 같은 용법이 있음. 또한 이 표현법에서의 mine, yours, his, *etc.*의 강세는 다소 약해진다.

***mine**[2] *n.* **1** 광산, 광업장 ; 광갱(鑛坑) ;《英》철광 : a gold ~ 금광(金鑛) / work a ~ 광산을 채굴[경영]하다. **2**《비유》풍부한 자원, 보고 : a ~ *of* wealth 부원(富源) / He is a ~ *of* information. 그는 풍부한 지식이 있다. **3** [the ~s] 광업, 광산업. **4**〖陸軍〗갱도, 지뢰(land mine) ;〖海軍〗수뢰, 기뢰 : a floating[drifting, surface] ~ 부유기뢰(機雷) / a submarine ~ 부설수뢰.
lay a mine for …에 지뢰를 부설하다 ;《비유》…의 전복을 꾀하다.
spring a mine on …에 지뢰를 폭발시키다 ;《비유》…을 기습하다.
the run of (***the***) ***mine*** ☞ RUN *n.*
—— *vt.* **1 a**) [+目/+目+*for*+名] 채굴하다 ; 광산으로 만들다, …에 광갱(鑛坑)을 내다 ; …에 갱도를 파다 : ~ a hill ***for*** gold 금을 채굴하기 위해 산을 파다. **b**) …에 지뢰[기뢰]를 부설하다. **2** 비밀수단[계략]으로 뒤엎다[파괴하다], 음모로 실각시키다《㈜ undermine 쪽이 일반적》. —— *vi.* (석탄 따위를) 채굴하다 ; 갱도를 파다 ; 지뢰를 장치하다.
〖OF<? Celt. (Ir. *mein*, Welsh *mwyn* ore, mine)〗

míne detèctor *n.* 지뢰 탐지기.
míne·field *n.*〖軍〗지뢰[기뢰] 부설지대, 지뢰[기뢰]원(原) ;《비유》보이지 않는 위험이 많은 곳.
míne·lày·er *n.*〖海軍〗기뢰 부설함(艦).
***min·er** [máinər] *n.* 광산업자 ; 광산[탄광] 노동자, 광부, 갱부 ;〖軍〗지뢰 공병(cf. SAPPER) ; 채광기, (특히) 채탄기.
***min·er·al** [mínərəl] *n.* **1** 광물(cf. ANIMAL, PLANT) ;《口》광석. **2**〖化〗무기물 ;《英口》[보통 *pl.*] =MINERAL WATER ;《英》탄산음료.
—— *a.* 광물(성)의, 광물을 함유한 ;〖化〗무기(질)의 : the ~ kingdom 광물계.
〖OF or L ; ⇨ MINE[2]〗
mineral. mineralogical ; mineralogy.
míneral àcid *n.*〖化〗무기산.
míneral chárcoal *n.* 천연 목탄.
míneral còtton *n.* =MINERAL WOOL.
mìneral·izátion *n.* Ⓤ 광화(鑛化) 작용.
míneral·ìze *vt.* 광물화(鑛物化)하다 ; …에 광물을 함유시키다. —— *vi.* 광물연구[채집]를 하다 ; 광화 작용을 촉진하다.
mín·er·al·ìz·er *n.* **1**〖化〗광소(鑛素), 광화제(劑) ;〖地質〗광상(鑛床) 형성 가스. **2** 탐광자, 광물 채집자.
míneral jèlly *n.*〖化〗미네랄 젤리《석유에서 채취하는 점성 물질 ; 폭약 안정제용》.
míneral lànds *n. pl.*《美》(연방 정부가 소유하는) 중요 부광(富鑛) 지대, 광산 지대.
min·er·al·o·gy [mìnərǽlədʒi, -rál-] *n.* Ⓤ 광물학 ; 광물학 논문. **-gist** *n.* **mìn·er·al·óg·i·cal** *a.* 광물학(상)의, 광물학적인. **-i·cal·ly** *adv.*
míneral òil *n.* 광유(鑛油).
míneral pìtch *n.* 아스팔트.
míneral rìght *n.* 채광권.
míneral sàlt *n.* 무기산염 ; 암염(岩鹽).
míneral sòil *n.* 광물질 토양.
míneral sprìng *n.* 광천(鑛泉).
míneral tàr *n.* 광물 타르, 말타(maltha).
míneral wàter *n.* 광(천)수, 미네랄 워터 ; [때때로 *pl.*]《英》탄산수.
míneral wàx *n.* 광랍(鑛蠟).
míneral wòol *n.* 광물면(綿) (mineral cotton)《건물용 충전재 ; 절연·방음·내화재용》.
míne rìde *n.* 폭주 광차(暴走鑛車)《차가 광차 모양을 한 유원지의 오락차》.
Mi·ner·va [mənə́ːrvə] *n.*〖로神〗미네르바《지혜와 기예의 여신 ;〖그神〗의 Athena에 해당》.
〖L ; cf. MIND〗
mine's [máinz]《口》mine is의 단축형.
min·e·stro·ne [mìnəstróuni] *n.* Ⓤ 미네스트로네《고기즙에 야채·마카로니·버미셀리(vermicelli)를 넣은 진한 수프》. 〖It.〗
míne·swèep·er *n.* 소해정(掃海艇).
míne·swèep·ing *n.* Ⓤ 소해(작업) ; 지뢰제거.
míne thròwer *n.* 박격포(trench mortar).
minever ☞ MINIVER.
míne wàter *n.* 갱내수(坑內水).
míne wòrker *n.* 광부(miner).
Ming [míŋ] *n.* 명(明)나라, 명조(明朝) (1368-1644) ; Ⓤ [m~] 명조의 상질(上質) 자기(磁器).
—— *a.* 명조 시대의, 명조 시대 미술 양식의.
min·gle** [míŋgəl] *vt.* [+目/+目+*with*+名] 섞다, 혼합하다(mix) ; 교제시키다, 참가시키다 : The two rivers ~*d* their waters there. 두 강은 그곳에서 합류하고 있었다 / They ~*d* their tears. 함께 울었다 / with ~*d* feelings (희비가 엇갈리는) 착잡한 심정으로 / truth ~*d* ***with falsehood 거짓이 뒤섞인 진실. —— *vi.* [動/+*with*+名] 뒤섞이다 ; 교제하다, 참가하다 : The thief soon ~*d* ***with*** the crowd. 도둑은 금새 군중 속으로 숨어 버렸다.
—— *n.*《學俗》댄스.
〖ME (freq.) <OE *mengan* to mix〗
類義語 ⟹ MIX.
míngle-mángle *n.* 혼합, 뒤섞임, 뒤죽박죽.
míng trèe *n.* 분재(盆栽).
min·gus [míŋgəs] *n.*《美俗》바보, 멍텅구리.
min·gy [míndʒi] *a.*《口》인색한 ; 매우 작은.
〖*mean*+st*ingy*〗
mini [míni] *n.* (*pl.* **mín·is**) **1** 미니《(1) minicar, miniskirt, minidress 따위. (2) miniskirt 따위의 스타일[치수]》; (각종) 소형의 것 ; =SUBCOM-

PACT. **2** [M~] 미니《영국제의 소형차》.
── *a.* (스커트 따위가) 무릎까지 미치지 않는, 짧은; 소형의, 약간의.

mini- [mínə] *comb. form* 「매우 작은」「소형의」의 뜻: *mini*bus, *mini*skirt. 《*mini*ature》

min·i·ate [mínièit] *vt.* …에 주색(朱色)을 칠하다; 금(金)문자[채색 무늬]로 꾸미다.
《L; ⇨ MINIUM》

min·i·a·ture [míniətʃər, 美+-tʃùər] *n.* **1** 세밀화(畵), 소화상, 축도; Ⓤ 세밀화법. **2** 축소형; 축소물[모형], 미니어처. **3** (사본의) 채식(彩飾)(그림·문자).
in miniature 세밀화로; 소규모로[의].
── *a.* 미세화(微細畵)의; 소규모의, 소형의: a ~ decoration 기장(記章), 약장(略章) / ~ golf 미니어처 골프《putter 만을 써서 소형 코스에서 하는 골프》.
── *vt.* 미세화로 그리다, 축사(縮寫)하다.
《It. (L=to paint with MINIUM)》
類義語 ⟹ SMALL.

míniature cámera *n.* 소형 카메라《35mm 이하의 필름을 사용함》.

míniature pínscher *n.* 미니어처 핀셔《독일 원산의 작은 애완견》.

mín·i·a·tur·ist *n.* 세밀화가.

mín·ia·tur·ìze *vt.* (트랜지스터 따위를 써서) 소형화하다.

míni·bìke *n.* 《美》 소형 모터사이클.

mìni·bikíni *n.* 초소형 비키니.

míni-blàck-hòle *n.* 〔天〕 미니 블랙홀《10만분의 1g 정도의 질량 밖에 안되는 극소형 블랙홀》.

míni·bùdget *n.* 소형 보정(補正) 예산.

míni·bùs *n.* 소형 버스.

míni·càb *n.* 《英》 소형 콜택시.

mìni·cálculator *n.* 휴대용 전자 계산기.

mini·cam [mínikæ̀m] *n.* =MINIATURE CAMERA.

míni·càmera *n.* =MINIATURE CAMERA.

míni·càr *n.* 소형 자동차; 그 모형; (특히 장난감의) 미니카.

míni·cèll *n.* 〔生〕 미니 세포《염색체 DNA가 없는 작은 박테리아 세포》.

mìni·compúter *n.* 소형 컴퓨터.

míni·còurse *n.* (정규 학기와 학기 사이 따위의) 단기 코스, 미니코스.

míni·dòse *n.* 알갱이가 작은 내복약.

míni·fèstival *n.* 《美》 (흔히 야외에서 가지는) 소규모 축제.

min·i·fy [mínəfài] *vt.* 작게 하다, 축소하다; 삭감하다(↔*magnify*).

min·i·kin [mínikən] *n.* 아주 작은 것[사람].
── *a.* 아주 작은; 가냘픈, 섬약한; 점잔빼는.
《MDu.》

min·im [mínəm] *n.* **1** 미님《액량의 단위; =1/60 dram》. **2** 《英》〔樂〕 2분 음표. **3** 미소(물)(particle), 한방울, 미량(jot). ── *a.* 최소의, 소형의. 《L MINIMUS》

minima *n.* MINIMUM의 복수형.

míni·magazìne *n.* (비교적 소수의 특정 독자층을 대상으로 하는) 미니 잡지.

min·i·mal [mínəməl] *a.* 최소(한도)의, 극소의, 극미(極微)의(↔*maximal*); [때때로 M~] minimal art의. ── *n.* =MINIMAL ART.

mínimal árt *n.* 미니멀 아트《형태·색채를 최소한 간결하게 꾸밈없이 하는 조형 예술》.

mínimal bráin dysfùnction *n.* 〔醫〕 미소 뇌기능 장애《아동의 학습·행동 기능 장애의 하나; 뇌의 미세한 상해 때문이라 생각됨; 略 MBD》.

mínimal·ist *n.* **1** [M~] **a**) 최소한 강령주의자《러시아 사회 혁명당 내의 온건파; cf. MAXIMALIST》. **b**) =MENSHEVIK. **2** (목표 따위를) 최저한으로 억제하려는 사람; 온건한 개혁주의자. **3** 미니멀 아트 예술가, 미니멀리즘 지지자.
── *a.* 미니멀리즘의[에 의한].

mínimal páir *n.* 〔言〕 최소대립어(對立語)《bet와 bed처럼 같은 위치의 한가지 음만 다른 한쌍의 낱말》.

mini·max [mínimæ̀ks] *n.* (게임 이론의) 예상 되는 최대한의 손실을 최소한으로 줄이는 수(↔*maximin*). ── *a.* 미니맥스의[에 의거한].
《*mini*mum+*max*imum》

Míni Métro *n.* 영국제 소형 승용차.

míni·mìll *n.* (고철 따위를 이용하는 지방의) 소규모 제철소.

míni·mínd·ed *a.* 생각이 얕은, 지각 없는; 무지한, 어리석은(stupid).

min·i·mine [mínəmi:n] *n.* 미니민《벌의 독에서 얻어지는 유독 물질》.

min·i·mize [mínəmàiz] *vt.* 최소(한도)로 하다, 극소화하다(↔*maximize*); 최소로 어림하다[평가하다]; 경시하다, 얕보고 말하다.
mìn·i·mi·zá·tion *n.*

***min·i·mum** [mínəməm] *n.* (*pl.* **-ma** [-mə], **~s**) (↔*maximum*) 최소한도, 최저한[액], 최소량; 〔數〕 극소(점): reduce waste of materials to a ~ 원료의 손실을 최소한으로 줄이다 / He was content with the[a] ~ of comfort. 최소한의 안락으로 만족하고 있었다. ── *a.* 최소[저]한의, 극소의.
《L (neut.) ‹MINIMUS》

mínimum cómpetency tèsting *n.* 〔教〕 최소 능력 테스트《미국에서 실시되는 고등학교 기초 학력 심사》.

mínimum dóse *n.* 〔醫〕 최소 투약량.

mínimum púrchase *n.* 《美》 (휘발유의 한 번에 급유되는) 최소 구매량.

mínimum thermómeter *n.* 〔工〕 최저 온도계(溫度計).

mínimum tóur prìce *n.* 여행 최저 판매 가격《항공회사의 과당 판매 경쟁을 막기 위해 IATA가 정한 투어 최저 판매가》.

mínimum wáge *n.* =LIVING WAGE; (법정) 최저 임금.

min·i·mus [mínəməs] *a.* 《英》 가장 어린《같은 이름을 가진 세 학생 또는 세 형제 중에서》: George ~ 가장 어린 조지. ── *n.* (*pl.* **-mi** [-mài]) 가장 작은 것. 《L=least》

min·ing [máiniŋ] *n.* **1** Ⓤ 채광; 광업; 지뢰[기뢰] 부설: coal ~ 탄광업. **2** [형용사적으로]: a ~ academy 광산 전문학교 / a ~ claim[concession] 광구(鑛區)《발견자에게 채굴권이 있음》/ a ~ engineer 광산 기사 / ~ engineering 광산 공학 / the ~ industry 광업 / ~ rights 채굴권.

míning geògraphy *n.* 광산 지질학.

míni·nuke [-njù:k] *n.* 《美俗》 (국지전용의) 소형 핵무기.

min·ion [mínjən] *n.* **1** 《蔑》 총애받는 사람《총신·총아 등》; 앞잡이, 부하. **2** Ⓤ〔印〕 미니언《7 포인트 활자; ☞ TYPE 5 주》.
the minions of the law 《蔑》 법률의 앞잡이, 경찰관, 교도관, 간수.
── *a.* 귀엽고 섬세한[질좋은].
《F *mignon*＜Gaulish》

míni·pànts *n. pl.* 매우 짧은 바지.

míni·pàrk *n.* (도시의) 소공원.

míni·pìg *n.* 미니 돼지《과학 연구용으로 개량된 소형 돼지》.
míni·pìll *n.* 알이 작은 먹는 피임약.
míni·plànet *n.* 〖天〗 소행성.
míni·prògram *n.* 〖TV·放送〗 미니프로그램《이른바 1분 이하 짜리의 짧은 연속 프로그램》.
min·is·cule [mínəskjùːl] *n., a.* =MINUSCULE.
míni·sèries *n.* (연극·공연 따위의) 작은 시리즈, 미니 시리즈 ; 연속 텔레비전 드라마.
min·ish [míniʃ] *vt., vi.* 《古》 줄이다, 줄다, 작게 하다, 작아지다.
míni-skì *n.* (초보자용의) 짧은 스키.
míni·skìrt *n.* 미니스커트 ; 《CB俗》 여성, 아가씨.
míni·stàte *n.* 신흥 소독립국 ; 극소(極小) 국가 (microstate).
min·is·ter** [mínəstər] *n.* **1** 성직자, 목사 ; 《英》 비국교파의 목사(cf. CLERGYMAN). **2** 장관(cf. SECRETARY 2) : the *M*~ of Agriculture 농무(農務) 장관 / the Foreign *M*~ 외무장관 / the Prime *M*~ 국무총리(the Premier). **3** 공사 ; 외교사절《ambassador의 하위》. **4** 《古》 하인, 대리인[자]. —— *vi.* **1** 성직에 있다, 목사가 되다. **2** [+*to*+名] 하인[대리, 가신]의 역을 맡다, 섬기다 ; 진력하다 ; 공헌하다 : ~ ***to vanity 허영심을 만족시키다 / ~ *to* a person's needs 남의 요구를 충족시키다.
—— *vt.* 《古》 주다, 베풀다.
〖OF<L=servant (*minus* less)〗
min·is·te·ri·al [mìnəstíəriəl] *a.* **1** 성직자의, 목사의. **2** 장관의 ; [흔히 M~] 내각의, 정부측의, 여당의. **3** 행정(상)의. **4** 대리의, 보좌의 ; …에 더욱 힘이 되는〈*to*〉 ; 〖法〗 대표권이 있는 ; 〖法〗 특별한 훈련[자격]을 요하지 않는, 사무적인.
~·ist *n.* 《英古》 여당 의원. **~·ly** *adv.* 목사로서 ; 장관으로서.
mínister·ing ángel *n.* 구원의 천사《비유적으로 간호사 등》.
mínister plenipoténtiary *n.* (*pl.* **mínisters plenipoténtiary**) 전권 공사.
mínister résident *n.* (*pl.* **mínisters résident**) 변리 공사.
mínister's héad[**fáce**] *n.* 《美俗》 돼지머리 《요리 용어》.
mínister withòut portfólio *n.* 무임소 장관.
min·is·trant [mínəstrənt] *a.* 봉사하는, 보좌역의. —— *n.* 봉사자, 보좌역.
min·is·tra·tion [mìnəstréiʃən] *n.* Ⓤ 성직자로서의 직무 ; Ⓤ,Ⓒ 봉사, 원조.
min·is·tress [mínəstrəs] *n.* MINISTER의 여성형.
***min·is·try** [mínəstri] *n.* **1** 목사의 직[임기] ; 장관[내각]의 임기. **2** [흔히 M~] 《英》 내각, 전각료. **3** [the ~] 목사들, 성직자. **4** 《英》 성(省) (department). **5** =MINISTRATION.
〖L=service ; ⇨ MINISTER〗
míni·sùb *n.* (해저 탐사용) 소형 잠수함.
míni·sùit *n.* 미니슈트《미니스커트와 콤비가 되는 여성용 슈트》.
míni·tànk *n.* (기동성이 우수한) 미니탱크.
míni·tànk·er *n.* 소형 탱커《액체 수송용》.
míni·tràck *n.* [때때로 M~] 지상 추적 장치《인공위성 따위에서 송신을 받는 장치》.
min·i·um [míniəm] *n.* 주홍(朱紅) ; 〖化〗 연단(鉛丹) (red lead). 〖L〗
míni·vàn *n.* 《美》 미니밴《van과 station wagon의 특징을 조화시킨 자동차》.
min·i·ver, -e- [mínəvər] *n.* Ⓤ 흰 모피《귀족 등의 예장(禮裝)용》. 〖OF=small VAIR〗
mink [míŋk] *n.* (*pl.* ~, ~**s**) 〖動〗 밍크《족제비류(類)》 ; Ⓤ 밍크의 모피 : a ~ coat 밍크 코트.
〖ME<? Scand. (Swed. *mänk, menk*)〗
Min·ków·ski wòrld[**ùniverse**] [miŋkɔ́ːfski-] *n.* 〖數〗 민코프스키 세계[우주]《4차원 좌표로 기술되는 우주》. 〖H. *Minkowski* (d. 1909) 러시아 태생의 독일인 수학자〗
Minn. Minnesota.
min·ne·sing·er [mínəsìŋər, mínəzìŋ-] *n.* (연애시를 읊으며 편력한 중세 독일의) 음유 시인.
〖G=love singer〗
Min·ne·so·ta [mìnəsóutə] *n.* 미네소타《미국 중북부의 주(州) ; 주도 St. Paul ; 略 Minn.》.
Mín·ne·só·tan *a., n.* 미네소타의 ; 미네소타 주의 사람.
Minnesóta Multiphásic Personálity Ìnventory *n.* 〖心〗 미네소타 다면(多面) 인격 목록《제 2차 세계대전 중에 미네소타 대학에서 고안된 질문지법(質問紙法)에 의한 성격 검사 ; 略 MMPI》.
min·nie [míni] *n.* 《CB俗》 100파운드 미만의 적화(積貨).
Minnie *n.* 여자 이름.
〖Sc. (dim.) ; ⇨ MARY, MAY, WILHELMINA〗
min·now [mínou] *n.* (*pl.* ~**s**, ~) **1** 〖魚〗 연준모치《잉어과(科)의 작은 물고기》. **2** 피라미·황어류(類). **3** 《美》 (일반적으로) 잉어과(科)의 작은 물고기.
a Triton among*[*of*] *the minnows ☞ TRITON.
throw out a minnow to catch a whale 「새우로 고래를 낚다」《작은 밑천으로 큰 이익을 봄》.
〖ME<? OE 《美》 *mynwe, myne* ; OF *menuise* small thing도 영향〗
Mi·no·an [mənóuən, 美+mai-] *n., a.* 크레타 문명《기원전 3000-1100년경에 번영》(의) ; 고대 크레타 주민[언어](의) ; 미노아인(人)[어](의).
〖MINOS〗
***mi·nor** [máinər] *a.* (↔*major*) **1** 작은 쪽의 ; 소수의, 소… (smaller, lesser) ; 중요치 않은, 하급의, 2류의, 소… (inferior) ; 《英》 손아래의《학교에서 같은 이름의 두 사람중》 : a ~ poet 2류 시인 / Brown ~ 어린[손아래의] 브라운. **2** 미성년의. **3** 〖樂〗 단조(短調)의 : G ~ 사단조. **4** 《美》 (과목이) 부전공인.
—— *n.* (↔*major*) **1** 〖法〗 미성년자 : No ~*s*. 《게시》 미성년자 사절. **2** 《美》 부전공 과목《학위를 얻기 위한 주전공과목(major)보다 적은 단위》, 부전공 학생. **3** 〖論〗 소명사(小名辭) (minor term), 소전제(minor premise). **4** 〖樂〗 단조(minor key), 단음계(短音階) (minor scale), 단음정. **5** [the ~s] 《美》〖野〗 마이너 리그(☞ MINOR LEAGUE).
—— *vi.* 《美》 부전공 과목으로서 연구하다〈*in*〉.
〖L=less, smaller ; cf. MINUTE[1,2]〗
Mi·nor·ca [mənɔ́ːrkə] *n.* 미노르카 섬《지중해 발레아레스 제도 중의 스페인령의 섬》 ; Ⓒ 미노르카종(의 닭) (=~ **fòwl**).
Mi·nor·ite [máinəràit] *n.* 프란체스코회의 수사.
***mi·nor·i·ty** [mənɔ́(ː)rəti, mai-, -nɑ́r-] *n.* (↔ *majority*) **1** Ⓤ 소수 ; Ⓒ 소수당[파] ; 소수 투표수 ; 소수 민족 ; 소수파[민족]의 일원 : They were in the ~. 소수당이었다 / He is in a ~ of one. 누구한테도 지지를 못받고 있다. **2** Ⓤ 〖法〗 미성년, 미성년기(期).
〖F or L ; ⇨ MINOR〗
minórity càrrier *n.* 〖理〗 (반도체 담체(擔體) 중

의) 소수 담체.
minórity gròup *n.* (인종·국적·종교 따위에서의) 소수 집단.
minórity léader *n.* 《美》 (의회의) 소수당 원내 총무.
minórity whìp *n.* 《美》 소수당 원내 부총무.
mínor kéy *n.* 〔樂〕 단조(短調) ; 우울한 기분, 애조(哀調).
in a minor key 〔樂〕 단조로 ; 우울한 기분으로.
mínor léague *n.* 《美》 마이너 리그, 소(小)리그 《2류 직업 야구단 연맹 ; cf. MAJOR LEAGUE》.
mínor-léague *a.* 《美》 마이너 리그의 ; 《美口》 2류의, 신통치 않은.
mínor léaguer *n.* 《美》 마이너 리그의 선수 ; 《美口》 2류의 사람, 조역.
mínor offénse *n.* 경범죄.
mínor plánet *n.* 소(小)행성.
mínor prémise *n.* 〔論〕 소전제.
mínor próphets *n. pl.* [the ~ ; 보통 M~ P~] 〔聖〕 소(小)예언자《Hosea부터 Malachi까지의 12 예언자》 ; 소예언서.
mínor scále *n.* 〔樂〕 단음계.
mínor séntence *n.* 〔文法〕 단문(短文)《주부나 술부 또는 둘 다 없는 문장 : Good morning!, Thank you! 따위》.
mínor súit *n.* 〔카드놀이〕 득점이 적은 패《브리지에서 다이아몬드[클럽]만 모은 패》.
mínor térm *n.* 〔論〕 소명사(小名辭)《3단 논법에서 결론의 주어가 되는 말》.
mínor tránquilizer *n.* 〔藥〕 마이너 트랭퀼라이저 《불안·긴장·신경증 치료용》.
Mi·nos [máinəs, -nɑs] *n.* 〔그神〕 미노스《크레타(Crete)섬의 왕》.
Min·o·taur [mínətɔ̀:r, máinə-] *n.* 〔그神〕 미노타우로스《사람의 몸에 소의 머리를 가진 괴물 ; cf. THESEUS》.

Minotaur

Min. Plen. Minister Plenipotentiary.
MINS [mínz] *n.* 《美》 감독이 필요한 미성년자(cf. CINS, JINS, PINS). 〖*M*inor(s) *I*n *N*eed of *S*upervision〗
min·ster [mínstər] *n.* 《英》 (원래) 수도원 부속의 교회당 ; 대회당, 대성당(cathedral).
〖OE *mynster* < L < Gk. MONASTERY〗
min·strel [mínstrəl] *n.* **1** (중세의) 음유악인(吟遊樂人). **2** 《古·詩》 시인, 가수. **3** [보통 *pl.*] minstrel show(의 단원).
〖OF = entertainer, servant < Prov. < L = official ; ⇨ MINISTER〗
mínstrel shòw *n.* 백인이 흑인으로 분장해서 하는 춤·노래 따위의 연예.
min·strel·sy [mínstrəlsi] *n.* Ⓤ 음유악인의 연예, 그 시가(詩歌) ; [집합적으로] 음유시인들.
〖OF ; ⇨ MINSTREL〗
mint[1] [mínt] *n.* Ⓤ 〔植〕 박하 ; Ⓒ 민트《식후에 먹는 박하의 당(糖)과자》.
〖OE *minte* < L *menta* < Gk.〗
mint[2] *n.* **1** 화폐 주조소, [the M~] 조폐국. **2** [a ~] 《口》 거액, 많음, 대량 : *a ~ of* money 거액의 돈 / *a ~ of* trouble 많은 근심. **3** 보고, 부원(source). —— *a.* 화폐 주조소의 ; 갓 발행한.
in mint state[***condition***] (화폐·우표·서적 따위를) 갓 발행한, 아직 사용치 않은.
—— *vt.* (화폐를) 주조하다 ; (새로운 말을) 만들어 내다 : a newly ~*ed* word 신조어(新造語).
—— *vi.* 조폐 사업을 하다, 화폐 주조를 하다.
〖OE *mynet* < WGmc. < L *moneta* money〗
mínt·age *n.* **1** Ⓤ 화폐주조(coinage) ; (일시에 주조된) 화폐, 주화 ; 조폐비. **2** 조폐인(印). **3** Ⓤ 조어(造語).
mínt-frèsh *a.* 갓 만든, 미(未)사용의.
mínt júlep *n.* 《美》 민트 줄렙, 박하술(julep).
mínt·màrk *n.* 화폐의 각인(刻印). —— *vt.* (화폐)에 각인을 찍다.
mínt·màster *n.* 조폐국장.
mínt sàuce *n.* 민트 소스《설탕·식초에 박하의 잎을 썰어 넣어 새끼 양고기 구이 요리에 사용함》.
min·u·end [mínjuènd] *n.* 〔數〕 피감수(被減數) (↔*subtrahend*).
min·u·et [mìnjuét] *n.* 미뉴에트《3박자의 느리고도 우아한 춤 ; 그 곡》.
〖F (dim.) ‹ MENU〗
***mi·nus** [máinəs] *prep.* **1** …을 뺀(less) : 8 ~ 3 is 5. 8−3=5. **2** 《口·戲》 …이 없는[없이] (without) : He came back ~ his coat. 상의를 입지 않고 돌아왔다. —— *n.* 마이너스, 빼기표 (= ~ **sign**) ; 음량, 음수 ; 부족, 결손. —— *a.* **1** 마이너스의[를 나타내는](↔*plus*). **2** 음의 (negative) : a ~ quantity 음량(陰量), 음수(陰數) / ~ charge 〔電〕 음전하(陰電荷) / ~ electricity 음전기. **3** 유해한, 불리한《요소》 ; [후치] …의 하위(下位)의 : a grade of A ~ A^-《성적》.
〖L (neut.) ‹ MINOR〗
活用 ☞ PLUS.
min·us·cule [mínəskjù:l, minʌ́skju:l, 美+mínjəskjù:l, 美+mainʌ́skju:l] *n.* (옛 사본의) 작은 초서체 문자《지금의 로마·그리스 문자의 기초》 ; 〔印〕 소문자. —— *a.* 매우 작은[적은], 하찮은 ; 소문자(서체)의 ; 작은《문자》.
〖F < L *minuscula* (*littera* letter) (dim.) ‹ MINOR〗
◇min·ute[1] [mínət] *n.* **1** 분(分)《1시간 또는 각도 1도의 1/60 ; cf. HOUR, SECOND[2]》 : It's 5 ~*s to* [*before*, 《美》 *of*] six. 6시 5분전이다 / 10 ~*s past* [《英方·美》 *after*] five 5시 10분 / 12°10′ = twelve degrees and ten ~*s* 12도(度) 10분 / He enjoyed every ~ of the holiday. 휴일을 유감없이[마음껏] 즐겼다. **2** 순간(moment) ; [the ~] 현재 : Wait (half) a ~. 잠깐 기다리시오 / At this very ~ there are many people who have very little to eat. 지금 이 순간에도 먹을 것이 없는 사람들이 많다. **3 a**) 각서, 메모 : make a ~ of …을 메모해 놓다. **b**) [*pl.*] 의사록.
in a few minutes 수분만에 ; 즉시.
in a minute 곧 : The train will arrive *in a* ~. 열차는 곧 도착합니다.
the minute (***that***) [접속사적으로] …한[하는] 순간에, …하자마자(as soon as) : I knew him *the* ~ (*that*) I saw him. 보자마자 그 사람이라는 것을 알았다.
this minute 지금 곧 : Write the letter *this* ~. 지금 곧 편지를 쓰시오.
to the minute 1분도 틀리지 않고, 정각에(cf. *to an*[*the*] HOUR).
up to the minute 최신의(up to date).

〈회화〉
Can you change a 10,000won note? — Sure. Just a *minute*. 「만원권으로 바꿔주실 수 있습니까」「물론이죠. 잠깐만 기다리세요」

—— *a.* 급히 만든.

— *vt.* 《古》 정확히 …의 시간을 재다 ; 의사록에 기록해 두다 ; 메모해 두다〈*down*〉.
~·ly¹ *adv., a.* 1분마다(의), 매분마다(의).
〖OF<L (↓) ; cf. SECOND²〗

***mi·nute**² [mainjúːt, mə-] *a.* (보통 **mi·nút·er, -est**) **1** 미소[미세]한 : ~ particle 미분자. **2** 상세[정밀]한, 엄밀한, 세심한 : ~ researches 면밀한 연구. **3** 사소한, 쓸데없는 : He is just troubled with ~ differences. 그는 사소한 차이에 고민하고 있다.
~·ly² *adv.* 상세히, 면밀하게. **~·ness** *n.*
〖L *minut- minuo* to lessen〗
類義語 ⟹ SMALL.

mínute bèll [mínət-] *n.* 분시종(分時鐘)《사람의 죽음·장례식을 알리기 위하여 1분마다 울림》.

mínute bòok [mínət-] *n.* 각서장(帳) ; 의사록.

mínute glàss *n.* 1분 모래시계.

mínute gùn [mínət-] *n.* 분시포(分時砲)《1분마다 발사하는 조포·조난 신호포》.

mínute hànd [mínət-] *n.* (시계의) 분침.

mínute·màn [mínət-] *n.* **1 a**) 〖美史〗 (독립전쟁 당시) 즉시 출동할 수 있는 준비를 하고 있었던 민병. **b**) 《美》 방공(防共) 게릴라 단원《공산병력에 의한 미국의 침략에 무기를 가지고 대항할 용의가 있다고 하는 우익계의 비밀결사》. **2** [M~] 《美》 대륙간 탄도탄의 일종《3단 로켓식》.

mínute màrk [mínət-] *n.* 분(分) 부호(′).

mínute stèak [mínət-] *n.* (즉석 불고기용의) 얇게 썬 고기.

mi·nu·ti·ae [mənjúːʃiìː, mai-, -ài] *n. pl.* (*sg.* **-tia** [-ʃiə]) 사소[세밀]한 점, 세목 ; 상세.
〖L=(pl.) trifles, (sg.) smallness ; ⇨ MINUTE²〗

minx [míŋks] *n.* 말괄량이, 왈가닥 ; 바람난 처녀.
〖C16<?〗

mio- [máiou, -ə] ☞ MI-.

Mio·cene [máiəsìːn] *n., a.* 〖地質〗 제3기(紀) 마이오세(의). 〖Gk. *meiōn* less, *kainos* new〗

mi·o·sis, my- [maióusəs, 美+mi-] *n.* (*pl.* **-ses** [-siːz]) **1** 〖生理〗 동공 축소. **2** =MEIOSIS.
〖Gk. *muō* to shut the eyes〗

MIPS [míps] *n.* 〖컴퓨〗 100만 명령 / 초, 밉스《연산(演算) 속도의 단위》.
〖*m*illion *i*nstructions *p*er *s*econd〗

mir [míər] *n.* (*pl.* **~s, mi·ri** [míːri]) 〖經濟史〗 미르《제정러시아에 있었던 촌락 공동체》. 〖Russ.〗

***mir·a·cle** [mírəkəl] *n.* **1** 기 적 : work[do, accomplish] a ~ 기적을 행하다. **2** 불가사의한 것[사람], 경이 : a ~ *of* skill 경이적인 기술. **3** = MIRACLE PLAY.
by a miracle 기적에 의하여, 기적적으로 : We escaped the danger *by a* ~. 기적적으로 그 위험을 모면했다.
to a miracle 기적적으로, 놀랄만큼 훌륭히 : My watch keeps time *to a* ~. 내 시계는 놀라울 정도로 시간이 잘 맞는다.
〖OF<L (*mirus* wonderful)〗

míracle drùg *n.* 특효약(wonder drug).

míracle frùit *n.* 〖植〗 아프리카적철(의 과실)《이것을 먹고 신것을 먹으면 달콤하게 느껴짐》.

míracle màn *n.* **1** 기적을 행하는 사람. **2** 기적적인 재능을 가진 사람.

míracle plày *n.* 기적극《성도·순교자의 사적·기적을 주제로 한 중세극 ; cf. MORALITY PLAY, MYSTERY PLAY》.

míracle rìce *n.* 기적의 벼《수확량이 재래종의 2-3배 되는 신품종》.

mi·rac·u·lous [mərǽkjələs] *a.* 기적적인, 초자연적인, 불가사의한, 놀랄만한 ; 기적을 일으키는.
~·ly *adv.* 기적적으로.
〖F or L ; ⇨ MIRACLE〗

mi·rage [mərɑ́ːʒ ; ⌐–] *n.* **1** 신기루(蜃氣樓). **2** 망상(delusion), 공중 누각. **3** [M~] 미라주《프랑스의 제트 전투기》.
〖F (*se mirer* to be reflected)〗

Mi·ran·da [mərǽndə] *n.* **1** 여자 이름. **2** 〖天〗 천왕성의 제5위성. — *a.* 《美》 (피의자에의) 인권옹호적인, 범죄자에 너그러운.
〖Sp. <L=to be admired〗

Miránda cárd *n.* 《美》 미란다 카드《경찰관 등이 휴대하여, 체포한 범인에게 읽어주는 묵비권, 변호사 입회 따위를 요구할 수 있는 헌법상의 권리를 인쇄한 카드》. 〖Ernesto *Miranda* 1963년에 판결을 받은 이주(移住) 멕시코 사람〗

Miránda rúle *n.* 〖法〗 미란다 준칙[원칙]《경찰관의 위법 수집 증거 배제의 원칙》.

mire [máiər] *n.* 습한 해면질의 흙, 습지, 진흙(mud), 진창, 수렁 ; 궁지, 곤경, 오욕(汚辱).
drag. . .through the mire …에게 창피를 주다.
find oneself in the mire=stick in the mire 곤경에 빠지다, 꼼짝달싹 못하다.
— *vt.* **1** 진흙으로 더럽히다 ; 진창속에 빠뜨리다 : The car was ~*d.* 차가 진흙 속에 빠졌다. **2** 곤경에 빠뜨리다, 궁지에 몰아넣다. — *vi.* 진창에 빠지다 ; 곤경에 빠지다.
〖ON *mýrr* ; cf. MOSS〗

Mir·i·am [míriəm, 美+mér-] *n.* 여자 이름.
〖Heb. ; ⇨ MARY〗

mirk, mirky ☞ MURK, MURKY.

‡**mir·ror** [mírər] *n.* **1** 거울 ; 반사경 : She looked at herself in the ~. 거울에 자기의 모습을 비춰봤다 / a ~ *of* the times 《비유》 시대를 반영하는 것 / Breaking a ~ is said to be a sign of bad luck. 거울을 깨면 재수가 없다고 한다. **2** 있는 그대로 비추는 것 ; 모범, 귀감 : a ~ *of* chivalry 기사도의 본보기[귀감]. **3** 거울 같은 것.
(***as***) ***smooth as a mirror*** 거울처럼 매끄러운.
the Hall of Mirror (Versailles 궁전의) 거울의 방《사방벽이 거울로 된 홀》.
— *vt.* (거울같이) 비추다, 반사하다, 반영시키다 : The still water ~*ed* the trees along the bank. 잔잔한 수면은 강 기슭에 있는 나무들의 그림자를 비추고 있었다.
〖OF (L *miro* to look at) ; ⇨ MIRACLE〗

mírror ìmage *n.* 좌우가 반대되는 경상(鏡像).

mírror wrìting *n.* (글씨를) 거꾸로 쓰기, 거울에 비치는 식의 서체.

mirth [mə́ːrθ] *n.* 들떠 떠들기, 유쾌하게 큰 소리로 웃기, 환락, 환희, 명랑 ; 웃음.
〖OE *myrgth* ; ⇨ MERRY〗

mírth·ful *a.* 명랑한, 유쾌한, 웃고 즐기는. **~·ly** *adv.* 명랑하게, 들떠서 날뛰며.

mírth·less *a.* 즐겁지 않은, 음울한(joyless).
~·ly *adv.* 우울하게. **~·ness** *n.*

MIRV [mə́ːrv] *n.* 다(多)탄두 개별 목표 재돌입 핵미사일, 다탄두 각개 유도 핵 미사일(multiple independently targeted reentry vehicle).
— *vt., vi.* (…에) MIRV를 장비하다.

miry [máiəri] *a.* 수렁같은, 진흙투성이의 ; 더러운. 〖MIRE〗

mis-¹ [mìs, mis] *pref.* [동사·형용사·부사·명사 따위에 붙음] 「잘못하여[한]…」 「나쁘게[나쁜]…」 「불리하게[한]…」의 뜻.
〖OE and OF MINUS ; cf. G *miss-*〗

mis-² [mìs, məs], **miso-** [mísou, -sə, mái-]

comb. form 「혐오(嫌惡)」의 뜻(↔*phil-*). 〖Gk. *misos* hatred〗

MIS, M.I.S. management information system (경영 정보 시스템) ; marketing information system(마케팅 정보 시스템).

Mis. Missouri.

mìs·administrátion *n.* Ⓤ 실정(失政).

mìs·advénture *n.* Ⓤ 불운 ; Ⓒ 불운한 일, 재난, 불행 ; 〖法〗 우발 사고.
by misadventure 운나쁘게, 잘못하여.
homicide [***death***] ***by misadventure*** 〖法〗 과실 살인[치사].
without misadventure 무사히.
〖*mis-*[1]〗

mìs·advíse *vt.* 나쁜 권고를 하다, 그릇된 조언을 하다.

mìs·alígned *a.* 조정[설치] 불량의.

mìs·allíance *n.* **1** 부적당한 결합. **2** 어울리지 않는 결혼(cf. MÉSALLIANCE).

mìs·allý *vt.* 부적당하게 결합[결혼]시키다.

mis·an·thrope [mízənθròup, mís-] *n.* 사람을 싫어하기, 남과 사귀는 것을 혐오하는 사람.
mis·an·thro·pist [mizǽnθrəpəst, -sǽn-] *n.*
〖F<Gk. (*misos* hatred, *anthrōpos* man)〗

mis·an·throp·ic, -i·cal [mìzənθrápik(əl), mìs-] *a.* 사람을 싫어하는, 염세적인. **-i·cal·ly** *adv.* 염세적으로.

mis·an·thro·pize [mizǽnθrəpàiz, -sǽn-] *vi.* 사람을 싫어하게 되다.

mis·an·thro·py [mizǽnθrəpi, -sǽn-] *n.* Ⓤ 사람을 싫어하기, 염세(cf. PHILANTHROPY).

mìs·applicátion *n.* Ⓤ,Ⓒ 오용(誤用), 악용, 남용(濫用).

mìs·applý *vt.* …의 적용을 잘못하다, 오용[악용]하다. **-applíed** *a.*

mìs·apprehénd *vt.* 잘못 생각하다, 오해하다(misunderstand). **-apprehénsion** *n.* 오해, 잘못된 생각. **-apprehénsive** *a.* 오해하기 쉬운.

mìs·apprópriate *vt.* 남용[부정 유용]하다 ; 착복하다 ; 〖法〗 횡령하다. **-appropriátion** *n.*

mìs·arránge *vt.* …의 배열을 잘못하다, 틀린 곳에 놓다. **~·ment** *n.*

mìs·becóme *vt.* …에 어울리지 않다, 적합치 않다. **-becóming** *a.* 어울리지 않는, 적합치 않은 (unbecoming).

mìs·begótten, -gót *a.* 서출(庶出)의, 사생아의 (illegitimate).

mìs·beháve *vt., vi.* [*vt.* 로서는 ~ one*self* 로] 나쁜 행동을 하다, 부정을 저지르다, 품행이 단정치 못하다.

mìs·beháved *a.* 버릇 없는 ; 품행이 단정치 못한.

mìs·behávior *n.* Ⓤ 버릇 없음 ; 나쁜 행실 ; 부정 행위.

mìs·belíef *n.* Ⓤ 이교[이단] 신앙, 그릇된 신앙 ; Ⓤ,Ⓒ 잘못된 생각(cf. DISBELIEF, UNBELIEF).

mìs·belíeve *vi.* 잘못 믿다 ; 이교를 신앙하다.
—— *vt.* 의심하다, 믿지 않다.

mìs·belíever *n.* 오신자 ; 이교도(heretic).

mìs·belíeving *a.* 이단의.

mìs·beséem *vt.* =MISBECOME.

mìs·bestów *vt.* 부당하게 주다.

mis·bírth *n.* 유산(流産).

mis·bránd *vt.* …에 틀린 소인(燒印)을 찍다 ; 틀린 [가짜] 상표[레테르]를 붙이다.

misbránd·ed drúg *n.* 부정 표시 의약품《허위·과대 표시 따위를 한》.

misc. miscellaneous ; miscellany.

mis·cálculate *vt., vi.* 계산을 잘못하다, 오산하다 ; 잘못[헛] 짚다. **-calculátion** *n.*

mis·cáll *vt.* 틀린 이름으로 부르다 ; 《古·方》 욕하다, 악담하다.

mis·cárriage *n.* **1** Ⓤ,Ⓒ 실패 ; 실책, 잘못 (error) : a ~ of justice 오심(誤審). **2** Ⓤ,Ⓒ (물품 따위의) 잘못된 배달, 배달되지 않음. **3** Ⓤ,Ⓒ 유산(流産) : have a ~ 유산하다.

mis·cárry *vi.* **1** (사람·계획 따위가) 실패하다, 성공하지 못하고 끝나다. **2** (화물·우편물 따위) 도착[배달]되지 않다, 잘못 배달되다. **3** 유산하다 〈*of* a child〉.

mis·cást *vt.* (배우에게) 부적당한 역을 맡기다, (연극에) 배역(配役)을 그르치다.

mis·ce·ge·na·tion [mìsidʒənéiʃən, misèdʒ-] *n.* Ⓤ (특히 백인과 흑인의) 이종족 혼교(混交), 잡혼(雜婚). 〖MIX, GENUS〗

mis·cel·la·nea [mìsəléiniə, -njə] *n. pl.* [때때로 단수취급] (특히 문학작품의) 잡집(雜集), 잡록(雜錄). 〖L=hash, hodgepodge〗

mis·cel·la·ne·ous [mìsəléiniəs] *a.* **1** 여러가지 잡다한 (것으로 된) : ~ business[goods, news] 잡무[잡화, 잡보]. **2** 다방면의(many-sided). **~·ly** *adv.* 여러가지가 뒤섞여, 잡동사니로.
〖L (*misceo* to MIX)〗

miscelláneous chárges òrder *n.* 해외여행에서 주로 여객 편의를 위해 제공되는 유가증권《略 MCO》.

mis·cel·la·ny [mísəlèini ; miséləni] *n.* **1** 혼합, 잡동사니. **2** 문집, 잡록(雜錄) ; [*pl.*] (문집에 수록된) 글, 논문. **-nist** *n.* 잡문가(雜文家), 수필가. 〖F or L MISCELLANEA〗

mis·chánce *n.* Ⓤ,Ⓒ 불행, 불운, 재앙.
by mischance 운나쁘게.
〖OF〗

***mis·chief** [místʃəf] *n.* **1** Ⓤ,Ⓒ 해(harm), 손해, 재해, 재난, 위해 ; 고장 ; 해독, 악영향 : The storm did much ~ to the crops. 폭풍우는 농작물에 큰 피해를 입혔다 / do a person a ~ 남에게 위해를 가하다 / mean ~ 흉계를 품다, 앙심을 갖다 / One ~ comes on the neck of another. 《속담》 엎친데 덮친다, 「설상가상(雪上加霜)」(cf. MISFORTUNE). **2** Ⓤ 장난, 짓궂음 ; 장난기 : go [get] into ~ 장난치기 시작하다 / out of (pure) ~ 장난삼아서 / The ~ is that.... 곤란하게 된 것은 …이다 / up to ~ 장난에 열중하여 / The boy looked at me with his eyes full of ~. 그 소년은 장난기가 가득찬 눈으로 나를 쳐다봤다. **3** 《口》 장난꾸러기, (특히) 장난치기 좋아하는 애. **4** [the ~ ; the devil 따위의 대용으로서 의문사를 강조하여] 《口》 도대체… : *What the* ~ do you want? 너는 도대체 무엇을 원하느냐 / *Where the* ~ has she gone? 그녀는 도대체 어디에 갔느냐.
make mischief (***between. . .***) (…사이를) 이간질하다.
play the mischief with …의 건강을 해치다, …에게 재난[해]을 주다 ; (기계 따위) 고장을 일으키게 하다 ; …을 엉망진창을 만들다.
raise (***the***) ***mischief*** 《俗》 소동을 일으키다 ; 법석대다.
〖OF (*mis-*[1], *chever* to happen)〗

míschief-màker *n.* 사람 사이를 떼는 사람, 이간질하는 사람. **míschief-màking** *n., a.*

mis·chie·vous [místʃəvəs] *a.* **1** 재해가 되는, 해를 끼치는. **2** 장난을 좋아하는(naughty), 장난꾸러기의 ; 말썽을 부릴듯한. **~·ly** *adv.* 장난기가 있어서, 장난삼아 ; 말썽을 부려서. **~·ness** *n.*

〖AF ; ⇨ MISCHIEF〗

mis·ci·ble [mísəbəl] *a.* 뒤섞을 수 있는〈*with*〉.
mìs·ci·bíl·i·ty *n.* 혼합할 수 있음.
〖L ; ⇨ MIX〗

mis·cíte *vt.* 잘못 인용하다.

mis·códe *vt.* 〖遺〗 …에 잘못된 유전 정보를 주다.

mìs·concéive *vt.* …을 오해하다(misunderstand). ── *vi.* 오해하다, 잘못 생각하다〈*of*〉.
-concéption *n.* 오인, 오해 ; 잘못된 생각.

mis·cónduct *n.* Ⓤ 비행, 나쁜 품행 ; 〖法〗 간통 (adultery), 불의 ; 위법 행위, 직권 남용 ; 방만한 관리[경영], 부당한 조처, 서툰 시책[전략]. ── [⌐-⌐] *vt.* …의 처리[관리]를 잘못하다, 실수하다 ; 간통하다.
misconduct** one**self 품행이 나쁘다 ; 간통하다 〈*with*〉.

mìs·connéction *n.* (항공기의) 접속편을 놓침.

mìs·constrúction *n.* Ⓤ,Ⓒ 잘못된 구성 ; 그릇된 해석, 오해.

mìs·constrúe *vt.* …의 해석을 잘못하다 ; 오해하다(misunderstand).

mis·cóunt *vt., vi.* (득표수 따위를) 잘못 셈하다, 오산하다(miscalculate). ── [⌐, ⌐⌐] *n.* 틀린 계산, 오산. 〖OF〗

mis·cre·ant [mískriənt] *n.* 악한, 악당 ; 《古》 이단자. ── *a.* 사악한 ; 《古》 이단적인 신앙[신념]을 가진. 〖OF (*mis-*², *creant* believer＜L *credo* to believe)〗

mis·cre·ate [mìskriéit] *vt.* 기형(畸形)으로 만들다, 잘못 만들어 내다. ── [mískriət, -èit] *a.* 《古》 기괴한 모양의, 잘못 만들어진.
mìs·creátion *n.* 잘못 만들기 ; 꼴이 흉한[불구의] 것.

mìs·creáted *a.* 잘못된, 모양이 기괴한, 불구의.

mis·cúe *n.* 〖撞球〗 잘못치기, 미스큐《큐가 미끄러져서 공이 빗나가기》. ── *vi.* **1** 〖撞球〗 공을 잘못 치다, 미스큐하다. **2** (연극에서) 대사의 큐 (cue)를 잘못 받다.

mis·dáte *vt.* …의 날짜를 틀리게 하다.
── *n.* 틀린 날짜.

mis·déal *vt., vi.* 〖카드놀이〗 (패를) 잘못 도르다.
── *n.* (패를) 잘못 도름.

mis·déed *n.* 악행, 나쁜 짓, 범죄.
〖OE ; ⇨ MIS-¹〗

mis·déem *vt., vi.* (…의) 판단을 그르치다, 오해하다 ; 착각하다〈*for*〉.

mìs·deméan *vt.* 《稀》 [~ one*self* 로] 비행[행실 나쁜 짓]을 저지르다. ── *vi.* 비행을 저지르다.
── *n.* 비행, 행실 나쁜 짓.

mìs·deméan·ant *n.* 〖法〗 경범자(輕犯者) ; 품행이 나쁜 사람.

mìs·deméanor *n.* 〖法〗 경범죄(cf. FELONY) ; 《古》 비행, 품행이 좋지 않음.

mìs·describe *vt.* 잘못 기술[묘사]하다.

mìs·descríption *n.* Ⓤ,Ⓒ 부정확한 기술(記述), (특히) (계약의) 오기(誤記).

mis·díagnose *vt.* 오진(誤診)하다.

mìs·díaling *n.* Ⓤ 전화번호를 잘못 돌림.

mìs·diréct *vt.* **1** 편지의 겉봉을 잘못 쓰다, …에 틀린 주소 성명을 쓰다 : a ~*ed* letter 주소 성명이 틀린 편지. **2** …에게 (장소·길을) 틀리게 가르쳐 주다. **3** (판사가 배심원에게) 그릇된 지시를 하다. **4** …의 겨냥을 잘못하다 ; (정력·능력 따위를) 악용하다.

mìs·diréction *n.* Ⓤ,Ⓒ 잘못된 지시, 잘못 가르치기 ; (편지) 겉봉을 잘못 씀 ; (판사의) 부당지시 ; 오인, 착오.

mis·dó *vt.* 실수하다, 서투른 짓을 하다(do amiss). ── *vi.* 《廢》 나쁜 짓을 하다. 〖OE〗

mis·dó·ing *n.* 나쁜 짓, 비행, 범죄.

mis·dóubt *vt.* 《古》 의심하다(doubt) ; 우려하다.
── *vi.* 의심을 품다. ── *n.* Ⓤ 의심 ; 우려.

mise [mi:z, maiz] *n.* 협정, 협약 ; 〖法〗 토지 권리 소송 영장(의 쟁점). 〖AF＝a putting〗

mise-en-scène [*F* mizɑ̃sɛn] *n.* (*pl.* **~s** [―]) 연출 ; 무대 장치(stage setting) ; (사건 따위의) 주위의 상황 ; 환경.

mìs·emplóy *vt.* …의 사용법을 그르치다, 악용하다(misuse).

mìs·éntry *n.* 〖簿〗 (장부의) 오기(誤記).

***mi·ser** [máizər] *n.* 인색한 놈, 욕심쟁이, 노랭이 ; 수전노. 〖L＝wretched〗

‡**mis·er·a·ble** [mízərəbəl, 美+mízərbəl] *a.* **1** 딱한 ; 불행한, 비참한, 애처로운, 슬픈(pitiable) ; (육체적으로) 괴로운, 쓰라린 : a ~ fate 비참한 운명. **2** 천박한, 가엾은, 괘씸한, 파렴치한 (shameful). **3** 빈약한, 쓸모없는 ; 보잘것없는, 초라한 ; 부족한. ── *n.* 불행한 사람, 영락한 사람, 곤궁한 사람. **-a·bly** *adv.*
〖F＜L＝pitiable (*miseror* to pity〈MISER)〗
類義語 ***miserable*** 특히 빈곤·수치·불운·불행 따위로 인해서 몹시 곤궁한[비참한] : He led a *miserable* life (비참한 생활을 꾸려나갔다).
wretched 슬픔·질병·고통 따위로 인한 실망·낙심으로 처참하고 불행해진 : She was quite *wretched* when her only son died. (그녀의 외아들이 죽어 실로 비참하게 되었다).

Mi·se·re·re [mìzəríəri, -réəri] *n.* **1** 〖聖〗 미제레레의 기도《시편 제51편》; 그 곡. **2** [m~] 애원하는 소리, 애원. **3** [m~]＝MISERICORD(E) 3.
〖L＝have mercy (impv.)〈*miseror* to pity ; 최초의 말〗

mis·er·i·cord, -corde [məzérəkɔ̀:rd, mìzərə-kɔ́:rd] *n.* **1** 특면(特免)《수도원 계율로 금지된 음식·옷이 허락됨》; 면계실(免戒室)《특면의 음식을 먹는 방》. **2** (중세 기사들이 쓴) 마지막 숨통을 끊는 단검. **3** 교회의 성직자용 접는 의자 아래에 댄 가로대《일어서면 기댈 수 있음》. 〖OF＜L ↓ (*misereor* to feel pity, *cord- cor* heart)〗

mi·ser·i·cor·dia [məzèrəkɔ́:rdiə, -sèr-, mìzər-] *n.* 동정, 자비 ; 소송 벌금(amercement).
〖L＝pity〗

míser·ly *a.* 인색한, 욕심많은(stingy).
-li·ness *n.*

***mis·ery** [mízəri] *n.* **1** Ⓤ (정신적) 고통, 비탄 ; 비참함, 궁상, 곤궁 : live in ~ 빈곤하게 살다. **2** [*pl.*] 고난, 불행, 재앙 : *miseries* of mankind 인류의 불행 ; the *miseries of* life 인생의 고난. **3** 《口》 불평이 많은 사람, 징징거리는 사람. **4** 《方》 육체적 고통.
Misery loves company. 《속담》 동병 상련(同病相憐).
〖OF or L ; ⇨ MISER〗

mísery ìndex *n.* 〖經〗 궁핍지수(窮乏指數).

mìs·estéem *vt.* 당치않게 깔보다. ── *n.* 불경(不敬), 경멸.

mis·éstimate *vt.* 평가를 잘못하다.
── [-mət, -mèit] *n.* 잘못된 평가.

mis·evolútion *n.* 〖生〗 (세포·바이러스 입자(粒子) 따위의) 이상 증식[진화].

mis·fea·sance [misfí:zəns, miz-] *n.* Ⓤ 〖法〗 불법[부당] 행위, 직권 남용(cf. MALFEASANCE) ; (일반적으로) 과실.

mis·fíle *vt.* 잘못 철[정리]하다.

mis·fíre *vi.* (총포 따위) 불발이 되다 ; (내연기관이) 점화되지 않다 ; 《口》 (작품 따위) 별로 효과를 나타내지 않다, 호평을 받지 못하다.
—— [ˌ ˊˊ] *n.* 불발, 점화되지 않음.

mís·fit [ˌ -ˊ] *n.* 맞지 않는 옷[구두]《따위》; 《비유》 자기의 지위[환경]에 어울리지 못하는 사람, 환경에 잘 순응하지 못하는 사람. —— [-ˊ] *vt., vi.* 잘 맞지 않다.

mis·fórm *vt., vi.* 잘못 만들다[만들어지다].

***mis·fórtune** *n.* U,C [+*to* do] 불행, 불운, 박명(薄命), 역경 ; 재난 ; 불행[불운]한 일 : a man *in* ~ 불운한 사람 / by ~ 불행히도, 불운하게도 : When I was very young, I had the ~ *to* lose my father. 어렸을 때에 불행히도 아버지를 여의었다 / *M~s* never come single[singly]. = One ~ rides upon another's back. 《속담》 엎친 데 덮친다, 「화불단행」(cf. MISCHIEF 1).
類義語 ***misfortune*** 자기의 과실에 의하지 않는 불운 또는 불행한 사건. ***adversity*** 크고도 장기간에 걸치는 misfortune으로 커다란 곤란·고통을 수반하는 것. ***mishap*** 사소한 불운의 사건·재난.

mis·fúel *vi., vt.* (차에) 잘못 급유하다 ; (특히) 무연(無鉛) 가솔린기관[엔진] 차에 유연(有鉛) 가솔린을 넣다.

mis·gíve *vt.* 《文語》 [+目/+目+*about*+名/+目+*that* 節] …에 두려움[의심·걱정]을 일으키다 : My mind[heart] ~*s* me ***about*** the result [~*s* me *that*...]. 결과가[…라는 것이] 걱정이다.
—— *vi.* 두려워하다, 걱정이다.

mis·gíving *n.* [부정 이외는 보통 *pl.*로] 의심, 불안, 염려 : a heart full of ~(*s*) 불안에 찬 마음 / have ~*s about* …에 대해 의혹[불안]을 품다.

mis·góvern *vt.* …의 지배[통치]를 잘못하다, …에 악정(惡政)을 펴다. **~·ment** *n.* U 실정(失政), 악정.

mis·guídance *n.* U 그릇된 지도, 오도(誤導).

mis·guíde *vt.* [주로 *p.p.*로] 그릇된 방향으로 이끌다, …의 지도를 그르치다(mislead).

mis·guíded *a.* 잘못 인도된, 잘못 알고 있는 : a ~ boy 잘못된 소년 / ~ conduct 그릇된 행동. **~·ly** *adv.* 잘못 알고[인식하여], 잘못해서.

mis·hándle *vt.* …을 잘못 취급하다 ; 거칠게[서투르게] 다루다 ; 학대[혹사]하다(ill-treat).

mis·hap [míshæp, -ˊ] *n.* U,C 재난, 불행한 일(mischance), 불운(bad luck) : arrive without ~ 무사히 도착하다 / They met with a slight ~ on the way. 도중에 조그만 사고를 당했다.
類義語 ⟹ MISFORTUNE.

mis·héar *vt., vi.* 잘못 듣다, 틀리게 듣다. 〖OE〗

mish·e·goss [míʃəgɑ̀s], **mesh-** [méʃ-] *n.* 《美俗》 어이없는 이야기, 미친 짓.

mis·hít *vt., vi.* (구기(球技)에서) 잘못 치다.
—— [ˌ ˊˊ] *n.* 잘못 치기, 범타.

mish·mash [míʃmæʃ, -mɑ̀:ʃ] *n.* 뒤범벅(medley) ; 혼란 상태. —— *vt.* 너저분하게 하다.
〖가중(加重) ‹ *mash*〗

Mish·nah, -na [míʃnə] *n.* (*pl.* **Mish·na·yoth** [miʃná:jout ; -θ]) 미슈나《Talmud의 제1부를 구성하는 유태교의 구전율법(口傳律法)》. 〖Heb.〗

mish·u·gah [míʃugɑ̀:], **mish·oo·geh** [-gèi] *a.* 《美俗》 머리가 이상한, 미친.

mìs·infórm *vt.* …에게 그릇된 것을 전하다, 오해시키다 : I have been ~*ed about* the date. 날짜를 틀리게[잘못] 전해 들었다.

mìs·informátion *n.* U 오보(誤報), 오전(誤傳).

mìs·infórmed *a.* 잘못된 정보를 받고 있는, 잘못 알려져 있는.

mìs·intérpret *vt.* [+目/+目+*as* 補] 오해하다(misunderstand) ; 오역하다 : She ~*ed* my silence *as* giv*ing* consent. 내가 잠자코 있는 것을 그녀는 승낙한 것으로 오해했다.
-interpretátion *n.*

MI6 《英》 Military Intelligence, section six.

mis·júdge *vt., vi.* (…의) 판단을 그르치다 ; (…을) 오심(誤審)[오진(誤診)]하다 ; (사람을) 잘못[헛]보다. **-júdg(e)·ment** *n.* 그릇된 판단 ; 오심(誤審).

mis·láy *vt.* 잘못 두다 ; 두고 잊어버리다 ; 《비유》 잃다, (시야에서) 놓치다.

mis·léad *vt.* 그릇되게 인도[안내]하다 ; 오해시키다, 현혹시키다 ; 속이다 : She was *misled* by his glowing account. 그의 열렬한 이야기에 현혹되었다. 〖OE〗

mis·léad·ing *a.* 사람을 오해하게 하는, 그르치기 쉬운, 그릇된 인상을 주는 ; 현혹시키는, 헷갈리기 쉬운 : Your expression was rather ~. 너의 표현에는 좀 오해를 살만한 점이 있었다. **~·ly** *adv.*

mis·líke *vt.* 혐오하다, 싫어하다 ; 《古》 …의 마음에 들지 않다, 화나게 하다. —— *n.* 혐오, 반감, 불찬성. 〖OE〗

mis·mánage *vt.* …의 관리[처리]를 잘못하다, 부당하게[서투르게] 조치하다, 실수하다. **~·ment** *n.* U 그릇된 관리[조치], 뒤처리를 잘못함, 실수.

mis·mátch *vt.* 짝을 잘못 짓다 ; …에 어울리지 않는 결혼을 시키다. —— *n.* 적합하지 않은 짝 ; 어울리지 않는 혼인(misalliance).

mis·máte *vt., vi.* 잘못 짝짓다 ; 걸맞지 않는 결혼을 시키다[하다].

mis·náme *vt.* 이름을 잘못 부르다.

mis·no·mer [misnóumər] *n.* 그릇된 명칭, 오칭 ; 잘못 부르기 ; (특히 법률문서 중의) 인명[지명] 오기(誤記).
〖AF (*mis-*[1], *nommer* to name) ; ⇨ NOMINATE〗

miso- ☞ MIS-.

mi·sog·a·my [məsɑ́gəmi, mai-] *n.* U 결혼을 싫어함. **-mist** *n.*

mi·sog·y·ny [məsɑ́dʒəni, mai-] *n.* U 여자를 싫어함(↔*philogyny*).
mi·sóg·y·nist *n.* **mi·sóg·y·nous** *a.*
〖*mis-*, Gk. *gunē* woman〗

mi·sol·o·gy [məsɑ́lədʒi, mai-] *n.* 이론을 따지기 싫어함. **-gist** *n.*

miso·ne·ism [mìsəní:izəm, mài-] *n.* 새로운 것을 싫어함 ; 보수주의. 〖It.〗

mis·órient, -órientate *vt.* 그릇된 쪽을 향하다, 그릇된 지도를 하다.

mis·pláce *vi.* **1** 잘못 두다[놓다], …의 두는 장소가 틀리다 ; 《美口》 놓고 잊어버리다. **2** [주로 *p.p.*로] (받을 가치가 없는 사람에게 신용·애정 따위를) 잘못 주다 : ~*d* confidence (기대할 성질이 아닌) 그릇된 신뢰. **~·ment** *n.*

mis·pláy *n.* 《美》 (게임·경기·연주 따위의) 실수, 에러, 반칙 플레이. —— [ˌ ˊˊ] *vt., vi.* (놀이·연주·경기 따위를) 실수하다, 그르치다.

mís·prìnt [ˌ -ˊ] *n.* 〖印〗 미스프린트, 오식(誤植).
—— [-ˊ] *vt.* 오식하다.

mis·pri·sion[1] [misprízən] *n.* **1** U (특히 공무원의) 부정행위, 직무태만. **2** U 〖法〗 범죄은닉 : ~ of felony [treason] 중죄인[반역죄] 은닉《알면서 이를 고발하지 않은 죄》.
〖AF<OF=error (*mis-*[1], *prendre* to take)〗

misprision[2] *n.* 《古》 경멸, 경시〈*of*〉. 〖↑〗

mis·prize, -prise [mispráiz] *vt.* 경시하다, 얕보

다, 경멸하다.

mìs·pronóunce *vt.* …의 발음을 잘못하다. —— *vi.* 틀리게[잘못] 발음하다.

mìs·pronunciátion *n.* 틀린[잘못된] 발음.

mìs·propórtion *n.* Ⓤ 어울리지 않음 ; 불균형.

mis·quóte *vt., vi.* 잘못 인용하다. —— *n.* 잘못된 인용. **-quotátion** *n.*

mis·réad *vt.* 틀리게 읽다 ; 오해하다(misinterpret).

mis·réckon *vt., vi.* 잘못 세다, 계산을 잘못하다 ; 《비유》 오산하다.

mìs·remémber *vt., vi.* 잘못 기억하다 ; 《方》 잘못 외다, 잊다(forget).

mìs·repórt *vt.* 잘못 보고하다 ; 틀리게 전하다. —— *n.* 오보, 허위 보고.

mis·represént *vt.* 잘못[거짓으로] 전하다, 부정확하게 말하다 ; 속여서 대표 노릇을 하다, 대표로서의 책임을 다하지 않다. **~·er** *n.*

mis·representátion *n.* Ⓤ,Ⓒ 와전(訛傳), 그릇된 설명 ; 〖法〗 부당표시, 허위진술.

mis·róute *vt.* 잘못된 루트로 보내다.

mis·rúle *n.* Ⓤ 실정(失政), 악정 ; 무질서, 무정부 상태. —— *vt.* …의 통치를 그르치다, …에 악정을 하다. **mis·rúl·er** *n.* 실정자(失政者).

‡**miss**[1] [mís] *vt.* **1** [+目 / +do*ing*] 빗나가다, 잘못 겨냥하다, 놓치다 ; (기회를) 잃다, (목적·표준에) 이르지[미치지] 못하다 ; 만나지[타지] 못하다(↔*catch*) ; 간과(看過)하다, 빼먹다 ; 듣지[이해하지] 못하다 : His punch *~ed* the mark. 그의 펀치는 표적을 빗나갔다 / I *~ed* the train by 3 minutes. 3분 차이로 기차를 타지 못했다 / The house is opposite the church ; you can't ~ it. 그 집은 교회의 맞은 편에 있으므로 못찾을 리가 없다[곧 찾을 거다] / I never ~ go*ing* there. 거기에 가는 것을 빠먹은 적이 없다. **2** [+目 / +目+副 / +目+*out of*+名] 생략하다, 빼다(omit) : Don't ~ my name ***out*** (***of*** your list). (당신의 명부에서) 내 이름을 빼지 마시오. **3** [+目 / +do*ing*] 피하다, 면하다 : The train just *~ed* be*ing* destroyed[*~ed* the accident]. 열차는 간신히 파손[사고]을 모면했다 / He barely *~ed* be*ing* knocked down by the car. 하마터면 차에 치일 뻔했다. **4** (…이) 없음을 알아채다, 없어서 섭섭히 여기다, …이 없어서 쓸쓸하게 생각하다[난처하다] : When did you ~ your umbrella? 언제 우산이 없는 걸 알아챘습니까 / He wouldn't ~ $ 50. 그 사람이라면 50달러 정도는 보통으로 생각할 것이다 / We shall ~ you badly. 네가 없으면 우리는 얼마나 쓸쓸할까.

〈회화〉
We will leave Korea on Monday next week. — Really? I will *miss* you very much. 「우리는 다음주 월요일에 한국을 떠납니다」「정말요, 너무 섭섭하네요」

—— *vi.* 과녁에서 빗나가다 ; 실패하다 : He fired but *~ed.* 총을 쏘았으나 맞추지 못했다 / He never *~es.* 실수하는 법이 없다.

miss a catch ☞ CATCH *n.* 1.

miss fire ☞ FIRE *n.*

miss one***'s mark*** ☞ MARK *n.*

miss one***'s tip*** ☞ TIP[2] *n.*

miss out ☞ *vt.* 2.

miss the boat[***bus***] ☞ BOAT *n.*, BUS *n.*

—— *n.* **1** 실수, 실패, 미스 ; 〖撞球〗 빗맞기, 미스 : A ~ is as good as a mile. 《속담》 조금이라도 빗나간 것은 빗나간 것이다《오십보 백보》. **2** 회피, 모면. **3** 《口》 유산(流産)(miscarriage).

give...a miss (남을) 피하다 ; (식사의 코스를) 빼먹다 ; (파티 따위에) 불참하다.

〚OE (n.) *miss* loss < (v.) *missan* to fail to hit ; cf. G *missen*〛

◇**miss**[2] [mìs, mís] *n.* **1** [M~] 양《Lady 또는 Dame 이외의 미혼 여성의 성·이름 앞에 붙이는 경칭》. 注 (1) Miss Jones 라고 성씨만 부르는 경우는 장녀며, 차녀 이하에는 Miss Mary Jones 라고 말함. (2) 자매를 부를 때는 《文語》에서는 the Misses Brown, 《口》에서는 the Miss Browns와 같이 말함 ; 자매가 아닐 때는 the Misses Brown and Smith와 같이 말함. **2** [독립하여] **a**) 처녀, 미혼여성《《英》에서는 경멸적》. **b**) (하인·점원의 호칭으로서) 아가씨. **3** [M~] [지명 따위에 붙여서] 미스… : *M*~ Korea (한국의) 미인 선발 대회에 뽑힌 사람, 미스 코리아. 〚*mistress*〛

miss. mission ; missionary.

Miss. Mississippi.

mis·sal [mísəl] *n.* [때때로 M~] 〖카톨릭〗 미사 전서(典書) ; (일반적으로) (삽화가 있는) 기도서. 〚L=of the MASS[2]〛

Mis·sa So·lem·nis [mísə səlémnis] *n.* **1** 장엄(莊嚴) 미사(High Mass). **2** 장엄 미사곡《베토벤의 작품 123번》.

mis·sáy [mis-] *vt., vi.* 《古》 나쁘게 말하다 ; 잘못 말하다.

míssed appróach *n.* 〖空〗 진입 복행(復行) 《어떤 이유로 착륙을 위한 진입이 안 되는 일》.

mís·sel (thrùsh) [mísəl(-)] *n.* 〖鳥〗 (유럽산) 큰개똥지빠귀의 일종. 〚OE *mistel* mistletoe < ?〛

Mìss Émma *n.* 《美俗》 모르핀.

mis·sénd [mis-] *vt., vi.* 잘못 보내다.

mís·sènse *n.* 〖遺〗 미스센스《한 개 이상의 codon 이 변하여 본래의 아미노산과 다른 아미노산을 지정하게 되는 돌연변이》.

míssense mutátion *n.* 미스센스 돌연변이.

mis·shápe *vt.* 잘못 만들다, 기형을 만들다.

mis·sháp·en [-ʃéipən] *a.* 기형의, 잘못 만든, 모양이 흉한(deformed).

***mis·sile** [mísəl ; mísail] *n.* **1** 날아가는 무기[도구]《화살·탄알·돌 따위》. **2** 미사일 (병기) : ☞ GUIDED MISSILE. —— *a.* 던질[발사할] 수 있는 ; 미사일의[에 관한] : a ~ base[site] 미사일 기지 / a ~ killer 미사일 요격 미사일 / a ~ payload 미사일 탄두 / ~ technology 미사일 공학 / a ~ vehicle 미사일 운반 기구.

注 미사일의 종류 : **ICBM** 대륙간 탄도탄 ; **IRBM** 중거리 탄도탄 ; **MRBM** 준중거리 탄도탄 ; **anti-ballistic missile** 탄도탄 요격 미사일 ; **MRV** 다탄두 재돌입 미사일 ; **MIRV** 다탄두 각개 목표 재돌입 미사일 ; **surface-to-surface missile** 지대지 미사일 ; **surface-to-air missile** 지대공 미사일 ; **air-to-surface missile** 공대지 미사일 ; **air-to-air missile** 공대공 미사일 ; **ballistic missile** 탄도 미사일 ; **guided missile** 유도 미사일.

〚L (*miss- mitto* to send〛

mis·sil·eer [mìsəlíər ; -ai-] *n.* =MISSILEMAN.

míssile·man [-mən] *n.* 미사일 설계[제작, 기술]자 ; 미사일 조작자.

mis·sil(e)·ry [mísəlri ; -ail-] *n.* [집합적으로] 미사일 ; 미사일의 연구[실험, 사용], 미사일공학 《미사일 설계·제작·용법 따위의 연구》.

míss·ing *a.* 있어야 할 곳에 없는, 찾아낼 수 없는, 보이지 않는, 분실한, 행방불명의(lost) : There is a page ~. =A page is ~. 한 페이지가 빠져 있다 / a ~ page 낙장(落張) / Twenty men are ~. 20명이 행방불명이다.

míssing línk *n.* **1** 계열(系列) 완성상 빠져 있는 것〈*in*〉. **2** [the ~] 〖生〗 멸실환(滅失環), 잃어버린 고리《유인원(類人猿)과 인간의 중간 과정에 있었다고 가상되는 동물》.

***mis·sion** [míʃən] *n.* **1** 사절의 특파 ; (특별한) 사절(단) ; 《美》 해외 사신[공관]. **2** 전도, 포교 ; 전도사의 파견 ; (특히 외국에의) 전도[포교] 단체(본부) : Foreign[Home] *M~s* 외국[국내] 전도(활동). **3** 전도[포교]구 ; (빈민을 위한) 사회 구제시설, 인보단(隣保團). **4** 사명 ; 천직(calling) : be sent *on* a ~ 사명을 띠고 파견되다 / his ~ in life 그의 인생의 사명. **5** 〖軍〗 특명, 임무 ; (공군의 특별한 사명을 띤) 비행 작전(대) ; (로켓의) 비행임무[목적].
a sense of mission 사명감.
— *a.* 전도(단)의 ; (가구가) 미션 양식의《간소하고 검고 중후(重厚)한 20세기 초기 미국 남서부의 가구 양식의》 : a ~ school 미션 스쿨, 종교[전도] 학교 ; 선교사 양성소 / ~ furniture 미션 양식 가구. — *vt.* **1** 파견하다《사절로서》. **2** …에게 사명을 맡기다. **3** 포교[전도]하다. — *vi.* 사절로 일하다. **~·al** *a.*
〖F or L ; ⇨ MISSILE〗

***míssion·àry** [; -əri] *n.* 전도사, 선교사 ; (어떤 주의의) 보급자, 선전자, 주창자 ; 사절. — *a.* 전도의, 선교(사)의 ; 파견된 ; 광신적인.

míssionary posítion *n.* (성교 체위(體位)의) 정상위.

míssionary sàlesman *n.* 《美》 순회 판매원, (생산회사의) 선전보급 판매원.

míssionary wòrker *n.* 《俗》 음성적·비폭력적으로 파업의 저지를 꾀하는 경영자와 한패거리인 노동자.

míssion contròl *n.* (지상의) 우주 (비행) 관제소. **míssion contròller** *n.* (지상의) 우주비행 관제관.

míssion·er *n.* =MISSIONARY ; 교구 전도사.

míssion·ìze *vt.* …에 전도[선전]하다. — *vi.* 전도사로 일하다.

míssion spècialist *n.* 우주선 탑승 과학자.

mis·sis, mis·sus [mísəz, -əs] *n.* 《口·方》 **1** 마님, 아주머니(mistress). **2** 처, 아내(wife) : How's your ~ ? 아주머니는 안녕하십니까.
〖*mistress* ; cf. MRS.〗

míss·ish *a.* 얌전빼는, 새침한.

Mis·sis·sip·pi [misəsípi] *n.* **1** 미시시피《미국 중남부의 주 ; 주도 Jackson ; 略 Miss.》. **2** [the ~] 미시시피 강(江)《미국 Minnesota주 북부에서 발원하여 멕시코 만으로 흘러듦》.
〖Algonquian〗

Mississíppi·an *n.* 미시시피 주의 사람. — *a.* 미시시피 주(사람)의 ; 미시시피 강의.

mis·sive [mísiv] *n.* 《文語·戲》 편지, 서신(書信) ; (특히 장황한) 공문서(official letter) ; 《廢》 =MISSILE.
— *a.* 보내진, 발송된 ; 공문의 ; 《廢》 =MISSILE.
〖L ; ⇨ MISSIL〗

Mìss Lónely·hèarts *n.* 인생 상담의 회답자.

Mìss Náncy *n.* 《口》 사내답지 못한[연약한] 남자(아이) (cf. NANCY).

Mis·sou·ri [mizúəri, 美+-rə] *n.* **1** 미주리《미국 중서부의 주 ; 주도 Jefferson City ; 略 Mo.》. **2** [the ~] 미주리 강(江) 《Mississippi 강의 지류》. **3** (*pl.* **~, ~s**) 미주리 족《북미 인디언의 한 부족》; 미주리 족의 언어.
from Missouri 《美口》 증거를 볼 때까지는 믿지 않는, 의심이 많은.
~·an [-iən] *a., n.* 미주리 주의 (사람).

mis·spéak [mis-] *vt., vi.* 잘못 말[발음]하다.

mis·spéll [mis-] *vt.* …의 철자를 틀리다.

mis·spéll·ing [mis-] *n.* [U,C] 철자 틀리기, 잘못된 철자.

mis·spénd [mis-] *vt.* [주로 *p.p.*로] …의 쓰는 법을 그르치다, 낭비하다 : a *misspent* youth 낭비해 버린 청춘, 헛되이 보낸 청춘.

Mìss Ríght *n.* 《口》 이상적인 여성.

mis·státe [mis-] *vt.* 잘못 말하다 ; 허위 진술하다. **~·ment** *n.* [U,C] 그릇된 진술 ; 허위 진술.

mis·stép [mis-] *n.* 헛디딤, 실족(失足) ; 실책, 과실 : make a ~ 발을 헛딛다 ; 실책을 하다, 서툰 짓을 하다.

missus ☞ MISSIS.

míssy *n.* 《口》 젊은 처녀 ; 《호칭》 아가씨. 〖MISS²〗

‡mist [míst] *n.* **1** [U,C] 안개, 놀, 연무(煙霧) : a thick[heavy] ~ 농무(濃霧) / ☞ SCOTCH MIST / valleys hidden in ~ 안개에 싸인 골짜기. **2** (눈의) 흐림 ; (유리면의) 뿌연 것. **3** 《비유》 의미를 흐리게 하는 것.
throw a mist before a person***'s eyes*** 남의 눈을 속이다.
— *vt.* [+目 / +目+*with*+名] 안개로 덮다, 흐리게 하다, 희미하게 하다 : Tears ~*ed* her eyes. 눈물로 그녀의 눈은 흐려졌다 / eyes ~*ed* ***with*** tears 눈물로 흐려진 눈. — *vi.* [動 / +副] **1** 안개가 덮이다 ; 흐려지다 : The valley[The windshield] ~*ed* ***over***. 골짜기는 온통 안개로 덮였다[차의 방풍 유리는 완전히 흐려졌다]. **2** [it을 주어로 하여] 이슬비[가랑비]가 내리다(drizzle) : *It* is ~*ing*. 이슬비가 내리고 있다.
〖OE ; cf. MDu. *mist* mist〗
[類義語] ***mist*** 시야를 흐리게 하는 공기중 안개 ; 보통은 haze보다 짙으며 fog보다 엷은 것. ***haze*** 엷은 안개, 봄안개 ; 습기를 암시하지는 않음. ***fog*** 시야를 가리는 짙은 안개. ***smog*** 대도시·공장지대에 나타나는 매연(smoke)과 안개(fog)가 뒤섞인 것.

mis·ták·able *a.* 틀리기 쉬운, 그르치기 쉬운, 오해 받기 쉬운.

‡mis·take [məstéik] *n.* 잘못, 틀림 ; 실수 ; 잘못 생각함 ; 〖法〗 착오 : grammatical ~*s* 문법상의 오류 / There is no ~ about it. 그것은 확실하다 / It is a ~ to think that you can get away with it. 그것을 면할 수 있다고 생각하면 잘못이다 / a ~ of fact 사실 오인 / Now no ~. 정말이야《내 말을 잘 들어다오》.
and no mistake 《口》 (앞의 말을 강조하여) 틀림없이 : You are a fool(,) *and no* ~ ! 너는 참으로 바보구나.
beyond mistake 틀림없이, 확실히.
by mistake 잘못하여 : Someone has taken my umbrella *by* ~. 누군가 내 우산을 잘못 알고 가지고 갔다.
make a mistake 잘못을 저지르다 : We all *make* ~*s* sometimes. 사람은 누구나 때로는 잘못을 저지르는 법이다 / I *made a* ~ about the time. 시간을 잘못 잡았다[알았다] / *Make* no ~, it's got to be done. 알았지, 그것은 무조건 해야 한다.
— *v.* (**-took** [-túk] ; **-tak·en** [-téikən]) *vt.* **1** [+目 / +*wh.* 節] 그르치다, 오해하다, …의 해석을 틀리게 하다 : She has ~*n* me[my meaning]. 내 말을 오해했다 / There can be no *mistaking*

what he meant by it. 그가 말한 진의(眞意)는 오해할 수 없다《너무나 명백하다》. **2** [+目+*for*+名] 잘못 생각하다, (…로) 잘못하다, 잘못 보다[헛보다] : I *mistook* the stick ***for*** a snake. 그 막대기를 뱀으로 잘못 봤다 / He is often ~*n for* his twin brother. 곧잘 쌍둥이 형제로 오인(誤認)된다. —— *vi.* 오해[착각]하다.
〖ON *mistaka* ; ⇨ MIS-[1], TAKE〗
類義語 ⟹ ERROR.

‡mis·táken *v.* MISTAKE의 과거분사. —— *a.* **1** [+前+do*ing*] 잘못된, 오해한(wrong) : You are ~. 잘못 생각하고 있다 / I am sorry I was ~ ***about*** you. 당신을 오해했던 것은 미안하오 / You were ~ ***in*** assum*ing* it. 네가 그것을 처음부터 결정지은 것은 잘못이었다. **2** 판단이 잘못된 : ~ kindness 그릇된 친절 / a case of ~ identity 사람을 잘못 본 경우.
~·ly *adv.* **~·ness** *n.*

mis·táught *a.* 잘못 가르쳐진.

mis·téach *vt.* [주로 *p.p.*로] 잘못 가르치다.

mis·ter [místər] *n.* **1** [M~] =MR. **2** 《美口》《호칭》 선생, 여보, 당신(sir) : Good morning, ~. 선생님, 안녕히 주무셨습니까. **3** Mister라는 경칭 : Don't call me ~ ; it's very distant. 「…씨」는 붙이지 말아다오, 서먹서먹하니까. **4** (Mr. 이외에 경칭을 갖지 않은) 평민 : be he prince or mere ~ 그 사람이 왕자건 평민이건 간에. **5** 〔軍〕 하급 준위·사관 후보생·해군 소령 이하의 사관에 대한 정식 호칭.
—— *vt.* 《口》 …씨(氏)[군]를 붙이다 : Don't ~ me. 「…씨」를 붙여서 부르지 마라.
〖MASTER ; cf. MR.〗

Míster Bíg *n.* 《美俗》 (막후의) 거물, 보스, 우두머리.

Míster Chárlie[Chárley] *n.* 《美黑人俗》 백인, 보스.

Míster Ríght *n.* 《口》 (여성의) 이상적인 남편감 ; 《美俗》 =MISTER BIG.

Míster Tóm *n.* 《美黑人俗》 백인 사회에 동화한[하고 싶어하는] 흑인.

mistery ☞ MYSTERY[2].

míst·ful *a.* 안개 짙은, 안개가 자욱한.

mis·thréad *vt.* (녹음 테이프를) 제자리가 아닌 다른 데를 틀다.

mis·tíme *vt.* [특히 *p. p.*로] …의 때를 그르치다, 시기를 놓치고 …하다[말하다] (cf. TIMELY) : a ~*d* intervention 엉뚱한 때에 내뱉은 말 ; 때를 맞추지 못한 중재(仲裁).
〖OE *mistīmian* ; ⇨ MIS-[1]〗

mis·tle·toe [mísəltòu] *n.* Ⓤ 〔植〕 겨우살이 《크리스마스 장식에 씀》.
kissing under the mistletoe 겨우살이 나무 밑에서의 키스《크리스마스 장식의 겨우살이 아래에 있는 소녀에게는 키스해도 좋다고 하는 풍습》.
〖OE *misteltān* mistletoe twig (MISSEL, *tān* twig)〗

‡mistook *v.* MISTAKE의 과거형.

mis·tral [místrəl, mistrá:l] *n.* (프랑스 등지의 지중해 연안지방에 부는) 한랭한 북서풍.
〖F and Prov. <L ; ⇨ MASTER[1]〗

mìs·translàte *vt.* 오역(誤譯)하다.
mìs·translátion *n.* 오역.

mis·tréat *vt.* 학대하다, 혹사하다(maltreat).
~·ment *n.* 학대, 혹사.

***mis·tress** [místrəs] *n.* **1** (한 집안의) 안[여]주인, 주부(cf. MASTER[1]). **2** [때때로 M~] 《비유》 여왕, 지배자(인 여자) : the ~ *of* the night 밤의 여왕《달》 / be one's own ~ (여성이) 자유의 몸이다, 냉정하다. **3** 여류 대가[명인]〈*of*〉. **4** 《英》 여교사 ; 여자 교장. **5** 《詩》 연인, 애인. **6** 정부(情婦), 첩. **7** =MRS. **8** [M~] 《호칭》《古·方》 =MRS., MADAM, MISS.
the Mistress of the Adriatic Venice의 속칭.
the Mistress of the Robes (영국 왕실의) 의상 관리장《여왕의 의상을 관리하는 시녀》.
the Mistress of the seas 영국의 속칭.
the Mistress of the world 로마 제국의 속칭.
〖OF (*maistre* MASTER[1], -*ess*[1])〗

mis·tríal *n.* 〔法〕 **1** (절차상의 과오로 인한) 무효 심리, 오판. **2** 《美》 (배심원의 의견 불일치로 인한) 미결정 심리.

mis·trúst *vt.* **1** 신용하지 않다, 의심하다, …에 대해서 반신반의하다(cf. DISTRUST) : I ~ his motives. 그의 동기를 미심쩍게 생각한다 / He ~*ed* his own abilities. 자기의 능력을 의심했다. **2** 《稀》 추측하다, …이 아닌가 하고 생각하다 (surmise)〈*that*〉.
—— *n.* Ⓤ 불신(용), 의혹〈*of*, *in*〉.

mis·trúst·ful *a.* 의심 많은, 신용하지 않는〈*of*〉; 불신이 많은, 신용할 수 없는. **~·ly** *adv.* 의심을 품고, 깊이 의심하여. **~·ness** *n.*

místy *a.* **1** (봄)안개가 덮인, 안개가 짙은[짙게 낀]. **2** (눈이) 눈물로 흐려진. **3** (생각 따위가) 흐릿해진, 불명료한, 막연한. **míst·i·ly** *adv.*
míst·i·ness *n.* 〖OE *mistig* ; ⇨ MIST〗

místy-éyed *a.* 쉽게 눈물이 글썽거리는 ; 꿈을 꾸는 듯한, 감상적인.

***mìs·understánd** *vt.* 오해하다 : You were *misunderstood*. 오해 받고 있었다.

〈회화〉
I think you are *misunderstanding* me. — Oh, really? 「너는 나를 오해하고 있는 것 같아」「아니, 정말」

—— *vi.* 오해를 하다 : Don't ~. 오해해서는 안된다(cf. UNDERSTAND 주).

mìs·understánd·ing *n.* Ⓤ,Ⓒ 오해, 틀린 해석 ; 불화, 의견의 불일치〈*between*, *with*〉: have a ~ *of* a matter 어떤 일에 대하여 오해하고 있다.

mis·úsage *n.* Ⓤ,Ⓒ 오용 ; 학대, 혹사(ill-treatment).

mis·use [misjú:z] *vt.* 그릇된 사용법을 쓰다, 오용하다 ; 학대하다, 혹사하다. —— [misjú:s] *n.* 오용 ; 악용, 남용 ; 《廢》 학대 : ~ of authority 직권 남용.

mis·válue *vt.* 잘못 평가하다, 업신여기다.

mis·wórd *vt.* 잘못 표현하다, 부적당한 말로 나타내다.

M.I.T. [the ~] Massachusetts Institute of Technology《매사추세츠 공과대학 ; 1861년 창립 ; cf. CAMBRIDGE 2》.

Mit·be·stim·mung [mítbəʃtìmuŋ] *n.* (독일 등지에서 노동자의) 경영 참가권.

Mitch·ell [mítʃəl] *n.* **1** 남자 이름. **2** 미첼. **Margaret** ~ (1900-49) 미국의 여류작가.
〖⇨ MICHAEL〗

mite[1] [máit] *n.* **1** 잔돈 ; 《英俗》 반(半) 파딩《1/2 farthing》. **2** (소액이지만) 정성어린 기부, 빈자(貧者)의 일등(一燈) : the widow's ~ 〔聖〕 가난한 과부의 연보금. **3** 《口》 극히 조그만 것, 어린이 : a ~ *of* a child 꼬마. **4** [a ~ ; 부사적] 소량, 조금.
not a mite 《口》 조금도 …아니다.
〖MLG, MDu. *mīte* <? *mite*[2]〗

mite[2] *n.* 〖動〗진드기 ; 치즈진드기(=cheese ~). 〚OE *mīte* ; cf. OHG *mīza* gnat〛

mi·ter | mi·tre [máitər] *n.* **1** 〔카톨릭〕 주교관(主教冠) ; 주교의 직[지위]. **2** 〖木工〗연귀 이음. ── *vt.* **1** 주교로 임명하다. **2** 연귀 이음으로 하다. ── *vi.* 연귀 이음으로 되다. 〚OF<L<Gk. *mitra* turban〛

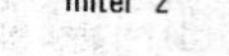

miter 2

mí·tered *a.* **1** 주교관을 쓴[수여받은]. **2** 〖木工〗연귀 이음으로 된.

míter jòint *n.* 〖建〗연귀 이음《액자틀의 모서리와 같이 잇는 방법》.

míter squàre *n.* (연귀 이음용) 45도 자.

Mith·ras [míθræs], **-ra** [-rə] *n.* 미트라《태양신·광명신이며 또한 전투의 신》. **Mith·ra·ic** [miθréiik] *a.* 미트라 신의, 미트라 신앙의. **Mith·ra·ism** [míθrəìzəm, -reiìzəm] *n.* 미트라 신(神) 예배. **-ist** *n.* 미트라 신 예배자.

mith·ri·da·tism [míθrədèitizəm, ----] *n.* Ⓤ (독의 복용량을 차차 증가시킴으로써 생기는) 면독성(免毒性).

mith·ri·da·tize [míθrədèitaiz ; miθrídətàiz] *vt.* …에 면독성을 기르다.

mit·i·gate [mítəgèit] *vt.* 완화하다, 누그러뜨리다, 달래다, 진정시키다 ; (형벌 따위를) 경감하다. ── *vi.* 누그러지다, 완화하다. **mìt·i·gá·tion** *n.* Ⓤ 완화, 진정 ; (형벌 따위의) 경감. **mít·i·gà·tive** *a.* 완화시키는, 진정(鎭靜)의. **mít·i·gà·tor** *n.* 완화시키는 사람[것], 완화제. **mit·i·ga·to·ry** [mítigətɔ̀:ri ; -gèitəri] *a.*, *n.* 완화의, 경감의 ; 완화제. 〚L (*mitis* mild)〛

mi·to·chon·dri·on [màitəkándriən] *n.* (*pl.* **-dria** [-driə]) 〖生〗미토콘드리아《세포 속의 호흡을 맡는 소기관(小器官) ; 독자적인 DNA를 가짐》. **-dri·al** *a.*

mi·to·mý·cin [màitou-] *n.* 〖藥〗미토마이신《일본에서 발견된 항암제로서 기대되는 항생물질》.

mi·tose [máitous] *vi.* 〖生〗유사(有絲) 분열하다.

mi·to·sis [maitóusəs] *n.* (*pl.* **-ses** [-si:z]) Ⓤ,Ⓒ 〖生〗(세포의) 유사(有絲)분열, 간접 핵분열(cf. MEIOSIS). **mi·tot·ic** [maitátik] *a.* 유사 분열의, 간접 핵분열의. 〚NL (Gk. *mitos* thread)〛

mi·trail·leur [mì(:)trəjə́:r ; *F* mitrɑjœ:r] *n.* 기관총 사수.

mi·trail·leuse [mì(:)trəjə́:z ; *F* mitrɑjø:z] *n.* 기관총의 일종.

mi·tral [máitrəl] *a.* 주교관(主教冠)의, 승모(僧帽) 모양의 ; 〖解〗승모판의 : ~ valve 〖解〗(심장의) 승모판. 〚MITER〛

mitre ☞ MITER.

***mitt** [mít] *n.* **1** (여성용) 긴 장갑《손가락 부분이 없이 팔꿈치까지 가림》. **2** =MITTEN 1. **3 a)** 〖野〗미트(cf. GLOVE). **b)** 《口》(권투용) 글러브(boxing glove). **4** 《美俗》수갑 ; 《美俗》체포. **5** [*pl.*] 《俗》주먹, 손. **6** [the ~] 《美俗》자선(종교) 단체.

give*[*hand*]** a person ***the frozen mitt 남에게 서먹서먹하게 하다, 쌀쌀맞게 대하다.

── *vt* 《美俗》…와 악수하다 ; 체포하다.

── *vi.* 《美俗》(승리의 표시로) 머리 위로 높이 손을 깍지 끼어 올리다. 〚*mitt*en〛

mit·ten [mítn] *n.* **1** 벙어리 장갑. **2** =MITT 1. **3** [*pl.*] 권투 글러브 ; [*pl.*] 《俗》주먹다짐.

get*[*give*] *the mitten 《俗》퇴짜맞다[놓다] ; 파면되다[하다].

handle without mittens 사정없이 다루다.

〚OF (L *medietas* half) ; ⇨ MOIETY〛

mítt-glòmmer *n.* 《美俗》덮어놓고 악수하는 사람, 저자세인 사람, 추종하는 사람.

mit·ti·mus [mítəməs] *n.* 〖法〗수감(收監) 영장 ; 〖史〗기소 기록 이송 영장 ; 《口》해고 (통지)(dismissal). 〚L=we send〛

mítt rèader *n.* 《美俗》손금쟁이, 운명 감정사.

Mit·ty [míti], **Wálter Mítty** *n.* 공상에 빠져 자기를 터무니없는 영웅으로 만드는 소심한 사람, 터무니없는 공상에 몰두하는 인물. **Mìtty·ésque, Wálter Mítty·ish** *a.* 〚James Thurber의 단편 *The Secret Life of Walter Mitty* (1939)의 주인공에서〛

mitz·vah, mits·vah [mítsvə, -vɑ:] *n.* (*pl.* **-voth** [-vout, -θ, -s], **~s**) 〔유태教〕 성서·율법학자의 계율 ; 덕행, 선행(善行). 〚Heb.=commandment〛

‡mix [míks] *vt.* **1** [+目/+目+*with*+名] 섞다, 혼합[혼화]하다 ; 결합하다, 합치다 : ~ wine and water 포도주와 물을 섞다 / ~ cement ***with*** sand 시멘트에 모래를 뒤섞다 / We often try to ~ work and[*with*] play. 흔히들 일과 놀이를 결합시키려고 한다. **2** [+目/+目+目/+目+*for*+名] 혼합해서 만들다, 조합(調合)[조제]하다 : ~ a drink 술을 뒤섞다, 칵테일《따위》을 만들다 / ~ a salad 샐러드를 만들다 / The nurse ~*ed* him a bottle of medicine[~*ed* a bottle of medicine ***for*** him]. 간호사는 그에게 물약 한 병을 조제해 주었다. **3** 혼동하다(confuse) : ~ dates 날짜를 혼동하다. **4** (사람들을) 교제하게 하다 ; (동물을) 교배하다. **5** (무형의 것을) 연결시키다.

── *vi.* **1** [動/+*with*+名] 섞이다, 혼합하다 : Oil and water won't ~. =Oil will not ~ ***with*** water. 기름과 물은 섞이지 않는다. **2** [動/+前+名] 서로 왕래하다, 사귀다 ; 친밀하게 교제하다, 뜻이 맞다 : The husband and wife do not ~ well. 저 부부는 사이가 나쁘다 / They did not ~ ***with*** the natives there. 그 고장의 사람들과 사귀지 않았다 / They ~ well ***in*** any company. 어떤 동료와도 사이좋게 지내고 있다. **3** 관계되다. **4** 교배하다.

mix up (1) 잘 혼합시키다. (2) 혼란하게 하다, 갈피를 못잡게 하다 : I got ~*ed up* at the first words. 맨처음 말에 당황했다. (3) [수동태로] (좋지 않은 일에) 관계시키다, 말려들게 하다 : He *was* unfortunately ~*ed up in* the affair. 불행히도 그 사건에 말려들었다 / Don't get ~*ed up with* those people. 그 사람들과 어울리지 않도록 하시오.

── *n.* **1** 혼합(물) ; (혼합물의) 성분비, 혼합비. **2** 《口》혼란, 뒤범벅. **3** 〖商〗인스턴트 식품 ; 술을 묽게 하는 음료《소다수·진저 에일 따위》: an ice cream ~ 아이스크림 재료.

〚역성(逆成) ‹ *mixed*, ME *mixt*<OF<L (*misceo* to mix) ; *mixed*를 p.p.로 잘못 안 것〛

類義語 ***mix*** 혼합한 결과 그 질이 일률적으로 되는 것을 뜻한다 ; 원래의 각 요소는 식별할 수도 있고 하지 못할 때도 있다 : *mix* several fruit juices (몇 가지 과일즙을 혼합하다). ***mingle***

각 요소를 여전히 구별할 수 있는 경우에 쓰임 : *mingled* feeling of praise and jealousy (칭찬과 질투가 뒤섞인 감정). ***merge*** 혼합한 결과 각 요소가 식별할 수 없게 되었을 때, 또는 전혀 새로운 별개의 것이 생겼을 때를 강조함 : *merge* two branch offices into one (두 지점을 하나로 합치다). ***blend*** 희망하는 품질이나 조화를 이룬 것을 얻기 위하여 여러가지를 (조금씩) 뒤섞다 : a *blended* coffee (혼합된 커피).

míx-and-mátch *n.* 어울리지 않는 것끼리의 짝지움, 믹스언매치《실크 블라우스에 조깅 신발을 신는 따위》.

mixed [míkst] *a.* **1** 혼합된, 혼성의, 잡다한(↔ *pure*) : a ~ brigade 혼성여단(混成旅團) / a ~ drink 혼합주《칵테일 따위》/ ~ motives 여러 가지 잡다한 동기 / a ~ train (객차와 화차의) 혼합 열차 / have ~ feelings 착잡한 감정을 가지다. **2** 여러 잡다한 인간으로 이루어진 ; 이종족간의. **3** 남녀 혼성의 ; 남녀 공학의 : ~ doubles 〔테니스〕 남녀 혼합 복식 / a ~ school 남녀 공학(共學). **4** 〔樂〕 혼성(混聲)의 : a ~ chorus 혼성 합창. **5** 〔數〕 (유리) 정수와 분수[소수]를 포함하는 ; (대수식이) 다항식과 유리 분수식으로 되는. **6** 《口》 머리가 혼란해진.
~·ness *n.* Ⓤ 혼합, 혼성 ; 잡다.

míxed bág *n.* 《口》 (사람·물건의) 잡동사니, 그러모은 것.

míxed bléssing *n.* 크게 유리하지만 크게 불리하기도 한 일[사정], 고마운 것 같지만 고맙지 않은 사람[물건].

míxed-blóod *n.* 《美》 혼혈아.

míxed bóat *n.* 화객선(貨客船)《사람과 짐을 함께 싣는》.

míxed búd *n.* 〔植〕 혼아(混芽)《꽃뿐만 아니라 줄기·잎도 나는 싹》.

míxed ecónomy *n.* 혼합 경제《자본주의와 사회주의의 두 요소를 채택한》.

míxed fárming *n.* 혼합 농업《축산과 농업의 혼합 경영》.

míxed gríll *n.* 구운 새끼 양고기·소시지·간 따위의 육류와 버섯·토마토를 볶은 요리.

míxed márket ecònomy *n.* 혼합 시장경제.

míxed média *n.* 혼합 매체《영상·그림·음악 따위의 종합예술 표현》.

míxed métaphor *n.* 〔修〕 혼유(混喩)《둘 이상의 조화 안 된[모순된] metaphors의 혼용》.

míxed númber *n.* 〔數〕 혼수(混數)《대분수 및 대소수》.

míxed séntence *n.* 〔文法〕 혼합문.

míxed títhe *n.* 《英》 가축 수익 1/10세(稅).

míxed-úp *a.* 혼란된, 뒤범벅의 ; 정신 착란의 : a crazy ~ kid 정신장애가 있는 아이.

míxed-úse *a.* 다목적 이용의.

míx·er *n.* **1** 혼합하는 사람 ; 혼합기, (요리용의) 교반기, 저어서 거품을 내는 요리기구 : a cement [concrete] ~ 시멘트[콘크리트]믹서. **2** 〔라디오·TV〕 믹서, 음량(音量) 조정 기사. **3** 《口》 교제가 ; 《口》 사람들에게 성가시게 하는 인물 : a good[bad] ~ 남과 손쉽게 친숙해지는[친숙해지지 않는] 사람, 교제가 능한[서툰] 사람. **4** 《俗》 친목회. **5** 《口》 칵테일 따위를 묽게 하는 음료《소다수·진저에일 따위》.

mixi [míksi] *n.* 믹시《mini, midi, maxi의 혼합어》.

míx-ín *n.* 전투, 분쟁, 시비.

míx·ing *n.* 혼합, 혼화 ; (음성과 음악의) 혼성 또는 조정 ; 〔TV〕 (화면의) 조정.

míxing bòwl *n.* 《CB俗》 고속도로의 클로버형 인터체인지(cloverleaf).

míxing fàucet *n.* 온·냉수 혼합 수도꼭지.

míx·màster *n.* 《CB俗》 =MIXING BOWL.

mix·ol·o·gy [miksálədʒi] *n.* 《俗》 칵테일 (만드는) 기술. **-gist** *n.* 《俗》 칵테일을 잘 만드는 사람, 명(名)바텐더.

mixt [míkst] *v.* MIX의 과거·과거분사.
—— *a.* =MIXED.

mixt. mixture.

***mix·ture** [míkstʃər] *n.* **1** Ⓤ 혼합, 혼화(混和). **2** Ⓒ (약·담배 따위의) 혼합물, 합제(合劑) ; Ⓤ (기분·감정 따위의) 착잡한 상태 ; Ⓒ 〔化〕 혼합물 : without ~ 섞음질 않고, 순수한 / a smoking ~ 혼합 담배 / a ~ *of* sand *and*[*with*] cement 모래와 시멘트의 혼합물 / Air is a ~ of gases. 공기는 기체의 혼합물이다. **3** Ⓒ 교직(交織), 혼방직물 : a heather ~ 혼색(混色) 모직물의 일종.
the mixture as before 〔藥〕 먼저와 같은 처방 ; 《비유》 변함없는 조치[대책].
〖OF or L ; ⇨ MIX〗

míx-ùp *n.* 혼란 ; =MIXTURE ; 《口》 혼전, 난투.

miz·zen, miz·en [mízən] *n.* 〔船〕 뒷돛대의 세로돛(=~ **sàil**) ; =MIZ(Z)ENMAST.
—— *a.* 뒷돛대의, 뒷돛대에 치는 : ~ royal 뒷돛대 / ~ yard 뒷돛대의 활대.
〖F *misaine*<It. ; ⇨ MEZZANINE〗

míz(z)en·màst [ˌ《海》-məst] *n.* (돛대가 둘 또는 셋 있는 배의) 뒷돛대.

mízzen·tòp *n.* 후장루(後檣樓).

miz·zle[1] [mízəl] *vi.*, *n.* 《方》 =DRIZZLE.
〖ME< ? LG *miseln*〗

mizzle[2] *n.*, *vi.* 《英口》 도망(치다).
do a mizzle 줄행랑놓다. 〖C18< ?〗

míz·zly *a.* 이슬비가 내리는 ; 이슬비 같은.

M.J. [èmdʒéi] *n.* 《美俗》 =MARIJUANA.

mk., Mk. (*pl.* **mks., Mks.**) mark. **mkd.** marked. **M.K.S.A., mksa** meter-kilogram-second-ampere. **mkt.** market. **ML** Medieval[Middle] Latin. **M.L.** Master of Law[Literature] ; minelayer. **ml.** mail ; milliliter(s). **M.L.A.** Member of the Legislative Assembly ; Modern Language Association.
MLB 〔美蹴〕 middle linebacker.
MLC multilayer ceramic. **M.L.C.** Member of the Legislative Council. **M.L.D., MLD, m.l.d** 〔醫·藥〕 minimum lethal dose.
M.L.F. multilateral (nuclear) force (다변(多邊) 핵군). **MLG** Middle Low German.
Mlle. Mademoiselle. **Mlles.** Mesdemoiselles.
M.L.N.S. 《英》 Ministry of Labour and National Service. **MLP** 〔로켓〕 mobile launcher platform. **MLR** minimum lending rate (Bank of England의 최저 대출 금리). **MLRS** multiple launch rocket system. **MLS** 〔空〕 microwave landing system. **ML$** Malaysian dollar(s). **MLW** mean low water ; 〔空〕 maximum landing weight. **MM.** Majesties ; Messieurs. **mm.** millimeter(s). **MMC** money market certificates(시장 금리 연동 예금).
MMDA money market deposit account(금융시장 예금 계정). **Mme(.)** (*pl.* **Mmes(.)**) Madame. **Mmes.** Mesdames. **m.m.f., MMF** magnetomotive force ; money market fund(금융 시장 기금). **mmfd.** micromicrofarad(s). **MMIC** 〔電子〕 monolithic microwave integrated circuit (모놀리식(式) 마이크로파(波) 집적 회로). **MMPI** Minnesota Multi-

phasic Personality Inventory. **M.M.S.** Methodist Missionary Society. **MMT** Multiple Mirror Telescope. **MMU** 〖宇宙〗 manned maneuvering unit. **M.Mus.** Master of Music. **MMW** 〖軍〗 millimeter wave (length) radar. **MN** Minnesota. **Mn** 〖化〗 manganese. **M.N.** magnetic north ; 《英》 Merchant Navy.

MNC [èmènsí:] *n.* 다국적 기업(multinational corporation).

mne·mon [ní:mɑn] *n.* 기억소(記憶素)《뇌·신경계(系)에서의 최소한의 기억량 단위》.

mne·mon·ic [ni(:)mánik] *a.* 기억을 돕는 ; 기억(술)의 : a ~ code 〖컴퓨〗 외기 쉬운 부호, 기호화 코드 / a ~ system 기억법. —— *n.* 기억을 돕는 방법《공식 따위》; 〖컴퓨〗 (어셈블리 언어의) 기억(용) 명령 코드, 니마닉.
〚L<Gk. (*mnēmōn* mindful)〛

mne·món·ics *n.* 기억술.

mnemónic sýmbol *n.* 〖컴퓨〗 간략 기억 기호 《multiply를 MPY, addition을 ADD로 나타내는 따위》.

Mne·mos·y·ne [ni(:)másənì:, -máz-] *n.* 〖그神〗 기억의 여신《뮤즈 신의 어머니》.

-mne·sia [mní:ʒiə] *n. comb. form* 「…한 기억(형[상태])」의 뜻.

mngr. manager. **Mngr(.)** Monsignor.

mo[1] [móu] *n.* (*pl.* **~s**) 《口》 순간 : Wait [Half] a *mo.* 잠깐 기다려.
〚*mo*ment〛

mo[2] *n.* 《美俗》 호모(homo).

Mo 〖化〗 molybdenum. **Mo.** 〖美郵〗 Missouri ; Monday. **mo.** (*pl.* **mos.**) month(s). **M.O.** 《英》 Mass Observation ; Medical Officer ; Meteorological Office ; modus operandi ; money order. **M.O., m.o.** mail order ; manually operated.

-mo [mòu] *n. suf.* 책의 크기를 나타내는 「…절(折)」의 뜻 : 16*mo*, duodeci*mo* (cf. FOLIO, QUARTO).
〚L ; 서수사의 abl. sing. masc. 어미(語尾)〛

moa [móuə] *n.* 모아, 공조(恐鳥)《멸종된 뉴질랜드산의 타조 비슷한 무익(無翼)의 거대한 새》.
〚Maori〛

Mo·ab [móuæb] *n.* 모아브《사해(死海) 동쪽에 있었던 옛 왕국》.
〚Heb.=progeny of a father〛

Mo·ab·ite [móuəbàit] *n.*, 모아브 인《유태인과 관계 있었던 고대 셈족》; 모아브 어. —— *a.* 모아브의 ; 모아브 인[어]의.

moan [móun] *n.* **1** 신음소리, 끙끙대기 ; (파도·바람의) 울림 ; 슬픈 듯한 소리. **2** 슬퍼함(lamentation), 불평, 비탄.
make** one's **moan 《古》 불평을 호소하다.
put on the moan 《美俗》 불평을 하다, 투덜거리다.
—— *vi.* **1** 신음하다, 끙끙대다. **2** 불평을 하다. **3** (바람 따위가) 윙윙거리다. —— *vt.* **1** 끙끙대며 말하다. **2** 한탄[비탄]하다, 슬퍼하다 : ~ one's lost child.
〚OE 《美》 *mān* ; cf. OE *mǣnan* to grieve over〛

móan·ful *a.* 신음소리를 내는, 구슬픈. **~·ly** *adv.*

moat [móut] *n.* (도시나 성곽 둘레의) 해자, 외호(外濠). —— *vt.* …에 해자를 두르다.
〚OF *mote* mound〛

***mob** [mάb] *n.* **1** 군중 ; 오합지졸, 폭도 ; [형용사적으로] 민중(특유)의, 폭도에 의한 : ~ psychology 군중 심리. **2** [the ~] 《蔑》 대중, 민중, 하층민 ; 잡다한 것의 모임 ; [형용사적으로] 대중용의 : a ~ appeal. **3** 《俗》 악인의 무리, 갱, [the ~] 조직적 범죄 집단 : ☞ SWELL MOB. **4** [the M~] 《美俗》 마피아. **5** 《英口》 한패, 동아리. **6** 《濠》 짐승 떼, [*pl.*] 큰 무리〈*of*〉.
—— *v.* (**-bb-**). *vt.* 떼를 지어 습격[야유]하다 ; 와글와글 모이다. —— *vi.* (폭도가 되어) 몰려들다.
〚*mob*ile (L *mobile vulgus* excitable crowd)〛
類義語 ⟹ CROWD.

mób·bish *a.* 폭도 같은 ; 무질서한 ; 소란한.

mób·càp *n.* 여성용 실내 모자의 일종《18-19세기경에 유행》.
〚*mob* (obs.) slut〛

mobcap

mo·bile [móubəl, -bi:l, -bail] *a.* **1** 움직이기 쉬운, 이동성[기동성]이 있는 ; 유동하는 ; 〖軍〗 (여기저기) 이동하는 : the ~ police (경찰의) 기동대 / ~ troops 기동화 부대 / a ~ force 기동 부대. **2** (마음·표정 따위가) 변하기 쉬운 ; 변덕스러운 ; 융통성 있는 ; 감정이 풍부한. **3** 〖美術〗 모빌의《추상파 조각에서 금속 조각 따위를 매달아 운동을 나타내는》. **4** 〖社〗 (집단끼리) 혼합할 수 있는, 유동성이 있는.
—— [美+-bi:l] *n.* 《美口》 자동차 ; 〖機〗 가동부(部) ; 〖美術〗 모빌 작품.
〚F<L=movable (*moveo* to move)〛

-mo·bile [moubì:l, mə-] *n. comb. form* 「차(車)」의 뜻. 〚auto*mobile*〛

móbile communicátion *n.* 〖通信〗 이동통신 《자동차·선박 따위 이동체에서의 무선 통신》.

móbile cówhouse *n.* 《CB俗》 가축 운반 트럭.

móbile éyeball *n.* 《CB俗》 운전하면서 다른 트럭을 빤히 보고 있는 트럭 운전사.

móbile hóme[hóuse] *n.* 트레일러 주택, 이동식 주택.

móbile líbrary *n.* 이동 도서관(bookmobile).

móbile òil[gàs] *n.* 자동차용 휘발유.

móbile párking lòt *n.* 《CB俗》 자동차 운반차.

móbile phòne[tèlephone] *n.* 이동 전화, 자동차 전화.

móbile státion *n.* 〖通信〗 이동 무선국.

móbile subscríber *n.* 〖通信〗 자동차 전화 가입자(者).

mo·bil·ette [mòubilét] *n.* 소형바이크 ; 스쿠터.

móbile ùnit *n.* 이동 차량《텔레비전 중계 시설 따위를 갖춘 대형 트럭》.

mo·bil·i·ty [moubíləti] *n.* Ⓤ **1** 가동성, 이동성, 변동성. **2** 변덕. **3** 〖社〗 (주소·직업 따위의) 유동성, 이동. **4** (부대·함대 따위의) 기동성, 기동력. **5** 〖理〗 (입자의) 이동도(移動度).

móbility gàp *n.* 〖理〗 이동도(移動度) 갭.

mò·bi·li·zá·tion *n.* U,C **1** 〖軍〗 동원 : ~ orders 동원령 / a ~ scheme 동원 계획. **2** (금융의) 운용, 유통. **3** 〖法〗 (부동산의) 동산화.

mo·bi·lize [móubəlàiz] *vt.* **1** 〖軍〗 (군대·함대를) 동원하다 ; (산업·자원 따위를) 전시 체제로 바꾸다, 동원하다. **2** 가동성을 부여하다 ; (부(富) 따위를) 유통시키다. **3** (힘 따위를) 발휘하다. —— *vi.* (군대·함대가) 동원되다.

mo·bil·lage [moubílidʒ] *n.* 모빌리지《자동차 여행자를 위한 캠프장》.

Mö·bi·us [mə́:rbiəs, méi-] *n.* 뫼비우스. **August Ferdinand** ~ (1790-1868) 독일의 수학자·천문학자.

Mö·bi·us strip[**band, loop**], **Moe-** [ㅗㅗ] *n.* 〖數〗 뫼비우스의 띠《직사각형의 종이를 한 번 비틀어 그 대변(對邊)을 붙여 만든 곡면 ; 면이 하나뿐임》. 〖A. F. *Möbius*〗

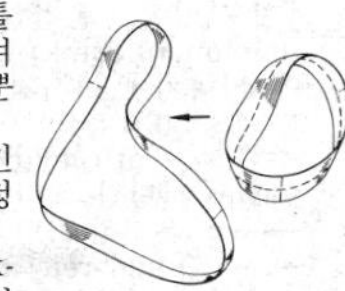

Möbius strip

mób làw[**rùle**] *n.* 폭민(暴民)[중우(衆愚)] 정치 ; 사형(私刑).

mob·oc·ra·cy [mabákrəsi] *n.* Ⓤ 폭민[중우] 정치 ; (지배 계급으로서의) 폭민.

MOBS [mábz] 〖軍〗 Multiple Orbit Bombardment System(다수 궤도 폭격 시스템).

móbs·man [-mən] *n.* 폭도의 일원 ; 《英古》 신사 차림의 소매치기.

mób·ster *n.* 《美俗》 갱의 한 사람, 폭력 단원.

mo·camp [moukǽmp] *n.* 《美》 트레일러 캠프장. 〖*mo*torist *camp*〗

moc·ca·sin [mákəsən] *n.* 북아메리칸 인디언의 뒤축 없는 신 ; (그와 비슷한) 신의 일종 ; 독사의 일종《미국 남부산》. 〖Am. Ind. (Algonquian)〗

móccasin flòwer *n.* 〖植〗 난초과 개불알꽃류.

mo·cha [móukə ; mɔ́kə] *n.* Ⓤ 모카(=∠ **còffee**)《원래 아라비아 남서부의 Mocha에서 실어 내었음》; 《口》 양질의 커피 ; 커피색 ; 아라비아염소의 무두질한 가죽《장갑용》; [M~] 이끼 마노(moss agate) (=∠ **stòne**).

mock** [mák, 美+mɔ́:k] *vt.* **1** 조롱하다, 업신여기다. **2** 흉내내어 조롱하다, 흉내내다, 모방하다(mimic). **3** 경시하다, 무시하다. **4** 속이다, 실망시키다 ; 헛수고시키다, (계획 따위를) 망치다 : The problem ~*ed* all our efforts to solve it. 그 문제를 아무리 풀려고 애써도 허사였다. —— *vi.* [+*at*+名] 조롱하다, 놀리다〈*at*〉: He ~*ed* ***at my fears. 그는 내가 무서워하는 것을 놀렸다.

mock up 실물 크기의 모형을 만들다, 임시 변통으로 만들다.

—— *n.* 조롱 ; 놀림감 ; 냉소의 대상 ; 흉내, 가짜.

make a mock of[***at***] …을 비웃다, 놀리다.

put the mock(***s***) ***on*** 《濠》 = *put the* MOCKER(*s*) *on.*

—— *a.* **1** 가짜의, 거짓의, 흉내낸 : ~ modesty 거짓 겸손 / ~ majesty 허세. **2** 모의의 : a ~ battle 모의전 / a ~ trial 모의 재판.

with mock seriousness 짐짓 진지한 체하며.

—— *adv.* [보통 합성어] 장난으로, 거짓으로 : ☞ MOCK-HEROIC. 〖OF *mocquer* < ?〗

móck àuction *n.* 값을 차차 낮추어가는 경매(Dutch auction) ; (서로 짜고서 값을 올리는) 협잡 경매.

móck·er *n.* 조롱하는[업신여기는] 사람, 우스꽝스럽게 흉내내는 사람[것] ; =MOCKINGBIRD.

put the mocker(***s***) ***on*** 《英俗》 비웃다 ; 방해를 놓다, 중지시키다 ; 불운을 가져오다.

móck·ery *n.* **1** Ⓤ 조롱, 비웃음, 깔보기 : hold a person up to ~ 남을 놀림감으로 하다. **2** 조소의 대상, 웃음거리 : make a ~ of …을 조소하다, 업신여기다, 놀림감으로 하다(cf. 4). **3** 가짜, 모조, 모방 : His trial was a mere ~. 그가 받은 재판이란 극히 형식에 불과했다[재판의 흉내였다]. **4** 헛수고 : Rain made a ~ of our picnic. 비가 와서 소풍은 허탕이 되었다(cf. 2).

móck-fìghting *n.* 모의 전투.

móck-heróic *a.* 영웅시(詩)를 모방한 ; 영웅을 우롱[풍자]한. —— *n.* 영웅시체의 해학시(諧謔詩).

móck·ing *a.* **1** 조롱하는 듯한. **2** 흉내내는. ~**·ly** *adv.* 조롱하듯이 ; 조롱[우롱]하여.

mócking·bìrd *n.* 〖鳥〗 앵무새《다른 새의 울음소리를 교묘히 흉내냄 ; 북미 남부산》.

móck móon *n.* =PARASELENE.

móck órange *n.* 〖植〗 (참)고광나무속(屬)의 여러가지 식물.

mock orange

móck sún *n.* =PARHELION.

móck tùrtle sóup *n.* 가짜 거북이 수프《송아지 머리의 수프》.

móck-ùp *n.* 실물 크기의 모형, 모크업《실험·전시·연구·실습용》; 인쇄물의 레이아웃 : a ~ stage 실험 단계.

mod[1] [mád] *n.* **1** [때때로 M~] 《英》 모드《1960년대의 보헤미안적인 옷차림을 즐기던 틴에이저 ; cf. TEDDY BOY》. **2** (시대의) 첨단을 가는 사람[패션]. —— *a.* [때때로 M~] 모드적인 ; 《口》 최신(유행)의《복장·스타일·화장·음악 따위》. 〖*mod*ern〗

mod[2] *n.* 〖理·數〗 =MODULUS.

M.O.D., M.o.D. 《英》 Ministry of Defence.

mod. model ; 〖樂〗 moderato ; modern.

mod·acrýlic (**fíber**) [màd(-)] *n.* 모드아크릴 섬유. 〖*mod*ified *acrylic*〗

mod·al [móudl] *a.* **1** 양식의, 형식상의, 형태상의. **2** 〖文法〗 법(mood)의, 서법의 : ~ auxiliary 법조동사. **3** 〖論〗 양식의 ; 〖樂〗 선법(旋法)의, 음계의. **4** 〖哲〗 (실체(substance)에 대하여) 형식[양태(樣態)]의 ; 〖法〗 (유언·계약 따위에) 실행 방법이 지정되어 있는 : a ~ legacy 용도 지정 유산. 〖L ; ⇨ MODE〗

módal·ism *n.* Ⓤ 〖宗〗 (삼위는 한 신의 세 형태에 불과하다는) 삼위 양식설(說). **-ist** *n.* 삼위 양식론자.

mo·dal·i·ty [moudǽləti] *n.* Ⓤ,Ⓒ 양식적임, 특징적 속성 ; 〖論〗 (판단의) 양상, 양식 ; 〖文法〗 서법성《말하는 사람의 심적 태도》.

mód·al·ly *adv.* 형식[방법]상, 형태적으로 ; 〖文法〗 서법적(敍法的)으로.

mod cons, mod. cons. [mád kánz] *n. pl.* 《英口》 (급온수(給溫水)·난방 따위의) 최신 설비. 〖*mod*ern *con*veniences〗

mode** [móud] *n.* **1** [+前+do*ing*] 방법, 양식, 방식, 법식 : a ~ ***of life 생활양식[태도] / His ~ *of* do*ing* business is not satisfactory. 그가 일하는 방식은 좋지 않다. **2** 〖文法〗 =MOOD[2] 2 ; 〖論〗 양식, 논식(論式) ; 〖樂〗 선법(旋法), 음계. **3** (복장 따위의) 유행(의 형), 모드 ; 〖哲〗 양상, 양태 ; 〖理〗 모드《(1) 진동계의 한 상태. (2) 전자파 따위의 진동 자태》. **4** (컴퓨터의) 상태. **5** 〖統〗 변수, 최빈수(最頻數).

all the mode 대유행으로.

in mode 유행하여.

out of mode 유행에 뒤진[뒤져].

〖F and L MODUS〗

類義語 ⟹ FASHION.

ModE, Mod. E. Modern English.

‡**mod·el** [mádl] *n.* **1 a**) 모형, 모델, 원형 ; 설계도 : a ~ *of* a ship 배의 모형 / a clay ~ for a statue 점토의 조상(彫像) 원형 / ☞ WORKING MODEL. **b**) 《口》 아주 닮은 사람[것] : He is the (very) ~ [a perfect ~] *of* his father. 아버지를 꼭 닮았다. **2** 모범, 본, 거울 : He is a ~ of industry. 근면의 귀감이다. **3** (미술가의) 모델 ;

(문학작품 따위의) 모델. **4** 패션 모델(=fashion ~), (의상을 입어 보이거나 화장품 따위의 실연 판매를 하는) 마네킹(cf. MANNEQUIN 1). **5** 방식, 방법 ; (복식품·자동차 따위의) …형(型) : the latest Paris ~*s* 최신 파리형 / an automobile of 1996 ~ 1996년형 자동차.
after* [*on*] *the model of …을 모범삼아.
stand model 모델로서 (무대에) 서다.
—— *a.* **1** 모형의 ; 모델의 : a ~ school 모델 스쿨. **2** 모범적인, 전형적인, 완전한 : a ~ wife 모범적인 아내, 아내의 귀감.

〈회화〉
Who made this *model* airplane? — My brother helped me do it. 「이 모형 비행기를 누가 만들었니」「내가 형의 도움을 받아서 만들었어」

—— *v.* (-l- | -ll-) *vt.* **1** [+目 / +目+前+名] 만들다, …의 형을 만들다, 형태로 나타내다 ; 연구[설계]하다 : a beautifully ~*ed* figure 아름다운 자태 / The children were ~*ing* animals ***in*** clay. 아이들은 찰흙으로 동물 모양을 만들고 있었다. **2** [+目+前+名] (형에 따라) 만들다 ; (…에 준하여) 형성하다 : He ~*ed* the statue ***on*** a Greek pattern. 그 조상(彫像)을 그리스 양식을 본떠서 만들었다 / I tried to ~ myself (***up***) ***on*** my teacher. 선생님을 본보기로 하려고[본받으려고] 힘썼다 / The garden has been ~*ed* ***after*** the manner of Kew. 그 정원은 큐 정원을 본떠서 설계되어 있다. **3** (의상을) 입고 남에게 보이다, …의 모델을 하다. **4** (음영(陰影)을 준다든지 하여 회화·조각 따위)에 입체감을 살리다.
—— *vi.* **1** 모형[본]을 만들다[뜨다] : ~ ***in*** clay 점토로 모형을 만들다. **2** 모델을 하다[이 되다], 마네킹 노릇을 하다. **3** 〖美術〗 입체감이 나다.
~·er | mód·el·ler *n.* 모형[소상(塑像)] 제작자.
〚F<It. *modello*<L MODULUS〛
類義語 ***model*** 사람 또는 물건이 우수하여 흉내낼 가치[필요]가 있다고 생각되는 것 : The professor is our *model.* (그 교수는 우리의 귀감이다). ***example*** 선악에 관계없이 사람의 본보기가 되는 또는 남이 본받기 쉬운 : a good [bad] *example* to the children (아이들의 좋은[나쁜] 본보기). ***pattern*** 꼭 그대로 따라야 할 훌륭한[전형적인] 견본·원형·모형 : Our constitution is a *pattern* for a peaceful nation. (우리 헌법은 평화적 국가를 상징하는 하나의 원형이다). ***ideal*** 마음속에만 존재하는 완성된 이상상(理想像) : an *ideal* of chivalry (기사도의 이상).

módel buìlder *n.* 〖經〗 경제 모델(economic model)의 작성자.
módel buìlding *n.* 〖經〗 모델 구성《경제 이론을 방정식화하여 경제 모델을 만드는 일》.
módel·ing | módel·ling *n.* Ⓤ 모형제작 ; 모형화 ; 조형, 소상술 ; 〖美術〗 입체감 표현법, (조각의) 살붙이기 : the ~ of a person's features 사람 얼굴 모양의 제작.
Model T [⊿ tí:] *n.* **1** [the ~] T형 포드《1908-28년의 포드사(社)제의 자동차의 상표명 ; cf. WHEEL *n.* 4 b)》. **2** 《비유》 초기의[시대에 뒤진] 형. —— *a.* 《美》 (발달 따위) 초기의 ; 구식의, 시대에 뒤진 ; 값싼 : a ~ teaching 구식 교수법.
mo·dem [móudem] *n.* 〖컴퓨〗 변복조(變復調) 장치 ; 전산 통신기.
〚*mo*dulator+*dem*odulator〛
mo·de·na [mɔ́:dənə, -nà: ; mɔ́dinə] *n.* Ⓤ 짙은 자주색.

mod·er·ate** [mádərət] *a.* **1** [+前+do*ing*] 절제[절도]있는, 온건한(cf. EXTREME) : He is ~ ***in opinion[*in* drink*ing*]. 의견이 온건하다[술을 도가 지나치게 마시지 않는다]. **2** 도에 알맞은(cf. EXCESSIVE), (질이) 중질의, 보통의 ; (기후가) 온화한 : ~ prices 알맞은[싼] 가격 / people of ~ means 적당한 재력[수입]이 있는 사람들.
—— *n.* 온건한 사람, 온화주의자, 중도파의 사람.
—— *v.* [mádərèit] *vt.* 절제하다, 완화하다, 낮추다 ; …의 의장직을 맡아하다 ; 〖理〗 감속하다.
—— *vi.* 누그러지다 ; (바람이) 자다 ; 조정역(調停役)[화해시키는 역·의장]을 하다, 사회를 보다 〈*over*〉. **~·ness** *n.*
〚L *moderat*- *moderor* to restrain ; MODEST와 같은 어원〛
類義語 ***moderate, temperate*** 양쪽 다 극단적이 아닌, 적절한의 뜻이지만 *moderate*는 단지 극단, 과도하지 않다는 뜻이고 *temperate*는 자제심·절도 따위를 강조하는 수가 있음 : a *moderate* climate (알맞은 기후) / a *temperate* drinker (절도 있는 음주가).

móderate bréeze *n.* 〖海·氣〗 건들바람.
類義語 ⟹ WIND[1].
móderate gále *n.* 〖海·氣〗 센바람.
類義語 ⟹ WIND[1].
mód·er·ate·ly *adv.* 적절하게, 알맞게 ; 삼가서 ; 꽤[무던히] : ~ speaking 적절하게 말하면 / a ~ hot day 알맞게 더운 날.
mod·er·a·tion [màdəréiʃən] *n.* **1** Ⓤ [+*in*+do*ing*] 적당, 중용(中庸) ; 온건, 온화 ; 절제, 완화, 경감 ; 〖理〗 감속 : You must use greater ~ ***in*** eat*ing* and drink*ing*. 음식의 절제에 보다 더 힘쓰지 않으면 안된다. **2** [M~s] 《英》 (Oxford 대학에서 학위 B. A.의) 제 1 차 전학년 공통 시험《略 Mods》.
in moderation 적절히, 알맞게 : eat and drink *in* ~ 음식을 절제하다[을 지나치게 먹지 않다].
mod·er·at·ism [mádərətìzəm] *n.* Ⓤ (특히 정치·종교상의) 온건주의.
-ist *n.* 온건주의자.
mod·er·a·to [màdərá:tou] *a., adv.* 〖樂〗 모데라토, 보통 빠르기로(의) : allegro ~ 조금 빠르게, 중간쯤의 빠르기로.
〚It.〛
mód·er·à·tor *n.* **1** 중재[조정]자. **2** (토론회 따위의) 사회자 ; 《美》 (지방 자치 단체 따위의) 의장. **3** 〖宗〗 (장로파 교회의) 대회 의장. **4** 조절[조정]기 ; 〖理〗 (원자로의) 감속제. **5** 《英》 (Oxford 대학의) Moderations의 시험관.
móderator làmp *n.* 석유 조절등.
◇**mod·ern** [mádərn] *a.* ([강조적으로] **~·est**) **1** 근세의, 근대의 ; 현대의(cf. ANCIENT, CLASSICAL, MEDIEVAL) : ☞ MODERN HISTORY / ~ languages 근대어《고전어에 대하여》 / the ~ school [side] 《英》 근대학교《과학·고등수학·근대어 따위를 가르치는 중등학교》 / ~ dance 모던 댄스[발레] / ~ poetry 현대시 / ~ times 현대. **2** 현대식의, 근대적인, 최신의(up-to-date) ; (재즈가) 모던의《1940년대 이래 발달함》. **3** 〖英敎〗 (그리스·라틴의) 고전어 이외의 과목을 중심으로 하는 (학교의). —— *n.* [때때로 *pl.*] 현대인 ; 현대적 사상[감각]을 가진 사람 ; 〖印〗 모던《세로선이 굵고 세리프(serif)가 가는 활자체 ; cf. OLD STYLE》 : young ~*s* 현대청년.
〚F<L (*modo* just now〈MODUS)〛
類義語 ⟹ NEW.

Módern Énglish *n.* 근대 영어《1500년 이후의 영어 ; 略 ModE, Mod. E. ; cf. OLD ENGLISH, MIDDLE ENGLISH》.

Módern Gréek *n.* 현대[근대] 그리스어(語)《1500년 이후》.

Módern Hébrew *n.* 현대 헤브라이어《이스라엘의 공용어로 고대 헤브라이어를 부활시킨 것》.

módern hístory *n.* 근대사《르네상스 이후의 유럽사(史)를 말함》.

módern·ìsm *n.* **1** Ⓤ 현대주의[사상], 근대주의, (문학·미술 따위의) 모더니즘 ; [때때로 M~] 〖宗〗 근대주의《근대 사상의 입장에서 교리를 재검토하고 조화를 꾀함 ; cf. FUNDAMENTALISM》. **2** 현대적인 말씨[언어].

módern·ist *n.* 현대적인 사람, 근대인 ; 근대[현대]주의자. —— *a.* 근대주의(자)의.

mod·ern·is·tic [mɑ̀dərnístik] *a.* 근대[현대]적인 (modern) ; 근대주의(자)의.

mo·der·ni·ty [mɑdə́ːrnəti, mə-] *n.* Ⓤ 현대성, 근대풍 ; Ⓒ 현대적인 것.

mòdern·izátion *n.* Ⓤ 현대화, 근대화.

módern·ìze *vt., vi.* 현대적으로 하다[되다], 현대화하다, 근대식으로 하다.

módern jázz *n.* 모던 재즈《1940년대에 시작한 비밥(bebop)에서 현대에 이르는 재즈의 총칭》.

módern líterature *n.* 근대 문학.

módern pentáthlon *n.* 〖競〗 근대 5종 경기《5000 미터 (장애) 마술·펜싱·피스톨 사격·300 미터 자유형 수영·4000 미터 크로스컨트리》.

***mod·est** [mɑ́dəst] *a.* **1** 겸손한, 조심성 있는, 내향성의 ; (여성 등이) 정숙한, 고상한. **2** 적당한, 온당한, 사양하는(moderate) ; 질박(質朴)한 : a ~ little house 조그맣고 아담한 집 / He is ~ *in* his behavior. 태도가 겸손한[조심스러운] 사람이다. **3** 그다지 많지[크지] 않은 : a ~ income 그리 많지 않은 수입. **~·ly** *adv.* 조심성 있게 ; 삼가서, 적당하게. 〚F<L=moderate〛

類義語 ⟹ HUMBLE, SHY.

***mod·es·ty** [mɑ́dəsti] *n.* Ⓤ 겸손 ; 수줍음 ; 정숙함[얌전함] ; 수수함, 조심성 있음 ; 적절.

módesty pànel *n.* (앉은 사람의 다리 따위가 보이지 않게 책상 앞면에 댄) 가림판.

modi *n.* MODUS의 복수형.

mod·i·cum [mɑ́dikəm, móu-] *n.* 소량, 근소 : a ~ *of* sleep[pleasure] 약간의 수면[즐거움]. 〚L=measured, moderate ; ⇨ MODUS〛

mod·i·fi·ca·tion [mɑ̀dəfəkéiʃən] *n.* Ⓤ,Ⓒ 가감(加減), 완화, 조절 ; (부분적) 변경, 수정, 변태, 변형 ; 제한 ; 〖文法〗 수식(修飾) ; 〖言〗 형태[음운·모음] 변화 ; Ⓒ 수정[변경]된 것.

mod·i·fi·ca·to·ry [mɑ́dəfəkətɔ̀ːri ; -kèitəri] *a.* 한정[가감]하는 ; 변경[수식]하는(modifying).

mód·i·fied Américan plàn *n.* [the ~] 수정 미국 방식《방값·아침[저녁] 식사요금을 일(日)[주(週)]당 정액으로 청구하는 호텔 요금 제도》.

mód·i·fi·er *n.* 수정[변경]하는 사람[것] ; 〖文法〗 수식어구 ; 〖컴퓨〗 변경자, 모디파이어.

***mod·i·fy** [mɑ́dəfài] *vt.* **1** 완화[가감]하다 ; 일부 변경하다, 수정하다. **2** 〖文法〗 (낱말의) 뜻을 수식[한정]하다(qualify) ; 〖言〗 (모음을) UMLAUT에 의해 변화시키다 ; 〖哲〗 한정하다 : Adverbs ~ verbs and adjectives. 부사는 동사나 형용사를 수식한다. **3** 〖컴퓨〗 (명령의 일부를) 변경하다. —— *vi.* modify되다. **mód·i·fi·able** *a.* 변경[수식·한정·경감]할 수 있는. 〚OF<L=to measure ; ⇨ MODUS〛

類義語 ⟹ CHANGE.

Mo·di·glia·ni [mɔ̀ːdiljɑ́ːni, -dəl-] *n.* 모딜리아니. **Amedeo** ~ (1884-1920) 이탈리아의 화가.

mo·dil·lion [moudíljən] *n.* 〖建〗 (코린트 양식의) 소용돌이꼴 모양의 처마 까치발.

modillion

mod·ish [móudiʃ] *a.* 유행을 따르는, 근대식의 (fashionable). **~·ly** *adv.* 유행을 따라서, 근대식으로. **~·ness** *n.*

mo·diste [moudíːst] *n.* 여성 유행복 [모자]를 만드는 여자 양재사(dressmaker). 〚F ; ⇨ MODE〛

Mods [mɑ́dz] *n. pl.* 《英口》 =MODERATION 2.

mod·u·lar [mɑ́dʒələr] *a.* MODULE의[에 의한] ; MODULUS의.

módular aríthmetic *n.* 〖數〗 모듈 산수, 시계산(時計算).

módular coordinàtion *n.* 모듈에 의한 치수의 조정(調整).

módular hòme *n.* 모듈 방식의 조립 주택.

mod·u·lar·i·ty [mɑ̀dʒəlǽrəti] *n.* 〖工〗 모듈방식《생산에 규격화 부품을 씀》.

módular·ìze *vt.* 〖工〗 모듈방식으로 하다, 모듈화하다.

mod·u·late [mɑ́dʒəlèit] *vt.* 조절[조정]하다, 가락을 맞추다 ; (음색·음조 따위를) 바꾸다 ; 〖電子〗 (전자파를) 변조하다 ; 〖通信〗 (반송파를) 변조(變調)하다, …의 주파수를 바꾸다. —— *vi.* [+前+名] 〖樂〗 조바꿈하다 ; 추이[변화]하다 ; 〖通信〗 변조하다 : ~ ***from*** one key ***to*** another 한 곡조에서 다른 곡조로 바뀌다.

mod·u·la·to·ry [mɑ́dʒələtɔ̀ːri ; -lèitəri] *a.* 조절적인, 전조[변조]를 일으키게 하는. 〚L *modulor* to measure, regulate ; ⇨ MODULUS〛

mod·u·la·tion [mɑ̀dʒəléiʃən] *n.* Ⓤ,Ⓒ 조정, 조음(調音) ; 〖樂〗 조바꿈 ; (음성·리듬의) 조절, 억양(법) ; 〖通信〗 변조(變調) ; 〖建〗 module로 척도를 결정하는 일.

mód·u·là·tor *n.* 조절하는 사람[것] ; 〖樂〗 음계도 ; 〖電子〗 변조기 ; 〖解〗 조절체《색의 식별에 관여하는 망막의 신경 섬유》.

mod·ule [mɑ́dʒuːl] *n.* **1** (건축 자재 따위의) 기준 치수, 기본 단위, 모듈. **2** (우주선의 교환 가능한) 구성 단위, 모듈, …선(船) : the command [lunar, service] ~ of Apollo 11 아폴로 11호의 지령[달 착륙·기계]선(船). **3** 〖컴퓨〗 모듈《장치나 프로그램을 몇 개로 나눈 것 중의 하나》. **4** (기계·전자 기기 따위의) 기능 단위로서의 부품 집합. **5** 〖數〗 특정 학과의 학습 단위. 〚F or L MODULUS〛

módule plàte *n.* (마른 안주 따위를 담는) 칸막이 접시.

mod·u·lo [mɑ́dʒəlòu] *prep., a.* 〖數〗 …을 법(法)으로 하여[한].

mod·u·lus [mɑ́dʒələs] *n.* (*pl.* **-li** [-lài, -lìː]) 〖理〗 율(率), 계수 ; 〖數〗 (정수론의) 법, 절대값, 모수. 〚L=measure, rhythm (dim.) ‹MODUS〛

mo·dus [móudəs] *n.* (*pl.* **-di** [-dai]) 방법, 양식. 〚L=measure, manner〛

módus ope·rán·di [-ɑ̀pərǽndiː, -dai] *n.* (*pl.* **módi operándi**) (일을) 하는 방식, 운용법. 〚L=manner of working〛

módus vi·vén·di [-vivéndiː, -dai] *n.* (*pl.* **módi**

vivéndi) 생활 양식, 생활 태도 ; 잠정 협정, 일시적 타협, 가계약. 〖L=manner of living〗

mo·fette, mof·fette [moufét] *n.* **1** 탄산공(炭酸孔)《화산 활동 말기 지역의 분기공》. **2** 탄산공 분기가스. 〖F〗

mog, mog·gy, mog·gie [mɑ́gi] *n.* 《英俗》 고양이 ; 《北英》 쥐(mouse) ; 《英俗》 추레한 여자 ; 《英方》 소. 〖C20<? (dial.)〗

Mo·ga·di·shu [mɑ̀gədí(:)ʃu:], **-scio** [-ʃou] *n.* 모가디슈《소말리아의 수도》.

mo·gul [móugəl] *n.* (스키장의 활주 사면(斜面)에 있는) 둔덕 같은 융기. 〖Scand.〗

Mo·gul [móugʌl, -ˊ] *n.* **1** 무굴 사람, 몽고인, (특히 16세기에 인도를 정복한) 무굴 사람 : the Great ~ 무굴 황제. **2** [m~] 중요 인물, 거물(great personage). **3** [m~] 화물 열차용 대형 증기 기관차의 일종. —— *a.* 무굴 사람[제국]의. 〖Pers. and Arab. ; ⇨ MONGOL〗

Mógul Émpire *n.* [the ~] 무굴 제국《1526년에 무굴족이 인도에 세운 이슬람 제국으로 1858년 영국에 멸망당함》.

M.O.H. Medical Officer of Health ; Ministry of Health.

mo·hair [móuheər, -hæər] *n.* Ⓤ 모헤어《소아시아산의 앙고라염소의 털》, 모헤어 직물 ; 모헤어의 모조품. 〖C16 *mocayare*<Arab.=choice ; 어형은 *hair*에 동화〗

Mo·ham·med [mouhǽməd] *n.* 마호메트《이슬람교의 시조(570 ?-632) ; Mahomet, Muhammad라고도 함》.

Mohámmed·an *a.* 마호메트의, 이슬람교의 : the ~ era 이슬람교 기원《마호메트가 메카에서 도주한 서기 622년 시작됨 ; cf. HEGIRA》. —— *n.* 마호메트 교도, 이슬람 교도. ㈜ 신자는 교도(敎徒)를 말할 때는 MOSLEM, 종교를 말할 때는 ISLAM쪽을 즐겨 씀. **~·ìsm** *n.* Ⓤ 마호메트교, 이슬람교(Islam). **~·ìze** *vt.* 이슬람교화하다.

Mo·ha·ve [mouhɑ́:vi] *n.* (*pl.* **~, ~s**) 모하비족(族)《원래 Colorado 강 연안에 살던 북아메리칸 인디언》; Ⓤ 모하비어(語).

Moháve Désert *n.* [the ~] 모하비 사막《California 주(州) 남부의 사막》.

Mo·hawk [móuhɔ:k] *n.* (*pl.* **~, ~s**) 모호크족《북미 인디언의 한 종족》; Ⓤ 모호크어(語).

Mo·he·gan [mouhí:gən] *n.* (*pl.* **~, ~s**) **1** 모히간족(族)《원래 Connecticut 주에 살던 북아메리칸 인디언》. **2** =MAHICAN.

Mohican ☞ MAHICAN.

Mo·ho [móuhou] *n.* =MOHOROVIČIĆ DISCONTINUITY.

Mo·hock [móuhɑk] *n.* 〔史〕 18세기 초 한밤중에 런던 시내를 휩쓸며 나쁜 짓을 일삼던 귀족단의 단원. 〖*Mohawk*〗

Mo·hole [móuhòul] *n.* 모홀 계획《미국 과학 아카데미의 지구 내부구조 구명 계획》. 〖*Moho*+*hole*〗

Mo·ho·ró·vi·čić discontinùity [mòuhəróuvətʃitʃ-] *n.* 〔地質〕 모호로비치치 불연속면, 모호면. 〖A. *Mohorovičić* (d. 1936) 구유고슬라비아의 지진학자〗

Móhs' scàle [móuz-] *n.* 모스 경도계(硬度計)《광물의 경도 측정용》. 〖Friedrich *Mohs* (d. 1839) 독일의 광물학자〗

M.O.I. 《英》 Ministry of Information ; Ministry of Interior.

moi·der [mɔ́idər], **-ther** [-ðər] *vt.* 《英方》 당황하게 하다, 괴롭히다, 곤란하게 하다. —— *vi.* 두서없이 지껄이다. 〖?〗

moi·dore [mɔ́idɔ:r, -ˊ] *n.* 모이도르《포르투갈 및 브라질의 옛 금화》. 〖Port.〗

moi·e·ty [mɔ́iəti] *n.* **1** 〔法〕 (재산 따위의) 절반(half). **2** 일부분(part). 〖OF<L *medietas* (*medius* middle)〗

moil [mɔ́il] *vt.* 《古·方》 적시다, 더럽히다. —— *vi.* 부지런히 일하다, 애써 일하다 ; 세차게 돌다, 소용돌이 치다 ; 끊임없이 동요하다. ㈜ 특히 다음 숙어에 씀. ***toil and moil*** 뼈빠지게 일하다. —— *n.* 애씀, 힘든 일, 고역 ; 혼란, 소동, 골칫거리, 귀찮음. 〖ME=to make or get wet<OF=to moisten<L (*mollis* soft)〗

Moi·ra [mɔ́irə] *n.* **1** 여자 이름. **2** (*pl.* **-rai** [-rai]) 〔그神〕 모이라《운명의 여신》. **3** [흔히 m~] (개인의) 숙명. 〖Ir. *Maire*, *Moire* ; ⇨ MARY ; Gk.=part, fate〗

moire [mwɑ́:r, mɔ́:r] *n.* **1** Ⓤ 《古》 =MOHAIR. **2** Ⓤ 물결 무늬의 비단 ; (금속면의) 구름 무늬. 〖F ; ⇨ MOHAIR〗

moi·ré [mwɑ:réi, mɔ:- ; ˊ-] *n.*, *a.* 물결[구름] 무늬(가 있는). 〖F ; ⇨ MOHAIR〗

moist** [mɔ́ist] *a.* 습기찬, 축축한(damp) ; 비가 많은(rainy) ; 《비유》 눈물 젖은 ; 〔醫〕 분비물이 많은, 습성의 : grass ~ ***with dew 이슬에 젖은 풀. **~·ly** *adv.* 〖OF〗 [類義語] ⟹ WET.

moist·en [mɔ́isən] *vt.* 축축하게 하다, 축이다, 적시다 : ~ one's lips[throat] 입술을 적시다[목을 축이다] ; 《戲》 술을 마시다. —— *vi.* 습기차다, 축축해지다, 젖다.

móist gángrene *n.* 〔醫〕 습성 괴저(壞疽).

***mois·ture** [mɔ́istʃər] *n.* Ⓤ 습기, 축축함, 수분, (대기 중의) 수증기. **~·less** *a.* 습기 없는, 건조한.

móisture-sénsitive *a.* 습기차기 쉬운, 습기로 쉽게 변질[변색]되는.

móis·tur·ìze *vt.*, *vi.* 축축하게 하다, (…에) 습기가 차게 하다, 가습하다 ; (화장품으로 피부)에 수분을 주다.

moither ☞ MOIDER.

moke [móuk] *n.* 《俗》 당나귀(donkey) ; 얼간이 ; 《美俗》 흑인(Negro) ; 《濠》 볼품없는 말. 〖C19<?〗

mol ☞ MOLE[4].

mol. molecular ; molecule.

MOL Manned Orbiting Laboratory (유인 궤도 실험실) ; Maximum Output Level (최고 출력치).

mo·lar[1] [móulər] *a.* (이 따위가) 갈아 부수는[으깨는], 씹어 부수는 ; 어금니의. —— *n.* 어금니(=~ tòoth) : a false ~ 소구치(小臼齒). 〖L (*mola* millstone)〗

molar[2] *a.* 〔理〕 질량(상)의 ; 〔化〕 그램 분자의. 〖MOLE[4]〗

mo·las·ses [məlǽsəz] *n.* Ⓤ 당밀(=《英》 treacle) ; 《美俗》 (중고차 시장에서) 손님을 끌기 위한 보기 좋은 차. (***as***) ***slow as molasses*** (***in winter***) 몹시[아주] 느린. 〖Port.<L (*mel* honey)〗

***mold**[1] | **mould** [móuld] *n.* **1** 형(型), 주형 ; 거푸집, 모형《석공·벽돌 쌓기용》, 형판(形板). **2** 주물, 형체(形體), 틀에 넣어 만든 것(cast)《제리(jerry), 푸딩 따위》. **3** Ⓤ,Ⓒ 성질, 성격 : *of* gentle ~ 온순한 성질의 / a man cast *in* a heroic ~ 영웅 기질의 사람 / people cast *in* the

same ~ 성질이 같은 사람들. —— *vt.* **1** [＋目＋前＋名] 틀에 박아[부어] 만들다, 주조하다 : Statues are ~*ed* ***out of*** clay or bronze. 조상(彫像)은 찰흙이나 청동으로 만든다 / Wax is ~*ed* ***into*** candles. 밀랍으로 초를 만든다 / He ~*ed* his style (***up***)***on*** the best of contemporary writers. 그 시대의 일류작가를 본보기로 하여 문체를 닦았다. **2** (성격 따위의) 형성에 영향을 주다, (성격을) 형성하다, (인격을) 도야하다 : His influence has ~*ed* my character. 그는 나의 성격 형성에 영향을 주었다. **3** (조각 따위에서) …에 장식을 하다. **4** (옷 따위가 몸)에 꼭 맞다, (몸의 선)을 뚜렷이 드러내다.
〖ME *mold*(*e*) < OF *modle* < L MODULUS〗

mold[2] | **mould** *n.* Ⓤ 곰팡이 ; 사상균(絲狀菌) : blue[green] ~ (빵이나 치즈에 스는) 푸른 곰팡이. —— *vt., vi.* 곰팡이를 슬게 하다, 곰팡이 슬다.
〖? (p.p.) ‹ *moul* (*en*) to become moldy < ? Scand. (ON *mugla* mold)〗

mold[3] | **mould** *n.* **1** Ⓤ 부식토(腐植土), 옥토, 양토(壤土), 경토(耕土)《유기물을 많이 함유한 경작에 알맞은 흙》. **2** Ⓤ 《古·詩》 지면(地面), 대지, 토지(ground, earth).
a man of mold (이내 흙으로 돌아갈) 인간.
—— *vt.* …에 흙을 덮다〈*up*〉.
〖OE *molde* < Gmc. (《美》 *mul*-, 《美》 *mel*- to grind ; cf. MEAL[2])〗

Mol·da·via [mɑldéiviə, -vjə] *n.* 몰다비아《흑해 연안의 루마니아와 접한 공화국 ; 수도 Kishinev》.

móld·bòard *n.* 〖農〗 보습 위에 대는 볏 ; (불도저의) 흙밀이 판 : (제설차 따위의) 제설판.

móld·er[1] | **móuld·er** *vi.* **1** 썩다, 붕괴하다〈*away*〉. **2** 《비유》 쇠퇴하다, 타락하다, 헛되이 (세월을) 보내다, (시간을) 낭비하다. —— *vt.* 썩게 하다, 붕괴시키다.
〖? *mold*[3] or Scand. (Norw. (dial.) *muldra* to crumble)〗

molder[2] | **moulder** *n.* 틀을 만드는 사람 ; 주형공(鑄型工).
〖MOLD[1]〗

móld·ing[1] *n.* Ⓤ 조형, 소조(塑造), 주형(법) ; Ⓒ 소조[주조]물 ; [때때로 *pl.*] 〖建〗 쇠시리.
〖MOLD[1]〗

molding[2] *n.* Ⓤ 흙을 덮어 주기 ; 복토(覆土), 덮는 흙. 〖MOLD[3]〗

mólding bòard *n.* (빵 따위를) 반죽하는 판자.

móld lòft *n.* 현도장(現圖場)《조선소·항공기 제작소에서 실물 크기의 설계도를 바닥에 그리는 제도실》.

móldy | **móuldy** *a.* 곰팡이가 슨, 곰팡이 냄새 나는 ; 《비유》 진부한, 케케묵은 ; 《俗》 지루한, 쓸데없는.

móldy fíg *n.* 《俗》 전통 재즈의 팬 ; 시대에 뒤진 사람[것].

***mole**[1] [móul] *n.* **1** **a**) 〖動〗 두더지. **b**) 두더지 가죽(moleskin). **c**) 짙은 회색. **2** **a**) 어두운 곳에서 일하는 사람, 묵묵히 일하는 사람 ; (지령이 있을 때까지 잠복하고 있는) 비밀 공작원. **b**) 터널 굴착기.
(***as***) ***blind as a mole*** 아주 눈이 먼.
〖MDu., MLG *mol*〗

mole[2] *n.* 사마귀, 검은 점, 모반(母斑).
〖OE *māl* ; cf. G *Mal*〗

mole[3] *n.* 방파제(breakwater), 선창, 부두(jetty) ; (인공의) 항구(harbor).
〖F < L *moles* mass〗

mole[4], **mol** [móul] *n.* 〖化〗 몰, (특히) = GRAM MOLECULE.
〖G *Mol* ; ⇨ MOLECULE〗

móle crìcket *n.* 〖昆〗 땅강아지.

mo·lec·u·lar [məlékjələr] *a.* 분자의[로 된], 분자에 의한 : ~ attraction 분자인력 / ~ force 분자력 / a ~ formula 분자식 / a ~ model 분자구조 모형 / ~ weight 분자량.

molécular astrónomy *n.* 분자(分子) 천문학.

molécular-bèam épitaxy *n.* 〖電子〗 분자살 에피택시《초고(超高)진공하에서 박막(薄膜) 결정을 성장시키는 방법 ; 略 MBE》.

molécular biólogy *n.* 〖生〗 분자 생물학.

molécular diséase *n.* 〖生化〗 분자병.

molécular electrónics *n.* 분자 전자 공학.

molécular evolútion *n.* 〖生化〗 분자 진화《단백을 구성하는 아미노산의 변화나 유전 핵산 분자의 변이로 본 생물의 진화》.

molécular fílm *n.* 〖化〗 분자막.

molécular genétics *n.* 〖生〗 분자 유전학.

mo·lec·u·lar·i·ty [məlèkjəlǽrəti] *n.* Ⓤ 분자상(分子狀), 분자성.

***mol·e·cule** [mάlikjù:l] *n.* 〖理·化〗 분자 ; (흔히) 미분자(微分子).
〖F < L (dim.) ‹ MOLE[4]〗

móle·hìll *n.* 두더지가 파놓은 흙무더기 ; 하찮은 일, 아무것도 아닌 일.
make a mountain (***out***) ***of a molehill*** = ***make mountains out of molehills*** 과장해서 [침소봉대하여] 말하다.

móle plòw *n.* 지하 배수로 굴착용 가래.

móle ràt *n.* 〖動〗 **1** 뻐드렁니쥐. **2** 장님쥐. **3** 미오스파락스.

móle shrèw *n.* 〖動〗 **1** 블라리나쥐《북미산》. **2** 두더지쥐.

móle·skìn *n.* 두더지의 털가죽 ; Ⓤ 몰스킨《우단과 비슷한 두꺼운 능직의 면직물》, [*pl.*] 몰스킨으로 만든 양복바지.

mo·lest [məlést] *vt.* 괴롭히다, 애먹이다, 방해하다(disturb) ; (여자 등을) 희롱하다, 음란한 짓[말]을 하다 : He should not be ~*ed* in any way. 그에게 귀찮게 굴지 말아야 한다.
〖F or L (*molestus* burdensome, troublesome ‹ MOLE[3])〗

mo·les·ta·tion [mòulestéiʃən, mɑ̀l-] *n.* Ⓤ 훼방 ; 괴롭힘 ; (여자에게 하는) 성적 희롱.

mol·et [mάlət] *n.* = MULLET[2].

Mo·li·ère [*F* mɔljɛːr] *n.* 몰리에르(1622-73) 《프랑스의 극작가》.

Moll [mάl, 美＋mɔ́:l] *n.* **1** 여자 이름《Mary의 애칭》. **2** [m~] 《口》 **a**) (폭력배·건맨 등의) 정부(情婦)(gun moll) ; 여자 범죄자. **b**) 매춘부(prostitute). **c**) 《美》 여자.

molla(**h**) ☞ MULLAH.

mol·li·fy [mάləfài] *vt.* 누그러지게 하다, 달래다, 진정시키다, 경감하다(appease) : They tried to ~ his anger. 그의 분노를 누그러뜨리려고 했다. —— *vi.* 《古》 (사람이) 기분을 가라앉히다.
mòl·li·fi·cá·tion *n.*
〖F or L (*mollis* soft)〗

Mol·li·sol [mάləsɔ̀(:)l, -sòul, -sɑ̀l] *n.* 〖土壤〗 몰리솔《부식질·칼슘·마그네슘 따위 염기 비율이 높은 토양》.

Mol·lus·ca [məlʌ́skə] *n. pl.* 〖動〗 연체동물류.

mol·lús·can *a.* 연체(軟體)동물의.

mol·lus·coid [məlʌ́skɔid] *n., a.* 연체동물 (비슷한) ; 의(擬)연체동물(의).

mol·lus·cous [məlʌ́skəs] *a.* = MOLLUSCAN.

mol·lusk, -lusc [máləsk] *n.* 연체동물. 〖F<L *molluscus* soft〗
mol·lus·kan [məlʌ́skən, mɑ-] *a.* =MOLLUSCAN.
mol·ly [máli] *n.* 〔魚〕 몰리.
Molly *n.* **1** 여자 이름《Mary의 애칭》. **2** [m~] Ⓒ =MOLLYCODDLE; 《口》 정부(情婦) (moll).
mólly·còddle *n.* 여자 같은 남자, 뱅충맞이, 나약한 사내, 몸을 지나치게 아끼는 사람. — *vt.* 지나치게 귀여워하다, 응석받다. 〖*Moll*+*coddle*〗
Mo·loch [móulɑk, máløk] *n.* 몰렉《옛날 페니키아 사람이 어린애를 산제물로 바친 신》; 《비유》 큰 희생을 요구하는 것《전쟁 따위》.
Mó·lo·tov bréadbasket [málətɔ̀:f-, mɔ́:-, móu-, -v-] *n.* 〔軍〕 모자(母子) 소이탄《제2차 세계 대전 때 쓴 특수 투하 폭탄》.
Mólotov cócktail *n.* 《俗》 화염(火焰)병.
molt | moult [móult] *vi.* 털을 갈다, 깃털[털·뿔 따위]이 빠지다, 허물을 벗다. — *vt.* (깃털 따위를) 갈다, 벗다(cast off): The snake ~*s* its skin. 뱀은 허물을 벗는다. — *n.* 털갈이, 허물벗기; 그 시기. 〖OE<WGmc.<L *muto* to change; *-l-*은 FAULT 따위 참조〗
mol·ten [móultn] *v.* 《古》 MELT[1]의 과거분사. — *attrib. a.* (특히 금속 따위) 녹은, 용해된; (용해하여) 주조한: ~ ores 용해한 광석.
mol·to [móultou, mɔ́:l-; mɔ́l-] *adv.* 〔樂〕 몰토, 크게, 대단히, 매우. 〖It.<L *multus* much〗
mol. wt. molecular weight.
mo·ly [móuli] *n.* 〔그神〕 흰꽃에 검은 뿌리가 있다는 마법의 약초; 〔植〕 노랑꽃산마늘. 〖L〗
mo·lyb·de·nite [məlíbdənàit, mɑ̀ləbdí:nait] *n.* Ⓤ 〔鑛〕 몰리브덴광, 휘수연광(輝水鉛鑛).
mo·lyb·de·num [məlíbdənəm, mɑ̀ləbdí:nəm] *n.* Ⓤ 〔化〕 몰리브덴《금속원소; 기호 Mo; 번호 42》. 〖L<Gk. (*molubdos* lead)〗
mo·lyb·dic [məlíbdik] *a.* 〔化〕 3[6]가의 몰리브덴의[을 함유한], 몰리브덴 Ⅲ[Ⅵ]의.
molýbdic ácid *n.* 〔化〕 몰리브덴산.
mom [mám, mʌ́m] *n.* 《美口》 =MOTHER[1]. 〖*mama*〗
M.O.M., m.o.m. middle of month.
móm-and-póp *a.* 《美》 부부[식구들]만으로 경영하는, 영세한(ma-and-pa)《상점·장사》.
◇**mo·ment** [móumənt] *n.* **1 a)** 순간(instant): *for* a ~ ☞ 숙어 / at odd ~*s* 때때로《짬을 봐서》/ in that ~ 그 순간 / in a ~ of anger 홧김에 / A ~ brought her to the water's edge. 금방[곧] 그녀는 물가에 다다랐다. **b)** [부사구를 이루어] 잠깐 (동안): Just wait a ~. 잠깐 기다려 주시오 / half a ~ 잠시 / One ~. =Half a ~. =Wait a ~. =Just a ~. 잠시 기다리시오. **c)** [the ~로 접속사적으로 써서] …하는 순간에, …하자마자: The ghost vanished *the* (very) ~ (=as soon as) the cock began to crow. 유령은 수탉이 울자 곧 사라졌다. **2** (어느 특정한) 시기, 기회, 위기(crisis): *at* the last[critical] ~ 일단 유사시에 / *in* the ~ of danger 위기에 봉착하여. **3** Ⓤ 중요성(importance): *of* little[no great] ~ 그다지 중요하지 않은 / affairs *of* great ~ 중대사(건). **4** 〔哲〕 계기. **5** Ⓤ 〔理〕 모멘트, 능률; 〔機〕 회전 우력(偶力): magnetic ~ 자기(磁氣)모멘트 / ~ of stability 안정률.
at any*[*every*] *moment 언제라도, 언제 어느 때라도, 지금이라도.
at moments 때때로, 종종.
at the* (*very*) *moment 당장은; [현재] 마침 지금; [과거] 마침 그 때에.
for a moment 잠깐[잠시] 동안; 그 때만의.
for the moment 우선, 당장은.
in a moment 순간적으로, 금방(cf. 1 a)): All her imaginary happiness vanished *in a* ~. 그녀가 상상했던 행복은 순식간에 모두 사라졌다.
not for a moment 조금도 …않다(never).
of the moment 지금[현재·당장]의: the fashions *of the* ~ 지금의 유행 / the man *of the* ~ 현재의 중요한 인물, 현세의 사람.
the moment of truth (1) (투우사가) 칼을 찌르려는 순간. (2) 극적 순간, 위기, 운명의 갈림길.

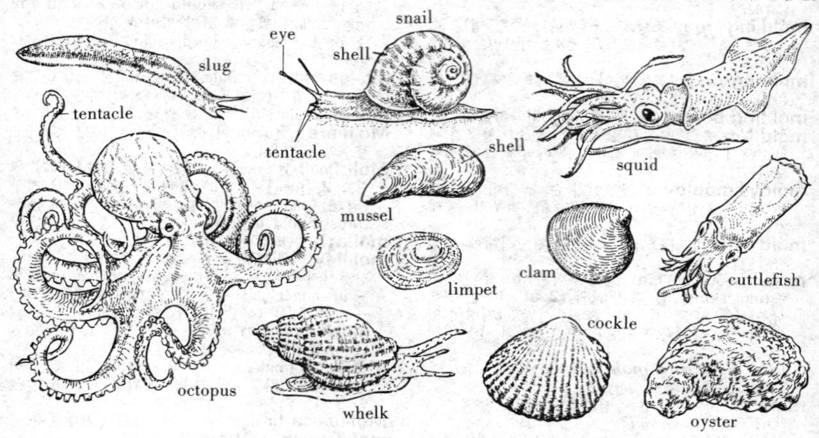

mollusk

the next moment 다음 순간에, 즉시 : *The next* ~ he found himself lying on the ground. 다음 순간 그는 자기가 땅바닥에 쓰러져 있는 것을 알았다.
this* (*very*) *moment 금방, 곧장.
to the* (*very*) *moment 꼭 정각에.
(*up*)*on the moment* 그 자리에서.
〖OF < L MOMENTUM〗
momenta *n.* MOMENTUM의 복수형.
mo·men·tal [mouméntl] *a.* 〖機〗 모멘트의.
mo·men·tar·i·ly [mòuməntérəli ; móuməntərili] *adv.* **1** 순간적으로, 아주 잠깐. **2** 《美》 즉시, 곧 (instantly). **3** 언제 어느때, 지금이라도 ; 시시각각 : The news was expected ~. 사람들은 이제나 저제나 하고 뉴스를 기다렸다.
***mo·men·tary** [móuməntèri ; -təri] *a.* **1** 순간적인 ; 아주 잠깐 동안의, 덧없는. **2** 시시각각의, 끊임없는 : He lived in ~ expectation of death. 금방이라도 곧 죽음이 닥쳐오리라고 각오하면서 살아왔다. **-tar·i·ness** [; -təri-] *n.*
類義語 ⟹ TEMPORARY.
móment·ly *adv.* =MOMENTARILY.
mo·men·tous [mouméntəs, mə-] *a.* 중대[중요]한, 쉽지 않은, 심상치 않은. **~·ly** *adv.* **~·ness** *n.*
mo·men·tum [mouméntəm, mə-] *n.* (*pl.* **-ta** [-tə], **~s**) **1** Ⓤ 〖理·機〗 운동량. **2** Ⓤ.Ⓒ 기세, 힘, 추진력(impetus). **3** 〖哲〗 =MOMENT 4.
〖L = (cause of) motion (*moveo* to move)〗
mom·ism [mámizəm] *n.* Ⓤ 여가장(女家長)주의 ; 과도한 모성애.
mom·ma [mámə, mʌ́mə] *n.* 《口·兒》 엄마.
〖MAMMA[1]〗
mom·my [mámi] *n.* 《兒》 =MAMY. 〖MUMMY[2]〗
mo-mo [móumòu] *n.* 《美俗》 천치, 정신 박약.
mompara ☞ MAMPARA.
Mo·mus [móuməs] *n.* **1** 〖그神〗 조소·비난의 신. **2** [때때로 m~] (*pl.* **~·es**, **-mi** [-mai]) 흠잡기 좋아하는 사람.
momzer, -ser ☞ MAMZER.
mon- [mán], **mono-** [mánou, -nə] *comb. form* 「단일」「〖化〗 한 원자를 가진」의 뜻.
〖Gk. (*monos* alone)〗
Mon. Monastery ; Monday ; Monsignor. **mon.** monastery ; monetary.
mon·a·c(h)al [mánikəl] *a.* 수사의, 수도 생활의 ; 수도원의(monastic). 〖F or L ; ⇨ MONK〗
mon·a·chism [mánəkìzəm] *n.* =MONASTICISM.
monacid, monacidic ☞ MONOACID, MONOACIDIC.
Mon·a·co [mánəkòu, məná:kou] *n.* 모나코《지중해 북쪽 해안에 있는 공국(公國) ; 그 수도》.
mon·ad [mánæd, móu-] *n.* (*pl.* **~s**, **-a·des** [mánədì:z]) 단체(單體)(unit), 단위, 단일체, 개체(unity) ; 〖生〗 단세포생물 ; 〖哲〗 모나드, 단자(單子) ; 〖化〗 1가(價) 원소.
〖F or L < Gk. *manad- monas* unit〗
mòn·adélphous *a.* 〖植〗 단체(單體)수술의.
mo·nad·ic, -i·cal [mənǽdik(əl), ma-, mou-] *a.* monad의.
mónad·ìsm *n.* 〖哲〗 모나드론(論), 단자론, 단원론(單元論).
mo·nad·nock [mənǽdnak] *n.* 〖地〗 잔구(殘丘).
〖Mt. *Monadnock* New Hampshire의 산〗
mon·ad·ol·o·gy [mànədálədʒi, mòu-] *n.* 〖哲〗 =MONADISM.
Mo·na Li·sa [móunə lí:zə] *n.* [the ~] 모나리자(La Gioconda)《Leonardo da Vinci작의 미소를 지은 부인의 초상 ; Mona는 이탈리아어로 Madam의 뜻이며 Lisa는 Florence 사람 Giocondа씨의 아내 이름》.
mo·nán·drous *a.* **1** 〖植〗 홑수술의. **2** 일부제(一夫制)의.
mo·nan·dry [manǽndri, mə-] *n.* **1** 일부제(cf. POLYANDRY). **2** 〖植〗 홑수술.
〖*polyandry*에 준하여 *mono*에서〗
***mon·arch** [mánərk, -a:rk] *n.* **1** 군주, 주권자, 제왕 : an absolute ~ 절대[전제]군주. **2** 왕에 비할 만한 사람[것], 최고 지배자, 왕자, 거물. **3** 〖昆〗 제주왕나비과의 나비의 일종.
the monarch of the forest 삼림의 왕《떡갈나무를 말함》.
〖F or L < Gk. (*mono-*, *arkhō* to rule)〗
mo·nar·chal [məná:rkəl, ma-] *a.* 제왕[군주]의.
mo·nar·chi·al [məná:rkiəl, ma-] *a.* =MONARCHICAL.
mo·nar·chic [məná:rkik, ma-] *a.* =MONARCHICAL.
mo·nár·chi·cal *a.* 군주(국)의[다운] ; 군주제의[를 지지하는] ; 절대적 권능을 갖는.
mon·ar·chism [mánərkìzəm, -a:r-] *n.* Ⓤ 군주(제)주의. **-chist** *n.* 군주제주의자.
mòn·ar·chís·tic *a.*
***mon·ar·chy** [mánərki, -a:r-] *n.* **1** Ⓤ 군주정치[정체], 군주제. **2** 군주국 : an absolute[a despotic] ~ 전제군주국.
〖OF < L < Gk. ; ⇨ MONARCH〗
mon·as·tery [mánəstèri ; -təri] *n.* 〖카톨릭〗 (주로 남자의) 수도원(cf. NUNNERY, CONVENT).
-te·ri·al [mànəstíəriəl] *a.* 수도원(생활)의.
〖L < Gk. (*monazō* to live alone ‹ *monos* alone)〗
mo·nas·tic [mənǽstik] *a.* **1** 수도원의, 수사의. **2** 수도원적인, 은둔적(隱遁的)인, 금욕적인 : ~ vows ☞ VOW *n.* 1. —— *n.* 수사(monk).
mo·nás·ti·cal *a.* **-ti·cal·ly** *adv.*
mo·nas·ti·cism [mənǽstəsìzəm] *n.* Ⓤ 수도원 생활, 수도[금욕]생활 ; 수도원 제도.
mòn·atómic *a.* 〖化〗 (분자가) 1원자로 된, 단원자의 ; 《稀》 1가(價)의(monovalent).
mon·áural *a.* (레코드가) 모노럴의, 단청(單聽)의, 한쪽 귀만(사용)의(cf. BINAURAL, STEREOPHONIC).
mon·daine [*F* mɔ̃dɛn] *a.* 사교계의[를 좋아하는], 세속적인《여자》. 〖F (fem.) ‹ *mundane*〗
◊**Mon·day** [mʌ́ndi, -dei] *n.* 월요일《略 Mon. ; ☞ SUNDAY 1 注》 : on ~ 월요일에 / last[next] ~ =on ~ last[next] 지난[다음] 월요일에 / ☞ BLUE MONDAY / ☞ BLACK MONDAY.
—— *adv.* 《口》 월요일에. 〖OE *mōnandæg* moon's day ; L *lunae dies*의 역(譯)〗
Mónday·ish *a.* 《口》 월요일 기분의, 일할 마음이 내키지 않는, 노곤한.
Mónday (**mórning**) **quárterback** *n.* 《美口》 미식 축구의 게임이 끝난 뒤 에러를 비평하는 사람 ; (결과를 가지고) 뒷공론하는 사람.
Món·days *adv.* 월요일마다[에는 언제나](on Mondays).
monde [*F* mɔ̃:d] *n.* 세상, 사회 ; 상류사회 ; 사교계, 교제범위. 〖F = world, society < L *mundus*〗
mond·i·al [mándiəl] *a.* 전세계의.
mon Dieu [*F* mɔ̃ djø] *int.* 아이구, 아이참, 참 말이지.
M_1, M-1 [ém wʌ́n] *n.* 기본 통화 공급량《현금통화와 은행 따위의 요구불 예금을 합한 일국의 통화 공급량 ; cf. M_2, M_3》.

monecious ☞ MONOECIOUS.
mon·el·lin [mánələn, mounélən] *n.* 모넬린《단백질 감미료의 하나》.
Mo·nél[**-néll**] (**mètal**) [mounél(-), mɑ-] *n.* 모넬 메탈《니켈·구리 따위의 합금, 산(酸)에 강함》. 〖A *Monell* (d. 1921) ; 그것을 개발한 International Nickel Co. (New York)의 사장〗
mo·neme [móuniːm] *n.* 〖言〗 기호소(記號素).
mo·nen·sin [mounénsən] *n.* 모넨신《육우용 사료의 첨가물》.
M1 rifle [émwʌ̀n ⌐] *n.* M1 소총.
Mo·net [*F* mɔnɛ] *n.* 모네. **Claude ~** (1840-1926) 프랑스의 인상파 화가.
mon·e·tar·ism [mánətərìzəm, mʌ́n-] *n.* Ⓤ 통화(通貨)주의. **-ist** *n.*
mon·e·tary [mánətèri, mʌ́n- ; -təri] *a.* **1** 통화[화폐]의, 금전(상)의 : the ~ system 화폐제도 / the ~ unit 통화[화폐]단위. **2** 금융의, 재정(상)의 : a ~ reward 금전적인 보수 / in ~ difficulties 재정난으로. **-tar·i·ly** [mɑ̀nətérəli, mʌ̀n-, ⌐⌐⌐--- ; ⌐-tərili] *adv.* 화폐[금전]상으로.
〖F or L ; ⇨ MONEY〗
類義語 ⟹ FINANCIAL.
mon·e·tize [mánətàiz, mʌ́n-] *vt.* 화폐로 주조하다 ; 화폐[통화]로 하다[정하다].
mòn·e·ti·zá·tion *n.* Ⓤ 화폐 주조 ; 통화 제정.
〖F<L (↓)〗
◇**mon·ey** [mʌ́ni] *n.* (*pl.* **~s, món·ies**) **1** Ⓤ 화폐, 통화 : ☞ FAIRY MONEY / ☞ HARD MONEY / paper ~ =SOFT MONEY / small ~ 잔돈 / standard[subsidiary] ~ 본위[보조]화폐 / good ~ 양화(良貨) ;《俗》좋은 벌이, 많은 임금 / bad ~ 악화. **2** Ⓤ 금전, 돈 ; 재산, 부(富)(wealth) ; 어마어마한 부자 : Time is ~. 《속담》 시간은 돈이다. **3** 〖經〗교환의 매개물, 화물 화폐. **4** 임금, 요금, 상금. **5** [*pl.*] 〖法〗금액(=sums of ~).
at [***for***] ***the money*** (지불한) 그 값치고는, 그 가격으로는.
be in the money 《俗》돈이 많이 있다, 부자다, 번영[성공]하다.
be made of money 엄청난 돈이 있다.
coin money ☞ COIN *v.*
for money 돈을 바라고(cf. *for* LOVE).
for one***'s money*** 《口》 안성맞춤의 ; 마음에 든.
keep. . .in money …에게 돈을 대주다.
lose money 손해보다〈*over*〉.
make money 돈벌이하다〈*out of*, *of*〉.
marry money 부자와 결혼하다.
money down = ***money out of hand*** = ***ready money*** 맞돈 : pay ~ *down* 현금으로 지불하다.
money for jam 《英口》 쉽게[간단히] 할 수 있는 것 ; 수월한 돈벌이.
money of account ☞ ACCOUNT *n.*
not everybody's [***every man's***] ***money*** 《口》 어디서나 통용된다[쓸 수 있다]고 말할 수 없다, 만인에게 좋은 것이라고 할 수 없다.
out of money 돈에 궁색하여 ; (…만큼) 손해보고〈*by*〉.
put money into …에 투자하다.
put money on …에 돈을 걸다.
throw good money after bad 손해를 만회하려다가 더 손해보다.

〈회화〉
How much pocket *money* do you get? — Not enough. 「용돈 얼마나 받니」「넉넉치 않아」

〖OF<L *moneta* mint, money〗
móney·bàg *n.* **1** 돈주머니, 지갑. **2** [~s, 단수·복수취급] 《口》 부(富) ; [~s, 단수취급] 부자, 욕심쟁이.
móney bìll *n.* 재정 법안, 지출 법안.
móney·bòx *n.* 돈궤, 저금[헌금]통.
móney chànger *n.* 환전상(換錢商).
móney cròp *n.* 《美》 =CASH CROP.
món·eyed, món·ied *a.* 돈이 있는, 부자의 ; 금전(상)의 : the ~ interest 금전적 이해(利害) ; 재계(財界) 사람, 자본가들.
móney·grùbber *n.* 축재(蓄財)한 사람, 수전노.
móney·grùbbing *a.*, *n.* Ⓤ 악착스럽게 돈을 모으는[모음].
móney làundering *n.* 불법 자금 세탁.
móney·lènd·er *n.* 돈놀이꾼, 고리대금업자.
móney·lènd·ing *n.* Ⓤ 대금(업).
móney·less *a.* 돈이 없는.
móney·màker *n.* 축재자, 돈벌이를 잘하는 사람 ; 돈벌이가 되는 일.
móney·màking *n.* Ⓤ 돈벌이, 축재. —— *a.* 돈벌이를 하고 있는 ; 벌이가 되는《사업 따위》.
móney·màn *n.* =FINANCIER.
móney màrket *n.* 금융 시장.
móney màrket fúnd *n.* (상호 기금으로서 금융 시장에 출자하는) 금융 시장 기금.
móney òrder *n.* (송금) 환(換), (특히) (우편)환 : a telegraphic ~ 전신환. ㊟ 《美》에서는 postal money order라고도 함.
móney plàyer *n.* 《俗》 (경기 따위의) 경쟁에 강한 사람 ; 큰돈의 내기에 강한 사람.
móney pòlitics *n.* 금권 정치.
móney smàsh *n.* 《野俗》 홈런.
móney spìnner *n.* 《英》 **1** 돈거미《이것이 몸에 기어다니면 행운이 온다고 함》. **2** 《口》 돈 잘 버는 사람 ; 돈벌이 잘되는 것[일].
móney supplỳ *n.* 〖經〗 통화 공급량.
móney wàges *n. pl.* 〖經〗 (실질 임금과 구별하여) 금액상의 임금, 명목 임금(↔*real wages*).
móney-wàsh·ing *n.* 부정하게 취득한 자금을 합법적인 것으로 보이기 위해 외국 은행 따위를 전전하며 이동시켜서 출처를 숨기기.
móney·wòrt *n.* 〖植〗 앵초과(科)의 서양좀가지풀《유럽 원산의 다년초》.
'mong [mʌŋ] *prep.* 《詩》 =AMONG.
mon·ger [mʌ́ŋgər, mɑ́ŋ-] *n.* [복합어를 이루어] …상인, …장수, (소문 따위를) 퍼뜨리는 놈 : ☞ IRONMONGER / ☞ NEWSMONGER. —— *vt.* 팔다, 행상하다.
mon·go [mɑ́ŋgou] *n.* (*pl.* **~, ~s**) 몽고《몽고의 통화 단위》.
Mon·gol [mɑ́ŋgəl, -gɑl, -goul] *n.* 몽고인.
—— *a.* 몽고인[어]의.
〖Mongolian (? *mong* brave)〗
Mon·go·lia [mɑŋgóuljə, mɑŋ-, -liə] *n.* **1** (국경·소속에 관계없이) 몽고 지방《Inner Mongolia와 the Mongolian People's Republic으로 이루어짐》. **2** =MONGOLIAN *People's Republic*.
Mon·gó·lian *n.*, *a.* 몽고인(人) ; 몽고(인종)의 ; Ⓤ 몽고어(語).
the Mongolian People's Republic 몽고 인민공화국《Outer Mongolia의 공식명 ; 수도 Ulan Bator》.
Mongólian ídiocy *n.* 〖醫〗 =MONGOLISM.
Mongólian ídiot *n.* 〖醫〗 =MONGOL.
mongólian spót *n.* [때때로 M~ s~] 몽고반점(=blue spot)《황색 인종이나 흑인 유아의 둔부

에 있는 푸른 반점》.

Mon·gol·ic [maŋgálik] *n.* 몽고어군《알타이 어족에 속하고 Mongolian, Buryat, Kalmuck을 포함》. —— *a.* 〖人種〗 =MONGOLOID.

Móngol·ìsm *n.* [때때로 m~] 〖醫〗 몽고증《작은 머리, 짧은 손가락에 눈이 치켜올라가 인상이 몽고인 비슷한 선천적인 백치》.

Mon·gol·oid [máŋgəlɔ̀id] *n., a.* 〖人種〗 몽골로이드(의), 몽고인(과 같은), 몽고인종(같은) ; [때때로 m~] 몽고증(症)(의).

mon·goos(e) [mángu:s, máŋ-] *n.* (*pl.* **-goos·es, -geese** [-gi:s]) 〖動〗 몽구스《인도산 ; 독사의 천적(天敵)으로서 유명》.

mon·grel [mʌ́ŋgrəl, máŋ-] *a., n.* 잡종의 (개) ; 잡종의 (동물[식물]) ;《蔑》 혼혈아(의). 〚ME? *mong* (obs.) mixture ; cf. OE *gemong* crowd ; *mingle*도 영향인가〛

móngrel·ìze *vt.* 잡종으로 만들다 ;《蔑》 (인종·민족의 성격을) 잡종화하다.

'mongst [mʌ̀ŋkst, mʌ́ŋ-] *prep.* 《詩》 =AMONGST.

mo·ni·al [móuniəl] *n.* 〖建〗 =MULLION.

Mon·i·ca [mánikə] *n.* 여자 이름. 〚St. Augustine의 어머니 이름<Afr.=?〛

monied, monies ☞ MONEYED, MONEY.

mon·i·ker, -ick·er, mon·a·cer, mon·ni·ker [mánikər] *n.* 《美俗》 이름, 서명 ; 별명. 〚C19<?〛

mo·níl·i·fòrm [mounílə-] *a.* 〖植·動〗 (뿌리·줄기·과실·촉각 따위가) 염주 모양의 ; (일반적으로) 염주 비슷한. **~·ly** *adv.*

mon·ism [mánizəm, 美+móu-] *n.* Ⓤ 〖哲〗 일원론(一元論) (cf. DUALISM, PLURALISM). **-ist** *n.* 일원론자. 〚L (Gk. *monos* single)〛

mo·nis·tic, -ti·cal [manístik(əl), 美+mou-] *a.* 일원론의 ; 일원적인.

mo·ni·tion [mouníʃən, mə-] *n.* Ⓤ,Ⓒ 충고, 권고, 경고(warning), 주의 ; (종교 재판소의) 계고(장) ; 〖法〗 소환(장).

***mon·i·tor** [mánətər] *n.* **1** 반장, 클래스 위원, 권고[훈계·경계]자 ; 감독[규율부] 학생《교사를 도와서 질서를 유지하는 학생 ; cf. PREFECT》. **2** 경고가 되는 것, 주의를 주는 것. **3** 〖海軍〗 모니터함(艦)《뱃전이 낮고 거대한 선회포탑을 갖춘 포함》. **4** 큰도마뱀《남아시아·아프리카·오스트레일리아산(産)》. **5** 〖放送〗 라디오·텔레비전의 방송 상태를 감시하는 장치[조정 기술자] ; 모니터《방송국의 의뢰로 방송의 비평·감상을 보고하는 사람》. **6** 외국 방송 청취원, 외전 방수자(傍受者). **7** (원자력 공장 종업원의 위험 방지용) 유도방사능 검출기. **8** (기계·항공기 따위의) 감시(제어) 장치, 모니터. **9** 〖컴퓨〗 시스템의 작동을 감시하는 소프트웨어[하드웨어]. **10** 〖醫〗 호흡·맥박 따위의 생리적 징후를 관찰·기록하는 장치. **11** (공장 따위의) 채광·통풍을 위해 지붕위에 만든 작은 지붕. **12** (펌프 따위의) 자유 회전 통구(筒口) ; 〖土〗 수사기(水射機)《수력 채굴용의 제트 분사 장치》. —— *vt.* (외국 방송을) 청취[방수(傍受)]하다 ; (라디오·텔레비전 방송을) 모니터를 써서 감시하다 ; (기계·항공기 따위를) 감시[조정]하다 ; (방사능의 강도를) 측정하다. —— *vi.* 모니터 노릇을 하다. 〚L (*monit- moneo* to warn)〛

mon·i·to·ri·al [mànətɔ́:riəl] *a.* **1** 권고하는, 경고를 주는. **2** 감독 학생의, 모니터(로서)의 : the ~ system 모니터 제도.

món·i·tor·shìp *n.* 감시자의 역할[임기].

mon·i·to·ry [mánətɔ̀:ri ; -təri] *a.* 권고의, 훈계(訓戒)의, 경고하는. —— *n.* (bishop이나 교황 등이 내는) 계고장. 〚L ; ⇨ MONITOR〛

***monk** [mʌ́ŋk] *n.* 수사(cf. FRIAR, NUN) ; 도사(道士) : a Buddhist ~ 승려, 스님. 〚OE *munuc*<L<Gk. *monakhos* solitary (monos alone)〛

mónk·ery *n.* Ⓤ 수사 생활, 수도원의 제도 ; [집합적으로] 수사 ; Ⓒ 수도원.

◇**mon·key** [mʌ́ŋki] *n.* **1** 〖動〗 원숭이, (흔히) 꼬리 있는 작은 원숭이(cf. APE). **2** 《戲》 장난꾸러기 ; 남의 흉내를 잘 내는 사람 ; (잘 속는) 바보(dupe). **3** (말뚝 박는 기계의) 추(錘) ; (유리 제조 따위의) 도가니. **4** 《俗》 마약 중독 ; 《俗》 보통 사람. **5** 《濠俗》 양(sheep) ; 《俗》 500파운드[달러] ; (탄광의) 작은 통기공(通氣孔).

have [***get***] one***'s monkey up*** 《英口》 성내다.

have a monkey on one***'s back*** 《俗》 마약 중독이 되어 있다 ; 원한을 품다.

put a person***'s monkey up*** 《英口》 남을 화나게 하다.

—— *vi.* 《口》 장난치다, 놀리다, 까불다〈*with, around*〉. —— *vt.* 《稀》 (사람·물건을) 흉내내다 ; 놀리다, 업신여기다. 〚C16<? LG ; cf. MLG *Moneke* (*Reynard the Fox*에 나오는 원숭이의 새끼 이름), OSp. *mona* monkey〛

mónkey bàrs *n. pl.* =JUNGLE GYM.

mónkey blòck *n.* 〖海〗 멍키 블록《회전고리가 달린 홑 도르래》.

mónkey brèad *n.* BAOBAB 나무(의 열매).

mónkey bùsiness *n.* 《口》 속임수, 협잡 ; 짓궂은 장난, 남이 싫어하는 짓.

mónkey càge *n.* 《美俗》 감옥(prison).

mónkey clòthes *n. pl.* 《美軍俗》 정장 군복.

mónkey cùp *n.* 〖植〗 =PITCHER PLANT.

mónkey dìsh *n.* 《美俗》 (샐러드용 접시 같은) 작은 접시.

mónkey èngine *n.* 말뚝 박는 기계.

mónkey-fàced ówl *n.* =BARN OWL.

mónkey flàg *n.* 《美俗》 (육해군 부대·회사·정당 따위의) 기(旗).

mónkey flòwer *n.* 〖植〗 물꽈리아재비《현삼과(科)》.

mónkey·ish *a.* 원숭이 같은, 장난하기 좋아하는, 사람 흉내내는. **~·ly** *adv.*

mónkey jàcket *n.* (옛날에 뱃사람이 입었던) 꼭 끼는 짧은 재킷.

mónkey mèat *n.* 《美軍俗》 쇠고기 통조림.

mónkey-nùt *n.* 《英》 땅콩, 낙화생(peanut).

mónkey pùzzle *n.* 〖植〗 칠레전나무《칠레 원산의 소나무류로 날카로운 잎이 밀생(密生)하여 원숭이도 오르지 못한다고 함》.

mónkey's allówance *n.* 《口》 참혹한 꼴 ; 지독한[형편없는] 처우, 학대.

mónkey·shìne *n.* [보통 *pl.*] 《美俗》 못된 장난 ; 협잡.

mónkey sùit *n.* 《口》 제복, 정장, =TUXEDO.

mónkey tìme *n.* 《美俗·方》 서머타임(daylight saving time).

mónkey trìck *n.* [보통 *pl.*] 《英口》 장난.

mónkey wrènch *n.* 멍키 렌치, 멍키 스패너, 자재(自在) 스패너(cf. WRENCH) ; 장애물.

throw a monkey wrench into …을 방해하다, 실패시키다, 파괴하다(cf. *throw a* SPANNER *in*(*to*) *the works*).

mónk·fish *n.* 〖魚〗 **1** 전자리상어. **2** 아귀.

mónk·hood *n.* Ⓤ 수사의 신분 ; [집합적으로] 수

사(monks).

mónk·ish *a.* 수사의, 수도원의; 수도원 비슷한, [보통 경멸적으로] 수사 냄새[티]가 나는.

mónks·hòod *n.* 〖植〗 바곳류《자색꽃이 피는 유독 식물》.

Mon·mouth [mánməθ, mʌ́n-] *n.* 먼모스《웨일스 동부 Gwent 주(州)의 도시; Henry 5세의 출생지》; =MONMOUTHSHIRE.

Mónmouth·shire [-ʃìər, -ʃər] *n.* 먼모스셔《웨일스 동부의 주; 略 Mon.》.

monniker ☞ MONIKER.

mono[1] [mánou] *a.* **1** =MONAURAL. **2** =MONOPHONIC. —— *n.* (*pl.* **món·os**) 모노럴 녹음[재생]. 〚*mono*phonic〛

mono[2] *n.* (*pl.* **món·os**) 《口》 =INFECTIOUS MONONUCLEOSIS.

mono- [mánou, -nə] ☞ MON-.

mòno·ácid, mon·ácid *a.*, *n.* 〖化〗 일산염기(一酸鹽基)(의). **mòn(o)·acídic** *a.*

mòno·básic *a.* 〖化〗 일염기(一鹽基)의.

móno·bùoy *n.* 〖海〗 모노부이《입항할 수 없는 대형 유조선 따위를 계류시키기 위해 근해에 설치한 부표》.

móno·chòrd *n.* 일현금(一絃琴). 〚OF<L<Gk.〛

mòno·chromátic *a.* 단색의, 단채(單彩)의, 모노크롬의.

móno·chròme *n.* 단색화; 흑백 사진, 모노크롬(사진). —— *a.* 단색의; (사진·텔레비전이) 흑백의.

mòno·chró·mic [-króumik] *a.* 단색의, 단색으로 그린.

mon·o·cle [mánikəl] *n.* 단(單)안경, 외알 안경. **~d** *a.* 외알 안경을 쓴. 〚F<L (*mono-*, *oculus* eye)〛

mòno·clínal *a.* 〖地質〗 (지층이) 단사(單斜)의. —— *n.* =MONOCLINE.

móno·clìne *n.* 〖地質〗 단사.

mòno·clín·ic [-klínik] *a.* 〖結晶〗 단사정계(單斜晶系)의.

monoclínic sýstem *n.* 〖結晶〗 단사정계(單斜晶系).

monocle

mòno·clínous *a.* 〖植〗 암수 한꽃의, 양성화(兩性花)의 (cf. DICLINOUS).

mòno·clónal *a.* 〖生〗 단일 세포에서 유래하는 세포인[에서 만들어진].

monoclónal ántibody *n.* 〖生化〗 단(單)클론 항체(抗體), 모노클로널 항체.

móno·coque [-kàk, -kòuk] *n.* 모노코크(구조) 《(1) 항공기의 동체에서 외판(外板)만으로 하중에 견디게 된 구조. (2) 자동차의 차체와 차대를 일체화한 구조》. 〚F〛

mòno·cotylédon *n.* 〖植〗 외떡잎식물(cf. DICOTYLEDON).

mo·noc·ra·cy [manákrəsi, mə-] *n.* Ⓤ 독재정치.

mono·crat [mánəkræ̀t] *n.* 독재자; 독재정치 지지자. **mòno·crát·ic** *a.* 독재 정치의.

mo·noc·u·lar [manákjələr, mə-] *a.* 단안(單眼)(용)의. —— *n.* 단안용 기구《단안 현미경, 단안식 망원경 따위》. 〚MONOCLE〛

móno·cùlture *n.* Ⓤ 〖農〗 단일 재배, 단작(單作), 일모작.

móno·cỳcle *n.* 1륜차.

móno·cỳte *n.* 〖解〗 단핵 백혈구, 단구(單球), 단핵 세포. **mòno·cýt·ic** [-sít-] *a.*

mo·nod·ic, -i·cal [mənádik(əl), ma-] *a.* MONODY의. **-i·cal·ly** *adv.*

mon·o·dist [mánədəst] *a.* MONODY의 작가.

móno·dràma *n.* 모노드라마, 1인극.

mon·o·dy [mánədi] *n.* **1** (그리스 비극의) 독창가. **2** (벗의 죽음을 슬퍼하는) 애도시, 애가(哀歌). **3** 〖樂〗 단성부곡(單聲部曲). 〚L<Gk.=singing alone (*mono-*, ODE)〛

mo·noe·cious, -ne- [məníːʃəs, ma-] *a.* 〖植〗 자웅동주(雌雄同株)의; 〖動〗 자웅동체의, 암수 한 몸의.

mo·nog·a·mist [mənágəməst] *n.* 일부일처(一夫一妻) 주의자.

mo·nóg·a·mous *a.* 일부일처(제)의; 〖動〗 일자일웅(一雌一雄)의.

mo·nog·a·my [mənágəmi, ma-] *n.* Ⓤ 일부일처(주의) (cf. POLYGAMY). 〚F<L<Gk. (*gamos* marriage)〛

mòno·génesis *n.* 〖生〗 일원(一元) 발생설; =MONOGENISM; 단성(單性)생식, 무성생식; 동태(同態)발생.

mòno·génic *a.* 〖遺〗 단일 유전자의[에 의한, 에 관한]《특히 대립 유전자의 한 쪽》; 〖生〗 한 쪽 성만을 생기게 하는, 단성의. **-i·cal·ly** *adv.*

mo·nog·e·nism [mənádʒənìzəm, ma-] *n.* 인류 일원설.

mo·nog·e·ny [mənádʒəni, ma-] *n.* =MONOGENESIS; =MONOGENISM.

móno·glòt *a.*, *n.* 한 언어만을 사용하는 (사람) (monolingual) (cf. POLYGLOT).

móno·gràm *n.* 모노그램, 결합문자《성명의 첫 글자 따위를 도안화한 것》. —— *vt.* …에 모노그램을 붙이다.

móno·gràph *n.* (특정 단일 소분야를 테마로 한) 연구논문, 전공논문, 모노그래프. —— *vt.* …에 대하여 모노그래프를 쓰다.

mo·nog·ra·pher [mənágrəfər, ma-], **-phist** [-fəst] *n.* 전공 논문 집필자.

mòno·gráph·ic, -i·cal *a.* 전공 논문의.

mo·nog·y·nous [mənádʒənəs, ma-] *a.* 일처(주의·제)의.

mo·nog·y·ny [mənádʒəni, ma-] *n.* Ⓤ 일처(주의), 일처제(↔*polygyny*).

móno·hùll *n.* 〖海〗 (catamaran에 대하여) 단선체선(單船體船).

mono·ki·ni [mànəkíːni] *n.* 토플리스의 비키니; (남성용의) 극히 짧은 팬츠. 〚*mono-*+bi*kini*〛

mo·nol·a·try [mənálətri, ma-] *n.* Ⓤ 일신(一神) 숭배.

mòno·língual *a.*, *n.* 한 나라 말만 쓰는; 1개 국어만 사용하는 (사람) (cf. BILINGUAL, MULTILINGUAL).

móno·lìth *n.* 한 덩어리로 된 돌; 돌 한 덩어리로 된 비석[기둥]; 〖建〗 중공초석(中空礎石), 단일체; (정치적·사회적인) 완전한 통일체. 〚F<Gk. (*mono-*, *lithos* stone)〛

mòno·líthic *a.* **1** 돌덩이 하나의, 한 덩어리의 돌로 이루어진; 〖建〗 중공(中空) 초석의, 일체식(式)의. **2** 《비유》 단단히 짜여 하나로 되어 있는, 단일적인, 획일적인, 완전히 통일된. **3** 〖電子〗 모놀리식의《1개의 반도체 결정상에 만듦》, 모놀리식(집적) 회로로 이루어진[를 이용한]. —— *n.* 모놀리식 (집적) 회로(=~ **círcuit**).

monolíthic acóustic sènsor *n.* 〖電子〗 모놀리식 음향 센서《하나의 실리콘칩 위에 구성된 초소형 마이크로폰》.

mono·log·ist [mənáləd͡ʒəst, mánəlɔ̀(:)gəst, -lɑ̀g-], **-logu·ist** [-lɔ̀(:)g-, -lɑ̀g-] *n.* (연극의) 독백자 ; 이야기를 독점하는 사람.

mo·nol·o·gize [mənáləd͡ʒàiz, mɑ-] *vi.* 독백하다, 혼잣말하다 ; 이야기를 독점하다.

mono·logue, 《美》 **-log** [mánəlɔ̀(:)g, -lɑ̀g] *n.* 독백, 모놀로그 ; 혼자 하는 연극. 〖F<Gk. *mono logos* speaking alone ; cf. DIALOGUE〗

mòno·mánia *n.* U.C 편집광(偏執狂) ; 한가지 일에만 열중함, 열광. 〖F〗

mòno·mániac *n.* 한가지 일에만 열중하는 사람 ; 편집광자. —— *a.* 편집광의 ; 편집(광)적인. **mòno·maníacal** *a.* 편집광적인.

móno·màrk *n.* 《英》 모노마크《등록된 상품명·주소 따위를 나타내는 문자와 숫자의 배합기호》.

móno·mer *n.* 〖化〗 단량체(單量體), 모노머(cf. POLYMER).

mòno·metállic *a.* 단일 금속으로 만들어진 ; (화폐의) 단(單)본위제의(cf. BIMETALLIC).

mòno·mét·al·lism [-métəlìzəm] *n.* U (화폐의) 단본위제(cf. BIMETALLISM). **-list** *n.* 단본위제론자.

mo·no·mi·al [mɑnóumiəl, mə-] *a.* 〖數〗 단항식의. —— *n.* 단항식.

mòno·molécular *a.* 〖理·化〗 일분자의 ; 일분자 두께의.

mòno·núclear *a.* 〖生〗 일핵성(一核性)의, 단핵(單核)의 ; 〖化〗 단일고리식(式)의. —— *n.* 단핵세포, (특히) 단핵 백혈구.

mòno·nu·cle·ó·sis [-njù:klióusəs] *n.* U 〖醫〗 단핵(세포 증가)증.

mòno·phóbia *n.* 〖醫〗 고독공포증.

mòno·phónic *a.* 단선율의(cf. STEREOPHONIC).

mòno·phósphate *n.* 〖化〗 일인산염.

mon·oph·thong [mánəfθɔ̀(:)ŋ, -θɑ̀ŋ] *n.* 〖音聲〗 단모음(cf. DIPHTHONG). **mòn·oph·thón·gal** *a.*

mónophthong·ìze [, -gàiz] *vt.* 〖音聲〗 (이중모음을) 단모음으로 발음하다, 단모음화하다.

móno·plàne *n.* 단엽(비행)기(cf. BIPLANE, TRIPLANE).

móno·pòle *n.* 〖理〗 단극(單極) ; (가설상의) 자기(磁氣) 단극 ; 〖通信〗 단극 안테나.

mo·nop·o·list [mənápələst] *n.* 독점자, 전매자 ; 독점[전매]론자. **-ism** *n.* U 독점주의[조직], 전매 제도. **mo·nòp·o·lís·tic** *a.* 독점적인, 전매의 ; 독점주의(자)의.

mo·nop·o·lize [mənápəlàiz] *vt.* …의 독점[전매]권을 얻다, 독점하다. **mo·nòp·o·li·zá·tion** *n.* U 독점, 전매.

***mo·nop·o·ly** [mənápəli] *n.* **1** 전매(권), 독점(권)⟨*of*, 《美》 *on*⟩ ; 시장 독점 ; 독점 판매 ; (남의 시간 따위를) 독점하기 : the ~ of conversation 대화의 독점. **2** 전매[독점]회사[조합]. **3** 전매[독점]품, 전매[독점]업.
make a monopoly of …을 독점하다 ; …을 독점 판매하다.
〖L<Gk. (*pōleō* to sell)〗

mo·nop·so·ny [mənápsəni] *n.* 〖經〗 (시장의) 수요[구매자] 독점.

mòno·psýchism *n.* U 심령 일원설(一元說)《모든 심령은 하나라고 봄》.

móno·ràil *n.* 모노레일, 단궤(單軌)철도.

mono·se·mous [mɑ̀nəsí:məs] *a.* (어구(語句) 따위) 단의(單義)의. **móno·sè·my** *n.* 단의(성).

mòno·séxual *a.* **1** 남녀 한 쪽만의 심성을 가진, 남녀 한 쪽에만 감응하는, 단일성(單一性) 소질의. **2** 동성만의《파티·학교 따위》.

mòno·sódium glútamate *n.* 글루타민산(酸)소다《화학 조미료 ; 略 MSG》.

móno·sòme *n.* 〖遺〗 1염색체《상대가 될 상동염색체가 없는 염색체》; 〖生〗 단일 리보솜.

mòno·só·mic [-sóumik] *a.* 〖遺〗 1염색체적인. —— *n.* 1염색체성의 개체.

móno·stich [-stìk] *n.* 〖詩學〗 단행시《특히 epigram에 많음》; 시의 한 행.

mòno·syllábic *a.* 단음절의 ; 단음절어(語)를 사용하는 ; 간결한 《평》, 무뚝뚝한 《대답 따위》. **-ical·ly** *adv.* 단음절어로 ; 매정하게, 퉁명스럽게.

mòno·sýllabism *n.* U 단음절어 사용(벽(癖)), 단음절어적인 경향.

móno·sỳllable *n.* 단음절 ; 단음절어(cf. MONOSYLLABIC) : answer in ~*s* Yes나 No로만 말하다, 무뚝뚝한 대답을 하다.

mòno·téchnic *a.* 단과의 《학교·대학》. —— *n.* 전문 학교[대학], 단과 대학.

móno·the·ism [-θi:ìzəm, mɑ̀nəθí:izəm] *n.* U 일신교(一神敎)[론]《기독교·마호메트교와 같이 신은 유일하다고 하는 종교 ; cf. POLYTHEISM》. **-ist** *n.* 일신교신자, 일신론자. **mòno·the·ís·tic** *a.*

móno·tìnt *n.* =MONOCHROME.

móno·tòne *n.* 〖樂〗 단조(單調)(음) ; (일반적으로) 단조로움 : speak[read] in a ~ 단조롭게 말하다[읽다]. —— *a.* 단조로운. —— *vt., vi.* 단조롭게 읽다[이야기하다, 노래하다].

***mo·not·o·nous** [mənátənəs] *a.* 단조로운, 한결같은 ; 변화없는, 지루한 : ~ work 단조로운 작업. **~·ly** *adv.* 단조롭게.

***mo·not·o·ny** [mənátəni] *n.* **1** U 단조로움, 한결같음(↔*variety*), 지루함. **2** 〖樂〗 단음(單音), 단조(monotone).

mòno·tránsitive *a.* 〖言〗 직접 목적어만을 취하는《동사》.

mòno·tré·ma·tous [-trém-, -trí:-] *a.* 〖動〗 단공류(單孔類)의.

móno·treme [-trì:m] *n.* 단공류(單孔類)의 동물《오리너구리·바늘두더지 따위》.

móno·tỳpe *n.* 〖印〗 모노타이프, 자동 주식기(鑄植機)(cf. LINOTYPE) ; 〖生〗 단형(單型).

mòno·týp·ic [-típik] *a.* 〖生〗 단형의 ; 〖印〗 모노타이프의.

mòno·válent *a.* 〖化〗 1가(價)의 ; 〖菌〗 특정한 병균에만 저항하는 항체[항원]를 함유한.

mon·óvular *a.* 〖醫〗 일란성(一卵性)의 ; 일란성 쌍생아에 특유한(cf. BIOVULAR).

mon·óxide *n.* 〖化〗 일산화물(一酸化物) : ☞ CARBON MONOXIDE.

Mon·roe [mənróu] *n.* **1** 남자 이름. **2** 먼로. **James ~** (1758-1831) 미국의 제5대 대통령(1817-25). 〖Celt.=? red marsh〗

Monróe Dóctrine *n.* [the ~] 먼로주의《1823년 Monroe 대통령이 교서에 나타낸 외교방침 ; 미국은 유럽 제국이 아메리카 제국의 정치에의 간섭을 묵시하지 않는다는 주의》.

Monróe·ism *n.* =MONROE DOCTRINE.

mons [mánz] *n.* (*pl.* **mon·tes** [mánti:z]) 〖解〗 치구(恥丘). 〖L ; ⇨ MOUNT²〗

Mons. Monsieur.

mon·sei·gneur [mɑ̀nseinjə́:r] *n.* (*pl.* **mes·sei·gneurs** [mèiseinjə́:rz ; -se-]) [보통 M~] 전하, 각하, 예하《프랑스의 왕족·추기경·(대)주교 등에 대한 존칭》: *M*~ the Archbishop. 〖F (*mon* my, SEIGNEUR)〗

mon·sieur [məsjə́ːr, məsjər ; *F* məsjø] *n.* (*pl.* MESSIEURS) [보통 M~] (영어의 Mr., Sir에 해당하는 경칭) …씨, …군, 당신.
〖F (*mon* my, *sieur* lord)〗

mon·si·gnor [mɑnsíːnjər] *n.* (*pl.* **-si·gno·ri** [mɑ̀nsiːnjɔ́ːri], **~s**) 〘카톨릭〙 [보통 M~] 몬시뇨르《고위 성직자에 대한 경칭, 또 그 칭호를 가지는 사람》. 〖It. ; cf. MONSEIGNEUR〗

mon·soon [mɑnsúːn] *n.* **1** 〘氣〙 계절풍, 몬순《특히 인도양에서 여름은 남서쪽에서, 겨울은 북동쪽에서 불어옴》: the dry[wet] ~ 겨울[여름] 계절풍. **2** (인도의) 우기(雨期). **~·al** *a.*
〖Du.＜Port.＜Arab.＝(fixed) season〗

móns pú·bis [-pjúːbəs] *n.* (*pl.* **móntes púbis**) 〘解〙 남자의 치구(恥丘).
〖L＝eminence of men〗

***mon·ster** [mɑ́nstər] *n.* **1** 괴물, 도깨비, 괴수. **2** 괴상한 모양을 한 것 ; 〘醫〙 기형(아) ; 이상하게 거대한 것 ; 극악무도한 사람 ; 상도를 벗어난 사람 : a ~ of cruelty 지독히 잔인한 사람. **3** 《美俗》 음악의 슈퍼스타 ; (레코드, 테이프 따위의) 폭발적 히트 상품 ; 신경 중추에 작용하는 마약. **4** 〘美蹴〙 정해진 수비 위치가 없는 라인배커(linebacker).
── *a.* 거대한(gigantic), 엄청나게 큰 : a ~ ship 엄청나게 커다란 배, 거선(巨船).
〖OF＜L＝portent (*monstro* to show)〗

mónster làne *n.* 《CB俗》 다차선(多車線)의 맨 왼쪽 차선.

mon·strance [mɑ́nstrəns] *n.* 〘카톨릭〙 성체 현시대(顯示臺). 〖ME＝demonstration (monster)〗

mon·stre sa·cré [*F* mɔ̃ːstr sakre] *n.* (*pl.* **mon·stres sa·crés** [─]) 기인(奇人) ; 대스타.

mon·stros·i·ty [mɑnstrɑ́səti] *n.* **1** Ⓤ 기괴(奇怪), 괴이(怪異). **2** 거대한 물건, 괴물(monster) ; 기형 동[식]물 ; 극악무도한 행위.

mon·strous [mɑ́nstrəs] *a.* 괴이한, 거대한, 기형의 ; 괴물 같은 ; 극악무도한(atrocious), 가공할 ; 《口》 터무니없는, 괘씸한. ── *adv.* 《美口·英古》 대단히 : ~ rich 대단히 부자인.
~·ly *adv.* 《口》 엄청나게, 굉장히. **~·ness** *n.*
〖MONSTER〗

móns vé·ne·ris [-vénərəs] *n.* (*pl.* **móntes véneris**) 〘解〙 여자의 치구(恥丘).
〖L＝eminence of Venus〗

Mont. Montana.

mon·tage [mɑntɑ́ːʒ ; *F* mɔ̃taːʒ] *n.* **1** Ⓤ,Ⓒ 〘映〙 몽타주《사상의 흐름을 나타내기 위해 급속히 많은 작은 화면을 연속시키는 기법》. **2** 몽타주[구성] 사진 ; 합성화(合成畫). **3** (일반적으로) 다른 요소가 모여서 통일적으로 느껴지는 것, 통일적 이미지. 〖F ; ⇨ MOUNT¹〗

mon·ta·gnard [mɑ̀ntənjɑ́ːrd, -njɑ́ːr] *a.*, *n.* (*pl.* **~s**, ~) [때때로 M~] 산지민(의)《(1) 캄보디아 국경에 접한 베트남 남부 고지의 주민. (2) Rocky 산맥 북부에 사는 인디언》.

Mon·ta·gue [mɑ́ntəgjùː] *n.* 남자 이름.
〖*Mont Aigu* Normandy의 가족명〗

Mon·taigne [*F* mɔ̃tɛɲ] *n.* 몽테뉴. **Michel E. de** ~ (1533-92) 프랑스의 수필가.

Mon·tana [mɑntǽnə] *n.* 몬태나《미국 북서부의 주 ; 주도 Helena ; 略 Mont.》.
Mon·tán·an *a.*, *n.* 몬태나 주의 (사람).

mon·tane [mɑ́ntein, -́-] *a.* 산지(山地)의 ; 산이 많은(mountainous) ; 산에서 사는[자라는] ; 저산대(低山帶)에 사는. ── *n.* (삼림 한계선 아래의) 저산대(=~ **bélt**). 〖L ; ⇨ MOUNT²〗

Mont Blanc [*F* mɔ̃ blɑ̃] *n.* 몽블랑《Alps 산맥의 최고봉 ; 4807 m》.

mont·bre·tia [mɑntbríːʃiə] *n.* 〘植〙 붓꽃과(科) 식물의 일종. 〖Coquebert de *Montbret* (d. 1801) 프랑스의 식물학자〗

mont-de-pié·té [*F* mɔ̃dpjete] *n.* (*pl.* **monts-de-piété** [─]) (예전 프랑스의) 국영 전당포.

mon·te [mɑ́nti] *n.* **1** Ⓤ (스페인에서 비롯된) 카드 놀이의 도박. **2** 《濠口》 확실한 것(certainty).
three-card monte 멕시코식 카드놀이.
〖Sp.＝mountain, heap of cards〗

Mónte Car·lo [-kɑ́ːrlou] *n.* 몬테카를로《모나코 북동부의 도시, 국영 도박장으로 유명》.

Mònte Cárlo mèthod *n.* 〘數〙 몬테카를로법《확률을 수반치 않는 문제를 이에 대응하는 확률 과정의 문제로 대치하여 해결하는 방법 ; 재고량 관리, 표본 분포 따위에 이용》.

Mon·te·ne·gro [mɑ̀ntəníːgrou, -néi-] *n.* 몬테네그로《유고슬라비아 연방공화국의 남부지방 ; 원래 왕국》. **Mòn·te·né·grin** [-grən] *a.*, *n.*

Mon·tes·quieu [*F* mɔ̃tɛskjø] *n.* 몽테스키외. Baron **de la Bréde et de** ~ (1689-1755) 프랑스의 정치철학자.

Mon·te·ver·di [mɑ̀ntəvéərdi, -vɔ́ːrdi] *n.* 몬테베르디. **Claudio Giovanni Antonio** ~ (1567-1643) 이탈리아의 교회음악·가극 작곡가.

Mon·te·vi·deo [mɑ̀ntəvədéiou, -vídiòu] *n.* 몬테비데오《남미 우루과이 공화국의 수도》.

Mont·gom·ery [mɑntgʌ́məri ; mənt-] *n.* 남자 이름. 〖*Montgomerie* Normandy의 가족 이름〗

°**month** [mʌnθ] *n.* (*pl.* **~s** [mʌnθs]) (한)달 ; (달력 상의) 달(cf. DAY, YEAR) : on the third of this ~ 이달 3일에 / In which ~ were you born? 몇 월(月)에 태어났습니까.
a month of Sundays 몹시 오랫동안, 《俗》 좀처럼 없는 기회.
month by [***after***] ***month*** 매월, 달마다.
the month after next 다음 다음달.
the month before last 지지난달.
this day month＝***today month*** 내달[지난달]의 오늘.
this [***last, next***] ***month*** [부사구로도 쓰여서] 이[전, 내]달.
〖OE *mōnath* ; MOON과 같은 어원 ; cf. G *Monat*〗

活用 (1) month가 복수(사)를 수반하여 한정 형용사의 작용을 할 때 원칙적으로 예컨대 「두 달 동안의 휴가」의 의미에서는 a *two months'* vacation과 같이 복수 소유격의 형식을 취하든가, 또는 a *two-month* vacation과 같이 하이픈을 이용한 단수형이 쓰인다. 단, 때로 a two months vacation의 형식도 쓰임.
(2) 다음에 형용사가 이어질 때에는 단수형을 써서, a *five-month-old* baby (태어나서 다섯달 된 아기)와 같이 하는 것이 문어체에서는 표준적이지만, 《美》에서는 a *five-months-old* baby와 같이 복수형을 쓰는 경우가 많다.
(3) 수사가 one일 때, 또한 수사를 동반하지 않을 때에는 소유격의 형식을 취함. 예를 들어 「한 달의 휴가」는, a *one-month's* vacation 또는 a *month's* vacation과 같이 말한다.
이상의 것은 day, hour, week, year 따위 다른 시간의 길이를 나타내는 낱말에 대해서도 해당된다 : a *three days'* visit, a *three-day* visit, a *three days* visit (3일간의 방문) / a *five weeks'* [*five years'*] training, a *five-week* [*five-year*] training, a *five weeks* [*five years*] training (5주[년]간의 훈련) / a *five-year-old* child (다섯살 된 아이).

mónth·ling *n.* 생후 1개월 된 아기 ; 한 달 계속되는 것.

*__mónth·ly__ *a.* 한 달에 한 번의, 매월의 ; 1개월 유효의 ; 《口》 월경의 : a ~ season ticket 유효기간 1개월인 정기권. —— *adv.* 월 1회, 매월. —— *n.* 월간 간행물 ; [-lies, 단수 · 복수 취급] 《古 · 口》 월경(기).

mónthly núrse *n.* 《英》 산모(産母) 간호사《산후 1개월간》.

mónthly róse *n.* 〔植〕 월계화(China rose).

mónth's mínd *n.* 〔카톨릭〕 위령 미사《사후 1개월째의 추도 미사》.

mon·ti·cule [mántikjùːl] *n.* 작은 산, 언덕 ; 측화산(側火山), 화산구(火山丘) ; 〔動 · 解〕 소돌기(小突起). 〖F＜L (dim.) ‹MOUNT²〗

Mont·mar·tre [mɔ̃martr] *n.* 몽마르트르《Paris시 북쪽 교외의 구릉 지구 ; 예술가들이 많이 삶》.

Mont·par·nasse [mɔ̃pɑːrnáːs, -nǽs] *n.* 몽파르나스《Paris시 남부, Seine 강 왼쪽의 고지대 ; 예술가들이 많이 삶》.

Mon·tre·al [màntriɔ́ːl, mʌ̀n-] *n.* 몬트리올《캐나다 남동부에 있는 캐나다의 최대도시, 상공업의 중심지》.

Móntreal Prótocol *n.* 몬트리올 의정서《1987년 오존층 보호를 위해 몬트리올의 유엔 환경 계획 외교관 회의에서 채택》.

*__mon·u·ment__ [mánjəmənt] *n.* **1 a)** 기념비[탑], 기념 건조물 : put up a ~ to the memory of … 을 위해 기념비를 세우다. **b)** [the M~] 《英》 (1666 년의) 런던 대화재의 기념탑《London Bridge 가까이에 있는 대원주》. **2** 기념물, 유적 : an ancient[a natural] ~ 사적[천연] 기념물. **3** 불후의 업적, 금자탑 ; (개인의) 기념비적인 일[저작] ; (고인에 대한) 추도문. **4** (어떤 점에서) 다른데서 찾아볼 수 없는 것, 현저한 예 : My father was a ~ *of* industry. 아버지는 보기 드문 근면가였다. **5** 《美》 경계표, 경계 표지. **~·less** *n.* 〖OF＜L (*moneo* to remind)〗

mon·u·men·tal [mànjəméntl] *a.* **1** 기념비의 : a ~ inscription 비문(碑文). **2** 기념비와 같은, 튼튼하고 늠름한, 거대한. **3** 기념적인, 불후(不朽)의, 불멸의, 역사적인 : a ~ work 불후의 명작. **4** (나쁜 뜻에서) 터무니없는, 심한, 비상한 : ~ ignorance[stupidity] 지독한 무지[어리석음]. **5** 〔美術〕 실물 크기 이상의.
~·ly *adv.* 기념비로서 ; 기념으로서 ; 《口》 터무니없이, 심하게. **mòn·u·men·tál·i·ty** *n.*

monuméntal·ìze *vt.* 영구히 전하다, 기념하다.

mony [máni] *a., pron., n.* 《스코》 ＝MANY.

-mo·ny [mòuni ; məni] *n. suf.* 결과 · 상태 · 동작을 나타냄 : cere*mony* ; testi*mony*. 〖L ; cf. -MENT〗

Mon·za [móuntsə, mán-] *n.* 몬차《이탈리아 북부의 도시 ; 고대 Lombardy의 수도》.

moo [múː] *n.* (*pl.* **~s**) **1** 음매《소의 울음소리》; 《美俗》 우유, 소고기. **2** 《俗》 바보 같은 녀석[여자] ; 《英俗》 당신《여자에 대한 친밀한 호칭》
—— *vi.* (소가) 음매하고 울다(low).
〖imit.〗

M.O.O. Money Order Office.

moo·cah [múːkɑː] *n.* 《美俗》 마리화나.

mooch [múːtʃ] *vi.* 《俗》 **1** [＋副 / ＋前＋名] 살금살금 걷다 ; 어슬렁거리다, 서성거리다, 배회하다 (loiter) : There were lots of people ~*ing* ***about***[***around,*** *about* the streets]. 빈둥거리고[배회하고, 거리를 어슬렁거리고] 있는 사람이 많이 있었다. **2** (돈 · 음식 따위를) 조르다, 치근거리다, 슬쩍 훔치다 ; 모르는체 하다.
—— *vt.* 실례하다, (돈 · 음식 따위를) 구걸하다 (cadge), 우려내다 ; 훔치다(steal).
—— *n.* ＝MOOCHER ; 《美》 속이기 쉬운 놈, 봉.
〖? OF *muchier* to skulk, hide〗

mόoch·er *n.* 《俗》 살금살금 걷는 사람 ; 거지 ; 좀도둑 : a cigarette ~ (자기는 사지 않고) 담배를 남에게 얻어서만 피우는 사람.

móo-còw *n.* 《兒》 음매음매《암소》.

*__mood__[1] [múːd] *n.* **1** [＋*for*＋do*ing* / ＋*to* do] (일시적(的)인) 기분, 감정, 심사 : in a laughing [dejected] ~ 명랑해서[풀이 죽어서] / I was in the ~ ***for*** work. 일하고 싶은 마음이 내키었다 / He was in no ~ *for* jok*ing*. 농담을 할 기분이 나지 않았다 / I am not in the ~ *to* read[*for* read*ing*] just now. 어쩐지 지금은 책을 읽고 싶지 않다. **2** [*pl.*] 변덕스러움 ; 우울함, 짜증 : a man of ~*s* 변덕스러운 사람, 마음이 변하기 쉬운 사람, 기분파. **3** (회합 · 작품 따위의) 분위기 : The ~ of the meeting was hopeful. 모임의 분위기는 희망으로 가득차 있었다.
〖OE *mōd* mind ; cf. G *Mut* courage, mind, ON *móthr* anger, grief〗
[類義語] ***mood*** 일시적인 마음의 상태 ; 그 사람의 언동에 영향을 주는 것을 강조 : She is in a melancholy *mood*. (지금 우울하다). ***humor*** 변화가 많은 또는 변덕스러운 mood : My father is in a good[bad] *humor* today. (아버지는 오늘 기분이 좋으[나쁘]시다). ***temper*** 강한 감정, 특히 화내고 있는 mood : In her *temper* she broke a vase. (그녀는 홧김에 꽃병을 깼다).

mood[2] *n.* **1** ＝MODE 1. **2** 〔文法〕 (동사의) 법, 서법(敍法). 〖MODE〗

móod drùg *n.* 정신신경용 약제《흥분제 · 진정제 따위로 심리 상태에 영향을 줌》.

móod mùsic *n.* (연극 따위에서 특정한 분위기를 자아내기 위한) 효과 음악 ; (레스토랑 따위에서 흘러나오는) 무드 음악.

móod rìng *n.* 무드 링《액정(液晶) 쿼츠(quartz)를 이용해서 만든 반지 ; 기분의 변화에 따라 색이 변한다고 함》.

móod swìng *n.* 기분의 현저한 변화.

móody *a.* 변덕스러운 ; 무뚝뚝한, 기분이 언짢은, 침울한. **móod·i·ly** *adv.* 우울하게. **-i·ness** *n.* Ⓤ 우울.

Móog sýnthesizer [móug-, múːg-] *n.* 전자음 합성 장치《상표명》. 〖Robert E. *Moog* (1934-) 이를 발명한 미국의 기술자〗

móo jùice *n.* 《美俗》 우유(milk).

mook [múk] *n.* 잡지적인 서적, 서적풍의 잡지《기술 서적, 비지니스북, 요리책, 대중 소설 따위》. 〖*m*agazine＋b*ook*〗

moo·la, -lah, mou- [múːlə] *n.* 《美俗》 돈 (money). 〖C20＜?〗

mool·vee, -vi(e) [múːlvi] *n.* 이슬람교의 율법학자 ; (일반적으로) 선생《학자에 대한 존칭》. 〖Urdu〗

◇**moon** [múːn] *n.* (cf. LUNAR) **1** [보통 the ~] 달 (☞ 活用) : They are planning a trip to the ~. 달여행을 계획하고 있다 / the age of the ~ 월령(月齡) / There is no ~ tonight. 오늘밤은 달이 뜨지 않았다 / land *on the* ~ 달에 착륙하다. **2** Ⓤ 월광(moonlight). **3** 초승달 모양의 것 ; 신월기(新月旗)《터키의 국기》. **4** (유성의) 위성 (satellite) : the ~*s* of Jupiter 목성의 위성. **5** 《詩》 1개월(month) : for three ~*s* 3개월간. **6**

《美俗》(밀조) 위스키(moonshine).
bark at*[*against*] *the moon ☞ BARK[1] *v.*
below the moon 달 아래의, 이 세상의[에서], 속세의[에서].
beyond the moon 손이 닿지 않는 (곳에) ; 터무니없이.
cry for the moon 손에 넣을 수 없는 것을 원하다, 불가능한 일을 바라다.
once in a blue moon 《口》 극히 드물게.
shoot the moon 《英俗》 야반 도주하다.
the dark of the moon (매월) 달이 없는 기간 《초승달의 약 1주일》; 달이 (잘) 보이지 않을 때, 캄캄한 밤 사이.
the man in the moon (1) 달 속의 사람《사람의 모습처럼 보이는 달 표면의 반점》: I know no more about it than *the man in the* ~. 그런 일은 전혀 모른다. (2) 가공의 인물.
the old moon in the new moon's arms 초승달의 안쪽에 희미하게 보이는 달의 암흑면《지구의 반사광에 의함》.

〈회화〉
Is the *moon* out tonight? — I'll go have a look. 「오늘 밤 달이 떴니」「가서 보고 올게」

— *vi.* 빈둥거리다, 멍하니 바라보다〈*about, around*〉. — *vt.* [+目+副] 멍하니 보내다 : ~ *away* two hours[the afternoon] 두 시간[그 날 오후를]을 멍하니[부질없이] 보내다.
〚OE *mōna* ; cf. MONTH, G *Mond*〛
活用 moon은 1의 의미로서는 정관사를 붙이는 것이 보통이나 달의 한 양상을 생각할 때에는 부정관사를 쓸 수 있음 : a new[a half, a full, an old] *moon* (초승[반, 보름, 그믐]달) / Was there a *moon* that night? (그 날 밤에는 달이 떠 있었습니까).

móon bàse *n.* 월면 기지.
móon·bèam *n.* (한 줄기의) 달빛.
móon-blìnd *a.* 〔獸醫〕 (말이) 월맹(月盲)증에 걸린 ; 야맹의. — *n.* =MOON BLINDNESS.
móon blìndness *n.* 야맹증 ; (말의) 월맹증.
móon-bòund *a.* 달을 향하는.
móon·bòw *n.* 〔氣〕 달무지개(lunar rainbow), 달무리. 〚*moon*+rain*bow*〛
móon·bùg *n.* 《口》 달 착륙선(lunar module).
móon bùggy *n.* 월면차(moon car).
móon·càlf *n.* **1** (타고난) 바보 ; 얼간이. **2** 쓸데없는 공상만 하는 사람.
móon càr[**cràwler**] *n.* 월면차(lunar rover).
móon chìld *n.* 〔占星〕 게자리 태생인 사람.
móon·cràft *n.* =MOONSHIP.
móon·dòwn *n.* 《美》 달이 짐, 달이 지는 시각.
móon·er *n.* 《美警察俗》 (정서 장애자로서) 병적인 결함을 가진 범죄자.
móon·èye *n.* 〔獸醫〕 월맹증에 걸린 눈.
móon-èyed *a.* **1** =MOON-BLIND. **2** (공포로[감탄하여]) 눈이 휘둥그래진.
móon·fàce *n.* 둥근 얼굴 ; 〔醫〕 만월상(滿月狀) 얼굴《부신 피질 기능 항진 따위에서 볼 수 있음》.
móon·fàced *a.* 얼굴이 아주 둥근.
móon·fàll *n.* 달 착륙.
〚*moon*+land*fall*〛
móon·fish *n.* 〔魚〕 둥근형의 바닷물고기《개복치 따위》.
móon·flìght *n.* 달 여행[비행].
móon·flòwer *n.* 〔植〕 **1** 《美》 밤메꽃과의 덩굴풀《열대 아메리카 원산 ; 밤에 향기로운 흰꽃이 핌》. **2** 《英》 데이지.

Moon·ie [múːni] *n.* 문선명신자(文鮮明信者), 세계 기독교 통일 신령 협회의 신자, 통일원리 운동 지지자(☞ MOONISM).
móon·ing *n.* 《俗》 (달리는 차창 따위에서) 엉덩이를 내보이는 장난.
móon·ish *a.* 달 같은 ; 변덕스런 ; 통통한. **~·ly** *adv.*
Moon·ism [múːnizəm] *n.* 통일원리주의, 통일원리 운동《세계 기독교 통일 신령협회(Holy Spirit Association for Unification of World Christianity)의 신조·교리·실천 활동을 가리킴》. 〚Sun Myung *Moon*(문선명) (1920-) 한국인 시조(始祖)〛
móon jèep *n.* 월면차.
móon·less *a.* 달이 없는.
móon·let *n.* 인공 위성, 소위성.
***móon·lìght** *n.* Ⓤ 달빛.
by moonlight 달빛에, 달빛을 받으며.
***do a moonlight* (*flit*)** 《英口》 야반 도주하다.
in the*[*under*] *moonlight 달빛 아래(의).
let moonlight into. . . 《美俗》 (총을 쏘아서) 바람 구멍을 내다.
— *a.* **1** 달빛의. **2** 달밤에 일어나는[행하는].
the Moonlight Sonata 월광곡(曲)《Beethoven의 피아노 소나타 14번의 속칭》.
— *vi.* 《口》 부업[아르바이트, 정규의 일 이외의 일]을 하다《특히 야간에》; 《CB俗》 경찰 단속을 피해 뒷길로 가다.
móon·lìght·er *n.* 《口》 본업 외에 부업을 가진 사람《특히 야간의》; 야습에 참가하는 사람 ; 주류 밀조자 ; 〔아일史〕 월광단(月光團)《1880년경의 비밀 농민단》의 단원 ; 《俗》 중혼자(bigamist).
móonlight flìt(**ting**) *n.* 《英口》 야반 도주.
móon·lìght·ing *n.* Ⓤ 《口》 (낮 근무와는 별도로) 밤의 아르바이트 ; 이중 겸업 ; 야습.
móonlight schóol *n.* 《美》 (미국 남부의 시골 청년·성인의) 야간 강좌, 야학교.
móon·lìt *a.* 달빛에 비친, 달빛어린, 달 밝은.
móon·màn [, -mən] *n.* (*pl.* **-men** [, -mən]) 달 여행 비행사, 달 탐사자 ; 달 탐사 계획 종사자.
móon mònth *n.* (헤브라이력 따위의) 태음월.
móon-òrbiting spáce stàtion *n.* 달 주회(周回) 우주 스테이션.
móon pòol *n.* 문 풀《심해 굴착선 중심부에 설치한 원통상의 공동(空洞) ; 기재 운반 설비임》.
móon·pòrt *n.* 달 로켓 발사 기지.
móon pròbe *n.* 달 탐사(기(機)).
móon·quàke *n.* 월진(月震)《달의 지진》.
móon·rìse *n.* Ⓤ,Ⓒ 월출 ; 달이 뜨는 시각.
móon·ròck *n.* 월석《달 암석 표본》.
móon ròver *n.* 월면차(月面車).
móon·scàpe *n.* 달표면 ; 월면상(像)[사진]. 〚*moon*+land*scape*〛
móon·scòoper *n.* 자동 월면 물질 채집선(船).
móon·sèt *n.* Ⓤ,Ⓒ 월몰 ; 달이 지는 시각.
moon·shee [múːnʃiː] *n.* 《인도》 =MUNSHI.
móon·shìne *n.* Ⓤ **1** 달빛. **2** 헛소리, 쓸데없는 공상[이야기]. **3** 《美口》 밀조주[위스키], 밀수입주, (싼) 위스키, 술. — *vt., vi.* 《美口》 (술을) 밀조하다.
móon·shìner *n.* **1** 《美口》 주류 밀조[밀수입]자. **2** 밤에 불법 영업을 하는 사람 ; 《美》 남부 산지의 시골 사람.
móon·shìny *a.* **1** 달빛의, 달빛에 비친 ; 달빛 같은. **2** 공상적인, 가공의.
móon·shìp *n.* 달 우주선.
móon shòt[**shòot**] *n.* 달 로켓 발사.

móon·stàtion *n.* 달 (우주) 정거장.
móon·stòne *n.* Ⓤ,Ⓒ 〔鑛〕 월장석(月長石).
móon·strìke *n.* 월면 착륙.
móon·stròll *n.* 월면 보행(步行).
móon·strùck, -strìcken *a.* **1** 미친, 발광한《옛날 점성학에서 광기는 달의 영향 때문이라고 생각되었음》. **2** 감상적 공상에 빠진 ; 멍한.
Móon tỳpe *n.* (시각 장애자의) 점자법 ; 그 점자. 〖William *Moon* (d. 1894) 영국의 고안자〗
móon·wàlk *n.* 월면 보행[답사] ; 〔브레이크댄싱〕 문워크《실제는 뒤로 걸으면서 앞으로 나가듯이 보이는 춤》. **~·er** *n.* 달밤에 걸어다니는 몽유병자 ; 월면 보행자.
móon·ward(s) *adv.* 달을 향하여.
—— *a.* 달로 향하는.
móon·wàtcher *n.* 인공 위성의 관측자《특히 아마추어》.
móon·wòrk *n.* Ⓤ 월면 작업.
móon·wòrthy *a.* 달 여행에 알맞은[견디어내는].
móony *a.* **1** 달의 ; 달밝은 ; 달빛같은. **2** (초승) 달 모양의, 둥근(round). **3** 멍청한, 꿈결같은, 멍한 ; 《英口》 정신이 좀 이상한.
moor¹ [múər, 英+mɔ́:r] *n.* **1** 《英》 (heather가 무성한) 황무지, 광야 ; (뇌조(grouse) 따위의) 사냥터. **2** 《美》 습지(濕地).
〖OE *mōr* marsh ; cf. G *Moor*〗
moor² *vt., vi.* (배 · 비행선 따위를) 잡아매다, 정박시키다[하다], 계류하다 ; (일반적으로) 단단히 고정하다[되다]. —— *n.* 계류.
〖? LG ; cf. OE *mǣrelsrāp* rope for mooring〗
Moor [múər, 英+mɔ́:r] *n.* **1** 무어인《아프리카 북서부에 거주 ; 8세기에 스페인에 침입하여 11세기에 이슬람교 국가를 건설》; (인도의) 이슬람교도(=∠ **màn** [, -mən]). **2** =BLACKAMOOR.
móor·age *n.* Ⓤ,Ⓒ (배 따위의) 계류, 정박 ; 계류장 ; 계류료(料).
móor·còck *n.* 〔鳥〕 붉은뇌조의 수컷.
móor·fòwl, móor gàme *n.* =RED GROUSE.
móor·hèn *n.* 〔鳥〕 붉은뇌조의 암컷.
móor·ing *n.* **1** Ⓤ 계선(繫船), 정박 ; [보통 *pl.*] 계선 설비[장치]. **2** [*pl.*] 계류장, 계선소, 정박지 ; [보통 *pl.*] 정신적[도덕적]인 기반.
móoring búoy *n.* 계선 부표(浮標)[부이].
móoring màst[tòwer] *n.* (비행선의) 계류탑.
móor·ish *a.* 황야(moor)의, 황무지성(性)의.
Moorish *a.* 무어인[식]의.
móor·lànd [, -lənd, 英+mɔ́:-] *n.* Ⓤ (moor로 에워싸여 heather가 무성한) 황무지.
móor·stòne *n.* Ⓤ 화강암(granite)의 일종.
móory *a.* 황무지성의(moorish) ; 습지(濕地)성의(marshy).
moose [mú:s] *n.* (*pl.* ~) **1 a)** 〔動〕 큰사슴《북미산 ; 나무 껍질을 벗기거나 낮은 가지를 꺾는 버릇이 있으며 수컷은 넓적하고 큰 뿔이 있음》. **b)** 엘크. **2** 《美俗》 매춘부 ; 덩치 큰 놈.

moose

moot [mú:t] *a.* 논의할 여지가 있는, 미결정의 : a ~ point 논점.
—— *vt.* (문제를) 의제에 올리다, 토의하다 ; 《古》 (모의 법정에서) 논하다, 변론하다. —— *n.* **1** 〔英史〕 무트《앵글로 색슨 시대의 마을 · 도시 따위의 자유민의 (자치적) 집회》. **2** (법학생 · 변호사 등의) 모의 재판.
〖OE *mōtian* to converse ‹ (*ge*) *mōt* ; ⇨ MEET¹〗
móot cóurt *n.* (법학도들의) 모의 법정[재판].
móot háll *n.* 〔英史〕 (moot를 여는) 집회소, 공회당.
***mop**¹ [máp] *n.* 긴 자루가 달린 걸레, 몹 ; 몹과 비슷한 것 ; 덥수룩한 다발 ; =MOPHEAD ; 《美黑人俗》 결말, 최종 결과 : a ~ of hair 더벅머리.
—— *vt.* (**-pp-**) **1** 청소하다 : ~ the floor 마루를 몹으로 닦다. **2** [+目 / +目+*with*+名] (눈물 · 땀 따위를) 닦다 : ~ one's face ***with*** one's handkerchief 얼굴을 손수건으로 닦다.
mop the floor with a person 《俗》 남을 여지없이 공박하다, 때려 눕히다.
mop up (1) (엎지른 물 따위를) 닦아내다, 훔치다. (2) 《口》 (일을) 끝마치다, 해치우다 ; (이익 따위를) 착취하다 ; 죽이다 ; 〔軍〕 소탕하다(cf. MOPPING-UP).
móp·per *n.* 〖ME ‹? *mappel* ‹ MAP〗
mop² *vi.* (**-pp-**) 얼굴을 찡그리다.
mop and mow 입을 삐쭉거리다, 얼굴을 찡그리다(make faces).
—— *n.* 찡그린[찌푸린] 얼굴.
mops and mows 찌푸린 얼굴.
〖? imit. ; cf. MOW³〗
Mop ☞ MRS. MOP.
móp·bòard *n.* 《美》 굽도리나무(baseboard).
mope [móup] *vi.* [動 / +副] 속상해하다, 우울해지다 ; 느릿느릿 움직이다 : Don't ~ (***about***). 속상해[우울해]하지 마라. —— *vt.* [+目 / +目+前+名] [수동태 또는 ~ one*self* 로] 우울한 기분으로 지내다 : He *was* ~*d* ***in*** the house all day. 하루내내 집안에서 침울해 있었다 / ~ one*self* ***to*** death 풀이 죽다. —— *n.* **1** 울적해하는 사람, 침울한 사람. **2** [the ~s] 우울(the dumps) : have (a fit of) *the* ~*s* 의기소침하다.
〖C16 ‹ ? *mope*(obs.) fool〗
mo·ped [móuped] *n.* 《英》 (50 c.c. 이하의) 모터 달린 자전거, 모페드(motorbike).
〖Swed. (*mo*tor, *ped*aler pedals)〗
móp·er *n.* 잘 침울해지는 사람 ; 운전이 느린 사람.
mo·pery [móupəri] *n.* 《美俗》 경범죄.
móp·hèad *n.* 《口》 더벅머리(의 사람).
mop·ish [móupiʃ] *a.* 침울한, 의기소침한.
~·ly *adv.* **~·ness** *n.*
Mopp ☞ MRS. MOP.
mop·pet [mápət] *n.* **1** 《口》 헝겊으로 만든 인형(rag doll). **2** 《애칭》 여자아이. **3** 발바리《개》. **4** 《口》 꼬마, 아기. 〖*moppe* (obs.) baby, doll〗
móp·ping-ùp *a.* 총마무리의 ; 〔軍〕 소탕의 : ~ operations 소탕작전.
móp·py *a.* 《口》 덥수룩한《머리》. 〖MOP¹〗
móp·stìck *n.* MOP¹의 자루.
móp-ùp *n.* 〔軍〕 소탕 ; (소화 작업 따위의) 총마무리, 뒤처리.
mo·quette [moukét, mɑ-] *n.* Ⓤ (의자 · 기차 따위의 좌석에 씌우는) 벨벳 비슷한 모직물.
〖F ‹ ? It. *mocaiardo* mohair〗
MOR middle-of-the-road(만인이 좋아하는 음악). **Mor.** Morocco. **mor.** 〔製本〕 morocco.
mo·ra¹ [mɔ́:rə] *n.* (*pl.* **-rae** [-ri:, -rai], **~s**) **1** 〔言〕 모라《음절의 길이를 재는 단위 ; 보통 단모음을 포함한 한 음절의 길이가 1 모라가 됨》. **2** 〔法〕 (불법의) 지체(遲滯), 불이행, 해태(懈怠).
〖L=delay, space of time〗
mo·ra², **mor·ra** [mɔ́:rə] *n.* 이탈리아 주먹놀이 《한 사람이 오른손을 올려 손가락을 폈다가 급히

내렸을 때 상대편이 그 폈던 손가락 수를 알아 맞히는 게임). 〖It.〗

mo·raine [məréin, mɑ-] *n.* 〘地質〙 퇴석(堆石) 《빙하가 몰고 온 흙·모래·돌덩어리》. 〖F<?〗

***mor·al** [mɔ́(:)rəl, mάr-] *a.* **1** 도덕(상)의, 도의의, 윤리적인(ethical) : ~ character 덕성(德性), 품성 / a ~ code 도덕률 / ~ culture 덕육(德育) / ~ duties[obligations] 도덕상 의무 / ~ principles 도의 / ~ standards 도덕적 기준 / a ~ tone 기품. **2** 도의를 분별할 줄 아는, 도덕적인(virtuous) ; 품행 방정한 ; 교훈적인(moralizing) : a ~ man 도의를 판별할 줄 아는 사람, 행동이 바른 사람 / live a ~ life 올바르게 살다 / a ~ book 교훈적인 책 / a ~ lesson 교훈. **3** 정신적인, 마음의(spiritual) (↔*physical*, *material* ; cf. INTELLECTUAL) : a ~ defeat 정신적 패배 / ~ courage ☞ COURAGE. **4** 확신할 수 있는, 틀림 없다고 생각되는, 사실상의(highly probable, virtual) : a ~ certainty 개연적(蓋然的) 확실성, 강한 확신. —— *n.* **1** (이야기·사건 따위에 내포된) 우의(寓意), 교훈 ; 금언(maxim) ; 우화극(寓話劇) : draw the ~ (우화 따위에서) 교훈을 찾아내다[끌어내다·설명하다] / point a ~ (실례 따위를 들어) 교훈을 주다. **2** [the (very) ~] 《古》 꼭 닮음〈*of*〉. **3** [*pl.*로 단수 취급] 수신, 도덕, 윤리학(ethics). **4** [*pl.*] 예의범절, 품행. **5** [mərǽl ; mɔrά:l] Ⓤ 《稀》 =MORALE.
〖L (*mor*- *mos* custom, (pl.) *mores* morals)〗

類義語 ***moral*** 성격이나 행동이 일반적으로 옳다고 인정돼 있는 도덕의 기준에 맞는 : *moral* conduct (도덕적 행위). ***ethical*** 세세한 도덕상의 규범에 맞는, 특히 전문적인 직업상의 도덕을 지키는 : It is not *ethical* for a lawyer to expose the private life of his client. (변호사가 소송 의뢰인의 사생활을 들추어내는 것은 비윤리적이다). ***virtuous*** 도덕적으로 훌륭한 성격, 정의·정직·순결을 나타내는 : a *virtuous* woman (덕성스러운 여성). ***righteous*** 도덕적으로 나무랄 데 없는, 정의의 : a *righteous* act (올바른 행동).

móral ágent[béing] *n.* 도덕적 행위자, 인간.

móral cówardice *n.* 남의 비난을 두려워하는 마음, 소심.

mo·rale [mərǽl ; mɔrά:l] *n.* **1 a)** Ⓤ (군대나 국민의) 사기, (노동자의) 근로의욕 : improve the ~ 사기를 높이다. **b)** 의기(意氣). **2** 도덕, 도의. 〖F ; ⇨ MORAL〗

móral évidence *n.* 개연적(蓋然的) 증거.

móral házard *n.* 〘保險〙 도덕적 위험《피보험자의 부주의·고의 따위의 인격적 요소에 기인한 보험자측의 위험》.

móral·ìsm *n.* **1** Ⓤ 교훈주의 ; 도의. **2** 수신훈(修身訓), 격언. **3** 윤리주의, 도덕적 실천 ; (극단적인) 도덕의 강조 ; 도덕적 반성.

móral·ist *n.* 도덕가, 도학자 ; 윤리학자 ; 윤리 사상가, 모랄리스트.

mor·al·is·tic [mɔ̀(:)rəlístik, mὰr-] *a.* 교훈적인 ; 도덕주의의 ; 도덕가의. **-ti·cal·ly** *adv.*

***mo·ral·i·ty** [mərǽləti, 美+mɔ:-] *n.* **1** Ⓤ 도덕, 도의 ; 도덕[윤리]학 ; Ⓒ (특정사회의) 도덕(체계) : commercial ~ 상업 도덕. **2** Ⓤ (개인의) 덕행, 덕성, (특히 남녀간의) 풍기, 품행(방정). **3** (이야기 따위의) 교훈, 우의(寓意). **4** = MORALITY PLAY. **5** [*pl.*] 도덕 원리, 처세훈.

morálity plày *n.* (15-16세기에 유행한) 도덕(우의(寓意))극《미덕과 악덕이 의인화(擬人化)되어 등장 ; cf. MIRACLE PLAY, MYSTERY PLAY》.

móral·ìze *vt.* 도덕적으로 설명하다, 설법(說法)하다, …에서 교훈을 찾아내다 ; 교화하다.
—— *vi.* [動 / +*on*+名] 도를 가르치다, 설법[설교]하다 : He ~*d* (***up***) ***on*** the relations of the sexes. 남녀의 관계에 대해서 설교했다.
-ìz·er *n.* 도학자 ; 교훈 작가. **mòral·izá·tion** *n.* Ⓤ 설교 ; 교화, 덕화(德化).

móral láw *n.* 도덕률.

móral·ly *adv.* **1** 도덕[도의]상 ; 도덕적으로, 바르게(virtuously) : be ~ good[evil] 도덕상 좋다[나쁘다] / *M*~ she leaves much to be desired. 도덕적으로 봐서 그녀에게는 부족한 점이 많이 있다. **2** 사실상(virtually), 아마도, 틀림없이(very probably) : The thing is ~ certain. 그 일은 사실상 틀림없다 / It's ~ impossible. 그것은 사실상 불가능하다.

Móral Majórity *n.* 도덕적 다수파《미국의 New Right 운동의 중심 세력으로 초보수적인 활동을 추진하는 정치적 종교단체》.

móral obligátion *n.* 도덕적 의무.

móral philósophy[scíence] *n.* 윤리학, 도덕학《예전에는 법학 따위도 포함》.

móral préssure *n.* 도덕심에 호소하는 설득, 정신적 압력.

Móral Re-Ármament *n.* 도덕 재무장 운동《개인이나 국가의 행동 동기를 순정화(純正化)함으로써 세계 개조를 하겠다는 운동 ; F. Buchman 이 주장 ; 略 MRA ; cf. Oxford Group Movement》.

móral sénse *n.* 도덕 관념[감각], 도의심, 양심.

mórals squád *n.* (매춘·도박 따위의) 풍기 위반 담당 경찰반.

móral suppórt *n.* 정신적 원조[지지].

móral theólogy *n.* 도덕[윤리] 신학.

móral túrpitude *n.* 부도덕(한 행위), 타락(행위), 파렴치한 행위.

móral víctory *n.* 사실상의[정신적인] 승리.

mo·rass [mərǽs, 美+mɔ:-] *n.* **1** 소택지, 저습지(bog). **2** 《비유》 궁지, 난국 ; 곤란하게 하는[괴롭히는] 것.
〖Du. *moeras*<F ; ⇨ MARSH〗

mo·rássy *a.* 늪의[같은].

mor·a·to·ri·um [mɔ̀(:)rətɔ́:riəm, mὰr-] *n.* (*pl.* ~**s**, **-ria** [-riə]) 지불정지[연기], 모라토리엄, 지불 유예(기간)〈*on*〉 ; (일반적으로) 활동[사용]의 일시 정지[연기]〈*on*〉. 〖L=delaying (*moratmoror* to delay〈MORA[1])〗

mor·a·tory [mɔ́:rətɔ̀:ri, mάr- ; mɔ́rətəri] *a.* 〘法〙 지급 유예[연기]의.

Mo·ra·via [mɔ:réiviə ; mə-, mɔ-] *n.* 모라비아 《체코 남부지방》.

Mo·rá·vi·an *a.* 모라비아(인(人))의 ; 모라비아 교회의. —— *n.* 모라비아 인 ; Ⓤ 모라비아 어 ; Ⓒ 〘宗〙 모라비아 교도.

mo·ray [məréi, mɔ́:rei] *n.* 〘魚〙 곰치류(類)《열대산(産)》. 〖Port.〗

mor·bid [mɔ́:rbəd] *a.* **1** (정신이) 병적인, (병적으로) 음울한 : a ~ growth 병적증식(增殖)《암·종양》 / a ~ imagination 병적인 공상. **2** 〘醫〙 질환(성)의 : ~ anatomy 병리 해부학. **3** 《美》 무시무시한, 소름끼치는. **~·ly** *adv.* 병적으로, 과민하리 만큼. **~·ness** *n.* 〖L〗

mor·bi·dez·za [mɔ̀:rbədétsə] *n.* 〘美術〙 (피부 채색의) 생생한 아름다움 ; (문학·표현 따위의) 섬세 ; (일반적으로) 부드러움.
〖It. (*morbido* tender)〗

mor·bid·i·ty [mɔ:rbídəti] *n.* **1** Ⓤ (정신의) 병적 상태[성질], 불건전. **2** Ⓒ (한 지방의) 질병률, 환

자수.

mor·bif·ic, -i·cal [mɔːrbífik(əl)] *a.* 병원성(病原性)의.

mor·bil·li [mɔːrbílai] *n. pl.* 홍역.

mor·ceau [mɔːrsóu] *n.* (*pl.* **-ceaux** [-z]) **1** 소량(少量). **2** (시·음악 따위의) 단편, 한 절, 발췌(拔萃). 〖F〗

mor·da·cious [mɔːrdéiʃəs] *a.* 신랄한, 찌르는 듯한, 통렬한.

mor·dac·i·ty [mɔːrdǽsəti] *n.* Ⓤ **1** 신랄한 비꼼, 독설. **2** (기질의) 신랄함.

mor·dan·cy [mɔ́ːrdənsi] *n.* Ⓤ 신랄, 가혹; 빈정대기, 독설; 부식성(腐蝕性).

mór·dant *a.* **1** 비꼬는, 신랄한. **2** (산(酸)이) 부식성인. **3** (통증이) 찌르는 듯이 따끔따끔한. **4** (개 따위가) 무는 버릇이 있는. —— *n.* 〔染〕탈색 방지제, 매염제(媒染劑); 〔印〕금속 부식제.
—— *vt.* 매염제에 담그다; 부식제로 처리하다.
~·ly *adv.* 비꼬아서, 신랄하게.
〖OF<L (*mordeo* to bite)〗

Mor·de·cai [mɔ́ːrdikài, mɔ̀ːrdəkéiai, -káii] *n.* **1** 남자 이름. **2** 〔聖〕 모르드개《Esther의 사촌 오빠; 에스더 2:6》. 〖Heb.〗

mor·dent [mɔ́ːrdənt] *n.* 〔樂〕 모르덴트《으뜸음에서 2도 아래의 음을 거쳐 곧 으뜸음으로 돌아오는 꾸밈음》. 〖G<It. =biting〗

◇**more** [mɔːr] *a.* [MANY, MUCH의 비교급] **1** 보다 다수[다량]의, 한층 많은[큰], 더욱 우수한(↔ *less*): He has ~ books[money] than I. 그는 나보다도 많은 책을 가지고 있다[부자다] / Seven is ~ than five. 7은 5보다 많다[크다] / two ~ days 이틀만 더. **2** (지위 따위) 한층 높은. **3** 여분의, 추가적인[그 위의] (additional): one ~ word= one word ~ 한 마디만 더.
—— *n., pron.* 보다 많은 수[양·정도], 그 이상의 일: And what ~ do you want? 너는 그 이상 무엇을 원하니《그걸로 충분하지 않니》/ *M*~ is meant than meets the ear. 언외(言外)의 뜻이 있다 / No ~ *of* your jokes. 그 이상 농담은 그만두어라 / I hope to see ~ *of* her. 또 다시 그녀를 만나고 싶다.
—— *adv.* [MUCH의 비교급] **1** 보다 많이, 한층 크게: Mary dreaded Tom's anger ~ than anything (else). 메리는 (다른) 무엇보다 톰이 화내는 것을 무서워했다. **2** [주로 2음절 이상의 형용사·부사의 비교급을 만들어] 보다 더, 한층: She is ~ beautiful than her sister. 그녀는 언니보다 더 예쁘다 / Let's walk ~ slowly. 좀더 천천히 걷자. **3** 그 위에, 게다가(further). **4** 오히려 (rather): She is ~ lucky *than* clever. 영리하다기보다는 오히려 운이 좋다(cf. She is *luckier* than her sister.) / I was ~ surprised *than* annoyed. 화났다기보다는 좀 놀랐다 / He's ~ a politician *than* a soldier. 군인이라기보다는 오히려 정치가다 / They have done ~ harm *than* good. 이득을 주기보다는 도리어 해를 끼쳤다.

〈회화〉
I have something *more* to ask of you.— What's that?「나는 당신에게 더 물어볼 것이 있어요」「그게 뭐죠」

a few more [수] 좀 더(의): *a few* ~ books 2-3권의 책만 더.

a little more [양·정도] 좀 더(의): *a little* ~ (butter) (버터를) 좀 더.

all the more 더욱 더, 한결 더: The girl admired him *all the* ~. 소녀는 더욱 더 그에게 탄복하였다 / I want to help him *all the* ~, because he is so helpless among them. 그가 그들에게 아무 도움도 받지 못하고 있으므로 그만큼 더 그를 돕고 싶다.

and no more …에 불과한: It is your fancy *and no* ~. 그것은 너의 환상에 불과한 일이다.

(and) what is more 게다가, 그 위에.

any more [의문문·부정적 구문에서] 더 이상 (…않다): I ca*n't* walk *any* ~. 더 이상 걸을 수 없다 / The old man did *not* need the money *any* ~. 노인은 더 이상 그 돈을 필요로 하지 않았다 / They'll *never* hate you *any* ~. 그들은 결코 당신을 더 이상 미워하지는 않을 것이다 / I do*n't* want *any* ~. 그 이상은 원하지 않습니다 / She was *too* troubled *to* talk *any* ~. 너무 괴로워서 그녀는 더 이상 말을 할 수가 없었다 / Is it *impossible* to get *any* ~? 더 이상 얻을 수는 없습니까.

more and more 더욱 더, 한층 더: *M*~ *and* ~ applicants began to gather. 더욱 더 많은 지원자가 모여들기 시작했다 / His adventures got ~ *and* ~ exciting. 그의 모험담은 점점 더 흥미진진해졌다 / The moon shone ~ *and* ~ brightly. 달은 더욱 더 밝게 비쳤다.

more or less (1) 다소, 약간: He was ~ *or less* drunk. 약간 취해 있었다. (2) 대체로, …쯤 (about): It's an hour's journey, ~ *or less*. 한 시간쯤의 여정입니다. (3) [부정어 뒤에서] 조금도 …않다: I could *not* afford to drive, ~ *or less*. 드라이브 같은 건 조금도 할 여유가 없었다.

more than... (1) …이상(over) (☞ OVER 活用): It takes ~ *than* an hour. 한 시간 이상 걸린다. (2) [명사·형용사·부사·동사를 수식하여] …보다 이상의 것, (…하고도) 남음이 있는: The story of the erupted island is ~ *than* a story. 분화(噴火)한 섬의 이야기는 다만 이야기에 그치는 정도가 아니다 / She was dressed ~ *than* simply. 너무도 지나치게 간소한[초라할 정도의] 복장을 하고 있었다 / He was ~ *than* pleased. 그는 몹시 기뻐했다.

〈회화〉
How old do you think she is?—She is *more* than fifty.「그녀가 몇 살 정도라고 생각하세요」「50은 넘었겠죠」

more than all 그 중에서 특히.

more than ever 더욱 더 많이[은].

more than one[a] …하나[한 사람]보다 많이. ㊟ 이 형식은 뜻은 *pl.*, 다루기는 보통 *sg.*: She stayed in Paris (for) ~ *than one* year. 파리에 1년 이상 머물렀다 / *M*~ *than one* student has said so. 몇 명의 학생이 그렇게 말했다.

neither more nor less than... 꼭 …, 바로 …; 바로 …에 지나지 않다: It is *neither* ~ *nor less than* a lie. 순전히 거짓말에 지나지 않는다[전혀 거짓말이다].

never more 이제 더 이상[다시는] …않다.

no more 더 이상[이미] …않다; 죽었다(be dead); …도 또한 …아니다: *No* ~, thank you. 고맙다, 더 필요없어 / He is *no* ~. 이미 이 세상 사람이 아니다 / If you won't do it, *no* ~ will I. 네가 하지 않는다면 나도 안하겠다.

no more (...) than... 겨우…, 약간…; …아닌 것은 …이 아닌 것과 같다: It is *no* ~ *than* six inches long. 그것은 길이가 6인치밖에 안된다 / He knows *no* ~ of the accident *than* we do. 우리와 마찬가지로 그 역시 그 사고에 대해서는 모

른다 / A home without love is *no* ~ a home, *than* a body without a sound mind is a man. 건전한 정신이 없는 육체가 인간이 아닌 것처럼 사랑이 없는 가정은 가정이 아니다 / I am *no* ~ mad *than* you (are). 너와 마찬가지로 나도 미치지 않았다 / He can *no* ~ do it *than* fly. 그가 그것을 못하는 것은 날지 못하는 것과 같은 일이다 / I can swim *no* ~ *than* a hammer can. 쇠망치나 다름없이 헤엄칠 줄 모른다《전혀 헤엄치지 못한다》/ The moon has *no* ~ light *than* a stone. 달이 발광체가 아닌 것은 돌이나 마찬가지다.
nothing more than …와 아주 마찬가지로 ; …에 지나지 않다 : He is *nothing* ~ *than* a dreamer. 한낱 몽상가에 불과하다.
not more 다시는 …하지 않다 ; 이미 …아니다.
not more than …보다 많지 않다, 최대한…(at most) ; …을 넘지 않다 : *not* ~ *than* five 최대한 5《5 또는 그 이하》/ I am *not* ~ mad *than* you. 너만큼 머리가 돌지는 않았다.
not the more = ***none the more*** 그래도 더욱.
once more 다시 한 번.
one more 다시 하나(의), 하나 더.
or more 혹은 그 이상, 적어도.
some more 좀 더(의) : Will you have *some* ~ tea[cakes]? 차[과자]를 좀 더 드시겠습니까.
still more 하물며, 더욱 더.
the more [어떤 이유의 진술을 받고] (그만큼) 더 좀, 더욱 더 (말해라) : I am *the* ~ interested in his exploit because he is my cousin. 그는 나의 사촌이기 때문에 더욱 그의 공적에 흥미를 느낀다 / *The* ~[*M*~] is the pity. 더욱 더[참으로] 섭섭합니다, 유감된 일이오나(cf. THE[2]).
the more . . . , the more …하면 할수록 더욱 …하다 : *The* ~ he has, *the* ~ he wants. 가지면 가질수록 (더욱 더) 욕심낸다(cf. THE[2]).
〚OE *māra* ; cf. G *mehr*〛

More *n.* 모어. Sir **Thomas** ~ (1478-1535) 영국의 인문주의자 · 저술가.

-more *suf.* [형용사 · 부사에 붙여 비교급을 만듦] : further*more*, inner*more*.

mo·reen [mərí:n, mɑ-] *n.* Ⓤ 모린《튼튼한 모직물 또는 면모 교직물 ; 커튼용 따위》. 〚C17? *moire*〛

more·ish, mor- [mɔ́:riʃ] *a.* 《口》 더 먹고 싶어지는, 아주 맛있는. 〚MORE〛

mo·rel [mərél, mɑ-] *n.* 〔植〕 곰보버섯《식용 버섯의 일종》; 까마중.

mo·rel·lo [mərélou] *n.* (*pl.* **~s**) (매우 신) 버찌의 일종. 〚It.=blackish〛

***more·óver** *adv.* 그 위에, 게다가, 더욱(besides).

mo·res [mɔ́:reiz, -ri:z] *n. pl.* 〔社〕 사회적 관행, 습속(folkways) ; 도덕적 자세, 도덕관.
〚L (pl.)‹*mos* custom ; ⇨ MORAL〛

Mor·esque [mɔ:résk, mə-] *a.* MOOR 식의《건축 · 장식 따위》. —— *n.* 무어식(式) 장식[도안].
〚F<It. ; ⇨ MOOR〛

Mor·gan [mɔ́:rgən] *n.* 남자 이름.
〚Welsh=sea dweller〛

mor·ga·nat·ic [mɔ̀:rgənǽtik] *a.* 귀천간의《결혼》; 귀천 상혼(貴賤相婚)의《아내》.
-i·cal·ly *adv.* 귀천 상혼에 따라.
〚F or G<L *morganaticus*<Gmc.=morning gift (from husband to wife) ; 결혼식 다음날 아침에만 재산을 물려준 데서〛

morganátic márriage *n.* 귀천 상혼《왕족과 비천한 신분의 여성과의 결혼 ; 처자는 그 신분 · 재산을 계승할 수 없음》.

morgue [mɔ́:rg] *n.* **1** (신원 불명의) 시체 보관소 [공시소](公示所), 모르그(cf. MORTUARY 1) ; 음침한 장소. **2** 《美》 (특히 신문사의) 참고 자료실, 조사부 ; (출판사의) 편집부[실]. **3** 《口》 오만, 거만, 건방짐.
(***as***) ***still as a morgue*** 기분나쁠 정도로 조용한[하게]. 〚F ; 원래 Paris의 시체 공시소〛

mor·i·bund [mɔ́(:)rəbʌ̀nd, mɑ́r-] *a.* 《文語》 죽어가는, 빈사의 ; 소멸해가고 있는 ; 활동 휴지 상태의, 정체된. 〚L (*morior* to die)〛

mo·ri·on [mɔ́:riɑ̀n, -ən] *n.* (16-17세기에 특히 스페인의) 모자처럼 생긴 투구. 〚F<Sp.〛

Mo·ris·co [məri̇́skou, mɑ-] *a.* =MOORISH.
—— *n.* (*pl.* **~s, ~es**) (특히 스페인의) 무어 사람 ; =MORRIS DANCE.

morish ☞ MOREISH.

Mor·mon [mɔ́:rmən] *n.* **1** 모르몬 교도. **2** 일부다처주의자. —— *a.* 모르몬 교(도)의.
~·ism *n.* 모르몬교.

Mórmon Státe *n.* [the ~] Utah 주(州)의 속칭.

morn [mɔ́:rn] *n.* 《詩》 아침(morning), 새벽, 여명(黎明)(dawn).
at morn =in the MORNING.
〚OE *morgen* ; cf. G *Morgen*〛

Mor·na [mɔ́:rnə] *n.* 여자 이름.
〚Gael.=beloved〛

◇morn·ing [mɔ́:rniŋ] *n.* **1** 아침, 오전《보통 새벽녘에서 정오 또는 점심 때까지》: *in* the ~ 아침 나절에, 오전(중)에 / early[late] *in* the ~ 아침 일찍이[아침 늦게]《㊟ 이 표현이 in the early[late] ~ 보다도 일반적》/ *on* Sunday[Monday] ~ 일요일[월요일] 아침에 / *on* the ~ of January (the) first 정월 초하루[새해] 아침 / *of* a ~ 흔히 아침에(cf. OF 11) / *at* ~ 《古 · 詩》 아침 / toward ~ 아침 가까이, 아침 나절에 / this[tomorrow, yesterday] ~ 오늘[내일, 어제] 아침. ㊟ 다음과 같은 구나 표현법에서는 Ⓤ (cf. EVENING 1, DAY 2, NIGHT 2) : *from* ~ *till*[*to*] evening[night] 아침부터 저녁[밤]까지 / It is ~. 날이 샜다 / When ~ came, ... 아침이 되었을 때…. **2** [the ~] 《비유》 초기 : *the* ~ *of* life 인생의 아침, 청년시대. **3** Ⓤ 《詩》 새벽(dawn).
—— *a.* 아침의, 아침에 나타나는[행해지는, 쓰이는] : a ~ coffee 모닝 커피 / a ~ walk 아침 산책 / the ~ hours 아침 시간 / a ~ draught 아침 식사전의 한잔 / a ~ paper 조간(신문).
—— *int.* 《口》 =GOOD MORNING.
〚ME기(期) EVEN*ing*에 준해서 *morn*에서〛

mórning áfter *n.* (*pl.* **mórnings áfter**) 《口》 **1** 과거의 잘못이 마음 속 깊이 사무치는 시기. **2** [the ~] 숙취(宿醉)(hangover).

mórning-áfter pìll *n.* (성교후에 복용하는) 경구 피임약.

mórning càll *n.* 아침 방문《지금은 오후에 하는 사교방문》.

mórning còat *n.* 모닝 코트《원래 morning call에 사용한 데서 ; 《美》에서는 보통 cutaway (coat)라고도 함》.

mórning drèss *n.* **1** Ⓤ 남자의 보통 예복《낮에 입는 모닝 코트 · 줄무늬 바지 · 실크해트의 복장》. **2** (여성의) 실내복.

mórning gìft *n.* 결혼 다음날 아침에 남편이 아내에게 주는 선물.

mórning glòry *n.* 〔植〕 나팔꽃.

mórning perfórmance *n.* =MATINEE.

Mórning Práyer *n.* (영국 국교회의) 아침기도.

mórning ròom *n.* (오전중에 가족이 사용하는)

거실.

mórn·ings *adv.* 《古》 아침에, 매일 아침.

mórning sìckness *n.* 아침의 구역질 ; 입덧《임신 초기의 특징》.

mórning stár *n.* [the ~] 새벽의 밝은 별, 샛별《먼동이 트기 직전에 동쪽에 보이는 별 ; 보통 Venus ; cf. EVENING STAR》.

mórning·tìde *n.* 《詩》 아침.

mórning wàtch *n.* 〖海〗 오전 당직《오전 4시부터 8시까지》.

Mo·ro [mɔ́:rou] *n.* (*pl.* ~, ~**s**) 모로족(族)《남부 필리핀 군도의 이슬람교 말레이족(族)》; Ⓤ 모로어(語). —— *a.* 모로족의.

Mo·roc·co [mərákou] *n.* **1** 모로코《아프리카 북서부의 이슬람교 왕국 ; 수도 Rabat ; 略 Mor.》. **2** (*pl.* ~**s**) [m~] Ⓤ 모로코 가죽《무두질한 염소가죽 ; 제본 · 장갑용 ; cf. LEVANT 2》.

Mo·róc·can *a.*, *n.* 모로코(인)의 ; 모로코인.
〖It. (*Marrakesh* 도시 이름)〗

mo·ron [mɔ́:rɑn] *n.* **1** 〖心〗 노둔자(魯鈍者)《백치(idiot), 치우자(癡愚者)(imbecile) 보다 심한 정신 박약으로서 정신연령 8-12세 정도까지 밖에 발달하지 못함》. **2** 《口》 정신박약자, 저능아.

mo·ron·ic [mərάnik] *a.* 〖Gk. *mōros* foolish〗
類義語 ⟹ FOOL.

mo·ron·i·ty [mərάnəti] *n.* 〖心〗 노둔(魯鈍), 저능, 재주가 없고 미련함.

mo·rose [məróus] *a.* 시무룩한, 뢰까다로운, 뚱한, 침울한(sullen) ; 기분이 언짢은.
~·ly *adv.* 침울하게. **~·ness** *n.*
〖L=capricious (*mor-* *mos* manner, will)〗

morph[1] [mɔ́:rf] *n.* **1** 〖言〗 형태《형태소(形態素)의 구체적인 현상》; 이형태(異形態). **2** 〖生〗 (동식물의) 변형. 〖Gk. *morphē* form, shape〗

morph[2] *n.* 《美口》 모르핀(morphine).

morph- [mɔ́:rf], **mor·pho-** [mɔ́:rfou, -fə] *comb. form* 「형태, 조성」의 뜻.
〖Gk. ; ⇨ MORPH[1]〗

-morph [ˊmɔ̀:rf] *n. comb. form* 「…한 모양을[형태를] 한 것」의 뜻 : iso*morph*, pseudo*morph*.
〖↑〗

morph. morphology ; morphological.

mor·phac·tin [mɔ:rfǽktən] *n.* 〖生化〗 모르팍틴《고등식물의 생장 조절 작용을 갖는 플루오르 화합물》.

mor·pheme [mɔ́:rfi:m] *n.* 〖言〗 형태소(形態素)《의미를 내포하고 있는 최소의 언어단위 ; cf. ALLOMORPH, PHONEME》.

mor·phe·mic [mɔ:rfí:mik] *a.* 형태소(론)의.

mor·phé·mics *n.* 형태소론(形態素論), 형태소 연구.

Mor·phe·us [mɔ́:rfiəs, -fju:s] *n.* 〖그神〗 모르페우스《꿈의 신》; (흔히) 잠의 신(cf. SOMNUS).
in the arms of Morpheus 잠들어(asleep).
〖L<Gk.〗

mor·phia [mɔ́:rfiə] *n.* =MORPHINE.

-mor·phic [mɔ́:rfik] *a. comb. form* 「모양을[형태를] 가진」의 뜻. 〖F ; ⇨ MORPH[1]〗

mor·phine [mɔ́:rfi:n] *n.* Ⓤ 〖藥〗 모르핀《아편의 주성분》. 〖G and NL ; ⇨ MORPHEUS〗

mor·phin·ism [mɔ́:rfi:nìzəm, -fə-] *n.* Ⓤ 〖醫〗 (만성) 모르핀 중독.

mor·phi·no·mánia [mɔ̀:rfənou-] *n.* Ⓤ 〖醫〗 모르핀 중독. **-mániac** *n.* 모르핀 중독자.

-mor·phism [mɔ̀:rfizəm] *n. comb. form* 「…형태」「…형태관」의 뜻. 〖MORPH[1]〗

morpho- [mɔ́:rfou, -fə] ☞ MORPH-.

mòrpho·génesis *n.* 〖發生〗 형태 형성[발생].
-genétic *a.*

mor·phol·o·gy [mɔ:rfάlədʒi] *n.* **1** Ⓤ 〖生〗 형태학. **2** Ⓤ 〖言 · 文法〗 어형(語形)론, 형태론 (accidence) (cf. SYNTAX). **3** 〖地〗 지형학. **4** (일반적으로) 형태[조직](의 연구). **-gist** *n.*
〖MORPH[1], *-o-*, *-logy*〗

mòrpho·phóneme *n.* 〖言〗 형태 음소(音素).

mòrpho·phonémic *a.* 형태 음소(론)의.

mòrpho·phonémics *n.* 형태 음소론.

mor·pho·sis [mɔ́:rfəsəs, 美+mɔ:rfóusəs] *n.* (*pl.* **-ses** [mɔ́:rfəsi:z, 美+mɔ:rfóusi:z]) 〖生〗 형태 형성[발생] 과정 ; 이상 변이. **mor·phot·ic** [mɔ:rfάtik] *a.* 〖L<Gk. ; ⇨ MORPH[1]〗

-mor·pho·sis [mɔ̀:rfəsəs] *n. comb. form* (*pl.* **-ses** [-si:z]) 「…의 형태 발달[변화]」의 뜻. 〖↑〗

-mor·phous [mɔ́:rfəs] *a. comb. form* =-MORPHIC. 〖Gk. ; ⇨ MORPH[1]〗

-mor·phy [mɔ̀:rfi] *n. comb. form* 「…형태」의 뜻.
〖*-morph*+*-y*[1]〗

mor·ris [mɔ́(:)rəs, mάr-] *n.* 《英》 =MORRIS DANCE. 〖*morys* 변형(變形) ‹ MOORISH〗

Morris *n.* **1** 남자 이름. **2** 모리스. **William ~** (1834-96) 영국의 시인 · 미술 공예가.
〖⇨ MAURICE〗

mórris chàir *n.* 모리스식 안락의자《등받이의 경사가 조절되고 쿠션의 분해가 가능》.
〖William *Morris*〗

mórris dánce *n.* 모리스 댄스《영국 기원의 남자 가장무도의 일종 ; 주로 MAY DAY에 춤》.

mórris túbe *n.* 〖軍〗 모리스식 총신《보통의 총신에 삽입할 수 있는 소구경의 총신》.
morris tube practice 협착(狹搾) 사격.

mor·row [mάrou, 美+mɔ́:r-] *n.* **1** 《古 · 詩》 아침. **2** [the ~] 《文語 · 詩》 이튿날(the following day) ; (어떤 일의) 직후.
on the morrow of... 《文語》 …의 직후에.
〖MORN ; 어형(語形)은 cf. SORROW〗

morse[1] [mɔ́:rs] *n.* 〖動〗 해상(海象)(walrus).
〖Lappish〗

morse[2] *n.* (성직자의 COPE를 채우는) 쇠단추.
〖OF<L *morsus* bite, clasp (*mors-* *mordeo* to bite)〗

Morse *n.* **1** 모스. **Samuel F. B.** ~ (1791-1872) 모스식(式) 전신기를 발명한 미국인. **2** = MORSE CODE. —— *a.* [때로 m~] 〖通信〗 모스식의. —— *vi.*, *vt.* [m~] 모스 부호를[로] 치다.

Mórse códe *n.* [the ~] 〖通信〗 모스식 부호《점과 선(dots and dashes)으로 됨》.
㊟ Morse alphabet이라고도 함.

mor·sel [mɔ́:rsəl] *n.* (음식물의) 한 입(mouthful), 한 조각‹*of* food› ; 가벼운 식사 ; 소량, 작은 조각 ; 하찮은 인간 ; 기뻐해야 할 것[사람] (fragment). —— *vt.* (**-l-** | **-ll-**) 조금씩 분배하다, 작은 부분으로 나누다.
〖OF (dim.) ‹ *mors* MORSE[2]〗

mort[1] [mɔ́:rt] *n.* **1** 〖사냥〗 사냥감의 죽음을 알리는 뿔피리 소리. **2** 죽이기 ; 《廢》 죽음(death).
〖OF<L *mort-* *mors* death〗

mort[2] *n.* 〖魚〗 3년 된 연어. 〖C16< ?〗

mort[3] *n.* 《英方》 대량, 다수, 많음 : a ~ of... 다수[다량]의…. 〖역성(逆成) ‹ *mortal*, or ? *murth* (북부 방언) <ON *mergth* multitude〗

mort[4] *n.* 《古 · 美俗》 여자(girl, woman) ; 《古》 연인. 〖C16< ?〗

mort. mortuary.

***mor·tal** [mɔ́:rtl] *a.* **1** 죽음의[에 관한] ; 죽어야

할 운명의, 생자(生者) 필멸의(↔*immortal*) : ~ fear 죽음의 공포 / ~ remains 유해(遺骸) / Man is ~. 사람은 죽게 마련이다[죽음을 면치 못한다]. **2** 치명적인(fatal) ; 임종의 : ~ agony 단말마(斷末魔)의 고통 / a ~ weapon 흉기 / a ~ wound 치명상 / at one's ~ hour 임종에. **3** 인간의, 인생의 : one's ~ existence 이 세상의 생활 / No ~ power can perform it. 그것은 사람이 할 수 있는 일이 아니다. **4** 영원한 죽음을 초래하는, 용서받지 못할(↔*venial*) ; 살려 줄 수 없는 : a ~ sin (지옥으로 가야할) 큰 죄 / a ~ enemy 불구대천의 적. **5** 《口》 대단한, 어마어마한 ; 《俗》 길다란 : in a ~ funk 몹시 겁을 먹고 / two ~ hours 길고도 긴[지독하게 지루한] 두 시간. **6** [no, every 따위를 강조하여] 《俗》 생각할 수 있는, 가능한. —— *n.* **1** 죽어야 할 (운명의) 것, 인간. **2** 《口》 사람(person) : a happy ~ 행복한 사람 / thirsty ~*s* 술을 좋아하는 무리.
—— *adv.* 《方》 어마어마하게, 대단히.
〖OF<L (*mort- mors* death)〗
類義語 ***mortal*** 죽음에 이르게 한, 실제로 죽게 된 직접적인 원인이 된 : He received a *mortal* blow. (치명적인 타격을 받았다). ***fatal*** 이미 죽음의 원인이 된, 또는 장차 죽음을 동반하게 되는 : a *fatal* disease (죽음에 이르는 병).
deadly 반드시 죽는다고는 할 수 없으나 죽을 가능성이 많은 : a *deadly* poison (맹독).
lethal 그것 자체의 성질이나 목적상 마땅히 죽음을 초래하게 될 : a *lethal* weapon(죽일 수 있는 흉기).

mor·tal·i·ty [mɔːrtǽləti] *n.* **1** Ⓤ 죽음을 면치 못할 운명[성질]. **2** (전쟁·병으로 인한) 대량사, 떼죽음 ; 《廢》 죽음. **3** 사망자수, 사망률, (가축의) 폐사율 : an epidemic with a heavy ~ 사망률이 높은 유행병. **4** Ⓤ 인류(mankind). **5** 없어진 수[비율], 실패율.

mortálity tàble *n.* 〔保險〕 사망률 통계표.

mórtal·ly *adv.* **1** 죽을 정도로, 치명적으로(fatally) : be ~ wounded 치명상을 입다. **2** 몹시(deeply) : ~ offended 몹시 화내어.

mor·tar[1] [mɔ́ːrtər] *n.* Ⓤ 모르타르, 회반죽.
—— *vt.* …에 모르타르를 바르다, (돌·벽돌을) 모르타르로 붙이[굳히]다. **mór·tary** *a.*
〖AF<L *mortarium*〗

mortar[2] *n.* **1** 조그만 절구 ; 막자 사발 ; 약연. **2** 〔軍〕 박격포, 구포(臼砲) ; 구포 모양의 발사기《구명 밧줄 발사기 따위》.
—— *vt., vi.* 박격포[구포]로 사격[공격]하다.
〖L ↑〗

mórtar·bòard *n.* **1** (모르타르를 받거나 나르는) 흙받기[판], 모르타르를 이기는 대(臺). **2** (대학생의) 각모.

mortarboard 2

***mort·gage** [mɔ́ːrgidʒ] *n.* U.C 〔法〕 (양도) 저당 ; 저당잡히기 ; 담보 (양도) 저당권[증서] : in ~ 저당잡혀서 / lend money *on* ~ 저당을 잡고 돈을 빌려주다 / place [hold] a ~ *on* …을 저당에 넣다[잡고 있다] / take out a ~ 저당권을 설정하다(cf. MORTGAGOR).
—— *vt.* [+目 / +目+前+名] 저당잡히다 ; 《비유》 (생명·명예 따위를) 내던지고 달려들다, 헌신하다 : ~ one's house ***to*** a person ***for*** ten thousand dollars 집을 저당잡히고 남에게서 1만 달러를 빌리다 / ~ oneself[one's life] *to* a cause 대의명분을 위해 목숨을 걸다.
〖OF=dead pledge ; ⇨ GAGE[1]〗

mórtgage bònd *n.* 담보부 채권, 저당 채권.

mórtgage debènture *n.* 《英》 담보부 사채.

mort·ga·gee [mɔ̀ːrgidʒíː] *n.* 〔法〕 저당권자.

mort·ga·gor [mɔ̀ːrgidʒɔ́ːr], **-gag·er** [mɔ́ːrgidʒər] *n.* 〔法〕 저당권 설정자.

mortice ☞ MORTISE.

mor·ti·cian [mɔːrtíʃən] *n.* 《美》 장의사(葬儀社) 업자(funeral director, =《英》 undertaker).
〖L *mort- mors* death ; *physician*에 준한 것〗

mor·tif·er·ous [mɔːrtífərəs] *a.* 치명적인.

mor·ti·fi·ca·tion [mɔ̀ːrtəfəkéiʃən] *n.* **1** Ⓤ 〔宗〕 고행, 금욕. **2** Ⓤ 굴욕, 분함 ; Ⓒ 억울한 일. **3** Ⓤ 〔醫〕 괴저(壞疽), 괴사.

mor·ti·fy [mɔ́ːrtəfài] *vt.* **1** (정욕·감정 따위를) 억제하다, 극복하다 : ~ the[one's] flesh= ~ the [one's] body 고행(苦行)을 하다, 금욕 생활을 하다. **2** [+目 / +目+前+名] …에게 굴욕을 느끼게 하다, …의 마음을 아프게 하다, 분한 생각이 들게 하다 : He felt *mortified* ***by*** his mistake [***at*** his former friend's neglect]. 잘못을 저질러[옛 친구의 냉대에] 몹시 가슴아팠다[분했다]. **3** 괴저(壞疽)에 걸리게 하다. —— *vi.* 고행하다 ; 〔醫〕 괴저에 걸리다. **-fi·er** *n.* **~·ing** *a.* 약오르는, 원통한 ; 고행의, 금욕의. 〖OF<L=to put to death (*mort- mors*) ; cf. MORTAL〗
類義語 ⟹ ASHAMED.

mor·tise, -tice [mɔ́ːrtəs] *n.* 〔木工〕 장붓구멍 (cf. TENON). —— *vt.* [+目+前+名 / +目+副] 장부촉 이음으로 잇다 : ~ one beam ***(in)to*** another 들보를 다른 들보에 장부촉 이음으로 하다 / Good furniture is ~*d together.* 고급 가구는 (못을 박지 않고) 장부촉 이음으로 잇고 있다.
〖OF<Arab.=fixed in〗

mórtise lòck *n.* 꽂아 넣어 잠그는 자물쇠.

mort·main [mɔ́ːrtmein] *n.* U.C 〔法〕 영구 양도 (dead hand)《부동산을 종교 단체 따위에 기부할 때 영구적으로 남에게 양도할 수 없게 한 양도 형식 ; 양도 불능의 소유권》 ; 현재를 지배하고 있는 과거의 영향 : in ~ 영구 소유의.
〖AF, OF (L *mortua manus*)〗

Mor·ton [mɔ́ːrtn] *n.* 남자 이름.
〖OE=town on the moor〗

mor·tu·ary [mɔ́ːrtʃuèri ; -tʃuəri] *n.* **1** (병원 따위의) 영안실, 시체 임시 안치소, 시체실(cf. MORGUE 1). **2** 《美》 =FUNERAL HOME. —— *a.* 죽음의, 죽음에 관한 ; 매장의.
〖AF<L (*mortuus* dead)〗

MOS metal-oxide semiconductor ; metal-oxide silicon ; 〔美軍〕 military occupational specialty (주특기 구분).

mos. months.

mo·sa·ic [mouzéiik] *n.* Ⓤ 모자이크 ; Ⓒ 모자이크 그림[무늬] ; (항공사진을 이어서 만든) 어떤 지역의 연속 사진 ; Ⓒ 모자이크 모양의 것[글] ; 〔TV〕 모자이크면(面). —— *a.* 모자이크(식)의, 잡동사니의 : ~ work 모자이크 세공 / a ~ pavement 모자이크 무늬의 보도.
—— *vt.* (**-ick-**) 모자이크로 장식하다.
〖F<It.<L<Gk. ; ⇨ MUSE〗

Mo·sa·ic, -i·cal [mouzéiik(əl)] *a.* MOSES의.
〖F or L〗

mosáic disèase *n.* 〔植〕 모자이크 병《잎에 잡색의 반점이 생기는 전염병》.

mosáic gòld *n.* 모자이크 금《황화(黃化) 제2주석을 주성분으로 하는 황금색 안료》 ; =ORMOLU.

mo·sá·i·cist *n.* 모자이크 디자이너 ; 모자이크공(工) ; 모자이크 (세공)상.

Mosáic Láw *n.* [the ~] 모세의 율법.

Mos·cow [máskou, 美+-kau] *n.* 모스크바《러시아 연방의 수도》.

Mo·selle [mouzél] *n.* **1** [the ~] 모젤강《프랑스 북동부에서 독일을 가로질러 Rhine강으로 흘러 들어감》. **2** [때때로 m~] Ⓤ 모젤 포도주《독일의 모젤강 유역에서 산출되는 독한 백포도주》.

Mo·ses [móuzəz] *n.* **1** 모세《유태의 건국자·입법자》; Ⓒ (일반적으로) 지도자, 입법자. **2** 유태인의 고리대금업자《별명》.
〖Heb.=? ; Coptic=son, boy〗

mo·sey [móuzi] *vi.* 《美俗》 배회하다, 방황하다 (saunter) ; 발을 질질 끌면서 걷다〈*along, about*〉; 가다 ; 떠나다 ; 도망치다. 〖C19<?〗

MOSFET [másfèt] *n.* 〖電子〗 산화막 반도체 전계(電界) 효과 트랜지스터. 〖*m*etal *o*xide *s*emiconductor *f*ield *e*ffect *t*ransistor〗

mo·shav [mouʃáːv] *n.* (*pl.* **-sha·vim** [mòuʃəvíːm]) 모샤브《이스라엘의 자작농 집단 공동 농장 ; cf. KIBBUTZ》. 〖Heb.=dwelling〗

Mos·lem [mázləm] *n., a.* =MUSLIM.

Móslem Brótherhood *n.* 이슬람 형제단《이슬람 원리주의에 입각한 과격 단체》.

Móslem fundaméntalism *n.* 이슬람 원리주의《이슬람의 전통을 엄수하는 복고주의》.

***mosque** [másk] *n.* (이슬람교의) 사원.
〖F *mosquée*<It.<Arab.〗

***mos·qui·to** [məskíːtou] *n.* (*pl.* ~(**e**)**s**) 모기.
〖Sp. and Port. (dim.) 〈*mosca* fly<L〗

mosquíto bòat *n.* 《美》 수[어]뢰정.

mosquíto cràft *n.* 《海軍俗》 쾌속 소형 함정(cf. MOSQUITO FLEET).

mosquíto cùrtain[**nèt**] *n.* 모기장.

mosquíto flèet *n.* 《海軍俗》 소함정대《수뢰정 따위의 쾌속 소형 함정(mosquito craft)으로 이루어진 함대》.

mosquíto hàwk *n.* **1** 《美方》 〖昆〗 잠자리. **2** 〖鳥〗 쏙독새류.

mosquíto nètting *n.* 모기장 감.

***moss** [mɔ́(ː)s, más] *n.* **1** Ⓤ 〖植〗 이끼. **2** [흔히 the ~es] 《스코》 늪, 이탄지(泥炭地).
—— *vt.* 이끼로 덮다.
〖OE *mos* swamp ; cf. G *Moos* bog〗

Mos·sad [másæd] *n.* 모사드《이스라엘의 비밀 정보 기관》.

móss àgate *n.* 〖鑛〗 이끼 마노.

móss·bàck *n.* 《美》 (등에 이끼가 낀) 늙은 바다거북[조개] ; 《口》 극단적인 보수 주의자, 반동주의자 ; 시대에 뒤진 사람 ; 《美口》 시골뜨기.

Möss·bau·er effect [mɔ́ːsbauər ∸ ; *G* mœ́sbauər-] *n.* 〖理〗 뫼스바우어 효과《결정(結晶) 내의 원자핵에서 반동이 따르지 않고 감마선이 방출되어 동종의 원자핵에 공명 흡수되는 현상》.
〖R. L. *Mössbauer* (1929-) 독일의 물리학자〗

Mössbauer spectroscopy [∸∸] *n.* 뫼스바우어 분광(학). 〖↑〗

móss·bùnk·er, -bànk- *n.* =MENHADEN.

móss grèen *n.* 이끼색, 황록색, 모스그린.

móss-gròwn *a.* 이끼 낀 ; 고풍의, 시대에 뒤떨어진(old-fashioned).

mos·sie [mázi, mási] *n.* 《濠》 모기(mosquito).

móss róse *n.* 〖植〗 캐비지 로즈《장미의 일종》.

móss-tròop·er *n.* (17세기 잉글랜드·스코틀랜드 국경을 휩쓴) 산적 ; (일반적으로) 약탈자.

móssy *a.* 이끼 낀 ; 이끼와 같은 ; 시대에 뒤진 ; 극단적으로 보수적인. **móss·i·ness** *n.*

◇**most** [móust] *a.* [MANY, MUCH의 최상급] **1** (↔ *least*) [보통 the ~] 최대다수의, 최대량의, 최고의 : He has (*the*) ~ books[money], but is not the happiest. 그는 책[돈]을 제일 많이 가지고 있지만 제일 행복하지는 않다 / He won (*the*) ~ prizes. 제일 많은 상을 받았다. **2** 대개의, 대부분의. ㊟ 보통 the를 붙이지 않음 : *M*~ people like fruits. 대부분의 사람들은 과일을 좋아한다.
for the most part ☞ PART.
—— *n., pron.* **1** [보통 the ~] 최대다수, 최대량, 최고액 ; 최대한도 : This is *the* ~ (that) I can do. 이것이 내가 할 수 있는 최대한도다. **2** 대부분의 사람들 : *M*~ *of* the boys are boarders. 학생의 대부분은 기숙생입니다 / Life is work for ~. 대부분의 사람에게 삶은 노동이다. **3** 대부분 : *M*~ *of* his books were written here. 그의 저서의 대부분은 이곳에서 쓰여졌다 / *M*~ *of* her early life was spent in Paris. 젊은 시절의 대부분을 파리에서 보냈다 / [부사적으로] He has been ill in bed ~ *of* the term. 이번 학기의 대부분은 병으로 누워 있었다.
at (***the***) ***most*** 많아야, 기껏해야(↔*at least*).
make the most of …을 최대한으로 이용하다 ; …을 가장 잘 보이게 하다[말하다] ; …을 가장 소중히 하다 : You must *make the* ~ *of* your opportunities. 기회를 최대한으로 이용하지 않으면 안된다.
—— *adv.* **1** [MUCH의 최상급] 가장, 가장 많이 : He worked (*the*) ~. 그가 제일 많이 일했다 / This troubles me (*the*) ~. 나로서는 이것이 가장 곤란하다. ㊟ 강조 이외는 보통 the를 붙이지 않음. **2** [주로 2음절 이상의 형용사·부사의 최상급을 만들어] 가장, 제일 : *the* ~ beautiful flower 가장 아름다운 꽃. ㊟ *attrib.* 로 쓰이고 있는 형용사에는 보통 the를 붙인다 ; 부사나 서술용법의 형용사인 때는 the를 붙이지 않는 수가 많다 : She is ~ beautiful. 제일 예쁘다 / The boy has done the work ~ wonderfully. 그 소년이 그 일을 가장 훌륭하게 해냈다. **3** 매우, 대단히(very). ㊟ 단수형을 주요한 낱말로 할 때는 부정관사가 따른다 : a ~ beautiful woman 굉장한 미인 / He was ~ kind to me. 나에게 매우 친절했다 / The girl behaved ~ rudely. 소녀는 매우 버릇없이 행동했다. **4** 《美口·英方》 =ALMOST : You can find it ~['*most*] anywhere. 거의 어디에서든지 그것을 볼 수 있습니다.
〖OE *mǣst*<Gmc. (《美》 *mais* more, *-est*[1] ; G *meist*)〗

-most [mòust, 英+məst] *a. suf.* 가장… **1** [명사의 어미에 붙여 최상급의 형용사를 만듦] : fore*most*, top*most*. **2** [변칙적인 형용사의 어미에 붙여 최상급을 만듦] : in(ner)*most* (가장 깊숙한), fore*most* (맨처음의). 〖OE *-mest*〗

móst fávored nátion *n.* 최혜국(最惠國)《略 MFN》.

móst-fávored-nátion clàuse *n.* (국제법상의) 최혜국 조항.

Móst Hígh *n.* [the ~] 신, 상제(上帝).

Most Hon. Most Honorable.

Móst Hónorable[《英》 **Hónourable**] *n.* 각하《후작·Bath 훈위자(勳位者)에 대한 존칭 ; 略 Most Hon.》.

‡**móst·ly** *adv.* 대개, 대부분은 ; 주로.

móst signíficant bít *n.* 〖컴퓨〗 (자릿수가) 최상위의 비트.

móst signíficant dígit 〖컴퓨〗 최상위 수(數),

최상위 비트《가장 왼쪽의 숫자》.

mot [móu] *n.* (*pl.* ~**s** [móuz]) 경구(警句). 〚F=word<L *muttum* a mutter (*muttio* to mutter)〛

M.O.T., M.o.T. **1** 《英》 Ministry of Transport《현재는 Department of Transport》. **2** [the ~] 《英口》 차량 검사(the M.O.T. test) ; 차량 검사증.

mote[1] [móut] *n.* **1** 티끌, 아주 작은 조각. **2** 《비유·古》 오점(汚點), 흠.
mote and beam 티와 들보, 남의 조그만 결점과 자기의 큰 결점.
mote in another***'s eye*** 〚聖〛 남의 눈속의 티, 남의 조그만 결점[과오]《마태복음 7 : 3》.
〚OE *mot*<? ; cf. Du. *mot* dust〛

mote[2] *auxil. v.* (**moste** [móust]) 《古》 = MAY[1] ; =MIGHT[1].
〚OE *mōtan* to be allowed〛

mo·tel [moutél] *n.* 모텔(motor court)《자동차 여행자의 숙박소》. ── *vi.* 모텔에 묵다.
〚*mo*tor(ists') ho*tel*〛

mo·tel·i·er [moutéliər] *n.* 모텔 경영자.

mo·tet [moutét] *n.* 〚樂〛 모테트, 경문가(經文歌)《종교적 합창곡의 일종》.

***moth** [mɔ́(:)θ, mɑ́θ] *n.* (*pl.* ~**s** [-ðz, -θs], ~) 〚昆〛 나방 ; 좀벌레(clothes moth) ; 경쾌한 비행기 ; 《비유》 온갖 유혹에 사로잡힌 사람.
〚OE *moththe*<? ; cf. G *Motte*〛

móth·bàll *n.* 방충제, 좀약《나프탈렌 따위》.
mothball fleet 예비[대기]함대.
in mothballs (낡은 함선 따위를) 쓰지 않고 처박아 두어, 퇴장(退藏)하여, 예비역으로 돌려.
── *vt.* **1** …에 좀약을 넣다. **2** 간수해 두다 ; (군수품을) 장기 보존 상태로 하다, (군함 따위를) 퇴역시키다 ; (계획·활동·생각·계획 따위를) 뒤로 미루다.

móth-èaten *a.* 좀먹은 ; 《비유》 낡은, 시대에 뒤떨어진.

◇**moth·er**[1] [mʌ́ðər] *n.* **1** 어머니 ; 《口》 어머니처럼 돌봐주는 여자, 계모, 양어머니 : She was a ~ of three children. 세 아이의 어머니였다 / She was a ~ *to* the poor. 가난한 사람들의 어머니였다. **2** 여자 수도원장(mother superior). **3** [the ~] 어머니의 사랑, 모성애. **4** 근원, 기원(origin) : Necessity is the ~ of invention. ☞ NECESSITY 1. **5** 할머니《노부인에 대한 Mrs.에 해당하는 말》: *M*~ Jones 존스 할머니. **6** (병아리의) 보육기(incubator). **7** 본원, 근원. **8** 《美俗》 (포주 따위와 같이 어떤 집단의) 엄마격인 존재 ; 《美空軍俗》 (무인기·표적기의) 모기(母機) ; 《美海軍俗》 항공모함. **9** [형용사적으로] 어머니의, 어머니인 ; 어머니로서의 ; 고국(故國)의, 본국의 ; 어머니와 같은 관계의, 보육하는.
every mother's son =EVERYBODY.
God's Mother=***the Mother of God*** 성모 마리아.

〈회화〉
Mother is out now. — When will she be back?
「어머니는 외출 중이신데요」「언제 돌아오시죠」

── *vt.* **1** 어머니로서 돌보다, 자기의 아들로서 기르다 ; 낳다. **2** (아이의) 어머니라는 것을 자인하다 ; (소설 따위의) 작자라고 나서다.
〚OE *mōdor* ; cf. G *Mutter*, L *mater*〛

mother[2] *n.* Ⓤ 아세트산균《mother of vinegar의 略》. ── *vi.* 아세트산균을 생기게 하다.
〚? *mother*[1] ; cf. Sp. *madre* scum, Du. *modder* dregs, G *Mutter*〛

móther·bòard *n.* 〚컴퓨〛 머더보드, 어미(기)판《신호케이블이나 전원 배선을 공통화하기 위하여 각종의 인터페이스 회로판을 배치하는 판》.

Mother Cár·ey's chícken [-kέəriz-, -kǽər-iz-] *n.* **1** 〚鳥〛 작은바다제비. **2** 눈(snow).

Móther Cárey's góose *n.* 〚鳥〛 큰바다제비.

móther cèll *n.* 〚生〛 모세포.

Móther Chúrch *n.* **1** [the ~] [의인(擬人)적으로] 교회. **2** [흔히 m~ c~] 어떤 지방의 가장 오래된 교회.

móther cóuntry *n.* 모국 ; (식민지 쪽에서 본) 본국.

móther·cràft *n.* 육아법.

móther éarth *n.* [the ~] (지상 만물의 어머니인) 대지.
kiss one***'s mother earth*** 《戱》 넘어지다.

móther·fùck·er *n.* 《卑》 비열한[천한, 어쩔 수 없는] 놈[것], 망할 놈. ㊟ 여자에게도 쓰이는 수가 있고 또 남자끼리 친근한[농하는] 소리로도 씀.

móther·fùck·ing *a.* 《卑》 비열한, 불쾌한, 역한, 질린 ; 성가신 ; 위태로운.

Móther Góose *n.* 영국의 전승 동요집 머더 구스의 전설적 작가 ; 《美》 머더 구스 동요집.

Móther Góose rhỳme *n.* 《美》 머더 구스 동요《전승 동요로서 시 또는 노래》.

móther-gràbber *n.* 《卑》 =MOTHERFUCKER.

móther·hòod *n.* **1** Ⓤ 어머니임, 모성(maternity). **2** Ⓤ 어머니의 의무 ; 모권(母權). **3** [집합적으로] 어머니(mothers).

Móther Húb·bard [-hʌ́bərd] *n.* 옷자락이 길고 품이 넉넉한 여성용 겉옷.

móther·ing *n.* Ⓤ 《英》 귀성(歸省), 귀향.
── *a.* 《卑》 =MOTHERFUCKING.

Móthering Súnday *n.* 《英》 귀향 일요일《Mid-Lent Sunday ; 사순절의 제 4일요일》.

móther-in-làw *n.* (*pl.* **móthers-in-làw**) 시어머니 ; 장모.

móther·lànd *n.* **1** 모국, 고국. **2** 발상지.

móther·less *a.* 어머니가 없는 ; 작자 미상의.

móther·lìke *a.* 어머니 같은, 어머니다운.

móther lòde *n.* 〚鑛〛 주맥(主脈).

móther·ly *a.* 어머니의[로서의] ; 어머니 같은 ; (부인이) 상냥한, 자애로운. ── *adv.* 어머니처럼 ; 어머니답게. **-li·ness** *n.*

móther-náked [, 《美南部》 -nékəd] *a.* (태어날 때 처럼) 알몸의.

móther-of-péarl *n.* Ⓤ (조개 내면의) 진주층, 진주모(母), 자개.

móther's bòy *n.* 나약한 사내 아이, 응석받이.

Móther's Dày *n.* 《美·Can.》 어머니날《5월의 두 번째 일요일 ; cf. FATHER'S DAY》.

móther's hélp *n.* 《英》 가정부, 아이 보는 사람.

móther's hélper *n.* 가정부 ; 아이 보는 사람.

móther shíp *n.* 모함(母艦), 모기(母機).

móther's méeting *n.* 《英》 (교구 따위의) 어머니회 ; 《비유》 열띤 논의.

móther's mílk *n.* 모유 ; 원래부터 좋아하는 것.
drink[***take, suck***]...***in with*** one***'s mother's milk*** 없애기 어렵게[뿌리 뽑을 수 없이] …이 몸에 배어 있다.

móther supérior *n.* 여자 수도원장.

móther-to-bé *n.* 임산부.

móther tóngue *n.* (어릴 때 처음으로 습득하는) 모국어, 자국어 ; 〚言〛 모어(母語), 조어(祖語)(parent language).

móther wít *n.* 타고난 지혜 ; 상식.

móther·wòrt *n.* 〖植〗 익모초속의 식물.
móth·ery *a.* 아세트산성의, 아세트산을 함유한.
móth·pròof *a.* 벌레가[좀이] 먹지 않은《의류》.
—— *vt.* (섬유 따위를) 방충 처리하다.
móthy *a.* 나방이 많은 ; 좀먹은.
mo·tif [moutí:f] *n.* **1** (문학·예술 작품의) 주제, 테마 ; (악곡의) 동기, 모티프. **2** (일반적으로) 주지(主旨), 특색. **3** (행동을 일으키는) 자극, 동기. 〚F MOTIVE〛
mo·tile [móutl, -tail ; -tail] *a.* 〖生〗 움직일 수 있는, 운동성의, 자동력이 있는. —— *n.* 〖心〗 운동형의 사람.
mo·til·i·ty [moutíləti] *n.* Ⓤ 〖生〗 (자동) 운동성, 운동 능력, 자동력.
***mo·tion** [móuʃən] *n.* **1** Ⓤ 운동, 이동(↔*rest*). **2** Ⓤ (기계의) 작동, 운전 ; (생체의) 운동 능력 ; 〖樂〗 (선율의) 진행. **3** 거동, 동작 ; 몸짓, 신호 ; [*pl.*] 활동, 행동 : She made a ~ with her hand. 손으로 신호했다. **4** [+*to* do] 제의, 동의 : (*up*) *on* the ~ of …의 동의로 / make a ~ *to* adjourn 휴회를 동의하다 / adopt[carry, reject] a ~ 어떤 동의를 채택[가결, 부결]하다. **5** 대변[소변] (movement) ; [*pl.*] 배설물 : have a ~ 대변[소변]을 보다. **6** 〖法〗 명령[재정(裁定)] 신청. **7** 〖機〗 기구, 장치.
go through the motions of... 《口》 …의 몸짓[시늉]을 하다.
in motion 움직이고 있는, 운전중인[의].
of one***'s own motion*** 자진(自進)하여.
put [***set***]***...in motion*** …을 움직이게 하다, (기계를) 움직이다.
—— *vt., vi.* [+目+副 / +目+前+名 / +目+*to* do / +*to*+名] (…에게) 몸짓[손짓·눈짓 따위]으로 요구하다[신호하다·부르다] : He ~*ed* me ***in*** [***to*** the seat, *to* enter]. 나에게 들어오라고[자리에 앉도록, 들어오도록] 몸짓으로 신호했다 / She ~*ed* ***to*** her brother *to* go into the other room. 동생보고 다른 방으로 가라고 눈짓했다. 〚OF<L ; ⇨ MOVE〛
類義語 ***motion*** 쉬지 않고 움직이고 있는 상태 ; 운동하고 있는 물체의 종류나 운동의 성질은 문제시하지 않음. ***movement*** 사람이나 물건의 특정한 운동방향, 목적 내지는 운동이 규칙적임을 강조함.
mótion·al *a.* 운동의[에 관한] ; 운동에 의한 ; 운동을 일으키는.
mótion·less *a.* 움직이지 않는, 정지한.
mótion lòtion *n.* 《CB俗》 자동차의 연료.
mótion pícture *n.* 《美》 영화(moving picture, movie, cinema) ; [*pl.*] 영화 제작, 영화 산업.
mótion sìckness *n.* 멀미, 현기증.
mótion stùdy *n.* =TIME AND MOTION STUDY.
mo·ti·vate [móutəvèit] *vt.* …에 동기를 주다, 자극[유도]하다(impel) ; 〖藝〗 …의 주제(motif)로 하다.
mo·ti·va·tion [mòutəvéiʃən] *n.* Ⓤ,Ⓒ 자극, 유도 ; 〖心〗 (행동의) 동기 부여, 하고 싶은 기분, 열의, 욕구. **~·al** *a.*
motivátion(al) reséarch *n.* (심리학·사회학의 응용에 의한 구매 따위의) 동기분석.
***mo·tive** [móutiv] *n.* **1** 동기, 동인(動因) ; 목적 : a ~ *for* murder 살인 동기. **2** =MOTIF.
of [***from***] one***'s own motive*** 자진해서.
—— *a.* **1** 행동을 일으키는, 남을 움직이는 ; 기동(起動)의, 원동력이 되는. **2** 동기의. —— *vt.* = MOTIVATE.
〚OF *motif* <L *motivus* ; ⇨ MOVE〛
類義語 (1) ⟹ CAUSE.
(2) ***motive*** 남에게 어떤 행동을 하게 하는 동기가 되는 충동·감정·욕망 : Hunger was the *motive* for her stealing. (굶주림이 도둑질의 동기였다). ***incentive*** 사람이 어떤 행동을 취하는 원인·유혹이 되는 자극 또는 보수 : *incentives* to be famous (유명해지고 싶은 마음을 일으키는 자극). ***inducement*** 육체적·정신적인 충동보다도 외부로부터의 자극·유혹 : The money was the *inducement.* (돈에 유혹되었다). ***spur*** 사람을 한층 더 활동시키고 또는 끈질기게 하는 자극 : the *spur* to higher advancement (더 높은 발전으로의 박차).
mótive pówer *n.* (특히 기계 따위의) 동력 ; 원동[기동]력 ; 〖鐵〗 기관차.
mo·tiv·i·ty [moutívəti] *n.* Ⓤ 원동력, 동력.
mot juste [*F* mo ʒyst] *n.* (*pl.* **mots justes**[—]) 적당[적절]한 말.
mot·ley [mátli] *a.* 잡색의, 얼룩덜룩한 ; 잡다한, 혼성(混成)의 : a ~ crowd 잡다한 군중.
—— *n.* **1** (옛날 어릿광대의) 얼룩덜룩한 옷. **2** 뒤범벅〈*of*〉.
wear (***the***) ***motley*** 광대노릇을 하다.
〚? AF《美》 *motelé* <MOTE[1]〛
mo·to[1] [móutou] *n.* (*pl.* **~s**) 〖樂〗 운동, 진행 (motion). 〚It.〛
moto[2] *n.* (*pl.* **~s**) 모토크로스의 1회 레이스. 〚*moto*cross〛
mó·to·cròss [móutou-] *n.* 모토크로스《크로스컨트리에서의 모터사이클 레이스》.
〚*moto*r + *cross*country〛
mo·tor** [móutər] *n.* **1** 모터, 발동기, 전동기(電動機) ; 내연기관. **2** =MOTORBOAT ; =MOTORCYCLE ; =《英》 MOTORCAR. **3** 원동력. **4** 〖解〗 운동근육, 운동신경. **5** [형용사적으로] 움직이게 하는, 원동(原動)의, 발동의 ; 발[원]동기의 ; 자동차용의 ; 〖解〗 운동근육[신경]의 : a ~ horn 자동차 경적 / ~ nerves 운동 신경. —— *vi.* [動 / +前+名] 자동차에 타다[로 가다] : go ~*ing* 드라이브하다 / ~ ***to Inch'ŏn 인천으로 드라이브가다.
—— *vt.* 자동차로 나르다[보내다].
〚L=mover ; ⇨ MOVE〛
mótor·able *a.* (도로가) 차로 달릴 수 있는.
mo·to·ra·ma [mòutərǽmə] *n.* 자동차 쇼.
mótor bícycle *n.* **1** 《美》 모터 달린 자전거. **2** 《英》 =MOTORCYCLE.
mótor·bìke *n.* **1** =MOTORCYCLE. **2** =MOTOR BICYCLE 1. —— *vi.* motorbike에 타다.
mótor·bòat *n.* 모터보트, 발동선. —— *vi.* 모터보트로 가다[를 운전하다].
mótor·bòat·ing *n.* 모터보트 놀이 ; 〖電子〗 모터보팅.
mótor bùs *n.* 합승 자동차, 버스.
mótor·càb *n.* 택시.
mótor·càde *n.* 《美》 자동차 행렬(cf. CAVALCADE).
***mótor·càr** *n.* 《주로 英》 자동차(=《美》 automobile) ; [보통 motor car로] 〖鐵〗 전동차.
mótor còach *n.* =MOTOR BUS.
mótor còurt *n.* =MOTEL.
***mótor·cỳcle** *n.* 모터사이클, (2륜 또는 3륜의) 모터 자전거. —— *vi.* 모터사이클에 타다. **-cỳclist** *n.* 모터사이클 타는 사람.
mótor·dom *n.* 자동차의 세계.
mótor drìve *n.* 전동부(電動部).
mótor·dròme *n.* 자동차[모터사이클] 경주[시운전]장.

mó·tored *a.* [보통 복합어를 이루어] …모터를 갖춘 : bi*motored*.
mótor gènerator *n.* 전동 발전기.
mótor·glìder *n.* 모터 달린 글라이더.
mótor hòme *n.* 트럭[버스]의 차대 위에 설비한 이동 주택.

motor home

mótor hotèl *n.* =MOTOR INN.
mo·to·ri·al [moutɔ́:riəl] *a.* 운동의, 운동을 일으키는.
mótor·ing *n.* Ⓤ 자동차 운전(기술) ; 드라이브.
mótor ìnn *n.* 도시의 고층 모텔(motor hotel).
mótor·ist *n.* 자동차 여행자.
mótor·ìze *vt.* (차에) 모터를 갖추다 ; 자동차를 사용하다(cf. MECHANIZE), 자동차화하다.
mòtor·izátion *n.* 동력화 ; 자동차화.
mótor lòdge *n.* =MOTEL.
mótor-lòrry *n.* 《英》 =MOTORTRUCK.
mótor·man [-mən] *n.* **1** 전차[전기 기관차] 운전사. **2** 모터 담당원.
mótor mòuth *n.* 《CB俗》 수다쟁이.
mótor pàrk *n.* 《西Africa》 주차장.
mótor pòol *n.* 《美》 모터 풀《배차 센터에 모인 군용·관청용 자동차들》.
mótor scòoter *n.* 모터 스쿠터.
mótor shìp[**vèssel**] *n.* 발동선, 내연 기선.
mótor skíll *n.* 〖心〗 운동 기능《어떤 운동을 반복 연습하여 숙련된 상태》.
mótor spírit *n.* 《英》 내연기관용 연료, 가솔린.
mótor torpédo bòat *n.* 〖美海軍〗 (고속) 어뢰정(mosquito boat).
mótor·trùck *n.* 《美》 트럭, 화물자동차(=《英》 motor-lorry).
mótor vàn *n.* 《英》 유개(有蓋) 화물 자동차.
mótor vèhicle *n.* 자동차《궤도를 쓰지 않는 승용차·버스·트럭 따위의 총칭》.
***mótor·wày** *n.* 《英》 고속 (간선) 도로(cf. EXPRESSWAY) : The ~ has no sharp corners. 그 고속도로에는 급히 꺾이는 모퉁이가 없다.
mo·to·ry [móutəri] *a.* =MOTORIAL.
Mo·town [móutaun] *n.* 모타운《Detroit 시의 흑인 레코드 회사》. —— *a.* 모타운류(流)《강한 비트를 가진 리듬 앤드 블루스》의. 〖*Motor Town* 자동차의 도시 Detroit의 속칭〗
motte, mott [mát] *n.* 《美方》 (초원지대의) 작은 숲. 〖Am. Sp. *mata* grove〗
M.o.T. test [èmòutí ⌐] *n.* [the ~] 《英口》 (정기적인) 차량 검사.
mot·tle [mátl] *n.* 반점 ; 얼룩(blotch), 얼룩덜룩함 ; 얼룩무늬. —— *vt.* [보통 *p.p.*로] 얼룩덜룩하게 하다 : ~*d* soap 얼룩무늬 비누. 〖역성(逆成) < *motley*〗
***mot·to** [mátou] *n.* (*pl.* **~es, ~s**) **1** 좌우명, 표어, 모토 ; (방패·문장(紋章)의) 제명(題銘) : a school ~ 교훈. **2** 금언, 처세훈(maxim). **3** (서적 따위의) 제구(題句). **4** 〖樂〗 반복악구, 주제구. 〖It. ; ⇨ MOT〗
MOU memorandum of understanding ((정부간) 양해 각서).
mouch [mú:tʃ] *vi., vt.* 《英》 =MOOCH.
moue [*F* mu] *n.* (*pl.* **~s** [*F* —]) 찌푸린 얼굴.
mouf·(f)lon [mú:flɑn, -⌐] *n.* 〖動〗 무플론《남유럽산 야생양》. 〖F<It.〗
moujik ☞ MUZHIK.
mou·lage [mu:lɑ́:ʒ] *n.* (범죄 증거로서의 발·타이어 자국의) 석고뜨기 ; 그 석고형(型). 〖F=molding〗
***mould** ☞ MOLD[1,2,3].
moulder ☞ MOLDER[1,2].
móul·ding *n.* =MOLDING[1,2].
mouldy ☞ MOLDY.
mou·lin [*F* mulɛ̃] *n.* 빙하 바닥의 암석면(面)에 생기는 구혈(甌穴). 〖F=mill〗
moult ☞ MOLT.
moul·vi [máulvi] *n.* 이슬람 법률학자.
***mound**[1] [máund] *n.* 둑, 제방 ; 흙둔덕, 토총(土塚), 작은 언덕 ; 〖野〗 마운드(=pitcher's ~). —— *vt.* 둔덕지게 하다 ; 쌓아 올리다(heap up) ; 제방으로 막다[에워싸다]. 〖C16=hedge or fence< ? ; cf. MDu. *mond* protection〗
mound[2] *n.* (왕관 따위의) 보주(寶珠). 〖OF ; ⇨ MONDE〗
Móund Buìlders *n. pl.* 무덤이나 흙둔덕을 남긴 선사시대의 아메리칸 인디언의 제(諸)부족.
móund dùel *n.* 〖野〗 투수전.
móunds·man [-mən] *n.* 《野俗》 투수.
mount**[1] [máunt] *vt.* **1** (산·왕위 따위에) 오르다 : ~ a platform 등단하다 / ~ the throne 왕위에 오르다. **2** (말 따위에) 타다, 걸터앉다 ; (사람을) 말에 태우다 : He ~*ed* the horse again to continue his journey. 그는 또다시 말을 타고 여행을 계속했다 / be well[poorly] ~*ed* 좋은[나쁜] 말을 타다. **3** [+目 / +目+前+名] 설치하다, 장치하다, (대포를) 탑재(搭載)하다 ; (대지에) 붙이다, 표장(表裝)하다, 틀에 끼우다 ; (검경판(檢鏡板)에) 고정하다 ; (보석 따위를) 거미발에 끼우다, 박아 넣다 ; 금은 세공으로 하다 ; 박제(剝製)[표본]로 하다 ; (직기(織機)에) 실을 걸다 : ~ a photograph ***on cardboard 대지에 사진을 붙이다 / ~ specimens *on* the slide (현미경의) 슬라이드에 표본을 올려 놓다 / ~ a ruby ***in*** a ring 루비를 반지에 박아 넣다 / a crown ~*ed* ***with*** diamonds 다이아몬드를 박아 넣은 왕관. **4** (무대장치·의상 따위를 갖추고) 연극 상연의 준비를 하다 ; 무대에 올리다, 상연하다. **5** (전투 따위를) 준비하다, …에 착수하다 ; 〖軍〗 (공격을) 개시하다. —— *vi.* **1** [動 / +前+名] 올라가다, 오르다(ascend) ; (말을) 타다 ; (핏기가) 얼굴에 오르다 : A flush ~*ed* ***to*** her face. 그녀의 얼굴이 빨개졌다. **2** [動 / +副] (수량·정도·비용 따위가) 오르다, 늘다(rise) : The cost of living is ~*ing* ***up***. 생활비가 늘어나고 있다.
mount an offensive 〖軍〗 공세로 나오다.
mount (***the***) ***guard*** ☞ GUARD *n.*
—— *n.* **1** 승(용)마, 탈것. **2** 물건을 놓는 대, 대지(臺紙) ; (반지 따위의) 거미발 ; 〖軍〗 포가(砲架) ; (현미경의) 검경판, 슬라이드. **3** 오르기, 올리기. **~·able** *a.* 〖OF<L (↓)〗
類義語 ⟹ CLIMB.
***mount**[2] *n.* **1** 산, 언덕 ; …산《보통 Mt.로 표기하여 산 이름에 붙임》 : *M*~[*Mt.*] Everest 에베레스트산. **2** (손금보기에서) 궁(宮)《손바닥의 불룩한 곳 중의 하나》. 〖OE *munt* and OF *mont*<L *mont-* MONS mountain, hill〗
◇**moun·tain** [máuntən] *n.* **1** 산, 산악 ; [*pl.*] 산맥 : We go to the ~*s* in summer. 여름에는 산에 갑니다. 주 보통 2000ft. 이상의 것에 말하고 (cf. HILL), 고유명사 뒤에 두는 수는 있으나 앞에는 두지 않음 : the Rocky *M*~*s* (cf. MOUNT[2] 1). **2** [the M~] (프랑스사(史)의) 산악당(山岳黨)《프랑스 혁명 당시 의사당에서 높은 좌석에 앉았

던 극단적인 과격파》. **3** 《비유》 산더미처럼 큰 것; (산더미만큼의) 다수, 다량: a ~ *of* difficulties[debts] 산더미처럼 많은[산적된] 난관[빚] / a ~ *of* flesh 거인, 거한(巨漢).

Muhammad and the mountain 「마호메트와 산」의 고사(故事)《마호메트가 산을 불러올 수 있다고 장담했으나 산이 움직이지 않는 것을 보고 「내 스스로가 산에 가리라」하고 큰소리쳤다는 고사에서; 거짓이 드러나도 태연한 철면피에 대해서 쓰는 문구》.

Muhammad must go to the mountain. (저쪽에서 오지 않는다면) 이쪽에서 갈 수밖에 없다.

mountain*(*s*) *high 산처럼 높은, 산더미 같은(cf. MOUNTAIN-HIGH): The waves are ~(*s*) *high.* 파도가 산더미처럼 높게 인다.

remove mountains 기적을 행하다.

the mountain in labor 애만 쓰고 보람없는 일, 「태산 명동(泰山鳴動)에 서일필(鼠一匹)」.

〈회화〉
Where are you going to spend the night?—There's a small cabin on the *mountain*.
「넌 어디서 밤을 보낼거니」「산에 작은 오두막이 있어」

—— *a.* 산의; 산에 사는; 산같은, 산처럼 큰.
〚OF<L (↑)〛

móuntain àsh *n.* 〔植〕 마가목.

móuntain càt *n.* =BOBCAT; 퓨마(cougar).

móuntain chàin *n.* 산맥.

móuntain clìmbing *n.* 등산.

móuntain déw *n.* 《英口》 스카치 위스키; 《美口·戲》 밀조 위스키(moonshine).

moun·tain·eer [màuntəníər] *n.* **1** 산지 주민, 산에 사는 사람, 산사람. **2** 등산자, 등산가.
—— *vi.* 등산하다.

mountainéer·ing *n.* Ⓤ 등산.

móuntain gòat *n.* 〔動〕 로키산양《로키 산맥 지방산(産)》.

móuntain gùn *n.* 산포(山砲).

móuntain-hìgh *a.* (파도 따위) 산더미처럼 높은, 산더미 같은(cf. MOUNTAIN*s high*).

móuntain làurel *n.* 〔植〕 (미국 동부에서 나는) 아메리카석남.

móuntain lèather *n.* 〔鑛〕 산유피《석면(石綿)의 일종》.

móuntain lìon *n.* =COUGAR.

móuntain·ous *a.* **1** 산의, 산지의, 산이 많은, 산악적인: ~ country 산악 지방. **2** 산과 같은, 거대한: ~ waves 산더미처럼 큰 파도.

móuntain òyster *n.* 요리한 송아지·양·돼지 따위의 불알.

móuntain ràilway *n.* 등산 철도.

móuntain rànge *n.* 산맥, 연산(連山).

móuntain ríce *n.* 밭벼, 육도(陸稻).

móuntain shèep *n.* 《美》 (로키 산맥산(産)) 야생양.

móuntain sìckness *n.* 산악[고산]병.

móuntain·sìde *n.* 산허리: *on* the ~ 산허리에.

Móuntain (stándard) tìme *n.* [흔히 m~] 《美》 산지 표준시(山地標準時).

Móuntain Státe *n.* 로키 산맥주《로키 산맥이 지나는 미국 서부 8주의 하나: Montana, Idaho, Wyoming, Nevada, Utah, Colorado, Arizona, New Mexico》.

móuntain sỳstem *n.* 산계(山系).

móuntain·tòp *n.* 산꼭대기.

móuntain wìnd *n.* 저녁 무렵 산에서 골짜기로 부는 바람, 재넘이.

móuntain wìne *n.* 흰포도주의 일종.

móun·tainy *a.* **1** =MOUNTAINOUS. **2** 산지에 사는; 산과 관계있는.

moun·te·bank [máuntibæ̀ŋk] *n.* 야바위꾼(charlatan); 돌팔이 의사(quack), 엉터리 약장수.
—— *vt.* 《廢》 사기치다. —— *vi.* 돌팔이짓을 하다, 사기치다. **~·ery** *n.* Ⓤ 사기 행위.
〚It.=one who mounts on bench〛

móunt·ed *a.* **1** 말[자동차, 탈것]에 탄: a ~ bandit 마적 / the ~ police 기마 경찰대. **2** 대(臺)를 붙인, 대지(臺紙)에 붙인, 설치한, 조립한; 발사 준비가 완료된. **3** (보석 따위) 거미발에 물린, 박아 넣은: a ~ gem 거미발에 물린 보석 / gold-~ 금으로 장식한.

Mount·ie, Mounty [máunti] *n.* 《口》 캐나다 기마 경찰 대원.

móunt·ing *n.* **1** Ⓤ (대포 따위의) 설치; 박제(剝製); Ⓒ 만들기, 세공. **2** 〔軍〕 포가(砲架), 총가; (사진 따위의) 대지(臺紙); 말타기.

móunting blòck *n.* (말·버스 탈 때의) 돌 발판, 디딤돌.

Mòunt Vérnon *n.* 마운트 버넌《미국 Virginia주 북동부 Potomac 강기슭에 있는 George Washington의 거주지며 매장지》.

mourn** [mɔ́:rn] *vi.* **1** [+前+名] 탄식하다, 슬퍼하다, 애도하다, 문상(問喪)하다: England ~*s **for her dead across the sea. 영국은 바다 저편의 전몰 용사에게 애도의 뜻을 표한다 / She ~*ed **over*** the death of her only son. 외아들의 죽음을 슬퍼했다. **2** 상(喪)을 입다. —— *vt.* …을 슬퍼하다; (죽은 사람을) 애도하다; 슬픈듯이 말하다: The little girl ~*ed* her lost doll. 그 소녀는 인형이 없어져서 슬퍼했다.
〚OE *murnan*; cf. OHG *mornēn* to be troubled〛

móurn·er *n.* **1** 비탄[슬퍼]하는 사람, 애도자. **2** 문상객; (장례식의) 대곡(代哭)꾼; (전도회장의) 회개자: the chief ~ 상주, 제주(祭主).

móurner's bènch *n.* 《美》 회개자석, 참회자석《교회의 맨 앞줄》.

***móurn·ful** *a.* 슬픔에 잠긴, 슬퍼하는; 슬픔을 자아내는; 음울한; 죽은 사람을 애도하는, 애도의.
~·ly *adv.* 슬픈듯이; 우울하게.

móurn·ing *n.* **1** Ⓤ 비탄, 애도. **2** Ⓤ 상(喪), 기중(忌中), 상복을 입는 기간. **3** Ⓤ 상복, 상장(喪章): ☞ DEEP MOURNING / ☞ HALF MOURNING. **3** [형용사적으로] 상(喪)의.

go into*[*put on, take to*] *mourning 상(복)을 입다.

in mourning 몽상(蒙喪)중, 상복을 입고: nails *in* ~ 《戲》 때가 낀 손톱.

leave off*[*go out of*] *mourning 탈상하다.

móurning bàdge[bànd] *n.* 상장(喪章).

móurning bòrder *n.* (부고(訃告) 따위의) 검은 테두리.

móurning càrd *n.* 부고(訃告).

móurning clòak *n.* 〔昆〕 신부나비.

móurning còach *n.* 영구차.

móurning dòve *n.* (북미·중미산의) 산비둘기의 일종《구슬픈 소리를 냄》.

móurning pàper *n.* 검은 테를 두른 편지지.

móurning rìng *n.* (유품으로써 죽은 사람을 추억하는) 기념반지.

móurning stùff *n.* 상복감.

***mouse** [máus] *n.* (*pl.* **mice** [máis]) **1** 생쥐(cf. RAT): a house ~ (집)쥐 / a field[wood] ~ 들쥐. **2** 《비유》 겁쟁이, 내향적인 사람. **3** 귀여운

아이, 예쁜이《여자에 대한 애칭》. **4** 《俗》 (얻어맞은 눈언저리의) 시퍼런 멍. **5** (내리닫이 창문의) 분동, 추. **6** 〖컴퓨〗 마우스《바닥에 볼(ball)을 붙인 장치로 책상 위와 같은 평평한 곳에서 굴리면 CRT 화면상의 커서(cursor)를 이동시켜 위치를 지정함》. **7** 《美軍俗》 소형 로켓.
(as) drunk as a (drowned) mouse 몹시 취하여.
(as) quiet as a mouse 매우 조용한.
like a drowned mouse 기가 죽어서.
mice and men 온갖 생물《R. Burns의 시에서》.
play like a cat with a mouse 못살게 굴다.
—— [máuz, -s] *vi.* **1** (고양이가) 쥐를 잡다 ; 노리다. **2** 찾아다니다〈*about*〉. —— *vt.* 습격하다, 몰아내다(hunt out) ; 놀림감으로 삼다.
~·lìke *a.*
〖OE *mūs*, (pl.) *mȳs* ; cf. G *Maus*, L *mus*〗

Mouse *n.* 《美》 소형 무인 인공위성.
〖*M*inimum *O*rbital *U*nmanned *S*atellite of *E*arth〗

móuse còlor *n.* 쥐색, 잿빛.

móuse-còlored *a.* 쥐색의, 잿빛의.

móuse-èar *n.* 〖植〗 mouse의 귀와 비슷하고 털이 있으며 짧은 잎이 나는 각종의 식물《hawkweed, forget-me-not, chickweed 따위》.

móuse·hòle *n.* 쥐구멍 ; 좁은 출입구 ; 좁고 답답한 주거.

mous·er [máuzər] *n.* **1** 쥐를 잡는 동물《특히 고양이》 : a good ~ 쥐를 잘 잡는 고양이[개]. **2** 찾아 돌아다니는 사람. **3** 《俗》 콧수염.

móuse·tàil *n.* 〖植〗 미나리아재비과의 식물.

móuse·tràp *n.* **1 a**) 쥐덫 ; 작은 집[장소]. **b**) 미끼 ; (소비자의 마음을 끄는) 신제품 ; 〖美蹴〗 마우스트랩《수비측 라인맨을 고의로 자기진영의 스크리미지라인 안으로 꾀어 들이는 플레이》. **2** (쥐덫에 쓰는) 냄새 강한 치즈, 《戱》 싸구려 치즈.
—— *vt.* 덫을 치다 ; 〖美蹴〗 (수비측 선수에게) 마우스트랩을 걸다.

mous·sa·ka, mou·sa- [mùːsəkáː ; musáːkə] *n.* 무사카《양 또는 소의 저민 고기와 얇게 썬 가지를 포개 넣어 치즈·소스를 쳐서 구운 그리스·터키의 요리》. 〖Gk. or Turk.〗

mousse [múːs] *n.* U,C 무스《거품을 낸 크림에 젤라틴·설탕·향료 따위를 섞어서 얼린 디저트용 과자》. 〖F=moss, froth〗

mousse·line [muːslíːn, mùːsə- ; ⌐-] *n.* =MUSLIN. 〖F=muslin〗

mousseline de laine [⌐ də lén] *n.* 메린스, 모슬린. 〖F〗

mousseline de soie [⌐ də swáː] *n.* (*pl.* **-lines de soie** [—]) 명주 메린스. 〖F〗

moustache ☞ MUSTACHE.

Mous·te·ri·an [muːstíəriən] *a.* 〖考古〗 무스티에 문화기(期)《유럽의 중기 구석기 시대》의.
〖Le *Moustier* 프랑스 남서부 도르도뉴 지방에 있는 동굴〗

mousy, mous·ey [máusi, -zi] *a.* 쥐가 많은 ; 쥐냄새 나는 ; (색깔이) 쥐색인 ; (쥐처럼) 겁많은, 조용한.

◇**mouth** [mauθ] *n.* (*pl.* **~s** [máuðz, 美+máuz, 美+máuθs]) **1** 입 ; 구강(口腔) : with a smile at the corner(s) of one's ~ 입가에 미소를 띠우고 / a useless ~ 밥벌레, 식충이 / He has ten ~*s* to feed. 먹여 살려야 할 식구가 열이나 된다. **2** 입 모양의 것, 입 부분, 입구 ; 강[항구·총·병·자루 따위]의 어귀[구멍, 아가리] ; 물부리 ; (취주악기의) 입 대는 부분(mouthpiece) : the ~ of a cave 동굴의 입구 / the ~ of the Thames 템스 강(江)의 어귀. **3** (언어 기관으로서의) 입 ; 말, 발언 ; 소리 ; 사람의 입, 소문 : keep one's ~ shut 잠자코 있다 / Shut your ~! 《口》 입을 다물어라 / stop a person's ~ 남의 입을 막다. **4** 찌푸린[찡그린] 얼굴(grimace) : make a ~ [make ~*s*] *at* a person 남을 향하여 입을 삐죽거리다, 얼굴을 찌푸리다《불찬성·경멸의 뜻으로》.
by word of mouth 구두로, 입으로 전하여.
down in the mouth 《口》 풀이 죽어, 낙담하여.
from mouth to mouth (소문 따위가) 입에서 입으로, 이 사람에서 저 사람으로 ; 차례로.
give mouth (사냥개가) 짖어대다.
give mouth to …을 입밖에 내다, …을 말하다.
have a good [bad, hard] mouth (말이) 재갈이 잘 물리다[물리지 않다]《온순하다[사납다]》.
in everyone's mouth 세상에 소문이 퍼져.
in the mouth of a person=***in*** a person***'s mouth*** 누구의 말에 의하면 : It sounds strange *in* your ~. 네가 말하니까 이상하게 들린다.
make one***'s mouth water*** ☞ WATER *v.*
open one***'s mouth too wide*** 어처구니없는 값을 뒤집어씌우다, 지나친 요구를 하다.
put words into a person***'s mouth*** 남이 말하지도 않은 것을 말한 것으로 하다 ; 말해야 할 것을 남에게 일러주다[알려주다].
take the words out of a person***'s mouth*** 남의 이야기를 가로채다.
with one mouth 이구 동성으로.

〈회화〉
I heard it from his own *mouth*.— You don't say!「그것은 그에게서 직접 들었어」「설마」

—— *v.* [mauð] *vt.* **1** (점잔빼며) 큰소리로 말하다, 연설투로 말하다. **2** 입에 넣고[자근자근] 씹다, 먹다, 입에 물다, 빨다. **3** (말을) 재갈이나 고삐에 길들이다. —— *vi.* (으스대며) 큰소리로 말하다 ; 입을 삐죽거리다 ; 얼굴을 찌푸리다 ; (지류가 본류로) 흘러들다.
〖OE *mūth* ; cf. G *Mund*, L *mando* to chew〗

móuth·brèed·er *n.* 〖魚〗 알이나 새끼를 입속에 넣고 키우는 관상용 열대어《하플로크로미스속(屬) 따위》.

mouthed [mauðd, -θt] *a.* 입이 있는 ; [복합어를 이루어] …입의 : a foul*mouthed* man 말버릇이 고약한 사람, 독설가 / a hard*mouthed* horse 재갈을 물리기 힘든[사나운] 말.

móuth·er [máuð-] *n.* 호언장담하는 사람.

móuth-fìll·ing *a.* 허풍떠는.

***móuth·fùl** *n.* 한 입 가득, 한 입(의 분량) ; 소량(의 음식물) ; 《口》 (발음하기 힘든) 장황한 낱말[구] : a ~ *of* food 한 입의[소량의] 음식.
at a mouthful 한 입에.
make a mouthful of …을 한 모금에 마시다.

móuth òrgan *n.* 〖樂〗 하모니카(harmonica).

móuth·pàrt *n.* [보통 *pl.*] 〖動〗 (절지 동물의) 구기(口器).

móuth·pìece *n.* **1** (악기의) 입대는 부분, 취구(吹口) ; (파이프의) 입에 무는 부분, 빨대 ; 기물의 주둥이에 끼우는 쇠붙이 ; 송화구 ; 수도꼭지 ; (권투 선수의) 마우스피스. **2** 대변자〈*of*〉.

móuth to féed *n.* 식구, 부양 가족 ; 밥벌레.

móuth-to-móuth *a.* (인공 호흡의) 입으로 불어넣는 식의.

móuth·wàsh *n.* 양치질약.

móuth-wàter·ing *a.* 군침이 도는, 맛있어 보이는(appetizing).

mouthy [máuði, 美+-θi] *a.* 호언장담하는, 과장된 ; 수다스러운.

mou·ton [mú:tɑn, -ˊ] *n.* Ⓤ 양의 털가죽을 비버(beaver)나 물개(seal)의 털가죽 같은 느낌이 들도록 가공한 모피. 〖F〗

mov·able, move- [mú:vəbəl] *a.* **1** 움직일 수 있는, 움직이는 ; 이동하는, 일정치 않은. **2** 〖法〗 동산(動產)의(personal) (↔*real*) : ~ property 동산. **3** (축제일 따위) 해에 따라 날짜가 바뀌는 : a ~ feast ☞ FEAST. ── *n.* **1** 움직일 수 있는 것(↔*fixture*). **2** [보통 *pl.*] 〖法〗 동산 ; 가재(家財). **mòv·abíl·i·ty** *n.* **-ably** *adv.*

móvable géne *n.* 〖遺〗 움직이는 유전자《DNA 사이를 전이(轉移)하는 DNA의 단위 영역 중에 존재하는 유전자》.

◊move [mú:v] *vt.* **1** [+目/+目+副/+目+前+名] (몸·수족 따위를) 움직이다 ; …의 위치를 바꾸다, 이동시키다 ; 운전시키다 ; 동요시키다 : He ~*d* his chair *nearer* to the fire. 의자를 불 가까이 끌어당겼다 / The general ~*d* the cavalry ***to*** the left. 장군은 기병을 좌측으로 이동시켰다. **2** [+目/+目+前+名/+目+*to* do] 감동시키다 ; 움직여서 …시키다 ; (…할) 마음을 일으키게 하다(incite) : Their deep friendship ~*d* us a great deal. 그들의 깊은 우정에는 모두가 크게 감동했다 / I was ~*d* ***to*** tears. 감동한 나머지 눈물이 나왔다 / She was ~*d* ***with*** compassion at this sight. 이 광경을 보고 동정심이 솟아났다 / What ~*d* you *to* do this? 어째서 이것을 하려는 마음이 생겼니. **3** [+目/+*that* 節] 제의하다(propose), 동의로서 제안하다 : Mr. Chairman, I ~ *that* we adopt this plan[*that* the decision be postponed until next Monday]. 의장, 이 안을 채택할[결정을 오는 월요일까지 연기할] 것을 제의합니다. 注 이 구문의 *that* 節에서는 보통 가정법 현재형을 씀. **4** 〖체스〗 (말을) 이동하다, (한 수) 두다. **5** (창자의) 배설을 순조롭게 하다 : Castor oil ~*s* the bowels. 피마자유는 장(腸)의 배설을 순조롭게 한다. **6** (상품을) 팔아 넘기다.

〈회화〉
What did you think about the movie? — Oh, I was deeply *moved* by the ending. 「그 영화 어땠니」「마지막 장면이 정말 감동적이더라」

── *vi.* **1** [動/+副/+前+名] 움직이다, 몸[손·발 따위]을 움직이다 ; 이동[운행]하다 ; (열차·기선 따위가) 전진하다 ; (바람·물 따위가) 움직이다, 동요하다 ; (기계가) 작동하다 : Not a leaf ~*d*. 나뭇잎 하나 움직이지 않았다 / ~ ***about*** ☞ 숙어 / ~ ***off*** 떠나다 / "*M*~ ***along***, please!" said the bus driver. 「안으로 들어가십시오」라고 버스 운전사가 말했다 / The earth ~*s* ***round*** the sun. 지구는 태양 둘레를 돈다. **2** [動/+副/+前+名] 전지(轉地)하다, 이사하다 ; (민족이) 이주하다 : He is *moving* next week. 내주에 이사하기로 되어 있다 / ~ ***about*** ☞ 숙어 / ~ ***in***[***out***] ☞ 숙어 / We ~ ***to***[***into***] the country next month. 내달에 시골로 이사합니다. **3** [動/+*in*+名] 행동하다, 생활하다 ; 조치를 강구하다 : They ~ ***in*** the high[best] society. 상류사회에 출입하고 있다 / It is for him to ~ first *in* the matter. 이 문제에는 그 분이 우선 손을 써야 한다. **4** (사건·사정 따위가) 진전하다. **5** [+*for*+名] (정식으로) 요구[제의]하다, 신청하다 : I ~ ***for*** an amendment. 수정안을 제의합니다. **6** 〖체스〗 말을 이동시키다, 수를 쓰다. **7** 대[소]변이 잘 나오다. **8** (상품이) 나가다, 팔리다(sell) : The article is *moving* well [is slow to ~]. 이 상품은 잘 나가고 있다[잘 나가지 않는다].

move about 돌아다니다(cf. *vi.* 1) ; 이곳저곳 주소를 바꾸다(cf. *vi.* 2).

move a person***'s blood*** 남을 격분시키다.

move down[***up***] 끌어내리다[올리다].

move house 이사하다.

move in ☞ *vi.* 3 ; (새집으로) 이사오다, 새집에 들어가다(↔*move out*).

move in on... 《口》 …을 습격[공격]하다 ; …에 접근하다 ; …을 꾸짖다 ; …을 빼앗으려고[가로채려고] 하다.

move on 계속 전진시키다[나아가다] : *M*~ *on*! 가시오!, 멈추지 마시오!《교통 순경의 명령》.

move out 이사가다(↔*move in*).

── *n.* **1** 〖체스〗 말을 두기[두는 차례], 수 : the first ~ 선수. **2** 《비유》 조치, 수단 : a clever ~ 좋은 수, 묘수. **3** 움직임, 운동, 이동 ; 옮김 ; 전거(轉居), 이주, 이사.

get a move on 《口》 서두르다, 나아가다 ; (나아가기) 시작하다.

know a move or two=***know every move*** 빈틈없다, 약삭빠르다.

make a move 《口》 움직이다, (특히 식탁에서) 자리를 뜨다 ; 행동하다, 수단을 취하다 ; 〖체스〗 한 수두다.

on the move (시종) 움직이고 있는 ; (일이) 진행되고 있는, 진보적으로.

〖AF<L *mot- moveo*〗

類義語 (1) ***move*** 어떤 장소로부터 다른 장소로 물건을 나르다 ; 가장 넓은 뜻의 낱말 : *move* a desk[table] (책상[테이블]을 옮기다). ***remove*** 본래의 장소[위치]에서 새로운 또는 일시적인 장소[위치]로 옮기다 : *remove* one's jacket (재킷을 벗기다). ***shift*** 위치나 장소를 변경하다 ; 때때로 불안정하고 침착성이 없음을 나타냄 : He often *shifts* from place to place. (그는 자주 자리를 옮긴다). ***transfer*** 어떤 용기·탈것·소유권에서 다른 것으로 옮기다 : We *transferred* to a local train. (우리는 보통 열차로 갈아 탔다).
(2) ⟹ AFFECT[1].
(3) ⟹ ADVANCE.

moveable ☞ MOVABLE.

móve-ìn *n.* 이입(移入), 전입.

móve·less *a.* 움직이지 않는, 부동의, 고정된.

‡móve·ment *n.* **1** Ⓤ 운동, 활동. **2** 움직임, 동작, 몸짓 : a graceful ~ *of* the hand 우아한 손동작. **3** [*pl.*] 몸가짐, 태도, 자세. **4** [보통 *pl.*] 행동, 동정(動靜). **5** (식물의) 발아, 성장. **6** 〖機〗 기계 장치, 구조 ; Ⓤ 운전(상태). **7** (무생물의) 동요, 진동〈*of* the waves〉. **8** 이동 ; 이사(移徙), 이주, (인구의) 동태. **9** (시대의) 동향 : in the ~ 시대에 뒤떨어지지 않고, 풍조에 따라. **10** Ⓤ (시장의) 경기, 활기, (상품 시세·주가의) 변동. **11** (정치적·사회적인) 운동 : a ~ *for* the abolition of slavery 노예 제도 폐지 운동 / a ~ *toward* greater freedom of the press 출판의 자유 확대 운동. **12** Ⓤ (사건·이야기 따위의) 진전, 변화, 파란, 활기 : a novel[play] lacking in ~ 별로 변화가 없는 소설[연극]. **13** 〖樂〗 악장 ; 율동, 박자, 템포. **14** 〖軍〗 기동, (작전) 행동. **15** 변통(便通) (motion) ; 배설물 : have a ~ 대(소)변이 나오다.

類義語 ⟹ MOTION.

móvement for the húman ríghts *n. pl.* 인권 운동.

móvement làwyer *n.* 좌익 그룹 혹은 반체제 파의 활동에 동조하는 변호사.

mov·er [mú:vər] *n.* **1** 움직이게 하는[움직이는] 사람[것]; 이전하는 사람; 《美》 (이삿짐의) 운송업자; 〖美史〗 (19세기의) 서부로의 이주민. **2** 발동하는 것; 발동력; 발동기: the first ~ 원동력. **3** 발기인; 동의 제출자.

móver and sháker *n.* (도시의 정치적·문화적 분야에서의) 유력자, 거물.

‡**mov·ie** [mú:vi] *n.* **1 a**) 영화(motion picture); 영화관(movie house): a ~ theater 영화관 / I want to see a ~. 영화를 보고 싶다. **b**) [the ~s] (오락·예술로서의) 영화: be fond of *the* ~*s* 영화를 좋아하다 / go to *the* ~*s* 영화 보러가다 / He first met her *at the* ~*s.* 그녀를 영화관에서 처음 만났다 / I have seen the place *in the* ~*s.* 나는 그 장소를 영화에서 본 적이 있다. **2** [the ~s] 영화산업, 영화계: She is in *the* ~*s.* 영화계에 있다.
〖*mov*ing picture+-*ie*; 1912년에 처음으로 나옴〗

móvie càmera *n.* 《美》 영화 촬영기(=《英》 cinecamera).

móvie·dom *n.* =FILMDOM.

móvie fiend *n.* 영화 팬, 영화광(狂).

móvie·gò·er *n.* 《口》 영화 팬.

móvie·gò·ing *n., a.* 영화 구경(을 자주 가는): the ~ public 영화 팬들.

móvie hòuse *n.* 《口》 영화관.

móvie·lànd *n.* (Hollywood 따위) 영화 제작의 본거지, 영화계, 영화 산업.

móvie·màker *n.* 영화 제작자.

Móvie·tòne *n.* 무비톤《사운드 트랙을 이용한 최초의 기법; 상표명》.

mov·ing [mú:viŋ] *a.* **1** 움직이는, 추진하는. **2** 움직이게 하는, 선동하는; 이동하는; 감동시키는: a ~ spirit 주창자, 중심인물 / a ~ sight 사람을 감동시키는 광경.
── *n.* Ⓤ 움직임, 움직이게 함; 선동, 감동.
moving of the waters 소동, 흥분; (사건 진행 중의) 변화, 동란.
~·ly *adv.* 감동적으로.
[類義語] ***moving*** 강한 감정이나 정서를 일으키게 하는, 때로는 애처로움을 느끼게 하는: her *moving* story (그녀의 감동적인 이야기). ***poignant*** 매우 가슴을 아프게 하는 느낌을 주는: the *poignant* cry of injured people (부상자의 처절한 외침). ***affecting*** 사람을 감동시키거나 슬프게 하여 눈물을 자아내게 하는: the *affecting* scene of farewell (슬픔을 자아내는 이별의 장면). ***touching*** 동정·감사 따위의 다정한 감정을 일으키게 하는: She gave a *touching* little gift to me. (나에게 조그마한 정성어린 선물을 주었다). ***pathetic*** 동정이나 연민, 때로는 경멸이 뒤섞인 연민의 정을 일으키게 하는: his *pathetic* attempt to get the position(지위를 얻으려는 빼저린 그의 노력).

móving pávement *n.* 《英》 =MOVING SIDEWALK.

móving pícture *n.* 영화(motion picture).

móving sídewalk[**plátform, wálk**] *n.* 《美》 (미래의 도시에 등장할) 움직이는 보도(步道).

móving stáircase[**stáirway**] *n.* 에스컬레이터(escalator).

móving vàn *n.* 《美》 가구 운반차, 이삿짐 트럭(=《英》 pantechnicon).

Mov·i·o·la [mù:vióulə] *n.* 무비올라《영화 필름 편집기; 상표명》.

***mow**[1] [móu] *v.* (**~ed**; **~ed**, **mown** [móun]) (주) mown은 *attrib.* 로만, 특히 복합어를 이루어 쓰임; ☞ *vt.* 1) *vt.* **1** (풀·보리 따위를) 베다, 거둬 들이다: ~ the lawn 잔디를 깎다 / ~ a field 밭의 농작물을 거둬 들이다 / new ~*n* hay 갓 벤 건초. **2** (대포 따위로) 쓰러뜨리다, 소탕하다〈*down, off*〉. ── *vi.* 베다, 거둬 들이다.
〖OE *māwan*; cf. G *mähen*〗

mow[2] [máu] *n.* **1** (건초·곡식의) 더미(stack). **2** 건초 두는 곳, 곡식 광. ── *vt.* 더미로 쌓아두다. 〖OE *mūga*; cf. ON *múgi* swath, crowd〗

mow[3] [máu, móu], **mowe** [máu, móu] *n., vi.* 찡그린 얼굴(을 하다) (cf. MOP[2]). 〖OF<Gmc.〗

M.O.W.B. Ministry of Works and Public Buildings.

mów·er *n.* 풀[잔디·보리] 베는 사람; 풀[잔디·보리] 베는[깎는] 기계(mowing machine).

mo·wich [móuwitʃ] *n.* 사슴; 사슴고기.

mów·ing *n.* Ⓤ 풀[잔디·보리]베기[깎기]; 베어들인 분량, 수확고.

mówing machìne *n.* 풀[잔디·보리] 베는[깎는] 기계.

***mown** [móun] *v.* MOW[1]의 과거분사.
── *a.* 벤, 베어낸.

mox·ie [máksi] *n.* 《美俗》 활기, 용기, 기백.
〖청량 음료의 상표 *Moxie*에서〗

mox nix [máks níks] 《美俗》 괜찮아, 아무래도 좋아. 〖G *es macht nichts*〗

moya [mɔ́iə] *n.* 〔地〕 화산니(泥).
〖*Moya* 에콰도르의 화산〗

Mo·zam·bi·can [mòuzəmbí:kən] *a.* 모잠비크(사람)의. ── *n.* 모잠비크 사람.

Mo·zam·bique [mòuzəmbí:k] *n.* 모잠비크《아프리카 남동부의 나라; 수도 Maputo》.

Mo·zart [móutsɑ:rt] *n.* 모차르트. **Wolfgang Amadeus** ~ (1756-91) 오스트리아의 작곡가.

M.P., MP [èmpí:] *n.* (*pl.* **M.P.s, M.P.'s** [-z]) 《英》 하원의원(Member of Parliament).

M.P. Metropolitan Police; Military Police; Mounted Police; Municipal Police. **mp** 〔樂〕 mezzo piano. **m.p.** melting point. **MPEA** 《美》 Motion Picture Export Association. **mpg, m.p.g.** miles per gallon. **mph, m.p.h.** miles per hour. **M.Ph.** 《美》 Master of Philosophy. **MPU** microprocessor unit. **MQ** metol-quinol《사진 현상액》.

◇**Mr., Mr** [místər, místər] *n.* (*pl.* **Messrs.**) **1** [남자의 성·이름 앞에 붙여] …선생, …씨, …귀하, …군, …님《영국에서는 작위 없는 사람에게, 미국에서는 일반적으로 쓰고 있음》: *Mr.* (Albert Sydney) Hornby / a plain *Mr.* 직함이 없는 보통 사람. **2** [관직명 앞에 붙여서 호칭으로]: *Mr.* Chairman! 의장! / *Mr.* Speaker 의장님 / *Mr.* President 대통령 각하; 사장[학장]님. (주) 부인의 경우는 *Madam* Chairman이라고 함.

〈회화〉
This is *Mr.* and Mrs. Min. — I'm pleased to meet you. 「이쪽이 민씨 부부입니다」「처음 뵙겠습니다」

〖MISTER〗

MR motivational research. **M/R** mate's receipt.

MRA, M.R.A. Moral Re-Armament.

Mr. Big [ˊˊ] *n.* 《口》 (회사 따위를 실제로 움직이는) 진짜[막후] 실력자; (범죄 조직 따위의) 거물, 중요인물.

MRBM medium range ballistic missile(준중거리

탄도 미사일).

MRC, M.R.C. 《英》 Medical Research Council. **M.R.C.A.** multi-role combat aircraft (다목적 전투기).

Mr. Charlie[**Charley**] [⌐⌐] *n.* 《美俗》 =MISTER CHARLIE.

Mr. Clean [⌐⌐] *n.* 《口》 청렴한 사람《특히 정치가》. 〖세제(洗劑)의 상품명에서〗

M.R.C.P. (**E.**[**I.**]) Member of the Royal College of Physicians (of Edinburgh[Ireland]). **M.R.C.S.** (**E.**[**I.**]) Member of the Royal College of Surgeons (of Edinburgh[Ireland]). **M.R.C.V.S.** Member of the Royal College of Veterinary Surgeons. **MRFA** Mutual Reduction of Forces and Armaments (중부 유럽 상호 병력·군비 삭감 교섭). **M.R.G.S.** Member of the Royal Geographical Society. **m(-)RNA** messenger RNA.

Mr. Right [⌐⌐] *n.* =MISTER RIGHT.

◇**Mrs., Mrs** [mìsəz, mísəz, 美+-əs] *n.* (*pl.* **Mrs., Mesdames**) [기혼 여성의 성·이름에 붙여서] …부인, …의 마님, …미망인 : *Mrs.* (Albert S.) Hornby《A.S.는 남편의 이름》/ *Mrs.* Mary Jones《이와 같이 《英》에서는 부인의 이름을 주로 상업 통신문·법률 서류 또는 때로 미망인의 경우에 씀 ; cf. MISSIS》. 〖MISTRESS〗

Mrs. Mop[**Mopp**] [⌐ máp] *n.* 《英戲》 잡역부(雜役婦) (charwoman).

MRT mass rapid transit(대량 수송 교통 기관). **MRV** moon roving vehicle ; multiple reentry vehicle (다탄두 재돌입 미사일).

Ms., Ms [mìz, míz, məz] *n.* 미혼 기혼의 구별을 하지않는 여성의 경칭《Miss, Mrs. 대신 씀》.

MS motor ship ; multiple sclerosis. **MS., ms.** [èmés, mǽnjəskrìpt] Manuscript. **M.S.** Master of Science ; Master in Surgery ; mail steamer. **M/S, m.s.** 〖商〗 months after sight. **MSA** 《美》 Mutual Security Act [Agency] (상호 안전 보장 조약[본부]) ; Master of Science in Agriculture. **MSBLS** 〖宇宙〗 microwave scanning beam landing system (마이크로파(波) 주사 착륙 시스템). **MSC** Manned Spacecraft Center((NASA의) 유인 우주 비행 센터). **M.Sc.** Master of Science. **M.S.E.** Member of the Society of Engineers. **msg.** message. **MSG** monosodium glutamate. **Msgr.** Monsignor. **M.Sgt.,M/Sgt.** 《美》 Master Sergeant. **MSI** 〖電子〗 medium-scale integration(중규모 집적 회로).

m'sieur [məsjə́:*r*, məsjə*r*] *n.* =MONSIEUR.

M 16 (**rifle**) [ém sikstí:n (⌐)] *n.* M-16소총《구경 0.223 인치의 자동 소총》. 〖*model 16*〗

MSK meter-second-kilogram(me). **m.s.l.** mean sea level(평균 해면(海面)). **M.S.M.** Meritorious Service Medal. **MSR** missile site radar(미사일 기지 레이더). **MSS** 〖컴퓨〗 mass storage system(대용량(大容量) 기억 시스템). **MST** Mountain Standard Time. **M.S.T.S.** Military Sea Transportation Service. **M.S.W.** Master of Social Welfare ; Master of Social Work. **MSY** maximum sustainable yield《(자원의 재생력 범위내에서의) (연간) 최대 지속 생산량》.

⁑**Mt.** [máunt] *n.* (*pl.* **Mts.**) =MOUNT² ; =MOUNTAIN.

MT machine translation ; megaton(s) ; 〖美郵〗 Montana ; member(ship) training(회원[사원] 훈련[연수]). **M.T.** mechanical[motor] transport ; metric ton ; Mountain Time. **mt.** mount ; mountain. **MTB, M.T.B.** motor torpedo boat. **MTBF** 〖컴퓨〗 mean time between failure(평균 고장 간격). **M.Tech.** Master of Technology. **M'ter** Manchester. **mtg.** meeting ; mortgage. **mtge.** mortgage. **mth.** month.

M₃, M-3 [ém θrí:] *n.* 〖經〗 M₃《M₂에 각종 금융기관의 예금·저금과 신탁 원금을 더한 한 나라의 통화 공급량(money supply)》.

mtl. metal. **MTN** multilateral trade negotiations ((GATT의) 다각적 무역 협정). **mtn.** mountain. **MTOGW** 〖空〗 maximum take-off gross weight (최대 이륙 총중량). **M.T.P.I.** Member of the Town Planning Institute. **MTR** material testing reactor. **Mt. Rev.** Most Reverend. **Mts., mts.** mountains. **MTTR** 〖컴퓨〗 mean time to repair [recovery](평균 수리 시간). **MTV** Music Television《음악 방송 텔레비전 ; 록 음악을 24시간 연속 방송하는 유선 텔레비전》.

M₂, M-2 [ém tú:] *n.* 〖經〗 M₂《M₁에 각종 금융기관의 정기성 예금을 더한 한 나라의 통화 공급량 ; cf. M₃》.

mu [mjú:, 美+mú:] *n.* 뮤《그리스어 알파벳의 열두번째 글자 *M*, *μ* ; 영어의 M, m에 해당》. 〖Gk.〗

muc- [mjú:k], **mu·ci-** [mjú:sə], **mu·co-** [mjú:kou, -kə] *comb. form.* 「점액」의 뜻.

◇**much** [mʌ́tʃ]

> (1) much는 money, work, trouble 따위의 불가산명사와 함께 쓰며, 보통 부정문·의문문에서 쓰인다.
> (2) 《口》의 긍정문에선 much 대신에 a lot of, a good deal of, plenty of, a great quantity 따위를 쓸 때가 많다.
> (3) much를 how, too, as, so 따위와 함께 쓸 때, 또는 주어의 일부가 되는 경우에는 긍정문에서도 much를 쓴다.
> (4) 대명사·부사 용법에서는 양자의 구별이 명료하지 않고, 이해하는 데 굳이 구별할 필요가 없을 때가 있다. 예컨대 study much는 「많은 것을 배우다」(대명사적)이든 「열심히 공부하다」(부사적)이든 결국 같은 것이다.

── *a.* (**more ; most**) 많은, (시간이) 긴 ; 다량의(↔*little*) (cf. MANY) : I don't drink ~ wine. 술을 그다지 마시지 않는다(cf. He drinks *a lot of* wine. 꽤 마신다) / *How* ~ money do you want? 돈이 얼마나 필요합니까 / You spend *too* ~ money. 돈을 너무 쓴다.

── *adv.* (**more ; most**) **1** [동사·과거분사《예외도 있음》 및 비교급·최상급을 수식하여(☞ VERY *adv.* 1 ㊟)] 대단히, 매우(greatly) (cf. FAR 3) : Thank you very ~. 대단히 감사합니다 / It seemed ~ larger to me than I had expected it was. 그것은 내가 기대하고 있었던 것보다 훨씬 크게 생각되었다 / This is ~ the better of the two. 둘 중에서는 이 쪽이 훨씬 더 좋다. ☞ 活用. **2** 대개, 거의(nearly) : ~ of an age[a sort] 거의 동년배[같은 종류]의 / They are ~ the same. 그것들은 거의 같다. **3** 자주, 종종 : Do you dine out ~? 자주 외식하니.

── *n., pron.* **1** 다량, 많음(a good deal) : I have ~ to say about the harm of smoking. 흡연

의 해(害)에 대해서는 할 말이 많다 / I do not see ~ *of* him. 그와는 잘 만나지 않는다 / It isn't ~ good. 그다지 유용하지 않다 / *M*~ will have more. 《속담》 욕심은 한이 없다 / *M*~ *of* the day we played golf. 그날은 거의 골프 치며 하루를 보냈다[골프를 쳤다]. **2** [be의 보어로 ; 보통 부정구문으로] 중요한 일[것].

as much 꼭 그것만큼, 똑같이(so), 동량의 : I thought *as* ~. 그럴 줄 알았다《as you tell me 따위를 보충》.

as much again (***as...***) 다시 그것만큼, (…의) 두 배만큼 : Take *as* ~ *again.* 그 두 배만큼 가지시오.

as much (...) ***as*** …만큼, …한 : *as* ~ *as* possible 가급적 / Drink *as* ~ tea *as* you like. 드시고 싶은 만큼 차를 드시오. ☞ AS[1] 活用 (1) ii).

as much as to say …라고 말하려는 듯이.

half as much again (***as...***) (…의) 한 배 반.

half as much (***as...***) (…의) 절반.

how much (양·값이) 얼마 ; 어느 정도.

〈회화〉
How *much* is this watch? — It's 100 dollars.
「이 시계는 얼마입니까」「백 달러입니다」

make much of (1) …을 중요시하다, 소중히 하다. (2) …을 극구 찬양하다, 귀여워하다. (3) …을 잘 이용하다. (4) [부정구문으로] …을 이해하다 : I can*not make* ~ *of* his argument. 나는 그의 주장을 이해할 수 없다.

much as …와 거의 같은 정도로.

much less 보다 훨씬 적은[적게] ; [부정구문으로] 하물며[더욱이나] …않다 : He has no daily necessities, ~ *less* luxuries. 그는 사치품은 커녕 필수품조차 없다.

much more 보다 훨씬 많은[많게] ; [긍정구문으로] 하물며, 더군다나 : If he can do it well, ~ *more* can we. 그가 그것을 잘 할 수 있다면 우리야 훨씬 더 잘 할 수 있다.

not much 《俗》 어림도 없는 ; 《美》= *not* HALF.

not much of a... 대단한 …은 아니다 : He is *not* ~ *of a* poet. 대단한 시인은 아니다.

not so much (***...as***) ☞ SO[1].

not so much (...) ***as...*** ☞ SO[1].

so much ☞ SO[1].

so much as ☞ SO[1] *much.*

so much for... ☞ SO[1].

that much 그만큼(so much) : I admit *that* ~. 거기까지는 인정합니다.

this [***thus***] ***much*** 이만큼은, 여기까지는.

too much ☞ TOO.

twice [***three times** etc.*] ***as much*** (***as***) (…의) 두 배[세 배 따위].

without so much as... ☞ SO[1] *much.*

〖MICKLE ; 어미 소실은 cf. BAD[1], WENCH〗

活用 (1) 동사를 수식하는 (very) much는 뒤에 오는 것이 일반적 : I like it *very much.* (나는 그것을 몹시 좋아한다).
(2) 단, 부정문에서 타동사를 수식할 때에는 목적어가 비물질적인 낱말의 경우 much가 not의 바로 뒤에 오는 경우도 있다 : She does*n't much* like music. =She doesn't like music *much.* (그다지 음악을 좋아하지 않는다).

mu·cha·cha [muːtʃáːtʃə] *n.* 《美南西部》 소녀, 젊은 여자 ; 하녀. 〖Sp.〗

mu·cha·cho [muːtʃáːtʃou] *n.* (*pl.* ~**s**) 《美南西部》 소년, 젊은 남자 ; 하인. 〖Sp.〗

múch·ly *adv.* 《戲》 굉장히, 대단히.

múch·ness *n.* Ⓤ 《口》 많음, 다량.
much of a muchness 《口》 대동 소이.

muci- [mjúːsə] ☞ MUC-.

mu·ci·lage [mjúːsəlidʒ] *n.* **1** Ⓤ 고무풀(=《英》 gum). **2** Ⓤ (동식물이 분비하는) 점액.
〖F<L=musty juice ; ⇨ MUCUS〗

mu·ci·lag·i·nous [mjùːsəlǽdʒənəs] *a.* 점액질의, 끈적끈적한 ; 점액을 분비하는.

mu·cin [mjúːsən] *n.* 〔生化〕 뮤신《점액의 주성분》.

muck [mʌ́k] *n.* **1** Ⓤ 마소의 똥, 거름, 퇴비. **2** Ⓤ 쓰레기, 오물 ; Ⓒ 불결한 상태. **3** Ⓤ 잡동사니, 찌꺼기 ; 《口》 하찮은 것[읽을 거리], 불쾌한 것. **4** 〔土〕 버력《채광할 때 파낸 토사(土砂)·폐석(廢石)》.
be in [***all of***] ***a muck*** 혼란 상태에 있다.
make a muck of... 《英口》 …을 불결하게 하다 ; …을 엉망으로[못쓰게] 만들다.
—— *vt., vi.* **1** …에 퇴비[비료]를 주다. **2** 《口》 더럽히다, 엉망으로 만들다〈*up*〉; 《俗》 실수하다. **3** 〔鑛山〕 폐석을 제거하다.
muck about 《口》 (정처없이) 헤매다 ; 빈둥거리다, 꾸물거리다.
〖? Scand. ; cf. ON *myki* dung〗

muck·a·muck [mʌ́kəmʌ̀k], **muck·et·y·muck** [mʌ́kəti-] *n.* 《美俗》 [보통 경멸적으로] 높은 양반, 거물(high-muck-a-muck) ; 《美北西部》 음식물(food). —— *vi.* 《美北西部》 음식을 먹어 치우다, 먹다. 〖cf. MUCKY-MUCK〗

múck·er[1] *n.* 《英俗》 쿵하고 떨어지기, 추락 ; 봉변, 재난 ; 〔鑛〕 폐석을 가려내는 인부.
come a mucker 《英俗》 쿵하고 떨어지다, 실패하다.
go a mucker 《英俗》 마구 돈을 쓰다〈*on, over*〉.
〖MUCK〗

mucker[2] *n.* 《美俗》 야비한[버릇 없는] 사람 ; 《英俗》 동료, 패거리.
〖? G *mucker* sulky person, hypocrite〗

muck·et [mʌ́kət] *n.* 《美俗》 =TOUPEE.

múck·hìll, múck·hèap *n.* 거름[오물] 더미.

muckle ☞ MICKLE.

muckluck ☞ MUKLUK.

múck·ràke *n.* **1** 쇠스랑, 쇠갈퀴. **2** 《원래 美》 [the ~] 추문(醜聞)을 캐고 다니는 사람 ; Ⓤ 추문(기사). —— *vi.* 《원래 美》 추문[부정]을 들추어내다. **múck·ràker** *n.* 추문 폭로자.

múck·swèat *n.* 《英》 구슬땀, 비오듯 하는 땀.

múck·ùp *n.* 《英俗》 혼란(상태), 엉망진창 ; 실수.

múck·wòrm *n.* **1** 구더기. **2** 구두쇠(miser) ; 부랑아.

múcky *a.* 거름투성이의, 더러운 ; 《英口》 불쾌한, 싫은. 〖MUCK〗

múcky-mùck *n.* 《美俗》 중요 인물, 거물.

mucluc ☞ MUKLUK.

muco- [mjúːkou, -kə] ☞ MUC-.

mu·co·sa [mjuːkóusə, -zə] *n.* (*pl.* **-sae** [-siː, -sai, -ziː, -zai], **~s**, ~) 〔解〕 점막.
〖L (fem.) < *mucosus* (MUCOUS)〗

mu·cos·i·ty [mjuːkɑ́səti] *n.* Ⓤ 점(액)성.

mu·cous [mjúːkəs], **mu·cose** [-kous] *a.* 점액을 분비하는 ; 점액을 함유하는 ; 점액질의 : ~ cough 〔醫〕 가래가 나오는 기침 / the ~ membrane 점막(粘膜).
〖L ; ⇨ MUCUS〗

mu·cus [mjúːkəs] *n.* Ⓤ (생물체 내의) 점액(粘液). 〖L=nasal mucus〗

***mud** [mʌ́d] *n.* **1** Ⓤ 진흙 ; 진창 ; 《俗》 커피. **2** 시시한 것, 찌꺼기 ; 저주스러운 사람[것] ; 《美俗》

아편 : His name is ~. 그의 명성[신용]은 땅에 떨어졌다. **3** 악의있는 비난, 욕설, 중상.
(*as*) ***clear as mud*** 《戲》 (설명 따위가) 알아들을 수 없는, 극히 모호한.
stick in the mud 진창에 빠지다 ; 꼼짝 못하게 되다 ; 소극적이다 ; 보수적이다.
throw[***fling, sling***] ***mud at*** …의 얼굴에 흙칠을 하다, …을 헐뜯다, 중상하다.
〖ME< ? MLG *mudde* ; cf. MHG *mot* bog, mud, Swed. *modd* slush, OE *mos* bog〗

mu·dar [mədɑ́ːr] *n.* 〔植〕 칼로트로피스《미얀마·인도산 박주가리과의 관목(灌木)》. 〖Hindi〗

múd bàth *n.* 진흙 목욕《류머티즘·통풍 따위에 효험이 있음》.

múd·càp *n.* 〔工〕 머드캡《파쇄할 바윗덩이 위에 화약을 놓고 그 위를 진흙으로 덮은 폭파 장치》.

múd càt *n.* 〔魚〕 흙탕물에 사는 메기 무리.

múd dàuber *n.* 〔昆〕 나나니벌.

múd·der *n.* 《競馬俗》 진창이 된 코스를 잘 달리는 말[선수, 팀].

mud·dle [mʌ́dl] *vt.* **1** 혼란시키다, 어리둥절케 하다 ; (음주로) …의 머리를 멍하게 만들다. **2** [+目/+目+副] 뒤범벅[뒤죽박죽]을 만들다, 뒤섞다 : Don't ~ things ***up***[*together*]. 일을 뒤죽박죽으로 만들지 마라. **3** 못쓰게 하다, (계획을) 망치다. **4** [+目+副] 낭비하다 : ~ *away* one's time[money] 시간[돈]을 낭비하다. **5** 진흙투성이로 만들다 ; (빛깔·물을) 흐리게 하다.
—— *vi.* [+副] 되는대로 하다, 꾸물거리다, 멍하니 생각하다 : I'm *muddling* ***on***[***along***]. 이럭저럭 하고 있다, 어물어물 넘어간다 / He has ~*d* ***through***. 우선 그럭저럭 넘어갔다.
—— *n.* [보통 a ~] 혼란(상태) (disorder) ; 당혹, 흐리멍덩함 ; (논지(論旨) 따위의) 지리 멸렬 : in *a* ~ 멍해져서, 당혹하여 ; 지리 멸렬하여 / make *a* ~ of …을 엉망으로 만들다, …을 실수하다. 〖? MDu. (freq.) ‹ *modden* to dabble in mud ; cf. MUD〗
類義語 ⟹ CONFUSION.

múddle·hèad *n.* 멍텅구리, 바보.

múddle·hèad·ed *a.* 얼빠진, 어리석은, 멍텅구리의(stupid).

múd·dler *n.* **1** 일을 그럭저럭 하는 사람. **2** (음료를) 휘젓는 막대(☞ SWIZZLE STICK).

*__mud·dy__ *a.* **1** 진흙이 많은, 질척질척한 ; 진흙투성이의. **2** 흐린, 혼탁한, 더러운 ; (빛·음성 따위가) 흐린, 청명하지 않은, 탁한 ; (머리가) 흐리멍덩한 ; (표현·의미 따위가) 알 수 없는, 확실하지 않은. —— *vt.* 진흙으로 더럽히다, 탁하게 하다 ; 흐리게 하다 ; 흐리멍덩하게 하다.
múd·di·ly *adv.* **-di·ness** *n.*

múd·fìsh *n.* 〔魚〕 (미꾸라지 따위) 진흙 속에서 사는 물고기.

múd·flàp *n.* (자동차 뒷바퀴의) 흙받기.

múd flàt *n.* (썰물 때 드러나는) 개펄.

múd·flòw *n.* 이류(泥流).

múd·guàrd *n.* (차의) 흙받기(wing).

múd hèn *n.* 〔鳥〕 늪 지대에 사는 새《쇠물닭, 큰물닭, 흰눈썹뜸부기 따위》.

múd·hòle *n.* (들판·도로 따위의) 진구렁.

Mú·die's (**Lénding Lìbrary**) [mjúːdiz-] *n.* 옛날 London에 있었던 대본(貸本) 가게.

mu·dir [muːdíər] *n.* (이집트의) 주지사 ; (터키의) 촌장. 〖Arab.〗

múd-kìcker *n.* 《美俗》 **1** 누구와도 자는 여자. **2** (정부(情夫)쪽에서 보아) 믿지 못할 창녀.

múd làrk *n.* 《英口》 (썰물 때) 개펄을 뒤지는 사람 ; 《俗》 부랑아.

múd·man [-mən] *n.* 진흙 인간《적을 위협하려고 전신에 진흙을 바르고 점토로 만든 기괴한 가면을 쓰는 파푸아뉴기니의 원주민》.

múd·pàck *n.* (미용의) 진흙 팩.

múd píe *n.* (아이들이 만드는) 진흙 만두.

múd pùppy *n.* 〔動〕 머드퍼피《대형 도롱뇽》.

múd·ròom *n.* 더럽거나 젖은 옷·신발 따위를 벗는 방[곳].

múd·sìll *n.* (건축물의) 토대 재목《보통 땅 속이나 땅 위에 가로지름》; 《美》 최하층의 빈민.

múd·slìde *n.* 진흙 사태.

múd·slìng·er *n.* (정치 운동의) 중상자.

múd·slìng·ing *n.* Ⓤ (정치 운동의) 서로 중상 모략하는 싸움, 이전투구.

múd·stòne *n.* Ⓤ 이암(泥岩).

múd tùrtle *n.* 〔動〕 진흙 수렁에 사는 거북《미국산(産)》.

múd volcáno *n.* 〔地質〕 이화산(泥火山).

Múen·ster (**chéese**) [múnstər(-), mʌ́n-, mjúːn-] *n.* 뮌스터 (치즈)《하얀 연성 치즈》. 〖*Münster* 프랑스 북동부의 원산지(原産地)〗

mu·ez·zin [mju(ː)ézən] *n.* (이슬람교사원의) 기도 시간을 큰소리로 알리는 사람. 〖Arab.〗

muff[1] [mʌ́f] *n.* **1** 토시 비슷한 것, 머프《양손을 따뜻하게 하는 모피로 만든 것》. **2** 〔機〕 통(筒). 〖Du. *mof* <OF<L= mitten< ?〗

muff[1] 1

muff[2] *n.* 그르치기, 실수 ; 〔球技〕 공을 놓치기 ; 서투른 사람, 멍청이 ; 겁쟁이 : make a ~ of …을 실수하다 / make a ~ of oneself 사서 웃음거리가 되다. —— *vt., vi.* (공을) 받다가 놓치다, (기회를) 놓치다 ; 바보짓을 하다 ; 실수하다 ; 그르치다. 〖C19< ?〗

muf·fe·tee [mʌ̀fətíː] *n.* 《英》 털실로 짠 토시. 〖? MUFF[1]〗

muf·fin [mʌ́fən] *n.* 머핀《둥근 모양의 구운 빵 ; 차에 곁들여 냄》; [*pl.*] 《卑》 (젊은 여성의) 유방. 〖C18< ? LG *muffen* (pl.) cakes〗

múffin bèll *n.* 《英》 머핀 장수가 울리는 방울.

múffin càp *n.* 《英》 자선학교 학생이 쓰는 머핀 모양의 모자.

muf·fin·eer [mʌ̀fəníər] *n.* (뚜껑 달린) 머핀 접시 ; (머핀에 치는 소금·설탕 따위를 넣는) 양념 그릇.

múffin màn *n.* 《英》 머핀 장수.

múffin pàn *n.* 머핀 굽는 번철.

muf·fle[1] [mʌ́fəl] *vt.* **1** [+目/+目+副] 싸다 ; 덮다, 목도리《따위》로 감싸다 : Please ~ yourself ***up*** well. (춥지 않도록) 잘 감싸시오. **2** (소리를 내지 못하게 사람의) 머리를 덮어씌우다 ; (소리나지 않도록 북 따위를) 싸다 ; [보통 *p.p.*로] (소리를) 죽이다, 둔탁하게 하다 : ~*d* drums (장례에서 소리를 둔탁하게 하기 위해) 천으로 두른 북 / ~*d* voices (입을 막고 있는 것과 같이) 또렷하지 않은[알아 들을 수 없는] 목소리. —— *vi.* (몸이) 휩싸이다, 목도리《따위》를 감아 두르다.
—— *n.* 소리를 죽이는[줄이는] 것 ; 소음기[장치] ; (덮개로) 죽인 소리 ; 《古》 권투 장갑.
〖? F (*moufle* thick glove, MUFF[1])〗

muffle[2] *n.* (포유 동물의 드러난) 코끝. 〖F< ?〗

múf·fler *n.* 머플러, 목도리(cf. SCARF[1]) ; 벙어리장갑 ; =MITTEN 1, 권투 장갑 ; (내연 기관의) 소

음기 ; (피아노의) 약음기(弱音器).

muf·ti [mʌ́fti] *n.* Ⓤ (군인 등의) 평복, 통상복(cf. UNIFORM). ㊟ 보통 다음 구로 : *in* ~ 평복으로.

mug[1] [mʌ́g] *n.* **1** 조끼형 컵(보통 금속제 또는 도제(陶製)) : a beer ~ 맥주 조끼 / a ~ *of* beer 한 조끼의 맥주. **2** 《俗》 얼굴, 입. **3** 《英俗》 바보, 천치(fool). **4** 《俗》 과장된 표정, 찡그린 얼굴 ; 《俗》 (범인의) 얼굴사진(=~ shot) ; 《美俗》 난폭자, 깡패, 불량배, 못생긴 남자 ; 《美俗》 범인 ; 《英俗》 살인자. —— *v.* (**-gg-**) *vt.* **1** 《俗》 기습하다, 기습해서 강탈하다, 폭력 소매치기를 하다. **2** 《美》 (경찰이 용의자의) 얼굴사진을 찍다.
—— *vi.* 《俗》 (연기 따위에서) 표정을 짓다[과장하다], 찡그린 얼굴을 하다.
〚? Scand. ; cf. Swed. *mugge* pitcher with handle〛

mug[2] *vi., vt.* (**-gg-**) 《英口》 열심히 공부하다〈*at*〉. ***mug up*** 《英俗》 벼락 공부를 하다 ; 《英俗》 분을 짙게 바르다 ; 《美俗》 가벼운 식사를 하다.
—— *n.* 《英俗》 공부벌레 ; 《英俗》 시험.
〚C19 < ?〛

mug·gee [mʌgíː] *n.* 《口》 (노상에서) 강도당하는 사람, 폭력 소매치기의 피해자.

mug·ger[1], **mug·gar**, **mug·gur** [mʌ́gər] *n.* 〖動〗 (인도산) 악어의 일종. 〚Hindi〛

mugger[2] *n.* 《口》 폭력 소매치기 ; 《美》 표정을 지나치게 과장하는 희극 배우 ; 《美俗》 (범죄자 명부용) 인상 사진사. 〚MUG[1]〛

múg·ging *n.* 《口》 강도, 폭력 소매치기(행위).

mug·gins [mʌ́gənz] *n.* (*pl.* **~·es**, ~) 《口》 바보, 얼간이 ; 도미노 놀이(dominoes)의 일종.
〚*mug* simpleton의 뜻이 들어 있는 인명(人名)의 Muggins에서인가〛

mug·gle [mʌ́gəl] *n.* 《美俗》 마리화나 담배.

mug·gy [mʌ́gi] *a.* 찌는 듯이 더운, 습기가 많고 무더운, 후텁지근한. **múg·gi·ly** *adv.* **-gi·ness** *n.*
〚*mug* (dial.) drizzle<ON *mugga* mist〛

múg's gàme *n.* 《口》 바보짓 ; 무의미한 활동.

múg shòt *n.* 《美俗》 얼굴 사진.

múg·wòrt *n.* 〖植〗 쑥.

mug·wump [mʌ́gwʌ̀mp] *n.* [흔히 M~] **1 a)** 《美》 1884년 대통령 선거에서 당추천 후보 James G. Blaine을 지지하지 않고 탈당한 공화당원. **b)** 중립적[형세를 관망하는] 정치가. **2** 거물급, 우두머리. 〚Algonquian=great chief〛

Mu·ham·mad, **-med** [muhǽməd, -hɑ́ː-] *n.* 마호메트(Mahomet, Mohammed)(이슬람교의 개조(570-632)).

Muhámmad·an, **-med-** *a.* 마호메트의, 이슬람교의. —— *n.* 이슬람교도.

mu·ja·he·din [mudʒɑ̀ːhedíːn] *n.* 무자헤딘(주로 아프가니스탄과 이란의 이슬람교 반군).

mujik ☞ MUZHIK.

muk·luk, **muck·luck**, **muc·luc** [mʌ́klʌk], **-lek** [-lək] *n.* (에스키모가 신는) 물개의 모피로 만든 장화. 〚Eskimo〛

mu·lat·to [mjuːlǽtou, mə-] *n.* (*pl.* **~·es**, **~s**) 백인과 흑인의 제1대 혼혈아(cf. QUADROON, OCTOROON, SAMBO[1]). —— *a.* 흑백 혼혈아의 ; 황갈색의(tawny).
〚Sp. *mulato* young mule〈 *mulo* MULE[1]〛

mul·ber·ry [mʌ́lbèri ; -bəri] *n.* **1** 뽕나무(=~ **trèe**) ; 오디. **2** Ⓤ 짙은 적자색(赤紫色).
〚OE *mōrberie* (L *morum* mulberry, BERRY) ; *-l-* 은 *-r-*의 이화(異化)〛

múlberry bùsh *n.* 《英》 'Here we go round the mulberry bush'라고 노래하면서 노는 어린이 놀이의 일종.

mulch [mʌ́ltʃ] *n.* 뿌리 덮개, 까는 짚(이식한 식물의 뿌리를 보호함). —— *vt.* …에 뿌리덮개를 하다. 〚C17 ? *melsh* (dial.) soft, mild<OE *melsc*〛

múlch fìlm *n.* 제초(除草) 필름.

mulct [mʌ́lkt] *vt.* **1** [+目+*of*+名] (남)을 속여서 빼앗다 : He was ~*ed* ***of*** his life savings by a swindler. 그는 사기꾼에게 평생 동안 모은 돈을 털렸다. **2** [+目+*in*+名/+目+目] 과료[벌금]에 처하다 : They ~*ed* him (***in***) £ 5. 그에게 5파운드의 벌금을 과했다. —— *n.* 과료, 벌금.
〚F<L *mulcta* fine〛

***mule**[1] [mjúːl] *n.* **1** 노새(수탕나귀와 암말과의 새끼 ; cf. HINNY). **2** 《口》 외고집쟁이, 완고한 사람, 바보. **3** (동식물의) 잡종 ; (특히) 잡종 카나리아. **4** 뮬 정방기(精紡機). **5** (운하를 따라 배를 끄는) 전기 기관차 ; (광산 따위에서 사용하는) 소형 전기 기관차, 트럭. **6** 《美俗》 밀조 위스키.
(***as***) ***obstinate***[***stubborn***] ***as a mule*** 몹시 완고한.
〚OF<L *mulus*〛

mule[2] *vi.* =MEWL.

mule[3] *n.* 뒤축없는 슬리퍼 ; (굽이 낮은) 실내용 구두. 〚F〛

múle dèer *n.* 〖動〗 뮬사슴(귀가 크고 꼬리가 검은 사슴 ; 북미서부산).

múle drìver[**skìnner**] *n.* 노새 몰이꾼.

mu·le·teer [mjùːlətíər] *n.* 노새 몰이꾼.

mu·ley, **mul·ley** [mjúːli, múli] *a.* (소가) 뿔이 없는, 뿔을 자른. —— *n.* 뿔이 없는 소, 암소(cow) ; 뿔이 없는[뿔을 자른] 동물.
〚Celt. ; cf. Gael. *maol* bald, hornless〛

múley sàw, **mú·lay sàw** [mjúːli-, múli-] *n.* 《美口》 제재용의 긴 톱(상하로 움직임).

mul·ish [mjúːliʃ] *a.* 노새 같은 ; 고집센.

mull[1] [mʌ́l] *n.* 《英口》 실수, 실패.
make a mull of …을 망쳐놓다.
—— *vt.* 《英口》 엉망으로 만들다, 실수하다 ; 《美》 충분히 혼합시키다, 잘 섞다 ; 《口》 곰곰이 생각하다. —— *vi.* 《美口》 신중히[천천히] 생각하다, 궁리하다(ponder)〈*over*〉. 〚? *mull* to grind to powder (ME *mul* dust<MDu.)〛

mull[2] *vt.* [주로 *p.p.*로] (포도주·맥주 따위에) 설탕·향료·달걀 노른자 따위를 넣어 데우다 : ~*ed* claret 향료를 섞어 데운 붉은 포도주. 〚C17< ?〛

mull[3] *n.* Ⓤ 얇고 부드러운 여성용 무명 옷감.
〚*mulmull* <Hindi〛

mull[4] *n.* 《스코》 곶(promontory), 반도.
〚ME ; cf. Gael. *maol*, Icel. *múli*〛

mul·la(**h**) [mʌ́lə, múlə], **mol·la**(**h**) [mɔ́(ː)lə, mɑ́l-] *n.* 이슬람 법학자(경칭) ; (이란 등지에서) 이슬람법 재판관 ; 《蔑》 종교 선생.
〚Pers. and Hindi〛

mul·lein, **-len** [mʌ́lən] *n.* 〖植〗 현삼과(科)의 식물. 〚OF *moleine*〛

múll·er[1] *n.* 막자, 공이(그림 물감·약 따위를 으깨는데 쓰는) ; 분쇄기, 연마기.
〚ME *molour* ; cf. MULL[1]〛

muller[2] *n.* 술 데우는 사람[기구].

mul·let[1] [mʌ́lət] *n.* 〖魚〗 숭어(=red ~).
〚OF (dim.) <L *mullus*<Gk.〛

mullet[2] *n.* 별 모양의 무늬.
〚OF=mullet, rowel of a spur〛

mulley ☞ MULEY.

mul·li·gan [mʌ́ligən] *n.* 《美口》 멀리건(=~ **stéw**)(주로 먹다 남은 고기·야채로 만듦).
〚C20< ? ; *Mulligan* 사람 이름인가〛

mul·li·ga·taw·ny [mʌ̀ligətɔ́ːni] *n.* Ⓤ (인도의)

닭고기가 든 카레 수프(=∠ **sòup**).
〖Tamil=pepper water〗
mul·li·grubs [mʌ́ligrʌ̀bz] *n. pl.* 《俗》 우울, 의기소침 ; 복통, 산증(疝症).
〖C16 *mulliegrums*<?〗
mul·lion [mʌ́ljən] *n.* 〔建〕 (둥근창의) 방사상 구분, (세로의) 창살. —— *vt.* [*p.p*로] mullion을 달다[으로 칸막이하다]. **~ed** *a.* mullion이 있는.
〖(음위 전환)<*monial*<OF *moinel* middle ; ⇨ MEAN³〗
mul·lock [mʌ́lək] *n.* 《濠》〔鑛〕 (광석의) 폐석(廢石) ; 《方》 쓰레기, 찌꺼기 ; 혼란. —— *vi.* 《濠口》 하찮은 일을 하다.
〖(dim.)<*mul* dust〗
mult·ángular [mʌlt-] *a.* 다각(多角)의.
mul·ti- [mʌ́lti, -tə, -tai] *comb. form* 「많은…」 「여러가지의」「몇배의」「복수의」의 뜻(cf. POLY-, MONO-, UNI-). 〖L (*multus* much, many)〗
múlti·àccess *a.* 〔컴퓨〕 동시 공동 이용의, 멀티 액세스의.
múlti-bòdy cárgo àircraft *n.* 복수 동체형 화물 수송기.
múlti-cárriageway ròad *n.* 《英》 =MULTIPLE-LANE HIGHWAY.
mùlti·céllular *a.* 다세포(多細胞)의.
mùlti·chánnel *a.* 여러 채널을 사용한, 다중(多重) 채널의 : ~ broadcasting 음성 다중 방송.
múlti·còlor *a., n.* 다색(인쇄)(의), 다채(의).
mùlti·cólored [ˌ ∸] *a.* 여러 가지 빛깔의.
mùlti·cómpany *a., n.* 복수의 자회사를 산하에 둔 (기업).
mùlti·dísciplinary *a.* 각 전문 분야 협력의, 수개 전문 분야 집결의.
mùlti·dróp lìne *n.* 〔通信〕 분기선(分岐線).
mùlti·éthnic *a.* 다(多)민족적인, 다민족 공용의 《텍스트》.
mùlti·factórial *a.* 많은 요소로 된, 다원적인 ; 다인자의 ; 〔遺〕 다인성(多因性)의. **~·ly** *adv.*
mul·ti·far·i·ous [mʌ̀ltəféəriəs, -fǽər-] *a.* 여러 가지의, 잡다한.
~·ly *adv.* **~·ness** *n.*
mul·ti·fid [mʌ́ltəfid], **mul·tif·i·dous** [mʌltífədəs] *a.* 〔植·動〕 다열(多裂)의, 다판의.
múlti·flàsh *a.* **1** 〔寫〕 다섬광의, 복수의 플래시를 동시 사용하는 : a ~ photograph 다섬광 사진. **2** 멀티플래시의《해수의 증류 탈염법의 하나》.
múlti·fòil *n.* 〔建〕 다엽(多葉) 장식. —— *a.* (아치 따위가) 다엽의.
múlti·fòld *a.* =MANIFOLD.
múlti·fòrm *a.* 여러 가지 모양의, 다양한. 〖F〗
mùlti·fúnctional róbot *n.* 다기능 로봇.
Múlti·gràph *n.* 멀티그래프《소형 윤전 인쇄기 ; 상표명》. —— *vt., vi.* [m~] 멀티그래프로 인쇄하다.
mùlti·habituátion *n.* (효능상 관련성 있는) 두 종류 이상의 유사 약물의 동시 복용 습관.
múlti·hèaded *a.* 두부(頭部)가 많은, 다탄두의.
mùlti·índustry *a.* 다종 산업을 포함하는, 다각 경영의, 다산업형의.
mùlti·láteral *a.* 다변(多邊)의, 다각적인, 다수국이 참가하는 : ~ trade 다각(적) 무역《동시에 여러 나라를 상대로 함》.
mùlti·láteral·ìsm *n.* 다국간의 상호 자유 무역(주의) ; 다국간 공동 정책.
mùlti·láyer(ed) *a.* 다층(성)의.
mùlti·líneal *a.* 다선(多線)의.
mùlti·língual *a., n.* 여러 나라 말로 쓰인 ; 여러 나라 말을 하는 (사람). **~·ly** *adv.*
mùlti·língual·ìsm *n.* 다언어 사용.
mùlti·média *a.* 여러 미디어를 사용한. —— *n.* [단수 또는 복수취급] 여러 미디어를 사용한 커뮤니케이션[오락, 예술], 멀티미디어, 다중 매체.
mùlti·mér·ic [-mérik] *a.* 〔化〕 (분자단(團)이) 다중 결합인.
mùlti·millionáire *n.* 대부호, 억만장자.
mùlti·nátion *a.* =MULTINATIONAL.
mùlti·nátional *a.* 다국적의. —— *n.* 다국적 기업 (=∠ **corporàtion**). **~·ìsm** *n.* 다국적 기업 설립[경영].
múlti·nómial *a., n.* 〔數〕 =POLYNOMIAL.
mùlti·nóminal *a.* 이름이 많은.
mùlti·núcleate, -núcleated, -núclear *a.* 다핵의 : a ~ cell 다핵 세포.
mùlti·órbital *a.* 다궤도(多軌道)의 : ~ flight 다궤도 비행.
múlti·pàck *n.* 포장한 여러 품목을 하나로 팩에 포장한 것.
mul·tip·a·ra [mʌltípərə] *n.* (*pl.* **-rae** [-rìː]) 〔醫〕 경산부(經産婦).
mul·tip·a·rous [mʌltípərəs] *a.* 한 번에 많은 새끼를 낳는 ; (사람이) 다산의.
mùlti·pártite *a.* 여러 부분으로 나뉜[갈린] ; 여러 나라가 참가한.
mùlti·párty *a.* 다수당의, 다당(多黨)의 : ~ system 다수당 제도.
múlti·pèd, -pède *n.* 다족(多足) 동물.
—— *a.* 다족의.
múlti·phàse *a.* 〔電〕 다상(多相)의.
múlti·phòton *a.* 〔理〕 다수의 광자(光子)를 함유한, 다광자의.
múlti·plàne *n.* 다엽(식 비행)기.
***mul·ti·ple** [mʌ́ltəpəl] *a.* **1** 복합적인, 복식의 ; 다수의, 다양한, 복잡한 : ~ operation 다각 경영 / ~ telegram(s) 동문(同文) 전보. **2** 〔數〕 배수의 ; 〔植〕 집합성의《꽃·과실 따위》 ; 〔電〕 (회로가) 병렬식으로 연결된, 다중의, 복합의.
—— *n.* **1** 〔數〕 배수 ; 〔電〕 병렬 ; 《비유》 모임, 합침 : 12 is a ~ of 3. 12는 3의 배수 / ☞ COMMON MULTIPLE. **2** 《英》 =MULTIPLE SHOP ; 대량 생산의 미술품. 〖F<L ; ⇨ MULTIPLEX〗
múltiple-áccess *a.* =MULTIACCESS.
múltiple ágriculture *n.* 다각 농업《농작·과수 재배·양계·양돈 따위를 겸한 농업》.
múltiple áim póint sỳstem *n.* 〔美軍〕 다목표 미사일 격납 시스템《미사일을 지하 터널로 이동시켜 적의 표적이 되는 확률을 줄이는 방식》.
múltiple-chóice *a.* 다항 선택식의 : ~ method 다항식 선택법.
múltiple crópping *n.* 〔農〕 다모작.
múltiple cúrrency stàndard *n.* 복합(複合) 통화 제도.
múltiple èarth *n.* 〔通信〕 다중 접지(多重接地).
múltiple fóul *n.* 〔美蹴〕 한 팀이 한 플레이 중 둘 이상의 반칙을 범하기.
múltiple fruít *n.* 〔植〕 다화과, 집합과《파인애플·뽕나무 열매 따위》.
múltiple-làne hìghway *n.* 《美》 다차선 고속도로.
múltiple myelóma *n.* 〔醫〕 다발성 골수종.
múltiple personálity *n.* 〔心〕 다중 인격.
múltiple píckup *n.* (택시의) 합승.
mùltiple·póind·ing *n.* 〔스코法〕 =INTERPLEADER.
múltiple sclerósis *n.* 〔醫〕 다발성 경화증(硬化

症)《略 M.S.》.

múltiple shóp[stóre] *n.* 《英》 연쇄점, 체인점 (=《美》 chain store).

múltiple stár *n.* 〔天〕 다중성(星)《육안으로는 하나로 보이는 수개의 항성》.

múltiple sýstem òperator *n.* 복수의 유선 텔레비전(CATV)을 소유 운영하는 회사.

múltiple vóting *n.* 복식 투표.

múltiple wárheads *n. pl.* 다탄두(多彈頭).

mul·ti·plex [mʌ́ltəplèks] *a.* 다양한, 복합의 ; 〔通信〕 다중(多重) 송신의. —— *n.* 다중 송신 방식. —— *vt., vi.* 다중 송신하다.
〖L (*multi-*, *-plex* -fold (*plico* to fold))〗

múltiplex bróadcasting *n.* 음성 다중 방송.

múl·ti·plèx·er, -or *n.* 다중 채널.

múltiplex telégraphy *n.* 다중 전신(電信).

múl·ti·plì·able, mul·ti·plic·a·ble [mʌ̀ltəplíkəbəl] *a.* 증가할 수 있는 ; 곱할 수 있는, 배가되는.

mul·ti·pli·cand [mʌ̀ltəplikǽnd] *n.* 〔數〕 피승수(被乘數) (↔*multiplier*).

mul·ti·pli·cate [mʌ́ltəpləkèit, mʌltíplikət] *a.* 다수로 된, 복합의, 다양한(multiple).

mùl·ti·pli·cá·tion *n.* **1** Ⓤ 증가, 증식(增殖). **2** Ⓒ 〔數〕 곱셈 (↔*division*) ; 〔電子〕 (전류의) 증배 ; 〔理〕 (원자로에서의 중성자의) 증배.

multiplicátion sìgn *n.* 곱셈 기호(×).

multiplicátion tàble *n.* 곱셈 구구표《보통 10×10=100 또는 12×12=144까지 있음》.

múl·ti·pli·cà·tive [, mʌ̀ltəplíkə-] *a.* **1** 배수적으로 증가하는, 증식의 ; 곱셈의. **2** 〔文法〕 배수사(倍數詞)의. —— *n.* 〔文法〕 배수사《double, triple 따위》.

múl·ti·pli·cà·tor *n.* 〔數〕 승수(乘數) ; 〔電·理〕 배율기.

mul·ti·plic·i·ty [mʌ̀ltəplísəti] *n.* Ⓤ [때때로 a ~] 다수, 중복 ; 다양(성).
a*[*the*] *multiplicity of 다수의, 가지각색의.

múl·ti·plì·er *n.* **1** 번식시키는 사람[것]. **2** 〔數〕 승수(乘數) (↔*multiplicand*) ; 〔經〕 승수《새로운 지출 증가가 총소득에 가져다 주는 확대 효과 비율》. **3** 〔電·理〕 배율기(倍率器) ; 곱셈 기계.

múltiplier effèct *n.* 〔經〕 승수 효과.

mul·ti·ply** [mʌ́ltəplài] *vt.* **1** 늘리다, 증가시키다, 번식시키다. **2** [+目+前+名] 〔數〕 곱하다 〈*by*〉 : ~ five ***by four 5를 4배하다. —— *vi.* 늘다, 증가하다 ; 배가하다 ; 증식하다 ; 곱셈을 하다. —— *n.* 〔컴퓨〕 곱셈, 곱함수 ; 곱셈기(器).
〖OF<L ; ⇨ MULTIPLEX〗
類義語 ⟹ INCREASE.

mùlti·pólar *a.* 〔理〕 다극(多極)의.

múlti·pròbe *n.* 〔宇宙〕 다중(多重) 탐사용 우주선《탐사기를 다수 실은 우주선》.

mùlti·prócess·ing *n.* Ⓤ 〔컴퓨〕 다중 처리.

múltiprocessing sỳstem *n.* 〔컴퓨〕 다중 처리 시스템.

mùlti·prócessor *n.* 〔컴퓨〕 다중 처리기《다중 처리를 할 수 있는 장치·시스템》.

mùlti·prógramming *n.* 〔컴퓨〕 다중 프로그램짜기《하나의 계산기에 의한 두개 이상의 프로그래밍의 동시 실행》.

mùlti·prónged *a.* 뾰족한 끝이 몇 갈래인《어획용 작살 따위》 ; 《비유》 다면적인.

mùlti·púrpose *a.* 많은 목적에 쓰이는, 다목적의 : ~ furniture 다용도[만능] 가구 / a ~ robot 다기능 로봇(a multifunctional robot) / a ~ dam 다목적 댐.

mùlti·rácial *a.* 다민족의[으로 이루어진].

múlti·ròle *a.* 많은 목적에 쓰이는, 많은 역할을 하는, 다기능의, 만능의.

múlti·scrèen *a.* 세 개 이상의 분할 스크린에 다른 화상을 비치는 방법의, 멀티스크린의.

mùlti·sénse *a.* 다의(多義)의 : ~ words 다의어.

mùlti·sénsory *a.* (시각·청각 따위) 여러 가지 감각이 관여하는, 다감각 응용의《교수법 따위》.

múlti·stàge *a.* 다단식(多段式)의 ; 여러 단계의, 순차적인《조사 따위》 : a ~ rocket 다단식 로켓.

mùlti·stóry, -stóried *a.* 다층(多層)의 ; 고층의 : a ~ parking garage 다층식[입체] 주차장.

mùlti·tásk·ing *n.* 〔컴퓨〕 병행성.

mùlti·tráck *a.* 다중 트랙[멀티트랙]의《녹음 테이프》. —— *vt.* 멀티트랙으로 녹음하다.

mùlti·túbular *a.* 다관(多管)의.

***mul·ti·tude** [mʌ́ltətjù:d] *n.* Ⓤ 다수 ; Ⓒ 군중, 많은 사람 ; [the ~] 대중, 서민 : as[like] the stars in ~ 무수한 별처럼 / In the ~ of counselors there is wisdom. 《속담》 여럿이 모이면 좋은 꾀가 나온다.
a multitude of... 수많은…, 다수의….
a noun of multitude 〔文法〕 군집 명사(cf. COLLECTIVE NOUN) 《보기 *Cattle* were grazing in the field. / My *family* are all well.》.
〖OF<L (*multus* many)〗

mul·ti·tu·di·nism [mʌ̀ltətjú:dənìzəm] *n.* Ⓤ 다수 복리주의.

mul·ti·tu·di·nous [mʌ̀ltətjú:dənəs] *a.* **1** 매우 많은, 다수의 ; 떼지은 ; 다항목[다요소]으로 된. **2** 광대한, 거대한. **~·ly** *adv.* 엄청나게 많이, 여러 가지로.

mùlti·úser *n.* 〔컴퓨〕 다중 사용자, 한 중앙 연산 장치로 둘 이상의 작업을 해내는 시스템.

mùlti·válence [, mʌltívələns] *n.* 의의[가치]의 다면성 ; 〔化〕 =POLYVALENCE.

mùlti·válent [, mʌltívə-] *a.* **1** 〔化〕 다가(多價)의 ; 〔遺〕 다가의《염색체》. **2** [mʌltívə-] (일반적으로) 다면적인 의의[가치]를 가진.
—— *n.* 다가 염색체(군).

mùlti·váriate *a.* (주로 통계 분석에서) 독립된 몇 개의 변수가 있는, 다변량의 : ~ analysis 다변량 분석.

mul·ti·ver·si·ty [mʌ̀ltəvə́:rsəti] *n.* 다원[매머드] 대학《규모가 커져서 교사가 분산되고 통일성을 잃게 된 대학 ; 보기 University of California》.
〖*multi-*+uni*versity*〗

mùlti·víbrator *n.* 〔電子〕 멀티바이브레이터《이장(弛張) 발진기의 일종》.

mùlti·vítamin *a.* 각종 비타민 성분을 함유한, 종합 비타민의. —— *n.* 종합 비타민제.

mul·tiv·o·cal [mʌltívəkəl, mʌ̀ltivóu-] *a.* 여러 가지 뜻을 지닌, 애매한. —— *n.* 다의어.

múlti-wàll bàg *n.* 다중 부대《시멘트 부대처럼 질긴 종이를 겹친》.

mul·toc·u·lar [mʌltákjələr] *a.* 눈이 많은.

mul·tum in par·vo [múltəm in pá:rvou] *n.* 작지만 내용이 풍부함[한 것].
〖L=much in little〗

mul·ture [mʌ́ltʃər, 《스코》 mú:tər] *n.* 《英古·스코》 〔法〕 (위탁한 밀·밀가루 따위의 일부분으로 치르는) 제분료. 〖OF=grinding〗

mum[1] [mʌ́m] *a.* [보통 *pred.*로 써서] 입을 다물고 있는(silent) : Keep ~ *about* our surprise party. (계획중인) 기습 파티에 대해선 일체 입밖에 내지 마시오.
(***as***) ***mum as a mouse***[***as mice***] 함구무언인.

sit mum 이야기판에 끼지 않다.
— *int.* 조용해!, 쉿! — *n.* Ⓤ 침묵, 무언.
Mum's the word! 말해서는 안된다!, 너만 알고 있어!, 비밀이야!
— *vi.* (-mm-) (특히 크리스마스에) 무언[가면]극을 하다(cf. MUMMER). 〖imit.〗

***mum**[2] *n.* **1** =MADAM. **2** 《口》 =MOM. **3** 《口》 = CHRYSANTHEMUM.

mum[3] *n.* 멈《독일 Brunswick원산의 독한 맥주》. 〖G *mumme*〗

Mum·bai [mʌ́mbei] *n.* 뭄바이《인도 봄베이의 고친 이름》.

mum·ble [mʌ́mbəl] *vi., vt.* **1** [動/ +前+名/+目/+目+前+名] (입안에서) 중얼중얼 말하다: The old woman is always *mumbling* ***to*** herself. 그 노파는 언제나 뭔가 중얼거리고 있다 / ~ a prayer[a few words] 중얼중얼 기도[두세 마디]하다 / He ~*d* something ***about*** the expenses. 그는 비용에 대해서 뭔가 중얼거렸다. **2** 《稀》 (이 빠진 사람이) 우물우물 씹다.
— *n.* 나직하여 분명치 않은 말.
múm·bling·ly *adv.* 중얼거리며. **-bler** *n.*
〖MUM[1], *-le*〗
類義語 ⟹ MURMUR.

mum·ble·ty-peg [mʌ́mbəltipèg], **múmble-the-pèg** *n.* 《美》 (남자 아이들의) 잭나이프 던지기 놀이. 〖*mumble the peg*〗

Mum·bo Jum·bo [mʌ́mbou dʒʌ́mbou] *n.* **1** 아프리카의 수단 서부 지방의 수호신. **2** (*pl.* **~s**) **a)** [m~ j~] 미신적 숭배물, 우상, 공포의 대상; 주술(呪術). **b)** [m~ j~] 하찮은 일; 조리없는 말, 뜻모를 말.

mú-méson *n.* =MUON.

mumm [mʌ́m] *vi.* =MUM[1].

múm·mer *n.* **1** (옛날 축제일의) 무언극 배우, 광대. **2** 《古俗·蔑》 광대.
〖OF *momeur*; ⇨ MUM[1]〗

múm·mery *n.* **1** 무언극(dumb show). **2** Ⓤ,Ⓒ 겉으로만 번드레한 의식, 허례.

mum·mi·fy [mʌ́mifài] *vt., vi.* 미라로 만들다[가 되다]; 말려서 보존하다, 바싹 말리다.
mùm·mi·fi·cá·tion *n.*

mum·my[1] [mʌ́mi] *n.* **1** 미라; (일반적으로) 바싹 마른 시체; 《비유》 말라 비틀어진 것, 말라빠진 사람. **2** Ⓤ,Ⓒ 암갈색(의 그림 물감).
beat...to a mummy …을 때려눕히다.
— *vt.* =MUMMIFY.
〖F<L<Arab.<Pers. *mūm* wax〗

mummy[2] *n.* 《口》 엄마. 〖MAMMY〗

múmmy bàg *n.* 머미 백《얼굴만 내놓고 온몸을 감싸는 침낭》.

múmmy càse *n.* 미라 상자.

múmmy clòth *n.* **1** 미라를 싸는 삼베. **2** 《美》 면[견]모 교직의 크레이프 천.

múmmy whèat *n.* 〖植〗 이집트밀.

mump[1] [mʌ́mp] *vt., vi.* 《古·方》 우물우물 말하다(mumble); 우물우물[짜금짜금] 먹다; 뾰로통해지다, 앵돌아지다; 울적해지다; 기특한[심각한] 표정을 하다. 〖imit.〗

mump[2] *vi.* 《古·方》 (우는 소리를 하며) 걸식하다, 조르다, 등치다, 속여서 빼앗다.
〖? Du. (obs.) *mompen* to cheat〗

múmp·ish *a.* 시무룩한, 뚱한.

***mumps** [mʌ́mps] *n.* **1** Ⓤ 유행성 이하선염(耳下腺炎), 항아리손님(cf. PAROTITIS). **2** Ⓤ 뿌루퉁함(sulks): have the ~ 뚱해지다, 뿌루퉁해지다. 〖*mump*[1] (obs.) grimace〗

mum·sie, -sey, -sy [mʌ́mzi] *n.* 어머니.
— *a.* 어머니다운.

mu·mu, mu-mu [múːmùː] *n.* =MUUMUU.

mun. municipal; municipality.

munch [mʌ́ntʃ] *vt.* 우적우적 먹다: Rabbits ~ carrots. 토끼는 당근을 와작와작 먹는다. — *vi.* [動/+前+名] 우적우적 먹다: The boy was ~*ing* ***on*** the hard candy. 소년은 단단한 캔디를 으드득으드득 깨물어 먹고 있었다. 〖imit.〗

Mun·chau·sen [mʌ́ntʃauzən, mún-; mʌntʃɔ́ːzən, muntʃáuzən] *n.* 뮌히하우젠《독일 사람 Rudolph Raspe의 영문 소설의 주인공 이름으로 허풍선이》; 《비유》 대단한 허풍.

mun·chies [mʌ́ntʃiz] *n. pl.* 《美俗》 경식(輕食), 스낵; (특히 마리화나 흡연 후의) 공복감: have the ~ 배가 몹시 고프다. 〖*-ie*〗

mun·dane [mʌndéin, ⌐-] *a.* 현세의(↔*heavenly*); 세속적인(earthly); 흔한, 보통의; 세계의, 우주의: the ~ era 세계 창조 기원.
〖OF<L (*mundus* world)〗

múndane astrólogy *n.* 〖占星〗 개인의 운세보다 국가의 운세나 천재지변을 예측하는 점.

mung [mʌ́ŋ] *vt.* 《해커俗》 (프로그램 따위를) 개조하다.

mun·g(e)y, mon·gee [mʌ́ndʒi] *n.* 《美俗》 음식물(food).

mun·go, -goe [mʌ́ŋgou] *n.* (*pl.* **~s**) 멍고《질이 나쁜 재생 양모; cf. SHODDY》.
〖C19<?〗

mun·goos(e) [mʌ́ŋguːs] *n.* =MONGOOSE.

mu·ni [mjúːni] *n.* 《美口》 시채(市債); 시영 설비《극장 따위》; 시영 버스[전차].

Mu·nich [mjúːnik] *n.* **1** 뮌헨《독일 Bavaria주의 주도; 맥주로 유명》. **2** 굴욕적 타협조약[정책] (☞ MUNICH PACT).

Múnich Pàct[Agrèement] *n.* [the ~] 뮌헨 조약《1938년에 영국·프랑스·독일·이탈리아 사이에 체결된 나치스에 대한 타협적 조약》.

***mu·nic·i·pal** [mju(ː)nísəpəl] *a.* **1** 자치 도시의, 시(市)의; 시영(市營)의; 시제(市制)의, 지방 자치의: a ~ office[officer] 시청[시청 직원] / the ~ debt[loan] 시채(市債) / the ~ government 시정(市政), 시 당국 / a ~ borough 자치 도시 / a ~ corporation 지방 자치제. **2** 내정(內政)의: a ~ law 국내법. **3** 국지적인, 한정된.
— *n.* [*pl.*] 자치 도시채, 시채. **~·ly** *adv.* 시정상, 시제상. 〖L〗

munícipal·ìsm *n.* Ⓤ (시·읍 따위의) 자치제; 지방자치주의. **-ist** *n.* (시·읍 따위) 자치제주의자; 시정 당국자.

mu·nic·i·pal·i·ty [mju(ː)nìsəpǽləti] *n.* (지방) 자치체《시·도·군 따위》; 시청, 시당국.

munícipal·ìze *vt.* …에 시제(市制)를 실시하다, 시로 만들다, 시유(市有)[시영]로 하다.

munícipal polìce *n.* 자치제 경찰.

mu·nif·i·cent [mju(ː)nífəsənt] *a.* 아낌없이 주는, 후한, 선심 잘 쓰는.
mu·níf·i·cence *n.* **~·ly** *adv.* 아낌없이, 후하게.
〖L (*munus* gift, *-fic*)〗

mu·ni·ment [mjúːnəmənt] *n.* 〖法〗 [보통 *pl.*] 증서, 부동산 권리증서(title deed); 기록. 〖OF<L=defence, title deed (*munio* to fortify)〗

múniment ròom *n.* 《英》 기록 보관실《대학·교회 따위의》.

mu·ni·tion [mju(ː)níʃən] *n.* [형용사 용법 이외는 *pl.*] 군수품, (특히) 탄약(ammunition); (일단 유사시의) 필수품, 자금: ~*s* of war 군수품 / a

~ factory[plant] 군수공장 / ~s for a political campaign 정치 운동 자금. —— *vt.* …에 군수품을 공급하다. **~·er** *n.* 군수공.
〖F<L=fortification (MUNIMENT)〗

mun·shi [múːnʃiː] *n.* (인도인의) 서기, 통역, 어학 교사.

munt [múnt] *n.* 《南아·蔑》 흑인, 줄루인. 〖Zulu〗

munt·jac, -jak [mʌ́ntdʒæk], **mun·jak** [mʌ́n-] *n.* 〔動〕 짖는사슴《아시아 남동부에 사는 매우 작은 사슴》. 〖Malay〗

Múntz (métal) [mʌ́nts(-)] *n.* 먼츠 메탈《아연과 구리의 합금》.
〖G. F. *Muntz* (d. 1857) 영국의 야금 기술자〗

Mu·ny [mjúːni] *n.* 《美口》 (세인트루이스 시 따위의) 시립 극장 ; 시영 시설《미술관 따위》.

mu·on [mjúːɑn] *n.* 〔理〕 뮤온, 뮤(μ)입자[중간자]. **mu·ón·ic** *a.* 〖*mu*+*-on*²〗

mu·o·ni·um [mjuːóuniəm] *n.* 〔理〕 뮤오늄《정전하(正電荷)의 μ입자와 전자로 이루어지는 원자》.

Mup·pet [mʌ́pət] *n.* 머페트《팔과 손가락으로 조작하는 인형》.
〖인형 제작자 Jim Henson의 조어(造語)〗

mu·ral [mjúərəl] *a.* 벽(위)의 : ~ paintings 벽화. —— *n.* 벽화, 벽장식. **~·ist** *n.* 벽화가(壁畫家). 〖F<L (*murus* wall)〗

***mur·der** [mə́ːrdər] *n.* **1** Ⓤ 살인 ;〔法〕 모살(謀殺) (cf. HOMICIDE, MANSLAUGHTER) ; Ⓒ 살인사건 : commit (a) ~ 살인죄를 범하다 / *M*~ will out. 《속담》 나쁜 일은 반드시 드러나는 법 / The ~ is out. 비밀이 드러났다, 수수께끼가 풀렸다 / six ~*s* in one month 한달에 6건의 살인사건. **2** Ⓤ (야수 따위를) 함부로 죽이는 일, 살생(殺生). **3** Ⓤ 《口》 위험천만한 일, 지극히 곤란한 일, 매우 불쾌한 일 : It's ~ in the rush hours. 출퇴근 시간의 혼잡은 살인적이다.
cry* (*blue*) *murder 《口》 큰 일난 것처럼 큰 소리로 외치다.
get away with murder 《口》 처벌[질책]을 면하다.
murder in the first degree 〔美法〕 제1급 모살(謀殺)《정상 참작의 여지가 없는 것으로 사형이 과해짐》.
murder in the second degree 〔美法〕 제2급 모살《정상 참작의 여지가 있는 것으로 징역형이 과해짐》.
—— *vt.* **1** 죽이다, 살해하다, 참살(慘殺)하다. **2** 《口》 파괴하다, 숨통을 끊다 ; 혼내주다, 괴롭히다 ; 엉망이 되다, 훼손하다 : ~ the English language 서투른 영어를 쓰다 / He played the piano and ~*ed* Beethoven. 그는 피아노를 친답시고 베토벤곡을 엉망으로 쳤다.
—— *vi.* 사람을 죽이다, 살인을 범하다.
〖OE *morthor* and OF *murdre*<Gmc. (G *Mord*) ; cf. L *mort- mors* death〗
類義語 ⟹ KILL¹.

mùrder·ée *n.* 피살자.

***múrder·er** *n.* (*fem.* **múrder·ess**) 모살 범인, 살인자, (살인의) 하수인.

múrderer's ròw *n.* 〔野〕 타격순 중에서 계속되는 강타자.

múrder·ous *a.* 살인의 ; 흉행(凶行)에 쓰는 ; 잔인한 ; 살인적인, 지독한 : a ~ weapon 흉기 / ~ heat 살인적인[찌는 듯한] 더위. **~·ly** *adv.*

mure [mjúər] *vt.* 벽으로 둘러싸다 ; 가두다, 유폐(幽閉)하다〈*up*〉.

mu·rex [mjúəreks] *n.* (*pl.* **-ri·ces** [-rəsìːz], **~·es**) 〔貝〕 뿔소라속(屬)의 고둥《열대산, 그 중 한 종류에서 자색염료를 채취함》. 〖L=purple shell〗

mu·ri·ate [mjúərièit, -riət] *n.* 〔化〕 염화물(鹽化物) (chloride).

mu·ri·at·ic [mjùəriǽtik] *a.* 염화물을 함유한《상업용어》 : ~ acid 염산.

Mu·ri·el [mjúəriəl] *n.* 여자 이름.
〖Celt. = ? sea+bright〗

mu·rine [mjúərain, -rən] *a.* 〔動〕 쥐과의 ; 쥐와 비슷한 ; 쥐가 감염[매개]하는. —— *n.* 쥐과의 동물. 〖L *mur- mus* mouse〗

murk, mirk [mə́ːrk] *n.* Ⓤ 《文語》 암흑, 음울(darkness) ; 안개. —— *a.* 《古》 어두운, 음침한.
〖? Scand. (ON *myrkr* darkness)〗

múrky, mírky *a.* 어두운, 음침한, (어둠·안개가) 짙은 ; 더러운, 칙칙한 ; (표현 따위가) 애매한, 확실하지 않은.
類義語 ⟹ DARK.

mur·mur** [mə́ːrmər] *n.* **1** (물결·나뭇잎 따위의) 살랑거리는 소리. **2** 어렴풋한 말소리, 속삭임. **3** 중얼거림, 불평 소리. —— *vi.* **1** [動/+前+名] 살랑거리다 ; 속삭이다 : The brook is ~*ing* ***over the pebbles. 시냇물이 돌멩이 위로 졸졸 흐르고 있다. **2** [+前+名] 중얼대다, 투덜거리다(grumble) : They ~*ed* ***at*** the injustice [***against*** the heavy taxes]. 그 불공평에[과중한 세금에] 불평을 터뜨렸다. —— *vt.* 속삭이다, 낮은 소리로 말하다, 투덜대다 : She ~*ed* a prayer. 조그만 소리로 기도했다. 〖OF or L *murmur* (n.) and *murmuro* to murmur, roar〗
類義語 ***murmur*** 뚜렷이 들을 수 없을 정도로 낮고 작은 소리로 중얼거리다[속삭이다] : He *murmured* his words of love. (사랑의 말을 속삭였다). ***mumble*** 거의 입을 다물고 들리지 않을 정도의 뚜렷하지 못한 낮은 소리로 중얼거리다 : The old woman *mumbled* to herself. (그 노파는 혼자 중얼거렸다). ***mutter*** 알아들을 수 없는 낮은 소리로 불만·분노 따위의 말을 중얼대다 : He is always *muttering* complaint. (언제나 불평을 늘어놓고 있다).

múrmur·ous *a.* 웅성거리는, 살랑거리는 ; 중얼거리는 ; 투덜대는.

mur·phy [mə́ːrfi] *n.* 《口·方》 감자 ; 《美俗》 = MURPHY GAME. —— *vt.* 《美俗》 MURPHY GAME에서 속이다.

Múrphy bèd *n.* 《美》 머피 침대《접어 넣을 수 있는 침대》.
〖William L. *Murphy* (d. 1959) 미국의 발명가〗

Múrphy gàme *n.* 《美俗》 머피 게임《콜걸의 연락처나 마약 입수 장소를 쓴 종이가 들어 있다며 돈을 우려내고 대신 신문지 따위가 든 봉투를 주는 신용 사기》.

Múrphy's Láw *n.* 머피의 법칙《경험에서 얻은 몇 가지의 해학적인 지혜 ;「실패할 가능성이 있는 것은 실패한다」 따위》.

mur·rain [mə́ːrən, mʌ́r- ; mʌ́r-] *n.* Ⓤ 가축 전염병《특히 소의》.
〖AF *moryn* (*morir* to die<L)〗

Mur·ray [mə́ːri, mʌ́ri ; mʌ́ri] *n.* **1** 남자 이름. **2** Sir **James** ~ (1837-1915) 영국의 언어학자·사전 편찬가. 〖ME=merry ; Sc. *Moray*〗

murre [mə́ːr] *n.* 〔鳥〕 **1** 바다오리. **2** =RAZORBILL. 〖C17<?〗

mur·rey [mə́ːri, mʌ́ri ; mʌ́ri] *n.* 오디빛, 암홍색.

mur·r(h)ine [mə́ːrən, mʌ́rain ; mʌ́r-] *a.* 형석(螢石)의[으로 만든], 꽃무늬 유리의.

mur·ther [mə́ːrðər] *n., vt.* 《古》 =MURDER.

mus. museum ; music(al).

Mus. B., Mus. Bac. *Musicae Baccalaureus* 《L》 (=Bachelor of Music).
muscadel, -dell(e) ☞ MUSCATEL.
mus·ca·dine [mʌ́skədàin, -dən] *n.* 머스캣 포도의 일종 ; 《古》 =MUSCATEL. 〖? *muscatel*〗
mús·ca·lùre [mʌ́skə-] *n.* 〖生化〗 파리 유인 물질 《집파리의 성(性)유인 물질》.
mus·cat [mʌ́skæt, -kət] *n.* 머스캣종(種)의 포도. 〖F＜Prov. ; ⇨ MUSK〗
Mus·cat, -gat [mʌ́skæt, -kət] *n.* 무스카트《오만의 수도》.
mus·ca·tel [mʌ̀skətél], **-del, -dell(e)** [-dél] *n.* Ⓤ 머스카텔《muscat으로 만드는 백포도주》. 〖OF ; ⇨ MUSCAT〗
***mus·cle** [mʌ́səl] *n.* **1** Ⓤ,Ⓒ 근(육) : an involuntary[a voluntary] ~ 불수의[수의]근(筋) / not move a ~ (얼굴의) 근육 하나 움직이지 않다, 눈 하나 까딱도 않다. **2** Ⓤ 근육의 힘, 완력(腕力). **3** Ⓤ 압력, 강제 ; 힘, 세력, 영향력 ; 폭력.
—— *vt.* 《口》 힘들여서 움직이다[들어 올리다].
—— *vi.* 우격다짐[폭력]으로 통하게 하다.
muscle in 《口》 억지로 끼어들다, 남의 영역을 침범하다.
〖F＜L (dim.) ‹ *mus* mouse ; 그 움직임의 연상〗
múscle-bòund *a.* (과도한 운동으로) 근육이 경직된 ; 《비유》 탄력성을 잃은, 경직된.
múscle càr *n.* 《美俗》 (차체에 비해 큰 엔진을 단) 성능 좋은 차《특히 스포츠 카》.
mús·cled *a.* 근육이 있는 ; 근육이 …한, …한 근육의 : strong-~ 근육이 단단한.
múscle-hèad *n.* 《美俗》 멍청이, 바보.
múscle·less *a.* 근육이 없는, 연약한(flaccid).
múscle·màn *n.* 고용된 폭력 단원, 보디가드.
múscle pìll *n.* 《口》 근육 증강 알약《anabolic steroid(단백 동화 스테로이드)를 말함》.
múscle plàsma *n.* 〖生理〗 근장(筋漿).
múscle sènse *n.* 〖生理〗 근육 감각.
mus·col·o·gy [mʌskɑ́lədʒi] *n.* 선태학(蘚苔學).
mus·co·va·do, -ca- [mʌ̀skəvéidou, -vɑ́:-] *n.* (*pl.* **~s**) Ⓤ 흑설탕. 〖Sp.〗
Mus·co·vite [mʌ́skəvàit] *n.* **1** 모스크바 사람 ; 《古》 러시아 사람. **2** [m~] 〖鑛〗 백운모.
—— *a.* 모스크바(사람)의. 〖L (↓) ; ⇨ MOSCOW〗
Mus·co·vy [mʌ́skəvi] *n.* 모스크바 대공국.
mus·cul- [mʌ́skjəl], **mus·cu·lo-** [-kjəlou, -lə] *comb. form* 「근(육)」의 뜻. 〖L〗
mus·cu·lar [mʌ́skjələr] *a.* **1** 근(육)의 : ~ strength 완력 / the ~ system 근육 조직. **2** 근육이 건장한, 억센. **~·ly** *adv.*
〖C17 ‹ *musculous* ; ⇨ MUSCLE〗
múscular Christiánity *n.* 근육적 기독교《강건한 육체와 쾌활한 생활을 주장》.
múscular dýstrophy *n.* 〖醫〗 근이(筋異)영양증, 근위축증.
mus·cu·lar·i·ty [mʌ̀skjəlǽrəti] *n.* Ⓤ 근골(筋骨)의 건장함, 강장(強壯).
mus·cu·la·ture [mʌ́skjələtʃər, -tʃùər] *n.* Ⓤ,Ⓒ 〖解〗 근육 조직.
Mus.D., Mus. Doc., Mus. Dr. *Musicae Doctor* 《L》 (=Doctor of Music).
muse [mjú:z] *vi.* **1** [動/+前+名] 숙고하다, 묵상하다(reflect), 곰곰이 생각하다 : I sat *musing* (***up***) ***on*** his remark. 그의 말을 곰곰이 생각하며 앉아 있었다 / He ~*d on* the mystery of death [***over*** the past memories]. 죽음의 신비에 대해 곰곰이 생각해 봤다[옛추억에 잠겼다]. **2** 유심히 바라보다‹*on*› ; 경탄하다. **3** 생각에 잠기면서 말하다 : "That's queer," he ~*d*. 「그건 이상한데」라고 그는 생각에 잠겨 말했다. —— *vt.* 감개어리게 말하다 ; 여러모로 생각하다. —— *n.* 《古》 문득 생각에 잠기기, 심사, 묵상, 몽상 ; 《廢》 경탄. 〖OF *muser* to gape, waste time (? L *musum* snout)〗
類義語 ⟹ MEDITATE.
Muse *n.* **1** 〖그神〗 **a)** 뮤즈 신《Zeus의 딸로 시가·음악·무용·역사 따위의 예술·학문을 관장하는 9여 신(Calliope, Clio, Erato, Euterpe, Melpomene, Polyhymnia, Terpsichore, Thalia, Urania)중의 하나》. **b)** [the ~s] 뮤즈의 여러 신. **2 a)** [the m~] 시신(詩神) ; [the m~] 시상, 시흥, 시재(詩才), 시가(詩歌) (poetry). **b)** [the m~s] 《古》 학예, 예술. **c)** [m~] 《詩》 시인. 〖OF or L＜Gk. *mousa*〗
múse·ful *a.* 생각에 잠긴.
mu·se·ol·o·gy [mjù:ziɑ́lədʒi] *n.* 박물[미술]관(경영)학.
mu·se·que [mu:séikei] *n.* 무세케《Angola의 빈민가》. 〖Port.〗
mu·sette [mju(:)zét] *n.* 프랑스의 작은 풍적(風笛) (bagpipe) ; 목가조(牧歌調)의 곡 ; 〖軍〗 (어깨에 걸치는) 작은 잡낭(=∠ **bàg**). 〖F〗
‡**mu·se·um** [mju(:)zí:əm ; -zíəm] *n.* 박물관 ; 기념관 ; 《美》 미술관(=**árt** ∠) : a science ~ 과학박물관 / the Burns *M*~ (로버트) 번스 기념관 / ☞ BRITISH MUSEUM.

〈회화〉
What do you want to do today?—How about visiting the British *Museum*? 「오늘은 무엇을 하실겁니까」「대영박물관에 가보는 것이 어떻겠습니까」

〖L＜Gk. *mouseion* seat of MUSEs〗
muséum attèndant *n.* 박물관[미술관]의 안내원[직원].
muséum pìece *n.* 박물관의 진열품, 중요 미술품, 진품(珍品) ; 《蔑》 시대에 뒤진 것[사람].
mush[1] [mʌʃ] *n.* **1** 부드럽고 질척질척한 것 ; 《美》 옥수수 가루를 물 또는 우유로 반죽한 것. **2** Ⓤ 연한 덩어리. **3** Ⓤ 《口》 값싼 감상(感傷), 허튼 소리. **4** [múʃ] 《俗》 입, 얼굴(face) ; 《美俗》 키스.
make a mush of …을 엉망으로 하다[망치다].
—— *vt.* 《方》 산산이 부수다 ; 《美俗》 감상에 젖게 하다.
—— *vi.* **1** (비행기가) 조종장치의 고장으로 실속하다 ; 상승불능이 되다. **2** 《美俗》 사기치며 생활하다. 〖C17 ‹? MASH[1]〗
mush[2] *n.*, *vi.* 《美》 개 썰매 여행(을 하다).
—— *int.* 《美·Can.》 가자! 《썰매 끄는 개를 추기는 소리》. 〖? F *marchons* (impv.) ‹ *marcher* to MARCH[1] ; 이 설(異說)에 Am. F *moucher* to go fast (F *mouche* fly＜L *musca*)〗
mush[3] *n.* 《俗》 박쥐우산. 〖*mush*room〗
mush[4] *n.* 《俗》 =MUSTACHE.
músh-mòuth *n.* 《美俗》 말이 분명치 않은 사람, 중얼중얼하는 사람, 우물거리는 사람.
***mush·room** [mʌ́ʃru(:)m] *n.* **1** (주로 식용의) 버섯, 버섯 모양의 것(cf. TOADSTOOL). **2** 벼락 출세자, 벼락 부자. **3** 《口》 (버섯 모양의) 여성용 밀짚모자. **4** (원자폭탄 폭발시 따위의) 버섯 구름 (=∠ **clòud**) ; 《俗》 박쥐우산. **5** [형용사적으로] 버섯의[과 같은] ; 우후죽순식의, 급성장한 : a ~ town 신흥도시 / the ~ growth of Seoul suburbs 서울 교외의 급격한 발전상. —— *vi.* **1** 버섯을 따

다 : go ~*ing* 버섯 따러 가다. **2** 갑자기 생기다 [발전하다] : Factories of this sort ~*ed* along the river. 강을 따라 이런 종류의 공장이 속속 세워졌다. **3** (탄알의) 끝이 납작해지다 ; 버섯 모양으로 퍼지다, 《美》 (불이) 확 퍼지다.
〖OF *mousseron*<L〗

múshroom còlor *n.* 엷은 노란 빛을 띤 갈색, 버섯 빛깔.

múshy *a.* (죽처럼) 부드러운(pulpy) ; 《口》 애정이 넘치는 ; 눈물을 잘 흘리는, 가냘픈, 감상적인 (sentimental). 〖MUSH[1]〗

◊**mu·sic** [mjú:zik] *n.* **1** Ⓤ 음악. **2** Ⓤ 악곡 ; 악보 (musical score) ; [집합적으로] 악곡집 : sheet ~ 악보 / compose ~ 작곡하다 / set a poem to ~ 시에 곡을 붙이다 / Can you read ~ ? 악보를 읽을 줄 압니까. **3** Ⓤ 주악, 듣기 좋은 음 : the ~ of the birds 새의 지저귐. **4** Ⓤ 음악 감상력, 음감 : He has no ~ in him[his soul]. 그에게는 음악을 이해하는 귀[마음]가 없다. **5** Ⓤ 《美口》 대소동(uproar) : rough ~ (특히 일부러 떠드는) 큰 소동. **6** 《古》 악대, 합창대.
face the music 자진해서 난국에 맞서다, 위험에 직면하다, (세상의) 비판에 응수하다.
〖OF<L<Gk. *mousikē* (*tekhnē* art) belonging to the MUSE*s*〗

‡**mú·si·cal** *a.* 음악의, 주악의 ; 음악이 따르는 ; 음악적인, 음이 좋은 ; 음악을 좋아하는, 음악에 뛰어난 : a ~ comedy 희가극, 뮤지컬 (코미디) / a ~ composer 작곡가 / a ~ director 음악 감독, 지휘자 / a ~ instrument 악기 / ~ intervals [scales] 음정[음계] / a ~ performance 연주 / be of a ~ turn 음악에 재능[취미]이 있다 / Are you ~ ? 너는 음악을 좋아하느냐[잘 아느냐]. —— *n.* 뮤지컬(=~ **còmedy**) ; =MUSICAL FILM ; 《古》 =MUSICALE. **~·ly** *adv.* 음악상, 음악적으로 ; 가락을 맞추어.

músical bòx *n.* 《英》 =MUSIC BOX.

músical cháirs *n.* [단수·복수 취급] **1** 의자 빼앗기 놀이. **2** (장소·배치의) 무의미한 변경.
play musical chairs 서로 상대편을 앞지르려 하다, 섹스 상대를 번번이 바꾸다, 형식주의적 혼란에 빠지다.

mu·si·cale [mjù:zikǽl, -kɑ́:l] *n.* 《美》 (사교적인 모임으로서의) 음악회, (비공개의) 연주회.
〖F *soirée musicale*〗

músical fílm *n.* 뮤지컬[음악] 영화.

músical glàsses *n. pl.* (연주용) 악기의 일종.

mu·si·cal·i·ty [mjù:zikǽləti] *n.* 음악성, 가락의 아름다움 ; 음악적 재능[감성] ; 음악의 지식.

músical·ìze *vt.* 악극으로 만들다.

músical sàw *n.* 악기로 쓰는 서양식 톱.

mú·si·cassètte [mjú:zə-] *n.* 음악[뮤직] 카세트 (테이프).

músic bòx *n.* 《美》 자동 주악기(=《英》 musical box).

músic càse *n.* 악보 끼우개.

músic dràma *n.* 〖樂〗 악극.

músic hàll *n.* 연예장, 관람석 ; 《美》 음악당.

‡**mu·si·cian** [mju(:)zíʃən] *n.* 음악가《작곡가·지휘자·연주가》 ; (특히) 연주가. **~·ly** *a.* 음악가다운. 〖OF ; ⇨ MUSIC〗

mu·si·col·o·gy [mjù:zikɑ́lədʒi] *n.* Ⓤ 음악학[이론]. **-gist** *n.* 음악학자.

mu·si·co·ther·a·py [mjù:zəkəθérəpi] *n.* (정신병 따위의) 음악 요법.

músic pàper *n.* 악보 용지, 오선지.

músic schòol *n.* 음악 학교.

músic stànd *n.* 악보대.

músic stòol *n.* 피아노 의자.

músic wìre *n.* 피아노 선(piano wire).

mus·ing [mjú:ziŋ] *n.* Ⓤ 숙고, 묵상. —— *a.* 깊은 생각에 잠긴, 묵상하는. **~·ly** *adv.* 깊이 생각[묵상]하여.

mu·sique con·crète [*F* myzik kɔ̃krɛt] *n.* 뮈지크 콩크레트, 구체 음악《녹음한 자연음을 전자적으로 조작·변형하여 편집한 음악》.

musk [mʌ́sk] *n.* **1** Ⓤ 사향(의 향기). **2** 〖動〗 = MUSK DEER. **3** 사향의 향기를 풍기는 여러 가지의 식물. 〖L *muscus*<Pers.〗

músk bàg *n.* (특히 musk deer의) 사향선(腺).

músk càt *n.* 〖動〗 사향고양이 ; 멋부리는 남자.

músk dèer *n.* 〖動〗 사향노루《중앙아시아산 ; 수컷은 복부에서 musk를 분비함》.

músk dùck *n.* 〖鳥〗 (오스트레일리아산(産)의) 사향오리.

mus·keg [mʌ́skeg] *n.* 온통 물이끼가 나 있는 북미 북부의 습지.
〖Algonquian〗

mus·kel·lunge [mʌ́skəlʌ̀ndʒ] *n.* (*pl.* ~, **~s**) 〖魚〗 몸길이가 약 2m에 달하는 북미 호수나 강에 사는 민물고기. 〖Algonquian〗

mus·ket [mʌ́skət] *n.* 〖史〗 머스켓 총《구식 보병총 ; RIFLE[1]의 전신으로 강선(腔線)이 없음》.
〖F<It. *moschetto* crossbow bolt (dim.) ‹ *mosca* fly〗

mus·ke·teer [mʌ̀skətíər] *n.* **1** 〖史〗 머스켓 총병(銃兵)《보병》. **2** 유쾌한 친구.

mus·ke·toon [mʌ̀skətú:n] *n.* 〖史〗 머스켓 단총.

músket·ry *n.* **1** Ⓤ [집합적으로] 머스켓 총, 소총. **2** Ⓤ 소총 사격(술). **3** 소총 부대.

músket shòt *n.* 소총탄 ; 소총의 사정(射程).

mus·kie, -ky [mʌ́ski] *n.* 《口》 =MUSKELLUNGE.

Muskie *n.* 머스키. **Edmund S**(**ixtus**) ~(1914-) 미국 민주당의 정치가 ; 국무장관(1980-81).

Múskie Àct *n.* 《美》 머스키법(法)《Edmund S. Muskie 상원 의원이 제안한 Clean Air Act of 1970(1970년 대기 오염 방지법)의 통칭》.

músk màllow *n.* 〖植〗 **1** (유럽산의) 아욱과(科)의 식물. **2** 닥풀붙이.

músk·mèlon *n.* 〖植〗 머스크멜론《표면에 그물 무늬가 있음 ; cf. CANTALOUPE》.

músk-òx *n.* 〖動〗 사향소《그린란드나 북미의 불모지에 삶》.

musk-ox

músk plànt *n.* 〖植〗 사향물꽈리아재비.

músk·ràt *n.* (*pl.* ~, **~s**) 〖動〗 사향쥐(=~ **bèaver**) ; Ⓤ 그 모피 ; 《CB俗》 아이.

músk ròse *n.* 〖植〗 머스크로즈《지중해 지방산(産) ; 장미의 원종》.

músk trèe *n.* 사향목.

músk·wòod *n.* 〖植〗 사향목.

músky[1] *a.* 사향(질)의, 사향 향기가 나는.

musky[2] ☞ MUSKIE.

Mus·lim, -lem [mʌ́zləm, mús-, múz-] *n.* (*pl.* ~, **~s**) 이슬람교도(敎徒), 무슬림 ; =BLACK MUSLIM. —— *a.* 이슬람교(도)의.
~·ìsm *n.* =ISLAM. 〖Arab.=one who surrenders (to God) ; ⇨ ISLAM〗

mus·lin [mʌ́zlən] *n.* **1** Ⓤ 무명 모슬린. **2** Ⓤ 《美》 캘리코(calico), 옥양목. **3** 《英俗》 여자.
〖F<It. (*Mussolo* Mosol 이라크의 제조지)〗

mus·lin·et, -ette [mʌ̀zlənét] *n.* Ⓤ 《古》 두꺼

운 무명 모슬린.

Mus. M. *Musicae Magister* 《L》 (=Master of Music).

mus·quash [mʌ́skwɑʃ, 美+-kwɔ̀:ʃ] *n.* =MUSKRAT. 〖Algonquian〗

muss [mʌ́s] *n.* 《美口》 혼란, 난잡, 혼잡(mess) ; 《俗·方》 대소동(row), 소요, 말다툼, 싸움.
— *vt.* 《美口》 뒤죽박죽으로 만들다(mess), (옷을) 짓구겨 놓다(rumple) 〈*up*〉.
〖MESS〗

mus·sel [mʌ́səl] *n.* 〔貝〕 홍합 ; 늪말조개.
〖OE<L ; ⇨ MUSCLE〗

mússel plùm *n.* 《古》 짙은 자색의 자두의 일종.

Mus·so·li·ni [mù(:)səlí:ni] *n.* 무솔리니.
Benito ~ (1883-1945) 이탈리아 독재 정치가·수상(1922-43).

Mus·sorg·sky, Mous- [musɔ́:rgski, -zɔ́:rg-] *n.* 무소르크스키. **Mo·dest** [moudést] **Petrovich** ~ (1835-81) 러시아의 작곡가.

Mus·sul·man, -sal- [mʌ́səlmən] *n.* (*pl.* **~s, -men** [-mən]) 이슬람교도. — *a.* =MUSLIM.

mússy *a.* 《美口》 난잡한(messy) ; 큰 소동의.

◇**must**[1] [məst, mʌ̀st, mʌ́st]

> (1) 기본 뜻 : 「…하지 않으면 안된다」 (의무·필요), 「…임에 틀림없다」 (추측)
> (2) must (…해야 한다)의 부정에는 need not (☞ NEED) 또는 do not have to (필요없다)를 쓴다.
> (3) 구문상 would, should 따위와 마찬가지로 가정법(과거) 같이 쓰이고 시제의 호응에서는 주절의 시제의 영향을 받지 않는다 :
> I *think* that I *must* go.
> → I *thought* that I *must* go.

— *auxil. v.* [어형 변화는 하지 않음 ; 부정 단축형 **must·n't** [mʌ́sənt]] ☞ 活用.

1 a) …하지 않으면 안된다, [~ not] …해서는 안된다(cf. MAY[1], SHOULD, OUGHT[1]) : [일반적 필요] One ~ eat to live. 사람은 살기 위해서 먹지 않으면 안된다 / He ~ be told. =We ~ tell him. 그에게 말하지 않으면 안된다 / I ~ be going now. 이제 가봐야겠습니다 / [명령] You ~ do as you are told. 하라는 대로 하여라 / [금지] You ~ *not* do it. 그것을 해서는 안된다(cf. CAN[1] 活用 (3), MAY[1] 活用 (1)) / [의무] You ~ obey your parents. 부모님 말씀에 순종하지 않으면 안된다. **b**) [주장] 기필코 …해야 한다 : He ~ always have his own way. 그는 언제나 자기 하고 싶은 대로 해야만 한다 / If you ~, you ~. 정 그러시다면 하는 수 없지요.

2 [확실한 추정] …임에 틀림없다, 반드시 …일 것이다 : You ~ *be* aware of this. 이것을 잘 알고 있을 텐데 / War ~ follow. 필연코 전쟁은 일어난다. 注 이 뜻의 must의 부정은 cannot (…일 리가 없다) (☞ CAN[1]).

3 [과거의 공교롭게 생긴 일] : Just when I was busiest, he ~ come worrying. 하필 가장 바쁠 때에 그가 찾아와서 괴롭히다니.

must away 《古》 =***must go away*** 가지 않으면 안된다.

***must have been*[*done*]** (cf. 2 注) (1) [과거에 대한 확실한 추정] What a sight it ~ *have been*! 아주 장관이었겠군 / How you ~ *have hated* me! 필시 나를 미워했겠지 / [간접화법] I said he ~ *have lost* his way. 그는 길을 잃었음에 틀림없다고 나는 말했다 / You ~ *have caught* the train if you had hurried. 서둘렀더라면 분명코 기차를 탈 수 있었을 텐데《이 문장에서 must는 'would surely'의 뜻》 / That man ~ *have stolen* it! 저 남자가 그것을 훔쳤음에 틀림없다(cf. That man *cannot* have stolen it! 저 남자가 그것을 훔쳤을 리가 없다). (2) [필요] One ~ *have lived* long to see[before one can see] how short life is. 오래 살아보지 않고는 인생이 얼마나 짧은지 알 수가 없다.

> **'must have+과거분사'의 문장 전환**
> 「…했음에 틀림없다」의 뜻을 나타내며 다음과 같이 바꿔 쓸 수가 있다.
> He *must have said* so.
> (그가 그렇게 말했음에 틀림없다.)
> → It is *certain* that he *said* so.
> (그가 그렇게 말한 것은 확실하다.)
> ☆ 이것을 It is sure... 라고는 할 수 없다.

〈회화〉
> I drank three glasses of water. — You *must have been* thirsty. 「물을 석잔이나 마셨어」「갈증이 났었구나」

must needs ☞ NEEDS.
needs must ☞ NEEDS.

〈회화〉
> Can I open the window? — No, you *mustn't*. It's dangerous. 「창을 열어도 괜찮겠습니까」「안돼, 위험해」

— [mʌ́st] *a., n.* 《口》 절대 필요한 (것), 꼭 보아야[들어야] 할 (것) : A raincoat is a ~ in the rainy season. 장마철에는 레인코트가 꼭 필요하다 / ~ books[subjects] 필독서[필수 과목].
〖OE *mōste* (past) ‹ *mōtan* may, to be obliged to ; cf. G *müssen*〗

活用 (1) 과거·미래·완료에는 have to를 씀 : I *had to* go there that day. (그날 나는 거기에 가지 않으면 안되었다) / I *had had to* go there before. ((그)전에 거기에 가지 않으면 안되었었다)《실제로 갔다 ; cf. I OUGHT[1] *to have gone* there before》.
(2) 단, 간접화법에서는 must를 그대로 쓰는 수가 많음 : She said that she *must* see the manager. (꼭 지배인을 만나고 싶다고 말했다) / We thought he *must* be our new teacher. (그가 새로 오신 선생님임에 틀림없다고 생각했다) / [회상적으로는 독립절에서도] It was too late to go back ; we *must* go on. (이미 되돌아가기에는 너무 늦어서 그대로 전진할 수밖에 없었다) (cf. 3).
(3) 현재 또는 미래의 동작에 대해서 말할 때에는 must와 have to가 똑같이 쓰인다 ; 그 차이에 대해서는 ☞ HAVE[1] *vt.* 4 注 (2) : I *must* [*have to*] go today[tomorrow]. (오늘[내일] 가지 않으면 안된다).

must[2] [mʌ́st] *n.* Ⓤ (발효전 또는 발효 중의) 포도[과실]액 ; 새 포도주.
〖OE<L (neut.) ‹ *mustus* new〗

must[3] *n.* Ⓤ 곰팡내 남 ; 곰팡이(mold). — *vi.* 곰팡내 나다. 〖역성(逆成) ‹ *musty*〗

must[4] *n.* Ⓤ (수코끼리나 수낙타의) 발정하여 광포한 상태 : on[in] ~ 발정하여 날뛰는. — *a.* 발정한, 광포한 : go ~ (발정하여) 광포해지다.
〖Hindi〗

***mus·tache, mous-** [mʌstǽʃ, ´-- ; -tɑ́:ʃ] *n.* 콧수

염(cf. BEARD, WHISKERs) ; (동물·새의) 콧수염 모양의 털[깃털]. **~d** *a.* 〖F<It.<Gk. *mustax*〗
mus·ta·chio, mous- [məstáːʃiòu, 美+-tǽʃ-] *n.* (*pl.* **~s**) (특히 긴) 콧수염. **~ed** *a.* 〖Sp., It.〗
mus·tang [mʌ́stæŋ] *n.* **1** 〖動〗 (멕시코·Texas 등지의) 반야생마. **2** 《美海軍俗》 수병 출신의 해군사관. **3** [M~] 무스탕《Ford 사제의 스포티한 승용차》. **4** 〖美空軍〗 무스탕《2차 세계대전 때의 전투기》.
(*as*) ***wild as a mustang*** 아주 다루기 어려운. 〖Sp.〗
mústang gràpe *n.* (미국 텍사스주산(産)) 알이 작고 떫은 붉은 포도.
***mus·tard** [mʌ́stərd] *n.* **1** Ⓤ 겨자, 갓 ; 겨자색, 짙은 황색 : white ~ 흰겨자 / English[French] ~ 물에 갠[초 친] 겨자 / ~ and cress 《英》 겨자[갓]의 떡잎《샐러드용》. **2** 《美俗》 자극, 활기, 열의 ; [형용사적으로] 열심인, 일급의. **3** 《美陸軍俗》 (전투기·폭격기의) 우수한 파일럿.
(*as*) ***keen as mustard*** 《口》 매우 열심인. 〖OF<Rom. ; ⇨ MUST[2]〗
mústard gàs *n.* 독가스의 일종, 이페리트《미란성(糜爛性) 독가스》.
mústard plàster *n.* 겨자씨 연고《찜질약》.
mústard pòt *n.* 겨자 단지《식탁용》.
mústard sèed *n.* 겨자 씨 ; 《美》 아주 작은 산탄(dust shot).
a grain of mustard seed 〖聖〗 한 알의 겨자씨《커다란 발전의 근원이 되는 작은 것》.
mus·ter [mʌ́stər] *vt.* **1** (검열·점호를 위해 병사·선원 등을) 소집하다(summon) ; 점호하다 ; 징용하다. **2** [+目/+目+副] 분발시키다 : We ~*ed* (*up*) all our strength[courage]. 있는 한의 모든 힘[용기]을 불러일으켰다. —— *vi.* 모이다, 응소(應召)하다.
muster in[***out***] 《美》 입영[제대]시키다.
—— *n.* **1** 소집, 집합인원 ; 점호 ; 검열 : make a ~ 소집[점호]하다. **2** (사람·동물 따위의) 집합 ; 집합인원 ; 선원[승무원] 명부 ; 〖商〗 견본.
pass muster 검열을 통과하다 ; 합격하다.
〖OF<L (*monstro* to show)〗
múster bòok *n.* 〖軍〗 점호부(點呼簿).
múster-màster *n.* 〖史〗 (군대·함선 따위의) 검열관, 병원(兵員)명부 관리관.
múster ròll *n.* 병원(兵員)[선원] 명부, 점호부.
musth [mʌ́st] *a.*, *n.* =MUST[4].
‡**must·n't** [mʌ́sənt] must not의 단축형.
múst-rèad [; ´-] *a.* (책 따위) 필독의 : The publisher is betting big that the author's latest work will become a ~ best-seller. 출판사는 그 작가의 최신작이 필독의 베스트셀러가 될거라고 큰 도박을 하고 있다.
músty *a.* 곰팡내 나는(moldy) ; 곰팡이가 슨 ; 《비유》 케케묵은, 진부한(stale), 시대에 뒤떨어진 ; 무기력한. **múst·i·ly** *adv.* **-i·ness** *n.* 곰팡내 남 ; 진부 ; 무기력.
〖? *moisty* (⇨ MOIST) ; 어형(語形)은 must[3]에 동화(同化)〗
mut ☞ MUTT.
mu·ta·ble [mjúːtəbəl] *a.* 변하기 쉬운, 무상의 ; 변덕스러운. **mu·ta·bil·i·ty** [mjùːtəbíləti] *n.* Ⓤ 변하기 쉬움, 무상(無常) ; 변덕.
〖L (*mutat- muto* to change)〗
mu·ta·fa·cient [mjùːtəféiʃənt] *a.* 〖遺〗 (세포내 인자가) 돌연 변이를 일으킬 수 있는.
mu·ta·gen [mjúːtədʒən] *n.* 〖遺〗 돌연 변이원(原), 돌연 변이 유발 요인.
mu·ta·ge·nic·i·ty [mjùːtədʒənísəti] *n.* 〖遺〗 돌연변이 유발력.
mútagen·ìze *vt.* 〖遺〗 …에 돌연 변이를 일으키게 하다.
mu·tant [mjúːtənt] *n.* 〖遺〗 돌연 변이체, 변종. —— *a.* 변화한 ; 〖遺〗 돌연 변이의.
mu·tate [mjúːteit, -´] *vi.*, *vt.* 변화하다[시키다] ; 〖遺〗 돌연 변이하다[시키다](sport) ; 〖言〗 모음 변화하다[시키다]. 〖역성(逆成)<↓〗
mu·ta·tion [mjuːtéiʃən] *n.* **1** U,C 변화, 변경, 전환(change) ; (인생의) 기복(起伏), (세상의) 변천. **2** U,C 〖遺〗 돌연 변이(cf. VARIATION). **3** U,C 〖言〗 모음 변화(umlaut) : the ~ plural 변모음 복수《보기 goose>*geese*》.
〖L ; ⇨ MUTABLE〗
mutátion stòp *n.* 〖樂〗 (오르간의) 배음 스톱.
mu·ta·tis mu·tan·dis [muːtáːtəs muːtáːndəs] *adv.* 필요한 변경을 가하여. 〖L〗
mu·ta·tive [mjúːtətiv, mjuːtéi-] *a.* 변화[이변·변이]를 일으키기 쉬운.
mú·ta·tor (**gène**) [, -´-(-)] *n.* 〖遺〗 돌연 변이 유발 유전자《다른 유전자의 돌연 변이율을 증가시키는 작용을 하는 유전자》.
mutch [mʌ́tʃ] *n.* 《스코》 모자 또는 두건의 일종《여성·어린이용》. 〖MDu. *mutse* cap[1]〗
***mute**[1] [mjúːt] *a.* **1 a**) 무언의(silent) ; (일시적으로) 말 못하는. **b**) 벙어리의. **2 a**) (문자가) 발음되지 않는, 묵자(默字)의(silent) : a ~ letter 묵자《knife의 k 따위》. **b**) 〖音聲〗 폐쇄음의《[b, d, g] 따위》. **3** (사냥개가) 짖지 않는. **4** 〖法〗 (피고가) 답변하지 않는 : stand ~ of malice 묵비권을 행사하다.
—— *n.* **1** 벙어리 ; (특히) 농아자(=deaf-~) ; 말을 안하는 사람 ; (대사가 없는) 무언 배우 ; (터키 등지의) 벙어리 시종[하인] ; 《英》 (고용된) 장례식 준비인 ; 〖法〗 답변을 거부하는 피고. **2** 묵자(默字) ; 〖音聲〗 폐쇄음 ; 〖樂〗 (악기의) 약음기.
—— *vt.* …의 소리를 약하게 하다.
~·ly *adv.* 무언으로, 벙어리처럼 ; 소리내지 않고. **~·ness** *n.* 〖OF<L *mutus*〗
類義語 ⟹ DUMB.
mute[2] *vi.* (새가) 똥을 깔기다. —— *n.* 새똥.
〖OF<Gmc. ; cf. SMELT[2]〗
múte swán *n.* 혹고니《유럽·서아시아산》.
mu·ti·late [mjúːtəlèit] *vt.* **1** (손발 따위를) 절단하다 ; (몸을) 불구로 만들다. **2** (책·문장 따위를) 삭제하여 불완전하게 하다, 골자를 빼버리다.
mù·ti·lá·tion *n.* U,C (손발 따위를) 절단하기 ; 불구로 만들기, 불완전하게 하기 ; 문서 훼손.
mú·ti·là·tor *n.* (손발 따위의) 절단자 ; 훼손자.
〖L (*mutilus* maimed)〗
mu·ti·neer [mjùːtəníər] *n.* **1** 폭동자, 반란자. **2** 〖軍〗 (상관에 대한) 저항자, 항명자. 〖F〗
mu·ti·nous [mjúːtənəs] *a.* 반항적인, 불온한 ; 폭동의, 반란의.
mu·ti·ny [mjúːtəni] *n.* U,C 폭동, 반란, 〖軍〗 (상관에 대한) 저항 : ☞ INDIAN MUTINY.
—— *vi.* 폭동[반란]을 일으키다, (상관에게) 반항하다〈*against*〉. 〖F<Rom.〗
類義語 ⟹ REVOLT.
mut·ism [mjúːtizəm] *n.* 벙어리(의 상태) ; 침묵 ; 〖精神醫〗 함묵증(緘默症).
mu·to·scope [mjúːtəskòup] *n.* (초기의 요지경식) 활동 사진 영사기.
mutt, mut [mʌ́t] *n.* 《俗》 바보, 얼간이, 멍청이 ; 《蔑》 잡종개. 〖*mutt*onhead〗
Mútt and Jéff *n.* **1** 머트와 제프《미국의 H. C.

Fisher (1884-1954) 의 만화의 주인공인, 키다리와 꼬마》. **2** 머저리 단짝 ; 바보스러운 대화.

*__mut·ter__ [mʌ́tər] *vi.* [動/+副/+前+名] 속삭이다 ; 중얼거리다 ; 투덜대다 : We heard thunder ~*ing* in the west. 서쪽에서 천둥소리가 나는 것을 들었다 / They ~*ed* ***about*** the high taxes. 세금이 많다고 투덜댔다 / She ~*ed away* ***to*** herself. 뭔가 혼자서 중얼거렸다. —— *vt.* 속삭이다 ; 투덜거리다 ; 《비유》 비밀리에 말하다 : ~ an oath [a threat] 주문(呪文) [위협]을 중얼중얼 말하다 / He ~*ed* a reply. 중얼중얼 대답을 했다. —— *n.* 속삭임, 중얼댐 ; 불평 : the ~ of distant thunder 먼 천둥 소리.
〖ME < ? ; cf. L *muttio* to mutter, *mutus* mute, OE *mōtan* to speak〗
類義語 ⟹ MURMUR.

*__mut·ton__ [mʌ́tn] *n.* Ⓤ 양고기 (cf. LAMB 2) ; Ⓒ 《戱》 양 : roast ~ 구운 양고기 / a leg of ~ ☞ LEG *n.* 1 / a shoulder of ~ ☞ SHOULDER *n.* 4.
(as) dead as mutton ☞ DEAD.
eat one's mutton with …와 식사를 함께 하다.
to return [get] to our muttons [독립부정사구] 《戱》 그럼 본제로 되돌아가서.
mút·tony *a.* 〖OF < L *multon- multo* sheep〗

mútton chòp *n.* **1** 양의 (갈비에 붙은) 고깃점. **2** [*pl.*] 관자놀이에서는 좁고 아래턱에서 넓고 둥그스름해지도록 기른 구레나룻.

mutton chop 2

mútton·fish *n.* 〖魚〗 대서양산의 물퉁돔의 일종. 〖그 맛에서〗

mútton fist *n.* 《俗》 크고 우툴두툴한 손[주먹].

mútton hàm *n.* 《스코》 양고기 햄.

mútton·hèad *n.* 《口》 바보, 얼간이.
mútton-héad·ed *a.* 《口》 얼빠진, 어리석은.

*__mu·tu·al__ [mjúːtʃuəl, 美+-tʃəl] *a.* **1** 상호의 ; 서로 관계 있는 : by ~ consent 합의로 / ~ aid 상호 부조 / ~ understanding 상호 이해 / a ~(-aid) society 공제 조합 / ~ insurance 상호 보험 / a ~ savings bank 상호 저축 은행. **2** 공동의, 공통의 (common) : our ~ friend 쌍방[공통]의 친구. 注 이론상 옳은 common friend 보다도 mutual friend 쪽이 많이 쓰임. **~·ly** *adv.* 서로, 공동으로 ; 합의하여. 〖OF (L *mutuus* borrowed)〗
類義語 ***mutual*** 서로 어떤 감정을 품고 있는, 또는 서로 어떤 의무 따위를 지니고 있는 : *mutual* esteem (상호간의 존경). ***reciprocal*** 한쪽이 제공한 것, 행한 행동, 표명한 감정 따위의 응수 또는 보수[보복]로서 다른쪽이 부여하는 것을 나타냄 : Though I gave him many presents, I had no *reciprocal* gifts from him. (나는 그에게 많은 선물을 주었지만 그에게서 아무런 답례품도 받지 못했다). ***common*** 상대방 또는 그 그룹의 모든 사람이 공통으로 지니고 있는 : our *common* interests (우리의 공통 관심사).

mútual assúred destrúction *n.* 상호 확실 파괴《미국에 의한 「미국과 구소련 쌍방의 상호 억제 전략」의 전제가 되는 능력 ; 略 MAD》.

mútual fùnd *n.* 오픈엔드 투자 신탁 회사.

mútual·ìsm *n.* 〖倫〗 상호 부조(扶助)론, 호조론 (互助論) ; 〖生〗 상리 공생 (相利共生). **-ist** *n.* 상호 부조론자 ; 상리 공생 생물.

mu·tu·al·i·ty [mjùːtʃuǽləti] *n.* Ⓤ 상호 관계, 상관(相關) ; 호의, 우의.

mútual·ìze *vt.* 상호적으로 하다, 서로간의 일이 되게 하다 ; 《美》 (피고용인 · 고객과) 주식을 서로 나누다. —— *vi.* 상호 관계를 이루다.

mu·tu·el [mjúːtʃuəl] *n.* = PARI-MUTUEL.

mu·tule [mjúːtʃuːl] *n.* 〖建〗 도리아식의 처마 돌림띠의 까치발. 〖F〗

muu·muu [múːmùː] *n.* 무무《색채 · 무늬가 화려하고 낙낙한 하와이의 여성복》.
〖Haw. =to cut off〗

muv·ver [mʌ́vər] *n.* 《兒》 = MOTHER[1].

mux[1] [mʌ́ks] *vt.* 《뉴잉글랜드》 엉망으로 해놓다. —— *n.* 혼란, 난잡. 〖? *mucksy* mucky〗

mux[2] *n.* 《美俗》 텔레타이프 (teletyping). 〖*mul*tiple*x*〗

Mu·zak [mjúːzæk] *n.* **1** 뮤잭《레스토랑 · 대합실 따위에 흘려보내는 영업용 유선 음악 방송 ; 상표명》. **2** (평범하고 단조로운) 그 음악.

mu·zhik, -zjik, -jik, mou·jik [muːʒí(ː)k] *n.* (제정 러시아 시대의) 농민. 〖Russ.〗

muzz [mʌ́z] *vt.* 《口》 멍하게 하다. —— *vi.* 《俗》 맹렬히 공부하다 <*over*>. 〖C18 < ?〗

muz·zle [mʌ́zəl] *n.* **1** (개 · 고양이 따위의) 입 · 코 부분, 콧등 ; 언론의 자유를 방해하는 것. **2** 총[포]구. **3** (동물의) 입마개, 재갈. —— *vt.* (동물의 입에) 재갈을 물리다 ; 입막음을 하다, (사람 · 신문 따위)의 언론의 자유를 방해하다 ; 《美俗》 키스하다, 애무하다 ; 《方》 (돼지 따위) 코로 땅을 파다. 〖OF *musel* (dim.) < L *musum* MUSE〗

múzzle-lòad·er *n.* (탄약을 총구로 재는) 전장총 (前裝銃) [포(砲)].

múzzle-lòad·ing *a.* 탄약을 총구[포구]로 재는.

múzzle velócity *n.* (탄환의) 초속(初速).

muz·zy [mʌ́zi] *a.* 《口》 멍한, 나른한 ; 곤드레만드레 취한 ; 음울한.
〖C18 < ? ; *muddled* 와 *fuzzy* 의 혼성(混成)인가〗

MV main verb (본동사). **MV, Mv** megavolt(s). **mV, mv** millivolt(s). **M.V., M/V** motor vessel. **MVD** *Ministerstvo Vnutrennikh Del* 《Russ.》 (= Ministry of Internal Affairs). **M.V.O.** Member of the Royal Victorian Order. **MVP** 〖野〗 most valuable player (최우수 선수). **Mw, MW** megawatt(s). **M.W.** Most Worshipful ; Most Worthy ; military works (군수 공장). **M.W.A.** Modern Woodmen of America. **M.W.B.** Metropolitan Water Board. **MWS** 〖컴퓨〗 management work station (관리자용 단말 장치).

MX [èméks] *n.* 〖美軍〗 엠엑스, 차기(次期) ICBM 《대형 핵미사일 Peacekeeper의 개발 단계에서의 가칭》. 〖*m*issile, e*x*perimental〗

Mx 〖電〗 maxwell(s) ; Middlesex. **mxd.** mixed. **MY, my** million years.

◇**my** [mai, mə, mái] *pron.* [I의 소유격] 나의, 내 … : *my* and her father 나와 그녀의 (공통의) 아버지 / *my* and her father(s) 나의 아버지와 그녀의 아버지 / *my* own 내 자신의 (것). 注 호칭어에 붙여 친밀함을 나타냄 : *my* boy [friend, man, son, daughter, *etc.*] / *my* dear [darling, love, *etc.*].
my dear fellow = ***my good man*** 《호칭》 여보게.
my Lord 각하.

〈회화〉
Hello, *my* name is Ken Stevens. — Hello, I am Bob Smith. 「안녕, 난 켄 스티븐스야」 「안녕, 보브 스미스야」

—— [mai] *int.* [놀람을 나타내어] : *My* (eye) != Oh, *my* ! =*My* goodness ! 저런 !, 어머나 ! 〖OE *mīn* mine〗

my- [mái], **myo-** [máiou, máiə] *comb. form* 「근육」의 뜻. 〖NL (Gk. *mus*)〗

my·al·gia [maiǽldʒiə] *n.* Ⓤ 〘醫〙 근육통, 근육 류머티즘. **-ál·gic** *a.*

my·all [máiəl] *n.* 〘植〙 아카시아의 일종《오스트레일리아산》; 미개인, 토인. —— *a.* 미개한. 〖(Austral.)〗

My·an·mar [mijánmər] *n.* 미얀마《동남아시아의 나라 ; 옛 이름 Burma ; 수도 Yangon》.

my·as·the·nia [màiəsθíːniə] *n.* Ⓤ 〘醫〙 근(筋) 무력증. **-then·ic** [-θénik] *a., n.* 〖Gk. *mus* muscle〗

myc- [máis, -k], **my·co-** [máikou, -kə] *comb. form* 「균(fungus)」「버섯」의 뜻. 〖Gk. (*mukēs* mushroom)〗

my·ce·li·um [maisíːliəm] *n.* (*pl.* **-lia** [-liə]) 〘植〙 균사체(菌絲體). **-li·al** *a.*

My·ce·nae [maisíːniː] *n.* 미케네《고대 그리스의 도시》.

My·ce·nae·an [màisəníːən], **My·ce·ni·an** [maisíːniən] *a.* Mycenae의 ; 미케네 문명의.

-my·cete [maisíːt, ⌐-] *n. comb. form* 「균」의 뜻. 〖↓〗

-my·ce·tes [maisíːtiːz] *n. pl. comb. form* 「균류」의 뜻《주로 「강」「아강」의 분류명을 만듦》. 〖NL<Gk.〗

my·ce·to·ma [màisətóumə] *n.* (*pl.* **~s**, **-ma·ta** [-tə]) 〘醫〙 균종(菌腫). **-tó·ma·tous** *a.*

my·ce·to·zo·an [maisìːtəzóuən] *a.* 동균(動菌) [점균(粘菌)]류[목]의.

-my·cin [máisən] *n. comb. form* 「균류에서 채취한 항생물질」의 뜻. 〖Gk. *mukēs* fungus〗

myco- [máikou, -kə] ☞ MYC-.

myc(ol). mycological ; mycology.

my·col·o·gy [maikɑ́lədʒi] *n.* Ⓤ 세균학, 균류학 ; (어떤 지역의) 균군(菌群). **-gist** *n.* 세균학자. **mỳ·co·lóg·ic, -i·cal** *a.* **-i·cal·ly** *adv.* 〖Gk. *mukēs* mushroom〗

mỳco·plásma *n.* (*pl.* **~s, ma·ta** [-tə]) 〘菌〙 미코플라스마《바이러스와 세균의 중간 성질을 지닌 미생물 ; 호흡기병을 일으킴》.

my·co(r)·rhi·za [màikəráizə] *n.* (*pl.* **-zae** [-ziː], **~s**) 〘植〙 균근(菌根)《균류와 고등 식물과의 공생체》.

my·co·sis [maikóusəs] *n.* (*pl.* **-ses** [-siːz]) Ⓤ 〘醫〙 사상균증(症).

mỳco·tóxin *n.* 미코톡신《곰팡이균류가 내는 독성 물질 ; 세균전에 씀》.

my·cot·ro·phy [maikɑ́trəfi] *n.* 〘植〙 균영양《균근(菌根)에서의 공생 따위, 균류와의 공생에 의하여 영양을 얻음》.

my·dri·a·sis [mədráiəsəs, mai-] *n.* Ⓤ 〘醫〙 산동(散瞳), 동공산대(瞳孔散大).

myd·ri·at·ic [mìdriǽtik] *a.* 〘藥〙 동공 산대(瞳孔散大)의, 산동(散瞳)의. —— *n.* 산동약(藥).

my·el- [máiəl-], **my·e·lo-** [máiəlou, -lə] *comb. form* 「수(髓)」「척수(脊髓)」「골수(骨髓)」의 뜻. 〖NL (Gk. *muelos* marrow)〗

my·e·lin [máiələn], **-line** [-lìːn] *n.* 〘生化〙 미엘린《수초(髓鞘)를 조직하는 지방질 물질》. **mỳ·e·lín·ic** [-lín-] *a.*

my·e·li·tis [màiəláitəs] *n.* (*pl.* **-lit·i·des** [-lítədìːz]) 〘醫〙 척수염 ; 〘醫〙 골수염.

myèlo·fibrósis *n.* 〘醫〙 골수 섬유증(纖維症).

my·e·lo·ma [màiəlóumə] *n.* (*pl.* **~s**, **-ma·ta** [-tə]) 〘醫〙 골수종(骨髓腫). **mỳ·e·lóm·a·tous** [-lɑ́m-] *a.*

myèlo·prolíferative *a.* 〘醫〙 척수증식성(脊髓增殖性)의.

myg(.) myriagram(s). **myl(.)** myrialiter(s). **mym(.)** myriameter(s).

My·lar [máilɑːr] *n.* 마일라《강화(強化) 폴리에스테르 필름 ; 상표명》.

my·na, -nah [máinə] *n.* 〘鳥〙 구관조. 〖Hindi〗

Myn·heer [mənéər, -níər, mainhéər, -híər] *n.* 각하, 주인, …군, …선생, …씨《영어의 Mr., Sir에 해당하는 네덜란드의 경칭》; [m~] 《口》 네덜란드 사람.

myo- [máiou, máiə] ☞ MY-.

MYOB Mind your own business. (쓸데없는 참견마라).

mỳo·cárdial *a.* 〘解〙 심장 근육의 : ~ infarction 〘醫〙 심근 경색(心筋梗塞).

mỳo·cardítis *n.* Ⓤ 〘醫〙 심근염(炎).

mỳo·cár·di·um [-kɑ́ːrdiəm] *n.* (*pl.* **-dia** [-diə]) 〘解〙 심근.

mỳo·glóbin *n.* Ⓤ 〘生化〙 미오글로빈《헤모글로빈 비슷한 근육의 색소 단백》.

mýo·gràph *n.* Ⓤ 〘醫〙 근(筋)운동[근(수축)] 기록기, 미오그래프.

my·ol·o·gy [maiɑ́lədʒi] *n.* Ⓤ 근학(筋學)《근육을 다루는 해부학의 한 분야》.

my·op·a·thy [maiɑ́pəθi] *n.* 〘醫〙 근(筋)질환. **myo·path·ic** [màiəpǽθik] *a.*

my·ope [máioup] *n.* 근시안인 사람. 〖F<L<Gk. (*muō* to shut, *ōps* eye)〗

my·o·pia [maióupiə] *n.* 〘醫〙 근시(近視) (short sight) (↔*hyperopia*) ; 근시안적임, 좁은 소견. 〖NL (↑)〗

my·op·ic [maiɑ́pik, -óu-] *a.* 근시(성)의 ; 근시안적인, 좁은 소견의.

my·o·py [máioupi] *n.* 《英》 =MYOPIA.

myosis ☞ MIOSIS.

my·o·sote [máiəsòut], **my·os·o·tis** [màiəsóutəs] *n.* 〘植〙 물망초속(屬)의 풀 ; 물망초.

my·ot·ic [maiɑ́tik, 美+mi-] *a.* 동공 축소의. —— *n.* 동공 축소제《아편 따위》.

mýo·tòme *n.* 〘發生〙 근절(筋節), 근판(筋板) ; 〘醫〙 근절개도(筋切開刀).

My·ra [máiərə] *n.* 여자 이름. 〖L=wonderful〗

myr·ia- [míriə] *comb. form* 「1만」의 뜻. 〖F<Gk. (↓)〗

myr·i·ad [míriəd, -ɑ̀d] *n.* 《古·詩》 [흔히 *pl.*] 무수 ; 무수한 사람[것] ; 1만 : ~*s* [a ~] *of* stars 무수한 별. —— *a.* 무수한 ; 1만의. 〖L<Gk. (*murioi* 10,000)〗

mýriad-mínd·ed *a.* 재간이 무궁무진한 : our ~ Shakespeare 만인의 마음을 가진[모든 일에 정통한] 셰익스피어(S.T. Coleridge의 말).

mýria·gràm(me) *n.* 1만 그램.

mýria·lìter *n.* 1만 리터.

mýria·mèter *n.* 1만 미터.

myr·ia·pod, -io·pod [míriəpɑ̀d] *a., n.* 다족류(多足類)의 (동물). 〖*-pod*〗

myr·io·ra·ma [mìriərǽmə, -rɑ́ːmə ; -rɑ́ːmə] *n.* 만경화(萬景畫), 미리오라마《옛날 많은 작은 그림을 조합하여 만들어낸 구경거리》.

myr·mec- [mə́ːrmik], **myr·me·co-** [-kou, -kə] *comb. form* 「개미」의 뜻. 〖Gk.〗

myr·me·col·o·gy [mə̀ːrməkɑ́lədʒi] *n.* 개미학. **-gist** *n.*

Myr·mi·don [mə́ːrmədɑ̀n, -dən] *n.* (*pl.* **~s, Myr·mid·o·nes** [məːrmídənìːz]) **1** 〖그神〗 미르미돈《Achilles를 따라 트로이 전쟁에 참가한 용사》. **2** Ⓒ [m~] 앞잡이 ; 충실한 부하 : *m~s* of the law 《蔑·戲》 경찰, 집달리, 관리.
〚L<Gk. *Murmidones* (pl.) followers of Achilles〛

myrrh[1] [mə́ːr] *n.* Ⓤ 미르라, 몰약(沒藥)《향기가 나는 수지 ; 향료·약제용》. **myrrh·ic** [mə́ːrik, mírik] *a.* 몰약의. **mýrrhy** *a.* 몰약 냄새가 나는.
〚OE *myrre*<L *myrrha*<Gk.〛

myrrh[2] *n.* 《美俗》 럼주(酒).
〚역(逆)철자의 발음 철자〛

myr·tle [mə́ːrtl] *n.* 〖植〗 도금양과(科)의 관목 ; 《美》 빈카풀(periwinkle) : the wax ~ 소귀나무. 〚L (dim.)<Gk. *murtos*〛

mýrtle bérry *n.* 도금양의 열매.

mýrtle wáx *n.* 소귀나무에서 채취한 밀랍.

⁑my·self [maisélf, mə-] *pron.* 나자신, 자기. **1** [강조용법] **a**) [동격적] : I ~ saw it. =I saw it ~. 나 자신이 그것을 보았다. **b**) [I의 대용 ; be, than, as, but, and 따위의 뒤에 써서] : The students present *were* ~ and Alice. 출석한 학생은 나와 앨리스였다 / No one knows more about it *than* ~. 그것에 대해 나 자신보다 더 잘 아는 사람은 아무도 없다 / He is as capable *as* ~ in handling a computer. 그는 나만큼 컴퓨터 조작솜씨가 좋다 / The special members of the club are Mr. Smith, Mr. Green and ~. 그 클럽의 특별회원은 스미스씨와 그린씨, 그리고 저입니다. ☞ 活用. **2** [-ㅗ] [재귀용법] 나 자신을[에게] : I have hurt ~. 상처를 입었다 / I couldn't make ~ understood. 나의 생각을 상대방에게 이해시킬 수가 없었다 / I poured ~ a cup of tea. 나 스스로 홍차를 한 잔 따랐다. **3** [be의 보어로서] 여느 때의 나, 정상적인 자기 : I *am* not ~ today. 나는 오늘 몸이 좋지 않다.

(all) by myself ☞ ONESELF.

for myself ☞ ONESELF.

to myself ☞ ONESELF.

〈회화〉
Let me introduce *myself*. My name is George Bell.—I'm pleased to meet you. I'm Linda Jones.「제 소개를 하겠습니다. 이름은 조지 벨입니다」「처음 뵙겠습니다, 린다 존스예요」

〚OE ; ⇨ ME, SELF ; 어형(語形)은 *herself*의 *her*를 소유격이라고 잘못하여 *my*라고 한 것〛

活用 (1) *Myself* will do it. 과 같이 myself만이 주어로 사용되는 경우는 드물지만 완곡한《口》에서는 주어의 일부로서 사용되는 수가 있다 : My mother *and myself* went to the seaside for the summer. (어머니와 나는 피서차 바닷가에 갔다)《단, 이 경우에도 *Myself* and my mother went....와 같이 주어의 구실을 하는 myself가 and 앞에 쓰이는 일은 없다》.
(2) The doctor advised my brother and *myself* to give up smoking. (의사는 형님과 나에게 담배를 끊으라고 충고했다)와 같이 목적어의 일부로서 쓰이는 수도 있으나, 이 용법은 일반적으로 인정되지 않고 있다. 이상의 사실은 himself, ourselves 따위 -self로 끝나는 다른 대명사에 대해서도 적용된다.

myst. mysteries ; mystery.

mys·ta·gogue [místəgɔ̀(ː)g, -gɑ̀g] *n.* 비법 전수자[해설자]. **mýs·ta·gò·gy** [-gòudʒi, -gɑ̀dʒi] *n.* 비법 전수. **mỳs·ta·góg·ic, -i·cal** [-gɑ́dʒ-] *a.* 비법 전수의.

⁑mys·te·ri·ous [mistíəriəs] *a.* 신비적인 ; 불가사의한, 불가해한, 애매한 ; 모호한, 이상한 : a ~ event 불가사의한 사건. **~·ly** *adv.* 신비롭게, 이상하게 ; 모호하게. **~·ness** *n.*

類義語 ***mysterious*** 호기심이나 놀람을 일으키지만 설명이나 해결이 불가능한 : a *mysterious* crime(미궁(迷宮)의 범죄). ***inscrutable*** 몹시 mysterious하여 탐구·이해·해석이 불가능한 ; 또는 사람이 자기의 감정이나 의지를 완전히 감추어서 기분이 나쁜 : the *inscrutable* smile of Mona Liza (모나리자의 불가사의한[불가해한] 미소). ***mystical*** 종교상의 의식이나 정신적인 경험이 심원하고 불가사의하여 헤아릴 수 없는 : a *mystical* rite (장엄한 의식).

⁑mys·tery[1] [místəri] *n.* **1** Ⓤ,Ⓒ 신비 ; 비밀 ; 애매함 : The origin is wrapped in ~. 기원은 신비에 싸여 있다 / The creation of life remains a ~. 생명의 발생은 여전히 수수께끼다. **2 a**) 〖카톨릭〗 성사(聖事), 성찬식 ; [*pl.*] 성체(聖體). **b**) [*pl.*] (고대 비기독교의) 비법《신비적인 의식》. **c**) =MYSTERY PLAY. **d**) 신비적인 사건 ; 괴기소설, 추리소설, 미스테리 : a murder ~ 수수께끼[미궁]의 살인사건. **3** 비결, 비법.

make a mystery (of...) (…을) 비밀로 하다 : It's no use *making a* ~. 숨겨도[시치미떼도] 소용없다.
〚OF or L<Gk. *mustērion* secret rites ; ⇨ MYSTIC〛

類義語 ***mystery*** 인간의 지식이나 이해를 초월한 이상한 것 혹은 얼핏 설명할 수 없는 것에도 씀. ***enigma*** 비밀 또는 애매한 말로써 그 참뜻이 감춰져 있어 설명이 곤란한 수수께끼. ***riddle*** 수수께끼, 재치 문답의 질문 형식에 의한 퀴즈. ***puzzle*** 해결이나 설명에 다소의 지혜·연구를 필요로 하는 문제 또는 장치.

mys·tery[2], **mis-** [místəri] *n.* 《古》 **1** 수세공(手細工), 손일 ; 직업. **2** 동업조합(guild).

art and mystery 기술과 솜씨《도제(徒弟)의 약정서의 문구》.
〚L *ministerium* MINISTRY ; 어형(語形)은 ↑에 동화(同化)〛

mýstery bòat[shìp] *n.* =Q-BOAT.

mýstery clòck *n.* 얼핏 봐서 기계 장치가 보이지 않는 시계.

mýstery dràma *n.* 〖劇〗 추리극.

mýstery plày *n.* 성사극(聖史劇)《중세의 miracle play 중 특히 그리스도의 탄생·죽음·부활을 다룬 것 ; cf. MORALITY PLAY》; 추리극.

mýstery stòry[nòvel] *n.* 괴기[추리] 소설.

mýstery tòur[trìp] *n.* 행선지를 정하지 않은 유람 여행.

mýstery vòice *n.* 〖放送〗 (퀴즈의 답을 알리는) 비밀실의 소리.

mýstery wèekend *n.* 《美》 주말의 미스테리《호텔이 숙박객을 끌기 위해 고안한 추리 게임》.

mys·tic [místik] *a.* **1** 비법의, 비결의, 비전(祕傳)의. **2** 신비적인, 유현(幽玄)한, 불가사의한 (mysterious) : a ~ number 신비적인 수《7 따위》/ a ~ force 불가사의한 힘. **3** =MYSTICAL 1, 2. —— *n.* 신비가(神祕家), 신비주의자.
〚OF or L<Gk. (*mustēs* initiated person〈 *muō* to close eyes or lips, initiate)〛

mýs·ti·cal *a.* **1** 정신적 상징의. **2** 신비주의적인, 영감에 의한. **3** 비법적인, 초자연적인.

~·**ly** *adv.* 신비(주의)적으로; 애매한.
類義語 ⟹ MYSTERIOUS.

mys·ti·cism [místəsìzəm] *n.* **1** Ⓤ 신비교; 신비설, 신비주의《궁극의 진리는 직관적으로 알 수밖에 없다고 하는 설》; 신비 체험. **2** Ⓤ 비밀; 《蔑》 망상.

mys·ti·fi·ca·tion [mìstəfəkéiʃən] *n.* Ⓤ 신비화; Ⓤ 어리둥절케 함; Ⓒ 속이기.

mys·ti·fy [místəfài] *vt.* **1** 어리둥절케 하다, 미혹(迷惑)시키다, 속이다: The magician's tricks *mystified* the audience. 그 마술사의 요술은 관중을 어리둥절케 했다. **2** 신비화하다.
〖F; ⇨ MYSTERY〗

mys·tique [mistí:k] *n.* (교리·인물 등에 수반되는) 신비감〈*of*〉; (직업상의) 비법, 비기(祕技)〈*of*〉; (현실에 대하여) 신비적 해석, 신비적 신조. 〖OF MYSTIC〗

***myth** [míθ] *n.* **1** (개개의) 신화(神話). **2** Ⓤ [집합적으로] 신화 (전체): famous in ~ and legend 신화·전설로 유명한. **3** 신화적인 인물[것]. **4** 전설, 지어낸 이야기. —— *vt.* 신화로 만들다, 신화화하다. 〖L<Gk. MYTHOS〗

myth. mythological; mythology.

myth·ic [míθik] *a.* =MYTHICAL.

mýth·i·cal *a.* 신화의; 가공의(imaginary).

myth·i·cism [míθəsìzəm] *n.* Ⓤ 신화적 해석; 신화의 해석; 신화주의. **-cist** *n.* 신비주의자.

myth·i·cize [míθəsàiz] *vt.* 신화화하다; 신화적으로 해석하다. **-cìz·er** *n.*

mýth·màker *n.* 신화 작가.

mytho- [míθou, -θə] *comb. form* 「신화(myth)」의 뜻. 〖Gk. MYTHOS〗

my·thóg·ra·pher *n.* 신화 작가.

my·thog·ra·phy [miθágrəfi] *n.* (회화·조각 따위에 의한) 신화(적 주제)의 표현; 신화집; 기술(記述) 신화학.

mythoi *n.* MYTHOS의 복수형.

mythol. mythology; mythological.

myth·o·log·ic, -i·cal [mìθəládʒik(əl)] *a.* 신화의, 신화적인; 신화학(상)의, 지어낸 이야기의, 가공(架空)의(fabulous).

my·thol·o·gize [miθálədʒàiz] *vt., vi.* 신화로 해석[이야기]하다; =MYTHICIZE.

my·thol·o·gy [miθálədʒi] *n.* Ⓤ 신화학; Ⓤ [집합적으로] 신화; Ⓒ 신화집[지(誌)]; 신화 체계.
-gist, -ger [-dʒər] *n.* 신화학자; 신화작가[편집자]. 〖F or L<Gk.; ⇨ MYTHOS〗

mỳtho·mánia *n.* Ⓤ 〔精神醫〕 허언증(虛言症)《정신병의 일종》.

mytho·poe·ia [mìθəpí:ə] *n.* 신화 작성[생성].
mỳtho·póe·ic [-pí:ik] *a.* 신화를 만드는; 신화 시대의.

my·thos [máiθɑs, míθ-] *n.* (*pl.* **-thoi** [-θɔi]) **1** 신화(myth), 신화 체계. **2** 〔社〕 미토스《어떤 집단·문화에 특유한 신앙 양식·가치관》; (예술 작품의) 구상, 모티브, 미토스; (꾸며진) 숭배.
〖Gk. *muthos* myth〗

myx- [míks], **myxo-** [míksou, -sə] *comb. form* 「점액(粘液)」「점액종(腫)」의 뜻.
〖Gk. *muxa* mucus〗

mýxo·cỳte *n.* 〔醫〕 점액 세포.

myx·(o)ede·ma [mìksədí:mə] *n.* 〔醫〕 점액 수종(粘液水腫).
-(o)edém·a·tous [-démətəs, -dí:-] *a.*

myx·o·ma [miksóumə] *n.* (*pl.* **~s, -ma·ta** [-tə]) 〔醫〕 점액종(粘液腫).

myx·o·ma·to·sis [mìksəmətóusəs] *n.* (*pl.* **-ses** [-si:z]) 〔醫〕 (다발성) 점액종증(症). 〖NL (↑)〗

N

n, N [én] *n.* (*pl.* **n's, ns, N's, Ns** [-z]) **1** 엔 《영어 알파벳의 열네번째 글자》. **2** N자형(의 것). **3** 〖數〗 부정 정수(不定整數) (cf. NTH).
n- negative.
N- nuclear.
'n [ən, n] 《발음 철자》 and 또는 than의 단축형.
N 〖체스〗 knight ; newton(s) ; 〖化〗 nitrogen. **N, N., n, n.** north ; northern. **N.** National ; Nationalist ; 〖海 軍〗 navigating, navigation ; Norse ; North《London의 우편구(區)의 하나》 ; November. **n** nano- ; neutron ; 〖化〗 normal. **n.** navigation ; navigator ; nephew ; night ; noon. **N., n.** nail ; name ; *natus* 《L》(=born) ; navy ; net ; neuter ; new ; *nocte* 《L》 (=at night) ; *nomen* 《L》 (=name) ; nominative ; noon ; normal ; *noster* 《L》 (=our) ; note ; noun ; number.
na [nɑ́:, nə] *adv.* 《스코》 =NO ; =NOT.
—— *conj.* =NOR[1].
NA noradrenaline ; 〖光〗 numerical aperture. **Na** 〖化〗 *natrium* 《L》 (=sodium). **N.A.** National Academy ; National Army ; National Assembly ; Nautical Almanac ; Naval Auxiliary ; North America(n) ; not applicable ; not available. **NA, n/a** 〖銀行〗 no account (거래 없음). **NAA** National Aeronautic Association ; 《美》 National Association of Accountants(전국 회계사 협회) ; neutron activation analysis(중성자 방사화 분석). **NAACP, N.A.A.C.P.** [èndʌ̀bəlèisì:pí:, ènèièisì:pí:] National Association for the Advancement of Colored People 《전미 흑인 지위 향상 협회 ; 1909년 창설》.
N.A.A.F.I., Naa·fi [nǽfi] *n.* 《英》 군후생 기관 ; 군인 매점 ; 군매점의 경영 단체.
〖*N*avy, *A*rmy and *A*ir *F*orces *I*nstitute(s)〗
N.A.A.U. National Amateur Athletic Union.
nab [nǽ(:)b] *vt.* (**-bb-**) 《口》 (범인 등을) 붙잡다, 체포하다(arrest) ; 잡아채다, 거머잡다[쥐다].
nab at 물다, 물어뜯다.
—— *n.* 《美俗》 경찰관.
〖? *nap* (dial.) or ? Scand. (Dan. *nappe*, Swed. *nappa* to snatch) ; cf. KIDNAP〗
NAB nuts and bolts. **NAB, N.A.B.** National Association of Broadcasters(전미 방송협회) ; New American Bible.
nabe [néib] *n.* 《美俗》 동네[변두리] 영화관.
Na·bis·co [næbískou] *n.* 내비스코《미국의 종합식품회사 ; 옛 이름 the National Biscuit Co.》.
na·bob [néibɑb] *n.* 〖史〗 (Mogul 제국 시대의) 인도 태수 ; (18-19세기경 인도에서 돌아온) 대(大)부호인 영국인 ; (일반적으로) 큰 부자 ; 《美蔑》 (특정 분야의) 명사(名士). **~·ery, ~·ìsm** *n.* 갑부인 체하기.
〖Port. or Sp.<Urdu ; ⇨ NAWAB〗
Na·both [néibɑθ] *n.* 〖聖〗 나봇《포도원의 주인으로 이것을 탐낸 이스라엘 왕 Ahab에게 피살됨 ; 열왕기상 21》 : ~'s vineyard 꼭 손에 넣고 싶은 물건. 〖Heb. = ? fruits〗
NACA National Advisory Committee for Aeronautics《전미(全美) 항공 자문 위원회 ; 1958년 NASA로 개편됨》.
nac·a·rat [nǽkəræ̀t] *n.* 주홍색(의 천). 〖F〗
na·celle [nəsél, 英+næ-] *n.* 〖空〗 (비행기·비행선의) 엔진[승무원·승객]실 ; (기구(氣球)의) 곤돌라, 조롱(car).
〖F<L (dim.) 〈 *navis* ship〗
na·cre [néikər] *n.* Ⓤ 진주층, 진주모(가 있는 조개) (mother-of-pearl). **~d** *a.* 진주층이 있는. 〖F〗
na·cre·ous [néikriəs], **na·crous** [néikrəs] *a.* 진주층의[같은] ; 진주 광택이 나는 : ~ cloud 진주모운(母雲) 《성층권에 나타나는 성분을 알 수 없는 구름》.
NAD [ènèidí:] *n.* 〖生化〗 니코틴(산)아미드 아데닌 디뉴클레오티드, NAD.
〖*n*icotinamide-*a*denine *d*inucleotide〗
N.A.D., n.a.d. National Academy of Design ; no appreciable difference[disease] ; nothing abnormal detected[discovered].
Na·der [néidər] *n.* 네이더. **Ralph** ~ (1934-) 미국의 변호사·사회 개량가.
Náder·ìsm *n.* (미국의 R. Nader의) 소비자 (보호) 운동.
Náder·ìte *a.*, *n.* 네이더(Nader) 식의 (소비자 운동가).
NADGE, Nadge [nǽ(:)dʒ] *n.* 내지《나토 가맹국의 자동 방공 경계 관제 조직》.
〖*N*ato *A*ir *D*efense *G*round *E*nvironment〗
nadg·ers [nǽdʒərz] *n.* (해명되지 않은) 결점(缺點), 결함.
give a person ***the nadgers*** 사람을 초조하게 하다, 짜증나게 하다.
na·dir [néidiər, 英+nǽdiə] *n.* 〖天〗 천저(天底) (↔*zenith*) ; 《비유》 최하점, 제일 밑바닥, 절망 상태 : at the ~ *of* …의 제일 밑바닥에.
〖OF<Arab.=opposite〗
nae [néi] *a.*, *adv.* 《스코》 =NO ; =NOT (cf. NA).
NAEB National Association of Educational Broadcasters(전미 교육 방송자 협회).
naevus ☞ NEVUS.
naff [nǽf] *a.* 《俗》 저속한 ; 촌스러운, 유행에 뒤떨어진.
NAFTA North Atlantic Free Trade Area (북대서양 자유 무역 지역).
nag[1] [nǽ(:)g] *vi.*, *vt.* (**-gg-**) [動 / +*at*+名 / +目] 잔소리를 늘어놓다 ; 성가시게 잔소리하다 : She was always ~*ging* ***at*** the maid. 그녀는 하녀에게 언제나 잔소리만 하고 있었다. —— *n.* 성가신 잔소리(를 하는 여자).
〖(dial.)< ? Scand. or LG ; cf. Norw. and Swed. *nagga* to gnaw, irritate, G *nagen* to GNAW〗
nag[2] *n.* 작은 말(pony) ; 쓸모없는[늙은] 말 ; 《口》 말 ; 《美俗》 낡은 자동차.

〚ME<? ; cf. Du. *negge* small horse〛

na·ga·na, n'ga·na [nəgάːnə] *n.* 《南아》 나가나 병(病) 《tsetse fly에 의한 가축병》. 〚Zulu〛

nág·ger *n.* 잔소리가 심한 여자.

nág·ging *a.* 잔소리가 심한, 성가신.
~·ly *adv.*

nág·gy *a.* 잔소리하는, 성가신.

Nah. 〔聖〕 Nahum.

Na·hal [nɑːhάːl] *n.* 나할《개척도 하는 이스라엘군(軍)의 전투 부대》; [때때로 n~] 그 개척지.

Na·hua·tl [nάːwɑːtl, 英+-´-] *n.* (*pl.* **~, ~s**) 나와틀 족(族)《멕시코 남부에서 중미(中美)에 걸친 지방의 원주민》; 나와틀 어(語) 《Aztec 어를 포함하는 멕시코 중부의 언어》.
—— *a.* 나와틀 어[족]의.

Na·hum [néi*h*əm] *n.* **1** 남자 이름. **2** 〔聖〕 나훔《히브리의 예언자》. **3** 〔聖〕 나훔《구약 성서 중의 한 편; 略 Nah.》.
〚Heb.=comforter〛

na·iad [néiəd, nái-, -æd; náiæd] *n.* (*pl.* **~s, naia·des** [néiədìːz]) [때때로 N~] 〔그神〕 나이아스(water nymph) 《강이나 호수나 샘터에 사는 물의 요정; cf. DRYAD, NYMPH, OREAD, UNDINE》.
〚L<Gk. (*naō* to flow)〛

na·ïf, na·if [nɑːíːf] *a.* 《稀》 =NAÏVE.
〚F (masc. a.)〛

***nail** [néil] *n.* **1** 손톱; 발톱; 며느리발톱: cut one's *~s* 손톱을 자르다. **2** 못, 징: drive a ~ 못을 박다. **3** 네일《옛 영국의 길이의 단위; 약 5.715 cm》. **4** 《俗》 값싼 궐련(=coffin ~); 술; 《俗》 (마약용의) 주사 바늘.
a nail in** one**'s coffin 수명을 단축시키는 것《걱정·음주 따위》.
(as) hard as nails (신체가) 건강한; (마음이) 냉혹한.
(as) right as nails 《英口》 완전히 건강을 회복하여[건강하여], 완전히 정상으로[아주 기분이 좋아서].
drive a nail into** one**'s coffin (무절제·괴로움 따위가) 수명을 단축시키다.
hit the (right) nail on the head ☞ HIT.
on the nail 즉석에서, 맞돈[현금]으로: pay *on the ~* 현금으로 지급하다.
to the[a] nail 철저하게.
tooth and nail ☞ TOOTH.
—— *vt.* **1** [+目/+目+前+名/+目+副] 못박아 붙이다, 못[징]을 박다: He *~ed* a notice ***on[to]*** the wall. 벽에 게시문을 못박아 붙였다 / *N~* ***down*** the window. 창문을 (열리지 않게) 못박아 두시오. **2** 《口》 붙잡다; 〔野〕 터치 아웃시키다; 《學俗》 (거짓·부정 따위를) 폭로[적발]하다. **3** (남의 이목·주의를) 끌다.
nail down ☞ 1; (협정 따위를) 결정[확정]짓다; (남을) 꼼짝 못하게 하다; …에게 생각을 명확히 말하게 하다: ~ a person *down to* his promise 남에게 확실한 약속을 하게 하다.
nail** one**'s colors to the mast ☞ COLOR *n.*
nail together (겉날림으로) 못질하여 만들다.
nail a lie to the counter 증거를 들이대고 거짓을 폭로하다《옛날에 상점 주인이 계산대에 가짜 돈을 못박아 놓고 알린 관습에서》.
nail up (창 따위를) 움직이지 않게 못질하다; (게시문 따위를) 못박아 내걸다.
〚OE *nægel*; cf. G *Nagel*, L *unguis* fingernail〛

náil-bìting *n.* Ⓤ 습관적으로 손톱을 물어뜯기《긴장·욕구 불만의 표시》; 정체 상태; 《口》 신경 과민, 불안, 초조. —— *a.* 초조해[조바심] 하는.

náil bòmb *n.* 다이너마이트 막대 둘레에 못을 감은 수제(手製) 폭탄《도시 게릴라 등이 씀》.

náil·brùsh *n.* (매니큐어용) 손톱 솔.

náil clìppers *n. pl.* 손톱깎이.

náil·er *n.* **1** 못 제조업자; 못질하는 사람, 못박는 자동기계. **2** 《俗》 훌륭한 표본(標本); 명인〈*at*〉.

náil·ery *n.* 못 제조소.

náil fìle *n.* 손톱 다듬는 줄.

náil·hèad *n.* 못대가리; 〔建〕 (노르만 건축에서의) 못대가리 모양의 장식.

náil-hèad·ed *a.* 못대가리 모양의.

náil·less *a.* 손[발]톱이 없는; 못질을 하지 않은.

náil pòlish[vàrnish, enàmel] *n.* 매니큐어액, 네일 에나멜.

náil pùller *n.* 못뽑이.

náil-scìssors *n. pl.* 손톱깎는 가위.

náil sèt[pùnch] *n.* (못대가리를 처박아 넣는) 못 박는 기구.

nain·sook [néinsuk, nǽn-] *n.* 네인숙《인도산의 얇은 면포》. 〚Hindi (*nain* eye, *sukh* delight)〛

nai·ra [náiərə, nɑːérə] *n.* (*pl.* ~) 나이라《나이지리아의 화폐 단위》.

Nai·ro·bi [nairóubi] *n.* 나이로비《케냐의 수도》.

nais·sance [néisəns] *n.* 탄생; 발생; 생성; 기원; 성장.

na·ive, na·ïve [nɑːíːv, naiíːv] *a.* **1** 소박한, 순진한, 천진난만한, 고지식한; 우직한. **2** (전문적) 지식이 없는, 경험이 없는, 생무지의.
~·ly *adv.* 소박[순진]하게.
〚F (fem. a.)<L *nativus* NATIVE〛
[類義語] ***naive*** 참으로 순진하여 꾸밈이 없는; 때로는 어리석을 정도로 세속적인 지혜가 없는 것을 암시함: He has a *naive* belief in others' good will. (남의 호의를 순진하게 믿는다). ***ingenuous*** 어린애의 단순함을 연상하리만큼 솔직하고 담백한: the girl's *ingenuous* look (소녀의 천진난만한 모습). ***artless*** 남에게 주는 인상이나 영향을 생각하지 않으므로 꾸밈이나 기교가 없는: her *artless* elegance(그녀의 꾸밈없는 우아함). ***unsophisticated*** naive와 달리 단순히 사회적인 경험이 없으므로 세속적인 지혜가 없거나 모자라는, 또는 세상 물정을 모르는: an *unsophisticated* student (세상 물정을 모르는 학생).

naíve réalism *n.* 〔哲〕 소박 실재론《외적 세계를 지각한 그대로의 것으로 인식하는 상식론》.

na·ive·té, -ïve- [nὰːiːvtéi, nɑːíːvətèi], **na·ive·ty, -ïve-** [nɑːíːvəti] *n.* **1** Ⓤ 천진난만, 순진; 순진한 말[행위]. **2** 지나치게 고지식함, 우직. 〚F<OF=inborn character〛

NAK 〔通信〕 negative acknowledge《(텔레타이프에서) 부정 응답》.

***na·ked** [néikəd] *a.* **1** 벌거벗은, 나체의, 노출된: a ~ light 갓이 없는 전등 / The moon can be seen with the ~ eye. 달은 육안으로 볼 수 있다 / a ~ (electric) wire 나선(裸線) / go ~ 벌거벗고 지내다 / strip a person ~ 남을 벌거벗기다. **2** 잎[털·껍질·장식·가구 따위]이 없는〈*of*〉; (인용문 따위) 주석이 없는. **3** 적나라한, 있는 그대로의: the ~ truth 틀림없는 사실 / the ~ heart 진심. **4** 《詩》 무방비의.
~·ly *adv.* 벌거벗고; 적나라하게.
〚OE *nacod*; cf. NUDE, G *nackt*〛
[類義語] ⟹ BARE.

náked ápe *n.* 벌거벗은 원숭이, 인간(a human being). 〚영국의 인류학자 Desmond Morris (1928-)의 저서 *The Naked Ape* (1967)에서〛

náked cáll *n.* 《美》 파는 사람이 실제로 소유하지 않은 주권·증권을 매입하는 선택권.

náked éye *n.* [the ~] (안경 따위를 쓰지 않은) 육안(肉眼) (↔*armed eyes*).

náked flówer *n.* 〖植〗 무피화(無被花), 나화(裸花).

náked·ness *n.* Ⓤ 벌거벗음, 드러남 ; 있는 그대로임 ; 결핍.
the nakedness of the land (사람·나라 따위의) 무력, 무방비 상태.

náked óption *n.* 선택권부(附) 주권을 소유하지 않은 증권 거래업자가 제공하는 선택권.

Na·khod·ka [nəkɔ́:tkə] *n.* 나홋카《시베리아의 Vladivostok 남동쪽에 있는 항구 도시》.

N.A.L.G.O., Nal·go [nǽlgou] *n.* 《英》 국가·지방 공무원 협회(National and Local Government Officers' Association).

na·li·díx·ic ácid [nèilədíksik-] *n.* 〖化〗 날리딕스산(酸)《비뇨 생식기 감염증 치료에 쓰는 항생물질(物質)》.

Nál·line Tést [nǽli:n-] *n.* Nalline《마약 길항제(拮抗劑)의 상표명》을 써서 마약 상용 여부와 그 사용량을 조사하는 검사.

na·lor·phine [nælɔ́:rfi:n] *n.* 〖藥〗 날로르핀《마약의 독성 중화·호흡 기능 촉진제》.

nal·ox·one [nǽləksòun] *n.* 〖藥〗 날록손《모르핀 따위 마약에 대한 길항제(拮抗劑)》.

NAM, N.A.M. National Association of Manufacturers(전미(全美) 제조업자 협회). **N.Am.** North American.

namable ☞ NAMEABLE.

nam·by-pam·by [nǽmbipǽmbi] *a., n.* 지나치게 감상적인 (사람·이야기·문장), 유약한 (남자). **~·ism** *n.* 지나치게 감상적임, 활기가 없음. 〖그 재미없고 감상적인 전원시를 야유하여 *Ambrose* Philips (d. 1749)에게 붙인 별명에서〗

◇**name** [néim] *n.* **1** 이름, 명칭 ; 성명 : a common ~ 통칭 / a pet ~ 애칭 / My ~ is Tom Brown. 저의 이름은 톰 브라운입니다《초대면의 자기 소개에서는 I am Tom Brown. 보다 일반적임》. ㊟ *John Fitzgerald Kennedy*의 앞의 두개는 personal[given, christian] name (때로는 forename 또는 prename), 마지막의 *Kennedy*는 family name (또는 surname) ; 또 《美》에서는 *John*을 first name, *Fitzgerald*를 middle name, *Kennedy*를 last name이라고도 함. **2 a)** [단수형으로만 써서] [+前+do*ing*] 평판, 명성(reputation) : a good[bad] ~ 명성[악명], 평이 좋음[나쁨] / The joiner has a ~ ***for*** reliability. 그 소목장이는 신뢰할 수 있다는 평판을 받고 있다 / He has a great ~ *for* train*ing* horses. 말을 조련하는 데는 유명하다. **b)** 《口》 유명한 사람, 명사 : the great ~*s* in science 과학계의 저명한 인사들. **3** 씨족, 가계(家系) ; 가문. **4** [보통 *pl.*] 험담, 욕지거리. **5** 명의, 명목 ; 이름뿐임, 허명(虛名). **6** 〖論·哲〗 명사(名辭) ; 〖文法〗 명사(noun) : a proper ~ 고유명사.
by name 지명하여 ; 이름은 : He mentioned each boy *by* ~. 각 학생의 이름을 하나하나 불렀다 / He is Tom *by* ~. =He is *by* ~ Tom. 그의 이름은 톰이다 / I know them all *by* ~. (얼굴뿐만 아니라) 그들의 이름을 모두 알고 있다 / I know her only *by* ~. 그녀를 이름만 알고 있다 / He was a king *by* ~ only. 명색뿐인 왕이었다, 왕이라고는 하나 이름뿐이었다.
by*[*of, under*] *the name of …이라는 이름으로[의], …의 명의로 : I met a man *by the* ~ *of* Hunter. 나는 헌터라는 이름의 남자를 만났다 / He cheated me *under the* ~ *of* friendship. 그는 우정이라는 이름으로 나를 속였다 / go[pass] *by* [*under*] *the* ~ *of* Jack 잭이란 이름으로 통하다, 통칭 잭이다.
call a person ***names*** (바보라느니 천치라느니) 남의 험담을 하다, 욕하다.
get one***self a name*** 이름을 날리다.
give a dog a bad name ☞ DOG 1.
Give it a name. 《口》 무엇을 원하는지 말해 봐《한턱 낼 때 하는 말》.
have one***'s name up*** 유명해지다.
in God's name 신(神)께 맹세코 ; 제발 부탁이니 ; [강조적으로] 도대체.
in name 명의상(cf. *in* REALITY) : We are free in reality and *in* ~. 명실 공히 자유다 / He is a scholar *in* ~ only. 이름뿐인 학자다.
in one***'s* (*own*) *name*** 자기 명의로, 독립하여 : It stands *in* my ~. 그것은 내 명의로 되어 있다.
in the name of... (1) …의 이름을 걸고, 신께 맹세코. (2) …에 대신하여, …의 권위로서. (3) …의 명목으로 ; …의 명의로. (4) [강조적으로] 도대체 : What *in the* ~ *of* God[wonder, common sense, all that is holy, all that is wonderful]...? 도대체 무슨 일입니까?
make*[*win*] *a name for one***self*** 이름을 날리다, 유명해지다.
of*[*of no*] *name 유명한[이름없는].
of the name of... =*by the* NAME *of*....
put one***'s name down for*** …의 후보자로서 기명(記名)하다 ; …에 입학[입회·응모]자로서 이름을 올리다.
put one***'s name to...*** (문서 따위에) 기명(記名)하다.
take a name in vain (특히 신성한) 이름을 남용하다.
take one***'s name off*** …에서 탈퇴하다.
to one***'s name*** 자기 재산[소유물]이라고 말할 수 있는 : He has not a penny *to* his ~. 동전 한 푼 가지고 있지 않다.
under the name of... =*by the* NAME *of*....

〈회화〉

What's the author's *name*? — I can't remember. 「저자 이름이 뭐니」「기억이 안나」

── *a.* **1 a)** 《美口》 이름있는 ; 명칭 표시용의. **b)** (작품 중 한 편이) 작품집의 이름이 된, 표제작의. **2** 이름이 알려진, 유명한, 일류의 ; 일류 상품의 : a ~ brand 일류 브랜드.

── *vt.* **1** [+目/+目+補] 이름을 짓다 : ~ a newborn child 갓난아기의 이름을 짓다 / They ~*d* the baby Ronald. 갓난아기의 이름을 로널드라고 지었다. ㊟ 수동태에서는 : The baby was ~*d* Ronald. 갓난아기는 로널드라고 이름지어졌다 / Once there was a doctor ~*d* Dolittle. 옛날 둘리틀이란 이름의 의사가 있었다. **2** [+目/+目+*as* 補/+目+*for*+名] 지명해서 부르다, 지명하다 ; 임명하다 : He has been ~*d as* the probable successor. 그는 후계자 후보로 지명되었다 / Who was ~*d* ***for*** class president? 누가 반장에 임명되었나요. **3** …의 (올바른) 이름을 말하다 : Can you ~ the capital of the Netherlands? 당신은 네덜란드의 수도 이름을 댈 수 있습니까. **4** [+目/+目+*to*+名] 지정하여 말하다, (이름을) 들다(mention) : ~ several reasons 몇 가지 이유를 들다 / Don't ~ the place ***to*** me. 그 장소를 나에게 말하지 마라. **5** (시일·가격 따위를) 지정하

다 : ~ one's price 값을 지정하여 말하다.
name after[《美》 ***for***] …의 이름을 따서 명명하다 : England was ~*d after* the Angles. 잉글랜드는 앵글스란 이름에서 따온 것이다 / The star was ~*d for* the Roman goddess of beauty. 그 별은 로마의 미의 여신 이름을 따서 명명되었다.
name the day (특히 여자가) 결혼을 승낙하다, 결혼 날짜를 지정하다.
not to be named on[***in***] ***the same day with*** …와는 비교해서 말할 바가 못되다, …보다 훨씬 못하다.
〖OE *nama* ; cf. G *Name*, L *nomen*, Gk. *onoma*〗

nam(e)·able [néiməbəl] *a.* 이름을 붙일 수 있는, 지명할 수 있는 ; 이름을 말해도 좋은, 말해도 실례가 되지 않는, 거리낌없이 말할 수 있는 ; 이름을 말할 가치가 있는.

náme·bòard *n.* (지명·건물 따위의) 표지 간판 ; (뱃전의) 배 이름이 쓰여진 판.

náme-brànd *a.* 유명 브랜드의.

náme-càll·ing *n.* 《美口》 헐뜯기, 욕하기.
—— *a.* 《美口》 소문난, 일류의.
náme-càll·er *n.*

náme chìld *n.* (어떤 사람의) 이름을 딴 아이.

named [néimd] *a.* 지명된, 언급된 ; 유명한 ; 각각에 고유한 이름이 있는.

náme dày *n.* 성명(聖名) 축일 《성인의 이름을 따서 명명된 날 ; cf. SAINT'S DAY》 ; (어린이의) 명명일 ;〖證〗 수도(受渡) 결제일.

náme-dròp *vi.* 저명인사의 이름을 들먹이다.

náme-dròpping *n.* 저명인사의 이름을 친구 이름같이 함부로 부르기.

náme·less *a.* **1** 이름이 없는 ; 이름이 붙지 않은 ; 익명(匿名)의 ; 세상에 알려지지 않은, 무명의 : a gentleman who shall be ~ 이름은 밝힐 수 없으나 어떤 신사. **2** 서출(庶出)의, 사생(私生)의(illegitimate). **3** 형언할 수 없는 : ~ fears 이루 말할 수 없는 불안. **4** 언어 도단의 : a ~ demand 터무니없는 요구.
~·ly *adv.* **~·ness** *n.*

***náme·ly** *adv.* 즉, 말하자면(that is to say) : two boys, ~, Peter and Tom 두 소년, 즉 피터와 톰.
㊟ VIZ.를 'namely'라고 읽음.

náme pàrt *n.* 〖劇〗 주제역(主題役)《*Othello*극의 Othello 역 따위》.

náme·plàte *n.* 명찰, 표찰(標札).

nam·er [néimər] *n.* Ⓒ 명명자 ; 지명자.

náme·sàke *n.* (어떤 사람의) 이름을 딴 사람 ; 이름이 같은 사람[물건].

náme tàg *n.* 명찰.

náme tàpe *n.* (개인의 소유물에 붙이는) 명찰 테이프.

Na·mib·i·a [nəmíbiə, nɑː-] *n.* 나미비아《옛 이름 South-West Africa ; UN의 직할 지역이었으나 1990년 독립 ; 수도 Windhoek》.
Na·míb·i·an *a., n.*

nan [næ(ː)n], **nana**[1], **nan·na** [nǽnə] *n.* 《兒》 할머니 ; 유모. 〖*nanny* ; cf. Gk. *nanna* aunt, L *nonna* old woman〗

Nan *n.* 여자 이름《Anna, Ann(e)의 애칭》.

na·na[2] [nɑ́ːnə] *n.* 《濠俗》 머리 ; 《俗》 바보, 멍텅구리, 머리가 모자라는 사람.
do one***'s nana*** 몹시 화내다, 부아가 나다.
off one***'s nana*** 머리가 이상해져서.
〖? *banana*〗

NANA North American Newspaper Alliance (북미 신문 연맹).

Nance [nǽns] *n.* **1** 여자 이름 《Anna, Ann(e)의 애칭》. **2** [n~] 《俗》 = NANCY.

Nan·cy [nǽnsi] *n.* **1** 여자 이름《Anna, Ann(e)의 애칭》. **2** [n~] 《俗》 여자 같은 남자 ; (여성 역의) 남자 동성애자. —— *a.* 《俗》 유약한, 여자 같은 ; 동성애의.

NAND [nǽnd] *n.* 〖컴퓨〗 낸드, 부정논리(否定論理)곱, 아니또《양쪽이 참인 경우에만 거짓이 되고 다른 조합은 모두 참이 되는 논리 연산(演算)》. 〖not *AND*〗

nan·di·na [nændáinə, -díː-], **-din** [nǽndən] *n.* 〖植〗 = SACRED BAMBOO. 〖Jap.〗

na·nism [néinizəm, nǽn-] *n.* 왜소(矮小) (발육), 왜생(矮生).

Nan·jing [nɑ́ːndʒíŋ], **-king** [nǽŋkíŋ, nɑ́ːn-] *n.* 난징(南京)《중국 장쑤(江蘇)성의 성도》.

nan·keen [nænkíːn, 英+næŋ-], **-kin** [-kín], **-king** [-kíŋ] *n.* Ⓤ 난징(南京) 무명 ; [nankeens] 난징 무명으로 만든 바지 ; [때때로 N~] (담)황색. 〖(↑)〗

nann- [nǽn], **nan·no-** [nǽnou, -nə] *comb. form* 「왜소(矮小)」의 뜻. 〖Gk. *nanos* dwarf〗

nanna ☞ NAN.

Nan·na [nǽnə] *n.* 여자 이름《Anna, Ann, Anne의 애칭》.

Nan·nette [nænét] *n.* 여자 이름《Anna, Ann, Anne의 애칭》.

Nan·nie [nǽni] *n.* 여자 이름《Anna, Ann, Anne의 애칭》.

nànno·fóssil, nàno- *n.* 초미(超微) 화석《nannoplankton의 화석》.

nànno·plánkton, nàno- *n.* 미소(微小) 플랑크톤, 극미(極微) 부유생물.

Nan·ny [nǽni] *n.* **1** 여자 이름《Anna, Ann(e)의 애칭》. **2** [n~] **a)** 《英》 유모 ; 《兒》 할머니 ; 필요 이상으로 과보호하는[마음을 쓰는] 사람. **b)** 《口》 = NANNY GOAT. —— *vt.* 《英口》 어린아이 취급하다.

nánny gòat *n.* 《口》 암염소(↔*billy goat*).

nánny-gòat swèat *n.* 《美俗》 싸구려 위스키, 밀주(密酒).

nano- [nǽnou, nǽnə] *comb. form* **1** 나노(10^{-9} ; 기호 n). **2** 「미소(微小)」의 뜻.
〖L (Gk. *nanos* dwarf)〗

náno·àmp *n.* 〖電〗 나노암프(10^{-9} ampere).

náno·àtom *n.* (어떤 원소의) 10억분의 1원자.

náno·cùrie *n.* 나노퀴리(10^{-9} curie).

náno·gràm *n.* 나노그램(10^{-9} gram).

náno·mèter *n.* 나노미터(10^{-9} meter ; 기호 nm).

náno·sècond *n.* 나노초(10^{-9}초 ; 기호 nsec).

náno·sùrgery *n.* 〖醫〗 전현(電顯)외과《전자 현미경을 사용하는 세포·조직 따위 극소부를 수술》.

Nan·sen [nɑ́ːnsən, nǽn-] *n.* 난센. **Fridtjof** ~ (1861-1930) 노르웨이의 생물학자·북극 탐험가·정치가 ; 국제 연맹의 난민 고등 판무관.

Nánsen pàssport *n.* 난센 여권《1차 대전 후 발생한 난민에게 국제 연맹이 발행한 여권》.

Na·o·mi [neióumi, -mai, néioumài, -mìː ; néiəmi] *n.* 여자 이름. 〖Heb.=pleasant〗

na·os [néiɑs] *n.* (*pl.* **na·oi** [néiɔi]) (고대의) 신전(神殿), 사원 ; 〖建〗 = CELLA. 〖Gk.〗

***nap**[1] [nǽp] *n.* 선잠, 낮잠 : have[take] a ~ 낮잠을 자다. —— *v.* (**-pp-**) *vi.* 졸다, 낮잠자다 ; 방심하다. —— *vt.* 졸며 보내다〈*away*〉.
catch a person ***napping*** 남의 방심한 틈을 이용하다, 남의 허를 찌르다.
〖OE *hnappian* ; cf. OHG *hnaffezen* to doze〗

nap[2] *n.* Ⓤ (나사(羅紗) 따위의) 보풀. ── *vt.* (-**pp**-) (천)에 보풀을 일게 하다. 〖MDu., MLG *noppe* nap, *noppen* to trim nap from ; cf. OE *hnoppian* to pluck〗

nap[3] *n.* 카드 놀이의 일종《나폴레옹 놀이》;〔競馬〕 어떤 말이 꼭 이기리라는 예상 : go ~ on (a fact etc.) …에 돈을 몽땅 걸다 ; 큰 모험을 하다. ── *vt.* (-**pp**-) 《英》 (특정 말을) 이길 가망이 있다고 지목[추천]하다. 〖*Napoleon*〗

nap[4] *vt.* (-**pp**-) 《俗》 움켜쥐다, 잡아채다. 〖? Scand. (Swed. *nappa* to snatch, Dan. and Norw. *nappe* to pinch)〗

nap[5] *vt.* (-**pp**-) (요리에) 소스를 치다[바르다]. 〖F *napper*〗

NAP naval aviation pilot. **Nap.** Naples ; Napoleon ; Napoleonic.

napa [nǽpə] *n.* 나파《무두질한 양(새끼) 가죽 ; 장갑·의복용》. 〖원래 California 주(州) Napa에서 만들어짐〗

na·palm [néipɑːm, 美+-pɑːlm, 英+nǽpɑːm] *n.* Ⓤ 네이팜《소이탄 따위에 사용되는 화학 물질》: a ~ bomb 네이팜 폭탄《강렬한 유지(油脂) 소이탄》. ── *vt.* 네이팜 폭탄으로 공격하다. 〖*na*phthene (or *na*phthalene)+*palm*itate, or *na*phthenic+*palm*itic acid〗

nape [néip, 美+nǽp] *n.* [보통 ~ of the neck] 목덜미. 〖ME< ?〗

na·pery [néipəri] *n.* Ⓤ 《古·스코》 =TABLE LINEN.

náp hànd *n.* (nap에서) 5회 전승할 것 같은 수 ; 《비유》 모험을 하면 승산이 있는 경우.

naphth- [nǽfθ, nǽpθ], **naph·tho-** [-θou, -θə] *comb. form* 「나프타」「나프탈렌」의 뜻. 〖↓〗

naph·tha [nǽfθə, nǽp-] *n.* Ⓤ 나프타, 휘발유. **náph·thous** *a.* 〖L<Gk.=inflammable volatile liquid issuing from earth<Iranian〗

naph·tha·lene, -line [nǽfθəlìːn, nǽp-], **-lin** [-lən] *n.* Ⓤ 〔化〕 나프탈렌. 〖*naphtha*+*al*cohol+*-ene*〗

naph·thene [nǽfθiːn, nǽp-] *n.* 〔化〕 나프텐《석유 원유 중의 시클로파라핀(cycloparaffine) 탄화수소의 총칭》.

naph·thol [nǽfθɔ(ː)l, -θoul, -θɑl, nǽp-] *n.* Ⓤ 〔化〕 나프톨《방부제·염료의 원료》.

Na·pi·er [néipiər, nəpíər] *n.* **1** 네이피어. (1) **Charles James** ~ (1782-1853) 영국의 장군. (2) **John** ~ (1550-1617) 스코틀랜드의 수학자 ; 로그의 발견자. (3) **Robert Cornelis** ~ (1810-90) 잉글랜드의 육군원수. **2** [néipiər] 네이피어《뉴질랜드 북섬 동부의 해항(海港)》.

Na·píer·ian lógarithm [nəpíəriən-, nei-] *n.* 〔數〕 =NATURAL LOGARITHM. 〖John *Napier*〗

Nápier's bónes[**róds**] *n. pl.* 네이피어 계산봉(棒)《John Napier가 발명한 포켓형 곱하기·나누기용 계산기》.

⁑**nap·kin** [nǽpkən] *n.* **1** (식탁용의) 냅킨 ; 소형 타월 ; 《英方》 손수건. **2** 《英》 기저귀(=《美》 diaper) (cf. NAPPY[1]).
hide*[*lay up, wrap*] . . . *in a napkin …을 쓰지 않고 간수해 두다, 헛되이 묵혀 두다.
── *vt.* 냅킨으로 싸다[닦다]. 〖OF *nappe* (⇨ MAP)+*-kin*〗

nápkin rìng *n.* 냅킨 링《각자의 냅킨을 접어 끼워 두는 금속 따위로 된 고리》.

napkin ring

Na·ples [néipəlz] *n.* 나폴리 (It. **Na·po·li** [nɑ́ːpəli]) 《이탈리아 남부의 항구 도시》.

náp·less *a.* 보풀이 없는 ; 닳아서 해진.

na·po·le·on [nəpóuliən] *n.* **1** 프랑스의 옛 20프랑 금화. **2** Ⓤ 나폴레옹《카드 놀이의 일종》. **3** 《美》 크림·잼 따위를 층 사이에 발라 구운 파이. 〖F〗

Napoleon *n.* 나폴레옹. **1** ~ **I** 나폴레옹 1세 (1769-1821)《본명 Napoléon Bonaparte, 프랑스 황제(1804-15)》. **2** ~ **III** 나폴레옹 3세(1808-73)《나폴레옹 1세의 조카, 프랑스 황제(1852-70), 프로이센·프랑스 전쟁에서 패배하여 영국에서 사망》. **~·ìsm** *n.* (국민에 대하여 절대권을 갖는) 나폴레옹주의. **~·ist** *n.* 〖It. ; cf. Gk. *Neapolis* Naples〗

Na·po·le·on·ic [nəpòuliɑ́nik] *a.* 나폴레옹 1세(시대)의 ; 나폴레옹 같은.

Napoleónic Wárs *n. pl.* [the ~] 나폴레옹 전쟁(1805-15).

Napoli ☞ NAPLES.

na·poo [nəpúː] *int.* 《英軍俗》 다 글렀다, 헛탕이다 ; 없어졌다, 이젠 죽었다[틀렸다]. ── *vt.* 처치해 버리다, 무력하게 하다 ; 죽이다.

nap·pa [nǽpə] *n.* =NAPA.

nappe [nǽp] *n.* 〔地〕 **1** 원지성(原地性) 기반을 덮는 이지성(異地性)의 거대한 암체(岩體). **2** 냅《둑을 넘쳐 흐르는 물》. 〖F=table cloth ; ⇨ NAPKIN〗

náp·per[1] *n.* 보풀을 일게 하는 사람, 기모기(起毛機). 〖NAP[2]〗

napper[2] *n.* 선잠을 자는 (버릇이 있는) 사람 ; 《英俗》 머리(head). 〖NAP[1]〗

náp·py[1] *n.* 《英口》 기저귀. 〖NAPKIN〗

nappy[2] *a.* (술 따위가) 독한 ; 《스코》 거나하게 취한 ; (말이) 반항하는. ── *n.* 《스코》 술, (특히) 맥주. 〖? NAP[2]〗

nappy[3] *n.* (유리 또는 오지로 만든) 작은 접시. 〖*nap* (dial.) bowl<OE *hnæpp*〗

nappy[4] *a.* 보풀이 인. 〖NAP[2]〗

náppy-héad·ed *a.* 멍청한, 얼빠진.

náp tràp *n.* 《CB俗》 휴식 지대, 모텔.

na·pu [nɑ́ːpuː] *n.* 〔動〕 (자바·수마트라산의) 궁노루. 〖Malay〗

narc, nark [nɑ́ːrk] *n.* 《美俗》 마약 단속관[수사관](narco) ; 정보 제공자, 밀고자. ── *vi.* 남을 밀고하다. 〖*narc*otic agent〗

narc- [nɑ́ːrk], **nar·co-** [nɑ́ːrkou, -kə] *comb. form* 「혼미」「마취」의 뜻. 〖Gk. ; ⇨ NARCOTIC〗

nar·ce·ine [nɑ́ːrsiìːn, -siən] *n.* 〔化〕 나르세인《마취성 알칼로이드의 일종》.

nar·cism [nɑ́ːrsizəm] *n.* =NARCISSISM.

nar·cis·sism [nɑ́ːrsəsìzəm, 英+nɑːsísizəm] *n.* Ⓤ 〔心·精神分析〕 나르시시즘, 자기 도취. **-sist** *n.* 자기 도취자. **nàr·cis·sís·tic** *a.* 〖G (NARCISSUS)〗

narcissístic personálity *n.* 〔心〕 자기애 인격, 자기 중심적 성격.

Nar·cis·sus [nɑːrsísəs] *n.* **1** 〔그神〕 나르시소스《물에 비친 자기 모습을 연모해 익사한 후 수선화가 된 미모의 청년》; Ⓒ 미모로 자부심이 강한 청년. **2** [n~] (*pl.* ~, **~·es**, **-cis·si** [-sísai, -sísiː]) 〔植〕 수선화속(屬)의 식물, 수선화. 〖L<Gk. (? *narkē* numbness)〗

nar·co [nɑ́ːrkou] *n.* (*pl.* **~s**) 《美俗》 = NARC.
nàrco·análysis *n.* 〖心〗 마취 분석《마취에 의한 심리 분석》.
nárco·bùck *n.* 《美俗》 마약 거래 자금, 마약 거래로 얻은 이익.
nar·co·lep·sy [nɑ́ːrkəlèpsi] *n.* 〖醫〗 수면(睡眠) 발작《간질병의 가벼운 발작》.
nàrco·mánia *n.* 〖醫〗 마약 상용벽[중독]; 마약으로 인한 정신 이상.
nar·cose [nɑ́ːrkous] *a.* 혼수[혼미] 상태의.
nar·co·sis [nɑːrkóusəs] *n.* (*pl.* **-ses** [-siːz]) Ⓤ 〖醫〗 마취법; (마취약에 의한) 혼수(상태). 〚NL<Gk.; ⇨ NARCOTIC〛
nàrco·sýnthesis *n.* 〖心〗 마취 정신 요법.
nar·cot·ic [nɑːrkɑ́tik] *a.* 마취(약·성)의; 최면성의; 마약의; 마약중독자 (치료)의: a ~ drug 마취약. —— *n.* 마(취)약; 최면제; 진정제; 마약 중독자.
〚OF or L<Gk. (*narkē* numbness)〛
nar·cot·i·cism [nɑːrkɑ́təsìzəm] *n.* 〖醫〗 마취 상태; 마약 중독.
nar·co·tine [nɑ́ːrkətìːn] *n.* 〖化〗 나르코틴《아편 알칼로이드의 일종》.
nar·co·tism [nɑ́ːrkətìzəm] *n.* Ⓤ 마취; 마취제 중독. **-tist** *n.* 마약 상용자.
nar·co·tize [nɑ́ːrkətàiz] *vt.* 마취시키다; 마비[진정]시키다. —— *vi.* 마약[마취제] 구실을 하다.
nàr·co·ti·zá·tion *n.* 마취시키기; 마취.
nard [nɑːrd] *n.* Ⓤ 나르드 향유(香油), 감송향(甘松香)《진통제》; Ⓒ 〖植〗 감송(☞ SPIKENARD 1). 〚L<Gk.<Sem.〛
nar·g(h)i·le, -gi·leh [nɑ́ːrgəli, -lèi] *n.* (근동(近東)의) 수연통(水煙筒). 〚Pers.〛
nar·i·al [néəriəl, nǽər-] *a.* 〖解〗 콧구멍(nares)의.
na·ris [néərəs, nǽər-] *n.* (*pl.* **na·res** [néəriːz, nǽər-]) 〖解〗 콧구멍.
nark[1] [nɑːrk] *n.* 《俗》 경찰의 앞잡이, 밀정(密偵); 《美》 미끼, 한통속(shill). —— *vt., vi.* 《英》 밀고하다, 스파이 노릇을 하다.
〚Romany *nāk* nose〛
nark[2] *vi., vt.* 《英俗》 짜증내다[나게 하다], 불쾌해지다[하게 하다].
feel narked at …때문에 고민하다.
Nark it! 《英俗》 그만둬, 조용히 해.
—— *n.* 《英俗》 짜증내는[나게 하는] 사람, 불쾌해[하게] 하는 사람. 〚↑〛
nark[3] ☞ NARC.
narked [nɑːrkt] *a.* 《英俗》 짜증내는.
narky [nɑ́ːrki] *a.* 화 잘내는, 기분이 언짢은.
N-arms [én-ˊ] *n. pl.* 핵(核)무기(nuclear arms).
nar·ra·tage [nǽrətidʒ] *n.* 〖映·劇〗 내레타주《영화·텔레비전의 회상 장면 따위에서 화면 밖의 narrator가 story를 해설해 나가는 수법》.
〚*narra*tion+mon*tage*〛
nar·rate [nǽreit, -ˊ; nəréit, nǽreit] *vt.* 말하다, 이야기하다, 담화하다: The captain ~*d* his adventures. 선장은 자기 모험담을 이야기했다.
—— *vi.* 이야기하다; 내레이터를 하다.
〚L *narro* to recount ‹ *gnarus* knowing〛
類義語 ⟹ TELL.
***nar·ra·tion** [næréiʃən, nə-; nə-, næ-] *n.* **1** Ⓤ 이야기하기, 내레이션, 서술; Ⓒ 이야기. **2** Ⓤ 〖文法〗 화법. **~·al** *a.*
nar·ra·tive [nǽrətiv] *n.* 이야기(story); Ⓤ 설화문학; Ⓤ 설화, 화술(話術). —— *a.* 이야기체[식]의; 설화의, 화술의: a ~ poem 설화시(詩).
~·ly *adv.* 이야기와 같이, 이야기[설화]식으로.
類義語 ⟹ STORY.
nárrative árt *n.* = STORY ART.
***nár·ra·tor, -rat·er** [ˊ-, næréitər, nə-] *n.* 이야기하는 사람, 내레이터.
◇**nar·row** [nǽrou, 美+-rə] *a.* **1** 폭이 좁은, 가는(↔*broad, wide*); (검사 따위) 정밀한(minute): a ~ transcription 정밀 표기 / a ~ examination 정밀 검사. **2** 제한된, 한정된; 줄인: in ~ means[circumstances] 궁핍하여. **3** 가까스로의, 간신히 얻은: a ~ victory 신승(辛勝) / have a ~ escape[shave, squeak] 구사 일생하다. **4** 마음이 좁은, 옹졸한. **5** 《英方·스코》 인색한: He is ~ *with* his money. 돈에 인색한 사람이다. **6** 〖音聲〗 협착음(狹窄音)의(↔*broad, wide*): ~ vowels 협착 모음《[iː] [uː] 따위》. **7** 《美》 (가축 사료가) 고단백의.
—— *n.* **1** [보통 ~s; 단수·복수취급] 해협, 좁은 해협; 계곡; 좁은 길(pass). **2** [the N~s] 뉴욕 항으로 통하는 Long Island와 Staten Island 사이의 좁은 해협.
—— *vt.* 좁히다, 제한하다, 편협하게 하다.
—— *vi.* 좁아지다: The valley ~*ed* more and more. 골짜기는 점점 좁아졌다.
narrow down 요점에만 국한하다; (토론·토의를) 좁히다.
~·ness *n.* 좁음, 협소; 궁핍; 도량이 좁음.
〚OE *nearu*; cf. G *Narbe* scar〛
nárrow béd[céll, hóuse] *n.* 무덤(grave).
nárrow bóat *n.* 《英》 (폭 7피트 이하의 운하 항행용) 거룻배.
nárrow·càst *vi.* 유선 방송하다, 한정된 지역에 방송하다.
nárrow·càst·ing *n.* 유선 텔레비전 방송(cablecasting).
nárrow clóth *n.* (영국에서는 52인치 이하, 미국에서는 18인치 이하의) 폭이 좁은 천(cf. BROADCLOTH).
nárrow gáte *n.* [the ~] 〖聖〗 좁은 문《마태복음 7: 13-14》.
nárrow gáuge *n.* 〖鐵〗 협궤《영국·미국 모두 1.435미터 이하; cf. BROAD GAUGE》.
nárrow-gáuge(d), -gáge(d) *a.* 〖鐵〗 협궤의; 《비유》 마음이 좁은, 편협한.
nárrow góods *n. pl.* 《英》 폭이 좁은 것《리본·끈 끈류(類)》.
nárrow·ly *adv.* 좁게; 편협하게; 가까스로(barely); 엄밀[정밀]하게(carefully).
nárrow-mínd·ed *a.* 도량이 좁은, 편협한.
~·ly *adv.* **~·ness** *n.*
nárrow séas *n. pl.* [the ~] (영국 본토에서 본) 좁은 해협《아이리시 해(Irish Sea)와 영국 해협(English Channel)을 합쳐 부르는 이름》.
nárrow wáy *n.* [the ~] 〖聖〗 정의(正義), 좁고도 험한 길.
nar·thex [nɑ́ːrθeks] *n.* 〖建〗 나르텍스《고대 기독교회당의 본당 입구 앞의 넓은 홀; 참회자·세례지망자를 위한 공간》. 〚L〛
nar·w(h)al [nɑ́ːrwəl, 美+-hwɑːl], **-whale** [-hweil] *n.* 〖動〗 일각(一角)고래《한대(寒帶)의 바다에 사는 돌고래과의 동물》.
〚Du.<Dan. (*hval* whale)〛
nary [néəri, nǽəri] *a.* 《方》 단 …도 없는(not any): ~ a doubt 한 점 의혹도 없는.
〚*ne'er a*〛
nas- [néiz], **na·si-** [néizə], **na·so-** [néizou, -zə] *comb. form* 「코(의)」의 뜻.
〚L; ⇨ NASAL〛

NAS, N.A.S. National Academy of Sciences (전미(全美) 과학 아카데미) ; Naval Air Station (해군 항공 기지).

NASA [nǽsə, néisə] National Aeronautics and Space Administration ((미국) 항공 우주국).

NASA·ese [næ̀səí:z] *n.* 나사 용어, 항공 우주국 용어.

na·sal [néizəl] *a.* 코의, 코에 관한 ; 콧소리의, 코먹은 소리의 ; 〔音聲〕 비음(鼻音)의 : ~ sounds 비음(鼻音)《[m, n, ŋ] 따위》/ ~ vowels 비모음(鼻母音)《프랑스어의 [ɑ̃, ɛ̃, ɔ̃, œ̃] 따위》/ the ~ organ 《戲》 코. —— *n.* **1 a**) 〔音聲〕 비음. **b**) 비음자(鼻音字). **2** (투구의) 코받이.
~·ly *adv.* 비음으로.
〚F or L (*nasus* nose)〛

násal bóne *n.* 〔解〕 코뼈.

násal cávity *n.* 〔解〕 비강(鼻腔).

na·sal·i·ty [neizǽləti] *n.* 비음성 ; 비강내의 반향.

násal·ìze *vt., vi.* 〔音聲〕 콧소리로 발음하다, 비음화하다. **nàsal·izátion** *n.* 〔音聲〕 비음화(化).

násal spéculum *n.* 〔醫〕 비경(鼻鏡).

násal twáng *n.* 〔音聲〕 콧소리(twang).

nas·cent [nǽsənt, néi-] *a.* 발생하려고 하는 ; 〔化〕 발생기(期)의 ; 초기의. **nás·cen·cy, -cence** *n.* 발생, 기원. 〚L ; ⇨ NATAL〛

náscent státe[**condítion**] *n.* 〔化〕 발생기(期)《원소가 유리(遊離)된 순간 ; 반응(反應)하기 쉬움》.

N.A.S.D. 《美》 National Association of Securities Dealers(전미(全美) 증권업 협회).

NASDAQ [nǽzdæk] *n.* N.A.S.D.가 증권 시세를 컴퓨터로 알리는 정보 시스템.
〚*N*ational *A*ssociation of *S*ecurities *D*ealers *A*utomated *Q*uotations〛

náse·bèrry [néiz-, -bəri] *n.* 사포딜라(sapodilla)의 열매.

nash [nǽ(:)ʃ] *vt., vi.* 《美俗》 가볍게 식사하다, 간식을 먹다.
—— *n.* 《美俗》 가볍게 하는 식사, 스낵.
~·er *n.* 늘 무엇을 먹고 있는 사람. 〚Yid.〛

nasi- ☞ NAS-.

Nas·sau [nǽsɔ:] *n.* 〔地〕 나소《Bahama 제도의 수도·해항(海港)》.

Nas·ser [nɑ́:sər, nǽs-] *n.* 나세르. **Gamal Abdel** ~ (1918-70) 이집트의 군인·정치가·대통령(1956-70). **~·ìsm** *n.*

nas·tur·tium [nəstə́:rʃəm, 美+næs-] *n.* 〔植〕 한련(旱蓮), 한련꽃. 〚L〛

***nas·ty** [nǽ(:)sti ; nɑ́:s-] *a.* **1** (집 따위) 기분이 상할 만큼 더러운 ; (음식·약·맛·향기 따위) 메스꺼운, 욕지기나는, 싫은(↔*nice*) : ~ medicine 쓴 약 / a ~ sight 역겨운 광경 / It left a ~ taste in my mouth. 《비유》 그것은 불쾌한 인상을 남겼다. **2** (말씨·정신·책 따위) 추잡한, 싫은, 음란한, 외설적인. **3** (날씨·바다 따위) 험악한, 사나운 : a ~ storm 세찬 폭풍우. **4** (문제 따위) 다루기 어려운, 귀찮은 ; (질병·충격·발작 따위) 중한, 심한 : a ~ one 맹렬한 일격《거절·핀잔 따위》. **5** 심술궂은, 기분이 언짢은, 악의가 있는 : a ~ temper 성깔 / ~ trick 심술궂은 장난[속임수] / turn ~ 화나다 / Don't be ~. 심술부리지 마라.
cheap and nasty ☞ CHEAP *a.*
a nasty piece[***bit***] ***of work*** 심술궂은 행위, 흉계 ; 《口》 거동이 수상쩍은[꺼림칙한] 사람, 비열한 인간.
—— *n.* 싫은[질이 나쁜, 형편없는] 것[사람].
nás·ti·ly *adv.* **-ti·ness** *n.*
〚ME < ? ; cf. Du. *nestig* dirty〛

-nas·ty [næ̀sti] *n. comb. form* 〔植〕 「경성 운동[생장]」 「압력에 의한 세포 생장 불규칙성」의 뜻. 〚Gk. *nastos* squeezed together + -*y*[1]〛

násty-níce *a.* 겉으로는 정중하나 실은 무례한.

Nat [nǽt] *n.* 남자 이름《Nathan, Nathaniel의 애칭》.

Nat. Natal ; Nathan ; Nathanael ; Nathaniel ; National(ist) ; Natural.

nat. national ; native ; natural(ist).

na·tal [néitl] *a.* 출생[출산·분만(分娩)]의.
〚L *natalis* (*nat- nascor* to be born)〛

nátal astrólogy *n.* 인사(人事) 점성학.

Nat·a·lie [nǽtəli] *n.* 여자 이름.
〚L = birthday, Christmas〛

na·ta·list [néitələst] *n.* [복합어를 이루어] 산아[인구] 증가 제창자 : pro-~ 인구 증가 찬성자 / anti-~ 인구 증가 반대자. **-lìsm** *n.* 산아[인구] 증가 정책. 〚F〛

na·tal·i·ty [neitǽləti, nə-] *n.* Ⓤ 출생(률).

na·tant [néitənt] *a.* 〔生態〕 유영(游泳)하는, 물에 떠도는, 부유성(浮遊性)의. **~·ly** *adv.* 물에 떠서.

na·ta·tion [neitéiʃən, nə-, 美+næ-] *n.* 수영(水泳)(술). **~·al** *a.* 〚L (*nato* to swim)〛

na·ta·tor [néitətər] *n.* 수영 선수.

na·ta·to·ri·al [nèitətɔ́:riəl, næ̀t-], **-to·ry** [néitətɔ̀:ri, nǽt- ; néitətəri, nətéitəri] *a.* 헤엄치는 ; 헤엄치기에 알맞은 ; 헤엄치는 습성이 있는.

na·ta·to·ri·um [nèitətɔ́:riəm, 美+næ̀t-] *n.* 실내 풀(swimming pool).

natch [nǽtʃ] *adv.* 《口》 당연히, 물론.

na·tes [néiti:z] *n. pl.* 〔解〕 궁둥이, 둔부(臀部). 〚L〛

Na·than [néiθən] *n.* 남자 이름《애칭 Nat》.
〚Heb. = gift〛

Na·than·a·el [nəθǽniəl] *n.* = NATHANIEL.

Na·than·i·el [nəθǽniəl] *n.* 남자 이름《애칭 Nat》.
〚Heb. = gift of God〛

nathe·less [néiθləs, nǽθ-], **nath·less** [nǽθləs] *adv.* 《古》 = NEVERTHELESS. —— *prep.* 《古》 = NOTWITHSTANDING.

nat. hist. natural history.

◇**na·tion**[1] [néiʃən] *n.* **1** 국민 ; 국가 : the voice of the ~ 국민의 소리, 여론 / the Western ~*s* 서유럽 여러 나라 (국민) / ☞ UNITED NATIONS. **2** 민족 : a ~ without a country 나라 없는 민족. **3** [the ~s] 전인류, 세계 여러 국민. **4** 《美》 (북미 인디언이 정치적으로 결성한) 부족 연합.
the law of nations 국제(공)법.
the League of Nations ☞ LEAGUE[1].
the War of the Nations = WORLD WAR I.
~·less *a.*
〚OF < L ; ⇨ NATAL〛
類義語 ***nation*** 한 정부 밑에 통일된 정치적인 단일체라는 것을 강조함. ***people*** 공통된 문화·이상·이해를 가진 문화적·사회적인 집단. ***race*** 공통된 조상과 육체적 특징을 가진 생물학적인 단일 집단 : Jews are a *people*, not a *nation*. (유태인들은 민족이지 국민은 아니다) / Americans are a *nation*, but not a single *race*. (미국인들은 국민이지만, 단일 민족은 아니다).

nation[2] *n.* 《方》 = DAMNATION. —— *a.* 대단한, 지독한. —— *adv.* 지독하게, 대단히.

‡**na·tion·al** [nǽʃənəl, nǽʃnəl] *a.* **1** 국민[국가]의, 전(全) 국민의 ; 전(全) 국가적인 : ~ affairs 국무, 국사(國事) / a ~ cabinet 거국 일치 내각 / a

~ debt 국채 / a ~ holiday 국경일 / ~ power [prestige] 국력[국위]. **2** 국유의, 국립의, 국정의 : the ~ church 국교(國敎) / a ~ enterprise 국영 기업 / a ~ park 국립 공원 / ~ railroads 국유 철도 / a ~ theater 국립 극장. **3** 한 나라를 상징하는, 국민적인 : the ~ flower[game] 국화[국기(國技)] / a ~ poet 국민적[일국의 대표적] 시인. **4** 국수적인, 애국적인(patriotic).
go national 《美俗》 전국적으로 행하다.
—— *n.* **1** 국민 ; 동국인(同國人) ; 민족의 일원. **2 a**) 전국적 조직(의 본부) ; 전국지(紙). **b**) [*pl.*] (스포츠의) 전국대회.
〚F ; ⇨ NATION[1]〛
類義語 ⟹ CITIZEN.

nátional accóunting *n.* 국민 (경제) 계산(social accounting).
nátional ádvertising *n.* 전국(全國)을 대상으로 하는 광고.
nátional ánthem[áir, hýmn] *n.* 국가(國歌) : the ~ of Great Britain 영국 국가.
Nátional Assémbly *n.* **1** [the ~] 프랑스 하원. **2** [the ~] 〖프史〗 (혁명 당시의) 국민의회 (1789-91).
nátional assístance *n.* 《英》 (예전의) 국민 생활 보조금《현재의 supplementary benefits》.
nátional átlas *n.* 국세 지도《국세를 나타내는 요소의 지역적 분포·변화를 나타냄》.
nátional bánk *n.* 국립 은행 ; 《美》 국법 은행《연방 정부의 승인을 받은 상업 은행》.
nátional bírd *n.* 국조(國鳥).
nátional bránd *n.* 제조업자[제조원] 상표《제조업자가 붙인 상표 ; cf. PRIVATE BRAND》.
Nátional Bróadcasting Cómpany *n.* NBC 방송《미국 3대 텔레비전 네트워크의 하나》.
Nátional Búreau of Stándards *n.* [the ~] 《美》 (상무성의) 국립 표준국.
nátional cémetery *n.* 《美》 국립 묘지《무훈이 있었던 군인을 매장함》.
Nátional Cóngress *n.* [the ~] 《인도》 국민회의(파) (=INDIAN NATIONAL CONGRESS).
Nátional Convéntion *n.* **1** [the ~] 〖프史〗 국민공회(1792-95). **2** [the ~] 〖英史〗 영국 헌장당원(憲章黨員) (Chartists)의 1839년 집회. **3** [n~ c~] 《美》 (4년마다 여는 정당의) 전국 대회《각 주 예선에서 선출된 대의원으로 이루어지며 대통령·부통령 후보자를 지명하고 정강을 정함》.
Nátional Cóvenant *n.* [the ~] 〖스코史〗 국민 맹약《1638년 장로제 옹호를 위하여 스코틀랜드 장로교회 신도에 의해 맺어진 맹약》.
nátional ecónomy *n.* 국민 경제.
nátional flág[énsign] *n.* 국기(ensign).
nátional fórest *n.* 《美》 국유림《연방 정부가 관리 유지》.
Nátional Frónt *n.* [the ~] 《英》 국민 전선《극우정당 ; 略 N.F.》.
Nátional Gállery *n.* [the ~] (London의) 국립 미술관《1838년 개설》.
nátional góvernment *n.* (한 나라의) 정부 ; [the N~ G~] 《英》 (MacDonald 수상 때의) 연립 내각(1931-35).
nátional gríd *n.* 《英》 주요 발전소간의 고압 송전선망(網) ; 영국 지도에 쓰이는 미터법의 거리 좌표계(系).
Nátional Guárd *n.* [the ~] 《美》 주병(州兵), 주군(州軍)《전시·비상시에 연방 정부로부터 소집되는 각주의 국방군》.
Nátional Héalth Sèrvice *n.* [the ~] 《英》 국민 건강 보험 (제도)《略 N.H.S.》.
on the National Health (Service) 국민 건강 보험 제도의 적용으로 부담이 없이[적게].
nátional íncome *n.* 〖經〗 (연간) 국민 총소득.
Nátional Insúrance *n.* 《英》 국가[국민] 보험 제도.
***nátional·ìsm** *n.* Ⓤ 민족주의, 국가주의 ; 국수(國粹)주의 ; 민족자결주의 ; (특히 아일랜드의) 국가 독립[자치]주의 ; 한 나라의 특성, 국민성.
nátional·ist *n.* 국가[민족]주의자 ; [N~] 국가[민족]주의 정당원 ; 민족자결주의자.
—— *a.* 국가[민족]주의의 ; [N~] 국가[민족]주의 정당의, 민족자결주의(자)의.
nà·tion·al·ís·tic *a.* 민족[국가·국수·애국]주의의, 민족[국가·국수·애국]주의적인.
-ti·cal·ly *adv.*
Nátionalist Párty *n.* [the ~] 《南아》 국민당 《Afrikaner의 보수층으로 구성됨》.
***na·tion·al·i·ty** [næ̀ʃənǽləti] *n.* **1** Ⓤ 국민(의 한 사람)임 ; 국민성 ; 국민적 감정, 민족 의식. **2** Ⓤ,Ⓒ 국적 ; 선적(船籍) : of Italian ~ 국적이 이탈리아인인[의] / What is his ~ ? 그의 국적은 어디입니까 / men of all *nationalities* 각국 사람들. **3** 국가적 존재, 국가의 정치적 독립성.
nàtional·izátion *n.* **1** Ⓤ 국민화, 국풍화(國風化). **2** Ⓤ 국유(화), 국영 : the ~ *of* the railroads 철도 국영(화).
nátional·ìze *vt.* **1** 한 국민[독립 국가]으로 만들다. **2** 국가[국민]적으로 하다. **3** 국유[국영]로 하다 : ~ railroads 철도를 국영으로 하다.
-ìz·er *n.* 산업 국영[토지 국유]주의자.
Nátional Lábor Relátions Bòard *n.* [the ~] 《美》 전국 노동 관계 위원회.
nátional lákeshore *n.* 《美》 국립 호안(湖岸) 《연방정부가 관리하는 레크리에이션 지역》.
Nátional Léague *n.* [the ~] 내셔널 리그 《미국의 2대 프로 야구 연맹의 하나 ; 1875년 설립 ; cf. AMERICAN LEAGUE》.
Nátional Liberátion Frònt *n.* [the ~] 민족 해방 전선《略 NLF》.
nátional·ly *adv.* 국가[전국민]적으로 ; 거국적으로 ; 전국적으로 ; 공공의 입장에서.
nátional mónument *n.* 《美》 정부 지정의 사적(史蹟)·명승·천연 기념물.
nátional móurning *n.* 국장(國葬).
Nátional Péople's Cóngress *n.* (중국의) 전국 인민 대표 대회.
nátional próduct *n.* 〖經〗 국민 생산(cf. GNP).
Nátional Scíence Foundàtion *n.* [the ~] 《美》 과학 재단《略 NSF》.
nátional séashore *n.* [때때로 N~ S~] 《美》 국립 해안 공원.
Nátional Secúrity Cóuncil *n.* [the ~] 《美》 국가 안전 보장 회의.
nátional sérvice *n.* 《英》 병역 의무(제도) (= 《美》 selective service).
nátional sócialism *n.* (독일의) 국가 사회주의 (cf. NAZISM).
nátional sócialist *n.* 국가 사회당원. —— *a.* 국가 사회당원의 ; 국가 사회주의의[같은].
Nátional Sócialist Pàrty *n.* [the ~] (특히 Hitler가 통솔했던) 국가 사회당, 나치스(☞ NAZI).
nátional tréatment *n.* 〖外交〗 내국민 대우.
Nátional Trúst *n.* [the ~] 《英》 내셔널 트러스트《명승(名勝) 사적 보존을 위한 민간 단체 ; 1895년 설립》.

Nátional Wéather Sèrvice *n.* [the ~]《美》 미국 기상과(課)《상무부(商務部) 해양 대기국(大氣局)의 한 과(課)》.

nátion·hòod *n.* 국민의 신분 ; 독립 국가(로서의 지위).

nátion·ist *n.* 국가주의자.

nátion-státe *n.* 민족 국가.

nátion·wìde *a.* 전국적인 (cf. COUNTRYWIDE) : a ~ network 전국 방송망. —— *adv.* 전국적으로.

‡na·tive [néitiv] *a.* **1** 출생지의, 자기 나라의, 본래의 : one's ~ country[land] 출생한 나라, 본국, 고국 / one's ~ language[tongue] 자기 나라 말 / one's ~ place 고향 / a ~ word (외래어에 대해) 토착[자국]어 / ~ and foreign 내외의. **2** 그 나라[고장]에 태어난 ; (특히 백인의 입장에서) 토착[원주]민의, 토인의 : a ~ German (본)토박이 독일인. **3** 그 지방 고유의, 원산의, 토착의, 토산물의 : ~ art 향토 예술, 민예(民藝) / in (one's) ~ dress 민속 의상을 입고. **4** 타고난, 본래의 〈*to*〉. **5** (광물 따위) 천연 그대로의 : ~ copper 천연 구리, 순(純)구리. **6** 꾸밈이 없는, 순수한, 소박한.

go native (특히 백인이 문화가 낮은) 원주민과 같은 생활을 하다.

—— *n.* **1 a**) 원주민, (어느 지방) 태생의 사람 〈*of*〉. **b**) 미개지의 원주민, 토인. **2** 토착의 동식물, 자생종. **3** 《英》 자국산의 굴《주로 양식》.

〈회화〉

> Are you a *native* here, or just a tourist? — I'm a Londoner. 「당신은 이곳 토박이입니까, 아니면 관광객입니까」「저는 런던 사람입니다」

~·ly *adv.* 나면서부터, 천연(적)으로. **~·ness** *n.*
〚ME=person born as slave<OF<L=inborn, natural ; ⇨ NATAL〛

類義語 (1) (*a.*) ***native*** 성장하면서 얻어지는 것이 아니라 태어날 때부터 갖춰진 : She has a *native* talent for music. (그녀는 천부적으로 음악에 재질이 있다). ***natural*** 사람이나 생물이 태어나면서부터 갖고 있거나 또는 그 물건 본래의 성질 : Lemons and oranges have *natural* sourness. (레몬과 귤은 본래 신맛이 난다).
(2) (*n.*) ⟹ CITIZEN.

Nátive Américan *n., a.* 《美》 아메리칸 인디언(의).

nátive bèar *n.* 《濠》 코알라(koala).

nátive-bórn *a.* 본토박이의 (cf. NATURAL-BORN) : a ~ American 본토박이 미국인.

nátive són *n.* 《美》 자기 주 출신의 사람[의원].

Nátive Státes *n. pl.* [the ~] (인도 독립 전의) 토후국(土侯國).

na·tiv·ism [néitivizəm] *n.* 〖哲〗 선천론, 생득설(生得說) ; 원주민 보호주의.
-ist *n., a.* **nà·tiv·ís·tic** *a.*

na·tiv·i·ty [nətívəti, 美+nei-] *n.* **1** Ⓤ 출생, 탄생 : of Irish ~ 아일랜드 태생의. **2** [the N~] 그리스도 성탄(절) (Christmas) ; [a 또는 the N~] 그리스도 탄생의 그림 ; [the N~] 성모 마리아의 탄생(축일)《9월 8일》; 세례 요한 탄생축일《6월 24일》. **3** 〖占星〗 탄생시의 천궁도(天宮圖) (horoscope).

cast[***calculate***] ***a nativity*** 운세를 점치다.
〚OF<L ; ⇨ NATIVE〛

natívity plày *n.* 그리스도 성탄극.

natl. national. **NATO, Nato** [néitou] North Atlantic Treaty Organization《북대서양 조약 기구, 나토》. **nat. ord.** natural order. **nat. phil.** natural philosophy.

na·tri·um [néitriəm] *n.* 〖化〗 나트륨《SODIUM의 옛 이름》.

na·tri·ure·sis [nèitrijuəríːsəs] *n.* 〖醫〗 나트륨 뇨(尿) 배설 항진.

na·tron [néitrɑn, -trən] *n.* Ⓤ 천연 탄산 소다.
〚F<Sp.<Arab.<Gk. NITRE〛

nat·ter [nǽtər] *vi.* 《英口》 재잘재잘 지껄이다, 투덜거리다 ; 안달하다. —— *n.* 지껄이기 ; 소문.
~ed, ~y *a.* 《英口》 꾀까다로운. 〚Sc. (imit.)〛

nat·ter·jack [nǽtərdʒæ̀k] *n.* 〖動〗 내터잭《유럽산 두꺼비의 일종》.

nat·tiér blúe [nətjéi-] *n.* 담청색.
〚J. M. *Nattier* (d. 1766) 이 색을 즐겨 사용한 프랑스의 초상 화가〛

nat·ty [nǽti] *a.* 《口》 단정한, 산뜻한 ; (복장 따위가) 말쑥한. **nát·ti·ly** *adv.* 깔끔하게, 조촐하게. **-ti·ness** *n.*
〚? *netty* 〈 *net* (obs.) NEAT[1] ; cf. OF *net* trim〛

‡nat·u·ral [nǽtʃərəl] *a.* **1 a**) 자연[천연]의 ; 자연 그대로의, 가공하지 않은(↔ *artificial, factitious*) ; 자연계에 관한 ; 개간하지 않은 ; 무지의, 미개의 : the ~ world 자연계. **b**) 자연계에 관한 ; 자연과학의 ; 형이하의, 현실세계의 : ~ phenomena 자연 현상. **2** 자연 과정에 의한 ; 타고난 ; 선천적인 : a ~ poet 천성적인 시인 / ~ abilities 천부의 재능 / a ~ instinct 날 때부터 지닌 본능. **3** (논리상·사리상 또는 인정상으로) 당연한, 무리가 아닌 : a ~ mistake 어쩔 수 없는 잘못 / It is ~ that he should disagree[~ for him to disagree] with you. 그가 당신에게 동의하지 않는 것도 무리는 아니오. **4** (그림 따위) 꼭 닮은, 생생한. **5** 본래의, 바탕 그대로인, 꾸밈없는. **6** 정상 상태의 ; 보통의, 평상(시)의. **7** 서출(庶出)의(illegitimate) : a ~ child 사생아(兒), 서자(庶子) / a ~ son[daughter, brother] 서출의 자식[딸, 형제]. **8** 〖樂〗 제자리표의.

come natural to …에게는 힘들지 않다[수월하다, 쉽다].

—— *n.* **1** 자연적인 것. **2** (선천적으로) 천치. **3** 〖樂〗 제자리표 ; 제자리음(音) ; (피아노·오르간의) 흰 건반(white key). **4** 《口》 타고난 명수[숙련자]〈*for*〉; 성공이 확실한 것, 꼭 성공할 것 같은 것. **~·ness** *n.*
〚OF<L ; ⇨ NATURE〛

類義語 ⟹ NATIVE, NORMAL.

nátural áids *n. pl.* 고삐 이외의 말 조종 수단《손·다리 따위》.

nátural-bórn *a.* 타고난, 천부의, 날 때부터 자격이 있는(cf. NATIVE-BORN).

nátural brídge *n.* **1** 천연 다리. **2** (미국 Utah 주 남동부에 있는 천연 기념물인) 천연의 암석 다리. **3** [N~ B~] 내추럴 브리지《미국 Virginia 주 중서부에 있는 다리 모양의 석회암》.

nátural chíldbirth *n.* (무통) 자연 분만(법).

nátural-cólored *a.* 자연색의.

nátural dáy *n.* 자연일《해가 떠서 질 때까지의 하루 ; 또는 하루의 밤낮》.

nátural déath *n.* 자연사(死)《사고사·변사(變死)에 대한》: die a ~ 자연사하다.

nátural fóod *n.* 자연 식품.

nátural fréquency *n.* 〖電·機〗 고유 주파수.

nátural gás *n.* 천연 가스.

nátural génerative phonólogy *n.* 〖言〗 자연생성 음운론.

nátural guárdian *n.* 〖法〗 혈연(血緣) 후견인《부모, 육친》.

nátural histórian *n.* 박물학자 ; 박물지(博物誌)의 저자.
nátural hístory *n.* **1** Ⓤ 박물학《지금은 동물학·식물학·지질학·광물학으로 분화되어 있음》; (전문 외의 사람의) 박물 연구 ; Ⓒ 박물지(誌). **2** 《비유》 발달사(史) [경로], 연혁(사) 〈*of*〉.
nátural ínfancy *n.* 〔法〕 유년(7세 미만).
nátural·ìsm *n.* Ⓤ 〔文藝〕 자연주의《인생의 현실을 있는 그대로 묘사함》; 〔哲·倫〕 자연주의 ; 〔神學〕 자연론.
nátural·ist *n.* 자연주의자 ; 박물연구가, 박물학자 ; 《英》 애완용 동물 상인 ; 박제사(剝製師).
— *a.* = NATURALISTIC.
nat·u·ral·is·tic [nӕtʃərəlístik] *a.* 자연주의[사실(寫實)]적인 ; 박물학(자)적인.
nátural·ìze | **-ìse** *vt.* [+目/+目+前+名] **1** 귀화시키다, …에게 시민권을 주다 : ~ Korean immigrants ***into*** Brazil 한국 이주민을 브라질로 귀화시키다 / Henry James was ~*d* ***in*** England. 헨리 제임스는 영국으로 귀화했다. **2** (언어 따위를) 외국에서 받아들이다, 들여오다 : "Seminar" is a German word that has been ~*d* ***in*** English. seminar는 독일어가 영어화한 것이다. **3** 이식하다, 풍토에 익도록 하다 ; 천연 식물로 키우다. **4** 자연적으로 하다 ; 신비적[인습적]이 되지 않게 하다. — *vi.* **1** 귀화하다 ; 풍토에 익숙해지다. **2** 박물학을 연구하다. **nàtural·izátion** *n.* 귀화 ; 이입(移入), 이식 ; 자연화.
nátural lánguage *n.* 〔컴퓨〕 (인공·기계 언어에 대하여) 자연 언어.
nátural láw *n.* 자연의 이치, 자연율[법칙], 천리(天理) ; (실정법에 대한) 자연법.
nátural lífe *n.* 타고난 수명(壽命), 천수.
nátural lógarithm *n.* 〔數〕 자연 로그.
‡nátural·ly *adv.* **1** 자연히, 자연의 힘으로, 사람의 힘을 빌리지 않고 ; 있는 그대로 ; 꾸밈없이 : These plants grow ~ in the eastern part of this district. 이 식물들은 이 지방 동부에 자생(自生)한다. **2** 본래, 타고나면서부터 : He is ~ clever. 본래 똑똑하다. **3** 당연히, 물론 : He ~ lamented his mother's death. 모친의 죽음을 슬퍼한 것은 당연했다 / *N*~ she accepted the invitation to the party. 물론 그녀는 그 파티의 초대에 응했다. **4** 꼭 그대로 ; 수월하게.
nátural mágic *n.* (영(靈)이나 신의 힘을 빌리지 않고 행하는) 주술(呪術).
nátural mágnet *n.* 천연 자석(lodestone).
nátural mán *n.* 〔聖〕 (하늘의 계시를 받지 않고 동물적으로 행동하는) 자연인(人), 육(肉)에 속한 사람《고린도전서 2 : 14》; 미개인.
nátural mínor scále *n.* 〔樂〕 자연 단음계.
nátural mónument *n.* 천연 기념물.
nátural númber *n.* 〔數〕 자연수(數)《양(陽)의 정수(整數)》.
nátural órder *n.* 자연율, 자연계의 질서 ; 〔生〕 (자연 분류상의) 과(科)《略 N.O.》.
nátural pérson *n.* (법인에 대한) 자연인.
nátural philósophy *n.* 자연 철학《현재는 natural science, 특히 물리학(physics)에 해당함》. ㊟ 19세기 전반까지의 용어.
nátural prémium *n.* 자연 보험(료)《연령에 따라 계약금이 바뀌는 생명 보험》.
nátural radiátion *n.* 자연 방사선.
nátural reáctor *n.* 천연 원자로.
nátural relígion *n.* 자연 종교《계시(revelation)를 인정치 않음 ; cf. REVEALED RELIGION》.
nátural résources *n. pl.* 천연 자원.
nátural ríght *n.* (자연법에 의거한 인간의) 자연권(權).
nátural rúbber *n.* 천연[탄성] 고무.
nátural scíence *n.* 자연 과학.
nátural scíentist *n.* 자연 과학자.
nátural seléction *n.* 〔生〕 자연 선택[도태].
nátural sýstem[**classificátion**] *n.* 〔植〕 자연 분류《생물의 형질에 기초한 자연군(群)으로 나눈 분류》.
nátural theólogy *n.* 자연 신학《신의 계시에 의하지 않고 인간 이성에 의거한 신학 이론》.
nátural uránium *n.* 천연 우라늄.
nátural vegetátion *n.* 자연 식생(植生)《한 지방에 고유한 것으로 인간의 생활에 의해 영향을 받지 않은 식물군(群)》.
nátural yéar *n.* 자연년(年), 회귀년《365일 5시간 48분 46초》.
‡na·ture [néitʃər] *n.* **1** Ⓤ (대)자연, 천연, 만물, 자연 (현상) ; 자연계 ; 자연력 ; 자연의 법칙[이치] ; [때때로 N~] 조물주, 자연의 여신 : the laws of ~ 자연의 법칙 / the balance of ~ 자연(계)의 균형 / *N*~'s engineering 조화(造化)의 묘미 / one of *N*~'s gentlemen 태생은 천하지만 천성이 고상하고 동정심있는 사람 / one of *N*~'s noblemen 《反語》 무식하고 버릇없는 사람 / All ~ looks gay. 만물은 환희로 충만해 있다 / *N*~ is the best physician. 자연은 가장 좋은 의사다 / *N*~ gave us fear to protect us from danger. 자연은 우리를 위험에서 보호하기 위해 공포심을 주었다《우리는 공포심에 의해 본능적으로 몸을 보호할 수 있다》. **2** Ⓤ (문명에 물들지 않은) 인간 자연의 모습 : Return to ~! 자연으로 돌아가라 《18세기의 사상가 Rousseau가 한 말》. **3 a)** Ⓤ,Ⓒ 본질, 천성, 성질 : He has a kindly ~. 그는 천성적으로 친절하다 / Habit is (a) second ~. ☞ HABIT 1. **b)** Ⓤ 인간성(=human ~), 성품 ; Ⓒ (어떤 특수한) 성격 ; (어떤) 성질의 사람 : good ~ 선량한 성품, 온순함 / ill ~ 심술궂음 / the rational[moral, animal] ~ 이성[덕성, 동물성] / a gentle[sanguine] ~ 성품이 유순한[낙천적인] 사람. **4** Ⓤ 충동 ; 활력, 체력, 육체적 요구 : food enough to sustain ~ 체력을 유지하기에 족한 음식물. **5** 종류(sort, kind) : matters of this ~ 이런 종류의 일들. **6** Ⓤ (식물의) 수액, 수지(樹脂). **7** Ⓒ (총·탄환의) 크기.
against nature 부자연한[하게] ; 기적적인[으로] ; 부도덕한[하게] : a crime *against* ~ =SODOMY.
by nature 본래, 선천적으로, 날 때부터 : She is artistic *by* ~. 선천적으로 예술적인 소질이 있다.
contrary to nature 《비유》 기적적인[으로].
draw from nature 실물을 묘사하다.
ease[***relieve***] ***nature*** 대소변을 보다.
in a[***the***] ***state of nature*** 미개[야만] 상태로 ; 야생 그대로(wild) ; 벌거숭이로(naked) ; 〔宗〕 아직 은혜를 받지 못한 죄인의 상태로.
in nature [때때로 최상급을 강조하여] 현존하여(있는) ; [의문사·부정어를 강조하여] 도대체《무언가 따위》, 어디에도《없다 따위》.
in the course of nature 자연적인 추이에서, 자연히, 저절로.
in[***of***] ***the nature of*** …의 성질을 띠고, …와 비슷한(like).
in[***by, from***] ***the nature of things***[***the case***] 도리상, 필연적으로, 당연히.
like all nature 《美口》 완전하게.
pay one***'s debt to nature***=***pay the debt of***

nature ☞ DEBT.
a touch of nature ☞ TOUCH *n.*
〚F<L〛
náture bòy *n.* 《美俗》 날쌔고 사나운 남자 ; 《戲》 머리가 긴 남자.
náture cùre *n.* 자연 요법.
ná·tured *a.* …한 성질의, 성질이 …한 : good-[ill-]~ 착한[심술궂은].
náture dèity *n.* [보통 *pl.*] 자연신(神) 《자연물이나 자연 현상을 신격화한 것》.
náture mỳth *n.* 자연 신화(神話).
náture philòsophy *n.* =NATURAL PHILOSOPHY.
náture prínting *n.* 원형[원물]에서 직접 찍어내는 인쇄법.
náture resèrve *n.* (England·Wales의) 새와 짐승 보호 구역, 자연 보호 구역.
náture stùdy *n.* 자연 연구, 자연과 《꽃·새·광석·일기 따위의 관찰로 초등학교의 교과》.
náture tràil *n.* (숲속 따위의) 자연 산책길.
náture wòrship *n.* 자연 숭배.
na·tur·ism [néitʃərìzəm] *n.* Ⓤ 자연주의 ; 《婉》 나체주의(nudism). **-ist** *n.* 자연주의자 ; 《婉》 나체주의자.
na·tu·rop·a·thy [nèitʃərápəθi] *n.* Ⓤ 자연요법《약제를 쓰지 않음》.
N.A.U. 《美》 National Athletic Union (전국 체육 연맹).
nauch ☞ NAUTCH.
naught, nought [nɔ́:t, 美+nɑ́:t] *n.* **1** Ⓤ 《文語》 아무것도 없음[아님](nothing), 무(無), 무가치. **2** 제로(zero), 영(零) 《이 뜻으로는 nought쪽이 일반적임》.
all for naught 헛되이, 쓸데없이.
bring. . .to naught (계획 따위를) 망치다, 무효로 만들다.
care naught for …을 조금도 개의치 않다.
come to naught = *come to* NOTHING.
set. . .at naught …을 무시하다.
—— *pred. a.* 《古》 무가치한, 무용(無用)의.
〚OE *nāwiht* ; ⇨ NO, WIGHT〛
naugh·ty** [nɔ́:ti, 美+nɑ́:ti] *a.* **1** [+*of*+名+*to* do] 장난꾸러기의, 못된, 버릇없는 : a ~ boy 악동 / Don't be ~ *to* her. 그녀에게 장난치지 마라 / It is ~ ***of John *to* pull his sister's hair. 여동생의 머리채를 잡아당기다니 존은 못됐구나. **2** 음란한, 외설적인(indecent).
náugh·ti·ly *adv.* **-ti·ness** *n.*
〚ME=needy, of poor quality (↑)〛
nau·pli·us [nɔ́:pliəs] *n.* (*pl.* **-plii** [-pliài, -pliì:]) 〘動〙 노플리우스, 나우플리우스《갑각류의 발생 초기의 유생(幼生)》.
Na·u·ru [nɑ:ú:ru:] *n.* 나우루《적도 바로 아래 태평양상의 섬으로 독립국 ; 수도 Nauru》.
nau·sea [nɔ́:ziə, -siə, 美+-ʒə, 美+-ʃə] *n.* Ⓤ 메스꺼움, 욕지기 ; 뱃멀미 ; 〘醫〙 구역(嘔逆), 오심(惡心) ; 혐오.
feel nausea 메스껍다, 욕지기나다.
〚L<Gk. (*naus* ship)〛
nau·se·ant [nɔ́:ziənt, -ʒi-, -ʃi-, -si-] *a.*, *n.* 〘醫〙 구역나게 하는 (약).
nau·se·ate [nɔ́:zièit, -ʒi-, -ʃi-, -si-] *vt.* …에게 욕지기나게 하다 ; …에게 불쾌감을 느끼게 하다.
—— *vi.* 욕지기나다〈*at*〉. **nàu·se·á·tion** *n.*
náu·se·àt·ing *a.* 욕지기나게 하는 ; 몸서리치도록 싫은 : ~ food 속이 메스꺼워지는 음식 / a ~ sight 몹시 불쾌한 광경. **~·ly** *adv.*

nau·seous [nɔ́:ʃəs, -ziəs ; -ziəs, -siəs] *a.* 욕지기나는, 메스꺼워지는 ; 몹시 싫은.

〈회화〉
I feel dizzy and *nauseous*. — How long have you felt like this? 「현기증과 욕지기가 나는데요」 「언제부터였죠」

~·ly *adv.* **~·ness** *n.* 〚L ; ⇨ NAUSEA〛
Nau·sic·aä [nɔ:síkiə, -keiə] *n.* 〘그神〙 나우시카《파이아키아인의 왕 Alcinoüs의 딸 ; 난파당한 Odysseus를 구해 아버지의 궁으로 안내했음》.
naut. nautical(ly).
-naut [nɔ̀:t] *n. comb. form* 「항행자」 「추진하는 사람」의 뜻. 〚aero*naut*〛
nautch, nauch [nɔ́:tʃ] *n.* (인도의) 무희(舞姬)의 춤. 〚Hindi<Skt.=dancing〛
nau·ti·cal [nɔ́:tikəl, 美+nɑ́:-] *a.* 항해(술)[항공]의 ; 해상의 ; 선박의 ; 선원의 : the ~ almanac 항해력(曆) / ~ terms 선원 용어, 항해 용어 / a ~ yarn 항해 기담(奇談). **~·ly** *adv.*
〚F *nautique*<L<Gk. (*nautēs* sailor‹*naus* ship)〛
náutical archaeólogy *n.* 해양 고고학.
náutical astrónomy *n.* 항해[항공] 천문학.
náutical míle *n.* 해리(海里)(sea mile) 《항해 및 항공에 쓰이는 거리의 단위 ; 《英》에서는 1853.2 m, 《美》에서는 1959년에 국제 단위(=1852m)를 공식으로 채용 ; ☞ GEOGRAPHICAL MILE》.
nau·ti·lus [nɔ́:tələs, 美+nɑ́:-] *n.* (*pl.* **~·es**, **-ti·li** [-lài, -lì:]) **1** 앵무조개. **2** =PAPER NAUTILUS. **3** [the N~] 노틸러스호《미국 원자력 잠수함 제1호 ; 1958년 사상 최초로 북극 잠수 항해에 성공》.
〚L<Gk.=sailor ; ⇨ NAUTICAL〛
Náutilus Machíne *n.* 근력 강화 장치《상표명》.
nav. naval ; navigable ; navigation ; navy.
Nav·a·ho, -jo [nǽvəhòu, nɑ́:-] *n.* (*pl.* ~, **~(e)s**) 나바호족《미국 New Mexico, Arizona, Utah 주에 사는 인디언》; 나바호어 ; 〘美空軍〙 지대지(地對地) 미사일의 일종.
—— *a.* 나바호족[어]의.
nav·aid [nǽveid] *n.* 항해[항공]용 기기 ; 항법(航法) 원조 시설. 〚*navigation aid*〛
***na·val** [néivəl] *a.* 해군의(↔*military*) ; 군함의 : a ~ academy 《美》 해군 사관 학교 / ~ architecture ☞ ARCHITECTURE 1 / a ~ base 해군기지[근거지] / a ~ battle 해전 / a ~ (building) plan 군함 건조 계획 / a ~ cadet 해군 사관 후보생 / a ~ officer 해군 사관 ; 《美》 세관 공무원 / ~ power 해군력, 제해권(制海權) / a ~ power 해군국(國). **~·ìsm** *n.* 해군 제일주의. **~·ist** *n.* 해군 제일주의자. **~·ly** *adv.* 해군식으로 ; 해군의 입장에서. 〚L (*navis* ship)〛
nával árchitect *n.* 조선(造船) 기사.
nával brigáde *n.* 해병대.
nával còllege *n.* 《英》 해군 사관 학교.
nával estáblishment *n.* 〘美軍〙 해군 시설[부대] 《함대, 항공 부대, 지상 부대, 전투 함정, 보조 함정, 보조 시설, 인원, 조직, 기구 따위 ; 해병대도 포함됨》.
Nával Resérve *n.* 해군 예비역.
nával shípyard *n.* 《美》 해군 공창(=《英》 dockyard).
nával státion *n.* 해군 보급 기지, 해군 군항, 해군 기지.
nával stòres *n. pl.* 해군 군수품《무기 이외의》.
nav·ar [nǽvɑ:r] *n.* 〘空〙 지상 레이더에 의해 공항 관제 공역(空域)내의 모든 항공기의 위치·기명

N

(機名)을 확인하며 각 항공기에 필요한 정보를 주는 시스템. 〖*nav*igational and traffic control rad*ar*〗

Na·varre [nəvɑ́ːr] *n.* 나바라 (Sp. **Na·var·ra** [nəvɑ́ːrə])《프랑스 남서부에서 스페인 북부에 있었던 옛 왕국》.

nave[1] [néiv] *n.* 〖建〗(교회당 안의) 본당, 회중석. 〖L (*navis* ship)〗

nave[2] *n.* (차의) 바퀴통(hub). 〖OE *nafu*; cf. ↓〗

na·vel [néivəl] *n.* **1** 배꼽; 중앙, 중심(中心) (middle): a ~ cord[string] 탯줄. **2** =NAVEL ORANGE. 〖OE *nafela*; cf. G *Nabel*〗

nável òrange *n.* 〖植〗네이블.

nav·i·cert [nǽvəsə̀ːrt] *n.* 봉쇄 해역 통과증.

na·vic·u·lar [nəvíkjələr] *n., a.* 〖解〗주상골(舟狀骨)(의). 〖L; ⇨ NAVAL〗

navig. navigation; navigator.

nav·i·ga·ble [nǽvigəbəl] *a.* **1** (강·바다 따위가) 항해[항행]하기에 알맞은[할 수 있는]. **2** (선박·항공기·기구(氣球) 따위가) 항행에 견딜 수 있는, 조종할 수 있는. **nàv·i·ga·bíl·i·ty** *n.* 항행할 수 있음; (배·항공기의) 내항성(耐航性).

***nav·i·gate** [nǽvəgèit] *vt.* **1** (배·항공기를) 조종[운전]하다; (강·바다·하늘을) 항행[항해]하다; 배로 수송하다. **2** 《비유》(법안 따위를) 통과시키다: ~ a bill *through* Parliament 법안을 의회에서 통과시키다. —— *vi.* 항해하다(sail); 조종하다. 〖L *navigo*; ⇨ NAVAL〗

náv·i·gàt·ing òfficer *n.* 〖海〗항해장(長); 〖空〗기장(機長).

nav·i·ga·tion [næ̀vəgéiʃən] *n.* **1** Ⓤ 항해, 항공, 항행: aerial ~ 항공/ inland ~ (하천·운하 따위를 통한) 내륙 항행. **2** Ⓤ 항해[항공]학[술], 항법(航法). **3** Ⓤ [집합적으로] 항행 선박: ~ light (비행기의) 표지등(燈)/~ satellite 항해 위성《항해, 항공을 도움》. **~·al** *a.* **~·al·ly** *adv.*

Navigátion Àcts *n. pl.* [the ~] 〖英史〗항해 조례(條例)(1651-1849).

navigátion còal *n.* =STEAM COAL.

navigátion làws *n. pl.* 〖海〗항해 법규.

***náv·i·gà·tor** *n.* 항해자, 항행자; 해양 탐험가; 항해장(長); (항공기의) 조종사; (항공기·미사일의) 자동 조종 장치; 《英》=NAVVY.

nav·vy [nǽvi] *n.* **1** 《英》(운하·철도·도로건설 따위의 보통 숙련이 안된) 토역꾼, 인부, 일꾼: mere ~'s work (두뇌를 쓰지 않는) 노동. **2** (토목 공사용) 굴착기; =STEAM SHOVEL.
work like a navvy (싫은 일을) 애써서 하다.
—— *vi.* 토역꾼으로 일하다.

***na·vy** [néivi] *n.* **1** [때때로 N~] 해군(cf. ARMY); 해군력; [집합적으로] (해군의) 전(全)함대, 해군 군인: the Department of the *N*~ = the *N*~ Department 《美》해군성 / ☞ ROYAL NAVY / join the ~ 해군에 입대하다. **2** 《詩》함대, (상(商))선대. **3** [때때로 the N~] 《英》해군성(the Admiralty). **4** Ⓤ =NAVY BLUE.
the Secretary of the Navy 《美》해군 장관.
〖ME=fleet<OF<L *navia* ship; ⇨ NAVAL〗

návy bèan *n.* 《美》흰 강낭콩.
〖미해군에서 상용함〗

návy bíll *n.* 《英》해군 군표.

návy blúe *n.* 짙은 감색, 네이비블루《영국 해군 제복의 빛깔》.
návy-blúe *a.*

návy chèst *n.* 《美海軍俗》똥배, 올챙이배.

Návy Cróss *n.* 《美》해군 수훈장(殊勳章).

návy cùt *n.* 《英》(파이프용) 살담배.

návy dáy *n.* [the ~] 해군 기념일.

návy exchánge *n.* (미해군 기지내의) 매점, 해군 PX.

Návy Lèague *n.* 《英》해군 협회.

Návy Lìst *n.* [the ~] 《英》해군 요람(要覽)《함선·장교의 공식 명부》.

návy yàrd *n.* 《美》=NAVAL SHIPYARD.

naw [nɔ́ː] 《俗》[발음철자] =NO《강한 혐오·초조·이의(異議)를 나타냄》.

na·wab [nəwɑ́ːb] *n.* 인도인의 태수·귀족의 세습적인 칭호; 《稀》=NABOB.
〖Urdu<Arab. =deputies; cf. NABOB〗

NAWCH [nɔ́ːtʃ] *n.* 《英》전국 입원 아동 복지 협회(National Association for the Welfare of Children in Hospital).

Nax·al·ite [nǽksəlàit] *n., a.* 인도의 극좌(極左) 정당의 당원(의).

nay [néi] *adv.* **1** 《古》아니(no)(↔*yea*). **2** 《古》글쎄, 그래(why, well). **3** 《文語》[접속사적으로] …이라기보다는, …뿐만 아니라, 그렇기는커녕: It is difficult, ~, impossible. 그것은 어렵다, 아니 불가능하다. —— *n.* **1** Ⓤ,Ⓒ 아니(라는 말); 부정, 거절: say a person ~ 부인하다; 거절하다 / I will not take ~. 거절 못하게 하겠다. **2** 반대 투표(자): the yeas and ~*s* 찬부(의 수) / The ~*s* outnumbered the yeas. 반대 (투표)가 찬성 (투표) 수를 능가했다.
〖ON *nei* (*ne* not, *ei* AYE[2])〗

na·ya pai·sa [nəjɑ́ː paisɑ́ː] *n.* (*pl.* **na·ye pai·se** [nəjéi paiséi]) 나야 파이사《1957-63년 사이의 인도의 보조 화폐 단위; 현재는 paisa를 씀; =1/100 rupee》.

náy·sày *n., vt., vi.* 거부(하다), 반대(하다).
~·er *n.* (상습적으로) 반대[거부]하는 사람.

Naz·a·rene [næ̀zəríːn] *n.* **1** 나사렛인; [the ~] 그리스도. **2** 크리스트교도《유태인·이슬람교도가 경멸투로 쓸 때》. —— *a.* 나사렛(인)의.
〖L<Gk. (↓)〗

Naz·a·reth [nǽzərəθ] *n.* 나사렛《Palestine 북부의 소도시; 그리스도가 유년 시절을 보낸 곳》.
〖Heb.=branch〗

Naz·a·rite, Naz·i- [nǽzəràit] *n.* 나사렛인; 헤브라이의 수행자(修行者).

naze [néiz] *n.* 곶(串), 해각(海角).

Na·zi [nɑ́ːtsi, 美+nǽtsi] *n.* **1** 나치 (당원); [the ~s] 국가 사회주의 독일 노동자당(National Socialist German Workers' Party (1919-45))의 당원. **2** [때때로 n~] 나치주의 (신봉)자. —— *a.* 나치의, 나치당의; 나치즘의.
〖G *Nationalsozialist*〗

Nà·zi·fi·cá·tion *n.* 나치화(化).

Ná·zi·fy [-fài] *vt.* 나치화하다(↔*denazify*).

Ná·zi(·i)sm [-(i)zəm] *n.* Ⓤ 독일 국가 사회주의, 나치주의(적인 운동); 나치주의자의 정권.

na·zir [nɑ́ːzir; -ziər] *n.* (인도·이슬람교국의) 법정 관리(法定官吏).

NB northbound. **Nb** 〖化〗niobium. **N.B.** New Brunswick; North Britain[British]. **N.B., NB, n.b.** [énbíː, nóutə bíːni, -béni] *nota bene*《L》(=mark[note] well). **NBA, N.B.A.** National Basketball Association; National Boxing Association. **NBC** National Broadcasting Company; nuclear, biological and chemical (핵·생물·화학 무기). **NbE** north by east. **NBER** National Bureau of Economic Research (전미(全美) 경제 연구소). **N.B.G., n.b.g.** 《英口》no bloody good (전혀 가망 없

음). **NBI** neutral beam injection (중성 입자 입사(入射)).
N-bomb [én-] *n.* 중성자 폭탄.
NBR nitrile-butadiene rubber (특수 합성 고무). **N.B.R.** North British Railway. **NBS** 《美》 National Bureau of Standards (규격 표준국). **NbW** north by west. **NC** nitrocellulose ; 〖컴퓨〗 numerical control (수치 제어). **N.C.** New Caledonia ; no charge ; New Church ; no credit ; North Carolina ; 〖軍〗 Nurse Corps. **n/c** no change. **NCA** 〖醫〗 neurocirculatory asthenia (신경 순환 무력증) ; 《美》 National Command Authority[Authorities] 《국가 지휘(指揮) 최고부 ; 전쟁 최고 지도부》. **NCAA, N.C.A.A.** National Collegiate Athletic Association(전미 대학 경기 협회). **N.C.B.** National Coal Board. **NCC** 《美》 National Council of Churches (전미 크리스트교회 협의회). **N.C.C.J.** National Conference of Christians and Jews. **N.C.C.L.** National Council for Civil Liberties. **N.C.C.M.** National Council of Catholic Men. **N.C.C.V.D.** National Council for Combating Venereal Diseases. **N.C.C.W.** National Council of Catholic Women. **N.C.E.** New Catholic Edition. **nCi** nanocurie(s).
NCNA New China News Agency (신화사(新華社)). **NCND** Neither Confirm Nor Deny《해외에 있는 핵무기 존재를 시인도 부인도 하지 않는 미국의 핵정책》. **NCO, N.C.O.** [ènsì:óu] noncommissioned officer. **N.C.R.** no carbon required. **NCTE, N.C.T.E.** National Council of Teachers of English. **N.C.U.** 《英》 National Cyclists' Union. **n.c.v., NCV** 〖郵〗 no commercial value.
'nd [nd] [발음철자] = AND.
-nd [숫자 2 뒤에 붙여 서수(序數)를 나타냄] : *2nd/22nd.* 〖seco*nd*〗
ND North Dakota ; Notre-Dame. **Nd** 〖化〗 neodymium. **N.D., N.Dak.** North Dakota. **n.d., N.D.** no date ; no delivery ; not dated. **NDA** new drug application (신약 신청). **NDAC** National Defense Advisory Committee (미국 국방 자문 위원회). **NDB** 〖空〗 nondirectional (radio) beacon(무지향성 무선 표지(標識)). **N.D.C.** 《英》 National Defense Contribution. **NDE** near death experience (임사(臨死) 체험, 죽음에 가까웠던 체험). **NDT** nondestructive testing (비파괴 검사).
ne- [ní:], **neo-** [ní:ou, -ə] *comb. form* 「신(新)…」「후기…」「신대륙의」「(이성질체 따위 중에서) 새로운 쪽의, 네오…」의 뜻. 〖Gk. *neos* new〗
né [néi] *a.* 구성(舊姓)은, 원래의 이름은. ㊟ 여성의 경우는 née.
NE, N.E. Naval Engineer ; new edition ; New England ; [èní:, nɔ̀:rθí:st] northeast ; northeastern. **Ne** 〖化〗 neon.
N/E, N.E., NE 〖商〗 no effects. **N.E.A.** 《美》 National Editorial Association ; National Education Association (전미 교육 협회) ; Newspaper Enterprise Association. **NEACP** 《美》 National Emergency Airborne Command Post (국가 긴급 공중 지휘기(機)).
Neal [ní:l] *n.* 남자 이름. 〖⇨ NEIL〗
Ne·an·der·thal [niǽndərθɔ̀:l, -tɔ̀:l, neiá:ndərtà:l ; -tà:l] *a.* 네안데르탈인(人)의[같은]. —— *n.* 네안데르탈《독일 서부(西部) Düsseldorf 근처의 골짜기》; 〖人類〗 = NEANDERTHAL MAN ; 《口》 거칠고 완강하고 무딘 사람, 야인.
Neánderthal màn *n.* 〖人類〗 네안데르탈인(人)《독일의 Neanderthal에서 발굴된 구석기 시대의 유럽 원시인》.
neap [ní:p] *a.* 극히 낮은, 소조(小潮)의 : a ~ tide 조금(↔*spring tide*). —— *n.* 조금, 최저조(最低潮)《달이 상현(上弦)·하현(下弦)일 때의》.
—— *vi.* (조수가) 소조로 되어가다[에 이르다].
—— *vt.* [보통 수동태로] (배가) 소조때문에 움직일 수 없다.
〖OE *nēpflōd* < ? 〗
Ne·a·pol·i·tan [nì:əpálətn ; niə-] *a.* 나폴리(Naples)의 ; 나폴리인의. —— *n.* 나폴리인 ; = NEAPOLITAN ICE (CREAM).
Neapólitan íce (crèam) *n.* 2~4종류의 색과 맛이 있는 아이스크림(Neapolitan).
◇**near** [níər] *adv.* **1** (공간·시간적으로) 가까이, 접(근)하여, 이웃에, 인접[근접]하여(↔*far*) : come ~ 가까이 오다, 접근하다 / draw ~ 다가가다. **2** 《口》 거의 (㊟ 이 뜻으로는 지금은 nearly 라고 하는 쪽이 일반적). **3** 정밀하게, 자세히 : Copy this as ~ as you can. 될 수 있는 한 이것을 자세하게 베끼시오. **4** 〖海〗 바람을 옆으로 받으며. **5** 검소하게 ; 인색하게.
(as) near as one ***can guess*** 추측할 수 있는 한에서는.
come[go] near to do*ing* = *come*[*go*] NEAR do*ing* ☞ *prep.*
(from) far and near 여기저기서, 도처에서.
near at hand 가까이에 ; 머지않아.
near by 가까이에 (있는) (cf. NEARBY) : A fire broke out ~ *by.* 근처에서 불이 났다.

〈회화〉
Are there any shops *near by*? — Yes, there are quite a few. 「근방에 가게가 있습니까」「네, 꽤 많이 있습니다」

near to = NEAR (*prep.*).
near (up)on... 거의 …으로 : It's ~ *upon* 3 o'clock. 이제 거의 3시다.
not near so... = *not* NEARLY SO....
nowhere near = ***not near*** 전연[전혀] …이 아닌(cf. FAR *from*) : The bus was *nowhere* ~ full. 버스는 전혀 만원이 아니었다, 버스는 거의 비어 있었다.
—— *prep.* …의 가까이에, …에 가깝게 : ~ here [there] 이[저] 근처에 / sail ~ the wind ☞ WIND[1] 숙어.
come[go, be] near do*ing* 거의[하마터면] …할 뻔하다 : He *came*[*went*] ~ be*ing* drowned. 거의 익사할 뻔했다 / She *was* ~ swoon*ing* from intensity of emotion. 강렬한 감정에 휩쓸려 거의 실신할 뻔했다.

〈회화〉
Where's your house? — It's *near* the school. 「너의 집은 어디니」「학교 근처야」

—— *a.* **1** 가까운(↔*far*) (☞ CLOSE[2] 1 ㊟), 가까이의 : the ~ distance (그림 따위의) 근경(近景) / on a ~ day 근일중에. **2** 근친의 ; 친한. **3** (이해) 관계가 깊은. **4** 아주 비슷한, 꼭 닮은, 진짜에 가까운, 대용(代用)의 : a ~ guess 그리 빗나가지 않은 추측 / a ~ race 접전, 경합(競合) / a ~ resemblance 아주 닮음 / ~ silk 인견(人絹) / ~ translation 축어역(逐語譯), 직역 / a ~

N

war 전쟁과 유사한 협박 수단. **5** 인색한 (stingy) : He is ~ *with* his money. 그는 돈에 인색하다. **6** (말이나 마차의) 왼쪽인, 좌측인《보통 왼쪽에서 타므로 ; ↔*off*》: ☞ NEARSIDE. **7** 아슬아슬한, 위태로운 : a ~ escape[touch] 구사일생, 위태로웠던 경우.

near and dear 친밀한, 친근한.

take a near [***nearer***] ***view of*** …을 가까이 다가가서 보다.

── *vt.* …에 다가가다(approach) : The ship ~*ed* the dock. 배는 독에 접근했다. ── *vi.* [動/+副] 접근하다 : She must be ~*ing* home by now. 지금쯤 집 근처까지 갔음에 틀림없다.

~·ish *a.* **~·ness** *n.* 가까움, 접근 ; 근친 ; 친함, 친밀 ; 근사 ; 인색함, 검소함.

〖ON *nær* (compar.) ‹ *ná* nigh and OE *nēar* (compar.) ‹ *nēah* NIGH〗

活用 ☞ NEXT.

néar-at-hánd *a.* = NEARBY.

néar béer *n.* 《美》 니어 비어《알코올 성분이 0.5% 이하의 순한 맥주》.

‡**néar·bý** *a., adv.* 가까이의[에·로] : a ~ city 가까운 도시. 注 《英》에서는 부사로 또는 명사의 뒤에 쓸 경우에는 NEAR by라고 두 단어로 하는 것이 일반적임.

Ne·árctic *a.* 〖地〗 신북구(新北區)의《북미 한대 및 온대 지방》.

Néar Éast *n.* [the ~] 근동(近東)《Asia Minor와 Balkan 제국》.

◇**néar·ly** *adv.* **1** 거의, 대략, 대체로(☞ ALMOST 活用) : It is ~ half past six. 거의 6시 반이다 / We are ~ at the top of the hill. 이제 거의 산꼭대기에 왔습니다. **2** 밀접하게, 친밀하게 : ~ related 밀접한 관계가 있는. **3** 가까스로, 간신히 : escape ~ 간신히 벗어나다.

not nearly 도저히[좀처럼] …이 아니다(not at all) : It is *not* ~ so pretty as it was before. 이전의 아름다움에는 도저히 미치지 못한다 / They are *not* ~ enough. 그것들만으로는 도저히 충분치가 않다[턱없이 모자란다].

néar-míss *n.* **1** 〖軍〗 (목표의) 근방에 맞음, 지근탄(至近彈). **2** (항공기 따위의) 이상(異常) 접근, 니어미스 ; 위기 일발. **3** 목표에 가까운 성과, 일보 직전.

néar-pánic *a.* 거의 공황(恐慌) 상태의, 공황 상태와 같은.

néar pòint *n.* 〖眼科〗 근점(近點).

néar·shòre wáters *n. pl.* 연안 해역《해안에서 5마일 이내의 수역(水域)》.

néar·sìde *a., n.* 《주로 英》 (말이나 마차의) 좌측(의) ; 《英》 (자동차 따위에서) 도로의 가장자리쪽[인도쪽](의) (↔*offside*).

néar·síght·ed *a.* 근시(近視)의 (shortsighted) (↔*farsighted*) ; 근시안적인, 소견이 좁은.

~·ly *adv.* **~·ness** *n.* 근시.

néar-térm *a.* 머지않은 장래의.

néar thíng *n.* 《口》 [보통 a ~] 위기 일발, 아슬아슬한 일[행위] ; 접전 : The recent election was ~. 지난번 선거는 접전이었다.

***neat**[1] [ni:t] *a.* **1** 산뜻한, 말쑥한 ; 단정한, 정돈된 ; 아담한, 깔끔한. **2** 균형이 잡힌. **3** 솜씨좋은, 교묘한. **4** (표현 따위) 적절한. **5** 《특히 英》 싱싱한, (술 따위) 물을 타지 않은, 스트레이트의 ; 《稀》 (이익 따위) 순…(net) : He took a drink of whiskey ~. 위스키를 스트레이트로 한 잔 마셨다. **6** 《俗》 훌륭한, 멋진, 굉장한 : What a ~ party! 굉장한 파티로군.

make a neat job of it 솜씨있게 해내다.

── *adv.* 물을 타지 않고, 스트레이트로.

~·ness *n.* 깔끔함, 정연함 ; 솜씨있음.

〖F NET² < L *nitidus* clean (*niteo* to shine)〗

類義語 ***neat*** 단정하게 정리되어 어수선함이 없이 청결한 : She is always *neat* and tidy. (언제나 말쑥하고 단정하다). ***tidy*** 청결보다는 애를 써서 사물을 바르게 배열·정리하는 것을 강조 : a *tidy* room (정돈된 방). ***trim*** 모양을 다듬어서 외관이 멋지고 깔끔하여 균형이 잡혀 있는 : a *trim* car (멋있는 차).

neat[2] *n.* (*pl.* **~, ~s**) [집합적으로] 축우(畜牛) (cattle) ; 암소. ── *a.* 소 무리의.

〖OE *nēat* animal, cattle < Gmc. (《美》 *naut* to make use of)〗

néat·en *vt.* 말쑥하게 하다.

neath, 'neath [ni:θ] *prep.* 《古·詩》 = BENEATH.

néat-hánd·ed *a.* 손재주가 있는, 솜씨 있는 ; 교묘한. **~·ness** *n.*

néat·hèrd *n.* = COWHERD.

néat-hòuse *n.* 《英方》 소 외양간.

néat·ly *adv.* 깔끔하게, 말쑥하게, 모양좋게 ; 교묘하게, 적절하게.

néat·nìk *n.* 《口》 옷차림이 단정한 사람.

NEATO Northeast Asia Treaty Organization (동북 아시아 조약 기구).

néat's-fòot òil *n.* 우각유(牛脚油)《가죽을 부드럽게 하는 데 씀》.

neb [néb] *n.* 《美·스코》 부리(beak, bill) ; 코 ; (짐승의) 주둥이 ; (펜·연필 따위의) 끝부분(tip) (cf. NIB *n.* 1). 〖OE *nebb*〗

NEB, N.E.B. 《英》 National Enterprise Board ; New English Bible. **Neb., Nebr.** Nebraska.

neb·bish, -bisch [nébiʃ, -iç] *n.* 《俗》 무기력한 사람, 쓸모없는 사람, 등신. **~y** *a.* 〖Yid.〗

NEbE northeast by east.

NEbN northeast by north.

Ne·bo [ní:bou] *n.* [Mount ~] 〖聖〗 느보 산《Mose가 약속의 땅을 바라본 산(山)》.

Ne·bras·ka [nəbrǽskə] *n.* 네브래스카《미국 중부의 주 ; 주도 Lincoln ; 略 Neb(r).》.

Ne·brás·kan *a., n.* 네브래스카 주의 (사람).

Neb·u·chad·nez·zar [nèbjəkədnézər, -kæd- ; -bju-], **-rez·zar** [-rézər] *n.* 〖聖〗 느부갓네살《바빌로니아의 왕(605-562 B.C.)》.

neb·u·la [nébjələ] *n.* (*pl.* **~s, -lae** [-lì:, -lài]) 〖天〗 성운(星雲), 성무(星霧) ; 〖醫〗 각막백탁(角膜白濁). 〖L=mist〗

neb·u·lar [nébjələr] *a.* 〖天〗 성운(星雲) (모양)의.

nébular hypóthesis [**théory**] *n.* 〖天〗 (태양계의) 성운설(星雲說).

neb·u·lize [nébjəlàiz] *vt.* 안개 모양으로 하다 ; (환부)에 약액을 분무기로 뿜다. ── *vi.* (생각 따위가) 희미해지다. **-lìz·er** *n.* (의료용) 분무기. **nèb·u·li·zá·tion** *n.*

neb·u·los·i·ty [nèbjəlásəti] *n.* Ⓤ 성운 (모양의 것), 성운 상태 ; 안개 ; (사상·표현 따위가) 애매함(vagueness).

neb·u·lous [nébjələs], **-lose** [-lous] *a.* 성운(星雲) (모양)의 ; 흐린, 불투명한 ; 막연한.

~·ly *adv.* **~·ness** *n.*

〖F or L ; ⇨ NEBULA〗

NEC 《美》 National Emergency Council (국가 비상 대책 심의회).

nec·es·sar·i·an [nèsəséəriən, -sǽər-] *a., n.* = NECESSITARIAN.

~·ìsm *n.* ＝NECESSITARIANISM.

***nec·es·sar·i·ly** [nèsəsérəli ; nésisərili] *adv.* 필연적으로, 부득이 ; 물론 ; [부정구문] 반드시 (…은 아니다) : Learned men are *not* ~ wise. 학자라고 반드시 현명한 것은 아니다.

◇nec·es·sary [nésəsèri ; nésisəri] *a.* **1** 필요한, 없어서는 안될 : Light and water are ~ *to* plants. 빛과 물은 식물에게 없어서는 안된다 / They prepared all things ~ *for* the expedition. 탐험에 필요한 모든 것을 준비하였다 / It is ~ to prepare for the worst. 최악의 경우에 대비할 필요가 있다 / Is it ~ for you to be [Is it ~ that you should be] so strict with his children? 당신이 그렇게 그의 애들에게 엄격하게 할 필요가 있을까요 / You may use it again, when(ever) ~. (언제든지) 필요할 때 또 써도 좋습니다 / I will go with you, if ~. 필요하다면 너와 함께 가겠다.

> **necessary**의 ○×
> (×) She was *necessary* to go at once.
> (그녀는 즉시 가지 않으면 안되었다.)
> (○) It was *necessary* for her to go at once.
> ☆ She를 주어로 하면 다음과 같이 말한다.
> *She* found it *necessary* to go at once.

2 필연의, 피할 수 없는(inevitable) : a ~ evil 피할 수 없는[불가피한] 악폐, 필요악. —— *n.* **1** [보통 *pl.*] 필요한 물건, 필수품 《NECESSITY (☞ 2) 보다도 뜻이 약함》: daily *necessaries* 일용품 / the *necessaries* of life 생활 필수품. **2** [the ~] 《俗》 필요한 것, (특히) 돈 : do *the* ~ 필요한 일을 하다 / provide[find] *the* ~ 필요한 돈을 마련하다. 〖AF<L (*necesse* needful)〗

類義語 ***necessary*** 당장 필요하다는 뜻이 내포되어 있으며 반드시 꼭 있어야 한다는 것을 뜻하지는 않음 : Education is *necessary* for modern life. (현대 생활에는 교육이 필요하다). ***essential*** 어떤 것의 본질, 근본적인 성질을 형성하는 것으로 이것이 없이는 그 자체가 존재하지 않거나 본래의 작용을 상실하는 것 : Water is *essential* to life. (물은 생명에 없어서는 안된다). ***indispensable*** 어떤 목적을 위해서는 없어서는 안될 : Diligence is an *indispensable* part of success. (근면함은 성공을 위해서는 없어서는 안될 요소다). ***requisite*** 본질적으로 필요하다기보다는 외부적인 상황에서 필요한 : the *requisite* qualifications for the position (그 지위에 꼭 필요한 자격).

nécessary condítion *n.* 〘論·哲〙 필요 조건 (cf. SUFFICIENT CONDITION).

nécessary hòuse *n.* 《方》 변소(privy).

ne·ces·si·tar·i·an [nisèsətéəriən, -tǽər-] *n.* 숙명[필연]론자. —— *a.* 숙명[필연]론의.

~·ìsm *n.* 〘哲〙 숙명론, 필연론.

ne·ces·si·tate [nisésətèit] *vt.* **1** [+目/+do*ing*] 필요로 하다, 요하다 : The increase of traffic accidents ~*s* the urgent prescription of proper precautions. 교통사고가 늘고 있어 적절한 대책의 규정이 시급히 요청된다 / Your proposal ~*s* chang*ing* our plans. 당신의 제안을 따른다면 우리 계획은 변경할 필요가 생긴다. **2** 《稀》 억지로 …하게 하다(force). **ne·cès·si·tá·tion** *n.* 필요로 함, 강요, 강제.

ne·ces·si·tous [nisésətəs] *a.* 피할 수 없는, 긴급한 ; 가난한, 궁핍한(needy). **~·ly** *adv.*

ne·ces·si·ty** [nisésəti] *n.* **1** Ⓤ [+前+do*ing*/《稀》+*to* do] 필요(성), 긴급한 필요 : *N*~ is the mother of invention. 《속담》 필요는 발명의 어머니 / *N*~ knows[has] no law. 《속담》 필요 앞에는 법도 없다, 「사흘 굶어 도둑질 안할 놈 없다」 / Most athletes can see the ~ ***of[***for***] keep*ing* training. 운동 선수들은 대개 연습을 계속할 필요성을 알고 있다 / Is there any ~ *for* her *to* stay any longer? 그녀가 더 남아 있을 필요가 있을까. **2** 필수품, 불가결한 것 (☞ NECESSARY *n.* 1) : daily *necessities* 일용(필수)품 / the *necessities* of life 생활 필수품 / In America the automobile is a ~ and not a luxury. 미국에선 자동차가 필수품이지 사치품이 아니다. **3** Ⓤ 필연, 불가피, 숙명 : physical ~ 물리적 필연, 숙명 / the doctrine of ~ 숙명론 / the ~ of death 죽음의 필연성 / bow to ~ 숙명으로 알고 체념하다. **4** Ⓤ 궁핍 : He is *in* great ~. 아주 궁핍하다.

as a necessity 필연적으로.

by necessity 필요해서, 어쩔 수 없이.

from[***out of***] (***sheer***) ***necessity*** (꼭) 필요해서, 부득불.

in case of necessity 긴급한 경우에(는).

make a virtue of necessity 마지못해 하는 것을 자진하여 하는 것처럼 꾸미다 ; 당연히 해야 할 일을 하고도 공치사하다.

of necessity 필연적으로, 불가피하게, 당연히 (necessarily).

under the necessity of do*ing* …할 필요에 못이겨, 어쩔 수 없이 …하여.

work of necessity (안식일에 해도 좋은) 필요한 일.

〖OF<L ; ⇨ NECESSARY〗

類義語 ⟹ NEED.

‡neck[1] [nék] *n.* **1** 목 ; (옷의) 옷깃 ; Ⓤ (양 따위의) 목덜미살(＝~ of mutton). **2** (경주말 따위의) 목의 길이 ; (승패를 가르는) 목길이의 차이 : win by a ~ 목길이의 차이로 이기다 ; 《비유》 신승(辛勝)하다. **3** (기물(器物) 따위의) 목 모양의 부분, (바이올린 따위의) 목 ; 좁은 길목, 지협(地峽) ; 〘建〙 기둥머리(capital)의 맨 밑부분《경부(頸部)》; (이의) 치경 ; 〘解〙 경(부), 자궁경(부). **4** 장애, 애로(bottleneck). **5** 《俗》 뻔뻔스러움, 강심장. **6** 《口》 네킹(necking).

be up to the neck in …에 깊이 빠져들고 있다 ; …에 몰두하고 있다.

bow the neck to …에게 머리를 숙이다, 굴복하다 : They refused to *bow the* ~ *to* the tyrant. 폭군에게 굴복하기를 거부했다.

break the neck of. . . (일 따위의) 고비를 넘기다, 애로점을 타개하다.

escape with one***'s neck*** 간신히 목숨만 건져 달아나다.

get[***catch, take***] ***it in the neck*** 《口》 심한 타격을 받다, 심하게 공격받다, 혼이 나다.

have the neck to do 뻔뻔스럽게도 …하다.

make a long neck 목을 길게 빼다.

neck and crop[***heels***] 전혀 ; 다짜고짜로 ; 몽땅 ; 느닷없이.

neck and neck (경주에서) 호각으로, 접전하여, 앞서거니 뒤서거니, 나란히.

neck or nothing[***nought***] 목숨을 걸고, 필사적으로 : It is ~ *or nothing*. 사느냐 죽느냐다, 일어나느냐 쓰러지느냐다.

on[***over***] ***the neck of*** …에 잇대어, 이어서, 뒤를 이어《오다 따위》: The good news followed *on the* ~ *of* the letter. 그 편지 뒤를 이어 곧 좋은 소식이 전해졌다.

risk one***'s neck*** 목을 걸다, 목숨을 걸고 하다.

save** one's **neck 교수형을 모면하다 ; 목숨을 건지다.
speak [***talk***] ***through*** (***the back of***) one's ***neck*** 《英口》 무심결에 뜻하지 않은 말을 하다.
tread on the neck of …을 유린하다, …을 굴복시키다, 학대하다.
── *vi.* **1** 좁혀지다. **2** 《口》 서로 목을 껴안고 애무하다[키스하다], 네킹하다.
── *vt.* **1** …의 지름을 단축하다 ; …의 목을 자르다 ; (새)의 목을 조르다[잘라 놓다]. **2** 《口》 (상대방의) 목을 껴안고 애무[키스]하다.
〚OE *hnecca* ; OE *hnutu* nut와 같은 어원 ; cf. G *Nacken* nape〛

neck[2] *n.* 《英方》 (베어들이는 곡식의) 마지막 단. 〚C17 < ? 〛

néck·bànd *n.* 셔츠의 깃《칼라를 붙이는 곳》 ; 목에 감는 장식 끈.

néck·bèef *n.* Ⓤ 소의 목덜미살.

néck·brèak·ing *a.* = BREAKNECK.

néck·clòth *n.* 《古》 = CRAVAT 2.

néck-déep *a., adv.* (깊이 따위가) 목까지 차는[차서] ; 목까지 빠지는[져] : I was ~ in [I fell ~ into] trouble. 몹시 곤란했었다[하게 되었다].

necked [nékt] *a.* 목이 있는 ; [복합어를 이루어] 목이 …인 : short-~ 목이 짧은.

neck·er·chief [nékərtʃəf, -tʃì(:)f] *n.* (*pl.* **~s**, 《美》 **-chieves** [-vz]) 네커치프, 목도리.

néck hàndkerchief *n.* = NECKERCHIEF.

néck·ing *n.* Ⓤ 《口》 네킹《목을 껴안고 애무하기, 포옹》 ; 〖建〗 기둥머리 목 부분의 쇠시리 장식.

***neck·lace** [nékləs] *n.* 목걸이 ; 《俗》 교수형용 밧줄 : a pearl ~ 진주 목걸이.

néck·let *n.* 작은 목걸이 ; 털목도리.

néck·lìne *n.* 네크라인《드레스의 목 둘레를 판 선》 ; 목덜미의 선.

néck·pìece *n.* (보통 모피로 된) 목도리.

néck-rèin *vi., vt.* 말고삐로 말의 방향을 바꾸다[바꾸게 하다].

néck·tìe *n.* 넥타이(tie), (일반적으로) 목 앞쪽에 매는 끈 ; 《俗》 교수용 밧줄, 목을 매다는 줄.

nécktie pàrty [**sòciable, sòcial**] *n.* 《美俗》 교살(絞殺)의 린치 ; 목을 매닮 ; 린치 집단.

néck-vèrse *n.* 면죄시(免罪詩)《옛날 사형수가 성직자 면전에서 읽으면 죽음을 면할 수 있었던 라틴어 성서 중 시편 제51편의 모두(冒頭) 부분을 독일 문자로 인쇄한 것》.

néck·wèar *n.* Ⓤ 〖商〗 넥타이 · 목도리 · 스카프 · 칼라류(類) 따위의 전부.

necr- [nékr], **nec·ro-** [-rou, -rə] *comb. form* 「시체」 「죽음」 「괴사(壞死)」의 뜻. 〚Gk. (*nekros* corpse)〛

nècro·biósis *n.* Ⓤ 〖醫〗 변성 괴저(變性壞疽).

nècro·génic *a.* 썩은 고기에서 생기는[에 사는].

ne·crol·a·try [nekrálətri, nə-] *n.* Ⓤ 사자(死者) 숭배.

ne·crol·o·gy [nekrálədʒi, nə-] *n.* 사망자 명부 ; 사망 기사[광고].
-gist *n.* 사망기록 담당자.

nec·ro·man·cy [nékrəmæ̀nsi] *n.* Ⓤ (죽은 자와의 교령(交靈)으로 미래를 점치는) 점 ; 마법[술].
-màn·cer *n.* **nèc·ro·mán·tic** *a.*
〚OF < L < Gk. (*mantis* seer) ; ME *nigro*-는 L *niger* black의 영향〛

nècro·phágia, ne·croph·a·gy [nekráfədʒi, nə-] *n.* 죽은[썩은] 고기를 먹음[먹는 습관], 시체식(食).

ne·croph·a·gous [nekráfəgəs, nə-] *a.* (곤충 따위) 죽은[썩은] 고기를 먹는.

nécro·phìle *n.* 〖精神醫〗 사체 성애자(性愛者), 시체 간음자.

nècro·phília, ne·croph·i·ly [nekráfəli, nə-] *n.* 〖精神醫〗 사체 성애(性愛), 시간(屍姦), 사간(死姦). **-phil·ic** [nèkrəfílik] *a.* **nec·ro·phil·i·ac** [nèkrəfíliæ̀k], **ne·croph·i·lous** [nekráfələs, nə-] *a.*

nècro·phóbia *n.* 죽음[시체] 공포증.

ne·crop·o·lis [nekrápələs, nə-] *n.* (*pl.* **~·es**, **-les** [-lì:z], **-leis** [-lèis], **-li** [-lài, -lì:]) (특히 고대 도시의) 대규모 묘지 ; (일반적으로) 공동 묘지 ; (폐허가 된) 죽음의 도시. 〚*necr*-, POLIS〛

nec·rop·sy [nékrapsi] *n.* Ⓤ 〖醫〗 검시(檢屍), 시체 해부, 부검.
── *vt.* …의 검시를 하다.

ne·cros·co·py [nekráskəpi, nə-] *n.* = NECROPSY.

ne·cro·sis [nekróusəs, nə-] *n.* (*pl.* **-ses** [-si:z]) Ⓤ,Ⓒ 〖醫〗 괴저(壞疽), 탈저(脫疽) (gangrene) ; 괴사(壞死), 골저(骨疽) ; 〖植〗 네크로시스《식물의 괴사》 ; 흑반증(黑斑症).
ne·crot·ic [nekrátik, nə-] *a.* 괴사성(性)의.
〚NL < Gk. (*nekroō* to kill)〛

nec·ro·tize [nékrətàiz] *vi.* 〖醫〗 괴사(壞死)하다.
── *vt.* …을 회사시키다.

nec·tar [néktər] *n.* Ⓤ 〖그神〗 넥타, 신주(神酒) (cf. AMBROSIA) ; (일반적으로) 감미로운 음료, 미주(美酒) ; 과즙, 넥타 ; 〖植〗 꽃의 꿀 ; 기쁜 일. 〚L < Gk.〛

nec·tar·e·an [nektéəriən, -tǽər-], **nec·tar·e·ous** [nektéəriəs, -tǽər-], **néctar·ous** *a.* nectar의[같은] ; 감미로운 ; 〖植〗 꿀의.

néc·tared *a.* 《古》 nectar를 가득 채운[섞은] ; 감미로운.

nec·tar·if·er·ous [nèktəríf ərəs] *a.* 〖植〗 꿀을 분비하는.

nec·tar·ine [nèktərí:n, ⸗⸗⸗ ; néktərin] *n.* 〖植〗 넥타린, 승도복숭아, 유도(油桃). 〚NECTAR〛

nec·ta·ry [néktəri] *n.* 〖植〗 꿀샘 ; 〖昆〗 (진딧물 따위의) 밀관(蜜管).

necton ☞ NEKTON.

Ned [néd] *n.* 남자 이름《Edward, Edmund, Edwin의 애칭》.

NED, N.E.D. New English Dictionary《현재는 OED》.

NEDC, N.E.D.C. 《英》 National Economic Development Council (경제 개발 협의회).

Ned·dy [nédi] *n.* **1** = NED. **2** Ⓒ [n~] 《英口》 당나귀(donkey) ; 얼간이, 바보.

née, nee [néi] *a.* 옛 성은《기혼 여성의 옛 성(姓)에 붙여서 ; cf. MAIDEN *name*》 : Mrs. Jones, ~ Adams 존스 부인, 옛 성은 애덤스.
〚F (fem. p.p.) 〈 *naître* to be born〛

◇**need** [ní:d] *n.* **1** Ⓤ [+*to* do/+前+do*ing*] 소용, 필요 : There was no [not much] ~ ***for*** haste. 서두를 필요가 없었다[그다지 없었다] / There is no ~ (*for* you) *to* apologize. (당신이) 사과할 필요 없어요 / You have no ~ *to* be ashamed. 부끄러워할 필요 없다 / He spoke about the ~ (=necessity) ***of*** preserv*ing* the purity of the English language. 영어의 순수성을 유지해야 할 필요성에 대해서 이야기했다 / I feel the ~ *of* a long rest. 오랜 휴식이 필요하리라고 생각한다. **2** 필요한 것[일], 요구, 요망(하는 것) ; our daily ~*s* 일용품. **3** Ⓤ 부족, 결핍(lack). **4** Ⓤ 만일의 경우, 난국 ; 궁핍, 빈곤(poverty) : fail a

person *in* his ~ 어려움에 처한 사람을 돌보지 않다 / The best books will give us invaluable help at our moments of ~. 가장 좋은 책은 우리가 진정으로 필요한 순간에 귀중한 도움을 준다. **5** 생리적[심리적] 요구, 용변(用便) : do one's ~*s* 용변을 보다.
be*[*stand*] *in need of …을 필요로 하다.
had need (=ought to) do《文語》…해야 한다.
***if need be*[*were*]**《文語》필요하다면, 때에 따라서는.
in case*[*time*] *of need 만약의 경우에.
in need 어려움[난국]에 직면하여, 위기에 처한 : A friend *in* ~ is a friend indeed.《속담》어려울 때 돕는 친구가 참된 친구다.
in need of …을 필요로 하여, …이 없어서 난처한 : The house is *in* ~ *of* repair. 그 집은 수리가 필요하다 / The settlers were *in* ~ *of* many useful things. 개척민들은 여러 가지 유용한 물건이 필요했다.

〈회화〉
Here's the best chance for you to do the work. —I think so, too. No *need* to miss it. 「지금이야 말로 네가 그 일을 할 수 있는 절호의 기회다」「나도 그렇게 생각해. 기회를 놓칠 필요는 없지」

── *vt.* **1** [+目/+do*ing*] 요하다 : I ~ money. 돈이 필요하다. 注 동명사가 목적어일 때에는 수동적 의미가 됨(cf. 2) : My camera ~*s* mend*ing* (=*to be* mended). 내 카메라는 수리할 필요가 있다 / It ~*s* no account*ing* for. 설명할 필요가 없다. **2** [+*to* do] (…할) 필요가 있다, (…하지) 않으면 안된다(must) : Each of us ~*s to* master such a foolish fear. 우리 모두는 그같은 어리석은 공포심을 극복하지 않으면 안된다 / She did not ~ *to* be told twice. 그녀에게는 두번 말할 필요가 없었다 / I don't ~ *to* keep awake, do I? 깨어있지 않아도 되지요. 注 (1) 특히《美口》에서는 이 표현법이 다음 조동사의 need(☞ *auxil. v.*)보다도 일반적 : I ~*n't* keep awake, ~ I? (2) 단, 다음과 같은 뜻의 차이가 인정되기도 함 : He *doesn't* ~ *to* be told. (이미 알고 있으니) 알릴 필요까지는 없다《현상태를 강조》/ He ~*n't* be told. 그에게는 알리지 않아도 된다《금후의 행위를 강조 ; cf. *auxil. v.* 注 2》.
── *vi.*《文語》**1** 필요로 하고 있다, 필요하다 : more than ~*s* 필요 이상으로 / There ~*s* no apology. 변명은 필요 없다 / It ~*s* not. 필요치 않다(It is needless.). **2** 결핍[궁핍]해 있다.
── *auxil. v.* …할 필요가 있다(cf. *vt.* 2). 注 (1) 부정 또는 의문문에 쓰이며 3인칭 단수형일지라도 s를 붙이지 않고 그 다음에 to 없는 부정사를 씀 : He ~*n't*[~ *not*] come. 올 필요가 없다(↔*He must come.*) / *N*~ he go at once? 곧 가지 않으면 안됩니까 / I ~ hardly say …이라고 할 필요는 없겠지 / There ~ be no hurry, ~ there? 서두를 필요는 없겠지요. (2) 과거형이 없고 과거의 사건에 대해서 말할 때에는 완료형을 수반함 : He ~*n't have done* it. 그것을 할 필요는 없었다《했다》; cf. He didn't ~ to do it. 그것을 할 필요는 없었다《하지 않았다》(☞ *vt.* 2).
〚OE (v.) *nēodian* < (n.) *nēod* desire = *nēd* ; cf. G *Not*〛
類義語 (1) (*n.*) ***need*** 어떤 사람 또는 사물의 성공·이익·행복을 위해, 또는 현재 결여되어 있기 때문에 꼭 필요한 기분을 강조함. ***necessity*** 절대로 필요한 것으로서, 결핍돼 있기 때문에 긴급히 보충할 필요가 있음 ; need 보다는 뜻이 강하며 격식을 차린 말이나, need와 같은 감정적인 색채는 포함되지 않음. ***exigency*** 어떤 긴급한 사태·위기 따위로 인해 생긴 necessity. ***requisite*** 어떤 특별한 목적·목표 때문에 절대로 필요한 것[일].
(2) (*v.*) ⟹ LACK.

néed·er *n.* 필요로 하는 사람.
néed·fire *n.*〖北유럽神〗정화(淨火)《나무를 마찰시켜 일으킨 불 ; 가축병에 효험이 있다고 믿어짐》;《스코》봉화, 횃불 ; 자연 발화(spontaneous combustion) ; (썩은 나무 따위의) 자연 발광.
néed·ful *a.* 필요한, 없어서는 안될 : Air and water are ~ *for* living things. 공기와 물은 생물에게 필요한 것이다 / It is ~ to help them[~ that we should help them]. 그들을 도와 주어야 할 필요가 있다. ── *n.* [the ~] **1** 필요한 일[것] : do *the* ~ 필요한 일을 하다. **2**《口》(필요한) 돈, (특히) 현금. **3**〖美蹴〗트라이를 한 후 골킥을 하기. **~·ly** *adv.* **~·ness** *n.*
‡**nee·dle** [ní:dl] *n.* **1** 바늘 ; 바느질 바늘 ; 뜨개질 바늘 : a ~'s eye 바늘귀 / a ~ and thread 실 꿴 바늘《단수취급》. **2** (외과·주사·조각·축음기 따위의) 바늘(cf. HAND *n.* 2) ; 자침(磁針), 나침(羅針). **3** 뾰족한 바위 ; 방첨탑(方尖塔)(obelisk). **4** [the ~]《英俗》신경의 날카로움, 짜증, 걱정, 당황 : get[give] *the* ~ 안달하다[하게 하다]. **5**〖植〗(소나무·전나무 따위의) 침상엽(針狀葉) ;〖結晶〗침정(針晶), 침상 결정체. **6**〖建〗버팀대, 지주. **7**《口》주사(의 한대)(shot) ; [the ~]《口》피하주사, 마약 : use *the* ~ 마약을 놓다, 마약 중독이다. **8** [the ~]《口》가시 돋친 말[농담, 평(評)], 꼬집음 ; [the ~]《口》자극.
(as) sharp as a needle 매우 날카로운 ; 약삭빠른.
look for a needle in a bottle*[*bundle*] *of hay = ***look for a needle in a haystack*** 찾을 가망이 없는 것을 찾다, 매우 어려운 일을 하다, 헛수고하다.
pins and needles ☞ PIN.
── *vt.* **1** 바늘로 꿰매다, …에 바느질하다. **2** 꿰매어[누비어] 가다 : ~ one's way 누비듯이 나아가다. **3** (백내장 치료 따위에서) 안구의 절개 수술을 하다. **4**〖建〗(버팀대로 벽을) 받치다. **5**《口》자극하다, 선동하다 ; 괴롭히다 ; (부추겨서) 서둘게 하다(goad). ── *vi.* 바느질을 하다 ; 누비듯이 나아가다. ── *a.*《英》(경기 따위가) 아슬아슬한, 격렬한. 〚OE *nǣdl* < Gmc. (《美》*nē-* to sew ; cf. G *Nadel*)〛

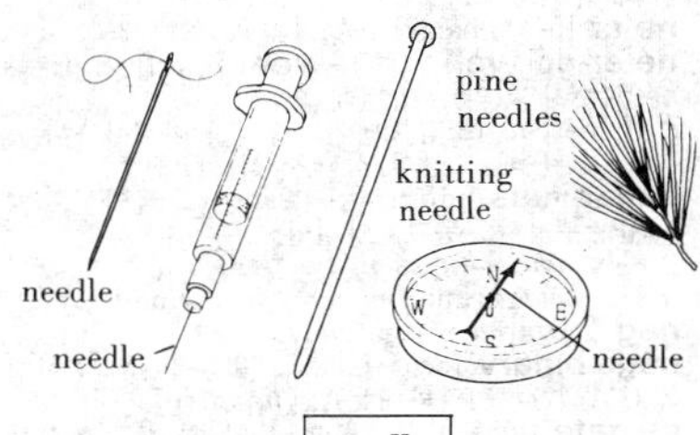

needle

néedle·bàr *n.* (재봉틀·편물기의) 바늘대.
néedle bàth[**shòwer**] *n.* 물줄기가 가늘게 나

오는 샤워.
néedle bòok *n.* (책 모양으로 접을 수 있는) 바늘쌈지.
néedle càndy *n.* 《美俗》 주사용 마약.
néedle càse *n.* 바늘쌈.
néedle cràft *n.* =NEEDLEWORK.
néedle·fìsh *n.* 〖魚〗 가늘고 긴 물고기《실고기·동갈치 따위》.
néedle·fùl *n.* 바늘에 꿰어 쓸 만한 길이의 실.
néedle gáme[mátch] *n.* 《英》 접전(接戰).
néedle gàp *n.* 〖電〗 바늘 간극.
néedle gùn *n.* (19세기 후반의 침격(針擊)을 가하면 탄약통이 폭발하는) 침타총(針打銃).
néedle jùniper *n.* 〖植〗 노간주나무.
néedle làce *n.* 바늘로 뜬 레이스.
néedle machìne *n.* 자수 재봉틀.
néedle òre *n.* 〖鑛〗 침광(針鑛).
néedle·pòint *n.* 바늘끝 ; Ⓤ 바늘로 뜬 레이스.
née·dler *n.* needle하는 사람 ; 《口》 듣기 싫은 소리를 하여 남을 짜증나게 하는 사람, 남의 흠[말꼬리]을 잡는 사람.
***néed·less** *a.* 불필요한 ; 이유없는.
needless to say 말할 필요도 없이, 물론 : *N~ to say*, he never came again. 물론 그는 두 번 다시 오지 않았다.
~·ly *adv.* **~·ness** *n.*
néedle thèrapy *n.* 침 요법(acupuncture).
néedle tìme *n.* 〖英放送〗 레코드 음악 시간.
néedle vàlve *n.* 〖機〗 침판(針瓣), 니들 밸브.
néedle·wòman *n.* 바느질을 하는 여자, 침모.
néedle·wòrk *n.* Ⓤ 바느질(감) ; (특히) 자수.
~·er *n.*
need·ments [níːdmənts] *n. pl.* (여행용) 휴대품, 필요품.
‡need·n't [níːdnt] 《口》 NEED not의 단축형.
needs [níːdz] *adv.* [must와 함께] 《文語》 어떻게든지, 반드시, 꼭(necessarily).
must needs do (1) 꼭 …하겠다고 주장하다 : He *must* ~ do. 꼭 하겠다고 우긴다. (2) = NEEDS *must* do ; 꼭 …하지 않으면 안된다 : It *must* ~ be so. 틀림없이 그런 것이다.
needs must do …하지 않을 수 없다, 꼭 …하지 않으면 안 된다 : *N~ must* when the devil drives. 《속담》 필요에 쫓기면 꼭 하게 된다.
〚OE (gen.) ‹NEED〛
néeds tèst *n.* 빈도(貧度) 조사(means test).
néedy *a.* 아주 가난한, 극빈의(very poor) : the poor and ~ 가난뱅이.
néed·i·ness *n.* 빈궁, 곤궁. **néed·i·ly** *a.* 궁핍하게.
ne'er [néər, nǽər] *adv.* 《詩》 =NEVER.
né'er-do-wèll, 《詩》 **-weel** [-wìːl] *n., a.* 쓸모없는 사람(의), 밥벌레(의).
nef [néf] *n.* (소금·냅킨·숟가락 따위를 넣는) 은으로 된 배 모양의 식탁 장식. 〚F〛
ne·far·i·ous [niféəriəs, -fǽər-] *a.* 극악한, 괘씸한, 부정한, 못된, 악질인.
~·ly *adv.* **~·ness** *n.*
〚L (*nefas* crime ‹ *ne-* not, *fas* divine law)〛
neg. negative ; negatively.
néga·bìnary [négə-] *n., a.* 〖數〗 음(陰)의 이진수(二進數)(를 나타내는). 〚*negative*〛
ne·gate [nigéit] *vt.* 부정[부인]하다, 취소하다(deny) ; 무효로 하다. —— *vi.* 부정하다. —— *n.* 부정[반대]적인 것.
〚L *nego* to deny〛
negater ☞ NEGATOR.

ne·ga·tion [nigéiʃən] *n.* **1** Ⓤ 부정, 부인, 취소(↔*affirmation*). **2** 부정적 진술[판단, 개념], 논박, 반증 ; 반대론 ; 없음, 무, 비존재, 비실재(非實在). **3** 〖論〗 부동(不同)[제외]의 단정(斷定). **4** 〖컴퓨〗 부정(inversion).
~·al *a.* **~·ist** *n.* 부정론자.
***neg·a·tive** [négətiv] *a.* **1** 부정[부인]하는, 취소의 ; 금지의, 거부적인, 반대의(↔*affirmative*) : a ~ vote 반대 투표 / the ~ side[team] (토론회의) 반대편. **2** 소극적인, 삼가는(↔*positive*) ; 〖論〗 부정적인(↔*affirmative*) : ~ evidence 소극적 증거《범죄 따위는 없었다는 증거》/on ~ lines 소극적으로. **3** (↔*positive*) 〖數·理·電〗 마이너스의, 음(陰)의 ; 〖醫〗 (반응의 결과가) 음성의 ; 〖寫〗 음화(陰畫)의 : ~ capital 부채(負債) / ~ debt 자본 / a ~ quantity 음수[량](陰數[量]) ; 《口》 무(無) / the ~ sign 〖數〗 마이너스 부호 《−》/ the ~ pole 〖電〗 음극.
—— *n.* **1** 부정(어) ; 부정 명제(命題) : ☞ DOUBLE NEGATIVE. **2** 거부, 거절, 부정(의 대답) : answer in the[return a] ~ 「아니」라고 대답하다, 부정[거절]하다.

> **negative**에 의한 문장 전환
> 직접화법의 "No"의 문장 전환
> He said to me, "Do you agree?" 「찬성입니까」에 대한 대답으로서
> 직접화법 : I said, "*No*, I don't."
> 간접화법 : I said that I didn't.
> I answered *in the negative.*
> (나는 아니오라고 대답했다.)
> ☆ "Yes"에 대하여는 in the affirmative를 쓴다(→ affirmative).

3 《古》 거부권(veto). **4** (일의) 소극성, 부정적 측면. **5** 〖數〗 음수(陰數) ; 〖電〗 음전기, (전지의) 음극판(陰極板) ; 〖寫〗 원판, 음화, 네거티브 : develop a ~ 음화를 현상하다.
—— *adv.* 아니야, 싫어.
—— *vt.* **1** 거부[거절]하다, 부인[부정·부결]하다. **2** 반증(反證)하다. **3** 무효로 하다 ; 중화(中和)하다. **~·ness** *n.*
〚OF or L ; ⇨ NEGATE〛
négative campáign *n.* 경쟁 후보 공략 선거 운동《선거에서 텔레비전 광고 따위를 통해 경쟁 후보공략에 중점을 두는 선거 운동으로 경쟁 후보의 마이너스 측면을 강조해 상대에 대한 지지를 줄이려는 전략》.
négative cópy *n.* [감탄사적으로] 《CB俗》 통신 내용을 이해할 수 없음.
négative eugénics *n.* 소극적 우생학《바람직하지 않은 유전자의 감소를 초래하는 요인·수단을 연구함》.
négative euthanásia *n.* =PASSIVE EUTHANASIA.
négative féedback *n.* 〖컴퓨〗 음(陰)되먹임, 음(陰) 피드백.
négative gròwth ràte *n.* (경제 따위의) 마이너스 성장률.
négative íncome tàx *n.* 역(逆)소득세《정부가 저소득층에게 지급하는 보조금》.
négative ínterest *n.* 역금리(逆金利).
négative íon *n.* 〖化〗 음(陰)이온.
négative líst *n.* (국제 무역에서) GATT에 보고하는 수입 제한 품목.
négative·ly *adv.* 부정적으로, 반대 방향으로, 소극적으로 ; 음전기를 띠어 : answer ~ 아니라고

대답하다 / be ~ friendly 사이가 (좋지는 않으나) 나쁘지도 않다.

négative óption *n.* 주문하지 않은 상품이 우송되었을 때의 수취인의 선택권.

négative pláte *n.* 원판, 음화(陰畫).

négative séntence *n.* 〖文法〗 부정문.

négative táx *n.* =NEGATIVE INCOME TAX.

négative tránsfer (effèct) *n.* 〖心〗 소극적 전이(轉移).

neg·a·tiv·ism [négətivìzəm] *n.* Ⓤ 부정[소극]주의 ; 〖心〗 반항[반대]벽(癖). **-ist** *n.* 부정론자 ; 소극주의자. **nèg·a·tiv·ís·tic** *a.*

neg·a·tiv·i·ty [nègətívəti] *n.* 부정적임 ; 소극적임 ; 음성(陰性).

ne·gá·tor, -gát·er *n.* 부정하는 사람 ; 〖컴퓨〗 부정 소자(素子).

neg·a·to·ry [négətɔ̀:ri ; -təri] *a.* 부정적인 ; 소극적인.

neg·a·tron [négətrɑ̀n], **neg·a·ton** [négətɑ̀n] *n.* 〖理〗 음전자(↔*positron*).
〖*nega*tive+elec*tron*〗

***ne·glect** [niglékt] *vt.* **1** (의무·일 따위를) 게을리하다, 태만히 하다, 돌보지 않다 ; 간과하다, 무시하다 : Don't ~ your duty. 의무를 게을리하지 마라 / He often ~*s* his health. 가끔 건강을 소홀히 한다. **2** [+*to* do/+do*ing*] 태만하여 …하지 않다 : He ~*ed to* reply to the invitation. 그는 초대에 회답하는 것을 소홀히 했다 / Don't ~ pay*ing* her a visit now and then. 잊지 말고 가끔 그녀를 찾아주기 바란다. —— *n.* Ⓤ [또는 a ~] 태만 ; 소홀 ; 경시, 무시 : ~ *of* duty 의무를 태만히 하기. **~·er, -gléc·tor** *n.*
〖L *neglect- neglego* (*neg-* not, *lego* to gather, select)〗
類義語 (1) (*v.*) ***neglect*** 기대 또는 요구되는 일을 부주의·태만 또는 고의로 실행하지 않다 : She *neglected* to sweep the room. (방청소를 게을리했다). ***omit*** 부주의로 빠뜨리거나 또는 다른 일에 정신이 팔려 실행하는 것을 잊어버리다 : She *omitted* to visit her uncle. (아저씨를 방문하는 것을 잊었다). ***overlook*** 부주의 또는 너그러운 마음으로 남의 잘못을 눈감아 주다 : I'll *overlook* your carelessness this time. (이번에는 네 잘못을 눈감아 주마). ***disregard*** 보통 고의적으로 주의를 기울이지 않다, 무시하다 : *disregard* the rules (규칙을 무시하다).
ignore disregard보다도 강하게 고의로 무시하다 ; 때로는 자기가 인정하고 싶지 않은 사실에 대해서 완강하게 부인하는 것을 나타냄 : *ignore* the traffic signal (교통 신호를 마구 무시하다). ***slight*** 무관심하거나 경멸하여 무시하다 : He seems to *slight* the new artist. (그는 새 화가를 경시하는 것 같았다).
(2) (*n.*) ⟹ NEGLIGENCE.

negléct·ful *a.* 태만한, 되는 대로의〈*of*〉; 부주의한, 무관심한, 냉담한. **~·ly** *adv.* 태만하여, 되는 대로 ; 부주의하게. **~·ness** *n.*

neg·li·gee, nég·li·gé [nèglìʒéi, ⌐-⌐; ⌐-⌐] *n.* 네글리제, 실내복, 화장복 ; 약식 복장 : in ~ 약식 복장으로, 아무렇게나 차려입고. —— *a.* 소탈한, 마음을 터놓은.
〖F (p.p.) < *négliger* to NEGLECT〗

***neg·li·gence** [néglidʒəns] *n.* **1** Ⓤ 태만 ; 부주의, 되는 대로임, 단정하지 못함 : the ~ *of* one's appearance 외관에 대한 무관심. **2** Ⓤ 〖法〗 (부주의로 인한) 과실 : an accident due to ~ 부주의로 인한 사고. **3** (문예·미술상의) 법칙의 무시, 자유 분방.
類義語 ***negligence, neglect*** 모두 일이나 의무를 태만히 하거나 주의를 기울이지 않는 것을 뜻하는데, 전자는 그런 성질·경향에 중점을 두는 데 대해 후자는 그런 행위·사실에 중점을 둠 : Many accidents are caused by the *negligence* of drivers. (많은 사고들이 운전자의 부주의로 인해 일어난다).

nég·li·gent *a.* [+前+do*ing*/+(前+) *wh.* 節·句] 태만한 ; 부주의한, 되는 대로의, 무관심한 : He is ~ ***of*** his obligations. 그는 의무 태만이다 / The author is often ~ ***in*** his style. 그 작가는 문체에 부주의한 데가 있다 / She was ~ *in* attend*ing* to her duties. 그녀는 직무 수행을 태만히 했다 / He was entirely ~ *how* his son behaved. 그는 아들이 어떻게 행동하고 있는지에 대해서는 거의 무관심했다. **~·ly** *adv.* 태만하게 ; 부주의하게, 무관심하게.
〖OF or L ; ⇨ NEGLECT〗

neg·li·gi·ble [néglidʒəbəl] *a.* 무시해도 좋은 ; 보잘것없는, 시시한, 극히 얼마 안되는. **-bly** *adv.* 무시해도 좋을 만큼. **nèg·li·gi·bíl·i·ty** *n.*
〖F (*négliger* to NEGLECT)〗

né·go·ciant [*F* negɔsjɑ̃] *n.* (포도주) 업자, 상인.

ne·go·tia·ble [nigóuʃiəbəl] *a.* 교섭[협정]할 수 있는 ; 인수[양도]할 수 있는 ; (어음 따위) 유통성 있는 ; 통행할 수 있는. **ne·gò·tia·bíl·i·ty** *n.* 협정할 수 있음 ; (증권 따위를) 양도할 수 있음, 유통성 ; 통행할 수 있음.

Negótiable Certíficate of Depósit *n.* 〖經〗 양도 가능 정기 예금 증서《보통 10만 달러 이상임》.

ne·go·ti·ant [nigóuʃiənt] *n.* =NEGOTIATOR.

***ne·go·ti·ate** [nigóuʃièit] *vt.* **1** (서로 이야기해서) 결정하다, 협정하다(arrange) : ~ a treaty[a loan] 조약을 체결하다[대출(貸出)을 결정하다]. **2** (어음·증권·수표 따위를) 유통시키다, 돈으로 바꾸다, 팔다. **3** 《口》 뛰어넘다, 빠져 나가다 ; (곤란·장애 따위를) 헤쳐 나가다 : The old car could ~ the hill. 낡은 자동차는 언덕을 무사히 넘을 수 있었다.
—— *vi.* [+前+名] 교섭[협상·상의]하다 : They ~*d* ***with*** the management ***for*** the amendments of labor terms. 노동 조건의 개선에 관해 경영자 측과 교섭했다.
〖L (*negotium* business (*neg-* not, *otium* leisure))〗

***ne·gò·ti·á·tion** *n.* **1** Ⓤ,Ⓒ [때때로 *pl.*] 교섭, 상의(商議) : enter into[open, start] ~*s with* …와 교섭을 시작하다. **2** Ⓤ (어음의) 유통, 양도. **3** 《口》 빠져 나가기, 헤쳐 나가기.

ne·gó·ti·à·tor *n.* 교섭자, 협상자 ; 절충자 ; 어음 양도인.

ne·gó·ti·a·tò·ry [; -təri] *a.* 교섭[협상]의.

Ne·gress [ní:grəs] *n.* 《蔑》 NEGRO의 여성형.

Ne·gril·lo [nigrílou, -grí:*j*ou] *n.* (*pl.* **~s, ~es**) (아프리카 중남부의) 키가 작은 흑인.
〖Sp. (dim.) < NEGRO〗

ne·grit·ic [nigrítik] *a.* NEGRO의.

Ne·gri·to [nəgrí:tou] *n.* (*pl.* **~s, ~es**) (동남아시아·대양주의) 작은 흑인.
〖Sp. (dim.) < NEGRO〗

ne·gri·tude [négrət*j*ù:d, ní:grə-] *n.* Ⓤ (특히 아프리카) 흑인의 문화적 유산에 대한 자각과 자부 ; 흑인의 특질, 흑인성.
nè·gri·tú·di·nous *a.* 〖F NIGRITUDE〗

***Ne·gro** [ní:grou] *n.* (*pl.* **~es**) 흑인, 니그로. 주 흑인은 이 말을 좋아하지 않으며 미국에서는 Black

이 일반적임 (cf. NIGGER, AFRO-AMERICAN).
—— *a.* **1** 흑인(종)의 ; 흑인이 사는, 흑인에 관한 : a ~ car 《美》 흑인 전용 객차 / ~ music 흑인 음악 / a ~ state 《美》 (남북 전쟁 이전의 미국 남부의) 노예주. **2** [n~] 거무스름한, 검은. **~·ness** *n.* 〖Sp. and Port. < L *nigr- niger* black〗

négro ánt *n.* 〖昆〗 곰개미.

négro clòth[còtton] *n.* [때때로 N~ c~] 거친 무명의 일종.
〖원래 흑인 노예의 옷에 사용했음〗

négro·hèad *n.* Ⓤ 씹는 담배 ; 질이 나쁜 고무의 일종 ; 니거헤드탄(炭) (niggerhead).

Ne·groid [níːgrɔid] *a.*, *n.* 흑인종과 비슷한 (사람), 흑인계의 (사람).

négro·ìsm *n.* [때때로 N~] 흑인 옹호 ; [때때로 N~] 흑인의 언어 풍습[사투리].

Négro·lànd *n.* (아프리카·미국 남부의) 흑인 거주 지방.

ne·gro·ni [nəgróuni] *n.* [때때로 N~] 베르무트·진 따위로 만든 칵테일.

négro·phìle, -phìl *n.* [때때로 N~] 흑인편을 드는 사람. **ne·gro·phi·lism** [níːgroufàilizəm, nigráfəlìzəm] *n.* 흑인을 두둔하기, 흑인편을 들기. **-list** *n.*

négro·phòbe *n.* [때때로 N~] 흑인에게 혐오·공포를 느끼는 사람.
-phóbic *a.*

nègro·phóbia *n.* 흑인 공포, 흑인을 싫어하기.

Négro spíritual *n.* 흑인 영가.

ne·gus [níːgəs] *n.* Ⓤ 니거스 술《더운물에 설탕과 레몬 주스·향료를 섞은 포도주》.
〖Col. F. *Negus* (d. 1732) 고안한 영국인〗

Ne·gus [níːgəs, nigúːs] *n.* Ethiopia 황제의 존칭.
〖Amh. =king〗

Neh. 〖聖〗 Nehemiah.

Ne·he·mi·ah [nìːhəmáiə] *n.* **1** 〖聖〗 느헤미야《기원전 5세기경의 유태의 지도자》. **2** 〖聖〗 느헤미야 (the Book of Nehemiah)《구약 성서 중의 한 편 ; 略 Neh.》. 〖Heb.〗

Neh·ru [néəruː, néiruː ; néəruː] *n.* 네루. **Ja·wa·har·lal** [dʒəwáːhərlàːl] ~ (1889-1964) 인도 공화국의 수상(1947-64).

Néhru jàcket[còat] *n.* 네루 재킷[코트]《칼라를 세운 긴 상의》.
〖J. *Nehru*〗

Néhru sùit *n.* 네루 슈트《네루 코트와 좁고 긴 바지로 이루어짐》. 〖J. *Nehru*〗

N.E.I. Netherlands East Indies.

neigh [néi] *n.* (말의) 울음소리. —— *vi.* (말이) 울다. 〖OE *hnægan* < ?〗

◇**neigh·bor | -bour** [néibər] *n.* **1** 이웃 사람, 근처 사람 ; 옆자리의 사람 ; 이웃 나라 사람 : a next-door ~ 이웃집 사람 / our ~*s* across the Channel (영국에서 말하는) 프랑스 사람 / a good [bad] ~ 이웃간에 사이가 좋은[나쁜] 사람. **2** (같은 종류끼리) 이웃하는 것《나라·집 따위》. **3** 동포. —— *a.* 이웃의, 근처의 (neighboring) : ~ countries 인접 국가들. —— *vt.* **1** …의 근처에 있다[살다], …에 인접하다. **2** 《稀》 가까운 사이가 되다. —— *vi.* 가까이 살다[있다], 인접하다〈*on*〉. **2** 이웃간에 잘 지내다, 친하게 지내다〈*with*〉. 〖OE *nēahgebūr* (NIGH, *gebūr* dweller ; cf. BOOR)〗

‡**néighbor·hòod** *n.* **1** Ⓤ 근접, 가까움 : The ~ of the airport is a drawback. 공항에 가까운 것이 결점이다. **2** 근처, 이웃(땅·집) ; 주위, (자기가 사는) 지방. **3** [집합적으로] 이웃 사람들 : The whole ~ was out, having a barbecue. 이웃 사람들이 모두 밖에 모여서 바비큐 파티를 하고 있었다. **4** Ⓤ [보통 good ~] 이웃의 정의(情誼), 친근한 사이.
in the neighborhood of …의 근처에[의] ; 《口》 대략 …, 약(約)… (about) : *in the ~ of* £500 약 500파운드.

néighborhood hòuse *n.* 《美》 인보관(隣保館) (settlement house).

néighborhood ùnit *n.* 《英》 (도시 계획의) 주택 지구, 근린 주택 지구.

Néighborhood Wátch (gròup) *n.* 《美》 자경단(自警團).

néighbor·ing *a.* 근처의, 이웃의 ; 인접한 : ~ countries 인접 국가들 / in the ~ village 이웃 마을에서.

néighbor·less *a.* 이웃 (사람)이 없는 ; 고독한.

néighbor·ly *a.* 이웃 사람다운[같은], 친절한, 붙임성이 있는 ; 우호적인. **-li·ness** *n.*

néighbor·shìp *n.* 이웃하여 있음, 이웃 관계.

Neil [níːl] *n.* 남자 이름.
〖Celt. = ? champion ; or ⇨ NIGEL〗

Neill [níːl] *n.* 닐. **Alexander Sutherland** ~ (1883-1973) 영국의 교육자.

nein [náin] *adv.* 아니(no) (cf. JA). 〖G〗

◇**nei·ther** [níːðər, nái- ; nái-] (↔ *both, either*) *a.* 어느 쪽의 …도 …이 아닌 : *N~* story is true. 어느 쪽의 이야기도 진실이 아니다 / In ~ case can I agree. 어느 쪽도 찬성하지 않는다.
—— *pron.* 어느 쪽도 …아니다[않다] : I believe ~ (*of* the stories). 어느 쪽(의 이야기)도 믿지 않는다 / *N~ of* the stories was[were] true. = The stories were ~ of them true. 이야기는 어느 쪽도 진실이 아니었다. ☞ 活用 (1), (2).

> **neither의 문장 전환**
> She can't swim. — *Neither* can I.
> → She can't swim. — I can't (swim), *either.*
> (그녀는 헤엄을 못친다 — 나도 그렇다.)
> ☆ Neither대신에 Nor를 쓸 수도 있다(→ nor). 긍정문을 받아 「~도 그렇다」고 할 때에는 So를 쓴다(→ so).
>
> **neither와 both의 문장 전환**
> *Neither* of his parents is dead.
> (그의 양친은 아무도 돌아가시지 않았다.)
> → *Both* (of) his parents are alive.
> (그의 양친은 모두 살아계신다.)
> ☆ 이 것을 *Both* (of) his parents are *not* dead.라고 하면 「두 분 다 돌아가시지 않았다」는 전체 부정인지 「두 분 다 돌아가시지는 않았다 (한 분은 살아 계신다)」는 부분 부정인지 애매해진다(원칙적으로는 부분 부정으로 친다).

—— *adv.* **1** [neither...nor로 상관적으로] …도 아니고 …도 아니다[않다] : They have ~ knowledge *nor* understanding of politics. 정치에 대한 지식도 이해도 없다 / We ~ moved *nor* made any noise. 움직이지도 않았고 소리도 내지 않았다. ☞ 活用 (3). **2** [부정문 또는 부정의 절 뒤에서] …도 역시[또한] …않다[아니다] (not either) : If you can *not* go, ~ can I. 네가 가지 않으면 나도 역시 안간다 / The first is*n't* good, and ~ is the second. 처음 것도 좋지 않고 두번째 것도 좋지 않다 / I can*not* do that. — *N~* can you. 나는 그것을 할 수 없다 — 너도 할 수 없을 거다. ㊟ 이 용법의 neither는 언제나 절 또는 문장 첫머리에 오고 그 뒤에는 「(조)동사+주어」의 어순이 됨. **3** 《古》 [문장 끝에 놓아 앞의 부정어를 강조하여] 조금도 …(하지) 않다(either) : I don't know that, ~. 그 일을 모른다, 조금도.

〈회화〉
I can *neither* skate *nor* ski. — Same here.
「나는 스케이트도 스키도 못타」「나도 마찬가지야」

— *conj.* 《古》 또한 …도 하지 않다(nor, nor yet) : *N~* will I tell you why I did it. 또한 어째서 그랬는지도 말하지 않겠다.
〖OE *nowther* ‹ *nōhwæther* (⇨ NO, WHETHER) ; 어형은 *either*에 동화(同化)〗

活用 (1) neither는 both에 대응하는 전체 부정의 말이므로 *Neither* of the three boys stayed there. (세 소년은 아무도 거기에 남아 있지 않았다.)와 같이 3개 이상의 것을 부정하려면, *None* of the three boys stayed there. 라고 하는 것이 적절함.
(2) neither는 단수 취급하는 것이 문법적이나, 실제로는 복수 취급하는 경우도 많다. 특히 이미 앞에서 말한 것에 대해서 「A와 B 양쪽 모두 …이 아니다」라고 하는 뜻을 말하려고 할 때 A, B가 모두 복수명사인 경우에는 언제나 복수 취급 : Both extreme *rightists* and extreme *leftists* are dangerous to the peace of the world, for *neither think* much of the freedom of speech. (극우·극좌는 모두 세계 평화에 위험하다, 양자가 모두 언론의 자유를 존중하지 않기 때문에).
(3) i) neither...nor...는 both...and...에 대응하는 부정 표현으로 동사는 보통 뒤의 주어와 호응함 : *Neither* he *nor* I *am* the right person for the position. (그도 나도 그 지위에 적합한 인물은 아니다) / *Neither* riches *nor* good luck *works* such a miracle. (부도 행운도 그런 기적은 일으키지 못한다) ; 그런데 이같은 표현은 어조가 나쁘기 때문에 He is not the right person for the position, nor am I. / Riches do not work such a miracle, nor does good luck. 이라고 하는 편이 보다 바람직함. ii) neither... nor...는 같은 품사 또는 동일한 구조의 어군(語群)을 연결한다. 따라서 다음과 같은 표현은 부적당 : They *neither* have knowledge *nor* understanding of politics. iii) 때로는 3개 이상의 어구를 모두 부정하는 경우가 있음 : He *neither* gambled, drank, *nor* smoked.

nek [nék] *n.* 《南아》 (산의) 안부(鞍部), 산협(山峽) (col). 〖Du. =neck〗

nek·ton, nec- [néktɑn, 美+-tən] *n.* 유영(游泳) 생물《어류 따위 물속을 유영하는 생물의 총칭》. **nek·tón·ic** *a.*

Nell [nél] *n.* 여자 이름《Ellen, Eleanor, Helen의 애칭》.

Nel·lie, Nel·ly [néli] *n.* **1** 남자 이름《Nelson의 애칭》; 여자 이름《Eleanor, Helen의 애칭》. **2** 《美俗》 나이 먹은 암소. **3** [n~] 《俗》 바보.

nel·son [nélsən] *n.* 〖레슬링〗 목조르기.

Nelson *n.* 넬슨. **Horatio** ~ (1758-1805) 영국의 해군 제독.
〖Celt., Gmc. =son of Neil〗

nem·at- [némət], **nem·a·to-** [-tou, -tə] *comb. form* 「실」「선충」의 뜻.
〖Gk. ; ⇨ NEMATODE〗

ne·ma·thel·minth [nèməθélminθ, nìːmə-] *n.* 〖動〗 선형(線形) 동물.

ne·mat·ic [nimǽtik] *a.* 〖化〗 네마틱의《가늘고 긴 분자가 상호간의 위치는 불규칙하지만 그 긴 축(軸)이 모두 일정 방향으로 향함》.

némato·cỳst [, nimǽt-] *n.* 〖動〗 (자포(刺胞) 동물의) 자세포.
nè·ma·to·cýs·tic [, nimæ̀t-] *a.*

nem·a·tode [némətòud] *n.*, *a.* 〖動〗 선충류(線蟲類) (의). 〖Gk. *nēma* thread, *-ode*〗

nem·a·tol·o·gy [nèmətɑ́lədʒi] *n.* 〖動〗 선충학. **-gist** *n.* **nèm·a·to·lóg·i·cal** *a.*

Nem·bu·tal [némbjətɔ̀ːl, -tæ̀l] *n.* 〖藥〗 넴부탈《pentobarbital의 sodium salt ; 진정·최면용제 ; 상표명》.

nem. con. [ném kɑ́n] nemine contradicente.

nem. diss. [ném dís] nemine dissentiente.

Ne·mea [níːmiə] *n.* 네메아《고대 그리스 남동부의 Argolis에 있는 산골짜기로 네메아 제전의 개최지》. **Né·me·an** [, nimíːən] *a.*

Némean Gámes *n. pl.* [the ~] 2년 마다 Nemea에서 열렸던 그리스 4대 제전의 하나(cf. OLYMPIAN[PYTHIAN, ISTHMIAN] GAMES).

Némean líon *n.* 〖그神〗 (12가지 어려운 과업의 하나로) Nemea 골짜기에서 Hercules가 죽였다는 사나운 사자.

Ne·mer·tea [nəmə́ːrtiə], **Nem·er·tin·ea** [nèmərtíniə] *n. pl.* 〖動〗 유형 동물문.

Nem·e·sis [néməsəs] *n.* **1** 〖그神〗 네메시스《인과응보·복수의 여신》. **2** [n~] (*pl.* **-ses** [-sìːz], **~·es**) **a)** 천벌, 응보(應報), 인과. **b)** (감당하기 힘든) 강적. 〖Gk. =righteous wrath (*nemō* to give what is due)〗

ne·mi·ne con·tra·di·cen·te [némənìː kɑ̀ntrədikénti], **némine dis·sen·ti·én·te** [-disèntiénti] *adv.* 만장 일치로, 이의 없이. 〖L〗

ne·moph·i·la [nimɑ́fələ] *n.* 〖植〗 네모필라꽃《북미 원산의 1년생 초본》.

NEMP nuclear electro-magnetic pulse (핵전자(電磁) 펄스).

ne·ne [néinei] *n.* (*pl.* ~) 〖鳥〗 하와이흑기러기《하와이 주의 주조(州鳥)》. 〖Haw.〗

N. Eng. New England ; North[Northern] England.

nen·u·phar [nénjəfɑ̀ːr] *n.* 〖植〗 =WATER LILY.

neo- ☞ NE-.

nèo·ántigen *n.* 〖醫〗 신(생)항원(抗原).

nèo-Cámbrian *a.* 〖地質〗 신(新)캄브리아기(紀)[계]의.

Nèo-Cátholic *a.*, *n.* (영국 국교회, 프랑스의) 신카톨릭파의 (교도). **-Cathólicism** *n.*

Néo·cène *a.* 〖地質〗 신제3기(新第三紀)의.
— *n.* [the ~] 신제3기.

nèo·clássic, -clássical *a.* 신고전주의의.
-clássicism *n.* 신고전주의.

nèo·colónial *a.*, *n.* 신식민지주의의[주의자].

nèo·colónial·ìsm *n.* Ⓤ 신식민지주의《제2차 세계 대전 후 강대국이 약소국에 대해서 정치적·경제적 방법 따위의 간접적인 지배력을 가진 것》.

nèo·consérvatism *n.* 《美》 신보수(保守)주의《거대한 정부에 반대하고 실업계의 이익을 지지하고 사회 개혁에 주력》.
-consérvative *a.*, *n.*

nèo·córtex *n.* 〖解〗 (대뇌의) 신피질(新皮質).

nèo-Dáda, -Dáda·ìsm *n.* Ⓤ 네오다다이즘, 반(反)예술(anti-art). **-Dáda·ist** *a.*, *n.*

nèo-Dárwin·ìsm *n.* [때때로 N~] 신(新)다윈

설[주의].
-ist *n.* -**Darwínian** *a., n.*
neo·dym·i·um [nìoudímiəm] *n.* Ⓤ〖化〗네오디뮴《희토류 원소 ; 기호 Nd ; 번호 60》.
nèo·fáscism *n.* 신(新)파시즘. **-fáscist** *a., n.*
Neo·gaea, -gea [nìːədʒíːə] *n.*〖生物地〗신계(新界)《신(新)열대구와 같은 범위》.
Nèo·gáe·an, -gé- *a.*
Néo·gène *a., n.* =NEOCENE.
nèo·glaciátion *n.*〖地質〗신빙하 작용[형성].
-glácial *a.*
nèo-Góthic *a.* [때때로 N~]〖建〗신고딕식의.
nèo-Hegélian *a., n.* [때때로 N~] 신헤겔 철학의 (신봉자).
nèo-Héllen·ìsm *n.* Ⓤ [때때로 N~] 신그리스주의.
nèo·impérial·ìsm *n.* Ⓤ 신제국주의.
-impérial *a.* **-ist** *n.*
nèo-impréssion·ìsm *n.* [때때로 N~-I~]〖美術〗신인상주의. **-ist** *a., n.*
nèo·isolátion·ìsm *n.* Ⓤ 신고립주의. **-ist** *a., n.*
nèo-Kánt·ian *a., n.* [때때로 N~]〖哲〗신칸트학파의 (학도).
nèo-Kéynes·ian *a., n.*〖經〗신케인스주의의[주의자].
nèo-Lamárck·ism *n.* [때때로 N~]〖生〗신라마르크설. **-ist** *n.* **-Lamárck·ian** *a., n.*
Nèo-Látin *n.* Ⓤ =NEW LATIN ; 로망스어(語) (Romance). —— *a.* 로망스어(계)의.
néo·lìth *n.* 신석기 (시대의 석기).
Nèo·líthic *a.*〖考古〗신석기(新石器) 시대의 (cf. PALEOLITHIC, MESOLITHIC) : the ~ Era 신석기 시대.
ne·ol·o·gism [niálədʒìzəm] *n.* **1** Ⓒ (종종 눈살이 찌푸려지는) 신조어(新造語), 신어구(新語句) ; (기성어구의) 신어의(新語義) ; Ⓤ 신어구[어의] 채용[고안]. **2**〖神學〗신(新)해석 (neology).
-gist *n.* **neo·lo·gi·an** [nìəlóudʒiən] *a., n.*
ne·òl·o·gís·tic, -ti·cal *a.*
ne·ol·o·gize [niálədʒàiz] *vi.* 신어를 사용하다 ; 기성의 말을 새로운 뜻으로 쓰다 ;〖神學〗신해석을 채용하다.
ne·ol·o·gy [niálədʒi] *n.* =NEOLOGISM.
〚F ; ⇨ LOGOS〛
nèo-Malthúsian·ìsm *n.* [때때로 N~] 신맬서스주의《산아 제한론》.
Nèo-Melanésian *n., a.* 영어와 멜라네시아어의 혼성어(의).
néo·mort [-mɔ̀ːrt] *n.* 식물 인간.
〚*neo-*+*mort*uus (L=dead)〛
nèo·mýcin *n.* Ⓤ〖生化〗네오마이신《방선균(放線菌)에서 얻는 항생 물질의 일종》.
ne·on [níːɑn ; -ən, -ɔn] *n.* **1** Ⓤ〖化〗네온《기체 원소 ; 기호 Ne ; 번호 10》. **2** =NEON LAMP ; =NEON SIGN. —— *a.* 네온의 ;《口》저속한, 싸구려인. 〚Gk. (neut.) ‹ *neos* new〛
nèo·nátal *a.*〖醫〗신생아의.
neo·nate [níːənèit] *n.*〖醫〗(생후 1개월 이내의) 신생아.
Nèo-Názi *n.* (1945년 이후의) 신나치주의자.
~·ìsm *n.* 신나치주의.
néon lámp[líght, túbe] *n.* 네온 램프.
néon ríbbons *n. pl.*《美軍俗》심한 계급 자만.
néon sígn *n.* 네온 사인.
néon tétra *n.*〖魚〗네온테트라《남미산 열대어의 일종》.
ne·ontólogy [nìː-] *n.* Ⓤ 현생(現生) 생물학.
-gist *n.*
nèo·págan·ìsm *n.* 신이교(異教)주의[정신].
nèo·péntane *n.*〖化〗네오펜탄《석유・천연 가스 속의 휘발성 탄화수소》.
nèo·Pentecóstal *a., n.* 신(新)펜테코스트파(派)의 (신자)《미국의 신구교회 운동 ; 펜테코스트파의 신앙 강조》. **~·ìsm** *n.* **~·ist** *n.*
nèo·phília *n.* Ⓤ 새것[신기한 것]을 좋아하기.
-phíl·i·ac [-fíliæ̀k] *n.*
neo·phyte [níːəfàit] *n.* 신개종자 ; 새로 세례받은 사람 ; (카톨릭 교회의) 수련사(修練士) ; 초심자, 초보자, 신참자(beginner).
〚L<Gk. =newly planted (*phuton* to plant)〛
néo·plàsm *n.*〖醫〗신생물, (특히) 종양(腫瘍).
nèo·plástic *a.*〖醫〗신생물 (형성)의, 종양의 ;〖美術〗신조형주의의.
nèo·plás·ti·cism [-plǽstəsìzəm] *n.*〖美術〗신조형주의. **-cist** *n.*
néo·plàsty *n.*〖醫〗이식적(移植的) 신조직 형성(形成).
Nèo·plátonism *n.* Ⓤ 신플라톤학파 철학.
-nist *n.* **-platónic** *a.*
neo·prene [níːəprìːn] *n.* Ⓤ 네오프렌《합성 고무의 일종》.
nèo·réal·ìsm *n.* 신사실주의. **-ist** *n.*
Neo·ri·can [nìouríːkən] *n., a.*《美》푸에르토리코계 뉴욕 시민(의) ; 미국에서 살고 있는[산 적이 있는] 푸에르토리코인.
nèo·romànticism *n.* Ⓤ 신(新)낭만주의《19세기 후반에 자연주의의 반동으로 유럽에서 일어난 문예 운동》.
Nèo·sálvarsan *n.* 네오살바르산《매독 치료약 ; 상표명》.
nèo-témperance *n.* 신금주 운동《1980년대에 금연 운동에 이어 강화됨》.
ne·o·ter·ic [nìətérik] *a.* 현대풍[식]의 ; 신시대의 ; 새로 고안한 ; 참신한. —— *n.* 현대인 ; 현대 작가[사상가].
Nèo·trópical, -trópic *a.* 신열대구(區)의《북미의 열대 지방・중남미・서인도 제도를 포함》.
nèo·vàscular·izátion *n.*〖醫〗신혈관 신생《특히 종양의 신모세혈관의 발생・생장》.
Nèo·zóic *a., n.*〖地質〗신생대(新生代) (의).
N.E.P., NEP, Nep [nép] New Economic Policy ((구소련의) 신(新)경제 정책). **Nep.** Neptune.
Ne·pal [nəpɔ́ːl, -pɑ́ːl, 美+-pǽl] *n.* 네팔《인도와 티베트 사이에 있는 왕국 ; 수도 Katmandu》.
Nep·a·lese [nèpəlíːz, -s, 英+-pɔː-] *a.* 네팔(인[어])의. —— *n.* (*pl.* ~) =NEPALI.
Ne·pali [nəpɔ́ːli, -pɑ́ːli, 美+-pǽli] *n.* (*pl.* ~, **-pál·is**) 네팔인[어]《Indic 어파의 하나》. —— *a.* 네팔의, 네팔인[어]의.
ne·pen·the [nəpénθi] *n.*《詩》시름을 잊게 하는 약 ; (일반적으로) 시름을 잊게 하는[고통을 낫게 하는] 것. **~·an** *a.* (사물을) 잊게 하는.
〚L<Gk.〛
ne·pen·thes [nəpénθiːz] *n.* (*pl.* ~) **1**《詩》=NEPENTHE. **2** [*N*~]〖植〗벌레잡이통풀《식충 식물(植物)》.
ne·per [néipər] *n.*〖理〗네퍼《감쇠(減衰) 비율을 나타내는 상수》. 〚J. *Neper* [Napier] (d. 1617) 스코틀랜드의 수학자〛
neph·análysis [nèf-] *n.* Ⓤ〖氣〗구름 분석, 일기도 해석.
neph·e·line [néfəlìːn, -lən], **-lite** [-làit] *n.* 하석(霞石). **nèph·e·lín·ic** [-lín-] *a.*

néph·e·loid láyer [néfəlɔ̀id-] *n.* 〖海〗 (점토 구성물 크기의 미세한 광물이 떠도는 심해(深海)의) 현탁층(懸濁層).

neph·e·lom·e·ter [nèfəlámətər] *n.* 〖菌〗 현탁액 속의 세균 계량기; 〖化〗 비탁계(比濁計); 〖氣〗 구름계. **-lóm·e·try** *n.* 비탁(比濁) 분석(법), 비탁법. **nèph·e·lo·mét·ric, -ri·cal** *a.*

***neph·ew** [néfju: ; névju:, néf-] *n.* 조카, 생질(cf. NIECE); 《古》 자손, (특히) 손자.
〚F *neven*<L *nepos* grandson, nephew; cf. OE *nefa* grandson〛

nepho- [néfə] *comb. form* 「구름」의 뜻. 〚Gk.〛

népho·gràm *n.* 구름 사진.

népho·gràph *n.* 구름 사진 촬영기.

ne·phol·o·gy [nefálədʒi] *n.* Ⓤ 구름학(學)《기상학의 한 분야》. 〚Gk. *nephos* cloud〛

népho·scòpe *n.* 구름 방향계.

nephr- [néfr], **neph·ro-** [néfrou, -rə] *comb. form* 「신(장)(腎(臟))」의 뜻. 〚Gk.〛

ne·phral·gia [nəfrǽldʒiə] *n.* Ⓤ 〖醫〗 신장통(腎臟痛).

ne·phrec·to·my [nifréktəmi] *n.* Ⓤ,Ⓒ 신장절제(술), 신적출(腎摘出).

ne·phrid·i·um [nifrídiəm] *n.* (*pl.* **-phrid·ia** [-frídiə]) 〖動〗 (무척추 동물의) 배설기관, 신관(腎管). **-phríd·i·al** *a.*

neph·rite [néfrait] *n.* 〖鑛〗 연옥(軟玉).

ne·phrit·ic [nifrítik] *a.* 〖醫〗 신장(腎臟)(염)의.

ne·phri·tis [nifráitəs] *n.* (*pl.* **ne·phrit·i·des** [nəfrítədi:z]) Ⓤ 〖醫〗 신장염.
〚Gk. *nephros* kidney〛

néphro·lìth *n.* 〖醫〗 신장 결석(renal calculus).

ne·phrol·o·gy [nifrálədʒi] *n.* 〖醫〗 신장(병)학.

neph·ro·meg·a·ly [nèfrouméɡəli] *n.* 〖醫〗 신장 비대(증).

ne·phrop·a·thy [nifrápəθi] *n.* 〖醫〗 신장 장애, 신장병.

ne·phro·sis [nifróusəs] *n.* Ⓤ 네프로오제, (상피성(上皮性)) 신장증(症).
ne·phrot·ic [nifrátik] *a.*

ne·phrot·o·my [nifrátəmi] *n.* 〖醫〗 신장(腎臟) 절개(술(術)).

ne plus ul·tra [ní: plʌs ʌ́ltrə, néi plus últra:] *n.* 극한; 극점(極點), 최고 도달점(acme)〈*of*〉; 넘을 수 없는 장애. 〚L=not further beyond〛

ne·pot·ic [nipátik] *a.* 연고자[친척] 편중의 (경향이 있는); 동족 등용의.

nep·o·tism [népətìzəm] *n.* Ⓤ (관직 임용 따위에서의) 연고자[친척] 등용[편중].
-tist *n.* 연고자[친척]를 등용하는 사람.
〚F<It. (*nepote* NEPHEW); 이전에 교황이 조카나 친척에게 특권을 준 데서〛

Nep·tune [népt*j*u:n] *n.* 〖로神〗 넵투누스《바다의 신; 〖그神〗의 Poseidon에 해당》; 〖天〗 해왕성: ~'s revel 적도제(赤道祭) / sons of ~ 뱃사람, 선원. 〚F or L〛

Néptune's cùp[gòblet] *n.* 〖動〗 산호·해면의 일종.

Nep·tu·ni·an [nept*j*ú:niən] *a.* NEPTUNE의; 바다의; 해왕성의; [n~] 〖地質〗 수성(水成)의, 암석 수성론(자)의.

nep·tun·ism [népt*j*u:nìzəm] *n.* 〖地質〗 암석 수성론. **-ist** *n.* 암석 수성론자.

nep·tu·ni·um [nept*j*ú:niəm] *n.* Ⓤ 〖化〗 넵투늄《방사성 원소; 기호 Np; 번호 93》.

N.E.R. 《英》 North-Eastern Railway.

ne·ral [níəræl] *n.* 〖化〗 네랄《시트랄(citral)의 시스(cis)형(形)》.

N.E.R.C. 《英》 Natural Environment Research Council.

nerd, nurd [nə́:rd] *n.* 《美俗》 바보, 얼간이, 촌스러운 사람.

Ne·re·id [níəriəd] *n.* 〖그神〗 네레이스《바다의 요정[여신](sea nymph)》; [n~] 〖動〗 갯지네.
〚L<Gk. =daughter of NEREUS〛

Ne·re·us [níəriəs, -riù:s] *n.* 〖그神〗 네레우스《바다의 신; 50명의 Nereids의 아버지》.

nerf [nə́:rf] *vt.* 《俗》 (drag race에서) 다른 차에 부딪치다.

nérf[nérf·ing] bàr *n.* (다른 차와 부딪쳤을 때 바퀴를 보호하기 위한 hot rod의) 범퍼.

ne·rit·ic [nərítik] *a.* 〖海·生態〗 얕은 바다의, 연안의《해안으로부터 수심 200m까지》.

nerk [nə́:rk] *n.* 《英俗》 바보, 얼간이.

Nernst [*G* nɛ́rnst] *n.* 네른스트. **Walther Hermann** ~ (1864-1941) 독일의 물리학자·화학자; Nobel 화학상(1920).

Nérnst héat thèorem [néərnst-] *n.* 〖理〗 네른스트의 열정리(熱定理)《열역학 제3법칙》.

Nérnst làmp *n.* 네른스트 등(燈).

Ne·ro [níərou] *n.* 네로(37-68)《로마의 황제(54-68), 기독교도를 박해한 폭군》.

Néro Déep *n.* [the ~] 괌 섬 부근의 심해.

nér·o·li (òil) [nérəli(-); níər-] *n.* 〖化〗 등화유(橙花油)《향수의 원료》.

Ne·ro·ni·an [nəróuniən], **-ron·ic** [-ránik] *a.* 네로와 같은, 네로처럼 잔인[횡포·방탕]한.

Ne·ro·nize [níərounàiz] *vt.* 네로를 본뜨다, 폭군으로 묘사하다; 타락시키다; 학정을 하다.

nerts, nertz [nə́:rts] *int.* 《美俗》 바보 같은: *Nerts* to you! 어리석은 짓 하지 마라.

nerv- [nə́:rv], **ner·vi-** [-vi, -və], **ner·vo-** [-vou, -və] *comb. form* =NEUR-.

NERVA [nə́:rvə] nuclear engine for rocket-vehicle application (로켓선용(船用) 원자력(原子力) 엔진).

ner·val [nə́:rvəl] *a.* 신경(조직)의[에 관한]; 신경을 자극하는.

ner·vate [nə́:rveit] *a.* 〖植〗 잎맥이 있는.

ner·va·tion [nə:rvéiʃən] *n.* Ⓤ 〖動·植〗 맥상(脈狀), 맥리(脈理), 맥계(脈系).

ner·va·ture [nə́:rvətʃùər, -tʃər] *n.* =NERVATION.

‡**nerve** [nə́:rv] *n.* **1** 〖解〗 신경, 신경 섬유; 치수(齒髓), (흔히) 이의 신경: ~ strain 신경과로. **2 a)** 《詩·古》 근(筋), 힘줄. **b)** [*pl.*] 《비유》 근원, 중추. **3** Ⓤ **a)** 건전한 신경 상태, 강건(強健), 용기, 담력, 배짱; 기력, 체력: He didn't have ~ enough to mention it to his teacher. 그것을 선생님에게 말할 만한 용기가 없었다 / a man of ~ 배짱이 있는 사내 / lose one's ~ 기가 죽다. **b)** 《口》 [+*to* do] 뻔뻔스러움, 무례함(impudence): He had the ~ *to* say that. 뻔뻔스럽게도 그렇게 말했다. **4** [*pl.*] 신경 이상[과민], 소심, 우울: have a fit of ~*s* 신경 과민이 되다, 소심해지다 / He is all ~*s.* 매우 신경 과민이다. **5** 〖植〗 잎맥; 〖昆〗 날개맥.

get on** a person**'s nerves=give** a person **the nerves 남의 신경을 건드리다, 남을 짜증[신경질] 나게 하다.

have a nerve 《口》 배짱이 있다, 뻔뻔스럽다.

have no nerves=not know what nerves are (위험 따위를 느끼지 않고[겁내지 않고]) 태연하다, 대담하다.

nerves of iron**[*****steel*****]** 대담, 대범.
strain every nerve 최대한 노력하다, 전력을 다하다.
war of nerves 신경전(cf. COLD WAR, HOT WAR, SHOOTING WAR).
— *vt.* …에게 활기를 불어넣다, 용기를 북돋우다, 격려하다.
nerve one***self*** 용기[기운]를 내어 곤란[위험]에 맞서다 : He ~*d* him*self to* the ordeal. 그는 용기를 내어 그 시련에 맞섰다.
〖ME=sinew<L *nervus* sinew, tendon, bowstring〗

nérve àgent *n.* (군용의) 신경계에 작용하는 물질, 신경 가스《따위》.
nérve blòck *n.* 〖醫〗 신경 차단(법)《국소 마취의 일종》.
nérve cèll *n.* 〖解·動〗 신경 세포.
nérve cènter *n.* 〖解〗 신경 중추 ; (조직·운동 따위의) 중추, 중심.
nérve cèntre *n.* 《英》 =NERVE CENTER.
nérve còrd *n.* (무척추 동물의) 신경삭(索).
nerved [nə́:rvd] *a.* **1** 대담한 ; 신경이 …한 : strong-~ 신경이 강한. **2** 〖植·動〗 잎맥[날개맥]이 있는 : five-~ 5개의 잎맥[날개맥]이 있는. **3** 〖競馬〗 통증을 완화하기 위하여 말의 다리 신경을 절단한.
nérve fìber *n.* 〖解〗 신경 돌기.
nérve fìbre *n.* 《英》 =NERVE FIBER.
nérve gàs *n.* 〖軍〗 신경 가스《독가스의 일종》.
nérve gròwth fàctor *n.* 〖生理〗 신경 생장 인자《지각[교감] 신경 세포의 생장을 자극하는 단백질 ; 略 NGF》.
nérve ìmpulse *n.* 〖生理〗 신경 흥분.
nérve-knòt *n.* 《古》 〖解〗 신경절(節).
nérve·less *a.* 〖解〗 신경이 없는 ; 〖動·植〗 잎맥[날개맥]이 없는 ; 활기[용기]가 없는 ; 무기력한 ; 약한 ; (문체 따위가) 산만한 ; 냉정한, 침착한. **~·ly** *adv.* 무기력하게, 나약하게. **~·ness** *n.* 무기력.
nérve-ràck·ing, -wràck- *a.* 신경을 건드리는.
nérve trùnk *n.* 〖解〗 신경 줄기.
nérve wár *n.* 신경전(戰), 선전전(宣傳戰)《war of nerves라고도 함》.
nervi- ☞ NERV-.
ner·vine [nə́:rvi:n, 美+-vain] *a.* 신경의, 신경을 안정시키는. — *n.* 신경 안정제.
nerv·ing [nə́:rviŋ] *n.* 〖獸醫〗 (만성 염증의) 신경 절제(술).
ner·vos·i·ty [nə:rvɑ́səti] *n.* 신경 과민(성), 신경질, 소심.
‡**ner·vous** [nə́:rvəs] *a.* **1** 신경(성)의, 신경에 작용하는 : the ~ system 신경계(系). **2** 신경질의 ; 잔걱정이 많은, 겁많은 ; 흥분하기 쉬운, 화 잘 내는, 성마른 : feel ~ about …을 걱정[염려]하다, …을 애태우다. **3** 《古》 강한, 건장한. **4** (문체 따위가) 힘찬, 간결한.

〈회화〉
Are you *nervous* ? — A little. 「너 긴장되니」 「조금」

~·ly *adv.* 신경질적으로 ; 안달이 나서 ; 힘차게, 늠름하게. **~·ness** *n.* 신경 과민, 겁, 소심증.
〖L ; ⇨ NERVE〗

nérvous bréakdown[prostrátion] *n.* 신경 쇠약《neurasthenia의 속칭》.
nérvous Néllie[Nélly] *n.* 《美口》 겁쟁이, 무기력한 사람.
nérvous púdding *n.* 《美俗》 젤라틴으로 만든 푸딩.
ner·vure [nə́:rvjuər] *n.* =NERVE 5.
nervy [nə́:rvi] *a.* **1** 《英》 신경질적인, 신경이 과민한, 흥분하기 쉬운(nervous). **2** 《口》 냉정한, 자신만만한, 뻔뻔스러운 ; 《口》 용기있는, 대담한. **3** 《古·詩》 늠름한, 힘찬, 원기 있는. **4** 《英》 신경에 거슬리는. 〖NERVE〗
n.e.s., N.E.S. not elsewhere specified[stated](따로 특별 기재가 없는 경우는).
ne·science [néʃiəns, ní:ʃ-, nésiəns, ní:s- ; nésiəns] *n.* Ⓤ 무지(ignorance)〈*of*〉 ; 〖哲〗 불가지론(不可知論) (agnosticism).
né·scient *a.* 무지한, 무학의, 모르는〈*of*〉 ; 〖哲〗 불가지론(자)의. — *n.* 불가지론자(agnostic).
〖L (*ne-* not, *scio* to know)〗
ness [nés] *n.* 곶(串), 해각(海角)《지명에 흔히 씀》. 〖OE *næs* ; cf. OE *nasu* NOSE〗
Ness *n.* [Loch ~] 네스 호(湖)《스코틀랜드 북서부의 호수 ; 괴수(怪獸)가 산다고 전해짐》.
-ness [nəs] *n. suf.* [분사·(복합) 형용사 따위에 자유롭게 붙여서] 「성질」 「상태」를 나타냄 : kind*ness*, tired*ness* / the high*ness* of his character(cf. the *height* of a mountain) / the tree*ness* of the tree (나무가 나무인 까닭).
〖OE *-nes*(*s*), *-nis*(*s*) ; cf. G *-nis*(*s*)〗
Nes·sel·rode [nésəlròud] *n.* 과일의 설탕 절임《푸딩·파이·아이스크림 따위에 넣음》.
Nes·sie [nési] *n.* 네시《스코틀랜드의 Ness 호에 산다는 괴물의 애칭》.
Nes·sus [nésəs] *n.* 〖그神〗 네수스《Hercules가 독화살로 쏘아 죽인 반인반마의 괴물》.
‡**nest** [nést] *n.* **1** (새 따위의) 둥지, 보금자리 : build a ~ 보금자리를 만들다. **2** (안락한) 피난처, 은둔처. **3** 소굴(haunt) ; 《비유》 (악(惡)의) 온상〈*of*〉. **4** 둥지 안의 것《알·새끼 따위》, 한배의 새끼 ; (새·벌레 따위의) 떼 ; (나쁜 패들의) 일당. **5** (찬합식 기물의) 한 벌, 한 세트 : a ~ *of* drawers 장롱 한벌.
foul**[*****befoul*****]** one***'s own nest*** 자기집[당(黨)]을 헐뜯다 : It is an ill bird that *fouls* its *own* ~. 《속담》 「제밑 들어 남 보이지 마라」.
rob**[*****take*****]** ***a nest*** 둥지에서 알[새끼]을 훔치다.
— *vi.* **1** 둥지를 짓다, 둥지에 들다. **2** 새집을 뒤지다 : go ~*ing* 새 둥지를 뒤지러 가다.
— *vt.* 둥지를 지어주다 ; [*p.p.*로] (상자 따위를) 차례로 포개어 넣다. **~·able** *a.* **~·er**[1] *n.* 보금자리에 깃들여 있는 새. **~·ful** *n.* 보금자리에 하나 가득한 분량. **~·lìke** *a.* 〖OE<IE (《美》 *ni* down, 《美》 *sed-* to sit ; cf. L *nidus*)〗
NEST Nuclear Emergency Search Team.
nést ègg *n.* 밑알 ; 《비유》 저금의 (토대가 되는) 밑돈, 준비금 ; 비상금, 저축, 비축금.
nést·er[2] *n.* 《美西部》 공유지를 (불법으로) 농장으로 만든 입식자.
nes·tle [nésəl] *vi.* [+副/+前+名] **1** 기분좋게 눕다, 편안하게 자리잡다 ; 바싹 달라붙다 : The small child ~*d* ***down in*** bed[***into*** the armchair]. 그 작은 애는 침대[안락의자]에 편안하게 드러누웠다[몸을 파묻었다] / The little boy ~*d* ***up to***[~*d* closely ***to***] his mother. 그 아이는 어머니 곁에 바싹 달라붙었다. **2** (집 따위가) 으슥한 곳에 있다, 보일락말락하다 : The little house ~*d* ***among*** the trees. 그 작은 가옥은 나무 사이로 보일락말락 했다. **3** 둥지를 짓다, 둥지에 들다.
— *vt.* [+目+前+名] (머리·얼굴·어깨 따위를) 비벼대다 ; [수동태로] 편안하게 안고 있다 :

She ~*d* her baby ***in*** her breast. 그녀는 갓난아기를 가슴에 꼭 안았다. **nés·tler** *n.*
〖OE ; ⇨ NEST〗

Nes·tlé [nésəl] *n.* 네슬레《인스턴트 식품을 주로 하는 스위스의 다국적 기업》.

nest·ling [néstliŋ] *n.* (아직 날지 못하는) 새새끼, (갓깬) 병아리 ; 젖먹이.

Nes·tor [néstər, -tɔːr] *n.* 〖그神〗 **1** 네스토르 《Homer작 *Iliad* 중의 현명한 노장》. **2** [때때로 n~] (어떤 단체 중의) 현명한 노인, 장로, 대가, 제1인자〈*of*〉. 〖Gk.〗

Nes·to·ri·an [nestɔ́ːriən] *a., n.* 네스토리우스(교파)의 ; 네스토리우스 교도《시리아의 종교가 Nestorius는 그리스도가 신성과 인간성을 따로 지녔다고 주장》. **~·ism** *n.* 네스토리우스의 교리.

Nes·to·ri·us [nestɔ́ːriəs] *n.* 네스토리우스(?-451?) 《Constantinople의 대주교》.

***net**[1] [nét] *n.* **1** 그물, 망(網), 네트 : cast [throw] a ~ 그물을 던지다 / draw in a ~ 그물을 끌어당기다 / lay[spread] a ~ 그물을 치다. **2** Ⓤ 망직물(織物) ; 그물 세공품, 그물 모양. **3** 거미집. **4** 《비유》 올가미, 함정 ; 계략. **5** (테니스 따위에서) 네트《네트에 맞음》, =NET BALL. **6** 연락망, 통신망, 방송망(network). **7** [the N~] 〖天〗 그물자리(Reticulum). —— *v.* (**-tt-**) *vt.* **1** 그물로 잡다, 그물을 던지다. **2** (과수(果樹)를) 망으로 덮다 ; (강에) 그물을 치다. **3** 짜다, 그물 세공으로 만들다. **4** 〖테니스〗 (공을) 네트에 걸리게 치다.
—— *vi.* 그물코 모양을 이루다, 그물을 뜨다.
〖OE *net*(*t*) ; cf. G *Netz*〗

net[2] *a.* 에누리없는 ; 정미(正味)의, 순수한 ; 궁극의, 최종적인(↔*gross*) : a ~ price 정가(正價) / a ~ gain 순(이)익. —— *n.* 정량(正量), 순중량, 순이익, 정가 ; 최종적인 결과[득점] ; 〖골프〗 네트 《gross에서 핸디캡을 제한 수》 ; 궁극의 요점.
—— *vt.* (**-tt-**) [+目/+目+前+名/《美》+目+目] 순이익을 내다[올리다] : I ~*ted* $200 ***from*** the transaction. 그 거래에서 200달러의 순이익을 올렸다 / The sale ~*ted* me a good profit. 그 판매로 많은 순이익이 있었다.
〖F ; ⇨ NEAT[1]〗

NET National Educational Television.

nét amóunt *n.* 〖商〗 판매 가격.

nét·bàll *n.* Ⓤ 네트볼《축구공을 가지고 하는 농구 비슷한 구기(球技)》.

nét báll *n.* 〖테니스〗 네트 볼《네트에 맞고 들어간 서브·타구(打球) ; cf. NET[1] *n.* 5》.

nét doméstic próduct *n.* 〖經〗 국내 순생산.

nét económic wélfare *n.* 〖經〗 순(純)경제 복지도(度)《산업 오염방지 비용·여가의 증대 따위의 비물질 요인을 감안하여 수정한 국민 총생산에서 이루어지는 국가의 경제 척도》.

nét·fish·ing *n.* (주낙에 대한) 그물질, 투망질.

NETFS National Educational Television Film Service.

nét·fùl *n.* (*pl.* **~s**) 그물 하나 가득한 분량(의 것).

Neth. Netherlands.

neth·er [néðər] *attrib. a.* 아래의 ; 지하의, 지옥의 : the ~ lip 아랫입술 / the ~ man[person] 《戲》 발, 다리 / ~ garments 《戲》 바지.
〖OE *nithera* further down‹*nither* down ; cf. G *nieder*〗

Neth·er·land·er [néðərlæ̀ndər, -lən-] *n.* 네덜란드인.

Néth·er·lànd·ish [, -lən-] *a.* 네덜란드인[어]의.

Neth·er·lands [néðərləndz] *n.* [the ~] 네덜란드(☞ HOLLAND). ㊟ 보통 단수취급 : *The* ~ *is* a low-lying country. 네덜란드는 지대가 낮은 나라다. 단, 복수 취급할 때도 있음 : *The* ~ *are* washed by the North Sea. 네덜란드는 북해의 파도에 씻긴다.
-lànd·ian [-læ̀n-] *a.* **-lànd·ic** *a.*

Nétherlands Èast Índies *n. pl.* [the ~] 네덜란드령(領) 동인도 제도《현재의 인도네시아 공화국》.

néther·mòst [, -məst] *a.* 《文語》 최하의 : the ~ hell 지옥의 밑바닥.

néther régions *n. pl.* 지옥(netherworld).

néther·wòrld *n.* [the ~] **1** 명부, 저승. **2** 지옥. **3** 암흑가.

nét íncome *n.* 순수입, 순(이)익.

nét·kèep·er, nét·mìnd·er *n.* =GOALKEEPER.

nét·man *n.* 테니스 경기자 ; 〖테니스〗 (복식 경기의) 전위.

nét nátional próduct *n.* 〖經〗 국민 순생산《略 NNP, N.N.P. ; cf. GROSS NATIONAL PRODUCT》.

nét nátional wélfare *n.* 순(純)국민 복지법《略 NNW》.

nét prófit *n.* 순(이)익.

NETRC 《美》 National Educational Television and Radio Center.

nét-skìm·mer *n.* 〖테니스〗 네트를 스치듯이 넘어가는 타구(打球).

nett [nét] *a.* 《英》 =NET[2].

nét·ted *v.* NET[1]의 과거·과거분사.
—— *a.* 그물로 잡은 ; 그물로 싼 ; (창 따위가) 그물을 친 ; 그물(코) 모양의 ; 그물 세공의.

nét·ter *n.* (특히 고기잡이용의) 그물 제조자[사용자] ; 《美口》 테니스 선수.

Net·tie, Net·ty [néti] *n.* 여자 이름《Antoinette, Henrietta, Jeannette의 애칭》.

nét·ting *n.* Ⓤ 그물, 그물 세공 ; 그물 뜨기 ; 그물고기 잡이 : wire ~ 철망.

nétting nèedle *n.* 그물 뜨는 바늘.

net·tle [nétl] *n.* 〖植〗 쐐기풀 ; (일반적으로) 가시가 많은 식물 ; 초조하게[화나게] 하는 것.
cast [***throw***] one***'s frock to the nettles*** 목사를 그만두다.
grasp the nettle 자진해서 곤란과 싸우다.
—— *vt.* **1** [때때로 ~ one*self*] 쐐기풀로 찌르다. **2** 애태우다, 초조하게 하다.
nét·tler *n.*
〖OE *net*(*e*)*le* ; cf. G *Nessel*〗
類義語 ⟹ IRRITATE.

néttle-crèep·er *n.* 꾀꼬리의 일종.

néttle-gràsp·er *n.* 어려운 일에 대담하게 대처하는 사람.

néttle ràsh *n.* 〖醫〗 두드러기(urticaria).

néttle·some *a.* 초조하게 하는, 애태우는, 짜증나는 ; 화를 잘 내는.

nét tón *n.* =SHORT TON ; 순(純)톤.

nét tónnage *n.* (상선의) 순(純)톤수《과세 대상이 됨》.

nét·ty[1] *a.* 그물(코) 모양의, 그물 세공의. 〖NET[1]〗

netty[2] *n.* 《잉글랜드北東部》 변소. 〖?〗

nét wéight *n.* [the ~] 정미 중량, 순(純)중량 《略 nt. wt. ; cf. GROSS WEIGHT》.

***nét·wòrk** *n.* **1** Ⓤ 그물 세공, 망상 직물 ; 그물코, 그물 모양의 것. **2** Ⓒ 망상(網狀) 조직 ; 〖電〗 회로망 ; (상점 따위의) 체인 ; 연락망 ; 개인의 정보[연락]망 : a ~ of railroads 철도망. **3** Ⓒ 방송망, 네트워크 : TV ~*s* 텔레비전 방송망. —— *a.* (프로그램이) 네트워크 방송의. —— *vt.* (철도 따위를) 망상 조직으로 부설하다 ; 방송망을 형성하

다, 방송망으로 방송하다 ; (컴퓨터 따위를) 연결하여 망상으로 조직하다. —— *vi.* 망상조직을 형성하다 ; 개인적인 접촉·교섭을 이용하다.

nétwork àdvertising *n.* 〖廣告〗 네트워크 광고 《같은 프로그램을 동시에 방송하는 네트워크를 통해서 나오는 광고》.

nétwork anàlysis *n.* 〖數〗 회로(망) 해석 ; 〖經營〗 네트워크 분석《회로망 해석 방법을 이용하여 기술적·상업적인 프로젝트의 계획·관리를 분석하는 수법》.

nét·wòrk·ing *n.* 〖컴퓨〗 네트워킹《여러 대의 컴퓨터나 데이터 뱅크가 연결되어 있는 시스템》; (타인과의 교제 따위를 통한) 개인적 정보망의 형성.

nétwork of séismic státions *n.* 지진 관측망(網).

Neuf·châ·tel [njù:ʃətél ; *F* nøʃɑtɛl] *n.* 뇌샤텔 치즈(=∼ **chèese**)《연하고 흰 치즈》. 〖프랑스 북부의 도시〗

neume, neum [njú:m] *n.* 〖樂〗 네우마《중세의 성가 악보에 쓰이던 기호》.
neu·mat·ic [njumǽtik], **néu·mic** *a.*

neur- [njúər], **neu·ro-** [-rou, -rə] *comb. form* 「신경(조직)」「신경계」의 뜻. 〖NL<Gk. (↓)〗

neu·ral [njúərəl] *a.* 〖解〗 신경(계)의. **∼·ly** *adv.* 〖Gk. *neuron* nerve〗

neu·ral·gia [njuərǽldʒə] *n.* Ⓤ 〖醫〗 신경통.
neu·rál·gic *a.* 신경통성의. 〖NL〗

nèur·amín·ic ácid [-əmínik-] *n.* 〖生化〗 뉴라민산(酸)《시알산(酸)의 기본 구조의 하나로 일종의 아미노당(糖)》.

nèur·amín·i·dase [-əmínədèis, -z] *n.* 〖生化〗 뉴라미니다아제《뉴라민산을 가수분해하는 효소》.

nèur·asthénia *n.* Ⓤ 〖醫〗 신경 쇠약(증).
-asthénic *a., n.* 신경 쇠약의 (환자). 〖NL〗

neu·ra·tion [njuəréiʃən] *n.* =VENATION.

neu·ris·tor [njuərístər] *n.* 〖電子〗 뉴리스터《신호를 감쇠시키지 않고 전달하는 장치》.

neu·rite [njúərait] *n.* 〖解〗 신경돌기(axon).

neu·ri·tis [njuəráitəs] *n.* (*pl.* **-rit·i·des** [-rítədì:z], **∼·es**) Ⓤ 〖醫〗 신경염(炎).
neu·rít·ic [-rít-] *a., n.* 신경염의 (환자).

neuro- [njúərou, -rə] ☞ NEUR-.

nèuro·áctive *a.* 〖生理〗 신경 자극성의.

nèuro·biólogy *n.* Ⓤ 신경 생물학.
-biólogist *n.* **-biológical** *a.*

nèuro·blas·tó·ma [-blæstóumə] *n.* (*pl.* **∼s, -ma·ta** [-tə]) 〖醫〗 신경 아세포종.

nèuro·chémical *a.* 신경 화학의. —— *n.* 신경 화학 물질.

nèuro·chémistry *n.* Ⓤ 신경 화학. **-chémist** *n.*

nèuro·depréssive *a.* 〖醫〗 신경 억제성의.

nèuro·éndocrine *a.* 〖生理·解〗 신경 내분비(계)(神經內分泌(系))의.

nèuro·endocrinólogy *n.* 신경 내분비학.
-gist *n.* **-endocrinológical** *a.*

nèuro·ethólogy *n.* Ⓤ 신경 동물 행동학.

nèuro·genétics *n.* 신경 유전학.

nèuro·hormónal *a.* 〖生理〗 신경과 호르몬에 관한; 신경 호르몬의.

nèuro·hórmone *n.* 〖生理〗 신경 호르몬.

neurol. neurological ; neurology.

nèuro·lèpt·analgésia, -lèpto- *n.* 〖醫〗 신경 이완성 진통 상태 ; 신경 이완 마취(법).
-analgésic *a.*

neu·ro·lep·tic [njùərəléptik] *n.* 〖藥〗 신경 이완[차단]약. —— *a.* 신경 이완[차단]성의.

nèuro·linguístics *n.* 신경 언어학.

neu·rol·o·gy [njuərálədʒi] *n.* Ⓤ 〖醫〗 신경(병)학. **-gist** *n.* 신경과 전문의사.
nèu·ro·lóg·i·cal, -lóg·ic *a.* 신경학의. 〖NL〗

neu·rol·y·sis [njuərálәsәs] *n.* Ⓤ 〖醫〗 **1** (말초) 신경 마비 ; 신경 조직 붕괴. **2** 신경 피로. **3** 신경 박리(剝離)(술). **nèu·ro·lýt·ic** [-lít-] *a.*

neu·ro·ma [njuəróumə] *n.* (*pl.* **-ma·ta** [-tə], **∼s**) 〖醫〗 신경종(腫).

neu·ron [njúəran], **-rone** [-roun] *n.* 〖解〗 뉴런, 신경 단위. **néu·ro·nal** [-rənəl, -rou-] *a.*
-ron·ic [njuəránik] *a.* 〖NL〗

néuro·pàth *n.* 〖醫〗 신경 과민자, 신경 장애자 ; 신경병 소질자. **nèuro·páthic** *a.*

nèuro·pathólogy *n.* 〖醫〗 신경 병리학. **-gist** *n.* 신경 병리학자.

neu·rop·a·thy [njuərápəθi] *n.* Ⓤ 신경통, 신경장애. **-thist** *n.* 신경병 의사[전문가].

nèuro·pharmacólogy *n.* Ⓤ 신경 약리학.
-gist *n.* **-pharmacológic, -ical** *a.* **-ical·ly** *adv.*

nèuro·phýs·in [-fízi:n] *n.* 〖生化〗 뉴로피진《뇌 호르몬의 하나》.

nèuro·physiólogy *n.* Ⓤ 신경 생리학.
-gist *n.* **-physiológical** *a.* **-ical·ly** *adv.*

néuro·pròbe *n.* 신경침(針)《약한 전류를 통하여 환부를 찔러 자극을 주어 어깨·허리 따위의 통증을 치료함》.

nèuro·psychíatry *n.* Ⓤ 신경 정신병학.
-psychiátric *a.* 신경 정신병의.
-psychíatrist *n.* 신경 정신병 의사.
-rical·ly *adv.*

nèuro·psýchic, -chical *a.* 신경 심리(학적)의.

nèuro·psychósis *n.* 신경 정신병.
-psychótic *a.*

Neu·róp·tera *n. pl.* 맥시류(脈翅類).

neu·rop·ter·an [njuəráptərən] *a., n.* 맥시류의 (곤충). **neu·róp·ter·on** [-ràn] *n.* 맥시류의 곤충. **-róp·ter·ous** *a.* 맥시류의.

nèuro·régulator *n.* 〖生化〗 신경 조정 물질《신경 세포간의 전달에 작용하는 화학 물질》.

nèuro·scíence *n.* Ⓤ 신경 과학《주로 행동·학습에 관한 신경 조직 연구 제(諸) 분야의 총칭》.
-scíentist *n.*

nèuro·sénsory *a.* 〖生理·解〗 감각 신경의, 지각 신경의.

neu·ro·sis [njuəróusəs] *n.* (*pl.* **-ses** [-si:z]) 〖醫〗 신경증, 노이로제 ; 〖心〗 신경 감동. 〖NL〗

nèuro·súrgery *n.* Ⓤ 신경 외과(학). **-súrgeon** *n.* 신경 외과 의사. **-súrgical** *a.*

neu·rot·ic [njuərátik] *a.* 신경증[노이로제]에 걸린, 신경과민의 ; 신경(증)의 ; 비현실적인 사고에 빠진. —— *n.* 신경증 환자.
-i·cal·ly *adv.*

neu·rot·o·my [njuərátəmi] *n.* Ⓤ 〖醫〗 신경 절제(술) ; 신경 해부학. **-mist** *n.* 신경 해부가.
neu·ro·tom·i·cal [njùərətámikəl] *a.*

nèuro·transmítter *n.* 〖生理〗 신경 전달 물질.
-transmíssion *n.*

neus·ton [njú:stan] *n.* 〖生態〗 수면 생물《수면에 부유하는 미생물의 군취(群聚)》. **néus·tic** *a.*

neut. neuter ; neutral.

neu·ter [njú:tər] *a.* **1** 〖文法〗 중성(中性)의 (cf. MASCULINE, FEMININE) ; (동사가) 자동의 : the ∼ gender 중성. **2** 중성의, 무성(無性)의. **3** 중립의 (neutral) : stand ∼ 중립을 지키다.
—— *n.* **1** 〖文法〗 **a)** 중성. **b)** 중성 명사[대명사·형용사] ; 자동사. **2** 무생식 암컷《일벌·일개

미 따위》; 거세 동물 ; 무[중]성 식물. **3** 《稀》 중립자. —— *vt.* (동물을) 거세하다.
〚OF or L (*ne-* not, *uter* either)〛
neu·ter·cane [njú:tərkèin] *n.* 〔氣〕 뉴터케인《허리케인이나 전선성(前線性) 폭풍우에 속하지 않는 아열대성 저기압》.
***neu·tral** [njú:trəl] *a.* **1** (국외(局外)) 중립의 ; 중립국의 : a ~ nation[state] 중립국 / a ~ zone 중립 지대. **2** 불편 부당의, 편파적이 아닌, 공평한 ; 중용의 : take a ~ stand 중립적 입장을 취하다. **3** (종류 · 특징이) 뚜렷하지 않은, 애매한. **4** (빛깔이) 우중충한, 회색빛의 ; 〔電 · 化〕 중성(中性)의 : a ~ tint 중간색, 엷은 회색. **5** 〔音聲〕 (모음이) 애매한, 중간음의 : a ~ vowel 중간[중성] 모음《[ə]》. **6** 〔植 · 動〕 암수 구별이 없는. —— *n.* **1** 중립국(민) ; 중립자. **2** Ⓤ 〔機〕 (기어의) 중립 위치, 뉴트럴 기어 : in ~ 중립 위치에서.
~·ly *adv.* 중립적으로. **~·ness** *n.*
〚F or L=of neuter gender ; ⇨ NEUTER〛
néutral córner *n.* 〔拳〕 중립 코너.
néutral cúrrent *n.* 〔理〕 중립적 소립자류(流).
néutral·ìsm *n.* Ⓤ 중립주의[태도, 정책, 표명].
-ist *n.* 중립주의자. **nèu·tral·ís·tic** *a.*
neu·tral·i·ty [nju:trǽləti] *n.* **1** Ⓤ 중립 (상태) ; 국외(局外) 중립 ; 불편 부당 : armed[strict] ~ 무장[엄정] 중립. **2** Ⓤ 중성(中性).
nèutral·izátion *n.* Ⓤ 중립화, 중립 (상태) ; 〔化〕 중화(中和) ; 무효화.
néutral·ìze *vt.* **1** (지대 · 나라 따위를) 중립화시키다. **2** 무효가 되게 하다, …의 효력을 없애다 ; 〔化〕 중화시키다 ; 〔軍〕 …의 행동을 제압하다 : Alkalis ~ acids. 알칼리는 산을 중화시킨다 / a *neutralizing* agent 중화제(劑). —— *vi.* 중화[중립화]하다. **-ìz·er** *n.* 중립시키는[무효로 하는] 것, 중화물[제] ; (퍼머넌트의) 중화액.
néutral méson *n.* =NEUTRETTO.
néutral mutátion *n.* 〔遺〕 중립 돌연 변이.
néutral spírits *n.* [단수 · 복수 취급] 중성 스피릿《95도 이상의 순수 알코올 ; 보통 다른 술과 섞어서 마심》.
neu·tret·to [nju:trétou] *n.* (*pl.* **~s**) 〔理〕 중성 중간자.
neu·tri·no [nju:trí:nou] *n.* (*pl.* **~s**) 〔理〕 중성 미자(微子)《일렉트론과 같은 질량》.
〚It. (dim.) ‹ *neutro* neutral ; ⇨ NEUTER〛
neu·tro- [njú:trou, -trə] *comb. form* 「NEUTRAL」의 뜻.
Neu·tro·dyne [njú:trədàin] *n.* 〔通信〕 진공관식 라디오 수신 장치《상표명》.
neu·tron [njú:trɑn] *n.* 〔理〕 중성자.
〚? *neutral*+*-on*〛
néutron activàtion anàlysis *n.* 〔理〕 중성자 방사화 분석《범죄 수사에 쓰임 ; 略 NAA》.
néutron bòmb *n.* 중성자탄.
néutron pòison *n.* 〔理〕 중성자 독(毒)[반응 저해 물질]《리튬 따위》.
néutron radiògraphy *n.* 〔理〕 중성자 방사선 사진법[라디오그래피].
néutron stàr *n.* 〔天〕 중성자 별.
Nev. Nevada.
Ne·va·da [nəvǽdə, -vɑ́:- ; nivɑ́:də] *n.* 네바다《미국 서부의 주 ; 주도 Carson City ; 略 Nev., NV》.
Ne·vá·dan, Ne·vá·di·an *a.*, *n.* Nevada 주의 (사람).
né·vé [neivéi ; névei] *n.* Ⓤ 입상(粒狀) 만년설《빙하의 상층부를 이루는 반동설(半凍雪)》 ; Ⓒ 만년설로 덮인 설원(雪原). 〚F〛

◇**nev·er** [névər] *adv.* **1** 일찍이 …(한 적이) 없다, 한번도 …하지 않다(cf. EVER 1 a)) : He ~ gets up early. 일찍 일어나 본 적이 없다 / I have ~ seen a lion. 아직도 사자를 본 적이 없다 / She seldom or ~ scolds her children. 여간해서 아이들을 꾸짖지 않는다. **2** [not보다 강한 부정] 결코 …하지 않다(not at all) : ~ a one 누구 한사람 …하지 않다 / *N*~ mind! ☞ MIND *vi.* 2 / He ~ breaks his promise. 약속을 어기는 일이 결코 없다 / I had ~ a cent. 단돈 1센트도 없었다 / She ~ so much as spoke. 입도 떼지 않았다. **3** 《口》 [의문 · 놀람을 나타내어] 설마 …은 아니겠지 : You have ~ lost the key! 설마 열쇠를 잃어버린 것은 아니겠지! ㈜ never가 강조되어 문장 첫머리에 오면 주어와 동사의 위치가 바뀜 : *N*~ shall I forget your words. 당신의 말씀은 결코 잊지 않겠습니다 / *N*~ did I dream that he had told a lie. 그가 거짓말을 했으리라고는 꿈에도 생각지 않았다 / *N*~ have I heard of such a thing. 그런 일은 (소문으로도) 들어본 적이 없다.
Better late than never. ☞ LATE *adv.* 1.
Never is a long day [***time, word***]. 결코라는 말은 선불리 하는 것이 아니다.
never so 《古》 매우 ; [양보절 중에서] 가령 아무리 …일지라도(ever so) : She would not marry him, though he were ~ *so* rich. 그가 아무리 부자일지라도 그녀는 그와 결혼하려고 하지 않았다.
Never [***Don't***] ***tell me*** (that...)! ☞ TELL.
never the... [비교급을 수반하여] (…라고 해도) 조금도 …않다(cf. THE²) : I am ~ *the wiser* (=none the wiser) for it. 그래도 조금도 모르겠다《모르기는 전과 같다》.
Well, I never! =***I never did!*** 어머 정말 놀랍군요!, 설마!

〈회화〉
Is she an acquaintance of yours? — No. I've *never* met her. 「그녀와 아는 사이니」「아냐. 만나본 적도 없어」

〚OE *nǽfre* (*ne* not, *ǽfre* EVER)〛
néver-énd·ing *a.* 끝없는, 영원한.
néver-fáil·ing *a.* 없어지지 않는, 무진장한 ; 변하지 않는.
néver-gèt-óvers *n. pl.* 《美方》 중병(重病).
nèver·mínd [ˌ ─́] *n.* [부정 구문] 《方》 **1** 주목, 고려. **2** 책임, 용무 : Pay him *no* ~. 그의 일에 상관하지 마라 / It's *no* ~ of yours. 네가 상관할 일이 아니다.
nèver·móre *adv.* 두번 다시 …하지 않다(never again).
néver-néver *n.* **1** =NEVER-NEVER LAND. **2** [the ~] 《英口》 분할 지불 : on *the* ~ (plan, system) 분할 지불로. —— *a.* 상상상의, 가공의, 비현실의.
néver-néver lànd[**cóuntry**] *n.* 오스트레일리아의 Queensland 북서부의 인구가 적은 곳 ; 외딴[인적이 드문] 곳, 불모지 ; 공상적[이상적]인 곳[상태].
néver-sày-díe *a.* 굴하지 않는, 지기 싫어하는 : a ~ spirit 불굴의 정신.
***nèver·the·léss** *adv.*, *conj.* 그럼에도 불구하고, 그래도 역시, 그렇지만(yet).
néver-wás *n.* (*pl.* **néver-wéres**) 세상에 이름을 떨쳐보지 못한 사람, 뜻을 펴보지 못한 사람.
néver-wúz(**·zer**) [-wʌ́z(ər)] *n.* 《美俗》 = NEVER-WAS.
Nev·il(le), Nev·ile, Nev·ill [névil] *n.* 남자

이름.
〖OAF *Neville* in Normandy ; L=new town〗

Ne·vis [níːvəs, névəs] *n.* **1** 네비스《서인도 제도 동쪽 Leeward 제도의 섬》. **2** [névəs] ☞ BEN NEVIS.

ne·vus, nae- [níːvəs] *n.* (*pl.* **-vi** [-vai]) 〔醫〕 모반(birthmark) ; (널리) 반점. **ne·void** [níːvɔid] *a.* 모반(母斑)의, 반점의. 〖L〗

◇**new** [njúː] *a.* **1** 새로운(↔*old*), 이제까지 없는. **2** 새로운 발견의, 처음 듣는 : ~ planets 신행성《천왕성·해왕성·명왕성》/ That information is ~ *to* me. 그 정보는 처음 듣는다. **3** 새로 입수한, 아직 쓰지 않은, 신품의(unused) : a ~ towel. **4** 새로워진, 갱생한 : lead a ~ life 새 생활을 하다 / ☞ NEW MAN. **5** 새로 온, 신임의 : He is the ~ teacher. 그는 새로 오신 선생님이다 / *N*~ lord, ~ laws. 《속담》 주인이 바뀌면 법도 바뀐다. **6** [the ~] 현[근]대적인, 신식의 ; 최신 유행의 : *the* ~ education 신교육 / *the* ~ physics 신[원자] 물리학. **7** [N~] 〔言〕 근세[근대]의. **8** 새로이 생산된, 갓 나온[만들어진] : ~ rice 햅쌀. **9** 새로이 시작되는, 다음의 : a ~ chapter. **10** 아직 익숙지 않은, 미지의, 경험이 없는, 풋내기의(cf. 2) : I am ~ *to* this district[business]. 이 지방[일]은 처음이다.

as new (팔 것 따위) 신품과 똑같이.

new from... 갓[막] …한 : a maidservant ~ *from* the country 시골에서 갓 올라온[경험없는] 가정부.

What's new ? 어떠십니까 ?《인사말》; 뭐 별다른 일이라도 있습니까 ?

〈회화〉
How do you like my *new* dress ? — I really like it.「내 새 드레스 어때요」「내 마음에 쏙 드는데」

— *adv.* =NEWLY. ㊟ 주로 과거 분사와 함께 복합어를 만듦 : ☞ NEWBORN, NEW-MOWN.

— *n.* [the ~] 새로운 것[일].

~·ness *n.*

〖OE *nīwe* ; cf. G *neu*, L *novus*, Gk. *neos*〗

類義語 ***new*** old에 대하여 이전에는 존재하지 않았던 것, 처음으로 발생[출현]한 것을 나타냄 ; 가장 보편적인 말 : a *new* car[dress] (새 자동차[옷]). ***fresh*** 새롭고 아직 원래의 형태·성질·생기·신선함이 사라지지 않은 : *fresh* meat [milk] (신선한 고기[우유]). ***novel*** 새로운 데다가 보통[지금까지]의 것과는 다른 매우 진기[기묘]한 성질을 가진 : a *novel* design (참신한 디자인). ***modern*** 옛 것과 달리 현대의 특징을 나타내는 성질을 가진, 구식이 아니고 최신식인 : the *modern* painting (현대 미술). ***original*** 새로울 뿐만 아니라 그 종류로서는 최초인 : an *original* idea (독창적인 아이디어).

NEW 〔經〕 net economic welfare.

Néw Álchemist *n.* 유기(有機) 농업 추진자《유해 농약을 쓰지 않는》.

Nèw Ámsterdam *n.* 뉴암스테르담《네덜란드령 당시의 New York의 이름》.

néw archaeólogy *n.* 신고고학《기술적·통계적인 방법을 응용하는 고고학》.

New·ark [njúːərk] *n.* 뉴어크《미국 New Jersey 주의 가장 큰 도시》.

Néw·bery awàrd [njúːbèri-, -bəri- ; -bəri-] *n.* 뉴베리 상《매년 미국의 최우수 아동 도서에 수여》. 〖John *Newbery* (d. 1767) 영국의 아동 도서 출판업자〗

néw blóod *n.* (새로운 활력[사상]의 원천으로서의) 젊은 사람들, 신인들.

néw·blówn *a.* 갓 피어난.

néw·bórn *a.* 갓 태어난 ; 신생의, 부활한. — *n.* (*pl.* ~, ~**s**) 신생아.

néw bóy[**búg**] *n.* 신입 사원, 신참자.

Nèw Brítain *n.* 뉴브리튼《남태평양 비스마르크 제도에서 가장 큰 섬》.

néw bróom *n.* 개혁에 열중하는 사람[신임자]. 〖A *new broom* sweeps clean. 《속담》 신임자는 개혁에 열성적인 법이다〗

Nèw Brúns·wick [-brʌ́nzwik] *n.* 뉴브런즈윅《캐나다 남동부의 주(州) ; 주도 Fredericton ; 略 N.B.》.

néw-búilt *a.* 새로 건축한.

New·burg, New·burgh [njúːbəːrg ; -bərə] *a.* 뉴버그풍의《버터·포도주·생크림·계란 노른자로 만든 소스를 사용한 요리》: lobster ~ 뉴버그식 새우 요리.

Nèw Caledónia *n.* 뉴칼레도니아《오스트레일리아 동쪽의 섬》.

Néw·càstle *n.* 뉴캐슬《잉글랜드 북부의 항구 도시, 석탄 수출항으로 유명 ; 정식명은 Newcastle upon Tyne [-táin]》.

carry coals to Newcastle ☞ COAL.

Néwcastle disèase *n.* 〔獸醫〕 뉴캐슬병《바이러스성 가금병(家禽病)》.

Néw Chrístian *n.* =MARRANO.

néw·cóined *a.* (화폐·어구(語句) 따위) 새로 만든, 신조(어)의.

néw·còme *a.* 새로 온, 신참의.

néw·còmer *n.* 신참자 ; 초심자.

Néw Cómmonwealth *n.* [the ~] 신영연방《1954년 이후 독립하여 영연방에 가입한 나라들》.

Néw Críticism *n.* [보통 the ~] 신비평《작가의 전기적 사실 따위보다 작품의 형상·상징 따위의 심미적(審美的) 요소 분석에 주안을 두는 문예 비평》. **Néw Crític** *n.* 신비평가《New Criticism을 하는》.

Néw Déal *n.* [the ~] 뉴 딜, 신경제 정책《1933년 미국 대통령 F. D. Roosevelt가 시작한 사회 보장과 경제 부흥을 주로 한 혁신 정책》.

Nèw Déal·er *n.* New Deal 정책의 지지자.

Nèw Délhi *n.* 뉴델리《인도의 수도》.

néw drúg *n.* (안전성이나 유효성을 전문가에게 아직 인정받지 않은) 새로운 약.

Néw Económic Pólicy *n.* [the ~] (구소련의) 신경제 정책, 네프《작은 기업체나 공장의 사유(私有)를 허용하고 개인의 상업 활동을 합법화하여 임금 제도를 부활시켰던 정책(1921-27) ; 略 N.E.P., NEP, Nep》.

néw económics *n.* (케인스 이론의 논리적 연장으로서의) 신경제학, 뉴 이코노믹스.

new·el [njúːəl] *n.* 〔建〕 (나선형 계단의) 엄지 기둥 ; 보통 계단의 난간 끝의 기둥.
〖OF <L (dim.) ‹ *nodus* knot〗

Nèw Éngland *n.* 뉴잉글랜드《미국 북동부의 여섯 주 Connecticut, Massachusetts, Rhode Island, Vermont, New Hampshire, Maine》.
Nèw Énglander *n.* 뉴잉글랜드 지방 사람.

Néw Énglish *n.* 신영어《1500년경 이후의 영어 (Modern English), 또는 1750년 이후의 영어》.

Nèw Énglish Bíble *n.* [the ~] 신영역 성서《신약은1961년, 신·구약합본은1970년에간행 ; 略 N.E.B.》.

Newf. Newfoundland.

néw fáce *n.* (정계·영화계 따위의) 신인 ; 미용

정형(整形)을 한 얼굴.
néw-fállen *a.* 갓 내린 : ~ snow 갓 내린 눈.
new·fan·gled [njú:fǽŋgəld] *a.* 신기한 것을 좋아하는 ; 신식의, 최신 유행의(cf. OLD-FASHIONED) : a very ~ idea 아주 신기한 사상.
~·ly *adv.* **~·ness** *n.*
〖*newfangle* (dial.) < ME = liking new things (NEW, *-fangel* < OE (p.p.) ‹*fon* to take)〗
néw·fáshioned *a.* 신식의, 최신 유행하는(cf. OLD-FASHIONED).
Néw Féderalism *n.* 신연방주의《(1) 미대통령 Nixon의 제창으로 시작된 주권(州權) 확장 정책. (2) 주(州) (이하의 지방 자치제)의 행정에 대한 연방 정부의 역할을 축소·폐지하려는 Reagan 정권의 정책》.
néw·fóund *a.* 새로 발견된 ; 최근 현저하게 된.
New·found·land [njú:fənd*l*ənd, -lǽnd, nju:fáundlənd, njù:fənd*l*ǽnd] *n.* **1** 뉴펀들랜드《캐나다 동안(東岸)의 섬 ; 略 N.F., NFD, Nfd., Newf.》. **2** [njú:fən*d*lənd, -lǽnd, nju:fáun*d*lənd] 그 섬 원산의 큰 개의 일종(=~ **dóg**).
New·found·land·er [njú:fəndləndə*r*, -lǽnd-, --lǽn-, nju:fáundləndə*r*] *n.* 뉴펀들랜드 사람 ; 뉴펀들랜드의 배.
Néw Frontíer *n.* [the ~] 뉴 프런티어《미국 대통령 J. F. Kennedy가 행한 적극적 정책》.
Néw Frontíersman *n.* New Frontier 정책의 주창자.
New·gate [njú:geit, -gət] *n.* 뉴게이트《1902년까지 있었던 London의 유명한 교도소》.
a Newgate bird 《英俗》 죄수.
Néwgate fríll[**frínge**] *n.* 얼굴 가장자리[(특히) 턱밑]에만 기른 수염.
Néwgate knócker *n.* 《英》 (과일류 행상인 등이 기르는) 관자놀이에서 귀쪽으로 만 머리털.
Nèw Guínea *n.* 뉴기니《Australia 북쪽의 섬 ; 略 N.G.》.
Nèw Hámpshire *n.* 뉴햄프셔《미국 New England의 주(州) ; 주도 Concord ; 略 N.H., NH》.
~·man [-mən] *n.* New Hampshire의 주민.
New Ha·ven [njù:héivən] *n.* 뉴 헤 이 번《미국 Connecticut 주(州)에 있는 항구 도시 ; Yale 대학 소재지》.
néw hígh *n.* 〖證〗 신고가 ; 최고[신]기록.
Néw Hígh Gérman *n.* 신[근대]고지 독일어.
new·ie [njú:i] *n.* 무엇인가 새로운 것.
néw·ish *a.* 약간 새로운.
néw íssue *n.* 신규 발행 채권.
Nèw Jérsey *n.* 뉴저지《미국 동부의 주(州) ; 주도 Trenton ; 略 N.J., NJ》.
Nèw Jérsey·ite *n.* New Jersey의 사람.
Néw Jerúsalem *n.* **1** [the ~] 〖聖〗 새 예루살렘《성도(聖都)·천국(heaven) ; 요한계시록 21 : 2, 10》. **2** 지상 낙원.
Néw Jóurnalism *n.* 신저널리즘《객관성·간결성 위주의 종래 저널리즘에 대하여, 기자의 주관적 참가, 심리적 추측 따위가 특징》.
néw-láid *a.* 갓 낳은《달걀》.
Néw Látin *n.* 근대 라틴어《1500년 이후》.
Néw Léarning *n.* [the ~] 신학문, 학예 부흥《문예 부흥에 자극을 받아 일어난 그리스 고전 및 성서의 원전에 대한 연구》.
Néw Léft *n.* [the ~] 《美》 신좌익(左翼)(파).
new líght *n.* (종교상의) 새로운 교리를 신봉하는 사람.
néw lóok *n.* 새로운 양식[체제 따위].
néw lów *n.* 〖證〗 새로운 최저 가격 ; 최저 기록 (cf. NEW HIGH).
***néw·ly** *adv.* 최근 ; 새로이, 다시 ; 새로운 양식[방법]으로.
néwly indústrializing cóuntries *n.* 신흥 공업국《略 NICS》.
néw·ly·wèd *n.* 《美口》 갓 결혼한 사람 ; [*pl.*] 신혼 부부. —— *a.* 신혼의.
New M. New Mexico.
néw-máde *a.* 갓 만든 ; 다시 만든.
néw mán *n.* 신인(新人) ; 신임자 ; 〖宗〗 개종자 : make a ~ of …을 개종시키다 / put on the ~ 개종하다, 종교에 귀의(歸依)하다.
Néw·màrket *n.* **1** [보통 n~] (몸에 꼭 맞는) 외출용 긴 외투. **2** [때때로 n~] 카드 놀이의 일종. **3** 뉴마켓《Cambridgeshire의 도시》.
néw-márried *a.* 신혼의.
néw máth *n.* 신수학《특히 미국에서 집합론에 기초한 초등 교육법》.
néw média *n.* 새로운 정보 전달 수단, 뉴 미디어《신소재·전자 기기 따위에 의한》.
Nèw México *n.* 뉴멕시코《미국 남서부의 주 ; 주도 Santa Fe ; 略 N. Mex., N.M., NM》.
Nèw Méxican *a., n.* 뉴멕시코 주의 (사람).
néw-mínt *vt.* **1** (주화를) 새로 주조하다. **2** (말 따위에) 새로운 의미를 부가하다.
néw-módel *vt.* 다시[새로] 만들다 ; …의 형(型)을 새로이 하다, 다시 편성하다.
—— *a.* 신형의.
néw móney *n.* 〖經〗 신규 차입 자금《국제은행 따위에 의한》.
néw móon *n.* 초승달 ; 〖聖〗 (유태인의) 신월제(新月祭)《이사야 1 : 13》.
néw-mówn *a.* 갓 베어낸.
Néw Néw Críticism *n.* 프랑스의 새로운 철학 사조의 영향을 받아 1980년대 미국 예일 대학 등을 중심으로 확산된 새로운 문학 텍스트 분석 방법을 일컫는 명칭.
néw òne *n.* 《口》 최초의 체험 : ~ on me 나의 최초의 체험.
néw órder *n.* 새 질서, 신체제 ; [the N~ O~] (나치스 독일의) 신질서.
New Or·le·ans [njù:ɔ́:*r*liənz, -ɔ:*r*lí:nz] *n.* 뉴올리언스《미국 Louisiana 주 남동부, Mississippi 강가의 항구 도시》.
néw·pènny *n.* (*pl.* **-pènnies, -pènce**) 《英》 신(新)페니《1971년 실시된 새 화폐 ; 1파운드의 100분의 1》.
néw-póor *n.* [the ~] 최근에 영락한 사람들, 사양족(斜陽族).
néw próduct *n.* 〖마케팅〗 신제품《새로운 상품이나 서비스》.
Néw Réalism *n.* 〖哲〗 (20세기 영·미의) 신사실주의(neorealism).
néw-rích *n., a.* (벼락) 부자(의), 신흥 부호(의).
Néw Ríght *n.* [the ~] 신우익.
Néw Romántic *n.* **1** 의상과 음악의 융합을 시도한 록 음악《음악 자체는 댄스 음악으로 punk rock의 일종》. **2** 〖服〗 중세의 취향에 현대적 요소를 가미한 패션 경향《해적 룩(pirate look)은 이 것의 하나》.
Néw Románticism *n.* 화려한 의상과 전자 악기로 전개하는 New Wave계의 록 음악.
◇**news** [njú:z] *n.* **1** Ⓤ [+*that* 節 / +(前+) *wh.* 節·句] (새로운) 보도, 새소식, 뉴스, 정보, 소문, 진문(珍聞), 기사(記事) ; 소식 : a piece[a bit, an item] of ~ 한 토막의 보도 / foreign [home] ~ 해외[국내] 뉴스 / bad[good] ~ 흉보

[길보] / ~ *from* London 런던 소식 / break the ~ *to* …에게 뉴스[흉보·뜻밖의 소식]를 전하다 / Bad ~ travels quickly.=Ill ~ flies apace. 《속담》 나쁜 소문은 빨리 퍼진다 / No ~ is good ~. 《속담》 무소식이 희소식 / The latest ~ is quite welcome. 최근의 뉴스는 아주 반가운 소식이다 / Here is a summary of the ~[a ~ summary]. 〖放送〗 간추린 뉴스를 말씀드리겠습니다 / That is quite[no] ~ *to* me. 금시 초문이다[뉴스 거리가 못된다] / The ~ *of* her son's injury[The ~ *that* her son had been injured] was a shock to her. 아들이 부상당했다는 소식에 그녀는 몹시 충격을 받았다 / The ~ *of how* they managed to get over the difficulties rapidly spread over the whole nation. 그들이 어떻게 그 어려움을 극복했는가하는 뉴스는 곧 온 국민에게 알려졌다. **2** Ⓤ 별다른 일, 재미있는 일, 흥미있는 사건 : Is there any ~? 뭐 재미있는 일 없어. **3** Ⓤ …신문《신문 이름》: The Daily *N*~ 데일리 뉴스지(紙)《미국 시카고 발행의 석간 신문》.
── *vt.* 뉴스로 전하다. ── *vi.* 뉴스를 말하다.
〖ME (pl.) ‹NEW ; OF *noveles*, L *nova* (pl.) ‹ *novus* new의 영향〗

néws àgency *n.* 통신사 ; 신문 잡지 판매소.
néws·àgent *n.* 《英》 신문[잡지] 판매인.
néws ànalyst *n.* 시사[뉴스] 해설자.
néws·bèat *n.* (신문 기자 등의) 취재범위, 담당 출입처[구역].
néws blàckout *n.* 보도 관제, 발표 금지.
néws·bòard *n.* (신문·보도 따위) 게시판.
néws·bòy *n.* 신문 파는 아이[배달인], 신문 배달 소년(paper boy).

〈회화〉
Who was that you were speaking to this morning?—It was the *newsboy.* 「오늘 아침 네가 이야기를 걸고 있던 사람은 누구였니」「신문배달 소년이었어」

néws·brèak *n.* 보도 가치가 있는 일[사건].
néws búlletin *n.* 《英》 뉴스 방송.
néws·càst *n.* (라디오·텔레비전의) 뉴스 방송.
── *vt., vi.* (뉴스를) 방송하다. **~·er** *n.* 〖放送〗 뉴스 해설[방송]원[자], 뉴스 캐스터. **~·ing** *n.* Ⓤ 뉴스 방송.
néws cínema *n.* 《英》 =NEWS THEATER.
néws còmmentator *n.* 시사 해설자.
néws cònference *n.* 《美》 기자 회견.
Néw Scótland Yárd *n.* 《英》 런던 경찰청.
néws·dèal·er *n.* 《美》 =NEWSAGENT.
néws èditor *n.* (일간 신문의) 기사 편집자.
néws fìlm *n.* =NEWSREEL.
néws flàsh *n.* 〖라디오·TV〗 뉴스 속보.
néws·hàwk *n.* 《美口》 =NEWSHOUND.
néws·hèn *n.* 《美口》 (신문사의) 여기자.
néws hòle *n.* 《美》 (신문·잡지의) 기사 스페이스《광고란에 대한》.
néws·hòund *n.* 《美口》 (신문·시사 잡지 따위의) 기자, (널리) 보도원.
néws·less *a.* 뉴스가 없는.
néws·lètter *n.* **1** (회사·단체·관청 따위의) 회람, 회보, 사보, 연보, 월보. **2** 〖史〗 회람 신문《17세기에 London에서 지방 구독자에게 시사 문제를 써서 보낸 주간(週刊) 편지식 신문으로 현대 신문의 전신》.
néws·magazìne [ˌ ⌐ˊ-‐] *n.* 시사 잡지.
néws·màker *n.* 《美》 기삿거리가 되는 사람[사건, 것].
néws·man [-mən, -mæ̀n] *n.* (*pl.* **-men** [-mən, -mèn]) 취재 기자 ; 신문 판매인.
néws·màp *n.* 뉴스 지도《시사적인 사건에 관한 해설과 삽화를 곁들인 정기 간행 지도》.
néws·mèdia *n. pl.* 뉴스미디어《신문·라디오·텔레비전 따위》.
Néw Smóking Matèrial *n.* 《英》 뉴 스모킹 머티리얼《셀룰로오스를 주성분으로 한 담배 대용품 ; 궐련용(用) ; 略 NSM》.
néws·mònger *n.* 소문 퍼뜨리기 좋아하는 사람 ; 수다쟁이. **~·ing** *n.*
Néw Sòuth Wáles *n.* 뉴사우스웨일스《오스트레일리아 남동부에 있는 주(州) ; 주도 Sydney ; 略 N.S.W.》.
◇**néws·pàper** [njú:z-, -s- ; njú:s-] *n.* **1** 신문(지) : a daily[weekly] ~ 일간[주간] 신문 / He reads *the* ~ every day. 그는 신문을 매일 읽는다. **2** Ⓤ =NEWSPRINT. **3** 신문사. ── *vi.* 신문 업무에 종사하다. **~·dom** *n.* Ⓤ 신문계(界).
néws·pàper·bòy *n.* =NEWSBOY.
néws·pàper·ing *n.* Ⓤ 신문 사업[경영] ; 신문의 편집 방법 ; 저널리즘.
néws·pàper·màn *n.* 신문 기자[편집자], 신문인(人) ; 신문 경영자[발행인].
néwspaper vèndor *n.* 신문 판매기 ; =NEWSDEALER.
néws·pàper·wòman *n.* 여기자.
néw·spèak *n.* [때때로 N~] (정부 관리 등이 여론 조작을 위해 쓰는) 일부러 애매하게 말하여 사람을 기만하는 표현법.
〖G. Orwell의 소설 *1984*에서〗
néws pèg *n.* 읽을거리·기삿거리가 되는 흥미있는 사건.
néws·pèrson *n.* (신문) 기자, 특파원, 리포터, 뉴스캐스터.
néws·prìnt *n.* 신문 (인쇄) 용지.
néw·sprúng *a.* (갑자기) 나타난, 갑자기 발생한.
néws·rèad·er *n.* 《英》 =NEWSCASTER ; 신문 독자(讀者).
néws·rèel *n.* (단편의) 뉴스 영화.
néws relèase *n.* (성명서 따위를 미리 나누어주는) 보도 자료.
néws·ròom *n.* (신문사·방송국의) 뉴스 편집실 (cf. CITY ROOM) ; 신문·잡지 열람실 ; 신문·잡지 판매장.
néws sàtellite *n.* 통신 위성.
néws sèrvice *n.* 통신사(news agency).
néws·shèet *n.* (둘로 접지 않은) 전지(全紙) 신문 ; =NEWSLETTER.
néws sóurce *n.* 뉴스 원, 신문 정보 제공자.
néws·stàll *n.* 《英》 =NEWSSTAND.
néws·stànd *n.* 신문[잡지] 판매대[장].
néws stòry *n.* 신문[뉴스] 기사.
néw stár *n.* 〖天〗 신성(nova).
néws théater *n.* 뉴스 영화관(=《英》 news cinema).
Néw Stóne Àge *n.* [the ~] 〖考古〗 신석기(新石器) 시대.
Néw Stýle *n.* [the ~] 신력(新曆), 그레고리력(曆) 《略 N.S. ; cf. OLD STYLE》.
néws vàlue *n.* 보도 가치.
néws vèndor *n.* 신문 판매인.
néws·wèek·ly *n.* 주간 신문, 시사 주간지 : a financial ~ 재계(財界) 뉴스 주간지.
néws·wòman *n.* 여성(신문) 기자 ; 신문 잡지의 여자 판매원.
néws·wòrthy *a.* 보도 가치가 있는, 신문 기삿거

리가 되는. **-wòrthiness** *n.*

néws·wrìter *n.* 신문 기자.

néwsy *a.* 《口》 뉴스가 많은, 화제가 풍부한 ; 수다스러운. —— *n.* (*pl.* **néws·ies**) 《美口》 = NEWSBOY ; =NEWSCASTER. **néws·i·ness** *n.*

newt [njúːt] *n.* 〖動〗 영원 《도롱뇽의 일종》 ; 《美俗》 바보, 얼간이.

pissed [***tight, drunk***] ***as a newt*** 《口》 곤드레 만드레 취해.

〚*a newt* (이분석(異分析)) ‹ *an ewt* (=*ewet* EFT); cf. NICKNAME, NONCE〛

New Test. New Testament.

Néw Téstament *n.* [the ~] 〖聖〗 신약 성서 (cf. OLD TESTAMENT).

Néw Thóught *n.* 신사상《올바른 사고에 의해서 과오·병 따위를 치료한다는 정신요법의 일종》.

New·ton [njúːtn] *n.* **1** 남자 이름. **2** 뉴턴. **Isaac** ~ (1642-1727) 영국의 물리학자·수학자, 만유인력·미적분의 발견자. 〚OE=new town〛

New·to·ni·an [njuːtóuniən] *a.* 뉴턴(의 학설·발견)의. —— *n.* 뉴턴의 학설을 신봉하는 사람 ; 뉴턴식 반사 망원경.

néw tówn *n.* [때때로 N~ T~] 교외[변두리] 주택 단지 (cf. SATELLITE TOWN).

Néw Vérsion *n.* 신역(新譯).

néw wáve *n.* **1** [때로 N~ W~] (예술·정치 따위의) 새로운 경향, 뉴 웨이브, =NOUVELLE VAGUE. **2** 뉴 웨이브《1970년대 말기의 단순한 리듬·하모니·강한 비트를 특징으로 하는 록》.

néw wóman *n.* [the ~] (특히 19세기 말의 자유와 독립을 외친) 신여성.

néw-wórld *a.* 신대륙의, 아메리카 대륙의 (cf. OLD-WORLD).

Néw Wórld *n.* [the ~] 신대륙《서반구, 특히 남북 아메리카 대륙 ; cf. OLD WORLD》.

néw wórld informátion òrder *n.* 신세계 정보 질서《1980년 유네스코 총회가 통신·정보 분야에서 기자의 윤리 강령이나 기자 면허제 따위를 포함시킨 결의 ; 미국의 유네스코 탈퇴의 한 원인》.

◇**Néw Yéar** *n.* [때때로 the n~ y~] 새해, 신년 ; 설날(과 그 뒤의 며칠간) : the ~'s greetings [wishes] 새해의 인사, 연하(年賀) / a ~'s gift 새해 선물 / ~'s Day[《美》 *New Year*'s] 설날《미국·캐나다·스코틀랜드에서는 법정 휴일》/ ~'s Eve 섣달 그믐날.

〈회화〉
I wish you a happy *New Year.* — The same to you. 「새해 복 많이 받아라」「너도」

◇**Nèw Yórk** *n.* **1** 뉴욕《미국 북동부의 주(州) ; 주도 Albany ; 略 N. Y., NY》. **2** =NEW YORK CITY.

◇**Nèw Yòrk Cíty** *n.* 뉴욕《미국 New York 주에 있는 항구 도시, 미국 최대 도시 ; 略 N.Y.C. ; ☞ GREATER NEW YORK》.

Nèw Yórk cùt *n.* 《美西部》 뉴욕식 비프스테이크《등심살이 붙어 있고 뼈가 없는 최고급》.

Nèw Yórk·er *n.* 뉴욕 사람[시민].

Nèw York·ése *n.* 뉴욕 사투리.

Nèw Yórk Schòol *n.* [the ~] 〖畫〗 뉴욕파(派)《1940-50년대에 뉴욕에서 추상표현주의를 표방한 화파》.

Nèw Yórk Státe Bárge Canàl *n.* [the ~] 뉴욕주 운하망.

Nèw Yórk Stóck Exchànge *n.* [the ~] 뉴욕 증권 거래소《Wall Street에 있는 세계 최대의 증권 거래소 ; 略 NYSE》.

***Nèw Zéaland** *n.* 뉴질랜드《남태평양에 있는 영연방내의 자치령으로 남·북 두 개의 섬 및 주변의 섬으로 이루어짐 ; 수도 Wellington》. —— *a.* 뉴질랜드의. **Nèw Zéaland·er** *n.* 뉴질랜드인.

NEXRAD [néksræ̀d] *n.* 〖空〗 차기(次期) 기상 레이더《미국의 새로운 항공 관제 시스템의 하나로 MLS 따위와 함께 사용》. 〚*nex*t-generation weather *rad*ar〛

◇**next** [nékst] *a.* ☞ 活用. **1** [시간·순서] (바로) 다음의 ; 오는… (cf. LAST[1] *a.* 3) ; [the ~] 그 다음의, 다음… : ~ Friday=*on* Friday ~ 다음 금요일에 / ~ month[year] 내달[내년] / *the* ~ month[year] (그) 다음 달[해] / What is *the* ~ article? 다음에 무엇을 드릴까요《점원 용어》. **2** [공간] 가장 가까운(nearest) ; 이웃의 : the ~ house 이웃집 / a vacant lot ~ *to* the house 그 집에 이웃[인접]한 빈터 / *N~ to* the barber's is the tobacconist's. 이발소 이웃에는 담배 가게가 있다 / the person ~ (*to*) him *in* rank[age] 지위[연령]가 (그에) 다음가는 사람(㊟ to가 없으면 next는 *prep.*) / the shop ~ *to* the corner 모퉁이에서 두번째 가게. ㊟ 현재를 기준으로 「내 주[달·년]」라고 말할 때는 the를 쓰지 않지만 과거를 기준으로 「그 다음 주[달·해]」라고 말할 때 및 「때」이외의 것에는 the를 붙임 ; 단 the ~ day [morning] 따위는 the가 없더라도 「그 다음…」의 뜻으로 되기 때문에 이것을 생략하기도 함.

as...as the next fellow [***man***] 《美口》 누구 [아무]에게도 뒤[떨어]지지 않는… : I am *as* brave *as the* ~ *fellow* (=anybody). 용기에 있어서는 누구에게도 뒤지지 않는다.

get next to... 《美俗》 …을 알다 ; …을 알게 되다(become aware of) ; …와 친해지다.

in the next place 다음으로, 두번째로.

next door (***to...***) (1) (…의) 이웃에[의] : They live ~ *door to* us. 우리 이웃에 살고 있다 / ~ *door* but one 한 집 건너 이웃에 / the people ~ *door* 이웃사람들. ㊟ 명사 앞에 쓰일 때에는 NEXT-DOOR라고 씀. (2) [~ door to] …와 비슷하여, 거의 …같아 : His conduct is ~ *door to* madness. 그의 행위는 거의 미친 것 같다.

next time [접속사적으로] 다음 번에 …할 때에 : Come to see me ~ *time* you are in town. 다음 번에 시내에 나오면 놀러 오게.

next to... (1) ☞ *a.* 2. (2) [부정어 앞에 써서] 거의…(almost) : It is ~ *to* impossible. 거의 불가능하다 / The patient eats ~ *to* nothing. 환자는 거의 아무것도 먹지 않는다.

Not till the next time. 이다음에는 끊지《금주·금연의 농담조의 맹세》.

the next best thing 다음으로 가장 좋은 것, 차선책(the second best thing) : A good book is *the* ~ *best thing to* a true friend. 양서(良書)는 진실한 친구 다음으로 가장 좋은 것이다.

the next but …을 걸러 다음의 : *the* ~ *but* one [two] 하나[둘] 걸러 다음의, 두[세]번째의.

(***the***) ***next thing*** 두번째로, 다음으로.

—— *adv.* 다음에[으로], 이어서 ; (…의) 바로 옆에, (…에) 접하여 : *N~*, we drove home. 이번에는 차편으로 귀가했다 / He placed his chair ~ *to* mine. 그는 자기 의자를 내 의자 곁에 놓았다 / He loved his horses ~ *to* his own sons. 그는 아들 다음으로 (기르고 있는) 말을 사랑했다 / I like this best and that ~. 이것이 제일 좋고 저것이 그 다음으로 좋다 / when ~ she sings 이다음 그녀가 노래할 때.

What next? [***!***] ☞ WHAT[1].

〈회화〉
What shall I do *next*? — Why don't you wash the dishes?「다음엔 뭘 할까요」「접시를 씻어 주겠니」

—— [nekst, nékst] *prep.* …의 다음[이웃]에, …에 가장 가까운 : come[sit] ~ him 그 사람 다음에 오다[곁에 앉다].
—— *pron.* 다음 사람[것] (㊟ 형용사 용법인 next 다음 명사가 생략된 것) : She was *the* ~ (person) to appear. 그녀가 그 다음에 모습을 나타냈다 / I will tell you in my ~ (letter). 다음 편지에 말씀을 드리겠습니다 / *N*~, please! 다음 분!, 다음 질문을 하십시오 / To be concluded in our ~ (issue). 다음 호에 완결 / *The ~ to* the youngest son was called Tim. 끝에서 두번째의 아들은 팀이라고 불렀다.
next of kin 〖法〗 근친자(近親者), 최근친(最近親) : He is ~ *of kin to* me. 나의 가장 가까운 친척이다.
〖OE *nēhsta* (superl.) ‹ NICH ; cf. G *nächst*〗
活用 nearest는 the *nearest* station (가장 가까운 정거장) / his *nearest* neighbors (그의 가장 가까운 곳에 사는 이웃)과 같이 보통 시간적·공간적 또는 유사(類似)관계의 근접이 최대인 것을 뜻함 ; 한편 next는 the chair *next* the fire (난로에 가장 가까운 의자)와 같이「가장 가까운」이란 뜻으로 쓰이기도 하지만 지금은 최상급의 뜻이 아니라「바로 그 다음의」라는 순서에 대해서 쓰는 것이 일반적임. *the next* house는 그 방향을 향해서 최초의 집이라는 뜻이며 어느 방향이거나 공간적으로 가장 가까운 집을 뜻하는 the *nearest* house와는 다름.

néxt bést *n.* =SECOND BEST.
néxt-bést *a.* 제2위의, 두번째로 좋은, 차선의.
néxt-dáy delìvery *n.* 익일(翌日) 배달.
néxt-dòor *attrib. a.* 이웃집의 : our ~ neighbors 이웃집 사람들(cf. NEXT *door*).
Nex·tel [nékstel] *n.* 넥스텔《연극·영화에서 혈액 대용으로 쓰는 합성 물질 ; 상품명》.
néxt fríend *n.* [the ~] 〖法〗 (소송에서 법적 무능력자의) 대리인, 후견인.
nex·us [néksəs] *n.* (*pl.* **~·es**, ~ [-səs, -sːus]) **1** 유대, 연줄, 관계(connection) : the cash ~ 현금 거래 관계 / the causal ~ 인과 관계. **2** 〖文法〗 넥서스, 서술적 관계[표현]《*Dogs bark.* / I think *him honest.* 의 이탤릭체 어휘 사이의 관계를 말함 ; cf. JUNCTION》. 〖L *nex-* *necto* to bind〗
Nez Percé [néz pə́ːrs, nés péərs ; *F* ne pɛrse] *n.* (*pl.* ~, **~s**) 네즈퍼스족《Idaho 주의 중부에서 서부에 걸쳐 거주하는 북미 인디언》; 네즈퍼스어. 〖F=pierced nose〗
NF Norman-French. **nF, nf** nanofarad(s). **N.F.** 《英》 National Front ; Newfoundland ; new franc ; Norman-French ; Northern French. **N.F., n/f, N/F** 〖銀行〗 no funds(예금잔액 없음). **NFC, N.F.C.** National Football Conference. **NFD, Nfd** Newfoundland. **NFG** [ènèfdʒíː] 《美俗》 no fucking good(몹쓸 (녀석), 못쓸 (물건), 얼빠진 (녀석)). **N.F.L.** 《美》 National Football League. **NFld** Newfoundland. **NFPA** 《美》 National Fire Protection Association(전국 방화 협회). **N.F.S.** National Fire Service ; not for sale. **N.F.U.** 《英》 National Farmers' Union. **NG** 〖美蹴〗 nose guard. **Ng.** Norwegian. **N.G., n.g.** no good. **N.G., NG** National Giro ; National Guard ; New Granada ; New Guinea ; 〖化〗 nitroglycerin.
N-galaxy [én-] *n.* 〖天〗 N(형)은하《별 모양의 중심핵이 있는 은하 ; N은 nuclear의 생략》.
NGF 〖生理〗 nerve growth factor. **NGk** New Greek. **NGL** natural gas liquid(천연 가스액). **NGO** nongovernmental organization(민간단체[기구]). **N.G.O.** 《인도》non-gazettedofficer. **NGPA** Natural Gas Policy Act.
ngul·trum [əŋgúltrəm] *n.* 응굴트럼《Bhutan의 화폐 단위 ; 기호 N》.
ngwee [əŋgwí] *n.* (*pl.* ~) Zambia의 화폐 단위.
nH, nh nanohenry ; nanohenries. **NH** 〖美郵〗 New Hampshire. **N.H.** never hinged ; New Hampshire. **NHA** 《美》 National Housing Agency. **NHC** National Health Center(국립보건원). **NHeb**(.) New Hebrew. **N. Heb.** New Hebrides. **NHG** New High German. **N.H.I.** 《英》 National Health Insurance. **NHP, nhp** nominal horsepower. **N.H.S.** 《英》 National Health Service. **NHTSA** 《美》 National Highway Traffic Safety Administration. **Ni** 〖化〗 nickel. **NI** national income. **N.I.** 《英》 National Insurance ; Northern Ireland. **NIA** National Insurance Act.
ni·a·cin [náiəsən] *n.* 〖生化〗 니아신《니코틴산》.
Ni·ag·a·ra [naiǽgərə] *n.* **1** [the ~] 나이아가라강《미국과 캐나다 국경의 강》. **2** =NIAGARA FALLS. **3** Ⓒ [때때로 n~] 폭포, 급류 ; 《비유》 대홍수(deluge)〈*of*〉.
shoot Niagara 《비유》 큰 모험을 하다.
Niágara Fálls *n.* **1** [the ~] 나이아가라 폭포. **2** 나이아가라 폭포 근처의 뉴욕 주의 도시 ; 나이아가라 폭포의 캐나다 쪽에 있는 도시.
ni·al·amide [naiǽləmàid] *n.* 〖藥〗 니알라미드《우울증 치료제》.
Nia·mey [njɑːméi, niɑ́ːmei] *n.* 니아메《Niger의 수도》.
nib [níb] *n.* **1** 《英》 (두 갈래로 갈라진) 펜촉 끝 (cf. NEB) ; 펜촉(=《美》 penpoint) ; (펜대에 끼우는) 촉 ; (일반적으로) 날카로운 끝. **2** (새의) 부리. —— *vt.* (**-bb-**) (펜촉을) 뾰족하게 하다 ; (펜대에) 펜촉을 끼우다. **~·like** *a.*
〖? MDu. *nib* or MLG *nible* 변형 ‹ *nebbe* NEB〗
nib·ble [níbəl] *vt.* (짐승·물고기가) 조금씩 물어뜯다[갉아먹다] ; 갉아서 구멍 따위를 내다.
—— *vi.* [+*at*+名] **1** 조금씩 깨물다 : The rabbit is *nibbling* ***at*** the carrot. 토끼가 당근을 조금씩 갉아먹고 있다. **2** 《비유》 **a**) 마음에 있는 체하다, 유혹하다 : ~ ***at*** a temptation 유혹받아 슬슬 접근해보다. **b**) 흠을 잡다 : ~ ***at*** another's book 남이 쓴 책의 흠을 잡다. —— *n.* 한번 깨물기〈*at*〉; 한번 깨무는 분량 ; (물고기의) 입질 ; 〖컴퓨〗 니블《1/2 바이트 ; 보통 4비트》.
níb·bler *n.*
〖? LDu. ; cf. LG *nibeln* to gnaw〗
Ni·be·lung·en·lied [níːbəlùŋənlìːt] *n.* [the ~] 니벨룽겐의 노래《13세기 전반에 남부 독일의 무명 작가가 쓴 대서사시 ; cf. SIEGFRIED》. 〖G〗
nib·lick [níblik] *n.* 〖골프〗 니블릭《무거운 쇠머리가 달린 아이언(iron) 9번의 골프채》.
Nib·mar, NIBMAR [níbmɑːr] *n.* 짐바브웨 등지의 백인 영토에 독립을 인정하기 전에 비례 대표제에 의한 흑인의 정치 참가를 요구하는 영국·영연방국의 정책. 〖*no independence before majority African rule*〗
nibs [níbz] *n.* (*pl.* ~) [his ~] 《口·때때로 蔑》

높으신 분(들), 나리.
〖C19 < ? 〗

N.I.C., NIC National Incomes Commission; newly industrializing country(신흥 공업국).

Ni·caea [naisíːə] *n.* 니케아《소아시아 북서부의 고대 도시; Nicene Council 개최지》.

Ni·cae·an [naisíːən] *a.* =NICENE. —— *n.* 니케아 주민; (4-5세기의) 니케아 신조[신경] 신봉자.

NICAP 《美》 National Investigators Committee on Aerial Phenomena(전미 대기 현상 조사위원회). **Nicar.** Nicaragua.

Nic·a·ra·gua [nìkərάːgwə; -rǽgjuə] *n.* 니카라과《중앙 아메리카의 공화국; 수도 Managua; 略 Nicar.》.

Nìc·a·rá·guan *n., a.* Nicaragua(인) (의).

nic·co·lite [níkəlàit] *n.* Ⓤ 〖鑛〗 니콜라이트《붉은 니켈광》.

◇**nice** [náis] *a.* **1** (↔*nasty*) **a)** [+*to* do] 좋은, 괜찮은, 고운, 훌륭한, 멋있는, 재미있는; 기분 좋은, 마음에 드는, 남을 매혹하는, 귀여운: a ~ face / ~ weather ***for*** hiking 하이킹하기에 좋은 날씨 / This medicine is ~ *to* take. 이 약은 먹기 좋다. **b)** [+*of*+名+*to* do] 친절한(kind): He was ~ ***to*** us. 그는 우리에게 친절히 대해 주었다 / It was ~ ***of*** the Greens *to* invite us for bridge tonight. 오늘밤 브리지 모임에 그린 부부가 우리를 초대해 준 것이 고마웠다. **c)** 점잖은, 고상한; 교양이 있는(refined). **2** 미세한, 어려운, 솜씨가 필요한; 정밀한; 민감한; 식별력을 요하는: ~ distinctions of color 빛깔의 미세한 차이. **3** 까다로운, 가리는 것이 많은, 괴팍한(hard to please)〈*in, about*〉. **4** 근엄한, 고지식한. **5** 《反語》 곤란한, 난처한, 싫은: Here is a ~ mess. 일이 난처해졌군.
in a nice fix 옴쭉달싹 못하게 되어, 몹시 난처하여.
***nice* (*and*)** [nàis(n)] [부사적으로] 더할 나위 없이, 매우(satisfactorily) (cf. GOOD *and*): It is ~ *and* warm (=nicely warm) today. 오늘은 날씨가 따뜻하여 좋습니다.
over* [*too*] *nice 지나치게 까다로운.
~·ness *n.* 〖ME=foolish<OF=silly, simple<L *nescius* ignorant; ⇨ NESCIENT〗
類義語 ⟹ DAINTY.

Nice[1] [*F* nis] *n.* 니스《프랑스 남동 해안의 피한지(避寒地); cf. RIVIERA》.

Nice[2] [náis] *n.* Nicaea의 영어명.

NICE National Institute of Ceramic Engineers.

níce fèllow *n.* 재미있는 녀석; 《反語》 지독한 녀석.

níce·ish *a.* 꽤 좋은, 착실한.

níce-lóok·ing *a.* 예쁜; 애교있는.

***níce·ly** *adv.* **1** 훌륭하게; 기분좋게; 정밀하게; 까다롭게, 꼼꼼하게. **2** 《口》 꼭, 정확히, 잘: She's doing ~. 그녀는 잘 지내고 있다; 병이 회복되어가고 있다.

Ni·cene [náisiːn, -⌐] *a.* (소아시아 북서부에 있던 고대 도시인) 니케아(Nicaea)의. 〖L〗

Nícene Cóuncil *n.* [the ~] 니케아 공의회(公議會)《325년 Constantine 황제가 Nicaea에 소집한 최초의 세계 공의회로 니케아 신조를 정했음; 제2회는 787년》.

Nícene Créed *n.* [the ~] (325년 니케아 공의회에서 결정된) 니케아 신조[신경].

níce Nélly [**Néllie**] *n.* 점잔빼는 여자; =NICE-NELLYISM 2.

níce-Nélly, níce-Néllie *a.* 점잔빼는; 에둘러 말하는. **níce-Nélly·ìsm** *n.* **1** 점잔빼기. **2** 에둘러 말하기(euphemism).

ni·ce·ty [náisəti] *n.* **1** Ⓤ 정확함, 정밀함. **2** Ⓤ (감정·기호의) 세밀함, 섬세, 까다로움; [때때로 *pl.*] 미묘[상세]한 점: a point of great ~ 매우 미묘한 점. **3** [때때로 *pl.*] 점잖음, 우아한 것.
to a nicety 정확[정밀]하게(exactly), 꼭.
〖OF; ⇨ NICE〗

niche [nítʃ, 英+níːʃ] *n.* 벽감(壁龕)《조각품·꽃병 따위를 놓는 벽의 움푹 들어간 곳》; 적소(適所).
—— *vt.* [보통 *p.p.*로] 벽감에 안치하다; [~ one*self* 또는 *p.p.*로] (적소에) 자리잡게 하다.
〖F<L *nidus* nest〗

Nich·o·las [níkələs] *n.* **1** 남자 이름《애칭 Nick》. **2** [Saint ~] 성 니콜라스《뱃사람·나그네·러시아의 수호신; 어린이의 수호 성인(聖人); cf. SANTA CLAUS》. 〖Gk.=victorious among people (victory+people)〗

Ni·chrome [náikroum] *n.* Ⓤ 니크롬《니켈·크롬·철의 합금; 상표명》.

nic·ish [náisiʃ] *a.* =NICEISH.

nick[1] [ník] *n.* **1** 새김눈, 벤 자국; 벤 상처; 〖印〗 활자 몸체의 홈; 〖生化〗 닉《DNA[RNA]의 한 사슬에 있는 새김눈》. **2** 《英俗》 감방, 교도소. **3** 《英》 (hazard에서) 주사위를 던지는 사람이 부르는 수나 또는 그 수와 관계있는 수의 눈이 나오기.
in the* (*very*) *nick of time 아슬아슬한 때에, 알맞은 때에.
—— *vt.* **1** …에 새김눈[상처·흠]을 내다. **2** (말꼬리를 높이 들게 하려고) 꼬리 밑 부분을 절개(切開)하다. **3** 알아맞히다; …에 꼭 맞게[제시간에] 대다. **4** 《俗》 붙잡다; 훔치다. **5** (hazard에서) 주사위의 이길 눈을 굴려 내다. —— *vi.* 뒤에서 공격[비난]하다; (사냥·경주에서) 지름길로 앞질러 가서 이기다〈*in*〉.
nick it 잘 알아맞히다.
〖? ME *nocke* nock〗

nick[2] *n.* 《美俗》 5센트 백동화.

Nick *n.* **1** 남자 이름《Nicholas의 애칭》. **2** [Old ~] 악마.

***nick·el** [níkəl] *n.* **1** Ⓤ 〖化〗 니켈《금속 원소; 기호 Ni; 번호 28》. **2** 《美》 백동화(白銅貨); (미국 및 캐나다의) 5센트 백동화(cf. DIME, PENNY, QUARTER). —— *vt.* (-**l**-|-**ll**-) 니켈을 입히다, 니켈 도금하다(nickel-plate).
〖G *Kupfernickel* niccolite(*Kupfer* copper, *nickel* demon); 구리와 비슷하면서 구리를 함유하지 않기 때문에 붙여진 이름〗

níckel (-) and (-) díme *vt.* 《美口》 인색하게 굴다; …을 인색하게 대접하다.
—— *a.* 소액의, 인색한; 하찮은.

níckel bàg *n.* 《美俗》 5달러 상당의 마약.

níckel defènse *n.* 《美蹴俗》 5명의 디펜스 백에 의한 수비 플레이.

níckel nùrser *n.* 《美俗》 구두쇠.

níckel nùrsing *n.* 《美俗》 구두쇠의, 인색한; 긴축 정책의.

nick·el·ode·on [nìkəlóudiən] *n.* 《美》 **1** (20세기 초의) 5센트 극장《영화·연극 따위를 했음》. **2** (옛날의) 5센트 주크박스(jukebox).
〖*nickel*+me*lodion*〗

níckel·ous *a.* 〖化〗 니켈의; (특히) 니켈(Ⅱ)의, 제1니켈의.

níckel pláte *n.* 《美》 니켈 도금.

níckel-pláte *vt.* …에 니켈 도금하다.

níckel sílver *n.* 양은(洋銀)(German silver).

níckel stéel *n.* 니켈강(鋼).

níckel's wòrth *n.* 《CB俗》 5분동안의 교신 제한 시간.

nick·er[1] [níkər] *n.* 눈금을 새기는 사람. 〖NICK[1]〗

nicker[2] *n.* 《英俗》 1파운드 영국 화폐 ; 《濠》 돈. 〖C20<?〗

nicker[3] *vi.* 《英方》 (말이) 울다 ; 낄낄거리다. ── *n.* 말의 울음 ; 낄낄거리는 웃음. 〖변형(變形) ‹ *neigh*〗

nicknack ☞ KNICKKNACK.

***nick·name** [níknèim] *n.* **1** 별명, 닉네임《the Iron Duke, John Bull, Shorty 따위》. **2** 애칭 (☞ PET NAME). ── *vt.* [+目/+目+補] …에 별명을 붙이다 ; 애칭[약칭]으로 부르다 : They ~*d* the short boy "Shorty". 그 키가 작은 소년에게 꼬마 란 별명을 붙였다 / He was ~*d* "Ed". 그는 에드 라는 애칭으로 불리웠다. 〖*a nick-* (이분석(異分析)) <ME *an* EKE NAME ; cf. NEWT〗

Nic·o·las [níkələs] *n.* 남자 이름. 〖⇨ NICHOLAS〗

Ni·co·lette [nìkəlét] *n.* 여자 이름. 〖F (dim.) ‹ *Nicole* (fem.) ; ⇨ NICHOLAS〗

Níc·ol (prìsm) [níkəl(-)] *n.* 〖光〗 니콜 프리즘 《편광(偏光) 실험용의 방해석(方解石)제 프리즘》. 〖William *Nicol* (d. 1851) 스코틀랜드의 물리학자〗

Nic·o·ret·te [níkərèt] *n.* 니커렛《니코틴이 들어 있는 금연용 추잉 껌 ; 상표명》.

Nic·o·sia [nìkəsí(:)ə] *n.* 니코시아《키프로스의 수도(首都)》.

ni·co·tia [nikóuʃə] *n.* **1** =NICOTINE. **2** 담배.

ni·co·tian [nikóuʃən] *a.* 담배의, 담배에서 추출한. ── *n.* 흡연가(smoker).

nic·o·tin·amide [nìkətí(:)nəmàid] *n.* Ⓤ 〖化〗 니코틴아미드.

nic·o·tine [níkətì:n] *n.* Ⓤ 〖化〗 니코틴《담배 속에 들어있는 알칼로이드》. 〖F ; Jean *Nicot* (d. 1600) 1560년 담배(식물)을 프랑스에 소개한 프랑스의 외교관〗

nic·o·tin·ic [nìkətí(:)nik] *a.* 〖化〗 니코틴의 ; 니코틴산의.

nicotínic ácid *n.* 〖化〗 니코틴산(酸) (niacin).

nic·o·tin·ism [níkəti:nìzəm] *n.* Ⓤ 〖醫〗 (만성) 니코틴 중독.

nic·o·tin·ize [níkəti:nàiz] *vt.* 니코틴 중독에 걸리게 하다.

NICS [, níks] newly industrializing countries (신흥 공업국).

nic·ti·tate [níktətèit], **nic·tate** [níkteit] *vi.* 눈을 깜박거리다(wink). 〖L (freq.) ‹ *nicto* to wink〗

níc·tàt·ing mémbrane *n.* 〖動〗 순막(瞬膜).

nìc·ti·tá·tion *n.* Ⓤ (눈의) 깜박거림.

NICU 〖醫〗 neonatal intensive care unit (신생아 집중 치료 시설).

ni·cy [náisi] *n.* 《兒》 과자, 사탕.

NID 《英》 Naval Intelligence Division (해군 정보부). **NIDA** 《美》 National Institute of Drug Abuse (국립 약해(藥害) 연구소).

ni·da·men·tal [nàidəméntl] *a.* 〖動〗 (연체 동물 따위의) 난낭(卵囊)의, 난소의 : ~ gland 난포선(卵胞腺).

ni·date [náideit] *vi.* 수정란이 자궁에 착상(着床)하다. **ni·dá·tion** *n.*

nid·(d)er·ing [nídəriŋ] *a.* 《古》 비겁한, 비열한. ── *n.* 비겁[비열]한 사람.

nid·dle-nod·dle [nídlnádl] *a.* 꾸벅거리는, 머리가 불안정한. ── *vt., vi.* 꾸벅거리다[거리게 하다], 흔들다[리게 하다].

nide [náid] *n.* 《英》 꿩의 둥지(속의 새끼의 무리) ; 꿩의 무리.

nid·i·fi·cate [nídəfəkèit, 美+naidíf-], **nid·i·fy** [nídəfài] *vi.* (새가) 집을 짓다. **nìd·i·fi·cá·tion** *n.*

nid-nod [nídnàd] *vi., vt.* (**-dd-**) 꾸벅거리다[거리게 하다].

ni·dus [náidəs] *n.* (*pl.* **-di** [-dai], **~·es**) (곤충 따위가) 알을 까는 보금자리[장소] ; (병균·기생충 따위가) 발생하는 장소. 〖L ; cf. NEST〗

***niece** [ní:s] *n.* 조카딸(cf. NEPHEW) ; 《婉》 성직자의 사생아《여자》. 〖OF<L *neptis* granddaughter〗

ni·el·lo [niélou] *n.* (*pl.* **ni·el·li** [-li:], **~s**) 흑금, 흑색 합금《상감용》; 흑금 상감 세공품. ── *vt.* 흑금으로 상감[장식]하다. **~ed** *a.* **ni·él·list** *n.* 흑금 상감공.

Níel·sen (ràting) [ní:lsən(-)] *n.* (텔레비전의) 닐슨 시청률(視聽率). 〖A.C. *Nielsen* Co. 미국의 시장 조사 회사〗

NIEO new international economic order《신국제경제 질서 ; 발전 도상국이 주장하여 선언했음》.

Nier·stein·er [níərstainər ; *G* ní:rʃtainər] *n.* Ⓤ (라인 강변 Nierstein산(產)의) 백포도주.

NIES Newly Industrialized Economies《신흥 공업 경제 지역 ; 한국·싱가포르·타이완·홍콩을 지칭》.

Nietz·sche [ní:tʃə, -tʃi] *n.* 니체. **Friedrich Wilhelm** ~ (1844-1900) 독일의 철학자.

Níetzsche·an [-tʃiən] *a.* 니체 (철학)의[에 입각한]. ── *n.* 니체 철학 신봉자. **~·ìsm** *n.* Ⓤ 니체 철학.

niff[1] [níf] *n., vi.* 《英俗》 악취(가 나다). **níffy** *a.* 〖(dial.) ‹? *sniff*〗

niff[2] *n.* 《口·方》 반감(反感), 노여움 : take a ~ 화내다. 〖C18<?〗

níf gène [níf-] *n.* 〖生化〗 질소 고정(固定)에 관여하는 유전자. 〖*nif* ‹ *ni*trogen-*f*ixing〗

nif·ty [nífti] *a.* 《口》 맵시있는, 훌륭한, 재치있는 《말 따위》. ── *n.* 훌륭한 것[사람] ; 재치있는 말. 〖C19<? ; 원래 극장 속어〗

nig [níg] *vi.* (**-gg-**)《口》〖카드놀이〗 =RENEGE.

NIG Niger《자동차 국적 표시》. **Nig.** Nigeria.

Ni·gel [náidʒəl] *n.* 남자 이름. 〖? Ir. =champion or (dim.) <L *niger* black〗

Ni·ger [náidʒər] *n.* **1** 니제르《아프리카 서부의 프랑스 공동체 내의 공화국이었으나 1960년 독립 ; 수도 Niamey》. **2** [the ~] 니제르 강《니제르 및 나이지리아를 흘러 대서양에 이르는 강》.

Ni·ge·ria [naidʒíəriə] *n.* 나이지리아《아프리카 서부에 있는 영연방내의 공화국 ; 1960년 독립 ; 수도 Lagos ; 略 Nig.》. **Ni·gé·ri·an** *n., a.* 나이지리아인(의), 나이지리아(의).

nig·gard [nígərd] *n.* 구두쇠(miser). ── *a.* 《文語》 인색한, 구두쇠의(niggardly). 〖*nigon* (obs.) <Scand. (ON *hnoggr* niggardly) ; cf. NIGGLE〗

níggard·ly *a.* 인색한 ; 아주 적은 : He is not ~ *of* money. 그는 돈에 인색하지 않다 / ~ aid 인색한[아주 적은] 원조. ── *adv.* 인색하게. **-li·ness** *n.*

nig·ger [nígər] *n.* 《蔑》 검둥이(Negro) ; 《蔑》 (동인도·오스트레일리아 등지의) 흑인.
nigger minstrel ☞ MINSTREL 3.
work like a nigger 뼈빠지게 일하다.

~·dom *n.* Ⓤ 《蔑》 흑인임 ; 흑인 사회.
~·ish *a.* 흑인의, 흑인 같은.
〖C16 *neger*<F *nègre*<Sp. NEGRO〗

nígger·hèad *n.* =NEGROHEAD.

nígger héaven *n.* 《美俗》 (극장·강당의) 맨 위층의 좌석.

nígger-pòt *n.* 《美南部俗》 밀주(密酒) (moonshine).

nígger·tòe *n.* 《美》 =BRAZIL NUT.

nig·gle [nígəl] *vi.* 하찮은 일로 괴로워하다 ; 안달하다. —— *vt.* 인색하게 조금씩 주다 ; 화나게 하다. —— *n.* 하찮은 불평, 결점.
níg·gler *n.*
〖? Scand. ; cf. Norw. *gigla*〗

níg·gling *a.* 대수롭지 않은 일에 마음 쓰는 ; 성가신 ; 자질구레한 ; 지나치게 공들인. —— *n.* 자질구레한 일 ; 곰상스러운 태도.

nigh [nái] *adv.* 《古·方》=NEAR. —— *a.* (**~·er ; ~·est ;** 《古》 **near ; next**) 《古·詩·方》=NEAR. —— *prep.* 《古·詩·方》=NEAR. —— *vi., vt.* 《古》 (…에) 가까이 다가가다. 〖OE *nē(a)h* ; cf. NEAR, NEXT, NEIGHBOR, G *nahe*〗

◇**night** [náit] *n.* **1** 밤, 야간《일몰 후 다음 일출시까지, 특히 어두운 시간 ; ↔*day*》: last ~ ☞ LAST[1] *a.* 3 a) / *on* a clear[dark] ~ 하늘이 맑은[어두운] 밤에 / *on* the ~ of the 15th of April 4월 15일 밤에 / I have a ticket for the ~. 야간 관람표를 가지고 있다 / [the ~ ; 부사절을 이끌어] Mother fell ill *the* ~ (that) we arrived in France. 우리가 프랑스에 도착한 날 밤에 어머니께서 병이 나셨다. **2** Ⓤ 야음, 암흑 : under cover of ~ 야음을 틈타서 / *N*~ falls. 날이 저문다. **3** Ⓤ 죽음의 암흑 ; 죽음 ; 맹목(blindness) ; 무지 몽매(한 상태) ; 실의(失意)에 빠진[불안한] 때, 암흑기. **4** [때때로 N~] (특정의 행사가 있는) 밤, 저녁(때).
all night (***long***) 밤새도록 : I dreamed *all* ~. 밤새도록 꿈을 꾸었다.
(***as***) ***dark***[***black***] ***as night*** 아주 캄캄한, 아주 새까만.
at[***in the***] ***dead of night*** 한밤중에.
at night 밤에, 야간(에) (↔*in the daytime*) ; 해질 무렵에, 저녁 때에《오후 6시부터 야밤중까지의 시간을 말함》: He came *at* ~. 그는 밤중에 왔다 / She sat up till late *at* ~. 그녀는 밤늦게까지 자지 않고 있었다.
at this time of (《稀》 ***the***) ***night***=***at this hour of the night*** 이렇게 늦은 밤에.
by night 밤에는(↔*by day*) ; 밤을 틈타.
for the night 밤 사이(에는) : I stayed there *for the* ~. 그날 밤은 거기에서 머물렀다.
Good night ! ☞ GOOD NIGHT.
have[***pass***] ***a good***[***bad***] ***night*** 밤에 잘 자다[못자다].
have a[***the***] ***night out***[***off***] 하룻밤을 밖에서 놀며 새우다.
in the night 야간에, 밤중에, 야밤에.
make a night of it 마시며[놀며·떠들며] 밤을 새다.
night and day=***day and night*** 밤낮(의 구별 없이), 끊임없이.
o'[***of***] ***nights*** 《口》=*by* NIGHT, *at* NIGHT (cf. NIGHTS) : I can never sleep *o'* ~*s* for thinking of it. 나는 그것을 생각하느라 밤에 잠을 이룰 수가 없다.
one***'s night out*** (하인 등) 휴가를 얻어 외출해도 좋은 밤 ; 축제 기분으로 법석거리는 밤.
over night 아침까지 : stay *over* ~ 일박하다 / The fish will not keep *over* ~. 그 물고기는 아침까지 견디지 못하겠지.
the night before last 그저께밤.
turn night into day 밤새워 일하다[놀다] ; 낮에 할 일을 밤에 하다.
—— *a.* 밤의, 야간(용)의 : ~duty 야근, 숙직 / a ~ game (야구 따위의) 야간 시합 / ~ air 밤공기, 밤바람 / a ~ train 야간 열차, 밤차.
〖OE *niht* ; cf. G *Nacht*, L *noct- nox*〗

níght bàg *n.* =OVERNIGHT BAG.

níght bàseball *n.* 야간에 하는 야구시합.

níght bèll *n.* 《英》 야간용 벨《특히 의사집 대문에 단》.

níght bìrd *n.* 밤에 우는 새《부엉이·올빼미 따위》; 밤에 나다니는 사람 ; 밤도둑.

níght blìndness *n.* 야맹증. **níght-blìnd** *a.* 밤눈이 어두운, 야맹증의.

níght-blòom·ing céreus *n.* 〖植〗 밤에 꽃이 피는 선인장.

níght·brèeze *n.* 밤바람.

níght·càp *n.* **1** 나이트캡《잠잘 때 씀》. **2** 《口》 자기 전에 마시는 술. **3** 《美口》 (그날의) 마지막 시합, (특히 야구의) 더블헤더(doubleheader)의 두번째 시합.

nightcap 1

níght càrt *n.* 분뇨 수거[운반] 차, 똥차.

níght-cèllar *n.* 《英》 (허름한) 지하 술집.

níght chàir *n.* =NIGHTSTOOL.

níght clèrk *n.* (호텔의) 접수[프런트] 담당자.

níght·clòthes *n. pl.* 잠옷, 파자마.

níght·clùb *n.* 나이트클럽《사교장을 겸한 야간의 레스토랑》. —— *vi.* 나이트클럽에서 놀다.
-clúb·ber *n.* 나이트클럽 단골 손님.

níght commòde *n.* =NIGHTSTOOL.

níght còurt *n.* 《美》 야간 형사 법정《대도시에서 즉결 처분을 함》.

níght cràwler *n.* (밤에 기어다니는) 큰 지렁이 ; 밤에 어슬렁거리며 돌아다니는 사람.

níght cròw *n.* 《古》 밤에 우는 새《올빼미 따위》.

níght·drèss *n.* =NIGHTGOWN ; =NIGHTCLOTHES.

níght·ed *a.* 《古》 캄캄해진, 길을 가다가 저문.

níght èditor *n.* 〖新聞〗 조간 신문 편집 책임자.

night·ery [náitəri] *n.* 《美口》 =NIGHTCLUB.

níght·fàll *n.* Ⓤ 해질녘, 땅거미(dusk) ; 저녁, 황혼 : at ~ 해질녘에.

níght fìghter *n.* 야간 요격 전투기.

níght flòwer *n.* 밤에 피는 꽃《달맞이꽃 따위》.

níght·flỳ·ing *n.* Ⓤ 야간 비행.
—— *a.* 야간 비행의, (새가) 밤에 날아다니는.

níght glàss *n.* (주로 해상에서 쓰는) 야간용 망원경 ; [*pl.*] 야간용 쌍안경.

níght·glòw *n.* 〖氣〗 야광《밤의 대기광(大氣光)》.

níght·gòwn *n.* (여성·아이들용의) 잠옷.

níght hàg *n.* (밤하늘을 날아다닌다는) 마녀 ; 몽마(夢魔) (nightmare).

níght·hàwk *n.* 〖鳥〗 쏙독새(의 일종) ; 밤에 나쁜 짓을 하는 사람, 밤도둑 ; 매춘부 ; 《口》 밤샘하는 사람.

nightgown

── *vi.* 밤에 돌아다니다.
níght hèron *n.* 〔鳥〕 해오라기《해오라기과의 새》.
night·ie [náiti] *n.* 《口》 =NIGHTY.
night·in·gale [náitəngèil, -tiŋ-; -tiŋ-] *n.* 〔鳥〕 나이팅게일《지빠귀과의 작은 새로 휘파람새보다 큼; 흔히 저녁나절부터 아름다운 목소리로 욺》; 밤에 우는 새; 《비유》 목소리가 아름다운 가수[연설자]; 《美俗》 밀고자. 〖OE *nihtegala*<Gmc. (NIGHT, 《美》 *galan* to sing); *-n-*은 cf. FARTHINGALE〗
Nightingale *n.* 나이팅게일. **Florence** ~(1820-1910) 영국의 간호사로 박애 정신이 투철했던 근대 간호학 확립의 공로자.
níght·jàr *n.* 〔鳥〕 쏙독새《유럽산; cf. GOATSUCKER》. 〖해가 질 무렵 벌레를 쫓으면서 귀에 거슬리는 소리를 냄〗
níght làtch *n.* 야간 자물쇠(latchkey).
níght lètter[lèttergram] *n.* 《美》 야간 발송 전보《다음날 아침에 배달되며 요금이 쌈; 100단어가 기준; cf. DAY LETTER》.
níght·lìfe *n.* (환락가 따위에서의) 밤의 생활[즐거움]. **níght-lìfer** *n.*
níght-lìght *n.* (병실·복도·침실용) 종야등(終夜燈); (선박의) 야간등.
níght lìne *n.* (미끼를 달아 밤에 물 속에 넣어 두는) 밤낚싯줄.
níght lìner *n.* 밤낚시꾼.
níght·lòng *a.* 철야의, 밤샘하는. ── *adv.* 철야하여, 밤새도록.
níght·ly *a.* 밤마다의, 매일밤의; 밤의, 야간(용)의, 밤에 나오는: ~ dew 밤이슬. ── *adv.* 밤마다; 밤[야간]에.
níght màn *n.* 야간 직업을 가진 사람, (특히) 방범대원.
níght·man [-mən] *n.* (야간의) 변소치는 사람; =NIGHT MAN.
***night·mare** [náitmὲər, -mæ̀ər] *n.* **1** 악몽(惡夢), 가위눌림(bad dream). **2** 몽마(夢魔)《수면 중인 사람을 질식시킨다고 하는 마녀; cf. INCUBUS, SUCCUBUS》. **3** 무서움, 불쾌한 것[사람]; 공포[불안]감, 싫은 예감; 걱정거리.
níght·màr·ish *a.* 악몽[몽마] 같은.
níght·màr·ish·ly *adv.*
níght-níght *int.* 《口》 (밤의 작별인사로서) 안녕(히 주무십시오)《night night, nightie-night, nightie-nightie, nighty-nighty로도 씀》.
níght nùrse *n.* 야근 간호사.
níght òwl *n.* 《口》 밤샘(을 자주)하는 사람; 〔鳥〕=NIGHTHAWK.
níght pèople *n.* 밤에 일하는 생활자; 《美俗》 사회 통념 따위에 따르지 않는 사람들(nonconformists).
níght pèrson *n.* 밤에 일하는 생활자.
níght pìece *n.* 야경화(夜景畫); 밤을 다룬 작품[회화, 악곡], 야경시(詩)[문(文)], 야경.
níght pòrter *n.* 《英》 (호텔 프런트의) 야간의 보이[도어맨].
níght ràven *n.* 야행성의 새, (특히) 해오라기; 《詩》 밤에 우는 새, 불길한 징조.
níght·rìder *n.* 《美南部》 밤에 협박·복수를 일삼는 복면 기마 폭력 단원; KU KLUX KLAN의 일원.
níght-ròbe *n.* 《美》 잠옷.
níght ròuter *n.* 《口》 (다음날 아침 배달하기 위해) 야간에 수집·분류하는 우체국 직원.
nights [náits] *adv.* 밤이면 밤마다, (거의) 매일 밤 (cf. *o'* NIGHTS). 〖*-es*〗
níght sàfe *n.* 야간 금고《은행 따위의 폐점 후의》.
níght·scàpe *n.* 야경, 야경화(night piece).
níght schòol *n.* 야간 학교(↔*day school*): go to ~ 야학에 다니다.
níght sèason *n.* 《古》 =NIGHTTIME.
níght·shàde *n.* Ⓤ 〔植〕 가지속(屬)의 식물; (특히) 까마종이《독이 있음》(=black ~): the deadly ~ 벨라도나(belladonna) / the stinking ~ = HENBANE. ── *a.* 가지과(科)의.
níght shìft *n.* (주야 교대제의) 야간 근무(시간); 야근; [집합적으로] 야간 근무자, 밤일하는 조(cf. DAY SHIFT).
níght·shìrt *n.* (긴 셔츠 모양의) 잠옷《남자용》.
níght·sìde *n.* (신문사의) 조간(朝刊) 요원(↔*dayside*); (지구·달·행성 따위의) 밤이 되는 쪽; 빛을 받지 않는 쪽.
níght-sìght *n.* (총의) 야간 조준기.
níght sòil *n.* (야간에 치는) 인분, 분뇨.
níght spòt *n.* 《口》 나이트클럽.
níght·stànd *n.* =NIGHT TABLE.
níght·stìck *n.* 《美》 경찰의 야경봉.
níght·stòol *n.* 침실용 변기, 요강.
níght sùit *n.* 파자마(pajamas).
níght súpervisor *n.* 《美》 (경찰의) 야간 통제관(統制官).
níght swèat *n.* (잠잘 때 나는) 식은땀.
níght tàble *n.* 침실용 작은 탁자[스탠드].
níght tèrror *n.* (어린이의) 야경증(夜驚症).
níght·tìde *n.* Ⓤ 《詩》 밤중; 밤의 밀물.
níght·tìme *n., a.* 야간(의) (↔*daytime*): in the ~ 야간에.
níght·tòwn *n.* 밤거리, 거리의 야경(夜景).
níght·vìew·er *n.* 암시(暗視) 장치《어둠속에서 물건을 식별할 수 있게 하는 장치》.
níght-vìsion *a.* 암시(暗視)의.
níght vìsion gógg1es *n.* 암시(暗視) 장치《주로 적외선을 이용하는》.
níght·wàlk·er *n.* **1** 밤에 나다니는 사람《도둑·매춘부 등》; 몽유병자. **2** 밤에 활동하는 동물, 《美》 (밤에 기어다니는) 큰 지렁이.
-wàlk·ing *n.* Ⓤ 밤에 나다니기; 몽유병.
níght wàtch *n.* **1** 야간 경계, 야경 (시간); 야경 도는 사람. **2** [the ~es] 야간 근무 교대 시간: in *the ~es* ☞ WATCH *n.* 숙어.
níght wàtcher[wàtchman] *n.* 야경꾼.
níght·wèar *n.* 잠옷.
níght·wòrk *n.* 야간 업무, 밤일; (교대제의) 야간 작업[근무], 야근.
níghty *n.* 《口》 잠옷. ── *int.* 안녕히 주무십시오.
níghty-níght *int.* 《口》 안녕히 주무십시오.
nig·nog [nígnɑ̀g] *n.* 《英俗》 바보(fool); 《蔑》 흑인, 검둥이; 신병. 〖NIG의 가중〗
ni·gres·cent [naigrésənt] *a.* (안색·피부 따위가) 거무스름한(blackish). **ni·grés·cence** *n.* Ⓤ 검게 되기, 검음; 거무스름함.
nig·ri·fy [nígrəfài] *vt.* 검게 하다.
nìg·ri·fi·cá·tion *n.*
nig·ri·tude [nígrət*j*ù:d, 美+nái-] *n.* Ⓤ,Ⓒ 검음; 암흑; 《古》 검은 것.
NIH, N.I.H. National Institutes of Health (미국 국립 위생 연구소).
ni·hil [náihil, ní:-] *n.* 허무, 공허, 무; 무가치한 것. 〖L=nothing〗
níhil ad rém [-æd rém] *pred. a.* 아주 부적절한, 엉뚱한, 예상에서 벗어난. 〖L〗
ni·hi·lism [nái*h*əlìzəm, 美+ní:ə-] *n.* **1** Ⓤ 〔哲·倫〕 허무주의, 니힐리즘. **2** 〔政〕 허무주의, 폭력

혁명[무정부]주의 ; [N～] (러시아 혁명전 약 60 년간의) 폭력 혁명[무정부]운동. **ní·hi·list** *n.* 허무[무정부]주의자. **nì·hi·lís·tic** *a.* 허무주의(자)의 ; 무정부주의(자)의. 〖NIHIL〗

ni·hil·i·ty [naihíləti, ni:-] *n.* 허무, 무(無) ; 무가치한 것.

-nik [nìk] *n. suf.* 《口·蔑》「…와 관계있는 사람」「…한 특징이 있는 사람」「…애호자」의 뜻 : beat*nik*, peace*nik*.
〖Russ. and Yid.〗

Ni·ke [náiki(:)] *n.* **1** 〔그神〕 니케《승리의 여신》. **2** Ⓒ 《美》 나이키《지대공 유도탄의 일종》.

nil [níl] *n.* Ⓤ 무(無), 영(零) (nothing) ; 〔競〕 영점 : three goals to ～ 3대 0. —— *pred. a.* 없는, 존재하지 않는. 〖L=nihil〗

nil ad·mi·ra·ri [níl ædmiréərai, ní:l ɑ:dmərɑ́:ri] 어떤 일에도 감탄하지 않는 태도, 태연(한 태도) ; 침착. 〖L〗

Nile [náil] *n.* [the ～] 나일강《아프리카 동부를 흐르는 세계에서 가장 긴 강》.

Níle blúe *n.* 녹색을 띤 담청색.

Níle gréen *n.* 청색을 띤 담녹색.

nil·gai, -ghai [nílgai] *n.* (*pl.* **～s**, ～) 닐가이《인도산 영양의 일종》.
〖Hindi and Pers.〗

nilgai

nill [níl] *vi., vt.* 《古》 좋아하지 않다.
will he nill he 좋든 싫든 간에.
〖OE (*ne* not, WILL)〗

níl nórm *n.* 《英》 (정부가 정하는 임금 및 물가 상승의) 최저 기준(zero norm).

ni·lom·e·ter [nailɑ́mətər] *n.* [때때로 N～] (특히 홍수 때의) 나일강의 수위계(水位計).

Ni·lot·ic [nailɑ́tik] *a.* 나일강 (유역)의, 나일강 유역 주민의. 〖L<Gk. (*Neilos* Nile)〗

nim [ním] *vt., vi.* (**nam** [næ(:)m], **nímmed** ; **no·men** [nóumən], **nome** [nóum] ; **ním·ming**) 《古》 훔치다, 후무리다.
〖OE *niman* to take ; ⇨ NIMBLE〗

nimbi *n.* NIMBUS의 복수형.

nim·ble [nímbəl] *a.* (**-bler** ; **-blest**) **1** [+前+do*ing*] 재빠른, 약삭빠른(quick), 민첩한 : Goats are ～ ***in*** climb*ing* among the rocks. 산양은 바위 사이를 뛰어 오르는 것이 빠르다. **2** 재치가 풍부한 ; (두뇌의) 회전이 빠른, 예민한, 영리한, 빈틈없는(clever) ; 융통성 있는, 재주많은. **3** (통화가) 유통이 빠른 : ～ sixpence[ninepence, shilling] 《古·비유》 유통이 빠른 돈 ; 박리 다매.
～·ness *n.* **-bly** *adv.*
〖OE *næmel* quick to take (*niman* to take) ; -*b*-는 cf. THIMBLE〗

nímble-fíngered *a.* (소매치기가) 손이 빠른.

nímble-fóoted *a.* 발빠른.

nímble-wítted *a.* 기민한, 영리한.

nim·bo- [nímbou, -bə] *comb. form* NIMBUS의 뜻.

nìmbo·strátus *n.* 〔氣〕 난층운(亂層雲), 비층구름, 비구름《略 Ns ; 잿빛의 낮은 무형(無形)의 구름층》.

nim·bus [nímbəs] *n.* (*pl.* **～·es**, **-bi** [-bai, -bi:]) (종교화 따위의) 후광(後光)(halo), 광륜(光輪), 원광(圓光)(cf. AUREOLE) ; (사람·물건에서 느껴지는) 밝은 분위기 ; 〔氣〕 난운, 비구름《nimbostratus의 옛 이름》. **～ed** *a.*
〖L=cloud, aureole〗

ni·mi·e·ty [nimáiəti] *n.* 《文語》 과잉(excess), 과도(過度).

nim·i·ny-pim·i·ny [nímənipíməni] *a.* 점잔빼는, 새침한, 얌전빼는 ; 연약한.
〖imit.〗

nim·i·ous [nímiəs] *a.* 과잉의, 과도한.

ni·mo·nic [nimóunik] *a.* 〔冶〕 니모닉의《내열·내압(耐壓)에 강한 니켈크롬 합금에 대하여 말함》.

Nim·rod [nímrɑd] *n.* **1** 〔聖〕 니므롯《Noah의 증손으로 사냥의 명수 ; 창세기 10 : 8-9》. **2** Ⓒ [때때로 n～] 사냥의 명수, 수렵광(狩獵狂).
〖Heb. *Nimrōd* valiant〗

Ni·na [ní:nə, nái-] *n.* 여자 이름《Ann, Anna의 애칭》. 〖Russ.〗

nin·com·poop [nínkəmpù:p, níŋ-] *n.* 《口》 멍청이, 바보(simpleton). **～·ery** *n.*
〖C17<?〗

◇**nine** [náin] *a.* 아홉의, 아홉 개의, 9명의 ; [*pred.*로 써서] 아홉 살인.
nine tenths 십분의 구, 거의 모두.
nine times[***in nine cases***] ***out of ten*** 십중팔구, 대개.
—— *pron.* [복수취급] 아홉, 9개, 9명.
—— *n.* **1** 아홉, 9개, 9명 ; Ⓤ 9시 ; 9세 ; 9달러[파운드, 센트《따위》] ; 아홉번째의 것[사람]. **2** 9의 기호《9, ix, IX》. **3** 9개[명]가 한 조가 되는 것 ; 《美》 야구 팀 ; [the N～] 뮤즈 9여신(神)(the Muses) ; [the N～] 유럽 공동체의 멤버 9개국. **4** (카드놀이 따위의) 9 ; (사이즈의) 9번, [*pl.*] 9번 사이즈의 것. **5** 〔골프〕 (18홀의 코스에서 전반 또는 후반의) 9홀 : the front[back] ～ 전반[후반] 9홀.
(***up***) ***to the nines*** 《口》 완전히 : dressed *up to the ～s* 성장(盛裝)한 / He touched it off *to the ～s.* 그는 그 일을 보기좋게 해냈다.

〈회화〉
How many apples are there? — *Nine.* 「사과는 몇 개 있습니까」「아홉 개입니다」

〖OE *nigon* ; cf. G *Neun*, L *novem*〗

níne-bàll *n.* 《美》 나인볼《pocket billiards의 일종(一種)》.

níne dáys' wónder *n.* 한동안 떠들썩하다가 곧 잊혀지는 소문[사건] ; 「남의 말도 석달」.

níne·fòld *a., adv.* 9배의[로], 아홉 겹의[으로].

níne·hòles *n.* [단수·복수 취급] Ⓤ 《美》 9개의 구멍에 공을 넣는 놀이 ; 곤란한 상황.
in the nineholes 곤란하여, 궁지에 빠져.

999 *n.* 《英》 비상[구급] 전화 번호《경찰·구급차·소방차를 부르는 전화 번호 ; níne nìne níne으로 읽음》.

nine·pence [náinpəns, 美+-pèns] *n.* 9펜스.

níne·pìn *n.* **1** [～s, 단수 취급] 나인핀즈《9개의 핀을 사용하는 볼링 ; cf. SKITTLES》. **2** 나인핀즈용의 핀.
fall over like a lot of ninepins 차례로 모조리 쓰러지다.

◇**nine·teen** [náintí:n] *a.* 19의, 19개의, 19명의 ; [*pred.*로 써서] 19세인 : the ～-nineties 1990년대 / in the ～-hundreds 1900년대에. —— *pron.* [복수취급] 19, 19개, 19명.
—— *n.* 19, 19개, 19명 ; 19의 기호《19, xix, XIX》 ; 19번째의 것 ; (사이즈의) 19번 ; 19개[명]이 한조가 되는 것.
talk[***go, run, wag***] ***nineteen to the dozen*** 쉴새없이 지껄이다.

1984 [nàintíːnèitifɔ́ːr] *n.* (자유를 잃은 미래의 전체주의 사회의 상징으로서) 1984년. 〖G. Orwell의 미래소설 *Nineteen Eighty-Four*에서〗

1990 [nàintíːnnáinti] *n.* 〘브레이크댄싱〙 물구나무서서 한 손을 짚고 빙빙 도는 춤.

***nine·teenth** [náintíːnθ] *a.* 제19(번째)의 ; 19분의 1의. —— *n.* **1** 제19 ; (월일(月日)의) 19일. **2** 19분의 1.

níneteenth hóle *n.* [the ~] 《口·戲》 19번 홀 《18홀을 끝낸 후에 골퍼가 쉬는 시간》 ; 골프장 내의 클럽 회관, 특히 바.

***nine·ti·eth** [náintiəθ] *a.* 제90(번째)의 ; 90분의 1의. —— *n.* 제90 ; 90분의 1.

níne-to-fíve, 9-to-5 *n.* 《俗》 (평일의 9시부터 5시까지의) 일상적인 일[근무] (시간) ; =NINE-TO-FIVER. —— *vi.* (지루하고) 규칙적인 일[근무]을 하다.

níne-to-fív·er [-fáivər] *n.* 《俗》 **1** (9시부터 5시까지 따분하고 틀에 박힌 일을 하는) 정시간 노동자. **2** 믿을 수 있고 책임감이 강한 사람. **3** 규칙[일상]적인 일.

◇**nine·ty** [náinti] *a.* 90의, 90개의, 90명의 ; [*pred.* 로 써서] 90세인. —— *pron.* [단수취급] 90, 90개, 90명. —— *n.* **1** 90, 90개, 90명 ; 90의 기호《90, xc, XC》. ㊟ 복합수사를 만듦 : ~-one 91 / ~-first 제91 / ~-nine 99 / ~-ninth 99번 째. **2** [the nineties] (세기의) 90년대《문예에서는 특히 19세기 말의 10년간을 말하며 대문자로 시작됨 ; cf. FIN DE SIÈCLE》 ; [one's nineties] (연령의) 90대(代).

ninety-nine times out of a hundred 거의 언제나.

nínety-dày wónder *n.* 《美俗》 3개월간 훈련받고 임관된 육군[해군] 장교 ; 젊어 보이는 장교, (특히) 육군 소위, 공군 장교 ; 동원되어 3개월 재교육을 받은 육군[해군 예비역] 군인.

nínety wèight *n.* 《美俗》 독한 알코올 음료, 독한 술(hard liquor).

Nin·e·veh [nínəvə] *n.* 니네베《기원전 612년 제국의 멸망으로 폐허가 된 Assyria의 옛 수도》.

Nin·e·vite [nínəvàit] *n.* 니네베인(人).

Ning·xia, Ning·sia, -hsia [níŋʃiáː ; -ʃjáː] *n.* 닝샤(寧夏)《(1) 중국 북서부의 옛 성(省). (2) 현재의 인찬(銀川)》.

nin·ny(-ham·mer) [níni(hǽmər)] *n.* 멍청이, 바보. 〖C16 ‹? *an innocent* simpleton〗

ni·non [níːnɑn ; *F* ninɔ̃] *n.* 얇은 비단.
〖? F *Ninon* : Anne의 애칭〗

◇**ninth** [náinθ] *a.* **1** 제9(번째)의. **2** 9분의 1의 : a ~ part 9분의 1. —— *n.* **1** [the ~] 제9 ; (월(月)의) 9일[아흐레]. **2** 9분의 1. **3** 〘樂〙 9도(度) (음정), 9도의 화음. —— *adv.* 제9번째로.
~·ly *adv.*

nínth cránial nérve *n.* 〘解〙 설인(舌咽) 신경.

Ni·o·be [náiəbi] *n.* **1** 〘그神〙 니오베《훌륭한 자식 14명이 모두 살해되어 비탄에 빠져 있다가 Zeus 신에 의해 돌로 변했다는 여자》. **2** Ⓒ 자식을 잃고 비탄에 잠긴 여자.

ni·o·bi·um [naióubiəm] *n.* Ⓤ 〘化〙 니오브《금속원소 ; 기호 Nb ; 번호 41 ; 옛 칭호 columbium》.

NIOSH 《美》 National Institute for Occupational Safety and Health(국립 직업 안전 건강 연구소).

nip¹ [níp] *v.* (**-pp-**) *vt.* **1** [+目/+目+副/+目+前+名] 꼬집다, 집다 ; 따다, 뜯다 ; (개 따위가) 물다 ; (사이에) 끼다 : Our puppy ~*ped* my fingers playfully. 집의 강아지가 장난치느라고 내 손가락을 물었다 / I shall have to ~ ***off*** the shoots soon. 곧 새싹을 따내야겠구나 / I ~*ped* my fingers ***in*** a train door. 내 손가락이 기차 문에 끼었다. **2** (바람·서리가) …을 시들게 하다, …의 생장을 멈추게 하다 ; 얼리다 : The cold winds have ~*ped* my ears and nose. 차가운 바람에 귀와 코가 얼어 붙을 것 같았다. **3** 《俗》 잡아채다, 훔치다‹*up, out*›.
—— *vi.* **1** 꼬집다, 집다, 물다 ; (바람·추위 따위가) 살을 에다. **2** 《英口》 [+副] 달리다, 서두르다 : He ~*ped* ***along.*** 급히 가버렸다 / When the door opened, somebody ~*ped* ***in.*** 문이 열리자 누군가가 불쑥 들어왔다 / He ~*ped* ***on to*** the man. 그는 그 사람 쪽으로 뛰었다.
nip...in the bud …을 봉오리[새싹]일 때 따다 ; (음모 따위를) 미연에 방지하다.
—— *n.* **1** 한 번 꼬집기(pinch) ; 세게 물기. **2** 살을 에는 듯한 추위 ; 상해(霜害) : a ~ in the air 살을 에는 듯한 한기. **3** 혹평, 풍자. **4** 조금(bit) ‹*of*›. **5** 《俗》 훔침, 소매치기.
nip and tuck 《美口》 막상막하로, 비등하게 (neck and neck).
〖? LDu. ; cf. ON *hnippa* to prod〗

nip² *n.* (위스키 따위의) 한 잔, 한 번 마심, 소량(少量). —— *vi., vt.* (**-pp-**) 홀짝홀짝 마시다.
〖C18 *nipperkin* small measure‹LDu. ; cf. Du. *nippen* to sip〗

Nip *n., a.* 《俗·蔑》 일본(사람)(의).

ni·pa [níːpə, nái-] *n.* 〘植〙 (동인도·필리핀산) 니파야자나무 ; Ⓤ 니파야자나무 술.
〖? It.‹Malay〗

níp·per *n.* **1** 꼬집는[따는] 사람 ; 집는[무는] 것. **2** [*pl.*] 못뽑이, 집게, 철사 끊는 가위 ; (치과용의) 겸자(鉗子) (forceps). **3** [*pl.*] (게 따위의) 집게발 ; (말의) 앞니. **4** [*pl.*] 《古》 코안경(pince-nez). **5** 《俗》 소년, (행상을) 돕는 아이, 부랑아.
〖NIP¹〗

níp·ping *a.* 살을 에는 듯한, 신랄한.

nip·ple [nípəl] *n.* **1** 젖꼭지 (비슷한 것) ; 젖병의 고무 젖꼭지. **2** 젖꼭지 모양의 돌기.
〖C16 *neble, nible* (dim.) ‹? *neb* tip〗

nípple·wòrt *n.* 〘植〙 개보리뺑이.

níp·py *a.* (바람·추위 따위) 살을 에는 듯한, 혹독한, 매서운 ; 신랄한 ; 《英口》 재빠른, 민첩한 ; 《英口》 (차가) 첫출발이 좋은, 가속이 붙는 ; 《俗》 말쑥한, 근사한 ; 《스코》 인색한, 구두쇠의.
níp·pi·ly *adv.* **-pi·ness** *n.* 〖NIP¹〗

ni. pri. nisi prius.

níp-ùp *n.* (미용체조에서) 누운 자세에서 벌떡 일어서기 ; 묘기.

NIRA, N.I.R.A. 《美》 National Industrial Recovery Act(미국 국가 산업 부흥법(法) ; 1933년 제정》.

nir·va·na, Nir- [niərvɑ́ːnə, nə(ː)r-] *n.* Ⓤ 〘佛敎〙 열반(涅槃) ; (일반적으로) 해탈(의 경지) ; 꿈, 소원. 〖Skt. =extinction〗

ni·si [náisai] *a.* [후치] 〘法〙 일정 기간내에 당사자가 이의(異議)를 신청하지 않으면 절대적 효력을 발생하는, 가(假)… : an order[a rule] ~ 가명령 / ☞ DECREE NISI.
〖L=unless〗

nísi prí·us [-práiəs] *n.* **1** 《美》 (배심과 1인의 판사가 심리하는) 제1심(의 법원(=~ **còurt**)). **2** 《英》 순회 판사에 의한 배심 재판.
〖L=unless before ; 원래는 기일(期日) 전에 재판관의 순회가 없을 경우 jury를 Westminster에 보내도록 sheriff에게 명령한 문구〗

Nis·an, Nis·san [nísən, nisɑ́ːn ; náisæn] *n.* 〔유태曆〕 니산《유태력의 제 7월, 교회력의 제 1월 ; 현행 태양력으로 3-4월 ; ☞ JEWISH CALENDAR》. 〚Heb.〛

Nís·sen hùt [nísən-] *n.* 반원형 병사(兵舍), 조립식 주택《QUONSET HUT보다 소형》. 〚Lt. Col. Peter N. *Nissen* (d. 1930) 고안자인 영국의 광산 기사〛

ni·sus [náisəs] *n.* (*pl.* ~ [-səs, -suːs]) 노력, 분발, 의욕. 〚L (*nitor* to exert oneself)〛

nit[1] [nít] *n.* (이 따위의) 알, 서캐 ; (곤충의) 유충. 〚OE *hnitu* ; cf. G *Niss* (*e*)〛

nit[2] *n.* 《英俗》 =NITWIT.

nit[3] *n.* 〔理〕 니트《휘도(輝度)의 단위》. 〚L *nitor* brightness〛

nit[4] *n.* 니트《정보량의 단위 : =1.44 bits》. 〚*n*apierian dig*it*〛

nit[5] *n.* [감탄사적으로] 《濠口》 (사람이) 왔다, 조심해라.
keep nit 사람이 오는가 망보다.
〚*nix !*〛

nit[6] *n.* 《美口》 없음, 무(nothing). 〚Yid. =not, no<MHG *niht, nit* nothing〛

NIT National Intelligence Test ; National Invitational Tournament ; negative income tax.

Ni·ta [níːtə] *n.* 여자 이름《Juanita의 애칭》. 〚Sp.〛

nite [náit] *n.* [발음 철자] =NIGHT.

ni·ter | ni·tre [náitər] *n.* Ⓤ 〔化〕 질산칼륨, 칠레초석(硝石), 질산나트륨. 〚OF<L<Gk. *nitron*〛

nit·ery [náitəri] *n.* 《美口》 나이트클럽.

nit·id [nítəd] *a.* 반짝거리는, 밝은, 윤이 나는.

nit·i·nol [nítənɔ̀(ː)l, -nòul, -nɑ̀l] *n.* Ⓤ 〔冶〕 니티놀《티탄과 니켈의 비자성(非磁性) 합금》.

ni·ton [náitɑn] *n.* Ⓤ 〔化〕 니톤《기호 Nt ; RADON의 옛 이름》.

nít·pìck 《口》 *vi.* 자질구레한 일을 트집잡다, 대수롭지 않은 일을 꼬치꼬치 캐다. —— *vt.* (자질구레한 일을) 꼬치꼬치 캐다, …의 흠을 들춰내다. **~·er** *n.* **~·ing** *a., n.* 《口》 자질구레한 일을 문제삼는[삼음], (남의) 흠을 들추는[들춤].

nitr- [náitr], **ni·tro-** [náitrou, -trə] *comb. form* 「질소」「니트로기(基)를 함유한」「[오용] 질산에스테르」의 뜻. 〚Gk.〛

ni·trate [náitreit, -trət] *n.* Ⓤ 〔化〕 질산염(鹽) ; 질산칼륨, 질산나트륨(=sodium ~).
nitrate of silver 질산은(銀).
——[-treit] *vt.* 질산(염)으로 처리하다, 질화(窒化)하다. **ni·trá·tion** *n.* Ⓤ 니트로화. 〚F ; ⇨ NITER〛

nitre ☞ NITER.

ni·tric [náitrik] *a.* 〔化〕 질소의[를 함유하는] : ~ acid 질산 / ~ oxide (일)산화질소.

ni·tride [náitraid] *n.* 〔化〕 질화물.
—— *vt.* 질화하다.

ni·tri·fy [náitrəfài] 〔化〕 *vt.* 질소와 화합시키다 ; 질화하다. **nì·tri·fi·cá·tion** *n.* Ⓤ 질화.

ni·trile [náitrəl, -triːl, -trail], **-tril** [-trəl] *n.* 〔化〕 니트릴《일반식 RCN으로 나타내는 유기 화합물》.

nítrile rùbber *n.* 〔化〕 니트릴 고무《합성 고무의 일종》.

ni·trite [náitrait] *n.* 〔化〕 아(亞)질산염.

ni·tro [náitrou] *a.* 〔化〕 니트로의 ; 니트로기(基)[화합물]의. —— *n.* (*pl.* ~s) 《口》 **1** 니트로글리세린, (특히 금고 폭파용의) 니트로. **2** 니트로메탄(nitromethane).

nìtro·bactéria *n. pl.* 〔菌〕 질화 박테리아, 니트로박테리아《흙 속에서 암모니아 화합물을 질화하는 각종 박테리아》.

nìtro·bénzene [ˌ--ˊ-] *n.* Ⓤ 〔化〕 니트로벤젠《벤젠과 질산의 화합물》.

nìtro·céllulose *n.* 〔化〕 니트로셀룰로오스.

nìtro·chálk *n.* Ⓤ 〔化〕 니트로초크《탄산칼슘과 질산암모늄의 혼합물 ; 비료》.

nítro còmpound *n.* 〔化〕 니트로 화합물.

nìtro·cótton *n.* Ⓤ 면화약.

nítro explòsive *n.* 〔化〕 니트로 폭발물.

***ni·tro·gen** [náitrədʒən] *n.* Ⓤ 〔化〕 질소《기체원소 ; 기호 N ; 번호 7》. 〚F (*nitro-, -gen*)〛

ni·tro·ge·nase [náitrədʒənèis, naitrɑ́dʒə-, -z] *n.* 〔生化〕 니트로게나아제《분자 상태 질소를 환원시켜 암모니아화하는 효소》.

nítrogen chlóride *n.* 〔化〕 염화(鹽化)질소.

nítrogen cỳcle *n.* 〔生〕 질소 순환.

nítrogen dióxide *n.* 〔化〕 이산화질소.

nítrogen fixàtion *n.* 〔生態〕 질소 고정.

nítrogen fixer *n.* 〔菌〕 질소 고정균《공중 질소를 고정하는 토양 미생물》.

nítrogen mùstard *n.* 〔化〕 질소 머스터드《독가스 ; 악성 종양 치료약》.

nítrogen narcòsis *n.* **1** 질소 중독《잠수시 따위 고압력하에서 일어나는 혈중(血中) 질소 과다로 인한 인사 불성》. **2** 〔醫〕 질소 마취.

ni·trog·e·nous [naitrɑ́dʒənəs] *a.* 질소의[를 함유한] : ~ fertilizer 질소 비료.

nítrogen óxide *n.* 〔化〕 산화질소, 질소산화물.

nìtro·glýcerin, -glýcerine *n.* Ⓤ 〔化·藥〕 니트로글리세린.

nítro gròup[ràdical] *n.* 〔化〕 니트로기(基).

nítro·lìme *n.* Ⓤ 〔化〕 석회 질소.

ni·trom·e·ter [naitrɑ́mətər] *n.* 질소계(計).

nìtro·méthane *n.* 〔化〕 니트로메탄《인화성이 있는 무색 액체》.

ni·tros- [naitróus], **ni·tro·so-** [naitróusou, -sə] *comb. form* 「니트로소기(基)를 가진(nitroso)」의 뜻《특히 유기 화합물에 대해 씀》.

ni·tro·sa·mine [nàitrousəmíːn, -sǽmən, 美+ naitróusəmìːn], **nitróso·amìne** *n.* 〔化〕 니트로소아민《일반식 R_2NNO의 구조를 갖는 화합물의 총칭 ; 몇 개는 강력한 발암 물질》.

nìtro·tóluene *n.* Ⓤ 〔化〕 니트로톨루엔《톨루엔을 농질산으로 처리하여 얻는 화합물》.

ni·trous [náitrəs] *a.* 〔化〕 질소의[를 함유하는] ; 질산칼륨의.

nítrous ácid *n.* 〔化〕 아(亞)질산.

nítrous óxide *n.* 〔化〕 일산화이질소, 아산화질소《마취제 ; 소기(笑氣) (laughing gas)》.

nít·ty *a.* 서캐투성이의.

nítty-grítty *n.* 《俗》 [보통 the ~] 실상, (냉엄한) 현실, (문제의) 핵심, (계획·상황 따위의) 본질, 기본적인 사실. —— *a.* 가장 중요한. 〚C20< ?〛

nit·wit [nítwìt] *n.* 《口》 바보, 얼간이.
-wìtted *a.* 〚? *nit*[1]+*wit*〛

ni·val [náivəl] *a.* 눈의 ; 눈이 많은 ; 눈 속[밑]에서 자라는[사는].

nix[1] [níks] *n.* Ⓤ 《俗》 무, 제로, 전무(全無) (nothing) ; 거부, 거절. —— *adv.* 싫어. —— *a.* 전무의 ; 싫은. —— *vt.* 금하다 ; 거절하다 ; 취소하다.
nix out 《美》 떠나다 ; 쫓아버리다.

—— *int.* 그만둬, 안돼, 싫어, 반대 ! ; (동료 등에게 경계하라는 신호로) 야, 온다 와 !
keep nix 누군가가 가까이 오는지 망보다.
〚G *nix* (colloq.) = *nichts* nothing〛

nix² *n.* (*fem.* **nix·ie** [níksi]) 〘게르만傳說〙 물의 요정(water sprite).
〚G ; cf. OE *nicor* water monster〛

nix·ie¹, nixy [níksi] *n.* 《美俗》 (수취인 불명으로) 배달할 수 없는 우편물.
〚NIX¹〛

nixie² *n.* NIX²의 여성형.

Nix·on [níksən] *n.* 닉슨. **Richard Milhous** ~ (1913-94) 미국의 정치가, 제37대 대통령(1969-74) ; Watergate 사건으로 사임.

Níxon Dóctrine *n.* [the ~] 닉슨 독트린《우방 각국의 자립을 기대하는 기본 정책》.

Ni·zam [nizɑ́ːm, -zǽm ; naizǽm] *n.* **1** 니잠《인도 Hyderabad의 군주(의 칭호)》. **2** [n~] (*pl.* ~) (옛날의) 터키의 상비병.
〚Hindi < Arab.〛

NJ 〘美郵〙 New Jersey. **N.J.** New Jersey. **NL, N.L.** National League ; New Latin. **n.l.** 〘印〙 new line. **N.Lat., N. lat.** north latitude. **N.L.C.** 《英》 National Liberal Club.

NLETS [énlèts] *n.* 전미(全美) 법집행 텔레타이프 시스템《법무부 관할 아래 있는 범죄자나 감시인물에 대한 문의에 즉시 정보를 제공할 수 있는 시스템》. 〚*N*ational *L*aw *E*nforcement *T*eletype *S*ystem〛

NLF National Liberation Front. **NLP** 《美》 neighborhood loan program. **NLRB, N.L.R.B.** 《美》 National Labor Relations Board(전국 노동 관계 위원회). **NLT** night letter. **NM** 〘美郵〙 New Mexico. **N.M.** New Mexico ; night message ; 〘商〙 no mark ; not marked. **nm** nanometer ; nautical mile(s) ; nonmetallic. **N.Mex.** New Mexico. **NMI** no middle initial. **NMR** nuclear magnetic resonance. **NMR-CT** nuclear magnetic resonance-computerized tomography (핵자기 공명 컴퓨터 단층 촬영 장치). **NMS** 〘證〙 National Market System for Securities(종합 증권 거래 제도). **NNA** neutral and non-aligned (중립국과 비동맹국). **NNE, N.N.E., n.n.e.** north-northeast. **NNNN** 《(국제 전보에서) 전보의 끝을 나타내는 기호》. **NNP** net national product (국민 순생산). **NNW** net national welfare(순국민 복지). **NNW, N.N.W., n.n.w.** north-northwest.

◇no [nóu]

> (1) 대답에 쓰는 yes, no의 no이다.
> (2) 명사 앞에 놓아 부정을 나타낸다 : *No* two things are the same. (두 가지 사물이 동일할 수는 없다.)
> (3) 관련어로 nobody, nowhere, nothing 따위가 있다.
> (4) 형용사로서의 no는 수·양에 다 쓰이는 점에서 all이나 some과 공통점이 있다.
> (5) 명사적으로는 쓰이지 않으며 그 역할은 none이 한다.

—— *a.* **1** [단수 보통 명사에 붙여서 부정관사 a의 부정] 없는 : Is there *a* book on the table? — No, there is *no* book there. 책상 위에는 책이 있습니까 — 아니오, 거기에는 책이 없습니다. ☞ 活用 (1) ; A² 活用 (2). **2** [복수 보통 명사·Uncountable (물질 명사·추상 명사)에 붙여서] 조금도 없는(not any) (↔ *a few, a little*) : He has *no* brothers. 그에게는 형제가 없다 / There are *no* clouds in the sky. 하늘에는 구름 한 점 없다 / I have *no* money on [with] me. 돈이 전혀 없다. ☞ 活用 (1). **3** [수(數) 관념이 중요하지 않은 단수형(보통 명사·추상 명사·동명사)에 붙여서] 아무것도[누구도] 없는(not any) : *No* one(= Nobody) knows. 아무도 모른다 / There is *no* water on the moon. 달에는 물이 전혀 없다(☞ 活用 (1)) / There is *no* say*ing* what may happen. 무슨 일이 일어날 지 알 수가 없다 / his belief or rather *no* belief 그의 신앙이라기 보다 오히려 무신앙. **4** [be의 보어(명사) 또는 다른 형용사에 붙여서] 결코 …이 아닌 : He is *no* scholar. 그는 조금도 학자답지 않다(cf. *He is not a scholar.* 학자가 아니다) / It's *no* joke. ☞ JOKE *n.* 1 / I am *no* match for him. 나는 그에게 도저히 당할 수 없다 / He showed *no* great[small] skill. 대단한 솜씨를 발휘하지 못했다[발휘했다] / This is *no* place for a boy at night. 여기는 밤에 어린이가 있을[올] 장소가 못된다. **5** [생략문에 쓰여] …이 있어서는 안될, …반대 [거절·배격] : *No* militarism! 군국주의 반대 ! / *No* parking. 《게시》 주차 금지 / (Let there be) *no* talking in class. 수업 중 잡담 금지.
no [***none***] ***other than*** [***but***] ☞ NONE *a.*

—— *adv.* **1** [or의 뒤에 쓰여] …이 아닌(not) : I don't know whether *or no* it's true[whether it's true *or no*]. 일의 진위(眞僞)를 모른다 / Pleasant *or no*, it is true. 유쾌하건 유쾌하지 않건 사실이다. **2** [비교급의 앞에 쓰여] 조금도 …하지 않다(not at all) (cf. ANY *adv.*) : *no better than* ☞ BETTER¹ *a.* 숙어 / I can walk *no further* [*farther*]. 더 이상 걸을 수가 없다 / *no less than* ☞ LESS *a.* 숙어 / *no longer* ☞ LONG *adv.* 숙어 / *no more* (*than*) ☞ MORE 숙어 / She is a little girl *no bigger* than I. 그녀는 키가 나만한 어린 소녀다. 注 원급의 형용사 앞에 쓰이기도 함 : I am *no* good at it. 나는 그것은 잘하지 못한다 / Our family is *no* different from the average family. 우리 가정은 일반 가정과 다를 바 없다. **3 a**) [부정의 대답] 아니, 아니오(↔ *yes*) : Are you coming? — *No.* 와 주시겠습니까 — 아니오 / Won't you come? — *No,* I won't. 오지 않겠습니까 — 네, 안가겠습니다(I won't come.). ☞ 活用 (2). **b**) [not 또는 nor를 수반하여 강한 부정을 나타냄] : One man cannot lift it, *no*, nor half a dozen. 혼자서는 들어올릴 수 없다, 아니 6 사람이 들어도 안된다. **c**) [놀람·의문 따위를 나타내어] 설마 : *No*, that's impossible! 설마 ! 그런 일은 불가능하다.

> 〈회화〉
> Are you going? — *No,* I'm not. 「가십니까」 「아뇨, 안갑니다」

—— *n.* (*pl.* ~**es**, ~**s** [-z]) **1** no(아니)라는 말, 부정, 부인, 거절(↔ *yes, ay, aye*) : say *no* 「아니」라고 말하다, 부인하다 / Two *noes* make a yes. 부정을 반복하면[부정의 부정은] 긍정이 된다 / He will not take *no*. 싫다고는 말하지 않겠지. **2** [*pl.*] 반대 투표(자) : The *noes* have it[are in the minority]. 반대 투표 다수[소수].
〚OE (a.) *nā* < *nān* NONE¹, (adv.) *nā* (*ne* not, *ā* always)〛

活用 (1) *a.*의 1, 2, 3의 용법에서는 《口》에서 주어

(의 일부)로 쓰이는 경우 또는 특히 부정을 강조하는 경우 이외에는 no[nobody, *etc.*] (...)보다도 not(...)any[anything, *etc.*]를 쓰는 것이 일반적 : What did he give you? (그가 무엇을 주었느냐) — He did*n't* give me *anything.* (아무 것도 안주었어) (cf. He gave me *nothing.*) / Who did you see? (누구를 보았습니까) — I did*n't* see *anybody.* (아무도 보지 못했습니다) (cf. I saw *nobody.*) ; 단 have, there[here] is의 뒤에서는 《口》라도 보통 *no*(...)를 쓰며 There is*n't any* book there. (거기에는 책이 없소) / He has*n't any* brothers. (그는 형제가 없소)와 같이 말하는 것은 강조적.
(2) *adv.* 3 a)의 용법에서는 묻는 형식에 관계없이 대답의 내용이 부정이면 언제나 No, 긍정이면 언제나 Yes를 쓰는 것이 원칙. 단 묻는 형식이 의문문의 형태를 취하지 않고 (부정)평서문의 형식일 경우에는 그것에 대한 대답은 반드시 이 원칙을 따르지는 않음 ; 가령, You cannot drive a car? (너는 운전할 줄 모르지) 《Can't you drive a car?가 아님》에 대해서 「아니오, 운전할 수 있습니다」라고 대답할 경우에는 *Yes,* I can.이나 *No,* I can.이나 다 괜찮다.

No., No, no. [nʌ́mbər] *n.* (*pl.* **Nos., Nos, nos.** [nʌ́mbərz]) 제…번, 제…호, …번지《따위》. 〖L *numero* (abl.) by NUMBER〗

No 〔化〕 nobelium. **No.** north ; northern. **N.O.** 〔植·動〕 natural order ; New Orleans. **n.o.** 〔크리켓〕 not out(아웃되지 않은 잔류 선수).

NOAA 《美》 National Oceanic and Atmospheric Administration《해양 대기국 ; 상무성의 한 국(局)》.

nó-accòunt, nó-còunt *a., n.* 《美口》 가치가 없는 (사람), 무능한 (사람), 무책임한 (사람).

No·a·chi·an [nouéikiən], **No·ach·ic** [nouǽkik, -éik-] *a.* Noah (시대)의 ; 먼 옛날의, 태고의 : the *Noachian* deluge 노아의 대홍수.

No·ah [nóuə] *n.* 남자 이름 ; 〔聖〕 노아《헤브라이인의 족장(族長) ; 대홍수에서 살아 남아 인류의 조상이 됨 ; cf. DEUCALION》.
〖Heb. =rest〗

Nóah's árk *n.* 〔聖〕 노아의 방주(方舟) ; Ⓒ (노아의 방주를 모방해서 사람과 동물들을 넣은) 장난감 배 ; 구식의 대형 트렁크[운반도구].

Nóah's bóy *n.* 《美俗》 (식탁 위에 놓인) 햄.

Nóah's níghtcap *n.* 〔植〕 캘리포니아포피.

nob[1] [nɑ́b] *n.* 《俗》 머리 ; 《俗》 머리에 가하는 일격 ; 《俗》 혹(knob). —— *vt.* (**-bb-**) 〔拳〕 …의 머리를 치다. 〖? *knob*〗

nob[2] *n.* 《英俗》 귀인, 양반, 상류인사.
〖Sc. *knabb, nab* < ? 〗

nó bàll *n.* 〔크리켓〕 반칙 투구《상대방에게 1점을 줌》; 반칙 투구의 선언.

nó-bàll *vt.* 〔크리켓〕 …에게 반칙 투구를 선언하다.

nob·ble [nɑ́bəl] *vt.* 《俗》〔競馬〕 이기지 못하도록 (말에) 독약을 먹이거나 불구로 만들다 ; (사람을) 부정수단으로 자기편에 끌어 들이다, (기수를) 매수하다 ; (돈 따위를) 사취하다 ; (사람을) 속이다, 후무리다, 훔치다 ; (범인을) 체포하다 ; 유괴하다. **nób·bler** *n.*
〖*knobble* (dial.) to beat ; 또는 (freq.) ‹ *nab* ; 또는 역성(逆成) ‹ *nobbler* (*an hobbler* one who hobbles horses의 이분석(異分析))〗

nób·by *a.* 《俗》 귀족다운, 멋진, 세련된 ; 화려한 ; 일류의.

nó-bè·ing *n.* Ⓤ 비실재(非實在).

No·bel [noubél] *n.* **1** 노벨. **Alfred Bernhard** ~ (1833-96) 스웨덴의 화학자, 다이너마이트의 발명자. **2** =NOBEL PRIZE. 〖변형(變形) ‹ *noble*〗

nobél·ist *n.* [때때로 N~] 《美》 노벨상(Nobel prize) 수상자.

no·be·li·um [noubí:liəm, -bél-] *n.* Ⓤ 〔化〕 노벨륨《방사성 원소 ; 기호 No ; 번호 102》.
〖A.B. *Nobel*〗

Nobél mán[láureate] *n.* =NOBELIST.

Nó·bel prìze [nóubel-] *n.* 노벨상《Nobel의 유언에 따라 세계의 물리학·화학·생리학 의학·문학·평화·경제학의 6개 부문에서 업적이 뛰어난 사람들에게 수여됨》.

no·bil·i·ary [noubílièri, -bíljəri] *a.* 귀족의.

nobíliary párticle[préfix] *n.* 귀족(출신자)의 성과 이름 사이에 붙이는 존칭《프랑스의 de, 독일의 von 따위》.

***no·bil·i·ty** [noubíləti] *n.* **1** Ⓤ 고결함, 숭고 ; 고귀한 태생[신분]. **2** [집합적으로 ; 보통 the ~ 또는 a ~] 귀족(계급) (aristocracy), (특히) 영국의 귀족(peers) (cf. GENTRY). ㊟ 영국 귀족에는 위로부터 차례로 5계급이 있음 : duke (공작), marquess [marquis] (후작), earl (백작) 《대륙에서는 COUNT²》, viscount (자작), baron (남작).
〖OF or L (↓)〗

***no·ble** [nóubəl] *a.* (**-bler ; -blest**) **1** 고귀한, 귀족의(↔*base, ignoble*) : a ~ family 귀족(의 가문) / a man of ~ birth 고귀한 태생의 사람, 귀족. **2** 고결한, 기품있는, 숭고한 : a man of ~ character 고결한 (인격의) 사람. **3** (외관이) 당당한, 웅장한, 장엄한 ; 유명한, 훌륭한, 멋있는 : a monument on a ~ scale 웅대한 (규모의) 기념비 / a ~ building 웅장한 건축물. **4** 〔化〕 비활성의 ; (광물·금속이) 귀중한(precious), (특히) 부식(腐食)되지 않는(cf. BASE² 2).
my noble friend 《英》 경(卿) 《연설 중 귀족 또는 Lord의 칭호가 있는 사람을 가리켜 말할 때》.
the noble lady 《英》 영부인《귀족의 부인을 호칭할 때》.
the noble Lord 《英》 각하《상원 의원끼리 또는 Lord의 칭호가 있는 하원 의원을 호칭할 때》.
—— *n.* **1** =NOBLEMAN. **2** 〔史〕 노블《영국의 옛 금화》; 《美俗》 파업 저지의 지도자. **~·ness** *n.* 고귀, 고결, 고상 ; 장대, 장엄. 〖OF<L *nobilis* well-known (《美》 *gnō-* to know)〗

nóble árt[scíence] *n.* [the ~] 권투.

nóble fír *n.* 〔植〕 전나무의 일종《미국산》.

nóble gás *n.* 〔化〕 비활성 기체.

nóble·man [-mən] *n.* 고귀한 사람, 귀족(peer) ; [*pl.*] 〔체스〕 노블맨《pawn 이외의 말》.

nóble métal *n.* 〔化〕 귀금속(cf. BASE METAL).

nóble-mínd·ed *a.* 마음이 고결한 ; 도량이 넓은. **~·ly** *adv.* **~·ness** *n.*

nóble sávage *n.* 고결한 미개인《낭만주의 문학 속에서 이상적인 원시인상(像)》.

no·blesse [noublés] *n.* Ⓤ (특히 프랑스의) 귀족 사회 ; 고귀한 신분.
〖ME=nobility<OF ; ⇨ NOBLE〗

noblésse ob·líge [-oublí:ʒ] *n.* 고귀한 신분에 따르는 (도덕상의) 의무.
〖F=nobility obligates〗

nóble·wòman *n.* 귀족 부인, 귀부인.

no·bly [nóubli] *adv.* 품위있게 ; 훌륭하게, 당당히 ; 귀족으로서, 귀족답게 : He was ~ born. 그는 귀족으로 태어났다.

‡**no·body** [nóubàdi, -bədi] *pron.* 아무[한사람]도 …않다(no one) (☞ NONE¹ 1 ㊟) : *N*~ knows who he is. 그가 누구인지 아무도 모른다 / There

was ~ there. 거기에는 아무도 없었다 / *N~* will be the wiser. 아무도 모를 것이다. ☞ 活用.
nobody else 그밖에 아무도 …않다 : *N~ else* lives there now. 이제 거기에는 다른 사람은 아무도 살고 있지 않다.
somebodies and nobodies 유명 무명(有名無名)의 인사들.
—— *n.* 이름 없는 사람, 보잘것없는[하찮은] 사람 (cf. ANYBODY, SOMEBODY).
活用 nobody, no one을 받는 술어동사는 언제나 단수형이지만 특히 스스럼없는 말투에서는 nobody를 they[them, their, *etc.*]로 받기도 한다 ; 의문문에서는 보통 쓰이지 않음 : *Nobody* thinks *their* own dog is a nuisance. (아무도 자기가 기르는 개가 남에게 폐가 된다고는 생각하지 않는다) / *Nobody* was hurt, were *they*? (아무도 다치지 않았지, 그렇지).

nó·brànd *a.* 노브랜드의, 상표가 붙어있지 않은.
nó-bùy *a.* 불매의(boycotting) : the ~ campaign 불매 운동.
NOC National Olympic Committee(국가 올림픽 위원회) (cf. IOC).
no·cent [nóusənt] *a.* 해로운, 유해한(harmful, hurtful) ; 《古》 유죄의(↔*innocent*).
no·ci·cep·tive [nòusiséptiv] *a.* 아픔을 주는《자극》; (감각 기관 따위) 아픈 자극에 반응하는, 침해 수용(受容)의.
nock [nák] *n.* 활고자 ; 오늬. —— *vt.* 활고자[오늬]를 달다 ; (화살을) 시위에 메우다.
〚? MDu. =summit, tip〛
nò-cláim(s) bónus *n.* (자동차의 상해 보험에서) 일정 기간 무사고로 지낸 피보험자에게 적용되는 보험료의 할인.
nó-còlor *a.* 《美》〔服〕 눈에 잘 안 띄는 중간색의.
nó-cónfidence *n., a.* 불신임(의) : a ~ vote 불신임 투표.
noct- [nákt], **noc·ti-** [náktə], **noc·to-** [náktou, -tə] *comb. form* 「밤」의 뜻.
〚L (*noct- nox* night)〛
noc·tam·bu·la·tion [naktæmbjəléiʃən], **-bu·lism** [-tǽmbjəlìzəm] *n.* Ⓤ 몽유병(病), 몽중 보행. **-bu·lant** [-bjələnt], **-bu·lous** *a.* 밤에 걷는, 몽유의. **-bu·list** *n.* 몽유병자.
noc·ti·lu·ca [nàktəlú:kə] *n.* (*pl.* **~s, -cae** [-si:]) 〔動〕 야광충(夜光蟲).
noc·ti·lu·cent [nàktəlú:sənt] *a.* 밤에 빛나는. **-cence** *n.* Ⓤ 밤의 인광.
nòcti·phóbia *n.* 〔精神醫〕 어둠 공포(증).
noc·tiv·a·gant [naktívəgənt], **-gous** [-gəs] *a.* 밤에 나다니는, 야행성의.
noc·to·vis·ion [náktəvìʒən] *n.* Ⓤ 암시(暗視) 장치《적외선을 이용하여 안개 속이나 어둠 속의 영상을 보는 장치》.
〚*nocto-*+tele*vision*〛
noc·tu·ary [náktʃuèri ; -əri] *n.* 《古》 야간 사건의 기록.
noc·tu·id [náktʃuəd, náktə-] *n.* 〔昆〕 밤나방과의 나방. —— *a.* 밤나방과의.
noc·tule [náktʃu:l] *n.* 집박쥐.
noc·turn [náktə:rn] *n.* 〔카톨릭〕 야과(夜課) 《성무일과의 조과(朝課)의 3구분 중 하나》; 〔樂〕 = NOCTURNE.
noc·tur·nal [naktə́:rnl] *a.* **1** 야간의, 밤의(↔*diurnal*). **2** 〔動〕 야간 활동을 하는, 야행성의 ; 〔植〕 밤에 피는. —— *n.* =NIGHT PIECE ; = NIGHTWALKER ; 《古》 (별의 위치에 의한) 야간 시각 측정기. **~·ly** *adv.* 야간에, 밤마다.
〚L (*noct- nox* night)〛
noctúrnal emíssion *n.* 〔生理〕 몽정(夢精).
noctúrnal enurésis *n.* 〔醫〕 야뇨(증).
noc·turne [náktə:rn] *n.* 〔樂〕 야상곡(夜想曲), 녹턴(cf. AUBADE, SERENADE) ; 〔畫〕 야경(화).
〚F ; ⇨ NOCTURNAL〛
noc·u·ous [nákjuəs] *a.* 유해한, 유독한.
~·ly *adv.* **~·ness** *n.* 〚L ; ⇨ NOXIOUS〛
nó-cùre *a.* 불치(不治)의.
nò-cút cóntract *n.* 《美·Can.》 무해고(無解雇) 보증 계약.
‡**nod** [nád] *v.* (**-dd-**) *vi.* **1** [動 / +*to*+名 / +*to* do] 끄덕이다 ; 절[인사]하다 ; 끄덕거려 승낙[명령]하다 : The boy *~ded* ***to*** her with a smile. 소년은 미소지으며 그 여자를 향해 인사했다 / I *~ded to* show that I agreed. 동의한다는 표시로 끄덕거렸다. **2** 꾸벅거리다, (꾸벅꾸벅) 졸다 ; 방심하다, 깜빡 실수하다 ; 《美俗》 (마약으로) 멍해지다, 도취하다 : Tom was caught *~ding* by the teacher. 톰은 꾸벅꾸벅 졸다가 선생님에게 들켰다 / (Even) Homer sometimes *~s.* 《속담》 호머같은 대시인도 실수할 때가 있다, 원숭이도 나무에서 떨어질 때가 있다. **3** 흔들리다, 휘어지다, 기울다 : The trees were *~ding* in the wind. 나무들이 바람에 흔들리고 있었다. —— *vt.* **1** (머리를) 끄덕거리다 : He *~ded* his head. 그는 머리를 끄덕였다. **2** [+目 / +目+目 / +目+前+名] (승낙 따위를) 끄덕거려 표시하다 : He *~ded* consent[approval, thanks]. 그는 끄덕거려 승낙[동의·감사]의 뜻을 나타냈다 / He *~ded* her a greeting[*~ded* a greeting ***to*** his friends]. 그는 끄덕거려 그녀를[친구들을] 환영했다. **3** 굽히다, 휘게 하다 ; 기울게 하다 ; 흔들다 ; 너울거리게[나부끼게] 하다. **4** 〔蹴〕 (공을) 헤딩을 해 아래로 떨어뜨리다.
nod to its fall (건물 따위) 곧 쓰러질 듯이 기울다.
—— *n.* **1** 끄덕거림《동의·인사·신호·명령》; 묵례 : give a ~ 끄덕거려 보이다, 묵례하다. **2** 꾸벅꾸벅 졸기 ; 《美俗》 (마약에 의한) 도취 상태. **3** 흔들림.
be at a person***'s nod*** 남의 뜻대로 부림을 당하다, 남의 지배하에 있다.
on the nod 《英口》 외상[신용]으로《매매 따위》; 《英口》 형식적 찬성으로.
the land of Nod 〔聖〕 꿈의 나라, 잠(sleep).
nód·der *n.* **nód·ding** *a.* 고개를 숙인, 아래로 처진. **nód·ding·ly** *adv.*
〚ME< ? ; cf. OHG *hnotōn* to shake〛
N.O.D. 《英》 Naval Ordnance Department.
nod·al [nóudl] *a.* NODE의[와 같은].
~·ly *adv.* **no·dal·i·ty** [noudǽləti] *n.*
nó dáte *n.* (책의) 발행 연도[날짜] 없음[불명] 《略 n.d.》.
nó-dáy (wórk) wèek *n.* 휴업《파업에 대한 완곡한 표현》.
nódding acquáintance *n.* 만나면 묵례할 정도의 사이[사람]〈*with*〉; 피상적(皮相的)인 지식[이해]〈*with*〉.
have a nodding acquaintance with …와는 끄덕여 인사하는 정도의 사이다 ; …에 대해서 피상적인 지식 밖에는 없다.
nod·dle [nádl] *n.* 《口》 머리 : wag one's ~ (이야기 따위에 열중하여) 머리를 끄덕이다.
—— *vt.* (머리를) 끄덕거리게 하다, 흔들다.
nod·dy [nádi] *n.* 어리석은 자, 바보(fool) ; (열대지방산) 검은제비갈매기.

〖? *noddy* (obs.) foolish‹? *nod* ; 이설(異說)에 ‹? *noddypoll* (obs.) ‹ *hoddypoll* fumbling inept person〗

node [nóud] *n.* **1** 마디, 혹. **2** 〖植〗 마디《줄기의 가지나 잎이 돋아나는 곳》; 〖醫〗 결절 ; 〖天〗 교점(交點) ; 〖數〗 결절점(結節點)《곡선이 교차하는 점》; 〖理〗 파절(波節) ; 〖電〗 (정지)절《전류 또는 전압이 제로에 있는 점》. **3** (연극 따위의) 줄거리의 꼬임, 갈등. **4** (조직의) 중심점. **5** 〖컴퓨〗 노드, 마디《네트워크의 분기점이나 단말 장치의 접속점》. 〖L NODUS〗

nó-defàult *a.* 채무 불이행을 허용하지 않는.

nodi *n.* NODUS의 복수형.

no·di·cal [nóudikəl, nád-] *a.* 〖天〗 교점(交點)의 (cf. NODE).

no·dose [nóudous, -⌐], **-dous** [nóudəs] *a.* 결절성의, 마디가 많은. **no·dos·i·ty** [noudásəti] *n.* U,C 다절성(多節性), 결절성. 〖L ; ⇨ NODE〗

nod·u·lar [nádʒələr], **-lat·ed** [-lèitəd] *a.* 결절성[상(狀)]의, 마디가 있는.

nod·u·la·tion [nàdʒəléiʃən] *n.* 마디[혹]가 생김 ; 마디가 많음.

nod·ule [nádʒuːl] *n.* 작은 혹[마디], 작은 덩어리 ; 〖醫〗 소결절(小結節) ; 〖植〗 뿌리혹. 〖L (dim.)‹NODUS〗

nod·u·lose [nádʒəlòus], **-lous** [-ləs] *a.* 작은 결절[마디·혹]이 있는.

no·dus [nóudəs] *n.* (*pl.* **-di** [-dai, -diː]) **1** 매듭, 마디, 결절 ; 〖醫〗 결절. **2** 난점 ; (이야기 줄거리의) 꼬임. 〖L=knot〗

no·el [nouél] *n.* 크리스마스 축가(祝歌) (Christmas carol) ; [N~] 크리스마스(의 시기). 〖F<L ; ⇨ NATAL〗

No·el [nóuəl] *n.* 남자 이름 ; 여자 이름. 〖OF<L=birthday, ↑〗

no·e·sis [nouíːsəs] *n.* U 〖哲〗 순수 이성[지성]의 인식 작용 ; 〖心〗 인식(認識).

no·ét·ic(s) *a.* 〖哲〗 지력(知力)의, 순수 이성[지성]의. —— *n.* 순수 이성[지성]적인 사람 ; [때때로 *pl.*] 순수 이성론.

nó-fáult *n.* 《美》 무과실 손해 배상 제도《자동차 보험에서 가해 운전자가 무과실일지라도, 피해자(被害者)가 일정한 손해에 대하여 배상(賠償)을 받을 수 있는 제도》.
—— *a.* 무과실 손해 배상 제도의 ; 〖法〗 (이혼법에서 당사자 쌍방이) 이혼에 책임이 없는 ; 〖法〗 과실이 불리한 인정의 근거가 되지 않는.

nó-fírst-úse pòlicy *n.* (핵무기의) 선제(先制) 사용 포기의 정책.

nó-fríll(s) *a.* 여분이 없는, (항공 운임 따위) 불필요한[가외의] 서비스가 없는, 실질 본위의 : ~ air fare 가외 서비스를 뺀 항공 운임.

nó-fròst *n.* (자동 서리 제거 장치가 달린) 냉장고, 냉동고.

nog[1] [nág] *n.* 나무못[마개], 나무 벽돌 ; 나무의 옹이. —— *vt.* (**-gg-**) 나무못으로 버티다[고정시키다] ; 나무 벽돌을 채우다. 〖C17< ? 〗

nog[2], **nogg** [nág] *n.* U (옛날 Norfolk 지방산의) 독한 맥주 ; 달걀술(eggnog). 〖C17< ? 〗

nog·gin [nágən] *n.* **1** 작은 맥주컵[조끼] (mug). **2** (술의) 소량, 조금《보통 1/4 pint》〈*of*〉. **3** 물통 ; 《口》 머리 ; 《俗》 바보, 멍청이. 〖C17< ? 〗

nóg·ging [, 美+nágən] *n.* U 나무 뼈대 사이를 메우는 벽돌 공사.

nó-gó *a.* 《俗》 **1** 잘 어울리지 않는, 적절하지 못한, 쓸모없는 ; 진행 준비가 안된. **2** 《英》 출입 금지의 : a ~ area 출입 금지 지역.

nó-gòod *a., n.* 쓸모없는 (녀석), 무가치한.

nó-grówth *n., a.* 제로 성장(의).

nó-hànds *a.* 손을 쓰지 않는, 손으로 들지 않아도 되는 : a ~ phone 손으로 들 필요가 없는 전화.

nó-hít *a.* 〖野〗 무안타의 : a ~ game[pitcher] 무안타 시합[투수].

nó-hítter *n.* 〖野〗 무안타 시합.

No·Ho [nóuhòu] *n.* 노호《New York시 Manhattan의 한 지구 ; 전위 예술·패션의 중심지》. 〖*No*rth of *Ho*uston Street〗

nó-hólds-bárred *a.* 《口》 무제한의, 심한 ; 철저한, 전면적인.

nó-hòper *n.* 《濠俗》 게으름뱅이, 쓸모없는[무능한] 녀석 ; 《英口》 이길[성공할] 가망이 없는 것《말·사람 등》.

nó·hòw *adv.* 《口·方》 결코[조금도] …않다(not at all). —— *pred. a.* [종종 all과 함께] 《方》 기분이 언짢은 ; 혼란된 : feel *all* ~ 기분이 좋지 않다 / look *all* ~ 안색이 나쁘다.

N.O.I.B.N. not otherwise indexed by name.

N.O.I.C. Naval Officer in Charge.

noil [nɔ́il] *n.* (*pl.* ~, ~**s**) (양털 따위의) 짧은 털 《방모사(紡毛絲)용》; 빗질할 때 빠지는 머리털. ~**y** *a.* 〖C17< ? OF〗

◊**noise** [nɔ́iz] *n.* **1 a**) U,C (특히 불쾌하고 비음악적인 시끄러운) 잡음, 소음(cf. SOUND[1]) ; 외침 ; 떠들썩함 ; 사람의 주의를 환기시키는 것 : Who's making a[so much] ~? (시끄러운) 소리를 내고 있는게 누구냐 / They are amid the city ~*s.* 그들은 도시의 소음 속에 있다. **b**) (일반적으로) 음 ; 《古》 음악 ; 《廢》 음악대. **2** U (라디오·텔레비전·전화의) 잡음, 소음. **3** 〖理〗 잡음. **4** 《美口》 수다, 허튼 소리 ; 홍보, 악평. **5** [*pl.*] 주장, (입속에서 중얼거리는) 소리 ; 항의[불만]의 소리 ; 《古》 평판, 소문. **6** 〖컴퓨〗 잡음, 노이즈《회선(回線)의 난조로 생기는 데이터의 오류》.

make a noise 떠들다(cf. 1) ; 소란을 피우다 〈*about*〉; 세상에 소문나다, 평판에 오르다.

make a noise in the world (나쁜 의미로) 크게 소문나다, 유명해지다.

make noises (어떤 생각·기분을) 입밖에 내다, 주장하다.

〈회화〉
Don't make any *noise.* — Sorry, Dad. I won't make any *noise.* 「조용히 해라」「죄송해요, 아빠. 조용히 할께요」

—— *vt.* [+目+副] (이야기 따위를) 퍼뜨리다 ; 소문내다 : It was ~*d* ***abroad*** that his company had been bankrupt. 그의 회사가 파산했다는 이야기가 자자했다. —— *vi.* 재잘재잘[큰소리로] 지껄이다〈*of*〉; 떠들썩한 소리[목소리]를 내다. 〖OF=strife, outcry<L NAUSEA〗

類義語 (1) ***noise*** 매우 불쾌하거나 또는 비음악적인 소리 ; 가장 보편적인 말 : *noises* in the street (거리의 소음). ***din*** 크게 오래 계속되는 또는 귀가 아플 정도로 쾅쾅[쩌렁쩌렁] 울리는 소리 : the *din* of a factory (공장의 소음). ***uproar*** 군중 등이 부르짖는 소리·웃음소리 따위의 크고 시끄러운 소리 ; 소동·혼란 따위를 암시함 : the *uproar* of the audience[crowd] (관중[대중]들의 소란). ***clamor*** 강한 요구·항의 따위를 할 때 내는 크고 흥분된 소리 : the *clamor* of the excited people (흥분한 사람들이 외치는 소리). ***hubbub*** 여러 가지 소리나 사

람 목소리가 섞인 소음 : the *hubbub* of a subway station (지하철 정거장의 소음).
racket 야단 법석떨 때의 시끄럽고 불쾌한 소리 : He couldn't sleep because of the *racket* in the next door. (그는 이웃집의 법석떠는 소리에 잠을 자지 못했다).
(2) ⟹ SOUND[1].

nóise contròl *n.* 소음 조정[관제·통제].
nóise fàctor[**fìgure**] *n.* 소음 지수(指數).
nóise·less *a.* 소음[잡음]이 없는[적은], 소리가 안나는, 조용한. **~·ly** *adv.* **~·ness** *n.*
類義語 ⟹ QUIET.
nóise lèvel *n.* 〖通信〗 잡음 정도.
nóise lìmiter *n.* 〖電子〗 잡음 제한기(器).
nóise·màker *n.* 소리내는 사람[것] ; 뿔피리, 딸랑이.
nóise màrgin *n.* 〖電子〗 잡음 여유.
nóise músic *n.* 노이즈 뮤직《전자 악기가 내는 잡음을 음악에 도입시켜 강조한 록 음악》.
nóise pollùtion *n.* (자동차·항공기·공장 따위의) 소음 공해.
nóise·pròof *a.* 소음 방지의, 방음(防音)의.
nóise trèatment *n.* 〖空〗 (항공기 엔진의) 소음 감소 조치.
noi·sette [nwɑzét ; nwɑ:-] *a.* 개암나무의 열매가 들어 있는. —— *n.* 숫양 따위의 연한 고깃점.
〖F=hazel nut〗
noi·some [nɔ́isəm] 《文語》 *a.* 해로운 ; 악취가 나는 ; 불쾌한. **~·ly** *adv.* **~·ness** *n.* Ⓤ 해로움 ; 불쾌. 〖*noy* (obs.) annoyance‹ANNOY〗
‡noisy [nɔ́izi] *a.* 시끄러운, 떠들썩한 ; 웅성웅성하는(↔*quiet*) ; (색채·복장·문체 따위가) 화려한, 유난히 눈에 띄는 : a ~ engine 시끄러운 소리를 내는 엔진.
nóis·i·ly *adv.* **-i·ness** *n.* 〖NOISE〗
類義語 ⟹ LOUD.
nóisy minórity *n.* 소수 과격 분자, 목소리 큰 소수분자, 소수의 과격 행동파(↔*silent majority*).
nó-knóck *a.*《美》(경찰관이) 무단 가택 수색할 수 있는. —— *n.* 무단 가택 수색.
nó-knóck éntry *n.* (경찰관이 범인[용의자]이 있는 곳에) 노크 없이 덮치기.
no·lens vo·lens [nóulenz vóulenz] *adv.* 싫든 좋든, 우격다짐으로.
〖L=unwilling willing〗
no·li me tan·ge·re [nóuli mi: tǽndʒəri:, -lai-, -mei tǽŋgərèi] *n.* **1** 접촉[간섭]을 금하는 경고. **2** 부활한 예수가 막달라 마리아에게 나타나는 모습을 그린 성화(聖畫). **3** 〖醫〗 낭창(狼瘡)(lupus). **4** 쌀쌀한[굳은] 표정, 가까이하기 어려운 태도. 〖L=touch me not〗
noll [nóul] *n.* 《英方》 머리 (꼭대기).
nol·le pros·e·qui [náli prásəkwài] *n.* 〖法〗 고소 취하(의 법정 기록).
〖L=to be unwilling to prosecute〗
nó-lóad *a., n.* 〖證〗 판매 수수료 없이 매출되는 (투자 신탁).
no·lo (con·ten·de·re) [nóulou (kənténdəri:)] *n.* 〖法〗 (형사 소송에서 피고인의) 불항쟁의 답변.
〖L=I do not wish to contend〗
no·lo epis·co·pa·ri [nóulou epìskəpɑ́:ri] *n.* 중요 직무에의 취임 사퇴(의 선서 형식).
〖L=I do not wish to be a bishop〗
nol-pros [nàlprás ; ⌐⌐] *vt.* (**-ss-**) 《美》 고소를 취하하고 그 요지를 법정 기록에 남기다.
nom. nomenclature ; nominal ; nominative.
no·ma [nóumə] *n.* 〖醫〗 수암(水癌)《괴저성 구내염(壞疽性口內炎)》.
no·mad, -made [nóumæd] *n.* 유목민(遊牧民) ; 방랑자. —— *a.* =NOMADIC.
nómad·ìsm *n.* Ⓤ 유목[방랑] 생활.
〖F<L<Gk. *nomad- nomas* (*nemō* to pasture)〗
no·mad·ic [noumǽdik] *a.* 유목(생활)의, 방랑(생활)의(wandering) : ~ tribes 유목 민족.
-i·cal·ly *adv.* 방랑하여.
nómad·ìze *vi.* 유목 생활을 하다 ; 방랑하다.
—— *vt.* (피정복 민족 등에게) 방랑성을 갖게 하다, 유목[방랑] 생활을 하게 하다.
nó-màn *n.* 좀처럼 남의 말에 동조하지 않는 사람, 벽창호(↔*yes-man*).
nó-màn's-lànd *n.* 임자없는 땅 ; 무인 지대 ; 〖軍〗 (대항하고 있는 아군과 적진지의) 중간 지대, 위험 지역 ; 성격이 분명치 않은 분야[입장, 생활].
nom·arch [nɑ́mɑ:rk] *n.* (고대 이집트·현대 그리스의) 주지사.
-archy *n.* (현대 그리스의) 주(州).
nom·bril [nɑ́mbrəl] *n.* 〖紋〗 방패 무늬 바탕 하반부의 중심점.
nom de guerre [nɑ̀m di gέər] *n.* (*pl.* **noms de guerre** [-z-]) 가명(假名), 변명(變名).
〖F=war name〗
nom de plume [nɑ̀m di plú:m] *n.* (*pl.* **noms de plume** [-z-], **nom de plumes** [-z]) 필명, 펜네임(PEN NAME 또는 PSEUDONYM을 사용하는 편이 좋음). 〖F ; 영어로 ↑을 모방하여 만든 것〗
no·men [nóumen] *n.* (*pl.* **nom·i·na** [nɑ́mənə, 美+nóu-]) 〖古로〗 두번째 이름 ; 〖文法〗 명사 ; (일반적으로) 이름, 호칭. 〖L=name〗
no·men·cla·tor [nóumənklèitər] *n.* **1** (분류학상의) 명명자 ; 용어집, (속명(屬名)의) 명칭 일람. **2** 〖古로〗 손님의 이름을 큰 소리로 부르는 일을 맡은 사람 ; 《古》 내객의 이름을 주인에게 알리는 하인 또는 연회의 좌석 안내인. 〖L (↓)〗
no·men·cla·ture [nouménklətʃər, 美+nóumənklèitʃər] *n.* Ⓤ,Ⓒ (분류상의) 명명법 ; [집합적으로] 학명, 술어(術語), (일반적으로) 명칭, 목록. **-tur·al** [nòumənkléitʃərəl] *a.*
〖L (NOMEN, *calo* to call)〗
no·mic [nóumik] *a.* 재래의, 보통의 ; 자연법에 맞는, 일반적으로 타당한.
nomin. nominal ; nominative.
nomina *n.* NOMEN의 복수형.
nom·i·nal [nɑ́mənl, 美+nɑ́mnəl] *a.* **1** 이름뿐인, 유명무실한(↔*real*) ; 사소한, 얼마 되지 않는 ; 명색뿐인 : a ~ ruler 명목상의 통치자《실권이 없음》. **2** 〖文法〗 명사의[같은]. **3** 이름의, 명의상의 ; 공칭(公稱)의 ; (주식 따위) 기명(記名)의 : a ~ list 명부 / ~ value 명목[액면] 가격 / a ~ price 〖商〗 액면 가격[가치] / ~ capital 공칭 자본 / ~ horsepower 〖理〗 공칭 마력.
—— *n.* 〖文法〗 명사적 어구, 명사류.
~·ly *adv.* 명의상, 이름뿐으로 ; 〖文法〗 명사적으로. 〖F or L ; ⇨ NOMEN〗
nominal GNP [⌐ dʒí:ènpí:] *n.* 〖經〗 명목 국민 총생산, 명목 GNP《그 기간의 화폐액으로 표시한 국민 총생산》.
nóminal·ìsm *n.* Ⓤ 〖哲〗 유명론(唯名論), 명목론 (cf. REALISM).
-ist *n.* 유명론자, 명목론자. **nòm·i·nal·ís·tic** *a.* 〖哲〗 유명론(자)의, 명목론(자)의.
nóminal wáges *n. pl.* 명목임금(money wages).
nom·i·nate** [nɑ́mənèit] *vt.* **1** [+目 / +目+*for* +名] (후보자로) 추천하다, 천거하다 : Three times Bryan was ~*d* ***for President, but he was

never elected. 브라이언은 세 번 대통령후보로 추천되었으나 한번도 당선되지 못했다. **2** [＋目 / ＋目＋*as*補 / ＋目＋補] (관직에) 지명[임명]하다 : The President ～*d* him *as* Secretary of State. 대통령은 그를 국무장관으로 임명했다 / He was ～*d* by H. M. the Emperor member of the House of Peers. 그는 왕에 의해 귀족원 의원으로 임명[칙선]되었다. **3** (날짜 · 장소를) 지정하다. **4** 〖競馬〗 출장말로서 등록하다. —— *vi.* 《濠》 선거에 입후보하다, 출마하다. —— *a.* 특정의 이름을 갖는.
nóm·i·nà·tor *n.* 지명[임명 · 추천]자.
〖L ; ⇨ NOMEN〗

nom·i·na·tion [nàmənéiʃən] *n.* Ⓤ,Ⓒ 지명 ; (특히 관직의) 임명, 추천 ; Ⓤ 임명[추천]권 ; 〖競馬〗 출장 등록.

nominátion dáy *n.* 후보자 추천[지명] 기일.

nom·i·na·ti·val [nàmənətáivəl] *a.* 〖文法〗 주격(主格)의.

nom·i·na·tive [námənətiv] *a.* **1** 〖文法〗 주격의 : the ～ case 주격. **2** 지명[임명]에 의한 ; 기명의. —— *n.* 〖文法〗 주격, 주어. **～·ly** *adv.*
〖F or L ; ⇨ NOMINATE ; Gk. *onomastikē* (*ptōsis* case)의 역(譯)〗

nóminative ábsolute *n.* 〖文法〗 (분사의) 독립 주격《보기 *She* being away, I can do nothing.》.

nom·i·nee [nàməníː] *n.* 지명[임명 · 추천]된 사람 ; 수취(受取) 명의인.

nomo- [námou, nóu-, -mə] *comb. form* 「법」 「법칙」의 뜻. 〖Gk. *nomos* law〗

nómo·gràm, -gràph *n.* 노모그램, 계산 도표.

no·mog·ra·phy [noumágrəfi, 英＋nə-] *n.* 법기초(法起草) 기술 ; 법(의 기초)에 관한 논문 ; 계산 도표학 ; 계산 도표 작도 법칙.

no·mol·o·gy [noumálədʒi] *n.* 법률학, 입법학 ; 〖哲〗 법칙론. **-gist** *n.*

no·mo·thet·ic, -i·cal [nàməθétik(əl), nòu-] *a.* 입법의, 법률 제정의 ; 법에 의거한 ; 보편적[과학적] 법칙의.

-n·o·my [-nəmi] *n. comb. form* 「…학(學)」 「…법」의 뜻 : astro*nomy*, eco*nomy*.
〖Gk.〗

non [nán, nóun] *adv.* …않다, …아니다(not).
〖L＝not〗

non-[1] [nán] *pref.* [자유로이 명사 · 형용사 · 부사에 붙여] 「비」 「불」 「무」의 뜻(☞ UN-).
〖AF, OF＜L (↑)〗

non-[2] [nán], **nona-** [nánə] *comb. form* 「아홉(번째)」의 뜻. 〖L (*nonus* ninth)〗

no·na [nóunə] *n.* 〖醫〗 노나병(病)《기면성(嗜眠性) 뇌염》.
〖L *nona* (*hora*) ninth (hour) ; 그리스도가 십자가 위에서 죽은 시각에 연유하는 것인가〗

Nona *n.* 여자 이름. 〖L＝ninth〗

nòn·abílity *n.* Ⓤ 무능, 불능.

nòn·abstáin·er *n.* 술꾼, 음주가 ; 절제없는 사람.

nòn·accépt·ance *n.* Ⓤ 불승낙 ; 〖商〗 (어음의) 인수(引受) 거절.

non·áccess *n.* 〖法〗 (남편의 항해 · 출정(出征) 따위로 인한) 부부의 성교 불능, 무교접(無交接).

nòn·achíever *n.* 《美》 **1** 낙제생. **2** 목표를 달성하지 못한 사람[젊은이].

nòn·acquáintance *n.* Ⓤ 무면식(無面識).

non·ac·tin [nanǽktən] *n.* 〖藥〗 노나크틴《스트렙토마이신의 일종에서 유도한 항생물질 ; 이온을 지방질에 투과시키는 능력을 가짐》.

nòn·actínic *a.* (방사선이) 화학 작용이 없는.

non·áddict *n.* 비상용자(非常用者)《마약 사용자 중에서》.

nòn·addíct·ing, nòn·addíctive *a.* 중독성을 초래하지 않는, 비중독성의《약》.

nòn·admíssion *n.* Ⓤ 입장 거절.

nòn·aeróbic *a.* (스포츠에서의) 몸의 산소 소비량이 적은.

non·áerosol *a.* (스프레이가) 프레온가스를 쓰지 않는.

non·age [nánidʒ, nóun-] *n.* **1** Ⓤ 미성년(minority) ; 어릴 적 : in one's ～ 어릴 적에. **2** Ⓤ 유치(幼稚), 미발달. 〖AF ; ⇨ NON-, AGE〗

non·a·ge·nar·i·an [nòunədʒənéəriən, -nǽər-, nànə-] *a., n.* 90대(代)의 (사람).
〖L (*nonageni* ninety each)〗

nòn·aggréssion *n.* Ⓤ 불가침, 불침략 : a ～ pact 불가침 조약.

non·a·gon [nánəgàn, 美＋nóunə-] *n.* 9각[변(邊)]형. 〖L *nonus* ninth, *-gon*〗

nòn·agréement *n.* Ⓤ 부동의(不同意), 불승낙.

nòn·alcohólic *a.* (음료속에) 알코올이 들어있지 않은.

nòn·alígn *vt., vi.* 동맹[제휴]하지 않다, 중립을 지키다. **～·ment** *n.* 비동맹 : ～*ment* policy 비동맹 정책.

nòn·alígned *a.* 중립을 지키는, 비동맹의 : ～ nations 비동맹국들 / ～ foreign policy 비동맹 외교 정책. —— *n.* 동맹반대론자, 비동맹주의자.

nón-A, nón-B hepatítis *n.* ＝HEPATITIS NON-A, NON-B.

nòn·appéar·ance *n.* Ⓤ 불참, 〖法〗 (법정으로의) 불출두.

nòn·arríval *n.* 불착.

no·na·ry [nóunəri] *a.* 9개로 이루어진 ; 〖數〗 구진법(九進法)의. —— *n.* 9개로써 한 벌을 이루는 것 ; 〖數〗 구진법의 수.

nòn·assértive *a.* 〖文法〗 (문 · 절이) 비단정적인.

nòn·assígn·able *a.* 양도할 수 없는 : a ～ letter of credit[L/C] 양도 불능 신용장.

non as·sum·psit [nán əsʌ́mpsit] *n.* 〖法〗 피고인의 계약 부인(否認)의 답변. 〖L〗

nòn·atténd·ance *n.* Ⓤ 불참, 결석, (특히 의무교육에의) 미취학.

nòn·attén·tion *n.* Ⓤ 부주의, 태만.

nón·bánk *a.* 은행 이외의[에 의한]《금융기관》.

non·bé·ing *n.* 실재하지 않음(nonexistence).

nòn·bellígerent *n., a.* 비(非)교전국(의).

nón·bòok *a.* 도서 이외의《마이크로 필름 따위》. —— *n.* 《美》 (사진 · 연설 따위를 긁어 모아 편집한) 책이라고는 할 수 없는 것 ; 가치 없는 책.

nonbóok matèrials *n. pl.* 〖出版〗 비도서 자료《시청각 자료 따위 도서 이외의 모든 자료》.

non·bréathing *a.* (플라스틱 따위 재료가) 통기성(通氣性)이 없는.

non·cándidate *n.* 비후보(자), (특히) 불출마 표명자.

nòn·cáptive *a.* (사내(社內) 소비 목적이 아닌) 외판(外販)의.

nonce[1] [náns] *n.* 목하, 바로 지금 ; 당면한 목적. ***for the nonce*** 우선, 당분간, 임시로 ; 당면한 목적 때문에.
—— *a.* 임시의, 그때만의.
〖*for then ones* for the one (occasion)의 이분석(異分析) ; cf. NEWT〗

nonce[2] *n.* 《교도소俗》 강간범(rapist).
〖C20＜?〗

nòn·cértifi·able *a.* 정신 병자임을 증명할 수 없

는; 《戱》 제정신의, 정신이 멀쩡한.

nónce wòrd *n.* 〔文法〕 임시어.

non·cha·lance [nὰnʃəlɑ́:ns, ⌐-⌐, -ləns; nɔ́nʃələns] *n.* Ⓤ 무심함, 무관심 : with ~ 담담히, 냉정하게, 태연하게.

nòn·cha·lánt [, nɑ́nʃəlὰ:nt, -lənt; -lənt] *a.* 무심한, 관심이 없는, 냉정한, 냉담한; 태연한. **~·ly** *adv.* 무심하게, 무관심하게.
〖F (pres.p.) ‹ *non*-(*chaloir* to be concerned)〗

non·cláim *n.* Ⓤ 〔法〕 (기한내에) 요구[배상 청구] 하지 않음.

Non-Coll. Non-Collegiate.

nòn·collégiate *a.* 단과대학에 속하지 않는; College 제도가 아닌. —— *n.* 대학 교육을 안 받은 사람; college에 속하지 않는 대학생.

non·com [nɑ́nkɑ̀m] *n.* 《口》 =NON COMPOS (MENTIS); =NONCOMMISSIONED officer.

noncom. noncommissioned (officer).

nòn·cómbat *a.* 전투하지 않는, 비전투(용)의.

non·cómbatant [, ⌐-⌐-] *n.* (국제법상의, 또는 넓은 의미의) 비전투원. —— *a.* 비전투원의, 전투에 종사하지 않는; 비전투용의.

nòn·combústible *a.* 불타기 어려운, 불연성(不燃性)의. —— *n.* [보통 *pl.*] 불연성 물질.

nòn·commércial *a.* 비영리[상업]적인.

nòn·commíssioned *a.* 위임장이 없는; (장교에) 임명되지 않은, 하사관의 : a ~ officer 하사관 《略 N.C.O.; cf. COMMISSIONED officer, PETTY OFFICER, WARRANT OFFICER》.

nòn·commítment *n.* 자신의 입장을 분명히 밝히지 않음.

nòn·commíttal *a.* 언질을 주지 않은, 애매한; 의미[성격]가 명료하지 않은, (이렇다 할) 특징이 없는 : a ~ answer 애매한 대답. —— *n.* 언질을 주지 않음, 기치를 선명하게 하는 것의 거부[회피]. **~·ly** *adv.*

nòn·commítted *a.* 무당파(無黨派)의.

nòn·commúnicant *a.*, *n.* 〔宗〕 영성체를 받지 않은 (사람).

non-Cómmunist *n.*, *a.* 비공산주의자(의), 비공산당원(의) : *N*~ Affidavit 공산주의자 배척 서약서《《美》 노조 간부들이 비공산당원임을 서약하는 서류》.

nòn·complíant *a.* 불복종[불순종]하는. **-ance** *n.*

non com·pos (men·tis) [nɑ́n kɑ́mpəs (méntəs), nóun-] *a.* 제정신이 아닌, 정신 이상의. 〖L=not having control of one's mind〗

non·con [nɑ́nkɑ̀n] *n.* 《俗》 =NONCONFORMIST.

noncon. noncontent.

nòn·condénsing *a.* (증기기관이) 복수관(復水管)이 없는.

nòn·condúct·ing *a.* 〔理〕 (물질 따위) 부전도(不傳導)의.

nòn·condúctor *n.* 〔理〕 부도체(不導體), 절연체(絶緣體).

non·cónfidence *n.* Ⓤ 불신임 : a vote of ~ 불신임 투표.

nòn·confórm *vi.* 복종하지 않다, 국교(國教)를 신봉하지 않다. **~·er** *n.*
〖역성 < *nonconformist*〗

nòn·confórm·ance *n.* Ⓤ 불복종; 국교(國教) 불신봉.

nòn·confórm·ing *a.* 복종하지 않는, 협조하지 않는; 국교를 받들지[믿지] 않는.

nòn·confórm·ism *n.* =NONCONFORMITY.

nòn·confórm·ist *n.* 일반 사회규범에 따르지 않는 사람; [때때로 N~] 《英》 비(非)국교도(Dissenter). —— *a.* 일반 사회 규범에 따르지 않는; [때때로 N~] 비국교도의.

nòn·confórmity *n.* **1** Ⓤ [때때로 N~] 《英》 **a)** 국교를 신봉하지 않음, 비국교주의. **b)** [집합적으로] 비국교도. **2** Ⓤ 모순, 부조화, 비협조, 불일치 ‹*to*, *with*›.

nòn·consúmptive *a.* 자연을 파괴하지 않는, 천연 자원을 낭비하지 않는.

non·cóntact *a.* (시합에서) 선수들이 서로 신체적 접촉을 하지 않는.

nòn·contént *n.* 〔英議會〕 반대 투표(자).

nòn·conténtious·ly *adv.* 비논쟁적으로, 온건하게, 조용히.

nòn·contradíction *n.* Ⓤ 〔論〕 모순이 없음.

nòn·convért·ible *a.* 금화로 바꿀 수 없는, 불환(不換)의 : a ~ note 불환 지폐.

nòn·cooperátion *n.* **1** Ⓤ 비협력. **2** Ⓤ 비협력 정책《특히 인도 Gandhi파의 소극적 배영(排英) 운동》. **~·ist** *n.* **nòn·coóperative** *a.* 비협력적인; 비협력 운동의.

nòn·cooperatívity *n.* 비협력, 비협조; 〔生化〕 비협동성.

nòn·coóperator *n.* 비협력자, (인도의) 비협력 운동 실천주의자.

non·cóuntry *n.* 국가답지 않은 국가《인종이 동일하지 않거나, 자연 국경이 없는 나라》.

nón·dáiry *a.* 우유[유제품]를 함유하지 않은.

nòn·delívery *n.* Ⓤ 인도 불능; 배달 불능, 불착(不着).

non·de·script [nὰndiskrípt; ⌐-⌐] *a.* 정체 모를; 특징이 없는, 막연한(indefinite).
—— *n.* 정체 모를 사람[것].
〖*non*-[1]+L (p.p.) ‹DESCRIBE〗

nòn·destrúctive *a.* 비파괴적인, (특히) 물리적 상태[배열] 또는 화학적 구조를 바꾸지 않는 : ~ testing 비파괴 시험《X선·초음파 따위를 사용함》. **~·ly** *adv.* **~·ness** *n.*

nòn·diabétic *a.*, *n.* 당뇨병 걸리지 않은 (사람).

nòn·diréctive *a.* (정신 요법·카운슬링 따위가) 비(非)지시적인《내담자(來談者)에게 직접 지시를 하지 않고, 내담자가 자발적으로 장애를 극복하도록 방향만을 제시해주는 방법을 일컬음》.

nòn·discriminátion *n.* 차별(대우)를 하지 않음. **nòn·discríminatory** *a.*

nòn·distínctive *a.* 〔音聲〕 뚜렷이 구별할 수 없는, 불명료한, 이음(異音)의. **~·ly** *adv.*

non·drínk·er *n.* 술을 끊은 사람, 금주가.

non·drínk·ing *n.* 술을 끊기, 금주.

non·dúr·able *a.* 비내구성(非耐久性)의, 오래 가지 않는.

nondúrable góods *n. pl.* 비내구재(財)《식료품·의류·석유·화학 제품 따위; ↔ *durable goods*》.

◇none[1] [nʌn] *pron.* **1** 아무도 …않다. ㊟ no one이나 nobody보다 뜻이 약하며 한층 더 문어적인 말; 복수 취급이 보통(☞ NOBODY 活用) : There were ~ present. 아무도 출석하지 않았다. **2** [of를 수반하여] (…의) 어느 것도[누구나·아무것도·조금도] …않다 : I read three books on the subject but ~ *of* them were helpful. 관계 서적을 세 권 읽었으나 어느것도 도움이 안 되었다 (cf. ...but *not* one of them was helpful. 한 권도 도움이 안 되었다) / *N*~ *of* this concerns me. 이것은 나에겐 아무런 관계가 없다 / It is ~ *of* your business. 네가 알 바 아니다《쓸데없는 참견마라》/ (I want) ~ *of* your impudence[tricks]! 건방

진 소리하지마[못된 장난치지마] / *N~ of* that! 그런 짓은 하지 마. **3** [no+단수명사를 대신하여] 조금도[결코] …않다 : Is there any sugar left in the pot? — No, ~ at all. 설탕 그릇에 설탕이 좀 남아있습니까 — 아니오, 전혀 남아 있지 않습니다 / Half a loaf is better than ~(=no loaf). 《속담》 반조각 빵이나마 없는 것보다 낫다 / These articles are second to ~. 이 물건은 어느 것에도 뒤지지 않는다.

none but …이 아니면 아무도 …않다 : *N~ but* (=Only) fools have ever believed it. 바보가 아니고는 그것을 믿은 자가 없다《㊟ 오늘날에는 복수 동사로 일치하는 것이 일반적》.

—— *a.* 조금도 …않는(not any). ㊟ 원래는 모음(또는 h) 앞에 쓰이는 이외는 명사를 생략하거나 (cf. *pron.* 3) 또는 명사와 떨어질 때에만 썼음 : make of ~ (=no) effect 《古》 무효로 하다 / Silver and gold have I ~*. 〔聖〕 금과 은은 나에게 없노라 / Remedy there was ~*. 《文語》 치료법이란 달리 없었다 / I would rather have a bad reputation than ~* at all. 나쁜 평판이라도 전연 없는 것보다는 낫다고 생각한다. ㊟ 위의 예문 중에서 *표의 none은 *pron.*으로도 해석됨.

none other than[《文語》 ***but***] …에 불과하다, 다름 아닌[바로] …으로(no less than, no other than) : He was ~ *other than* the prince. 그는 다름 아닌 왕자 그 사람이었다 / This is ~ *other but* the house of God. 이것이야말로 바로 신전(神殿) 그것이다.

—— *adv.* [the+비교급, 또는 too, so에 앞서서] 조금도 …않다(not at all) (↔*a few, a little*) : He is ~ *the wiser*[*better*]. 그는 조금도 모른다[좋아지지 않는다] / I got home ~ *too* soon. 마침 좋을 때 귀가했다《너무 이르지 않았다》 / I did it ~ *too* well. 하는 방법이 그다지 좋지 않았다 / You are ~ *so* fond of him. 당신은 그다지 그를 좋아하지 않는군요.

none the less ☞ LESS.

〚OE *nān* (*ne* not, *ān* ONE)〛

none² [nóun] *n.* [때때로 N~] 〔카톨릭〕 제 9 시의 기도, 성무일과(聖務日課)의 9시과(課)《고대 로마에서는 오후 3시, 현재는 정오에 행하는 기도》. 〚L *nona* ninth hour of the day from sunrise〛

non·éarth·ly *a.* 지구 외(外)의.

nòn·económic *a.* 경제적으로 중요하지 않은, 비경제적인.

nòn·efféctive *a., n.* 효과가 없는 ; 〔軍〕 전투력이 없는 (군인).

nòn·effícient *a.* 〔軍〕 복무 자격이 없는. —— *n.* 미교육 지원병[의용군].

non·égo *n.* 〔哲〕 비아(非我), (주관에 대한) 객관.

non·éntity *n.* 실재[존재]하지 않는 일[것], 꾸며낸 일 ; 보잘 것 없는[하찮은] 사람[것].

nones [nóunz] *n.* [단수·복수 취급] 〔古로〕 (3, 5, 7, 10월의) 7일, (그 외의 달의) 5일 (cf. IDES) ; [흔히 N~] =NONE². 〚L *nonus* ninth ; 'ides의 9일전'의 뜻〛

nòn·esséntial *a., n.* 비(非)본질적인 (사물), 긴요하지 않은 (사물·인간).

nón ést *a.* 《口》 존재하지 않는, 부재(不在)의.

non est in·ven·tus [nán ést invéntəs] *n.* 〔法〕 (본인) 소재 불명 보고. 〚L=he is not found〛

nóne·sùch, nón- [nʌ́n-] *a., n.* 비할 데 없는 (사람[것]), 일품 ; 〔植〕 잔개자리(black medic). 〚*none such*〛

no·net [nounét, 英+nɑnét] *n.* 〔樂〕 9중주(重奏)[창(唱)]단, 9중주[창]곡(曲). ☞ SOLO ㊟.

nòne·the·léss *adv.* =NEVERTHELESS.

nòn-Euclídean *a.* 비(非)유클리드의 : ~ geometry 비유클리드 기하학.

nón·evènt [, ⌐-⌐] *n.* 기대에 어긋난 사건 ; (미리 선전만 하고) 실제로는 일어나지 않은 사건 ; 공식적으로는 무시된 사건.

nòn·exístence *n.* Ⓤ 존재[실재]하지 않음[않는 것]. **nòn·exístent** *a., n.*

nòn-fámily *n.* 인척·혈연 관계는 없으나 함께 사는 사람들.

nón·fát *a.* 지방(분)을 함유하지 않은, 탈지(脫脂)한 : ~ milk.

non·fea·sance [nɑnfíːzəns] *n.* Ⓤ 〔法〕 부작위(不作爲) ; 해태(懈怠)《의무 불이행》.

non·férrous *a.* 철분을 함유하지 않은 : ~ metal 비철금속.

nón·fíction *n.* Ⓤ 논픽션《소설·이야기체 이외의 산문 문학 ; 역사·전기·기행문 따위 ; ↔*fiction*》. **~·al** *a.*

non·fígurative *a.* 〔美術〕 비구상(非具象)(주의)적인(nonobjective).

nón·fínite *a.* 〔文法〕 비정형의 : ~ form 비정형.

non·flámmable *a.* 불연성(不燃性)의 (↔*inflammable*).

non·flúency *n.* 눌변(訥辯), 말주변이 없음.

non·fréez·ing *a.* 얼지 않는, 부동(不凍)(성)의.

nòn·fulfíll·ment *n.* Ⓤ (의무·약속 따위의) 불이행(不履行).

nong [nɑ́ŋ] *n.* 《濠俗》 바보, 멍청이.

non·grádable *a.* 〔文法〕 비교 변화를 하지 않는.

non·gráded *a.* 등급이 없는, 《美》 학년별로 되어 있지 않은, 학년제가 없는.

non·gréen *a.* 녹색이 아닌, 푸르지 않은 ; (특히) 엽록소를 함유하지 않은.

nón·héro *n.* =ANTI-HERO.

non·húman *a.* 인간이 아닌, 인류 이외의.

nòn·idéntical *a.* 동일하지 않은, 다른 ; 이란성(二卵性)의《쌍둥이》.

no·nil·lion [nouníljən] *n., a.* 노닐리온(의)《미국에서는 10^{30}, 영국·독일·프랑스에서는 10^{54}》.

nòn·immúne *a., n.* 면역성이 없는 (사람).

non-impáct prìnter *n.* 논임팩트 프린터, 안 때림 인쇄기《무소음을 목적으로 무타격으로 인자(印字)하는 프린터 ; cf. IMPACT PRINTER》.

nòn·importátion *n.* Ⓤ 수입 거부.

nòn·indúctive *a.* 〔電〕 무유도성의.

nòn·inflámmable *a.* =NONFLAMMABLE.

nòn·insecticídal *a.* 살충력이 없는 ; 살충제를 쓰지 않은.

nòn·interférence *n.* Ⓤ (특히 정치상의) 불간섭.

nòn·intervéntion *n.* Ⓤ 〔外交〕 내정 불간섭, 불개입, 방임. **~·ist** *n., a.*

nòn·intrúsion *n.* Ⓤ 불침입, 침입거부 ; 《스코》 (교회에서) 성직 수여자는 교구민들이 싫어하는 목사를 임명해서는 안된다는 주의.

nón·íron *a.* 《英》 다리미질이 필요 없는.

non·jóinder *n.* 〔法〕 (어떤 소송에 공동 원고 또는 공동 피고로 취급해야 할 사람의) 불병합(不併合).

nòn·judgméntal *a.* 불공평한[일방적인] 판단을 하지 않는, (특히 도덕상의 문제에서) 개인적 기준에 의거한 판단을 피하는.

non·jur·ing [nɑndʒúəriŋ ; ⌐-⌐] *a.* 〔英史〕 신하로서의 복종 서약을 거부하는.

non·júror *n.* 선서 거부자 ; [N~] 〔英史〕 신종(臣從)의 선서 거부자《1688년 명예 혁명 후 William Ⅲ 및 Mary에 대하여 선서를 거부한 영국 국교의 목사》.
nòn·júry *a.* 〖法〗 배심을 요하지 않는.
nòn·léad(·ed) [-léd(-)] *a.* (가솔린이) 사(四)에틸납을 함유하지 않은, 무연(無鉛)의 (unleaded).
non·légal *a.* =ILLEGAL.
non·léthal *a.* 치명적이 아닌 : ~ gas (생명에는 지장없는) 안전 독가스.
non li·quet [nɑn láikwət] *n.* 〖法〗 배심원에 의한 판결 연기의 평결. 〖L=it is not clear〗
non·lógical *a.* 논리 이외의 방법에 의한 (cf. ILLOGICAL), 비논리적인, 직관적인, 무의식의.
nón·márket *a.* (보통의) 노동 시장에 포함되지 않는.
nòn·matérial *a.* 비물질적인 ; 정신적인 ; 문화적인 : ~ culture 〖社〗 비물질 문화.
non·mémber [ˌ 英+ˊ-ˊ-] *n.* 비회원, 회원이 아닌 사람 : a ~ bank 비가맹 은행. **~·shìp** *n.* Ⓤ 비회원임, 비가맹.
non·métal *n.* 〖化〗 비금속.
nòn·metállic *a.* 비금속(성)의 : ~ elements 비금속 원소.
non·móral *a.* 도덕에 관계 없는 (amoral). **~·ly** *adv.*
nòn·móther *n.* 피임 여성.
nòn·mótile *a.* 〖生〗 자동력(自動力)이 없는 : a ~ cilium 부동모(不動毛).
non·nátural *a.* 자연과 동떨어진, 비자연의.
nòn·nèo·plástic *a.* 〖醫〗 신생물[종양]이 아닌 ; 신생물이 원인이 아닌, 비신생물의.
non no·bis [nɑn nóubəs] 〖聖〗 (여호와여 영광을) 우리에게 돌리지 마옵소서《승리를 신의 가호로 돌리는 환호의 노래 ; 시편 115 : 1》. 〖L〗
non·núclear *a.* 핵폭발을 일으키지 않는, 핵 에너지를 사용하지 않는, 비핵(非核)의. —— *n.* 비핵 보유국.
nonnúclear defènse *n.* 핵이 없는 방위 구상.
non·núke tréaty *n.* 《俗》 핵확산 방지 조약.
nòn·numérical *a.* 〖컴퓨〗 비수치(非數値)의.
nó-nò *n.* (*pl.* ~'s, ~s) 《美俗》 해서는[말해서는, 써서는] 안 되는 일[것], 금기물. —— *int.* 《兒》 못써, 안돼.
nòn·objéctive *a.* 〖美術〗 비객관적인, 비구상적인, 추상적인.
nòn·obsérvance *n.* Ⓤ 준수하지 않음 ; 위반.
nòn·obsérvant *a.* 부주의한 ; 위법의.
non ob·stan·te [nàn ɑbstǽnti, nòun-] *prep.* (법률 규정이 있음)에도 불구하고. 〖L=notwithstanding〗
nòn·offícial *a.* 비공식의.
nón·óil *a.* 석유(제품)을 수입하는 : a ~ nation 비산유국.
nó-nónsense *a.* 시시한 것을 허락하지 않는, 허식을 좋아하지 않는 ; 현실적인, 사무적인.
nòn·orgásmic *a.*, *n.* 오르가슴을 경험하지 못하는 (사람), 불감증인 (사람).
non·pa·reil [nànpərél ; nɔ́npərəl, nànpəréil] *a.* 비할데 없는, 천하 일품의. —— *n.* **1** 비할 데 없는 사람[것] ; 최상품. **2** Ⓤ 〖印〗 농파레유《6포인트 활자 ; ☞ TYPE 5 ㊟》. **3** 초콜릿 과자의 일종. **4** 《美》 〖鳥〗 오색무당새. 〖F (*pareil* equal)〗
non·par·ous [nɑnpǽrəs] *a.* 출산 경험이 없는, 비경산(非經産)의.
nòn·partícipating *a.* 〖保險〗 이익 배당이 없는 ; 불참가의.
nòn·participátion *n.* 불참가, 불관여.
non·pártisan [ˌ ; ˊ-ˊ-ˊ-] *a.* 당파에 소속되지 않은, 무소속의, 정당인이 아닌 : ~ diplomacy 초당파 외교. —— *n.* 당파에 속하지 않는 사람, 무소속의 사람.
non·párty *a.* 무소속의 ; 정당 본위가 아닌, 불편부당의.
non·páy·ing *a.* 수지가 안맞는, 이익이 없는.
non·páy·ment *n.* Ⓤ 미불, 미납.
nòn·perfórm·ance *n.* Ⓤ 불이행.
nòn·perfórm·ing *n.* 불이행, 불실행.
nonperfórming assets *n. pl.* (은행 따위의) 불량 자산.
non·pérish·able *a.* 불후의, 부패하지 않는. —— *n.* [*pl.*] 불후의 것, 보존 식품.
nòn·permíssive *a.* 〖生〗 (유전 물질의) 복제를 허용하지 않는, 복제를 저해(沮害)하는.
nòn·persíst·ent *a.* 일시적인, 지속성이 없는《약품》; (바이러스 따위가) 비영속성으로 전파하는.
nón·pérson [ˌ ˊ-ˊ-] *n.* 존재하지 않는다고 간주되는 사람, (그다지) 눈을 끌지 못하는 사람, 비중요인물, 약자 ; 실각자 (unperson).
nón·pérson·al *a.* 개인적이 아닌, 사사로운 것이 아닌.
non pla·cet [nɑn pléisət, noun-] *n.* (교회 · 대학의 집회에서) 이의 ; 반대 투표. **non·plácet** *vt.* …에 이의를 제기하다, 거부하다, …에 반대투표하다. 〖L=it does not please〗
non·pláy·ing *a.* (스포츠 팀의 주장이) 경기에 참가하지 않는.
non·plus [nɑnplʌ́s, ˊ-ˊ-] *n.* (*pl.* **-plús·es**, **-plús·ses**, **nón·plus·es**, **-plus·ses**) 망설임, 어찌할 바를 모름, 난처한 입장, 곤혹. ㊟ 보통 다음의 숙어로.
put** a person **in a nonplus = ***reduce** a person **to a nonplus*** 남을 난처하게 하다.
stand at a nonplus 당황하다, 진퇴유곡에 빠지다.
—— *vt.* (-s- | -ss-) 몹시 곤혹케 하다, 어찌할 바를 모르게 하다 : We were ~*ed* to see two roads leading off to the right. 오른쪽으로 갈라지는 길이 두 갈래인 것을 보고 어찌할 바를 몰랐다. 〖L *non plus* not more〗
non plus ul·tra [nɑ́n plʌ́s últrə] *n.* =NE PLUS ULTRA.
nòn·polítical *a.*, *n.* 정치에 관계하지 않는 (사람), 비정치적인 (사람).
nòn·pollúting *a.* 오염시키지 않는, 무공해성의.
non pos·su·mus [nɑn pɑ́səməs, noun- ; -pɔ́sju-] *n.* 〖法〗 무능력[불가능]의 신고. 〖L=we cannot〗
non·prínt *a.* (정보 · 자료가) 인쇄물이 아닌《테이프 · 필름 따위》.
non·pró *n.*, *a.* 《俗》 비직업 선수(의) (nonprofessional).
nòn·prodúctive *a.* 비생산적인 (unproductive), 생산성이 낮은 ; (사원 등이) 생산에 직접 관여하지 않는, 비생산 부문의. **~·ness** *n.*
nòn·proféssion·al *a.* 비직업적인, 직업 의식을 떠난 (cf. UNPROFESSIONAL). —— *n.* 비전문가, 비직업 선수.
nón·prófit(-màking) *a.* 비영리적인 ; (사회가) 자본주의를 따르지 않는.
nòn·proliferátion *n.*, *a.* 번식하지 않음[않는], (핵무기 따위의) 확산 방지(의).
Nonproliferátion Trèaty *n.* [the ~] 핵확산 금지 조약《略 NPT》.
non·pros [nànprɑ́s] *vt.* (-ss-) 〖法〗 (소송 절차 불이행 원고를) 궐석 재판에서 패소시키다.
non pro·se·qui·tur [nàn prəsékwətər] *n.* 〖法〗

소송 절차 불이행 원고에 대한 패소 판결. 〚L=he does not prosecute〛

nòn·províded *a.* 《英》 공립이 아닌《초등학교》.

non·renéwable resóurces *n. pl.* 재생 불가능 자원《석유·석탄 따위》.

nòn·representátion·al *a.* 〔美術〕 비구상적(非具象的)인, 비구상파[주의]의. **~·ìsm** *n.*

nòn·reprodúctive *a.* 재생할 수 없는, 비재생의; 〔昆〕 비생식(生殖)의. ── *n.* 〔昆〕 (흰개미의 계급의) 비생식 계급.

non·résidence, -cy *n.* Ⓤ (임지(任地) 따위에) 거주하지 않음; 비거주자임[의 신분].

non·résident *a., n.* (임지 따위에) 거주하지 않는 사람, 부재의 (사람); 비거주자.

nòn·resíst·ance *n.* Ⓤ (권력·법률 따위에 대한) 무저항.

nòn·resíst·ant *a.* 무저항(주의)의. ── *n.* 무저항주의자.

nòn·restríctive *a.* 제한[한정]하지 않는, 〔文法〕 비제한적인 (continuative) (↔ *restrictive*) : a ~ relative clause 비제한적 관계사절.

nonrestríctive úse *n.* 〔文法〕 비제한 용법.

non·rígid *a.* 딱딱하지 않은; 〔空〕 연식(軟式)의 : a ~ airship 연식 비행선(船). ── *n.* 〔空〕 연식 비행선.

non·schéduled *a.* 부정기 운항의《항공사 따위》, 임시의 : a ~ airline 부정기 항공로[항공 회사].

nòn·sectárian *a.* 어느 종파에도 속하지 않은.

***non·sense** [nánsens, -səns; -səns] *n.* **1** Ⓤ 무의미한 말, 실없는 소리, 난센스; 어리석은 생각, 보잘 것 없는 일[것]; 어리석은 행위 : sheer ~ 순 잠꼬대 같은 소리 / None of your ~ now! 이제 어리석은 짓은 집어치워. **2** [형용사적으로] 무의미한, 어리석은 : a ~ book 난센스 북《익살스러운 내용의 유머책》 / ~ verse 희시(戲詩), 희가(戲歌). ── *int.* 어리석은[당치도 않은] (소리)! : *N*~, ~! 그만둬, 당치도 않은 소리!

nónsense códon *n.* 〔生〕 난센스 코돈《유전자상의 세 염기배열 속에서 어느 아미노산도 지정하지 않은 배열》.

nónsense mutátion *n.* 〔生〕 난센스 돌연변이《돌연변이의 결과 유전자상의 염기의 하나가 교체되는 일》.

non·sen·si·cal [nansénsikəl] *a.* 무의미한; 어리석은; 익살맞은; 엉토당토 않은 : ~ remarks. **~·ly** *adv.*

non seq·ui·tur [nan sékwətər] *n.* 〔論〕 (전제와 관련이 없는) 잘못된 결론. 〚L=it does not follow〛

non·séx·ist *a.* 성에 의한 차별을[(특히) 여성에 대한 멸시를] 하지 않는.

non·séxual *a.* 남녀[암수]의 구별이 없는, 무성(無性)의.

non·sked [nánskéd] *n.* 《美口》 부정기 공수회사; 부정기 공수기. ── *a.* =NONSCHEDULED.

nón·skíd *a.* (타이어 따위) 미끄러지지 않는 : a ~ road 미끄럼 방지 도로.

non·smóker *n.* 담배를 피우지 않는 사람; (기차의) 금연실.

non·smóker's rìght *n.* 혐연권(嫌煙權).

non·smók·ing *a.* (차량 따위) 금연의.

non·sócial *a.* 사회와는 관계없는, 비사회적인.

nòn·socíety *a.* 조합[단체]에 가입하지 않은.

non·stándard *a.* 표준적이 아닌, 비표준적인《제품·언어·발음 따위》.

nonstándard análysis *n.* 〔數〕 초표준 해석 (超標準解析).

non·stárt·er *n.* 〔競馬〕 출장이 취소된 말; 가망이 없는 사람[말]; 《口》 고려할 가치가 없는 생각.

nón·stíck *a.* (냄비·프라이팬이 특수가공으로) 음식물이 눌어붙지 않게 되어 있는.

nón·stóp *a., adv.* 도중에서 서지 않는[않고], 직행의[으로]; 무착륙의[으로] : a ~ flight 무착륙 비행. ── *n.* 직행 열차[버스]; 직행 운전.

non·stóre màrketing *n.* 무점포 판매 방식《통신·전화·방문 판매, 자판기 따위》.

nonstóre rètailing *n.* 무점포 판매《점포 판매에 상대되는 말》.

nonsuch ☞ NONESUCH.

nón·súit *n.* 〔法〕 소송의 취하[각하]. ── *vt.* 소송을 취하하다, 각하하다. 〚AF〛

nòn·suppórt *n.* 지원을 하지 않음, 〔法〕 부양의무 불이행.

nòn·syllábic *a., n.* 〔音聲〕 음절을 이루지 않는 (소리).

nón·sýstem *n.* 충분히 조직화되지 않은 제도, 허울만 좋은 방식.

nón·tárget *a.* 목표가[대상이] 아닌, 목표[대상] 이외의.

non-táriff bárrier *n.* 비관세 장벽《略 NTB》.

nón·thíng *n.* 존재하지 않는 것, 무(無); 무의미한[하찮은] 것.

nón·títle *a.* 논타이틀의, 타이틀이 걸리지 않은.

non trop·po [nan trɔ́ːpou, noun-; nɔ́n trɔ́pou] *a., adv.* 〔樂〕 논 트로포로[의], 너무 화려하지 않게, 알맞게, 지나치지 않게 (not too much). 〚It.〛

non-U [-júː] *a.* 《英口》 (말씨 따위) 상류 계급답지 않은(cf. U²). ── *n.* 비상류인, 상류사회적이지 않기. 〚*non-*+*U²*〛

non·únion *a.* 노동 조합에 속하지 않은; 노동조합을 인정치 않는; (제품이) 노동 조합 비가입자가 만든. ── *n.* 단결[결합, 합동] 하지 않음; 〔醫〕 (골절이) 유착 불능.

non·únion·ìsm *n.* Ⓤ 노동 조합 무시, 반(反)노동 조합(이론·행동·주의). **-ist** *n.* 노동조합 반대자; 비노동조합원.

nónunion shóp *n.* 반(反)노동 조합 공장《고용주가 노조를 인정하지 않고 조합원을 고용하지 않는 회사 따위; cf. UNION SHOP》.

non·uple [nánjuːpəl, -ˊ-] *a.* 아홉개 부분으로 된, 아홉배[겹]의. ── *n.* 아홉배(의 양[수·액수]) (cf. DECUPLE).

nón·úse, -úsage *n.* Ⓤ 사용치 않음, 포기.

nón·úser¹ *n.* 〔法〕 권리 불행사, 권리포기, 기권.

nonuser² *n.* 불사용자, 비이용자.

non·véctor *n.* (병원체·병원균을 매개시키지 않는) 비(非)매개 동물.

non·vérbal *a.* 언어 이외의, 말을 쓰지 않는; 말이 서투른 : ~ communication 비언어적 커뮤니케이션《몸짓·표정 따위》. **~·ly** *adv.*

non·víable *a.* 자력으로 살아 갈 수 없는, 생활[생육]불능의, 발전 불가능한.

non·víolence *n.* 비폭력(주의); 비폭력 시위.

non·víolent *a.* 비폭력주의적인.

non·vócoid *n.* 〔音聲〕 음성학적 자음(contoid).

non·vólatile *a.* 휘발성이 아닌.

nonvólatile mèmory *n.* 〔電子〕 비(非) 소멸성[휘발성] 기억장치.

non·vóter *n.* 투표하지 않는 사람, (투표) 기권자; 투표권이 없는 사람.

non·vóting *a.* 투표하지 않는; 투표권이 없는, 의결권이 없는.

non·whíte *n., a.* 백인 이외의 사람(의), (특히) 흑인(의).

non·wóven *a.* 짠 것이 아닌, 짜지 않은 천의. —— *n.* 짜지 않은 천.

non·yl [nánil] *n.* 〖化〗 노닐《1가(價)의 기》.

***noo·dle**[1] [nú:dl] *n.* 누들《밀가루와 계란으로 만든 말린 국수 종류 ; 수프용》. 〚G *Nudel*〛

noodle[2] *n.* 바보, 멍텅구리 ;《美俗》 머리(head). 〚C18<? *noddle*〛

noodle[3] *vi.* 《口》 (악기를) 타다, 잠깐 시험해 보다, 즉흥적으로 연주하다. 〚imit.〛

nook [núk] *n.* **1** 구석(corner) ; 구석진 곳 ; 외딴 곳 : search every ~ and cranny 구석구석까지 찾다. **2** 은신처, 피난처.

look in every nook and corner 구석구석까지 샅샅이 찾다.

〚ME<?; cf. Norw. (dial.) *nok* hook〛

nook·ery [núkəri] *n.* 아늑한 곳, 안심할 수 있는 장소, 벽지(僻地), 은신처, 피난처.

nooky[1], **nook·ie**[1] [núki] *a.* 구석[모서리]이 많은 ; 모서리 같은.

nooky[2], **nook·ey, nookie**[2] [núki] *n.* 《卑》 (성행위의 대상으로서의) 여자 ; 질(vagina) ; 성교. 〚NOOK〛

◊**noon** [nú:n] *n.* **1** Ⓤ 정오, 대낮(midday) : *at* ~ 정오에. **2** Ⓤ 최고점 ; 전성기, 절정〈*of*〉: *at* the ~ *of* one's career 생애의 전성기에 / the ~ *of* life 장년기.

the noon of night 한밤중, 야반.

—— *vi.* 《美方》 점심을 먹다 ; 낮에 휴식을 취하다 ; 절정에 달하다.

〚OE *nōn*<L *nona* (*hora*) ninth (hour) ; 원래 '3 p.m.' ; cf. NONES〛

nóon bàsket *n.* 《美》 도시락.

nóon·dày *n.* Ⓤ 정오, 한낮, 대낮 ; [형용사적으로] 정오의.

(***as***) ***clear***[***plain***] ***as noonday*** 아주[극히] 명백하게.

‡**nó òne, nó-òne** *pron.* 아무도 …않다(nobody) (☞ NONE 1 㽔) : *No one* can do it. 아무도 그것을 할 수 없다(cf. *No one* [ㅗㅗ] man can do it. 누구라도 혼자는 할 수 없다) / They saw *no one.* 그들은 아무도 못 만났다.

活用 ☞ NOBODY.

No. 1 [nʌ́mbər wʌ́n] *n.* =NUMBER ONE.

nóon·flòwer *n.* 〖植〗 꽃상치과 양쇠채의 식물.

nóon·ing [, nú:nən] *n.* 《美方》 정오 ; 점심 ; 낮의 휴식(시간).

nóon·tìde *n.* **1** =NOONDAY. **2** [the ~] 전성기, 절정〈*of*〉.

nóon·tìme *n.* =NOONDAY.

noose [nú:s] *n.* 올가미, 고삐, 고를 낸 매듭 ; 자유를 제약하는 것 ; (부부 등의) 유대(bond) ; 덫(snare).

put one***'s neck***[***head***] ***in the noose*** 자초하여 위험에 빠지다, 자승 자박하다.

—— *vt.* …에 올가미를 씌우다[로 잡다] ; 밧줄에 고를 내다, 올가미를 만들다 ; 덫에 걸리게 하다.

nóos·er *n.* 〚OF *no*(*u*)*s*<L ; ⇨ NODE〛

nóo·sphère [nóuə-] *n.* 〖生態〗 인지권(人智圈)《인간활동으로 인한 변화가 현저한 생물권》. 〚F (Gk. *noos* mind) ; P. Teilhard de Chardin의 조어(造語)〛

NOP not our publication (당사(當社)의 출판물이 아님). **N.O.P., n.o.p.** not otherwise provided for.

nó-pàr(-válue) *a.* 〖商〗 액면 가격을 명기하지 않은 : a ~ stock 무액면(無額面) 증권.

nope [nóup] *adv.* 《口》 =NO(☞ YEP 㽔).

NOPEC [nóupèk] *n.* 〖經〗 비(非) OPEC 석유 수출국《미국·영국·구소련·멕시코 따위》.

nó plàce *adv.* 아무데도 …없다(nowhere). —— *n.* 중요하지 않은 장소, 이름 없는 곳.

◊**nor**[1] [nɔ:r, nər, nɔ́:r] *conj.* [상관 접속사] …도 역시 …않다. **1** [neither 또는 not과 상관적으로] (cf. OR[1] 3) : He can *neither* read ~ write. 읽을 줄도 쓸 줄도 모른다 / *Not* a man, a woman, ~ a child, is to be seen. 남자도 여자도 아이도 (사람이라고는) 하나도 안 보인다. ☞ 活用 (1). **2** 《古·詩》 [neither를 생략하여] : Thou ~ I have made the world. 이 세상을 만든 것은 당신도 나도 아니오. **3** 《詩》 [두 개의 nor를 상관적으로] = neither...nor : *N*~ silver ~ gold can buy it. 은이나 금으로도 살 수 없다. **4** [부정문의 연속을 나타냄] : I said I had not seen it, ~ had I. 나는 그것을 보지 못했다고 말했는데 실제로 못봤다 / I didn't see it anywhere. — *N*~ did I. 나는 그것을 어디에서도 못 보았다 — 나도 그렇다 / She has no experience in typing, ~ does the skill interest her. 그녀는 타자를 친 경험도 없으며, 그런 기술에는 흥미도 없다. ☞ 活用 (2), (3).

> **nor**의 문장 전환
> She didn't tell me. — *Nor* did he.
> She didn't tell me. — He didn't (tell me), *either.*
> (그녀는 나에게 말을 하지 않았다 — 그도 그랬다.)
> ☆ nor 대신에 neither도 쓸 수 있다(→ neither). 긍정문을 받아서 「…도 그랬다」고 말할 때에는 so를 쓴다.

5 [긍정문 다음에] =and...not : The tale is long, ~ have I heard it out. 그 이야기가 길어서 마지막까지 들은 적이 없다. ☞ 活用 (2), (3).

〚*nother* (obs.) NEITHER, nor (*ne* not, *ōther* either)〛

活用 (1) 동사는 보통 nor 다음의 주어와 호응함. ☞ NEITHER 活用 (3) i).

(2) 4의 경우에 She has no experience in typing, *or* does the skill interest her.와 같은 문장으로 할 수는 없으나, She has no experience *or* interest in typing.(타자치는 데에는 경험도 흥미도 없다) (=She has neither experience nor interest in typing.)으로 하면 좋음. 또, They will not permit the change of the plan, *or* even think of it.(그 계획의 변경을 허락하지 않을 뿐더러 그런 일은 생각해 보지도 않을 것이다) (=They will not permit the change of the plan, nor will they even think of it.)와 같이 주어·술어동사가 갖추어진 다른 문장이 계속되지 않을 경우에는 or를 쓸 수도 있다.

(3) 4, 5의 활용에서는 「nor+(조)동사+주어」의 순서를 취한다.

nor[2] *conj.* 《方》 …보다도(than). 〚↑〛

nor' [nɔ́:r] *n., a., adv.* 〖海〗 =NORTH.

nor- [nɔ́:r] *comb. form* 〖化〗 「정화합물(正化合物)」「노르…」의 뜻. 〚*nor*mal〛

NOR [nɔ́:r] *n.* 〖電算〗 노아《논리합(合)을 부정하는 논리 연산자(演算子) ; cf. OR》. 〚*not*+*or*〛

Nor. Norman ; North ; Norway ; Norwegian.

No·ra [nɔ́:rə] *n.* **1** 여자 이름《Eleanor, Honora, Leonora의 애칭》. **2** 노라. ~ **Helmer**《H. Ibsen, *A Doll's House*의 주인공》.

NORAD [nɔ́:ræd] North American Air Defense

Command(북미 대륙 항공우주 방위군).

nòr·adrénalin(e) *n.* 〖生化〗 노르아드레날린(=norepinephrine).

nòr·adrenérgic *a.* 〖生理〗 노르아드레날린 작용[작동](성)의.

Nor·dic [nɔ́:rdik] *a.* **1** 북유럽인의. **2** 〖스키〗 노르딕의. —— *n.* 북유럽인《큰키·금발·푸른 눈·길쭉한 머리가 특징》. 〚F (*nord* north)〛

Nórdic Cóuncil *n.* [the ~] 북유럽 이사회《Iceland, Norway, Denmark, Sweden, Finland 의 국제협의 기구》.

nòr·epinéphrine *n.* 〖生化〗 노르에피네프린.

nor·eth·in·drone [nɔ:réθəndròun] *n.* 〖藥〗 노르에틴드론《황체 호르몬; 경구 피임약》.

nor·ethyn·o·drel [nɔ̀:rəθínədrèl, -əθinóu-] *n.* 〖藥〗 노르에티노드렐《황체 호르몬·경구 피임약·이상 자궁 출혈·치료·월경 조정에 쓰임》.

nó-retúrn *a.* 한 번 쓰고 버리는《회수해서 재활용하지 않는 병 따위》.

Norf. Norfolk.

Nor·folk [nɔ́:rfək, 美+-fɔ:k] *n.* 노퍽《잉글랜드 동부의 주; 주도 Norwich》.

Nórfolk dúmpling *n.* 《英》 노퍽식으로 찐 경단; 《蔑》 노퍽 사람《그 곳 특유한 요리 이름에서》.

Nórfolk jácket[cóat] *n.* (허리에 벨트가 있는) 주름이 달린 헐렁한 남자 상의.

Nor·ge [nɔ́:rgə] *n.* =NORWAY.

no·ria [nɔ́:riə] *n.* (스페인·중동의) 양동이가 달린 물방아. 〚Sp.<Arab.〛

nork [nɔ́:rk] *n.* [보통 *pl.*] 《濠俗》 유방. 〚C 20<?〛

nor·land [nɔ́:rlənd] *n.* 《주로 詩》 북국(northland). **~·er** *n.* 북국인.

norm [nɔ́:rm] *n.* 표준; 규범; (특정 인간 집단의) 전형적 행동 양식; 노르마《노동 기준량》. 〚L *norma* carpenter's square〛

Norm *n.* 남자 이름《Norman의 애칭》.

Norm. Norman. **norm.** normal.

nor·ma [nɔ́:rmə] *n.* **1** =NORM. **2** [N~] 〖天〗 수준기(水準器)자리(the Rule)《남쪽 하늘의 별자리의 하나》.

Norma *n.* 여자 이름. 〚It.<L=model, pattern or percept; (fem.) ‹ *Norman*〛

‡**nor·mal** [nɔ́:rməl] *a.* **1** 표준의, 전형적인, 규정의, 정규(正規)의(↔*abnormal*); 정상(상태)의, 일반적인[과 같은]; 평균의: the ~ temperature (인체의) 평온(平溫)《섭씨 36.9도》. **2** 〖數〗 (선이) 수직의, 법선(法線)의. **3** 〖生·醫〗 (실험 동물이) 정상인《면역성을 갖지 않음》; (면역 따위) 자연의. **4** 〖化〗 (용액이) 규정의.
—— *n.* **1** 표준, 전형(典型); 정상(상태); 평균: above[below] ~ 표준 이상[이하]으로[의] / return to ~ 정상(상태)로 돌아가다. **2** 〖數〗 법선, 수직선. **~·ness** *n.*
〚F or L *normalis*; ⇨ NORM〛
類義語 ***normal*** 정상[정규]의; 보통의; 확립된 규범[표준]에 맞는: *normal* intelligence(보통의 지능). ***regular*** 규칙 또는 그 유형의 일반적인 형·규범에 맞는: Sunday is a *regular* holiday.(일요일은 정기적인 휴일이다). ***typical*** 그것이 소속된 유형·계급 따위의 대표적인 성질을 가진: a *typical* American(전형적인 미국인). ***natural*** 행동 따위가 그 사람[물건]의 태어나면서[본래]부터의 성질에 일치하는: a *natural* singer(타고난 가수). ***usual*** 일반[통상]적인 관습이나 사건과 일치하는: the *usual* expenditure(일상적인 소비). ***average*** 정상 또는 보통 정도로 생각되는: an *average* pupil(보통 정도의 학생).

nórmal·cy *n.* 《美》 =NORMALITY.

nórmal distribútion *n.* 〖統〗 정규 분포.

nor·mal·i·ty [nɔ:rmǽləti] *n.* 정상상태(常態); 정상성, 정규성; 〖化〗 (용액의 농도를 나타내는) 노르말 농도.

nórmal·ìze *vt., vi.* 표준화하다[되다]; 〖數〗 정규화하다; 정상(상태)로 되게 하다; (국교 따위) 정상화하다; (표기를) 일정한 철자법으로 통일하다.
nòrmal·izátion *n.*

nór·mal·ìz·er *n.* 표준화하는 것; 〖數〗 정규화군(正規化群).

***nór·mal·ly** *adv.* 표준적으로, 온당하게, 정상적으로; 규칙대로; 정상(상태)에서; 관습에 따라.

nórmal schòol *n.* 사범 학교《2년제 대학; 현재는 teacher's college가 보통》.

nórmal solútion *n.* 〖化〗 규정액, 노르말 용액.

nórmal válue *n.* 〖經〗 정상 가치《장기적으로 본 평균 가격》, 표준값.

Nor·man[1] [nɔ́:rmən] *n.* **1** 노르만인《원래 스칸디나비아에 살다가, 10세기에 Normandy를 정복하여 그곳에 정주한 Northman》. **2** 노르만 프랑스인《1066년 영국을 정복한 노르만인과 프랑스인의 혼합 민족》. **3** Ⓤ 노르만(프랑스)어. —— *a.* 노르망디 (사람)의, 노르만족의.
〚OE<ON=Northman〛

Norman[2] *n.* 남자 이름.

Nórman árchitecture *n.* 노르만 건축《로마네스크 풍의 건축 양식; 간소·웅대한 것이 특징》.

Nórman Cónquest *n.* [the ~] (WILLIAM the Conqueror가 인솔한) 노르만인의 잉글랜드 정복 (1066).

Nor·man·dy [nɔ́:rməndi] *n.* 노르망디 (F **Nor·man·die** [*F* nɔrmɑ̃di])《영국 해협에 면한 프랑스 북서부 지방》.

Nórman Énglish *n.* 노르만 영어《Norman-French에 영향을 받은 영어》.

Nor·man·esque [nɔ̀:rmənésk] *a.* 〖建〗 노르만 양식의, 로마네스크의.

Nórman-Frénch *n., a.* 노르만 프랑스어(의) 《노르만인이 썼던 프랑스어; 略 NF》.

Nórman·ìsm *n.* Ⓤ 노르만 양식[주의]; 노르만(인) 편애, 친노르만 경향.

Nórman·ìze *vt., vi.* 노르만 양식으로 하다[되다], 노르만화하다.
Nòr·man·i·zá·tion *n.* Ⓤ 노르만화(化).

Nórman stýle *n.* 〖建〗 노르만 양식.

nor·ma·tive [nɔ́:rmətiv] *a.* 기준[표준·규범]을 정하는, 규정하는(prescriptive): ~ grammar 규범 문법. **~·ly** *adv.* **~·ness** *n.*
〚F<L; ⇨ NORM〛

nor·mo·ten·sive [nɔ̀:rmouténsiv] *a., n.* 〖醫〗 정상 혈압인 (사람).

nor·mo·ther·mia [nɔ̀:rmouθə́:rmiə] *n.* 정상 체온, 평온.

Norn [nɔ́:rn] *n.* [보통 the ~s] 〖北유럽神〗 노른《운명을 관장하는 3여신》. 〚ON<?〛

Norse [nɔ́:rs] *n.* (*pl.* ~) **1** (고대) 스칸디나비아인; (고대) 노르웨이인. **2** Ⓤ 노르웨이어.
—— *a.* 고대 스칸디나비아(인[어])의; 노르웨이(인·어)의: ~ mythology 북유럽 신화.
〚Du. *noor(d)sch* northern (*noord* north)〛

Nórse·land [-lənd] *n.* =NORWAY.

Nórse·man [-mən] *n.* 고대 스칸디나비아인(Northman); 현대 스칸디나비아인, (특히) 노르웨이인.

Norsk [nɔ́:rsk] *a., n.* =NORSE.

◊**north** [nɔ́ːrθ] *n.* **1** Ⓤ [보통 the ~] 북, 북쪽; 북부《略 n., N, N.; ↔*south*》. 주 「동서남북」은 보통 north, south, east and west라고 함. **2** [the N~] 북부 지방; (특히)《英》영국 북부《Humber 강 이북》;《美》미국 북부 지방《Mason-Dixon Line 및 Ohio 강에서 북쪽 지방》. **3** 북반구(北半球), 북극 지방. **4**《詩》북풍.
in the north of …의 북부에.
north by east 북미동(北微東)《略 NbE, N.bE.》.
north by west 북미서(北微西)《略 NbW, N.bW.》.
on the north of …의 북쪽에 인접하여.
to the north of …의 북쪽(방향)으로.
—— *a.* **1** 북의, 북(쪽)에 있는; 북향의: the ~ side (교회의) 회당의 북쪽《제단으로 향해 좌측》/ a ~ light〖畫〗북쪽에서 들어오는 빛; 북창(北窓). **2** 북부의, 북국의; 북방 주민의. **3** (바람이) 북쪽에서 부는.
—— *adv.* 북방으로[에], 북부로[에]: due ~ 정북(正北)에 / lie ~ and south 남북으로(길게) 위치하다 / The village is 15 miles ~ *of* the city. 그 마을은 도시 북방 15마일인 곳에 있다.
north by east[***west***] 북미동[서]으로(cf. *n.*).
—— *vi.* 북진하다; 북으로 방향전환하다.
〖OE<?; cf. G *Nord*〗
Nórth África *n.* 북아프리카《열대 이북》.
Nórth Áfrican *a., n.* 북아프리카(인)의; 북아프리카 사람.
Nórth América *n.* 북아메리카, 북미.
Nórth Américan *a., n.* 북아메리카[북미]의; 북아메리카인.
North·amp·ton [nɔːrθhǽmptən] *n.* 노샘프턴《(1) = NORTHAMPTONSHIRE. (2) 그 주도(州都)》.
Northámpton·shire [-ʃìər, -ʃər] *n.* 노샘프턴셔《잉글랜드 중부의 주; 주도 Northampton; 略 Northants.》.
Nórth Atlántic Tréaty[**Páct**] *n.* [the ~] 북대서양 조약《NATO의 설립을 위해 1949년 12개국이 체결》.
Nórth Atlántic Tréaty Organizàtion *n.* [the ~] 북대서양 조약 기구《略 NATO》.
nórth·bòund *a.* 북(쪽)으로 가는[향한] (bound for north)《略 n.b.》: a ~ train.
Nórth Británin *n.* 스코틀랜드의 별칭《略 N.B.》.
Nórth Bríton *n.* 스코틀랜드인.
Nórth Cápe *n.* **1** 노르웨이 북단의 곶(串)《유럽 최북단》. **2** 뉴질랜드의 북단.
Nórth Carolína *n.* 노스캐롤라이나《미국 남부의 주; 주도 Raleigh; 略 N.C.》.
Nórth Carolínian *a., n.* 노스캐롤라이나 주(州)[사람](의).
Nórth Chánnel *n.* [the ~] 노스 해협《스코틀랜드와 아일랜드 사이의》.
Nórth Cóuntry *n.* [the ~]《英》England(또는 Great Britain)의 북부;《美》알래스카와 (캐나다의) 유콘 지방을 포함하는 지구.
Nórth Dakóta *n.* 노스다코타《미국 중서부의 주; 주도 Bismarck; 略 N. Dak., N. D.》.
Nórth Dakótan *a., n.* 노스다코타 주(州)[사람](의).
***nòrth·éast** [ˌ《海》nɔ̀ːríːst] *n.* [보통 the ~] 북동《略 NE, n.e., N.E.》; 북동부[지방];《詩》= NORTHEASTER.
northeast by east 북동미동《略 NEbE, N.E.bE.》.
northeast by north 북동미북《略 NEbN, N.E.bN.》.
—— *a.* 북동의[에 있는·에 면한]; (바람이) 북동에서 (부는).
—— *adv.* 북동으로[에] (향하여).
nòrth·éast·er [ˌ《海》nɔ̀ːríːstər] *n.* 북동의 강풍, 북동풍. **nòrth·éast·er·ly** *a., adv.* 북동(쪽)의[으로]; (바람이) 북동에서(의).
nòrth·éast·ern *a.* 북동(부)의; [흔히 N~] 북동부 지방의.
Nórtheast Pássage *n.* [the ~] 북동 항로《유럽 및 아시아의 북해안을 따라 북대서양에서 태평양으로 나감; cf. NORTHWEST PASSAGE》.
nòrth·éast·ward *n.* [the ~] 동북(쪽). —— *a.* 북동으로의; 북동에 있는. —— *adv.* 동북(쪽)에[으로]. **~·ly** *adv., a.* = NORTHEASTWARD.
nòrth·éast·wards *adv.* = NORTHEASTWARD.
north·er [nɔ́ːrðər] *n.*《美》강한 북풍.
nórther·ly *a.* 북쪽으로 향한; (바람이) 북쪽에서 불어오는. —— *adv.* 북(쪽)으로; (바람이) 북쪽에서 불어와서. —— *n.* 북풍.
‡**north·ern** [nɔ́ːrðərn] *a.* **1** 북의[에 있는]: ☞ NORTHERN LIGHTS. **2** 북부 지방에 사는, 북부 출신의, 북국 특유의. **3** (바람이) 북에서 부는. **4**《稀》북으로 향한, 북진(北進)하는. **5** [N~]《美》**a**) 북부 여러 주(로부터)의: the *N*~ States 북부 여러 주. **b**) 북부(지방) 사투리의.
—— *n.* **1** = NORTHERNER. **2** Ⓤ [N~]《美》북부(지방) 사투리(the Northern dialect).
Nórthern Cróss *n.* [the~] 북(北)십자성《백조자리》.
Nórthern·er *n.* 북극[북부] 사람;《美》북부 여러 주의 사람.
Nórthern Hémisphere *n.* [the ~] 북반구.
Nórthern Íreland *n.* 북아일랜드《6주로 이루어졌으며 영국(United Kingdom)의 일부》.
nórthern líghts *n. pl.* [the ~] 북극광(光)(aurora borealis) (cf. SOUTHERN LIGHTS).
nórthern·mòst [ˌ英+-məst] *a.* [NORTHERN의 최상급] 가장 북쪽의.
Nórthern Rhodésia *n.* 북로디지아《ZAMBIA의 영국 식민지 시대의 명칭》.
Nórthern Spý *n.* (북미산의) 사과의 한 품종.
Nórthern Térritories *n. pl.* [the ~] 아프리카 서부의 옛 영국 보호령《현재 Ghana의 일부》.
Nórthern Térritory *n.* [the ~] 노던 주《오스트레일리아 중북부 주; 중심도시 Darwin》.
Nórth Frígid Zòne *n.* [the ~] 북한대(寒帶).
Nórth Germánic *n.*〖言〗북게르만어(군)《Iceland와 Scandinavia의 여러 언어》.
nórth·ing [ˌ-ð-] *n.* Ⓤ〖海〗북진, 북항(北航).
Nórth Ísland *n.* New Zealand 북쪽의 섬(cf. South Island).
Nórth Koréa *n.* 북한.
nórth·land [-lənd] *n.* **1** [흔히 N~] 북쪽의 땅, 북쪽 나라, 북부 지방. **2** [N~] 스칸디나비아 반도. **~·er** *n.* 북극 사람, 북부의 주민.
Northld. Northumberland.
nórth líght *n.* (아틀리에 따위의) 북쪽 창을 통해 들어오는 빛; 북극광.
Nórth·man [-mən] *n.* **1** 고대 스칸디나비아인(人)(Norseman); 북유럽 해적(Viking). **2** (현재의) 북유럽인.
nórth·mòst [ˌ英+-məst] *a.* = NORTHERNMOST.
nórth-nòrth·éast *n., a., adv.* 북북동《略 NNE, N. N. E.》; 북북동(의)[으로].
nórth-nòrth·wést *n., a., adv.* 북북서《略 NNW, N. N. W.》; 북북서(의)[로].

*nórth póle n. [the ~, 흔히 the N~ P~] (지구의) 북극 ; (천구(天球)의) 북극 ; (자석의) 북극. **nórth-pólar** a. 북극의.

Nórth Ríding n. 노스 라이딩《옛 Yorkshire의 한 구 ; 현재 North Yorkshire의 대부분》.

Nórth Ríver n. [the ~] 노스리버《뉴욕 Hudson River 하류의 별칭》.

Nórth Séa n. [the ~] 북해(北海).

Nórth Séa óilfields n. 북해 유전《영국 북부에서 노르웨이에 걸친 북해에 있는 유전》.

Nórth-Sóuth a. 남북의 ; 선진국과 발전 도상국의 : ~ problems 남북 문제.

***Nórth Stár** n. [the ~] 〖天〗 북극성(polestar) (cf. DIPPER 4 b)).

Nórth Stár Státe n. [the ~] 미국 Minnesota 주의 별칭.

North·um·ber·land [nɔːrθʌ́mbərlənd] n. 노섬벌랜드《잉글랜드 최북부의 주(州)》.

North·um·bria [nɔːrθʌ́mbriə] n. 노섬브리아《영국 북부의 옛 왕국》.

North·úm·bri·an a. (옛날의) Northumbria(사람·방언(方言))의 ; Northumberland 주(사람·사투리)의. —— n. Northumbria인 ; Ⓤ Northumbria 방언 ; Northumberland 주의 사람 ; Ⓤ Northumberland 방언.

***nórth·ward** [, 《海》 nɔ́ːrðərd] a. 북(쪽)으로 향한, 북방으로의. —— adv. 북(쪽)으로 향해서, 북방으로. —— n. [the ~] 북방 : to[from] the ~ 북방으로[에서]. **~·ly** adv., a.

***nórth·wards** adv. =NORTHWARD.

***nòrth·wést** [, 《海》 nɔːrwést] n. **1** [the ~] 북서《略 n.w., NW, N.W.》; [the N~] 북서 지방, 《美》 북서부. **2** [the N~] 캐나다 북서부 지방.

northwest by north 북서미북《略 NWbN, N.W.bN.》.

northwest by west 북서미서《略 NWbW, N.W.bW.》.

—— a. 북서의 ; 북서부의 ; 북서에로의 ; 북서로부터의[에서의].

—— adv. 북서에 ; 북서로 ; 북서에서[로부터].

nòrth·wést·er n. 북서풍 ; 북서의 강풍[폭풍].

nòrth·wést·er·ly adv., a. 북서의[로 향하는] ; (바람이) 북서에서 부는. —— n. 북서풍.

nòrth·wést·ern a. 북서부의.

Nórthwest Pássage n. [the ~] 북서 항로《미국 북해안을 따라 북대서양에서 태평양으로 통함 ; cf. NORTHEAST PASSAGE》.

Nórthwest Térritories n. pl. [the ~] 노스웨스트 주《캐나다의 북서 지방》.

Nórthwest Térritory n. 〖美史〗 [the ~] 미국의 Ohio강 · Mississippi강 · 캐나다 국경에 걸치는 삼각 지역.

nòrth·wést·ward n. [the ~] 북서(쪽).
—— a. 북서로의 ; 북서에 있는.
—— adv. 북서(쪽)으로[에].
~·ly adv., a. =NORTHWESTWARD.

nòrth·wést·wards adv. =NORTHWESTWARD.

Nórth Yórkshire n. 노스요크셔《잉글랜드 북부의 주(州)》.

nor·trip·ty·line [nɔːrtríptəlìːn] n. 〖藥〗 노르트립틸린《항울제(抗鬱劑)로 쓰임》.

Norw. Norway ; Norwegian.

Nór·walk àgent [nɔ́ːrwɔːlk-] n. 노워크 인자《장(腸)인플루엔자를 일으키는 바이러스 입자》. 〖*Norwalk* Ohio 주(州)의 도시 ; 여기서 처음으로 단리(單離) 됨〗

nor·ward(s) [nɔ́ːrwərd(s)] adv., a., n. =NORTHWARD.

Nor·way [nɔ́ːrwei] n. 노르웨이《수도 Oslo ; 略 Nor(w).》.

Nor·we·gian [nɔːrwíːdʒən] a. 노르웨이의 ; 노르웨이인[어]의. —— n. 노르웨이 사람 ; Ⓤ 노르웨이어(語) 《略 Ng., Nor(w).》. 〖L *Norvegia* < ON = north way〗

nor'-west·er [nɔːrwéstər] n. =NORTHWESTER ; 〖海〗 (폭풍우 때 선원 등이 쓰는) 방수모(防水帽) (sou'wester) ; 방수 외투 ; 〖英海〗 한 잔의 독한 술.

Nor·wich [nɑ́ridʒ, -tʃ] n. 노리치《잉글랜드 Norfolk주의 주도》.

nos- [nɑ́s], **noso-** [nɑ́sou, -sə] *comb. form* 「병(病)」의 뜻. 〖Gk. ; ⇨ NOSOGRAPHY〗

Nos., Nos, nos. numbers.

N.O.S., n.o.s. not otherwise specified.

◇**nose** [nóuz] n. **1** 코 : the bridge of the ~ 콧대. **2 a**) [a ~] 후각(嗅覺) ; 탐지해 내는 능력, 직감력 : have *a* good ~ (개가) 냄새를 잘 맡다 ; (탐정이) 단서를 잘 잡다〈*for*〉. **b**) Ⓤ (건초(乾草) · 차(茶) 따위의) 냄새(scent) 〈*of*〉. **3** 돌출부 ; (관 · 통 따위의) 끝, 총구(銃口) ; 이물 ; (비행기의) 기수(機首), 수뢰(水雷) 《따위》의 끝.

(*as*) ***plain as the nose on***[*in*] one***'s face*** 매우 명백히.

bite a person***'s nose off*** ☞ BITE.

blow one***'s nose*** 코를 풀다《흔히 눈물을 감추기 위해》.

cannot see beyond (***the length of***) one***'s nose*** 근시다 ; 코 앞을 못 보다《상상력 · 통찰력 따위가 없다》.

count[***tell***] ***noses*** (출석자 등의) 머릿수를 세다 ; 머릿수[인원수]만으로 일을 결정하다.

cut off one***'s nose to spite*** one***'s face*** 홧김에 손해볼 일을 하다.

follow one***'s nose*** 똑바로 가다 ; 직감적으로 행동하다 ; 후각에 따르다.

hold one***'s nose*** (고약한 냄새로) 코를 쥐다.

in spite of a person***'s nose*** 남의 반대를 물리치고.

lead a person ***by the nose*** 남을 맹종시키다.

look down one***'s nose at*** 《口》 …을 경멸하다, 업신여기다.

make a long nose at... (코 끝에 엄지손가락을 대고 다른 손가락을 부채 모양으로 펴 흔들어서) …을 조롱하다[놀리다].

make a person***'s nose swell*** 남이 부러워하게 하다.

nose of wax 《古》 남이 하자는 대로 하는 사람 ; 뜻대로 되는 것.

nose to nose (서로) 마주 보고[향하여] (cf. FACE *to face*).

on the nose 《俗》 바로, 정확히(exactly).

pay through the nose 터무니없는 돈을 치르다, 바가지 쓰다.

put[***poke, thrust***] one***'s nose into...*** (남의 일)에 간섭하다.

put a person***'s nose out of joint*** 남을 밀어내고 자신이 들어앉다 ; 남의 계획을 좌절시키다.

see no further than one***'s nose*** 전도가 캄캄하다《앞 일을 모르다》.

show one***'s nose*** ☞ SHOW *v.*

snap a person***'s nose off*** = *bite* a person's NOSE *off*.

through one***'s***[***the***] ***nose*** 코(멘) 소리로《[m, n]이 [b, d]로 울림》.

thumb** one's **nose ☞ THUMB *v.*
turn up** one's **nose at …을 경멸하다, 비웃다.
under** a person's (**very**) **nose**=**under the nose of a person 남의 코 앞[면전]에서 ; 남에게 상관없이, 공공연히, 태평스럽게.
win by a nose 〔競馬〕 코 하나 길이 차이로 이기다 ; 간신히 이기다.
with** one's **nose at**[**to**] **the grindstone ☞ GRINDSTONE.
—— *vt.* **1** [+目/+目+前+名/+目+副] 냄새 맡다, 냄새 맡아내다, 찾아내다 : He ~*s* a job ***in*** everything. 《비유》 무엇에서라도 자기의 이익이 되는 것을 찾아낸다 / The cat ~*d* ***out*** a mouse. 고양이는 냄새로 쥐를 찾아냈다. **2** (…에) 코를 부벼대다 ; (…에게) 코끝을 들이대다. **3** [~ one's way로] [+目+前+名] (배가) 전진하다 : The ship ~*d* her way cautiously ***through*** the fog. 배는 안개를 헤치고 조심스럽게 나아갔다. —— *vi.* **1 a)** [+副/+前+名] 냄새맡다, 냄새를 맡아내다 : He is always *nosing* ***about***. 언제나 배회하며 뭔가를 탐지해내려고 한다 / The dog kept *nosing about* the garden. 개는 마당을 여기저기 냄새를 맡으며 다니고 있었다. **b)** [+*into*+名] 《비유》 주제넘게 참견하다, 간섭하다 : Don't ~ ***into*** another's affair. 남의 일에 주제넘게 참견하지 마라. **2** [+前+名] (배가) 전진하다(cf. *vt.* 3) : The little boat ~*d* carefully ***between*** the rocks. 작은 배는 바위 사이를 조심스럽게 빠져 나아갔다. **3** (지층 따위가) 밑으로 기울다, 내려앉다〈*in*〉, 끄트머리가 노출되다〈*out*〉.
***nose down**[**up**]* 〔空〕 (기수(機首)를) 아래[위]로 향하다.
nose over 〔空〕 기수를 처박고 뒤집히다.
〖OE *nosu* ; cf. G *Nase*, Norw. *nosa* to smell〗

nóse àpe *n.* 〔動〕 코주부원숭이.
nóse bàg *n.* (말의 목에 매어 다는) 여물 망태 ; 《俗》 (소풍 따위의) 도시락 ; 방독면(防毒面).
nóse·bànd *n.* (말 따위의) 재갈끈[가죽].
nóse·blèed *n.* Ⓤ 코피, 〔醫〕 비출혈(鼻出血).
nóse bòb *n.* 《俗》 =NOSE JOB.
nóse càndy *n.* 《美俗》 코로 들이마시는 마약, 코카인.
nóse còne *n.* (로켓 따위의) 원뿔형 두부(頭部), 노즈 콘 ; 《美俗》 최고의[굉장한] 것.
nóse còunt *n.* (찬성자 등의) 인원수를 세기 ; 다수결.
nosed [nóuzd] *a.* 코가 …한 : bottle-~ 코가 병처럼 생긴.
nóse dìve *n.* 〔空〕 급강하 ; (가격의) 폭락 ; 《美俗》 별안간에 닥친 참혹한 불운.
nóse-dìve *vi., vt.* 〔空〕 급강하하다[시키다] ; (가격이) 폭락하다, (이익이) 갑자기 줄다.
nóse dròps *n. pl.* (점적기(點滴器)로 콧속에 흘려 넣는) 코약.
nóse flùte *n.* (말레이 지방 원주민의) 코피리.
nóse·gày *n.* 꽃다발(bouquet).
nóse gèar *n.* =NOSEWHEEL.
nóse glàsses *n. pl.* 코안경.
nóse·guàrd *n.* 〔美蹴〕 수비팀 포지션의 하나(=middle guard).
nóse jòb *n.* 《俗》 코의 미용 성형.
nóse mònkey *n.* =NOSE APE.
nóse·pìece *n.* =NOSEBAND ; (투구의) 코받이 ; (현미경의) 대물 렌즈를 붙이는 곳.
nóse pìpe *n.* (용광로) 배기관의 주둥이.
nos·er [nóuzər] *n.* 《古》 (권투 따위에서) 코에 가하는 일격 ; 맞은편에서 불어오는 강풍 ; 참견 잘 하는 사람.
nóse ràg *n.* 《俗》 휴지, 손수건.
nóse-rìde *vi.* (서핑에서) 서프 보드(surfboard)의 앞쪽 끝에 타다[에서 묘기를 부리다].
nóse-rìder *n.*
nóse rìng *n.* (소·야만인의) 코고리, 코뚜레.
nóse tàckle *n.* 〔美蹴〕 수비 포지션의 하나《3인을 배치한 수비 라인의 중앙 선수 ; 略 NT》.
nóse-thùmb·ing *n.* Ⓤ (엄지손가락을 코에 대고 하는) 조롱의 몸짓.
nóse wàrmer *n.* 《英俗》 짧은 파이프.
nóse·whèel *n.* 〔空〕 (비행기의) 앞바퀴.
nóse whèel·ie *n.* 《美》 스케이트보드의 뒷바퀴를 들고 앞바퀴로 미끄러지기.
nosey ☞ NOSY.
nosh [náʃ] *n.* 《口》 가벼운 식사, 간식 ; 《英》 음식.
—— *vi., vt.* 가벼운 식사를 하다, 간식하다, 먹다.
~·er *n.* 〖Yid. ; cf. G *naschen* to nibble〗
nosh·ery [náʃəri] *n.* 《口》 식당, 레스토랑.
nó-shów *n.* 《美》 (여객기 좌석을 예약하고) 끝내 나타나지 않는 사람. 〖*not show*ing up〗
nósh-ùp *n.* Ⓤ 《英俗》 식사, 진수 성찬.
nó síde *n.* 〔럭비〕 경기 끝《심판 용어》.
nos·ing [nóuziŋ] *n.* 〔建〕 (층계 끝의) 디딤판 코 ; 디딤판 코 모양으로 돌출한 것[부분].
nó-sléep *a.* 불면(不眠)의 : ~ fits 불면증(에 걸리는 일).
noso- [násou, -sə] ☞ NOS-.
no·sog·ra·phy [nouságrəfi] *n.* Ⓤ 질병 기술학(記述學). 〖Gk. *nosos* disease〗
no·sol·o·gy [nousálədʒi, 英+nɑ-, 美+-zál-] *n.* Ⓤ 질병 분류학[표] ; 병의 지식.
nos·tal·gia [nastǽldʒiə, 美+nə-] *n.* Ⓤ 노스탤지어, 향수(鄕愁), 향수병(homesickness) 〈*for*〉.
-gist *n.* 노스탤지스트, 회고 취미의 사람.
nos·tál·gic *a.* **-gi·cal·ly** *adv.*
〖NL<Gk. (*nostos* return home, *algos* pain)〗
Nos·tra·da·mus [nàstrədéiməs, nòustrədá:məs] *n.* **1** 노스트라다무스(1503-66)《프랑스의 의사·점성가 Michel de Nostredame의 라틴 어명(語名)》. **2** (널리) 예언자, 점쟁이.
***nos·tril** [nástrəl ; -tril] *n.* 콧구멍.
stink in the nostrils of a person 남에게 혐오감을 주다.
the breath of** one's **nostrils ☞ BREATH.
〖OE *nosthyrl* (NOSE, *thȳr*(*e*)*l* hole)〗
nó-stríngs *a.* 《口》 자유의, 부대 조건이 없는.
nos·trum [nástrəm] *n.* (자가(自家) 제조의) 매약(賣藥) ; (소위) 묘약 ; 만병 통치약 ; (정치 문제 따위 해결의) 묘책. 〖L=of our own make〗
nosy, nosey [nóuzi] *a.* 코가 큰 ; 《口》 참견 잘하는 ; 꼬치꼬치 캐기 좋아하는 ; 악취를 풍기는.
—— *n.* 《口》 코가 큰 사람 ; 코주부.
nós·i·ly *adv.* **-i·ness** *n.* 〖NOSE〗
Nósy Pár·ker [-pá:rkər] *n.* 《口》 참견 잘 하는 사람, 야유꾼.
◇**not** [nát ; (조동사 뒤에서는 또) nt]

not은 가장 대표적인 부정어(negative)로서 다음과 같이 쓰인다.
(1) 술어동사의 부정
(2) 어·구·절의 부정
(3) 부정사·분사·동명사의 부정
(4) 명사절의 부정
(5) 부정의 절의 대용
(6) 부분 부정

── *adv.* …이 아니다, (…하지) 않다. **1** [술어동사·문장의 부정; 조동사 또는 be·have 동사를 수반하여; 때때로 n't로 단축됨]: This *is* ~[*isn't*] a book. 이것은 책이 아니다 / He *will* ~[*won't*] come. 그는 안 올 것이다. 注 (1) [의문 부정형] 《文語》의 Is it ~?, Will you ~?, Do you ~ (go)?는 《口》에서는 제각기 Is*n't* it?, Wo*n't* you?, Do*n't* you (go)?와 같이 말함. (2) I think [believe, suppose, *etc.*] he will ~ come. (나는 그가 오지 않으리라고 생각한다)보다는 I *don't* think [believe, suppose, *etc.*] he will come.이라고 하는 쪽이 일반적임. (3) not이 보통 정형 동사를 수반하는 I know ~.(=I *don't* know.)와 같은 표현은 《古》.

2 a) [술어동사·문장 이외의 어구의 부정; 보통 강세(強勢)가 있음]: He is my nephew, (and) ~ my son. 내 조카지 아들이 아니다 / I come to bury Caesar, ~ to praise him. 《셰익스피어》 나는 시저를 장사지내러 온 것이지 찬양하러 온 것은 아니다. **b**) [부정사·분사·동명사에 선행하여 그것을 부정함]: I begged him ~ *to* go out. 외출하지 말도록 그에게 부탁했다 / I got up early so as[in order] ~ *to* miss the first train. 첫 차에 늦지 않게 일찍 일어났다 / *N*~ know*ing*, I cannot say. 모르니까 말할 수 없다 / He reproached me for my ~ hav*ing* let him know about it. 그 일을 알려주지 않은 것이 나쁘다고 나를 비난했다. **c**) [Litotes(완서법(緩敍法))이나 Periphrasis(우회법(迂回法))에 있어서]: ~ a few 적지 않게(many) / ~ a little 적지 않게(much) / ~ once *or*[*nor*] twice 한두 번이 아니라, 여러 번 / ~ reluctant (싫기는커녕) 기꺼이 / ~ seldom 이따금, 때때로 / ~ *un*known 알려지지 않은 게 아닌 / ~ too well 그렇게 좋지 않게, 오히려 서툴게 / ~ *without* some doubt 다소의 의혹을 가지면서.

〈회화〉

> Would you like some more ice cream? — *Not* for me, thanks. 「아이스크림 더 먹겠니」「나는 그만 하겠어요」

3 [말의 부정이 문장의 부정이 되는 경우]: ~ any=no, none / ~ anybody=nobody / ~ anyone=no one / ~ anything=nothing / ~ anywhere=nowhere / ~ either=neither / ~ ever=never / ~ nearly=by no means / I do*n't* like candy *any more*. 더 이상 사탕은 싫다 / Will he come? — *N*~ he(=No, he won't)! 그는 올까 — 안 올걸 / The French won't fight, ~ they. 프랑스인은 안 싸울 것이다, 싸울리가 있나.

4 [부분 부정]: *N*~ *every*one can succeed. 모두가 다 성공할 수는 없다 / I do*n't* know *both*. 양쪽 다는 모른다《한편만 알고 있다》/ *N*~ *all* the bees go out for honey. 꿀벌이라고 모두 꿀을 따러 나가는 것은 아니다 / ~ altogether ☞ ALTOGETHER 1 / ~ always ☞ ALWAYS 숙어.

5 [부정의 문장·동사·절 따위의 생략 대용] (☞ SO[1] *adv.* 3, 活用 (1)): Is he ill? — *N*~ at all(=He is ~ at all ill). 그는 어디 아픈가 — 아프긴 뭘 아퍼 / Right or ~(=Whether it is right or ~), it is a fact. 옳건 그르건 간에 사실이다 / as likely as ~ 대개, 아마도 / more often than ~ 때때로 / Is he coming? — Perhaps ~.(=Perhaps he is not coming.) 그는 올까요 — 아마도 안 올거야. 注 perhaps 이외에 probably, certainly, absolutely, of course 따위도 같은 구문에 씀 / Is he ill? — I think ~.(=I think he is ~ ill.) 그는 어딘가 아픈가 — 아프지는 않다고 생각하네(cf. *I think so.* 아프다고 생각하네). 注 think 이외에 suppose, believe, hope, expect, be afraid 따위도 같은 구문에 쓰임 / I shall start if it's fine; if ~, ~. 날씨가 좋으면 떠날 것이고, 그렇지 않으면 그만두겠다.

not a 단 한 사람[한 개]의 …도 …않다: *N*~ *a* man answered. 누구 한 사람도 대답하지 않았다. 注 no의 강조형; not a single은 더욱 강조형.

not at all ☞ ALL.

not...but …이 아니고 …이다(cf. BUT 1 b)): He is ~ my son, *but* my nephew. 내 자식이 아니라 조카다 / The most important thing in the Olympic Games is ~ to win *but* to take part in. 올림픽 대회에서 가장 중요한 것은 이기는 데 있는 것이 아니고 참가하는 데 있다.

not but that[***what***] ☞ BUT.

not only[***merely, simply***]***...but*** (***also***) …뿐만 아니라 …도 (또한): It is ~ *only* economical *but* (*also*) good for the health. 그것은 경제적일 뿐만 아니라 건강에도 (또한) 좋다 / *N*~ *only* did he hear it, *but* he saw it as well. 그는 그 말을 들었을 뿐만 아니라 (또한) 그것을 보았다. 注 뒤의 어(구)가 강조됨. 동사는 뒤쪽의 주어에 호응함: *N*~ *only* you but (also) *he is* right. (cf. *as* WELL[1] *as*).

not that …라고(해서) …라는 것은 아니다: If he said so — ~ *that* he ever did — he lied. 만약에 그가 그렇게 말했다면 — 그렇게 말했다는 것은 아니나 — 거짓말을 한 것이다 / What is he doing now? It is ~ *that* I care. 그가 지금 무얼 하고 있는지, 그렇다고 해서 (특별히) 내가 걱정하고 있는 것은 아니다.

not to say ☞ SAY *v.*

not to speak of... ☞ SPEAK.

〖NAUGHT〗

not-[1] [nóut], **no·to-** [nóutou, -tə] *comb. form* 「뒤」「뒷부분」의 뜻.
〖Gk. *noton* back〗

not-[2] [nóut], **noto-** [nóutou, -tə] *comb. form* 「남쪽(south)」의 뜻.
〖L *notes* south (wind)〗

NOT [nát] *n.* 〖電算〗 나트《부정을 만드는 논리 연산자(演算子)》.

no·ta be·ne [nóutə bíːni, -béni] 주의(하라), 요주의《略 n.b., N.B., NB》.
〖L=note well〗

no·ta·bil·ia [nòutəbíliə] *n. pl.* 주목할 가치 있는 사물[사건]; 잘 알려진 사물. 〖L〗

no·ta·bil·i·ty [nòutəbíləti] *n.* Ⓤ 저명, 현저함, Ⓒ 명사(名士).

***no·ta·ble** [nóutəbəl] *a.* **1** 주목할 만한, 두드러진, 현저한. **2** 유명한. ── *n.* 명사, 명망가(名望家); 《古》 잘 알려진 사물. **nó·ta·bly** *adv.* 현저하게; 눈에 띄게; 특히. **~·ness** *n.*
〖OF<L; ⇨ NOTE〗

NOTAM, no·tam [nóutəm] *n.* 〖空〗 (승무원에 대한) 항공 정보.
〖*no*tice *t*o *a*ir*m*en〗

no·tan·dum [noutǽndəm] *n.* (*pl.* **-da** [-də], **~s**) 주의 사항; 각서. 〖L; ⇨ NOTE〗

no·taph·i·ly [noutǽfəli] *n.* (취미로서의) 은행권 수집.

no·tar·i·al [noutéəriəl, -tǽər-] *a.* 공증(인(人))의. **~·ly** *adv.* 공증인에 의하여.

no·ta·rize [nóutəràiz] *vt.* (공증인이) 인증[증명]하다.

no·ta·ry [nóutəri] *n.* 공증인(=~ public). 〚L *notarius* secretary ; ⇨ NOTE〛

nótary públic *n.* (*pl.* **nótaries públic, ~s**) 공증인(《略 N.P.》).

no·tate [nóuteit ; -́-] *vt.* 기록하다, 적어두다 ; 〖樂〗 악보에 적다.

no·ta·tion [noutéiʃən] *n.* **1** U,C **a)** (특수한 문자·부호 따위에 의한) 표기법 ; 표기, 표시 ; 〖數〗 기수법(記數法), 〖樂〗 기보법(記譜法) ; 악보(樂譜) : the broad[narrow] phonetic ~ 〖音聲〗 간략[정밀] 표음법 / chemical ~ 화학 기호법 / decimal ~ 십진법 / the common scale of ~ 십진법. **b)** 표기, 표시 ; 《美》 주해, 주석(note). **2** U,C 주기(註記) ; 《美》 메모(를 하기). **~·al** *a.* 〚F or L ; ⇨ NOTE〛

nót-bé·ing *n.* U 비존재.

notch [nátʃ] *n.* **1** V자형으로 새긴 눈금, 벤 자국. **2** (화살의) 오늬. **3** 《美》 (산)골짜기, 협곡(defile). **4** 《口》 단(段), 급(級) : be a ~ above the others 다른 사람들보다 한 수[급] 위다.
—— *vt.* **1** …에 금[벤 자국]을 내다. **2** (경기의 득점 따위를) 새긴 눈금으로 세다[기록하다] 〈*up, down*〉. **3** (화살을) 시위에 메기다.
〚AF 〈? *an otch* notch의 이분석(異分析)〛

nótch·bàck *n.* 뒤쪽이 층을 이룬 스타일의 자동차 ; 그런 차(cf. FASTBACK).

nótch·bòard *n.* 《英》 =BRIDGEBOARD.

nótched, nótchy *a.* V자형 새긴 눈금[벤 자국]이 있는 ; 〖植·動〗 톱니 모양의.

nótch·wìng *n.* 잎말이나방의 일종.

◇**note** [nóut] *n.* **1** 부호, 기호, 표지 : a ~ of exclamation 느낌표. **2** 각서, 수기(手記), 비망록〈*for, of*〉 ; [보통 *pl.*] 원[초]고, 문안 ; 주(註)(해), 주석〈*on*〉, (예술작품 따위의) 해설 ; (외교상의) 통첩, 각서 : speak from ~*s*[without a ~] 원고를 보면서[보지 않고] 말하다. **3** (약식의) 짧은 편지. **4** U **a)** 주의, 주목, 유의 : a thing worthy of ~ 주목할 만한 사항. **b)** 저명, 명성 : a man *of* ~ 명사(名士) / a poet *of* ~ 저명한 시인. **5** 음성, 어조(語調) ; (악기의) 소리, 가락, 음색 ; (새가) 우는 소리 ; 《詩》 가락, 곡조, 선율 : strike a ~ on the piano 피아노로 어떤 소리를 내다. **6** 〖樂〗 악보, 음표(音標) ; (피아노 따위의) 건반. **7** 특징 : have the ~ *of* antiquity 고색 창연하다. **8** 〖商〗 어음, 예탁 증서 ; 《英》 지폐(=bank ~). **9** 《美口》 뜻하지 않은 일, 대단한 일.

change one's note 어조[태도]를 바꾸다.
compare notes 의견[정보]을 교환하다, 서로 감상을 이야기하다〈*with*〉.
make a note of …의 노트를 하다, …을 적어두다, 필기 하다 : She *made a* ~ *of* the telephone number. 그녀는 그 전화 번호를 메모했다.
sound a note of warning 경고하다.
sound the note of war 전의(戰意)를 전하다, 주전론(主戰論)을 제창하다.
strike[***sound***] ***a false note*** 엉뚱한 짓[말]을 하다.
strike a note 가락을 내다 ; (…의) 어조로[투로] 말하다 : The prime minister *struck a* ~ *of* warn*ing* optimism. 수상은 낙관은 금물이라는 취지의 연설을 했다.
strike the right note 적절한 견해를 말하다[태도를 취하다].
take a note of... =*make a* NOTE *of.*
take note of …에 주의[주목]하다 : I *took* ~ *of what* color the traffic signal was. 교통 신호(등) 색깔에 주의했다.

〈회화〉
Please change this 10,000won bill into 1,000 won *notes.* — Here you are.「이 만원권을 천원짜리 지폐로 바꿔 주십시오」「여기 있습니다」

—— *vt.* **1** [+目 / +目+副] 적어 두다, 써 두

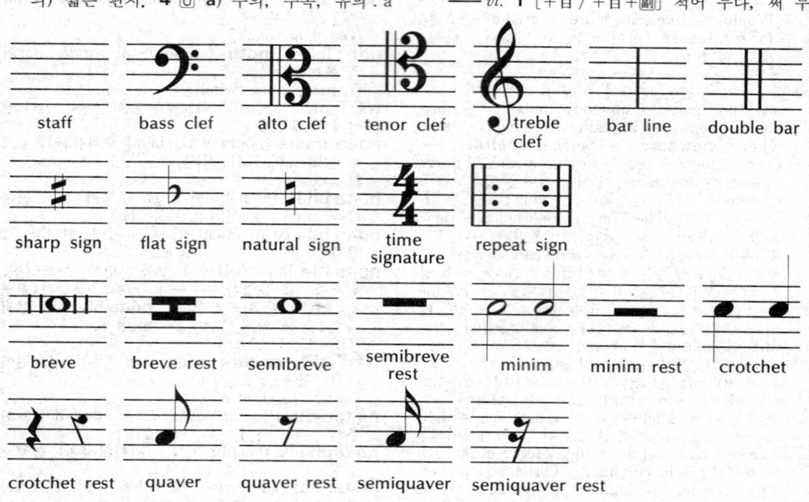

notation

다 : The students carefully *~d* ***down*** every word the professor said. 학생들은 교수가 말한 한 마디 한 마디를[말한 것을 빠뜨리지 않고] 주의 깊게 적어 두었다. **2** …에 주(석)을 달다. **3** [+目 / +目+do*ing* / +*that* 節 / +*wh.*節 / +*wh.*+*to* do] …에 주의[주목]하다, …에 유의하다 ; …을 알아차리다(notice) ; 특히 언급하다 : Please ~ the fact. 그 사실을 주의해서 보아 주세요 / He *~d* the numbness creep*ing* into his fingers. 손가락이 저려 오는 것을 느꼈다 / Mother *~d that* my sweater was dirty with mud. 어머니는 내 스웨터가 진흙으로 더러워진 것을 알아차리셨다 / *N~* well *how* I did it[*how to* do it]. 내가 어떻게 했는지[하는지] 주의해서 보십시오 / As we *~d* in the last chapter, this is an important fact. 앞장에서도 주의한[언급한] 바와 같이 이것은 중요한 사항이다. **4** 나타내다, 지시하다, 의미하다. **nót·er** *n.*
〖OF<L *nota* a mark, *noto* to mark〗

◇**nóte·bòok** *n.* 수첩, 필기[잡기]장, 노트, 비망록.

nóte·càse *n.* 《英》 (주머니) 지갑.

***not·ed** [nóutəd] *a.* 유명한, 저명한(famous) (cf. NOTORIOUS) : She is ~ *as* a singer. 그녀는 가수로서 유명하다 / Mt. Sŏrak is ~ *for* its beautiful shape. 설악산은 그 수려한 모습으로 유명하다. **~·ly** *adv.* 현저하게, 두드러지게. **~·ness** *n.*
類義語 ⟹ FAMOUS.

nóte·hèad(·ing) *n.* 《美》 편지지 윗 부분에 인쇄된 글자《주소 따위》; 인쇄된 글자가 든 편지지.

nóte·less *a.* 이목을 끌지 않는 ; 평범한, 무명의 ; 음조(音調)가 나쁜, 음악적이 아닌 ; (목)소리가 없는, 무성[무음]의.

nóte·let *n.* 짧은 편지.

nóte·pàd *n.* 메모 용지.

nóte·pàper *n.* Ⓤ 편지지(writing paper).

nóte shàver *n.* 《美俗》 고리 대금 업자, 고율 어음 할인업자.

nóte·wòrthy *a.* 주목해야 할 ; 현저한. **-wòrthily** *adv.* **-wòrthiness** *n.*

nót-for-prófit *a.* 《美》 비영리적인(nonprofit).

◇**noth·ing** [nʌ́θiŋ] *pron.* ☞ 活用. (SOMETHING에 대응하는 부정형=not ANYTHING) **1** 아무것[일]도 …(하지) 않다, 조금도 …않다 : *N~* great is easy. 위대한 일치고 쉬운 것은 없다 / There is ~ to be done. 된 일은 아무것도 없다 / *N~* was sweeter than the flower. 그 꽃만큼 향기가 좋은 것은 없었다 / I have heard ~ from him yet. 그에게서 아직 아무런 소식도 없다 / He is ~ of a poet. 그에게는 조금도 시인다운 데가 없다 / There is ~ to the story. 그 이야기에는 알맹이가 전혀 없다《거짓이다》/ *N~* venture, ~ have [win]. 《속담》 호랑이 굴에 들어가야 호랑이를 잡는다. **2** 무가치, 무의미. —— *n.* Ⓤ 무(無), 〖數〗 영(零) ; 존재하지 않는 것 ; Ⓒ 보잘것없는 사람[일·것] (cf. EVERYTHING) : *N~* comes from ~. 《속담》 무에서 유는 창조되지 않는다[무에서는 아무것도 생기지 않는다] / He is ~. 그는 어느 종파에도 속하지 않는다《무신론자다》/ He had two dollars ~. 그에게는 2달러밖에 없었다 / the little *~s* of life 이 세상의 사소한 일들 / whisper soft *~s* 사랑을 속삭이다 / His wife is a ~. 그의 아내는 아주 보잘것없는 여자다.

all to nothing 충분하게, 더할 나위없이.

be for nothing in …에 영향을 주지 않다.

be nothing to …에게는 아무것도 아니다 ; …와는 무관하다 ; …와는 비교가 안되다 : Rains or none, it *is ~ to* us. 비가 오든지 안 오든지 우리에게는 아무 상관도 없다 / She *is ~ to* me. 그녀는 나와 아무런 관계가 없다 / Your trouble *is ~ to* hers. 당신의 고생 따위는 그녀의 것[고생]과 비교하면 아무것도 아닙니다.

come to nothing 아무 소용이 없다, 헛되게 끝나다 : His ambition *came to ~*. 그의 야망은 수포로 돌아갔다.

do nothing but... 단지 …할 뿐.

for nothing 쓸데없이 ; 까닭없이 ; 무료로 : He did *not* go to college *for ~*. 과연 그는 대학에 헛다니지는 않았다 / cry *for ~* (at all) 아무런 까닭없이 울다 / I got these *for ~*. 이것들을 공짜로 얻었다.

good for nothing 아무런 쓸모가 없는(cf. GOOD-FOR-NOTHING).

have nothing in …에게는 아무런 소용이 없다.

have nothing of …을 상대하지 않다.

have nothing on... ☞ HAVE *v.*

have nothing to do but[***except***] …할 수밖에는 (다른 수가) 없다 : The children *had ~ to do but* wait. 그 아이들은 기다리는 수밖에는 달리 방도가 없었다.

have nothing to do with …와 조금도 관계가 없다(cf. *have...to* DO[1] *with*) ; …와 교제하지 않다 : I *have ~ to do with* the matter. 그 일에는 조금도 관계가 없다 / I want you to *have ~ to do with* that man. 네가 저 남자와 교제하는 것을 (전혀) 원치 않는다.

hear nothing of …에 관해 아무런 소식도 없다.

in nothing flat ☞ FLAT *a.*

like nothing on earth 아주 이상한, 몹시 보기 싫은, 매우 비참한《따위》: I feel *like ~ on earth.* 아주 기분이 나쁘다.

make nothing of... (1) …을 이해할 수 없다 ; …을 이용[활용]하지 못하다. (2) …을 예사로 알다 ; 태연하게 …하다 : He *makes ~ of* walk*ing* 20 miles a day. 그는 하루에 20마일 걷는 것을 예사로 한다.

no nothing 《口》 전혀 없다 : There is no bread, no butter, no cheese — *no ~*. 빵도 버터도 치즈도 — 아무것도 없다.

nothing but... = ***nothing else***[***other***] ***than***[***but***]... 단지 …일 뿐, …에 지나지 않다(only) (cf. ANYTHING *but* ; ☞ ELSE 活用 (3)) : It is ~ *but* a joke. 단지 농담일 뿐이다 / Mother was thinking of ~ *but* my coming home. 어머님은 내가 집으로 돌아올 것만을 생각하고 계셨다.

Nothing doing! 《口》 안돼, 틀렸어《실패했을 때나 요구를 거절할 때에 하는 말》.

〈회화〉
Lend me your bicycle, will you? — *Nothing doing*, I need it myself. 「네 자전거 좀 빌려 주렴」「안돼, 내가 쓰니까」

nothing (,) ***if not*** …인 것이 장점, 더할 나위없이, 매우, 대단히(above everything, excessively) ; 전형적인, 확실한 : She is ~ *if not* cautious. 조심스러운 것이 장점이다 / He is ~ *if not* a businessman. 그는 전형적인 장사꾼이다.

nothing like... ☞ LIKE[1] *a.*

nothing more[***less***] ***than...*** ☞ MORE, LESS.

nothing of the[***that***] ***kind*** ☞ KIND[2].

nothing to speak of ☞ SPEAK.

There is nothing for it but to do …할 수밖에 없다(We can only...) : *There was ~ for it but to* obey. 복종할 수밖에 없었다.

There is nothing in it. (그것은) 순전히 거짓이다 ; (그것은) 하찮은 일이다, 별일 아니다 ; (그것은) 어려울 것이 없다.
think nothing of... ☞ THINK.
to nothing 흔적도 없이《사라져 버린》.
to say nothing of... ☞ SAY *v.*
—— *adv.* **1** 조금도[결코] …않다(not... at all) : ~ daunted《文語》조금도 기가 꺾이지 않고 / ~ loath 싫어하기는커녕, 기꺼이 / care ~ about [for] …에 조금도 개의치 않다 / It is ~ *less than* madness. 완전히 미친 짓이다 / This is ~ *like* (= not nearly) *as*[*so*] good *as* that. = This is ~ *near so* good *as* that. 이것은 저것에 훨씬 못 미친다. **2**《美口》…도 아무것도 아니다, …라니 터무니없다(no(t)...at all) : Is it gold? — Gold ~. 그것은 금인가 — 금이라니 터무니없네.
—— *a.*《口》보잘것없는, 재미없는.
〖OE *nān thing* ; ⇨ NO[1], THING〗
活用 (1) *pron.*의 nothing이 주어가 될 경우에는 술어 동사와의 사이에 'but[except] + 복수형 명사'가 있을 때도 동사는 언제나 단수형 : *Nothing* but roses *delights* my eyes. (나의 눈을 즐겁게 해 주는 것은 (오직) 장미뿐입니다) / *Nothing* except his constant complaints *is* a hindrance to his success in the world. (그가 세상에서 성공하는 데 있어서 단 한 가지의 장애는 끊임없이 불평한다는 것이다).
(2) *pron.*의 nothing을 수식하는 형용사는 뒤에 놓여진다 : I found *nothing interesting* in the book. (그 책에는 재미있는 것이 아무것도 없었다). ☞ ANYTHING 活用 (1), EVERYTHING 主, SOMETHING 活用 (2).

noth·ing·ar·i·an [nʌ̀θiŋέəriən, -ŋǽər-] *n.* 무신앙자, 무신론자.

nóthing·ness *n.* Ⓤ 무(無) ; 존재하지 않음[않는 것] (nonexistence) ; 무가치, 쓸모 없음 ; Ⓒ 하찮은 것 ; Ⓤ 인사 불성(人事不省).

no·tice** [nóutəs] *n.* **1** Ⓤ,Ⓒ [+ *that* 節 / + *to* do] 통지, 정보 ; 고지(告知), 정식 통고 ; Ⓒ 통지서 : The whistle blew to give ~ *that* the boat was about to leave. 기적을 울려 배가 출항한다는 것을 알렸다 / They received official ~*s to* send in their names to the authorities immediately. 그들은 즉시 당국에 성명(姓名)을 신고하라는 공식 통지를 받았다 / a ~ of dishonor〖商〗어음 부도 통지서 / a ~ of protest〖商〗거절 통지서. **2** Ⓤ [+ *that* 節] 주의, 주목, 착안(着眼) ; 인지(認知) : You had better take no ~ ***of what he says. 그가 하는 말에 신경을 쓰지 않는 것이 좋아요 / Please take ~ *that* your manuscript shall be sent to us by the appointed day. 원고를 기일까지 보내주시도록 유의해 주십시오. **3** Ⓤ [+ *that* 節 / + *to* do] (해고(解雇) · 해약의) 예고, 경고 : give a week's ~ 1주일 전에 해고[퇴직]의 통지를 내다 / She gave her master ~ *that* she would leave on Monday. 그녀는 주인에게 월요일에 휴가를 얻고 싶다고 알렸다 / We received two weeks' ~ *to* quit. 우리는 2주 후에 퇴거하라는 통지[예고]를 받았다 / *at*[*on*] ten days'[a month's] ~ 10일[1개 월]간 의 예고로 / *at* a moment's ~ 당장에 / *at* short ~ 갑자기. **4** 고시(告示), 게시(揭示), 벽보, 전단 : post[put up] a ~ 게시를 하다. **5** (신문의) 기사, 신간 소개, (연극 · 영화의) 비평 ; Ⓤ 비평하기 : a good [favorable] ~ (지상(紙上)의) 호평 / put a ~ in the papers 신문에 광고를 내다. **6** Ⓤ 후대, 후원, 정중 : I commend her to your ~. 그녀를 잘 봐 주시기 바랍니다.
beneath one***'s notice*** 주목할 만한 가치도 없는, 보잘것없는.
bring...to [***under***] a person***'s notice*** …을 남의 눈에 띄게 하다, 주목하게 하다.
come into [***under***] ***notice*** 주의를 끌다, 눈에 띄다.
give notice of …의 통지를 내다.
give notice to …에 신고하다.
serve a notice to …에 통지하다.
take notice (1) 주의하다, 주목[유의]하다(cf. 2). (2) (어린애 등이) 사물을 분간하기 시작하다 : sit up and *take* ~ ☞ SIT.
take notice of …에 주의하다, …을 알아차리다 (cf. 2) ; (남에게) 상냥하게 대하다, …을 정중히 대접하다, 후대하다 ; (신문 따위가) …을 다루다 [다루어 논평을 가하다].
till [***until***] ***further notice*** 추후 통지가 있을 때까지.
without notice 무단으로.
—— *vt.* **1 a**) [+ 目 / + *that* 節 / + 目 + do*ing* / + 目 + 原形] …을 알아차리다, 인지하다, …에 주목하다, …에 유의하다(note) : She ~*d* a big difference at once. 곧 큰 차이가 있다는 것을 알아차렸다 / When he took off his hat, I ~*d that* he was very bald. 그가 모자를 벗었을 때 대머리라는 것을 알아차렸다 / I ~*d* a tramp prowl*ing* around. 한 부랑자가 그 부근을 기웃거리고 있는 것을 알아차렸다 / Did you ~ anyone come in? 누가 들어오는 것을 알아차렸습니까. 主 수동태에서는 뒤에 *to* do를 수반함 : She *was* ~*d to* smile. 그녀가 미소짓는 모습이 눈에 띄었다. **b**) 알고 있는 체를 하다 : She is too shy to ~ him. 너무나 수줍어 그를 보고도 못본 체한다. **c**) (남에게) 붙임성 있게 하다, (아이에게) 비위를 맞추어 주다. **2** 언급하다, 지적하다, 논평하다 ; (신간을) 신문 지상에서 소개하다, 비평하다 : The book was favorably ~*d* in literary magazines. 그 책은 문예 잡지에서 호평을 받았다. **3** [+ 目 / + 目 + *to* do] …에 통지[통고 · 예고]하다 : He was ~*d to* quit. 퇴거하라는 통고를 받았다.
—— *vi.* 알아차리다, 주의하다 ; (어린애가) 사물을 분간하다(take notice) : He wasn't *noticing* then. 그는 그때 주의하지 않고 있었다.
〖OF < L = being known (*notus* known)〗
類義語 ⟹ DISCERN.

nótice·able *a.* 남의 눈[이목]을 끄는, 현저한, 두드러진 ; 주목할 만한, 중요한. **-ably** *adv.*
類義語 ***noticeable*** 반드시 남의 눈에 띌 정도로 현저한 : a *noticeable* tiredness in his behavior (그의 행동에서 나타나는 눈에 띄는 피곤). ***remarkable*** 보통이 아니거나 또는 예외적이기 때문에 현저하게 noticeable한 : a man of *remarkable* eloquence(능변(能辯)으로 유명한 사람). ***prominent*** 문자 그대로 또는 비유적으로 주위나 배후의 것보다 뚜렷하게 두드러진 : a *prominent* actor(유명한 배우). ***outstanding*** 사람이나 물건이 같은 종류의 다른 것과 비교하여 눈에 띄는 : an *outstanding* pianist(특출한 피아노 연주자). ***conspicuous*** 대단히 명료[명백]하여 곧 남에게 시인[인식]되는 : his *conspicuous* example(뚜렷한 예). ***striking*** 다른 것과 매우 다르기 때문에 남에게 강렬한 인상을 주는[인상 깊은] : his *striking* deed(그의 놀라운 행위).

nótice bòard *n.*《주로 英》게시판, 고시판, 광고판(=《美》bulletin board).

nó·ti·fi·able *a.* 통지해야 할; (전염병 따위) 신고해야 할.

no·ti·fi·ca·tion [nòutəfəkéiʃən] *n.* Ⓤ 공고, 통지, 고시; Ⓒ 통지서, 공고문, 신고서.

no·ti·fy** [nóutəfài] *vt.* [+目/+目+前+名/+目+*that* 節] (정식으로) 통지[통보]하다, 신고하다; 《주로 英》 발표[공고]하다: I shall ~ you ***of the arrival of the goods. 물품이 도착하면 연락해 드리겠습니다 / Such cases must be *notified* to the police. 그와 같은 사건들은 경찰에 신고(申告)하지 않으면 안된다 / Our teacher has *notified* us *that* there will be a test next Monday. 선생님은 내주 월요일에 시험본다고 발표하셨다. 〖OF<L; ⇨ NOTICE〗

類義語 ⟹ INFORM.

no·tion** [nóuʃən] *n.* **1** [+*that* 節] 개념, 관념(idea); 의견(opinion); 이해력: the first[second] ~ 〖哲〗 1차[2차]적 일반 개념 / He has no ~ ***of what I mean. 그는 내가 의도한 바를 전혀 알지 못한다 / She has a strange ~ *that* there will be an earthquake here before long. 그녀는 이곳에 머지 않아서 지진이 일어날 것이라는 묘한 생각을 갖고 있다. **2** [+前+do*ing*] 의향, 의도, …하고 싶은 생각(intention): I had no ~ ***of*** risk*ing* my money. 돈을 걸려는 생각은 없었다. **3** 어리석은 생각, 변덕. **4** [*pl.*] 《美》 자질구레한 일용품《단추·바늘·끈 따위》. **~·less** *a.* 〖L *notio* idea; ⇨ NOTICE〗

類義語 ⟹ IDEA.

nótion·al *a.* **1** 개념적인; 관념상의. **2** 추상적인, 순이론적인. **3** 상상적인, 비현실적인; 《美》 변덕스러운. **~·ly** *adv.*

noto- [nóutou, -tə] ☞ NOT-[1,2].

nóto·chòrd *n.* 〖解〗 척색(脊索).

No·to·gaea [nòutədʒíːə] *n.* 남계(南界)《오스트레일리아·뉴질랜드·남서 태평양 제도를 포함한 생물 지리구의 한 단위》.

no·to·ri·e·ty [nòutəráiəti] *n.* **1** Ⓤ (보통 나쁜 뜻의) 평판, 유명(cf. FAME). **2** [보통 *pl.*] 악명높은 사람; 유명한 사람. 〖OF<L (↓)〗

***no·to·ri·ous** [noutɔ́ːriəs, nə-] *a.* **1** (특히 나쁜 뜻으로) (사람·행동·장소 따위) 유명한, 악명높은, 이름난(cf. FAMOUS, NOTED): a ~ rascal 소문난 악당 / The district is ~ *for* its fogs. 그 지방은 짙은 안개로 유명하다 / He was ~ *as* a liar. 그는 거짓말쟁이로 유명했다. **2** 주지(周知)의(well-known): *It* is ~ *that* …은 주지의 사실이다. **~·ly** *adv.* **~·ness** *n.* 〖L (*notus* known); ⇨ NOTICE〗

類義語 ⟹ FAMOUS.

No·tre Dame [nòutrə dáːm, 美+-déim; *F* notrə dam] *n.* 성모 마리아; 성모 대성당《특히 Paris의 노트르담 대성당》. 〖F=Our Lady〗

nó-trúmp *a.* 〖카드놀이〗 (브리지에서) 으뜸패 없이 하는《승부·수》. —— *n.* (브리지에서) 으뜸패 없이 하는[노트럼프의] 선언[승부·수].

nót-sélf *n.* 〖哲〗 비아(非我)(nonego).

nót suffícient *n.* 지급 불능(의 기호)《略 n.s.》.

Not·ting·ham [nátiŋəm, 美+-hæm] *n.* 노팅엄《노팅엄셔의 주도》.

Nóttingham·shire [-ʃiər, -ʃər] *n.* 노팅엄셔《잉글랜드 중북부의 주; 주도 Nottingham》.

nòt·withstánd·ing *prep.* …(함)에도 불구하고(in spite of). —— *adv.* 그럼에도 불구하고(nevertheless). —— *conj.* …이라 할지라도(although). 注 때때로 that을 수반함. 〖NOT, WITHSTAND〗

nót yét públished *n.* 〖出版〗 미간(未刊)《주문서 따위에 대한 답장에 쓰고 「간행되는 대로 발송함」을 뜻함; 略 NYP》.

nou·gat [núːgət, -gɑː; -gɑː] *n.* 누가《호두 따위가 든 캔디의 일종》. 〖F<Prov. (*noga* nut)〗

nought ☞ NAUGHT.

nóughts-and-crósses *n.* 《英》 =TICKTACKTOE.

nou·me·nal [núːmənəl, náu-] *a.* 〖哲〗 본체[실체]의. **~·ly** *adv.*

nou·me·non [núːmənàn, náu-, 英+-nən] *n.* (*pl.* **-na** [-nə, -nɑ̀ː]) 〖哲〗 (PHENOMENON에 대해서) 본체, 실체; 사물 그 자체. 〖G<Gk. (*noeō* to apprehend)〗

***noun** [náun] *n.* 〖文法〗 명사《略 n.》; 명사상당어[구·절]: a ~ phrase 명사구. **~·al** *a.* 명사의[적인]. 〖AF<L NOMEN〗

***nour·ish** [nə́ːriʃ, nʌ́r-; nʌ́r-] *vt.* **1** 기르다, …에게 영양을 주다; (땅에) 비료를 주다: Milk ~*es* a baby. 우유는 갓난아기의 영양이 된다. **2** 《비유》 키우다, 조장(助長)하다, 장려하다; (소망·분노·원한을) 품게 하다. **~·able** *a.* **~·er** *n.* **~·ing** *a.* 자양(분)이 되는, 자양분이 많은. 〖OF<L *nutrio* to feed〗

nóurish·ment *n.* Ⓤ 자양물, 영양물, 음식물; 자양분을 주기; 영양 상태; 《비유》 조성, 육성.

nous [núːs, náus; náus] *n.* Ⓤ 〖哲〗 마음, 이성(理性), 지성, 정신; 《口》 지혜, 상식, 기지. 〖Gk.〗

nou·veau pau·vre [*F* nuvo poːvr] *n.* (*pl.* **nou·veaux pau·vres** [—]) 최근에 가난하게 된[영락한] 사람, 사양족(斜陽族). 〖F=new poor〗

nou·veau riche [*F* nuvo riʃ] *n.* (*pl.* **nou·veaux riches** [—]) 벼락 부자. 〖F=new rich〗

nou·veau roman [*F* nuvo rɔmɑ̃] *n.* (*pl.* **nou·veaux romans** [—]) (특히 1960년대 프랑스의) 신소설, 누보 로망. 〖F=new novel〗

nou·velle [*F* nuvɛl] *n.* 단편 소설.

nou·velle cui·sine [*F* nuvɛl kɥizin] *n.* 누벨 퀴진《밀가루와 지방의 사용을 적게 하고 담백한 수프와 제철에 난 신선한 야채나 생선의 이용을 강조하는 새로운 프랑스 요리》.

nou·velle vague [*F* nuvɛl vag] *n.* 누벨바그(new wave)《1960년대의 프랑스나 이탈리아 영화의 전위적인 경향》.

Nov. November.

no·va [nóuvə] *n.* (*pl.* **-vae** [-viː, -vai], **~s**) 〖天〗 신성(新星)《갑자기 수천배나 빛을 더 내다 차차 빛을 잃어 원상태로 되돌아가는 변광성(變光星)》. 〖L *nova stella* new star〗

no·va·chord [nóuvəkɔ̀ːrd] *n.* 〖樂〗 노바코드《피아노 비슷한 6옥타브의 전자 악기》.

No·va Sco·tia [nòuvə skóuʃə] *n.* 노바스코샤《캐나다 남동부의 반도 및 주; 주도 Halifax; 略 N.S.; 옛 이름 Acadia》. **Nò·va Scó·tian** *a., n.*

no·va·tion [nouvéiʃən] *n.* Ⓤ 〖法〗 (채무·계약 따위의) 갱신(更新).

***nov·el** [nɑ́vəl] *a.* 새로운(new), 진기한; 잘 알려지지 않은, 이상한. —— *n.* (작품으로서의) (장편) 소설(cf. ROMANCE); [the ~] (문학적 표현으로서) 소설문학: a historical[popular] ~ 역사[대중] 소설.

〈회화〉
What kind of books do you like? — I like *novels* best. 「어떤 책을 좋아하니」「소설을 가장 좋아해」

類義語 (1) (*n.*) ***novel*** 가공의 긴 이야기, 소설 ; 등장 인물이나 무대가 현실적이며 현실성이 있는 이야기로 줄거리가 진전되어 나가는 것.
romance 소설의 형식을 취하고 있으나 인물이나 정황(情況)·줄거리의 진행이 현실과 동떨어진 먼 나라 또는 옛 시대에 있었던 흥미 있는 모험·연애 따위를 다룬 것.
(2) (*a.*) ⟹ NEW.

nov·el·ese [nɑ̀vəlíːz, 美+-s] *n.* Ⓤ 삼류 소설적인 어조[문체].

nov·el·ette [nɑ̀vəlét] *n.* 중편 소설 ; 〖樂〗 (자유 형식의) 피아노 소품곡(曲).

nov·el·ett·ish [nɑ̀vəlétiʃ] *a.* 중편 소설풍의 ; 《英》 삼류소설 같은, 감상적인.

nóvel·ist *n.* 소설가.

nòvel·ís·tic *a.* 소설의 ; 소설적인, 소설에 흔히 나오는[있을 법한].

nóvel·ìze *vt.* 소설로 구성하다, 소설화하다.

no·vel·la [nouvélə] *n.* (*pl.* **-le** [-lei, -liː]) (교훈적·풍자적인) 짧은 이야기 ; (*pl.* **~s**) 단편 소설. 〚It. ; ⇨ NOVEL〛

nóvel·ty *n.* Ⓤ 진기함, 새로움 ; Ⓒ 새로운[진귀한] 것[일·경험] ; [*pl.*] 보지 못하던 상품, 신안품(新案品), 신형. 〚OF ; ⇨ NOVEL〛

◇**No·vem·ber** [nouvémbər, nə-] *n.* 11월《略 Nov.》. 〚OF<L (*novem* nine)〛

no·ve·na [nouvíːnə] *n.* 〖카톨릭〗 9일 기도. 〚L (*novem* nine)〛

no·ver·cal [nouvə́ːrkəl] *a.* 계모의[같은].

nov·ice [nɑ́vəs] *n.* 초심자, 풋내기(beginner) ; 미숙자 ; 수련 수사[수녀] ; 새로 믿는 사람 ; (경주에) 첫 출전하는 말[개]. 〚OF<L ; ⇨ NOVEL〛

no·vi·tiate, -ciate [nouvíʃiət, nə-, -ʃièit] *n.* 승려, 수사[수녀] ; 수련[수도] 기간 ; 견습 기간 ; 초심자, 풋내기 ; 수련자실[숙소]. 〚F or L ; ⇨ NOVICE〛

No·vo·cain [nóuvəkèin] *n.* Ⓤ 〖藥〗 노보카인, 신(新)코카인《국부 마취제 ; 상표명》.

no·vo·caine [nóuvəkèin] *n.* =PROCAINE.

◇**now** [náu] *adv.* **1** [현재] 지금, 목하, 현금(現今), 현재의 사정으로는 : He is busy ~. 그는 지금 바쁘다 / It is ~ over. 이제 끝났다. **2** [미래] 곧, 당장(at once) : You must post the letter ~. 그 편지를 곧 우체통에 넣어야 한다. **3** [과거] **a**) 방금, 지금 막《현재는 just ~, 《詩》 even ~를 씀》 : She was here *just* ~. 그녀는 방금 여기 계셨습니다. **b**) (이야기 중에서) 바야흐로, 바로 그때, 그리고 나서, 다음으로, 그때 이미(cf. THEN) : He was ~ a national hero. 그는 이제 국민적 영웅이 되었다. **4** [화제를 바꾸거나 요구·권고·놀람 따위를 나타내어 ; 감탄사적으로] 그런데, 자, 그러면, 그래서 ; 그렇다면 ; 이런, 설마 ; 여봐. 주 보통 문장 첫머리에서 콤마를 수반함 : *N*~, Barabbas was a robber. 그런데 바라바는 도적이었다 / You don't mean it, ~. 여봐, 설마 진정으로 하는 말은 아니겠지 / *N*~ listen to me. 자, 내말 좀 들어봐.

and now 그런데, 자.

(***every***) ***now and then***=***now and again*** 가끔 : He still shivered ~ *and then.* 그는 아직도 가끔 떨고 있었다 / *N*~ *and then* we can see the lake through the trees. 때때로 나무 사이로 호수를 볼 수 있다.

not now 지금은 이미 …않다 ; 지금은 안된다.

now now 이(것 좀) 봐, 애애《친밀한 감정으로 항의·주의·위로 따위를 할 때》 : *N*~ ~, don't be so hasty. 이봐, 그렇게 서둘지 마라.

now. . .now[***then***]***. . .***=***now. . .and again. . .*** 때로는 … 또 때로는 … : ~ hot, ~ [*then*] cold.

Now or never ! 지금이야말로 좋은 기회다《놓치지 마라》.

now then 그럼, 자《일을 시작하자 따위》 ; 이봐 이봐《너무 하지 않니 따위》, 자 어서《나가라 따위》 : *N*~ *then,* what were you doing there ? 이봐, 그곳에서 무얼 하고 있었나.

Oh, come now ! 저런 !, 여보게 자네《따위》 (cf. COME 11).

Really now !=***Now really !*** 그래 !, 설마 !, 놀랐는 걸 !

── *a.* **1** 현재의, 지금의 : the ~ king 현국왕. **2** 《口》 (시대[유행]의) 첨단을 걷는, 현대감각의 : ~ music[look] 첨단 음악[복장].

── *n.* [주로 앞에 전치사를 수반하여] 지금, 목하, 현재 : by ~ 지금쯤은 이미 / till[up to] ~ 지금까지 / From ~ on[onward] let us try to answer the letter within a week. 금후 편지에는 1주일 이내에 회답을 하도록 애씁시다 / Good-bye for ~. 이제[이만] 작별(하겠습니다).

── *conj.* …이고 보면, …인 바에는, …인 이상에는(since) : *N*~ (*that*) you are here, I can go shopping. 당신이 여기에 계시니 저는 장을 보러 갈 수 있겠군요 / *N*~ she has got well, she can join us. 그녀가 건강해진 이상 우리들과 합류할 수 있다. 〚OE *nū* ; cf. G *nun,* ON *nū,* L *nunc,* Gk. *nun,* Skt. *nū*〛

NOW, N.O.W. 《美》 National Organization for Women(전미 여성 연맹).

NOW account [náu ˊ] *n.* 《美》 수표도 발행되고 이자도 붙는 일종의 당좌예금 계좌. 〚*n*egotiated *o*rder of *w*ithdrawal〛

now·a·day [náuədèi] *a.* 오늘날의, 요즈음의.

***now·a·days** [náuədèiz] *adv.* 지금은, 요즈음에는 : *N*~ even children go abroad. 요즈음은 아이들도 외국에 간다. ── *n.* 현대, 지금, 목하. ── *a.* =NOWADAY.

nó·wày(s) *adv.* 조금도[결코] …하지 않다(not at all).

nów·càst·ing *n.* 현재 예보《어떤 지역의 현재의 일기를 2-6시간 단위로 하는 예보》.

no·wel(l) [nouél] *n.* 《古》 =NOEL.

‡**nó·whère** *adv.* 아무 데도 …없다[않다] : The book is ~ to be had. 그 책은 아무 데서도 구할 수가 없다 / He has gone ~ for years. 그는 수년간 아무 데도 간 적이 없다.

be[***come in***] ***nowhere*** (경기에서) 입상하지 못하다 ; 참패를 당하다.

get nowhere ☞ GET[1].

nowhere near 가까운 곳에는 어디나 …없다 ; …할 정도가 아니다 ; …은 문제가 되지 않는다 : It is ~ *near* so good. 도저히 좋다고는 할 수가 없다.

── *n.* [주로 전치사 뒤에 쓰여] 인적이 드문 곳 ; 어딘지도 모르는 곳 ; 어느 누구도 모르는 존재 : He came from ~. 그는 어딘지도 모르는 곳에서 왔다 ; 갑자기 두각을 나타냈다 / A car appeared *out of* ~. 차가 갑자기 나타났다.

── *a.* 《俗》 중요하지 않은, 하찮은 ; 융통성이 없는, 뒤떨어진, 좋지 않은 ; 받아들일 수 없는. 〚OE *nāhwǣr* ; ⇨ NO[1], WHERE〛

nó·whères *adv.* 《美方》 =NOWHERE.

nó·whìther *adv.* 《古·文語》 어디로도[에도] …않다[없다].

nó-wín *a.* 승산이 없는 ; 승패를 다투지 않는.

nó·wìse *adv.* ＝NOWAY(S).
nowt [náut] *n.* Ⓤ《英口·方》＝NAUGHT. 〚NAUGHT〛
Nox [náks] *n.* 〔로神〕 녹스《밤의 여신 ; cf. NYX》.
NOx [náks] *n.* ＝NITROGEN OXIDE(S).
nox·ious [nákʃəs] *a.* 유해(有害)[유독]한 ; 불건전한. 〚L (*noxa* harm)〛
no·yau [nwaióu, ´-; ´-] *n.* (*pl.* **-yaux** [-z]) Ⓤ 브랜디에 복숭아씨로 맛을 낸 리큐어. 〚F＝kernel＜L *nux* nut〛
noz·zle [názəl] *n.* 대통[파이프] 주둥이, 부는 구멍, 관(管)끝, 노즐 ; (주전자 따위의 가늘게 튀어나온) 주둥이 ; 《俗》 코. 〚(dim.) ＜NOSE〛
NP neuropsychiatric ; neuropsychosis ; noun phrase ; National Police. **Np** 〔化〕 neptunium. **N.P.** New Providence ; Notary Public ; 《美》 nurse practitioner(수습 간호사). **n.p., n/p** 〔商〕 net proceeds ; new paragraph ; new penny, new pence ; no pagination ; no paging ; notes payable(지급 어음) ; no place (of publication). **N.P.A.** 《美》 National Production Authority ; 《英》 Newspaper Publishers' Association. **NPBW** neutral particle beam weapon《중성자 빔 병기 ; SDI계획의 일부》. **NPCF** National Pollution Control Foundation.
NP-complete [ènpí:´-] *a.* 〔數〕 다항식 알고리즘이 주어지지 않아서 풀 수 없는《문제》. 〚*n*ondetermistic *p*olynomial＋*complete*〛
N.P.F. not provided for. **NPH** neutral protamine Hagedorn(신(新)인 슐린). **n.pl.** noun plural. **N.P.L.** 《英》 National Physical Laboratory. **nplu** not people like us. **NPN** nonprotein nitrogen. **n.p. or d.** no place or date. **NPT** (nuclear) nonproliferation treaty. **NQL** National Quarantine Laboratory. **nqu** not quite us. **N.R.** North Riding. **nr** near. **NRA, N.R.A.** 《美》 National Recovery Administration ; National Rifle Association.
N-ráys *n. pl.* 〔理〕 N선(線)《초자외선》.
NRC, N.R.C National Research Council ; 《濠》 〔映〕 Not Recommended for Children ; 《美》 Nuclear Regulatory Commission.
NREM sleep [énrem ´-] *n.* ＝SYNCHRONIZED SLEEP. 〚*n*on *r*apid *e*ye *m*ovement〛
N.S. National Society ; New School ; New Series ; New Side ; Newspaper Society ; New Style ; Nova Scotia ; nuclear ship ; Numismatic Society. **Ns** 〔氣〕 nimbostratus. **n.s.** *non satis* 《L》 (＝not sufficient) ; not specified. **NSA, N.S.A.** National Security Agency ; National Shipping Authority ; National Student Association. **NSC, N.S.C.** National Security Council. **nsec** nanosecond(s). **N.S.F., n.s.f., N/S/F** not sufficient funds. **NSF** 《美》 National Science Foundation. **NSI** new social indicator(국민 생활 지표). **NSM** 《英》 New Smoking Material. **N.S.P.C.A.** 《英》 National Society for the Prevention of Cruelty to Animals《현재는 R.S.P.C.A.》. **N.S.P.C.C.** National Society for the Prevention of Cruelty to Children. **NSSL** 《美》 National Seed Storage Laboratory(미국 농림부 종자 저장 연구소). **NST** National Subscription Television. **NSTA** 《美》 National Science Teachers Association(전미 과학교사 협회). **NSTL** 《美》 National Space Technology Laboratories(국립 우주기술 연구소). **N.S.W.** New South Wales. **NT** 〔美蹴〕 nose tackle. **NT, N.T.** 《英》 National Theatre ; National Trust ; New Testament ; Northern Territory. **Nt** 〔化〕 niton.
-n't, -nt [nt] *adv. comb. form* NOT의 뜻.
N.T.B. 《美俗》 no talent bum《무능한 주정뱅이, 여자의 은행 예금에만 관심이 있는 남자》. **NTB** non-tariff barrier(비관세 장벽). **NTC** non-trade concern(농업 비교역 대상).
nth [énθ] *a.* n번째의 ; n배(倍)의 ; 《口·비유》 몇 번째인지 모를 정도의(umpteenth) ; 《口》 최신의. ***to the nth degree*** [***power***] n차(次)[n제곱]까지 ; 《비유》 극도[최고도]로, 최대한으로, 어디까지나, 극도로.
Nth. North. **Nthmb.** Northumberland. **Nthn., nthn.** northern. **Nthptn.** Northampton(shire). **NTP, n.t.p.** 〔理〕 normal temperature and pressure(상온(常溫) 정상 기압(正常氣壓)). **NTSB** National Transportation Safety Board. **NTSC** 《美》 〔TV〕 National Television System Committee(텔레비전 방송 규격 심의회). **nt. wt.** net weight.
n-type [én´-] *a.* 〔電子〕 (반도체·전기 전도가) n형(型)의.
nu [njú:] *n.* 뉴《그리스어 알파벳의 제13번째 글자 *N*, *ν* ; 영어의 N, n에 해당》. 〚Gk.〛
NU, n.u. name unknown.
nu·ance [njú:ɑ:ns, -ɑ̃:s, -´] *n.* (빛깔·소리·음조·의미·감정 따위의) 미묘한 차이, 뉘앙스(delicate difference) ; (빛깔·표현·의미·감정의) 색조(色調), 톤, 음영(陰影). ―― *vt.* …에 뉘앙스를 주다[붙이다], …을 미묘한 차이를 가지고 나타내다. 〚F (*nuer* to make shades of color＜*nue*＜L *nubes* cloud)〛
nub [nʌb] *n.* **1** (특히 석탄의) 덩어리 ; 혹, 마디. **2** 《口》 요점, 핵심(gist)〈*of*〉. 〚*knub*＜MLG *knubbe* KNOB〛
nub·bin [nʌ́bən] *n.* **1** 《美》 발육이 나쁜 옥수수의 이삭 ; 덜 익은[발육이 나쁜] 과일·야채 따위. **2** 작은 덩어리, 작은 한 조각.
nub·ble [nʌ́bəl] *n.* (특히 석탄의) 작은 덩어리 ; 혹, 매듭. **-bly** *a.* 덩이진 ; 마디[혹]투성이의. 〚NUB〛
núb·by *a.* 마디[혹]투성이의, 작은 덩어리 모양의.
nu·bia [njú:biə] *n.* 부드러운 털실로 성기게 뜬 여성용의 대형 스카프.
Nubia *n.* 누비아《아프리카·수단 북부 홍해에 인접한 지방》.
Nú·bi·an *a.* 누비아(인·어)의. ―― *n.* **1** 누비아인《흑인종》 ; Ⓤ 누비아어. **2** 누비아산(産) 아라비아어.
Núbian Désert *n.* [the ～] 누비아 사막.
nú·bi·fòrm [njú:bi-] *a.* 구름[안개] 모양의.
nu·bile [njú:bəl, -bail] *a.* (여자가) 나이가 찬, 혼기(婚期)의. 〚L (*nubo* to become wife)〛
nu·bil·i·ty [nju:bíləti] *n.* Ⓤ 혼기, 시집갈 나이.
nu·bi·lous [njú:bələs] *a.* 구름[안개] 모양의 ; 희미한, 모호한.
nú bòdy [njú:-] *n.* ＝NUCLEOSOME.
nu·chal [njú:kəl] *a.* 목덜미의.
nu·ci- [njú:sə] *comb. form* 「견과(堅果)(nut)」의 뜻 : *nuci*form. 〚L ; ⇨ NUCLEUS〛
nu·cif·er·ous [nju:sífərəs] *a.* 〔植〕 견과(堅果)가 열리는.
nu·cle- [njú:kli], **nu·cleo-** [njú:kliou, -liə], **nu·clei-** [nju:klí:ə] *comb. form* 「핵(核)」「핵산(核酸)」의 뜻. 〚F＜NL (NUCI-)〛

nú·cle·al *a.* ＝NUCLEAR.

***nu·cle·ar** [njúːkliər] *a.* 핵의, 가운데의, 중심의, 핵을 이루는 ; 〖生〗 (세포)핵의 ; 〖理〗 원자핵의 ; 원자력(이용)의 ; 핵무기[미사일]의 ; 핵을 보유한, 핵무장한 : the ~ age 핵시대 / a ~ bomb 핵폭탄 / a ~ bomb shelter 핵폭탄 대피소 / ~ deterrence 핵억제 / ~ energy 핵 에너지, 원자력 / ~ fission 핵분열 / ~ force 핵력(核力) / a ~-free zone 비(非)핵(무장) 지대 / ~ fusion 핵융합 / a ~ fusion bomb 수소 폭탄 / a ~ physicist 핵물리학자 / ~ physics 핵물리학 / ~ propulsion 핵 추진 / ~ reaction 핵반응 / a ~ reactor 원자로(爐) / a ~ test 핵실험 / ~ war 핵전쟁 / a ~ weapon 핵무기. —— *n.* 핵무기, (특히) 핵미사일 ; 핵보유국. 〚NUCLEUS〛

núclear állergy *n.* 핵알레르기《핵물질에 대한 신경 과민증》.

núclear ármament *n.* 핵무장.

núclear-ármed *a.* 핵무장의.

núclear chémistry *n.* 핵화학.

núclear clúb *n.* 핵클럽《핵무기 보유국의 별칭》.

núclear disármament *n.* 핵군축.

Núclear Emérgency Séarch Tèam *n.* 《美》 방사성 물질 긴급 탐사반《略 NEST》.

núclear fállout *n.* 핵폭발의 방사능진.

núclear fámily *n.* 핵가족《부부와 그들의 자녀로 이루어짐》.

núclear fúel *n.* 핵연료.

núclear fúel cỳcle *n.* 〖理〗핵연료 사이클《우라늄 광석의 탐사·정련에서 방사성 폐기물 처리 따위의 일련의 과정》.

núclear fúel repròcessing *n.* 〖理〗 핵연료의 재처리.

núclear fúsion *n.* 〖理·化〗 핵융합.

núclear grápeshot *n.* 〖軍〗 소형 전술 핵무기.

núclear·ìsm *n.* (국제 문제 대응 수단으로서의) 핵무기주의.

núclear magnétic résonance *n.* 〖理〗 핵자기(核磁氣) 공명《원자핵의 자기를 이용한 분광법(分光法) ; 略 NMR》.

núclear médicine *n.* 핵의학.

núclear mémbrane *n.* 〖生·解〗 핵막(核膜).

núclear míssile *n.* 핵미사일.

núclear mólecule *n.* 핵분자.

núclear nonproliferátion *n.* 핵확산 금지.

Núclear Nonproliferátion Trèaty *n.* 핵확산금지 조약《略 NPT》.

núclear plánt *n.* 원자력 발전소.

núclear pówer *n.* **1** 원자력 ; 원자 전력 : a ~ plant 원자력 발전소 / ~ generation 원자력 발전. **2** 핵(무기) 보유국.

núclear-pówered *a.* 원자력을 이용한.

núclear proliferátion *n.* 핵확산(核擴散).

núclear-propélled *a.* 핵추진의.

Núclear Régulatory Commíssion *n.* [the ~] 《美》 원자력 규제 위원회《略 NRC ; 1974년 10월에 발족》.

núclear résonance *n.* 〖理〗 핵공명(核共鳴).

núclear-shíp bàn *n.* 핵함선 기항(寄港) 거부.

núclear strátegy *n.* 핵전략.

núclear súbmarine *n.* 원자력 잠수함.

Núclear Tést-Ban Trèaty *n.* 핵(核)실험 금지 조약.

núclear tésting *n.* 핵실험.

núclear-típped *a.* 핵(核)탄두를 장비한 : a ~ missile.

núclear umbrélla *n.* [the ~] 핵우산.

núclear wárhead *n.* 핵탄두.

núclear wínter *n.* 핵겨울《핵전쟁 후에 발생하는 전 지구의 한랭화 현상》.

nu·cle·ase [njúːklièis, -z] *n.* 〖生化〗 뉴클레아제《핵산의 가수분해를 촉진하는 각종 효소》.

nu·cle·ate [njúːkliət, -èit] *a.* 〖生〗 핵이 있는 ; 핵에 기인하는. —— [-èit] *vt.* 핵모양으로 하다 ; 응집시키다 ; …의 핵을 이루다. —— *vi.* 응집하다 ; 핵을 이루다. **-àt·ed** *a.* 〖生〗 핵을 지닌. 〚L＝to become stony ; ⇨ NUCLEUS〛

nù·cle·á·tion *n.* Ⓤ 핵형성 ; 인공 강우법.

nuclei *n.* NUCLEUS의 복수형.

nuclei- ☞ NUCLE-.

nu·clé·ic ácid [nju(ː)klíːik-, -kléiik-] *n.* 〖生化〗 핵산(核酸), 뉴클레산.

nucleo- [njúːkliou, -liə] ☞ NUCLE-.

nùcleo·chronólogy *n.* 핵년 화학(核年化學)《특히 항성(恒星)이나 행성(行星)의 진화에 있어 화학 원소가 수소핵(水素核)에서 형성되는 것을 이용하는 연대 측정법》.

nùcleo·chronómeter *n.* 핵 연대 측정 물질《원자핵 연대 측정에 쓰이는 화학 원소[동위 원소]》.

nùcleo·còsmo·chronólogy *n.* 핵우주 연대학《nucleochronology에 의해 우주 또는 그 일부의 형성 연대를 측정하는 분야》.

nùcleo·génesis *n.* ＝NUCLEOSYNTHESIS.

nu·cle·ol- [njuːklíːəl], **nu·cle·olo-** [njuːklíːəlou, -lə] *comb. form* 「인(仁) (nucleolus)」의 뜻.

nu·cle·o·lo·ne·ma [njuːkliːələníːmə, ⌐--] *n.* 〖生〗 인사(仁絲), 핵소체사(核小體絲)《인(仁)에서의 망상 구조의 총칭》.

nu·cle·o·lus [njuːklíːələs, 英＋njùːklióuləs] *n.* (*pl.* **-li** [-lài, 英＋njùːklióulai]) 〖生〗 (세포핵 안에 있는) 핵인(核仁), 핵소체(小體).

nu·cle·on [njúːkliɑ̀n] *n.* 〖理·化〗 핵자(核子).

nù·cle·ón·ics *n.* 〖理〗 핵공학.

nu·cle·o·ni·um [njùːklióuniəm] *n.* 〖理〗 뉴클레오늄《물질과 반물질이 접촉했을 때 생기는 소립자 ; 원자핵과 반원자핵으로 이루어짐》.

núcleo·phìle *n.* 〖化〗 친핵제(親核劑). —— *a.* 친핵성의.

núcleo·plàsm *n.* 〖生〗 핵질(核質).

nùcleo·prótein *n.* 〖生化〗 핵단백질.

nu·cle·o·side [njúːkliəsàid] *n.* 〖生化〗 뉴클레오시드《핵산(核酸)을 구성하는 한 단위》.

núcleo·sòme *n.* 〖生〗 뉴클레오솜《염색체의 기본 단위》.

nùcleo·sýnthesis *n.* Ⓤ 〖理〗 (수소의 핵반응에 의한) 핵합성(核合成).

nu·cle·o·tide [njúːkliətàid] *n.* 〖生化〗 뉴클레오티드《뉴클레오시드의 당(糖) 부분이 인산(燐酸)에 스테르로 된 것》.

núcleotide sèquence *n.* 〖生化·遺〗 뉴클레오티드 배열(base sequence).

nu·cle·us [njúːkliəs] *n.* (*pl.* **-clei** [-kliài], **~·es**) **1** 핵, 심 ; 중심, 핵심(cf. CORE, KERNEL). **2** (발전의) 기초, 토대. **3** 〖理·化〗 (원자)핵 ; 〖生〗 핵 ; 〖解〗 신경핵 ; 〖天〗 혜성의 핵(核). 〚L＝kernel (dim.) ‹ *nuc-* *nux* nut〛

nu·clide [njúːklaid] *n.* 〖理·化〗 핵종(核種).

nude [njuːd] *a.* **1** 벌거벗은, 나체의. **2** 덮개가 없는, 장식[가구]이 없는, 초목이 없는. **3** 있는 그대로의, 적나라한. **4** 〖法〗 법적 요건을 갖추지 않은, 무상(無償)의, 무효의 : a ~ contract 단순한 합의, 무상 계약. **5** (양말 따위) 살색의. **6** 〖植〗

잎이 없는 ; 〖動〗 비늘[깃 · 털 따위]이 없는.
—— *n.* **1** (그림 · 조각 · 사진 따위의) 나(체)상(像), 나체화, 누드. **2** [the ~] **a)** 나체, 알몸 ; 〖美術〗 나체화[상(像)]. **b)** 나체 (상태) : in *the* ~ 나체로. **~·ly** *adv.* **~·ness** *n.*
〚L *nudus*〛
類義語 ⟹ BARE.

núde móuse *n.* 〖動〗 누드마우스《돌연변이에 의한 털없는 실험용 쥐 ; 흉선(胸腺)이 없기 때문에 면역 방어 기구가 없음》.

nudge [nʌdʒ] *vt.* [+目 / +目+前+名] (주의를 끌기 위해서) 팔꿈치로 슬쩍 찌르다 ; 조금씩[가볍게] 밀다 ; 《비유》 …의 주의를 환기시키다[끌다] : He ~*d* me ***in*** the ribs. 그는 슬쩍 내 옆구리를 찔렀다. —— *n.* (주의를 끌기 위해서) 팔꿈치로 슬쩍 찌르기. 〚C17 < ? Scand. (ON *gnaga* to gnaw, Norw. (dial.) *nugga* to push, rub)〛

nu·di- [njúːdə] *comb. form* 「벌거벗은」의 뜻. 〚L *nudus* nude, naked〛

nud·ie [njúːdi] *n.* 《俗》 누드 영화[쇼, 잡지 따위], 포르노 (잡지) ; 누드 댄서[모델].
—— *a.* 누드를 다룬, 누드의.

nud·ism [njúːdizəm] *n.* Ⓤ 나체주의.

nud·ist [njúːdəst] *n.* 나체주의자. —— *a.* 나체주의(자)의, 누디스트의 : a ~ colony 나체촌(村).

nu·di·ty [njúːdəti] *n.* Ⓤ 벌거벗음, 벌거벗고 있기 ; 적나라.

nud·nick, -nik [núdnik] *n.* 《美俗》 귀찮은[성가신] 놈.

nudzh, nudge [núdʒ] *n.* 《美俗》 성가신 놈.
—— *vt.* (남을) 신경질나게 하다.
—— *vi.* 늘 투덜거리다.

nuff [nʌf] *a., adv., n.* 《口》 =ENOUGH.

nu·gae [njúːdʒi, núːgai] *n. pl.* 실없는 소리, 하찮은 일. 〚↓〛

nu·ga·to·ry [njúːgətɔ̀ːri ; -təri] *a.* 무의미한, 무가치한, 쓸모없는(trifling) ; 무효의.
〚L (*nugae* trifles)〛

nug·gar [nʌ́gər] *n.* (Nile강 상류에서 쓰이는) 폭이 넓은 짐배.

nug·get [nʌ́gət] *n.* (특히 금광의) 덩어리(lump, mass). **núg·gety** *a.* 덩어리 모양의 ; 뭉툭한.
〚*nug* (dial.) lump〛

N.U.G.M.W. 《英》 National Union of General and Municipal Workers.

nui·sance** [njúːsəns] *n.* **1** (남에게) 폐가 되는 행위 ; 〖法〗 (불법) 방해 : a private ~ 사적(私的) 불법 방해 / ☞ PUBLIC NUISANCE / abate a ~ (피해자가 스스로의 힘으로) 불법 방해를 제거하다. **2** 성가신[해로운] 것, 불쾌한 것, 곤란한 사정 ; 불쾌한[성가신 · 귀찮은] 사람 : Flies are a ~. 파리는 귀찮은 것이다 / What a ~! 귀찮아. ***Commit no nuisance ! 《英 · 게시》 소변 금지 ; 쓰레기 버리지 마시오.
make a nuisance of one***self*** = ***make*** one***self a nuisance*** 신세를 지다, 남에게 미움을 받다.
〚OF=hurt (*nuis- nuire*<L *noceo* to hurt)〛

núisance tàx *n.* 소액 소비세《보통 소비자에게서 징수하는 소액의 세금》.

núisance válue *n.* Ⓤ 귀찮게만 할 뿐인 효과[가치] ; 〖軍〗 (소규모 폭격 따위의) 방해 효과.

N.U.J. National Union of Journalists.

nuke [njúːk] 《美俗》 *n.* 핵무기, 핵폭탄 ; 원자력 발전소 ; 원자핵. —— *vt.* 핵무기로 공격하다, 핵폭탄으로 파괴하다.

núke·spèak *n.* 《口》 **1** 핵용어, 핵문제 용어《핵반대자가 쓰는 말》. **2** 핵의 완곡어(婉曲語).

null [nʌl] *a.* **1** 법적 효력이 없는, 무효의(useless) ; 무익한. **2** 쓸모없는, 가치없는. **3** 특징[개성]이 없는, 무표정한. **4** 존재하지 않는, 하나도 없는 ; 〖數〗 영[제로]의.
null and void 〖法〗 무효의.
—— *n.* 영, 제로 ; (계기 따위의) 영의 눈금, 영도. —— *vt.* 제로로 하다.
〚F or L *nullus* none (*ne* not, *ullus* any)〛

nul·la bo·na [nʌ́lə bóunə] *n.* 〖法〗 부재(不在) 보고《집행관이 영장대로의 압류물을 전혀 발견하지 못했다는 취지의 보고》. 〚L=no goods〛

nul·lah [nʌ́lə, nʌ́lɑː] *n.* 《인도》 (자주 말라붙는) 수로(水路), 하상(河床) ; 좁은 골짜기, 협곡.
〚Hindi〛

núll devìce *n.* 《해커俗》 공장치(空裝置)《기능이 없는 논리상의 입출력 장치》.

nul·li- [nʌ́lə] *comb. form* 「무(無)」의 뜻. 〚L〛

nul·li·fi·ca·tion [nʌ̀ləfəkéiʃən] *n.* Ⓤ 무효, 파기, 취소.

nul·li·fy [nʌ́ləfài] *vt.* (법적으로) 무효로 하다 ; 파기하다, 취소하다(cancel) ; 무(無)로 하다.
〚NULL〛

nul·li·ty [nʌ́ləti] *n.* 무효 ; 무, 전무(全無) ; Ⓒ 무효 행위[문서] ; 보잘것없는 사람[것] : ~ suit 혼인 무효 소송.

núll sét *n.* 〖數〗 공집합(空集合).

NUM 《英》 National Union of Mineworkers.

num. numeral(s). **Num(b).** Numbers.

numb** [nʌm] *a.* (얼어서) 감각이 없는, 곱은 ; 마비된 ; 무감각한, 둔한 : My fingers were ~ *with* cold. 추워서 손가락이 곱았다. —— *vt.* [+目 / +目+前+名] 감각을 잃게 하다, 마비되게 하다, 곱게 하다 ; 넋을 잃게 하다 : She was ~*ed* ***with grief. 그녀는 슬픔으로 넋을 잃었다.
~·ing *a.* 마비시키는. **~·ness** *n.* **~·ly** *adv.*
〚*nome* (obs.) taken (with paralysis) (p.p.) < *nim* to take ; ⇨ NIMBLE ; *-b*는 cf. THUMB〛

númb-bràined *a.* 《俗》 어리석은, 바보 같은.

◇num·ber [nʌ́mbər] *n.* **1** 수(數) ; 총수(total) : a high[low] ~ 큰[작은] 수 / *in* round ~*s* 대략, 개산으로 / *The* ~ *of* students has been increasing. 학생수가 증가하고 있다. ☞ 活用 (2). **2** 숫자, 수사(numeral). **3 a)** 번호(표) : *N*~'s engaged. 《英》〖電話〗통화중입니다(=《美》 Line's busy.). **b)** 제 (몇) 번[호 · 권 · 번지 따위]《略 No.(*pl.* Nos.)》 : Room *No.* 303 제303호실 / the May[December] ~ (잡지의) 5월[12월]호 / ☞ BACK NUMBER. 注 《美》에서는 주소를 쓸 때 번지 앞에 No.를 쓰지 않음. **c)** 프로그램 따위의 한 항목, 연출물의 하나, 한 곡(曲), 곡목(曲目). **d)** 상품, 물품. **4 a)** 약간, 다수(cf. a ~ of ☞ 숙어). ☞ 活用 (1). **b)** [*pl.*] 다수 ; 많음 : There are ~*s* (*of* people) who believe it. 그것을 믿는 사람들은 꽤 많다 / He made ~*s of* experiments. 그는 많은 실험을 했다(☞ 活用 (2)) / Birds are found there *in* great ~*s.* 그곳에는 새들이 굉장히 많다. **c)** [*pl.*] 수의 우세 : win *by* (force of) ~*s* 수[머릿수]로 이기다 / make up *by* ~*s* 수의 힘으로 해내다 / There is strength *in* ~*s.* 수가 많은 것이 강점이다. **5** 한 패, 한동아리, 한무리 ; (특정한) 사람[것] : He is not of our ~. 우리와 한패[우군(友軍)]가 아니다 / among the ~ of the dead 죽은 사람의 수에 끼어, 죽어서. **6** [*pl.*] 산수 : the science of ~*s* 산수. **7** 〖樂 · 韻〗 음률(音律), 운율(韻律). **8** 〖文法〗 수 : the singular[plural] ~ 단[복]수. **9** [*pl.*] 《詩》 시구(詩句), 운문(韻文) ; [*pl.*] 음표의

무리, 악보. **10** [N~s] 〖聖〗 =NUMBERS.
a great [***large***] ***number of...*** 수많은…, 다수의… : There are *a great* ~ *of* parks in the city. 그 도시에는 수많은 공원이 있다 / *A large* ~ *of* people visit the historic site. 수많은 사람들이 그 옛 유적을 찾는다.
a number of... (1) 얼마간의…(some) : *A* ~ *of* people were traveling in a horse carriage. 몇 사람인가가 마차로 여행을 하고 있었다 / She bought *a* ~ *of* eggs at the store. 그녀는 그 가게에서 계란을 몇 갠가 샀다. (2) 다수의…(many) : I can give you *a* ~ *of* reasons. 이유는 얼마든지 제시할 수 있다. ☞ 活用 (1), (2).
any number of …이 얼마든지 ; 잔뜩 : He can do it *any* ~ *of* times. 몇번이든지 할 수 있다.
a small number of... 소수의…, 약간의… : He has only *a small* ~ *of* friends. 그는 (겨우) 몇명의 친구밖에 없다.
beyond number 셀 수 없는, 헤아릴 수 없는.
get [***have***] a person***'s number*** 《口》 남을 잘 알고 있다[간파하고 있다] : I*'ve got* his ~. 그의 속마음을 알고 있다.
in number 수는, 수로는, 숫자상으로 : The guests were ten *in* ~. 손님의 수는 10명이었다 / They were much smaller *in* ~ than we. 인원수로는 이쪽보다 훨씬 적었다.
in numbers (잡지 따위) 분책(分冊)으로, 몇번에 나누어서.
numbers of... 다수의…(cf. 4 b)), 많은 ; 몇차례나, 종종. ☞ 活用 (2).
One***'s number goes up.*** 사람의 수명이 다하다, 운이 다하다.
out of numbers 무수한.
quite a number of... 상당히 많은… : *Quite a* ~ *of* people own cars now. 요즈음은 자동차를 가지고 있는 사람이 상당히 많다.
to the number of …의 수에 이를 만큼, …의 수만큼(as many as) : *to the* ~ *of* eighty 여든이나[까지].
without number 무수한 : times *without* ~ 셀 수 없을 만큼 자주(very often).

〈회화〉
You have the wrong *number*. — Oh, I'm sorry. 「전화 잘못 거셨습니다」「아, 미안합니다」

── *vt.* **1** …에 번호를 매기다 ; …에 페이지를 매기다 : They ~*ed* the houses. 집집마다 번지를 매겼다. **2 a**) 세다, 계산하다. **b**) [+目+*among*+名] (…중에 세어) 넣다 : He should be ~*ed* ***among*** my followers. 그는 내 추종자의 한 사람으로 간주되어야 한다. **c**) …에 이르다[달하다] : a crew ~*ing* 30 men 30명에 달하는 승무원. **d**) (마을이) 인구가 …이다. **3** [수동태로] …의 수를 한정[제한]하다 : His days *are* ~*ed*. 그는 여명(餘命)이 얼마 안 남았다.
── *vi.* 총수 …에 달하다 ; 포함하고 있다.
~·er *n.* 세는[번호 매기는] 사람.
〚(n.) AF *numbre*, OF *nom-*<L *numerus* ; (v.) OF *nombrer*<L *numero* (*numerus* number)〛
活用 (1) a number of...는 「얼마간의(some)」와 「다수의(many)」의 두 가지 뜻이 있으며 명확하게 하기 위해 a *great*[*large*] number of 「다수의」라든가 a *small* number of 「소수의」 따위의 형태를 취하는 수가 있음. 또 뜻이 제한되어 *the number* of 「다수의」라고 되는 수도 있음 : He regretted *the number of* acquaintanceships in his life that had never developed into friendships. (그는 생애에서 친구 관계로까지 진전되지 못했던 많은 지인(知人) 관계를 아쉽게 생각했다). (2) 'a number of+복수 명사'는 의미상 a number of가 수식어, 복수 명사가 주요어로 느껴지기 때문에 복수로 취급하는 것이 보통. 또 numbers of...도 복수 취급 : *A number of* solutions *have* been proposed. (몇 가지의 해결책이 제안되어 있다) / *Numbers of* people visit the temple every year. (수많은 사람들이 매년 그 사원을 방문한다). 이에 대해서 the number of...는 보통 「…의 수」란 뜻(cf. *n.* 1)이며 일반적으로 단수 취급 : *The number of* tickets sold *is* astonishingly great. (팔린 표의 수는 놀랄 만큼 많다).

númber bòy *n.* 《美俗》 (기업의) 톱, 총수 ; 가장 믿는 보좌역, 오른팔 ; 예스맨, 추종자.
númber-cónscious *a.* 숫자에 신경을 쓰는.
númber crùncher *n.* 《口》 (복잡한 계산을 하는) 대형 컴퓨터.
núm·bered accóunt *n.* 번호만 등록해 놓은 은행 계좌.
númber·ing machìne *n.* 번호 찍는 기계, 넘버링 머신.
númbering sỳstem *n.* 〔美蹴〕 숫자를 사용해서 경기를 나타내는 방식《선수들의 위치·지역에 번호를 붙임》.
númber·less *a.* 셀 수 없을 만큼 많은, 무수한 (innumerable) ; 번호가 없는.
númber lìne *n.* 〔數〕 수직선(數直線).
númber níne (**píll**) *n.* 《英軍俗》 제 9 호 알약 《만병 통치약》.
númber óne *n.* **1** 《口》 자기(oneself) ; 《口》 자기 이해(利害) ; 《美口》 제 1 급의 것, 일류의 것 ; 《口》 최고급의 제복[옷] ; 《美俗》 무대의 가장 앞쪽《연기자가 연기하거나 사회자가 서는》 ; 《兒·婉》 오줌 : do ~*s* 쉬하다. **2** [형용사적으로] 《口》 일류의, 최고의, 특출한 ; 가장 중요한.
númber óne bòy *n.* 《美口》 권력자, (특히) 사장 ; 신뢰할 수 있는 보좌역 ; =YES-MAN ; 자기 부담의 의상을 입고 출연하는 엑스트라.
númber plàte *n.* 《英》 (자동차의) 번호판.
Num·bers [nʌ́mbərz] *n.* 〔聖〕 민수기(民數記) 《구약 성서 중의 한 편 ; 略 Num(b).》.
númber's gáme *n.* 《美政治俗》 숫자놀음《자기 주장의 보강을 위해 툭하면 통계 수치를 들먹거리기 ; 흔히 기만이 목적》.
númbers gáme [《美》 **póol, rácket**] *n.* 숫자 알아맞히기 도박《신문에 발표된 각종 통계 숫자의 끝의 세 자릿수를 대상으로 하는 불법 도박》.
númber(s) rùnner *n.* 《美》 numbers game에서 부당 이득을 취하는 사람.
númber tén *a.* 《美俗》 최악의.
Númber Tén (**Dówning Stréet**) *n.* 영국 수상관저.
númber twó *n.* 제 2 의 실력자, 보좌역 ; 《兒·婉》 응가, 대변. ── *a.* 《俗》 제2(급)의.
númber wòrk *n.* 산수, 산술.
númb·fish *n.* 〔魚〕 시끈가오리.
númb hànd *n.* 《俗》 손재주 없는 사람.
númb-héad *n.* 《美口》 바보, 멍텅구리. **~·ed** *a.* 《美口》 바보[숙맥] 같은.
numb·ie [nʌ́mi] *n.* 《美俗》 바보, 얼간이.
numbskull ☞ NUMSKULL.
num·dah [nʌ́mdɑː] *n.* Ⓤ 펠트천의 일종. 〚Hindi<Pers.=carpet〛
nu·mer·a·ble [njúːmərəbəl] *a.* 셀 수 있는, 계산할 수 있는.

num·é·raire [*F* nymerɛːr] *n.* 통화(通貨) 교환 비율 기준.

***nu·mer·al** [*nj*úːmərəl] *n.* **1** 숫자 ; 〖文法〗 수사 : ☞ ARABIC NUMERALS / ☞ ROMAN NUMERALS. **2** [*pl.*] 《美》 (학교의) 졸업 연도의 숫자《운동 선수 등의 사용이 허용됨 ; cf. LETTER 7》. —— *a.* 수의 ; 수를 나타내는.
〖L ; ⇨ NUMBER〗

nu·mer·ar·y [*nj*úːmərèri ; -rəri] *a.* 수의.

nu·mer·ate [*nj*úːmərèit] *vt.* 세다, 계산하다 ; 〖數〗 (수식(數式) 따위를) 읽다. —— *a.* 《英》 수리적 사고에 강한.
〖*literate*를 모방하여 L *numerus* NUMBER에서〗

nù·mer·á·tion *n.* **1** Ⓤ 세는 법, 계산(법). **2** Ⓤ 〖數〗 수 읽기, 명수법(命數法).

nú·mer·à·tor *n.* **1** 〖數〗 분자(分子) (cf. DENOMINATOR). **2** 계산자(者) ; 계산기(器).

nu·mer·ic [*nj*u(ː)mérik] *n.* **1** 수. **2** 분수《진(眞)분수 또는 가(假)분수 ; cf. FRACTION》.
—— *a.* =NUMERICAL.

nu·mér·i·cal *a.* 수의[에 관한] ; 숫자로 표시한, 숫자로 나타낸 ; 계산 능력의 : (a) ~ order 번호 / a ~ statement 통계 / the ~ strength 사람수. **~·ly** *adv.*

numérical contról *n.* 수치 제어(數値制御)《오토메이션의 방법 ; 略 NC》.

numérical contról machíne tòol *n.* (컴퓨터로 움직이는) 수치 제어 공작 기계.

numérically-contrólled *a.* (공작 기계 따위가) 수치 제어된.

numérical taxónomy *n.* 〖生〗 수량 분류학.

nu·mer·ol·o·gy [*nj*ùːmərɑ́lədʒi] *n.* Ⓤ 수로 점치는 법《생일의 숫자·이름의 총 글자수 따위로 운수를 점침》.

nu·me·ro uno [múːmerou úːnou] *n.* 《口》 최고의 것(number one) ; 자기(oneself).
〖Sp. or It.〗

***nu·mer·ous** [*nj*úːmərəs] *a.* 다수의 ; 엄청난 수의 : his ~ friends 그의 수많은 친구 / a ~ army 대군 / the ~ voice of the people 여론. **~·ly** *adv.* 많은 수로, 수가 엄청나게. **~·ness** *n.*
〖L ; ⇨ NUMBER〗
類義語 ⟹ MANY.

Nu·mid·i·a [*n*ju(ː)mídiə] *n.* 누미디아《아프리카 북부의 옛 왕국》.

Nu·míd·i·an *a.* 누미디아(인[어])의. —— *n.* 누미디아인 ; Ⓤ 고대 누미디아어.

nu·mis·mat·ic, -i·cal [*nj*ùːməzmǽtik(əl), 美+ -məs-] *a.* 화폐의 ; 고전학(古錢學)의.
〖F<L<Gk. *nomismat- nomisma* coin〗

nù·mis·mát·ics *n.* 화폐[고전(古錢)]학.

nu·mis·ma·tist [*nj*uːmízmətəst, 美+-mís-] *n.* 화폐[고전(古錢)]학자.

nu·mis·ma·tol·o·gy [*nj*uːmìzmətɑ́lədʒi, 美+ -mìs-] *n.* Ⓤ 고전학(古錢學).

num·ma·ry [nʌ́məri], **num·mu·lary** [nʌ́mjəlèri ; -ləri] *a.* 화폐의, 금전의[에 관한].

NUMMI New United Motor Manufacturing, Inc.

num·mu·lite [nʌ́mjəlàit] *n.* 〖古生〗 화폐석(貨幣石)《신생대 제3기 초기에 존재한 Nummulitidae과(科)에 속하는 고등 유공충(有孔蟲)의 화석으로 크기나 모양이 화폐 비슷함》.

num·nah [nʌ́mnɑː] *n.* =NUMDAH.
〖Hindi〗

num·skull, numb- [nʌ́mskʌ̀l] *n.* 《口》 바보, 멍텅구리. 〖*numb*+*skull*〗

***nun** [nʌ́n] *n.* 수녀, 비구니(cf. MONK).
〖OE *nunne* and OF<L *nonna* (fem.) ‹ *nonnus* monk〗

nun·a·tak [nʌ́nətæ̀k] *n.* 누나탁《빙설원의 돌출암봉(岩峰)》. 〖Eskimo〗

nún bùoy [nʌ́n-] *n.* 〖海〗 (금속제) 마름모꼴의 부표(浮標)《2개의 원뿔을 합한 형태의 빨간 금속제 부표 ; 수로를 지시함》.

Nunc Di·mit·tis [nʌ́ŋk dəmítəs, núŋk-] *n.* 〖聖〗 시므온(Simeon)의 찬송《누가복음 2 : 29-32》 ; [n~ d~] 퇴거의 허가, 고별 ; [n~ d~] 별세 : sing *nunc dimittis* 기꺼이 떠나다[죽다].
〖L〗

nun·ci·a·ture [nʌ́nsiətʃùər, nún-, -tʃər ; -tʃə*r*] *n.* Ⓤ NUNCIO의 직[임기]. 〖It. (↓)〗

nun·cio [nʌ́nsiòu] *n.* (*pl.* **-ci·òs**) 로마 교황 사절(使節). 〖It. <L *nuntius* envoy〗

nun·cle [nʌ́ŋkəl] *n.* 《方》 =UNCLE.

nun·cu·pate [nʌ́ŋkjəpèit] *vt.* (유언 따위를) 구두로 말하다. 〖L *nuncupo* to name〗

nùn·cu·pá·tion *n.* 구두 유언.

nun·cu·pa·tive [nʌ́ŋkjəpèitiv, nʌ́n-, nʌŋkjúːpətiv] *a.* (유언 따위) 구두로 하는, 구두로 전하는 : a ~ will 구두 유언.

nún·nery *n.* 여자 수도원, 수녀원(convent).
〖AF ; ⇨ NUN〗

nún's clóth[**véiling**] *n.* 얇은 평직(平織)의 우스티드[명주] 옷감.

nuoc mam [nwɔ́ːk mɑ́ːm] *n.* 느워크 맘《생선 젓국을 이용한 몹시 짠 베트남 소스의 일종》.
〖Vietnamese〗

NUPE, N.U.P.E. [*nj*úːpi] 《英》 National Union of Public Employees.

nu·plex [*nj*úːpleks] *n.* 원자력 공업단지, 핵(核)콤비나트.

nup·tial [nʌ́pʃəl, -tʃəl] *a.* 결혼(식)의, 혼례의 : a ~ ceremony 혼례. —— *n.* [보통 *pl.*] 결혼식.
〖F or L (*nupt- nubo* to wed)〗
類義語 ⟹ MARRIAGE.

núptial flíght *n.* 〖昆〗 혼인 비행《흰개미·벌 따위의 암수가 교미하기 위해 뒤섞여 날기》.

N.U.R. 《英》 National Union of Railwaymen.

nurd ☞ NERD.

nurdy [nə́ː*r*di] *a.* 《美俗》 **1** 수수한, 촌스러운. **2** 색다르게 멋낸, 근사한.

Nur·em·berg [*nj*úərəmbə̀ː*r*g] *n.* 뉘른베르크《독일 Bavaria 주의 도시 ; 나치스 전범의 국제 재판이 시행된 곳》.

nurk [nə́ː*r*k] *n.* 《美俗》 바보, 천치, 얼간이(fool) ; 꼴보기 싫은 놈, 건달(yob, nerk).

◇**nurse** [nə́ː*r*s] *n.* **1** 유모(wet nurse)《젖먹이는》 ; 보모(dry nurse) 《수유하지 않음》, 애보는 여자. 注 자기집 nurse를 말할 때에는 cook, father, mother 따위와 같이 고유 명사로 쓰이는 경우가 많음 : *N*~ has taken baby out to the park. 유모는 갓난아기를 공원으로 데리고 갔다. **2** 간호사 : a hospital ~ 병원 간호사 / a male ~ (정신병원 따위의) 남자 간호사 / *N*~ Smith 스미스 간호사 / ☞ TRAINED NURSE. **3** 양성[조성]하는 사람[것], 양성소〈*of*〉. **4** 〖植〗 =NURSE TREE ; 〖昆〗 애벌레를 보호하는 곤충《일벌·일개미 따위》. **5** 〖撞球〗 공을 모아 놓기.
at nurse 유모에게 맡기어, 수양아들[딸]로 보내져 : The baby is *at* ~. 갓난아기는 유모에게 맡겨졌다.
put*. . . (*out*) *to nurse (아이를) 양아들[딸]로 주다, 남에게 맡겨 기르다.

—— *vt.* **1** (갓난아기에게) 젖을 먹이다, (갓난아기를) 돌보다 ; (식물 따위를) 기르다, 배양하다 ; (문예 따위를) 육성하다, 장려하다. **2** (환자를) 간호하다 ; (질병·환부를) 돌보다, 고치려고 애쓰다 : He ~*d* a bad cold by going to bed. 독감을 잠으로써 고치려고 했다. **3** (정력 따위를) 아끼다, 소중히 하다 ; (불평·복수심 따위를) 품다. **4** 애무하다, 껴안다 : ~ a baby 아기를 껴안다 / ~ a fire 불이 꺼지지 않게 지키다 / ~ one's knees 무릎을 감싸안다. **5** 《英》 (선거구민의) 비위를 맞추다. **6** 〔撞球〕 (계속해서 캐논(cannons)을 칠 수 있도록) 공을 모아놓다. —— *vi.* 간호하다 ; (유모가) 젖을 먹이다 ; (어린애가) 젖을 먹다.
nurse** one's **constituency 《英》 (국회의원이) 자기의 지반을 다지다[닦다](=《美》 mend one's fences).
〚OF *nurice*<L (*nutric-* *nutrix* nurse‹NOURISH) ; cf. NUTRITIOUS〛

núrse-chìld *n.* 맡아 기르는 아이.
núrse·hòund *n.* 〔魚〕 곱상어의 일종.
nurseling ☞ NURSLING.
núrse·màid *n.* 아기보는 여자.
nurs·er [nə́ːrsər] *n.* 유모 ; 양육자 ; 젖병.
nur·sery [nə́ːrsəri] *n.* **1** 양육[보육]실, 아기방. **2** 못자리, 모판, 묘목[양어·양식(養殖)]장. **3** 양성소 ; (범죄 따위의) 온상⟨*of*⟩ ; =NURSERY SCHOOL. 〚? AF ; ⇨ NURSE〛
núrsery cànnon *n.* 〔撞球〕 쿠션 부근으로 한데 모은 3개의 공을 치는 캐논(의 연속).
núrsery gàrden *n.* 묘포(苗圃), 묘목밭.
núrsery gòverness *n.* 보모 겸 가정교사.
núrsery·màid *n.* =NURSEMAID.
núrsery·man [-mən] *n.* (*pl.* **-men** [-mən]) 묘목업자.
núrsery rhỳme[**sòng**] *n.* 전래 동요《시 또는 노래》; 자장가.
núrsery schòol *n.* 보육원《5살 이하의 유아들을 위한 양육원 ; cf. KINDERGARTEN》.
núrsery slòpes *n. pl.* 〔스키〕 초심자용 (활강) 코스.
núrsery stòck *n.* 묘목밭의 어린 나무.
núrsery tàle *n.* 동화, (어린이들을 위한) 옛날 이야기.
núrse's áide *n.* 간호 보조원.
núrse trèe *n.* 〔林〕 보호수(樹)《어린 나무 따위를 보호하기 위함》.
nurs·ey, nurs·ie [nə́ːrsi] *n.* 《兒》 아줌마, 언니 (nurse).
nurs·ing [nə́ːrsiŋ] *a.* **1** (양아들[딸]을) 보육하는 : one's ~ father[mother] 양부[모(母)]. **2** (양아들[딸]로) 양육되는. —— *n.* Ⓤ (직업으로서의) 육아, 간호.
núrsing bòttle *n.* 젖병, 포유병(哺乳瓶).
núrsing hòme *n.* 《英》 **1** 개인 병원. **2** (특히 사립) 의료원[요양원].
nurs·ling, nurse- [nə́ːrsliŋ] *n.* **1** (특히 유모가 기르는) 어린애, 젖먹이. **2** 애지중지 키워진 사람, 귀염둥이 ; 비장의 물건. **3** 어린 묘목[풀].
nur·ture [nə́ːrtʃər] *vt.* 양육[양성]하다, 훈육하다 ; …에 영양물을 주다. —— *n.* Ⓤ 양육 ; 양성 ; 교육 ; 영양물, 음식물 : nature and ~ 천성과 교육. 〚OF (*nourrir* to NOURISH)〛
***nut** [nʌ́t] *n.* **1** 견과(堅果) ; 나무 열매《호두·개암·밤 따위의 열매 ; cf. BERRY》; 《비유》 (문제 따위의) 핵심. **2** 〔機〕 너트, 암나사. **3** 〔樂〕 (바이올린 따위의) 활줄을 죄는 조리개 ; 〔印〕 반각. **4 a)** 《俗》 머리. **b)** 《俗》 사내, 녀석(fellow) ;

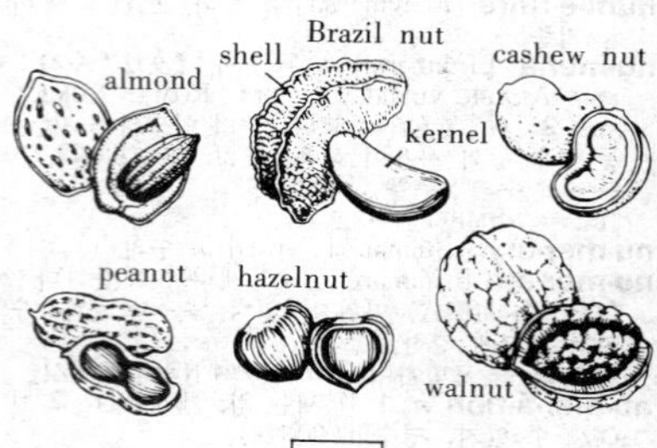

nut

완고한 사람 ; 괴짜 ; 바보 : a tough ~ ☞ TOUGH *a.* 2. **c)** 《俗·古》 멋쟁이. **5** [*pl.*] 《英》 석탄의 작은 덩어리. **6** 어려운 문제, 힘든 사업, 다루기 힘든 사람. **7** [the ~, 단수취급] 《美俗》 즐거움[쾌락]을 낳는 것, 즐겁고 기쁜 것 ; 《俗》 큰돈 ; 《美俗》 경찰에게 주는 뇌물. **8** 《口》 (연극 따위의) 제작[운영] 총경비.
be (***dead***) ***nuts on***[***about***]... ☞ NUTS.
be nuts ☞ NUTS.
for nuts [부정어와 함께] 《英俗》 조금도, 전연, 통, 전혀(at all) : I can't play golf *for* ~*s.* 골프는 전혀 못친다.
a hard nut to crack 어려운 문제, 골칫거리 ; 다루기 힘든 사람.
not care a (***rotten***) ***nut*** 조금도 개의치 않다.
off one's ***nut*** 《俗》 정신이 나가서, 미쳐서.
—— *vi.* (**-tt-**) 나무 열매를 줍다《보통 다음 구로》: go ~*ting* 나무 열매를 주우러 가다.
~·lìke *a.* 〚OE *hnutu* ; cf. G *Nuss*〛
N.U.T. 《英》 National Union of Teachers (전국 교원 연맹).
nu·tant [njúːtənt] *a.* 〔植〕 (줄기·꽃·열매가) 상단(上端)을 숙인.
nu·tate [njuːtéit] *vi.* 〔植〕 (줄기가) 전두(轉頭) 운동을 하다.
nu·tá·tion *n.* Ⓤ 머리를 떨굼, 고개를 숙임 ; 끄덕임 ; 〔植〕 전두(轉頭) 운동 ; 〔天〕 장동(章動)《지구 자전축의 미동》; 회전하는 팽이축의 흔들림 운동. 〚L *nuto* to nod〛
nút-brówn *a.* 적갈[밤]색의.
nút bùtter *n.* 나무 열매로 만든 대용 버터.
nút·càke *n.* 《美》 =DOUGHNUT.
nút càse *n.* 《俗》 미치광이 ; 괴짜.
nút còllege *n.* 《美俗》 정신 병원(nuthouse).
nút·cràck·er *n.* **1** [보통 *pl.*] 호두 까는 집게[기구]. **2** (이가 빠져서) 합죽이가 된 얼굴. **3** 〔鳥〕 잣까마귀. —— *a.* 호두 까는 집게 같은.
nút fàctory[**fàrm, fòundry**] *n.* 《美俗》 = NUTHOUSE.
nút·gàll *n.* 오배자(五倍子), 몰식자(沒食子).
nut·hatch [nʌ́thæ̀tʃ] *n.* 〔鳥〕 동고비과 새의 일종《몸집이 작음》.
nút·hòuse *n.* =NUT COLLEGE.
nút·mèat *n.* Ⓤ 견과의 핵(kernel).

nutcracker 1

nut·meg [nʌ́tmeg, 美+-meig] *n.* 〖植〗 너트메그나무《열대산의 상록 교목 ; 씨앗은 향료·약용》. 〚F *nois* nut, *mugue* MUSK의 부분역(譯)〛
nútmeg àpple *n.* 너트메그나무의 열매.
Nútmeg Státe *n.* [the ~] 미국 Connecticut 주의 속칭.
nút óil *n.* 견과유《호두기름·땅콩기름 따위》.
nút·pìck *n.* (호두속 따위를) 파내는 송곳 모양의 기구.
nút pìne *n.* 열매를 먹을 수 있는 각종 소나무.
nu·tria [njúːtriə] *n.* (남미산) 뉴트리아(coypu) ; Ⓤ 그 모피. 〚Sp. =otter〛
nu·tri·ent [njúːtriənt] *a.* =NUTRITIOUS.
—— *n.* 음식물, 영양물[제(劑)].
〚L *nutrio* to nourish〛
nu·tri·ment [njúːtrəmənt] *n.* Ⓤ 자양물, 영양물, 음식물(food).
nù·tri·mén·tal *a.* =NUTRITIOUS.
nu·tri·tion [nju(ː)tríʃən] *n.* Ⓤ 영양물[분] 섭취 ; 영양(작용) ; 영양물, 음식물. **~·al** *a.* 영양(상)의. **~·al·ly** *adv.*
〚F or L ; ⇨ NUTRIENT〛
nutrítion·ist *n.* 영양사[학자].
nu·tri·tious [nju(ː)tríʃəs] *a.* 자양[영양]분이 있는, 영양이 되는. **~·ly** *adv.* **~·ness** *n.*
〚L ; ⇨ NURSE〛
nu·tri·tive [njúːtrətiv] *a.* **1** =NUTRITIOUS. **2** 영양의[에 관한]. —— *n.* 영양물.
nu·tri·ture [núːtrətʃər ; njúːtri-] *n.* Ⓤ 영양(상태) 양호.
nuts [nʌts] *int.* 《俗》 체, 바보같은, 제기랄, 빌어먹을 ! —— *a.* 열광적인 ; 미친(crazy) : He's ~. 미쳤다.
be* (*dead*) *nuts on [《美》 ***about***] . . . 《俗》 …을 아주 좋아하다, …에 열중하고 있다, …에 능란하다 : He's (*dead*) ~ *on* cars. 그는 차에 (아주) 열중하고 있다.
núts and bólts *n. pl.* 작동부(분) ; 운전, 경영 ; [the ~] (사물의) 기본, 요점〈*of*〉.
núts-and-bólts *a.* 근본적인 ; 실제적인, 실천적인 ; 기본적인.
nút·shèll *n.* 견과의 껍질 ; 작은 그릇[집] ; 작은[짧은, 소수의, 소량의] 것.
in a nutshell 극히 간결하게[간결한], 요약해서[간단히] 말하면 : I will tell it *in a* ~. 요약해서 말하겠습니다 / This, *in a* ~, is the situation. 요컨대[간결하게 말하면] 사정은 이렇습니다.
—— *vt.* 요약하다 ; 간결하게 표현하다.
nút·ter *n.* 나무 열매를 줍는[모으는] 사람.
nút·ting *n.* Ⓤ 나무 열매[호두·밤 따위] 줍기.
nút trèe *n.* 견과나무, (특히) 개암나무(hazel).
nút·ty *a.* **1** 나무 열매가 많은. **2** (포도주 따위) 나무 열매 향기가 풍기는 ; 정취[묘미, 내용]가 있는. **3** 《俗》 정신나간, 미친(crazy) ; 열중한〈(*up*) *on*, *about*〉. **4** 《英俗》 멋진, 말쑥한(smart).
-ti·ness *n.*
nút·wòod *n.* 견과나무 ; Ⓤ 그 재목.
nux vom·i·ca [nʌ́ks vámikə] *n.* (*pl.* ~) 〖植〗 (동인도산의) 마전(馬錢) ; 호미카, 마전자(馬錢子)《마전의 씨로 스트리키닌의 원료》 ; Ⓤ 마전자 약제《강심제(劑)》. 〚L (*nux* nut, VOMIT)〛
Nu·yo·ri·can [nùːjɔːríkən] *a.*, *n.* 《美》 =NEO-RICAN.
nuz·zle [nʌ́zəl] *vi.* **1** [+前+名] 코로 구멍을 파다 ; 코를 비비대다 ; 코를 대고 냄새를 맡다 : The puppy ~*d* ***against*** his shoulder[***into*** his hands]. 강아지는 그의 어깨에 코를 들이대었다[그의 손에 코를 비비댔다]. **2** 기분 좋게 자다, 붙어 자다(nestle). —— *vt.* 코로 파다, 코로 비비다, …에 코를 대다, …에 코를 들이박다 : The calf is *nuzzling* his mother. 송아지는 어미소에게 코를 비비대었다.
nuzzle* one*self 바싹 다가 붙다.
—— *n.* 포옹. 〚NOSE〛
NV 〖美郵〗 Nevada ; nonvoting. **N.V.** New Version. **n.v.d.** no value declared. **NVG** night vision goggles. **N.V.M.** Nativity of the Virgin Mary. **NW, N.W.** North Wales ; northwest(ern). **NWA** Northwest Airlines ; 《美》 National Wrestling Alliance.
NWbN[W] northwest by north[west]. **NWC** 《美》 National War College. **NWPC** 《美》 National Women's Political Caucus(전미 여성 정치간부회). **N.W.P(rov).** Northwest Provinces《영령 인도》. **n.wt.** net weight. **N.W.T.** Northwest Territories. **nxm** 《해커俗》 nonexistent memory. **NY** 〖美郵〗 New York. **N.Y.** New York (State). **N.Y.A.** 《美》 National Youth Administration.
Nya·sa [naiǽsə, ni-] *n.* [Lake ~] 니아사 호(湖) 《MALAWI 호(湖)의 옛 칭호》.
Nyása·lànd *n.* 니아살랜드《아프리카 남동부의 옛 영국의 보호령 ; 1964년 MALAWI로 독립》.
nyb·ble [níbəl] *n.* 《컴퓨俗》 바이트(byte)의 2분의 1, 1/2 바이트.
N.Y.C., NYC New York City[Central].
nyct- [níkt], **nyc·ti-** [níktə], **nyc·to-** [níktou, -tə] *comb. form* 「밤」의 뜻.
〚Gk. ; ⇨ NYCTALOPIA〛
nyc·ta·lo·pia [nìktəlóupiə] *n.* 〖醫〗 야맹증(夜盲症) ; [오용] 주맹증(晝盲症). 〚L<Gk. (*nukt-nux* night, *alaos* blind, *ōps* eye)〛
nỳc·ta·lóp·ic [-láp-] *a.* 야맹증(夜盲症)의, 밤눈이 어두운.
nycti- ☞ NYCT-.
nyc·ti·nas·ty [níktənæ̀sti] *n.* 〖植〗 수면(睡眠) 운동, 주야(晝夜) 운동《밤낮이 바뀜에 따라 일어나는 잎의 상하 운동이나 꽃의 개폐(開閉) 운동》.
nỳcti·trópic *a.* 〖植〗 (잎 따위) 밤에 방향을 바꾸는 성질이 있는.
nỳcto·phóbia *n.* 암소(暗所) 공포증.
Ny·dra·zid [náidrəzid] *n.* 나이드라지드《결핵 치료제(劑) ; 상표명》.
nyet [njét] *adv.* 네트(no) (↔*da*) ; 반대, 거부.
〚Russ. =no〛
nyl·ghau [nílgɔː] *n.* 〖動〗 (인도산) 영양(羚羊)의 일종《nilgai라고도 씀》.
***ny·lon** [náilɑn, 英+-lən] *n.* **1** Ⓤ 나일론. **2** [*pl.*] 《口》 나일론 양말. 〚? vi*nyl*+ra*yon* ; COTTON, RAYON 따위를 모방한 조어(造語)〛
***nymph** [nímf] *n.* **1** 〖神〗 님프《산·강·숲 따위에 살며 소녀의 모습을 한 반신반인(半神半人) ; cf. DRYAD, GNOME, NAIAD, OREAD, SALAMANDER, SYLPH, UNDINE》 ; 〖文藝〗 요정 ; 《詩》 (미)소녀. **2** 〖昆〗 애벌레, 번데기. **~·al** *a.*, **~·lìke** *a.* 님프와 같은, 아름다운.
〚OF<L<Gk. *numphē* nymph, bride〛
nymph- [nímf], **nym·pho-** [nímfou, -fə] *comb. form* 「님프(nymph)」「소음순(nymphae)」의 뜻. 〚Gk.〛
nym·pha [nímfə] *n.* (*pl.* **-phae** [-fiː]) 〖昆〗 애벌레 ; [*pl.*] 〖解〗 소음순(小陰脣).
nym·phe·an [nimfíːən, nímfiən] *a.* 님프의, 님프 같은[다운].

nym·phet, -phette [nimfét, nímfət] *n.* 젊은 님프 ; (성적으로) 조숙한 소녀.

nym·pho [nímfou] *a.*, *n.* (*pl.* **~s**) 《俗》 = NYMPHOMANIAC.

nym·pho·lep·sy [nímfəlèpsi] *n.* 좋아서 어쩔 줄 모름, 광희(狂喜) ; (이룰 수 없는 것을 바라는) 광기(狂氣).

ným·pho·lept [-lèpt] *n.* 《詩》 좋아서 어쩔 줄 모르는 사람 ; 열광자. **nỳm·pho·lép·tic** *a.* 광희(狂喜)[열광]하는.

nỳmpho·mánia *n.* (여자의) 음란증, 색정광(色情狂). **-máníac** *a.*, *n.* 색정광 (환자) (의). 〖NL ; ⇨ NYMPH〗

nýmph pìnk *n.* 암자색(暗紫色).

NYNEX [náinèks] *n.* 미국 7개 국내 지방 전화 회사의 하나.

NYP not yet published《미간(未刊) ; 주문서에 대한 회신 용어》.

nys·tag·mus [nistǽgməs] *n.* 〖醫〗 안구진탕(眼球震盪), 안진증(眼震症). **-mic** *a.* 안구진탕의. 〖Gk.=nodding〗

NYT, N.Y.T. The New York Times.

Ny·tol [náitɔ̀:l] *n.* 나이톨《수면제 ; 상표명》.

Nyx [níks] *n.* 〖그神〗 닉스《밤의 여신 ; cf. Nox》.

N.Z., N. Zeal. New Zealand.

O

o, O[1] [óu] *n.* (*pl.* **o's, o(e)s, O's, Os** [-z]) **1** 오《영어 알파벳의 열 다섯 번째 글자》. **2** O자형(의 것); 원형; 〖數〗 영(零): a round *O* 원; 영.

***O**[2] [óu] *int.* **1** [부르는 이름의 앞] 《주로 詩·文語》 아!, 오오!: *O* Lord, help us! 오오, 주여, 우리들을 도와 주시옵소서! **2** [놀람·공포·고통·소원 따위를 나타내어] 아아!, 오오!, 저런!: *O* dear (me)! what can the matter be? 오 저런, 도대체 어떻게 된 거야 / *O for* a breathing space! 아아, 한숨 돌릴 틈이라도 있었으면! / *O that* I were young again! 아아, 다시 젊어질 수만 있다면. ── *n.* 'O'하고 외치는 소리. 〚imit.〛

活用 단독으로 쓰일 경우 외에는 바로 뒤에 콤마 따위의 구두점을 찍지 않음. ☞ OH[1] 活用.

O 〖文法〗 object; 〖化〗 oxygen; 〖血液型〗 ☞ ABO SYSTEM. **O.** observer; Ocean; octavo; October; Ohio; Old; Ontario; order; Oregon; Oriental. **o** 〖電〗 ohm. **o.** 〖藥〗 *octarius* 《L》 (=pint); octavo; off; old; only; order; 〖野〗 out(s).

o' [ə, ou] *prep.* **1** of의 약어: *o'*clock, Jack-*o'*-lantern. **2** on의 약어: *o'*nights.

O' [ə] *pref.* 아일랜드계(系)의 성(姓) 앞에 붙여서 「자식[자손]」의 뜻(cf. FITZ-, MAC-): *O'*Brien, *O'*Hara.

o-[1] [óu] *pref.* =OB- 《m앞에 올 때의 변형》: *o*mit.

o-[2] [óu], **oo-** [óuə] *comb. form* 「알」 「난자」의 뜻. 〚Gk.〛

-o [ou] *suf.* **1** 《口·俗》 [생략 따위를 나타냄] 「…인[…한 성질의, …와 관계가 있는] 것」의 뜻: Comm*o* (Communist). **2** [, óu] [다른 품사에서 감탄사를 만듦]: cheeri*o*, good*o*. 〚? *oh*〛

-o- [복합어를 만들 때의 연결 모음] **1** [ou, ə] [복합어의 제 1·제 2 요소 사이에 쓰여 동격 및 기타 관계를 나타냄]: Franc*o*-British(=French-British). **2** [-CRACY, -LOGY 따위 그리스계 단어의 파생어에 쓰여]: techn*o*cracy, techn*o*logy. 〚Gk.〛

OA office automation (사무 (처리의) 자동화).
o/a 〖商〗 on account (of); on or about. **OAA** 〖로켓〗 orbiter access arm (오비터 연락 통로). **OAEC** Organization for Asian Economic Cooperation (아시아 경제 협력 기구).

oaf [óuf] *n.* (*pl.* **~s, oaves** [óuvz]) 기형아; 저능아, 정신 박약아; 바보. 〚C17=elf's child‹*auf* (obs.) <ON *álfr* ELF〛

óaf·ish *a.* oaf 같은; 얼간이의.

OAG Official Airline Guide (정식 항공 시간표).

Oa·hu [ouɑ́ːhuː] *n.* 오아후 섬《하와이 제도 중 최대의 섬; Honolulu는 이 섬에 있음》.

***oak** [óuk] *n.* (*pl.* **~s, ~**) **1** 〖植〗 오크나무(=**~ trèe**) 《떡갈나무·참나무 따위; 열매는 acorn》; Ⓤ 오크 재목: ☞ ROYAL OAK. **2** Ⓤ 오크 재목의 제품《가구 따위》; Ⓒ 《英大學》 (오크로 만든 사실(私室)의 견고한) 바깥문. **3** Ⓤ 오크의 잎《장식》; 그 어린 잎의 빛깔. **4** [형용사적으로] 오크(제)의: an ~ door 오크제(製)의 문.
a heart of oak 용맹심; 용사.
sport** one**'s oak 《英大學》 바깥문을 잠그고 면회를 사절하다.
〚OE *āc*; cf. G *Eiche*〛

óak àpple *n.* 〖植〗 (혹벌의 애벌레에 의해) 오크나무에 생기는 충영; 몰식자(沒食子).

Óak-àpple Dày *n.* 《英》 영국 왕정복고 기념일 《Charles 2세가 오크나무 위에서 난을 피한 일을 기념하는 왕의 탄생일, 5월 29일; cf. ROYAL OAK》.

óak·en *a.* 《文語》 오크(제(製))의.

óak gàll *n.* =OAK APPLE.

Oak·land [óuklənd] *n.* 오클랜드《California 주의 항구 도시》.

óak làppet *n.* 〖昆〗 배버들나방.

óak-lèaf clùster *n.* 〖美陸軍〗 청동 무공훈장.

óak·let, óak·ling *n.* Ⓒ 어린 오크나무.

Oak·ley [óukli] *n.* 《美俗》 무료 입장권(Annie Oakley).

Óak Rídge *n.* 오크리지《미국 Tennessee 주 동부의 도시; 원자력 연구의 중심지》.

Oaks [óuks] *n.* [the ~] 오크스 경마《영국 Epsom에서 매년 개최되는 네 살난 암말만의 경마; Derby, St. Leger와 더불어 영국 3대 경마의 하나; cf. CLASSIC RACES》.

oa·kum [óukəm] *n.* Ⓤ 〖海〗 뱃밥《배의 판자틈을 메우는 낡은 밧줄 오라기》.
pick oakum 뱃밥을 만들다《옛날 죄인·빈민 등이 하는 일》.
〚OE *ǣ-*, *ācumbe* off-COMB〛

óak·wòod *n.* 오크나무 숲, 졸참나무 숲; 오크나무 재목.

OAMS Orbit Attitude Maneuvering System (궤도 조종 장치). **OANA** Organization of Asian News Agencies(아시아 통신사(通信社) 연맹). **O. and M., O. & M.** organization and method(s). **OAO** Orbiting Astronomical Observatory(천체 관측위성). **OAP, O.A.P.** old-age pension(er) (노령 연금 수령(자)). **OAPC, O.A.P.C.** 《美》 Office of Alien Property Custodian (거류 외국인 자산 관리국). **OAPEC** [ouéipek] Organization of Arab Petroleum Exporting Countries (아랍 석유 수출국 기구).

***oar** [ɔ́ːr] *n.* **1** 노: back the *~s* 노를 거꾸로 젓다 / bend to the *~s* 힘껏 젓다. **2** 노젓는 사람 (oarsman): a good[practiced] ~ 노젓는데 능숙한 사람. **3** 노젓는 배, 보트: a pair-[four-]~ 노 두[네]개로 젓는 보트. **4** 노와 같은 구실을 하는 것《날개·지느러미·팔 따위》; 노 모양의 것.
be chained to the oar (노예선의 노예처럼) 고역을 강요당하다.
have an oar in every man's boat 누구의 일에나 참견하다.
have[pull] the laboring oar 가장 힘드는 일을 떠맡다.

lie* [*rest*] *on* one's [*the*] *oars 노를 올리고 젓기를 멈추다 ; 잠시 쉬다.
put* [*shove, stick, thrust*] *in* one's *oar 쓸데없는 참견을 하다.
toss the oars 노를 위로 곧추세우다《경례》.
── *vt.* (배를 노로) 젓다(row) ; 노를 저어 나아가게 하다. ── *vi.* 노를 젓다.
oar* one's *way 노저어 나아가다.
〖OE *ār* ; cf. ON *ār*, Gk. *eretmos* oar〗

óar·age *n.* Ⓤ《詩》노젓기(rowing) ; Ⓒ 노젓는 장치[도구].

oared [ɔ́:rd] *a.* 노가 달린 : two-~ 노가 두 개인.

óar·lòck *n.* 《美》노받이(=《英》rowlock) (cf. CRUTCH).

óars·man [-mən] *n.* 노젓는 사람.
~·shìp *n.* 노젓는 솜씨 ; 노젓는 법.

óars·wòman *n.* OARSMAN의 여성형.

óar·wèed *n.* 〖植〗대형의 갈조(褐藻), (특히) 다시마.

óary *a.* 《詩》노 모양의 ; 노와 같은 구실을 하는 ; 노를 비치한.

OAS, O.A.S. 〖軍〗 on active service ; 〖史〗 *Organisation* (*de l'*) *armée secrète* 《F》 (=Secret Army Organization) (비밀 군사 조직) ; Organization of American States (미주 기구).

oa·sis [ouéisəs] *n.* (*pl.* **-ses** [-si:z]) 오아시스《사막 속의 녹지》; 《비유》위안[휴식]의 장소.
〖L<Gk.<? Egypt.〗

oast [óust] *n.* (홉(hop)·엿기름·담배잎 따위의) 건조로(爐) ; =OASTHOUSE.
〖OE *āst* ; cf. L *aestus* heat〗

óast·hòuse *n.* 홉 건조장 ; =OAST.

***oat** [óut] *n.* **1 a)** [보통 *pl.*] 귀리, 연맥(cf. BARLEY, RYE, WHEAT) : *O~s* were bad last year. 작년에는 귀리가 흉작이었다 / The ~*s* were thrashed. 귀리가 탈곡되었다. **b)** [형용사적으로] 귀리(제(製))의 ; 귀리짚의[으로 만든] ; 빻은 귀리(oatmeal)로 만든. **2** 《古·詩》보리 피리 ; 목가(牧歌).
feel* one's [*its*] *oats 《美口》(말이) 힘차게 뛰어다니다 ; (사람이) 원기 왕성하다 ; 잘난 체하다.
off* one's *oats 《口》식욕을 잃고 ; 《비유》성욕을 잃고.
sow* one's *wild oats 젊은 혈기에 방탕하다 : He has *sown* his *wild* ~*s*. 그는 젊었을 때에 방탕했다.
〖OE *āte*<?〗

óat·càke *n.* 오트밀로 만든 비스킷《스코틀랜드 등지에서 먹음》.

óat·en *a.* =OAT 1 b).

óat·er *n.* 《美俗》서부극(horse opera).

óat gràss *n.* 〖植〗귀리 비슷한 잡초 ; 야생의 귀리 (wild oat).

***oath** [óuθ] *n.* (*pl.* **~s** [óuðz, óuθs]) **1** [+*that* 節] 맹세, 서약, 서언(誓言) ; 〖法〗(법정에서의) 선서 : a false ~ 거짓 선서 / an ~ of allegiance 충성의 맹세 / an ~ of office=an official ~ 취임선서 / make [take] (an) ~=swear an ~ 맹세하다, 선서하다 / the ~ of supremacy ☞ SUPREMACY 숙어 / take one's ~ *on* a matter 어떤 일을 선서하다 / I can take my ~ *that* he said so. 나는 그가 그렇게 말했다고 맹세할 수 있다. **2** 신의 이름을 남용하기 ; 저주, 심한 욕설, 매도 ; 욕지거리.
on* [*under*] (*Bible*) *oath 맹세코, 틀림없이.
put* a person *on* (*his*) *oath 남에게 맹세시키다.
〖OE *āth* ; cf. G *Eid*〗

óat·mèal *n.* **1** Ⓤ 빻은 귀리[연맥]. **2** Ⓤ 오트밀 (=~ **pòrridge**)《빻은 귀리에 물[우유]을 넣어 만든 죽 ; 아침 식사용》.

óat òpera *n.* 《美俗》서부극(horse opera).

OAU, O.A.U. Organization for African Unity (아프리카 단결 기구).

Ob [áb, ɔ́:b] *n.* [the ~] 오브 강《시베리아 서쪽의 강 ; 북극해로 흐름》.

ob- [əb, àb], **oc-** [ək, àk], **of-** [əf, àf], **op-** [əp, àp] *pref.* 《c, f, g, p의 앞에서는 각기 oc-, of-, og-, op-, m앞에서는 o-로 됨》. **1** [방향] : *ob*lique, *of*fer. **2** [장애] : *ob*stacle. **3** [적의·저항] : *ob*stinate, *op*pose. **4** [억 압] : *op*press. **5** [은폐] : *ob*scure.
〖L (*ob* towards, against, in the way of)〗

OB 〖골프〗 out of bounds. **OB, O.B.** obstetrician ; obstetrics ; 《英》Old Boy ; 《英》 outside broadcast. **Ob., Obad.** 〖聖〗 Obadiah. **ob.** *obiit* 《L》 (=died) ; *obiter* 《L》 (=in passing, incidentally, by the way) ; oboe ; obstetrical ; obstetrics.

Oba·di·ah [òubədáiə] *n.* **1** 남자 이름. **2 a)** 〖聖〗 오바댜《헤브라이의 예언자》. **b)** 〖聖〗오바댜《구약성서 중의 한 편 ; 略 Ob., Obad.》.
〖Heb.=servant of God〗

obb. obbligato.

ob·bli·ga·to, ob·li- [àbləgá:tou] *a.* 〖樂〗 (반주 따위에) 반드시 따르는. ── *n.* (*pl.* **~s, -ti** [-ti:]) 불가결한 성부 ; 반주 ; 《비유》반주음, 배경음. 〖It.=obligatory<L ; ⇨ OBLIGE〗

ob·cónic, -cónical [ab-] *a.* 〖植〗거꾸로 된 원뿔꼴의.

ob·córdate [ab-] *a.* 〖植〗거꾸로 된 심장꼴의.

ob·duct [abdʌ́kt] *vt.* 〖地質〗(지각판(地殼板)을) 다른 판 위로 밀어올리다.
ob·dúc·tion *n.*

ob·du·ra·bil·i·ty [àbdjərəbíləti] *n.* (몸이) 튼튼함, 강건함.

ób·du·ra·cy, ób·du·rate·ness *n.* Ⓤ 고집, 완고(stubbornness) ; 냉혹(hardness).

ob·du·rate [ábdjərət, abdjúər-] *a.* 완고한, 고집센 ; 개전의 정이 없는 ; 냉혹한(cold). **~·ly** *adv.*
〖L (*duro* to harden‹*duras* hard)〗

O.B.E., OBE Officer (of the Order) of the British Empire.

obe·ah [óubiə] *n.* [흔히 O~] 아프리카의 흑인 사이에 행해지는 주술 신앙 ; 주물(呪物), 부적.

***obe·di·ence** [oubí:diəns, ə-] *n.* **1** Ⓤ 복종, 순종 ‹*to*› ; 공순, 충순‹*to*›(↔ *disobedience*). **2 a)** (교회가 신자에게 요구하는) 복종, 순종 ; 수사[수녀]로서의 근무. **b)** (교회의) 권위, 지배(가 미치는 영역) ; 교회 관구, 관구 신자단.
hold...in obedience …을 복종시키고 있다.
in obedience to …에 복종하여, …에 따라서.
reduce...to obedience …을 복종시키다.

***obé·di·ent** *a.* 순종하는, 고분고분한, 효성스러운 ; 순진한(↔*disobedient*) : The child is ~ *to* his parents. 그 애는 부모님 말씀에 잘 순종한다.
your obedient servant 《英》근배(謹拜)《공문서·신문에의 투서 따위의 끝맺음말》.
~·ly *adv.* 유순하게, 순진하게.
Yours obediently 근배《공문서의 끝맺는 말》.
〖OF<L ; ⇨ OBEY〗

類義語 ***obedient*** 권위 또는 지배력을 가진 사람의 명령에 자진해서 복종하고 실행하는 : an *obedient* pupil (고분고분한 학생). ***compliant*** 타인의 의지·명령·희망에 손쉽게 따르기[굴복

하기] 쉬운 ; 성격의 약함을 암시함 : a man with a *compliant* nature (잘 굴복하는 성격의 사람). ***docile*** 권위나 지배력에 쉽게 복종하고 반항심이 없는 성격의 : a *docile* wife (유순한 아내). ***amenable*** 성격이 원만 유순하고 남의 마음에 들려고 하는 마음에서 복종하는 : He is *amenable* to authority. (흔히 권위 앞에 고개를 숙인다).

obei·sance [oubéisəns, -bíː-, ə-] *n.* **1** 《文語》 절, 인사. **2** Ⓤ 존경, 복종.
do*[*pay*] *obeisance to …에게 경의를 표하다 ; …에게 인사하다.
make an obeisance to …에게 인사하다.
make obeisance to …에게 경의를 나타내다.
〖OF ; ⇨ OBEY〗

obéi·sant *a.* 경의를 표하는, 공손한. **~·ly** *adv.*

ob·e·lisk [ábəlisk] *n.* **1** 오벨리스크, 방첨탑(方尖塔). **2** 〖印〗 단검표(短劍標) (dagger)(†) : a double ~ 이중 단검표(‡).
—— *vt.* …에 obelisk를 붙이다.
〖L<Gk. (dim.) ‹OBELUS〗

ob·e·lize [ábəlàiz] *vt.* 단검표를 붙이다.

ob·e·lus [ábələs] *n.* (*pl.* **-li** [-lài, -lìː]) **1** (고대의 사본 중에서 미심스러운 어구에 붙인) 의구표(疑句標)(— 또는 ÷). **2** 〖印〗 =OBELISK 2.
〖L<Gk. =pointed pillar, spit²〗

Ober·on [óubəràn, -rən] *n.* 〖中世傳說〗 오베론 《Titania의 남편으로 요정의 왕》 ; 〖天〗 오베론《천왕성(Uranus)의 제4 위성》.

obese [oubíːs] *a.* 뚱뚱한, 살찐. **~·ness** *n.*
〖L *ob*-(*esus* (p.p.) ‹*edo* to eat) =having eaten oneself fat〗

obe·si·ty [oubíːsəti] *n.* Ⓤ 비만.

***obey** [oubéi, ə-] *vt.* …에 복종하다, …에 따르다 ; (명령을) 준수하다 ; (자연법칙 따위에) 순응하다, (이성에) 따라서 행동하다 ; (힘·충동)대로 움직이다 : You should ~ your parents. 부모에게 순종해야 한다 / ~ the laws of nature 자연의 법칙을 따르다.

〈회화〉
Please *obey* me when I tell you to do something! — OK, mom. I'm sorry. 「뭘 하라고 하면 시키는 대로 좀 하렴」「알았어요, 엄마. 죄송해요」

obey의 ○×
(×) They didn't *obey* to his order.
(그들은 그의 명령을 따르지 않았다.)
(○) They didn't *obey* his order.
☆ obey는 타동사므로 직접 목적어를 취하여 전치사는 필요 없다. 형용사의 경우(be *obedient to* …에 순종하다)와 구별할 것.

—— *vi.* 복종하다, 말을 잘 듣다.
〖OF *obéir*<L *obedio* (*audio* to hear)〗

ob·fus·cate [ábfəskèit, abfʌ́skeit] *vt.* **1** (마음 따위를) 혼미하게 하다, 흐리게 하다(darken). **2** 당황하게[곤혹스럽게] 하다.
〖L (*fuscus* dark)〗

ob·fus·ca·tion [àbfəskéiʃən] *n.* Ⓤ 난처, 당황.

obi [óubi] *n.* =OBEAH.

Óbie (**Awárd**) [óubi(-)] *n.* 오프브로드웨이상(賞), 오비《매년 훌륭한 오프브로드웨이 상연에 주는 상》.
〖*off-B*roadway〗

obi·it [ɔ́ːbiit] =OB. 《묘비 따위에 씀 : *ob.* 1990 1990년 사망》. 〖L *obeo* to die〗

obit [óubət, áb-, 美+oubít] *n.* **1** 기일(忌日). **2** =OBITUARY. **3** 《古》 장의(葬儀).
〖OF<L *obitus* death (↑)〗

ob·i·ter [ábətər, óu-] *adv.* …하는 김에, 부수적으로. —— *n.* =OBITER DICTUM.
〖L=by the way〗

óbiter díc·tum [-díktəm] *n.* (*pl.* **óbi·ter díc·ta** [-tə]) **1** 〖法〗 (판결에서 판사의) 부수적 의견. **2** 부언(附言).
〖L=thing said by the way〗

obit·u·ar·ese [oubìtʃuəríːz] *n.* 사망 기사투의 문체[어법].

obit·u·ary [oubítʃuèri, -tʃəri ; əbítjuəri] *n.* **1** (신문 지상의) 사망 기사, 사망자 약력. **2** 〖宗〗 기일(忌日)표, 사망자 명부. —— *a.* 사망의, 사자(死者)의 : an ~ notice 사망 기사.

obít·u·àr·ist [, -tʃərəst ; -tjuərist] *n.* 사망자 약전기자(略傳記者), 사망 기사 담당 기자.
〖L ; ⇨ OBIT〗

obj. object ; objection ; objective.

◇ob·ject¹ [ábdʒikt] *n.* **1** 물건, 물체. **2** (동작·감정 따위의) 대상 : an ~ *of* pity[ridicule] 연민[웃음거리]의 대상 / an ~ *of* study 연구 대상 / He is a proper ~ *of*[*for*] charity. 마땅히 자선을 받아야 할 사람이다. **3** [+前+do*ing*] 목적, 목표(purpose) : *for* that ~ 그 취지로, 그것을 목표로 / Some people work *with* the sole ~ *of* earn*ing* fame. 명성을 얻는 것을 유일한 목적으로 일하는 사람도 있다 / Now he had no ~ in life. 이미 그는 인생에 대한 어떠한 목적도 갖고 있지 않았다. **4** 이상 야릇한 것, 꼴사나운 녀석, 싫은 사람[물건] : What an ~ that sculpture is! 저 조각은 어쩌면 저렇게도 이상 야릇할까. **5** 〖哲〗 대상, 객관, 객체(↔*subject*) ; 〖法〗 목적, 물건 ; 〖컴퓨〗 목적, 객체. **6** 〖文法〗 목적어 : the direct [indirect] ~ 직접[간접] 목적어 / a formal ~ 형식 목적어 / an ~ clause 목적절《보기 We know *that he is alive.* 그가 살아 있다는 것을 알고 있다》. **7** 〖美術〗 오브제.
no object (광고문 따위에서) …은 불문(不問) : Expense[Distance] (is) *no* ~. 비용[거리]은 불문《아무래도 좋음》/ Salary *no* ~. 보수는 불문.
see no object in do*ing* …을 한다는 것은 무의미하다고 생각하다 : They *saw no* ~ *in* spend*ing* money on such a project. 그러한 계획에 돈을 쓴다는 건 무의미하다고 생각했다.
〖L=thing presented to the mind (*ject*- *jacio* to throw)〗
類義語 ⟹ INTENTION.

◇ob·ject² [əbdʒékt] *vi.* [+*to*+名 / 動] 불복(不服)하다, 반감을 품다, 싫어하다 ; 반대하다, 이의(異議)를 제기하다, 항의하다 : The girls ~*ed to* loud noise. 소녀들은 시끄럽다고 항의했다 / I ~ *to* wait*ing* another year. 1년을 더 기다리기는 싫다 / Would you ~ *to*(=mind) my[me] turn*ing* on the radio? 라디오를 켜도 괜찮을까요 / I'll open the window if you don't ~. 괜찮다면 창문을 열겠어요 / I ~. 〖英下院〗 이의 있습니다.
—— *vt.* [+*that* 節 / +目+前+名] 반대 이유로 내세우다, 반대하여 …이라고 말하다 : I ~*ed*[It was ~*ed* (***to*** him)] *that* the weather was too bad to play outdoors. 밖에서 놀기에는 날씨가 너무 나쁘다고 반대했다[(그에게) 반대했다].
〖L=to throw before or against (↑)〗
類義語 ***object*** 전적으로 싫어하든가 또는 부인(否認)의 뜻으로 반대하다 : I *object* to his plan.

O

(그의 계획에 반대한다). ***protest*** 정식의, 때로는 문서에 의한 반대[항의]를 강력히 하다 : They *protested* the nuclear test. (그 핵(核) 실험을 강력히 반대했다). ***remonstrate*** 상대방의 잘못에 대해서 반대·충고하다 : He *remonstrated* against her disobedient manner. (그는 그녀에게 고분고분하지 못하다고 충고했다). ***expostulate*** 남의 의견이나 행동을 바꾸도록 열심히 설득하여 권하다 : He *expostulated* with his son on his folly. (아들의 어리석은 짓을 타일렀다). ***demur*** 상대방의 행동을 방해하기[지연시키기] 위해서 반대[이의]를 제기하다 : I *demurred* at her marriage. (그녀의 결혼에 반대했다).

óbject bàll *n.* 〔撞球〕 표적구(標的球), 맞힐 공 (↔*cue ball*).

óbject còde *n.* 〔컴퓨〕 목적 부호.

óbject fìle *n.* 〔컴퓨〕 목적철.

óbject fìnder *n.* 대상 파인더《현미경 아래의 대상물을 빨리 찾기 위한 저배율 접안 렌즈》.

óbject glàss[**lèns**] *n.* 대물(對物) 렌즈(cf. EYEGLASS).

ob·jèc·ti·fi·cá·tion *n.* Ⓤ 객관화 ; 구체화.

ob·jec·ti·fy [əbdʒéktəfài] *vt.* 객관[대상]화하다.

ob·jec·tion** [əbdʒékʃən] *n.* **1** Ⓤ,Ⓒ [+*to*+do*ing*] 반대 ; 이의 ; 불복 ; 반감, 싫증 : His only ~ ***to the plan is that it costs too much. 그 계획에 대한 그의 유일한 반대 이유는 비용이 너무 많이 든다는 것이다 / I have no ~ *to* hear*ing* it. 그것을 듣는 데 이의는 없습니다 / I feel an ~ *to* sit*ting* up late. 밤 늦게까지 안자고 있는 것은 싫다 / Have you any ~ *to* my[me] wear*ing* this suit? 내가 이 옷을 입는 데 대해 할말 있니 / by ~ 이의를 제기하여 ; 불복하여. **2** 난점, 결점 ; 고장〈*to*〉.

take*[*make an*] *objection to …에 이의를 제기하다, 반대하다.

objéction·able *a.* **1** 반대할 만한, 이의가 있는. **2** 괘씸한 ; 불쾌한. **-ably** *adv.*

ob·jec·ti·val [àbdʒəktáivəl] *a.* 〔文法〕 목적(격(格))의.

ob·jec·tive [əbdʒéktiv, ɑb-] *n.* **1** 목표, 목적(물) ; 〔軍〕 목표 지점. **2** 〔文法〕 목적격. **3** 〔光〕 대물(對物) 렌즈(object glass). ── *a.* **1** 목적의[에 관한]. **2** 외계(外界)의, 실재(實在)의. **3** 객관적인, 객관의(↔*subjective*) : an ~ test 객관적 테스트. **4** 〔文法〕 목적격의(cf. ACCUSATIVE) : the ~ case 목적격 / the ~ genitive 목적격 소유격《보기 father's murderer의 father's ; cf. SUBJECTIVE genitive》. **5** 〔美術〕 구상적인.

~·ly *adv.* **~·ness** *n.*

類義語 ⟹ INTENTION.

objéctive cómplement *n.* 〔文法〕 목적격 보어《보기 We elected him president.의 president》.

objéctive corrélative *n.* 〔文藝〕 객관적 상관물《독자에게 어떤 감정을 환기시키는 상황·일련의 사건·사물 따위》.

objéctive glàss[**lèns**] *n.* 〔光〕 =OBJECTIVE.

ob·jec·tiv·ism [əbdʒéktivìzəm, ɑb-] *n.* Ⓤ 객관주의, 객관론 ; 객관성(↔*subjectivism*).

-ist *n.*

ob·jec·tiv·i·ty [àbdʒektívəti] *n.* Ⓤ 객관(적 타당)성(↔*subjectivity*) ; 객관적 실재(성) ; 객관주의적 경향.

ob·jec·tiv·ize [əbdʒéktəvàiz] *vt.* =OBJECTIFY.

ob·jèc·ti·vi·zá·tion *n.*

Óbject Kó·wal [-kóuəl] *n.* 〔天〕 1977년 발견된 토성과 천왕성 사이의 소형 행성《지름160 km》. 〖Charles T. *Kowal* (1940-) 미국의 천문학자, 발견자〗

óbject lànguage *n.* **1** 〔論〕 대상 언어《언어 연구의 대상이 되는 언어 ; cf. METALANGUAGE》. **2** =TARGET LANGUAGE.

óbject·less *a.* 목적[목표]이 없는 ; 〔文法〕 목적어가 없는.

óbject lèsson *n.* 실물 교수 ; 《비유》 (교훈이 되는) 실례 : The Swiss are an ~ *in* how to make democracy work. 스위스 사람은 민주주의 운영법에 대한 좋은 실례다.

óbject màtter *n.* =SUBJECT MATTER.

óbject mòdule *n.* 〔컴퓨〕 목적 모듈.

óbject-òbject *n.* 〔哲〕 객관적 대상《인식 주체의 인식에 관계없이 객관적으로 존재하는 객체》.

óbject of vírtu *n.* (*pl.* **óbjects of vírtu**) [보통 *pl.*] =OBJET DE VERTU.

ob·jéc·tor *n.* 이의를 제기하는 사람, 반대자.

óbject-òrinted *n.* 〔컴퓨〕 객체 지향 : ~ language 객체 지향 언어.

óbject plàte *n.* (현미경의) 검경판(檢鏡板).

óbject prògram *n.* 〔컴퓨〕 목적 프로그램《프로그래머가 쓴 프로그램을 compiler나 assembler에 의해 기계어로 번역한 것》.

óbject stàff *n.* 함척(函尺), 준척(準尺).

óbject tèaching *n.* 실물 교수(법).

ob·jet d'art [*F* ɔbʒɛ da:r] *n.* (*pl.* **ob·jets d'art** [─]) 예술(소)품 ; 골동품. 〖F=object of art〗

ob·jet de ver·tu [*F* ɔbʒɛ də vɛrty] *n.* (*pl.* **ob·jets de vertu** [─]) 〔美術〕 우수작, 일품(逸品), 진품(珍品) (object of virtu).

ob·jet trou·vé [*F* ɔbʒɛ truve] *n.* (*pl.* **ob·jets trou·vés** [─]) 오브제 트루베《유목(流木) 따위 손질하지 않은 미술품 ; 또 본래는 미술품이 아니면서 미술품 취급을 받는 공예품》. 〖F=found object〗

ob·jur·gate [ɑ́bdʒərgèit] *vt.* 질책하다, 비난하다 (reprove). **-gà·tor** *n.* 비난자, 질책자. 〖L (*jurgo* to quarrel)〗

òb·jur·gá·tion *n.* Ⓤ,Ⓒ 심하게 꾸짖기, 비난.

ob·jur·ga·to·ry [əbdʒə́:rgətɔ̀:ri ; -təri] *a.* 질책하는, 비난하는.

obl. oblique ; oblong.

ob·lánceolate [ɑb-] *a.* 〔植〕 (잎이) 도피침형(倒披針形)의.

ob·last [ɑ́blæst, ɔ́:bləst ; ɔ́blɑ:st] *n.* (*pl.* **~s, -las·ti** [-ti]) 주(州)《공화국의 하위 구분》. 〖Russ.〗

ob·late[1] [ɑ́bleit, -́] *a.* 〔數〕 편 원(偏 圓)의(cf. PROLATE) : an ~ spheroid 편구면(偏球面). 〖L *oblatus* lengthened ; cf. PROLATE〗

oblate[2] *a.* 〔宗〕 성별(聖別)된(consecrated) ; 수도 생활에 몸을 바친. ── *n.* 수도 생활에 몸을 바친 사람. 〖F<L=one OFFERed up〗

ob·la·tion [əbléiʃən, oub-, ɑb-] *n.* **1** Ⓤ 〔宗〕 봉납, 봉헌 ; Ⓒ 봉납물, 공물(供物) (offering) ; Ⓤ (포도주와 빵의) 성찬 봉헌(식). **2** (교회에 대한) 헌납, 기부. 〖OF or L ; ⇨ OBLATE[2]〗

ob·la·to·ry [ɑ́blətɔ̀:ri ; -təri] *a.* 봉납의, 공양의.

ob·li·gate [ɑ́bləgèit] *vt.* [+目+*to* do] [보통 수동태로] **1** …에게 (법률·도덕상의) 의무를 지우다 ; (수입 따위를) 채무 지급(보증)에 충당하다 : Parents *are* ~*d to* support their children. 어버이는 자녀를 부양해야 할 의무가 있다. **2** 감사의 마음을 일으키게 하다. ──[ɑ́bligət, -lәgèit] *a.* 피할 수 없는 ; 의무적인 ; 필수적인 ; 〔生〕 (기생

충 따위가) 어떤 특정 환경에서만 살 수 있는, 무조건적인, 편성(偏性)의, 절대의, 진정의(↔ *facultative*) : an ~ parasite 편성 기생체[균]. 〖L ; ⇨ OBLIGE〗

ob·li·ga·tion** [àbləgéiʃən] *n.* **1** U.C [+*to* do] 의무, 책임 : a wife's ~ ***to her husband and children 남편과 자녀에 대한 아내의 의무 / Anyone who has done the damage is under ~ *to* pay for it. 손해를 입힌 자는 누구나 이를 변상해야 할 의무가 있다. **2** 채무, 채권[채무] 관계 ; 채무 증서 ; 채권(債券), 증권(bond) : meet one's ~*s* 채무를 이행하다. **3** 은혜(favor) : repay an ~ 은혜에 보답하다.

be[***lie***] ***under*** (***an***) ***obligation to*** …에게 의무가 있다, 신세지고 있다.

lay a person ***under obligation*** (남에게) 은혜를 베풀다.

of obligation 의무상 당연한, 의무적인.

put a person ***under an obligation*** 남에게 은혜를 베풀다, 의무를 지우다.

類義語 ⟹ DUTY.

obligato ☞ OBBLIGATO.

oblig·a·to·ry [əblígətɔ̀:ri, ɑb-, ɑ́blig- ; əblígətəri] *a.* 의무로 지우는, 의무적인, 필수(必須)의, 필수(必修)의《과목 따위》〈*on*〉; 〖生〗 =OBLIGATE.

-ri·ly [əblìgətɔ́:rəli, ɑb- ; əblígətərili] *adv.*

oblige** [əbláidʒ] *vt.* **1** [+目+*to* do] …에게 할 수 없이 …하게 하다, 강요하다(force), …에게 의무를 지우다 : The law ~*s* us *to* pay taxes. 법에 따라 우리에게는 납세의 의무가 있다 / We were ~*d to* obey him[his orders]. 그[그의 명령]를 따르지 않을 수가 없었다. **2** [+目+前+名 / +目] **a**) …에게 은혜를 베풀다, …의 소원을 들어주다, 고맙게 여기게 하다 : Will you ~ me ***by open*ing* the window? 창문을 열어 주시겠습니까 / *O*~ us ***with*** your presence. 부디 출석해 주시오 / Can you ~ us *with* a song? 《口》 노래 한 곡 불러 주시겠습니까 / Will any gentleman ~ a lady? 어느 분이 숙녀에게 자리를 양보해 주시겠습니까《붐비는 전차·버스 따위에서 흔히 쓰는 말》. **b**) [수동태로] 은혜를 입고 있다, 감사하고 있다.

〈회화〉
I'm much *obliged* to you for your kindness. — Don't mention it. 「친절을 베풀어 주셔서 정말 고맙습니다」「별말씀을 다 하십니다」

—— *vi.* 《口》 [+*with*+名 / 動] 은혜를 베풀다 ; 호의를 나타내다, 소원을 들어주다 : Can you ~ ***with*** a song? 노래 한 곡 불러 주시겠습니까 / An answer will ~. 회답을 받을 수 있으면 합니다.

oblíg·ed·ly [-ədli] *adv.* **-ed·ness** [-əd-] *n.*

oblíg·er *n.*

〖OF<L *ob*-(*ligat*- *ligo* to bind)〗

類義語 ⟹ COMPEL.

ob·li·gee [àblədʒí:] *n.* 〖法〗 채권자(↔ *obligor*) 《채무 증서상의 권리자》; 은혜를 입은 사람.

oblíg·ing *a.* 기꺼이 남을 돌봐주는, 친절한 ; 정중한. **~·ly** *adv.* 친절하게.

類義語 ⟹ GOOD-NATURED.

ob·li·gor [àbləgɔ́:r, -dʒɔ́:r, ⌐–⌐] *n.* 〖法〗 의무자, 채무자(↔ *obligee*). 〖*oblige*+-*or*〗

oblique [əblí:k, ou-, (美軍) əbláik] *a.* **1** 비스듬한, 기울어진(slanting) : ~ eyes 눈꼬리가 치켜진 눈. **2** 간접의, 우회하는(indirect) ; 부정한, 속임수의. **3** 〖數〗 빗각의, 빗금[빗면]의 : an ~ circle[plane] 빗원[면]. **4** 〖文法〗 사격(斜格)의. **5** 〖植〗 (잎 따위) 부등변의, 비뚤어진 모양의.
—— *n.* 비스듬한 것, 사선 ; 〖解〗 사근(斜筋), (특히) 외복(外腹) 사근, 내복 사근 ; 〖文法〗 = OBLIQUE CASE ; 〖海〗 예각으로 진로(進路)를 잡기. —— *adv.* 〖軍〗 45도 각도로. —— *vi.* (비스듬히) 기울다 ; 〖軍〗 비스듬히 행진하다.

~·ly *adv.* 비스듬히 (기울어서), 비뚜로, 빗나가게 ; 간접으로 ; 부정하게. **~·ness** *n.* 경사 ; 경사도(傾斜度), 빗각.

〖F<L=slanting〗

oblíque ángle *n.* 〖數〗 빗각《직각 이외의 각도 : 예각 또는 둔각 ; cf. RIGHT ANGLE》.

oblíque cáse *n.* 〖文法〗 사격(斜格)《주격·호격(呼格) 이외의 명사·대명사의 격》.

oblíque orátion[**narrátion, spéech**] *n.* 〖文法〗 간접화법(indirect speech).

oblíque sáiling *n.* 〖海〗 사항(斜航)《정북(正北) [남, 동, 서] 이외의 방향으로의 항행》.

oblíque stròke *n.* 사선(斜線)《/》.

ob·liq·ui·tous [əblíkwitəs] *a.* (도덕적·정신적으로) 바르지 못한, 비뚤어진, 부정한(perverse).

ob·liq·ui·ty [əblíkwəti] *n.* **1** U 부정 (행위). **2** U 경사(도) ; 빗각, 사각. **3** 에두른 말.

ob·lit·er·ate [əblítərèit] *vt.* …의 흔적을 없애다(destroy) ; (문자 따위를) 말소[말살]하다(blot out) ; (기억에서) 지우다, 망각하다 : The tide has ~*d* the footprints on the sand. 조수(潮水)로 인해서 모래 위의 발자국이 지워졌다.

-a·tive [-rèitiv, -rətiv ; -rətiv] *a.*

〖L *oblitero* to erase (*litera* letter)〗

ob·lìt·er·á·tion *n.* U 말살, 삭제 ; 제거 ; 망각.

ob·liv·i·on [əblíviən] *n.* U 잊기, 잊혀짐, 망각 ; 〖法〗 일반사면 : an act of ~ 사면령 / fall [pass, sink] into ~ 세상에서 잊혀지다, 망각되다.

〖OF<L (*obliviscor* to forget)〗

ob·liv·i·ous [əblíviəs] *a.* **1** 잊기 쉬운, 잘 잊는〈*of*〉; 몽롱한, 알아채지 못하는〈*of, to*〉. **2** 《詩》(수면 따위가) 잊게 하는. **~·ly** *adv.* **~·ness** *n.*

〖L (↑)〗

ob·li·vis·cence [àbləvísəns] *n.* 망각 (상태) ; 잊기 쉬움.

Ob·lo·mov·ism [ɑblóuməvìzəm] *n.* 오블로모프적인 무기력[나태, 둔중(鈍重)].

〖I. Goncharov의 *Oblomov*의 주인공에서〗

ob·long [ɑ́blɔ(:)ŋ, -lɑŋ] *n., a.* 직사각형(의) (cf. SQUARE) ; 타원형(의). **~·ish** *a.* **~·ly** *adv.*

〖L *ob*-(*longus* long) =somewhat long〗

ob·lo·quy [ɑ́bləkwi] *n.* **1** U 악평, 오명, 불명예(disgrace). **2** U 욕설, 비방.

-qui·al [ɑblóukwiəl] *a.* 〖L=contradiction (*ob*- against, *loquor* to speak)〗

ob·nox·ious [əbnɑ́kʃəs, ɑb-] *a.* **1** 비위 상하는, 불쾌한, 싫은(disagreeable)〈*to*〉. **2** 미움을 사는〈*to*〉. **~·ly** *adv.* **~·ness** *n.*

〖L (*ob*- to, *noxa* injury)〗

ob·nu·bi·late [ɑbnjú:bəlèit] *vt.* 흐리게 하다, 멍하게 하다, 애매하게 하다.

ob·nù·bi·lá·tion *n.*

oboe [óubou] *n.* 〖樂〗 오보에《고음의 목관 악기》; (오르간의) 오보에 스톱.

〖It.<F *hautbois* (*haut* high, *bois* wood)〗

óbo·ist *n.* 오보에 취주자(吹奏者).

ob·ol [ɑ́bəl, óu-] *n.* 옛 그리스의 은화《약 1페니 반에 해당》.

ob·óvate [ɑb-] *a.* (잎 따위가) 거꿀달걀꼴의.

ob·óvoid [ɑb-] *a.* (열매가) 거꿀달걀꼴의.

ob·ro·gate [ɑ́brəgèit] *vt.* (법률을) 수정[철폐]하

다. **òb·ro·gá·tion** *n.*
⟦L (*ob-* against, *rogo* to ask)⟧

OBS 〔宇宙〕 operational bioinstrumentation system (생체(生體) 계측 시스템). **obs.** obscure; observation; observed; obsolete; obstetrics.

Obs., obs. observatory.

ob·scene [əbsíːn, ɑb-] *a.* **1** 외설의, 음란한, 풍속을 해치는. **2** 역겨운, 지긋지긋한(repulsive). **~·ly** *adv.*
⟦F or L *obsc(a)enus* abominable⟧

ob·scen·i·ty [əbsénəti, -síː-, ɑb-] *n.* Ⓤ 외설; [*pl.*] 음담패설, 음탕한 행위.

ob·scu·rant [əbskjúərənt, ɑb-] *n.* 반계몽주의자, 개화 반대론자; 애매하게 말하는 사람. —— *a.* 반계몽주의(자)의, 반계몽주의적인, 개화반대론의; 애매하게 하는.

ob·scu·ran·tic [ɑ̀bskjuərǽntik] *a.* =OBSCURANT.

ob·scú·ran·tìsm *n.* 반계몽주의, 개화 반대, 문맹정책; 고의로 애매하게 함; (문학·미술 따위의) 난해주의.

ob·scú·ran·tist *n.* 반계몽주의자. —— *a.* 반계몽주의의; 반계몽주의자적인.

ob·scu·ra·tion [ɑ̀bskjuəréiʃən] *n.* **1** Ⓤ 암흑화; 몽롱. **2** Ⓤ,Ⓒ 〔天〕 엄폐(掩蔽), 성식(星蝕). **3** Ⓤ 모호하게 함, 애매하게 함.

***ob·scure** [əbskjúər, ɑb-] *a.* **1** **a**) 뚜렷하지 않은, 불명료한(vague). **b**) 이해하기 어려운, 애매한. **2** 사람 눈에 띄지 않는, 외딴; 세상에 알려지지 않은, 무명의; 신분이 낮은(humble), 미천한: an ~ poet 무명 시인 / be of ~ origin [birth] 근본이 미천하다. **3** 어두컴컴한(dim), 어두운; (잔뜩) 흐린, 몽롱한(dim). **4** (빛깔이) 거무칙칙한, 침침한. **5** 〔音聲〕 모음이 모호한, 모호한 모음의: an ~ vowel 모호한 모음《about의 [ə] 따위》. **6** 《해커俗》 설명서[자료]에 써 있지 않은; 불가해한.
—— *n.* 《詩》 암흑, 야음; 《稀》 =OBSCURITY.
—— *vt.* **1** 덮어 감추다; 어둡게 하다, 흐리게 하다: The cloud will soon ~ the moon. 구름이 곧 달을 가릴 것이다. **2** (발음 따위를) 불명료[애매]하게 하다. **3** (명성 따위를) 가리다, (영광 따위를) 빼앗다, 무색하게 하다(outshine).
~·ly *adv.* 어둡게, 어두컴컴하게; 애매하게; 이름도 없이; 세상에 파묻혀서.
⟦OF<L=dark⟧

類義語 ***obscure*** 어떤 물체가 가려져 있거나 보는[읽는] 쪽의 이해력[지식]이 부족하기 때문에 잘 알 수 없는: His motives are *obscure.* (그의 동기가 애매하다). ***vague*** 정확성·정밀함이 결여된; 불명료하여 막연한: a *vague* explanation (불명료한 설명). ***ambiguous*** 어떤 일에 대해 두 가지 이상의 해석이 성립되기 때문에 그 중 어느 쪽인지 확실하지 않아 사람을 어리둥절케 하는: an *ambiguous* phrase(애매모호한 구절). ***equivocal*** 남을 당혹[오해]하게 하기 위해 일부러 ambiguous하게 하는: an *equivocal* statement (종잡을 수 없는 진술).

***ob·scu·ri·ty** [əbskjúərəti, ɑb-] *n.* **1** Ⓤ 어둠(darkness), 몽롱. **2** Ⓤ 불분명, 불명료, 애매; 난해; Ⓒ 불분명한 부분. **3** Ⓤ 세상에 알려지지 않음, 미천; 이름 없는[미천한] 사람: ~ of one's birth 근본이 미천함 / live in ~ 세상에 알려지지 않고 살다 / retire into ~ 은퇴하다 / sink into ~ 속세에 파묻히다 / rise from ~ into fame 미천한 신분에서 출세하다.

ob·scu·rum per ob·scu·ri·us [əbskjúərəm pèr əbskjúəriəs] 불분명한 것을 더 불분명한 것으로 (설명하다).
⟦L=obscure by the still more obscure⟧

ob·se·crate [ɑ́bsəkrèit] *vt.* …에게 탄원하다.

ob·se·cra·tion [ɑ̀bsəkréiʃən] *n.* 탄원, 간청; 〔宗〕 절원(切願), 간원《연도(連禱)(Litany)중에서 'by'로 시작되는 일련의 문구》.
⟦L (*obsecro* to entreat)⟧

ob·se·quence [ɑ́bsəkwəns] *n.* 아부, 아첨.

ob·se·qui·al [ɑbsíːkwiəl, əb-] *a.* 장례식의.

ob·se·quies [ɑ́bsəkwiz] *n. pl.* (*sg.* **-quy** [-kwi]) 장례식.
⟦AF<L; 어형은 ↓의 영향⟧

ob·se·qui·ous [əbsíːkwiəs] *a.* 아첨하는, 추종적(追從的)인(fawning)〈*to*〉. **~·ly** *adv.* 아부[아첨]하여. **~·ness** *n.*
⟦L (*obsequor* to follow, comply with)⟧

ob·sérv·able *a.* **1** 관찰할 수 있는, 눈에 띄는; 식별할 수 있는. **2** 주목할 만한. **3** 지켜야 할. —— *n.* 관찰할 수 있는 것. **-ably** *adv.* 눈에 띄게. **~·ness** *n.*

ob·serv·ance [əbzə́ːrvəns] *n.* **1** Ⓤ 준수, 엄수: strict ~ *of* the rules 규칙 엄수. **2** 의식; 〔宗〕 식전(式典); (수도회의) 계율. **3** 습관, 관례, 관습, 행사. **4** Ⓤ =OBSERVATION 1. **5** Ⓤ 《古》 경의(敬意), 공순(恭順).

ob·sérv·ant *a.* **1** 주의 깊은, 무척 조심하는(attentive)〈*of*〉; 관찰력이 예리한, 방심하지 않는. **2** 준수하는, 엄수하는〈*of*〉. —— *n.* (법·관습 따위의) 엄수자; [O~] 〔카톨릭〕 (프란체스코회의) 수도회칙 엄수파(嚴修派)의 수사.
~·ly *adv.* 주의 깊게, 방심하지 않고.

***ob·ser·va·tion** [ɑ̀bzərvéiʃən, -sər-] *n.* **1** **a**) Ⓤ,Ⓒ 관찰, 주목: come[fall] under a person's ~ 남의 눈에 띄다 / Some insects often escape ~ because of protective coloring. 곤충 가운데는 보호색 때문에 사람 눈에 띄지 않는 것이 있다. **b**) Ⓤ 관찰력: a man of ~ 관찰력이 예리한 사람. **2** Ⓤ,Ⓒ 관측; 감시; 〔軍〕 정찰; 〔海〕 천측(天測); 〔醫〕 진찰: an ~ aircraft 〔軍〕 관측[정찰]기 / an ~ balloon 관측기구. **3** [때때로 *pl.*] 관측보고〈*of*〉, (관측의) 결과; 관찰에 입각한 의견[소견, 비평] 〈*on*〉. **4** [+*that* 節] 발언, 언설(remark): He is correct in his ~ *that* the war would end within a year. 전쟁은 1년 이내에 끝날거라고 말한 그의 말은 맞았다.
make an observation 관찰하다; 관측하다; 소견[생각]을 말하다〈*on*〉.
take an observation 〔海〕 천측(天測)을 하다.
under observation 관찰[감시]하에.
⟦L; ⇨ OBSERVE⟧
類義語 ⟹ REMARK.

observátion·al *a.* 관찰[관측]의, 감시의; 관찰[관측]상의, 실측(實測)적인 (cf. EXPERIMENTAL 3). **~·ly** *adv.* 관찰상, 관측에 따라.

observátion càr *n.* 《美》 〔鐵〕 전망차.

observátion pòst *n.* 〔軍〕 관측소《略 o.p.》.

observátion tràin *n.* 보트 레이스 관람용 열차.

ob·serv·a·to·ry [əbzə́ːrvətɔ̀ːri; -təri] *n.* **1** 관측소; 천문대, 기상대, 측후소. **2** 전망대; 망루.
⟦NL; ⇨ OBSERVE⟧

‡**ob·serve** [əbzə́ːrv] *vt.* **1** [+目 / +*wh.* 節 / +*wh.*+*to* do] 관찰하다; (적의 행동 따위를) 감시하다; 관측하다: An astronomer ~*s* the stars. 천문학자는 별을 관찰한다 / *O*~ *how* I do this [*how to* do this]. 내가 이것을 어떻게 하는지 잘 보아라.

2 [+目/+目+原形/+目+do*ing*/+*that* 節] (관찰에 의하여) 깨닫다, 목격하다; …을 알아채다(notice): I ~*d* a flash of lightning in the dark. 어둠 속에서 번갯불이 번쩍하는 것을 목격했다 / He pretended not to ~ her do it. 그녀가 그것을 하는 것을 못 본 체했다 / I ~*d* the policeman try*ing* the door. 경찰관이 문단속을 확인하고 있는 것을 보았다 / He ~*d that* it had turned snowy. 날씨가 변하여 눈이 내린다는 것을 알아차렸다.
3 (규칙 따위를) 준수하다; (의식을) 거행[집행]하다; (축일·축제를) 축하하다: ~ silence 침묵을 지키다 / ~ Christmas[the Sabbath] 크리스마스[안식일]를 축하하다.
4 [+目/+*that* 節] 진술하다, 말하다(remark): "Bad weather," the captain ~*d*. 「고약한 날씨군」이라고 선장이 말했다 / I ~*d that* he looked very pale. 나는 그의 안색이 매우 좋지 않다고 말했다.
—— *vi.* **1** 관찰하다, 주시하다. **2** [+*on*+名] 소견을 진술하다, 강평하다: No one ~*d* ***on*** that fact. 아무도 그 사실에 대해서 의견을 말하는 사람이 없었다.
the observed of all observers 《셰익스피어》 모든 사람의 주목의 대상인 사람.
〖OF<L *ob-*(*servo* to watch, keep) =to watch, attend to〗
類義語 ⟹ DISCERN.

***ob·sérv·er** *n.* **1** 관찰자; 관측자; 〖軍〗 포격 관측(지시)반원, 대공 감시원, 비행 정찰자. **2** 감시자, 입회인; (회의의) 옵서버《정식 대표의 자격이 없고 표결에 참가하지 않음》. **3** 준수자.

ob·sérv·ing *a.* 주의 깊은, 방심하지 않는; 관찰력이 예리한; 관측에 종사하고 있는.

ob·sess [əbsés, ɑb-] *vt.* [+目/+目+前+名] (악마·망상 따위가) …에 들러붙다(haunt); 붙어다니며 괴롭히다: He was ~*ed* ***by***[***with***] the idea of his own importance. 혼자 잘났다는 생각[자만심]에 사로잡혀 있었다.
—— *vi.* 《美口》 (늘) 괴로워하다, 고민하다, 끙끙 앓다〈*about*〉.
〖L *ob-*(*sess- sideo*=*sedeo* to sit) =to besiege〗

ob·ses·sion [əbséʃən, ɑb-] *n.* **1** Ⓤ 들러붙음, 들림《귀신 따위》; 사로잡힘. **2** 망상, 강박관념.
under an obsession of …에 들려[사로잡혀].

ob·sés·sion·al *a.* 강박 관념[망상]에 사로잡힌, 강박적인; 강박 관념에 의한《병 따위》. —— *n.* 강박 관념에 사로잡힌 사람. **~·ly** *adv.*

obséssional neurósis *n.* 〖精神醫〗 강박 신경증(症).

ob·ses·sive [əbsésiv] *a.* 망상적인, 강박관념의; …에 홀린듯한, (공포 따위에) 사로잡힌; 《口》 도를 지나친, 이상할 정도의: one's ~ care 지나친 걱정. —— *n.* 망상에 사로잡힌 사람.

obséssive-compúlsive *a.* 〖精神醫〗 강박(強迫)의. —— *n.* 〖精神醫〗 강박 신경증 환자.

ob·sid·i·an [əbsídiən, ɑb-] *n.* Ⓤ 〖鑛〗 흑요석(黑曜石), 오석(烏石). 〖L *obsiānus* (*lapis* stone) of *Obsius* (그것의 발견자)의 오기(誤記)〗

obsídian dàting *n.* 〖地質〗 흑요석(黑曜石) 연대 측정법《흑요석(obsidian)을 함유하는 지질학상 및 고고학상의 표본 연대를 그 표본이 함유하고 있는 수분의 양에 의해 측정하는 판정법》.

ob·so·lesce [ɑ̀bsəlés] *vi.* 쓰이지 않게 되다; 퇴화하다.

òb·so·lés·cence *n.* Ⓤ 없어져[스러져] 감; 진부화; 〖生〗 (기관의) 퇴화, 위축.

òb·so·lés·cent *a.* 없어져[스러져] 가는; 〖生〗 퇴화해 가는. **~·ly** *adv.*

ob·so·lete [ɑ̀bsəlíːt, ⌐-⌐] *a.* **1** 스러진, 쓰이지 않는: ~ customs 폐습 / an ~ word 폐어(廢語). **2** 진부한; 시대에 뒤떨어진, 구식의. **3** 〖生〗 퇴화한, 흔적만 남은(rudimentary).

〈회화〉
I need a new computer. — Why? — My old one is *obsolete*. 「새 컴퓨터가 필요해요」「어째서」「전에 쓰던 것은 구식이 되었어요」

—— *n.* 진부한 사람; 폐어, 폐물. —— *vt.* 스러지게 하다, 시대에 뒤떨어지게 하다.
~·ly *adv.* 시대에 뒤떨어져; 폐어로서. **~·ness** *n.* 폐용(廢用), 진부함, 케케묵은 것.
〖L=worn out (*soleo* to be accustomed)〗

ob. s. p. 〖法〗 *obiit sine prole* 《L》 (=died without issue).

***ob·sta·cle** [ɑ́bstəkəl] *n.* 장애(물), 방해(물) 〈*to*〉: an ~ *to* progress 진보의 장애.
〖OF<L (*obsto* to stand in the way)〗
類義語 ***obstacle*** 문자 그대로 또는 비유적으로 사람이나 사물의 진행을 방해하는 것: A fallen rock was an *obstacle* to our advancement. (굴러 떨어진 바위가 우리의 전진을 방해했다). ***impediment*** 정상적인 행동을 간섭하여 진행을 더디게[방해]하는 것: an *impediment* to the progress (진보에의 방해물). ***obstruction*** 진로를 차단하든가 하여 진행·활동을 방해하는 것: an *obstruction* to world peace (세계 평화에 대한 방해). ***hindrance*** 상대방을 저지시키거나 더디게 하여서 전진을 방해하는 것: You are more of a *hindrance* than a help. (너는 도움이 되기보다 오히려 방해가 된다). ***barrier*** 사람이나 사물의 진행을 방해하거나 사이를 이간시키는 극복하기 어려운 장애(물): Differences of languages and customs are a *barrier* to understanding. (언어 및 관습의 차이는 상호 이해에 대한 큰 장벽이다).

óbstacle cóurse *n.* 〖軍〗 장애물 통과 훈련장.

óbstacle ràce *n.* 장애물 경주.

obstet. obstetrical; obstetrician; obstetrics.

ob·stet·ric, -ri·cal [ɑbstétrik(əl), əb-] *a.* 산과의; 산과학의. **-ri·cal·ly** *adv.*
〖NL (*obstetrix* midwife < *obsto* to be present)〗

ob·ste·tri·cian [ɑ̀bstətríʃən] *n.* 산과 의사.

ob·stét·rics *n.* Ⓤ 산과학(産科學), 조산술(midwifery).

ob·sti·na·cy [ɑ́bstənəsi] *n.* **1** Ⓤ 완고, 고집이 셈 〈*in*〉, 끈질김; Ⓒ 완고한 언행〈*against*〉. **2** Ⓤ (병의) 난치(難治).

***ob·sti·nate** [ɑ́bstənət] *a.* **1** 완고한, 고집센, 집요한; 완강한. **2** (병이) 난치(難治)의.
~·ly *adv.* 완고하게.
〖L (*obstino* to persist)〗
類義語 ⟹ STUBBORN.

ob·sti·pant [ɑ́bstəpənt] *n.* 〖藥〗 지사제(止瀉劑).

ob·sti·pa·tion [ɑ̀bstəpéiʃən] *n.* 〖醫〗 (심한) 변비.

ob·strep·er·ous [əbstrépərəs] *a.* 시끄러운; 난폭한, 다루기 힘든. **~·ly** *adv.* **~·ness** *n.*
〖L (*obstrepo* to shout at)〗

***ob·struct** [əbstrʌ́kt] *vt.* 막다; 통행하지 못하도록 하다, 차단하다, 가로막다, 방해하다(hinder), (의사 따위의 진행을) 방해하다; (빛·전망 따위를) 가리다: The road was ~*ed* by some fallen trees. 나무들이 쓰러져 있어서 길을 지나갈 수 없었다. —— *vi.* 방해하다.

ob·strúc·tor, -strúct·er *n.* 방해자[물]. 〖L *ob*-(*struct*- *struo* to build)=to block up〗
類義語 ⟹ HINDER.
ob·struc·tion [əbstrʌ́kʃən] *n.* Ⓤ 방해 ; 장애, 지장〈*to*〉; 폐색(閉塞), 차단 ; 〖醫〗 폐색(증) ; 의사(議事) 방해 ; Ⓒ 방해물, 장애물 : intestinal ~ 장(腸) 폐색. **~·ìsm** *n.* (의사) 방해. **~·ist** *n.* (의사) 방해자.
類義語 ⟹ OBSTACLE.
obstrúction guàrd *n.* (기관차의) 배장기.
ob·struc·tive [əbstrʌ́ktiv] *a.* 방해하는, 장애물이 되는〈*to*〉; 의사 방해의 ; 〖醫〗 폐색성의. —— *n.* 방해물, 장애 ; (의사 따위의) 방해자.
~·ly *adv.* 방해하여. **~·ness** *n.*
ob·stu·pe·fy [ɑbstjú:pəfài, 美+ɑbz-] *vt.* =STUPEFY.
ob·tain** [əbtéin] *vt.* **1** [+目/+目+前+名/+目+目] 얻다, 손에 넣다, 획득하다 ; 사다 ; (사물이 사람에게 지위·명성 따위를) 얻게 하다 : We can ~ sugar ***from beet. 사탕무에서 설탕을 얻을 수 있다 / Knowledge may be ~*ed* ***through*** study. 지식은 학습에 의하여 얻어진다 / The experience ~*ed* him the appointment[~*ed* the appointment ***for*** him]. 그 경험이 인정되어 그는 그 지위에 임명되었다. **2** (목적 따위를) 달성하다. —— *vi.* 시행되고[퍼지고, 통용되고] 있다 : This pronunciation[custom] still ~*s.* 이 발음[관습]은 아직도 통용되고[행해지고] 있다. **~·er** *n.* **~·ment** *n.*
〖OF<L *ob*-(*teneo* to hold)=to keep〗
類義語 ⟹ GET¹.
obtáin·able *a.* 얻을 수 있는, 손에 넣을 수 있는.
obtect(·ed) [ɑbtékt(əd), əb-] *a.* 〖昆〗 피각(皮殼)이 있는.
ob·ten·tion [əbténʃən] *n.* Ⓤ 획득, 입수 ; 달성.
ob·test [ɑbtést] *vt.* 증인으로 부르다 ; …에 탄원하다. —— *vi.* 항의하다 ; 탄원하다.
〖L (*testis* witness)〗
ob·tes·ta·tion [ɑ̀btestéiʃən] *n.* Ⓤ,Ⓒ 탄원 ; 항의.
ob·trude [əbtrú:d, ɑb-] *vt.* [+目+*on*+名] 억지로 시키다, 강요하다 ; 불쑥 내밀다 : You had better not ~ your opinions (***up***)***on*** others. 자신의 의견을 남에게 강요하지 않는 것이 좋다 / ~ oneself (*up*) *on* …에 주제넘게 나서다. —— *vi.* 주제넘게 나서다(intrude). **ob·trúd·er** *n.*
〖L *ob*-(*trus*- *trudo* to push)=to thrust against〗
ob·trúncate [əb-] *vt.* (수목의) 윗동을 자르다.
ob·tru·sion [əbtrú:ʒən] *n.* Ⓤ (의견 따위의) 강요〈*on*〉; 주제넘게 나서기.
ob·tru·sive [əbtrú:siv, 美+-ziv] *a.* 돌출한 ; 강요하는 ; 주제넘게 나서는, 중뿔난 ; 눈에 거슬리는 ; 너무 눈에 띄는. **~·ly** *adv.* 중뿔나게, 주제넘게 ; 눈에 거슬리게. **~·ness** *n.* 〖OBTRUDE〗
ob·tund [ɑbtʌ́nd] *vt.* (감각 기능을) 둔화시키다 ; (아픔 따위를) 완화시키다.
〖L *obtus*- *obtundo* to beat against, blunt〗
ob·tund·ent [ɑbtʌ́ndənt] *a.* 〖醫〗 (고통 따위를) 덜하게 하는, 완화시키는. —— *n.* 〖醫〗 완화제, 진통제(demulcent).
ob·tu·rate [ɑ́btjərèit] *vt.* (구멍 따위를) 막다 ; (포미(砲尾)를) 밀폐하다.
ò̀b·tu·rá·tion *n.* 폐색, 밀폐.
ób·tu·rà·tor *n.* 폐색물[구] ; (포미의) 밀폐 장치.
ob·tuse [ɑbtjú:s] *a.* **1** (칼날·각(角)이) 무딘, 뭉툭한 ; 〖數〗 둔각(鈍角)의(↔*acute*) : an ~ angle 둔각. **2** 둔감[우둔]한(stupid) : be ~ *in* understanding 이해력이 둔하다. **~·ly** *adv.* 무디게 ; 둔감하게. **~·ness** *n.* 〖L ; ⇨ OBTUND〗
ob·tu·si·ty [ɑbtjú:səti] *n.* Ⓤ 둔감 ; 우둔 ; 우행.
obv. obverse.
ob·verse [ɑ́bvə:rs, 美+-ˊ] *n.* **1** (화폐 따위의) 표면(face) (↔*reverse*) ; 앞면(↔*back*). **2** (사실 따위의) 반면(反面), 이면 ; 〖數〗 (정리(定理)의) 역(逆). **3** 〖論〗 환질명제(換質命題).
—— [ɑbvə́:rs, ˊ-; ˊ-] *a.* **1** 표면의. **2** 뒤집은, 반대쪽의. **3** 〖植〗 (잎이) 도생(倒生)의.
~·ly *adv.* 표면을 향하여 ; 〖植〗 도생적으로.
〖L ; ⇨ OBVERT〗
ob·ver·sion [ɑbvə́:rʒən, -ʃən ; -ʃən] *n.* **1** 다른 면이 보이게 하기. **2** 〖論〗 환질법(換質法).
ob·vert [ɑbvə́:rt] *vt.* 다른 면이 보이도록 뒤집다 ; 〖論〗 (명제를) 환질하다.
〖L *obvers*- *obverto* to turn towards〗
ob·vi·ate [ɑ́bvièit] *vt.* (위험·곤란 따위를) 사전에 제거하다(remove), 미연에 방지하다, 잘 회피하다 ; 불필요하게 하다. **ò̀b·vi·á·tion** *n.*
〖L *obvio* to prevent (*via* way)〗
***ob·vi·ous** [ɑ́bviəs] *a.* **1** 분명한, 명백한 ; 알기[이해하기] 쉬운 ; 눈에 잘 띄는 : When you have lost something, you often find it in an ~ place. 무엇인가 분실했을 때 흔히 눈에 잘 띄는 곳에서 찾게 되는 수가 많다 / It is quite ~ that he is lying. 그가 거짓말을 하고 있는 것은 아주 분명하다. **2** (감정·농담 따위가) 노골적인, 빤히 들여다보이는. **~·ly** *adv.* 명백하게 ; 두드러지게.
~·ness *n.* 〖L (*ob viam* in the way)〗
類義語 ***obvious*** 아주[두드러지게] 명백하므로 감각《특히 시각》으로 곧 알아볼 수 있는 : Her impatience was *obvious.* (그녀가 초조해 하는 것은 확실하다). ***apparent*** 얼핏 보아 그것이라고 곧 식별할 수 있을 만큼 뚜렷한 ; 또는 여러 가지의 것으로 미루어 보아 명료한 : He made an *apparent* effort to achieve the plan. (그 계획을 성취하기 위해 눈에 띄는 노력을 했다). ***evident*** 외면적인 상황에 의해 확실히 그것이라고 알 수 있는 : His innocence was *evident.* (그의 무죄는 명백했다). ***palpable*** 시력 이외의 감각에 의해 뚜렷이 인식할 수 있는 : *palpable* sign of fever (뚜렷한 열병의 징조). ***clear*** 틀릴[혼란의] 여지가 없을 만큼 명확한 : a *clear* explanation (명확한 설명). ***plain*** 복잡한 데가 없고 단순[간단]하여 확실한 : *plain* meaning (확실한 의미).
ob·vo·lute [ɑ́bvəljù:t], **ob·vo·lu·tive** [ɑ̀bvəljú:tiv] *a.* **1** 둘둘 말린. **2** 〖植〗 (잎눈이) 반씩 겹쳐져 있는.
oc- [ək, ɑ̀k] ☞ OB-《c 앞의 형태》.
OC oral contraceptive ; 〖經營〗 organizational climate (조직 환경[풍토(風土)]). **Oc., oc.** ocean. **O.C., OC** Officer Commanding ; Old Catholic ; on center ; on course ; *Ordo Cisterciensium* 《L》 (=Order of Cistercians). **OC, o/c** 〖商〗 overcharge. **o'c.** o'clock. **OCA** Olympic Council of Asia (아시아 올림픽 평의회(評議會)).
oc·a·ri·na [ɑ̀kərí:nə] *n.* 오카리나《도기 또는 금속으로 만든 피리》. 〖It. (*oca* goose) ; 모양에서〗
O. Carm. Order of Carmelites. **O. Cart.** Order of Carthusians. **OCAS** Organization of Central American States (중미(中美) 기구).
OCC. Occident(ly) ; Occupation.
O.C.C. Order of Calced Carmelites.
occas. occasion ; occasional ; occasionally.
***oc·ca·sion** [əkéiʒən] *n.* **1** (특정한) 때, 경우 : *on*

this happy[sad] ~ 이 기쁜[슬픈] 때에 / *on* one ~ 한 때, 어느 때 / *on* several ~*s* 몇번이고 / *on* the ~ of …에 즈음하여. **2** 특별한 사건, 행사《축제 따위》; 축전(祝典), 성대한 의식 : in honor of the ~ 축하의 뜻을 표하기 위해서 / Her marriage will be a great ~. 그녀의 결혼식은 성대할 것이다. **3** [+*for*+do*ing* / +*to* do] 기회, 호기, 알맞은 시기 ; Ⓤ [때때로 O~] 좋은 기회《의인적(擬人的)으로 ; cf. FORELOCK[1]》 : improve the ~ 기회를 이용하다 / *on* the first ~ 기회있는 대로 / This is not an ~ ***for*** laughter[*for* feast*ing* and rejoic*ing*]. 지금은 웃을[향연이나 환락의] 때가 아니다 / I have had several ~*s to* speak English. 여태까지 영어로 얘기할 기회가 몇번 있었다 / take[seize] the ~ *to* do …의 좋은 기회를 포착하다, 기회를 타서[이용하여] …하다. **4** Ⓤ [+*to* do / +*for*+do*ing*] 근거, 이유(reason) ; 필요 : There is[You have] no ~ *to* be alarmed. 걱정하실 필요가 없어요 / There was no ~ *for* her *to* get excited. 그녀가 흥분할 이유는 아무것도 없었다 / Is there any ~ ***for*** anxiety? 뭔가 걱정할 이유가 있습니까 / I see no ~ *for* visit*ing*. 찾아가야 할 이유를 모르겠다 / if the ~ arises [should arise] = should the ~ arise 필요하다면. **5** 유인(誘因), 근인〈*of*〉 (cf. CAUSE 1). **6** [*pl.*] 《古》 용무, 업무(affairs) : go about one's lawful ~*s* 본업[본직]에 전심하다.

for the occasion 임시로.

give occasion to …을 야기하다.

on*[*upon*] *occasion 때때로 ; 필요에 따라서 (occasionally).

on occasions 몇번이나, 종종.

rise to the occasion 난국에 대처하다.

—— *vt.* 주 cause와 같은 뜻의 문어(文語). **1** [+目 / +目+目] 생기게 하다, …의 유인이 되다, 야기시키다 ; (걱정 따위를) 끼치다 : His impolite remarks ~*ed* the quarrel. 그의 무례한 언사가 말다툼의 화근이 되었다 / The student's conduct ~*ed* us much anxiety. 그 학생의 행실은 우리에게 적지 않게 걱정을 끼쳤다. **2** [+目+*to* do] …에게 …시키다 : The violent fall ~*ed* him *to* bleed at the nose. 심하게 넘어져서 그는 코피를 흘렸다.

⟦F or L *occasio* juncture (*oc*-(*cas*- *cido* = *cado* to fall) = to go down)⟧

類義語 ⟹ OPPORTUNITY.

‡**occásion·al** *a.* **1** 때때로의, 이따금씩의 ; 수시의. **2** 특별한 경우를 위한《시·음악 따위》. **3** (관직 따위) 임시의 ; 보조용의《의자, 가구 따위》; 때때로 (…)하는《사람》, 임시 고용의 : an ~ table 보조 탁자 / a ~ golfer 이따금 골프치는 사람. **4** (…의) 유인이 되는〈*of*〉; 우연의 ; 부차적인.

occásional cáuse *n.* 〘哲〙 우인(偶因), 기회 원인《직전의 원인이지만 직접 원인은 아닌 것》.

occásion·al·ìsm *n.* 〘哲〙 (데카르트 학파의) 우인론(偶因論).

occásional lícense *n.* 《英》 (특정 시기·장소에서의) 주류(酒類) 판매 허가.

***occásion·al·ly** *adv.* 때때로, 이따금 ; 임시로.

Oc·ci·dent [ɑ́ksədənt, 美+dènt] *n.* **1** [the ~] 《文語》 서양, 구미(제국), 서유럽(the West) (↔ *Orient*) ; 서반구. **2** [the o~] 《詩》 서쪽.

⟦OF<L *occident*- *occidens* setting, sunset, west ; cf. OCCASION⟧

oc·ci·den·tal [ɑ̀ksədéntl] *a.* **1** [흔히 O~] 서양(제국)의, 구미의(↔*Oriental*) : *O*~ civilization 서양 문명. **2** 서양인의, 서방의. **3** (미국) 서부의. **4** 질이 떨어지는, 광택이 적은《진주·보석 따위》. —— *n.* [보통 O~] 서양 사람.

òc·ci·den·tál·i·ty *n.* **~·ly** *adv.* 서양식으로.

occidéntal·ìsm *n.* Ⓤ [O~] 서양풍, 서양 기질, 서양 정신 ; 서양 숭배 ; 서양 문화. **-ist** *n.*, *a.* [흔히 O~] 서양 문화 애호가[숭배자](의).

occidéntal·ìze *vt.*, *vi.* [흔히 O~] 서양[서구]화하다.

oc·cip·it- [ɑksípət], **oc·cip·i·to-** [ɑksípətou, -tə] *comb. form* 〘解〙「후두(부)」의 뜻.

⟦L ; ⇨ OCCIPUT⟧

oc·cip·i·tal [ɑksípətl] *a.* 〘解〙 후두(後頭)(부)의 : the ~ bone 후두골. —— *n.* 후두부, (특히) 후두골.

oc·ci·put [ɑ́ksəpʌ̀t, -pət] *n.* (*pl.* **~s, oc·cip·i·ta** [ɑksípətə]) Ⓒ 〘解〙 후두(부). ⟦L (*caput* head)⟧

oc·clude [əklú:d] *vt.* (구멍·통로 따위를) 막다 ; 〘理·化〙 (금속 따위가 기체·액체·고체를) 흡장(吸藏)하다 ; 〘氣〙 폐색하다. —— *vi.* 〘齒〙 (이가) 맞물리다 ; 폐색되다.

⟦L *occlus*- -*cludo* to close up⟧

oc·clúd·ed frónt *n.* 〘氣〙 폐색 전선.

oc·clu·sion [əklú:ʒən] *n.* Ⓤ 폐색 ; 흡장 ; 〘齒〙 맞물림.

oc·clu·sive [əklú:siv] *a.* 폐색시키는, 폐색작용의 ; 〘音聲〙 폐쇄(음)의. —— *n.* 〘音聲〙 무(無)파열 폐쇄음, 불완전 파열음. **~·ness** *n.*

oc·cult [əkʌ́lt, ɑ́kʌlt] *a.* **1** 신비적인, 불가사의한 (mysterious) ; 초자연적인, 마법적인 : ~ arts 비술(祕術)《연금술·점성술 따위》/ ~ sciences (신)비학. **2** [원뜻] 숨은, 숨겨진(hidden).

—— *vt.*, *vi.* **1** 〘天〙 엄폐(掩蔽)하다. **2** 안보이(게 하)다, 숨(기)다 : an ~*ing* light (등대의) 명멸등(明滅燈). —— *n.* [the ~] 신비, 신비적인 사상 ; [the ~] 비학, 비술.

⟦L *occult*- *occulo* to hide⟧

oc·cul·ta·tion [ɑ̀kʌltéiʃən] *n.* Ⓤ **1** 〘天〙 엄폐, 별이 가리워지기. **2** 모습을 감추기, 숨어서 보이지 않게 됨〈*of*〉.

occúlt·ism *n.* Ⓤ 신비학 ; 신비론, 신비주의 (mysticism) ; (기도 따위에 의한) 신비 요법. **-ist** *n.* 비밀교 신봉자 ; 신비학자.

oc·cu·pan·cy [ɑ́kjəpənsi] *n.* Ⓤ 점유, 영유 ; 점유 기간 ; 〘法〙 선점(先占), 점거(占據).

óc·cu·pant *n.* (토지·가옥·방·지위 따위의) 점유자, 현거주자(cf. OCCUPIER) ; 〘法〙 점거자.

***oc·cu·pa·tion** [ɑ̀kjəpéiʃən] *n.* **1** Ⓤ 종사, 취업. **2** Ⓤ,Ⓒ 일 ; 업무, 직업 : men out of ~ 실업자 / His ~ is farming[teaching]. 그의 직업은 농부[교사]다 / He is a writer by ~. 그의 직업은 저술가다. **3** Ⓤ 점유(권[기간]) ; 거주 : an ~ bridge[road] (사설의) 전용교(橋)[도로]. **4** Ⓤ 점령, 점거 : an army of ~ = an ~ army 점령군, 진주군 / the ~ *of* a town *by* the enemy 적군에 의한 마을 점령.

〈회화〉
What's his *occupation*? — He's a TV cameraman.「그는 직업이 뭐니」「TV 카메라맨이야」

⟦OF<L ; ⇨ OCCUPY⟧

類義語 ***occupation*** 사람이 생계를 위해 또는 규칙적으로 종사하는 일 ; employment와 달라서 반드시 남에게 고용되어 있는 것으로 한정되지는 않음. ***employment*** 급료를 받고 남의 밑에서 일하는 것. ***business*** 보통 이익을 목적으로 하는 직업, 특히 실업·상업 관계의 것. ***profession*** 변호사·의사·교수 등과 같이 전

문적인 훈련을 필요로 하는 지적인 직업.

occupátion·al *a.* **1** 직업의[에서 생기는] : ~ therapy 〖醫〗 작업 요법《적당히 가벼운 일을 시키면서 치료효과를 꾀하는 건강 회복법》. **2** 《美》 점령의.

occupátional diséase *n.* 〖醫〗 직업병.

occupátional fatígue *n.* 직업상의 과로.

occupátional házard *n.* 직업상의 위험.

occupátional médicine *n.* 직업[노동] 의학.

occupátional psychólogy *n.* 직업 심리학.

Occupátion Dáy *n.* Puerto Rico의 기념일《7월 25일 ; 1898년의 미군 상륙을 기념함》.

occupátion frànchise *n.* 《英》 차지인(借地人) 투표권.

occupátion mòney *n.* 점령 통화《점령군이 점령지에서 발행》.

*__oc·cu·py__ [ɑ́kjəpài] *vt.* **1** 점령[점거]하다 : The soldiers *occupied* the fort. 병사들은 그 요새를 점령했다. **2** 점유[영유]하다 ; 차용하다, 거주하다 ; (방·사무실 따위를) 사용하고 있다 : The store *occupies* the entire building. 그 점포는 건물 전체를 차지하고 있다. **3** (지위·역할을) 차지하다, (직업을) 가지고 있다(hold) : Mr. A *occupies* a high position in society. A씨는 사회에서 높은 지위를 차지하고 있다. **4 a)** (시일을) 허비하다 ; (남의 마음을) 사로잡고 있다 : My work[Her toilet] *occupied* the whole morning. 나는 일로[그녀는 화장으로] 아침 내내 보냈다 / Many problems ~ his mind. 그의 마음은 많은 문제들로 가득차 있다. **b)** [+目+前+名 / +目+do*ing*] [수동태 또는 ~ one*self* 로] 종사시키다 : My father *is* now *occupied* ***with*** a translation of [***in*** translat*ing*] a German novel. 아버지는 지금 독일 소설을 번역하고 계신다 / She *was occupied* sort*ing* out the best fruits. 가장 좋은 과일을 고르고 있었다. —— *vi.* 《廢》 점유하다, 영유하다.

óc·cu·pì·able *a.* **óc·cu·pì·er** *n.* 점유자 ; 거주[차가]인 ; 점령군의 일원.

〖OF<L *oc*-(*cupo*=*capio* to take)=to seize〗

‡**oc·cur** [əkə́ːr] *vi.* (-rr-) **1** [動 / +前+名] **a)** 일어나다, 생기다, 발생하다 : if anything should ~ 만일에 무슨 일이 일어난다면, 만약의 경우에는 / Thunderstorms often ~ ***in*** summer. 여름에는 흔히 큰 뇌우(雷雨)가 일어난다. **b)** 나오다, 나타나다(appear), 존재하다(exist) : The letter "e" ~*s* ***in*** print more than any other letter. e라는 글자는 다른 어떤 글자보다도 인쇄물에 더 많이 나온다 / The plant ~*s* only *in* Asia. 그 식물은 아시아에서밖에 나지 않는다. **2** [+*to*+名] [때때로 It ~*s*...to do, It ~*s*...that...의 구문을 이루어] (남의 마음에) 떠오르다, 생각나다 : Just then a bright idea ~*red* ***to*** me. 마침 그때에 기발한 생각이 내 머리에 떠올랐다 / Didn't *it* ~ *to* you *to* lock the door? 문에 자물쇠를 채워야겠다는 생각이 들지 않았던가요 / *It* never ~*red to* him *that* she would be so displeased. 그는 그녀가 그토록 기분 나빠할 줄은 미처 생각도 못했다.

〖L *oc*-(*curro* to run)=to befall〗

類義語 ⟹ HAPPEN.

*__oc·cur·rence__ [əkə́ːrəns ; əkʌ́rəns] *n.* **1** Ⓤ (사건의) 발생〈*of*〉 ; ⓊⒸ 발견됨, 존재, (광물 따위의) 산출〈*of*〉 : of frequent[rare] ~ 자주[드물게] 일어나는[있는]. **2** 일어난 일, 사건 : unexpected ~*s in* life 인생에서의 뜻밖의 일.

類義語 ***occurrence*** 「일어난 일」을 뜻하는 가장 보편적인 말 : an unexpected *occurrence* (예기치 못했던 일). ***event*** 이전의 사건 또는 이제까지의 상황에서 다소나마 중요한[주목할 만한] 일, 사건 : the *events* after the war (전쟁 후의 사건들). ***incident*** 보다 중요한 event에 부수되어 생기는 비교적 작은 일 : the *incidents* of a journey (여행중에 일어난 일).

oc·cúr·rent *a.* 현재 일어나고 있는(current) ; 우연의(incidental). —— *n.* 일시적인 것《계속적인 것에 대해》.

OCD, O.C.D. Office of Civilian Defense (민간 방공국). **OCDM, O.C.D.M.** Office of Civil and Defense Mobilization (미국 민방위 동원 본부).

◇**ocean** [óuʃən] *n.* **1 a)** [the ~] 대양, 해양, 외양(外洋) : an ~ flight 대양 횡단 비행. **b)** [the... O~] …양(洋)《5대양의 하나》 : *the* Pacific *O*~ 태평양. **2** 끝없이 넓음, (…의) 바다〈*of*〉. **3** 《口》 많음(plenty), 다량 : ~*s of* money 막대한 돈 / an ~ *of* question 수없이 많은 의문.

〖OF<L<Gk. OCEANUS〗

ocea·nar·i·um [òuʃənéəriəm, -nǽər-] *n.* (*pl.* ~**s**, **-nar·ia** [-iə]) (커다란) 해양 수족관.

〖*aquarium*에 준하여 ↑에서〗

ocea·naut [óuʃənɔ̀ːt] *n.* =AQUANAUT.

ócean bèd *n.* 해저(海底).

ócean devélopment *n.* 해양 개발.

ócean dispòsal *n.* 해양 투기(投棄)《폐기물을 깊은 바다에 버림》.

ócean ènergy *n.* 해양 에너지《전기 에너지로 변환·이용이 가능함》.

ócean enginéering *n.* 해양 공학.

ócean·frònt *n.* 임해지(臨海地).

ócean·gò·ing *a.* 외양[원양] 항해의.

ócean grèyhound *n.* 원양 쾌속선《특히 정기 여객선》.

Oce·an·ia [òuʃiǽniə, -ɑ́ː- ; -éinjə] *n.* 오세아니아, 대양주(大洋洲). **Òce·án·i·an** *a., n.* 대양주의 (주민).

〖NL<F<L ; ⇨ OCEAN〗

oce·an·ic [òuʃiǽnik] *a.* **1** 대양의 ; 대양산의, 원해(遠海)에 사는 ; 외양성(外洋性)의 ; (기후가) 해양성의 ; [O~] 대양주의. **2** 막대한 ; 광대한. —— *n.* [O~] 오세아니아어파.

Oce·an·i·ca [òuʃiǽnikə] *n.* =OCEANIA.

oceánic clímate *n.* 해양성 기후《연중 기온의 변화가 적고 온화하며 강우량이 많음 ; cf. CONTINENTAL climate》.

oceánic ísland *n.* 〖地〗 대양도(大洋島)《대륙에서 멀리 떨어진 대양 한가운데 있는 섬 ; cf. CONTINENTAL ISLAND》.

òce·án·ics *n.* 해양학, (특히) 해양 공학.

Oce·a·nid [ousíːənəd] *n.* (*pl.* ~**s**, **Oce·an·i·des** [òusiǽnədìːz]) 〖그神〗 오케아니스《Oceanus의 딸 ; 대양의 nymph》.

òcean·izátion *n.* 〖地質〗 대양화 작용《대륙 지각의 대양 지각화, 곧 대륙 지역의 대양 지역화》.

ócean làne *n.* 원양 항로.

ócean lìner *n.* 원양 정기선.

Ócean of Stórms *n.* (달 표면의) 폭풍의 바다.

oceanog. oceanography.

òcean·óg·ra·pher *n.* 해양학자.

ocean·og·ra·phy [òuʃiənɑ́grəfi] *n.* Ⓤ 해양학.

ocean·ol·o·gy [òuʃiənɑ́lədʒi] *n.* Ⓤ 해양학《특히 해양 자원학·해양 공학》. **-gist** *n.*

òcean·o·lóg·ic, -i·cal *a.* **-i·cal·ly** *adv.*

ócean ròute *n.* =OCEAN LANE.

ócean státion vèssel *n.* 정점(定點) 관측선.

ócean sùnfish *n.* 〖魚〗 개복치.
ócean technólogy *n.* 해양 공학, 해양 기술.
ócean-thérmal *a.* 얕은 바다와 깊은 바다의 온도 차에 관한[를 이용한], 해양 온도 차의.
ócean thérmal énergy convèrsion *n.* 해양 온도차 발전(略 OTEC).
ócean tràmp *n.* 원양 부(不)정기 (화물)선.
Oce·a·nus [ousí(:)ənəs] *n.* 〖그神〗 오케아노스(대양의 신). 〚Gk. *ōkeanos*〛
oc·el·late [ásəlèit, óu-, ouséleit], **-lat·ed** [ásəlèitəd, óu-, ouséleitəd] *a.* 홑눈[안점(眼點)]이 있는 ; 눈과 같은 ; 눈알 무늬가 있는.
ocel·lus [ouséləs, ɑ-] *n.* (*pl.* **-li** [-lai, -li:]) (곤충·거미 따위의) 홑눈 ; (하등 동물의) 안점(眼點) ; (공작새 깃 따위의) 눈알 무늬. 〚L=little eye ; ⇒ OCULAR〛
oce·lot [óusəlàt, ás-] *n.* 〖動〗 (중·남미산의) 표범 비슷한 살쾡이의 일종.

ocelot

och [ɑx] *int.* 《아일·스코》 오오!, 아아! 〚Gael. and Ir.〛
ocher, ochre [óukər] *n.* Ⓤ 황토(철의 산화물을 함유한 황·적색의 찰흙으로 그림물감의 원료) ; 오커(황색의 그림물감). ── *a.* 오커 빛깔의. ── *vt.* …에 ocher로 물들이다. **ocher·ish, ochre·ish** [óukəriʃ] *a.* **ochery** [óukəri], **ochry** [óukri] *a.* 〚OF＜L＜Gk. (*ōkhros* pale yellow)〛
ocher·ous [óukərəs], **ochre·ous** [óukriəs, -kərəs], **ochr·ous** [óukrəs] *a.* ocher 의[같은] ; 오커 빛깔의.
och·loc·ra·cy [ɑklákrəsi] *n.* Ⓤ 폭민(暴民)[우민(愚民)] 정치. **och·lo·crat** [ákləkræ̀t] *n.* 폭민[우민] 정치가. 〚OF＜Gk. (*okhlos* mob)〛
och·lo·crat·ic, -i·cal [àkləkrǽtik(əl)] *a.* 폭민 정치의.
och·lo·phóbia [àklə-] *n.* 〖精神醫〗 군집(群集) 공포증.
och·ra·tóxin [òukrə-] *n.* 〖生化〗 누룩곰팡이가 만드는 독소(毒素).
OCI 《美》 Overseas Consultants Incorporated (해외 기술 고문단).
-ock [ˊək] *n. suf.* 「작은…」의 뜻 : hill*ock*. 〚OE *-oc*〛
ock·er [ákər] *n.* 《濠俗》 오스트레일리아인 기질의 고집센 사람, 세련되지 않은 사람. ── *a.* 오스트레일리아 (사람)의. 〚C20＜?〛
Óck·er·ism *n.* 《濠》 (근로자의) 독선적인 반항, 직정적(直情的)인 반항.
◇**o'clock** [əklák] *adv.* **1** …시(時) : at two ～ 두 시에 / What ～ is it? 《英》 지금 몇 시입니까(=What time is it?) / He went by the seven ～ train. 일곱 시 기차로 갔다. ㊟ 「몇시 몇분」의 경우에는 보통 o'clock을 생략함 : It is ten (minutes) past ten now. 지금 10시 10분입니다. **2** (공중전 따위에서 목표의 위치·방위를 시계의 문자반 위에 있다고 가상하여) …시의 위치 : a fighter plane approaching at 12 ～ 열두시 방위[방향]에서 접근하는 전투기. 〚*of the clock*의 단축형〛
OCOG Organizing Committee of the Olympic Games(올림픽 조직 위원회).
OCR 〖컴퓨〗 optical character reader[recognition].
-oc·ra·cy [ákrəsi] *n. comb. form* =-CRACY.
-ocrat [ˊəkræ̀t] *n. comb. form* =-CRAT.
OCS, O.C.S. 《美》 Officer Candidate School.
O.C.S.O. *Ordo Cisterciensium Strictioris Observantiae* 《L》 (=Order of Cistercians of the Strict Observance) (엄격한 계율의 시토수도회).
oct. octavo.
Oct. October.
oc·ta- [áktə], **oc·to-** [áktou, -tə], **oct-** [ákt] *comb. form* 「8…」의 뜻. 〚L *octo*, Gk. *octa-* (*oktō* eight)〛
octa·chord [áktəkɔ̀:rd] *n.* 팔현금(八絃琴) ; 8음 음계, (8도 음정의) 온음계.
oc·tad [áktæd] *n.* Ⓒ 8개로 한 벌이 되는 것, 8개 한 벌 ; 〖化〗 8가 원소.
oc·ta·gon [áktəgàn ; -gən] *n.* 8각형, 8변형 ; 8각집[실, 탑]. 〚L＜Gk. (*gōnia* angle)〛
oc·tag·o·nal [ɑktǽgənl] *a.* 8각[변]형의. **-nal·ly** *adv.*
òcta·hédral *a.* 8면(面)을 가진 ; 8면체의.
òcta·hédron *n.* (*pl.* **～s, -dra**) 8면체.
oc·tal [áktl] *a.* 8개로 된 ; 8진법(進法)의 ; 8극(極)의(진공관). ── *n.* 8진법(=ˊ～ **notàtion**) ; 〖컴퓨〗 팔진, 팔값 : ～ number system 팔진법.
oc·tam·er·ous [ɑktǽmərəs] *a.* 8개 부분으로 된 ; 〖植〗 (윤생체(輪生體)가) 8개로 된(8-merous 라고도 씀).
oc·tam·e·ter [ɑktǽmətər] *a.*, *n.* 〖韻〗 팔보격(八步格)의 (시).
oc·tan [áktən] *a.* (열(熱)이) 8일째마다 나는. ── *n.* Ⓤ 8일열.
oc·tane [áktein] *n.* Ⓤ 〖化〗 옥탄(석유 중의 무색 액체 탄화수소).
óctane nùmber[ràting] *n.* 〖化〗 옥탄값.
oc·tan·gle [áktæŋgəl] *n.*, *a.* 8각(의), 8각형(의).
oc·tan·gu·lar [ɑktǽŋgjələr] *a.* 8각의, 8각형의.
Oc·tans [áktænz] *n.* 〖天〗 팔분의(八分儀)자리. 〚L *octant- octans* half quadrant〛
oc·tant [áktənt] *n.* **1** 팔분원(八分圓)(45°의 호(弧)). **2** 〖海·空〗 팔분의(儀) (cf. QUADRANT, SEXTANT). 〚↑〛
oc·tarchy [áktɑ:rki] *n.* 팔두(八頭)정치 ; [the O～] 〖英史〗 8왕국.
oc·ta·style [áktəstàil] *n.*, *a.* 〖建〗 8주식(柱式) 건축(의).
Oc·ta·teuch [áktətjù:k] *n.* 구약성서의 최초의 8편 ; 8권 한 질(帙)의 책.
oc·tave [áktiv, -təv, -teiv] *n.* **1** [; ɔ́ktiv] 〖樂〗 옥타브 ; 8도 (음정) ; 제8음. **2** 8개로 이루어진 것 ; 〖韻〗 8행 연구(聯句)(octet). **3** 〖펜싱〗 제8의 자세(상대방이 우익을 찌르려는데 대한 방어 자세). **4** [; ɔ́kteiv] 축일로부터 8일째의 날[8일간]. **5** 1/8 pipe 들이의 술통 ; 1/8 pipe(=13.5 gallons). ── *a.* 〖樂〗 1옥타브 높은음의 ; 8개[8인] 1조의. 〚OF＜L (fem.) ‹*octavus* eighth〛
óctave flùte *n.* =PICCOLO.
Oc·ta·via [ɑktéiviə] *n.* 여자 이름.
Oc·ta·vi·an [ɑktéiviən], **Oc·ta·vi·us** [ɑktéiviəs] *n.* 남자 이름. 〚L=the eighth born (↓)〛
oc·ta·vo [ɑktéivou, -tá:-] *n.* (*pl.* **～s**) 8절판(전지로 16페이지 나는 책 크기 ; 略 8vo, o., O., oct.) ; 8절판의 책 (cf. FORMAT). ── *a.* 8절판의.
oc·ten·ni·al [ɑkténiəl] *a.* 8년마다의, 8년마다 일

어나는, 8년간 계속되는.

oc·tet(te) [ɑktét] *n.* **1** 〖樂〗 8중주[창(唱)], 8중주[창]곡. ☞ SOLO 주. **2** 〖韻〗 8행 연구(聯句), (특히) 14행시(sonnet)의 기구(起句) 8행. **3** 〖컴퓨〗 팔중수. 〚It. or G ; cf. DUET〛

oc·til·lion [ɑktíljən] *n., a.* 《美》 1000의 9제곱(의) ; 《英》 100만의 8제곱(의).
-lionth [-θ] *a., n.*

oc·tin·gen·te·na·ry [ɑ̀ktindʒentí:nəri] *n.* 《英》 800년제(祭).

octo- [áktou, -tə] ☞ OCTA-.

◇**Oc·to·ber** [ɑktóubər] *n.* 10월《略 Oct.》.
the October Revolution 10월 혁명《1917년 10월 러시아에서 일어남》.
〚OE＜L ; ⇨ OCTA-〛

òcto·céntenary, -centénnial *n.* 《美》 800년제(祭) (=《英》 octingentenary).

oc·to·dec·i·mo [ɑ̀ktədésəmòu] *n.* (*pl.* **~s**) 18절판(版), 옥토데시모판(의 책)《略 18 mo, 18°》.

oc·to·ge·nar·i·an [ɑ̀ktədʒənέəriən, -nǽər-] *a., n.* 80세[대]의 (사람).
〚L=containing eighty (*octogeni* eighty each)〛

oc·tog·e·nary [ɑktádʒənèri ; -nəri] *a.* =OCTOGENARIAN ; 80에 기초를 둔. —— *n.* =OCTOGENARIAN.

oc·to·nal [áktənəl] *a.* 8진법(進法)의 ; 〖韻〗 8운각(韻脚)의.

oc·to·nar·i·an [ɑ̀ktənέəriən, -nǽər-] *a., n.* 《詩》 8운각(韻脚)의 (시행).

oc·to·nary [áktənèri ; -nəri] *a.* 8의 ; 여덟 개로 이루어진 ; 팔진법(八進法)의. —— *n.* Ⓒ 여덟 개 한 벌 ; 〖韻〗 8행시, 8행 연구(聯句).

oc·to·pod [áktəpɑ̀d] *a., n.* 〖動〗 팔각목(八脚目)의 (동물). **oc·top·o·dan** [ɑktápədən] *a., n.* **oc·top·o·dous** [ɑktápədəs] *a.*

oc·to·pus [áktəpəs] *n.* (*pl.* **~·es, -pi** [-pài], **oc·top·o·des** [ɑktápədì:z]) 〖動〗 낙지, 문어 ; 《비유》 다방면에 (해로운) 세력을 휘두르는 단체.
〚Gk. (*pous* foot)〛

oc·to·push [áktəpù∫] *n.* 잠수[수중] 하키《한팀이 6명》. 〚*octo*pus+*push*〛

oc·to·roon [ɑ̀ktərú:n] *n.* 흑인의 피를 1/8 받고 있는 혼혈아.
〚*-roon*은 cf. QUADROON〛

òcto·syllábic *a., n.* 8음절의 (단어) ; 8음절의 시행으로 이루어진 (시).

ócto·sỳllable [͵ ⌐⌐] *n.* 8음절의 단어[시행].
—— *a.* =OCTOSYLLABIC.

oc·troi [áktrwɑ:, áktrɔi] *n.* 물품 입시세(入市稅) 《프랑스·인도 따위의》 ; 입시세 징수소 ; [집합적으로] 입시세 징수관.
〚F (*octroyer* to grant)〛

O.C.T.U., OCTU, Oc·tu [áktju:] 《英》〖軍〗 Officer Cadets Training Unit (사관 후보생 훈련대(隊)).

oc·tu·ple [áktjupəl, ɑktjú:-] *a.* 8배의, 8겹의 ; 8개의 부분으로 이루어진. —— *n.* 8배(의 것).
—— *vt.* 8배로 하다. —— *vi.* 8배가 되다.

OCU 〖軍〗 operational conversion unit (실전기(實戰機) 전환 훈련 부대).

oc·ul- [ákjul], **oc·u·lo-** [ákjulou, -lə] *comb. form* 「눈」의 뜻. 〚L (↓)〛

oc·u·lar [ákjələr] *a.* 시각상의, 눈의, 눈에 의한 : the ~ proof 눈에 보이는 증거 / an ~ witness 목격자. —— *n.* 접안경[렌즈] ; 눈.
~·ly *adv.* 〚F＜L (*oculus* eye)〛

oc·u·lar·ist [ákjulərəst] *n.* 의안 제조자.

oc·u·list [ákjələst] *n.* 안과 의사.

òculo·mótor *a.* 눈알을 움직이는, 안구 운동의, 동안(動眼)의, (동)안 신경의 : ~ nerve 〖解〗 동안 신경.

òculo·násal *a.* 눈과 코의.

od [ád, óud] *n.* 오드《독일의 화학자 Reichenbach가 자기력(磁氣力)·화학 작용·최면 현상 따위를 설명하기 위해 가상한 자연력》.

OD, O.D. [òudí:] *n.* 《俗》 (마약 따위의) 과용(자). —— *vi.* (**OD'd, ODed ; OD'ing**) (마약 따위를) 과용하다, 마약의 과용으로 몸이 나빠지다[입원하다, 죽다]. 〚*over*d*ose*〛

OD on-demand publishing. **OD, O.D.** olive drab. **O.D., OD** Doctor of Optometry ; Officer of the Day ; Officer of the Duty ; Old Dutch ; Ordnance Department ; outside diameter((관 따위의) 바깥지름) ; outside dimension ; oxygen demand(산소 요구량). **o.d., O.D.** *oculus dexter* 《L》 (=right eye) ; overdrawn. **o/d, O/D, od, o.d., OD, O.D.** on demand ; 〖商〗 overdraft.

oda·lisque, -lisk [óudəlìsk] *n.* Ⓒ 여자 노예, 첩《특히 터키 군주의》.
〚F＜Turk. *odalik* concubine〛

O.D.C. Order of Discalced Carmelites.

‡**odd** [ád] *a.* **1** 여분의, 나머지의, 우수리의, …남짓 : the ~ money (나머지의) 잔돈, 푼돈 / three pounds ~ 3파운드 남짓 / twenty(-) ~ years 20여년. 주 100-*odd* won 100여원《120, 130원 따위》 / 100 won *odd* 100원 남짓. **2** (두 개 한 벌로 된 것의) 한 쪽의, (일정수로 된 한 벌의) 짝이 맞지 않는, 외짝의, 짝짝이의 : an ~ glove [shoe] 장갑[구두]의 외짝 / an ~ lot 〖證〗 단주. **3** 때로의, 임시의 ; 잡다한 : ~ jobs 임시로[틈틈이] 하는 일 / an ~ lad[hand] 임시 고용인 / at ~ times[moments] 때때로, 틈틈이. **4** 기수[홀수]의(↔*even*) : an ~ number 홀수 / ~ months 큰달《31일까지 있는 달》. **5** 이상한, 괴상한, 기묘한(queer) : an ~ little man 이상하게 생긴 작은 사나이 / How ~! 정말 이상한 일이군 / It is ~ that I cannot think of her name. 그녀의 이름이 생각나지 않다니 이상하다. **6** (장소 따위) 동떨어진. **7** (복장이) 약식의, 평소에 입는.
odd and [***or***] ***even*** 홀짝《알아맞히기 놀이》.
—— *n.* =ODDS.
~·ness *n.* 기묘, 기이(한 일) ; 불완전한 것.
〚ON *oddi* point of land, angle, third or odd number ; cf. OE *ord* point of weapon〛
類義語 ⟹ STRANGE.

ódd·bàll *n., a.* 괴짜(의), 괴팍한 사람(의).

ódd-còme-shórt *n.* 《古》 (헝겊의) 조각, 자투리 ; 나머지 ; [*pl.*] 남은 찌꺼기.

ódd-còme-shórt·ly *n.* 《古》 근일(近日).
one of these odd-come-shortlys [***-lies***] 근일(近日), 머지않아.

ódd-èven *a.* 《美》 홀수 짝수 (판매) 방식의《휘발유의》 : ~ check 〖컴퓨〗 홀짝 검사 / ~ sale[system] 홀수 짝수 판매[판매제].

Ódd Fèllow, Ódd·fèllow *n.* 18세기 영국에서 창립된 일종의 비밀 공제조합의 회원.

ódd físh *n.* (*pl.* ~) =ODDBALL.

ódd·ish *a.* 좀 괴상한(queerish).

odd·i·ty [ádəti] *n.* **1** Ⓤ 괴상함, 기이함. **2** [보통 *pl.*] 괴벽, 괴팍. **3** 괴짜, 기묘한 사람 ; 별난 물건, 이상한 일.

ódd jóbber *n.* =ODD-JOBMAN.

ódd-jòb·man [-mən] *n.* (*pl.* **-men** [-mən]) 임

시 고용인, 심부름 센터의 사람.

ódd-lòok·ing *a.* 괴상한, 기묘한.

ódd·ly *adv.* **1** 기묘하게, 기이하게, 이상하게 : ~ enough 묘한 이야기지만, 이상하게도(strange to say). **2** 홀수로, 짝이 맞지 않게 ; 나머지가 되어.

ódd mán *n.* **1** 《英》 임시 고용자. **2** [the ~] (찬반동수일 때) 결정권(casting vote)을 쥔 사람.

ódd màn óut *n.* **1** Ⓤ 세 사람이 동전을 던져 그 중 두 사람의 것과 다른 나머지 한 사람을 술래로 뽑는 방법[놀이] ; Ⓒ 그 방법으로 뽑힌 사람. **2** 《비유》 (동료로부터) 고립되어 있는 사람, 별난 사람, 외톨이.

ódd·ment *n.* 남은 물건, 파치, 하찮은 물건 ; 잡동사니 : ~ of food[information] 잡다(雜多)한 음식[정보].

ódd pàrity *n.* 〖컴퓨〗 홀수 맞춤.

ódd prìcing *n.* 〖商〗 끝수 가격《99원 또는 990원 따위로 표시되는 가격》.

***odds** [ádz] *n. pl.* **1** [때때로 단수취급] 우열의 차, 차이 ; 승산, 승세 ; (경기 따위에서 약자에게 주는) 유리한 조건, 핸디캡. **2** 불평등, 불평등한 것. **3** 싸움, 불화. **4** (내기에서) 상대방보다 돈을 더 많이 걸기. **5** 가망, 가능성 ; 확률 : It is ~[The ~ are] that he will come. 아마도 그는 올 것이다 / It is within the ~. 그럴 것 같다. **6** 《美》 은혜(favor).
against longer*[*fearful*] *odds 강적을 상대로.
***at odds* (*with...*)** (…와) 싸워[사이가 좋지 않아] (cf. *set...at* ODDS).
by long*[*all*] *odds 훨씬, 뛰어나게.
lay*[*give*] *the odds (내기에서) 약한 편에게 유리한 조건을 주다.
make no odds 큰 차이는 없다 : It *makes no* ~ how she does it. 그녀가 그것을 어떻게 하든지간에 상관 없다.
make odds even 우열을 없애다, 비등(比等)하게 하다.
odds and ends =ODDMENT.
set...at odds …을 다투게 하다.
take*[*receive*] *the odds (내기에서) 자기에게 유리한 조건으로 하자는 제안에 응하다, 유리한 조건을 받아들이다.
What's the odds ? 《口》 상관 없지 않은가.
〖(pl.) ‹? ODD ; cf. NEWS〗

ódds-ón *a.* 반 이상의 승산[가능성]이 있는 ; 제법 확실한[안전한] : an ~ favorite 승산이 있는 사람 ; 〖競馬〗 꽤 승산이 있는 말.

ódd tríck *n.* [the ~] 〖카드놀이〗 (휘스트(whist) 에서) 승패를 겨루는 13회째 ; 최후의 승부.

ode [óud] *n.* 송시(頌詩), 부(賦) 《특수한 주제로 특정한 사람 · 사물에 부치는 서정시》 : *O~ to* the West Wind 서풍(西風)에 부치는 노래《Shelley의 시》 / *O~ on* a Grecian Urn 그리스의 고병(古甁)(에 부치는 노래)《Keats의 시》.
the Book of Odes 시경(詩經).
〖F<L<Gk. *ōidē* song〗

-ode[1] [oud] *n. comb. form* 「…과 같은 성질[모양]을 지닌 것」의 뜻 : phyll*ode.*
〖Gk. (*-eidēs* -like)〗

-ode[2] *n. comb. form* 「길」 「전극(電極)」의 뜻 : an*ode.* 〖Gk. (*hodos* way)〗

ode·um [óudiəm, oudí:əm] *n.* (*pl.* **odea** [óudiə, oudí:ə], **~s**) **1** (고대 그리스 · 로마의) 주악당(奏樂堂). **2** 음악당 ; 극장.
〖L=music hall ; ⇨ ODE〗

od·ic [óudik] *a.* ode(풍)의.

Odin [óudən] *n.* 〖北유럽神〗 오딘(Woden)《지식 · 문화 · 군사를 관장하는 최고의 신 ; cf. FRIGG》.

odi·ous [óudiəs] *a.* **1** 증오해야 할, 미운 ; 밉살스러운. **2** 추악한, 눈뜨고 볼 수 없는(hideous). **~·ly** *adv.* **~·ness** *n.* 〖OF<L ; ⇨ ODIUM〗

odi·um [óudiəm] *n.* 악평, 오명 ; 혐오 ; 반감, 증오. 〖L=hatred〗

ódium the·o·ló·gi·cum [-θìəládʒikəm] *n.* (서로) 학설이 다른 신학자 간의 반감[반목]. 〖L〗

O.D.M. 《英》 Ministry of Overseas Development.

ódo·gràph [óudə-, ádə-] *n.* **1** =ODOMETER. **2** 보수계(步數計)(pedometer).

odom·e·ter [oudámətər, ɑ-] *n.* (자동차 따위의) 주행거리계(計). 〖F (Gk. *hodos* way)〗

odont- [oudánt], **odon·to-** [-tou, -tə] *comb. form* 「이」의 뜻 : *odonto*logy, *odont*algia.
〖F<Gk. *odont- odous* tooth〗

-o·dont [ədànt] *a. comb. form* 「…한 이를 가진」의 뜻 : hetero*dont.* 〖Gk. (↑)〗

odon·tal·gia [òudɑntǽldʒiə, àd-] *n.* Ⓤ 〖醫〗 치통(toothache). **òdon·tál·gic** *a.*

-o·don·tia [ədánʃiə] *n. comb. form* 〖動〗 (*pl.* ~) 「…한 이를 가진 동물」의 뜻 ; 〖醫〗 (*pl.* **~s**) 「이의 …형[상태, 치료법]」의 뜻 : ortho*dontia.*
〖NL ; ⇨ -ODONT〗

odon·to·glos·sum [oudàntəglásəm, ɑ-] *n.* 〖植〗 난초의 일종《열대 아메리카 원산》.

odónto·gràph *n.* 치형자《톱니바퀴의 윤곽을 그리는 기구》.

odon·toid [oudántɔid, ɑ-] *a.* 이 모양의.

odon·tol·o·gy [òudɑntálədʒi, àd-] *n.* Ⓤ 치과학 ; 치과 의술. **-gist** *n.*

‡odor | odour [óudər] *n.* **1** 냄새, 향기로움 ; 향기 ; 좋지 못한 냄새, 악취. **2** 《비유》 기미(氣味), 낌새 : the ~ *of* sanctity 성자의 면모, 고덕(高德)의 칭송. **3** Ⓤ 평판, 인기, 명성 : be *in*[*fall into*] bad [ill] ~ 평판이 나쁘다[나빠지다] / be *in* good ~ *with* the students 학생들 사이에 인기가 있다. **~ed** *a.* …의 냄새가 나는 : ill-~*ed* 악취가 나는. **~·ful** *a.* **~·less** *a.*
〖AF, OF<L *oder* smell, scent〗
類義語 ⟹ SMELL.

odor·ant [óudərənt] *n.* 취기제(臭氣劑)《도시 가스 따위에 넣는》.

odor·if·er·ous [òudərífərəs] *a.* 향기로운(fragrant) ; 악취나는, 구린. **~·ly** *adv.* **~·ness** *n.*

ódor·ìze *vt.* 냄새[향기]를 나게 하다, 취기화(臭氣化)하다.

ódor·ous *a.* =ODORIFEROUS.

ODS oxide-dispersion-strengthened.

-o·dus [-ədəs] *n. comb. form* 〖動〗 「…한 이를 가진 동물」의 뜻 : cerat*odus.*
〖NL (Gk. *odous* tooth) ; ⇨ -ODONT〗

od·yl, od·yle [ádəl, óu-] *n.* =OD.
odýl·ic *a.*

-o·dyn·ia [ədíniə, ou-] *n. comb. form* 「…통(痛)」의 뜻 : om*odynia.* 〖NL<Gk.〗

Od·ys·se·an [àdəsí:ən] *a.* **1** [, oudísiən] Odyssey의[와 같은]. **2** 장기 모험 여행의.

Odys·se·us [oudísju:s, -sju:s, -siəs] *n.* =ULYSSES.

Od·ys·sey [ádəsi] *n.* **1** [the ~] 오디세이《Homer가 지은 것으로 전해지는 대서사시 ; cf. ILIAD》. **2** Ⓒ [흔히 o~] 파란만장한 방랑 여행, 긴 모험.

œ, oe, Œ, Oe [e, i:] o와 e를 합한 글자《oe로 떼어서도 씀 ; 지금은 고유 명사 이외는 보통 e로 줄

여 씀 ; 보기 (Œdipus, phœnix)).

OE, OE., O.E. Old English. **O.E., o.e.** omissions excepted (cf. E.& O.E.). **Oe** oersted(s). **OECD, O.E.C.D.** Organization for Economic Cooperation and Development (경제 협력 개발 기구).

oecology ☞ ECOLOGY.

oecumenical ☞ ECUMENICAL.

O.E.D., OED Oxford English Dictionary 《옛 칭호 N.E.D.》.

O

oedema ☞ EDEMA.

Oed·i·pal [íːdəpəl, éd-] *a.* 〖精神分析〗 에디푸스 콤플렉스의[에 의거한]. **~·ly** *adv.*

Oed·i·pus [íːdəpəs, éd-] *n.* 〖그神〗 오이디푸스 《Sphinx의 수수께끼를 풀었으며 모르고 아버지를 죽이고 어머니를 아내로 삼은 Thebes의 왕》.
── *a.* =OEDIPAL. 〚Gk. *Oidipous*〛

Óedipus cómplex *n.* 〖精神分析〗 에디푸스 콤플렉스, 친모복합(親母複合) 《아들이 어머니에게 무의식적으로 품는 성적인 사모 ; cf. ELECTRA COMPLEX》.

OEEC, O.E.E.C. Organization for European Economic Cooperation 《O.E.C.D.의 전신》.

œil-de-boeuf [*F* œjdəbœf] *n.* (*pl.* **oeils-de-** [─]) (특히 17-18세기 건축의) 둥근[달걀꼴] 창. 〚F=bull's eye〛

OEM Office for Emergency Management (비상 산업 동원 관리국). **OEM, oem** optical electron microscope; original equipment manufacturing[manufacturer] (주문자 상표에 의한 생산[생산자], 주문자 상표 부착).

oenology ☞ ENOLOGY.

oe·no·phile [íːnəfàil], **oe·noph·i·list** [iːnάfələst] *n.* (특히 감정가(鑑定家)로서의) 포도주 애호가. 〚Gk. *oinos* wine〛

OEO, O.E.O. Office of Economic Opportunity ((미국) 고용 촉진국).

OEP Office of Emergency Preparedness.

o'er [ɔ́ːr, óuər] *adv., prep.* 《詩》 =OVER.

Oer·li·kon [ɔ́ːrləkὰn] *n.* 《美》 엘리콘《지대공(地對空) 유도탄》.

oer·sted [ɔ́ːrstəd] *n.* 〖電〗 에르스텟《자기장의 세기의 단위 ; 기호 Oe》.
〚Hans C. *Oersted* (d. 1851) 덴마크의 물리학자〛

OES 《美》 Office of Economic Stabilization (경제 안정국). **O.E.S.** Order of the Eastern Star.

oesophagus ☞ ESOPHAGUS.

oestrogen ☞ ESTROGEN.

oestrone ☞ ESTRONE.

oestrous ☞ ESTROUS.

oestrus ☞ ESTRUS.

œu·vre [*F* œːvr] *n.* (*pl.* **~s** [─]) (한 작가·예술가 등의) 평생의 작품, 전작품 ; (하나의) 예술 작품.

◇**of** [əv, ὰv, 美+ʌ̀v]

> (1) 기본 뜻 : 「소유」와 「분리」
> (2) 전치사로만 쓰인다.
> (3) of와 off는 「…에서 떨어져서」라는 from에 가까운 뜻으로 쓰인 동일어였다 : within a three-minute *of* walk of station (역에서 걸어서 3분 이내의 거리)
> (4) 형용사·부사 및 동사와 결합하여 무수한 숙어를 만듦 : 〈형용사·부사〉 short *of*, independent(ly) *of* / 〈동 사〉 think *of*, remind...*of* 따위

── *prep.* **1** [소속·소유] …의, …이 가지고 있는, …에 속하는 : the room *of* my brothers 우리 형제들의 방 (㊟ my brothers' room 보다 명확한 표현, brothers'는 brother's와 혼동되기 쉬움) / the leg *of* a table 테이블 다리 (㊟ 무생물인 때는 관용구를 제외하고는 the table's leg와 같이 쓰지 않음).
2 [부분(部分)·분량(分量)·정도·포괄·선택] …의 (일부분) ; …중에서[중의] : the City *of* London 런던의 상업구 (cf. 5) / a cup *of* tea 차 한 잔 / one *of* my friends 내 친구 중의 한 사람 / some *of* that bread 그 빵의 약간 / five *of* us 우리들 중의 다섯 사람 (cf. 5) / ☞ OF *all men* [*people*] / ☞ OF *all things* / She was the happiest *of* the three. 그녀는 세 사람 중에서 가장 행복했다.
3 [재료] 으로 (만든), …으로 (된) (cf. FROM 4, OUT OF 3 ; 각각의 차이에 대해서는 ☞ MAKE *from* [*of, out of*]) : made *of* gold[wood] 금[나무]으로 만든 / a dress *of* paper 종이로 만든 옷 / a house (built) *of* brick 벽돌집 / make a fool *of* a person 남을 바보로 취급하다 / make a teacher *of* one's son 아들을 교사로 만들다.
4 [관계] …의 점에 있어서, …에 관한, …에 대하여, …을, …이 (in point of) : blind *of* an eye 한 쪽 눈이 보이지 않는 / twelve *of* age 나이는 열두 살 / It is true *of* every case. 어떤 경우에도 진실이다 / What *of* the danger? 위험이 무슨 문제냐.

> 〈회화〉
> Do you know Mr. Smith? — No, but I have heard *of* him. 「스미스씨를 아십니까」 「아뇨, 하지만 그의 이야기는 들었습니다」

5 [동격 관계] …의, …라고 하는, …인 : the city *of* Rome 로마시 (cf. 2) / the fact *of* my having seen him 내가 그를 만났다는 사실 / the five *of* us 우리 다섯 사람 (we five) (㊟ 이 경우에 the를 생략하는 수도 있음 ; cf. 2) / that fool *of* a man 저 바보 같은 사나이 (that foolish man) / an angel *of* a woman 천사 같은 여자 (an angelic woman) / a friend *of* mine[yours, his, hers] 나[너, 그, 그녀]의 친구 (cf. 2) / Look at that red nose *of* Tom's. 톰의 저 빨간 코를 보라 / There are about five hundred *of* us. 우리는 500명 정도 된다[한 자리에 모여 있다] (cf. 2).
6 [거리·위치·분리·제거·박탈] …에서, …부터 : within ten miles *of* Seoul 서울에서 10마일 이내에 / ten miles (to the) north *of* Seoul 서울에서 북쪽(으로) 10마일 / deprive a person *of* a thing 남에게서 물건을 빼앗다 / be cured *of* a disease 병이 낫다 / back *of*... 《美》 …의 뒤에 (behind).
7 [기원·원인·이유] …의, …에서 ; …으로, …때문에 : be[come, descend] *of* …의 출신이다 / be weary *of* life 세상이 싫어지다 / die *of* cholera 콜레라로 죽다 / smell[smack] *of* …의 냄새가 나다, …의 기미가 있다 / borrow[buy] a thing *of* a person 남에게서 물건을 빌리다[사다] (㊟ of보다 from 쪽이 보통) / ask a thing *of* a person 남에게 물건을 부탁하다.
8 [of+명사로 형용사구를 이루어] …의 : a girl *of* ten (years old) 열 살난 소녀 / a man *of* ability 유능한 사람 (an able man) / They are (*of*) the same age. =They are *of* an age. 그들은 같은 또래다 / a man (*of*) his age 그의 나이 또래의 남자. ☞ 活用 (2).

> **'of+추상명사'의 문장 전환**
> 형용사로 바꿔 쓰이는 경우가 있다.
> of importance=important 중요한
> of great value=very valuable 대단히 가치 있는
> of no use=useless 쓸모 없는
> a man of courage=a courageous man 용기 있는 사람

9 [작자·작위자(作爲者)] …의, …이 : the works *of* Milton 밀턴의 작품(Milton's works) / the love *of* God 신의 사랑(God's love toward men) (cf. 10) / be beloved *of*... 《文語》 …에게 사랑을 받고 있다 / It was kind *of* you to do so. 그렇게 해 주셔서 고마웠습니다.
10 [목적격 관계] …의, …을 : the love *of* God 신에 대한 사랑(cf. 9). ☞ 活用 (1).
11 《약간 古》 [때의 부사구를 이루어, 때때로 습관적 행위에 걸림] : My friend called on me *of* an evening. 친구는 저녁 무렵에 곧잘 찾아오곤 했다(cf. IN the evening) / play golf *of* a Sunday 일요일에 골프를 치다.
12 [시간] 《美》 (…분) 전(to) (cf. BEFORE *prep.* 2 b), TILL[1] *prep.* 3) : at five (minutes) *of* four 4시 5분 전에《at 3 : 55》.
***of all men*[*people*]** 누구보다도 먼저 ; 다른 사람도 있으련만 : He *of all men* should set an example. 누구보다도 먼저 그가 모범을 보여야 한다 / They came to me for advice, *of all people.* 다른 사람도 있을 텐데 나에게 상담하러 왔다.
of all others ☞ OTHER *pron.*
of all things 무엇보다도 우선 ; 많은 일이 있으련만, 하필, 공교롭게도.
〖OE (약형(弱形)) ‹ *æf* ; cf. G *ab* off, from, L *ab* away from〗
活用 (1) 다음의 형식과 의미의 차이에 주의 : a portrait *of* my father's (아버지가 가지고 있는 초상화) (cf. 2) / a portrait *of* my father(아버지를 그린 초상화) (cf. 10). (2) 8의 용법의 형용사구가 나이·형상·색채·직업 따위를 나타낼 때 지금은 of를 생략한 형식이 때때로 쓰인다 ; 이런 종류의 of가 없는 형용사구는 보어로 될 경우에 특히 많으나 명사 뒤에 놓여 한정적으로도 쓰인다 : What color is it? (그것은 무슨 빛깔입니까) / The earth is (*of*) the shape of an orange. (지구는 오렌지 모양을 하고 있다) / What profession are you going to be? (당신은 어떤 직업을 가질 작정입니까) / I'd like to stay at a hotel (*of*) such a size. (저만한 크기의 호텔에 숙박하고 싶다).

of- [əf, ɑ̀f] ☞ OB- 《f의 앞》.
OF, OF., O.F. Odd Fellow ; 〖印〗 old face ; Old French ; outfield.
ofay [óufei, -ˊ] *n., a.* 《美黑人俗·蔑》 백인(의).
ofc. office. **O.F.C.** Overseas Food Corporation.
◇**off** [ɔ(:)f, ɑf, ˊ]

> (1) 기본 뜻 : 「분리·격리」
> (2) 전치사와 부사를 겸한 전형적인 「전치사적 부사」의 하나다.
> (3) get, go, make, put, set, take, turn 따위와 결합하여 중요한 숙어를 만든다.
> (4) off와 of는 본래 「떨어져서」라는 주된 뜻을 가진 동일어였다.

—— *prep.* **1** [분리·격리] **a**) …에서 (떨어져·벌어져), …을 떨어져서, 벗어나서(away from) (↔*on*) : two miles ~ the road 도로에서 2마일 떨어져서 / a street ~ the Myŏng-dong 명동(明洞) 뒷거리 / ~ duty 비번(非番)의[으로] / We could not take our eyes ~ them. 그들에게서 시선을 돌릴 수가 없었다 / That is ~ the point. 그것은 초점을 벗어나 있다. ☞ 活用 (1). **b**) …을 벗어나서 : ~ the hinges (심신의) 상태가 이상하여. **2** …의 앞바다에[에서] : ~ the coast of Inch'ŏn 인천(仁川) 앞바다에 / ~ and on the shore (배가) 육지에서 멀어졌다 접근했다하면서. **3** …에 의하여, …으로 ; (접시 따위)에서 떠서《먹다》; (식사의 일부)를《먹다》: live ~ ☞ LIVE[1] 숙어 / dine ~ some meat 만찬에 고기를 약간 먹다. **4** …에서 할인하여, …에서 에누리하여 : take five percent ~ the list price 정가에서 5퍼센트 할인하다.

> 〈회화〉
> Is that on sale? — Yes. There's 30% *off.* 「그거 특매합니까」「예. 30퍼센트 할인입니다」

—— [ˊ] *adv.* **1** [동사와 함께] 저쪽에, (어느 위치에서) 떨어져, 떠나서(away). **a**) [이동을 나타내는 자동사와 함께] : go ~ 떠나가다, 떠나다. 注 The man[He] went ~. 를 강조한 다음 두 문장의 어순에 주의 : [주어가 명사] *O*~ went the man. 그 남자는 가 버렸다 / [주어가 대명사] *O*~ he went. **b**) [타동사와 함께] : beat ~ (적 등을) 물리치다 / put ~ 연기하다. **c**) [on과 대조적으로] : come ~ 떨어지다, (칼자루 따위가) 빠지다 / get ~ (의복을) 벗다, (말·탈것에서) 내리다 / fall ~ (말에서) 떨어지다. **d**) [절단·단절 따위를 나타내는 동사와 함께] 잘라(내어), 떼어버리고[내어] (cf. ON *adv.* 3) : bite ~ 물어서 떼어내다 / cut ~ 잘라내다[버리다] / take ten percent ~ 10%를 공제하다[할인하다] / turn ~ water[the radio] 수도[라디오]를 끄다[잠그다]. ☞ 活用 (1). **2** [위치·간격 따위] 떨어져서, 간격을 두고, 저쪽에, 멀리에(away) : far ~ 훨씬 멀리 / only three months ~ 불과 3개월을 앞두고. **3** [동작의 완료·중지 따위] …해버리고 ; 다…하여(cf. ON *adv.* 2) : drink ~ 다 마시다 / finish ~ 끝내버리다 / be ~ *with* …와 손을 끊다, 관계를 끊다. **4** 〖劇〗 =OFFSTAGE.
be off 떠나다 ; 도망치다 : I *am* ~ now. 《口》 이젠 가겠다.

> 〈회화〉
> Where *are* you *off* to? — I'*m off* to the store. 「어디에 가십니까」「가게에 갑니다」

either off or on 좌우간, 어쨌든.
Off!*=*Be off! 저리 가!, 없어져!
off and on*=*on and off ☞ ON.
off of... 《美口》 …에서(off) : He took the magazine ~ *of* the table. 테이블에서 잡지를 집어들었다. ☞ 活用 (2).
off the record ☞ RECORD[2].
off with (모자·옷 따위)를 벗다 : *O*~ *with* your hat! 모자를 벗으시오.
Off with you! 없어져!, 가라!
take oneself off =*be* OFF.
well*[*badly*] *off 생활이 넉넉하여[어려워] : The old man is *better*[*worse*] ~. 그 노인은 이전보다도 생활이 나아졌다[어려워졌다].
—— [ˊ] *a.* **1 a**) 큰 길에서 갈라진, 옆길의 ; 지엽적인 : an ~ road 옆길 / an ~ street 뒷거리 /

an ~ issue 지엽적인 문제. **b**) 벗어나서, 탈락하여, 빠져서 : The handle is ~. 손잡이가 빠져 있다. **2** [*attrib.* 로 쓰여] 비번의, 휴가의 ; 제철이 아닌, 한산한 ; 불황의 : an ~ day 비번 날 ; 한산한 날 / an ~ season = OFF-SEASON / ☞ OFF YEAR. **3 a**) 먼 곳의, 저 쪽의 ; (기수·말에서 보아) 우측의, 오른쪽의(☞ NEAR *a.* 6) : ☞ OFFSIDE. **b**) [*attrib.* 로 쓰여] 〘크리켓〙 (우타자의) 오른쪽 앞쪽의(↔*on*). **4** (사실 따위에서) 먼, 동떨어진 ; (여간해서) 있을 것 같지 않은 : ☞ OFF CHANCE. **5** (몸·기계 따위) 상태가 나쁜 ; (생선·고기 따위) 상한 : I'm feeling rather ~ today. 오늘은 어쩐지 (기분이) 이상하다. **6** (행사·약속 따위가) 취소된. **7** 《美》 **a**) (계산 따위가) 맞지 않는. **b**) 준, 저하된(less, fewer).

—— [ˊ] *n.* [the ~] 〘크리켓〙 (우타자의) 우전방(右前方) (↔*on*) ; 〘컴퓨〙 끄기.

—— *v.* [ˊ] *vt.* **1** 제거하다, 벗다. **2** 《英口》 (교섭·계약·계획을) 그만두라고 통고하다, (남)과의 교섭[약속]을 중단하다 ; 《美俗》 죽이다. **3** 《美俗》 (여자)와 하다.

—— *vi.* (배가) 육지(陸地)를 떠나다, 먼 바다로 나가다.

〚OF ; 15-16세기경부터 분화(分化)〛

活用 (1) *adv.*의 경우 다음의 어순에 주의. i) 목적어가 명사일 때는 off의 위치는 보통 목적어의 앞 뒤 어느 쪽도 될 수가 있다 : We put *off* the meeting. = We put the meeting *off.* (회합을 연기했다). ii) 목적어가 대명사일 때에는 off는 목적어의 뒤에만 놓여짐 : We put it *off.* (cf. We got *off* the train[it]. (열차[그것]에서 내렸다 《여기서 off는 전치사》).

(2) off, of, from은 원래 서로 다 유의어지만 때때로 병용된다. i) *off of*의 형태는 특히 필기어로서는 마땅치 않으나 《美》에서는 《口》로서 관용적, 《英》에서는 《卑》이든가 《方》이다 : A book fell *off of* the shelf. (책이 선반에서 떨어졌다). 표준적으로는 《美》, 《英》 모두 A book fell *off* [*from*] the shelf. ii) *off from*은 *from off*와 함께 《美》에서는 흔히 볼 수 있으나 표준적은 아님. 《英》에서는 《美》보다 많이 쓰이나 《古》, 《詩》 또는 《卑》에 쓰이는 수가 많으며 역시 표준적이라고 할 수 없다. 어느 쪽이나 표준적으로는 away from, down from이 이것을 대용함. 따라서 The vase dropped *off from* the mantelpiece.쪽 보다도 The vase dropped (*down*) *from* the mantelpiece. (꽃병이 벽난로 위에서 떨어졌다)쪽이 표준적이다.

off. offer ; offered ; office ; officer ; official ; officinal.

óff-áir *a., adv.* (녹음·녹화 따위) 방송에서 직접적인[으로] ; 유선 방송의[으로].

of·fal [ɔ́(ː)fəl, ɑ́fəl] *n.* **1** Ⓤ 찌꺼기, 폐물(refuse), 쓰레기, 허드레(garbage). **2** Ⓤ 찌꺼기 고기 ; 내장. **3** [때때로 *pl.*] 겨, 기울, 왕겨 《따위》. **4** 하치 생선(cf. PRIME[1] *a.* 3).

〚MDu. *afval* (*af* OFF, *vallen* to fall)〛

óff ártist *n.* 《美俗》 도둑(놈).

óff-báse *a.* 틀린, 잘못된.

óff·béat *a.* 상식에서 벗어난, 엉뚱한, 색다른, 기이한 : ~ advertising 색다른 광고.

—— [ˊˊ] *n.* 오프비트《재즈의 4박자 곡으로서 강세를 붙이지 않는 박자》.

óff-bòok fúnd *n.* (장부 외의) 부정 자금.

óff-brànd *a., n.* 《俗》 한물 간 품종[품질](의).

óff Bróadway *n.* 오프 브로드웨이 극《뉴욕의 브로드웨이를 벗어난 소극장에서 상연하는 극》.

óff-Bróadway *a., adv.* 오프브로드웨이의[에서], 브로드웨이에서 벗어난 지구의[에서].

óff-cámera *adv., a.* (영화·텔레비전의) 카메라에 찍히지 않는 곳에서(의) ; 사생활에서(의).

óff·càst *a., n.* 버려진, 버림받은 (사람[것]).

óff-cénter(ed) *a.* 중심에서 벗어난 ; 핵심을 벗어난, 균형을 잃은. —— *adv.* 균형을 잃어.

óff chànce *n.* 쉽지 않은[드문] 기회 : There is an ~ *of* get*ting* the money back. 돈을 되돌려 받기란 쉽지 않다.

on the off chance 요행을 바라고, 행여나 하고 : She applied *on the* ~. 요행을 바라고 응모했다 / I wrote the letter *on the* ~ *of* its reaching him. 그에게 들어갈 것 같지 않았으나 행여나 하고 편지를 썼다.

óff-chìp *a.* 〘電子〙 오프칩의, 반도체 칩 밖의.

óff-cólor, -cólored *a.* 빛깔[안색]이 좋지 않은 ; 기분이 언짢은 ; (보석 따위) 빛깔이 선명하지 않은 ; 《口》 (성적으로) 음란한, 추잡한.

óff·cùt *n.* 잘라낸 것, 지스러기《종이·나무·천 따위 조각》.

óff-dúty *a.* 비번의, 휴식의(↔*on-duty*).

Of·fen·bach [ɔ́ːfənbɑ̀ːk ; *F* ɔfɛnbak] *n.* 오펜바흐. **Jacques** ~ (1819-80) 독일 태생인 프랑스의 오페라 작곡가.

of·fend** [əfénd] *vt.* **1** [+目 / +目+前+名] [때때로 수동태로] (남의) 감정을 상하게 하다, 성나게 하다 : I'm sorry if I've ~*ed* you. 만일 당신의 감정을 상하게 했다면 용서하십시오 / I *was* ~*ed* ***with him. 그에게 화가 나 있었다 / He *is* ~*ed* ***at*** be*ing* ignored. 무시당했다고 해서 성을 내고 있다 / He is easily ~*ed.* 곧잘 성을 낸다. **2** (감각·정의감 따위를) 손상시키다, 해치다 : ~ the ear[eye] 귀[눈]에 거슬리다. **3** 〘聖〙 죄를 짓게 하다(cause to sin), 좌절시키다. —— *vi.* **1** 죄[과오]를 범하다(sin). **2** [+*against*+名] (법률·예의 따위를) 위반하다, 범하다 : ~ ***against*** good manners 예의에 어긋나다, 무례한 짓을 하다 / ~ *against* the law 법을 위반하다.

~·able, ~·ible *a.* **~·ed·ly** *adv.*

〚OF<L *of*-(*fens*- *fendo*) = to strike against, displease〛

類義語 ***offend*** 상대방의 감정을 해치거나 실례되는 일을 하여 불쾌감을 일으키다 : She'll be *offended* if she is not spoken to. (그녀에게 말을 걸지 않으면 불쾌하게 생각하겠지). ***affront*** 공공연히 고의로 무례·모욕을 가하여 화가 나게 하다 : I was *affronted* at his conduct. (그의 행동에 화가 났다). ***insult*** 심한 모욕을 가하여 강한 굴욕감을 주어서 성나게 하다 : He *insulted* me by saying that I had broken my promise. (그는 내가 약속을 지키지 않았다고 말해서 나를 모욕했다). ***outrage*** 상대방이 참을 수 없을 정도로 성나게 하여서 명예·정의감 따위를 크게 손상시키다 : The people were *outraged* by the corruption of the government. (정부의 부패로 인해서 국민의 분노를 샀다).

***offénd·er** *n.* **1** (법률상(上)의) 범죄자, 위반자〈*against*〉 ; 무례한 사람 : a first ~ 초범자 / an old[a repeated] ~ 상습범. **2** 남의 감정을 해치는 사람[것].

***of·fense | of·fence** [əféns, 美+ɑ́fens, 美+ɔ́ːfens] *n.* **1** (의무·관습 따위의) 위반, 반칙 : commit an ~ *against* decency[good manners] 무례한 짓을 하다. **2** (경미한) 범죄 : a criminal ~ 범죄 / a first ~ 초범(初犯). **3** Ⓤ 무례, 모욕 ; 감정을 해침, 성냄 ; Ⓒ 감정을 해치는 것, 불

쾌한[폐가 되는] 짓(nuisance) : That will give [cause] ~ *to* him. 그런 짓을 하면 그는 성낼 것이다 / No ~ (meant). — And none taken. 나쁜 뜻으로 한 것은 아닙니다 — 상관없습니다. **4** [보통 ɑ́fens] 〖軍〗 공격(attack) (↔*defense*); 공격측[팀] : The most effective defense is ~. 가장 효과적인 방어는 공격이다. **5** 〖聖〗 죄의 근원, 실족케 하는 것.

take offense (***at...***) (…에 대해) 성내다 : She is quick to *take* ~. 그녀는 걸핏하면 화를 낸다.

〚ME=stumbling (block) < OF < L ; ⇨ OFFEND〛

類義語 (1) ***offense*** 남에게 경멸·모욕을 받고 심히 감정을 상함 : He took *offense* at their insult. (그는 그들의 모욕을 받고 격분했다). ***resentment*** offense를 당하여 성을 내거나 장기간 원한을 품거나 상대방을 원망하는 뜻을 가짐 : He cherished a *resentment* against his master for years. (몇해 동안 주인에 대해 원한을 품고 있었다). ***displeasure*** 불만·부인(否認)에서 큰 분노에 이르기까지의 여러가지 불쾌한 감정을 나타냄.
(2) ⟹ CRIME.

offénse·ful *a.* 괘씸한, 무례한.

offénse·less *a.* 남의 기분을 해치지 않는, 악의가 없는(inoffensive) ; 공격력이 없는. **~·ly** *adv.*

of·fen·sive [əfénsiv, 美+ɑ́fen-, 美+ɔ́:fen-] *a.* **1** 싫은, 불쾌한 : ~ *to* the ear 귀에 거슬리는. **2** 비위에 거슬리는, 무례한, 모욕적인. **3** (도덕적으로) 더러운, 비열한 ; (취미가) 저속한 ; 음란한. **4** 공격적인, 공세의(aggressive) (↔*defensive*) : an ~ and defensive [ɔ́:fensiv ən dí:fensiv ; ɔ́f-] alliance 공수(攻守) 동맹. —— *n.* [보통 the ~] 공격, 공세(↔*defensive*) ; 운동 : act on[take, assume] the ~ 공세(攻勢)로 나오다 / a peace ~ 평화 공세. **~·ly** *adv.* 비위에 거슬리게, 무례하게 ; 공격[공세]적으로. **~·ness** *n.* 무례, 불쾌.
〚F or L ; ⇨ OFFEND〛

offénsive guàrd *n.* 〖美蹴〗 센터 양쪽에 위치하는 가드.

offénsive líne *n.* 〖美蹴〗 공격 라인《공격 팀 제일렬에서 공이 snap될 때 스크리미지 라인에 위치하는 7인》.

offénsive táckle *n.* 〖美蹴〗 공격 라인 양 엔드의 안쪽에 위치하는 선수.

◇**of·fer** [ɔ́(:)fər, ɑ́f-] *vt.* **1** [+目 / +*to* do / +目+目 / +目+*to*+名 / +*that* 節] 제공하다, 권하다 ; 제출하다, 제의[제안]하다 ; (손 따위를) 내놓다[내밀다] : They ~*ed* their services. 그들은 봉사할 것을 제의했다 / I ~*ed to* lend her the money. 그녀에게 돈을 빌려 주겠다고 제의했다 / We ~*ed* him a better position. 그에게 보다 더 좋은 지위를 맡도록 제안했다 / We ~*ed* the position ***to*** Mr. White. 화이트씨에게 그 자리를 권했다 / He ~*ed to* me *that* we (should) come to a settlement. 나에게 화해하자고 제의해 왔다.
注 수동태에서는 : Mr. White *was* ~*ed* the position. / The position *was* ~*ed* (*to*) Mr. White. **2** [+目 / +目+*to*+名 / +目+副] 바치다 ; 드리다 : ~ prayers (***to*** God) (신에게) 기도 드리다 / ~ ***up*** a sacrifice 제물을 바치다. **3** 제시하다, 나타내다(present) ; (저항 따위의) 기세를 보이다 : No country in the world ~*s* such wild, impressive beauty as Norway does. 세계에서 노르웨이만큼 야생미가 넘쳐 흐르는 인상적인 미관을 보여 주는 나라는 없다 / ~ battle 도전(挑戰)하다. **4** [+*to* do] 하려고 하다, 시도하다 : He didn't ~ *to* strike me. 나를 때리려고는 하지 않았다. **5** 〖商〗 (어떤 값으로 물품을) 팔려고 내놓다 ; 살 값을 부르다.

Offer free (***with Compliments***) 무료증정, 서비스 증정.

—— *vi.* **1** 나타나다, 일어나다(occur) : as occasion ~*s* 기회가 있을 때에 / Take the first opportunity that ~*s.* 어떤 기회도 놓치지 마라. **2 a**) 제의하다. **b**) 《稀》 구혼하다. **3** 제물을 바치다, 산 제물을 바치다.

offer one***'s hand*** (악수하기 위해) 손을 내밀다 ; 청혼하다.

—— *n.* **1 a**) [+*to* do] 제공, 제안, 신청(申請), 제의 : a job ~구인(求人) / an ~ *of* support 후원의 제의 / an ~ *of* food 식량의 제공 / an ~ *to* sing 노래 부르자는 제안. **b**) 〖商〗 (팔 상품의) 제공, 오퍼 : a special ~ 특가 제공. **2** 신청 가격, 부른 값(bid). **3** 결혼 신청. **4** 《古》 기도, 시도(試圖).

make an offer 신청하다, 제의하다 ; 제공하다 ; 값을 부르다.

on offer 팔 물건으로 나와 (있는).

〚OE *offrian* and OF < L *of*-(*fero* to bring) = to present ; OE는 종교적 의미에서〛

類義語 ***offer*** 남에게 도움 따위를 제의하여 그것을 받느냐 거절하느냐는 상대방 의사에 맡긴다 : *offer* help (도와 주겠다고 제의하다). ***proffer*** 《文語》 자발적으로 호의·예의·성실 따위의 정신적인 것을 제공하다 : He was ready to *proffer* hospitality. (기꺼이 환대를 베풀려고 했다). ***tender*** 격식을 차린 공손한 말로서, 어떤 일의 보답으로서 또는 의무로서 노력·봉사 따위를 제공하다 ; 구체적인 금품에는 쓰지 않음 : *tender* one's service (봉사를 자원하다). ***present*** offer보다도 형식적·의례적이며 외부에도 공표한다는 의미를 내포하고 있다 : *present* a petition to Congress (국회에 탄원서를 제출하다).

óffer·er, óffer·or *n.* 신청인, 제공자.

óffer·ing *n.* **1** Ⓤ (신에의) 봉납, 헌납 ; Ⓒ 봉납물, 제물. **2** (교회의) 헌금 : an ~ plate (교회의) 헌금 접시. **3** 진정물(進呈物), 증정물. **4** 신청, (판매품의) 제공 ; 팔 물건.

óffering prìce *n.* 〖證〗 매출 가격.

of·fer·to·ry [ɔ́:fərtɔ̀:ri, ɑ́f- ; ɔ́fətəri] *n.* **1** [때때로 O~] 〖카톨릭〗 헌납, 봉헌송(奉獻誦). **2** (교회에서) 헌금할 때 봉송하는 성가[성구], 헌금식 ; (회중으로부터 모은) 금.

óff-glìde *n.* 〖音聲〗 경과음 《어떤 음에서 휴지 또는 후속음으로 옮겨갈 때 자연히 나오는 음》.

óff guàrd *n.* 〖美蹴〗 오프 가드《공격측의 태클과 가드 사이를 뚫는 런 플레이를 말함》.

óff·hánd *adv.* 당장에, 즉석에서 ; 무뚝뚝하게, 아무렇게나. —— *a.* 즉시[즉석]의 ; 되는 대로의 (informal), 무뚝뚝한.

óff·hánd·ed *a.* = OFFHAND.

óff-hóur [ˏ ˊ] *n.* 휴식 시간 ; (사무·교통이) 바쁘지 않은[한가한] 시간(↔*rush hour*). —— *a.* 휴식 시간의 ; 바쁘지 않은[한가한] 시간의.

offic. official.

◇**of·fice** [ɔ́(:)fəs, ɑ́f-] *n.* **1** 관청, 관공서, 성(省) ; 국, 과 : the War *O*~ 《英》 육군부 / the *O*~ of Works 공무과. **2 a**) [때때로 *pl.*] 사무실, 영업소, …소 : an inquiry ~ 안내소 / go to the ~ 사무실[회사]에 가다 / have ~*s* downtown 시내에 사무실을 갖고 있다 / I called on him at his ~. 그의 사무실로 찾아갔다 / He is [works] in an ~. 사무실[회사]에서 근무하고 있다. **b**) [the ~]

(사무실의) 전직원, 전종업원. **c**) (변호사 등의) 사무실 ;《美》진료실, 의원 ;《美》(대학 교수의) 연구실. **3** U.C 관직, 공직(post) : be in ~ 재직하다 ; (정당이) 정권을 잡고 있다 / enter upon ~ 공직을 맡다 / go[be] out of ~ 정권에서 물러나다 / hold[fill] ~ 재직하다 / leave[resign (from)] ~ (공직을) 사퇴하다, 사임하다 / retire from ~ (공직에서) 은퇴하다 / take ~ 취임[취직]하다. **4 a**) 역할, 임무(duty) : the ~ of chairman 의장의 임무 / do the ~ of …의 직무를 맡아하다. **b**) [보통 *pl.*] 진력, 알선 : by [through] the good[kind] ~*s* of …의 호의[알선]로 / do a person kind ~*s* 남에게 호의를 베풀다. **5** [*pl.*]《英》부엌, 주방, 광, 화장실, 마구간《따위》(cf. OUTBUILDING). **6**〖宗〗의식, 예배식 ;〖英國教〗아침저녁의 기도(Divine Office) : perform the last ~*s* for a dead person 고인의 장례식을 올리다 / say one's ~ 일과의 기도를 외우다. **7**《英俗》귀띔, 암시 : give[take] the ~ 신호를 하다[받다], 암시를 주다[깨닫다].
〖OF<L *officium* performance of a task (*opus* work, *facio* to do)〗
類義語 ⟹ FUNCTION, POSITION.

óffice automátion *n.* 오피스 오토메이션, 사무(처리의) 자동화《略 OA》.

óffice-bèar·er *n.*《英》=OFFICEHOLDER.

óffice blòck *n.*《英》=OFFICE BUILDING.

óffice bòy *n.* (사무실의) 사환.

óffice bùilding *n.*《美》사무실용 건물, 사무실을 세놓는 건물.

óffice còpy *n.*〖法〗공인 등본, 공문서.

óffice gìrl *n.* 여자 사무원[사환].

óffice·hòld·er *n.*《美》공무원(official).

óffice hòurs *n. pl.* 집무[근무] 시간, 영업(營業) 시간(business hours) ;《美》진찰 시간.

óffice làwyer *n.* (기업 따위의) 법률 고문《보통 법정에는 나가지 않음》.

◇**of·fi·cer** [ɔ́(:)fəsər, ɑ́f-] *n.* **1** 무관, 장교, 사관(↔*soldier*) ; (상선의) 고급 선원(cf. SAILOR) : an ~ *in* the army 육군 장교 / a military [naval] ~ 육[해]군 장교 / the ~ of the day [week] 일직[주번] 사관 / an ~ *on* a steamer 기선의 고급 선원 / the chief ~ =the chief MATE / a first[second, third] ~〖海〗1[2, 3]등 항해사. **2** 관리, 공무원, 직원(official) ; (고급) 임원, 간사(幹事) : an ~ of the court 법원 직원 / a public ~ 공무원. **3** 경찰, 순경(policeman). **4**《英》훈공장(勳功章) 4급인 사람.
── *vt.* [보통 *p.p.*로] **1** …에 장교[고급 선원]를 배치하다. **2** (장교로서) 지휘하다.
〖AF, OF<L ; ⇨ OFFICE〗

Ófficers' Tráining Córps *n.*《英》장교 교육부, 장교 훈련단.

óffice sèeker *n.* 관리가 되고 싶어하는 사람, 엽관 운동자.

óffice wòrker *n.* 회사(사무)원, 사무 종사자, (관청 따위의) 사무직원.

‡**of·fi·cial** [əfíʃəl] *a.* **1 a**) 직무상의, 공무상의, 관서의, 공적인(↔*officious*) : ~ affairs[business] 공무 / ~ documents 공문서 / ~ funds 공금 / an ~ letter 공용 문서 / an ~ note〖外交〗공문. **b**) 관공직에 있는, 관선(官選)의 : an ~ residence 관사[관저]. **2** 관헌(官憲)[당국]에서 나온, 공인의, 공식의 : an ~ record 공인 기록 / The news is not ~. 그 보도는 공식적인 것이 아니다. **3** 관료식의 : ~ circumlocution 관청식의 장황한 문구. **4** 약전(藥典)에 의한.

〈회화〉
What are the *official* languages spoken at U.N. meetings? — I think English is one of them.「국제 연합 회의에서 쓰이는 공식 언어는 무엇입니까」「영어도 그중의 하나라고 생각합니다만」

── *n.* **1** 공무원, 관리, 관공리 : a government [public] ~ 관(공)리. **2** [보통 ~ principal] 종교 재판소 판사. **3** (운동 경기의) 심판.
〖L=of duty ; ⇨ OFFICE〗

offícial·dom *n.* **1** U 관료, 관공리 사회, 관계(官界). **2** U 관청식(式).

of·fi·cial·ese [əfìʃəlí:z, -s] *n.* U 관청어(語)(법)《번거롭고 까다로운 것이 특색 ; cf. JOURNALESE》.

offícial fámily *n.* (단체·정부의) 수뇌진, 간부진 ; (미국 대통령의) 내각(staff).

offícial gazétte *n.* 관보.

offícial·ìsm *n.* U 관제(官制) ; 관료주의, 관청식의 형식주의 ; 관리 근성 ; [집합적으로] 공무원.

offícial·ìze *vt.* 관청식으로 하다 ; 공표하다.

offícial·ly *adv.* **1** 공무상, 직책상. **2** 공식으로 ; 직권으로. **3** 겉으로는, 대외적으로는.

offícial óath *n.* 공직의 선서.

Offícial Recéiver *n.*〖英法〗(법원의 중간 명령에 의한) (파산) 관재인, 수익 관리인.

Offícial Referée *n.*〖英法〗(고등법원의) 공인[공선] 중재인.

Offícial Sécrets Àct *n.*〖英法〗공직자 비밀 엄수법.

of·fi·ci·ant [əfíʃiənt] *n.*〖基〗사제(司祭), 제식(祭式)의 집행자.

of·fi·ci·ary [əfíʃièri, ɔ:-, ɑ-; əfíʃəri] *a.* 공식의 ; 관직의, 직무상의. ── *n.* 공무원, 관료, 관리.

of·fi·ci·ate [əfíʃièit] *vi.* **1** [+*as* 補] 직무를 행하다, 맡은 구실을 하다 ; 사회하다 : The Mayor ~*d as* chairman at the meeting. 시장이 그 회합에서 사회를 맡아했다 / ~ *as* host(ess) (at a dinner) (만찬회의) (여자) 주인역을 맡아하다. **2** [動 / +*at*+名] (성직자가) 예배[미사]를 집전하다 ; 식을 집행하다〈*at*〉: ~ *at* a wedding[marriage] 결혼식을 집행하다. **3** (경기의) 심판을 보다. ── *vt.* **1** (공무·직무를) 집행하다. **2** (의식을) 집례[집전]하다. **3** (경기를) 심판으로서 규칙대로 진행시키다[집행하다].

of·fic·i·nal [ɑfísənl, ɔ̀(:)fəsái-, ɑ̀f-] *a.* **1** (식물 따위) 약용의. **2** 매약(賣藥)의. **3** 약전에 의한.
── *n.* 약국 처방약. 〖L (*officina* workshop)〗

of·fi·cious [əfíʃəs] *a.* **1** 참견 잘하는. **2**〖外交〗비공식의(↔*official*) : in an ~ capacity 비공식의 자격으로. **~·ly** *adv.* 부질없이 참견하여 ; 비공식으로. **~·ness** *n.* 부질없는 참견.
〖L=obliging ; ⇨ OFFICE〗

óff·ing *n.* 난바다, 원해(遠海).
gain*[*take*] *an offing 난바다로 나가다.
in the offing (1) 난바다에 : *in the* ~ *of* Inch'ŏn 인천(仁川) 난바다에. (2)《비유》근처에, 가까이에 ; 금방 일어날 것 같은 : Trouble is *in the* ~. 난처한 일이 일어날 것 같다.
keep an offing 계속하여 난바다를 항행하다.
〖OFF〗

óff·ish *a.*《口》쌀쌀한, 새침한.

óff-ìsland *n.* 난바다의 섬.
── *a.*《美》섬을 방문한, 섬사람이 아닌.
── *adv.* 섬을 떠나. **~·er** *n.*《美》섬의 일시 체류자, 섬사람이 아닌 사람.

OFF-JT〖經〗off-the-job training《직장외 훈련 ;

현장 밖에서의 집합 교육》.
óff-kéy *a.* 가락이[곡조가] 고르지 못한 ; 부조리한, 기묘한, 이례(異例)의.
óff·let *n.* 방수관(放水管).
óff-lìcense *n.*《英》(점포 내에서는 음주를 할 수 없다는 조건부의) 주류 판매 허가(↔*on-license*).
óff-límits *a.*《美》출입 금지의(↔*on-limits*).
óff-líne *a., adv.*〖컴퓨〗오프라인의[으로], 따로 잇기[이음]의《데이터처리에서 주(主) 컴퓨터와는 별도로 독립하여 조작됨 ; cf. ON-LINE》.
óff(-)lóad *vt., vi.* =UNLOAD.
óff-míke *a.* 음량을 표준보다 낮추어서 녹음[방송]한 ; 마이크에서 떨어진.
óff-óff-Bròadway *n., a., adv.* 오프오프브로드웨이(의[에서])《오프 브로드웨이보다 더 전위적인 뉴욕의 연극 운동 ; 略 OOB》.
óff-péak *a.* 출퇴근 시간외의, 한산할 때의, 피크때가 아닌 ;〖電〗오프피크의《부하(負荷)》.
óff-prémises *a.* (가게에서는 음주를 금하는) 주류 판매의(cf. OFF-LICENSE).
óff-príce *a.* 할인의.
óff-príc·er *n.* 할인 판매자[점].
óff·prìnt *n.* (잡지·논문의) 추려박기.
—— *vt.* 추려박기를 하다.
óff·pùt *vt.*《英口》당황[곤혹]하게 하다.
óff-pútting *a.*《英口》불쾌한 ; 당혹하게 하는 ; 혐오를 느끼게 하는 ; 실망시키는 ; 망설이게 하는.
óff-ràmp *n.* 고속 도로에서 가로(街路)로 나가는 차선.
óff-ròad *a.* 일반[포장] 도로에서 벗어난[달리지 않는]《드라이브》; 일반[포장] 도로 외(外) 주행용의《설상(雪上)차 따위》.
óff-sàle *n.* 사서 가지고 가는 주류의 판매 방식(=《英》take-home sale).
óff-scéne *a.* 장면[화면] 외의.
óff·scòur·ing *n.* 오물 ; 폐물, 찌꺼기 ; 쓰레기 : the ~ *of* humanity 인간 폐물.
óff·scréen *a.*〖TV·映〗화면에는 나오지 않는 ; 사생활의 : an ~ voice 화면 밖의 목소리.
óff-sèason *n.* 한산한 시기, 제철이 아닌 때.
—— *a., adv.* 비성수기의[에], 제철이 아닌 때의[에], 철이 지난 (때에).
óff·sèt [ˊˋ, 美+ˋˊ] *v.* (~ ; **-sèt·ting**) *vt.* [+目/+目+前+名] **1** 차감 계산(差減計算)을 하다, 상쇄하다. **2** (장점으로 단점을) 보완하다 : The better roads ~ the greater distance. =We ~ the greater distance ***by*** the better roads. =We ~ the better roads ***against*** the greater distance. 도로가 좋으면 거리가 먼 것도 별 문제가 안된다. **3**〖印〗오프셋 인쇄로 하다. —— *vi.* **1** 파생(派生)하다. **2**〖印〗오프셋 인쇄하다. ——[ˊˋ] *a., adv.* **1** 오프셋 (인쇄법)의[으로] : ~ printing [lithography] 오프셋 인쇄(법). **2** 치우친[쳐서]. ——[ˊˋ] *n.* **1** 상쇄하는 것, (부채 따위의) 차감(差減) 계산 ; 보충〈*to, against*〉. **2** 갈라짐, 분파 ; (산의) 지맥 ;〖植〗=OFFSHOOT 1. **3**《稀》출발, 시초. **4**〖印〗오프셋 (인쇄법). **5**〖建〗벽면의 선반, 벽단(壁段).
óff·shòot *n.* **1**〖植〗곁가지, 옆가지. **2** (씨족의) 갈라짐, 분가(分家). **3** 파생물(derivative)〈*from*〉. **4** 지맥, 지류, 지선, 지도(支道).
óff·shóre *adv.* 난바다에(↔*inshore*) ; 난바다로 향해서. ——[ˊˋ] *a.* **1** 난바다의 : ~ fisheries 근해(近海) 어업. **2** (바람이 해안에서) 난바다 쪽으로 부는. ——[ˊˋ] *prep.* …의 난바다에(서).
óffshore bánking *n.* (국제금융에서) 비거주자 간의 거래를 위한 조세·외환관리 따위의 우대조치와 그 영업거점을 제공하는 일.
óffshore cénter *n.* 비거주자를 위해 외환법·세법 따위의 규정을 완화하고 있는 국제 금융시장.
óffshore drílling *n.* 해양 굴착《유정의》.
óffshore fúnd *n.*《美》재외 투자신탁《세부담·법규제가 엄하지 않은 외국에 마련한 것》.
óffshore óil *n.* 해양 석유.
óffshore patról *n.* 연안 경비[초계].
óffshore technólogy *n.* 해양 공학[기술]《해양 석유 개발과 관련된 분야에서 주로 쓰임》.
óff·síde *n.* **1** Ⓤ〖蹴·하키〗오프사이드, 반칙(反則)이 되는 위치. **2** [the ~]《주로 英》(말이나 마차의) 우측 ;《英》(자동차의) 도로 중앙측(↔*nearside*). —— *a., adv.* 반대측의[에] ;〖蹴·하키〗오프사이드의[로], 반칙이 되는 위치의[에] (cf. ONSIDE).
óff·sìder *n.*《濠》보조[원조, 지지]자.
óff·sprìng *n.* (*pl.* ~) 자식 ; 자손 ; 소생(所生), 소산, 결과.
〚OE *ofspring* (*of* from, *springan* to SPRING)〛
óff·stáge *a., adv.*〖劇〗무대 뒤의[에서](cf. ONSTAGE) ;《비유》사생활에서(는) ; 남몰래, 비공식적인[으로].
óff-stréet *a.* 큰길에서 떨어진, 뒷[옆]골목의 ; 도로 외의(↔*on-street*).
óff táckle *n.*〖美蹴〗오프태클《tight end에서 offensive tackle의 바깥을 달리는 런(run) 플레이의 총칭》.
óff-the-bénch *a.* 법원 밖에서의(not on the bench).
óff-the-cúff *a., adv.*《美》거의 준비없는[없이], (연설 따위) 즉석의[에서].
óff-the-fáce *a., adv.* (머리털·모자가) 얼굴을 가리지[덮지] 않는[않게].
óff-the-jób *a.* 직장을 떠난, 실직한 ; 일시 휴무인 ; 일 이외의, 취업 시간 외의(↔*on-the-job*).
óff-the-pég *a.*《英》=OFF-THE-RACK.
óff-the-ráck *a.* (옷이) 기성품인(ready-made).
óff-the-récord *a., adv.* 비공개의[로] ; 기록하지 않는[않고] ; 비공식의[으로].
óff-the-shélf *a.* (특별 주문이 아닌) 재고품의, 출하 대기의 ; 기성품인.
óff-the-wáll *a.*《美口》흔하지 않은, 엉뚱한 ; 즉흥[즉석]의.
óff-tìme *n.* 한산한 때.
óff tràck *n.*《美俗》상태가 나쁜 경주로.
óff-tràck *a., adv.* (경마 내기에서) 경마장 밖에서 행하는, 장외의[에서].
ófftrack bétting *n.* 장외 마권 투표(cf. OTB).
óff-whíte *n., a.* 약간 회색을 띤 흰색(의).
óff yèar *n.*《美》대통령 선거가 없는 해.
óff-yèar *a.* 대통령 선거가 없는 해의 : an ~ election 중간 선거.
O.F.M. *Ordo Fratrum Minorum*《L》(=Order of Friars Minor). **O.F.S., OFS** Orange Free State.
oft [ɔ́ft, 美+ɔ́:ft] *adv.*《古·詩》=OFTEN.
many a time and oft《古·詩》몇 번이고.
〚OE〛
OFT〖宇宙〗orbital flight test.
◇**of·ten** [ɔ́ftən, 美+ɔ́:f-] *adv.* (**~·er, more ~** ; **~·est, most ~**) 흔히, 자주, 종종(frequently)(↔*seldom*). ㊟ 문장 속의 위치는 보통 동사의 앞, be의 정형(定形) 및 조동사의 뒤 : I ~ visit him. / I have ~ visited him. / She is ~ surprised to see insects. / He would ~ come to see me. / It very ~ snows there. =It snows there very

~. / She used to come ~*er* [more ~]. 이전에는 더 자주 왔었다.
as often as …할 때마다(whenever).
as often as not 자주《often의 강조표현》.
how often 몇 번(쯤) : *How* ~ did you see him? 그를 몇 번 만났습니까.

〈회화〉
How often do the buses run? — They run every twenty minutes.「버스는 몇 분 간격으로 운행됩니까」「20분 간격으로 운행됩니다」

more often than not 대개, 대강, 대략.
often and often 몇 번이고.
〚ME 기(期) *selden* seldom을 모방하여 OFT에서〛
[類義語] ***often*** 몇 번이고 빈번히 일어나거나 반복되는 것을 나타낸다 : I *often* forget his name. (그의 이름을 자주 잊어버린다). ***frequently*** 짧은 간격으로 규칙적으로 몇 번이고 되풀이되는 것을 나타낸다 ; often 보다 형식적인 말 : We met her *frequently* last month. (그녀를 지난달에 자주 만났다).

óften·tìmes, óft·tìmes *adv.*《古·詩》=OFTEN.
O.G. Officer of the Guard (위병 사령) ; Olympic Games. **O.G., o.g.** 〔郵〕 original gum.
og·do·ad [ɑ́gdouæ̀d] *n.* 8 ; 여덟 개 한 벌.
ogee, OG [óudʒiː, -ˊ] *n.* Ⓒ 〔建〕 총화선(葱花線), 반곡선(反曲線) : an ~ roof 총화 지붕.
—— *a.* 총화선형[S자형]의 《선, 조형》.
〚C17 < ? *ogive*〛
og·ham, og·am [ɑ́gəm, 美+óug-, 美+ɔ́ːg-, 美+óuəm] *n.* 오검문자《고대 영국 및 아일랜드에서 쓰던 문자》; Ⓒ 오검 비명(碑銘).
~·ist *n.* ogham 각인자(刻印者). **og·hám·ic** [-gǽm-] *a.*
〚OIr. *ogam* ; 고안자 *Ogma*에 연유한다고 함〛
ogive [óudʒaiv, -ˊ] *n.* Ⓒ〔建〕 **1** (둥근 천장의) 맞보 ; 첨두 홍예. **2** =OGEE.
〚OF < ?〛
OGL open general licence system(총괄 수입 허가제).
ogle [óugəl] *vt., vi.* (…에게) 추파를 던지다〈*at*〉.
—— *n.* 추파, 눈짓. 〚? LDu. ; cf. LG *oegeln* (freq.) < *oegen* to look at〛
OGO Orbiting Geophysical Observatory (지구 물리 관측 위성).
OGPU, Og·pu [ɑ́gpuː] *n.* (구소련의) 합동 국가보안부《국가 비밀 경찰(Gay-Pay-Oo) (1922-34) ; NKVD의 전신 ; cf. GPU》.
〚*O*bedinionnoe *G*osudarstvennoe *P*oliticheskoe *U*pravlenie = Unified Government Political Administration〛
ogre [óugər] *n.* (동화 따위의) 사람을 잡아먹는 도깨비 ; 무섭고 잔인한 사람.
ógr(e)·ish *a.*
〚F < ? ; 1697년 Perrault의 조어(造語)〛
◇**oh**[1] [óu] *int.* 오오!, 아아!, 저런!《놀람·공포·고통·소망·호칭 따위의 소리》: *Oh,* yes! 오오, 그렇고말고요 / *Oh,* no! 아니야, 그럴리가 (없어) / *Oh,* what a surprise! 아아, 놀랐다 / *Oh!* how do you know that? 아니, 어떻게 해서 그걸 알고 있지 / *Oh,* mother! 오오, 어머니 / ...*oh,* and Jim!... 아아, 그리고 말이야, 짐….
—— *n.* oh 하는 외침. 〚O²〛
[活用] 바로 뒤에 콤마 따위의 구두점을 씀. ☞ O² [活用].
oh[2] *n.* 제로, 영(zero) : My number is double *oh* seven two. (전화 번호 따위를 말할 때) 이쪽 번호는 0072입니다.
〚제로 *O*를 o [óu]로 읽은 것〛
OH 《美》〔郵〕 Ohio. **o.h.c.** 〔自動車〕 overhead camshaft (상부(上部) 캠축(軸)식).
oh-dee [óudíː] *n., vi.* 《俗》 마약 과용(過用) (으로 죽다) (OD).
OHG, O.H.G. Old High German (옛 고지(高地) 독일어).
Ohio [ouháiou, ə-, -ə] *n.* **1** 오하이오《미국 북동부의 주(州) ; 주도 Columbus》. **2** [the ~] 오하이오 강(江)《미국 중동부를 흐르는 Mississippi 강의 지류》. **~·an** *a., n.* Ohio 주의 (사람).
ohm [óum] *n.* 〔電〕 옴《전기저항 단위 ; 기호 Ω》.
óhm·age *n.* 〔電〕 옴수(數).
óhm-ámmeter *n.* 〔電〕 저항 전류계.
óhm·ic *a.* 〔電〕 저항의.
óhm·mèter [-*m*m-] *n.* 〔電〕 옴계, 전기 저항계.
O.H.M.S., OHMS 《英》 On His[Her] Majesty's Service《공용 ; 공문서 따위의 무료 배달의 표지로 씀》.
oho [ouhóu] *int.* 하아!, 이런!《놀람·조롱·기쁨 따위를 나타내는 소리》. 〚*O*² + *ho*¹〛
-oholic ☞ -AHOLIC.
OHP overhead projector (두상(頭上) 투영기).
-o·ic [óuik] *a. suf.* 〔化〕「카르복시를 함유하는」의 뜻. 〚*-o-* + *-ic*〛
OIC Organization of Islamic Conference(이슬람 국가 회의 기구).
oick [ɔ́ik] *n.* 《英俗》 지겨운 놈.
-oid [ɔid] *a. suf., n. suf.*「…와 같은 (것)」「…모양의 (것)」「…질의 (것)」의 뜻 : negr*oid,* cellul*oid.* 〚NL < Gk. (*eidos* form)〛
-oi·dal [ɔ́idl] *a. suf.* = -OID.
-oi·dea [ɔ́idiə], **-oi·da** [-də], **-oi·dei** [-diài] *n. pl. suf.* 〔動物分類〕「…의 특징[성질]의 동물」의 뜻. 〚NL (*-oid*)〛
oid·i·um [ouídiəm] *n.* (*pl.* **-ia** [-iə]) 〔菌〕 오이듐《*O*~ 속(屬)의 흰가루병균의 총칭》; 〔菌〕 분열자(分裂子) 《(1) 균사(菌絲)가 짤막하게 끊겨서 되는 기둥 모양의 무성 포자(無性胞子)로 분절 포자라고도 함. (2) 분열자 자루 위의 일종의 분생자(分生子)》; 〔植〕 (특히 포도의) oidium으로 인한 흰가루병. 〚NL (Gk. *ōion* egg, *-idium*)〛
OIEC Organization for International Economic Cooperation(국제 경제 협력 기구).
◇**oil** [ɔil] *n.* **1** [U.C] 기름 ; 석유, 원유, 오일 ; 올리브유(油) : machine ~ 기계유 / ~ and vinegar [water] 기름과 식초,「물과 기름」《서로 잘 융합되지 않는 것》. **2** [흔히 *pl.*] 유화(油畵) 그림 물감(oil colors) ; 유화(oil painting) : paint in ~*s* 유화를 그리다. **3** [보통 *pl.*] =OILSKIN 2. **4** 《口》 겉발림말, 아부 ; 《俗》 돈, 뇌물.
burn [***consume***] ***the midnight oil*** 밤늦게까지 공부하다[일하다].
pour oil on the flame(***s***) 불에 기름을 붓다 ; 선동하다.
pour [***throw***] ***oil on troubled waters*** [***the waters***] 파도치는 수면에다 기름을 붓다《파도를 가라앉히다》; 《비유》 풍파를 가라앉히다.
smell of oil 애쓴 흔적이 엿보이다.
strike oil 유맥(油脈)을 찾아내다 ; 《비유》 (투기를 하여) 벼락 돈벌이를 하다, (새 기업 따위가) 성공하다.
—— *vt.* **1** …에 기름을 바르다 ; …에 기름을 치다 : ~ a lock[bicycle] 자물쇠[자전거]에 기름을 치다. **2** …에 기름을 먹이다, 기름에 담그다(cf. OILED) ; 매끄럽게[원활하게] 하다. **3** (지방 따위

를) 녹이다. **4** 《俗》 때리다. **5** …에게 뇌물을 쓰다; (경찰 등)에게 쥐어주다: ~ the knocker 《英俗》 문지기에게 팁을 주다.
— *vi.* (지방·버터 따위가) 녹다.
oil a person***'s hand***[***palm***] 남에게 뇌물을 쓰다 (bribe).
oil one***'s***[***the***] ***tongue*** 재잘재잘 알랑거리다.
oil the wheels[***works***] 《비유》 뇌물로[아첨하여] 일을 원활히 되게 하다.
〖AF<L *oleum* olive oil (*olea* OLIVE)〗
óil-básed *a.* (안료 따위의 용제가) 유성(油性)인: an ~ paint 유성 페인트.
óil·bèar·ing *a.* 석유를 함유한《지층 따위》.
óil·bèrg *n.* (20만톤 이상의) 대형 탱커[유조선]; 해상에 유출된 대량의 원유.
〖*oil*+ice*berg*〗
óil·bìrd *n.* 〖鳥〗 기름쏙독새(guacharo)《남미산》.
óil bòmb *n.* 유지(油脂) 소이탄.
óil bùrner *n.* **1** 석유 난로[버너]. **2** 중유(重油) 전용선.
óil càke *n.* 깻묵《가축의 사료·비료》.
óil·càn *n.* 기름통; 기름치는 기구.
óil·clòth *n.* Ⓤ 유포(油布), 방수포.
óil còlor *n.* [보통 *pl.*] 유화 그림물감.
óil concèssion *n.* 석유 채굴권.
óil crìsis[**crùnch**] *n.* 석유 파동, 석유 위기.
óil cùp *n.* (베어링 따위의) 기름통, 기름컵.
óil diplòmacy *n.* (석유 수출국과 수입국간의) 석유 외교.
óil-dòllar recýcling *n.* 오일 달러 환류(還流).
óil dòllars *n. pl.* 오일 달러(petrodollars)《중동 산유국이 석유 수출로 벌어들인 달러》.
óil drùm *n.* 석유 (운반)용 드럼통.
oiled [ɔ́ild] *a.* **1** 기름을 바른[먹인]; 기름에 담근. **2** (방수 따위를 위해) 유지 가공한. **3** 《俗》 얼근히 취한(drunk).
óil ègine *n.* 석유 엔진.
óil·er *n.* **1** 급유하는 사람, 기름치는 사람; 급유기, 기름치는 기구(oilcan); 유조선(油槽船), 탱커(tanker). **2** 《美口》 유포(油布)로 만든 겉옷(oilskins), 비옷. **3** 아첨꾼.
óil fènce *n.* 수면에 유출된 기름을 막는 방책.
óil fìeld *n.* 유전(油田).
óil-fired *a.* 기름을 연료로 하는.
óil gàuge *n.* 〖機〗 유량계(油量計), 유면계(油面計); 유지 비중계(油脂比重計).
óil glànd *n.* (새의) 지방 분비선, (특히 물새의 꽁지 부분에 있는) 미선(尾腺).
óil glùt *n.* 석유의 공급 과잉.
óil·i·ly *adv.* 기름처럼, 미끄럽게; 입담좋게.
óil·i·ness *n.* Ⓤ 유질(油質), 기름을 함유하기, 미끄러움; 알랑거림.
óil·ing *n.* 유출 석유에 의한 오염.
óil·less *a.* **1** 기름이 없는. **2** 기름이 필요없는.
óil màjors *n. pl.* 국제 석유 자본.
óil·màn [ˌ -mən] *n.* 기름 제조인; 기름 장수; 기름치는 사람; 《美》 석유 기업가.
óil mèal *n.* 깻묵 가루《가축 사료·비료》.
óil mìll *n.* 착유기(搾油機); 착유[제유] 공장.
óil mìnister *n.* (산유국의) 석유상(石油相).
óil nùt *n.* 지방견과(脂肪堅果)《기름을 짜는 호두나무·야자나무 따위의 견과》.
óil pàint *n.* 유화 그림물감; (유성) 페인트.
óil pàinting *n.* 유화(油畫) 그리는 법; Ⓒ 유화.
óil pàlm *n.* 〖植〗 기름야자나무《아프리카산으로 그 열매에서 palm oil을 채취함》.
óil·pàper *n.* Ⓤ 유지(油紙), 동유지(桐油紙).
óil-póor *a.* 석유가 나지 않는, 석유 자원이 없는.
óil prèss *n.* 착유기(搾油機).
óil-prodúcing *a.* 석유를 산출하는: ~ countries 산유국.
óil refínery *n.* 정유 공장.
óil-rích *a.* 석유를 풍부히 산출하는, 석유로 벼락부자가 된.
óil·rìg *n.* (특히 해저) 석유 굴착 장치.
óil sànd *n.* 〖地質〗 오일샌드, 유사(油砂)《고점도(高粘度)의 석유가 함유되어 있는 다공성 사암(多孔性砂岩)》.
óil shàle *n.* 〖鑛〗 함유(含油) 셰일, 오일 셰일.
óil shòck *n.* =OIL CRISIS.
óil sílk *n.* 명주 유포(油布)《얇은 명주천에 기름을 먹인 방수천》.
óil·skìn *n.* **1** Ⓤ 유포, 방수포(布); Ⓒ 유포제(製) 레인 코트. **2** [보통 *pl.*] (상의와 바지로 된) 오일스킨의 옷.
óil slìck *n.* (원유 유출 사고 따위로 해상·호수 따위에 뜬 석유의) 유막.
óil-slìcked *a.* (수면이) 기름으로 뒤덮인.
óil spìll *n.* (해상에서의) 석유 유출.
óil sprìng *n.* 유천(油泉), 오일 스프링《간단한 굴착으로 광유가 분출하는 유전》.
óil stàtion *n.* 《美》 (자동차) 급유소, 주유소 (filling station).
óil·stòne *n.* 기름 숫돌.
óil·stòve *n.* 석유 난로.
óil tànker *n.* 유조선, 석유 수송선, 탱커.
óil wèapon *n.* (산유국이 행사하는) 무기로서의 석유, 석유 공세(攻勢).
óil wèll *n.* 유정(油井).
óily *a.* **1** 유질(油質)[성]의; 기름을 칠한, 기름을 먹인; 기름으로 미끈미끈한; (피부가) 지성(脂性)의; 기름투성이의. **2** (태도 따위) 아첨하는, 알랑거리는. — *adv.* =OILILY.
oink [ɔ́iŋk] *n.* 돼지의 울음소리; 《美俗》 경찰. — *vi.* 꿀꿀거리다. 〖imit.〗
oint·ment [ɔ́intmənt] *n.* Ⓤ,Ⓒ 〖藥〗 연고, 고약. 〖OF<L (*unguo* to anoint)〗
Oir·each·tas [érəxθəs; íərəxθæs] *n.* 아일랜드 공화국의 의회.
OIT 《美》 Office of International Trade (국제 통상국). **OIt**(.) Old Italian.
O.J., o.j. opium joint; 《美口》 orange juice (오렌지 주스).
Ojib·wa, -way [oudʒíbwei] *n.* **1** (*pl.* ~, ~s) 오지브웨이족(族)《Algonquian 어족에 속하는 북미 인디언의 대종족으로 Superior 호(湖) 지방에 살고 멕시코 이북에서의 최대 종족》. **2** 오지브웨이어(語) (Chippewa).
OJT on-the-job training(직장내 훈련, 현장 연수). **OK** 〖美郵〗 Oklahoma.
‡**O.K., OK** [òukéi, ⌐⌐] *a., adv.* 《口·원래 美》 [흔히 감탄사적으로] 좋다, 잘 됐다(all right); 틀림없는(correct): It's *O.K. with* me. 나는 좋다 / (Is it) *O.K.?* 됐지, 알았지 / *O.K.*, I'll go. 좋아, 가겠다 / Every-thing will be *O.K.* 모든 것이 순조롭게 되겠지 / The machine is working *O.K.* 기계는 순조롭게 돌아가고 있다. — [⌐⌐] *n.* 승인, 허가, 교료(校了): We are hoping for your prompt *O.K.* 당신[귀하]께서 조속히 승인해 주시기를 기대하고 있습니다. — [⌐⌐] *vt.* (**~'d**; **~'ing**) …에 O.K.라고 쓰다《교정완료의 표시 따위로》; 승인하다(approve of): The boss *O.K.'d* it. 사장은 그것을 승인했다. 〖*oll* or *orl korrect* (U.S. joc. form) all correct; 이설(異說)에 ‹*O.*

K. Club (1840년 M. V. Buren의 미대통령 후원회) ‹Old Kinderhook (그의 탄생지)›]

活用 철자는 O. K., OK가 보통이나 okay, okeh, okey 따위도 있다. 완곡한 구어체로 특히 상업용어로서 널리 쓰이지만 격식을 차린 표현에서는 쓰이지 않음.

oka·pi [oukɑ́:pi] *n.* 〔動〕 오카피《중앙 아프리카산 ; giraffe와 거의 비슷하나 그보다 작음》. 〚(Afr.)〛

‡**okay, okeh, okey** [òukéi] *a., adv., n., vt.* 《口》 =O. K.

oke[1] [óuk], **oka** [óukə] *n.* 오크《터키·이집트·그리스 따위의 무게 단위 ; 약 2.75파운드》. 〚Turk.＜Arab.〛

oke[2] *a.* =O. K.

okey-doke (y) [óukidóuk(i)] *a., adv.* 《美口》 = O. K.

Okhotsk [oukɑ́tsk] *n.* [the Sea of ~] 오호츠크해(海).

Okie [óuki] *n.* 《美口》 오클라호마 주 사람 ; 이주(移住) 농업 노동자, (특히) 1930년대의 오클라호마 주 출신의 방랑 농부.

Okla. Oklahoma.

Okla·ho·ma [òukləhóumə] *n.* 오클라호마 《미국 중남부의 주 ; 주도 Oklahoma City ; 略 Okla.》.

Òkla·hó·man *a., n.* Oklahoma 주의 (사람).

Óklo phenòmenon [óuklou-] *n.* 〔地質〕 오클로 현상《우라늄 원광이 축적되는 과정에서 일어난 천연의 핵분열 연쇄 반응 ; 1972년 가봉의 오클로 광산에서 처음 발견됨》.

okra [óukrə] *n.* **1** 〔植〕 오크라《아욱과(科)의 다풀의 일종 ; 꼬투리는 수프 따위에 씀》 ; Ⓤ [집합적으로] 오크라 꼬투리. **2** Ⓤ 오크라 수프. 주 《美》에서는 gumbo라고도 함. 〚(W. Afr.)〛

Ókun's làw [óukənz-] *n.* 〔經〕 오컨의 법칙《실업자의 증대와 국민 총생산 저하의 상관 관계를 나타냄》. 〚A.M. *Okun* (d. 1980) 미국의 경제학자〛

-ol [ɔ(:)l, oul, ɑl] *n. suf.* 〔化〕 「수산기(水酸基)를 함유한 화합물」의 뜻 : glycer*ol*. —— *n. comb. form* 「기름」의 뜻 : benz*ol*. 〚*(alcoh) ol* and L *oleum* oil〛

OL, O.L. Old Latin ; 〔電〕 overload.

O.L. *oculus laevus* 《L》 (=the left eye). **Ol.** Olympiad.

◊**old** [óuld] *a.* (~·**er** ; ~·**est**) 주 형제 자매 관계를 나타낼 때에는 《英》에서는 ELDER[1] ; ELDEST. **1** 늙은, 나이먹은, 노년의(↔*young*) : ☞ OLD MAN, OLD WOMAN / He looks ~ for his age. 나이에 비하여 늙어 보인다 / He is the ~*est* boy in the class. 반에서 제일 나이 많은 학생이다 / one's ~*er* [~*est*] sister 《美》 누이[맏누이] / one's ~ brother 《口》 형 / grow ~ 늙어가다, 나이먹다. **2** (만) …살의[인] (of age) : a boy (of) ten years ~ =a ten-year-~ boy 열 살난 아이 / at ten years ~ 열 살 때에 / How ~ is he? — He is ten years ~. 몇 살인가요 — 열 살이예요 / He is five years ~*er* than I (am). 나보다 다섯 살 위다. **3** 낡은, 해묵은(↔*new*) ; 낡아빠진, 써서 헌 것이 된 ; 옛날의, 구(舊)… : an ~ wine 오래된 술 / an ~ hat 헌 모자 / ~ clothes 헌 옷 / an ~ pupil of mine 나의 옛 제자 / (the) good ~ days 그리운 지난날 / ~ England [London, Paris, *etc.*] 그리운 영국[런던, 파리 따위]《옛날의 자취를 동경하여 말함》. **4** 노련한, 익숙한 ; 교활한 : ☞ OLD HAND. **5** 오래 전부터의, 연래(年來)의, 옛정이 어린 ; 여느 때의, 예(例)의 : an ~ friend 옛 친구 / ~ familiar faces 예전부터 아는 사람들 / It's one of his ~ tricks. 그의 상투적인 수법이다 / It's the ~ story. 흔히 있는 이야기[일]다. **6** [때때로 호칭] 《口》 친한 : my dear ~ fellow 나의 친한 친구 / ~ boy [chap, man, thing] 군(君) / good ~ so-and-so 모씨(某氏). **7** 원래의…, …출신의 : an ~ Harrovian 해로교(校) 출신자. **8** 구식인, 시대에 뒤떨어진, 진부한 : an ~ joke 케케묵은 농담. **9** [보통 형용사 뒤에 붙여 강조적으로] 《口》 훌륭한, 굉장한 : We had a fine [high] ~ time. 매우 유쾌하게 지냈다 / any ~ ☞ 숙어.

any old... 《口》 어떠한 …이라도(any...whatever) : *Any* ~ hat [ink] will do. 어떤 모자[잉크]라도 상관 없다 / Come at *any* ~ time. 아무 때라도 좋으니 오시오.

(*as*) *old as the hills* [*world*] 아주 오래 된.

the Old Lady of Threadneedle Street 《英》 잉글랜드 은행《속칭》.

young and old ☞ YOUNG *a.*

〈회화〉
Who is the *oldest* of you three? — I am. 「세 사람 중에 누가 제일 나이가 많죠」「저예요」

—— *n.* **1** [전치사 뒤에서] 옛날 : men *of* ~ 옛사람들. **2** …세의 사람[동물, (특히) 경주마] : a ten-year-~ 10살된 어린이 / four-year-~*s* 네살된 말. 주 보통 20살 이하에 씀. **3** [복수취급 ; the ~] 노인들 ; 옛 것, 옛정 어린 사물《풍속 따위》.

in days of old 옛날에, 이전에는.

of old 옛날의 ; 과거에는 : from *of* ~ 예전부터, 이전부터.

〚OE *ald* ; cf. G *alt*, L *alo* to nourish〛

類義語 (1) ***old*** 나이먹은, 인생의 막바지에 이른. ***aged*** 보통 나이가 들어 몸이 쇠약해진 것을 암시함. ***elderly*** 중년을 지나 노년으로 들어서는. (2) ***old*** 비교적 오랫동안 생존한 또는 사용되어 온 : *old* overcoat (낡은 외투). ***ancient*** 특히 먼 옛날의 : *ancient* history (고대사). ***antique*** 고대[옛날]부터의 ; 고풍스러운, 구식의 : *antique* furniture (구식 가구).

óld Ádam *n.* [the ~] 《옛투》 옛날의 아담《죄많은 인간의 성질, 원죄를 진 자로서의 약함》.

óld áge *n.* 노년(기) ; 〔地〕 노년기.

óld-áge *a.* 노년기의 : ~ pension 양로 연금《略 OAP》 / an ~ pensioner 양로 연금 수령자《略 OAP》.

óld ármy gàme *n.* [the ~] 《俗》 사기, 협잡[사기] 도박.

Óld Bái·ley [-béili] *n.* [the ~] **1** 올드베일리《London의 구시가(舊市街) (the City)의 거리 이름》. **2** (올드베일리에 있는) 중앙 형사 재판소 (the Central Criminal Court).

Óld Báy Státe *n.* [the ~] 《美》 매사추세츠 주(州)의 속칭.

óld béan *n.* 《俗》 어이, 여보게, 이 사람아《남자끼리의 친근한 호칭》.

óld bírd *n.* 《戲》 주의 깊은 사람, 신중한 노련가, 아저씨.

Óld Blúe *n.* 예일 대학 졸업생.

óld bóy *n.* **1** [⌐ ⌐] 《英》 (남자 학교의) 졸업생, 교우(↔*old girl*) : an ~*s'* association 동창회. **2** [the O~ B~] 악마. **3** [⌐⌐] 《호칭》 여보게. **4** [an ~] 《口》 정정한 노인, 나이 지긋한 남성. **5** [the ~] 책임자, 고용주, 보스.

òld bóy(s') nètwork *n.* 《英》 (public school 따위의) 교우간의 유대[연대, 결속] ; 학벌(學閥) ; 동창 그룹.

óld-clóthes·màn [ˌ -mən] *n.* 헌옷 장수.

Óld Cólony *n.* [the ~] 〖美史〗 =MASSACHUSETTS.

óld cóuntry *n.* [the ~ *or* one's ~] (이 민 의) 본국, 고국; (특히 영국 식민지 사람편에서 본) 영국 본국; (미국에서 본) 유럽.

Óld Dárt *n.* [the ~] 《濠》 영국(England).

Óld Domínion *n.* [the ~] 미국 버지니아 주(州)의 속칭.

óld·en *attrib. a.* 《古·文語》 옛날의: in (the) ~ days=in ~ times 옛날에(는). —— *vt.* 《古·文語》 늙게[낡게] 하다. —— *vi.* 늙다, 낡다.

Óld Énglish *n.* 고대 영어《1150년 이전의 영어; 略 OE, O.E.; cf. MIDDLE ENGLISH, MODERN ENGLISH》.

olde-worlde [óuldiwə́:rldi] *a.* 《英口·때때로 戲》 (아주) 예스러운.

óld·fángled *a.* =OLD-FASHIONED.

***óld-fáshioned** *a.* 옛날식의, 구식[고풍]의, 유행(流行)에 뒤떨어진(cf. NEWFANGLED, NEW-FASHIONED); 구식 생각을 가진: an ~ word 예스러운 말, 고어 / ~ clothes 유행에 뒤진 옷.
~·ness *n.*

óld fláme *n.* 옛 애인.

óld fóg(e)y *a., n.* 시대에[유행에] 뒤진 (사람), 구식의 (사람). **~·ish** *a.*

Óld Frénch *n.* 고대 프랑스어《9-13세기의 프랑스어; 略 OF, O.F.》.

óld géntleman *n.* [the ~] 《口·戲》 악마(Satan).

óld gírl *n.* 《英》 (여자) 졸업생, 교우(↔ *old boy*); [the ~] 《口》 아내, 마누라, 어머니; [the ~] 여주인; 노파; 《口·호칭》 누님, 할머니.

Óld Glóry *n.* 《口》 성조기《미국 국기》.

óld góat *n.* 《俗》 심술쟁이 영감; 음탕한 늙은이.

óld góld *n.* 낡은 금빛《광택이 없는 적황색》.

Óld Guárd *n.* **1** [the ~] (나폴레옹 1세의) 친위대. **2** [보통 o~ g~] (어떤 주의 따위의) 오랜 옹호자들; (정당내 따위의) 보수파, 극우익.

óld hánd *n.* **1** 노련한 사람, 경험자, 전문가, 숙련자〈*at*〉. **2** 《濠》 전과자(ex-convict).

Óld Hárry *n.* [the ~] 악마(the Devil).

óld hát *a., n.* 《口》 시대에 뒤진 (것), 진부한 (것); 흔한.

Óld Hígh[Lów] Gérman *n.* 고대 고지(高地)[저지(低地)] 독일어《11-12세기까지 독일에서 쓰임; 略 OHG[OLG]》.

óld hóme *n.* [the ~] =OLD COUNTRY.

Óld Húndred(th) *n.* [the ~] 찬송가 제100장 《'All people that on earth do well'로 시작》.

Óld Icelándic *n.* (9-16세기의) 고대 아이슬란드어(語)(Old Norse).

óld·ie, óldy *n.* 《口》 옛날 것[사람]; (특히) 그리운 멜로디, 한때 유행한 대중 가요, 오래된 영화[우스운 이야기, 속담 따위].

Óld Iónic *n.* 이오니아 방언《고대 그리스어의 한 방언; *Iliad* 및 *Odyssey*의 언어가 대표적임》.

Óld Írish *n.* (7-11세기의) 고대 아일랜드어.

óld·ish *a.* 약간 나이먹은; 고풍(古風)의.

òld lády *n.* [the ~ *or* one's ~] 《口》 아내, 늙은 마누라; [the ~ *or* one's ~] (특히 함께 사는) 여자 친구; [the ~ *or* one's ~] 어머니; 하찮은 일에 마음을 쓰는 신경질적인 사람.

Óld Látin *n.* 고대 라틴어《고전시대 이전, 약 75 B.C. 까지의 라틴어; 略 OL, O. L.》.

óld-líne *a.* 《美》 보수적인; 역사가 오래된, 전통있는, 유서 깊은.

Óld Líne Státe *n.* [the ~] 메릴랜드 주(州)의 속칭.

óld máid *n.* 노처녀; 《口》 까다롭고 잔소리 심한 남자[여자]; Ⓤ 〖카드놀이〗 조커뽑기《joker가 아닌 queen이 손에 남으면 지게 됨》; Ⓤ 〖카드놀이〗 queen이 손에 남은 사람.

óld-máid·ish *a.* 노처녀 같은, 까다로운, 잔소리 심한.

òld mán *n.* 《口》 **1** 노인. **2** [the ~] 일가(一家)의 가장, 어른; 《호칭》 여보게; [the ~] 고용주; [O~ M~] 우두머리, 대장; 선장; [the ~ *or* one's ~] (특히 함께 사는) 남자 친구; [the ~ *or* one's ~] 남편, 바깥주인. **3** [the ~] 사탄; =OLD ADAM.

the Old Man of the Sea 바다의 노인《아라비안 나이트 중의 Sindbad the Sailor의 모험담(冒險談)에서》; (일반적으로) 쉽사리 쫓아버릴 수 없는 사람[것].

óld máster *n.* **1** [the ~s] (특히 16-18세기 유럽의) 대화가. **2** 옛 대화가의 작품.

óld-mòney *a.* 몇 대에 걸친 부(富)를 가진, 조상 전래의 재산이 있는.

óld móon *n.* 만월이 지난 달; 하현과 초하루 사이의 가는 달.

Óld Níck *n.* [the ~] 악마(the Devil).

Óld Nórse *n.* 고대 노르드어(語), 고대 북유럽어 《특히 8-14세기에 노르웨이·아이슬란드에서 쓰임; 略 ON, O.N.》.

Óld Nórth Frénch *n.* 고대 프랑스어의 북부 방언《특히 Normandy 및 그 부근에서 쓰인 방언; 略 ONF》.

Óld Nórth Státe *n.* [the ~] 노스 캐롤라이나 주(州)의 속칭.

óld òne *n.* [the ~] 《口·戲》 악마(the Devil); 진부한 농담.

Óld Páls Áct *n.* 《英戲》 친구 상호 구제 조례.

Óld Pérsian *n.* (기원전 7-4세기의) 고대 페르시아 어(語).

Óld Provençál *n.* (11-16세기의 문서에 나타난) 고대 프로방스어(語).

óld róse *n.* 회자색(灰紫色).

óld sált *n.* 《口》 경험이 풍부한 뱃사람.

Óld Sáxon *n.* 고대 색슨어《독일 북부에서 색슨인이 9-10세기에 사용한 저지 게르만어 방언; 略 OS》.

óld schòol *n.* [one's ~] 모교(母校); [the ~] 보수파, 구식의 사람들: a gentleman of *the* ~ 구식 신사.

óld schòol tíe *n.* **1** 《英》 (public school 출신자가 매는) 모교의 넥타이. **2** [the ~] 《주로 英》 (public school 따위의) 모교(母校) 기풍; 학벌[상류계급] 의식, 보수적인 태도[생각], 냉정하고 자신있는 태도, 독특한 어조.

Óld Scrátch *n.* [(the) ~] 악마(the Devil).

óld-shòe *a.* 스스럼[허물] 없는, 딱딱하지 않은.

Olds·mo·bile [óuldzmoubì:l] *n.* 올즈모빌《미국 GM제의 승용차의 하나》.
〖R. E. *Olds* (d. 1950) 미국의 기사(技師)로, 옛 Oldsmobile 사(社)의 창업자〗

óld sóldier *n.* 노병, 고참병; 《비유》 숙련자; 《美俗》 빈 술병.

Óld Sóuth *n.* [the ~] 《美》 (남북 전쟁 전의) 옛 남부.

Óld Spárky *n.* 《美俗》 전기 의자.

óld stáger *n.* 《英》 =STAGER.

óld·ster *n.* 《口》 노인(↔*youngster*); 고참, 윗사람, 경험자.

O

Óld Stóne Àge *n.* [the ~] 구석기 시대.
óld stóry *n.* 흔한 일[이야기] : *the* (same) ~ 바로 그 흔한 이야기[일] ; 똑같은 변명.
óld stýle *n.* **1** [the O~ S~] 구력(舊曆), 율리우스력《略 O.S. ; cf. NEW STYLE》 : July 4 *O.S.* 구력 7월 4일. **2** 〖印〗 올드 스타일체(體) 활자. —— *a.* [O~ S~] 구력[율리우스력]에 의한.
Old Test. Old Testament.
Óld Téstament *n.* [the ~] 구약 성서(cf. NEW TESTAMENT).
óld-tíme *a.* 옛날의, 옛날부터의 ; 고참의.
óld-tímer *n.* 《口》 고참자 ; 구식 사람.
óld-tím·ey [-táimi] *a.* 《口》 =OLD-TIME, 옛날이 그리운.
Óld Tóm *n.* 《俗》 설탕이나 글리세린으로 달게 한 진(gin).
Óld Víc [-vík] *n.* [the ~] 올드 빅《런던에 있는 레퍼터리 극장 ; Shakespeare극(劇)의 상연으로 유명함》.
óld wífe *n.* 수다스런 노파 ; 굴뚝의 검댕막이.
óld·wìfe *n.* 〖魚〗 청어류의 각종 물고기 ; 〖鳥〗 바다평.
óld wíves' tàle[stòry] *n.* (노파가 전하는) 믿기 힘든 전설[미신]. 〖WIFE=woman〗
óld wóman *n.* **1** 노파. **2** [the ~] 《口》 여주인 ; 《口》 (노파처럼) 신경질적이고 옹졸한 사내. **3** [the ~ *or* one's ~] 《口》 아내 ; 어머니.
óld-wóman·ish *a.* 노파 같은 ; 쓸데없이 걱정하는, 잔소리가 심한.
Óld Wórld *n.* [the ~] 구대륙《특히 유럽 ; cf. NEW WORLD》 ; [the ~] 동반구(東半球).
óld-wórld *a.* **1** 태고의 ; 고풍(古風)의, 시대에 뒤진. **2** 구대륙의(cf. NEW-WORLD) ; 동반구의.
óld yéar *n.* [the ~] 묵은해, 지난해, 세모.
Óld Yéar's Dày *n.* 섣달 그믐날.
ole [óul] *a.* 《美口》 =OLD.
olé [ouléi] *int., n.* 좋아, 잘했어《투우나 플라멩코 댄스 따위에서의 찬성·기쁨·격려하는 소리》. 〖Sp.〗
ole- [óuli], **oleo-** [óuliou, -liə] *comb. form* 「기름」「올레(산(酸))」의 뜻. 〖L (*oleum* oil)〗
-ole [òul] *n. comb. form* 「수산기(基)를 함유하지 않은 화합물」의 뜻. 〖F〗
ole·ag·i·nous [òuliǽdʒənəs] *a.* **1** 유질(油質)의, 유성의(oily). **2** 알랑알랑하는, 말주변이 좋은. 〖F<L ; ⇨ OIL〗
ole·an·der [òuliǽndər, ⌐-⌐-] *n.* 〖植〗 서양협죽도(夾竹桃). 〖L〗
ole·as·ter [òuliǽstər] *n.* 〖植〗 보리수나무의 일종《방향성 꽃이 피는 관상용 관목》. 〖L ; ⇨ OIL〗
ole·ate [óulièit] *n.* 〖化〗 올레산염(酸鹽).
ole·fin [óuləfən], **-fine** [-fən, -fi:n] *n.* 〖化〗 올레핀. 〖F *oléfiant* oil forming〗
ole·ic [oulí:ik, -léi-, óuli-] *a.* 〖化〗 올레산의 ; 기름의 ; 기름에서 채취된.
oléic ácid *n.* 〖化〗 올레산(酸)《불포화 지방산》.
ole·if·er·ous [òuliífərəs] *a.* 기름이 나오는, 함유(含油)···.
òle·in [óuliən] *n.* Ⓤ 〖化〗 올레인《올레산(酸)과 글리세린의 에스테르》.
oleo [óuliòu] *n.* (*pl.* **óle·òs**) 《美》 =OLEOMARGARINE.
oleo- [óuliou, -liə] ☞ OLE-.
óleo·gràph *n.* 유화(油畫)풍의 석판화.
ole·og·ra·phy [òuliágrəfi] *n.* 유화식 석판 인쇄법. **òleo·gráph·ic** *a.*
òleo·márgarin(e) *n.* Ⓤ 올레오마가린.
ole·om·e·ter [òuliámətər] *n.* Ⓒ 기름 비중계(比重計).
óleo òil *n.* 올레오 기름《동물 지방에서 뽑은》.
òleo·phílic *a.* 〖化〗 친유성(親油性)의.
òleo·résin *n.* Ⓤ 함유수지(含油樹脂).
ole·um [óuliəm] *n.* **1** (*pl.* **olea** [-liə]) 기름(oil). **2** (*pl.* **~s**) 〖化〗 발연(發煙)황산, 올레움. 〖L=oil〗
O level [óu ⌐] *n.* 〖英敎〗 보통 과정, 보통급(普通級) (Ordinary level) (☞ GENERAL CERTIFICATE OF EDUCATION).
ol·fac·tion [ɑlfǽkʃən, 美+oul-] *n.* Ⓤ 〖生理〗 후각(嗅覺) (작용).
ol·fac·to·ry [ɑlfǽktəri, 美+oul-] *a.* 후각의, 후각기의 : the ~ organ 후각기《코》. —— *n.* 〖解〗 [보통 *pl.*] 후신경 ; [보통 *pl.*] 후각기. 〖L (*oleo* to smell, *fact- facio* to make)〗
olfáctory nèrve *n.* 〖解〗 후신경.
ol·fac·tron·ics [àlfæktrániks, òul-] *n.* 후각 공학(工學).
Ol·ga [álgə] *n.* 여자 이름. 〖Russ.<Scand. =holy ; ⇨ HELGA〗
olig- [álig, 美+óulig ; əlíg], **oli·go-** [-gou, -gə] *comb. form* 「소수」「소(少)」「부족」의 뜻. 〖Gk. (↓)〗
ol·i·garch [áləgɑ̀:rk, 美+óulə-] *n.* 과두(寡頭) 정치의 독재자 ; 과두 정치의 지지자. 〖F or L<Gk. (*oligoi* few, *arkhō* to rule)〗
ól·i·gàr·chal *a.* 과두[소수] 정치의, 소수 독재 정치의.
ol·i·gar·chy [áləgɑ̀:rki, 美+óulə-] *n.* Ⓤ 과두 정치, 소수 독재 정치(↔*polyarchy*) ; Ⓒ 과두 독재국 ; [집합적으로] 소수의 독재자 ; 《美》 정부 압력자들. **òl·i·gár·chic, -chi·cal** *a.* 과두 정치의, 소수 독재 정치의.
Ol·i·go·cene [áligousì:n, óul- ; əlíg-] *n., a.* 〖地質〗 올리고세(世)[통(統)](의)《Eocene 다음에 옴》. 〖Gk. *oligos* little, *-cene*〗
oligo·mer [əlígəmər] *n.* 〖化〗 올리고머, 소중합체(小重合體). **olìgo·mér·ic** [-mér-] *a.* **olìgomer·izátion** *n.*
òligo·mýcin *n.* 〖藥〗 올리고마이신《항생 물질의 일종》.
òligo·phrénia *n.* 〖醫〗 정신 박약(feeblemindedness).
ol·i·gop·o·ly [àləgápəli, 美+òul-] *n.* 〖經〗 (시장의) 소수 독점, 과점(寡占). **-list** *n.* **òl·i·gòp·o·lís·tic** *a.*
ol·i·gop·so·ny [àləgápsəni, 美+òul-] *n.* 〖經〗 (시장의) 소수 구매 독점, 수요 과점. **-nist** *n.* **òl·i·gòp·so·nís·tic** *a.*
òligo·tróphic *a.* 〖生態〗 (호수·하천이) 빈영양(貧營養)의(cf. EUTROPHIC). **ol·i·got·ro·phy** [àləgátrəfi, 美+òul-] *n.* 빈영양(상태).
olim [oulí:m] *n. pl.* 이스라엘로의 유태인 이민들. 〖Heb. =those who go up〗
olio [óuliòu] *n.* (*pl.* **óli·òs**) **1** 고기와 야채의 스튜. **2** 뒤섞인 것, 혼합물 ; 잡집(雜集) (miscellany) ; 잡곡집(雜曲集). 〖Sp. OLLA=stew<L=jar〗
ol·i·va·ceous [àləvéiʃəs] *a.* 〖生〗 올리브 모양[빛깔]의.
ol·i·vary [áləvèri ; -vəri] *a.* 〖解〗 올리브 모양의, 난형(卵形)의.
***ol·ive** [áliv] *n.* **1** 〖植〗 올리브나무(olive tree) ; 올리브 열매《소금 따위에 절여 먹음》. **2** = OLIVE BRANCH. **3** Ⓤ 올리브색, 황록색. **4** [*pl.*]

얇게 썬 쇠고기를 야채에 싸서 찐 요리. —— *a.* 올리브 (색깔)의.
〚OF<L *oliva*<Gk.〛
Olive *n.* 여자 이름.
ólive brànch *n.* **1** 올리브 가지《평화·화해의 상징 ; Noah가 방주(方舟)에서 놓아준 비둘기가 올리브 가지를 물어 왔다는 고사에서》: hold out the [an] ~ 화해[화의(和議)]를 제의하다. **2** [보통 *pl.*] 《戱》 자식.
ólive crówn *n.* 올리브 관《옛날 그리스에서 승리자에게 씌운 올리브 잎사귀로 된 관》.
ólive dráb *n.* 짙은 올리브색, 짙은 황록색 ; 〖美陸軍〗 짙은 황록색의 모[면]직물(로 만든 군복)《略 O.D.》.
ólive gréen *n.* (덜익은) 올리브색, 황록색.
ólive òil *n.* 올리브유(油)[기름].
ol·i·ver [ɑ́ləvər] *n.* 쇠망치의 일종《발로 밟아서 침》; 《美俗》 달(the moon).
Oliver *n.* **1** 남자 이름. **2** 올리버《Charlemagne 대왕을 섬기던 12용사의 한 사람 ; Roland의 벗》.
〚F<L=olive〛
Ol·ives [ɑ́ləvz] *n.* [the Mount of ~] 〖聖〗 감람산《예루살렘 동쪽의 작은 산 ; 그리스도가 승천한 곳 ; 마태복음 26 : 30》.
ol·i·vet [ɑ́ləvèt] *n.* (미개지(未開地)에 수출하는) 모조 진주.
ólive trèe *n.* 〖植〗 올리브나무.
ólive wòod *n.* 올리브 재목.
Oliv·ia [oulíviə ; ɔ-] *n.* 여자 이름. 〚L=olive〛
ol·i·vine [ɑ́ləvìːn, ⌐-⌐] *n.* Ⓤ 감람석(橄欖石).
ol·la [ɑ́lə, óiə] *n.* **1** (스페인·중남미에서) 물독, 오지 냄비. **2** =OLLA PODRIDA.
〚Sp.<L〛
ólla po·drí·da [-pədríːdə] *n.* (*pl.* **~s, ól·las po·drí·da** [-ləz-]) (스페인·남미의) 고기와 야채의 스튜[잡탕] ; 잡다한 것[내용을 엮어 만든 책] (hodgepodge).
〚Sp.=rotton pot〛
Ol·lie [ɑ́li] *n.* 남자 이름《Oliver의 애칭》.
ol·o·gist [ɑ́lədʒəst] *n.* 《口·戱》 학자, 전문가.
ol·o·gy [ɑ́lədʒi] *n.* [보통 *pl.*] 《戱》 과학, 학문.
O.L.T. overland transport(육로 수송).
Olym·pia [əlímpiə, ou-] *n.* **1** 여자 이름. **2** 올림피아《그리스 Peloponnesus 반도 서부의 평야 ; 고대 그리스에서 경기 대회가 개최된 곳》. **3** 올림피아《미국 Washington주의 주도》.
〚Gk.=of Olympus〛
Olym·pi·ad [əlímpiæ̀d, ou-] *n.* **1** 올림피아기(紀)《고대 그리스에서 올림피아경기대회로부터 다음 경기대회까지의 4년간》. **2** 국제 올림픽 경기 대회. 〚F or L<Gk. *Olumpiad- Olumpias* ; ⇨ OLYMPUS〛
Olym·pi·an [əlímpiən, ou-] *a.* **1** 올림포스(Olympus)산의 : the ~ Gods 올림포스(산에 살던 그리스)의 제신(諸神). **2** 올림포스 제신의. **3** 올림포스 산상(山上)의[과 같은], 천상(天上)의. **4** 당당한, 위엄있는 ; 초연한. **5** 올림픽 경기의. —— *n.* 올림포스 산의 12신의 하나 ; 올림픽 경기 출전 선수 ; 초연한 사람 ; 학문·기예에 깊이 통한 사람. 〚*Olympus* or *Olympic*〛
Olýmpian Gámes *n. pl.* [the ~] 올림피아 경기《4년마다 Zeus 신 제전에 Olympia 에서 행해진 고대 그리스의 전민족적 경기 ; Isthmian Games, Nemean Games, Pythian Games 와 함께 고대 그리스 4대 제전의 하나》.
***Olym·pic** [əlímpik, ou-] *a.* **1** 올림피아 경기의 ; 국제 올림픽 경기의 : the ~ fire 올림픽 성화(聖火). **2** olympia의 ; =OLYMPIAN. —— *n.* [the ~s] =OLYMPIC GAMES.
〚L<Gk. ; ⇨ OLYMPUS〛
Olýmpic Cóngress *n.* 올림픽 위원회.
Olýmpic émblem *n.* 올림픽 엠블럼《올림픽 대회의 심벌 마크》.
Olýmpic fláme *n.* 올림픽 대회의 성화.
Olýmpic Gámes *n. pl.* [the ~] **1** = OLYMPIAN GAMES. **2** (현대의) 국제 올림픽 경기 대회(Olympiad)《1896년부터 4년마다 개최》.
Olýmpic máscot *n.* 올림픽 마스코트《서울 올림픽의 「호돌이」 따위》.
Olýmpic spónsor *n.* 올림픽 스폰서《협찬금·제품을 제공하고 대회에서의 독점권을 보증받음》.
Olýmpic sýmbol *n.* 올림픽 심벌《오륜(五輪)의 올림픽 마크》.
Olýmpic voluntéer *n.* 올림픽 자원 봉사자.
Olym·pus [əlímpəs, ou-] *n.* **1** [흔히 Mount ~] 올림포스 산(山)《그리스 북부의 높은 산 ; 그리스의 제신이 그 산정에 살았다고 함》. **2** (신들이 사는) 하늘(heaven). **3** [Mount ~] 올림퍼스 산《Washington 주(州) 북서부 Olympic 산지의 최고봉(2427m)》.
〚L<Gk. *Olumpos* (mountain)〛
Om. Ostmark(s). **O.M.** 《英》 (Member of the) Order of Merit. **OMA** 《美》 orderly marketing agreement(시장 질서유지 협정).
-o·ma [óumə] *n. suf.* (*pl.* **~s, -o·ma·ta** [-tə]) 「종(腫)」「혹」의 뜻 : carcin*oma*, sarc*oma*.
〚NL<Gk.〛
oma·dhaun [ɑ́mədàun] *n.* 《아일》 바보, 멍청이.
〚Ir. *amadán* fool〛
Omah [óumɑː] *n.* =SASQUATCH.
Oma·ha [óuməhɔ̀ː, -hɑ̀ː ; -hɑ̀ː] *n.* 오마하《미국 Nebraska 주 동부, Missouri 강변의 도시》.
Oman [oumɑ́ːn, -mǽn] *n.* 오만《아라비아 반도 남단의 나라 ; 수도 Muscat》. **Omá·ni** *a., n.*
oma·sum [ouméisəm] *n.* (*pl.* **-sa** [-sə]) 〖動〗 겹주름위《반추동물의 제3위》. 〚NL〛
-omata *n. suf.* -OMA의 복수형.
OMB 《美》 Office of Management and Budget 《1970년 Bureau of the Budget으로 대체됨》.
om·bre, om·ber, hom·bre [ɑ́mbər, ʌ́m-] *n.* 〖카드놀이〗 옴버《세 사람이 하는 놀이 ; 17-18세기에 유럽에서 유행》; (판돈을 노리는) 옴버의 참가자. 〚F or Sp.=man〛
om·bré, -bre [ɑmbréi, 美+⌐-] *a., n.* 빛깔을 농담으로 바림한 (직물), 각각 다른 색으로 염색 바림한 (천). 〚F (p.p.) ‹ *ombrer* to shade〛
om·bro- [ɑ́mbrou, -brə] *comb. form* 「비」의 뜻.
〚Gk. *ombros* rain shower〛
om·brom·e·ter [ɑmbrɑ́mətər] *n.* 우량계.
om·buds·man [ɑ́mbudzmən, -mæ̀n, 美+ɔ́ːm-] *n.* (*pl.* **-men** [-mèn]) 행정 감찰관, 옴부즈맨《북유럽·뉴질랜드 등지에서 입법기관에 임명되어 행정기관(의 직원)에 대한 주민의 고충을 처리함》; 고충처리 담당자 ; 인권 옹호자.
〚Swed. =legal representative, commissioner〛
óm·buds·wòman *n.* ombudsman의 여성형.
ome·ga [oumégə, -míː-, -méi- ; óumigə] *n.* **1** 오메가《그리스어 알파벳의 스물네번째[최종] 글자 ; Ω, ω ; 영어의 장음 O, o에 해당》. **2** 마지막, 최후, 끝. **3** 〖理〗 오메가 중간자.
〚Gk. (ō *mega* great O)〛
oméga mínus [párticle] *n.* 〖理〗 Ω^-입자《바리온의 하나》.
om·e·let(te) [ɑ́mələt] *n.* 오믈렛 : a plain ~ 달

갈만으로 만든 오믈렛 / a sweet ~ 잼[설탕]이 든 오믈렛 / a savory ~ ☞ SAVORY² *a.* / You cannot make ~*s* without breaking eggs. 《속담》 달걀을 깨지 않고는 오믈렛을 만들 수 없다, 「뿌리지 아니한 씨는 나지 않는다」. 〖F (음위 전환(音位轉換)) ‹ *alumette* ‹ *alumelle* (다른 분석(分析)) ‹ *la lemelle* the sword blade, LAMELLA〗

omen [óumən] *n.* U,C 전조(前兆), 징조, 조짐 ; 예보, 예고, 예언 : an event of good[bad] ~ 길조[흉조]의 사건 / an ~ *of* death[success] 죽음[성공]의 전조. —— *vt.* …의 전조가 되다, 예시(豫示)하다 ; 예언하다.
〖L *omin- omen*〗

omen·tum [ouméntəm] *n.* (*pl.* **-ta** [-tə], **~s**) 〔解〕 망(網). **omén·tal** *a.* 망의, 대망(大網)의.
〖L=membrane〗

omer·tà [ouméːrtɑː ; *It.* òmertá] *n.* (Sicily섬 풍습의) 범죄 은폐, 경찰에의 비협력.

O.M.I. *Oblati Mariae Immaculatae* 《L》 (=Oblates of Mary Immaculate).

om·i·cron, -kron [ɑ́məkrɑ̀n, óu-, oumáikrən] *n.* 오미크론《그리스어 알파벳의 열 다섯 번째 글자 ; *O, o* ; 영어의 단음 O, o에 해당》.
〖Gk. (*o micron* small O) ; cf. OMEGA〗

om·i·nous [ɑ́mənəs] *a.* **1** 불길한, 재수 나쁜 ; 험악한 : an ~ silence 불길한 예감을 주는 정적, 어쩐지 기분 나쁜 침묵. **2** 전조의〈*of*〉: be ~ *of* evil 불길한 징조다. **~·ly** *adv.* 불길하게 ; 어쩐지 기분 나쁘게. **~·ness** *n.*
〖OMEN〗

omis·si·ble [oumísəbəl] *a.* 생략[삭제, 할애]할 수 있는.

omis·sion [oumíʃən, ə-] *n.* **1** U 태만, 소홀 ; 〔法〕 부작위(不作爲) (cf. COMMISSION 6) : sins of ~ 태만[부작위]의 죄. **2** U,C 생략 ; 누락, 탈락. 〖OF or L ; ⇒ OMIT〗

omis·sive [oumísiv] *a.* 게을리 하는 ; 빠뜨리는.

omit** [oumít, ə-] *vt.* (**-tt-**) **1 a)** [+*to* do] …할 것을 빠뜨리다[빼먹다, 잊다] : We ~*ted to* sing the second stanza. 노래에서 두번째 절을 빼먹었다. **b)** [+do*ing*] 게을리 하다, 소홀히 하다 : John ~*ted* prepar*ing* his lessons that day. 존은 그날 예습을 게을리 했다. **2** [+目/+目+*from*+名] 생략하다, 할애[삭제]하다 : Don't ~ his name ***from the list. 명부에서 그의 이름을 빠뜨리지 않도록 하시오.
〖L *omiss- omitto* (*ob-, mitto* to send)〗
類義語 ⟹ NEGLECT.

omn- [ɑ́mn], **om·ni-** [ɑ́mni] *comb. form* 「전(全)」「보편」「무한」의 뜻.
〖L (*omnis* all)〗

om·ni·bus [ɑ́mnibʌ̀s, -bəs] *n.* (*pl.* **~·es**) **1** 합승 마차 ; 합승 자동차, (전용)버스《생략형 bus》. **2** = OMNIBUS BILL ; =OMNIBUS VOLUME ; =BUSBOY. **3** 통칙, 총칙.
—— *attrib. a.* 다수의 것[항목]을 포함하는, 총괄적인 ; 다목적의.
〖F<L=for all (dat. pl.) ‹ *omnis*〗

ómnibus bìll *n.* 총괄 법안.

ómnibus bòok[**vòlume**] *n.* 염가 보급판 작품집[선집]《한 작가 또는 동일[유사] 주제의 구작(舊作)을 모은 대형 단행본》.

ómnibus bòx *n.* (극장·오페라 하우스의) 여럿이 함께 앉는 관람석.

ómnibus clàuse *n.* 〔保險〕 피보험자 추가 조항《특히 자동차 보험 증권에서 피보험자 이외의 사람에게도 해당되는 조항》.

ómnibus resolùtion *n.* 일괄 결의(決議).

Ómnibus Tráde Àct *n.* 《美》 종합 무역법.

ómnibus tràin *n.* 《英》 각 역마다 서는 열차.

òmni·cómpetent *a.* 전권(全權)을 가진.

òmni·diréction·al [, -nai-] *a.* 〔電〕 (발신·수신이) 전(全)방향성의.

omnidiréctional ránge *n.* =OMNIRANGE.

òmni·fácet·ed *a.* 모든 면에 걸친.

om·ni·far·i·ous [ɑ̀mnəféəriəs, -fǽər-] *a.* 다방면에 걸친, 가지각색의, 다채로운.
~·ly *adv.* **~·ness** *n.*

om·nif·ic [ɑmnífik] *a.* 만물을 창조하는.

òmni·fócal *a.* 전(全)초점의《렌즈》.

om·nip·o·tence [ɑmnípətəns] *n.* U 전능, 무한력 ; [the O~] 전능의 신(God).

om·níp·o·tent *a.* 전능(全能)의(almighty) ; 무엇이든 할 수 있는. —— *n.* 무엇이든 할 수 있는 사람 ; [the O~] 전능의 신.
〖OF<L ; ⇒ POTENT〗

om·ni·pres·ence [ɑ̀mniprézəns] *n.* U 편재.

òm·ni·prés·ent *a.* 편재하는, 어디에나 있는[존재하는].
〖L ; ⇒ PRESENT¹〗

ómni·rànge *n.* 〔通信〕 옴니레인지, 전(全)방향식 무선 표지.

om·ni·science [ɑmníʃəns ; -siəns] *n.* **1** U 전지(全知) ; 박식. **2** [the O~] 전지의 신.

om·ní·scient *a.* 전지의 ; 박식한. —— *n.* 전지한 것[사람] ; [the O~] 전지의 신.
~·ly *adv.*
〖L (*scio* to know)〗

òmni·séx, -séxual *a.* 모든 성적 타입의 사람들[활동]의[이 관계하는].
-sexuálity *n.*

om·ni·tron [ɑ́mnətrɑ̀n] *n.* 옴니트론《다목적 핵 파괴 장치》.

om·ni·um-gath·er·um [ɑ̀mniəmgǽðərəm] *n.* (*pl.* **~s**) 뒤섞인 것 ; 잡다한 사람들의 모임, 어중이떠중이 ; 무차별 초대회.

om·niv·o·ra [ɑmnívərə] *n. pl.* 잡식(성) 동물.

om·ni·vore [ɑ́mnivɔ̀ːr] *n.* 잡식(성) 동물 ; 탐식가(貪食家).

om·niv·o·rous [ɑmnívərəs] *a.* **1** 무엇이든 먹는 ; (동물이) 잡식성(雜食性)의 (cf. CARNIVOROUS, HERBIVOROUS). **2** 무엇이든 닥치는 대로 탐내는 : ~ *of* books 책을 닥치는 대로 읽는.
~·ly *adv.* 닥치는 대로. **~·ness** *n.*
〖L (*voro* to devour)〗

om·odyn·ia [òumoudíniə, ɑ̀m-] *n.* 〔醫〕 어깨 통증. 〖NL〗

om·phal- [ɑ́mfəl], **om·pha·lo-** [-lou, -lə] *comb. form* 「배꼽」「탯줄」의 뜻 : *omphalo*tomy.
〖Gk.〗

om·pha·los [ɑ́mfəlɑ̀s, -ləs] *n.* (*pl.* **-li** [-lài, -lìː]) **1** 〔古그〕 방패 따위의 중심 돌기 ; 옴파로스《Delphi의 Apollo신전에 있는 반원형의 돌제단 ; 세계의 중심이라고 여겼음》. **2** 중심(지). **3** 〔解〕 배꼽(umbilicus).

om·pha·lo·skep·sis [ɑ̀mfəlousképsəs] *n.* (신비주의의) 자신의 배꼽을 응시하면서 하는 명상.

om·pha·lot·o·my [ɑ̀mfəlɑ́təmi] *n.* 〔醫〕 탯줄 절단(술).

OMR 〔컴퓨〕 optical mark reader ; 〔컴퓨〕 optical mark recognition.

OMR card [òuèmɑ́ːr ⌐] *n.* 표본카드, 광학표시 판독카드.

OMS 〔宇宙〕 orbital maneuvering system.

°on [ɑn, ɑ̀n, 美+ɔːn, 美+ɔ̀ːn]

> ⑴ 기본 뜻 : 접촉된 「…위에」
> ⑵ 전치사와 부사로 자주 쓰이는 「전치사적 부사」의 하나다. 그 접촉면은 상하좌우를 상관하지 않는다 : There are some flies *on* the wall. (벽에 파리가 몇 마리 붙어 있다).
> ⑶ 「접촉」을 나타내는 on의 성질에서 「절박감」 「종사중」 「동시성」 「기초」 따위의 뜻이 파생되었다.

— *prep.* **1** [지지·접촉·부속] …의 위에, …에, …을 덮어 ; …에 의하여, …에 속하여, …에 부착하여(↔ *off*) ; 《口》 …을 소지하여 : Have you got any money *on* (=with) you? 가진 돈이 있으십니까 / turn *on* a pivot 축(軸)으로 회전하다 / crawl *on* hands and knees 손과 무릎으로 기다 / The dog is *on* the chain. 개는 쇠사슬에 매여 있다 / a fly *on* the ceiling 천장에 붙은 파리 / put a bell *on* the cat 고양이에게 방울을 달다.

〈회화〉
> She had a new hat *on* her head. — It looked good *on* her. 「그녀는 새 모자를 쓰고 있었어요」 「그녀에게 잘 어울렸어요」

2 [동작의 방향·대상] **a**) …을 향하여, …을 목표로 하여, …에, …으로 : hit him *on* the head 그의 머리를 때리다 / march *on* London 런던을 향해 나아가다 / turn one's back *on* …에게 등을 돌리다, …을 돌보지 않다 / leave a card *on* a person (방문한) 사람에게 명함을 주고 오다 / trespass *on* a person's kindness 남의 친절을 부당하게 이용하다 / The storm was *on* us. 폭풍우가 몰려오고 있었다 / Once again Christmas is *on* us. 또다시 크리스마스가 다가온다. **b**) [적대·불이익·영향] …에 대하여(against) ; …에 불리하도록 : *on* one's opponents 적대자들을 상대로 하여 / The joke was *on* me. 그 농담은 나를 두고 한 것이었다 / The light went out *on* us. 곤란하게도 전등이 꺼졌다.
3 [관계·종사·영향] …에 대하여, …에 관한 (about) ; …에 관계하고 (있는), …에 종사하여 : a book *on* history 역사책 / be keen *on* …에 열심이다 / take notes *on* (=of) the lectures 《美》 강의를 노트하다 / be *on* the town council 시의회에 참여하고 있다[의 일원이다] / go *on* an errand 심부름가다 / *on* business 상용(商用)으로 / *on* one's[the] way home[to school] 귀가[등교] 도중에 / I congratulate you *on* your success. 당신의 성공을 축하합니다 / You have no compassion *on* me. 당신은 나를 불쌍하게 여기지 않는군요 / The heat told *on* him. 그는 무더움을 느꼈다.
4 [근접·방향] …에 접하여 ; …을 따라서, … 쪽으로 : a house *on* the river 강 기슭의 집 / the countries *on* the Pacific 태평양 연안의 제국(諸國) / *On* my left was a brook. 왼쪽에는 시내가 있었다.
5 [기초·원인·이유 따위] …으로, …으로 인하여, …에 의한, …에서 생기는 : act *on* a principle[plan] 원칙[계획]에 입각하여 행동하다 / Cattle live[feed] *on* grass. 소는 풀을 먹고 산다 / *On* what ground…? 어떤 이유로….
6 [날·때·동시] …에 ; …와 동시에, …의 직후에 : *on* Monday 월요일에 / *on* and after the 10th 10일 이후에 / *on* arrival 도착한 연후에[과 동시에] / *On* arriv*ing* in Seoul, I called him up on the telephone. 서울에 도착하자마자 그에게 전화를 걸었다 / *on* delivery ☞ DELIVERY 숙어.

〈회화〉
> How old will you be *on* your next birthday? — Sixteen. 「너 이번 생일에 몇 살 되는 거니」 「열여섯살」

> **on** *do***ing**의 문장 전환
> *On seeing* it, he turned pale.
> → *As soon as*[*When*] he saw it, he turned pale. (그것을 본 순간 그는 새파래졌다.)

7 [방법·상태] …하고, …중에 : travel *on* the cheap 여비를 적게 들이고 여행하다 / *on* the quiet 몰래 / *on* fire 불타고 있는 / be *on* strike 파업중이다 / *on* the move 움직여, 차분하지 못하고 / a bird *on* the wing 나는 새 / *on* the bias ☞ BIAS 숙어.
8 [수단·기구] …으로 : She cut her finger *on* a knife. 칼에 손가락을 베었다 / play a waltz *on* the piano 피아노로 왈츠를 연주하다 / I heard it *on* the radio. 라디오에서 그것을 들었다.

〈회화〉
> How do you get to school? — *On* foot or by bicycle. 「학교에는 어떻게 가니」 「걸어 가거나 자전거로 가」

9 [누가(累加)] …에 더하여 : heaps *on* heaps 누누이 / loss *on* loss 가중된 손실.
10 [부담] 《口》 …가 지불할, …의 부담으로 : The drinks are *on* me. 술값은 내가 내겠다. 주 on과 upon의 용법상 차이에 대해서는 ☞ UPON 活用.
— [ɔ́ːn, ɑ́n ; ɔ́n] *adv.* **1** [접촉·피복] …에 (↔ *off*) : Is the cloth *on*? 테이블보는 덮여 있느냐 / cling[hang, hold] *on* 매달리다 / keep one's hat *on* 모자를 쓴 채로 있다 / put[have] one's coat *on* 코트를 입다[입고 있다] / put[try] *on* a cloak 외투를 입다[입어보다]《주 목적어가 대명사일 때의 어순 : put[have] *it* on》 / *On* with your hat! 모자를 써라. **2** [동작의 방향·계속] 전방으로, 향하여 ; 진행해서, 행하여져 ; 계속해서(cf. OFF *adv.* 3) ; 〖野〗 출루하여(on base) : farther *on* 더 앞으로 / later *on* 나중에 / from that day *on* 그날 이후로 / bring *on* 가져오다 / come *on* 가까이 오다, 다가오다 / go *on* 나아가다 / go *on* talk*ing* 이야기를 계속하다 / Go *on with* your story. 이야기를 계속하시오 / It was well *on* in the night. 밤이 상당히 깊었다 / There was a man standing near and looking *on* with interest. 곁에 서서 재미있게 구경하고 있는 남자가 있었다 / I have nothing *on* this evening. 오늘 저녁은 아무런 계획이 없다 / The new play is *on*. 새로운 연극이 공연되고 있다 / What's *on*? 무슨 일이라도 생겼니[일어났니] ; 프로그램은 무엇이지 / The fight was *on*. 싸움은 계속되고 있었다. **3** [유통] 통하여, 통하도록(cf. OFF *adv.* 1 d)) : Is the water *on* or off? (수도 따위의) 물은 틀어 놓은 거냐 잠근 거냐 / turn *on* the steam[water] 꼭지를 틀어 증기가 통하게[물이 나오게]하다 / The radio is *on*. 라디오가 켜져 있다.
and so on ☞ AND.
be well on 내기에 이길 가망이 있다 ; (진행이) 잘 되어가고 있다.
neither off nor on 우유 부단한, 마음이 변하기 쉬운.

on and off = ***off and on*** 때때로, 불규칙적으로 : visit there *on and off* 종종 그곳을 찾다.
on and on 계속해서, 쉬지 않고.
on to... (1) …의 위에(cf. ONTO). (2) 《口》 (사정 따위)를 충분히 납득하고.
—— [ˊ] *attrib. a.* 작동 상태의 ; 〖크리켓〗 (타자의) 좌전방의(↔*off*).
—— [ˊ] *n.* [the ~] 〖크리켓〗 (타자의) 좌전방(↔*off*) ; on의 상태.
〚OE *on, an* ; cf. G *an*〛

-on[1] [àn, ən] *n. suf.* 〖化〗 「비(非)케톤 화합물」 「비(非)옥소 화합물」의 뜻(cf. -ONE) : parathi*on*. 〚*-one*〛

-on[2] [àn] *n. suf.* 〖理〗 「소립자」 「단위」 「양자(量子)」의 뜻 : nucle*on*, phot*on*. 〚ION〛

-on[3] [àn] *n. suf.* 〖化〗 「비활성 기체」의 뜻 : rad*on*. 〚L〛

ON, ON., O.N. Old Norse.

ón-agàin, óff-agàin *a.* 나타났다가 곧 사라지는, 단속적인 ; 여러 번 시작될[착수될]듯 하다가는 흐지부지되는《교섭·계획 따위》 : *on-again, off-again* fads 쉴새없이 바뀌는 유행.

on·a·ger [ánidʒər] *n.* (*pl.* **-gri** [-gràì], **~s**) **1** 〖動〗 오나저《서남 아시아산 야생 당나귀》. **2** 〖史〗 (고대·중세의) 대형 투석기(投石器)의 일종. 〚L<Gk. (*onos* ass, *agrios* wild)〛

ón-áir *a.* (유선에 대해) 무선 (방송)의.

onan·ism [óunənìzəm] *n.* 중절 성교 ; 자위, 수음(手淫). 〚F or NL (*Onan* ; 창세기 38 : 9)〛

ón-bóard *a.* 기내(機內)에 장치한 : an ~ computer of a spacecraft 우주선의 내장 컴퓨터.

O.N.C. 《英》 Ordinary National Certificate(보통 기술 교육 증명서).

ón-cámera *adv., a.* (영화·텔레비전의) 카메라에 찍히는 곳에[의], 카메라 프레임(frame)내에서[의] (↔*off-camera*).

◇**once** [wʌns] *adv.* **1** 한 번, 1회, 1배 : ~ a day 하루에 한 번 / ~ more 한 번 더 / ~ or twice 한두 번 / *O*~ one is one. 1×1=1. **2** [부정어에 붙여서] 한 번도 (…하지 않다) ; [조건·때의 부사절 안에서] 한 번이라도 (…하면), 일단 (…하면), 적어도 (…하면) (ever, at all) : I have*n't* seen him ~. 그를 한 번도 만난 적이 없다 / *when*[*if*] ~ he consents 그가 일단 동의만 한다면 / *O*~ bit, twice shy. ☞ BITE *vt.* 1. **3** 옛날 (언젠가), 일찍이(formerly) : *O*~ there lived an old man in a village. 옛날 어느 마을에 한 노인이 살고 있었다 / She was ~ very miserable. 한때는 몹시 비참했다 / There was ~ a giant. 옛날에 한 거인(巨人)이 있었다 / a ~-famous doctor 한때 유명했던 의사.
more than once 한 번만이 아니고, 재삼(再三).
not once or twice 《詩》 한두 번이 아니고, 몇 번이나[고].
once (***and***) ***for all*** 한번만, 이번에 한해서 ; 이것을 최후로, 단호하게.
once in a while[(《주로 英》) ***way***] 가끔, 종종.
once upon a time 아주 옛날(long ago) ; 어느 때 : *O*~ *upon a time* there was a beautiful princess. 옛날 옛적에 아름다운 공주가 있었다.

〈회화〉
Have you ever been to Disneyland? — Only *once.* 「디즈니랜드에 가본 적 있니」 「한번 밖에 없어」

—— *a.* 언젠가[한때]의, 이전의(former) : my ~ enemy 한때[이전]의 적.
—— *conj.* …하자마자 ; 한번[일단] …하면 : *O*~ he hesitates, you will have him. 그가 망설이기만 하면 너에게 당하는 거야 / *O*~ the way to proceed on is fixed upon, everything will be done accordingly. 일단 나아갈 길이 결정되면 모든 것은 그것에 따라 행해야 한다.
—— *n.* 한 번, 1회 : *O*~ is enough for me. 내게는 한 번이면 충분하다.
all at once 갑자기, 금방(suddenly) ; 모두 함께[동시에] : Don't *all* speak *at* ~. 모두가 동시에 말해서는 안된다.
at once (1) 곧, 즉시(immediately) : He came *at* ~. 그는 곧 왔다. (2) 동시에(at the same time) ; …하기도 하고 (또 …하기도 한) : No one can do two things *at* ~. 누구나 두 가지 일을 한꺼번에 할 수는 없다 / His father was *at* ~ strict and kindly. 그의 아버지는 엄격하면서도 다정하셨다.
for once 한 번만은 (특히) : I wish *for* ~ in my life to see the grand scenery. 일생에 한 번만은 그 웅장한 풍경을 보고 싶다.
for this[***that***] ***once*** 이번[그때]만(은).
〚ME *ōnes, ānes* (adv. gen.) < *on, an* ONE ; *-ce*는 무성음을 나타내기 위해 16세기부터〛

ónce-in-a-lífetime *a.* 일생에 한 번의 : It was a ~ opportunity. 그것은 평생에 한 번밖에 없는 기회였다.

ónce-òver *n.* 《口》 대충 보아두기 ; 대충 조사하기 : give...the ~ …을 대충 훑어보다.

ónce-òver-líght·ly *n.* 《口》 성급한[피상적인] 취급[조사] ; 겉날리는 일.
—— *a.* 《口》 데꺽 해치우는, 임시 변통의, 표면적인, 겉면만의.

onc·er [wʌ́nsər] *n.* 《英口》 (특히 의무적으로) 한 번만 하는 사람 ; 주1회 교회에 나가는 사람.

ón-chíp *a.* 〖電子〗 반도체 칩의, 반도체 칩 위에 회로를 집적한.

ón-chíp refrésh *n.* 〖電子〗 dynamic RAM과 같은 칩 위에 탑재한 리프레시 신호 발생회로.

on·co- [áŋkou, -kə] *comb. form* 〖醫〗 「종양(腫瘍)」의 뜻 : *onco*logy.
〚Gk. *ogkos* mass〛

ónco·gène *n.* 〖生〗 종양 (형성) 유전자.

ònco·génesis *n.* 〖醫〗 종양(腫瘍)형성, 발암.

òn·co·ge·níc·i·ty [-dʒənísəti] *n.* 〖醫〗 종양(腫瘍) 형성력[성], 발암성.

on·col·o·gy [aŋkálədʒi] *n.* Ⓤ 〖醫〗 종양학(腫瘍學). **-gist** *n.* **on·co·log·ic, -i·cal** [àŋkəládʒik(əl)] *a.*

ón·còming *a.* 다가오는, 접근해오는(approaching) ; 새로 나타나는 ; 장래의.
—— *n.* Ⓤ 접근, 다가옴(approach)〈*of*〉.

on·cór·na·vìrus [aŋkɔ́ːrnə-, aŋ-] *n.* 〖醫〗 온코르나바이러스《종양(腫瘍)을 일으키는 RNA를 가진 바이러스》.
〚*onco-*+*RNA*+*virus*〛

ón·còst *n.* 《英》 간접비(overhead).

O.N.D. 《英》 Ordinary National Diploma (보통 기술 교육 수료 증서).

ón-demánd bòok *n.* 〖出版〗 주문본《주문으로 만드는 단 한권의 책》.

ón-demánd prìnting *n.* 주문 인쇄(cf. ON-DEMAND BOOK).

ón-demánd pùblishing *n.* 〖出版〗 수요 출판.

ón-dísk *a.* 〖컴퓨〗 디스크에 기록되어 있는.

on-dit, on dit [*F* ɔ̃di] *n.* 소문, 평판.
〚F=they say〛

◇one [wʌ́n, wʌ̀n]

(1) 부정관사 a, an과 어원이 같다.
(2) 수사로서「한 개(의)」「한 사람(의)」
(3) 총칭의 대명사로서「사람(은) (누구든지)」
(4) 이미 나온 단수 보통명사 대신에 쓰여one= a+기출의 단수 보통명사
(5) 형용사 바로 뒤에 놓여 one(s)=기출 보통명사의 단수・복수 : a good *one* / good *ones*
(6) *one*...another 또는 *one*...the other로

—— *a.* **1** 한 개의, 한 사람의, (단) 하나의 (single) ; [*pred.*로 써서] 한 살로 : in ~ word 요컨대 / ~ or two days 하루나 이틀, 아주 단시일 (a day or two) / with ~ voice 이구 동성으로 / ~ and the same thing 동일물 / ~ man in ten 열 사람중에 한 사람 / No ∸ mán can do it. 누구든지 혼자서는 그것을 못한다 / ~ man ~ vote ☞ VOTE *n.* 숙어. **2** 어느 ; 어떤 (한 사람의) (a certain) : ~ day[night] (과거 또는 미래의) 어느 날[어느 날 밤] (cf. SOME *day*) / *O*~ day in May, she met a young man. 5월 어느 날 그녀는 한 청년을 만났다 / ~ Smith 스미스라고 하는 사람. 注 *a* Mr.[Dr. *etc.*] Smith의 형태가 가장 일반적. **3** [another, the other와 대조적으로] 일방의, 한 쪽의 : To know a language is ~ thing, to teach it is *another.* 하나의 언어를 안다는 것과 그것을 가르친다는 것은 별개다 / If A said ~ thing, B was sure to say *another.* A가 무슨 말만 하면 B가 꼭 반대했다 / *O*~ man's meat is *another* man's poison. 《속담》 갑의 약은 을의 독 / on (*the*) ~ hand ☞ HAND 숙어 / He is so careless that your advice seems to go in at ~ ear and out at *the other.* 그는 무사태평한 사람이어서 너의 충고도 한귀로 듣고 한귀로 흘려보내는 것 같다 / Some say ~ thing, some *another.* 이렇게 말하는 사람도 있고 저렇게 말하는 사람도 있다 / (*the*) ~ ... *the other*... 한편은 … 다른 편은 …. **4** [wʌ́n] [the ~ *or* a person's ~] 유일한 (the only) : *the* ∸ way to do it 그것을 하는 유일한 방법. **5** 일체(一體)의, 합일(合一)의, 동일한(the same) : Asia[God] is ~. 아시아[신]는 하나 / of ~ (=an) age 동갑의 / It is *all* ~ to me. 나에게는 마찬가지다[어느 것이든 좋다].

become*[*be made*] *one 함께 살게 되다 ; 부부가 되다.

for one thing ☞ THING[1].

—— [wʌ́n] *n.* **1** 1, 하나, 한 개, 한 사람 ; 한 시(時) ; 한 살 ; 1달러[파운드, 센트]《따위》 : Book [Chapter] *O*~ 제1권[장] / at ~ and thirty 31세 때에 / at ~ (o'clock) 한 시에 / ~ and twenty=twenty-~ 21. ☞ 活用 (1). **2** 1의 숫자[기호]《1, i, I》 : Your *1*'s are too like 7's. 너의 1자는 마치 7자 같다. **3** [the O~] 신 : *the* Holy *O*~ =*the O*~ above 신(God) / *the* Evil *O*~ 악마. **4** [형용사에 붙여] (특정한) 사람(cf. *pron.* 1) : dear[little, loved] ~*s* 귀여운 아이들 / young ~*s* 어린이들 ; (동물의) 어린 새끼들 / such a ~ 그러한 사람[자식], 이러한 사람. **5** 《口》 일격, 한방 ; 한잔 : give a person ~ in the eye 남의 눈에 한 대 먹이다.

all in one 일치하여 ; 하나로 모두를 겸하여.

at one 일치하여 ; 화해하여.

by ones 하나씩.

by ones and twos 한 사람 두 사람씩.

for one 한 예로는 ; 개인으로서는 : I, *for* ~, don't like it. 나로서는 그것을 좋아하지 않는다.

in one 일체가 되어 ; 《口》 단 한번의 시도로.

in ones 하나 하나씩, 흩어져서.

in the year one 옛날 옛적에, 훨씬 전에.

one after one=ONE *by one.*

one and all ☞ ALL.

one by one 하나씩, 한 사람씩, 순차적으로 : The crow dropped stones ~ *by* ~ into the jar. 까마귀는 작은 돌멩이를 단지 속에 하나씩 (차례로) 떨어뜨렸다.

ten to one ☞ TEN.

〈회화〉
How much did you pay for the scratch pad?
— *One* fifty-five.「그 메모장은 얼마 주고 샀니」「1달러 55센트」

—— [wʌ́n, wʌ̀n] *pron.* **1** [일반적 용법] 사람, 세상 사람, 누구나 : *O*~ must observe the rules. 사람은 (누구나) 규칙을 지키지 않으면 안된다. ☞ 活用 (2). **2** [일부러 겸손한 표현으로] 자기 (I, me) : *O*~ is rather busy now. 지금 좀 바쁩니다. **3** [wʌn] (*pl.* ~**s** [-z]) 같은 종류의 것《가산명사의 반복을 피하기 위해 씀 ; cf. THAT[1] *pron.* 2》 : I don't have a pen. Can you lend me ~? 펜이 없습니다. 빌려 주실 수 있습니까 / Give me a good ~ [some good ~*s*]. 좋은 것을 하나[조금만] 주시오 / Give me the ~ in the window. 진열장에 있는 것을 주시오 / He is the ~ I mean. 그가 (바로) 제가 말한 사람입니다 / Is this the ~ that you lost yesterday? 이것이 당신이 어제 분실한 것입니까. **4** [복합대명사의 제 2요소로서] : ☞ ANYONE, EVERYONE, NO ONE, SOMEONE.

one after another (1) (부정수의 것이) 잇달아, 속속 : I saw cars running ~ *after another.* 차들이 잇달아 달려가는 것을 보았다. (2) =ONE *after the other* (2).

one after the other (1) (두 사람・두 개에 대해서) 번갈아, 교대로. (2) (특정수의 것이) 순차적으로, 차례차례로 : The cars arrived ~ *after the other.* 자동차들은 차례차례로 도착했다. (3) =ONE *after another* (1).

one another 서로(cf. EACH *other*) : The girls are talking seriously to ~ *another.* 소녀들은 서로 진지하게 얘기하고 있다 / Elements frequently join up with ~ *another.* 원소들은 흔히 서로 결합한다 / They glanced anxiously at ~ *another*'s face. 걱정스러운 듯이 서로의 얼굴을 힐끗 보았다.

one from the other ☞ OTHER *pron.*

one. . . the other. . . (두 사람 가운데) 한쪽은… 다른 쪽은…. ☞ OTHER 活用 (3) ii).

one with another 평균하여(on the average).

the one. . . the other. . . 전자는… 후자는… 《때로는「후자는… 전자는…」인 경우도 있음》.

〖OE *ān* ; cf. G *ein*, L *unus* ; [wʌn]은 ME 남서부 방언 *won*에서〗

活用 (1) He is *one* of those statesmen who *consider* the future of our country from many angles. (여러 각도에서 우리 나라의 장래를 생각하는 정치가의 한 사람이다) / It is *one* of the most popular cars that *have* ever been manufactured in France. (그것은 지금까지 프랑스에서 제작된 가장 대중적인 차 중의 하나다) 와 같은 문장에서는 관계사절의 동사는 그 선행사(先行詞)인 those statesmen, the most popular cars와 일치하여 복수형으로 됨. 단, one of 의 one에 이끌려 때때로 단수로 취급되

어 He is *one* of those statesmen who *considers*.... / It is *one* of the most popular cars that *has* ever been manufactured....와 같이 되는 수도 있음.

(2) *pron.* 1의 one을 반복해서 받는 경우 《英》에선 one, one's, oneself 따위로 일관하는 것이 원칙이지만 특히 《美》에서는 he[she] 따위로 받는 수가 많음 : *One* must do *one's*[*his*] duty. (사람은 자기 의무를 다 해야 한다) / *One* should take care of *oneself*. (누구나 자기 자신을 소중히 하지 않으면 안된다) / *One* should do what *he* must even if *he* is unwilling to do. (누구든지 설사 싫더라도 할 일은 해야 한다).

-one [òun] *n. suf.* 〔化〕「케톤(ketone) 화합물」의 뜻 : acet*one*.
〚Gk.; 일부 *ozone*을 모방함〛

1-A [wʌ́néi] *n.* 《美》 갑종 합격(자).

óne-áct·er *n.* (연극 · 오페라 따위의) 단막물.

óne-àrmed *a.* 외팔의 ; 외팔용의.

óne-àrm(ed) bándit *n.* 《口》 (도박용) 슬롯 머신(slot machine).

óne-bágger *n.* 《野俗》 =ONE-BASE HIT.

óne-bàse hít *n.* 〔野〕 일루타(一壘打), 단타.

1-C [wʌ́nsíː] *n.* 《美》 (징병 선발에서) 육해공 3군 · 연안 측량조사국 · 공중위생 총국 근무자.

óne-célled *a.* 〔生〕 단세포의.

óne-diménsion·al *a.* 깊이가 없는, 표면적인 ; 경박한.

óne-éyed *a.* 외눈의 ; 한쪽 눈의 ; 시야가 좁은 ; 《口》 열등한, 하찮은.

óne·fòld *a.* 한겹의 ; 순일(純一) 불가분의 일체를 이루는.

óne-hánd·ed *a.* 손이 하나인 ; 한 손만 사용하는.
—— *adv.* 한 손으로.

óne-hórse *a.* 말 한 필이 끄는 ; 《口》 (도시 따위) 작은, 빈약한, 하찮은, 이류의 ; 《野俗》 마이너리그의(minor-league).

óne-idéaed, -idéa'd *a.* 하나의 관념에만 사로잡힌, 편협한.

O'Neill [ouníːl] *n.* 오닐. **Eugene** ~ (1888-1953) 미국의 극작가 ; 1936년 노벨상 수상.

oneir- [ounáiər], **onei·ro-** [-rou, -rə] *comb. form* 「꿈」의 뜻.
〚Gk. *oneiros* dream〛

onei·ric [ounáiərik] *a.* 꿈의[에 관한] ; 꿈꾸는 (듯한) (dreamy).

onèiro·crític *n.* 해몽가 ; 해몽(解夢).
-crítical *a.* **-ical·ly** *adv.*

onéiro·màncy *n.* Ⓤ 해몽, 꿈풀이.

óne-légged *a.* **1** 외다리의, 한 쪽 발의. **2** = ONE-SIDED.

óne-líner *n.* 《美》 (재치있는 짤막한) 경구[익살].

óne-màn *a.* 한 사람만의 ; 한 사람에게만 관련된, 한 사람만이 하는 ; 한 사람만을 따르는[하고만 친한] : a ~ concern[company] 개인 회사 / a ~ show 개인전, 원맨 쇼 / a ~ stage play 독무대 연기, 원맨 쇼 / a ~ woman 한 남자만을 사랑하는 여자, 정숙한 여자.

óne-man bánd *n.* (여러 악기를 혼자 연주하는) 거리의 악사 ; 《비유》 단독 활동[일], 「독주회」.

óne-man pláy *n.* 〔劇〕 1인극.

óne-mìnute *n.* 《美》 하원의원이 매일 아침 공무 시작 전에 행하는 짧은 담화.

óne·ness *n.* Ⓤ 단일성, 동일성 ; 일치, 조화 ; 통일성, 전체성.

óne-níght·er *n.* 《口》 =ONE-NIGHT STAND(의 출연자(出演者)).

óne-nìght stánd *n.* 《口》 하룻밤[한 번]만의 흥행[강연] (장소) ; 하룻밤[한 번]만의 정사(에 적합한 상대).

óne-óff *a., n.* 《英》 한 번뿐인 (것), 한 개뿐인 (것), 한 사람만의 (것).

óne-on-óne *a., adv.* (농구 따위에서) 맨투맨의[으로] (man-to-man) ; 《美》 경쟁 상대가 한 사람의[으로], 1대 1의[로].
—— *n.* 둘이서 하는 농구.

óne-pàir *n., a.* 《英》 2층(의) : a ~ back[front] 2층 뒷방[앞방].

óne-párty dictátorship *n.* 일당 독재.

óne-pìece *attrib. a.* 원피스의 : a ~ bathing suit 원피스형의 수영복. —— *n.* 원피스.
-píec·er *n.*

on·er [wʌ́nər] *n.* **1** 《口》 비길 데 없이 뛰어난 사람[것], 명수, 달인 ; 강타(強打) : a ~ at …의 명수 / give a person a ~ 남을 세게 치다. **2** 《口》 터무니 없는 거짓말. **3** 《口》 (특히 크리켓의) 1점타(打).

on·er·ous [ánərəs, óu-] *a.* **1** 번거로운, 성가신, 귀찮은(burdensome)〈*to*〉. **2** 〔法〕 부담이 따르는 (cf. GRATUITOUS) : an ~ contract 유상(有償) 계약. **~·ly** *adv.* **~·ness** *n.*
〚OF<L ; ⇨ ONUS〛

‡one's [wʌ̀nz] *pron.* [ONE의 소유격] 사람의, 그 사람의. ㊟ my, his 따위 인칭대명사의 소유격의 대표형으로 쓰인다. 이를테면 make up ~ mind는 주어의 인칭 · 수 · 성에 따라 *I* made up *my* mind., *He* made up *his* mind.와 같 이 변 한 다(cf. ONESELF).

1-S [wʌ́nés] *n.* 《美》 S종《학교 졸업 때까지의 징병 유예자》.

óne-séat·er *n.* 일인승《자동차 · 비행기》.

‡one·self [wʌnsélf] *pron.* **1** [-ˊ] [강조용법] 자기 자신이, 스스로 : To do right ~ is the great thing. 스스로 올바르게 행동하는 것이 중요하다. **2** [-ˊ] [재귀용법] 자기 자신을[에게]《one에 대한 목적어》 : kill ~ 자살하다. ㊟ oneself는 myself, himself 따위의 재귀대명사의 대표형으로 쓰인다. 이를테면 kill ~ 는 주어의 인칭 · 수 · 성에 따라 *He* killed *himself*., *She* killed *herself*. 와 같이 변한다(cf. ONE'S).

be oneself 몸[머리]이 정상이다 ; 자연스럽게 행동하다.

by oneself [흔히 all by ~로] 혼자서(alone) ; 혼자 힘으로, 제힘으로(without help) (cf. *on one's* OWN) : She was (all) *by* her*self*. 그녀는 단 혼자였다 / I did it *by* my*self*. 혼자 힘으로 그것을 했다.

for oneself 자신을 위하여 ; 스스로, 제힘으로 : He built a new house *for* him*self*. 그는 자신이 거주할 새 집을 지었다 / Go and see *for* your*self*. 직접 가서 보시오 / Man in ancient times had to do almost everything *for* him*self*. 먼 옛날의 사람들은 거의 모든 일을 스스로 하지 않으면 안되었다.

of oneself 자연히, 저절로.

to oneself 자기 자신에게 ; 자기에게만.

óne shòt *n.* =ONE-SHOT *n.*

óne-shòt *a.* 《口》 **1** 한번으로 완전[유효]한, 한번으로 족한. **2** 한번밖에 하지 않는.
—— *n.* 《口》 한 회로 끝나는 간행물[소설, 기사, 프로그램] ; 《口》 1회만의 출연[상연] ; 《口》 1회만의 거래[경기 따위] ; 《美俗》 한 번만의 정사에 관계하는 여자.

óne-síded *a.* **1** 한 쪽으로 치우친, 불공평한 ; 일

방적인. **2** 한 쪽만의, 한 쪽만 발달한 ; 균형이 잡히지 않은 : a ~ street 한 쪽만 발달한 거리. **3** 〖法〗 편무적(片務的)인 : a ~ contract 편무 계약. **~·ly** *adv.* **~·ness** *n.*
óne-spéed *a.* 변속 장치[기어]가 없는.
òne's sélf *pron.* =ONESELF. ㊟ one's self는 특히 심리학상의 전문어로서 쓰인다.
óne-stèp *n.* [the ~] 〖댄스〗 원스텝《20세기 초엽에 유행한 댄스》; 〖樂〗 그 음악. —— *vi.* 원스텝을 추다.
óne-stóp shópping *n.* 한 상점에서 여러가지 상품을 다 살 수 있는 쇼핑.
óne-tàil(ed) tést *n.* 〖統〗 편측 검정《표본 통계량 값이 어떤 값보다 크거나 작을 때 그 가설을 채택하지 않는 검정》.
óne tíme *n.* 《CB俗》 급한 질문[응답, 진술].
óne-tìme *a.* 전의, 앞서의, 원래…, 이전의 (former) ; 한 번만의 : his ~ partner 이전의 동료 / a ~ premier 전수상.
—— *adv.* 이전에는.
óne-tìme pád *n.* 1회용 암호표의 철(綴).
óne-tìme prográmmable *a.* 〖電子〗 1회만 기입이 가능한《略 OTP》.
óne-to-óne *a.* (대응 따위) 1대 1의, 상관적인 ; 〖數〗 (집합론의) 1대 1의《대응》; 《美》 =ONE-ON-ONE.
óne-tràck *attrib. a.* (철도가) 단선의 ; 《口》 한 가지 생각에만 사로잡힌 : a ~ mind 편협한 마음 ; 한 가지 일만 생각하는[말하는] 사람.
óne-twó *n.* 〖拳〗 좌우 연타, 원투(펀치) ; 민첩하고 효과적인 행동 ; 《俗》 즉각적인 대답.
óne úp, óne-úp *a.* 《口》 유리한 입장을 확보한 ; 상대방을 한 포인트 리드하고 있는, 한 수 위의. **óne-úp** *vt.* …을 한 수 앞지르다, 일보 리드하다.
〚역성(逆成) ‹ *one-upmanship*〛
òne-úp·man [-mən] *vt.* 《口》 =ONE-UP.
òne-úp·man·shìp [-mən-], **òne-úps·man·shìp** *n.* Ⓤ 《口》 한 수 더 뜨기[앞서기].
óne-wáy *a.* **1** 〖通信〗 한 쪽 방향만의 ; 한 쪽(만)의(cf. TWO-WAY) : ~ traffic 일방통행. **2** 《美》 (차표가) 편도의(= 《英》 single) (cf. ROUND-TRIP). **3** (상호적이 아니고) 한쪽만으로부터의, 일방적인.

〈회화〉
Give me a *one-way* ticket to Boston, please. — Here you are. 「보스톤행 편도 차표 하나 주십시오」「여기 있습니다」

—— *n.* 《美》 편도 차표.
óne-wáy mírror *n.* 매직 미러, 반투명경(鏡).
óne wórld *n.* [흔히 O~ W~] (국제협조에 의한) 하나의 세계.
óne-wórld·er *n.* 국제주의자(internationalist).
ONF, ONFr. Old North French.
ón·fàll *n.* 습격, 공격.
ón·flòw *n.* (세찬) 흐름, 분류(奔流).
ón-glìde *n.* 〖音聲〗 들어가는 경과음(經過音)《조음(調音) 기관이 한 음 또는 묵음에서 다음 음으로 옮겨질 때 다음 음 처음에 발생하는 음 ; 보기 영어의 어두(語頭)의 b의 무성(無聲)부분》.
ón·gò·ing *n.* **1** Ⓤ 전진. **2** [*pl.*] =GOINGS-ON.
—— *a.* 전진하는, 진행중인.
ONI Office of Naval Intelligence (해군 정보국).
***on·ion** [ʌ́njən] *n.* **1** Ⓤ,Ⓒ 양파 : beef and boiled ~*s* 데친 양파를 곁들인 쇠고기 / There is too much ~ in the soup. 수프에 양파가 너무 많이 들어 갔다. **2** 《俗》 머리, 사람 ; 《美軍俗》 어리석은[비굴한] 녀석 ; 《美俗》 서투른 계획.
know one***'s onions*** 《口》 자기 일에 정통하고 있다, 요령을 알고 있다 ; 빈틈없다.
off one***'s onion*** 《英俗》 미쳐서.
—— *vt.* 양파로 맛을 내다 ; (눈을) 양파로 비벼서 눈물나게 하다.
〚AF<L *union- unio*〛
ónion·skìn *n.* Ⓤ 양파 껍질 ; 얇은 반투명한 종이.
ón·iony *a.* 양파 같은, 양파 냄새가 나는 ; 양파로 양념한.
ón-ìsland·er *n.* 섬사람.
oni·um [óuniəm] *a.* 〖化〗 오늄의《보통 착(錯)양이온의》.
-o·ni·um [óuniəm] *n. suf.* 〖化〗 「양이온」의 뜻. 〚ammo*nium*〛
on·kus [ɑ́ŋkəs] *a.* 《濠俗》 소용없는, 쓸모없는, 활용되지 않는, 못쓰게 된.
ón·lènd *vt., vi.* (차입금을) 다시 빌려주다.
ón-lìcense *n.* 《英》 (가게 안에서 음주를 허락하는) 상점 내 주류 판매 허가(↔*off-license*).
ón-límits *a.* 출입이 허가된(↔*off-limits*).
ón-lìne *a., adv.* 〖컴퓨〗 바로잇기[이음]의[로], 온라인의[으로]《데이터 처리에서 주(主)컴퓨터와의 직결 방식을 말함 ; cf. OFF-LINE》.
ón-line deláyed tíme sỳstem *n.* 〖컴퓨〗 축적 처리 시스템《정보를 즉시 처리하지 않음》.
ón-line interáctive sỳstem *n.* 〖컴퓨〗 원격 쌍방향 시스템.
ón-line réal tíme sỳstem *n.* 〖컴퓨〗 온라인 실시간 처리 시스템《원격지의 정보를 즉시 처리하여 단말기로 보내는 시스템》.
ón-line sỳstem *n.* 〖컴퓨〗 온라인 시스템.
ón·lòok·er *n.* 방관자(bystander), 구경꾼(spectator) (cf. LOOKER-ON). **ón·lòok·ing** *a.* 구경하고 있는 ; 방관적인 ; 예감이 드는.
◇**on·ly** [óunli] *a.* **1** [the ~] 유일한, 만[뿐]의 (sole) ; [an ~, one's ~] 단독의(single) : *an* ~ son 외아들 / *my* one and ~ friend 나의 유일한 친구 / Her ~ answer was sobbing. 그녀의 유일한 답변은 훌쩍훌쩍 우는 것이었다. **2** 비길 데 없는(best), 제 일 가는 : You are the ~ man for the job. 너야말로 그 일에 가장 적합한 사람이다.
—— *adv.* 단지, 오직 ; 다만 …뿐[…에 지나지 않는], 겨우 …에 그치는 ; 오로지 ; 만, 뿐 : He came ~ yesterday. 겨우 어제 왔을 뿐이다《㊟ 같은 의미를 다음 어순으로도 나타낼 수 있음 : He ~ came yesterday.》/ He went to the seaside ~ to be drowned. 빠져 죽으려고 해변으로 간 거나 다름없었다 / It will ~ make her mad. 그녀를 화나게만 할 것이다 / *O*~ you[You ~] can guess. 너만이 추측할 수 있다 / You can ~ guess [guess ~]. 다만 추측할 수 있을 뿐이다 / You have ~ to go. 가기만 하면 된다.
if only 단지 …라고 가정하여 ; …하기만 하면, …이면 좋을 텐데.
not only. . .but (***also***). . . ☞ NOT.
only just 가까스로, 겨우 이제 …했을 뿐 : I ~ *just* spoke with her. 그녀와 얘기했을 뿐이다.
only not …이 아니라고만 할 뿐, 흡사(恰似), 마치(all but) : He was ~ *not* a boy. 마치 어린애 같았다.
only too ☞ TOO.
—— *conj.* 단, …하기는 하나(but then) ; 만일 …만 아니었더라면 : I would do it with pleasure, ~ I am too busy. 기꺼이 하고 싶습니다만 마침 바빠서요 / He would have joined our meeting,

~ you objected. 당신이 반대만 안했더라면 그는 우리들의 회합에 참가했을 텐데요.
only that …하는 일만 없다면 (except that) : He does well, ~ *that* he's nervous at the start. 그는 잘 하기는 하지만 다만 처음엔 신경질적이다.
〚OE *ānlīc*(*e*) ; ⇨ ONE, -LY〛
類義語 ***only*** 다른 사람[것]과 함께가 아니라 오직 한 사람[하나]의 : his *only* son (그의 외아들). ***single*** 다른 사람[것]과 결부되거나 다른 것을 수반하거나 하지 않는 ; 단일의 : a *single* example[case] (단 하나의 예[경우]). ***sole*** 지금 화제에 오르고 있는 범위에서는 그 종류로서 단 하나[한 사람]밖에 없는 ; only 보다 의미가 강함 : the *sole* heir (유일한 상속인). ***unique*** 엄밀하게는 단 하나밖에 존재하지 않는 ; 일반적으로는 보기 드문, 보통이 아닌 : a *unique* experience (독특한 경험). ***solitary*** single의 뜻에 덧붙여 하나만 고립되어 있는 또는 동떨어져 있는 : a *solitary* house in the field (벌판의 외딴집).

ónly begétter *n.* 유일한 창시자《인류의 유일한 창시자 Adam》.
ònly-begótten *a.* 《古》 단 한 사람만 태어난, 독자의.
o.n.o. 《英》 or near(est) offer (또는 그에 가까운 값으로) : For sale, ₩30,000 ~. 3만원 내외로 판매함.
ón-óff *a.* 〔電〕 (스위치가) 온오프뿐인, 온오프식[작동]의 : an ~ switch (전등의) 점멸(點滅) 스위치.
ón-óff cóntrol *n.* (냉장고 따위의) 자동 제어 방식 ; 〔컴퓨〕 켜고 끄기, 점멸 제어.
on·o·man·cy [ánəmæ̀nsi ; ɔ́n-] *n.* Ⓤ 성명 판단.
on·o·mas·tic [ànəmǽstik] *a.* 성명의, 고유 명사의 ; onomastics의 ; 〔法〕 (서명이) 자필의.
òn·o·más·tics *n.* (특정 전문 분야의) 용어 연구 ; 고유명사 연구 ; (특정 분야의) 어휘 체계, 용어법.
on·o·mat·o·poe·ia [ànəmæ̀təpíːə] *n.* Ⓤ 〔言〕 의성(擬聲) ; Ⓒ 의성어《buzz, thud 따위》 ; Ⓤ 〔修〕 성유법(聲諭法). **-póe·ic, -po·et·ic** [-pouétik] *a.* 의성(擬聲)의 ; 의성어의 ; 성유법(聲諭法)의.
-póe·i·cal·ly, -po·ét·i·cal·ly *adv.* 의성(어)적으로. 〚L<Gk. (*onomat- onoma* name, *poieō* to make)〛
ONR Office of Naval Research.
ón-rámp *n.* (가로(街路)에서) 고속 도로로 진입하는 차선, 온램프.
ón·rùsh *n.* 돌격 ; 돌진 ; 분류(奔流).
~·ing *a.* 돌진하는 ; 무턱대고 달리는.
ón-scène *a.* 현지의, 현장의.
ón-scréen *adv., a.* 영화[텔레비전]에서(의).
ón·sèt *n.* 습격, 공격(attack) ; (질병 따위의) 시초 ; 착수, 개시 : the ~ *of* a cold 감기의 조짐.
at the first onset 개시로.
ón·shòre *a., adv.* 육지쪽의[에] ; 육상의[에] ; 국내의[에서].
ónshore wìnd *n.* 〔서핑〕 해풍《파도타기에 알맞지 않은 바람》.
ón·síde *a., adv.* 〔蹴·하키〕 (반칙이 아닌) 정위치의[에] (cf. OFFSIDE).
ónside kíck *n.* 〔美蹴〕 킥오프한 팀이 다시 공격권을 얻으려고 일부러 공을 짧게 참.
ón-síte *a.* 현지의 : ~ inspection 현지 시찰.
ón·slàught *n.* 맹공격, 돌격.
〚MDu. (ON, *slag* blow) ; 어형은 *slaught* (obs.) slaughter에 동화(同化)〛
ón·stáge *a., adv.* 〔劇〕 무대 위의[에서] ; 무대 중앙의[에서] (cf. OFFSTAGE).
ón-strèam *adv.* 활동을 개시하여 : A new plant went ~. 새 공장은 조업을 개시했다. —— *a.* 통과하는, 흐르는, 가동(稼動)하는.
ón-strèet *a.* 노상의《주차》 : *O*~ parking is not allowed. 노상주차는 금지한다.
ont- [ánt], **on·to-** [ántou, -tə] *comb. form* 「존재」「유기체」의 뜻. 〚Gk. *ont-* being〛
-ont [ant] *n. comb. form* 「세포」「유기체」의 뜻 : bi*ont*. 〚↑〛
Ont. Ontario.
On·tar·io [antέəriòu, -tǽər-] *n.* **1** 온타리오《캐나다 남부의 주 ; 주도 Toronto ; 略 Ont.》. **2** [Lake ~] 온타리오 호(湖)《Ontario 주와 미국 New York 주 사이에 있으며 5대호(the Great Lakes) 중에서 가장 작음》. **On·tár·i·an** *a., n.* 〚Iroquoian=great lake〛
ón-the-cúff *a., adv.* 《美口》 외상의[으로], 크레디트의[로] (on credit).
òn-the-jób *a.* 수습(修習)[실습]으로 익힌(↔*off-the-job*) : ~ training 실지 훈련, 현장 연수.
ón-the-rècord *a., adv.* 발언자의 이름을 보도해도 좋다는 전제의[로] (↔*off-the-record*).
ón-the-rún *a.* 총망중인, 분주한.
ón-the-spót *a.* 《口》 맞돈의 ; 즉석의 ; 현지에서의, 현장에서의.
on·tic [ántik] *a.* (본질적) 존재의, 실체적인.
ón·ti·cal·ly *adv.*
ón-tìme *a.* 정기적인 (punctual, regular).
***òn·to** [-tuː, -tə] *prep.* **1** 《美》 …의 위로(on to, on) (☞ ON *adv.*) : The cat jumped ~ the table. 고양이가 테이블 위로 뛰어올랐다 / He climbed up ~ the roof. 지붕 위로 올라갔다. **2** 알아차리고 ; 《口》 …에 익숙해져, …에 통하여 : I'm ~ his schemes. 그의 계략을 알고 있다.
活用 (1) 《美》에서는 한 단어인 전치사로 보통 쓰이지만 《英》에서는 보통 on to ; 또는 《美口》에서는 단순한 to대신에 onto를 쓰는 수도 있다 : The party got *onto* (=to) the famous town. (일행은 그 유명한 마을에 도착했다).
(2) We went *on to* his house. (우리는 그의 집 쪽으로 다가갔다)의 on은 그 앞의 동사 went를 수식하는 부사므로 뒤의 전치사 to와 함께 합쳐 onto로 할 수 없다.
on·to·génesis [àntə-] *n.* =ONTOGENY. 〚NL〛
on·tog·e·ny [antádʒəni] *n.* 〔生〕 개체 발생(론).
on·to·log·ic, -i·cal [àntəládʒik(əl)] *a.* 존재론의[적인].
ontológical árgument *n.* 〔哲〕 존재[본체]론적 증명《신의 개념 자체로부터 신의 존재를 증명하려는 논법》.
on·tol·o·gy [antáləd͡ʒi] *n.* Ⓤ 〔哲〕 존재론.
-gist *n.* 존재론(학)자. 〚L ; ⇨ ONT-〛
onus [óunəs] *n.* (*pl.* **~·es**) **1** 무거운 짐 (burden) ; 부담, 책임, 의무 ; 오명 : the ~ of proof 입증의 책임 / lay the ~ on …에 책임을 돌리다. **2** =ONUS PROBANDI. 〚L *oner- onus* load〛
ónus pro·bán·di [-proubǽndai, -diː] *n.* 〔法〕 입증(立證)의 의무[책임]. 〚L〛
***ón·ward** *a.* 전진적인, 향상하는. —— *adv.* 전방으로, 앞으로 ; 나아가서 ; 〔구령〕 전진!, 앞으로! : from this day ~ 오늘 이후로.
類義語 ⟹ FORWARD.
***ón·wards** *adv.* =ONWARD.
-o·nym [-ənim] *n. comb. form* 「이름」「어(語)」의 뜻 : syn*onym*, pseud*onym*.
〚Gk. *onoma* name〛

on·y·mous [ánəməs] *a.* 이름을 밝힌.
on·yx [ániks, óu-] *n.* Ⓤ 〖鑛〗 줄(무늬)마노(瑪瑙), 오닉스 ; 줄대리석, 오닉스 대리석 ; (흔히) 장식의 목적으로 염색된 줄무늬가 없는 옥수 ; 〖解〗 손[발]톱. —— *a.* 칠흑의, 암흑의.
〖OF<L<Gk.=fingernail, onyx〗
oo- [óuə] ☞ O-².
O.O. [dʌ́bəlóu] once over. **O/o** 〖商〗 order of (…의 지시).
OOB [òuòubí:] off-off-Broadway.
O.O.C. Olympic Organizing Committee(올림픽 조직 위원회).
óo·cỳst *n.* 〖動〗 접합자(接合子) (zygote), (특히) 접합자낭(囊).
óo·cỳte *n.* 〖生〗 난모(卵母)세포.
O.O.D. officer of the deck.
oo·dles [ú:dlz], **ood·lins** [ú:dlənz] *n.* [단수·복수취급] 《口》 많음, 풍부, 거액.
〖C19<? ; *huddle*에서인가〗
oof [ú:f], **oof·tish** [ú:ftiʃ] *n.* 《俗》 돈, 현찰 ; 부(富) ; 힘. 〖Yid. *ooftish*<G *auf dem tische* on the table ; 「도박에 거는 돈」의 뜻〗
óof·bìrd *n.* 《英俗》 돈을 낳는 상상의 새 ; 부자.
óofy *a.* 《俗》 부자의.
òo·génesis *n.* 〖生〗 난자 형성.
òo·gónium *n.* (*pl.* **-nia**) 〖生〗 난원세포(卵原細胞) ; 〖植〗 생란기(生卵器), 조란기(造卵器).
ooh [u:] *int.* 앗, 어, 아《놀람·기쁨·공포 따위의 강한 감정》. —— *vi., n.* 앗하고 놀라다[놀람].
〖imit.〗
óo·lìte *n.* 〖地質〗 Ⓤ **1** 어란상암(魚卵狀岩). **2** [O~] 어란상 석회암《영국 쥐라계(系)의 상층》.
òo·lít·ic [-lít-] *a.*
〖F (Gk. *ōion* egg)〗
ool·o·gy [ouálədʒi] *n.* Ⓤ 조란학(鳥卵學).
oo·long [ú:làŋ, 美+-lɔ̀:ŋ] *n.* Ⓤ 우롱차《대만산》.
〖Chin. *wulung* (우롱(烏龍))〗
oom [ú:m] *n.* 《南아》 숙부, 백부(uncle).
oomia(c)k, oomiac ☞ UMIA(C)K.
oom·pah, oom-pah [ú:mpà:] *n., a.* (행진곡에서 튜바 따위를 연주하는) 반복 율동적 저음(의), 붐빠붐빠(의). —— *vi.* 붐빠붐빠 소리를 내다.
oomph [úmpf] *n.* 《俗》 Ⓤ **1** 성적 매력. **2** 정력, 활력, 원기.
〖C20<? ; 칭찬의 소리 *mm*의 imit. 인가〗
óomph gìrl *n.* 《俗》 성적 매력이 넘치는 여자.
oont [ú(:)nt] *n.* 《인도》 낙타(camel).
〖Hindi〗
OOP 〖出版〗 out of print(절판).
ooph·or- [ouáfər], **ooph·o·ro-** [ouáfərou, -rə] *comb. form* 「난소(卵巢)」의 뜻.
〖NL<Gk. (*ōion* egg, *-phorous*)〗
oo·pho·ri·tis [òuəfəráitəs] *n.* Ⓤ 〖醫〗 난소염(卵巢炎).
oops [wú(:)ps] *int.* 이런!, 앗차!, 실례! 《놀람·당황·가벼운 사과의 뜻을 나타내는 소리》.
〖imit.〗
Óort('s) clòud [úərt(s)-, ɔ́:rt(s)-] *n.* 〖天〗 오르트 성운《명왕성 바깥 궤도를 도는 혜성군》.
ooze [ú:z] *vi.* **1** [動/+前+名] 줄줄 흘러나오다, 스며나오다, 분비되다 ; 질척거리다 : Oil was *oozing* ***through*** the crack. 석유가 그 갈라진 틈으로 새어나오고 있었다 / My shoes were *oozing* ***with*** water. 구두가 물에 젖어 질척거렸다. **2** [+副] 《비유》 (용기·흥미 따위가) 차츰 없어지다 ; (비밀 따위가) 새다 : My hope ~*d away* as I waited. 기다리고 있는 동안에 희망이 차츰 사라졌다 / The secret will ~ ***out.*** 비밀이 새어나갈 것이다. —— *vt.* 스며나오게 하다 ; 《비유》 (비밀 따위를) 누설하다 : He was[His pores were] *oozing* sweat. 그는[그의 몸은] 땀을 흥건히 흘리고 있었다.
ooze its way 졸졸[질금질금] 흘러나오다.
—— *n.* **1** Ⓤ 스며나옴, 분비 ; 분비물. **2** Ⓤ (떡갈나무 따위의) 나무껍질의 액《가죽 무두질용(用)》. **3** Ⓤ (강 밑바닥의) 개흙(slime). **4** 습지(marsh).
〖OE *wōs* juice, sap, OE *wāse* mud, mire〗
óo·zy *a.* **1** 진흙의[같은], 진흙이 섞인. **2** 질질 흐르는[흘러내리는], 질질 나오는, 스며나오는.
óo·zi·ly *adv.* **-zi·ness** *n.*
op[1] [áp] *n.* 옵 아트, 광학 예술. 〖*op*tical art〗
op[2] *n.* 《口》 수술. 〖*op*eration〗
op[3] *n.* 《口》 탐정, 형사, 첩보원. 〖*op*erative〗
O.P., o.p. [òupí:] *n.* 《美俗·戲》 [소유격] 남의 것 : What make of car did you drive yesterday? — I drove *o.p.*'s. 어제는 무슨 제(製) 차를 몰았니 — 남의 차였어.
〖*o*ther *p*eople〗
op- [əp, àp] ☞ OB-《p 앞에서의 변형》.
Op., op. opera ; operation ; operator ; opposite ; 〖樂〗 opus. **O.P., o.p.** 〖劇〗 opposite prompt (side) ; out of print ; 〖軍〗 observation post ; overproof.
OPA 《美》 Office of Price Administration (물가관리국).
opac·i·ty [oupǽsəti] *n.* **1** Ⓤ 불투명 ; 불투명체[부(部)] ; 〖寫〗 불투명도. **2** Ⓤ 애매(함). **3** Ⓤ 지둔(遲鈍), 우둔.
〖F<L ; ⇨ OPAQUE〗
opah [óupə] *n.* 〖魚〗 개복치와 비슷한 물고기《대서양산의 식용대어》. 〖Ibo *úbà*〗
opal [óupəl] *n.* 〖鑛〗 오팔, 단백석(蛋白石) ; (반투명의) 젖빛 유리.
〖F or L<? Skt. *upalas* precious stone〗
opal·esce [òupəlés] *vi.* (오팔 비슷한) 유백색의 빛을 내다.
opal·és·cence *n.* Ⓤ 젖빛(을 내기), 유백광(乳白光), 단백광(蛋白光).
opal·és·cent, -esque [òupəlésk] *a.* 유백광의, 단백석 빛을 내는.
ópal glàss *n.* 젖빛 유리.
opal·ine [óupəlàin, -li:n] *a.* 오팔과 같은 ; 젖빛을 내는. —— [; -li:n] *n.* Ⓤ 젖빛 유리.
Op Amp 〖電子〗 operational amplifier (연산(演算) 증폭기).
opaque [oupéik] *a.* (**opáqu·er** ; **opáqu·est**) **1** 불투명한 ; 분명치 않은, 불명료한. **2** 광택이 없는, 충충한. **3** (열·전기 따위의) 부전도성(不傳導性)의. **4** 우둔한(stupid). —— *n.* 불투명체 ; [the ~] 암흑 ; 〖寫〗 불투명액. —— *vt.* 불투명하게 하다 ; 〖寫〗 불투명액으로 (네거티브)의 일부를 바림하다[수정하다]. **~·ly** *adv.* 불투명하게 ; 불명료하게 ; 충충하게.
〖L *opacus* shaded〗
óp àrt *n.* 〖美術〗 옵 아트(optical art, op)《1960년대에 일어난 시각적 착각효과를 노리는 추상 미술의 한 양식》.
op. cit. [áp sít] *opere citato* 《L》 (=in the work quoted).
op-con [ápkàn], **ops-con** [áps-] *n.* 〖美軍〗 작전 통제 ; (작전에 따른) 병참 보급 지령 ; (컴퓨터에 의한) 작업[운용] 통제.
〖*op*erational *con*trol〗

ope [óup] *a.*, *v.* 《詩》 =OPEN.

OPEC [óupek] Organization of Petroleum Exporting Countries (석유 수출국 기구).

Op Ed, op ed [áp éd] *n.* 《美》〔新聞〕 (사설란 반대쪽의) 특집 쪽(=**Óp-Éd**[**óp-éd**] **pàge**)《서명된 기사가 많음》. 『*op*posite *ed*itorial』

◇**open** [óupən] *a.* (**~·er** ; **~·est**) **1** 열린, 열려 있는(↔*shut, closed*) ; 열린 채로의, 노출된, 개방적인 ; 덮개[지붕]가 없는 ; 울타리가 없는 ; 널따란, 활짝 트인 : ~ country 널따란 땅 / an ~ fire 덮개가 없는 (벽난로의) 불 / He threw ~ the door [threw the door ~]. 문을 활짝 열었다 / ☞ OPEN BOAT / ☞ OPEN DOOR.
2 공직(空職)의, 공석의 ; 미결정[미해결]의 ; 미결산의 ; 한가한, 약속[지장·용무]이 없는.
3 a) 공개의, 공공의, 출입[통행·사용]자유의 ; (문호를) 개방한 : an ~ scholarship 공개 모집 장학금 / careers ~ *to* college graduates 대학 출신이 가질 수 있는 직업 / ☞ OPEN HOUSE / ☞ OPEN PORT. **b**) (상점이) 열려 있는, (학교가) 개학중인 ; (연극·의회 따위가) 공연[개회]중인.
4 a) (유혹 따위에) 빠지기 쉬운, (비난 따위를) 면할 수 없는, 초래하는〈*to*〉. **b**) (사상·제의 따위를) 즉각 받아들이는, (도리 따위를) 순순히 따르는, 거절하지 않는 : be ~ *to* conviction 도리에 따르다.
5 《美》 법률상의 제한이 없는, 공식 허가의 ; 관세[통행세 따위]가 붙지 않는 ; 해금(解禁)의(↔*close*) : the ~ time 수렵기, 어렵(漁獵)허가기.
6 숨김 없는, 뻔한, 공공연한 ; 솔직한 ; 편견이 없는, 후한, 관대한 : an ~ heart 공명, 솔직(cf. OPENHEARTED) / an ~ mind 넓은[편견이 없는] 마음, 허심탄회(cf. OPENMINDED) / be ~ *with* a person *about* …에 대하여 남에게 숨김이 없다.
7 펼쳐진 ; (꽃이) 피어 있는 ; (직물 따위가) 올이 성긴 ; (대열 따위가) 산개(散開)해 있는, (이 따위의) 사이가 뜬 ; (상처 따위가) 벌어진.
8 (강·바다가) 얼어붙지 않은 ; 서리[눈]가 내리지 않는(mild).
9 〔樂〕 (현(絃) 따위) 손가락으로 누르지 않는 ; (오르간의 스톱이) 열려 있는.
10 〔音聲〕 (모음이) 개구음(開口音)의(↔*close*) ; (자음이) 개구적(開口的)인《[s, f, ð]와 같이 날숨의 통로를 완전히 막지 않고 발음함》; (음절이) 모음으로 끝나는(↔*closed*).
11 〔印〕 활자 간격이 벌어진.
12 〔醫〕 변(便)이 잘 나오는, 변비가 아닌.
13 〔軍〕 (도시 따위) 무방비의 ; 국제법상 보호를 받고 있는.
14 〔컴퓨〕 열린.

keep one***'s eyes*** [***ears***] ***open*** 방심하지 않고 감시하다[주의 깊게 귀를 기울이다].
keep one***'s mouth open*** 게걸들리다.
lay open (1) …의 덮개를 벗기다, …을 열다, 들추어내다(uncover). (2) 파헤치다, 폭로하다, 노출시키다 : ☞ *lay* one*self* OPEN *to*. (3) 절개하다, 자르다.
lay one***self open to*** …에 몸을 드러내다, …을 정면으로 받아들이다 : *lay* one*self* ~ *to* attack 정면으로 공격당하다 / *lay* one*self* ~ *to* criticism 비판의 대상이 되다.
throw open a door=***throw a door open*** 문을 열어 놓다.
with open eyes 눈을 둥그렇게 뜨고《열심히·놀라서 ; cf. OPEN-EYED》.
with open hand(***s***) 관대하게, 후하게.
with open mouth 입을 벌리고 ; 무엇을 말하려고 ; 어안이 벙벙하여.

── *vt.* **1** [+目/+目+副/+目+前+名/《美》+目+目] 열다(↔*shut*) ; 개척하다, 개발하다 : 〔醫〕 절개하다 : He ~*ed* his book. 책을 폈다 / They ~*ed* ***up*** the new territory ***to*** trade. 새 영토를 개발하여 통상했다 / A path is being ~*ed* ***through*** the woods. 숲속에 좁은 길이 나 있다 / She ~*ed* the door *to* me[***for*** me *to* come in, *to* let me in]. 그녀는 문을 열고 나를 안으로 들여보내줬다 / Please ~ the bottle *for* me[《美》 ~ me the bottle]. 병마개를 따 주시오.
2 [+目/+目+*to*+名] 공개[개방]하다 ; (마음을) 털어놓다, 누설하다 : He ~*ed* his mind ***to*** his teacher. 마음속을 선생님께 털어놓았다.
3 개업하다 ; 개시하다 ; 〔法〕 …의 서두 진술을 하다 : ~ a shop[《美》 store] 점포를 열다, 개점하다 / ~ an account 계좌를 트다, 거래를 시작하다 / ~ a debate 토론회를 시작하다 / ~ Congress[Parliament] 의회를 개회하다.
4 [+目/+目+副] 펼치다 : A new world of beauty will ~ itself before you. 아름다운 신천지가 너의 눈앞에 전개되겠지 / I ~*ed* ***out*** the folding map. 접는 지도를 펼쳐 보았다.
5 〔海〕 (만(灣) 따위가) 보이는 곳으로 오다.

── *vi.* **1** 열리다 ; 쪼개지다, 갈라지다, 벌어지다 ; (종기 따위) 터지다 ; 넓어지다[커지다] ; (꽃이) 피다 : The door won't[would not] ~. 그 문은 아무리 해도 열리지 않는다[않았다] / The flowers are ~*ing*. 꽃이 피기 시작하고 있다 / This store ~*s* ten. 개점은 10시입니다.
2 [動/+副] (경치가) 활짝 트이다 : The view ~*ed* (***out***) before our eyes. 눈앞에 그 경치가 활짝 펼쳐졌다.
3 [+前+名] (창·문 따위가) 통하다, 면하다, 바라다 보이다 : The room ~*ed* by a side door ***to*** the river. 그 방에서 옆문을 통하여 강으로 나갈 수 있었다 / These rooms ~ ***into***[***out of***] one another. 이 방들은 다른 방과 서로 통한다 / The window ~*s* ***upon*** the garden. 창은 뜰에 면해 있다.
4 [動/+前+名] 시작되다(begin) : School ~*s* today. 학교는 오늘 개학한다 / The play ~*s* ***with*** a quarrel. 그 연극은 말다툼으로 시작된다 / The sentence ~*s* ***with*** an adverb. 그 문장은 부사로 시작되고 있다.
5 (짐승의 냄새를 맡고 사냥개가) 짖기 시작하다 ; (사람이) 떠들어대기 시작하다.
6 〔海〕 (위치의 변화로) 보이기 시작하다.
7 책을 펴다 : *O*~ at[《美》 to] page 15. 15페이지를 펴시오.

open fire ☞ FIRE *n.*
open a person***'s eyes to . . .*** ☞ EYE *n.*
open one***'s eyes*** (눈을 휘둥그렇게 뜨고) 깜짝 놀라다.
open out 열다, 피다 ; 팽창하다, 펼치다[펼쳐지다], 전개하다(cf. *vt.* 4, *vi.* 2) ; 마음을 터놓다, 터놓고 이야기하다〈*to*〉(cf. *vi.* 2) ; 나타나다 ; 발달하다 ; 개발하다 ; (발동기의 밸브를) 열다, 가속(加速)시키다.
open the [***a***] ***door to*** …에게 기회[편의]를 주다 ; 문호를 개방하다.
open up 열다, 개발하다(cf. *vt.* 1) ; 절개하다, 나타내다, 출현(出現)하다.

── *n.* **1** [the ~] 빈 터, 수목이 없는 땅, 광장, 노천, 옥외 ; 넓은 바다 : in *the* ~ 옥외[야외]에서. **2** 〔컴퓨〕 열기.
come out into the open 《비유》 밝은 곳으로

나가다 ; 심중을 밝히다, 털어놓다 ; 의사[계획 따위]를 공표[표명]하다.
〚OE *open* ; cf. G *offen*, OE *ūp* UP과 같은 어원〛
類義語 ⟹ FRANK[1].

ópen·able *a.* 열 수 있는, 열리는.
ópen-áccess *a.* 《英》 =OPEN-SHELF.
ópen accóunt *n.* 〖商〗 청산 계정.
ópen admíssion *n.* 《美》 =OPEN ENROLLMENT 2.
ópen adóption *n.* =INDEPENDENT ADOPTION.
ópen áir *n.* [the ~] 옥외, 야외 : in *the* ~ 야외에서[의].
‡**ópen-áir** *a.* **1** 옥외의, 야외의, 노천의 : the ~ market 노천시장 / an ~ school 임간(林間)[야외]학교 / ~ treatment 외기(外氣)요법. **2** 야외에 익숙해진, 옥외를 좋아하는.
ópen-and-shút *a.* 《美》 명백한, 한 눈에 알아볼 수 있는(obvious) ; 간단한(simple).
ópen árchitecture *n.* 〖컴퓨〗 열린 얼개.
ópen-ármed *a.* 쌍수를 들어 환영하는 : an ~ welcome 마음속에서 우러나오는 환영.
ópen bállot *n.* 기명[공개] 투표.
ópen bár *n.* (결혼 피로연 따위에서) 무료로 음료를 제공하는 바(cf. CASH BAR).
ópen bóat *n.* 갑판이 없는 작은 배《보트 따위》.
ópen bóok *n.* 펴놓은 책 ; 쉽게 이해할 수 있는[알기 쉬운] 것[사람] ; 아무런 비밀도 없는 사람(cf. CLOSED BOOK).
ópen-bòok examinátion *n.* 교과서나 참고서를 마음대로 보고 치루는 시험.
ópen·càst *n., a., adv.* 《주로 英》=OPENCUT.
ópen chámpion *n.* 자유참가 경쟁의 우승자.
ópen chámpionship *n.* (프로·아마추어에 관계 없이 참가하는) 오픈 선수권 경기(대회).
ópen chéck *n.* 《英》〖商〗 보통수표《crossed check(횡선수표)에 대하여》.
ópen círcuit *n.* 〖電〗 개[열린]회로(cf. CLOSED CIRCUIT).
ópen-círcuit *a.* 〖電〗 개[열린]회로의, (특히 텔레비전 방송이) 모든 수신기로 수신 가능한.
ópen cíty *n.* 개방 도시, (국제법상의 보호를 받는) 무방비[비무장] 도시.
ópen clássroom[córridor] *n.* 《美》 오픈 클래스룸, 자유 학습(교실)《초등교육에서 아동의 개인 활동이나 자유토론을 강조하는》.
ópen commúnion *n.* 〖教會〗 (세례받지 않은 사람도 참석할 수 있는) 공개 성찬식.
ópen competítion *n.* (누구나 참가할 수 있는) 공개 경쟁.
ópen cóntract *n.* 《俗》 (갱의 두목이 부하에게 내리는) 살인 지령 ; (부하중 누가 실행해도 되는) 살인.
ópen cóurt *n.* 〖法〗 공개 법정.
ópen·cùt *n., a., adv.* 《주로 美》〖鑛〗 노천 채굴(露天採掘) ; 노천 채굴의[로].
ópen dàte *n.* (포장 식품에 표시된) 제조[보존기간] 날짜.
ópen-dàte *vt.* (포장 식품에) 제조날짜를[보존기간을] 표시하다.
ópen dóor *n.* (무역·이민 등의) 문호 개방(주의) ; 기회 균등 ; (입장 따위의) 개방.
ópen-dóor *a.* 문호 개방의 ; 기회 균등의.
ópen-éared *a.* 귀를 기울인, 주의 깊게 듣는.
ópen ecónomy *n.* 개방 경제.
ópen-énd *a.* **1** 대부 금액을 정하지 않고 제공하는 : an ~ mortgage 개방 담보. **2** 자본액을 시가대로 매매하는 : an ~ investment company 개방 투자 회사. **3** 일정 기간 특정제품에 대한 정부의 요구 수량을 전부 제공하는 : an ~ contract 미정(未定) 수량 판매 계약. **4** 〖放送〗 (녹음이) 광고 방송 넣을 부분을 비워둔 ; =OPEN-ENDED.
ópen-ènd bónd fùnd *n.* 〖證〗 개방형(開放型) 채권 펀드.
ópen-énd·ed *a.* 개방적인 ; (질문·인터뷰 따위) 자유로운 ; (시간·인원수 등이) 제한없는 ; (상황에 따라) 변경[수정]할 수 있는.
ópen enróllment *n.* 《美》 **1** 타학구(他學區) 자유 입학제《거주지역에 구애받지 않는》. **2** 대학 무시험 전원 입학제(open admission).
ópen·er *n.* **1** 여는 사람 ; 개시하는 사람 ; 여는 도구《깡통 따개·마개뽑이 따위》 : ☞ CAN OPENER. **2** 첫시합 ; (가벼운 연극 따위의) 최초의 상연물 ; (프로그램의) 최초의 것 ; 첫 차례. **3** 개면기(開綿機), (양모의) 개모기(開毛機). **4** 《俗》 완하제.
ópen-éyed *a.* **1** 눈을 뜬, 눈을 둥그렇게 뜬 ; (깜짝 놀라서) 눈을 크게 뜬, 놀란 : ~ astonishment 깜짝 놀람. **2** 빈틈없는, 방심하지 않는 : ~ attention 세심한 주의.
ópen fáce *n.* **1** 정직[온화]한 얼굴. **2** (시계의) 뚜껑이 없는 면(面). **3** 《美》 빵이 한쪽에만 있는 파이·샌드위치 따위.
ópen-fáced *a.* **1** 순진[정직]하게 생긴. **2** (시계가) 한 면이 유리로 덮인. **3** 《美》 (파이·샌드위치 따위) 빵이 한쪽만 있는.
ópen fíeld *n.* 〖美蹴〗 ball carrier의 전방에 수비선수가 없이 열려 있기.
ópen-fìeld *a.* (토지가) 구획되지 않고 공동으로 경작되는.
ópen-hánd(·ed) *a.* 손이 큰, 마음이 넓은, 대범한 ; 친절한. **~·ly** *adv.*
ópen hármony *n.* 〖樂〗 벌린 자리(=open position).
ópen-héart *a.* 〖醫〗 심장 절개(切開)의.
ópen·héart·ed *a.* 털어놓는, 숨김없는, 솔직한 ; 친절한, 관대한. **~·ly** *adv.*
ópen-héarth *a.* 〖冶〗 평로(平爐)의 : the ~ process 평로법.
ópen hóuse *n.* **1** Ⓤ 누구든 내방객을 진심으로 환대하는 집 : keep ~ 손님을 환대하다, 손님을 기쁘게 대접하다. **2** 《美口》 (학교·기숙사·클럽 따위의) 일반 공개일.
ópen hóusing *n.* 《美》 비차별 주택제, 주택 개방제《주택 매매·임대에서의 인종·종교에 대한 차별금지》.
***ópen·ing** *n.* **1** Ⓤ 열기, 개방. **2** Ⓤ,Ⓒ 개시 ; 개장, 개회, 개통 ; 개연(開演) ; 모두(冒頭)〈*of*〉 ; (거래소의) 초장 ; 〖체스〗 첫 수. **3** (열린) 구멍, 아가리, 틈, 통로〈*in*〉. **4** 공터, 광장 ; 후미, 만 ; 《美》 숲속의 빈터. **5** 창, 채광창, 통풍창(窓). **6** 취직 자리, 돈벌이가 되는 일거리, 일자리, 좋은 기회〈*for*〉. —— *a.* 처음의, 최초의, 시작의, 개시의, 개회의, 모두(冒頭)의 : an ~ speech 개회사 / an ~ ceremony 개회[개원·개교·개통]식.

〈회화〉
Who gave the *opening* address? — Ken did.
「누가 개회사를 했지」「켄이야」

ópening nìght *n.* (연극·영화 따위의) 첫날밤(의 공연).
ópening tíme *n.* (상점·도서관 따위의) 업무 개시 시간, (특히 법률로 인가된) 술집의 개점 시각 ; (장치가) 열리는 데 소요되는 시간.
ópen ínterest *n.* 〖商〗 미(未)결제 거래 잔고.
ópen létter *n.* 공개장(公開狀).

ópen lóop *n.* 〔컴퓨〕 개[열린]회로, 개방 루프《피드백이나 자동 수정 장치가 없는 제어 시스템; ↔ *closed loop*》.

óp·en·ly *adv.* 공공연히(publicly); 터놓고, 숨김없이, 솔직히(frankly).

ópen márket *n.* 〔經〕 공개[일반] 시장.

ópen-màrket operátions *n. pl.* 〔經〕 (중앙은행이 채권 따위를 매매하여 금융을 조절하는) 공개 시장 조작.

ópen-market pólicy *n.* 〔商〕 공개 시장 정책.

ópen márriage *n.* 개방[자유] 결혼《부부가 서로 사회적·성적으로 독립을 인정하는 결혼 형태; cf. CONTRACT[SERIAL] MARRIAGE》.

ópen-mínd·ed *a.* 편견이 없는; 마음이 넓은, 허심탄회한. **~·ly** *adv.*

ópen·móuthed *a.* **1** 입을 벌린; 어안이 벙벙한. **2** 욕심이 많은. **3** (사냥개가) 짖어대는; 소란스러운.

ópen·ness *n.* Ⓤ 개방상태; 개방성, 솔직; 관대.

ópen órder *n.* 〔軍〕 산개대형; 〔商〕 무조건 주문《품종·가격을 제시하고 그밖의 명세는 공급자에게 일임》; 〔證〕 무기한 주문《매매가 성립되거나 취소가 있을 때까지 유효한 주문; cf. GTC, GTM, GTW》.

ópen-pít *n., a., adv.* 〔鑛〕 노천굴(의[에서]).

ópen plán *n.* 〔建〕 오픈 플랜《다양한 용도를 위해 방에 칸막이를 안 하는 방식》.

ópen pórt *n.* **1** 개항장. **2** 부동항.

ópen prímary *n.* 《美》 (정당의) 공개 예비 선거《당원 자격의 유무에 관계 없이 투표할 수 있는 직접 예비 선거; cf. CLOSED PRIMARY》.

ópen príson *n.* 개방 교도소《수감자에게 대폭적인 자유가 주어짐》.

ópen quéstion *n.* 미결 문제[안건]; 이론(異論)이 많은[결론을 낼 수 없는] 문제; 회답자의 자유 의견을 구하는 질문.

ópen sándwich *n.* 오픈 샌드위치《위에 빵을 얹지 않은 것》.

ópen scóre *n.* 〔樂〕 오픈 스코어《각 파트가 따로따로 적힌 총보(總譜)》.

ópen séa *n.* **1** 대해(大海); [the ~] 공해(公海) (cf. CLOSED SEA). **2** (일반적으로) 외양(外洋); 무빙 해면.

ópen séason *n.* 수렵[어업]이 허가되는 기간; 《비유》 심한 비판을 받는 시기.

ópen séat *n.* 현직 의원이 재출마하지 않는 선거구의 의석; 공석(空席)의 후임을 다투는 일.

ópen sécret *n.* 공공연한 비밀.

ópen sésame *n.* (Ali Baba와 40인의 도적 이야기에서)「열려라 참깨」, 문을 여는 주문(呪文); 원하는 결과를 가져오는 신기한 방법, 난국 해결의 열 쇠⟨*to*⟩: Is wealth the ~ *to* happiness? 부(富)가 행복의 문을 열어줄까.

ópen-shélf *a.* 《美》 (도서관이) 개가(開架)식의 (=《英》 open-access).

ópen shóp *n.* 오픈 숍《비조합원도 고용하는 사업장; 그 경영자는 open-shopper라고 함; ↔ *closed shop*; cf. UNION SHOP》.

ópen socíety *n.* 개방 사회.

ópen-spáce *a.* 〔建〕 오픈 스페이스(식)의《고정벽 대신 이동식 가구나 칸막이를 두는》.

ópen-stáck *a.* =OPEN-SHELF.

ópen stóck *n.* 〔商〕 (낱개로도 살 수 있는) 세트로 된 상품《식기 따위》.

ópen sýllable *n.* 〔音聲〕 개(開)음절《모음으로 끝나는 음절》.

ópen sýstem *n.* 〔컴퓨〕 열린 체계.

ópen sýstems interconnèction *n.* 〔通信〕 개방형 시스템간(間) 상호 접속《略 OSI》.

ópen tówn *n.* 《美》 (술집·도박 따위를 허용하는) 방임 도시; 《口》 무방비(無防備) 도시(cf. OPEN CITY).

ópen univérsity *n.* 《美》 통신제 대학; [the O~ U~] (영국의) 방송[공개] 대학.

ópen wárfare *n.* 야전(野戰).

ópen-wèight *n.* (유도의) 무제한급.

ópen·wòrk *n.* (천 따위의) 내비침 세공; (조각 따위의) 도림질 세공.

***op·era**[1] [ápərə] *n.* **1** Ⓤ,Ⓒ 오페라, 가극: a comic ~ 희(喜)가극 / a grand ~ 그랜드 오페라, 정(正)가극 / a light ~ 경(輕)가극 / a new ~ 신작 오페라. **2** 오페라의 총보(總譜)[가사]. **3** Ⓒ 가극장; 가극단. 〚It.<L=labor, work〛

opera[2] *n.* OPUS의 복수형.

op·er·a·ble [ápərəbəl] *a.* 수술 가능한, 수술할 수 있는; 실시[사용] 가능한; 조종하기 쉬운. **-bly** *adv.*

opé·ra bouffe [ápərə búːf] *n.* 오페라 부프《희가극》. 〚F<↓〛

ópera búf·fa [-búːfə] *n.* 오페라 부파《18세기의 이탈리아 희가극》. 〚It.=comic opera〛

ópera clòak *n.* 관극(觀劇)[야회]용의 여성 외투(外套).

opé·ra co·mique [ápərə kɑmíːk] *n.* (대화가 포함된, 특히 19세기) 희가극(comic opera). 〚F〛

ópera glàss *n.* [*pl.*] 오페라 글라스《관극용 작은 쌍안경》.

ópera hàt *n.* 오페라 해트《접을 수 있는 실크 해트》.

opera hat

ópera hòod *n.* (여성의) 관극[야회]용 후드.

ópera hòuse *n.* 오페라 극장[하우스]; 《美》 극장.

op·er·and [ápərӕnd] *n.* 〔컴퓨〕 셈숫자, 피연산자.

op·er·ant [ápərənt] *a.* 움직이는, 작동하는, 일하는; 효력이 있는; 〔心〕 자발적인, 조작적인. —— *n.* 기능을[효과를] 높이는 것[사람]; 일하는[작용하는] 사람[것]; 직공, 숙련공; 〔心〕 자발적 행동.

op·er·ate** [ápərèit] *vi.* **1** (기계 따위가) 작동하다, 움직이다: The machines will not ~ properly. 기계가 잘 작동하지 않는다. **2** [+*on*+名/+*to* do] 작용하다, 영향을 미치다: Books ~ powerfully (up***)***on*** the soul both for good and evil. 책은 좋건 나쁘건 정신에 큰 영향을 미친다 / Several causes ~*d to* begin the war. 몇 가지 원인으로 전쟁이 일어났다. **3** [+前+名] 일하다: ~ ***at*** pirate 해적질을 하다. **4** (약 따위가) 효험을 나타내다, 듣다: The medicine did not ~. 약이 듣지 않았다. **5** [動/+*on*+名] 〔醫〕 수술하다: ~ ***on*** a patient for a tumor 환자의 종양을 수술하다 / He had his nose ~*d on*. 그는 코 수술을 받았다. **6** 〔軍〕 군사 행동을 취하다, 작전하다. **7** 〔商〕 (시세 변동을 노리고 주식을) 매매하다, 주가를 조작하다, 투기하다. —— *vt.* **1** 조작하다, 운전하다, 조종하다. **2** (공장 따위를) 운영[경영]하다, 관리하다(run). **3** (변화 따위를) 일으키다, 성취시키다. **4** 결정하다. **5** …에게 수술을 하다.

〚L *operor* to work; ⇨ OPUS〛

op·er·at·ic [àpərǽtik] *a.* 오페라의; 오페라풍의; 연극조의, 과장된: ~ music 오페라 음악.

-i·cal·ly *adv.*

óp·er·àt·ing *a.* **1** 수술의[에 쓰는] : an ~ room [table] 수술실[대] / an ~ theater 《美》 수술실 《원래는 계단식의 수술 교실》. **2** 경영[운영]상의 [에 요하는]. **3** 움직이고 있는, 작용하는.

óperating sỳstem *n.* 〖컴퓨〗 운영 체계《컴퓨터를 운영하기 위한 수법과 절차를 모은 소프트웨어 체계 ; 略 OS》.

op·er·a·tion** [àpəréiʃən] *n.* **1** Ⓤ 가동(稼動), 작용, 작업 : the ~ *of* breathing 호흡 작용. **2** Ⓤ (약 따위의) 효험, 듣기〈*of*〉; Ⓒ 유효 범위[기간] : the ~ ***of a drug 약의 효험 / the ~ *of* narcotics *on* the mind 마약이 정신에 미치는 영향. **3** Ⓒ (기계 따위의) 조작, 운전 : careful ~ of a motor car 조심스런 자동차 운전. **4** Ⓒ (사업 따위의) 운영, 경영, 운용, 조업. **5** Ⓒ (법률 따위의) 실시, 시행 : put a law into ~ 법을 시행하다. **6** Ⓒ 수술〈*on*〉: an ~ ***on*** abdomen 복부 수술 / perform an ~ *on* a patient 환자에게 수술[시술(施術)](을) 하다 / undergo[have] an ~ *for* cancer 암수술을 받다. **7** Ⓒ [보통 *pl.*] 군사 행동, 작전 : military ~*s* 군사 작전 / a base of ~*s* 작전 기지 / a field of ~*s* 작전 지역 / a plan of ~*s* 작전 계획. **8** Ⓒ (과학 실험 따위의) 계획 : the Atlas *O*~ 아틀라스 우주 비행 계획. **9** 〖數〗 Ⓒ 연산 ; 〖컴퓨〗 작동, 연산(演算). **10** Ⓒ (증권 시장 따위의) 조작 ; Ⓒ 투기 매매.

come*[*go*] *into operation 움직이기 시작하다 ; 실시[개시]되다.

get into operation 일하게 하다, 가동시키다, 활동시키다.

in operation 운전중, 작업 중, 시행 중, 활동 중 ; 실시되어 : a law *in* ~ 시행중인 법률.

〖F<L ; ⇨ OPERATE〗

operátion·al *a.* 조작상의 ; 〖軍〗 작전상의 ; 운전 [활동]중인 ; 언제든지 행동[운영]할 수 있도록 정비된 : an ~ missile 현용(現用) 미사일.

~·ly *adv.*

operátional contról *n.* 〖軍〗 작전 통제, 군용(軍用)[작업] 통제.

operátional fatígue *n.* =COMBAT FATIGUE.

operátion·al·ìsm *n.* 〖哲〗 조작(操作)주의《과학적 개념을 얻는 조작을 중시함》.

operátion·al·ìze *vt.* 조작[운용(運用)]할 수 있게 하다 ; 〖컴퓨〗 (프로그램을) 작동 가능한 상태로 하다. **operàtion·al·izátion** *n.*

operátion còde *n.* 〖컴퓨〗 연산 부호.

operátions[《英》 **operátional] resèarch** *n.* 《美》 작전 연구《군사 작전의 과학적 연구》; 〖經〗 조업도(操業度) 조사《경영관리의 합리화를 목적으로 수학 따위를 응용해서 행하는 다각적인 연구 ; 略 OR》.

operátions ròom *n.* 작전 본부실.

op·er·a·tive [ápərətiv, -rèi-] *a.* **1** 작용하는, 활동하는 ; 운전하는 ; 작업의, 생산관계의. **2** 효험[효능] 있는 ; 〖法〗 효력을 발생하는 : an ~ dose (약의) 유효 1회량 / ~ words 〖法〗 효력 발생 문언(文言) ; 중요한 뜻을 지닌 말. **3** 〖醫〗 수술의 : ~ surgery 수술. **4** 실시(중)의 ; 실지의 : become ~ 실시되다. —— *n.* 전문직공 ; 숙련공 ; 《美》 형사, (사립) 탐정 ; 스파이.

~·ly *adv.* **~·ness** *n.*

***óp·er·à·tor** *n.* **1** (기계의) 조작자, 기사, (기계의) 운전자 : a telegraph ~ 통신사 / a wireless ~ 무선 통신사 / ~*s* guidance 〖컴퓨〗 조작 지시. **2** 교환원(=telephone ~). **3** 〖醫〗 수술자. **4** 〖經〗 중매인(仲買人) ; 투기꾼, 사기꾼 ; 《美學生俗》 학원 활동에서 걸출한 학생 ; 《美俗》 마약 장수. **5** (공장·광산 따위의) 경영자. **6** 〖數〗 연산자. **7** 〖遺〗 오퍼레이터 (유전자), 작동 유전자(=~gène). **8** 〖言〗 작용어《Basic English에서 come, go, get, have 따위 18개의 동사》; 〖言〗 기능어(機能語). **9** 〖컴퓨〗 연산자, 운영자.

ópera wìndow *n.* (승용차의) 오페라 윈도《뒷좌석 양 옆의 열 수 없는 작은 창》.

oper·cu·lar [oupə́:rkjələr] *a.* OPERCULUM의[과 같은]. —— *n.* 개상부(蓋狀部).

oper·cu·late [oupə́:rkjələt, -lèit], **-lat·ed** [-lèitəd] *a.* OPERCULUM이 있는, 뚜껑이 있는.

oper·cu·lum [oupə́:rkjələm] *n.* (*pl.* **~s, -la** [-lə]) 〖植〗 선개(蘚蓋) ; 〖動〗 (물고기의) 아감딱지 ; (조개의) 숨문 뚜껑.

〖L (*operio* to cover)〗

ope·re ci·ta·to [ɔ́:pərèi kitá:tou, ápərì: saitéitou] *adv.* 인용된 책중에서《略 op. cit.》.

〖L=in the work quoted〗

op·er·et·ta [àpərétə] *n.* (단편) 희[경]가극, 오페레타. **òp·er·ét·tist** *n.*

〖It. (dim.) 〈OPERA[1]〗

op·er·on [ápəràn] *n.* 〖遺〗 오페론《단백질 제조에 관여하는 유전자의 한 단위》.

〖*oper*ator+-*on*〗

op·er·ose [ápəròus] *a.* 《古·雅》 부지런한 ; 힘드는 ; 공들인.

~·ly *adv.* **~·ness** *n.*

Ophe·lia [oufí:ljə ; ɔ-] *n.* **1** 여자 이름. **2** 오필리아《Shakespeare 작 *Hamlet*의 여주인공》.

〖Gk.=help〗

ophi- [áfi, 美+óufi], **ophio-** [áfiou, -iə, 美+óuf-] *comb. form* 「뱀(snake)」의 뜻.

〖Gk. *ophis* snake〗

oph·i·cleide [áfəklàid] *n.* 〖樂〗 오피클라이드《저음(低音) 금관악기의 일종》; (오르간의) 리드 스톱.

〖F〗

ophicleide

ophíd·i·an *a.* 뱀류(類)의 ; 뱀 같은. —— *n.* 뱀.

ophi·ol·a·ter [àfiálətər] *n.* 뱀 숭배자.

ophi·ol·a·try [àfiálətri] *n.* Ⓤ 뱀 숭배. **òphi·ól·a·trous** *a.*

ophi·ol·o·gy [àfiálədʒi, òu-] *n.* 〖動〗 사류학(蛇類學).

-gist *n.* **òphi·o·lóg·i·cal** *a.*

Ophir [óufər] *n.* 〖聖〗 오빌《Solomon이 금·보석 따위를 얻은 곳 ; 금의 산지》.

ophite [óufait, áf-] *n.* 〖鑛〗 휘록암(輝綠岩).

ophthal. ophthalmologist ; ophthalmology.

oph·thalm- [ɑfθǽlm, ɑp-], **oph·thal·mo-** [-mou, -mə] *comb. form* 「눈」의 뜻.

〖L<Gk. *ophthalmos* eye〗

oph·thal·mia [ɑfθǽlmiə, ɑp-] *n.* Ⓤ 안염(眼炎).

oph·thal·mic [ɑfθǽlmik, ɑp-] *a.* 눈의 ; 안과(眼科)의 ; 안염의 ; 눈병에 잘 듣는 : an ~ hospital 안과 병원. —— *n.* 안약.

oph·thal·mo·log·ic, -i·cal [ɑfθæ̀lməládʒik(əl), ɑp-] *a.* 안과학의.

oph·thal·mol·o·gy [àfθælmálədʒi, àp-] *n.* 안과학. **-gist** *n.* 안과 의사.

ophthálmo·scòpe *n.* 〖醫〗 검안경(檢眼鏡)《안구내 관찰용》.

oph·thal·mos·co·py [àfθælmáskəpi, àp-] *n.* 〖醫〗 검안경 검사(법).

-o·pia [óupiə], **-o·py** [òupi] *n. comb. form*「시력」「시각 장애」의 뜻 : ambly*opia*, dipl*opia*. 〖NL〗

opi·ate [óupiət, -èit] *n.* 아편제(劑) ; 마취약 ; 진정제 ; 《비유》 (감각을) 둔하게 하는 것. ── *a.* 아편이 섞인 ; 마취시키는, 졸리게 하는 ; 진정시키는. ── [-èit] *vt.* 아편을 섞다 ; 아편으로 마취시키다 ; (감각을) 둔화시키다, 완화[억제]하다. 〖L ; ⇨ OPIUM〗

OPIC Overseas Private Investment Corporation (해외 개인 투자 회사).

opine [oupáin] *vt., vi.* 《口·戲》 …라고 생각하다 (hold), 의견을 말하다. ㊟ 보통 opine that... 로 씀. 〖L *opinor* to believe〗

‡opin·ion [əpínjən] *n.* **1** Ⓤ,Ⓒ [＋*that* 節] 의견, 견해(view) ; [보통 *pl.*] 지론, 소신 : a matter of ~ 견해상의 문제 / act up to one's ~*s* 믿는 바를 행하다 / *In* my ~ that is a poor book. 내 생각으로는 그것은 쓸모 없는 책이다 / *In* the ~ of some people the pioneer spirit remains in the American mind. 몇몇 사람들의 의견에 의하면 미국 사람에게는 개척 정신이 아직 남아 있다고 한다 / I am *of* (*the*) ~ *that* in some degree wisdom can be taught. 《文語》 지혜란 어느 정도 배울 수 있다는 것이 나의 의견이다《㊟ the를 생략하는 것은 주로 《英》》. **2** Ⓤ 여론(＝public ~). **3** [a＋형용사 또는 no와 함께] (선악의) 판단, 평가, (세간의) 평판 : have[form] *a bad*[*low*] ~ *of* …을 하찮게 여기다, 얕보다 / have[form] *a good*[*high, favorable*] ~ *of* …을 높이 평가하다, …을 신용하다 / have *no* ~ *of* …을 전혀 문제삼지 않다, 무시하다. **4** 전문가의 의견, 감정.

〈회화〉
What's your *opinion* on that matter? — In my opinion, he's wrong.「그 문제에 관해 당신은 어떻게 생각합니까」「내 생각으로는 그가 잘못했습니다」

〖OF＜L (↑)〗

類義語 ***opinion*** 논의의 여지는 있어도, 본인이 진실 또는 있을 수 있는 것이라고 생각하고 있는 판단이나 결론. ***view*** 본인의 개인적인 견해·감정 따위에 의하여 영향을 받은 opinion. ***belief*** 어떤 생각·결론·주의 따위를 마음속에서 받아들여 믿고 있는 것. ***conviction*** 전혀 의문을 품고 있지 않는 강한 belief. ***sentiment*** 심사숙고한 끝에 품는 opinion으로, 감정적인 색채가 있는 것. ***persuasion*** 명확한 증거 따위에 의하여 확신하고 있는 강한 belief.

opin·ion·at·ed [əpínjənèitəd] *a.* 자기 의견을 고집하는 ; 고집이 센 ; 완고한. **~·ly** *adv.* **~·ness** *n.*

opin·ion·ative [əpínjənèitiv] *a.* 의견상의, 견해상의 ; ＝OPINIONATED. **~·ly** *adv.* **~·ness** *n.*

opínion·ist *n.* 자기 의견을 고집하는 사람.

opin·ion·naire [əpìnjənέər] *n.* (여론조사의) 조목별로 된 질문서, 앙케트.

opínion pòll *n.* 여론 조사.

opi·oid [óupiɔ̀id] *n.* 〖藥〗 오피오이드《아편 비슷한 합성 마취약》. ── *a.* 아편 같은. 〖*opium*＋*-oid*〗

op·i·som·e·ter [ɑ̀pəsɑ́mətər] *n.* 곡선계《지도에서 곡선의 거리를 재는 기구》.

op·isth- [əpísθ], **op·is·tho-** [əpísθou, -θə] *comb. form*「…을 등쪽에 댄」「후부(後部)의」의 뜻. 〖Gk. *opisthen* behind〗

opi·um [óupiəm] *n.* Ⓤ 아편. 〖L＜Gk. *opion* poppy juice (*opos* juice)〗

ópium dèn *n.* 아편 흡음소(吸飮所), 아편굴.

ópium èater[**smòker**] *n.* 아편 중독자.

ópium hàbit *n.* 아편 중독.

ópium·ìsm *n.* Ⓤ 아편 중독.

ópium pòppy *n.* 〖植〗 양귀비.

Ópium Wár *n.* [the ~] 아편 전쟁《1839-42 ; 영국과 청(淸)나라 사이에 벌어졌음》.

OPM other people's money(투자용으로 끌어들인 남의 돈) ; output per man(1인당 생산량).

opop·a·nax [əpɑ́pənæ̀ks] *n.* Ⓤ 향료로 쓰이는 일종의 수지(樹脂).

opos·sum [əpɑ́səm ; ə-] *n.* (*pl.* **~s**, ~) 〖動〗 주머니쥐《미국산 ; 잡히면 죽은 시늉을 함 ; cf. POSSUM》. 〖Virginian Ind.〗

opossum

opp. opportunity ; opposed ; opposite.

op·pi·dan [ɑ́pədən] *a.* 읍의, 시의. ── *n.* **1** 읍민, 시민. **2** (영국 Eton 교의) 교외 하숙생.

op·po [ɑ́pou] *n.* (*pl.* **~s**) 《英口》 ＝OPPOSITE NUMBER ; 《英俗》 친한 동료, 친구, 연인.

op·po·nen·cy [əpóunənsi] *n.* Ⓤ 반대, 적대.

***op·pó·nent** *n.* (시합 따위의) 적수 ; 반대자, 대항세력 ; 〖解〗 길항근. ── *a.* **1** 적대(敵對)하는, 대항의. **2** 반대측의 (opposite) ; 대면하는 위치에 있는 ; 〖解〗 길항의 《근》. 〖L *op-*(*posit- pono*)＝to set against〗

類義語 ***opponent*** 싸움·경기·토론 따위에서 반대의 입장을 취하는 상대·적 ; 감정이 개입되지 않은. ***antagonist*** 지배 또는 권력 투쟁에 있어서 적극적으로 반대 활동을 하는 사람. ***adversary*** 적의를 품고 실제로 반대·방해를 하며 공공연히 도전하는 사람. ***enemy*** 현실적으로 적의를 품고 있는 적 ; 또는 상대방 진영의 한 사람 ; 개인적인 적의를 품고 있는 경우와 품고 있지 않는 경우도 포함됨. ***foe*** 《文語》 enemy 보다도 적극적이며 화해할 가망이 없는 것을 암시하는 수가 있음. ***competitor*** 뚜렷한 공통 목적에 대한 경쟁자. ***rival*** 동일한 목적을 달성하기 위해서 다투고 있는 (보통) 두 사람 중의 한 사람.

op·por·tune [ɑ̀pərtjúːn] *a.* [＋前＋do*ing*] 좋은 시기의, 계제가 좋은(timely) ; 형편 좋은, 적절한 (fitting) : an ~ remark 적절한 말 / He turned up at the ~ moment. 그는 마침 좋은 때에 나타났다 / Time was ~ ***for*** mak*ing* a start. (일을) 착수하기에는 마침 좋은 시기였다. **~·ly** *adv.* **~·ness** *n.* 〖OF＜L *opportunus* (of wind) driving towards PORT[1]〗

類義語 ⟹ TIMELY.

òp·por·tún·ism *n.* Ⓤ 기회[편의]주의. **-ist** *n., a.* 편의[기회]주의자(의), 기회주의적. **òp·por·tun·ís·tic** *a.* 기회주의의.

op·por·tu·ni·ty [ɑ̀pərtjúːnəti] *n.* Ⓤ,Ⓒ [＋前＋do*ing* / ＋*to* do] 기회, 호기(好機) : equality of ~ 기회균등 / improve the ~ 기회를 이용하다 / A good ~ has presented itself. 기회가 생기다 / avail oneself of[take, seize] an ~ 기회를 잡다 / I have no[little] ~ ***for*** mak*ing* a trip. 여행할 기회가 없다[그다지 없다] / We have had few *opportunities* ***of*** meet*ing* you. 당신을 뵐 기

회가 드물었습니다 / Every man should have a fair ~ ***to*** make the best of himself. 누구나 자기의 힘을 최대한으로 발휘할 기회가 공평히 주어져야 한다 / *O*~ makes the thief. 《속담》 기회가 도둑을 만든다 ; 견물 생심.

at [***on***] ***the first opportunity*** 기회 있는 대로.
〚OF<L ; ⇨ OPPORTUNE〛

類義語 ***opportunity*** 사람이 행동하거나 목적·희망을 달성하기에 좋은 기회 ; 「우연」이라는 뜻은 내포되지 않음 : Children of the poor should have equal *opportunity* for education. (가난한 집 아이들에게도 균등한 교육의 기회가 주어져야 한다). ***chance*** opportunity와 같은 뜻이나 우연히 나타난 좋은 기회에 대해서 쓰이는 수도 있다 : There was no *chance* of his success. (그에겐 성공할 기회가 없었다). ***occasion*** 어떤 행동을 취하는 계기, 기회를 부여해 주는 때 : We had few *occasions* to mention it. (그것을 언급할 기회가 거의 없었다).

opportúnity còst *n.* 〔經〕 기회 비용[원가].

op·pós·able *a.* 적대[대항]할 수 있는 ; 마주 보게 할 수 있는 : The thumb is ~ *to* the forefinger. 엄지손가락은 집게손가락과 마주보게 할 수 있다.
op·pòs·abíl·i·ty *n.*

‡op·pose [əpóuz] *vt.* **1** …에 대항[반대]하다, 방해하다 : ~ a motion[a plan, a dictator] 동의[계획, 독재자]에 반대하다 / The swamp ~*d* the advance of the enemy. 늪지 때문에 적의 전진이 저지되었다. **2** [+目+*to*+名] **a**) 방해물로 두다, 반대[대립]시키다 ; 마주 보게 하다 : ~ a resistance ***to*** the enemy 적에게 저항하다 / He ~*d* himself *to* the scheme. 그 계획에 반대했다 / Never ~ violence *to* violence. 폭력에 대하여 폭력으로 대항해서는 안된다 / The thumb can be ~*d to* any of the fingers. 엄지손가락은 다른 어느 손가락과도 마주 보게 할 수 있다. **b**) [수동태로] 반대다 ; 상대하고 있다 : Public opinion *was* firmly ~*d* ***to*** dictation by a minority. 여론은 소수 지배에 대하여 강력히 반대 의사를 나타냈다 / Black *is* ~*d to* white. 흑은 백의 반대다.
—— *vi.* 반대하다, 이의를 제기하다 ; 대항하다 : The Opposition must always ~. 야당은 언제나 반대 입장에 서야 한다.
〚OF<L ; ⇨ OPPONENT〛

類義語 ***oppose*** 상대방의 사상·계획에 대하여, 또는 자기를 위협하거나 간섭하는 것에 대해 반항[반대]하다 ; 가장 넓은 의미 : We *opposed* their proposal. (우리는 그들의 제의에 반대했다). ***resist*** 현실에 가해진 공격·압력에 대하여 적극적으로 반항하다 : The people *resisted* the invasion. (침략에 대항했다). ***withstand*** resist의 뜻에 곁들여 상대방의 공격을 잘 견디고 있는 것을 암시 : The building *withstood* the severe earthquake. (그 건물은 강한 지진을 견디어냈다).

op·pósed *a.* 반대의, 적대하는, 대항하는 ; 대립된 ; 맞선.
as opposed to …에 대립하는 것으로서(의) ; …와 대조적으로[아주 다르게].
be [***stand***] ***opposed to*** …에 반대다 ; …와 대립하다.

oppóse·less *a.* 《詩》 저항하기 어려운.

‡op·po·site [ápəzət, -sət] *a.* **1** 반대쪽의, 맞은편의, 마주 보고 있는 : an ~ angle 대각(對角) / in the ~ direction 반대 방향으로 / in ~ directions 각기 반대의 방향으로 / on the ~ side of the road 도로의 반대쪽에 / on ~ sides of the road 도로의 양편에. **2** 정반대의, 서로 용납되지 않는 : "Left" is ~ *to* "right." left는 right의 반대어다(cf. *n.*) / The event was ~ *to*[*from*] what we expected. 결과는 전혀 예상밖이었다. **3** 〔植〕 대생(對生)의(cf. ALTERNATE[1]).
—— *n.* (정)반대 사물[사람·말] : He thought quite the ~. 정반대로 생각했다 / "Left" and "right" are ~*s*. ="Left" is the ~ *of* "right." left는 right의 반대어다(cf. *a.* 2). —— *adv.* 정반대의 위치에, 맞은 편에 : He sat down ~ *to* the teacher. 선생님과 마주 앉았다(cf. *prep.*).
play opposite …의 상대역[조역]을 맡아 하다.
—— *prep.* …의 맞은편에, …의 반대의 지위[장소·방향]에 : I saw him sitting ~ her. 그가 그녀와 마주 앉아 있는 것을 보았다 / Father was admiring the lovely scene ~ the hotel. 아버지는 호텔 맞은편의 아름다운 경치를 감탄하며 바라보고 계셨다. 주 opposite의 뒤에 to를 생략하는 것은 부사 또는 형용사의 용법에서 유래함 ; to의 유무는 어조(語調)에 따르는 수가 많으나 일반적으로 to를 쓰지 않는 편이 구어적(cf. LIKE, NEAR, NEXT).
opposite prompt (***er***) 〔劇〕 프롬프터의 반대편에《관객을 향해 《英》에서는 배우의 오른편, 《美》에서는 왼편에 ; 略 o.p., O.P. ; cf. PROMPT SIDE》.
~·ly *adv.* 반대 위치에, 마주 향하여 ; 등을 맞대고, 거꾸로. **~·ness** *n.* Ⓤ 반대임.
〚OF<L ; ⇨ OPPONENT〛

類義語 ***opposite*** 위치·방향·성질·의미 따위가 정반대의 : *opposite* ends of a pole (막대기의 반대쪽 끝). ***contrary*** *opposite*에 더하여 흔히 적대관계·투쟁의 뜻을 포함 : They had *contrary* beliefs. (그들은 상반되는 신념을 가졌다). ***reverse*** 반대 방향으로 면해 있는, 이면[안쪽]의 : the *reverse* side of a curtain (커튼의 안쪽).

ópposite field *n.* 〔野〕 (우타자의 경우) 라이트 필드, (좌타자의 경우) 레프트 필드.

ópposite númber *n.* (다른 나라·지역·직장 따위에서) 대등한 지위에 있는 사람.

op·po·si·tion** [àpəzíʃən] *n.* **1** Ⓤ [+*to*+do*ing*] 저항, 반대(resistance) ; 방해 ; 적대, 대항, 대립 : The forces met with strong ~. 그 군대는 강력한 저항에 부딪쳤다 / They offered a determined ~ ***to us. 우리들에게 단호히 반대했다 / He had an ~ *to* my marry*ing* her. 내가 그녀와 결혼하는 것에 반대했다. **2** [흔히 the O~] 반대당, 야당 ; 반대 세력[그룹] ; 경쟁 선수(rivals) : the[His Majesty's] *O*~ 《英》 반대당, 야당 / the leader of the *O*~ 야당 당수. **3** 〔論〕 대당(對當). **4** 마주 향하기, 대치 ; 〔天〕 (대(對))충(衝) (cf. CONJUNCTION 3).
be in opposition (정당이) 야당의 입장에 있다, 재야(在野)에 머무르다.
in opposition to …에 반대[반항]하여.
~·al *a.* **~·ist** *n., a.* **~·less** *a.*
〚OF<L *op*-(*positio* to POSITION)〛

op·press** [əprés] *vt.* **1** 압박하다, 억압하다, 학대하다 : The country was ~*ed* by a tyrant's rule. 그 나라는 폭군의 압제에 시달리고 있었다. **2** [+目 / +目+前+名] …에게 압박감[답답한 느낌]을 주다 ; 우울하게 하다, 울적하게 하다 : Cares ~*ed* his spirits. 근심으로 그의 마음은 무거웠다 / I felt ~*ed* ***with the intense heat. 혹서(酷暑)때문에 맥이 풀렸다.
〚OF<L ; ⇨ PRESS〛

類義語 ⟹ WRONG.

op·pres·sion [əpréʃən] *n.* **1** Ⓤ,Ⓒ 압박, 압제, 억압. **2** 우울, 의기소침 ; 답답한[나른한] 느낌. **3** Ⓤ,Ⓒ 고난 ; 〖法〗 직권 남용죄.

op·pres·sive [əprésiv] *a.* **1** 압제적인, 가혹한. **2** 압박하는, 울적하게 하는, 짓누르는 듯한 ; 무더운. **~·ly** *adv.* **~·ness** *n.*

op·prés·sor *n.* 압제자, 박해자.

op·pro·bri·ous [əpróubriəs] *a.* 모욕적인, 입버릇이 사나운 ; 면목이 없는. **~·ly** *adv.*

op·pro·bri·um [əpróubriəm] *n.* **1** Ⓤ 오명, 치욕. **2** Ⓤ 욕설, 비난(abuse). **3** 불명예의 원인, 비난의 대상. 〚L=infamy, reproach〛

op·pugn [əpjúːn, ɑ-] *vt.* 비난하다 ; 문제로 삼다 ; 《稀》 반항하다, 항쟁하다.
〚L op*pugno* to fight against〛

op·pug·nant [əpʌ́gnənt] *a.* 반대[반항·항쟁]하는. **-nan·cy, -nance** *n.* **op·pùg·ná·tion** *n.*

ops [áps] *n.* 《英口》 군사 행동. 〚*op*erations〛

Ops *n.* 〖로神〗 옵스《풍요의 여신 ; 그리스 신화의 Rhea에 해당》. 〚L=wealth〛

OPS, O.P.S. 《美》 Office of Price Stabilization (물가 통제국).

-opses, -opsides *n. comb. form* -OPSIS의 복수형.

op·si·math [ápsəmæθ] *n.* 만학(晩學)하는 사람. 〚Gk. (*opse* late, *math-* to learn)〛

-op·sis [ápsəs] *n. comb. form* (*pl.* **-op·ses** [-siːz], **-op·si·des** [-sədiːz]) 「(외관상의) 유사(類似)」의 뜻.
〚Gk. *opsis* appearance, sight ; cf. OPTIC〛

op·son·ic [ɑpsánik] *a.* 〖菌〗 옵소닌의 : ~ index 옵소닌 지수.

op·so·nin [ápsənən] *n.* 〖菌〗 옵소닌《백혈구의 식균(食菌) 작용을 촉진하는 혈청 속의 물질》.

óp·ster *n.* 《美口》 op art 화가.

-op·sy [ˊ-àpsi, ˊ-əpsi] *n. comb. form* 「검사(檢査)」의 뜻 : bi*opsy.* 〚Gk. ; ⇨ -OPSIS〛

opt [ápt] *vi.* [+*for*+名/+*to* do] 고르다, 선택하다(make a choice) : More than 200 sophomores have *~ed **for*** Mr. Jones's class. 200명 이상의 2학년생들이 존스 선생님의 수업을 선택하고 있다 / He *~ed to* retain his nationality as Korean. 그는 한국인 국적을 보유하는 쪽을 택했다.
opt out (*of . . .*) (활동·단체)에서 빠지다[손을 떼다].
〚F<L *opto* to choose, wish〛

opt. optative ; optical ; optician ; optics ; optimum ; optional.

Op·ta·con [áptəkàn] *n.* 옵타콘, 맹인용 점자 해독기《상표명》. 〚*op*tical-to-*ta*ctile *con*verter〛

op·tant [áptənt] *n.* 선택하는 사람, (특히) 국적 선택자.

OPTAT off-premise transitional automated ticket(컴퓨터로 발권하는 여행 대리점용 항공권).

op·ta·tive [áptətiv] *a.* 〖文法〗 소원을 나타내는 : the ~ (mood) 기원법, 원망법 / an ~ sentence 기원문《*God save him !* 따위》. —— *n.* 기원법 ; 기원법의 동사.
〚F<L ; ⇨ OPT〛

op·tic [áptik] *a.* **1** 〖解〗 눈의, 시력[시각]의 : an ~ angle 시각(視角) / the ~ nerve 시신경. **2** 광학(光學)(상)의(optical). —— *n.* 《口》 눈 ; 광학 기계의 렌즈[프리즘, 거울 따위].
〚F or L<Gk. (*optos* seen)〛

óp·ti·cal *a.* **1** 눈의, 시각[시력]의 ; 시력을 돕는 : an ~ illusion 환상, 착각. **2** 광학(상)의 : ~ glass 광학 유리 / an ~ instrument 광학기계(器械) / an ~ maser=LASER. **~·ly** *adv.*

óptical actívity *n.* 〖化〗 광학 활성(活性), 선광성(旋光性).

óptical árt *n.* =OP[1].

óptical astrónomy *n.* 광학(적) 천문학《망원경으로 천체를 직접 관찰하는 천문학》.

óptical áxis, óptic áxis *n.* 〖光〗 광축(光軸)《회전대상의 광학계의 대칭축》; 〖光〗 광학축 ; 〖解〗 시축(視軸).

óptical bár còde réader *n.* 〖컴퓨〗 광막대부호 읽개[판독기].

óptical bénch *n.* 광학대(光學臺)《광학 기계 고정 장치》.

óptical cháracter rèader *n.* 〖컴퓨〗 글빛읽개, 광학 문자 판독기(器)《略 OCR》.

óptical cháracter recognìtion *n.* 〖컴퓨〗 글빛 인식, 광학 문자 판독《略 OCR》.

óptical communicátion *n.* 광통신.

óptical compúter *n.* 광(光)컴퓨터《빛을 이용하여 정보의 기억이나 처리를 하는 컴퓨터 ; 미래 컴퓨터의 주류로 기대됨》.

óptical compúting *n.* 〖컴퓨〗 (종래의 전자 대신에) 빛을 이용한 계산.

óptical dísk *n.* 광(저장)판.

óptical fíber *n.* 〖電子〗 광(光)섬유《텔레비전·전화·컴퓨터 따위의 전기 신호를 빛에 실려 보내는 유리 섬유의 하나》.

óptical integráted círcuit *n.* 〖理〗 광(光)집적회로《略 OIC》.

óptical ísolator *n.* 〖理〗 광(光)아이솔레이터《광원을 발한 빛은 진행방향으로 통하게 하고, 광원으로 되돌아오는 빛은 차단하는 장치》.

óptical láser dìsk *n.* 광레이저(저장)판.

óptical márk rèader *n.* 〖電子〗 표빛읽개, 광학 판독기(器)《略 OMR》.

óptical márk recognìtion *n.* 〖電子〗 표빛 인식, 광학 표시 판독《略 OMR》.

óptical mémory *n.* 〖컴퓨〗 광(光)메모리《기억 매체에 대하여 광학적 수단을 써서 정보의 기록·축적을 행하는 기억 장치》.

óptical móuse *n.* 〖컴퓨〗 광(光)다람쥐.

óptical mícroscope *n.* 광학 현미경.

óptical módulator *n.* 〖通信〗 광(光)변조기《빛을 제어하여 이에 정보를 싣는 장치》.

óptical recórding sỳstem *n.* 광학적 기록 장치(裝置).

óptical scánner *n.* 광훑개, 광학 주사기(走査機)《빛을 주사하여 문자·기호·숫자를 판독하는 기기(機器)》.

óptical scánning *n.* 〖컴퓨〗 광학 주사(走査).

optic axis ☞ OPTICAL AXIS.

op·ti·cian [ɑptíʃən] *n.* Ⓤ 광학기계상(商), (특히) 안경상(商).

óp·tics *n.* Ⓤ 광학.

op·ti·ma [áptəmə] *n.* OPTIMUM의 복수형.

op·ti·mal [áptəməl] *a.* =OPTIMUM.

op·ti·me [áptəmiː ; ɔ́ptimi] *n.* 《英》 Cambridge 대학의 수학 우등 코스의 2, 3급 합격자(cf. WRANGLER).

***op·ti·mism** [áptəmìzəm] *n.* Ⓤ 낙천주의 ; 낙관(↔*pessimism*). **-mist** *n.* 낙천주의자 ; 낙천가.
〚F<L *optimus* best〛

op·ti·mis·tic, -ti·cal [àptəmístik(əl)] *a.* 낙천주의의 ; 낙관[낙천]적인〈*about, of*〉.
-ti·cal·ly *adv.* 낙천적으로, 낙관하여.

op·ti·mize [áptəmàiz] *vi.* 낙관하다. —— *vt.* 최대한으로 활용하다, 가급적 능률적으로 이용하다,

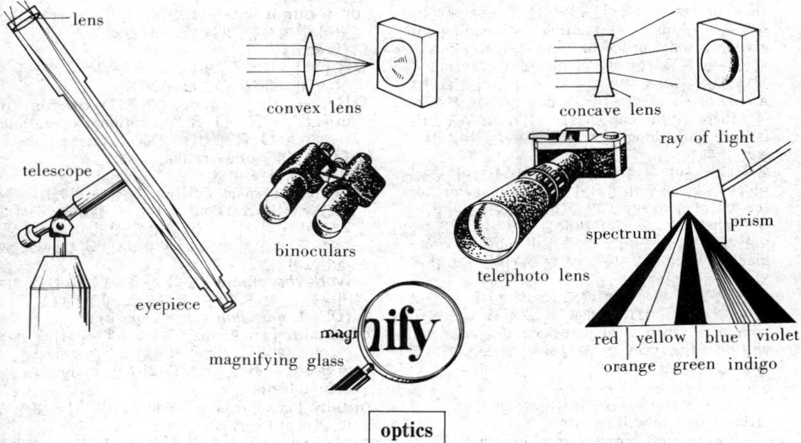

optics

〘컴퓨〙 (프로그램을) 최적화하다.
òp·ti·mi·zá·tion *n.* 〘컴퓨〙 최적화.

op·ti·mum [ɑ́ptəməm] *n.* (*pl.* **-ma** [-mə], **~s**) 〘生〙 (성장의) 최적 조건 ; (일반적으로) 최적조건[량]. ── *a.* 최적의 ; (어떤 조건 하에서) 최선[최고]의(optimal) : the ~ temperature 최적 온도 / under ~ condition 최적의 조건으로 / ~ money supply 적정 통화량 / ~ population 최적 인구. 〖L (neut.) ‹ *optimus* best〗

op·tion** [ɑ́pʃən] *n.* **1** Ⓤ,Ⓒ [＋前＋do*ing* / ＋*to* do] 취사(取捨), 선택(choice) ; 선택권, 선택의 자유 : I have no ~ *in* the matter. 그 일에 나는 선택의 여지가 없다 / We have the ~ ***of going or not. 가고 안 가고는 우리들 마음이다 / You have the ~ ***to*** take it or leave it. 갖거나 말거나 네 마음대로다 / He had no ~ but *to* agree. 동의할 수밖에 없었다 / make one's ~ 선택을 하다. **2** 선택 가능물. **3** 〘商〙 선택 매매권《일정한 금액을 지급하고, 계약기간 중에도 수시로 매매할 수 있는[청구할 수 있는] 권리》: Who has got [taken] an ~ *on* the building? 그 건물의 선택 매매권은 누구에게 있습니까. **4** 〘美蹴〙 옵션 (플레이) (＝~ **pàss**[**plày**]). **5** 〘컴퓨〙 별도[추가] 선택.
at **one's** ***option*** 수의로, 임의로 : a lease renewable *at the* ~ of the tenant 차가인(借家人)이 임의로 갱신할 수 있는 차용계약.
── *vt.* …에 대한 옵션을 주다[받다].
〖F or L ; ⇨ OPT〗
類義語 ⟹ CHOICE[1].

óption·al *a.* 수의[임의]의 ; 《英》 (학과가) 선택의 (＝《美》 elective) (↔*compulsory*, *required*) : an ~ subject 선택 과목 / It is ~ *with* you. 그것은 네 마음대로다. ── *n.* 선택을 본인에게 맡긴 사물 ; 《英》 선택과목(＝《美》 elective).
~·ly *adv.* 임의로, 수의로.

óptional tóur *n.* package tour에서 현지에서의 참가 자유 소(小)여행.

óption blócking *n.* 〘美蹴〙 부딪힌 상대 선수가 움직이려는 방향으로 그대로 밀고 가는 블록.

óption rúnning *n.* 〘美蹴〙 running play에서 공 가진 선수가 스스로 주로를 골라 달리기.

op·to·acóustic [ɑ̀ptou-] *a.* 광(光)에너지를 음파로 바꾸는, 광(光)음향의.

op·to·electrónics [ɑ̀ptou-] *n.* 광전자공학.

op·tom·e·ter [ɑptɑ́mətər] *n.* 시력 측정장치. 〖Gk. *optos* seen〗

op·tóm·e·trist *n.* 검안사, 시력 측정 의사.

op·tóm·e·try *n.* Ⓤ 시력 측정법, 검안.

óp·to·phòne [ɑ́ptə-] *n.* 청광기《빛을 소리로 바꾸어 맹인에게 글씨 따위를 읽히는 기구》.

op·u·lence, -len·cy [ɑ́pjələns(i)] *n.* Ⓤ 부유(wealth) ; 풍부(abundance) ; (음악·문장 따위의) 현란(絢爛).

óp·u·lent *a.* 부유한 ; 풍부한.
~·ly *adv.* 〖L (*opes* wealth)〗

ȯpus [óupəs] *n.* (*pl.* **ope·ra** [ɑ́pərə, óup-], **~·es**) 작(作), 저작(work) ; ＝MAGNUM OPUS ; 자수 세공 ; 〘樂〙 작품(번호)《略 op.》: Brahms *op.* 77 브람스의 작품 제77번. 〖L＝work〗

opus·cule [oupʌ́skjuːl, ɑ-] *n.* ＝OPUSCULUM.

opus·cu·lum [oupʌ́skjələm, ɑ-] *n.* (*pl.* **-la** [-lə]) [보통 *pl.*] 소품(小品), 소곡(小曲). 〖L (dim.) ‹ OPUS〗

ópus mág·num [-mǽgnəm] *n.* ＝MAGNUM OPUS. 〖L〗

-opy ☞ -OPIA.

◇**or**[1] [ɔːr, ər, ɔ́ːr]

> (1) 둘 또는 그 이상의 선택해야 할 어·구·절을 동격적으로 결합한다.
> (2) or는 either와 함께 상관접속사(correlative conjunction)를 형성한다.
> (3) or에 상당하는 부정형은 nor다.

── *conj.* **1** 또는, 혹은, 내지는, …이든가 …이든가 : I have no brothers *or* sisters. 나에게는 형제도 자매도 없습니다(☞ NOR 活用 (2)) / Shall you be there *or* not? 거기에 있겠느냐, 말겠느냐 / two *or* three miles 2마일 또는 3마일 /

an inch *or* more 1인치 혹은 그 이상 / any Tom, Dick, *or* Harry (톰이든, 딕이든, 또는 해리든) 누구든지 / Music *or* painting *or* reading will give you some peace of mind. 음악이라든가 그림이라든가 독서는 마음의 안정을 줄 것이다. ㊟ 선택의 뜻이 약해지면 발음도 흔히 [ər]로 된다 : a mile *or* so 1마일 남짓 / a day *or* two 하루 이틀 / there *or* thereabout(s) 어딘가 그 부근 / He is ill *or* something. 병이 났든가 무슨 일이 있다. ☞ 活用.

2 [대개 콤마 뒤에서 유의어(구)·설명어(구)를 이끌어] 즉, 바꾸어 말하면 : the culinary art, *or* the art of cookery 요리술(術), 또는 요리법.

3 [either...or...로] (cf. NOR 1) …이든가 혹은, …이든가 또는《둘 중 어느 한 쪽》: It must be *either* black *or* white. 그것은 검거나 희거나 어느 한 쪽임에 틀림없다.

4 [명령법의 뒤에서 때때로 else와 함께 부정 조건의 결과] (cf. OTHERWISE 2) 그렇지 않으면 (If you...not..., then...) : Go at once, *or* (*else*) you will miss the train. 곧 출발하지 않으면 기차를 놓칠 것이다 (cf. AND 2).

> '명령문+**or**'의 문장 전환
> Hurry, *or* you will be late.
> → *If* you do*n't* hurry, you will be late.
> → *Unless* you hurry, you will be late.
> (서두르지 않으면 지각할 것이다.)

5 [whether...or...로] **a**) [간접의문의 명사절] …인지 아닌지, …할지 안할지 : Ask him ***whether*** he will come *or* not[no]. 올지 안 올지 물어 보시오. ㊟ 이 구문에서 whether 이하가 긴 경우는 흔히 whether or not[no]...로 하며, 또 흔히 or 이하를 생략함 (cf. NO *adv.* 1). **b**) [양보의 부사절] …이건 또 …이건, …이건 아니건, …하든지 안 하든지 : I must do it *whether* I like *or* dislike it. 나는 그것을 좋든 싫든 하지 않으면 안된다. ☞ WHETHER 活用 (1), (2).

6 《詩》 [or...or...] (1) =EITHER...or.... (2) = WHETHER...or....

or rather 더 정확히는, …이라기보다는 오히려.

or so ☞ SO¹ *adv.* 5 c).

〖*other* (*either* 따위의 영향으로 OE *oththe* or에서)〗

活用 (1) 동사는, or로 결합된 주어가 각기 모두 단수일 때는 단수로, 모두 복수일 때는 복수로, 인칭·수가 일치하지 않을 때는 가까운 쪽의 주어에 일치시킴 : Mr. White *or* Mr. Green *is* the right person for the position. (화이트씨나 그린씨가 그 자리에 적합한 사람입니다) / They *or* we *have* to do the task. (그들이나 혹은 우리들 중 누군가가 그 일을 하지 않으면 안된다) / John *or* I *am* to blame. (존이나 나나 어느 쪽인가에 책임이 있다).
(2) Is he *or* we wrong?과 같은 형태는 어색한 표현이므로 이를 피하여, Is he wrong, *or* are we?와 같이 쓰는 경우가 많다.

or² *prep., conj.* 《古·詩》 …보다 전에, …에 앞서서 (before). ㊟ 지금은 《詩》에서 보통 or ever 또는 or e'er로 쓴다.
〖OE *ār* <ON *ár* ; cf. ERE〗

or³ [ɔ́ːr] *n.* Ⓤ 〔紋〕 황금색, 황색. ── *a.* 황금색의. 〖F <L *aurum* gold〗

-or¹ [ər] *n. suf.* 라틴 기원의, 특히 -ate의 어미를 갖는 동사에 붙여 「작위 명사」(Agent Noun)를 만듦 : elevat*or*, possess*or*.
〖F or L〗

-or² | **-our** *n. suf.* 동작[상태, 성질]을 나타내는 라틴어계 명사를 만듦 : hon*o*(*u*)*r*.
〖F or L〗

OR [ɔ́ːr] *n.* 〔컴퓨〕 또는, 오어《논리합을 만드는 논리 연산자(演算子) ; cf. AND》.

OR operating room ; 〔美郵〕 Oregon. **or.** oriental. **OR, O.R.** operational[operations] research. **O.R., o.r.** 〔商〕 owner's risk. **O.R.** 〔軍〕 other ranks.

ora *n.* OS²의 복수형.

or·a·cle [ɔ́(ː)rəkəl, ár-] *n.* **1** 신탁(神託), 탁선(託宣) ; 신탁소 : consult the ~ 신탁을 구하다. **2** 〔聖〕 신의 계시 ; (예루살렘 신전 내의) 지성소(至聖所) ; 신의 사도 ; [*pl.*] 성서. **3** 《때때로 戲》 철인, 현인.
work the oracle (승려 등을 매수하여) 자기가 바라는 신탁을 얻다 ; 책략으로 성공하다.
〖OF <L *oraculum* (*oro* to speak)〗

orac·u·lar [ɔːrǽkjələr ; ɔ-] *a.* **1** 신탁[탁선]의[같은] ; 위엄이 있는 ; 현명한 ; 수수께끼 같은. **2** 예언자인체 하는, 거드름 피우는. **~·ly** *adv.*
oràc·u·lár·i·ty *n.*

or·a·cy [ɔ́ːrəsi, ár-] *n.* 구어(口語)에 의한 표현 능력. 〖*or*al+-*acy*〗

***oral** [ɔ́ːrəl, ár-] *a.* **1** 구두(口頭)의, 구술(口述)의 (cf. AURAL, WRITTEN) : the ~ approach (외국어의) 구두 도입 교수법 / ~ evidence 구증(口證) / an ~ examination[test] 구두시험 / the ~ method (외국어의) 구두 교수법 / ~ pleadings [proceedings] 〔法〕 구두 변론 / ~ traditions 구비(口碑). **2** 〔解〕 구부(口部)의 : the ~ cavity 구강(口腔). **3** (약을) 내복(內服)하는, (체온계 따위) 입으로 사용하는 : ~ vaccine 내복 백신《소아마비 예방용》, 생(生)백신. ── *n.* [때때로 *pl.*] 《口》 구두시험(=~ **tést**). **~·ly** *adv.* 구두로 ; 내복으로.
〖L (*or-* os mouth)〗

óral contracéption *n.* 경구(經口) 피임법.

óral contracéptive *n.* 경구 피임약.

óral hístory *n.* (역사적 중요 인물과의 면담에 의한) 녹음사료(錄音史料), 구술역사 (문헌).
óral histórían *n.* 구술 역사가.

óral séx *n.* 구강 성교(性交)《fellatio, cunnilingus 따위》.

óral socíety *n.* 구두 사회《문자가 없는 사회》.

óral súrgeon *n.* 구강 외과의(醫).

orang [ərǽŋ, ɔː-] *n.* =ORANGUTAN.

‡or·ange [ɔ́(ː)rindʒ, ár-] *n.* **1** 오렌지, 등자, 귤《감귤류의 나무 또는 과실의 총칭》 : the bitter ~ 등자(나무) / the horned ~ 불수감나무 / the mandarin[tangerine] ~ 밀감. **2** Ⓤ,Ⓒ 오렌지색, 등자색 ; 오렌지색 그림물감[안료].
squeeze the orange 《비유》 단물을 다 짜내다, 좋은 부분을 전부 빼내다 (cf. SQUEEZED ORANGE).
── *a.* 오렌지의 ; 오렌지[등자]색의.
〖OF <Arab. *nāranj* <Pers.〗

Orange *n.* **1** [the ~] 오렌지 강《남아프리카의 큰 강》. **2** 오랑주《프랑스 남동부의 도시 ; 중세에는 공령(公領), 그 자손이 오렌지가(家)의 선조》. **3** 오렌지가(家)《지금의 네덜란드 왕가》.

or·ange·ade [ɔ̀(ː)rindʒéid, àr-] *n.* Ⓤ 오렌지에이드《오렌지에서 짜낸 즙(汁)에 단맛을 가미하여 물[탄산수]을 탄 음료》. 〖F〗

órange blòssom *n.* 오렌지 꽃《순결의 상징, 결혼식에서 신부가 머리에 장식함》.

órange fin *n.* 〔魚〕 송어새끼.

órange-flòwer wáter *n.* 등화수(橙花水)《neroli의 수용액(水溶液)》.
Órange Frée Stàte *n.* [the ~] 오렌지 자유주(自由州)《남아프리카 공화국의 주》.
órange góods *n. pl.* 오렌지 상품《소비량·수공·이익률 따위가 중(中) 정도의 상품 ; 의류 따위가 이에 해당함 ; cf. RED GOODS》.
Ór·ang(e)·ìsm *n.* Ⓤ (북아일랜드의) 오렌지당(黨)의 주의[운동], 급진적인 신교와 영국 왕권 옹호주의[운동].
Órange·man [-mən] *n.* 오렌지 당원.
the Society of Orangeman 오렌지당(黨)《1795년 아일랜드 신교도가 조직한 비밀결사 ; 당의 기장은 오렌지색 리본》.
Órangeman's Dày *n.* 오렌지당(黨) 승리 기념일《7월 12일 ; 북아일랜드의 1690, 1691 두해의 전승 기념일》.
órange pèel *n.* 오렌지 껍질《설탕에 절인 과자 재료, 또는 약용》.
órange pékoe *n.* 인도·실론산의 고급 홍차.
órange·ry *n.* 오렌지밭 ; 오렌지 온실.
Órange Socìety *n.* [the ~] 오렌지당(黨)《1795년 아일랜드 신교도가 조직한 비밀결사》.
órange stìck *n.* (뾰족한 매니큐어용(用)의) 오렌지 막대.
Órange Súnshine *n.* 오렌지색의 LSD정제(錠劑) (cf. SUNSHINE PILL).
órange tìp *n.* 〔昆〕 갈고리나비.
órange·wòod *n.* 오렌지 재목《상감(象嵌)·조각·현악기의 재료》.
orang·utan, -ou·tan [ərǽŋətæ̀n, ɔː-; -ɔːrǽŋuːtǽn, ˌ-ˌ-ˈ-], **-tang** [-tæ̀ŋ; -ˌ-tǽŋ, -ˌ-tæ̀ŋ] *n.* 〔動〕 오랑우탄, 성성이.
〖Malay=wild man〗
orate [ɔːréit, 美+ˈ-] *vi.* 《戲》 연설하다, 한바탕 말을 늘어놓다, 연설조로 말하다.
〖역성(逆成) ‹ ↓〗
ora·tion [ɔːréiʃən] *n.* **1** (특별한 경우의 정식) 연설, 식사(式辭) : a funeral ~ 추도 연설. **2** Ⓤ 〔文法〕 화법(話法) (narration) : the direct[indirect, oblique] ~ 직접[간접]화법. 〖L *oratio* discourse, prayer (*oro* to speak, pray)〗
類義語 ⟹ SPEECH.
ora·tio ob·li·qua [ɔːrɑ́ːtiòu əblíːkwə; ɔrɑ́ːtiə̀u ɔb-] *n.* 〔文法〕 간접 화법. 〖L〗
or·a·tor [ɔ́(ː)rətər, ɑ́r-] *n.* (*fem.* **-tress** [-trəs]) 연설자, 변사, 연사(演士) ; 웅변가.
Or·a·to·ri·an [ɔ̀(ː)rətɔ́ːriən, ɑ̀r-] *a.* 오라토리오회(會)의. —— *n.* 오라토리오회 수사.
or·a·tor·i·cal [ɔ̀(ː)rətɔ́ːrikəl, ɑ̀r-] *a.* **1** 연설의, 웅변의 : an ~ contest 웅변대회. **2** 수사(修辭)적인. **~·ly** *adv.* 연설조로 ; 수사적으로.
or·a·to·rio [ɔ̀(ː)rətɔ́ːriòu, ɑ̀r-] *n.* (*pl.* **-ri·òs**) Ⓤ,Ⓒ 〔樂〕 오라토리오, 성담곡(聖譚曲)《성서에서 취재한 독창·합창·관현악 따위를 수반한 악곡, 동작·배경·분장은 쓰지 않음》. 〖It. (the *Oratorio* di San Filippo Neri ; 로마의 oratory²)〗
or·a·to·ry¹ [ɔ́ːrətɔ̀ːri, ɑ́r-; ɔ́rətəri] *n.* Ⓤ 웅변 ; 웅변술 ; 수사, 과장적 문체.
〖L *oratoria* (*ars* art) of speaking ; ⇨ ORATION〗
oratory² *n.* 기도원, (대교회 또는 사저(私邸)의) 소 예배당 ; [O~] 오라토리오회(會)《1564년 로마에서 창립된 카톨릭교 성직자회》.
〖AF‹L ; ⇨ ORATION〗
or·a·trix [ɔ́(ː)rətriks, ɑ́r-] *n.* ORATOR의 여성형.
orb [ɔːrb] *n.* **1** 구(球)(체). **2** (위에) 십자가가 달린 보주(寶珠)《왕권을 상징》. **3** 천체 ; 《古》 궤도 (orbit). **4** 《詩》 눈, 안(眼球). —— *vt.* 공 모양으로 하다 ; 《詩》 둘러싸다, 싸다. —— *vi.* 원 궤도를 그리며 움직이다 ; 원형[고리 모양, 공모양]이 되다. 〖L *orbis* ring〗
orbed [, 《詩》 ɔ́ːrbəd] *a.* 공 모양의, 원형의 ; 눈이 있는 : bright ~ 눈이 또렷또렷한.
or·bic·u·lar [ɔːrbíkjələr] *a.* 공[고리] 모양의 ; 《비유》 완전한, 완결된 : ~ muscle 괄약근(括約筋). **~·ly** *adv.* **-lar·i·ty** [ɔːrbìkjəlǽrəti] *n.*
〖L *orbiculus* (dim.) ‹ ORD〗
or·bic·u·late [ɔːrbíkjələt, -lèit] *a.* (거의) 둥근.
or·bìc·u·lá·tion *n.*
***or·bit** [ɔ́ːrbət] *n.* **1** 〔解〕 안와(眼窩) (eye socket) ; 〔動〕 안구공(眼球孔). **2** 〔天〕 궤도 ; 《비유》 활동[세력] 범위, (인생의) 행로, 생활 과정.
in orbit 궤도상에, 궤도를 타고.
out of orbit 궤도 밖에, 궤도를 벗어나서.
—— *vt.* (천체 따위) …의 둘레를 궤도를 타고 돌다 ; (인공위성 따위를) 궤도에 올리다.
—— *vi.* 궤도를 타다, 선회하다(circle).
〖L *orbita* course of wheel or moon (*orbitus* circular ; ⇨ ORB)〗

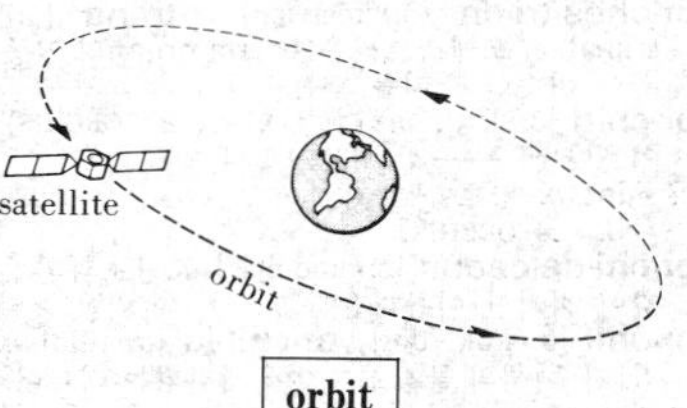

orbit

órbit·al *a.* 궤도의[를 그리는] ; 도시 교외를 환상(環狀)으로 통과하는《도로》 ; 안와의, 눈의.
—— *n.* 〔理〕 궤도 함수《원자·분자내의 전자의 상태를 나타냄》 ; 《英》 (도시의) 외곽 환상 도로.
órbital élement *n.* 〔天〕 궤도 요소.
órbital inclinátion *n.* (인공 위성의 지구 공전면에 대한) 궤도 경사.
órbital manéuvering sỳstem *n.* 〔宇宙〕 오비터 궤도조정 시스템.
órbital périod *n.* 궤도 주기(週期).
órbital spéed[velócity] *n.* 궤도 속도《인공위성의 궤도 진입 최저 속도》.
órbit·er *n.* 선회하는 것, (특히) 인공위성.
órbit·ing *a.* 궤도를 선회(旋回)하는 : *O*~ Astronomical Observatory 천체 관측 위성 / *O*~ Geophysical Observatory[Laboratory] 지구 물리학 연구 위성[연구실] / *O*~ Solar Observatory 태양 관측 위성.
orc [ɔːrk], **or·ca** [ɔ́ːrkə] *n.* 〔動〕 흰줄박이물돼지《따위》 ; 바다의 괴물(sea monster).
〖F or L=whale〗
O.R.C., ORC Officers' Reserve Corps ; Organized Reserve Corps.
Or·ca·di·an [ɔːrkéidiən] *a.* (스코틀랜드 북쪽의) Orkney Islands의.
—— *n.* 오크니 제도(諸島) 사람.
〖L *Orcades* Orkney Islands〗
orch. orchestra ; orchestral.
***or·chard** [ɔ́ːrtʃərd] *n.* 과수원 ; [집합적으로] (과수원의) 과수.
〖OE *ortgeard* (L *hortus* garden, YARD¹)〗

órchard gràss *n.* 〔植〕 새발풀《목초》.
órchard·ist, órchard·man [-mən] *n.* 과수원 주인, 과수재배자.
or·ches·tic [ɔːrkéstik] *a.* 무도의, 댄스의.
or·chés·tics *n.* [단수·복수취급] 무도법.
‡**or·ches·tra** [ɔ́ːrkəstrə, -kes-] *n.* **1** 오케스트라, 관현악단 ; 오케스트라의 악기류. **2** (극장의) 관현악단석, 오케스트라 박스(=∼ **pìt**). **3** 《美》 (무대 앞의) 상등석(cf. STALL[2] *n.* 3). **4** (고대 그리스 극장에서의) 무대 앞의 합창대석 ; (고대 로마 극장의) 무대 앞 귀빈석.
〖L<Gk. (*orkheomai* to dance)〗
or·ches·tral [ɔːrkéstrəl] *a.* 오케스트라(용)의 ; 오케스트라적인[풍의].
∼·ly *adv.*
órchestra stàlls *n. pl.* 《英》 극장의 일층, (특히) 무대 앞의 특등석.
or·ches·trate [ɔ́ːrkəstrèit] *vt., vi.* **1** 관현악으로 작곡[편곡]하다 ; (발레 따위에) 관현악곡을 붙이다 ; (조화있게) 편성하다. **2** 《美》 조직화하다, 획책하다. **-tra·tor, -tràt·er** *n.*
or·ches·tra·tion [ɔ̀ːrkəstréiʃən] *n.* Ⓤ 관현악 편곡(법).
or·ches·tri·on [ɔ̀ːrkéstriən], **-tri·na** [ɔ̀ːrkəstríːnə] *n.* 오케스트리온《barrel organ의 일종으로 관악 비슷한 소리를 냄》.
or·chid [ɔ́ːrkəd] *n.* 〔植〕 난초(☞ ORCHIS) ; Ⓤ 연보랏빛. —— *a.* 연보랏빛의.
∼·ist *n.* 난초 재배가.
〖NL ; ⇨ ORCHIS〗
or·chi·da·ceous [ɔ̀ːrkədéiʃəs] *a.* 난초과의 ; 난초같이 화려한[아름다운].
or·chil [ɔ́ːrkəl, -tʃəl], **or·chil·la** [ɔːrtʃílə] *n.* 빨간[자주]색의 물감 ; 그것이 채취되는 리트머스 이끼류(archil).
or·chis [ɔ́ːrkəs] *n.* 〔植〕 난초. 㐂 《英》에서 orchis는 영국산의 야생의 것, orchid는 외국산의 원예종이란 뜻으로 쓰임.
〖L<Gk.=testicle ; 그 덩이줄기에서〗
or·chi·tis [ɔːrkáitəs] *n.* Ⓤ 〔醫〕 고환염(睾丸炎).
〖↑〗
or·cin [ɔ́ːrsən] *n.* =ORCINOL.
or·cin·ol [ɔ́ːrsənɔ̀(ː)l, -nòul, -nàl] *n.* Ⓤ 〔化〕 오르시놀《지의류(地衣類)에서 추출되며 의약·분석 시약에 쓰임》.
Or·cus [ɔ́ːrkəs] *n.* **1** 〔로神〕 오르쿠스《죽음·저승의 신(神) ; 그리스의 Pluto, Hades에 해당》. **2** 저승, 명부(冥府).
ord. ordained ; order(ly) ; ordinal ; ordinance ; ordinary ; ordnance.
or·dain [ɔːrdéin] *vt.* **1** (신·운명 따위가) 정하다 ; (법규 따위가) 규정하다, 제정하다 ; 명령하다. **2** 〔宗〕 (성직자를) 임명하다, …에게 성직을 맡기다.
—— *vi.* 명령[포고]하다.
〖AF<L *ordino* ; ⇨ ORDER〗
or·deal [ɔːrdíːl, ∠-] *n.* **1** Ⓤ 시죄법(試罪法)《옛날 Teuton 족(族)사이에 행해졌던 재판법 ; 가혹한 시련을 견딘 자는 무죄로 하였음》. **2** 호된 시련, 고난, 고생 ; 쓰라린 체험.
〖OE *ordāl* ; cf. G *Urteil*〗
◇**or·der** [ɔ́ːrdər] *n.* **1 a**) Ⓤ 순서, 차례 ; 정렬, 정돈 ; 〔軍〕 대형(隊形) : *in* the ∼ named 그 순번으로 / Then comes A, B, C, and D *in* that ∼. 다음에 A, B, C, D가 차례로 나와 있다 / *in* alphabetical[chronological] ∼ ABC[연대]순으로 / *in* ∼ of age[size] 연령[크기]순으로 / *in* close[open] ∼ 밀집[산개]대형으로 / put one's ideas into ∼ 생각을 정리하다 / battle ∼ 전투대형. **b**) 서열, 석차. **c**) 계급 : the higher[lower] ∼*s* 상류[하층]사회 / the military ∼ 군인사회. **d**) 지위 : all ∼*s* and degrees of men 온갖 계급의 사람들.
2 Ⓤ 정상상태, 건강 상태 ; (일반적으로) 상태.
3 a) Ⓤ (자연의) 이치(理致), 도리, 질서 : the ∼ of nature[things] 자연계[만물]의 이치. **b**) Ⓤ (사회의) 질서, 치안 : a breach of ∼ 질서의 문란 / law and ∼ 치안, 안녕질서 / keep ∼ 질서를 유지하다. **c**) 체제 : an old[a new] ∼ 구[신]체제. **d**) Ⓤ,Ⓒ (입법의회·공공집회의) 규칙, 예법 : ☞ STANDING ORDERS.
4 [+*to* do / +*that* 節] [때때로 *pl.*] 명령, 훈령, 지령 : The ∼*s* of the captain must be obeyed. 지휘자의 명령에 복종하지 않으면 안된다 / We are under ∼*s* for the front. 전선으로 향하라는 명령을 받고 있다 / He gave ∼*s for* a salute *to* be fired[∼*s that* a salute (should) be fired]. 예포를 쏘도록 명령했다《㐂 절 가운데에 should를 생략하는 것은 주로 《美》》 / My ∼*s* were to start at once. 내가 받은 명령은 즉시 출발하라는 것이었다.
5 a) 주문(서·품) ; (요리점에서의) 주문(한 요리) 《한 사람분》〈*of*〉 : give an ∼ *for* an article 물품을 주문하다 / place an ∼ *with* a person[company] *for* an article 남에게[회사에] 물품을 주문하다 / send for ∼*s* 주문 받으러 사람을 보내다 / The waiter took our ∼*s*. 종업원이 우리의 주문을 받았다 / a large ∼ 거액의 주문 / to ∼ ☞ 숙어. **b**) 환(증서) : ☞ MONEY ORDER / a postal money ∼ ☞ POSTAL / a post-office ∼ ☞ POST-OFFICE.

〈회화〉
May I have your *order*?—I'd like a deluxe hamburger and a cola. 「주문하시겠어요」「딜럭스 햄버거 하나에 콜라 주세요」

6 a) 등급 ; 종류(kind) : intellectual ability *of* a high ∼ 뛰어난 지능 / a different ∼ *of* ideas 다른 종류의 관념 / The magazine is *of* the same ∼ as "*Playboy.*" 그 잡지는 플레이보이와 같은 종류다 / The beauty of Mt. Sŏrak is *of* the majestic ∼. 설악산의 아름다움은 장엄미(美)에 속한다 / of the ∼ of ☞ 숙어 / on the ∼ of ☞ 숙어. **b**) 〔生〕 (분류학상의) 목(目)(cf. CLASSIFICATION).
7 [*pl.*] 성직(=holy ∼s) ; 〔基〕 성직 안수식(按手式), 〔카톨릭〕 서품식 : take ∼*s* 성직을 맡다 / His brother is *in* ∼*s*. 그의 형은 성직에 몸담고 있다.
8 〔宗〕 의식, 제전 : the ∼ *of* Holy Baptism 세례식 / the ∼ *for* the burial of the dead 매장식.
9 (종)교단, 수도회 : a monastic ∼ 수도회.
10 《英》 (중세의) 기사단 ; 훈작사단(勳爵士團) (cf. KNIGHTHOOD 2) ; 훈위, 훈장.
11 〔建〕 기둥 양식, 양식.
12 〔數〕 차수(次數), 도(度).
13 〔컴퓨〕 차례, 주문.
by order 명령에 의하여.
call. . .to order (의장이 발언자에게) 위법임을 주의시키다, …에게 정숙하도록 명하다 ; 《美》 …에 개회를 선포하다.
in order (1) 순서 바르게(cf. 1 a)) : take things *in* ∼ 일을 차례로 하다. (2) 정연하게(↔*out of order*) : draw (up) (...) *in* ∼ 정렬하다, (…을)

정렬시키다 / keep things *in* ~ 일을 정리해 두다. (3) 좋은 상태로 ; 건강하여 : The books arrived *in* good ~. 서적은 무사히[파손되지 않고] 도착했다. (4) (의사) 규칙에 맞도록, 합법적으로. (5) 적절한(suitable) : A word here may be *in* ~. 이쯤에서 한 마디 해도 좋을 것 같다. (6) 유행의(fashionable).
in orders ☞ 7.
in order that. . .may do …이 …할 목적으로[하기 위하여] : We are sending our representative *in* ~ *that* you *may* discuss the matter with him. 문제를 검토하시도록 대표를 파견하겠습니다. 주 (1) so that...보다도 격식을 차린 표현법으로 목적의 관념이 강함. (2) 특히 부정의 뜻이 수반되는 경우에는 절(節) 가운데의 조동사로서 shall[should]도 쓰임 : He left by a side door *in* ~ *that* no one *should* see him. 아무에게도 발각되지 않도록 옆문으로 떠났다.
in order to do …할 목적으로, 하기 위하여 : She has gone to England *in* ~ *to* improve her English. 영어에 숙달하기 위해서 영국으로 갔다 / *In* ~ *to* produce electricity by water power, a dam is built to stop a stream. 수력 발전을 위해서 댐을 건설하여 강물을 막는다. 주 (1) 단순한 to 부정사나 *so* AS *to* do보다도 목적관념을 강하게 나타내는 형식적인 표현법. (2) 특히 in order에 계속되는 부정사의 의미상의 주어를 나타내기 위해 'for+名'을 삽입하는 수가 있다 : Stone implements had to be produced *in* ~ *for* man *to* live. 인간이 살아가기 위해서는 석기(石器)를 제조하지 않으면 안되었다.
in short order ☞ SHORT ORDER.
of the order of. . . 대략 …의, 약[거의] …의[로] : a budget *of the* ~ *of* five million dollars 약 500만 달러의 예산.
on order 주문하여[하고 있는], 주문중인.
on the order of. . . 《美》…의 종류에 속하여[속하는], …와 비슷하여[비슷한], …와 같이[같은] (like) : a leader *on the* ~ *of* F. D. Roosevelt F. D. 루스벨트급(級)의 지도자.
Order ! Order ! 〘議會〙 규칙위반(이오) !
out of order 흐트러져(↔*in order*) ; 고장이 나서, 탈이 나서 ; 기분 나빠 ; 위법으로 : get *out of* ~ 어긋나다, 고장나다 / The washing machine is *out of* ~. 세탁기가 고장이다 / My stomach is *out of* ~. 위의 상태가 좋지 않다 / Don't speak *out of* ~. 차례가 아닌데 말하면 안된다.

〈회화〉
Can I use this telephone? — I'm sorry. That's *out of order.* 「이 전화 써도 됩니까」「미안해요. 고장이 났어요」

put [***set***] ***. . .in order*** …을 정돈하다(cf. 1 a)) : *put* one's house *in* ~ ☞ HOUSE *n.* 숙어 / He had *put* his affairs *in* ~ before he died. 그는 죽기 전에 신변을 정리해 놓았다.

〈회화〉
Put your room *in order.* — My room's always in good order. 「방을 정리해라」「내 방은 항상 정리가 잘 되어 있어」

rise to (***a point of***) ***order*** (의원이) 기립하여 발언[의사] 진행 위반을 의장에게 항의하다.
take orders from a person = ***take*** a person***'s orders*** 남의 지시를 받다, 남의 밑에 들다.
the order of the day (1) 〘議會·軍〙 일정(日程). (2) (당시의) 유행, 풍조, 동향.
to order 주문에 따라[맞추어] : made *to* ~ 주문에 따라 만든, 맞춤의(cf. MADE-TO-ORDER).
— *vt.* **1** [+目+*to* do / +目+副 / +目+前+名 / 《美》+目+過分 / +*that* 節 / +目 / +目+目] 명령하다, 지시하다 : He ~*ed* them to release the prisoner. 그들에게 포로를 석방토록 명했다 / We were ~*ed to* report to the police. 경찰에 신고하도록 명령받았다 / The policeman ~*ed* me *back*[*away*]. 경찰은 나에게 물러나라[저쪽으로 가라]고 명했다 / The regiment was ~*ed* **to** the front. 연대는 출전명령을 받았다 / She ~*ed* the key (*to* be) brought to her. 열쇠를 가져오라고 명했다《주 to be를 생략하는 것은 《美》》/ The king ~*ed that* he (should) be banished. 왕은 그를 추방하라고 명했다《주 절 가운데의 should를 생략하는 것은 주로 《美》》/ The chairman ~*ed* an inquiry. 의장은 조사를 명했다 / The doctor has ~*ed* me a change of air. 의사는 나에게 전지 요양을 명했다. **2** [+目 / +目+前+名 / +目+目] 주문하다 : I will ~ some new books **from** England. 영국에다 신간 서적을 주문할 것이다 / *O*~ breakfast **for** nine o'clock. 아침밥을 아홉시에 내오도록 당부하시오 / She ~*ed* her daughter[herself] a new dress. 딸에게 새 드레스를 주문해 주었다[자기의 새 드레스를 주문했다] / He ~*ed* a new suit *for* his son. 아들을 위해서 새 양복을 주문해 주었다. **3** (신·운명 따위가) 정하다, 명하다 ; 성직에 임명하다. **4** 정돈하다, 정리하다, 처리하다, 배열하다. — *vi.* 명령하다 ; 주문하다.
order about[***around***] 사방에 심부름 보내다 ; 부려먹다.
Order arms ! 〘구령〙 세워 총 !
〚OF＜L *ordin- ordo* row, array, degree〛
類義語 ***order*** 타인에게 명령하다 ; 의미가 넓은 말 : The teacher *ordered* the pupils to be silent. (선생은 학생들에게 조용히 하도록 명했다). ***command*** 권력[권한]이 있는 자가 공식[정식]으로 명령을 내리다 ; 복종하는 것을 전제로 함 : The captain *commanded* the men to fight. (지휘관은 부하들에게 싸우도록 명했다). ***direct*** order나 command 보다는 명령의 뜻이 약함 ; 감독하고 지시를 하다《그러나 상대방의 복종을 예기하고 있음》: The policeman *directed* the driver to stop. (경찰은 운전자에게 차를 세우도록 지시했다). ***instruct*** 지시가 *direct* 보다 더욱 세밀한 점까지 명확한 것을 나타냄 : *instruct* a person to make a plan (계획을 짜도록 지시하다). ***enjoin*** 강력히 경고·훈계하여 명령이나 요구를 하다, 또는 법률적으로 금지하다 : The doctor *enjoined* a strict diet. (의사는 엄격한 규정식을 하도록 명했다). ***charge*** 어떤 일을 의무·책임·위임의 형식으로 부여하다 : He *charged* us to fulfill the duty. (의무를 다하도록 우리에게 지시했다).

órder blànk[**fòrm**] *n.* 주문 용지.
órder bòok *n.* 주문 대장 ; 〘軍〙 명령부(命令簿) ; [흔히 O~ B~] 〘英議會〙 의사 일정표.
órder cancellátion dàte *n.* 주문 취소 기일《주문품이 조달되지 않으면 그날로써 주문 취소가 되는 날짜》.
órder clèrk *n.* 주문 담당원, 수주 담당자.
ór·dered *a.* **1** 정연한 ; 규율[질서] 바른. **2** [보통 well, badly와 함께 합성어를 이루어] 정돈된 : well-~ 잘 정돈된.
órdered líst *n.* 〘컴퓨〙 차례 목록, 죽 보(이)기.
órder fulfíllment prὸcess *n.* 주문 조달 절차

《수주에서부터 출하·입금까지의》.

órder-in-cóuncil *n.* (*pl.* **órders-**) 《英》 긴급 칙령《추밀원의 자문만 거쳐 시행되는》.

órder·ing *n.* Ⓤ 배열, 순서.

*__órder·ly__ *a.* **1** 순서 바른, 정돈된, 규칙적인 : an ~ kitchen 깨끗이 정리된 부엌. **2** 규율이 바른, 법을 잘 지키는 ; 순종하는 ; 정숙(靜肅)한 : an ~ crowd 정연한 군중. **3** 〖軍〗 명령의 ; 전령의, 당번의 : an ~ man 당번(병).

— *adv.* 순서 바르게, 정연히.

— *n.* 〖軍〗 당번병, 전령 ; 간호병 ; (특히, 육군) 병원의 잡역부.

ór·der·li·ness *n.* **1** Ⓤ 순서[규율] 바름, 질서 정연. **2** Ⓤ 온화, 순종.

類義語 ***orderly*** 일정한 배열·규칙에 따르고 무질서·혼란이 없는 : an *orderly* meeting (질서 정연한 회합). ***methodical*** 세밀히 꼼꼼하게 계산된 순서·방법에 정확히[규칙적으로] 따르고 있는 : a *methodical* examination (순차적인 검사). ***systematic*** methodical 보다 더욱 철저한 것, 용의주도한 것 또는 전체적인 목적·타입 따위를 강조 : a *systematic* resistance (조직적인 저항).

órderly bìn *n.* 《英》 (노상의) 휴지통.

órderly bòok *n.* 〖軍〗 (상관의 명령을 기록하는) 명령부(簿).

órderly òfficer *n.* 〖英軍〗 일직[당직] 장교.

órderly ròom *n.* 〖軍〗 중대 사무실[본부].

órder of búsiness *n.* (평의회 따위의) 의제순서 ; (처리해야 할) 문제, 과제, 업무 예정.

órder of mágnitude *n.* 어떤 수치에서 그 10배까지의 범위, (수량을 재는 단위로서의) 자리.

Órder of the Báth *n.* [the ~] 《英》 배스 훈위 (훈작사단), 배스 훈장.

órder pàper *n.* 《英》 의사 일정표.

or·di·nal [ɔ́:rdənl] *a.* 순서를 나타내는, 서수의 ; 〖生〗 목(目)의 (cf. ORDER *n.* 6 b)).

— *n.* =ORDINAL NUMBER.

〖L=in ORDER〗

類義語 ⟹ COORDINATE.

órdinal númber *n.* 서수(序數).

or·di·nance [ɔ́:rdənəns] *n.* **1** 법령, 포고 ; 시조례(市條例) ; 신이 정한 것, 운명 ; 기존의 결정[방침, 실천법], 관습. **2** 〖宗〗 의식, (특히) 성찬식. **3** 《古》 (작품의) 구성, 배치.

〖OF<L=arranging ; ⇨ ORDAIN〗

or·di·nand [ɔ:rdənǽnd, ⌐-⌐] *n.* 〖教會〗 성직 수임(授任)[서계(敍階)] 후보자.

*__or·di·nar·i·ly__ [ɔ:rdənérəli, ɔ́:rdənèr-; ɔ́:dənrəli] *adv.* 보통, 대체적으로(usually) ; 보통 수준으로, (남들과 같은) 보통 정도로(moderately) : *O*~, he arrives at school about a quarter to nine. 보통 그는 9시 15분전에 학교에 도착한다.

‡**or·di·nary** [ɔ́:rdənèri ; ɔ́:dənri] *a.* **1** 보통의, 통상의(usual) ; 정규(正規)의 : an ~ meeting 상례회(常例會) / ~ language 일상[통상] 언어. **2** 보통 수준의, 평범한, 흔히 있는 ; …만 못한 : the ~ man 평범한 사람. **3** 〖法〗 직할의.

in an[***the***] ***ordinary way*** 여느 때와 같이[같으면] : *In an* ~ *way* I should refuse. 보통 때 같으면 거절했으련만.

— *n.* **1 a)** 보통의 일, 평상시의 일, 상례. **b)** 《英》 정식(定食) ; 《英》 (정식이 나오는) 식당. **2** [흔히 O~] 〖基〗 예배 의식 순서 규정서, 의식문. **3** 《英》 보통주(株) (cf. PREFERRED STOCK). **4** (연동(連動) 장치가 없는) 옛날의 자전거. **5** 《美》 유언 검인 판사.

in ordinary (1) 상임의, 상무의 : a physician [surgeon] *in* ~ to the King 왕의 시의(侍醫). (2) 〖海〗 (배가) 예비의.

out of the ordinary 보통이 아닌, 유별난 : He disliked anything that was *out of the* ~. 무슨 일이건 유별난 것을 싫어했다.

ór·di·nàr·i·ness [; -dənri-] *n.* 보통 ; 평상 상태. 〖AF and L=of the usual ORDER〗

類義語 ⟹ COMMON.

Órdinary lével *n.* 〖英教〗 보통급(O level) (cf. GENERAL CERTIFICATE OF EDUCATION).

órdinary lífe insùrance *n.* (간이[단체] 생명 보험에 대하여) 보통 생명 보험.

órdinary séaman *n.* 〖海〗 2등 선원《略 OS ; cf. ABLE-BODIED SEAMAN》.

órdinary stóck[**sháre**] *n.* 《英》 보통주(株) (=《美》 common stock).

or·di·nate [ɔ́:rdənət, -nèit] *n.* 〖數〗 세로좌표(↔ *abscissa*). 〖L (*linea*) *ordinate* (*applicata*) line applied parallel ; ⇨ ORDAIN〗

or·di·na·tion [ɔ:rdənéiʃən] *n.* Ⓤ,Ⓒ 〖카톨릭〗 서품(敍品)(식), 성직 수임식, 안수식(按手式).

or·di·nee [ɔ:rdəní:] *n.* 신임 교회 집사.

ord·nance [ɔ́:rdnəns] *n.* **1** Ⓤ [집합적으로] 포(砲) ; 병기 ; 군수품. **2** Ⓤ 군수품부 : an ~ officer 병기 장교 ; 〖美海軍〗 포술장(砲術長) / the Army ~ Corps 육군 병기 부대 / the ~ Survey 《英》 육지 측량부 / a ~ map 《英》 육지 측량부 지도. 〖ORDINANCE〗

or·don·nance [ɔ́:rdənəns] *n.* **1** (건물·회화·문예 작품 따위의) 각부분의[전체적인] 배열[구성]. **2** 조례, (특히 프랑스의) 법령, 포고.

Or·do·vi·cian [ɔ:rdəvíʃən] *n., a.* 〖地質〗 오르도비스기(紀)[계](의)《고생대의 제2기》 ; 그 지층군. 〖L *Ordovices* ancient British tribe in N. Wales〗

or·dure [ɔ́:rdʒər ; ɔ́:djuər] *n.* Ⓤ 똥, 배설물, 오물 ; 외설물, 천한 말.

〖OF<L *horridus* HORRID〗

***ore** [ɔ́:r] *n.* Ⓤ,Ⓒ (금속·비금속의) 광석 ; 《詩》 금속, (특히) 금 : iron ~ 철광석 / ~ deposits 광상(鑛床) / raw ~ 원석 / a district rich in ~*s* 광물자원이 풍부한 지방.

be in ore 광석을 함유하다.

〖OE *ār* brass, OE *ōra* unwrought metal<?〗

öre [ə́:rə] *n.* (*pl.* ~) **1 a)** 외레《덴마크·노르웨이의 화폐단위 ; =1 / 100 krone》. **b)** 외레《스웨덴의 화폐단위 ; =1 / 100 krona》. **2** 1 외레화(貨).

ore·ad [ɔ́:riæ̀d] *n.* [흔히 O~] 〖그·로神〗 산의 요정 (cf. DRYAD, NAIAD, NYMPH, UNDINE).

〖L<Gk. (*oros* mountain)〗

orec·tic [ɔ:réktik ; ɔ-] *a.* 〖哲·醫〗 욕망[욕구]의, 욕망을 자극하는 ; 식욕이 있는.

óre drèssing *n.* 〖鑛〗 선광(選鑛).

Oreg. Oregon.

Or·e·gon [ɔ́(:)rigən, ɑ́r-, -gɑ̀n ; ɔ́ri-] *n.* 오리건《미국 북서부의 주 ; 주도 Salem ; 略 Oreg., OR》.

Or·e·go·ni·an [ɔ̀(:)rigóuniən, ɑ̀r-, -njən ; ɔ̀ri-] *a., n.* 오리건 주의 (사람).

Óregon píne *n.* 미송(美松) (Douglas fir).

Óregon Tráil *n.* [the ~] 오리건 산길《미국 Missouri 주 북서부에서 Oregon 주에 이르는 약 3200km의 산길로서, 19세기 중엽의 개척자·이주자들이 많이 이용했음》.

ore·ide [ɔ́:riàid ; -riid] *n.* =OROIDE.

Oreo [ɔ́:riòu] *n.* (*pl.* **Óre·òs**) 《美俗·蔑》 백인 체제를 지지하는 흑인. 〖속에 바닐라 크림을 채운 초

콜릿 쿠키의 상표명에서〗

Ores·tes [ɔːréstiːz ; ɔr-] *n.* 〖그神〗 오레스테스 《Agamemnon과 Clytemnestra의 아들 ; 어머니를 죽인 죄로 Furies에게 쫓겨났음》.

org [ɔ́ːrg] *n.* 《口》 조직, 기구 ; 단체, 협회.

org. organ ; organic ; organism ; organist ; organization ; organized ; organizer.

***or·gan** [ɔ́ːrgən] *n.* **1 a)** 파이프오르간 ; 오르간 ; = BARREL ORGAN. **b)** 《古》 악기, (특히) 관악기 ; 《古》 (사람의) 목소리. **2** 기관(器官), 장기(臟器) ; (특히) 발성기관(= ~ of speech) : internal ~*s* 내장. **3** 기관(機關) ; 기관지(紙[誌]) : a government ~ 정부 기관지. **4** 음성 : a fine ~ 좋은[맑은] 소리. 〖OE *organa* and OF *organe* < L < Gk. *organon* tool, instrument〗

or·gan- [ɔ́ːrgən, ɔːrgǽn], **or·ga·no-** [ɔ́ːrgənou, ɔːrgǽnou, -nə] *comb. form* 「기관(器官)」「유기적」의 뜻. 〖Gk.〗

órgan bànk *n.* (신체부분의 이식(移植)을 위한) 장기(臟器) 은행.

órgan-blòw·er *n.* 파이프 오르간의 풀무 개폐인(開閉人)[장치].

órgan dònor *n.* 장기(臟器) 제공자.

or·gan·dy, -die [ɔ́ːrgəndi] *n.* Ⓤ 오건디《얇은 모슬린 종류》. 〖F < ?〗

or·gan·elle [ɔ̀ːrgənél] *n.* 〖生〗 세포 소기관.

órgan-grìnd·er *n.* (거리의) 손으로 돌리는 오르간 연주자[풍각쟁이].

***or·gan·ic** [ɔːrgǽnik] *a.* **1** 유기체[물]의 ; 〖化〗 유기의(↔*inorganic*) ; 〖農〗 (화학 비료를 사용하지 않고) 유기비료만에 의한 : ~ evolution 생물 진화 / ~ matter 유기물 / ~ acid 유기산 / ~ chemistry 유기화학. **2** 기관(器官)[장기(臟器)]의 ; 〖醫〗 기질성(器質性)의(↔*functional*) : an ~ disease 기질성 질환. **3** 유기적인 ; 조직적인, 계통적인 : an ~ whole 유기적 통일체. **4** 기관(機關)의 구실을 하는, 도구[수단]가 되는. **5** 본질적인, 근본적인 ; 타고난, 고유의 ; 구조상의 ; 〖言〗 발생적인, 어원적인 : the ~ law (국가 따위의) 구성법, 기본법, 헌법. ── *n.* 유기 비료《따위》. **-i·cal·ly** *adv.* 유기적으로 ; 기관에 의하여 ; 조직적으로 ; 근본적으로.
〖F < L < Gk. ; ⇨ ORGAN〗

orgánic fárming *n.* 유기 농업.

orgánic fóod *n.* 자연 식품.

or·gan·i·cism [ɔːrgǽnəsìzəm] *n.* 〖醫〗 기관설(器官說) ; 〖哲·生〗 유기체설[론], 생체론. **-cist** *n.* **or·gàn·i·cís·tic** *a.*

orgánic métal *n.* 〖化〗 유기 금속.

orgánic phósphorus compóund *n.* 유기인(有機燐) 화합물《살충제》.

***or·ga·nism** [ɔ́ːrgənìzəm] *n.* **1** 유기체 ; 생물, 인간. **2** 유기적 조직체《사회·우주 따위》.

órgan·ist *n.* 오르간 연주자.

***or·ga·ni·za·tion** [ɔ̀ːrgənəzéiʃən ; -nai-] *n.* **1** Ⓤ,Ⓒ 조직[계통]화, 구성, 편제 : peace[war] ~ 〖軍〗 평시[전시] 편제. **2** 체제, 기구 ; 질서 ; 〖生〗 유기체, 생물체. **3** 단체, 조합, 협회. **4** 《美》 (정당의) 당직자 (회의).
~·al *a.* 조직(상)의, 기관의. **~·al·ly** *adv.*

organizátional clímate *n.* 조직 환경[풍토] 《略 OC》.

organizátional psychólogy *n.* 조직 심리학.

organizátion chàrt *n.* (회사의) 기구도(機構圖), 조직도.

organizátion devélopment *n.* 조직 개발.

organizátion màn *n.* (주체성을 잃은) 조직인간, 회사 인간 ; 조직 순응자《흔히 관리직》; 조직에 능한 사람.

organizátion màrketing *n.* 조직화 마케팅.

Organizátion of Américan Státes *n.* [the ~] 미주 기구《가맹국은 미국 및 중남미제국의 26개국(1948년 설립) ; 略 OAS》.

Organizátion of Petróleum Expórting Cóuntries *n.* [the ~] 석유 수출국 기구《1960년 결성 ; 본부 Vienna ; 略 OPEC》.

***or·ga·nize** [ɔ́ːrgənàiz] *vt.* **1** [보통 *p.p.*로] 유기적인[조직적인] 형태를 부여하다, 조직화하다 ; (유기적 통일체를) 만들어내다 ; 유기물[생물체]화하다 : an ~*d* body 유기체. **2** 계통을 세우다, 조직[편제]하다 ; 창립[발기]하다 ; (기획·행사 따위를) 계획[준비]하다, (계획하여) 개최하다 (arrange) : ~ a political party[football team] 정당을 조직[축구팀을 편성]하다 / They ~*d* a climbing expedition to the Himalayas. 히말라야 등반대를 편성했다. **3** 《美》 노동조합에 가입시키다, 조직화하다.
── *vi.* **1** 조직적으로 단결하다, 조직화하다, 유기적 통합을 가지다 ; 유기체화되다 : Resistance was *organizing.* 저항 운동이 조직화되고 있었다. **2** 《美》 노조(勞組)에 가입하다.
ór·ga·nìz·able *a.* 조직할 수 있는.
〖OF < L ; ⇨ ORGAN〗

ór·ga·nìzed *a.* 정리된, 규칙바른 ; 조직화된 ; 비품 따위를 갖춘 ; 《口》 해야할 일은 기민하게 하는, 부지런한.

órganized críme *n.* 조직 범죄.

órganized férment *n.* 〖生化〗 (불용성(不溶性)의) 효소, 효모.

órganized lábor *n.* [집합적으로] 조직 노동자.

ór·ga·nìz·er *n.* 조직자 ; 창립 위원 ; (흥행 따위의) 주최자 ; (노동 조합 따위의) 조직책 ; 분류 서류철, 서류 정리 케이스.

órgan lòft *n.* (교회 따위의) 오르간을 설치한 2층의 자리.

organo- [ɔ́ːrgənou, ɔːrgǽnou, -nə] ☞ ORGAN-.

òrgano·chlórine [, ɔːrgæ̀nə-] *n., a.* 유기 염소계 살충제(의)《DDT, 앨드린 따위》.

orgàno·hálogen *a.* 〖化〗 할로겐 원소를 함유한 유기 화합물의.

òrgano·metállic [, ɔːrgæ̀nə-] *n., a.* 유기 금속(의)《탄소와 연쇄된 금속 또는 반 금속을 함유하는 유기 화합물을 말함》.

or·ga·non [ɔ́ːrgənɑ̀n] *n.* (*pl.* **-na** [-nə], **~s**) **1** 지식 습득의 방법[수단], 연구법 ; 방법론적 원칙. **2** [O~] Aristotle의 논리학.

òrgano·phósphate [, ɔːrgæ̀nə-] *n., a.* 유기 인산염(의).

òrgano·thérapy, -therapéutics [, ɔːrgæ̀nə-] *n.* Ⓤ 〖醫〗 장기(臟器) 요법.

órgan pìpe *n.* 〖樂〗 (파이프 오르간의) 파이프, 음관(音管).

órgan tránsplant *n.* 장기(臟器)이식.

or·ga·num [ɔ́ːrgənəm] *n.* (*pl.* **-na** [-nə], **~s**) = ORGANON ; 〖樂〗 오르가눔《9-13세기의 초기 다성(多聲) 악곡》.
Novum Organum Bacon의 신(新)논리학.

or·gan·za [ɔːrgǽnzə] *n.* 오간자《얇고 투명한 레이온 따위의 평직물》.
〖? *Lorganza* 상표〗

or·gan·zine [ɔ́ːrgənzìːn] *n.* 꼰 실.

or·gasm [ɔ́ːrgæzəm] *n.* Ⓤ 〖生理〗 오르가슴《성교시 성적 흥분의 절정》; 최고조, 격한 흥분.
〖F or L < Gk. = excitement (*orgaō* to swell, be

excited)〗
or·geat [ɔ́:rʒɑ:t] *n.* 오르제(시럽)《칵테일 따위에 쓰는 아몬드 향기가 나는 시럽》.
or·gi·as·tic [ɔ̀:rdʒiǽstik] *a.* 주신제(酒神祭)의[와 같은], 마시고 떠들어대는.
〖Gk. (*orgiazo* to celebrate orgy)〗
órg·màn [ɔ́:rg-] *n.* 《美俗》 =ORGANIZATION MAN.
or·gy [ɔ́:rdʒi] *n.* **1 a**) [보통 *pl.*] 진탕 마시고 떠드는 술잔치, 북새통, 난잡한 행동. **b**) [*pl.*] 〖古그·古로〗 (비밀리에 거행되던) 주신제(cf. BACCHUS, DIONYSUS). **2 a**) 축제 소동 : an ~ *of* parties 시끌시끌한 파티의 연속. **b**) 지나치기, (과도한) 열중 : an ~ *of* work 일에 열중하기 / an ~ *of* speechmaking 진절머리가 날 정도로 많은 연설.
〖F<L<Gk. *orgia* (pl.) secret rites〗
ori- [ɔ́:ri] *comb. form* 「입(mouth)」의 뜻.
〖L *or- os*〗
-oria *n. suf.* -ORIUM의 복수형.
-o·ri·al [ɔ́:riəl] *a. suf.* 「…의」「…에 속하는」「…에 관계가 있는」의 뜻 : gress*orial*, profess*orial*.
〖ME ; ⇨ -ORY, -AL[1]〗
ori·el [ɔ́:riəl] *n.* 〖建〗 퇴창(=∠ **wíndow**)《이층의 벽면에 쑥 나오게 단 다각형의 창 ; cf. BAY WINDOW, BOW WINDOW》. 〖OF=gallery<?〗

oriel window

***ori·ent** [ɔ́:riənt, 美+-ènt] *n.* **1** [the O~] 《詩·美》 동양(=《英》 the East) (↔*Occident*), 동방(東邦)《유럽에서 본 동방의 여러 나라》. **2** [the ~] 《詩》 동쪽, 동쪽 하늘. —— *a.* **1** [O~] 《詩》 동양(제국)의(Oriental). **2** (태양 따위가) 솟아오르는, 뜨는 ; 발생하기 시작하는. **3** (보석 따위) 광택이 아름다운.
—— [ɔ́:riènt] *vt.* **1** (건물 따위를) 동쪽을 향하게 하다 ; (교회를) 동향(東向)으로 짓다《성단(聖壇)은 동쪽, 입구는 서쪽》. **2** [+目/+目+副] (건물 따위를) 일정한 방향으로 향하게 하다, 방위를 맞추다 ; …의 방향을 보고 정하다, 바른 방향으로 놓다 : They had the building *~ed* north and south. 건물을 남북향으로 지었다. **3** [+目+*to*+名/+目] (새 환경 따위에) 적응시키다, 방향 설정을 하다 : It is necessary to help the freshmen to ~ themselves ***to*** college life. 신입생이 대학 생활에 적응할 수 있도록 도와 주는 것이 필요하다(cf. ORIENT one*self*) / I need some time to ~ my thinking. 사고방식을 (새 국면에) 적응시키려면 한동안 시간이 걸린다. **4** …의 진상을 규명하다, …을 올바르게 판단하다(cf. ORIENT one*self*).
—— *vi.* 동쪽으로 향하다[면하다], (어느 방향으로) 향하다 ; 환경에 순응하다.
orient one***self*** (1) (환경에) 순응하다(cf. *vt.* 3). (2) 자기의 입장을 확정짓다, 국면을 바르게 판단하다 ; 태도를 명백히 하다(cf. *vt.* 4).
〖OF<L *orient- oriens* rising, rising sun, east〗
***ori·en·tal** [ɔ̀:riéntl] *a.* **1** [O~] 동양(제국)의, 동양에서 온, 동양풍[식]의 ; 동양 문명의(↔*Occidental*). **2** 《古》 동쪽의, 동방의(eastern). **3** (진주·보석 따위가) 질이 좋은, 광택있는.
—— *n.* [O~] 동양인.
oriéntal·ìsm *n.* Ⓤ [흔히 O~] 동양풍 ; 동양어풍(風) ; 동양의 지식, 동양화. **-ist** *n.* 동양학자, 동양통(通). **ori·èn·tal·ís·tic** *a.*
oriéntal·ìze *vt., vi.* [흔히 O~] 동양풍으로 하다[되다], 동양화하다. **orièntal·izá·tion** *n.*
Oriéntal Jéw *n.* 중동·북아프리카계(系)의 이스라엘 유태인《일반적으로 저소득층에 속함》.
oriéntal lòok *n.* (유럽에서 본) 동양의 이미지를 따온 복식(服飾) 스타일.
Oriéntal rúg[**cárpet**] *n.* 동양 융단《페르시아 양탄자 따위》.
ori·en·tate [ɔ́:rientèit, ⌐-⌐] *vt., vi.* =ORIENT.
***ori·en·ta·tion** [ɔ̀:rientéiʃən] *n.* **1** Ⓤ (교회당을) 동향(東向)으로 짓기《성단을 동쪽, 입구를 서쪽》 ; (시체의) 발을 동쪽으로 향하도록 묻기 ; (기도 따위를 할 때) 동쪽을 향하기. **2** Ⓤ (건물 따위의) 동쪽을 찾아내기 ; 방위 측정. **3** Ⓤ (외교 따위의) 방침[태도]결정 ; Ⓒ 태도. **4** Ⓤ (새 환경·사고 방식에 대한) 적응, 적응 지도 ; (신입생·신입 사원에 대한) 예비 교육, 오리엔테이션. **5** Ⓤ 〖心〗 정위(定位). **6** 〖生〗 정위(定位) ; (비둘기 따위의) 귀소(歸巢)본능.
órient·ed *a.* (지적·감정적으로) …지향의, 좋아하는, 본위의, 중심으로 한, 우선의 : a male-~ world 남성 지향[우위]의 세계 / profit-~ 이익 추구형의 / diploma-~ 학력 편중의.
ori·en·teer·ing [ɔ̀:rientíəriŋ] *n.* 오리엔티어링《지도와 나침반으로 목적지를 찾아가는 크로스컨트리 경기》. **òri·en·téer** *vi., n.* orienteering 에 참가하다 ; orienteering 참가자.
Órient Exprèss *n.* 오리엔트 급행(急行)《Paris와 Istanbul을 잇는 호화 열차》.
or·i·fice [ɔ́(:)rəfəs, ɑ́r-] *n.* (파이프·굴뚝·상처 따위의) 구멍, 아가리(opening).
〖F<L (*or- os* mouth, *facio* to make)〗
or·i·flamme [ɔ́(:)rəflæ̀(:)m, ɑ́r-] *n.* **1** (고대 프랑스의) 붉은 왕기(王旗)《St. Denis의 성기(聖旗)》 ; (일반적으로) 군기, 당기(黨旗). **2** 번쩍번쩍 빛나는 것.
orig. origin ; original(ly) ; originated.
or·i·gan [ɔ́(:)rigən, ɑ́r-] *n.* 〖植〗 마저럼(marjoram), (특히) 꽃박하. 〖OF〗
‡**or·i·gin** [ɔ́(:)rədʒən, ɑ́r-] *n.* **1** Ⓤ,Ⓒ 발단, 기원(source) ; 원인, 원천, 출처 ; 〖數〗 (좌표의) 원점 ; 〖醫〗 (근육·말초 신경의) 기시점(起始點), 기점 : a word *of* Latin ~ 라틴어 계통의 말 / the ~(*s*) *of* civilization 문명의 기원 / Something is wrong at the point of ~. (라디오·텔레비전 따위) 원래부터 고장이 나 있다. **2** [흔히 *pl.*] 태생, 혈통 : *of* noble[humble] ~ 고귀한[비천한] 태생의 / He is a Dutchman *by* ~. 그는 네덜란드 태생의 사람이다. **3** 〖컴퓨〗 근원.
〖F or L *origin- origo* (*orior* to rise)〗
類義語 ⟹ BEGINNING.
‡**orig·i·nal** [ərídʒənl] *a.* **1** 원시의, 최초의, 초기의(earliest), 기원의(cf. DERIVATIVE) : the ~ inhabitants of the country 그 나라의 원주민. **2** 원형[원작·원문·원도]의 : an ~ edition 원판 / the ~ picture 원화 / the ~ plan 원안. **3** 독창적인, 창의(創意)력이 풍부한(creative). **4** 기발한, 신기한. **5** 〖컴퓨〗 근원의 : ~ data 근원 자료.
—— *n.* **1** 원형, 원물(原物) ; 원문, 원전(原典), 원도 : read Shakespeare in the ~ 셰익스피어를 원문[원어·원서]으로 읽다. **2** 독창적인 사람 ; 괴짜, 별난 사람. **3** 《古》 원천, 기원(origin).
〖OF or L (↑)〗
類義語 ⟹ NEW.
oríginal gúm *n.* 우표 뒤에 발라 놓은 풀《略 o.g., O.G.》.
***orig·i·nal·i·ty** [ərìdʒənǽləti] *n.* **1** Ⓤ 《古》 원물(原物)임 ; 진짜, 진정(眞正). **2** Ⓤ 독창력, 창조

력 ; 창의. **3** Ⓤ 기발, 색다름, 유별남.

***oríginal·ly** *adv.* 본래, 처음에, 처음부터 ; 독창적으로.

oríginal prócess *n.* 〖法〗 초심(初審) 영장.

oríginal sín *n.* 〖宗〗 원죄《아담과 하와의 타락에 기인하는 인간 고유의 죄업 ; cf. ACTUAL SIN》.

oríginal wrít *n.* 〖英法史〗 기본 영장, 소송 개시 영장 ; =ORIGINAL PROCESS.

orig·i·nate** [ərídʒənèit] *vt.* 시작하다, 일으키다, 창설[창작]하다, 발명하다 : ~ a political movement 정치운동을 시작하다 / ~ a new style of dancing 새로운 방식의 댄스를 고안하다. —— *vi.* [+前+名] 비롯되다, 일어나다, 시작되다 : The strike ~*d* ***in the demand for higher wages. 파업은 임금 인상의 요구에서 일어났다 / It ~*d* ***from*** some cause. 그것은 어떤 원인에서 유래했다 / The scheme ~*d* ***with*** me. 그 계획은 내가 고안해냈다.

〈회화〉
How did the fight start? — It *originated* when he called me names.「싸움은 어떻게 시작되었니」「그가 내 욕을 해서 시작되었어」

orìg·i·ná·tion *n.* Ⓤ 개시, 시작 ; 창작, 발명 ; 기원 ; 발생법. **oríg·i·nà·tor** *n.* 창작자, 창설자, 발기인, 원조.

類義語 ⟹ RISE.

orig·i·na·tive [ərídʒənèitiv, -nət-] *a.* 독창적인, 발명의 재주가 있는 ; 기발한. **~·ly** *adv.*

ori·ole [ɔ́:riòul] *n.* 〖鳥〗 꾀꼬리의 일종 ; 《美》 = BALTIMORE ORIOLE.
〖OF<L ; ⇨ AUREOLE〗

Ori·on [əráiən, ɔ:-] *n.* **1** 〖天〗 오리온자리. **2** 〖그神〗 오리온《미남인 사냥꾼》.

Oríon's Bélt *n.* 〖天〗 오리온자리의 세 별.

Oríon's Hóund *n.* 〖天〗 =SIRIUS.

Oríon's Nébula *n.* 〖天〗 오리온 대(大)성운.

or·i·son [ɔ́(:)rizən, ár-] *n.* [보통 *pl.*] 《文語》 기도 (prayer). 〖OF<L ; ⇨ ORATION〗

-o·ri·um [ɔ́:riəm] *n. suf.* (*pl.* **~s**, **-o·ria** [-riə]) 「…을 위한 장소[시설]」의 뜻 : audit*orium*. 〖L〗

Ork. Orkney.

Ork·ney Íslands [ɔ́:*r*kni-] *n.* [the ~] (스코틀랜드 북부의) 오크니 제도.

Or·lé·ans [*F* ɔrleɑ̃ ; 英+ɔ:líənz] *n.* **1** 오를레앙 《프랑스 중북부의 도시》 : the Maid of ~ ☞ MAID 숙어. **2** [the ~] 〖프史〗 오를레앙가(家).

Or·lon [ɔ́:rlɑn] *n.* Ⓤ 올론《나일론 비슷한 합성 섬유 ; 상표명》.

ór·lop (dèck) [ɔ́:rlɑp(-)] *n.* 〖海〗 **1** (선박의) 최하 갑판. **2** 《廢》 (작은 배의) 노천 갑판.

Or·mazd [ɔ́:*r*məzd] *n.* 오르마즈드《조로아스터교에서 선(善)과 빛의 신》.

or·mer [ɔ́:*r*mə*r*] *n.* 〖貝〗 전복(abalone). 〖F〗

or·mo·lu [ɔ́:*r*məlù:] *n.* Ⓤ 도금용 금박《구리·아연·주석의 합금》; Ⓒ [집합적으로] 도금한 것; 《비유》 겉만 번드르르한 싸구려.
〖F or *moulu* powdered gold〗

or·na·ment** [ɔ́:*r*nəmənt] *n.* **1** Ⓤ 장식 : by way of ~ 장식으로서. **2** 장식품, 장신구, 훈장 : personal ~*s* 장신구. **3** 빛을 더해주는 사람[것] 〈*to*〉. **4** [보통 *pl.*] (교회의) 예배용품. **5** 〖樂〗 꾸밈음. ——[-mènt] *vt.* [+目 / +目+*with*+名] 장식하다 : Her dress was ~*ed* ***with lace. 그녀의 옷은 레이스 장식이 달려 있었다.
〖OF<L=equipment (*orno* to adorn)〗

類義語 ⟹ DECORATE.

or·na·men·tal [ɔ̀:*r*nəméntl] *a.* 장식적인, 장식용의 : ~ plant 관상식물 / an ~ plantation 풍치림 (風致林). —— *n.* 장식물 ; 관상 식물. **~·ist** *n.* 장식가, 의장가(意匠家). **~·ìze** *vt.* 장식하다, 의장을 하다. **~·ly** *adv.* 장식용으로, 장식하여, 장식적으로. **~·ness** *n.*

or·na·men·ta·tion [ɔ̀:*r*nəmentéiʃən] *n.* Ⓤ 장식 ; [집합적으로] 장식품.

or·nate [ɔ:*r*néit] *a.* 장식한, 지나치게 꾸민 ; (문체가) 화려한. **~·ly** *adv.* **~·ness** *n.*
〖L (p.p.) ‹ *orno* to adorn〗

or·nery [ɔ́:*r*nəri] *a.* **1** 《美口》 **a**) 심술궂은, 짓궂은 ; 성을 잘 내는 ; 고집센. **b**) 비열한, 천한. **2** 평범한(common). 〖*ordinary*〗

or·nith- [ɔ́:*r*nəθ], **or·ni·tho-** [-θou, -θə] *comb. form* 「새」의 뜻. 〖Gk. *ornith- ornis* bird〗

or·nith·ic [ɔ:*r*níθik] *a.* 새의, 조류의.

ornith(ol). ornithological ; ornithology.

or·ni·thol·o·gy [ɔ̀:*r*nəθɑ́lədʒi] *n.* Ⓤ 조류학. **or·ni·tho·log·ic, -i·cal** [ɔ̀:*r*nəθəlɑ́dʒik(əl)] *a.* 조류학(상(上))의. **-gist** *n.* 조류학자.

or·nith·o·man·cy [ɔ:*r*níθəmæ̀nsi, 英+ɔ́:niθəu-] *n.* Ⓤ (날아가는 모양이나 새울음 소리로 치는) 새점(占).

or·ni·thop·ter [ɔ̀:*r*nəθɑ́ptə*r*] *n.* 〖空〗 날개를 퍼드덕거리며 나는 비행기《실현되지 않았음》.

or·ni·tho·rhyn·chus [ɔ̀:*r*nəθəríŋkəs] *n.* 〖動〗 오리너구리(platypus, duckbill).

or·ni·thos·co·py [ɔ̀:*r*nəθɑ́skəpi] *n.* 새점(占) ; 들새 관찰, 탐조(探鳥).

oro-[1] [ɔ́(:)rou, ɑ́rou, -rə] *comb. form* 「산(山)」「고도(高度)」의 뜻. 〖Gk. (*oros* mountain)〗

oro-[2] [ɔ́(:)rou, ɑ́rou, -rə] *comb. form* 「입」의 뜻. 〖L〗

òro·gén·ics *n.* =OROGENY.

orog·e·ny [ɔ(:)rɑ́dʒəni, ɑ-] *n.* Ⓤ 〖地質〗 조산운동. **oro·gen·ic** [ɔ̀(:)rədʒénik, ɑ̀r-] *a.*

oro·graph·ic, -i·cal [ɔ̀(:)rəgræ̀fik(əl), ɑ̀r-] *a.* orography 의 ; 〖氣〗 지형성(地形性)의 : *orographic* rain 지형성 강우.

orog·ra·phy [ɔ(:)rɑ́grəfi, ɑ-] *n.* Ⓤ 산악학《자연지리학의 한 분야》; 산악지(誌).

oro·ide [ɔ́:rouàid] *n.* Ⓤ 〖冶〗 오로이드《구리·아연의 합금으로 금 대용품》.

orol·o·gy [ɔ(:)rɑ́lədʒi, ɑ-] *n.* Ⓤ 산악학.

oro·pe·sa [ɔ̀:rəpéisə] *n.* 소해(掃海) 장치의 일종.

oro·tund [ɔ́:rətʌ̀nd, ɑ́r-] *a.* (소리가) 낭낭하게 울리는 ; (말이) 과장된, 뽐내는. —— *n.* 낭낭한 목소리, 시원시원한 말. 〖L〗

oro y pla·ta [ɔ́:rou i plɑ́:tə] 「금과 은」《미국 Montana 주의 표어》. 〖Sp.〗

***or·phan** [ɔ́:*r*fən] *n.* 양친[부모 중 한 쪽]이 없는 아이 ; 고아 ; 어미가 없는 짐승 새끼 ; 《비유》 보호를 박탈당한 사람. —— *a.* 어버이가 없는 ; 고아를 위한 ; 《비유》 보호를 박탈당한, 버려진 : an ~ asylum 고아원. —— *vt.* [매때로 수동태로] 고아가 되게 하다 : The boy *was* ~*ed* by war. 그 소년은 전쟁 고아였다.
〖L<Gk.=bereaved〗

órphan·age *n.* **1** Ⓤ 고아임. **2** 고아원.

órphan drùg *n.* 〖藥〗 희용(稀用) 약품, 희소 질병용(用) 약.

órphan·hòod *n.* Ⓤ 고아 신세.

Or·phe·an [ɔ:*r*fí:ən, ɔ́:rfiən ; ɔ:fí(:)ən] *a.* Orpheus 의 ; 미음(美音)의(melodious) ; 황홀하게 하는(enchanting).

Or·phe·us [ɔ́ːrfiəs, -fjuːs] *n.* 〖그神〗 오르페우스 《무생물도 감동시켰다고 하는 하프의 명수》.

Or·phic [ɔ́ːrfik] *a.* **1** (Orpheus를 교조로 하는) Dionysus[Bacchus] 숭배의, 밀교(密敎)의 ; 신비적인. **2** =ORPHEAN.

Or·phism [ɔ́ːrfizəm] *n.* **1** 오르페우스교(敎)《윤회·응보 따위를 믿는 신비적인 종교》. **2** 〔美術〕 오르피즘《1912년경 cubism에서 발달한 기법 ; Delaunay는 그 대표적 화가》.

or·phrey, or·fray, or·frey [ɔ́ːrfri] *n.* (성직복의) 장식적인[수놓은] 띠, 가두리 장식 ; 장식 띠 ; 금실 자수 ; 화려한 자수(물). 〚OF<L=Phrygian gold〛

or·pi·ment [ɔ́ːrpəmənt] *n.* Ⓤ 〖鑛〗 석웅황(石雄黃) ; 밝은 황색. 〚OF〛

or·pin(e) [ɔ́ːrpən] *n.* 〖植〗 자주꿩의비름. 〚OF<? *orpiment*〛

Or·ping·ton [ɔ́ːrpiŋtən] *n.* 오핑턴종의 닭.

or·rery [ɔ́(ː)rəri, ár-] *n.* 태양계의(儀)《행성의 운동을 보여줌》. 〚4th Earl of *Orrery* (d. 1731) 제작의 후원자〛

or·ris[1], **-rice** [ɔ́(ː)rəs, ár-] *n.* 〖植〗 플로렌스붓꽃《붓꽃과(科)》 ; 그 뿌리(orrisroot). 〚IRIS〛

orris[2] *n.* 금[은] 레이스[자수]. 〚? *orfreis* ORPHREY〛

órris pòwder *n.* 흰붓꽃의 뿌리의 분말《약·향료로 씀》.

órris·ròot *n.* 흰붓꽃의 뿌리.

ort [ɔ́ːrt] *n.* [보통 *pl.*] 먹다 남은 것 ; 부스러기, 찌꺼기.

orth. orthopedic(s).

orth- [ɔ́ːrθ], **or·tho-** [ɔ́ːrθou, -θə] *comb. form* 「직(直)…」「정(正)…」의 뜻(↔*heter-*). 〚Gk. *orthos* straight〛

or·thi·con [ɔ́ːrθəkàn] *n.* 〖TV〗 오르티콘《영상관(映像管)의 일종》.

órtho·cènter *n.* 〖數〗 수심(垂心).

òrtho·chromátic *a.* 〖寫〗 정색성(整色性)의.

or·tho·clase [ɔ́ːθəklèis, -z] *n.* Ⓤ 〖鑛〗 정장석(正長石).

or·tho·clas·tic [ɔ̀ːθəklǽstik] *a.* (결정(結晶)이) 완전 벽개(劈開)의.

or·tho·don·tia [ɔ̀ːrθədánʃiə] *n.* =ORTHODONTICS.

or·tho·don·tics [ɔ̀ːrθədántiks] *n.* [단수·복수취급] 치열(齒列) 교정(학) ; 치열 교정. **-tist** *n.* 치열 교정의(醫).

***or·tho·dox** [ɔ́ːrθədàks] *a.* **1** (특히 종교상의) 정설(正說)의[을 신봉하는], 정통파의, 전통신앙의(↔*heterodox*). **2** [O~] 그리스 교회의 : the (Greek) *O*~ Church (그리스) 정교회. **3** (일반적으로) 옳다고 인정된, 시인된, 정통의. **4** 전통적인(conservative), 보수적인 ; 흔히 있는(conventional).
—— *n.* (*pl.* ~, ~**·es**) 정통파의 사람(들) ; [O~] 동방 정교회의 신자.
〚L<Gk. *ortho-*(*doxos*‹*doxa* opinion)=right in opinion〛

Órthodox Éastern Chúrch *n.* [the ~] 동방정교회《그리스 및 러시아 정교회 따위》.

Órthodox Júdaism *n.* 정통파 유태교.

órthodox sléep *n.* 〖生理〗 정(상)수면《꿈을 꾸지 않는 수면 상태 ; cf. PARADOXICAL SLEEP》.

or·tho·doxy [ɔ́ːrθədàksi] *n.* Ⓤ 정설(正說), 정교(正敎) ; 정교 신봉 ; 정통파적 관행(慣行) ; 통설(에 따르기).

or·tho·epy [ɔ́ːrθouèpi, ɔːrθóuəpi] *n.* Ⓤ 정음학 ; 올바른 발음법. **òr·tho·ép·ic, -i·cal** *a.* 발음이 올바른. **ór·tho·èp·ist** [, ɔːrθóuəpəst] *n.* 정음(正音)학자.
〚Gk. *ortho-*(*epeia*‹*epos* word)=correct speech〛

òrtho·férrite *n.* 〖化〗 오르토페라이트《사방정형(斜方晶形)의 구조를 가진 물질로, 컴퓨터의 데이터 보존·전달에 용이함》.

òrtho·génesis *n.* Ⓤ 〖生〗 정향 진화(定向進化) ; 〖社〗 계통 발생설. **-genétic** *a.*

or·thog·o·nal [ɔːrθágənl] *a.* 직각의, 직교(直交)의(right-angled).

orthógonal projéction *n.* 〖數〗 정사영(正射影) ; 〖地圖〗 정사(正射)도법.

or·tho·graph [ɔ́ːrθəgræ̀f ; -grɑ̀ːf] *n.* (건축물의) 정사도(正射圖).

or·thog·raph·er [ɔːrθágrəfər] *n.* 정자법(正字法)학자.

or·tho·graph·ic, -ical [ɔ̀ːrθəgrǽfik(əl)] *a.* **1** 정자법의 ; 철자가 바른. **2** 〖數〗 정사영(正射影)의, 직각의 : an ~ projection 정사영.

or·thog·ra·phy [ɔːrθágrəfi] *n.* **1** Ⓤ 정자법, 철자법(↔*cacography*) ; 문자론, 철자론. **2** Ⓤ 정사영. **-phist** *n.* 정자법 학자.

or·tho·ker·a·tol·o·gy [ɔ̀ːrθoukèrətálədʒi] *n.* 〖醫〗 각막(角膜) 교정 치료.

òrtho·molécular *a.* 〖醫〗 정상 생체 분자(론)의《신체의 분자 성분을 영양으로 조절하는》.

or·tho·pe·dic, -pae- [ɔ̀ːrθəpíːdik] *a.* 〖醫〗 정형법의, 정형 외과의 : ~ surgery 정형 외과.

òr·tho·pé·dics, -páe- *n.* 〖醫〗 정형 외과, 정형술. **-pé·dist, -páe-** *n.* 정형외과 의사.

or·tho·pe·dy, -pae- [ɔ́ːrθəpìːdi] *n.* = ORTHOPEDICS.

òrtho·psychíatry *n.* (특히 청소년의 초기 정신 질환에 대한) 교정(矯正) 정신 의학.

or·thop·ter [ɔːrθáptər] *n.* =ORNITHOPTER.

orthoptera *n.* ORTHOPTERON의 복수형.

or·thop·ter·an [ɔːrθáptərən] *a., n.* 〖昆〗 메뚜기목(目)[직시류]의 (곤충). **or·thóp·ter·ous, -ter·al** *a.* 직시류의.

or·thop·ter·on [ɔːrθáptəràn] *n.* (*pl.* **-tera** [-tərə]) =ORTHOPTERAN.

or·thop·tic [ɔːrθáptik] *a.* 직시(直視)의, 정시(正視)의 ; 〖醫〗 시축(視軸) 교정의, 정시를 돕는. **or·thóp·tist** *n.* 시각 교정의(醫). 〚*ortho-*+Gk. *optikos* of a sight〛

or·thóp·tics *n.* [단수·복수취급] 시각 교정학.

òrtho·rhómbic *a.* 〖結晶〗 사방정계(斜方晶系)의 : ~ system 사방 정계.

or·thót·ics *n.* [단수·복수취급] 보조구(補助具)에 의한 기능 회복 훈련(법) ; 치열(齒列) 교정학(orthodontics).

órtho·wàter *n.* 〖化〗 중합수(重合水) (polywater).

or·to·lan [ɔ́ːrtələn] *n.* 〖鳥〗 멧새과(科)의 축새의 일종 ; 《美》 =BOBOLINK.
〚F<Prov.=gardener<L (*hortus* garden)〛

Or·well [ɔ́ːrwel, -wəl] *n.* 오웰. **George** ~ (1903-50) 영국의 풍자작가·수필가 ; Eric Arthur Blair의 필명.

Órwell·ìsm *n.* (선전 활동을 위한) 사실의 조작과 왜곡.

ory [ɔ́ːri] *a.* 광석의[과 같은], 광석을 함유한.

-ory [´-(-)ɔ̀ːri, ´əri ; əri] *a. suf.* 「…와 같은」「…의 성질이 있는」의 뜻 : declamat*ory*, preparat*ory*.
—— *n. suf.* 「…소(所)」「곳」의 뜻 : dormit*ory*,

factory.
〖AF<L〗

oryx [ɔ́(ː)riks, ɑ́r-] *n.* (*pl.* ~, ~**·es**) 〖動〗 오릭스 《아프리카산 영양(羚羊)》. 〖NL<Gk.〗

or·zo [ɔ́ːrzou] *n.* (*pl.* ~**s**) 오르조《쌀알 모양의 스프용 파스타(pasta)》. 〖It. *orzo* barley〗

os[1] [ɑ́s] *n.* (*pl.* **os·sa** [ɑ́sə]) 〖解·動〗 뼈. 〖L〗

os[2] *n.* (*pl.* **ora** [ɔ́ːrə]) 〖解〗 입(mouth) ; 구멍 : per ~ 경구(經口)로(by mouth)《내복약의 표시》. 〖L=mouth〗

os[3] [óus] *n.* (*pl.* **osar** [óusɑːr]) 〖地質〗 오스《빙하류 작용에 의한 자갈의 퇴적》. 〖Swed.〗

OS operating system. **O.S.** *oculus sinister* 《L》 (=left eye)《처방전에서》; Old Saxon; Old School(보수파); Old Series; Old Style; 〖商〗 on spot; ordinary seaman; ordnance survey; 〖服〗 outsize. **Os** 〖化〗 osmium. **o.s., o/s** 〖商〗 on sample; off scene; ordinary seaman; out of stock; 〖銀行〗 outstanding. **O.S.A., OSA** *Ordo Sancti Augustini* 《L》(=Order of St. Augustine).

Osage [óuseidʒ, -́] *n.* (*pl.* ~, ~**s**) 오세이지족(族)《아메리카 원주민의 한 종족》; 오세이지어 : ~ orange 오세이지 오렌지《미국 남부산의 뽕나무과의 식물》; 그 열매.

OS & D over, short and damaged.

OSB, O.S.B. *Ordo Sancti Benedicti* 《L》(=Order of St. Benedict).

Os·can [ɑ́skən] *n.* 〖史〗 오스칸인《이탈리아 남부 지방에 살았던 고대 민족》; 오스칸어.
—— *a.* 오스칸인[어]의.

Os·car [ɑ́skər] *n.* **1** 남자 이름. **2** Ⓒ 〖映〗 오스카상(賞)《아카데미상 수상자에게 주는 소형 황금상(像)》. **3** (일반적으로) (연간) 최우수상.
〖OE=god+spear〗

OSCAR 〖宇宙·通信〗 오스카《미국의 아마추어 무선가용 전파 방송 실험 위성》.

os·cil·late [ɑ́səlèit] *vi.* **1** (시계추처럼) 진동하다 : *oscillating* current 〖電〗 진동 전류. **2** (마음·의견 따위가) 흔들리다, 동요하다〈*between*〉. **3** 〖電〗 전류를 고주파로 교류시키다 ; 〖通信〗 잡음을 내다. —— *vt.* 진동[동요]시키다.
〖L *oscillo* to swing〗

os·cil·la·tion [ɑ̀səléiʃən] *n.* **1** U,C 진동. **2** U,C (마음의) 망설임, 동요. **3** U,C 〖理〗 진동 ; 진폭 (cf. VIBRATION).

ós·cil·là·tor *n.* 〖電〗 발진기(發振器) ; 〖理〗 진동자(振動子) ; 진동[동요]하는 사람.

os·cil·la·to·ry [ɑ́sələtɔ̀ːri ; -təri] *a.* 진동하는 ; 흔들리는 ; 변동하는 ; 〖理〗 진동의.

os·cíl·lo·gràm [ɑsílə-] *n.* 〖電〗 오실로그램(oscillograph로 기록한 도형).

os·cíl·lo·gràph [ɑsílə-] *n.* 〖電〗 오실로그래프, 진동기록기. 〖F ; ⇨ OSCILLATE〗

os·cíl·lo·scòpe [ɑsílə-] *n.* 〖電〗 역전류 검출관.

os·cine [ɑ́sain, ɑ́sən] *a.* 명금류(鳴禽類)의.
—— *n.* 명금류의 새.

os·ci·ta·tion [ɑ̀sətéiʃən] *n.* 하품 ; 졸린 상태 ; 멍해 있음, 태만.

Ós·co-Úmbrian [ɑ́skou-] *n., a.* 오스크움브리아 방언(의)《Italic 어파에 속하는 한 파(派)》.

os·cu·lant [ɑ́skjələnt] *a.* **1** 중간성의 ; 〖生〗 (두 종족에) 공통성을 가지는. **2** 밀착하는. **3** 《稀》 키스하는(kissing).

os·cu·lar [ɑ́skjələr] *a.* **1** 입의 ; 《戯》 키스의. **2** 〖動〗 (해면(海綿) 따위의) 배수공(排水孔)의 ; (촌충 따위의) 흡착 기관의.

os·cu·late [ɑ́skjəlèit] *vi., vt.* **1** 〖數〗 (면·곡선 따위) 최대 접촉하다[시키다]. **2** 《戯》 키스하다 (kiss). 〖L *osculor* to kiss ; ⇨ OS²〗

os·cu·la·tion [ɑ̀skjəléiʃən] *n.* 《古·戯》 입맞춤 ; 밀접, 밀착 ; 〖數〗 최대 접촉.

os·cu·la·to·ry [ɑ́skjələtɔ̀ːri ; -təri] *a.* 키스의, 입맞추는 ; 〖數〗 최대 접촉하는. —— *n.* 성상패(聖像牌) (pax).

ósculat·ing órbit *n.* 〖天〗 접촉 궤도《천체의 각 순간의 위치와 속도에 대응하는 궤도》.

os·cu·lum [ɑ́skjələm] *n.* (*pl.* **-la** [-lə]) 키스 ; 〖動〗 (해면(海綿) 따위의) 배수공(排水孔) ; (촌충 따위의) 흡착 기관, 흡반(吸盤). 〖L ; ⇨ OS²〗

OSD, O.S.D. *Ordo Sancti Dominici* 《L》 (=Order of St. Dominic).

-ose [-̀òus, -́ous] *a. suf.* 「많은」「…이 있는」「…성(性)의」의 뜻 : bellic*ose.* —— *n. suf.* 〖化〗 「탄수화물」「당(糖)」의 뜻 : cellul*ose.* 〖L〗

OSF, O.S.F. *Ordo Sancti Francisci* 《L》(=Order of St. Francis). **OSHA** [óuʃə] 《美》 Occupational Safety and Health Administration(노동 안전 위생국). **OSI** 〖通信〗 open systems interconnection(개방형 시스템간 상호접속) ; out of stock indefinitely.

osier [óuʒər] *n.* **1 a)** 〖植〗 버드나무《고리버들 따위》; 그 가지. **b)** [형용사적으로] 고리버들의 ; 버들세공(細工)의. **2** 〖植〗 산딸나무(dogwood) 《미국산》. 〖OF〗

ósier bèd *n.* 고리버들 밭[숲].

Osi·ris [ousáiərəs] *n.* 오시리스《고대 이집트 주신(主神)의 하나 ; Isis의 남편》.

-o·sis [óusəs] *n. suf.* (*pl.* **-o·ses** [-siːz], ~**·es**) 「작용」「과정」「(병적) 상태」의 뜻 : neur*osis,* tubercul*osis.* 〖L or Gk.〗

-osity *suf.* [-ose, -ous의 어미로 끝나는 형용사에서 명사를 만듦] : joc*osity* (<jocose).

Os·lo [ɑ́zlou, ɑ́s-] *n.* 오슬로《노르웨이의 수도로 항구 ; 옛이름 Christiania》.

O.S.M. *Ordo Servorum Mariae* 《L》(=Order of the Servants of Mary).

Os·man [ousmɑ́ːn, ɑ́zmən, ɑzmɑ́ːn] *n.* 오스만 (1259-1326)《Ottoman 제국의 창설자》.

Os·man·li [ɑzmǽnli] *n.* (*pl.* ~**s**) 오스만 제국의 백성 ; 오스만 투르크 어(語). —— *a.* 오스만 제국의, 오스만 투르크 어의. 〖Turk.〗

os·mic [ɑ́zmik] *a.* 〖化〗 오스뮴의, 오스뮴을 많이 함유하는 : ~ acid 오스뮴산(酸).

ós·mics *n.* 향기학(香氣學), 냄새의 연구.

os·mi·um [ɑ́zmiəm] *n.* Ⓤ 〖化〗 오스뮴《금속원소 ; 기호 Os ; 번호 76》.

os·mol [ɑ́zmoul, ɑ́s-] *n.* 〖化〗 오스몰《삼투압의 규준(規準) 단위》. **os·mol·al** [ɑzmóuləl, ɑs-] *a.* 〖*osmosis*+*mol*〗

os·mo·lar [ɑzmóulər, ɑs-] *a.* =OSMOTIC.

Os·mond [ɑ́zmənd] *n.* 남자 이름.

os·mose [ɑ́zmous, ɑ́s-, -z] *n.* =OSMOSIS.
—— *vt., vi.* 《化》 삼투시키다[하다].
〖역성(逆成)<↓〗

os·mo·sis [ɑzmóusəs, ɑs-] *n.* Ⓤ 〖生理〗 삼투(성) ; 배어듦, 침투, 서서히 보급됨.
〖Gk. *ōsmos* thrust, push〗

os·mot·ic [ɑzmɑ́tik, ɑs-] *a.* 〖生理〗 삼투(성)의.

osmótic préssure *n.* 〖理·化〗 삼투압.

osmótic shóck *n.* 〖生理〗 삼투압 충격《생체조직에 영향을 주는 삼투압의 급변》.

os·mund [ɑ́zmənd], **os·mun·da** [ɑzmʌ́ndə] *n.* 〖植〗 고비속의 각종 고사리. 〖NL<AF〗

OSO Orbiting Solar Observatory.

os·prey [áspri, -prei] *n.* 〖鳥〗 **1** 물수리(fish hawk)《매의 종류로 물고기를 주식으로 함》. **2** 백로의 깃털장식《여성 모자용》. 〚OF＜L *ossifraga* (*os* bone, *frango* to break)〛

OSS, O.S.S. Overseas Supply Store ; Office of Strategic Services《전략 사무국 ; CIA 전신》.

Os·sa [ásə] *n.* 그리스 북동부의 산.

heap [***pile***] ***Pelion upon Ossa*** 곤란에 곤란을 거듭하다.

os·se·ous [ásiəs] *a.* 뼈의, 뼈가 있는, 뼈로 이루어진 ; 뼈와 비슷한. 〚L (*oss- os* bone)〛

Os·sian [áʃən, ásiən] *n.* 아일랜드 및 스코틀랜드의 전설적 영웅·시인.

os·si·cle [ásikəl] *n.* 〖解〗 작은 뼈(조각). 〚L (dim.) ‹ *oss- os* bone〛

Os·sie [ázi] *n., a.* 《英俗》 ＝AUSTRALIAN.

os·si·fi·ca·tion [àsəfəkéiʃən] *n.* Ⓤ 〖生理〗 골화(骨化) ; 《비유》 (감정 따위의) 무감각화 ; 무신경(상태) ; (사상·신앙 따위의) 정형화(定型化), 고정화.

os·si·frage [ásəfridʒ, -frèidʒ] *n.* 〖鳥〗 **1** 물수리. **2** 수염수리《남미·유럽산》.

os·si·fy [ásəfài] *vt., vi.* **1** 〖生理〗 골화(骨化)하다. **2** 굳어지다, 경화하다 ; 냉혹하게 하다[되다] ; 보수화하다. 〚F＜L ; ⇨ OSSEOUS〛

os·so bu·co [óusou bú:kou ; ɔ́sou búkou] *n.* 오소부코《송아지 정강이살을 백포도주로 찐 요리》. 〚It.＝bone marrow〛

os·su·ary [áʃuèri, -sju- ; -əri] *n.* 납골당 ; 뼈단지 ; 뼈동굴《고대 유골이 있는 동굴》.

os·te- [ásti], **os·teo-** [ástiou, -tiə] *comb. form* 「뼈」의 뜻. 〚Gk. *osteon* bone〛

os·te·i·tis [àstiáitəs] *n.* 〖醫〗 골염(骨炎). **òs·te·ít·ic** [-ít-] *a.*

os·ten·si·ble [asténsəbəl] *a.* 표면상의 ; 외면(만)의, 겉치레의 ; 틀림없는, 현저한. **-bly** *adv.* 표면상. 〚F＜L (*ostens- ostendo* to show)〛

os·ten·sion [asténʃən] *n.* 〖言〗 ＝OSTENSIVE DEFINITION.

os·ten·sive [asténsiv] *a.* **1** 명시하는, 명확하게 지시하는. **2** ＝OSTENSIBLE.

osténsive definítion *n.* 〖言〗 실물 지시적 정의《대상물을 가리켜 나타내는 정의》.

os·ten·so·ry [asténsəri] *n.* 〖카톨릭〗 성체(聖體) 현시대(顯示臺) (monstrance).

os·ten·ta·tion [àstentéiʃən] *n.* Ⓤ 겉치레하기 ; 허식 ; 야함 : The statue had beauty without ~. 그 조상(彫像)에는 허식 없는 아름다움이 있었다. 〚OF＜L ; ⇨ OSTENSIBLE〛

os·ten·ta·tious [àstentéiʃəs] *a.* 허세부리는, 여봐란 듯이 하는 ; 야한. **~·ly** *adv.* 겉치레하여, 허세부려서, 여봐란듯이 ; 화사하게.

osteo. osteopath(y).

osteo- [ástiou, -tíə] ☞ OSTE-

òsteo·arthrítis *n.* Ⓤ 〖醫〗 골관절염.

òsteo·arthrósis *n.* Ⓤ 〖醫〗 골관절증.

ósteo·blàst *n.* 〖解〗 골아[조골](骨芽[造骨]) 세포. **òsteo·blástic** *a.*

os·te·oid [ástiɔ̀id] *a.* 뼈 같은, 골상(骨狀)의.

os·te·ol·o·gy [àstiálədʒi] *n.* Ⓤ 골학(骨學)《해부학의 한 부문》. **-gist** *n.* 골학자.

os·te·o·ma [àstióumə] *n.* (*pl.* **~s, -ma·ta** [-tə]) 〖醫〗 골종(骨腫).

òsteo·myelítis *n.* Ⓤ 〖醫〗 골수염(骨髓炎).

ósteo·pàth *n.* 접골(接骨) 요법가.

òsteo·páthic *a.* 접골 요법(가)의.

òs·te·óp·a·thist *n.* ＝OSTEOPATH.

os·te·op·a·thy [àstiápəθi] *n.* Ⓤ 접골 요법 ; 안마요법(massage).

òsteo·plástic *a.* 〖外科〗 골형성(骨形成)(술)의 ; 〖生〗 뼈가 생기는.

ósteo·plàsty *n.* 〖醫〗 골(骨)형성술.

òsteo·po·ró·sis [-pəróusəs, -pɔ:-] *n.* Ⓤ 〖醫〗 골다공증(骨多孔症). **-po·rot·ic** [-rátik] *a.*

òsteo·sarcóma *n.* 〖醫〗 골육종.

os·ti·ary [ástièri ; -tiəri] *n.* 문지기 ; 〖카톨릭〗 수문(守門).

O. St. J. Officer of the Order of St. John of Jerusalem.

ost·ler [áslər] *n.* (여관의) 말구종.

ost·mark [ástmà:rk, 美＋ɔ́:st-] *n.* 오스트마르크《통일전 동독의 화폐 단위 ; 略 Om.》.

os·to·my [ástəmi] *n.* 〖醫〗 (배설물을 위한) 개구(開口) 수술《인공 항문 성형술 따위》.

-os·to·sis [astóusəs] *n. comb. form* (*pl.* **-os·to·ses** [-si:z], **~·es**) 「골화(骨化) (작용)」의 뜻 : ect*ostosis*, hyper*ostosis*. 〚*oste-*＋*-osis*〛

Ost·pol·i·tik [ɔ́:stpouliti:k] *n.* Ⓤ (특히 통일전 서독의) 동방 정책, 동유럽 정책. 〚G＝east policy〛

os·tra·cism [ástrəsìzəm] *n.* **1** Ⓤ 〖古그〗 오스트라시즘, 도편추방(陶片追放)《백성으로 하여금 위험인물의 이름을 사금파리·조가비 따위에 써서 투표하게 하여 10년[나중에는 5년] 동안 외국으로 추방하던 일》. **2** Ⓤ 추방, 배척 : suffer social [political] ~ 사회적으로[정계에서] 매장되다. 〚C16 (↓)〛

os·tra·cize [ástrəsàiz] *vt.* **1** 〖古그〗 도편추방에 의해 추방하다. **2** 추방하다, 배척하다. 〚Gk. *ostrakon* shell, potsherd〛

ós·trei·cùlture [ástriə-] *n.* 굴 양식(養殖) (oyster culture).

os·trich [ɔ́(:)stritʃ, ás-] *n.* **1** 〖鳥〗 타조 : an ~ farm 타조 사육장. **2** 현실[위험] 도피자, 무사안일 주의자.

have the digestion of an ostrich 무엇이든지 소화시킬 수 있다, 위장이 매우 튼튼하다.

ostrich belief [***policy***] 자기 기만(의 도피 주의), 무사안일주의《타조는 쫓기면 머리를 모래에 처박고 꽁무니 감출 생각은 못하는 습성에서》. 〚OF (L *avis* bird, *struthio* (＜Gk.) ostrich)〛

Os·tro·goth [ástrəgàθ] *n.* 동고트족(族)《이탈리아에 왕국을 세웠음 ; 493-555년 ; cf. VISIGOTH》.

O.S.U. *Ordo Sanctae Ursulae* 《L》 (＝Order of St. Ursula).

Os·wald [ázwɔ:ld ; ɔ́zwəld] *n.* 남자 이름. 〚OE＝god＋power〛

ot- [óut], **oto-** [óutou, -tə] *comb. form* 「귀」의 뜻. 〚Gk. (*ōt- ous* ear)〛

OT 〖美蹴〗 offensive tackle. **OT, O.T.** occupational therapy ; Old Testament. **OT, o.t.** overtime.

otal·gia [outǽldʒiə] *n.* 〖醫〗 귀앓이.

OTB offtrack betting(경마장 밖에서의 마권 팔기). **OTC** Offshore Technology Conference (해양 기술 회의) ; Organization for Trade Cooperation(국제 무역 협력 기구). **O.T.C.** Officer in Tactical Command (기술 지휘관) ; 《英》 Officers' Training Corps (장교 양성단) ; 〖經〗 Organization for Trade Cooperation(무역 협력 기구) ; over-the-counter. **OTEC** ocean thermal energy conversion (해양열 에너지 변환 ; 해양 온도차 발전). **OTH** over-the-horizon.

Othel·lo [ouθélou, ə-] *n.* 오셀로《Shakespeare 4

대 비극의 하나 ; 그 주인공》. 〚It.〛

◇**oth·er** [ʌ́ðər]

> (1) 기본 용법 : ① 형용사로서 「다른, 그 밖의」 ② 대명사로서 「다른 사람, 남, 다른 것」
> (2) 단수명사를 수식할 때는 some, any, no 따위와 같이 쓰든가 another를 쓴다.
> (3) 본래 비교급이므로 than과 함께 쓴다.

── *a.* 㽷 Ⓒ의 단수명사를 수반하는 용법은 ☞ ANOTHER(=an+other). **1 a)** 다른, 그 밖의, 별개의 ; 상이한 : The gentleman was *no ~ than* Prof. Smith. 그 신사가 스미스 교수 바로 그 분이었다 / Mary is taller than *any ~* girl in the class. 메리는 반에서 그 누구보다도 키가 크다. ☞ 活用 (1). **b)** 또 다른 : I have *no ~* son(s). 또 다른 아들은 없다 / Any ~ questions? 또 다른 질문은 없니 / I have *some*[*two, a few*] ~ questions. 이밖에 질문이 몇 가지[둘, 조금] 있습니다. **2** [the ~] (둘 중의) 또 하나의, 나머지의(cf. ONE *a.* 3, ANOTHER) : Shut your[*the*] ~ eye. 다른 한 쪽 눈도 감으시오 / *the ~* party 〖法〗 상대방 / *the ~* world 저 세상, 내세(cf. OTHERWORLDLY). ☞ 活用 (2). **3** [the ~] 맞은편의 ; 반대의 : *the ~* end of the table 테이블의 반대쪽 끝 / *the ~* side of the moon 달의 맞은편 쪽 / the man on[at] *the ~* end of the line 전화의 상대방 남자.

at other times 평소에는, 보통때는.

every other... ☞ EVERY.

***no*[*none*] *other than*[*but*]...** ☞ NO *a.*, NONE *a.*

> **other ~ than**
> (×) He had no *other* desire *but* to marry her. (그는 그녀와 결혼하는 것 외에 아무 소원도 없었다.)
> (◯) He had no *other* desire *than* to marry her.
> ∗ other가 선행하는 경우에는 상관적으로 than을 쓴다. other가 없으면 but이 맞다.
> (◯) He had *no* desire *but* to marry her.

on the other hand ☞ HAND.

other things being equal 다른 조건이 같다면.

the other day [부사적으로] 일전에, 요전날.

***the other way about*[(*a*)*round*]** ☞ WAY.

── *pron.* (*pl.* **~s**) **1** 다른 것, 다른 사람 ; 별개의 것, 그 밖[이외]의 것 : Do to *~s* as you would have *~s* do to you. 남이 네게 해 주기를 원하는 바를 남에게 베풀어라 / To some life means pleasure, to *~s* suffering. 인생이란 어떤 사람에게는 기쁨을 뜻하고, 또 어떤 사람에게는 괴로움을 뜻한다 / Give me some *~s.* 좀 다른 것을 주시오. **2** [the ~, the ~s] 그 밖의 것[사람], 다른 한편, 나머지 한쪽 : I must consult *the ~s* about the matter. 그 문제에 대해서는 다른 사람 모두와 상의하지 않으면 안된다 / *One* neutralizes the ~. 한쪽이 다른 쪽을 중화(中和)시킨다. ☞ 活用 (3).

among others ☞ AMONG.

each other ☞ EACH.

of all others (다른 것을 포함하여) 모든 것 중에서, 특히 : on that day *of all ~s* 많은 날 중에 하필이면 그 날에 / That was the (one) thing *of all ~s* that he wanted to see. 그것은 다른 무엇보다도 그가 보고 싶어했던 바로 그것이었다.

one after the other ☞ ONE *pron.*

one from the other 갑을 을과 구별하여 : I can't tell the twins *one from the ~.* 그 쌍둥이를 구별할 수 없다.

some...or other 무언가, 누군가, 어딘가 : *Some* man *or ~* spoke to me on the street. 누군가 (모르는 사람이) 거리에서 내게 말을 걸어왔다 / *some* time *or ~* ☞ SOME *a.* 숙어 / *Some* idiots *or ~* have done it. 어느 바보 자식이 그것을 했구나.

> 〈회화〉
> How do you like this one?—The color doesn't suit my taste. Could you show me some *others*, please?「이것은 어떻습니까」「빛깔이 마음에 안들어요. 다른 것들을 좀 보여 주시겠습니까」

── *adv.* [~ than으로 부정·의문문에서] 그렇지 않고, 다른 방법으로 : I can do *no*[can't do] *~ than* accept. 받아들일 수밖에 없다 / How can you think *~ than* logically? 너는 어찌 논리적이지 못한 방식으로 생각할 수 있느냐.

〚OE *ōther* ; cf. G *ander*〛

活用 (1) any other에 계속되는 명사가 Countable의 경우, any other *girl*과 같이 단수형을 쓰는 것이 표준적이지만, 때로 any other *girls*라고 복수형을 쓰는 수도 있음.

(2) 문맥에 따라 쉽사리 이해가 될 때는 the other에 따르는 명사는 생략되는 수가 있다 : Put it in this box, not in *the other* (=the other box). (그쪽 상자가 아니고 이쪽 상자에 그것을 넣으시오).

(3) i) the others는 나머지의 전부를 가리키지만, 「전부」라는 뜻을 강조하기 위하여 앞에 all을 붙일 수도 있음 : Three of the boys were late, but *all the others*[all the other boys] were in time for the meeting. (그 소년들 중 세 사람은 모임에 늦었지만, 다른 사람들은 모두 제시간에 왔다). ii) 양자에 대해서 말하는 경우는 one...the other를 쓰는 것이 일반적이나, 때로는 the one...the other도 쓰이는 수가 있음 : Two of the guests, *one*[*the one*] American and *the other* Russian, were talking to each other pleasantly.(손님 두 사람중 한 사람은 미국인이고 한 사람은 러시아인이었는데, 서로 유쾌하게 얘기하고 있었다).

óther-dirèct·ed *a.* 타인[환경] 지향적인, 타율적인, 주체성이 없는(↔*inner-directed*).

óther·guèss *a.* 《古》 =DIFFERENT.

óther·ness *n.* Ⓤ,Ⓒ **1** 다름, 별남, 상위(相違) ; 딴 사람임 ; 별개의 것. **2** 〖哲〗 타성(他姓), 타자(他者).

óther párty *n.* 〖法〗 상대방.

óther·whère *adv.* 《古·方》 다른 곳에, 어딘가 딴 곳에(elsewhere).

óther·whìle(s) *adv.* 《古·方》 또 다른 때에는 ; 때때로.

∗**oth·er·wise** [ʌ́ðərwàiz] *adv., a.* **1** 다른 방법으로[요령으로], 다른 상태로, 그렇지 않고 : I would rather stay than ~. 난 차라리 머무르고 싶다 / Some are wise, some are ~. 《속담》 슬기로운 사람도 있지만 그렇지 않은 사람도 있다 / Nobody would have done ~ *than* you did. 누구나 네가 한 것처럼 그렇게 할 수밖에 없었을 것이다 / How can it be ~ *than* fatal? 치명적이 아니고 무엇이겠는가. **2** [명령법이나 가정법과 함께 접속사적으로] 그렇지 않으면(or else, or) : He

worked hard ; ~ he would have failed. 그는 열심히 공부했다. 그렇지 않았다면 실패했을 것이다. **3** 다른 점에서[의] : his ~ equals 다른 점에서는 그에 필적할 만한 사람들 / He had his shins skinned, but ~ he was uninjured. 그는 정강이가 까졌을 뿐 다른 데는 다치지 않았다.
and otherwise 기타, …등등.
or otherwise 또는 그 반대로.
〖OE *on ōther wīsan* ; ⇨ OTHER, WISE[2]〗

óther·wìse-mínd·ed *a.* 성미[의견·취미]가 다른 ; 여론에 어긋나는.

óther·wórld *n.* [the ~] 저승, 내세 ; 공상의 세계. —— *a.* =OTHERWORLDLY.

óther·wórld·ly *a.* 내세의 ; 공상적인 ; 속세를 초월한(cf. the OTHER world).

Oth·man [ouθmάːn, αθ-, άθmən] *n.* =OTTOMAN.

OTHR over-the-horizon radar.

otic [óutik, άt-] *a.* 〖解〗 귀의.
〖Gk. (*ōt- ous* ear)〗

-ot·ic[1] [άtik] *a. suf.* 「(작용·과정·상태 따위) …적인」「…에 걸린」「…을 (이상하게) 낳은」의 뜻. ㊟ 종종 -OSIS로 끝나는 명사의 형용사를 만듦: symbi*otic* (<symbiosis) ; hypn*otic* (<hypnosis), narc*otic* (<narcosis) ; leukocyt*otic* (<leukocytosis). 〖F<L<Gk.〗

-o·tic[2] [óutik, άtik] *a. comb. form* 「귀의 …부분의」「귀와 …의 관계가 있는 부위의」「귀와 …의 관계가 있는 뼈의」의 뜻 : par*otic*, peri*otic*.
〖Gk. ; ⇨ OT-〗

oti·ose [óuʃiòus, óuti-] *a.* **1** 헛된 ; 불필요한 ; 무익한. **2** 한가한 ; 게으른. **~·ly** *adv.* **~·ness** *n.*
oti·os·i·ty [òuʃiάsəti, òuti-] *n.* Ⓤ 태만 ; 불필요. 〖L (*otium* leisure)〗

oti·tis [outáitəs] *n.* Ⓤ 〖醫〗 이염(耳炎) : ~ externa[interna, media] 외[내, 중]이염(耳炎).

oti·um cum dig·ni·ta·te [óutiùm kum dìgnətάːtei] *n.* 유유 자적(悠悠自適).
〖L=leisure with dignity〗

oto- [óutou, -tə] ☞ OT-.

otol. otology.

òto·laryngólogy *n.* 이후두학(耳喉頭學).

otol·o·gy [outάlədʒi] *n.* Ⓤ 이과학(耳科學).

òto·rhìno·laryngólogy *n.* 이비인후과학.

óto·scòpe *n.* 〖醫〗 이경(耳鏡) ; 이청관(耳聽管).

òto·tóxic *a.* 〖醫〗 내이(內耳)신경 독성의.
-toxícity *n.*

OTP 〖電子〗 one-time programmable EPROM《한 번만 입력 가능한 EPROM》.

OTS, O.T.S. Officer's Training School ; Orbit Test Satellite(궤도 실험 위성).

ot·ta·va [outάːvə] *adv., a.* 〖樂〗 옥타브에서[의], 8도 높게[높은], 8도 낮게[낮은]. 〖It.〗

ottáva rí·ma [-ríːmə] *n.* 〖韻〗 8행시체《각행 11 음절, 단 영시에서는 10-11음절, 압운(押韻)의 순서는 ab ab ab cc》. 〖It.=eighth rhyme〗

Ot·ta·wa [άtəwὰː, -wə, -wɔ̀ː] *n.* 오타와《캐나다의 수도》.

ot·ter [άtər] *n.* (*pl.* **~s**, ~) 〖動〗 수달 ; Ⓤ 수달피(皮) : sea ~ 해달(海獺).
〖OE *otor* ; cf. G *Otter*〗

ótter bòard *n.* 트롤망(網)의 확망판(擴網板).

ótter dòg[hòund] *n.* 수달 사냥개.

ótter tràwl *n.* 트롤망(網).

ot·to [άtou] *n.* Ⓤ 장미유(油) (attar).

Otto *n.* **1** 남자 이름. **2** ~ **the Great** 오토 대제(大帝) (912-73)《독일왕 및 신성로마 제국 황제》.

〖Gmc.=rich〗

Ot·to·man [άtəmən] *a.* Osman 왕조의 ; 오스만[옛 터키] 제국의 ; 터키인[민족]의. —— *n.* (*pl.* **~s**) **1** 터키인. **2** [o~] (두툼하게 속을 채운) 등받이가 없는 긴 의자 ; (두툼하게 쿠션을 댄) 발판 (footstool). 〖F<Arab.〗

Óttoman Émpire *n.* [the ~] 오스만 제국《옛 터키 제국》.

OTV 〖로켓〗 orbital transfer vehicle(궤도간 수송기). **O.U.** Oxford University ; Open University. **O.U.A.C.** Oxford University Athletic Club. **O.U.A.F.C.** Oxford University Association Football Club. **O.U.B.C.** Oxford University Boat Club (옥스퍼드 대학(大學) 보트 클럽).

ou·bli·ette [ùːbliét] *n.* 비밀 토옥(土獄)《위쪽의 뚜껑만으로 드나듦》.
〖F (*oublier* to forget)〗

O.U.C.C. Oxford University Cricket Club.

ouch[1] [áutʃ] *int.* 아야 ! (cf. OW)《아픔》. —— *n.* 《俗》 상처. 〖imit. ; cf. G *autsch*〗

ouch[2] *n.* 《英·古》 (보석 따위를 박은) 장식핀 (clasp), 브로치(brooch). —— *vt.* ouch로 장식하다. 〖이분석(異分析) ‹*a nouche*<OF *nouche* buckle<Gmc. ; cf. ADDER〗

óuch wàgon *n.* 《CB俗》 구급차.

O.U.D.S. Oxford University Dramatic Society. **O.U.G.C.** Oxford University Golf Club.

‡ought[1] [ɔːt, ɔ́ːt] *auxil. v.* ㊟ 항상 to 부정사를 수반하며, 과거를 나타내려면 완료형 부정사를 수반해야 한다. **1** [의무·당연·적당·필요] …하여야 하다, …하는 것이 당연[적당]하다, …하는 편이 좋다, …하지 않으면 안되다. ㊟ 「의무·당연」을 나타내는 경우는 should보다 약간 강한 뜻 ; 「필요」에서는 must보다 약함 : You ~ *to* do it at once.=It ~ *to* be done at once. 그것은 곧 하지 않으면 안된다 / It ~ *not to* be allowed. 그것은 허락해서는 안된다 / You ~ *to* have told me. 나에게 말했어야 했다《말하지 않았던 것은 잘못이다》. **2** [가망성] …일 것이다, …임에 틀림없다 (cf. SHOULD 1 g)) : It ~ *to* be fine tomorrow. 내일은 틀림없이 날씨가 좋을 것이다 / He ~ *to* have arrived by this time. 지금쯤은 도착했을 것이다《도착하지 않았다면 이상한 일이다》.
hadn't ought to do 《方》 (1) =OUGHT not to do. (2) =OUGHT not to have done.
had ought to do 《方》 (1) =OUGHT to do. (2) =OUGHT to have done.
—— *n.* 의무(duty).
〖OE *āhte* (past) ‹ *āgan to* OWE〗

ought[2] *n.* 《口》 영(零), 제로(naught).

ought[3] *pron., adv.* =AUGHT[1].

ought[4] [ɔ́ːxt] *vt.* 《스코》 =OWE ; =POSSESS.

***ought·n't** [ɔ́ːtnt] =ought not의 단축형.

O.U.H.C. Oxford University Hockey Club.

oui [*F* wi] *adv.* =YES.

Ouí·ja (bòard) [wíːdʒə(-)] *n.* 강신술(降神術)에 쓰이는 점괘 기록판.
〖F *oui*, G *ja* yes〗

ou·long [úːlɔ̀(ː)ŋ, -lὰŋ] *n.* =OOLONG.

O.U.L.T.C. Oxford University Lawn Tennis Club.

***ounce**[1] [áuns] *n.* **1** 온스《상형(常衡)에서는 1/16 파운드, 28.35그램 ; 금형(金衡)·약국형에서는 1/12파운드, 31.103그램 ; 略 oz.》. **2** 액량 온스(=fluid ~)《《美》 29.6cc ; 《英》 28.4cc》. **3** [an ~] 《비유》 소량(a bit) : *An* ~ *of* practice is worth a pound of precept. 《속담》 교훈보다 실행이 중요하다. 〖OF<L *uncia* twelfth part of pound or foot ; cf. INCH〗

ounce² *n.* 《詩》 살쾡이 ; 흰표범《중앙아시아·시베리아산》. 〖OF (*l*)*once* ; cf. LYNX〗

OUP, O.U.P. Oxford University Press(옥스퍼드 대학 출판부).

◇**our** [auər, ɑːr, áuər] *pron.* [WE의 소유격] **1** 우리의, 우리들의 : ~ country[school] 우리 나라[학교] / *O*~ Savior 우리의 구세주《그리스도》. **2** (나라의 원수·영국 국교회 감독이 my대신에 써서) 짐(朕)의. **3** (신문 따위에서 논설을 발표할 때) 우리들의 : in ~ opinion 우리의 견해로서는. **4** 예(例)의, 문제의 : ~ gentleman in the black hat 검정 모자를 쓴 문제의 신사.
〖OE *ūre* (gen. pl.) ‹ *we* ; cf. G *unser*〗

-our *suf.* 《英》 =-OR².

Òur Fáther *n.* 〖聖〗 우리 아버지《하느님 ; 주(主)의 기도 ; 마태복음 6 : 9-13》.

O.U.R.F.C. Oxford University Rugby Football Club.

Òur Lády *n.* 성모 마리아.

◇**ours** [áuərz, ɑ́ːrz] *pron.* [WE에 대응하는 소유대명사] **1** 우리의 것(cf. HERS, HIS 2, MINE¹, THEIRS, YOURS) : Their house is larger than ~. 그들의 집은 우리집보다 크다 / *O*~ is a day of rapid changes. 현대는 변화가 아주 빠른 시대다 / this country of ~ 우리의 이 나라. **2** 《英》 우리의 가족[회사·연대 따위] : Jones of ~ 우리 부대[회사]의 존스. **3** 우리의 임무 : It is not ~ to blame him. 그를 책망하는 것은 우리의 임무가 아니다.

〈회화〉
Which car's *ours* ? — This car's ours, not that one. 「어느 것이 우리 차지」「이것이 우리 차고, 저것은 아니야」

㊟ 보다 더 상세한 용법과 보기는 MINE¹ 참조.
活用 ☞ MINE¹.

our·self [ɑːrsélf, àuər-] *pron. sg.* 나 자신, 짐(朕)[나] 스스로《군주 등이 쓰는 단수형 we의 재귀대명사형》; (자기) 자신, 자기(the self).

‡**our·selves** [ɑːrsélvz, àuər-] *pron. pl.* [특히 제왕의 공식 용어일 때는 단수형 ourself를, 또는 신문 따위에서 사설로 의견을 발표하는 경우는 ourselves, ourself를 모두 씀] (cf. WE 2) **1** [강조용법] **a**) [동격적] 우리 스스로 : We ~ will see to it. =We will see to it ~. 우리들 자신이 그 일을 처리하겠다 / We do everything (*for*) ~. (남에게 의지하지 않고) 우리는 무엇이나 우리의 힘으로 한다. **b**) [인칭대명사 대용] : You can do it better than ~. 너는 우리보다 더 잘할 수 있다. **2** [재귀용법] 우리들 자신에게[을] : We enjoyed ~ a good deal. 우리들은 마음껏 즐겼다. **3** [be의 보어로서] 평소의[평상시의] 우리들 : We were not ~ for some time. 우리는 잠시 멍하니 있었다.
(all) by ourselves 우리 힘으로 ; 우리들만으로. ㊟ 그 밖의 숙어에 대해서는 ☞ ONESELF.
活用 ☞ MYSELF.

-ous [əs] *a. suf.* **1** 「…이 많은」「…성(性)의」「…과 비슷한」「…의 특징을 가지는」「…의 버릇이 있는」「…에 열중하는」의 뜻 : peril*ous*. **2** 〖化〗 「(-IC의 어미를 갖는 산(酸)에 대하여) 아(亞)…」 : nitr*ous* acid 아질산(亞窒酸).
〖AF, OF<L ; ⇨ -OSE〗

ousel ☞ OUZEL.

oust [áust] *vt.* **1** [+目+*from*+名] 내쫓다, 몰아내다, 축출하다 : The umpire ~*ed* the player ***from*** the game. 심판은 그 선수에게 퇴장을 명했다. **2** [+目+*of*+名] 〖法〗 …에게서 박탈하다 ; (권리 따위를) 빼앗다, 박탈하다 : ~ a person ***of*** his right 남에게서 권리를 박탈하다.
〖AF=to take away<L *ob*-(*sto* to stand)=to oppose〗

oust·er [áustər] *n.* 추방 ; 〖法〗 점유박탈.

◇**out** [áut]

(1) 기본 뜻 : 「밖으로, 밖에」
(2) out은 그 반의어인 in과는 달리 전치사와 부사의 기능을 겸할 수 없는 부사 전용이다. 따라서 「…의 밖에, …의 밖으로, …의 안으로부터」라는 뜻은 전치사 상당구인 복합전치사 out of가 담당한다. 이 out과 out of가 짝이 되어 in과 into와 대응하는 구를 만들 때가 많다 : look *out* (밖을 바라보다), look *out of* the window(창 밖을 바라보다) / look *in*(들여다 보다), look *into* the house(집 안을 들여다보다)

— *adv.* **1** [장소의 관계] **a**) 밖에[으로], 외부에[로] ; 외출하여, 부재(不在)로, (밖에) 나가, 떠나(↔*in*) : He is ~. 외출 중이다 / Father is ~ in the garden. 아버지는 지금 정원에 (나가) 계십니다 / go ~ for a walk 산책하러 나가다. ㊟ 이와 같이 일단 막연히 out이라 말하고 다음에 이것을 in..., for... 따위로 부연하는 것이 영어의 관용임. **b**) [+do*ing*] : My father has gone ~ fish*ing*. 아버지는 낚시질하러 가셨습니다 / He often takes me ~ shoot*ing*. 그는 나를 자주 사냥에 데리고 간다.
2 (선박 따위) 외국행으로 ; 육지를 떠나, 난바다로 (나가) : ~ at sea 항해중 / far ~ at sea 멀리 난바다에.
3 **a**) 누설되어, 탄로나서 : The murder is ~. 살인이 탄로났다(cf. *vi.*). **b**) 발표되어, 출판되어, 세상에 나와 (있어) ; (무엇이) 나타나, 나와. **c**) (꽃이) 피어. **d**) 부화되어 ; (알이) 깨어.
4 추방되어, 제외되어 ; 정권을 잃어 ; 〖競〗 아웃되어 ; (방해물 따위를) 제거하여.
5 **a**) 없어져 ; 품절(品切)되어 : The wine has run ~. 술이 떨어졌다. **b**) 다되어, (기한 따위가) 차서, 만기가 되어 : before the year is ~ 연내(年內)에.
6 끝까지, 결론이 날 때까지 ; (최후까지) …해내어, (무사히) …을 끝내어 : Hear me ~. 내가 말하는 것을 끝까지 들어라 / School was finally ~. 수업이 드디어 끝났다 / His strength was ~. 그의 힘이 다 빠졌다.
7 철저하게 ; 노골적으로, 숨김없이 ; 들리도록, 소리높여 : be tired ~ 지칠대로 지치다 / Tell him right ~. 그에게 분명히 말하시오.
8 어긋나, 부진하여, 탈이나 ; 다투어, 불화가 생겨 : The arm is ~ 팔을 삐었다 / be ~ in one's calculation 계산이 틀리다 / I am ~ (=at odds) *with* Smith. 나는 스미스와 사이가 틀어졌다.
9 일을 쉬어, 파업을 하여 : The workmen are ~ (on a strike). 노동자들은 파업중이다 / My hands are ~. 손이 비어 있다《하는 일이 없다》.
10 유행하지 않게 되어, 유행이 지나 : Frock coats have gone ~. 프록 코트는 유행이 지났다.
11 [동사와 결합] **a**) 나가, 나와 : go ~ 나가다 / jump ~ 뛰어 나가다. **b**) (들어가지 않고) 밖에 : keep ~ 들어가지 않고 있다. **c**) 꺼져서, 꺼

버려서 : burn ~ 다 타버리다 / put ~ a fire 불을 끄다.
all out ☞ ALL.
be out for[***to*** do]... 《口》 …을 얻으려고[…하려고] 노력하다[애쓰다] : I'*m* not ~ *for* compliments. 칭찬을 받으려고 하는 것은 아니다 / I *am* not ~ *to* reform the world. 세계를 개혁하려는 것이 아니다.
have one***'s Sunday out*** 일요일에 (짬을 내어) 외출하다.
out and away 훨씬, 비교가 안될 만큼(by far).
out and home 왕복 모두, 갈 때나 올 때나.
out and out 전적으로, 완전히, 철저하게(cf. OUT-AND-OUT).
out of... ☞ OUT OF.
out there 저쪽에, 저기에 ; 《俗》 싸움터에.

〈회화〉

Hello? May I speak to Mr. Smith, please? — I'm sorry, but Mr. Smith is *out* at the moment. 「여보세요. 스미스씨 좀 바꿔 주시겠어요」「미안합니다만, 스미스씨는 지금 외출중이신데요」

—— *prep.* **1** 《文語》 …으로부터[에서]《지금은 *from out* 으로만 쓰임》 : It arose *from* ~ the azure main. 그것은 푸른 망망 대해로부터 나타났다. **2** 《美》[안쪽·중심에서 바깥쪽으로의 운동·방향을 나타내어] **a**) (문·창문 따위)로부터(=《英》 out of) : go ~ the door 문밖으로 나가다 / look ~ the window at the river 창문을 통해서 밖의 강을 내다보다 / throw a bag ~ the window onto the platform 가방을 창문에서 플랫폼으로 내던지다 / hurry ~ the room 방에서 뛰쳐나가다. **b**) …의 밖에, …의 변두리에 : He lives ~ Elm Street. 엘름가(街)의 변두리에 살고 있다 / *O*~ this door is the garage. 이 문 밖은 차고로 되어 있다. ㊟ into, within, in에 대응하는 전치사.
—— *attrib. a.* 밖의 ; 멀리 떨어진 ; 보통이 아닌 : the ~ side 수비측 / an ~ size (양복 따위의) 특대(형) (cf. OUTSIZE).
—— *n.* **1** 외부(outside). **2** 외출. **3** [the ~s] 야당(野黨) ; 수비측. **4** 《口》 결점, 약점. **5** 탈락(omission). **6** 〖野〗 아웃. **7** [*pl.*] 공직[현직]에서 떠난 사람 ; 실직한 사람.
at outs with... =***on the outs with...*** 《美口》 …와 다투어, 사이가 틀어져.
from out to out 끝에서 끝까지, 전체의 길이.
the ins and outs ☞ IN *n.*
—— *vt.* 《口》 몰아내다 ; (불을) 끄다 ; 〖拳〗 녹아웃시키다.
—— *vi.* 공개(公開)되다(come out) (cf. *adv.* 3 a)) : The truth will ~. 진상은 반드시 밝혀진다 / Murder will ~. 《속담》 나쁜 일은 반드시 탄로나는 법(cf. *adv.* 3 a)).
—— *int.* **1** 꺼져라! ; 말해버려! : *O*~ *with* him! 그 놈을 쫓아내라(Turn him out!). **2** 《古》 (혐오·비난 따위를 나타낼 때) 빌어먹을, 망할! : *O*~ *upon* Christmas! 크리스마스고 뭐고 지긋지긋해! 〚OE *ūt* ; cf. G *aus*〛

out- [áut] *pref.* [동사·분사·동명사 따위의 앞에 붙어] 「바깥」「…이상으로」「…보다 나아」 따위의 뜻. ㊟ 악센트는 명사·형용사에서는 óutburst, óutlying처럼 앞에, 동사에서는 outdó, óutdó처럼 뒤 또는 앞뒤에 오는 것이 일반적임. 〚↑〛

outa, out·ta, out·er [áutə] 《美口》 [발음철자] =OUT OF.

òut·achíeve *vt.* …보다 우수한 성과를 올리다, …보다 출세하다, 능가하다.

óut·age *n.* Ⓤ,Ⓒ **1** (정전으로 인한) 기계의 운전 중지. **2** 정전[단수] 시간. **3** (운반·보관 중에 생긴 상품의) 감량.

óut-and-óut *a.* 전적인, 순전한, 철저한, 완전한. —— *adv.* 전적으로, 철저하게.

out-and-óut·er *n.* 《口》 철저한 사람, 완벽주의자 ; 완전한 견본 ; 보통이 아닌 사람 ; 극단적인 사람 ; 출중한 사람[것].

out·árgue *vt.* 논쟁으로 패배시키다, 논파하다.

out·a·site, -sight [àutəsáit] *a.* 《美俗》 =OUT-OF-SIGHT.

óut·bàck *n.* 《濠》 (미개척의) 오지(奧地). —— [⌐⌐] *a., adv.* 오지의[로].

out·bálance *vt.* …보다 더 무겁다 ; …을 능가하다, …보다 중요하다.

out·bíd *vt.* (경매에서) …보다 더 비싸게 값을 매기다[부르다].

óut·bòard *a., adv.* 〖海〗 배밖의[으로], 뱃전 밖의[으로](↔*inboard*) ; 모터를 선체 밖에 장치한 : an ~ motor 선외(船外) 모터.

óut·bóund *a.* (배 따위) 외국행의(↔*inbound*).

out·bóx *vt.* (권투에서) 강한 상대를 이기다.

out·brág *vt.* 허풍을 떨어 (남을) 이기다[누르다].

out·bráve *vt.* …에 용감히 맞서다, 조금도 두려워하지 않다 ; 무시하다(defy).

óut·brèak *n.* **1** (좋지 않은 일의) 돌발 ; 폭동, 소요(騷擾)(riot) ; (전염병·해충 따위의) 급격한 발생, 대발생 ; (화산 따위의) 돌연한 발생. **2** = OUTCROP.

out·bréed *vt., vi.* **1** (생물을) 이계(異系) 교배시키다[하다]. **2** (이종족·다른 사회 계층간에) 결혼을 시키다[하다].

óut·brèed·ing *n.* 〖生〗 이계 교배(異系交配), 원연(遠緣) 교배, 〖植〗 이계 번식 ; 〖社〗 이부족(異部族) 결혼.

out·buíld *vt.* 보다 견고하게[오래가게, 많이] 세우다[짓다].

óut·buìld·ing *n.* 《美》 (농장 따위의) 딴채《곳간·닭장 따위 ; cf. OFFICE 5》.

óut·bùrst *n.* (화산·격정 따위의) 폭발, 분출 ; (눈물 따위의) 쏟아져 나옴〈*of*〉 ; 〖天〗 아웃버스트 《태양 흑점 부근에 발생한 폭발 현상 및 이에 의한 하전(荷電) 입자가 돌발적으로 지구에 내리 쏟아지는 현상》 ; 자기(磁氣) 폭풍의 폭발적 증대.

óut·càst *a.* 추방된, 버림받은 ; 의지할 곳 없는, 집 없는. —— *n.* 추방된 사람, 부랑자(浮浪者) ; 버린 개[고양이]《따위》.

out·cáste *vt.* 사회로부터 추방[매장]하다. —— [⌐⌐] *n.* 《인도》 사회적 지위가 없는 사람 ; 《인도》 사성(四姓) 외의 천민(cf. CASTE). —— [⌐⌐] *a.* 사회적 지위가 없는.

out·cláss *vt.* …보다 더 높은 급에 속하다 ; …을 훨씬 능가하다.

óut-clèar·ing *n.* Ⓤ 《英》 〖商〗 (어음 교환소의) 교환 어음 (총액).

óut-cóllege *a.* 《英》 대학 구내 밖에 사는 ; 대학 기숙사에 들어가지 않은.

***óut·còme** *n.* 결과, 성과(result)〈*of*〉 ; 결론.

óut·còrner *n.* 〖野〗 아웃코너, 외각(外角)(↔*incorner*).

óut·cròp *n.* (광맥의) 노출, 노두(露頭) ; 출현, 발생. —— [⌐⌐] *vi.* (광맥이) 노출하다 ; (일반적으로) 표면화하다, 드러나다, 나타나다(appear).

out·cróss *vt.* 〖動·植〗 이계 교배시키다. —— [⌐⌐] *n.* 이계 교배(종).

óut·cròss·ing *n.* 〖動·植〗 이계 교배.
óut·crỳ *n.* **1** 외침, 함성, 고함소리, 떠들썩함. **2** U,C 항의(protest)〈*against*〉. **3** 경매 ; 소리치며 팔기. —— [-⌐] *vt.* 부르짖다, …보다 더 소리높이 외치다. —— *vi.* 큰소리로 외치다.
óut·cùrve *n.* 〖野〗 아웃커브(↔*incurve*).
out·dáre *vt.* …보다 대담한 짓을 하다[용감하다] ; 대수롭지 않게 여기다(defy).
out·dáte *vt.* 낡게[시대에 뒤지게] 하다.
out·dáted *a.* 구식의, 시대에 뒤진(out-of-date).
out·dístance *vt.* 훨씬 앞서다 ; (…을) 떼어 놓다.
out·dó *vt.* [+目 / +目+前+名] …보다 뛰어나다, 능가하다 ; …을 이기다(surpass) : He has *outdone* all his rivals ***in*** skill. 기술에 있어서 이제까지 그보다 뛰어난 사람이 없었다.
outdo one***self*** 전에 없이 잘하다 ; 최선의 노력을 하다.
類義語 ⟹ SURPASS.
***óut·dòor** *attrib. a.* **1** 집밖의, 옥외의, 야외(野外)의(↔*indoor*) : ~ cooking 야외 요리. **2** 《英》 원외(院外)의 : ~ relief 원외 구조《구빈원(救貧院)에 수용되지 못한 빈민에게 줌》.
〖C18 *out* (*of*) *door*〗
óutdoor àdvertising *n.* 옥외 광고.
***out·dóors** *adv.* 옥외[집밖·야외]에서[로] : He stayed ~ until it began to rain. 비가 오기 시작할 때까지 밖에 있었다. —— *n.* [보통 the ~] 옥외, 야외(the open air) ; 세상.
óutdoor TV [-tíːvíː] *n.* 《CB俗》 드라이브인(drive-in) 영화관.
out·dráw *vt.* (권총 따위를) 더 빨리 뽑아들다 ; (인기·청중 따위를) 더 많이 끌다.
óut·dròp *n.* 〖野〗 아웃드롭《투수의 공이 타자 앞에서 바깥 아래쪽으로 꺾이기》.
***óut·er** *attrib. a.* **1** 밖의, 바깥쪽[외부]의(↔*inner*) : the ~ suburbs (도심지에서) 멀리 떨어진 교외 / the ~ world 세상 ; 외계(外界) / *O*~ seven 〖經〗 외곽 7개국《유럽 공동 시장에 가입하지 않은 인접 7개국》. **2** 객관적인(objective). —— *n.* (표적의) 중심권 이외의 부분 ; 권외(圈外) 명중탄.
óuter bár *n.* [the ~] 《英》 (칙선(勅選) 변호사가 아닌) 하급 법정 변호사단.
óuter cíty *n.* 《美》 시외, 도시 교외.
óuter-diréct·ed *a.* 외향적인 ; 사회의 가치 기준에 따르는.
óuter éar *n.* 〖解〗 외이(外耳).
Óuter Hóuse *n.* [the ~] 단독 심리실《Scotland 항소 재판의 법정》.
óuter mán *n.* [the ~] 육체 ; 《戲》 풍채, (사람의) 옷차림.
Óuter Mongólia *n.* 외몽고《the Mongolian People's Republic의 옛 이름》.
óuter·mòst [ˌ 英+-məst] *a.* 가장 바깥쪽의, 정상(頂上)의, 가장 뒤쪽의[먼].
óuter spáce *n.* (지구의) 대기권 밖(의 우주) ; 별[행성] 사이의 공간.
Óuter Spáce Trèaty *n.* 우주조약, 우주 천체 조약《우주공간의 평화이용을 주장한 국제조약》.
óuter·wèar *n.* 겉옷, 외투.
óuter wóman *n.* [the ~] (여자의) 복장, 외양, 옷차림.
out·fáce *vt.* 노려보다 ; 낯을 붉히게 하다 ; …을 태연[대담]하게 대하다 ; 문제삼지 않다(defy).
óut·fàll *n.* 강어귀 ; 배출구, 수챗구멍.
óut·fìeld *n.* **1** [the ~] 〖野·크리켓〗 외야 ; 외야수(↔*infield*). **2** (울타리 밖의) 멀리 떨어져 있는 밭. **3** 변경 ; 미지의 세계[분야].
~·**er** *n.* 외야수(↔*infielder*).
out·fíght *vt.* …와 싸워 이기다, 패배시키다.
óut·fight·ing *n.* U 〖拳〗 아웃파이팅.
óut·fit *n.* **1** (여행 따위의) 채비(품) ; (배의) 의장(艤裝). **2** (일반적으로) 용품 ; 장사 도구 : infants' ~ 유아용품 / a carpenter's ~ 목수 연장. **3** 마음의 준비, 소양. **4** (협동 활동의) 단체, 집단, 일행, 일단 ; 부대 ; 《口》 회사. —— *v.* (-tt-) *vt.* [+目 / +目+*with*+名] …에 공급하다, 채비하다, 준비하다 : Every family was ~*ted* ***with*** shoes. 각 가정에 신발이 공급되었다.
—— *vi.* 채비[준비]하다.
~·**ting** *n.* [집합적으로] 채비, 장비 ; 복장.
óut·fitter *n.* 여행[운동] 용품점[상인], 장신구점[상인].
out·flánk *vt.* 〖軍〗 …의 측면을 포위하다 ; 《비유》 계략으로 앞지르다(outwit), 의표를 찌르다, 교묘히 회피하다.
óut·flòw *n.* 유출(물) ; 유출량〈*of*〉 ; (감정 따위의) 분출. —— [-⌐] *vt.* 유출하다.
out·flý *vt.* …보다 빠르게[멀리] 날다 ; 《詩》 뛰쳐나가다.
out·fóot *vt.* (배가) …보다 속도가 빠르다 ; (경주에서 상대를) 이기다.
out·fóx *vt.* …보다 한 수 위다(outwit).
óut·frónt *a.* 《美口》 (정치 운동 따위) 전면에 나선, 진보적인 ; 솔직한, 숨김 없는.
out·frówn *vt.* 《古》 노려보아 말못하게 하다, 위압하다.
out·gás *vt., vi.* 기체를 빼다, 기체가 없어지다.
out·géneral *vt.* …에게 전술[작전]로 이기다, 계략에 빠지게 하다.
óut·gìving *n.* 발표된 것, 발언, 공식 성명 ; [*pl.*] 지출 비용. —— *a.* 분명히 말하는[반응하는] ; 우호적인.
out·gó *vt.* …보다 빨리 가다 ; …의 앞을 가다 ; …을 능가하다. —— *vi.* 나가다. —— [⌐-] *n.* (*pl.* ~**es**) **1** 출발, 퇴거. **2** 경비, 지출(↔*income*). **3** 유출. **4** 결과(outcome).
óut·gò·ing *a.* (↔*incoming*) **1** 나가는, 떠나가는 ; 출발의 : the ~ tide 썰물 / an ~ class 졸업반 / an ~ minister 사임하는 장관. **2** 사교성이 풍부한, 외향성(外向性)의. —— *n.* **1** U,C 떠남, 출발. **2** [*pl.*] 경비, 지출(outlay).
óut-gròup *n.* 〖社〗 외집단(外集團) (↔*in-group*) 《자기 그룹이 아닌》.
out·grów *vt.* **1** 몸이 커져서 (옷 따위를) 입지 못하게 되다 ; 성장하여 (습관·취미 따위를) 벗어나다[잃다] ; 성인이 되어 (질병 따위의) 고통에서 벗어나다 : ~ one's babyish habits 성장함에 따라서 유치한 습관이 없어지다 / The boy has ~*n* his strength. 그 소년은 키만 크고 체력이 뒤따르지 못하였다. **2** …보다 (빨리) 크다[커지다].
óut·gròwth *n.* **1** (당연한) 결과, 소산. **2** 파생물, 부산물. **3** 가지, 움돋이(offshoot) ; 혹. **4** (나무의 싹 따위가) 돋아나옴, 생장, 생성.
óut·guàrd *n.* =OUTPOST 2.
out·guéss *vt.* 한수 더 뜨다, 속여 넘기다.
out·gún *vt.* 〖軍〗 …보다 화력이 우세하다.
out·gúsh *vi.* 흘러나오다, 유출[분출]하다.
—— [⌐-] *n.* 유출, 분출.
out·héctor *vt.* …을 위압하다, 괴롭히다 ; …에게 몹시 뻐기다.
out-Hérod *vt.* …보다 포학하다.
[다음 숙어로]
out-Herod Herod 포학한 점에서 헤롯왕을 능가

하다, 포학하기가 그지없다《Shakespeare 작 *Hamlet*에서》. 주 유사구가 많음 : *out*-Zola Zola 리얼리스틱한 점에서는 졸라 이상이다.

out·hít *vt.* 〖野〗 (상대 팀보다) 많은 안타를 치다, 이기다.

óut·hòuse *n.* **1** ＝OUTBUILDING. **2** 《美》 옥외 변소(outside privy).

óut·ing *n.* 산책, 들놀이, 소풍〈*to*〉 : go for an ~ 소풍을 가다. —— *a.* 들놀이용의 ; 산책용의.

óuting flànnel *n.* 플란넬 비슷한 무명.

óut-ìsland *n.* 〖地〗 속도(屬島) 《주도(主島)에 딸린 섬》.

out·jóckey *vt.* 한 수 더 뜨다, …에게 계략을 써서 이기다(outwit).

out·júmp *vt.* …보다도 능란하게[높이] 뛰다.

óut·lànd *n.* [*pl.*] 변경(邊境). ——[, -lənd] *a.* 변경[멀리 떨어진 곳]의, 벽지의.

óut·lànd·er *n.* 외국인 ; 외래인 ; 《美口》 외부 사람, 국외자(局外者) (outsider).

out·lánd·ish *a.* 이국풍의, 기이한 ; 외진, 벽촌의 ; 멀리 떨어진. **~·ly** *adv.* **~·ness** *n.* 〖OE *ūtlendisc* (OUT, LAND)〗

out·lást *vt.* …보다 오래 가다[견디다], …보다 오래 계속하다 ; …보다 오래 살다.
類義語 ⟹ SURVIVE.

óut·làw *n.* 법률상의 은전(恩典)[보호]을 박탈당한 사람, 법익피박탈자 ; 추방자, 불한당, 무법자, 상습범 ; 사회에서 버림받은 자. —— *vt.* **1** 법률의 보호 밖에 두다 ; 불법이라고 하다[선언하다] ; 금지하다(ban) : ~ drunken driving 음주 운전을 금지하다. **2** 《美》 …에 대하여 법률의 효력을 소멸시키다 : an ~*ed* debt 시효에 걸린 채무. **3** 《美》 다루기 힘든 동물. —— *a.* outlaw의 ; 비합법적인 ; 규칙 위반의. **~·ry** *n.* **1** Ⓤ 법률의 은전[보호]을 박탈하기 ; (사회적) 추방 ; 비합법화 ; 금지. **2** Ⓤ 법률 무시.
〖OE *ūtlaga*<ON〗

óutlaw cóuntry *n.* ＝PROGRESSIVE COUNTRY.

óut·lày *n.* Ⓤ 지출 ; Ⓒ 경비(expense) : a large ~ *for*[*on*] scientific research 거액의 과학 연구비. —— [-ˊ] *vt.* 소비하다, 지출하다.

‡**out·let** [áutlet, -lət] *n.* **1** 출구(↔*inlet*), 배출구(↔*intake*) : an ~ *for* water 물의 배수구 / the ~ of a pond 못의 유출구. **2** (감정 따위의) 배출구 : an ~ *for* one's energies 정력의 배출구. **3** 판로(販路) ; 소매점. **4** 〖電〗 콘센트(cf. PLUG). **5** (네트워크 프로그램을 방송하는) 지방 방송국.

out·líe *vi.* 옥외에서 자다 ; 펴지다, 넓어지다. —— *vt.* …의 맞은 편에 가로 놓이다.

óut·lìer *n.* **1** 집 밖에서 자는 사람, 노숙하는 사람 ; 본체에서 분리된 것. **2** 근무지[영업 장소] 밖에 주거를 가진 사람 ; 문외한, 국외자(局外者). **3** 〖地質〗 이층(離層).

***óut·lìne** *n.* **1** 외형, 윤곽 ; 약도, 밑그림 : an ~ map 윤곽 지도. **2** [때때로 *pl.*] 개요, 대강, 대요, 아우트라인 ; [*pl.*] 요점, 요목, 특징. **3** 〖컴퓨〗 테두리.
give an outline of …의 개요[줄거리]를 설명하다.
in outline 윤곽만의 ; 개략의, 대강의 : draw... *in* ~ …의 윤곽을 그리다.
—— *vt.* **1** …의 윤곽을 그리다 ; …의 약도[밑그림]를 그리다 : The cliff was sharply ~*d against* the sky. 그 절벽은 하늘에 뚜렷하게 윤곽을 드러내고 있었다. **2** 개설(槪說)하다, 기술하다 : I will ~ my trip abroad. 내 해외 여행을 간략하게 기술하겠다.

類義語 ⟹ FORM.

out·líve *vt.* …보다 오래 살다, …보다 장수하다 ; …보다 오래 남다[계속하다] ; 끝까지 살다[살아남다] ; 뒤까지 살아남다 : He ~*d* all his children. 그는 자식들보다 오래 살았다 / She was a lonely old woman who had ~*d* her day. 그녀는 인생의 한창때가 다 지난 고독한 노파였다.
類義語 ⟹ SURVIVE.

***óut·lòok** *n.* **1** 조망, 경치, 광경(view) : an ~ *on*[*over*] the sea 바다의 전망(展望). **2** 예측, 전도, 전망(prospect) ; (일기 예보에서) 예상 : The business ~ *for* next year is favorable[bright]. 내년의 경기 전망은 밝다. **3** 시야 ; 견해, 견지, …관(觀) : a bright[dark] ~ *on* life 밝은[어두운] 인생관. **4** 감시, 경계 ; 망보는 곳, 망루(望樓) (lookout).
on the outlook 경계하여, 조심하여〈*for*〉.
—— [-ˊ] *vt.* 용모에서 …보다 낫다 ; 《古》 …을 노려보다.

óutlook ènvelope *n.* ＝WINDOW ENVELOPE.

óut·lỳing *a.* 밖에 있는 ; 중심에서 떨어진 ; 먼, 외진(remote).

óutlying báse *n.* 〖美軍〗 해외 기지《항구적임》.

out·machíne *vt.* 〖軍〗 (적보다) 기계 장비[기갑부대]가 우세하다.

out·mán *vt.* …보다 인원수가 많다 ; 남자다움에 있어 …보다 낫다.

òut·manéuver, -manóeuvre *vt.* …에게 책략으로 이기다, (적의) 의표를 찌르다.

out·márch *vt.* …보다 빨리[멀리] 가다, 앞지르다, 추월하다.

óut màtch *n.* 원정 경기[시합].

out·mátch *vt.* …을 능가하다.

out·méasure *vt.* …보다 양[정도]에서 낫다.

óut-mìgrate *vi.* (집단적[계속적] 이주의 일부로서) 다른 곳으로 이주[이동]하다.
òut-migrátion *n.*

out·móde *vt., vi.* 유행[시대]에 뒤지게 하다[뒤지다], 한물가다.

out·móded *a.* 유행에 뒤진, 시대에 뒤진.

óut·mòst [, 英+-məst] *a.* ＝OUTERMOST. 〖ME *ūtmest*〗

óut·ness *n.* Ⓤ 〖哲〗 외재성, 객관성 ; 외견, 외면.

out·númber *vt.* …보다 수가 많다.

◇**out of** [àutəv, áutəv]

> (1) 기본 뜻 : 「…로부터 밖으로」
> (2) out of는 전치사 상당구로 반의어인 into와 같은 문맥에서 쓰이나 into와는 달리 두 단어로 나눠 쓸 수가 있다.
> (3) 《美》 용법에서는 부분적으로 out에 전치사로서의 용법도 있다.

—— *prep.* 주 in, into에 대응함. **1 a)** [장소] …의 안[속]으로부터(↔*into*) : ~ doors 집밖으로 / Two bears came ~ the forest. 두마리의 곰이 숲속에서 나왔다. **b)** [범위] …중[가운데]에서, …의 사이에서 : one ~ many 여럿 중의 하나 / nine cases ~ ten 십중 팔구 / one chance ~ ten 열번 중에서 한번의 기회 / pay ten dollars and fifty cents ~ twelve dollars 12달러 중에서 10달러 50센트를 내다. **c)** [기원] …에서, …의 출신으로 : ~ a newspaper 신문에서. **2 a)** [이탈] …의 범위 밖에 : Tom was already ~ hearing. 톰은 이미 들리지 않는 곳에 있었다. **b)** …에서 빠져 나와, 자유롭게 되어 ; …을 넘어, …이상. **3** [소재] …에 의하여, …로부터(cf. OF 3, FROM

4) : What did you make it ~? 그것을 무엇으로 만들었나요. **4** [동기] …때문에 : ~ charity [curiosity, kindness] 동정심[호기심, 친절]에서 / We acted ~ necessity. 필요했기 때문에 마지못해 했다. **5** …을 사용하여 : ~ one's (own) head 스스로 생각하여. **6** [이탈] …을 초월해서, …을 떠나서 : ~ doubt 의심할 여지없이 / times ~ number 몇 번이고, 여러 번. **7** …의 규칙을 벗어나서, …의 규칙을 위반하여 : ~ drawing 화법(畫法)에 어긋나. **8** …이 없어, …을 잃어 (without) : ~ one's senses[mind] 정신 이상이 되어 / ~ work[a job] 실직하여.

out of doors =OUTDOORS *adv.*

out of it (1) 그 속에 포함되지 않아 ; 고립되어, 적적하여. (2) 어찌할 바를 몰라. (3) 틀려서, 잘못 짚어. (4) 아무 관련이 없어.

óut-of-bódy *a.* 자기의 육체를 떠난 ; 체외 유리(體外遊離)의《자기 자신을 바깥쪽에서 보는 초심리학적인 현상에 관해 말함》: ~ phenomena 혼(魂)체외 유리 현상.

óut-of-bòunds *a.* (경기에서) 필드[코스] 밖의, 제한 구역 밖의 ; (생각·행동이) 엉뚱한, 상궤를 벗어난.

óut-of-cóurt sèttlement *n.* 사화(私和), 법정 밖에서의 화해.

***óut-of-dáte** *a.* 구식의, 시대[유행]에 뒤떨어진, 낡은(↔*up-to-date*).

óut-of-dóor, -dóors[1] *a.* =OUTDOOR.

óut-of-dóors[2] *adv., n.* =OUTDOORS.

óut-of-pócket *a.* 현금 지급의《비용》; 일시불의 ; 지참금이 없는《사람》.

óut-of-prínt *a., n.* 절판된 (책).

óut of ránge *n.* 〖컴퓨〗 범위 넘음.

óut-of-régister *n.* 〖印〗 (색도 인쇄에서의) 색의 불일치.

óut-of-schóol *a.* 《英》 과외의 : ~ activities 과외 활동.

óut-of-síght *a.* 《美俗》 발군(拔群)의, 출중한.

óut-of-státe *a.* 타주(他州)의, 주외(州外)의.

óut-of-stát·er [-stéitər] *n.* 타주에서 온 사람.

óut of stóck *n.* (일시적인) 재고 품절.

óut-of-the-móney *a.* (경기 따위에서 등외(等外)로 떨어져) 상금이 없는.

óut-of-the-wáy *a.* **1** 벽촌의, 그다지 사람이 찾아오지 않는, 외딴 : an ~ corner 눈에 띄지 않는 외딴 구석. **2** 기이한, 괴상한, 유별난, 색다른 (eccentric) ; 무례한.

óut-of-thís-wórld *a.* 현실과 동떨어진, 기상 천외의, 뜻밖의.

óut-of-tówn *a.* 시외의, 지방의.

~·er *n.* 시외에서 온 사람, 타지방 사람.

óut-of-wórk *a.* 실직중인.

out·páce *vt.* …보다 속도가 빠르다, 앞지르다 ; …을 능가하다(outdo).

óut·pàrty *n.* 야당.

óut·pàtient *n.* (병원의) 외래 환자(↔*inpatient*).

óut·pènsion *n.* (사회 복지 시설에 수용되어 있지 않은 사람이 받는) 원외(院外) 부조금[연금].

~·er *n.*

òut·perfórm *vt.* (기계 따위가) 작업[운전] 능력에서 뛰어나다, …보다 성능이 우수하다.

out·pláce *vt.* 《美》 (해고하기 전에) 새직장을 주선해주다. **~·ment** *n.* 전직(轉職) 알선.

out·pláy *vt.* 경기에서 패배시키다(defeat).

out·póint *vt.* (시합 따위에서) …보다 많은 점수를 따다 ; 〖拳〗 …에게 판정으로 이기다.

out·póll *vt.* (투표·여론 조사 따위에서) 더 많은 표[지지]를 얻다.

óut·pòrt *n.* **1** (주요 세관 또는 상업지에서 떨어진) 외항(外港). **2** 출항지 ; 수출항.

óut·pòst *n.* **1** 〖軍〗 전초(前哨), 전초부대[지점], 전진 기지. **2** 변경의 식민[거류]지.

óut·pòur *n.* 흘러나옴, 유출 ; 유출물.

—— [-ˊ] *vt., vi.* 흘러나오게 하다 ; 흘러나오다 ; 유출시키다 ; 유출하다.

óut·pòur·ing *n.* 흘러나옴, 유출(물) ; (감정 따위의) 발로, 토로 ; (감정적인) 말.

òut·prodúce *vt.* 생산력에서 …보다 낫다.

out·púll *vt.* …보다 강하게 사람들을 매료시키다 (outdraw).

***óut·pùt** *n.* **1** Ⓤ [또는 an ~] 산출, 생산고, 생산량 ; 생산품 ; (문학 따위의) 작품수. **2** Ⓤ [또는 an ~] 〖機·電〗 출력 ; 〖컴퓨〗 출력, 출력 조작[장치](↔*input*) : ~ data 출력 자료 / ~ device [unit] 출력 장치. —— *vt.* 산출하다 ; 〖컴퓨〗 (결과를) 출력하다.

out·ráce *vt.* =OUTPACE.

***out·rage** [áutreidʒ] *n.* Ⓤ 불법(적인 행동), 무도한 행위 ; 난폭, 폭행, 모욕 ; 분개, 격렬한 분노 : commit an ~ (*up*) *on*[*against*] humanity 인도에 어긋난 포학한 행동을 하다 / *~s against* public decency 풍기 문란. —— *vt.* **1** (법률·윤리 따위를) 어기다, 범하다 ; (남을) 분개시키다 : I was *~d* by the whole proceeding. 그 조치 전반에 대해 분개했다 / ~ common sense[a person's sense of justice] 상식[남의 정의감]을 짓밟다. **2** …을 폭행[학대]하다.

〖OF (*outrer* to exceed<L *ultra* beyond)〗

類義語 ⟹ OFFEND.

out·ra·geous [autréidʒəs] *a.* 난폭한, 포학한, 잔인 무도한 ; 무법의, 괘씸한, 터무니없는.

~·ly *adv.* 난폭하게, 무법으로, 터무니없이.

~·ness *n.*

ou·trance [*F* utrɑ̃ːs] *n.* [at 또는 to와 함께 써서] 최후, 극한.

out·ránge *vt.* …보다 착탄[사정, 비행] 거리가 멀다 ; (일반적으로) …보다 낫다.

out·ránk *vt.* …의 윗자리에 있다 ; 중요성에서 …보다 낫다.

ou·tré [uːtréi ; *F* utre] *a.* 상도(常道)를 벗어난, 과격한 ; 별난, 묘한, 기괴한.

〖F (p.p.)‹*outrer* ; ⇨ OUTRAGE〗

out·réach *vt., vi.* **1** …보다 멀리 미치다, …을 넘다, …보다 낫다, …을 능가하다. **2** (손을) 쭉 내밀다. —— [ˊ-] *n.* Ⓤ **1** 팔을 뻗기, 팔을 뻗은 거리. **2** 《美》 빈곤자 단체의 원조 계획, 빈곤자 조합을 대상으로 한 구제 활동. —— [ˊ-] *a.* 《美》 외국에 파견된 정부 기관의, 지소의.

óut·relìef *n.* (구빈원(救貧院) 따위에 수용되지 못한 빈민에게 주는) 원외 구조(outdoor relief).

ou·tre·mer [*F* utrəmɛːr] *adv.* 해외로.

out·ríde *vt.* …보다 빨리[잘, 멀리] 타다, 승마에서 이기다 ; (배가 폭풍우를) 헤치고 나아가다.

—— *vi.* 야외에서 말을 타다 ; OUTRIDER를 맡다.

óut·rìder *n.* (귀인의 마차 앞뒤 또는 양쪽의) 승마 시종(侍從), 선도자(先導者) ; 《英》 지방 순회 외무 판매원 ; 노상 강도.

óut·rìgger *n.* **1** 〖海〗 현외재(舷外材), 현외 부재(浮材) ; 노받이 받침《보트의 뱃전에 달린 강철제의 가로대 모양의 쇠막대》. **2** 〖空〗 꼬리날개를 받치는 지주(支柱).

óut·rìggered, óut·rìgged *a.*

óut·ríght *adv.* **1** 숨김없이. **2** 철저하게, 완전히. **3** 공공연히(openly), 노골적으로 : laugh ~ 거

리낌없이 웃다. **4** 당장, 즉시 : buy ~ 즉석에서 돈주고 사다 / be killed ~ 즉사하다. ── [⌐⌐] *a.* **1** 노골적인, 솔직한 : give an ~ denial 딱 잘라 거절하다. **2** 명백한, 철저한, 완전한(complete) ; 전부의 : ~ wickedness 극악.

out·ríval *vt.* …에게 경쟁에서 이기다, 패배시키다.

out·ro [áutrou] *n.* (*pl.* **~s**) 《美俗》 (intro에 대하여) 아우트로《음악이 끝난 다음 디스크 자키가 하는 말》.

out·róot *vt.* 뿌리째 뽑다, 근절시키다.

out·rún *vt.* **1** 달려서 이기다[앞서다] ; …로부터 달아나다. **2** …을 앞지르다, …을 능가하다 (surpass) : The people seemed to ~ the government ***in*** their eagerness for the project. 국민들이 정부보다도 그 계획에 한층 열을 올리고 있는 것 같았다. **3** …의 한도[한계]를 넘다, 초과하다 (exceed). **4** (법률 따위로부터) 도피하다, 벗어나다 : He let his zeal ~ discretion. 그는 열중한 나머지 무분별한 짓을 했다.

outrun the constable ☞ CONSTABLE.

óut·rùnner *n.* (마차의 앞뒤 또는 옆을 달리며) 수행하는 사람 ; (개가 끄는 썰매의) 길잡이 개 ; 선구자 ; 앞지르는 사람.

óut·rùsh *n.* 분출.

out·sáil *vt.* …보다 멀리 항해하다.

out·scóre *vt.* …보다 많이 득점하다.

óut·sèa *n.* 공해, 외양(外洋).

out·ség *vt.* 《美俗》 (다른 사람보다 더) 인종 차별을 하다.

out·séll *vt., vi.* …보다 많이[비싸게] 팔다[팔리다], …보다 가치있다.

out·sert [áutsə̀ːrt] *n.* 〖製本〗 겉꼭지, 바깥꼭지.

óut·sèt *n.* 시초, 발단(start).

at* [*from*] *the* (*very*) *outset 최초에, 처음부터 〈*of*〉.

out·shíne *vt.* …보다 밝게 빛나다, …보다 빛이 강하다 ; …보다 더 우수하다, …을 무색하게 하다 (surpass). ── *vi.* 빛을 발하다.

out·shóot *vt.* **1** …보다도 잘[멀리] 쏘다. **2** (싹·가지를) 내밀다. ── *vi.* 불쑥 튀어나오다. ── [⌐⌐] *n.* Ⓤ 돌출, 발사 ; Ⓒ 발사물(物) ; 〖野〗 아웃슈트.

óut·shòt *n.* (안채와 접해 있지만 독립된) 별채.

out·shóut *vt.* …보다 큰소리로 외치다.

◇**out·side** [áutsáid, ⌐⌐] *n.* **1** 외부, 외면, 바깥쪽 (↔*inside*) ; 《口》 문외한들, 국외자 : those on the ~ 문외한. **2** (사물의) 외관, 표면, 겉모습, 생김새(personal appearance). **3** 극한, 극단. **4** (보도의) 차도쪽 ; 외부 공간, 범위외, 외계(外界). **5** 《英》 (합승마차·버스 따위의) 옥상석 ; 옥상석의 승객. **6** [*pl.*] 한 묶음의 종이의 바깥 양쪽의 두 장.

at the* (*very*) *outside 기껏(해야).

outside in = INSIDE *out* (1).

── [⌐⌐, ⌐⌐ ; ⌐⌐] *a.* **1** 외부의, 바깥쪽의(↔*inside*) : an ~ passenger 《英》 옥상석의 승객 / an ~ broadcast 스튜디오 밖의 방송 / an ~ man 외무원 / an ~ porter 역 밖으로 수화물을 나르는 짐꾼. **2** 외관만의, 피상적인. **3** 최고의 ; 극단적인, 최대 한도의 : an ~ price 최고 가격. **4** 국외자(局外者)의, 관계없는 ; 조합이나 협회 따위에 속하지 않은 ; 원외(院外)의 : get an ~ opinion 외부의 의견을 듣다 / an ~ broker 〖證〗 외부[비회원] 브로커. **5** 근소한(slight) : an ~ chance of saving him 어쩌면 그를 구할 수 있을지도 모를 아주 작은 가망.

── [⌐⌐] *adv.* 밖에, 바깥쪽에, 외부에(↔*inside*) ; 집밖으로[에서] ; 해상으로[에서] : Father was busy ~. 아버지는 (집) 밖에서 분주하셨다 / *O*~! 밖으로 나가라[내보내라] / ride ~ 《英》 옥상석에 타고 가다.

be* [*get*] *outside of . . . 《英俗》 …을 삼키다 (swallow), 먹다(eat) ; 《美俗》 …을 양해하다.

come outside (실내 또는 집안에서) 밖으로 나오다 ; [명령] 밖으로 나와! 《도전하는 말》.

outside of 《口》 = OUTSIDE (*prep.*) : ~ *of* a horse 말을 타고.

〈회화〉
Mom, can I go *outside* and play soccer? — It's raining out, Mike.
「엄마, 밖에 나가 축구해도 돼요」「마이크, 밖에는 비가 내리고 있잖니」

── [⌐⌐, ⌐⌐] *prep.* **1** …의 바깥쪽에[으로·의] (↔*inside*) : ~ the house 집밖에 / from ~ 바깥쪽으로부터. **2** …의 범위를 넘어, …이외에 ; …을 제외하고 : go ~ the evidence 증언의 범위를 넘다 / No one knows ~ two or three persons. 두세 사람밖에는 아무도 모른다.

óutside áid *n.* 외국 원조.

óutside diréctor *n.* 사외(社外) 중역.

óutside édge *n.* 〖스케이트〗 바깥쪽 날로 하는 활주 ; 《俗》 더없이 가혹한 사람[것, 행위 따위].

óutside jób *n.* 외근(직).

óutside píece *n.* 《美郵便俗》 부피가 커서 우편낭에 들어가지 않는 소포.

òut·síder *n.* **1** 문외한, 국외자(↔*insider*), 전문적 지식이 없는 사람 : The ~ sees most of the game. 《속담》 구경꾼이 한 수 더 본다. **2** 조합[당·원] 외의 사람, 외부사람. **3** 《口》 천한 사람. **4** 이길 가망이 없는 말[기수].

óut·sìght *n.* 외계 사물의 관찰[지각(知覺)], 외부 관찰력.

out·síng *vt.* …보다 노래를 잘[크게] 부르다. ── *vi.* 고함치다 ; 노래부르기 시작하다.

óut sìster *n.* (수도원에 살면서) 외부관계 일에 종사하는 수녀.

out·sít *vt.* …보다 오래 머무르다.

óut·size *n.* **1** 특대 ; 특대 의복. **2** 장족의 발전, 대단한 발달. **3** 대형의 사람[것]. ── *a.* (의복 따위) 특대(형)의(cf. OUT *a.*). **óut·sìzed** *a.* = OUTSIZE.

***óut·skìrts** *n. pl.* (도시 따위의) 변두리 ; 교외 ; 《비유》 주변, 한계, 한계점 : on[at, in] the ~ of …의 변두리에.

out·sléep *vt.* 너무 자다.

out·smárt *vt.* 《美口》 지혜로 (상대방을) 지게 하다, …을 압도하다 ; 속이다, 의표를 찌르다.

out·sóar *vt.* …보다 높이 날아 오르다.

óut·sòle *n.* (구두의) 바닥창.

out·spán *vt., vi.* (마소 따위를) 수레에서 끄르다 ; 멍에를 벗기다. ── [⌐⌐] *n.* (마소 따위의) 멍에를 벗기는 일[곳].

out·spéak *vt.* …보다 길게[큰소리로, 잘] 말하다 ; 솔직히 말하다. ── *vi.* 큰소리로 말하다.

out·spénd *vt.* …보다 많이 낭비[소비]하다.

out·spént *a.* 지칠대로 지친, 기진 맥진한.

óut·spóken *a.* 숨김없이[기탄없이] 말하는 ; (말 따위가) 솔직한(frank), 노골적인. **~·ly** *adv.* 거리낌없이, 솔직히. **~·ness** *n.*

類義語 ⟹ FRANK[1].

out·spréad *vt., vi.* 펼치다, 퍼지게 하다, 넓히다 ; 퍼지다, 펴지다, 넓어지다 ; 늘이다 ; 늘어나다. ── [⌐⌐] *a.* 펼쳐진, 뻗친. ── [⌐⌐] *n.* 펼침,

퍼짐.

out·stánd *vi.* 눈에 띄다, 돌출[걸출]하다 ; 〖海〗 출항[출범]하다. ── *vt.* 《古》 (시간이 지나도록) 남아있다[눌어붙어 있다] ; …에 저항[반대]하고 버티다.

***out·stánd·ing** *a.* **1** 두드러진, 현저한 ; 걸출한, 훌륭한, 발군의 : an ~ figure 두드러진[탁월한] 인물. **2** (부채 따위가) 미불인, (문제 따위가) 미해결인 ; (주식·채권 따위) 발행[발매]된 : leave...~ …을 그대로[미불인 채로] 두다. **3** 저항[대항]하는. **4** [;⁻⁻́⁻] 돌출한. ── *n.* [*pl.*] 미불의 부채. **~·ly** *adv.* 두드러지게.

類義語 ⟹ NOTICEABLE.

out·stáre *vt.* 노려봄으로써 …의 기를 죽이다 ; 당황하게 하다.

óut·stàtion *n.* **1** (사령부·본부·중심지에서 멀리 떨어져 있는) 주둔지, 파견소, 지소, 출장소. **2** 변두리[변경]의 정거장.

out·stáy *vt.* …보다 오래 체류하다[머무르다] (cf. OVERSTAY) ; …보다 오래가다(outlast) : At parties he usually ~*s* all the other guests. 파티 때 그는 대체로 다른 어느 손님보다도 오래 있다. ***outstay*** one***'s welcome*** 오래 머물러[눌어 붙어 있어] 미움을 받다.

out·stép *vt.* 걸어서 넘다 ; (…의 한계를) 넘다.

out·strétch *vt.* 연장시키다 ; 펴다 ; …의 한계를 넘어 확대되다.

óut·strétched *a.* (한껏) 펼친, 뻗친 : lie ~ on the ground 땅에 큰대(大)자로 눕다 / with ~ arms 두팔을 쭉 뻗고.

out·stríp *vt.* **1** …보다 빨리 나아가다[속도가 빠르다], 추월하다, 앞지르다 : John was ~*ped* by all the other runners. 존은 다른 모든 주자(走者)에게 추월당했다. **2** …을 상회하다, 능가하다.

óut·stròke *n.* 바깥쪽으로의 동작 ; 〖機〗 (피스톤의) 외향 행정(外向行程).

óut·tàke *n.* (영화·텔레비전의) 촬영 후 상영 필름에서 커트한 장면 ; 끄집어낸 것 ; 배기공(孔)[갱], 연통.

out·tálk *vt.* …보다 더 잘[빠르게·오래·큰소리로] 말하다, 말로 상대방을 누르다.

òut-téch *vt.* (…에 대하여) 기술적으로 우위에 서다, …을 기술적으로 이기다.

out·téll *vt.* 분명히 말하다 ; 이야기를 끝내다 ; …보다 설득력이 있다.

out·thínk *vt.* …보다 깊이[빨리] 생각하다 ; …의 의표를 찌르다.

out·thrów *vt.* 내던지다 ; (팔 따위를) 벌리다 ; …보다 멀리[정확하게] 던지다.

óut·thrùst *n.* 돌출 ; 〖建〗 외추력(外推力)《바깥쪽으로의 압력》. ──[⁻́] *a.* 내민, 돌출한. ──[⁻́] *vt., vi.* 내밀다.

out·tóp *vt.* …보다 높다 ; …을 능가하다.

óut·trày *n.* 《英》 (사무실의) 발송[기결] 서류함 (cf. IN-TRAY).

óut·tùrn *n.* 산출액, 생산고 ; (과정의) 경과, 결과.

out·válue *vt.* …보다 가치가 있다.

out·víe *vt.* …에게 경쟁에서 이기다.

out·vóice *vt.* …보다 큰소리로 말하다, 큰소리로 위압하다.

out·vóte *vt.* …에게 (투)표수로 이기다.

óut·vòter *n.* 《英》 거주지외(外)[부재] 유권자.

out·wáit *vt.* …보다 오래 기다리다.

out·wálk *vt.* …보다 더 빨리[멀리·오래] 걷다.

***óut·ward** *a.* **1** 외부의, 외면적인, 바깥쪽의 ; 표면의, 외형(外形)의(↔*inward*) ; 피상적인 ; 밖으로 향하는 ; 외래의 : ~ things 주위의 사물, 외계 / an ~ form 외형, 외관 / an ~ voyage 외국행의 항해. **2** 육체[물질]적인 : the ~ eye 육안(肉眼) / ☞ OUTWARD MAN.

to outward seeming 보아하니, 외견상.

── *n.* 외부 ; 외견, 외관 ; [the ~] 물질[외계] 세계 ; [*pl.*] 외계, 외부의 것.

── *adv.* 밖으로[에], 바깥쪽에 ; 표면에 ; 해외로, 국외(國外)로 : ~ and homeward 왕복 모두. **~·ly** *adv.* **1** 밖에, 밖으로 향하여 ; 외면에. **2** 외견상(은). **~·ness** *n.* 외면성 ; 객관적 존재, 객관성. 〖OE *ūtweard* ; ⇨ OUT, -WARD〗

óut·ward-bóund *a.* 외국행의(↔*homebound*) ; 외항의. **~·er** *n.* 외항선(外航船).

óutward mán *n.* [the ~] 〖神學〗 육체 ; 《戲》 의복, 풍채《따위》.

***óut·wards** *adv.* =OUTWARD.

óut·wàsh *n.* Ⓤ,Ⓒ 〖地質〗 빙하에서 유출되어 흘러내린 퇴적물.

out·wátch *vt.* …보다 오래 지켜보다 ; 보이지 않을 때까지 지켜보다 ; (…이 끝날 때까지) 밤새워 지키다 : ~ the night 밤새도록 지키다.

out·wéar *vt.* **1** …보다 질기다[오래가다] : This suit has *outworn* any other one that I have. 이 옷은 내가 가지고 있는 다른 어떤 옷보다도 오래 입었다. **2** 낡게 하다, 해어지게 하다 ; 써서 없애다(use up) (cf. OUTWORN). **3** (시간을) 보내다.

out·wéigh *vt.* …보다 무겁다 ; …보다 우수하다[중대하다] ; …보다 가치가 있다 : The advantages of the scheme ~ its disadvantages. 그 계획은 장점이 단점보다 더 많다 / With him, honesty ~*s* wealth. 그 사람의 경우, 재산보다도 그의 정직(성)을 높이 평가하고 싶다.

outwent *v.* OUTGO의 과거형.

out·wínd [-wínd] *vt.* …을 헐떡이게 하다.

out·wít *vt.* …의 의표(意表)를 찌르다, 선수치다, 앞지르다, 속이다 : The burglar ~*ted* the police and ran away. 그 도둑은 경찰을 속이고 달아났다 / ~ an opponent in chess 체스에서 상대편을 앞지르다.

óut·wòrk *n.* **1** 〖築城〗 외보(外堡), 외루(外壘). **2** Ⓤ 옥외의 일, 점포[공장] 밖의 일《하청을 받고 함》. ──[⁻́] *vt.* …보다 열심히[빠르게] 일을 하다, …보다 더 공부하다 ; 성취하다. **~·er** *n.* 직장 밖에서 일을 하는 사람 ; 옥외[야외] 근무자. 〖ME=to complete〗

óut·wórn *a.* 낡은, 진부한 : ~ habits 옛날 버릇. ──[⁻́] *vt.* OUTWEAR의 과거 분사.

ou·zel, -sel [ú:zəl] *n.* 〖鳥〗 **1** 검은지빠귀의 일종 (blackbird). **2** 물까마귀. **3** 목걸이지빠귀. 〖OE *ōsle* blackbird<? ; cf. G *Amsel*〗

ou·zo [ú:zou] *n.* (*pl.* **~s**) Ⓤ 우조《브랜디에 아니스(anise)의 열매로 맛을 낸 그리스산 리큐어》. 〖Mod. Gk.〗

ov orbiter vehicle.

ov- [óuv], **ovi-** [óuvə], **ovo-** [óuvou, -və] *comb. form* 「알(egg, ovum)」의 뜻. 〖L〗

ova *n.* OVUM의 복수형.

oval [óuvəl] *a.* 달걀 모양의 ; 장원형의, 타원형의 : an ~ face 갸름한 얼굴 / the ~ sphere 럭비공. ── *n.* 달걀 모양의 것, (놀이터 따위의) 타원형의 땅 ; 스타디움, 경기장, 경주로 ; 《口》 (럭비용의) 볼. **~·ly** *adv.* **~·ness** *n.* **oval·i·ty** [ouvǽləti] *n.* 〖L ; ⇨ OVUM〗

Óval Òffice[Ròom] *n.* [the ~] 《美》 (백악관의) 대통령 집무실《방이 달걀 모양임》.

Óval Ófficer *n.* 《美》 대통령 보좌관[측근].

ovar·i·an [ouvέəriən, -vǽər-], **ovar·i·al** [-riəl]

a. 난소(卵巢)의, 알집의 ; 씨방의.

ovárian cáncer *n.* 〖醫〗 난소암.

ovari·ot·o·my [ouvèəriɑ́təmi, -væ̀ər-] *n.* Ⓤ 〖醫〗 난소 절제(술).

ova·ri·tis [òuvəráitəs] *n.* Ⓤ 〖醫〗 난소염(炎).

ova·ry [óuvəri] *n.* 〖解〗 난소, 알집 ; 〖植〗 씨방. 〖NL ; ⇨ OVUM〗

ovate [óuveit] *a.* 〖生〗 달걀 모양의. 〖L ; ⇨ OVUM〗

ova·tion [ouvéiʃən] *n.* 대인기, 대갈채, (대중의) 열렬한 환영. 〖L (*ovo* to exult)〗

***ov·en** [ʌ́vən] *n.* 솥, 가마 ; 화덕, 오븐 : hot from the ~ 갓 구워낸, 따끈따끈한 / An ~ is used for baking or roasting food. 화덕은 음식물을 굽는 데 쓰인다 / The pie is *in* the ~. 파이는 오븐 속에 있다. 〖OE *ofen* ; cf. G *Ofen*〗

óven·able *a.* 오븐이 가열 가능한.

óvenable páperboard *n.* 오븐용(用) 판지(板紙), 내열성 판지.

óven·bìrd *n.* 〖鳥〗 화덕새《남미산의 명금(鳴禽) ; 화덕 모양의 집을 지음》.

óven glòve[**mìt**(**t**)] *n.* 오븐에 넣은 식기를 다루는 내열성 장갑.

óven-rèady *a.* 오븐에 넣기만 하면 되는《즉석 식품(食品)》.

óven·wàre *n.* Ⓤ 오븐용 접시.

◇**over** [óuvər]

> (1) 기본 뜻 : 「…의 위에」
> (2) 전치사적 부사(prepositional adverb)의 하나로서 전치사와 부사 겸용어다 : There is a bridge *over* the river. (그 강에는 다리가 놓여 있다.)
> (3) over는 under에 대응하는 말로서 「위에서 덮이듯」하는 느낌을 나타낸다.
> (4) over에는 「산을 넘고 들을 지나」「바다를 건너」「어떤 지역·기간에 걸쳐」의 뜻이 있다.

── [ˊ-] *prep.* **1** …의 위에, …에 덮쳐서, …을 덮어(↔*under*) (cf. BELOW) : She put her hands ~ her face. 그녀는 손으로 얼굴을 감쌌다 / He pulled his cap ~ his eyes. 그는 모자를 푹 눌러썼다 / The Star-Spangled Banner was waving ~ them. 성조기가 그들의 머리 위에서 펄럭이고 있었다.
2 …을 넘어서 (밖으로[아래로]) ; …의 맞은 편에 : The model plane flew ~ the river. 모형 비행기는 강 맞은편으로 날았다 / ~ a good distance 상당한 거리에 걸쳐 / ~ the mountains 산 너머에.
3 …전면(全面)[일대]에, …위를 여기저기 : all ~ the country 나라 전역에 걸쳐 / travel ~ Europe 유럽의 이곳저곳을 여행하다.
4 …을 넘는, …이상(more than) ; …을 능가하여, …의 상위(上位)에 ; …을 지배하여, …을 제패하여 : It is ~ *and above* what is wanted. 그것은 필요 이상의 것이다(cf. 숙어) / She was ~ eighty. 80(세)를 넘어섰다 / In a little ~ two hours the top of Kyeryongsan appeared. 두 시간이 좀 지나자 계룡산의 정상이 보였다 / The king reigned ~ them. 왕이 그들을 다스렸다. ☞ 活用.
5 …중(中), …동안, …이 끝날 때까지 : The patient will not live ~ today. 환자는 오늘을 넘기지 못할 것이다 / I asked her to do it ~ the weekend. 나는 그녀에게 주말 휴가 동안에 그것을 해 달라고 부탁했다.
6 …에 관하여(concerning) : talk ~ the matter with …와 그 일에 관하여 논의하다 / She is crying ~ the loss of her son. 아들을 잃은 것이 슬퍼서 울고 있다.
7 …하면서, …에 종사하여 : talk ~ a cheerful glass 기분좋게 한 잔 하면서 얘기하다 / wait ~ a cup of coffee 커피를 마시면서 기다리다.
8 (전화 따위)에 의하여, …로 전달되어 : The first news was received ~ the telephone. 첫 뉴스는 전화로 받았다 / ~ a (radio[television]) network (라디오[텔레비전]의) 방송망에 실려.

all over... ☞ ALL.

over all (*adv.*) 전체로서, 총체적으로 ; 끝에서 끝까지(from end to end) (cf. OVERALL).

over and above …에 더하여, …이외에(in addition to) (cf. 4).

over a person***'s head*** ☞ HEAD *n.*

> 〈회화〉
> It sure feels hot. What's the temperature, anyway? — It's *over* 30℃. 「정말 덥다. 도대체 몇 도지」「섭씨 30도가 넘어」

── [ˊ-] *adv.* **1** 위에, 높은 곳에(cf. UNDER(-NEATH)) ; 위에서 아래로 ; 돌출하여, 기대어. **2** 전면에, 온통 : covered ~ with paint 전면에 페인트를 칠해서. **3** 멀리 떨어져, 저쪽에 ; (가로(街路)·강·바다 따위를) 넘어서, 저쪽으로, (어떤 곳에서) 다른 곳으로 ; (넘어서) 밖으로, 아래쪽으로 : ~ there ☞ 숙어 / flow ~ 넘쳐 흐르다 / They went ~ yesterday. 어제 출발했다 / I asked him ~. 그에게 찾아 오라고 당부했다 / He came ~ to Korea from England. 멀리 영국에서 한국에 찾아 왔다. **4** (똑바로 선 자세에서) 옆으로 ; 거꾸로 : turn...~ …을 뒤집다 / roll ~ 대굴대굴 구르다 / *O*~. 《美》 =P.T.O.(=Please turn ~.) 뒷면에 계속. **5** 끝나서, (…을) 마쳐, 지나서(cf. ALL *over*, OVER *with*) : The good old times are ~. 좋았던 시절은 끝났다 / The long, cold winter is ~. 춥고 긴 겨울이 지났다 / The rain is ~ and gone! 비는 완전히 그쳤다 / The first act was already ~. 제1막은 이미 끝났다. **6** 처음부터 끝까지, 모조리(through) : read a newspaper ~ 신문을 샅샅이 읽다 / He thought the matter ~ for some time. 그 문제를 잠시 숙고했다. **7** 되풀이해서 : read it ~ 되풀이해서 읽다 / many times ~ 몇 번이고. **8 a**) 지나치게, 너무 : not ~ well 그다지 좋지 않다. **b**) 《口》 여분으로, 남아서 : I paid my bill and have several pounds ~. 계산을 치르고도 아직 몇 파운드가 남아 있다.

all over ☞ ALL.

over against …의 바로 맞은 편에, …에 대[면]하여 ; …와 대조하여.

over and above 그것에 더하여, 게다가, 그 위에(in addition).

over and over (***again***) 몇 번이고 되풀이하여 : Our teacher told us to speak the word ~ *and* ~ *again.* 선생님께서는 우리에게 그 단어를 몇 번이고 반복해서 말해보라고 하셨다.

over here 이쪽으로.

over there 저쪽에 ; 저쪽에서는, 저편에서는 ; 《美》 유럽에서는 ; 〖軍〗 싸움터에서는.

> 〈회화〉
> I have to get some money changed. — There is a bank *over* there. 「돈을 좀 바꿔야겠는데요」「저쪽에 은행이 있어요」

over with 《美口》 끝나서(over) : I hurried to get the work ~ *with*. 서둘러 그 일을 끝마치려고 했다.

〈회화〉
How do you want your hair? — Cut it short all *over*. 「머리를 어떻게 해드릴까요」「전체를 짧게 깎아주세요」

—— [ˊ-] *a*. 위의 ; 밖의 ; 우수한 ; 과도한. 注 보통 명사에 붙여 복합어를 만듦(☞ OVER- 1). —— [ˊ-] *n*. **1** 여분(extra). **2** 〖軍〗 (표적을 넘은) 원탄(遠彈). —— [-ˊ] *vt*. 넘다 ; 뛰어 넘다. 〖OE *ofer* ; cf. G *ober*, *über*, L *super*〗

活用 *prep*. 4의 over는 어떤 수량·정도를 넘다의 뜻인데 일반적으로 more than이 보통쓰임 : It will cost *over* (= *more than*) ten dollars. (그것은 10달러 이상 할 것이다). 그리고 우리말에서 「10이상」 일 때는 10을 포함하지만 *over* [*more than*] ten은 10을 포함하지 않는다.

類義語 ***over*** (↔*under*) 어떤 것의 바로 위에 있는 또는 덮는 것처럼 직접 위쪽에 펼쳐져 있는 : Spread the umbrella *over* your head. (머리 위에 우산을 받쳐라). ***above*** (↔*below*) 어떤 것보다 위쪽에 있는 것을 나타내지만 바로 위 또는 직접 위에 있는 것은 뜻하지 않음 : An eagle was hovering *above* our heads. (독수리 한 마리가 우리 머리 위에서 빙빙 맴돌고 있었다).

over- *pref*. **1** =higher, upper, outer, superior, extra : [형용사적으로] *over*coat, *over*shoes ; [전치사적으로] *over*board, *over*flow. **2** [부사적으로 ; 동사·명사에 붙여] =above, from above, down from, up to, beyond, in addition : *over*balance, *over*take. **3** [지금도 자유롭게 쓰이는 일반적 용법] **a**) [동사와 함께] =too much : *over*sleep. **b**) [형용사·부사와 함께] =too : *over*cunning. **c**) [명사와 함께] =too much : *over*work.

òver·abóund *vi*. 너무 많다, 남아 돌아가다〈*in*, *with*〉.

óver·abúndance *n*. Ⓤ [또는 an ~] 과잉, 남아 돌아감〈*of*〉.

óver·abúndant *a*. 과잉의, 남아 돌아가는.

òver·achíeve *vt*., *vi*. 기대 이상으로 좋은 성적을 올리다. **-achíever** *n*.

òver·áct *vt*., *vi*. [+目/動/+前+名] 지나치게 행동하다 ; (역할 따위를) 지나치게 하다, 과장하여 연기하다 : The actress ~*ed* (***in***) her part. 그 여배우는 역(役)을 과장해서 연기했다. **òver·áction** *n*.

òver·áctive *a*. 지나치게 활약[활동]하는. **~·ly** *adv*.

òver·actívity *n*. 지나친 움직임, 과도한 활동.

óver·áge[1] *a*. 규정 연령[함령(艦齡)·선령(船齡)]이 초과된, 노후한.

óver·age[2] [-ridʒ] *n*. **1** 상품의 과잉 생산량 ; 과잉 공급. **2** 재고품의 과대 평가액.

***óver·àll** *attrib. a*. (끝에서 끝까지) 전부의, 전체에 걸친 ; 총체적인, 포괄[총괄]적인 : ~ length 전체 길이 / an ~ estimate 종합적인 견적. —— *n*. **1** 《英》 겉옷, 작업복 : in an ~ 작업복으로[을 입고]. **2** [*pl*.] (더러워짐 따위를 방지하기 위한) 가슴받이가 있는 바지, 겉바지, 작업 바지(cf. COVERALLS). —— [ˊˊ ; ˊˊ] *adv*. **1** 전체로[로서], 총체적으로(as a whole). **2** 끝에서 끝까지(from end to end), (특히 배의) 전장(全長)…, 전체의 길이… : a boat 15 feet ~ 전장 15피트의 보트.

overall *n*. 2

óverall páttern *n*. 〖言〗 종합형《한 언어의 모든 방언의 모든 음소(音素)를 설명하는데 충분한 음(音)의 종류를 나타낸 일람표》.

óver·anxíety *n*. Ⓤ 지나친 걱정[염려].

óver·ánxious *a*. 지나치게 걱정하는. **~·ly** *adv*. **~·ness** *n*.

òver·árch *vt*. …위에 아치를 만들다[놓다], 아치 모양으로 덮다 : The street is ~*ed* by ginkgoes. 거리는 은행나무들로 마치 아치처럼 덮여 있다. —— *vi*. 아치 모양으로 휘다[을 이루다].

óver·àrm *a*. 〖野·크리켓〗 내리던지는(overhand) ; 〖泳〗 팔을 어깨 위로 내며 헤엄치는 : the single[double] ~ stroke 한[두] 팔을 어깨 위로 내며 치는 헤엄.

òver·áwe *vt*. 위협하다, 위압하다.

òver·bálance *vt*. **1** …을 무게[가치·중요성]에서 능가하다 ; 압도하다 : His good qualities ~ his shortcomings. 그의 장점은 결점을 보완하고도 남음이 있다. **2** …의 평형을 잃게 하다 : The ship was ~*d* by the shifting of cargo. 그 배는 적화물의 위치가 바뀌었기 때문에 평형을 잃었다. —— *vi*. 균형을 잃다[잃고 쓰러지다] : I ~*d* and fell flat on my back. 나는 몸의 균형을 잃고 뒤로 푹 쓰러졌다. —— [ˊˊ] *n*. 초과(량[액]) ; 불균형.

òver·béar *vt*. 위압[제압]하다, 내리누르다, 압도하다 : He *overbore* all our objections. 그는 우리들의 온갖 반대를 물리쳤다. —— *vi*. 자식을 너무 많이 낳다 ; 열매가 너무 많이 열리다.

òver·béar·ing *a*. 뽐내는, 건방진(haughty), 횡포한(domineering) ; 압도적인 ; 지배적인, 결정적으로 중요한. **~·ly** *adv*. 거만하게, 고압적으로.
類義語 ⟹ PROUD.

òver·bíd *vi*. 값어치 이상의 값을 매기다. —— *vt*. …보다 비싼 값을 부르다 ; (카드놀이에서) 손에 든 패보다 높이 부르다 ; (남보다) 비싼 값을 매기다. —— [ˊˊ] *n*. 비싼 값을 부르기 ; 에누리.

óver·bìte *n*. 〖齒〗 (앞니의) 피개 교합(被蓋咬合).

óver·blòuse *n*. 오버블라우스《옷자락을 스커트 밖으로 내놓고 입기》.

òver·blów *vt*. **1** (구름 따위를) 날려 버리다, 흩뜨리다 ; 〖樂〗 …을 세게 불다. **2** 부풀리다 ; (이야기 따위를) 쓸데없이 길게 하다. **3** 지나치게 중시[평가]하다, 지나치게 칭찬하다. —— *vi*. 〖樂〗 세게 불다 ; 《古》 (폭풍우 따위가) 자다 ; (노여움 따위가) 가라앉다.

òver·blówn *a*. **1** 흩날려 버린 ; (폭풍우 따위가) 멎은. **2** (꽃이) 활짝 필 때가 지난 ; (여자가) 한창때가 지난. **3** 과장된, 호언장담의 ; 자만한.

óver·bòard *adv*. 배밖으로, (배에서) 물속으로 ; 《美》 열차에서 밖으로 : fall ~ 배에서 (물속으로) 떨어지다, 열차에서 떨어지다.
throw*...*overboard …을 배밖[물속]으로 내버리다 ; 《口》 …을 돌보지 않다, 유기[포기]하다.

òver·bóld *a*. 지나치게 대담한, 경솔한 ; 뻔뻔스러운, 철면피의. **~·ly** *adv*. **~·ness** *n*.

òver·bóok *vt*. (비행기·호텔 따위의) 예약을 너무 많이 받다.

òver·bórne *a*. 짓눌린, 압도된.

òver·bóught *a*. (증권 따위가 매점 매석으로) 너무 비싸진.

óver·brìdge *n*. 《英》 고가도로 ; 구름다리, 과선교

(跨線橋) (=《美》 overpass).
óver·brím *vt., vi.* (액체 따위가) 넘쳐 흐르다 ; 넘치도록 따르다.
òver·buíld *vt.* (땅에) 집을 지나치게 많이 짓다, …에 집을 너무 밀집시키다. —— *vi.* 수요 이상으로 집을 짓다.
overbuild one***self*** 분수에 넘치는 집을 짓다 ; 집을 너무 많이 짓다.
òver·búrden *vt.* [+目 / +目+*with*+名] 너무 많이 지우다 ; 과로케 하다 : He was ~*ed* ***with*** anxiety. 걱정으로 그의 마음은 몹시 침통했다. —— [⌐⌐] *n.* 지나치게 무거운 짐, 과도한 부담.
óver·búrden·some *a.* 짐[책임]이 너무 무거운, 과중한.
òver·búsy *a.* 너무 분주한 ; 지나치게 참견하는.
òver·búy *vt., vi.* 필요 이상으로 많이 사다 ; 지급 능력 이상으로 많이 사다.
òver·cáll *vt.* 〔카드놀이〕 …보다 끗수를 높이 부르다 ; 《英》 …에 가치 이상의 값을 매기다. —— *vi.* 〔카드놀이〕 끗수를 높이 부르다. —— [⌐⌐] *n.* 끗수를 높이 부름.
òver·cánopy *vt.* 덮개로 덮다, 덮어씌우다.
òver·capácity *n.* 〖經〗 설비과잉.
òver·cápital·ìze *vt.* (회사의) 자본을 과대 평가하다 ; (기업 따위에) 자본을 과대하게 투자하다.
óver·càpital·izátion *n.*
óver·càre *n.* Ⓤ 지나친 걱정
òver·cáre·ful *a.* 지나치게 조심[걱정]하는.
òver·cást *vt.* **1** 구름으로 뒤덮다, 흐리게 하다《보통 *p.p.*로 씀 ; ☞ *a.*》. **2** [⌐⌐] (천의) 가장자리를 감치다, 휘갑치다. —— *vi.* 흐려지다, 어두워지다. —— [⌐⌐, ⌐⌐] *a.* (하늘이) 흐린 ; 《비유》 음침한, 우울한 : The sky was soon ~. 하늘은 이내 온통 흐려졌다. —— [⌐⌐] *n.* 〖氣〗 흐린 날씨, 흐림 ; 고가도로를 떠받치는 기둥.
òver·cáution *n.* Ⓤ 지나친 조심, 소심.
òver·cáutious *a.* 지나치게 조심하는, 소심한.
òver·céntral·ìze *vt.* (좋은 것을) 지나치게 집중시키다, 중앙 집권화하다.
óver·cèntral·izátion *n.*
òver·cértify *vt.* 《美》 (수표의) 지급 초과를 보증하다.
òver·chárge *vt.* **1** [+目 / +目+*for*+名] …에게 에누리하다, 부당한 값을 요구하다 : We were ~*d* ***for*** our meal. 부당하게 비싼 식사 대금을 청구받았다. **2** (총포에) 탄약을 지나치게 장전하다, (전지에) 지나치게 충전(充電)하다 ; 짐을 너무 많이 싣다. **3** (설명 따위를) 과장하다, 과장하여 말하다〈*with*〉. —— *vi.* 에누리하다. —— [⌐⌐ ; ⌐⌐] *n.* **1** 에누리, 부당한 값. **2** 적화(積貨)초과 ; 탄약 장전 과다(過多), 과충전(過充電).
óver·chèck[1] *n.* 이중(二重) 바둑판 무늬《바둑판 무늬 위에 넓이[빛깔]가 틀린 다른 바둑판 무늬를 배치한 무늬》 ; 이중 바둑판 무늬의 천.
óver·chèck[2] *n.* (말이 머리를 숙이지 못하게 하는) 고삐.
òver·clássify *vt.* (서류 따위를) 필요 이상으로 기밀 취급하다.
óver·clòthes *n. pl.* (옷위에 입는) 겉옷.
òver·clóud *vt., vi.* 온통 흐리게 하다[흐려지다] ; 《비유》 음침하게 하다[해지다].
òver·clóy *vt.* 싫증나게[넌더리나게] 하다.
***óver·còat** *n.* 오버코트, 외투 ; 보호막《페인트·니스 따위》.
óver·còat·ing *n.* Ⓤ 외투감 ; 보호막.
òver·cólor *vt.* 지나치게 채색[윤색(潤色)]하다 ; (묘사 따위) 과장하다.

over·come** [òuvərkʌ́m] *vt.* **1** (적·나쁜 버릇·곤란 따위를) 이겨내다, 패배시키다(defeat) ; 압도하다, 정복하다 : He succeeded in *overcoming* all those difficulties. 난관을 모조리 이겨낼 수가 있었다. **2** [+目 / +目+前+名] [수동태로] 약화시키다, 손들게 하다 : He *was* ~ by the heat [with*** liquor]. 그는 더위에 지쳐[술에 만취되어] 있었다. —— *vi.* 이기다(win).
〖OE *ofercuman*〗
類義語 ⟹ CONQUER.
òver·commít *vt.* (자신을) 약속으로 속박하다 ; (물자 따위를) 보급 능력 이상으로 할당하다 : ~ oneself 언질을 지나치게 주다, 무리한 약속을 하다. **~·ment** *n.*
òver·cómpensate *vi.* 과잉 보상하다 ; 〖心〗 과잉 보상을 하다.
òver·compensátion *n.* 과잉 보상 ; 〖心〗 과잉 보상《인격의 약점을 보충하기 위해 다른 특성을 극도로 발달시키려고 노력하기》.
òver·cónfidence *n.* Ⓤ 과신(過信) ; 자만.
òver·cónfident *a.* 지나치게 자신하는 ; 자부심이 강한. **-cónfident·ly** *adv.*
òver·contáin *vt.* (감정 따위를) 지나치게 억제(抑制)하다.
òver·cóoked *a.* 너무 삶은[구운].
òver·credúlity *n.* Ⓤ 너무 쉽게 믿음, 과신.
òver·crédulous *a.* 너무 쉽게 믿는.
òver·crítical *a.* 너무나 비판적인, 혹평하는.
òver·cróp *vt.* 너무 많이 경작하다, 과작하여 (토지를) 메마르게 하다, 지력을 소모시키다.
óver·cròss·ing *n.* =OVERPASS.
òver·crów *vt.* …을 이겨서 뽐내다 ; 압도하다.
òver·crówd *vt.* (좁은 장소에) 사람을 너무 많이 들이다, 혼잡하게 하다. —— *vi.* 너무 붐비다.
òver·crówd·ed *a.* 초만원의 : an ~*ed* theater 초만원인 극장 / an ~*ed* bus 초만원 버스.

〈회화〉
How was your trip ? — Fine, but the train was *overcrowded.* 「여행은 어땠니」「여행은 좋았지만 열차가 초만원이었어」

òver·crúst *vt.* 겉껍질로 싸다.
óver·cùlture *n.* (대립적 문화가 존재하는 상황에서의) 지배적 문화, 상위(上位) 문화.
óver·cúnning *a., n.* 지나치게 교활한[함].
òver·cúrious *a.* 꼬치꼬치 캐묻는, 너무 세심한, 지나치게 호기심이 많은.
òver·délicacy *n.* Ⓤ 신경과민.
òver·délicate *a.* 지나치게 신경이 예민한. **~·ly** *adv.*
òver·devélop *vt.* 과도하게 발달시키다 ; 〖寫〗 지나치게 현상하다. **óver·devélop·ment** *n.* Ⓤ 발달 과잉 ; 〖寫〗 현상 과다.
òver·dó *vt.* **1** 지나치게 하다, 도를 넘다 ; 과장하다 : The comic scenes were *overdone.* 그 희극 장면은 너무 과장되었다. **2** [보통 수동태 또는 ~ one*self* 로] 과로하게 하다. **3** [특히 *p.p.*로] 너무 삶다[굽다] : ☞ OVERDONE.
—— *vi.* 지나치게 하다, 무리를 하다.
overdo it 과장하다, 지나치게 하다 ; 너무 노력하다, 무리를 하다.
overdo one***self*** (실력 이상으로) 무리를 하다.
〖OE *oferdōn*〗
óver·dòg *n.* 싸움에 이긴 개 ; 승리가 예측되는 후보자 ; 지배[특권] 계급의 일원.
òver·dóminance *n.* 〖遺〗 초우성(超優性)《헤테로 접합체의 적응도가 호모 접합체의 적응도 보다

높음》. **-dóminant** *a.*

òver·dóne *v.* OVERDO의 과거분사. —— *a.* 너무 삶은[찐·구운] (overcooked) (cf. WELL-DONE ; ↔ *underdone*) : ~ beef 너무 구운 쇠고기.

óver·dòor *a.* 출입구의 상부에 있는. —— *n.* 〔建〕 출입구 상부의 장식.

òver·dóse *vt.* …에 약을 너무 많이 넣다, …에게 약을 과량으로 먹이다. —— *vi.* 마약의 과량(過量) 섭취로 기분이 나빠지다[죽다].
—— [ㅡㅡ] *n.* (약의) 지나친 투여(投與), 과량.
-dósage *n.* 과잉투여[과량섭취](에 의한 증상).

óver·dràft | **-dràught** *n.* U,C 〔商〕 당좌 대월(貸越)[차월](액), (어음의) 초과 발행《略 od, OD, O.D., O/D》; (노(爐) 따위의) 불 위의 통풍 ; 〔冶〕 (압연판(壓延板)이) 위로 휨.

òver·dráw *vt.* **1** 〔商〕 (예금을) 너무 많이 인출하다, 차월(借越)하다, (어음을) 초과 발행하다. **2** 과장하다(exaggerate) : His account of the bank robbery is somewhat ~*n.* 그의 은행강도 얘기는 다소 과장되어 있다.
—— *vi.* 〔商〕 당좌 차월을 하다 ; (난로 따위가) 통풍이 너무 잘 되다.

òver·dréss *vt., vi.* 지나치게 옷치장하다 ; 옷을 많이 껴입다.
overdress one***self*** 너무 화려한 옷차림을 하다.
—— [ㅡㅡ] *n.* (얇은) 겉옷.

òver·drínk *vt., vi.* 너무 마시다 : ~ oneself 과음하여 몸을 해치다.

òver·dríve *vt.* (말·사람 등을) 너무 부려먹다, …을 혹사시키다, (자동차를) 폭주(暴走)시키다.
—— [ㅡㅡ] *n.* 〔自動車〕 오버드라이브 장치《주행 속도를 떨어뜨리지 않고 엔진의 회전수를 줄이는 기어 장치 ; 연료 소비 절약형》.

òver·dúb *vt.* 겹쳐[다중] 녹음하다. —— [ㅡㅡ] *n.* 다중 녹음 ; 다중 녹음으로 겹쳐진 음성.

òver·dúe *a.* 지급 기한이 지난, 미불(未拂)의 ; 늦은, 연착한 : The train[bus, boat] is ~. 열차[버스·배]가 연착되고 있다.

òver·dýe *vt.* 〔染〕 너무 진하게 물들이다 ; …에 다른 색을 물들이다.

óver·éager *a.* 지나치게 열심인.
~·ly *adv.* **~·ness** *n.*

òver·éat *vt., vi.* 너무 많이 먹다 : ~ oneself 과식하여 몸을 해치다.

òver·éducate *vt.* (학생)에게 필요 이상으로 높은 교육을 시키다, 과잉 교육을 하다.

òver·émphasis *n.* 지나친 강조.

òver·émphasize *vt., vi.* 지나치게 강조하다.

òver·emplóyment *n.* U 과잉 고용.

òver·éstimate *vt.* …을 과대 평가하다 ; 실질 이상으로 높게 평가하다. —— [ㅡㅡ] *n.* 과대 평가, 실질 이상으로 높게 평가하기.
óver·estimátion *n.*

òver·excíte *vt.* 지나치게 자극하다[흥분시키다].
~·ment *n.*

òver·exért *vt.* (정신력·지력(知力) 따위를) 지나치게 쓰다 : ~ oneself 무리한 노력을 하다.
-exértion *n.*

òver·explóit *vt.* (자원을) 과잉 개발하다.

òver·exploitátion *n.* (천연 자원의) 과잉 개발, (짐승의) 남획.

òver·expóse *vt.* 지나치게 쐬다 ; 〔寫〕 (필름 따위를) 과도하게 노출하다.
-expósure *n.* U,C 〔寫〕 노출 과도.

òver·exténd *vt.* 지나치게 확대[확장]하다 : ~ oneself 지급 능력 이상의 채무를 지다.
-exténsion *n.*

óver·fàll *n.* **1** 단조(湍潮)《바닷물이 역류에 부딪쳐서 생기는 해면의 물보라 파도》; (바다 밑의) 갑자기 깊어지는 곳. **2** (운하나 댐의) 낙수하는 곳[장치].

òver·famíliar *a.* 필요 이상으로 친한.

òver·fatígue *vt.* 지나치게 피로하게 하다.
—— *n.* 지나친 피로, 과로.

òver·féed *vt., vi.* 너무 많이 먹이다[먹다].
overfeed one***self*** 너무 많이 먹다.

òver·fíll *vt., vi.* 넘칠 정도로 채우다[차다].
〖OE〗

òver·físh *vt.* (어장)에서 물고기를 남획하다.
—— *vi.* 물고기를 남획하다.

óver·flìght *n.* 특정 지역의 상공 통과, 영공 비행[침범].

òver·flów** *vt.* (가장자리에) 넘치게 하다, 범람시키다, 침수시키다 ; …에서 넘쳐 다 들어가지 못하다 : The river sometimes ~*s* its banks. 강물은 때때로 둑을 넘는다. —— *vi.* **1** [動 / +前+名] 넘치다, 넘쳐흐르다 : The glass was full[filled] to ~*ing.* 술잔은 넘치도록 가득 따라져 있었다 / The crowd ~*ed* ***into the hall. 군중은 복도에까지 가득 차 있었다. **2** [+*with*+名] (…이) 남아 돌아가다, 충만하다 : The market ~*s* ***with*** goods. 시장에는 상품이 과잉 상태다 / a heart ~*ing with* sympathy 동정으로 가득찬 마음.
—— [ㅡㅡ] *n.* **1** (하천의) 범람, 넘쳐흐르기, 유출. **2** 과다, 과잉. **3** 배수로[구·관]. **4** 〔컴퓨〕 넘침《연산 결과 따위가 컴퓨터의 기억·연산 단위 용량보다 커짐》; 〔詩學〕 구 걸침《시의 한 행의 의미·구문이 다음 행에 걸쳐 계속되는 일》.
~·ing *a.* 넘쳐흐르는, 넘칠 정도의 : ~*ing* kindness 과잉 친절 / ~*ing* production 과잉 생산.
〖OE *oferflōwan*〗

óverflow méeting *n.* 제2집회《만원으로 입장하지 못한 사람들을 위함》, 별도 집회.

òver·flý *vt.* …의 상공을 날다, (…의) 영공을 침범하다 ; …보다 멀리 날아가다. —— *vi.* 영공을 날다[침범하다].

òver·fónd *a.* 지나치게 좋아하는〈*of*〉.

óver·frèight *n.* 과중한 짐.
—— [ㅡㅡ] *vt.* 지나치게 화물을 싣다.

òver·fulfíl(l) *vt.* 지정기일 이전에 완료하다, (표준) 이상으로 생산하다.
~·ment *n.* U 기한전 완성, 조기 달성.

óver·fúll *a.* 너무 가득한.
—— *adv.* 과도하게.

òver·gíld *vt.* …에 온통 도금(鍍金)하다, 번쩍번쩍하게 하다.

òver·gláze *vt.* (도자기)에 (두번째의) 유약을 입히다 ; 은폐하다. —— [ㅡㅡ] *n.* 두번째로 입히는 잿물, 마무리용 유약.

òver·góvern *vt.* 지나치게 속박[통제]하다.
~·ment *n.*

òver·gráze *vt.* (목초지 따위)의 풀을 가축이 뜯어먹어 망치게 하다, …에 과(도)하게 방목하다.

óver·gròund *a., adv.* **1** 지상의[에서] ; 겉에 드러난[나서], 공공연한[히] (↔*underground*) : be still ~ 아직 살아 있다. **2** 기성 사회[문화]에서 인정된, 체제적인 : an ~ movie 체제 지향의 영화. —— *n.* 기성사회, 체제(establishment).

óverground ecónomy *n.* (지하 경제에 대하여) 지상 경제.

òver·grów *vt.* **1** [+目 / +目+前+名] (잡초 따위가) …전면(全面)에 자라다[나다], 자라서 뒤덮다 : The wall was ~*n* ***with*** ivy vines. 담은 온통 담쟁이덩굴로 뒤덮여 있었다. **2** =OUTGROW.

—— *vi.* 지나치게 자라다, 너무 커지다《보통 *p.p.*로 씀 : ☞ OVERGROWN》.

òver·grówn *v.* OVERGROW의 과거분사. —— *a.* **1** (사람이) 너무 크게 자란, (나이·체격에 어울리지 않게) 키가 지나치게 큰 ; (너무 커서) 멋없는 : He is ~ for his age. 그는 나이에 비해서 키가 너무 크다. **2** (식물이) 너무 자란[무성한], (풀 따위가) 전면에 무성한〈*with*〉.

óver·gròwth *n.* **1** Ⓤ 무성, 만연 ; 너무 자람 ; 〔醫·植〕 비대(肥大), 이상 증식[생장]. **2** (땅·건물을 뒤덮듯이 자란) 풀[것].

óver·hànd *a.* **1** (공 따위를) 손을 치켜 올려 친. **2** 〔裁縫〕 휘갑치는. **3** 〔球技〕 (손을 어깨 위로 올려) 내려치는, 오버핸드의 ; 〔泳〕 팔을 번갈아 물 위로 빼올려 헤엄치는 : the ~ stroke 팔매 헤엄. —— *adv.* **1** 치켜 올려 받쳐서. **2** 손을 위로 치켜서, 오버핸드로 ; 팔을 번갈아 물위로 빼올려 헤엄쳐서. **3** 〔裁縫〕 휘갑쳐서. —— *n.* 우세, 유리한 위치 ; 내리던지기, 내려치기 ; 〔球技〕 내려치는 서브. —— *vt.* 〔裁縫〕 (단춧구멍 따위에 따라) 휘갑치다.

óverhand knót *n.* 외겹 매듭.

òver·háng *vt., vi.* **1** (…의) 위에 걸리다(hang over), (…에) 돌출하다, 쑥 내밀다 : Those trees *overhung* the brook to form an arch of branches. 그 나무들은 냇물 위로 늘어져 아치형(形)으로 가지를 뻗고 있었다 / The balcony ~*s* a few feet. 그 발코니는 수 피트나 내달아 있다. **2** (…에) 다가오다, 위협하다 : ~*ing* dangers 다가오는 위험. **3** (어떤 분위기가) …위에 감돌다[퍼지다]. —— [⌐⌐] *n.* 쑥 내밂, 돌출 (부분) ; 〔建〕 (지붕·발코니 따위의) 내달아냄 ; 〔空〕 쑥 내민 날개 ; 〔登山〕 오버행《경사 90° 이상의 암벽》 ; (유가 증권·통화·원재료 따위의) 과잉 ; 예산 초과, 초과 (부분).

òver·háste *n.* Ⓤ 성급, 경솔, 무모.

òver·hásty *a.* 경솔한, 무모한.

òver·hául *vt.* **1** …을 철저히 조사하다, 분해 검사[수리]하다 ; (환자를) 정밀 검사하다 : I must have the car's engine ~*ed.* 자동차의 엔진을 분해 검사하지 않으면 안되겠다 / You had better be ~*ed* by a doctor. 의사에게 정밀 검사를 받아 보는 것이 좋겠다. **2** …을 따라잡다. —— [⌐⌐] *n.* 철저한 조사, 정밀 검사, 분해 검사[수리].
〖C18=(naut.) to release (rope-tackle) by slackening〗

***óver·hèad** *a.* **1** 머리 위의 ; 가공(架空)의, 고가(高架)의 ; 위에서의, 천장에 매달린 ; 머리 위에서 내려치는《타구 따위》 : ~ lighting 바로 위에서 비치는 조명 / an ~ railway 《英》 고가 철도 선로 (=《美》 elevated railroad) / an ~ stroke 〔테니스 따위〕 *n.* 2 / ~ wires 가공선(架空線). **2 a)** 전반적인, 평균의. **b)** 〔商〕 모든 비용을 포함한, 총…, 간접비로서의 : ~ cost[charges, expenses] 간접비. —— *n.* **1** Ⓤ [또는 *pl.*] 〔商〕 간접비(☞ INDIRECT COST). **2** 〔테니스 따위〕 머리위에서 내려치는 타구, 스매시《공을 급각도로 세게 내려침》. **3** 〔컴퓨〕 부담. —— [⌐⌐] *adv.* **1** 머리 위에, 위에, (하늘) 높이 ; 위층에서 : *O*~ the moon was shining. 머리위[하늘]엔 달이 빛나고 있었다 / one's neighbors ~ 위층에 사는 이웃사람. **2** 머리 위까지, 머리가 잠기도록.

óverhead dóor *n.* 오버헤드 도어《위로 수평으로 밀어올리는 차고문 따위》.

óverhead projéctor *n.* 오버헤드 프로젝터《그래프 따위를 투영하는 교육 기기》.

óverhead tìme *n.* 〔컴퓨〕 오버헤드 타임《operating system의 제어 프로그램이 컴퓨터를 사용하는 시간》.

***òver·héar** *vt.* [+目 / +目+do*ing*] 우연히 듣다 ; …을 엿듣다, 도청하다 : I accidentally ~*d* what they were saying. 나는 우연히 그들의 이야기를 엿들었다 / He ~*d* his wife talk*ing* with the maid. 그는 우연히 아내가 하녀와 얘기하고 있는 것을 들었다.

òver·héat *vt., vi.* 너무 뜨겁게 하다, 과열시키다[하다] ; [수동태로] 몹시 흥분시키다, 몹시 초조하게 하다. —— *n.* Ⓤ 과열 ; 지나친 흥분.

óver·hòurs *n. pl.* =OVERTIME.

òver·hóused *a.* 집이 너무 넓은, 너무 넓은 집에서 사는.

óver·hùng *a.* 위에서 매단 ; 위턱이 아래턱보다 튀어나온(↔*underhung*) : an ~ door 매단 문.

òver·indúlge *vt.* 지나치게 방임하다, 지나치게 응석을 받아주다 ; (욕망 따위를) 무턱대고 만족시키다. —— *vi.* 멋대로[하고 싶은 대로] 행동하다, 너무 열중하다〈*in*〉.

òver·indúlgence *n.* Ⓤ 지나치게 응석을 받아줌, 과도한 방임 ; 방종, 방자 ; 지나친 열중, 과도한 행동〈*in*〉.

òver·indúlgent *a.* 너무 방임하는, 너무 제멋대로 굴게 하는. **~·ly** *adv.*

òver·inflátion *n.* Ⓤ 극단적으로 부풀게 함 ; 극단적인 통화 팽창.

òver·ínfluence *vt.* 지나치게 세력을 부리다.

òver·insúrance *n.* Ⓤ 〔商〕 초과 보험.

òver·interpretátion *n.* 과잉[확대] 해석.

òver·invést *vt.* …에 과도하게 투자하다.
—— *vi.* 과도한 투자를 하다.

òver·ínvoice *vi.* 청구서를 실제보다 불리다, 과다 청구하다.

òver·íssue [, ⌐⌐] *vt.* (지폐·주권을) 남발하다. —— [⌐⌐] *n.* (지폐·주권의) 남발, 한외(限外) 발행(물[고]) ; 너무 많이 찍어 남은 인쇄물.

òver·jóy *vt.* 몹시 기쁘게 하다, 미칠듯이 기쁘게 하다.
be overjoyed at …에 미칠 듯 기뻐 날뛰다.

òver·júmp *vt., vi.* 뛰어넘다 ; 지나치게 뛰다.

óver·kìll *n.* **1** (핵무기에 의한) 과잉 살상력[파괴력] ; 과잉 살육. **2** 불필요하게 강력[잔학]한 방법[반응], (대응의) 과다, 과잉, 지나침.
——[⌐⌐] *vt., vi.* (핵무기 따위로 목표) 이상으로 살육하다, 과잉 살육하다.

òver·lábor *vt.* 지나치게[과도하게] 일을 시키다 (overwork) ; …에 지나치게 정성들이다, 너무 공들여 만들다.

òver·láde *vt.* 지나치게 싣다.

òver·láden *a.* 짐을 너무 많이 실은 ; (부담 따위) 너무 많은 ; (장식 따위를) 지나치게 한 : a room ~ *with* ornament 너무 화려하게 장식한 방.

òver·láid *v.* OVERLAY의 과거·과거분사.

òver·láin *v.* OVERLIE의 과거분사.

óver·lànd *a.* 육상[육로]의. ——[; ⌐⌐] *adv.* 육상으로, 육로로. —— *n.* 《俗》 멀리 외떨어진 지역. —— *vt., vi.* 《濠》 가축떼를 몰고 멀리 육로를 가다 ; 가축떼를 몰면서 육로로 가다.

óverland róute *n.* (특히) 영국에서 지중해를 경유하여 인도에 이르는 길 ; 《美》 (태평양 연안에 이르는) 대륙 횡단 도로 ; 《美俗·흔히 戲》 시간이 가장 많이 걸리는 길.

òver·láp *vt.* **1** 겹치다, 포개다 : The roofing slates were laid to ~ each other. 지붕의 슬레이트는 서로 겹쳐 놓여 있었다. **2** 《비유》 …와 겹치다, …와 중복하다. —— *vi.* [動 / +*with*+名]

부분적으로 겹쳐지다 ; 《비유》 일부분이 일치하다, 중복되다 : His vacation ~s ***with*** mine. 그의 휴가는 나의 휴가와 부분적으로 중복되어 있다.
—— [ˊˋ] *n.* U,C 중복, 부분적 일치 ; 〖映〗 오버랩《한 화면이 다음 화면과 겹치는 것》 ; 〖地質〗 오버랩《해진(海進) 따위에 의해 새로 형성되는 상위 퇴적층》 ; 〖컴퓨〗 겹침. **~·ping** *n.* 오버래핑, 겹치기.

òver·láy[1] *vt.* **1** [+目+*with*+名] 씌우다 ; …으로 위에 깔다[칠하다, 바르다, 입히다] : The pine table top is *overlaid* ***with*** a mahogany veneer. 그 소나무제 테이블 표면에는 마호가니 베니어판이 깔려 있다. **2** 압도[압제]하다. **3** …을 흐리게 하다, …을 덮어 어둡게 하다. **4** 〖印〗 (인쇄를 고르게 하기 위해) 종이를 붙이다. —— [ˊˋ] *n.* **1** 〖印〗 인쇄면을 고르게 하기 (위하여 붙이는 종이), 대지(臺紙)에 붙이기. **2** (장식용의) 위에 까는 것, 겉껍데기, 덧씌우개. **3** 오버레이(template) 《지도·사진·도표 따위에 겹쳐 쓰는 (반)투명 피복지(被覆紙)》 ; 〖컴퓨〗 갈마들이, 오버레이. **4** 《스코》 넥타이.

overlay[2] *v.* OVERLIE의 과거형.

óver·lèaf *adv.* (책의 페이지 따위의) 뒷장에, 다음 페이지에.

òver·léap *vt.* **1** 뛰어넘다. **2** 빠뜨리고 넘어가다 ; 생략하다, 간과(看過)하다.
overleap one***self*** 지나치게 멀리 뛰다 ; 지나쳐서 실패하다 : He ~*ed* him*self* *with* ambition. 그는 지나친 야심으로 실패했다.
〚OE *oferlēapan*〛

òver·léarn *vt.* 숙달한 후에도 계속 공부[연습]하다. **~·ing** *n.* 〖心〗 과잉 학습.

òver·líe *vt.* …위에 가로놓이다[눕다·엎드리다] ; 어린아이를 (끼고 자다가 잠결에) 깔고 누워 질식시키다.

òver·líve *vt., vi.* (…보다) 오래 살다, 살아남다. 〚OE *oferlibban*〛

òver·lóad *vt.* …에 짐을 너무 많이 싣다, 과중하게 부담시키다 ; (탄약 따위를) 너무 많이 장전하다 ; 〖電〗 …에 과충전하다. —— *vi.* 너무 많은 짐을 갖다.
—— [ˊˋ] *n.* 초과 적재 ; 〖電〗 과부하(過負荷) ; 지나친 자극 ; 〖컴퓨〗 너무 실림, 과부하.

óver lòan *n.* 〖經〗 대출 초과.

òver·lóng *a.* 너무 긴. —— *adv.* (시간적으로) 너무 오랫동안.

***òver·lóok** *vt.* **1** (건물 따위가) …보다 높은 데 있다, …을 내려다보다 ; (사람이) 내려다보다, 바라보다 : The large window of the study ~*ed* a flower garden. 서재의 큰 창문으로 꽃밭이 내려다 보였다. **2** 감독[감시]하다 ; 검열[시찰]하다 ; 돌보아 주다. **3** 관대히 봐주다, 눈감아 주다 ; 못보고 넘기다 : I will ~ your bad behavior this time. 이번만은 너의 못된 소행을 눈감아 주겠다. **4** (저주의 눈초리로) 노려보다 ; 노려봐 넋을 빼다 ; 호리다(bewitch). —— [ˊˋ] *n.* overlook하기 ; 《美》 전망이 좋은 곳 ; 경치, 풍경.
~·er *n.* ＝OVERSEER.
類義語 ⟹ NEGLECT.

óver·lòrd *n.* (봉건제 영주(lord)의 위에 있는) 대군주(大君主) ; 거물. —— *vt.* 전제적으로[마음대로] 지배하다.
~·ship *n.* U 대군주의 지위[신분].

óver·ly *adv.* 《美》 과도하게, 지나치게.

óver·màn [ˊ, -mən] *n.* **1** 갱내(坑內) 감독 ; 직공장(職工長). **2** 〖스코法〗 재결자(裁決者), 조정자. **3** 〖哲〗 (Nietzsche의) 초인(superman).
—— [ˊˋ] *vt.* …에 사람을 너무 많이 배치하다.

óver·màntel *n.* 벽난로 위의 장식《거울·조각품·그림 따위》. —— *a.* 벽난로 위의(장식의).

òver·mány *a.* 너무 많은.

òver·márk *vt.* …에게 너무 후한 점수를 주다.

òver·mást *vt.* 〖海〗 (배에) 너무 긴[무거운] 돛대를 달다.

òver·máster *vt.* 제압[압도]하다.

òver·máster·ing *a.* 지배적인, 압도하는, 억제하기 힘든. **~·ly** *adv.*

óver·màtch *n.* (힘·기량에 있어서) 더 나은 사람, 우월자, 강적 ; 우열의 차가 심한 시합.
—— [ˊˋ] *vt.* …을 능가하다, 이기다, 압도하다 ; 너무 센 상대와 시합을 시키다.

óver·màtter *n.* 〖印〗 넘치게 짠 활자, 과잉 조판한 판 ; (잡지 따위에서) 다음호로 돌리는 과잉 원고[기사].

òver·méasure *vt.* 넘치게 재다[달다], 지나치게 어림하다. —— *n.* 과대한 어림치기[평가] ; 잉여, 넘치는 양.

òver·míke *vt.* 마이크로 너무 증폭시키다.

óver·módest *a.* 지나치게 내성적인.

óver·múch *a.* 지나치게 많은, 과분한, 과도한.
—— *adv.* 과다[과분]하게, 과도하게(too much).
—— *n.* U 과다, 과도, 과분.

óver·níce *a.* 너무 꼼꼼한[까다로운].

***óver·nìght** *a.* 전날밤의 ; 하룻밤 사이에 일어나는, 철야의 ; (손님 등) 하룻밤 묵는 : an ~ journey 야간 여행 / ☞ OVERNIGHT BAG / an ~ millionaire 벼락 부자 / make an ~ stop at London 런던에서 일박하다. —— [ˊˋ] *adv.* 밤새도록, 야간의, 철야의 ; 하룻밤 ; 하룻밤 사이에, 갑자기, 별안간(suddenly) ; 전날밤에 : keep ~ (음식물 따위) 이튿날 아침까지 놔두다 / stay ~ 하룻밤 묵다. —— *n.* 전날밤, 전야(前夜) ; 일박 ; 《美俗》 중요하지 않은 것. —— *vi.* 하룻밤을 지내다.

óvernight bág[cáse] *n.* (일박(一泊) 여행용의 소지품을 휴대하는) 여행 가방.

òver·níght·er *n.* 작은 여행용 가방[짐] ; 《美俗》 ＝OVERNIGHT.

óvernight pòll *n.* 심야 여론 조사《텔레비전 프로그램의 방영 후 시청자의 반응을 확인함》.

óvernight télegram *n.* 《英》 다음날 아침에 배달하는 전보《요금이 쌈》.

òver·nutrítion *n.* 영양 과다.

òver·óccupied *a.* 거주자가 너무 많은, 너무 조밀한.

òver·páss *vt.* **1** (강 따위를) 건너다 ; 통과하다. **2** (한계를) 넘다, 침범하다. **3** 견디어 내다, 극복하다 : That ~*es* endurance. 그것은 참을 수 없다. **4** 못보고 넘기다, 빠뜨리다, 무시하다.
—— *vi.* 통과하다.
—— [ˊˋ] *n.* 《美》 고가 교차로, 고가 도로(＝《英》 flyover) ; 과선교(跨線橋) (＝《英》 overbridge, flyover) (cf. UNDERPASS).

òver·pássed, -pást *a.* 이미 지나간, 과거의 ; 이미 폐지된.

òver·páy *vt.* …에 초과 지급하다, …에게 과분한 보수를 주다. **~·ment** *n.* U,C 과불(금), 과분한 보수.

òver·péopled *a.* 인구 과잉의, 주민이 너무 많은.

òver·perfórm *vt.* 악보에 없는데 확대 해석하여 연주를 하다.

òver·permíssive *a.* 자유방임주의의.

òver·persuáde *vt.* 억지로 설복시키다, 설득해서 제편에 끌어 넣다.

òver·pítch *vt.* 〖크리켓〗 (공을) 삼주문(三柱門)에

너무 가깝게 던지다.

òver·pláy *vt., vi.* 과장되게 연기하다 ; 과대 평가하다, 너무 강조하다 ; 〖競〗 상대방을 지게 하다 ; (기사 따위를) 과장해서 쓰다[표현하다] ; …에 너무 의지하다 ; 〖골프〗 공을 너무 세게 쳐서 퍼팅 그린을 넘기다.

overplay** one's **hand 〖카드놀이〗 무리하게 패를 쓰다가 지다 ; (일반적으로) 자기의 힘을 과신하여 지나치게 하다.

óver·plùs *n.* 여분, 과잉, 과다.
〖부분역(部分譯) <OF *surplus*〗

òver·póise *vt.* 무게로 능가하다, …보다 무겁다 (overweigh) ; …보다 중요하다.

òver·pópulate *vt.* 인구 과잉이 되게 하다, 지나치게 밀집시키다. **òver·populátion** *n.* Ⓤ 인구 과잉, (인구의) 과밀(화).

òver·pówer *vt.* 지우다, 이기다(overcome) ; 압도하다 ; …에 필요 이상의 힘을 주다 : She was ~*ed* by grief[the heat]. 비탄에 잠겼다[더위에 지쳐 버렸다].

òver·pówer·ing *a.* 압도적인 ; 저항하기 힘든, 강렬한 ; 우세한, 막대한.
~·ly *adv.* 압도적으로. **~·ness** *n.*

òver·práise *vt.* 지나치게 칭찬하다. —— *n.* Ⓤ 과찬(過讚).

òver·prescríbe *vi., vt.* (의약·마약을) 과잉 처방하다. **òver·prescríption** *n.*

óver·prèssure *n.* Ⓤ 지나친 압력[압박] ; (정신적) 과로.

òver·príce *vt.* …에 너무 비싼 값을 매기다.

òver·prínt *vt.* **1** 〖印〗 겹쳐 인쇄하다 ; 〖타이프라이터〗 (문자반에 없는 글자나 기호를 만들기 위하여 몇개의 문자를) 겹쳐 치다. **2** (필요 부수 이상으로) 과다 인쇄하다 ; 〖寫〗 너무 진하게 인화하다.
—— [ㅡㅡ] *n.* 겹쳐 인쇄한 것 ; (우표·수입 인지 위의) 겹쳐 인쇄한 문자[무늬] ; 겹쳐 인쇄한 우표 ; 과다 인쇄.

òver·príze *vt.* 과대 평가하다.

òver·prodúce *vt.* 과잉 생산하다.
òver·prodúction *n.* Ⓤ 생산 과잉(↔*underproduction*).

òver·pronóunce *vt.* (음절·단어를) 과장하여 [젠체하며, 아주 명확하게] 발음하다. —— *vi.* 과장하여 발음하다.

òver·próof *a.* 표준량 이상의 알코올을 함유한.

òver·protéct *vt.* …을 과(過)보호하다.
-protéction *n.* 과보호. **-protéctive** *a.*

òver·próud *a.* 지나치게 뽐내는, 너무 자만하는.

òver·quálified *a.* 자격 과잉의, (특히) 채용 조건의 최저 요건을 초과한.

òver·ráte *vt.* 과대 평가하다 ; 《英》 (토지·건물을) 과대평가하여 지방세를 과하다.

òver·réach *vt.* **1** (손발 따위를) 지나치게 뻗다, 너무 내놓다. **2** 지나쳐 가다[넘다]. **3** (남을) 감쪽같이 속이다, 한 수 더 뜨다. —— *vi.* **1** (지나쳐) 이르다, 퍼지다, 미치다. **2** 지나쳐 가다 ; 무리하게 몸을 뻗치다, (일반적으로) 무리를 하다, 도를 지나치다. **3** 남을 속이다.

overreach** one**self 몸을 너무 뻗어 균형을 잃다 ; 무리를 하여[지나치게 하여] 실패하다.
—— *n.* overreach하기.

òver·reáct *vi.* 과도[과다, 과격]하게 반응하다.
-reáction *n.*

óver·réad *vt.* (책을) 지나치게 읽다.

òver·refíne *vi.* 지나치게 세밀히 구별짓다 ; 지나치게 정제[정련]하다.

òver·rént *vt.* 부당한 땅세[집세, 소작료 따위]를 받다.

óver·represént·ed *a.* 대표가 너무 많은, (특히) 일정 비율 이상으로 대의원이 나온.

òver·ríde *vt.* **1** (적국(敵國) 따위를) 짓밟다 ; (남을) 말로 누르다. **2** 무시하다 ; 거절하다 ; 무효로 하다 : Congress *overrode* the President's veto. 의회는 대통령이 발동한 거부권을 무효화했다. **3** (말을) 너무 타서 지치게 하다. **4** 〖醫〗 (부러진 뼈를) 겹쳐 맞추다. **5** …보다 우월[우선]하다 ; (자동 제어 따위를) 떼다, 분리하다. **6** 《美》 (매상에 의하여) 커미션을 지급하다. —— [ㅡㅡ] *n.* (매상·이익에 따른) 커미션(overrider, overwrite) ; 장치가 작동치 않게 하는 시스템, (자동식 기계의) 보조적 수동 장치 ; 《美》 무효로 하기.

óver·rìder *n.* override하는 사람 ; 《英》 =BUMPER GUARD ; 《美》 =OVERRIDE.

òver·ríding *a.* 최우선의 ; 가장 중요한 ; 압도적인, 지배적인 ; 횡포한 : an ~ concern 우선적인 관심사 / be of ~ importance 가장 중요하다.

óver·rípe *a.* 너무 익은, 무르익은 ; 쇠퇴한, 퇴폐한 ; 때를 놓친. **~·ly** *adv.*

òver·rúle *vt.* **1** (결정·의론·방침 따위를) 권력으로 뒤엎다, 파기[각하]하다, …에 무효를 선언하다 : They tried not to be ~*d* by the majority. 다수(多數)의 힘으로 번복되지 않도록 힘썼다. **2** 지배하다, …을 좌우하다.

òver·rún *vt.* **1** [+目 / +目+*with*+名] (해충 따위) …에 만연하다, …에 들끓다 ; (강 따위) 범람시키다 ; (유행 따위가) 급격하게 퍼지다 : Weeds have ~ the garden. 잡초가 정원에 우거져 있다 / The ship was ~ ***with*** rats. 배에는 쥐가 들끓고 있었다. **2** 침략하다, (침략에 의해) 황폐시키다. **3** (범위를) 넘다 : The radio program *overran* the time allowed it. 그 라디오 프로그램은 허용된 시간을 초과했다. **4** 〖印〗 다른 행으로[줄로] 넘기다 ; 증쇄하다. **5** 〖野〗 베이스를 지나쳐 달리다, 오버런하다. **6** 보다 빨리 달리다 ; …의 추적에서 벗어나다. **7** 〖機〗 (엔진을) 정규 회전속도[압력, 전압] 이상의 상태로 운전하다, 오버런하다.
—— *vi.* **1** 널리 퍼지다, 넘치다, 범람하다 ; 도를 넘다. **2** (엔진이) 오버런하다.
overrun** one**self 너무 달려서 지치다.
—— [ㅡㅡ] *n.* (엔진의) 과(過)회전, 오버런 ; 긴급용 보조 활주로 ; 잉여(액), 초과(량).
〖OE *oferyrnan*〗

òver·sáil·ing *a.* (건조물의 일부가) 밖으로 돌출된, 길게 나온.

òver·scóre *vt.* (어구(語句) 위에) 선을 긋다, 선을 그어 지우다.

òver·scrúpulous *a.* 지나치게 세심[치밀]한.

***óver·séa(s)** *a.* 해외(로부터)의, 외국의 ; 해외로 가는[향하는] ; 식민지의 : an ~ broadcast 해외로 보내는 방송 / an ~ edition 해외판(版) / ~ trade 해외 무역. —— [ㅡㅡ] *adv.* 해외로[에] (abroad) : go ~ 해외로 가다.
—— *n.* [-seas, 단수취급] 《口》 외국.

óverseas càp *n.* 〖美軍〗 챙 없는 배 모양의 군모.

òver·sée *vt.* 내려다보다, 바라보다 ; (일·노동자를) 감독하다 ; 두루 살피다. 〖OE〗

óver·sèer *n.* 감독, 감독관 : an ~ of the poor 〖英史〗 (교구(教區)의) 민생(民生) 위원.

òver·séll *vt., vi.* 초과 판매하다 ; (증권 따위를) 공매(空賣)하다. —— *n.* 초과 판매.

òver·sénsitive *a.* 지나치게 민감한, 신경 과민인, 신경질적인.

òver·sét *vt.* 뒤집어엎다 ; (정부를) 타도하다, (제도를) 파괴하다. —— *vi.* 뒤집히다. —— [ㅡㅡ] *n.*

전복, 타도.

óver·sèw *vt.* 휘갑치다.

óver·séxed *a.* 성욕 과잉의, 성적 관심이 지나친.

òver·sháde *vt.* =OVERSHADOW.

òver·shádow *vt.* **1** 그늘지게 하다, 가리다, 흐리게 하다. **2** 우울하게 하다. **3** …의 빛을 빼앗다, …을 무색하게 하다, …보다 중요하다[낫다]. **4** 보호하다. 〖OE *ofersceadwian*〗

óver·shìft *n.* 〖美蹴〗 수비측이 좌우 어느 쪽에 선수를 지나치게 배치함.

òver·shíne *vt.* …보다 강하게 빛나다 ; …을 능가하다 ; …을 내리쬐다.

óver·shòe *n.* [보통 *pl.*] 방수(防水)용 덧신 ; (펠트로 만든) 방한용 덧신.

òver·shóot *vt.* 넘겨 쏘다 ; 지나치게 쏘아 (사냥터)의 사냥감을 씨를 말리다 ; (정지선·활주로 따위)에서 그치지 않고 지나쳐가다[달리다, 날다] ; …의 도를 넘다 : The train[plane] *overshot* the platform[runway]. 열차[비행기]는 플랫폼[활주로]을 지나쳐 달렸다[날았다]. —— *vi.* 지나치게 달리다, 도를 넘다 ; 표적의 위를 쏘다.
overshoot one***self*** [***the mark***] 지나치게 하다 [하여 실패하다] ; 과장해서 말하다.
——[⌐⌐] *n.* 지나쳐가기, 지나친 욕심으로[행위로] 인한 실패 ; 〖工〗 (과도응답 때의 정상 상태에 대한) 초과량.

óver·shòt *v.* OVERSHOOT의 과거·과거분사.
—— *a.* **1** (물레방아가) 상사식(上射式)의(↔ *undershot*). **2** 위턱이 튀어나온.

óvershot whèel *n.* 상사식(上射式) 물레방아.

óver·sìde *a.* 〖海〗 뱃전에서 행하는[넘겨주는], 뱃전에서의 ; (레코드의) 뒷면의. —— *adv.* 뱃전 너머로 ; (레코드의) 뒷면에. —— *n.* [the ~] (레코드의) 뒷면, 이면.

óver·sìght *n.* **1** Ⓤ,Ⓒ 못보고 넘김 ; 실수 : by [through] (an) ~ 잘못하여, 무심코. **2** Ⓤ 감시, 감독, 단속 : under the ~ of …의 감독 하에.

óver·sígned *a.* (문서 따위) 모두(冒頭)에 서명이 있는. —— [⌐⌐] *n.* 모두(冒頭) 서명자.

òver·símple *a.* 지나치게 단순한.

òver·símplify *vt.* 지나치게 단순화하다, 너무나 간단하게 다루다.

òver·síng *vi.* 너무 큰소리로 노래하다 ; 너무 해석적인 창법을 쓰다.

óver·síze *a.* 너무 큰 ; 특대의.
——[⌐⌐] *n.* 지나치게 큰 물건 ; 특대품.

óver·skìrt *n.* 오버스커트《블라우스 따위의 위에 겹쳐 입는 스커트》.

over·slaugh [óuvərslɔ̀ː, 美+⌐⌐] *n.* **1** Ⓤ,Ⓒ 〖英軍〗 (더욱 중대한 임무를 맡기기 위한 현직에서의) 해임. **2** 《英》 (강의) 여울, 모래톱. ——[⌐⌐] *vt.* **1** 〖英軍〗 해임하다. **2** 《美》 승진시키지 않다, 무시하다 ; (법안 따위를) 방해하다. 〖Du.〗

òver·sléep *vt., vi.* [*vt.*로서는 ~ one*self* 로] 지나치게 자다, 늦잠 자다 : Tom *overslept* (him*self*) and was late for school. 톰은 늦잠을 자서 학교에 지각했다.

〈회화〉
> Get up! It's already eight o'clock. — Oh, no! Did I *oversleep* again? 「일어나, 벌써 여덟시야」「아니 이런, 내가 또 늦잠을 잔거야」

活用 *oversleep* oneself의 용법은 《英》에서 보다 많이 볼 수 있다.

óver·slèeve *n.* 오버슬리브《더러움을 방지하기 위한 소매 커버》.

òver·slíp *vt.* 미끄러져 지나쳐 가다 ; 《稀》 눈감아 주다 ; 무시하다.

òver·smóke *vi., vt.* 담배를 너무 피우다 ; (훈제(燻製)할 때) 연기를 너무 쐬다.

oversold *v.* OVERSELL의 과거·과거분사.

òver·solícitous *a.* 지나치게 염려하는.

òver·sophísticate *n.* 너무 닳아빠진 사람 ; 지나치게 고상한 사람.

óver·sòul *n.* [the ~] 〖哲〗 대령(大靈)《Emerson 등의 사상에서 만물을 생성시킨다고 하는 영》.

òver·spècial·izátion *n.* 지나친 특수화 ; 〖生〗 (진화 과정에서) 과도한 특수화.

òver·spénd *vt., vi.* [*vt.*로서는 ~ one*self* 로] 자력(資力) 이상으로 과용하다 ; 낭비하다.
——[⌐⌐] *n.* 자력 이상으로 돈을 쓰기, 낭비(액).
~·er *n.*

óver·spìll *n.* 넘침, 넘쳐흐름 ; 잉여, (특히) 과잉 인구. ——[⌐⌐] *vi.* 넘치다.

òver·spréad *vt.* [+目 / +目+*with*+名] …전면에 펼치다[퍼지다] ; …에 흩뿌리다 ; 온통 뒤덮다 : A faint blush ~ her face. 그녀는 온통 얼굴이 붉그스름해졌다 / a garden path ~ ***with*** branches 나뭇가지로 뒤덮인 정원의 오솔길.
—— *n.* overspread하기.
〖OE *ofersprǣdan*〗

òver·stabílity *n.* (환경·조직 따위가) 고도로 안정됨, 고정(성).

òver·stáff *vt.* …에 필요 이상의 직원을 두다.

òver·státe *vt.* 허풍떨다, 과장하다. **~·ment** *n.*

òver·stáy *vt.* …의 시간[기간, 기한] 후까지 오래 머무르다 ; 〖商〗 (시장에서의) 팔 시기를 놓치다.
—— *vi.* 오래 머무르다.
overstay one***'s welcome*** 오래 머물러서 미움받다.
~·er *n.* 《英·濠》 비자 기한 초과 체류자.

óver·stèer *n.* 오버스티어《핸들을 꺾은 각도에 비하여 차체가 커브에서 더 안쪽으로 회전하는 조종특성 ; ↔*understeer*》.
—— [⌐⌐] *vi.* (차가) 오버스티어하다[되다].

òver·stép *vt.* 지나쳐 가다(go beyond), 밟고 넘다 ; …의 한계를 넘다(exceed).

òver·stóck *vt.* [+目 / +目+*with*+名] 너무 많이 공급하다, 지나치게 사들이다 ; (목장 따위)에 지나치게 처넣다 ; (우유를) 상당히 오래 착유하지 않고 두다 : The market is ~*ed*. 시장은 공급이 과잉상태다 / The grocer's shelves were ~*ed* ***with*** merchandise. 그 식료품 가게의 선반에는 주체할 수 없을 정도로 많은상품이 있었다. —— *vi.* 지나치게 구입하다. —— [⌐⌐] *n.* Ⓤ,Ⓒ 구입[공급] 과다, 재고 과잉.

òver·stráin *vt.* 너무 팽팽하게 하다, 지나치게 긴장시키다 ; 무리하게 사용하다. —— *vi.* 무리를 하다 ; 지나치게 긴장[노력]하다.
overstrain one***self*** 긴장하여 무리를 하다, 너무 긴장하다, 너무 일하다.
—— [⌐⌐] *n.* Ⓤ 과도한 긴장[노력], 과로.

òver·stréss *vt.* 지나치게 강조하다 ; 심한 압력을 가하다. —— *n.* 지나친 강조[압력].

òver·strétch *vt.* …을 심하게 잡아 당기다[늘이다] ; 지나치게 긴장시키다 ; 과장하다 ; …에 퍼지다. —— [⌐⌐] *n.* 〖軍〗 과잉 산개(散開).

òver·stréw *vt.* 전면에 흐트러뜨리다[박아넣다] ; 여기저기를 덮다.

òver·stríct *a.* 너무 엄격한.

òver·stríde *vt.* 능가하다 ; 걸터 타다 ; (도랑 따위를) 넘어가다 ; …보다 빨리 걷다 ; …을 지배하다.

òver·strúctured *a.* (목적·기능을 희생하고) 너무 조직화한, 지나치게 연구[계획]하는, (직제·

규제 따위가) 과도하게 정비된.

òver·strúng *a.* 너무 긴장한, (신경) 과민의 ; (활시위가) 지나치게 팽팽한 ; (피아노의) 줄을 비스듬히 교차시켜 매어 놓은.

óver·stùdy *n.* Ⓤ 지나친 공부. ── [⌐⌐] *vt., vi.* 지나치게 공부[연구]하다.

òver·stúff *vt.* 지나치게 채워 넣다 ; (소파 따위에) 속을 두껍게 채워 넣다.

òver·subscríbe *vt.* (공채 따위를) 모집액 이상으로 신청하다. **-subscríbed** *a.* **-subscríption** *n.* [U,C] 신청 초과.

òver·súbtle *a.* 너무 미세[민감]한.

óver·supplỳ *n.* [U,C] 공급 과잉.
── [⌐⌐] *vt.* …에 지나치게 공급하다.

òver·swéll *vt.* 심하게 부풀리다 ; 넘쳐흐르다, 넘치다.

òver·swíng *vi.* 〔골프〕 클럽을 강하고 크게 휘두르다.

overt [óuvəːrt, -⌐] *a.* (증거 따위) 명백한 ; 공공연한. 〖OF (p.p.) ‹ *ovrir* to open＜L *aperio*〗

òver·táke** *vt.* **1 a**) …을 뒤따라 잡다 ; 추월(追越)하다, 앞지르다 : They *overtook* him at the entrance. 입구에서 그를 따라 잡았다. **b**) 《英》 (다른 차를) 추월하다(pass) : We were ~*n* by some cars on the road. 도로에서 몇 대인가의 차에 추월당했다. **c**) (뒤떨어진 일 따위를) 만회하다. **2** [＋目 / ＋目＋前＋名] (폭풍우·재난 따위가) 엄습해 오다, 불의를 만나다 : A sudden storm *overtook* us. 우리는 돌연 폭풍우를 만났다 / He was ~*n* ***by [***with***] surprise. 뜻밖의 일을 갑자기 당했다. **3** 상회(上廻)하다(exceed) : Traffic accidents have already ~*n* last year's figure. 교통사고는 이미 작년의 수치를 상회하고 있다. ── *vi.* 《英》 앞차를 추월하다 : No *overtaking*. 《게시》 추월 금지.
be overtaken in [***with***] ***drink*** 술에 취해 있다.

***overtaken** *v.* OVERTAKE의 과거분사.

over·ták·ing làne *n.* 《英》 (도로상의) 추월차선 (passing lane).

óver·tàlk *n.* 지나친 수다, 다변, 요설(饒舌).

òver·tásk *vt.* …에게 무리한 일을 시키다, 과중한 부담을 지우다 ; 혹사하다.

òver·táx *vt.* **1** …에게 과중한 세금을 부과하다. **2** 무리한 일을 강요하다, 지나치게 일을 시키다 : That ~*ed* his patience. 그것은 지나칠 정도로 그의 인내를 강요했다.

òver·technólogize *vt.* (비인간적일 정도로) 과도하게 기술화하다.

óver-the-áir *a.* ＝ON-AIR.

óver-the-cóunter *a.* 〔證〕 점두 거래(店頭去來)의 ; 장외(場外) 거래의《略 OTC, O.T.C.》 ; 의사의 처방없이 팔 수 있는《약》.

óver-the-híll *a.* (인생의) 한창때를 지난 ; 늙은.

óver-the-horízon *a.* 〔通信〕 가시거리 밖의 : ~ communication 가시거리 밖의 통신《(극)초단파의 대류권 산란 따위에 의한 가시 거리보다 먼 지역으로의 전파를 이용한 통신》 / ~ propagation 가시거리 밖의 전파.

óver-the-róad *a.* 장거리 (도로) 수송의.

óver-the-shóulder bómbing *n.* ＝LOFT BOMBING.

óver-the-tránsom *a.* 계약[의뢰]에 의한 것이 아닌, 자청해서 가지고 온《원고》.

***overthrew** *v.* OVERTHROW의 과거형.

***òver·thrów** *vt.* **1** 뒤집어엎다, 타도하다 ; 헐다, 파괴하다 ; (정부 따위를) 전복하다, 폐지하다 (subvert) : ~ the government 정부를 전복시키다 / ~ a king 왕을 폐위시키다 / ~ slavery 노예 제도를 폐지하다. **2** (공 따위를) 너무 멀리 던지다 ; 〔野〕 (베이스)의 위를 높이 벗어나게 폭투하다. ── *vi.* 너무 멀리 던지다. ── [⌐⌐] *n.* 정복 ; 타도, 전복(upset) ; 패배, 멸망 ; 〔크리켓·野〕 폭투(暴投), 높이 던지기.
[類義語] ⟹ CONQUER.

óver·thrùst (fàult) *n.* 〔地質〕 오버스러스트 (단층(斷層)).

óver·tìme *n.* 규정외 노동 시간 ; 시간외 노동, 초과 근무, 잔업 ; 시간외 수당 ; 연장전 : do ~ 잔업[초과 근무]을 하다. ── *a.* 시간외의, 초과 근무의 : ~ pay 시간외 수당. ── *adv.* (규정) 시간 외에 : work ~ 시간외 노동[초과 근무]을 하다.
── [⌐⌐] *vt.* …에 너무 많은 시간을 들이다.

óver·tìmer *n.* 초과[시간외] 근무자.

òver·tíre *vt., vi.* 과로시키다[하다].

óvert·ly *adv.* 명백히, 공공연히(publicly).

òver·tóil *vt.* 지나치게 일을 시키다, 과로시키다.
── [⌐⌐] *n.* Ⓤ 과로.

óver·tòne *n.* **1** 〔樂〕 상음(上音) ; 배음(倍音) (harmonic) (↔*undertone*). **2** [때때로 *pl.*] 부대적(附帶的) 의미, 함축, 뉘앙스(implication) : "Sea" carries stronger emotional ~*s* than "ocean". sea 라는 말은 ocean 보다 감정적 뉘앙스가 강하다. ── [⌐⌐] *vt.* 〔寫〕 (양화(陽畫)를) 너무 짙게 인화하다 ; 〔樂〕 (딴 음을) 압도하다. 〖G *Oberton*의 역(譯)〗

òver·tónnaged *a.* (배의) 톤수가 너무 큰, 너무 대형인.

***overtook** *v.* OVERTAKE의 과거형.

òver·tóp *vt.* …의 위에 높이 솟다 ; …을 능가하다, 압도하다. ── *adv.* 머리 위에.

òver·tráde *vi.* 능력 이상의 거래를 하다 ; 지급[판매]능력 이상으로 구입하다. ── *vt.* (자력을) 초과한 매매를 하다.

òver·tráin *vt., vi.* 지나치게 연습시키다[하다] ; 지나친 훈련으로 몸의 상태를 악화시키다.

òver·tréat *vi.* (의사가) 과잉 진료하다.
~·ment *n.*

óver·trìck *n.* 〔카드놀이〕 오버트릭《선언한 이상으로 얻은 점수》.

òver·trúmp *vt., vi.* 〔카드놀이〕 상대편 보다 끗수 높은 패를 내다.

over·ture [óuvərtʃər, -tʃùər] *n.* **1** [때때로 *pl.*] 교섭 개시, 제안 : an ~ *of* marriage 결혼 신청 / Germany made ~*s of* peace *to* the Allied. 독일은 연합국에 강화를 제의했다. **2** (시(詩) 따위의) 서장 ; 〔樂〕 서곡, 전주곡(prelude). ── *vt.* (…에) 신청[제안]하다 ; 서곡으로 도입하다. 〖OF＜L APERTURE〗

***òver·túrn** *vt.* 뒤집어엎다, 전복시키다 ; 뒤집다, 타도하다 : The rough water ~*ed* their boat. 그 거친 파도에 그들의 보트가 전복되었다 / The government was ~*ed* by the rebels. 정부는 반란군에 의해 전복되었다. ── *vi.* 전복되다 ; 뒤집히다, 쓰러지다 : The car ~*ed* after skidding. 차가 미끄러져서 전복됐다.
── [⌐⌐] *n.* 전복 ; 타도, 붕괴(collapse).
[類義語] ⟹ UPSET.

òver·úse [-júːz] *vt.* 지나치게 사용하다, 남용하다. ── [-júːs] *n.* Ⓤ 과도한 사용, 혹사, 남용.

òver·válue *vt.* 가치를 과대 평가하다, 지나치게 중시(重視)하다(↔*undervalue*). ── *n.* 과대 평가. **óver·valuátion** *n.*

óver·vìew *n.* 개관, 개략 ; 전체상(像).

òver·vóltage *n.* 〔電〕 과(過)전압.

òver·wálk *vi., vt.* 너무 걷다[걷게 하다] : ~ oneself 너무 걸어 지치다.

òver·wásh *vt.* …에 물을 끼얹다[들씌우다]. —— [⌐-⌐] *n.* (토지·가옥 따위가) 물에 잠김.

òver·wátch *vt.* 망을 보다, 감시하다(watch over) ; [보통 *p.p.*로] 감시하여 지치게 하다.

óver·wàter *a., adv.* 수면 상공에서의[을 횡단하여서].

òver·wéar *vt.* (옷 따위) 떨어질 때까지 입다 ; (옷이 작아 입지 못할 만큼) 몸이 커지다.

òver·wéary *a.* 기진 맥진한. —— *vt.* 기진 맥진케 하다.

over·ween [òuvərwíːn] *vi.* 《古》 자만하다, 거드름 피우다.

over·ween·ing [òuvərwíːniŋ] *a.* 자부심이 강한, 잘난 체하는, 거만한 ; 과도한, 중용을 잃은.

òver·wéigh *vt.* …보다 무겁다[중대하다] (outweigh) ; 압박하다(oppress).

óver·wèight *n.* Ⓤ 초과 중량 ; 과중(過重) ; (무게[힘]에서의) 우위 ; 너무 뚱뚱한 사람. ——[⌐-⌐] *a.* 규정 중량을 초과한, 중량 초과의 ; (사람이) 너무 비대한 : ~ baggage[letters] 중량 초과의 수화물[편지]. —— [⌐-⌐] *vt.* [+目+*with*+名] [보통 *p.p.*로] …에 짐을 너무 많이 싣다(overburden) : a truck ~*ed* ***with*** coals 석탄을 너무 많이 실은 트럭.

óver·wèight·ed *a.* 중량 초과의, 짐을 너무 실은 ⟨*with*⟩.

over·whelm** [òuvərhwélm] *vt.* **1** [+目/+目+前+名] 압도하다, 위축시키다, 난처하게 하다 : I was ~*ed* by her kindness. 그녀의 친절에는 감사할 뿐이었다 / He was ~*ed* ***with grief [joy]. 그는 슬픔에 사로잡혔다[기뻐서 어찌할 바를 몰랐다]. **2** 물속에 가라앉히다, 땅속에 파묻다 ; 전복시키다, 타도하다 : The boat was ~*ed* by a great wave. 보트는 큰 파도로 물 속에 가라앉았다.

overwhélm·ing *a.* 압도적인, 저항할 수 없는 : an ~ disaster 불가항력적인 재해 / ~ superiority 압도적 우세. **~·ly** *adv.* 압도적으로.

òver·wínd [-wáind] *vt.* (시계 태엽 따위를) 너무 감다, (악기 따위의 나사를) 너무 죄다.

òver·wínter *vi.* 겨울을 지내다, 월동하다. —— *a.* 겨울 동안에 일어나는, 동기(冬期)의.

òver·withhóld *vt.* 《美》 (세금의) 원천 징수를 지나치게 하다.

óver·wòrd *n.* (가사 따위의) 후렴.

òver·wórk** *vt.* 지나치게 일을 시키다, 지나치게 사용하다 : Don't ~ that excuse. 그런 변명은 적당히 해두어라. —— *vi.* 지나치게 일하다 : He has ~*ed* for weeks. 수주일동안 지나치게 일했다. ***overwork one***self*** 지나치게 일하다, 과로하다. —— [⌐-⌐] *n.* **1** Ⓤ 지나친[과도한] 노동 ; 과로 : He became ill through ~. 그는 과로해서 병이 났다. **2** Ⓤ 규정외[초과] 근무.

òver·wórn *v.* OVERWEAR의 과거분사. —— *a.* 입어서 해진 ; 지친.

óver·wràp *n.* 겉 포장《담뱃갑 따위를 싸는 셀로판지 따위》.

òver·wríte *vt., vi.* …위에 쓰다 ; 가득히 쓰다 ; 너무 많이 쓰다 ; 과작하다 ; 《美》 (세일즈맨이) 매상고에 따라 수수료를 받다 : ~ oneself 과작으로 문장[인기]을 망쳐 놓다. —— *n.* =OVERRIDE ; 〖컴퓨〗 겹쳐쓰기.

òver·wróught *v.* OVERWORK의 과거·과거분사. —— *a.* **1** 지나치게 일한 ; 흥분한, 너무 긴장한 ; 과로의. **2** 지나치게 공들인.

óver·zèal *n.* Ⓤ 지나친 열성.

òver·zéalous [-zél-] *a.* 지나치게 열심인.

ovi- [óuvə] ☞ OV-.

òvi·bóvine *n., a.* 〖動〗 사향소(의).

óvi·cìde *n.* (해충의 알을 죽이는) 살란제(殺卵劑) ; 《戱》 살양제(殺羊劑).

Ov·id [ávəd] *n.* 오비디우스(43 B.C.-?A.D. 17) 《로마의 시인》.

ovi·duct [óuvədʌ̀kt, áv-] *n.* 〖解〗 난관(卵管), 나팔관 ; 〖動〗 수란관.

ovif·er·ous [ouvífərəs] *a.* 〖動〗 알이 있는, 알을 낳는.

óvi·fòrm *a.* 난형(卵形)의 ; 모양이 양(羊) 같은.

ovine [óuvain, -vən] *n., a.* 양(羊)(의), 양 같은. 〚L (*ovis* sheep)〛

ovip·a·ra [ouvípərə] *n. pl.* 〖動〗 난생(卵生) 동물.

ovip·a·rous [ouvípərəs] *a.* 〖動〗 난생의 (cf. VIVIPAROUS).

ovi·pos·it [òuvəpázət, ⌐-⌐-] *vi.* (특히 곤충이) 알을 낳다, 산란하다. **ovi·po·si·tion** [òuvəpəzíʃən] *n.* 산란(産卵).

ovi·pos·i·tor [òuvəpázətər, ⌐-⌐--] *n.* 〖昆〗 산란관(産卵管).

OVIR [ouvíər] *n.* (구소련의) 출입국 관리국. 〚Russ.=Office of Visas and Registrations〛

ovo- [óuvou, -və] ☞ OV-.

ovoid [óuvɔid] *a.* 난형(卵形)의. —— *n.* 난형물. 〚F<NL ; ⇨ OVUM〛

ovoi·dal [ouvɔ́idəl] *a.* =OVOID.

òvo·lac·tár·i·an [-læktéəriən, -tǽər-] *n.* 유제품(乳製品)과 달걀을 먹는 채식주의자.

ovo·lo [óuvəlòu] *n.* (*pl.* **-li** [-lìː, -lài], **~s**) 〖建〗 동그스름한 쇠시리.

Ovon·ic [ouvánik] *a.* [때때로 o~] 〖電子〗 오브신스키 효과(Ovshinsky effect)의[에 관한]. —— *n.* 오보닉 장치(=~ device)《오브신스키 효과를 응용한 장치 ; 스위치·기억 소자에 쓰임》.

Ovón·ics *n.* 오보닉스《오브신스키 효과를 응용한 전자공학의 한 분야》.

òvo·téstis *n.* (*pl.* **-tes**) 〖動〗 난정소(卵精巢), 난소 고환(卵巢睾丸).

òvo·vivíparous *a.* 〖動〗 난태생(卵胎生)의.

Ov·shín·sky effèct [ɑvʃínski-, ouv-] *n.* 〖電子〗 오브신스키 효과《비소·게르마늄 따위를 혼입한 비결정질 유리막에 나타나는 전기 저항의 비선형(非線型) 효과》. 〚Stanford R. *Ovshinsky* (1923-) 미국의 발명가〛

ovu·lar [ávjələr, óu-] *a.* 밑씨의 ; 난자(卵子)의.

ovu·late [ávjəlèit, óu-] *vi.* 〖生理〗 배란하다. **òvu·lá·tion** *n.* Ⓤ,Ⓒ 〖生〗 배란. 〚NL ; ⇨ OVULE〛

ovule [ávjuːl, óu-] *n.* 〖生〗 난세포 ; 〖植〗 밑씨. 〚F<L (dim.)<↓〛

ovum [óuvəm] *n.* (*pl.* **ova** [-və]) 〖生〗 알(egg), 난자 ; 〖建〗 난형(卵形) 장식. 〚L=egg〛

ow [áu, úː] *int.* 아아!, 아파!, 앗!, 저런 《아픔·놀람을 나타내는 발성 ; cf. OUCH[1]》. 〚imit.〛

‡**owe** [óu] *vt.* **1** [+目+目/+目+*to*+名/+目] …을 지급[반제]할 의무가 있다, …에게 빚이 있다, (빚을) 지고 있다 : I ~ my brother $100. = I ~ $100 ***to*** my brother. 형[동생]에게 100달러의 빚이 있다 / He still ~*d* $200 on that car. 그 자동차 대금으로 아직 200달러가 남아 있었다. **2** [+目+前+名/+目+目] (의무를) 지고 있다, (…의) 덕택으로 생각하다, (남에게 …의) 은혜를 입다 : We ~ a duty ***to*** society. 사회에 봉사해야 할 의무가 있다 / The world ~*s* much *to*

Leonardo da Vinci for the works of art that he left us. 세상 사람들은 레오나르도 다 빈치가 남겨준 예술작품에 대하여 감사하지 않으면 안된다 / I ~ it *to* my uncle that I am now so successful. 내가 오늘날 이렇게 성공한 것은 아저씨 덕택이다 / I ~ you ***for*** your services. 당신의 노고에 감사드립니다 / I ~ you my life[you an apology]. 너는 나의 생명의 은인이다[너에게 사과해야 하겠다] / I ~ him a grudge. 나는 그에게 원한이 있다. 㽣 owe《특히 2》의 수동태는 드묾.
── *vi.* [動 / +前+名] 빚이 있다 : I still ~ ***for*** my last suit. 나는 아직 전의 양복값을 치르지 않고 있다.

> **owe를 사용한 문장 전환**
> (1) My father made me what I am.
> → I *owe* what I am *to* my father. (=What I am I *owe to* my father.)
> (나의 오늘이 있음은 아버지 덕입니다.)
> (2) My success is due to you.
> → I *owe* my success *to* you.
> → I *owe* it *to* you that I succeeded.
> (내가 성공한 것은 당신 덕입니다.)

〚OE *āgan* to possess, own ; cf. OHG *eigan*〛

Ow·en [óuən] *n.* **1** 남자 이름. **2** 오언. **Robert** ~ (1771-1858) 영국의 사회 개혁가.
~·ism *n.* Ⓤ 오언주의《Robert Owen이 주장한 공산 노동주의》.

OWI 《美》 Office of War Information《전시(戰時) 정보국 ; 1942-45》.

***ow·ing** [óuiŋ] *pred. a.* **1** 빚지고 있는, 미불의 : I paid what was ~. 빚은 모두 갚았다. 㽣 특히 간접목적어를 수반하는 수가 있음 : He received the money that was ~ *him.* 돌려받아야 할 돈을 받았다. **2** …에 기인하는, …탓으로 돌려야 할〈*to*〉.
owing to... (1) [전치사로서] …때문에(on account of)(☞ DUE 活用) : *O~ to* careless driving, he had an accident. 부주의한 운전으로 인해서 그는 사고를 냈다 / There was no play ~ *to* the rain. 비 때문에 시합은 취소되었다. (2) …로 인해서, …에 기인하는(due to) : The accident was ~ *to* careless driving. 사고의 원인은 부주의한 운전 때문이었다. 㽣 부사가 들어갈 때에는 보통 owing *mainly* to... (주로 …때문에)와 같이 됨.

***owl** [ául] *n.* **1** 〖鳥〗 올빼미. **2** 점잔빼는 사람, 진지한 체하는 사람 ; 약은 체하는 얼간이, 바보(fool). **3** 밤을 새우는 사람, 밤에 일하는 사람(night owl), 밤에 밖에 나다니는 사람.
(as) blind [***stupid***] ***as an owl*** 전혀 앞을 못보는, 극히 아둔한.
carry [***send***] ***owls to Athens*** 쓸데없는 짓을 하다, 사족(蛇足)을 붙이다(cf. *carry* COALS *to Newcastle*).
fly with the owl 밤에 나다니다, 밤에 놀러 나가는 버릇이 있다.
── *a.* 밤에 운전하는, 야간[심야·철야] 영업의 : an ~ train 《美口》 밤기차, 야간 열차.
〚OE *ūle* ; cf. G *Eule*〛

owl·et [áulət] *n.* 올빼미 새끼 ; 작은 올빼미《유럽산(産)》.

ówl·ish *a.* 올빼미 같은 ; 엄숙한 표정을 한 ; 영리한것 같지만 바보인 ; 밤에 나다니는.

ówl-lìght *n.* 황혼(twilight).

◇**own** [óun] *a.* **A** [주로 소유격 뒤에 강조어로서 쓰임] **1** [소유관계] **a**) 자기 자신의, 자기의 : my ~ book 내책 / our ~ dear children 귀여운 우리 아이들 / Most Americans go to their work in their ~ cars. 미국 사람들은 대부분 자가용 차로 직장에 출근한다. **b**) 개인적인, 그 자체의, 독특한 : He loves truth for its ~ sake. 진리를 진리로서 사랑한다 / He has a style all his ~. 그에게는 독특한 스타일이 있다. **2** [활동관계] 자기 스스로 하는, 남의 도움을 빌리지 않는 : be one's ~ man[woman] 자유의 몸이다 / He cooks his ~ meals. 자취하고 있다. **3** [혈족관계] 직접의, 친(親)…, 본처 소생의 : one's ~ father 친아버지 / one's ~ cousin 친사촌(first cousin).

> 〈회화〉
> Do you have your *own* room? — No, I have to share one with my sister. 「네 방은 있니」「없어. 언니와 한 방을 쓰고 있어」

B [one's ~] [독립적인 명사 용법] 자기 것, 자기 가족, 사랑하는 사람 ; 독특한 것[입장] : *my* ~ (애칭으로) 얘야, 아가 / I can do what I will with *my* ~. 내 것을 어떻게 하든 그것은 내 마음대로다 / Keep it for *your* (very) ~. 네 몫으로 받아 두어라.
come into one***'s own*** 자기의 역량을 충분히 발휘하다 ; 정당한 명예[신용 따위]를 얻다.
get one***'s own back*** 《口》 앙갚음하다, 복수하다〈*on*〉.
hold one***'s own*** (공격·비판 따위에 대해) 자기의 입장을 고수하다, (병중에) 꾸준히 견디어 나가다.
of one***'s own*** (*...ing*) 자기 자신의 : He has a house[style] *of* his ~. 그에게는 자기 소유의 집[독특한 스타일]이 있다(cf. 1 b)) / reap the harvest *of* one's ~ sow*ing* 자기 자신이 뿌린 씨의 열매를 거둬들이다.
on one***'s own*** 《口》 자기 스스로, 혼자힘으로(without help) ; 단독으로(cf. *by* ONESELF) : do something *on* one's ~ 자기의 생각대로[책임하에] 뭔가를 하다 / He is going to China *on* his ~. 혼자서[자비로] 중국에 가려고 한다.
── *vt.* **1** 소유[소지]하다 : Who ~*s* this land? 이 땅의 임자는 누구입니까 / The Canadian Pacific Railway is ~*ed* and operated by the Canadian Government. 캐나다 태평양 철도는 캐나다 정부의 소유로 운영되고 있다. **2** …의 작자[부친·소유자]임을 인정하다 : His father refused to ~ him. 그의 부친은 그를 자기 자식으로 인정하기를 거부했다. **3** [+目 / +目+補 / +目+過分 / +目+前+名 / +目+*to* do / +*that* 節] (…의 존재·가치·진실을) 인정하다 : She ~*ed* her weakness. 자기의 약점을 인정했다 / I should like to ~ myself a conscientious objector. 내 자신이 양심적인 참전 거부자임을 주장하고 싶다 / He ~*s* himself indebt*ed*[beat*en*, ***at*** fault]. 그분 자신도 은혜를 입었다[졌다·잘못했다]고 말하고 있다 / I ~ the document *to be* a forgery. 그 문서가 위조임을 자백합니다 / He ~*ed that* he was wrong. 자기가 잘못했다는 것을 인정했다.

> 〈회화〉
> Do you *own* your house? — No. It's a rented house. 「집은 당신 소유입니까」「아닙니다. 전셋집입니다」

── *vi.* [+*to*+名] 자백하다, 인정하다 : I ~ ***to*** a great many faults. 내게 많은 결점이 있다는 것을 자인합니다 / She ~*ed to* be*ing* thirty[*to*

having told a lie]. 그녀는 서른 살이라고[거짓말을 했다고] 자백했다.
own up 모조리 자백하다 : He ~*ed up to* his fault. 그는 자기의 잘못을 숨김없이 자백했다.
⟦OE *āgen* ; cf. OWE, G *eigen*⟧
類義語 ⟹ ADMIT, HAVE.

ówn-bránd *a.* (제조업자의 이름이 아닌) 판매업자의 이름[상표]을 붙인, 자가 상표의.

owned [óund] *a.* [합성어로] …에게 소유되어 있는 : state-~ railways.

‡**ówn·er** *n.* **1** 임자, 소유주, 소유권자. **2** 〖商〗 화주, 선주.
at owner's risk 〖商〗 (화물 운송에서) 손해는 화주의 부담으로.

〈회화〉
Who is the *owner* of this house? — My uncle is. 「이 집은 누구 소유입니까」「저희 삼촌 집입니다」

ówn·er-dríver *n.* 오너드라이버《자가용 차를 손수 운전하는 사람》; 개인택시 운전사.

ówn·er·less *a.* 소유주가 없는.

ówn·er-occupátion *n.* 《英》 자기 소유의 집에 삶, 자가 거주.

ówn·er-óccupied *a.* 《英》 주인 자신이 살고 있는《집》.

ówn·er-óccupier *n.* 《英》 자가(自家) 거주자.

ówn·er·shìp *n.* Ⓤ 소유자임[로서의 자격] ; 소유권 : land of uncertain ~ 소유자가 확실치 않은 토지.

ówn-lábel *a.* 《英》 =OWN-BRAND.

***ox** [áks] *n.* (*pl.* **ox·en** [áksən]) 소 ; 수소, (특히) 거세한 소(cf. BULL[1], COW).
⟦OE *oxa* ; cf. G *Ochs*(*e*)⟧

ox- [áks], **oxo-** [áksou, -sə] *comb. form* 「산소를 함유하는」의 뜻. ⟦OXY-[2]⟧

Ox. Oxford ; Oxfordshire.

ox·a·cil·lin [àksəsílən] *n.* Ⓤ 〖化〗 옥사실린《반(半)합성 페니실린》.

ox·a·late [áksəlèit] *n.* 〖化〗 옥살산염.

ox·al·ic [ɑksǽlik] *a.* 괭이밥의 ; 괭이밥에서 채취한 ; 〖化〗 옥살산의.
⟦F<L<Gk. *oxalis* wood sorrel⟧

oxálic ácid *n.* 〖化〗 옥살산.

ox·a·lis [áksələs, ɑksǽləs] *n.* 〖植〗 괭이밥.

ox·az·e·pam [ɑksǽzəpæ̀m] *n.* 〖藥〗 옥사제팜《정신 안정제》. ⟦hydr*oxy*-+di*azepam*⟧

óx·blòod (réd) *n.* (칙칙한) 짙은 적색.

óx·bow [-bòu] *n.* (소의) U자형 멍에 ; (하천의) U자형 만곡(彎曲)(에 둘러싸인 토지) ; 우각호(牛角湖)(=~ lake). —— *a.* U자형의.

Ox·bridge [áksbridʒ] *n.* 옥스브리지《Oxford대학과 Cambridge대학》; (역사가 긴) 명문대학.
—— *a.* 옥스브리지의[같은].
Ox·brídg·e·an, -i·an *a.*, *n.* 옥스브리지의 (학생[졸업생]).

óx·càrt *n.* 우차(牛車), 달구지.

***oxen** *n.* OX의 복수형.

óx·er *n.* =OX FENCE.

óx·èye *n.* 〖植〗 화반(花盤)과 설상화(舌狀花)가 있는 엉거시과(科)의 식물(=~ **daisy**) ; 민물도요류(類)의 작은 새.

óx èye *n.* 소 눈 ; 큰 눈.

óx-èyed *a.* 눈이 큰.

Oxf. Oxford ; Oxfordshire.

Ox·fam [áksfæm] *n.* 옥스팜《Oxford를 본부로 하여 1942년에 발족한 세계 각지의 빈민 구제 기관》.

óx fènce *n.* 소 우리《울타리를 따라 한 쪽에 가로지른 울짱 ; 다른 쪽에는 깊은 도랑을 설치함》.

Ox·ford [áksfərd] *n.* **1** 옥스퍼드《잉글랜드 남부의 도시》; =OXFORDSHIRE. **2** 옥스퍼드 대학(Oxford University). **3** [보통 *pl.*, o~s] 《美》 =OXFORD SHOES. **4** [보통 o~] 세로줄무늬의 셔츠·여성복용의 옷감(=~ **cloth**)《능직(綾織) 따위의 면포 또는 레이온》. **5** 《英俗》 5실링.

Óxford áccent *n.* 옥스퍼드 방언 ; 학식이 많은 체 하는 말씨.

Óxford bágs *n. pl.* 《英》 통이 넓은 바지.

Óxford blúe *n.* 짙은 감색《Cambridge blue에 대하여》.

Óxford cláy *n.* 〖地質〗 옥스퍼드 점토층(粘土層)《잉글랜드 중부의 경질(硬質)의 청색층》.

Óxford Dówn *n.* 옥스퍼드 (다운)종(의 양)《영국의 뿔없는 양》.

Óxford Énglish *n.* 옥스퍼드 영어《옥스퍼드 대학에서 쓰인다는 약간 점잔뺀 표준 영어》.

Óxford fráme *n.* 정(井)자 모양의 액자.

Óxford gráy *n.* 짙은 회색.

Óxford Gròuper *n.* 옥스퍼드 그룹 운동원(員).

Óxford Gròup móvement *n.* 옥스퍼드 그룹 운동《1921년 미국인 F. Buchman에 의해서 옥스퍼드 대학에 설립된 조직으로서 공사(公私) 생활에 있어서 절대적 도덕성을 강조함 ; cf. MORAL RE-ARMAMENT》.

Óxford màn *n.* 옥스퍼드 대학 출신자.

Óxford mòvement *n.* [the ~, 때때로 the O~ M~] 옥스퍼드 운동《1833년경부터 옥스퍼드 대학에서 일어난 카톨릭주의 종교 운동》.

Óxford·shire [-ʃiər, -ʃər] *n.* 옥스퍼드(셔)《잉글랜드 남부의 주(州) ; 주도 Oxford》.

óxford shóes *n. pl.* 옥스퍼드《발등쪽에 끈을 매는 외출용 신사화》.

óx·gàll *n.* 수소의 담즙《도료·약용》.

óx·hèart *n.* 〖園藝〗 (큰 심장 모양을 한) 큰 버찌의 한 품종.

óx·hèrd *n.* 소치는 사람.

óx·hìde *n.* Ⓤ,Ⓒ 쇠가죽 ; Ⓤ (무두질한) 쇠가죽.

ox·i·dant [áksədənt] *n.* 〖化〗 옥시던트, 산화체, 강산화성(強酸化性) 물질.
⟦F ; ⇨ OXYGEN⟧

ox·i·dase [áksədèis, -z] *n.* 〖生化〗 산화효소, 옥시다아제(oxidation enzyme).

ox·i·date [áksədèit] *vt.*, *vi.* =OXIDIZE.

ox·i·da·tion [àksədéiʃən] *n.* Ⓤ 〖化〗 산화.

oxidátion ènzyme *n.* 〖生化〗 =OXIDASE.

oxidátion potèntial *n.* 〖理〗 산화 전위.

oxidátion-redúction *n.* 〖化〗 산화 환원.

oxidátion-redúction poténtial *n.* 〖理〗 산화 환원 전위(電位).

ox·i·da·tive [áksədèitiv] *a.* 〖化〗 산화의 ; 산화력 있는. **~·ly** *adv.*

ox·ide [áksaid] *n.* Ⓤ,Ⓒ 〖化〗 산화물 : iron ~ 산화철. **ox·id·ic** [ɑksídik] *a.*
⟦F ; ⇨ OXYGEN⟧

ox·i·dim·e·try [àksədímətri] *n.* 〖化〗 산화적정(滴定).

ox·i·dize [áksədàiz] *vt.*, *vi.* **1** 산화시키다[하다]. **2** 녹슬(게 하)다 ; (은 따위를) 그슬려 산화시키다 : ~*d* silver 그슬린 은. **òx·i·di·zá·tion** *n.* Ⓤ 산화 (작용), 산화물.

óx·i·dìz·er *n.* 〖化〗 산화제.

óx·i·dìz·ing àgent *n.* 〖化〗 산화제, 산화체.

óxidizing flàme *n.* 〖化〗 산화성 불꽃《담청색·고온으로 산화력을 갖는 부분》.

ox·i·do·re·duc·tase [àksədouridʌ́kteis, -z] *n.* 〖生化〗 산화 환원 효소.
ox·im·e·ter [ɑksímətər] *n.* 〖醫〗 (헤모글로빈의) 산소 농도계.
Ox·i·sol [ɑ́ksəsɔ̀(:)l, -sòul, -sɑ̀l] *n.* 〖土壤〗 옥시솔《열대지방의 풍화된 비수용성(非水溶性) 성분을 많이 함유한 토양》.
ox·lip [ɑ́kslip] *n.* 〖植〗 앵초(櫻草)의 일종. 〚cf. COWSLIP〛
Oxon. *Oxonia* 《L》 (=Oxford) ; Oxonian ; *Oxoniensis* 《L》 (=of Oxford).
Ox·o·ni·an [ɑksóuniən] *a.* Oxford (대학)의. —— *n.* Oxford 대학 학생[출신자], 옥스퍼드 대학 (구(舊))교원 ; 옥스퍼드의 주민. 〚*Oxonia* Oxford의 라틴 어형(語形)〛
oxo·trem·o·rine [àksoutrémərì:n, -rən] *n.* 〖藥〗 옥소트레모린《파킨슨 병 연구용의 경련제로서 실험적으로 쓰임》.
óx·tàil *n.* 소의 꼬리 ; 쇠꼬리《수프 재료로 씀》.
ox·ter [ɑ́kstər] *n.* 《스코》 겨드랑이 ; 팔의 안쪽. —— *vt.* 팔로[팔을 잡아] 부축하다 ; 겨드랑이에 끼다, 껴안다(hug).
óx·tòngue *n.* 소의 혓바닥 고기《요리용》; 〖植〗 소혀 모양의 잎면이 거친 식물, (특히) 쇠서나물《엉거시과(科)》.
oxy-[1] [ɑ́ksi] *comb. form* 「예리한」「뾰족한」「급속한」의 뜻. 〚Gk. (*oxus* sharp, acid)〛
oxy-[2] [ɑ́ksi] *comb. form* 「산소를 함유하는」「수산기를 함유하는(hydroxy-)」의 뜻. 〚*oxy*gen〛
òxy·acétylene *a.* 산소와 아세틸렌 혼합물의 : an ~ blowpipe[torch] 산소 아세틸렌 토치《금속의 절단·용접용》/ ~ welding 산소 아세틸렌 용접.
óxy·àcid *n.* Ⓤ 〖化〗 산소산(酸) (oxygen acid).
òxy·chlóride *n.* Ⓤ,Ⓒ 〖化〗 산염화물.
***ox·y·gen** [ɑ́ksidʒən] *n.* Ⓤ 〖化〗 산소《비(非)금속 원소 ; 기호 O ; 번호 8》: an ~ breathing apparatus 산소 흡입기.
òx·y·gén·ic, ox·ýg·e·nous *a.* 산소의, 산소를 함유하는.
〚F *oxygène*<Gk. *oxus* sharp, *gen-* (root)‹ *gignomai* to become ; 모든 acid에 존재한다고 생각되었기 때문에 만들어진 조어(造語)〛
óxygen ácid *n.* =OXYACID.
ox·y·gen·ase [ɑ́ksidʒənèis, -z] *n.* 〖生化〗 산소첨가[산소화] 효소, 옥시게나아제.
ox·y·gen·ate [ɑ́ksidʒənèit, ɑksídʒ-] *vt.* 〖化〗 산소로 처리하다, …에 산소를 증가시키다, 산소화하다 ; (혈액)에 산소를 공급하다 : ~*d* water 과산화 수소수. **òx·y·gen·átion** [ˌ ɑksìdʒ-] *n.* Ⓤ 〖化〗 산소화, 산소 첨가 (반응).
óxygen cỳcle *n.* 〖生態〗 산소의 순환《대기 중의 산소가 동물의 호흡으로 이산화탄소가 되고 광합성에 의해 다시 산소가 되는 순환》.
óxygen dèbt *n.* 〖生理〗 산소 부채(負債)《근육 따위에서 급격한 활동이 끝난 후에도 통상 수준 이상의 산소가 소비되는 현상》.
óxygen effèct *n.* 〖生〗 (조사(照射)때 산소분압(分壓)에 의한) 산소 효과.
óxygen-hýdrogen wèlding *n.* 산수소(酸水素) 용접.
óxygen·ìze *vt.* 〖化〗 =OXIDIZE, OXYGENATE.
óxygen lànce *n.* 〖機〗 산소창(槍)《한쪽 끝을 가열하고 다른 쪽에서는 산소를 보내어 강재(鋼材)를 절단하는 강관(鋼管)》.
óxygen màsk *n.* 〖醫〗 산소 마스크.
óxygen-pòor *a.* 산소가 부족한.
óxygen tènt *n.* 〖醫〗 (중환자용) 산소 텐트.
óxygen wàlker *n.* (폐병·심장병 환자용의) 휴대용 산소 흡입기.
òxy·hémo·glòbin [ˌ -ˊ-ˊ-] *n.* 〖生化〗 산소헤모글로빈, 옥시헤모글로빈.
òxy·hýdrogen *a.* 〖化〗 산수소(酸水素)의 : ~ welding=OXYGEN-HYDROGEN WELDING.
oxyhýdrogen blówpipe[búrner, tórch] *n.* 산수소(酸水素) 취관(吹管)[용접기].
oxy·mo·ron [àksimɔ́:rɑn] *n.* (*pl.* **-ra** [-rə], **~s**) 〖修〗 당착(撞着) 어법, 모순 어법《보기 crowded solitude, cruel kindness》. 〚Gk. =pointedly foolish (*oxy-*[1], *mōros* dull)〛
oxy·opia [àksióupiə] *n.* Ⓤ 〖醫〗 시력 예민.
óxy·sàlt [ˌ -ˊ] *n.* 〖化〗 옥시염, 산소산염.
òxy·súlfide *n.* 〖化〗 산황화물(酸黃化物).
oxy·to·cic [àksitóusik, -tɑ́s-] *a.* 〖醫〗 분만을 촉진하는, 자궁 수축성의. —— *n.* 분만 촉진[자궁 수축]제.
oxy·to·cin [àksitóusən] *n.* 〖生化〗 옥시토신《뇌하수체(腦下垂體) 후엽(後葉) 호르몬의 일종 ; 자궁수축·모유(母乳) 분비 촉진제》.
oxy·tone [ɑ́ksitòun] *a.*, *n.* 〖그文法〗 마지막 음절(音節)에 악센트가 있는 (단어) (cf. PAROXYTONE, PROPAROXYTONE).
oxy·uri·a·sis [ɑ́ksijuráiəsəs] *n.* 〖醫〗 요충증.
oyer [ɔ́iər, óujər] *n.* =OYER AND TERMINER ; 《英》 (형사 사건의) 심리(審理).
óyer and tér·mi·ner [-ən tə́:rmənər] *n.* **1** 《美》 (일부 주(州)에서) 고등 형사 법원. **2** 《英》 청문 심리 사령(辭令), 순회 재판 영서(令書)《순회 재판을 명하고 임지내의 범죄를 심리 재판할 것을 지령하는 국왕의 사령》; 그 재판소, 순회 재판소.
oyes, oyez [oujés, -jéz, -jéi, óujes, -jez] *int.* 들어라, 조용히《광고인 또는 법정의 정리(廷吏) 등이 사람들의 주의를 환기시키기 위해 보통 세 번 반복하여 외치는 소리》. —— *n.* (*pl.* **oyes·ses** [oujésəz, ˊ-ˊ-]) oyez의 외치는 소리. 〚AF (impv. pl.) ‹ *oïr* to hear<L *audio*〛
***oys·ter** [ɔ́istər] *n.* **1** 〖貝〗 굴 ; 굴과 비슷한 두 개의 조가비를 가진 조개류 ; =OYSTER WHITE. **2** (닭 따위의) 골반의 오목한 속에 붙어 있는 맛있는 살점. **3** 《口》 입이 무거운 사람. **4** (사람이) 마음대로 할 수 있는 것 ; 이익의 대상 ; 장기, 특기 : The world is the salesman's ~. 세상은 세일즈맨의 좋은 봉이다.
an oyster of a man 말이 없는 사람.
as close as an oyster 입이 매우 무거운.
as dumb[silent] as an oyster 통 말이 없는.
—— *vi.* 굴을 따다[양식하다].
〚OF *oistre*<L *ostrea*<Gk.〛
óyster bànk *n.* =OYSTER BED.
óyster bàr *n.* (바식(式)의) 굴 전문 요리점 ; 《美南部》=OYSTER BED.
óyster bày *n.* 굴[해산물] 요리점.
óyster bèd *n.* 굴 양식장.
óyster·bìrd *n.* 〖鳥〗 검은머리물떼새 (sea crow, 《英》 sea pie).
óyster·càtch·er *n.* =OYSTERBIRD.
óyster cràb *n.* 〖動〗 굴속살이《굴껍질 속에서 굴과 공생(共生)함》.
óyster cràcker *n.* (굴 수프에 곁들이는) 짭짤한 맛의 작은 크래커.
óyster cùlture *n.* =OYSTER FARMING.
óyster fàrm[fàrming] 굴 양식장[양식].
óyster fòrk *n.* 생굴[대합·새우] 요리용 포크.
óyster·hòuse *n.* 굴 요리점.

óyster·ing *n.* 굴 채취[양식](업) ; 굴 껍질 모양의 미장 합판 (마무리).
óyster knìfe *n.* 굴 까는 칼.
óyster·man [-mən] *n.* 굴 따는 사람, 굴 장수[양식자] ; 굴 따는 배.
óyster míne *n.* 수압 기뢰(水壓機雷)《배가 통과하면 수압의 변화에 감응되어 폭발함》.
óyster pàrk *n.* 《英》 =OYSTER FARM.
óyster pàtty *n.* 굴이 든 파이《굴 요리》.
óyster plànt *n.* 〔植〕 양쇠채(salsify).
óyster salòon *n.* 굴 요릿집.
óyster·shèll *n.* 굴껍데기《빻아서 새의 사료로 만들어 씀》.
óysters Róckefeller *n.* 〔料〕 오이스터 록펠러《썬 시금치·양파·버터 따위를 굴 위에 얹어 오븐에 구운 요리》.
〖John Davison *Rockefeller*〗
óyster whíte *n.* 약간 회색이 도는 백색.
óyster·wòman *n.* 굴 따는[파는] 여자.
oz. (*pl.* **oz.**, **ozs.**) ounce(s). **oz. ap.** 〔處方〕 ounce(s) apothecaries'.
Oz [ɑ́z] *n.* 오즈《미국 작가 F. Baum(1856-1919)의 동화에 나오는 마법의 나라》.
Ózark Móuntains [óuzɑːrk-] *n. pl.* [the ~] 오자크 산지[고원]《Missouri, Arkansas, Oklahoma 세 주(州)에 걸쳐 있음》.
Ózark·er *n.* **Ozárk·ian** *a.*, *n.*
Ózark Státe *n.* 《美》 Missouri 주의 별칭.
oz av ounce(s) avoirdupois.
OZMA [ɑ́zmə] *n.* 오즈마 계획《가까운 항성에서의 전파를 대형 전파 망원경으로 수신하여 고도의 지능을 가진 우주인의 존재를 확인하려는 미국 우주 실험 계획의 하나》.
ozo·ke·rite [ouzóukəràit, òuzoukíərait], **-ce-** [ouzóukəràit, -sə-, òuzousíərait] *n.* Ⓤ 〔鑛〕 지랍(地蠟).
ozon- [ouzóun], **ozo·no-** [ouzóunou, -nə] *comb. form* 「오존(ozone)」의 뜻.
ozone [óuzoun, -⌐] *n.* Ⓤ 〔化〕 오존 ; 《口》 (해변 따위의) 신선한 공기 ; 《비유》 기분을 돋우어 주는 힘[것] : an ~ apparatus 오존 발생 장치.
〖G (Gk. *ozō* to smell)〗
ózone alèrt *n.* 오존 다량 발생 경보.
ózone làyer *n.* 오존층(ozonosphere).
ózon·er *n.* 《美俗》 야외 극장[경기장], (특히) 자동차를 타고 들어가는 극장(drive-in theater).
ózone shìeld *n.* (다량의 자외선에 대한 차단층으로서의) 오존층. ㊟ ozone layer, ozonosphere 따위로도 썼음.
ózone sìckness *n.* 〔空〕 오존병(病).
ozon·ic [ouzɑ́nik] *a.* 오존의 ; 오존 같은 ; 오존을 함유한.
ozon·ide [óuzounàid, -⌐-] *n.* 〔化〕 오조니드, 오존화물.
ozon·if·er·ous [òuzouníf*ə*rəs] *a.* 오존을 함유한《공기 따위》; 오존을 발생하는.
ozon·ize [óuzounàiz] *vt.* 〔化〕 (산소를) 오존화하다 ; 오존으로 처리하다, …에 오존을 함유하게 하다. ―― *vi.* (산소가) 오존화하다.
ózon·ìz·er *n.* 오존 발생기(器) ; 오존관(管).
òzon·izá·tion *n.*
ozo·nol·y·sis [òuzounɑ́ləsəs] *n.* 〔化〕 오존 분해.
ozo·nom·e·ter [òuzounɑ́mətə*r*] *n.* 오존계(計).
ozóno·sphère *n.* (대기의) 오존층(層)(ozone shield).
ozon·ous [óuzənəs] *a.* =OZONIC.
ozs. ounces. **oz. t.**, 《美》 **ozt.**, 《英》 **oztr.** troy ounce(s).

P

p, P [píː] *n.* (*pl.* **p's, ps, P's, Ps** [-z]) **1** 피《영어 알파벳의 16번째 글자》. **2** P자형(의 것) ; 제 16번째(의 것)《J를 뺄 때는 15번째》.
mind [***be on***] one***'s P's and Q's*** 언행을 조심하다.

P 〖遺〗 parental (generation) ; 〖理〗 parity ; (car) park ; parking ; passing ; 〖체스〗 pawn ; 〖數〗 permutation ; peseta (s) ; peso (s) ; petite ; 〖化〗 phosphorus ; piaster (s) ; police ; poor ; 〖自動車國籍表示〗 Portugal ; 〖理〗 power ; 〖理〗 pressure ; 〖軍〗 prisoner. **p** 《口》 new penny [pence, pennies] ; proton. **P.** pastor ; *Pater* 《L》 (=Father) ; Pawn ; Post ; President ; pressure ; Priest ; Prince ; progressive. **p.** (*pl.* **pp.**) page ; park ; part ; participle ; past ; pastor ; 〖체 스〗 pawn ; pedestrian ; penny [pennies, pence] ; per ; perch (es) ; peseta (s) ; peso (s) ; 〖樂〗 *piano* 《It.》 (=softly) ; pint ; pipe ; 〖野〗 pitcher ; pole ; population ; port ; *post* 《L》 (=after) ; principal ; professional.

P- 1 〖美陸軍〗 pursuit 추격기《전투기 (fighter)의 옛 이름》 : *P*-38. **2** 〖美海軍〗 patrol plane (초계기) : *P*-3.

pa[1] [páː, pɔ́ː] *n.* 《口 · 兒》 아빠(cf. MA). 〚*papa*〛

pa[2] *n.* (마오리 족의 방어책(柵)을 두른) 언덕 위의 마을. 〚Maori〛

PA 〖自動車國籍表示〗 Panama ; 〖國際航空略稱〗 Pan American World Airways ; 〖美郵〗 Pennsylvania ; personal appearance. **P.A.** 〖海保〗 particular average ; Passenger Agent ; personal assistant ; physician's assistant ; Post Adjutant ; power amplifier ; Press Agent ; 《英》 Press Association ; prosecuting attorney ; 《英》 public address (system) ; publicity agent ; purchasing agent. **Pa** 〖理〗 pascal ; 〖化〗 protactinium. **Pa.** Pennsylvania. **p.a.** participial adjective ; per annum ; press agent. **P.A., P/A** power of attorney ; private account. **PAA** Pan American World Airways.

pa·'an·ga [pɑːáːŋgə] *n.* 파앙가《통가의 화폐 단위 ; 기호 T$; =100 seniti》. 〚Tongan=seed〛

PABA [pǽbə, piːèibíːèi] *n.* =PARA-AMINOBENZOIC ACID.

Pab·lum [pǽbləm] *n.* **1** 패블럼《유아용 곡물 식품 ; 상표명》. **2** [p~] 시시한 책[사상]《따위》, 어린애 속임수 같은[유치한] 것.

pab·u·lum [pǽbjələm] *n.* **1** Ⓤ 음식, 영양물 ; 마음의 양식《책 따위》 ; (의론 · 논문 따위의) 기초 자료. **2** =PABLUM. 〚L (*pasco* to feed)〛

PABX 〖通信〗 private automatic branch exchange(자동식 구내 교환 (설비)). **PAC** Pan-Africanist Congress ; Pan-American Congress.

pac [pǽk] *n.* 《美》 혹한시에 사용하는 끈 달린 방수 부츠.

PAC *n.* 정치활동 위원회《미국의 기업 · 노동조합 · 시민 단체 따위가 선거자금을 모아 정치헌금을 하기 위해 설립한 조직》. 〚*P*olitical *A*ction *C*ommittee〛

Pac. Pacific. **P-A-C** 〖心〗 Parent, Adult, Childhood.

pa·ca [páːkə, pǽkə] *n.* 〖動〗 파카《기니피그와 비슷한 토끼만한 동물 ; 중남미산》. 〚Am. Ind.〛

PACAF 《美》 Pacific Air Forces.

***pace**[1] [péis] *n.* **1** (한) 걸음 ; 보폭(2½ ft.) : He advanced twenty ~*s.* 그는 20보 전진했다. **2** 걸음걸이, 걷는 속도, 보조 : go at a ~ of 3 miles an hour 시속 3마일로 나아가다 / a fast ~ in walking 빠른 걸음 / a double-time ~ 구보 / an ordinary ~ 정상[보통] 걸음 / a quick ~ 속보. **3** (일반적으로) 페이스, 속도《생활 · 일의》. **4** (말의) 걸음걸이, 보태(步態) ; 측대보(側對步) (amble), (특히) 측대속보. ㊟ 말의 pace에는 WALK, AMBLE, TROT, CANTER, GALLOP 따위가 있음. **5** 〖建〗 (계단의) 층계참(landing) ; 작은 단(壇). **6** 〖野〗 (투수의) 구속(球速) ; 템포, 속도.
at a foot's pace 보통 걸음으로.
at a good pace 잰 걸음으로, 상당한 속도로 ; 활발하게.
force the pace [***running***] ☞ FORCE.
go [***hit***] ***the pace*** 전속력으로 나아가다 ; 호화롭게 지내다, 방탕한 생활을 하다.
go through one***'s paces*** 솜씨를 내보이다.
hold [***keep***] ***pace with*** …와 보조를 맞추다, …에 뒤지지 않도록 하다.
make one***'s pace*** 걸음을 재촉하다, 보조를 빨리 하다, 서두르다.
make [***set***] ***the pace*** (선두에 서서) 보조를 정하다, 선도하다, 조정하다〈*for*〉 ; 모범을 보이다, 솔선수범하다 ; 최첨단을 가다.
off the pace 선두보다 뒤떨어져서.
put a horse[a person] ***through*** his ***paces*** 말의 보조를[남의 역량을] 시험하다.
Roman pace 로마 페이스《고대 로마의 길이의 단위 ; 약 58인치》.
show one***'s paces*** (말이) 걸음새를 보이다 ; (사람이) 역량을 보이다.
stand [***stay***] ***the pace*** 뒤지지 않고 따라가다.
the military [***regulation***] ***pace*** 〖軍〗 보폭《미국에서는 속보로 2½피트, 급속보로 3피트》.
try a person***'s paces*** 남의 역량을 시험하다, 인물[인품]을 보다.
— *vi.* **1** (고른 보조로) 천천히 걷다 ; (신경질적으로) 왔다갔다하다〈*up and down, about*〉 : ~ along a road 길을 천천히 걷다 / ~ *up and down* the room 방안을 왔다갔다하다. **2** (말이) 측대보로 걷다.
— *vt.* **1** (고른 보조로) …을 천천히 걷다, …을 왔다갔다하다 : ~ the floor 마루 위를 천천히 걷다[왔다갔다하다]. **2** 보측(步測)하다〈*out, off*〉 : ~ the track 트랙을 보측하다. **3** …에게 보조를 맞추다, …의 속도를 조정하다 ; 정조(整調)하다 ; (말이 어떤 거리를) 일정한 속도로 달리다, (특히) 측대보로 나아가다.
pace it 걷다.

〚OF *pas*<L (*pass- pando* to spread (the legs))〛

pa·ce[2] [péisi] *prep.* …에게는 실례지만 : ~ Mr. Smith 스미스씨에게는 실례지만. 〚L=in peace (abl.) 〈*pax* peace〛

PACE [péis] *n.* 《美》 페이스《연방 정부의 전문·정부 직원 채용 시험》. 〚*P*rofessional and *A*dministrative *C*areer *E*xamination〛

páce bòwler[màn] *n.* 〔크리켓〕 속구 투수.

páce càr *n.* **1** (자동차 경주시 pace lap에서 경기 참가차를 선도하는) 선도차. **2** (마라톤 따위의) 선도차.

paced [péist] *a.* **1** [복합어를 이루어] 걸음이 …인, …한 걸음의 : slow-~ 걸음이 느린. **2** 페이스메이커가 정한 페이스의 ; 보측(步測)의 ; 리듬이[템포가] 맞는[고른].

páce làp *n.* 페이스 랩《자동차 경주에서 경기 개시 전에 선도차를 따라 모든 경주차가 코스를 일주하는 일》.

páce·màker *n.* **1** (다른 주자·기수 등을 위한) 보조[속도] 조정자, 페이스메이커. **2** 모범이 되는 사람, 선도자, 주도자. **3** 〔醫〕 페이스메이커, 심장 박동 조절장치, 맥박 조정기《전기적 자극으로 심장의 고동을 지속시키는 장치》, 신경 조정기《두피(頭皮) 밑에 전극을 심어 전류를 흐르게 함으로써 신경증의 여러 증상을 제거하는 장치》.

páce·màking *n., a.* 보조[속도] 조정(의).

pac·er [péisər] *n.* (고른 보조로 천천히) 걷는 사람 ; 보측자 ; 보조(步調) 조정자 ; 측대보로 걷는 말 ; =PACEMAKER.

páce·sètter *n.* =PACEMAKER 1, 2.

páce·sètting *a.* 선두에 서는, 모범을 보이는, 선도적인 : a ~ electronics firm 전자 산업의 첨단을 가는 회사.

pa·ce tua [péisi tjú:ei] *adv.* 실례지만(by your leave). 〚L PACE[2]〛

pac·ey [péisi] *a.* **1** 《英口》 빠른, 스피드가 있는 ; 활기 있는, 생기가 있는. **2** 《美》 시류(時流)에 맞는, 최신의.

pacha, pachalic ☞ PASHA, PASHALIC.

pa·chi·si [pətʃí:zi] *n.* Ⓤ 인도 주사위놀이. 〚Hindi〛

pa·chu·co [pətʃú:kou] *n.* (*pl.* **~s**) 《美》 난폭하고 억센 멕시코계(系)의 젊은이《손목에 문신이 있고 독특한 복장·헤어스타일을 하며 공동사회를 이루고 있음》. 〚Mex. Sp.〛

pachy- [pǽki] *comb. form* 「두꺼운」의 뜻. 〚NL<Gk.〛

pachy·ce·phalo·saur [pæ̀kəsəfǽləsɔ̀:r] *n.* 〔古生〕 파키케팔로사우루스《백악기의 북미 대륙에 살았던 초식 공룡》.

páchy·dèrm *n.* 〔動〕 후피(厚皮) 동물《코끼리·하마 따위》; 《비유》 둔감한 사람. 〚F<Gk. (*pakhus* thick, *dermat- derma* skin)〛

pàchy·dérmatous *a.* 〔動〕 후피동물의 ; (피부가) 비후(肥厚)한 ; 《비유》 둔감한, 무신경한. **~·ly** *adv.*

pàchy·dér·mous [-dɔ́:rməs] *a.* =PACHYDERMATOUS ; 두꺼운 벽을 한.

pa·chym·e·ter [pəkímətər] *n.* 측후기(測厚器).

pach·ys·an·dra [pæ̀kisǽndrə] *n.* 〔植〕 회양목과(科) 파키산드라속(屬)의 각종 식물《다년초》.

Pacif. Pacific.

‡**pa·cif·ic** [pəsífik] *a.* **1** 평화로운, 평온한, 태평한 (peaceful) ; (바다 따위가) 잔잔한 : a ~ era 태평시대. **2** 평화를 사랑하는, 화해적인, (성질·말 따위가) 온화한 : ~ overtures 강화[화해]의 제의 / a man of ~ disposition 성질이 유순한 사람. **3** [P~] 태평양 (연안 지방)의.

the Pacific States 미국 태평양 연안의 여러 주 《California, Oregon, Washington의 3주》.

the Pacific War 태평양 전쟁.

—— *n.* [the P~] 태평양(Pacific Ocean).

-i·cal·ly *adv.* 평화롭게, 평화적으로 ; 온화하게. 〚F or L ; ⇨ PACIFY〛

pa·cíf·i·cal *a.* 《稀》 =PACIFIC.

pa·cif·i·cate [pəsífəkèit] *vt.* =PACIFY.

-cà·tor *n.* 화해자, 중재자, 조정자.

pa·cíf·i·ca·tòry [; -təri] *a.* 화해적인, 조정의 ; 유화적인.

pac·i·fi·ca·tion [pæ̀səfəkéiʃən] *n.* **1** Ⓤ 강화, 화해 ; 화평공작, 분쟁 해결 ; 조정, 진정, 평정 ; 〔軍〕 비(非)성역화《게릴라 활동의 근거지가 될 수 있는 마을·식량 공급원(源) 따위의 파괴 전술》 **2** Ⓒ 강화[평화] 조약.

Pacífic-básin còuntry *n.* 태평양 해역(海域) 국가.

pacífic blockáde *n.* 〔國際法〕 (해항(海港)의) 평시 봉쇄.

pa·cif·i·cism [pəsífəsìzəm] *n.* =PACIFISM.

-cist *n., a.* =PACIFIST.

Pacífic Ócean *n.* [the ~] 태평양.

Pacífic Rìm *n.* [the ~] 환태평양.

Pacífic-rìm *a.* 환태평양의.

Pacífic (stándard) tìme *n.* 《美》 태평양 표준시《GMT보다 8시간 늦음 ; 略 P.(S.)T., P(S)T ; cf. STANDARD TIME》.

pac·i·fi·er [pǽsəfàiər] *n.* 달래는 사람[것], 진정자, 조정자, (공복 따위를) 채우는 것, 진정제 ; 《美》 고무 젖꼭지.

pac·i·fism [pǽsəfìzəm] *n.* Ⓤ 평화주의, 반전론, 전쟁[폭력] 반대주의 ; 무저항주의.

pác·i·fist *n.* 평화주의자, 반전론자 ; 무저항[비폭력]주의자. —— *a.* =PACIFISTIC.

pàc·i·fís·tic *a.* 평화주의[애호]의 ; 평화주의자의.

pac·i·fy [pǽsəfài] *vt.* 달래다, 진정시키다, 가라앉히다 ; (공복 따위를) 채우다, (갈증 따위를) 풀다 (appease) ; …에 평화를 회복시키다, 진압[평정]하다 : ~ a crying child 우는 아이를 달래다.

—— *vi.* 진정되다 ; (마음 따위가) 풀리다, 누그러지다. **pác·i·fi·able** *a.* 달랠 수 있는. 〚OF or L (*pac- pax* peace)〛

pac·ing [péisiŋ] *n.* Ⓤ 보측(步測).

‡**pack**[1] [pǽk] *n.* **1** (사람이 짊어지거나 마차에 싣거나 하는) 짐, 화물, 꾸러미, 보따리, 짐바리 : a mule's ~ 노새의 짐바리 / a peddler's ~ 행상인이 짊어지고 다니는 짐. **2 a)** 팩《무게의 단위 ; 양모·마(麻)는 240파운드, 곡식(가루)는 280파운드, 석탄은 3부셸》. **b)** (한 계절의 과일·어류 따위의) 출하량. **3** 《보통 蔑》 다수, 다량(lot) : a ~ *of* liars[lies] 숱한 거짓말쟁이[거짓말]. **4** (나쁜 자들의) 한패 ; (사냥개·늑대 따위의) 한 떼[무리] 〈*of*〉 (cf. FLOCK[1]). **5 a)** (트럼프의) 한 벌(=《美》 deck). **b)** 《美》 (담배 따위 같은 종류의) 한 갑(packet) : a ~ *of* 20 cigarettes 궐련 20개들이 한 갑. **6** 부빙군(浮氷群)(=ice ~). **7** [집합적으로] 〔럭비〕 전위(前衛). **8 a)** 습포(濕布) ; 얼음 주머니(=ice ~) : a cold[hot] ~ 냉(冷)[온(溫)] 습포. **b)** 팩《미용 도포제(劑)》. **9** 〔商〕 짐꾸리기, 포장법. **10** 〔컴퓨〕 팩, 압축《데이터를 압축 기억시키는 것》.

—— *a.* **1** 짐 운반용의 ; 짐꾸리기[포장]에 적합한. **2** 한패[한떼 따위]가 된.

—— *vt.* **1** [+目/+目+前+名] 싸다, 묶다, 짐을 꾸리다, 포장하다 : She ~*ed* her clothes ***in*** the bag. 가방안에 옷을 챙겼다 / They ~*ed* their trunks ***with*** the things[~*ed* the things ***into*** their trunks]. 트렁크에 짐을 꾸려 넣었다. **2** [+目/+*in*+名] 통조림으로 하다 : Meat is often ~*ed* ***in*** cans. 고기는 때때로 통조림으로 처리된다. **3** [+目+前+名] (사람을 …에) 빽빽이[가득] 넣다 : Hundreds of people were ~*ed* ***into*** the hall. 수백명이나 되는 사람들이 강당에 빽빽하게 들어찼다 / The theater was ~*ed* ***with*** school children. 극장은 학생들로 빽빽했다. **4** (트럼프 패를) 한데 모으다 ; 《英》 (사냥개를) 한 떼로 모으다. **5** (말 따위에) 짐을 지우다. **6** [+目/+目+前+名] …에 틈막이[패킹]를 대다 : ~ a pipe of a steam heater 증기 난방 장치의 관(管)에 틈막이를 대어서 새지 않게 하다 / ~ chinaware ***in*** straw 사기 그릇 둘레에 짚으로 틈막이를 하다. **7** 〔醫〕 …에 찜질하다. **8** 《美口》 (포장하여) 운반하다 ; 휴대하다(carry). **9** 서둘러[지체없이] 내보내다, 쫓아내다. **10** 〔컴퓨〕 팩하다.

— *vi.* **1** 짐을 꾸리다 : Have you finished ~*ing*? 짐을 다 꾸렸습니까. **2** [+副] (물건을) 꾸릴[포장할] 수 있다, (상자 따위에) 들어가다 : These books ~ *well.* 이 책들은 포장이 잘 된다 / Do these articles ~ *easily*? 이 물품들은 간단히 포장할[꾸릴] 수 있습니까. **3** [動/+前+名] (사람이) 떼지어 몰리다 ; 《英》 (동물이) 떼를 짓다 : The audience had ~*ed* ***into*** the hall. 청중은 강당으로 떼지어 몰려들었다.

pack it in 《口》 보따리를 싸다, 끝내다, (일을) 그만두다.

pack a person ***off*** 남을 해고하다, 쫓아내다 : I wish you'd ~ yourself *off.* (짐을 챙겨서) 나가 주었으면 좋겠다.

pack on all sail 〔海〕 돛을 모두 올리다.

pack up (1) (*vt.*) (짐을) 꾸리다, 채워넣다 : ~ *up* one's things 짐을 꾸리다. (2) (*vi.*) (떠나기 위해서) 보따리를 싸다, 짐을 꾸리다 ; 《口》 연장 따위를 치우다, 일을 그만하다 ; 《口》 (엔진이) 움직이지 않게 되다, 멎다.

send a person ***packing*** 남을 지체없이 해고하다[쫓아내다].

〖MDu., MLG *pak*<?〗

類義語 ⟹ PARCEL, GROUP.

pack² *vt.* (배심·정부 기관 따위를) 자기에게 유리한 인원으로 구성하다, 포섭하다 ; 《古》 트럼프 패의 배열을 속이다 ; (자동차 따위의 판매 가격을) 점점 높이다. — *n.* (판매인에 의한) 부당한 과중(過重) 대금, 추가한 몫.

〖? *pact* (obs.) to make a secret agreement〗

***pack·age** [pǽkidʒ] *n.* **1** 꾸러미, 소포, 고리, 다발 ; 포장한 상품, 기계[장치]의 유닛 ; 포장재[지], 용기 ; 포장료(料), 짐 꾸리는 삯. **2** 일괄, 몽뚱그림, 일괄 거래[법안] ; 〔TV·라디오〕 (이미 만들어 놓은) 일괄 프로그램 ; = PACKAGE TOUR ; 종합 정책[계획] ; 〔컴퓨〕 꾸러미, 패키지 《범용(汎用) 프로그램》 ; (단체 교섭에서 획득한) 전체의 이익. **3** 《口》 자그마하고 아담한 것[사람] ; 《美俗》 몸집이 작고 귀여운 여자. **4** 《美俗》 큰돈. **5** 〔電子〕 반도체 소자(素子)를 봉입하는 용기. — *vt.* **1** 꾸리다, 포장하다, 짜임새있게[예쁘게] 담다. **2** 일괄하다 ; 일괄 프로그램으로서 제작하다 ; (제품)의 포장을 고안 제작하다. — *a.* 일괄의, 패키지의 : ☞ PACKAGE DEAL, PACKAGE TOUR.

páck·ag·er *n.* **páck·ag·ing** *n.* 〖PACK¹〗

類義語 ⟹ PARCEL.

páckage dèal *n.* 일괄 거래[교섭]《취사 선택을 허용치 않음》 ; 일괄 거래 상품[계약].

páckaged tóur *n.* = PACKAGE TOUR.

páckage pàper *n.* 포장지.

páckage plàn *n.* 포괄안(案)《많은 문제를 동시에 토의 해결함》.

páckage stòre *n.* 《美》 주류(酒類) 소매점《상점 안에서는 못마심》.

páckage tòur[hòliday] *n.* 패키지 투어《여행사 주최의 비용을 일괄해서 내는 단체여행》.

páck ànimal *n.* 짐을 나르는 동물《소·말·당나귀 따위》.

páck bàsket *n.* 등에 메는 광주리.

páck clòth *n.* 포장용 천.

páck drìll *n.* 복마(卜馬) 훈련 ; 〔軍〕 무장을 시켜서 걷게 하는 벌.

packed [pækt] *a.* [때때로 복합어를 이루어] …이 꽉찬 ; 단단하게 압축된 ; 만원의 : a ~ train 만원 열차.

pácked méal *n.* 팩에 든 식품[도시락].

pácked-óut *a.* 혼잡한, 만원의.

páck·er *n.* **1** 짐 꾸리는 사람[업자]. **2** 통조림업자[공] ; 《美》 식료품 포장 출하업자 ; (특히) 정육(精肉) 출하업자(cf. MEAT PACKER). **3** 포장 기계[장치].

***pack·et** [pǽkət] *n.* **1** 다발, 묶음(bundle) ; 작은 꾸러미, 소포(parcel). **2** 우편선(船), 정기선(船). **3** 한 묶음, (담배 따위의) 한 갑(=《美》 pack) : a ~ of cigarettes 담배 한 갑. **4** 《英口》 (도박·투기 따위에서 번[잃은]) 큰 돈 ; 대량, 다수. **5** 〔데이터通信〕 패킷《교환을 위해서 단락을 지운 데이터·정보》 ; 〔컴퓨〕 다발. — *vt.* **1** 소화물[소포]로 하다. **2** 우편선으로 보내다. **3** 〔데이터通信〕 (정보·데이터를) 패킷단위로 분할하다. 〖OF<Gmc. ; cf. MDu. *pak* pack〗

pácket bòat[shìp] *n.* 우편선(船), 정기선(船).

pácket dày *n.* 정기선 출항일 ; (정기선의) 우편물 마감일.

pácket-swítched *a.* 〔데이터通信〕 패킷 교환(방식)의 ; 〔컴퓨〕 다발 엇바꾸기의, 전환하기의, 다발 교환기의.

pácket swìtching *n.* 〔데이터通信〕 패킷 교환(방식)《패킷 단위의 데이터 교환 (방식)》 ; 〔컴퓨〕 다발 엇바꾸기, 전환하기, 다발 교환기.

páck·hòrse *n.* 짐말, 복마(卜馬).

páck·hòuse *n.* 창고 ; 포장 작업장.

páck ìce *n.* 총빙(叢氷) (ice pack)《바다에 떠다니던 얼음이 얼어 붙어 생긴 얼음 덩어리》.

páck·ing *n.* **1** Ⓤ 짐꾸리기 ; 포장. **2** Ⓤ 포장용품, 충전물(充塡物), 패킹《삼 지스러기·솜 따위》. **3** Ⓤ 《美》 통조림 제조업 ; 식료품 포장 출하업, (특히) 정육(精肉) 출하 제조업(cf. MEAT-PACKING) ; 사람[동물]의 등에 지워서 하는 운반. **4** 〔印〕 통바르기 ; 〔建〕 틈메우기 ; 〔機〕 패킹 ; 〔醫〕 상처 따위에 대는[끼우는] 것 ; 습포.

pácking bòx[càse] *n.* 포장 상자.

pácking bùsiness *n.* = PACKING 3.

pácking dènsity *n.* 〔電〕 (전자 부품의) 실장(實裝) 밀도 ; 〔컴퓨〕 기록[기억] 밀도.

pácking effèct *n.* 〔理〕 결합 효과.

pácking fràction *n.* 〔原子理〕 비질량 편차(比質量偏差)[결손(缺損)].

páck·ing·hòuse, pácking plànt *n.* 《美》 정육[식료품] 포장 출하 공장(cf. PACKING 3).

pácking lìst *n.* 〔商〕 포장 (내용) 명세서.

pácking nèedle *n.* 포장용 돗바늘.

pácking prèss *n.* 포장용 압착기.

pácking shèet *n.* 포장용 천 ; 포장지 ; 〖醫〗 습포(濕布).
pácking slìp *n.* 〖商〗 패킹 슬립《포장된 상품의 내용·출하지 따위를 기재하여 다는 짐표》.
páck·man [-mən] *n.* =PEDDLER.
páck ràt *n.* 쥐의 일종《북미산 ; 보금자리 속에 물건을 저장하는 습성이 있음》; 《美口·비유》 무엇이든 모으는 사람 ; 《俗》 좀도둑 ; 기자.
páck·sàck *n.* 여행용 륙색.
páck·sàddle *n.* (말의) 길마.
páck·thrèad *n.* Ⓤ (포장용) 노끈.
páck·tràin *n.* 《美》 짐을 운반하는 가축[동물]의 떼[줄].
páck·trìpper *n.* 배낭[등짐]을 메고 산야를 걷는 [하이킹하는] 사람(backpacker).
páck wàll *n.* 〖鑛〗 충전벽(充塡壁)《갱도의 천장을 떠받치는 거친 돌벽》.
Pác-Màn *n.* 팩맨《비디오 게임의 일종 ; 상표명》.
Pác-Màn defénse *n.* 《美》 〖經營〗 기업 매수에 대한 방어책의 하나《기업 매수를 획책당한 기업이 획책한 쪽의 기업을 매수하겠다고 선언하기》.
PACOM Pacific Command 《美》 (태평양 지구 사령부).
pact [pǽkt] *n.* (국가간 따위의) 계약, 조약, 협정 (cf. ENTENTE) ; (개인 사이의) 약속 : a new Peace *P*~ 신평화 조약. —— *vt.* …와 계약[협정]하다, …와의 계약[협정]서에 서명하다.
〚OF<L *pactum* (neut. p.p.) 〈*paciscor* to agree〛
pac·tion [pǽkʃən] *n.* =PACT. —— *vi., vt.* 동의하다, 협정[계약]을 맺다[맺게 하다].
***pad**[1] [pǽ(:)d] *n.* **1** (마찰·손상 방지의) 덧대는 물건, 깔개, 틈막이 ; (말의) 안장 받침 ; 〖球技〗 가슴받이, 정강이받이《따위》; 패드 ; (상처에) 대는 거즈, (흡수성) 패드《생리용구》. **2** (동물의) 발바닥 살 ; (여우·토끼 따위의) 발 ; 발자국. **3** (떼어 쓰게 된 편지지 따위의) 철(綴). **4** (스탬프) 인주(대). **5** 꾸러미, 다발, 묶음. **6** (수련 따위 수초(水草)의) 부엽(浮葉) (=lily ~). **7** =LAUNCHING PAD ; 헬리콥터 이착륙장 ; 교통 신호등 제어 장치. **8** 《俗》 마약 상용자의 집합소 ; 《俗》 침대, 숙박하는 곳, (자기의) 방, 거처 ; 《美俗》 매음굴 ; 《俗》 이상향, 이상적 생활. **9** 《美俗》 경찰관이 공조로 받은 뇌물 ; 《美俗》 수회자 명부. **10** 〖컴퓨〗 느리개, 채우개.
—— *vt.* (**-dd-**) **1** …에 속을 메워넣다, (의복 따위에) 솜[심]을 넣다 : ~ the shoulders of a coat 상의 어깨에 심[패드]을 넣다. **2** [+目+副/+目+*with*+名] …에 짧은 기사로 여백을 메우다, (문장·이야기를) 공연히 늘이다 : The article is ~*ded* ***out with*** many quotations from newspapers and magazines. 그 논문은 신문과 잡지에서 뽑은 인용이 많아서 공연히 길어졌다.
〚? Du. or LG〛
pad[2] *n.* **1** 걸음이 느린 말. **2** (발소리 따위의) 둔한 소리, 쿵쿵 소리. **3** 《英古》 통로, 도로 : a gentleman[knight, squire] of the ~ 노상 강도 (footpad). —— *vt., vi.* (**-dd-**) 터벅터벅 걷다 ; 가만히 걷다 ; 도보로 가다[여행하다]〈*along*〉.
pad it[***the hoof***] 《英口·戲》 (터벅터벅) 걸어가다.
〚LG *pad* PATH, *padden* to tread〛
pad[3] *n.* (과일·생선 따위의 무게를 달 때 쓰는) 뚜껑없는 작은 바구니. 〚*ped* (dial.) hamper[2]〛
PaD(.) Pennsylvania Dutch.
pa·dauk, pa·douk [pədáuk] *n.* 〖植〗 인도자단나무.
pád·clòth *n.* =SADDLECLOTH.
pád·ded *a.* **1** 패드를 댄[넣은] ; 덧댄 것 같은, 푹신한. **2** 《美俗》 훔친 물건을 몰래 숨기고 있는.
pádded bág *n.* (소포용) 쿠션 봉투《책 따위를 넣어서 보냄》.
pádded céll *n.* 다치지 않도록 벽에 완충물(緩衝物)을 댄 방《정신병자나 죄수용(用)》.
pádded socíety *n.* (정부 따위의) 과잉 보조를 받는 안락 사회《일의 능률에 관계없이 근로자에게 자동적으로 승급 따위를 시켜주는 경제 조직을 가진 사회》.
pád·ding *n.* **1** Ⓤ (속을) 메워넣기, 심을 넣기. **2** Ⓤ 심, (속을) 메우는 것《헌솜·털·짚 따위》. **3** Ⓤ (신문·잡지의) 여백을 메우는 짧은 기사 ; 불필요한 삽입구.
Pad·ding·ton [pǽdiŋtən] *n.* 패딩턴《London 서부의 주택 지역》.
pad·dle[1] [pǽdl] *n.* **1** 짧고 넓적한 노《canoe 용》; 노 모양으로 된 것 ; 주걱 (같은 것) ; 《美》 (탁구의) 라켓, (패들 테니스의) 패들《따위》. **2** (기선(汽船) 따위의) 외륜(外輪). **3** 〖動〗 (바다거북 따위의) 지느러미 모양의 발. **4** 《美口》 찰싹 때리기. **5** 〖컴퓨〗 첨손. —— *vi., vt.* **1** (보트·카누를) 노로 젓다 ; 물장난하다 ; 조용히 젓다. **2** 라켓으로 치다 ; 《美口》 찰싹 때리다(spank[1]).
paddle **one's *own canoe*** ☞ CANOE.
〚ME< ?〛
paddle[2] *vi.* 얕은 물속을 뛰어 다니다 ; 아장아장 걷다(toddle).
〚? LDu. ; cf. LG *paddeln* to tramp about〛
páddle·bàll *n.* 패들볼《공을 라켓으로 코트의 벽면에 번갈아 치는 게임》.
páddle·bòard *n.* (기선 따위의) 외륜(판(板)).
páddle·bòat *n.* 외륜선(外輪船).
páddle bòx *n.* (기선의) 외륜 덮개.
páddle·fish *n.* 〖魚〗 철갑상어의 일종《Mississippi 강에 많음》.
pád·dler[1] *n.* **1** 물을 젓는 사람[것, 장치] ; 카누[카약]를 젓는 사람. **2** 탁구 선수. **3** =PADDLE STEAMER.
paddler[2] *n.* 물장난하는 사람 ; (어린이용(用)의) 물장난할 때 입는 옷.
páddle stèamer *n.* 외륜선[기선].
páddle tènnis *n.* 패들 테니스《대형 패들로 스펀지 공을 치는 테니스 비슷한 운동》.
páddle whèel *n.* (기선의) 외륜(外輪).
páddle whèeler *n.* =PADDLE STEAMER.
pád·dling *n.* 〖서핑〗 패들링《surfboard 위에 엎드린 채로 손으로 저어 나아감》.
páddling pòol *n.* (공원 따위에 흔히 있는) 어린이용 얕은 풀[수영장].
pad·dock[1] [pǽdək] *n.* (마구간·인가 가까이 있는) 작은 목장 ; (경마장 부속의) 울로 막은 잔디밭《경기 전에 말을 집합시키는 곳》. —— *vt.* **1** (땅을) 울타리로 두르다. **2** (말 따위를) 울타리로 두른 곳에 넣다[가두다].
〚*parrock* (dial.) PARK〛
paddock[2] *n.* 《古·英方》 개구리, 두꺼비.
〚ME *padde* toad, *-ock*〛
pad·dy, padi [pǽdi] *n.* (*pl.* **pád·dies, pád·is**) **1** Ⓤ 쌀 ; 벼 ; 겨. **2** 논(=~ **field**). 〚Malay〛
Paddy *n.* **1** 남자 이름《Patrick의 애칭》; 여자 이름《Patricia의 애칭》. **2** 아일랜드 사람《별명 ; cf. JOHN BULL, PAT, UNCLE SAM》. **3** [p~] 《俗》 경찰관 ; [p~] 《美俗》 쓸모없는 녀석, 재미없는 사람. **4** [p~] 《英口》 격분, 울화통.
〚Ir. *Padraig* Patrick〛
páddy·bìrd *n.* 〖鳥〗 홍오리, 문조.

Páddy's hùrricane *n.* 〖海〗 절대 무풍.

páddy wàgon *n.* 《美俗》 호송차.

páddy·whàck *n.* 《英口》 격분, 울화통 ; 《美口》 (손바닥으로) 찰싹 때리기. —— *vt.* 《美口》 찰싹 때리다.

pa·did·dle [pɑːdídl] *n.* 《CB俗》 헤드라이트가 한 쪽만 켜진 자동차.

pa·di·shah [pɑ́ːdiʃɑ̀ː] *n.* [때때로 P~] 대왕(大王) 《이란의 Shah, 터키의 Sultan, 독립전 인도 황제로서의 영국 왕의 칭호》. 〖Pers.〗

pad·lock [pǽdlɑ̀k] *n., vt.* 맹꽁이 자물쇠(로 잠그다) : Wedlock is a ~. ☞ WEDLOCK. 〖*pad* < ? , LOCK¹〗

pádlock làw *n.* 《英》 시정(施錠) 폐쇄법《알코올 음료의 판매에 의해 생활 방해가 발생했을 경우 법원이 판매소에 일정기간의 폐쇄 명령을 내릴 수 있도록 규정한 법》.

P

pád·nàg *n.* 걸음이 느린 말, 늙은 말 ; 측대보로 걷는 말.

padouk ☞ PADAUK.

pa·dre [pɑ́ːdrei, -dri] *n.* (스페인·이탈리아 등지에서 호칭으로서) 신부, 목사 ; 《口》 군대[함대]에 속한 목사, 군목(chaplain). 〖It., Sp., Port. =father, priest < L *pater*〗

pa·dro·ne [pədróuni] *n.* (*pl.* **~s, -ni** [-ni]) **1** 주인, 두목. **2** (지중해의) 작은 무역선 선장. **3** 《美》 이탈리아에서 이민 온 노동자의 십장. **4** 여관 주인. **5** (이탈리아의) 거지 아이나 노상 풍각쟁이의 우두머리. 〖It. ; ⇨ PATRON〗

pád ròom *n.* 《美俗》 아편굴 ; 침실.

pád·sàw *n.* 소형 회전톱《사용 후 날을 손잡이 속에 접어 넣게 되어 있는 것》.

pad·u·a·soy [pǽdʒuəsɔ̀i] *n.* Ⓤ 질긴 견직물의 일종 ; Ⓒ 그것으로 만든 옷.

pae·an [píːən] *n.* (아폴로 신에게 바친) 승리 감사의 노래 ; 환호성. 〖L < Gk.〗

paed-, ped- [píːd, 美+péd], **pae·do-, pe·do-** [píːdou, pédou, -də] *comb. form* 「어린이」「유년 시절」의 뜻《특히 모음 앞에서는 paed-, ped-》. 〖Gk. *paid- pais* boy, child〗

paederast ☞ PEDERAST.

paediatric ☞ PEDIATRIC.

paediatrician ☞ PEDIATRICIAN.

paediatrics ☞ PEDIATRICS.

paediatrist ☞ PEDIATRICIAN.

paedobaptism ☞ PEDOBAPTISM.

pae·dol·o·gy [pidɑ́lədʒi, pe-] *n.* 《英》 =PEDOLOGY¹.

pa·el·la [pɑːélə, -éiljə] *n.* 파엘랴《쌀·고기·어패류·야채 따위에 사프란향(香)을 가미한 스페인 요리 ; 그것을 끓이는 큰 냄비》. 〖Cat. < OF < L PATELLA〗

pae·on [píːən] *n.* 〖韻〗 (장음절 하나와 단음절 셋으로 된) 4음절의 운각(韻脚).

paeony ☞ PEONY.

pa·gan [péigən] *n.* 이교도(異教徒), (특히 유태교 이전의 그리스·로마의) 다신교도, 우상 숭배자 ; 신앙심이 없는 사람, 무종교자 ; 미개인. —— *a.* 이교도의 ; 신앙심이 없는[무종교의]. 〖L *paganus* country dweller (*pagus* country district)〗

類義語 ***pagan, heathen*** 다 같이 유태교·기독교·이슬람교도의 입장에서 보아 자기 종교 이외의 신자를 말하는데, *pagan*은 특히 유태교 이전의 그리스나 로마의 다신교(多神教)를 뜻하는 경우가 많으며 *heathen*은 경멸적인 감정이 포함되는 미개 지방의 우상 숭배자·다신교도 따위를 가리키는 경우가 많음. ***gentile*** 유태교에서 본 다른 종파의 신자 ; 《美》 모르몬교도 쪽에서 본 타종파의 신자.

págan·ish *a.* 이교(異教)를 신봉하는.

págan·ìsm *n.* Ⓤ 이교 신봉, 우상 숭배 ; 이교 정신 ; 무종교.

págan·ìze *vi., vt.* 이교도화(化)하다, 이교도가 되게 하다.

◇**page**¹ [péidʒ] *n.* **1** 페이지《略 p., *pl.* pp.》, 면(面) : You will find the phrase *on* ~ 5. 그 구(句)는 5페이지에 나와 있다 / Open (your books) *at*[《美》 *to*] ~ 20. (책의) 20페이지를 펴시오 / the sports ~(*s*) 스포츠난(欄) / *in* the last ~*s* of the book 그 책의 마지막 부분에. **2** 〖詩學·修〗 서적, 기록 : in the ~*s* of history 역사 책 가운데에 / in the ~*s* of Scott 스콧의 작품 중에. **3** 《비유》 (인생·일생의) 일화, 삽화(episode), (역사상의) 사건, 시기 ; [*pl.*] 문장의 한절(passage). **4** 〖컴퓨〗 쪽, 면, 페이지《기억 영역의 한 구획 ; 그것을 채워서 한데 모은 정보》 ; 〖印〗 페이지 조판. —— *vt.* …에 페이지 수를 매기다(paginate) (cf. FOLIATE). —— *vi.* 페이지를 넘기다 ; 〖컴퓨〗 모니터 화면에 비친 정보를 페이지 넘기듯 보아가다 : ~ *through* a magazine 잡지의 페이지를 여기저기 넘기다. 〖F < L *pagina* (*pango* to fix)〗

page² *n.* **1** 시동 ; 〖史〗 견습 기사(騎士). **2** (제복을 입은) 종업원, (호텔·극장 따위의) 안내원. —— *vt.* 《美》 (호텔 따위에서) 안내원을 시켜 불러내다 ; (종업원이) 이름을 불러서 찾다 ; (남에게) 종업원으로서 시중들다 ; (남에게) 휴대용 무선 전화기로 연락하다 ; (전기 기구를) 전자 리모트 컨트롤 장치로 제어[조작]하다. 〖OF < ? It. *paggio* < Gk. (dim.) ‹ *pais* boy〗

pag·eant [pǽdʒənt] *n.* **1** 야외극. **2** (장려한) 행렬, 장식한 꽃수레 ; 화려한 구경거리, 성대한 의식 ; 장관(壯觀), 성관(盛觀). **3** 허식(虛飾), 겉치레(pageantry). 〖ME=scene of a play < ? ; cf. PAGE¹〗

págeant·ry *n.* Ⓤ 구경거리, 장관 ; 화려 ; 허식, 겉치레.

páge bòy *n.* 종업원, 보이.

páge·bòy *n.* 안쪽으로 만 헤어 스타일《여성의 머리 모양 따위》 ; =PAGE BOY.

páge fìnder *n.* (쓰고 나서 버리는) 서표(書標).

páge hèading *n.* 〖컴퓨〗 쪽 머리.

páge·hood, páge·ship *n.* PAGE²의 직[신분].

páge nùmber *n.* 〖컴퓨〗 쪽 번호.

páge-óne *a.* 《美俗》 센세이셔널한, 재미있는. —— *n.* =PAGE-ONER.

páge-óner *n.* 《美俗》 제1면 기사 ; 센세이셔널한 뉴스 ; 언제나 제1면에 실리는 연예인[유명인].

PAGEOS passive geodetic satellite (측지용(用) 위성).

páge pròof *n.* 〖印〗 페이지 조판[O.K.] 교정쇄.

pag·er [péidʒər] *n.* 휴대용 무선 호출기. 〖*page*² + *-er*¹〗

páge tùrner *n.* 기막히게 재미있는 책.

pag·i·nal [pǽdʒənl], **-nary** [-nèri ; -nəri] *a.* 페이지[쪽]의 ; 페이지마다의, 매페이지의.

pag·i·nate [pǽdʒənèit] *vt.* …에 페이지 [쪽]수를 매기다(page). 〖F < L ; ⇨ PAGE¹〗

pàg·i·ná·tion *n.* Ⓤ 페이지[쪽]수 매기기 ; 페이지를 나타내는 숫자 ; 페이지수, 쪽수, 매수 ; 〖컴퓨〗 쪽매김.

pag·ing [péidʒiŋ] *n.* =PAGINATION ; 〖컴퓨〗 쪽매기기, 페이징《주(主)기억 장치를 페이지마다의 블록(block)으로 나누기 ; 주기억 장치와 보조 기억 장치간에 페이지를 교환하기》.

pag·od [pǽgəd] *n.* 《古》 **1** =PAGODA. **2** 우상.

pa·go·da [pəgóudə] *n.* **1** (동양풍의) 탑, 파고다. **2** (신문·담배 따위를 파는) 파고다 모양으로 꾸민 상점. **3** 인도의 옛 금화[은화].
〖Port., <Pers. *butkada* idol temple〗

pagóda trèe *n.* (회화나무·벵골보리수나무 따위의) 탑 모양으로 자라는 나무 ; 《戲》 돈이 열리는 나무.
shake the pagoda tree 《英》 (인도에 가서) 손쉽게 큰 돈을 벌다.

pah[1] [pɑ́ː] *int.* 흥, 체《경멸·불쾌 따위를 나타냄》.
〖imit.〗

pah[2] *n.* =PA[2].

pa·ho·e·hoe [pɑːhóuihòui] *n.* 파호이호이 용암《표면이 매끄러운 저점성(低粘性)의 현무암질 용암 형태》. 〖Haw.〗

PAI personal accident insurance.

◇**paid**[1] [péid] *v.* PAY[1]의 과거·과거 분사. ── *a.* **1** 유급(有給)의 : highly-~ 고급(高給)[많은 급료]의 / a ~ toilet 유료 변소. **2** 고용된(hired). **3** 지급이 끝난.
put paid [*'paid'*] ***to...*** 《英口》 (계산을) 모두 끝내다 ; …을 끝장내다(finish) ; (계획 따위를) 망치다, 좌절시키다.

paid[2] *v.* PAY[2]의 과거·과거분사.

páid-ìn *a.* 이미 지급한, 지급이 끝난.

páid-ùp *a.* 지급이 끝난 : ~ capital 불입 자본금.

***pail** [péil] *n.* 양동이, 버킷 ; =PAILFUL.
〖OE *pægel* gill[1] ; cf. PAELLA〗

páil·fùl *n.* (*pl.* **~s, ~**) 양동이[버킷] 하나 가득(한 분량) : a ~ of water 한 양동이의 물.

pail·lasse [pæljǽs, ⌐-; pǽliæ̀s, ⌐--] *n.* =PALLIASSE.

pail·lette [pæljét, pəlét ; *F* pajɛt] *n.* (에나멜 그림에 붙여 사용하는) 금속 조각, (반짝반짝하는) 장식용 금속 조각.

pail·létt·ed *a.* (반짝반짝하는) 금속 조각으로 장식한.

‡**pain** [péin] *n.* **1 a)** Ⓤ 아픔, 고통 ; 고뇌 ; 비탄, 걱정, 근심 : Do you feel any[much] ~? 좀[몹시] 아프십니까 / I was in great ~. 몹시 아팠다 / That caused[gave] him a great deal of ~. 그것 때문에 그는 매우 괴로워했다. **b)** 국소적인 아픔 : a ~ *in* the head 두통 / stomach ~*s* 복통(腹痛). **2** [+*to* do/+前+do*ing*] [*pl.*] 노력(efforts), 노고(trouble) : No ~*s*, no gains. 《속담》 「수고없이 소득없다」 / Stevenson took great ~*s to* polish his style. 스티븐슨은 매우 고심하여 문체를 다듬었다 / The university was *at the* ~*s* ***of*** publish*ing* his researches. 대학은 그의 연구 결과를 출판하는데 힘써 주었다. ☞ 活用. **3** [*pl.*] 진통. **4** Ⓤ,Ⓒ 《古》 벌, 형벌(刑罰) : ~*s* and penalties 형벌 / They were freed (*up*) *on*[*under*] ~ *of* death. 위반하면 사형에 처한다는 조건으로 그들은 석방되었다.
at pains (*to* do) (…하려고) 애를 써서, 노력하여 : He is *at* great ~*s to* do his work well. 그는 일을 잘 해보려고 매우 애를 쓰고 있다.
at the pains of do***ing*** …하는 수고를 하여 : ☞ 2.
for one***'s pains*** 애쓴 보람으로, 수고한 값으로 ; 《反語》 수고한[애쓴] 보람도 없이.
give a person ***a pain in the neck*** 《口》 남을 초조하게 하다, 진력나게[지겹게] 하다.
spare no pains (*to* do) 수고를 아끼지 않고 (…하다) : *No* ~*s* were *spared to* ensure success. 성공을 확실히 하기 위해 온갖 노력을 다했다.
take pains 애쓰다, 노력하다(cf. 2) : He did not *take* much ~*s*. 별로 애쓰지 않았다 / You should *take* more ~*s with* your work. 일을 더 욱 열심히 하지 않으면 안됩니다.
── *vt.* …에게 고통을 주다(hurt) ; 마음 아프게 하다 : My arm ~*s*[is ~*ing*] me. 팔이 아프다 / It ~*s* me to say that.... 말씀드리기 괴롭지만….
── *vi.* 아프다, 괴로워하다.
〖OF<L *poena* penalty〗
活用 pain *n.* 2에 대해서는 다음의 점에 주의 :
(1) 예전에는 All *this pains was* for nothing. (이 모든 노고도 다 허사였다)와 같이 때로 단수로 다루었으나 지금은 All *these pains were* for nothing.과 같이 복수로 다룬다(cf. *spare no* PAINS).
(2) many *pains*라고 하지 않고 much *pains*라고 한다(cf. *take* PAINS).
類義語 ***pain*** 몸의 일부분을 찔린 듯한 아픔에서 온몸에 걸친 장시간의 격렬한 아픔까지도 포함한 일반적인 말 ; 또는 마음을 상하게 하는 커다란 슬픔. ***ache*** 지속적이며 보통은 둔한 아픔. ***agony*** 계속적이고 참을 수 없는 격렬한 온몸의 아픔. ***pang*** 격렬하고 갑작스런 일시적인 고통 ; 특히 경련을 수반하는 것.

páined *a.* 아파하는, 마음 아픈 ; 상처 입은 ; 감정을 상한, 성난.

***páin·ful** *a.* 아픈 ; 괴로운 ; 가슴 아픈 ; 힘드는, 곤란한 : a ~ wound 아픈 상처 / a ~ experience 괴로운[씁쓸한] 경험 / The news was ~ *to* him. 그 소식이 그에게는 가슴 아팠다.
~·ly *adv.* 고통스럽게 ; 고생해서 ; 애써 ; 진력나서 ; 지겹게 ; 아픈[괴로운] 듯이. **~·ness** *n.*

páin·kìll·er *n.* 《口》 진통제(劑).

páin·kìll·ing *a.* 진통의, 통증을 가라 앉히는.

páin·less *a.* 아픔[고통]이 없는 : ~ childbirth 무통 분만. **~·ly** *adv.* 고통 없이, 아프지 않게.

páins·tàker *n.* 수고를 아끼지 않는 사람, 근면[노력]가.

páins·tàking *a.* 근면[성실]한, 공들인, 정성을 기울인 ; 힘드는, 괴로운 : He is ~ *with* his work. 일에 정성을 기울이고 있다 / a ~ task 힘드는 일 / a ~ work 노작(勞作). ── *n.* Ⓤ 애씀, 고심, 수고, 정성, 공들이기. **~·ly** *adv.*

◇**paint** [péint] *n.* **1** Ⓤ 페인트, 도료(塗料). **2** Ⓤ 화장 재료, 연지 ; 〖劇〗 =GREASEPAINT. **3** [*pl.*] 그림 물감. **4** 채색 ; 《비유》 겉치레, 허식.
(***as***) ***fresh*** [***smart***] ***as paint*** 생기가 넘쳐, 싱싱한, 기민한.
(***Fresh***) ***Paint !*** = ***Wet paint !*** 《게시》 페인트칠 조심 !

〈회화〉
Can I help you ? — Yes, I want to buy some oil *paints*. 「무얼 드릴까요」「네, 유화 그림물감 좀 주세요」

── *vt.* **1** [+目/+目+補] …에 페인트를 칠하다 ; …에 그림 물감을 칠하다, 채색하다 ; …에 화장하다 : I am going to ~ the garden gate. 나는 정원 문에 페인트칠을 하려고 한다 / He has ~*ed* the wall green. 그는 벽을 녹색으로 칠했다. **2** (그림 물감으로) 그리다, 유화(油畫)[수채화]로 그리다 (cf. DRAW *vt.* 10 a), WRITE *vt.* 1) : ~ flowers 꽃을 그리다. **3** (약 따위를) 도포(塗布)

하다, 바르다〈*with*〉. **4** 《비유》 생생하게 묘사[서술·표현]하다.

〈회화〉
Who was this picture *painted* by? — It was *painted* by Picasso. 「이 그림은 누가 그렸죠」 「피카소가 그린 겁니다」

—— *vi.* **1** [動/+*in*+名] 그림을 그리다 : Does the artist ~ ***in*** water colors, or *in* oils? 그 화가는 수채화를 그립니까, 그렇지 않으면 유화를 그립니까. **2** 화장하다.

(as) painted as a picture 짙게 화장을 하여.
paint a black [***rosy***] ***picture of*** …을 지극히 비관[낙관]적으로 말하다.
paint a person ***black*** 남을 나쁘게 말하다《악마를 새까맣게 그린 데서》: He is not so *black* as he is ~*ed*. 평판만큼 그렇게 나쁜 사람은 아니다.
paint. . .from life ☞ LIFE 8.
paint in (그림에 전경(前景) 따위를) 덧그리다, 그려 넣다.
paint out 페인트칠하여 지우다.
paint the lily 《비유》 자연의 아름다움에 (필요없는) 인공적인 미(美)를 가하다.
paint the map red ☞ RED *a.*
paint the town red ☞ RED *a.*
paint. . .to the life ☞ LIFE.
〖OF (p.p.) 〈 *peindre* (L *pict- pingo* to paint)〗

paint. painting.
páint·bòx *n.* 그림 물감[페인트] 상자.
páint·brùsh *n.* 화필(畫筆).
páint càrds *n. pl.* 《美俗》 (트럼프 한 벌 중의) 얼굴을 그린 패《킹·퀸·잭》.
páint·ed *a.* **1** (그림 따위) 그린, 채색한. **2** 그림 물감[페인트]을 칠한; 연지를 바른; 색채가 선명한. **3** 《文語》 거짓의, 허울 뿐인, 허식적인.
páinted búnting *n.* 〔鳥〕 (미국 남부산(產)) 오색무당새.
páinted cúp *n.* 〔植〕 아메리카산(產) 현삼과(玄參科)의 식물》.
Páinted Désert *n.* [the ~] 페인티드 사막 《Arizona 주(州) 중북부 고원 지대; 암석이 오색찬란함》.
páinted lády *n.* 〔昆〕 작은멋쟁이나비.
páinted scénery *n.* (무대의) 배경.
páinted wóman *n.* 매춘부, 난잡한 여자.
‡páint·er[1] *n.* (*fem.* **páint·ress**) **1** 화가(artist). **2** 페인트공, 칠장이, 도장공(塗裝工). 〖PAINT〗
painter[2] *n.* 〔海〕 배를 매는 밧줄.
cut [***slip***] ***the*** [one*'s*] ***painter*** (배를) 표류시키다; 손을 떼다, (특히 식민지가) 본국과의 인연[관계]을 끊다; 부리나케 도망치다.
〖? OF *penteur* strong rope〗
painter[3] *n.* 〔動〕 =COUGAR.
〖변형(變形) 〈 *panther*〗
páint·er·ly *a.* 화가의; 화가 특유의; 회화 예술의; 선보다 색채를 강조하는.
páinter's cólic *n.* 〔醫〕 (납중독으로 인한) 산통(疝痛) (lead colic).
páinter stàiner *n.* 문장(紋章) 그리는 화공; 그 조합원.
páint-ìn *n.* 페인트인《황폐한 구역의 미관 회복을 호소하는 뜻에서 집단으로 건물에 페인트를 칠하거나 그림을 그리는 일 따위》.
‡páint·ing *n.* **1** Ⓤ 그림 그리기; 화법(畫法). **2** (한폭의) 그림, 유화, 수채화(cf. DRAWING). **3** Ⓤ 화가의 직업. **4** Ⓤ 페인트 도장; 채색; (도자기에) 그림을 그려 넣기. **5** Ⓤ 그림 물감; 도료(塗料), 페인트. **6** 〔컴퓨〕 색칠.
páint·pòt *n.* 페인트통.
páint·wòrk *n.* Ⓤ (자동차 따위의) 도장 부분(의 도료).
páinty *a.* 그림 물감의; 그림 물감을 지나치게 칠한; 그림 물감[페인트]으로 더럽혀진; 페인트투성이의.
◇pair [pέər, pǽər] *n.* (*pl.* **~s,** 《口》〔商〕 ~) ☞ 活用. **1** 한 쌍, 한 벌, 한 조(組); (서로 관계가 있는 두 부분으로 이루어진 것에 대해서) 한 개, 하나, 한 짝, 한 켤레, (바지 따위의) 한 벌 : a ~ *of* oars 한 쌍의 노 / a ~ of trousers 바지 한 벌 / a new ~ *of* shoes = a ~ *of* new shoes 새 구두 한 켤레 / twelve ~*s* of eyes 24개의 눈동자 / A ~ *of* gloves is a nice present. 장갑은 좋은 선물입니다. **2** 한 쌍의 남녀, 커플, (특히) 부부, 약혼중인 남녀. **3** (같은 것의) 두 개, 두 명 한패; 〔競〕 페어, 2인 1조; =PAIR-OAR; 〔카드놀이〕 페어《동점의 패 두 장》: A ~ *of* thieves were planning to rob the bank. 2인조 도둑이 그 은행을 털 계획을 하고 있었다. **4** (쌍을 이루는) 한 쪽[편] : Where is the ~ *to* this sock? 이 양말의 한 짝은 어디 있느냐. **5** (동물의) 한 쌍, 한데 매인 두필의 말 : a carriage and ~ 쌍두 마차. **6** 〔議會〕 투표 기권을 담합하는 두 반대당의 2명의 의원; 그 한 쪽 의원. **7** (계단 따위의) 연속된 층계(flight); 층(floor). 囯 《美》에서는 《稀》: a ~ of stairs 연속된 계단 / a ~ of steps 계단식 사다리 / up two[three] ~ of stairs 3[4]층에.
another [***a different***] ***pair of shoes*** [***boots***] 《비유》 다른 문제, 별도의 문제.
in pairs [***a pair***] 두 개[두 사람]가 한 조가 되어, 짝을 지어.
—— *vt., vi.* **1** 한 쌍으로 하다[이 되다], (2명·2개를) 짝맞추다〈*with*〉. **2** 결혼시키다[하다], 부부가 되다〈*with*〉; (동물을) 짝지우다, (동물이) 짝짓다. **3** 〔議會〕 반대당 의원과 담합해서 투표를 기권하다.
pair off 두 개씩 나누다[나란히 놓다]; 두 사람씩 짜다[가다]; 《口》 결혼하다〈*with*〉.
〖OF < L *paria* (neut. pl.) 〈 PAR[1]〗
活用 (1) pair는 떼어버릴 수 없는 쌍으로 이루어진 것에 대해서 말할 때(☞ *n.* 1)에는 단수 취급, 「사람」에 대해서 사용되는 경우와 같이 두 개의 것이 각각 독립되어 있다고 생각될 때(☞ *n.* 2, 3)에는 복수로 취급함 : This *pair* of shoes is not on sale. (이 구두 (한 켤레)는 팔 것이 아니다) / A *pair of* policemen *are* patrolling the park. (경찰관 두 명이 공원을 순시하고 있다). 본래 pair를 수반하는 명사일지라도 pair를 쓰지 않는 표현에서는 보통 복수 동사를 씀 : These *scissors are* too small. (이 가위는 너무 작다). 단, 이 같은 경우에는 가위가 한 개 밖에 없는지 두 개 이상 있는지가 불명확해질 염려가 있다.
(2) pair는 원래 복수사(詞)의 뒤에서라도 -s를 붙이지 않는 형이 복수형으로서 쓰였고 지금도 때로는 그 형이 쓰이지만 -s를 붙인 복수형 pairs 쪽을 많이 쓴다(cf. *n.* 7) : three *pair*(*s*) of gloves (장갑 세 켤레).
類義語 ***pair*** 두 개의 같은 것이 짝지워져 있는 것, 두 개가 갖추어져 있지 않으면 소용이 없는 것; 또는 한 개의 물건이 두 개의 같은 부분으로 이루어지는 것 : a *pair* of shoes[scissors] (한 켤레의 구두, 가위 한 자루). ***couple*** 비슷한[같은 종류의] 것이 두 개 연상되는 것 : a married *couple* (부부). ***brace*** 특히 새나 개 따위의 한

쌍 : a *brace* of partridges (한 쌍의 자고새). ***yoke*** 수레 따위를 끄는 장비를 갖춘 두 필의 소·말의 한 쌍 : a *yoke* of oxen (한 쌍[두 마리]의 황소).

páir annihilàtion *n.* 〖理〗 쌍소멸(雙消滅)《소립자와 반(反)입자가 결합하여 다른 입자군(群)으로 전화(轉化)하는 일》.

páir-bònd *n.* 〖生〗 일자 일웅(一雌一雄) 관계《암수 1대 1의 관계》.

páir-bònd·ing *n.* 〖生〗 일자 일웅 관계의 형성(形成)[상태].

páired-assóciate léarning *n.* 쌍연합(聯合) 학습《서로 연상·상기할 수 있도록 숫자·단어 따위를 짝을 지어 기억하는 연상 학습 방식》.

páir-hórse *a.* 말 두 필이 끄는.

páir·ing *n.* (토너먼트에서) 대전편성(표) ; 〖生〗 (염색체) 접합(synapsis).

páiring sèason *n.* (새 따위의) 교미기.

páir-òar *n.* (두 사람이 각자 하나씩 젓는) 쌍노 달린 보트.

páir prodùction *n.* 〖理〗 쌍생성(雙生成)《입자와 반입자의 동시 생성》.

pàir róyal *n.* 세 개 한 벌《카드놀이 따위에서 동점패의 카드 석 장 ; 같은 끗수를 나타내는 주사위 세 개 따위》.

pais·ley [péizli] *n., a.* [흔히 P~] 페이즐리 모직물(의), 그 제품(의)《숄 따위》.

Paisley *n.* 페이즐리《스코틀랜드 남서부 Strathclyde 주(州) 중부의 공업 도시》.

Páisley·ìsm *n.* Ⓤ 북아일랜드의 신교도에 의한 카톨릭교도와의 유화 정책에 반대하는 운동. 〖Ian *Paisley* (1926-) Free Presbyterian Church of Ulster의 수장(首長)〗

Páisley·ìte *n., a.* Paisleyism의 지지자(의).

Pai·ute, Pi- [paijú:t] *n.* (*pl.* **~, ~s**) Ⓒ 파이우트족(族)《Utah, Arizona, Nevada 및 California 주에 사는 북미 인디언의 한 부족》; Ⓤ 파이우트족의 언어.

pajáma pànts *n. pl.* 〖服〗 파자마 같이 통 넓은 여성용 여름 바지.

pajáma pàrty *n.* 십대 소녀들이 친구집에 모여 잠옷 차림으로 밤새 노는 모임.

***pa·ja·mas | py-** [pədʒá:məz, 美+-dʒǽm-] *n. pl.* **1** 파자마《잠옷》. ㊟ 형용사적 용법으로는 단수형 : a *pajama* coat 파자마 상의 / *pajama* trousers 파자마 바지. **2** (이슬람교도의) 헐렁한 바지. 〖Urdu=leg clothing〗

Pak [pǽk] *n.* 《口·때때로 蔑》 파키스탄인(人) (Pakistani).

PAK 〖自動車國籍表示〗 Pakistan. **Pak.** Pakistan.

Pak-a-Pot·ti [pǽkəpɑ̀ti] *n.* 휴대용 변기의 일종 《상표명》.

pa·ke·ha [pá:kəhɑ̀:] *n.* 《N. Zeal.》 Maori의 후손이 아닌 사람, 백인, (특히) 유럽계 뉴질랜드인. 〖Maori〗

Paki, Pak·ki, Pak·ky [pǽki] *n.* 《英俗·蔑》 (영국에 이주한) 파키스탄인(Pakistani).

Páki-bàsh·ing *n.* 《英俗》 파키스탄 이민에 대한 박해.

Pak·i·stan [pǽkistæ̀n, pɑ̀:kistá:n ; pɑ̀:kistá:n] *n.* 파키스탄《아시아 남부에 있는 영연방내의 공화국 ; 수도 Islamabad ; cf. INDIA》. —— *a.* 파키스탄의.

Pa·ki·sta·ni [pɑ̀:kistá:ni] *n.* (*pl.* **~, ~s**) 파키스탄 사람. —— *a.* 파키스탄 (사람)의. 〖Hind.〗

pal** [pǽ(:)l] *n.* 《口》 단짝, 친구, 동료, 한패 ; 공범(共犯) : ☞ PEN PAL. —— *vi.* (**-ll-**) [+副/+前+名] 친구로서 교제하다 ; 한 패가 되다 : I'll ~ *up* ***with you. 너와 친구가 되고 싶다. 〖Romany=brother, mate<Skt.〗

PAL 〖컴퓨〗 peripheral availability list(이용가능한 주변 장치의 리스트) ; phase alternation line 《독일에서 개발하여 독일·영국·네덜란드·스위스에서 채용된 컬러텔레비전 방식》; Philippine Airlines. **Pal.** Palestine.

‡**pal·ace** [pǽləs] *n.* **1** 궁전, (대주교·고관·대감독 등의) 관[공(公)]저. **2** 훌륭한 저택, 관(館) ; (오락장·요정 따위) 호화로운 건물. **3** [the ~] 《英》 궁정의 유력자들. 〖OF<L *Palatium* Palatine Hill〗

pálace càr *n.* 〖鐵〗 호화 특별차.

pálace guàrd *n.* 근위병(兵) ; (왕·대통령 등의) 측근.

pálace revolútion *n.* 궁전[측근]혁명, (보통 제2인자에 의한) 무혈 쿠데타.

pal·a·din [pǽlədən] *n.* CHARLEMAGNE 대제(大帝)의 12용사 중의 한 사람 ; 무예를 닦는 사람, 무협가. 〖F<It. ; ⇨ PALATINE[1]〗

palae- [péili, pǽli] ☞ PALE-.

palaeo- [péiliou, pǽl-, -liə] ☞ PALE-.

pàlaeo·anthrópology, -leo- *n.* 고인류학(古人類學).

pàlaeo·trópical, -leo- *a.* 구(舊)열대구(區)의.

pa·laes·tra, -les- [pəléstrə, -lí:-] *n.* (*pl.* **-trae** [-tri:], **~s**) (옛 그리스·로마의) 체육 학교 ; 레슬링 도장 ; 체육관(gymnasium).

pal·a·fitte [pǽləfit] *n.* 항상(杭上) 주거《스위스·북이탈리아의 신석기 시대에 호수에 말뚝을 박아 그 위에 세운 주거》. 〖F<It.〗

pa·lais [pǽlei ; *F* palɛ] *n.* (*pl.* ~ [-leiz], **~es** [-leiz]) 궁전 ; 저택 ; 프랑스 정부 청사 ; 넓은 댄스 홀. 〖F=(dancing) hall〗

pal·an·quin, -keen [pæ̀lənkí:n, pəlǽŋkwən] *n.* (중국·인도의) 가마 ; 탈 것. —— *vi.* 가마로 여행하다. 〖Port. ; cf. Skt. *palyanka* bed, couch〗

palanquin

pal·at·able [pǽlətəbəl] *a.* 맛이 좋은, 입에 맞는, 구미가 당기는 ; 취미[마음]에 맞는, 유쾌한, 상쾌한 (agreeable). **-ably** *adv.* 입에 맞아 ; 기분 좋게. **pàl·at·abíl·i·ty** *n.*

pal·a·tal [pǽlətl] *a.* 〖音聲〗 구개(음)(口蓋(音))의(cf. FRONT). —— *n.* 〖解〗 구개골(骨) ; 〖音聲〗 구개음《[j, ç] 따위》. 〖F ; ⇨ PALATE〗

pálatal·ìze *vt.* 〖音聲〗 구개음으로 발음하다, 구개음화(化)하다《[k]를 [ç], [tʃ]로 하는 따위》. **pàlatal·izátion** *n.* 구개음화.

pal·ate [pǽlət] *n.* **1** 〖解〗 구개 : the hard[soft] ~ 경(硬)[연(軟)] 구개 / ☞ CLEFT PALATE. **2** 미각 ; 좋아함, 기호(liking), 심미안 : suit one's ~ 입[기호]에 맞다 / He has a good ~ *for* coffee. 그는 커피 맛을 잘 식별할 줄 안다. 〖L *palatum*〗

pálate bòne *n.* 〖解〗 구개골.

pa·la·tial [pəléiʃəl] *a.* 궁전의[같은] ; 호화로운[스런], 광대한, 당당한(magnificent). 〖L ; ⇨ PALACE〗

pa·lat·i·nate [pəlǽtənèit, -nèt] *n.* 〖史〗 팔라틴 백작(伯爵)의 영지 ; [the P~] 팔라티네이트, 팔

츠《신성 로마 제국내의 라인강 연안의 공국》; [P~] 팔츠의 주민.

pal·a·tine[1] [pǽlətàin] *a.* 왕권의 일부를 가진; 궁전의. —— *n.* **1** 〖英史〗 팔라틴 백작(=count [earl] ~)《옛날 자기 영토 내에서 국왕과 동등한 특권을 가졌던 영주》. **2** [the P~] =the PALATINE HILL. 〖F<L=of the PALACE〗

palatine[2] *a.* 구개(口蓋)의(palatal). —— *n.* [*pl.*] 구개골(骨). 〖F; ⇨ PALATE〗

Pálatine Híll *n.* [the ~] 팔라티누스의 언덕《고대 로마의 7언덕 중 중심인 언덕; 로마황제가 최초로 궁전을 지었던 곳》.

pál·a·to·gràm [pǽlətə-] *n.* 〖音聲〗 구개도(圖).

Pa·láu Íslands [pəláu-] *n. pl.* [the ~] 팔라우 제도《태평양 서부의 캐롤라인 제도중의 섬들》.

pa·lav·er [pəlǽvər, -lɑ́ː-; -lɑ́ː-] *n.* **1** (특히 아프리카 원주민과 유럽인 사이의) 상담(商談), 교섭. **2** Ⓤ 수다, 아첨. —— *vi., vt.* 교섭하다, 상담하다; 아첨하다, 수다 떨다.
〖Port. =word, talk<L; ⇨ PARABLE〗

pa·laz·zo [pəlɑ́ːtsou] *n.* (*pl.* **-zi** [-tsiː]) 궁전, 전당; [*pl.*] =PALAZZO PANTS.
〖It. =palace〗

Palázzo Chigi [-kíːdʒi] *n.* 키지 궁(宮)《이탈리아 외무성》.

palázzo pajàmas *n. pl.* 팔라초 파자마《팔라초 팬츠와 상의[블라우스]로 한 벌을 이루는 여성용 약식 예복》.

palázzo pànts *n. pl.* 팔라초 팬츠《다리 부분이 헐렁헐렁한 여성용 판탈롱》.

‡pale[1] [péil] *a.* **1** (안색 따위) 창백한, 파랗게 질린: You look ~. 안색이 나쁘군. **2** (색이) 엷은: ~ ale 《英》 알코올 함유량이 적은 맥주 / ~ wine 백포도주. **3** 어둠침침한. **4** 약한(faint), 활기가 없는(feeble).

〈회화〉
He turned quite *pale* at the news.—It must have been a shock.「그 소식을 듣고 그는 얼굴이 몹시 창백해졌어」「충격이었던 모양이지」

—— *vi., vt.* 창백해지다[하게 하다]; 엷어지다, 엷게 하다; 어둠침침해지다[하게 하다].
pale at …한 일로 얼굴이 파랗게 질리다.
pale beside [***before***] …앞에서는 무색해지다, …보다 못하다.
—— *n.* 《美俗》 백인.
~·ly *adv.* 창백하게, 파랗게 질려; (색깔이) 엷게; 어둠침침하게. **~·ness** *n.*
〖OF<L *pallidus* (*palleo* to be pale)〗
類義語 ***pale*** 단순히 안색이 부자연스럽게 창백한 또는 생기가 없는의 뜻. ***pallid*** 피로·기절·긴장 따위로 pale한 것. ***wan*** 병에 의한 쇠약 때문에 pale해진 것.

pale[2] *n.* **1** 말뚝; 울짱, 담. **2 a)** 경계(boundary); (울타리 따위로 둘러싸인) 지역, 영역. **b)** 《비유》 한계, 범위(limits): within[outside, beyond] the ~ of …의 범위 내[밖]에, …한 테두리 속에서[를 벗어나]. **3** 〖紋〗 (방패의) 중앙의 세로줄 무늬.
beyond [***outside, without***] ***the pale*** (사람·언동이) 도리에 어긋난, 온당하지 않은; (사람이 세상에서) 배척을 당하여.
within the pale (사람·언동이) 온당하여, 지당하여.
—— *vt.* [보통 *p.p.* 로] …에 말뚝을 두르다, 울타리[방책]를 치다, 에워싸다.
〖OF<L *palus* stake〗

pa·le-, pa·lae- [péili, pǽli], **pa·leo-, pa·laeo-** [péiliou, pǽl-, -liə] *comb. form* 「고(古)」「구(舊)」「원시」의 뜻.
〖Gk. *palaios* ancient〗

paled [péild] *a.* 말뚝을 두른(fenced).

pále drý *a.* 빛깔이 엷고 쌉쌀한《알코올 음료》.

pále-éyed *a.* 눈이 흐리멍덩한.

pále·fàce *n.* 백인《본래 북미 인디언이 백인을 경멸적으로 이른 말》.

pále-héart·ed *a.* 겁많은.

Pále Hórse *n.* 죽음의 사자(使者), 죽음.

paleoanthropology ☞ PALAEOANTHROPOLOGY.

páleo·bìo·chémistry *n.* Ⓤ 고(古)생화학.

paleobo. paleobotany.

pàleo·bótany *n.* Ⓤ 고(古)식물학.

Páleo·cène *a.* 〖地質〗 팔레오세(世)의.
—— *n.* [the ~] 팔레오세.

pàleo·clímate *n.* 고(古)기후《지질시대의 기후》.

páleo·envíronment *n.* 고(古)환경《인류 출현 전의 해양 및 대륙의 환경》.

paleog. paleography.

Páleo·gène *a.* 〖地質〗 고(古)제3기[계]의.
—— *n.* [the ~] 고제3기[계]《제3기의 전반》.

páleo·genétics *n.* 고(古)유전학《화석이 된 동식물의 유전 연구》.

páleo·geógraphy *n.* Ⓤ 고(古)지리학.

páleo·gèo·phýsics *n.* 고(古)지구 물리학.

pa·le·og·ra·phy [pæliɑ́grəfi, pèili-] *n.* Ⓤ 고(古)문서(학); 고서체. **-pher** *n.* 고문서 학자.
pàl·eo·gráph·ic, -i·cal *a.* 고문서(학)의.

pàleo·hábitat *n.* (유사 이전 동물의) 고서식지.

pàleo·látitude *n.* 〖地球理〗 고(古)위도《과거 어떤 시기에서의 땅덩이 따위의 위도》.

páleo·limnólogy *n.* Ⓤ 고육수학(古陸水學).

páleo·lìth *n.* 구석기.

Pàleo·líthic *a.* 구석기 시대의(cf. NEOLITHIC): the ~ Era 구석기 시대.

pàleo·mágnet·ìsm *n.* Ⓤ 고지자기(古地磁氣); 고지자기학.

paleontol. paleontology.

pa·le·on·tol·o·gy [pèiliɑntɑ́lədʒi, pæ̀l-] *n.* Ⓤ 고생물학. **-gist** *n.*

páleo·primatólogy *n.* Ⓤ 고영장류학.

pàleo·témperature *n.* 고(古)온도《선사 시대의 해양 따위의 온도》.

Pàleo·zóic *a.* 고생대(古生代)의; 고생계(古生界)의. —— *n.* [the ~] 고생대; [the ~] 고생계《고생대의 지층》. 〖Gk. *zōion* animal〗

páleo·zoólogy *n.* Ⓤ 고(古)동물학.

Pal·es·tine [pǽləstàin] *n.* 팔레스타인《略 Pal.》.
〖F<L<Gk. =land of Philistines〗

Pálestine Liberátion Organizátion *n.* [the ~] 팔레스타인 해방기구《略 PLO》.

Pal·es·tin·i·an [pæ̀ləstíniən] *a., n.* 팔레스타인의(주민); 팔레스타인 해방주의의; 팔레스타인 해방주의자.

palestra ☞ PALAESTRA.

pal·e·tot [pǽlətòu] *n.* 헐렁한 외투의 일종《남녀 공용》. 〖F *paletoc*<ME *paltok* jacket〗

pal·ette [pǽlət] *n.* **1** 팔레트, 조색판(調色板); (한 벌의) 그림물감. **2** (어떤 화가의) 독특한 색채[물감의 배합], 색조. **3** (갑옷의) 겨드랑이받이(pallette). 〖F (dim.)〈L *pala* spade〗

pálette[**pállet**] **knìfe** *n.* 팔레트 나이프.

péle·wìse, -wàys *adv.* 〖紋〗 수직으로, 세로로, 말뚝같이.

pal·frey [pɔ́:lfri] *n.* 《古·詩》 (군마와 구별해서) 승용마, (특히) 여성용의 승용마. 〖OF<L (Gk. *para* beside, L *veredus* light horse)〗

Pa·li [pá:li] *n.* Ⓤ 팔리어《Sanskrit와 같은 계통의 언어로서 불교 경전에 쓰임》.

pal·i·mo·ny [pǽləmòuni] *n.* 《美俗》 (동거하다가 헤어진 여성에게 지급하는) 위자료, 별거수당. 〖*pal*+al*imony*〗

pal·imp·sest [pǽləmpsèst, pəlímpsest] *n., a.* 씌어 있던 글자를 지우고 그 위에 다시 쓴 (양피지) ; 뒷면에도 글자를 새긴 (황동 기념표). 〖L<Gk. (*palin* again, *psēstos* rubbed)〗

pal·in·drome [pǽləndròum] *n.* 회문(回文)《앞 뒤 어느 쪽으로 읽어도 같은 어구 : eye, madam》. 〖Gk. =running back again (*drom-* to run)〗

pal·ing [péiliŋ] *n.* Ⓤ 말뚝(을 둘러) 박기 ; Ⓒ 말뚝 ; 울짱, 울타리. 〖*pale*[2]〗

pal·in·génesis [pæ̀lən-] *n.* Ⓤ 신생, 재생 ; 윤회(輪廻) ; 세례 ; 〔生〕 원형[반복] 발생《진화의 전(全)단계를 되풀이하는 개체 발생 ; cf. CENOGENESIS》. **-genétic** *a.*

pal·in·ode [pǽlənòud] *n.* (앞서 쓴 시의 내용을) 취소하는 시(詩) ; 취소, 바꾸어 말하기.

pal·i·sade [pæ̀ləséid] *n.* 말뚝 ; 울타리, 울짱 ; [*pl.*] 《美》 (강가의) 벼랑. —— *vt.* …에 울타리를 치다[두르다]. 〖F ; ⇨ PALE[2]〗

pal·ish [péiliʃ] *a.* 파리한, 창백한.

pal·i·s(s)an·der [pæ̀ləsǽndər] *n.* Ⓤ 자단(紫檀)나무.

pall[1] [pɔ́:l] *n.* **1** 관(棺) 덮는 보《영구차·묘소에 덮는 비로드 천》 ; 〔카톨릭〕 성배포(聖杯布). **2** 《비유》 (음침한) 막(幕), 휘장 : a ~ *of* darkness 어둠의 장막. —— *vt.* …에 관 덮개를 덮다 ; …을 덮다. 〖OE *pæll*<L *pallium* cloak〗

pall[2] *vi.* [+*on*+名] 물리다, 맥[김]이 빠지다, 흥미가 없어지다 : This happiness will soon ~ (*up*) *on* them. 이 행복도 곧 싫증이 날 것이다. —— *vt.* 싫증이 나게 하다, 물리게 하다. 〖*appal*〗

Pal·la·di·an[1] [pəléidiən, -lá:-] *a.* 〔그神〕 Pallas 여신의 ; 지혜의, 학문의.

Palladian[2] *a.* A. PALLADIO 양식의. —— *n.* 팔라디오 숭배자[신봉자].

Pal·la·dio [pəlá:diou] *n.* 팔라디오. **Andrea** ~ (1508-80) 이탈리아 르네상스의 대표적 건축가.

pal·la·di·um[1] [pəléidiəm] *n.* 〔化〕 팔라듐《금속 원소 ; 기호 Pd ; 번호 46》. 〖↓〗

palladium[2] *n.* (*pl.* **-dia** [-diə]) **1** Ⓤ,Ⓒ 보장, 수호(protection) ; 수호신. **2** [P~] Pallas의 상(像)《특히 Troy를 수호했다고 하는 상》. 〖L ; ⇨ PALLAS〗

Pal·las [pǽləs] *n.* 〔그神〕 팔라스 (=~ **Athéna** ; cf. ATHENA) 《지혜·공예 따위의 여신 ; 아테네의 수호신》. 〖L<Gk. =maiden〗

páll·bèar·er *n.* 관을 메는 사람 ; 관(棺)옆에 붙어 따라가는 사람《죽은 자와 특히 친했던 사람이 함》.

pal·let[1] [pǽlət] *n.* 짚자리, 초라한 잠자리. 〖AF<L *palea* straw〗

pallet[2] *n.* 도공(陶工)의 흙손 ; 〔機〕 톱니바퀴의 제동용 돌출부, 바퀴 멈추개 ; =PALETTE ; 팰릿《창고·공장 따위의 짐 나르는 대》. 〖F PALETTE〗

pállet·ize *vt.* (재료 따위를) PALLET[2]에 얹다[로 나르다].

pal·lette [pǽlət, pælét] *n.* (갑옷 따위의) 겨드랑이받이.

pal·liasse [pæljǽs, ⌐-; pǽliæ̀s, ⌐-⌐] *n.* 《英》 짚자리. 〖F<It.<L ; ⇨ PALLET[1]〗

pal·li·ate [pǽlièit] *vt.* (병세 따위를) 일시적으로 완화시키다 ; (과실 따위를) 변명하다, 해명하다, 참작하다. 〖L *pallio* to cloak ; ⇨ PALL[1]〗

pal·li·a·tion [pæ̀liéiʃən] *n.* Ⓤ,Ⓒ (질병·아픔 따위의) 일시적 완화 ; 변명 ; (과실·죄 따위의) 경감(輕減) ; 고식(姑息)적 수단.

pal·li·a·tive [pǽliətiv, 美+-èitiv] *a.* 경감[완화]하는 ; 일시적으로 완화시키는 ; 변명하는 ; 경감하는. —— *n.* 완화제(劑) ; 변명, 해명 ; 정상 참작 ; 완화책, 고식적 수단, 대기요법.

pálliative cáre ùnit *n.* 《Can.》 말기 환자 병동 《略 PCU》.

pál·li·à·tor *n.* =PALLIATIVE.

pal·lid [pǽləd] *a.* 파랗게 질린, 창백한 ; 생기없는. **~·ly** *adv.* 파랗게 질려. **~·ness** *n.* 〖L ; ⇨ PALE[1]〗

類義語 ⟹ PALE[1].

pal·li·um [pǽliəm] *n.* (*pl.* **~s, -lia** [-liə]) 팔리움 《고대 그리스인이 입던 일종의 겉옷》 ; 〔카톨릭〕 팔리움《교황이 대주교에게 하사하는 흰 양모제의 띠로 교황의 권위를 나누어 갖는 표시》 ; 〔解〕 (뇌의 회백질의) 외피(外皮) ; 〔動〕 외투막. 〖L〗

pallium

Pall Mall [pélmél, pǽlmǽl ; pǽlmǽl] *n.* 펠멜가(街)《London의 클럽가(街)》 ; 영국 육군성(省)《원래 Pall Mall 가에 있었으므로》.

pall-mall [pélmél ; pǽlmǽl] *n.* Ⓤ 펠멜(mall)《잉글랜드에서 17세기에 하던 공놀이의 일종》 ; Ⓒ 펠멜 공놀이터.

pal·lor [pǽlər] *n.* Ⓤ (얼굴 따위의) 창백(paleness).

pal·ly, -lie [pǽli] *a.* 《口》 친한, 의가 좋은. —— *n.* 친구. 〖PAL〗

***palm**[1] [pá:lm ; pá:m] *n.* **1** 손바닥 : read a person's ~ 남의 손금을 보다. **2** (일반적으로) 손바닥 모양의 물건[부분]. **3** 장척(掌尺), 뼘《폭 약 7.6-10cm, 길이 18-25cm》. **4** 노(oar)의 넓적한 부분 ; 스키의 안쪽 바닥.

grease [***gild, tickle***] a person***'s*** [***the***] ***palm*** 남에게 증회(贈賄)하다[뇌물을 바치다].

have an itching palm 욕심이 많다, (특히) 뇌물을 탐내다.

know. . .like the palm of one***'s hand*** …을 잘 알고 있다.

—— *vt.* **1** (요술 따위에서) 손바닥 안에 감추다. **2** 어루만지다, 손으로 다루다.

palm off (가짜 물건을) 속여서 통용시키다, 속여서 (물건을) 떠맡기다[안기다] : He ~*ed off* the bad dollars *on* the merchant. 그는 상인에게 위조 달러를 받게 했다.

〖OF<L *palma*〗

palm[2] *n.* **1** 〔植〕 종려나무, 야자나무《열대성 식물》 : ☞ CABBAGE PALM / ☞ DATE PALM / ☞ OIL PALM. **2** 종려나무의 잎[가지]《승리 또는 기쁨의 상징》. **3** [the ~] 승리(triumph), 영예 ; 상품.

bear [***carry off***] ***the palm*** 이기다, 우승하다.

yield [***give***] ***the palm to*** …에게 승리를 양보하다, …에게 지다.

〖OE *palm*(*a*)<Gmc.<L ↑ ; 잎이 펼친 손과 비슷한데서〗

pal·ma·ceous [pælméiʃəs, 美+pɑ:*l*-] *a.* 〔植〕 종려[야자]과(科)의.

pal·ma Chris·ti [pǽlmə krísti] *n.* (*pl.* **pál·mae chrísti** [-mi:-]) 〖植〗 아주까리.

pal·mar [pǽlmər, 美+pά:lmər] *a.* 손바닥의; (동물의) 앞 발바닥의.

pal·ma·ry [pǽlməri, 美+pά:lm-] *a.* 최우수의, 최고의 영예를 받을 만한. 〚L; ⇨ PALM[2]〛

pal·mate [pǽlmeit, pǽlmət, 美 + pά:lm-], **pal·mat·ed** [-mèitəd] *a.* 손바닥 모양의; 〖動〗 물갈퀴가 있는.

pal·ma·tion [pælméiʃən, 美+pɑ:l-] *n.* 장상(부) (掌狀(部)).

Pálm Béach *n.* 팜비치《미국 Florida 주 남동 해안의 피한지(避寒地)》.

pálm bùtter *n.* 야자 기름.

pálm càt[**cìvet**] *n.* 〖動〗 나무 위에 서식하는 긴 꼬리사향고양이《동남 아시아산》.

palm·er[1] [pά:mər, 美+pά:lm-] *n.* **1** (Palestine 의) 성지(聖地) 순례자《기념으로 종려가지[잎]로 만든 십자가를 가지고 돌아감》; 순례: a ~'s staff 순례의 지팡이. **2** =PALMERWORM. 〚PALM[2]〛

palmer[2] *n.* (카드놀이 따위에서) 속이는 사람; 요술쟁이. 〚PALM[1]〛

Pálmer Archipélago *n.* [the ~] 파머 제도《남아메리카 대륙과 남극 대륙 사이에 있음; 옛 이름 Antarctic Archipelago》.

pálmer·wòrm *n.* 〖昆〗 일시에 다수 발생하여 과수에 해를 끼치는 패나방의 일종인 애벌레.

pal·met·to [pælmétou] *n.* (*pl.* **~s, ~es**) 〖植〗 팔메토야자《미국 남서 해안 지방산(産)》; [P~] South Carolina 주(州) 사람의 별명. 〚Sp. *palmito* (dim.) ‹PALM[1]〛

Palmétto Státe *n.* [the ~] South Carolina 주의 별칭.

pálm·fùl *n.* (*pl.* **~s**) 손바닥 하나 가득(한 분량); 한줌.

pálm hòuse *n.* 종려[야자]나무 재배 온실.

pal·mi·ped [pǽlməpèd] *a.* 오리발[물갈퀴]의. —— *n.* 물새.

pálm·ist *n.* 손금쟁이, 수상가(手相家).

palm·ist·ry [pά:məstri, pά:lm-] *n.* Ⓤ 손금보기, 수상술(術), 수상 판단(判斷). 〚ME‹? *palm*[1]+*maistrie* mastery〛

pal·mi·tate [pǽlmətèit, 美+pά:l-] *n.* 〖化〗 팔미트산염(酸鹽).

pal·mit·ic [pælmítik, 美+pɑ:l-] *a.* 〖化〗 팔미트산의; 팔미트산에서 얻은: ~ acid 팔미트산.

pal·mi·tin [pǽlmətən, pά:l-] *n.* 〖化〗 팔미틴《백색 결정성 분말; 의약용 따위》.

pálm lèaf *n.* 종려 잎《부채·모자 따위를 만듦》.

pálm òil *n.* 팜유(油); 뇌물(bribe).

pálm prìnt *n.* 장문(掌紋)《손바닥에 있는 극히 가는 금으로 만들어진 무늬》.

pálm sùgar[**wìne**] *n.* 팜당(糖)[야자술].

Pálm Súnday *n.* 〖聖〗 성지(聖枝) 주일, 종려의 성일(聖日)《부활절 직전의 일요일로 그리스도가 수난을 앞두고 Jerusalem에 입성(入城)한 날의 기념; 승리의 표시로 신자는 그가 지나는 길에 종려 가지를 뿌렸음》.

pálmy *a.* **1** 종려의[같은], 종려가 많은[무성한]; 종려에서 채취한. **2** 번영하는, 승리를 얻은, 의기 양양한; 빛나는; 전성의: one's ~ days 전성시대.

pal·my·ra [pælmáiərə] *n.* 〖植〗 부채야자나무(= ~ **pàlm**)《인도·말레이시아산(產)》. 〚Port.〛

Pal·o·mar [pǽləmὰ:r] *n.* [Mt. ~] 팔로마산《미국 California 주 남부의 산; 200인치 반사망원경을 갖춘 천문대가 있음》.

pal·o·mi·no [pæləmí:nou] *n.* (*pl.* **~s**) (미국 남서부산의) 다리가 가는 담황색 말. 〚Am. Sp.‹Sp. =young pigeon (L *palumba* dove)〛

pa·loo·ka [pəlú:kə], **-ker** [-kər] *n.* 《俗》 〖카드놀이〗 시시한 패; 성적이 좋지 않은 선수; 평범한 사람. 〚C20‹?〛

palp[1] [pælp] *n.* =PALPUS.

palp[2] *vt.* …에 손을 대다, 만져서 조사하다. 〚L *palpo* to feel, touch〛

pal·pa·ble [pǽlpəbəl] *a.* 명백한, 분명한; 만져서 알 수 있는, 촉지(觸知)할 수 있는; 〖醫〗 촉진할 수 있는: a ~ lie 빤한 거짓말.
-bly *adv.* 명백[분명]하게. **pàl·pa·bíl·i·ty** *n.* Ⓤ 명백함; 만져 볼 수 있음. 〚L (↑)〛
[類義語] ⟹ OBVIOUS.

pal·pate[1] [pǽlpeit] *vt.* 만져 보다; 〖醫〗 촉진(觸診)하다. 〚? 역성(逆成) ‹*palpation*; ⇨ PALP[2]〛

palpate[2] *a.* 〖動〗 촉수(觸鬚)가 있는.

pal·pa·tion [pælpéiʃən] *n.* Ⓤ 만져봄, 촉지; 〖醫〗 촉진(법).

pal·pe·bra [pǽlpəbrə, pælpí:-] *n.* 〖解〗 눈꺼풀 (eyelid). 〚L〛

pal·pe·bral [pǽlpəbrəl, pælpí:-] *a.* 눈꺼풀의.

palpi *n.* PALPUS의 복수형.

pal·pi·tant [pǽlpətənt] *a.* 가슴이 두근거리는.

pal·pi·tate [pǽlpətèit] *vi.* 맥박이 뛰다, 심장이 고동치다(throb), (가슴이) 두근거리다; 떨리다: I felt my heart ~. 나는 가슴이 두근거리는 것을 느꼈다. 〚L *palpito* (freq.) ‹*palpo* to PALP[2]〛

pàl·pi·tá·tion *n.* Ⓤ,Ⓒ 심장의 고동, 가슴이 두근거림: ~ of the heart 심계항진(心悸亢進).

pal·pus [pǽlpəs] *n.* (*pl.* **-pi** [-pai, -pi:]) (절지 동물 따위의) 촉수(觸鬚). 〚L=a stroking; ⇨ PALP[2]〛

pals·grave [pɔ́:lzgreiv] *n.* =COUNT PALATINE.

pal·sied [pɔ́:lzid] *a.* 중풍의; 마비된; 떠는.

pal·stave [pɔ́:lstèiv] *n.* 〖考古〗 청동제의 도끼 (celt).

pal·sy [pɔ́:lzi] *n.* Ⓤ 손발의 마비, 중풍, 마비 (상태): shaking ~=PARKINSON'S DISEASE.
—— *vt.* 마비시키다(paralyze); (공포 따위로) 꼼짝 못하게 하다. 〚OF; ⇨ PARALYSIS〛

pal·sy-wal·sy, pal·sey-wal·sey [pǽlziwǽlzi] *a.* 《俗》 친한, 사이좋은. —— *n.* 친구, 벗. 〚PAL〛

pal·ter [pɔ́:ltər] *vi.* **1** [+*with*+名] 적당하게[얼렁뚱땅] 얼버무리다; 속이다, 말끝을 흐리다 (equivocate): The problem should not be ~*ed* ***with***. 그 문제는 적당히 넘겨버려서는 안된다. **2** [+前+名] 흥정하다, 값을 깎다: ~ ***with*** a person ***about*** a thing 남과 흥정하여 물건값을 깎다. 〚C16‹?〛

pal·try [pɔ́:ltri] *a.* 보잘것없는, 값어치가 없는, 천한; 사소한(petty).
pál·tri·ly *adv.* **-tri·ness** *n.* 〚C16=trash (*palt* rubbish)〛

pa·lu·dal [pəljú:dəl, pǽljə-] *a.* 습지의, 습지가 많은; 늪에서 발생하는; 《古》 말라리아의: ~ fever 말라리아 열. 〚L *palud*- (*palus* marsh)〛

paly [péili] *a.* 《古·詩》 창백한(pale). 〚PALE[1]〛

pam [pǽ(:)m] *n.* 〖카드놀이〗 (LOO[1] 게임에서) 클럽의 잭《으뜸패》; Ⓤ (클럽의 잭을 으뜸패로 하는) 나폴레옹 비슷한 게임. 〚? Gk. *pamphilos* beloved of all〛

pam. pamphlet.

Pam·e·la [pǽmələ] *n.* 여자 이름.
〚Sir P. Sidney, *Arcadia*(1590) 중의 조어(造語)(? Gk. =all honey)〛

Pa·mir(s) [pəmíər(z)] *n.* (*pl.*) [the ~] 파미르 고원(高原)《아시아 중부의 고원 ; 「세계의 지붕」이라 불림》.

pam·pa [pǽmpə] *n.* (*pl.* **~s** [-pəz, -pəs]) [*pl.*] 팜파스《남미 특히 아르헨티나의 나무가 없는 대초원 ; cf. PRAIRIE, SAVANNA(H), STEPPE》; [P~] 팜파스에 사는 인디언.
〚Sp. <Quechua=plain[1]〛

pám·pas gràss [pǽmpəs-] *n.* 팜파스초(草), 팜파스갈대《은빛이 나는 갈대의 일종》.
〚PAMPA〛

pam·per [pǽmpər] *vt.* 하고 싶은 대로 하게 하다 ; 응석받이로 키우다 ; 실컷 먹이다 : ~ a child 아이의 응석을 받아 주다 / ~ one's stomach 먹고 싶은 만큼 실컷 먹다. **~ed** *a.* 응석받이로 자란, 방자한, 제멋대로 하는.
〚(freq.) ‹*pamp* (obs.) to cram〛

pam·pe·ro [pæmpéərou, pɑːm-] *n.* (*pl.* **~s**) 팜페로 바람《남미 Andes 산맥에서 대서양으로 내리부는 찬바람》.
〚Am. Sp. =pampean〛

pamph. pamphlet.

***pamph·let** [pǽmflət] *n.* 팸플릿, (가철한) 작은 책자 ; (특히 시사 문제의) 소논문(小論文).
〚*Pamphilus* (*seu de Amore*) 12세기의 라틴어 연애시〛

pam·phle·teer [pæ̀mflətíər] *n.* 팸플릿[작은 책자·소논문] 저자. —— *vi.* 팸플릿을 쓰다.

‡**pan**[1] [pǽ(ː)n] *n.* **1** 접시 ; (바닥이) 평평한 냄비 ; 접시 모양의 그릇, (저울의) 판 ; (사금(砂金) 따위를 물로 선별하는) 선광(選鑛)용 그릇 ; (구식 총포의) 약실《소량의 발화용 화약을 넣는 곳》: a frying ~ 프라이팬 / a stew ~ 스튜 냄비 / pots and ~*s* ☞ POT *n.* 1 a). **2** (돌쩌귀의) 구멍 ; 암톨쩌귀, 수톨쩌귀. **3** 접시 모양의 움푹한 땅, 못, 늪 ; 염전(鹽田)(=salt ~). **4** =HARDPAN 1 ;〔海〕작은 부빙(浮氷). **5**《俗》얼굴, 상판 ; 무릎. **6**《口》혹평. **7**《英》변기.
savor of the pan 본성을 드러내다.

pan

—— *v.* (**-nn-**) *vt.* **1**〔鑛山〕(사금 따위를) 선광(選鑛) 냄비로 가려내다. **2**《美》(굴 따위를) 냄비에 끓이다[요리하다]. **3**《口》호되게 야단치다[혼내 주다], 헐뜯다.
—— *vi.* (선광) 냄비로 토사를 가려내다 ; 사금이 나다 ; 운전하다, 작동하다, 일하다.
pan off (사금을) 선광 냄비로 가려내다.
pan out (1) =PAN *off.* (2) 금을 산출하다 ;《口》성공하다 ;《口》결과가 …으로 되다 : The peace conference will ~ *out* well. 평화 회담은 잘 되어갈 것이다.
〚OE *panne* ; cf. PATINA[2], G *Pfanne*〛

pan[2] *n.* 팬 (촬영)《좌우[드물게 상하]로 카메라를 움직이며 찍는 촬영》;《美俗》파노라마 사진.
—— *vt., vi.* (**-nn-**) 팬 (촬영)하다.
〚*pan*orama〛

pan[3] [pɑ́ːn] *n.* BETEL《동인도산》의 잎 ; 그 잎을 싸서 만든 씹는 것. 〚Hindi<Skt. =feather, leaf〛

Pan [pǽ(ː)n] *n.* 〔그神〕팬, 목신(牧神)《염소의 뿔과 발 모양을 한 음악을 좋아하는 목자와 가축의 신 ; cf. SILVANUS》.

PAN [pǽ(ː)n] peroxyacetyl nitrate.

Pan. Panama.

pan- [pæn] *comb. form* 「전(全)…(all)」「총(總)…(universal)」「범(汎)…」의 뜻.
〚Gk. (*pan* (neut.) ‹*pas* all)〛

pan·a·cea [pæ̀nəsíːə] *n.* 만병통치약《때때로 비유적으로 씀》.
〚L<Gk. =all-healing (*pan-*, *-akēs* remedy)〛

pa·nache [pənǽʃ, -nɑ́ːʃ] *n.* Ⓤ (투구의) 깃털 장식 ;《비유》당당한 태도, 뽐내기, 허세.
〚F=plume<It.<L (dim.) ‹PINNA〛

pa·na·da [pənɑ́ːdə, -néi-] *n.* Ⓤ 빵 죽. 〚Sp.〛

Pàn-Áfrican *a.* 범아프리카(주의)의.
—— *n.* 범아프리카주의자.

Pan-Áfrican cóngress *n.* 범(汎)아프리카 회의《제1회는 1900년, 그 정신은 OAU에 계승됨》.

Pàn-Áfrican·ìsm *n.* Ⓤ 범(汎)아프리카주의[운동]《아프리카 제국(諸國)의 정치적 단결을 목적으로 함》. **-ist** *n., a.*

Pan-Africanist Cóngress *n.* 범아프리카주의자 회의《1959년에 결성된 남아프리카 공화국의 흑인해방 조직 ; 1960년 비합법화 ; 略 PAC》.

Pan·a·ma [pǽnəmɑ̀ː, ⌐-⌐] *n.* **1** 파나마《중미의 공화국 ; 그 수도(=~ **Cíty**)》. **2** =PANAMA HAT.
the Isthmus of Panama 파나마 지협(地峽).

Pánama Canál *n.* [the ~] 파나마 운하.

Pánama Canál Zòne *n.* [the ~]=CANAL ZONE.

Pánama hát *n.* 파나마 모자.

Pan·a·ma·ni·an [pæ̀nəméiniən] *a.* 파나마의, 파나마인의. —— *n.* 파나마 인.

Pánama Réd *n.*《美俗》파나마 레드《파나마산의 효능이 강한 붉은 마리화나》.

Pàn-Américan *a.* (북미·중미·남미를 포함한) 범아메리카[범미(汎美)](주의)의 : the ~ Congress 범미 회의 / the ~ Union 범미 연맹《略 P.A.U.》. **~ìsm** *n.* Ⓤ 범미주의.

Pán Américan Gámes *n. pl.* 범미주 경기 대회《북미·중미·남미를 모두 포함한 아메리카 대륙의 스포츠 대회 ; 1951년 창설》.

Pán-Ánglican *a.* 전(全)영국국교회(주의)의.

Pàn-Árab·ìsm *n.* 범아랍주의[운동].
Pàn-Árab, -Árabic *a., n.*

Pàn-Ásian·ìsm *n.* Ⓤ 범아시아주의[운동].
-ist *n., a.*

pan·a·tela, -tel·la [pæ̀nətélə] *n.* 파나텔라《가

P

늘게 만 여송연). 〖Am. Sp.〗

pan·a·trope [pǽnətroup] *n.* 전축의 일종.

pán·bròil *vt., vi.* 기름을 거의 치지 않은 프라이팬으로 굽다.

pán·càke *n.* **1** (프라이팬으로 얇고 판판하게 구운) 팬케이크, 핫케이크(hotcake, griddle cake) : (as) flat as a ~ 납작한, 판판한. **2** =PANCAKE MAKEUP. **3** 〔空〕 =PANCAKE LANDING ; 《美俗》 백인에게 아첨하는 흑인. ── *vi., vt.* 〔空〕 수평 낙하 착륙하다[시키다].

Pán-Càke *n.* 팬케이크《화장품인 고형분(固形粉)의 일종 ; 상표명》.

Páncake Dày[**Tùesday**] *n.* =SHROVE TUESDAY.

páncake lànding *n.* 털썩 떨어짐 ; 〔空〕 수평 낙하 착륙《지면 가까이서 기체를 미리 수평으로 실속(失速)시켜 낙하 착륙함》.

páncake màkeup *n.* 팬케이크(Pan-Cake)를 사용한 화장.
〖상표 *Pan-Cake Make-Up*〗

páncake róll *n.* 《英》 춘쥐안(春卷) (=spring roll)《표고·고기·부추 따위로 만든 소를 넣고 빚어 튀긴 중국 만두》.

pan·cha·yat [pəntʃɑ́:jət, -tʃáiət] *n.* 인도의 선거 선출제 마을 회의.
〖Hindi (Skt. *pancha* five)〗

Pán·chen Láma [pɑ́:ntʃən-] *n.* 판첸 라마《Dalai Lama 다음가는 라마교의 부교주》.

pan·chres·ton [pænkréstən, -tɑn] *n.* (지나치게 단순화하여) 모든 경우에 들어맞게 만들어진 설명.
〖Gk. =panacea〗

pàn·chromátic *a.* 〔理·寫〕 전정색(全整色)의, 전정색성의, 팬크로매틱의 : a ~ film[plate] 전정색 필름[건판(乾板)]. **pàn·chrómatism** *n.* Ⓤ 전정색(성(性)).

pàn·cósmism *n.* Ⓤ 〔哲〕 물질 우주설, 범(汎)우주론.

pan·crat·ic [pænkrǽtik] *a.* (현미경의 접안 렌즈가) 자유로이 조절되는 ; PANCRATIUM의.

pan·cra·ti·um [pænkréiʃiəm] *n.* (*pl.* **-tia** [-ʃiə]) (고대 그리스의) 권투와 레슬링을 혼합시킨 경기.

pan·cre·as [pǽŋkriəs, 美+pǽn-] *n.* 〔解〕 이자, 췌장(膵臟). 〖NL<Gk. (*kreat- kreas* flesh)〗

páncreas transplantátion *n.* 췌장 이식.

pan·cre·at- [pǽŋkriət, 美+pǽn-], **pan·cre·a·to-** [-tou, -tə] *comb. form* 「이자의」의 뜻.
〖Gk. (↑)〗

pan·cre·atec·to·my [pæ̀ŋkriətéktəmi, 美+pæ̀n-] *n.* 〔醫〕 이자절제(술).

pan·cre·at·ic [pæ̀ŋkriǽtik, 美+pæ̀n-] *a.* 이자의 : ~ juice[secretion] 이자액(液).

pan·cre·a·tin [pǽŋkriətən, 美+pǽn-, 美+pænkrí:ə-] *n.* 〔生化〕 판크레아틴《소·돼지 따위의 이자에서 추출된 효소》.

pan·cre·a·ti·tis [pæ̀ŋkriətáitəs, 美+pæ̀n-] *n.* (*pl.* **-tit·i·des** [-títədi:z]) Ⓤ 〔醫〕 췌장염.

pan·cre·a·tot·o·my [pæ̀ŋkriətɑ́təmi, 美+pæ̀n-] *n.* Ⓤ 이자절제(술).

pan·cu·ró·ni·um (brómide) [pæ̀nkjəróuniəm(-)] *n.* 〔藥〕 (브롬화) 판쿠로늄《골격근 이완제(弛緩劑)》.

pan·da [pǽndə] *n.* 〔動〕 판다《티베트·중국 남부산 ; giant panda 또는 lesser panda》.
〖Nepali〗

pánda càr *n.* 《英口》 (경찰의) 패트롤 카.

pánda cróssing *n.* 《英》 (교통 신호의) 누름 단추식 횡단 보도(cf. PELICAN CROSSING).

pan·da·nus [pændéinəs, -dǽn-] *n.* (*pl.* **-ni** [-nai], **~·es**) 〔植〕 판다누스《아시아산 판다나속(屬)의 식물》.

Pan·de·an, -dae·an [pændí:ən] *a.* Pan 신(神)의[같은]. ── *n.* panpipe를 불며 유랑하는 사람.

Pandéan pípes *n. pl.* =PANPIPE.

pan·dect [pǽndekt] *n.* **1** [보통 *pl.*] 법전, 법령 전서(全書) ; 요람(digest). **2** [the P~s] 유스티니아누스 법전《6세기에 편찬된 로마 민법전(民法典)》. **3** 총론, 총람.

pan·dem·ic [pændémik] *a.* 전국[세계]적 유행의, 널리 유행하는 ; [P~] 육욕(肉慾)의.
── *n.* 전국[세계]적 유행병.
〖Gk. (*dēmos* people)〗

pan·de·mo·ni·um [pæ̀ndəmóuniəm] *n.* [보통 P~] 복마전(伏魔殿) ; [보통 P~] 지옥 ; 악의 소굴 ; Ⓤ,Ⓒ 대혼란(의 장소).
〖L (*pan-*, DEMON) ; Milton, *Paradise Lost* 중의 조어(造語)〗

pan·der [pǽndər] *n.* 여자를 주선하는 남자, 뚜쟁이 ; 매춘굴의 포주 ; 나쁜 짓을 중개하는 사람.
── *vt.* …의 주선을 하다, 중개를 하다.
── *vi.* [+*to*+名] (매춘·나쁜 짓을) 주선하다, (취미·욕망에) 영합하다 : ~ ***to*** vulgar tastes 저속한 취미에 영합하다.

p & h postage and handling.

pan·dit [pʌ́ndət, pǽn-] *n.* 《인도》 학자, 교사 ; [P~] (존칭으로) …선생, …사(師) ; 관리.
〖Hindi〗

P. & L., P. and L., p. and l. 〔商〕 profit and loss. **P. & O.** Peninsular and Oriental (Steamship Company) ; Peninsular and Occidental (Steamship Co.).

pandoor ☞ PANDOUR.

pan·do·ra [pændɔ́:rə] *n.* lute 또는 guitar 비슷한 옛 현악기. 〖It.〗

Pandora *n.* 〔그神〕 판도라《Zeus가 Prometheus를 벌하기 위해 하계(下界)로 내려 보낸 인류 최초의 여자》. 〖L<Gk. =all gifted〗

Pandóra's bóx *n.* **1** 〔그神〕 판도라의 상자《판도라가 Zeus로부터 받은 상자 ; 뚜껑을 열자 안에서 모든 악해(惡害)가 나와 세상에 퍼지고, 희망만이 남았다고 함》. **2** 여러가지 재앙의 근원.

pan·dore [pǽndɔ:r, -ˊ] *n.* =PANDORA.

pan·dour, -door [pǽnduər] *n.* 판두르병(兵)《18세기에 Croatia에서 징집된 보병 연대 병사》; 잔인한 병사.

pan·dow·dy [pændáudi] *n.* 《美》 당밀(糖蜜)과 시럽으로 맛을 낸 애플파이.

p. & p. 《英》 postage and packing. **P & S** 〔證〕 purchase and sale. **P and V** pyloroplasty and vagotom(유문(幽門) 형성과 미주신경 절제).

pan·dy [pǽndi] *n., vt.* 《스코》 (학교에서 벌로서) 손바닥을 때리기[때리다].

***pane** [péin] *n.* 창유리 (한 장), (천장·문 따위에 끼우는) 반반하고 큰 널빤지(panel) ; (특히 직사각형의) 한 구획 ; (장지·격자 따위의) 틀, 칸막이 살 ; (다이아몬드 따위의) 컷면(面).
── *vt.* …에 창유리를 끼우다 ; [보통 *p.p.*로] (옷 따위를) 천조각을 이어 만들다.
~d *a.* 창유리를 끼운 ; 조각조각 이어 맞춘.
~·less *a.* (창에) 유리가 없는.
〖OF<L *pannus* a cloth〗

pan·e·gyr·ic [pæ̀nədʒírik, -dʒái-] *n.* 칭송하는 연설[글], 칭찬, 찬사〈*upon*〉.
── *a.* =PANEGYRICAL.
〖F<L<Gk. =of public assembly (*agora* assem-

bly)】

pàn·e·gýr·i·cal *a.* 칭찬의, 찬사의.

pàn·e·gýr·ist *n.* 칭송하는 연설문을 쓰는 사람, 찬사를 하는 사람.

pan·e·gy·rize [pǽnədʒəràiz] *vt.* …을 위한 칭송의 연설문을 쓰다, …에게 찬사를 하다 ; 찬양[칭찬]하다.

***pan·el** [pǽnl] *n.* **1** 〔建〕 평평하고 큰 널빤지, 벽널, 판벽널《문·방·천장의 반자틀에 붙이는 판자》. **2** 〔畫〕 (캔버스 대용의) 화판 ; 패널화《판자에 그린 그림》; 직사각형의 그림. **3** 등록 명부 ; 〔法〕 배심(원)명부, 배심원단 ; 《英》 (한 지방의) 건강 보험 의사 명부 ; (청중 앞에서 하는 토론회·심사회에 예정되어 있는) 연사(演士)·심사원의 명부[멤버] ; (퀴즈 프로그램의) 해답자측《3명 이상》. **4** 〔寫〕 패널형판《보통보다 세로가 긺》. **5** 잘라낸 석재(石材)의 면 ; 포석(鋪石)의 한 구획. **6** 패널《스커트 따위에 다른 천을 세로로 댄 장식》. **7** 울타리에 가로지른 나무. **8** 《스코》 형사 피고인. **9** 안장 방석. **10** 〔空〕 비행기 날개의 한 구획. **11** 〔鑛〕 (갱내의 한) 구간(區間). **12** = PANEL DISCUSSION ; 패널 조사《복수(複數)의 사람을 대상으로 하여 정기적·계속적으로 행하는 조사》; 패널 조사의 대상이 되는 한 무리의 사람. **13** 배전[제어]반(盤) ; 계기판.
on the panel 토론자단[심사원단, 해답자단]에 참가하여 ; 《英》 건강 보험 의사 명부에 등록되어 : go *on the* ~ 건강 보험 의사의 진찰을 받다.
—— *vt.* (-l- | -ll-) …에 머름[장식판자]을 끼우다 ; (의복 따위에) 여러가지 색으로 세로 무늬 장식을 하다 ; …에 안장 방석을 깔다 ; (토론회의) 후보자를 정하다 ; 《스코》 기소[고발]하다.
【OF=piece of cloth<L (dim.) ‹PANE】

pánel·bòard *n.* 〔建〕 머름 ; 패널 판지(板紙) ; 〔電〕 배전반(配電盤).

pánel discùssion *n.* 패널 디스커션《소정의 문제에 대해서 여러 사람들의 관심을 끌고 많은 의견을 소개할 목적으로 함 ; cf. SYMPOSIUM》.

pánel hèater *n.* 패널 히터.

pánel hèating *n.* 복사(輻射) 난방, 패널 히팅.

pánel hòuse[dèn] *n.* 《美》 비밀 매춘굴.

pánel·ing, -el·ling *n.* Ⓤ 판벽널, 장식판자(를 끼우기).

pánel·ist, -el·list *n.* **1** 패널 디스커션 참석자. **2** (퀴즈 프로그램 따위의) 해답[참석]자. **3** (강연 대회의) 심사위원.

pánel lìghting *n.* 패널 조명《형광 물질을 칠한 금속 패널을 전기적으로 가열하여 발광시킴》.

pánel shòw *n.* 퀴즈 프로그램.

pánel trùck *n.* 《美》 소형 용달 트럭.

pánel wàll *n.* (광산에서) 두 구간의 사이 ; (건물의) 칸막이 벽(curtain wall).

pánel·wòrk *n.* Ⓤ 판벽널[장식판자] 세공 ; 〔鑛〕 칸막이 작업.

pan·en·the·ism [pænénθiìzəm] *n.* Ⓤ 만유 내재신론(萬有內在神論).

pan·e·tela, -tel·la [pæ̀nətélə] *n.* =PANATELA.

Pàn-Europèan *a.* 범유럽(주의)의.

pán·fish *n.* 프라이용(用)의 생선.

pán·frỳ *vt.* 〔料〕 프라이팬으로 튀기다.

pán·fùl *n.* 냄비[접시] 하나 가득.

***pang** [pǽŋ] *n.* **1** 격통(激痛), 쑤시고 아픔 : the ~ of death 죽음의 고통. **2** 마음의 괴로움, 상심 : the ~ of conscience 양심의 가책.
—— *vt.* 괴롭히다.
【변형(變形) ‹*pronge, prange* (obs.) ; cf. MLG *prange* pinching】

類義語 ⟹ PAIN.

pan·ga [pǽŋgə] *n.* (동(東)아프리카에서 쓰는) 날이 넓고 긴 칼. 【(east. Afr.)】

Pan·gaea [pændʒíːə] *n.* 〔地質〕 판게아《트라이아스기 이전에 존재했다고 하는 대륙 ; 그 후 북쪽의 Laurasia와 남쪽의 Gondwana로 분리됨》.

pan·génesis *n.* 〔生〕 범생설(汎生說)《유전에 관한 Darwin의 학설》. **-genétic** *a.* 범생설의.

Pàn-Gérman *a., n.* 범(汎)독일(주의)의 (사람).
Pàn-Germánic *a.*

Pàn-Gérman·ìsm *n.* 범독일주의 ; (주로 19세기의) 범독일 운동.

Pan·gloss·ian [pænglɑ́siən, pæŋ-, 美+-glɔ́ːs-] *a., n.* 한없이 낙천적인 (사람)《Voltaire작(作) *Candid* 중의 인물 Dr. Pangloss에서》.

pan·go·lin [pæŋgóulən, pæn-, pǽŋgələn] *n.* 〔動〕 천산갑(穿山甲)《아시아·아프리카산》.
【Malay=roller】

pan·gram [pǽngrəm, pǽŋg-, -græ(ː)m] *n.* 알파벳문자 전체를 (되도록이면 한 번씩) 사용한 문장(文章).

pán·hàndle *n.* 프라이팬의 자루 ; [흔히 P~] 《美》 (다른 주(州)로 뻗어 들어간) 좁고 긴 지역 (cf. GERRYMANDER). —— *vt., vi.* 《美口》 (가두에서 …에게) 구걸을 하다.
pán·hàndler *n.* 《美口》 거지.
【PAN[1]】

Pánhandle Státe *n.* [the ~] 미국 West Virginia 주의 속칭.

Pàn·héllenism *n.* Ⓤ 범그리스주의[운동].
Pàn·héllenist *n.* 범그리스주의[운동]자.
Pàn·hellénic *a.* 범그리스(주의)의.

pàn·húman *a.* 전인류적인, 전인류에 관한.

***pan·ic**[1] [pǽnik] *n.* Ⓤ,Ⓒ 공포 ; 당황, 겁먹음 ; 〔經〕 공황(恐慌) : get up a ~ 공황을 일으키다.
—— *a.* **1** 공황적인 ; 공포를 일으키는 ; 당황한. **2** 당치않은(unreasonable), 과도한. **3** [P~] 목신(牧神) Pan의.
—— *v.* (-ick-) *vt.* …에 공포를 일으키다, 당황하게 하다 ; 《美俗》 (관객 등을) 홍분시키다.
—— *vi.* 공포에 떨다, 당황[갈팡질팡]하다.
pán·icky *a.* 당황하기 쉬운, 전전 긍긍하는 ; 공황의. **pán·ic·al·ly** *adv.*
【F<L<Gk. ; 공황은 PAN이 일으킨다고 여겨서】
類義語 ⟹ FEAR.

panic[2] *n.* 〔植〕 수수속의 잡초(=~ **gràss**).
【OF=foxtail millet】

pánic bùtton *n.* 《口》 (긴급한 때 누르는) 비상 버튼.
push[press, hit] the panic button 《口》 몹시 당황하다 ; 비상 수단을 취하다.

pánic dèck *n.* 《美空俗》 긴급 낙하산 탈출용 좌석《조종사용》.

pan·i·cle [pǽnikəl] *n.* 〔植〕 원뿔 꽃차례.
【L (dim.) ‹*panus* thread】

pánic-mòng·er *n.* 공황을 일으키는 사람.

pánic ràck *n.* 《美空俗》 (제트기 조종사의) 사출(射出) 좌석.

pánic-strìcken, -strùck *a.* 공황에 휩쓸린, 당황한.

pa·nic·u·late [pəníkjələt, -lèit, pæn-], **-lat·ed** [-lèitəd] *a.* 〔植〕 원뿔 꽃차례의.

panier ☞ PANNIER.

pan·i·fi·ca·tion [pæ̀nəfəkéiʃən] *n.* Ⓤ 빵제조 ; 빵화(化).

Pàn-Islámic *a.* 범(汎)이슬람(주의)의. **Pàn-Íslam, Pàn-Íslam·ism** *n.* Ⓤ 범이슬람주의.

Pan·ja·bi [pʌndʒáːbi, -dʒǽbi] *n.* =PUNJABI.

pan·jan·drum [pændʒǽndrəm] *n.* (*pl.* **~s**, **-dra** [-drə]) 나리, 어르신네, (조롱하는 호칭으로) 높으신 양반.
〖영국의 배우·극작가 S. Foote (d. 1777)의 조어 (the *Grand Panjandrum* 1755)인가〗

pan·lo·gism [pǽnlədʒìzəm] *n.* 범논리주의《우주의 근원을 로고스로 하고 우주를 그 실현으로 여기는 입장 ; Hegel 철학 따위》.

pan·mix·ia [pænmíksiə] *n.* Ⓤ〖生〗임의 교배, 팬믹시아《집단내의 개체가 일정한 조건 없이 자유로이 교배하는 일》.

Pan·mun·jom [páːnmúndʒʌ́m] *n.* (한국 군사 분계선에 있는) 판문점.

pan·nage [pǽnidʒ] *n.* Ⓤ〖英法〗돼지의 방목권(放牧權) ; 돼지의 방목료(料) ; 돼지의 먹이[사료]《도토리 따위》.

panne [pǽ(ː)n] *n.* Ⓤ 우단 (복지)의 일종. 〖F〗

pan·nier, pan·ier [pǽnjər] *n.* **1** 등에 지는 바구니 ; 짐바구니 ; 빵 광주리(bread basket). **2** 파니에《여자 스커트의 양 옆을 불룩하게 하기 위해 고래 수염 따위로 만든 틀 ; 그 스커트》.
〖OF<L=bread basket (*panis* bread)〗

pan·ni·kin [pǽnikən] *n.* 《英》 작은 금속잔 (한잔의 분량) ; 작은 접시[냄비].
〖*cannikin*에 준하여 *pan*¹에서〗

pán·ning *n.* 《口》 심한 비난, 혹평.

pa·no·cha [pənóutʃə], **-che** [-tʃi] *n.* (멕시코산(産)) 조제(粗製) 설탕 ; 흑설탕 캔디.
〖Am. Sp.〗

pan·o·ply [pǽnəpli] *n.* 갑옷·투구 따위의 한 벌 ; 성장 ; (일반적으로) 방어물, 덮개 ; 《비유》 훌륭한 차림새, 장관(壯觀).
pán·o·plied *a.* 갑옷 투구로 무장한 ; (공들여) 성장(盛裝)한.
〖F or L<Gk. =full armor of hoplite (*hopla* arms)〗

pan·op·tic, -ti·cal [pænáptik(əl)] *a.* 모든 것이 한눈에 보이는, 파노라마적인.

pan·op·ti·con [pænáptəkàn] *n.* **1** 《美》 (주위의 감방을 한 곳에서 죄수 모르게 감시할 수 있는) 원형 감옥. **2** 망원 현미경《망원경과 현미경을 함께 갖춘 광학 기계》.

pan·o·rama [pæ̀nərǽːmə, -rǽmə] *n.* 파노라마, 회전화(回轉畫) (cf. COSMORAMA, DIORAMA) ; 연속하여 나타나는 광경 ; 전경(全景) (complete view) ; 파노라마 사진 ; (문제 따위의) 광범위한 조사, 개관(概觀) ; 파노라마관(館).
〖*pan*-+Gk. *horama* view〗

pan·o·ram·ic [pæ̀nərǽmik] *a.* 파노라마(식)의 : a ~ camera 파노라마식 사진기 / a ~ view 전경(全景).

panorámic síght *n.* 〖軍〗 (대포의) 회전식 조준(照準).

Pàn-Pacífic *a.* 범(汎)태평양의.

pán·pìpe *n.* 팬파이프(Pan's pipes)《원시적인 취주 악기의 일종》.

pan·ple·gia [pænplíːdʒiə] *n.* 〖醫〗 전(全)마비.

pan·psy·chism [pænsáikizəm] *n.* Ⓤ〖哲〗 범심론(汎心論).

Pàn-Sláv·ism *n.* Ⓤ 범슬라브주의, 슬라브 민족 통일주의.

pan·soph·ic, -i·cal [pænsáfik(əl)] *a.* 만유(萬有) 지식의, 백과 사전적 지식의 ; 전지(全知)의 (omniscient).

pan·so·phy [pǽnsəfi] *n.* 만유 지식, 백과 사전적 지식 ; 범지주의(汎知主義) (pansophism).
pán·so·phìsm *n.* **-phist** *n.*

pan·sper·mia [pænspə́ːrmiə], **pan·sperma·tism** [pænspə́ːrmətìzəm] *n.* Ⓤ〖生〗 배종(胚種) 발달설, 원자론.

Pán's pípes *n. pl.* =PANPIPE.

***pan·sy** [pǽnzi] *n.* **1** 〖植〗 팬지. **2** 《口》 (계집애처럼) 유약한 남자, 동성애하는 남자.
— *a.* 여자처럼 간들거리는 ; (물건이) 세련된, 멋진(chic).
〖F *pensée* thought, pansy (*penser* to think<L)〗

pant**¹ [pǽnt] *vi.* **1** [動/+副/+前+名] 헐떡거리다, 숨이 차다 ; 가슴이 몹시 두근거리다 : The horse ~*ed* ***along. 말은 헐떡거리면서 달렸다 / The little boy was ~*ing* ***after*** the others. 소년은 헐떡거리면서 다른 애들의 뒤를 따라가고 있었다. **2** [+前+名/+*to* do] 갈망[열망]하다, 동경하다 : They ~*ed* ***after*** liberty. 자유를 갈망했다 / He ~*ed* ***for*** his turn. 차례가 오기를 몹시 기다렸다 / I ~*ed to* acquire knowledge. 지식욕에 불타고 있었다. **3** (기차·기선 따위가) 칙칙하며 연기[수증기 따위]를 뿜어내다. — *vt.* [+目/+目+副] 헐떡거리며 말하다 : The messenger ~*ed* ***out*** the news. 사자(使者)는 헐떡거리며 소식을 전했다. — *n.* 헐떡거림, 숨참 ; (심장의) 고동, 동계(動悸) ; 엔진 소리. 〖OF<Rom.<Gk. =to cause to imagine ; ⇨ FANTASY〗

pant² *a.* 바지[팬티]의.

pant- [pǽnt], **pan·to-** [pǽntou, -tə] *comb. form* 「전(全)」「총(總)」의 뜻.
〖Gk. (*pant*- *pas* all)〗

pán·ta·gràph [pǽntə-] *n.* =PANTOGRAPH.

Pan·ta·gru·el [pæ̀ntəgrúːəl, pæntǽgruèl] *n.* 팡타그뤼엘《프랑스의 작가 Rabelais가 지은 작품 속의 인물 ; 호탕하고 풍자적이며 익살을 잘 떠는 인물》. **Pàn·ta·grú·el·ìsm** [, -ˊ-ˋ-] *n.* 호탕하고 풍자적인 유머. **-ist** *n.*
〖F=all-thirsty〗

pan·ta·let(te)s [pæ̀ntəléts] *n. pl.* 판탈레츠《19세기 전반의 여성용의 헐렁한 긴 속바지 ; 아래에 장식 자락이 붙어 있어서 스커트 밑에 까지 나옴》.
〖*pantal*oon+-*et*+-*s* (-*es*¹)〗

pan·ta·loon [pæ̀ntəlúːn] *n.* **1** [P~] (옛날 이탈리아 희극의) 말라깽이 노인역(役) ; [때때로 P~] (현재 무언극(無言劇)의) 늙은 광대역(cf. HARLEQUINE). **2** [*pl.*] 19세기경의 바지, 판탈롱 ; [*pl.*] 《口·戲》 (헐렁헐렁한) 바지(pants).
〖OF〗

pánt·drèss *n.* 퀼로트(culottes) 식의 여성용 드레스, 팬츠드레스《허리 아랫부분이 바지 모양으로 된 원피스》.

pan·tech·ni·con [pæntéknikən, -nəkàn] *n.* 《英古》 가구 진열[판매]장(=~ **vàn**) ; 《英》 가구 창고 ; 《英》 가구 운반차.
〖*technic*〗

pan·the·ism [pǽnθiìzəm] *n.* Ⓤ 만유신교(萬有神教), 범신론 ; 다신교, 자연 숭배. **-ist** *n.* 범신론자. **pàn·the·ís·tic, -ti·cal** *a.* 범신론의, 만유신교의. 〖F〗

pan·the·on [pæ̀nθíːən, pǽnθiàn, -ən] *n.* **1** [the P~] 판테온, 만신전(殿)《로마의 신들을 모신 신전 ; 지금은 개조되어 교회로 쓰이고 있음》. **2** 판테온《한 나라의 위인(偉人)을 함께 모신 신전》. **3** (한 국민이 섬기는) 모든 신 ; 《비유》 영웅[우상]들. **4** 판테온《London의 민중오락장》.
〖L<Gk. (*theion* divine‹ *theos* god)〗

pan·ther [pǽnθər] *n.* (*pl.* **~s**, ~) 〖動〗 표범

(leopard), (특히) 검은 표범 ;《美》=COUGAR, PUMA ;《美俗》싸구려 술.
〚OF<L<Gk.〛

pánther pìss[**swèat**] *n.*《美俗》싸구려[질이 나쁜] 위스키.

pant·ie, panty [pǽnti] *n.* =PANTIES.
〚(dim.)〈*pants*〛

pántie gìrdle[**bèlt**] *n.* 팬티 거들《팬티 모양의 코르셋》.

pant·ies [pǽntiz] *n. pl.* 팬티, 드로어즈《여성·어린이용》.

pan·ti·hose [pǽntəhòuz] *n.* =PANTY HOSE.

pán·tìle *n.*〔建〕팬타일《(1) 단면이 S자형인 기와. (2) 끝이 얇은 반원통형의 기와》. 〚PAN[1]〛

pantile

pant·isoc·ra·cy [pæ̀ntəsɑ́krəsi, 美+pæ̀ntai-] *n.* Ⓤ 이상적인 평등 사회, 만민 동권 정체(政體).

pan·to [pǽntou] *n.* (*pl.* **~s**)《英口》동화 연극 (pantomime).

panto- [pǽntou, -tə] ☞ PANT-.

pan·to(f)·fle, -ou·fle [pæntɑ́fəl, pæntúː-, pǽntə-] *n.* 슬리퍼(slipper).
〚OF<OIt. =cork shoe<Gk.〛

pán·to·gràph [pǽntə-] *n.* 사도기(寫圖器)《도형을 일정한 비율로 확대·축소함》; (전기 기관차의) 팬터그래프, 집전기(集電器).

pan·tog·ra·phy [pæntɑ́grəfi] *n.* Ⓤ 전사법(全寫法), 축사법(縮寫法) ; 전도(全圖) ; 총론.

pan·tol·o·gy [pæntɑ́lədʒi] *n.* 인간 지식의 집대성, 종합 백과(적 지식).

pan·to·mime [pǽntəmàim] *n.* **1** Ⓤ 무언극(無言劇), 팬터마임. **2** Ⓤ,Ⓒ《英》동화극《장면의 변화가 많고 노래와 춤이 있으며 우스꽝스런 광대가 나와서 익살을 핌 ; 크리스마스 때 공연이 많음》; 고대 로마의 무언극 배우. **3** Ⓤ 몸짓, 손짓.
── *vt., vi.* 몸짓[손짓]으로 (의사를) 나타내다. **pán·to·mìm·ist** *n.* 무언극[팬터마임] 배우[작가]. **pàn·to·mím·ic** [-mím-] *a.*
〚F or L<Gk. ; ⇨ MIME〛

pànto·mórphic *a.* 갖가지 모습[형태·모양]으로 되는.

pánto·scòpe *n.*〔理〕파노라마 사진기 ; 광각(廣角) 렌즈.

pànto·scópic *a.* 전경(全景)을 보는 ; (사진기·렌즈 따위) 광각도(廣角度)의, 안계[시계(視界)]가 넓은 : a ~ camera =a PANORAMIC camera.

pan·to·the·nate [pæ̀ntəθéneit, pæntɑ́θənèit] *n.*〔化〕판토텐산염(酸鹽)[에스테르].

pan·to·thén·ic ácid [pæ̀ntəθénik-] *n.*〔生化〕판토텐산(酸)《비타민 B복합체의 한 요소》.

pan·trópic *a.* **1**〔醫〕(바이러스가) 범친화성(汎親和性)이 있는. **2** =PANTROPICAL.

pan·trópical *a.* 전(全)열대 지역에 분포하는.

pan·try [pǽntri] *n.* (가정의) 식료품 저장실(cf. LARDER) ; (호텔·배 따위의) 식기실 ;《美俗》위 (stomach).
〚AF (L *panis* bread)〛

pántry·man [-mən] *n.* (호텔 따위의) 식료품 저장실 담당원.

‡**pants** [pǽnts] *n. pl.* **1**《口》바지(trousers). **2** 팬티, 드로어즈 ;《英》속바지(underpants).
wear the pants《口》(여자가) 남편을 쥐고 흔들다, 내주장하다.
〚*pant*aloons〛

pánt·shòe *n.* 판탈롱슈즈《자락이 넓은 바지용의 구두》.

pánt·skìrt *n.* 치마 바지.

pánts ràbbit *n.*《美俗》이(louse).

pánt·sùit, pánts sùit *n.* 여성용 재킷과 슬랙스의 슈트. **pánt·sùit·ed** *a.*

pánty gìrdle *n.* =PANTIE GIRDLE.

pánty hòse *n.* 팬티 스타킹.

pánty ràid *n.*《美》대학의 남자 기숙생이 여자 기숙사에 가서 팬티를 빼앗아「전리품」으로 삼고 좋아하는 짓궂은 장난.

pánty·wàist *n.*《美》유아용 팬츠 ;《美口》어린애 같은 사내, 여자 같은 남자, 뱅충맞이.
── *a.*《美口》어린애 같은 ;《美口》여자같이 생긴, 뱅충맞은.

Panza ☞ SANCHO PANZA.

pan·zer [pǽnzər ; *G* pɑ́ntsər] *a.* 기갑[장갑(裝甲)]의 : a ~ division (독일 육군의) 기갑 부대[사단]. ── *n.* (기갑 부대를 구성하는) 장갑차, 전차 ; [*pl.*] 기갑 부대.
〚G=coat of mail〛

pap[1] [pæp] *n.* **1** Ⓤ 빵죽《어린이·환자 음식》; 과육(果肉)(pulp) ; 어린애 속임수(같은 이야기[생각]) : His mouth is full of ~. 그는 아직 (젖내나는) 어린애다. **2**《美》(관공리 등의) 부수입, 정치상의 지원.
(***as***) ***soft***[***easy***] ***as pap*** 어린애 같은.
〚? MLG, MDu.〛

pap[2] *n.*《兒·方》=PAPA.

pap[3] *n.*《方》젖꼭지(nipple, teat) ; 젖꼭지 모양의 것. 〚Scand. (imit. of sucking)〛

***pa·pa** [pɑ́ːpə, pəpɑ́ː ; pəpɑ́ː] *n.*《美口·英古·兒》아빠(cf. MAMMA[1]). ㊟ pa, pap이라고도 하나 dad, daddy가 가장 일반적.
〚F<L<Gk.〛

pa·pa·cy [péipəsi] *n.* Ⓤ 로마 교황의 직[직위, 임기], 교황권 ; Ⓤ [P~] 교황 제도[정치] ; 역대 교황. 〚L *papatia* ; ⇨ POPE〛

pa·pa·in [pəpéiən, -páiən] *n.* Ⓤ〔生化〕파파인《파파야 열매에 함유되어 있는 효소》.

pa·pal [péipəl] *a.* 로마 교황의 ; 카톨릭교회의 : the *P*~ States 교황령(領)《1870년까지 교황이 지배했던 이탈리아 중부 지역》.

pápal infallibílity *n.* [the ~] 교황 무류설(無謬說)《교황이 신앙과 도덕상의 일에 관해 선언하는 것에는 오류가 없다는 설》.

pápal·ìsm *n.* Ⓤ 교황 정치 ; 교황제 지지.

pápal·ist *n.* 교황제 지지자 ; 카톨릭 교도. ── *a.* PAPALISM의. **pà·pal·ís·tic** *a.*

pápal·ìze *vt., vi.* 카톨릭교로 개종시키다[하다].

pápal núncio *n.* [때때로 P~ N~] (바티칸과 정식 외교관계가 있는 나라에 보내는) 교황 사절.

pa·pa·raz·zo [pɑ̀ːpərɑ́ːtsou] *n.* (*pl.* **-raz·zi** [-rɑ́ːtsiː]) (유명인사를 쫓아다니는) 프리랜서 사진가. 〚It. =a buzzing insect〛

pa·pav·er·a·ceous [pəpæ̀vəréiʃəs, -pèi-] *a.*〔植〕양귀비꽃과(科)의.
〚L ; ⇨ POPPY〛

pa·pav·er·ine [pəpǽvəriːn, -péi-, -rən] *n.*〔化〕파파베린《아편에 함유되어 있는 유독성 알칼로이드 ; 의약용》.

pa·pa·ver·ous [pəpǽvərəs, -péi-] *a.* 양귀비꽃의[같은] ; 최면(催眠)의.

pa·paw [pɔ́ːpɔː, pəpɔ́ː] *n.* **1** 포포《번려지과(蕃荔枝科) 식물의 일종 ; 북미산(産) ; 그 열매》. **2** [pəpɔ́ː] =PAPAYA.
〚Sp. and Port. *papaya*<Carib〛

pa·pa·ya [pəpáːjə, -páiə] *n.* 〖植〗 파파야(의 열매)《열대 아메리카 원산》. 〖↑〗

papaya

◇**pa·per** [péipər] *n.* **1** Ⓤ 종이 ; 종이 모양의 것 : two sheets of ~ 두 장의 종이 / wove(n) ~ 그물 무늬를 넣은 종이. **2** 신문(지) : today's ~*s* 오늘 신문. **3** (연구) 논문, 해설 : read a ~ *on* …의 논문을 발표하다. **4** 시험 문제, 답안(지) : The history ~ was easy. 역사 문제는 쉬웠다 / set a ~ *in* grammar 문법 문제를 내다 / mark exam ~*s* 답안(지)를 채점하다. **5** [*pl.*] **a**) 서류, 문서, 기록 : ☞ FIRST PAPERS. **b**) 신분[호적] 증명서, 신임장 : a ship's ~*s* 선박서류《선주(船主)·국적·행선지 따위를 명기함》. **6** Ⓤ 지폐 ; 《美俗》 위조 지폐 ; 어음, 환어음 : negotiable ~ 융통 어음. **7** Ⓤ 《俗》 무료 입장권(free ticket) ; 《俗》 (극장 따위의) 무료 입장자(들). **8** Ⓤ 벽지, 도배지(wallpaper). **9** [*pl.*] =CURLPAPERS. **10** 《美俗》 불법 주차에 대한 호출장. **11** 《美俗》 마약 봉지.

lay the papers 서류를 탁상에 내놓다《장관이 의회에 보고하기 위해》.

on paper 서류상에 ; 서류상으로는[으로 판단해서는] ; 이론[통계]상으로는 ; 가정적(假定的)으로는.

put one***'s papers in*** 《美俗》 입학[입대] 신청을 하다 ; 사임하다.

put pen to paper ☞ PEN[1].

send [***hand***] ***in*** one***'s papers*** (장교 등이) 사표를 제출하다.

〈회화〉
Could you give me a sheet of *paper* ? — Sure. Here.「종이 한 장 주시겠습니까」「그러죠. 여기 있습니다」

—— *a.* **1 a**) 종이[판지]제의, 종이를 겹붙여서 만든 ; 종이 표지의 ; (얇은 천의 바탕이) 종이처럼 매끈매끈한 완성품인 : a ~ bag 종이봉지 / a ~ screen 장지. **b**) 종이 같은, 얇은, 약한. **2 a**) 수속 서류의, 탁상 업무의 ; 편지[문서, 인쇄물]의 교환으로 행해지는. **b**) 명목상의, 실시[시행]되지 않은, 공론(空論)의. **3** 지폐로 발행된 ; 《俗》 무료 입장권으로 입장한 (사람들이 태반을 차지한). **4** (결혼 기념일 따위) 제1주년의.
—— *vt.* **1** 종이로 싸다, …에 종이를 바르다, 색종이로 꾸미다. **2** …에 종이를 공급하다. **3** 《美俗》 …에 위조지폐를 뿌리다, 부도수표를 남발하다 ; 《俗》 (극장 따위에) 무료 입장자를 들여보내 만원이 되게 하다. **4** 《美俗》 (경찰이) …에게 불법 주차건으로 출두장을 내다 ; 《古》 종이에 쓰다.
—— *vi.* (벽에) 벽지를 바르다.
〖AF<L PAPYRUS〗

páper·bàck *n.* 종이 표지 책, 염가본, 보급판 문고(cf. HARDCOVER, HARDBACK).
in paperback 염가본[보급판]으로 : read a best-seller *in* ~ 염가본으로 베스트 셀러를 읽다.
—— *a.* 종이 표지의, 페이퍼백의. —— *vt.* 페이퍼백으로 출판하다. **~ed** *a.*

páper bìrch *n.* 〖植〗 (북미산) 자작나무의 일종.

páper blockáde *n.* (선언만으로 그친) 지상(紙上) 봉쇄.

páper·bòard *n., a.* 판지(板紙)(의).

páper bóok *n.* 소송 절차에 관한 서류.

páper bóttle *n.* 페이퍼 보틀《방부처리한 종이 용기 ; 식품용》.

páper·bòund *a., n.* =PAPERBACK.

páper bòy *n.* =NEWSBOY.

páper chàse *n.* =HARE and hounds.

páper clàmp *n.* 종이 끼우개《용수철식으로 종이를 끼워 철해 둠》.

páper clíp *n.* 종이 끼우는 클립.

páper-còver *n., a.* =PAPERBACK.

páper cúp *n.* 종이 컵.

páper cúrrency *n.* =PAPER MONEY.

páper cùtter *n.* 종이 재단기 ; 종이 자르는 칼.

páper fàstener *n.* 서류철 끼우개.

páper fèed *n.* 〖컴퓨〗 종이먹임.

páper file *n.* 종이 끼우개, 편지꽂이 ; (신문)철.

páper gìrl *n.* 신문팔이[배달] 소녀.

páper góld *n.* 〖經〗 국제 통화 기금에서의 특별인출권(SDR).

páper·hàng·er *n.* 벽지 바르는 사람, 도배장이 ; 표구사(表具師) ; 《美俗》 부도 수표 사용자.

páper·hàng·ing *n.* 도배, 표구 ; [*pl.*] 《古》 벽지 ; 《美俗》 부도 수표 남발.

páper hòuse *n.* 《美俗》 초대 손님으로 만원이 된 극장[서커스]《따위》.

páper knìfe *n.* 종이 자르는 칼.

páper·less *a.* 정보나 데이터를 종이를 쓰지 않고 전달하는.

páperless óffice *n.* 페이퍼리스 오피스《컴퓨터 따위의 정보처리 시스템과 전자우편 따위의 비즈니스 통신망을 이용하여 종이를 일체 쓰지 않는 사무 합리화 시스템》.

páper·màking *n.* 제지(製紙).
-màker *n.* 제지업자.

páper màn *n.* 《美俗》 즉흥 연주를 서투르게 하는 연주가.

páper mìll *n.* 제지 공장.

páper mòld *n.* 지형(紙型).

páper móney *n.* 지폐(↔*specie, effective money*) ; 유가증권.

páper múlberry *n.* 〖植〗 꾸지나무, 닥나무.

páper múslin *n.* 광택이 나는 모슬린 천.

páper náutilus *n.* 〖動〗 집낙지류.

páper plànt[**rèed, rùsh**] *n.* 〖植〗 파피루스 (papyrus).

páper pròfit *n.* 장부상의 이익.

páper púlp *n.* 제지용 펄프.

páper-shéll *a.* =PAPER-SHELLED.

páper-shélled *a.* (나무열매 따위) 껍질이 얇은.

páper stàiner *n.* 도배지 제조인, 도배지 인쇄[착색]업자 ; 삼류 작가.

páper stàndard *n.* 지폐 본위.

páper tápe *n.* (컴퓨터 따위의) 종이 테이프《기억 장치의 입·출력 매체》.

páper-thín *a.* 종이처럼 얇은, 매우 얇은 ; 매우 좁은 ; 종이 한겹의.

páper tíger *n.* 종이 호랑이《허세를 부리는 사람[나라]》, 허위, 허세(부리기).

páper-tràin *vt.* (개 따위를) 종이에 배변하도록 훈련시키다.

páper trèe *n.* 〖植〗 =PAPER MULBERRY.

páper wárfare *n.* 필전(筆戰), 논전(論戰).

páper wédding *n.* 지혼식(紙婚式)《결혼 1주년 기념일》.

páper·wèight *n.* 문진(文鎭), 서진(書鎭).

páper·wòrk *n.* 서류에 관한 일, 탁상 사무 ; 사무처리[절차].

páper·wòrk·er *n.* =PAPERMAKER.

pá·pery *a.* 종이의[같은] ; 얇은.
pap·e·terie [pǽpətri, pæ̀pətríː] *n.* 문구함(函), 문갑, 손궤.
Pa·phi·an [péifiən] *a.* Paphos (주민)의 ;《文語》 부정한 연애의, 추잡한. ── *n.* Paphos의 주민 ; [때때로 p~] 창녀.
Pa·phos [péifɑs] *n.* 파포스《Aphrodite의 신전이 있었던 Cyprus 남서부의 옛 도시》.
pa·pier col·lé [*F* papje kɔle] *n.* (*pl.* **pa·piers col·lés** [─]) 〖美術〗 =COLLAGE.
〚F=glued paper〛
pa·pier-mâ·ché [pèipər məʃéi, pæpjèi- ; pæ̀pjeimǽʃei] *n.* Ⓤ 틀에 종이를 발라 만든 것《마른 후에 틀을 빼냄》; (상자·소반 따위를 만드는데 쓰는) 혼응지(混凝紙). ── *a.* 혼응지의 ; 비현실적인, 거짓의 : a ~ mold〖印〗지형(紙型).
〚F=chewed paper〛
pa·pil·i·o·na·ceous [pəpìliənéiʃəs] *a.* 〖植〗 (꽃이) 나비 모양으로 된 : the ~ corolla 나비 모양의 꽃부리. 〚NL (*papilion-* *papilio* butterfly)〛
pa·pil·la [pəpílə] *n.* (*pl.* **-pil·lae** [-píliː, -pílai]) 〖解·動·植〗 유두(乳頭) (nipple), 유두상(狀) 돌기, 융털 ;〖醫〗 구진(丘疹), 여드름. **pap·il·lar** [pəpílər, pǽpələr] *a.* =PAPILLARY. **pap·il·lary** [pəpíləri, pǽpəlèri] *a.* 유두(상)의. **pap·il·late** [pǽpəlèit, pəpílət] *a.* 유두상[성]의, 젖꼭지 모양의. **pap·il·lose** [pǽpəlòus, pəpílous] *a.* =PAPILLATE. 〚L (dim.) ‹PAPULA〛
pap·il·lo·ma [pæ̀pəlóumə] *n.* (*pl.* **~s**, **-ma·ta** [-tə]) 〖醫〗 유두종(乳頭腫) ; (사마귀 따위) 양성의 종기.
pap·il·lon [pǽpəlɑ̀n, pɑ̀ːpijɔ́ːŋ, pæ̀p-] *n.* [P~] 파피용종 ; 파피용종의 개《스파니엘종의 애완용개》. 〚F=butterfly〛
pap·il·lote [pǽpəlòut, pɑ̀ːpijóut, pæ̀p-] *n.* (쥐고 뜯어 먹을 수 있게) 살이 붙은 뼈 끝을 싸는 종이 ; (고기·생선 따위를 싸서 조리하기 위한) 기름종이 ; =CURLPAPER. 〚F〛
pa·pist [péipəst] *n.*, *a.* 교황 절대주의자(의) ;《蔑》 카톨릭교도(의). **pa·pis·tic**, **-ti·cal** [peipístik(əl) ; pə-] *a.* 카톨릭교의.
〚F or L ; ⇨ POPE〛
pápist·ry *n.* Ⓤ《蔑》카톨릭교(의 의식).
pa·pó·va·vìrus [pəpóuvə-] *n.* 〖菌〗 파포바바이러스《종양원성(腫瘍原性)이 있는 직경 40-55㎜의 정20면체의 바이러스》.
pa(p)·poose [pəpúːs, pæ-] *n.* (아메리칸 인디언의) 갓난애, 유아(cf. SQUAW, BRAVE *n.*) ;《口》 (일반적으로) 갓난아기 ;《美俗》 (조합원에 얹혀 일하는) 비조합원 노동자.
pap·pose [pǽpous], **-pous** [-pəs] *a.* 〖植〗 갓털[관모(冠毛)]이 있는 ; 갓털성(性)의.
pap·pus [pǽpəs] *n.* (*pl.* **-pi** [-pai, -piː]) 〖植〗 갓털, 관모(冠毛) ; 솜털.
páp·py¹ *a.* 빵죽 모양의 ; 흐물흐물한(mushy) ; 보들보들한, 부드러운. 〚PAP¹〛
pappy² *n.*《美南部·中部》아버지(father, daddy). 〚PAP², PAPA〛
páppy gùy *n.* (공장·회사의) 고참자.
pa·preg [péipreg] *n.* 수지(樹脂)를 먹여 몇 장을 겹쳐 압축시킨 두꺼운 종이.
〚*p*aper+im*preg*nated〛
pa·pri·ka [pæpríːkə, pə-, pǽprə-] *n.* Ⓤ 파프리카《피망(pimiento) 따위의 열매로 만든 향미료 ; cf. ALLSPICE》. 〚Hung. ; cf. PEPPER〛
Páp tèst[**smèar**] *n.* 파프 도말(塗抹) 표본[시험]《박리(剝離) 세포 염색에 의한 자궁암 조기(早期) 검사법의 하나》.
Pap·ua [pǽpjuə] *n.* 파푸아《NEW GUINEA의 별칭(別稱)》.
Páp·u·an *a.*, *n.* 파푸아(섬)의 ; 파푸아인(의) ; 파푸아어(의).
Pápua Nèw Guínea *n.* 파푸아뉴기니《New Guinea 동반부를 차지한 독립국 ; 1975년 독립 ; 수도 Port Moresby ; 略 P.N.G.》.
Pápua Nèw Guínean *n.*, *a.*
pap·u·la [pǽpjələ] *n.* (*pl.* **-lae** [-lìː, -lài]) **1** (극피 동물류의) 작은 돌기. **2** =PAPULE. 〚L〛
pap·ule [pǽpjuːl] *n.* 〖醫〗 구진(丘疹), 여드름 ; 〖植〗 작은 융기 ; 혹. **pap·u·lar** [pǽpjələr] *a.* 구진(성)의. **pap·u·lif·er·ous** [pæ̀pjəlífərəs] *a.* 구진이 생기는. **pap·u·lose** [pǽpjəlòus], **-lous** [-ləs] *a.* 구진의[으로 덮인] ; 작은 융기가 있는. 〚↑〛
pap·y·ra·ceous [pæ̀pəréiʃəs] *a.* 파피루스 모양의 ; 종이 모양의.
pa·pý·ro·gràph [pəpáiərə-] *n.* 등사판의 일종, 복사기.
pap·y·rol·o·gy [pæ̀pərɑ́lədʒi] *n.* Ⓤ 파피루스학. **-gist** *n.* 파피루스 학자.
pa·py·rus [pəpáiərəs] *n.* (*pl.* **~·es**, **-ri** [-rai, -riː]) **1** Ⓤ 〖植〗 파피루스(paper reed) ; (고대 이집트·그리스·로마의) 종이. **2** [*pl.*] (파피루스에 쓴) 사본, 고문서(古文書).
〚L<Gk.〛
par¹ [pɑ́ːr] *n.* **1** Ⓤ 동등, 동가(價), 동위(equality) ;〖商〗평가(平價), 액면 가격 ; 환평가 ; 기준량[액], 표준 ; (건강·정신의) 정상적인 상태 : nominal[face] ~ 액면 가격 / ~ of exchange (환의) 법정 평가. **2** Ⓤ 〖골프〗 기준 타수, 파.
above par 액면 이상으로 ; 표준 이상으로 ; 건강하여.
at par 액면 가격으로.
below par 액면 가격 이하로 ; 표준 이하로 ; 몸이 좀 불편한.
on a par with …와 동등한[같은].
up to par 표준[정상 상태]에 달하여 ; 건강하여 : I don't feel *up to* ~.《口》나는 건강 상태가 좋지 않다.
── *a.* 평균의 ; 표준의, 평가의, 액면의 : ~ clearance《美》〖商〗 액면 교환.
── *vt.* (**-rr-**) 〖골프〗 (홀을) 파로 끝내다.
〚L=equal〛
par² *n.*《英口》=PARAGRAPH.
par³ *n.* 〖魚〗 =PARR.
par- ☞ PARA-¹.
PAR [pɑ́ːr] 〖電子〗 perimeter acquisition radar (주변 포착 레이더) ;〖空〗 precision approach radar(정밀 측정 진입 레이더).
Par. Paraguay.
par. paragraph ; parallax ; parallel ; parenthesis ; parish.
pa·ra¹ [pɑːrɑ́ː ; pɑ́ːrə] *n.* (*pl.* **~s**, ~) 파라《(1) 유고슬라비아의 통화 단위(通貨單位). (2) 터키의 옛 통화 단위》.
〚Serbo-Croat<Turk.<Pers. =piece〛
para² [pǽrə] *n.*《口》 =PARACHUTIST, PARATROOPER ; =PARACOMMANDO.
para³ [pǽrə] *n.*《口》 =PARAGRAPH.
Pa·ra [pǽrə, pərɑ́ː] *n.* Ⓤ 파라고무《남미산의 파라고무나무에서 채취》.
Para. Paraguay. **para.** paragraph.
para-¹ [pǽrə], **par-** [pǽr] *pref.* 「근처」「양쪽」「이상(以上)」「이외」「부정(不正)」「불규칙」「준

(準)…」「…을 보충하는」「…에 종속하는」의 뜻 ; 〔化〕 파라《(1) 중합(重合)한 모양을 나타냄. (2) 벤젠 고리가 있는 화합물에서 1, 4-치환체(置換體)의 위치를 나타냄》. 〖Gk.〗

para-² *comb. form* 「방호」「피난」의 뜻. 〖F<It.<L (*paro* to defend)〗

para-³ *comb. form* 「낙하산」의 뜻 : *para*troops.

-p·a·ra [-pərə] *n. comb. form* (*pl.* **~s, -rae** [-rìː, -rài]) 「… 산부(產婦)」의 뜻 : primi*para*, multi*para*. 〖L *pario* to bear〗

pára-amìno·benzóic ácid *n.* 〔生化〕 파라아미노벤조산《비타민 B 복합체의 일종》.

pára-amìno·salicýlic ácid *n.* 〔化〕 파라아미노살리실산《결핵 치료제 ; 略 PAS》.

pàra·biósis *n.* Ⓤ 〔生〕 병체(並體) 결합, 병체 유합(癒合). **-biótic** *a.* **-ical·ly** *adv.*

par·a·ble [pǽrəbəl] *n.* 우화, 비유(담(談)) ; 《古》 수수께끼 : Jesus taught in ~*s.* 예수께서는 비유(의 말씀)으로 가르치셨다. 〖OF<L (↓)〗

pa·rab·o·la [pərǽbələ] *n.* 〔數〕 포물선(線). 〖NL<Gk. =setting alongside, comparison〗

par·a·bol·ic [pæ̀rəbálik] *a.* 비유(담)의, 우화 같은 ; 〔數〕 포물선 (모양)의. **-ból·i·cal** *a.*

parabólic anténna[**áerial**] *n.* 포물면 안테나, 파라볼라 안테나.

pa·rab·o·lize [pərǽbəlàiz] *vt.* 우화(寓話)[비유]화하다, 비유담으로 하다 ; 〔數〕 포물선 모양으로 하다.

pa·rab·o·loid [pərǽbəlɔ̀id] *n.* 〔數〕 포물면(面). **pa·ràb·o·lói·dal** *a.* 포물면의.

pára·bòmb *n.* 낙하산 투하 시한 폭탄.

para·ce·ta·mol [pæ̀rəsíːtəmɔ̀(ː)l, -mòul, -màl] *n.* 〔藥〕 파라세타몰《해열 진통제》.

pa·rach·ro·nism [pərǽkrənìzəm] *n.* Ⓤ,Ⓒ 기시(記時) 착오《연월일을 실제보다 뒤로 매김》.

***para·chute** [pǽrəʃùːt] *n.* 파라슈트, 낙하산 ; 〔動〕 (큰 박쥐 따위의) 비막(飛膜) ; 〔植〕 (민들레 따위의) 갓털, 풍산종자(風散種子) : a ~ descent 낙하산 강하 / a ~ flare 낙하산이 딸린 조명탄 / ~ troops=PARATROOPS. —— *vt., vi.* 낙하산으로 떨어뜨리다[강하하다]. 〖F (*para-²*, CHUTE)〗

párachute spìnnaker *n.* 〔海〕 초대형 삼각돛.

pára·chùt·ist, -chùt·er *n.* 낙하산병(兵)[강하자] ; [*pl.*] 낙하산 부대.

par·a·clete [pǽrəkliːt] *n.* **1** 변호자, 중재인. **2** 위로하는 사람 ; [the P~] =the COMFORTER. 〖OF<L<Gk. (*para-¹*, *kaleō* to call)=to call in aid〗

pàra·commándo *n.* 낙하산 강하 돌격대원.

pàra·cýmene *n.* 〔化〕 파라시멘《시멘의 가장 일반적인 형태》.

***pa·rade** [pəréid] *n.* **1** Ⓤ,Ⓒ 열병(閱兵), 열병식(閱兵式) : hold a ~ 열병식을 거행하다. **2** 열병장, 연병장. **3** 행렬, 퍼레이드, 시위행진 : walk in a ~ 열(列)을 지어 행진하다. **4** 장관(壯觀), 성관(盛觀), 과시 : make a ~ of …을 자랑해 보이다. **5** 《英》 (해안 따위의) 산책길(promenade) ; 운동장, 광장 ; (성안의) 뜰 ; 산책하는 사람들. **6** [P~] …가(街). **7** (사건 따위의) 연속적인 기술(記述). **8** 〔펜싱〕 받아 넘기기(parry), 방어.

on parade (군대가) 열병식의 대형으로, 열병을 받아 ; (배우 등이) 총출연하여.

—— *vt.* **1** (군대를) 정렬시키다, 열병하다. **2** 대열을 이루어 …을 행진하다 : The military band ~*d* the streets. 군악대가 가두를 줄지어 행진했다. **3** (지식·장점 따위를) 자랑해 보이다, 과시하다(show off). —— *vi.* 열병하기 위해 정렬하다 ; 화려하게 행진하다, (거리 따위를) 대오를 지어 돌아다니다. **pa·rád·er** *n.* 행진자 ; 대오를 지어 돌아다니는 사람. 〖F=a show<It. and Sp. (L *paro* to prepare)〗

paráde gròund *n.* 연병[열병]장.

paráde rést *n.* 〔美軍〕 열중쉬어의 자세《at EASE 보다 더 긴장을 요하는 자세》 ; 그 구령.

pàra·dì·chlòro·bénzene *n.* Ⓤ 〔化〕 파라디클로로벤젠《주로 의류 방충용 ; 略 PDB》.

par·a·digm [pǽrədàim, 美+-dìm] *n.* **1** 〔文法〕 (품사의) 어형 변화표. **2** 예, 모범, 본보기(example), 전형(pattern). **3** 파라다임《특정영역·시대의 지배적인 과학적 대상 파악의 방법》. 〖L<Gk. *para-¹* (*deiknumi* to show)=to show side by side〗

par·a·dig·mat·ic [pæ̀rədigmǽtik] *a.* **1** 모범이 되는, 전형적인(typical) ; 예증하는. **2** 〔文法〕 어형 변화(표)의. **-i·cal·ly** *adv.*

par·a·di·sa·ic [pæ̀rədiséiik, -zéi-, -dai-] *a.* 천국[낙원]의 ; 더없이 행복한.

***par·a·dise** [pǽrədàis, -z] *n.* **1** Ⓤ,Ⓒ 천국, 극락, (지상) 낙원, 천당, 패러다이스 : a children's ~ =a ~ for children 어린이의 천국. **2** [the P~] 에덴 동산(=the Earthly P~). **3** Ⓤ 안락, 지복(至福). **4** (군주의) 유원(遊園) ; (동물 따위를 기르고 있는) 공원 ; 〔建〕 (교회의) 앞뜰. **5** [흔히 P~] 능금나무. 〖OF<L<Gk. =garden〗

par·a·dis·e·an [pæ̀rədísiən, -dái-] *a.* 〔鳥〕 극락새의.

páradise fish *n.* 〔魚〕 대만금붕어《열대어》.

Páradise Lóst *n.* 실락원(失樂園)《Milton작의 서사시(敍事詩)》.

par·a·di·si·a·cal [pæ̀rədəsáiəkəl, -zái-], **-dis·i·ac** [-dísiæ̀k, -ziæ̀k] *a.* 천국[극락]의, 낙원의[같은]. **-cal·ly** *adv.*

par·a·dis·i·al [pæ̀rədísiəl] *a.* =PARADISIACAL.

para·dog [pǽrədɔ̀(ː)g, -dàg] *n.* 낙하산 강하견(降下犬).

para·dos [pǽrədàs] *n.* 〔築城〕 (참호 따위의) 후면 방호벽. 〖F (*para-²*, *dos* back)〗

par·a·dox [pǽrədàks] *n.* **1** Ⓤ,Ⓒ 역설(逆說), 패러독스《모순 또는 불합리한 것 같으면서도 실제로는 옳은 설(說)》. **2** 자가 당착의 말, 이치[조리]에 맞지 않는 언설[사람, 것]. —— *vi.* 역설을 말하다. **~·er, ~·ist** *n.* 역설가. 〖L<Gk. (*para-¹*, *doxa* opinion)〗

pàr·a·dóx·i·cal *a.* 역설의, 역설적인 ; 역설을 좋아하는. **~·ly** *adv.* 역설적으로 (말하면).

paradóxical sléep *n.* 〔生理〕 역설(逆說) 수면(=REM sleep)《정상 수면 중에 몇번씩 주기적으로 일어나며 대뇌 활동·안구운동이 활발해져서 꿈을 꾸는 상태》.

par·a·dox·ure [pæ̀rədɑ́kʃər] *n.* 〔動〕 야자나무사향고양이.

pár·a·dòxy *n.* Ⓤ 불합리, 역설적임.

pára·dròp *n., vt.* (낙하산으로) 공중 투하(하다).

paraesthesia ☞ PARESTHESIA.

par·af·fin [pǽrəfən], **-fine** [-fən, -fìːn ; -fìːn] *n.* **1** Ⓤ 〔化〕 파라핀 ; 메탄계 탄화수소(alkane). **2** Ⓤ 파라핀유(油) ; 《英》 등유(燈油). **3** Ⓤ 고체 파라핀, 파라핀납(paraffin wax). —— *vt.* 파라핀으로 처리하다[을 입히다]. 〖G<L=having little affinity (*parum* little, *affinis* related)〗

páraffin òil *n.* 파라핀유《윤활유》; 《英》 등유(=《美》 kerosine).
páraffin sèries *n.* 〖化〗 =METHANE SERIES.
páraffin wàx *n.* 파라핀납(paraffin).
pára·fòil *n.* 〖空〗 조종 가능한 낙하산.
〖*para*chute+air*foil*〗
pàra·génesis *n.* 〖地質〗 공생(共生).
pára·glìder *n.* 패러글라이더《날개를 자유롭게 펼 수 있는 삼각연(鳶) 모양의 장치; 우주선 따위의 착륙시 감속용으로 쓰임》.
par·a·go·ge [pæ̀rəgóudʒi] *n.* **1** Ⓤ 〖文法〗 어미음 첨가《무의미한 자음을 덧붙이기; 보기 among*st* 따위》. **2** 〖醫〗 접골(接骨).
par·a·gon [pǽrəgɑ̀n, -gən; -gən] *n.* **1** 모범, 본(보기), 표본: a ~ *of* beauty 미의 전형[화신], 절세 미인. **2** 100캐럿 이상의 완전한 다이아몬드. **3** 〖印〗 20포인트 활자.
—— *vt.* 《古》 **1** 비교하다; …에 필적하다; …보다 낫다. **2** 모범으로 삼다.
〖F<It.<Gk. =whetstone〗
***para·graph** [pǽrəgræ̀(ː)f; -grɑ̀ːf] *n.* **1** (문장의) 절, 항, 단락, 문단, 패러그래프《略 par(a)., *pl.* par(a)s.》. 㴤 절이 바뀌면 행을 바꾸고 새절의 제1행은 한자쯤 뒤로 물림. **2** (신문·잡지의) 짧은 기사; 소논설; 단평: an editorial ~ 짧은 사설. **3** 〖印〗 단락표, 참조표(¶).
—— *vt.* **1** (문장을) 절로 나누다. **2** …에 대해서 짧은 기사를 쓰다, 신문 기삿거리로 삼다.
—— *vi.* 짧은 (신문)기사를 쓰다.
~·er, ~·ist *n.* (신문의) 짧은 기사[사설] 집필자(執筆者).
〖F or L<Gk. =short stroke marking break in sense (*para*-[1])〗
para·graph·ia [pæ̀rəgrǽfiə; -grɑ́ːf-] *n.* 〖精神醫〗 착서(錯書)(증)《철자를 틀리게 적거나 생각과는 다른 글씨를 쓰는 증세》.
para·graph·ic, -i·cal [pæ̀rəgrǽfik(əl)] *a.* 절의, 절로 나눈; 짧은 기사의; 착서(증)의.
Par·a·guay [pǽrəgwèi, -gwài; -gwài] *n.* **1** 파라과이《남미의 공화국(共和國); 수도 Asunción; 略 Para.》. **2** Ⓤ =PARAGUAY TEA.
—— *a.* 파라과이풍(風)의.
Pàr·a·guáy·an *a.*, *n.* 파라과이의 (사람).
Páraguay téa *n.* =MATÉ.
pára·gùn *n.* 마비총(痲痺銃).
〖*para*lysis *gun*〗
pára·influènza vìrus *n.* 〖菌〗 유사인플루엔자 바이러스《사람·소·말·돼지 따위에 호흡기 질환을 일으킴》.
pàra·jóurnal·ìsm *n.* Ⓤ 파라저널리즘《미니 커뮤니케이션 따위 기자의 주관적 보도를 특색으로 함》. **-ist** *n.*
pára·jùdge *n.* 《美》 (경범죄 전문의) 준(準)판사.
par·a·keet, par·ra- [pǽrəkìːt] *n.* 〖鳥〗 (작은) 잉꼬; 《美俗》 푸에르토리코인.
〖OF; cf. PARROT〗
para·kite [pǽrəkàit] *n.* parakiting용의 낙하산 구실을 하는 연; (기상 관측용의) 꼬리 없는 연.
pára·kìt·ing *n.* 패러카이팅《모터보트나 자동차로 끌어서 낙하산으로 나는 스포츠》.
pára·lànguage *n.* Ⓤ,Ⓒ 〖言〗 준(準)언어《몸짓·표정 따위의 전달 행위》.
par·áldehyde [pær-] *n.* Ⓤ 〖化〗 파라알데히드《진통·최면제》.
pára·lègal *a.* 변호사 보조(원)의.
—— *n.* 변호사 보조원[보조직(職)].
par·a·leip·sis [pæ̀rəláipsəs], **-lep-** [-lép-], **-lip-** [-líp-] *n.* (*pl.* **-ses** [-siːz]) 〖修〗 역언법(逆言法)《어떤 사실을 생략함으로써 오히려 주의를 끄는 표현법》.
pàra·linguístics *n.* 준(準)언어학《보디랭귀지 따위의 연구》.
par·al·lax [pǽrəlæ̀ks] *n.* 〖天〗 시차; 〖寫〗 시차, 패럴랙스《파인더의 시야와 실제로 찍히는 범위와의 차이》. **pàr·al·lác·tic** *a.*
〖F<L<Gk. =change (*allos* other)〗
***par·al·lel** [pǽrəlèl, -ləl] *a.* 평행의; 같은 방향의, 같은 목적의; 서로 비슷한, 유사한〈*to*, *with*〉; 〖電〗 병렬(並列)의; 〖컴퓨〗 (데이터의 전송·연산이) 병행[병렬]의: ~ lines 평행선 / a road ~ *to* the railroad 철로와 평행한 도로 / run ~ *to* [*with*] …와 평행하다 / in a ~ motion *with* …와 평행하게 운동을 하여 / a ~ case[instance] 유례(類例). —— *adv.* 평행하여. —— *n.* **1** 평행, 평행선, 평행물. **2** 유사[상사]물(物); 필적하는 것, 유례, 대등한 사람 〈*to*〉: a triumph without (a) ~ 필적할 것이[유례가] 없는 대승리 / There was a close ~ *between* the brothers. 그 형제는 매우 닮았다. **3** 비교(comparison). **4** 〖印〗 평행부호 《‖》. **5** 위도권(緯度圈), 위선(緯線): the 38th ~ (of latitude) 38도선《제2차 세계 대전 후 한국을 남북으로 가른 선》. **6** 〖電〗 병렬 회로(parallel circuit); 〖컴퓨〗 병렬.
***draw a parallel between* (*two things*)** (양자)를 비교하다.
in parallel 병행하여[으로]〈*with*〉; 동시에〈*with*〉; 〖電〗 병렬식으로.
—— *vt.* (**-l-** | **-ll-**) **1** …에 평행하다: The road ~*s* the river. 길은 강과 평행하게 나 있다. **2** …에 근사[유사]하다: The war in Vietnam ~*s* the China Incident in many points. 베트남 전쟁은 중국 내전과 많은 유사점이 있다. **3** 같은[유사한] 것으로 들다[예시하다]; 비교하다; 필적하다: Nobody can ~ that for friendliness. 우정에 관한 한 아무도 그것에 필적하지 못한다.
〖F<L<Gk. =alongside one another〗
párallel bárs *n. pl.* (체조의) 평행봉.
párallel círcuit[**connéction**] *n.* 〖電〗 병렬 회로[접속].
párallel computátion *n.* 〖컴퓨〗 병행 처리.
párallel compúter *n.* 〖컴퓨〗 병렬식 컴퓨터, 병렬 전산기.
párallel cóusin *n.* 사촌, 이종 사촌.
párallel cúrrency *n.* 병행 통화(通貨).
par·al·lel·epi·ped [pæ̀rəlèləpáipəd, -píp-, -lelépəpèd], **-lelo·pip-** [-lèləpái- -píp-], **-e·pip·e·don** [-əpípədɑ̀n, -pái-, -dn] *n.* 평행육면체.
párallel·ìsm *n.* **1** Ⓤ 병행(並行). **2** Ⓤ 유사〈*between*〉; 비교, 대응. **3** 〖哲〗 병행론; 〖生〗 병행진화; 〖生態〗 (단(單)계통적으로 갈라진 두 계통간의) 평행현상. **4** 〖修〗 대구법. **5** 〖컴퓨〗 = PARALLEL COMPUTATION.
par·al·lelo·gram [pæ̀rəléləgræ̀m] *n.* 평행 사변형. **pàr·al·lèlo·grám·mic** *a.*
párallel-pàrk *vt.*, *vi.* 차량 방향을 갓길 따위와 병행으로 주차하다.
párallel prínter *n.* 〖컴퓨〗 병렬 인쇄기.
párallel-pròcess·ing *a.* 병렬 처리 방식의.
—— *n.* 병렬 처리.
párallel rúler *n.* 평행자.
párallel rùnning *n.* 〖工〗 병렬 운전.
párallel slálom *n.* 〖스키〗 패럴렐 슬랄롬(dual slalom)《거의 같은 조건의 코스를 두 경기자가 동

시에 활주하는 회전 경기》.

párallel transmíssion *n.* 〖通信〗 병렬 전송.

pa·ral·o·gism [pərǽlədʒìzəm] *n.* 〖論〗 (논자 자신이 깨닫지 못하는) 오류(誤謬) (추리) ; 잘못된 추론. **pa·rál·o·gìze** *vi.* 잘못 추론하다.

Par·a·lym·pics [pæ̀rəlímpiks] *n. pl.* 파랄림픽《국제 신체 장애자를 위한 스포츠 대회》. 〚*para*plegic+O*lympics*〛

pa·ral·y·sis [pərǽləsəs] *n.* (*pl.* **-ses** [-sìːz]) **1** Ⓤ〖醫〗 마비, 중풍 : cerebral ~ 졸도. **2** Ⓤ,Ⓒ 무력, 무기력, 무능 ; 정체(停滯) : moral ~ 도의심의 결핍 / a ~ of trade 거래의 마비 상태. 〚L<Gk. *para-*[1](*luō* to loosen) =to loosen (i. e. disable) on one side〛

parálysis ág·i·tans [-ǽdʒətæ̀nz] *n.* 〖醫〗 진전마비(震顫痲痺) (=Parkinson's disease[syndrome]).

par·a·lyt·ic [pæ̀rəlítik] *a.* 마비성의, 중풍의 ; 무력한, 무능한 ; 《英口》 곤드레만드레 취한. ── *n.* 중풍[마비] 환자.

par·a·lyze | -lyse** [pǽrəlàiz] *vt.* **1** 마비시키다, 저리게 하다 : My feet are ~*d.* 발이 저린다. **2** [+目/+目+*with*+名] 《비유》 무력하게[무효가 되게] 하다 : He was ~*d* ***with fear. 그는 공포 때문에 무력해졌다. **~d** *a.* 마비된 ; 무력한 ; 무효의 ; 《美俗》 곤드레만드레의. **pàr·a·ly·zá·tion** *n.* Ⓤ 마비시킴, 마비 상태, 무력화(化). 〚F (역성(逆成)) ‹*paralysis*〛 類義語 ⟹ SHOCK.

pàra·mágnet *n.* 〖理〗 상자성체(常磁性體).

pàra·magnétic *a.* 〖理〗 상자성(체(體))의(cf. DIAMAGNETIC). **pàra·mágnet·ìsm** *n.* 상자성. **-magnétical·ly** *adv.*

Par·a·mar·i·bo [pæ̀rəmǽrəbòu] *n.* 파라마리보 《Surinam의 수도》.

par·a·mat·ta, par·ra- [pæ̀rəmǽtə] *n.* Ⓤ 파라마타천《무명실과 털실의 교직물(交織物)》. 〚*Par(r)amatta* 오스트레일리아 New South Wales 주(州)의 산지(產地)〛

par·a·me·ci·um [pæ̀rəmíːʃiəm, -siəm] *n.* (*pl.* **-cia** [-ʃiə, -siə], **~s**) 〖動〗 짚신벌레.

pàra·médic[1] *n.* 〖軍〗 낙하산 부대의 군의관 ; (벽지에) 낙하산으로 투하되는 군의관.

paramedic[2] *n.* 준(準)의료 활동 종사자, 진료 보조원《조산원 · 검사 기사 등》. 〚↓〛

pàra·médical *a.* 준의료 활동의, 전문의를 보좌하는. ── *n.* =PARAMEDIC[2].

pàra·ménstruum *n.* 〖醫〗 파라 월경기《월경 직전의 4일과 월경 최초의 4일》. **-ménstrual** *a.*

par·a·ment [pǽrəmənt] *n.* (*pl.* **~s, -men·ta** [pæ̀rəméntə]) 실내 장식품 ; (종교상의) 제복(祭服), 제식(祭式) 장식, 법의(法衣).

pa·ram·e·ter [pərǽmətər] *n.* 〖數 · 컴퓨〗 매개변수(媒介變數) ; 〖統〗 모수(母數) ; 특질, 요소, 요인 ; 《口》 한정 요소, 제한 (범위), 한계. **pàra·mét·ric, -ri·cal** *a.* 〚NL (*para-*[1], *-meter*)〛

paramétric ámplifier *n.* 〖理〗 파라메트릭 증폭기《고주파 증폭기》.

paramétric equátion *n.* 〖數〗 매개변수 방정식(方程式).

para·met·ron [pæ̀rəmétrɑn, -rən] *n.* 〖電子〗 파라메트론《컴퓨터 따위에 쓰이는 전기 회로》.

pàra·mílitary *a., n.* 준(準)군사적인, 준(準)군사적(조직)의 (일원).

par·a·mount [pǽrəmàunt] *a.* 최고의(supreme), 중요한 ; 주권(主權)을 가진 ; 탁월한, 뛰어난 (superior) : a matter of ~ importance 매우[특히] 중요한 사항 / the lady ~ 여왕 / the lord ~ 최고 권력자, 국왕 / Regular attendance is a duty ~ *to* all others. 규칙적인 출석이 다른 어떤 의무 보다도 중요한 의무다. ── *n.* 최고의 사람, 최고 권력자, 국왕 ; 수장(首長). **~·cy** *n.* Ⓤ 최고권, 주권 ; 지상, 최상, 탁월. **~·ly** *adv.* 〚AF (*par* by, *amont* above ; cf. AMOUNT)〛 類義語 ⟹ DOMINANT.

par·amour [pǽrəmùər] *n.* 《文語》 **1** 샛서방, 간부(姦婦). **2** 정부(情婦) (mistress), 애인. 〚F *par amour* by or through love〛

pàra·mỳxo·vírus *n.* 〖菌〗 파라믹소바이러스《믹소바이러스의 아군(亞群)》.

para·neph·ros [pæ̀rənéfrɑs ; -rəs] *n.* (*pl.* **-neph·roi** [-rɔi]) 〖解〗 부신(副腎).

par·a·noia [pæ̀rənɔ́iə] *n.* Ⓤ 〖精神醫〗 편집증(偏執症), 파라노이아 ; 《口》 (근거없는) 심한 공포[의심]. **pàr·a·nói·ac** [-nɔ́iæk, -nɔ́iik], **-nóic** [-nɔ́iik, -nóuik] *a., n.* 편집증의 (환자). 〚NL<Gk. =distracted (*para-*[1], NOUS)〛

par·a·noid [pǽrənɔ̀id] *a.* 편집[망상]성의 ; 편집증 환자의 ; 편집적인, 과대 망상적인. ── *n.* 편집증 환자. **pàr·a·nói·dal** *a.*

pàra·nórmal *a.* 과학으로는 설명할 수가 없는. **~·ly** *adv.*

pára·nỳmph *n.* 《古 · 詩》 신랑[신부]들러리.

par·a·pet [pǽrəpət, -pèt] *n.* 난간, 나지막한 담장 ; (벽 위의) 난간벽 ; 〖軍〗 흉장(胸牆)《방어용의 총구멍을 갖춘 낮은 벽 ; cf. BATTLEMENT》. **~·ed** *a.* 난간[흉장]이 있는. 〚F or It. =breast-high wall (*para-*[2], *petto* breast)〛

par·aph [pǽrəf] *n.* 서명(署名)끝의 화압(花押)《원래 위조를 막기 위해서 썼음》.

par·a·pher·na·lia [pæ̀rəfərnéiljə] *n. pl.* [때때로 단수취급] **1** 장비, 장치, 설비(equipment), 《俗》 마약 매매에 필요한 장구 : camping[fishing] ~ 캠프용 장비[낚시 도구]. **2** 〖法〗 아내의 소유품《주로 의복 · 장신구로서 남편이 준 물품의 총칭》 ; 자잘한 소지품. **3** 복잡한 절차. 〚L<Gk. (*para-*[1], *phernē* dower)〛

para·phrase [pǽrəfrèiz] *n.* 바꿔 말하기, 의역(意譯)〈*of*〉 ; (스코틀랜드 교회에서 쓰는) 성서 문구를 운문으로 번역한 찬미가. ── *vt.* [+目/+目+前+名] 알기 쉽게 바꿔 말하다, 의역하다 : *P*~ the following passage ***into*** a simpler one. 다음 문장을 보다 간결한 문장으로 바꿔 써라 / It has been ~*d* ***from*** the original. 그것은 원문을 의역한 것이다. ── *vi.* 바꿔 말하다. 〚F or L<Gk. (*para-*[1], *phrazō* to tell)〛

para·phras·tic, -ti·cal [pæ̀rəfrǽstik(əl)] *a.* 알기 쉽게 바꿔 말한, 의역의, 설명적인.

pàra·phýsics *n.* 파라 물리학《parapsychology에서 연구하는 여러 현상의 물리적 측면을 다룸》.

pára·plàne *n.* 파라플레인《공기 압력을 이용한 낙하산에 엔진을 장치한 것》.

pàra·plán·ner *n.* 《美》 행정 서기관[사무관, 비서관], 준행정 계획 담당자.

para·ple·gia [pæ̀rəplíːdʒiə] *n.* Ⓤ 〖醫〗 하반신 마비. **-plé·gic** *a., n.* 하반신 마비의 (환자). 〚NL<Gk. (*para-*[1], *plēssō* to strike)〛

pàra·polítical *a.* 의사(擬似) 정치적인.

pàra·práxis *n.* (*pl.* **-práxes**) 〖醫〗 과실(過失) 행위, 착행(錯行) (증)《의식적인 의도와는 상반되는 결함 행동으로 실언 · 망각 · 잘못쓰기 따위》.

pàra·proféssion·al *n., a.* 전문직 보조원(의); 교사[의사]의 조수(의).
pàra·psychólogy *n.* Ⓤ 초(超)심리학《천리안 따위와 같은 심령 현상을 다룸》. 〖*para*-¹〗
par·a·quat [pǽrəkwɑ̀t] *n.* 〔化〕 파라콰트 농약《제초제; 간·콩팥·허파에 지연독성(遲延毒性)이 있음》. 〖*para*-¹+*quat*ernary〗
par·a·quet [pǽrəkèt] *n.* =PARAKEET.
pára·rèscue *n.* 낙하산 강하에 의한 구조: a ~ team 낙하산 구조반.
Pará rúbber *n.* 파라[탄성] 고무; =PARA RUBBER TREE.
Pará rúbber trèe *n.* 〔植〕 파라고무나무《남미 원산; 탄성 고무 원료》.
par·as [pǽrəz] *n. pl.* 《口》 =PARATROOPS.
pára-sàil, pára·sàil *n.* 파라세일《모터보트 따위로 끌어 공중을 나는 스포츠용 낙하산》.
—— *vi.* 파라세일을 하다.
par·a·sang [pǽrəsæ̀ŋ] *n.* 고대 페르시아의 거리 단위《약 4마일》.
pàra·scíence *n.* 초과학《염력(念力)·심령 현상 따위를 연구하는 분야》.
para·se·le·ne [pæ̀rəsəlíːni] *n.* (*pl.* **-nae** [-niː, -nai]) 〔氣〕 환월(幻月) (mock moon)《달무리에 나타나는 광륜(光輪); cf. PARHELION》.
pàra·séxual *a.* 〔生〕 준유성적(準有性的)인《생활사 따위》.
pa·ra·shah [pɑ́ːrəʃɑ̀ː, pǽrə-] *n.* (*pl.* **-shoth** [-ʃòut], **-shi·oth** [-ʃìːout]) 안식일이나 축제일에 유태교회에서 일과로서 읽는 율법의 일부분.
par·a·site [pǽrəsàit] *n.* **1** 기식자, 식객(食客); 아첨꾼. **2** 기생물(cf. HOST¹ 3); 〔動〕 기생충[균(菌)]; 〔鳥〕 다른 둥지에 알을 낳는 새; 〔植〕 겨우살이. **3** 〔言〕 기생음, 기생자(字)《drown*d*ed의 d와 같은 것》. 〖L<Gk.=one who eats at another's table (*para*-¹, *sitos* food)〗
párasite dràg *n.* 〔空〕 유해 항력(有害抗力), 유해 저항.
párasite stòre *n.* 〔經營〕 기생형(型) 상점《빌딩 안의 담배 가게나 역의 구내 매점 따위》.
par·a·sit·ic, -i·cal [pæ̀rəsítik(əl)] *a.* **1** 기생적인, 기생물[충]의; 〔生〕 기생체[질]의. **2** 기식(寄食)[식객 노릇]하는; 아첨하는. **3** 〔電〕 와류(渦流)의; 〔라디오〕 기생(진동)의; 〔言〕 기생음의, 기생자의.
par·a·sit·i·cide [pæ̀rəsítəsàid] *n.* Ⓤ 기생충[물] 구제약, 구충제, 회충약.
—— *a.* 기생충을 죽이는, 기생충 구제의.
par·a·sit·ism [pǽrəsàitizəm, -sətìzəm] *n.* Ⓤ 〔生態〕 기생 (생활) (↔*symbiosis*); 식객; 〔醫〕 = PARASITOSIS.
par·a·si·tize [pǽrəsətàiz, -sai-] *vt.* [주로 *p.p.* 로] 기생하다; (다른 새의 둥지)에 알을 낳다.
par·a·si·tol·o·gy [pæ̀rəsaitɑ́lədʒi, -sə-] *n.* Ⓤ 기생충학, 기생체학.
par·a·sit·osis [pæ̀rəsaitóusəs, -sət-] *n.* (*pl.* **-oses** [-siːz]) 〔醫〕 기생충병.
pára·skì·ing *n.* 낙하산 강하와 스키 활강을 합친 스포츠.
par·a·sol [pǽrəsɔ̀(ː)l, -sɑ̀l; -sɔ̀l] *n.* 파라솔, 여성용 양산(cf. UMBRELLA); 〔空〕 파라솔 단엽기(單葉機). 〖F<It. (*para*-², *sole* sun)〗
pàra·státal *a., n.* 반관(半官)의 (조직), 준(準)국영의 (회사).
pàra·sympathétic *n., a.* 〔解·生〕 부교감 신경(副交感神經) (의).
parasympathétic (nérvous) sýstem *n.* 〔解·生〕 부교감 신경계(系).
pàra·sýnthesis *n.* Ⓤ 〔言〕 병치 종합(並置綜合)《복합어 따위에서 다시 파생어를 만들기》.
-synthétic *a.*
para·syn·the·ton [pæ̀rəsínθətɑ̀n] *n.* (*pl.* **-ta** [-tə]) 〔言〕 병치 종합어(語)《parasynthesis로 만든 말》.
para·tac·tic, -ti·cal [pæ̀rətǽktik(əl)] *a.* 〔文法〕 병렬(並列)의, 병렬적인.
para·tax·is [pæ̀rətǽksəs] *n.* Ⓤ 〔文法〕 병렬《접속사 없이 문장·절·구를 나열하기; ↔*hypotaxis*》.
pa·rath·e·sis [pərǽθəsis; -θi-] *n.* (*pl.* **-ses** [-sìːz]) 《廢》 **1** 〔文法〕 동격(同格); 삽입구. **2** 〔修〕 동격삽입법.
para·thi·on [pæ̀rəθáiɑn, -ən] *n.* Ⓤ 〔農〕 파라티온《살충제》.
par·a·thor·mone [pæ̀rəθɔ́ːrmoun] *n.* Ⓤ 〔生化〕 부갑상선 호르몬, 상피 소체(上皮小體) 호르몬.
pàra·thýroid *a.* 〔解〕 부갑상선(副甲狀腺)의, 갑상선에 인접한; 상피 소체의.
—— *n.* =PARATHYROID GLAND.
parathýroid glànd *n.* 〔解〕 부갑상선.
pàra-tránsit *n.* (도시[통근용]의) 보조 교통 기관《합승 택시·소형 합승 버스·car pool 따위》.
pára·tròops *n. pl.* 낙하산 부대(parachute troops). **pára·tròop** *a.* **pára·tròop·er** *n.* 낙하산병(兵). 〖*para*chute〗
pàra·týphoid *a.* 〔醫〕 파라티푸스의. —— *n.* Ⓤ 파라티푸스(=∼ **fèver**).
pára·vàne *n.* (기뢰의 줄을 끊도록 함선에 장치된) 방뢰구(防雷具).
par avion [*F* paravjɔ̃] 항공편으로《항공 우편물 표기》. 〖F=by airplane〗
pára·wìng *n.* =PARAGLIDER.
〖*para*chute+*wing*〗
par·boil [pɑ́ːrbɔ̀il] *vt.* 반숙(半熟)하다; 너무 뜨겁게 하다; 《비유》 뜨거운 맛을 보게 하다, …에게 땀을 흘리게 하다.
〖OF<L=to boil thoroughly (*par*-=*per*-); 현재의 뜻은 *part*와의 혼동에 의함〗
par·buck·le [pɑ́ːrbʌ̀kəl] *n.* (무거운 물건을 올리고 내리는) 밧줄. —— *vt.* 밧줄로 올리다[내리다].
Par·cae [pɑ́ːrsiː, -kai] *n. pl.* (*sg.* **Par·ca** [-kə]) 〔로神〕 파르카이(Fates)《운명의 세 여신》.
‡par·cel [pɑ́ːrsəl] *n.* **1** 꾸러미(package), 소포, 소화물: wrap up a ~ 소포를 꾸리다. **2** 《蔑》 한 떼, 한 조(組): a ~ *of* rubbish 하찮은[시시한] 일. **3** 〔商〕 한 뭉치, 한 번의 거래액. **4** 《古》 일부분: part and ~ ☞ PART *n.* 숙어. **5** 〔法〕 한 구획[한 필(一筆)]의 토지.
by parcels 조금씩.

〈회화〉
I'd like to send this *parcel* to England, please. — Do you want to send it by airmail or by surface mail? 「이 소포를 영국으로 보내려고 하는 데요」「항공우편으로 보낼겁니까, 보통 우편으로 보낼겁니까」

—— *vt.* (**-l-** | **-ll-**) 나누다, 구분하다; 배분하다 〈*out*〉; (작은) 꾸러미로 하다; 한데 뭉뚱그리다; 〔海〕 범포로 감싸다[틈을 메우다].
—— *adv.* 《古》 부분적으로, 얼마간: ~ blind 반(半)장님의 / ~ drunk 조금 취한. —— *a.* 부분적인, 파트타임의.
〖OF<L; ⇨ PARTICLE〗
類義語 ***parcel*** 몇 개의 물건을 판매 또는 운반하기 위하여 포장한 것, 단단하고 반듯하게 또는

깔끔하게 포장되어 있는 것을 암시함. ***bundle*** 몇 개의 물건을 아무렇게나 되는대로 묶거나 싸거나 한 것. ***package*** parcel 보다 상당히 크고 무거운 것에 씀. ***bunch*** 같은 종류의 것을 많이 묶은 것. ***pack*** 흔히 짊어지고 나르는 꾸러미 또는 일정한 수량만을 넣은 꾸러미.

párcel bòmb *n.* 소포 폭탄 ; 우편 폭탄(mail bomb).

párcel-gìlt *a., n.* (안쪽만) 부분 금도금한 (그릇).

párcel·(l)ing *n.* 〖海〗 (밧줄에 감기 위해 타르를 먹인) 범포 ; 꾸리기 ; 분배, 구분.

párcel póst *n.* 소포 우편《略 P.P., p.p.》: by ~ 소포 우편으로.

párcel póst zòne *n.* (미국을 8구역으로 나눈) 소포 요금 동일 지대.

par·ce·nary [pɑ́ːrsənèri ; -nəri] *n.* 〖法〗 공동 상속, 상속 재산 공유.
〚AF<L ; ⇨ PARTITION〛

par·ce·ner [pɑ́ːrsənər] *n.* 〖法〗 공동 상속자.

parch [pɑ́ːrtʃ] *vt.* [+目/+目+*with*+名] 볶다, 굽다(roast), 눋게 하다(scorch) ; 바싹 말리다, (목이) 타는 듯한 느낌을 주다, 갈증나게 하다 ; (곡식 따위를) 말려서 보존하다 : The ground was ~*ed* ***with*** heat. 땅은 폭염으로 바싹 말라 있었다. —— *vi.* 바짝 마르다, 타다, 눋다〈*up*〉; 목이 바싹 마르다. **~ed** *a.* 바싹 탄[마른](것 같은), 메마른 : a ~*ed* desert 타는 듯한 사막 / one's ~*ed* lips 바싹 마른 입술 / ~*ed* corn[beans] 볶은 옥수수[콩].
〚ME<?〛

Par·chee·si [pɑːrtʃíːzi] *n.* =PACHISI.

párch·ing *a.* 말리는, 타는[찌는] 듯한 : ~ heat 폭염. —— *adv.* 타는 듯이, 탈 정도로 : ~ hot 찌는 듯이 더운.

parch·ment [pɑ́ːrtʃmənt] *n.* Ⓤ 양피지 ; Ⓒ 양피지의 문서[증서 · 사본], 졸업 증서 ; Ⓤ 모조 양피지 ; Ⓤ 양피지 같은 가죽.
〚OF<L *pergamina* (*Pergamum* 터키의 고대 도시)+*Parthica pellis* Parthian skin, scarlet dyed leather〛

párchment pàper *n.* 방수(防水) · 방지(防脂)용의 황산지.

par·close [pɑ́ːrklòuz] *n.* 〖建〗 교회의 주요 부분과 예배당 따위를 가르는 칸막이. 〚OF〛

par·course [pɑ́ːrkɔ̀ːrs] *n.* 《美》 체중 감량을 위하여 운동 시설을 해놓은 건강 산책로.

Párcourse Fítness Círcuits *n. pl.* 공원 내 등지에 있는 야외 훈련용 코스《18개의 기점을 차례로 걷거나 뛰면서 돎》. 注 보통 명사화하여 parcourse라고도 함.

pard[1] [pɑ́ːrd] *n.* 《古 · 詩》 표범(leopard).
〚OF<L<Gk.〛

pard[2] *n.* 《美俗》 한패, 동료, 짝패. 〚*pard*ner〛

pard·ner [pɑ́ːrdnər] *n.* 《口》 짝패.

‡par·don [pɑ́ːrdn] *n.* **1** Ⓤ 용서, 사면 ; 허락 : ask for ~ 용서를 빌다 / ask ~ *for* one's sins 죄의 사면을 청하다 / He begged my ~ *for* disobeying my orders. 내 명령을 어긴데 대하여 그는 용서를 빌었다. **2** 〖法〗 은사(恩赦), 특사(特赦) ; 은사장(狀) ; 〖카톨릭〗 교황의 면죄(indulgence) ; 면죄부.

I beg your pardon. (1) 용서해 주십시오, 실례했습니다《뜻밖에 범한 작은 과실 · 무례한 짓에 대해서 사과할 때의 말》. (2) 실례지만《알지 못하는 사람에게 말을 걸 때 또는 자기와 의견을 달리한 경우에 자기 의견을 말할 때》. (3) 죄송하지만 다시 한번 말씀해 주세요《되물으려 할 때 끝을 올려 (I) beg your ↗~?, ↗*P*~?이라고 함》.

—— *vt.* **1** [+目/+目+前+名/+do*ing*/+目+目] 용서하다, 너그러이 보아주다 : I ~ your offense. 과실을 용서해 준다 / *P*~ me ***for*** interrupt*ing* you. 성가시게 해서 죄송합니다 / *P*~ my [*P*~ me *for*] contradict*ing* you. 말대꾸해서 죄송합니다 / *P*~ me my offense. 저의 잘못을 용서해 주십시오. **2** [+目/+目+目] 〖法〗 사면하다, 특사하다 : The governor ~*ed* the criminal. 주지사는 죄인을 사면했다 / The prisoner has been ~*ed* three years of his sentence. 그 죄수는 3년의 형기를 사면받았다.

There is nothing to pardon. 천만의 말씀을.

〈회화〉
Parden me for coming late. — What happened? 「늦어서 미안합니다」「무슨 일이 있었니」

~·able *a.* 용서할 수 있는(excusable). **~·ably** *adv.* **~·able·ness** *n.*
〚OF<L *perdono* (*per-*, *dono* to give)=to concede, remit〛

類義語 ***pardon*** 중대한 죄 · 나쁜 일에 대해서 처벌을 면제하다 ; 《口》에서는 excuse와 같이 가벼운 뜻으로 쓰임 : It will be difficult for the judge to *pardon* the criminal. (재판관이 죄인을 용서한다는 것은 어려울 것이다). ***excuse*** 그다지 중요하지 않은 과실을 용서하다 : This time I will *excuse* your bad manners. (이번엔 네 잘못을 용서해 주마). ***forgive*** 개인적인 분노나 복수, 처벌 따위의 감정을 버리고 용서해 주다 : Let's *forgive* each other and forget what we have done. (서로 용서하고 우리가 한 일을 잊어 버리자).

párdon·er *n.* 용서하는 사람 ; 〖宗史〗 면죄부 파는 사람.

pare [péər, pǽər] *vt.* **1** (손톱 따위를) 깎다 ; …의 껍질을 벗기다 : ~ an apple 사과를 깎다 / ~ nails to the quick 손톱을 짧게 깎다. **2** [+目+副/+目+*from*+名] (가장자리 · 모서리 따위를) 깎아내다 : ~ *away* layers of scales ***from*** the sides of the fish 물고기의 배에서 비늘을 벗기다. **3** [+目+副] (경비 따위를) 조금씩 줄이다, 삭감하다 : We must ~ ***down*** the expenses. 비용을 줄이지 않으면 안된다.
〚OF=to prepare, trim<L *paro*〛

par·e·gor·ic [pæ̀rəgɔ́(ː)rik, -gɑ́r-] *a.* 진정(鎭靜)[진통]시키는. —— *n.* 진통제(劑), (유아용) 설사 멈추는 약[지사제(止瀉劑)].
〚L<Gk. =soothing (*para*-[1], *-agoros* speaking)〛

pa·rei·ra (bra·va) [pəréərə (brɑ́ːvə)] *n.* Ⓤ 파레이라《브라질산 새모래덩굴과(科) 식물의 뿌리 ; 그것에서 채취한 이뇨제》.
〚Port.〛

paren. (*pl.* **parens.**) parenthesis.

pa·ren·chy·ma [pəréŋkəmə] *n.* Ⓤ 〖解〗 선(腺)세포 조직, 이상 발육[발달]조직 ; 〖植〗 유조직(柔組織). **par·en·chym·a·tous** [pæ̀rənkímətəs, -káim-], **pa·rén·chy·mal** [, pæ̀rənkái-] *a.* 선세포 조직의, 이상 발육 조직의, 유조직의.

parens. parentheses.

◇par·ent [péərənt, pǽər-] *n.* **1** 부모, 어버이 ; [*pl.*] 양친. **2** [*pl.*] 조상, 선조. **3** 원인이 되는 것, 근원(origin). **4** 수호신, 보호자, 후견인 ; (동식물의) 모체(母體).

our first parents 아담과 이브.

—— *a.* =PARENTAL.

— *vt.* 낳다.
〖OF<L (*pario* to bring forth)〗
párent·age *n.* Ⓤ 부모임, 어버이의 지위 ; 태생, 가문, 혈통 : come of good ~ 집안이 좋다.
pa·ren·tal [pəréntl] *a.* 부모의, 부모다운, 어버이로서의 : ~ authority 친권(親權). **~·ly** *adv.*
paréntal generátion *n.* 〖遺〗 어버이 세대《P_1, P_2 따위로 표시함》.
párent còmpany *n.* 모(母)회사.
párent diréctory *n.* 〖컴퓨〗 윗자료방.
párent élement *n.* 〖理〗 어미 원소《방사성 원소의 붕괴 전의 원소 ; cf. DAUGHTER ELEMENT》.
par·en·ter·al [pæréntərəl, pə-] *a.* 〖醫〗 장관외(腸管外)의, 비경구(非經口)의[적인]《주사·투여·감염 따위》. **~·ly** *adv.*
*__pa·ren·the·sis__ [pərénθəsəs] *n.* (*pl.* **-ses** [-sìːz]) **1** 〖文法〗 삽입구(句). **2** [보통 *pl.*] 괄호, 파렌(paren)《보통 둥근 괄호( ) ; cf. BRACKET》. **3** 막간극 ; 여담, 삽화(揷話).
by way of parenthesis 덧붙여 말하면, 말하는 김에, 말이 났으니 말이지.
in parenthesis [***parentheses***] 괄호로 묶어서, 괄호에 넣어서 ; 덧붙여서.
〖L<Gk. (*para*-[1], *en*-, THESIS)〗
pa·ren·the·size [pərénθəsàiz] *vt.* 괄호에 넣다[로 묶다] ; 삽입구로 하다, …에 삽입구를 넣다.
par·en·thet·ic, -i·cal [pæ̀rənθétik(əl)] *a.* 삽입구의, 삽입구적인 ; 괄호 (모양)의.
-i·cal·ly *adv.* 삽입구적으로, 부가적으로.
párent·hòod, -shìp *n.* Ⓤ 어버이[양친]임 ; 친자(親子) 관계.
pa·rén·ti·cìde [pərénta-] *n.* 존속 살해(범).
párent·ing *n.* Ⓤ (양친에 의한) 가정 교육 ; 육아, 양육 ; 출산 ; 임신 ; 생식.
párent-in-làw *n.* (*pl.* **parents-**) 시아버지, 시어머니, 장인, 장모.
párent lànguage *n.* 〖言〗 조어(祖語).
párent pláne *n.* (유도탄(誘導彈)을 발사하는) 모기(母機).
párent-téach·er associàtion *n.* 《美》 (학교의) 사친회《略 PTA, P.T.A.》.
par·er [péərər, pǽərər] *n.* 껍질을 벗기는 사람 ; (특히) 껍질을 벗기는 기구[깎는 칼].
par·er·gon [pærə́ːrgɑn] *n.* (*pl.* **-ga** [-gə]) 부수적인 것, 부업, 액세서리.
pa·re·sis [pəríːsəs, pǽrəsəs] *n.* (*pl.* **-ses** [-ríːsiːz, pǽrəsìːz]) Ⓤ 〖醫〗 부전(不全) 마비.
par·es·the·sia, -aes- [pæ̀rəsθíːʒiə, -ziə] *n.* 〖醫〗 감각 이상, 착감각증(錯感覺症).
pa·ret·ic [pərétik, -ríː-] *a.* 〖醫〗 마비(성)의.
— *n.* 〖醫〗 (부전) 마비환자.
pa·reu [páːreiùː] *n.* Ⓤ 파레우《폴리네시아인이 허리에 두르는 옷》. 〖Tahitian〗
par ex·cel·lence [pɑːréksəlɑ̀ːns ; *F* parɛksɛlɑ̃ːs] *adv.* 한층 (더) 뛰어나게, (그 중에서도) 특히(preeminently). — *a.* 최우수의.
par ex·em·ple [*F* parɛgzɑ̃ːpl] 예컨대, 예를 들면(for example)《略 p. ex.》.
par·fait [pɑːrféi] *n.* Ⓤ,Ⓒ 파르페《과일·시럽·아이스크림 따위를 넣어 섞은 디저트》.
〖F PERFECT〗
par·fócal [pɑːr-] *a.* 〖光〗 초점면(面)이 같은 (렌즈를 갖춘). **~·ìze** *vt.*
parge [páːrdʒ] *vt.* (벽돌쌓기·석조물 따위)에 이음매를 바르다. **párg·ing** *n.* 〖↓〗
par·get [páːrdʒət] *n.* Ⓤ 석고(gypsum) ; 회반죽. — *vt.* (**-t-**|**-tt-**) (벽 따위에) 회반죽을 바르다, 돋을새김 모양으로 장식칠하다. **pár·get·(t)ing** *n.* 돋을새김 모양의 회반죽 장식칠.
〖OF *pargeter* (*par* all over, *jeter* to throw)〗
párget·wòrk *n.* Ⓤ 회반죽 세공, 석고 세공.
par·gy·line [páːrdʒəlìːn] *n.* 〖化〗 파르길린《항(抗)고혈압약·우울증 치료제》.
par·he·lic [pɑːrhíːlik, -hél-], **par·he·li·a·cal** [pɑ̀ːrhiláiəkəl] *a.* 환일(幻日)의, 햇무리의.
parhélic círcle [**ríng**] *n.* 〖氣〗 햇무리 테.
par·he·li·on [pɑːrhíːliən] *n.* (*pl.* **-lia** [-ljə]) 〖氣〗 환일(幻日), 햇무리(mock sun)《해둘레에 나타나는 광륜(光輪) ; cf. PARASELENE》.
pari- [pǽrə] *comb. form* 「같은」의 뜻 : *pari*syllabic. 〖L ; ⇒ PAR[1]〗
pa·ri·ah [pəráiə, pǽriə] *n.* 파리아《남부 인도의 최하층민 ; cf. UNTOUCHABLE》; (일반적으로) 사회에서 추방당한 사람(outcast) ; 부랑자(vagabond). 〖Tamil=hereditary drummer〗
paríah dòg *n.* (인도 따위의) 들개, 야견(野犬).
Par·i·an [péəriən, pǽər-] *a.* (에게 해 남부의) 파로스(Paros) 섬의 ; [p~] 파로스섬 대리석제(製)의. — *n.* 파로스 사람 ; Ⓤ [p~] 파로스제 도자기《백색》.
pa·ri·es [péəriìːz, pǽər-] *n.* (*pl.* **pa·ri·e·tes** [pəráiətiːz]) [보통 *pl.*] 〖生〗 (장기(臟器) 또는 체강(體腔)의) 벽. 〖L ↓〗
pa·ri·e·tal [pəráiətl] *a.* **1** 〖解〗 체(강)벽(體(腔)壁)의, 정수리의 : ~ bone 정수리뼈. **2** 〖植〗 자방벽(子房壁)의. **3** 《美》 대학 구내에 거주하는.
— *n.* 〖解〗 정수리뼈의 하나 ; [보통 *pl.*] 《美》 이성(異性) 방문자에 관한 기숙사의 규칙.
〖F or L (*pariet- paries* wall)〗
pari-mu·tu·el [pæ̀rimjúːtʃuəl] *n.* 〖競馬〗 이긴 말에 돈을 건 사람들에게 수수료를 제한 건 돈 전부를 분배하는 경마 내기 방법 ; 내기한 돈을 표시하는 계기(計器)(totalizator). 〖F=mutual stake〗
pàri-mútuel machíne *n.* 건 돈[배당금, 환불금] 표시기(totalizer, totalizator).
par·ing [péəriŋ, pǽəriŋ] *n.* **1** Ⓤ 껍질 벗기기. **2** 벗긴[깎은·자른] 껍질[지스러기]. **3** 얼마 안되는 저금[저축], (적은 액수의) 비상금.
páring ìron *n.* (편자공이 쓰는) 말굽 깎는 칼.
pa·ri pas·su [pǽri pǽsuː, péərai-] *adv.*, *a.* 같은 보조로[의], 발걸음을 맞추어서[맞춘], 나란히[한](side by side). 〖L=with equal step〗
pári pássu clàuse *n.* 〖金融〗 (무담보 사채(社債) 따위에 관한) 파리 파수 조항, 평등 조항.
‡**Par·is**[1] [pǽrəs] *n.* 파리《프랑스의 수도》.
Paris[2] *n.* 〖그神〗 파리스《Troy 왕 Priam의 아들로 Sparta의 왕비 Helen을 빼앗아 Troy전쟁의 원인을 만들었음》.
Páris blúe *n.* 쪽빛, 감청.
Páris Chàrter *n.* 파리 헌장《1990년, CSCE 정상들이 파리에 모여 민주주의, 평화, 통합의 새 시대를 선언한 헌장》.
Páris Cómmune *n.* 파리 코뮌.
Páris Convèntion *n.* 파리 조약《국제 항공에 관한 다국간 조약》.
Páris dóll [**báby**] *n.* (양장점의) 모형 인형.
Páris gréen *n.* 밝은 녹색, 파리 초록《유독한 안료(顔料), 살충제》.
*__par·ish__ [pǽriʃ] *n.* **1** 《英》 **a)** 교구《county를 몇 개로 나눈 것 중의 하나로 교회(parish church)와 목사가 있음》; 지역 교회. **b)** 행정 교구《원래 빈민 구제법 따위를 위해서 설치했었으나 지금은 행정상의 최소 단위로 civil ~ 라고도 함》. **2** 전(全) 교구민 ; 《美》 (한 교회의) 모든 신자.

go on the parish 교구의 부조(扶助)를 받다(cf. *go on the* TOWN, POOR LAW).
〚OF<L *parochia*<Gk. =sojourning, neighbor (*para-*[1] beside, *oikos* house)〛

párish chùrch *n.* 《英》 교구 교회.

párish clèrk *n.* 교구 교회의 서무담당원.

párish còuncil *n.* 《英》 교구회《행정교구(civil parish)의 자치 기관》.

párish hòuse *n.* 교구회관.

pa·rish·io·ner [pəríʃənər] *n.* 교구민. **~·shìp** *n.*

párish lántern *n.* 《英方》 달(moon).

párish prìest *n.* 《英》 교구 목사[사제(司祭)], 주임 사제(cf. CURÉ).

párish pùmp *n.* 시골 공동 펌프《우물가의 쑥덕공론하는 곳으로 시골 근성의 상징》.

párish-pùmp *a.* 《英》 지방적 흥미[관점]에서(만)의《정치》.

párish régister *n.* (출생·세례·혼인·매장 따위의) 교구 기록.

Pa·ri·sian [pərí(:)ʒən ; -rízjən] *a.* 파리(인)의, 파리풍의 ; 표준 프랑스어의. —— *n.* 파리인 ; (프랑스어의) 파리방언, (파리 방언에 의거한) 표준 프랑스어. 〚F〛

Pa·ri·si·enne [*F* parizjɛn] *n.* 파리 여자.

par·i·son [pǽrəsən] *n.* 파리손《유리병·플라스틱 용기 제조 과정 중의 중간체로 병(瓶) 모양의 유리 덩어리》.

Páris whíte *n.* 백악(白堊)《도기의》.

pàri·syllábic *a.* 음절의 수가 같은, 동수의 음절을 가진.

par·i·ty[1] [pǽrəti] *n.* Ⓤ 등가(等價), 등량(等量) ; 동률 ; 동등, 동격 ; 〖經〗 평형(가격), 패리티《농산물 가격과 생활 필수품 가격과의 비율》; 〖컴퓨〗 패리티, 홀짝 맞춤 : ~ of treatment 균등 대우.
by parity of reasoning 유추에 의하여.
on a parity with …와 균등하여.
stand at parity 동격[동위]이다.
〚F or L *paritas* ; ⇨ PAR[1]〛

parity[2] *n.* 〖産科〗 출산경력, 출산아(兒)수. 〚*-parous, -ity*〛

párity bìt *n.* 〖컴퓨〗 패리티[홀짝] 비트《홀수 짝수 검사(parity check)를 위해 부가한 비트》.

párity chèck *n.* 〖컴퓨〗 패리티 체크, 홀짝 검사《일련의 비트에 부가 비트를 붙여서 오류를 검사하기》.

párity èrror *n.* 〖컴퓨〗 홀짝 틀림.

párity pròduct *n.* 패리티 제품《같은 부류에 속하여 기본적으로는 유사한 제품 ; 식기 세제·불소 치약·소다수 따위》.

◇**park** [pɑ́:rk] *n.* **1 a**) 공원, 광장 ; (공유의) 자연환경 보존구역 ; 《美》 유원지 ; 《英口》 축구장 ; 《美》 운동장, 경기장 : a national ~ 국립 공원 / a baseball ~ 《美》 야구장. **b**) [the P~] 《英》 = HYDE PARK. 㵟 고유명사의 일부로 쓰일 때는 보통 관사 없이 씀 : Central *P*~ 센트럴 파크《New York City에 있음》/ (the) Green *P*~ 그린 파크《London에 있음》. **2** 〖英法·史〗 (왕의 특허에 의한) 수렵원(狩獵園) ; (지방의 대저택을 에워싼) 큰 정원. **3** 주차장(=car ~) ; (자동차의 자동변속기의) 주차 위치 ; 〖軍〗 군수품 하치장(荷置場). **4** (굴)양식장(=oyster ~).

〈회화〉
Where were you? — I was taking a walk in the *park*. 「너 어디 있었니」「공원을 산책하고 있었어」

—— *vt.* **1** (자동차를) 주차시키다 ; (포차(砲車) 따위를) 한 군데에 나열[정렬]해 두다 : Tell me where to ~ the car. 주차장은 어디입니까. **2** 《口》 (놓아) 두다, (아이들을) 남에게 맡기다. **3** (토지를) 둘러싸서 공원으로 만들다. —— *vi.* 주차하다 ; 《口》 주차 중인 차 안에서 섹스를 하다.
〚OF<Gmc. ; cf. PADDOCK[1]〛

par·ka [pɑ́:rkə] *n.* 파카《에스키모인이 입는 두건 달린 털 재킷 ; 등산·스키할 때 입는 두건 달린 방한복》, 아노락(anorak), 두건 달린 긴 털 셔츠[재킷].
〚Aleutian〛

parka

párk-and-ríde, párk-rìde *a.* 자동차를 역에까지 타고가서 주차시킨 후 갈아타는 : ~ system 파크앤드라이드 방식《역 주차 통근 방식》.

Párk Ávenue *n.* 파크가(街)《New York시 Manhattan 구 중앙부의 번화가로 고급 맨션이 즐비하게 들어선 사치와 유행의 중심지》.

Párk·hurst (prìson) [pɑ́:rkhə:rst(-)] *n.* (영국 Wight 섬에 있는) 기결수 교도소.

par·kin [pɑ́:rkən] *n.* Ⓤ 《北英》 오트밀·생강·당밀로 만든 과자.

***párk·ing** *n.* 주차용지 ; (공원내의) 녹지 ; (자동차의) 주차 ; 〖컴퓨〗 둠 : No ~ (here). 《게시》 주차 금지.

párking bràke *n.* 주차[보조] 브레이크.

párking dìsk *n.* (주차한 차 안의) 주차 시간 표시판(disk).

párking fìeld *n.* 《美》 (넓은) 주차장.

párking lìght *n.* (자동차) 주차등.

párking lòt *n.* 《美》 주차장(=《英》 car park).

párking mèter *n.* 주차 요금 자동 징수기.

párking òrbit *n.* 〖宇宙〗 대기(待機) 궤도.

párking tìcket *n.* 주차 위반 소환장.

Par·kin·son [pɑ́:rkənsən] *n.* 파킨슨. **1 Cyril Northcote** ~ (1909-) 영국의 역사가·경제학자. **2 James** ~ (1755-1824) 영국의 의사.

Párkinson·ism *n.* =PARKINSON'S DISEASE.

Párkinson's disèase[sỳndrome] *n.* 〖醫〗 파킨슨병, 진전(振顫) 마비(paralysis agitans). 〚J. *Parkinson*〛

Párkinson's láw *n.* 파킨슨의 법칙《C.N. Parkinson이 1957년 이래 발표한 것 ; 제1 법칙 「관리의 수는 일의 양에 관계없이 일정한 비율로 증가한다」; 제2 법칙 「정부의 지출은 수입에 따라 증가한다」》.

párk kèeper *n.* 《英》 공원 관리인.

párk·lànd *n.* Ⓤ 초원의 공원 지대, 파크랜드.

park-ride ☞ PARK-AND-RIDE.

párk·wày *n.* 《美》 공원 도로《가로수나 잔디를 심은 큰 길》; 승용차 전용 도로.

párky[1] *a.* 《英俗》 쌀쌀한《공기·아침 따위》.

parky[2] *n.* 《英俗》 =PARK KEEPER.

Parl., parl. parliament ; parliamentary.

par·lance [pɑ́:rləns] *n.* **1** 이야기투, 어조, (특유한) 어법 : *in* legal ~ 법률 용어로. **2** 《古》 이야기, 토론. 〚OF (*parler* to speak)〛

par·lan·do [pɑ:rlɑ́:ndou, -lǽn-] *a., adv.* 〖樂〗 이야기하는 듯한[하듯이]. 〚It.〛

par·lay [pɑ́:rli, -lei, pɑ:rléi] *vt., vi.* 《美》 (경마에) 건 돈과 그 상금을 다시 다른 말에게 걸다 ; 다시 가치 있는 것으로 변환하다 ; 늘리다, 확장하다 ; (자산·재능을) 활용[이용]하다. —— *n.* 원금과 상금을 다시 다른 말에게 걸기.

par·ley [pá:rli] *n.* 협상, 교섭, 협의, (특히 전쟁터에서 적측과의) 회견, 회담, 담판.
beat*[*sound*] *a parley (북이나 나팔을 울려서) 적군에게 (정전(停戰) 따위의) 교섭 신청의 신호를 하다.
—— *vi.* [動/+*with*+名] 담판하다, 교섭[협상]하다 : ~ ***with*** an enemy 적과 회견[담판]하다.
—— *vt.* (특히 외국어를) 말하다, 지껄이다 ; 교섭[회담]하다. 〖OF ; ⇨ PARLANCE〗

par·ley-voo [pà:rlivú:] *n.* 《英口·戲》 프랑스인 ; Ⓤ 프랑스어. —— *vi.* 프랑스어[외국어]를 하다. —— *vt.* 이야기하다, 알다.
〖F *parlez-vous* (*français*)? Do you speak (French)?〗

***par·lia·ment** [pá:rləmənt] *n.* **1** [보통 P~] 의회, 국회 ; 하원 : the British ~ 영국 의회 / convene[dissolve] a ~ 의회를 소집[해산]하다. **2** Ⓤ [P~] 영국의회《the House of Lords와 the House of Commons로 구성됨 ; 주 영연방 내의 여러 나라 의회에도 쓰임 ; cf. CONGRESS, DIET²》: enter[go into] *P*~ 하원 의원이 되다 / be[sit] in *P*~ 하원 의원이다 / a Member of *P*~ 하원 의원 《略 M.P.》/ an Act of *P*~ 법령 / open *P*~ (국왕이) 개원식을 거행하다 / *P*~ sits[rises]. 의회가 개회[산회]한다. **3** 혁명 전의 프랑스 고등법원. **4** 《古》 (공식적인) 토의회, 회의, 회합. **5** = PARLIAMENT CAKE. **6** 〔카드놀이〕 = FAN-TAN.
the High Court of Parliament 《英》 (1) 영국의회, 국회. (2) 국회 재판소《사법 기관으로서의 상원(上院)》.
〖OF = speaking ; ⇨ PARLANCE〗

Párliament Áct *n.* [the ~] 《英》 의회 조례 《1911년 상원의 권한을 제한한 것》.

par·lia·men·tar·i·an [pà:rlamentέəriən, -mən-, -tǽər-] *a.* 의회(파)의. —— *n.* **1** 의원(議院) 법학자, 의원 법규에 정통한 자 ; 의회 정치에 숙달된 사람, 의회인(人). **2** [때때로 P~] 《英》 하원 의원(議員). **3** [P~] 〔英史〕 = ROUNDHEAD.

par·lia·men·ta·rism [pà:rləméntərìzəm] *n.* Ⓤ 의회 정치[주의], 의원(議院) 제도.

par·lia·men·ta·ry [pà:rləméntəri] *a.* 의회의 ; 의회에서 제정한 ; 의회법에 의한 ; 〔英史〕 의회당(원)의 ; (말이) 의회에 적합한 ; 《口》 품위가 있는, 정중한(polite) : ~ language (의회에서 요구되는) 품위가 있는 말 / a ~ question 의회(에서)의 질의(質疑).

parliaméntary ágent *n.* 《英》 의회 대변인《의회 내에서 건의안·청원서 따위를 기초(起草)하며 서무를 대행함》.

parliaméntary bórough *n.* 《英》 = CONSTITUENCY.

Parliaméntary Commíssioner for Administrátion *n.* 《英》 = OMBUDSMAN.

parliaméntary demócracy *n.* 의회(議會) 민주주의.

parliaméntary góvernment *n.* 〔政〕 의원(議院) 내각제.

parliaméntary láw *n.* 국회[의회]법.

parliaméntary procédure[**práctice**] *n.* 의회법, 의회 운영 절차.

parliaméntary sécretary *n.* 《英》 정무 차관.

parliaméntary tráin *n.* (19세기 영국의) 노동자 할인 열차.

párliament càke *n.* 생강을 넣은 쿠키.

***par·lor** | **par·lour** [pá:rlər] *n.* **1** 《美·英古》 (원래) 객실 ; (일반적으로) 거실(living room). **2** (수도원 따위의) 면회실 ; (호텔·클럽 따위의) 특별 휴게실[담화실], 응접실《LOBBY나 LOUNGE 같이 개방적이 아님》. **3** 《美》 (원래 객실풍으로 설비한) 영업소, 촬영실, 진찰실, 시술(施術)실 ; 점포(shop) : an ice cream ~ 아이스크림 가게 / a beauty ~ 미장원 / a tonsorial ~ 이발소 / ☞ FUNERAL PARLOR. —— *a.* 객실용의 ; 《비유》 이론뿐인, 실행이 뒤따르지 않는 : ~ tricks 《蔑》 좌흥, (여흥으로 하는) 숨은 재주 / a ~ socialist 이론뿐인[실행력이 없는] 사회주의자.
〖AF ; ⇨ PARLEY〗

párlor bòarder *n.* 《英》 (교장의 가족과 동거하는) 특별 기숙생.

párlor càr *n.* 《美》 호화 특등 객차(=《英》 saloon (car)) (cf. DAY COACH).

párlor gàme *n.* 실내 게임.

párlor hòuse *n.* 응접실이 있는 집 ; 《美俗》 (담화실 따위가 있는) 고급 유곽.

párlor lèech *n.* 남의 응접실을 찾아다니며 돈을 뜯는 불량배.

párlor·màid *n.* 잔심부름하는 계집아이, 하녀.

par·lous [pá:rləs] *a.* 《古·戲》 위험한, 불안한, 다루기 어려운 ; 《英》 빈틈없는. —— *adv.* 몹시.
〖ME = PERILOUS〗

parl. proc. parliamentary procedure.

Par·ma [pá:rmə] *n.* **1** 파르마《이탈리아 북부의 Emilia-Romagna 주(州)의 도시》. **2** 파머《미국 Ohio 주(州) 북동부의 도시》.

Par·me·san [pá:rməzà:n, -zæ̀n, -zən ; pà:rməzǽn, ∸-∸] *a.* 파르마(Parma)의. —— *n.* Ⓤ 파르마 치즈, 파르메산 치즈(=∸ **chéese**) 《파르마 원산의 딱딱한 치즈로, 기계로 갈아 요리에 넣음》. 〖F<It. ; ⇨ PARMA〗

par·mi·gia·na [pɑ:rmidʒá:nə, -ʒá:-], **-no** [-nou] *a.* 파르마 치즈가 든. 〖It.〗

Par·nas·si·an [pɑ:rnǽsiən] *a.* **1** 파르나소스(Parnassus)의 ; 시[시가(詩歌)]의. **2** (프랑스) 고답파(高踏派)의 : the ~ school 고답파《1866-90년경 형식을 중시한 프랑스 시인의 일파》.
—— *n.* 고답파 시인, (일반적으로) 시인.

Par·nas·sus [pɑ:rnǽsəs] *n.* **1** 파르나소스《그리스 중부의 산 ; 고대에는 Apollo신 및 Muses신의 영지로서 문인에 의해 신성시되었음》. **2** Ⓤ 《비유》 문단, 시단.
climb Parnassus 시작(詩作)에 전념하다.

Par·nell [pá:rnəl, pɑ:rnél] *n.* 파넬. **Charles Stewart** ~ (1864-91) 아일랜드의 독립 운동 지도자 ; 자치 획득 운동을 추진.

Párnell·ìsm *n.* 아일랜드의 자치 정책《아일랜드의 정치가 C. S. Parnell이 주창했음》.

pa·ro·chi·aid [pəróukièid] *n.* 《美》 (정부의) 교구 학교에 대한 보조금. 〖*parochi*al+*aid*〗

pa·ro·chi·al [pəróukiəl] *a.* **1** 교구(教區)의 ; 《美》 종교 단체의 도움을 받은 ; 읍면(邑面)의 ; 지방적인(provincial) : a ~ school 교구 부속 학교. **2** (의견 따위) 좁은, 편협한.
〖OF<L ; ⇨ PARISH〗

paróchial·ìsm *n.* Ⓤ 교구 제도 ; 읍면제 ; 지방색 ; 편협. **-ist** *n.*

pa·ro·chi·al·i·ty [pəròukiǽləti] *n.* Ⓤ = PAROCHIALISM.

paróchial·ìze *vt.* …에 교구제를 실시하다 ; 지방적으로 하다 ; 편협하게 하다. —— *vi.* 교구에서 일하다.

par·o·dist [pǽrədəst] *n.* parody 작가.

par·o·dy [pǽrədi] *n.* Ⓤ,Ⓒ 풍자[조롱(嘲弄)]적 개작 시문(改作詩文), 패러디 ; Ⓒ 서투른 모방.
—— *vt.* 풍자적으로 개작하다 ; 서툴게 모방하다.

pa·rod·ic, -i·cal [pərádik(əl)] *a.*
〖L or Gk. =satirical poem (*para*-¹, ODE)〗

pa·rol [pəróul, pǽrəl] *n.* 〖法〗 **1** 소답(訴答) 서면. **2** 말. ㈜ 지금은 다음 숙어로 씀.
by parol 구두로.
── *a.* 구두(口頭)[구술]의 : ~ evidence 증언, 구두 증거. 〖OF ↓〗

pa·role [pəróul] *n.* **1** Ⓤ 맹세, 서언(誓言), 〖軍〗 (특히) 포로 선서(=~ **of hónor**) 《석방 후에라도 일정 기간 동안 전선에 나서지 않겠다는 또는 도망하지 않겠다는 선서》; 〖美軍〗 암호(말) : ~ evidence 구두 증거, 증언. **2** 가출옥 허가, 가석방; 집행유예; (미국의 이민법에서) 임시입국허가; 〖法〗 =PAROL. **3** 〖言〗 파롤《구체적 언어행위》.
break one'***s parole*** 선서를 어기고 도망치다.
on parole 선서 석방되어; 《口》 가출옥을 허가받은[고 있는].
── *a.* 선서[가]석방(인)의.
── *vt.* (포로를) 선서[가]석방하다; 《美》 (외국인에게) 임시 입국을 허가하다.
〖F *parole* (*d'honneur*) word (of honor); ⇨ PARLEY〗

pa·rol·ee [pəroulíː, -ˊ-ˊ] *n.* 가출옥자, 가석방자.

par·o·mo·my·cin [pæ̀rəmoumáisən] *n.* 〖藥〗 파로모마이신《항(抗)아메바제(劑)》.

par·o·no·ma·sia [pæ̀rənouméiʒiə, -ziə] *n.* 〖修〗 (음이 비슷한 말로 하는) 익살, 신소리, 재담, 말재롱. 〖L<Gk. (*onoma* name)〗

par·o·nym [pǽrənìm] *n.* 〖文法〗 동원어(同源語), 연어(緣語) 《보기 use와 utilize 따위》; (어의(語義)·철자가 다른) 동음어(同音語)《보기 hair와 hare 따위》.

pa·ron·y·mous [pərɑ́nəməs], **pàr·o·ným·ic** *a.* PARONYM의.

par·o·quet [pǽrəkèt] *n.* =PARAKEET.

Par·os [péərɑs, pǽərɑs] *n.* (그리스의) 파로스 섬.

pa·ro·tic [pərátik, -róu-] *a.* 귓가의, 귀 부근의.

pa·rot·id [pərátəd] *n.* 〖解〗 귀밑샘, 이하선(耳下腺) (=~ **glànd**). ── *a.* 귀 부근의, 이하선의.
〖F or L<Gk. (*para*-¹, *ōt*- *ous* ear)〗

par·o·ti·tis [pæ̀rətáitəs] *n.* Ⓤ 〖醫〗 귀밑샘염(炎) (cf. MUMPS).

-p·a·rous [ˊ-pərəs] *a. comb. form* 「만들어 내는」「분비(分泌)하는」의 뜻.
〖L *pario* to bring forth〗

par·ox·ysm [pǽrəksìzəm] *n.* 〖醫〗 (오한 따위의 주기적인) 발작(violent fit); 〖醫〗 경련; 격발(激發); 발작적 행동; 격동 : a ~ *of* laughter 발작적인 웃음.
pàr·ox·ýs·mal, pàr·ox·ýs·mic *a.*
〖F<L<Gk. (*paroxunō* to goad ‹ *oxus* sharp)〗

par·ox·y·tone [pærɑ́ksitòun, pə-] *a., n.* 〖그文法〗 끝에서 둘째 음절에 강한 악센트가 붙은 (말).

par·quet [pɑ́ːrkei, -ˊ] *n.* 쪽매 세공(을 한 마루); 《美》 (극장의) 1층 앞쪽《1등석》.
── *vt.* …에 쪽매 세공한 마루를 깔다.
〖F=small enclosure floor (dim.) ‹*parc* PARK〗

párquet círcle *n.* 《美》 (극장의) PARQUET의 뒤쪽 부분.

par·que·try [pɑ́ːrkətri] *n.* Ⓤ 쪽매 세공(細工), (마루에) 쪽매로 깔기.

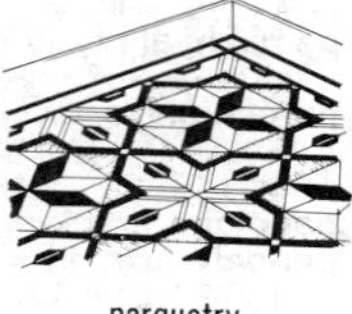
parquetry

parr [pɑ́ːr] *n.* (*pl.* ~, ~**s**) 연어(salmon)의 새끼. 〖C18< ?〗

parrakeet ☞ PARAKEET.

parramatta ☞ PARAMATTA.

par·ri·cide [pǽrəsàid] *n.* 어버이[존속·주인] 살해범; 반역자; Ⓤ 그 범죄. **pàr·ri·cí·dal** *a.*
〖F or L=killer of a close relative< ?; L PATER, *parens* parent와 연상(連想)〗

par·ro·quet, -ket [pǽrəkèt] *n.* 〖鳥〗 =PARAKEET.

***par·rot** [pǽrət] *n.* **1** 〖鳥〗 앵무새(류의 조류). **2** 《비유》 뜻도 모르고 남의 말을 되풀이하는 사람.
── *vt.* 기계적으로 되풀이하다, 앵무새처럼 말을 되뇌다; (남의 말을) 되뇌게 하다. ── *vi.* 기계적으로 되풀이하여 말하다. **párrot·ry** *n.* Ⓤ 입내; 남의 말을 되넘기기, 비굴한 모방.
pár·roty *a.* 앵무새 같은.
〖F (dim.) ‹*Pierre* Peter〗

párrot·càge *n.* 앵무새 새장.
have a mouth like the bottom of a parrot-cage 《美俗》 술을 너무 마셔서 혀가 깔깔하다, 텁텁하다.

párrot-crỳ *n.* 입버릇처럼 되풀이하는 말.

párrot-fàshion *adv.* 《英口》 뜻도 모르고 기억만으로, 흉내내어, 앵무새처럼 되풀이하여.

párrot fèver *n.* 〖醫〗 =PSITTACOSIS.

párrot fish *n.* 〖魚〗 파랑비늘돔과의 여러 물고기.

par·ry [pǽri] *vt.* 받아넘기다, 피하다; (질문 따위를) 회피하다. ── *vi.* 공격을 받아넘기다.
── *n.* 받아넘김, (펜싱 따위에서) 슬쩍 몸을 피하기, 패리; 핑계.
〖? F<It. *parare* to ward off〗

pars. paragraphs; parentheses.

parse [pɑ́ːrs, pɑ́ːrz; pɑ́ːz] *vt.* 〖文法〗 (문장 속의) 낱말의 품사 및 문법적 관계를 설명하다; (문장을) 분석하다. ── *vi.* 문장속의 낱말의 품사 및 문법적 관계를 설명하다, 해부하다; 문법적으로 설명되다, 해부되다.
〖? ME *pars* parts of speech<OF *pars* parts〗

par·sec [pɑ́ːrsèk] *n.* 〖天〗 파섹《천체간의 거리를 나타내는 단위; 3.26 광년(光年)》.
〖*par*allax+*sec*ond²〗

Par·si, Par·see [pɑ́ːrsiː, -ˊ] *n.* 파르시《(1) 8세기에 페르시아에서 인도로 도피한 조로아스터 교도의 자손; 주로 뭄바이 부근에 삶. (2) 파르시 교전(教典)에 쓰인 페르시아어(語)》.
~ìsm *n.* 파르시교(教).
〖Pers. =Persian〗

par·si·mo·ni·ous [pɑ̀ːrsəmóuniəs] *a.* 지극히 검소한, 인색한, 쩨쩨한(miserly). **~ly** *adv.*

par·si·mo·ny [pɑ́ːrsəmòuni; -məni] *n.* Ⓤ 극도의 검약; 인색(stinginess).
〖L (*pars*- *parco* to spare)〗

párs·ing *n.* Ⓤ 〖文法〗 (어구·문장의) 분석.

pars·ley [pɑ́ːrsli] *n.* Ⓤ 〖植〗 파슬리《미나리 같은 채소로 서양 요리에 씀》. ── *a.* 파슬리로 맛을 낸, 파슬리를 첨가한.
〖OF<L<Gk. (*petra* rock, *selinon* parsley)〗

pars·nip [pɑ́ːrsnəp] *n.* 〖植〗 양방풀나물《잎과 뿌리는 식용》: Fine[Kind, Soft] words butter no ~*s.* 《속담》 말만 가지고는 아무 소용이 없다.
〖OF<L *pastinaca*; 어형은 *nep* turnip에 동화(同化)한 것〗

par·son [pɑ́ːrsən] *n.* [the ~] 교구 목사《rector, vicar 등의 총칭》; 《口》 (일반적으로) 성직자, (특히 프로테스탄트 교회의) 목사(clergyman); 검은 짐승. 〖OF<L PERSON〗

párson·age *n.* 목사관(館) ; (교구 목사의) 성직록(聖職祿) (cf. BENEFICE).

párson·ess *n.* 《口》 목사의 아내.

par·son·ic [pɑːrsánik], **-i·cal** *a.* 목사(牧師)의, 목사다운.

párson's nóse *n.* 《俗》 (요리한) 오리[거위 따위]의 볼깃살.

Pársons tàble *n.* [흔히 p~ t~] 파슨스 테이블 《면판(面板)의 네 귀퉁이에서 쪽 곧게 다리가 뻗은 테이블》.

◇**part** [páːrt] *n.* **1 a)** 부분(cf. WHOLE), 일부, 약간 : Which ~ *of* the play did you like best? 당신은 그 연극의 어느 부분이 제일 좋았습니까 / *P~s of* his article are mistaken. 그의 논문은 군데군데 틀렸다 / He spent the greater ~ *of* his vacation in Canada. 휴가의 대부분을 캐나다에서 보냈다 / (a) ~ of ☞ 숙어. **b)** [보통 (a) ~] 중요한 부분, 요소(element) (cf. (*a*) PART *of*) : Music was (*a*) ~ *of* his life. 음악은 그의 생활의 불가분의 요소였다. **2 a)** [*pl.*] 신체의 부분, 기관(器官) : the (private) ~*s* 음부(陰部). **b)** 부(분)품 : automobile ~*s* 자동차의 부품. **3 a)** [서수사(序數詞)에 붙여 ; 보통 지금은 생략함] …분의 1 : a third (~) 1/3 / two third ~*s* (=two thirds) 2/3. **b)** [기수사(基數詞)에 붙여] 전체를 하나 많은 수로 나눈 값 : two[three, four, *etc.*] ~*s*=2/3[3/4, 4/5 따위]. **c)** (혼합 따위의) 비율 : 3 ~*s of* sugar to 7 (~*s*) *of* flour 설탕 3 밀가루 7의 비율. **d)** 약수, 인수. **4** (책·희곡·시 따위의) 부, 편, 권(卷). **5** [*pl.*] 지방, 지역 (district) : *in* these ~*s* 이쪽 지방에서 / travel *in* foreign ~*s* 외지를 여행하다. **6** 관계, 관여 ; (일 따위의) 나눈 몫, 역할, 구실 ; 본분(duty) : do one's ~ 자기의 본분을 다하다. **7** (배우의) 역할, 역(role) ; 대사(臺詞) : He played the ~ of Hamlet. 햄릿의 역을 맡아했다. **8** 한편, 한패, 자기쪽[편](side) : An agreement was reached between Jones *on* the one ~ and Brown *on* the other (~). 존스측과 브라운측과의 사이에 협정이 성립됐다. **9** 〖樂〗 음부(音部), 성부(聲部) (cf. PART MUSIC). **10** [*pl.*] 자질, 재능(abilities) : a man *of* (good, excellent) ~*s* 유능한 인물. **11** 《美》 가리마. **12** 〖컴퓨〗 부품.

(***a***) ***part of*** …의 일부(분) (cf. 1). ㊟ (1) 이 경우의 part는 때때로 관사 없이 씀. (2) 보통 이 구는 뒤에 단수 명사를 수반할 때에는 단수로, 복수 명사일 때에는 복수로 씀 : Only (*a*) ~ *of* the report is true. 그 보도의 일부만이 진실이다 / The Englishman usually keeps a dog as ~ *of* the family. 영국 사람은 대개 가족의 일원으로 개를 기른다 / *P*~[*A* ~] *of* the students live in the dormitory. 일부의 학생들은 기숙사에 살고 있다 / *A* large[Large] ~ *of* the money was wasted. 그 돈의 대부분이 낭비되었다 / He left most[the most] ~ *of* his property to charities. 유산의 대부분을 자선 사업에 기부했다.

for my part 나로서는(as far as I am concerned).

for the most part 대부분은, 대개는 (mostly) : The firm is run, *for the most* ~, by competent men. 그 회사는 대개 유능한 사람들에 의해서 경영되고 있다.

have neither part nor lot in …에 조금도 관계가 없다.

in large part 대부분, 주로.

in part 일부분, 얼마간(partly).

in parts (1) 나누어, 일부분씩 ; 분책(分册)으로. (2) 군데군데.

on the part of a person=***on*** a person***'s part*** …의 쪽에서는, …은[의] 《주어 관계를 나타냄》 : There is no objection *on* my ~. 나(로서)는 이의가 없다 / The accident was due to wild driving *on* his ~. 사고는 그의 무모한 운전 때문에 일어났다.

part and parcel (***of...***) (…의) 중요 부분, 요점 : These words are now ~ *and parcel of* the native language. 이 말들은 이제는 모국어의 일부가 되어버렸다.

a part of speech 〖文法〗 품사.

play a part (1) 역할을 맡아하다(cf. 7) : She *played a* ~ in the play. 그 연극에 출연했다 / He was happy to *play* such *a* ~ *in* bring*ing* the two nations into more friendly relations. 두 나라 국민의 친선을 증진시키기 위해 기꺼이 그 역할을 다했다 / Salt *plays an* important ~ *in* the function of the body. 소금은 신진 대사에 중요한 역할을 한다. (2) 《비유》 기만적으로 행동하다, 시치미를 떼다.

play one***'s part*** 본분을 다하다, 구실[역할]을 다하다(cf. 6).

take...in good [***bad, ill, evil***] ***part*** …을 선의[악의]로 해석하다, …을 화내지 않다[화내다], …을 쾌히 받아들이다[받아들이지 않다].

take part in (something, do*ing*) …에 가담하다, …에 공헌하다 : Many athletes came to Seoul to *take* ~ *in* the Olympics. 많은 운동 선수들이 올림픽에 참가하기 위해 서울에 왔다.

take part with... =***take the part of*** …을 편들다.

── *vt.* 나누다 ; 절단하다 ; 떼어내다[가르다] ; 이간하다 ; (머리를) 가리마타다 : He ~*ed* his hair carefully. 그는 차분히 머리를 가리마탔다 / ~ one's lips 입을 조금 벌리다. ── *vi.* **1** [動 / +前+名 / +補] (물건이) 나뉘다, 찢어지다, 쪼개지다 ; (사람이) 헤어지다, 손을 떼다, 관계가 끊어지다 ; 《古》 죽다 : The best of friends must ~. 아무리 친한 친구라도 언젠가는 헤어질 때가 온다 / There I ~*ed* ***from*** him. 거기서 나는 그와 헤어졌다 / Let us ~ friends. 기분좋게 헤어지자. **2** 《口》 돈을 치르다.

part company 절교하다 ; 헤어지다 ; 의견을 달리하다 〈*with*〉.

part from …와 갈라[헤어]지다 (☞ *vi.* 1) ; …에서 (떠나)가 버리다 : ~ *from* this world 죽다.

part with... (1) …을 내놓다 : A good advertisement will make a person decide to ~ *with* his money. 좋은 광고를 보면 누구나 돈을 쓰려고 한다. (2) =PART *from.*

── *adv.* 일부분은, 얼마간, 어느 정도(까지) (partly) : The statement is ~ truth. 그 진술은 어느 정도까지는 진실을 내포하고 있다.

── *a.* 일부분(만)의, 부분적인, 불완전한.

〖F<L=to share (*part- pars* piece, portion)〗

類義語 (1) ***part*** 전체에 대한 부분의 뜻으로 가장 넓게 쓰이는 말 : a *part* of a building[bridge] (건물[교량]의 일부). ***portion*** 어떤 사람, 물건에 할당된 부분 : his *portion* of the food (그의 몫으로 할당된 음식). ***piece*** 전체에서 갈라져 나간 일부분 또는 그 자체만으로도 완전한 하나[일례(一例)]로 생각되는 단위 : a *piece* of pie (파이 한 조각). ***division*** 절단·분할·분류 따위에 의해서 나누어진 부분[구분] : the history *division* of a library (도서관의 역사서적 부문). ***section*** division 과 같은 뜻이지만 비교적

그것보다는 작은 것을 가리킴 : a *section* of a drawer (서랍의 한 구석). ***segment*** 자연[천연]적으로 되어 있는 분할[구분] : a *segment* of an orange (귤 조각). ***fraction*** 전체 속에 포함되는 무시해도 될 만한 그다지 중요하지 않은 부분 : a *fraction* of income (수입의 일부). ***fragment*** 파괴·분할 따위로 조각나거나 흩어진 비교적 작은 부분[조각] : a *fragment* of broken windowpane (산산이 부서진 창 유리 조각).

(2) ⟹ SEPARATE.

part. participial ; participle ; particular.

part. adj. participial adjective.

par·take [pɑːrtéik, 美+pər-] *v.* (**-took** [-túk]; **-tak·en** [-téikən]) *vi.* **1** [+*of*+名/動] 함께 하다, 참가하다 ; (음식 따위를) 함께 먹다(take a share), 얼마간 마시다[먹다] ; 《口》 모두 마셔[먹어] 버리다 : I hope you will ~ ***of*** our joy. 당신과 기쁨을 함께 하고자 합니다 / They *partook of* our lodging at night. 우리들과 하룻밤을 함께 묵었다 / Won't you have lunch with us? — Thank you ; I'd rather not ~ just now. 함께 점심을 드실까요 — 아니오, 고맙지만 지금은 생각이 없는데요. **2** [+*of*+名] 다소 (…한) 성질이 있다, 기미가 있다 : His words ~ ***of*** regret. 그의 말투에는 다소 후회의 기미가 엿보였다. —— *vt.* 《古》 함께 하다, …에 참여하다(take part in).
〖역성(逆成) ‹ *partaker*=*part taker*〗
類義語 ⟹ SHARE¹.

par·ták·er *n.* 분담자, 관여자, 동반자 ; 관계자, (고락 따위를) 함께 하는 사람‹*of*, *in*›.

par·tan [páːrtn] *n.* 《스코》〖動〗 유럽산 대형 은행게의 일종《식용》. 〖Sc. Gael.〗

párt·ed *a.* **1** 갈라진, 찢어진 ; 따로따로 떨어진 ; 부분으로 나누어진 ;〖紋〗 중앙에서 세로로 갈라진. **2** [보통 복합어를 이루어]〖植〗 심렬(深裂)의《잎 따위》. **3** 《古》 죽은.

par·terre [pɑːrtéər] *n.* 여러 가지 모양[크기]의 화단이 있는 정원 ; 《美》 =PARQUET CIRCLE.
〖F *par terre* on the ground〗

párt-exchànge *n.*, *vt.* 신품(新品)의 대금 일부로 중고품을 인수하기[인수하다].

par·then- [páːrθən], **par·the·no-** [páːrθənou, -nə] *comb. form* 「처녀」의 뜻.
〖Gk. *parthenos* virgin〗

pártheno·càrpy *n.*〖植〗 단위(單爲) 결실[결과] 《수정하지 않은 결실》. **pàrtheno·cárpic** *a.*

pàrtheno·génesis *n.* Ⓤ〖生〗 단위[처녀] 생식 ; 처녀 수태.

pàrtheno·genétic *a.*〖生〗 단위[처녀] 생식의.

par·the·nog·e·none [pàːrθənádʒənòun] *n.* 단위[처녀] 생식이 가능한 생물[인간].

Par·the·non [páːrθənàn, -nən] *n.* [the ~] 파르테논《그리스 Athens의 Acropolis 언덕 위에 있는 여신 Athena 의 신전(神殿)》.

Par·thia [páːrθiə ; -θjə] *n.* 파르티아《카스피해 남동쪽에 있던 옛 왕국》.

Pár·thi·an *a.* **1** 파르티아 (사람)의. **2** (파르티아 사람 기병이 퇴각할 때 뒤를 향해 화살을 쏜 데서) 헤어질 때의 : ~ glance 이별의 일별(一瞥). —— *n.* 파르티아 사람 ; 파르티아 사람이 쓰던 페르시아어(語).

Párthian shót[**sháft**] *n.* 마지막 한개의 화살 ; 떠날 때 내뱉는 독설.

par·ti [pɑːrtíː] *n.* (*pl.* **~s** [-z]) (결혼의) 이상적인 상대. 〖F〗

***par·tial** [páːrʃəl] *a.* **1** 일부(분)의, 부분적인(↔ *total*) ; 불완전한 : a ~ eclipse〖天〗 부분식 / ~ fractions〖數〗 부분 분수. **2** 편파적인, 불공평한. **3** 좋아하는 : He is ~ *to* sports. 스포츠를 좋아한다. **4**〖植〗 차생(次生)의, 이차의 : a ~ leaf 후생엽(後生葉).

〈회화〉
What do you think of the new teacher? — I think he's *partial* to female students. 「새로 오신 선생님을 어떻게 생각하니」「여학생을 편애하는 것 같아」

—— *n.*〖樂〗 부분음(音) ;〖數〗 =PARTIAL DERIVATIVE ; 《口》 =PARTIAL DENTURE. —— *vt.* [보통 ~ out] (통계상의 상관에서 연관하는 변수의) 영향을 제거하다. **~·ness** *n.*
〖OF‹L ; ⇨ PART〗

pártial dénture *n.*〖齒〗 부분(상(床)) 의치.

pártial derívative *n.*〖數〗 편도함수.

pártial differentiátion *n.*〖數〗 편미분(법).

par·ti·al·i·ty [pàːrʃiǽləti, 美+pɑːrʃǽl-] *n.* **1** Ⓤ 부분적인 일[것], 국부성(局部性). **2** Ⓤ 편파, 불공평, 치우치기. **3** 좋아하기, 편애‹*for*, *to*› : He has a ~ *for* sweets. 단 것을 좋아한다.
類義語 ⟹ PREJUDICE.

pártial·ly *adv.* **1** 부분적으로, 불충분하게(cf. PARTLY) : The attempt was only ~ successful. 그 시도는 부분적인 성공밖에 거두지 못했다. **2** 불공평하게 : judge ~. 불공평하게 재판하다.

pártial negátion *n.*〖文法〗 부분 부정.

pártial préssure *n.*〖理·化〗 부분 압력.

pártial próduct *n.*〖數〗 부분곱.

pártial súm *n.*〖컴퓨〗 부분합.

Pártial Tést Bàn Tréaty *n.* 부분적 핵실험 금지조약.

pártial tòne *n.*〖樂〗 부분음.

par·ti·ble [páːrtəbəl] *a.* 분할할[나눌] 수 있는.

par·ti·ceps crì·mi·nis [páːrtəsèps krímənəs] *n.*〖法〗 공범자(accomplice in crime). 〖L〗

par·tic·i·pance, -cy [pɑːrtísəpəns(i)] *n.* = PARTICIPATION.

par·tíc·i·pant *a.* 참가하는, 함께하는, 한몫끼는, 관계하는‹*of*›. —— *n.* 참가자, 참여자, 출장자, 관계자, 협동자.

partícipant observátion *n.*〖社〗 참여적 관찰(법(法)).

par·tic·i·pate** [pɑːrtísəpèit, 美+pər-] *vi.* [+前+名] **1** 관여하다, 관계하다, 참가하다 : The teacher ~*d* ***in the pupils' games. 선생님도 학생들의 놀이에 참가하셨다 / She ~*d* ***with*** her friend *in* her sufferings. 그녀는 친구와 괴로움을 함께 했다. **2** (특성 따위를) 어느정도 가지다, …의 기미가 있다 : The drama ~*s* ***of*** the nature of farce. 그 연극에는 얼마간 희극적인 데가 있다. —— *vt.* 《古》 (남과 …을) 함께 하다‹*with*›.
par·tíc·i·pà·tive *a.*
〖L (*particip-* *particeps* taking PART)〗
類義語 ⟹ SHARE¹.

par·tíc·i·pàt·ing insùrance *n.* 이익 배당부 보험(保險).

partícipating preférred *n.*〖證〗 이익 배당 우선주《소정의 우선 배당외에 여분의 이익이 생겼을 때 보통 주(株)와 함께 추가배당을 받을 수 있는 조건의 것》.

par·tìc·i·pá·tion *n.* Ⓤ 참여, 관계.

participátion·al *a.* 관객[관중]이 참가하는《연극·전시회》.

par·tíc·i·pà·tor *n.* 《稀》 =PARTICIPANT.

par·tic·i·pa·to·ry [pɑːrtísəpətɔ̀ːri, pər-; pɑːtìsəpéitəri] *a.* (개인) 참가 (방식)의 : ~ democracy 참가 민주주의.

partícipatory théater *n.* 관객 참가 연극.

par·ti·cip·i·al [pɑ̀ːrtəsípiəl] *a.* 〖文法〗 분사의.
—— *n.* 분사 형용사 ; =PARTICIPLE.
~·ly *adv.* 분사로서.

participial ádjective *n.* 〖文法〗 분사 형용사 《동사의 현재 분사·과거 분사가 형용사의 역할을 하는 것 ; 보기 an *interesting* story / a *distinguished* scholar》.

participial constrúction *n.* 〖文法〗 분사구문.

***par·ti·ci·ple** [pɑ́ːrtəsìpəl] *n.* 〖文法〗 분사 : a present[past] ~ 현재[과거]분사.
〚OF *participe, participle*＜L ; ⇨ PARTICIPATE〛

pár·ti·cì·pled *a.* 《俗》 엄청난, 터무니없는(= damned).

***par·ti·cle** [pɑ́ːrtikəl] *n.* **1** (미(微))분자, 입자(粒子). **2** 작은 조각, 극소량, 티끌 : He has *not a* ~ *of* malice to you. 그는 너에게 티끌 만큼도 악의가 없다. **3** 〖理〗 (소)입자((素)粒子) : an elementary ~ 소립자. **4** 〖文法〗 불변화사(不變化詞) 《부사의 일부·관사·전치사·접속사·감탄사 따위 어미 변화가 없는 품사》 ; 접두(接頭)[접미(接尾)]사(辭) 《*un-*, *out-* ; *-ness*, *-ship* 따위》 : adverbial ~*s* 부사적 불변화사《on, in, out, over, off, away 따위》.
〚L (dim.)＜*pars* PART〛

párticle accèlerator *n.* 〖理〗 분자 가속기, 입자 가속기.

párticle bèam *n.* 〖理〗 **1** 입자선(粒子線), 입자빔. **2** (빔병기로부터 발사되는) 하전(荷電) 입자선(의 선속(線束)).

párticle-bèam wèapon *n.* 입자 빔 병기《광선 병기의 일종》.

párticle·bòard *n.* U,C 파티클보드《건축용(用) 합판》.

párticle phỳsics *n.* 입자 물리학(high-energy physics).

par·ti-cólor, par·ti-cólored, par·ty- [pɑ̀ːr-ti-] *a.* 잡색의, 얼룩덜룩한, 갖가지색으로 물들인 ; 《비유》 다채로운(diversified), 파란 많은.

‡**par·tic·u·lar** [pərtíkjələr] *a.* **1** 특별한, 특수한, 특정의, 다름 아닌, …에 한한, 특히 이[그]… : on that ~ day 마침 그날에 (한하여). **2** 개개의 ; 각자의, 특유한, 독특한. **3** 각별한, 현저한 : There is no ~ evidence. 이렇다할 증거는 아무것도 없다. **4** 상세한, 자세한 : give a full and ~ account of a thing 어떤 일을 낱낱이 설명[보고]하다. **5** [+前+*wh.* 節·句] 꼼꼼한, 깔끔한 ; 까다로운, 괴팍한 : He is very ~ ***about*** food. 음식에 대해서 까다롭다 / You ought to be more ~ ***as to*** *whom* you trust. 더욱 꼼꼼히 확인하고 나서 남을 신용하지 않으면 안된다. **6** 〖論〗 특칭(特稱)의(↔*universal*) ; 특수한(↔*general*) : a ~ proposition 특칭 명제.
—— *n.* **1** 개개의 일, (…한) 점 ; 사항, 세목(細目) (item) : exact in every ~ 더할 나위 없이 정확한. **2** [*pl.*] 상세, 세밀, 전말, 명세(details) : give ~*s* 상세히 설명하다 / go[enter] into ~*s* 상세한 점에까지 미치다. **3** 특색, 명물 : the London ~ 런던의 명물《안개 따위》. **4** [the ~] 〖論〗 특칭(特稱), 특수(cf. GENERAL *n.* 5) : reason from the general to *the* ~ 일반적인 것에서 특수한 것을 추론해내다.
in particular 특히(particularly), 그중에서도 ; 상세히 : Why did you choose that day *in* ~? 왜 당신은 특별히 그날을 택했습니까.

〈회화〉
I have nothing *in particular* to do this evening. — Good. Than, let's go bowling. 「오늘 저녁에는 특별히 할 일이 없어」「좋아. 그럼 볼링하러 가자」

〚OF＜L ; ⇨ PARTICLE〛
類義語 (1) (*a.*) ⟹ SPECIAL, DAINTY.
(2) (*n.*) ⟹ ITEM.

partícular áverage *n.* 〖海上保險〗 단독 해손(海損)《공동 해손 이외의 해손》.

Partícular Báptist *n.* 〖宗〗 특정 침례교도.

partícular·ìsm [, 美+pɑːr-] *n.* 지방주의, 자기 중심주의, 당파심, 배타주의 ; 《美》 (연방의) 각주 독립주의 ; 〖神學〗 특수 신총(神寵)[속죄]설《신의 은총[속죄]이 특정한 개인에 한정된다는 설》.
-ist *n.* particularism의 옹호자.

par·tic·u·lar·i·ty [pərtìkjəlǽrəti, 美+pɑːr-] *n.* **1** U 특별, 독특 ; 특수성. **2** U 상세 ; 정밀, 세심한 주의 ; [때때로 *pl.*] 상세한 사항. **3** U 까다로움, 꼼꼼함. **4** 사사로운 일.

partícular·ìze [, 美+pɑːr-] *vt.*, *vi.* 특수화(化)하다 ; 상세하게[일일이] 말하다[열거하다].
partìcular·izátion *n.* U 특수화 ; 상술 ; 열거.

‡**partícular·ly** [, 美+pɑːr-] *adv.* **1** 특히, 특별히, 특수하게 ; 현저히 : I ~ asked him to be careful. 그에게 신중하도록 특별히 부탁했다 / Do you want to go? — No, not ~. 너는 가고 싶니 — 아니, 별로. **2** 낱낱이 ; 상세히.
類義語 ⟹ ESPECIALLY.

par·tic·u·late [pərtíkjələt, -lèit, 美+pɑːr-] *a.* 입자(粒子)의, 인자(因子)의. —— *n.* 미립자.

partículate inhéritance *n.* 〖遺〗 입자 유전(粒子遺傳).

par·tie car·rée [*F* parti kare] *n.* (남녀 둘씩의) 4인조. 〚F=square party〛

párt·ing *n.* **1** U,C 고별(departure), 이별, 사별(死別) : on ~ 작별에 임하여 / I still remember his words at our ~. 이별할 때 한 그의 말을 아직도 나는 기억하고 있다. **2** 분할, 분리 ; 〖治〗 분금(分金). **3** 《英》 (머리털 따위) 가리마 ; 분기점, 분계, 분할선.
the parting of the ways 갈림길 ; 《비유》 (중요한 선택 따위의) 기로(岐路).
—— *a.* **1** 사라져[저물어] 가는 : the ~ day 해질녘. **2** 나누는, 분할[분리]하는 : a ~ line 분할선(線). **3** 이별의, 고별의 ; 최후의 ; 임종의 : a ~ present[gift] 이별[고별]의 선물 / drink a ~ cup 이별주를 나누다.

párting shòt *n.* =PARTHIAN SHOT.

par·ti pris [*F* parti pri] *n.* (*pl.* **par·tis pris** [—]) 선입관, 편견.

Par·ti Qué·be·cois [*F* parti kebɛkwa] *n.* (캐나다의) 퀘벡 당《프랑스계 주민이 Quebec 주의 분리 독립을 요구하는 정당》.

par·ti·san¹, **-zan** [pɑ́ːrtəzən, -sən ; pɑ̀ːtizǽn, ∸-∸] *n.* 도당, 한동아리, 당파심이 강한 자 ; 〖軍〗 별동[유격] 대원, 빨치산, 게릴라 대원. —— *a.* 당파심이 강한 ; 〖軍〗 유격[별동]대의, 빨치산의, 게릴라 대원의 : ~ spirit 당파심[근성] / ~ politics 파벌 정치. **~·shìp** *n.* U 당파심, 당파심이 강한 근성 ; 가담 ; 파벌.
〚F＜OIt. (*parte* faction＜PART)〛

par·ti·san², **-zan** [pɑ́ːrtəzən] *n.* 〖史〗 미늘창《창의 일종》 ; (중세의) 창병(槍兵).
〚F＜It. =halberd ; ⇨ PART〛

par·ti·ta [pɑːrtíːtə] *n.* (*pl.* **~s, -te** [-tei]) 〖樂〗 파르티타《변주곡 또는 조곡(組曲)의 일종》. 〚It.〛

par·tite [páːrtait] *a.* [보통 복합어를 이루어] 분열된, …로 나누어진 ; 〖植〗 심렬(深裂)의 ; 관계자[국(國)]가 …인. 〚L (↓)〛

par·ti·tion [pɑːrtíʃən, pər-] *n.* Ⓤ 칸막이하기, 분할, 분배 ; Ⓒ 칸막이, 격벽(隔壁) ; 구획, 칸막이한 부분 ; 〖컴퓨〗 가르기. ── *vt.* [+目/+目+*into*+名] 분할[분배]하다 ; 칸막이하다 ⟨*off*⟩ : ~ a house ***into*** rooms 집을 여러 방으로 나누다. 〚OF<L *partit- partior* to divide〛

partítion·ìst *n.* 분할주의자.

partítion wàll *n.* 칸막이벽, 격벽.

par·ti·tive [páːrtətiv] *a.* 구분하는 ; 〖文法〗 부분을 나타내는. ── *n.* 〖文法〗 부분사(部分詞). **~·ly** *adv.* 구분적으로 ; 〖文法〗 부분사로서.

pártitive génitive *n.* 〖文法〗 부분 속격(屬格).

part·let[1] [páːrtlət] *n.* 파틀렛《16세기에 유행한 여성용의 옷깃이 달린 배자》. 〚변형(變形)<ME *patelet*<OF〛

partlet[2] *n.* 《古》 암탉 ; [흔히 Dame P~] (고유 명사로서) 암탉님. 〚OF *Pertelote*〛

***párt·ly** *adv.* 부분적으로, 조금은, 얼마간은(cf. PARTIALLY) : The cottage was ~ destroyed by the landslide. 그 시골집은 산사태로 반파(半破)되었다.

párt mùsic *n.* 〖樂〗 보통 반주가 없는 2성부(聲部) 이상의 합창 음악.

part·ner** [páːrtnər] *n.* **1** 〖法〗 (출자) 조합원, 사원 : an acting[an active, a working] ~ 근무 사원 / ☞ SILENT[SLEEPING] PARTNER / a limited ~ 유한 책임 사원 / a predominant ~ 우선(優先) 사원. **2** 동료, 짝패, 한동아리. **3** 배우자《아내, 남편》. **4** 파트너, (댄스 따위의) 상대(방), (놀이 따위의) 상대편, (자기와) 짝이 되는 사람. ── *vt., vi.* [+目/+目+前+名] 제휴시키다, 짝지우다 ; …의 조합원[사원]이 되다 : ~ one person ***with another 어떤 사람을 다른 사람과 짝지우다. 〚변형(變形)⟨*parcener* ; 어형은 *part*에 준한 것〛

pártner·less *a.* 사원[배우자, 상대]가 없는.

***pártner·shìp** *n.* **1** Ⓤ 공동, 협력, 제휴, 조합 영업. **2** Ⓤ,Ⓒ 〖法〗 조합(계약) ; Ⓒ 합명회사, 상사(商社) : a general ~ 합명 회사 / a limited[special] ~ 합자 회사 / buy a ~ 출자하여 조합원이 되다.
enter into*[*take into*] *partnership 한패[동아리]에 들어가다[넣어 주다].
in partnership with …와 합명[합자]으로 ; …와 협력하여.

par·ton [páːrtɑn] *n.* 〖理〗 파톤《핵자(核子)의 구성 요소가 된다고 하는 가설(假說) 입자》.

partook *v.* PARTAKE의 과거형.

párt òwner *n.* 〖法〗 공동 소유자(co-owner).

párt pàyment *n.* 〖商〗 일부 지급, 내금(內金).

par·tridge [páːrtridʒ] *n.* **1** (*pl.* ~, ~**s**) 〖鳥〗 **a)** 메추라기류(類)의 엽조. **b)** 콜린메추라기. **c)** 티나무(tinamou). **2** =PARTRIDGEWOOD. **3** 황갈색. 〚OF *perdriz*<L<Gk. *perdic- perdix* ; *-dge*는 cf. CABBAGE〛

partridge 1 a)

pártridge·bèrry *n.* 〖植〗 (북미산) 호자덩굴의 일종 ; 그 열매 ; 꼭두서니과(科)의 식물.

pártridge·wòod *n.* 안디라나무에서 얻는 무늬가 있는 붉고 단단한 목재《가구·지팡이용》.

párt-sìng·ing *n.* 〖樂〗 중창(법).

párts of spéech *n.* 〖文法〗 품사.

párt-sòng *n.* 파트송《4부로 보통 반주 없는 제창(homophony) 형식에 의한 합창곡》.

párt tíme *n.* 전(全)시간(full time)의 일부, 파트타임, 평상 시간의 일부.

párt-tìme *a.* 파트 타임의, 비상근(非常勤)의, 정시제의(cf. FULL-TIME, HALFTIME) : a ~ teacher 시간[겸임·비상근] 강사 / a ~ high school 정시간제(定時間制) 고등학교 / on a ~ basis 시간급(給)으로. ── *adv.* 파트타임[비상근, 정시제 학교의 학생]으로.

pàrt-tímer *n.* 파트 타임 근무자 ; 정시간제 학교의 학생.

par·tu·ri·ent [pɑːrtjúriənt ; -tjúə-] *a.* 아이를 낳는, 출산[해산]의, 분만의 ; (아이 낳을) 달이 찬 ; (사상·문학 작품 따위) 내놓으려고[발표하려고] 하는, 내포하고 있는. **-en·cy** *n.* 〚L (*part- pario* to bring forth)〛

par·tu·ri·fa·cient [pɑːrtjùrəféiʃənt ; -tjùə-] *a.* 분만을 촉진하는. ── *n.* 분만 촉진제(劑).

par·tu·ri·tion [pɑ̀ːrtəríʃən, -tʃə-, -tju- ; -tjuə-] *n.* Ⓤ 출산, 분만.

párt·wáy *adv.* (거리상으로 보아) 중도까지, 중도에 ; 일부분은, 부분적으로.

párt·wòrk *n.* 분책 형식으로 배본되는 출판물.

◇**par·ty**[1] [páːrti] *n.* **1** 파(派), 당파, 정당 ; [the P~] (특히) 공산당. **2** Ⓤ 파벌(partisanship) ; 당파심 ; 정당 정치. **3** (사교상의) 회합, 모임, 파티 : give[have, hold, throw] a ~ 파티를 열다 / make up a ~ 모여서 파티를 하다 / a birthday ~ 생일 축하회. **4** 일행, 한패거리, 동아리. **5** 〖軍〗 분견대 ; 부대. **6** 〖法〗 당사자, 상대방 ; 일당, 공범 ; 우군(友軍), …측(側) ; (일반적으로) 관계자, 당사자 : the *parties* (concerned) 당사자들 / an interested ~ 〖法〗 이해 관계자 / a third ~ 제삼자 / be[become] a ~ *to* …에 관계하다. **7** 《口》 (국제 전화 따위의) 통화자 ; 《口·戲》 (문제의) 특정인, 사람(person) : He's quite a crafty old ~. 그는 만만치 않은 교활한 늙은이다.
make one's party good 자기의 주장을 관철하다[입장을 좋게 만들다].
── *a.* **1** 정당의, 당파의 : ~ government 정당 정치 / a ~ government 정당 내각. **2** [*pred.*로 써서] …에 관계[관여]하는 ⟨*to*⟩ ; [*attrib.*로 써서] 공유[공용]의 : a ~ verdict 공동 의견[답신]. **3** 파티에 어울리는 ; 사교를 좋아하는.
── *vt.* 《美俗》 연회를 열어 대접하다.
── *vi.* 《美口》 파티에 나가다, 파티를 열다 ; 《美俗》 파티에서 즐겁게 놀다, 법석을 떨다.
party out 《美口》 파티에서 지치도록 놀다.
〚OF<Rom. ; ⇨ PART〛
類義語 ⟹ COMPANY.

party[2] *a.* 〖紋〗 (바탕무늬가) 둘로 나누어진. 〚OF<L ; ⇨ PART〛

párty bòy *n.* 《美俗》 놀기만 하는 남학생 ; 경박한 사람.

párty càll *n.* 파티 후의 답례 방문.

party-colored ☞ PARTI-COLORED.

párty-còlumn bállot *n.* =INDIANA BALLOT.

párty decomposition *n.* 〖政〗 정당의 부패화.

párty gìrl *n.* (특히 파티 따위에서) 남자 접대역으로 고용된 여자, (특히) 매춘부 ; 《美俗》 파티에나

다니며 놀기만 하는 여학생.
párty·gò·er *n.* 파티 따위에 자주 드나드는 사람.
párty·ism *n.* Ⓤ 당파심 ; [흔히 복합어를 이루어] …정당주의.
párty lìne *n.* **1** (전화의) 공동가입선 ; (인접지와의) 경계선. **2** [⌐⌐] (정당의) 정책 방침, 시정 방침, 주의 ; [보통 the ~] 공산당의 정책, 당강령, 당[정치]노선.
párty-líner *n.* 당의 정책[노선]에 충실한 사람《특히 공산당의》.
párty màn *n.* 정당인(政黨人), 당원.
párty òrgan *n.* 정당 기관지.
párty píece *n.* [one's ~] (파티 따위에서 하는) 장기(長技)《익살, 농담 따위》.
párty plàn sélling *n.* 파티를 열어 판매하는 방식(方式).
párty plátform *n.* 정당 강령.
párty pólitics *n.* 당을 위한 정치 (행동), 당략.
párty pòop(er) *n.* 《美俗》 (연회의) 흥을 깨는 사람(killjoy, spoilsport, wet blanket).
párty spírit *n.* 당파심, 당원 근성.
párty-spírit·ed *a.* 당파심이 강한.
párty vòte *n.* 정당의 정책 방침에 의한 투표.
párty wáll *n.* (인접지 또는 인접 가옥과의) 경계벽, 공유벽, 칸막이벽.
párty whíp *n.* 〔議會〕 원내 총무.
pa·rure [pərúər] *n.* (몸에 지니는) 한 벌의 보석[장신구].
pár válue *n.* (증권 따위의) 액면 가격(額面價格) (face value).
par·ve·nu [páːrvənjùː] *n.* (*fem.* **-nue** [—]) 성금 ; 벼락 부자, 벼락 출세자(upstart). —— *a.* 벼락 출세자의 ; 성금식의.
〖F (p.p.)〈*parvenir* to arrive<L (*venio* to come)〗
par·vis, -vise [páːrvəs] *n.* 교회[사원]의 앞뜰 [현관].
par·vo·vírus [pàːrvou-] *n.* 〔醫〕 파보바이러스 《DNA를 함유한 바이러스》.
par·y·lene [pǽrəliːn] *n.* 〔化〕 파릴렌《파라크실렌에서 유도되는 플라스틱》.
pas [páː] *n.* (*pl.* ~ [-*z*]) 우선권, 상좌(上座)[석(席)] ; 무용[발레]의 스텝.
give the pas to …에게 상좌[석]를 양보하다.
take [***have***] ***the pas of*** …의 상좌에 앉다, …보다 앞서다.
〖F=step〗
Pas., pas. 〔理〕 pascal.
PAS [pìːèiés] para-aminosalicylic acid《파스 ; 결핵 치료제》. **P.A.S.** Pan American Society.
pas·cal [pæskǽl] *n.* **1** 〔理〕 파스칼《압력의 SI 조립 단위 : 1 pascal=1 newton / m², =10 μ bar ; 기호 Pa, Pas., pas. ; cf. SI UNIT》. **2** [P~ 또는 PASCAL] 〔컴퓨〕 파스칼《ALGOL의 유파(流波)에 따르는 프로그램 언어》. 〖↓〗
Pascal *n.* 파스칼. **Blaise** ~ (1623-62) 프랑스의 수학자·물리학자·철학자.
Pasch [pǽsk ; páːsk], **Pas·cha** [pǽskə ; páːskə] *n.* 《古》 유월절(逾越節) (Passover) ; 《古》 부활절(Easter). 〖L<Gk.<Aram.〗
pas·chal [pǽskəl ; páːs-] *a.* [때때로 P~] (유태인의) 유월절(逾越節) 축제(Passover)의 ; 부활절 (Easter)의. 〖OF (↑)〗
páschal lámb *n.* [때때로 P~] 유월절 축제의 양새끼 ; [the P~ L~] 그리스도.
pas de deux [pàː də dɔ́ː, -dúː] *n.* (*pl.* ~) 〔발레〕 대무(對舞), 이인무(二人舞) ; 《비유》 (두 사람 사이의) 복잡한 관계, 갈등, 알력.
〖F=step for two〗
pas de trois [pàː də trwáː, -trəwáː] *n.* (*pl.* ~ [-*z*]) 〔발레〕 3인 무도.
〖F=step for three〗
pa·seo [pɑːséiou] *n.* (*pl.* ~**s**) 산책, 소풍 ; 큰길 ; 넓은 가로수길. 〖Sp.〗
pash[1] [pǽʃ] *n.* 《古·方》 세게 치기 ; 쿵 떨어짐. —— *vt., vi.* 내동댕이치다 ; 세게 치다.
〖ME *passhen* to throw with violence〗
pash[2] *n.* 《俗》 (여학생적인) 열중〈*for*〉; 열중하는 대상 : have a ~ *for* (선생님 등)에 열중해 있다.
〖*passion*〗
pash[3] *n.* 《스코》 머리(head). 〖C17<?〗
pa·sha, -cha [páːʃə, pǽʃə, pəʃáː] *n.* [때때로 P~] (터키 및 이집트의) 주지사, 군사령관.
〖Turk. (*baş* head, chief)〗
pa·sha·lic, -cha·lic, -lik [pəʃáːlik, páːʃəlik] *n.* Ⓤ PASHA의 관구[관할권].
pa·so do·ble [páːsou dóublei, pǽsou-] *n.* (*pl.* ~**s** [-z]) 파소 도블레《투우사 입장 시 따위에 연주되는 활발한 행진곡 ; 이에 맞추어 추는 춤》.
〖Sp.〗
Pasok Panhellenic Socialist Movement(전(全)그리스 사회주의 운동).
pásque·flòwer [pǽsk-] *n.* 〔植〕 할미꽃의 일종.
〖F *passe-fleur* ; 어 형(語形)은 *pasque*=*pasch* Easter에 동화(同化)〗
pas·quin·ade [pæ̀skwənéid] *n.* 풍자문(文) (lampoon), 풍자, 비꼼(satire). —— *vt.* 풍자로 공격하다, 비꼬다. 〖It. (*Pasquino* Rome에 있는 조상(彫像)으로 한 해에 한 번 풍자문 따위를 붙임)〗
◇**pass** [pǽ(ː)s ; páːs] *vi.* **1** [動/+副/+前+名] 통과하다, 지나다, 움직이다, 나아가다 : Nobody ~*ed* ***by***. 아무도 지나간 사람은 없었다 / *P~* ***on,*** please. 자, 앞으로 지나가십시오 / I ~*ed* ***by*** [***behind, in front of***] her. 그녀의 옆[뒤, 앞]을 지나갔다(cf. *vt.* 1) / The policeman ~*ed* ***from*** house ***to*** house. 경찰관이 집집마다 돌아다녔다.
2 (때가) 지나다, 경과하다 : Two years have ~*ed* since he left for France. 그가 프랑스로 떠난 지 2년이 지났다.
3 [+前+名] **a**) (…으로) 되다, 변화[변형]하다 : Water ~*es* ***into*** steam when it is heated. 물은 가열하면 증기로 된다 / The culture of the land ~*ed* ***from*** a primitive stage ***to*** the more civilized state. 그 나라의 문화는 원시적인 단계에서 보다 문명화된 상태로 변화되어 갔다. **b**) (재산 따위가 타인의 손에) 넘어가다 : The estate ~*ed* ***to*** one of his relatives. 그 부동산은 그의 친척 중의 한 사람에게 넘어갔다. **c**) (순서·권리 따위에 의해서 당연히) 귀속하다〈*to*〉.
4 [動/+前+名] 통용하다[되다] (be current) : A picture like this won't ~ ***as*** a genuine Rembrandt at all. 이와 같은 그림은 결코 렘브란트의 진품으로는 통하지 않을 것이다 / He ~*es* ***by*** the name of Smith. 그는 스미스라는 이름으로 통한다.
5 a) [+前+名/+*as* 補] 간주되다, 인정되다 : He ~*ed* in those days ***for*** an ignorant man. 그 당시에 그는 무지한 사나이로 여겨졌었다 / These articles would ~ *as* relics from Pompeii. 이 예술품들은 폼페이 폐허의 유물이라 해도 믿을 것이다. **b**) (의안 따위가) 통과하다 : The Bill will ~ by the end of this month. 이달말까지는 의안이 통과될 것이다. **c**) 합격[급제]하다.

6 [+*on*+名] (판결이) 내려지다, (의견 따위가) 진술되다, (감정(鑑定)이) 내려지다 ; (재판관이) 판결을 내리다 : The judge ~*ed* (***up***)***on*** the contestant. 재판관은 그 이의(異議) 신청인에게 판결을 내렸다.
7 소멸하다, 끝나다, 그치다, 조용해지다 ; 죽다 (cf. PASS *away*) : The storm ~*ed*. 폭풍이 그쳤다 / The old priest ~*ed* in peace. 그 노(老)목사는 편안하게 숨을 거두었다.
8 [動/+前+名] (일이) 일어나다 : Nothing ~*ed* ***between*** Mary and me. 메리와 나 사이에는 아무일도 없었다.
9 너그러운 취급을 받다 : The boy is naughty, but let that ~. 그 소년은 장난꾸러기지만 그건 그렇다고 하자.
10 〔카드놀이〕 패스하다《기권하여 다음 차례로 돌림》; 〔球技〕 공을 패스하다.
11 〔펜싱〕 찌르다〈*on, upon*〉.
12 대변을 보다, 통변하다.
— *vt.* **1** 통과하다, 지나가다 ; …보다 앞서 나가다, 가버리다 : Have we ~*ed* Taejŏn yet? 벌써 대전을 지났습니까 / I ~*ed* Mr. White on the road. 길에서 화이트씨 곁을 지나쳤다. 注 주로 pass by…(☞ *vi.* 1)는 무의식적으로 통과하는[지나치는] 경우에 쓰이며, pass…는 행동 그 자체를 강조함.
2 …(의) 가운데를 지나다, 넘어가다, 가로지르다, 건너다 ; …으로 들어가다, …에서 나오다 : They managed to ~ the dangerous section of the road. 그들은 가까스로 길의 위험한 곳을 지나갔다 / This information has not yet ~*ed* my lips. 이 정보를 아직 내 입 밖에 낸 일이 없다.
3 [+目+前+名] 움직이다, (넘겨)주다 : Pass the rope (***a***)***round*** your waist. 밧줄을 허리에 감으시오 / Will you please ~ your eye ***over*** this letter? 이 편지를 보아 주시지 않겠습니까 / She ~*ed* her hand *over* her face. 그녀는 손으로 얼굴을 매만졌다.
4 (시간을) 보내다, 지내다 : I ~*ed* the hours pleasantly. 몇 시간을 즐거이 보냈다.
5 [+目/+目+目/+目+副/+目+*to*+名] 건네다, 건네 주다, (재산 따위를) 양도하다 ; (식탁에서 음식 따위를) 돌리다 : Will you ~ (me) the pepper? (내게) 후추 좀 건네 주시겠어요 / The photograph was ~*ed* (***a***)***round*** for everyone to see. 그 사진을 모두가 돌려가며 보았다 / *P*~ this note ***on to*** the boss. 이 메모를 상관에게 전해 주세요 / Please ~ this note *to* the man in the corner. 이 편지를 모퉁이에 있는 사람에게 건네 주세요.
6 유통[통용]시키다 : ~ forged coins 위조 화폐를 사용하다.
7 넘다, 초월하다, …보다 우월하다(excel) : His strange story ~*es* belief. 그의 이상한 이야기는 믿을 수 없다 / That ~*ed* my comprehension. 내 머리로서는 이해할 수 없는 일이었다.
8 승인하다, 가결하다 ; (법안이 의회를) 통과하다 : The Commons ~*ed* the Bill. 하원은 그 법안을 가결했다 / The new law ~*ed* the City Council. 새로운 법안은 시의회를 통과했다.
9 합격하다[시키다] ; 너그럽게 봐주다 : ~ degree 〔英大學〕 (우등이 아니고) 보통 성적으로 대학을 졸업하다(cf. PASS DEGREE) / ~ muster ☞ MUSTER 숙어 / Has he ~*ed* his examination? 그는 시험에 합격했습니까 / Our teacher did not ~ some of us. 선생님은 우리들 중의 몇 사람을 합격시켜 주지 않았다.
10 a) [+目+*on*+名/+目] (판결을) 선고하다 ; (판단을) 내리다 ; (의견을) 말하다 : A judge ~*es* sentence (***up***)***on*** guilty persons. 재판관은 죄지은 자에게 판결을 내린다 / He ~*ed* an optimistic view. 그는 낙관적인 의견을 말했다. **b**) (말을) 하다 : ~ a remark 말을 하다. **c**) 보증하다, 맹세하다 : ~ one's word[oath] 장담[맹세]하다.
11 빠뜨리다, (배당금의) 지급을 생략하다 (omit) : ~ a dividend ☞ DIVIDEND 1.
12 〔球技〕 (공을) 패스하다 ; 〔野〕 (사구로 타자를) 1루에 걸어나가게 하다.
13 배설하다.
14 (마술에서) 바꿔치다.

〈회화〉
How did you *pass* the evening? — I *passed* the time watching TV till eleven o'clock. 「저녁을 어떻게 보냈니」「11시까지 텔레비전을 보면서 시간을 보냈어」

let. . .pass …을 너그럽게 보아주다, 탓하지 않다(cf. *vi.* 9).
pass away (1) (*vi.*) 가다, 떠나다, 가버리다 ; 끝나다 ; 없어지다, 죽다(☞ DIE[1] 類義語) ; (때가) 지나다 ; 폐지되다. (2) (*vt.*) (시간을) 보내다 ; 양도하다.

〈회화〉
My aunt *passed away* last month. — I'm sorry to hear that. 「숙모님은 지난 달에 돌아가셨어」「안됐구나」

pass by (1) (*vi.*) (…곁을) 지나치다, 통과하다 (cf. ☞ *vi.* 1) ; (때가) 지나가 버리다. (2) (*vt.*) 너그러이 보아주다 ; 빠뜨리다, 못보고 넘어가다 ; 무시하다.
pass by on the other side 〔聖〕 (남을) 도와주지 않다, 동정하지 않다.
pass current ☞ CURRENT *a.* 2.
pass (. . .) ***in review*** ☞ REVIEW *n.*
pass off (1) (*vi.*) 차차로[점점] 시들어가다[없어지다] ; (행동 따위가) 끝나다, (사건이) 일어나다 : The conference ~*ed off* well. 회의는 잘 진행되었다. (2) (*vt.*) (엉터리 물건 따위를 …에게) 넘겨주다, 바가지 씌우다 ; (…으로) 행세하다 : He ~*ed* him*self off as* a poet. 시인으로 행세했다. (3) (*vt.*) (그 자리를) 얼렁뚱땅 넘기다, 얼버무리다 : He managed to ~ *off* the shower of questions. 질문 공세를 그럭저럭 받아 넘겼다.
pass on (*vi.*) (그대로) 지나쳐 버리다(cf. *vi.* 1), (시간이) 경과하다 ; (*vt.*) 다음으로 돌리다 (cf. *vt.* 5), 전하다 ; 〔펜싱〕 찌르다(thrust).
pass one***'s lips*** (말 따위가) 입 밖에 나오다(cf. *vt.* 2) ; (음식 따위가) 입으로 들어가다.
pass out (1) 배포하다. (2) 나가다. (3) 《口》 의식을 잃다, 기절하다 ; 《口》 술취해 곯아 떨어지다 ; 《비유》 죽다. (4) 《英》 (육군 사관학교를) 졸업하다[시키다].
pass over (1) (*vi.*) 가로지르다, 넘다 ; 경과하다 ; (거문고·하프 따위를) 타다. (2) (*vt.*) (시일을) 보내다 ; 인도(引渡)하다, 양도하다 ; 생략하다, 빼다, 제외하다 ; 빠뜨리다 ; 눈감아 주다, 못본 체하다 : He ~*ed* Helen *over* in favor of her prettier sister. 헬렌을 무시하고 그녀 보다 예쁜 언니[동생] 쪽으로 눈을 돌렸다 / Never ~ *over* a word you do not understand. 이해할 수 없는 말을 그대로 지나쳐서는 안된다.
pass the chair 의장[시장 등]의 자리를 물러나

다[퇴직하다].

pass the time of day 《口》 (아침 저녁) 인사를 주고받다〈*with*〉.

pass through (*vi.*) 빠져 나가다, 지나치다 ; (학교의) 과정을 수료하다 ; 경험하다 ; (*vt.*) 꿰뚫다.

pass up 《口》 (초대를) 사양하다, (기회를) 버리다, 놓치다, 포기하다, 무시하다.

pass water ☞ WATER *n.* 숙어.

—— *n.* **1** 통행, 통과(passage). **2** [보통 free ~] 패스, 무료 승차[입장]권 ; 여권(passport) ; 통행[입장] 허가〈*to*〉; 〔軍〕 임시 외출증 : a *free* ~ *on*[*over*] a railroad 철도 패스. **3** 상태, 처지, 형세 ; 위기, 난관(crisis) : at a fine ~ 일이 고약하게 되어, 곤경에 빠져 / come to a nice [pretty] ~ 일이 고약하게[곤란하게] 되다 / That is a pretty ~. 그것 참 야단났군. **4** (시험의) 합격 ; 〔英大學〕 (우등이 아닌) 보통 코스[과정] 합격(cf. PASS DEGREE). **5** (최면술사의) 손놀림(cf. *make* PASS*es*) ; 〔펜싱〕 찌르기(thrust). **6** 〔野〕 사구(四球)에 의한 출루(出壘) ; 〔球技〕 패스, 송구(送球) : a forward ~ 앞으로 하는 패스. **7** 〔카드놀이〕 패스《기권하고 다음 차례의 사람에게 넘김》. **8** 요술, 속임수. **9** (산) 길 ; 고개, …재 ; 옆길, 샛길, 소로(小路) ; 〔軍〕 요충지. **10** 수로(水路), 강어귀, 수도(水道), 물길 ; 여울(ford). **11** (어살 위에 마련해 놓은) 물고기 지나가는 길. **12** 시도, 노력 ; 《口》 여자에게 접근함, 수작걸기. **13** 〔컴퓨〕 과정.

bring. . .to pass …을 성취하다, 성립시키다, 《文語》 일어나게 하다 : *bring* a reconciliation *to* ~ 화해를 성립시키다.

come to pass (일이) 일어나다(happen), (예언이) 실현되다 : It *came to* ~ that …라는 지경이 되었다, …하게 되었다.

hold the pass 주의[이익]를 옹호하다.

make a pass[***passes***] ***at. . .*** 《口》 (여자)에게 구애하다.

make passes (최면술에서 손을 움직여) 최면을 걸다, 시술(施術)하다.

sell the pass 지위를 양보하다 ; 주의(主義)를 배반하다.

〚OF＜Rom. (L *passus* PACE[1])〛

pass. passage ; passenger ; passim ; passive.

páss·able *a.* **1** 통행할 수 있는. **2** 상당한, 웬만한, 어지간한 : a ~ knowledge of English 상당한 영어 지식. **3** 유통[통용]되는《화폐》. **4** (법안 따위의) 가결[통과]될 수 있는.

-ably *adv.* 상당히, 꽤(moderately).

pas·sa·ca·glia [pὰ:səkɑ́:ljə, pæ̀s-, -kǽl- ; pæ̀səkɑ́:l-] *n.* 〔樂〕 파사칼리아《3박자의 조용한 무도곡》. 〚C17 *passacalle*＜Sp. ＝step (i. e. dance) in the street〛

pas·sade [pəséid] *n.* 〔馬〕 회전보(回轉步)《같은 지점을 왔다갔다하며 뛰기》. 〚F＜It.〛

***pas·sage**[1] [pǽsidʒ] *n.* **1** Ⓤ 통행, 통과 ; 이주(移住). **2** Ⓤ 수송, 운반. **3** 여행, 도항, 항해 : have a rough ~ 난항(難航)하다 / make a ~ 항해하다 / book[engage] one's ~ 승선[항공]권을 예약하다. **4** Ⓤ 통행권 ; 통행료 : ~ money 운임, 승선[승차] 운임 / work one's ~ 뱃삯 대신에 배에서 일하다. **5** Ⓤ 경과, 추이(推移), 변천.

> **passage**의 문장 전환
> *With* the *passage* of time, he grew stronger.
> (시간의 경과와 더불어 그는 튼튼해졌다.)
> → *As* the *passed*, he grew stronger.

6 a) 통로, 샛길 ; 수로(水路), 항로 : force a ~ through a mob 폭도를 밀치고 나아가다. **b**) 출입구. **c**) 《英》 복도. **7** 《古》 일어난 일, 사건. **8** [*pl.*] 치고 받기, 논쟁 ; 은밀한 의견의 교환, 밀담. **9** (인용(引用) 따위의) 일절, 한 대목 : a ~ from the Bible 성서의 한 구절. **10** 《美》 (의안의) 통과, 가결. **11** 〔醫〕 통변(通便) (evacuation). **12** 〔樂〕 악절(樂節) ; 〔美術〕 (회화 따위의) 부분, 일부 : play a ~ 한 악절을 연주하다.

a bird of passage 철새.

a passage of[***at***] ***arms*** 치고 받기, 서로 싸우기, 논쟁, 필전(筆戰).

—— *vi.* **1** 지나가다, 횡단하다 ; 통과하다, 항해하다. **2** 칼부림하다 ; 말다툼하다.

〚OF (*passer* to PASS)〛

passage[2] *vi., vt.* (말이) 옆걸음치며 나아가다, (기수가) 말을 옆걸음치며 나아가게 하다.

—— *n.* 옆걸음치며 나아가기.

〚F＜It. ＝to walk ; ⇨ PASS〛

pássage bìrd *n.* 철새.

pássage·wày *n.* 복도 ; 통로.

páss·alòng *n.* 차례로 건네줌 ; 《美》 (코스트 인상분의 제품 가격으로의) 전가(轉嫁).

páss-alòng réaders *n. pl.* 회람 독자《남이 산 것을 빌려다 보는 이차적 독자》.

pas·sant [pǽsənt] *a.* 〔紋〕 (사자 따위가) 오른쪽 앞다리를 들고 왼쪽으로 걷는 자세의.

páss·bànd *n.* 〔電子〕 (라디오 회로・여광기(濾光器)의) 통과 대역(帶域).

páss-bànd filter *n.* 〔電子〕 ＝BAND-PASS FILTER.

páss·bòok *n.* 은행 통장(bankbook) ; 《美》 외상장부.

páss chèck *n.* 입장권 ; 재입장권.

páss degrèe *n.* 〔英大學〕 (우등이 아닌) 보통 학사 학위(cf. HONOURS DEGREE).

pas·sé [pæséi, ⌐-; pɑ́:sei] *a.* (*fem.* **-sée** [—]) 예스러운, 케케묵은, 시대에 뒤진 ; 과거의, (사람이) 한창 때를 지난.

〚F (p.p.) 〈*passer* to PASS〛

pássed *v.* PASS의 과거・과거분사. —— *a.* 지나간 ; 통과한 ; (시험에) 합격한 ; 〔會計〕 미불 배당의 : ~ ball 〔野〕 (포수의) 패스트 볼.

pássed máster *n.* ＝PAST MASTER.

pássed páwn *n.* 〔체스〕 가는 길을 가로막는 폰(pawn)이 없는 폰.

pass·ee [pæsí: ; pɑ:-] *n.* 휴가 패스 소지자 ; 무료 입장[승차]권 소지자.

pas·sel [pǽsəl] *n.* 《美口・方》 (상당히) 큰 수[집단] : a ~ of persons 많은 사람들.

passe·men·terie [pæsméntəri] *n.* Ⓤ 금[은]몰, 금은 장식《의복에 닮》. 〚F〛

‡**pas·sen·ger** [pǽsəndʒər] *n.* **1** 승객, 여객, 선객(船客). **2** 《口》 무능한 선수 ; 골칫거리 : a ~ agent 《美》 승객 담당원 / a ~ boat 객선 / a ~ elevator 승용 엘리베이터 / a ~ machine[plane] 여객기(旅客機) / a ~ train 여객 열차.

〚OF *passager* (⇨ PASSAGE) ; -*n*-은 cf. MESSENGER〛

pássenger càr *n.* 객차 ; 승용차.

pássenger lìst *n.* 승객[탑승자] 명부.

pássenger-mìle *n.* 좌석 마일(＝seat mile)《철도・버스・항공기의 유료 여객 1 명 1 마일의 수송량 단위》.

pássenger náme rècord *n.* 〔空〕 여객 예약 기록.

pássenger pìgeon *n.* 〔鳥〕 (장거리를 나는) 철

새 비둘기《북미산 ; 지금은 멸종됨》.

pássenger sèat *n.* (특히 자동차의) 조수석.

pássenger sèrvice *n.* 여객 수송.

passe-par·tout [pæ̀spɑːrtúː] *n.* 곁쇠(master key) ; (사진 따위의) 대지(臺紙), 틀, 액자. 〖F〗

páss·er *n.* 통행인 ; 나그네, 길손 ; 시험 합격자 ; (제품의) 검사 합격증 ; 〔球技〕 공을 패스하는 사람 ; 《美俗》 가짜 돈 사용자 ; 송곳.

páss·er·bý *n.* (*pl.* **páss·ers·bý**) 통행인.

pas·ser·ine [pǽsəràin, -rìːn, -rən] *a., n.* 〔鳥〕 참새류[목]의 (새). 〖L (*passer* sparrow)〗

pas seul [*F* pɑ sœl] *n.* (*pl.* ~**s** [—]) 〔발레〕 독무(獨舞).

páss-fáil *n., a.* 합부(合否) 성적 평가 방식《점수 평가가 아닌 합격·불합격만을 판정하는 평가 방식》(의).

pas·si·ble [pǽsəbəl] *a.* 감동[감수]할 수 있는[하기 쉬운]. **pàs·si·bíl·i·ty** *n.* Ⓤ 감수성, 감동성.

pas·sim [pǽsəm, -sim] *adv.* (인용한 서적의) 여기 저기에, 여러 곳에.
〖L (*passus* scattered〈*pando* to spread)〗

pas·sim·e·ter [pæsímətər ; -símì-] *n.* 《英》 승차권 자동 판매기 ; 보수계(步數計).

páss·ing *n.* **1** Ⓤ 통행, 통과 ; 경과〈*of* time〉. **2** Ⓤ 소멸(消滅) ; 《詩》 죽음. **3** Ⓤ (의안 따위의) 통과, 가결 ; (시험의) 합격. **4** Ⓤ 빠뜨리기, 못보고 넘기기. **5** Ⓤ (사건 따위의) 발생.
in passing …하는 김에, 말이 났으니 말인데.
── *a.* **1** 통행[통과]하는, 지나가는 길의. **2** 현재의, 당면한(current) : ~ events 시사(時事) / ~ history 현대사. **3** 일시의, 잠시 동안의 ; 우연한. **4** 합격의 : the ~ mark 합격점.
── *adv.* 《古》 뛰어나게, 굉장히(very).

pássing bèll *n.* 죽음을 알리는 종, 임종의 종 ; 조종(弔鐘)《교회에서 울려 교구민에게 알림》.

pássing làne *n.* =OVERTAKING LANE.

páss·ing·ly *adv.* 일시적으로 ; …하는 김에, 대충, 죽 ; 《古》 매우.

pássing nòte[**tòne**] *n.* 〔樂〕 지남음(音).

pássing shòt[**stròke**] *n.* 〔테니스〕 패싱 숏《네트 가까이에 있는 상대의 옆으로 빠지는 숏》.

páss interférence *n.* 〔美蹴〕 패스를 받거나 가로채려고 하는 선수를 방해하는 반칙.

***pas·sion** [pǽ(ː)ʃən] *n.* **1** Ⓤ,Ⓒ 열정, 격정, 열중, 정열, 열심 : one's ruling ~ 지배적[마음 속을 온통 차지하고 있는] 감정 / He has a ~ *for* music [the stage]. 음악[연극]을 대단히 좋아한다. **2** [a ~] 울화, 격분(rage) ; 흥분 : in *a* ~ 화를 내어 / fall[get] into *a* ~ 노발대발하다 / fly into *a* ~ 벌컥 화를 내다. **3** 열망[갈망]하는 것, 아주 좋아하는 것. **4** Ⓤ 열렬한 사랑, 연정 ; 정욕 : tender ~ 연애. **5** Ⓤ 수동(受動) ; 《古》 순교 ; 《廢》 고통, 비애 ; [the P~] 〔宗〕 (Gethsemane 동산 및 십자가 상의) 그리스도 수난(곡) (=P~ music).
── *vi.* 《詩》 정열을 느끼다[나타내다].
〖OF＜L (*pass- patior* to suffer)〗
類義語 (1) ***passion*** 이성(理性)을 잃게 할 정도의 강한 감정, 정열 : Her reason was overcome by *passion.* (그녀의 이성은 감정에 압도되었다). ***fervor, ardor*** 다 함께 불타는 듯한 감정 ; *fervor*는 끊임없이 타는 불같이 강한 열정[열성], *ardor*는 차분하지 못한 불꽃 같은 정열 : religious *fervor* (종교적인 열정) / the *ardors* of young people (청춘의 정열). ***enthusiasm*** 어떤 대상·주의 따위를 강하게 지지하는 열정 ; 보통 그것을 달성[추구]하는 것에 열의를 가지고 있는 것을 암시함 : the *enthusiasm* for mountaineering (등산에 대한 열의). ***zeal*** 끊임없이 부단한 활동에 나타나는 강한 enthusiasm : They were inflamed with a *zeal* for revolution. (그들은 혁명에 대한 열정으로 불타고 있었다).
(2) ⟹ FEELING.

pássion·al *n.* 성도[순교자] 수난기. ── *a.* 정열적인, 열정의 ; 화 잘 내는 ; 정욕의, 연애의 ; 갈망하는.

pássion·àry [; -əri] *a.* =PASSIONAL.

***pas·sion·ate** [pǽ(ː)ʃənət] *a.* **1** 성 잘 내는, 성미 급한. **2** 인정에 무른, 다정 다감한. **3** 열렬한, 정열적인, 격렬한 ; 정욕의 : a ~ rage 격노.
~·ly *adv.* **~·ness** *n.* 〖L ; ⇨ PASSION〗
類義語 ***passionate*** 강하고 격렬하게, 때로 충동적인 감정의, 정열적인 : a *passionate* love (열렬한 사랑). ***impassioned*** 마음 속으로부터 진지하게 품고 있던 감정[열정]의 : make an *impassioned* speech (감동적인 연설을 하다). ***ardent, fervent*** 불타는 듯이 강하고 열심인 또는 진지한 : an *ardent* pursuit of truth (진리에 대한 열렬한 추구) / a *fervent* prayer (열렬한 기도).

pássion·flòwer *n.* 〔植〕 꽃시계덩굴.

pássion frùit *n.* 〔植〕 꽃시계덩굴의 열매.

Pássion·ist *n.* 예수 수난회 수사《18세기 초에 이탈리아에서 창시》.

pássion·less *a.* 열정이 없는 ; 냉정한, 침착한.

pássion màrk *n.* 《美口》 키스 마크(hickey).

Pássion mùsic *n.* 〔樂〕 예수 수난곡(曲).

pássion pìt *n.* 《美俗》 드라이브인 영화관.

pássion plày *n.* 수난극 ; [흔히 P~] 그리스도의 수난극(劇).

Pássion Súnday *n.* 사순절(四旬節)(Lent)중의 제5 일요일.

Pássion Wèek *n.* 수난 주간(週間)(☞ Holy Week).

pas·siv·ate [pǽsivèit] *vt.* 〔冶〕 (금속을) 부동태화(不動態化)하다《화학 반응을 일으키지 않게 표면에 보호막을 생기게 함》; 피막(皮膜)으로 보호하다. **pàs·siv·átion** *n.* **pás·si·và·tor** *n.*

***pas·sive** [pǽ(ː)siv] *a.* **1 a)** 수동성의, 수동(형)의, 소극적인(↔*active*). **b)** 〔文法〕 수동의, 수동태의(↔*active*). **2** 무저항의, 시키는대로 하는. **3** 활동적이 아닌, 활기가 없는(inactive) ; 반응이 없는. **4** 〔化〕 쉽게 화합하지 않는, 부동(不動)의 : ~ state 부동태(態). **5** 〔醫〕 수동(受動)의. **6** 〔空〕 발동기를 쓰지 않는. **7** 〔法·經〕 무이자의 : ~ bond[debt] 무이자 공채[부채]. ── *n.* [the ~] 〔文法〕 수동태, 수동 구문. **~·ly** *adv.*
〖OF or L ; ⇨ PASSION〗

pássive bélt *n.* (자동차의) 자동 안전 벨트.

pássive euthanásia *n.* 〔醫〕 소극적 안락사《적극적 치료를 하지 않고 죽어가는 환자를 죽음에 이르게 하는 것》.

pássive hóming *n.* 〔空〕 패시브 호밍《목표로부터의 적외선[전파] 방사(放射)를 이용하는 미사일 유도(誘導)》.

pássive immúnity *n.* 수동 면역《항체(抗體) 주입 따위에 의한 면역》.

pássive invéstment *n.* 수동적 투자.

pássive obédience *n.* 절대 복종, 묵종(默從).

pássive resístance *n.* (정부·점령군 관권에 대한) 소극적 저항, 무저항주의.

pássive resíster *n.* 소극적 저항자.

pássive restráint *n.* (자동차의) 자동 방호 장

치《자동 벨트·에어 백 따위》.

pássive sátellite *n.* 수동 위성《전파만을 반사하는 통신 위성 ; ↔*active satellite*》.

pássive smóker *n.* 남이 피우는 담배 연기를 마시게 되는 사람.

pássive smóking *n.* 간접 흡연《타인이 내뿜는 담배 연기를 들이마심》.

pássive vóice *n.* 〖文法〗 수동태.

pás·siv·ìsm *n.* Ⓤ 수동성 ; 수동주의.

pas·siv·i·ty [pæsívəti] *n.* Ⓤ 수동성(性) ; 비(非)활동 ; 무저항 ; 인내 ; 냉정 ; 〖化〗 부동태(態).

páss·kèy *n.* (몇 개의 자물쇠를 열 수 있는) 곁쇠(master key) (cf. DUPLICATE key) ; 개인용 열쇠 ; (현관문의) 빗장 열쇠.

páss làw *n.* 《南아》 흑인에게 신분증(pass)의 휴대를 의무화시킨 법률.

páss·less *a.* 길[통로]이 없는.

páss·màn [ˊ-mən] *n.* 〖英大學〗 보통 코스 합격생 (cf. CLASSMAN).

páss màrk *n.* 최저 합격점.

pas·som·e·ter [pæsámətər] *n.* ＝PASSIMETER.

Páss·òver *n.* [the ～] 〖聖〗 유월절(逾越節) 축제《유태력 1월 14일에 행하는 유태인의 축제 ; 그들의 조상이 이집트의 압제에서 탈출하여 팔레스타인으로 귀착하게 된 것을 기념함 ; 출애굽기 12 : 27, 레위기 23 : 5》 ; [p～] ＝PASCHAL LAMB. 〖*pass over*〗

***páss·pòrt** *n.* **1** 여권, 통항권(通航券), 패스포트, 입장권(券) ; 허가증. **2** 《비유》 (어떤 목적을 위한) 수단, 보장 : a ～ *to* a person's favor 남에게 환심을 사는 수단.

〈회화〉
Show me your *passport*, please. — Here it is.
「여권을 보여주십시오」「여기 있습니다」

〖F *passeport* ; ⇨ PASS, PORT[1]〗

páss protéction *n.* 〖美蹴〗 패서가 공을 다 던지기까지 수비 선수의 접근을 막는 태클.

páss-thròugh *n.* (요리 따위를) 내주는 창구《주방과 식당 사이의》.

pas·sus [pǽsəs] *n.* (*pl.* ～, ～**·es**) 이야기[시]의 절(節), 편(篇). 〖L＝step ; ⇨ PACE[1]〗

páss·wòrd *n.* 암호(말), 군호(軍號) (watchword) ; 〖컴퓨〗 암호《파일(file)이나 기기(機器)에 접근할 권리를 가진 이용자를 식별하기 위한 문자열(文字列)》 : demand[give] the ～ 암호를 요구하다[말하다].

pássword hàcker *n.* 《俗》 목적도 없이 컴퓨터실의 기계 주변을 어슬렁거리며 쓸데없는 참견을 하는 컴퓨터광(狂).

◇**past** [pǽ(ː)st ; pɑ́ːst] *a.* **1** 지나간, 옛날의, 이제까지의. **2** 끝난 ; 방금 지난 : for some time ～ 최근 얼마 동안, 요즈음 / in ～ years 지난 몇 해 / the ～ month 지난 달, 지난 한 달. **3** 임기를 끝낸, (이)전의 : a ～ chairman 전의장. **4** 연공(年功)을 쌓은, 노련한 : ☞ PAST MASTER. **5** 〖文法〗 과거의 (cf. PRESENT[1], FUTURE) : the ～ tense 과거 시제. —— *n.* **1** [보통 the ～] 과거, 기왕. **2** 지나가 버린 일, 옛날 이야기. **3** 이력(履歷), (특히 수상한) 경력, 과거의 생활 : a country with a glorious ～ 빛나는 역사를 가진 나라 / a woman with a ～ 과거가 있는 여자. **4** 〖文法〗 과거(형) (cf. PRESENT[1], FUTURE).

in the past 종래. ㊟ 이 구는 현재 완료형의 동사와 함께 쓰이기도 함 : Such controversies (have) often occurred *in the* ～. 그러한 논쟁은 지금까지 자주 일어났었다.

—— [pæ(ː)st ; pɑːst] *prep.* **1** (시간이) 경과하여 ; (…분) 지나(＝《美》 after ; cf. TO *prep.* 6) ; (몇 살)을 넘어 : ～ three o'clock 3시를 지나 / at half ～ [때때로 half-～] three 3시 반에 / It's five (minutes) ～ ten. 지금은 10시 5분입니다 / Our old teacher is now ～ eighty. 노 스승은 이제 여든 살이 넘으셨다. **2** …을 지나서, (남)과 지나쳐서 : His office is ～ the police box on your left. 그의 사무실은 당신 왼쪽의 파출소를 지나서 있다. **3** …이상, …이 미치지 않는 : a pain ～ bearing 견딜 수 없는 고통 / It is ～ (all) belief. 그것은 (전혀) 믿어지지 않는다 / He is ～ hope. 그는 (회복할) 가망이 없다.

not put it past a person 《口》 남이 (그것을) 할지도 모른다고 생각하다 : I would*n't put it* ～ him *to* betray us. 나는 그가 우리를 배반할지도 모른다고 생각한다.

—— *adv.* 지나쳐서, 지나서 : go[walk] ～ 엇갈려 지나치다 / hasten[run] ～ 급히[달려서] 지나치다. 〖(p.p.) ‹ *pass*〗

pas·ta [pɑ́ːstə, pǽstə] *n.* 파스타《달걀과 밀가루를 반죽한 요리 ; 소스와 함께 나옴》. 〖It. ＝PASTE[1]〗

***paste**[1] [péist] *n.* **1** Ⓤ 풀. **2** Ⓤ 반죽, 가루 반죽《제과용》. **3** Ⓤ 반죽한 것 ; 이긴 흙 ; 연고 ; 당과의 일종 ; 이제(泥劑) ; (크림 모양의) 치약(＝tooth～) ; (낚시질용) 반죽한 미끼 ; 갈아서 으깬 것, 페이스트 : bean ～ 된장 / fish ～ 생선묵. **4** Ⓤ 납 유리《인조 보석 제조용》, 인조 보석. **5** 〖컴퓨〗 붙임, 붙이기.

—— *vt.* **1** [＋目 / ＋目＋副 / ＋目＋前＋名] 풀로 바르다[붙이다] ; 풀로 발라 덮다, …에 종이를 바르다 : ～ ***up*** playbills ***on*** a wall 벽에 연극 광고지를 붙이다 / ～ two sheets of paper *together* 두 장의 종이를 풀로 맞붙이다 / ～ a wall ***with*** paper 벽지를 바르다 / I cut out the article and ～*d* it ***in*** a scrapbook. 나는 그 기사를 잘라 내어 스크랩북에 붙였다. **2** (사진제판·인쇄 따위를 하기 위해) 대지(臺紙)에 붙이다.

〖OF＜L *pasta* lozenge, dough＜Gk.〗

paste[2] *vt.* 《俗》 때리다, 두들기다, 패다 ; 맹포격하다, 맹폭격하다. —— *n.* (얼굴 따위에의) 강타(強打). 〖변형(變形) ‹ *baste* to beat〗

páste·bòard *n.* **1** Ⓤ 두꺼운 종이, 판지, 마분지. **2** 《俗》 카드, 명함, 기차표 ; 트럼프 패 ; 입장권. —— *a.* 판지로 만든 ; 실질이 없는, 얄팍한 ; 가짜의 : a ～ pearl 인조 진주.

páste·dòwn *n.* 〖製本〗 면지의 바깥쪽《표지에 붙인 쪽》.

páste jòb *n.* 풀과 가위로 오리고 붙이는 세공.

pas·tel[1] [pæstél, ˊ-] *n.* Ⓤ 파스텔 ; Ⓒ 파스텔화(법) ; 파스텔풍의 색조. —— *a.* (빛깔의 조화가 우아하고 옅은) 파스텔조(調)의.
〖F or It. (dim.) ‹ PASTA〗

pastel[2] *n.* 〖植〗 대청(大靑) (woad) ; 대청 물감.
〖OF＜L (↑)〗

pastél·ist | pas·tél·list *n.* 파스텔 화가.

pastél shāde *n.* (우아하고 옅은) 파스텔풍의 색조(色調).

past·er [péistər] *n.* (고무풀을 먹인) 종이 쪽《우표 따위》 ; 풀칠하는 사람[것].

pas·tern [pǽstərn] *n.* (말 따위의) 발목《유제류(有蹄類) 동물의 발굽과 복사뼈 사이》.
〖OF (*pasture* a hobble＜L *pastorius* of a shepherd) ; 'shepherd의 차꼬를 채우는 곳'의 뜻〗

Pas·ter·nak [pǽstərnæk] *n.* 파스테르나크. **Boris Leonidovich** ～ (1890-1960) 구소련의 문학가 ; 1958년 Nobel 문학상을 사양.

páste·ùp *n.* 〔印〕 대지에 붙인 교료지《제판용으로 촬영할 수 있게 된 상태의》; =COLLAGE.

Pas·teur [pæstə́:r] *n.* 파스퇴르. **Louis** ~(1822-95) 프랑스의 화학자·세균학자.

pas·teur·ism [pǽstʃərìzəm, pǽstə-; pǽstə-, pá:s-] *n.* 파스퇴르 접종법; (특히) 광견병의 예방 접종법; (우유의) 저온 살균(법). 〚↑〛

pas·teur·ize [pǽstʃəràiz, -stə-; pǽstə-, pá:s-] *vt.* 저온 살균을 하다; 《稀》 …에게 파스퇴르 접종을 하다: ~*d* milk 저온 살균 우유. **-ìz·er** *n.* 살균기. **pàs·teur·izá·tion** *n.* Ⓤ 저온 살균법. 〚PASTEUR〛

Pastéur tréatment *n.* 광견병 예방 접종.

pást fòrm *n.* 〔文法〕 과거형.

pas·tic·cio [pæstí:tʃou, -títʃ-] *n.* (*pl.* **pas·tic·ci** [-tʃi:], ~**s**) =PASTICHE. 〚It.〛

pas·tiche [pæstí:ʃ, pɑ:s-] *n.* 혼성곡(曲); 혼성화(畫); 모방 작품《문학·미술 따위》; 긁어모은 것, 뒤섞인 것. —— *vt.* (여러 가지 작품 따위를) 풀과 가위로 잘라 붙이다. 〚F<It.<L PASTA〛

past·ies [péistiz] *n. pl.* (스트리퍼 등의) 젖꼭지 가리개. 〚PASTY[1]〛

pas·tille [pæstí(:)l; pǽstl], **pas·til** [pǽstl] *n.* **1** Ⓤ (원뿔형의) 선향(線香). **2** (마름모꼴의) 정제(錠劑), 향정(香錠). **3** 둥근 꽃불. 〚F<L=small loaf (*panis* bread)〛

***pas·time** [pǽ(:)stàim; pá:s-] *n.* 오락, 유희, 기분 전환. 〚PASS, TIME〛

pást·i·ness *n.* Ⓤ 풀[반죽] 같음, 끈끈함.

pást máster *n.* **1** (프리메이슨단(團)의) 전(前) 지부장, (동업 조합·클럽 따위의) 전회장. **2** 대가, 명인, 명수(expert)〈*in, at, of*〉.

pást místress *n.* PAST MASTER의 여성형.

pas·tor [pǽ(:)stər; pá:s-] *n.* 목사《《英》에서는 영국 국교회 이외의 신교 목사에 대해서 말함》; 정신[종교]적 지도자; 《美南西部》 양치기.
—— *vt.* (교회)의 목사를 맡다.
〚OF<L=shepherd (*past- pasco* to feed)〛

pas·to·ral [pǽ(:)stərəl; pá:s-] *a.* **1** 양치는 목동의; (토지가) 목축용의, (사회 따위가) 목축을 주로 하는. **2** 전원 생활의, 시골의; 전원 생활을 묘사한: a ~ poem 목가(牧歌), 전원시 / ~ life [scenery] 전원 생활[풍경]. **3** 목사의. —— *n.* **1** 목가, 전원시[화(畫)·곡·오페라·조각]. **2** = PASTORAL STAFF. **3** =PASTORAL LETTER.
類義語 ⟹ RURAL.

pástoral cáre *n.* (종교 지도자·선생님 등이 신도·학생에게 해 주는) 충고, 조언.

pas·to·rale [pæ̀stərá:l, -rá:li] *n.* (*pl.* ~**s**, **-li** [-li]) 〔樂〕 목가곡, 전원곡, 목가적(牧歌的) 오페라[발레]. 〚It. =PASTORAL〛

Pástoral Epístles *n. pl.* [the ~] 〔聖〕 목회서신(牧會書信) 《신약 성서 중의 디모데 전·후서 (Timothy) 및 디도서(Titus)》.

pástoral·ìsm *n.* 목축(생활); 전원 취미; 목농(牧農)주의; 목가체(體).

pástoral·ist *n.* 전원 시인; 《濠》 목양(牧羊)[목우]가[업자]; [*pl.*] 목축민.

pas·to·ral·i·ty [pæ̀stərǽləti; pà:s-] *n.* (문예상의) 전원 정취.

pástoral létter *n.* 〔宗〕 교서《목사가 교구민에게, 주교(主敎)가 관구의 성직자[관구민]에게 보내는 공개장》.

pástoral stáff *n.* 〔宗〕 목장(牧杖) (crosier)《주교 및 수도원장의 지팡이》.

Pástoral Sýmphony *n.* [the ~] 전원 교향곡 《Beethoven의 제6 교향곡》.

pástoral theólogy *n.* 〔神學〕 목회(신)학.

pástor·ate *n.* **1** 〔基〕 목사·신부의 직[임기·관구]; 〔카톨릭〕 주임 사제의 직무. **2** 목사단; 목사관(parsonage).

pas·to·ri·um [pæstɔ́:riəm; pɑ:s-] *n.* 《美南部》 목사관(館). 〚*pastor*+*-orium*〛

pástor·shìp *n.* Ⓤ 목사의 직[지위·임기·관구]; 주임 주교의 직무.

pást párticiple *n.* 〔文法〕 과거분사.

pást pérfect *n., a.* 〔文法〕 과거 완료(의).

pást pérfect progréssive tènse *n.* 〔文法〕 과거완료 진행시제.

pást pérfect tènse *n.* 〔文法〕 과거완료시제.

pást progréssive tènse *n.* 〔文法〕 과거진행시제(時制).

pas·tra·mi, -tromi [pəstrá:mi] *n.* Ⓤ 향신료로 맛을 잘 낸 훈제 쇠고기. 〚Yid.〛

***pas·try** [péistri] *n.* **1** Ⓤ 만두·파이 따위의 거죽을 싸는 것. **2** Ⓤ,Ⓒ (밀)가루를 반죽하여 만든 과자의 총칭; 파이 따위. 〚PASTE[1]〛

pástry·còok *n.* 《주로 英》 페이스트리 굽는 사람, 빵[과자] 장수.

pást ténse *n.* 〔文法〕 과거시제.

pás·tur·able *a.* 목장에 알맞은.

pás·tur·age *n.* Ⓤ 목초(지); 목장; 목축(업).

***pas·ture** [pǽ(:)stʃər; pá:s-] *n.* Ⓤ,Ⓒ 목초지, (방)목장(☞ MEADOW); Ⓤ 목초; 《俗》 야구장(의 외야): a ~ ground 목초지. —— *vt.* (가축을) 방목하다; (가축이 목초를) 먹다; (목초지에서) 자라다; (토지를) 목장으로 쓰다. —— *vi.* 풀을 뜯어 먹다(graze). 〚OF<L; ⇨ PASTOR〛

pásture·lànd *n.* Ⓤ,Ⓒ 목장, 목초지.

pás·tur·er *n.* 목장주.

pásture·wòrker *n.* 〔野〕 외야수.

pasty[1] [péisti] *a.* 풀[가루 반죽, 반죽한 것]의[같은]; 맥이 풀린, 기력이 없는; 창백한.
—— *n.* [*pl.*] =PASTIES. 〚PASTE[1]〛

pas·ty[2] [pǽsti] *n.* 《주로 英》 고기 파이(meat pie). 〚OF<L; ⇨ PASTE[1]〛

pásty-fàced *a.* 얼굴에 혈색이 없는, 창백한 얼굴을 한.

PA system [pì:éi ⌐] *n.* =PUBLIC-ADDRESS SYSTEM.

pat**[1] [pǽt] *v.* (**-tt-**) *vt.* [+目 / +目+前+名] 가볍게 두드리다[치다], 애무하다: ~ a dog 개를 애무하다 / ~ a person ***on the back (칭찬·찬성의 표시로) 남의 등을 두드리다 / He ~*ted* me *on* the shoulder. 그는 가볍게 내 어깨를 두드렸다《주의를 끌거나 위로를 하기 위해》/ Mother ~*ted* the dough ***into*** cakes. 어머니는 밀가루 반죽을 두드려 케이크를 만들었다.
—— *vi.* 가볍게 두드리다 〈*upon*〉; 가벼운 걸음으로 걸어가다[달리다].
pat one***self on the back*** 무릎을 치면서 만족해 하다, 혼자 흐뭇해 하다.
—— *n.* 가볍게 두드리기[두드리는 소리]; 어루만지기, 쓰다듬기; (버터 따위의) 작은 덩어리. 〚imit.〛

pat[2] *a.* 안성맞춤의, 꼭 맞는, 적절한, 시기에 맞는 〈*to*〉. —— *adv.* 꼭, 안성맞춤으로; 잘, 원만하게, 유창하게: The story came ~ *to* the occasion. 이야기가 그 경우에 꼭 들어맞았다.
have [***know***]...***pat*** 《口》 …을 완전히 알다.
stand pat (카드놀이에서) 처음 패로 버티고 나아가다; 《美口》 결의 (따위)를 번복하지 않다, 고수하다〈*on*〉.
〚? *pat*[1]의 부사 용법(=with a light stroke)〛

Pat *n.* 남자[여자] 이름《Patrick, Patricia, Martha, Matilda의 애칭》; 아일랜드 사람《별명; cf. PADDY》.

pat. patent(ed); patrol; pattern. **PAT** 〖美蹴〗 point after touchdown. **Pata.** Patagonia.

P.A.T.A. Pacific Area Travel Association (태평양 지역 관광 협회).

pát-a-càke *n.* 어린이 놀이의 일종《동요에 맞추어 손뼉을 치며 노는 놀이》.

pa·ta·gi·um [pətéidʒiəm] *n.* (*pl.* **-gia** [-dʒiə]) (박쥐류의) 비막(飛膜).

Pat·a·go·nia [pæ̀təgóunjə, -niə] *n.* 파타고니아《남미 아르헨티나와 칠레 남부의 고원》.

Pàt·a·gó·ni·an *a.* 파타고니아 지방(인)의. —— *n.* 파타고니아인.

pát·bàll *n.* 〖競〗 패트볼《야구 비슷한 영국의 구기(球技)》; 《口》 서투른 테니스[크리켓].

***patch**[1] [pætʃ] *n.* **1** (덧대어 깁는) 천조각, 바대; (보철(補綴)용의) 판자 조각; (기구 수리용의) 덧붙이는 쇠붙이: a ~ pocket 덧댄 포켓. **2** 애교점《17-18세기에 여성들이 얼굴을 돋보이게 하거나 상처 따위를 숨기기 위해 얼굴에 갖다 붙이는 검은 명주 조각 따위》. **3** 상처에 대는 헝겊[반창고]; 안대(眼帶). **4** (경작한) 좁은 지면, 한 구획[필지(筆地)]; 한 뙈기의 밭[농작물]: a ~ of potatoes=a potato ~ 감자밭 / a thick ~ of woodland 울창한 삼림의 일부. **5** (작은 또는 불규칙적인) 반점(斑點). **6** 부스러기, 파편, 작은 조각. **7** 〖軍〗 수장(袖章). **8** 《英口》 (경찰관의) 담당[순찰] 구역. **9** (글의) 한 절. **10** 《英》 시기, 기간. **11** 〖컴퓨〗 패치《프로그램의 장애 부분에 대한 임시 교체 수정(修正)》; (전화 중계 따위의) 임시 접속. **12** 《美俗》 (서커스 개최를 위한) 중개[주선]인, 변호사.

not a patch on... 《口》 …와 비교할 바가 못되는, …보다 훨씬 못한.

strike a bad patch 《口》 고초를 겪다, 불행을 당하다.

—— *vt.* **1** 헝겊[천조각]을 대고 깁다〈*up*〉. **2** 수선하다, 고치다; 일시적으로 수습하다, 미봉하다, 무마하다〈*up*〉. **3** 〖컴퓨〗 (프로그램을) 임시 수정하다; (전화 회선 따위를) 임시로 접속하다. **4** (얼굴에) 애교점을 붙이다.

〖? OF (dial.) ‹ PIECE〗

類義語 ⟹ MEND.

patch[2] *n.* (궁정 따위의) 어릿광대; 《口》 바보, 얼간이. 〖It. (dial.) *paccio*〗

pátch·bòard *n.* 〖電子〗 (patch cord로 회로 접속을 하는) 플러그반(盤), 배선반, 패치반.

pátch còrd *n.* 〖電〗 패치코드《양끝에 플러그가 있는 오디오 장치 따위의 임시 접속 코드》.

patch·ou·li, -ly, pach·ou·li [pǽtʃəli, pətʃúːli] *n.* Ⓤ 파출리《인도산 꿀풀과(科)의 식물; 그것에서 만든 향료》.

〖(Madras)〗

pátch pòcket *n.* 덧댄 포켓, 패치 포켓.

pátch tèst *n.* 〖醫〗 첩포(貼布) 시험《알레르기의 피부내 반응 대신에 작은 천 조각에 항원(抗原)을 발라서 붙여 발적(發赤) 유무를 살펴보는 시험; cf. SCRATCH TEST》.

pátch·ùp *n.* 응급 조치.

pátch·wòrk *n.* 덧붙여 대는 세공; 주워모은 것, 잡동사니; 날림일; 불완전한 곳을 고침.

pátchy *a.* 누덕누덕 기운; 주워모은; 부조화의, 어울리지 않는; 작은 땅을 합친.

patd. patented.

pát-dòwn séarch *n.* 《美》 (무기·위험물 소지를 조사하기 위해) 옷 위로 몸을 더듬어 하는 신체 검사(frisking).

pate [péit] *n.* 《口》 머리, 정수리; 《蔑》 두뇌: an empty ~ 바보, 멍청이 / a bald ~ 대머리. 〖ME< ?〗

pâte [*F* pɑːt] *n.* 풀; 점토(粘土).

pâ·té [pɑːtéi, pæ-; ∸-; *F* pɑtə] *n.* (고기가 든) 파이(pie), 작은 파이(patty); Ⓤ (고기를 넣은) 가루 반죽(paste).

〖F=PASTY[2]〗

pat·ed [péitəd] *a.* [보통 복합어를 이루어] 《口》 머리가 …한, …머리의: long-~ 똑똑한, 약삭빠른 / shallow-~ 어리석은.

pâ·té de foie gras [*F* pɑte də fwa grɑ] *n.* (*pl.* **pâ·tés-** [—]) 파테 드 푸아 그라《지방이 많은 거위 간(肝)으로 만든 파이》.

pa·tel·la [pətélə] *n.* (*pl.* **-lae** [-liː, -lai], **~s**) 〖解〗 슬개골(膝蓋骨), 종지뼈; 〖動〗 배상부(杯狀部); 〖昆〗 무릎마디; 〖考古〗 작은 접시.

pa·tél·lar *a.* 슬개골의.

〖L=pan (dim.) ‹ PATEN〗

patéllar réflex *n.* 〖生理〗 슬개[무릎] 반사 (knee jerk).

pa·tel·late [pətélət, -eit] *a.* 슬개골이 있는; 슬개골 모양의.

pat·en [pǽtn] *n.* **1** 〖카톨릭〗 파테나《성병(聖餠)을 담는 접시》. **2** (금속제의) 얇고 둥근 접시.

〖OF or L PATINA[1]〗

pa·ten·cy [péitənsi, pǽt-] *n.* Ⓤ 명백; 개방성(開放性).

***pat·ent** [pǽtənt, péi-] *n.* **1** 특허(권); 《英》 전매특허증(證)〈*for*〉; (전매) 특허품(特許品); 에나멜 가죽: apply[ask] for a ~ 특허를 출원하다 / take out a ~ *for*[*on*] an invention 발명 특허를 얻다. **2** 《美》 공유지 양도[불하] 증서. **3** 독특한 것, 특징. —— *vt.* …의 전매 특허를 얻다[주다]; …에게 특허권을 주다; (공유지를) 양도 증서에 의해 양도하다. —— *a.* **1** 전매 특허의, 특허권을 가진: ☞ LETTERS PATENT. **2** 명백한(evident): It is ~ *to* everybody that he disliked the idea. 그 고안이 그의 마음에 들지 않았던 것은 누가 봐도 명백하다. **3** 개방되어 있는, 이용[접근]할 수 있는. **4** 《口》 색다른, 기발한, 잘 고안된: a ~ way of doing …을 하는 기발한 방법. **~·ly** *adv.* 명백히; 공공연히. **~·abílity** *n.* 특허 자격. **~·able** *a.* 특허받을 수 있는.

〖OF<L (*pateo* to lie open); (n.)은 *letters patent* open letters에서〗

pátent ambigúity *n.* 〖法〗 명백한 의미 불명료《공식 문서의 문언 자체에 의한 애매성》.

pátent attòrney *n.* 《美》 변리사(辨理士).

pátent·ed *a.* 개인[그룹]으로 시작한[에 특유한].

pat·en·tee [pæ̀təntíː, pèi-] *n.* 특허권 소유자.

pátent flóur *n.* 최고급 밀가루.

pátent léather *n.* 에나멜 가죽《구두·핸드백용의 (인조) 피혁》.

pátent médicine *n.* 매약(賣藥); 특허 의약품.

pátent òffice *n.* [때때로 P~ O~] 특허청《略 Pat. Off.》.

pat·en·tor [pǽtəntər, pæ̀təntɔ́ːr, péitəntər, pèitəntɔ́ːr] *n.* (전매) 특허권 인가자; 《오용》 = PATENTEE.

pátent rìght *n.* 특허권.

pátent ròlls *n. pl.* 《英》 연간 특허 등기부.

pa·ter [péitər] *n.* 《英口》 아버지(cf. MATER); [, 美+pǽtər] [때때로 P~] 주기도문.

〖L<Gk. *patr-* *patēr* father〗

Pater *n.* 페이터. **Walter Horatio** ~ (1839-94) 영국의 비평가·소설가.

pa·ter·fa·mil·i·as [pèitərfəmíliəs] *n.* (*pl.* **pa·tres-** [pèitri:z-]) 가장(家長), 가친(家親); (가부장권에서 해방된) 성년시민《남자》.
〚L=father (i. e. master) of the household〛

pa·ter·nal [pətə́:rnl] *a.* 아버지의, 아버지다운(cf. MATERNAL, FATHERLY); 아버지쪽의; 세습(世襲)의: be related on the ~ side 아버지쪽의 친척이다. **~·ly** *adv.* 아버지답게, 아버지로서.
〚L; ⇨ PATER〛

patérnal·ìsm *n.* Ⓤ 아버지다움, 부친기질(父親氣質); (정치·고용 관계에서의) 온정(溫情)주의; 간섭 정치. **-ist** *a., n.*

pa·tèr·nal·ís·tic *a.* 온정주의의. **-ti·cal·ly** *adv.*

pa·ter·ni·ty [pətə́:rnəti] *n.* Ⓤ 아버지임, 부성(父性), 부권(父權); 부자관계; 아버지로서의 의무; 부계(父系); 《비유》 (일반적으로 생각 따위의) 기원, 근원. 〚OF or L; ⇨ PATER〛

patérnity lèave *n.* (맞벌이 부부의) 남편의 출산·육아 휴가.

patérnity sùit *n.* =AFFILIATION PROCEEDINGS.

patérnity tèst *n.* (혈액형 따위에 의한) 친부(親父) 확정 검사.

pa·ter·nos·ter [pǽtərnὰstər, 美+péit-, 美+∸-∸∸] *n.* **1** [때때로 P~] (특히 라틴어의) 주기도문; 기도의 말, 주문(呪文). **2** 묵주, 염주(rosary). **3** 순환 엘리베이터《정지하지 않으므로 운행 중에 타고 내림》.
〚OE<L *pater noster* our father〛

‡**path** [pǽ(:)θ; pá:θ] *n.* (*pl.* **~s** [pǽ(:)ðz, -θs; pá:ðz]) **1** 좁은 길, 오솔길(pathway); 보도(footpath): off the beaten ~ ☞ BEATEN 4. **2** 경주로. **3** 통로, 진로; (인생의) 행로; 방침; 〖컴퓨〗 길, 경로: the ~ *of* a comet 혜성(彗星)의 궤도 / the ~ *of* civilization 문명의 나아갈 길. 〚OE *pæth*; cf. G *Pfad*〛

path- [pǽθ], **patho-** [pǽθou, -θə] *comb. form* 「병」「감정」의 뜻. 〚Gk. (*pathos* suffering)〛

-path [pæ̀(:)θ] *n. comb. form* 「…요법 의사」「…병 환자」의 뜻.
〚역성(逆成)<G *-pathie* -pathy〛

path. pathological; pathology.

Pa·than [pətá:n] *n.* 파탄인(人)《인도와 그 북서부 국경에 사는 Afghan족의 사람》. 〚Hindi〛

páth·brèak·er *n.* 길을 새로 내는 사람; 개척자, 선구자.

páth·brèak·ing *a.* 길을 새로 내는, 개척의.

pa·thet·ic, -i·cal [pəθétik(əl)] *a.* **1** 감상적인, 정서적인(emotional); 애수에 찬, 애처로운, 슬픈: a ~ scene (연극의) 눈물겨운 장면. **2** 불쌍할 정도의; 《英俗》 재미없는.
the pathetic fallacy 〖論〗 감상적 허위《무생물도 감정이 있다고 보는 사고방식·표현법: the cruel sea, angry wind 따위》.
〚F<L<Gk.; ⇨ PATHOS〛
類義語 ⟹ MOVING.

Pa·thet Lao [pá:θət lá:ou] *n.* 파테트 라오《라오스의 좌익 세력, 라오스 애국 전선》.

páth·fìnd·er *n.* 탐험자(explorer), 개척자, 선구자; 창시자; 선도기(先導機) (조종사).

-path·ia [pǽθiə] *n. comb. form* 「…증[병] (=-pathy)」의 뜻. 〚NL; ⇨ -PATHY〛

path·ic [pǽθik] *n.* =CATAMITE; =MINION; =VICTIM.

-path·ic [pǽθik] *a. comb. form* 「…감응(感應)의」 「…증(症)의」 「…요법(療法)의」의 뜻(cf. -PATHY): tele*pathic* / homeo*pathic*. 〚L<Gk.〛

páth·less *a.* 길이 없는.

páth nàme *n.* 〖컴퓨〗 길이름, 경로명.

patho- [pǽθou, -θə] ☞ PATH-.

pàtho·biólogy *n.* 병리 생물학(pathology).

patho·gen [pǽθədʒən, -dʒèn], **-gene** [-dʒì:n] *n.* 병원균, 병원체.

pàtho·génesis *n.* Ⓤ 질병 발생론, 병원론(病原論), 병인(病因).

pàtho·génic *a.* 발병시키는; 병원성(病原性)의.

pa·thog·e·nous [pəθάdʒənəs] *a.* =PATHOGENIC.

pa·thog·e·ny [pəθάdʒəni] *n.* Ⓤ 병원(病原)(론).

pa·thog·no·mon·ic, -i·cal [pæ̀θəgnoumάnik(əl)] *a.* 〖醫〗 (특수) 병세의.

pa·thog·no·my [pəθάgnəmi] *n.* 감정 표현[표출]의 연구.

pathol. pathological; pathology.

patho·log·ic, -i·cal [pæ̀θəlάdʒik(əl)] *a.* 병리학(상)의; 병리(상)의; 병적인(morbid); 치료의; 《비유》 비정상의(abnormal). **-i·cal·ly** *adv.*

pa·thol·o·gy [pəθάlədʒi] *n.* Ⓤ 병리학; 병리; 병상(病狀). **-gist** *n.* 병리 학자.
〚F or L (*patho-*, *-logy*)〛

pa·thos [péiθɑs] *n.* Ⓤ 애수를 자아내는 가락; 애수; 비애, 페이소스; 〖藝〗 정념(情念), 파토스.
〚Gk.=suffering (*paskhō* to suffer)〛

pátho·tỳpe *n.* 병원형(病原型).

páth·wày *n.* 좁은 길, 오솔길(path); 보도; 통로, 진로(course)〈*of*〉; 〖生化〗 경로.

-p·a·thy [∸pəθi] *n. comb. form* 「고통」「감정」「요법」의 뜻. 〚Gk. *patheia* suffering〛

***pa·tience** [péiʃəns] *n.* **1** Ⓤ 인내, 인내력, 참을성; 끈기(↔*impatience*): I have no ~ *with* him. 저 녀석은 도저히 그냥 둘 수가 없다 / She had *the* ~ *to* hear my complaints. 그녀는 참을성 있게 내 불평을 들어 주었다. **2** Ⓤ 《英》 (카드 따위) 혼자서 놀기(=《美》 solitaire).
Have patience! 참으시오; (서둘지 말고) 잠시만 기다리시오.
out of patience with …에게 정나미가 떨어져.
the patience of Job (욥과 같은) 대단한 인내심[인내].
類義語 ***patience*** 고통·지연·지루함 따위를 차분하고 인내심 있게 참아내기: Teachers need *patience* with children. (선생님은 애들에 대한 참을성이 필요하다). ***endurance*** 고통·곤란 따위에 견디는 힘: The hardship was beyond his *endurance*. (그 고생은 그가 견디기에는 힘겨웠다). ***fortitude*** 의지나 성격의 강함을 강조하고 위기에 처해서의 침착함, 곤란에 견디는 불굴의 인내력을 나타냄: the *fortitude* of the pioneers(개척자들의 강인성). ***forbearance*** 대단한 시련·모욕 따위를 당해서도 자기를 억누르는 비범한 인내력: *Forbearance* consists in bearing what is unbearable. (자제심이란 참을 수 없는 것을 참는 데 있다).

‡**pá·tient** *a.* **1** 인내심이 강한, 참을성이 있는, 느긋한(↔*impatient*); 근면한: He is ~ *with* others. 그는 남들에 대해서 참을성이 있다 / Sailors are ~ *of* hardships. 선원들은 고난을 잘 견딘다. **2** 《英에서는 古》 허용하는, 여지가 있는: The facts are ~ *of* two interpretations. 그 사실에 대해선 두 가지 해석이 가능하다.

〈회화〉
I want to sit down, Mommy. — Be *patient* for a while. 「앉고 싶어요, 엄마」「좀 참아라」

—— *n.* **1** (의사 쪽에서 보아서) 환자 : He is not a ~ of mine. 그는 내 환자가 아니다. **2** (미장원 따위의) 손님 ; 수동자(受動者).
〖OF<L ; ⇨ PASSION〗
pátient complíance *n.* (의사 지시에 대한) 환자의 수용[순응] 상태.
pátient-dáy *n.* (의료기관에서의) 환자 1인당 1일 경비[의료비]. 〖*man-day*에 준한 것〗
pátient·ly *adv.* 끈기있게, 꾸준히.
pat·i·na[1] [pǽtənə, pətíː-] *n.* (*pl.* **~s, -nae** [pǽtəniː, -nài, pətíːniː, -nai]) 〔古로〕 운두가 얕은 큰 접시 ; 〔카톨릭〕 =PATEN.
〖L<Gk.=plate〗
patina[2] *n.* Ⓤ (청동기 따위의) 푸른 녹, 녹청(綠靑) ; 고색(古色), (오랜 기간에 걸쳐 갖춰진) 외관, 풍모, 분위기. **pat·i·nous** [pǽtənəs] *a.*
〖It.=coating<L ; ⇨ PATEN〗
pat·io [pǽtiòu, páː-] *n.* (*pl.* **pát·i·òs**) (스페인식 집의) 안마당(inner court). 〖Sp.〗
pátio chàir *n.* (간편한) 접의자.
pa·tis·se·rie [pətísəri, -tíː-] *n.* 프랑스풍의 페이스트리 (가게).
〖F<L=pastry ; ⇨ PASTE[1]〗
pát·ly *adv.* 적절하게, 어울리게.
PATO Pacific Asia Treaty Organization(태평양 아시아 조약 기구).
Pat. Off. Patent Office.
pat·ois [pǽtwɑː, páː-] *n.* (*pl.* ~ [-z]) (특히 프랑스의) 사투리, 방언 ; (특정 집단의) 은어. 〖F=rustic speech<? OF *patoier* to treat roughly〗
patr- [pǽtr, péitr], **pat·ri-** [pǽtrə, péitrə], **pat·ro-** [pǽtrou, -rə] *comb. form* 「아버지」의 뜻(cf. MATR-). 〖L<Gk. ; ⇨ PATER〗
Patr. Patrick ; Patriotic ; Patron.
pa·tri·al [péitriəl] *a., n.* 모국의 ; 《英》 영국 거주권을 가진 (사람), 귀화 영국인, 그 자손.
pa·tri·al·i·ty [pèitriǽləti] *n.*
pa·tri·arch [péitriɑ̀ːrk] *n.* **1** 가장(家長), 족장(族長)《옛 대가족·종족의 우두머리 ; cf. MATRIARCH》 ; 장로. **2** 원로, (교단·학문 따위의) 창시자, 시조. **3** bishop의 존칭《초기 기독교 교회에서의》 ; (특히 초기의) 주교(主教) ; 〔카톨릭〕 로마교황, (교황의 차위(次位)인) 총대주교. **4** [*pl.*] 〔聖〕 이스라엘의 조상, 야곱(Jacob)의 12명의 아들 ; Abraham, Isaac, Jacob 및 그들의 조상.
〖OF<L<Gk. (*patria* family, *arkhēs* ruler)〗
pà·tri·ár·chal *a.* patriarch의 ; 원로의 ; 존경할 만한 : a ~ cross 총대주교 십자.
pátriarch·ate *n.* **1** Ⓤ,Ⓒ patriarch의 지위[권한·임기·관구·저택]. **2** Ⓤ =PATRIARCHY.
pá·tri·àrchy *n.* Ⓤ 가장[족장] 제도[정치] ; 부주제(父主制) ; 부계(父系) 사회(cf. MATRIARCHY).
-àrch·ism *n.*
pa·tri·ate [péitrièit] *vt.* **1** (사람·물건을) 처음으로 본국에 보내다. **2** 《Can.》 (헌법을) 개정할 권한을 영국 정부에서 캐나다 연방 정부로 이양(移讓)하다.
Pa·tri·cia [pətrí(ː)ʃiə] *n.* 여자 이름《애칭 Pat, Patty》. 〖L (fem.) ; ⇨ PATRICK〗
pa·tri·cian [pətríʃən] *n.* 〔古로〕 귀족(cf. PLEBEIAN) ; (일반적으로) 귀족, 문벌가. —— *a.* 귀족의, 귀족적인 ; 고귀한. **~·shìp** *n.* 귀족임, 귀족 신분.
〖OF<L *patricius* having noble father (PATER)〗
pa·tri·ci·ate [pətríʃiət, -èit] *n.* Ⓤ 귀족 계급[사회] ; 귀족의 지위.
pàt·ri·cí·dal *a.* 아버지를 죽인, 부친 살해의.
pat·ri·cide [pǽtrəsàid] *n.* Ⓤ 부친 살해《범죄》 ; Ⓒ 부친 살해자(cf. MATRICIDE).
〖L ; ⇨ PARRICIDE〗
Pat·rick [pǽtrik] *n.* **1** 남자 이름《애칭 Pat》. **2** [Saint ~] 아일랜드의 수호(守護) 성인(389?-?461). 〖L=noble or patrician〗
pàtri·líneal *a.* 부계(父系)의.
pàtri·lócal *a.* 〔社〕 시가(媤家)에서 사는《남편의 가족과 동거하는》.
pat·ri·mo·ni·al [pæ̀trəmóuniəl] *a.* 조상 전래의, 세습의[적인] (hereditary) ; 세습 재산의.
patrimónial wáters[séa] *n.* 영해《보통 연안에서 200마일 사이》.
pat·ri·mo·ny [pǽtrəmòuni ; -məni] *n.* **1** 세습 재산. **2** 집안에 전래되는 물건, 유전(遺傳), 전승(傳承) ; 전통. **3** 교회[성당] 기본 재산.
〖OF<L ; ⇨ PATER〗
***pa·tri·ot** [péitriət, 美+-ɑ̀t, 英+pǽtriət] *n.* 애국자, 지사(志士), 우국 지사.
〖F<L<Gk. (*patris* fatherland)〗
pa·tri·ot·eer [pèitriətíər] *n.* 사이비 애국자.
pa·tri·ot·ic [pèitriɑ́tik ; pæ̀t-, pèi-] *a.* 애국의, 애국적인, 애국심이 강한.
-i·cal·ly *adv.*
pátriot·ìsm *n.* Ⓤ 애국심.
Pátriot mìssile *n.* 패트리어트 (미사일 요격) 미사일《1991년 걸프전에서 사용》.
Pátriots' Dày *n.* 애국의 날《1775년의 Lexington 및 Concord 에서의 전투를 기념하는 매사추세츠주와 Maine주의 법정 축제일 ; 4월 19일》.
pa·tris·tic, -ti·cal [pətrístik(əl)] *a.* (초대 기독교의) 교부(教父)의 ; 교부의 저서 연구의.
patro- [pǽtrou, -rə] ☞ PATR-.
***pa·trol** [pətróul] *n.* **1** Ⓤ 순찰, 순시, 정찰, 패트롤 : a ~ boat[ship] 초계정(哨戒艇), 감시선(船) / a ~ plane 초계기(機). **2** 정찰병(兵), 척후, 경계병 ; 순경 ; 경비대(원), 순찰대(원) ; 순시정(艇) ; 순찰[정찰]기(機). **3** (소년단의) 반(班) (cf. SCOUTMASTER).
on patrol 순찰[순시]중인[의].
—— *vi., vt.* (**-ll-**) (…을) 순찰[순시]하다 ; (길거리 따위를) 무리지어 행진하다.
〖G *patrolle*<F (*patrouiller* to paddle in mud)〗
patról bòmber *n.* 초계 폭격기.
patról càr *n.* 순찰차.
patról dìstrict *n.* 《美》 순찰[패트롤] 지구.
pa·tról·ler *n.* 순찰[순시, 순회]자.
patról lìne *n.* 경계[전초]선.
patról·man [-mən] *n.* 순시자 ; 《美》 패트롤[순회] 경찰(=《英》 constable).
patról òfficer *n.* 《美》 경찰, 순찰[외근] 경찰.
pa·trol·o·gy [pətrɑ́lədʒi] *n.* 교부학(教父學), 교부 문헌학 ; 교부의 저작물《수집품》.
patról wàgon *n.* 《美》 범인 호송차(=《英》 prison van).
pa·tron [péitrən] *n.* **1** 후원자, 지원자, 패트론, 보호자, 장려자, 은인(恩人). **2** (여관·상점 따위의) 단골 손님 ; (도서관 따위 시설의) 이용자. **3** =PATRON SAINT ; 〔古로〕 (법정에서 평민의) 변호인 ; 〔古로〕 (해방 노예의) 옛주인 ; 〔英國教〕 성직 수여권자. **4** (프랑스 등지에서 호텔의) 주인, 소유자.
〖OF<L=defender ; ⇨ PATER〗
pátron·age [pǽtrə-, péi-] *n.* **1** Ⓤ 후원, 보호, 장려, 찬조 ; (상점 따위의) 단골, 애고(愛顧) : under the ~ of …의 보호하에, …후원하에. **2** Ⓤ 생색(을 내기), 은인인 체하기. **3** 임명권 ; 〔英

國教》 성직 수여권, 목사 추천권.

Pátronage Sécretary *n.* 《英》 관리 전형(銓衡) 장관《재무부의 위원》.

pátron·ìze [; pǽtrə-] *vt.* **1** (…을) 보호[수호]하다, 후원[지원]하다(support), 장려하다 : ~ a promising musician 유망한 음악가를 후원하다. **2** (상점 따위를) 단골로 다니다. **3** 은인인 체하다, 생색을 내다.

pát·ron·ìz·ing *a.* 후원하는 ; 생색을 내는, 은인인 체하는 ; 거드름 피우는. **~·ly** *adv.* 은인인 체하여 ; 건방지게.

pátron sáint *n.* 수호 성인, 수호신, 수호 본존(本尊). ㊟ 어떤 지방·직업·사람의 수호자라고 생각되어지는 성자(聖者) ; 예를 들면 England의 St. George, Scotland의 St. Andrew, Ireland의 St. Patrick, 어린이들의 St. Nicholas[Santa Claus], 음악의 St. Cecelia 등.

pat·ro·nym·ic [pæ̀trənímik] *a., n.* 아버지[조상]의 이름을 딴 (이름) 《John*son*(=son of John) 따위》 ; 성(姓), 성씨(family name).
〖L<Gk. (*patr-, onoma* name)〗

pa·troon [pətrúːn] *n.* 〖美史〗 (옛날 네덜란드 통치하의 New York 주 및 New Jersey 주에서) 영주적인 특권을 가지고 있던 지주.

pat·sy [pǽtsi] *n.* 《美俗》 웃음거리가 되는 사람 ; 잘 속아 넘어가는 사람, 봉. 〖? It. *pazzo* fool〗

pat·ten [pǽtn] *n.* (옛날에 진 땅을 걸을 때 신발 밑에 덧신은) 나막신 ; 〖建〗 주각(柱脚), 벽의 밑도리. 〖OF *patin* (*patte* paw)〗

patten

pat·ter¹ [pǽtər] *vi.* [動 / +前+名] (비 따위가) 후두둑후두둑 내리다 ; 토닥토닥 소리를 내다 ; 후닥닥 달리다 : The rain ~*ed* ***on*** the window. 비가 후두둑후두둑 창문을 때렸다 / I heard the bare feet ~*ing* ***along*** the hard floor. 맨발로 단단한 마루 위를 쿵쿵 뛰어가는 소리가 들렸다. ── *vt.* (물 따위를) 찰싹찰싹 소리나게 하다.
── *n.* 토닥토닥[후두둑후두둑]나는 소리 : the ~ of footsteps[rain] 타박타박나는 발자국 소리[후두둑후두둑하는 빗소리]. 〖PAT¹〗

patter² *n.* **1** Ⓤ 말이 빠름, 거침없이 지껄이기 ; 수다. **2** Ⓤ (어떤 사회의) 은어(隱語), 변말, 암호(말). **3** [보통 conjuror's ~] 마법사[요술사]의 주문. **4** =PATTER SONG.
── *vt.* (기도 따위를) 술술 낭송하다. ── *vi.* 거침없이 지껄이다.
〖ME *pater*=PATERNOSTER〗

patter³ *n.* pat하는 사람[것].

‡pat·tern [pǽtərn] *n.* **1** 모범, 귀감 : She is a ~ *of* virtue. 그녀는 부덕(婦德)의 귀감이다 / [형용사적으로] a ~ wife 모범적인 아내. **2 a)** 원형, 모형(model), 거푸집, 목형 ; 〖洋裁〗 옷본 : a car *of* a new ~ 신형 자동차. **b)** Ⓤ,Ⓒ (행동 따위의) 유형, 양식, 패턴 ; 〖컴퓨〗 도형 : ☞ SENTENCE PATTERN. **3** 도안, 무늬, 줄무늬. **4** 견본, 표본(sample) : a bunch of ~*s* (양복감 따위의) 견본천 조각. **5** 《美》 한 벌분 옷감. **6** (비행장의) 착륙 진입로 ; 그 도형.

〈회화〉
Do you like this *pattern*? — Not very much.
「이 무늬 마음에 드니」「별로」

── *vt.* **1** [+目+前+名] 모조[모방]하다, (…와) 닮게 만들다, 본떠서 만들다 : Her coat is ~*ed* (***up***) ***on*** the newest fashion. 그녀의 외투는 최신 유행을 본떠서 만들었다 / Kate ~*ed* herself ***after*** her teacher. 케이트는 선생님을 본받았다. **2** …에 무늬를 넣다. ── *vi.* 모방하다 ; 〖言〗 유형을 이루다, 패턴이 되다.
〖PATRON=example ; 현재의 뜻·어형은 16-17세기부터〗
類義語 ⟹ MODEL.

páttern bòmbing *n.* =AREA BOMBING.

páttern glàss *n.* 패턴 글라스《장식무늬가 있는 유리 제품》.

páttern·màker *n.* 거푸집[모형·무늬] 도안가 ; 거푸집[모형] 제작자, 목형(木型) 제조공 ; (직물·자수의) 도안가.

páttern práctice *n.* 〖教〗 (유)형의 연습, 문형 연습, 패턴 연습.

páttern recognìtion *n.* 〖컴퓨〗 패턴 인식(認識)《문자·도형·음성 따위의 유형을 식별·판단하는 일》.

páttern ròom[shòp] *n.* (주물 공장의) 거푸집 제작장.

pátter sòng *n.* (뮤지컬 따위에서) 해학미를 내기 위해 단순한 가락의 빠른 말[대사]을 삽입시킨 노래(patter).

pat·tu, pat·too, put·too [pʌ́tuː] *n.* 파투《인도 북부산(産)의 염소털로 짠 tweed 비슷한 천》; 파투 모포.
〖Hindi〗

pat·ty¹, pat·tie [pǽti] *n.* Ⓤ,Ⓒ 작은 파이(small pie). 〖F PÂTÉ ; 어형은 *pasty²*의 영향〗

patty² *n.* 《美俗》 백인.

pátty-càke *n.* =PAT-A-CAKE.

pátty·pàn *n.* 과자 냄비 ; 파이 굽는 냄비.

pat·u·lin [pǽtʃəlin ; -tju-] *n.* Ⓤ 파툴린《항생 물질의 일종으로 감기약》.

pat·u·lous [pǽtʃələs] *a.* 열려 있는, 입을 벌리고 있는 ; 〖植〗 (가지가) 퍼져 있는, 산개한.

patz·er [pάtsər] *n.* 《美俗》 체스가 서투른 사람.

P.A.U. Pan-American Union(전미(全美) 연맹).

pau·ci- [pɔ́ːsə] *comb. form* few, little의 뜻.
〖L (↓)〗

pau·cis ver·bis [páukiːs wérbiːs] 몇 마디의 말로 ; 요약하면.
〖L=in few words (*paucus* few)〗

pau·ci·ty [pɔ́ːsəti] *n.* Ⓤ 소수, 소량 ; 부족.
〖OF or L (*paucus* few)〗

Paul [pɔ́ːl] *n.* **1** 남자 이름. **2** [Saint ~] 바울《예수의 사도로 신약성서 중의 바울 서간의 필자》.
〖L=little〗

Pául Bún·yan [-bʌ́njən] *n.* 폴 버니언《미국 전설 속의 거인으로 초인적인 나무꾼》; 힘이 장사인 큰 남자.

Pau·li [pɔ́ːli, páuli] *n.* 파울리. **Wolfgang** ~ (1900-58) 오스트리아 태생의 미국의 물리학자 ; Nobel 물리학상(1945).

Páuli exclúsion prìnciple *n.* 〖理〗 파울리의 배타[금제] 원리, 파울리의 배타율. 〖↑〗

Paul·ine [pɔ́ːlain] *a.* 사도 바울(의 저작)의 ; 바울의 가르침에 따른 : the ~ Epistles (신약 성서 중의) 바울의 편지.

Pául·ist *n.* Paul의 신봉자 ; 《인도》 예수회 회원.

pau·low·nia [pɔːlóuniə] *n.* 〖植〗 오동(나무).

Pául Prý *n.* 꼬치꼬치 캐기 좋아하는 사람.
〖John Poole의 극(劇) *Paul Pry*(1825) 중의 인물(人物)〗

paunch [pɔ́ːntʃ, 美+pάːntʃ] *n.* 배, 위(胃) ; 《戲》

올챙이 배 ; 〖動〗 (반추 동물 따위의) 제 1위(胃) ; 〖海〗 (덧대는) 매트. ── *vt.* 배를 가르다, 내장을 꺼내다. **páunchy** *a.* 《戲》 배가 나온. **páunch·i·ness** *n.*
〖AF *pa(u)nche*<L *pantic- pantex* bowels〗

pau·per [pɔ́:pər] *n.* (생활 보호를 받는) 극빈자, 빈곤자, 구호 대상자 ; 《口》 가난한 사람 ; 〖法〗 (소송 비용이 면제되는) 빈민. **~·dom** *n.* 궁핍 ; [집합적으로] 빈민, 빈민 계급. **~·ìsm** *n.* (구제를 필요로 하는) 빈곤 상태 ; [집합적으로] 구호 대상자, 빈민.
〖L=poor〗

páuper cósts *n. pl.* 《英》 빈민을 위한 소송비.

pause** [pɔ:z] *vi.* [動 / +前+名 / +*to* do] 중지[휴지]하다, 쉬다, 끊기다 ; 멈추어 서다, 망설이다, 궁리하다 ; 기다리다 : ~ ***for breath 숨을 돌리기 위해 잠깐 멈추다 / ~ ***(up) on*** a word 어떤 말 도중에 잠시 멈추다[생각하다] / She ~*d to* look back. 그녀는 멈추어 서서 뒤돌아보았다.
── *n.* **1** (일시적인) 중지, 휴지 ; 틈새, 도중에 끊어지기, 한숨 돌리기 ; 〖컴퓨〗 쉼 : make a ~ 휴지하다 ; 한숨 돌리다. **2** 구절, 구두(句讀), 단락. **3** 〖韻〗 휴지 ; 〖樂〗 늘임표.
give [put] pause to …을 잠시 멈추게 하다, …을 주저하게 만들다.
in [at] pause 중지[휴지]하여 ; 주저하여.
〖OF or L *pausa*<Gk. (*pauō* to stop)〗
類義語 ⟹ STOP.

pav [pæv] *n.* 《俗》 =PAVLOVA.

pav·age [péividʒ] *n.* Ⓤ 포장(鋪裝) (공사) ; 도로 포장세(稅).

pa·vane [pəvɑ́:n, -vǽn, pǽvən], **pav·an, pav·in** [pǽvən] *n.* 파반《16-17세기에 유행했던 우아한 궁정풍의 춤(곡)》.
〖F<Sp. (*pavon* peacock)〗

pave** [péiv] *vt.* [+目 / +目+*with*+名] (도로 따위를) 포장(鋪裝)하다, (도로에 돌·아스팔트 따위를) 깔다 : a path ~*d* ***with gravels 자갈을 깐 길 / His career was ~*d with* good intentions. 《비유》 그의 생애는 선의(善意)로 일관되었다.
pave the [one's] way for [to] …로 가는 길을 열다[개척하다], …을 가능[용이]하게 하다.
── *n.* 포장 도로.
〖OF<L *pavio* to ram〗

pa·vé [pǽvei, pəvéi] *n.* 포장 ; 포장도로 ; 보석을 빽빽이 박기.
〖F (p.p.)<↑〗

***páve·ment** *n.* **1** Ⓤ 포장, 포장 재료. **2** 포장도로(↔*dirt road*) ; 《英》 (특히 포장한) 보도, 인도 (=《美》 sidewalk) (cf. FOOTPATH) ; 《美》 차도 (roadway).
on the pavement 거리를 걸으며 ; 잠자리가 없이, 버림받아.
〖OF<L=hard floor ; ⇨ PAVE〗

pávement àrtist *n.* 거리의 화가《보도에 색분필로 그림을 그려서 통행인에게 돈을 받거나 거리에서 초상화를 그려주고 돈을 받음》.

Pave Paws [péiv pɔ́:z] *n.* 페이브 포즈《해상에서 발사된 미사일을 탐지하는 초대형 조기 레이더 시스템》.
〖*P*recision *A*cquisition of *V*ehicle *E*ntry, *P*hased *A*rray *W*arning *S*ystem〗

pav·er [péivər] *n.* 포장공 ; 포장 기계[재료].

pa·vil·ion [pəvíljən] *n.* **1** 대형 텐트[천막] 《화초 품평회·오락·해변가의 휴게소 따위로 쓰임》. **2** 《英》 (야외 경기장 따위의) 관람석, 선수석 ; (박람회의) 전시관, 파빌리온. **3** 누각(樓閣) ; (병원의) 별채병동 ; 정자(亭子) ; 별관 : a ~ hospital 병동식 병원. **4** 《文語》 천개(天蓋) (canopy), 하늘, 천공(天空). **5** 〖解〗 외이(外耳), 귓바퀴.
── *vt.* …에 대형 천막을 치다, 대형 천막으로 덮다[에 넣다].
〖OF<L *papilion- papilio* butterfly〗

pavílion sỳstem *n.* 〖建〗 분관식(分館式).

pavin ☞ PAVANE.

pav·ing [péiviŋ] *n.* Ⓤ 포상(鋪床), 포장 (공사·재료).

páving brìck *n.* 포장용의 단단한 벽돌.

páving stòne *n.* 포석(鋪石), 포장용 돌.

pav·ior | **pav·iour** [péivjər] *n.* 포장공 ; 포장용 기구 ; 포장 재료.

Pav·lov [pǽvlɔ(:)f, pɑ́:v-] *n.* 파블로프. **Ivan Petrovich ~** (1849-1936) 러시아의 생리학자 ; 조건 반사의 실험자.

pav·lo·va [pævlóuvə] *n.* (오스트레일리아·뉴질랜드의) 크림과 과일을 얹은 머랭 과자(pav).

Pav·lov·ian [pævlɔ́:viən, -lóu-] *a.* 파블로프(학설)의, 조건 반사(설)의.

Pa·vo [péivou] *n.* 〖天〗 공작자리(the Peacock).

pav·o·nine [pǽvənàin, -nən] *a.* 공작(孔雀)의[같은] ; 무지개 빛깔의.

Pav·u·lon [pǽvjəlàn] *n.* 파불론《pancuronium의 상품명》.

***paw**[1] [pɔ́:] *n.* (개·고양이 따위의) 갈고리 발톱이 있는 발(cf. HOOF) ; 《古》 필적 ; 《戲·蔑》 (재주가 없는) 사람의 손 : ☞ CAT'S-PAW. ── *vt.* (말 따위가) 앞발로 긁다[차다·치다] ; 《口》 거칠게[서투르게] 다루다〈*over*〉 ; 난폭하게 달려들다[치고 덤비다]. ── *vi.* (말이) 앞발로 땅을 차다[긁다]. 〖OF *poue*<Gmc. (G *Pfote*)〗

paw[2] *n.* 《口》 =FATHER. 〖PA[1]〗

PAWA Pan American World Airways《팬 아메리칸 항공 ; 미국의 민간 항공 회사》.

pawky [pɔ́:ki] *a.* 《스코·北英》 빈틈없는, 약삭빠른 ; 교활한 ; (능글맞게) 우스갯소리를 하는 ; 《美俗》 건방진.
páwk·i·ly *adv.*
〖*pawk* (Sc., north. E) trick<?〗

pawl [pɔ́:l] *n.* 〖機〗 톱니바퀴 멈추개《톱니바퀴의 역회전을 막음》. ── *vt.* (톱니바퀴 따위를) 톱니바퀴 멈추개로 멈추게 하다.
〖LG and Du. *pal*〗

páwl bìtt *n.* 역회전 방지용 계주(繫柱).

pawn[1] [pɔ́:n] *n.* Ⓤ (동산(動産)의) 담보 ; Ⓒ 저당물, 전당물 ; 인질 ; 볼모 ; 《비유》 맹세, 약속.
at [in] pawn 저당잡혀.
give [put]... in pawn …을 저당잡히다.
── *vt.* **1** 전당[저당]에 넣다[잡히다] : ~ one's watch 시계를 전당잡히다. **2** 《비유》 (생명·명예를) 걸고 맹세하다 : ~ one's word 언질을 주다.
pawn·ee [pɔ:ní:] *n.* 전당물을 잡는 사람, 질권자(質權者).
〖OF *pan* pledge, security<Gmc. (G *Pfand* pledge)〗

pawn[2] *n.* 〖체스〗 폰, 졸(卒) 《略 P》 ; 《비유》 남의 앞잡이(cat's-paw).
〖AF *poun*<L *pedon- pedo* foot soldier〗

páwn·bròker *n.* 전당포 주인《3개의 금빛 구슬을 간판으로 함》, 전당(포) 영업자.

páwn·bròking *n.* Ⓤ 전당(포) 영업.

Paw·nee [pɔ:ní:, 美+pɑ:-] *n.* (*pl.* ~, ~**s**) 포니족의 사람《Mississippi의 지류 Platte 강 기슭에 살던 북미 인디언》.

páwn·er, páw·nor *n.* 전당잡히는 사람.
páwn·shòp *n.* 전당포.
páwn tìcket *n.* 전당표.
paw·paw [pɔ́:pɔ:, pəpɔ́:] *n.* =PAPAW.
pax [pæks, pɑ́:ks] *n.* **1** Ⓤ《英學俗》벗, 친구; 우정(friendship): make[be] ~ with …와 친해지다, 친하다. **2** Ⓤ [보통 P~] (특정국의 지배에 의한 국제적) 평화. **3** 〖카톨릭〗 성상패(聖像牌)《예수·성모 마리아 등의 상을 그린 패; 미사 때 여기에 입을 맞춤》; 평화의 키스《미사 때 사제가 신도에게 하는》. **4** [P~] 〖로神〗 평화의 여신. ── *int.* 《英學俗》 화해하자!, 그만두자! 〚L=PEACE〛
P.A.X. 《英》 private automatic (telephone) exchange(전화의 사설 자동 교환대).
Páx Americána *n.* 미국의 지배에 의한 평화. 〚L〛
Páx atóm·i·ca [-ətɑ́mikə] *n.* 핵무기의 균형으로 유지되는 평화. 〚L〛
Páx Bri·tán·ni·ca [-britǽnikə] *n.* (특히 19세기의) 영국의 지배에 의한 평화. 〚L〛
Páx Ec·o·nóm·i·ca [-èkənɑ́mikə] *n.* 인간이 경제에 예속됨으로서 얻어지는 평화. 〚L〛
Páx Ro·má·na [-rouméinə] *n.* 팍스 로마나《(1) 로마 지배에 의한 평화. (2) 일반적으로 강국의 강제에 의한 평화》. 〚L〛
pax·wax [pǽkswæ̀ks] *n.* 〖解〗 경인대(頸靭帶).
◇**pay**[1] [péi] *v.* (**paid** [péid]) *vt.* **1** [+目/+目+前+名/+目+目] (봉급·임금·대금 따위를) 지불[지급]하다, 치르다; …에게 (보수를) 지급하다, …에게 (빚을) 갚다, 변제하다, 청산하다: ~ one's debts 빚을 갚다/He decided to ~ his employees well. 고용인들에게 후한 급료를 주기로 했다/I *paid* ten dollars ***for*** this cap. 이 모자를 사는 데 10달러를 주었다/Do what you are *paid for.* 받는 대가 만큼의 일을 하시오/I'll ~ you the money next week. 그 돈은 다음 주에 지급하겠습니다/She is *paid* five hundred pounds a month. 급료로 한달에 500파운드를 받고 있다/You must ~ cash ***to*** your grocer. 식료품점에서는 현금으로 지급해야 한다.
2 [+目/+目+目] …에게 보상이 되다, …에게 이익을 주다: It wouldn't ~ me to take that job. 그 일을 맡아서는 수지가 안 맞겠다/That stock ~*s* me four percent. 그 주식에서 4퍼센트의 이익이 생긴다.
3 [+目/+目+目/+目+前+名] (방문 따위를) 하다, (주의를) 기울이다, (존경을) 나타내다, (경의를) 표하다: ~ one's respect 경의를 표하다/I am going to ~ you a visit before long. 가까운 시일 안에 찾아뵙겠습니다/We'll ~ a visit ***to*** our professor next Sunday. 우리는 다음 일요일에 교수댁을 방문할 작정이다/*P~* more attention *to* your driving. 차 운전에 좀 더 주의하십시오.
4 [+目/+目+前+名] …에게 돌려 주다, 보답하다, 징계하다; (벌을) 주다: He that serves everybody is *paid* by nobody. 모든 사람에게 봉사하는 사람은 아무에게도 보답을 못 받는다/A wrongdoer must ~ the penalty. 악한 일을 한 자는 벌을 받아야만 한다/He *paid* her ***for*** her insults by causing her trouble. 그녀를 난처하게 하여 그녀에게서 받은 모욕을 앙갚음했다.
── *vi.* **1** [+*for*+名] 지급하다, 대금을 치르다; 빚《따위》을 갚다, 변제[변상]하다: The artist could not ~ ***for*** a regular model. 그 화가는 직업 모델을 쓸 돈이 없었다/The car was *paid for* in installments. 자동차 대금은 분할불로 지급되었다. **2** (일·작업 따위) 수지가 맞다, 벌이가 되다; 애쓴 보람이 있다: It ~*s* to advertise. 광고는 수지가 맞는 일이다. **3** [+*for*+名] 벌(罰)을 받다; 보상[속죄]하다, 괴로워하다(suffer): She had to ~ ***for*** her hasty engagement. 그녀는 경솔한 약혼 때문에 괴로워하지 않으면 안 되었다.
pay as you go 《美》 (외상으로 하지 않고) 현금으로 지급하다; 지출을 수입 범위내로 제한하다; 원천 징수 소득세를 내다.
pay away (돈을) 쓰다; 〖海〗 =PAY *out* (2).
pay back (돈을) 되돌려주다; …에게 보복하다.
pay dear for one***'s whistle*** ☞ WHISTLE *n.*
pay down 그 자리에서[맞돈으로] 지급하다; (분할불 따위에서) 계약금을 지급하다.
pay in (돈을) 은행에 불입하다.
pay a person ***in kind*** (남)에게 현품[물품]으로 지급하다; 《비유》 (남)에게 앙갚음[보복]하다.
pay into (기금(基金) 따위)에 기부하다.
pay off (*vt.*) (1) (빚 따위를) 청산하다, 전부 갚다, (남에게) 전부 지급하다; 급료를 주고 해고하다; (남에게) 복수하다, 앙갚음하다: ~ *off* old SCORES ☞ SCORE *n.* 숙어. (*vi.*) (2) (좋은) 결과가 나오다, 성공하다, 효과가 나타나다, 결실을 보다; 수지맞다: ~ *off* handsomely (투자 따위에서) 많이 벌다. (3) (*vt.*) (배의) 이물을 바람 부는 쪽으로 돌리다; (*vi.*) 〖海〗 (배가) 바람 부는 쪽으로 향하다.
pay one***'s*** (***own***) ***way*** 빚지지 않고 살다: ~ one*'s way* through college 고학으로 대학을 졸업하다/~ a person*'s way* 남의 비용을 대신 치러 주다.
pay out (1) (부채를) 갚다, 지급하다; …에게 분풀이를 하다, 보복하다: He was *paid out for* his treachery. 그는 배신에 대한 보복을 당했다. (2) 〖海〗 (밧줄을) 느슨하게 풀어 주다《이 뜻의 과거형은 *payed out*》.
pay up 깨끗이 청산하다, 전액을 불입하다.
put paid to... ☞ PAID.
── *n.* **1** Ⓤ 지급. **2** Ⓤ 급료, 봉급, 임금, 보수, 수당(cf. FEE, SALARY, WAGES): good ~ 후한 급료[보수]. 㽳 특히 군대의 급료에 대해 이 말을 씀. **3** Ⓤ 보답; 벌(罰). **4** 지급 능력이 있는 사람. **5** 고용인, 앞잡이.
in the pay of... [때때로 나쁜 뜻으로] …에게 고용되어서, …에 사용되어: *in the ~ of* the enemy 적에게 고용되어.
without pay 무보수로[의], 명예적인[으로].
── *a.* **1** 유료의; 요금 투입식의: a ~ toilet 유료 화장실. **2** 자비(自費)의: a ~ student 자비생. **3** 귀중한[돈이 되는] 물질을 함유한. 〚OF (L *paco* to appease, pacify); ⇨ PEACE〛
類義語 (1) (*v.*) ***pay*** 시킨 일·받은 물건에 대해서 대금을 지불하다, 보상하다; 가장 단순하고 보편적인 말. ***compensate*** 소비한 물품·시간·노력 따위에 대해서 그것에 해당하는 금전 또는 다른 것으로 보상하다: The railroad company *compensated* the farmer for his field. (철도 회사는 농민에게 전답에 대한 보상을 했다). ***remunerate*** 시킨 일·노력에 대하여 보수로 지급하다; pay 보다 정중한 말: They are *remunerated* by a bonus or commission. (그들은 상여금이나 수수료로 보답받는다).
(2) (*n.*) ***pay*** 일반적으로 「급료」라는 뜻; 특히 군인의 급료. ***wages*** 주로 손으로 하는 일이나 육체적인 노동에 대해서 단기간에 (일급·주급

으로) 지급되는 급료. ***salary*** 지적·전문적인 일을 하는 사람에게 wages보다 장기간을 두고 (월급·반(半)월급으로) 지급되는 고정 급료. ***fee*** (의사·변호사·예술가 등의) 전문적인 일에 대해서 지급되는 사례금.

pay[2] *vt.* (**~ed, paid**) 〖海〗 (배 밑·이음새 따위에) 타르·피치 따위를 바르다. 〖OF<L (*pic- pix* PITCH[2])〗

páy·able *a.* **1** 지급해야 할(due) ; 지급할 수 있는 (↔*receivable*) : ~ in currency 통화[화폐]로 지급해야 할. **2** 벌이가 될 것 같은, 수지맞을 듯한. **3** 〖法〗 지급 만기의. **-ably** *adv.* 유리하게.

páy-as-you-éarn *n.* Ⓤ 《英》 원천 과세[징수] 《略 P.A.Y.E.》.

páy-as-you-énter *n.* Ⓤ (버스·전차 따위) 승차시에 요금을 내는 방식《略 P.A.Y.E.》.

páy-as-you-gó plán *n.* 《美》 현찰 지급주의 ; 원천 징수(방식) (cf. PAY *as you go*).

páy-as-you-sée *a.* (텔레비전이) 유료인 : ~ television 유료 텔레비전.

páy·bàck *n., a.* 환불(하는) ; 대충(對充)(의) ; 원금 회수(의) ; 보복(의) : ~ period (투자액의) 회수 기간.

páy bèd *n.* (병원 따위의) 유료 침대.

Páy Bòard *n.* 《美》 (정부의) 임금 사정위원회.

páy·bòok *n.* 〖美軍〗 개인 급료 지급 장부.

páy·bòx *n.* 《英》 매표소.

páy-by-phóne *n., a.* 전화 대체(의).

páy-càble *n.* 《美》 유선 유료 텔레비전 방송.

páy·chèck *n.* 급료 지급 수표 ; 급료, 임금 ; (라디오 프로그램의) 광고주(sponsor).

páy clàim *n.* 임금 인상 요구 ; 실업 보상 요구.

páy·dày *n.* U,C 월급날, 급료일 ; 지급일 ; 《英》 (증권 시장의) 결산일(settling day) : It is ~ today. 오늘은 월급날이다.

páy dìrt *n.* **1** Ⓤ 《美》 (유용 광물이 풍부한) 부화토[광](富化土[鑛]), 수지가 맞는 사금 채취장. **2** Ⓤ 《美口》 횡재, 뜻밖의 값진 것, 돈줄, 노다지 : strike[hit] ~ 뜻밖의 발견을 하다, 횡재하다, 돈줄을 잡다.

P.A.Y.E. pay-as-you-earn[enter].

pay·ee [peiíː] *n.* (어음·수표의) 피(被)지급인, 수취인.

páy ènvelope *n.* 《美》 월급[급료] 봉투(=《英》 pay packet) ; 봉급.

páy·er *n.* 지급인, (수표 따위의) 발행인.

páy·gràde *n.* 〖軍〗 (군인의) 급여 등급.

páy gràvel *n.* =PAY DIRT.

páy·ing *a.* 지급하는, 유료의 ; 돈벌이가 되는, 타산이 맞는.

páying guèst *n.* 하숙인, 기숙생(boarder).

páy·ing-in slìp *n.* 《英》 예금 전표.

páying lòad *n.* =PAYLOAD.

páy lìst *n.* =PAYROLL.

páy·lòad *n.* **1** (회사 따위의) 급료 지급용 경상 부담(금). **2** 〖海·空〗 유료 하중(荷重)《승객·화물류의 중량처럼 직접 수입이 생기는 하중》. **3** 〖宇·軍〗 유효 탑재량, 페이로드《미사일 탄두, 우주 위성의 기기·승무원, 폭격기의 탑재 폭탄 따위 ; 그 하중》 ; 미사일 탄두[탑재 폭탄]의 폭발력.

páyload spècialist *n.* 우주선 실험 전문가.

Paym. Paymaster.

páy·màster *n.* 경리부장[과장] ; 〖軍〗 재무관《略 P.M.》 ; [종종 *pl.*] 《蔑》 돈을 주고 남을 마음대로 부리는 사람.

Páymaster Géneral *n.* (*pl.* **Páymasters Gén-**) 《英》 재무부 국고청장 ; 《美》 (육해군의) 경리감《略 P.M.G.》.

***páy·ment** *n.* **1** U,C 지급 ; 납입, 불입 ; 보수 : make ~ 지급하다 ; 납입하다 / in ~ *for* …에 대한 보수[대금]로(서의). **2** 지급 금액, 지급액. **3** U,C 변제, 상환 ; 변상(compensation) ; 보답, 징벌 ; 복수.

payment by installments 분할 지급.
payment in [***at***] ***full*** 전액 지급[청산].
payment in part [***on account***] 내입금, 일부 지급.
stop payment 지급 불능[파산] 선언을 하다.

〈회화〉
How were you able to buy that? — I'm making monthly *payments.* 「그것을 어떻게 살 수 있었니」「월부로 산 거야」

páyment bìll *n.* 〖商〗 지급 어음.

páyment-in-kínd *n.* 《美》 (감농(減農) 정책의 하나로 휴경(休耕) 농가에 대한 보상으로 농민에게 지급하는) 현물 지급《略 PIK》.

páyment tèrms *n. pl.* 지급 조건.

Paym. Gen. Paymaster General.

páy·mìstress *n.* (여성) 지급 주임(主任), 경리부장[과장].

pay·nim [péinəm] *n.* 《古》 이교도[국(國)], (특히) 이슬람교도. 〖OF<L *paganismus* ; ⇨ PAGAN〗

pay·nize [péinaiz] *vt.* (목재 따위에) 방부제를 바르다.

páy·òff *n.* **1** Ⓤ (급료·빚 따위의) 지급, 청산, 결제 ; Ⓒ 지급[청산] 일시. **2** Ⓤ 급료를 지급하고 해고하기 ; Ⓒ 해고 시기. **3** 수익 ; 보수 ; 보복, 앙갚음 ; 《口》 증회, 수회, 뇌물. **4** 《주로 美口》 (사건·이야기 따위의) 귀결, 귀착, 결말 ; 절정(climax) ; 결정적 사실[요인]. —— *a.* 《口》 결정적인, 최후에 결과를 낳는.

páy òffice *n.* 지급을 관리 담당하는 부문 ; (특히 공채(公債) 이자의) 지급국(局).

páy·òfficer *n.* 〖軍〗 경리 장교 ; 지급 담당자.

pay·o·la [peióulə] *n.* 비합법적인 사례금, 뇌물《노래 따위를 선전하려고 음악 담당 프로듀서 등에게 간접적으로 주는》. 〖*pay*[1]+-*ola* (cf. Victrola) ; 일설에 ‹*payoff*〗

páy·òut *n.* 지급(금·장소), 지출(금·장소).

páyout ràtio *n.* 배당 성향《배당금의 총액을 이익으로 나눈 것》.

páy pàcket *n.* 《英》 =PAY ENVELOPE.

páy-per-chánnel *a.* 유료 텔레비전 가입자의 매월 시청료 납부 방식의.

páy-per-víew *a.* 유료 텔레비전 가입자의 시청 프로그램수(數)에 따르는 요금지급 방식의.

páy phòne *n.* =PAY STATION.

páy·ròll *n.* (회사·공장·관청 따위의) 급료 지급 명부 ; 종업원 명부 ; (종업원의) 지급 급료 총액 ; 종업원수, 점원수.

on [***off***] ***the payroll*** 고용되어[해고되어].

páy shèet *n.* 《英》 급료 지급 명부(payroll).

páy slìp *n.* 급료 명세서.

páy stàtion *n.* 《美》 공중 전화 박스(telephone booth) ; (경화 투입식) 공중 전화.

payt., pay't payment.

páy tèlephone *n.* (호텔 따위의) 유료 전화.

páy tòne *n.* 〖電話〗 요금 추가 지시를 하는 신호음(音).

pay TV [⌐ tìːvíː], **páy tèlevision** *n.* 유료 텔레비전.

páy wìng *n.* 《美俗》 투수가 주로 쓰는 팔.

pa·zazz [pəzǽz] *n.* =PIZAZZ.

pa(z)·za·za [pəzǽzə] *n.* 《美俗》 =PIAZZA; 돈 (money).

PB 〖理·軍〗 particle beam(입자 빔). **Pb** 〖化〗 plumbum 《L》 (=lead). **P.B.** *Pharmacopoeia Britannica* 《L》 (=British Pharmacopoeia); Plymouth Brothers[Brethren]; passbook; Prayer Book; Primitive Baptist(s). **PBB** [pìːbìːbíː] polybrominated biphenyl. **P.B.I.** 《英口》 poor bloody infantry《보병의 뜻》; protein-bound iodine (단백 결합 요오드). **PBR** price bookvalue ratio(주가 순자산 배율(倍率)). **PBS** 《美》 Public Broadcasting Service. **PBW** particle-beam weapon. **PBX, P.B.X.** private branch exchange(구내 교환 전화). **PC** patrol craft; personal computer; pocket calculator; 〖化〗 polycarbonate; portable computer; printed circuit; program counter. **P.C.** Panama Canal; Parish Council; Past Commander; Peace Corps; percent; percentage; 《英》 Police Constable; Post Commander; 《英》 Prince Consort; 《英》 Privy Council(lor); 《美》 Professional Corporation; 《Can.》 Progressive Conservative. **pc** parsec. **pc.** piece; price(s). **p.c.** percent; petty cash; postal card; postcard; *post cibum* 《L》 (=after meals) 《처방전 지시》; price current. **P/C, p/c** percent; petty cash; price current. **PCB** 〖化〗 polychlorinated biphenyl(폴리염화 비페닐).

PC bòard [píːsíː-] *n.* 프린트 배선 기판(基板). 〚*P*rinted *C*ircuit *board*〛

P.C.C. Parochial Church Council. **PCE** personal consumption expenditure(개인 소비 지출). **p.c.e.** pyrometric cone equivalent. **PCI, P.C.I.** *Partito Communista Italiano* 《It.》 (=Italian Communist Party). **PCM** protein-calorie malnutrition; 〖電子〗 pulse code modulation(펄스 부호 변조).

PCM àudio [pìːsìːém-] *n.* PCM 방식에 의해 음성 신호를 처리하기. 〚*p*ulse *c*ode *m*odulation *audio*〛

PCP [pìːsìːpíː] pentachlorophenol; phencyclidine. **PCPA** para-chlorophenylalanine(파라클로로페닐알라닌). **PCS** punch(ed) card system. **pcs.** pieces. **PCT** 〖警察〗 precinct(지서(支署)). **pct.** percent. **PCU** palliative care unit. **P.C.V.** 《美》 Peace Corps Volunteers(평화 봉사단). **Pd** 〖化〗 palladium. **pd.** paid; pond. **P.D.** Police Department; postal district; privatdocent. **P.D., p.d.** *per diem* 《L》 (=by the day); 〖電〗 potential difference. **PDA** 〖空〗 predicted drift angle; 《美俗》 public display of affection. **Pd. B.** *Pedagogiae Baccalaureus* 《L》 (=Bachelor of Pedagogy). **PDB** 〖化〗 paradichlorobenzene; President's daily briefing(미국 대통령의 매일 아침의 간단한 회의). **Pd. D.** *Pedagogiae Doctor* 《L》 (=Doctor of Pedagogy). **PDL** 《英》 poverty datum line(빈곤선). **pdl** poundal. **Pd. M.** *Pedagogiae Magister* 《L》 (=Master of Pedagogy). **PDP** 〖理〗 plasma display panel《방전에 의한 발광을 이용하여 글자·화상을 표시하는 박형(薄型) 표시 장치》.

PDQ, p.d.q. [pìːdìːkjúː] *adv.* 《俗》 **1** 〚*p*retty *d*amn *q*uick〛 곧, 즉시. **2** 〚*p*retty *d*amn *c*ute〛 몹시 귀엽게.

PDR, P.D.R. Physicians' Desk Reference(약품 리스트가 적힌 의사용 편람).

PD ràdar [píːdíː-] *n.* 펄스도플러(pulse-Doppler)형 레이더.

PDT Pacific Daylight Time.

pe [péi] *n.* 헤브라이어 자모의 17번째의 글자. 〚Heb.〛

PE 〖化〗 polyethylene. **P.E.** petroleum engineer(석유 기사); physical education; potential energy; Presiding Elder; printer's error(오식); probable error; professional engineer; Protestant Episcopal. **P/E, p/e** price-earnings.

*__pea__ [píː] *n.* (*pl.* **~s,** 《古·英方》 **pease** [píːz]) 〖植〗 완두(콩), 완두 비슷한 콩과 식물; 완두 비슷한 (작은) 것; 《美俗》 (야구·골프의) 공; [형용사적으로] 완두의[같은]: shell ~*s* 완두콩의 꼬투리를 까다.

(as) like[alike] as two peas (in a pod) 흡사한, 꼭 닮은.

green peas 그린피스; 푸른완두.

split peas (까서) 말린 완두콩《수프용》.

〚PEASE; -*se*를 복수 어미로 잘못 생각한 것; cf. CHERRY〛

péa bràin *n.* 《美俗》 바보, 얼간이.

péa-bràined *a.* 《美俗》 어리석은.

◇**peace** [píːs] *n.* **1** Ⓤ 평화, 태평(↔*war*): in time of ~ 평화시에는 / in ~ and war 평시에나 전시에나 / the pipe of ~ ☞ PIPE 숙어 / after a (period of) ~ 평화 기간 뒤에 / ~ at any price (특히 영국 의회에서의) 절대 평화주의. **2** Ⓤ [때때로 P~] 강화(講和), 강화[평화] 조약(條約); 화평, 화해: the *P*~ of Paris 파리 강화 조약 / sign ~ [the *P*~] 강화 조약에 조인하다 / ~ with honor 명예로운 강화 / a ~ conference 평화회의. **3** [보통 the ~] 치안, 질서: break[keep] *the* ~ 치안을 문란케 하다[지키다], 질서를 문란케 하다[지키다] / disturb *the* ~ 치안을 방해하다 / *the* king's[queen's] ~ 《英》 치안 / public ~ 치안. **4** Ⓤ 평온, 무사; 안심, 평안: ~ of mind 마음의 평화 / ~ of conscience 양심에 거리낌 없음 / the ~ of the rural life 전원 생활의 평온함 / *P*~ be with you! 평안하시기를 빕니다 / *P*~ to his ashes[memory, soul]! 영령이여 고이 잠드소서. **5** 조용함; 침묵: Do let me have a little ~. 잠시 동안 조용히 있게 해주게.

at peace 평화로이(↔*at war*), 마음 편히; 의좋게, 사이좋게; 안심하여: The soul which is not *at* ~ *with* itself cannot be *at* ~ *with* the world. 마음이 평화롭지 못한 사람은 세상을 원만히 살아갈 수가 없다.

be sworn of the peace 보안관에 임명되다.

hold[keep] one's peace 침묵을 지키다, 항의하지 않다; 이야기[논쟁]를 그만두다.

in peace 평안하게, 무사히.

leave a person ***in peace*** 남을 방해하지 않다, 남을 그대로 놔두다.

let a person ***go in peace*** 남을 방면하다[석방하다].

make one's peace with …와 화해하다.

make peace 화목[화해]하다 〈*with*〉; 중재하다 〈*between*〉.

swear the peace against a person ☞ SWEAR *v.*

—— *vi.* [명령문 이외는 《廢》] 조용해지다: *P*~! *P*~! 조용히!

〚OF<L *pac-* *pax* peace〛

péace·able *a.* **1** 평화를 사랑하는 ; 온순한. **2** 태평[무사]한, 평화로운, 온화한(peaceful).
-ably *adv.* 평화롭게, 온화하게.
péace·brèak·er *n.* 평화 파괴자 ; 치안 방해자.
Péace Còrps *n.* [the ~] 평화 봉사단《미국에서 개발 도상 국가에 파견하는 봉사단(원)》.
péace dòve *n.* 《口》 공직(公職)에 있으면서 평화(주의)를 주장하는 사람, 비둘기파 의원.
péace estàblishment *n.* 〖軍〗 평시 편제.
péace fèeler *n.* 평화 협상 타진.
péace·fèst *n.* 《美口》 평화[강화]회의.
péace fòoting *n.* (군대의) 평시 편제 ; (각종 조직의) 평시 체제(cf. WAR FOOTING).
***péace·ful** *a.* **1** 평화로운, 태평한 ; 조용한 : It was very ~ after the guests had left. 손님들이 떠나고 나니 아주 조용해졌다 / ~ times 태평 성대. **2** (국민 등이) 평화를 사랑하는 ; 온화한, 온순한. **3** 평화를 위한, 평화적인 ; 평시용의 : ~ uses of atomic power 원자력의 평화(적) 이용.
~·ly *adv.* 평화적으로, 조용하게, 온화하게.
類義語 ⟹ CALM.
péaceful coexístence *n.* 평화공존.
péace·kèep·er *n.* 평화 유지자, 화평 조정자 ; 평화 유지군의 병사 ; [P~] 〖美軍〗 피스키퍼(☞ MX).
péace·kèep·ing *n.* 평화 유지《특히 적대국간의 휴전 상태를 국제적 감시에 의해 유지하기》.
—— *a.* 평화 유지의 : a ~ force 평화 유지군.
péace-lóving *a.* 평화를 사랑하는.
péace·màker *n.* **1** 조정자[단], 중재인 ; 평화 조약 조인자. **2** 《戲》 평화를 지키는 도구《권총·군함 따위》; 《美婉》 권총(revolver).
péace·màking *n.*, *a.* 조정(하는), 중재(의), 화해(하는).
péace màrcher *n.* 평화 운동 시위 행진 참가자.
péace·mònger *n.* 《蔑》 평화론자.
peace·nik [píːsnik] *n.* 《美口》 평화 주의자, 반전(反戰)주의자(pacifist).
péace offènsive *n.* 평화 공세.
péace òffering *n.* 〖유태教〗 화목제(和睦祭)의 희생 ; 화해의 선물.
péace òfficer *n.* 치안[보안]관 ; 경찰관.
péace pàct *n.* 부전(不戰)[평화] 조약《1928년 파리에서 15개국이 조인함》.
Péace Pèople *n.* 북아일랜드에서 카톨릭·프로테스탄트 양파로 이루어진 평화 운동의 하나.
péace pìpe *n.* =CALUMET.
péace sìgn *n.* **1** 평화의 표시로 손가락으로 나타내는 V사인. **2** =PEACE SYMBOL.
péace stùdies *n.* 평화 연구(강좌).
péace sỳmbol *n.* 평화의 상징《*N*uclear *D*isarmament의 머리 글자의 수기(手旗) 신호를 도안화한 표지》.
péace tàlks *n. pl.* 평화 회담, 강화 협상.
péace·tìme *n.* Ⓤ 평화시 ; [형용사적으로] 평화시의(↔*wartime*) : ~ industries 평화산업.
***peach**[1] [píːtʃ] *n.* **1** 복숭아 ; 복숭아나무(peach tree) ; Ⓤ 복숭아빛《노란빛이 도는 분홍빛》. **2** 《口》 멋있는 사람[것], 예쁜 소녀 : a ~ *of* a cook 훌륭한 요리사. —— *a.* 복숭아(빛)의.
〚OF＜L *persica* Persian (apple)〛
peach[2] *vi.* 《俗》 밀고하다, 일러바치다〈*against*, (*up*) *on*〉. —— *vt.* 《稀》 배반하다.
〚*appeach* (obs.) to IMPEACH〛
péach blòom, péach·blòw *n.* 자홍색(紫紅色) 유약[도기] ; 자홍색.
péach brándy *n.* 복숭아즙으로 만든 리큐어.
péach còlor *n.* 복숭아빛, 노란빛을 띤 분홍색.
péach·es-and-créam *a.* (얼굴이) 혈색이 좋고 매끈매끈한 ; 《俗》 훌륭한.
péa·chìck *n.* 공작(孔雀) 새끼 ; 허세를 부리는 젊은이.
péach Mél·ba [-mélbə] *n.* [흔히 p~ m~] = PÊCHE MELBA.
péach trèe *n.* 복숭아나무.
péachy *a.* **1** 복숭아의[같은] ; (얼굴빛이) 복숭아빛의. **2** 《美口》 훌륭한. **péach·i·ness** *n.*
***péa·còck** *n.* (*pl.* ~, ~**s**) **1** 공작《특히 수컷 ; cf. PEAHEN》. **2** [the P~] 〖天〗 공작자리. **3** 《비유》 허영[허세]부리는 사람, 겉치레꾼.
(***as***) ***proud as a peacock*** 몹시 뽐내어, 우쭐거려.
play the peacock 허세부리다, 뽐내다.
—— *vt.* [~ *oneself* 로] 자랑하다, 과시하다 ; 성장(盛裝)하다. —— *vi.* (보란 듯이) 뽐내며 걷다 ; 허세부리다. **~·ery** *n.* 과시하기, 허세, 허영, 멋부림. **~·ish, ~·lìke** *a.* 공작 같은, 허세부리는.
〚*pea* (OE *pēa* peafowl＜L *pavo*), COCK[1]〛
péacock blúe *n.* 광택이 있는 청색.
péacock òre *n.* 〖鑛〗 공작 동광(銅鑛).
péa cràb *n.* 〖動〗 숨이게.
péa·fòwl *n.* 공작《암수 같이 말함》.
peag(e) [píːg] *n.* =WAMPUM.
〚Algonquian〛
péa gréen *n.* 황록색(yellowish green).
péa·hèad *n.* 《美俗》 바보, 멍청이.
péa·hèn *n.* 공작의 암컷(cf. PEACOCK).
péa jàcket *n.* (선원 등이 입는) 두터운 모직의 더블코트. 〚C18 ? Du. *pijjekker* (*pij* coat of coarse cloth, *jekker* jacket)〛
***peak**[1] [píːk] *n.* **1 a**) (지붕·탑 따위의) 첨단, 뾰족한 끝 ; 뾰족한 산봉우리 ; 절정, 최고점 : the ~ of happiness 행복의 절정 / the ~ of traffic 최대 교통량 / the ~ year (통계상의) 최고 기록의 해. **b**) 〖電·機〗 피크《급격한 부분적 증가량의 최상승점(最上昇點)》 : a voltage ~ 최대 전압 / at a ~ period 최고 절정 때에. **2** 돌출부 ; (모자의) 차양 ; 곶. **3** 〖海〗 비낀 활대의 끝 ; (이물·고물의) 뾰족한 선창(船艙) ; 닻혀. —— *vt.* 최고점까지 올리다 ; 〖海〗 (돛·활대·노 따위를) 곧추세우다, 세우다 ; (고래가 꼬리를) 쳐들다. —— *vi.* 우뚝 솟다 ; 최고점에 달하다, 절정이 되다 ; (고래가) 꼬리를 쳐들다. —— *a.* 최고의, 절정의.
〚? 역성(逆成) ‹ *peaked* ‹ *picked* (dial.) pointed ‹ PICK[1] ; 일설(一說)에 ‹? *pike*[1]〛
類義語 ⟹ TOP.
peak[2] *vi.* 야위다.
peak and pine 수척해지다.
〚C16＜?〛
Péak Dìstrict *n.* [the ~] (영국 Derbyshire 북부의) 연봉(連峰) 지방.
péaked[1] [, 美+-əd] *a.* 뾰족한.
péak·ed[2] [, 美+píkəd] *a.* 수척한, 야윈.
péak expérience *n.* (성인(聖人) 등의) 지고(至高) 체험《신비적인 체험, 계시 따위》.
péak-frèsh *a.* 제철의, 한창 때의.
péak hòur *n.* (교통량·전력 소비 따위의) 피크 때 ; (텔레비전 따위의) 골든 아워 : ~*s* of traffic 최대 교통량의 시간 / industry's ~*s* 공장의 최대 전력 소비 시간.
péak-hòur *a.* 최대값을 나타내는 시간[시기]의, 가장 혼잡한 때의, 피크 때의.
péak·ing *n.* 《俗》 마약의 효과가 정점에 달하기.
péak lòad *n.* (발전소 따위의) 최대 부하(負荷),

절정(絶頂) 하중 ; (일반적으로) 일정 기간 내의 최대 (수송·교통)량.
péak shàving *n.* 천연 액화 가스의 피크 때의 공급(供給).
péak vàlue *n.* (변동하는 양(量)의) 최고치, 파고치(波高値).
péaky *a.* 봉우리가 많은[있는] ; 봉우리 같은, 뾰족한 ; 쇠약해 보이는, 병으로 수척해진, 야윈 ; 《美俗》 썩기 시작한.
peal [pí:l] *n.* **1** (종·우레·대포 따위의) 울림 ; (웃음소리·박수 따위의) 울려 퍼지는 소리 : a ~ of thunder 우렛소리. **2** (음악적으로 가락을 맞춘) 한벌의 종, 종악(鐘樂).
in peal (종소리가) 가락을 맞추어.
— *vt.* [+目 / +目+副] (우렁차게) 울려 퍼지게 하다, 울리게 하다 ; (명성 따위를) 떨치다 ; (소문 따위를) 퍼뜨리다 : The church bells are ~*ing* ***forth*** the message of Christmas joy. 교회의 종소리는 크리스마스 축하의 가락을 우렁차게 울리고 있다. — *vi.* 울려 퍼지다, 울리다 ; 소리 내어 웃다.
〚ap*peal*〛
péa·lìke *a.* (모양·단단함 따위가) 완두콩 같은 ; (꽃이 화려한) 나비 모양을 한.
pe·an [pí:ən] *n.* =PAEAN.
***péa·nùt** *n.* **1** 〔植〕 낙화생 ; 그 열매, 땅콩, 피넛. **2** 《俗》 시시한 사람 ; [*pl.*] 시시한 것 ; [*pl.*] 《俗》 얼마 안되는 액수, 푼돈.
— *a.* 《俗》 시시한.
péanut bùtter *n.* 땅콩 버터.
péanut gàllery *n.* 《美口》 (극장의) 제일 싼 자리 《제일 위층 가장 뒤쪽의 좌석》.
péanut òil *n.* 낙화생 기름.
péanut wàgon *n.* 《美俗》 대형 트레일러를 끄는 작은 트럭.
péa pàtch *n.* 콩밭.
tear up the pea patch 《美俗》 날뛰다.
péa·pòd *n.* 완두콩 꼬투리 모양의 낚싯배.
***pear** [péər, pǽər] *n.* 〔植〕 서양배 ; 서양배나무 (pear tree) ; 서양배 모양[표주박 모양]의 것.
〚OE *pere, peru*<L *pirum*〛
péar dròp *n.* 서양배 모양의 펜던트 ; 서양배 모양(으로 서양배 향내가 나는) 캔디.
***pearl**[1] [pə́:rl] *n.* **1** Ⓒ 진주 ; Ⓤ 진주층(層) (cf. MOTHER-OF-PEARL). **2** 귀중한 물건 ; [*pl.*] 진주 목걸이 : an artificial[a false, an imitation] ~ 모조 진주 / a cultured ~ 양식(養殖) 진주. **3** 전형(典型), 정수(精粹), 진수. **4** 진주 비슷한 것 《이슬·눈물·흰 이 따위》 ; 작은 알갱이. **5** Ⓤ 〔印〕 펄《5포인트 활자 ; ☞ TYPE 5 ㊟》. **6** Ⓤ 진주색.
throw[***cast***] ***one's pearls before swine*** 돼지에게 진주를 던져 주다, 「개발에 편자」.
— *a.* 진주의, 진주색의 ; 진주를 박아 넣은[상감한] ; 진주 모양의.
— *vt.* **1** 진주로 장식하다, …에 진주를 박아 넣다 ; …에 진주 (같은) 빛이 나게 하다. **2** (보리 따위를) 기계로 잘게 찧다, 정백(精白)하다. — *vi.* **1** 진주 모양으로 되다. **2** 진주를 채취하다 : go ~*ing* 진주 캐러 가다. 〚OF<Rom. *perla* (dim.)< L *perna* leg, sea mussel〛
pearl[2] *vt., n.* =PURL[2].
péarl àsh *n.* 〔化〕 진주회(灰).
péarl bàrley *n.* 희고 동글동글한 알갱이로 찧은 보리, 정맥(精麥).
péarl blúe *n.* 진주색, 엷은 청회색(青灰色).
péarl bútton *n.* 진주 조개로 만든 단추.
péarl dìver *n.* 진주조개 캐는 잠수부 ; 《美俗》 접시 닦기.
pearled [pə́:rld] *a.* **1** 진주로 꾸민, 진주를 박아 넣은. **2** (진주 같은) 구슬로 된. **3** 진주 빛깔의, 진주색[광택]을 띤.
péarl·er *n.* 진주조개 채취자[선].
pearl·es·cent [pərlésənt] *a.* 진주 광택이 나는.
péarl èssence *n.* 진주정(精).
péarl fìsher *n.* 진주조개 캐는 어부.
péarl fìshery *n.* =PEARL FISHING ; 진주조개 채취장.
péarl fìshing *n.* 진주조개 채취업.
péarl gráy *n.* 진주색, 연한 청회색.
Péarl Hárbor *n.* 진주만(灣)《미국 Hawaii 주(州) Oahu섬 남해안의 군항 ; 1941년 12월 7일 일본 해군의 기습 공격을 받음》 : before ~ 진주만 공격 이전(의).
pearl·ite [pə́:rlait] *n.* 〔冶〕 펄라이트《페라이트(ferrite)와 시멘타이트(cementite)로 이루어진 결정 조직》 ; =PERLITE.
péarl làmp[**bùlb**] *n.* 젖빛 전구.
péarl ònion *n.* 아주 작은[진주만한] 양파《요리에 곁들임》.
péarl òyster[**shèll**] *n.* 진주조개.
péarl pòwder *n.* 연백(鉛白)《분의 일종》.
Péarl Ríver *n.* [the ~] 펄 강 《Mississippi강에서 갈라져 나가 멕시코 만으로 흘러드는 강》.
péarl spàr *n.* 〔鑛〕 진주 광택이 나는 백운석(白雲石)의 일종.
péarl wédding *n.* 진주혼식《결혼 30주년 기념》.
péarl whíte *n.* 진주 광택 물질 ; =PEARL POWDER ; 진주색. — *a.* 진주처럼 흰.
péarl·wòrt *n.* 〔植〕 개미자리《총칭》.
péarly *a.* 진주의[같은] ; 진주로 장식한 ; 진주가 나는, 진주가 많은. — *n.* [*pl.*] 《英》 (원래 London의 행상인(costermonger)의) 진주조개로 만든 단추가 많이 달린 옷 ; (그 옷을 입은) 행상인. **péarl·i·ness** *n.*
péarly kíng *n.* 《英》 진주조개 단추가 달린 옷(pearly)을 입은 London의 행상인.
péarly náutilus *n.* 〔貝〕 앵무조개.
péarly quéen *n.* 《英》 pearly king의 아내.
pear·main [péərmein, pǽər-] *n.* 사과의 일종.
péar-shàped *a.* 서양배 모양의 ; (목소리가) 풍부한 ; 부드러운, 낭랑한.
peart [pə́:rt, píərt] *a.* 《주로 美》 튼튼한 ; 씩씩한, 활발한, 쾌활한 ; 똑똑한(clever).
〚변형(變形) ‹*pert*〛
péar trèe *n.* 서양배나무.
***peas·ant** [pézənt] *n.* 농부, 소농, 소작농(cf. FARMER) ; 시골뜨기 : a ~ girl 시골 처녀 / ~ folk 소농민 / a poor ~ 영세 농민. ㊟ 프랑스·동양 따위의 소농에 대해 씀 ; 영국·미국·캐나다·오스트레일리아 따위에서는 현재는 farmer (농장 경영자)가 대규모적으로 경영하기 때문에 peasant는 없음 ; cf. SMALLHOLDER.
〚AF *paisant* (*païs* country)〛
Péasant Bárd *n.* [the ~] 농민 시인《스코틀랜드의 시인, Robert Burns의 속칭》.
péasant propríetor *n.* 소자작농(小自作農).
péasant·ry *n.* [보통 the ~] 농민, 소작농, 소작인 계급 ; 농민[소작인]의 지위[신분] ; 투박함, 시골티가 남.
pease [pí:z] *n.* (*pl.* **péas·es**) 《古·英方》 완두류(類)《pea의 집합 명사》.
〚OE *pise* pea<L *pisa* ; cf. PEA〛
péas(e)·còd *n.* 《古》 완두의 꼬투리.

péase pùdding *n.* 《英》 완두가루로 만든 푸딩.
péa·shòot·er *n.* 장난감 콩알 총.
péa sòup *n.* (특히 말린) 완두로 만든 진한 수프 ; 《美口》 =PEA-SOUPER.
péa-sòup·er *n.* 《口》 (특히 런던의) 황색의 짙은 안개 ; 《Can. 蔑》 프랑스계 캐나다인.
péa-sòupy *a.* 《英口》 (안개가) 노랗고 짙은.
peat[1] [pí:t] *n.* Ⓤ 토탄(土炭) ; Ⓒ 토탄덩어리《연료용》. 〚? Celt. ; cf. PIECE〛
peat[2] *n.* 《古·蔑》 여자 ; 《廢·호칭》 귀여운 여자, 사랑스러운 여자, 쾌활한 여자. 〚C16<?〛
péat bòg *n.* 토탄지(地).
péat·ery *n.* 토탄 산지 ; 토탄습지[습원].
péat hàg *n.* 토탄(매장)지.
péat mòor *n.* =PEAT BOG.
péat mòss *n.* 토탄 이끼《토탄의 주성분》.
péat-rèek *n.* Ⓤ 토탄의 연기 ; (토탄을 연료로 써서 만든) 스카치 위스키(의 향기).
péaty *a.* 토탄의 ; 토탄이 많은.
pea·v(e)y [pí:vi] *n.* 《美》 (통나무를 옮기는 데 쓰는) 갈고리 달린 지렛대.

peav(e)y

péa wèevil *n.* 〔昆〕 콩바구미.
***peb·ble** [pébəl] *n.* **1** (물의 작용으로) 둥글게 된 조약돌, 자갈 ; 자갈 크기의 덩어리. **2** 마노(瑪瑙) (agate). **3** 수정(水晶), 수정으로 만든 렌즈, 두꺼운 안경 렌즈. **4 a)** =PEBBLEWARE. **b)** (가죽·종이 따위의 표면에 가공한) 울퉁불퉁한 자갈 무늬 ; 울퉁불퉁한 자갈 무늬가 있는 가죽. —— *vt.* **1** …의 결을 거칠게 하다 ; (가죽·종이 따위)에 울퉁불퉁한 자갈 무늬를 내다. **2** …에 자갈을 던지다, 자갈로 때리다 ; 자갈로 덮다, 자갈로 포장하다. 〚OE *papol-stān* pebble stone (*papol-* (? imit.), *stone*)〛
pébble dàsh *n.* 〔建〕 (외벽의 모르타르가 마르기 전에 하는) 자갈박기[메우기] 마무리.
pébble pòwder *n.* (연소 속도가 느린) 알이 굵은 화약.
pébble·stòne *n.* =PEBBLE 1.
pébble·wàre *n.* Ⓤ (얼룩 무늬가 있는) 영국산 도자기의 일종.
péb·bly *a.* 조약돌[자갈]이 많은[투성이의].
pé·brine [peibrí:n] *n.* Ⓤ (누에의) 미립자병(微粒子病). 〚F〛
PEC, p.e.c. photoelectric cell.
pe·can [pikǽn, -kɑ́:n, pí:kæn, -kən] *n.* 〔植〕 피칸《미국 중·남부 지방산의 호두나무의 일종》 ; 그 열매《식용》. 〚Algonquian〛
pec·ca·ble [pékəbəl] *a.* 죄를 범하기 쉬운, 잘못하기 쉬운. **pèc·ca·bíl·i·ty** *n.* 〚F<L (*pecco* to sin)〛
pec·ca·dil·lo [pèkədílou] *n.* (*pl.* **~es, ~s**) 가벼운 죄, 사소한 잘못 ; 작은 결점. 〚Sp.〛
pec·can·cy [pékənsi] *n.* Ⓒ 죄 ; Ⓤ 〔醫〕 병적임.
péc·cant *a.* 죄를 범하는, 범죄의, 사악한 ; 타락한 ; 그릇된 ; 〔醫〕 병적인, 병을 일으키는. 〚F or L ; ⇨ PECCABLE〛
pec·ca·ry [pékəri] *n.* 페카리《Texas 이남의 남북 아메리카 대륙산의 멧돼지》 ; 페카리 가죽. 〚Carib〛
pec·ca·vi [pekɑ́:vi:, -kéi-] *n.* 참회(confession) : cry ~ 죄를 고백하다, 참회하다. 〚L=I have sinned〛
pêche Mel·ba [pí:tʃ mélbə, péʃ-] *n.* 피치 멜바《설탕에 조린 복숭아를 바닐라 아이스크림에 넣고 raspberry 소스를 끼얹은 디저트》. 〚F〛
peck**[1] [pék] *vt.* **1** [+目/+目+副] 부리로 쪼다 ; 쪼아먹다 ; 부리로 쪼아 (구멍을) 파다 : The hen *~ed* the corn (out***). 암탉이 옥수수를 쪼아 먹었다[댔다] / Woodpeckers ~ holes in trees. 딱따구리는 부리로 나무에 구멍을 판다. **2** 《口》 조금씩[깨죽깨죽] 먹다. **3** 《口》 …에게 급히[형식적으로, 마지못해] 키스하다. —— *vi.* **1** [動/+*at*+名] 부리로 쪼다[쪼려고 하다], 쪼아먹으려고 하다 : A hen is *~ing* ***at*** the grain. 암탉 한 마리가 곡식을 쪼아먹고 있다. **2** 《口》 [動/+*at*+名] 조금씩 먹다 : The child was *~ing* ***at*** the food. 어린애는 음식을 깨죽깨죽 먹고 있었다. **3** 귀찮게 잔소리하다. —— *n.* **1** (부리 따위로) 쪼기 ; 쪼아서 생긴 구멍. **2** 《口》 (내키지 않는) 가벼운 키스. **3** 《俗》 음식물, 먹이, 모이. **4** 《美俗》 백인. 〚? MLG *pekken* to jab with the peak<? ; cf. PICK[1]〛
peck[2] *n.* 펙《건량의 단위 ; =8 quarts : 《英》 약 9리터 ; 《美》 약 8.8리터》 ; 《口》 많음. 〚AF<?〛
peck[3] *vt., vi.* 《俗》 (돌 따위를) 던지다〈*at*〉. —— *n.* (돌 따위를) 던지기.
péck·er *n.* **1** 쪼는 새 ; =WOODPECKER. **2** 곡괭이 (pickax), 괭이(hoe)의 일종. **3** 《俗》 부리 ; 코 ; 《英俗》 원기, 기운.
Keep your pecker up. 《英俗》 기운을 내라.
péck·er·wòod *n.* 《美俗》 딱따구리 ; (남부의) 가난한 백인, 시골뜨기 백인.
péck(·ing) òrder *n.* (새의 사회에서) 쪼는 순위[세력 순위] ; (인간 사회의) 서열, 규정[율법].
péck·ings *n. pl.* 《美俗》 먹을 것.
péck·ish *a.* **1** 《俗》 배고픈. **2** 《口》 화를 잘내는, 까다로운, 잔소리가 심한.
Péck's Bád Bóy *n.* 《美》 경솔한 사람, 망나니, 악동. 〚미국의 작가 G. W. Peck (d. 1916)의 *Peck's Bad Boy and His Pa* (1883)에서〛
Peck·sniff [péksnif] *n.* 펙스니프《Dickens의 소설 *Martin Chuzzlewit*에 나오는 위선자》.
Peck·sniff·ian [peksnífiən] *a.* Pecksniff류의, 위선적인.
pec·tase [pékteis, -z] *n.* Ⓤ 〔生化〕 펙타아제.
pec·ten [péktən] *n.* (*pl.* **pec·ti·nes** [-tənì:z], **~s**) **1** 〔解〕 치골(恥骨) ; 〔動〕 빗(살) 모양의 돌기[기관]. **2** 〔貝〕 국자가리비.
pec·tic [péktik] *a.* 펙틴의 : ~ acid 펙트산(酸).
pec·tin [péktən] *n.* Ⓤ 〔化〕 펙틴. 〚Gk. (*pēgnumi* to make solid)〛
pec·ti·nate [péktənèit], **-nat·ed** [-nèitəd] *a.* 빗(살) 모양의.
pèc·ti·ná·tion *n.* Ⓤ 빗(살) 모양의 구조, 빗살 모양의 부위 ; 빗질하기.
pec·to·ral [péktərəl] *a.* **1** 가슴의 ; 가슴 근육의 : a ~ fin 가슴지느러미. **2** 폐병의[에 듣는]. **3** 가슴을 장식하는. **4** 주관적인. **5** (소리가) 가슴에서 나오는. —— *n.* **1** (특히 유태 제사장의) 가슴장식 ; 가슴받이 ; (주교(主教) 등이) 가슴에 다는 십자가(=∠ **cróss**). **2** [*pl.*] 〔魚〕 가슴지느러미 ; 〔解〕 가슴 근육. **3** 폐병약[요법]. 〚OF<L (*pector- pectus* chest)〛
péctoral múscle *n.* 〔解〕 가슴 근육.
pec·tose [péktous] *n.* 〔生化〕 펙토오스《덜익은 과일 따위에 들어 있는 다당류(多糖類)》.
pec·u·late [pékjəlèit] *vt.* (공금이나 위탁금을) 써버리다, 횡령하다. 〚L (PECULIAR)〛
pèc·u·lá·tion *n.* Ⓤ,Ⓒ 공금[위탁금] 유용[횡령] ;

관물(官物)[위탁물] 사용.

péc·u·là·tor *n.* 공금 유용자, 수탁금[위탁금] 횡령자 ; 관물 사용자.

***pe·cu·liar** [pikjú:ljər] *a.* **1** 독특한, 고유의 ; 자기 나름대로의 ; 특별한, 특수한(special) : a style ~ *to* Dickens 디킨스 특유의 문체 / Language is ~ *to* mankind. 언어는 인간 특유의 것이다 / Every nation has its own ~ character. 각각의 국민은 제각기 고유한 국민성을 지니고 있다 / a substance of ~ smell 독특한 냄새가 나는 물질. **2** 묘한, 별난 : a ~ smell 묘한 냄새 / He is a very ~ fellow. 그는 아주 별난 사람이다. —— *n.* **1** 사유 재산, 특권. **2** 〖宗〗 (다른 관구의 감독 지배하의) 특수지역[교구] ; Peculiar People파의 사람. 〚L ; ⇨ PECULIUM〛 類義語 ⟹ STRANGE.

pecúliar gálaxy *n.* 〖天〗 특이(特異) 은하《이상한 모양의 은하》.

pecúliar institútion *n.* [the ~] 〖美史〗 흑인 노예 제도(Negro slavery).

pe·cu·li·ar·i·ty [pikjù:liǽrəti] *n.* Ⓤ,Ⓒ 특질, 특색, 특성 ; 특유(한 것), 특권 ; Ⓒ 버릇 ; 기벽(奇癖), 별남.

pecúliar·ly *adv.* **1** 개인적으로. **2** 특히, 각별히. **3** 독특하게 ; 기묘하게, 이상하게.

pecúliar péople *n.* **1** [the ~] 신의 선민《유태인 ; 기독교도》. **2** [the P~ P~] 기도와 도유(塗油)만으로 병이 고쳐진다고 믿었던 프로테스탄트의 일파《1838년 영국에서 창시》.

pe·cu·li·um [pikjú:liəm] *n.* 사유 재산 ; 〖로法〗 (노예·아내·아이들에게 주었던) 개인 재산. 〚L=private property ‹ *pecu* cattle〛

pe·cu·ni·ary [pikjú:nièri ; -niəri] *a.* 금전[재정] 상의 ; 벌금(형(刑))의 : a ~ offense 벌금형 / ~ embarrassment 재정 곤란. **pe·cù·ni·ár·i·ly** [; pikjú:niərəli] *adv.* 금전에 관하여, 금전상. 〚L (*pecunia* money ‹ *pecu* cattle)〛 類義語 ⟹ FINANCIAL.

pecúniary advántage *n.* 〖法〗 (부정한) 금전상의 이익.

ped [péd] *n.* 자연의 토양 생성과정에서 형성된 입자의 집합체.

ped-[1] [péd, pí:d], **ped·i-** [pédi, pí:di], **ped·o-** [pédou, pí:dou, -də] *comb. form* 「발」의 뜻. 〚L〛

ped-[2] [péd], **pedo-** [pédou, pí:dou, -də] *comb. form* 「토양」의 뜻. 〚Gk. *pedon* ground〛

ped-[3] [pí:d, 美+péd] ☞ PAED-.

-ped [pèd], **-pede** [pì:d] *n. comb. form, a. comb. form* 「…의 발을 가진 (생물)」의 뜻 : quadru*ped*. 〚L〛

ped. pedal ; pedestal ; pedestrian.

ped·a·gog·ic, -i·cal [pèdəgádʒik(əl), -góu-] *a.* 교육학상의, 교육학적인 ; =PEDANTIC.

pèd·a·góg·ics *n.* 교육학, 교수법.

ped·a·gogue, 《美》 **-gog** [pédəgɔ̀(:)g, -gàg] *n.* 교사, 선생, 교육자 ; 《蔑》 현학자(衒學者). 〚L<Gk. (*paid-* *pais* boy, *agō* to lead)〛

péd·a·gòg(u)·ism *n.* Ⓤ 선생인 체하기, 훈장 기질 ; 현학(衒學).

ped·a·go·gy [pédəgòudʒi, -gàdʒi, 英+-gɔ̀gi] *n.* Ⓤ 교육학, 교수법 ; 교육, 교수 ; 교직.

ped·al** [pédl] *n.* **1** (재봉틀·자전거 따위의) 발판, 페달. **2** 〖樂〗 페달, 발판《피아노의 음향 멈추개를 현(絃)에서 분리시키는 것은 loud pedal, 여린음이 되게 하는 것은 soft pedal》, (파이프·파이프 오르간·챔발로 따위) 발로 밟는 건반(cf. MANUAL) ; =PEDAL POINT. **3** 〖數〗 수족 곡선(垂足曲線)[면]. —— *v.* (-l- | -ll-) *vt.* [+目/+副/+目+前+名] **1** …의 페달을 밟다 : I ~*ed* my bicycle ***up (the hill). 자전거의 페달을 밟아 (언덕을) 올라갔다. **2** 페달을 밟으며 지나가다 : He ~*ed* his way ***up*** the slope. 그는 언덕길을 페달을 밟으며 올라갔다. —— *vi.* [動/+副/+前+名] 페달을 밟으며 가다 : He ~*ed off* ***on*** his bicycle. 그는 자전거의 페달을 밟으며 가버렸다 / ~ ***along*** (the road) 자전거로 길을 달리다. —— [, pí:-] *a.* **1** 〖動·解〗 발의 : ~ extremities 발, 다리. **2** 〖數〗 수족곡선의 ; 페달(식[추진])의 : a ~ curve 수족곡선. 〚F<It.<L (*ped-* *pes* foot)〛

pédal bòat *n.* =PEDA(L)LO.

pédal·er *n.* 《口》 자전거 타는 사람, 자전거 이용자(者).

pe·dal·fer [pədǽlfər] *n.* Ⓤ 〖地質〗 페달퍼《철(鐵) 알루미나 토양(土壤)》.

ped·alo, -al·lo [pédəlòu] *n.* (*pl.* **~s, ~es**) 수상 자전거《오락용의 페달 추진식 보트[뗏목]》.

pédal pòint *n.* 〖樂〗 (최저음의) 끎음(音), 페달음, 오르간점《페달을 밟고 있는 동안》; 끎음이 있는 악구(樂句).

pédal pùshers *n. pl.* 여성의 스포츠용 짧은 바지《원래 자전거용》.

pédal stéel (guitàr) *n.* 페달 스틸 기타《페달로 조현(調絃)을 바꾸는 방식의 전기 스틸 기타》.

ped·ant [pédənt] *n.* 학자연하는 사람, 현학자(cf. PEDAGOG(UE)) ; 공론가(空論家) ; 《古》 교사. 〚F<It.=teacher〛

pe·dan·tic, -ti·cal [pədǽntik(əl)] *a.* 학자연하는, 박식한 체하는, 현학적인. **-ti·cal·ly** *adv.* 학자인 체하여.

ped·an·toc·ra·cy [pèdəntákrəsi] *n.* 현학자들에 의한 지배 ; (지배자로서의) 현학자들.

pédant·ry *n.* Ⓤ 학자인 체하기, 현학 ; 거드름 피우기 ; 형식에 구애됨[융통성 없음].

ped·ate [pédeit] *a.* 〖動〗 발이 있는 ; 발 모양의, 발 같은 구실을 하는 ; 〖植〗 (잎이) 새발 모양의.

pe·dati- [pədǽtə, -déi-] *comb. form* 「발 모양」의 뜻. 〚L〛

pe·dat·i·fid [pədǽtəfəd, -déi-] *a.* 〖植〗 (잎이) 새발 모양으로 갈라진.

ped·dle [pédl] *vi.* 행상(行商)하다, 도부치다 ; 소매하다 ; 하찮은 일에 얽매이다. —— *vt.* (작은 상품을) 행상하다 ; 《비유》 조금씩 잘라 팔다 ; 사방으로 퍼뜨리다. 〚역성(逆成) ‹ *pedlar* ; 'trifle'의 뜻은 ‹ *piddle*〛

***péd·dler** *n.* 행상인, 도부꾼 ; (이야기 따위) 옮겨 퍼뜨리는 사람 ; 마약 판매인 ; 《美俗》 역마다 정차하는 화물 열차. 〚PEDLAR〛

péddler's Frénch *n.* 《古》 도둑들의 암호[은어] ; 횡설수설(gibberish).

péddle rùn *n.* 《CB 俗》 트럭을 타고 한집 한집 배달하기.

péd·dlery *n.* 행상, 도붓장사 ; 행상하는 물품 ; 싸구려 물건.

péd·dling *a.* 행상하는, 도부치는 ; 하찮은 ; 하찮은 일에 얽매이는. —— *n.* Ⓤ 도부꾼, 행상.

-pede ☞ -PED.

ped·er·ast, paed- [pédəræ̀st, pí:-] *n.* 《美》 계간자, 항문 성교자. 〚NL<Gk. (*paed-*, *erastēs* lover)〛

ped·es·tal** [pédəstl] *n.* **1** (흉상(胸像) 따위의) 받침대, 대좌(臺座), 주각(柱脚). **2** 〖機〗 축받이, 굴대받이. **3** 기초, 근거(foundation). ***set a person ***(up) on a pedestal*** 남을 존경[숭

배]하다.
—— *vt.* (**-l-** | **-ll-**) 대좌(臺座) 위에 올려놓다, 받침대로 받치다.
⟦F *piédestal*＜It.＝foot of stall⟧
pédestal dèsk *n.* 양소매 책상.
pédestal tàble *n.* 다리가 하나인 테이블《다리는 중앙에 있음》.
***pe·des·tri·an** [pədéstriən] *n.* 보행자, 도보 여행자(cf. EQUESTRIAN) ; 도보 경주자[주의자] ; 잘 걷는 사람. —— *a.* 도보의, 보행의 ; (문체 따위) 무게가 없는 ; 산문체의 ; 산문적인, 평범한, 단조로운. ⟦F or L＝going on foot ; ⇨ PEDAL⟧
pedéstrian cróssing *n.* 《英》 횡단 보도(＝《美》 crosswalk).
pedéstrian ìsland *n.* (보행자용) 안전 지대.
pedéstrian·ìsm *n.* Ⓤ 도보주의 ; (문체 따위의) 단조로움.
pedéstrian·ìze *vt.* (도로를) 보행자(전)용으로 하다. —— *vi.* 도보 여행하다, 도보로 가다.
pedéstrian précinct *n.* 차량 통행 금지 구역, 보행자 천국의 구역.
pedi- [pédi, pí:di] ☞ PED-[1].
pe·di·at·ric, pae- [pì:diǽtrik] *a.* 소아과(학)의.
pe·di·a·tri·cian, pae- [pì:diətríʃən] *n.* 소아과 의사.
pè·di·át·rics, pàe- *n.* 〖醫〗 소아과학.
pè·di·át·rist, pàe- *n.* ＝PEDIATRICIAN.
⟦*paed-*, Gk. *iatros* physician⟧
pédi·càb [pédi-] *n.* 승객용 삼륜 자전거.
ped·i·cel [pédəsèl, -səl] *n.* 〖植〗 작은 꽃자루, 작은 꽃대, 작은 열매 꼭지 ; 〖解·動〗 (콩팥의 족세포(足細胞)의) 소족(小足), 대세포(臺細胞), 줄기 ; 〖解·動〗 자루, 줄기, 육경(肉莖) ; 〖昆〗 경(梗)《더듬이의 둘째 마디》. ⟦L ; ⇨ RES⟧
ped·i·cel·late [pèdəsélət, -eit, pédəsə-], **pe·dic·u·late** [pidíkjələt, -lèit] *a.* 〖植·動〗 작은 꽃자루[육경]가 있는.
ped·i·cle [pédikəl] *n.* ＝PEDICEL. **~d** *a.*
pe·dic·u·lar [pidíkjələr] *a.* 〖生〗 자루[줄기]의 ; 이가 들끓는(lousy).
pe·dic·u·lo·sis [pidìkjəlóusəs] *n.* (*pl.* **-ses** [-si:z]) Ⓤ〖醫〗 이 기생증(寄生症).
pe·dic·u·lous [pidíkjələs] *a.* 이가 들끓는.
ped·i·cure [pédikjùər] *n.* Ⓤ 발의 치료 ; 페디큐어《발톱 미용술》; Ⓒ 발 전문의사. —— *vt.* …에 페디큐어를 하다. ⟦F (L *ped-*[1], *curo* to care)⟧
péd·i·fòrm [pédə-] *a.* 발 모양의.
ped·i·gree [pédəgrì:] *n.* **1** 족보 ; 혈통, 가계(家系) ; 계도(系圖), 가계도. **2** ⓊⒸ 훌륭한 가문(birth). **3** (가축 따위의) 혈통표, 계통도. **4** Ⓤ (언어의) 유래, 어원. **5** 《美俗》 (경찰에 비치된) 범인의 신원 조사서, 전과 경력. **6** [형용사적으로] 혈통이 분명한 : ~ cattle 혈통이 좋은[순종의] 소. **~d** *a.* 집안이 좋은, 유서 깊은, 혈통이 분명한, 순종의《말·개 따위》.
⟦ME *pedegru*＜F *pied de grue* crane's foot ; 학의 다리와 가계도가 유사한 데서⟧
pédigree méthod *n.* 가계(家系) 조사.
ped·i·ment [pédəmənt] *n.* 〖建〗 페디멘트《고대 건축의 삼각형의 박공벽(gable)》; 〖地質〗 산기슭의 완사면(緩斜面). **ped·i·men·tal** [pèdəméntl] *a.*
⟦C16 *periment* ‹? PYRAMID⟧
péd·i·ment·ed *a.* 페디멘트[박공벽]가 있는[있게 지은].
ped·lar, -ler [pédlər] *n.* ＝PEDDLER.
⟦*pedder* (obs.) ‹ *ped* (dial.) pannier⟧
péd·lary, -lery *n.* ＝PEDDLERY.

pedo-[1] [pí:dou, pédou, -də] ☞ PAED-.
pedo-[2] [pédou, pí:dou, -də] ☞ PED-[1,2].
pèdo·báptism, pàe- *n.* 유아 세례.
pèdo·báptist, pàe- *n.* 유아 세례론자.
pèdo·chémical *a.* 토양 화학의, 토양 화학적인.
pe·do·don·tics [pì:dədántiks] *n.* 소아 치과(齒科)(학).
pe·dol·o·gy[1] [pidálədʒi, pe-] *n.* **1** 아동학, 육아학. **2** ＝PEDIATRICS. **-gist**[1] *n.*
⟦*paed-*⟧
pedology[2] *n.* Ⓤ 토양학. **-gist**[2] *n.*
⟦Russ. (*ped-*[2])⟧
pe·dom·e·ter [pidámətər] *n.* 보수계(步數計).
⟦F (*ped-*, *-meter*)⟧
pèdo·phília, pàe- *n.* Ⓤ〖精神醫〗 어린이에 대한 이상 성욕.
péd·ràil [péd-] *n.* 무한 궤도(차).
pe·dun·cle [pidʌ́ŋkəl, 美＋pí:dʌŋkəl] *n.* 〖植〗 화경(花梗), 꽃자루 ; 〖動〗 육경(肉莖) ; 〖解〗 각(脚). **pe·dún·cu·lar, pe·dún·cu·late** [-lət, -lèit] *a.* peduncle이 있는.
⟦NL (⇨ PES) ; cf. PEDICEL⟧
pee[1] [pí:] *vi.* 《口》 쉬하다, 오줌누다. —— *vt.* 오줌으로 적시다 ; [~ one*self* 로] 오줌을 싸다 : ~ one*self* laughing 오줌을 쌀 정도로 웃다.
pee one***'s pants*** 《俗》 오줌을 쌀 정도로 웃다.
—— *n.* 오줌 : go for[have] a ~ 오줌누러 가다[을 누다].
⟦(euph.) ‹ *piss*⟧
pee[2] *n.* (알파벳의) P[p] ; 《美俗》「P 글자」《p자로 시작되는 외국통화 ; peso, piaster 따위》.
pée-èye *n.* 《美俗》 ＝PIMP.
peek [pí:k] *vi.* 몰래 엿보다(peep), 흘끗 보다 ‹*in*, *out*, *at*› ; 《競馬俗》 3위로 들어오다. —— *n.* 몰래 엿보기 ; 〖컴퓨〗 집어내기 ; 《競馬俗》 3위 : steal a ~ 슬쩍 엿보다.
⟦ME＜? ; cf. Du. *kike* to peek⟧
peek·a·boo [pí:kəbù:, ⌐-⌐] *n.* ＝BOPEEP.
—— *a.* 드레스의 가슴이나 겨드랑이에 장식용 구멍을 뚫은 ; 훤히 비치는 천으로 만든 ; 피커부 방식의《카드의 특정 위치에 뚫은 구멍을 통하여 빛에 의해 찾고자 하는 문서를 얻는 정보 검색 시스템》. ⟦C16 (*peek*＋*boo*[1])⟧
péek frèak *n.* 《美俗》 들여다보기 좋아하는 치한(癡漢).
peel**[1] [pí:l] *vt.* **1** [＋目/＋目＋目/＋目＋前＋名] …의 껍질을 벗기다 : ~ a banana 바나나 껍질을 벗기다 / Please ~ me a peach[~ a peach ***for me]. 복숭아 껍질을 벗겨 주십시오. **2** [＋目/＋目＋副/＋目＋前＋名] (나무 껍질 따위를) 벗기다 : ~ ***off*** a skin 살갗을 벗기다 / The Indians ~*ed* the bark ***from*** trees to make canoes. 인디언들은 나무껍질을 벗겨서 카누를 만들었다. **3** 《口》 옷을 벗기다‹*off*›. —— *vi.* **1** [動/＋副] (껍질·표면이) 벗겨 떨어지다 ; (동물의 몸이) 허물벗다 : My skin ~*ed* after I got sunburnt. 햇볕에 타서 살갗이 벗겨졌다 / The paint was ~*ing off.* 페인트칠이 벗겨지고 있었다. **2** 《俗》 옷을 벗다 ; 《口》 그룹을 떠나다.
keep one***'s eyes peeled*** ＝*keep* one*'s eyes* SKIN*ned.*
—— *n.* Ⓤ 과일[야채 따위]의 껍질 : orange ~ 오렌지 껍질. ⟦OE *pilian*＜L *pilo* to strip of hair (*pilus* hair)⟧
類義語 ⟹ SKIN.
peel[2] *n.* 《英》 필《16세기에 잉글랜드와 스코틀랜드 경계지방에서 침략에 대비해 요새로 건축된 작은

탑》. 〖OF *piel* stake＜L PALE[2]〗

peel[3] *n.* 자루가 긴 나무 주걱. 〖OF＜L *pala* spade〗

Peel *n.* 필. Sir **Robert** ～ (1788-1850) 영국의 정치가 ; 수상 2회 역임, 경찰 제도를 정비했음.

péel·er[1] *n.* 《英古俗》 경찰 ; 〔史〕 아일랜드의 경찰 대원. 〖Sir Robert *Peel*〗

peeler[2] *n.* 껍질을 벗기는 사람[기구] ; 《美》 껍질 벗을 무렵의 게(crab) ; 활동가(hustler), 수완가 ; 껍질벗긴 합판용 재목. 〖PEEL[1]〗

péel·ing *n.* 껍질 벗기기 ; [때때로 *pl.*] (특히 감자의) 벗긴 껍질.

Peel·ite [píːlait] *n.* 〔英史〕 1846년 Sir R. Peel의 곡물세 폐지 법안에 찬성한 보수 당원.

peen, pein [píːn] *n., vt.* 쇠망치[해머]의 대가리(로 두들기다). 〖C17 *pen*＜Scand. ; cf. G *Pinne*〗

peep**[1] [píːp] *vi.* **1** [動 / ＋前＋名] 들여다보다, 엿보다, 훔쳐보다 : ～ ***through a hole in the wall 담 구멍으로 들여다보다 / ～ ***into*** a room 방안을 들여다보다 / Don't ～ ***at*** your neighbors. 이웃 사람을 엿보아서는 안된다. **2 a)** [＋副] (화초·태양·달 따위가) 나오기 시작하다 : In the meadows pretty flowers ～ ***out*** among the grass. 목초지에는 예쁜 꽃들이 풀 사이에서 돋아나기 시작한다. **b)** (성질 따위) 저절로 나타나다. ── *vt.* 엿보이게 하다, 비어져 나오게 하다. ── *n.* **1** 들여다보기, 엿보기, 슬쩍 보기 : take [get, have] a ～ *at*...＝get a ～ *of* …을 얼핏 보다. **2** 출현. **3** 들여다보는 구멍.
(***at***) ***the peep of day*** [***dawn***] 새벽(에).
〖ME＜? ; cf. PEEK〗

peep[2] *n.* (작은 새·쥐 따위가) 짹짹[찍찍] 우는 소리 ; 작은 소리 ; 잔소리 ; 《口·兒》 뛰뛰, 빵빵《자동차가 울리는 소리》 ; 소식. ── *vi.* 찍찍[짹짹] 울다 ; 작은 목소리로 말하다. 〖imit.〗

peep[3] *n.* 《美軍俗》 지프차(jeep).

péep-bò *n.* ＝BOPEEP.

pée-pèe[1] *n.* 《美》 삐악삐악《병아리, 자메이카에서는 칠면조 새끼》.

pee-pee[2] *n.* 《兒》 ＝PEE[1].

péep·er[1] *n.* 들여다보는 사람 ; 꼬치꼬치 캐기 좋아하는 사람 ; [보통 *pl.*] 《俗》 눈 ; [*pl.*] 안경 ; 《美俗》 사립 탐정 ; 《口》 거울 ; 《口》 소형 망원경. 〖PEEP[1]〗

peeper[2] *n.* 찍찍[짹짹] 우는 짐승[새] ; 병아리, 새새끼 ; 청개구리. 〖PEEP[2]〗

péep·hòle *n.* 옹이[틈]구멍, 들여다보는 구멍.

Péep·ing Tóm *n.* [흔히 p～ T～] 성적 호기심에서 엿보기 좋아하는 사람《Godiva 부인을 엿보았기 때문에 눈이 멀었다는 양복 재단사 톰에서》.

péep shòw *n.* 들여다보는 구경거리 ; 요지경, 저속한 구경거리.

péep sìght *n.* (총의) 조준 구멍, 가늠자.

péep·tòe(d) *a.* 발가락이 보이는《신발 따위》.

pee·pul [píːpəl] *n.* ＝PIPAL.

***peer**[1] [píər] *n.* **1** 같은 패, 동료, 한 동아리 ; (사회적·법적으로) 동등[대등]한 사람 : without a ～ 비길 데 없는. **2** 《英》 귀족(cf. NOBILITY). **3** 《英》 상원 의원. ── *vt.* …에 필적하다 ; 《口》 귀족으로 신분을 올리다. ── *vi.* 어깨를 나란히 하다〈*with*〉. 〖OF＜L *par* equal〗

peer[2] *vi.* [動 / ＋前＋名] **1** 자세히 눈여겨[들여다]보다, 응시하다〈*into, at*〉 : I ～*ed* ***into*** the dark corners. 어두운 구석을 자세히 들여다보았다 / The boy ～*ed* ***at*** the notice. 그 소년은 게시문을 눈여겨보았다. **2** 어렴풋이 나타나다, 보이기 시작하다 : The sun ～*ed* ***from*** behind a cloud. 태양이 구름 뒤에서 나타나기 시작했다. 〖C16 *pire*, LG *pīren* ; 일부 *appear*의 두음 소실〗

péer·age *n.* **1** [집합적으로] 귀족, 귀족 계급[사회](nobility) : be raised to[on] the ～ 귀족이 되다. **2** 귀족의 지위[신분], 작위(爵位) : confer a ～ on …에게 작위를 수여하다. **3** 귀족 명감(名鑑)《귀족명과 가계가 쓰여 있음》.

péer·ess *n.* 귀족[작위 있는 사람의] 부인 : a ～ in her own right 유작(有爵) 여성, 귀족 여성.

péer gròup *n.* 〔社〕 동류(同類) 집단.

péer·less *a.* 비길 데 없는, 유례가 없는.

peeve [píːv] *vt.* 《口》 [보통 *p.p.*로] 짜증나게 하다, 진력나게 하다, 안타깝게 하다, 초조하게 하다 : be ～*d* 짜증내고 있다. ── *n.* 짜증나게[초조하게] 하기, 성가신 것 ; 불평, 불만. 〖역성(逆成) ‹*peevish*〗

peeved [píːvd] *a.* 《口》 ＝PEEVISH.

pee·vish [píːviʃ] *a.* 투정을 하는[부리는], 토라진 ; 괴팍한, 성마른(cross). **～·ly** *adv.* 괴팍하게. **～·ness** *n.* 괴팍함. 〖ME＝spiteful＜?〗

pee·wee [píːwìː] *n.* 〔鳥〕 ＝PEWEE ; (동류 중에서) 작은 동물[가축] ; 《美口》 유난히 작은 사람[물건]. ── *a.* 아주 작은, 사소한. 〖imit.〗

peewit ☞ PEWIT.

peg [pég] *n.* **1** 못, 나무[대]못, 쐐기 ; (통 따위의) 마개 ; …걸이, …집게, 끼우개 : a hat ～ 모자 걸이 / a clothes ～ 빨래 집게. **2** (천막 줄을 매는) 말뚝 ; (현악기의 현(絃)을 죄는) 줄감개. **3** 《비유》 이유, 핑계, 구실(pretext) 《다음과 같은 표현으로 씀》 : a good ～ to hang (a discourse) on (논쟁을) 시작할 좋은 구실. **4** 《口》 발 ; (나무로 만든) 의족(義足)(을 단 사람) ; [*pl.*] 《美俗》 바지. **5** 《口》 급(級), 등(等)(degree). **6** 《英》 (한 잔의) 술《특히 소다수를 탄 위스키나 브랜디》. **7** 《口》〔野〕 (야수의) 송구.
off the peg 기성품으로《옷 따위를 사다》.
a round peg in a square hole＝***a square peg in a round hole*** 부적임자(不適任者).
take a person ***down a peg*** (***or two***) 남의 콧대를 꺾다.
── *a.* 위가 넓고 아래가 좁은, (바지 따위의) 끝이 좁은.
── *v.* (**-gg-**) *vt.* **1** [＋目 / ＋目＋副] …에 나무못을 박다, 나무못[쐐기]으로 고정시키다. **2** 〔證〕 주가를 안정시키다 ; 〔財〕 (통화·가격을) 안정시키다. **3** 《口》 던지다. **4** 《英》 (세탁물을) 빨래집게로 빨랫줄에 고정시키다〈*down, in, out, up*〉. **5** (개에게) 사냥감의 위치를 지시하다. ── *vi.* 《口》 겨누다〈*at*〉 ; 돌을 던지다〈*at*〉.
peg away 부지런히 일하다, (…을) 열심히 연구하다〈*at*〉.
peg down (1) 나무못[쐐기]으로 땅에 고정시키다 : ～ *down* a tent (나무 말뚝을 박아) 천막을 치다. (2) (남을 규칙 따위로) 얽매다, 구속하다〈*to*〉.
peg out (채광 권리지(地)·가옥·정원 따위의) 경계를 말뚝으로 분명하게 하다 ; 《英口》 죽다, 파멸하다.
〖? LDu.〗

Peg [pég] *n.* 여자 이름《Margaret의 애칭》.

peg·a·moid [pégəmɔid] *n.* 인조 피혁의 일종.

Peg·a·sus [pégəsəs] *n.* **1** 〔그神〕 페가수스《피살된 Medusa의 피에서 태어난 날개 돋힌 천마(天馬) ; Muse의 여신들은 이 말로 하늘을 날며 천래(天來)의 시상(詩想)을 얻었다고 함》. **2** 〔天〕 페가수스자리. **3** Ⓤ 시적 감흥. **4** 《美》〔宇宙〕 유성진(流星塵) 관측용 과학 위성.

pég·bòard *n.* 나무못 말판《못을 끼워넣기 위한 구멍 뚫린 판에 여러 가지로 나무못을 꽂는 놀이의 일종인 말판》.
pég·bòx *n.* (현악기(絃樂器)의) 줄감개집.
pegged [pégd] *a.* =PEG.
Peg·gy[1] [pégi] *n.* 여자 이름《Margaret의 애칭》.
Peggy[2] *n.* 《美俗》 외발의 사람[거지]; 《兒》 이(빨). 〖PEG〗
pég lèg *n.* 《口》 (목제의) 의족(을 한 사람).
peg·ma·tite [pégmətàit] *n.* Ⓤ 〖鑛〗 페그마타이트, 거정(巨晶) 화강암. **pèg·ma·tít·ic** [-tít-] *a.* 〖Gk.=thing joined together〗
pég pànts *n. pl.* 《美》 끝이 좁은 바지.
pég tòp *n.* (서양배 모양의) 팽이; [*pl.*] 팽이 모양의 바지[스커트].
pég-tòp, pég-tòpped *a.* 팽이 모양의.
PEI 〖化〗 polyether imide(고내열성 특수 수지의 하나). **P.E.I.** Prince Edward Island.
peign·oir [péinwɑːr, pén-, ‐́] *n.* (여성용의) 화장옷; 실내복. 〖F〗
pein ☞ PEEN.
Pei·ping [péipíŋ] *n.* 베이핑(北平)《Peking의 옛 칭호》.
pej·o·rate [pédʒərèit, píː-] *vt.* (어의(語義)를) 악화[타락]시키다.
pèj·o·rá·tion *n.* Ⓤ (어의(語義)의) 악화, 타락; 비난; (가치의) 하락.
pe·jo·ra·tive [pidʒárətiv, -dʒɔ́(ː)r-, píːdʒərətiv] *a.* (어구 따위가) 경멸적인, 비난의 뜻을 포함한; 가치를 떨어뜨리는, 퇴화적인. —— *n.* 경멸어(의 접미사). **~·ly** *adv.* 〖F<L (*pejor* worse)〗
pek·an [pékən] *n.* 〖動〗 페칸《미국산; 물고기를 잡아먹는 담비의 일종》; 그 모피.
〖Can. F<Algonquian〗
peke [píːk] *n.* [흔히 P~] =PEKINGESE *n.* 2.
Pe·kin [píːkín; ‐́] *n.* =PEKING; Ⓤ [p~] 견직물(絹織物)의 일종; [p~] 《蔑》 평민.
Pe·kin·ese [pìːkəníːz, -s] *a., n.* (*pl.* ~) =PEKINGESE.
Pe·king [píːkíŋ; ‐́], **Bei·jing** [béidʒíŋ] *n.* 베이징(北京)《중국의 수도》.
Pe·king·ese [pìːkiŋíːz, -s] *a.* 베이징의; 베이징 사람의. —— *n.* (*pl.* ~) **1** 베이징 사람; Ⓤ 베이징 표준어. **2** 페키니즈《발바리 비슷한 중국산 털이 긴 개》.
Péking mán *n.* 〖人類〗 베이징 원인《베이징에 가까운 저우커우뎬(周口店)에서 발굴되었음》.
Pe·king·ol·o·gist [pìːkiŋálədʒəst] *n.* 베이징[중국] 정책 연구가, 중국통(通).
Pe·king·ol·o·gy [pìːkiŋálədʒi], **Pe·kin·ol·o·gy** [-nál-] *n.* Ⓤ 베이징[중국] 연구, 베이징학《중국 정부의 정치·(외교) 정책 따위의 연구》.
pe·koe [píːkou] *n.* Ⓤ 피코《인도·스리랑카산의 고급 홍차》. 〖Chin. 바이보(白毫)〗
pel·age [pélidʒ] *n.* Ⓤ (네발 짐승의) 모피, 털.
pe·la·gian [pəléidʒiən] *a.* 원양(遠洋)의, 심해(深海)의. —— *n.* 원양 동물.
Pelagian *n.* Ⓤ Pelagius교도. —— *a.* Pelagius(교도)의. **~·ìsm** *n.* Pelagius의 교의《인간의 원죄설을 부인했음》.
pe·lag·ic [pəlǽdʒik; pe-] *a.* 원양[심해(深海)]의, 원양에 사는; 원양에서 행하는: ~ fishery 원양 어업. 〖L<Gk. (*pelagos* sea)〗
Pe·la·gi·us [pəléidʒiəs] *n.* 펠라기우스(360? ? 420)《영국의 수사·신학자; 후에 이단시됨》.
pel·ar·go·ni·um [pèlɑːrgóuniəm, -lər-; -lə-] *n.* 양아욱속(屬)의 식물《속칭 geranium》.
〖NL<Gk. *pelargos* stork〗
Pe·las·gi [pəlǽzdʒi] *n. pl.* 펠라스기족(族)《유사 이전에 그리스·소아시아 및 지중해 동부 여러 섬에 살던 인종》.
Pe·las·gi·an [pəlǽzdʒiən, -giən; pe-] *n., a.* 펠라스기족(族)(의).
Pe·las·gic [pəlǽzdʒik, -gik; pel-] *a.* 펠라스기족의.
pel·er·ine [pèləríːn; ‐‐́] *n.* (모피로 만든 여성용) 숄의 일종. 〖F (fem.) ‹*pèlerin* PILGRIM〗
Péle's háir [péileiz-, píːliːz-] *n.* 〖地質〗 화산모(火山毛)《용암이 바람에 날려 양털 모양의 유리 섬유로 굳어진 것》.
〖*Pele* Hawaii의 화산(火山)의 여신(女神)〗
Péle's téars *n. pl.* 〖地質〗 화산루(火山淚)《용암(熔岩)의 비말(飛沫)이 응결(凝結)하여 생긴 유리 모양의 알갱이》. 〖↑〗
pelf [pélf] *n.* Ⓤ 《보통 蔑》 금전, 부정한 재물.
〖OF=spoils<?; cf. PILFER〗
pel·ham [péləm] *n.* (말 굴레의) 재갈과 고삐를 잇는 연결 부분.
pel·i·can [pélikən] *n.* 펠리컨《열대·아열대산의 물새; 커다란 부리 밑이 주머니 모양으로 되어 있어 거기에다 먹을 것을 저장함》; 《英》 =PELICAN CROSSING; [흔히 P~] 《美俗》 루이지애나 주(州) 사람(Louisianan); 잘 빈정거리는 여자; 대식가. 〖OE *pellican*, OF<L<Gk. (? *pelekus* ax); 그 부리 모양에서〗
pélican cròssing *n.* 《英》 누름 단추 신호식의 횡단 보도.
〖*pe*destrian *li*ght *con*trolled *crossing*〗
Pélican Státe *n.* [the ~] 미국 Louisiana 주(州)의 속칭.
pe·lisse [pelíːs, 美+pə-] *n.* (비로드 따위로 만드는) 여성[유아]용 긴 외투; (용기병(龍騎兵)의) 안에 털을 댄 외투.
〖F<L *pellicia* (cloak) of fur (*pellis* skin)〗
pe·lite [píːlait] *n.* 〖地質〗 이질암(泥質岩).
pell [pél] *n.* Ⓤ 가죽, 모피, 양피지 두루마리.
pel·la·gra [pəléigrə, -lǽg-] *n.* Ⓤ 〖醫〗 펠라그라, 이탈리아 문둥병[나병].
〖It. *pelle* skin; *podagra*에 따른 것〗
pel·let [pélət] *n.* (종이·밀랍 따위를 뭉친) 작은 공; 작은 탄환, (공기총 따위의) 탄, 산탄; 작은 환약; (투석용) 돌멩이; (야구·골프 따위의) 공; (화폐 따위의) 둥근 돈을 새김.
—— *vt.* …에 작은 공을 던지다, 작은 알로 맞히다[뭉치다].
〖OF *pelote*<Rom. (dim.) <L *pila* ball〗
péllet bòmb *n.* 볼 폭탄《일종의 산탄 폭탄》.
péllet·ìze *vt.* 작은 공 모양으로 만들다; (특히 미세한 광석을) 작은 입자 모양으로 만들다.
pel·le·tron [pélətràn] *n.* Ⓤ 〖理〗 펠레트론《입자 가속 장치의 일종》. 〖*pellet*+*-tron*〗
pel·li·cle [pélikəl] *n.* 박막(薄膜), 박피(薄皮); 〖動〗 (원생 동물의) 외피, 펠리클; 〖植〗 버섯의 갓의 표피; (액체 표면의) 얇은 막; 〖光〗 펠리클《빛의 일부를 반사하고 일부는 투과시키는 필름》.
〖F<L (dim.) ‹*pellis* skin〗
pell-mell [pélmél] *adv., a.* 난잡하게[한]; 엉망(진창)으로[인], 무턱대고 (하는). —— *n.* Ⓤ,Ⓒ 난잡, 지저분함; 법석거리기; 난투. —— *vt.* 엉망진창으로 하다. —— *vi.* 허둥지둥 급히 가다.
〖F *pêle-mêle*; *mesle* (*mesler* to mix)의 가중(加重)〗
pel·lu·cid [pəlúːsəd; pe-] *a.* 투명한; (문체·표현이) 명쾌한, 명료한(clear, lucid); (두뇌가) 명

석한. 〖L (*per*-)〗
pel·lu·cid·i·ty [pèljəsídəti] *n.* 투명함.
Pel·man·ism [pélmənìzəm] *n.* Ⓤ 펠먼식 기억술(記憶術)《원래 영국의 교육 기관 Pelman Institute가 개발했음》.
Pelman·ize [pélmənàiz] *vt.* 펠먼식 기억술로 암기하다.
pel·met [pélmət] *n.* (커튼의) 쇠막대 덮개. 〖? F PALMETTE〗
Pel·o·pon·ne·sian [pèləpəní:ʒən, -ʃən ; -ʃən] *a.*, *n.* Peloponnesus의 (사람) : the ~ War 펠로폰네소스 전쟁(431-404 B.C.) 《Sparta와 Athens 사이의 전쟁》.
Pel·o·pon·ne·sus, -sos [pèləpəní:səs], **-nese** [-ní:z, -s] *n.* [the ~] 펠로폰네소스 반도《그리스 남쪽의 반도 ; Sparta 따위의 도시국가가 있었음 ; 12세기 이후 흔히 the Morea라고 불렸음》.
Pe·lops [pí:lɑps, pél-] *n.* 〖그神〗 펠롭스《Tantalus의 아들》.
pe·lo·rus [pəlɔ́:rəs] *n.* 〖海〗 (나침반 위의) 방위의(方位儀). 〖Hannibal의 안내인인 *Pelorus*에서인가〗
pe·lo·ta [pəlóutə, -lɑ́tə] *n.* 펠로타《스페인·중남미 등지에서 행해지는 handball의 일종 ; jai alai로 발전》; =JAI ALAI ; 펠로타[하이 알라이]의 볼. 〖Sp.=ball (augment.) ‹ *pella* (L *pila*) ; cf. PELLET〗
pel·o·ton [pèlətɑ́n ; *F* pəlɔtɔ̃] *n.* 펠러톤(유리)(=~ **glàss**)《유럽 장식 유리의 하나》.
pelt[1] [pélt] *vt.* [+目/+目+前+名] **1** (돌 따위를) …에게 던지다 ; 《비유》 (질문·욕 따위를) …에게 퍼붓다 : Some boys were ~*ing* the tree ***with*** stones. 몇몇 소년들이 그 나무에 돌을 던지고 있었다. **2** (내)던지다 ; (비 따위를) 억수같이 쏟아지게 하다 : The clouds began ~*ing* rain (***up***)***on*** me. 비 구름이 나에게 비를 뿌리기 시작했다.
—— *vi.* **1** 돌《따위》을 던지다⟨*at*⟩. **2** [+副/+前+名] (비 따위가) 세차게 쏟아지다 : The rain is ~*ing* ***down***. 비가 세차게 쏟아지고 있다 / The rainstorm was ~*ing* ***against*** the window. 폭풍우가 세차게 창문을 때리고 있었다 / It is ~*ing* ***with*** hail. 우박이 마구 쏟아지고 있다. **3** 서두르다, 질주하다, 돌진하다⟨*along*⟩. —— *n.* Ⓤ 던지기 ; 강타 ; 난사(亂射), (비 따위) 억수같이 내리기 ; 급속도, 전속력 ; 격노.
(at) full pelt 전속력으로, 쏜살같이.
〖C16 < ? ; 일설(一說)에 < ? PELLET〗
pelt[2] *n.* (양·염소 따위의) 생가죽, 모피 ; 《戲》(털 많은 사람의) 피부. —— *vt.* …의 가죽을 벗기다. 〖*pellet* (obs.) skin (dim.) ‹ *pel* < OF, 또는 (역성(逆成)) ‹ *peltry*〗
類義語 ⟹ SKIN.
pel·tate [pélteit] *a.* 〖植〗 (잎이) 방패 모양의, 잎자루가 중앙에 있는 : a ~ leaf 방패 모양 잎. **~·ly** *adv.*
pélt·er *n.* **1** 던지는 사람[물건] ; 권총. **2** 《口》 억수 같은 비. **3** 《美》 걸음이 빠른 말 ; 《美》 짐말.
pélt·er·er *n.* 피혁 상인, 가죽 장수.
Pél·tier effèct [péltjei-] *n.* 〖理〗 펠티에 효과《다른 종류의 금속의 접촉면에 약한 전류가 흐를 때 열이 발생 또는 흡수되는 현상》.
〖J. C. A. *Peltier* (d. 1845) 프랑스의 물리학자〗
Péltier èlement *n.* 〖電子〗 펠티에 소자(素子)《펠티에 효과를 이용한 전자 냉동 따위에 쓰이는 열전(熱電) 소자》.
pelt·ing [péltiŋ] *a.* 《古》 시시한, 하찮은.
Pél·ton whèel [péltn-] *n.* 펠턴 수차(水車)《고속으로 분출시킨 물을 수차바퀴의 물받이에 충돌시키는 방식의 수력 터빈》.
〖L. A. *Pelton* (d. 1908) 미국의 기술자〗
pel·try [péltri] *n.* [집합적으로] 생가죽, 모피. 〖AF (L *pellis* skin)〗
pel·vic [pélvik] *a.* 〖解〗 골반의 : ~ fin 〖魚〗 배지느러미. —— *n.* 골반 ; 배지느러미.
pel·vis [pélvəs] *n.* (*pl.* **~·es, -ves** [-vi:z]) 〖解〗 **1** 골반 : the ~ major[minor] 대[소] 골반. **2** 신우(腎盂). 〖L=basin〗
pel·y·co·saur [pélikəsɔ̀:*r*] *n.* 〖古生〗 펠리코사우르《페름기(紀) 공룡의 하나》.
〖Gk. *pelyx* wooden bowl〗
Pemb. Pembrokeshire.
pem·bí·na càrt [pembí:nə-] *n.* 〖史〗 (캐나다 초기의 식민자(者)가 썼던) 짐수레의 일종.
Pem·broke [pémbruk, -brouk] *n.* =PEMBROKESHIRE ; 펨브루크(=~ **Wélsh córgi**)《귀가 쫑긋하고 꼬리가 짧은 개》; =PEMBROKE TABLE.
Pem·broke·shire [pémbrukʃìə*r*, -ʃə*r*] *n.* 펨브로크셔《원래 남서 Wales에 있던 주(州) ; 지금은 Dyfed 주(州)의 일부》.
Pémbroke tàble *n.* 양쪽에 늘어뜨린 판을 올려 펴서 넓게 쓸 수 있는 테이블.
pem·(m)i·can [pémikən] *n.* **1** Ⓤ 페미컨《연한 쇠고기 따위를 말려 가루로 만들어 과일이나 기름을 섞어서 굳힌 식품 ; 원래 (북미) 인디언들이 고안》; 비상용·휴대용 보존 식품. **2** Ⓤ 《비유》 적요, 요강(要綱) (digest). 〖Cree〗
pem·o·line [péməli:n] *n.* 〖藥〗 페몰린《정신 흥분제(劑)》.
pem·phi·gus [pémfigəs, pemfái-] *n.* Ⓤ 〖醫〗 천포창(天疱瘡). 〖Gk. *pemphig-* *-phix* bubble〗
◇**pen**[1] [pén] *n.* **1** 펜촉 ; (펜촉 및 펜대를 포함하여) 펜(cf. NIB) ; 만년필 ; 깃펜(quill) ; 붓. **2** [the ~] 문체, 문필(업) (cf. *the* BRUSH[1], *the* CHISEL) ; [the ~] 필력, 필적(筆跡) : *The* ~ is mightier than the sword. 《속담》 펜은 검보다 강하다, 「문(文)은 무(武)보다 강하다」. **3** 서예가, 작가. **4** 오징어의 뼈(cuttlebone). **5** 《古》 깃(대) ; [*pl.*] 날개(wings).
draw** one's **pen against …을 글로 공박하다.
drive a pen 쓰다(write).
put pen to paper 《文語》 붓을 잡다.
wield** one's **pen 붓을 휘두르다, 저작(著作)에 종사하다.
write with pen and ink 펜[잉크]으로 쓰다.
—— *vt.* (-nn-) (편지 따위를) 쓰다, (시문 따위를) 짓다, 저술(著述)하다.
〖OF < L *penna* feather ; cf. PIN〗
pen[2] *n.* **1** 우리, 울타리 ; [집합적으로] 울속의 동물. **2** 조그마한 울, (식료품 따위의) 저장소 : ☞ PLAYPEN. **3** 감화원, 감방, 교도소. **4** (서인도 제도의) 농장, 농원.
—— *vt.* (**pent** [pént] ; **pén·ning**) 울타리[우리] 속에 넣다, 감금하다⟨*up*, *in*⟩.
〖OE *penn* < ?〗
pen[3] *n.* 백조의 암컷(↔*cob*). 〖C16 < ?〗
pen- ☞ PENE-.
pen., Pen. peninsula ; penitent ; penitentiary.
P.E.N. [pén] (International Association of) Poets, Playwrights, Editors, Essayists, & Novelists(국제 펜클럽).
pén·àids *n. pl.* 〖軍〗 펜에이즈《항공기나 미사일의 침입을 가능토록 하는 레이더 따위에 대한 각종 방해 수단의 총칭》. 〖*pen*etration+*aids*〗

pe·nal [píːnl] *a.* **1** 형벌의, 형(刑)의. **2** 형사상(刑事上)의, 형법의 : the ~ code 형법 / a ~ colony[settlement] 범죄자 식민지 / a ~ offense 형사범죄 / ~ servitude 징역형. **3** 벌로서 지불해야 하는 : a ~ sum 위약금(違約金). **4** 형장(刑場)으로서의.
〖OF or L (*poena* penalty)〗

pénal·ìze [ˌ, 美+pénəlàiz] *vt.* **1** 벌하다 ; (어떤 행위를) 유죄라고 선고하다. **2 a)** [+目 / +目+目] (경기의 반칙자에게) 벌칙을 적용하다, …에 페널티를 과하다 : Fouls are usually ~*d.* 파울에는 보통 벌칙이 적용된다 / Their team was ~*d* five yards. 그들의 팀은 5야드 페널티를 받았다. **b)** 불리하게 하다, 곤란하게 하다.
pènal·izátion *n.*

pen·al·ty** [pénəlti] *n.* **1** U,C [+前+do*ing*] 형벌 ; 벌금, 과료 ; 위약금 : ~ ***for trespass*ing* traffic rules 교통 법규 위반에 대한 벌금 / The ~ *for* disobey*ing* the law was death. 그 법을 어긴 자는 사형에 처해졌다. **2** 인과 응보, 천벌. **3** 〖競〗 반칙의 벌점. **4** (전회(前回)의 승자에게 과하는) 핸디캡 ; 〖카드놀이〗 벌점. **5** (행위·상태에 따르는) 불리(한 점) : the *penalties of* old age 노년에 따르는 불편.
on*[*under*] *penalty of... 위반하면 …의 형에 처한다는 조건으로 : The act is forbidden *under* ~ *of* death. 그 행위는 이를 범하면 사형에 처해진다는 규정하에 금지되어 있다.
pay the penalty of …의 벌금을 내다, …의 보복을 받다, …의 벌을 받다.
〖AF<L ; ⇨ PENAL〗

pénalty àrea *n.* 〖蹴〗 패널티 에어리어, 벌칙 구역《이 구역 안에서 수비측이 반칙을 하면 상대방에게 패널티 킥을 줌》.

pénalty bòx *n.* 〖아이스하키〗 페널티 박스《반칙자 대기소》.

pénalty clàuse *n.* (계약서의) 위약 조항.

pénalty ènvelope *n.* 《美》 관용(官用) 봉투.

pénalty gòal *n.* 〖蹴·럭비〗 페널티 골《페널티 킥에 의한 득점》.

pénalty kìck *n.* 〖蹴〗 페널티 킥《벌칙 구역 내에서 자기편의 반칙 때문에 상대편에게 허용되는 free kick》.

pénalty ràtes *n. pl.* 《濠》 시간외 근무의 임금률《배수(倍數) 지급 따위》.

pénalty shòt *n.* 〖아이스하키〗 페널티 숏.

pen·ance [pénəns] *n.* U 참회, 후회 ; (속죄를 위한) 고행(苦行) ; 〖카톨릭〗 고해 성사(告解聖事) ; (일반적으로) 불쾌, 고통 : do ~ 속죄하다.
── *vt.* …에게 (속죄의) 고행을 과하다 ; 벌하다.
pén·an·cer *n.*
〖OF<L ; ⇨ PENITENT〗

pén-and-ínk *a.* 펜으로 쓴 ; 필사(筆寫)한 : a ~ sketch 펜화(畫).

pen·an·nu·lar [penǽnjələr] *a.* 고리[바퀴] 모양에 가까운.
〖*pene-*〗

pe·na·tes [pənáːtiːz, -néi-] *n. pl.* [흔히 P~] 〖로神〗 페나테스《가정의 식료품을 넣어 두는 찬장의 신》 ; 가정에서 소중히 여기는 비품.

‡pence *n.* PENNY의 복수형.

pench·ant [péntʃənt, 英+pɑ́ːŋʃɑːŋ] *n.* 경향 ; 취미, 기호(liking) ⟨*for*⟩.
〖F (pres.p.) ⟨*pencher* to incline〗

◇pen·cil [pénsəl] *n.* **1** 연필 ; 석필(石筆) : write [draw] *with* a ~[*in* ~] 연필로 쓰다[그리다]/ paper and ~ ☞ PAPER 숙어. **2** 《古》 화필 ; 《비유》 화법, 화풍. **3** 연필 모양의 것 ; (연필같이 생긴) 눈썹 그리개, 입술 연지. **4** 〖理〗 광속(光束), 선속(線束) ; 〖數〗 선속형(線束形).
── *vt.* (**-l-** | **-ll-**) 연필로 쓰다[그리다] ; (눈썹을) 그리다 ; 〖競馬〗 경마 장부에 (말 이름을) 기입하다. **pén·cil·(l)er** *n.* 연필로 쓰는 사람 ; 《英俗》 =BOOKMAKER. 〖OF *pincel*<L *penicillum* paint brush (dim.) ⟨PENIS〗

péncil càse *n.* 필통.

péncil còmpass *n.* (제도용(用)의) 연필 달린 컴퍼스.

pén·ciled *a.* 연필[석필]로 쓴 ; 눈썹 그리개로 그린 ; 우아하게[곱게] 그린[쓴] ; 〖植·動〗 다발털이 있는 ; 광속상(光束狀)의.

pen·cíl·i·fòrm [pensílə-, pénsələ-] *a.* 연필 모양의 ; 평행(平行)한《광선 따위》.

péncil·ing *n.* U,C 연필로 쓰기[그리기] ; 가는 선을 긋기 ; 연필로 그린 듯한 무늬.

péncil pùsher *n.* 《口》 필기를 필요로 하는 직업인, 작가, 사무원, 기자.

péncil shàrpener *n.* 연필깎기.

péncil shòver *n.* 《俗》 =PENCIL PUSHER.

péncil skètch *n.* 연필화(畫).

pén·cràft *n.* U 서법(書法), 필적 ; 문체 ; 저술업(著述業).

pend [pénd] *vi.* 매달리다 ; 미결인 채로 있다, 계쟁(係爭)중이다.
〖F or L (↓)〗

pen·dant [péndənt] *n.* **1** 매달려 있는 것 ; (목걸이·팔찌·귀고리 따위) 늘어뜨린 장식. **2** (그림 따위) 쌍으로 된 한 쪽, 짝⟨*to*⟩. **3** 〖建〗 단대공, 늘어뜨린 장식. **4** (회중 시계의) 용두의 고리. **5** 부록, 부속물. **6** 매단 램프, 샹들리에. **7** 〖海〗 = PENNANT. ── *a.* =PENDENT.
〖OF (pres.p.) ⟨*pendre* to hang<L〗

pen·den·cy [péndənsi] *n.* U 아래로 늘어짐[드리움], 현수(懸垂) ; 미결, 미정, 계류중임 ; 〖法〗 소송 계속(繫屬).

pén·dent *n.* =PENDANT. ── *a.* **1** 늘어뜨린, 아래로 늘어진. **2** 툭 튀어나온. **3** (문제 따위) 미결[미정]의, 현안의(pending) ; 곧 일어나려 하는, 절박한(impending). **4** 〖文法〗 구문이 불완전한, (분사가) 현수적(懸垂的)인.

pen·den·te li·te [pendénti láiti] *adv.* 〖法〗 소송중에. 〖L=during the suit〗

pen·den·tive [pendéntiv] *n.* 〖建〗 펜덴티브, 삼각 궁륭(三角穹窿)《정사각형의 평면 위에 돔을 설치할 때 돔 밑바닥 네 귀에 쌓아 올리는 구면(球面) 삼각형의 부분》.
in pendentive 〖印〗 (활자(活字)가) 역삼각형 조판의.

pénd·ing *a.* 드리워진 ; 미결[미정]의, 현안의 ; 〖法〗 계쟁중인 ; 절박한. ── *prep.* 《文語》 **1** …하는 사이, …하는 중, …하는 동안(during) : ~ these negotiations 이 교섭중. **2** …까지(until) : ~ his return 그가 돌아올 때까지.
〖cf. F PENDANT〗

pénding tràу *n.* 미결 서류함.

pen·drag·on [pendrǽgən] *n.* [흔히 P~] 고대 Britain 또는 Wales의 왕후(王侯), 왕(king).

pén·drìv·er *n.* 서기, 문필가, 작가, 기자.

pen·du·lar [péndʒələr] *a.* (시계 따위의) 진자의[에 관한].

pen·du·late [péndʒəlèit] *vi.* (진자처럼) 흔들리다 ; 《비유》 마음이 정해지지 않다, 망설이다.

pen·du·line [péndʒələn] *a.* (새둥지가) 매달려 있는, (새가) 매달린 둥지를 짓는.

pen·du·lous [péndʒələs] *a.* 매달린 ; 축 늘어져 있는, 흔들흔들하는 ;《稀》 마음이 동요하는, 주저하는. 〖L (*pendeo* to hang)〗

pen·du·lum [péndʒələm] *n.* **1** (시계 따위의) 추, 진자(振子). **2** 동요하는 것 ; 마음이 안정되지 않은 사람. **3** 매단 램프, 샹들리에.
the swing of the pendulum 진자의 운동 ;《비유》 (정당 따위의) 세력의 부침(浮沈) ; (세상 인심·여론 따위의) 동요, 경향.
〖L (↑)〗

pe·ne- [pí:ni, péni], **pen-** [pén] *pref.* 「거의 (almost)」의 뜻. 〖L *paene* almost〗

Pe·ne·lo·pe [pənéləpi] *n.* **1** 〖그神〗 페넬로페《Odysseus의 아내》; 정숙한 아내. **2** 여자 이름《Pen, Penny의 애칭》. 〖Gk.= ? weaver〗

péne·plàin, -plàne *n.* 〖地質〗 준(準)평원.

pen·e·tra·ble [pénətrəbəl] *a.* **1** 뚫을 수 있는, 관통할 수 있는〈*to*〉. **2** 꿰뚫어 볼 수 있는, 간파할 수 있는. **pèn·e·tra·bíl·i·ty** *n.* (억지로) 들어갈 수 있음, 관통할 수 있음, 침투성, 관통성. **-bly** *adv.* **~·ness** *n.*

pen·e·tra·lia [pènətréiliə] *n. pl.* 내부, 깊숙한 곳, 안채 ; (신전 따위의) 본당 제일 안쪽 ; 비밀의 일. 〖L〗

pen·e·tra·li·um [pènətréiliəm] *n.* 극비 부분, 숨겨진 부분. 〖역성(逆成) < ↑〗

pen·e·tram·e·ter [pènətrǽmətər] *n.* (X선) 투과도계(透過度計).

pen·e·trance [pénətrəns] *n.* 〖發生〗 (유전자의) 침투도(度).

pén·e·trant *a.*, *n.* 침투[관통]하는 (것) ; 침투제.

pen·e·trate** [pénətrèit] *vt.* **1** (빛·목소리 따위가) 통하다, 투과하다(get through), (총알·창 따위가) 꿰뚫다, 관통하다 ; (어둠을) 꿰뚫어 보다 : The bullet ~*d* the partition. 총알은 칸막이 벽을 관통했다 / Eyes of owls can ~ the darkness. 올빼미의 눈은 어둠을 꿰뚫어 볼 수 있다. **2** (향수(香水) 따위가) …에 스며[배어]들다 ; (사상 따위가) …에 침투하다 : The odor soon ~*d* the whole building. 그 냄새는 곧 건물 전체에 스며들었다 / Nationalism is *penetrating* the Asian and African countries. 민족주의는 아시아·아프리카 여러 나라에 침투하고 있다. **3** (남의 마음·진상·위장 따위를) 간파하다, 통찰하다 : I soon ~*d* the mystery. 곧 그 비밀을 간파했다. **4** [+目+*with*+名] …의 마음에 스며들게 하다, …에게 강한 인상을 주다 : I was ~*d* ***with a desire for mystical experiences. 나의 마음은 신비적인 체험을 해보겠다는 염원으로 가득찼다. ── *vi.* **1** [動/+前+名] 통과하다, 침투하다, 스며들다 ; (소리 따위가) 잘 들리다 : The sunshine ~*d* where the trees were thickest. 나무들이 아주 빽빽한 곳에 햇볕이 들었다 / This bullet can ~ three inches ***into*** the wall. 이 총알은 벽을 3인치까지 꿰뚫을 수 있다 / Smoke ~*d* ***through*** the house. 연기가 집안에 스며들었다. **2** 사람의 마음을 깊이 감동시키다, 사람을 감명시키다.
-trà·tor *n.* 침입자[물] ; 통찰[간파]자 ; 〖理〗 침입도(針入度)를 재는 바늘.
〖L (*penitus* interior)〗
類義語 ⟹ PIERCE.

pén·e·tràt·ing *a.* 침투하는 ; 관통하는 ; 통찰력이 있는, 식견을 가진 ; 예민한 ; (목소리 따위가) 잘 들리는, 날카로운(shrill).
~·ly *adv.* **~·ness** *n.*

pen·e·tra·tion [pènətréiʃən] *n.* **1** Ⓤ 침투, (총탄 따위의) 관통, 침투(력) ; 녹아듦 ; (아스팔트 따위의) 침입도(針入度) ; 투철(력), 투시(력). **2** Ⓤ 간파, 안식, 통찰(력) : a man *of* ~ 통찰력이 있는 사람. **3** Ⓤ 〖政〗 세력 침투[신장(伸張)]《문화 공작(工作)의 한 가지》; (사상 따위의) 평화적 침투 : peaceful ~ 평화적인 세력 신장《무역·투자 따위로 인한》. **4** 〖軍〗 (적진으로의) 침입.

penetrátion príce pòlicy *n.* 〖經〗 침투 가격 정책《신제품을 발매 시초부터 파격적인 저가로 판매하여 신속히 시장 점유율을 넓히는 가격 정책》.

pén·e·trà·tive [, -trət-] *a.* 침투하는 ; 안목[안식]이 날카로운, 예민한(acute) ; 사람을 감명시키는. **~·ly** *adv.* **~·ness** *n.*

pen·e·trom·e·ter [pènətrámətər] *n.* 〖理〗 X선 투과도계(透過度計) ; (아스팔트의) 침입도(針入度) 시험기.

pen·e·tron [pénətran ; -nitrɔn] *n.* 〖理〗 = MESOTRON.

pén fèather *n.* 펜깃.

pén-frìend *n.* 《英》 = PEN PAL.

pén·fùl *n.* 펜 가득(한 잉크).

***pen·guin** [péŋgwən, pén-] *n.* **1** 펭귄새《남극의 해조(海鳥)》. **2** 〖空〗 연습용 지상 활주기(滑走機) ;《俗》 (공군의) 지상근무원. **3** 《美俗》 성장(盛裝)은 하고 있으나 군중의 한 사람으로만 나오는 배우. 〖C16=great auk < ? ; cf. Welsh *pen gwyn* white head〗

pénguin sùit *n.* 《俗》 야회복(夜會服) ;《俗》 우주복(space suit).

pén·hòld·er *n.* 펜대 ; 펜걸이(penrack) ; =PENHOLDER GRIP.

pénholder grìp *n.* 〖卓球〗 펜홀더 그립《펜을 쥐듯이 라켓을 쥐는 법 ; cf. SHAKEHAND GRIP》.

-pe·nia [pí:niə] *n. comb. form* 「…의[이] 부족[결핍]」의 뜻. 〖NL (Gk. *penia* poverty, need)〗

pe·ni·al [pí:niəl] *a.* 음경(penis)의.

pen·i·cil [pénəsil] *n.* (송충이 따위의) 다발털.

pen·i·cil·late [pènəsílət, -eit] *a.* 〖動·植〗 다발털이 있는.

pen·i·cil·lin [pènəsílən] *n.* Ⓤ 〖藥〗 페니실린 : a ~ ointment 페니실린 연고. 〖*penicillium*〗

pen·i·cil·li·um [pènəsíliəm] *n.* (*pl.* **~s, -lia** [-liə]) 〖菌〗 푸른곰팡이속(屬)의 곰팡이《페니실린의 원료》. 〖NL ; ⇨ PENCIL〗

pe·nile [pí:nail] *a.* 음경(陰莖)의, 남근(男根)의.

pe·nil·li·on, pen·nil- [pəníljən] *n. pl.* (*sg.* **pe·nill** [pəníl], **pen·nill** [pénil]) 페닐《하프에 맞추어 노래하는 즉흥시 ; 또는 그 스탠자》. 〖Welsh=verses (*penn* head)〗

penin. peninsula.

***pe·nin·su·la** [pənínsjələ] *n.* **1** 반도《略 pen., penin.》; 반도 모양의 돌출물. **2** [the P~] 이베리아 반도 ; [the P~] Gallipoli 반도. 〖L (*pene-*, *insula* island)〗

pe·nín·su·lar *a.* **1** 반도 (모양)의. **2** [P~] 이베리아 반도의. ── *n.* 반도의 주민.

pe·nin·su·lar·i·ty [pənìnsjəlǽrəti] *n.* Ⓤ 반도 모양, 반도성(性) ; 섬나라 근성 ; 편협.

Penínsular Státe *n.* [the ~] 미국 Florida 주의 속칭.

Penínsular Wàr *n.* [the ~] 반도 전쟁《웰링턴이 이끄는 영국·포르투갈·스페인군이 Iberia반도에서 나폴레옹군과 싸움(1808-14)》.

pe·nin·su·late [pənínsjəlèit] *vt.* (토지를) 반도화(化)하다.

pe·nis [pí:nəs] *n.* (*pl.* **-nes** [-ni:z], **~·es**) 〖解〗 음경(陰莖), 페니스. 〖L=tail, penis〗

pen·i·tence [pénətəns] *n.* 후회, 회개, 참회.

類義語 ***penitence*** 자기가 범한 죄·비행을 완전히 인식하고 후회하고 있는 것. ***repentance*** 자기의 비행·결점을 완전히 인식하고 그것을 고치려는 의지가 있는 것. ***remorse*** 자기의 과오에 대한 강한 양심의 가책과 슬픔. ***regret*** 자기의 과실이나 불행한 사건에 대해서 그렇지 않았다면 하는 유감스러운 감정이나 슬픈 마음.

pén·i·tent *a.* 후회[참회]하는. —— *n.* 참회[후회]자 ; 〖카톨릭〗 고해자 ; [흔히 P~] 〖카톨릭〗 통회자(痛悔者). **~·ly** *adv.* 회개하여, 참회하여. 〖OF<L (*paeniteo* to repent)〗

pen·i·ten·tial [pènətén∫əl] *a.* 회개의, 참회의. —— *n.* =PENITENT ; 〖카톨릭〗 고해 규정서. **~·ly** *adv.* 회개하여 ; 고행으로.

peniténtial psálms *n. pl.* 〖聖〗 회죄(悔罪)[통회(痛悔)] 시편《죄를 뉘우치기 위해 초기 교회에서 쓰인 7편》.

pen·i·ten·tia·ry [pènətén∫əri] *a.* 후회하는 ; 징치(懲治)의 ; (죄가) 교도소에 보내질 만한. —— *n.* 《美》 교도소, 감화원 ; 《英》 (매춘부의) 갱생원 ; 〖宗〗 고해 신부 ; 고해소 ; 고행하는 곳. ***Grand Penitentiary*** (로마 교황청의) 내사원장(內赦院長). 〖L ; ⇨ PENITENT〗

pén·knìfe *n.* 주머니 칼《옛날 펜으로 쓰는 깃펜을 깎은 데서》.

pén·lìght, -lite [-làit] *n.* 펜라이트《만년필 모양의 전등》.

pén·man [-mən] *n.* **1** 글씨 잘 쓰는 사람, 서예가, 습자 선생 : a good ~ 글씨 잘 쓰는 사람. **2** 작가, 문사(文士) ; 《俗》 위조자.

pénman·shìp *n.* Ⓤ 글씨 쓰기, 서법, 서예, 필적, 습자.

Penn [pén] *n.* 펜. **William** ~ (1644-1718) 영국의 퀘이커 교도의 지도자, 미국 Pennsylvania 주의 개척자.

Penn., Penna. Pennsylvania.

pén nàme *n.* 필명, 아호(雅號), 펜 네임.

pen·nant [pénənt] *n.* **1** (취역함(艦)이 게양하는) 장기(長旗) ; 작은 깃발 : the broad[narrow] ~ 제독[함장]기. **2** 〖海〗 (아랫돛대 꼭대기에서 밑으로 늘어뜨린) 짧은 밧줄(pendant). **3** 《美》 페넌트, 우승기 ; (대학 따위에서의) 응원기 : ~ chasers 프로 야구단 / win the ~ 우승하다. **4** 〖樂〗 (음표의) 훅(hook). 〖*pendant*+*pennon*〗

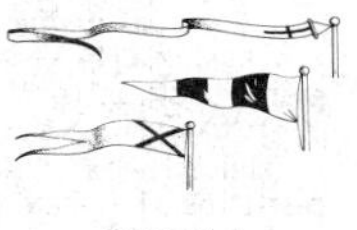
pennant 1

pénnant ràce *n.* 페넌트 레이스, 우승을 놓고 겨루는 경기.

pen·nate [péneit], **pen·nat·ed** [-neitəd] *a.* (배열이) 깃털 모양의 ; 깃털[날개]이 있는.

pen·ni [péni] *n.* (*pl.* **pen·nia** [-niə], ~, **~s**) 페니《핀란드의 화폐 단위 ; =1/100 markka》. 〖Fin. ; ⇨ PENNY〗

pén·ni·fòrm [pénə-] *a.* 깃털 모양의.

pén·ni·less *a.* 무일푼의, 아주 가난한.
類義語 ⟹ POOR.

pennill, pennillion ☞ PENILLION.

Pén·nine Álps [pénain-] *n. pl.* [the ~] 페나인 알프스《스위스와 이탈리아 국경에 있는 알프스 산맥의 일부》.

pen·ni·nite [pénənàit] *n.* 〖鑛〗 페니나이트, 고토녹니석(苦土綠泥石). 〖G *Pennin* Pennine (Alps)〗

pen·non [pénən] *n.* (삼각형 또는 제비 꼬리 모양의) 창기(槍旗) ; (일반적으로) 깃발 ; 《詩》 날개, 깃털. **~ed** *a.* 창기를 단. 〖OF<L *penna* feather〗

pen·north, penn'orth [pénərθ] *n.* =PENNYWORTH.

Penn·syl·va·nia [pènsəlvéinjə, -niə] *n.* 펜실베이니아《미국 동부의 주 ; 주도 Harrisburg ; 略 Pa., Penn(a).》. 〖PENN〗

Pennsylvánia Ávenue *n.* 백악관이 있는 Washington, D.C.의 거리 ; 미국 정부.

Pennsylvánia Dútch *n.* **1** [복수취급] 독일계 펜실베이니아 사람《17-18세기에 주로 미국 Pennsylvania 동부로 이주한 독일인의 자손》. **2** Ⓤ (독일계 펜실베이니아인이 사용하는) 영어섞인 독일어. 〖*Dutch*는 G *Deutsch* German이 와음(訛音)된 것〗

‡pen·ny [péni] *n.* (*pl.* 「개수」 **pén·nies**, 「가치」 **pence** [péns]) **1** 페니《영국의 화폐 단위 ; =1/12 shilling, 1/240 pound ; 1971년 부터 1/100 pound ; 기호는 원래 d. (☞ DENARIUS), 1971년 2월부터 p ; cf. DIME, NICKEL, QUARTER》 ; 1페니 청동화 : ☞ PENNY-HALFPENNY / 5 *p* 5펜스 / A ~ saved is a ~ earned. 《속담》 한푼을 아끼면 한푼을 버는 셈이 된다 / In for a ~, in for a pound. 《속담》 한 번 손댄 일은 끝까지 해라 / Take care of the *pence*, and the pounds will take care of themselves. 《속담》 푼돈을 소중히 하면 큰 돈은 저절로 모인다, 작은 일을 소홀히 하지 않으면 큰일은 자연히 성사된다. 注 (1) halfpence [héipəns], twopence [tʌ́pəns], threepence [θrépəns, θríp-], fóurpence에서 twélvepence 까지와 twéntypence는 [-pəns]로 약하게, 그외는 두 마디로 써서 [-péns]라고 발음함. (2) *pennies*는 개개의 동전에 대해서 말함 : He gave me my change in *pennies*. 나에게 거스름돈을 동전으로 주었다. **2** (*pl.* **-nies**) 《美口·Can.口》 1센트 동전. **3** 잔돈, 한푼. **4** (일반적으로) 금전 : a pretty[fine] ~ 꽤 많은 돈. **5** 〖聖〗 고대로마의 은화(denarius). **6** 《美俗》 경찰, 경관.
a bad penny 싫은 사람[것] : like *a bad* ~ 싫어질 정도로, 부아가 날 정도로.
A penny for your thoughts. = 《俗》 ***A penny for 'em.*** 무얼 멍하니 생각하고 있니.
have not a penny (***to bless*** one***self with***) 아주[찢어지게] 가난하다.
pennies from heaven 뜻밖의 행운.
spend a penny 《英口》 화장실에 가다.
turn[***earn, make***] ***an honest penny*** 정직하게 일하여 돈을 벌다.
—— *a.* 1페니의 ; 싸구려 물건의.
〖OE *penig*, *penning* ; cf. PAWN¹, G *Pfennig*〗

-pen·ny [pèni, 英+pəni] *a. comb. form* 「가격이 …페니[펜스]의」의 뜻. 〖PENNY〗

pénny-a-líne *a.* 1행(行)에 1페니의 ; (원고·저작이) 빈약한, 싸구려의.

pénny-a-líner *n.* 1행에 1페니씩 받고 쓰는 사람, 삼류 작가.

pénny-a-líning *n.* 싸구려 원고, 서푼짜리 글.

pénny ánte *n.* 푼돈내기 포커 ; 《俗》 소규모 거래, 보잘것없는 장사.

pénny-ánte *a.* 하찮은, 작고 보잘것없는.

pénny arcáde *n.* (동전으로 즐길 수 있는) 오락 아케이드.

pénny blàck *n.* 페니 블랙《영국에서 1840년에 발행된 최초의 우표 ; 1페니짜리》.

pénny blóod[**dréadful**] *n.* 《英俗》 서푼짜리 범

죄 소설(cf. SHILLING SHOCKER).
pénny-fárthing *n.* 《英》 구식 자전거의 일종《앞바퀴가 크고 뒷바퀴는 작음》.
pénny gáff *n.* 《英俗》 삼류 극장.
pénny-hálfpenny *n.* =THREE-HALFPENCE.
pénny-in-the-slót *n.* 《英》 1 페니 동전을 넣는 자동 판매기. ── *a.* 동전으로 움직이는 ; (일반적으로) 자동의.
pénny nùmber *n.* 정기간행 탐정소설의 1회분 《가격이 1페니인 데서》.
pénny-pìnch *vt.* 《美口》 쩨쩨하게 굴다.
pénny pìncher *n.* 《口》 지독한 구두쇠[노랑이].
pénny-pìnch·ing *n., a.* 《口》 인색(한) ; 긴축 재정(의).
pénny pòst *n.* 《英古》 1페니 우편제(制).
pénny réading *n.* 《英》 (옛날 빈민을 위해서 싼 입장료로 개최했던) 싸구려 낭독회.
pènny·róyal *n.* 〖植〗 박하류(類) ; 박하유(油). 〚AF *puliol real* royal thyme〛
pénny stòck *n.* 《美》〖證〗 투기적 저가주(株)《한 주 값이 1$ 미만인 주식》.
pénny wédding *n.* 《스코》 초대받은 손님이 비용을 부담하는 결혼식《옛 풍습》.
pénny·wèight *n.* Ⓤ.Ⓒ 페니웨이트《영국의 귀금속·보석의 무게 단위 ; =24 grains, =1.5552g ; 略 dwt., pwt.》 ; 《美俗》 보석류 ; (특히) 다이아몬드 : a ~ job 보석 도둑.
pénny whìstle *n.* (장난감) 호루라기《생철 또는 플라스틱제》.
pénny wìsdom *n.* 한 푼을 아낌.
pénny-wíse *a.* 푼돈을 아끼는 : *P*~ and pound-foolish. 《속담》 푼돈 아끼다가 큰 돈 잃는다.
pénny·wòrt *n.* 〖植〗 피막이풀속(屬) 따위의 잎이 동그란 잡초.
pénny·wòrth [, 英+pénəθ] *n.* (*pl.* ~, **~s**) 1페니어치(의 양) ; 1페니짜리 물건 ; 소액 ; 조금, 근소 ; 거래액 : a ~ of salt 소금 1페니어치.
a good [***bad***] ***pennyworth*** 유리[불리]한 거래, 사서 득[손해] 본 물건.
get one***'s pennyworth*** =***get*** one***'s money's worth*** ☞ MONEY.
not a pennyworth of 조금도 …이 아니다.
Pe·nob·scot [pənábskat] *n.* (*pl.* ~, **~s**) Maine 주에 사는 인디언의 한 부족.
penol. penology.
pe·nol·o·gy [piːnálədʒi, pi-] *n.* Ⓤ 행형학(行刑學) ; 형벌학, 교도소 관리학.
-gist *n.* **pè·no·lóg·i·cal** *a.*
〚L *poena* penalty〛
pen·orth [pénərθ] *n.* =PENNYWORTH.
pén pàl *n.* 펜팔, 편지를 통하여 사귀는 친구.
pén pìcture[**pòrtrait**] *n.* 펜화(畫) ; (인물·사건 따위의) 대략적인 묘사, 간단한 기록.
pén plòtter *n.* 〖컴퓨〗 컴퓨터 제어에 의해 펜으로 선을 긋기 위한 작도(作圖) 장치.
pén·pòint *n.* 펜촉(nib) ; 볼펜심.
pén-pùsh·er *n.* 《口》 =PEN-DRIVER.
-pùsh·ing *n.*
Pèn·púter *n.* 펜퓨터《펜 입력 시스템의 업무용 퍼스널 컴퓨터 ; 상표명》.
pén·ràck *n.* 펜걸이, 필가(筆架).
pén règister *n.* (전화국에 있는) 가입자의 전화 이용 상황 기록장치.
pen·sée [*F* pɑ̃se] *n.* (*pl.* **-sées** [—]) 생각, 사고, 사상(thought) ; 회상 ; [*pl.*] 명상록, 수상록 ; 금언 ; [*P*~*s*] (Pascal의) 「팡세」.
pen·sile [pénsail] *a.* 매달린, 드리워진, 대롱거리는, 흔들거리는 ; 매달린 둥지를 짓는《새 따위》. 〚L (*pens- pendeo* to hang)〛
***pen·sion**[1] [pénʃən] *n.* **1** 연금(年金), 은급(恩給), 양로 연금(old-age pension) : draw one's ~ 연금을 받다 / retire on a ~ 연금을 받고 퇴직하다. **2** (예술가·과학자 등에게 주는) 장려금(bounty). **3** (고용인 등에게 주는 임시) 수당.
── *vt.* …에게 연금《따위》을 지급하다.
pension a person ***off*** 남에게 연금《따위》을 주어 퇴직시키다.
~·less 연금《따위》이 없는. 〚OF<L=payment (*pens- pendeo* to weigh, pay)〛
pen·sion[2] [*F* pɑ̃sjɔ̃] *n.* (프랑스·벨기에 등지의) 하숙집, 기숙사 ; 식비를 포함한 하숙비.
live en [ɑ̃] ***pension*** 식사를 제공하는 하숙 생활(生活)을 하다.
pénsion·able *a.* 연금을 받을 자격이 있는.
pénsion·àry [; 英+-əri] *a.* 연금《따위》을 받는 ; 연금으로 생활하는 ; 연금의. ── *n.* 연금 수령자(pensioner) ; 고용인, 용병, 부하.
pénsion·er *n.* 연금《따위》 수령자 ; 《英》 (Cambridge 대학의) 자비생(自費生) ; 고용인, 부하 ; 하숙집 주인[이용자] ; 기숙생.
pénsion fùnd *n.* 연금 기금.
pénsion trùst *n.* 연금 조합.
pen·sive [pénsiv] *a.* 생각에 잠겨 있는, 골똘히 생각하는 ; 슬픔에 잠긴, 애수적인. **~·ly** *adv.* 생각에 골똘하여 ; 슬프게. **~·ness** *n.*
〚OF (*penser* to think)〛
類義語 ***pensive*** 깊이 생각에 잠겨 있는 ; 때때로 슬픈 듯한 또는 우울한 듯한 : the *pensive* look of the girl (슬픔에 잠긴 소녀의 표정). ***contemplative*** 무언가 추상적인 일에 생각을 집중하고 있는 ; 때로 습관적으로 생각하는 일을 암시함 : a *contemplative* mind (명상에 잠기는 마음). ***reflective*** 뚜렷한 이해[결론]에 도달하려고 어떤 일을 마음속에서 곰곰이 생각하는 : a *reflective* person (생각이 깊은 사람). ***meditative*** 조용히 명상에 잠겨 있으나 따로 뚜렷한 이해[결론]에 도달하려고 하는 목적은 없음 : a *meditative* walk in the woods (명상하면서 거니는 숲속의 산책).
pén·stòck *n.* (수력 발전소의) 수압관(管) ; (물방아 따위의) 홈통, 도수관(導水管) ; 수문(水門)(sluice) ; 수로(水路) ; 《美》 소화전(hydrant).
pent [pént] *v.* PEN[2]의 과거·과거분사.
── *a.* 갇힌(confined)〈*up, in*〉.
〚(p.p.)〈*pend* (obs.) to PEN[2]〛
Pent. Pentecost. **pent.** pentagon ; 《詩》 pentameter.
pen·ta- [péntə], **pent-** [pént] *comb. form* 「다섯(five)」의 뜻. 〚Gk. (*pente* five)〛
pènta·chlòro·phénol *n.* 〖化〗 펜타클로로페놀《목재 방부제·농약》.
pen·ta·chord [péntəkɔ̀ːrd] *n.* 오현금(五絃琴) ; 〖樂〗 5음 음계.
pen·ta·cle [péntikəl] *n.* =PENTAGRAM.
pen·tad [péntæd] *n.* **1** 다섯(개 한 벌). **2** 5년간. **3** 〖化〗 5가(價) 원소.
── *a.* 〖化〗 5가 원소의.
〚Gk. (*pente* five)〛
pen·ta·dac·tyl [pèntədǽktəl], **-dac·ty·late** [-dǽktələt, -lèit] *a.* 다섯 손가락[발가락]의 ; 다섯 손가락 모양의. **~·ìsm** *n.* 다섯 손가락[발가락] 모양, 오지성(五指性).
pen·ta·dec·a·gon [pèntədékəgàn] *n.* 〖數〗 15각형(形).

pènta·dèca·péptide *n.* 〖生化〗 펜타데카펩티드 《아미노산 15개로 이루어진 단백질 비슷한 분자》.
pen·ta·gon [péntəgàn] *n.* **1** 5각형, 5변형 ; 〖築城〗 오릉보(五稜堡). **2** [the P~] 펜타곤《미국 국방부의 통칭 ; 건물이 5각형임》.
pen·tag·o·nal [pentǽgənl] *a.* 5각[변]형의.
〖F or L<Gk. (*penta-*, *-gon*)〗
Pen·ta·gon·ese [pèntəgəníːz, -s] *n.* 《美口》 군관계자 용어, 국방부식 문체.
pen·tag·o·noid [pentǽgənɔ̀id] *a.* 5각형 모양의[비슷한].
pénta·gràm *n.* (5각) 별 모양, 5각 성형(星形) (pentacle).
pénta·gràph *n.* =PANTOGRAPH.
pènta·hédron *n.* (*pl.* **~s**, **-dra**) 5면체(面體).
-hédral *a.* 5면(체)의.
pen·tam·er·ous [pentǽmərəs] *a.* 다섯 부분으로 나뉜[으로 된] ; 〖植〗 5판화로 된, 5판화의.
pen·tam·er·ism [pentǽmərìzəm] *n.*
pen·tam·e·ter [pentǽmətər] *n.* 〖韻〗 5보격(步格), (특히) 약강(弱強) 5보격(heroic verse).
—— *a.* 5보격의. 〖L<Gk. (*penta-*, *-meter*)〗
pen·tane [péntein] *n.* Ⓤ 〖化〗 펜탄《파라핀 탄화수소》.
pen·tan·gu·lar [pentǽngjələr] *a.* 5각(형)의.
pen·tarchy [péntaːrki] *n.* 5두(頭) 정치[정부] ; 5개국 연합.
pen·ta·stich [péntəstìk] *n.* 5행시(行詩).
pénta·stỳle *n.*, *a.* 〖建〗 5주식(柱式)(의).
pénta·sỳllable *n.* 5음절어(語).
Pen·ta·teuch [péntətjùːk] *n.* 〖聖〗 모세 5경(經) 《구약 성서의 첫 5편》. **Pèn·ta·téu·chal** *a.*
〖Gk. (*penta-*, *teukhos* book)〗
pen·tath·lete [pentǽθliːt] *n.* 5종 경기 선수.
pen·tath·lon [pentǽθlən, -lɑn] *n.* 5종 경기(cf. DECATHLON) : ☞ MODERN PENTATHLON.
~·ist *n.* 5종 경기 선수.
〖Gk. (*penta-*, *athlon* contest)〗
pènta·tónic *a.* 〖樂〗 5음의 : ~ scale 5음 음계.
pènta·válent *a.* 〖化〗 5가(價)의.
Pen·te·cost [péntikɔ̀(ː)st, -kɑ̀st] *n.* **1** 〖유태教〗 오순절(五旬節)《Passover 후 50일째에 행하는 유태인 축제》. **2** 성령 강림절(Whitsunday).
〖OE and OF<L<Gk.=fiftieth (day)〗
Pèn·te·cós·tal *a.* Pentecost의 ; 오순절 교회파 《20세기초 미국에서 시작한 fundamentalist에 가까운 한 파》의.
~·ìsm *n.* 성령강림 운동. **~·ist** *n.*
pént·hòuse *n.* **1** 달개 지붕[집]. **2** 차양 ; 차양 같은 것. **3** (빌딩의) 옥상 창고[기계실·물탱크] ; 옥상에 지은 고급 주택. 〖OF *apentis*<L (⇨ APPEND) ; 어형은 *house*에 동화(同化)〗
pen·to·bárbital [pèntə-] *n.* 〖藥〗 펜토바르비탈 《단시간형 진정·진통·최면약》.
pentobárbital sódium *n.* 〖藥〗 펜토바르비탈나트륨《진정·진통·최면약》.
pen·tode [péntoud] *a.*, *n.* 〖라디오〗 5극(極)의 (진공관). 〖*-ode*[2]〗
pen·tom·ic [pentɑ́mik] *a.* 〖美軍〗 (핵공격에 대비한) 5단위 편성 사단의 ; 5사단으로 편성된.
pen·ton [péntɑn] *n.* 〖生化〗 펜톤《상호 의존하는 5개의 단백질 분자》.
Pen·ton·ville [péntənvil] *n.* London의 교도소 《최초로 독방 형식을 취한 교도소》.
pen·to·san [péntəsæ̀n] *n.* 〖生化〗 펜토산《가수분해에 의해 펜토오스를 생성하는 다당류》.
pen·tose [péntous] *n.* 〖化〗 펜토오스, 5탄당(炭糖)《탄소 원자 5개의 단당류(單糖類)》.
Pén·to·thal (**Sódium**) [péntəθɔ̀ːl(-), -θæ̀l(-)] *n.* 펜토탈《마취제·최면제 ; thiopental (sodium)의 상표명》.
pent·ox·ide [pentɑ́ksaid] *n.* 〖化〗 5산화물.
pén trày *n.* 펜 접시.
pént ròof *n.* 〖建〗 (다른 건물) 벽 위에 비스듬히 붙여 내단 지붕 ; 차양.
pent·ste·mon [pentstíːmən, péntstə-] *n.* 〖植〗 현삼속(玄蔘屬)의 식물.
〖NL (*penta-*, Gk. *stēmōn* stamen)〗
pént-úp *a.* 갇힌 ; 울적한《감정 따위》: ~ fury [rage] 울분.
pént·wày *n.* 《美》 사설(私設) 도로.
pen·tyl [péntl, -tail] *n.* 〖化〗 펜틸(기(基)) (=∼ **ràdical**[**gròup**])《알킬기(基)의 일종》.
〖*pentane*+*-yl*〗
pe·nu·che, **-chi** [pənúːtʃi] *n.* =PANOCHA.
〖Mex. Sp. PANOCHA〗
pe·nult [pinʌ́lt, píːnʌlt, pé-] *n.* 어미에서 두번째의 음절(cf. ANTEPENULT, ULTIMA) ; 끝에서 두번째의 것. —— *a.* =PENULTIMATE.
〖*penult*imate or L *paenult*imus〗
pe·nul·ti·ma [pinʌ́ltəmə] *n.* =PENULT.
pe·nul·ti·mate [pinʌ́ltəmət] *a.* 어미에서 두번째의 음절의 ; 끝에서 두번째의. —— *n.* =PENULT.
〖L (*pene-*, *ultimus* last) ; *ultimate*에서 모방(模倣)한 것〗
pe·num·bra [pənʌ́mbrə] *n.* (*pl.* **-brae** [-briː, -brai], **~s**) **1** 〖天〗 (태양 흑점의) 반영(부)(半影(部)). **2** 〖畫〗 명암[농담(濃淡)]의 경계. **3** (의혹 따위의) 음영(陰影)〈*of*〉. **-bral** *a.*
〖NL (*pene-*, UMBRA)〗
pe·nu·ri·ous [pənjúəriəs] *a.* 가난한 ; 결핍된(lack) 〈*of*〉 ; 인색한(stingy). **~·ly** *adv.* 가난하게 ; 인색하게. **~·ness** *n.*
pen·u·ry [pénjəri] *n.* Ⓤ 가난, 빈궁 ; 결핍 : live [die] *in* ~ 궁핍 속에서 살다[죽다]. 〖L〗
pén wìper *n.* 펜 닦개.
pén·wòman *n.* 여류 작가.
pe·on [píːən, -ɑn] *n.* (*pl.* **~s**, **-o·nes** [peióuniːz]) **1 a**) (중남미에서) 노동자, 날품팔이꾼. **b**) 빚을 갚기 위해 노예로 일하는 사람《멕시코·미국 남서부 등지에서》; (중남미에서) 말지키는 사람 ; 투우사의 조수. **2** [pjúːn] (인도·스리랑카에서) 보병, 토민병(土民兵), (인도 사람의) 순경 ; 착취당하는 노동자 ; 가난한 사람. **3** 종자(從者), 심부름꾼. 〖Port. and Sp.<L=walker, foot soldier ; cf. PAWN[2]〗
péon·age, **péon·ìsm** *n.* Ⓤ peon의 신분[노역] ; 그 제도 ; (죄수의) 노예적 복종[노동].
pe·o·ny, **pae-** [píːəni] *n.* **1** 〖植〗 작약(芍藥) : a tree ~ 모란. **2** 어두운 적색.
blush like a peony 얼굴을 붉히다.
〖OE *peonie*<L<Gk. (*Paiōn* physician of the gods)〗
◇**peo·ple** [píːpəl] *n.* **1** [복수취급] **a**) (일반적으로) 사람들 : of all ~ ☞ OF 숙어 / hundreds of ~ 수백명. ☞ 活用. **b**) [부정 대명사적 용법] 세상 사람들(they) : *P*~ say (=They say, It is said) *that* …이라는 소문이다, …라고들 한다. **2** [a ~, *pl.* ~s] 국민(nation), 민족 (race) : the ~*s* of Asia 아시아의 여러 국민 / The English ~ came into touch with many kinds of ~*s*. 영국민은 여러 민족과 접촉했다. **3** [복수취급] **a**) [보통 the 또는 수식어를 붙여] (한 지방의) 주민, (한 계급·한 단체·어떤 직업

의) 사람들 : *the* village ~ 마을 사람들 / *the* best ~ 《口》 상류 사회의 사람들. **b**) [the ~] 인민, 백성, 국민 ; 선거민(the electorate) : government of *the* ~, by *the* ~, for *the* ~ 국민의, 국민에 의한, 국민을 위한 정부《Lincoln의 Gettysburg 연설 중의 구절, 민주주의를 간결하게 표현한 말》. **c**) [one's ~] 교구민(敎區民). **d**) 종자(從者)들. **e**) [one's ~] 《口》 가족, 부모 형제, 조상《등》 : *my* ~ at home 고향의 집안 사람들, 근친, 일가. **f**) [the ~] 서민(the public), 인민, 일반 대중. **4** [P~] 〔美法〕 (형사 재판의) 검찰측. **5** (분류학상의) 한 떼의 동물(creatures) ; 《詩》 살아있는 것, 생물.

〈회화〉
How many *people* are there? — Just a minute. I'll count them. 「몇 사람이나 있니」「잠깐 기다려. 세어 볼 테니까」

—— *vt.* **1** …에 사람을 살게 하다, 식민(植民)하다 ; [특히 *p.p.*로] …에 살다(inhabit) : a thickly [sparsely] ~*d* country 인구 밀도가 높은[낮은] 나라. **2** (동물을) …에 많이 살게 하다〈*with*〉. 〚AF<L *populus*〛

活用 people 1 a)는 대규모 집단의 또는 불특정한 사람들에게 쓰이며 persons는 소수의 또는 특정한 사람들에게 쓰이는 것이 일반적 : A lot of *people* went to the baseball stadium. (많은 사람들이 야구장으로 갔다) / There were fifty *persons* present. (50명의 사람들이 출석했다). 그러나 오늘날 《口》에서는 이와 같은 구별없이 양자를 다 쓰는데 특히 people을 많이 쓰고 있음 : Three *persons* [*people*] were present. (세 사람이 출석했다).

類義語 ⟹ NATION.

péople·hòod *n.* (정치적이 아닌 문화적·사회적 일체감을 강조하는) 민족성, 민족 의식.

péople jòurnalism *n.* 유명인의 사진을 중심으로 한 저널리즘.

péople·less *a.* 사람이 없는, 무인(無人)의.

péople mòver *n.* 여객의 고속 수송 수단.

péople-óriented *a.* 인간 중심의, 인간 우선의.

Péople's Chárter *n.* 〔英史〕 국민헌장.

Péople's Cómmissar *n.* (구소련의) 인민 위원《현재는 minister》.

péople's cómmune *n.* (중국의) 인민 공사.

Péople's Dáily *n.* [the ~] (중국의) 인민일보.

Péople's Liberátion Ármy *n.* 중국 인민 해방군《중국의 정규군》.

péople snìffer *n.* 숨어 있는 사람을 냄새로 탐지하는 장치.

Péople's Pálace *n.* [the ~] 《英》 노동 회관 《London에 있는 일반 노동자 계급의 회관》.

péople's párk *n.* 《美》 당국으로부터 규제를 받지 않고 자유로이 사용할 수 있는 공원, 시민 공원.

Péople's párty *n.* [the ~] 〔美史〕 인민당《1891년 결성된 정당으로 통화 증발(增發), 철도·통신 따위의 공유, 토지 소유의 제한 따위를 주장했음 ; ☞ POPULISM》.

péople's repùblic *n.* [때때로 P~ R~] 인민 공화국.

péople tásk *n.* 개인의 인간성이 중요 요소가 되는 일《간호사·교원 등》.

pep [pép] *n.* Ⓤ 《口》 원기, 기력 : full of ~ 원기 왕성한. —— *vt.* (**-pp-**) …의 기운을 북돋우다, 격려하다〈*up*〉. 〚*pep*per〛

P.E.P. 《英》 Political and Economic Planning.

pep·er·i·no [pèpəríːnou] *n.* Ⓤ 〔地質〕 응회암(岩)의 일종. 〚It. (*pepere* pepper)〛

pep·los, -lus [pépləs] *n.* 페플로스《고대 그리스 여성이 입던 주름잡힌 긴 상의》. 〚Gk.〛

pep·lum [pépləm] *n.* (*pl.* **~s, -la** [-lə]) (여성복 스커트의) 주름 장식. **~ed** *a.* 〚L<Gk. ↑〛

pe·po [píːpou] *n.* (*pl.* **~s**) 박과(科) 식물의 열매.

pep·per** [pépər] *n.* **1** Ⓤ 후추 ; Ⓒ 〔植〕 고추 : black [white] ~ 검은[흰] 후추《여물지 않은[여문] 씨로 만든 후추》. **2** Ⓤ 자극성 (있는 것). **3** Ⓤ 신랄(한 것), 통렬한 비평 ; 급한 성미. **4** 〔野〕 = PEPPER GAME. —— *vt.* **1** …에 후추를 치다, 후추로 양념하다. **2** [+目/+目+*with*+名] …에 온통 흩뿌리다, 점점이 흩뜨리다 ; (총탄·질문 따위를) 퍼붓다 ; 연타하다, 엄하게 벌주다 : Her face was ~*ed* ***with freckles. 그녀의 얼굴은 주근깨투성이었다/The enemy ~*ed* our lines *with* their shot. 적은 아군의 진지에 총탄을 퍼부었다. **3** 《野俗》 …에게 속구를 던지다 ; 《골프·野俗》 날카롭게 치다, 강타하다. 〚OE *pipor*<L *piper*<Gk.<Skt.=berry, peppercorn〛

pépper-and-sált *a.* 희고 검은 점이 섞인. —— *n.* Ⓤ 희고 검은 점이 섞인 옷감 ; 희끗희끗한 무늬.

pépper·bòx *n.* 후추통[병](pepper pot) ; 《戲》 작은 탑 ; 성급한 사람.

pépper càster[càstor] *n.* 후추병.

pépper·còrn *n.* (말린) 후추의 열매 ; 《비유》 하찮은 것 ; =PEPPERCORN RENT. —— *a.* (머리털이) 덥수룩하고 곱슬곱슬한.

péppercorn rént *n.* 중세에 지대(地代) 대신에 바친 말린 후추 열매 ; (일반적으로) 명색만의 지대[집세].

Pépper Fòg *n.* 페퍼 포그《폭동 진압용의 자극성 최루탄의 상표명》.

pépper gàme *n.* 〔野〕 시합전 연습.

pépper gàs *n.* 페퍼 가스《최루가스의 일종》.

pépper·gràss *n.* 〔植〕 다닥냉이류(類)의 식물《야채·샐러드용》.

pépper mìll *n.* (손으로 돌리는) 후추 빻는 기구.

pépper·mìnt *n.* **1** Ⓤ 〔植〕 서양박하. **2** Ⓤ 박하 기름(=∼ òil) ; 페퍼민트《박하 기름을 알코올로 용해시킨 술》. **3** 박하 드롭스, 박하 정제(錠劑).

pépper pòt *n.* =PEPPERBOX.

pépper shàker *n.* **1** =PEPPERBOX. **2** 《CB俗》 얼어 붙은 노면에 재를 뿌리는 트럭.

pépper·trèe *n.* 〔植〕 후추나무《열대 아메리카 원산 ; 옻나무과의 상록 교목》.

pépper-ùp·per *n.* 《俗》 기운[원기]을 북돋아주는 것[사람].

pépper·wòrt *n.* 〔植〕 =PEPPERGRASS.

pép·pery *a.* 후추의[같은], 후추 맛이 나는 ; 얼얼한, 통렬한 ; 성마른, 초조해 하는. **pép·per·i·ly** *adv.* **-i·ness** *n.*

pép pìll *n.* 《口》 각성제《특히 amphetamine》.

pép·py *a.* 《口》 원기 왕성한, 기운찬 ; 《美俗》 (엔진·차 따위) 가속이 빠른, 고속운전할 수 있는. 〚PEP〛

pép ràlly *n.* 《口》 (학교 대항 시합전의) 사기 앙양대회, 궐기 대회, 격려 집회.

pep·sin [pépsən] *n.* Ⓤ 〔生化〕 펩신《위액(胃液) 속에 있는 단백질 분해 효소》 ; 펩신제(劑), 소화제. 〚G (Gk. *pepsis* digestion)〛

pep·sin·o·gen [pepsínədʒən] *n.* 〔生化〕 펩시노겐 《펩신의 효소원(原)》.

pep·stat·in [pepstǽtən] *n.* 〔生化〕 펩스타틴《단백질을 분해하는 어떤 종류의 효소 작용을 억제하는 화합물》.
pép tàlk *n.* 《口》 (보통 짧은) 격려 연설.
pép·tàlk *vi.* 격려 연설을 하다.
pep·tic [péptik] *a.* 소화력이 있는, 소화를 돕는, 펩신의. —— *n.* 소화제 ; 건위제(健胃劑).
péptic úlcer *n.* 〖醫〗 (위·십이지장의) 소화성(性) 궤양.
pep·ti·dase [péptədèis, -z] *n.* 〖生化〗 펩티다아제 《펩티드를 아미노산으로 분해하는 효소》.
pep·tide [péptaid, -təd] *n.* 〖生化〗 펩티드《α-아미노산 2개 이상이 펩티드 결합을 한 것 ; 가수분해로 아미노산이 생김》.
pep·tid·ic [peptídik] *a.* **-i·cal·ly** *adv.*
pep·tize [péptaiz] *vt.* 〖化〗 콜로이드 용액이 되게 하다.
pep·tone [péptoun] *n.* Ⓤ 〖生化〗 펩톤《단백질이 펩신에 의해서 가수(加水)분해된 것》.
pep·to·nize [péptənàiz] *vt.* 〖生化〗 펩톤화(化)하다 ; (음식물에) 펩신 따위를 섞어서 소화가 잘되게 하다. **pèp·to·ni·zá·tion** *n.*
***per** [pər, pə̀ːr] *prep.* **1** …으로, …에 의하여, …에 기탁하여 : ~ post 우편으로 / ~ rail [steamer] 기차[기선]로. **2** …에 대해, …마다 : ($20) ~ man[week] 1명[1주]에 대해 (20달러) / the crops ~ acre 에이커당 수확. 注 주로 전문용어·상업 용어로 쓰임 ; 일반적으로는 $20 *a* man [week] 따위로 함.
as per …에 의하여 : *as* ~ enclosed account 동봉한 계산서에 의하여[대로].
as per usual 《口·戱》 평상시와 마찬가지로.
—— [pə́ːr] *adv.* 1개당, 각.
〖L=through, by, for, for each〗
per- [pər, pə̀ːr, pə́ːr] *pref.* **1** [라틴계의 낱말에 붙여] 「완전히」 「모두 (…하다)」의 뜻 : *per*fect, *per*vade. **2** 「극히」 「몹시」의 뜻 : *per*fervid. **3** 〖化〗 「과(過)…」의 뜻 : *per*oxide.
〖L (↑)〗
PER price earnings ratio (주가 수익률).
Per. Persia(n).
per. period ; person.
per·ac·id [pərǽsəd, per-] *n.* 〖化〗 과산(過酸).
pèr·acíd·i·ty *n.* Ⓤ (위(胃) 따위의) 산(酸)과다.
pér·advènture [pə́ːr-, pér-, ⌐-⌐-] *adv.* 《古》 **1** 혹시, 아마. **2** 우연히, 어쩌다가 : If ~ you meet him.... 혹시 그를 만난다면…. —— *n.* Ⓤ [또는 a ~] 염려, 불안 ; 우연 ; 추측 : beyond (a) ~ 의심없이, 꼭, 반드시.
〖OF=by chance ; ⇨ PER, ADVENTURE〗
per·am·bu·late [pərǽmbjəlèit] *vt., vi.* 순회[순시]하다, 답사하다 ; 배회하다 ; 《英》 (갓난 아기를) 유모차에 태워 밀고 가다.
per·ám·bu·la·tò·ry [; -lèitəri] *a.* 순회[순시, 답사]의. 〖L *per-*(*ambulo* to AMBLE)〗
per·àm·bu·lá·tion *n.* Ⓤ 순회, 순시, 답사 ; Ⓒ 순회[답사·측량] 구역 ; 답사 보고서.
per·ám·bu·là·tor *n.* 순시[답사]자 ; [, 美+ prǽm-] 《英》 유모차(乳母車)《略 pram》 ; (손으로 미는 식의 큰 차바퀴 모양의) 거리계.
per an·num [pəːrǽnəm] *adv.* 1년마다(yearly) 《略 p.a.》. 〖L〗
per·bórate [pəːr-] *n.* 〖化〗 과붕산염(過硼酸鹽).
per·brómate [pəːr-] *n.* 〖化〗 과브롬산염.
per·cale [pəːrkéil, ⌐-, pəːrkǽl] *n.* Ⓤ 촘촘하게 짠 무명. 〖F< ?〗
per·ca·line [pə̀ːrkəlíːn] *n.* Ⓤ 약간 윤이 나는 면직물의 일종《안감용》.
per cap·i·ta [pəːr kǽpətə], **-ca·put** [-kéipət, -kǽpət] *adv., a.* 한 명에 대하여, 1인당(의) (per head), 머릿수로 나눠서[나눈]. 〖L〗
per·céiv·able *a.* 지각[감지, 인지]할 수 있는. **-ably** *adv.*
***per·ceive** [pərsíːv] *vt.* **1** [+目/+目+原形/+目+do*ing*] 지각(知覺)하다, 인지하다, 알아차리다 : A baby sees things but does not ~ them as definite objects. 갓난애는 물건이 보여도 그것을 뚜렷한 대상으로 지각하지 못한다 / Did you ~ anyone come in? 누가 들어오는 것을 알아차렸습니까 / Nobody ~*d* me enter*ing* the room. 아무도 내가 방으로 들어가는 것을 알아차리지 못했다. **2** [+目/+*that* 節/+目+*to* do/+目+補] 이해하다, 간파[터득]하다 : Can't you ~ this obvious truth? 이 명백한 사실을 모르십니까 / He ~*d that* he could not make his daughter change her mind. 그는 딸의 결심을 번복시킬 수 없다는 것을 깨달았다 / When he came nearer, I ~*d* him (*to be*) an elderly man. 그가 다가왔을 때 나이든 사람임을 알았다. **per·céiv·er** *n.*
〖OF<L PER*cept-* -*cipio* to seize, understand〗
類義語 ⟹ DISCERN.
percéived nóise dècibel *n.* 감각 소음 데시벨, PN 데시벨《略 PNdB, PNdb》.
‡**per·cent, per cent** [pərsént] *n.* (*pl.* ~, **~s**) **1** 퍼센트, 백분(율) 《기호 % ; 略 p. c., pct.》 : 5 ~ 100분의 5, 5푼, 5퍼센트 / a [one] hundred ~=cent ~ 100퍼센트 / interest at 3 ~ [3%] 3부 이자 / Twenty ~ *of* the products are exported. 제품의 2할은 수출된다 / Nearly 30 ~ *of* the wheat crop was damaged. 밀 수확의 3할 가량이 피해를 입었다. ☞ 活用. **2** 《口》 백분율 (☞ PERCENTAGE 1). **3** [*pl.*] 《英》 (몇 부) 이자부(附) 공채 : invest in three ~*s* 3부 이자부 공채에 투자하다.
—— *a.* 백분의, 퍼센트의 : a ten ~ increase 1할의 증가 / We give a 10 ~ discount for cash. 현금이면 1할 할인해 드립니다 / Genius is one ~ inspiration and ninety-nine ~ perspiration. 천재는 1퍼센트의 영감과 99퍼센트의 땀의 결정이다.
—— *adv.* 백에 대해 : at a rate of 25 cents ~ 100에 대해 25센트의 비율로.
〖PER, CENT〗
活用 (1) 앞에 수사(數詞) (문장 첫머리 이외에는 보통 문자가 아닌 아라비아 숫자)가 올 때에는 percent를, 숫자 이외의 것이 올 때에는 percentage를 쓰는 것이 원칙이다. 그러나 특히 《口》에서는 양자를 거의 구별하지 않고 쓴다 : 3 *percent* (3퍼센트) / the high *percentage* (고율) / the *percentage*[《口》 *percent*] of the color-blind (색맹자(色盲者)의 비율).
(2) 주어가 되는 경우, 그것에 호응하는 동사의 수는 보통 *percent*(*age*) (of)에 계속되는 명사의 뜻에 따름 : Sixty *percent* of the *members were* against his proposal. (회원의 60퍼센트는 그의 제안에 반대했다) / Ten *percent* of the wheat *crop was* lost. (밀 수확량의 10퍼센트가 유실되었다) / Only a small *percentage* of the *patients are* children. (환자 중에 극히 소수가 어린이들이다) / A large *percentage* of the hotel's *income stems* from the visitors to the lake nearby. (그 호텔 수입의 대부분이 근처에 있는 호수를 찾아오는 관광객에게서 나온다).
***percént·age** *n.* **1** Ⓤ,Ⓒ 백분율[비(比)] ; 비율, 율(率) (proportion) : What ~ *of* the students are[is] admitted to college(s)? 재학생들의 대학 진학률은 어느 정도입니까 / A small ~ *of*

the farm produce was ruined. 소량의 농작물이 못쓰게 되었다. **2** Ⓤ 수수료, 구전(口錢) ;《口》 이익(advantage), 벌이(gain). **3** [*pl.*]《口》(이길) 가망, 승산.
活用 ☞ PERCENT.

pércentage·wìse *adv.* 퍼센트로 치면.

per·cent·ile [pərséntail] *n., a.* 〖統〗 백분위수(百分位數)(의), 퍼센타일(의).

per cen·tum [pər séntəm] *n.* ＝PERCENT. 〖L〗

per·cept [pə́:rsept] *n.* 〖哲〗 지각(知覺)된 것 ; 지각[인식]의 대상 ; 지각 표상(表象).

per·cep·ti·bil·i·ty [pərsèptəbíləti] *n.* Ⓤ 지각[감지, 인식]할 수 있는 것[성질, 상태] ;《稀》 지각력, 이해력.

per·cep·ti·ble [pərséptəbəl] *a.* 지각[인지(認知)]할 수 있는 ; 알아차릴 수 있는[있을 만한], 상당한. **-bly** *adv.* 감지(感知)할 수 있을 정도로, 눈에 띄게. 〖OF or L ; ⇨ PERCEIVE〗

***per·cep·tion** [pərsépʃən] *n.* Ⓤ 지각(력·작용) (cf. CONCEPTION) ; 인지 ; Ⓒ 지각 대상 ;〖化〗 (임차료 따위의) 징수.
~·al *a.* ＝PERCEPTIVE.

per·cep·tive [pərséptiv] *a.* 지각 있는[하는] ; 지각이 예민한 ; 통찰력이 있는. **~·ly** *adv.* **~·ness** *n.* **per·cep·tiv·i·ty** [pə̀:rsəptívəti] *n.*

per·cep·tu·al [pərséptʃuəl] *a.* 지각(력)의, 지각 있는. **~·ly** *adv.*

percéptual defénse *n.* 〖心〗 지각적 방위《바람직하지 않은 것을 무의식적으로 보고 듣지 않기》.

percéptual strátegy *n.* 〖言〗 지각 처리 방식《듣는 사람이 말을 이해할 때 행하는 심리적 처리 조작 방식》.

***perch**[1] [pə́:rtʃ] *n.* **1** (새가 앉는) 홰(roost). **2** 《비유》 편안한 자리, 높은[안전한] 지위 : Come off your ~. 거만하게 굴지 마라. **3** (마차의) 마부석 ; (마차 따위의) 채 ; (탄약차의) 차미(車尾) ;《古·方》 막대, 장대. **4** 《戱》 (높아서 불안정한) 좌석, (야구장 따위의) 관람석 ; 직물 검사대(臺)《직물을 걸어놓고 검사하기 위한》. **5** 《英》 퍼치《(1) 길이의 단위 ; ＝5½ yards. (2) 면적의 단위 ; ＝30¼ 제곱 야드》.
hop [***tip over, drop off***] ***the perch*** 죽다.
knock a person ***off*** his ***perch*** 남을 지게 하다[해치우다], 콧대를 꺾다.
── *vi.* [＋*on*＋名] **1** (새가) 홰에 앉다, 멈추다 : A little bird ~*ed* ***on*** a twig. 작은 새가 잔가지에 앉았다. **2** (사람이) 앉다(sit) : ~ ***on*** a high stool 높은 의자에 앉다.
── *vt.* **1** [＋目＋*on*＋名] [*p. p.*로] (새 따위를) 홰에 앉게 하다 ; (건물 따위를 높은 곳에) 위치하게[자리잡게] 하다 : a church ~*ed* ***on*** a hill 언덕 위의 교회. **2** (직물을) 검사대에 걸고 검사하다. 〖OF<L *pertica* pole〗

perch[2] *n.* (*pl.* ~, ~·**es**) 〖魚〗 농어류의 민물고기. 〖OF<L *perca*<Gk.〗

per·chánce [pər-] 《古·文語》 *adv.* 우연히 ; 아마도(perhaps). 〖AF (*per* by, CHANCE)〗

pérch·er *n.* (특히) 나무에 앉는 새 ;《俗》 다 죽어 가는 사람.

Pér·che·ron (Nórman) [pə́:rtʃəràn(-), -ʃə-] *n.* 페르슈롱《프랑스 북부 페르슈 지방 원산의 튼튼한 짐말의 일종》.

per·chlóric ácid [pə:r-] *n.* 〖化〗 과염소산.

per·chlóride [pə:r-] *n.* 〖化〗 과염화물.

per·cip·i·ence, -en·cy [pərsípiəns(i)] *n.* 지각력(力).

per·cíp·i·ent *a.* 지각력이 있는 ; 통찰력이 있는.
── *n.* 지각자 ; 천리안(인 사람).
〖L ; ⇨ PERCEIVE〗

Per·ci·val [pə́:rsəvəl] *n.* 남자 이름.
〖OF＝to pierce＋valley〗

Per·co·dan [pərkóudæn] *n.* 〔藥〕 퍼코댄《진통·진해제(鎭咳劑) ; 상표명》.

per·co·late [pə́:rkəlèit] *vi.* 여과하다 ; 거르다, 삼투하다, 스며나오다(ooze) ; (커피가) 퍼컬레이터에서 끓다 ;《美口》 활발해지다 ;《美俗》 원활하게 움직이다 : Let the coffee ~ for seven minutes. 커피를 7분간 끓이십시오. ── *vt.* 여과시키다, 거르다, 스며나오게 하다 ; …에 삼투하다 ; (커피를) 퍼컬레이터에서 끓이다 : I'll ~ some coffee. 커피를 끓여드리지요 / Sand is ~*d* by water. 모래에는 물이 스며든다.
── [ˌ-lət] *n.* 여과액, 삼출액.
pèr·co·lá·tion *n.* 여과(濾過) ; 삼투.
〖L (*colum* sieve)〗

pér·co·là·tor *n.* **1** 여과기, 추출기(抽出器) ; 여과기 달린 커피 끓이개, 퍼컬레이터 ; 여과하는 사람[것]. **2** 《美俗》 주최자의 집세를 원조하기 위해 손님이 돈을 내는 파티.

per con·tra [pə:r kántrə] *adv.* 이에 반하여(on the contrary) ; 상대방에게. 〖It.〗

per·cuss [pərkʌ́s] *vt., vi.* 두드리다 ; 〔醫〕 타진(打診)하다.

per·cus·sion [pərkʌ́ʃən] *n.* **1** Ⓤ 충격, 충돌. **2** [the ~ ; 집합적으로] 〔樂〕 타악기(percussion instrument) ; 타악기부. **3** Ⓤ (총의) 격발 (장치). **4** Ⓤ,Ⓒ (충돌에 의한) 진동 ; 격동 ; 음향. **5** Ⓤ 〔醫〕 타진법(打診法).
〖F or L (PER*cuss*- -*cutio* to strike)〗

percússion càp *n.* 뇌관(雷管).

percússion fùse *n.* 격발 신관(信管).

percússion ìnstrument *n.* 타악기.

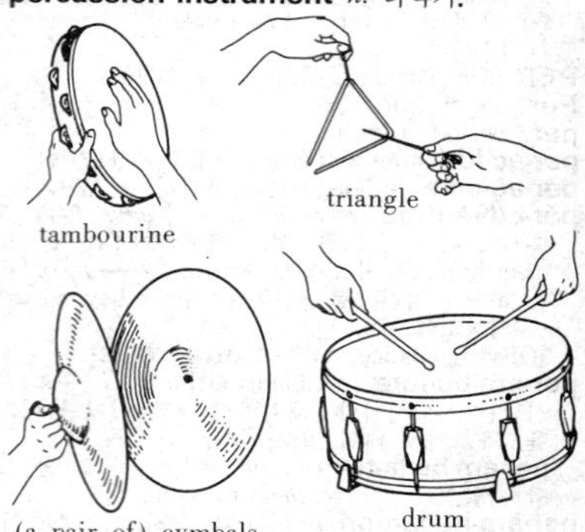

percussion instrument

percússion·ist *n.* 타악기 연주자.

percússion lòck *n.* 뇌관 장치.

percússion pòwder *n.* 뇌관 화약.

per·cus·sive [pərkʌ́siv] *a.* 충격의 ; 〔醫〕 타진(법)의. **~·ly** *adv.* **~·ness** *n.*

per·cús·sor *n.* 〔醫〕 타진추(plexor).

pèr·cutáneous *a.* 〔醫〕 피부를 통해서의, 경피적(經皮的)인《주사 따위》. **~·ly** *adv.*

percutáneous àngioplasty *n.* 〔醫〕 ＝BAL-

LOON ANGIOPLASTY《略 PTA》.

Per·cy [pə́:rsi] *n.* 남자 이름.

per di·em [pə:r dí:əm, -dái-; pə: dáiem, -dí:-] *adv.* 하루에 대하여, 일당으로. —— *a.* 하루마다의 ; 일당제의. —— *n.* 일당, 여비 일당 ; 일급 ; 일당 임차[임대]료. 〖L〗

per·di·tion [pərdíʃən] *n.* Ⓤ 파멸, 영원한 죽음 ; 지옥에 떨어짐 ; 지옥 ; 《古》 완전한 파멸, 전멸. 〖OF or L (PER*dit*- -*do* to destroy)〗

per·du, -due [pə:rdjú:] *a.* 보이지 않는, 숨은 ; (특히 보초 등이) 잠복한, 잠복 근무하는. —— [⌐-, -⌐] *n.* 《廢》 결사대(원), 보초. 〖F (p.p.) ‹*perdre* to lose〗

per·dúrable [pə:r-] *a.* 오래 견디는, 영속하는 ; 불변의, 불후(不朽)의.

per·dure [pərdjúər] *vi.* 계속하다, 오래 견디다. 〖L (*per*-, *dure*)〗

père [péər ; *F* pɛ:r] *n.* (*pl.* ~**s** [-z ; *F* —]) 아버지(cf. FILS) : Dumas ~ 대(大)뒤마. 〖F=father〗

per·e·gri·nate [pérəgrənèit] *vi.*, *vt.* 회유(回遊)하다, 주유(周遊)하다, 여행[편력(遍歷)]하다 ; 외국에 살다. —— *a.* 외유(外遊)[해외 생활]를 풍기는[자랑하는]. **pèr·e·gri·ná·tion** *n.* 여행, 편력. **pér·e·gri·nà·tor** *n.* 《古》 편력[여행]자. 〖L (↓)〗

per·e·grine [pérəgrən, -grì:n, -gràin] *n.* **1** 해외 거주자, (특히) 고대로마의 외국인 거주자 ; 《古》 여행자, 편력자 ; 〖鳥〗 송골매(=⌐ **fálcon**). **2** [P~] 남자 이름. —— *a.* 유랑성의 ; 순회의 ; 〖生〗 널리 분포하고 있는 ; 《古》 편력중인 ; 《古》 외국의, 이국풍의. 〖L=foreign (*per* through, *ager* field)〗

Pe·rei·ra [pəréərə, -réi-] *n.* **1** 페레이라《콜롬비아 중서부의 도시》. **2** [p~] =PEREIRA BARK.

peréira bàrk *n.* 브라질 원산 협죽도과(科)의 나무 껍질《강장·해열제》.

pe·remp·to·ry [pərémptəri, 美+pérəmptɔ̀:ri] *a.* **1** (명령 따위) 단호한, 이유를 불문하는. **2** 〖法〗 결정적인, 절대적인, 최종적인, 확정된 : a ~ writ 절대[무조건] 영장《지금의 소환장》. **3** 압제[강압]적인, 독단적인 ; 명령적인, 거만한. **pe·rémp·to·ri·ly** *adv.* **-ri·ness** *n.* 〖AF<L=deadly, decisive〗

perémptory chállenge *n.* 〖法〗 전단적(專斷的) 기피, 이유 불요(不要)의 기피《이유를 제시할 필요없는 일정수까지의 배심원 기피로서 형사 피고인의 권리》.

perémptory excéption [pléa] *n.* 〖法〗 결정적 답변.

pe·ren·ni·al [pəréniəl] *a.* 사계절을 통해서의 ; 여러해 계속되는, 영구적인 ; 〖植〗 다년생의(cf. ANNUAL, BIENNIAL) ; (곤충이) 1년 이상 사는. —— *n.* 〖植〗 다년생 식물 ; (여러 해) 계속되는 것, 재발하는 것. ~**ly** *adv.* **pe·ren·ni·al·i·ty** [pərèniǽləti] *n.* Ⓤ 여러해 계속됨, 영속성. 〖L (*annus* year)〗

pe·ren·ni·ty [pərénəti] *n.* 영속성(永續性).

pe·re·stroi·ka [pèrestrɔ́ikə] *n.* 《Russ.》 페레스트로이카《고르바초프의 경제 재건 정책》. 〖pere (re-)+stroika (construction)〗

perf. perfect ; perforated ; performance.

‡**per·fect** [pə́:rfikt] *a.* **1** 완전한(complete), 더할 나위 없는, 이상적인 : a ~ day 아주 즐거웠던 날[하루] / a ~ gentleman 더할 나위 없는 신사. ☞ 活用. **2** 숙달된‹*in*›. **3** 정확한, 조금도 틀림없는 ; 순수한 : a ~ circle 정확한 원. **4** [*attrib.* 로 써서] 《口》 지독한, 순전한, 철두철미한 : a ~ stranger 전혀 모르는 사람 / ~ follies 아주 어리석은 행위. **5** 〖文法〗 완료의 : the ~ tense 완료시제(時制). —— [pə́:rfikt] *n.* 〖文法〗 완료시제. —— [pərfékt, 美+pə́:rfikt] *vt.* 마무리하다, 수행하다 ; 숙달시키다, 완성하다 ; 개선[개량]하다 : ~ one*self in* cooking 요리에 숙달하다 / Inventions are ~*ed* with time. 발명품은 세월과 더불어 완전한 것이 되어간다. ~**ly** *adv.* 완전히, 더할 나위 없이. ~**ness** *n.* 〖OF<L PER*fect*- -*ficio* to complete〗

活用 보통 perfect(ly)는 「완전한[하게]」의 뜻으로는 비교 변화가 없으나, 「완전에 가까운」 또는 단순히 「우수한, 훌륭한(excellent)」의 뜻일 때에는 비교급·최상급이 사용됨 : a more *perfect* example (보다 완전한[훌륭한] 예). ☞ EQUAL 活用.

per·fec·ta [pərféktə] *n.* 〖競馬〗 연승단식(連勝單式) (exacta). 〖Am. Sp. *perfecta* (*quiniela*)〗

pérfect bínding *n.* 〖製本〗 무선철《실이나 철사를 쓰지 않고 접착제만으로 접합하는 제본 형식》. **pérfect-bóund** *a.*

pérfect cádence *n.* 〖樂〗 완전 마침.

pérfect competítion *n.* 〖經〗 완전 경쟁.

per·féct·ed *a.* 완성된. ~**ly** *adv.* 완전히.

perféct·er *n.* **1** 완성자, 개량자. **2** =PERFECTING PRESS.

pérfect gáme *n.* **1** 〖野〗 완전 시합《상대방 팀을 안타·4구·실책 없이 영패시키는 것》 : pitch a ~ (투수가) 완전 시합을 하다. **2** 〖볼링〗 퍼펙트《12회 연속 스트라이크 ; 300점》.

pérfect gérund *n.* 〖文法〗 완료 동명사.

perféct·ible *a.* 완전하게 할[될] 수 있는, 완성할 수 있는. **perfèct·ibílity** *n.* 완전히 할 수 있음, 완전성[론].

pérfect infínitive *n.* 〖文法〗 완료 부정사.

perféct·ing prèss *n.* 〖印〗 양면 인쇄기(機) (perfecter).

per·fec·tion [pərfékʃən] *n.* **1** Ⓤ 완전, 완벽 ; 완성, 완비 ; 탁월, 숙달, 원숙, 익숙‹*in*›. **2** Ⓤ 극치, 전형, 이상(理想) : be the ~ *of* …의 극치다, 극히 …이다. **3** 완전한 사람[것] ; [*pl.*] 재예(才藝), 소양, 미점(美點).
bring to perfection 완성시키다.
come to perfection 완성되다, 원숙해지다.
to perfection 완전하게.

perféction·ìsm *n.* Ⓤ **1** 〖哲〗 완전론《사람은 현세에서 도덕·종교·사회·정치상 완전한 영역에 도달할 수 있다는 학설》. **2** 완전주의, 깊이 골몰하는 성격.

perféction·ist *n.* 완전론자 ; 완전주의자, 완전을 기하는 사람. —— *a.* 완전주의의.

per·fec·tive [pərféktiv] *a.* 〖文法〗 동작의 완료를 나타내는 ; 《古》 완전하게 하는 ; 향상[진보]의 도상에 있는. —— *n.* 〖文法〗 완료상(相) (의 동사). **per·fec·tiv·i·ty** [pərfektívəti, pə̀:rfik-] *n.*

pérfect númber *n.* 〖數〗 완전수《그 자신을 뺀 약수의 모든 합이 그 자신과 같은 자연수 ; 보기 6(=1+2+3)》.

per·fec·to [pərféktou] *n.* (*pl.* ~**s**) 양끝이 뾰족한 중간형의 엽궐련. 〖Sp.=perfect〗

per·fec·tor [pərféktər] *n.* =PERFECTING PRESS.

pérfect párticiple *n.* 〖文法〗 완료분사.

pérfect pítch *n.* 〖樂〗 절대 음감(absolute pitch).

pérfect progréssive tènse *n.* 〖文法〗 완료 진행시제(時制).

pérfect rhýme *n.* 〖韻〗 완전 각운(脚韻)《dear와 deer처럼 같은 음 또는 같은 철자로 뜻이 다른 것》.

pérfect ténse *n.* 〖文法〗 완료시제.

pérfect yéar *n.* 〖유태曆〗 355일의 평년, (또는) 385일의 윤년.

per·férvid [pə:r-] *a.* 《文語》 매우 열심인, 대단히 격렬한, 백열적(白熱的)인.
〖NL ; ⇨ FERVID〗

per·fid·i·ous [pə:rfídiəs] *a.* 《文語》 불신의, 불성실한, 딴 마음이 있는. **~·ly** *adv.* 불성실하게, 배신하여. **~·ness** *n.*

per·fi·dy [pə́:rfədi] 《文語》 *n.* Ⓤ 불신, 불성실, 배신 ; Ⓒ 불신[배신] 행위.
〖L *per-*(*fides* faith)=treacherous〗

per·flùoro·chémical [pə:r-] *n., a.* 수소를 플루오르로 치환(置換)한 화합물(의)《인공 혈액용》.

per·fóliate [pə:r-, ⌐⌐] *a.* 〖植〗 줄기가 잎을 꿰뚫고 있는 것처럼 보이는, 관생(貫生)의 : a ~ leaf 관생엽(貫生葉).

per·foliátion [pə:r-, ⌐⌐] *n.*

perfoliate leaf

per·fo·rate [pə́:rfərèit] *vt.* **1** …에 구멍을 뚫다, …에 천공(穿孔)하다, 꿰뚫다 : The target was ~*d* by the bullets. 표적은 그 총탄으로 구멍이 났다. **2** (종이에) 점선(點線) 구멍을 내다 : a ~*d* sheet of stamps 점선 구멍이 나 있는 우표 시트.
— *vi.* 구멍나다, 꿰뚫다〈*into, through*〉.
— [-fərət, 美+-rèit] *a.* 구멍이 난, 관통한 ; (종이에) 점선 구멍이 나 있는.

pér·fo·rà·tor *n.* 구멍을 내는 사람[기구, 기계] ; 개찰 기구《가위》.
〖L PER*forat-* -*foro* to pierce through〗

per·fo·ra·tion [pə̀:rfəréiʃən] *n.* 구멍 뚫기, 천공, 관통 ; Ⓒ 본을 대고 뚫어 낸 구멍 ; 점선 구멍, 절취 점선.

per·fo·ra·tive [pə́:rfərèitiv] *a.* 구멍을 내는, 꿰뚫는 ; 구멍을 내는 힘이 있는.

per·force [pərfɔ́:rs] *adv.* 《文語》 억지로, 우격다짐으로 ; 필연적으로.
— *n.* 《稀》 [다음 숙어로]
by [***of***] ***perforce*** 어쩔 수 없이, 필연적으로.
〖OF *per force* by FORCE〗

per·form** [pərfɔ́:rm] *vt.* **1** (임무·약속 따위를) 이행하다, 다하다, 실행하다 ; 이루다 : ~ one's duty 의무를 다하다 / ~ an operation 수술을 하다. **2** 〖劇〗 공연하다, (역을) 맡아하다 ; 연주[탄주(彈奏)]하다 : They ~ "Hamlet" tonight. 오늘밤에는 햄릿이 공연된다. — *vi.* **1** [動/+*on*+名] 연주[취주]하다, 켜다, 불다 : ~ ***on the piano [violin] 피아노[바이올린]를 연주하다. **2** (동물이) 재주를 부리다 ; 《俗》 요란하게 떠들어대다 : There were some dogs ~*ing* on the stage. 무대에서는 몇 마리의 개들이 곡예를 하고 있었다. **3** (기계가) 작동하다, 기능하다 ; 〖컴퓨〗 수행하다 : The machine ~*s* well. 기계는 잘 돌아간다[성능이 좋다].
~·able *a.* perform 할 수 있는.
〖AF<OF (*per-*, FURNISH) ; 어형(語形)은 *form*에 동화〗
類義語 ***perform*** 장기간에 걸친 또는 노력·주의·기술을 요하는 일을 하다 ; 단순히 do에 대한 격식을 차리는 말로 사용되기도 함 : *perform* an investigation (조사[심문]를 실시하다). ***execute*** 계획·제안·명령 따위를 실행에 옮기다 : *execute* laws (법을 시행하다). ***accomplish*** 계획·목적을 달성하다 ; 노력과 인내력을 암시함 : It was *accomplished* by great effort. (그것은 매우 힘겹게 이루어졌다). ***achieve*** 가치 있는, 중요한 일을 완수하다 ; 장애(障礙)를 극복하는 것을 암시 : *achieve* an everlasting peace (영원한 평화를 이룩하다). ***effect*** 곤란을 극복하여 달성한 일이 어떤 효과[결과]를 초래한 것을 강조한다 : His cure was *effected* by the use of penicillin. (그가 나은 것은 페니실린 효험 덕택이었다). ***fulfill*** 기대 또는 요구되는 일을 완전히 행하다 : *fulfill* one's promise(약속을 이행하다).

***per·fórm·ance** *n.* **1** Ⓤ 실행, 이행 ; 성취. **2** Ⓤ 일, 작업, 동작 ; (발동기의) 운전, (기계의) 성능, 능력 ; 목표 달성 기능. **3** Ⓤ.Ⓒ 선행, 공적, 위업. **4** 공연, 연주, 연기 ; 성적, 성과 ; 흥행, 여흥 ; 재주부리기.
per·for·ma·to·ry [pərfɔ́:rmətɔ̀:ri ; -təri] *a.*

perfórmance àrt *n.* 퍼포먼스 아트《육체의 행위를 음악·영상·사진 따위를 통하여 표현하려고 하는 1970년대에 시작된 예술 양식 ; body art, video art 따위》.

perfórmance àudit *n.* 〖商〗 업무 감사《공적·사적 기관의 업무·재무 기록의 검사》.

perfórmance bònd *n.* 〖法〗 계약 이행을 보증하는 금전 채무 증서.

perfórmance còntract *n.* 《美》 민간 교육기관이 청부를 맡아 공립학교 학생의 성적을 일정 수준으로 끌어올리는 책임을 지는 계약.

perfórmance tèst *n.* 〖心〗 작업 검사《도구를 써서 하는 비(非)언어적 지능 검사》.

perfórmance thèater *n.* 〖劇〗 실험 연극《배우 중심으로 운영되는 새로운 형의 연극》.

per·for·ma·tive [pərfɔ́:rmətiv] *n.* 〖哲〗 수행문(遂行文)《그 글을 발하는 것이 그 글이 나타내는 행위의 수행이 되는 글 ; 보기 I promise to marry you.》. — *a.* 수행적(遂行的)인 : ~ verbs 수행적 동사《promise, sentence, christen 따위》.

perfórm·er *n.* **1** 실행[이행·수행·성취]자. **2** 명인, 명수, 선수 : a good ~ *at* the wicket 크리켓의 명수. **3** 배우, 연주자, 가수, 곡예사.

perfórm·ing *a.* 실행[성취]하는 ; (특히 동물이) 재주를 부리는 ; 공연을 요하는.

perfórming árts *n. pl.* 무대 예술《연극·무용·음악 따위 공연을 필요로 하는 예술》.

perf. part. perfect participle.

***per·fume** [pə́:rfju:m, 美+pərfjú:m] *n.* Ⓤ 방향(芳香), 향기, 냄새 ; Ⓤ.Ⓒ 향수, 향료(scent).

〈회화〉
My mother is wearing French *perfume.* — Really ? 「우리 어머니는 프랑스 향수를 쓰신다」「정말」

— *v.* [pərfjú:m, 美+pə́:rfju:m] *vt.* …에 향수를 뿌리다 ; …에 냄새[향내]를 풍기다. — *vi.* 향기를 내다.
〖F<It. *parfumare* to smoke through ; ⇨ FUME〗
類義語 ⟹ SMELL.

per·fúm·er [, 美+pə́:rfju:mər] *n.* **1** 향료[향수] 제조인, 향수 판매상. **2** 향내를 풍기는 사람[것].

per·fúm·ery *n.* **1** Ⓤ 향수류(類), 향료 ; Ⓒ 향수(perfume). **2** Ⓤ 향료 제조[판매]업. **3** 향료 제

조[판매]업소.

per·func·to·ry [pərfʌ́ŋktəri] *a.* 형식적인, 허울뿐인, 되는 대로의, 기계적인(careless) ; (사람이) 할 마음이 없는, 열의 없는. **-ri·ly** *adv.* 아무렇게나, 형식적으로. **-ri·ness** *n.*
〖L=careless ; ⇨ FUNCTION〗

per·fuse [pərfjúːz] *vt.* 온통 끼얹다[뿌리다], 가득 채우다〈*with*〉; 흩뿌리다 ; 〖醫〗 (기관·조직)의 속을 관류(灌流)하다.
per·fú·sive *a.* 살포하는, 살수용의.
〖L (FUSE²)〗

per·fú·sion *n.* 흩뿌리기 ; 살포액 ; 살수(세례) ; 〖醫〗 관류(灌流).

per·go·la [pə́ːrgələ, pərgóu-] *n.* 퍼걸러 《담쟁이를 올린 시렁을 지붕으로 한 정자 ; 또는 그 같은 오솔길》.
〖It.<L=projecting roof〗

pergola

perh. perhaps.

◇**per·haps** [pərhǽps, 《口》 prǽps] *adv.* 혹시, 어쩌면, 아마도, 대개 : *P*~ that's true. 어쩌면 그것은 사실일거야. ── *n.* 가정, 우연성.
〖PER+HAP+-*s*〗

pe·ri [píəri] *n.* 〖페르시아神〗 아름다운 요정 ; 미녀(美女). 〖Pers.=fairy, genius〗

per·i- [pérə, péri] *pref.* 「가까운」「둘레[주위]의」의 뜻. 〖Gk. *peri* around, about〗

per·i·a·gua [pèriáːgwə] *n.* 《古》 =PIRAGUA.

peri·anth [périæ̀nθ] *n.* 〖植〗 꽃덮개 《특히 꽃받침과 꽃부리를 구분하기 어려운 것》.
〖F (Gk. *anthos* flower)〗

pèri·ápsis *n.* (*pl.* **-ápsides**) 〖天〗 근점(近點).

peri·apt [périæ̀pt] *n.* 부적, 호부(護符).
〖F<Gk. (*peri-*, *aptō* to fasten)〗

pèri·cárdial, -cárdiac *a.* 〖解〗 심낭(心囊)의, 심막의, 심장 주위의.

pèri·cardítis *n.* Ⓤ 〖醫〗 심낭염(心囊炎).

peri·car·di·um [pèrəkáːrdiəm] *n.* (*pl.* **-dia** [-diə]) 〖解〗 심낭(心囊).
〖L<Gk. (*kardia* heart)〗

peri·carp [pérəkàːrp] *n.* 〖植〗 과피(果皮). ㊟ 바깥에서부터 외과피(epicarp), 중과피(mesocarp), 내과피(endocarp)의 3층으로 구분됨.
pèri·cár·pi·al, -cár·pic *a.*
〖F or NL<Gk. (*carpos* fruit)〗

Per·i·cle·an [pèrəklíːən] *a.* Pericles 시대《고대 그리스 전성기》의.

Per·i·cles [pérəklìːz] *n.* 페리클레스(495?-429 B.C.) 《그리스 Athens의 장군·정치가 ; 문물(文物)을 장려하여 아테네의 황금 시대를 이룸》.

peri·cra·ni·um [pèrəkréiniəm] *n.* (*pl.* **-nia** [-niə]) 〖解〗 두개골막(頭蓋骨膜) ; 《古·戲》 두개골, 뇌(brain) ; 《古·戲》 머리, 지능, 기지.
〖NL (Gk. *kranion* skull)〗

peri·cyn·thi·on [pèrəsínθiən] *n.* 〖天〗 =PERILUNE.

péri·dèrm *n.* Ⓤ 〖植〗 주피(周皮) ; 〖動〗 (극피동물의) 포피(胞皮) ; 〖發生〗 태아표피(胎兒表皮), 주피. **pèri·dérmal, -dérmic** *a.*

per·i·dot [pérədɑ̀t] *n.* 〖鑛〗 (짙은 녹색의) 감람석(橄欖石). 〖F<?〗

per·i·do·tite [pèrədóutait, pərídətàit] *n.* 감람암(岩). **pèr·i·do·tít·ic** [-tít-] *a.*

peri·ge·an [pèrədʒíːən], **-ge·al** [-dʒíːəl] *a.* 근지점(近地點)의.

peri·gee [pérədʒìː] *n.* 〖天〗 근지점(近地點)《달이나 인공 위성이 그 궤도상에서 지구에 가장 가까운 지점 ; ↔*apogee*》.
〖F<NL<Gk. (*gē* earth)〗

pèri·glácia *a.* 빙하 주변의, 주빙하의.

peri·gon [pérəgɑ̀n ; -gən] *n.* 주각(周角)《360도》.

pe·rig·y·nous [pərídʒənəs] *a.* 〖植〗 씨방이 한가운데[중위(中位)]에 있는.

pe·ríg·y·ny *n.* 〖植〗 씨방이 한가운데에 있음.

peri·he·lion [pèrəhíːljən] *n.* (*pl.* **-lia** [-ljə]) 〖天〗 근일점《태양계의 천체가 태양에 가장 근접하는 위치 ; ↔*aphelion*》. **-hé·lial** *a.*
〖L (Gk. *hēlios* sun)〗

***per·il** [pérəl] *n.* Ⓤ,Ⓒ 위험, 위난 ; 모험 : ~*s* of the sea 〖保險〗 해난(海難) (sea risks).
at** one's **peril 목숨을 걸고 ; 굳이 위험을 무릅쓰고라도.
at the peril of …을 걸고 : He took this photograph *at the* ~ *of* his life. 그는 목숨을 걸고 이 사진을 찍었다.
in peril of …의 위험에 빠져 : They were *in* ~ *of* death from hunger. 그들은 아사(餓死) 직전이었다 / The ship was *in* imminent ~ *of* be*ing* wrecked. 배는 당장이라도 난파할 것 같은 위급한 지경에 있었다.
── *vt.* (**-l-** | **-ll-**) 위험에 빠뜨리다, 위태롭게 하다《imperil이라고 하는 편이 일반적》.
〖OF<L *periculum* trial, danger〗
類義語 ⟹ DANGER.

péril·ous *a.* 위험한, 모험적인. **~·ly** *adv.* 위험하게, 위태롭게. **~·ness** *n.*

péril pòint *n.* 〖經〗 임계점(臨界點), 임계 세율《국내 산업을 저해하지 않는 한도의 최저 관세율》.

peri·lune [pérəlùːn] *n.* 〖天〗 근월점(近月點)《달을 도는 인공 위성 따위의 궤도에서 달에 가장 가까운 점 ; ↔*apolune*》.

pe·rim·e·ter [pərímətər] *n.* **1** 〖數〗 둘레(의 길이) ; 주위, 주변(boundary) ; 〖軍〗 (진지의) 주변 보루 : on the ~ of …의 주변에. **2** (안과의) 시야계(視野計). **3** (일정 지역의) 경계선 ; (일반적으로) 한계(outer limits).
pèri·mét·ric, -ri·cal *a.* **-ri·cal·ly** *adv.*
〖F<L<Gk. (*-meter*)〗

pe·rím·e·try *n.* Ⓤ (시야계에 의한) 시야 측정.

péri·mòrph *n.* 〖鑛〗 외포(外包)광물.

pèri·na·tól·o·gy [-neitɑ́lədʒi] *n.* (출산 전후의) 출산기 의료, 출산 의료학.

pèr·i·né·al *a.* 회음(會陰)의.

per·i·ne·um [pèrəníːəm] *n.* (*pl.* **-nea** [-níːə]) 〖解〗 회음(會陰).
〖L<Gk.〗

pèri·núclear *a.* 〖生〗 핵주위의.

◇**pe·ri·od** [píəriəd] *n.* **1** 기간 : *at* stated ~*s* 정기적으로 / a short ~ of time 단기간[시간] / *for* a [the] ~ of six years=*for* a six year ~ 6년간. **2 a)** …시(時), 시대, 성세, 세대 ; (발달 과정의) 단계 ; [the ~] 현대 : the ~ of the Renaissance 문예 부흥 시대 / the Reformation ~ 종교개혁 시대 / the custom of *the* ~ 당시[현대]의 풍습. **b)** [형용사적으로] (특히 가구·의상·건축 따위가) 어떤 (과거) 시대의 : ~ furniture 그 시대의 (특유한) 가구 / a ~ play[novel] 시대극[소설]. **3** 말기, 종결. **4** 〖化·理〗 주기(週期) ; 〖天〗 자전[공전] 주기 : a natural ~ 자연 주기. **5** 〖醫〗 과정 ; 주기 ; 단계 : the incubation ~ 잠복기(潛伏期). **6** 월경(기). **7** 〖文法〗 종지부,

마침표(full stop), 생략점. **8** 〖修〗 =PERIODIC SENTENCE; [*pl.*] 미문(美文). **9** 〖地質〗 기(紀)《대(代) (era)의 하위 구분》; 〖數〗 (순환 소수의) 주기; 〖樂〗 악절(樂節). **10** (수업의) 시간 (class hour); (시합 따위의) 한 구분《전반·후반 따위》: a lesson ~ of 50 minutes 50분 수업 시간.

come to a period 끝나다.

put a period to …에 종지부를 찍다, …을 결말내다.

〖OF<L<Gk.=circuit (*hodos* way)〗

類義語 ***period*** 장단(長短)에 관계 없이 어떤 기간을 나타내는 가장 일반적인 말: in the *period* of World War Ⅱ (제2차 세계대전 중에). ***era*** 근본적인 변화·중요한 사건 따위로 특징지워지는 새로운 시대: an *era* of reform (개혁의 시대). ***epoch*** 엄밀하게는 era의 초기 단계를 나타내지만 era와 같은 뜻으로도 쓰임: an *epoch* of invasion (침략의 시대). ***age*** 어떤 지배자나 권력자 또는 현저한 특징에 의해 구별되는 시대: the Victorian *Age* (빅토리아조(朝)).

pe·ri·od·ic [pìəriɑ́dik] *a.* **1** 시대의. **2** 주기적인; 정기[정시(定時)]의: a ~ wind 〖海〗 계절풍. **3** 간헐[단속]적인. **4** 〖修〗 도미문(掉尾文)의; 장문(長文)의.
〖F or L<Gk.; ⇨ PERIOD〗

pe·ri·od·i·cal [pìəriɑ́dikəl] *a.* 정기 간행의; 정기 간행물(용)의; 주기적인; 정시의; 때때로 일어나는(cf. SECULAR). —— *n.* (일간 신문을 제외한) 정기 간행물, 잡지.
~·ìsm *n.* 정기 간행물[잡지] 집필[출판]업. **~·ly** *adv.* 정기[주기]적으로.

periódic fúnction *n.* 〖數〗 주기 함수.

periódic inspéction *n.* 정기 검사.

pe·ri·o·dic·i·ty [pìəriədísəti] *n.* Ⓤ 주기[정기]성; 주기수(數), 주율(周律); 〖天〗 정기 출현[귀래(歸來)]; 〖醫〗 (발작 따위의) 주기성(性); 〖電〗 주파.

periódic láw *n.* 〖化〗 (원소의) 주기율(律).

periódic mótion *n.* 〖理〗 주기 운동.

periódic séntence *n.* 〖修〗 도미(掉尾)문《문미에서 문장의 뜻이 완성됨; ↔ *loose sentence*》.

periódic sýstem *n.* 〖化〗 주기계(系).

periódic táble *n.* 〖化〗 (원소의) 주기율표.

periódic variátion *n.* 〖天〗 주기 변화.

pe·ri·od·iza·tion [pìəriədəzéiʃən; -dai-] *n.* Ⓤ (역사 따위의) 시대 구분.

peri·odon·tal [pèrioudɑ́ntl] *a.* 〖齒〗 치주(齒周)[치근막]의[에 생기는].
~·ly *adv.*

peri·odon·ti·tis [pèrioudɑntáitəs] *n.* 〖齒〗 치주염(齒周炎), 치근막염(齒根膜炎).

périod pìece *n.* 시대물《과거 어느 시대의 특색을 나타내는 소설·그림·건축 따위》; 《口·戲》시대에 뒤떨어진 사람[것].

per·i·ost- [pèriɑ́st], **per·i·os·te-** [pèriɑ́sti], **per·i·os·teo-** [pèriɑ́stiou, -ə] *comb. form* 「골막(骨膜)」의 뜻. 〖L〗

peri·os·te·um [pèriɑ́stiəm] *n.* (*pl.* **-tea** [-tiə]) 〖解〗 골막(骨膜).

peri·os·ti·tis [pèriɑstáitəs] *n.* Ⓤ 〖醫〗 골막염.
pèri·os·tít·ic [-títik] *a.*

peri·otic [perióutik, -ɑ́tik] *a.* 〖解〗 내이(內耳) 주위의.

peri·pa·tet·ic [pèrəpətétik] *a.* **1** [P~] 〖哲〗 소요(逍遙)학파의《Aristotle이 Lyceum의 뜰을 소요하면서 제자들을 가르친 데서》: the *P*~ school 소요학파. **2** 걸어 돌아다니는; 편력하는, 순회하는. —— *n.* 《戲》 여행자; 걸어 돌아다니는 사람, 행상인, 도붓장수; [P~] 소요학파의 사람; [*pl.*] 소요. **-i·cal·ly** *adv.*
〖OF or L<Gk. (*pateō* to walk)〗

Peri·pa·tet·i·cism [pèrəpətétəsìzəm] *n.* Ⓤ 소요학파; [p~] 소요하는 버릇; [p~] 편력.

per·i·pe·teia, -tia [pèrəpətíːə, -táiə], **pe·rip·e·ty** [pərípəti] *n.* (문학 작품에서) 사태의 격변; (일반적으로) 운명의 급변.
〖Gk. (*peri-*, *pet-*<*piptō* to fall)〗

pe·riph·er·al [pərífərəl] *a.* 주위의, 주변의[적인]; 그다지 중요하지 않은; (신경이) 말초의[적인] (cf. CENTRAL); 〖컴퓨〗 주변(장치)의.
—— *n.* =PERIPHERAL DEVICE.
~·ly *adv.*

perípheral devíce [únit] *n.* 〖컴퓨〗 주변장치《카드 천공기·line printer·자기(磁氣) 테이프 장치 따위》.

perípheral equìpment *n.* 주변장치.

perípheral nérvous sỳstem *n.* 〖醫〗 말초 신경계(系).

perípheral vísion *n.* 주변 시야《시선의 바로 바깥쪽 범위》; 주변시(력).

pe·riph·ery [pərífəri] *n.* 주위, 주변; (물체의) 표면, 외면; 외변; (정치상의) 소수파, 야당; 〖解〗 (신경의) 말초.
〖L<Gk.=to carry around (*pherō* to bear)〗

pèri·phónic *a.* (음향장치가) 다중 채널의.

peri·phrase [pérəfrèiz] *vt., vi.* 에둘러[완곡하게] 말하다.
—— *n.* =PERIPHRASIS.

pe·riph·ra·sis [pərífrəsəs] *n.* (*pl.* **-ses** [-sìːz]) 〖修·文法〗 완곡법(婉曲法), 우언법(迂言法); 에둘러 말하기; 둘러대기.
〖L<Gk.; ⇨ PHRASE〗

peri·phras·tic [pèrəfrǽstik] *a.* **1** 〖修·文法〗 우언적인: ~ comparison 우언적 비교 변화《원급 앞에 more, most를 덧붙여서 비교급·최상급을 만드는 것》/ ~ conjugation 우언적 활용《조동사의 도움을 빌리는 동사의 활용, 예를 들면 went대신에 *did go* 따위》/ the ~ genitive 우언적 소유격《어미 변화에 의하지 않고 전치사에 의해서 나타내는 소유격, 예를 들면 Caesar's 대신에 *of Caesar* 등》/ ~ tense forms 우언적 시제 형식《진행형·미래형 따위와 같이 조동사와 분사 또는 부정사의 결합에 의해서 시제를 나타내는 것》. **2** 에둘러 말하는, 완곡[우언]적인.
-ti·cal·ly *adv.*

pe·rique [pəríːk] *n.* Ⓤ 페리크《미국 Louisiana 주산 살담배의 일종; 검고 향기가 강함》.

peri·scope [pérəskòup] *n.* 잠망경(潛望鏡); 전망경(展望鏡).

peri·scop·ic, -i·cal [pèrəskɑ́pik(əl)] *a.* 사방을 전망할 수 있는 주변 시력[시야, 시각]의; 잠망경의[같은]; (렌즈가) 사방이 보이는.

per·ish** [périʃ] *vi.* 《文語·신문용어》 [動/+前+名] (비명에) 죽다; 말라죽다; 사라지다, 소멸하다; (정신적으로) 부패하다, 타락하다: All the houses ~*ed* ***in flames. 모든 가옥이 불타 잿더미로 변해 버렸다 / Many soldiers ~*ed* *in* battle. 수많은 병사들이 전사했다 / The warrior ~*ed* ***by*** the sword. 그 용사는 칼을 맞고 쓰러졌다.
—— *vt.* **1** …의 기능을 잃게 하다; (식물을) 말라 죽게 하다. **2** [+目+前+名] [보통 수동태로] 몹시 괴롭히다: They *were* ~*ed* ***with*** cold. 추워서 몹시 고생했다.

Perish the thought ! 집어치워라, 당치않은 소리《심한 불쾌・반대를 나타냄》.
—— *n.* 《濠口》 궁핍상태 : do a ~ 죽다.
〖OF<L PER*eo* to pass away〗
類義語 ⟹ DIE[1].

pérish·able *a.* 부패하기 쉬운 ; 찢어지기 쉬운 ; 사멸[고갈]되기 쉬운. —— *n.* [*pl.*] 부패되기 쉬운 것[식품], (특히) 음식물, 생선 식품.

pér·ished *a.* 《주로 英口》 초췌한(wornout), 지친(exhausted).

pérish·er *n.* **1** 사멸하는[하게 하는] 것. **2** 《英俗》 무모한 도박꾼 ; 어리석은 놈. **3** 《英俗》 귀찮은[싫은] 놈.

pérish·ing *a.* 죽는, 멸망하는, 고갈하는, 썩는, 부패하는 ; 《英俗》 싫은, 귀찮은 ; 《英古》 (추위 따위가) 심한, 지독한. **~·ly** *adv.*

peri·sperm [pérəspə̀:*r*m] *n.* Ⓤ 〖植〗 외배젖.

peri·spo·me·non [pèrəspóumənən, -nɑ̀n] *a.*, *n.* (*pl.* **-na** [-nə]) (그리스 문법에서) 어미에 억양 음표(音標)가 있는 말(의). 〖Gk.〗

pe·ris·so·dac·tyl [pərìsoudǽktəl, ⌐⌐⌐-] *a.*, *n.* 〖動〗 기제류(奇蹄類)의 (동물).

Pe·ris·so·dac·ty·la [pərìsoudǽktələ] *n. pl.* 〖動〗 기제류《코뿔소・말・맥(貘) 따위 홀수의 발가락을 가진 동물》.

peri·stal·sis [pèrəstǽlsəs, 美+-stɔ́:l-] *n.* (*pl.* **-ses** [-si:z]) Ⓤ,Ⓒ 〖生理〗 연동(蠕動).
pèri·stál·tic *a.* **-ti·cal·ly** *adv.*

peri·stome [pérəstòum] *n.* 〖植〗 (이끼류의) 치모(齒毛) ; 〖動〗 입 언저리, 입가.

peri·style [pérəstàil] *n.* 〖建〗 주주식(周柱式), 열주랑(列柱廊)《줄기둥이 있는 장소[안마당]》.
pèri·stý·lar *a.* 〖F〗

per·i·ton- [pèrətən], **per·i·to·ne-** [pèrətəní:], **per·i·to·neo-** [pèrətəní:ou, -ə] *comb. form* 「복막(腹膜)」의 뜻. 〖L〗

peri·to·ne·um [pèrətəní:əm] *n.* (*pl.* **~s**, **-nea** [-ní:ə]) 〖解〗 복막. **-né·al** *a.* **-al·ly** *adv.*
〖L<Gk. (*peritonos* stretched round)〗

peri·to·ni·tis [pèrətənáitəs] *n.* Ⓤ 〖醫〗 복막염.

pe·ri·tus [pərí:təs] *n.* (*pl.* **-ti** [-ti(:)]) 전문가, (특히 로마 카톨릭의) 상담역이 되는 신학자. 〖L〗

peri·wig [périwìg] *n.* (법률가 등이 쓰는) 가발(peruke). **-wìgged** *a.*
〖변형(變形) ‹PERUKE〗

peri·win·kle[1] [périwìŋkəl] *n.* Ⓤ 〖植〗 빙카《협죽도과의 식물》.
〖AF<L *pervinca*〗

periwinkle[2] *n.* 〖貝〗 경단고둥 종류. 〖C16<?〗

per·jure [pə́:*r*dʒə*r*] *vt.* [~ one*self* 로] 위증[위서]하다.
~d *a.* 서약을 어긴, 위증한. **pér·jur·er** *n.* 위증자. 〖OF<L (*juro* to swear)〗

per·ju·ri·ous [pə*r*dʒúəriəs] *a.* 거짓 맹세한, 위증의. **~·ly** *adv.*

per·ju·ry [pə́:*r*dʒəri] *n.* **1** Ⓤ,Ⓒ 〖法〗 위증 ; Ⓤ 위증죄 : commit ~ 위증죄를 범하다. **2** Ⓤ 서약을 어김. **3** Ⓒ 새빨간 거짓말.

perk[1] [pə:*r*k] *vi.* [+副] 으스대다, 젠체하다 ; 거만하게 굴다, 주제넘게 나서다 ; (병후에) 원기를 회복하다 : You'll soon ~ ***up***. 곧 원기를 회복할 거야. —— *vt.* [+目+副] **1** 멋지게 차려입다 : She was all ~*ed* ***out*** in her Sunday clothes. 나들이옷으로 곱게 차려입고 있었다. **2** 활기 있게[으스대며] (코・머리・꼬리 따위) 치켜들다 : ~ one's head ***up*** 머리를 으쓱대며 치켜들다.
perk one***self up*** (요란스레) 몸치장을 하다 ; 거드름 피우다.
—— *a.* 젠체하는 ; 의기양양한.
〖? PERCH[1] ; cf. AF *perquer*〗

perk[2] *n.* [보통 *pl.*] 《口》 =PERQUISITE.

perk[3] *vi.*, *vt.* 《口》 (커피가[를]) percolator에서 끓다[끓이다] ; 《美俗》 유연하게 움직이다 ; 《濠口》 토하다, 게우다. —— *n.* 《口》 =PERCOLATOR ; 퍼컬레이터로 끓인 커피.
〖*perc*olate〗

pérky *a.* 거드름을 피우는 ; 의기 양양한 ; 건방진 ; 주제넘은. **pérk·i·ly** *adv.* **pérk·i·ness** *n.*

per·lite [pə́:*r*lait] *n.* Ⓤ 〖地質〗 진주암(眞珠岩) ; 펄라이트《단열제・토양 개량제(劑)》.
per·lit·ic [pə*r*lítik] *a.*

per·locútion [pə̀:*r*-] *n.* =PERLOCUTIONARY ACT.

pèr·lo·cú·tion·àry *a.* 〖言〗 발화(發話)가 가져오는, 발화 매개적인《말한 이가 듣는 이에게 영향을 주는 일》.

perlocútionary áct *n.* 〖言〗 발화(發話)가 가져오는[발화 매개적] 행위.

perm [pə́:*r*m] *n.* 《口》 퍼머넌트(permanent wave). —— *vt.*, *vi.* (머리에) 퍼머넌트를 하다.

perm. permanent.

pér·ma·fròst [pə́:*r*mə-] *n.* Ⓤ (한대・아(亞) 한대의) 영구 동토층(凍土層). 〖*perma*nent+*frost*〗

Perm·al·loy [pə́:*r*məlɔ̀i, pə̀:*r*mǽlɔi] *n.* Ⓤ 니켈과 철의 합금《전선의 심 따위로 씀》.
〖*perm*eable+*alloy*〗

per·ma·nence [pə́:*r*mənəns] *n.* Ⓤ 영구, 항구 불변, 내구성(耐久性), 영속성.

pér·ma·nen·cy *n.* **1** Ⓤ =PERMANENCE. **2** 변하지 않는 사람, 영구적인 것, 영속적인 지위《종신관(終身官) 등》.

***pér·ma·nent** *a.* 영속하는, 영구적인, 불변의 ; 내구의 ; 상치(常置)하는, 상설의, 종신의(↔*temporary*) : a ~ committee 상임 위원회 / ~ residence 영주(永住) / a ~ tooth 영구치(齒) (cf. MILK TOOTH). —— *n.* 영구 불변의 것 ; 《口》 = PERMANENT WAVE. **~·ly** *adv.* **~·ness** *n.*
〖F or L PER*maneo* to remain to the end〗

pérmanent dúrable pàper *n.* =ACID-FREE PAPER.

pérmanent mágnet *n.* 〖理〗 영구 자석.

pérmanent préss *n.* (옷감・양복바지 주름 따위의) 영구 가공.

pérmanent sécretary *n.* 《英》 사무 차관(cf. PARLIAMENTARY SECRETARY).

pérmanent sét *n.* 〖理〗 영구 변형(變形).

pérmanent tíssue *n.* 〖植〗 영구 조직《세포분열이 끝난 조직 ; cf. MERISTEM》.

pérmanent wáve *n.* 퍼머넌트(cf. PERM).

pérmanent wáy *n.* [the ~] 《英》 〖鐵〗 궤도.

per·mánganate [pə:*r*-] *n.* Ⓤ 〖化〗 과(過)망간산염(酸鹽) : potassium ~ 과망간산 칼륨.

per·mangánic ácid [pə̀:*r*-] *n.* 〖化〗 과(過)망간산(酸).

per·me·abil·i·ty [pə̀:*r*miəbíləti] *n.* Ⓤ 침투성, 투과성, 투수성(透水性) ; 〖理〗 투자성(透磁性), 도자율(導磁率) (magnetic permeability).

per·me·able [pə́:*r*miəbəl] *a.* 침투[투과]할 수 있는, 투과성의〈*to*〉.
-ably *adv.* **~·ness** *n.*

per·me·ance [pə́:*r*miəns] *n.* Ⓤ 침투, 투과.

pér·me·ant *a.* 스며드는, 침투하는.

per·me·ase [pə́:*r*mièis, -z] *n.* 〖生化〗 투과(透過)효소, 페르미아제《생체막의 선택 투과에 관계하는 단백질 성분》.

per·me·ate [pə́ːrmièit] *vt.* …에 스며들다, 침투하다 ; …에 충만[보급]하다, 고루 퍼지다 : Water will easily ~ a cotton dress. 물은 무명옷에 잘 배어든다 / The smoke ~*d* the factory. 연기가 공장 안에 자욱했다. —— *vi.* 침투하다 ⟨*among, through*⟩. **pèr·me·á·tion** *n.* Ⓤ 침투 ; 보급. 〖L PER*meat*- -*meo* to pass through〗

per men·sem [pəːr ménsəm] *adv.* 한달에 대하여, 월…, 한달에. 〖L=by the month〗

Per·mi·an [pə́ːrmiən] *a.* 〘地質〙 페름기[계]의. —— *n.* [the ~] 〘地質〙 페름기[계]. 〖PERM〗

per mil(l) [pəːr míl] *adv.* 천분(千分)의, 천(千)마다, 천에 대하여. 〖L〗

per·mil·lage [pərmílidʒ] *n.* 천분율(千分率).

per·mis·si·ble [pərmísəbəl] *a.* 허용되는 ; 지장이 없는(allowable). **per·mìs·si·bíl·i·ty** *n.* **per·mís·si·bly** *adv.* 허가를 구하다.

‡**per·mis·sion** [pərmíʃən] *n.* Ⓤ,Ⓒ [+*to* do] 허가, 면허 ; 허용, 허락 : ask for [give, grant] ~ 허가를 구하다[하다] / Dick asked the teacher's ~ *to* leave school early. 딕은 선생님에게 조퇴를 요청했다 / By whose ~ did you take out the book? 누구한테 허락받고 그 책을 가져갔느냐 / without ~ 허가 없이, 무단으로 / with your ~ 당신의 허락을 얻어, 허락해 준다면 / a written ~ 허가서[증(證)].

〈회화〉
You have my *permission* to go to the party. — Thank you, Dad.「파티에 가도 좋다」「아빠, 고맙습니다」

〖OF or L ; ⇨ PERMIT〗

per·mis·sive [pərmísiv] *a.* 허용하는, 묵인의 ; 임의의(↔*compelling*) ; 관대한, 너그러운(indulgent). —— *n.* =PERMISSIVIST. **~·ly** *adv.* **~·ness** *n.*

permíssive áction línk *n.* 〘軍〙 (대통령) 허가제 핵탄두 안전장치 해제 기구.

permíssive legislátion *n.* 〘法〙 소극적 입법 《권한을 부여하나 행사를 명하지 않는 제정법》.

permíssive socíety *n.* 용인(容認)사회, (성(性) 따위에 대해) 관대한 사회.

per·mís·siv·ist *n.* 허용[관용]주의자. **-ism** *n.*

‡**per·mit** [pərmít] *v.* (**-tt-**) *vt.* [+目/+目+*to* do/+目+目/+do*ing*] 허락하다, 허가하다, …하게 내버려두다(allow) : The sale of the drug is ~*ted* in this country. 그 약의 판매는 이 나라에서는 허용되고 있다 / Father doesn't ~ us *to* go to cocktail parties. 아버지는 우리들이 칵테일 파티에 가는 걸 허락해 주시지 않습니다 / Will you ~ me a few words? 몇마디 말씀드려도 좋겠습니까 / My work does not ~ my call*ing* [does not ~ me *to* call] on you. 일 때문에 찾아뵐 수 없습니다. —— *vi.* **1** 허락하다, 용납하다 : if circumstances ~ 사정이 허락한다면, 형편이 좋다면. **2** [+*of*+名] (사물이 …할) 여유가 있다 (admit) : The situation ~*s* ***of*** no delay. 사태는 일각도 지체할 여유가 없다.

weather permitting 날씨가 좋으면.

—— [pə́ːrmit, 美+pərmít] *n.* **1** 허가증, 면허증, 증명서. **2** Ⓤ 허가, 면허.

~·ter *n.* 허가[인가]자.

〖L PER*miss*- -*mitto* to allow〗

類義語 ⟹ LET[1].

per·mu·ta·tion [pə̀ːrmjutéiʃən] *n.* **1** 〘數〙 순열(順列) ; 〘數〙 (하나의 순열에서 다른 순열로의) 치환 : ~*s* and combinations 순열과 조합(組合). **2** 교환, 교체(interchange) ; 변경. **~·al** *a.* 〖OF or L PER*mutat*- -*muto* to change thoroughly〗

per·mute [pərmjúːt] *vt.* 변경[교환]하다, 교체하다 ; …의 순서를 바꾸다 ; 〘數〙 치환하다. **-mú·table** *a.* **-mút·er** *n.*

per·ni·cious [pərníʃəs] *a.* 유해[유독]한, 치명적인(fatal), 악질적인, 〘醫〙 악성의 ; 《古》 사악한 : ~ anemia 악성 빈혈. **~·ly** *adv.* **~·ness** *n.* 〖L (*pernicies* ruin)〗

per·nick·e·ty [pərníkəti] *a.* **1** 《口》 옹졸한, 매우 소심한, 좀스러운. **2** 다루기 힘든, 까다로운, 힘이 드는. **-ti·ness** *n.* 〖C19 (Sc.) < ?〗

per·noc·ta·tion [pə̀ːrnɑktéiʃən] *n.* Ⓤ,Ⓒ 철야, 밤샘 ; 철야 근무.

Per·nod [peərnóu ; ⌐-] *n.* 페르노《프랑스 원산의 리큐어 ; 상표명》.

per·o·ral [pəːrɔ́ːrəl] *a.* 경구(經口)의[적인]《면역 따위》 ; 입 주위의. **~·ly** *adv.*

per·orate [pérərèit, 美+pə́ːr-] *vi.* (긴) 연설을 끝맺다 ; 자세히 논술하다, 열변을 토하다. —— *vt.* (…을) 열심히 논하다.

pèr·orá·tion *n.* **pér·orà·tor** *n.* 길게 연설하는 사람, 열변가. 〖L (*oro* to speak)〗

per·ox·ide [pərɑ́ksaid] *n.* Ⓤ 〘化〙 과(過)산화물 ; (흔히) 과산화수소(hydrogen peroxide) (=~ **of hýdrogen**)《소독·표백용》. —— *vt.* (머리털을) 과산화수소로 표백하다. —— *a.* 과산화수소로 표백한 : a ~ blonde 《口》 머리를 표백한 (젊은) 여자. **-id·ic** [-ídik] *a.*

per·oxy [pərɑ́ksi] *a.* 〘化〙 과산화기를 함유한. 〖↓〗

per·oxy- [pərɑ́ksi] *comb. form.*「과산화기를 함유한」의 뜻. 〖*per*-, *oxy*-〗

per·òxy·acétyl nítrate *n.* 질산과산화아세틸《smog에 함유된 독성이 강한 요소》.

perp. perpendicular ; perpetual.

per·pend[1] [pərpénd] *vt., vi.* 《古》 숙고하다. 〖L=to weigh carefully (*pendo* to weigh)〗

per·pend[2] [pə́ːrpənd] *n.* 〘石工〙 이음돌. 〖OF *perpain* < ?〗

per·pen·dic·u·lar [pə̀ːrpəndíkjələr] *a.* **1** 수직의. **2** [P~] 〘建〙 수직식의 : *P*~ style 수직식. **3** 깎아 세운 듯한, 몹시 가파른. **4** 《戲》 선 채로의. —— *n.* **1** 수선(垂線), 수직선 ; 수직면, 절벽. **2** Ⓤ 수직, 수직의 위치[자세] : out of (the) ~ 기울어져. **3** [the P~] 〘建〙 수직식 건축(양식). **~·ly** *adv.* **pèr·pen·dìc·u·lár·i·ty** *n.* 〖L *perpendiculum* plumb line (*pendo* to hang)〗

per·pent [pə́ːrpənt] *n.* =PERPEND[2].

pér·pe·tra·ble *a.* (나쁜 짓·실수 따위를) 저지를 수 있는.

per·pe·trate [pə́ːrpətrèit] *vt.* (나쁜 짓·과오 따위를) 범하다, 저지르다 : ~ a crime, blunder, *etc.* 죄·실수 따위를 저지르다 / ~ a pun[joke] (장소를 가리지 않고) 마구 농담을 지껄여 대다. **pèr·pe·trá·tion** *n.* **pér·pe·trà·tor** *n.* 범인, 범죄자, 가해자, 나쁜 짓을 하는 사람. 〖L PER*petrat*- -*petro* to perform〗

*__per·pet·u·al__ [pərpétʃuəl] *a.* **1** 영속하는, 영원한(everlasting) ; 끊임없는 : ~ motion 〘理〙 (기계의) 영구 운동《불가능하다는 것이 증명되었음》. **2** 종신(終身)의 : ~ punishment 종신형(刑). **3** 〘植〙 다년생의(perennial) ; 〘園藝〙 사철 꽃피는. **4** 《口》 (잔소리·싸움 따위) 부단한, 그칠 새 없는. —— *n.* 〘植〙 다년생 식물 ; 〘園藝〙 사철 피는

장미. **~·ly** *adv.* 영원히, 영구히, 영속적으로 ; 끊임없이 ; 《口》 일년내내, 그칠 새 없이, 줄곧. **~·ness** *n.*
〖OF<L (*perpetuus* continuous)〗
類義語 ⟹ CONTINUAL.

perpétual cálendar *n.* 만세력(萬歲曆).

perpétual chéck *n.* 〖체스〗 비김수, 영구 장군.

per·pet·u·ance [pərpétʃuəns] *n.* =PERPETUATION.

per·pet·u·ate [pərpétʃuèit] *vt.* 영속[영존(永存)]하게 하다 ; 불멸[불후(不朽)]하게 하다 : This monument was built to ~ the memory of the national hero. 이 기념비는 국민적 영웅을 영원히 기념하기 위해 건립되었다. **per·pèt·u·á·tion** *n.* Ⓤ 영속시킴, 불후케 함, 영구화[보존].
per·pét·u·à·tor *n.*

per·pe·tu·i·ty [pə̀ːrpətjúːəti] *n.* **1** Ⓤ 영속, 영존, 불멸(↔*temporality*). **2** 영속물, 영대물(永代物) ; Ⓤ 〖法〗 (재산의) 영구 구속, 영대(永代) 소유권 : a lease in ~ 영대 차지권(永代借地權). **3** 종신위계(終身位階) ; 영구 연금(年金).
in [***to, for***] ***perpetuity*** 영구히, 불후하게.
〖OF<L ; ⇨ PERPETUAL〗

per·plex** [pərpléks] *vt.* [+目/+目+前+名] 난처하게 하다, 당황[혼란]케 하다(bewilder) ; (일을) 복잡하게 하다, 혼란시키다 ; 쩔쩔매게 하다, 어쩔 줄 모르게 하다, 괴롭히다 : He is sorely ~*ed* to account for the situation. 그 사태를 설명하는 데 몹시 쩔쩔매고 있다 / I am ~*ed* ***with these questions. 이들 문제로 골치를 앓고 있다.
〖OF or L PER*plexus* involved (*plecto* to plait)〗
類義語 ⟹ PUZZLE.

per·pléxed *a.* 난처한, 어찌할 바를 모르는, 어리둥절한 ; 복잡한, 착잡한.
-pléx·ed·ly [-sәd-, -st-] *adv.*

perpléx·ing *a.* 난처하게[당혹케] 하는 ; 복잡한, 까다로운. **~·ly** *adv.*

per·plex·i·ty [pərpléksəti] *n.* **1** Ⓤ 당황, 분규, 혼란 : in ~ 당황하여 / to one's ~ 난처하게도. **2** 난처한 일, 난국. 〖OF or L ; ⇨ PERPLEX〗

per proc., per pro. per procurationem.

per pro·cu·ra·ti·o·nem [pər prɑ̀kjərèiʃióunem] *adv.* 대리로[로서] 《略 per proc., per pro., p.p.》. 〖L〗

per·qui·site [pə́ːrkwəzət] *n.* (직무에서 생기는) 임시 수입, (합법적인) 부수입 ; (습관적인) 행하(行下), 팁 ; 특권, 특혜.
〖L PER*quisit-* -*quiro* to search diligently for〗

per·qui·si·tion [pə̀ːrkwəzíʃən] *n.* 철저 수사.

Per·ri·er [périər] *n.* 페리어《발포성(發泡性)의 미네랄 워터 ; 상표명》.

per·ron [pérən] *n.* 승강구 계단.
〖OF〗

per·ry [péri] *n.* Ⓤ 《英》 페리《배(pear)로 빚은 술》. 〖OF *peré* ; ⇨ PEAR〗

Perry *n.* **1** 남자 이름. **2** 페리. **Bliss** ~ (1860-1954) 미국의 교육자·비평가·편집자.
〖ME=pear tree〗

pers. person ; personal ; personally.

Pers. Perseus ; Persia(n).

perse [pə́ːrs] *a., n.* 짙은 자주[푸른]색의 (옷).
〖OF<L<?〗

per se [pəːr séi, -síː] *adv.* 그것 자체가[로], 본질적으로. 〖L〗

per·se·cute** [pə́ːrsikjùːt] *vt.* **1** (특히 이교도 등을) 학대하다, 박해하다(oppress). **2** [+目/+目+前+名] 성가시게 괴롭히다, 졸라대다 : ~ a person ***with harassments 남을 귀찮게 굴어 괴롭히다 / I was ~*d* ***by*** silly questions. 바보 같은 질문으로 몹시 시달렸다.
per·se·cu·tee [pə̀ːrsikjuːtíː] *n.* **pér·se·cù·tive, -cù·to·ry** [-kjùːtəri, 美+-kjutɔ̀ːri, 美+pə̀ːrsikjúːtəri] *a.* 괴롭히는, 박해[학대]하는.
pér·se·cù·tor *n.* 박해자, 학대자.
〖OF<L *per-*(*sequot- sequor* to follow)=to pursue〗
類義語 ⟹ WRONG.

per·se·cu·tion [pə̀ːrsikjúːʃən] *n.* Ⓤ,Ⓒ (특히 종교적인) 박해 ; 졸라대기, 괴롭힘.

persecútion còmplex *n.* 피해[박해] 망상.

persecútion mània *n.* 피해[박해] 망상.

Per·se·ids [pə́ːrsiədz] *n. pl.* [the ~] 〖天〗 페르세우스 자리의 유성군(流星群).

Per·seph·o·ne [pərséfəni] *n.* 〖그神〗 페르세포네《Zeus와 Demeter의 딸, Hades의 아내로서 명계(冥界)의 여왕 ; 〖로神〗의 Proserpina에 해당함》.

Per·sep·o·lis [pərsépələs] *n.* 페르세폴리스《고대 Persia 제국의 수도》.

Per·se·us [pə́ːrsiəs, -suːs ; -sjuːs] *n.* 〖그神〗 페르세우스《Zeus의 아들로 Medusa를 무찌른 영웅》 ; 〖天〗 페르세우스자리.

***per·se·ver·ance** [pə̀ːrsəvíərəns] *n.* **1** Ⓤ 인내, 인내력, 견인 불발(堅忍不拔). **2** 〖宗〗 (영원한 구원에 이르는) 궁극의 구제.
pèr·se·vér·ant *a.* 견인 불발의.
類義語 ***perseverance*** 곤란·장애[방해]를 배제하면서 어떤 일을 용기와 인내력으로써 착실하게 계속해 나가는 것 ; 좋은 뜻으로 쓰임. ***persistence*** 좋은 뜻으로는 perseverance와 같으며, 나쁜 뜻으로는 남의 충고를 듣지 않거나 반대를 무릅쓰고 해 나가거나 남에게 폐가 되어도 완강히 일을 추진해 나가는 것.

per·sev·er·ate [pərsévərèit] *vi.* 이상하게 오래 행동하다 ; 〖心〗 (이상한) 반복 행동을 하다.
per·sèv·er·á·tion *n.* 〖心〗 고집, 보속증(保續症). **per·sév·er·à·tive** *a.*

per·se·vere** [pə̀ːrsəvíər] *vi.* [動/+前+名] 인내하다, 참다, 견디다(endure) ; 굴하지 않고 해내다 ; 끊임없이[꾸준히] 노력하다 : He ~*d* ***in his studies[***with*** the treatment]. 그는 꾸준히 연구에 몰두했다[치료를 받았다].
— *vt.* 유지하다, 지탱하다.
〖OF<L ; ⇨ SEVERE〗

pèr·se·vér·ing *a.* 참을성 있는, 끈기 있는.
~·ly *adv.* 참을성 있게.

Per·shing [pə́ːrʃiŋ, -ʒiŋ] *n.* 퍼싱《미국 육군의 야전용 화력 지원용 탄두 미사일》.

Per·sia [pə́ːrʒə, -ʃə ; -ʃə] *n.* 페르시아《(1) 1935년 이란으로 개칭. (2) [the ~] 페르시아 제국》.

Pér·sian *a.* 페르시아의 ; 페르시아인[어]의.
— *n.* Ⓒ 페르시아인 ; Ⓤ 페르시아어《略 Pers.》.
〖F<L (↑)〗

Pérsian blínds *n. pl.* (발 모양의) 차양 덧문.

Pérsian cárpet *n.* =PERSIAN RUG.

Pérsian cát *n.* 페르시아고양이.

Pérsian Gúlf *n.* [the ~] 페르시아 만(灣)《아라비아 반도와 이란 사이의 만(灣)》.

Pérsian lámb *n.* (털이 유난히 곱슬곱슬한) 페르시아양 새끼 ; 그 모피.

Pérsian lílac *n.* 〖植〗 페르시아라일락, 멀구슬나무《연한 자홍색의 꽃이 피는 작은 관목》.

Pérsian rúg *n.* 페르시아 융단(Persian carpet).

Pérsian wálnut *n.* 〖植〗 호두.

per·si·ennes [pə̀ːrziénz ; -si-] *n. pl.* (발 모양

의) 차양 덧문. 〖F〗

per·si·flage [pə́:rsəflɑ̀:ʒ, péər-] *n.* Ⓤ 야유, 희롱, 조롱 ; 농담.
〖F (*siffler* to whistle)〗

per·sim·mon [pərsímən ; pə:-] *n.* 〔植〕 감 ; 감나무속의 각종 나무 : ~ juice (상품인) 감즙《방부제로 목재·종이에 바름》. 〖Algonquian〗

per·sist** [pərsíst, 美+-zíst] *vi.* **1** [+*in*+名/+*that* 節] 고집하다, 주장하다, 우기다 : She ~*ed* ***in her opinion. 자기의 의견을 끝까지 고집했다 / The professor ~*s* ***in*** wear*ing* an old overcoat. 교수는 기어이 낡은 외투를 입으려고 한다 / He ~*ed* *that* his son was innocent. 아들의 결백을 끝끝내 주장했다. **2** [動/+前+名] 지속하다 (last) ; 존속하다, 살아남다 : The smog ~*ed* ***in*** the heart of the city throughout the day. 스모그가 도심부에 하루 종일 자욱이 끼어 있었다.
〖L PER*sisto* to stand firm〗
類義語 ⟹ CONTINUE.

persíst·ence, -cy *n.* Ⓤ 고집, 완고 ; 끈기 있음, 인내 ; 지속성, 끊임없음 ; [-ence] (자극이 없어진 뒤의 감각의) 잔류.
類義語 ⟹ PERSEVERANCE.

***persíst·ent** *a.* **1** 고집하는, 불굴의, 완고한, 끈질긴, 집요한 ; 끈기 있는 : a ~ worker 꾸준히 일하는 사람. **2** 지속성 있는, 불변하는, 끊임없는. **3** 〔植〕 마른 후에도 떨어지지 않고 남은(cf. DECIDUOUS). **4** (화학 약품이) 분해가 잘 안되는 ; (바이러스 따위) 잠복기가 긴. **~·ly** *adv.* 끈질기게, 집요하게, 끈기 있게, 끊임없이. 〖PERSIST ; 또는 *insistent*에 준하여 *persistence*에서〗

per·snick·e·ty, -i·ty [pərsníkəti] *a.* =PERNICKETY.

◇**per·son** [pə́:rsən] *n.* **1** 사람, 인간(man, woman, child) : five ~*s* 다섯 사람(☞ PEOPLE *n.* 1 a)) / Who is that ~ ? 저자는 누구냐(㊟ 때때로 경멸적으로 씀) / There's a young ~ to see you. 젊은 사람이 찾아왔습니다. **2** 신체, 몸, 풍채 ; 인물, 인격. **3** 〔文法〕 인칭 : ☞ FIRST PERSON, SECOND PERSON, THIRD PERSON. **4** 《古》 (극의) 등장 인물, (소설의) 주인공, 인물. **5** 〔法〕 (자연인·법인의) 인(人) : the artificial[legal] ~ 법인 / the natural ~ 자연인. **6** 〔神學〕 위(位), 위격(位格) (cf. TRINITY 1) : the three ~*s* of the Godhead 신의 3위《성부와 성자와 성신》.
in** one**'s own person =*in* PERSON (2).
in person (1) (사진이 아닌) 실물로 : She look better in ~ than on the screen. 그녀는 영화에서보다 실물이 더 낫다. (2) (대리가 아닌) 스스로, 몸소(↔*by attorney*) : He had better go *in* ~. 그가 직접 가보는 것이 좋겠다.
in the person of …이라는 사람으로, …이라고 하는 : He found a good assistant *in the* ~ *of* Mr. Smith. 스미스씨라는 좋은 조수를 구했다.

〈회화〉
Do you know a *person* named Dick ? — What is his last name ? 「딕이라는 사람을 아십니까」 「성이 뭐죠」

〖OF<L PERSONA〗
活用 ☞ PEOPLE.

-per·son [pə̀:rsən] *n. comb. form* 「사람」의 뜻. ㊟ 주로 성(性) 차별을 피하기 위하여 -man, -woman 대신 씀 : chair*person*, sales*person*. 〖↑〗

per·so·na [pərsóunə ; pə:-] *n.* (*pl.* **-nae** [-ni:, -nai]) **1** 사람(person). **2** [*pl.*] (연극 따위의) 등장 인물. **3** (*pl.* **~s**) 〔心〕 페르소나, 외적 인격《가면을 쓴 인격》. 〖L=actor's mask〗

pérson·able *a.* 용모[모습]가 단정한, 품위 있는 ; 잘 생긴, 매력 있는. 〖PERSON〗

pérson·age *n.* **1** 명사, 저명한 사람. **2** 《稀》 인(물), 개인(person). **3** (극·소설의) (등장) 인물, …역(役).

persóna grá·ta [-grɑ́:tə, 美+-grǽtə] *n.* (*pl.* **~, persónae grá·tae** [-ti:, -tai]) 〔外交〕 (주재국 정부에게서) 환영받는 인물[대사·공사 등] ; (일반적으로) 호감을 사는 사람, 평이 좋은 사람 (↔*persona non grata*).
〖L=acceptable person〗

‡**pérson·al** *a.* **1** 개인의, 자신의, 일신상의, 사사로운 : ~ errors 개인 오차 / a ~ letter 친서(親書) / a ~ matter 사사로운 일 / a ~ name 인명(人名) (☞ NAME) / I have no ~ acquaintance with him. 그를 개인적으로[직접] 알지는 못한다. **2** 어떤 개인에 관한, 사사로운 일을 들추는, 인신 공격의 : ~ remarks 넌지시 빗대어하는 말, 비방 / get[become] ~ (사람·이야기 따위) 사사로운 일을 들추다, 인신 공격을 하다. **3** 본인의, 직접적인 : a ~ interview 직접 면접 / one's ~ experience 자신의 직접 경험 / a ~ example 몸소 보이는 시범. **4** (물건과 구별하여) 사람의, 인격적인. **5** 신체의, 풍채의, 용모의 : ~ appearance (사람의) 풍채, 용모 / ~ beauty 용모의 아름다움. **6** 〔法〕 대인(對人)의, 인적(人的)인, 동산(動産)의(↔*real*). **7** 〔文法〕 인칭의. —— *n.* **1** 〔文法〕 =PERSONAL PRONOUN. **2** [*pl.*] 동산. **3** [*pl.*] 인물 비평, 인신 공격. **4** =PERSONAL COLUMN. **5** 《映俗》 (배우의) 무대 인사. **6** 《口》 =PERSONAL FOUL. 〖OF<L ; ⇨ PERSON〗

pérsonal áction *n.* 〔法〕 대인 소송《계약 위반자 등에 대한 권리자의 소송 ; ↔*real action*》.

pérsonal assístant *n.* 개인 비서.

pérsonal cáll *n.* 《英》 지명통화(person-to-person call).

pérsonal cólumn *n.* (신문의) 개인 소식란.

pérsonal communicátion nètwork *n.* 개인 통신망.

pérsonal compúter *n.* 퍼스널 컴퓨터, 개인용 컴퓨터[전산기] 《略 PC》.

pérsonal dístance *n.* (동물·사람의) 개인 영역, (개체가 갖는) 접근 허용거리.

pérsonal effécts *n. pl.* 〔法〕 개인 소지품, 신변 용품.

pérsonal equátion *n.* 〔天〕 (관측(觀測)상의) 개인 오차 ; (일반적으로) 개인적인 경향[개인차]에 의한 판단[방법]의 차이.

pérsonal estáte *n.* =PERSONAL PROPERTY.

pérsonal flotátion devìce *n.* 《美》 1인용 부표(浮漂) 용구《구명 동의 따위 ; 略 PFD》.

pérsonal fóul *n.* 〔스포츠〕 퍼스널 파울《농구 따위 단체 경기에서 신체의 접촉에 의한 반칙》.

pérsonal identificátion nùmber *n.* 〔金融〕 개인 식별 번호《略 PIN》.

pérson·al·ìsm *n.* Ⓤ 개성[인격]주의 ; 개인 특유의 언동. **-ist** *n., a.* **pèr·son·al·ís·tic** *a.*

***per·son·al·i·ty** [pə̀:rsənǽləti] *n.* **1** Ⓤ 사람으로서의 존재 : I doubt the ~ of Shakespeare. 셰익스피어라고 하는 사람이 실제 존재했는지 의심스럽다. **2** 인격, 인품 : dual ~ 이중 인격 / develop a fine ~ 훌륭한 인격을 함양하다 / the ~ of God 신의 인격. **3** Ⓤ (그 사람 특유의) 성격, 개성 : She does not have much ~. 개성이 별로 없다 / a man of strong[little] ~ 개성이 강한[뚜렷하지 않은] 사나이 / an actress with a

strong ~ 강한 개성을 가진 여배우. **4** (어떤 분야의) 저명인 ; 사람(person) : a movie[TV] ~ 영화[텔레비전] 관계의 저명 인사. **5** [보통 *pl.*] 인물 비평, 인신 공격, 비방. **6** 《稀》 동산.
indulge in personalities 남을 헐뜯다, 인신공격을 하다.
〚OF<L ; ⇨ PERSONAL〛
類義語 ⟹ CHARACTER.

personálity cùlt *n.* 개인 숭배.

personálity disòrder *n.* 〔精神醫〕 인격 이상.

personálity ìnventory *n.* 〔心〕 인격 목록표, 성격 특성 항목표《행동이나 태도에 관한 많은 질문으로 그 사람의 성격을 객관적으로 파악하려는 인격 검사 방법》.

personálity quòtient *n.* 〔心〕 개성 지수(個性指數).

personálity stòry *n.* 인물 평론.

personálity tést *n.* 〔心〕 성격 검사.

personálity týpe *n.* 〔心〕 성격형(型).

pérson·al·ìze *vt.* **1** 개인화하다 ; 인격화하다. **2** 의인화(擬人化)하다(personify).

pérson·al·ly *adv.* **1** 몸소, 친히, 직접적으로(in person) ; 개인적으로 : The curator took me ~ through the museum. 관장께서 친히 박물관을 두루 안내해 주셨다. **2** (개인을) 빗대어. **3** 자기 개인으로서는(for one's own part) : *P*~ I prefer walking. 나로서는 걷는 편이 좋다. **4** 개인으로서, 한 인간으로서 : I don't hate him ~. 나는 개인적으로는 그를 싫어하지 않는다.

pérsonal prónoun *n.* 〔文法〕 인칭 대명사.

pérsonal próperty *n.* 〔法〕 동산, 인적 재산.

pérsonal represéntative *n.* 〔法〕 인격 대리인《유언 집행 또는 유산을 관리함》.

pérsonal réscue enclòsure *n.* 《美》 〔宇宙〕 =BEACH BALL.

pérsonal ríghts *n. pl.* 〔法〕 대인권(對人權), 개인적 권리.

pérsonal secúrity *n.* **1** 생명·신체의 안전. **2** 보증인, 인적 담보.

pérsonal sélling *n.* 〔마케팅〕 인적(人的) 판매《구입자에 대해 직접 구두로 판매하는 일》.

pérsonal sérvice *n.* 〔法〕 교부 송달.

pérsonal shópper *n.* (백화점 따위의) 고객 상대 구매 상담원.

pérsonal táx *n.* 대인세(對人稅)《소득세, 법인세, 주민세 따위의 직접세》.

pérson·al·ty *n.* Ⓤ 〔法〕 동산(personal property) (↔*realty*).

persóna non grá·ta [-nɑn grɑ́:tə, 美+-grǽtə] *n.* (*pl.* **~, persónae non grá·tae** [-ti:, -tai]) 〔外交〕 (주재국 정부에서) 환영받지 못하는 인물 ; (일반적으로) 호감을 사지 못하는 사람, 평이 나쁜 사람(↔*persona grata*).
be persona non grata with[***to***] …에게 달갑지 않은 인물이다, …에게 평판이 나쁘다.
〚L〛

per·son·ate [pə́:rsənèit] *vt.* **1** …의 역할을 맡아 하다[연기하다]. **2** (남)의 행세를 하다, …의 이름을 사칭하다. **3** 의인화하다 ; (작품 따위)에 개성을 나타내다. —— *vi.* 역할을 연기하다.
—— [-nət, -nèit] *a.* 가장[변장]의 ; 〔植〕 가면 모양의《화관(花冠)》 ; 변태의 ; 《古》 거짓의, 가장된(feigned).
pèr·son·á·tion *n.* Ⓤ (연극의) 역을 맡아하기 ; 분장 ; 인명[신분] 사칭. **pèr·son·á·tive** *a.* (연극에서) 역을 연기하는. **-à·tor** *n.* Ⓤ 연기[분장]자, 배우 ; (신분) 사칭자.
〚L ; ⇨ PERSON〛

pérson-dày *n.* 〔經營〕 인일(人日)《한 사람이 보통의 활동을 하는 평균적인 하루를 나타내는 시간의 단위》.

pérson·hòod *n.* Ⓤ 개인적 특질, 개성.

per·son·i·fi·ca·tion [pərsɑ̀nəfəkéiʃən] *n.* **1** Ⓤ 체현(體現), 구현(具現). **2** [the ~] 권화(權化), 화신(化身) : He is the ~ *of* pride[selfishness]. 교만의 전형[욕심 덩어리]이다. **3** Ⓤ,Ⓒ 의인(화), 인격화 ; 〔修〕 의인법(擬人法).

per·son·i·fy [pərsɑ́nəfài] *vt.* **1** 의인화(化)하다, 인격화하다, …에 인격[인성(人性)]을 주다 : Animals are often *personified* in fairy tales. 동화에서는 동물들이 흔히 의인화된다. **2** 구체화하다(embody) ; 상징하다(typify) ; …의 화신[전형]이 되다 : She is chastity *personified.* 정절(貞節)의 귀감이다.
per·són·i·fi·er *n.* 의인화[체현]하는 사람[것], 화신, 권화.

pèrson·kínd *n.* [집합적으로] 인간, 인류《성차별을 피하여 mankind 대신에 쓰는 말》.

***per·son·nel** [pə̀:rsənél] *n.* Ⓤ [집합적으로] 인원, 전(全)직원, 사원 ; (군대의) 요원, 대원(cf. MATÉRIEL) ; (회사·관청 따위의) 인사부[과] ; 고용인(employees) : military[naval] ~ 육군[해군] 장병 / a ~ bureau[department] 인사국[과] / a ~ manager (회사의) 인사 담당 이사 ; 《美》 (대학의) 취직 지도 주임 / the ~ of the new cabinet 새 내각의 멤버들.
〚F=personal〛
活用 보통 단수 취급하며 수사(數詞)를 선행시키지 않음 : The *personnel* of this firm *was* carefully chosen. (이 상사(商社)의 사원은 신중히 선발되었다). 그러나 문맥에 따라서 단·복수 두가지로 취급되며, 특히 all *personnel*은 복수로 취급됨 : *All personnel were* asked to participate. (전(全)직원의 참가가 요청되었다). 또한 의미상으로 one *personnel*은 허용되지 않으나 《美》에서는 34,000 *personnel* (3만 4천명)과 같은 용법도 있음.

personnél scìentist *n.* 인사[노무] 전문가.

per·son·o·lo·gy [pə̀:rsənɑ́lədʒi] *n.* 관상학.

pérson-to-pérson *a.* 개인 대 개인의 ; 직접 접촉하는 ; (장거리 전화에서) 지정인(指定人) 통화의 (cf. STATION-TO-STATION) : ~ diplomacy 개인 대 개인 외교. —— *adv.* 지정인 (호출) 전화로 ; 대면해서, 친히.

pérson-yèar *n.* **1** 〔經營〕 인년(人年)《한 사람이 1년간에 하는 작업량의 단위》. **2** (인구 통계에서) 1인당 수명을 계산하는 단위년(單位年).

***per·spec·tive** [pərspéktiv] *n.* **1** Ⓤ 원근(遠近)[투시] 화법 ; Ⓒ 투시도. **2** Ⓤ 배경, 원근 ; (눈으로 본) 균형, 조화. **3 a**) 원경(遠景)의 전망, 조망(眺望) : A fine ~ opened out before us. 아름다운 경치가 눈앞에 전개되었다. **b**) 전도(前途), 장래의 예측, 전망(展望). **4** Ⓤ (사물을) 꿰뚫어 보는 눈, 경중(輕重)[균형]을 가늠하는 눈.
in perspective 원근법에 의해서 ; 《비유》 진상을 바르게 : Most artists used to paint *in* ~. 화가들은 대개 원근법으로 그림을 그리곤 했다 / He sees things *in* ~. 그는 사물을 보는 눈이 정확하다 / The author sees the international situation *in* (its right) ~. 저자는 국제 정세를 정확하게 내다보고 있다.
—— *a.* 투시 화법의 ; 원근법에 의한 : ~ representation 투시[원근] 화법.
〚L (PER*spect*- -*spicio* to look at)〛

Per·spex [pə́:rspeks] *n.* 퍼스펙스《투명한 방풍용 아크릴 수지 ; 상표명》. 〖PERSPECTIVE〗

per·spi·ca·cious [pə̀:rspəkéiʃəs] *a.* 선견지명이 있는, 명민(明敏)한. **~·ly** *adv.* 명민하게.
〖L ; ⇨ PERSPECTIVE〗

per·spi·cac·i·ty [pə̀:rspəkǽsəti] *n.* Ⓤ 통찰력 (penetration) ; 명민(acuteness).

per·spi·cu·ity [pə̀:rspəkjú:əti] *n.* Ⓤ (언어 · 문장 따위의) 명쾌(도) (lucidity).

per·spic·u·ous [pərspíkjuəs] *a.* (이야기하는 투 · 문체 따위가) 명쾌한, 명료한 ; (사람이) 말씨가 분명한 ; =PERSPICACIOUS. **~·ly** *adv.*
〖ME=transparent<L ; ⇨ PERSPECTIVE〗

per·spi·ra·tion [pə̀:rspəréiʃən] *n.* Ⓤ 발한 (작용) ; 땀(sweat) ; (땀날 정도의) 노력.

per·spi·ra·to·ry [pərspáiərətɔ̀:ri, pə́:rspərə- ; pəspáiərətəri] *a.* 발한 (작용)의, 땀의 : ~ glands 한선(汗腺), 땀샘.

per·spire [pərspáiər] *vi., vt.* 땀을 흘리다, 발한하다《sweat 보다 점잖은 말》; 스며[배어] 나오다, 증발시키다 ; (땀날 정도로) 노력하다.
〖F<L (*spiro* to breathe)〗

‡**per·suade** [pərswéid] *vt.* **1** [+目+*to* do / +目+前+名] 설득하다, 권유하여 하게 하다(cf. DISSUADE) : The priests of the old religions used to ~ the people *to* do all hurt to the Christians. 구종교의 성직자들은 기독교도들에게 온갖 박해를 가하도록 사람들을 선동했다 / He tried to ~ me ***to*** his way of doing. 나를 설득하여 그가 하는 방식대로 시키려고 했다 / Can you ~ her ***into***[***out of***] wear*ing* that queer dress of hers? 그녀를 설득시켜 그 묘한 옷을 입게[입지 못하게] 할 수 있겠어. **2** [+目+*of*+名 / +目+*that* 節] 납득시키다, 믿게 하다 : How can I ~ you ***of*** my plight? 어떻게 하면 나의 곤란한 입장을 이해시킬 수 있을까 / He ~*d* the farmers *that* they should plant peanuts. 땅콩을 재배하도록 농부들을 설득시켰다.
be persuaded 확신하고 있다 : I *am* ~*d of* his innocence[*that* he is innocent]. 그가 무죄라는 것을 확신하고 있다.
persuade one***self*** 확신하다 : He could not ~ him*self that* the moment would ever come. 그는 과연 그런 기회가 올 것인지 확신을 가질 수가 없었다.
per·suád·able *a.*
〖L PER*suas*- -*suadeo* to induce〗
類義語 ***persuade*** 강력한 권유 · 설득 · 충고 따위로 상대방의 이성(理性)이나 감정에 호소하여 어떤 행동을 취하게 하거나 어떤 생각을 품게 하다 : We *persuaded* him to consult a doctor. (의사의 진찰을 받아보도록 권했다). ***induce*** 남을 교묘하게 부추겨서 어떤 행동을 취하게 하다 : He was *induced* to accept the proposal. (그 제의를 수락하도록 유도되었다). ***prevail*** 위의 두 말과 같은 뜻이지만 보통은 상당한 토론 · 저항이 있은 후에 설복함을 암시함 : I'll try to *prevail* (up) on my mother to let me go. (나를 보내 달라고 어머니를 설득해 보겠다).

per·suád·er *n.* 설득자 ; 재촉하는 것 ; 《戯》 무조건 말을 듣게 하는 것《무기, 채찍 따위》.

per·sua·si·ble [pərswéisəbəl] *a.* 설득할 수 있는.
per·suà·si·bíl·i·ty *n.*

*__per·sua·sion__ [pərswéiʒən] *n.* **1** Ⓤ 설득 ; 설득력. **2** Ⓤ 확신, 신념(belief) ; 신앙 ; 신조. **3** 종파(宗派), 교파 : He is of the Roman Catholic ~. 카톨릭 신자다. **4** 《戯》 종류, 계급, 성별, 인종(人種) : a man of the Jewish ~ 유태인 / the male ~ 남성.
〖L ; ⇨ PERSUADE〗
類義語 ⟹ OPINION.

per·sua·sive [pərswéisiv] *a.* 설득력이 있는, 말을 잘하는. —— *n.* 사람을 설득하는 것 ; 동기(動機), 요인, 유인(誘因). **~·ly** *adv.*

pert [pə́:rt] *a.* **1** 건방진, 버릇 없는, 함부로 나대는(saucy). **2** 활발한, 민첩한. **3** (옷 따위) 멋진, 세련미 있는. **~·ly** *adv.* **~·ness** *n.*
〖ME=open, bold<OF *apert*<L (p.p.)‹ *aperio* to open〗

pert. pertaining.

PERT [pə́:rt] program evaluation and review technique《복잡한 프로젝트를 계획 · 통제 · 관리하는 방식》.

per·tain [pərtéin] *vi.* [+*to*+名] 속하다, 부속하다 ; 적절하다, 어울리다 ; 관계하다 : They own the house and the land ~*ing* ***to*** it. 가옥과 그에 부속된 토지를 소유하고 있다 / the passion ~*ing to* an artist 예술가다운 열정.
〖OF<L PER*tineo* to belong to〗

per·ti·na·cious [pə̀:rtənéiʃəs] *a.* 불굴의, 견인불발(堅忍不拔)의, 끈질긴 ; 완강한.
~·ly *adv.* 완강하게, 끈기 있게. **~·ness** *n.*
〖L PER*tinax* ; ⇨ TENACIOUS〗
類義語 ⟹ STUBBORN.

per·ti·nac·i·ty [pə̀:rtənǽsəti] *n.* Ⓤ 불요 불굴 ; 악착스러움, 집착력 ; 완강함.

pér·ti·nent *a.* 직접 관계가 있는, 적절한, 꼭 들어맞는〈*to*〉; 속하는〈*to*〉. —— *n.* [보통 *pl.*] 〖스코法〗 부속물[품]. **~·ly** *adv.* 적절하게.
-nence, -nen·cy *n.* Ⓤ 적절, 적당.
〖OF or L ; ⇨ PERTAIN〗

per·turb [pərtə́:rb] *vt.* 교란시키다, 혼란[당황]케 하다, 불안하게 하다 ; 〖天〗 섭동(攝動)시키다 : She was much ~*ed* by her son's illness. 그녀는 아들의 병때문에 마음이 아주 착잡했다.
〖OF<L (*turbo* to disturb)〗
類義語 ⟹ DISTURB.

per·tur·ba·tion [pə̀:rtərbéiʃən] *n.* **1** Ⓤ 마음의 동요, 혼란, 당황, 불안, 근심. **2** 불안[걱정]의 원인. **3** Ⓤ,Ⓒ 〖天〗 섭동(攝動)《행성 따위가 그 인력으로 다른 행성의 운동을 교란하기》.

per·tur·ba·tive [pə́:rtərbèitiv, pərtə́:rbə-] *a.* 혼란시키는, 동요하게 하는 ; 〖天〗 섭동의.

per·tus·sis [pərtʌ́səs] *n.* 〖醫〗 백일해(whooping cough).

Pe·ru [pərú:] *n.* 페루《남미 서해안의 공화국 ; 수도 Lima》.
from China to Peru ☞ CHINA.

Peru. Peruvian.

pe·ruke [pərú:k] *n.* (긴) 가발(wig)《특히 17-18세기에 남자가 썼음》.
〖F<It.=hair, wig<? ; cf. PERIWIG〗

pe·rús·al *n.* Ⓤ,Ⓒ 숙독(熟讀), 정독.

pe·ruse [pərú:z] *vt.* 숙독[정독]하다, 통독하다 ; 《文語》 읽다(read) ; 세밀히 조사하다 ~ a person's face 남의 얼굴을 유심히 보다.
〖ME=to use up‹? (*per*-+USE)〗

Pe·ru·vi·an [pərú:viən] *a., n.* 페루의 (사람).
〖L *Peruvia* Peru〗

Perúvian bárk *n.* 키나나무껍질(cinchona) 《키니네의 원료》.

perv [pə́:rv] *n.* 《濠俗》 =PERVERT ; 색정적인 눈. —— *vi.* 색정적인 눈으로 보다.

per·vade [pərvéid] *vt., vi.* (…에) 전면적으로 퍼

지다, 보급하다 ; …에 충만하다, 침투하다 : The revolutionary ideas ~*d* the whole land. 혁명적 사상이 전국에 퍼졌다.
〚L PER*vas*- -*vado* to penetrate〛

per·vá·sion *n.* Ⓤ 충만, 보급 ; 침투.

per·vá·sive *a.* 퍼지는, 보급되는 ; 스며 들어가는. **~·ly** *adv.*

per·verse [pərvə́ːrs, 美+pə́ːrvəːrs] *a.* **1** (사람이) 성미가 비꼬인, 심술궂은, 빙퉁그러진, 고집센 ; 괴팍한, 성마른, 토라진. **2** (일이) 뜻대로 안되는. **3** (태도가) 정도(正道)를 벗어난, 잘못되어 있는, 사악한 : a ~ verdict 〘法〙 (배심원의) 부당한 평결《재판관의 지시·증거에 위배되는 것》. **~·ly** *adv.* 외고집으로, 고집 세게 ; 생각대로 되지 않아, 곤란하게(도). **~·ness** *n.*
〚OF<L (*vers*- *verto* to turn)〛

per·ver·sion [pərvə́ːrʒən, -ʃən ; -ʃən] *n.* **1** Ⓤ,Ⓒ 곡해(曲解), 왜곡. **2** Ⓤ,Ⓒ 남용 ; 악용, 역용(逆用). **3** Ⓤ 악화 ; 타락. **4** Ⓤ 〘醫〙 도착(倒錯) : sexual ~ 성 도착.

per·vér·si·ty *n.* Ⓤ 괴팍함, 심술궂음, 외고집 ; 사악 ; Ⓒ 괴팍한[심술궂은] 행위.

per·ver·sive [pərvə́ːrsiv] *a.* 사도(邪道)로 이끄는, 그릇되게 하는 ; 역용[곡해]하는〈*of*〉.

per·vert [pərvə́ːrt] *vt.* **1** 오해[곡해]하다 : He ~*ed* my friendly remark. 그는 호의로 한 내 말을 곡해했다. **2** 역용[악용]하다 : The criminal ~*ed* his talents. 범인은 자기의 재능을 악용했다. **3** 나쁜 길로 이끌다, 사교(邪敎)로 유인하다, 그르치다 : Reading such silly stories, you will ~ your taste for good books. 그런 저속한 이야기만 읽는다면 양서(良書)에 대한 취미를 상실하게 될 것이다. —— [pə́ːrvəːrt] *n.* 사도에 빠진 사람 ; 배교자(背敎者), 변질자(變質者), (특히) 성도착자(倒錯者). **~·er** *n.*
〚OF or L ; ⇨ PERVERSE〛

pervért·ed *a.* 〘醫〙 이상의, 변태의 ; (일반적으로) 사도에 빠진, 그릇된, 비뚤어진.
~·ly *adv.* 변태적으로.

per·vért·ible *a.* 곡해하기 쉬운[할 수 있는] ; 악용할 수 있는, 나쁜 길로 이끌 수 있는.

per·vi·ous [pə́ːrviəs] *a.* 투과시키는, 통과시키는〈*to*〉, (도리 따위를) 아는, 통하는, 복종하는〈*to*〉. **~·ness** *n.* 투과성. 〚L=passable (*via* road)〛

pes [píːz] *n.* (*pl.* **pe·des** [píːdiːz, péd-]) 〘解·動〙 발, 족부(足部), 발 모양의 부분[기관]. 〚L〛

PES 〘化〙 polyether sulfone《폴리에테르 술폰 ; 고(高)내열성 특수 수지》.

Pe·sa(c)h [péisɑːx] *n.* 〘유태敎〙 유월절(Passover).

Pes·ca·do·res [pèskədɔ́ːriz, 美+-rəs] *n. pl.* [the ~] 평후제도(澎湖諸島)《대만 해협의 작은 군도》.

pe·se·ta [pəséitə] *n.* 페세타《스페인의 화폐 단위 ; =100 centimos》. 〚Sp. (dim.) ‹PESO〛

pes·e·wa [pəséiwə] *n.* (*pl.* **~s**) 페세와《가나의 화폐 단위 ; =1/100 cedi》. 〚(Ghana)〛

pes·ky [péski] *a.* 《美口》 귀찮은 ; 싫은, 성가신 (annoying). **pés·ki·ly** *adv.* **-ki·ness** *n.*
〚C18‹?《美》 *pesty* ‹PEST〛

pe·so [péisou] *n.* (*pl.* **~s**) **1** 페소《아르헨티나·칠레·콜롬비아·쿠바·도미니카·멕시코·필리핀·기니비사우의 화폐 단위 ; =100 centavos ; 기호 $ (도미니카·필리핀은 P)》. **2** 1페소짜리 동전.
〚Sp.=weight<L ; ⇨ POISE〛

pes·sa·ry [pésəri] *n.* 〘醫〙 페서리《자궁 전위(轉位)를 고치거나 막는 질내(膣內) 기구》; (피임용의) 질내 삽입약. 〚L (Gk. *pessos* oval stone)〛

pes·si·mal [pesíməl] *a.* 《해커俗》 최저[최악]의.

pes·si·mism [pésəmìzəm] *n.* Ⓤ 염세(厭世)(주의), 염세관 ; 비관, 비관론(↔*optimism*).
-mist *n.* 비관론자, 염세가(家).
〚L *pessimus* worst ; *optimism*에 준한 것〛

pès·si·mís·tic *a.* 비관[염세]적인〈*about*〉: take a ~ view of …을 비관하다.
-ti·cal·ly *adv.* 비관[염세]적으로.

pes·si·mize [pésəmàiz] *vi.* 비관하다, 염세관을 품다.

pes·si·mum [pésəməm] *n.* (*pl.* **~s**, **-ma** [-mə]) (생물이 생존하기에) 최악의 환경[조건, 상태] ; (특정한 목적·공정(工程)에서) 가장 불리한[최악의] 조건.

pest [pést] *n.* **1** 유해물 ; 해충 ; 말썽꾸러기, 처치곤란한 것 : a garden ~ 식물 기생충 / a regular ~ of the neighborhood 동네의 말썽꾼. **2** Ⓤ,Ⓒ 《稀》 역병(疫病), 페스트(pestilence), 흑사병(黑死病). 〚F or L *pestis* plague〛

Pes·ta·loz·zi [pèstəlɑ́tsi] *n.* 페스탈로치. **Johann Heinrich ~** (1746-1827) 스위스의 교육개혁자.

Pès·ta·lóz·zi·an *a., n.* 페스탈로치의 (교육론 신봉자).

pes·ter [péstər] *vt.* [+目 / +目+前+名 / +目+*to* do] 괴롭히다, 못살게 굴다, 애먹이다, 고통을 주다(vex) : Flies ~ us. 파리는 우리를 괴롭힌다 / We were ~*ed* ***with*** flies. 파리 때문에 시달렸다 / He ~*ed* me ***for*** money[*to* help]. 나에게 돈을 달라고[도와달라고] 졸랐다. —— *n.* 훼방, 방해 ; 성가신 사람[것], 골칫거리. **~·er** *n.*
〚C16 ? *impester* <F *empestrer* to encumber ; *pest*의 영향〛

pést·hòle *n.* 전염병이 발생하기 쉬운 장소.

pést·hòuse *n.* 《古》 (페스트성(性) 전염병 환자의) 격리 병원.

pés·ti·cìde [péstə-] *n.* 농약《살충제·살균제·제초제·쥐약 따위》.

pes·tif·er·ous [pestífərəs] *a.* **1** 전염병의, 감염되기 쉬운. **2** 역병(疫病)에 걸린. **3** 유해한, 위험한. **4** 《口》 성가신, 귀찮은.
〚L ; ⇨ PEST〛

pes·ti·lence [péstələns] *n.* Ⓤ 페스트, 흑사병(黑死病) ; Ⓤ,Ⓒ 악역(惡疫), 역병(epidemic) ; 폐해(弊害), 해독.

pés·ti·lent *a.* **1** 전염하는, 악역을 일으키는 ; 치명적인. **2** (사회적으로) 위험한, 유해(有害)한, 폐해가 많은. **3** 《口》 성가신, 귀찮은. **~·ly** *adv.*
〚L ; ⇨ PEST〛

pes·ti·len·tial [pèstəlénʃəl] *a.* **1** 역병을 일으키는, 전염하는 ; 페스트성의. **2** (도덕적으로) 유해한, 폐해가 많은. **3** 《口》 몹시 성가신, 대단히 싫은. **~·ly** *adv.* 유해하게 ; 몹시 귀찮게, 심하게.

pes·tle [pésəl, péstl] *n.* 유봉(乳棒) ; 방앗공이, 막자, 절굿 공이. —— *vt., vi.* 유봉으로[공이로] 갈다, 찧다, 빻다.
〚OF<L *pistillum* (*pist*- *pinso* to pound)〛

pes·tol·o·gy [pestɑ́lədʒi] *n.* Ⓤ 해충학(害蟲學).

‡**pet**[1] [pét] *n.* **1** 귀여워하는 동물, 애완용 작은 동물, 페트. **2 a**) 총아(寵兒), 귀염둥이. **b**) 《호칭》 착한 애, 예쁜이. **3** [형용사적으로] 총애하는 ; 애완의, 귀엽게 기르는 ; 자랑거리인, 특히 좋아[잘]하는(favorite) ; 애정을 나타내는 : a ~ dog 애견(愛犬) / a ~ subject 자신있는 문제, 특기 / one's ~ theory 지론(持論) / ☞ PET NAME.
make a pet of …을 귀여워하다.

〈회화〉
Do you have any *pets*? — No. But I used to have a dog.「애완동물을 기르고 있습니까」「아뇨. 하지만 전에는 개를 한마리 길렀죠」

— *v.* (**-tt-**) *vt.* 귀여워하다, 애무하다, 어르다 ; 《口》(이성을) 껴안고 키스하다, 페팅하다.
— *vi.* 《口》 페팅하다. 〖C16 Sc. and north. Eng.<? ; 일설(一說)에<? ME *pety* small〗

pet² *n.* 비쭉거림, 부루퉁함, 안달 ; 역정.
in a pet 부루퉁하여.
take the pet (이유도 없이) 화내다, 토라지다.
— *vi.* (**-tt-**) 토라지다, 뾰로통해지다(sulk). 〖C16<?〗

PET 〔化〕 polyethylen terephthalate《근래에 1회용 병 제작 원료로 쓰이고 있음》; 〔醫〕 positron emission tomography (양전자 방사 단층 촬영(법)). **pet.** petroleum. **Pet.** 〔聖〕 Peter.

peta- [pétə] *pref.* 〔單位〕 페타(=10^{15} ; 기호 P) : *peta*meters. 〖? *penta-*〗

pet·al [pétl] *n.* **1** 〔植〕 꽃잎. **2** [*pl.*] 《俗》 음순(陰脣)(labia) : the inner ~*s* 소음순. **~·lìke** *a.* 〖NL<Gk. *petalon* leaf〗

-pe·tal [pətl, 英+pìːtl] *a. comb. form* 「…의 쪽으로 움직이는」「…을 구(求)하는」 뜻 : centri*petal*. 〖L *peto* to seek, *-al*〗

pétal fàll spráy *n.* 〔農〕 =CALYX SPRAY.

pet·al·ine [pétələn, -làin ; -làin] *a.* 꽃잎 (모양)의, 꽃잎에 붙은.

pét·al·(l)ed *a.* 〔植〕 꽃잎이 있는 ; [복합어를 이루어] …판(瓣)의.

pet·al·oid [pétəlɔ̀id] *a.* 꽃잎 모양의.

pétal·ous *a.* 〔植〕 꽃잎이 있는.

-pet·al·ous [pétələs] *a. comb. form* 「…꽃잎의」의 뜻 : mono*petalous*. 〖↑〗

pé·tanque [*F* petɑ̃ːk] *n.* 페탕크《철구(鐵球)로 하는 bowls 비슷한 프랑스의 구기》.

pe·tard [pətɑ́ːrd] *n.* 〔史〕 지뢰, 폭발화구(火具)《옛 성문 따위의 파괴용》.
be hoist with one's own petard 《셰익스피어》 자기가 설치한 함정에 빠지다, 자승 자박하다. 〖F (*péter* to break wind)〗

petard

pet·a·sus, -sos [pétəsəs] *n.* 페타소스《고대 그리스인(人)·로마인이 쓰던 운두가 낮고 챙이 넓은 모자 ; 특히 그림·조각 따위에서 Hermes 또는 Mercury가 쓴 날개 달린 모자》. 〖L<Gk.〗

pe·tau·rist [pətɔ́ːrəst] *n.* 〔動〕 주머니날다람쥐.

pét·còck *n.* (증기기관 따위의) 작은 마개[콕].

pete, peet, peat [píːt] *n.* 《美俗》 금고. 〖*peter*¹〗

Pete [píːt] *n.* Ⓤ 남자 이름《Peter의 애칭》.
for Pete's sake 제발.

péte bòx *n.* 《美俗》 =PETE.

pe·te·chia [pətíːkiə] *n.* (*pl.* **-chi·ae** [-kiìː, -kiài]) 점상(點狀) 출혈 ; 일혈점(溢血點). 〖It.〗

pe·ter¹ [píːtər] *n.* 《俗》 독방 ; 《俗》 금고 ; 《俗》(법정의) 증인석 ; 《卑》 음경 ; 《美俗》(실신시키는) 주사, 정제(錠劑). 〖? *Peter*〗

peter² *vi.* [다음 숙어로]
peter out 《口》 (1) (광맥·물줄기 따위가) 가늘어지다, 다하다. (2) 《비유》 차차 사라져 없어지다. 〖C19<?〗

Peter *n.* **1** 남자 이름《애칭 Pete》. **2** 표트르 대제(大帝). ~ **the Great** (1672-1725) 제정(帝政) 러시아의 시조. **3** [St. ~] 〔聖〕(성) 베드로《그리스도 12사도 중의 한 사람 ; 신약성서 베드로서의 저자》. **4** 〔聖〕 베드로서(書)(the Epistle General of Peter)《신약 성서 중의 한 편 ; 전서와 후서가 있음 ; 略 Pet.》. 〖L<Gk. (*petros* stone)〗

Péter Fùnk *n.* 《美俗》 야바위패, 한통속《경매 따위에서》.

péter·man [-mən] *n.* 어부 ; 《俗》(밤) 도둑 ; 수화물 도둑, 금고털이.

Péter Pán [-pǽ(ː)n] *n.* 피터 팬《J. M. Barrie 작의 극 *Peter Pan*의 주인공, 언제까지나 소년으로 있음》.

Péter Pàn cóllar *n.* 〔服〕 피터팬 칼라《여성·아동복의 작고 둥근 깃》.

Péter pénny *n.* =PETER'S PENCE.

Péter Píper *n.* 피터 파이퍼《두운(頭韻)을 맞춰 빨리 말하는 영국 전승 동요의 주인공》.

Péter Prìnciple *n.* [the ~] 피터의 원리《계층 사회의 구성원은 각자의 능력을 넘는 수준까지 출세한다는 것》. 〖미국의 교육학자 L. J. *Peter* (1919-)의 저서 이름〗

Péter Rábbit *n.* **1** 피터 래빗《B. Potter의 동화(1900)의 주인공인 토끼》. **2** 《CB俗》 경찰관.

pe·ter·sham [píːtərʃəm, -ʃæ̀m] *n.* 피터샴. **1** Ⓤ 올이 굵은 나사의 일종 ; 그것으로 만든 외투《따위》. **2** Ⓒ 골이 진 비단[무명] 리본《모자끈 따위에 씀》. 〖Viscount *Petersham*, the 4th Earl of Harrington (d. 1851) 영국 육군 장교〗

Péter('s) pénce *n.* [단수 취급] 베드로 헌금《(1) 영국에서 토지 소유자가 한 집당 1페니를 매년 교황청에 납부한 것 ; Henry 8세 때에 폐지. (2) 지금은 카톨릭 교도가 매년 교황청에 바치는 임의의 헌금》.

pét fòod *n.* 애완 동물용 먹이.

pet·i·o·lar [pétiələr] *a.* 〔植〕 잎자루의.

pet·i·o·late [pétiəlèit, -lət], **-lat·ed** [-lèitəd] *a.* 〔植〕 잎자루가 있는.

pet·i·ole [pétiòul] *n.* 〔植〕 잎자루. 〖F<L=little foot〗

pet·it [péti] *a.* [주로 법률 용어로] 작은 ; 가치 없는 ; 사소한(little). 〖F=little ; *petty*와 이중어〗

pe·tít bourgeóis [pətíː-, péti-] *a.*, *n.* (*pl.* **pe·títs bourgeoisíes** [-z]) 프티 부르주아(의), 하층 중산 계급(의), 소시민(적인).

pe·tite [pətíːt] *a.* (여성이) 몸집이 작은, 몸집이 작고 균형이 잡힌. — *n.* 자그마한 여성용의 옷사이즈. 〖F (fem.) ‹PETIT〗

petíte bourgeoisíe *n.* 소시민 계급, 프티 부르주아 계급. 〖F〗

pe·tit four [péti fɔ́ːr] *n.* (*pl.* **pe·tit(s) fours** [péti fɔ́ːrz]) 프티푸르《한입 크기의 케이크》. 〖F=small oven〗

***pe·ti·tion** [pətíʃən] *n.* 청원, 탄원, 진정 ; 기원(祈願) ; 〔法〕 청원[탄원·진정]서, 소장(訴狀) : a ~ of[in] bankruptcy 〔法〕 파산 신청.
the Petition of Right 〔英史〕 권리 청원《1628년 의회가 국왕 Charles 1세에게 청원한 것》; [p~ of r~] 〔英法〕 대(對) 정부 권리 회복 소원.
— *vt.* [+目+前+名 / +目+*to* do] …에게 청원[진정]하다 : We ~*ed* His Majesty ***for*** sanction. 폐하의 재가를 청원했다 / They ~*ed* the mayor *to* take immediate measures. 시장에게 즉시 선처해 주도록 진정했다. — *vi.* [+*for*+

名/ + *to* do] 원하다, 빌다 : ~ ***for*** mercy 자비를 빌다 / ~ *to* be allowed to do something 어떤 일을 할 수 있도록 허락을 구하다.
〚OF<L (*petit*- *peto* to ask)〛
類義語 ⟹ APPEAL.

petítion·àry [; -əri] *a.* 청원[기원·탄원]의.

pe·ti·tio prin·ci·pii [pətíʃiòu prinsípiài] *n.* 〔論〕 미해결[미증명]의 전제에 기초를 두고 이론의 체계를 세우는 오류(cf. BEG *the question*). 〚L〛

pétit júry *n.* 소배심(小陪審)《12명의 배심원으로 구성됨 ; cf. GRAND JURY》.

pétit lárceny *n.* =PETTY LARCENY.

pe·tit mal [pəti: mǽl, péti –] *n.* (지랄병의) 가벼운 발작. 〚F=small illness〛

pétit pòint *n.* =TENT STITCH. 〚F〛

pe·tits che·vaux [*F* pəti ʃəvo] *n.* [단수 취급] 장난감 말로 내기를 하는 도박의 일종.

petits soins [*F* pəti swɛ:] *n.* 세심한 마음씨.

pe·tit verre [*F* pəti vɛ:r] *n.* 작은 컵.
〚F=small glass〛

pét náme *n.* 애칭.

pét·nàp(p)ing *n.* Ⓤ 애완 동물의 유괴.

petr- [pétr], **pet·ri-** [pétrə], **pet·ro-** [pétrou, -rə] *comb. form* 「바위」「돌」「석유」의 뜻.
〚Gk. *petros* stone or *petra* rock〛

Pe·trarch [pí:trɑ:rk, pét- ; pét-], **Pe·trar·ca** [peitrá:rkə] *n.* 페트라르카. **Francesco** ~ (1304-74) 이탈리아의 시인. **Pe·trárch·an** [pi:-, pe- ; pétrɑ:r-] *a.*

Petrárchan sónnet *n.* 〔詩學〕 (Petrarch가 창시한) 이탈리아식 소네트(Italian Sonnet).

pet·rel [pétrəl] *n.* 〔鳥〕 바다제비과·슴새과의 작은 새《거친 바다 위를 날아다니므로 storm(y) petrel이라고도 함》; 《비유》 나타나면 궂은 일이 생긴다고 생각되는 사람.
〚C17< ?〛

petri- [pétrə] ☞ PETR-.

pé·tri dìsh [pí:tri-] *n.* [흔히 P~] 페트리 접시 《세균 배양용》.
〚R. J. *Petri* (d. 1921) 독일의 세균학자〛

pet·ri·fac·tion [pètrəfǽkʃən], **pet·ri·fi·ca·tion** [pètrəfəkéiʃən] *n.* Ⓤ **1** 돌로 되게 함, 석화(石化)(작용) ; 석화물. **2** 망연자실 ; 무기력.
pèt·ri·fác·tive *a.* 석화하는, 석화력이 있는.

pet·ri·fy [pétrəfài] *vt.* **1** 돌이 되게 하다 ; 돌같이 굳게 하다. **2** 깜짝 놀라게 하다 ; [수동태로] 망연자실하게 하다 ; 생기를 잃게 하다. —— *vi.* 돌이 되다 ; 돌처럼 굳어지다 ; 깜짝 놀라다, 망연자실하다 ; 무정해지다. **-fied** *a.* petrify한[된] ; 《美俗》 곤드레만드레 취한.
〚F<L (*petra*<Gk.=rock)〛

Pe·trine [pí:train, -trən] *a.* 사도 베드로(Peter) (의 교의)의.

petro- [pétrou, -rə] ☞ PETR-.

pètro·chémical *n.* 〔化〕 석유 화학 제품.
—— *a.* 석유 화학 (제품)의.

pètro·chémistry *n.* Ⓤ 석유 화학 ; 암석 화학.

pétro·dòllars *n. pl.* 오일 달러.
—— *a.* 오일 달러의.

petrog. petrography.

pet·ro·glyph [pétrəglìf] *n.* (특히 유사(有史) 이전의) 암석 조각(彫刻).

pétro·gràph *n.* =PETROGLYPH.

pe·trog·ra·phy [pətrágrəfi] *n.* Ⓤ 암석 기술학(記述學) ; 암석 분류학.
pe·tróg·ra·pher *n.* **pèt·ro·gráph·ic, -i·cal** *a.*

pètro·inflátion *n.* 석유 인플레이션《OPEC의 유가(油價)인상에 의한 세계적 규모의 인플레이션》.

***pet·rol** [pétrəl] *n.* Ⓤ **1** 《英》 가솔린(=《美》 gasoline) : a ~ engine 가솔린 기관. **2** 《古》 석유. —— *vt.* (**-ll-**) 《英》 가솔린으로 청소하다.
〚F *pétrole*<L PETROLEUM〛

petrol. petrology.

pet·ro·la·tum [pètrəléitəm, -lá:-] *n.* Ⓤ 〔化〕 바셀린 ; 광유(鑛油).

pétrol bòmb *n.* 《英》 화염병(Molotov cocktail).

***pe·tro·le·um** [pətróuliəm] *n.* Ⓤ 석유 : crude [raw] ~ 원유(原油).
〚NL (Gk. *petra* rock+L *oleum* oil)〛

petróleum éther *n.* 석유 에테르.

petróleum jélly *n.* =PETROLATUM.

pe·trol·ic [pətrálik] *a.* 석유[가솔린]의 ; 가솔린 기관의, 자동차의.

pet·ro·lif·er·ous [pètrəlífərəs] *a.* 석유를 산출하는 : ~ countries 산유국.

pét·rol·ìze *vt.* 석유화하다, 석유 본위로 하다, 석유에 의존시키다.

pe·trol·o·gy [pətrálədʒi, pe-] *n.* Ⓤ 암석학.
pèt·ro·lóg·ic, -i·cal *a.*

pétrol stàtion *n.* 《英》 가솔린 스테이션, 주유소 (filling station).

pètro·pólitics *n.* (산유국에 의한) 석유 정치[외교(外交)].

pétro·pòwer *n.* 산유국들의 경제력[정치력] ; 석유 산출국, 산유국.

pétro·pròfit *n.* 석유 수익, 석유 수출로 번 돈.

pet·rous [pétrəs, pí:-] *a.* 바위의, 바위 같은, 단단한 ; 〔解〕 암상부(岩狀部)의, (측두골의) 추체부(椎體部)의.

pe·tsai [béitsái ; péi-] *n.* 배추.
〚Chin.〛

pet·ti·coat [pétikòut] *n.* **1** 페티코트, 속치마《여자·어린이용》. **2** [*pl.*] 어린이옷, 여자옷. **3** 《口》 여자 ; [*pl.*] 여성 ; [때때로 the ~] 여성의 세력, 여성 사회. **4** 스커트 모양의 것[덮개], 〔電〕 애자(碍子)의 하부. **5** [형용사적으로] 여성의, 여성적인 ; 여성에 의한 : a ~ affair (특히) 염문/~ government 여인 천하, 여성 우위(優位), 내주장(內主張) ; 여성 정치.
wear [***be in***] ***petticoats*** 여자[어린애]다, 여자답게 행동하다.
~·ed *a.* 페티코트를 입은, 여자다운. **~·ism** *n.* Ⓤ 여성의 세력, 치맛바람, 여인 천하.
〚*petty coat*〛

pétticoat ínsulator *n.* 〔電〕 스커트형의 뚱딴지[애자(碍子)].

pet·ti·fog [pétifɔ̀(:)g, -fàg] *v.* (**-gg-**) *vi.* 궤변을 늘어놓다. —— *vt.* (사건을) 궤변적으로 변호하다. **-fòg·ger** *n.* 엉터리 변호사, 협잡 대변(자) ; 궤변을 늘어놓는 사람. **pét·ti·fòg·gery** *n.* 엉터리 수단, 협잡.
〚역성(逆成) ‹ *pettifogger* (*petty*+*fogger* under-hand dealer) ; cf. *Fugger* 15-16세기 Augsburg의 상가(商家)〛

pét·ti·fòg·ging *a.* 엉터리 변호사식의, 협잡의 ; 비열한, 하찮은. —— *n.* Ⓤ 엉터리 변호사(식의 수법), 협잡.

pét·ting pàrty *n.* 《美俗》 젊은 남녀의 페팅 파티 《키스·포옹·애무 따위가 자유로운》.

pet·ti·pants [pétipæ̀nts] *n. pl.* 《美》 페티팬츠《여자의 무릎까지 오는 팬츠》.

pét·tish *a.* 토라지기 잘하는, 곧잘 뾰로통해지는, 성미가 까다로운, 화를 잘내는.
~·ly *adv.* **~·ness** *n.* 〚PET²〛

pet·ti·toes [pétitòuz] *n. pl.* 돼지족《식용》; 어린 애[사람]의 발(가락).

***pet·ty** [péti] *a.* **1** 자그마한, 사소한; 하찮은, 보잘것없는, 시시한: ~ troubles 시시한 걱정거리. **2** 도량이 좁은, 좀스러운(narrow-minded). **3** 하급의, 열등한, 소규모의: a ~ current deposit 소액 당좌 예금 / ~ farmers 소농 / a ~ official 하급 공무원. —— *n.* [*pl.*] 변소.
pét·ti·ly *adv.* 인색[비열]하게. **pét·ti·ness** *n.* 〚F PETIT〛
[類義語] ***petty*** 같은 종류의 다른 것과 비교하여 작은, 중요하지 않은; 하찮은, 보잘것없는이란 뜻을 나타냄: *petty* expenses(잡비). ***trivial*** petty하면서 동시에 흔하기 때문에 중요하지 않은, 값어치 없는: a *trivial* remark(대수롭지 않은 말). ***trifling*** 아주 사소한 것이라 중요하지 않아서 무시해도 좋을 만한: a *trifling* error(사소한 실수).

pétty áverage *n.* 〔法〕 사소한 해손(海損).
pétty bourgeóis *n.* =PETIT BOURGEOIS.
pétty cásh *n.* 용돈; 소액의 현금.
pétty cásh bòok *n.* 용돈[잡비] 장부; 소액 현금 출납부.
pétty júror *n.* 〔法〕 소배심원(cf. GRAND JUROR).
pétty júry *n.* =PETIT JURY.
pétty lárceny *n.* 〔法〕 경(輕)절도죄; 좀도둑.
pétty òfficer *n.* 《古》 하급 공무원; 〔美海軍〕 하사관《육군의 noncommissioned officer에 해당; cf. COMMISSIONED officer, WARRANT OFFICER》.
pétty prínce *n.* 작은 나라의 군주.
pétty sèssions *n. pl.* 《英》 즉결 재판소.
pétty tréason *n.* 소역죄(小逆罪)《아내에 의한 남편 살해, 종에 의한 주인 살해 따위》.

pet·u·lance [pétʃələns; -tju-] *n.* Ⓤ 발끈하기, 토라짐, 성마름, 뾰로통함.
pét·u·lan·cy *n.* 《古》 =PETULANCE.
pét·u·lant *a.* 성마른, 발끈하는, 걸핏하면 화내는, 토라지는. **~·ly** *adv.* 뾰로통하게, 걸핏하면 화내어. 〚F<L (*peto* to seek)〛

pe·tu·nia [pitjú:njə] *n.* 〔植〕 피튜니아; Ⓤ 짙은 자줏빛. 〚NL<F *petun* tobacco<Tupi〛

pe·tun·(t)se, -tze [pətúntsə, -tʌ́ntsi] *n.* Ⓤ 백돈자(白墩子), 자니(磁泥)《중국산 도자기용 찰흙》. 〚Chin.〛

Peu·geot [pə́:ʒou; *F* pøʒo] *n.* (*pl.* **~s** [-z; *F* —]) 푀조《프랑스 Peugeot 사제(製)의 자동차》. 〚*Peugeot* 프랑스의 기술자 일가(一家)〛

pew [pjú:] *n.* (교회의) 신도석; 《古》 (일반적으로) 의자, 자리.
a family pew (교회의) 가족석.
take a pew 자리에 앉다.
—— *vt.* …에 좌석을 비치하다; 둘러싸다. 〚OF<L PODIUM〛

péw·age *n.* (교회의) 긴 의자 전부, 전(全)신도석; 교회의 좌석료.
péw chàir *n.* 접는 식의 보조 의자.
pe·wee [pí:wi:] *n.* 〔鳥〕 피위《딱새(flycatcher)의 일종》. 〚imit.〛
pe·wit, pee·wit [pí:wit, pjú:ət] *n.* **1** 《美》 = PEWEE. **2** 〔鳥〕 댕기물떼새·붉은부리갈매기 따위와 비슷한 울음 소리를 내는 새; 그 울음 소리. 〚imit.〛
péw òpener *n.* 교회의 좌석 안내인.
péw rènt *n.* 교회의 좌석료.
pew·ter [pjú:tər] *n.* Ⓤ 땜납, 퓨터《주석과 납 따위의 합금》; Ⓒ [집합적으로] 땜납으로 만든 기물(器物); 《英俗》 (땜납으로 만든) 우승컵, 상금, 금전. —— *a.* 땜납(제[세공])의. **~·er** *n.* 땜납 세공장이. 〚OF *peutre*<?〛

-pexy [pèksi] *n. comb. form* 「고정」의 뜻. 〚L<Gk. (*pēxis* solidity)〛
pe·yo·te [peióuti], **-yotl** [-tl] *n.* 〔植〕 선인장의 일종; Ⓤ 페요테《그것에서 채취한 환각제》. 〚Am. Sp. <Nahuatl〛

pf. perfect; pfennig; 〔樂〕 pianoforte; 〔證〕 preferred; proof. **p.f.** *più forte* 《It.》 (=a little louder). **PFC** 《美》 Priority Foreign Countries(우선 협상국). **PFC., Pfc.** Private First Class. **PFD** 《美》 personal flotation device《1인용 부표 용구; 구명 동의 따위》. **pfd.** 〔證〕 preferred.

pfen·nig [fénig, -nik; *G* pféniç] *n.* (*pl.* **~, ~s, -ni·ge** [-nigə, -nijə]) 페니히《독일의 화폐 단위; =1/100 mark; 기호 pf.》. 〚G; cf. PENNY〛

PFLP Popular Front for the Liberation of Palestine. **PG** 《美》 parental guidance《미성년자가 보호자 동반으로 입장할 수 있는 영화의 표시》; 〔生化〕 prostaglandin. **Pg.** Portugal; Portuguese. **pg.** page.

P.G., PG [pí:dʒí:] *a.* 《俗》 임신한. [주] pregnant를 생략한 완곡어.

PGA Professional Golfers' Association.
PGM 〔軍〕 precision-guided munition(정밀 유도 병기).

pH [pì:éitʃ] *n.* 〔化〕 피에이치, 페하《수소 이온 농도 지수》. 〚*p*otential of *h*ydrogen〛

ph phot(s). **ph.** phase. **Ph** 〔化〕 phenyl. **P.H.** pinch hitter; public health; 《美》 (Order of the) Purple Heart 명예 부상장(章)). **PHA** 《美》 Public Housing Administration《공공 주택국; 1965년 해체》.

Pha·ë·thon [féiəθən] *n.* 〔그神〕 파에톤《태양의 신 Helios의 아들로 아버지의 마차를 잘못 부려서 지구에 너무 접근하여 큰 불이 날뻔했으므로 Zeus 신이 진노하여 번갯불로 죽였다 함》. 〚Gk.=a shining〛

pha·e·ton, pha·ë·ton [féiətn; féitn] *n.* (옛날의) 쌍두 4륜 마차; =TOURING CAR. 〚F<L<Gk. ↑〛

phag- [fǽg], **phago-** [fǽgou, -gə] *comb. form* 「먹음」의 뜻. 〚Gk.〛
phage [féidʒ] *n.* =BACTERIOPHAGE.
-phage [fèidʒ, fɑ̀:ʒ] *n. comb. form* 「먹을 것」「세포를 괴멸하는 세포」의 뜻: bacterio*phage*. 〚Gk.〛
-pha·gia [féidʒiə] *n. comb. form* 「식욕」의 뜻; -PHAGY. 〚L<Gk.〛
phágo·cỳte *n.* 〔生理〕 식세포(食細胞)《백혈구 따위》. **phàgo·cýt·ic** [-sít-] *a.* 〚Gk. (*phag-*, *kutos* cell)〛
phàgo·cy·tó·sis [-sətóusəs, -sai-] *n.* (*pl.* **-ses** [-si:z]) 〔生理〕 (식세포의) 식균 작용.
phàgo·mánia *n.* 탐식광(貪食狂).
phágo·sòme *n.* 〔生〕 식작용포(胞), 파고솜.
-ph·a·gous [ˊ-fəgəs] *a. comb. form* 「(어떤 음식을) 먹고 사는」의 뜻: anthropo*phagous*. 〚L<Gk.〛
-ph·a·gy [ˊ-fədʒi] *n. comb. form* 「(어떤 음식을) 상식(常食)함」의 뜻: anthropo*phagy*. 〚Gk.〛

pha·lange [féiləndʒ, fəlǽndʒ, fei-; fǽlændʒ] *n.* 〔解·動〕 지골(指骨), 지골(趾骨) (phalanx).
pha·lan·ge·al [fèiləndʒí:əl, fæ̀l-, fəlǽndʒiəl, fei-; fəlǽndʒiəl] *a.* 지골의.
pha·lan·ger [fəlǽndʒər, 美+féilæn-] *n.* 〔動〕 팔란저《오스트레일리아산의 주머니쥐의 일종》. 〚F<Gk. *phalaggion* spider's web; 뒷다리의 모

습에서》
phalanges *n.* PHALANX[PHALANGE]의 복수형.
Pha·lan·gist [fəlǽndʒəst] *n.* 팔랑지스트《레바논의 팔랑헤(Falange) 당의 당원; 기독교도가 중심인 우파 정당》.
phal·an·stery [fǽlənstèri; -stəri] *n.* 팔란스테리《프랑스의 사회주의자 Fourier가 이상으로 하는 사회주의적 생활 공동체》; 그 공동 주택. 〖F; *monastère* monastery에 준하여 ↓에서〗
pha·lanx [féilæŋks, fǽl-; fǽl-] *n.* (*pl.* **~·es, pha·lan·ges** [fəlǽndʒi:z, fei-, fǽlæŋ-; fælǽn-]) **1 a)** 〔古그〕 방진(方陣). **b)** (일반적으로) 밀집 대형, 밀집군; (인간의) 조직적 집단, 동지들의 모임. **2** 〔解·動〕 =PHALANGE.
in phalanx (동지끼리) 결속하여.
〖L<Gk.〗
phal·a·rope [fǽləròup] *n.* (*pl.* **~s, ~**) 〔鳥〕 지느러미발도요류의 새.
〖F<L (Gk. *phalaris* coot, *pous* foot)〗
phal·lic [fǽlik] *a.* 남근 숭배의; 음경의; 남근 모양의, 남근을 상징하는.
phal·li·cism [fǽləsìzəm], **phal·lism** [fǽlizəm] *n.* Ⓤ 남근 숭배. **phál·li·cist, phál·list** *n.*
phal·lo·crat [fǽləkræ̀t] *n.* 남성 우월주의자.
phal·lus [fǽləs] *n.* (*pl.* **-li** [-lai, -li:], **~·es**) **1** 남근(상(像)). **2** 〔解〕 음경; 음핵(陰核).
〖L<Gk.=penis〗
-phane [fèin] *n. comb. form* 「(어떤 종(種)의) 형태·성질·외관을 가진 것」의 뜻: hydro*phane.* 〖Gk.〗
phan·ero·gam [fǽnərəgæ̀m] *n.* 〔植〕 현화(顯花) 식물(cf. CRYPTOGAM). **phàn·ero·gám·ic, phan·er·og·a·mous** [fæ̀nərágəməs] *a.* 현화 식물의.
〖F (Gk. *phaneros* visible, *gamos* marriage)〗
phantasize ☞ FANTASIZE.
phan·tasm, fan- [fǽntæzəm] *n.* 허깨비, 환영(幻影), 환상; (죽었거나 없는 사람의) 환상, 유령; 〔哲〕 (실재물의) 심상(心象). 〖OF<L↓〗
phan·tas·ma [fæntǽzmə] *n.* (*pl.* **~s, -ma·ta** [-tə]) 허깨비, 환영; 유령(phantasm). 〖L<Gk. (*phantazō* to make visible<*phainō* to show)〗
phan·tas·ma·go·ria, fan- [fæntæ̀zməgɔ́:riə, fæ̀ntæz-] *n.* 차례차례로 변해가는 [주마등적인] 광경[환상]; 마술 환등(幻燈)《환등 장치로 영상을 가까이했다 멀리했다 하는 따위로 변화시키는 구경거리》. **-gó·ric** [-gɔ́(:)rik, -gár-], **-gó·ri·cal, -gó·ri·al** *a.* 허깨비[환영] 같은, 자꾸만 변해가는, 주마등 같은.
〖F (PHANTASM+-*agorie*<?)〗
phan·tas·mal [fæntǽzməl], **phan·tas·mic** [-mik] *a.* 허깨비의, 유령의; 공상의.
phantasy ☞ FANTASY.
phan·tom, fan- [fǽntəm] *n.* **1** 허깨비, 유령, 곡두; 환영; 착각, 망상; 상(像)〈*of*〉. **2** [P~] 〔美軍〕 팬텀 전폭기《기종은 F-4 따위가 있음》. **3** 외관뿐인 것[사람]; 《美俗》 가명으로 일하는 사람; 일하지 않고[안해도 되는 일을 하고] 급료를 받고 있는 사람. **4** 〔醫〕(인체 또는 그 일부의) 모형. —— *a.* 겉보기의, 공허한; 환영의, 망상의; 착각의; 허깨비의: a ~ ship 유령선(船) / ~ pregnancy 상상 임신.
〖OF<L<Gk.; ⇨ PHANTASM〗
phántom límb *n.* 〔醫〕 환(상)지(幻(想)肢)《절단후 수족이 아직 있는 것 같은 느낌》: ~ pain 환(상)지통(肢痛).
phántom órder *n.* 《美》 가(假) 주문《무기·비행기 따위의 전시(戰時) 생산을 위해 미국 정부가 사업소와 체결하는 가계약》.
phántom túmor *n.* 일시적인 종창(腫脹).
phántom vìew *n.* 팬텀도(圖), 국부(局部) 투시도, 형영도(形影圖).
-pha·ny [-̀fəni] *n. comb. form* 「출현」 「구현」의 뜻: Christo*phany*, theo*phany.* 〖Gk.〗
phar., pharm. pharmaceutical; pharmacist; pharmacology; pharmacopoeia; pharmacy.
Pha·raoh [fέərou, fǽərou, 美+féi-] *n.* 파라오《고대 이집트왕의 칭호》; Ⓒ [때때로 p~] (일반적으로) 전제 군주, 혹사자(酷使者).
〖OE<L<Gk.<Heb.<Egypt.=great house〗
Pháraoh's sérpent *n.* 파라오의 뱀, 사옥(蛇玉)《불을 붙이면 뱀 모양의 불꽃이 됨》.
Phar·a·on·ic, -i·cal [fèəreiánik(əl), fæ̀ər-; fèərɔ́n-] *a.* 파라오의[같은].
Phar. B. *Pharmaciae Baccalaureus* 《L》 (=Bachelor of Pharmacy).
Phar. D. *Pharmaciae Doctor* 《L》 (=Doctor of Pharmacy).
Phar·i·sa·ic, -i·cal [fæ̀rəséiik(əl)] *a.* 바리새인[주의]의; [p~] 형식을 중히 여기는, 위선의.
Phar·i·sa·ism [fǽrəseiìzəm] *n.* Ⓤ 바리새주의[파]; [p~] 형식주의, 위선.
Phar·i·see [fǽrəsì:] *n.* Ⓒ 바리새(파의) 사람《고대 유태에서 율법의 형식에만 치우쳐서 그 정신을 망각한 보수파의 사람》; [p~] (종교상의) 형식주의자, 위선자. 〖OE and OF<L<Gk.<Aram.<Heb.=separated〗
pharm. ☞ PHAR.
phar·ma·cal [fá:rməkəl] *a.* =PHARMACEUTICAL.
phar·ma·ceu·tic, -ti·cal [fà:rməsú:tik(əl); -sjú:-] *a.* 제약(학)의, 약사(藥事)의; 약제의. —— *n.* [-tical] 조제약, 의약, 약.
-ti·cal·ly *adv.* 〖L<Gk.; ⇨ PHARMACY〗
phàr·ma·céu·tics *n.* Ⓤ 조제(調劑)학; 조제; 화학 요법.
phar·ma·cist [fá:rməsəst], **phar·ma·ceu·tist** [fà:rməsú:təst; -sjú:-] *n.* 약사(=《美》 druggist, 《英》 chemist); 약방 (주인) (druggist).
phar·ma·co- [fá:rməkou] *comb. form* 「약(藥)」의 뜻. 〖Gk.〗
phàrmaco·genétics *n.* 약리 유전학《약물이 유전에 미치는 영향을 연구함》.
phar·ma·cog·no·sy [fà:rməkágnəsi] *n.* 생약학.
phàrmaco·kinétics *n.* 약물 동력[동태]학《약물의 체내에서의 흡수·분포·대사·배설의 연구》.
pharmacol. pharmacology.
phar·ma·col·o·gy [fà:rməkálədʒi] *n.* Ⓤ 약리학. **-gist** *n.* **phàr·ma·co·lóg·i·cal, -ic** *a.*
phar·ma·co·poe·ia, -pe·ia [fà:rməkəpí:ə] *n.* 약전(藥典), 조제서; 약종(藥種), 약물류(stock of drugs). 〖NL<Gk.; ⇨ PHARMACY〗
phàrmaco·thérapy *n.* 〔醫〕 약물 요법.
phar·ma·cy [fá:rməsi] *n.* **1** Ⓤ 조제(법); 약학; 제약(업). **2** 약국(=《美》 drugstore); 약종, 약물류(pharmacopoeia).
〖OF<L<Gk. (*pharmakon* drug)〗
phar·os [fέərɑs, fǽər-] *n.* **1** 등대, 항로 표지, 망루(望樓). **2** [the P~] (이집트 북부의 Alexandria 만 안에 있는) 파로스 등대《세계 7대 불가사의의 하나》.
pha·ryng- [fəríŋ], **pha·ryn·go-** [fəríŋgou, -gə] *comb. form* 「인두(咽頭) (pharynx)」의 뜻. 〖Gk.〗
pha·ryn·gal [fəríŋgəl] *a.* =PHARYNGEAL.

pha·ryn·ge·al [fæ̀rəndʒíːəl, 美+fəríndʒiəl] *a.* 〖解〗 인두(咽頭)의 : ~ catarrh 인두 카타르.

phar·yn·gi·tis [fæ̀rəndʒáitəs] *n.* (*pl.* **-git·i·des** [-dʒítədìːz]) Ⓤ 〖醫〗 인두염(炎).

pharýngo·scòpe *n.* 〖醫〗 인두경(鏡). **phar·yn·gos·co·py** [fæ̀rəŋgáskəpi] *n.* 인두경 검사.

phar·yn·got·o·my [fæ̀rəŋgátəmi] *n.* Ⓤ 〖醫〗 인두 절개술.

phar·ynx [fǽriŋks] *n.* (*pl.* ~**·es**, **pha·ryn·ges** [fəríndʒiːz]) 〖解〗 인두. 〖NL<Gk. *pharugg- pharugx*〗

***phase** [féiz] *n.* **1** 상(相), 형상. **2** 국면, 방면. **3** (변화·발달의) 단계, 상태, 형세 : enter upon a new ~ 새로운 단계에 들어가다. **4** 〖天〗 (천체의) 상(像) ; (달의) 상(相), 위상(位相)《new moon, half moon, full moon은 각기 a ~ of the moon임》. **5** 〖理·電〗 상, 위상, 페이즈 ; 〖化〗 상(相) ; 〖生〗 (유사[감수] 분열의) 상(相) ; 〖醫〗 반응 시기 ; 〖컴퓨〗 위상, 단계.
in phase 같은 위상으로 〈*with*〉 ; 동조하여, 일치하여〈*with*〉.
out of phase 위상을 달리 하여 ; 동조적이 아닌, 불일치하여.
── *vt.* **1** 〖理〗 동조시키다, 조정하여 …의 위상을 같게 하다. **2** (계획 따위를) 단계적으로 실행하다 ; (요인 따위를) 점차 도입하다.
phase down 단계적으로 축소하다, 점감하다.
phase in (*vt.*) 단계적으로 이용[도입]하다.
phase out (1) (*vt.*) 점차[단계적]로 폐지[제거]하다. (2) (*vi.*) 점차 제거되다 ; 서서히 이행(移行)하다.
〖F<L<Gk. *phasis* appearance〗
類義語 ***phase*** 어떤 사물이 관찰·고려·제시될 때의 양상 ; 발전·변화 과정의 한 단계의 모습 : observe several *phases* of the phenomenon (현상의 여러 양상을 관찰하다). ***aspect*** 어떤 특정한 견지에서 관찰·고려되었을 때의 외관[모습] : the most interesting *aspect* of the problem (그 문제의 가장 흥미있는 국면). ***facet*** 수많은 면 중[다면체]의 한 면 ; 비유적으로도 씀 : the *facets* of diamond[personality] (다이아몬드[인간성]의 여러 면). ***angle*** 엄밀하게 한정된 범위[각도]에서 관찰된 aspect, 또는 극히 예민한 관찰자가 바라본 aspect : He considered the problem from his own *angle*. (그는 그 문제를 독자적인 각도에서 고찰했다).

pháse àngle *n.* 〖電·理〗 위상각(位相角).

pháse-còntrast *a.* 위상차(位相差) 현미경의[을 사용한].

pháse-còntrast mícroscope *n.* 〖光〗 위상차 현미경.

phásed-arráy *a.* 〖電〗 정상렬(整相列)의 ; 〖軍〗 위상단열(位相段列) 레이더의.

phásed-arráy ràdar *n.* 〖電〗 정상렬 ; 〖軍〗 위상단열(位相段列) 레이더.

pháse·dòwn *n.* U.C 단계적 삭감[축소].

phásed withdráwal *n.* 〖軍〗 단계적(的) 철퇴[철수].

pháse-ìn *n.* 단계적인 채용, 도입.

pháse modulàtion *n.* 〖電子〗 위상 변조.

pháse·òut *n.* 단계적인 제거, 철거.

pháse zéro *n.* (정책·개발 계획 따위의) 준비 단계, 제로 단계《실시 단계 이전의 상황》.

-pha·sia [féiʒiə ; -ziə] *n. comb. form* 「(어떤 종(種)의) 언어 부전(不全)」의 뜻. 〖Gk. (*phan-* to speak)〗

pha·sic [féizik] *a.* 국면의, 형세의 ; 상(相)의 ; 단계적으로 작용하는.

pha·sis [féisəs] *n.* (*pl.* **-ses** [-siːz]) = PHASE. 〖L〗

phat·ic [fǽtik] *a.* 〖言〗 (말이) 교감(交感)적인, 사교적인 : ~ communion 교감적[사교적] 언어 사용《인사 따위》. 〖Gk. *phatos* spoken〗

Ph. B. *Philosophiae Baccalaureus* 《L》 (=Bachelor of Philosophy). **Ph. C.** Pharmaceutical Chemist. **Ph. D.** *Philosophiae Doctor* 《L》 (=Doctor of Philosophy).

pheas·ant [fézənt] *n.* (*pl.* ~**s**, ~) 〖鳥〗 꿩. 〖OF *faisan*<L<Gk. (*Phasis* 서식하는 강 이름)〗

phéasant-éyed *a.* (꽃 따위) 꿩의 깃털 모양의 반점이 있는.

phéasant·ry *n.* 꿩 사육장.

phéasant's-èye *n.* Ⓤ 〖植〗 가을복수초.

Phe·be [fíːbi] *n.* 여자 이름. 〖⇨ PHOEBE〗

phel·lem [féləm, -lem] *n.* Ⓤ 〖植〗 코르크 조직.

phél·lo·dèrm [félə-] *n.* 〖植〗 코르크 피층(皮層). **phèl·lo·dér·mal** *a.* 〖Gk. *phellos* cork〗

phel·lo·gen [félədʒən] *n.* 〖植〗 코르크 형성층.

phen- [fiːn], **phe·no-** [fíːnou, -nə] *comb. form* 「보이고 있는」「벤젠(고리)의」「페놀의」의 뜻. 〖Gk.〗

phen·ac·e·tin [fənǽsətən] *n.* Ⓤ 페나세틴《해열·진통제》.

phe·naz·o·cine [fənǽzəsiːn, -sən] *n.* 〖藥〗 페나조신《강력한 진통제》.

phen·cyc·li·dine [fensíklədiːn, -sáiklə-, -dən] *n.* 〖藥〗 펜시클리딘《마취약 ; 마약으로도 쓰임 ; 略 PCP》.

phen·el·zine [fénəlziːn] *n.* 〖藥〗 페넬진《항울약》.

phe·net·ics [finétiks] *n.* 〖生〗 표현학《진화의 과정을 무시하고 여러 특징의 외면적인 전체적 유사성에 의거하여 분류함》.

phen·for·min [fenfɔ́ːrmən] *n.* 〖藥〗 펜포르민《당뇨병용의 경구(經口) 혈당 강하제》.

Phenicia(n) ☞ PHOENICIA(N).

phenix ☞ PHOENIX.

pheno- [fíːnou, -nə] ☞ PHEN-.

phèno·bárbital *n.* 〖藥〗 페노바르비탈(=《英》 phenobarbitone)《수면제·진정제》.

phèno·bárbitone *n.* 《英》 〖藥〗 페노바르비톤 (phenobarbital).

phéno·còpy *n.* 〖遺〗 표현형 모사(模寫).

phe·nol [fíːnɔ(ː)l, -noul, -nɑl, fiˊ-] *n.* Ⓤ 〖化〗 페놀, 석탄산(酸). 〖F (*phène* benzene‹*pheno-*)〗

phe·nol·ic [finálik, 美+-nóul-] *a.* 〖化〗 석탄산의. ── *n.* =PHENOLIC RESIN.

phenólic résin *n.* 〖化〗 페놀 수지《열경화성》.

phe·no·lize [fíːnəlàiz] *vt.* 석탄산으로 처리하다.

phe·nol·o·gy [finálədʒi] *n.* Ⓤ 생물 계절학.

phènol·phthálein *n.* 〖化〗 페놀프탈레인《지시약·하제(下劑)》.

phe·nom [fíːnɑm, finám] *n.* 《美口》 굉장한 물건[사람], 경탄할 만한 일[사람] ; 천재, 신동.

***phenomena** *n.* PHENOMENON의 복수형.

phe·nom·e·nal [finámənl] *a.* **1** 현상의[에 관한] ; 인지[지각]할 수 있는, 외관상의. **2** 놀랄만한, 현저한, 경이적인(remarkable).
~**·ly** *adv.* 현상적으로 ; 현저하게, 대단하게.

phenómenal·ìsm *n.* Ⓤ 〖哲〗 현상론(現象論) 《실재론에 대하여》.
-ist *n., a.* 현상론자(의). **-nòm·e·nal·ís·tic** *a.* **-ti·cal·ly** *adv.*

phenómenal·ìze *vt.* 현상적으로 다루다, 현상으

로서 생각하다[나타내다].

phe·nom·e·nis·tic [finɑ̀mənístik] *a.* 현상론의[에 관한].

phe·nom·e·no·log·i·cal [finɑ̀mənəlɑ́dʒikəl] *a.* 현상학의 ; 현상의(phenomenal) ; 현상론의.

phe·nom·e·nol·o·gy [finɑ̀mənɑ́lədʒi] *n.* Ⓤ 〔哲〕 현상학.

***phe·nom·e·non** [finɑ́mənɑ̀n, -nən] *n.* (*pl.* **-e·na** [-mənə, -nɑ̀:], **~s**) **1** 현상, 사상(事象) ; 사건 ; 〔哲〕 현상(↔*noumenon*) : A rainbow is a natural ~. 무지개는 자연 현상이다. **2** (*pl.* **~s**) 경이(적인 것), 불가사의한 일[것] ; 비범한 사람 : an infant ~ 신동(神童).
〚L<Gk. (*phainō* to show)〛

phèno·thíazine *n.* 〔化〕 페노티아진《살균·구충약》; 〔藥〕 (정신분열 치료용의) 페노티아진 유도체(誘導體).

phéno·tỳpe *n.* 〔遺〕 표현형《유전자(군)에 의해 나타난 형질의 형(型)》; 공통의 표현형을 가진 개체군.

phen·oxy- [finɑ́ksi] *comb. form* 〔化〕「페녹시기(基)를 함유한」의 뜻. 〚*phen*yl+*oxy-*〛

phenòxy·bén·za·mine [-bénzəmì:n] *n.* 〔藥〕 페녹시벤자민《염산염(塩)의 형태로 혈관 확장제로 사용함》.

phen·tol·amine [fentɑ́ləmì:n, -mən] *n.* 〔藥〕 펜톨아민《크롬 친화성 세포종의 진단에 사용》.

phen·yl [fénəl, fí:-] *n.* 〔化〕 페닐(기(基)).

phènyl·álanine *n.* Ⓤ 〔生化〕 페닐알라닌《방향족 아미노산의 일종》.

phènyl·bútazone *n.* 〔藥〕 페닐부타존《관절염·통풍(痛風)용의 진통·해열·소염제》.

phènyl·kèton·úria *n.* Ⓤ 〔醫〕 페닐케톤뇨증(尿症)《유전성 대사(代謝) 질환으로 유아기에 지능 장애가 일어남》.

phe·ren·ta·sin [fəréntəzən, -sən] *n.* 〔生化〕 페렌타진《고혈압 환자의 혈액 속에 존재하는 승압(昇壓) 아민》.

pher·o·mone [férəmòun] *n.* 〔生化〕 페로몬《동물 체내에서 생산되고 체외로 분비되어 같은 종의 다른 개체에 행동이나 발생상의 특정 반응을 일으키게 하는 활성물질》.
phèr·o·món·al *a.*
〚Gk. *pherō* to convey, *-mone* (‹HORMONE)〛

phew [*p*fjú: ; Φ:] *int.* 체《초조함·불쾌감·놀람 따위를 나타냄》. —— *vi.* 체라고 하다. 〚imit.〛

Ph. G. Graduate in Pharmacy.

phi [fái] *n.* 그리스 알파벳의 스물한번째 글자《*ϕ*, *φ* ; 로마자의 ph에 해당》. 〚Gk.〛

phi·al [fáiəl] *n.* 작은 유리병, 작은 병 ; (특히) 약병(cf. VIAL). —— *vt.* 약병에 넣다[보존하다].
〚OF *fiole*<L<Gk.〛

Phí Béta Káppa *n.* 우수한 성적의 미국 대학생 및 졸업생의 클럽《1776년 창설》; 그 회원.
〚Gk. *philosophia biou kubernētes* philosophy (the) guide of life의 머리글자에서〛

Phí Béte [-béit] *n.* 《美口》 =PHI BETA KAPPA.

Phid·i·as [fídiəs ; -æ̀s] *n.* 피디아스《그리스의 조각가 ; 500 ?-? 432 B.C.》.

Phil [fíl] *n.* 남자 이름《Phil(l)ip의 애칭》.

phil- [fíl], **philo-** [fílou, -lə] *comb. form* 「사랑하는」「…에 친화적인」「…편드는」의 뜻.
〚Gk. (*philos* friend)〛

-phil [fil], **-phile** [fàil] *n. comb. form, a. comb. form* 「…을 사랑하는 사람」「…을 좋아하는 사람」「…에 친화력을 가진 물질」「…에 우호적인」「…을 좋아하는」「…에 친화력을 가진」의 뜻 : Franco*phil*(*e*), biblio*phile*, acido*phil*(*e*).
〚Gk. (*philos* dear, loving)〛

phil. philharmonic ; philological ; philology ; philosopher ; philosophical ; philosophy. **Phil.** Philadelphia ; 〔聖〕 Philemon ; Philip ; 〔聖〕 Philippians ; Philippine. **Phila.** Philadelphia.

Phil·a·del·phia [filədélfiə] *n.* 필라델피아《미국 Pennsylvania 주의 도시 ; 略 Phil., Phila.》.

Philadélphia chrómosome *n.* 〔醫〕 필라델피아 염색체《만성 골수성 백혈병 환자의 배양 백혈구에 보이는 미소한 염색체》.

Philadélphia láwyer *n.* [때때로 경멸적으로] 《美口》 법률에 밝고 빈틈없는 변호사[법률가].

phi·lan·der [fəlǽndər] *vi.* (사내가) 여자의 꽁무니를 쫓아다니다, 바람피우다. **~·er** *n.* 바람둥이.
〚Gk. *phil-*(*andr- anēr* man)=fond of men〛

phil·an·thrope [fílənθròup] *n.* 《古》 =PHILANTHROPIST.

phil·an·throp·ic, -i·cal [fìlənθrɑ́pik(əl)] *a.* 인정이 많은 ; 박애(주의)의(cf. HUMANITARIAN).

phi·lan·thro·pist [fəlǽnθrəpəst] *n.* 박애주의자 ; 박애가, 자선가. **-pism** [-pìzəm] *n.*

phi·lan·thro·pize [fəlǽnθrəpàiz] *vi.* 자애[자선]를 베풀다 ; 자선 사업에 종사하다. —— *vt.* (…에게) 자선을 베풀다.

phi·lan·thro·poid [fəlǽnθrəpɔ̀id] *n.* 《美口》 자선단체의 지출 담당자, 자선 사업가.

phi·lan·thro·py [fəlǽnθrəpi] *n.* Ⓤ 박애(주의), 자선(cf. MISANTHROPY) ; Ⓒ 자선[박애] 행위[사업·단체], 자선의 선물.
〚L<Gk. *phil-*(*anthrōpos* human being)〛

phi·lat·e·list [fəlǽtələst] *n.* 우표 수집[연구]가.

phi·lat·e·ly [fəlǽtəli] *n.* Ⓤ 우표 수집[연구·애호]. **phil·a·tel·ic, -i·cal** [filətélik(əl)] *a.* 우표를 수집하는, 우표 연구의.
〚F (Gk. *atelēs* tax-free) ; 편지 수취인이 소인 찍힌 우표를 공짜로 손에 넣을 수 있는 데서〛

-phile ☞ -PHIL.

Philem. 〔聖〕 Philemon.

Phi·le·mon [fəlí:mən, fai- ; -mɔn] *n.* 〔聖〕 빌레몬서(書)(the Epistle of Paul to Philemon) 《신약성서 중의 한 편 ; 略 Philem.》.
〚Gk.=affectionate〛

phil·har·mon·ic [filhɑ:rmɑ́nik, fìlər-] *a.* 음악 협회의, (특히) 교향악단의 ; 음악 애호의 : a ~ society 음악 협회 / a ~ orchestra 교향악단 / a ~ concert 음악회. —— *n.* 음악 협회, 교향악단 ; (음악 협회가 개최하는) 음악회.
〚F<It. (HARMONIC)〛

philharmónic pítch *n.* 〔樂〕 필하모닉 피치《가음(音)을 450진동(振動)으로 하는 영국에서 시작된 표준음》.

phil·hel·lene [filhéli:n] *n.* [흔히 P~] 그리스 (사람) 숭배[찬미]자. —— *a.* 그리스 (사람) 숭배[찬미]의. **phil·hel·len·ic** [filhelénik, -lí:-] *a.* 그리스를 좋아하는. **phil·hel·len·ism** [filhélənìzəm] *n.* **-hél·len·ist** *n.* 〚Gk. (HELLENE)〛

-phil·ia [fíliə] *n. comb. form* 「…의 경향」「…에 (대한) 병적인 애호」의 뜻(↔*-phobia*).
〚L<Gk. ; ⇨ -PHIL〛

-phil·i·ac [fíliæ̀k] *n. comb. form* 「…의 경향이 있는 사람」「…에 대하여 병적인 식욕·기호를 가진 사람」의 뜻 : hemo*philiac*, copro*philiac*.
〚↑, *-ac*〛

philibeg ☞ FILLEBEG.

-phil·ic [fílik] *a. comb. form* 「…좋아하는」의 뜻 : biblio*philic*. 〚*-philia*, *-ic*〛

Phil·ip [fíləp] *n.* **1** 남자 이름《애칭 Phil》. **2** 〖聖〗 빌립《그리스도 12사도 중의 한 사람》.
〖Gk.=lover of horses〗

Phi·lip·pa [fəlípə ; fílipə] *n.* 여자 이름.
〖(fem.) ; ⇨ PHILIP〗

Phi·lip·pi [fíləpài, fəlípai] *n.* 필리피《Macedonia의 옛 도시》.
meet at Philippi 위험한 약속을 충실히 지키다.
Thou shalt see me at Philippi. 《셰익스피어》 언젠가 이 원수는 꼭 갚고야 말겠다.

Phi·lip·pi·an [fəlípiən] *a.* 필리피 (양식)의.
—— *n.* **1** 필리피의 주민. **2** [단수 취급 ; ~s] 〖聖〗 빌립보서(書) (the Epistle of Paul the Apostle to the Philippians)《신약 성서 중의 한 편 ; 略 Phil.》.

Phi·lip·pic [fəlípik] *n.* [the ~s] Demosthenes가 마케도니아의 왕 Philip을 공박한 12연설 중의 하나 ; 로마의 웅변가 Cicero가 Mark Anthony를 공박한 연설 중의 하나 ; [p~] 맹렬한 공박 연설, 탄핵연설, 매도. 〖L<Gk. (*Philip*)〗

phil·ip·pine [fíləpì:n], **phil·ip·pi·na** [fìləpí:nə] *n.* =PHILOPENA.

Phil·ip·pine [fíləpí:n, ⌐-⌐] *a.* 필리핀(제도)의, 필리핀인(人)의. —— *n.* [the ~s] 필리핀 제도 ; [the ~s] 필리핀 공화국《수도는 Metropolitan Manila》.

Phil·is·tine [fíləstàin, 美+-tì:n] *n.* **1** Ⓤ 필리스티아 사람《옛날 Palestine의 남서부에 살았던 호전적인 종족으로 이스라엘인의 적(敵)》. **2** [보통 p~] 속물(俗物), 실리주의자, 교양이 없는 사람. **3** [p~] 《戱·古》 잔인한 적《집달리·비평가 등》.
fall among Philistines 혼(쭐)나다.
—— *a.* 필리스티아 사람의 ; [보통 p~] 속물의, 평범한, 교양이 없는.
〖F or L<Gk.<Heb.〗

Phil·is·tin·ism [fíləstənìzəm] *n.* Ⓤ 필리스티아 사람의 기질 ; [보통 p~] 실리주의, 속물 근성.

Phíl·lips cúrve [fíləps-] *n.* 〖經〗 필립스 커브《인플레이션율과 실업률의 상관관계를 나타냄》.
〖A. W. H. *Phillips* (1914-) 영국의 경제학자〗

Phíllips héad *n.* 십자 홈 나사못 대가리.
〖H. F. *Phillips* (d. 1958) 발명자인 미국 사람〗

phil·lu·men·ist [filú:mənəst] *n.* 성냥갑의 상표 수집가.

Phil·ly, Phil·lie [fíli] *n.* 《美俗》 PHILADELPHIA 시의 속칭. —— *a.* Philadelphia 시의.

philo- [fílou, -lə] ☞ PHIL-.

philo·bib·lic [filəbíblik] *a.* 책[문학]을 좋아하는, 애서벽(愛書癖)이 있는 ; 성서 연구에 몰두하는.

philo·den·dron [filədéndrən] *n.* (*pl.* **~s, -dra** [-drə]) 필로덴드론속(屬)의 (관엽) 식물《토란과 ; 열대 아메리카 원산》.

phi·log·y·ny [fəládʒəni] *n.* Ⓤ 여자를 좋아함(↔ *misogyny*). **-nist** *n.* 여자를 좋아하는 사람.

philol. philological ; philology.

phi·lol·o·gize [fəlálədʒàiz] *vt., vi.* 언어학[문헌학]적으로 고찰[논]하다 ; 언어학[문헌학]을 연구하다.

phi·lol·o·gy [fəlálədʒi] *n.* **1** Ⓤ 문헌[언어]학 : comparative ~ 비교 언어학 / English ~ 영어학. **2** 《古》 학문을 좋아함. **-gist, -ger, philo·lo·gi·an** [fìləlóudʒiən] *n.* 문헌[언어]학자.
phil·o·log·i·cal, -log·ic [filəládʒik(əl)] *a.* 문헌[언어]학(상)의. **-i·cal·ly** *adv.*
〖F<L<Gk.=love of learning ; ⇨ LOGOS〗

phil·o·math [fíləmæθ] *n.* 학문을 좋아하는 사람, 학자, (특히) 수학자.

Phil·o·mel [fíləmèl] *n.* 《詩》 =NIGHTINGALE.

Phil·o·me·la [filəmí:lə] *n.* **1** 〖그神〗 필로멜라《nightingale이 된 Athens왕 Pandion의 딸》. **2** Ⓒ [p~] 《詩》 =NIGHTINGALE.

phil·o·pe·na [filəpí:nə] *n.* 알맹이가 두 개 있는 호두류(類)의 나무 열매 ; 두 개의 알맹이를 나누어 가진 두 사람이 약속을 해서 다음에 만날 때 'philopena'라고 먼저 말한 쪽이 선물을 받는 독일 기원의 놀이 ; 그 선물.
〖G *Philippchen* little Philip〗

phìlo·progénitive *a.* 아이를 좋아하는 ; 다산(多産)의. **~·ness** *n.* 〖PROGENITOR〗

philos. philosopher ; philosophical ; philosophy.

phi·los·o·phas·ter [filàsəfǽstər ; -lɔ̀s-] *n.* 철학자인 체하는 사람, 사이비 철학자.

phil·o·sophe [fí:ləzɔ̀:f, fílə-] *n.* (18세기 프랑스의) (계몽) 철학자, 필로조프.
〖F<L<Gk. ; cf. PHILOSOPHY〗

***phi·los·o·pher** [fəlásəfər] *n.* **1** 철학자 : a moral ~ 윤리학자 / a natural ~ 물리학자. **2** 철인(哲人), 현인(賢人) ; 달관한 사람, 도통한 사람, 냉정한 사람 ; 《古》 연금술사 : You're a ~ 넌 체념이 빨라《따위》.
take things like a philosopher 세상을 달관하다.
the philosophers'* [*philosopher's*] *stone 현자의 돌《비(卑) 금속을 황금으로 바꾸는 힘이 있다고 믿어 중세 연금술사가 애써 찾던 것》.

philo·soph·ic, -i·cal [filəsáfik(əl)] *a.* 철학(상)의 ; 철학에 정통한 ; 《古》 자연 과학의, 이학의 ; 냉정한, 이성적인, 현명한, 생각이 깊은, 달관한. **-i·cal·ly** *adv.* 철학적으로, 철학자답게 ; 냉정하게, 허심 탄회하게.

philosóphical análysis *n.* 〖哲〗 철학적 분석.

phi·los·o·phism [fəlásəfìzəm] *n.* Ⓤ 철학적 사색 ; 사이비 철학 ; 곡학(曲學) ; 궤변.
-phist *n.* 사이비 철학자, 궤변가.

phi·los·o·phize [fəlásəfàiz] *vt.* 철학[이론]적으로 설명하다. —— *vi.* 사색하다, 이론을 세우다 (theorize) ; 철학자인 체하다 : ~ ***about*** life [death] 인생[죽음]에 대해서 사색하다.

***phi·los·o·phy** [fəlásəfi] *n.* **1** Ⓤ 철학 : empirical ~ 경험 철학 / metaphysical ~ 형이(形而)상학.
㈜ 원래는 인지(人智)·인생 문제의 근본을 규명하는 학문으로 science가 발달하기까지는 모든 학문을 지칭했으며 지금의 「윤리학」은 moral ~ (도덕 철학), 「물리학」은 natural ~ (자연 철학)라고 불렀음. **2** (일반적으로) 철리(哲理), 원리 : the ~ of economics[grammar] 경제학[문법] 원리 / the Communist ~ 공산주의 이론. **3** Ⓤ 철학적 정신, 철인적 태도 ; 달관, 체관, 냉정, 깨달음 ; 인생[처세] 철학, 인생관 : meet misfortunes with ~ 불행을 냉정하게 받아들이다. **4** 철학 체계 : the Kantian ~ 칸트 철학. **5** 철학 서적.

〈회화〉
What is your sister's major ? — She is majoring in *philosophy.* 「네 언니의 전공은 뭐니」「철학이야」

〖OF<L<Gk. *philo-* (*sophia* wisdom) =lover of wisdom〗

philósophy of enlíghtenment *n.* 계몽(啓蒙) 사조.

-ph·i·lous [⌐-fələs] *a. comb. form* 「…을 좋아하는」 「…에 친화적인」의 뜻. 〖Gk.〗

phil·ter | **-tre** [fíltər] *n., vt.* 미약(媚藥)(으로 반

하게 하다). 〖F<L<Gk. (*phileō* to love)〗

-phi·ly [-fəli] *n. comb. form* 「…애호」「호(好)…성」「친(親)…성」의 뜻 : toxo*phily*, anemo*phily*, entomo*phily*, hydro*phily*, photo*phily*. 〖*-philia*, *-y*[1]〗

phi·mo·sis [faimóusəs] *n.* (*pl.* **-ses** [-si:z]) 〔醫〕 포경, (때로) 질폐쇄증. 〖Gk.=muzzling〗

Phin·e·as [fíniəs; -æs] *n.* 남자 이름. 〖Heb.=? serpent's mouth or oracle〗

phit [fít] *n.* (총알의) 핑하는 소리.

phiz [fíz], **phiz·og** [fizág] 《俗》 *n.* 얼굴, 면상; 얼굴 표정. 〖*physiognomy*〗

phleb- [fléb, flí:b], **phlebo-** [flébou, flí:-, -bə] *comb. form* 「정맥(靜脈)」의 뜻. 〖Gk. (↓)〗

phle·bi·tis [flibáitəs] *n.* Ⓤ 〔醫〕 정맥염(炎). 〖NL<Gk. *phleb-* *phleps* vein〗

phle·bol·o·gy [flibálədʒi] *n.* 〔醫〕 정맥학.

phle·bot·o·mize [flibátəmàiz] *vi.*, *vt.* [動/+目] 사혈[방혈]하다, 정맥 절개하다; (환자의) 피를 뽑다.

phle·bot·o·my [flibátəmi] *n.* Ⓤ 〔醫〕 정맥 절개술, 자락(刺絡), 사혈, 방혈(bloodletting) 《팔꿈치 관절의 정맥을 찔러 나쁜 피를 뽑아내던 옛날 치료법》. **-mist** *n.* 자락의(醫), 사혈자.

Phleg·e·thon [flégəθàn] *n.* 〔그神〕 플레게톤《명계(冥界)의 불의 강》; [때때로 p~] 불의[같이 번쩍이는] 흐름. 〖Gk. (↓)〗

phlegm [flém] *n.* **1** Ⓤ 담, 가래. **2** Ⓤ 점액(粘液)적 성질, 점액질; 느리고 둔함, 무감각; 냉담, 무기력; 냉정, 침착. **3** Ⓤ 〔中世醫〕 점액《4체액중의 하나; 이것이 많으면 점액질이 된다고 믿음; cf. HUMOR 4》. **phlégmy** *a.* 가래[담]의[같은], 가래를 함유한[생기게 하는]. 〖OF<L<Gk. *phlegmat-* *phlegma* inflammation (*phlegō* to burn)〗

phleg·mat·ic, -i·cal [flegmǽtik(əl)] *a.* **1** 가래[담]가 많은. **2** 점액질의, 냉담한, 무기력한; 냉정[침착]한: a ~ temperament 점액질. **-i·cal·ly** *adv.* 냉담하게.

phleg·mon [flégmɑn; -mən] *n.* Ⓤ 〔醫〕 플레그몬, 봉소염(蜂巢炎).

phlo·em, phlo·ëm [flóuem] *n.* 〔植〕 사관부(篩管部), 인피부(靭皮部). 〖G〗

phlo·gis·tic [floudʒístik; flɔ-] *a.* 〔古化〕 플로지스톤의; 〔醫〕 염증(성)의; 《廢》 불[불꽃]의.

phlo·gis·ton [floudʒístən, -tɑn; flɔ-] *n.* Ⓤ 〔古化〕 연소(燃素), 열소(熱素), 플로지스톤 《산소를 발견하기 전까지 가연물(可燃物)속에 존재한다고 믿어짐》. 〖NL<Gk. (*phlog-* *phlox* flame)〗

phlo·ri·zin, -rhi·zin [flɔ́(:)rəzən, flár-, fləráizən], **-rid·zin** [-rədzən] *n.* Ⓤ 〔生化〕 플로리진《사과나무 따위 과수의 줄기나 뿌리에서 얻는 희고 쓴 배당체(配糖體)》.

phlox [fláks] *n.* (*pl.* ~, **~·es**) 〔植〕 플록스《꽃고비과의 화초》: the garden ~ 협죽초(夾竹草). 〖L<Gk.=flame; cf. PHLOGISTON〗

phlyc·te·na, -tae- [fliktí:nə] *n.* (*pl.* **-nae** [-ni:]) 〔醫〕 플릭텐, 수포(水疱).

Ph. M. *Philosophiae Magister* 《L.》 (=Master of Philosophy).

Phnom Penh, Pnom Penh [(pə)nɔ́(:)m pén, -nám-] *n.* 프놈펜《CAMBODIA의 수도》.

-phobe [fòub] *a. comb. form*, *n. comb. form* 「…을 무서워하는 (사람)」「…에 반대하는 (사람)」의 뜻. 〖F<L<Gk.; ⇨ -PHOBIA〗

pho·bia [fóubiə] *n.* Ⓤ 공포증, 병적(인) 공포. 〖↓〗

-pho·bia [fóubiə] *n. comb. form* 「…공포증」「…혐오」의 뜻: Anglo*phobia*, hydro*phobia*. 〖L<Gk. (*phobos* fear)〗

-pho·bic [fóubik], **-ph·o·bous** [-fəbəs] *a. comb. form* 「…이 싫은」「친화성이 결여된」의 뜻. 〖↑, *-ic*, *-ous*〗

pho·bo- [fóubou] *comb. form* 「공포(fear)」「기피(avoidance)」의 뜻.

phòbo·phóbia *n.* 〔精神醫〕 공포증 공포《공포증에 걸리는 것은 아닐까하고 두려워하는 상태》.

pho·co·me·lia, -ko- [fòukəmí:liə], **pho·com·e·ly** [foukáməli] *n.* 〔醫〕 해표지증(海豹肢症) 《어릴 때의 진정제 복용 따위로 인한 사지(四肢)의 단소증》. 〖Gk. *phōkē* seal, *-melia*〗

pho·com·e·lus [foukáməlәs] *n.* (*pl.* ~**·es**) 〔醫〕 해표지증의 기형아[환자].

Phoe·be [fí:bi] *n.* 〔鳥〕 피베《타이런트새; 북미산(産)》. 〖PEEWEE; 모양은 ↓의 영향〗

Phoebe *n.* **1 a)** 〔그神·로神〕 포이베《달의 여신》. **b)** 〔詩〕 달(moon). **2** 〔天〕 페베《토성의 제9 위성》. **3** 여자 이름. **4** 〔美俗〕 (craps에서) 5점. 〖Gk.=shining〗

Phoe·bus [fí:bəs] *n.* 〔그神〕 포이보스《태양의 신(sun-god)으로서의 Apollo》; 《詩》 태양. 〖L<Gk. *Phoibos*〗

Phoe·ni·cia, Phe- [finíʃə, -ní:-; -níʃiə] *n.* 페니키아《현재의 시리아·레바논 지역에 있었던 지중해 연안의 고대 도시 국가》.

Phoe·ní·cian, Phe- *a.* 페니키아(인·어)의; 페니키아 문자의. —— *n.* 페니키아인(cf. SEMITE); Ⓤ 페니키아어.

phoe·nix, phe- [fí:niks] *n.* **1** [때때로 P~] 〔이집트神〕 피닉스, 불사조(不死鳥)《아라비아 사막에서 500[600]년마다 스스로 향나무를 쌓고 불을 놔 타죽어 그 잿속에서 다시 젊은 모습으로 되살아난다는 영조(靈鳥)》; 불사의 상징; 불사신(不死身). **2** 대천재, 절세의 미인《등》; 모범. **3** 봉황《중국의 상상적인 영조》. **4** [(the) P~] 봉황새자리.

rise like the phoenix from the ashes 불사조처럼 부활하다, 폐허에서 일어서다. 〖OE, OF<Gk.=Phoenician, purple〗

phon [fán] *n.* 〔理〕 폰《음의 강도 단위》. 〖PHONE[2]〗

phon. phonetic(s); phonology.

phon- [foun], **pho·no-** [fóunou, -nə] *comb. form* 「음」「목소리」「언어」의 뜻. 〖Gk. PHONE[2]〗

pho·nate [fóuneit; -́] *vt.*, *vi.* 〔音聲〕 발음하다, 소리를 내다. **pho·ná·tion** *n.* 발음, 발성.

‡**phone**[1] [fóun] 《口》 *n.* 전화(기), 수화기(telephone); =EARPHONE: speak by ~ =speak over[on] the ~ 전화로 이야기하다 / be on the ~ 전화를 받고[걸고] 있다; 전화가 가설되어 있다. —— *vi.*, *vt.* [+*to*+名/+目/+目+目] (…에게) 전화를 걸다, 전화로 호출하다[알리다]: Please ~ ***to*** the police station. 경찰서에 전화해 주세요 / I'll ~ her. 그녀에게 전화를 걸어보겠다 / Have you ~*d* him the news? 그에게 전화로 그 소식을 알렸습니까. 注 다음과 같이 수동태로 사용되는 것은 주로 《美》: I *was* ~*d* the news. 전화로 그 소식을 듣게 되었다.

phone[2] *n.* 〔音聲〕 음, 단음(單音). 〖Gk. *phōnē* voice, sound〗

-phone [fòun] *n. comb. form* 「소리(sound)」의 뜻: micro*phone*. 〖Gk. (↑)〗

phóne bòok *n.* 전화 번호부.

phóne bòoth[《英》 **bòx**] *n.* (공중) 전화 부스.
phóne·càrd *n.* 《英》 CARDPHONE용 삽입 카드, 전화 카드.
phone freak ☞ PHONE PHREAK.
phóne-ìn *a., n.* (텔레비전·라디오의) 시청자가 전화로 참가하는 (프로그램) (=《美》 call-in).
pho·ne·mat·ic [fòunimǽtik] *a.* 〖音聲〗 = PHONEMIC.
phò·ne·mát·ics *n.* 〖音聲〗 = PHONEMICS, (특히) 분절 음소론.
pho·neme [fóuni:m] *n.* 〖音聲〗 음소(音素)《어떤 언어에서 뜻을 구별하는데 쓰는 음성상의 최소 단위 ; cf. ALLOPHONE, MORPHEME, TONEME》.
pho·ne·mic [fəní:mik] *a.* 음소의 ; 음소론의.
pho·ne·mi·cist [founí:məsəst, fə-] *n.* 음소론자.
pho·ne·mi·cize [founí:məsàiz, fə-] *vt.* (음성을) 음소화하다 ; 음소로 표기하다.
pho·né·mics *n.* 〖音聲〗 음소론(音素論) (cf. MORPHEMICS).
phóne phrèak[**frèak**] *n.* 《口》 전화를 무료로 걸 수 있도록 개조하는 사람.
〖*phreak*는 *phone*의 영향으로 *freak*가 변화한 것〗
phon·er [fóunər] *n.* 전화 거는 사람.
phonet. phonetics.
pho·net·ic, -i·cal [fənétik(əl)] *a.* 음성(상)의 ; 음성학의 ; 음성을 나타내는 : international *phonetic* signs[symbols] 국제 음성 기호 / *phonetic* change[law] 〖言〗 음(운) 변화[법칙] / *phonetic* notation 음성 표기법 / *phonetic* spelling 표음식 철자(법) / *phonetic* value 음가(音價)《문자가 나타내는 음의 특질》. **-i·cal·ly** *adv.* 발음대로 ; 음성학상. 〖NL<Gk. (*phōneō* to speak)〗
pho·ne·ti·cian [fòunətíʃən] *n.* 음성학자.
pho·net·i·cism [fənétəsìzəm] *n.* Ⓤ 표음 철자주의[법].
pho·net·i·cist [fənétəsəst] *n.* 음성학자 ; 표음식 철자법 주장자.
pho·net·i·cize [fənétəsàiz] *vt.* 소리나는 대로[표음식으로] 표현하다.
pho·nét·ics *n.* Ⓤ 음성학 ; (특정 언어의) 음조직, 음성 체계.
pho·ne·tist [fóunətəst] *n.* 음성학자 ; 표음식 철자법 주장자.
Phóne·vìsion *n.* Ⓤ 폰비전《전화선 이용의 유료(有料) 텔레비전 방식 ; 상표명》.
phoney ☞ PHONY.
phon·ic [fánik, fóu-] *a.* 음의 ; 음성의, 발음상의 ; 유성의(voiced) ; PHONICS의[에 관한].
phón·ics *n.* 포닉스《발음 중심의 어학 교수법》; 음향학(acoustics) ; 음성학(phonetics).
pho·no [fóunou] *n.* (*pl.* **~s**) =PHONOGRAPH.
phono- [fóunou, -nə] ☞ PHON-.
phòno·angiógraphy *n.* 〖醫〗 혈관음 검사(법).
phòno·cárdio·gràm *n.* 〖醫〗 심음도(心音圖)《심음 기록기에 의한 심장음의 기록도》.
phòno·cárdio·gràph *n.* 〖醫〗 심음계(心音計).
-cardiógraphy *n.* 심음도 검사(법).
-cardiográphic *a.*
phóno·film *n.* 발성 영화.
phonog. phonography.
phòno·génic *a.* 듣기 좋은 목소리의, 아름다운 소리의 ; (홀 따위) 음향 효과가 좋은.
phóno·gràm *n.* 음표(音標) 문자, 표음 문자(cf. IDEOGRAM) ; 속기의 표음자(表音字) ; 레코드 ; 전화 전보.
phóno·gràph *n.* 《美》 축음기, 레코드 플레이어 (=《英》 gramophone) ; 《英》 납관(蠟管)식의 구식 축음기.
—— *vt.* 축음기를 틀다, 축음기에 취입하다.
phòno·gráph·ic *a.* 축음기의[에 의한] ; 속기의, 속기 문자로 쓴. **-i·cal·ly** *adv.*
pho·nog·ra·phy [fənágrəfi, fou-] *n.* Ⓤ 표음식 철자[쓰는]법 ; 표음 속기법[술].
pho·nóg·ra·pher, -phist *n.* 속기사 ; 축음기 기사.
phonol. phonology.
phóno·lìte *n.* 〖鑛〗 향암(響岩) (clinkstone).
pho·nol·o·gy [fənálədʒi, fou-] *n.* Ⓤ 음운론 ; Ⓤ,Ⓒ 음운 조직. **-gist** *n.* 음운학자.
pho·no·log·ic, -i·cal [fòunəládʒik(əl)] *a.* 음운론(音韻論)의 ; 음운 조직의.
pho·nom·e·ter [fənámətər] *n.* (음의 강도를 측정하는) 측음기(測音器). **pho·nóm·e·try** *n.* 측음(법) ; 음분석.
pho·non [fóunɑn] *n.* 〖理〗 음자(音子), 포논《소리 에너지의 양자(量子)》. 〖*-on*〗
phóno·phìle *n.* 레코드 애호가.
pho·no·phore [fóunəfɔ̀:r], **-pore** [-pɔ̀:r] *n.* 전신 전화 공통 장치.
phóno·rècord *n.* 레코드판.
phóno·scòpe *n.* 〖樂〗 검현기(檢絃器) ; 현미음기(顯微音器), 음도계 ; 악음(樂音) 자동 기록기.
phòno·táctics *n.* 〖言〗 음소 배열론.
phóno·tỳpe *n.* 〖印〗 표음 활자(로 인쇄한 것).
phóno·typy [-tàipi] *n.* Ⓤ 표음식 속기법.
pho·ny, -ney [fóuni] *a.* 《口》 가짜의, 허위의, 위조의, 거짓의. —— *n.* 가짜 위조품(fake) ; 사기꾼 ; 가명. —— *vt.* 위조하다, 속이다, 날조하다 ⟨*up*⟩. 〖C20< ?〗
-pho·ny [fəni, fòuni ; fəni] *n. comb. form* 「음」 「목소리」의 뜻 : sym*phony*, tele*phony*.
〖OF<L<Gk. ; ⇨ PHONE²〗
phoo·ey [fú:i] *int.* 《口》 체 !, 피 !《거절·경멸·혐오·싫음 따위를 나타내는 소리》. 〖imit.〗
pho·rate [fɔ́:reit] *n.* 〖化〗 포레이트《종자 처리용 살충제로 쓰는 강독성 유기인 화합물》.
phor·bol [fɔ́:rbɔ:l] *n.* 〖化〗 포르볼《4개의 고리를 갖는 화합물 ; 에스테르는 croton유(油)에 포함되어 발암 촉진 작용이 있음》.
-phore [fɔ̀:r] *n. comb. form* 「…을 나르는 것, 지탱하는 것」의 뜻 : sema*phore*.
〖Gk. (*pherō* to bear)〗
-pho·re·sis [fərí:səs] *n. comb. form* (*pl.* **-ses** [-si:z]) 「…전달」의 뜻 : electro*phoresis*.
〖Gk. (↑, *-sis*)〗
-ph·o·rous [-fərəs] *a. comb. form* 「…을 가진」 「지탱하는」의 뜻. 〖Gk. ; ⇨ -PHORE〗
phos- [fás] *comb. form* 「빛」의 뜻.
〖Gk. *phōs* light〗
phos·gene [fázdʒi:n] *n.* Ⓤ 〖化〗 포스겐《염화 카르보닐 ; 독가스로 씀》.
phos·gen·ite [fázdʒənàit] *n.* 각연광(角鉛鑛).
phosph- [fásf], **pho·spho-** [fásfou, -fə] *comb. form* 「인산(염)」「인(燐)」의 뜻.
〖*phosphorus*〗
phos·phate [fásfeit] *n.* **1** 〖化〗 인산염(燐酸鹽) ; 인산 광물 ; 인산 비료. **2** Ⓤ 인산을 포함한 탄산수. —— *vt.* 인산(염)으로 처리하다.
〖F ; ⇨ PHOSPHORUS〗
phósphate róck *n.* 인광(燐鑛), 인회암.
phos·phat·ic [fɑsfǽtik] *a.* 인산염의[을 함유한].
phos·pha·tide [fásfətàid] *n.* 〖生化〗 인지질(燐脂質). **phòs·pha·tíd·ic** [-tíd-] *a.*
phos·phene [fásfi:n] *n.* 〖生理〗 광시(光視)《눈을

감고 안구를 눌렀을 때 망막이 작용하여 일어나는 자각 광감(光感)》.
phos·phide [fásfaid] *n.* 〖化〗 인화물.
phos·phine [fásfi:n] *n.* 〖化〗 포스핀.
phos·phite [fásfait] *n.* 〖化〗 아인산염.
phospho- [fásfou, -fə] ☞ PHOSPH-.
phòspho·prótein *n.* Ⓤ 인단백질(燐蛋白質).
phos·phor [fásfər] *n.* Ⓤ 형광체, 인광체(燐光體) ; [P~] 〖그神〗 포스포로스《샛별 ; 〖로神〗의 Lucifer에 해당》 ; [P~] 《詩》 샛별(morning star) (cf. HESPERUS, VESPER). —— *a.* 《古》 = PHOSPHORESCENT.
〚L<Gk.=light bringer ; ⇨ PHOSPHORUS〛
phos·phor- [fásfər], **phos·pho·ro-** [fásfərou, -rə] *comb. form* 「인의」「인을 함유하는」「인산의」의 뜻. 〚L<Gk.〛
phos·pho·rate [fásfərèit] *vt.* 〖化〗 인과 화합시키다, 인을 가하다, 인을 함유하다.
phósphor brónze *n.* 인청동(燐青銅).
phos·pho·resce [fàsfərés] *vi.* 인광(燐光)을 발하다.
phòs·pho·rés·cence *n.* Ⓤ 인광(을 발하기).
phòs·pho·rés·cent *a.* 인광을 발하는 ; 인광성의.
***phos·phor·ic** [fasfɔ́(:)rik, -fár-, fásfərik] *a.* 〖化〗 (5가의) 인의, 인을 함유하는 : ~ acid 인산.
phos·pho·rism [fásfərìzəm] *n.* Ⓤ 〖醫〗 인중독.
phos·pho·rite [fásfəràit] *n.* Ⓤ 〖鑛〗 인회토(燐灰土) ; 인회암.
phósphoro·gràph *n.* (인광이 나는 표면에 그린) 인화(燐畫).
phósphoro·scòpe *n.* 〖理〗 인광계(燐光計).
phos·pho·rous [fásfərəs, 美+fasfɔ́:rəs] *a.* 〖化〗 (3가의) 인의[을 함유하는] ; =PHOSPHORESCENT : ~ acid 아(亞)인산.
phos·pho·rus [fásfərəs] *n.* Ⓤ 〖化〗 인(燐)《비금속 원소 ; 기호 P ; 번호 15》 ; 《稀》 인광체 ; [P~] 《文語》 =PHOSPHOR. 〚L=morning star<Gk. (*phōs* light, *-phoros* bringing)〛
phósphorus necrósis *n.* 〖醫〗 인괴사(燐壞死)《옛날 성냥 제조공에게 많던 위턱뼈의 병》.
phósphorus pentóxide *n.* 〖化〗 5산화인.
phos·phu·ret·(t)ed [fásfjərètəd] *a.* 〖化〗 인과 화합한.
phos·sy [fási] *a.* 《俗》 인의, 인에 의한.
phóssy jáw *n.* 《口》 =PHOSPHORUS NECROSIS.
phot [fóut, fát] *n.* 포트《조명의 단위 : 1 cm^2에 대해서 1 lumen》. 〚Gk. (↓)〛
phot- [fóut], **pho·to-** [fóutou, -tə] *comb. form* 「빛」「사진」「광전(光電)」「광화학」「광자(光子)」의 뜻. 〚Gk. (*phōt-* *phōs* light)〛
phot. photograph ; photographer ; photographic ; photography.
pho·tic [fóutik] *a.* 빛의[에 관한].
phótic dríver *n.* 스트로보 광(光)과 초음파를 이용한 치안 무기.
phótic région[**zóne**] *n.* 유광층(有光層), 투광층[대]《바다 따위의 태양 광선 침투대로서 생물이 광합성할 수 있는 수중의 최상층부》.
phó·tics *n.* 광학(光學).
pho·tism [fóutizəm] *n.* Ⓤ 〖心〗 빛의 환영(幻影), 환시(幻視).
***pho·to** [fóutou] 《口》 *n.* (*pl.* **~s**) 사진.

〈회화〉
I want to have this *photo* enlarged. — What size would you like it. 「이 사진을 확대하고 싶은데요」「어떤 사이즈를 원하세요」

—— *vt. vi.* 사진을 찍다. —— *a.* 사진의.
〚*photo*graph〛
phòto·actínic *a.* 〖寫〗 (감광물에 대해) 화학 변화를 주는.
phòto·áctive *a.* 〖生〗 광(光)능동적인.
phòto·báth·ic [-bǽθik] *a.* (바닷물 따위가) 태양 광선이 달하는 깊이의.
phòto·biólogy *n.* 광생물학《빛 따위의 복사 에너지의 생물에 대한 영향의 연구》.
-gist *n.* **-biológical, -ic** *a.*
phòto·biótic *a.* 〖生〗 (생존에) 빛을 필요로 하는.
phòto·bléach·able *a.* 〖化〗 광표백성의 : a ~ dye 광표백 색소.
phòto·bótany *n.* 광식물학.
phóto·càll *n.* 《英》 =PHOTO OPPORTUNITY.
phòto·cáthode *n.* 〖電子〗 광전(光電) 음극《빛 따위의 복사 에너지에 의해 전자를 발생함》.
phóto·cèll *n.* 광전지.
phòto·cerámics *n.* 사진술 또는 사진 평판술(photolithography)을 써서 장식한 도자기 제품.
phòto·chémical *a.* 광화학(光化學)의 ; 광화학 작용의[에 관한].
photochémical smóg *n.* 광화학 스모그.
phòto·chémistry *n.* Ⓤ 광화학.
phòto·chrómic *a.* (유리 따위) 광호변성(光互變性)의 ; 광호변에 관한[을 이용한]. —— *n.* 광호변성 물질.
photochrómic gláss *n.* 포토크로믹 글라스, 조광(照光) 유리《안경에 씀》.
phòto·chrómism *n.* Ⓤ 〖理〗 광호변《빛의 조사(照射)에 의해 색이 변했다가 다시 원래의 색으로 되돌아오는 현상》.
phóto·chro·my [-kròumi] *n.* Ⓤ 천연색 사진술, 색체 사진술.
phòto·chróno·gràph *n.* 동체(動體) 사진(기).
phòto·chronógraphy *n.* Ⓤ 동체 사진술.
phòto·coagulátion *n.* Ⓤ 〖醫〗 광응고(술)《레이저 광선 따위에 의해 반흔(瘢痕) 조직을 만듦 ; 안질의 치료 따위에 씀》.
phòto·compóse *vt.* 〖印〗 사진 식자하다.
phòto·compóser *n.* 사진 식자기.
phòto·composítion *n.* Ⓤ 사진 식자.
phòto·condúctive *a.* 광전도성의. **-condúctor** *n.* 광전도체.
phóto·còpier *n.* 사진 복사기.
phóto·còpy *n.*, *vt.* 사진 복사(하다).
phòto·cóupler *n.* 〖電子〗 **1** 광접합 소자(素子) ; 광결합기(光結合器). **2** =OPTICAL ISOLATOR.
phóto·cùrrent *n.* Ⓤ 〖理〗 광(光)전류.
phòto·degráde *vt.*, *vi.* 빛에 의해 분해하다.
phòto·detéctor *n.* 〖電子〗 광(光)검출기.
phòto·díode *n.* 〖電子〗 포토 다이오드, 감광성 반도체 소자(素子).
phòto·dis·integrátion *n.* Ⓤ 〖理〗 (원자핵의) 광붕괴(光崩壞).
phòto·dissociátion *n.* 〖理〗 광해리(光解離).
-dissóciate *vt.*
phóto·dràma *n.* 극영화. **phòto·dramátic** *a.*
phòto·dynámic *a.* 광역학적(光力學的)인.
phòto·dynámics *n.* 광역학《식물의 운동에 대한 빛의 작용을 연구》.
photodynámic thèrapy *n.* 〖醫〗 광에너지 요법《레이저에 의한 암치료법의 하나》.
phòto·elástic *a.* 〖理〗 광탄성(光彈性)의.
phòto·elastícity *n.* Ⓤ 광탄성.
phòto·eléctric, -trical 〖理〗 *a.* 광전자의 ; 광전 효과의 : a ~ cell 광전지 / ~ effect 광전 효과.

phòto·elèctro·chémical céll *n.* 〖化〗 광전기 화학전지.
phòto·eléctron *n.* 〖理〗 광전자(光電子).
phòto·emíssion *n.* Ⓤ 〖理〗 광전자 방출.
phòto·engráve *vt.* 〖印〗 사진 제판하다. **-engráving** *n.* 사진 제판(술), 사진 볼록판(화). **-engráver** *n.*
phóto·èssay *n.* 〖寫〗 포토에세이, 수필적인 사진 표현 (작품).
phóto fínish *n.* 〖競〗 사진 판정을 필요로 하는 골인 장면 ; 대접전.
phòto·fínish·ing *n.* Ⓤ 〖寫〗 (사진의) 현상·인화·확대(업).
phòto·físsion *n.* Ⓤ 〖理〗 광분열《고(高)에너지 광자의 흡수로 일어나는 핵분열》.
Pho·to-Fit [fóutoufit] *n.* 《英》 포토 피트《몽타주 사진 작성법 ; 상표명》.
phóto·flàsh *a.* 섬광 전구의[에 의한]. —— *n.* = PHOTOFLASH LAMP.
phótoflash lámp[búlb] *n.* 사진 촬영용 섬광 전구.
phóto·flòod *a.* 일광등(溢光燈)의[에 의한]. —— *n.* 일광등(에 의한 사진).
phótoflood lámp[búlb] *n.* 사진 촬영용 일광등(溢光燈), 플러드 램프.
phòto·fluorógraphy *n.* X선 형광 촬영[투시](법)《X선에 의해 형광 스크린에 영상을 비춤》.
pho·tog [fətág] *n.* 《口》 사진사.
photog. photograph ; photographer ; photographic ; photography.
phóto·gèn *n.* 발광(發光) 동물[식물]의 발광원.
phóto·gène *n.* 잔상(殘像) (afterimage).
phòto·génic *a.* 사진촬영에 적합한《얼굴 따위》; 〖生〗 발광성의 ; 〖醫〗 발광의 ; 〖寫〗 감광성의. **-i·cal·ly** *adv.*
pho·to·glyph [fóutəglìf] *n.* 사진 조각판.
phóto·gràm *n.* 포토그램《감광지와 광원(光源) 사이에 물체를 놓고 렌즈를 사용하지 않고 만드는 실루엣 사진》.
pho·to·gram·me·try [fòutəgrǽmətri] *n.* Ⓤ 사진 측량[제도]법. **-grám·me·trist** *n.* **-gram·met·ric** [-grəmétrik] *a.*
***phóto·gràph** *n.* 사진 : take a ～ of …을 촬영하다 / have[get] one's ～ taken (자기) 사진을 찍게 하다. —— *vt.* **1** …의 사진을 찍다, 촬영하다. **2** 말로 분명하게 표현하다 ; …의 인상을 깊이 새기다. —— *vi.* **1** 사진을 찍다. **2** [+副] 사진에 찍히다 : She always ～*s well*[*badly*]. 언제나 사진을 잘 받는다[받지 않는다].
pho·tog·ra·pher [fətágrəfər] *n.* 촬영자, 사진사 : He is a great ～. 사진을 아주 잘 찍는다.
pho·to·graph·ic [fòutəgrǽfik] *a.* **1** 사진(술)의 : a ～ studio 촬영소, 스튜디오. **2** 사진 같은, 정밀한 ; 예술미가 없는. **-i·cal·ly** *adv.* 사진술에 의해서 ; 사진 같이.
pho·to·graph·i·ca [fòutougrǽfikə] *n. pl.* 사진 애호가의 수집품.
***pho·tog·ra·phy** [fətágrəfi] *n.* Ⓤ 사진술.
phòto·gravúre *n.* 그라비어판(版). —— *vt.* 그라비어판으로 복사하다.
phòto·ìon·izátion *n.* Ⓤ 〖理〗 광전리(光電離), 광(光)이온화.
phòto·ísomer·ìze *vt.* 〖化〗 광이성화(光異性化)하다. **-ìsomer·izátion** *n.*
phòto·jóurnal·ìsm *n.* 사진 보도를 주체로 하는 신문 잡지 편집(업) ; 뉴스 사진.
phòto·kinésis *n.* Ⓤ 〖生〗 광(光)활동성. **-kinétic** *a.*
pho·to·litho [fòutəlíθou] *n.* (*pl.* **-líth·os**) = PHOTOLITHOGRAPHY ; = PHOTOLITHOGRAPH. —— *a.* = PHOTOLITHOGRAPHIC.
phòto·lithógraphy *n.* Ⓤ 사진 석판술, 사진 평판(平版). **-lítho·gràph** *n., vt.* 사진 평판(에 걸다). **-lithóg·rapher** *n.* **-lìtho·gráph·ic** *a.* **-i·cal·ly** *adv.*
phòto·luminéscence *n.* Ⓤ 〖理〗 광(光)루미네선스, 광냉광(光冷光)《빛의 흡수에 의한 발광》.
pho·tol·y·sis [foutáləsəs] *n.* 〖化·植〗 광분해(光分解).
photom. photometry.
phóto·màp *n.* (항공 촬영 따위에 의한) 사진 지도. —— *vt., vi.* …의 사진 지도를 만들다.
phòto·mechánical *a.* 사진 제판법(製版法)의 : the ～ process 사진 제판(법).
pho·tom·e·ter [foutámətər] *n.* 광도계(光度計) ; 〖寫〗 노출계.
pho·to·met·ric, -ri·cal [fòutəmétrik(əl)] *a.* 광도계의, 광도 측정의 : ～ units 광도 단위.
pho·tom·e·try [foutámətri] *n.* Ⓤ 광도측정(법).
phòto·mícro·gràph *n.* 현미경 사진, 미소(微小)사진.
phòto·montáge *n.* 〖寫〗 포토몽타주(제작법).
phòto·múltiplier *n.* 〖電〗 광전 증폭관(增幅管).
phòto·múral *n.* (벽을 장식하는) 벽면 사진.
pho·ton [fóutan] *n.* 〖理〗 광자 ; 〖眼〗 포톤《망막에서의 빛의 세기의 단위》.
phóton éngine *n.* 〖空〗 광자 기관.
phòto·néutron *n.* Ⓤ 〖理〗 광(光)중성자.
pho·ton·ics [foutániks] *n.* 포토닉스《빛에 관계된 사항을 다루는 과학 기술·학문》.
phòto·nóvel *n.* 사진 소설《대화가 만화같이 풍선 모양의 윤곽속에 들어 있음》.
phòto-óff·sèt *n., vt., vi.* 〖印〗 사진 오프셋 인쇄(로 하다).
phóto opportùnity *n.* 《美》 (정부 고관·유명 인사 등이 카메라맨 등에게) 사진 촬영할 기회를 주는 일(=《英》 photocall).
phòto·périod *n.* 〖生〗 광주기(光周期).
phòto·périod·ìsm, -periodícity *n.* Ⓤ 〖生〗 광주기성(光周期性).
phóto·phàse *n.* = LIGHT REACTION ; 〖化〗 (광주기(光周期)의) 명기(明期).
phòto·phílic, pho·toph·i·lous [foutáfələs], **phó·to·phìle** *a.* (식물 따위가) 빛을 좋아하는, 호광성(好光性)의 ; 〖生理〗 호광성의. **pho·toph·i·ly** [foutáfəli] *n.* 호광성.
phòto·phóbia *n.* 〖醫〗 수명(羞明), 광선 공포증.
phóto·phòne *n.* 광선 전화기.
phòto·phosphorylátion *n.* 〖生化〗 광인산화(光燐酸化).
phóto·pìgment *n.* 〖生化〗 광색소(光色素).
phóto·pìle *n.* 태양광(太陽光) 전지.
phóto·plày *n.* 극영화. **～·er** *n.* 영화 배우.
phóto·plày·wright *n.* 영화 극작가.
phòto·polarímeter *n.* 망원사진 편광계《망원경·사진기·편광계를 합친 천체 관측장치》.
phòto·pólymer *n.* 〖印〗 (인쇄판의 제작에 쓰는) 감광성 수지[플라스틱].
phóto·prìnt *n.* 사진 인화.
photo·próton *n.* 〖理〗 광양자(光陽子).
phòto·rádio·gràm *n.* 무선 전송 사진.
phòto·reactivátion *n.* 〖生化〗 광회복(光回復)《빛에 의한 세포내 (특히 DNA)의 손상 회복》.
phòto·réalism *n.* 포토리얼리즘《사진처럼 사실

적인 회화·조각의 스타일》.
phòto·récce [, -ríki] *n.* 《美口》 =PHOTORECONNAISSANCE.
phòto·recónnaissance *n.* 〖軍〗 항공 사진(촬영을 하는) 정찰.
phòto·recórder *n.* 사진 기록 장치.
phòto·resíst *n.* 〖電子〗 포토레지스트《노광(露光)에 의해 여러가지의 경막(硬膜)을 만드는 물질》.
phóto·scàn 〖醫〗 *n.* 포토스캔《포토스캐너로 얻은 사진》. —— *vt., vi.* (…을) 포토스캐너로 검사[진단]하다.
phóto·scànner *n.* 〖醫〗 포토스캐너《주입한 방사성 물질의 분포를 사진으로 나타내는 장치》.
-scànning *n.*
phòto·sénsitive *a.* 감광성의 : ~ glass 감광 유리. **-sensitívity** *n.* Ⓤ 감광성.
phòto·sensitizátion *n.* Ⓤ 감광성으로 함, 광감작(光感作).
phòto·sénsitize *vt.* 감광성으로 하다, 광증감(光增感)하다.
phóto·sènsor *n.* 감광 장치.
phóto·sèt *vt.* 〖印〗 사진 식자하다. **-sètter** *n.* 사진 식자기.
phòto·spéctro·scòpe *n.* 분광(分光) 사진기.
phóto·sphère *n.* 〖天〗 (태양·항성 따위의) 광구(光球).
Pho·to·stat [fóutəstæ̀t, -tou-] *n.* 포토스태트《사진 복사 장치 ; 상표명》; [흔히 p~] 직접 복사 사진. —— *vt., vi.* [p~] 포토스태트로 복사하다.
phò·to·stát·ic *a.*
phòto·stóry *n.* 해설이 달린 사진.
phóto sỳndicate *n.* (신문이나 정기 간행물에의) 사진 공급 기관.
phòto·sýn·thate [-sínθèit] *n.* 〖生化〗 광합성 산물(產物).
phòto·sýnthesis *n.* Ⓤ 〖生〗 광합성.
-synthétic *a.* 광합성의.
-sýnthesize *vi., vt.* 광합성하다.
phòto·táxis, phóto·tàxy *n.* Ⓤ 〖生〗 주광성(走光性) : positive[negative] *phototaxis* 향(向)[배(背)]광성.
phòto·téchnic *a.* 사진 기술의.
phòto·téle·gràph *n.* 사진 전송(기) ; 전송 사진. —— *vt., vi.* (사진을) 전송하다.
phòto·telégraphy *n.* Ⓤ 사진 전송(술).
phòto·téle·phòne *vt.* (사진 따위를) 전화 팩시밀리로 보내다.
phòto·téle·scòpe *n.* 〖天〗 사진 망원경.
phòto·thérapy, -therapéutics *n.* Ⓤ 〖醫〗 광선 요법.
phòto·thérmal, -thérmic *a.* 광열의 ; 빛과 열을 내는, 빛과 열에 관한.
phóto·tìmer *n.* 〖寫〗 자동 노출 조절 장치 ; 경주 승자 판정용 촬영 장치.
pho·tot·o·nus [foutátənəs] *n.* 〖生〗 광긴장(光緊張). **pho·to·ton·ic** [fòutətánik] *a.*
phòto·topógraphy *n.* 사진 측량[제도].
phòto·transístor *n.* 〖電子〗 광트랜지스터《광(光)신호로 전류를 제어할 수 있는 트랜지스터》.
pho·tot·ro·pism [foutátrəpìzəm ; fòutoutróupizəm] *n.* Ⓤ 〖生〗 굴광성, 향광성(cf. HELIOTROPISM). **pho·to·trop·ic** [fòutətróupik, -trá-] *a.* 굴광성의, 향광성의. **-i·cal·ly** *adv.*
phóto·tùbe *n.* 〖電子〗 광전관(光電管).
phóto·tỳpe 〖印〗 *n.* 포토타이프《콜로타이프 및 사진 철판(凸版)법, 철판 사진의 별칭》. —— *vt.* 포토타이프로 인쇄하다.

phòto·týpe·sètting *n.* 〖印〗 사진 식자, 사식(寫植). **-týpe·sètter** *n.* 사진 식자기.
phòto·typógraphy *n.* 〖印〗 사진식자 인쇄, 사진 철판술(凸版術).
phòto·voltáic *a.* 〖理〗 광기전성(光起電性)의.
phòto·zincógraphy *n.* 〖印〗 사진 아연(亞鉛) 철판(술(術)).
phr. phrase.
phras·al [fréizəl] *a.* 구(句)의, 구(句)를 이룬 : a ~ preposition 전치사구《보기 *in front of*》.
phrásal vérb *n.* 동사구《look forward to, use up 따위》.
***phrase** [fréiz] *n.* 《略 phr.》 **1 a)** 〖文法〗 구(cf. CLAUSE). **b)** 숙어, 관용구. **c)** 〖修〗(앞뒤에 휴지(休止)를 둔) 강조어구. **2** 표현법, 어법, 말씨 : felicity of ~ 교묘한 말씨. **3** 명언, 경구. **4** 〖樂〗 작은악절. **5** [*pl.*] 실없는 말, 빈 말(mere words).

〈회화〉
He's always saying OK. — It's his set *phrase.*
「그는 언제나 오케이야」「그의 상투적인 말씨지」

—— *vt.* **1** 말[구]로 나타내다 ; …라고 부르다 : ~ one's thoughts 생각하고 있는 것을 말로 나타내다 / He ~*d* his excuse politely. 정중하게 사과의 말을 했다. **2** 〖樂〗 각 작은악절로 나누다.
〖L<Gk. *phrasis* (*phrazō* to tell)〗
phráse bòok *n.* 숙어[관용구]집(集).
phráse màrker *n.* 〖文法〗 구구조(句構造) 표지《문장의 phrase structure를 나타낸 것》.
phráse·mònger *n.* 미사여구(美辭麗句)를 늘어놓는 사람.
phrá·seo·gràm [fréiziə-] *n.* (속기술에서) 구(句)를 나타내는 기호.
phrá·seo·gràph [fréiziə-] *n.* phraseogram이 나타내는 구(句) ; =PHRASEOGRAM.
phrà·seo·lóg·i·cal *a.* 말씨의, 어법상의, 어구의.
phrà·se·ól·o·gist *n.* 어법[관용구] 연구가 ; 미사여구를 늘어놓는 사람.
phra·se·ol·o·gy [frèiziálədʒi] *n.* Ⓤ 어법, 표현법, 말씨 ; (개인·특수 사회의) 용어 ; [집합적으로] 어구, 표현 : legal ~ 법률 용어.
phráse strùcture *n.* 〖文法〗 구 구조.
phráse-strùcture grámmar *n.* 〖文法〗 구구조(句構造) 문법《구구조 규칙으로 이루어진 문법》.
phras·ing [fréiziŋ] *n.* Ⓤ 말씨, 어법, 표현법.
phra·try [fréitri] *n.* 〖그史〗 씨족《phyle의 소구분》; 〖社〗 포족(胞族).
〖Gk. (*phratēr* clansman)〗
phreak [fríːk] *n.* =PHONE PHREAK.
〖FREAK의 이형(異形)〗
phren- [frén], **phreno-** [frénou, -nə] *comb. form* 「마음」「정신」「횡격막」의 뜻.
〖Gk. (*phrēn* mind, diaphragm)〗
phren. phrenological ; phrenology.
phre·net·ic [frinétik] *a.* 미친, 발광의 ; 열광[광신]적인. —— *n.* 광란자, 열광자. 〖F<L<Gk.〗
-phre·nia [fríːniə] *n. comb. form* 「정신 장애 상태」의 뜻 : hebe*phrenia.* 〖L<Gk. ; ⇨ PHREN-〗
phren·ic [frénik] *a.* 〖解〗 횡격막(橫隔膜)의.
〖F (Gk. *phrēn* mind, diaphragm)〗
phre·ni·tis [frináitəs] *n.* Ⓤ 〖醫〗 뇌염 ; 정신 착란. 〖Gk.=delirium (*phrēn* mind)〗
phre·no·log·i·cal [frènəládʒikəl, frìː-] *a.* 골상학의. **~·ly** *adv.* 골상학상[적으로].
phre·nol·o·gy [frinálədʒi] *n.* Ⓤ 골상학. **-gist** *n.* 골상학자.

phren·sy [frénzi] *n.*, *vt.* ＝FRENZY.
Phryg·ia [frídʒiə] *n.* 프리지아《소아시아에 있었던 옛 왕국》.
Phrýg·i·an *a.* 프리지아(인)의. —— *n.* 프리지아인 ; Ⓤ 프리지아어.
PHS, P.H.S. 《美》 Public Health Service(공중 위생과).
phthal·ein [θǽliən, θǽli:n, θéil-, fθǽl-] *n.* 〖化〗 프탈레인.
phthal·in [θǽlən, *f*θǽl-] *n.* Ⓤ 〖化〗 프탈린.
phthis·ic [tízik ; *f*θáisik] *n.* ＝PHTHISIS. —— *a.* ＝PHTHISICAL.
phthís·i·cal *a.* 〖醫〗 폐결핵의.
phthi·sis [θáisəs, tái-, θís-, tís-] *n.* (*pl.* **-ses** [-si:z]) Ⓤ 〖醫〗 결핵(consumption)
〖L＜Gk. (*phthinō* to decay)〗
phut(**t**), **fut** [fʌ́t] *adv.*, *n.* 《口》 쾅!, 펑!, 픽!(하는 소리).
***go*[*be gone*] *phut*(*t*)** 결딴나다, 못쓰게 되다 ; 녹초가 되다 ; (타이어가) 구멍나다.
〖Hindi *phatnā* to burst〗
phyc- [fáik], **phy·co-** [fáikou, -kə] *comb. form* 「해조(海藻)」「조류(藻類)」의 뜻.
〖Gk.〗
phy·col·o·gy [faikálədʒi] *n.* Ⓤ 조류학(藻類學).
phỳco·mýcete [ˌ ˈ---] *n.* 〖植〗 조균류(藻菌類). **-myce·tous** [-maisí:təs] *a.* 조균류의[에 관한].
phyl- [fáil], **phy·lo-** [fáilou, -lə] *comb. form* 「종족」「부족」「문」「계통」의 뜻.
〖L＜Gk. PHYLE and PHYLUM〗
phyla *n.* PHYLON, PHYLUM의 복수형.
phy·lac·tery [fəlǽktəri] *n.* **1** 부적(符籍), 수호부(守護符). **2** 〖宗〗 **a**) (유태교의) 성구함(聖句函). **b**) (기독교 초기의) 성물함(聖物函). **3** 《비유》 생각나게 하는 사람[것].
〖OF＜L＜Gk. (*phulassō* to guard)〗

phylactery 2 a)

phy·le [fáili:] *n.* (*pl.* **-lae** [-li:]) 〖그史〗 종족.
〖Gk.＝tribe, clan〗
phy·let·ic [failétik] *a.* 〖動〗 문(門) (phylum)의 ; 〖生〗 계통 발생적인 ; 종족의 : ~ line 계통.
-i·cal·ly *adv.*
phyll- [fíl], **phyl·lo-** [fílou, -lə] *comb. form* 「잎」「엽상체(葉狀體)」「엽록체」의 뜻.
〖Gk. (*phullon* leaf)〗
-phyll [fil] *n. comb. form* 「식물내의 …색소」「…한 잎」의 뜻 : sporo*phyll*. 〖F＜Gk. (↑)〗
Phyl·lis [fíləs] *n.* 여자 이름.
〖Gk.＝green leaf or leafy shoot〗
phyl·lode [fíloud] *n.* 〖植〗 (아카시아 따위의) 가엽(假葉). **phyl·lo·di·al** [filóudiəl] *a.*
phyl·loid [fílɔid] *a.* 잎 모양의.
phyl·lo·pod [fíləpàd] *a.*, *n.* 〖動〗 엽각류(葉脚類)의 (동물). **-lop·o·dan** [filápədn] *a.*, *n.*
-lóp·o·dous *a.*
phýllo·tàxy, phỳllo·táxis *n.* 〖植〗 잎차례.
-phyl·lous [fíləs] *a. comb. form* 「잎이 …의」「…잎의」의 뜻. 〖*-phyll*, *-ous*〗
phyl·lox·e·ra [filɑksíərə, fəláksərə] *n.* (*pl.* **-rae** [-ri:], **~s**) 〖昆〗 포도나무뿌리진디.
phylo- [fáilou, -lə] ☞ PHYL-.
phỳlo·génesis *n.* ＝PHYLOGENY.
phỳlo·genétic, phỳlo·génic *a.* 계통 발생의.
phy·log·e·ny [failádʒəni] *n.* Ⓤ 〖生〗 계통 발생(론), 계통학(↔*ontogeny*).
phy·lon [fáilɑn] *n.* (*pl.* **-la** [-lə]) 〖生〗 종족.
〖NL＜Gk. *phulon* race〗
phy·lum [fáiləm] *n.* (*pl.* **-la** [-lə]) 〖生〗 (분류학상의) 문(門) (☞ CLASSIFICATION) ; 〖言〗 어족.
〖NL＜Gk. (↑)〗
-phyre [fàiər] *n. comb. form* 「반암」의 뜻 : grano*phyre*. 〖Gk.〗
phys. physical ; physician ; physicist ; physics ; physiological ; physiology. **phys. ed.** [fíz éd] physical education.
physi- [fízə], **phys·io-** [fíziou, -ə] *comb. form* 「천연」「신체」「물리」「생리학」의 뜻.
〖Gk. ; ⇨ PHYSIC〗
phys·iat·rics [fìziǽtriks] *n.* 이학 요법, 물리 요법(physical therapy).
phỳs·iát·rist *n.* 물리 요법의(醫).
phys·ic [fízik] *n.* Ⓤ 《口》 약(藥), (특히) 하제(下劑) ; 《古》 의술 ; 《古》 자연 과학. —— *vt.* (**-ick-**) …에게 약을 먹이다, (특히) …에게 하제를 쓰다(purge) ; 치료하다(relieve). 〖OF＜L＜Gk.＝(knowledge) of nature (*phusis* nature)〗
‡phys·i·cal [fízikəl] *a.* **1** 자연의, 천연의 ; 물질적인(↔*spiritual*, *moral*) ; 형이하학의(↔*metaphysical*) ; 유형(有形)의 : the ~ world 물질계. **2** 신체의, 육체의(↔*mental*, *psychic*) : ~ beauty 육체미 / a ~ checkup 건강 진단 / ~ constitution 체격 / ~ courage ☞ COURAGE / ~ exercise 체조, 운동 / ~ force 완력 / ~ health (육체적인) 건강. **3** 자연의 이치의[에 의한], 물리적인 ; 물리학(상)의 : a ~ impossibility 물리적으로 불가능한 일. —— *n.* ＝PHYSICAL EXAMINATION. 〖L (↑)〗
類義語 ⟹ BODILY, MATERIAL.
phýsical anthropólogy *n.* 자연 인류학.
phýsical chémistry *n.* 물리 화학.
phýsical cúlture *n.* 체육.
phýsical educátion[**tráining**] *n.* (학교 교과로서의) 체육《略 P.E.[P.T.]》.
phýsical examinátion *n.* 신체 검사.
phýsical fítness *n.* (양호한) 몸의 컨디션.
phýsical geógraphy *n.* 자연 지리학.
phýsical·ìsm *n.* 〖哲〗 물리(학)주의. **-ist** *n.*, *a.*
phys·i·cal·i·ty [fìzəkǽləti] *n.* physical한 성질[상태] ; 육체 제일주의.
phýsical jérks *n. pl.* 《口》 체조, 운동.
phýs·i·cal·ly *adv.* 자연의 법칙에 따라 ; 물리(학)적으로 ; 물질적으로 ; 육체적으로, 신체상(↔*mentally*) : ~ impossible 물리적으로 불가능하여[한].
phýsically hándicapped *n.* [the ~] 신체 장애자.
phýsical médicine *n.* 물리 요법(의)학.
phýsical oceanógraphy *n.* 해양 물리학.
phýsical scíence *n.* 물리학 ; (생명 과학을 제외한 물리학·화학·천문학 따위의) 자연 과학.
phýsical thérapist *n.* 물리[이학] 요법사.
phýsical thérapy *n.* 물리 요법.
phýsic gàrden *n.* 약초원(藥草園).
***phy·si·cian** [fizíʃən] *n.* 내과 의사(cf. SURGEON) ; 《美》 (일반적으로) 의사(doctor) ; 《비유》 (고뇌를) 치유하는 사람, (국가·영혼의) 구제자.
〖OF ; ⇨ PHYSIC〗
phys·i·cism [fízəsìzəm] *n.* Ⓤ 유물관(唯物觀) ; 물리 우주관.
phys·i·cist [fízəsəst] *n.* 물리학자 ; 자연 과학자.

phys·i·co- [fízikou, -kə] *comb. form* PHYSICAL의 뜻.
phỳsico·chémical *a.* 물리 화학의[에 관한].
*__phýs·ics__ *n.* Ⓤ 물리학 ; 물리적 현상[과정·특성] ; 《古》 자연 과학(natural science). 〚L *physica* (pl.) <Gk.=natural things ; ⇨ PHYSIC〛
phys·io [fíziòu] *n.* (*pl.* **-i·òs**) 《口》 =PHYSIOTHERAPIST ; =PHYSIOTHERAPY.
physio- [fíziou, -ə] ☞ PHYSI-.
phys·i·oc·ra·cy [fìziákrəsi] *n.* Ⓤ 중농주의.
phys·io·crat [fíziəkræ̀t] *n.* [흔히 P~] 중농주의자. **phỳs·io·crát·ic** *a.*
phys·i·og·nom·ic, -i·cal [fìziəgnámik(əl) ; fìziə-] *a.* 인상(학)의, 관상술의. **-i·cal·ly** *adv.*
phys·i·og·no·my [fiziágnəmi] *n.* **1** Ⓤ 인상학, 관상술 ; Ⓒ 인상, 얼굴. **2** 지형 ; 외관. **-mist** *n.* 인상학자, 관상가.
〚OF<L<Gk. ; ⇨ PHYSIC, GNOMON〛
phys·i·og·ra·phy [fiziágrəfi] *n.* **1** Ⓤ 지문(地文)학, 자연 지리학 ; 《美》 지형학. **2** Ⓤ 기술적 자연 과학. **-pher** *n.* **phỳs·io·gráph·ic, -i·cal** *a.*
physiol. physiological ; physiologist ; physiology.
phys·i·ol·a·try [fìziálətri] *n.* Ⓤ 자연 숭배.
phys·io·log·i·cal, -ic [fiziəládʒik(əl)] *a.* 생리학(상)의, 생리적인. **-i·cal·ly** *adv.*
physiológical sáline *n.* 〖生理〗 생리적 염류 용액(溶液).
physiológical sált solùtion *n.* 〖生理〗 생리(적) 식염액[수].
phys·i·ol·o·gy [fiziálədʒi] *n.* **1** Ⓤ 생리학. **2** 생리, 생리 기능. **-gist** *n.* 생리학자.
〚F or L=natural science〛
phỳsio·pathólogy *n.* Ⓤ 생리 병리학.
phỳsio·thérapy *n.* Ⓤ 물리요법. **-pist** *n.* 물리요법가.
phy·sique [fizí:k] *n.* Ⓤ 체격 ; 지형 : a man of strong ~ 체격이 건장한 사람. 〚F ; ⇨ PHYSIC〛
phyt- [fáit], **phy·to-** [fáitou, -tə] *comb. form* 「식물」의 뜻. 〚Gk.〛
-phyte [fàit] *n. comb. form* 「…한 습성[특징]을 가진 식물」「병적 증식[형성]」의 뜻 : epi*phyte*, litho*phyte*. 〚Gk.〛
-phyt·ic [fítik] *a. comb. form* 「식물 같은」의 뜻 : epi*phytic*. 〚↑, *-ic*〛
phý·tic ácid [fáitik-] *n.* 〖化〗 피트산(酸)《곡류의 종자에 피틴(phytin)으로서 존재하는 이노시톨육인산》.
phy·tin [fáitən] *n.* **1** 〖生化〗 피틴《피트산의 칼슘염 또는 마그네슘염 ; 인산 저장 물질로서 식물의 열매·덩이줄기·뿌리줄기에 존재함》. **2** [P~] 〖상표〗 파이틴《피틴을 함유한 강장제의 상품명》.
phỳto·aléxin *n.* 〖生化〗 피토알렉신《병원균 따위가 침범하였을 때, 식물 조직에 의해 산출되는 항균성(抗均性) 물질》.
phỳto·cídal *a.* 식물[초목]을 말려 죽이는.
phỳto·génesis *n.* 식물 발생(론).
-genétical, -ic *a.* 식물 발생(론)의.
-ical·ly *adv.*
phỳto·geógraphy *n.* Ⓤ 식물(植物) 지리학.
phy·tog·ra·phy [faitágrəfi] *n.* Ⓤ 기술(記述) 식물학. **-pher** *n.* 기술 식물학자.
phỳto·hórmone *n.* 식물 호르몬.
phỳto·pathólogy *n.* Ⓤ 식물 병리학.
phy·toph·a·gous [faitáfəgəs] *a.* 〖動〗 식물을 먹는, 초식(성)의. **-gy** [-dʒi] *n.* 초식(성).
phỳto·plánkton *n.* 식물 플랑크톤.
phỳto·sociólogy *n.* Ⓤ 식물 사회학.
phy·tot·o·my [faitátəmi] *n.* Ⓤ 식물 해부(학).
phỳto·tóxicant *n.* 식물에 유해한 물질.
phýto·tròn *n.* 피토트론《식물용 BIOTRON》.
pi[1] [pái] *n.* **1** 파이《그리스어 알파벳의 제16번째 자 Π, π ; 영어의 P, p에 해당》. **2** 〖數〗 파이《원주율 : =3.1416… ; 기호 π》. 〚Gk.〛
pi[2] *a.* 《英俗》 믿음이 깊은 체하는 : ☞ PI-JAW. 〚*pi*ous〛
pi[3], **pie** [pái] *n.* (*pl.* **píes**) 〖印〗 뒤섞인 활자 ; Ⓤ 《비유》 혼란(disorder). —— *a.* 〖印〗 최종적으로는인쇄되지 않은. —— *v.* (**píed ; pí·ing, píe·ing**) *vt.* 〖印〗 (활자를) 뒤죽박죽 섞다, 뒤엎다.
—— *vi.* 뒤죽박죽이 되다.
〚C17 ; F PATÉ pie[1]의 역(譯)인가〛
PI, P.I. Philippine Islands ; political influence (정치적 배경 이용) ; 《美》 principal investigator (주임 연구원).
pi·ac·u·lar [paiǽkjələr] *a.* 속죄의 ; 죄많은, 언어도단의. 〚L (*piaculum* expiation)〛
piaffe [pjæf] *n.* (마술(馬術)에서) 피애프《다리를 높이 올리는 구보보다 약간 둔한 제자리 걸음》.
—— *vi.* 피애프를 하다 ; 피애프같은 발걸음으로 움직이다.
—— *vt.* 피애프를 시키다.
Pia·get [pjɑ:ʒéi ; *F* pjaʒɛ] *n.* 피아제. **Jean ~** (1896-1980) 스위스의 심리학자 ; 아동 심리학 연구로 유명. **Pia·get·ian** [pi:əʒéiən] *a.*, *n.*
pia ma·ter [páiə méitər] *n.* 〖解〗 (뇌·척수의) 연막(軟膜) (cf. ARACHNOID, DURA MATER).
〚L=tender mother〛
pi·a·nette [pì:ənét], **pi·a·ni·no** [pì:əní:nou ; pjæ-] *n.* (*pl.* **~s**) 〖樂〗 작고 낮은 수형(竪型) 피아노. 〚It.〛
pi·a·nism [píənìzəm, piǽnizəm] *n.* 피아노 연주 기술 ; 피아노를 위한 편곡.
pi·a·nis·si·mo [pì:ənísəmòu] *a. adv.*, 〖樂〗 피아니시모로[의], 매우 여리게《略 pp ; ↔*fortissimo*》.
—— *n.* (*pl.* **-mi** [-mì:], **~s**) 최약음(부).
〚It. (*-issimo* superl.)〛
*__pi·an·ist__ [piǽnəst, pjǽn-, pí:ə- ; píənist] *n.* 피아니스트, 피아노 연주자.
pi·a·nis·tic [pì:ənístik] *a.* 피아노의[에 관한] ; 피아노 연주에 능한[에 적합한].
◇**pi·ano**[1] [piǽnou, 美+pjǽn-] *n.* (*pl.* **-án·os**) **1** 피아노 : ☞ COTTAGE PIANO, GRAND PIANO, UPRIGHT PIANO / play the ~ 피아노를 치다(cf. PLAY *vt.* 5 a), b)) / give[take] ~ lessons[lessons *on* the ~] 피아노를 가르치다[레슨받다].
2 [(the) ~] 피아노 연주《이론·실기》 ; Ⓤ 피아노곡 : a teacher of (*the*) ~=a ~ teacher 피아노 교사 / a lesson *in* ~ 피아노 연주 연습[레슨] / teach[learn] (*the*) ~ 피아노를 가르치다[배우다] / He plays excellent jazz ~. 재즈 피아노를 잘 친다. 〚*piano*forte〛
活用 piano의 용법은 다른 악기명 violin, guitar, flute 따위에도 적용된다.
pi·a·no[2] [piá:nou ; pjá:-] *a.*, *adv.* 〖樂〗 피아노로[의], 여리게《略 p ; ↔*forte*》. —— *n.* (*pl.* **~s**) 약음(부). 〚It.<L *planus* flat, (of sound) soft〛
piáno accòrdion *n.* 〖樂〗 피아노 아코디언.
piáno bàr *n.* 피아노 바《피아노의 생연주를 들려주는 칵테일 바》.
pi·ano·for·te [piæ̀nəfɔ́:rti, -ɑ̀:-] *n.* =PIANO[1].
〚It. *piano* (*e forte*) soft (and loud)〛
pi·a·no·la [pì:ənóulə] *n.* [P~] 피아놀라《자동 피아노(piano player) ; 상표명》 ; 쉬운 일.

piáno òrgan *n.* 손잡이를 돌리면서 연주하는 오르간(barrel organ).

piáno plàyer *n.* 피아니스트 ; 자동 피아노.

piáno stòol *n.* 피아노 (연주용) 의자.

piáno trío *n.* 〖樂〗 피아노 삼중주(곡).

piáno wìre *n.* 피아노 선(線).

pi·as·ter | pi·as·tre [piǽstər] *n.* **1** 피아스터《이집트 · 시리아 · 레바논 · 수단 · 터키 등지의 화폐 단위 ; =1/100 pound》; 1피아스터화(貨). **2** 피아스터《구(舊) 남부 베트남의 화폐 단위 ; =100 cents ; 기호 Pr.》; 1피아스터의 지폐. 〚F<It.〛

pi·at [páiæt] *n.* 대(對)전차(박격)포. 〚*p*rojector *i*nfantry *a*nti*t*ank〛

pi·az·za [piǽzə, -ɑ́:zə ; -ǽtsə, -ɑ́:t-] *n.* (*pl.* **~s, -az·ze** [piǽtsei, -ɑ́:-]) **1** [보통 piǽtsə, -ɑ́:-] (특히 이탈리아 도시의) 광장, 시장(cf. PLAZA). **2** 《美》 베란다(verandah) ; 《英》 회랑(gallery), 아케이드. 〚It.<L ; ⇨ PLACE〛

pi·bal [páibəl] *n.* 《美》 〖氣〗 측풍 기구(測風氣球)(에 의한 관측). 〚*pi*lot *bal*loon〛

pi·broch [pí:brɑk, -brɑx] *n.* 피브라크곡(曲)《스코틀랜드 고지 사람이 백파이프로 연주하는 웅장한 곡》. 〚Gael.=art of piping〛

pic[1] [pík] *n.* (*pl.* **~s, pix** [píks]) 《美俗》 영화 ; 사진. 〚*pic*ture〛

pic[2] [pík, pí:k] *n.* 피카도르(picador)의 창(槍). 〚Sp. (*picar* to prick)〛

pi·ca[1] [páikə] *n.* Ⓤ **1** 〖印〗 파이카《12 포인트 활자 ; 타이프라이터에 씀 ; cf. ELITE ; ☞ TYPE 5 ㈜》: small ~ 소(小)파이카《11포인트 크기로 5호 활자에 해당》. **2** 〖教會〗 법규집. 〚L=collection of rules about church feasts ; ⇨ PIE[4]〛

pica[2] *n.* Ⓤ 〖醫〗 이미(증) (異味(症)) ; 〖鳥〗 까치속(屬). 〚L=magpie〛

pic·a·dor [píkədɔ̀:r] *n.* (*pl.* **~s, pic·a·do·res** [pìkədɔ́:ri:z]) 피카도르《두세 명이 말을 타고 출장하여 긴 창으로 소를 찔러 성나게 하여 투우를 시작하게 하는 역할 ; cf. MATADOR》. 〚Sp. ; ⇨ PIC[2]〛

pic·a·nin·ny [píkənìni] *n.* =PICKANINNY.

pic·a·resque [pìkərésk] *a.* **1** (소설 따위가) 악한을 소재로 한 ; 악한의. **2** [명사적으로 ; 보통 the ~] 악한[피카레스크]풍. 〚F<Sp. (↓)〛

pic·a·ro [pí:kɑ:ròu] *n.* (*pl.* **~s**) 악한 ; 보헤미안. 〚Sp.=rogue〛

pic·a·roon, pick·a·roon [pìkərú:n] *n.* 악한, 도적 ; 해적 ; 해적선. —— *vi.* 도적질하다. 〚Sp.〛

Pi·cas·so [pikɑ́:sou ; -kǽsəu] *n.* 피카소. **Pablo** ~ (1881-1973) 스페인 태생인 프랑스의 화가 · 조각가.

pic·a·yune [pìkijú:n] *n.* **1** 스페인의 소화폐《1/2 real》. **2** 잔돈, (원래 미국 남부에서 유통된) 5센트 은화 ; 《美口》 하찮은 물건, 보잘것없는 사람 : not worth a ~ 한푼의 가치도 없는.
—— *a.* 하찮은, 사소한, 근소한 ; 인색한 ; 마음이 편협한. 〚F *picaillon* Piedmontese coin〛

Pic·ca·dil·ly [pìkədíli] *n.* 피커딜리《London 중심부의 큰 거리 이름》.

Píccadilly Círcus *n.* 피커딜리 광장《London 번화가의 중심》.

pic·ca·lil·li [píkəlìli] *n.* Ⓤ 피커릴리《야채의 겨자절임 ; 원래 인도 동부에서 기원》. 〚C18< ? ; *pickle*+*chilli*인가〛

piccaninny ☞ PICKANINNY.

pic·co·lo [píkəlòu] *n.* (*pl.* **~s**) 피콜로《높은 음이 나는 작은 피리》. —— *a.* (보통 사이즈보다) 작은 《악기》. **~·ist** *n.* 피콜로 연주자. 〚It.=small (flute)〛

pice [páis] *n.* (*pl.* ~) 파이스《인도 · 파키스탄의 옛 통화 단위 : =1/64 rupee》.

pich·i·ci·a·go [pìtʃisiɑ́:gou, -éigou], **-e·go** [-éigou] *n.* (*pl.* **~s**) 〖動〗 (남미 남부산의) 작은 아르마딜로(armadillo). 〚Am. Sp.<Guarani〛

◇**pick**[1] [pík] *vt.* **1** 쪼다, 쪼아 파다[구멍을 내다] ; (이빨 · 귀 따위를) 쑤시다, 후비다 : ~ rocks 바위를 쪼다 / ~ one's teeth[nose] 이를 쑤시다[코를 후비다]. **2** [+目/+目+前+名] **a**) (뼈)에서 살을 뜯어내다, 발라내다 : I ~*ed* the meat ***off*** the bone. 뼈에서 살을 발라냈다. **b**) (모이를) 쪼아 먹다, 쪼다 ; 《口》 (사람이) 조금씩 먹다. **3** (과일 · 화초 따위를) 따다, 꺾다, 채집하다 : She ~*ed* the flowers. 그 꽃을 꺾었다. **4** (새의) 깃털《따위》을 뜯다《요리를 하기 위해》: ~ a chicken 닭털을 뜯다. **5** [+目/+目+前+名] (섬유 따위를) 풀다, 가르다 ; (물건을) 소매치기하다 ; 뽑아내다 ; (자물쇠를) 비틀어 열다 : ~ oakum ☞ OAKUM 숙어 / ~ a lock 자물쇠를 비틀어 열다 / ~ a person's pocket ***of*** a purse 호주머니에서 지갑을 소매치기하다 / Please ~ a thorn ***out of*** my finger. 내 손가락에서 가시를 뽑아 주시오. **6** 손가락으로 퉁기다, 타다 : He began to play the banjo by ~*ing* its strings. 그는 현을 손가락으로 퉁기며 밴조를 타기 시작했다. **7** 고르다, 골라잡다(choose) : ~ one's way[steps] 천천히 나아가다 / ~ one's words carefully 말을 신중히 하다 / He ~*ed* a winning horse at the races. 경마에서 우승마를 골라 맞혔다. **8** [+目/+目+*with*+名] (싸움을) 걸다 ; …할 계기를 만들다 ; (남의 흠을) 들추다, 잡다 : ~ acquaintance ***with*** …와 우연히 서로 알게 되다 / He ~*ed* a quarrel *with* me. 나에게 싸움을 걸어왔다.
—— *vi.* **1** [+*at*+名] 후비다, 쪼다(peck) : The bird was ~*ing* ***at*** the bread. 새는 빵을 쪼아 먹고 있었다. **2** 《口》 [動/+*at*+名] (조금씩) 먹다, 쪼아 먹다 : As she didn't feel well, she only ~*ed* ***at*** her food. 기분이 좋지 않았으므로 음식을 조금 밖에 안먹었다. **3** 골라내다 ; 찾아내다. **4** 훔치다, 소매치기하다.

pick a bone with... ☞ BONE[1].

pick and choose (*vi.*) 신중히 고르다, 정선하다, 좋아하는 것만 고르다.

pick and steal (*vi.*) 슬쩍 훔치다, 좀도둑질을 하다.

pick apart =PICK...*to pieces.*

pick at... (1) ☞ *vi.* 1. (2) ☞ *vi.* 2. (3) 《美口》 …의 흠을 들춰내다, …에게 잔소리를 하다, …을 학대하다 : Don't ~ *at* the crippled boy. 절름발이 소년을 구박하지 마라.

pick away …에 구멍을 뚫다, …을 떼어내다.

pick a person***'s brains*** ☞ BRAIN.

pick holes[***a hole***] ***in...*** ☞ HOLE.

pick off (1) 떼어[뜯어]내다. (2) 하나씩 겨누어 쏘다 : The hunter ~*ed off* a duck. 사냥꾼은 오리를 한 마리 쏘아 맞추었다.

pick on (1) 고르다 : The teacher always ~*s on* me to translate long passages. 선생님은 언제나 나에게 긴 문장을 번역하라고 하신다. (2) 《美口》 괴롭히다, 구박하다 ; …의 흠을 들춰내다, 비난하다.

pick one***self up*** (넘어졌다가) 일어나다.

pick out (1) 골라내다 ; 파[쪼아]내다 ; 분별하다 : I could soon ~ *out* Mr. Smith in the crowd. 군중 속에서 곧 스미스씨를 찾아낼 수 있었다. (2) (뜻을) 이해하다, 해득하다. (3) (곡 따위를) 듣고 익힌대로 연주하다 : He ~*ed out* "Don Giovanni."「돈 조반니」를 듣고 익힌대로 연주했다. (4) (다른 빛깔로) 돋보이게 하다, 꾸미다 : The spotlight ~*ed out* her white costume. 스포트라이트가 그녀의 흰 의상을 돋보이게 했다.

pick over 정선(精選)하다 ; 세밀하게 점검하다 ; 곧 쓸 수 있게 준비하다 : She ~*ed over* some shirts at the bargain counter. 염가 대매출장에서 셔츠를 몇 장 정성들여 골라냈다.

pick. . . to pieces …을 갈기갈기 찢다 ; 분해하다 ; 혹평하다.

pick up (*vt.*) (1) 파올리다 ; 줍다, 집어 올리다 : ~ *up* the pieces ☞ PIECE 숙어 / He bent down to ~ it *up*. 그것을 주우려고 몸을 굽혔다. (2) 찾아내다, 우연히 입수하다 ; (무선 전신·탐조등 따위로) 방수(傍受)하다, 붙잡다 ; 발견하다 ; (지식·이익 따위를) 얻다, 들어 익히다 ; 우연히 알게 되다 ; (여자와) 친해지다 ; (경찰이 수상한 사람을) 붙잡다, 연행하다 : He ~*ed up* many valuable curios in Paris. 파리에서 진귀한 골동품을 많이 입수했다 / Our radar ~*ed up* several enemy planes. 아군의 레이더가 적기를 몇 대 포착했다 / I ~*ed up* AFKN last night. 어젯밤에 AFKN 방송을 들었다 / She ~*s up* games easily. 게임은 무엇이나 쉽게 익힌다. (3) (차·배 따위에) 도중에서 태우다 : A car ~*ed* us *up* to the station. 어떤 차가 우리를 정거장까지 태워다 주었다.

〈회화〉
What time shall I *pick* you *up* ? — Around 7 : 30, please.「몇 시에 차로 모시러 갈까요」「7시 30분 쯤이면 좋겠습니다」

(4) (잃어버렸던) 원래의 길로 나오다 ; (건강·원기를) 회복하다, (용기를) 불러일으키다 ; (속력을) 내다. (5) 《美》 치우다, 정리하다, 정돈하다. (*vi.*) (6) (환자가) 회복되다, 나아지다 : The patient is rapidly ~*ing up*. 환자의 상태는 급속히 좋아지고 있다. (7) 속력을 내다. (8) 〔골프〕 공을 줍다.

pick up with. . . (우연히 만난 사람)과 알게 되다 : I ~*ed up with* an exile while I stayed in Switzerland. 나는 스위스에 머무는 동안 망명객한 사람과 알게 되었다.

—— *n.* **1** Ⓤ 선택(권). **2** (따낸) 수확량. **3** 한 번 쪼기[찌르기], 한 번 치기. **4** 선택된 사람, 골라낸 것. **5** (악기의) 채. **6** 곡괭이(=pickax) ; 쪼는 연장 ; 《俗》 이쑤시개(toothpick). **7** 〔畫〕 다듬기 ; 〔印〕 얼룩, 활자의 때.

the pick of the basket [***bunch***] 전체 중에서 제일 좋은 것, 정선한 것.

〖ME *piken* (⇨ PIKE¹) ; F *piquer* to pierce의 영향 있음〗

類義語 ⟹ CHOOSE.

pick² *vt.* 〔紡〕 (베틀의 북을) 날의 틈으로 왔다 갔다 하게 하다 ; 《英方》 던지다, 내던지다. —— *vi.* 북이 날의 틈으로 왔다 갔다하다. —— *n.* (일정 시간당 또는 직물의 일정 길이당 북이) 왔다 갔다하는 횟수 ; 씨실 ; 《英方》 던지기.

〖변형(變形) <ME PITCH¹〗

pick·a·back [píkəbæ̀k] *adv., a., n., vt., vi.* = PIGGYBACK.

píckaback plàne *n.* 탑재 비행기《대형기에 탑재되어 공중에서 이탈 발진하는》.

pick·a·nin·ny | pic·ca- [píkənìni, ⌐-⌐-] *n.* 흑인 어린이, [보통 경멸적으로] 《南아·濠》 원주민 어린이. 〖W. Ind. Negro<Sp. *pequeño* little〗

píck·àx(e) *n.* 곡괭이. —— *vt., vi.* 곡괭이로 파다.

〖OF *picois* ; cf. PICK¹ ; 어형은 *axe*에 동화(同化)〗

picked¹ [píkt] *a.* 정선(精選)된, 최상의 ; 뽑아낸.

píck·ed² [-əd, -t] *a.* 《古》 바늘[가시]이 있는 ; 뾰족한.

pick·el [píkəl] *n.* 피켈《등산용의 지팡이》. 〖G〗

píck·er *n.* **1** 쪼는 사람[새] ; 후비는 사람, 따는 사람[기구], 줍는 사람. **2** 도둑, 소매치기(pickpocket) ; 《美俗》 훔쳐보는 사람(voyeur). **3** (솜·양털을) 타는[깎는] 기계. **4** 이쑤시개(toothpick)《따위》.

pick·er·el [píkərəl] *n.* (*pl.* ~, ~**s**) 〔魚〕 작은 꼬치고기류. 〖(dim.) ‹ *pike²*〗

píckerel·wèed *n.* 〔植〕 가래·말[버들말] 따위의 수초(水草).

pick·et [píkət] *n.* **1** 끝이 뾰족한 말뚝. **2** 〔軍〕 전초(前哨), 초소(병(兵)), 파수병 ; 경계대(隊). **3** (노동 쟁의시에 조합측에서 내건 파업 약속을 어기는 것을 방지하기 위한) 감시원, 피켓. —— *vt.* …에 울타리를 두르다 ; 초소에 경계병을 배치하다 ; (말 따위를) 말뚝에 매다 ; (파업시에 상점·공장·노동자 등을) 감시하다. —— *vi.* 보초서다 ; 노동 쟁의의 감시역을 하다.

〖F=pointed stake (*piquer* to prick)〗

pícket·bòat *n.* 초계정, 정찰선, 함재 수뢰정.

pícket·er *n.* (쟁의 중의) 감시원.

pícket fénce *n.* 말뚝 울타리, 울짱.

pícket·ing *n.* 피케팅, (노동 쟁의 때의) 감시원[피켓]을 배치하기.

pícket lìne *n.* 〔軍〕 전초선 ; 경계선, 피켓 라인 《노동 쟁의의》 ; 말을 잡아매는 밧줄(tether).

pícket pìn[**ròpe**] *n.* 말 매는 말뚝[밧줄].

pícket shìp *n.* 초계함, 미사일 감시선.

píck·ing *n.* **1** Ⓤ (곡괭이 따위로) 파기 ; 비틀어 열기. **2** Ⓤ 선발 ; 채집 ; Ⓒ 따낸[꺾은] 것, 채집물. **3** [*pl.*] 따고 남은 것, 낙수(落穗) ; 남은 것. **4** [*pl.*] 장물, 훔친 물건(stolen goods) ; 부정 취득물 ; (부정한) 부수입.

pícking devìce *n.* 〔컴퓨〕 피킹 장치《display 화면상의 한 점을 지정하기 위한 장치》.

pick·le [píkəl] *n.* **1** Ⓤ (야채 따위를 절이는) 간물 : have a rod in ~ for... ☞ ROD 숙어. **2** [*pl.*] (소금·식초에) 절인 것, 피클, (특히) 오이절임 : mustard ~*s* 겨자 절임. **3** 《口》 곤란한[난처한·불쾌한] 입장, 곤경 : be in a (sad[sorry, nice, pretty]) ~ 곤경에 빠져 있다. **4** (금속 따위를 씻는) 묽은 산(酸) 용액. **5** 《英口》 장난꾸러기, 개구쟁이.

—— *vt.* **1** (야채 따위를) 소금물[식초]에 절이다. **2** 묽은 산 용액으로 씻다. **3** 〔海〕 매질한 후 맞은 데에 소금[식초]을 칠하다. 〖MDu. and MLG *pekel* < ? ; cf. G *Pökel* brine, pickle〗

píck·led *a.* 소금[식초]에 절인 ; 《俗》 술취한.

píckle-pùss *n.* 《美俗》 성미가 까다로운 사람, 무뚝뚝한 사람, 음침한 사람.

píck·lòck *n.* 자물쇠를 (비틀어) 여는 사람[도구] ; 도둑.

píck·man [-mən] *n.* 곡괭이를 사용하는 노동자.

píck-me-ùp *n.* **1** 《口》 기운나게 하는 한잔(의 술) ; (일반적으로) 기운을 북돋우는 음식물[음료]. **2** 《비유》 기운을 북돋우기, 자극.

píck·òff *n.* 〔野〕 견제구에 의한 태그 아웃 ; 〔美蹴〕 픽오프《인터셉트하기》.

píck-òff *n.* 〔電子〕 픽오프《기계 운동을 신호로 바꾸는 감지 장치》.

píck·pòcket *n., vi.* 소매치기(하다).

píck·pùrse *n.* 소매치기 ; 〔植〕 냉이.

píck·some *a.* 가리는 것이 많은, 까다로운.

píck·thànk *n.* 《古》 아첨꾼.

píck·ùp *n.* **1** (크리켓 따위에서) 쇼트바운드한 공을 치기 ; 〖野〗 픽업《공이 땅에 닿자마자 떠올리듯 잡기》. **2** 《美口》=PICK-ME-UP. **3** 《美口》 〖自動車〗 가속 (능력). **4** 픽업(=~ trùck) 《상품 배달용의 무개(無蓋) 소형 트럭》. **5** U.C 《口》 좋아지기, 진보, 회복, 호전〈*in*〉. **6** (레코드 플레이어의) 픽업《레코드의 녹음을 진동에 따라 증폭기로 전달하는 장치》. **7 a)** 《口》 우연히 알게 된 사람. **b)** 편승자(便乘者) (hitchhiker). **c)** 횡재한 물건 ; 유실물(遺失物). **d)** 임시변통으로 산 물건. **e)** 있는 재료만으로 만든 요리. **8** (택시 따위의) 손님 태우기, 태운 손님, (트럭의) 짐 싣기, 실은 짐. **9** 《俗》 체포. **10** 〖放送〗 픽업《소리나 빛을 전파로 바꾸는 일 ; 그 장치》; (스튜디오 밖에서 방송국으로의) 중계 시스템 ; 방송 현장.
—— *a.* (요리 따위) 즉석의, 있는 재료만으로 만든, (팀 따위) 임시로 만든.

píckup ròpe *n.* (글라이더의) 이륙용 견인 로프.

Pick·wick [píkwik] *n.* 픽 윅《Dickens의 소설 *Pickwick Papers*의 주인공 ; 선량하고 익살맞으며 쾌활한 뚱보 노인》; [p~] 《美》 (램프의 심지를 집어 올리는 도구.

Pick·wick·ian [pikwíkiən] *a.* 픽윅류(流)의, 선량하고 유머가 있는 ; (용어가) 특수한 의미의 : in a ~ sense 특수한[유머러스한] 뜻으로.
—— *n.* 픽윅 클럽 회원 ; 픽윅 페이퍼의 애독자.

pícky *a.* 《美口》 가리는, (맛 따위가) 까다로운 ; 몹시 사소한 일을 걱정하는, 조심스러운.

pi·clo·ram [pikləræm, pái-] *n.* 피클러램《고엽제(枯葉劑), 제초제》.

‡**pic·nic** [píknik] *n.* **1** 피크닉, 소풍, 들놀이 : have a ~ 피크닉을 가다 / We all went *on*[*for*] a ~ last Sunday. 우리 모두 지난 일요일에 소풍을 갔다. **2** 《口》 특별히 즐거운 일, 편한 작업 : It's no ~. 그것은 쉬운 일이 아니야. **3** 각자 음식을 지참하는 연회. —— *vi.* (**-nick-**) 소풍가다, 피크닉에 참가하다 ; 들놀이식의 식사를 하다.
〖F *piquenique* < ?〗

píc·nick·er *n.* 피크닉하는 사람, 행락객.

píc·nicky *a.* 피크닉식의, 들놀이하는.

picnometer ☞ PYCNOMETER.

pi·co- [pí:kou, -kə] *comb. form* 「피코《=10^{-12} ; 기호 P》」의 뜻 : *pico*gram.
〖Sp.=small quantity, odd number, peak〗

pìco·cúrie *n.* 〖理〗 피코퀴리《=10^{-12} curie》.

pìco·fárad *n.* 〖電〗 피코패럿《=10^{-12} farad ; 기호 pF》.

píco·gràm *n.* 〖理〗 피코그램《=10^{-12} gram ; 기호 pg》.

pi·cor·na·vírus [pikɔ̀:rnə-] *n.* 피코르나바이러스《RNA를 함유하는 소형 바이러스 ; enterovirus, rhinovirus 따위》.
〖*pico-*+*RNA*+*virus*〗

pìco·sécond *n.* 〖理〗 피코세컨드, 피코초(秒)《=10^{-12}초》.

pi·cot [pí:kou, pikóu] *n.* 피코《레이스 따위의 가장자리의 작은 고리 모양의 장식》. —— *vt.* …에 피코를 달다. 〖F (dim.) ‹*pic* peak, point〗

pic·o·tee [pìkətí:] *n.* 〖植〗 (카네이션·튤립·장미 따위의) 꽃잎에 (빨간) 가두리가 있는 꽃.
〖F (p.p.) ‹*picoter* to make with points (↑)〗

pic·quet [píkit] *n., vt., vi.* 《英》 =PICKET.

picr- [píkr], **pic·ro-** [píkrou, -rə] *comb. form* 「쓴」「피크르산」의 뜻. 〖Gk. *pikros* bitter〗

pic·ric [píkrik] *a.* 〖化〗 피크르산(酸)의 : ~ acid 피크르산《염료·화약용》.

pic·rite [píkrait] *n.* 〖岩石〗 피크라이트《휘석·감람석이 풍부한 화산암》.

PICS production information and control system(생산 관리 정보 시스템).

Pict [píkt] *n.* 픽트인(人)《영국 북부에 살던 고대인》. 〖L=painted men (*pict-* *pingo* to paint)〗

pict. pictorial ; picture.

Píct·ish *a.* 픽트인[어]의. —— *n.* 픽트어.

píc·to·gràph [píktə-] *n.* 상형(象形) 문자, 그림 문자 ; 통계 그림《숫자 대신에 그림을 써서 나타내는 통계법》; 〖數〗 그림 그래프.
pìc·to·gráph·ic *a.*
〖L *pict-* *pingo* to paint〗

pic·tog·ra·phy [piktágrəfi] *n.* U 그림[상형] 문자 기술법(記述法).

pic·to·ri·al [piktɔ́:riəl] *a.* 그림의 ; 그림으로 나타낸, 그림 같은, 그림이 든 ; 아름다운 : ~ art 회화(술) / a ~ puzzle 그림 찾기[퀴즈]. —— *n.* 화보, 그림이 든 잡지[신문]. **~·ly** *adv.* 그림을 넣어. 〖L *pictor* painter ; ⇨ PICTURE〗

pictórial·ìze *vt.* 회화화(化)하다, 그림으로 표현[설명]하다.

◇**pic·ture** [píktʃər] *n.* **1 a)** 그림, 회화 ; 초상 ; 사진 : sit for one's ~ 초상을 그리게 하다 / I'll take your ~. 사진을 찍어 주겠다. **b)** 영화 (=motion ~) ; [the ~s] 《英》 영화(관) : a silent ~ 무성 영화 / go to *the* ~*s* 영화를 보러가다 / He first met her *at the* ~*s*. 그는 영화 구경 가서 그 여자를 처음으로 만났다. **c)** (거울 따위의) 영상(映像) (image) ; 심상(心像) ; 〖TV·映〗 화면, 화상. **2** (사실적인) 묘사, 서사문(敍事文) ; 묘사, 서술(description). **3 a)** 그림같이 아름다운 것 ; 미관 ; 풍경 : Our tulips are a ~ this year. 우리집의 튤립이 금년에는 아주 아름답다. **b)** 정경(情景) ; [보통 the ~] 정황, 상황, 사태 (situation) : Have you understood *the* ~? 사태를 이해하셨습니까. **4** [the ~] 실물을 그대로 닮은 것, 똑같이 생긴 것, 화신(化身) : She is *the* ~ *of* her mother. 그녀는 어머니를 꼭 닮았다 / He looked *the* (very) ~ *of* health. 그는 매우 건강해 보였다. **5** 활인화(活人畫) (=living ~). **6** 〖컴퓨〗 그림.
come*[*enter*] *into the picture 모습을 나타내다, 중요한 구실[의의·관계]을 갖게 되다.
give a picture of …을 묘사하다.
in the picture 현저하게, 두드러지게 ; 충분히 알려져.
out of the picture 관계가 없어, 어긋나서, 잘못 짚어 ; 중요하지[문제되지] 않아.
—— *vt.* **1** 그리다, 그림으로 그리다 ; 묘사하다 : It is hard to ~ his sufferings. 그의 고생은 이루 묘사하기가 힘들 정도다. **2** [+目/+目+*to*+名/+目+do*ing*] 마음에 그리다, 상상하다 (imagine) : *P*~ that! 그 일을 상상해 보아라 / He couldn't ~ (*to* himself) her ask*ing* him that favor. 그는 그녀가 그런 일을 부탁해 오리라곤 상상도 못했다. 〖L (*pict-* *pingo* to paint)〗

pícture bòok *n.* (어린이의) 그림책.

pícture-bòok *a.* 그림책 모양의, 그림책에 나오는 것 같은.

pícture càrd *n.* (트럼프의) 그림패 ; 그림 엽서.

pícture·dom *n.* =FILMDOM.

pícture·dròme *n.* 《英》 영화관.

pícture èlement *n.* 〖TV〗 텔레비전 화면을 구성하는 최소 단위의 점.

pícture fràme *n.* 액자, 사진틀 ; 《美俗》 교수대(絞首臺).

pícture gàllery *n.* 회화 전시장, 미술관, 화랑.
pícture·gò·er *n.* 영화광(狂)[팬].
pícture hàll[**hòuse, pàlace, thèater**] *n.* 《英》 영화관.
pícture hàt *n.* 깃이나 꽃 따위로 꾸민 챙이 넓은 여성용 모자《옛날 그림에 흔히 나옴》.
pícture màrriage *n.* 사진 결혼.
pícture mòunting *n.* 표구(表具).
Pícture·phòne *n.* 픽처폰《텔레비전 전화(電話) ; 상표명》.
pícture plày *n.* 영화극(劇).
pícture póstcard *n.* 그림 엽서.
pícture·pùzzle *n.* = JIGSAW PUZZLE.
pícture ràtio *n.* (텔레비전의) 화면비(畫面比).
pícture shòw *n.* **1** 회화전, 회화 전람회. **2** 《美口》 영화(관).
***pic·tur·esque** [pìktʃərésk] *a.* 그림 같은, 아름다운, 화취(畫趣)가 풍부한 ; (언어·문체가) 생생한 ; (사람이) 개성이 풍부한, 독창적인, 재미있는. 주 비현실적·부정확성의 뜻을 암시함. **~·ly** *adv.* **~·ness** *n.* 〖F<It. (*pittore* painter<PICTORIAL) ; 어형은 PICTURE에 동화(同化)〗
pícture táking machìne *n.* 《CB俗》 경찰의 차량속도 측정 장치.
pícture tèlephone *n.* 텔레비전 전화.
pícture tùbe *n.* 수상관(受像管).
pícture wíndow *n.* 전망창(展望窓)《바깥 경치를 한눈에 볼 수 있게 거실 따위에 설치한 한장으로 된 커다란 유리창》.
pícture wrìting *n.* (사건·사실 따위의) 회화 기록(법), 그림[상형] 문자.
pic·tur·ize [píktʃəràiz] *vt.* 그림으로 그리다[나타내다] ; (특히) 영화화하다.
PICU perinatal intensive care unit《분만 시설과 신생아 집중 치료 시설을 갖춘 모자 센터》.
pic·ul [píkəl] *n.* 피컬, 단(擔)《중국·타이 등지의 무게 단위 ; 약 60kg》. 〖Malay〗
pícul stìck *n.* 메는 막대, 6척 길이의 곤봉.
PID [píd, píːàidíː] *n.* 〖醫〗 골반내 염증 질환. 〖*p*elvic *i*nflammatory *d*isease〗
pid·dle [pídl] *vi.* 헛되이 시간을 보내다 ; 《口·兒》 쉬하다, 오줌누다(make water).
—— *vt.* (시간·돈·정력을) 낭비하다〈*away*〉.
—— *n.* 《口·兒》 쉬[오줌](를 하는 일).
〖? *peddle* ; 'urinate'의 뜻은 *piss*+*puddle*인가〗
píd·dling *a.* 사소한, 보잘것없는(trifling).
pid·gin [pídʒən] *n.* 혼합어, 피진 ; 《英口》 장사, 일, 사업. 〖*business*〗
Pídgin Énglish *n.* 피진 영어《중국 남부 등지의 통상 영어로 영어에 중국어·포르투갈어·말레이어 따위가 혼합되어 있는 파격적인 영어》. 〖*business English*〗
pi-dog ☞ PYE-DOG.
***pie**[1] [pái] *n.* **1** U,C 파이《고기 또는 과일 따위를 밀가루 반죽에 넣어서 구운 것》: Don't eat too much ~. 파이를 너무 많이 먹지 말아라. **2** 크림 샌드위치, 잼 샌드위치. **3** 《美口》 매우 좋은 것, 아주 쉬운 것 ; 《美俗》 (정치적) 부정이득. **4** (서로 나누어야 할 수익·경비 따위의) 전체, 총액. **5** 《美俗》 (성의 대상으로서의) 여자.
(as) easy [***simple***] ***as pie*** 《口》 아주 손쉽게.
eat humble pie 굴욕을 감수하다.
have a finger in the pie 참견하다, 간섭하다.
pie in the sky 《口》 그림의 떡 ; 가능성이 희박한 희망 사항 ; 천국, 극락, 유토피아.
〖C14<? ; *pie*[2]가 잡다한 것을 모아 온 데서인가〗
pie[2] *n.* 〖鳥〗 까치 ; 얼루기. 〖F<L PICA[2]〗
pie[3] *n., a., v.* ☞ PI[3].
pie[4], **pye** [pái] *n.* 적흑 문자 전례 법규(赤黑文字典禮法規)《종교 개혁 이전의 영국에서 쓰였던 당일의 성무 일과(聖務日課)를 기록한 법규서》. 〖L PICA[1]〗
pie[5] *n.* 파이《인도·파키스탄의 옛 통화 단위 ; =1/192 rupee》. 〖Hindi<Skt.=a fourth〗
pie·bàld *a.* (흑백색의) 얼룩진 ; 혼합된. —— *n.* 얼룩말 ; 잡종 동물 ; 혼혈인. 〖*pie*[2]+*bald*〗
◇**piece** [piːs] *n.* **1 a**) 조각, 단편, 파편(fragment, bit). **b**) (기계 따위의) 부분, 부품(part)〈*of*〉. **2** [불가산 명사와 함께 조수사(助數詞)로서] **a**) 한 조각, 한 부분, 한 개, 한 장, 1편, 1절, 하나(portion, bit), (동작·사건·성질 따위의) 한 예(instance, specimen) : a ~ *of* bread[cake] 한 조각의 빵[과자] / a ~ *of* chalk 분필 한 개 / a ~ *of* furniture 가구 한 점 / a ~ *of* string 한가닥의 실 / a ~ *of* money 동전 한 개(a coin) / a ~ *of* ordnance 대포 1문 / a ~ *of* poetry 한 편의 시(詩) (a poem) / a fine ~ *of* painting (한 장의) 훌륭한 그림 / several ~*s of* advice 몇가지 충고 / a ~ *of* folly 어리석은 행위 / a ~ *of* (good) luck 하나의 행운, 행운이랄 수 있는 일 / a strange ~ *of* news (한가지) 이상한 뉴스 / a ~ *of* work ☞ 숙어 / He wrote many ~*s of* music. 많은 곡을 작곡했다. **b**) (거리·토지 따위의) 일부, 조금, 한 구획 ; 《古·方》 약간의 시간 : a ~ *of* land 한 구획의 토지 / a bad ~ *of* road 길의 험한 곳[부분] / a ~ *of* water 작은 호수 / I've walked quite a ~ today. 오늘은 상당히 걸었다 / He waited for a ~. 그는 잠시 기다렸다. **c**) (양이 일정한 물건의 단위로서) 한 덩어리, 일정량 : a ~ *of* linen 리넨 한 필《13마(碼)》 / a ~ *of* wallpaper 벽지(壁紙) 한 두루마리《12마》 / ☞ PIECE GOODS / I bought them at 10 cents a ~. 그것을 한 개당 10센트에 샀다(cf. A[2] 7). **3 a**) 한 편의 작품[시·산문·작곡·극], 한 장의 그림, 한 점의 조각《따위》. **b**) 동전(coin) : a penny ~ 페니 동전 한 닢 / a ~ of eight ☞ 숙어. **c**) 총, 포 : ☞ FIELDPIECE / ☞ FOWLING PIECE. **4** (한 세트[벌]를 이루는 것의) 한 개 : a dinner service of 50 ~*s* 50개로 된 정찬용(正餐用) 식기 한 벌. **5** [the ~] (일의) 생산고, 한 분량 : pay a person *by*[*on*] *the* ~ 일을 한 분량대로 임금을 지급하다 / ☞ PIECEWORK. **6** [복합어를 이루어] (악기가) …한 조(組)인 : a six-~ band 6중주 악단. **7** 《卑》 성교 ; (성적 대상으로서의) 여자. **8** 《英方》 간단한 점심. **9** (장기 따위의) 말, 졸.
all to pieces 조각조각으로, 산산조각나 ; 《口》 완전히 녹초가 되어 (cf. *go to* PIECE*s*) ; 《俗》 충분히 ; 아주, 여지없이.
a piece of eight 옛날 스페인의 페소 은화(銀貨)《8 reals》.
a piece of work 작품 ; 일 ; 어려운 일.
break to [***in***] ***pieces*** 산산이 부서지다.
by [***on***] ***the piece*** ☞ PIECE 5.
come to pieces 산산조각이 나다, 깨지다 ; 못쓰게 되다, 녹초가 되다.
cut . . . to [***in, into***] ***pieces*** ☞ CUT[1].
fall to [***in***] ***pieces*** 떨어져 산산조각이 나다 : The vase *fell to* ~*s* on the floor. 꽃병이 마루에 떨어져 산산조각이 났다.
go to pieces 엉망이 되다, 산산조각이 나다 ; 무너지다 ; (육체적 또는 정신적으로) 좌절하다, 자제심을 잃다 ; 거칠어지다.
in one piece 이음매 없이.
in pieces 산산이 부서져서, 깨져서(broken) :

I found the flower pot *in* ~*s.* 화분이 엉망으로 부서져 있었다.

of a [***one***] ***piece*** (***with*** . . .) (…와) 같은 종류로, 동등하여, 한가지로 ; (…와) 일치하여.

pick up the pieces 파편을 주워 모으다 ; 《비유》 사태《따위》를 수습하다.

piece by piece 하나하나, 조금씩.

speak [***say, state***] one***'s piece*** 자기의 의견[견해]을 말하다 ; 불평을 하다 ; 구혼하다.

take (. . .) ***to pieces*** (기계 따위를) 분해[해체]하다, 산산조각을 내다, 풀다 ; (기계 따위가) 분해되다.

tear . . . ***into pieces*** …을 갈기갈기 찢다 : The letter was *torn into* ~*s.* 편지는 갈기갈기 찢어져 있었다.

〈회화〉
Another *piece* of pie? — No, thanks. I'm full.
「파이 한 조각 더 먹겠니」「아닙니다. 많이 먹었습니다」

—— *vt.* [+目/+目+副/+目+*to*+名] 잇다, 덧대어 깁다, 접합하다, 결합하다 : ~ (***on***) one thing ***to*** another 어떤 물건을 다른 것에 이어 붙이다 / ~ ropes *together* 밧줄을 서로 잇다 / ~ ***up*** a story with data gathered from various sources 여러군데서 수집한 자료를 합쳐서 이야기를 꾸미다. —— *vi.* 《方·口》 간식하다.

piece out 이어 붙이다, 보완하다 ; (이야기·이론 따위를) 여러 부문을 이어 정리[마무리]하다.

~·able *a.*

〚AF< ? Celt. (Breton *pez* piece, Welsh *peth* portion)〛

類義語 ⟹ PART.

píece bròker *n.* 《古》 자투리 장수.

píece còncept *n.* 개수제(個數制)《항공기의 운송 수화물 허용 개수 및 사이즈의 제한》.

pièce de ré·sis·tance [*F* pjɛs də rezistɑ̃:s] *n.* (*pl.* **pièces de ré·sis·tance** [—]) 주된 요리, 주채(主菜) ; 《비유》 주요한 것[사건], 주요 작품[진열품].

píece-dỳe *vt.* (피륙을) 짠 후에 염색하다.

píece-dỳed *a.* 짠 뒤에 염색한.

píece gòods *n. pl.* 피륙, 옷감.

píece·mèal *adv.* **1** 조금씩 ; 점차로. **2** 제각기, 산산이, 따로따로. —— *a.* 산산조각의, 단편적인, 조금씩의 : ~ rate 일한 분량에 따른 임금 지급, 능률급. —— *n.* [다음 숙어로]

by piecemeal 조금씩, 점차로.

〚*piece*+*meal*[1]〛

píece ràte *n.* 성과급 (임금) ; 단가.

píece·wìse *adv.* 〖數〗 구분적(的)으로 : ~ continuous functions 구분적 연속 함수.

píece·wòrk *n.* Ⓤ 일한 분량대로 임금을 지급받는 일, 성과급 방식의 작업, 삯일, 도급일, 청부일(cf. TIMEWORK). **~·er** *n.* 삯일꾼, 품팔이꾼.

píe chàrt *n.* 〖統〗 (원을 반지름으로 나누는) 파이 도표.

píe·crùst *n.* Ⓤ 파이 껍질 : Promises are like ~, made to be broken. 《속담》 약속은 파이 껍질같이 깨지기 쉬운 것이다.

pied [páid] *a.* 얼룩덜룩한, 얼룩진, 잡색(雜色)의. 〚*pie*[2]〛

pied-à-terre [*F* pjetatɛ:r] *n.* (*pl.* **pieds-** [—], ~) 임시 휴게소[숙소]. 〚F=foot to earth〛

píe dìsh *n.* 파이 접시《파이를 구울 때 사용하는》.

pied·mont [pí:dmɑnt] *n., a.* 산기슭(의). 〚↓ (이탈리아)〛

Piedmont *n.* **1** 피드먼트《미국 동부 대서양 연안과 애팔래치아(Appalachian) 산맥 사이의 고원 지대》. **2** 피에몬테《이탈리아 북서부의 주(州)로 비옥한 분지를 중심으로 발달한 지방》.

Pied·mon·tese [pi:dmɑntí:z, -mɑn-, -s] *n.* (*pl.* ~) 피에몬테 지방의 주민. —— *a.* 피에몬테 지방(의 주민)의.

pie-dog ☞ PYE-DOG.

Píed Píper *n.* **1** [the ~] 〖獨傳說〗 하멜린의 피리 부는 사나이《피리의 미묘한 소리로 많은 쥐떼를 도시에서 끌어내어 물에 빠뜨려 죽였으나 약속한 보수를 받지 못하게 되자 아이들을 산속에 숨겨버린 사나이》. **2** 사람을 교묘하게 유인하는 사람 ; 무책임한 약속을 하는 지도자.

píe-èat·er *n.* 《濠口》 하찮은 사람.

píe-èyed *a.* 《俗》 술취한 ; 상상속의, 비현실적인.

píe-in-the-skýʹ *a.* 《口》 극락 같은, 유토피아적인 ; 그림의 떡인. **~·er** *n.*

píe·man [-mən] *n.* 파이를 파는 행상인.

píe·plànt *n.* 《美》 식용 대황(大黃).

pier [píər] *n.* **1** 잔교(棧橋), 부두 : a landing ~ (상륙용) 잔교. **2** 방파제, 제방. **3** 교각(橋脚), 홍예받이. **4** 〖建〗 창과 창사이의 벽. 〚L *pera*〛

píer·age *n.* Ⓤ 잔교 사용료, 부두세.

pierce** [píərs] *vt.* **1** 내뚫다, 꿰뚫다 ; 관통하다 : The hill is ~*d* by a tunnel. 그 언덕에는 터널이 뚫려 있다. **2** …에 구멍을 뚫다 : A nail seemed to have ~*d* the tire of his car. 못이 그의 자동차 타이어에 박힌 것 같았다. **3** 꿰뚫어 보다, 간파하다 : ~ a disguise, mystery, *etc.* 변장[신비《따위》]한 것을 알아채다. **4** [+目/+目+前+名] 깊이 감동시키다(move) ; (추위·고통·슬픔 따위가 몸에) 스며들다 : My heart was ~*d* ***with grief. 내 마음은 슬픔으로 찢어질 것 같았다. **5** (비명 따위가 적막을) 깨뜨리다 ; (빛이 어둠 속으로) 새어들다 : Their screams ~*d* the darkness. 그들의 비명이 어둠을 뚫고 들려왔다.
—— *vi.* [+前+名] 뚫고 들어가다, 꿰뚫다 : I ~*d* straight ***to*** the heart of the forest. 곧장 숲 한가운데까지 헤치고 들어갔다. 〚OF *percer*<L *per*-(*tus- tundo* to strike)=to bore through〛

類義語 ***pierce*** 물건 표면 또는 전체를 끝이 뾰족한 것이나 칼 따위로 꿰뚫어 찌르다 : The dagger *pierced* his heart. (단도가 그의 가슴에 꽂혔다). ***penetrate*** 물건 속으로 깊숙히 꿰뚫고 들어가거나 반대쪽으로 꿰뚫고 나오다 ; 강하고 날카롭게 찌르는 힘을 강조함 : The bullet *penetrated* the wall. (총탄은 벽을 관통했다).

Pierce *n.* 남자 이름. 〚⇨ PETER〛

pierced [píərst] *a.* 구멍이 뚫린, (특히) 장식 구멍이 뚫린《장신구 따위》; 귓불에 구멍을 뚫은《귀》; 귓불에 구멍을 뚫은 귀에 다는 ; 〖紋〗 무늬의 중앙에 구멍을 뚫은 : ~ earrings 귓불에 구멍을 뚫고 다는 귀고리.

pierc·er [píərsər] *n.* **1** 꿰뚫는 사람[것]. **2** 구멍 뚫는 기구[송곳]. **3** 《古》 날카로운 눈. **4** (곤충의) 산란관(産卵管).

pierc·ing [píərsiŋ] *a.* 꿰뚫는 ; (추위 따위가) 살을 에는 듯한 ; (눈매 따위) 날카로운, 통찰력이 있는 ; (목소리 따위가) 귀를 찢는 듯한 : a ~ shriek 째지는 듯한 비명 소리. **~·ly** *adv.*

píer glàss *n.* 체경 ; (창과 창 사이의 벽면을 전부 차지하는) 큰 거울, 창 사이의 거울.

píer·hèad *n.* 부두의 쑥 내민 끝.

Pi·e·ria [paiíəriə, -ér-] *n.* 피에리아《고대 Macedonia의 한 지방 ; Olympus 산 북쪽 기슭에 있는 피에리아 시신(詩神) (the Muses)의 고향》.

Pi·eri·an [paiíəriən, -ér-] *a.* 〖그神〗 피에리아의 ; 뮤즈 여신의 ; 시가(詩歌)의 ; (시적) 영감의 : the ~ Spring 피에리아의 샘 ; 시적 영감의 원천.

pi·er·rot [píːəròu ; píə-] *n.* (*fem.* **pier·rette** [piərét]) [흔히 P~] 피에로《얼굴에 분칠을 하고 원뿔형 모자를 쓰고 큰 단추가 달린 헐렁한 흰옷을 입은 어릿광대》 ; (어릿)광대, 예능인 ; 가장 무도회의 무도자. 〖F (dim.) ‹ *Pierre* PETER〗

pi·et [páiət] *n.* =MAGPIE.

pie·tà [pìːeitáː, pjei- ; pìetáː] *n.* [흔히 P~] 피에타《성모 마리아가 그리스도의 시체를 무릎에 안고 슬퍼하는 장면의 그림[상]》. 〖It.=PIETY〗

pi·e·tism [páiətìzəm] *n.* **1** Ⓤ 경건 ; 신앙이 독실한 체하기. **2** [P~] 〖宗史〗 경건파《17세기말 독일의 루터 교회의 일파》 ; 그 주의. **-tist** *n.* 신앙이 독실한 체하는 사람 ; [P~] 경건파 교도.

pì·e·tís·tic, -ti·cal *a.* 경건한 ; 경건한 체하는 ; [P~] 경건파 (교도)의.

pi·e·ty [páiəti] *n.* **1** Ⓤ 경건, 경신(敬神), 신앙심. **2** Ⓤ 효행(孝行), 효심(filial piety) ; 경애, 충성. 〖OF＜L=dutifulness ; ⇨ PIOUS〗

pi·e·zo- [paiíːzou, piéi-, -zə] *comb. form* 「압(壓)(pressure)」의 뜻. 〖Gk. *piezō* to press〗

pièzo·eléctric, -trical *a.* 〖理〗 압전성(壓電性)의 : the ~ effect 압전 효과 / ~ crystal 압전성 결정. —— *n.* 압전성 물질. **-cal·ly** *adv.*

pièzo·electrícity *n.* 〖理〗 압전기, 피에조 전기.

pi·e·zom·e·ter [pìːəzámətər, pieitsám- ; pàiə-] *n.* 피에조미터《압력, 특히 압축률(率)을 측정하는 장치》.

pif·fle [pífəl] *vi.* 《口》 실없는 짓[말]을 하다.
—— *n.* Ⓤ 실없는 말[짓](nonsense).
〖C19 (imit.) ; cf. PUFF, 일설에 *piddle*+*trifle*〗

píf·fling *a.* 《口》 실없는, 부질없는.

***pig** [píg] *n.* **1 a)** 돼지(cf. SWINE, HOG) ; 《美》 새끼 돼지 : *P~s* may fly. = *P~s* might[could] fly. 이 세상에는 불가사의한 일이 일어날 수도 있다 ; 그런 일은 있을 수 없다. **b)** Ⓤ 돼지 고기(pork), (특히) 돼지 새끼 고기 : roast ~ 통째 구운 돼지. **2** 《口》 (돼지같이) 지저분한 사람, 걸신들린 사람, 탐욕자, 고집쟁이. **3** Ⓤ 금속[철·납]의 덩어리, 무쇠, 금속덩이 ; 선철(銑鐵).
bring*[*drive*] one*'s pigs to a fine*[*a pretty, the wrong*] *market 밑지고 팔다, 기대가 어긋나다, 헛다리 짚다.
buy a pig in a poke 물건을 덮어놓고[되는대로] 사다.
in pig (암돼지가) 새끼를 밴.
make a pig of* one*self 욕심을 내다 ; (돼지처럼) 마구 먹어대다.
—— *v.* (**-gg-**) *vi.* (돼지가) 새끼를 낳다 ; 돼지처럼 우글거리다〈*together*〉, 돼지같은 생활을 하다.
—— *vt.* (돼지가 새끼를) 낳다.
pig it 한데 우글우글 뒤섞여 살다.
〖ME *pigge*＜OE 《美》 *picga*, 《美》 *pigga*＜?〗

píg bèd *n.* 돼지의 잠자리 ; 〖冶〗 주상(鑄床)《선철(銑鐵)을 붓는 틀》.

píg bìn[**bùcket**] *n.* (돼지 먹이용) 부엌 음식 찌끼통, 돼지 먹이통.

píg bòard *n.* 앞이 좁고 뒤가 넓은 서핑 보드.

píg·bòat *n.* 《美海俗》 잠수함.

píg brìstle *n.* 돼지 강모(剛毛).

***pi·geon**[1] [pídʒən] *n.* **1 a)** 비둘기(cf. DOVE[1]) ; 집비둘기 ; =STOOL PIGEON ; =CLAY PIGEON : ☞ PIGEON'S MILK. **b)** 짙은 자회색. **2** 젊은 여자 ; 《口》 속기 쉬운 사람, 얼간이.
pluck a pigeon (얼간이 같은 사람에게서) 돈을 속여 빼앗다.
—— *vt.* [+目/+目+*of*+名] (…에게서) …을 사취하다, 속여 빼앗다 : ~ a person ***of*** a thing 남에게서 물건을 속여 빼앗다.
〖OF *pijon*＜L *pipion- pipio* (imit.)〗

pigeon[2] *n.* [비전문어법] =PIDGIN.

pígeon blòod *n.* 심홍색(pigeon's blood).

pígeon brèast[**chèst**] *n.* 〖醫〗 새가슴.

pígeon-bréast·ed *a.* 새가슴의.

pígeon dròp *n.* 《美俗》 신용 사기(詐欺)《신용을 미끼로 한》.

pígeon Énglish *n.* [비전문어법] =PIDGIN ENGLISH.

pígeon exprèss *n.* 전서(傳書) 비둘기에 의한 통신(通信).

pígeon fàncier *n.* 비둘기 장수[애호가], 비둘기 기르는 사람.

pígeon·gràm *n.* 전서 비둘기가 전하는 서신.

pígeon hàwk *n.* 〖鳥〗 쇠황조롱이(merlin)《아메리카산(産)》.

pígeon·héart·ed *a.* 소심한, 암띤.

pígeon·hòle *n.* **1** 비둘기장의 드나드는 구멍, 비둘기장의 칸. **2** 분류[정리]함의 작은 칸. —— *vt.* **1** (서류 따위를) 정리함에 넣다 ; 분류 정리하다, 기억해두다. **2** 뒤로 미루다, 보류해 두다, 방치하다 ; 묵살하다 : The scheme was ~*d.* 그 계획은 보류되었다.

pígeon hòuse *n.* 비둘기장(dovecote).

pígeon-lívered *a.* 온순한, 소심한.

pígeon pàir *n.* 《英》 남녀 쌍둥이, (한집의) 두 남매《아들 하나와 딸 하나》.

pígeon·ry *n.* 비둘기장.

pígeon's blòod *n.* =PIGEON BLOOD.

pígeon shòoting *n.* Ⓤ 비둘기 사냥 ; 공중 표적 사격.

pígeon('s) mìlk *n.* 소낭유(嗉囊乳)《비둘기가 새끼에게 먹이기 위해 토해내는 젖 모양의 액체》 ; 《英戲》 All Fools' Day 에 남을 속여서 가지러가게 하는 애당초 있지도 않은 물건.

pígeon-tòed *a.* 안짱다리의.

pígeon·wìng *n.* 《美》 〖스케이트〗 선곡활주형(旋曲滑走型) ; 〖댄스〗(뛰어오르며 두 발을 맞부딪치는) 변형 스텝의 한 가지.

pìg-éyed *a.* 눈이 작고 쑥 들어간.

píg·fish *n.* 〖魚〗 벤자리류(類)의 물고기《미국 대서양 연안산(産)》.

píg·gery *n.* 《英》 양돈장, 돼지 우리(pigsty) ; [집합적으로] 돼지 ; 불결(한 곳) ; 탐욕.

píg·gie *n.* 《口·兒》 =PIGGY ; 《英》 자치기(tipcat)《놀이》.

pig·gin [pígən] *n.* 《方》 손잡이가 한쪽에만 달린 (물)통 ; 자루가 긴 국자. 〖C16＜?〗

píg·gish *a.* 돼지같은 ; 완고한 ; 탐욕스러운 ; 불결한. **~·ly** *adv.* **~·ness** *n.*

pig·gy *n.* 《口·兒》 돼지 새끼. —— *a.*=PIGGISH.

píggy·bàck *a.* 어깨[등]에 탄 ; 피기백 (방식)의 《(1) 〖鐵〗 화물을 트레일러[컨테이너]에 적재한 채 바닥이 낮은 화차로 수송함. (2) 〖宇宙〗 수송기[로켓 따위]에 적재한 채로 발사함[수송함]. (3) 〖廣告〗 같은 광고 시간 내에 주된 광고에 부가해서 방송함》 ; 부가의, 추가의. —— *adv.* 어깨[등]에 태우고[업고], 목말 태워서[업어서] ; 〖鐵·宇宙·廣告〗 피기백 방식으로. —— *n.* 목말, 업기 ; 〖鐵〗 피기백 방식. —— *vt.* 등으로[어깨로] 나르다 ; 피기백 방식으로 수송하다 ; 《비유》 여분으로 짊어지게 하다, 편승시키다. —— *vi.* 트레일러[컨테이너]를 피기백 방식으로 수송하다 ; 《비유》 기대다,

업다, 편승하다.
〖C16 *a pick pack*< ? ; cf. PICKABACK〗

píggy-bàck·ing *n.* 피기백 상법, 피기백 선전.

píggy-bàck promótion *n.* 경품부 판매 촉진 《경품이 원상품과 별도로 포장 첨부된 방식》.

píggy bànk *n.* 돼지 저금통《어린이용》.

píggy·wìg(·gy) [-wìg(i)] *n.* 돼지 새끼 ; 지저분한 아이 ; =TIPCAT.

píg·hèad·ed *a.* 고집이 센, 마음보가 뒤틀린. **~·ly** *adv.* **~·ness** *n.*

píg ìron *n.* 〖治〗 선철(銑鐵).

píg Làtin *n.* 피그 라틴《어두의 자음(군)을 어말로 돌려 거기에 [ei]라는 음을 덧붙여 만드는 어린이들의 은어 ; 보기 oybay=boy, eakspay=speak》.

píg lèad [-lèd] *n.* 납덩어리.

píg·let, píg·ling *a.* 돼지 새끼.

píg·lìke *a.* 돼지 같은, 더러운.

píg mèat *n.* 《英》 돼지고기, 햄, 베이컨 ; 《美俗》 나이가 든 음란한 여자, 매춘부 ; 《美俗》 늙다리.

pig·ment [pígmənt] *n.* Ⓤ,Ⓒ 그림 물감, 안료(顏料) ; Ⓤ 〖生〗 색소. —— [, -ment] *vt., vi.* = PIGMENTIZE. **~·ed** *n.* 채색[착색]한.
〖L (*pingo* to paint)〗

pig·ment·al [pigméntl], **pig·men·tary** [pígməntèri ; -təri] *a.* 색소의 ; 색소를 분비하는.

pig·men·ta·tion [pìgməntéiʃən, -men-] *n.* Ⓤ 염색, 착색 ; 색소 형성.

pígment cèll *n.* 〖生〗 색소 세포.

pígment·ìze *vt.* 착색[채색(彩色)]하다.
—— *vi.* 물들다.

píg mètal *n.* 지금(地金), 금속괴(塊).

pigmy ☞ PYGMY.

píg·nùt *n.* 땅콩, 낙화생 ; 《美》 호두의 일종《돼지 사료》.

píg·pèn *n.* 《美》 돼지 우리(pigsty) ; 지저분한 곳.

Pigs [pígz] *n.* [the Bay of ~] 피그스 만《쿠바의 남서 해안의 만 ; 1961년 4월 17일 미국이 지원한 반 Castro군이 상륙을 시도했으나 실패》.

píg·skìn *n.* **1** Ⓤ 돼지 가죽 ; 무두질한 가죽. **2** 《口》 안장(saddle). **3** 《美口》 미식 축구공. **~·ner** *n.* 《美口》 미식축구 선수.

píg·stìck *vi.* (창을 가지고) 멧돼지 사냥을 가다.

píg·stìck·er *n.* **1** (창을 써서) 멧돼지(wild boar) 사냥을 하는 사람. **2** (도살장의) 돼지 도살자(cf. STICKER 5).

píg·stìck·ing *n.* **1** Ⓤ (보통 말을 타고 창을 쓰는) 멧돼지 사냥. **2** Ⓤ (도살장에서의) 돼지 도살.

píg·stỳ *n.* 돼지 우리 ; 불결[난잡]한 곳[방·집].

píg swèat *n.* 《美俗》 맥주, 싸구려 술.

píg·swìll *n.* Ⓤ 꿀꿀이죽《돼지 먹이로 주는 음식 찌끼》 ; 멀겋고 맛없는 수프[커피 따위].

píg·tàil *n.* 변발(辮髮)(queue) ; 가늘게 꼰 담배.

píg·wàsh *n.* =PIGSWILL.

píg·wèed *n.* 〖植〗 명아주류(類).

pí-jàw [pái-] *n.* 《英俗》 (장황한) 설교.
—— *vt.* …에게 설교하다.

PIK 《美》 payment-in-kind.

pi·ka [páikə, pí:-] *n.* 〖動〗 시베리아울보토끼《북반구의 고산에 사는》.
〖Tungusic〗

pi·ka·ke [pí:kəkèi] *n.* 〖植〗 말리. 〖Haw.〗

pike[1] [páik] *n.* 단창(短槍) ; (옛날의) 창《17세기 말까지 사용했음》 ; (창·단창 따위의) 날 끝 ; 《英方》 곡괭이. —— *vt.* 창으로 찌르다[찔러 죽이다].
〖OE *pīc* point, prick< ?〗

pike[2] *n.* (*pl.* ~, ~s) 〖魚〗 강꼬치고기.
〖PIKE[1] ; 그 뾰족한 입에서〗

pike[3] *n.* (유료 도로의) 요금 징수소, 통행 요금 ; (보통 공영의) 유료 도로(turnpike) ; 철도 노선.
come down the pike 《美口》 나타나다.
hit the pike 여행하다, 길을 가다[걷다].
〖turn*pike*〗

pike[4] *vi.* 《口》 갑자기 떠나다 ; 급히[빨리] 가다, 나아가다〈*along*〉 ; 죽다 ; 망설이다, 뒤로 물러나다 〈*on*〉. 〖ME< ? *pike*[1]〗

pike[5] *n.* (새우형 다이빙 따위에서) 몸을 구부린 자세. 〖? *pike*[2]〗

pike[6] *n.* 《北英》 (호수 지방의) 봉우리가 뾰족한 산. 〖PIKE[1]〗

piked [páikt] *a.* PIKE[1]가 달린, 끝이 뾰족한.

pike·let[1] [páiklət] *n.* 《英》 핫케이크의 일종 (crumpet). 〖Welsh *bara pyglyd* pitchy bread〗

pikelet[2] *n.* 〖魚〗 어린[작은] 강꼬치고기.

píke·man[1] [-mən] *n.* **1** 창[단창]병(兵). **2** 곡괭이를 사용하는 갱부(坑夫).

pikeman[2] *n.* (유료 도로의) 요금 징수원.

pik·er [páikər] *n.* 《美口》 신중하고 째째한 도박꾼, 서투른 투기꾼, (증권 시장의) 소액 투자자 ; 구두쇠 ; 겁쟁이. 〖*pick*[1]〗

píke·stàff *n.* (*pl.* **~s, -stàves**) 창의 자루.
(as) plain as a pikestaff 지극히 명백한.

pikeman[1] 1

PIK prògram [pík-, pì:ài-kéi-] *n.* 《美》 (유휴 농경지에 대한) 농산물 현물 지급 계획.

pil-[1] [páil], **pi·li-** [páilə, pílə], **pi·lo-** [páilou, -lə] *comb. form* 「모발」「털」의 뜻.
〖L *pilus* PILE[3]〗

pil-[2] [páil, píl], **pi·lo-** [páilou, pílou, -lə] *comb. form* 「모전(毛氈)(felt)」의 뜻.
〖Gk. *pilos*〗

pi·laf, pi·laff [pilá:f, pí:læ(:)f ; pílæf], **pi·lau, pi·law** [pilóu, -lɔ́:, pí:lou ; piláu] *n.* Ⓤ 필라프 《버터를 넣고 볶은 쌀밥에 고기·야채·조미료를 버무린 터키식 요리》.
〖Turk.〗

pi·lar [páilər] *a.* 털의, 털로 덮인.
〖L *pilus* hair〗

pi·las·ter [pilǽstər] *n.* 〖建〗 붙임 기둥《벽면에 각주(角柱)를 부조(浮彫)한 것》.
〖F<It. <L ; ⇨ PILE[1]〗

pilaster

Pi·late [páilət] *n.* 〖聖〗 빌라도. **Pontius** ~ 그리스도를 처형한 유태의 로마 총독.
〖L=armed with javelins〗

pi·la·to·ry [pailéitəri] *a.* 모발의 성장을 자극하는, 양모(養毛)의.
—— *n.* 양모[식모(植毛)]제(劑).

Pi·la·tus [pilá:təs] *n.* 필라투스《스위스 중부 Lucerne의 남서쪽에 있는 산 ; 산에 있던 호수에 Pilate의 시체가 누워 있었다고 함》.

pilau, pilaw ☞ PILAF.

pilch [píltʃ] *n.* 《英古》 (플란넬 따위로 만든) 기저귀 커버.
〖OE<L ; ⇨ PELISSE〗

pil·chard [píltʃərd], **-cher** [-tʃər] *n.* 〖魚〗 청어류(類)의 바닷물고기인 사딘《정어리의 일종》 ; 정어리(sardine). 〖C16< ?〗

‡pile[1] [páil] *n.* **1** (특히 납작한 물건을) 쌓아올린 더

미 ; 《口》 무더기, (…의) 더미 : a ~ *of* books 책더미. **2** 《口》 다수, 대량 ; 《口》 큰 돈, 재산 : make one's[a] ~ 큰돈을 모으다[벌다]. **3** (화장(火葬)용의) 장작 더미. **4** 〔軍〕 걸어총, 차총(叉銃) (stack of arms). **5** 〔電〕 전퇴(電堆)《두 가지 금속판을 헝겊에 싸서 겹쳐 전기를 발생시키는 것》, 전지(電池) : a dry ~ 건전지. **6** 대건축물(군(群)), 웅장한 건물. **7** 〔原子理〕 파일, 원자로(爐) (=atomic ~, reactor).

── *vt.* **1** [+目/+目+副] 쌓아올리다(heap) ; (층층으로) 겹쳐쌓다 : Hay is ~*d* right to the roof. 건초가 지붕까지 높다랗게 쌓여 있다 / Plates and dishes were ~*d* ***up*** on the table. 여러 종류의 접시가 테이블 위에 포개어 쌓여 있었다 / *P*~ more bricks ***on***. 벽돌을 좀더 쌓아올려라. **2** [+目+*with*+名] …에 산더미처럼 쌓다[쌓아올리다, 싣다] : ~ a cart ***with*** straw 짐마차에 짚을 쌓아올리다. **3** [+目+副] 축적하다, 모으다〈*up*〉 : ~ *up* a fortune 한 밑천 장만하다. **4** 〔軍〕 걸어총하다 : *P*~ arms! 걸어총! **5** 〔海〕 (배를) 암초[모래톱]에 좌초시키다〈*up*〉. **6** 〔原子理〕 원자로로 처리하다, 원자로에 넣다〈*up*〉.

── *vi.* **1** [+副] 쌓이다, 겹쳐지다 : Red coals ~*d* glowing *up* in the chimney. 석탄이 굴뚝 속에 쌓여 벌겋게 타고 있었다 / with work *piling up* 일이 산더미처럼 쌓여서. **2** 우르르 몰려 들어가다[나오다]〈*into, out*〉.

pile it on 《口》 허풍떨다, 과장하여 말하다.

pile up (1) ☞ *vt. 1* ; *vi. 1.* (2) 〔海〕 (배를) 좌초시키다, (배가) 좌초하다 ; (자동차·비행기 따위를) 충돌시키다 ; 《口》 (차가) 충돌하다.

pile up[***on***] ***the agony*** 《口》 비통한 기분을 과장해서 말하다, 처량하게 이야기하다.

〖OF<L *pila* pillar, pier, mole〗

pile² *n.* [보통 *pl.*] 말뚝, 파일 ; 화살촉 ; 고대 로마 보병의 투창 ; 〔紋〕 쐐기꼴의 무늬 : a house on ~*s* (남방 원주민 등의) 말뚝 위에 세운 집.

── *vt.* …에 말뚝을 박다, 말뚝으로 보강하다[버티다] ; …에 창끝[화살촉]을 달다.

〖OE<L *pilum* javeline〗

pile³ *n.* Ⓤ 부드럽고 가는 털, 솜털 ; 양털(wool), 모피 ; 가지런히 난 털의 모양 ; (비로드·융단 따위의) 보풀. 〖? AF<L *pilus* hair〗

pile⁴ *n.* [보통 *pl.*] 〔醫〕 치질(痔疾), 치핵(痔核) (hemorrhoids).

blind piles 수치질.

〖? L *pila* ball〗

pi·le·ate [páiliət, -èit, píl-], **-at·ed** [-èitəd] *a.* (버섯·해파리 따위가) 갓이 있는 ; (새가) 도가머리가 있는.

píleated wóodpecker *n.* 〔鳥〕 뿔가막딱따구리 《북미산(産)》.

piled [páild] *a.* 보풀이 있는《비로드 따위》.

píle drìver *n.* 말뚝 박는 기계, 항타기(의 조작자) ; 굉장한 힘으로 치는[두들기는] 사람 ; 〔레슬링〕 (말뚝 박듯이 하는) 곤두박이치기 ; 《口》 맹타, 강타 ; 《俗》 (발기한) 음경.

píle dwèller *n.* 호상(湖上)(의 항상(杭上)) 가옥의 주민, 수상(水上) 주거자.

píle dwèlling *n.* 호상(湖上)(의 항상(杭上)) 주거, 수상 주거《물속에 박은 말뚝 위에 세운》.

píle èngine *n.* 말뚝 박는 기계(pile driver).

píle hàmmer *n.* 말뚝 (박는) 해머.

pi·le·ous [páiliəs] *a.* (부드럽고 가는) 털이 많은.

píle shòe *n.* 말뚝 촉《말뚝 끝에 씌우는 금속》.

pi·le·um [páiliəm] *n.* (*pl.* **-lea** [-liə]) 〔鳥〕 두정(頭頂)《부리에서 목까지의 부분》. 〖L〗

píle·ùp *n.* 《口》 (지겨운 일 따위의) 산적(山積), 여러 개가 겹침 ; 여러 개의 물건을 마구 부수기 ; 몇 대의 자동차를 한꺼번에 부수기 ; (차량의) 연쇄 충돌 ; 체선(滯船).

pi·le·us [páiliəs, píl-] *n.* (*pl.* **-lei** [-liài]) **1** 〔植〕 균산(菌傘), 삿갓. **2** 〔動〕 (해파리의) 갓. **3** 〔氣〕 두건(頭巾)구름《적운 위의 두건 모양의 구름》. **4** (고대 로마인의) 필레우스《펠트 따위의 밀착모(密着帽)》. 〖L〗

píle·wòrt *n.* 〔植〕 미나리아재비의 일종.

pil·fer [pílfər] *vt., vi.* 후무리다, 좀도둑질하다. 〖OF *pelfre* booty ; cf. PELF〗

pílfer·age *n.* Ⓤ 좀도둑질 ; 훔친 물건, 장물.

pílfer·er *n.* 좀도둑, 물건의 일부를 빼내는 범인.

pílfer-pròof *a.* 절취(竊取) 방지형의, 개봉 현시식(顯示式)의《술병 마개에 따는 선이 있는 것 따위》.

pílfer-pròof zípperbag *n.* 절취 방지식 지퍼 주머니《개봉 후 지퍼로 재봉(再封)이 되는 플라스틱 주머니》.

pil·gar·lic [pilgáːrlik] *n.* 《方》 대머리(인 사람) ; 《蔑·戲》 불쌍한 사람. **-gár·licky** *a.* 〖*pilled* (or *peeled*) *garlic*〗

pil·grim [pílgrəm] *n.* **1** 순례자, 성지 참배인. **2** 방랑자(wanderer), 나그네. **3** [P~] 〔美史〕 PILGRIM FATHERS의 한 사람 ; [the P~s] =the PILGRIM FATHERS. **4** (어느 지방으로) 새로 온 사람[동물]. ── *vi.* 순례하다 ; 유랑하다. 〖Prov.<L ; ⇨ PEREGRINE〗

pílgrim·age *n.* 순례 여행, 편력(遍歷) ; 긴 여행 ; 《비유》 인생 행로, 생애 : go on a ~ 순례의 길을 떠나다 / make one's ~ to …에 참배하러 가다. ── *vi.* 순례 [편력]에 나서다, 긴 여행을 떠나다.

Pílgrim Fáthers *n. pl.* [the ~] 〔美史〕 필그림 파더즈《1620년 Mayflower 호로 도미(渡美)하여 Plymouth에 정착한 영국 청교도단》.

pílgrim·ìze *vi.* 순례[행각(行脚)]하다. ── *vt.* 순례자가 되게 하다.

pílgrim shèll *n.* =SCALLOP SHELL.

pílgrim sígn *n.* 순례의 표시 (기념품).

Pílgrim's Prógress *n.* [The ~] 「천로역정(天路歷程)」《John Bunyan의 종교 우의 소설》.

pili *n.* PILUS의 복수형.

pili- [páilə, pílə] ☞ PIL-¹.

pi·lif·er·ous [pailífərəs] *a.* 〔植〕 털이 난[있는].

píl·i·fòrm [pílə-] *a.* (머리)털 모양의, (머리)털 같은, 털처럼 가느다란.

pil·ing [páiliŋ] *n.* Ⓤ 말뚝 박기(공사) ; 말뚝감 ; [집합적으로] 말뚝(piles).

Pi·li·pi·no [pìləpíːnou, pìː-] *n.* 필리핀어(語)《타갈로그어를 기초로 한 필리핀의 국어》.

***pill¹** [pil] *n.* **1 a**) 알약 ; 정제(錠劑) ; (흔히) 캡슐[교갑]에 든 약 : gild the ~ ☞ GILD¹ 숙어. **b**) 《비유》 싫은 것[사람], 괴로운 일 : a bitter ~ (for one to swallow) 참지 않으면 안될[안 할 수 없는] 싫은 일[것]. **2** 《俗》 (야구·골프 따위의) 공 ; 투표용 작은 공 ; 《戲》 포탄, 총알. **3** [때때로 *pl.*] 《口》 의사. **4** [the ~, the P~] 《美口》 경구(經口) 피임약 : be[go] on the ~ 피임약을 상용하다[먹기 시작하다].

a pill to cure an earthquake 효과가 없는[무익한] 대책[수단].

〈회화〉
How many *pills* do I have to take? — Three.
「몇 알을 먹어야 합니까」「세 알」

── *vt.* **1** 알약으로 만들다 ; …에게 알약을 먹이

다. **2** 《美俗》 반대 투표하다 ; 배척[제명]하다.
── *vi.* (스웨터 따위에) 보풀이 뭉치다.
〖MDu. and MLG < ? L ; ⇨ PILULE〗

pill² *vt., vi.* 《古》 약탈하다 ; 《方》 (껍질을) 벗기다, 까다. 〖OE 《美》 *pilian* ; F *piller* (↓)의 영향〗

pil·lage [pílidʒ] *n.* Ⓤ 약탈 ; 약탈물, 전리품.
── *vt., vi.* 약탈하다, 강탈하다.
〖OF (*piller* to plunder)〗

***pil·lar** [pílər] *n.* **1 a)** 〔建〕 기둥(column) ; 기념 기둥, 〔建〕 푯대, 받침대(pedestal). **b)** 기둥 모양의 것 ; 불기둥〈*of*〉. **2** 《비유》 주석(柱石), 중심 세력[인물] : a[the] ~ *of* society 사회의 기둥[주석] / It is claimed that the newspaper is the ~ of free democracy. 신문은 자유 민주주의의 지주라고 일컬어진다. **3** ＝PILLAR-BOX.
be driven from pillar to post[***from post to pillar***] 이리저리 쫓기다, 연달아 궁지에 몰리다.
a pillar of a cloud[***of fire***] 〔聖〕 구름[불]기둥, 신의 지도[인도].
the Pillars of Hercules 헤르쿨레스의 기둥 《Gibraltar 해협 동쪽 끝에 솟아 있는 두 개의 바위》 ; 《비유》 땅의 끝, 한계 지점.
── *vt.* 기둥으로 받치다 ; 《비유》 …의 기둥[주석]이 되다. 〖AF *piler* < Rom. (L PILE¹)〗

píllar-bòx *n.* 《英》 기둥 모양의 우체통.

pil·lar·et [pìlərèt] *n.* 작은 기둥.

píll·bòx *n.* **1** (판지로 만든) 환약통[갑]. **2** 《英·戲》 소형 마차 ; 성냥갑 같은 집. **3** 〔軍〕 토치카.

píll bùg *n.* 〔動〕 쥐며느리의 일종(wood louse).

píll·hèad *n.* 《俗》 안정제나 각성제의 상용자.

pil·lion [píljən] *n.* 여성용 안장(saddle) ; (함께 타는 여성용의) 안장 뒷자리 ; (모터사이클 따위의) 뒷자리 : a ~ passenger 모터사이클 동승자.
〖Gael. *pillean* small cushion (L *pellis* skin)〗

pil·lory [píləri] *n.* **1** 칼《죄인의 머리와 손을 판자 사이에 끼워 거리에 세워놓았던 옛날 형틀》. **2** [(the) ~] 《비유》 오명, 웃음거리 : in *the* ~ 웃음거리가 되어.
── *vt.* 칼을 씌우다 ; 《비유》 웃음거리로 만들다. 〖OF < ?〗

pillory 1

***pil·low** [pílou] *n.* **1** 베개 ; 베개 구실을 하는 것. **2** 〔機〕 베어링 (＝~ block).
take counsel of[***with***] ***one's pillow***＝***consult with one's pillow*** 하룻밤 동안 곰곰이 생각하다.
── *vt., vi.* (머리를 …에) 올려 놓다, 베개로 삼다 ; …의 베개가 되다 : ~ one's head *on* one's arm 팔베개를 하다.
〖OE < L *pulvinus* cushion ; cf. G *Pfühl*〗

píllow blòck *n.* 〔機〕 베어링.

píllow·càse *n.* 베갯잇.

píllow fìght *n.* 베개 싸움 ; 모의전.

píllow làce *n.* ＝BOBBIN LACE.

píllow láva *n.* 〔地〕 베개[침상(枕狀)] 용암.

píllow shàm *n.* 장식용 베갯잇.

píllow slìp *n.* ＝PILLOWCASE.

píllow tàlk *n.* (부부 사이의) 잠자리에서의 다정한 이야기, 정담.

píl·lowy *a.* 베개 같은 ; 부드러운, 푹신푹신한.

píll pàd *n.* 《美俗》 마약 중독자의 집합소[소굴].

píll pèddler *n.* 《俗》 의사 ; 약사.

píll pòpper *n.* 《俗》 마약 정제(錠劑) 상용자.

pilo- ☞ PIL-¹˒².

pi·lo·car·pine [pàiləkáːrpiːn, -pən, pìlou-] *n.* 〔藥〕 필로카르핀《발한·동공 수축·이뇨제》.

pi·lose [páilous] *a.* 〔動·植〕 (부드러운) 털이 많은, 털이 있는. 〖L (PILUS)〗

pi·los·i·ty [pailɑ́səti] *n.* 털이 많음 ; 다모성(多毛性), 털이 있음.

‡**pi·lot** [páilət] *n.* **1** 수로(水路) 안내인 ; 조타수. **2** 〔空〕 조종사, 파일럿 : a test ~ 시험비행 조종사, 테스트 파일럿. **3** 지도자, 안내인, 지도, 지침(guide) ; (항해) 안내서, 수로지(水路誌). **4** 《美》 (기관차의) 배장기(排障器)(cowcatcher). **5** [형용사적으로] 지도[안내]하는 ; 표시[지표(指標)]의 ; 시험적인(experimental) : ☞ PILOT BALLOON / ☞ PILOT BOAT / ☞ PILOT BURNER / ☞ PILOT LAMP / a ~ farm 실험 농장 / a ~ test (소규모적인) 예비 테스트.
drop the pilot 좋은 충고[지도]자를 물리치다.
── *vt.* [＋目/＋目＋前＋名] 수로를 안내하다, 조종하다 ; 지도하다, 안내하다(guide) : ~ a steamer ***down***[***up***] a river 기선(汽船)의 수로를 안내하여 강을 내려[올라]가다 / ~ ships ***through*** a canal[seaway] 선박의 수로 안내를 하여 운하[해로]를 통과하다 / The manager will ~ you *through* the factory. 지배인이 공장 내부를 안내해 줄 것입니다.
〖F < L (Gk. *pēdon* oar)〗

pílot·age *n.* Ⓤ 수로 안내 ; 지도 ; 수로 안내료 ; 항공기 조종(술) ; 《美》 조종사의 급료[수당].

pílot ballòon *n.* 바람 측정[측풍(測風)] 기구(氣球)(trial balloon).

pílot bìscuit[**brèad**] *n.* (선원용의) 건빵.

pílot bòat *n.* 수로 안내선(船).

pílot bùrner *n.* (재점화를 위해 켜두는) 불씨(pilot light).

pílot càr *n.* 선도차(先導車).

pílot cèll *n.* 표시 전지《많은 전지의 전체 능력을 조사하는 시험용 전지》.

pílot chàrt *n.* 항해[항공]도(圖).

pílot chùte *n.* ＝PILOT PARACHUTE.

pílot clòth *n.* 파일럿 클로스《선원의 외투용의 검남색의 거친 복지》.

pílot èngine *n.* (선로의 고장 따위를 확인하는) 선도 기관차.

pílot fìlm[**tàpe**] *n.* (텔레비전의 스폰서 획득을 위해 제작하는) 프로그램 견본(見本) 필름[비디오 테이프].

pílot fìsh *n.* 〔魚〕 방어류(類)의 바닷물고기《상어를 먹이가 많은 곳으로 안내한다고 함》.

pílot flàg *n.* 수로 안내기.

pílot·hòuse *n.* 〔海〕 조타실(操舵室).

pílot·ing *n.* (선박·항공기가) 육지 부근에서 육표(陸標)·부표(浮標) 따위에 의해 진로 방향을 정하기 ; pilot의 임무.

pi·lo·ti(s) [piːlɔːtíː] *n.* 〔建〕 필로티《건물을 지표와 간격을 두어 짓고 지면을 통행하게 한 방식의 지주(支柱)》. 〖F〗

pílot jàck *n.* 수로 안내기(pilot flag)로서 게양하는 union jack《영국에서는 가장자리에 흰 테를 두른 영국기》.

pílot jàcket *n.* ＝PEA JACKET.

pílot làmp *n.* 표시등, 파일럿 램프(pilot light).

pílot·less *a.* (비행기가) 조종사가 없는 ; 자동 조종의.

pílot lìght *n.* ＝PILOT BURNER ; ＝PILOT LAMP.

pílot òfficer *n.* 《英》 공군 소위.

pílot pàrachute *n.* (주(主)낙하산을 펴기 위한) 보조 낙하산.

pílot plànt *n.* (새로운 생산 방식을 시험해 보는)

시험[실험] 공장.
pílot prodúction *n.* 시험적 생산.
pílot schème[pròject] *n.* (계획 따위의) 예비 테스트.
pílot shòp *n.* =ANTENNA SHOP.
pílot stùdy *n.* 〖社〗 준비 조사 ; 예비 연구.
pilot tape ☞ PILOT FILM.
pílot whàle *n.* 〖動〗 큰머리돌돼지(blackfish).
pi·lous [páiləs] *a.* =PILOSE.
pil·sner, -sen·er [pílzənər, -sənər] *n.* [때때로 P~] 필스너《홉(hop)의 맛이 나는 약한 맥주》; 필스너 글라스 (=~ **glàss**)《바닥 쪽으로 좁고 발이 달린 맥주잔》. 〖G〗
Pílt·down màn [píltdaun-] *n.* 〖人類〗 필트다운인(人)《유사 이전 인류의 두개골로 1912년 영국 East Sussex 주의 Piltdown에서 발견되었으나 1953년 가짜로 판명됨》.
pil·u·lar [píljələr], **-lous** [-ləs] *a.* 알약[환약](모양)의.
pil·ule [pílju:l] *n.* 작은 알약[환약].
〖F<L (dim.)‹*pila* ball〗
pi·lus [páiləs] *n.* (*pl.* **pi·li** [-lai]) 〖動·植〗 털, (박테리아 따위의) 섬모(纖毛). 〖L=hair〗
pily [páili] *a.* 솜털의, 보풀이 있는.
pi·ma [pí:mə, pímə] *n.* [때때로 P~] 피마면(綿) (=~ **cótton**)《미국 남서부에서 이집트면을 고강도 섬유용으로 개량한 것》. 〖↓〗
Pi·ma [pí:mə] *n.* (*pl.* **~, ~s**) 피마족《Arizona주(州) 남부 멕시코 북부의 인디언》; 피마어(語).
Pí·man *a.* Pima의 ; 피마 어군(語群)의.
pim·e·lode [píməloud] *n.* 〖魚〗 메기(catfish).
pi·men·to [pəméntou] *n.* (*pl.* **~s, ~**) 〖植〗 = PIMIENTO ; =ALLSPICE.
piménto chéese *n.* pimiento 가루가 든 치즈.
pí-méson *n.* 〖理〗 파이 중간자(pion).
pi·mien·to [pəmjéntou] *n.* (*pl.* **~s**) 스페인 고추, 피멘토《유럽 원산(原産)인 다육 감미종(多肉甘味種)의 고추》. 〖Sp. <L PIGMENT〗
pim·o·la [pimóulə] *n.* pimiento를 다져 넣은 올리브 열매.
pimp [pímp] *n.* 뚜쟁이, 매춘알선업자 ; 남을 나쁜 일에 유인하는 사람 ; 《美俗》 (목장·광산 따위의) 젊은 잡역부 ; 《豪俗》 고자쟁이. **——** *a.* 《美俗》 연약한. **——** *vi.* 매춘을 알선하다 ; 나쁜 짓을 방조하다, 남에게 기대어 살다 ; 남을 이용하다, 《豪俗》 고자질하다‹*on*›. **——** *vt.* 의존하다. 〖C17< ?〗
pim·per·nel [pímpərnèl, -nəl] *n.* 〖植〗 나도개별꽃속의 초목 : the red[scarlet] ~ 나도개별꽃. 〖OF<Rom. (L *piper* PEPPER)〗
pimp·ing [pímpiŋ, pímpən] *a.* 작은 ; 초라한, 천한 ; 허약한, 연약한, 가날픈. 〖C17< ?〗
pim·ple [pímpəl] *n.* 여드름, 뾰루지(cf. BLACKHEAD). **~d, pím·ply** *a.* 여드름이 난[투성이의]. 〖OE *piplian* to break out in spots〗
pímple lìght *n.* 《美俗》 트럭 트랙터의 주차등.
pímp·mobìle *n.* 《美俗》 (pimp같은 사람이 타는) 화려하게 장식된 대형 고급차.
‡**pin** [pín] *n.* **1** 핀, 시침 바늘 ; 장식핀 ; 핀이 달린 기장(記章) ; 브로치, 빨래 집게(clothespin), 머리핀(hairpin) : You might hear a ~ drop. ☞ DROP *vi.* 2. **2** 마개(peg) ; 빗장(bolt). **3** (악기의) 줄조리개, 줄감개 ; 밀방망이(=rolling ~). **4 a)** 〖골프〗 (hole을 나타내는) 깃대. **b)** (볼링 따위의) 핀《표적》. **5** 〖海〗 나무못, 쐐기. **6** [*pl.*] 《口》 다리(legs) : be quick[slow] on one's ~*s* 걸음이 빠르다[느리다]. **7** [보통 부정구문으로] 소량, 보잘것 없는것.
(as) neat[bright, clean] as a new pin 아주[깔끔하고] 산뜻한.
be on one***'s last pins*** (막) 죽어가고 있다.
be on one***'s pins*** 서 있다 ; 건강하다.
in[on] a merry pin 기분이 아주 좋아서.
for two pins 만일에 기회가 있으면, 당장에라도, 간단히.
not care a pin[two pins] 조금도 개의치[상관하지] 않다.
pins and needles 손발이 저려 따끔따끔한 느낌 : be on ~*s and needles* 흠칫흠칫[조마조마]하다.
stick pins into a person 남을 자극하다[부추기다, 괴롭히다].
—— *a.* 핀의 ; (가죽이) 결이 입상(粒狀)으로 된.
—— *vt.* (**-nn-**) [+目/+目+副/+目+前+名] **1** 핀 [못《따위》]로 고정시키다, 꿰찌르다 : ~ cloth *together* 천을 핀으로 겹쳐 꽂다 / ~ ***up*** a picture 그림을 압정으로 꽂아 놓다. **2** 눌러 놓다, 움직이지 못하게 하다 : The tree fell and ~*ned* his leg ***to*** the ground. 나무가 쓰러져 그의 다리가 땅에 짓눌리고 말았다 / The child was ~*ned* ***against*** the wall. 어린애는 벽에 밀어붙여졌다. **3** (신뢰·희망 따위를 …에) 걸다 : We ~*ned* our faith ***on*** him. 우리는 그를 꼭 믿었다.
pin down (1) …을 핀으로 꽂다. (2) …을 (약속 따위로) 속박하다‹*to*›. (3) …에게 자세한 설명[명확한 의견·태도]을 요구하다. (4) (사실 따위를) 밝히다, 분명히 설명하다, 규명하다.
pin in (틈 따위를) 메우다.
pin . . . on a person 《口》 남에게 …의 책임을 지우다, 남에게 (증거를) 들이대고 책임을 묻다 : *P*~ it *on* a dead man. 그것은 죽은 사람의 탓으로 돌리면 된다.
〖OE *pinn*<L *pinna* wing, feather ; cf. PEN[1]〗

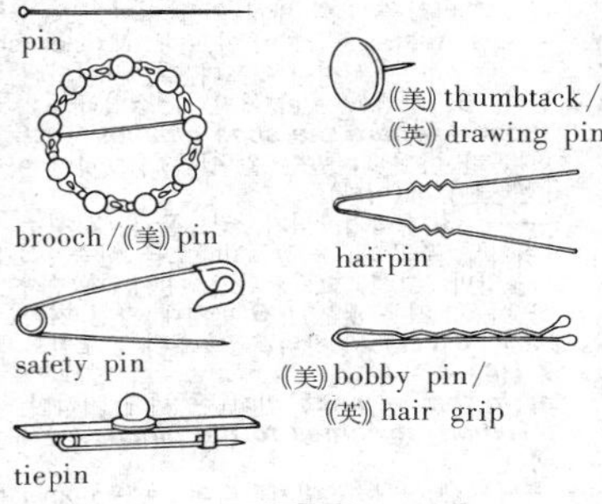

PIN *n.* (은행 카드의) 암호 번호, 개인별 식별 번호(=~ **còde**). ㊟ 일상적으로는 ID number. 〖*p*ersonal *i*dentification *n*umber〗
pi·ña [pí:njə] *n.* (라틴 아메리카에서) 파인애플 음료 ; =PIÑA CLOTH. 〖Sp.〗
píña clòth *n.* 파인애플 잎으로 짠 얇은 천《스카프·손수건감》.
píña co·lá·da [-kouláːdə] *n.* 피냐 콜라다《파인애플 과즙·코코넛·럼을 혼합한 알코올 음료》. 〖Sp. =strained pineapple〗
pin·afore [pínəfɔ̀:r] *n.* (가슴받이가 있는) 앞치

마, 에이프런 ; 에이프런 드레스.
〖*pin*+*afore* ; 앞을 핀으로 꽂는 데서〗

pi·nas·ter [painǽstər, pi-] *n.* 〔植〕 (남유럽 특히 지중해 연안산의) 피나스터소나무.

pín·bàll *n.* Ⓤ 핀볼(의 구슬), 핀볼 게임(의 구슬) : a ~ machine[game] 핀볼 놀이기(機).

pín bòy *n.* (볼링에서) 핀을 정리하는 소년[사람].

pince-nez [pǽnsnèi, píns- ; *F* pɛ̃sne] *n.* (*pl.* ~ [-*z* ; *F* —]) 코안경.
〖F=pinch nose〗

pince-nez

pin·cers [pínsərz] *n. pl.* **1** 못뽑이, 집게《a pair of ~ 라고도 함》. **2** 〔動〕 (게·새우 따위의) 집게발. **3** 〔軍〕 협공 (작전) (=~ **mòvement**).
〖AF (OF PINCH)〗

pin·cette [pænsét] *n.* 핀셋.
〖F〗

pinch** [píntʃ] *vt.* **1** [+目/+目+副/+目+前+名] 꼬집다, 쥐어 짜다, (두 손가락으로) 집다 ; 끼워 부스러뜨리다 ; (새싹 따위를) 잘라[따]내다 ; (모자·신발 따위가) 죄다 ; (사이에) 끼다 : I ~*ed* his leg. 그의 다리를 꼬집었다 / She ~*ed* ***off young shoots. 어린 싹을 따내었다 / I ~*ed* my little finger ***in*** the window. 창문에 새끼손가락이 끼었다. **2** [+目/+目+前+名] 곤란하게 하다, 괴롭히다, 쪼들리게 하다 ; 수척하게[여위게] 하다 ; (추위·고통으로) 위축시키다 : a face ~*ed* by [with] hunger 굶주림으로 여윈 얼굴 / be ~*ed* ***for*** money[space] 돈이 없어 곤란받다[장소가 너무 좁아 답답하다] / The people were severely ~*ed* ***with*** poverty. 사람들은 가난에 몹시 찌들리고 있었다. **3** 《俗》 탈취하다, 훔치다, 갈취하다. **4** 《俗》 포박하다, 구속하다. **5** 《英》 (경마말을) 재촉하다, 박차를 가하다(urge). **6** 〔海〕 (배를) 옆으로 바람을 함빡 받게 키를 잡다.
— *vi.* **1** 죄다, 꼭 끼어 아프다 : My new shoes ~. 새 구두가 꼭 끼어 아프다. **2** 째째[인색]하게 굴다. **3** (광맥이) 가늘어지다, 소멸하다.
(***know***) ***where the shoe pinches*** 《비유》 재난[곤란 따위]의 원인(을 알다) ; 그것이 어려운[곤란한] 점(이다).
— *n.* **1** 꼬집기, 집기, 죔, 물기. **2** 한번 집기[쥐기], 조금 : a ~ *of* salt 소금 한줌. **3** [the ~] 압박, 고생, 고난, 위기, 핀치. **4** 쑤시는 듯한 아픔, 격통(激痛). **5** 받침대 달린 지레(=~ bar). **6** 《口》 (경찰의) 급습 ; 《俗》 포박, 체포. **7** 《俗》 훔치기.
at[***in, on***] ***a pinch*** 위기[곤경]에 처하여.
if[***when***] ***it comes to the pinch*** 일단 유사시에는.
— *a.* 〔野〕 대…, 핀치히터의 : a ~ homer 대타 홈런.
〖OF (F *pincer*)<L *punct*- *pungo* to prick〗
類義語 ⟹ EMERGENCY.

pínch bàr *n.* 받침대 달린 지레.

pinch·beck [píntʃbèk] *n.* Ⓤ 금색동(金色銅) 《구리와 아연의 합금》 ; 싼 보석류 ; Ⓒ 가짜, 모조품.
— *a.* 금색동제의 ; 가짜의, 모조의.
〖C. *Pinchbeck* (d. 1732) 영국의 시계 제조인〗

pínch·bòttle *n.* 허리가 잘록한 (술)병.

pínch·còck *n.* 핀치콕《고무관 따위에서 나오는 수량(水量)을 조절하는 물림쇠의 일종》.

pín·chèck *n.* 핀체크《매우 작은 체크무늬 ; 또 그 직물》.

pinched *a.* 죄는, 답답한 ; (배고픔·추위 따위로) 수척한, 오그라든 ; 궁한, 가난한.

pínch effèct *n.* 〔理〕 핀치 효과.

pínch·er *n.* **1** 집는[끼우는·따는] 사람[물건]. **2** [*pl.*] =PINCERS.

pínch·gùt *n.* 《俗》 구두쇠.

pínch hít *n.* 〔野〕 대타(代打).

pínch-hít *vi., vt.* 〔野〕 대타(代打)로 나가다 ; 《美》 《비유》 대역(代役)을 맡아하다〈*for*〉.

pínch hítter *n.* 〔野〕 핀치 히터, 대타자 ; 《비유》 대역〈*for*〉.

pínch·pènny *n.* 구두쇠, 수전노(守錢奴). — *a.* 인색한, 수전노의.

pínch rúnner *n.* 〔野〕 핀치 러너, 대주자.

pín cùrl *n.* 핀 컬《머리에 웨이브를 내려고 머리를 클립에 말아 핀으로 고정시킴》.

pín·cùshion *n.* 바늘겨레[방석].

pin·dan [píndæn] *n.* 《濠》 반(半)건조 지대.

Pin·dar [píndər] *n.* 핀다로스《기원전 5세기경의 그리스의 서정 시인》.

Pin·dar·ic [pindǽrik] *a.* PINDAR(풍)의, (시가) 형식적이고 정연한. — *n.* [보통 *pl.*] PINDAR(풍)의 시(詩).

pin·dling [píndliŋ] *a.* 《美方》 자그마한 ; 병약한.
〖C19 ? *spindling*〗

pine[1] [páin] *vi.* **1** [+前+名/+*to* do] 애타게 그리워하다, 연모하다, 간절히 바라다 : They were *pining* ***for*** their homes and families. 그들은 집과 가족을 애타게 그리워하고 있었다 / Give up *pining* ***after*** what you cannot get. 손에 넣을 수 없는 것을 자꾸 탐내지 마라 / He ~*d* *to* see his wife and children. 처자를 만나기를 갈망했다. **2** [動/+前+名] 수척해지다, 여위다 ; 탄식으로 지내다 : *pining* ***from*** anxiety 걱정으로 수척해진.
— *vt.* 《古》 탄식하다. — *n.* 《古》 절망.
〖OE *pīnian* (*pīn* pain, punishment<L *poena*)〗

***pine**[2] *n.* 〔植〕 솔, 소나무(=~ tree) ; Ⓤ 소나무 재목. 〖OE *pīn*, OF *pin*<L *pinus*〗

pi·ne·al [páiniəl, painí:-] *a.* 솔방울 모양의 ; 〔解〕 송과체(松果體)의 : the ~ gland[body, organ] 〔解〕 (뇌의) 송과선(松果腺)[송과체].

pi·ne·al·ec·to·my [pàiniəléktəmi, painì:ə-] *n.* 〔醫〕 송과체 절제(술).

pine·ap·ple [páinæ̀pəl] *n.* **1** 파인애플(나무) ; Ⓤ 파인애플《식품》 : tinned ~ 파인애플 통조림. **2** 《軍俗》 폭탄, 수류탄.

píneapple clòth *n.* =PIÑA CLOTH.

píne bárren *n.* 《美》 소나무밖에 자라지 않는 불모(不毛)의 모래땅《미국 남서부 등지의》.

píne·còne *n.* 솔방울.

píne màrten *n.* 〔動〕 솔담비.

pi·nene [páini:n] *n.* 〔化〕 피넨《terpene의 일종》.

píne nèedle *n.* [보통 *pl.*] 솔잎.

píne nùt *n.* 송과(松果)《북미 서부산의 솔방울 속에 든 식용으로 쓰이는 씨》.

píne òvercoat *n.* 《美俗》 싸구려 관(棺).

píne résin *n.* 송진.

pin·ery [páinəri] *n.* 소나무 숲 ; 파인애플 재배원.

píne tàr *n.* (소나무를 건류(乾溜)시켜서 채취한) 파인 타르《지붕재료·피부병 약》.

píne tòp *n.* 《美方》 위스키.

píne trèe *n.* 소나무.

Píne Trèe Státe *n.* [the ~] 미국 Maine 주(州)의 속칭.

pi·ne·tum [painí:təm] *n.* (*pl.* **-ta** [-tə]) (각종) 소나무 재배원(園), 송원(松園).

píne·wòod *n.* [때때로 *pl.*] 솔밭, 송림 ; Ⓤ 소나무 재목.

piney ☞ PINY.

pín·fàll *n.* 〔레슬링〕 핀폴《양 어깨가 카운트 3을 세는 동안 매트에 닿게 누르기》.

pín·fèather *n.* 새의 솜털.

pín·fìre *a.* (탄약통이) 공이가 장치된 : a ~ cartridge 공이가 있는 탄약통. —— *vt.* (다리에 병이 걸린 말을) 마취시켜 전기침으로 치료하다.

pin·fold [pínfòuld] *n.* (길 잃은 가축을 가두는) 우리 ; 감금 장소. —— *vt.* 우리에 가두다. 〚OE *pundfald* ; ⇨ POUND³, FOLD²〛

ping [píŋ] *n.* **1** 핑《소총알 따위가 공중을 나는 소리》. **2** 〔放送〕 땡《시보(時報)의 마지막 소리 ; cf. PIP⁵》. **3** (내연기관의) 노크 (소리) (knock). —— *vi.* 핑[땡] 소리가 나다 ; 휙 날다 ; =PINK⁵. 〚imit.〛

pin·ga [píŋgə] *n.* 《美卑》 음경 (penis). 〚Sp.〛

píng·er *n.* (물속의 정위(定位) 표시용) 파동음 발진(發振) 장치, 수중 초음파 발신기 ; 타이머가 달린 벨.

píng jòckey *n.* 《美俗》 경보기[탐지기 따위]의 모니터 담당자.

pin·go [píŋgou] *n.* (*pl.* **~s, ~es**) 핀고《북극 지방에서 지하수의 동결로 인해 생긴 작은 언덕》. 〚Eskimo〛

ping-pong [píŋpɔ̀(:)ŋ, -pàŋ] *n.* 탁구, 핑퐁 (table tennis) ; [P~-P~] 탁구 용품《상표명》; 《口·비유》 주고 받기 ; ~ diplomacy 핑퐁 외교. —— *vt., vi.* 《口·비유》 왔다갔다하다, 주거니받거니 하다 ; 차례로 돌리다. 〚imit.〛

Píng-Pòng párents *n. pl.* 《美》 핑퐁 부모《이혼 후에 아이를 탁구공처럼 자기들 사이를 왔다갔다 하게 하는 부모》.

pin·guid [píŋgwəd] *a.* 기름 같은, 기름기 많은 ; (땅이) 기름진. **pin·guid·i·ty** [piŋgwídəti] *n.* 〚L *pinguis* fat〛

pin·guin [píŋgwən] *n.* 〔植〕 파인애플류의 식물《열대 아메리카산》; 그 열매. 〚C17＜?〛

ping-wing [píŋwìŋ] *n.* 《美俗》 마약 주사.

pín·hèad *n.* **1** 핀의 대가리. **2** 《비유》 사소한[하찮은] 물건. **3** 《俗》 바보 ; 멍청이.

pín·héad·ed *a.* 《口》 머리가 나쁜, 멍청한. **~·ness** *n.*

pín hèel *n.* 핀처럼 가는 굽을 댄 펌프스(pumps).

pín·hòld·er *n.* (꽃꽂이용) 침봉.

pín·hòle *n.* 작은 구멍 ; 바늘 구멍 ; 핀홀《작은 돌기·구멍 따위 재료의 결함》; 〔洋弓〕 골드.

pínhole cámera *n.* 핀홀 카메라《렌즈 대신에 어둠상자에 작은 구멍을 낸 사진기》.

pin·ion¹ [pínjən] *n.* 새 날개의 끝 부분, 새의 두 날개가 겹치는 부분 ; 새의 깃털 ; 칼깃 ; 《詩》 날개 ; 〔彫〕 앞날개.
—— *vt.* **1** (날지 못하도록) 날개 끝을 자르다 ; 두 날개를 동여매다. **2** (양손을) 붙잡아 매다, 묶다 ; 속박하다〈*to*〉: be *~ed to* bad habits (좀처럼) 나쁜 버릇을 버리지 못하다.
〚OF＜Rom. (augment.)＜L PIN〛

pinion² *n.* 〔機〕 피니언《작은 톱니바퀴》; 톱니가 있는 축 : a lazy ~ 유리(遊離) 톱니바퀴. 〚F (L *pinea* PINEcone)〛

pin·ion³ [pínjən, -joun, pinjóun] *n.* =PIÑON.

***pink**¹ [píŋk] *n.* **1** 연분홍색, 핑크빛(옷(감)). **2** [때때로 P~] 《口》 좌익에 기운 사람(cf. RED). **3** [보통 the ~] 정화(精華), 전형(典型) ; 최고 상태, 최고도 : *the* ~ of perfection 완전극치〈*of*〉/ *the* ~ of fashion 유행의 정수(精粹). **4** 〔植〕 패랭이꽃, 석죽. **5** 멋쟁이, 맵시꾼. **6** 여우 사냥꾼의 심홍색 웃옷(=~ coat) (천) ; 여우 사냥꾼. **7** 《美俗》 백인 ; 《濠》 싸구려 포도주 ; 《美俗》 자동차 소유권 증서, 《비유》 운전 자격. **8** 《美俗》 환각제(LSD).
in the pink (***of condition***[***health***]) 《口》 아주 기력이 왕성[건강]하여.
—— *a.* **1** 연분홍색의, 핑크빛의. **2** 《口》 좌경 사상의. **3** 흥분한, 성난. **4** 《口》 멋있는 ; 《俗》 몹시, 대단한 : have a ~ fit 몹시 부아가 나다 ; 몹시 당황하다.
get pink on …에 흥분하다.
—— *vi.* 《口》 핑크색이 되다.
〚? *pink-eyed* (obs.) having small eyes〛

pink² *vt.* **1** [+目+前+名] 찌르다, 꿰뚫다 : ~ a man *through* the heart 사람의 심장을 꿰뚫다. **2** (가죽 따위에) 구멍을 뚫다〈*out*〉; 《英》 (가장자리를) 톱니 모양으로 자르다, 장식하다〈*out, up*〉.
—— *n.* 작은 구멍 ; 눈(eye).
〚? LDu. ; cf. LG *pinken* to strike, peck〛

pink³ *n.* 고물이 좁고 뾰족한 배. 〚MDu.＜?〛

pink⁴ *n.* 《英》 연어 새끼(young salmon) ; 《英方》 =MINNOW. 〚ME＜?〛

pink⁵ *vi.* (엔진이) 노킹하다(knock). 〚imit.〛

pínk cóat *n.* =PINK¹ 6.

pínk-cóllar *a.* 핑크 칼라의《전통적으로 여성이 차지해온 직종에 종사하는 노동자 계층을 가르키는 말》: ~ jobs 여성에 적합한 직업.

pínk diséase *n.* **1** 〔醫〕 지단 동통증(肢端疼痛症)《유아병》. **2** 〔植〕 적의병(赤衣病).

pínk élephant *n.* [때때로 *pl.*] 술이나 마약에 의한 환각.

pínk·èye *n.* **1** 핑크색(色) 눈《일종의 유행성 결막염》. **2** (말의) 유행성 감기.

pínk-èye, pínk-hi [-hài] *n.* 《濠》 (원주민의) 축제일.

pínk gín *n.* 핑크 진《진에 비터즈(bitters)를 넣은 핑크색 음료》.

pin·kie¹ [píŋki] *n.* 《美·스코》 새끼손가락. 〚Du. (dim.)〈*pink* little finger〛

pink·ie² *n.* 〔海〕 =PINK³.

pínk·ing *n.* Ⓤ (천·가죽 따위의) 가장자리를 톱니 모양으로 잘라 꾸민 장식.

pínking shèars[**scìssors**] *n. pl.* 〔洋裁〕 핑킹용(用) 가위.

pínk·ish *a.* 핑크색[연분홍색]을 띤.

pink lády *n.* **1** 핑크 레이디《진·브랜디·레몬 주스·달걀 흰자위를 섞은 것》. **2** 《俗》 다르본(Darvon)《마약 진통제》, 세코날.

pínk·ly *adv.* 핑크색으로.

pín knòt *n.* (재목의) 지름 0.5인치 이하의 옹이.

pinko [píŋkou] *n.* (*pl.* **pínk·o(e)s**) 《美俗·蔑》 빨갱이, 좌경한 사람(pink).

pínk rhododéndron *n.* =CALIFORNIA ROSEBAY.

pínk sálmon *n.* 〔魚〕 곱사송어[연어].

pínk shárk *n.* DOGFISH의 별칭(grayfish).

pínk shéet *n.* 《美》 점두(店頭) 거래주(株)의 시세 일보(日報) ; =PUBLISHER'S STATEMENT.

pínk slìp *n.* 《美口》 해고 통지.

pínk·slìp *vt.* 《美口》 목자르다, 해고하다.

pínk spót *n.* 〔醫〕 정신 분열증 환자의 소변에서 특징적으로 나타나는 mescaline과 흡사한 물질.

Pink·ster, Pinx·ter [píŋkstər] *n.* 《美方》 =WHITSUNTIDE.

pínkster flòwer *n.* =PINXTER FLOWER.

pínk stèrn *n.* 〔海〕 뾰족한 고물.

pínk téa *n.* 《美口》 정식 연회, (여성들의) 차 마시는 모임 ; 엘리트들만의 모임[파티].

pínk·tòes *n.* (*pl.* ~) 《美黑人俗》 피부가 거무스름한 흑인 여자 ; 백인 여자.

pínky[1] *n.* 〖海〗 =PINK[3].

pinky[2] *n.* =PINKIE[1].

pinky[3] *n.* 《美俗》 피부가 거무스름하고 매력적인 흑인 처녀.

pín mòney *n.* (일반적으로) 용돈 ; (아내나 딸 등에게 주는) 용돈(cf. POCKET MONEY) ; (임시 지출비로 마련하기 위한) 얼마 안되는 돈.

pinn- [pín], **pin·ni-** [pínə] *comb. form* 「날개」「깃」「지느러미」의 뜻. 〚L (↓)〛

pin·na [pínə] *n.* (*pl.* **~s, -nae** [-ni:, -nai]) 〖動〗 날개 · 지느러미 또는 이에 상당하는 기관(器官) ; 〖植〗 우상(羽狀)겹잎의 깃털 조각 ; 〖解〗 귓바퀴 (auricle). **pín·nal** *a.*
〚L=feather, wing, fin ; ⇨ PIN〛

pin·nace [pínəs] *n.* 〖海〗 피니스《함선에 싣는 중형 보트》, 함재정 ; 〖史〗 (모선(母船)을 수행하는) 소형 범선. 〚F ; '*pine*²의 *navis* ship'의 뜻인가〛

pin·na·cle [pínikəl] *n.* 〖建〗 작은 첨탑 ; 뾰족한 [높은] 산봉우리 ; [the ~] 최고점, 정점 : be on *the ~ of* happiness 행복의 절정에 있다.
── *vt.* 높은 곳에 두다 ; 첨탑 (모양)으로 하다 ; 절정을 이루다. **~d** *a.* 첨탑 모양으로 솟은 ; 첨탑이 있는 ; 높은 곳에 있는. 〚OF<L (*pinna* PIN)〛

pin·nate [píneit, -nət], **-nat·ed** [-eitəd] *a.* 〖植〗 깃털 모양의, 우상엽(羽狀葉)이 달린 ; 〖動〗 날개 · 지느러미류를 가진, 깃 모양의. **~·ly** *adv.*
〚L=feathered ; ⇨ PIN〛

pin·nati- [pənǽtə] *comb. form* 「깃털 모양으로」의 뜻. 〚L ; ⇨ PINNA〛

pin·nat·i·fid [pənǽtəfəd] *a.* 〖植〗 (잎이) 깃털 모양으로 갈라진. **~·ly** *adv.*

pin·na·tion [pənéiʃən] *n.* Ⓤ (식물의) 깃털 모양 조직.

pín·ner *n.* 핀으로 고정시키는 사람[것] ; 《英口》 = PINAFORE ; [보통 *pl.*] (17-18세기에 쓰던) 긴 lappets가 달린 여성용 두건.

pin·ni·ped [pínəpèd] *a.* 〖動〗 (물개 따위의) 기각류(鰭脚類)의. ── *n.* 기각류의 동물.

pin·nule [pínju:l] *n.* **1** 〖植〗 (2번 우상겹잎의) 작은 깃털 조직. **2** 〖動〗 작은 지느러미 ; (갯나리류(類)의) 깃가지. **3** 〖測〗 (alidade의) 후시준판(後視準板). 〚L (dim.) < PINNA〛

pin·ny [píni] *n.* 《兒》 =PINAFORE.

Pi·noc·chio [pinákiòu] *n.* 피노키오 《Carlo Collodi 작의 동화에 나오는 나무 인형의 이름 ; 나중에 사람이 됨》.

pi·noc(h)·le [pí:nʌkəl ; pínəkl] *n.* Ⓤ 《美》 〖카드놀이〗 피너클《2-4명이 48장의 패로 하는 놀이의 일종 ; cf. BEZIQUE》. 〚C19< ?〛

pínochle sèason *n.* 《美俗》 의류 산업의 비(非) 성수기.

pi·no·cy·to·sis [pìnəsətóusəs, pài-, -sai-] *n.* (*pl.* **-ses** [-si:z]) 〖生〗 음(飮)세포 작용《생세포가 외계의 용액을 섭취하는 현상의 하나》.
pì·no·cy·tót·ic [-tát-] *a.* **-i·cal·ly** *adv.*

pi·no·le [pinóuli] *n.* 《美南西部》 볶은 옥수수 가루 · 밀가루 · 설탕 따위로 만든 요리의 일종.
〚Am. Sp.〛

pi·ñon, pin·yon [pínjoun, -jɑn, pínjən, pinjóun] *n.* (*pl.* **~s, -ño·nes** [pinjóuni:z]) 〖植〗 종자가 식용으로 쓰이는 각종의 소나무(nut pine) 《북미 서부산(産)》 ; 그 종자.
〚Am. Sp. <Sp.=pine nut〛

Pi·not [pi:nóu, pí:nou ; *F* pino] *n.* 포도주 양조용의 포도 품종《Pinot Blanc, Pinot Noir 따위》 ; 그것으로 만든 포도주. 〚F (*pin* PINE²)〛

Pinot Blanc [*F* pino blɑ̃] *n.* 백포도주용의 Pinot종 포도 ; 그것으로 만든 백포도주.

Pinot Noir [*F* pino nwa:r] *n.* 적포도주용의 Pinot종 포도 ; 그것으로 만든 적포도주.

pín·pòint *n.* **1** 핀[못, 바늘] 끝. **2** 《비유》 보잘것없는 것 ; 조금, 소량. **3** 정확[정밀]한 위치 결정 ; 정밀 조준 폭격. ── *attrib. a.* 정확하게 목표를 정한 ; 정밀한. ── *vt.* …의 위치를 정확하게 나타내다 ; 정밀 폭격하다 ; 정확히 지적하다.

pínpoint óiler *n.* 주사기식 주유기 ; 미량(微量) 주유기.

pín·prìck *n.* 바늘로 한 번 찌르기 ; 《비유》 성가신 [귀찮은] 일 ; 성가시게 하기[굴기].
── *vt.* 쿡쿡 찌르다.

PINS [pínz] *n.* 《美》 감독이 필요한 자 ; 문제아 (Person(s) In Need of Supervision).

pín·sètter *n.* **1** =PIN BOY. **2** (볼링의) 핀을 나란히 놓는 기계.

pín·shòt *n.* 《美俗》 안전핀과 안약 용기(容器)로 하는 마약 주사.

pín·spòtter *n.* =PINSETTER.

pín·strìpe *n.* 가는 세로 줄무늬(의 옷).

pín·strìp·er *n.* 가는 세로 줄무늬의 셋갖춤 양복을 입은 신사[외교관].

pín·strìp·ing *n.* (자동차 따위에) 가는 세로 줄무늬로 꾸미기.

pint [páint] *n.* **1** 파인트(《美》 약 0.47*l*, 《英》 약 0.57*l* ; cf. GALLON, QUART》: a[half a] ~ *of* beer 맥주 1[반(半)] 파인트. **2** 1파인트 들이 용기 ; 《英口》 1파인트의 맥주[우유]. 〚OF< ? ; cf. L *pincta* marks used in measuring liquids〛

pin·ta[1] [píntə] *n.* Ⓤ (중남미에 많은) 열대 백반성 피부병.
〚Am. Sp.<Sp.=spot (L *pictus* painted)〛

pinta[2] [páintə] *n.* 《英口》 1파인트의 우유[맥주 따위]. 〚*pint of*〛

pín tàble *n.* 《英》 핀볼 놀이 기계.

pín·tàil *n.* (*pl.* **~, ~s**) 〖鳥〗 고방오리《유럽 · 아시아 · 북미산》.

pín-tàiled *a.* 〖鳥〗 꼬리 가운데 깃이 길게 나온 ; 꼬리깃이 뾰족한.

pin·tle [píntl] *n.* 핀틀《배의 키나 포차(砲車) 따위의 선회(旋回)용 볼트[핀]》. 〚OE=penis< ?〛

pin·to [píntou] *a.* 《美》 얼룩배기의, 흑백으로 얼룩진. ── *n.* (*pl.* **~s, ~es**) 《美西部》 (흑백의) 얼룩말 ; 얼룩 덜룩한 강낭콩(=~ **bèan**) ; =PINTA[1] ; 《美方》 관(棺). 〚Am. Sp.=painted〛

pínt-sìze, pínt-sìzed *a.* 《口》 작은, 조그마한, 소형의 ; 작고 하찮은.

pín·ùp *n.* (핀으로 벽에 꽂는) 미인 사진 ; 미인 ; 벽 램프. ── *attrib. a.* 벽에 붙여 둘 만한 ; 벽에 설치하는《램프 따위》.

pínup bóard *n.* 핀으로 서류 따위를 꽂아 두는 게시판《표면이 코르크나 펠트(felt)로 됨》.

pínup gírl *n.* 핀업에 알맞은 미인(의 사진).

pín·whèel *n.* 회전 꽃불 ; 팔랑개비《장난감》.

pín·wòrm *n.* 요충(蟯蟲)《기생충》.

pín wrènch *n.* 스패너의 일종.

pinx. pinxit.

pinx·it [píŋksət] *vt.* [이름 뒤에 써서] …그림[작(作) · 필(筆)] 《略 pnxt, pinx.》.
〚L=he[she] painted it〛

pínx·ter flòwer [píŋkstər-] *n.* 〖植〗 연분홍색 진달래의 일종《북미 동부 원산》.

piny, piney [páini] *a.* 소나무의[가 무성한] ; 소나무 같은.

Pin·yin [pínjín] *n.* [때때로 p~] 《Chin.》 핀인(併音)《북경 방언에 입각한 중국어의 로마자 표기법의 한 방식 ; cf. WADE(-GILES) SYSTEM》.

PIO 〔軍〕 public information officer[office] (정훈[공보] 장교[실]).

pi·o·let [pìəléi ; pjouléi] *n.* (등산용) 소형 피켈. 〖F〗

pi·on [páiɑn] *n.* 〔理〕 파이온(pi-meson).

***pi·o·neer** [pàiəníər] *n.* **1** (미개지·신분야 따위의) 개척자. **2** 선구자, 솔선자 ; 주창자, 선봉. **3** 〔軍〕 (부대 선발(先發)) 공병(engineer). **4** 〔生〕 선구(先驅) 생물《동식물의 무생식 지대에 최초로 들어와 정착한 동식물》. **5** [P~] 미국의 행성 탐사용 인공 행성 ; 행성 탐사 계획. —— *a.* 초기의 ; 개척자의 : the ~ days 초창기. —— *vt.* **1** (미개지·신분야 따위를) 개척하다 ; (도로 따위를) 개설하다. **2** 선도[지도]하다. **3** 제창하다. —— *vi.* 개척자가 되다〈*in*〉; 솔선하다〈*in*〉.
〖F *pionnier* foot soldier ; ⇨ PAWN²〗

pionéer·ing ìndustry *n.* 첨단 산업(frontier industry).

pi·on·ic [paiɑ́nik] *a.* 〔理〕 파이온의[에 관한].

pi·on·i·um [paióuniəm] *n.* 〔理〕 파이오늄《뮤 중간자(muon)와 파이온(pion)으로 된 의사(疑似) 원자[준(準)원자]》.

píon thèrapy *n.* 〔醫〕 파이온 요법《파이온을 암세포에 복사하여 세포를 파괴함》.

***pi·ous** [páiəs] *a.* **1** 경건한, 독실한 (religious) (↔ *secular*) ; 《古》 충실한, 효성스러운. **2** 《蔑》 신앙심이 깊은 체하는 ; 종교를 빙자한, 위선적인 : a ~ fraud 종교를 빙자한 속임수. **3** 훌륭한, 칭찬할 만한《기도(企圖), 노력》. **3** [특히 다음 구로] 실현성 없는 : a ~ hope 실현성이 없는 희망. **~·ly** *adv.* 독실하게, 경건하게. **~·ness** *n.*
〖L *pius* dutiful, pious〗
[類義語] ⟹ RELIGIOUS.

pip¹ [píp] *n.* (사과·배·귤·레몬 따위의) 씨. —— *a.* 《美俗》 훌륭한, 매력적인. —— *vt.* (**-pp-**) (과일의) 씨를 빼다. 〖*pip*pin〗

pip² *n.* [the ~] **1** (가금(家禽)의) 혀의 질병. **2** 《俗》 가벼운 병 ; 기분이 언짢음 : have *the* ~ 기분이 나쁘다, 화를 내다 / get[give a person] *the* ~ 화를 내다[남을 화나게 하다].
—— *vt., vi.* (**-pp-**) 《英俗》 기분 나쁘게 하다[나빠지다].
〖MDu., MLG＜WGmc.＜? L *pituita* slime〗

pip³ *n.* **1** (카드 패·주사위의) 점, 눈. **2** (영국 육군의 견장(肩章)의) 별. **3** 뿌리줄기 ; (파인애플 껍질의) 바늘 모양의 갈라진 조각. 〖C16＜?〗

pip⁴ *v.* (**-pp-**) *vi.* (병아리가) 삐악삐악 울다 ; (알이) 깨어지다. —— *vt.* 알을 깨고 나오다《병아리 따위》. 〖imit.〗

pip⁵ *n.* (라디오·텔레비전 시보(時報)의) 삑삑하는 소리. 〖imit.〗

pip⁶ *v.* (**-pp-**) 《英口》 *vt.* …을 배척하다 ; …에 반대하다 ; (아무를) 낙제시키다 ; 지우다 ; (계획 따위를) 좌절시키다 ; 탄환으로 쏘아 맞히다 ; 죽이다. —— *vi.* 죽다. 〖*pip*¹ or *pip*³〗

pip⁷ *n.* 《英》 (신호에서의) p자(字).

Pip *n.* 남자 이름《Philip의 애칭》.

pip·age, pipe·age [páipidʒ] *n.* Ⓤ (물·가스·석유 따위의) 파이프 수송 ; [집합적으로] 수송관(管) ; (파이프 수송에 의한) 수송 요금.

pi·pal [páipəl, píː-] *n.* 〔植〕 인도보리수(＝~ **trèe**). 〖Hindi〗

***pipe** [páip] *n.* **1** (담배) 파이프, 담뱃대(tobacco pipe) ; (담배) 한 대 : have[smoke] a ~ 한 대 피우다 / light a ~ 한 대 붙이다 / How about a ~? 한 대 피우시지요 / Put that in your ~ and smoke it. 지금 한 말을 잘 생각해 보아라《잔소리 따위를 한 뒤에》. **2** 관(管), 파이프, 도관(導管), 통 : a distributing ~ 배수관. **3 a**) 피리, (파이프 오르간의) 파이프(organ pipe) ; [*pl.*] ＝ BAGPIPES. **b**) 〔海〕 (갑판장의) 호각, 호루라기 (boatswain's pipe). **c**) 피리 소리 ; (새 따위의) 울음소리, 노랫소리 ; (아기 등의) 빽빽 우는 소리. **4** [보통 *pl.*] (몸안의) 도관 ; 기관(氣管), 호흡기. **5** (포도주의) 큰 통《《美》 126 gallons, 《英》 105 gallons》.

dance to* a person*'s pipe ☞ DANCE *v.*

put* a person*'s pipe out 남의 성공을 훼방하다.

the pipe of peace (북미 인디언이 피우는) 평화의 담뱃대 : smoke *the* ~ *of peace* 화목의 표시로 담배를 돌려가며 피우다.

—— *vi.* 피리를 불다 ; 삐악삐악 울다 ; 소리내어 울다, (바람이) 윙윙 소리내며 불다.

—— *vt.* **1** 피리로 불다 ; 노래하다, 지저귀다, 부르짖다. **2** [＋目＋前＋名] (선원을) 호각으로 부르다 ; 피리를 불어 이끌다 : All hands were ~*d* ***on*** deck. 승무원 전원이 갑판 위에 소집되었다 / The director ~*d* the dancers *on* the stage. 무대 감독은 호각을 불어 무희들을 무대에 집합시켰다. **3** …에 관(管)을 잇다 ; …을 관으로 운반[수송]하다. **4** (의복에) 가두리 장식테를 대다 ; (과자 따위에) 크림으로 가장자리를 두르다.

pipe away 〔海〕 호각을 불어 …에게 출항을 명하다.

pipe down (1) 《口》 나지막한 목소리로 말하다 ; 조용[얌전]해지다 ; 《美俗》 입을 다물다. (2) 〔海〕 호각을 불어 …에게 종업(終業)을 명하다.

***pipe* one*'s eye*(*s*)** 울다.

pipe up 취주(吹奏)[노래]하기 시작하다 ; 《俗》 높은 소리로 지껄이다.

〖OE *pipe*＜Gmc. (G *Pfeife*)＜Rom. (L *pipo* to chirp)〗

pípe bòmb *n.* (쇠)파이프 폭탄.

pípe clày *n.* 파이프 점토(粘土)《결이 고운 백색 점토 ; 도제(陶製) 파이프(clay pipe) 원료 또는 원래 군인의 흰 바지 따위의 손질에 썼음》.

pípe-clày *vt.* 파이프 점토《백색》로 표백하다 ; 《비유》 닦아서 윤을 내다, 정돈하다.

pípe clèaner *n.* 담배 파이프 청소용구, (특히) 꼰 철사에 섬유털을 단 것.

pípe cùtter *n.* 파이프 절단기.

piped [páipt] *a.* 파이프로 보내지는 ; 유선 방송되는 ; 《美俗》 술취한.

píped músic *n.* 유선 방송에서 흘러나오는 음악.

pípe drèam *n.* 《美口》 공상(daydream), 과대망상《아편을 흡입함으로써 일어나는 것》, 비현실적인 생각, 엉뚱한 이야기.

pípe·fish *n.* 〔魚〕 실고기.

pípe fitter *n.* 배관공.

pípe fitting *n.* 관 이음쇠 ; 도관 부설, 배관.

pípe·fùl *n.* 파이프 하나 가득(한 분량의 담배).

pípe·lày·er *n.* 수도관(管)[가스관] 배관공(工).

pípe·lìne *n.* **1** (석유·가스·물 따위의) 도관(導管), 송유관, 수송관로, 파이프라인 ; 보급선 ; (제조인에게서 소매상인[소비자]에 이르는) 끊임없이 공급되는 상품. **2** 《美》 (기밀 정보 따위의) 루트, 경로.

in the pipeline (상품이) 발송 중인 ; 발송되려고 하는 ; 진행[준비]중인.

—— *vt.* 도관(導管)으로 보내다[수송하다].
—— *vi.* 도관을 설치하다.

pípe·lìn·ing *n.* 〖컴퓨〗 파이프라인, 파이프라이닝 《여러 개의 연산 장치를 설치하여 명령 실행을 개시한 후에 계속해서 다음 명령의 실행을 중복시키는 것》.

pípe májor *n.* (bagpipe 악대의) 파이프 주(主) 연주자.

pip em·ma [píp émə] *adv.* 《英》 오후에. 〖*P.M.*〗

pípe òpener *n.* 준비 운동.

pípe òrgan *n.* 파이프 오르간(cf. REED ORGAN).

pip·er[1] [páipər] *n.* **1** 피리 부는 사람; =BAGPIPER. **2** 〖魚〗 성대. **3** 숨가빠하는 말(horse).
(**as**) ***drunk as a piper*** 《口》 술에 취해서.
pay the piper 비용[책임]을 부담하다: He who *pays the* ~ may call the tune. 《속담》 피리 부는 자에게 돈을 주는 사람이 곡을 청할 권리가 있다, 돈 내는 사람이 지배권이 있다.

piper[2] *n.* 《俗》 상당히 중요한 인물.

pípe ràck *n.* 담뱃대걸이.

pípe-ràck *a.* (상점이) 실내 장식 따위를 간소화하여 상품을 값싸게 제공하는, 파이프 래크 방식의.

pi·per·a·zine [paipérəzìːn, pə-, pípə-] *n.* Ⓤ 〖化〗 피페라진《통풍(痛風) 치료·농약 따위에 쓰임》.

pi·per·i·dine [paipérədìːn, pə-, pípə-] *n.* Ⓤ 〖化〗 피페리딘《용제(溶劑)·의약용으로 쓰임》.
〖L *piper* pepper〗

pi·per·o·nal [paipérənæ̀l, pi-, pípərə-] *n.* 〖化〗 피페로날《향수 원료》.

pi·per·o·nyl bu·tox·ide [paipérənìl bjutáksaid, pípərə-] *n.* 〖化〗 피페로닐 부톡사이드《살충제의 촉진용》.

pípe smòker *n.* 《美》 아편 중독자.

pípe·stèm *n.* **1** 파이프 자루, (담뱃대의) 설대. **2** [*pl.*] 《口》 가늘고 야윈 다리[팔].

pípe·stòne *n.* Ⓤ 굳고 붉은 진흙《아메리칸 인디언이 파이프 만드는 데 씀》.

pi·pet(te) [paipét, pə-] *n.* 〖化〗 피펫《극소량의 액체 또는 가스를 옮기는 데 쓰는 작은 관》.
—— *vt.* (**-tt-**) 피펫으로 옮기다[받다].
〖F (dim.) ‹ PIPE〗

pípe·wòrk *n.* 파이프 모양의 광맥; (오르간 따위의) 파이프 기구(機構).

pípe wrènch *n.* 파이프 렌치, 관 집게.

pi·pi [píːpi] *n.* 《兒》 쉬, 오줌(urine).

pip·ing [páipiŋ] *n.* **1** Ⓤ 피리불기; 관악(管樂) (pipe music). **2** Ⓤ 피리 소리; 울음소리, 날카로운 소리. **3** Ⓤ [집합적으로] 관; 배관. —— *a.* **1** 피리[뿔피리]를 부는; 날카로운 소리를 내는: a ~ voice 날카로운 목소리. **2** 《古》 평화로운. **3** 펄펄 끓는, 갓 구워[삶아] 만든.
the piping times of peace 태평 성대.
—— *adv.* (음식물이) 펄펄' (소리내어) 끓어오를 만큼, 대단히: The tea is ~ hot. 차는 혀를 델만큼 뜨겁다.

pip·is·trel(le) [pìpəstrél] *n.* 〖動〗 집박쥐.

pip·it [pípət] *n.* 〖鳥〗 할미새, 밭종다리.
〖C18＜(? imit.)〗

pip·kin [pípkən] *n.* 작은 옹기냄비, 들통.

pip·pe·roo [pìpərúː] *n.* (*pl.* **~s**) 《美俗》 굉장한 사람[것].

pip·pin [pípən] *n.* 피핀종(種)의 사과. 〖OF＜?〗

pip·py [pípi] *a.* (사과 따위) 씨가 많은.

pip·sis·se·wa [pipsísəwɔ̀ː] *n.* 〖植〗 큰매화노루발풀. 〖Cree〗

píp·squèak *n.* 《英俗》 보잘것없는 사람[것]; 벼락 출세한 사람. 〖imit.〗

pipy [páipi] *a.* 관[원통] 모양의; (목소리가) 째지는 듯이 날카로운.

pi·qua·da [pikáːdə] *n.* 고문용 전기침.

pi·quance [píːkəns, -kwəns] *n.* =PIQUANCY.

pí·quan·cy *n.* Ⓤ (맛 따위가) 톡 쏨, 얼얼함; 매움; 신랄함; 통쾌함; 활기참.

pi·quant [píːkənt, -kɑːnt, píkwənt] *a.* **1** (맛 따위가) 톡 쏘는, 얼얼한, 매운; 식욕을 돋우는. **2** 활기있는, 신랄한, 통쾌한. **~·ly** *adv.* 톡 쏘며; 활기있게, 신랄하게. **~·ness** *n.*
〖F (pres. p.) ‹ *piquer* to prick, irritate〗

pique[1] [píːk] *n.* Ⓤ 화, 불쾌, 감정을 상하기; 언짢은 기분; Ⓒ 기분이 나쁨, 불만: be *in* a ~ 화를 내고 있다, 기분이 언짢다.
in a fit of pique = ***out of pique*** 홧김에.
take a pique against …에게 감정을 품다.
—— *vt.* **1** …의 감정을 상하게 하다, 약올리다; …의 자존심을 상하게 하다, 부아나게 하다: They ~*d* me by refusing my invitation. 그들이 나의 초대에 응하지 않아 감정이 상했다. **2** (호기심·흥미를) 돋우다, 자극하다: His curiosity was ~*d* by the locked box. 자물쇠로 잠긴 상자는 그의 호기심을 자극했다. **3** 《古》 자랑하다. —— *vi.* 남의 감정을 상하게 하다, 화나게 하다.
pique one***self*** (***up***) ***on*** …을 자랑하다.
〖F (↑)〗

pique[2] *n.* 피켓(piquet) 놀이에서 30점을 따기.
—— *vt., vi.* 피켓놀이에서 30점을 따다. 〖F＜?〗

pi·qué, pi·que [píːkei, 美+pi(ː)kéi] *n.* Ⓤ 피케《골지게 짠 직물》. 〖F (p.p.)＜*piquer* to PIQUE[1]〗

pi·quet[1] [pikét, 美+-kéi] *n.* Ⓤ 〖카드놀이〗 피켓《둘이서 32장의 패로 하는 게임》. 〖F＜?〗

piquet[2] *n.* 〖軍〗 =PICKET.

PIR 〖空〗 property irregularity report.

PIRA, Pi·ra [páiərə] Research Association for the Paper and Board, Printing and Packaging Industries.

pi·ra·cy [páiərəsi] *n.* Ⓤ,Ⓒ 해적 행위; 저작권[특허권] 침해, 무허가[무면허]로 하는 행위《해적 방송 따위》; 〖地〗=CAPTURE: literary ~ 저작물 표절. 〖⇨ PIRATE〗

pi·ra·gua [pərɑ́ːgwə, -rǽg-] *n.* 통나무 배; 쌍돛대 평저선(平底船). 〖Sp.〗

pi·ra·nha [pərɑ́ːnjə, -rǽnjə] *n.* 〖魚〗 피라냐《남미산의 도미 비슷한 민물고기; 강을 건너는 사람·가축을 물어서 죽이기도 함》.
〖Port.＜Tupi=scissors〗

pi·ra·ru·cu [pirɑ́ːrəkùː] *n.* 〖魚〗 피라루쿠《남미 아마존 강에 사는 세계 최대 민물고기로 식용함; 몸길이 5 m, 무게 400 kg》. 〖Tupi=red fish〗

***pi·rate** [páiərət] *n.* **1** 해적; 해적선. **2** 표절자, 저작권[특허권] 침해자. **3** 훔치는 사람, 약탈자. **4** 《英》 무허가[불법] 방송자. —— *vt.* 약탈하다; 표절하다, 저작권[특허권]을 침해하다, 무단으로 출판하다; (타사의 종업원을) 빼돌리다: a ~*d* edition 표절판, 해적판. —— *vi.* 해적질하다.
〖L＜Gk. (*peiraō* to attempt, assault)〗

pírate lòok *n.* 〖服〗 해적 룩《중세 취향을 가미한 패션으로 New Romantic의 하나》.

pírate ràdio *n.* 해적 방송, 무허가 방송《특히 공해상에서의》: a ~ station 해적 방송국, 해적국.

pírate tápe *n.* 해적판 테이프.

pi·rat·ic, -i·cal [paiərǽtik(əl)] *a.* 해적의, 해적질하는; 저작권 침해의, 표절의.
-i·cal·ly *adv.* 해적처럼, 해적으로서.

pirn [pɔ́ːrn] *n.* (직기의) 씨실을 감는 꾸리 북실, 편《이것을 북 속에 넣음》; [, píərn] 《스코》 (낚싯대의) 릴(reel).
pi·rogue [piróug, pí:roug] *n.* (북미 인디언의) 통나무 배(canoe); 쌍돛대의 작은 평저선(平底船). 〖F<Sp.<Carib〗
pi·rosh·ki, -rozh- [piráʃki, pirəʃkí:] *n. pl.* 고기 따위를 채워서 튀긴 러시아식 파이. 〖Russ.=small tart〗
pir·ou·ette [pìruét] *n., vi.* 〔댄스〕 발 끝으로 선회(하다); 〔馬〕 급회전(하다). 〖F=spinning top〗
Pi·rox·i·cam [pairáksikæ̀m] *n.* Ⓤ 〔藥〕 피록시캄 《소염 진통제; 상표명》.
Pi·sa [pí:zə] *n.* 피사《이탈리아 중부의 도시; 사탑(斜塔) (the Leaning Tower of Pisa)으로 유명》.
pis al·ler [pì:zæléi; pì:zǽlei] *n.* (*pl.* **~s** [-z]) 최후의 수단; 응급책, 편법(makeshift). 〖F (*pis* worse, *aller* to go)〗
pis·ca·ry [pískəri] *n.* 〔法〕 (남의 어장 안에서의) 어업권; 어장.
pis·ca·tol·o·gy [pìskətálədʒi] *n.* Ⓤ 《稀》 어로학(漁撈學), 어로술.
pis·ca·tor [pəskéitər, pískətər] *n.* 어민, 낚시꾼.
pis·ca·to·ry [pískətɔ̀:ri; -təri], **pis·ca·to·ri·al** [pìskətɔ́:riəl] *a.* 물고기의; 어부[어업]의; 낚시질의[을 좋아하는]; 어업에 종사하는: ~ rights 어업권. **-ri·al·ly** *adv.* 〖L (*piscator* fisherman‹*piscis* fish)〗
Pis·ce·an [písiən, pái-, pískiən] *a., n.* 〔占星〕 물고기자리(태생)의 (사람).
Pis·ces [páisi:z, pís-, pískeis] *n. pl.* **1** [the ~] 〔動〕 어류. **2** [단수취급] 〔天〕 물고기자리(the Fish(es)), 쌍어궁(雙魚宮) (cf. *the signs of the* ZODIAC); 물고기자리 태생인 사람. —— *a.* 물고기자리(태생)의. 〖L (pl.)‹*piscis* fish〗
pis·ci- [páisə, pískə] *comb. form* 「물고기」의 뜻. 〖L (↑)〗
písci·cìde *n.* (어떤 수역의) 어류 절멸; 살어제(殺魚劑). **pìsci·cí·dal** *a.*
písci·cùlture *n.* Ⓤ 양어(養魚)(법), 수산 양식. **pìsci·cúltural** *a.* **-cúltural·ly** *adv.* 〖*agriculture* 따위의 유추로서 L *piscis* fish에서〗
pìsci·cúlturist *n.* 어류 양식가, 양어가.
písci·fòrm *a.* 물고기 모양의.
pis·ci·na [pəsí:nə, 美+-sái-] *n.* (*pl.* **-nae** [-ni:, -nai], **~s**) 양어지(池); 〔古로〕 목욕하는 샘; 〔宗〕 세례반(盤), 성수반(聖水盤). 〖L (*piscis* fish)〗
pis·cine[1] [pískain, 美+páisi:n] *a.* 물고기의[에 관한]. 〖L *piscis* fish, *-ine*[1]〗
pis·cine[2] [pisí:n; ∸-] *n.* =PISCINA.
pis·civ·o·rous [pəsívərəs, 美+pai-] *a.* 물고기를 잡아먹는. 〖*pisci-*, *-vorous*〗
pis·co [pískou] *n.* (*pl.* **~s**) 피스코《페루산 브랜디》. 〖Sp.〗
pi·sé [pi:zéi; ∸-] *n.* 〔建〕 진흙. 〖F (*piser* to pound)〗
Pis·gah [pízgə] *n.* **1** [Mount ~] 〔聖〕 비스가《요단 강 동쪽에 있는 산; 모세가 약속의 땅 Canaan을 멀리 바라보던 곳》. **2** 미래를 바라볼 수 있는 기회[장소].
pish [pʃ, píʃ] *int.* 피!, 체!, 흥!《경멸·불쾌를 나타내는 소리》. ——[píʃ] *vi., vt.* 피[흥] 하다. 〖imit.〗
pi·shogue [piʃóug] *n.* 《아일》 마술, 요술; 주문.
pí·si·fòrm [páisə-] *a.* 완두 모양[크기]의. —— *n.* 〔動〕 두상골(豆狀骨). 〖L *pisum* pea〗
pis·mire [písmaiər] *n.* 개미(ant); 하찮은 녀석.
pi·so·lite [páisəlàit, píz-] *n.* 두석(豆石)《수성암 중의 동심원 구조로 된 완두만한 돌》. **pì·so·lít·ic** [-lít-] *a.*
piss [pís] *n.* Ⓤ 《卑》 소변(urine); 《英》 싸구려 맥주; 《濠》 맥주: take[have, do] a ~ 소변보다. —— *int.* 쳇《혐오를 나타냄》. —— *vi.* 소변을 보다. —— *vt.* (…을) 소변으로 적시다. 〖OF<Rom. (imit.)〗
pissed [píst] *a.* 《卑》 성난; 술취한.
pis·soir [*F* piswa:r] *n.* (*pl.* **~s** [—]) (길가의) 공중 변소.
píss·pòt *n.* 실내 변기, 요강.
píss-ùp *n.* 《俗》 혼란, 혼잡; 통음(痛飮). ***not be able to organize a piss-up in a brewery*** 멍청하다, 요령이 없다.
pis·ta·chio [pəstá:ʃiòu, 美+-tǽʃ-] *n.* (*pl.* **-i·òs**) 피스타치오나무《남유럽·소아시아산의 작은 나무》; 그 열매《식용》; 옅은 황록색(=∽ **grèen**). 〖Sp. and It.<L<Gk.<Pers.〗
piste [pí:st] *n.* 밟아서 다져진 길《짐승의 길 따위》; 〔스키〕 피스트《다져진 활강 코스》; 〔펜싱〕 피스트《경기하는 바닥면》. 〖F=racetrack〗
pis·til [pístəl] *n.* 〔植〕 암술(cf. STAMEN); 암술의 무리. 〖F or L PESTLE〗
pis·til·late [pístələt, -lèit] *a.* 〔植〕 암술의, 암술만 있는: a ~ flower 암술만 있는 꽃.
***pis·tol** [pístl] *n.* 권총, 피스톨: a revolving ~ 연발 권총《현재는 보통 revolver나 automatic pistol 형이 일반적》. —— *vt.* (**-l-** | **-ll-**) 권총으로 쏘다. **~·lìke** *a.* 〖F<G<Czech=pipe〗
pis·tole [pistóul] *n.* 피스톨(금화) 《옛 스페인의 금화》. 〖F *pistolet*<?〗
pis·tol·eer, -tol·ier [pìstəlíər] *n.* 권총 사용자.
pístol·gràph *n.* 속사(速寫) 사진(기(機)).
pístol grìp *n.* 권총 모양의 손잡이, (소총 총대의) 손잡이.
pístol shòt *n.* 권총 발사; 권총에서 발사된 탄환; 권총 사격의 명수; 권총 사정(射程) 거리.
pístol-whìp *vt.* 권총으로 때리다.
pis·ton [pístən] *n.* 〔機〕 피스톤; 〔樂〕 (관악기의) 활전(活栓)[밸브]: a ~ ring 피스톤 링[고리] / a ~ rod 피스톤 막대, 피스톤 로드. 〖F<It. (augment.)‹PESTLE〗
píston èngine *n.* 〔機〕 피스톤 기관.
pit**[1] [pít] *n.* **1** 구멍, 움푹한 곳(cavity). **2** 함정(pitfall); 뜻밖의 위험. **3** 〔鑛〕 구덩이, 수갱(竪坑), 탄갱(coal mine), 채굴장. **4** [the ~] 지옥(hell); 구렁, 수렁; 묘혈(墓穴): *the* bottomless ~ = *the* ~ of darkness = *the* ~ (of hell) 지옥, 나락(奈落). **5** [the ~] 《英》 〔劇〕 1층 뒤쪽 좌석《2층 정면 아래》; 그 관중(觀衆). **6** 투견(鬪犬)[투계(鬪鷄)]장《따위》; (동물원의) 맹수 우리. **7** (신체 따위의) 작고 오목한 곳, 마맛자국: the ~ of the stomach 명치 / ☞ ARMPIT. **8** 움; 〔園藝〕 온실《특히 지하실의》. **9** (자동차 경주 따위에서) 급유(給油)·타이어 교환 따위를 하는 곳. **10** 《美》 (곡물 거래소 따위의) 칸막이를 한 판매장. **11** (프로 야구 리그의) 최하위 (팀); [the ~s] 《美俗》 최악의 장소[사태], 어쩔 수 없는 녀석. ***dig a pit for …을 함정에 빠뜨리려고 하다. ***shoot*** [***fly***] ***the pit*** (싸움닭·사람이) 꽁무니를 빼다.
—— *v.* (**-tt-**) *vt.* **1** [+目 / +目+前+名] **a)** 움푹 들어가게 하다, …에 구멍을 내다[파다], 자국을 내다: The ground has been ~*ted* by the bombing. 땅은 폭격으로 움푹 패여 있었다. **b)** [특히 *p.p.*로] …에 마맛자국을 내다: a face

~*ted* ***with*** smallpox 천연두로 얽은 얼굴. **2** [+目+前+名] (닭·개 따위를) 싸우게 하다, 맞붙이다; (사람·지혜·힘 따위를) 경쟁시키다: You can ~ your brains ***against*** his strength. 너는 지혜로 그의 힘에 대항할 수 있다. **3** 움에 저장하다. **4** 함정에 빠뜨리다. —— *vi.* 움푹 들어가다. 〚OE *pytt*; cf. G *Pfütze*, L *puteus* well〛

pit[2] *n.*《美》(복숭아·버찌 따위의) 핵, 씨(stone). —— *vt.* (**-tt-**) (과일의) 씨를 발라내다. 〚?Du.; cf. PITH〛

pi·ta[1] [píːtə] *n.* 피타삼《로프·세공물 따위에 씀》; 피타삼이 채취되는 식물《용설란·실란 따위》. 〚Sp.<Quechua〛

pita[2] *n.* 피타《지중해·중동지역의 납작한 빵》. 〚Heb. (dim.)<*pat* loaf〛

pit-a-pat [pìtipǽt] *n., adv.* 두근두근(거려); 팔딱팔딱(거려): His feet[heart] went ~. 그는 잔달음질쳤다[가슴이 두근거렸다]. —— *vi.* (**-tt-**) 두근거리다. 〚imit.; cf. PITTER-PATTER〛

pít bòss *n.*《美俗》(광산의) 현장 감독, 반장.

pitch**[1] [pítʃ] *vt.* **1** [+目/+目+副/+目+前+名] 던지다, 팽개치다: ~ a ball 투구(投球)하다/The farmers were ~*ing* hay (on to*** the cart). 농부들은 마른 풀을 (짐차에) 던져 올리는 중이었다/She ~*ed* his letter ***into*** the fire. 그의 편지를 불속으로 던져 버렸다. **2** (땅에) 처박다, (말뚝 따위를) 때려 박다, (천막 따위를) 치다; (주거를) 정하다; 적당한 자리에 설치하다. **3** [+目+副/+目+前+名]〔樂〕(음조를) 맞추다;《비유》(어떤 어조·정도로) 표현하다, 견적(見積)내다: ~ a tune too *high*[***in*** a higher key] 음조(音調)를 너무 높게 잡다[한층 높게 맞추다]/~ an estimate too *low* 견적을 너무 낮게 잡다. **4**《口》이야기하다(narrate): ~ a yarn 이야기를 지어내다, 허풍을 떨다. **5** (물건을) 시장에 내놓다, 진열하다. **6** (길에 돌을) 깔다. **7**〔野〕시합에서 투수를 맡다: He ~*ed* a good game. 시합에서 잘 던졌다. —— *vi.* **1** 던지다;〔野〕투구[등판(登板)]하다. **2** [+副/+前+名] 거꾸로 떨어지다[넘어지다]; 아래쪽[한편]으로 기울다: He ~*ed* ***down*** (the cliff). (벼랑에서) 곤두박질쳐 떨어졌다/~ ***on*** one's head 거꾸로 떨어지다. **3** [動/+副]〔海〕(배·항공기가) 뒷질하다, 앞뒤로 흔들리다(cf. ROLL *vi.* 5): The steamer was ~*ing* ***about*** in the storm. 기선은 폭풍우 속에서 흔들리고 있었다. **4** 천막을 치다: They ~*ed* by a hillside. 산허리에 천막을 쳤다.

pitch in (1)《口》열심히 하기 시작하다. (2)《口》참가하다, 협력하다.

pitch into《口》…에게 대들다, …에게 맹렬히 덤비다; …을 몹시 야단치다; (음식물을) 허겁지겁 먹다: He ~*ed into* the work[pie]. 부지런히 일에 착수했다[파이를 허겁지겁 먹기 시작했다].

pitch it strong《口》허풍을 떨다, 과장하여 말하다.

pitch (***up***)***on*** …을 고르다; …와 (우연히) 마주치다: We have not yet ~*ed* (*up*) *on* the day for departure. 아직 출발 날짜는 정하지 않았다.

—— *n.* **1** 던지기, 팽개치기. **2** 도(度); 점(點), 정점(頂點), 한계. **3** U,C〔樂·音聲〕음조, 음 높낮이(cf. LOUDNESS, STRESS 3): French ~ 프랑스어조, 낮은 음조/☞ ABSOLUTE PITCH/☞ CONCERT PITCH. **4** U,C 경사도; 물매(declivity); 높이, 정도(程度). **5** (배가) 앞뒤로 흔들리기, 뒷질 (cf. ROLL 3). **6** 고정 위치, 정해진 장소;《주로 英》(길거리 장사꾼이 언제나) 가게를 차리는 장소: at one's usual ~ 언제나의 장소에[에서]/take up one's ~ 언제나의 위치에 자리 잡다/queer a person's ~ ☞ QUEER 숙어. **7**《美俗》(길거리 장사꾼들의) 엉터리 선전[광고] 말; (일반적으로) 선전, 광고. **8**〔競漕〕피치, 노 젓는 속도. **9 a)**〔野〕투구(하는 모양), 투구 위치[거리], 투구할 차례. **b)**〔크리켓〕피치《위켓(wicket)과 위켓의 중간지대》. **c)**〔골프〕= PITCH SHOT. **10**〔機〕피치《톱니바퀴의 톱니와 톱니 사이의 거리》. **11**《英》〔競〕(크리켓·축구·하키 따위의) 경기장. **12**〔컴퓨〕문자 밀도.

make a pitch for《美俗》…을 선전하다, …을 추천하다.

〚ME *pi*(*c*)*chen*<?OE《美》*picc*(*e*)*an*; cf. PICK[2]〛

類義語 ⟹ THROW.

pitch[2] *n.* U 피치《원유·콜타르 따위를 증류한 후에 남는 까만 찌꺼기; 방수·도로 포장 따위에 씀》; 역청(瀝青) 물질; 송진, 수지(樹脂).

(***as***) ***black***[***dark***] ***as pitch*** = PITCH-BLACK [-DARK].

touch pitch 떳떳지 못한 일[나쁜짓]에 관계하다; 수상쩍은 자와 사귀다.

—— *vt.* …에 피치[역청]를 칠하다[바르다]. 〚OE *pic*; cf. G *Pech*, L *pic- pix*〛

pítch àccent *n.*〔音聲〕높이 악센트(cf. STRESS ACCENT).

pítch-and-tóss *n.* U 동전 던지기 놀이《동전을 표적에 던져 가장 가까이에 던진 사람이 동전을 모두 모아 위로 던져 올린 다음 떨어진 돈 중에서 표면(head)이 나온 것을 가지는 놀이》.

pítch bláck[**dárkness**] *n.* 칠흑, 암흑.

pítch-bláck, -dárk *a.* 피치[역청]처럼 검은, 암흑의.

pítch·blènde *n.* U 역청 우라늄광(鑛)《우라늄과 라듐의 주요 원광(原鑛)》.

pítch còal *n.* 역청탄(炭)《유연탄(有煙炭)》.

pitched [pítʃt] *a.* (전투 따위) 정정 당당한; 간격이 있는; 어떤 특정 장소에 떨어지게 던진; 경사진, 물매가 있는.

pítched báttle *n.* 정정 당당한 대결[대전(對戰)], 정규전(cf. SKIRMISH); 결전, 대접전.

***pítch·er**[1] *n.* **1** 던지는 사람;〔野〕투수, 피처: the ~'s plate 투수판(板), 마운드. **2** (짚·건초 따위를 짐차에) 던져 싣는 사람(cf. PITCHFORK). **3**〔골프〕피처《7번 아이언; cf. IRON 2 c)》. 〚PITCH[1]〛

***pitcher**[2] *n.* **1** 물 주전자(jug)《귀처럼 생긴 손잡이와 주둥이가 달려 있음》: Little ~*s* have long ears.《속담》작은 물주전자엔 긴 귀가 달렸다, 「애들은 귀가 밝다」/*P*~*s* have ears.《속담》물주전자에 귀가 달렸다, 「낮말은 새가 듣고 밤말은 쥐가 듣는다」. **2**〔植〕주머니 모양의 잎. 〚OF<L (변형(變形))<*bicarium* BREAKER〛

pitcher[2] 1

pítcher·fùl *n.* (*pl.* ~**s**, **pítchers·fùl**) 물주전자 하나 가득한 분량.

pítcher plànt *n.*〔植〕주머니 모양의 잎을 가진 식물《네펜테스·벌레잡이풀 따위》.

pítch fàrthing *n.* = CHUCK-FARTHING.

pítch·fòrk *n.* 건초용의 쇠스랑, (비료용) 갈퀴(rake); = TUNING FORK. —— *vt.* (건초 따위를) 긁어 올리다; 급히[불쑥] 밀려들다[닥치다]; (남을 어떤 지위에) 억지로 앉히다: ~ a person *into*

a position (남을) 억지로 어떤 지위에 앉히다.
pítch·ing *n.* Ⓤ (배 따위의) 뒷질(cf. ROLLING); 〖野〗 투구(법), 피칭; 포석(鋪石).
pítching màchine *n.* (타격 연습용의) 투구기(投球機).
pítching nìblick *n.* 〖골프〗 피칭 니블릭《8번 아이언》.
pítching pénnies *n.* 동전던지기 놀이《동전을 표적이나 벽에 던져 가장 가깝게 던진 사람이 이기는 도박》.
pítch·man [-mən] *n.* 《美》 길거리 장사꾼, 노점 상인; (텔레비전·라디오 따위에서) 상품[주의주장]을 선전하는 사람.
pítch·òut *n.* 〖野〗 피치아웃《주자가 도루할 것을 예상하고 타자가 치지 못하게 공을 빗던지기》.
pítch pìne *n.* 송진이 많은 소나무.
pítch pìpe *n.* 피치 파이프《현악기의 조율(調律) 따위에 쓰임》.
pítch shòt *n.* 〖골프〗 피치 숏《공이 땅에 떨어져 곧 멈출 수 있게 역회전으로 높이 올려 치는 숏》.
pítch·stòne *n.* 역청암(瀝青岩), 송지암(松脂岩).
pítch·wòman *n.* 《美口》 (텔레비전 광고 따위에서) 상품을 선전하는 여성.
pítchy *a.* 피치[역청]가 많은, 피치 같은, 끈적끈적한(sticky); 피치 빛깔의, 검은; 새까만.
pít cíty *n.* 《俗》 심기가 불편한 경우[상황].
pít còal *n.* 《英》 석탄.
pit·e·ous [pítiəs] *a.* 불쌍한, 애처로운, 가련한, 비참한; 《古》 인정이 많은. **~·ly** *adv.* 불쌍하게도, 애처롭게도, 가련하게도. **~·ness** *n.*
〖OF<Rom.; ⇨ PITY〗
類義語 ⟹ PITIFUL.
pít·fàll *n.* 함정; 유혹.
類義語 ⟹ TRAP.
pith [píθ] *n.* **1** Ⓤ 〖植〗 (나무의) 속; 〖解〗 등골, 골수, 수(髓), 척수. **2** Ⓤ 《비유》 진수(眞髓), 핵심, 요점: the ~ (and marrow) *of* a speech 연설의 요점. **3** Ⓤ 원기; 체력: a man of ~ 정력가. **4** Ⓤ (문장 따위의) 힘, 힘참. **5** 중요함, 무게. —— *vt.* …의 척수를 빼내다; …의 요점[속]을 제거하다. 〖OE *pitha*; cf. MLG *pit*〗
pít·hèad *n.* 〖鑛〗 수갱(竪坑)의 갱구(坑口).
pith·e·can·thrope [pìθikǽnθroup] *n.* 〖人類〗 = PITHECANTHROPUS.
pith·e·can·thro·pus [pìθikǽnθrəpəs, -kænθróu-] *n.* (*pl.* **-thro·pi** [-kǽnθrəpài, -pì:, -θróupai, -pi:]) 〖人類〗 원인(猿人), 자바 직립원인(直立猿人), 피테칸트로푸스《그 두개골이 1891년 Java에서 발견되었음》.
〖NL (Gk. *pithēkos* ape, *anthrōpos* man)〗
Pithecánthropus eréc·tus [-iréktəs] *n.* 〖人類〗 피테칸트로푸스 에렉투스, 직립 원인.
pithe·coid [píθəkɔ̀id, piθí:kɔid; piθí:kɔid] *a.* 원숭이[유인원]의[같은].
píth hèlmet *n.* 자귀풀(sola)의 심으로 만든 차양모자(sola topee).
píth·less *a.* 속[골수]이 없는; 기력이 없는.
pít·hòle *n.* 작은 구멍; 작고 오목한 것; 마맛자국; 〖鑛〗 구덩이, 갱; 무덤.
píthy *a.* 속[골수]이 있는, 골수[속] 모양의[같은]; (표현력이) 힘찬, 간결한, 또렷한.
píth·i·ly *adv.* **-i·ness** *n.*
piti·able [pítiəbəl] *a.* 불쌍한, 애처로운, 측은한; 동정심을 일으키는; 비참한, 처량한; 천한, 비열한, 경멸할 만한. **-ably** *adv.* 불쌍하게; 처량하게. **~·ness** *n.* 〖OF; ⇨ PITY〗
類義語 ⟹ PITIFUL.
píti·er [pítiər] *n.* 불쌍히 여기는[동정하는] 사람.
piti·ful [pítifəl] *a.* **1** 동정심[인정]이 많은. **2** 불쌍한, 가련한; 비참한. **3** 불쌍히[가련하게] 여겨야 할; 비열한《이 뜻으로는 pitiable 쪽이 일반적으로 쓰임》. **~·ly** *adv.* 인정[동정심] 있게; 가엾게. **~·ness** *n.*
類義語 ***pitiful*** 남에게 불쌍한 감정을 일으키게 하는, 애처로운[가엾은]: The suffering of the starved children was *pitiful.* (굶주린 어린이들이 받는 고통이 애처로웠다). ***piteous*** 남의 기분에 끼치는 영향보다도 그 사람 자신[자체]의 괴로운[슬픈] 상태나 성질을 강조함: *piteous* cries of the injured (부상당한 사람들의 괴로워하는 울부짖음). ***pitiable*** 불쌍히 여기는 기분에 다소 경멸하는 감정이 포함됨: Her dress was in a *pitiable* condition. (그녀의 옷 매무새는 한심할 지경이었다).
piti·less [pítiləs] *a.* 무자비한, 냉혹한, 박정(薄情)한. **~·ly** *adv.* **~·ness** *n.*
pít·man [-mən] *n.* (*pl.* **-men** [-mən]) 광원, 갱부(坑夫), (특히) 탄갱부(collier).
Pitman *n.* 피트먼. Sir **Isaac** ~ (1813-97) 속기술을 발명한 영국인.
pi·ton [pí:tan; *F* pitɔ̃] *n.* 피톤《밧줄을 꿰는 고리가 있는 쇠 못》; 뾰족한 산꼭대기. 〖F=eyebolt〗
Pí·tot tùbe [pí:tou-, -ˊ-] *n.* 피토관(管), 유체 총압관(流體總壓管)《유속(流速) 측정에 사용》.
〖Henri *Pitot* (d. 1771) 프랑스의 물리학자·기사〗
pít·pàn *n.* (중미의) 통나무 배.
pít·pàt *adv.*, *n.*, *v.* =PIT-A-PAT.
pít pòny *n.* 《英》 (옛날 갱 안에서 석탄을 운반할 때 부리던) 갱내용 조랑말.
pít·pròp *n.* 갱도의 지주.
pít ròad *n.* (자동차 경주장의 트랙과 피트를 잇는) 피트 로드.
pít sàw *n.* 세로로 켜는 큰 톱《한 사람은 통나무의 위에서 한 사람은 그 아래 또는 구덩이(sawpit) 속에서 켬; cf. SAWPIT》.
pít sàwyer *n.* pit saw를 밑에서 켜는 사람.
Pitt [pít] *n.* 피트. **William** ~ (1) (1708-78) 영국의 정치가·웅변가; the Elder Pitt라고 불렸음. (2) (1759-1806) 영국의 정치가·수상; (1)의 아들로 the Younger Pitt라고 불렸음.
pit·tance [pítns] *n.* 얼마 안되는 음식[수당, 수입]; 소량, 소수: work for a mere ~ 얼마 안되는 돈 때문에 일하다. 〖OF<Rom.; ⇨ PITY〗
pít·ted *a.* 얽은 자국이 있는. 〖PIT[1]〗
pit·ter-pat·ter [pítərpæ̀tər] *n.*, *adv.* 후두둑후두둑[뚝뚝](하고)《비가 내리는 소리》. —— *vi.* 후두둑[뚝뚝] 소리를 내다[떨어지다]. 〖imit.〗
pit·tite [pítait] *n.* 《英》〖劇〗 아래층 뒤쪽 좌석의 관객, 대중석의 관객.
pít tòmb *n.* 〖考古〗 수혈식(竪穴式) 분묘.
Pitts·burgh [pítsbə:rg] *n.* 피츠버그《미국 Pennsylvania 주 남서부의 공업 도시》.
〖W. *Pitt*에 연유함〗
pi·tu·i·tary [pətjú:ətèri; pitjú:itəri] *a.* 점액(粘液)의[을 분비하는]; 〖解〗 뇌하수체(腦下垂體)의: the ~ gland[body] 뇌하수체. —— *n.* 〖解〗 뇌하수체; 〖醫〗 뇌하수체제제(製劑).
〖L (*pituita* phlegm)〗
pi·tu·i·tous [pitjú:ətəs] *a.* 점액이 많은, 점액의.
Pi·tu·i·trin [pətjú:ətrən] *n.* 〖生理〗 피튜이트린《뇌하수체 호르몬; 상표명》.
pít vìper *n.* 〖動〗 살무사아과(亞科)의 수많은 독사의 총칭.
‡**pity** [píti] *n.* Ⓤ 불쌍히 여김, 가엾음; 동정; Ⓒ 유

감스러운[애석한] 일, 불쌍한[가련한] 일 : feel ~ for …을 불쌍히 여기다, 애석하게 생각하다 / have[take] ~ on …을 불쌍하게 여기다 / It is a ~ [a thousand *pities*] that he died so young.= The ~ is that he died so young. 그렇게 젊어서 죽다니 참 애석한 일이다[유감 천만이다] / It was a ~ to give it up. 그것을 포기하는 것은 참으로 아까운 일이었다 / (The) more's the ~. 한층[그만큼] 더 유감스러운 일이다 / The ~ of it! 애석하구나! / What a ~! 참으로 가련하다 ; 참 아깝다.

> **it's a pity**의 문장 전환
> *It's a pity* that I can't speak English.
> (영어를 할 수 없어서 유감입니다.)
> → *I wish* I could speak English.
> (영어를 할 수 있으면 좋을텐데.)

for pity's sake 제발 부탁이니.
in pity of …을 불쌍히 생각하여.
out of pity 가련하게 생각해서〈*for*〉.
—— *vt.* [+目 / +目+前+名] 불쌍히[가엾게] 생각하다 : I ~ you if you want to do so. 네가 그렇게 하기를 원한다면 너는 불쌍한 녀석이다 / I ~ her ***for*** her helplessness. 그녀가 아주 무력하기 때문에 불쌍하다.
〚OF<L PIETY〛
類義語 ***pity*** 남의 고통·슬픔·재난에 대해서 느끼는 애처로움이나 슬픈 감정 ; 때로는 자기보다 못한[약한] 자에 대한 약간의 경멸감을 암시함 : He felt *pity* for the poor man. (가난한 사람을 불쌍히 여겼다). ***compassion*** pity보다 뜻이 강하며 상대방을 도와[용서해] 주려는 마음을 포함함 : She felt *compassion* for the weeping child. (울고 있는 아이에게 동정을 느꼈다). ***sympathy*** 상대방의 괴로움이나 슬픔을 이해하고 같이 괴로워[슬퍼]하려는 마음 : We felt *sympathy* for the sick girl. (우리는 앓고 있는 소녀에게 동정심을 가졌다).

píty·ing *a.* 불쌍히 여기는, 동정하는.
pítying·ly *adv.* 측은하게[불쌍히] 여겨.
pit·y·ri·a·sis [pìtiráiəsəs] *n.* Ⓤ 〔醫〕 비강진(粃糠疹)《피부가 비듬 모양이 되는 피부병의 일종》.
più [pjúː] *adv.* 〔樂〕 좀더, 더욱 : ~ allegro 더 빠르게. 〚It.〛
Piu·ra [pjúərə] *a.* 피우라《페루 북서부의 도시 ; 1532년 Pizarro가 건설하였음》.
piv·ot [pívət] *n.* **1** 〔機〕 피벗, 추축(樞軸), 첨축(尖軸) ; 선회축(旋回軸) ; (맷돌 따위 중심에 있는) 중쇠. **2** 중심점, 요점, 핵심 ; 중심 인물 ; 〔競〕 중심이 되는 선수[위치]. **3** 〔軍〕 기준병, 향도(嚮導). —— *a.* 축이 되는. —— *vt.* 피벗[추축] 위에 놓다 ; …에 피벗[추축]을 달다. —— *vi.* 경첩식으로 선회하다[흔들리다] ; 《비유》 (…으로) 결정하다〈*upon*〉.
〚F<?〛
pívot·al *a.* 추축의[같은] ; 중추의, 중요한.
~·ly *adv.*
pívot brìdge *n.* 피벗 선개교(旋開橋)《연직축(鉛直軸)의 둘레를 상부 구조가 회전하는 가동교(可動橋)》.
pívot jòint *n.* 〔解〕 차축(車軸) 관절.
pívot·màn *n.* 중심적인 역할을 하는 선수《특히 농구의 센터》.
pívot tòoth[cròwn] *n.* 〔齒〕 추축관(樞軸冠), 유정 도치(有釘陶齒)《치근에 금속 핀을 끼워서 붙인 인공 치관[의치]》.

pix[1] *n.* PIC[1]의 복수형.
pix[2] [píks] *n., vt.* =PYX.
pix[3] *n.* 《美俗》 호모.
〚*pix*ie[2]〛
pix·el [píksəl] *n.* (텔레비전 화상(畫像) 따위를 구성하는) 화소(畫素), 픽셀 ; 〔컴퓨〕 그림낱, 화소.
〚*pix*[1]+*el*ement〛
pix·ie[1] [píksi] *n.* 픽시《여성의 매우 짧은 헤어스타일 ; 1950년대에 유행하였음》.
〚↓〛
pixie[2], **pixy** [píksi] *n.* 작은 요정(妖精) ; 《美俗》 호모. —— *a.* (짓궂은) 장난을 좋아하는.
~·ish *a.* **píxi·ness** *n.*
〚C17<?〛
píxie[píxy] hát[hóod] *n.* 뾰족한 모자[두건(頭巾)]《여성용》.
pix·i·lat·ed, -il·lat- [píksəlèitəd] *a.* 《美口》 정신이 좀 이상한 ; 해괴한, 우스꽝스러운 ; 술취한.
pìx·i·lá·tion *n.*
pixy ☞ PIXIE[2].
pizz. 〔樂〕 pizzicato.
píz·za [píːtsə] *n.* 피자(=∼ **pìe**) 《치즈·토마토 따위를 얹어 구운 이탈리아의 파이》. 〚It.=pie〛
pízza-fàce *n.* 《美口》 여드름이 난 얼굴[사람].
pi(z)·zazz [pəzǽz] *n.* Ⓤ 《俗》 **1** 원기, 활기. **2** 야함 ; 야단스러운 선전 ; 재기, 번뜩임.
〚imit.〛

pixy

piz·ze·ria [pìːtsəríːə] *n.* 피자 가게. 〚It.〛
piz·zi·ca·to [pìtsikáːtou] *a., adv.* 〔樂〕 피치카토의[로], 통기기의[로] 《略 pizz.》. —— *n.* (*pl.* **-ti** [-tiː], **~s**) 손톱으로 통기는[타는] 곡(曲), 피치카토. 〚It. (p.p.) 〈*pizzicare* to twitch〛
piz·zle [pízəl] *n.* 《卑》 짐승[(특히) 수소]의 음경《옛날 회초리를 만들었음》.
〚LG *pesel* (dim.) <MLG *pēse*〛
P.J. Police Justice ; Presiding Judge ; Probate Judge.
pjs, pj's, p.j.'s, P.J.'s [píːdʒéiz] *n. pl.* 《美口》 =PAJAMAS.
PK psychokinesis. **pk.** pack ; park ; peak ; pike ; peck(s). **pkg(s).** package(s). **pkt.** packet. **PKO** Peace Keeping Organizations (유엔 평화 유지군). **PKU** phenylketonuria. **pkwy.** parkway. **PL** product liability ; programming language ; public law. **pl.** place ; plate ; 〔軍〕 platoon ; plural. **P.L.** Paradise Lost ; 〔海上保險〕 partial loss(분손) ; perfect liberty ; poet laureate ; public library. **P/L** profit and loss. **PLA** Palestine Liberation Army (팔레스타인 해방군). **P.L.A.** Port of London Authority(런던항(港) 관리소) ; People's Liberation Army(중국 인민 해방군).
plàc·a·bíl·i·ty *n.* 달래기 쉬움, 쉽게 용서해줌 ; 온화, 관대.
plac·a·ble [plǽkəbəl, pléi-] *a.* 달래기 쉬운, 온화한, 관용의. **-bly** *adv.*
〚OF or L (*placo* to appease)〛
plac·ard [plǽkaːrd, 美+-kərd] *n.* 플래카드, 벽보, 게시(揭示), 포스터(poster), 전단, 간판 ; 꼬리표, 명찰. —— *vt.* [+目 / +目+*with*+名] …에 전단을 붙이다 ; 게시하다, 간판을 걸다 : The theatrical company ~*ed* the town ***with*** adver-

tisements. 극단은 거리에 광고 포스터를 붙였다. 〚OF (Du. *placken* to glue)〛

pla·cate [pléikeit, plǽk-; pləkéit] *vt.* 달래다, 위로하다(soothe); 《美》 회유하다.

pla·cá·tion *n.* 〚L *placo* to appease〛

pla·ca·to·ry [pléikətɔ̀:ri, plǽk-; plǽkətəri, pləkéi-] *a.* 달래는, 회유적인, 융화적인.

◇**place** [pléis] *n.* **1 a**) 장소, 곳; (특정의 목적을 위한) 장소, …장(場): There are many trees *in* this ~. 여기에는 나무가 많다 / There is no ~ like home. 내집보다 더 좋은 곳은 없다 / This is no ~ for a young lady at night. 이곳은 밤에 젊은 여자가 올 곳이 못된다(cf. *be no* PLACE *for*…) / a ~ *of* amusement 오락장 / a ~ *of* business 영업소. **b**) (신체 따위의) 국소, 부분; (책 따위의) 한 구절; (음악의) 한절. **c**) 지방; 시, 읍, 면, 리, 촌(락). **d**) Ⓤ 공간, 여지 (room): leave ~ for …의 여지를 남기다.
2 건물, 관(館); 실(室), 사무실.
3 시골 저택, (시골의) 별장; 《口》 주소, 거주지, 집, 살림집: *at* our ~ 우리집에서는 / Come and have supper *at* my ~. 우리집에 와서 저녁 식사를 해라 / They have a ~ in the country. 시골에 별장을 가지고 있다.
4 입장, 환경, 경우: If I were in your ~, I wouldn't put up with it. 만일 내가 너 같은 입장이라면 도저히 참지 못할 것이다.
5 [고유 명사로; P~] 광장, 넓은 거리; …로(路), …가(街): Portland *P*~ 포틀랜드가(街) 《London의 넓은 거리명(名)》.
6 a) 지위, 신분, 계급, 순위; 관직, 공직, 일, 일자리, 직업(job): keep a person in his ~ 남을 분수를 지키게 하다 / look for a ~ 일자리를 찾다 / lose one's ~ 실직하다 / The Panama Canal has come to take a ~ beside the Suez Canal in importance in world trade. 파나마 운하는 세계 무역의 중요성에 있어 수에즈 운하에 못지 않은 자리를 차지하게 되었다. **b**) 직분, 직무; 본분(duty): It is your ~ to criticize. 비평하는 것은 당신이 해야 할 임무다.
7 자리, 좌석, 위치: take one's ~ at (the) table 식탁에 마련된 자리에 앉다 / lay ~*s* for five 5인분의 좌석을 마련하다 / I changed ~*s* with him. 그와 자리를 바꾸었다.
8 차례, 순서: in the second[last] ~ 두번째[최후]로.
9 〖數〗 자리, 위(位): Answer to three ~*s* of decimals[decimal ~*s*]. 소숫점 이하 3자리까지 답하라.
10 〖競〗 선착 순위《경마 따위에서는 보통 1, 2, 3등, 《美》에서는 특히 2등》, 입상 순위: get a ~ 3위 안에 들다; 《美》 2등에 입상하다 / win (a) first ~ 1등에 입상하다.
all over the place 사방에, 여기저기에, 곳곳에; 난잡하게, 흐트러져.
another place 《英》 (하원[상원]에서 본) 상원(上院)[하원(下院)].
be no place for …이 나설 곳이 아니다(cf. 1 a)); …할 여지가 없다.
from place to place 여기저기에, 곳곳에.
give place to …에게 자리[지위]를 양보하다; …으로 바뀌다: Girls nowadays seldom *give* ~ *to* old people. 요즈음 소녀들은 좀처럼 노인들에게 자리를 양보하지 않는다.
go places 《원래 美》 여기저기 여행하다, 놀러 다니다; 출세하다.
have a soft place in one***'s heart for*** a person ☞ SOFT.
have place 장소를 차지하다, 존재하다.
in one***'s place*** = *in* PLACE *of*: Let me work *in* your ~. 당신을 대신해서 일하게 해 주시오.
in place 결정된[올바른] 곳[장소]에(↔*out of place*); 적절한.
in place of …대신에: Electric light came to be used *in* ~ *of* lamps. 램프 대신에 전등이 쓰이게 되었다.
in places 곳곳에, 여기저기에.
make place for …을 위한 장소를 마련하다; …에게 자리를 양보하다; …와 대체되다.
out of place 잘못 (바뀌) 놓아(↔*in place*); 제자리가 아닌, 부적당하여; 실직하여.
a place in the sun 볕이 쬐는 곳; 유리한 위치[입장].
put a person ***in his place*** 남의 주제넘은 짓을 나무라다, 분수를 알게 하다.
take one***'s place with...*** 《비유》 …와 나란히 하다, …와 어깨를 겨누다, …와 같은 서열이다.
take place 일어나다, 개최되다(happen): The Norman Conquest *took* ~ in 1066. 노르만인의 영국 정복은 1066년에 일어났다 / The game *took* ~ before a great crowd of spectators. 그 시합은 많은 관중들 앞에서 거행되었다.
take the place of …을 대신[대리]하다: Mechanical power *took the* ~ *of* manual labor. 기계의 힘이 육체 노동을 대신하게 되었다.
—— *vt.* **1** [+目 / +目+前+名] **a**) 놓다, 두다(put); 정돈하다, 배열[배치]하다(arrange): She lighted the candles and ~*d* them ***on*** the table. 그녀는 촛불을 켜 식탁 위에 놓았다 / The items are ~*d* ***in*** alphabetical order. 항목들은 알파벳 순으로 배열되었다. **b**) 투자하다; (주문을) 내다[하다]; (상품·증권 따위를) 팔다, 팔아치우다: He ~*d* $1000 ***in*** War Bonds. 전시 공채(戰時公債)에 천달러 투자했다 / We have ~*d* an order ***for*** the articles ***with*** the firm. 그 회사에 상품을 발주했다. **c**) …의 장소[등급]를 정하다; (직(職)에) 앉히다, 임명하다: He was ~*d* ***in*** the infantry. 보병에 배속되었다 / You should ~ health ***among*** the most valuable things. 건강을 가장 중요한 것의 하나로 생각하여야 한다. **2** [+目+*in*+名] 신뢰하다, (희망 따위를) 걸다: They ~*d* confidence ***in*** their leader. 지도자를 신뢰했다. **3** 알아차리다, 생각해 내다(identify): He could not ~ her, though he remembered her name. 그녀의 이름은 기억하고 있었으나 누구인지 생각해 내지 못했다. **4** (이긴 말 따위의) 순위를 정하다: His horse was not ~*d*. 그의 말은 입상하지 못했다《3등 안에 들지 못했다; cf. *n.* 10》. —— *vi.* (경마·개 경주 따위에서) 입상하다, 3등 안에 들다, 《美》 (특히) 2등이 되다. 〚OF<L *platea* broad way<Gk.〛

pláce bèt *n.* (경마 따위에서) 복승식으로 거는 방식《미국에서는 2등, 영국에서는 3등까지》.

pla·ce·bo *n.* (*pl.* **~s, ~es**) **1** [plətʃéibou] 〖카톨릭〗 죽은 이를 위한 만과(晩課)[저녁 기도].
2 [pləsí:bou] **a**) 〖醫〗 (약리 효과가 없는) 위약(僞藥)《심리 효과용·신약(新藥) 테스트를 위한 조제용》. **b**) 비위 맞추기, 아첨.
〚L=I shall be acceptable (*placeo* to please)〛

placébo effèct *n.* 플라시보 효과《위약(僞藥)의 투여에 의한 심리 효과 따위로 실제로 환자의 용태가 좋아지는 일》.

pláce brìck *n.* 덜 구워진 벽돌.

pláce càrd *n.* (연회석 따위의) 좌석표.

pláce hìtter *n.* 〔野〕 마음먹은 대로 공을 쳐 보낼 수 있는 타자.
pláce hùnter *n.* 구직자, 엽관(獵官) 운동자.
pláce·kìck *n.* 〔美蹴·럭비·蹴〕 플레이스킥《공을 땅위에 놓고 차기》. —— *vt., vi.* 플레이스킥하다 (cf. DROPKICK, PUNT[3]).
~·er *n.*
pláce·man [-mən] *n.* 《英·蔑》 (선거 운동 대가로 임명된) 관리; (건방진) 하급 관리.
pláce màt *n.* 플레이스[테이블] 매트《식탁에서 일인분에 해당하는 식기류 한 벌의 밑에 까는 천이나 종이로 만든 소형 매트》.
pláce·ment *n.* **1** Ⓤ 놓기, 배치(location). **2** Ⓤ 《美》 직업 소개, (구직자에게 해주는) 직업 알선. **3** 〔蹴〕 placekick하기 위해서 공을 땅 위에 놓기; 그 위치.
plácement àgency *n.* 《美》 직업 소개소.
plácement tèst *n.* (신입생의) 학급 배치[편성] 시험, 분반 시험.
pláce-nàme *n.* 지명(地名).
pla·cen·ta [pləséntə] *n.* (*pl.* **~s, -tae** [-tiː]) 〔動·解〕 태반(胎盤); 〔植〕 태좌. **pla·cén·tal** *a.* 〚L<Gk.=flat cake〛
pla·cen·tate [pləsénteit] *a.* 〔動·解〕 태반이[태좌가] 있는.
plac·en·ta·tion [plæ̀səntéiʃən] *n.* Ⓤ,Ⓒ **1** 〔動·解〕 태반 형성[구조, 배치]. **2** 〔植〕 태좌 배열.
plac·er[1] [plǽsər] *n.* 충적 광상(沖積鑛床), 사광(砂鑛): ~ gold 사금(砂金).
〚Am. Sp.; cf. Am. Sp. *placel* sandbank〛
plac·er[2] [pléisər] *n.* 놓는[배치하는] 사람; 입상자: the third-~ 3위 입상자.
plácer mìning *n.* 사금 채취[광업].
pláce-sèek·er *n.* 엽관 운동자.
pláce sètting *n.* (식사 때) 각자 앞에 놓인 식기류; 식기류 한 벌.

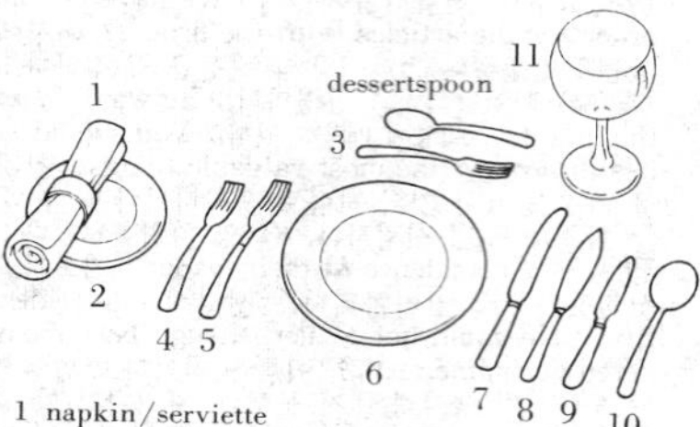

place setting

pla·cet [pléisət, -set] *n.* 찬성 (투표).
non placet 불찬성 (투표).
〚L=it pleases (*placeo* to please)〛
plac·id [plǽsəd] *a.* 온화한, 고요한, 차분한(calm). **~·ly** *adv.* 온화하게, 차분히. **pla·cid·i·ty** [pləsídəti, plæ-] *n.* Ⓤ 평정(平靜), 온화.
〚F or L (*placeo* to please)〛
plac·ing [pléisiŋ] *n.* (처분 설명·경과 보고 없는 한 회사의) 자본 매출.
plácing-óut *n.* Ⓤ (고아 등을 고아원이 아닌) 일반 가정에 맡기는 제도; 육아[양자] 위탁 제도.
plack·et [plǽkət] *n.* (스커트 따위의) 옆을 터놓은 부분; (스커트의) 호주머니.
〚변형(變形) ‹*placard*〛
plac·oid [plǽkɔid] *a.* 방패 모양의《비늘 따위》; 방패 모양의 비늘이 있는.
〚Gk. *plak- plax* flat plate〛
pla·fond [pləfɑ́n] *n.* 장식한 천장; 천장 그림[조각]. 〚F (*plat* flat)〛
pla·gal [pléigəl] *a.* 〔樂〕 변격(變格)의.
plage [plɑ́ːʒ] *n.* 바닷가, (특히) 해변의 행락지[유원지]. 〚F〛
pla·gi- [pléidʒi, plǽdʒi], **pla·gio-** [pléidʒiou, plǽdʒ-, -dʒiə] *comb. form* 「사(斜)…」의 뜻.
〚Gk. *plagios* oblique (*plagos* side)〛
pla·gia·rism [pléidʒiərìzəm] *n.* Ⓤ 표절(剽竊); Ⓒ 표절행위[작품].
-rist *n.* 표절자. **plà·gia·rís·tic** *a.*
pla·gia·rize [pléidʒiəràiz] *vt.* (남의 문장·학설 따위를) 표절[도용]하다. **-rìz·er** *n.*
pla·gia·ry [pléidʒiəri, 美+-dʒièri] *n.* =PLAGIARISM; =PLAGIARIST.
〚L=kidnapper〛
pla·gio·clase [pléidʒiəklèis, plǽdʒ-] *n.* 〔鑛〕 사장석(斜長石).
***plague** [pléig] *n.* **1** 역병(疫病), 전염병; [the ~] (특히) 페스트; (해충 따위의) 이상 발생: *the* black ~ 페스트/the white ~ 폐결핵/*the* London ~ 런던의 대역병《1665년 사망자 약 7만명; the Great *P*~라고도 함》. **2** 재해, 천재(天災), 천벌; 저주(curse); 《口》 성가신 자[것].
(***A***) ***plague on*** it[him *etc.*]! =***Plague take*** it [him *etc.*]! 염병할 것!, 빌어먹을 것!
—— *vt.* **1** 역병[재화(災禍) 따위]에 걸리게[당하게]하다. **2** 《口》 [+目/+目+前+名] 괴롭히다, 번거롭게[성가시게] 굴다(vex): I am ~*d* to death. 귀찮아 죽겠다/He was ~*d* ***with*** questions. 질문 공세에 시달렸다. **plá·guer** *n.*
〚L *plaga* stroke, infection〛
plágue·some *a.* 《口》 성가신, 귀찮은.
plágue spòt *n.* (역병의 특징인) 발진(發疹); 역병 유행지; 악덕[폐습(弊習)]의 중심지.
plágue-strìcken *a.* 역병이 유행하는.
plágu·ey, pláguy *a.* 《方·口》 성가신, 귀찮은; 대단한, 지독한. —— *adv.* 귀찮게; 지독하게.
plágu·i·ly *adv.*
plaice [pléis] *n.* (*pl.* **~, plaic·es**) 〔魚〕 가자미의 일종《유럽산》.
〚OF<L *platessa*<? Gk. *platus* broad〛
plaid [plǽ(ː)d] *n.* Ⓤ (스코틀랜드 고지(高地)인들의) 격자(格子)[바둑판] 무늬의 나사; Ⓤ 바둑판 무늬; Ⓒ (바둑판 무늬의) 긴 목도리. —— *a.* 바둑판 무늬의. **~·ed** *a.* 격자 무늬의; 격자 무늬의 숄을 걸친. 〚Gael.<?〛
‡**plain**[1] [pléin] *a.* **1** 평평한, 평탄한; 탁 트인. **2** 명백한, 명료한; 알기 쉬운, 평이(平易)한, 간단한: in ~ speech 알기 쉬운 말을 써서, 알기 쉽게 말하면/in ~ view from all around 사방에서 훤히 볼 수 있는 (곳에서)/The problem is quite ~ to us. 우리에게 그 문제는 아주 간단하다/It is quite ~ that he will fail. 그가 실패할 것은 뻔하다. **3** 숨김 없는, 솔직한, 꾸밈[속임]이 없는. **4** 뽐내지 않는; 무뚝뚝한; 투박한, 용모가 예쁘지 않은. **5** 검소한, 수수한, 간소한; 교양이 없는. **6** 장식[무늬, 채색]이 없는; 정교하지[공들이지] 않

은(↔*fancy*); 무지(無地)의, 평직(平織)의. **7** (음식물 따위) 산뜻한, 담백한. **8** 단조로운, 평범한. **9** (카드패가) 으뜸패가 아닌.

in plain English 쉬운 영어로; 평범하게[분명히] 말하면.

***in plain words*[*terms*]** 솔직하게 말하면.

to be plain with you [독립구] (너에게) 솔직히 말하면.

—— *adv.* 명백하게, 명료하게, 알기 쉽게, 솔직히; 아주: speak ~ 명백하게 이야기하다.

—— *n.* **1** 평지(平地), 평원, 광야; [the P~s] 《美》=the GREAT PLAINS. **2** 무늬가 없는 직물; 〖檀球〗 흑점이 없는 흰공.

~·ly *adv.* **1** 명백히; 솔직히. **2** 검소하게, 수수하게. **~·ness** *n.* **1** 명백함; 솔직함. **2** 검소, 간소. **3** (용모가) 예쁘지 않음.

〖OF<L *planus*〗

類義語 ⟹ OBVIOUS.

plain[2] *vi.* 《英古·詩》 한탄하다, 슬퍼하다; 불평하다. 〖OF *plaindre*; ⇨ PLAINT〗

pláin bónd *n.* 무담보 채권.

pláin·chànt *n.* =PLAINSONG.

pláin clóthes *n. pl.* 평복(平服), 사복(私服): in ~ 평복으로[의].

pláin·clóthes *a.* 사복[평복]의.

pláin·clóthes·man [-mən, -mæ̀n] *n.* 사복 경찰관, (특히) 사복 형사.

pláin déaling *a., n.* 정직한[솔직한, 공명정대한] (거래[관계]).

pláin lánguage *n.* (암호문에 대해) 평문(平文): in ~ (암호가 아닌) 평문으로.

pláin-lóok·ing *a.* 잘나지 못한, 보통으로 생긴(=《美》 homely).

pláin pàper *n.* 줄치지 않은 종이; 〖寫〗 광택이 없는 대지(臺紙).

pláin pèople *n.* 보통 사람, 평민.

pláin sáiling *n.* **1** Ⓤ 순조로운 항해; 쉬운 일, 일의 순조로운 진행[진전]. **2** Ⓤ =PLANE SAILING 1.

Pláins Ìndian *n.* 평원(平原) 인디언《원래 북미 대평원지대(the Great Plains)에서 유목 생활을 하던 북미 인디언》.

pláins·man [-mən] *n.* (북미의) 대평원(prairie)의 주민.

pláin·sòng *n.* 단음악 성가; 정한 가락; 소박한 가락[멜로디].

pláin·spóken *a.* 기탄 없는, 솔직히 말하는, 노골적인(outspoken). **~·ness** *n.*

plaint [pléint] *n.* **1** 〖英法〗 고소장, 소송의 신청. **2** U,C 《古·詩》 슬픔, 한탄; 불평.

〖OF<L *planct- plango* to lament〗

pláin tèa *n.* 홍차와 버터 바른 빵만 나오는 오후의 식사(=《美》 low tea).

pláin·tèxt *n.* 평문(平文)《ciphertext의 원문》.

plain·tiff [pléintəf] *n.* 〖法〗 원고, 기소인(起訴人) (↔*defendant*).

pláin-tìp (cigarétte) *n.* 필터 없는 담배.

plain·tive [pléintiv] *a.* 슬픈 듯한, 애처로운, 비탄에 잠긴, 푸념을 하는: a ~ melody 구슬픈 가락. **~·ly** *adv.* **~·ness** *n.*

pláin wáter *n.* 민물, 담수(淡水).

pláin wéave[wéaving] *n.* 〖紡〗 평직.

plait [plǽt, 美+pléit] *n.* **1** 길게 땋아 늘인 머리, 변발(辮髮): hair braided in ~*s* 길게 땋아 늘어뜨린 머리. **2** 밀짚으로 엮은 끈(braid); 끈 끈. **3** 주름(pleat). —— *vt.* **1** (머리털·밀짚 따위를) 땋다, 엮다, 접다(fold). **2** …의 주름을 잡다.

〖OF *pleit* fold (L *plico* to fold)〗

◇plan [plǽ(ː)n] *n.* **1** [+*to* do / +前+do*ing*] 계획, 안(案), 생각; 방식, 방법: a five-year ~ 5개년 계획 / ~*s* ***for*** the future 장래의 계획 / make ~*s for* the summer vacation 여름 방학을 보낼 계획을 세우다 / I don't like your ~ *to* emigrate to Canada. 당신의 캐나다 이주 계획에는 찬성할 수 없어요 / They laid their ~*s* ***of*** escap*ing* from the country. 국외로 도망할 계획을 세웠다. **2** 도면, 〖建〗 평면도(ground plan) (cf. ELEVATION 5); 약[지(地)]도, (시가지의) 지도: a perspective ~ 투시도 / a working ~ 공작도(圖) / draw a ~ 도면을 그리다. **3** (기계 따위의) 도해(圖解); (집·정원 따위의) 설계도.

have a plan up one***'s sleeve*** ☞ SLEEVE.

—— *v.* (**-nn-**) *vt.* **1** [+目 / +目+副 / +*to* do] 계획하다, 연구하다; 입안(立案)하다, 꾀하다(cf. PLANNED): He seems to have ~*ned* (***out***) something. 무언가 계획해 놓은 것 같다 / We are ~*ning to* make a tour next month. 내달에 여행을 하려고 계획하고 있습니다. **2** …의 설계도를 그리다, 설계하다: ~ a house[garden] 집[정원]의 설계도를 그리다.

〈회화〉

I'm *planning* to go to Hawaii next month. — I wish I could go with you. 「다음달에 하와이에 갈 예정이야」「나도 같이 갈 수 있었으면 좋겠다」

—— *vi.* 계획하다, 계획을 세우다: ~ ahead 미리 계획을 세우다.

〖F (It. *pianta* plan of building); F *plant*→*plan*은 *plan* plane¹의 영향〗

類義語 ***plan*** 어떤 일을 하기 위하여 사전에 미리 세우는 세밀한 계획; 가장 보편적인 말: *plans* for the summer holidays(여름 휴가 계획). ***design*** 어떤 목적을 위해서 세심한 주의를 기울여 꾸민 기획[계획]: a *design* for a rich and comfortable life(부유하고 안락한 생활을 하려는 계획). ***project*** 실험적[시험적]인 계획, 또는 대규모적이며 야심적인 계획; 때로는 실행 불가능한 것을 암시함: a *project* for irrigation (관개(灌漑) 공사 계획). ***scheme*** project보다 약간 막연한 뜻으로 때로 공상적·비실제적인 기도 또는 책략·음모 따위를 가리킴: a *scheme* to deceive someone(누군가를 속이려는 계획).

plan-¹ [plæn], **plano-** [plǽnou, -nə] *comb. form* 「움직여 도는」「자동력(自動力)이 있는」의 뜻. 〖Gk.; ⇨ PLANET¹〗

plan-² [pléin], **pla·no-** [pléinou, -nə] *comb. form* 「평평하게」「평면의」의 뜻. 〖L PLAIN¹〗

pla·nar [pléinər, -nɑːr] *a.* 평면의; 평평한.

pla·nar·i·ty [pleinǽrəti] *n.*

pla·nar·i·an [plənéəriən, -nǽər-] *n.* 〖動〗 플라나리아.

pla·nàr·i·zá·tion *n.* 〖電子〗 평탄화《초대규모 집적회로를 만들 때 미세 가공을 쉽게 하기 위하여 반도체 표면 구조를 가급적 평탄하게 함》.

pla·na·tion [pleinéiʃən, plə-] *n.* 〖地質〗 평탄화[균평(均平)] 작용《침식에 의한 평면 형성 작용》.

plan·chet [plǽntʃət; plɑ́ːnʃit, -tʃit] *n.* 화폐 판금(板金)《돈으로 찍어내기 전의 금속판》.

plan·chette [plænʃét; plɑːnʃét] *n.* 플랑셰트, 점치는 판《심장 모양의 작은 판에 2개의 작은 바퀴와 1자루의 연필이 달린 것; 손을 올려 놓으면 자동적으로 글씨가 써짐》. 〖F (dim.) 〈PLANK〗

Planck [plɑ́ːŋk, plǽŋk; *G* plάŋk] *n.* 플랑크.

Max (**Karl Ernst Ludwig**) ~ (1858-1947) 독일의 이론 물리학자 ; 양자론을 확립 ; Nobel 물리학상(1918).

Plánck('s) cónstant *n.* 〔理〕 플랑크 상수(常數)《양자 역학의 기본 상수 ; 기호 *h*》.

◇**plane**[1] [pléin] *n.* **1** 평면, 수평면, (결정체의) 면(面) : a horizontal ~ 수평면 / an inclined ~ 사면(斜面). **2** (사상 따위) 정도, 수준(level), 단계 ⟨*of*⟩ ; 국면, 형편, 형세 : *on* the same ~ as …와 동렬[같은 정도]로. **3** 〔空〕 날개 판 ; 《口》 비행기《airplane의 略》. **4** 〔컴퓨〕 판.

by plane = ***in***[***on***] ***a plane*** 비행기로, 공로(空路)로.

—— *a.* 평평한, 평탄한(flat) ; 평면도형의 : a ~ angle 평면각 / a ~ surface 평면 / a ~ triangle 평면 3각형 / ~ geometry 평면 기하학. **~·ness** *n.* 평탄함(flatness).

〖L (*planus* PLAIN[1])〗

類義語 ⟹ LEVEL.

plane[2] *n.* 대패 ; 평삭반(平削盤) ; 표면을 고르는 흙손. —— *vi.* **1** 대패질을 하다 ; 대패의 역할을 다하다. **2** (글라이더 따위) 활공(滑空)하다, (수상기가) 이수(離水)하다, (쾌속 모터보트·수상 활주정 따위) 활수하다 ; 비행기로 가다[여행하다]. —— *vt.* …에 대패질을 하다, 깎다⟨*away, down, off*⟩ ; 평평하게[매끈매끈하게] 하다.

〖OF＜L (↑)〗

plane[3] *n.* 〔植〕 플라탄나무, 플라타너스.

〖OF＜L *platanus*＜Gk. (*platus* broad)〗

pláne chárt *n.* 평면 항법에서 쓰이는 해도.

pláne ìron *n.* 대팻날.

pláne·lòad *n.* 비행기 한 대의 탑재량.

plan·er [pléinər] *n.* 대패질하는 목수[목공] ; 평삭반(平削盤)[기(機)].

pláner sàw *n.* 대패톱.

pláne sáiling *n.* **1** Ⓤ 〔海〕 평면 항법. **2** = PLAIN SAILING 1.

pláne·sìde *n., a.* 비행기 옆(에서의).

***plan·et**[1] [plǽnət] *n.* **1** 〔天〕 행성(cf. STAR) ; 〔占星〕 운성(運星) ; [the ~] 지구 : major[minor] ~*s* 대[소]행성 / primary ~*s* 행성 / secondary ~*s* (행성의) 위성. **2** 선각자, (지적) 지도자 ; (선구가 되는) 훌륭한[위대한] 것.

〖OF＜L＜Gk.＝wanderer (*planaomai* to wander)〗

planet[2] *n.* 사제(司祭)가 입는 의식용의 소매없는 제의(祭衣) (chasuble).

〖L *planetica* (*vestis*) traveler's (cloak) (↑)〗

pláne tàble *n.* 〔測〕 평판, 묘도기(描圖器).

pláne-tàble *vt., vi.* (…을) 평판으로 측량하다.

plan·e·tar·i·um [plæ̀nətέəriəm, -tǽər-] *n.* (*pl.* **~s, -ia** [-iə]) 플라네타륨《(1) 별자리 투영기(投影機). (2) 천문관(天文館)》. 〖NL (↓)〗

plan·e·tary [plǽnətèri ; -təri] *a.* **1** 행성(行星)의[같은] : the ~ orbit 행성 궤도 / the ~ system 태양계(系). **2** 〔占星〕 천체의 영향을 받은. **3** 지구의, 이 세상의 ; 세계적인. **4** 유랑[표류]하는, 일정치 않은. **5** 〔機〕 유성 연동 장치의. —— *n.* 〔機〕 유성 연동 장치.

〖PLANET[1]〗

plánetary hóur *n.* 행성 시간《해가 떠서 질[해가 져서 뜰] 때까지 시간의 1/12》.

plánetary nébula *n.* 〔天〕 행성상 성운(星雲).

plánetary perturbátion *n.* 〔天〕 행성 섭동(攝動)《태양계 안의 천체 운동에 다른 행성의 인력이 끼치는 미소한 효과》.

plan·e·tes·i·mal [plæ̀nətésəməl] *n., a.* 〔天〕 아주 작은 행성체(의).

planetésimal hypóthesis *n.* 〔天〕 미행성설《미행성이 합체하여 행성이나 위성이 되었다함》.

plánet gèar[**whèel**] *n.* 〔機〕 유성 기어.

plan·et·oid [plǽnətɔ̀id] *n.* 소행성(小行星).

plan·e·tol·o·gy [plæ̀nətɑ́lədʒi] *n.* Ⓤ 〔天〕 행성학. **-gist** *n.* **plàn·e·to·lóg·i·cal** *a.*

pláne trèe *n.* 〔植〕 플라타너스.

plánet-strìcken, -strùck *a.* 행성의 영향력을 받은 ; 저주받은 ; 당황한, 허둥지둥하는 ; 공황을 일으킨.

plánet-wìde *a.* 전(全)지구적인, 지구적 규모의, 지구 전체에 미치는(worldwide).

plán·fòrm *n.* 〔空〕 위에서 본 항공기의 윤곽.

plan·gent [plǽndʒənt] *a.* (파도 따위) (철썩철썩) 밀려와 부딪치는 ; 울려퍼지는 ; (목소리 따위) 낭랑한(resonant) ; (고른 음(音) 따위) 애조를 띤, 애절한. **~·ly** *adv.* 〖L ; ⇨ PLAINT〗

plán·hòld·er *n.* 연금 가입자.

pla·ni- [pléinə, plǽnə] *comb. form* 「평평한」「평면」의 뜻. 〖L (*planus* level, PLAIN[1])〗

pláni·fòrm *a.* 평평한.

plan·i·fy [plǽnəfài] *vt.* (경제 따위를) 계획화(化)하다. **plàn·i·fi·cá·tion** *n.*

pla·nim·e·ter [pleinímətər, plə- ; plæ-] *n.* 측면기(測面器), 면적계(面積計), 플래니미터.

pla·ni·met·ric, -ri·cal [plèinəmétrik(əl), plǽnə- ; plæ̀nə-] *a.* 면적 측정의 ; (기복을 표시하지 않은) 평면도의《지도》.

pla·nim·e·try [plənímətri ; plæ-] *n.* 면적 측정.

plan·ish [plǽniʃ] *vt.* 평평하게 하다, 대패로 밀다 ; (금속을) 갈고 닦다, 윤내다.

plan·i·sphere [pléinəsfiər, plǽn-] *n.* 평면 구형도(球形圖) ; 〔天〕 별자리표, 평면 천체도.

plank [plǽŋk] *n.* **1** 널빤지, 두꺼운 판자《보통 두께 2-6인치, 폭 9인치 이상 ; cf. BOARD》 ; 판재(板材). **2** 의지가 되는 것. **3** (정당의) 강령(綱領) 항목(cf. PLATFORM).

walk the plank (배의) 뱃전에서 밖으로 내민 판자 위를 눈을 가리고 걷게 하다《17세기경 해적들이 포로를 죽이는 데 사용한 방법의 하나》 ; 강요에 의해 사직하다.

—— *vt.* **1** …에 널빤지를 깔다. **2** 《美》 (떡갈나무(oak) 따위의) 요리판 위에서 요리하여 내놓다 : Steak is sometimes ~*ed.* 스테이크는 때때로 요리판 위에서 구워낸다. **3** 《口》 [+目+副] **a**) 털썩 놓다 : The bellboy ~*ed* ***down*** the baggage. 벨보이는 그 짐을 털썩 내려놓았다. **b**) 즉석에서[당장] 지급하다 : I ~*ed* ***down***[***out***] the money. 즉석에서 지급을 끝냈다.

〖OF＜L *planca* board〗

plánk béd *n.* 《英》 (교도소의) 매트리스 없는 판자 침대.

plánk·ing *n.* 판자 깔기 ; [집합적으로] 널빤지, 마루 판자(planks) ; 〔船〕 겉판자.

plank·ter [plǽŋktər] *n.* 〔生〕 플랑크톤 생물.

plank·tol·o·gy [plæŋktɑ́lədʒi] *n.* Ⓤ 부유(浮游) 생물학.

plank·ton [plǽŋktən, -tɑn ; -tɔn] *n.* Ⓤ 〔動〕 플랑크톤. **plank·ton·ic** [plæŋktɑ́nik] *a.* 플랑크톤의. 〖G (Gk. *plagktos* wandering)〗

plank·to·tróphic [plæ̀ŋktou-] *a.* 〔生〕 플랑크톤을 먹이로 하는.

plán·less *a.* 도면이 없는 ; 무계획의. **~·ly** *adv.*

plánned *a.* 계획한 : a ~ crime 계획적인 범죄.

plánned ecónomy *n.* 계획 경제.

plánned obsoléscence *n.* 계획적 구식화《계

획적으로 제품이 곧 구식이 되게 만드는 일》.

plánned párenthood *n.* (산아 제한에 의한) 가족 계획, 계획 출산.

plán·ner *n.* 입안자(立案者); 사회경제 계획 감독 [참여, 창도]자.

plán·ning *n.* (특히 경제·사회적인) 계획, 입안.

plano- ☞ PLAN-[1,2].

pla·no-cóncave [plèinou-] *a.* (렌즈가) 평요(平凹)의《한 면만 오목한》.

pla·no-cónvex [plèinou-] *a.* (렌즈가) 평철(平凸)의《한 면만 볼록한》.

pla·nom·e·ter [plənámətər; plæ-] *n.* 〖機〗 평면계(平面計).

plán posítion ìndicator *n.* 평면 위치 표시기《略PPI》.

◇**plant** [plǽ(:)nt; plɑ́:nt] *n.* **1 a**) 식물, 초목(草木)(vegetable) (cf. ANIMAL, MINERAL): flowering ~*s* 현화(顯花) 식물. **b**) (수목에 대해서) 풀, 초본(herb) (cf. TREE 1, SHRUB); 묘목(seedling). **2** (농)작물, 수확(crop). **3** Ⓤ (식물의) 생장(growth). **4 a**) (제조)공장(factory): a manufacturing[an automobile] ~ 제조[자동차] 공장 / a pilot ~ ☞ PILOT 5 / a waterpower ~ 수력 발전소. **b**) 장치, 기계 한벌(apparatus): an air conditioning ~ 공기 조절 장치. **c**) Ⓤ (생산 따위의) 시설, 설비《기계류·건물·부지 따위 모든 것》; Ⓒ 일단의 공장시설, 플랜트. **d**) (연구소·대학 따위의) 설비《건물도 포함》. **5** 《俗》 책략, 함정, 속임수(swindle).

in plant 육성하여; 잎이 나서.

lose plant 시들다, 말라죽다.

miss plant 싹이 안트다[안나오다].

plant quarantine 식물 검역.

— *vt.* **1 a**) 심다, (씨 따위) 뿌리다: ~ trees [seeds] 나무[씨]를 심다[뿌리다]. **b**) [+目+前+名] (…을) …에 심다, 이식하다: She ~*ed* her garden ***with*** tulips.=She ~*ed* tulips ***in*** her garden. 마당에 튤립을 심었다. **2** 《비유》 (사상 따위의) 씨를 뿌리다, (머리에) 심어넣다, 가르쳐 주입하다, (새 학설을) 불어넣다. **3** [+目/+目+前+名] 놓다, 세우다, 서게 하다, 시설하다, 장치하다: ~ oneself 지위를 차지하다 / Posts were ~*ed* ***along*** the road. 도로를 따라 기둥이 세워져 있었다. **4** 찌르다, 쳐서 박다; (타격 따위를) 가하다. **5** (굴 따위를) 양식하다; (강에 물고기를) 놓아주다. **6** (도시·교회 따위를) 설립[건설]하다; 식민(植民)시키다; (사람을 식민지 따위에) 살게 하다; (특히) 스파이[간첩]로 배치하다. **7** 《俗》 [+目/+目+前+名] (장물 따위를) 숨기다; (사기를) 꾀하다; 파묻다; (살 사람을 유인하기 위해) (노다지·사금 따위를) 광산에 파묻어 두다(cf. SALT *vt.* 6): The pickpocket ~*ed* the wallet ***on*** a passerby. 소매치기는 그 지갑을 지나가는 사람 호주머니에 슬쩍 넣었다. **8** 《口》 내버려두고 돌보지 않다. — *vi.* 나무를 심다, 이식하다; 식민하다.

plant out (화분에서 땅으로) 옮겨 심다, 이식하다; (묘목을) 간격을 두고 심다; 식물을 심어 …을 가리다.

~·able *a.* 경작이 가능한; 식민할 수 있는; 건설[개척]할 수 있는. 〖OE *plante* and OF<L *planta* sprout, sprig slip〗

Plan·tag·e·net [plæntǽdʒənət] *n.* 〖英史〗 플랜태저넷《Henry 2세에서 Richard 3세까지(1154-1485)》(의 사람). 〖OF=sprig of broom (L ↑+*genista* broom); 그 문장(紋章)에서〗

plan·tain[1] [plǽntən] *n.* 〖植〗 질경이. 〖OF<L *plantago* (*planta* sole of foot; 그 잎의 모양에서)〗

plantain[2] *n.* 요리용 바나나(의 열매). 〖Sp.〗

plan·tar [plǽntər, -tɑ:r] *a.* 〖解〗 발바닥의.

***plan·ta·tion** [plæntéiʃən] *n.* **1** 재배원, 농원《특히 (아)열대 지방의 대규모적인 것》: a coffee [rubber, sugar] ~ 커피[고무, 사탕] 재배원 / a ~ song 《美》 농원에서 흑인이 부르는 노래. **2** 식[조]림지; 인공림. **3** 《稀》 재배(planting). **4** (식민지 따위의) 건설; Ⓒ 이민; 식민(지).

plánt·er *n.* **1** 심는 사람; 경작자. **2** 〖美史〗 초기의 이민; (남부 지방의) 농장주(主), 식민자(colonist). **3** 파종기(播種機).

plánter's púnch *n.* 럼·레몬 주스·설탕 따위로 만든 펀치.

plánt fòod *n.* 비료(fertilizer).

plánt formàtion[associàtion] *n.* 식물의 군락(群落).

plánt hòrmone *n.* 식물 호르몬.

plan·ti·grade [plǽntəgrèid] *a.* 발바닥을 땅에 대고 걷는, 척행성의. — *n.* 척행 동물.

plant·i·mal [plǽntəməl] *n.* 〖生〗 플랜티멀《식물 세포의 원형질과 동물 세포의 원형질을 융합시켜서 생긴 세포》.

plánt·ing *n.* Ⓤ **1** 심기, 재배; 조림(造林), 식림; 씨뿌리기, 파종. **2** 〖建〗 기초가 되는 저층(底層); 일단(一團)의 공장 시설 설계.

plánt kìngdom *n.* [the ~] 식물계(界).

plánt·let *n.* 작은 식물; 묘목, 모종.

plánt·lìke *a.* (동물이) 식물 같은《산호 따위》.

plánt lòuse *n.* 〖昆〗 진디(aphid).

plánt-màrk·er *n.* 식물 명찰[기명표(記名標)].

plan·toc·ra·cy [plæntákrəsi] *n.* Ⓤ (지배 계급으로서의) 농장주(主); 농장주 지배.

plánt pathòlogy *n.* 식물 병리학.

plánt pòt *n.* 화분.

plaque [plæk; plɑ́:k] *n.* (금속·도기(陶器)·상아 따위로 만든) 액자, 틀; 장식판, 현판(懸板); 작고 납작한 브로치; 〖醫〗 반(班), 플라크; 〖齒〗 치구, 치태; 〖解〗 혈소판.
〖F<Du. *plak* tablet; ⇨ PLACARD〗

pla·quette [plækét] *n.* 작은 장식판; 메달의 양각(陽刻)[돋을새김].

plash[1] [plǽ(:)ʃ] *n.* 철썩철썩[절벅절벅·텀벙텀벙]하는 소리(splash); 물웅덩이; (빛·색 따위의) 반점, 얼룩. — *vt., vi.* 철썩철썩 소리나(게 하)다, 절벅거리(게 하)다.
〖OE *plæsc* (imit.); cf. Du. *plassen* (v.)〗

plash[2] *vt.* (나뭇가지를) 구부려서 얽어매다; 가지를 구부려 얽어서 산울타리를 만들다[손질하다].
〖OF<L PLEACH〗

pláshy *a.* 물웅덩이가 많은; 흙탕물투성이의; 질퍽질퍽한; 철썩철썩하는.

-pla·sia [pléiʒiə; plǽziə], **-pla·sy** [plèisi, plæ̀si] *n. comb. form* 「형성」「생장, 발달」의 뜻. 〖↓〗

-pla·sis [pléisəs] *n. comb. form* (*pl.* **-ses** [-si:z]) 「조형(molding)」의 뜻.
〖NL<Gk.; ⇨ PLASMA〗

plasm [plǽzəm] *n.* Ⓤ =PLASMA.

plasm- [plǽzm], **plas·mo-** [plǽzmou, -mə] *comb. form* 「혈장」「원형질」의 뜻. 〖Gk.〗

-plasm [plæ̀zəm] *n. comb. form* 〖生〗 「형성된 것」「형성하는 것」의 뜻: meta*plasm*, neo*plasm*, proto*plasm*. 〖↓〗

plas·ma [plǽzmə] *n.* Ⓤ 〖生理〗 혈장(血漿), 림프장(漿); 〖生〗 원형질; 유장(乳漿); 〖理〗 플라스

마《원자핵과 전자가 분리된 가스 상태》.
plas·mat·ic [plæzmǽtik], **plas·mic** [plǽzmik] *a.* 〖L=mold<Gk. *plasmat- plasma* (*plassō* to shape)〗

plásma CVD [-síːviːdíː] *n.* 플라스마 CVD《반도체 제조 공정의 하나 ; 가스 플라스마 안에서 비교적 저온으로 질화규소(Si_3N_4), 이산화규소(SiO_2) 따위의 층을 기상(氣相) 성장시킴 ; cf. PLASMA ETCHING》.

plásma ètching *n.* 플라스마 에칭《반도체 제조 공정의 하나 ; 가스 플라스마 안에서 질화 규소(Si_3N_4), 이산화규소(SiO_2), 다결정, 실리콘이나 알루미늄 따위의 층을 화학적으로 에칭하는 것 ; cf. PLASMA CVD》.

plásma pànel *n.* 플라스마 패널《컴퓨터 따위에 쓰는 가스가 든 관을 점멸시키는 표시반》.

plàsma·phér·e·sis [-férəsəs] *n.* 〔醫〕 혈장 사혈(瀉血)[반출].

plásma·sphère *n.* 〔地球理〕 플라스마권(圈)《행성 주위의 기체가 고도로 이온화되어 있는 층》.

plásma tàil *n.* 〔天〕 플라스마 꼬리《태양과 반대쪽으로 직선으로 뻗은 혜성의 꼬리》.

plas·mid [plǽzməd] *n.* 〔遺〕 플라스미드《염색체와는 독립하여 증식할 수 있는 유전 인자》.

plas·min [plǽzmən] *n.* 〔化〕 플라스민《혈장에서 채취한 복합 단백질》.

plasmo- [plǽzmou, -mə] ⇨ PLASM-.

plas·mo·di·um [plæzmóudiəm] *n.* (*pl.* **-dia** [-diə]) 〔生理〕 변형체 ; 〔動〕 말라리아 병원충.

plas·mol·y·sis [plæzmáləsəs] *n.* Ⓤ 〔植〕 원형질 분리. **-mo·lyt·ic** [plæ̀zməlítik] *a.* **-i·cal·ly** *adv.*

plas·mo·lyze [plǽzməlàiz] *vt., vi.* 원형질 분리를 일으키게 하다[일으키다]. **-lỳz·able** *a.*

plas·mon [plǽzmɑn] *n.* 〔發生〕 세포질 유전자 ; 〔理〕 플라스몬《전자(電子) 가스의 종파양자(縱波量子)》.

-plast [plæ̀(ː)st] *n. comb. form* 〔生〕「형성된 것」의 뜻 : bio*plast*, chromo*plast*, proto*plast*. 〖Gk. ; ⇨ PLASM〗

***plas·ter** [plǽ(ː)stər ; plɑ́ːs-] *n.* **1** Ⓤ 회반죽, 벽토(壁土), 석고(石膏) : a ~ cast 석고 모형[상(像)] ; 깁스 붕대 / a ~ figure 석고 모형. **2** 〔醫〕 고약 ; 《英》 반창고(sticking plaster).

〈회화〉
How long are you going to have your leg in *plaster*? — For four weeks.「깁스는 얼마 동안이나 하고 있을 거니」「4주 동안」

—— *vt.* **1** …에 석고를 바르다[칠하다] ; …에 고약을 붙이다. **2** [+目 / +目+*with*+名 / +目+副] (고약처럼) 처바르다 ; 꾸며대다, 온통 붙이다 : The bread was ~*ed* ***with*** butter. 빵에는 버터가 잔뜩 발라져 있었다 / The wall was ~*ed with* many posters. 벽에는 많은 포스터가 덕지덕지 붙어 있었다 / He ~*ed* her *with* praise. 《비유》 그녀를 마구 칭찬했다 / Don't ~ your hair *down.* 머리를 (기름 따위로) 덕지덕지 발라 넘기지 마라. **3** (포도주에) 석고(石膏) 분말을 혼화(混和)하다. **4** 《戲》 (부상 따위에) 치료비를 내다. **~ed** *a.* 《俗·戲》 취한. **~·er** *n.* 석고 기술자 ; 미장이.
〖OE and OF<L (*em*)*plastrum*<Gk.〗

pláster·bòard *n.* 플라스터보드《석고를 심으로 한 판지, 초벌 도배지 ; cf. WALLBOARD》.

pláster·ing *n.* Ⓤ 회반죽 바르기[공사].

pláster of Páris[**páris**] *n.* 구운 석고《물을 섞으면 단시간내에 굳어짐》.

pláster sáint *n.* (하나도 나무랄 데 없는) 훌륭한 사람, 성인 군자(로 생각되는 사람).

plás·tery *a.* 회반죽 같은 ; 고약[석고] 비슷한.

***plas·tic** [plǽstik] *a.* **1** 모형을 이루는, 성형하는, 형성력(形成力)이 있는, 창조력이 있는. **2** 소조(塑造)의, 소조할 수 있는, 가소성(可塑性)의 ; 생각한 모양대로 되는, 유연한. **3** 플라스틱(제)의. **4** 온순한, 민감한, 가르치기 쉬운. **5** 〔生〕 생활 조직을 형성하는, 성형적인. **6** 〔醫〕 정형[성형]의, 형성의 : a ~ operation 성형 수술 / ~ surgery 성형 외과. **7** 인공적인, 합성된 ; 가짜의 ; 비인간적인. —— *n.* **1** Ⓒ 플라스틱 제품. **2** Ⓤ [흔히 ~s, 단수취급] 플라스틱, 합성수지(cf. RESIN). **3** [~s, 단수·복수취급] 성형 외과(plastic surgery).
-ti·cal·ly *adv.* 〖F or L<Gk. ; ⇨ PLASMA〗

-plas·tic [plǽstik] *a. comb. form*「촉진[형성]하는」의 뜻 ; -PLASM, -PLAST, -PLASTY의 형용사형 : thrombo*plastic*, neo*plastic*. 〖Gk. (↑)〗

plástic árt *n.* **1** 조형(造形) 미술《회화·조각·도예 따위》. **2** 공간 예술.

plas·ti·cat·ed [plǽstəkèitəd] *a.* 모조의, 진짜가 아닌 ; 합성의, 인공적인.

plástic bág *n.* 비닐 봉투, 쓰레기 주머니.

plástic bómb *n.* 플라스틱 폭탄.

plástic búllet *n.* 플라스틱 탄《폭동 진압용》.

plástic cláy *n.* 소성 점토(塑性粘土).

plástic crédit *n.* 〔商〕 크레디트 카드에 의한 신용《대출·지급 따위》.

plástic deformátion *n.* 〔理〕 소성 변형.

plástic explósive *n.* 가소성(可塑性) 폭약 ; = PLASTIC BOMB.

plástic flów *n.* 〔理〕 소성 흐름[변형].

Plas·ti·cine [plǽstəsìːn] *n.* Ⓤ 소상(塑像)용 점토《상표명》.

plas·tic·i·ty [plæstísəti] *n.* Ⓤ **1** 가소성, 성형력. **2** 〔畫〕 묘사 대상의 3차원적 재현성, 입체감. **3** 적응성, 유연함(adaptability).

plas·ti·cize [plǽstəsàiz] *vt.* 가소성[유연성, 적응성]을 가지게 하다 ; 가소화하다 ; 유연하게 되다 ; 적응성이 붙다. **plàs·ti·ci·zá·tion** *n.*

plás·ti·cìz·er *n.* 가소제(可塑劑).

plástic mémory *n.* 소성 복원(塑性復元)《가열하면 원형으로 돌아가는 플라스틱의 성질》.

plástic móney *n.* 크레디트 카드(cf. PLASTIC CREDIT).

plástics índustry *n.* 플라스틱 산업. 주 plastic industry는 잘못.

plástic wòod *n.* 성형재(成形材) ; [P~ W~] 그 상표 이름.

plas·tid [plǽstəd] *n.* 〔生〕 원형질체(體)의 단위 ; 세포 ; 유색체(有色體). **plas·tíd·i·al** [-tíd-] *a.* 〖G〗

plas·to- [plǽstou, -tə] *comb. form*「형성」「발달」「가소성(可塑性)」「세포질」「플라스티드」의 뜻. 〖Gk. ; ⇨ PLASM〗

plásto·gène *n.* 〔生〕 색소체 유전자.

plas·tron [plǽstrən] *n.* (여성복의) 가슴 장식 ; (펜싱용의) 가죽 가슴받이 ; 〔動〕 (거북 따위의) 복갑(腹甲). **plás·tral** *a.*
〖F<It. (augment.) <*piastra* breast plate〗

-plas·ty [plæ̀sti] *n. comb. form*「형성」「성장」「성형 외과」의 뜻. 〖Gk. ; ⇨ -PLAST〗

-plasy ☞ -PLASIA.

plat[1] [plæt] *n.* 작은 토지[지면] ; 《美》 (토지의) 도면(圖面), 지면. —— *vt.* (**-tt-**) 《美》 …의 도면[지도]을 만들다. 〖PLOT[1]〗

plat[2] *n.*, *vt.* (-tt-) =PLAIT.
plat[3] [plɑ́ː; *F* pla] *n.* (요리) 한 접시.
〖F=dish, flat surface〈*plat* flat; cf. PLATE〗
plat- [plǽt] ☞ PLATY-.
plat. plateau; platform; platoon.
Pla·ta [plɑ́ːtə] *n.* **Río de la** [ríːou de lə] ~ 라플라타 강《아르헨티나와 우루과이 사이의 Paraná강과 Urguay강 사이를 흐르는 강; 영어명은 the River Plate라고 함; cf. LA PLATA》.
plat·an, -ane [plǽtən] *n.* =PLANE[3].
Plat·a·nus [plǽtənəs] *n.* **1** Ⓤ 플라타너스과(科). **2** [p~] 플라타너스.
plat du jour [plɑ̀ː də ʒúːər] *n.* (*pl.* **plats du jour** [plɑ̀ːz-]) (레스토랑의) 오늘의 특별 요리. 〖F〗
‡**plate** [pléit] *n.* **1** 판금(板金), 두들겨서 편 금속; 금속패(牌): a ~ *of* glass 판유리 한 장 / an iron[a tin] ~ 철[주석]판 / a letter ~ (우편물 투입함의) 쇠붙이판 / ☞ PLATE ARMOR. **2** 판유리(cf. PLATE GLASS). **3** 표찰, 명패, (특히) 의사의 간판: ☞ DOORPLATE. **4** 〖寫〗 감광판(感光板), 원판(cf. ROLL FILM): a dry[wet] ~ 건(乾)[습(濕)]판 / a negative ~ 원판, 음화(陰畫). **5** 〖印〗 금속판, 전기판, 스테레오판(版); 목[금속] 판화, 삽화(cf. CUT[3] *n.* 8); 플레이트《한 페이지 인쇄도(圖)》: ☞ FASHION PLATE. **6** 장서표(藏書票)(bookplate). **7** (파충류·물고기 따위의) 갑(甲); 판금 갑옷(plate armor). **8** 〖齒〗 의치상(義齒床)《틀니의 잇몸》(dental plate). **9** 〖野〗 홈베이스(home plate); 투수판(投手板)(pitcher's plate). **10 a)** (주로 도자기로 만든) 접시(cf. DISH); Ⓤ [집합적으로] 접시류, (금·은으로 만든) 식기류(cf. SILVERWARE): ☞ SILVER PLATE / family ~ 문장(紋章)의 각인(刻印)이 있는 금은제 식기《가보(家寶)로 전해짐》. **b)** 요리의 코스(course): a ~ of fish 생선요리 한 접시. **c)** (교회에서) 헌금용 접시. **11** 금[은] 상배(賞盃); 금[은]배가 걸린 경마[경기]. **12** 〖電子〗 양극(陽極): the positive ~ 양극판(版). **13** 《美俗》 유행하는 옷으로 멋을 부린 사람; 《美俗》 매력적인 여성. **14** 〖地〗 플레이트《지각과 맨틀 상층부의 판상 부분》. —— *vt.* **1** …에 도금(鍍金)을 입히다[하다]: gold-[silver-]~*d* spoons 금[은] 도금한 스푼. **2** 판금으로 덮다, (배를) 장갑(裝甲)하다, …에 금비늘 있는 갑옷을 입히다; 두들겨 펴서 판금을 만들다. **3** 〖印〗 전기[동]판으로 하다. **4** (미생물을) 배양기로 배양하다. **5** 〖野〗 (득점을) 올리다. **~·lìke** *a.*
〖OF<L *platta* (*plattus* flat)〗
pláte àrmor *n.* 철갑 갑옷; 장갑판, 철갑판.
pla·teau [plætóu, ⌐-] *n.* (*pl.* **-teaux** [-z], **~s**) **1** 고원(高原), 대지(臺地). **2** 큰 접시; 쟁반; 장식 액자. **3** 〖心·教〗 (학습) 고원(高原)《학습 따위의 안정기》; 안정기. —— *vi.* 안정 수준[기, 상태]에 달하다.
〖F<OF *platel* (dim.)〈PLAT[3]〗
pláte-bàsket *n.* 《英》 식기 바구니.
pláte blòck *n.* 〖郵〗 가장자리에 일련 번호가 붙은 우표 시트.
pláte cùlture *n.* 〖菌〗 페트리 접시(petri dish)에 의한 균배양.
plat·ed [pléitəd] *a.* **1** [때때로 복합어를 이루어] 도금(鍍金)한: gold-~. 금도금한. **2** 〖編物〗 (겉은) 털실과 (안은) 무명실로 짠. **3** 〖軍〗 장갑(裝甲)의.
pláted média *n.* 〖電子〗 플레이티드 미디어《표면에 금속 자성체를 바르고 표면을 반반하게 하여 기록 밀도를 높인 자기 디스크 매체》.
pláte·ful *n.* 접시 하나 가득, 한 접시(분량).
pláte gláss *n.* (질이 좋은) 판유리, 거울 유리.
pláte ìron *n.* 철판.
pláte·lày·er *n.* 《英》 (철도의) 선로공(線路工) (=《美》 tracklayer).
pláte lèather *n.* 금은 (식기)를 닦는 사슴[참고래] 가죽.
pláte·let *n.* 작은 판; 〖解〗 혈소판(血小板).
pláte lùnch *n.* 《美》 접시 하나에 담은 점심.
pláte·man *n.* (클럽·호텔 따위의) (은)식기 관리자(管理者).
pláte màrk *n.* 금은제 식기류에 새긴 각인(刻印) 《제조자의 이름 따위》.
pláte màtter *n.* (통신사가 신문사에 제공하는) 스테레오판 뉴스.
plat·en [plǽtn] *n.* (인쇄기의) 압반(壓盤); (타이프라이터의) 고무 롤러.
〖OF=flat piece; ⇨ PLATE〗
pláte pòwder *n.* (은식기 따위를) 닦는 가루.
pláte prìnter *n.* 동판(銅版) 인쇄자.
pláte prìnting *n.* 동판[요판] 인쇄.
pláte pròof *n.* 〖印〗 연판 교정(쇄).
plat·er [pléitər] *n.* 도금공(鍍金工), 금속판공(工); 광택기(光澤機); 《競馬俗》 열등한 말.
pláte ràce *n.* 《英》 (건 돈보다 상배(賞杯) 따위를 다투는) 현상 경마.
pláte-ràck *n.* 《英》 식기 선반, 식기장.
pláte ràil *n.* 접시나 장식품을 진열하기 위해 벽 윗부분에 가느다란 나무 따위로 걸쳐서 만든 선반.
pláte·ròom *n.* (은)식기 보관실.
pláte techtónics *n.* 〖地質〗 플레이트 텍토닉스《지각(地殼)의 표층이 판상(板狀)을 이루어 움직이고 있다는 학설》. **pláte-techtónic** *a.*
*__plat·form__ [plǽtfɔ̀ːrm] *n.* **1 a)** (정거장의) 플랫폼, 개찰장, 승강장(昇降場), 복도: a departure [an arrival] ~ 발차[도착] 플랫폼 / From what ~ does the train start? 열차는 몇번 플랫폼에서 떠납니까. **b)** 《美》 객차의 승강 계단, 덱(deck). **2** 대(臺); 포상(砲床), 포좌(gun platform). **3** 연단, 교단, 강단; [the ~] 연설, 강연. **4** (정당·후보자의) 정강, 강령(cf. PLANK); 주의; 《美》 정강의 선언[발표]. **5** (행동·결정 따위의) 기반, 근거, 기준. **6**=PLATFROM SOLE.

〈회화〉
Which *platform* does the London train leave from? — *Platform* One, sir.
「런던행 열차는 몇 번 플랫폼에서 떠납니까」「1번 플랫폼입니다」

—— *vt.* (올려) 싣다; 놓다, 두다. —— *vi.* 연단에 서서 연설하다.
〖F *plateforme* ground plan; ⇨ PLATE, FORM〗
plátform brìdge *n.* 과선교(跨線橋).
plátform càr *n.* 〖鐵〗 무개 화차, 대차(臺車).
plátform càrriage *n.* 포차(砲車).
plátform dìving *n.* 〖泳〗 플랫폼 다이빙.
plátform ròcker *n.* 《英》 좌대(座臺)가 있는 흔들 의자.
plátform scàle *n.* 앉은뱅이 저울.
plátform shòe *n.* (코르크·가죽제의) 바닥이 두꺼운 여성화.
plátform sòle *n.* (나무·코르크·가죽제의) 두꺼운 구두창.
plátform tènnis *n.* 플랫폼 테니스《철망을 둘러친 나무대(臺) 위에서 하는 paddle tennis》.
plátform tìcket *n.* 《英》 (철도역의) 입장권.

plat·in- [plǽtən], **plat·i·no-** [plǽtənou, -nə] *comb. form* 「백금」의 뜻. 〖NL〗

plat·i·na [plǽtənə, plətíːnə] *n.* = PLATINUM.

plat·ing [pléitiŋ] *n.* 금[은] 도금[입히기]; 도금하기; 도금용 금속, (금속에 의한) 표면 피복; 현상 경마[경기]; (군함 따위의) 장갑.

pla·tin·ic [plətínik] *a.* (제2) 백금의.

plat·i·nif·er·ous [plæ̀tənífərəs] *a.* 백금을 함유한 [이 생기는].

plàtin·irídium *n.* Ⓤ 〘鑛〙 백금 이리듐.

plat·i·nize [plǽtənàiz] *vt.* 백금을 입히다, 백금과 합금하다.

platino- [plǽtənou, -nə] ☞ PLATIN-.

plàtino·cýanide *n.* Ⓤ 시안화백금산염.

plat·i·noid [plǽtənɔ̀id] *a.* 백금 모양의, 백금 비슷한. ── *n.* Ⓤ 백금 합금, 양은의 일종《구리·니켈·아연의 합금에 소량의 텅스텐 또는 알루미늄을 가한 것》.

plátino·tỳpe *n.* 플래티노타입《사진 인화(법)》.

plat·i·nous [plǽtənəs] *a.* (제1) 백금의.

plat·i·num [plǽtənəm] *n.* Ⓤ 〘化〙 백금, 플래티나《기호 Pt; 번호 78》; 플래티나색《은색보다 약간 청색기를 띤 밝은 회색》. ── *a.* (LP 레코드가) 백만장 팔린.
〖NL＜Sp. *platina* (dim.)〈*plata* silver〗

plátinum bláck *n.* 〘化〙 백금흑(黑)《촉매용》.

plátinum blónde *n.* 플래티나 블론드《머리가 백금색인 여자》.

plátinum métal *n.* 백금속(屬).

plat·i·tude [plǽtət*j*ùːd] *n.* Ⓤ 단조, 평범, 진부; Ⓒ 평범한 이야기; 상투적인 문구.
〖F; ⇨ PLATE; *certitude* 따위를 모방한 것〗

plat·i·tu·di·nar·i·an [plæ̀tət*j*ùːdənέəriən, -nǽər-] *a.* 평범한, 진부한. ── *n.* 평범[진부]한 얘기를 하는 사람.

plat·i·tu·di·nize [plæ̀tət*j*úːdənàiz] *vi.* 평범한 말을 하다, 케케묵은 이야기를 하다.

plat·i·tu·di·nous [plæ̀tət*j*úːdənəs] *a.* 시시한 소리를 하는, 평범한. **~·ly** *adv.* **~·ness** *n.*

Pla·to[1] [pléitou] *n.* 플라톤(427?-?347B.C.)《그리스의 철학자》.

PLATO, Pla·to[2] [pléitou] *n.* 컴퓨터를 사용한 개인 교육 시스템.
〖*P*rogrammed *L*ogic for *A*utomatic *T*eaching *O*perations〗

Pla·ton·ic [plətánik, plei-] *a.* 플라톤의, 플라톤 철학[학파]의; [때때로 p~] 정신[우애]적인; [때때로 p~] 정신적 연애를 신봉하는; 이론적인, 비실행적인, 관념적인. ── *n.* 플라톤 학파의 사람; [*pl.*] 정신적 연애 감정[행위].
Pla·tón·i·cal·ly *adv.* 〖L＜Gk. (*Plato*)〗

platónic bódy[sólid] *n.* 〘數〙 플라톤의 입체《정 4·6·8·12·20면체》.

Platónic lóve *n.* 플라톤적 사랑, 이상주의적 사랑; [때때로 p~] 정신적 연애.

Platónic yéar *n.* 〘天〙 플라톤년(年)《세차(歲差) 운행이 한 바퀴 돈다고 생각한 25,800년》.

Pla·to·nism [pléitənìzəm] *n.* Ⓤ 플라톤 철학[학파]; 플라톤주의; [때때로 p~] 정신적인 연애.
-nist *n.* **Plà·to·nís·tic** *a.*

Pla·to·nize [pléitənàiz] *vi.* 플라톤의 학설을 신봉[주창]하다. ── *vt.* 플라톤 철학을 바탕으로 설명하다; 플라톤 (학파[철학])풍(風)으로 하다.

pla·toon [plətúːn] *n.* **1** (보병·공병·경찰대의) 소대(☞ ARMY 1). **2** 한떼의 사람, 일단(一團); 〘美蹴〙 공격[방어]조(組); (야구 따위에서) 한 포지션을 교대로 수비하는 복수 선수.
── *vt.* 소대로 나누다; (선수를) 다른 선수와 교대로 한 포지션에 맡기다; 《美俗》 전문 포지션을 지키게 하다, 특정 시합 전문으로 내다. ── *vi.* 한 포지션을 다른 선수와 교대로 지키다; 한 포지션에 교대로 선수를 쓰다; 《美俗》 전문 포지션을 지키다, 특정 시합 전문으로 나가다.
〖F *peloton* (dim.)〈*pelote* PELLET〗

platóon sérgeant *n.* 〘美陸軍〙 2등 상사(sergeant first class)《略 PSG》.

Platt·deutsch [plǽtdɔ̀itʃ, pláːt-] *n.* (북독일의) 저지 독일 방언(Low German). 〖G〗

platte·land [pláːtlɑːnt, -læ̀nd] *n.* [the ~] 《南아》 시골, 지방. 〖Afrik.＜Du.＝flat land〗

plat·ter [plǽtər] *n.* **1** 《美》 (음식, 특히 육류·생선용의) 큰 접시; 《英古》 (보통 나무로 만든) 납작한 쟁반. **2** 《美俗》 음반, 레코드. **3** 《俗》 (야구의) 홈 베이스(home base). **4** 〘컴퓨〙 원판.
~·fùl *n.* 〖AF *plater*; ⇨ PLATE〗

platy [pléiti] *a.* plate와 비슷한; 〘地質〙 판상(板狀)의.

platy- [plǽti], **plat-** [plǽt] *comb. form* 「넓은」 「평평한」의 뜻. 〖Gk. (*platus* broad)〗

plàty·hélminth *n.* 〘動〙 편형동물.
-helmínthic *a.*

Platy·hel·min·thes [plæ̀tihelmínθiːz] *n. pl.* 〘動〙 편형동물문(門) 《분류명》.

platy·pus [plǽtipəs] *n.* (*pl.* **~·es**, **-pi** [-pài, -pìː]) 〘動〙 오리너구리(duckbill) 《오스트레일리아산의 원시 포유류 동물》.
〖Gk. ＝flat foot (*platy-*, *pous* foot)〗

platypus

plat·yr·rhine [plǽtiràin] *a.* 〘動·人類〙 광비(廣鼻)의. ── *n.* 코가 넓고 납작한 사람; 광비원숭이[동물]. **-rhi·ny** [-ràini] *n.*
〖Gk. *rhin-* *rhis* nostril〗

plau·dit [plɔ́ːdət] *n.* [보통 *pl.*] 갈채, 박수, 찬탄, 칭찬.
〖L (impv.)〈*plaus-* *plaudo* to clap〗

plau·si·ble [plɔ́ːzəbəl] *a.* 그럴듯한, 정말 같은; 그럴듯하게 말하는, 말주변이 좋은. **-bly** *adv.* **~·ness** *n.* **plàu·si·bíl·i·ty** *n.* 그럴듯함; 그럴듯한 일[말]. 〖L; ⇨ PLAUDIT〗

◇**play** [pléi] *vi.* **1** [動/+副/+前+名] 놀다, 장난치다, 뛰놀다; 장난치며 놀다[희롱하다]; (일하지 않고) 놀다, 쉬다, 놀며 지내다(↔*work*): Many children are *~ing about.* 많은 아이들이 놀고 있다 / They are *~ing* ***in*** the playground. 운동장에서 놀고 있다.
2 [動/+副/+前+名] 뛰어다니다, 뛰다, 이리저리 날아다니다; 흔들리다, 흔들흔들[팔랑팔랑]하다; 펄럭이다; (광선 따위가) 비치다, 번뜩이다; 미소가 스치다: There were some bees *~ing* ***about.*** 벌들이 이리저리 날고 있었다 / There was a breeze *~ing* ***on*** the water. 미풍이 수면에 잔물결을 일으키며 지나갔다 / A faint smile *~ed* ***on*** his lips. 엷은 미소가 그의 입가를 스쳤다.
3 (기계 따위가) 자유롭게 움직이다, 운전하다(work); (샘물이) 분출하다: The water of the fountain was *~ing* in the air. 분수의 물이 공중으로 치솟고 있었다.
4 [動/+*on*+名] (총이) 발사되다: The machine guns *~ed* ***on*** the building. 그 건물을 향해서 기관총이 발사되었다.

5 a) 경기[시합]를 하다[에 나가다] : *P*～! 〖球技〗 시합개시! **b**) [+副] (경기장이) 시합하기에 알맞다 : The ground ～*ed well*[*badly*]. 운동장의 상태가 좋았다[나빴다].
6 [動/+前+名] 도박을 하다, 내기를 하다 : ～ ***at*** cards 카드놀이를 하다 / ～ ***for*** money[love] 돈을 걸고[걸지 않고] 시합[승부내기]을 하다.
7 [動/+*on*+名] (사람이) 연주하다, 취주하다, 타다; (악기·음악이) 울리다, 연주되다, (레코드·테이프가) 걸려 있다, 소리나다 : The old man ～*ed* well ***on*** the flute. 노인은 플루트를 잘 불었다. ㊟ 지금은 ～ *on* the piano(피아노를 치다) 따위의 용법은 《稀》(cf. *vt.* 5 a), b)).
8 [動/+*in*+名] 출연하다, 연극을 하다(cf. *vt.* 7) : They ～*ed* (for) a month in New York. 뉴욕에서 1개월간 공연했다 / He has often ～*ed* ***in*** theatricals. 종종 아마추어 연극에 출연해 왔다.
9 [+補] (…인 것처럼) 처신[행동]하다, …인 체하다(cf. *vt.* 6 d); PLAY *at*) : He ～*ed* sick. 꾀병을 부렸다 / The opossum ～*s* dead. 주머니쥐는 죽은 체를 한다.
10 [+副] (각본 따위) 상연[무대]에 알맞다 : The script won't ～ *well*. 그 대본은 상연에 잘 어울리지 않을 것이다.
11 끊임없이[반복하여] 작용하다[영향(影響)을 미치다].
—— *vt.* **1 a**) (놀이·시합 따위를) 하다, …하며 놀다 : ～ a good[poor] game 잘[서툴게]하다 / Let's ～ baseball[tennis]. 야구[테니스]를 하자 / They were ～*ing* poker. 포커를 하고 있었다 / The two boys went into the yard and ～*ed* catch. 두 소년은 마당에 나가 캐치볼을 했다. **b**) 〖크리켓〗 (공을 어떤 타법으로) 치다; 〖카드놀이〗 (패를) 내다; 〖체스〗 (말을) 움직이다.
2 [+目/+目+前+名] **a**) (남을) 경기(競技)에 기용하다[쓰다], 한패에 넣다 : We are going to ～ Bill ***in*** the next game. 다음 시합에는 빌을 참가시킬 예정이다. **b**) (시합·놀이에서) …와 다투다, 상대하다, 맞서다 : Will you ～ us ***at*** bridge? 브리지 놀이를 하겠습니까.
3 (돈을 내기에) 걸다(bet); …에게 걸다(bet on) : He ～*ed* his last few dollars. 그는 마지막 남은 몇 달러를 걸었다 / He ～*ed* the horses. 경마에 (돈을) 걸었다.
4 [+目/+目+*on*+名/+目+目] (장난 따위를) 하다, (농담 따위를) 걸다; (사기 따위를) 치다 : He ～*ed* a mean trick ***on*** me[～*ed* me a mean trick]. 나에게 속임수를 썼다 / Don't ～ a joke[prank] *on* her. 그녀를 희롱하지 마라. ㊟ 수동태에서는 : I *was* ～*ed* a mean trick.
5 a) (악기를) 연주하다, 켜다, 불다; (레코드·테이프를) 걸다(cf. PLAY *back*) : ～ the piano 피아노를 치다 / ～ the flute 플루트를 불다(㊟ 문맥에 의해서 ～ *a* piano / ～ a flute로 하는 수도 있다) / What (instrument) can you ～? — I can ～ the piano. (악기는) 무엇을 연주할 줄 압니까 — 피아노를 칠 줄 압니다. **b**) [+目/+目+目/+目+前+名] (곡을) 켜다, 연주하다 : He was ～*ing* a sonata ***on*** the piano. 피아노 소나타를 연주하고 있었다 / Will you ～ me some music [～ some music ***for*** me]? 무슨 음악이든 연주 좀 해주시겠습니까. **c**) [+目+副/+目+前+名] 연주하여 (남을) 이끌다 : They ～*ed* the congregation ***in***[***out*** (***of*** the church)]. 음악에 따라 회중을 입장시켰다[모인 신자들을 교회에서 퇴장시켰다].
6 a) (극을) 연기(演技)하다, 실연(實演)하다; (인물로) 분장하다, …의 역을 맡아하다 : They ～*ed Macbeth*. 맥베스를 공연했다 / She ～*ed* Ophelia. 오필리아로 분장했다. **b**) (…의 역할을) 하다, (본분 따위를) 다하다 : ～ the hostess 여주인역을 다하다 / Salt ～*s* an important part in the function of the body. 소금은 신진대사에 중요한 역할을 한다 / Can John ～ shortstop? 존은 유격수 역할을 할 수 있을까. **c**) …인 것처럼 처신[거동]하다, …인 체하다 : You have ～*ed* the man[fool]. 사나이답게[바보처럼] 처신[행동]했다. **d**) [+目/+*that* 節] …인 것처럼 굴다, …놀이를 하다(cf. *vi.* 9; PLAY *at*) : Let's ～ cowboys. =Let's ～ (*that*) we are cowboys. 카우보이 놀이를 하자.
7 극을 …에서 상연하다(cf. *vi.* 8) : They ～*ed* New York for a month. 뉴욕에서 1개월간 공연했다.
8 [+目+前+名] 움직이게 하다, (광선 따위를) …에 향하게 하다; (빛을) 어른거리게 하다, 번쩍이게 하다; 퍼붓다, (대포를) 발사하다 : They were ～*ing* the hoses ***on*** the burning building. 불타고 있는 건물에 호스로 물을 뿜어대고 있었다 / The searchlight was ～*ed on* the river[***along*** the road]. 탐조등(探照燈)이 강[노상]을 비추었다 / We ～*ed* our guns *on* the fortress. 아군은 요새에 포화를 퍼부었다.
9 〖낚시〗 (걸려든 물고기를) 물속에서 놀리어 지치게 하다.
10 (기사·사진 따위를) (특정한 방법으로) 다루다 : ～ the news big on the frontpage 제1면에 크게 다루다.
11 《美俗》 …와 데이트하다, 교제하다.
be played out 기진 맥진하다; 쇠진하다, 끝나버리다.
play along 애태우다; (남을) 자신의 이익이 되도록 조종하다; (급히) 협력하다〈*with*〉; …와 동의하는 체하다〈*with*〉.
***play at*...** (1) …을 하고 놀다, …놀이를 하다(cf. *vi.* 9, *vt.* 6 d)) : The boys were ～*ing at* soldiers. 소년들은 병정 놀이를 하고 있었다 / The little sisters began to ～ *at* keep*ing* shop. 어린 자매는 가게 놀이를 시작했다. (2) (시합·승부를) 겨루다. (3) 재미[놀이]삼아 하다; 참가하여 …을 하다 : ～ *at* business 장사를 재미삼아 하다 / I just ～ *at* gardening. 정원 일을 반은 놀이삼아 하고 있다 / He was ～*ing at* tennis. 테니스하며 놀고 있었다.
play away (돈 따위를) 도박으로 잃다, (시간을) 낭비하다 : He ～*ed away* his inheritance. 내기[도박]로 유산을 탕진했다.
play back (녹음한 테이프·레코드 따위를) 재생하다(cf. PLAYBACK).
play ball ☞ BALL[1] *n.*
play both ends against the middle 두 적끼리 서로 싸우게 하여 (자기) 이익을 얻다, 어부지리를 얻다.
play down 경시(輕視)하다, 가볍게 다루다; 선전(宣傳)하지 않다; (영합하려고) 정도를 낮추다, 격을 낮추다〈*to*〉.
play a person ***for*** …을 위해서 남을 이용하다[착취하다, 희생시키다].
play for time 시간을 벌다[벌려고 하다].
play into the hands of ☞ HAND *n.*
play off (속임수를 써서) 속이다; (남에게) 창피를 주다; (동점 시합 따위의) 결승전을 하다, 플레이오프를 하다.
play a person ***off against*** another 갑과 을을

대항시켜서 어부지리를 얻다.

play on... [on은 *adv.*] 〖크리켓〗 공을 자기의 위켓(wicket)쪽으로 쳐서 아웃이 되게 하다 ; [on은 *prep.*] ＝PLAY *upon.*

play one*'s* ***cards well*** [***badly***] ☞ CARD[1] *n.*

play one*'s* ***hand for all it is worth*** ☞ WORTH *a.*

play one*'s* ***last card*** ☞ CARD[1] *n.*

play out (1) 최후까지 연기[경기]하다 ; 끝내다. (2) 다 써버리다 ; 완전히 지치게 하다(☞ *be* PLAY*ed out*). (3) (밧줄 따위를) 끌어당기다. (4) 못쓰게 되다, 유행에 뒤지다.

play the game ☞ GAME[1] *n.*

play tricks with …을 서투르게 쓰다, 주무르다, …에게 장난을 치다.

play up (1) (연주 따위를) 시작하다 ; (악기 따위를) 세게 연주하다 ; 가락을 높이다. (2) 《口》 강조하다, 선전하다. (3) [특히 명령문으로] (경기(競技) 따위에서) 분투하다, 분발하다.

play (***up***) ***on...*** (남의 공포심 · 신뢰 따위를) 이용하다, …의 약점을 노리다[이용하다].

play (***up***) ***on words*** 농담[재담]을 하다.

play up to …에 조연(助演)[원조]하다 ; 지지하다(back up) ; …에게 아첨하다, (…의 마음에 들려고) 알랑거리다.

play with …와 놀다[장난치다] ; …을 가지고 놀다, 가볍게 다루다 : ~ *with* edged tools 날붙이를 가지고 놀다 ; 《비유》 위험한 짓을 하다 / The baby was ~*ing with* a doll. 갓난아기는 인형을 갖고 놀고 있었다.

── *n.* **1** Ⓤ 놀이, 장난 ; 유희(遊戲) ; 기분전환, 오락 : child's ~ ☞ CHILD. **2 a**) 승부내기, 경기(競技) ; Ⓤ,Ⓒ 시합 방식, 기술[기량]. **b**) [단수로만 써서] (체스 따위에서의) 수, …할 차례(turn) : It's your ~. 네가 할 차례야. **3** Ⓤ 도박 : deep[high] ~ 큰 도박. **4** Ⓤ 행위, 처사, 태도 : fair[foul] ~ 공명 정대[비열]한 행위, 정정당당[부정]한 승부 / see fair ~ 공명정대를 기하다. **5** 장난 ; 농담, 재담 : a ~ *of* words 말의 재치[장난], 궤변(詭辯) / a ~ *on* words 재담, 곁말(pun). **6** 희곡(戲曲), 각본 ; 연극, 극(劇) : the ~*s* of Shakespeare 셰익스피어의 희곡 / go to the ~ 연극 구경을 가다 / Are you going to be in the ~? 당신은 그 극에 출연하기로 되어 있습니까. **7** Ⓤ [또는 a ~] (빛 · 표정 따위의) 경쾌한 움직임, 아른거림 : the ~ of sunlight upon the green leaves 푸른 잎 위에 아른거리는 햇빛 / the ~ of colors 영롱한 빛《다이아몬드 따위의 내부에서 나는 여러가지 아름다운 빛》/ a ~ of wit 재기(才氣)가 번득임. **8** Ⓤ (근육의) 수의(隨意) 운동, 자유로운 움직임 ; (기계 따위의) 운전, 움직임의 여유. **9** Ⓤ 자유 활동 ; 활동(범위), 움직임, 작용. **10** Ⓤ 실업(失業), 휴식, 휴업(cf. WORK *n.* A 2) ; 파업(罷業).

(***as***) ***good as*** (***a***) ***play*** (연극같이) 재미있는.

at play 놀고 있는 : children *at* ~ 놀고 있는 아이들.

bring [***call***] ***...into play*** …을 이용하다, 활동시키다.

come into play 활동하기 시작하다.

give (***free***) ***play to*** …을 자유롭게 활동하게 하다, 공상(空想)에 빠지다, (상상(想像))을 지나치게 하다.

hold [***keep***] a person ***in play*** 남을 일하도록 그냥 두다.

in full play 한창 활동[운전]중인 ; 시합중인.

in play 장난삼아 ; 활동[일]하여 ; 〖球技〗 시합중인 ; (공이) 살아서.

make a play 《口》 (이성 등을) 온갖 수단으로 유혹하려고 하다〈*for*〉; 모든 수단을 다 쓰다.

make play (1) 〖사냥 · 競馬〗 뒤쫓아오는 사람[말]을 애먹이다 ; 〖拳〗 상대를 맹렬히 공격하다. (2) 급히[효과적으로] 하다. (3) (효과적으로) 사용하다[쓰다]〈*with*〉.

out of play 실직하여 ; 〖球技〗 아웃이 되어 ; (공이) 죽어서.

〚OE (n.) *plega,* (v.) *plegan* ; cf. G *Pflege, pflegen* to care for, nurse〛

類義語 ***play*** 오락 · 기분 전환을 위해서 하는 육체적 · 정신적인 활동 ; 일반적인 말. ***sport*** 야외의 놀이 또는 체육 경기, 최근에는 단순히 구경만을 할 경우에도 쓰임. ***game*** 일정한 규칙에 따라 승부를 다투는 육체적 · 정신적인 시합. 주 《美》에서는 -ball이 붙은 경기는 game을 쓰며, golf, tennis 따위에는 match를 쓰는 것이 일반적임. 《英》에서는 일반적으로 match를 씀.

pla·ya [pláiə, plɑ́ːjə] *n.* 큰비가 내린 뒤에 물이 괴는 사막의 분지. 〚Sp.＝shore〛

pláy·able *a.* **1** (놀이를) 행할 수 있는 ; 연주할 수 있는. **2** 놀이[연극]에 알맞은. **3** (경기장 따위) 경기할 수 있는. **plày·abílity** *n.*

pláy·àct *vi.* 속임수를 쓰다 ; 불성실하게 굴다 ; 연극을 꾸미다. ── *vt.* (연)극화하다, 각색하다.

pláy·àct·ing *n.* Ⓤ 연극을 하기, 배우 노릇 ; 《비유》 연극, 겉보기(pretense).

pláy-àction pàss *n.* 〖美蹴〗 쿼터백이 볼을 받아 넘기는 척하다 백패스하는 플레이.

pláy·àctor *n.* 《蔑》 배우.

pláy·bàck *n.* (녹음한 테이프 · 레코드 따위의) 재생 ; 재생 장치 : hear a recording *on* the ~ 녹음을 재생 장치로 듣다.

pláy·back-ònly vídeo machìne *n.* 재생 전용 비디오.

pláy·bìll *n.* 연극 전단[프로그램].

pláy·bòok *n.* 각본(脚本).

pláy·bòx *n.* 《주로 英》 장난감 상자《기숙사로 학생이 장난감 · 과자 · 소지품 따위를 넣어 가지고 가는 나무 상자》.

pláy·bòy *n.* 난봉쟁이, 돈많은 한량, 플레이보이 (cf. PLAYGIRL).

pláy-by-pláy *a.* (시합 따위) 자세한 보도의. ── *n.* (시합의) 자세한 보도 ; 실황 방송.

pláy·clòthes *n. pl.* 허드레옷, 놀이옷.

pláy·dày *n.* (일요일 이외의 학교) 휴일(holiday) ; 《美》 비공식 시합 ; 《英》 광부의 휴업일 ; (연극의) 상연일.

pláy dòctor *n.* 〖劇〗 각본 감수자[수정자].

pláy·dòwn *n.* 《Can.》 결승 시합(play-off).

pláyed óut *n.* 《口》 지친, 기진한 ; 힘을 다 써버린 ; 빈털터리가 된 ; 진부한.

‡**play·er** [pléiər] *n.* **1** 노는 사람[동물] ; 선수, 경기자, 운동가 ; 《英》 (크리켓 따위의) 직업 선수(professional). **2** 배우 ; 연주자. **3** 자동 연주 장치 ; ＝RECORD PLAYER : a ~ piano 자동 피아노. **4** 게으름뱅이 ; 장난삼아 하는 사람〈*at*〉. **5** 도박꾼(gambler) ; 《美俗》 못된 짓을 일삼는 자.

Pláyer of the Yéar *n.* 〖스포츠〗 연간 최우수 선수.

pláy·fèllow *n.* 놀이 친구[패].

pláy·ful *a.* 놀기 좋아하는, 장난치는, 명랑[쾌활]한, 우스운 ; 농담의. **~·ly** *adv.* 명랑[쾌활]하게, 장난삼아. **~·ness** *n.* Ⓤ 놀이, 장난.

pláy·gàme *n.* 놀이 ; 어린애 장난.

pláy·gìrl *n.* 놀기 좋아하는 여자, 플레이걸(cf.

PLAYBOY).

pláy·gò·er *n.* 연극의 단골 손님, 연극을 자주 보는[좋아하는] 사람.

pláy·gò·ing *n.* Ⓤ 연극 구경.

***pláy·gròund** *n.* (주로 어린이의) 운동장 ; 놀이터, 공원.

the playground of Europe 스위스(Switzerland)의 속칭.

pláy gròup *n.* 사설 탁아소.

pláy·hòuse *n.* **1** 극장(theater). **2** 《美》 장난감 집. **3** 어린이 놀이집.

pláy·ing càrd *n.* 트럼프, 화투패.

playing field *n.* (축구·크리켓·테니스 따위의) 경기장, (학교 따위의) 운동장.

pláy·lànd *n.* (어린이) 놀이터, 유원지 ; 관광지.

pláy·let *n.* 짧은 연극, 촌극(寸劇).

pláy·lìst *n.* (라디오 방송국의) 방송 예정 녹음 리스트.

pláy·màker *n.* (농구·하키 따위에서) 공격을 풀어가는[선도하는] 선수.

pláy·màte *n.* =PLAYFELLOW.

pláy-òff *n.* (무승부·동점일 때의) 결승 시합 ; (시즌 종료후의) 우승 결정전 시리즈, 플레이오프.

pláy·pèn *n.* (간살로 둘러친) 아기 놀이터.

pláy·pìt *n.* 《英》 작은 모래 놀이터.

pláy·rèad·er *n.* 각본을 읽고 상연 가치를 평가하는 사람.

pláy·ròom *n.* 오락실, 놀이방.

pláy·schòol *n.* =PLAY GROUP.

pláy·some *a.* 재롱부리는, 장난치는.

pláy·sùit *n.* (여자·어린이의) 운동복, 놀이옷.

pláy thèrapy *n.* 〖心〗 유희 요법.

pláy·thìng *n.* 장난감, 노리개 ; 위로가 되는 것 ; 위안거리.

pláy·tìme *n.* Ⓤ 노는 시간, 방과 후의 시간 ; 흥행 시간.

pláy·wrìght *n.* 각본가, 극작가(dramatist).

pláy·wrìte *vi.* 《美俗》 극작(劇作)하다.

pláy·wrìter *n.* =PLAYWRIGHT.

pláy·wrìting *n.* 극작, 각본 쓰기 ; 극작가 노릇.

pla·za [plɑ́:zə, plǽzə] *n.* 큰 광장, (특히 스페인 도시의) 큰 네거리(cf. PIAZZA) ; 시장 ; 《美》 쇼핑 센터 ; (고속도로의) 서비스 에어리어.
〖Sp.<L *platea* PLACE〗

plbg. plumbing.

PLC product life cycle ; Public Limited Company.

***plea** [plí:] *n.* **1** 탄원, 청원 ; 기원(祈願), 기도. **2** 변명, 구실, 핑계. **3** 〖法〗 항변(抗辯), 소송(cf. DECLARATION) : hold ~*s* 소송을 다루다 / ☞ COMMON PLEAS.

***on*[*under*] *the plea of*[*that*]** …을 구실로.
〖AF=agreement, discussion<L *placitum* decree (p.p.) ‹PLEASE〗

pléa bàrgain(ing) *n.* 〖法〗 유죄 답변 타협《가벼운 구형 따위 검찰측이 양보하고 그 대신 피고측이 유죄를 인정하거나 다른 사람에 대한 증언을 하는 따위의 타협》. **pléa-bàrgain** *vi.*

pleach [plí:tʃ] *vt.* (나뭇가지 따위를) 얽어매다, 엮다 ; (머리를) 땋다. 〖OF<L ; ⇨ PLEXUS〗

plead [plí:d] *v.* (**~·ed, plead** [pléd], 《美·스코》 **pled** [pléd]) *vt.* **1** 변론하다, 변호하다 ; 항변하다 ; 〖法〗 (소송 사실 따위를) 진술하다 : You had better get a lawyer to ~ your case. 사건을 변론해 줄 변호사를 구하는 편이 낫다 / His lawyer ~*ed* his inexperience. 변호사는 그가 미경험자였다는 점을 들어 변론하였다. **2** [+目/+*that* 節] 변명하다, 구실[핑계]을 삼다 : He ~*ed* ignorance of the rule. 규칙을 몰랐다고 변명했다 / He ~*ed that* his illness prevented him from coming. 병으로 인해서 갈 수 없다고 핑계댔다.
── *vi.* **1** [動/+前+名] 변론하다, 답변하다 : ~ ***for*** the accused[defendant] 피고의 변호를 하다 / ~ ***against*** the oppression 탄압에 대항하여 항변하다. **2** [+前+名] 탄원[간청]하다 : ~ ***with*** a creditor ***for*** a longer time 채권자에게 연기를 간청하다 / ~ *for* the life of …의 구명(救命)을 탄원하다.

***plead guilty*[*not guilty*]** ☞ GUILTY.

~·able *a.* 〖AF *pleder* ; ⇨ PLEA〗

類義語 ⟹ APPEAL.

pléad·er *n.* **1** 〖法〗 변호인[사](advocate) ; 항변자(抗辯者) ; 신청[주장]인(人). **2** 탄원자.

pléad·ing *n.* **1** Ⓤ 변명, 변론, 변호 ; [때때로 *pl.*] 〖法〗 소장, 고소장, 항소장 : ☞ SPECIAL PLEADING. **2** Ⓤ 탄원. ── *a.* 탄원하는, 간청하는. **~·ly** *adv.* 탄원[간청]하여.

pleas·ance [plézəns] *n.* 《古》 **1** Ⓤ 유쾌 ; 향락, 만족. **2** (큰 저택 따위의) 유원(遊園), 산책길.
〖OF (↓)〗

◇pleas·ant [plézənt] *a.* (**more ~, ~·er ; most ~, ~·est**) **1** [+*to* do] 유쾌한, 즐거운, 기분이 좋은, (날씨가) 좋은 : have[spend] a ~ evening 하루 저녁을 즐겁게 지내다 / The book is ~ *to* read. 그 책은 읽기에 재미있는 책이다. **2** 쾌활한, 명랑한 ; 인상이 좋은, 애교가 있는, 귀여운. **3** 《英古》 우스운, 익살맞은.

〈회화〉
It's really *pleasant* to swim on a hot day like this. — That's the truth. 「오늘 같이 무더운 날 수영하니 정말 기분 좋다」 「그래, 맞아」

~·ness *n.*
〖OF ; ⇨ PLEASE〗

類義語 ***pleasant, pleasing*** 둘 다 남의 마음에 기분 좋고 즐거운 느낌을 일으키는 것을 뜻하는데, 전자는 기분 좋은 효과에 중점을 두고, 후자는 사람의 기분을 상쾌하게 하는 성질에 중점을 둠 : a *pleasant* smile (기분 좋은 미소) / her *pleasing* manner (기쁘게 해주는 그녀의 태도). ***agreeable*** 사람의 기호나 기분에 꼭 들어 맞게 pleasant 한 : in *agreeable* melody (마음에 드는 곡조). ***enjoyable*** 즐거움이나 기쁨을 주는 힘이나 성질을 가진 : an *enjoyable* concert (즐거운 음악회). ***gratifying*** 남의 희망·요구 따위를 들어 줌으로써 정신적인 만족이나 기쁨을 주는 힘이 있는 : a *gratifying* experience (만족스러운 경험).

***pléasant·ly** *adv.* 유쾌하게, 즐겁게 ; 쾌활하게, 상냥스럽게.

pléasant·ry *n.* Ⓤ 기분 좋음 ; 우스움 ; Ⓒ 농담.

◇please [plí:z] *vt.* **1 a)** 기쁘게 하다, 즐겁게 하다, 만족시키다 ; …의 마음에 들다 : Nothing ~*d* him. 그는 아무것도 마음에 들지 않았다 / She is hard to ~. 성미가 까다롭다. **b)** [*p.p.* 로 형용사적으로 쓰임] [+前+do*ing*/+*to* do/+*that* 節] : His boss was very much ~*d* ***with*** his work. 사장은 그가 해놓은 일에 매우 만족했다 / The child was ~*d with* the toy. 아이는 그 장난감이 마음에 들었다 / I was ~*d* ***at*** find*ing* him so well. 나는 그가 그렇게 건강한 걸 보니 기뻤다 / I shall be very ~*d* *to* see you tomorrow. 내일 만나 뵙게 되면 기쁘겠습니다 《注 *pleased*는 거의 glad와 같은 뜻의 형용사로 쓰여졌고, very에 의

해서 수식되어 있음》/ I am ~*d that* you have come. 참 잘 오셨습니다. **2** [as, what 따위가 이끄는 관계사절 안에서] …하고 싶다고 생각하다, 좋다고 생각하다(like) (cf. *vi.* 2) : Take as much *as* you ~. 갖고 싶은 만큼 가져라 / You may say *what* you ~. 무엇이나 마음대로 말해도 된다.

—— *vi.* **1** 남의 마음에 들다 ; 기분이 좋다 : She never fails to ~. 절대로 남의 비위를 건드리지 않는다. **2** 좋아하다, 마음에 들다, 하고 싶다고 생각하다(cf. *vt.* 2) : Do *as* you ~. 좋을 대로 해라. **3** [부탁의 말 따위에 곁들여] 부디, 아무쪼록(cf. PRAY *vi.* 2) : *P*~ come in. 자 어서 들어오십시오 / Two teas, ~. 차 두잔 부탁하겠습니다 / *P*~ don't forget to post the letter. 그 편지 부치는 것을 잊지 마세요. ☞ 活用.

if you please (1) 제발, 부디 ; 미안하지만 : Pass me the salt, *if you* ~. 제발[미안하지만] 소금 좀 건네 주시겠습니까 / I will have another cup, *if you* ~. 미안하지만 다시 한 잔 부탁하겠습니다. (2) [비꼬는 투로] 놀랍게도 : Now, *if you* ~, he expects me to pay for it. 그런데 놀랍게도 그 사람은 내가 대금을 치를 것이라고 생각하고 있거든요.

(May it) please you 《古》 황송한 말씀이오나.

please God 《文語》 신의 뜻이라면, 순조롭게 된다면 ; 경우에 따라서.

please oneself 제멋대로[마음대로] 행동하다.

〖OF *plaisir*<L *placeo* to please, satisfy〗

活用 예를 들면 *Please* come in.은 원래 May it *please* you to come in. 의 뜻(cf. *vt.* 1 a)) ; 이 경우 Please에 계속되는 come은 원래 (보통 to가 없는) 부정사지만, 지금은 그것이 명령법으로 Please는 그 명령의 뜻을 완화하여 간청하는 부사와 같이 여겨지기도 함(cf. KINDLY *adv.* 2) ; 따라서 문장 첫머리 뿐만 아니라 문장 끝 및 문장 중에도 놓이게 됨 : Come in, *please.* / Will you *please* open the window? (창문 좀 열어 주시겠습니까).

pleased [plí:zd] *a.* 기뻐하는, 만족하는, 즐거운 : look ~ 만족하는 것 같다, 즐거워 보이다 / ☞ PLEASE *vt.* 1 b).

pleas·ing [plí:ziŋ] *a.* 유쾌한, 기분 좋은, 만족한 ; 애교가 있는, 상냥한, 싹싹한. **~·ly** *adv.* 기분 좋게 ; 상냥[싹싹]하게.

類義語 ⟹ PLEASANT.

plea·sur·able [pléʒərəbəl] *a.* 유쾌한, 즐거운, 기쁜, 만족한. **-ably** *adv.* 즐겁게, 만족스럽게. **~·ness** *n.*

◇**plea·sure** [pléʒər] *n.* **1** Ⓤ [또는 a ~] [+前+do*ing* / +*to* do] 유쾌, 즐거움 ; 만족, 쾌감 : show ~ 즐거운[만족스러운] 얼굴[표정]을 하다 / You will find *a* keener ~ in poetry if you understand what it is aiming at. 시(詩)가 의도하는 바가 무엇이라는 것을 이해한다면 시에 대해 더 많은 흥미를 갖게 될 것이다 / It is *a* ~ to talk to him. 그와 이야기를 하는 것은 즐겁다 / Will you do me the ~ ***of*** com*ing* to dinner with me? 저와 함께 식사하러 와주시겠습니까 / Have I the ~ *of* address*ing* Mr. Brown? 브라운씨입니까 / I have ~ ***in*** record*ing* here my grateful acknowledgement to the society. 여기에 협회에 대한 감사의 말씀을 기록하고자 합니다 / She expressed ~ ***at*** find*ing* us all as cheerful as ever. 우리가 모두 전과 같이 쾌활한 것을 보니 기쁘다고 말했다 / He is the gentleman whom I had the ~ *to* meet soon after my arrival in London. 저분은 내가 런던에 도착한 지 얼마 안 되어 만나뵌 분입니다. **2** Ⓤ.Ⓒ (특히) 육체적 쾌락, 방종, 방자 ; 위로, 오락 : a man of ~ 난봉꾼, 한량 / a woman of ~ 쾌락을 쫓는[추구하는] 여자 ; 타락한 여자. **3** Ⓤ 기호(嗜好), 희망 ; 의지, 욕구, 수의(隨意) : ask a visitor's ~ 방문객의 용건을 묻다 / consult a person's ~ 남의 형편[처지]을 묻다 / It is our ~ to do.... …하기를 바란다《예스러운 말투》.

at* (*one's*) *pleasure 수시로, 마음 내키는 대로.

during one's pleasure 마음이 내키는 동안.

for pleasure 재미로, 위로차(↔*on business*).

have the pleasure of …(하는 것)을 만족스럽게 생각하다, 다행히도 …의 혜택을 입다 : ☞ 1 / May we *have the* ~ *of* your presence? 참석해 주시겠습니까.

take* (*a*) *pleasure in …을 즐기다 : I *take* ~ *in* send*ing* you a copy. 즐거운 마음으로 한 부를 보내드립니다.

with pleasure (1) 기꺼이 : He did the work *with* ~. 기꺼이 그 일을 했다. (2) [기꺼이 승낙하는 말] 잘 알았습니다, 그렇고 말고요.

〈회화〉

Would you do me a favor? — (Yes,) *with pleasure.* 「부탁 좀 드려도 괜찮겠습니까」「괜찮고 말고요」

—— *vt.* 《古》 즐겁게 하다, 만족시키다. —— *vi.* 《古》 즐기다〈*in*〉.

〖OF *plaisir* to PLEASE를 명사로 사용한 것〗

類義語 ***pleasure*** 차분하고 만족스러운 기분에서 최상의 행복감에 이르기까지 여러가지 정도의 즐거움·만족을 나타내는 가장 보편적인 말. ***delight*** 몸짓이나 말로 똑똑하게 밖으로 표출되는 큰 pleasure : She was filled with *delight* at receiving the good news. (회소식을 받고서 기쁨에 넘쳤다). ***joy*** 기쁨 또는 행복감이 계속적으로 넘쳐 흘러 가만히 있을 수 없는 상태 : The unexpected good news brought him *joy.* (예기치 않은 소식이 그에게 기쁨을 안겨주었다). ***enjoyment*** 마음을 기쁘게[즐겁게] 해주는 것에 대해서 가지는 만족감으로 느긋하게 즐기며 갖는 차분하며 고요한 느낌을 나타냄 : our *enjoyment* of the concert (그 음악회에서 우리들이 느끼는 즐거움).

pléasure bòat *n.* 유람선 ; 레저용 보트.

pléasure dòme *n.* 아방궁, 호화 저택[호텔]《따위》 ; 행락지.

pléasure gròund [**gàrden**] *n.* 유원지(遊園地), 공원.

pléasure prìnciple *n.* 〖精神分析〗 쾌락 원칙《고통을 피하고 쾌락을 구하고자 하는 경향》.

pléasure-sèek·er *n.* 쾌락을 추구하는 사람.

pléasure trìp *n.* 유람 여행(excursion).

pleat [plí:t] *n.* 주름.

—— *vt.* …에 주름을 잡다.

~·er *n.* 주름을 잡는 사람 ; (재봉틀의) 주름잡는 장치. 〖변형(變形)〈*plait*〗

pleb [pléb] *n.* 《俗》 평민, 서민《plebeian의 단축형(短縮形)》 ; 《美》 =PLEBE.

plebe [plí:b] *n.* 《美口》 사관학교[군(軍) 간부학교]의 최하급생 ; 〖古로〗 평민.

ple·be·ian [plibí:ən] *n.* 〖古로〗 평민, 서민(cf. PATRICIAN). —— *a.* 평민의 ; 하층 계급의 ; 하등(下等)의, 비천한 ; 비속(卑俗)한, 보통의.

~·ìsm *n.* Ⓤ 서민적 기질, 서민풍.

〖L (*pleb-* *plebs* common people)〗

plebéian·ìze *vt.* 평민[서민]화하다[으로 만들다], …을 세속화[타락]시키다.

ple·bette [pli:bét] *n.* 《美》 육군[해군] 사관학교 여자 최하급생[신입생].

pleb·i·scite [plébəsàit, -sət] *n.* 국민[일반] 투표 (referendum).
〖F<L (*scisco* to vote for)〗

plebs [plébz] *n.* (*pl.* **ple·bes** [plí:bi:z, pléibeis]) [집합적으로] **1** 〖古로〗 평민, 서민. **2** 대중. **3** (공동체의) 주민 의사의 표명; 〖古로〗 민회에서 의결한 법률. 〖L; ⇨ PLEBEIAN〗

ple·cop·ter·an [plikáptərən] *n., a.* 〖昆〗 강도래 (stone fly); 강도래목(目)의.

plec·tog·nath [pléktɑgnæθ] *a., n.* 〖魚〗 복어류(類)의 (물고기)《복어·개복치·쥐치 따위》.

plec·trum [pléktrəm] *n.* (*pl.* **~s, -tra** [-trə]) (만돌린 따위의) 채, 픽(pick).
〖L<Gk. (*plēssō* to strike)〗

pled *v.* 《美·스코》 PLEAD의 과거·과거분사.

***pledge** [plédʒ] *n.* **1** Ⓤ 전당[저당](잡히기); Ⓒ 저당품, 담보물: *in* ~ 저당잡혀 (있는) / give [lay, put]...*to*[*in*] ~ …을 담보로 잡히다; 전당잡히다 / take...out *of* ~ 저당물을 도로 찾다. **2** 보증, (우정 따위의) 표시; 사랑하는 자식, 아이: a ~ of love[affection, union] 사랑의 열매《두 사람 사이에 생긴 자식》. **3 a)** Ⓤ,Ⓒ 서약, 언질; 〖政〗 수령(首領)의 공약: redeem one's ~ 약속을 지키다 / take a ~ 맹세하다 / under ~ (*of* secrecy) (비밀을 지킬 것을) 선서하고. **b)** [the ~] 금주(禁酒)의 맹세: take[sign] *the* ~ 금주를 맹세하다. **4** 축배(toast). **5** 《美》 입회 약속[서약]; 《美》 입회 서약자.
—— *vt.* **1** 전당[저당]에 넣다, 담보로 잡히다. **2** [+目/+目+目] 언질을 주다; 서약하다; 보증하다: I ~ (you) my honor. 명예를 걸고 서약합니다 / *P*~ (me) your word! (나에게) 맹세하시오《네가 한 말이 틀림없지》. **3** …을 위해서 건배하다(toast): They ~*d* the bride and bridegroom. 신랑 신부의 앞날을 위하여 축배를 들었다. **4** 《美》 비공인 회원으로 입회시키다.
pledge one***self*** 굳게 서약하다: ~ one*self to* secrecy 비밀을 지킬 것을 굳게 맹세하다 / I ~*d* my*self to* protect her. 나는 그녀를 보호할 것을 맹세했다.
~·able *a.* 저당잡힐 수 있는; 보증[서약]할 수 있는; 축하할 만한. **~·less** *a.*
〖OF<L *plebium* security<Gmc.; cf. PLIGHT[2]〗
類義語 ***pledge*** 어떤 행위나 계약이나 채무(債務)의 보증으로 주어지는 것: He gave her a ring as a *pledge.* (굳은 언약으로 그녀에게 반지를 주었다). ***earnest*** 후에 행하거나 주겠다는 약속·보증으로 미리 주는 것: Take this as an *earnest* of the further payment. (나중에 지급하겠다는 보증으로 이것을 받으시오). ***token*** 권위·성의·신용 따위의 표시가 되는 것, 또는 그 표시로서 주는 것: This fountain pen is a *token* of our gratitude. (이 만년필은 우리들이 감사의 표시로 드리는 것입니다).

pledg·ee [pledʒí:] *n.* 〖法〗 (동산(動産)) 질권자(質權者), 저당권자; 전당잡은 사람.

Plédge of Allégiance *n.* 충성의 맹세《"I pledge allegiance to the flag"로 시작하는 미국민의 국가에 대한 서약》.

pledg·er [plédʒər], **pled·g(e)or** [pledʒɔ́:r] *n.* **1** 전당[저당]을 잡힌 사람; [pledgor] 〖法〗 저당권 설정자. **2** (금주 따위의) 서약자. **3** 축배를 드는 사람.

pled·get [plédʒət] *n.* Ⓤ 〖醫〗 (외과용의) 가제, 탈지면; 〖海〗 뱃밥.

-ple·gia [plí:dʒiə], **-ple·gy** [plí:dʒi] *n. comb. form* 〖醫〗 「마비(paralysis)」의 뜻: hemi*plegia*, para*plegia.* 〖NL<Gk. *plēgē* blow〗

Ple·iad [plí:əd, pláiəd, pléi-; pláiəd] *n.* [p~] (보통 7명 또는 7개의) 저명한 일단(一團)[떼]; [the ~] 묘성파(昴星派)《16세기 프랑스 시단에 고전적인 새바람을 일게한 일곱명의 시인》.

Ple·ia·des [plí:ədì:z, plái-, pléi-; plái-] *n. pl.* [(the) ~] **1** 〖그神〗 플레이아데스《Atlas의 7명의 딸; Zeus에 의해 별이 됨》. **2** 〖天〗 플레이아데스 성단(星團), 묘성(昴星). 〖L<Gk.〗

plèin áir [plèin-, plèn-] *a.* 〖美術〗 외광파(外光派)의, 옥외(屋外)주의의. 〖F〗

pleio- [pláiou, -ə], **pleo-** [plí:ou, -ə], **plio-** [pláiou, -ə] *comb. form* 「더욱(more)」의 뜻.
〖Gk. *pleōn* more〗

Pleiocene ☞ PLIOCENE.

plèio·týpic *a.* 〖生〗 다면적인《한 자극이 여러 방면으로 많은 반응을 일으키는 과정에 대한》.

Pléis·to·cène [pláistə-] *n., a.* 〖地質〗 갱신세(更新世)(의), 홍적세(洪積世)(의), 빙하기(의).
〖Gk. *pleistos* most, *-cene*〗

plen. plenipotentiary.

plena *n.* PLENUM의 복수형.

ple·na·ry [plí:nəri, plén-] *a.* **1** 완전한; 절대적인, 무조건의: ~ indulgence 〖카톨릭〗 대사(大赦). **2** 전원이 출석하는: a ~ session[meeting] 본회의, 총회. **3** 전권(全權)이 있는; 전권의. **4** 〖法〗 정식인, 본식의(↔*summary*).
plé·na·ri·ly *adv.* 〖L (*plenus* full)〗

plénary inspirátion *n.* 〖神學〗 완전 영감(靈感)《성서가 다루는 모든 문제는 영감으로 이루어진다고 함》.

plench [plént∫] *n.* 플렌치《무중력 상태에서 사용하는 pliers와 wrench를 결합시킨 공구》.

ple·nip·o·tent [plənípətənt] *a.* =PLENIPOTENTIARY.

pleni·po·ten·ti·ary [plènipəténʃəri, 美+-ʃièri] *a.* **1** 전권을 가진[이 있는]: an ambassador extraordinary and ~ 특명 전권대사. **2** 절대적인, 완전한. —— *n.* 전권 위원, 전권 대사.
〖L; ⇨ PLENUM, POTENT〗

plen·ish [pléni∫] *vt.* 《스코》 채우다; 저장하다; 가축을 들여오다; (집에) 가구를 비치하다; 《주로 方》 …을 보충하다.

plen·i·tude [plénət*j*ù:d] *n.* Ⓤ 충분, 완전; 충실, 충만; 풍부; 〖醫〗 (위 따위의) 포만.
〖OF<L; ⇨ PLENARY〗

plen·i·tu·di·nous [plènət*j*ú:dənəs] *a.* 충분[풍부]한; 살찐, 비옥한.

plen·te·ous [pléntiəs] *a.* 《詩》 =PLENTIFUL.
~·ly *adv.* **~·ness** *n.*

plén·ti·ful *a.* (수)많은, 풍부한(↔*scarce*), 충분한: a ~ harvest 풍작. **~·ly** *adv.* 풍부하게, 많이. **~·ness** *n.*
類義語 ***plentiful*** 양이 많으며 풍부한: a *plentiful* supply of water (풍부한 물의 공급). ***abundant*** 넘칠 만큼 매우 풍부한: The lake is *abundant* in fishes. (호수에는 물고기가 차고 넘친다). ***copious*** 생산 또는 사용되는 양이 무진장일 만큼 풍부한: a *copious* harvest (풍부한 수확량). ***ample*** 모든 요구·목적에 충족될 만큼 충분한: *ample* savings for the future life (장래 생활을 위한 충분한 저축).

‡plen·ty [plénti] *n.* Ⓤ 많음, 가득함, 풍부, 다량;

충분 : a year of ~ 풍년.
in plenty 풍부하게, 많이 : The country has natural resources *in* ~. 그 나라에는 천연 자원이 풍부하다.
plenty more (***of***. . .) (…가) 아직 많이[풍부하게] : There is[are] ~ *more of* it [them] in the kitchen. 부엌에는 아직 많이 (남아) 있습니다.
plenty of 많은, 다량의 : There is[We have] still ~ *of* food. 아직 먹을 것이 충분히 있다 / There were ~ *of* good places to camp in. 캠프할 좋은 장소는 얼마든지 있었다 / You'll arrive there in ~ *of* time. 시간 안에 충분히 도착할 수 있다. ㊟ (1) 의문·부정 구문에서는 보통 enough를 대용한다 : Is there *enough* food? 먹을 것은 충분히 있습니까. (2) a plenty of 는 《美》.

〈회화〉
We have *plenty of* time, so let's enjoy ourselves. — I'm for that! 「시간은 충분하니까 좀 놀자구」「좋아」

—— *pred. a.* 《口》 많은, 충분한, 너무 많은 : (as) ~ as blackberries 아주 많은 / Six will be ~. 여섯 개 있으면 충분하다.
—— *adv.* 《口》 충분히, 넉넉히 : ~ good enough 아주 충분히. 〖OF<L *plenitas* ; ⇨ PLENARY〗

ple·num [plíːnəm, 美+plén-] *n.* (*pl.* **~s**, **-na** [-nə]) 물질로 가득찬 공간 ; 충실, 충만 ; (보통 법인·입법부의) 총회(總會) : ~ ventilation 완전 환기 (장치). —— *a.* 완전 이용의. 〖L (neut.) ‹ *plenus* full〗

plénum sỳstem *n.* 강제 환기 시스템《대기압보다 높은 공기에 의한 공기 조절법》.

pleo- [plíːou, -ə] ☞ PLEIO-.

pleo·chro·ic [plìːəkróuik] *a.* 〔結晶〕 (이방(異方) 결정체가) 다색성(多色性)인.

ple·och·ro·ism [pliɑ́krouìzəm] *n.* Ⓤ 〔結晶〕 다색성(多色性).

plèo·mórphism *n.* Ⓤ 〔生〕 다(多)형태성. **-mórphic** *a.* **-mórphous** *a.*

ple·o·nasm [plíːənæ̀zəm] *n.* Ⓤ 〔修〕 용장(冗長), 용어(冗語) (법), 장황한 말 ; Ⓒ 중복어《a false lie 따위》. 〖L<Gk. (*pleon* more)〗

plè·o·nás·tic *a.* 용장의, 용언의.

ple·oph·a·gous [pliɑ́fəgəs] *a.* 〔動〕 다식(多食)[잡식(雜食)]성의 ; 〔生〕 (기생 동식물이) 다숙주성(多宿主性)의.

ple·si- [plíːsi, -zi], **ple·sio-** [plíːsiou, -ziou, -ə] *comb. form* 「근접한」의 뜻. 〖Gk. (*plēsios* near)〗

plésio·sàur, **plèsio·sáurus** *n.* (*pl.* **-ri**) 〔古生〕 플레시오사우루스, 장경룡(長頸龍).

ples·sor [plésər] *n.* =PLEXOR.

pleth·o·ra [pléθərə] *n.* Ⓤ 과다, 과도 ; 〔醫〕 다혈증(多血症), 적혈구 과다증. 〖L<Gk.=fullness〗

ple·thor·ic [pleθɔ́(ː)rik, -θɑ́r-, pléθə-] *a.* 다혈증[질]의 ; 과다한 ; 부풀어오른. **-i·cal·ly** *adv.*

pleur- [plúər], **pleu·ro-** [plúərou, -rə] *comb. form* 「옆, 배 (side)」「흉막(胸膜) (pleura)」「늑골(肋骨) (rib)」의 뜻. 〖Gk. (↓)〗

pleu·ra[1] [plúərə] *n.* (*pl.* **-rae** [-riː, -rai], **~s**) 〔解〕 늑막, 흉막(胸膜). 〖Gk.=rib〗

pleura[2] *n.* PLEURON의 복수형.

pleu·ral [plúərəl] *a.* 늑막의, 흉막의 : the ~ cavity 흉강(胸腔).

pleu·ri·sy [plúərəsi] *n.* Ⓤ 〔醫〕 늑막염 : dry[wet, moist] ~ 건(乾)[습(濕)]성 늑막염.

pleu·rit·ic [pluərítik] *a.* 〖OF<L<Gk. ; ⇨ PLEURA〗

pleuro- [plúərou, -rə] ☞ PLEUR-.

pléur·odònt *a.* 〔解·動〕 (이가) 측생(側生)의 ; (동물이) 측생치(側生齒)를 가진. —— *n.* 측생치 동물.

pleu·ron [plúərɑn] *n.* (*pl.* **-ra** [-rə]) 〔動〕 (갑각류 따위의) 측판(側板).

plèuro·pneumónia *n.* Ⓤ 〔醫〕 늑막 폐렴.

pleus·ton [plúːstən, -stɑn] *n.* 〔生態〕 부표생물(浮漂生物)《수면에서 살아가는 개구리밥·고깔해파리 따위》.

pléxi·fòrm [pléksə-] *a.* 그물 모양의 ; 복잡한.

Plexi·glas [pléksiglæ̀(ː)s ; -glɑ̀ːs] *n.* Ⓤ 플렉시 유리《플라스틱 유리의 일종으로 방풍(防風) 유리, 렌즈 따위에 쓰임 ; 상표명》.

plex·im·e·ter [pleksímətər] *n.* 〔醫〕 타진판(打診板)《얇은 상아로 만든 판으로 이것을 환부에 대고 plexor로 타진함》.

plex·or [pléksər] *n.* 〔醫〕 타진추.

plex·us [pléksəs] *n.* (*pl.* **~·es**, ~) 〔解〕 (신경·혈관·섬유 따위의) 총(叢), 망상(網狀) 조직 (network) : the spinal ~ 척추 정맥총(靜脈叢) / ☞ SOLAR PLEXUS. 〖L *plex-* *plecto* to plait〗

plf., **plff.** plaintiff.

pli·able [pláiəbəl] *a.* 굽히기 쉬운, 유연한 ; 유순한(docile), 마음 먹은 대로 되는, 융통성 있는(↔ *rigid*). **-ably** *adv.* **plì·abíl·i·ty**, **~·ness** *n.* 유연(성) ; 유순. 〖F ; ⇨ PLY[2]〗

pli·ant [pláiənt] *a.* =PLIABLE. **~·ly** *adv.* **-an·cy**, **~·ness** *n.*

pli·ca [pláikə] *n.* (*pl.* **pli·cae** [-siː, -kiː]) 〔解·動〕 습벽(褶襞), 주름. 〖L=a fold ; ⇨ PLY[2]〗

pli·cate [pláikeit, -kət], **pli·cat·ed** [-keitəd] *a.* 〔植·動〕 주름이 있는, 습벽이 있는 ; 〔地質〕 습곡이 있는.

pli·ca·tion [plaikéiʃən] *n.* (주름) 접음, 주름 ; 〔地質〕 습곡 ; 〔醫〕 습벽 형성(술).

plic·a·ture [plíkətʃər] *n.* =PLICATION.

pli·er [pláiər] *n.* 굽히는 사람[것] ; [~s, 단수·복수 취급 ; 흔히 a pair of ~s] 집게, 플라이어. 〖PLY[2]〗

plight[1] [pláit] *n.* (보통 나쁜) 상태, 곤경, 궁상, 처지 : *in* a miserable[piteous, woeful] ~ 눈뜨고 볼 수 없는 상황에 / What a ~ to be *in*! 참 어처구니없게 되었군. 〖AF *plit* PLAIT ; 의미상 ↓의 영향〗
類義語 ***plight*** 괴로운 또는 불행한, 때로는 절망적인 상태[경우] : the *plight* of the family (가족의 처참한 상태). ***predicament*** 빠져 나올 수 없는 괴로운 상태 또는 해결이 어려운 문제에 직면한 상태 : our financial *predicament* (우리의 재정적인 역경). ***dilemma*** 똑같이 괴로운[불쾌한] 두 가지 (것) 중에서 어느 한 편을 선택하지 않으면 안되는 난처한 입장[상태] : the *dilemma* of telling a lie or breaking one's promise (거짓말을 하거나 약속을 어겨야 할 진퇴양난).

plight[2] *n.* 《文語》 맹세(pledge) ; 약혼. —— *vt.* 《古》 맹세하다 ; [*p.p.* 또는 ~ one*self* 로] (…와) 약혼하다 : ~*ed* lovers 언약을 한 애인들.
plight ***one's troth*** 굳게 약속하다 ; 약혼하다. 〖OE (v.) ‹ (n.) *pliht* danger ; cf. G *Pflicht* duty〗

plim [plím] *vt.*, *vi.* (**-mm-**) 《英方》 부풀게 하다, 부풀다(swell) ; 살찌게 하다, 살찌다〈*out*〉.

plim·soll [plímsəl, -sɔ(:)l, -sɑl], **-sole** [-səl, -soul] *n.* [보통 *pl.*] 《英》 고무창을 댄 값싼 즈크신(=《美》 sneakers)《운동용》.

Plímsoll màrk[**lìne**] *n.* 〖海〗 건현표(乾舷標), 재화(載貨)[만재(滿載)] 흘수선표.
〚S. *Plimsoll* (d. 1898) 영국의 정치가〛

plink [plíŋk] *vi., vt.* 찌르릉 울다[울리다] ; 장난삼아 사격하다. —— *n.* 찌르릉 울리는 소리. 〚imit.〛

plinth [plínθ] *n.* 〖建〗 주각(柱脚), 대좌(臺座), 토대(주위) ; 각석(角石) ; (방바닥의) 굽도리 횡목(橫木)[횡판(橫板)]. 〚F or L<Gk.=tile〛

plio- [pláiou, -ə] ☞ PLEIO-.

Plío·cène, Pléio- *a.* 〖地質〗 플라이오세[제3기 신생대]의. —— *n.* [the ~] 플라이오세.

Plio·film [pláiəfìlm] *n.* 플라이오필름《투명 방수(防水) 시트 ; 상표명》.

plis·sé, -se [pliséi] *n.* Ⓤ 〖織〗 플리세《크레이프(crape) 효과가 나도록 가성소다 용액으로 가공 처리를 한 천》. —— *a.* 플리세 가공을 한.
〚F=pleated〛

PLL 〖電子〗 phase-lock loop《위상(位相) 로크루프 ; 발신기의 출력신호 위상과 기준신호 위상을 일치시키는 전자회로》.

PLO Palestine Liberation Organization.

plod [plɑ́d] *v.* (**-dd-**) *vi.* [+副/+前+名] **1** 터벅터벅 걷다 ; (사냥개가) 애써 흔적의 냄새를 맡다 : The old man ~*ded* **along**[**on** his way]. 노인은 터벅터벅 걸어갔다. **2** 부지런히 일하다, 부지런히 공부하다, 애쓰다 : He ~*ded away* **at** his lessons. 그는 꾸준히 학과 공부를 계속했다.
—— *vt.* 무거운 걸음으로 걷다, 더듬어 가다 : ~ one's way 터벅터벅 길을 걸어가다 / He was destined to ~ the path of toil. 고된 길을 가야할 운명이었다. —— *n.* 무거운 듯한[터벅터벅 걷는] 발걸음 ; 꾸준히 일하기, 노고. **plód·der** *n.* 터벅터벅 걷는 사람 ; 꾸준히 일하는 사람, 성실한 노력가. 〚C16<? (imit.)〛
類義語 ⟹ WALK.

plód·ding *a.* 터벅터벅 걷는, 부지런히 일하는[공부하는] ; 단조로운.
~·ly *adv.* 터벅터벅 ; 꾸준히.

-ploid [plɔ̀id] *a. comb. form* 〖生〗「염색체수가 …의」의 뜻 : di*ploid*, ha*ploid*. 〚Gk.〛

ploi·dy [plɔ́idi] *n.* 〖生〗 (염색체의) 배수성.

PL/1 [pí:èl wʌ́n] 〖컴퓨〗 Programming Language One《범용(汎用) 프로그래밍 언어의 하나》.

plonk[1] ☞ PLUNK[1].

plonk[2] [plɑ́ŋk] *n.* 《俗》 싸구려 포도주, 싸구려 술.
〚? *plonk*[1] or ? F (*vin*) *blanc* white (wine) ; 누룩《濠》〛

plonk[3] *n.* 《美俗》 지루하게 하는 사람, 세상물정에 어두운 사람. 〚?〛

plonk·er [plɑ́ŋkər] *n.* 《英俗》 음경, 페니스.

plonko [plɑ́ŋkou] *n.* (*pl.* **plónk·os**) 《濠俗》 알코올 중독자.

plop [plɑ́p] *v.* (**-pp-**) *vi.* 퐁덩[퐁] 소리가 나다 ; 퐁덩하고 떨어지다, 펑하고 튀겨지다.
—— *vt.* 퐁덩[털썩] 떨어뜨리다. —— *n.* 퐁덩, 퐁(소리). —— *adv.* 퐁덩하고, 퐁하고 : A stone fell ~ into the water. 작은 돌멩이가 퐁덩 물속으로 떨어졌다. 〚imit.〛

plo·sion [plóuʒən] *n.* 〖音聲〗 파열(explosion).

plo·sive [plóusiv, -ziv] *n., a.* 〖音聲〗 파열음(破裂音)(의) (cf. STOP *n.* 11). 〚*explosive*〛

***plot**[1] [plɑ́t] *n.* **1** [+*to* do] 음모 (사건) ; 책략, 계획 : They wove a ~ *to* assassinate the king. 국왕 암살의 음모를 획책했다. **2** (시 · 소설 · 각본 따위의) 줄거리, 구상, 취향, 각색 : The ~ thickens. 일[이야기]이 재미있게 되어간다. **3** 작은 터[지면(地面)] : a garden ~ 정원 터. **4** (지도상의) 포격 목표의 표시 ; 지구(地區)[부지(敷地)]도, 약도, 도면.
—— *v.* (**-tt-**) *vt.* **1 a)** [+目/+*to* do] 꾀하다, 기도하다, 계획하다, 획책하다 : She ~*ted* the murder of[~*ted to* murder] her husband. 남편을 살해하려고 계획했다. **b)** (시 · 소설 따위의) 줄거리를 짜다, 구상하다. **2** …의 도면을 그리다, 설계도를 작성하다 ; 그림[도표]에 적다 : ~ a diagram 도표로 그리다[나타내다] / ~ the course of a ship[aircraft] 선박[항공기]의 진로를 그림으로 나타내다. **3** (지역 · 토지를) 구분하다〈*out*〉.
—— *vi.* **1** [動/+前+名] 꾀하다, 획책하다 ; 작당하다 : They ~*ted* ***with*** the communists ***against*** the government. 공산주의자들과 어울려 반정부 음모를 획책했다 / Those people ~*ted* ***for*** the coup d'état. 그 사람들은 쿠데타를 기도했다. **2** (문학적) 구상을 짜다 ; 좌표에 의해 위치를 결정하다.
〚OE *plot* and OF *complot* secret plan<?〛
類義語 ***plot*** 어떤 개인 · 단체 · 나라 따위에 대해서 해를 끼칠 계획을 비밀리에 혼자 또는 여럿이 짜다 : *plot* to blow up the railroad (철도를 폭파할 것을 획책하다). ***conspire*** 몇사람이 비밀리에 불법 행위, 특히 배반, 반역 따위의 실행을 기도하다 : *conspire* to dethrone the king (왕의 폐위를 공모하다). ***scheme*** 자신의 목적 · 이익 달성을 위해 남몰래[힘껏] 교활한 수단을 취하다 : They *schemed* to gain power. (권력을 잡기 위한 음모를 꾸몄다).

plot[2] *n.* 《北英》 Guy Fawkes Day(11월 5일)의 큰 화톳불. 〚↑ ; cf. GUNPOWDER PLOT〛

plót·less *a.* 계획이 없는 ; (소설 따위가) 구상[줄거리]이 없는. **~·ness** *n.*

plot·tage [plɑ́tidʒ] *n.* 부지(敷地).

plót·ter *n.* 음모자, 계획자 ; 구상을 짜는 사람 ; 제도 기구 ; 작도 장치, 플로터 ; 〖컴퓨〗 도형기.

plót·ting *n.* Ⓤ 제도(製圖) ; 구획 정리.

plótting bòard *n.* 〖海〗 위치 기입 도판(圖板) ; 〖軍〗 사격판(板) ; 〖軍〗 위치 측정판.

plótting pàper *n.* 모눈종이, 그래프 용지.

plót·ty *a.* 《口》 (소설 따위가) 줄거리가 복잡한.

***plough** ☞ PLOW.

plov·er [plʌ́vər, 美+plóuvər] *n.* (*pl.* **~, ~s**) 〖鳥〗 물떼새류. 〚AF<Rom. (L *pluvia* rain)〛

***plow** | **plough** [pláu] *n.* **1 a)** 쟁기. **b)** 쟁기 모양의 기구, 제설기(除雪機). **2** Ⓤ 《英》 경작지, (논)밭(plowland) : ten acres of ~ 10에이커의 경작지. **3** [the P~] 〖天〗 큰곰자리(the Great Bear), 북두칠성(cf. DIPPER 4). **4** 《英俗》 낙제 : take a ~ 낙제하다.
be at[***follow, hold***] ***the plow*** 농사를 업으로 하다, 농업에 종사하다.
go to one***'s plow*** 자기의 일을 하다.
put one***'s hand to the plow*** 〖聖〗 손에 쟁기를 잡다《누가복음 9 : 62》; 일을 시작하다.
under the plow (토지가) 경작되어 (있는).
—— *vt.* **1** [+目/+目+副] 갈다, 경작하다 ; …에 이랑을 내다 : ~ a field 밭을 갈다 / ~ weeds ***down***[***out***] 잡초를 (쟁기질하여) 뒤집어 덮다[파내다] / ~ *up* old roots 오래된 (나무) 뿌리를 파뒤집다. **2** [+目/+目+*with*+名] (얼굴 따위에) 주름이 잡히다 : In his face I saw wrinkles ~*ed* by time. 그의 얼굴에는 늙어서 주름잡힌 것이 보였다 / a face ~*ed* ***with*** wrinkles 깊이 주름진

얼굴. **3** [+目/+目+前+名] (길을) 애써서 나아가다; (배 따위가 파도를) 헤치고 나아가다: I ~*ed* my way ***through*** a blizzard. 심한 눈보라 속을 가까스로 나아갔다. **4** 《英俗》 낙제시키다 (pluck). —— *vi.* **1** 쟁기질하다, 갈다; (토지가) 경작에 적합하다. **2** [+*through*+名] 애써서 나아 가다; (책을) 힘들여 읽다: His car ~*ed* ***through*** the crowd. 그의 차는 군중 사이를 헤치고 나아갔다 / He ~*ed through* the pile of books. 산더미처럼 쌓인 책을 애써 읽어 나갔다. **3** [+*into*+名] 《美》 충돌하다, 뛰어들다: The truck ~*ed* ***into*** a parked car. 그 트럭은 주차하고 있던 차와 부딪쳤다.

plow a lonely furrow 고독한 생활을 보내다; (특히 정치상(上)의 동지와 헤어져) 독자적인 길을 걷다.

plow back (풀 따위 잡초를) 원밭에 갈아서 파묻다; (이익을) 사업에 재투자하다.

***plow the sand*(*s*)** 헛수고하다.

plow with a person***'s heifer*** 〔聖〕 남의 암송아지로 밭을 갈다《사사기 14:18》; 남의 재산을 횡령[이용]하다.

〖OE *plōh*<ON; cf. G *Pflug*〗

plów·bàck *n.* 〔經〕 (이익의) 재투자; 재투자금.

plów·bòy *n.* 쟁기 단 소[말]를 끄는[모는] 소년, 시골뜨기; 농부.

plów·hèad *n.* =PLOWSHARE.

plów·ing machìne *n.* 증기로 움직이는 쟁기, 자동 쟁기.

plów·lànd *n.* 경작지, 논밭(arable land); 〔英史〕 한 쟁기의 땅《1년간에 한 쟁기로 갈 수 있는 지적(地積)》.

plów·lìne *n.* 쟁기 끄는 소[말]의 고삐; 밭[논]고랑 밑바닥.

plów·man [-mən, -mæ̀n] *n.* 농부; 시골뜨기.

Plów Mónday *n.* 1월 6일의 Epiphany 후의 첫 월요일. 〖원래 영국에서는 행렬로 쟁기를 끌어 경작 시작을 축하하는 관습이 있었음〗

plów·shàre *n.* 쟁기날, 보습.

plów·tàil *n.* 쟁기 자루; 《비유》 농경: be at the ~ 농업에 종사하고 있다.

plów·wrìght *n.* 쟁기 제작[수리]공.

ploy [plɔ́i] *n.* 《口》 일; 《口》 계략, 기획, 계획; 원정; 《英口》 오락; 과업(課業). 〖C18 (Sc.)<?〗

P.L.P. 《英》 Parliamentary Labour Party.

P.L.R., PLR 《英》 Public Lending Right.

pls please. **PLSS** [plís] 〔宇宙〕 portable life support system (휴대 생명 유지 장치); 〔軍〕 precision location strike system(정밀 위치파악 공격 시스템). **plt.** pilot. **plu.** plural.

pluck**[1] [plʌ́k] *vt.* **1** [+目/+目+副] (꽃·과일·잡초 따위를) 뽑아내다, 따다(pick): May I ~ some of these flowers? 이 꽃을 조금 따도 괜찮겠습니까 / *P~ up*[*out*] the weeds. 잡초를 뽑아 버리시오. **2** (새 따위의) 털을 뽑아내다: He ~*ed* the chicken. 닭털을 뽑아냈다. **3** (사람을) 뽑다; 《俗》 (…로부터) 빼앗다, 따다, (속여서) 탈취하다. **4** 잡아당기다; (현악기를) 퉁기다. **5** 《英口》 낙제시키다: Tom got ~*ed*. 톰은 낙제했다. —— *vi.* [+*at*+名] 확 당기다, 잡으려고 하다; 악기를 타다: Don't ~ ***at my sleeve. 내 소매를 잡아당기지 마시오.

pluck up one***'s courage*** 용기를 내다: He was a little shy but ~*ed up his courage to* speak to the teacher. 약간 부끄러웠지만 용기를 내어 선생님께 이야기를 하였다.

—— *n.* **1** 잡아 뜯음; (갑자기) 당기기: give a ~ (*at*...) (…을) 확 잡아당기다. **2** Ⓤ 담력(nerve), 용기, 결의, 원기. **3** Ⓤ (동물의) 내장. **4** Ⓤ 《英古》 낙제.

〖OE *ploccian, pluccian*; cf. G *pflücken*〗

pluck[2] *n.* 《美俗》 =PLONK[2].

plucked [plʌ́kt] *a.* 《口》 담력[용기]있는.

plúck·less *a.* 용기[원기] 없는.

plúcky *a.* 용기가 있는, 담력이 있는, 원기왕성한, 단호한. **plúck·i·ly** *adv.* 대담[단호]하게.

類義語 ⟹ BRAVE.

***plug** [plʌ́g] *n.* **1** 마개; 소화전(消火栓); 〔軍〕 화문전(火門栓), 총구 마개; 뱃바닥 마개; 《口》(수세식 변소의) 방수전; 〔컴퓨〕 꽂개; 〔電〕 플러그, 접속꽂기(cf. OUTLET); 〔齒〕 충전물(充塡物); 〔機〕 (내연 기관의) 점화전(點火栓)(spark plug). **2** 씹는 담배(plug tobacco). **3** 《美口》 늙어빠진 말, 폐마(jade); 《美口》 팔다 남은 물건; 위조 경화, 가짜돈. **4** 《口》 (라디오·텔레비전 프로그램 사이에 넣는) 광고 방송, 선전. **5** 《俗》 일격(punch).

—— *v.* (**-gg-**) *vt.* **1** [+目/+目+副] …에 마개를 하다, 막다, 틀어막다; 메우다: ~ a leak 새는 곳을 막다 / ~ ***up*** a hole 구멍을 메우다. **2** 《俗》 주먹으로 한대 치다; …에 총알을 쏴 넣다 (shoot); 《俗》 …에 끼워넣다, …와 성교하다. **3** 《口》 (라디오·텔레비전에서 노래 따위를) 끈덕지게 들려주어 유행하게 하다, (상품을) 떠들썩하게 선전하다: The salesman ~*ged* the new product. 외판원은 신제품을 떠들썩하게 선전했다.

—— *vi.* [+副/+*at*+名] 《口》 꾸준히 일하다; 《俗》 쏘다, 치다: He ~*ged away* ***at*** his lessons. 그는 학과를 꾸준히 공부했다.

plug in 〔電〕 플러그를 꽂아[끼워] 넣다; 플러그를 꽂아 …에 전류를 통하게 하다; 《美俗》 관계가 있다: ~ *in* a television set 플러그를 꽂고 텔레비전을 켜다.

〖MDu. (Du. *plug*) and MLG<?; cf. G *Pflock*〗

plúg·bòard *n.* 〔電〕 플러그반(盤)(cf. SWITCHBOARD); 〔컴퓨〕 배선반(配線盤).

plúg-compátible *a.* 〔컴퓨〕 플러그가 공통이며 호환성(互換性)의.

plugged [plʌ́gd] *a.* (구멍·관(管) 따위가) 막힌; 비(卑)금속을 충전하여 변조한《경화(硬貨)》; 《美俗》 화가 난.

plúgged-ìn *a.* 플러그로 접속한; 《비유》 유행에 민감한, 앞선; 《비유》 흥분한, 앙양된; 생활의 중요 부분을 전기 통신에 의존하는: a ~ society 전기 통신망으로 연결된 사회《특히 CATV 따위로 쇼핑도 할 수 있는》.

plúg·ger *n.* **1** (치과에서 사용하는) 충전기(充塡器). **2** 《美口》 끈질기게 일하는 사람, 꾸준히 공부하는 학생. **3** 《美口》 끈덕지게 선전[광고]하는 사람; 《美俗》 찬양하는 사람, 팬; 《美俗》 살인 청부업자.

plúg·ging *n.* Ⓤ 마개를 하기; 〔齒〕 충전; 마개로 쓸[충전할] 재료.

plúg hát *n.* 《美口》 실크 해트.

plúg·hòle *n.* 《英》 (욕조·싱크대 따위의) 물마개.

plúg-ìn *a., n.* 플러그 접속식의 (전기 제품).

plúg nìckel *n.* 가짜 5센트 동전; 무가치한 것.

plug·o·la [plʌgóulə] *n.* 《美俗》 (라디오·텔레비전 따위로 선전해 달라고 주는) 뇌물; 추천의 말. 〖*plug*+pay*ola*〗

plúg swìtch *n.* 〔電〕 플러그 스위치.

plúg tobàcco *n.* 막대 모양의 씹는 담배.

plúg-ùgly *n.* 《美口》 거리의 깡패, 건달; 《美俗》 프로 복서. —— *a.* 《口》 몹시 추한.

***plum**¹ [plʌ́m] *n.* **1** 〔植〕 서양자두(나무), 플럼; (제과용) 건포도. **2** =SUGARPLUM. **3** 알짜, 정수(精粹); 요직(要職); 수입이 좋은 직위; 《口》 (거액의) 특별 배당; 《美》 (보수로서의) 임관; 《美俗》 10만파운드(의 돈을 가진 사람). **4** Ⓤ 암자색, 진한 자색. ── *a.* 바람직한, 유리한. 〖OE *plūme*<L; ⇨ PRUNE²〗

plum² *a., adv.* =PLUMB.

plu·mage [plú:midʒ] *n.* Ⓤ 깃털; 깃털 장식; 좋은 옷. 〖OF; ⇨ PLUME〗

plú·maged *a.* (…의) 깃털이 있는: a beautifully ~ parrot 아름다운 깃털을 한 앵무새 / full-~ 깃털이 고루 난.

plu·mas·sier [plù:məsíər] *n.* 깃털 세공인[세공상]. 〖F〗

plu·mate [plú:meit, -mət] *a.* 〔動·植〕 (구조가) 깃털 모양의.

plumb [plʌ́m] *n.* 추(錘); 측연(測鉛); 수직, 연직(鉛直).
off [***out of***] ***plumb*** 수직이 아닌, 비뚤어진.
── *a.* 수직인; 정확한, 올바른, 똑바른; 《口》 완전한, 절대적인; 〔크리켓〕 위켓이 수평인.
── *adv.* 수직으로; 정확하게, 똑바로; 《美口》 완전히, 아주: fall ~ *down* 수직으로 떨어지다 / ~ in the face of …의 바로 정면에.
── *vt.* **1** (측연선(測鉛線)으로) 수직 여부를 조사하다, 수직이 되게 하다; …의 깊이를 재다, 측량하다: ~ (the depth of) a lake 호수의 깊이를 재다[측량하다]. **2** 꿰뚫어보다, 알아차리다: ~ a person's thoughts 남의 마음을 꿰뚫어 보다. **3** 《口》 …에 배관하다, …의 배관 수리공사를 하다; 납땜하여 봉하다. ── *vi.* 수직으로 서다[늘어지다]; 《口》 연관공(鉛管工)[배관공]으로 일하다. 〖OF<Rom. (L *plumbum* lead)〗

plumb- [plʌ́mb], **plum·bo-** [plʌ́mbou, -bə] *comb. form* 「납」의 뜻. 〖L (↑)〗

plum·bag·i·nous [plʌmbǽdʒənəs] *a.* 흑연으로 된, 흑연을 함유한, 흑연 비슷한.

plum·ba·go [plʌmbéigou] *n.* (*pl.* ~**s**) **1** Ⓤ 〔鑛〕 흑연(黑鉛), 석묵(石墨); 석묵[흑연]으로 그린 그림. **2** 〔植〕 갯질경이과의 식물. 〖L; ⇨ PLUMBUM〗

plúmb bòb *n.* 측연추, 다림추(plummet).

plum·be·ous [plʌ́mbiəs] *a.* 납의[으로 된], 납 비슷한; 납빛의; 납을 씌운; 무거운.

plúmb·er *n.* (가스·스팀·상[하]수도의) 연관공, 배관공, 연관 부설[공사]자; 《美口》 기밀 누설을 막는 사람. ── *vt.* 《美俗》 망쳐놓다, 때려 부수다.

plúmber blòck *n.* 축받이(plummer block).

plúmber's hèlper[**frìend**] *n.* 《美口》 (배수관 따위를 뚫기 위한) 긴 자루가 달린 흡인용 고무컵(plunger).

plúmber's snàke *n.* 《美口》 (배수관 따위를 뚫는) 길다란 강삭(鋼索).

plúmb·ery *n.* Ⓤ 납세공(細工), 납공업; 연관업(鉛管業); Ⓒ 납공장, 연관 제조소.

plum·bic [plʌ́mbik] *a.* 〔化〕 납의, 납을 함유하는, 제2납의; 〔醫〕 납[연독(鉛毒)]에 의한.

plum·bif·er·ous [plʌmbífərəs] *a.* 납이 나는; 납을 함유한.

plúmb·ing *n.* **1** Ⓤ 납공업; 연관류 제조. **2** Ⓤ 연관공사, 배관(공사); 수도[가스]관 부설[수선] 《따위》. **3** 연관류(類); 《美俗》 트럼펫; 《美俗》 소화관(消化管). **4** Ⓤ 수심(水深) 측량.

plum·bism [plʌ́mbizəm] *n.* Ⓤ 〔醫〕 (만성) 납중독증, 납중독(lead poisoning).

plúmb·less *a.* 《文語》 측량할 수 없는, 깊이를 헤아릴 수 없는.

plúmb lìne *n.* 추선(錘線), 다림줄; 측연선.

plúm bòok *n.* 《美口》 (대통령이 임명권을 갖는) 연방 정부 관직[포스트] 일람《약 5000개의 관직명(名)이 게재되어 있음》.

plum·bous [plʌ́mbəs] *a.* 〔化〕 납의, 납을 함유한. 제1납의(cf. PLUMBIC).

plúmb rùle *n.* 다림줄.

plum·bum [plʌ́mbəm] *n.* 〔化〕 납(lead)《기호 Pb》. 〖L〗

plúm càke *n.* 건포도가 든 과자《혼례용》.

plúm dúff *n.* 건포도가 든 푸딩.

***plume** [plú:m] *n.* **1** 깃털; 깃털 장식, (특히 투구·모자 따위의) 깃털 앞장식. **2** 명예[영예] 표시; 《詩》 =PLUMAGE. **3** 〔昆〕 깃 모양의 털; 〔植〕 우상 원추화(羽狀圓錐花), 관모(冠毛). **4** 깃털을 연상케 하는 것《연기나 눈 따위》; (원자 폭탄의 수중 폭발에 의한) 물기둥.
in borrowed plumes ☞ BORROW.
shear off a person***'s plume*** ☞ SHEAR.
── *vt.* **1** (새가 깃털을) 다듬다(preen). **2** 깃털로 꾸미다[장식하다]. **3** …의 깃털을 뜯다[뽑다].
plume one***self*** 빌린 옷으로 몸치장을 하다.
plume one***self on*** 자만하다, 자랑하다.
〖OF<L *pluma* downy feather〗

plumed [plú:md] *a.* (…의) 깃털이 있는[로 꾸민]: white-~ 깃털이 흰.

plúme·let *n.* 작은 깃털; 〔植〕 어린싹.

plúm·mer (**blòck**) [plʌ́mər (-)] *n.* 〔機〕 축받이, 플러머 블록.

plum·met [plʌ́mət] *n.* **1** =PLUMB, PLUMB LINE, PLUMB RULE; (낚싯줄의) 다림추. **2** 《비유》 중압(重壓). ── *vi.* (수직으로) 떨어지다, 뛰어들다(plunge); 급히 내려가다.
〖OF (dim.) ‹PLUMB〗

plúm·my *a.* 서양자두 같은; 건포도를 넣은; 《口》 좋은, 훌륭한, 돈 많은, 풍부한; 《口》 (볼이) 포동포동한; 《口》 (목소리가) 낭랑한.

plu·mose [plú:mous, -z] *a.* 깃털을 단; 깃털 (모양)의.

plump**¹ [plʌ́mp] *a.* 뚱뚱하게 살찐, 포동포동[토실토실]한. ── *vi.* [動/+副] 뚱뚱하게 살찌다: How your cheeks have ~*ed* ***up[***out***]! 얼굴이 많이 통통해졌구나. ── *vt.* [+目/+目+副] 살찌게 하다, 부풀게 하다: He ~*ed* ***up*** the sofa pillows. 소파의 베개를 부풀게 했다.
~**·ly** *adv.* 뚱뚱하게 (살쪄서), 토실토실하게.
〖ME *plomp* dull<MDu. =blunt and MLG= shapeless〗

plump² *vi.* **1** [動/+副/+前+名] 쿵[털썩] 떨어지다, 급히 뛰어들다: Utterly exhausted, he ~*ed* ***down on*** the bed. 지칠대로 지쳐서 털썩 침대에 몸을 던졌다. **2** [+*for*+名] 《英》 (연기(連記)투표권으로) 한 사람에게 투표하다; 절대적으로 지지하다: He ~*s* ***for*** the New York Yankees. 뉴욕 양키스의 열렬한 팬이다. ── *vt.* **1** [+目/+目+副/+目+前+名] 쿵[털썩] 떨어지다, 탁 던지다: He ~*ed* the bundle ***down on*** the sofa. 그 꾸러미를 털썩 소파 위에 내려놓았다. **2** 《口》 불쑥[퉁명스럽게] 말하다〈*out*〉.
── *adv.* **1** 쿵(하고), 털썩, 풍덩, 철썩. **2** 수직으로, 바로 아래에. **3** 느닷없이, 별안간. **4** 노골적으로, 솔직하게: Say it out ~! 얼른 말해.
── *a.* 퉁명스러운; 노골적인: a ~ lie (시치미 떼는) 새빨간 거짓말. ── *n.* 탁[털썩] 떨어짐[떨어지는 소리]. 〖MLG and MDu.<imit.〗

plump³ *n.* 《方·古》 무리, 떼 ; 한 묶음, 다발《창 따위》. 〖ME< ?〗

plúmp·er¹ *n.* (볼을 보기 좋게 하기 위해) 입에 무는 것.

plumper² *n.* **1** 털썩 떨어짐 ; (말에서) 떨어짐. **2** 《方》 새빨간 거짓말. **3** 《英》 (연기(連記) 투표에서) 한 사람의 후보에게만 투표하기[하는 사람].

plúmp·ish *a.* (알맞게) 살찐, 포동포동한.

plúm púdding *n.* 건포도가 든 푸딩《영국에서는 Christmas 때 으레 먹는 디저트》.

plúmpy *a.* 부푼, 부풀어오른, 토실토실하게 살찐.

plúm trèe *n.* 〖植〗 서양자두나무.

plu·mule [plúːmjuːl] *n.* 〖植〗 어린 싹, 어린 줄기 ; 〖動〗 솜털.

plumy [plúːmi] *a.* 깃털이 있는 ; 깃털로 장식한 ; 깃털 모양의.

plun·der** [plʌ́ndər] *vt.* [+目/+目+*of*+名] (장소·사람들로부터 물건을) 약탈하다, (강제로) 빼앗다 ; (물건을) 훔치다, 사용(私用)하다 : Somebody ~*ed* the gallery ***of some Matisse. 화랑에서 마티스의 그림을 훔친 자가 있었다.
—— *vi.* 약탈하다, 훔치다. —— *n.* **1** Ⓤ 약탈(품) : live by ~ 약탈로 생활하다. **2** 《口》 이익, 벌이 ; 《美方》 가재(家財).
~·**er** *n.* 약탈자 ; 도적.
〖LG *plündern* to rob of household goods (MHG *plunder* bedding, clothing)〗

plúnder·age *n.* Ⓤ 약탈 ; 〖法〗 (특히) 선화(船貨) 횡령, 횡령한 뱃짐.

plunge** [plʌ́ndʒ] *vt.* **1** [+目/+目+前+名] 찔러 넣다, 던져 넣다 ; 가라앉히다 : *P*~ both hands ***into the water. 두 손을 물에 집어 넣어라 / ~ a dagger *in* the heart 심장에 비수를 꽂다. **2** [+目+*in*+名] (어떤 상태·위험 따위에) 빠지게 하다, 몰아 넣다 : Never ~ our country ***into*** international troubles. 우리 나라를 국제적인 분쟁에 휘말려 들게 해서는 안된다 / He was ~*d* ***in*** gloom. 우울한 기분에 젖어 있었다. **3** 〖園藝〗 (정원 가꾸기에서 화분 따위를) 테두리까지 땅에 파묻다. —— *vi.* **1** [動/+前+名/+副] 뛰어들다, 잠기다 ; 돌진하다 : ~ ***into*** a stream 냇물에 뛰어들다 / The rope broke, and the elevator ~*d* ***to*** the ground. 로프가 끊어지면서 승강기는 지면으로 곤두박질했다 / He ran to the river and ~*d* ***in***. 강가로 달려가 강물로 뛰어들었다. **2** [+*into*+名] (어떤 상태로) 빠지게 되다 ; 갑자기 시작하다 : ~ ***into*** debt 무모하게 빚을 지다 / They ~*d into* a quarrel. 갑자기 말다툼을 시작했다. **3** (배가 뱃머리를 아래로 하여) 위아래로 요동하다 (pitch) ; (말이) 뒷발을 쳐들며 뛰어오르다. **4** 《口》 큰 도박을 하다, 무모한 투기를 하다.
—— *n.* **1** 찔러 넣기, 뛰어들기. **2** 돌진, 돌입 ; 열심히 시작하기 ; 《口》 큰 도박, 무모한 투기. **3** 말이 뒷발을 쳐들면서 뛰기 ; (배가) 위아래로 흔들리기(cf. *vi.* 3). **4** 수영, 다이빙, 풀 ; 《美》 (풀 따위의) 다이빙할 수 있는 장소《깊이》.
take the plunge (풀 따위에) 뛰어들다 ; 과감하게 일을 하다, 모험을 하다 ; 결혼하다.
〖OF<Rom.=to sound with plummet ; ⇨ PLUMB〗
類義語 ⟹ DIP.

plúnge bàth *n.* 큰 (전신용(全身用)) 목욕통.

plúnge bòard *n.* (수영의) 뜀판, 다이빙 보드.

plung·er [plʌ́ndʒər] *n.* **1** 뛰어드는 사람, 잠수자(潛水者), 돌입[돌진]하는 사람. **2** 〖機〗 (뿜어 올리는 펌프·수압기 따위 피스톤의) 플런저 ; (후장총(後裝銃)의) 격침(擊針)[공이치기]. **3** 《口》 무모한 도박꾼[투기꾼].

plúng·ing fire [plʌ́ndʒiŋ-] *n.* 〖軍〗 감사(瞰射), 내려 쏘기.

plúnging[plúnge] néckline *n.* 〖服〗 (여성복의) 가슴이 깊이 파인 네크라인.

plunk¹ [plʌ́ŋk], **plonk** [plɔ́(ː)ŋk, plɑ́ŋk] *vt.* **1** (현악기 줄 따위를) 팅하고 울리다, 퉁기다. **2** 쿵하고 내던지다[쓰러뜨리다]. **3** 《美》 별안간 치다[밀다], 쿡 찌르다 ; 《口》 쏘다.
—— *vi.* 쿵[털썩]하고 떨어지다 ; 팅 소리나다.
—— *n.* **1** 《口》 쿵[쾅당]하는 소리 ; 팅하고 울리기[는 소리]. **2** 《美口》 강타 ; 《美俗》 1달러.
—— *adv.* 털썩, 쾅당 ; 《口》 마침, 바로, 정확히 (exactly). 〖imit.〗

plunk² *n.* 《俗》 =PLONK².

plu·per·fect [pluːpə́ːrfikt] *n., a.* 〖文法〗 대(大)과거(의), 과거 완료(의)《略 plup(f).》.
〖NL (*plus quam perfectum* more than perfect)〗

plup(f). pluperfect.

plur. plural ; plurality.

***plu·ral** [plúərəl] *a.* 〖文法〗 복수(형)(複數(形))의 (cf. DUAL, SINGULAR) : the ~ number 복수.
—— *n.* Ⓤ 복수 ; Ⓒ 복수형(의 낱말).
~·**ly** *adv.* 복수(형)으로, 복수로서.
〖OF<L ; ⇨ PLUS〗

plúral·ìsm *n.* **1** Ⓤ 복수(성) ; 복식투표 ; 〖敎會〗 (성직) 겸임 ; 〖哲〗 다원론(多元論) (cf. MONISM, DUALISM). **2** 사회적 다원성《한 국가 안에 인종·종교 따위를 달리하는 집단이 공존하는 상태》 ; 사회적 다원주의.
-**ist** *n.* 겸임자 ; 다원론자. **plù·ral·ís·tic** *a.*

plu·ral·i·ty [pluərǽləti] *n.* **1** Ⓤ 복수 ; 복수성[상태] ; Ⓒ 다수. **2** 대다수, 과반수 ; 《美》 (차점자와의) 득표차(差) ; (세 사람 이상 경쟁 때에는) 득표수는 가장 많으나 과반수에 이르지 못한 수(cf. MAJORITY 3) ; 〖敎會〗 성직겸임.

plúral·ìze *vt.* 복수(형)으로 하다, 배가(倍加)하다. —— *vi.* 복수로 되다 ; 몇 개 교회의 성직을 겸임하다 ; 겸직(兼職)하다.

plúral márriage *n.* 일부 다처, 일처 다부.

plúral sóciety *n.* 복합사회《여러 인종으로 이루어진 사회》.

plúral vóte *n.* 복식 투표(권)《(1) 두 표 이상의 투표(권). (2) 둘 이상의 선거구에서의 투표(권)》.

plu·ri- [plúəri] *comb. form* 「다수(多數)」의 뜻 (=multi-) : *pluri*syllable(다(多)음절어). 〖L〗

plùri·présence *n.* Ⓤ 〖神學〗 동시에 두 곳 이상에서 존재함.

***plus** [plʌ́s] *prep.* (↔*minus*) …을 더하여[더한] ; 《口》 …을 (덧)붙인, …을 입은, …을 벌어 ; 《美口》 …이외에(besides) : the debt ~ interest 이자를 덧붙인 빚 / He was ~ a coat. 외투를 껴입고 있었다. ☞ 活用.
—— *n.* (*pl.* **plús·es, plús·ses**) **1** 플러스 (기호), 가산(加算)[더하기] 기호(=~ **sìgn**)《+》 ; 정량(正量), 양수(陽數). **2** 덧붙이는 것, 여분 ; 이익(gain). **3** 〖골프〗 우세한 사람에게 지우는 부담, 핸디캡.
—— *adv.* 《美口》 게다가(besides).
—— *conj.* 《美口》 =AND.
—— *a.* **1** 〖數〗 플러스의, 가산[덧셈]의 : the ~ sign 가산[더하기] 기호. **2** 여분의(extra). **3** 《口》 표준 이상의, 약간 많은[나은], 게다가(and more) : She has personality ~. 게다가 그녀는 개성이 있다. **4** 〖電〗 양(陽)의(positive) ; 〖植〗 (균사체가) 웅성(雄性)의.
on the plus side of the account 〖商〗 대변

(貨邊)에.
—— *vt.* 《口》 더하다, 얻다 ; 늘리다.
〖L *plur-* *plus* more〗
活用 plus *prep.* 는 along with, added to의 뜻이므로 and의 대용은 될 수 없으며, 다음에 동사가 계속될 경우에도 그 동사의 수에는 영향을 주지 않음《후자의 경우에 있어서는, MINUS의 경우에도 마찬가지다》: The debt *plus* interest *amounts* to $50. (빚은 이자를 합쳐서 50달러가 된다)《debt에 상응하여 amounts가 됨》.
plús còunt *n.* 〖로켓〗 발사 후의 초읽기.
plús fóurs *n. pl.* 헐렁한 반바지《골프용》. 〖보통 바지보다 4인치 긴 데서〗
plush [plʌ́ʃ] *n.* Ⓤ 플러시천《벨벳 비슷한 무명 또는 명주》; [*pl.*] 플러시천 바지 ; 《美俗》 호화로운 장소[것]. —— *a.* 플러시천으로 만든 ; 《口》 (방·비품 따위가) 호화스러운. —— *vi.* 《美俗》 호화롭게 지내다. 〖F<L PILE³〗
plush·ery [plʌ́ʃəri] *n.* 《美俗》 호화로운 호텔[나이트클럽 《따위》].
plúshy *a.* =PLUSH.
plús sìght *n.* 〖測〗 정시(正視).
plús tìck *n.* 〖證〗 =UPTICK.
Plu·tarch [plúːtɑːrk] *n.* 플루타르코스, 플루타르크(46?-? 120)《그리스의 역사가며 영웅전(英雄傳) 작가》.
plu·tar·chy [plúːtɑːrki] *n.* =PLUTOCRACY.
plute [plúːt] *n.* 《美俗》 =PLUTOCRAT.
plu·te·us [plúːtiəs] *n.* (*pl.* **-tei** [-tiàì]) 〖動〗 플루테우스《성게·거미불가사리류(類)의 부유성 유생(幼生)》.
Plu·to [plúːtou] *n.* **1** 〖그神〗 플루토《명부(冥府)의 신, 〖로神〗의 Dis에 해당 ; cf. HADES》. **2** 〖天〗 명왕성(冥王星). 〖L<Gk.=giver of riches〗
plu·toc·ra·cy [pluːtɑ́krəsi] *n.* Ⓤ 금권(金權) 정치[주의] ; 금권 정체[국가, 사회] ; Ⓒ 부호(富豪) 계급, 재벌. **plu·to·crat** [plúːtəkræ̀t] *n.* 금권(정치)가 ; 부호. **plù·to·crát·ic, -i·cal** *a.* 금권[재벌] 정치(가)의.
〖Gk. *ploutos* wealth〗
plu·tol·a·try [pluːtɑ́lətri] *n.* Ⓤ 황금 숭배, 배금(拜金)주의.
plu·ton [plúːtɑn] *n.* 〖地質〗 플루톤《마그마에 의한 심성암체(深成岩體)》.
Plu·to·ni·an [pluːtóuniən] *a.* Pluto의, 명계[하계]의[와 같은] ; [p~] 명왕성의 ; [흔히 p~] 〖地質〗 =PLUTONIC.
Plu·ton·ic [pluːtɑ́nik] *a.* **1** Pluto의. **2** [p~] 〖地質〗 심성(深成)의 ; [p~] 〖地質〗 화성론(火成論)의.
plutónic róck *n.* 〖地質〗 심성암(深成岩).
plu·to·nism [plúːtənìzəm] *n.* **1** 〖地質〗 심성론(深成論), 화성론(火成論). **2** 〖醫〗 플루토늄 중독(증). **-nist** *n.*
plu·to·ni·um [pluːtóuniəm] *n.* Ⓤ 〖化〗 플루토늄《방사성 원소 ; 기호 Pu ; 번호 94》. 〖*Pluto*〗
plu·ton·o·my [pluːtɑ́nəmi] *n.* 정치 경제학(學) (political economy) ; 경제학(economics).
Plu·tus [plúːtəs] *n.* 〖그神〗 플루투스《부(富)를 주관하는 신(神)》.
plu·vi·al¹ [plúːviəl] *a.* 비의, 비가 많이 내리는 (rainy) ; 〖地質〗 우수(雨水) 작용에 의한.
—— *n.* 다우기(多雨期). 〖L (*pluvia* rain)〗
pluvial² *n.* (성직자가) 특별한 의식 때 입는 긴 망토, 코프(cope). 〖L〗
plu·vi·om·e·ter [plùːviɑ́mətər] *n.* 우량계.
plù·vi·óm·e·try *n.* Ⓤ 우량 측정(법).
plù·vio·mét·ric, -ri·cal *a.*
plu·vi·ous [plúːviəs], **-ose** [-viòus] *a.* 비의, 비가 많은. **-os·i·ty** [plùːviɑ́səti] *n.*
ply**¹ [plái] *vt.* **1** …에 열성을 내다, 공부하다 ; 영위[경영]하다 : ~ one's book 꾸준히 책을 읽다 / ~ a trade 장사를 하다. **2** (무기·도구 따위를) 부지런히 움직이다[쓰다] : The dressmaker *plies* her needle. 양재사는 부지런히 바느질을 한다 / ~ an oar 힘껏 노를 젓다. **3** [+目+*with*+名] (남에게 물건 따위를) 강요하다 ; (질문 따위를) 퍼붓다, 맹렬히 공격하다 : He *plied* me ***with food and drink. 나에게 자꾸 음식을 권했다 / The audience *plied* the lecturer *with* questions. 청중은 강사에게 질문공세를 폈다. **4** (배가 강 따위를) 정기적으로 왕복하다 : Boats ~ the channel. 해협에는 배들이 정기적으로 다니고 있다. —— *vi.* **1** [+前+名] (교통기관이) 정기적으로 왕복하다, 지나가다 : Buses ~ ***between*** the cities. 그 두 도시 사이를 버스가 정기적으로 왕복하고 있다 / Ferryboats ~ ***across*** the English Channel. 연락선이 영국해협을 지나가고 있다. **2** (뱃사공·짐꾼·택시 따위가) 손님을 기다리다 : a ~*ing* taxi 승객을 기다리는 택시. **3** [動/+*with*+名] 부지런히 일하다 : ~ ***with*** the oars 부지런히 노를 젓다. **4** 〖海〗 바람을 거슬러 항해하다(tack). 〖ME *plye*‹*apply* to APPLY〗
ply² *n.* **1** 주름 ; (밧줄의) 가닥, (몇)겹 ; 두께 : a three-~ rope 세 가닥으로 꼰 밧줄. **2** 경향, 버릇(bias). —— *vt.* (실을) 꼬다 ; 구부리다 (bend), 접다(fold). 〖F *pli* ; ⇨ PLAIT〗
Plym·outh [plíməθ] *n.* 플리머스. **1** 영국 남서부의 군항 ; 1620년 Mayflower호의 출항지. **2** 미국 Massachusetts 주의 해항(海港) ; 1620년 메이플라워 호의 도착 지점.
Plýmouth Bréthren *n. pl.* [the ~] 플리머스 동포 교회《1830년대 영국인 John Darby가 창시한 Calvin파의 신교》.
Plýmouth Cólony *n.* 〖美史〗 플리머스 식민지 《Pilgrim Fathers가 1620년 Massachusetts주에 건설했음》.
Plýmouth Róck *n.* 플리머스 바위《미국 Massachusetts 주의 Plymouth에 있는 바위 ; Pilgrim Fathers가 승선한 Mayflower호의 미국 도착 기념의 사적》; Ⓒ 플리머스록종의 닭.
plý·wòod *n.* Ⓤ 플라이우드, 합판《우리 나라에선 베니어판으로 잘못 호칭되고 있음 ; cf. VENEER》.
***P.M., p.m.** [píːém] 오후(의)《라틴어 *post meridiem*(=afternoon)의 단축형》: at 11 : 00 *p.m.* 오후 11시에 / the 9 *p.m.* train 오후 9시 열차(cf. A.M., a.m.).
PM push money. **Pm** 〖化〗 promethium. **pm.** premium ; premolar. **P.M.** Past Master ; Paymaster ; permanent magnet ; Police Magistrate ; Postmaster ; postmortem ; Prime Minister ; Provost Marshal. **p.m.** per month ; phase modulation ; postmortem. **PMA** paramethoxyamphetamine 《amphetamine에서 만들어지는 강력한 환각제》.
P marker [píː ㅡ] *n.* 〖言〗 =PHRASE MARKER.
P.M.G. Pall-Mall Gazette ; Paymaster General ; Postmaster General ; Provost Marshal General. **PMH, pmh** production (per) manhour(1인 1시간당 생산고). **pmk.** postmark. **PMLA** Publications of the Modern Language Association (of America). **PMMA** polymethyl methacrylate(특수 수지의 하나). **P.M.O.** postal money order. **PMS** 〖醫〗 premenstrual

syndrome. pmt. payment. **P.N.** 《美》 practical nurse. **P/N, p.n.** promissory note(약속 어음). **PNC** Palestine National Council(팔레스타인 민족 평의회). **PNdB, PNdb** perceived noise decibel(s) (감각 소음 데시벨).
P.N.E.U. 《英》 Parents' National Education Union (전국 양친(兩親) 교육 동맹). **pneum.** pneumatic(s).

pneum- [njú:m], **pneu·mo-** [njú:mou, -mə] *comb. form* 「기체」「폐」「호흡」「폐렴」의 뜻. 〚Gk. (↓)〛

pneu·ma [njú:mə] *n.* Ⓤ 정신, 영혼 ; [P~] 〔神學〕 성령(the Holy Ghost).
〚Gk.=wind, breath〛

pneu·mat- [njú:mət, nju:mǽt], **pneu·ma·to-** [njú:mətou, nju:mǽtou, -tə] *comb. form* 「공기」「호흡」「정령(精靈)」의 뜻. 〚Gk. (↑)〛

pneu·mat·ic [njumǽtik] *a.* 공기의 ; 기체의 ; (압축) 공기 작용에 의한, 공기식의 ; 압축 공기로 채운 ; 공기가 들어 있는 ; 〔動〕 기강(氣腔) [기낭(氣囊)]이 있는, 함기성(含氣性)의 ; 〔神學〕 영적(靈的)인 ; (여자 몸매가) 균형이 잡힌, 가슴이 불룩한 : a ~ brake 공기 브레이크 / a ~ cushion 공기 베개[방석] / a ~ drill 공기 드릴[착암기] / a ~ tire 공기가 들어있는 타이어, 고무 타이어.
── *n.* 공기 타이어(가 달린 자동차) ; 영적(靈的) 존재. **-i·cal·ly** *adv.* 〚F or L<Gk. (PNEUMA)〛

pneumátic cáisson *n.* 공기 케이슨[잠함].

pneumátic dispátch *n.* 기송(氣送)《우편물·소포 따위를 기송관으로 발송하는 것》.

pneumátic hámmer *n.* 뉴매틱 해머, 공기(空氣) 해머.

pneu·mát·ics *n.* 기학(氣學), 기체 역학.

pneumátic súbway *n.* 《美》 공기 지하철《압축 공기를 동력으로 하는 지하철》.

pneumátic tróugh *n.* 〔化〕 가스 채취용(用)의 수조(水槽).

pneumátic túbe *n.* (우편물 따위의) 기송관.

pneumato- ☞ PNEUMAT-.

pneu·ma·tol·o·gy [njù:mətáləd͡ʒi] *n.* Ⓤ 영물학(靈物學) ; 〔神學〕 성령론.

pneu·ma·tol·y·sis [njù:mətáləsəs] *n.* 〔地質〕 기성작용(氣成作用).

pneu·ma·tom·e·ter [njù:mətámətər] *n.* 〔醫〕 폐활량계(計).

pneumáto·phòre [, njú:mətə-] *n.* 〔動〕 기포체(氣胞體) ; 〔植〕 호흡뿌리.

pnèumato·thérapy *n.* Ⓤ 〔醫〕 변압 공기 요법(療法).

pneumo- [njú:mou, -mə] ☞ PNEUM-.

pnèumo·bacíllus *n.* (*pl.* **-bacílli**) 〔菌〕 폐렴간균(桿菌).

pnèumo·cóccus *n.* (*pl.* **-cócci**) 〔菌〕 폐렴 쌍구균(雙球菌).

pneu·mo·co·ni·o·sis [njù:məkòunióusəs] *n.* (*pl.* **-ses** [-si:z]) Ⓤ 〔醫〕 진폐증(塵肺症).

pnèumo·dynámics *n.* =PNEUMATICS.

pnèumo·gástric *a.* 〔解〕 폐와 위(胃)의 ; 미주(迷走) 신경(성)의(vagal).
── *n.* 미주 신경(=~ **nérve**).

pneu·mol·o·gy [njù:máləd͡ʒi] *n.* 폐장학.

pneu·mon- [njú:mən], **pneu·mo·no-** [njú:mənou, -nə] *comb. form* 「폐」의 뜻.
〚Gk. (*pneumōn* lung)〛

pneu·mo·nec·to·my [njù:mənéktəmi] *n.* 〔醫〕 Ⓤ,Ⓒ 폐절제(술).

***pneu·mo·nia** [nju(:)móunjə] *n.* Ⓤ 〔醫〕 폐렴.
acute [***chronic***] ***pneumonia*** 급성[만성] 폐렴.
single pneumonia 한쪽 폐렴.
septic pneumonia 패혈성(敗血性) 폐렴.
〚L<Gk. ; ⇨ PNEUMON-〛

pneu·mon·ic [nju(:)mánik] *a.* 폐의 ; 폐렴의.

pneu·mo·ni·tis [njù:mənáitəs] *n.* (*pl.* **-nit·i·des** [-nítədì:z]) 〔醫〕 폐(장)렴.

pnéumono·ùltra·mìcro·scòpic·sílico-volcà·no·co·ni·ó·sis [-kòunióusəs] *n.* 〔醫〕 진폐(증(症)).

pnèumo·thórax *n.* 〔醫〕 기흉(氣胸)(증[술]).

P.N.G., PNG persona non grata (마음에 들지 않는 인물).

p-n junction [pí:én ⌐] *n.* 〔電子〕 (반도체의) pn 접합(接合).

-pnoea ☞ -PNEA.

Pnom Penh ☞ PHNOM PENH.

PNR passenger name record ; point of no return.
pnxt. pinxit.

po [póu] *n.* (*pl.* **pós**) 《口》 실내 변기, 요강(chamber pot). 〚*pot* ; 프랑스어 발음〛

Po *n.* [the ~] 포 강(江)《이탈리아 북부의 강》.

po. pole. **Po** 〔化〕 polonium. **P.O., p.o.** personnel officer ; petty officer ; pilot officer ; postal order ; post office ; post-office box ; purchase order ; 《美》 Province of Ontario ; public office(r). **po., p.o.** 〔野〕 put-out(s).

poach[1] [póutʃ] *vt.* **1** 밀렵(密獵)[밀어(密漁)]하다 ; (남의 토지 따위에) 침입하다 : ~ hares 산토끼를 밀렵하다. **2** 〔競〕 (유리한 위치를) 부정 수단으로 차지하다 ; 〔테니스〕 (파트너가 칠 수 있는 공을) 가로 채서 치다, 포치하다. **3** 짓밟다 ; (점토 따위)에 물을 타서 농도를 고르게 하다. **4** 《英方》 (손가락 · 막대 따위를) 찔러 꽂다〈*into*〉.
── *vi.* **1** [動/+前+名] 밀렵[밀어]하다 : go ~*ing* 밀렵[밀어]하러 가다 / ~ ***for*** game 사냥감 짐승이나 새를 밀렵하다. **2** [+*on*+名] (남의 토지 · 권리나 금렵지(禁獵地) 따위를) 침해하다 : ~ (***up***)***on*** another's field 남의 밭에 침입하다 / ~ (*up*) *on* a novelist's preserves 소설가의 영역을 침범하다. **3** 〔테니스〕 포치하다. **4** (길 따위가) 밟혀서 진창이 되다. **5** (물 따위를) 타서 농도를 고르게 하다. **~·er**[1] *n.* 밀렵[밀어]자 ; 침입[난입]자, 남의 구역을 침범하는 장사꾼.
〚C16 *poche*< ? F *pocher* to put in pocket (↓)〛

poach[2] *vt.* (달걀을 깨서) 끓는 물에 삶다[찌다, 반숙하다] : ~*ed* eggs 수란(水卵). **~·er**[2] *n.* 수란짜, 수란 냄비. 〚OF (*poche* POKE[2])〛

póachy *a.* 침수된, 습지의.

POB, P.O.B. post-office box(사서함).

po·bla·ci·on [pòublɑ:sióun] *n.* (*pl.* **-o·nes** [-óunes]) (칠레의) 슬럼가(街).
〚Sp.=village, settlement〛

po·bla·dor [pòublɑ:dɔ́:r] *n.* (*pl.* **-do·res** [-dɔ́:res]) poblacion의 주민.

PO Box [pí:òu ⌐] *n.* =POST-OFFICE BOX.

POC, P.O.C. port of call.

po·chard [póutʃərd] *n.* (*pl.* **~s**, ~) 〔鳥〕 (홍머리오리 비슷한) 흰죽지오리(의 일종). 〚C16<?〛

po·chette [pouʃét] *n.* **1** 조끼의 작은 호주머니. **2** 손잡이가 없는 소형 핸드백. **3** =KIT[2].
〚F ; cf. POCKET〛

pock [pák] *n.* 두창(痘瘡), 천연두, 마맛자국(cf. POX) ; 《卑》 매독 ; 《方》 작은 주머니(poke).
〚OE *poc* ; cf. G *Pocke*〛

◇**pock·et** [pákət] *n.* **1** 호주머니, 포켓 : a coat ~ 코트[상의]의 호주머니 / a ticket ~ 차표용 포

켓. **2** 소지금, ＝POCKET MONEY ; 자력(資力), 금전 : a deep ~ 충분한 자력, 부(富) (wealth) / an empty ~ 빈털터리 / pay out of one's ~ 자비로 지급하다. **3** 〔撞球〕 포켓《당구대의 네 구석과 양쪽에 있는 공 받는 곳》; 〔動〕 (캥거루 따위의) 배주머니. **4** (홉·양털 따위의) 한부대《168-224파운드》. **5** 〔空〕 ＝AIR POCKET ; 〔競走·競馬〕 포켓《다른 사람[말]에게 둘러싸인 불리한 위치》. **6** 움푹 들어간 곳, 둘러싸인 장소 ; 《美》 골짜기, 산계곡. **7** 〔軍〕 (적 점령하의) 고립지대 ; 〔볼링〕 포켓《헤드 핀과 그 옆 핀과의 사이》. **8** (기둥 따위의) 받이 구멍 ; 〔野〕 (미트(mitt)의) 포켓《공받는 부분》. **9** 광석 덩어리 ; 광혈 ; 광맥류. **10** [형용사적으로] 포켓용의 ; 포켓형[판(版)]의, 소형의, 휴대용의 : a ~ edition 포켓판 / a ~ glass 회중경(鏡) / ☞ POCKET MONEY / ☞ POCKET PISTOL / ☞ POCKET VETO.

be in*[*out of*] *pocket 수중에 있다[없다] ; (장사 따위에서) 벌고[밑지고] 있다.

burn* (*a hole in*) one*'s pocket ☞ BURN[1].

have. . .in* one*'s pocket …을 완전히 손아귀에 쥐고 있다, (남을) 마음대로 부리다.

keep* one*'s hands in* one*'s pockets 일하지 않고 있다, 게으름 피우고 있다.

live beyond* one*'s pocket 자력(資力)[수입] 이상의 생활을 하다.

pick a pocket 소매치기하다.

put* one*'s hand in* one*'s pocket 돈을 쓰다, 지급하다.

put* one*'s pride in* one*'s pocket 자존심을 억누르다[겉으로 나타내지 않다] (cf. *vt.* 3).

suffer in* one*'s pocket (금전상) 손해보다.

〈회화〉
I can't find my ticket. — Did you look in all your *pockets*? 「내 표가 안 보여」「호주머니는 다 뒤져 봤니」

—— *vt.* **1** 포켓에[주머니 속에] 넣다, 숨기다 ; 저장하다 : She ~*ed* some buttons. 단추를 포켓에 넣었다. **2** (보통 부정한 방법으로) 자기의 것으로 하다, 착복하다 : He ~*ed* all the funds. 자금을 모두 횡령했다. **3** (모욕 따위를) 참다, 마음에 두다 ; (감정을) 숨기다, 억누르다 : ~ an insult 굴욕을 참아내다 / ~ one's pride 자존심을 억누르다. **4** 《美》 (대통령·주지사가 의안을) 묵살하다 (cf. POCKET VETO) ; 〔競馬·競走〕 앞과 양쪽을 둘러싸서 방해하다. **5** 〔撞球〕 (공을) 포켓에 넣다 ; 〔機〕 상자[구멍]에 넣다.
〚AF (dim.) ‹POKE[2]〛

pócket·able *a.* 호주머니에 넣을 수 있는 ; 슬쩍 착복[횡령]할 수 있는 ; 숨길 수 있는.

pócket báttleship *n.* (나치스 독일의 1만톤급의) 소형 전함(戰艦).

pócket bèlt *n.* 〔服〕 포켓 벨트《하나 또는 두 개의 포켓이 있는 벨트》.

pócket bìlliards *n.* [보통 단수취급] 〔撞球〕 ＝ POOL[2] 2.

pócket·bòok *n.* **1 a**) 돈지갑, 지갑(wallet) ; 《美》 (여성용) 돈지갑, 핸드백. **b**) 주머니 사정, 수입, 자력(資力). **2** 《美》 문고책, 포켓북《포켓판형의 염가판》. **3** 《英》 수첩(notebook). —— *a.* 경제적 이해에 관계된, 금전적인.

pócket bòrough *n.* 〔英史〕 (한 사람[집안]의) 독점 선거구《1832년 선거 개정법으로 폐지》.

pócket cálculator *n.* 휴대용 계산기.

pócket·fùl *n.* (*pl.* **~s, póckets·fùl**) 포켓 하나 가득(한 분량) ; 《口》 많음 : a ~ of money 상당한 금액, 한밑천.

pócket gòpher *n.* 〔動〕 뒤쥐(gopher)《북미산》.

pócket-hándkerchief *n.* (호주머니에 넣어 두는) 손수건 ; 작은 것.

pócket·knìfe *n.* 주머니칼, 작은 나이프.

pócket·less *a.* 포켓이 없는.

pócket léttuce *n.* 《美俗》 돈, 사례(lettuce).

pócket lìtter *n.* 《美俗》 호주머니에 든 물건.

pócket mòney *n.* 《英》 아이들에게 주는 용돈 (cf. PIN MONEY) ; (일반적으로) 용돈.

pócket of póverty *n.* 빈곤[곤궁] 지구.

pócket pàrk *n.* (고층 건물들 사이에 있는) 작은 공원.

pócket párt *n.* 추록(追錄)《기간(旣刊)에 새 정보를 실은 것》.

pócket pìece *n.* (재수 좋으라고) 호주머니에 넣고 다니는 돈[부적 같은 것].

pócket pìstol *n.* (포켓용) 소형 권총 ; 《口·戲》 (위스키 따위의) 포켓용 술병.

pócket-sìze, -sìzed *a.* 포켓형[사이즈]의 ; 《口·비유》 좁은, 작은《시장》.

pócket vèto *n., vt.* 《美》 (대통령·주지사의) 의안 묵살[거부권] (cf. POCKET *vt.* 4) (하다).

póck·ety *a.* 〔鑛〕 광맥류(鑛脈瘤)의.

póck·màrk *n.* 마맛[곰보]자국. —— *vt.* …에 마맛자국을 남기다. **-màrked** *a.* 마맛[곰보]자국이 있는.

pócky *a.* 얽은, 마맛자국이 있는.

po·co [póukou] *adv., a.* 〔樂〕 조금(의).
***poco largo*[*presto*]** 조금 느리게[빠르게].
〚It.＝little〛

póco a póco [-ɑː-] *adv.* 〔樂〕 포코 아 포코, 조금씩, 점점. 〚It.〛

po·co·cu·ran·te [pòukoukjurǽnti ; -kju-] *a.* 무관심한, 부주의한, 열성이 없는. —— *n.* 열성이 없는[냉담한] 사람. **-rán·tism** [-tizəm], **~·ìsm** *n.* 무관심, 부주의, 무성의. 〚It.＝little caring〛

pod[1] [pád] *n.* **1** (완두콩 따위의) 깍지, 꼬투리. **2** (물개·상어 따위의) 작은 떼 ; (메뚜기의) 알주머니 ; (누에의) 고치 ; 《口》 배(belly). **3** 《美俗》 마리화나. **4** 〔空〕 포드《엔진·짐 따위를 넣어 두기 위한 날개[동체] 밑의 유선형 용기》; 〔宇宙〕 우주선의 분리 가능한 부분.
in pod 《俗》 임신하여.
—— *v.* (**-dd-**) *vi.* 꼬투리가 되다, 꼬투리를 맺다 ; 꼬투리가 생기다〈*up*〉. —— *vt.* …의 꼬투리를 까다, 깍지를 벗기다, 껍질을 제거하다.
pod up 《俗》 임신하여 배가 부르다.
pód·ded *a.* 꼬투리가 있는 ; 《비유》 살림이 넉넉한, 유복한.
〚역성(逆成) ‹*podware, podder* (dial.) field crops‹ ?〛

pod[2] *n.* (송곳 따위의) 세로홈. 〚? *pad*[1]〛

p.o.'d [píːòud] *a.* ＝PISSED off.

pod- [pád], **podo-** [pádou, -də] *comb. form* 「발(foot)」「발굽」「줄기」의 뜻.
〚Gk. (*pod- pous* foot)〛

-pod [pàd] *n. comb. form, a. comb. form* 「발(이 있는)」의 뜻 : cephalo*pod* ; deca*pod*. 〚Gk. (↑)〛

POD, P.O.D. pay on death ; 〔商〕 pay on delivery(현물 상환불) ; Pocket Oxford Dictionary ; port of debarkation ; 《美》 Post Office Department《후에 U.S.P.S.》.

-p·o·da [-́pədə] *n. pl. comb. form* 〔動〕 「…의 발이 있는 동물」의 뜻 : Cephalo*poda* 두족류(頭足類).
〚Gk. ; ⇨ -POD〛

po·dag·ra [pədǽgrə] *n.* Ⓤ 〔醫〕 발의 통풍.

po·dág·ral, po·dág·ric, po·dág·rous *a.*
pod·dy [pádi] *n.* 《濠》 (젖뗀) 송아지, 양새끼; 《英俗》 배불뚝이.
po·des·ta, -tà [pòudəstá:] *n.* **1** (중세 이탈리아 도시의) 집정관, 행정관. **2** (이탈리아 파시스트당에서 임명된) 시장《단 Rome와 Naples 제외》. 〖It.=power〗
podgy [pádʒi] *a.* (사람이) 땅딸막한(pudgy). **pódg·i·ness** *n.*
po·di·a·try [poudáiətri, pə-, -díə-] *n.* Ⓤ 〖醫〗 족병학(足病學), 족병 치료(chiropody). **-trist** *n.* 족병 전문 의사.
po·di·um [póudiəm] *n.* (*pl.* **~s, -dia** [-diə]) **1** 〖建〗 최하부의 토대석[주춧돌], 기둥 밑 받침돌; 칸막이한 벽. **2** 〖樂〗 (오케스트라의) 지휘대. **3** 〖動〗 다리; 〖植〗 입자루. 〖L (Gk. *podion* (dim.)‹*pod- pous* foot)〗
-po·di·um [póudiəm] *n. comb. form* (*pl.* **-po·dia** [póudiə]) 「…한 발이 있는 것」「발 모양의 부분(이 있는 것)」의 뜻: pseudo*podium.* 〖L (↑)〗
podo- [pádou, -də] ☞ POD-.
podo·phyl·lin [pàdəfílən] *n.* Ⓤ 〖藥〗 포도필린《podophyllum에서 얻는 황색 수지제(樹脂劑); 하제용(下劑用)》.
podo·phyl·lum [pàdəfíləm] *n.* (*pl.* **-phyl·li** [-fílai], **~s**) 포도필럼《약용 식물의 땅속줄기·작은 뿌리를 말린 것; 하제·쓸개즙 유동 촉진제로 이용됨》.
-p·o·dous [ˊ-pədəs] *a. comb. form* 「…한 발을 가진」의 뜻: hexa*podous.* 〖*-pod*+*-ous*〗
Po·dunk [póudʌŋk] *n.* 《美口》 작고 발전성 없는 읍(邑)[마을]. 〖Massachusetts 주(州)의 마을 또는 Connecticut의 지방 이름〗
pod·zol [pádzɔ(:)l, -zɑl], **-sol** [-sɔ(:)l, -sɑl] *n.* 포드졸《북미 북부 및 러시아 북부에 퍼져 있는 불모의 토양》. **pod·zól·ic, -sól-** *a.* **~·ìze** *vt., vi.* **~·izátion** *n.* 〖Russ.〗
Poe [póu] *n.* 포. **Edgar Allan** ~ (1809-49) 미국의 단편 소설 및 추리 소설 작가·시인.
POE, P.O.E. port of embarkation; port of entry.
‡**po·em** [póuəm] *n.* 시(詩); 운문(韻文); 시적 문장; 시취(詩趣)가 풍부한 글. 〖F or L‹Gk. (*poieō* to make)〗
po·e·sy [póuisi, -zi; -zi] *n.* Ⓤ 《古·詩》 시(poems, poetry), 운문(韻文)(verse); 《古·詩》 작시(作詩)(법); 《古·詩》 시재(詩才). 〖OF‹L‹Gk. (↑)〗
‡**po·et** [póuət] *n.* 시인, 가인(歌人). **póet·ess** *n. fem.* 〖OF‹L‹Gk.=maker; ⇨ POEM〗
poet. poetic; poetical(ly); poetics; poetry.
póet·àster *n.* 엉터리 시인.
*__po·et·ic__ [pouétik] *a.* **1** 시의, 시적인; 시의 소재가 되는; 시로 읊어진[유명한]: ~ diction 시어법, 시어/a ~ drama 시극. **2** 시인의, 시인다운; 시를 즐기는[좋아하는]: ~ genius 시재(詩才). **3** 낭만적인; 상상상(想像上)의; 창조적인. —— *n.* =POETICS.
po·ét·i·cal *a.* =POETIC; 이상화된. ㊟ 「시의」의 뜻으로는 보통 poetical, 「시적인」의 뜻으로는 보통 poetic을 씀. **~·ly** *adv.* **~·ness** *n.*
po·et·i·cism [pouétəsìzəm] *n.* (산문 중의) 시적 어법, 예스러운[진부한] 표현.
po·et·i·cize [pouétəsàiz] *vt., vi.* =POETIZE.
poétic jústice *n.* 시적 정의(正義), 권선징악(勸善懲惡)《시나 소설 속에 나타나는 인과 응보》.
poétic lícense *n.* 시적 허용《시적 효과를 올리기 위한 운율·문법·논리상의 파격이나 일탈》.
po·ét·ics *n.* 시학(詩學), 시론(詩論); [The P~] 「시학」《극시를 중심으로 한 Aristotle의 시론》; 시적 감정[표출].
po·et·i·cule [pouétəkjù:l] *n.* 소(小)시인(poetaster).
póet·ìze *vt., vi.* 시로 짓다, 시화(詩化)하다; 시를 짓다; 시적으로 말하다, 시로 읊다.
póet láureate *n.* (*pl.* **póets láureate, ~s**) 《英》 계관 시인《국왕 임명으로 왕실에 있으면서 궁정의 예식이나 국가적 사건에 관해 시를 지음》.
*__póet·ry__ *n.* **1** Ⓤ 시(가)(↔*prose*; cf. DRAMA, FICTION); 시작(법); 시집. **2** Ⓤ 시심(詩心), 시정(詩情); 시적 감동. 〖L (⇨ POET); *geometry* 따위에 준한 것인가〗
Póets' Córner *n.* **1** [the ~] 포에츠 코너《런던 Westminster Abbey의 일부로 영국의 대시인(大詩人)의 묘와 기념비가 있음》. **2** [the ~] 《戲》 (신문·잡지의) 시란(詩欄).
pó-fàced [póu-] *a.* 《英口·蔑》 짐짓 진지[심각]한 체하는.
po·gey, po·gie, po·gy [póugi] *n.* 《美俗》 복지 시설; 《美俗》 교도소; 《Can.俗》 (정부의) 실업 대책 사무소, 구제 자금, 실업 수당[보험 따위]; 《美俗》 (학생·군인의 부모나 친구가 보내는) 음식, 과자; (자선 사업으로서 무료로 배급되는) 음식; 《美俗》 호모. 〖C20=workhouse‹?〗
pógey[**pógie, pógy, póggie**] **bàit** *n.* 《美俗》 단것, 캔디.
pog·gie [pági] *n.* 《美俗》 신병. 〖cf. POGEY〗
pogie[1] ☞ POGY[1].
pogie[2] ☞ POGEY.
po·go [póugou] *n.* (*pl.* **~s**) 포고《용수철이 달린 죽마를 타고 뛰어노는 놀이》. 〖C20‹?〗
POGO Polar Orbiting Geophysical Observation (극궤도 지구 물리 관측 위성).
pógo effèct *n.* 〖로켓〗 포고 효과《액체연료 로켓의 발사 직후 일어나는 기축 방향의 진동》.
po·go·nia [pəgóuniə] *n.* 〖植〗 큰방울새난류.
pog·o·nip [págənìp] *n.* 《美西部》 세빙(細氷)이 섞인 짙은 안개. 〖Am. Ind.〗
po·grom [pəgrám, póugrəm; pɔ́grəm] *n.* (조직적·계획적인) 학살; (특히) 유태인 학살. —— *vt.* 조직적으로 대학살[파괴]하다. 〖Russ.=devastation〗
po·gy[1], **po·gie** [póugi] *n.* 〖魚〗 =MENHADEN.
pogy[2] ☞ POGEY.
poi[1] [pɔ́i, póui] *n.* (*pl.* **~, ~s**) (하와이의) 타로토란(taro) 요리. 〖Haw.〗
poi[2] *n.* (*pl.* **~, ~s**) 포이《마오리 인(人)이 노래·댄스에 맞추어 실을 달아 돌리는 작은 볼; 마(麻)·갈대 따위가 보통》. 〖Maori〗
-poi·e·sis [pɔiíːsəs] *n. comb. form* (*pl.* **-ses** [-si:z]) 「산출」「생성」「신생(新生)」의 뜻: hemato*poiesis.* 〖Gk.〗
-poi·et·ic [pɔiétik] *a. comb. form* 「산출하는(creative)」의 뜻. 〖Gk.; ⇨ POEM〗
poi·gnant [pɔ́injənt; -nənt] *a.* **1** 매서운, 날카로운, 격렬한; 마음에 강하게 호소하는. **2** 신랄한; 통쾌한. **3** (맛이) 톡 쏘는, 매운, 혀[코]를 자극하는. **~·ly** *adv.* **pói·gnan·cy** *n.* 〖OF (pres. p.)‹*poindre* (L POINT)〗
類義語 ⟹ MOVING.
poi·kil- [pɔikí(:)l, pɔ́ikəl], **poi·kilo-** [-lou, -lə] *comb. form* 「가지각색의」「변화가 있는」의 뜻. 〖Gk.〗

poikílo·thèrm *n.*〔動〕변온동물, 냉혈동물.

pòikilo·thérmic, -thérmal *a.*〔動〕(환경에 따라) 체온이 변하는, 변온성(變溫性)의, 냉혈(동물)의.

poi·lu [pwɑ́ːluː, -∸; *F* pwaly] *n.* (제1차 대전에서의) 프랑스 군인. 〖F=hairy, haired〗

poind [pɔ́ind] 《스코》 *vt.* (채무자의 재산을) 압류하여 경매에 부치다 ; (재산 따위를) 몰수[압수]하다. ── *n.* 동산 압류(distraint). 〖OE *pyndan* to impound〗

poin·dex·ter [pɔindékstər] *n.* 《美俗》 머리가 좋은 사람, 수재, 천재.

poin·set·tia [pɔinsétiə] *n.*〔植〕(멕시코산) 홍성초, 포인세티아《크리스마스 장식용》. 〖J. R. *Poinsett* (d. 1851) 미국의 외교관〗

◇**point** [pɔ́int] *n.* **1 a**) 첨단, 날카로운 끝, 칼날의 끝, 바늘끝 ; 《廢》 끝이 뾰족한 무기. **b**) 선단, 끝 ; 턱의 끝부분《권투선수의 급소》; 《美》 펜촉. **c**) 돌출부, 곶(串)《때로는 지명(地名)》. **d**) 뾰족한 데, 가장자리(끝) ; (사슴의) 뿔가지 : grow to a ~ 끝이 가늘어지다[뾰족해지다]. **e**)〔軍〕첨병(尖兵), 노상 척후(路上斥候)《전위 첨병의 전방 또는 후위 첨병의 후방을 전진하며 정찰·경계 임무를 맡음》; (총검술[교련]·전투에 있어서의) 찌르기 ; 《美俗》 (범죄 행위할 때의) 망꾼 ;〔電〕접점, 포인트.
2〔文法〕구두점(句讀點) (=punctuation ~), 마침표(period) ;〔數〕점, 소숫점(=decimal ~) ;〔樂〕점, 부점(附點) ; 스타카토 ; (점자법(點字法)의) 점.
3 a) 한 곳, 일점, 일부분, 지점, 개소 ; 자리, 장소, 지위 ;〔크리켓〕위켓 우측 조금 앞의 야수(의 자리) ;〔機〕(기계 각 부분을 움직이는) 점, 포인트 ; 《口》 정거장, 정류소 ; (시간의) 특정한 때, 시점 ; (결정적인) 순간 : the culminating ~ 정점(頂點), 위기 / when it comes to the ~ 만일의 경우에. **b**) (정신적인) 점, 사항, 문제 : a ~ *of* conscience 양심의 문제 / a ~ *of* honor 명예에 관한 문제 / a ~ *of* order 의사 진행에 관한 문제.
4 a)〔天·數〕점(點) ;〔컴퓨〕점 ; (원근법(遠近法)의) 점 ;〔競馬〕표점(標點). **b**) (사냥개가) 사냥감의 위치를 가리키는 일[자세]. **c**) 《美》 (학과목의) 단위(credit) ;〔美軍〕종군 점수(從軍點數) ; (배급의) 점수.
5 a) [보통 the ~] 문제되는 점, 주안점 : keep [stick] to *the* ~ 요점을 벗어나지 않다 / What is *the* ~ *of* the story? 그 이야기의 요점은 무엇인가 / *The* ~ is that we are short of funds. 문제는 자금이 모자란다는 것이다. **b**) 특징, 특질. **c**) Ⓤ [+前+do*ing*] 목적, 취지, 의미 : There's no ~ [not much ~] ***in*** giv*ing* him advice. 그에게 충고를 하는 것은 의미[그다지 의미]가 없다. **d**) Ⓤ 효과, 적절함(effectiveness) : a criticism that lacks ~ 요점이 없는 비평, 정곡을 찌르지 못한 비판. **e**) (이야기·경구(警句) 따위의) 급소, 매듭, 묘미, 진의(眞意). **f**) 암시, 시사(hint, suggestion) 〈*on*〉.
6 a) (시합의) 득점, (채점·평점의) 점수. **b**)〔海〕방위(方位), 포인트《나침반 주위의 32점의 하나, 두개의 포인트 사이의 각도 ; 11° 15′》. **c**) (온도의) 도(度) : the freezing[boiling] ~ 어는[끓는]점. **d**)〔印〕포인트《활자 크기의 단위 ; 1인치의 약 1/72》. **e**)〔金融〕포인트《물가·증권시세 따위를 부호로 부를 경우》.
7 [보통 *pl.*]〔英鐵〕포인트, 전철기(轉轍機)(switch).
8 [*pl.*] (말·개·돼지 따위의) 사지(四肢), 귀, 꼬리《따위》.
9 바늘 ;〔編物〕뜨개질 바늘 ; =POINT LACE.
10 [*pl.*] (발레·댄스의) 발끝으로 선 자세.

at all points 어떤 점에 있어서도, 철저하게.
at the point of …하려는 찰나에, 바야흐로 …하려고 하여(on the point of) : The old man was *at the* ~ *of* death. 그 노인은 바야흐로 임종의 순간에 있었다.
at the point of the bayonet ☞ BAYONET.
at the point of the sword ☞ SWORD.
beat. . .on points〔拳〕득점[판정]으로 … 에게 이기다.
beside the point 요점을 벗어나.
carry [***gain***] one***'s point*** 목적을 달성하다, 주장을 관철하다.
come to a point (사냥개가) 우뚝서서 사냥감 쪽을 노려보다 ; 끝이 뾰족해지다.
come [***get***] ***to the point*** 요점에 들어서다, 중요한 대목에 이르다.
from point to point 하나하나 차례로, 순서대로 ; 상세히.
gain a point 한 점을 얻다, 우세해지다.
give points to a person=***give*** a person ***points*** 남에게 유리한 조건을 주다 ; 《비유》 남보다 낫다 ; 남에게 조언을 하다.
in point 적절한 : I believe this is a case *in* ~. 이것이 적절한 사례라고 생각한다.
in point of …에 대하여 : *in* ~ *of* fact ☞ FACT.
make a point (1) (의논 따위에서) 주장의 정당함을 밝히다, 남을 승복시키다. (2) (도박에서) 성공하다, 멋지게 목적을 달성하다.
make a point of (1) [동명사를 수반하여] 반드시 …하다 : He *made a* ~ *of* never be*ing* late. 그는 한번도 지각한 적이 없었다. (2) [때때로 동명사를 수반하여] …을 주장[강조·중요시]하다 ; …하는 것을 강조하다 : Father *made a* great ~ *of* our return*ing* home on time. 아버지는 우리에게 정시에 귀가하라고 엄명하셨다.
make it a point to do=*make a* POINT *of* (☞ (1)) : I *make it a* ~ *to* shine my shoes every morning. 아침마다 (반드시) 구두를 닦는다.
make one***'s point*** =*carry* one*'s* POINT.
make [***score***] ***points*** 《俗》 (1) 윗사람에게 환심사다, 「점수를 따다」. (2) (어떤 분야에서) 성적을 올리다, 진보하다.
not to put too fine a point on it ☞ FINE[1].
off the point 요점을 벗어나.
on the point of. . . [보통 동명사를 수반하여] (막) …하려고 하는 : He was *on the* ~ *of* leav*ing*. 그는 막 떠나려던 참이었다.
point by point 일일이, 자세히.
point for point 하나하나[자세히] (비교하여).
the points of the compass 나침반의 32방위《N, NbE, NNE, NEbN, NE, NEbE, ENE, EbN, E, EbS, ESE, SEbE, SE, SEbS, SSE, SbE, S, SbW, SSW, SWbS, SW, SWbW, WSW, WbS, W, WbN, WNW, NWbW, NW, NWbN, NNW, NbW》.
prove a point=***make a*** POINT (1).
to the point 적절한.
to the point of …라고 말해도 좋을 정도로.

〈회화〉
How did your exams go? — I got good *points* in every subject. 「시험은 어땠니」「모든 과목에서 좋은 점수를 받았어」

—— *vt.* **1** 뾰족하게 하다, 예리하게 하다, 깎다 (sharpen) : ~ a pencil 연필을 깎다. **2** …에 구두점을 찍다(punctuate) ; (숫자에) 소숫점을 찍다 ; 〖樂〗…에 점을 찍다. **3** (충고·교훈 따위를) 강조하다, …에 힘[세력]을 북돋우다(cf. POINT *up*). **4** [+目+前+名] **a**) 향하게 하다 : I ~*ed* my camera ***at*** him. 그에게 카메라를 들이댔다 / The sufferer ~*ed* his finger *at* a man running away. 피해자는 도망가는 사람을 손가락으로 가리켰다. **b**) (남의) 주의를 돌리게 하다 : He ~*ed* her ***to*** the seat. 그녀에게 앉도록 자리를 가리켰다. **5** (사냥개가 사냥감 쪽을) 가리키다(cf. *vi.* 3). **6** 〖石工〗(벽돌 쌓기 따위의) 이은 틈에 회반죽[시멘트]을 바르다. —— *vi.* **1** [+前+名] 가리키다, 지시하다 : He ~*ed* ***to*** the sails on the horizon. 그는 수평선상의 돛배를 가리켰다 / The magnetic needle ~*s to* the north. 자침(磁針)은 북쪽을 가리킨다 / She ~*ed* ***at*** a dark corner of the cave. 그녀는 동굴 속의 어두운 구석을 가리켰다. **2** [+副/+前+名] (어떤 방향으로) 향하고 있다 : The big signboard ~*ed south*[~*ed* ***to*** the south]. 그 커다란 게시판은 남쪽을 향하고 있었다. **3** (사냥개가) 멈추어 서서 사냥감의 위치를 가리키다(cf. POINTER 2). **4** (농양(膿瘍) 따위가) 곪아서 터질려고 하다.

point off (숫자를) 소숫점으로 끊다(cf. *vt.* 2).

point out [+目/+目+前+名/+目+目/+*that* 節] 지시[지적]하다 : They ~*ed out* our advantages. 우리들의 장점을 지적했다 / *P~ out* any errors ***to*** me. 잘못이 있다면 무엇이든 지적해 주십시오 / I ~*ed out that* the account must be settled at once. 계산은 즉시 청산(淸算)되어야 한다고 지적했다.

point up 강조하다, 두드러지게 하다.

〖F<L (*punct-pungo* to prick) ; cf. PUNGENT〗

póint-blánk *a., adv.* 직사(直射)의[로] ; 정면의[으로], 노골적인[으로], 솔직하게, 단도직입적인[으로] : fire at ~ range=fire ~ 직사하다 / a ~ shot 직사 / a ~ refusal 딱 잘라서 하는 거절.

póint brèak *n.* 〖서핑〗곶·제방 따위의 돌출부에 부딪혀 부서지는 파도.

póint cònstable *n.* 《英》교통 경찰.

póint còunt *n.* 〖브리지〗득점 계산 ; (개인의) 총득점.

point d'ap·pui [*F* pwɛ̃ dapɥi] *n.* (*pl.* **points d'appui** [—]) 지점(支點), 근거지, 거점(據點), 작전 기지 ; (의논 따위의) 근거.

póint defènse *n.* 〖軍〗국지[거점] 방어, 개함(個艦) 방어.

point-de·vice, -de·vise [pɔ̀intdiváis] *a., adv.* 《古》아주 정확한[하게].

póint dùty *n.* 《英》(교통 경찰의) 입초(立哨) ; (네거리에서의) 교통 정리 (근무) (cf. BEAT[1] *n.* 3, POINTSMAN) : on ~ till 3 P.M. 오후 세 시까지 교통 정리 당번으로.

póint·ed *a.* **1** 뾰족한, 예리한, 날카로운 : a ~ beak 날카로운 부리. **2** (말이) 명쾌한 ; 신랄한, 빗대어 말하는(aimed) ; 명백한, 노골적인. **3** (주의력 따위가) 집중한.

~·ly *adv.* **~·ness** *n.*

póint·er *n.* **1** 가리키는 사람[것]. **2** 포인터종의 사냥개(cf. SETTER, POINT *vi.* 3). **3** (시계·저울 따위의) 바늘, 지침(指針) ; (교사 등이 지도·칠판 따위를 가리키는) 막대기 ; 〖컴퓨〗알리개, 지시자, 지시기. **4** [the P~s] 〖天〗지극성(指極星) 《큰곰자리의 알파(α), 베타(β)의 두 별 ; 이 두 별 사이의 거리를 왼쪽으로 다섯 배 연장시킨 곳에 북극성이 있음》. **5** 《口》가르침, 지침, 시사(示唆), 조언. **6** [P~] 《美》WEST POINT 육군사관학교 생도. **7** 〖軍〗조준수(照準手). **8** 〖鐵〗전철기(轉轍機)의 손잡이.

póint éstimate *n.* (점추정(點推定)에 의한) 추정값[치(値)].

póint estimátion *n.* (통계적 추정(推定)에서) 점추정.

Póint Fóur *n.* 포인트 포《미국의 개발 도상국 원조 계획 ; Truman 대통령이 1949년 연두 교서에서 내세운 제4항목의 정책》.

póint-hèad *n.* 《美俗》똘마니, 졸개 ; 바보, 어리석은 놈.

poin·til·lism [pwǽntəlìzəm, pɔ́in-] *n.* Ⓤ 〖美術〗점묘(點描) 화법(cf. DIVISIONISM). **-list, -liste** [-ləst] *n., a.* 점묘화가[화법의].

póint·ing *n.* Ⓤ 뾰족하게 하기 ; 지시 ; 구두법(句讀法) ; 〖建〗이음새를 회반죽으로 바르기.

póinting devìce *n.* 〖컴퓨〗디스플레이상의 점(부분)을 가리키는 장치.

póint in tíme *n.* 《美》(특정한) 때 : at that ~ =then.

póint làce *n.* 손으로[바늘로] 뜬 레이스(needle point).

póint·less *a.* **1** 끝이 무딘, 둔한. **2** 쓸데없는, 무의미한, 요령이 없는. **3** 〖競〗쌍방 무득점의, 영대영의. **~·ly** *adv.* **~·ness** *n.*

póint màn *n.* **1** 〖美軍〗정찰대의 선두에 서는 척후병. **2** 《美俗》(범죄 행위시의) 망을 보는 사람(point) ; (적측과의) 대표 교섭인.

póint mutàtion *n.* 〖遺〗점(點) 돌연변이.

póint of depárture *n.* (토론의) 출발점 ; 〖海〗기정점(起程點).

póint of nó retúrn *n.* 〖空〗귀환 불능 지점 ; 뒤로는 물러날 수 없는 입장.

póint of púrchase *n.* 구매 시점《略 P.O.P.》.

póint-of-púrchase *a.* 구매 시점의 ; =POINT-OF-SALE(S).

póint-of-sále(s) *a.* 매장(賣場)[점두]의, 판매 촉진용의, POS《컴퓨터를 써서 판매 시점에서 판매 활동을 관리하는 시스템》의.

póint of víew *n.* 관점, 견지(見地), 입장 ; 견해, 의견.

póint per válue *n.* 평가(平價).

póint sèt *n.* 〖數〗점집합.

póints·màn [ˌ-mən] *n.* 《英》**1** (철도의) 전철수(轉轍手)(switchman). **2** (서서 교통 정리를 하는) 교통 경찰(cf. POINT DUTY).

póint-swìtch *n.* 〖鐵〗전철기(轉轍機).

póint sỳstem *n.* **1** (맹인(盲人)의) 점자법. **2** 〖印〗포인트식. **3 a**) 〖敎〗성적 평점제, 학점제. **b**) (자동차 운전수의 교통 규칙 위반 때 매기는) 점수제. **4** 〖經營〗(일의 성과에 따른 급여 지급의) 점수제(點數制).

póint tìe *n.* 〖鐵〗분기 침목(分岐枕木).

póint-to-póint nètwork *n.* 〖通信〗두 지점간 네트워크.

póint-to-póint (ràce) *n.* 크로스컨트리 경마.

póinty *a.* (비교적) 뾰족한 ; 끝이 약간 뾰족한 ; 여기 저기 뾰족한 데가 있는.

póinty-hèad *n.* 《美口·때때로 蔑》인텔리겐치아 ; 이류 지식인 ; =POINT-HEAD.

póinty-héad·ed *a.* 《美口·때때로 蔑》인텔리겐치아의, 지식인인 체하는, 학자연하는 ; 이류 지식인의.

poise[1] [pɔ́iz] *vt.* [+目/+目+前+名] **1** 균형잡히게 하다, …의 균형을 잡게 하다, 안정시키다

(balance) : ~ oneself ***on*** one's toes (똑바로) 발끝으로 서다 / ~ a water jug *on* the head 머리 위에 물동이를 가만히 놓다. **2** (신체의 일부를 어떤 자세로) 유지하다, (자세를) 취하다 : She ~*s* her legs elegantly. 발을 올려 놓은 폼이 우아하다 / The athlete ~*d* the weight ***in*** the air. 그 운동 선수는 역기(力器)를 높이 들어 올렸다. — *vi.* 균형이 잡히다 ; (새 따위가) 하늘을 날다 (hover). — *n.* **1** Ⓤ 균형이 잡힘, 평형, 밸런스. **2** Ⓤ 미결[미정] 상태, 미결정 ; (새 따위가) 공중을 맴돎. **3** Ⓤ 평정 ; 안정, 침착. **4** 몸가짐, 태도. **5** 분동(分銅), 추. **~d** *a.* 침착한 ; 균형 잡힌 ; 태세를 갖춘〈*for*〉; 흔들리는 ; 공중에 뜬. 〖OF<L (*pens- pendo* to weigh)〗

poise[2] [pwɑ́:z] *n.* 〔理〕 푸아즈(점도(粘度)의 cgs 단위 ; 기호 P). 〖J. L. M. *Poise*uille (d. 1869) 프랑스의 물리학자〗

‡poi·son [pɔ́izən] *n.* **1** Ⓤ,Ⓒ 독(약) : a deadly ~ 극약(劇藥) / kill oneself by taking ~ 독약을 마시고 자살하다. **2** Ⓤ,Ⓒ (해)독 ; 폐해 ; 해로운 주의[설·영향] : a ~ *to* morals=a moral ~ 풍기(風紀)를 문란케 하는 것. **3** 《口》 독주. **4** (원자로의) 유독물질, 유해 물질. **5** 〔化〕 촉매[효소]의 작용을 억지하는 물질.
hate. . .like poison …을 몹시 미워하다.
— *a.* 유독한, 유해한 : a ~ fang 독아(毒牙).
— *vt.* **1** …에 독을 넣다[바르다] ; 독살하다. **2 a**) 악풍에 물들게 하다, 타락시키다 ; 망치다 : Many movies ~ the mind of boys and girls. 많은 영화가 소년 소녀의 마음을 해치고 있다. **b**) [+目+*against*+名] (…에 대해) …에게 편견을 가지게[품게] 하다 : That ~*ed* his mind ***against*** me. 그 일로 그는 나에게 편견을 가지게 됐다. **3** 〔生化〕 (촉매·효소)의 힘을 없게 하다 [줄이다]. **~·er** *n.* 해독자, 유해물 ; 독살자. 〖OF<L=drink ; ⇨ POTION〗

póison dógwood[**élder**] *n.* 〔植〕 =POISON SUMAC.
póison gás *n.* 〔軍〕 독가스.
póison hémlock *n.* 〔植〕 코니움초 ; 독미나리.
póison·ing *n.* Ⓤ 독살 ; 중독 : lead ~ 납중독.
póison ívy *n.* 〔植〕 덩굴옻나무.
póison óak *n.* =POISON IVY ; =POISON SUMAC.
***póison·ous** *a.* 유독[유해]한, 악취를 풍기는 ; 악의가 있는 ; 《口》 몹시 불쾌한.
póison-pén *a.* (남을) 중상할 목적으로 익명으로 쓴 (편지의).
póison píll *n.* 〔美經營〕 기업 매수에 대한 방어책의 하나.
póison súmac *n.* 〔植〕 옻나무의 일종.
Pois·són distribùtion [pwɑ:sóun-, pwɑ́:sn-] *n.* 〔統〕 푸아송 분포.
〖S. D. *Poisson* (d. 1840) 프랑스의 수학자〗
Poissón's rátio *n.* 〔理〕 푸아송 비(比). 〖↑〗

poke**[1] [póuk] *vt.* **1** [+目/+目+前+名] (손가락·막대 따위의) 끝쪽으로 찌르다 ; 끝으로 찔러 구멍을 내다 : The rogue ~*d* him ***in the ribs. 그 악한은 그의 옆구리를 찔렀다 / Somebody has ~*d* a hole *in* the paper screen. 누군가 미닫이 창호지에 구멍을 뚫었다. **2** 《口》 [+目/+目+前+名/+目+副] (뿔·코·막대 따위를) 들이대다, 쑥 내밀다, 찔러 넣다 : The boy ~*d* the stick ***through*** the bars of the cage. 소년은 우리의 쇠창살 안으로 막대를 쑥 찔러 넣었다 / Never ~ your head ***out of*** the window. 절대로 창밖으로 머리를 내밀어서는 안된다 / He ~*d* his finger ***in***[***out***]. 손가락을 밀어 넣었다[밀어 내었다]. **3** [+目/+目+副] (묻어둔 숯불을) 쑤셔서 피어오르게 하다 : He ~*d* the fire ***up***. 불을 쑤셔서 피어오르게 했다. **4** [~ one*self* 로] 갑갑한 곳에 가두다〈*up*〉. — *vi.* **1** [+副/+前+名] 찌르다, 쑤시다 ; 튀어나오다, 찾다, 조사하다 〈*around, about*〉; 쓸데없이 (말)참견하다 〈*into*〉; …을 꼬치꼬치 캐다 : It is impolite to ~ ***into***[~ ***about for***] another person's business. 남의 일을 꼬치꼬치 캐묻는 것은 실례되는 일이다. **2** 우물쭈물하다, 빈둥거리다, 어슬렁거리다.
poke and pry 꼬치꼬치 캐다.
poke fun at ☞ FUN.
poke one***'s nose into. . .*** ☞ NOSE *n.*
— *n.* **1** 찌름, 쑤셔댐〈*in*〉; 팔꿈치로 찌르기. **2** 게으름뱅이, 꾸물대는 사람. **3** 포크 보닛(=~ **bònnet**)《앞차양이 얼굴을 가릴 정도로 쑥 나온 여성용 모자》. **4** 〔컴퓨〕 집어넣기.
pók·able *a.* 찌를 수 있는, 격려할 수 있는. 〖MDu., MLG *poken*< ?〗

poke[2] *n.* 《古·方》 포켓, 작은 주머니.
buy a pig in a poke ☞ PIG.
〖OF (dial.) ; cf. POUCH〗
poke[3] *n.* =POKEWEED.
póke·bèrry [ˌ-bəri] *n.* =POKEWEED ; 그 열매.
póke-òut *n.* 《美俗》 (뒷문에서 구걸하는 부랑자에게 주는) 음식물 봉지 ; (나무나 숯을 연료로 하는) 야외 식사 (파티), 야외 식사를 하는 하이킹[캠프 여행].
pok·er[1] [póukər] *n.* **1** 찌르는 사람[것] ; 부지깽이 : (as) stiff as a ~ (태도 따위가) 몹시 딱딱한. **2** 낙화(烙畫)도구. **3** 《英學俗》 대학 부총장의 권표. **4** 《稀》 도깨비. — *vt.* (도안을) 낙화(烙畫)로 마무리하다. 〖POKE[1]〗
po·ker[2] *n.* 〔카드놀이〕 포커. 주 포커에서의 약(約)의 순위는 높은 것으로부터 다음과 같음 : (1) five of a kind (2) royal flush (3) straight flush (4) four of a kind (5) full house (6) flush (7) straight (8) three of a kind (9) two pairs (10) one pair. 〖C19< ? ; cf. F *poque* card game, G *pochen* to brag〗
póker dìce *n.* 포커 다이스《주사위의 각(各)면에 점 대신에 카드의 ace, king, queen, jack, ten, nine을 각각의 그림이나 표시로 나타낸 것》; 포커 다이스를 사용하는 게임.
póker fàce *n.* 《口》 (포커를 하는 사람이 속셈이 드러나지 않게 하는 표정에서) 무표정한 얼굴(인 사람).
póker-fáced *a.* 무표정한.
po·ke·ri·no [pòukəríːnou] *n.* (*pl.* **~s**) 《美俗》 (건 돈이 적은) 포커 ; 쩨쩨한 게임[거래], 인색한 놈.
póker·ish *a.* 막대기 같은, 딱딱한 ; 무서운, 무시무시한, 섬뜩한.
póke·ròot, -wèed *n.* 〔植〕 미국자리공《뿌리는 약용》.
póker wòrk *n.* =PYROGRAPHY.
po·key[1], **poky**[1] [póuki] *n.* 《美俗》 구치소, 감옥 (jail). 〖POKY[2]〗
poky[2], **pok·ey**[2] [póuki] *a.* 《口》 **1** (사람이) 원기가 없는, 굼뜬(dull). **2** (방 따위) 비좁은, 자그마한(petty). **3** (의복 따위) 초라한 ; (일 따위) 변변치 않은. **pók·i·ly** *adv.* 〖POKE[1]〗
pol [pɑ́l] *n.* 《美口·蔑》 정치가.
Pol. Poland ; Polish. **pol.** political ; politician ; politics.
POL 〔軍〕 petroleum, oil, and lubricants ; 〔컴퓨〕 problem oriented language(문제 전용 프로그램 언어).

po·lac·ca [poulǽkə], **po·la·cre** [poulɑ́:kər] *n.* (이전에 지중해를 항해한) 돛대가 세 개인 상선.
Po·lack [póulæk] *n.* 《古》 폴란드 사람 ; 《美俗·蔑》 폴란드계 사람.
Po·land [póulənd] *n.* 폴란드《유럽 중동부의 공화국 ; 略 pol. ; 수도 Warsaw》. **~·er** *n.* 폴란드 사람(Pole).
Póland Chína *n.* 〖動〗 폴란드 차이나 종(種) (의 돼지)《미국 원산(原産)의 큰 흑백얼룩돼지》.
po·lar [póulər] *a.* **1** 남[북]극의, 극지(極地)의 ; 극지에 가까운. **2** 극성(極性)의 ; 〖電〗 음[양]극을 가진 ; 자극(磁極)의 ; 〖化〗 이온화한. **3** 〖數〗 극선(極線)의. **4** (성격·경향·행동 따위) 정반대의. **5** 중추의, 중심적인. —— *n.* 〖數〗 극선. 〚F or L (POLE[2])〛
pólar áxis *n.* 〖數〗 기선(基線) ; 〖天〗 (망원경의) 극축.
pólar bèar *n.* 〖動〗 흰곰, 북극곰.
pólar bódy *n.* 〖生〗 극체(極體).
pólar cáp *n.* 〖天〗 화성의 극관(極冠).
pólar céll *n.* 〖生〗 극(極)세포.
pólar círcle *n.* [the ~] (남·북의) 극권(極圈).
pólar coórdinate *n.* 〖數〗 극좌표.
pólar cúrve *n.* 〖數〗 극좌표 곡선.
pólar dístance *n.* 〖天〗 극거리(極距離).
pólar equátion *n.* 〖數〗 극방정식.
pólar frònt *n.* 극전선(極前線).
po·lar·im·e·ter [pòulərímətər] *n.* 편광계(偏光計). **pò·lar·ím·e·try** *n.* 편광 측정(법). **po·lari·met·ric** [poulærəmétrik] *a.*
Po·lar·is [pəlǽrəs, -lɑ́:r-] *n.* **1** 〖天〗 북극성(the polestar). **2** 〖美海軍〗 폴라리스《잠수중인 잠수함에서도 발사할 수 있는 중거리 탄도탄》.
po·lári·scòpe [poulǽrə-] *n.* 〖光〗 편광기(偏光器). **po·làri·scóp·ic** [-skɑ́p-] *a.*
po·lar·i·ty [poulǽrəti] *n.* **1** Ⓤ 〖理〗 양극성(兩極性) ; 전기의 양성(兩性) ; (음·양) 극성 ; 자성(磁性) 인력 : magnetic ~ 자극성(磁極性). **2** Ⓤ (주의·성격 따위의) 분극성, 정반대, 양극성, 양극단(端), 대립.
pòlar·izátion *n.* Ⓤ 〖理〗 극성(極性)을 생기게 하기 ; 〖電〗 성극(成極) 작용 ; 〖光〗 편광(偏光) ; 《비유》 분극화, 대립.
pólar·ìze *vt.* **1** 〖理〗 …에 극성(極性)을 주다, 분극하다 ; 〖光〗 편광시키다 : ~*d* light 편광. **2** 분극화[분열, 편향, 대립]시키다 ; (말 따위에) 특수한 뜻을 갖게 하다. —— *vi.* 극성을 얻다, 편광하다 ; 분극화[분열, 편향, 대립]하다.
pólar·ìz·er *n.* 〖理〗 편광자(子).
pólar líghts *n. pl.* [the ~] 극광.
pólar·ly *adv.* **1** 극(지)처럼, 극 쪽으로. **2** 자기(磁氣)를 갖고[띠고] ; 음양의 전기를 갖고[띠고] ; 대극선(對極線)으로써. **3** 정반대로.
Po·láro·gràph [poulǽrə-] *n.* 폴라로그래프《전기분해 반응의 분석 측정 장치 ; 상표명》.
po·lar·og·ra·phy [pòulərɑ́grəfi] *n.* Ⓤ 폴라로그래피《전기 분해 자기법(自記法)》.
Po·lar·oid[1] [póulərɔ̀id] *n.* 《상표명》 **1** 폴라로이드《인조 편광판의》. **2** 폴라로이드 카메라《촬영과 현상·인화 제작이 카메라 안에서 이루어짐》. **3** [*pl.*] 폴라로이드 안경.
Polaroid[2] *n.* 《CB俗》 경찰의 자동차 속도 측정 장치(裝置).
pólar órbit *n.* 극궤도.
Pólar Régions *n. pl.* [the ~] 극지방.
pólar sátellite *n.* 극궤도 위성.
Pólar Séa *n.* [the ~] 남극해, 북극해.
pólar stár *n.* [the ~] 북극성.
Po·la·vi·sion [póuləvìʒən] *n.* 폴라비전《자동 현상 영사기 ; 상표명》.
pol·der [póuldər, pɑ́l-] *n.* (네덜란드 해안의 해면보다 낮은) 매립 간척지, 폴더. 〚? MDu.〛
‡**pole**[1] [póul] *n.* **1** 막대기, 장대, 기둥 ; (장대 높이뛰기의) 장대[폴] ; (스키의) 스톡. **2** 돛대, 마스트 ; (전차의) 폴. **3** (이발소의) 간판 기둥(= barber's ~) ; (수레의) 채, 나룻. **4** 폴《길이의 단위 5.03m ; 면적의 단위 25.3 m^2》.
under bare poles 〖海〗 돛을 올리지 않고.
up the pole 《英口》 미쳐서, 취하여 ; 진퇴양난에 빠져.
—— *vt.* **1** 막대기로 밀다⟨*off*⟩, (배 따위를) 삿대질하여 나가게 하다. **2** 막대기로 떠받치다, 기둥으로 지탱하다 ; …에 장대[기둥]를 세우다 ; 막대기로 (짐 따위를) 메다. **3** 막대기[장대]로 뛰어오르다[뛰어넘다]. —— *vi.* 막대기[장대]를 사용하다 ; 삿대질하여 나아가다.
〚OE *pāl* < L PALE[2] ; cf. G *Pfahl*〛
***pole**[2] *n.* **1** 〖天·地〗 극(極) ; 극지 ; 북극성 : the North[South] *P*~ 북[남]극. **2** 전극(電極) ; 자극(磁極)(=magnetic ~) ; (전지(電池) 따위의) 극판(極板), 극선(極線) ; 〖數〗 극(極) : the positive[negative] ~ 양[음]극. **3** 극단, 정반대.
be poles asunder[***apart***] (의견·이익 따위가) 정반대다, 극단적으로 다르다.
〚L<Gk.=axis, pivot〛
Pole *n.* 폴란드인 ; [the ~s] 폴란드 국민.
〚G<Pol.=field dwellers〛
póle·àx | **póle·àxe** *n.* 〖史〗 전부(戰斧), (도살용) 큰 도끼, 도끼, 쌍날 창. —— *vt.* (동물을) 도끼로 세게 쳐서 넘어뜨리다, 전부(戰斧)로 베어 쓰러뜨리다[죽이다].
〚MDu., MLG ; ⇨ POLL[1], AXE〛

poleax

póle bèan *n.* 《美》 덩굴성(性)의 강낭콩.
póle càt *n.* 《CB俗》 경찰의 패트롤카, 순찰차.
pole·cat [póulkæ̀t] *n.* (*pl.* **~s**, ~) 〖動〗 긴털족제비《악취나는 족제비의 일종》 ; 《美》 〖動〗 =SKUNK.
〚C14< ? ; OF *pol* cock (L *pullus*)를 습격하는 *cat*의 뜻인가〛
pol. econ. political economy.
póle hòrse *n.* (말 네필이 끄는 마차의) 뒷말.
póle jùmp[**jùmping**] *n.* =POLE VAULT.
póle-jùmp *vi.* 장대 높이뛰기를 하다.
po·lem·ic [pəlémik] *a.* 논쟁의, 논쟁을 좋아하는 : a ~ writer 논객. —— *n.* **1** 논쟁 ; 논쟁술. **2** (특히 신학상의) 논객.
〚L<Gk. (*polemos* war)〛
po·lém·ics *n.* 논쟁술, 논증법 ; 논쟁학《교회 관계의 문제에 대한 논쟁 및 그 역사를 다루는 신학의 한 부문》.
pol·e·mist [pɑ́ləməst, pəlém-], **po·lem·i·cist** [pəléməsəst] *n.* (특히 신학상의) 논객.
pol·e·mize [pɑ́ləmàiz] *vi.* 논쟁[반론]하다.
po·le·mol·o·gy [pòuləmɑ́lədʒi] *n.* 전쟁학, 전쟁 문제 연구. **-gist** *n.* 전쟁[분쟁] 문제 연구가. **po·lem·o·log·i·cal** [pəlèməlɑ́dʒikəl] *a.*
pol·e·mo·ni·um [pɑ̀ləmóuniəm] *n.* 〖植〗 꽃고비속(屬)의 각종 풀.
po·len·ta [pouléntə, pə-] *n.* Ⓤ 폴렌타 《보리·옥수수·밤가루 따위로 쑨 죽》. 〚It.=pearl barley〛

póle posìtion *n.* (경주에서) 트랙 안쪽의 주자 ; 《비유》 유리한 입장[위치].

pol·er [póulər] *n.* 막대기로 미는[받치는] 사람[것] ; 배를 삿대로 젓는 사람 ; =POLE HORSE.

póle·stàr *n.* **1** [the ~] 〖天〗 북극성(the North Star) (cf. DIPPER 4 b)). **2** 지도자, 지도 원리, 지침 ; 목표, 주목의 대상.

póle vàult *n.* 장대 높이뛰기.

póle-vàult *vi.* 장대 높이뛰기하다. **~·er** *n.*

póle·ward(s) *adv., a.* 극(極)지에(로).

po·li- [póuli], **po·lio-** [póuliou, -liə] *comb. form* 「회백질」의 뜻. 〖Gk. *polios* gray〗

◇**po·lice** [pəlí:s] *n.* **1** 경찰 ; [the ~] 경찰관, 경찰대《개별적으로는 policeman, policewoman》; 경찰청 : harbor[water] ~ 수상 경찰 / go to the ~ 경찰에 통보하다 / The ~ are on his track. 경찰은 그를 추적하고 있다 / have the ~ after 경찰관에게 미행당하다 / Several ~ are patrolling the neighborhood. 몇몇 경찰관이 근처를 순찰하고 있다. **2** 치안, 보안, 공안 ; (일반적으로) 경비[보안]대. **3** 〖美陸軍〗 (병영·기지내 따위의) 청소 정돈, [*pl.*] 청소 정돈 담당 병사(cf. KITCHEN POLICE).

〈회화〉
There's been a traffic accident. — Has someone called the *police*?「교통 사고가 났어」「누가 경찰에 연락했니」

㊟ 미국과 영국의 경찰 계급은 아래로부터 차례로 다음과 같음《괄호 안의 번역어는 대략 그 표준임》.
(1) 미국《주 또는 도시에 따라 계급 제도가 다름 ; 다음은 그 일례다》: police officer, patrolman (순경) — sergeant (경사) — lieutenant (경위) — captain (경감) — deputy inspector (경정) — inspector (총경) — deputy chief of police (본부장 보좌) — assistant chief of police (부본부장) — chief of police (경찰 본부장)《inspector의 위가 deputy superintendent (부본부장) — superintendent (경찰 본부장)인 경우도 있음》.
(2) 영국 : constable (순경) — sergeant (경사) — inspector (경위) — chief inspector (경감) — superintendent (경정) — chief superintendent (총경) — 그 위는 (ⅰ) Metropolitan Police Force (수도 경찰, 런던 경찰청)에서는 commander (경무관) — deputy assistant commissioner (치안감) — assistant commissioner (부차장) — deputy commissioner (차장) — Commissioner of Police of the Metropolis (경찰청장). (ⅱ) City of London Police Force (런던시 경찰)에서는 assistant commissioner (부청장) — Commissioner of Police (시 경찰청장). (ⅲ) 다른 자치 단체[지방] 경찰에서는 assistant chief constable (경찰 차장) — chief constable (지방 경찰청장).
(3) 우리나라 : policeman (순경) — senior policeman (경장) — assistant inspector (경사) — inspector (경위) — senior inspector (경감) — superintendent (경정) — senior superintendent (총경) — superintendent general (경무관) — senior superintendent general (치안감) — chief superintendent general (치안정감) — commissioner general (치안 총감).

—— *vt.* …에 경찰을 두다 ; …의 치안을 유지하다, 경비하다, 관리[지배]하에 두다 ; 《美》 (병영 따위를) 청소하다〈*up*〉.
~·less *a.* 경찰이 없는 (상태의).
〖F<L POLICY[1]〗

políce acàdemy *n.* 《美》 경찰학교.

políce àction *n.* (군대의) 치안 활동《국제 평화·질서 유지를 위한 국지적 군사 행동》.

políce àgent *n.* (프랑스 따위의) 순경.

políce càr *n.* (경찰) 순찰차(squad car).

políce cònstable *n.* 《英》 순경《略 P.C.》.

políce còrdon *n.* 비상[경계]선.

políce còurt *n.* (경찰서의) 즉결 재판소《경범죄를 다룸》.

políce dòg *n.* 경찰견.

políce fòrce *n.* 경찰력, 경찰대.

políce inspéctor *n.* 《美》 총경 ; 《英》 경위.

políce jústice[mágistrate, júdge] *n.* 즉결 재판소 판사《경범죄 담당 판사》.

políce lòck *n.* 방범용 자물쇠의 한 가지.

‡**políce·man** [-mən] *n.* 경찰관, 순경 : a ~ on guard 경호 경찰관.

〈회화〉
What does your father do? — He's a *policeman.*「아버지의 직업은 뭐죠」「경찰관입니다」

~·lìke *a.*

políce offènse[offènce] *n.* (police court에서 즉결할 정도의) 경범죄.

políce òffice *n.* 《英》 (시·읍의) 경찰서.

políce òfficer *n.* 경찰관, 《美》 순경.

políce pòwer *n.* 경찰력.

políce rècord *n.* 전과(前科).

políce repòrter *n.* 경찰 출입 기자.

políce resérve ùnit[còrps] *n.* 《美》 예비 경찰대《긴급 사태가 발생하면 일반 시민을 소집하여 보조하게 함》.

políce sérgeant *n.* 경사.

políce stàte *n.* 경찰 국가(cf. GARRISON STATE) 《국민의 권리나 자유를 비밀 경찰에 의해 억압하고 있는 정치 체제의 국가》.

políce stàtion *n.* (지방) 경찰서.

políce superinténdent *n.* 《美》 경찰 본부장 ; 《英》 경정.

políce tràp *n.* (속도 위반을 단속하는) 경찰의 감시소 ; 그 감시망.

políce wàgon *n.* 《美》 죄수 호송차.

políce·wòman *n.* 여자 경찰관, 여순경.

po·li·cier [pòulisjéi] *n.* 추리 소설.
〖F *roman policier* police novel〗

pol·i·clin·ic [pàliklínik] *n.* (병원의) 외래 환자 진료실.

***pol·i·cy**[1] [páləsi] *n.* **1** ⓊⒸ 정책, 방침 ; 방책, 수단, 방법 : a wise ~ 현명한 방책 / (a) foreign ~ 외교 정책 / Honesty is the best ~. 《속담》 정직은 최선의 방책. **2** Ⓤ 현명, 깊이 생각함 ; 지모(智謀) ; 《古》 교활, 약삭빠름. **3** 《古》 정치 (형태). **4** 《스코》 (시골 저택 주변의) 놀이터.
〖OF<L *politia* POLITY ; "놀이터"의 뜻은 "improvement of estate"와 L *politus* polished와의 혼동(混同)〗

policy[2] *n.* 보험 증권[증서] : an endowment ~ 양로 보험 증권 / take out a ~ on one's life 생명 보험을 들다.
〖F *police* certificate<L (Gk. *apodeixis* proof)〗

pólicy·hòld·er *n.* 보험 계약자.

pólicy lòan *n.* 〖保險〗 증권 담보 대부.

pólicy-màking *n.* (정부 따위의) 정책 입안.
-màker *n.* 정책 입안자.

pólicy-mìx *n.* 〖經〗 폴리시 믹스《재정·금융 정책의 병용》.

pólicy ràcket *n.* 《美》 =NUMBERS POOL.

pólicy scìence *n.* 정책 과학《정부·기업 따위의

고차원의 정책 입안을 다루는 사회 과학).

pol·i·me·tri·cian [pὰləmətríʃən] *n.* 계량(計量) 정치학자.

po·lio [póuliòu] *n.* (*pl.* **-li·ós**) Ⓤ 폴리오(poliomyelitis).

polio- [póuliou, -liə] ☞ POLI-.

pòlio·myelítis *n.* 〖醫〗 (급성) 회백수염(灰白髓炎), 소아마비(=**acùte antérior** ∼, INFANTILE PARALYSIS). **-myelític** *a.* 〖NL (*polio-*, Gk. *muelos* marrow)〗

pólio váccine *n.* 《口》 소아마비 백신.

pòlio·vírus *n.* 〖菌〗 소아마비 바이러스.

po·lis [páləs, póu-] *n.* (*pl.* **po·leis** [-lais, -leis]) 폴리스《고대 그리스의 도시 국가》. 〖Gk.=city〗

-p·o·lis [-pələs] *n. comb. form* 「도시」의 뜻: metro*polis*, megalo*polis*. 〖↑〗

Po·li·sa·rio [pòuləsá:riou] *n.* 폴리사리오 전선(=∼ **Frònt**)《서부 사하라의 독립을 꾀하는 게릴라 조직》; (*pl.* **-ri·òs**) 폴리사리오 전선의 멤버.

poli sci [páli sài] *n.* 《學俗》 정치학(political science).

***pol·ish** [páliʃ] *vt.* **1** 닦다, 갈다, …에 윤을 내다: ∼ one's shoes 구두를 닦다 / ∼ furniture 가구를 윤이 나게 하다. **2** …에 끝손질을 하다, 다듬다, 퇴고(推敲)하다: ∼ a set of verses 한 편의 시를 다듬다. **3** [때때로 *p.p.*로] (지적으로) 세련되게 하다, 우아하게 하다(refine): ☞ POLISHED 2.

〈회화〉
Polish your shoes. — Do I have to. 「네 구두 좀 닦아라」「그래야 되나요」

— *vi.* 윤이 나다; 세련되다: This floor won't ∼. 이 마루는 좀처럼 윤이 나지 않는다.

polish off 《口》 (일·식사 따위를) 급히 해치우다[끝내다]; (경쟁 상대·적 등을) 타도하다, 무찌르다; 《俗》 없애다(kill): ∼ *off* a cup of wine 한잔의 포도주를 쭉 들이켜다 / He ∼*ed off* the opponent in the third round. 그는 상대방을 제3라운드에서 넘어뜨렸다.

polish up …에 윤을 내다, 끝손질을 하다; 깔끔하게 하다.

— *n.* **1** Ⓤ [또는 a ∼] 광택, 윤: give... *a* ∼ (물건을) 닦다 / put *a* ∼ on... (닦아서) …에 윤을 내다 / take *a* high ∼ 닦으면 윤이 잘 나다. **2** Ⓤ 닦는[광내는] 가루, 광택제(劑), 바니시, 옻칠: shoe ∼ 구두약. **3** Ⓤ [또는 a ∼] (태도·예법 따위의) 세련; 수양(修養); 우아, 우미(優美).

∼·able *a.* 닦을 수 있는, 닦으면 윤이 나는.

∼·er *n.* 닦는 사람; 윤내는 기구; 광택제.

〖OF<L *polit- polio*〗

類義語 ***polish*** 천, 줄, 사포(砂布) 따위로 문질러서 표면을 매끄럽게 하거나 윤이 나게 하다: *polish* glass[a car] (유리잔[자동차]에 윤을 내다). ***burnish*** 특히 금속 제품을 문질러서 광택이 나게 하다: *burnished* steel (광택이 나는 강철). ***shine*** polish하여 깨끗하게 반짝이게 하다: *shine* shoes (구두를 닦아 광이 나게 하다).

Po·lish [póuliʃ] *a.* 폴란드(인·어)의. — *n.* Ⓤ 폴란드어; [the ∼, 복수 취급] 폴란드인《略 Pol.》. 〖POLE〗

pól·ished *a.* **1** 닦아낸, 갈아낸; 광택있는; 완성된(finished): ∼ product 완성품. **2** (태도 따위가) 우아한, 고상한, 세련된, 정숙한.

pólish·ing-pòwder *n.* 윤[광택]을 내는 가루약.

polit. political; politician; politics.

Pol·it·bu·ro, -bu·reau [pálətbjùərou] *n.* (*pl.* **∼s**) [the ∼] (구소련의) 공산당 정치국; [p∼] 권력이 집중된 기관. 〖Russ.〗

‡po·lite [pəláit] *a.* **1** [+*of*+名+*to* do] 친절한, 공손한, 예의바른: a ∼ man 예의바른 사람 / a ∼ remark 공손한 말 / say something ∼ about …을 예의상 칭찬하다 / Be ∼*r* [*more* ∼] ***to*** strangers. 남에게 더욱더 공손하시오 / It was ∼ ***of*** her *to* offer me her seat. 나에게 자리를 양보한 그녀는 예의가 있었다. **2** (문장 따위) 세련된, 우아한: ∼ letters[literature] 순수 문학 / ∼ arts 미술. **3** 고상한, 교양이 있는(↔*vulgar*); 상류의: ∼ society 상류 사회 / the ∼ thing 고상한 태도.

do the polite 《口》 (신경을 써서) 고상하게 행동하다.

〖L *politus*; ⇨ POLISH〗

類義語 ***polite*** 남에게 공손하고 예의를 지키는: That *polite* boy bowed to me. (저 예의바른 소년이 나에게 인사했다). ***civil*** 무례하지 않을 정도로 예절을 지키는; 차가운 느낌이 드는 말: *civil* words (예의에 어긋나지 않는 말). ***courteous*** polite 보다 더 남의 감정을 자상하게 생각하는: a clerk *courteous* to customers (고객에게 친절한 점원).

po·líte·ly *adv.* 공손하게, 예의바르게.

po·líte·ness *n.* Ⓤ 공손함, 정중함; 고상.

pol·i·tesse [pὰlités] *n.* (특히 형식적인) 예의바름, 품위있음. 〖F=POLISHed state〗

pol·i·tic [pálətìk] *a.* **1** 사려가 깊은, 현명한. **2** 꾀[술수]를 부리는[쓰는], 교활한(artful). **3** 교묘한, 적절한, 시기에 맞는; 정책적인. **4** 정치상의: the body ∼ 국가. — *vi.* =POLITICK.

— *n.* 정치역학, 역(力)관계.

∼·ly *adv.* 교활[교묘]하게; 빈틈없이.

〖OF<L<Gk.; ⇨ POLITY〗

‡po·lit·i·cal [pəlítikəl] *a.* **1** 정치학의; 정치상의, 정치적인: a ∼ offense[crime, prisoner] 정치[국사(國事)]범(犯) / ∼ rights 정치적 권리, 국정 참여권 / a ∼ view 정견(政見). **2** 정치에 참여하는; 정치 조직을 가진. **3** 정당의, 당략(黨略)의; 정략(政略)(상)의: a ∼ campaign 정치 운동. **4** 행정에 관한[관여하는]: a ∼ office [officer] 행정관청[행정관].

— *n.* **1** 《英》 =POLITICAL AGENT. **2** 국사범, 정치범. **∼·ly** *adv.* 정치상, 정치적으로; 정략상; 현명하게, 교묘히, 적절히.

〖↑, *-al*〗

polítical áction *n.* 정치(적) 행위.

polítical ágent[résident] *n.* 〖英史〗 (인도) 주재관(駐在官).

polítical ánimal *n.* 타고난 정치가.

polítical asýlum *n.* 정치적 망명자(亡命者)에 대한 보호.

polítical corréctness *n.* 정치적 편견이 없기.

polítical cúlture *n.* 정치 문화.

polítical ecónomy *n.* **1** 정치 경제학. **2** (19세기의) 경제학(economics).

polítical ecónomist *n.* 정치 경제학자.

polítical fóotball *n.* 정치 논쟁의 불씨.

polítical fórtunes *n. pl.* 정치상의 운명, 정치 생명의 부침(浮沈).

polítical geógraphy *n.* 정치 지리(학).

polítical háck *n.* 돈으로 움직이는 정치가.

polítical·ize *vt.* 정치적으로 하다(cf. POLITICIZE).

polìtical·izátion *n.*

polítical líberty *n.* 정치적 자유.

polítical párty *n.* 정당.

polítical-rísk assèssment *n.* 《美》 (기업에서

각국의) 정치적 위험성 측정[예측].

polítical scíence *n.* 정치학.

polítical scíentist *n.* 정치학자.

polítical spéctrum *n.* 정치 판도.

*__pol·i·ti·cian__ [pɑ̀lətíʃən] *n.* 정치가, 정당[직업] 정치가, 정객 ;《美》책사, 정치꾼.
類義語 ⟹ STATESMAN.

po·lit·i·cize [pəlítəsàiz] *vt.* 정치화[정당화]하다, 정치적으로 다루다[논하다]. —— *vi.* 정치에 관계하다, 정치를 논하다 ; 정치화하다.
po·lit·i·ci·zá·tion *n.*

pol·i·tick [pɑ́lətik] *vi.* 정치 (운동)을 하다.
~·ing *n.* 정치 활동[공작] ; 선거 운동 ; 정치적 흥정. **~·er** *n.*

po·lit·i·co [pəlítikòu] *n.* (*pl.* **~s, ~es**) 정치가, 정치꾼. 〖Sp.=POLITIC〗

po·lit·i·co- [pəlítikou, -kə] *comb. form*「정치」의 뜻. 〖Gk. ; ⇨ POLITIC〗

‡**pol·i·tics** [pɑ́lətiks] *n.* **1** Ⓤ [단수·복수 취급] 정치, 정치학 ; 정치 운동 ; 정책, 정략 ; (당파적·개인적인) 이해, 동기 : talk ~ 정치에 대해 논하다[이야기하다] / It is not (practical) ~. (너무 현실과 동떨어져) 논할 가치가 없다 / *P*~ does not seem to interest him at all. 정치는 그에게 아무런 흥미도 일으키지 않는 것 같다. **2** [복수 취급] 정강(政綱), 정견(政見) : What *are* your ~? 너는 어떤 정견을 가지고 있느냐. **3** Ⓤ [단수 취급] 경영 : The ~ of a corporation *is* complex. 법인(法人)의 경영은 복잡하다. **4** [복수 취급] 행정《사법·입법에 대하여》.
play politics 당리(黨利) 본위로 행동하다 ⟨*with*⟩ ; 사리(私利)를 도모하다.

pol·i·ty [pɑ́ləti] *n.* Ⓤ 정치 형태[조직] ; Ⓒ 정치적 조직체, 국가 조직, 국가(state) : a civil[ecclesiastical] ~ 국가[교회] 행정 조직.
〖L<Gk. (*politēs* citizen⟨POLIS)〗

pol·ka [póulkə ; pɔ́l-] *n.* **1** 폴카《두 사람이 한 조가 되어 추는 2박자의 춤》, 폴카곡. **2** (보통 털실로 짠) 여성용 재킷. —— *vi.* 폴카를 추다.
〖F and G<Czech=half step〗

pólka dòt *n.* 폴카 도트《물방울 모양의 무늬(의 직물)》. **pólka-dòt, -dòt·ted** *a.*

*__poll__[1] [póul] *n.* **1** 투표 ; 투표 결과, 투표수 ; 득표 집계 : a heavy[light] ~ 다수[소수]표 / at the head of the ~ (투표) 최고 득표로 / head the ~ 선거에서 최고 득점자가 되다. **2** 선거인 명부. **3** [*pl.*] 투표소 : go to the ~*s* 투표소로 가다. **4** 여론 조사 ; 그 설문(지) : ☞ GALLUP POLL. **5** 인두세(人頭稅) (=~ tax). **6** 머리, 머리 꼭대기 《털이 난 부분》, 뒤통수, 목덜미 ; (말의) 목덜미 ; (쇠망치·도끼 따위의) 대가리.
—— *vt.* **1** 인명부에 등록하다 ; …의 여론 조사를 하다. **2** (선거구에서 후보자가 몇표의) 표를 얻다 : The candidate ~*ed* over 30,000 votes. 그 후보자는 3만표 이상을 획득했다. **3** (유권자가) 표를 찍다, 투표하다 : ~ a vote 한표를 던지다. **4** (초목 따위의) 가지끝[순]을 치다 ; (가축의) 뿔을 잘라내다 ; (머리털이나 양털을) 짧게 깎다. **5** (증서 따위의) 절취선을 자르다. **6** 〔컴퓨〕폴링하다《신호·스위치 장치로 단말 기기에 송신하도록 작용하다》.
—— *vi.* 투표하다⟨*for, against*⟩.
〖? LDu. *polle* (hair of) head〗

poll[2] [pɑ́l] *n.* [the P~]《英俗》(Cambridge 대학의) 보통 성적 졸업생 ; [the ~] =POLL DEGREE.
go out in the Poll 보통 성적으로 졸업하다.
〖? *poll*oi〗

poll[3] [póul] *a.* 뿔없는. —— *n.* 뿔없는 소의 일종.

Poll [pɑ́l] *n.* **1** 여자 이름《Mary의 애칭》. **2** [p~] 앵무새[잉꼬]《호칭 ; cf. POLL PARROT》; [p~] 《비유》=POLL PARROT. **3** [p~]《口》매춘부.

póll·able *a.* 깎을 수 있는, 끝을 딸 수 있는, 뿔을 잘라낼 수 있는 ; 투표할[시킬] 수 있는.

pol·lack, -lock [pɑ́lək] *n.* (*pl.* **~, ~s**) 〔魚〕폴럭《「검은대구」라 불리는 북대서양산(產)의 중요한 식용어》. 〖*podlock* (Sc.) < ?〗

pol·lard [pɑ́lərd] *n.* 가지를 짧게 쳐낸 나무 ; 뿔이 없는[을 잘라낸] 사슴[황소]《따위》. —— *vt.* …의 가지를 쳐내다. 〖POLL[1,3]〗

póll-bèast *n.*《英》뿔없는 소의 일종.

póll·bòok *n.* 선거인 명부.

póll degrèe [pɑ́l-] *n.*《英俗》(cambridge 대학의) 보통 성적 졸업 ; 보통 학위.

polled [póuld] *a.* (나무 따위의) 가지를 바짝 친 ; (소·사슴 따위의) 뿔이 없는, 뿔을 자른 ;《古》대머리의.

poll·ee [poulí:] *n.* (여론 조사의) 질문 대상자.

*__pol·len__ [pɑ́lən] *n.* Ⓤ 〔植〕화분(花粉)[꽃가루].
—— *vt.* =POLLINATE.
〖L=fine flour, powder〗

póllen anàlysis *n.* 꽃가루 분석(分析), 화분학(花粉學).

póllen còunt *n.* (특정 시간·장소의 일정량의 공기 속에 포함되어 있는) 화분수(花粉數).

póllen cùlture *n.* 화분[꽃가루] 재배.

pollenosis ☞ POLLINOSIS.

pol·lero [pouléirou] *n.* 밀입국 안내인《중남미인의 미국으로의 밀입국 주선업자》.

pol·lex [pɑ́leks] *n.* (*pl.* **pol·li·ces** [pɑ́ləsì:z]) 〔解〕제1지(指), 엄지(손가락) (thumb). 〖L〗

pol·lin- [pɑ́lən], **pol·li·ni-** [pɑ́lənə] *comb. form* 「화분(pollen)」의 뜻. 〖L〗

pol·li·nate [pɑ́lənèit] *vt.* 〔植〕…에 수분(授粉)하다, 꽃가루를 주다.

pòl·li·ná·tion *n.* Ⓤ 〔植〕수분 (작용).

poll·ing [póuliŋ] *n.* 투표 ; 〔컴퓨〕폴링《특정 단말을 지정하고 그 국이 송신하도록 권유하는 과정》.

pólling bòoth *n.*《英》(투표장의) 투표 용지 기입소(=《美》voting booth).

pólling dày *n.* 선거일.

pólling plàce *n.* 투표소.

pólling stàtion *n.*《英》투표소(polling place).

pol·lin·ic [pəlínik] *a.* 꽃가루의.

pol·li·nif·er·ous [pɑ̀lənífərəs] *a.* (식물이) 화분[꽃가루]이 있는[생기는] ; (곤충·새 따위가) 화분을 운반하는[꽃가루를 나르는].

pol·li·no·sis, -le- [pɑ̀lənóusəs] *n.* (*pl.* **-ses** [-si:z]) 〔醫〕꽃가루병, 화분증(花粉症) (cf. HAY FEVER).

pol·li·wog, -ly- [pɑ́liwɑ̀g] *n.* 《美方》올챙이 (tadpole) ;《口》배로 적도를 처음 넘어 적도제(赤道祭)를 체험하는 사람(cf. SHELLBACK).
〖ME *polwygle* ; ⇨ POLL[1], WIGGLE〗

pollock ☞ POLLACK.

pol·loi [pəlɔ́i] *n. pl.* =HOI POLLOI.

póll-òx *n.*《英》=POLL-BEAST.

póll párrot [pɑ́l-] *n.*《口》(새장에 기르는) 잉꼬, 앵무새 ;《비유》남의 말을 되풀이하는 사람.

póll·ster *n.*《口》(직업적인) 여론 조사자.

póll·tàk·er *n.* =POLLSTER.

póll tàx *n.* 인두세(人頭稅).

póll-tàx *a.* 인두세의.

pol·lu·tant [pəlú:tənt] *n.* 오염 물질, 오염원.

Pollútant Stándards Índex *n.*《美》오염 기

준 지표.

pol·lute [pəlúːt] *vt.* **1** 더럽히다, 불결하게 하다, 오염시키다 : The refuse oil from the factory ~*d* the water at the beach. 그 공장에서 나오는 폐유(廢油)로 해변의 물이 오염되었다. **2** (정신적으로) 타락시키다. **3** 모독하다. 〚L *pollut-* *polluo* to defile〛

pol·lút·ed *a.* 더럽혀진, 오염된 ; 타락한 ; 《美俗》 술취한.

pol·lút·er *n.* 오염시키는 사람[것]《공장 따위》.

‡**pol·lu·tion** [pəlúːʃən] *n.* Ⓤ,Ⓒ 더럽히기, 더러움, 불결, 오염 ; 환경 파괴 ; 공해 ; 타락 : air ~ 대기 오염 / water ~ 수질(水質)오염.

pollútion-frèe *a.* 무공해의.

pollútion tàx *n.* 공해세, 환경 오염세.

pol·lút·ive *a.* 오염을[공해를] 일으키는.

Pol·lux [páləks] *n.* **1** 〔그神〕 폴리듀케스《Zeus와 Leda의 아들 ; ☞ CASTOR》. **2** 〔天〕 폴룩스《쌍둥이자리(Gemini)의 베타(β)성(星)》.

póll wàtcher *n.* (정당이 파견한) 투표 참관인.

pol·ly[1] [páli] *n.* =APOLLINARIS.

polly[2] *n.* 《美俗》 (영화 촬영이나 리코딩에서) 다시 할 필요가 있는 에코. 〚*poly*phony〛

Polly *n.* **1** 여자 이름《Molly의 변형, Mary의 애칭》. **2** 폴리《앵무새에 붙이는 이름 ; cf. POLL》.

Pol·ly·an·na [pɑ̀liǽnə] *n.* 지나친 낙천가, 대낙천가. 〚미국의 소녀 소설 작가 Eleanor Porter (d. 1920)의 소설중 여자 주인공의 이름에서〛

pollywog ☞ POLLIWOG.

po·lo [póulou] *n.* **1** Ⓤ 폴로《네명이 한조가 되어 하는 마상 구기》 : a ~ pony 폴로 경기용의 작은 말. **2** Ⓤ 수구(=water ~). **3** [P~] 폴로《상표명》. **~·ist** *n.* 〚Balti=ball〛

polo 1

Polo *n.* 폴로. **Marco** ~ (1254?-?1324) 이탈리아의 여행가 ; 동방견문록(東方見聞錄)의 저자.

pol·o·naise [pɑ̀lənéiz, 美+pòu-] *n.* **1** 〔樂〕 폴로네즈《3박자의 느린 춤 ; 또는 그 곡》. **2** 폴로네즈《자락이 길고 앞이 트인 여성복의 일종》. 〚F ; ⇨ POLE[1]〛

pólo·nèck *a.* 자라목 깃의.
—— *n.* =TURTLENECK.

po·lo·ni·um [pəlóuniəm] *n.* Ⓤ 〔化〕 폴로늄《방사성 원소 ; 기호 Po ; 번호 84》. 〚L *Polōnia* Poland〛

po·lo·ny [pəlóuni] *n.* 돼지 고기를 훈제한 소시지. 〚BOLOGNA or *Bolognian sausage*에서인가〛

pólo shìrt *n.* 폴로 셔츠《스포츠용의 목이 둥글거나 밖으로 꺾어 넘긴 옷깃의 소매가 짧은 셔츠》.

pol. sci. political science.

Pol·ska [pɔ́ːlskɑː] *n.* 폴스카《Poland의 폴란드어 이름》.

pol·ter·geist [póultərgàist ; pɔ́l-] *n.* 소리의 요정, 폴터가이스트《집안에서 원인 불명의 소리나 사건을 일으키는 것으로 여겨짐》. 〚G (*poltern* to be noisy, *Geist* GHOST)〛

pólt·fòot [póult-] *n.*, *a.* 안짱[발장]다리(clubfoot)(의).

pol·troon [pɑltrúːn] *n.* 비겁한 사람, 겁많은 사람(coward). —— *n.* 비겁한 ; 비열한. 〚F<It. (*poltro* sluggard)〛

poltróon·ery *n.* Ⓤ 비겁, 겁많음.

poly[1] [páli] *n.* 《口》 폴리머(polymer) ; 폴리에스테르 섬유(polyester fiber).

poly[2] *n.* 《英口》 공업학교(polytechnic).

poly- [páli] *comb. form* 「많은」「겹치는」의 뜻(cf. MON-, UNI-, MULTI-). 〚Gk. (*polus* many)〛

poly A [∸ éi] *n.* 〔生化〕 폴리아데닐산(酸)(polyadenylic acid)《RNA속의 물질》.

pòly·acrýlamide *n.* 〔化〕 폴리아크릴아미드《백색 고체 ; 농화제(濃化劑)·현탁제(懸濁劑)》.

polyacrýlamide gèl *n.* 〔化〕 폴리아크릴아미드 겔《특히 전기 이동에 쓰임》.

pòly·adenýlic ácid *n.* 〔生化〕 폴리아데닐산(酸)(poly A).

pòly·ámide *n.* 〔化〕 폴리아미드《나일론 따위에 이용됨》.

poly·an·dry [páliæ̀ndri, ∸∸∸] *n.* Ⓤ 일처 다부(cf. POLYGAMY, POLYGYNY) ; 〔植〕 수술이 많음. **pòly·án·drist** *n.* 일처 다부자《두명 이상의 남편이 있는 여자》. **pòly·án·drous** *a.* 〚Gk. *andr-* *anēr* man〛

poly·an·tha [pɑ̀liǽnθə] *n.* 〔植〕 찔레나무, 폴리안타장미(=∼ **ròse**).

poly·an·thus [pɑ̀liǽnθəs] *n.* (*pl.* **~·es**, **-thi** [-θai, -θiː]) 〔植〕 폴리앤서스《앵초(櫻草)의 교배종(交配種)》 ; 수선화. 〚Gk. *anthos* flower〛

poly·ar·chy [páliɑːrki] *n.* Ⓤ 다두(多頭) 정치(↔ *oligarchy*) ; Ⓒ 다두 정치국(國).

pòly·básic *a.* 〔化〕 다염기(多鹽基)의.

pòly·bró·min·àt·ed biphényl *n.* 〔化〕 폴리브롬화 비페닐《독성이 강한 오염 물질 ; 略 PBB》.

pòly·cárbonate *n.* 〔化〕 폴리카보네이트《합성 수지의 일종》.

pòly·cárpous, -cárpic *a.* 〔植〕 씨방이 많은 ; 결실(結實)이 많은.

pòly·céntric *a.* (염색체가) 다동원체(多動原體)의 ; 다(多)중심주의(polycentrism)의.

pòly·céntrism *n.* 〔政〕 (사회주의 국가간의) 다원화(多元化), 다(多)중심[다극]주의, 중심지 산재(散在)주의.

poly·chaete [pálikiːt] *n.*, *a.* 〔動〕 다모류(多毛類)의 (환형 동물)《갯지네·털갯지네 따위》. **pòly·cháe·tous, -cháe·tan** *a.*

pòly·chlórinated biphényl *n.* 〔化〕 폴리염화 비페닐《이용 가치가 크지만 유독한 오염 물질 ; 略 PCB》.

poly·chres·tic [pɑ̀likréstik] *a.* **1** 용도가 다양한 《약품 따위》. **2** (말이) 다의(多義)의.

pòly·chrómate *n.* 〔化〕 폴리크롬산염《2-4크롬산염의 총칭》.

pòly·chromátic *a.* 여러 색의, 다색(多色)의 ; 다염성(多染性)의. **-i·cal·ly** *adv.*

póly·chròme *n.*, *a.* 여러 색채(의), 다색 인쇄(多色印刷)(의). —— *vt.* 다색채 장식을 하다.

pòly·chrómic *a.* =POLYCHROMATIC.

póly·chrò·my *n.* Ⓤ (건축·조상(彫像) 따위의) 다색(多色) 장식, 단청(丹靑) ; 다색 화법.

poly·cide [pálisàid] *n.* 〔電子〕 폴리사이드《다결정 실리콘과 실리사이드의 이층막》. 〚*poly*crystalline silicon+sili*cide*〛

pòly·clínic *n.* 종합 병원[진료소].

pòly·crýstalline *a.* 다결정(多結晶)(질)의. **póly·crỳstal** *n.* 다결정질.

pòly·cy·thé·mia, -tháe- [-saiθíːmiə] *n.* 〔醫〕 적혈구 증가(증). **-mic** *a.*

pòly·dác·tyl [-dǽktl] *a.*, *n.* 〔動·醫〕 다지(多指·多趾)의 (동물). **~·ìsm** *n.* 다지(多指)[다지(多趾)](증). **-dác·tyl·ous** *a.* **-dác·ty·ly** *n.*

pòly·díp·sia [-dípsiə] *n.* 〔醫〕 (당뇨병 따위에 병

발하는) 번갈다음(증)(煩渴多飮(症)).
-díp·sic *a.*
póly·drùg *a.* 여러 종류의 마약 사용에 관한.
póly·èster *n.* 〔化〕 폴리에스테르《고(高)분자 화합물》; 폴리에스테르 섬유(=~ **fíber**); 폴리에스테르 수지(=~ **résin**[**plástic**]).
pòly·éthylene *n.* Ⓤ 폴리에틸렌《플라스틱의 일종》(=《英》 polythene).
pòly·gámic *a.* =POLYGAMOUS.
po·lyg·a·mous [pəlígəməs] *a.* 일부 다처의, 일처 다부의; 〔植〕 자웅 혼주(polygamy)의, 잡성화(花)의; 〔動〕 다혼성(多婚性)의.
po·lyg·a·my [pəlígəmi] *n.* Ⓤ 복혼(複婚)《일부 다처 또는 일처 다부, (특히) 일부 다처; cf. MONOGAMY, POLYANDRY, POLYGYNY》; 〔植〕 자웅 혼주《암수의 꽃 또는 양성화(兩性花)가 같은 나무 안에 혼재(混在)함》; 〔動〕 다혼성. **-mist** *n.* 일부 다처자. **-mize** [-màiz] *vi.* 〖Gk. *gamos* marriage〗
póly·gène *n.* 〔生〕 폴리진, 다원(多元) 유전자. 《개별적으로는 작용이 약하나 다수가 서로 보완하여 양적 형질의 발현에 관계하는 유전자》. —— *a.* 〔地〕 2종 이상의 성인(成因)에 의한, 다(多)성인성의.
pòly·génesis *n.* Ⓤ 〔生〕 다원(多原) 발생설(cf. MONOGENESIS).
pòly·genétic *a.* 〔生〕 다원의, 다원 발생설의.
póly·glas(s) tíre [páliglæ̀(:)s-; -glɑ̀:s-] *n.* 폴리글라스 타이어《고성능 강화 타이어》.
poly·glot [páliglɑ̀t] *n.* 수개 국어 대역서(對譯書), 수개 국어로 기록된 서적《특히 성서》, 수개 국어에 통달해 있는 사람; 수개 국어의 혼용. —— *a.* 수개 국어로 쓴[를 말하는]; 수개 국어 대역(對譯)의. 〖Gk. *glōtta* tongue〗
poly·gon [páligɑ̀n] *n.* 〔數〕 다각형: a regular ~ 정(正)다각형. **po·lyg·o·nal** [pəlígənl] *a.* 다각형의.
póly·gràph *n.* 복사기; 다방면의 작가; 〔醫〕 다용도(기록)계, 폴리그래프; 거짓말 탐지기(lie detector). —— *vt.* 거짓말 탐지기에 걸다.
pòly·gráph·ic *a.*
po·lyg·y·nous [pəlídʒənəs] *a.* 일부 다처의; 〔植〕 암술이 많은 (식물의).
po·lyg·y·ny [pəlídʒəni] *n.* Ⓤ 일부 다처(cf. POLYGAMY, POLYANDRY); 〔植〕 다(多)암 술; 〔動〕 일웅 다자(一雄多雌).
〖Gk. *gunē* wife〗
pòly·hédron *n.* (*pl.* **~s, -dra** [-drə]) 〔數〕 다면체(多面體). **-hédral, -hé·dric** *a.* 〔數〕 다면체(多面體)의. 〖Gk. *hedra* base〗
poly·his·tor [pɑ̀lihístər], **poly·his·to·ri·an** [-histɔ́:riən] *n.* 박학자, 박식가(polymath).
-tor·ic [-histɔ́(:)rik, -tɑ́r-] *a.*
〖Gk. (*poly-, histōr* wise man)〗
Poly·hym·nia [pɑ̀lihímniə], **Po·lym·nia** [pəlímniə] *n.* 〔그神〕 폴리힘니아《찬가를 관장하는 여신; the Muses의 하나》.
poly I:C [páli àisí:] *n.* 〔生化〕 폴리IC《인터페론 생산을 촉진하는 합성 리보핵산》.
〖*polyi*nosinic-poly*c*ytidylic acid〗
poly Ipoly C [páli áipɑ̀li sí:] *n.* =POLY I:C.
poly·logue [pálilɔ̀(:)g, -lɑ̀g] *n.* 여러 사람의 회화[토론].
poly·math [pálimæ̀θ] *n., a.* 박식가(의).
pòly·máth·ic *a.* **po·lym·a·thy** [pəlíməθi] *n.* 박학. 〖Gk. *math-* *manthanō* to learn〗
poly·mer [páləmər] *n.* 〔化〕 중합체(重合體), 폴리머. 〖역성(逆成) <*polymer*ic〗
poly·mer·ase [páləmərèis, -z] *n.* 〔生化〕 폴리머라아제《DNA, RNA형성의 촉매가 되는 효소》.
poly·mer·ic [pɑ̀ləmérik] *a.* 〔化〕 중합의[에 의한], 중합체의; 〔遺〕 다인자의: ~ genes 동의(同義) 유전자. **-i·cal·ly** *adv.*
〖Gk. (*meros* part)〗
po·lym·er·ism [pəlímərìzəm, pálə-] *n.* Ⓤ 〔化〕 중합(重合); 〔生〕 여러 부분으로 이루어지기, 다수성(多數性); 〔植〕 복합 윤생(輪生).
pólymer·ìze [, pəlím-] *vi., vt.* 〔化〕 중합하다[시키다]. **pòlymer·izátion** [, pəlìm-] *n.* 중합.
Polymnia ☞ POLYHYMNIA.
póly·mòrph *n.* 〔動·植·化〕 다형(多形), 다형체; 〔結晶〕 동질이상(同質異像); 〔解〕 다형핵구(多形核球).
pòly·mórphic *a.* =POLYMORPHOUS.
pòly·mórphism *n.* Ⓤ 〔結晶〕 동질이상(同質異像); 〔生〕 다형(多形)(현상), 다형성.
pòly·mòrpho·núclear *a.* 〔解〕 다형핵의[을 가진]. —— *n.* 다형핵(백혈)구(=~ **léukocyte**).
pòly·mórphous *a.* 다양한 형태[성질, 양식]를 지닌, 다형(多形)의.
Poly·ne·sia [pɑ̀lənί:ʒə, -ʃə; -zjə] *n.* 폴리네시아《태평양 중서부의 작은 제도(諸島)의 총칭; cf. MICRONESIA, MELANESIA》.
Pòly·né·sian *a.* 폴리네시아(인[어])의; [p~] 다도(多島)의. —— *n.* 폴리네시아인; Ⓤ 폴리네시아어.
pòly·nó·mi·al [-nóumiəl] *a., n.* 〔動·植〕 다명식 학명(多名式學名)(의)《명명법(命名法)》; 〔數〕 다항식(多項式)(의): a ~ expression 다항식.
pòly·núclear, -núcleate *a.* 〔生〕 다핵(多核)의 (multinuclear).
po·lyn·ya, -ia [pɑ̀lənjɑ́:] *n.* 폴리니아《극지방의 정착빙(定着氷)에 둘러싸인 보통 직사각형의 해면(海面)》. 〖Russ.〗
poly·óma (vìrus) [pɑ̀lióumə(-)] *n.* 폴리오마 바이러스《설치류(齧齒類) 동물에 여러 가지 암을 발생시킴》.
pòly·ópia *n.* Ⓤ 〔醫〕 다시(증)(多視(症)).
pol·yp [pálәp] *n.* 〔動〕 폴립《자세포 동물 중 착생 생활을 하는 것》; (군체(群體)를 구성하는) 개충(個蟲)(zooid); 〔醫〕 용종(茸腫), 폴립《외피·점막 따위의 돌출한 종류(腫瘤)》.
〖F POLYPUS (Gk. *pous* foot)〗
pólyp·àry [; -əri], **poly·par·i·um** [pɑ̀lipέəriəm, -pǽər-] *n.* 〔動〕 폴립 모체《산호 따위》.
pòly·péptide *n.* 〔生化〕 폴리펩티드《2개 이상의 아미노산이 펩티드 결합한 화합물》.
-pep·tid·ic [-peptídik] *a.*
pòly·pétal·ous *a.* 〔植〕 꽃잎이 많은, 겹꽃잎의, 다판(多瓣)의.
poly·pha·gia [pɑ̀liféidʒiə] *n.* Ⓤ 〔動〕 잡식성(雜食性); 〔醫〕 다식증(多食症).
po·lyph·a·gous [pəlífəgəs] *a.*
póly·phàse *a.* 〔電〕 다상(多相)의.
Poly·phe·mus [pɑ̀ləfί:məs] *n.* 〔그神〕 폴뤼페무스《외눈박이 거인 CYCLOPES의 수장(首長)》.
póly·phòne *n.* 〔音聲〕 다음자(多音字)《read의 ea([i:]와 [e])처럼 둘 이상의 음을 갖는 글자》.
pòly·phónic, po·lyph·o·nous [pəlífənəs] *a.* **1** 다음(多音)의. **2** 〔樂〕 다성 음악의. **3** 〔音聲〕 다음(多音)을 표시하는.
po·lyph·o·ny [pəlífəni] *n.* 〔音聲〕 다음; 〔樂〕 다성 음악(cf. HOMOPHONY).
póly·plòid *n.* 〔生〕 배수체. —— *a.* 기본 수의 몇 배의 염색체가 있는, 배수성의; 배수체의.

póly·plòidy *n.* Ⓤ 〔生〕 배수성(倍數性).
póly·pòd *n., a.* 〔動〕 다족류(多足類)(의).
poly·po·dy [pálәpòudi] *n.* 〔植〕 미역고사리.
pólyp·òid *a.* 〔動·醫〕 폴립 모양의.
pólyp·ous *a.* 〔動·醫〕 폴립성(性)의.
pòly·própylene *n.* 〔化〕 폴리프로필렌《polyethylene 비슷한 합성 물질; 섬유·필름·성형품(成形品) 따위에 쓰임》.
poly·pus [pálәpәs] *n.* (*pl.* **-pi** [-pài], **~·es**) 〔醫〕 =POLYP. 〖Gk. (*pous* foot)〗
póly·rhỳthm *n.* 〔樂〕 폴리리듬《대조적 리듬의 동시적 조합》. **pòly·rhýthmic** *a.* **-mical·ly** *adv.*
pòly·ríbo·sòme *n.* 〔生化〕 폴리리보솜《몇 개에서 수십개의 리보솜이 한 messenger RNA에 결합된 것》. **-rìbo·sóm·al** *a.*
pòly·sáccharide *n.* Ⓤ 〔化〕 다당류(多糖類).
pòly·sé·mous [-síːmәs, pәlísә-] *a.* 다의(多義)의. 〖L (Gk. *sēma* sign)〗
póly·sè·my *n.* Ⓤ 다의성(多義性).
póly·sòme *n.* 〔生化〕 폴리솜(=POLYRIBOSOME).
pòly·sómic *a.* 〔遺〕 다염색체성의. — *n.* 다염색체 생물.
pòly·sórbate *n.* 〔化〕 폴리소르베이트《약제(藥劑)·식품 제조용의 표면 활성제》.
póly·stỳle *n., a.* 〔建〕 다주식(多柱式)(의), 다주식 건축(물)(의).
pòly·stýrene *n.* 〔化〕 폴리스티렌《무색 투명한 합성 수지의 일종》.
pòly·syllábic, -ical *a.* 다음절(多音節)의; 다음절어가 많은《언어·문장》. **-ical·ly** *adv.*
póly·sỳllable *n.* (3음절 이상의) 다음절어(語) (cf. MONOSYLLABLE, DISYLLABLE).
pòly·sýnthesis *n.* 〔音聲〕 =POLYSYNTHESISM.
pòly·sýn·the·sism [-sínθәsìzәm] *n.* Ⓤ 많은 요소의 통합[총합]; 〔言〕 다총합성, 포합.
pòly·synthétic, -ical *a.* 많은 요소를 통합[총합]하는; 〔言〕 다총합적인: a ~ language 다총합적 언어, 포합어(抱合語)《언어의 유형 분류의 하나; 아메리칸 인디언의 언어와 같이 모든 구성 요소가 밀접하게 결합되어 있어 분석할 수 없는 전체를 이루고 한 낱말로 문장을 이루는 언어; cf. SYNTHETIC language》.
pòly·téchnic *a.* 여러 공예(工藝)의: a ~ school 공예 학교 / the *P*~ Institution (특히 London의) 공예 강습소. — *n.* 공예 학교.
póly·thèism *n.* Ⓤ 다신론(多神論); 다신교(cf. MONOTHEISM). **-thèist** *n.* 다신론자, 다신교도.
pòly·theístic, -tical *a.* 다신교[론]의.
poly·thene [páləθìːn] *n.* 《英》 〔化〕 =POLYETHYLENE.
pòly·tonálity *n.* 〔樂〕 다조성(多調性).
pòly·tónal *a.* **-nal·ly** *adv.*
pòly·ùn·sáturate *n.* 〔化〕 폴리[다] 불포화 유지(油脂)《불포화 결합을 둘 이상 가진 지방산 에스테르를 함유한 유지》.
pòly·ùn·sáturated *a.* 〔化〕 (유지·지방산이) 불포화 결합이 많은, 폴리[다] 불포화의.
pòly·úrethane, -úrethan *n.* 〔化〕 폴리 우레탄《합성 섬유·합성 고무용》.
pòly·válent *a.* **1** 〔化〕 다(多)원자가의, 다가(多價)의(multivalent). **2** 〔生化〕 (혈청을 만드는 데에) 여러 가지 균을 혼합한, 다가의《항체·백신; cf. MONOVALENT》.
pòly·válence, -válency *n.*
pòly·vér·si·ty [-vә́ːrsәti] *n.* =MULTIVERSITY.
pòly·vínyl *n., a.* 〔化〕 폴리[중합]비닐(의).
polyvínyl ácetate *n.* 〔化〕 폴리비닐 아세테이트《略 PVA》.
polyvínyl chlóride *n.* 〔化〕 폴리염화비닐《略 PVC》.
polyvínyl résin *n.* 〔化〕 폴리비닐 수지.
póly·wàter *n.* 〔化〕 폴리워터, 중합수(重合水) (superwater)《영하 40℃에서 얼고 500℃에서 끓는 새로 발견된 물》.
pom [pám] *n.* =POMERANIAN.
pom. pomological; pomology.
pom·ace [pʌ́mәs] *n.* Ⓤ 사과즙을 짜고 난 찌꺼기; 어유(魚油)를 짜고 난 찌꺼기; 아주까리 기름을 짜고 남은 찌꺼기. 〖L=cider (*pomum* apple)〗
po·ma·ceous [pouméiʃәs, pɑ-] *a.* 이과류(梨果類)의; 사과의.
po·made [pәméid, -máːd, pou-], **po·ma·tum** [pouméitәm, -máː-, pә-] *n.* Ⓤ 포마드, 향유(香油). — *vt.* …에 포마드를 바르다.
〖F<It.; ⇨ POMACE; 원래 사과가 원료〗
po·man·der [póumændәr, -´-] *n.* 〔史〕 향료 환약《방취·질병 예방에 썼음》.
〖C15 *pom(e)amber*<AF<L *pomum de ambra* apple of ambergris〗
po·ma·to [pәméitou] *n.* 〔植〕 포마토《감자(potato)와 토마토(tomato)를 세포 융합시켜 만든 신종 작물》.
pome [póum] *n.* 〔植〕 이과(梨果)《사과·배·마르멜로 따위》; 《詩》 사과.
〖OF<Rom. (pl.) ‹*pomum* fruit, apple〗
pome·gran·ate [pámәgrӕnәt, pʌ́m-, ´(-)´-] *n.* 석류 (나무); 자주색. 〖OF *pome grenate*<Rom. =many-seeded apple (↑)〗
pom·e·lo [pámәlòu] *n.* (*pl.* **~s**) 왕귤나무(shaddock); 그레이프프루트(grapefruit).
〖C19<?; cf. Du. *pompelmoes* shaddock〗
Pom·e·rán·chuck thèorem [pàmәrǽntʃәk-] *n.* 〔理〕 포메란척의 정리(定理).
〖Isaak Y. *Pomeranchuk* (1913-66) 구소련의 이론 물리학자〗
Pom·er·a·nia [pàmәréiniә] *n.* 포메라니아《옛 독일 북동부의 주; 현재는 독일과 폴란드로 분할되어 있음》.
Pòm·er·á·ni·an *n., a.* 포메라니아인(의); 포메라니아인(의); 포메라니안《독일 원산(原産)의 작고 털이 많은 애완견》. 〖↑〗
pom·fret [pámfrәt] *n.* (*pl.* ~) 〔魚〕 **1** 새다래《북태평양·북대서양산(産); 살은 희고 맛이 좋음》. **2** 병어《서인도제도 해역산(産)》.
〖변형(變形) ‹*pamflet*<? F *pample*〗
pómfret càke *n.* 《英》 폼프렛 케이크《잉글랜드 West Yorkshire의 Pontefract (이전의 Pomfret)에서 만든 작고 둥근 감초가 든 과자》.
pómi·cùlture [pámi-] *n.* 과수 재배.
-tur·ist *n.* 과수 재배자.
po·mif·er·ous [poumífәrәs, pɑm-] *a.* 〔植〕 배모양의 열매를 맺는.
pom·mel [pʌ́mәl, pám-] *n.* 안장머리; (칼의) 자루 끝(knob); 〔體操〕 (안마의) 손잡이, 폼멜. — *vt.* (**-l-** | **-ll-**) 주먹으로 연거푸 치다; 칼자루 끝으로 때리다. 〖OF (dim.)<L POME〗
[類義語] ⟹ BEAT[1].
pómmel hòrse *n.* 〔體操〕 안마(鞍馬) (side horse).
pom·my, -mie [pámi] *n.* [때때로 P~] 《濠俗·뉴질俗·보통蔑》 (오스트레일리아 또는 뉴질랜드로) 영국에서 새로 이주해 온 사람. 〖C20<?; 일설(一說)에 *pomegranate*와 *immigrant*의 blend

(그 붉은 얼굴에서), 또는 *p*risoner *o*f *m*other *E*ngland (유형인(流刑人)에 대해서)]

po·mol·o·gy [poumálədʒi, pɑ-] *n.* Ⓤ 과수 원예학[법]. **pò·mo·lóg·i·cal** *a.*

Po·mo·na [pəmóunə] *n.* 〖로神〗 포모나《과실의 여신》.

pomp [pámp] *n.* **1** Ⓤ 화려함, 화려, 장관 ; 어마어마함. **2** [*pl.*] 자랑해 보이기, 과시, 허식, 허영. **3** 《古》 화려한 행렬.
〖OF<L<Gk.=procession〗

pom·pa·dour [pámpədùər, -dɔ̀ːr ; *F* pɔ̃paduːr] *n.* **1** 퐁파두르《(1) 앞머리를 높게 올린 여자 머리형의 일종. (2) (남자의) 올백의 일종. (3) 깃이 낮고 모나게 파인 여성용 조끼. (4) 작은 꽃무늬(가 있는 비단[무명] 옷감)》. **2** 로즈 핑크.

pompadour 1

pom·pa·no [pámpənòu] *n.* (*pl.* ~, ~**s**) 〖魚〗 빨판전갱이《북미 남부의 대서양산(產) ; 식용》.
〖Sp.<L〗

Pom·pe·ian, -pei- [pɑmpéiən, -píː- ; -píː-] *a.* 폼페이의 ; 〖美術〗 폼페이풍의, 폼페이 벽화풍의. —— *n.* 폼페이인(人).

Pom·peii [pɑmpéi, -péiiː ; -péiiː] *n.* 폼페이《서기 79년 Vesuvius 화산 분화 때문에 매몰된 이탈리아의 나폴리 근처에 있었던 도시》.

Póm·pe's diséase [pámpəz-] *n.* 〖醫〗 폼페병《당원병(糖原病)의 하나》.
〖J. C. *Pompe* 20세기의 네덜란드의 의사〗

Pom·pey[1] [pámpi] *n.* 폼페이우스(106-48 B.C.)《로마의 장군·정치가 ; cf. TRIUMVIRATE》.

Pompey[2] *n.* 《英俗》 =PORTSMOUTH.

Pom·pi·dou [*F* pɔ̃pidu] *n.* 퐁피두. **Georges (Jean Raymond)** ~ (1911-74) 프랑스의 전(前) 수상(1962-68)·대통령(1969-74).

póm·pi·er (ládder) [pámpiər(-)] *n.* 끝에 갈고랑이가 있는 소방용 사다리.
〖F *pompier* fireman〗

pom-pom [pámpàm] *n.* (원래) 자동 기관총 ; 자동 고사포, 대공 속사포(速射砲). 〖imit.〗

pom·pon [pámpɑn] *n.* **1** 모자[단화]의 술[리본]. **2** 〖軍〗 (군모의) 앞면에 꽂은 장식물. **3** 〖植〗 폼폰달리아[국화]. 〖F<?〗

pom·pos·i·ty [pɑmpásəti] *n.* Ⓤ 화려함 ; 젠체함, 거만함 ; Ⓒ 거만한 언동.

pom·po·so [pɑmpóusou] *a., adv.* 〖樂〗 장중한[하게]. 〖It.〗

pómp·ous *a.* **1** 젠체하는, 거만한. **2** 허풍떠는, 과장된. **3** 화려한, 호화로운.
~**·ly** *adv.* ~**·ness** *n.* 〖OF<L ; ⇨ POMP〗

'pon, pon [pàn, pən] *prep.* =UPON.

pon. pontoon.

ponce [páns] *n.* 《英俗》 (매춘부의) 정부, 기둥서방(pimp) ; 여자같이 간들거리는 남자.
—— *vi.* 기둥서방 생활을 하다, 나긋나긋하게[나태하게] 행동하다 ; 호기있게 놀고 다니다〈*about*, etc.〉.
ponce up 성장(盛裝)하다, 멋을 부리다, 나긋나긋하라고 시키다.
poncy [pánsi] *a.* 〖C19〈? *pounce*[1]〗

pon·ceau [pɑnsóu ; ⌐-] *n.* 개양귀비꽃색, 선홍색(鮮紅色). 〖F〗

pon·cho [pántʃou] *n.* (*pl.* ~**s**) (남미 원주민의) 외투의 일종, 판초 ; (판초 모양의) 비옷, 우비.
〖Am. Sp.=woolen material〗

***pond** [pánd] *n.* **1** (연)못 ; 샘물 ; 활어조. **2** [the ~] 《英戲》 바다, (특히) 대서양. —— *vt.* (물줄기를) 막다〈*up*, *back*〉. —— *vi.* (물이 괴어) 못[늪]이 되다. 〖*pound*[3]〗

pónd·age *n.* Ⓤ (못의) 저수량.

pon·der** [pándər] *vt.*, *vi.* [+目 / +前+名] (이것저것) 곰곰이 생각하다, 숙고하다 : He spent the day ~*ing* the steps to be taken. 그는 취해야 할 조치를 이것저것 생각하면서 하루를 보냈다 / I ~*ed* ***on what my father had said. 아버지가 하신 말씀을 잘 생각해 보았다 / He ~*ed* long and deeply ***over*** the question. 그는 그 문제를 오랫동안 심사 숙고했다. 〖OF<L *pondero* to weigh (*ponder*- *pondus* weight)〗
類義語 ⟹ MEDITATE.

pónder·able *a.* 측량할[잴] 수 있는, 무게가 있는 ; 고려할 가치가 있는, 상당한. —— *n.* [흔히 *pl.*] 무게가 있는 물건. **pònder·abílity** *n.*

pónder·ing·ly *adv.* 생각하면서, 숙고하여.

pon·der·ó·sa píne [pàndəróusə-, -zə-] *n.* 〖植〗 폰데로사소나무《북미 서부 원산(原產)》 ; 그 목재.

pónder·ous *a.* 매우 무거운, 묵직한, 육중한 ; 다루기 어려운 ; (담화나 문장 따위가) 답답한, 장황한, 지루한 : a ~ figure 묵직[육중]한 모습 / a ~ joke 고리타분한 농담.
pon·der·os·i·ty [pàndərásəti] *n.* Ⓤ 무거움, 묵직함 ; 답답함. ~**·ly** *adv.* ~**·ness** *n.*
〖L ; ⇨ PONDER〗

pónd lìfe *n.* 못에 사는 작은 생물들.

pónd lìly *n.* 〖植〗 수련(water lily).

pónd scùm *n.* 〖植〗 고인 수면(水面)에 피막(皮膜) 모양으로 뜨는 녹색의 각종 조류(藻類), (특히) 해감, 수면(水綿)(spirogyra).

pónd·wèed *n.* 〖植〗 가래《수생(水生) 식물》.

pone[1] [póun] *n.* Ⓤ 《美南部·美中部》 옥수수빵(의 한 덩어리). 〖Algonquian=bread〗

pone[2] *n.* 〖카드놀이〗 선 ; 선과 짝이 된 사람《보통 선의 오른쪽에 앉음》.
〖L (2nd sg. impv.) 〈*pono* to place〗

pong [páŋ] *n.*, *vi.* 《口》 악취(가 나다)(stink).
~**y** *a.* 〖C20<? ; cf. Romany *pan* to stink〗

Pong *n.* 퐁《텔레비전 게임의 일종 ; 상표명》.

pon·gee [pandʒíː, ⌐-] *n.* Ⓤ 산동주(山東紬)《얇은 견직물의 일종 ; 작잠사(柞蠶絲)로 짬》. 〖Chin.〗

pon·gid [pándʒəd, -gəd] *a.*, *n.* 〖動〗 성성이과의 (유인원).

pon·go [páŋgou] *n.* (*pl.* ~**s**) **1** (아프리카산의) 성성이(orangutan). **2** 《海軍俗》 해병대원, 병사.

pon·iard [pánjərd] *n.* 단검, 비수(dagger).
—— *vt.* 단검으로 찌르다.
〖F *poignard* dagger (L *pugnus* fist)〗

pons [pánz] *n.* (*pl.* **pon·tes** [pántiːz]) 〖解〗 다리《(1) 연수와 중뇌 사이의 뇌교(腦橋). (2) 동일 기관의 두 부분을 결합하는 구조》.
〖L *pont*- *pons* bridge〗

póns Va·ró·lii [-vəróuliài] *n.* (*pl.* **póntes Va·rólii**) 〖解〗 뇌교(腦橋)(pons).
〖NL=bridge of Varoli ; 이탈리아의 외과 의사·해부학자 Costanzo *Varoli* (d. 1575)에서 연유함〗

Pon·ti·ac [pántiæ̀k] *n.* 폰티액《미국제 자동차 이름 ; 상표명》.

pon·ti·fex [pántəfèks] *n.* (*pl.* **-tif·i·ces** [pantífəsìːz]) **1** 〖古로〗 대신관(大神官). **2** =PONTIFF.
〖L *pontific*- *pontifex* priest〗

pon·tiff [pántəf] *n.* (유태의) 제사장 ; 〖카톨릭〗 주교(bishop), [the ~] 로마 교황(Pope) ; 고위 성

직자 : the Supreme[Sovereign] *P*~ 로마 교황. 〖F (↑)〗

pon·tif·i·cal [pantífikəl] *a.* 교황의, 주교의 ; 대신관의 ; 《蔑》 독단적인, 거만한. —— *n.* **1** [*pl.*] 〔카톨릭〕 (주교의) 제복 기장(祭服記章) : in full ~*s* 주교의 정장(正裝)으로. **2** (주교의 의식을 정한) 전례서(典禮書).

~·**ly** *adv.* 주교답게 ; 주교의 교권을 가져, 주교로서 ; 거만하게, 독단적으로.

Pontífical Cóllege *n.* 〔古로〕 대신관단(大神官團) ; 〔카톨릭〕 (교황청의) 직속 신학교 ; (교회의) 최고 성직자 회의.

pon·tif·i·ca·lia [pantìfəkéiliə] *n. pl.* 주교 제복.

pon·tif·i·cate [pantífikət, -fəkèit] *n.* Ⓤ 주교의 직위[임기]. —— [-fəkèit] *vt., vi.* **1** 주교로서 (의식을) 집행하다 ; 주교로서의 직무를 수행하다. **2** 건방지게[잘난 듯이] 말하다, 거드름 피우다, 거만하게 행동하다.

pontifices *n.* PONTIFEX의 복수형.

pon·ti·fy [pántəfài] *vi.* =PONTIFICATE 1.

pon·til [pántl] *n.* =PUNTY.

pon·tine [pántain] *a.* 다리의 ; 〔解〕 뇌교(腦橋) (pons)의.

pont·lev·is [pantlévəs ; *F* pɔ̃ləvi] *n.* 도개교(跳開橋) (drawbridge).

pon·ton [pántn] *n.* 〔軍〕 =PONTOON.

pon·ton·ier, -eer [pàntəníər] *n.* 〔軍〕 가교병(架橋兵) ; 부교[배다리] 가설자.

pon·toon [pantú:n] *n.* **1** 〔海〕 부선거(浮船渠) ; 큰 거룻배(lighter). **2** 〔軍〕 철주(鐵舟) ; 배다리 (=~ bridge). **3** (수상 비행기의) 플로트 (float). **4** (침몰선을 인양하는) 부양함(浮揚函). —— *vt.* …에 배다리를 놓다 ; (강을) 배다리로 건너다. 〖F<L *ponton-ponto* to punt ; ⇨ PONS〗

póntoon brídge *n.* 배다리, 부교(浮橋).

po·ny [póuni] *n.* **1** 포니《보통 4.7ft. 이하의 작은 말》 ; [*pl.*] 《俗》 경주마(racehorses). **2** 《美俗》 (외국어 텍스트의) 자습서(crib, trot) ; 부정 행위 쪽지. **3** 작은 것, 《口》 맥주의 작은 컵, 소형 기관차[자동차《따위》]. **4** 《英俗》 25파운드《주로 도박 용어》. —— *a.* 보통보다 작은, 소형의.
—— *vi., vt.* 《美俗》 (계산을) 치르다, 결제하다 〈*up*〉 ; 자습서로 공부하다[예습하다].
〖? F *poulenet* foal〗

póny càr *n.* 스포츠카형의 소형차《2도어》.
〖소형 말의 품종 이름을 붙인 것이 많은 데서〗

póny èngine *n.* (차량 교체용) 소형 기관차.

póny expréss *n.* 〔美史〕 (개척 시대의 서부의) 포니 속달편.

Póny Lèague *n.* 〔野〕 13-14세 소년 야구 리그 (cf. LITTLE LEAGUE).

póny·tàil *n.* 포니테일《뒤로 묶어 늘어뜨린 헤어스타일》.

póny trèkking *n.* 《英》 포니에 의한 여행.

-poo [pù:, pú:] *suf.* 「작은 것」의 뜻 : cutesy-*poo*. 〖?〗

P.O.O. 《英》 post-office order (우편환(換)).

pooch[1] [pú:tʃ] *n.* 《俗》 개, (특히) 잡종개. 〖C20<?〗

pooch[2] *vi., vt.* 《美方》 부풀(리)다(bulge). 〖POUCH〗

pood [pú:d] *n.* 푸드《러시아의 중량 단위 :=16.38 kg》. 〖Russ. ; ⇨ POUND[1]〗

poo·dle [pú:dl] *n.* 푸들《털이 많고 작은 영리한 애완견》. —— *vt.* (개의) 털을 깎아 손질하다.
〖G *Pudel*(*hund*)<LG *pud*(*d*)*eln* to splash in water ; cf. PUDDLE〗

póodle cùt *n.* 푸들 컷《머리를 전체적으로 짧게 하여 곱슬곱슬하게 한 여성의 헤어스타일》.

póodle-fàker *n.* 《俗》 여자를 사귀는 데에 열성적인 남자, 여자의 비위를 맞추는 남자 ; 젊은 신임 장교.

poof[1] [pú(:)f] *int.* 휙, 홱, 쓱《갑작스러운 출현·사라짐》 ; (세게 숨을 내뿜어) 훅 ; =POOH. 〖imit.〗

poof[2] *n.* (*pl.* ~**s**, **pooves** [pú:vz]) 《俗》 호모 ; 여자 같은 남자.
〖C19<? ; cf. *puff* braggart〗

pooh [pú(:)] *int.* 흥!, 피!, 체!, 아이참 《조조·조소·조롱·경멸할 때 내는 소리》.
—— *n.* 흥[체]라고 말하기 ; 《俗》 대변.
—— *vt., vi.* =POOH-POOH. 〖imit.〗

poo(h)-bah [pú:bá:, ⌐⌐] *n.* **1** [흔히 P~-B~] 많은 직책을 겸한 사람. **2** (직함이 많은) 지위가 높은 사람, 고관. **3** 거만한 인물.
〖Gilbert and Sullivan의 극 *The Mikado* 등장인물의 이름에서〗

pooh-pooh [pù:pú:, ⌐⌐] *int.* =POOH. —— *vt., vi.* 비웃다, 깔보다. 〖imit.〗

pooja ☞ PUJA.

poo·ka [pú:kə] *n.* 푸카《아일랜드의 민간 전설에서 소택지 따위에 말의 모습으로 나타나는 괴물》. 〖Ir.〗

‡**pool**[1] [pú:l] *n.* **1** 물웅덩이(puddle), (인공의) 작은 못(small pond) ; (댐으로) 막아 놓은 물 ; (액체가) 괸 곳 : a ~ *of* blood 피바다. **2** (강물의) 깊은 곳, 연(淵), 소. **3** 풀(=swimming ~) : a heated ~ 온수(溫水) 풀 / an indoor ~ 실내 풀. **4** 풀《수성암에서의 단일 유층(油層)[가스층]》. **5** 〔病理〕 울혈(鬱血). —— *vt.* …에 물웅덩이를 만들다 ; 울혈이 되게 하다. —— *vi.* 물웅덩이가 되다 ; 울혈이 되다.
〖OE *pōl* ; cf. G *Pfuhl*〗

***pool**[2] *n.* **1** (내기 따위에) 건 돈, 판돈 ; 판돈 그릇 ; [the ~s] 《英》 축구 도박《축구 시합의 승패에 거는 도박의 하나》. **2** 〔撞球〕 풀《돈을 걸고 함》. **3** 공동 계산 ; 기업 연합, 카르텔, 공동 관리, 풀 ; 〔金融〕 매점 연합. **4** 《美俗》 (물건을 두는) 하치장(荷置場), (사람이) 모이는 곳 ; 공동 이용 시설 : an auto ~ 자동차 주차장. **5** (공동 목적을 위해) 출자한 것[돈], 공동 자금. **6** 〔新聞〕 합동 대표 취재. —— *vt.* 공동 출자[부담]하다 ; 공동 계산으로 하다, 공동의 이권으로 하다, 합판(合辦)하다, 풀하다 : The two brothers ~*ed* their savings for three years to buy the encyclopedia. 두 형제는 백과 사전을 사기 위해 3년간 공동으로 저금했다. 〖F *poule* hen (used to signify stakes in a card game)〗

póol·ròom *n.* 《美》 내기 당구장 ; 공개 도박장.

póol tàble *n.* 《美》 pocket이 6개 있는 당구대.

poon [pú:n] *n.* 〔植〕 야라보《열대 아시아산 ; 선재(船材)로 쓰임》. 〖Malayalam〗

poon·tang [pú:ntæŋ] *n.* 《美俗》 성교 ; 《美卑》 (여성의) 성기, 질(vagina).
〖F *putain* prostitute〗

poop[1] [pú:p] *n.* 〔海〕 (원래) 고물 ; 선미루(船尾樓) (↔*forecastle*), 고물[선미루] 갑판(=~ **dèck**).
—— *vt.* (파도가) 고물을 치다 ; (파도를) 고물에 받다.
〖OF *pupe*<L *puppis*〗

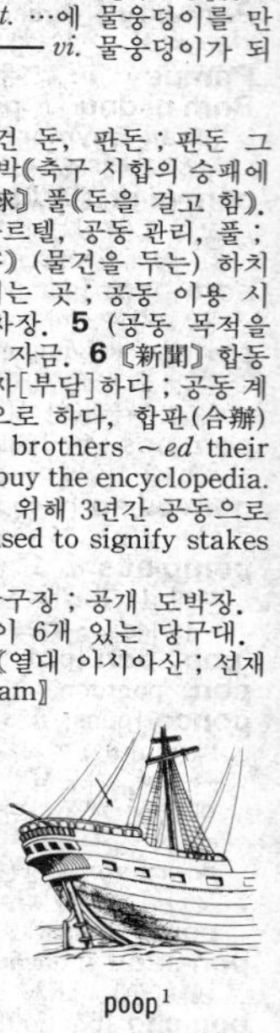

poop[1]

poop[2] *n.* 《俗》 방귀, 응가, 대변, 배변(排便).

〚ME (imit.)〛

poop³ *n.* 《英俗》 바보같은 놈. 〚nincom*poop*〛

poop⁴ *vt.* 《美俗》 [주로 *p.p.*로] 지치게 하다, 기진맥진하게 하다, 녹초가 되게 하다. ── *vi.* 지치다 ; 움직이지 않다, 수명이 다 되다.
poop out 지치다, 녹초가 되다 ; 겁나다 ; 움직이지 않다, 못쓰게 되다.
〚C20 < ?〛

poop⁵ *n.* 《俗》 정보(information) ; 내막, 내부 사정. 〚C20 < ?〛

póop(·er) scòop·er *n.* 《美》 푸퍼 스쿠퍼《개나 말 따위의 똥을 치는 작은 삽 모양의 도구》.

póop shèet *n.* 《俗》 정보 서류, 데이터 일람.

◇**poor** [púər, 英+pɔ́:r] *a.* **1 a**) 가난한, 빈곤한(↔ *rich*) : (as) ~ as a church mouse[Job] 찢어지게 가난한. **b**) [명사적으로 ; the ~] 가난한 사람, 빈민(poor people) (↔ *the rich*) : We must help *the* ~. 가난한 사람들을 도와주지 않으면 안 됩니다 / In this world rich and ~ alike aspire to happiness. 이 세상에서는 부자나 가난한 자나 모두 행복을 얻고 싶어한다. **2** 초라한, 불충분한, 빈약한 ; (땅이) 메마른, 불모(不毛)의(↔*fat*) : a ~ crop 흉작(凶作) / a ~ three days' holiday 겨우 3일간의 휴가 / a country ~ *in* minerals 광물 자원이 빈약한 나라 / His eyesight was ~. 그의 시력은 나빴다. **3** 볼품 없는, 궁상맞은 ; 나쁜, 조잡한, 열등한, 서투른(↔*good*) : a ~ cook 서투른 요리사, 요리가 서툰 사람 / a ~ excuse 어설픈 변명 / be ~ *at*[*in*] English 영어가 서투르다.

〈회화〉
She is *poor* at mathematics. — She ought to have a private tutor. 「그녀는 수학을 잘 못해요」「가정 교사를 두어야 할 모양이오」

4 불쌍한, 불행한, 가련한 ; 고인(故人)이 된, 고(故)…(lamented) : My ~ son died in the war. 제 아들은 불행히도 전사했습니다 / my ~ father 돌아가신 아버님 / *P*~ fellow[soul, thing] ! 불쌍하게도 ! **5** 기력이 없는, 건강하지 못한 ; 여윈.

〈회화〉
She is *poor* in health. — I had that impression. 「그녀는 몸이 약해」「그런 인상을 받았어요」

6 비천한, 천박스러운, 시시한 : in my ~ opinion 저의 좁은 소견으로는. 〚OF *povre* < PAUPER〛
類義語 ***poor*** 가장 흔히 쓰이고 뜻이 넓은 말 ; 오락품 · 사치품 따위를 살 여유가 없을 정도로 쪼들리는 : a *poor* family (가난한 집안). ***penniless*** 돈이 한푼도 없다는 뜻 ; 특히 일시적으로 돈을 가지고 있지 않는 : She found herself *penniless* in the theater. (그녀는 극장에 갔을 때 자기에게 돈이 한푼도 없다는 것을 알았다). ***impoverished*** 예전에는 상당히 잘 살았으나 현재는 몰락해 버려서 가난하게 살고 있는 : Many baseball stars are now *impoverished*. (많은 인기 야구 선수들이 지금은 가난한 생활을 하고 있다).

póor bòx *n.* (교회의) 자선 헌금함.

póor·boy *n.* 몸에 꼭 끼는 골이 지게 짠 스웨터.

póor bòy, póor-bòy sàndwitch *n.* 대형 샌드위치 ; 《美俗》 몹시 낡은 장치.

póor dèvil *n.* 불쌍한 사람 ; 병자 ; 파산자.

póor fàrm *n.* 〖美史〗 구빈(救貧) 농장.

póor·hòuse *n.* 〖史〗 (옛날의) 구빈원(救貧院) (workhouse).

póor làw *n.* 빈민 구제법, 구빈법(救貧法)《영국에서는 1947년 폐지》.

póor·ly *adv.* **1** 가난하게 ; 빈약하게, 불충분하게 : ~ paid 박봉의 / think ~ of …을 좋게 생각하지 않다, …을 달갑게 여기지 않다. **2** 신통치 않게 ; 불완전하게, 서투르게 ; 초라하게, 졸렬하게 : a ~ built house 엉성하게 지은 집.
poorly off 살림이 넉넉하지 못한〈↔*well off*〉; …이 부족한〈*for*〉.
── *pred. a.* 《口》 건강[기분]이 좋지 않은, 병약한(unwell) : feel ~ 기분이 좋지 않다.

póor màn's *a.* 대용이 되는, 값이 싼 데 비해 비교적 쓸모가 있는, 소형판의.

póor màn's wéatherglass *n.* 〖植〗 별봄맞이꽃(=SCARLET PIMPERNEL).

póor mòuth [-θ] *n.* (구실 · 변명으로서) (자신의) 가난을 강조하는[핑계대는] 일[사람].

póor-mòuth [-θ, -ð] *vi., vt.* **1** 가난을 핑계삼다. **2** 우는 소리를 하다, 투덜대다. **3** 비방하다, 험담하다. **~·er** *n.*

póor·ness *n.* Ⓤ 빈곤, 부족〈*of*〉; 빈약함, 서투름, 불완전 ; (성품 따위의) 저열, 비열 ; (아주 초라해서) 볼품없음〈*of*〉; 불모(不毛) ; 허약, 병약.

póor ràte *n.* 구빈세(救貧稅)《지방세》.

póor relátion *n.* (같은 무리 중에서) 뒤떨어진 (위치에 있는) 사람[것].

póor-spírit·ed *a.* 마음이 약한, 소심한, 겁많은.

póor whíte *n.* 《보통 蔑》 (특히 미국 남부 지방의) 가난한 백인.

pop**¹ [pɑ́p] *v.* (**-pp-**) *vi.* **1** 펑소리가 나다, 펑하고 폭발하다, 펑하고 튀다 : The cork ~*ped*. 코르크 마개가 펑하고 빠졌다 / The balloon ~*ped*. 풍선이 펑하고 터졌다. **2** [+副/+前+名] 불쑥 들어오다[나가다], 급히 움직이다[걷기 시작하다] : Little children were ~*ping* ***in and ***out*** (***of*** the room). 꼬마들이 (방안을) 들락날락하고 있었다 / He felt as if his eyes were going to ~ *out* (*in surprise*). (놀라서) 눈알이 튀어 나오려는 것 같이 느껴졌다 / He ~*ped* ***around*** the corner. 모퉁이를 싹 돌았다. **3** 《口》 [+*at*+名/+副] (펑하고) 발포하다 : They were ~*ping away* ***at*** the wood pigeons. 산비둘기를 향해 탕탕 총을 쏘고 있었다. **4** 《口》 구혼하다. **5** 《俗》 마약을 먹다[맞다]. **6** 〖野〗 내야 플라이를 치다〈*up*〉, 내야 플라이를 치고 아웃되다〈*out*〉. ── *vt.* **1** 펑하고 소리나게 하다[폭발시키다] ; (마개를) 펑 소리나게 빼다 ; 《美》 (옥수수 따위를) 튀기다, 볶다(cf. POPCORN) ; 발포하다. **2** [+目+副/+目+前+名] 홱 움직이다 ; 급히 놓다 : Dick ~*ped* his head ***out of*** the window. 딕은 창 밖으로 얼굴을 홱 내밀었다 / Just ~ this bottle ***in***[***into*** the cupboard]. 이 병을 좀 넣어[찬장에 넣어] 주세요. **3** 무심코 말을 꺼내다, (질문을) 급히 하다. **4** 《英俗》 전당 잡히다. **5** 〖野〗 내야 플라이를 치다. **6** (마약을) 먹다, 맞다.
pop in ☞ *vi.* 2, *vt.* 2 ; 잠깐 방문하다 : Do ~ *in* for a short visit. 부디 찾아와 주십시오.
pop off 갑자기 나가다[보이지 않게 되다] ; 《俗》 급사하다.
pop the question 《口》 청혼하다.
── *n.* **1** 펑[뻥]하는 소리. **2** Ⓤ 《口》 거품나는 음료(탄산수 · 샴페인 따위). **3** 발포(發砲) ; 《口》 권총. **4** 《英俗》 전당 잡힘. **5** 〖野〗 내야 플라이. **6** 마약 주사.
in pop 《英俗》 전당 잡혀서(cf. *vt.* 4).
── *adv.* 펑하고 ; 별안간 : go ~ 펑하고 소리나다, 터지다 ; 죽다.
〚imit.〛

pop² *a.* 《口》 대중적인, 통속적인, 대중 음악의; POP ART(조(調))의: a ~ singer 팝송 가수 / a ~ song 대중 가요, 팝송. ── *n.* 유행가[곡]; =POP ART; 대중 문화의; [보통 단수 취급; ~s] =POP CONCERT. 〖*pop*ular〗

pop³ *n.* 《口》 아버지, 아빠; 아저씨. 〖PAPA; cf. POPPA〗

pop⁴ *n.* 《美俗》 아이스캔디, 막대 달린 빙과.

Pop *n.* 《英》 Eton 교(校)의 사교 토론 클럽.

pop. popular(ly); population. **P.O.P.** point of purchase(구매 시점); Post Office Preferred 《봉투의 크기 따위》; 〖寫〗 printing-out paper(cf. D.O.P.).

póp árt *n.* 〖美術〗 팝 아트(pop)《1962년 경부터 New York을 중심으로 일어난 전위적인 대중 미술 운동으로 광고·만화 따위의 대중 문화의 산물을 사용함》.

póp ártist *n.* pop art 작가.

póp bòttle *n.* 《美俗》 싸구려 카메라[확대경].

póp chàrt *n.* 팝 음악의 인기 순위표.

póp còncert *n.* 팝 콘서트, 경음악 연주회.

póp·còrn *n.* Ⓤ 옥수수 튀긴 것, 팝콘.

póp cùlture *n.* 대중 문화《특히 젊은이의 문화로서의》.

pope¹ [póup] *n.* **1** [P~] 로마 교황. **2** 《비유》 최고 권위가 있다고 자처하는 사람. **3** 〖그리스 正教〗 (Alexandria의) 총주교; 〖그리스正教〗 사제(priest); 〖魚〗 =RUFF³. 〖OE *papa*＜L=bishop, pope＜Gk. *papas* father〗

pope² *n., vt.* 넓적다리의 급소(를 치다). ***take*** a person***'s pope*** 사람의 넓적다리의 급소를 치다.

Pope *n.* 포프. **Alexander** ~ (1688-1744) 영국의 시인.

pópe·dom *n.* Ⓤ 로마 교황의 직[권한·관구]; 교황 정치.

Pópe Jóan *n.* (다이아몬드 8을 빼고 하는) 카드 놀이의 일종.

pop·ery [póupəri] *n.* Ⓤ [때때로 P~] 《蔑》 카톨릭교 (제도).

pópe's-éye *n.* (소·양의) 넓적다리 부분의 림프선(腺).

pópe's héad *n.* 《古》 (천장 청소용의) 자루가 긴 장목비.

pópe's nóse *n.* 《俗》 (요리한) 오리[거위]의 궁둥이.

póp èye *n.* 튀어나온 눈; (놀라움·흥분 따위로) 크게 뜬 눈.

Pop·eye [pápai] *n.* 뽀빠이《미국 만화에 나오는 선원의 이름》. 〖POP¹+EYE〗

póp-éyed *a.* 《美口》 튀어나온 눈의; (놀라서) 눈이 휘둥그래진.

póp féstival *n.* 팝 뮤직 따위의 음악제.

póp flý *n.* 〖野〗 내야(內野) 플라이.

póp·gùn *n.* 장난감 총, 딱총; 공기총(air gun); 《蔑》 쓸모없는 총.

pop·in·jay [pápəndʒèi] *n.* (앵무새같이 재잘거리는) 멋쟁이(fop); 《古》 앵무새(parrot). 〖OF *papingay*＜Sp.＜Arab.; 어미는 *jay*에 동화(同化)〗

pop·ish [póupiʃ] *a.* [때때로 P~] 《蔑》 카톨릭교의; 로마 교황의. **~·ly** *adv.* **~·ness** *n.*

pop·lar [páplər] *n.* 〖植〗 포플러, 백양(白楊)나무의 일종; 《美》 튤립나무(tulip tree); Ⓤ 포플러 재목: the trembling[white, silver] ~ 백양. 〖AF (L *populus*)〗

Poplar *n.* 포플러《London의 East End에 있던 metropolitan borough; 현재는 Tower Hamlets 구의 일부》.

Póplar·ism *n.* Ⓤ 포플러리즘《(1) London의 Poplar 구의 구빈(救貧) 위원회가 1919년 경 이래 실시한 과도(過度)한 빈민 구제책. (2) 그와 같은 정책; 지방세의 부담이 커지는 것》.

pop·lin [páplən] *n.* Ⓤ 포플린(broadcloth): double[single] ~ 두꺼운[얇은] 포플린. 〖F *papeline*〗

pop·lit·e·al [paplítiəl, pàplətíːəl] *a.* 〖解〗 오금의.

póp-òff *n.* 《美口》 (불평 따위를 경솔하게[감정적으로]) 툭툭[가리지 않고] 내뱉는 사람.

póp·òut *n.* 《서핑俗》 싸구려 서프 보드.

póp·òver *n.* 《美》 머핀 비슷한 살짝 구운 빵; 《英》 요크셔 푸딩.

pop·pa [pápə] *n.* 《美俗》 아버지, 아빠; 아저씨. 〖cf. POP³〗

póp pàrty *n.* 《俗》 마약 주사 파티.

póp·per *n.* 펑 소리나게 하는 사람[것]; 《口》 폭죽, 총포, 권총《따위》; 《口》 사수(射手), 포수(砲手); 《美口》 옥수수 튀기는 것《프라이 팬 따위》; 《英口》 똑딱단추(snap fastener, press-stud); 불쑥 (들어)오는[(나)가는] 사람. 〖POP¹〗

pop·pet [pápət] *n.* **1** 《英口》 아가《애칭》. **2** 〖海〗 포핏《진수(進水)할 때 배 밑에 받치는 침목(枕木)》; 〖機〗 선반(旋盤)의 주축대; 포핏 밸브. 〖L *pu*(*p*)*pa* doll〗

póppet·hèad *n.* 〖機〗 선반의 주축대(臺).

póp·pied *a.* 양귀비꽃으로 장식한, 양귀비가 우거진; 마취된, 노곤한, 졸린.

póp·ping crèase *n.* 〖크리켓〗 타자선(打者線).

pop·ple¹ [pápəl] *n.* 〖植〗 =POPLAR.

popple² *vi.* (바닷물 따위가) 흐르다, 끓(어 오르)다; 물결[거품]이 일다. ── *n.* (뜨거운 물의) 끓어 오름; 물결 치는 바다; 물결치기, 파동(波動), 거센 파도. **póp·ply** *a.* 〖imit.; cf. MDu. *popelen* to bubble, throb〗

pop·py¹ [pápi] *n.* **1** 〖植〗 양귀비, 포피: the field [red] ~ 개양귀비 / the garden ~ 양귀비(꽃) / the opium ~ 아편 양귀비《아편 원료가 되는 양귀비》. **2** Ⓤ 양귀비 빛깔, 오렌지색을 띤 적색(=~ red). 〖OE *popig*, *papæg*＜L *papaver*〗

poppy² *n.* 《美俗》 =POPPA.

póppy·còck *n.* 《美俗》 어리석은 이야기, 실없는 소리, 헛소리(nonsense). 〖Du. (dial.) *pappekak* soft excrement〗

Póppy Dày *n.* 《英》 휴전 기념일(Remembrance Sunday)《붉은 개양귀비(Flanders poppy)의 조화를 몸에 달고 제1차·제2차 대전의 전사자를 추도함》; 《美》 상이 제대 군인을 돕기 위하여 조화인 양귀비를 파는 날《전몰 장병 기념일(Memorial Day) 전주(前週) 일요일》.

póppy·hèad *n.* 〖建〗 (특히 교회 좌석의) 양귀비 장식.

póppy réd *n.* 오렌지색을 띤 적색.

póppy sèed *n.* 양귀비씨《빵·과자 따위에 얹음》.

póp·quìz *n.* 《學俗》 예고없이 치르는 시험.

póp-ròck *n.* 록풍의 팝 음악.

pops [páps] *n.* 《美俗》 아저씨. 〖cf. POP³〗

póps còncert *n.* =POP CONCERT.

póp·shòp *n.* 《英俗》 전당포.

Pop·si·cle [pápsikəl] *n.* 팝시클《막대에 끼운 아이스캔디의 상표명》.

póp·ster *n.* 《美俗》 =POP ARTIST.

pop·sy, -sie [pápsi] *n.* 《口》 [흔히 경멸적으로]

섹시한 젊은 여자, 여자 친구, 사랑스런 여자. 〚(dim.) ‹*pop* ‹POPPET〛

póp tèst *n.* =POPQUIZ.

póp-tòp *a., n.* (깡통 맥주처럼) 잡아올려 따는 식의 (용기).

pop·u·lace [pápjələs] *n.* **1** [the ~ ; 집합적으로] 대중, 민중, 서민 ; (한 지역의) 전체 주민 : literature for *the* ~ 대중 문학. **2** 하층 사회. **3** 《蔑》 오합지중.
〚F<It. (PEOPLE, *-accio* pejorative suf.)〛

‡pop·u·lar [pápjələr] *a.* **1** 서민의, 민중의 ; 대중적인, 통속적인 : ~ bonds 공모 공채. **2** 평판이 좋은, 인기가 있는, 호평받는 : a ~ singer 대중가요 가수 / Tom is ~ *with* other children. 톰은 아이들 사이에 인기가 있다 / Professor A is ~ *among* the students. A 교수는 학생들 사이에 인기가 있다. **3** (세상) 일반의, 민중에게 흔한 ; 민간에 보급되어 있는, 민간 전승(傳承)의 : ~ superstitions 전래의 미신 / ~ ballads 민요. **4** 쉬운 ; 값싼 : ~ science 통속 과학 / in ~ language 쉬운 말로 / at ~ prices 싼값으로, 염가로 / a ~ edition 보급[염가]판 / ~ lectures 통속적인 강의.

〈회화〉
Do you like that singer? — Oh yes. Her songs are *popular* with students.「그 가수 좋아하니」「물론이지. 그녀의 노래는 학생들 사이에서 인기야」

—— *n.* 《英》 대중지(紙[誌]) ; 《古》 =POP CONCERT. 〚AF or L (*populus* PEOPLE)〛

類義語 ***popular*** 일반 사람들 사이에 널리 퍼져 있는 : *popular* music (대중 음악). ***vulgar*** popular와 마찬가지로 널리 대중 사이에 퍼져 있기는 하지만 취향이 속되고 야한 : a *vulgar* word [phrase] (저속한 말[어구]). ***familiar*** 널리 세상에 알려져 있어서 누구라도 곧 알아볼 수 있는 : the *familiar* faces of TV stars (잘 알려진 텔레비전 스타).

pópular educátion *n.* 보통 교육.

pópular eléction *n.* 보통 선거.

pópular etymólogy *n.* =FOLK ETYMOLOGY.

pópular frónt *n.* [때때로 P~ F~, the ~] 인민전선《특히 1936-39년 프랑스에서 파시즘 따위에 반대하는 좌익·중도파 정당의 연합 전선》.

póp·u·lar·ist *a.* 대중의 인기를 노리는.

***pop·u·lar·i·ty** [pàpjəlǽrəti] *n.* Ⓤ 인기 ; 대중성, 통속성 ; 대중에 받아 들여짐 ; 유행 : enjoy ~ 인기가 있다 / win ~ 인기를 얻다, 유행하다.

pòpular·izátion *n.* 대중[통속]화〈*of*〉.

pópular·ìze *vt.* 대중[통속]화하다.

Pópular Látin *n.* 속(俗)라틴어.

pópular·ly *adv.* 대중적으로, 일반적으로 ; 흔히 ; 쉽게 ; 인기를 얻을 수 있게.

pópular músic *n.* 대중 음악.

pópular náme *n.* 〔生〕 (학명(scientific name)에 대하여) 일반명, 속명(俗名).

pópular sóng *n.* 대중 가요, 유행가.

pópular sóvereignty *n.* 주권 재민주의.

pópular suppórt *n.* 국민적 지지.

pópular vóte *n.* 《美》 일반 투표《대통령 선거인단이 뽑는》.

***pop·u·late** [pápjəlèit] *vt.* …에 거주시키다(people) ; …에 식민시키다, 살게 하다 : a densely [sparsely] ~*d* district 인구가 조밀[희박]한 지역 / What peoples have ~*d* America? 오늘날까지 미국에 이주해 온 사람들은 어떤 민족이냐.
〚L ; ⇨ POPULAR〛

‡pop·u·la·tion [pàpjəléiʃən] *n.* **1** Ⓤ,Ⓒ 인구 ; 주민수 ; [the ~] (일정 지역의) 전(全)주민, 시민, 특정 계급의 사람들 : This city has a ~ of 35,000[has 35,000 ~]. 이 도시의 인구는 3만 5천명이다 / What is the ~ of Seoul? 서울의 인구는 얼마나 되느냐. **2** 〔生〕 어떤 지역 내의 개체군(個體群), 집단. **3** 〔統〕 모집단(母集團).

populátion biólogy *n.* 〔生〕 집단 생물학.

populátion crìsis *n.* 인구 증가에 의한 위기.

populátion dènsity *n.* 인구 밀도.

populátion explòsion *n.* 급격한 인구 증가, 인구 폭발.

populátion genètics *n.* 〔生〕 집단 유전학.

populátion invèrsion *n.* 〔理〕 반전분포(反轉分布).

populátion pỳramid *n.* 인구 피라미드《인구의 성·연령별 구성도》.

pop·u·lism [pápjəlìzəm] *n.* 인민주의《인민 전체의 이익 증진을 목표로 하는 정치 철학》 ; [P~] 〔美史〕 인민당(People's party)의 주의[정책].
pòp·u·lís·tic *a.*

pop·u·lous [pápjələs] *a.* 인구가 조밀한 ; 혼잡한 ; (수량이) 엄청난, (정도가) 심한.
~·ly *adv.* **~·ness** *n.* 〚L ; ⇨ POPULAR〛

póp-ùp *n.* 〔野〕 내야 플라이(pop fly) ; 펼치면 그림이 튀어나오는 책.
—— *a.* 펑 튀어나오는 (식의) ; (책을) 펼치면 그림이 튀어나오는 : a ~ toaster 자동식 토스터 / a ~ book 펼치면 그림이 튀어나오는 책.

póp-up defénse *n.* 〔軍〕 긴급 발사 우주 방위 시스템《SDI의 하나》.

póp wìne *n.* 《美》 팝 와인《단맛이 나는 과실주》.

por. portrait. **P.O.R.** payable on receipt(화물 상환불) ; pay on return.

por·bea·gle [pɔ́ːrbìːgəl] *n.* 〔魚〕 악상어의 일종. 〚C18 (Corn. dial.) < ?〛

por·ce·lain [pɔ́ːrsələn, -lèin] *n.* Ⓤ 자기(瓷器), [*pl.*] 자기 제품(china) (cf. EARTHENWARE) ; 〔齒〕 도재(陶材). —— *a.* 자기로 만든, 자기의.
~·ous *a.* =PORCELANEOUS.
〚F=cowrie, shell, porcelain<It. (dim.) ‹*porca* female pig ; 암돼지의 vulva와 조개의 유사함에서〛

pórcelain cláy *n.* 도토(陶土), 자토(瓷土).

pórcelain enámel *n.* 법랑(琺瑯).

pórcelain shéll *n.* 〔貝〕 개오지조개(cowrie).

por·ce·la·ne·ous, -cel·la- [pɔ̀ːrsəléiniəs] *a.* 자기의[같은], 자기로 만든.

***porch** [pɔ́ːrtʃ] *n.* **1** 현관 (앞의 주차장) ; 포치 ; 입구 ; 주랑(柱廊)(portico). **2** 《美》 베란다(veranda). **3** [the P~] 옛날 아테네에서 Zeno가 제자들을 모아서 철학 강의를 했던 주랑 ; 스토아 학파[철학](cf. ACADEMY, LYCEUM).
〚OF<L PORTICO〛

pórch clìmber *n.* 《美口》 2층에 잠입한 좀도둑.

pórched *a.* 현관에 차 대는 곳[포치]이 있는.

por·cine [pɔ́ːrsain, 美+-sən] *a.* 돼지의, 돼지 비슷한 ; 불결한, 주접스러운(swinish).
〚F or L ; ⇨ PORK〛

por·cu·pine [pɔ́ːrkjəpàin] *n.* 〔動〕 호저. 〚OF *porc espin* pig with spines ; ⇨ PORK, SPINE〛

pórcupine ánteater *n.* 〔動〕 가시두더지.

pórcupine dilèmma *n.* 〔心〕 서로 가까워질수록 이기심으로 인해 상처를 입는 현상.

pore[1] [pɔ́ːr] *n.* 털구멍, 기공 ; (작은) 구멍.
sweat from every pore 찌는 듯이 덥다 ; 몹시

무서워[흥분하여] 식은땀을 흘리다.
〖OF<L<Gk. *poros* passage, pore〗

pore[2] *vi.* [+前+名] **1** (책 따위를) 자세히 보다, 숙독(熟讀)하다 ; 상세히 조사하다, (독서·연구에) 열중하다 : I should like to have time to ~ ***over*** a book. 차분히 책을 읽을 시간을 갖고 싶다. **2** 숙고하다, 골똘히 생각하다 : They were *poring* (***up***) ***on*** the problem. 그들은 그 문제를 깊이 생각하고 있는 중이었다. **3** 《古》 응시[주시]하다〈*at, on, over*〉. ── *vt.* [+目+副] 몰두[숙독]하여 …하게 하다 : ~ one's eyes ***out*** 지나친 독서로 눈을 피로하게 하다.
〖ME<? ; cf. PEER[2]〗

por·gy [pɔ́:rgi] *n.* 〖魚〗 도미, (특히 지중해·대서양산(産)) 도미 비슷한 물고기.
〖C18<? ; cf. Sp. *pargo*, *scuppaug* porgy〗

po·rif·er·an [pɔ:rífərən] *n.* 해면 동물.
── *a.* 해면 동물문(門)의. **po·rif·er·al** *a.*

po·rif·er·ous [pɔ:rífərəs] *a.* 구멍이 있는 , 다공(多孔)의 ; 〖動〗 해면 동물문의.

po·rism [pɔ́:rizəm] *n.* 〖數〗 부정 명제(不定命題).

***pork** [pɔ́:rk] *n.* Ⓤ 돼지고기, 포크 ; 《古》 돼지(hog, swine) ; 《美俗》 (정부·정치가가 공공의 이익보다도 정치적 배려로 주는) 보조금·관직 따위.
〖OF<L *porcus* pig〗

pórk bàrrel *n.* 돼지고기 보존용 통 ; 특정 선거구·의원만을 이롭게 하는 정부 사업[보조금].

pórk·bùrger *n.* 다진 돼지고기(로 만든 햄버거 스테이크) ; 포크버거(빵 사이에 돼지고기로 만든 햄버거 스테이크를 넣은 것).

pórk bùtcher *n.* 돼지고기 전문점(店).

pórk·chòpper *n.* 《美俗》 일도 하지 않고 보수를 받는 조합 간부[정치 관계자 등].

pórk·er *n.* 살찐 돼지 새끼 ; 식용 돼지.

pórk·et [-ət], **pórk·ling** *n.* (살찐 식용의) 돼지 새끼.

pórk píe, pórk·pìe *n.* 《英》 포크 파이(다진 돼지고기가 든 파이) ; =PORKPIE HAT.

pórkpie hát *n.* 위가 납작한 펠트(felt)제(製)의 중절 모자.

pórky *a.* 돼지(고기)의[같은] ; 《口》 뚱뚱한(fat).
〖PORK〗

por·no [pɔ́:rnou], **porn** [pɔ́:rn] *n.* (*pl.* **~s**) 《口》 포르노(pornography) ; 도색[포르노] 영화 ; 포르노 작가. ── *a.* 포르노의.

por·nog·ra·phy [pɔ:rnágrəfi] *n.* Ⓤ 춘화, 외설물, 호색적인[에로] 문학, 포르노(그래피) ; 매춘부 풍속지. **-pher** *n.* 춘화가(春畫家) ; 호색[에로]물 작가. **pòr·no·gráph·ic** *a.* **-i·cal·ly** *adv.*
〖Gk. (*pornē* prostitute, *graphō* to write)〗

por·ny [pɔ́:rni] *a.* 《俗》 포르노(풍)의 : a ~ film 포르노 영화.

po·ro·mer·ic [pɔ̀:rəmérik] *n., a.* 다공성(多孔性) 합성 피혁(의)(구두의 갑피용).

po·ros·i·ty [pɔ:rásəti] *n.* Ⓤ 다공성(多孔性) ; 유공성(有孔性) ; Ⓒ (작은) 구멍(pore) ; 〖地質〗 간극률.

po·rous [pɔ́:rəs] *a.* 구멍이 있는[많은], 다공(성)의 ; (물·공기 따위가) 스며드는.
~·ness *n.* Ⓤ =POROSITY.
〖OF<L ; ⇨ PORE[1]〗

pórous céll[**cúp**] *n.* 〖電〗 애벌구이한 병(甁) (일차 전지용(用)).

por·phy·ry [pɔ́:rfəri] *n.* Ⓤ 〖岩石〗 반암(斑岩).
pòr·phy·rít·ic [-rít-] *a.*
〖L<Gk. ; ⇨ PURPLE〗

por·poise [pɔ́:rpəs] *n.* (*pl.* **~, -pois·es**) 〖動〗 쇠물돼지의 일종, (특히) 길이가 8피트인 쥐빛 쇠물돼지 ; 〖動〗 (널리) 돌고래. ── *vi.* (수면에 잠겼다 솟았다 하며) 돌고래처럼 움직이다.
〖OF<Rom. (PORK, L *piscis* fish)〗

por·rect [pərékt, pɑ-] *a.* 수평으로 뻗은, 펼쳐진 ; 툭 튀어나온. ── *vt.* 〖敎會法〗 제출하다, 수여하다 ; 〖動〗 (몸의 일부를) 펴다.

por·ridge [pɔ́(:)ridʒ, pár-] *n.* Ⓤ 《英》 오트밀 ; (야채나 고기 따위의) 잡탕죽 ; 《英俗》 교도소, 복역, 형기.
do (one's) ***porridge*** 《英俗》 복역하다, 옥살이하다, 콩밥먹다.
keep one's ***breath to cool*** one's ***porridge*** 쓸데없는[지나친] 말참견을 하지 않다.
〖C16 (변형(變形)) ‹*pottage* ; ME *porray*의 영향〗

por·rin·ger [pɔ́(:)rəndʒər, pár-] *n.* (오트밀용 따위의) 운두가 낮은 공기(특히 어린이용).
〖C16 *pottinger*<OF ; cf. POTTAGE ; -*n*-은 *messenger* 따위 참조〗

Por·sche [pɔ́:rʃ] *n.* 포르셰(독일 Porsche 사(社)제의 스포츠 카[투어링 카]). 〖Ferry *Porsche* Porsche 사(社)의 창설자 Ferdinand Porsche (d. 1951)의 아들〗

‡port[1] [pɔ́:rt] *n.* 항구, 상항(商港), 무역항 ; (특히 세관이 있는) 항구 도시, 항시(港市) ; 개항장(開港場) (cf. HARBOR) ; 피난[휴식]처 ; 《口》 공항 ; =PORT OF ENTRY : an open ~ 개항장 / a ~ of coaling 석탄을 싣는 항구, 석탄 적재항 / a ~ office 항무국 / a ~ of delivery 화물 인도항(引渡港) / a ~ of distress 피난항 / a ~ of registry 선적항(船籍港) / ~ facilities 항만 시설.
any port in a storm 궁여지책, 곤경에 처했을 때 의지가 되는 것.
clear a port=***leave*** (***a***) ***port*** 출항하다.
enter[***make***] (***a***) ***port*** 입항하다.
in port 입항하여, 정박중인.
〖OE<L *portus*〗
[類義語] ⟹ HARBOR.

port[2] *n.* **1** 〖海〗 하역구(荷役口) ; 창구(艙口) ; =PORTHOLE ; 〖海軍〗 (옛 군함의) 포문. **2** 〖機〗 증기구(蒸氣口), (가스·물 따위의) 배출구 : an exhaust ~ 배기구(排氣口) / ☞ STEAM PORT. **3** 《스코》 문, 성문 ; (어떤 종류의 재갈(bit)의) 굴곡부(屈曲部).
〖OF<L *porta* gate〗

port[3] *n.* Ⓤ,Ⓒ 〖海〗 좌현(左舷) (cf. LARBOARD ; ↔ *starboard*) ; 〖空〗 (항공기의) 좌측 : put the helm to ~ 키를 좌현으로 잡다, 왼편으로 뱃머리를 돌리게 하다(cf. APORT). ── *a.* 좌현의.
── *vt., vi.* 좌현으로 향하게 하다[향하다], 뱃머리를 왼편으로 돌리다.
Port (***the helm***) ***!*** 〖구령〗 좌현으로 (주 1930년 이전에는 반대로 「우현(右舷)으로 !」를 가리켰음 ; cf. STARBOARD).
〖"side turned towards PORT[1]"의 뜻인가〗

port[4] *n.* **1** 〖軍〗 앞에총의 자세(총을 몸 정면에 대각선이 되게 하는 자세) : at the ~ 앞에총의 자세로. **2** 태도, 거동, 외양, 풍채. ── *vt.* 〖軍〗 앞에총하다 : *P*~ arms! 〖구령〗 앞에총 !
〖F<L *porto* to carry〗

port[5] *n.* Ⓤ 포트 와인(=~ **wíne**) (포르투갈 원산의 붉은 포도주).
〖포르투갈의 포도주 수출항 Oporto에서〗

port[6] *n.* 《濠俗》 여행 가방(portmanteau) ; (일반적으로) 가방.

port. portrait.

Port. Portugal ; Portuguese.

***por·ta·ble** [pɔ́ːrtəbəl] *a.* 가지고 다닐 수 있는, 휴대용의 ; 간편한 ; 〔컴퓨〕 (프로그램이 다른 기종에) 이식 가능한. —— *n.* 휴대용 기구, 포터블《라디오 · 타이프라이터 따위》.
-bly *adv.* **por·ta·bil·i·ty** [pɔ̀ːrtəbíləti] *n.* 휴대할 수 있음 ; 〔컴퓨〕 (프로그램의 다른 기종에로의) 이식(가능)성.
〖OF or L ; ⇨ PORT⁴〗

pórtable párking lòt *n.* 《CB俗》 자동차 수송차, 캐리어 카.

pórt ádmiral *n.* 〔英海軍〕 해군 기지 사령관.

por·tage [pɔ́ːrtidʒ] *n.* Ⓤ 운반, 수송 ; (두 수로간의) 육운(陸運), 연수(連水) 육로 운반《배 · 화물 따위를 한 수로에서 다른 수로로 육상 운송하기》 ; 운임, 운송비 ; 운반물, 화물 ; Ⓒ 연수 육로(連水陸路). —— *vt.* (배 · 화물 따위를) 연수 육로로 운반하다.

por·tal [pɔ́ːrtl] *n.* 앞 현관, 입구, 정문(正門). —— *a.* 〔解〕 간문(肝門)의 ; 문맥(門脈)의.
〖OF＜PORT²〗

pórtal-to-pórtal páy *n.* 구속 시간제(制)로 지급하는 임금, 근무 시간제 임금《직장의 문을 들어설 때부터 나올 때까지의 시간에 대한》.

pórtal véin *n.* 〔解〕 문맥(門脈).

por·ta·men·to [pɔ̀ːrtəméntou] *n.* (*pl.* **-ti** [-ti], ~) 〔樂〕 포르타멘토《한 음에서 다른 음으로 부드럽게 넘어가기》. 〖It.〗

Pòrt Árthur *n.* 뤼순(旅順)《중국 요동 반도 남단의 항구 도시》.

por·ta·tive [pɔ́ːrtətiv] *a.* 가지고 다닐 수 있는 ; 운반 능력이 있는, 운반의.

Port-au-Prince [pɔ̀ːrtouprins ; *F* pɔrtoprɛ̃ːs] *n.* (서인도 제도의) Haiti의 수도.

pórt authòrity *n.* 항만 관리 위원회.

pórt bòw *n. pl.* 좌현 이물.

pórt chàrges[dùties] *n.* 항만세, 입항세, 톤세(稅).

pórt·cráyon *n.* (데생용) 크레용[목탄] 집게.
〖F〗

port·cul·lis [pɔːrtkʌ́ləs] *n.* (성문 따위의) 내리닫이 쇠창살문, 내리닫이문.
〖F＝sliding door (*porte* door, *coleïce* sliding)〗

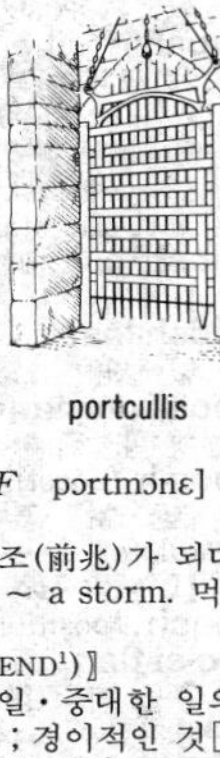

Porte [pɔ́ːrt] *n.* [the ~] (1923년 이전의) 터키 왕조[정부].

porte co·chere, porte-co·chere, -chère [pɔ̀ːrtkouʃéər, -kɑ-, -kə-] *n.* (안뜰로의) 마차 출입구 ; 차를 대는 곳의 위에 넓게 달아 낸 현관 끝의 지붕.
〖F〗

portcullis

pòrte·cráyon *n.* ＝PORT-CRAYON.

porte-mon·naie [pɔ́ːrtmʌ̀ni ; *F* pɔrtmɔnɛ] *n.* (돈) 지갑.

por·tend [pɔːrténd] *vt.* …의 전조(前兆)가 되다, 예시(豫示)하다 : Black clouds ~ a storm. 먹구름은 폭풍우의 전조다.
〖L *portent- portendo* (*pro-*², TEND¹)〗

por·tent [pɔ́ːrtent] *n.* (불길한 일 · 중대한 일의) 조짐, 전조, 기미, 징조(omen) ; 경이적인 것[사람], 불가사의 ; Ⓤ (전조가 되는) 의미.
〖L＝sign, omen (↑)〗

por·ten·tous [pɔːrténtəs] *a.* **1** 전조의 ; 불길한, 흉조가 있는. **2** 경이적인, 놀라운, 이상한 ; 무서운. **3** 《戲》 엄숙한, 거드름 피우는, 젠 체하는.
~·ly *adv.*

***por·ter¹** [pɔ́ːrtər] *n.* **1** 운반인, 지게꾼, 짐꾼(carrier) ; (정거장이나 공항의) 포터, 짐 운반꾼(＝《美》 redcap), (호텔에서 손님의 짐을 운반해 주는) 보이 ; 《美》 (침대차 따위의) 사환. **2** Ⓤ (stout 보다 약한) 흑맥주《원래는 London의 하역부들이 즐겨 마시던 것으로 ~'s ale[beer]이라고 했음 ; cf. ALE, HALF-AND-HALF》.
swear like a porter 고래고래 소리 지르다.
〖AF＜L ; ⇨ PORT⁴〗

***porter²** *n.* 《英》 문지기, (현관) 수위(door-keeper) ; (공동 주택의) 관리인 : a ~'s lodge 수위실. 〖OF＜L ; ⇨ PORT²〗

pórter·age *n.* Ⓤ 운반 ; 운송업 ; 운임, 운반비.

pórter·hòuse *n.* **1** 큼직한 고급 비프스테이크 (＝~ steak). **2** 《古》 (흑맥주 따위를 파는 옛날의) 선술집.

pórter's knòt *n.* 《英》 짐꾼이 쓰는 어깨받침.

pórt·fìre *n.* 봉화[폭죽] 점화 장치 ; 〔鑛〕 발파 점화 장치.

port·fo·lio [pɔːrtfóuliòu] *n.* (*pl.* **-li·òs**) **1** 종이 끼우개 ; 손가방, 정부 관청의 서류 나르는 가방. **2** 장관의 직[지위] : a minister without ~ 무임소 장관 / resign one's ~ 장관의 직을 사임하다. **3** 〔美金融〕 (회사 · 중개자가 소유하는) 유가 증권 (명세표). **4** (화가 등의) 대표 작품 선집.
〖C18 *porto folio*＜It. *portafogli* sheet carrier (*portare* to carry)〗

portfólio invèstment *n.* 증권[간접] 투자.

portfólio selèction *n.* 자산 선택《장래의 불확실성을 전제로 각종 재산을 선택하는 일》.
portfolio selection theory 자산 선택론《미국 경제학자 J. Tobin의 설》.

pórt·hòle *n.* **1 a)** 〔海〕 현창(舷窓), 둥근창《원래는 대포를 발사하기 위해서 뱃전에 낸 구멍》 ; 〔空〕 (비행기의) 둥근창. **b)** (성벽 따위의) 총안(銃眼). **2** ＝PORT² 2.

por·ti·co [pɔ́ːrtikòu] *n.* (*pl.* **~es, ~s**) 〔建〕 포르티코, 주랑(柱廊) 현관.
〖It.＜L *porticus* porch (*porta* passage, PORT²)〗

por·tiere, -tière [pɔːrtjéər, pɔ́ːrtiər] *n.* (문간 따위에 치는) 휘장, 막, 커튼, 발.
〖F ; ⇨ PORT²〗

***por·tion** [pɔ́ːrʃən] *n.* **1** 일부, 부분(part)〈*of*〉 : a ~ *of* one's estate 재산의 일부. **2** 배당(share) ; (음식물의) 1인분 : order two ~*s of* chicken 닭고기 2인분을 주문하다. **3** 〔法〕 분배 재산, 상속분(相續分) ; 지참금(dowry). **4** 운명 : one's ~ *in* life 운명.
—— *vt.* **1** [＋目 / ＋目＋前＋名] 분할[분배]하다 : ~ ***out*** land[food] 토지를[음식을] 분배하다. **2** [＋目＋*to*＋名] 몫으로 주다〈*to*〉, 분배 재산[지참금]을 주다〈*with*〉 : The estate was ~*ed* ***to*** the eldest son. 그 재산은 장남에게 분배되었다. **3** 운명지우다 : She is ~*ed* with misfortune. 그녀는 불행한 운명을 타고 났다.
~·ist *n.* ＝PORTIONER.
〖OF＜L *portion- portio*〗
類義語 ⟹ PART.

pórtion·er *n.* 분배자, 배당자 ; 배당 수령자 ; 〔敎會〕 공동 목사.

pórtion·less *a.* 몫이 없는, 상속분이 없는, 지참금이 없는.

Port·land [pɔ́ːrtlənd] *n.* **1** 포틀랜드《(1) 미국 Oregon 주의 항구 도시. (2) Maine 주 남서부의 도시》. **2** [the Isle of ~] 포틀랜드 섬《잉글랜드 남서부 Dorset 주의 반도 ; Portland stone을 산출 ;

교도소가 있음》.

pórtland cemént *n.* [보통 P~] 포틀랜드 시멘트《보통 시멘트 ; 색깔이 Portland stone과 비슷함》. 〖Isle of *Portland*〗

Pórtland stóne *n.* 포틀랜드석(石)《영국 Isle of Portland산의 건축용 석회석》.

pórt·ly *a.* 몸집이 뚱뚱한, 비만한 ; 풍채가 좋은 ; (태도가) 당당한, 위엄이 있는. **-li·ness** *n.* 〖PORT[4]〗

port·man·teau [pɔːrtmǽntou] *n.* (*pl.* **~s, teaux** [-z]) **1** 《원래 美》 (양쪽으로 열리게 된) 여행용 가방. **2** =PORTMANTEAU WORD. —— *a.* 두 가지 이상의 용도[성질]를 가진. 〖F ; ⇨ PORT[4], MANTLE〗

portmánteau wòrd *n.* 〔言〕 두 낱말이 합쳐져 한 낱말이 된 말, 합성어(☞ BLEND *n.* 2).

pórt of cáll *n.* (보급·수리 따위를 위한) 기항지 [항구] ; 자주 들르는[다니는] 곳.

pórt of éntry *n.* (입국자·수입품의) 통관 수속지, 통관항, 입국 관리 사무소가 있는 항구[공항].

Pórt of Spáin, Pórt-of-Spáin *n.* 포트오브스페인《Trinidad 섬의 항구 도시, 트리니다드 토바고의 수도 ; 식물원이 유명》.

Por·to Ri·co [pɔ́ːrtə ríːkou] *n.* PUERTO RICO의 옛이름.

***por·trait** [pɔ́ːrtrət, -treit] *n.* **1** 초상(화) ; 초상 [인물] 사진. **2** 꼭 닮음 ; 생생한 묘사. **3** 유사물 ; 유형. **~ist** *n.* 초상화가. 〖F ; ⇨ PORTRAY〗

por·trai·ture [pɔ́ːrtrətʃər, -tʃùər] *n.* Ⓤ 초상화법 ; 인물 묘사 ; 초상화 : in ~ (초상화로) 그려진, 묘사된.

***por·tray** [pɔːrtréi] *vt.* **1** (인물·풍경을) 그리다, …의 초상을 그리다. **2** [+目 / +目+*as* 補] (문장으로) 묘사하다(describe) : The author ~*s* the campus *as* a very pleasant place. 그 저자는 학원을 매우 즐거운 곳으로 묘사하고 있다. **3** 연출[연기]하다. **~·er** *n.* 〖OF *portrait portraire* to depict〗

portráy·al *n.* **1** Ⓤ.Ⓒ 묘화(描畫), 묘사 ; 기술(記述). **2** 초상(화).

port·reeve [pɔ́ːrtrìːv] *n.* 〔英史〕 시장(市長) ; 관청 직원.

por·tress [pɔ́ːrtrəs] *n.* 여자 문지기[수위] ; 여자 청소부.

Port Sa·id [pɔ́ːrt sɑːíːd, -sáid] *n.* 포트사이드《Suez 운하의 지중해쪽 항구》.

pórt·sìde *n.* 〔海〕 좌현(左舷). —— *a., adv.* 좌측의[으로] ; 《俗》 왼손잡이의. 〖PORT[3]〗

pórt·sìd·er *n.* 《美俗》 왼손잡이 ; 〔野〕 왼손잡이 투수, 사우스포(southpaw).

Ports·mouth [pɔ́ːrtsməθ] *n.* 포츠머스. **1** 영국 남부의 군항. **2** 미국 New Hampshire 주의 군항. **3** 미국 Virginia 주 남동부의 항구.

Por·tu·gal [pɔ́ːrtʃəgəl] *n.* 포르투갈《수도 Lisbon》.

Por·tu·guese [pɔ̀ːrtʃəgíːz, ⌐-⌐, -s] *a.* 포르투갈(인·어)의. —— *n.* **1** (*pl.* ~) 포르투갈인(人). **2** Ⓤ 포르투갈어《略 Port.》. 〖Port.<L〗

Pórtuguese man-of-wár *n.* 〔動〕 고깔해파리, (흔히) 전기해파리.

por·tu·laca [pɔ̀ːrtʃəlǽkə, -léi-] *n.* 〔植〕 쇠비름속(屬)의 식물.

POS point-of-sale. **pos.** position ; positive ; possession ; possessive.

po·sa·da [pəsɑ́ːdə, pɔː-] *n.* 여관, 여인숙 ; 크리스마스 경축 촛불 행렬. 〖Sp.=place for stopping〗

P.O.S.B. Post Office Savings Bank(우편 저금 은행).

pose**[1] [póuz] *n.* **1** 자세, 포즈. **2** 마음가짐 (mental attitude). **3** [+前+do*ing*] 꾸민 태도 [상태] ; 겉치레 : He takes the ~ ***of be*ing* a critic. 그는 비평가의 티를 내고 있다.
—— *vi.* **1** [動 / +*for*+名] (모델이) 자세를 취하다, 포즈를 취하다 : She ~*d* ***for*** her portrait [*for* the painter]. 그녀는 초상화를 그리게 하기 위해 포즈를 취했다[그 화가의 모델이 되었다]. **2** [動 / +*as* 補] 태도를 취하다, 가장해 보이다, 겉치레를 차리다 : She is always *posing.* 그녀는 언제나 점잔을 뺀다[점잖은 체한다] / He ~*d as* an authority on that subject. 그는 그 문제에 대해 권위자인 체했다. —— *vt.* **1** [+目 / +目+前+名] (그림·사진을 위해 …에게) 포즈를 취하게 하다 ; 적당하게 배치하다 : The artist ~*d* me ***on*** a sofa. 그 화가는 나에게 소파 위에서 포즈를 취하도록 했다 / The group was well ~*d* ***for*** the photograph. 사진을 찍는 그룹의 사람들의 포즈가 그럴듯하였다. **2** (요구 따위를) 주장하다, (문제 따위를) 제출하다, 제기하다 : Three problems must be ~*d* here. 여기에 세가지 문제가 제시되지 않으면 안된다. 〖F<L *pauso* to PAUSE ; 일부 L *posit- pono* to place와 혼동 ; cf. COMPOSE〗
類義語 ⟹ POSTURE.

pose[2] *vt.* (어려운 질문으로) 곤란하게 하다, 당황하게 하다(puzzle) ; 《古》 …에게 질문하여 조사하다, 물어 밝히다. 〖ap*pose* (obs.) <OF *aposer* to OPPOSE〗

Po·sei·don [pousáidn, pə- ; pɔ-] *n.* 〔그神〕 포세이돈《바다의 신 ; 〔로神〕의 Neptune에 해당》 ; 〔美海軍〕 포세이돈 미사일《Polaris를 개량한 수중 발사 핵 미사일》.

pos·er[1] [póuzər] *n.* 점잔을 빼는 사람.

poser[2] *n.* 어려운 문제(를 내는 사람).

po·seur [pouzə́ːr] *n.* 점잔 빼는 사람(poser), 새침데기. 〖F ; ⇨ POSE[1]〗

posh[1] [pɑ́ʃ] *a.* 《口》 (호텔 따위) 호화로운, 호사한, 제1급의 ; (복장 따위) 스마트한, 우아한.
—— *vt.* 멋부리다, 말쑥하게 하다, 맵시내다 : all ~*ed* up 한껏 멋을 내어[낸]. 〖? *posh* (sl.) money, a dandy ; 일설(一說)에 *p*ort *o*ut, *s*tarboard *h*ome〗

posh[2] *int.* 제기랄!, 체 《경멸·혐오의 말》. 〖imit.〗

pósh·lòst *a.* 지난날에는 호화로웠던, 호화로움이 없어진.

pos·i·grade [pɑ́zəgrèid] *a.* 로켓이나 우주선의 진행 방향에 추진력을 주는.

pos·it [pɑ́zət] *vt.* **1** 《稀》 설치하다, 장치하다. **2** 〔哲·論〕 긍정적으로 가정하다, 단정하다(postulate). —— *n.* 가정. 〖L *posit- pono* to place〗

posit. position ; positive.

◇**po·si·tion** [pəzíʃən] *n.* **1** 위치 ; 장소, 곳, 소재지. **2** Ⓤ 적소(適所) ; (야구 따위에서) (수비) 위치, 포지션 : be *in*[*out of*] ~ 적당한[부적당한] 위치에 있다 / The players were *in* ~. 선수들은 (수비) 위치에 자리잡고 있었다. **3** Ⓤ (사회적인) 처지, 지위, (높은) 신분 : persons of ~ 지위[신분]가 있는 사람들 / one's ~ in life[society] 사회적 지위, 신분. **4** 근무처, 일자리(job) : He got a ~ *as* a college lecturer. 대학 강사 자리를 얻었다. **5** 자세, 형세. **6** [+*to* do] 입장, 태도 : He is *in* an awkward ~. 곤란한 처지에 빠져 있다 / I am not *in a* ~ *to* comply with your request. 당신의 요구를 따를 입장이 못됩니다. **7** [+*that* 節] 견해, 논거 : my ~ on the question 그 문제에 대한 나의 의견 / He took the ~ *that* the law must be enforced at any cost. 그는 그 법률이 여하한 일이 있어도 시행되어야 한다는 입장을 취했다. **8** Ⓤ〔軍〕진지(陣地), 유리한 지점, 지형적인 우세 : maneuver for ~ 지형적인 우세를 차지하려고 획책하다. **9**〔樂〕화음 ; (현악기의 손가락을 누르는) 포지션. **10** (인쇄 매체에서) 광고를 게재하는 위치 ; (라디오·텔레비전에서) CM의 방송 시간대 ; 경합 제품과의 관계를 고려하면서 전(全)시장에 제품을 내보내기.

take up one*'s* ***position*** 위치에 자리잡다, 자리를 차지하다 : He *took up* his ~ in front of the gates. 그는 문앞에 자리를 잡았다.

— *vt.* 적당한 장소에 놓다 ; (상품을) 특정 구매자를 노리고 시장에 내다 ;〔軍〕(부대를) 배치하다 ; …의 위치를 정하다.

〖OF or L ; ⇨ POSIT〗

類義語 ***position*** 봉급·급료를 받는 근무처 ; 때때로 월급쟁이 또는 전문적인 직업에 쓰임 : He got a *position* in a firm. (어떤 회사에서 일자리를 얻었다). ***situation*** 일할 장소 ; 특히 사람이 찾고 있는 근무처에 쓰임 : He desires a *situation* as clerk. (서기[점원]로 일하기를 바란다). ***office*** 특히 관청·회사·법인 조직 따위에서 권위·신용이 있는 지위 : the *office* of mayor (시장이라는 지위). ***post*** 특히 상부에서 임명을 받는 책임이 무거운 지위 : the *post* of Minister of Education (교육부 장관의 지위). ***job*** 《口》 일반적으로 일자리·일을 뜻하는 말 : He has a *job* in a factory this summer. (올 여름에 그는 공장에 일자리를 얻었다).

posítion·al *a.* 위치(상)의 ; 지위의.

posítion lìght *n.*〔空〕위치등《항공기의 소재 또는 진행 방향을 나타냄》.

posítion pàper *n.* 포지션 페이퍼《중대 문제에 대해 정치 단체·정부·노조 따위가 그 입장을 상세하게 기술한 문서》.

pos·i·tive** [pázətiv] *a.* **1** 결정적인, 명확한, 의심할 여지가 없는, 부정하기 어려운 ; (약속·규칙 따위) 명확하게 정한, 절대적인, 무조건의 : ~ proof=proof ~ 확증. **2 a)** [+*that* 節] 확신하고 있는(quite certain) : Are you ~ ***about it? 그 일을 확신합니까 / He is ~ *that* Mary will come next. 메리가 다음번에 올 것이라고 확신하고 있다. **b)** 자신만만해 있는, 지나치게 자신하는(too sure). **3** 긍정적인(affirmative) (↔ *negative*). **4** 적극적인(↔*negative*) ; 건설적인《비판 따위》; 실제적인 ; 실재하는 ;〔哲〕실증적인 : a ~ good 현실의 선(善) / a ~ mind 실제적인 사람 / ~ morals 실천 도덕 / a ~ virtue 적극적 미덕, 실행으로 나타내는 덕 / a ~ term 실명사(實名辭)《사람·집·나무 따위의 명사》. **5** 《口》 완전한, 전적인 : a ~ fool 완전한 바보 / a ~ nuisance 정말 성가신 것. **6** (↔*negative*)〔數·理·電〕정(正)의, 양(陽)의, 플러스의 ;〔化〕염기성(鹽基性)의 ;〔寫〕양화(陽畫)의 ;〔醫〕(반응의 결과가) 양성인 : ~ conversion〔醫〕양성 전이 / a ~ number 양수(陽數) / the ~ sign 양의 부호(符號)《+》. **7**〔文法〕원급(原級)의(cf. COMPARATIVE, SUPERLATIVE) : the ~ degree 원급. — *n.* **1** 현실(물) ; 실재 ; 확실성 ; 긍정. **2**〔文法〕원급. **3**〔寫〕양화(陽畫) ;〔數〕정량(正量) ;〔電〕양극판(陽極板). **4**〔哲〕실증할 수 있는 것. **~·ness** *n.* 〖OF or L ; ⇨ POSIT〗

類義語 ⟹ SURE.

pósitive accelerátion *n.*〔理〕정(正)의 가속도(加速度).

pósitive adjústment pòlicy *n.* 적극적 조정 정책《각국이 자국 경제와 세계 경제의 안정적 성장력을 실현키 위한 정책》.

pósitive chárge *n.* 양전하(陽電荷).

pósitive electrícity *n.* 양전기.

pósitive eugénics *n.*〔生〕적극적 우생학《바람직한 형질을 증가시킴으로써 인종 개량을 꾀하는 우생학》.

pósitive euthanásia *n.* =ACTIVE EUTHANASIA.

pósitive fígure *n.* 흑자(黑字).

pósitive láw *n.*〔法〕실정법(實定法).

pósitive léns *n.* 정(正)렌즈.

pósitive·ly *adv.* **1** 명확하게, 단연코. **2** 긍정적으로. **3** 적극적으로. **4** 《口》 전적으로. — *int.* 단연, 물론 : Will you go?—*P*~ [때때로 ˌ---]! 가겠냐 — 가고 말고.

pósitive òrgan *n.* 포지티브 오르간《건반이 한 단으로 된 실내 오르간》; =CHOIR ORGAN.

pósitive philósophy *n.*〔哲〕=POSITIVISM.

pósitive pláte *n.*〔電〕양극판(板).

pósitive póle *n.*〔電〕양극(陽極).

pósitive rày *n.*〔理〕양극선(anode ray).

pós·i·tiv·ìsm *n.* Ⓤ 실증 철학, 실증론 ; 실증주의 ; 적극[명확]성 ; 확신, 독단(론). **-ist** *n.* 실증 철학자[주의자]. **pòs·i·tiv·ís·tic** *a.*

pos·i·tiv·i·ty [pàzətívəti] *n.* Ⓤ 확실함 ; 확신 ; 적극성 ; 실증성.

pos·i·tron [pázətràn] *n.*〔理〕양(陽)전자. 〖*posi*tive elec*tron*〗

pósitron CT [-sìːtíː] *n.*〔醫〕양전자 단층 촬영(撮影).

pos·i·tro·ni·um [pàzətróuniəm] *n.*〔理〕포지트로늄《한 쌍의 전자와 양전자의 결합체》.

po·sol·o·gy [pəsálədʒi] *n.* Ⓤ〔醫〕약량학(藥量學). 〖F (Gk. *posos* how much)〗

poss. possession ; possessive ; possible ; possibly.

pos·se [pási] *n.* **1** 《美》 =POSSE COMITATUS ; (치안 유지 따위를 위하여 법적 권한을 가진) 무장[보안]대, 경찰대 ; (임시로 조직된) 수색대, 민병대. **2** (공통된 목적을 가진) 군중, 집단. **3** Ⓤ 가능성, 잠재력.

in posse ☞ IN POSSE.

〖L=to be able〗

pósse com·i·tá·tus [-kàmətáːtəs, -téi-] *n.* 《美》〔法〕(치안 유지·범인 체포·법의 집행 따위를 위해 15세 이상의 남자를 보안관이 소집하는) 민병대 장년단(壯年團).

〖L=force of the county〗

pos·sess** [pəzés] *vt.* **1** 소유하다(own) ; (능력·성질 따위를) 가지다(have) ; 점유하다, 손에 넣다 ; (여자와) 육체 관계를 가지다 : He ~*ed* much gold[great wisdom]. 많은 금[뛰어난 지혜]을 가지고 있다. **2** [+目+前+名/+目/+目+*to* do] [보통 수동태로] (악령(惡靈) 따위가) …에 붙다, 홀리다 ; (감정·관념 따위가) 지배하다, …의 마음을 사로잡다 : He thought he was ~*ed* ***with an evil spirit. 악령에게 홀려 있다고 생각했다 / The ancient Greeks believed that poets *were* ~*ed* by a god when they wrote poetry. 고대 그리스 사람들은 시인이 시를 쓰고 있을 때 신에게 흘려 있다고 믿고 있었다 / You seem ~*ed*. 신들린 것 같다 / I cannot see what ~*ed* her *to* act like that. 그녀가 무엇에 흘려서 그런 짓을 했는지 나로서는 알 수 없다. **3** [+目/+目+*in*+名] 제어하다, 자제하다, 억제하다, 꾹 참다 : *P*~ yourself[your mind] ***in*** patience. 꾹 (눌러) 참아라. **4** 《古》 붙잡다, 획득하다.

be possessed of …을 소유하고 있다 : He *is* ~*ed of* great wealth. 그는 많은 재산을 소유하고 있다.

possess one***self of*** …을 자기 것으로 하다.

〖OF<L *possess*- *possideo* (*potis* able, *sedeo* to sit)〗

類義語 ⟹ HAVE[1].

pos·séssed *a.* **1** 흘린, 미친, 정신이 팔린, 열중한. **2** 침착한(self-possessed).

like one possessed 무엇에 흘린 것처럼 맹렬[열심]히.

***pos·ses·sion** [pəzéʃən] *n.* **1** Ⓤ 소유 ; 점유, 점령 ; 입수 ; 소유[점유]감 : *P*~ is nine points of the law. 《속담》 가진 자가 임자. **2** 소유물, 소지품 ; [*pl.*] 재산 : a man of great ~*s* 큰 재산가 / lose one's ~*s* 전(全)재산을 잃다. **3** 영지, 속국(屬國) : the French ~*s* in Africa 아프리카에 있는 프랑스 영토. **4** Ⓤ 홀림, (감정의) 사로잡힘 ; Ⓒ (뇌리에서) 떠나지 않는 생각[감정]. **5** 《稀》 침착, 자제(self-possession).

come into a person's ***possession*** (물건이) …의 손에 들어오다.

get [***take***] ***possession of*** …을 입수하다, …을 점유[점령]하다.

in possession of …을 소유하고 있어서 : He is *in* ~ *of* a large estate in the country. 그는 시골에 넓은 땅을 가지고 있다.

in the possession of …에 소유되어 : The keys are *in the* ~ *of* the caretaker. 열쇠는 관리인이 가지고[보관하고] 있다.

〖OF or L ; ⇨ POSSESS〗

pos·ses·sive [pəzésiv] *a.* **1** 〖文法〗 소유의, 소유를 나타내는. **2** 소유욕의[이 강한] : ~ instinct 소유욕[본능].

── *n.* 〖文法〗 소유격 ; 소유 대명사.

~·ly *adv.* 소유격[소유 대명사]으로서 ; 소유물로서, 내물건인 체하여.

posséssive ádjective *n.* 〖文法〗 소유 형용사.

posséssive cáse *n.* 〖文法〗 소유격.

posséssive prónoun *n.* 〖文法〗 소유대명사.

pos·sés·sor *n.* 소유주 ; 〖法〗 점유자.

pos·ses·so·ry [pəzésəri] *a.* 소유(자)의 ; 〖法〗 소유에서 생기는, 소유권이 있는.

pos·set [pásət] *n.* 우유술(뜨거운 우유에 술·설탕·향료를 (때로는 빵 따위도) 넣은 음료 ; 옛날엔 감기에 걸렸을 때 썼음).

〖ME *poshote*<?〗

pos·si·bil·i·ty** [pàsəbíləti] *n.* **1** Ⓤ,Ⓒ [+*of*+do*ing*/+*that* 節] 있을[일어날] 수 있는 일, 가능성 ; 실현성 : a bare ~ 희박한 가능성 / Is there any[no] ~ ***of his com*ing* soon? 그가 곧 올 가능성이 있습니까[없습니까] / There is a ~ *of* earlier examples exist*ing*. 좀더 이전의 예가 있을 가능성도 있다 / There is a ~ *that* I may not be with you when you come home next. 다음에 집에 오실 때는 혹시 제가 없을지도 모르겠습니다. **2** 있을 수 있는 일(cf. PROBABILITY). **3** [보통 *pl.*] 가망, 발전의 가능성, 장래성.

by any possibility 만에 하나라도 ; [부정어를 수반하여] 도저히.

within the bounds [***range***] ***of possibility*** 있을 수 있는 일로서 : Improvement is *within the range of* ~. 개선의 가능성은 있다.

◊**pos·si·ble** [pásəbəl] *a.* **1** 가능한, 실행할 수 있는 : a ~ excuse 그럴싸한 변명[구실] / It is ~ to prevent disease. 질병의 예방은 가능하다 / Is it ~ *for* him *to* get there in time? 그가 그곳에 시간에 닿게 갈 수 있을까. 주 (1) Disease is ~ *to* prevent[*to* be prevented]. 와 같은 구문은 사용되지 않음. 단, possible이 명사의 바로 뒤에 쓰일 경우에는 그 명사를 의미상의 목적어로 하는 부정사가 뒤에 계속되는 구문으로서 쓰일 수 있음 : a result not ~ *to* foresee(=which it was not possible to foresee) 예견할 수 없었던 결과. ☞ IMPOSSIBLE. (2) 때때로 최상급이나 all, every 따위를 수반하여 그 뜻을 강조함 : the *highest* ~ speed 전속력 / with the *least* ~ delay 될 수 있는 대로 빨리.

> **possible의 ○×**
> (×) Are you *possible* to come tonight?
> (오늘 밤에 올 수가 있겠습니까?)
> (○) Is it *possible* for you to come tonight?
> ☆「…할 수 있다」의 경우 You are *able* to do ….라고는 할 수 있으나 You are *possible* to do….라고는 하지 않고 *It is possible for* you *to* do….라고 한다.
>
> **possible과 enable의 문장 전환**
> His recovery *enabled* him *to* pursue his study.
> (건강 회복이 그의 연구 추진을 가능케 했다.
> → 건강이 회복되어서 그는 연구를 추진할 수 있었다.)
> → His recovery *made it possible for* him *to* pursue his study.
> ☆ 사람을 주어로 하여 can을 쓰는 문장도 가능하다.
> → As he recovered his health, he could pursue his study.

2 있음직한, 일어날 수 있는 : a ~ accident 일어날지도 모르는 사고 / It is ~ *to* be drowned in a few inches of water. 얕은 물이라도 빠져 죽을 수가 있다 / It is ~ *that* she will be late. 그녀는 늦을지도 모른다(주 She *may* be late. 라고 하는 편이 구어적). **3** 《口》 그런대로 괜찮은, 어지간한, 참을만한.

as. . . as possible (=as...as one can) 될 수 있는 한… : It is best to come to the point *as* soon *as* ~. 될 수 있는 한 빨리 본론에 들어가는 것이 좋다 / Learn to concentrate *as* early in life *as* ~. 될 수 있는 한 젊었을 때부터 주의를 집중하는 법을 배우시오.

if possible 될[할] 수 있다면 : Come on Tuesday, *if* ~. 가능하다면 화요일에 오십시오.

── *n.* **1** [*pl.*] 가능성이 있는 것, 될 수 있는 일. **2** 전력(全力) : do one's ~ 전력을 다하다. **3** (사격 따위의) 최고점. **4** 후보자, (축구 따위의) 후보 선수(cf. PROBABLE).

〖OF or L ; ⇨ POSSE〗

類義語 (1) ***possible*** 상황 여하에 따라서는 있을[생길·이룩될] 수 있는, 가능한 : a *possible* result of the war (전쟁으로 생길 수 있는 결과). ***practicable*** 현재의 상황으로 또는 현재 이용할 수 있는 방법·수단에 의해서 실행 가능하다고 생각되는 : a *practicable* enterprise (실행

가능한 기획). **feasible** 쉽게 성공할 가능성이 있으므로 그렇게 하는 것이 바람직한 : a *feasible* plan (그럴듯한 계획).
(2) ⟹ PROBABLE.

‡pós·si·bly *adv.* **1** 혹시, 아마도, 다분히, 어쩌면 : He may ~ recover. 아마도 회복될 것이다. **2** [can을 수반하여] 어떻게 해서라도, 될 수 있는 한 : Come as soon as you ~ *can.* 될 수 있는 한 빨리 오십시오. **3** [부정구문] 아무리 해도, 도저히 …(할 수 없다) : I can*not* ~ do it. 그것을 도저히 할 수 없다.

pos·sie, pos·sy [pási], **poz·zy** [pázi] *n.* 《濠俗》 지위(position), 일(job).

pos·sum [pásəm] *n.* 《口》 =OPOSSUM.
play possum 《口》 죽은 체하다, 꾀병부리다, 모르는 척하다, 시치미떼다.

Possum *n.* 《英》 신체 장애자 조작용 전자 공학 장치의 별칭.

póssum bèlly *n.* 《美俗》 차량 바닥 밑의 저장실 ; 《美 CB俗》 2층 구조의 가축 운반 트럭.

‡post[1] [póust] *n.* (cf. MAIL[1] *n.*) **1** 《英》 우편(=《美》 the mail), 우편제도. **2** Ⓤ 《英》 [집합적으로] 우편물 ; Ⓒ [the ~] (1회에 배달되는) 우편물 : catch[miss] the morning ~ 아침 우편물 수거시간에 대다[대지 못하다] / The ~ hasn't come yet. 아직 우편물이 오지 않았다 / I had a heavy ~ yesterday. 어제는 많은 우편물이 왔다 / His letter crossed hers *in* the ~. 그의 편지는 그녀의 것과 엇갈려 왔다(cf. CROSS *vt.* 5). **3** 우체국 ; 우체통, 우편함, 포스트(=《美》 mailbox) : Take this letter to the ~[to ~], please. 이 편지를 우체통에 넣어[우체국에 갖다] 주세요. **4** (신문 이름으로서) …지(紙) : The Sunday *P*~ 선데이 포스트(지) 《London의 일요조간 신문》. **5** 〔史〕 파발(꾼), 역마(驛馬). **6** 《英方》 우편 집배원.
by post 《英》 우편으로(=《美》 by mail) ; 〔史〕 파발로, 역마로 : send letters *by* ~ 편지를 우송하다.
by return of post 회답 (우편)으로.

〈회화〉
Where is the nearest *post* office?—It is directly in front of the school gate. 「가장 가까운 우체국이 어디 있습니까」「교문 바로 앞에 있습니다」

—— *vt.* **1** 《英》 우송하다, (우편함에) 넣다(mail) : *P*~ this letter, please. 이 편지를 우체통에 넣어 주십시오. **2** [+目/+目+副] 〔簿〕 (분개장(分介帳)에서 원장으로) 전기(轉記)하다, 분개하여 기장하다, (원장 따위에) 필요 사항을 모두 기입하다 : ~ (**up**) checks[bills] 계산서에 기재하다. **3** [+目+副/+目+前+名] [보통 *p.p.* 로] 《口》 …에게 (최근의) 정보[소식]를 알리다 : He is well ~*ed* (**up**) **in** current politics. 그는 요즘 정세에 밝다 / Reading these papers will keep you ~*ed* **on** the latest happenings in the world. 이 신문들을 읽으면 최근의 세계 정세에 밝아진다. —— *vi.* 급히 가다, 서두르다 ; 〔史〕 역마로 여행하다. —— *adv.* 파발마로, 아주 급하게.
〚F<It. *posta* ; ⇨ POSIT〛
活用 ☞ MAIL[1].

***post**[2] *n.* **1** (나무·금속제의) 기둥, 푯말, 장대, 말뚝 : the starting[winning] ~ 〔競馬〕 출발[결승] 표지. **2** 〔鑛〕 탄주(炭柱), 광주(鑛柱).
beat a person ***on the post*** (경주에서) 아주 근소한 차로 이기다.
be in the wrong [***right***] ***side of the post*** 행동을 잘못[올바르게] 하다.
—— *vt.* **1** [+目/+目+副/+目+前+名] **a**) (전단 따위를) 기둥[벽]에 붙이다 ; 게시[고시]하다 ; (말·소문 따위를) 퍼뜨리다 : *P*~ (=《英》 Stick) no bills. 《게시》 벽보 금지 / The notice was ~*ed* **up at** the street corner[**on** the bulletin board]. 그 공고는 거리 모퉁이[게시판]에 게시되었다. **b**) (벽에) 전단《따위》을 붙이다, …에 게시하다 : The wall was ~*ed* (**over**) **with** placards. 벽에는 포스터가 (가득히) 나붙어 있었다. **2** 《英大學》 (불합격자)의 이름을 공표하다. **3** [+目/+目+*as* 補] (배를) 행방불명이라고 발표하다 : There were two ships ~*ed as* lost. 두 척의 배가 실종되었다고 발표되었다. **4** 《美》 (토지에) 수렵 금지의 팻말을 걸다.
〚OE<L *postis*〛

***post**[3] *n.* **1** 지위(position), 맡은 자리, 부서 ; 근무처, 직(職) : keep the ~ 맡은 자리를 지키다. **2** 〔軍〕 부서(station) ; 초소, 경계 구역. **3** 주둔지(駐屯地), 주둔 부대, 《美》 수비대. **4** (특히 미개지 원주민과의) 교역소(=trading ~). **5** 《美》 (재향 군인회의) 지부. **6** 〔英軍〕 (취침) 나팔(cf. TAP[1] *n.* 2, TATTOO[1]) : the first ~ 취침 준비 나팔 / the last ~ 소등(消燈) 나팔(taps) ; 군장(軍葬) 나팔. **7** 〔證〕 (증권 거래소안의) 특수주의 거래장.
at one***'s post*** 임지에서, 맡은 자리에서 : He was caught sleeping *at* his ~ (of duty). 그는 경계 초소에서 (근무중) 자고 있다가 들켰다.
—— *vt.* **1** [+目/+目+前+名] (보초·불침번 등을) 배치하다 : They ~*ed* soldiers **at** the gates of the palace. 궁전문에 병사를 배치했다. **2** 〔英軍〕 사령관[함장(艦長)·대령]에 임명하다. **3** 《美》 (채권 따위를) 팔다, 공탁하다.
〚F<It.<L (POST[1])〛
類義語 ⟹ POSITION.

post- [poust] *pref.* 「뒤의」「다음의」의 뜻(↔*ante-, pre-*) : *post*glacial, *post*graduate.
〚L *post* (adv., prep.)〛

***pόst·age** *n.* Ⓤ 우편 요금, 우송료 : ~ due[free] 우편 요금 부족[무료].

〈회화〉
What is the *postage* for this letter?—Two hundred won. 「이 편지에는 얼마짜리 우표를 붙여야 합니까」「2백원이요」

póstage-dúe stàmp *n.* (우체국에서 붙이는) 부족 요금[추가 요금]분의 우표《배달 때 수취인이 지불》.

póstage mèter *n.* 《美》 (요금 별납 우편물의) 우편 요금 미터(=postal meter)《국명(局名)·일부인 따위를 찍어 요금을 집계하는 기계》.

***póstage stàmp** *n.* 우표 ; 《口》 비좁은 자리.

***póst·al** *a.* 우편의 ; 우체국의 ; 우편에 의한《선거·교육 따위》 : ☞ POSTAL CARD / a ~ course 《英》 통신 교육 강좌 / ~ matter 우편물 / a ~ money order 《美》 우편환 / a ~ note 《古》 =a ~ order 《英》 우편환《略 P.O.》 / ~ savings 우편저금 / ~ service 우편 업무 / the International [Universal] *P*~ Union 만국 우편 연합. —— *n.* 《美口》 =POSTAL CARD.

póstal càrd *n.* 《美》 (주로) 관제 엽서, 우편 엽서(cf. POSTCARD).

Póstal Còde Númber, Póstal Còde No. [-∸] *n.* 우편 번호.

póstal delívery zòne *n.* 《美》 우편구(zone).

póstal sávings bànk *n.* 정부가 각 우체국에 위탁하여 운영하는 저축은행.
pòst·atómic *a.* (최초의) 원폭[원자력] (사용) 이후의(↔*preatomic*) : the ~ world[age] 원자력 세계[시대].
póst·bàg *n.* 《英》 =MAILBAG.
post·bél·lum [-béləm] *a.* 전후의(↔*antebellum*). ㊟ 문맥에 따라, 제 1, 2차 세계 대전, 《英》 보어 전쟁, 《美》 남북 전쟁을 가리킴.
póst bòat *n.* 《英》 우편선(船).
póst·bòx *n.* 우편함, 우체통(=《美》 mailbox).
póst·bòy *n.* **1** 우편 집배원. **2** =POSTILION.
póst càptain *n.* 〖英海軍〗 대령(大領) 함장.
***póst·càrd** *n.* **1** 《주로 英》 우편[관제] 엽서(=《美》 postal card). **2** 사제(私製) 엽서 ; (특히) 그림엽서(=picture ~).
活用 《英》에서는 관제·사제 어느 쪽에도 쓰임. 《美》에서는 주로 사제의 것을 말함.
póst-cénsor·ship *n.* Ⓤ 사후(事後) 검열.
póst chàise *n.* 〖史〗 파발 마차, 역전마차.
post·ci·bal [pous*t*sáibəl] *a.* 〖醫〗 식후의.
post·clássic, -sical *a.* (예술·문학이) 고전시대 이후의.
póst·còde *n.* 《英·濠》 우편 번호(=《美》 zip code). —— *vt.* 《英》 (우편물에) 우편 번호를 써넣다.
pòst-commúnion *n.* Ⓤ [때때로 P~ C~] 〖카톨릭〗 영성체 후의 감사의 기도(문).
post·dáte *vt.* **1** (편지·수표·사건 따위의) 날짜[일부(日附)]를 실제보다 늦추어 적다(↔*antedate, predate*). **2** (시간적으로) …의 뒤에 계속하다(↔*antedate, predate*). —— *n.* 늦추어진 날짜[일부], 사후(事後) 일부.
pòst·dilúvian *a., n.* 노아의 홍수(the Deluge) 이후의 (사람).
post·dóctoral *a.* 박사 과정 이수 후의 연구의[에 관한]. —— *n.* 박사 과정 이수 후의 연구자.
post·dóctorate *a.* =POSTDOCTORAL.
póst·ed *a.* 《口》 정통한, 통달한 ; 지위[직책, 직장]가 있는.
pósted príce *n.* 공시(公示) 가격.
post·éntry *n.* 〖簿〗 추가 기장 ; (식물류의 수입 허가가 내려진 뒤의) 검역격리 기간.
póst èntry *n.* 〖競〗 마감 직전의 추가 신청.
póst·er[1] *n.* **1** 포스터, 전단 광고, 표찰. **2** 전단 붙이는 사람. —— *vt.* …에 전단[포스터]를 붙이다.
—— *a.* 《口》 기둥이 있는.
〖POST[2]〗
poster[2] *n.* 부기 담당 서기[사무원] ; 파발꾼 ; 급한 여행자 ; 역마(驛馬).
〖POST[1]〗
póster còlor *n.* 포스터 컬러《포스터용(用) 그림물감》.
poste res·tante [pòust restά:nt ; -ristǽnt] *n.* 〖郵〗 **1** Ⓤ 유치(留置) (우편) (to be called for) (=《美》 general delivery). **2** 유치 우편과(=《美》 general delivery).
〖F=letter(s) remaining〗
pos·te·ri·or [pɑstíəriər] *a.* (위치가) 후부[후방]의(↔*anterior*) ; (시간적으로) 뒤의, 뒤에 오는 ; (순서가) 다음의, 다음에 오는〈*to*〉(↔*prior*).
—— *n.* 후부, 뒷부분 ; 둔부, 엉덩이. **~·ly** *adv.*
〖L (compar.) 〈*posterus* coming after ; ⇨ POST-〗
pos·te·ri·or·i·ty [pɑstìəriɔ́(:)rəti, -ɑ́r-] *n.* Ⓤ (위치·시간적으로) 후[다음]임 ; 후천성.
pos·ter·i·ty [pɑstérəti] *n.* Ⓤ [집합적으로] 후예, 자손(↔*ancestry*) ; 후세 ; 후대의 사람들 : hand down...to ~ …을 후세에 전하다.
〖OF<L ; ⇨ POSTERIOR〗
pòster·izátion *n.* 포스터리제이션《분해된 네거티브를 써서 연속적인 톤 또는 색조의 사진 따위에서 불연속적인 톤 또는 색조의 복제를 만드는 기법》. **póster·ìze** *vt.*
pos·tern [pástərn, póus-] *n.* 《古》 **1** 뒷문, 옆문, 샛문 ; 〖築城〗 지하도, 도피로 : a privy[private] ~ 통용문, 부엌문. **2** [형용사적으로] 뒤의, 뒷문의, 옆문의, 샛문의 : a ~ door 뒷문, 부엌문 / a ~ gate 뒷문 ; 통용문.
〖OF<L ; ⇨ POSTERIOR〗
pos·tero- [pástərou, -rə] *comb. form* 「후부와」 「후부에」의 뜻. 〖L ; ⇨ POSTERIOR〗
pòstero·láteral *a.* 후측부(後側部)[쪽]의.
póster pàint *n.* =POSTER COLOR.
póst exchànge *n.* 〖美陸軍〗 주둔지 매점, 군(軍) 매점《略 PX》.
pòst·exílic, pòst·exílian *a.* 유태인의 바빌론 유수(幽囚) 이후의.
post·face [póustfəs, -fèis] *n.* 후기(後記), 발문(跋文) (cf. PREFACE).
pòst-fáctum *a.* 사후(事後)의.
póst-fàde *n.* 포스트페이드《테이프 리코더의 소거 헤드를 작동·정지시키는 장치》.
póst·fìx *n.* 《稀》 접미사(接尾詞). —— [-ˊ] *vt.* 어미에 붙이다, 접미하다.
póstfix notàtion *n.* 〖數〗 포스트픽스 기법《모든 연산자를 모든 변수보다 뒤에 위치하도록 기술함》.
póst-frée *a., adv.* 우편요금 무료의[로] ; 《英》 우표요금 선불의[로](=《美》 postpaid).
póst-fùel-pánic *a.* 오일쇼크 후의.
post·glácial *a.* 〖地質〗 빙하기 이후의.
post·gráduate *a.* 대학 졸업 후의 ; 대학원의, 대학 연구과의(=《美》 graduate) (cf. UNDERGRADUATE) ; 《美》 (고등학교 졸업 후) 대학 진학 준비중인 : the ~ course 대학원 과정.
—— *n.* 대학원생, 연구(과)생(=《美》 graduate) ; 대학 진학 준비중인 학생.
post·hárvest *a.* (곡물의) 수확(기) 후의.
póst·háste *adv.* 황급히, 급히 서둘러서 ; 급행으로.
post hoc, er·go prop·ter hoc [pɔ́:st hòuk érgou prɔ́:ptər hòuk] 〖論〗 이 다음에, 그러므로 이 때문에《시간의 전후 관계를 인과 관계와 혼동한 허위의 논법》. 〖L〗
póst·hòle *n.* 울타리의 말뚝을 세우려고 판 구멍.
póst hòrn *n.* (옛날) 역[우편]마차의 나팔《도착 따위를 알린다》.
póst-hòrse *n.*(옛날의) 역마, 파발마.
póst·hòuse *n.* (옛날의) 역사 ; 《古》 우체국.
post·hu·mous [pástʃəməs] *a.* 죽은 후의 ; 유복자로 태어난, 유복(遺腹)의 ; 저자 사후에 출판된 : a ~ child 유복자 / one's ~ name 시호(諡號), 계명(戒名) / ~ works 유작(遺作) / confer ~ honors on a person 추증(追贈)하다, 추서(追敍)하다. **~·ly** *adv.* 죽은 후에, 유작(遺作)으로서.
〖L *postumus* last ; *-h-*는 L *humus* ground와의 연상(聯想)〗
pòst·hypnótic *a.* 최면후의[에 관한], (암시가) 최면 후에 효과를 나타내는 (것 같은).
pos·tiche [pɔ(:)stí:ʃ, pɑs-] *a.* 가짜의, 모조의 ; 불필요한《장식 따위》. —— *n.* 모조품, 가짜 ; 쓸데없는 장식. 〖F<It. ; ⇨ APPOSITE〗
pos·ti·cous [pɑstáikəs, -stí:-] *a.* 〖植〗 뒤쪽에 있는, 뒤에 있는.
post·ie [póusti] *n.* 《濠口》 =POSTMAN.

pos·til [pástəl] *n.* (특히 성서의) 방주(傍注), 주석. —— *vt.* (성서)에 주석을 달다. 〖OF<L *postilla*〗

pos·til·ion, -til·lion [poustíljən, pɑs-, pəs-] *n.* (마차의) (제1열) 왼쪽 말의 기수(騎手)[마부]. 〖F<It.=postboy〗

Pòst·impréssion·ìsm *n.* Ⓤ《美》후기 인상파. **-ist** *n., a.* 후기 인상파의 (화가).

pòst·indústrial *a.* 탈(脫)공업화의 : ~ society 탈공업화 사회.

póst·ing[1] *n.*〖簿〗전기(轉記) ; 등기(登記). 〖POST[1]〗

posting[2] *n.* 지위[부서, 부대] 임명. 〖POST[3]〗

pòst·irradiátion *a.* (X선) 조사 후에 생기는.

Póst-ít *n.* 포스트잇《끝에 특수 접착제를 칠한 부전지 ; 상표명》.

post·li·min·i·um [pòustlimíniəm], **post·lim·i·ny** [-límәni] *n.*〖國際法〗전후 복권(復權), 전후 원상 회복(권).

post·lude [póustlu:d] *n.* **1**〖樂〗후주곡(後奏曲) (↔*prelude*). **2**《비유》(문학작품 따위의) 결미. 〖L *ludus* game〗

***post·man** [póus*t*mən, -mæ̀n] *n.*《英》우체부, 우편 집배원(=《美》mailman) ;〖史〗파발꾼.

póstman's knóck *n.*《英》=POST OFFICE 3.

post·márital *a.* 혼인 해소 후의.

póst·màrk *n.* (우편의) 소인(消印). —— *vt.* …에 소인을 찍다.

〈회화〉
Where is the letter *postmarked* from? — From Boston.「그 편지의 소인은 어디입니까」「보스턴입니다」

***póst·màster** *n.* 우체국장《略 P.M.》. **~·shìp** *n.* Ⓤ 우체국장의 직[직위].

póstmaster géneral *n.* (*pl.* **póstmasters géneral, póstmaster génerals**)《美》우정 공사 총재,《英》체신 공사 총재 ;《美》(1971년까지의) 우정 장관 ;《英》(1969년까지의) 체신 장관《미·영 모두 P.M.G.로 생략》.

pòst·matúre *a.*〖產科〗과숙(過熟)의.

pòst·merídian *a.* 오후의, 오후에 일어나는.

pòst me·ríd·i·em [-mərídiəm] *a.* 오후(의)《略 p.m., P.M. ; ↔*ante meridiem*》: at 8 *p.m.* 오후 8시에. 〖L=after noon〗

póst·mìll *n.* (풍향에 따라 방향을 바꾸는) 회전식 풍차.

pòst·millénnial *a.* 지복(至福) 천년 후의.

pòst·millénnial·ìsm *n.* Ⓤ 후천년 왕국[지복]설《지복 천년 후에 그리스도가 재림한다는 설》.

póst·mìstress *n.* 여자 우체국장.

post·módern *a.* 포스트 모더니즘의[적인].

post·módern·ìsm *n.* 포스트모더니즘《20세기의 모더니즘을 부정하고 고전적·역사적인 양식이나 수법을 받아들이려는 예술 운동》.

post·mor·tem [pous*t*mɔ́:*r*təm] *n.* **1** 시체 해부, 검시(檢屍) (해부). **2** 사후(事後)의 검토[분석, 평가] ;《口》(특히 카드 놀이의) 승부 결정후의 검토. —— *a.* 사후(死後)의 ; 검시의 ; 사후(事後)의 : a ~ examination 검시 (해부) (autopsy). 〖L〗

pòst·nátal *a.* 출생 후의(cf. PRENATAL) ; 출생 직후의 산아의. —— *n.* 출산후의 모친의 검사.

post·núptial *a.* 결혼[혼인] 후의.

pòst-óbit *n.*〖法〗사후(死後)지급 날인 채무 증서. —— *a.* 사후에 효력을 발생하는. 〖*post-obit*um〗

post ob·itum [pɔ:st ɔ́:bətùm] *n.* 사후. 〖L〗

post-óbject àrt *n.* 포스트오브젝트 아트《예술가의 사상·인간성 따위를 전면에 내세우고 예술의 대상성을 제거 내지 극소화하려는 예술 경향》.

***póst òffice** *n.* **1** 우체국. **2** [the P~ O~]《美》우정 공사 ;《英》체신 공사. **3** 우체국 놀이《편지가 왔다고 하여 이성을 별실로 불러내어 키스하는 놀이》. 〖POST[1]〗

póst-òffice *a.* 우체국의 ; 우정[체신] 공사의 : a ~ annuity 우편 연금 / a ~ box 사서함《略 P.O.B.》/ ~ insurance 간이 보험 / a ~ order《英》(수취인 통지식) 우편환《略 P.O.O.》/ a ~ savings bank《英》우편 저금국(局) (=《美》a postal savings bank).

post·óperative *a.*〖醫〗수술 후의[에 일어나는] : ~ care 수술 후의 간호.

póst·páid *a., adv.*《美》우편 요금 선불의[로] (=《英》post-free).

post-páint·er·ly *a.* 회화적 추상(抽象) 이후의《하드에지(hard-edge) 따위의 전통적인 기법을 사용한 추상 회화의 스타일에 대해서 말함》.

Post-Páinterly Abstráction *n.* 전통적 회화법을 이용한 추상화법.

post·par·tum [pous*t*pá:*r*təm] *a., adv.*〖醫〗산후(產後)의[에].

póst pàttern *n.*〖美蹴〗리시버가 골 포스트 쪽으로 진로를 정하여 달리는 전형적인 장거리 패스.

***post·pone** [pous*t*póun, pəs-] *vt.* **1** [+目/+do*ing*] 연기하다, 미루다(put off) (↔*advance*) : The meeting was ~*d* until the following day. 회의는 다음날로 연기되었다 / You must not ~ answer*ing* his letter any longer. 그의 편지에 대한 회답을 더 이상 미루어서는 안된다. **2** (중요성을) 차위(次位)[하위]에 두다. **post·pón·able** *a.* 연기 가능한. **~·ment** *n.* Ⓤ,Ⓒ 연기, 뒤로 미루기. 〖L *post*-(*pono* to place)〗

類義語 ⟹ DELAY.

pòst·posítion *n.* Ⓤ〖文法〗후치 ; Ⓒ 후치사(後置詞) (cf. PREPOSITION).

post·pósitive *a.*〖文法〗후치(後置)의(↔*prepositive*). —— *n.* 후치사.

póst-póst·scrìpt *n.* (편지의) 재추신(再追伸)《略 P.P.S.》.

post·prándial *a.*《戲》식후의.

póst·rìder *n.* (예전의) 파발꾼, 역마차꾼, 기마(騎馬) 우편 집배원.

póst ròad *n.* (옛날의) 역로(驛路) ; 우편 도로.

post·script [póusskrìpt, póus*t*-] *n.* (편지의) 추신(追伸)《略 P.S.》; (서적 따위의) 후기(後記), 발문(跋文) ;《英》(뉴스 방송 바로 뒤에 방송하는) 해설. 〖L ; ⇨ SCRIPT〗

póst-séason *a.*〖野〗공식전(公式戰) 이후의 시즌의.

póst-sécondary educátion *n.*《美》중등과정 후의 교육《총칭》.

pòst·strúctural·ìsm *n.* 포스트 구조주의.

post-sýnc(h) [-síŋk] *vt.* =POSTSYNCHRONIZE. —— *n.* =POSTSYNCHRONIZATION.

post·sýnchronize *vt.* (음성이나 효과음 따위를) 뒤에 화상에 맞춰 녹음하다. **pòst·synchronizátion** *n.*

póst-tàx *a.* 세금 공제 후의.

póst·tèst *n.* 사후 테스트《교육 지도의 성과를 시험하는 테스트》.

póst tìme *n.* **1** 우편 발송[도착·마감] 시각 ; 우편 배달 시각. **2** 《美》〖競〗(레이스의) 출주(出走) 예정 시각.

póst tòwn *n.* 우체국이 있는 도시.

pòst·traumátic *a.* 〖醫〗 외상(外傷) 후의 : ~ amnesia 외상 후 건망(증).

post·tréat·ment *a.* 치료[처치] 후의. —— *n.* 치료[수술] 후 처치.

post-tréaty *a.* 조약 후의.

pos·tu·lant [pástʃələnt] *n.* 청원자 ; (특히) 성직(聖職) 지망자.

pos·tu·late [pástʃəlèit] *vt.* **1** [+目/+*that* 節] (자명한 것으로) 가정하다 ; 기초적 원리[필요 조건]로서 요구하다 : ~ the inherent goodness of man 인간을 원래 선하다고 가정하다 / The author ~*s that* energy is expended within the plant. 저자는 에너지가 식물안에서 소모된다는 것을 전제하고 있다. **2** 요구하다 : the claims ~*d* 요구 사항. **3** 〖宗〗(상부 기관의 승인을 조건으로) 성직에 임명하다. —— [-lət, -lèit] *n.* **1** 가정. **2** 선결[기초] 조건, 필요조건. **3** 〖論·數〗공리(公理), 공준(公準). **pòs·tu·lá·tion** *n.* Ⓤ 가정, 선결 조건 ; 요구 ; 〖敎會〗(상부 기관의 승인 조건부) 성직 임명. **-là·tor** *n.* 〖카톨릭〗 열복(列福)[열성] 조사 청원자.
〚L *postulat- postulo* to demand〛

pos·ture [pástʃər] *n.* **1** Ⓤ [또는 a ~] (신체의) 자세, 몸가짐 ; 마음 가짐, 태도(attitude of mind) : take *a* ~ *of* (self-)defense 호신(護身)[방어]의 자세를 취하다. **2** (어떤 특정한) 자세, 포즈, 자태 ; 젠체하는 자세[태도](affected attitude) : in a sitting[standing] ~ (모델 등이) 앉은[선] 자세로. **3** Ⓤ [또는 a ~] 상태, 형세 : in the present ~ *of* affairs 현재의 상태로서는.
—— *vi.* **1** 어떤 자세[태도]를 취하다, 태세를 취하다 : The actress ~*d* before the director. 여배우는 감독 앞에서 포즈를 취해 보였다. **2** 젠체하다, 자세[태도]를 보이다. —— *vt.* …에게 어떤 자세를 취하게 하다, (어떤 위치에) 놓아 두다 : The painter ~*d* his model. 화가는 모델에게 포즈를 취하게 했다.
pós·tur·al *a.* **pós·tur·er** *n.*
〚F<It.<L ; ⇨POSIT〛
類義語 ***posture*** 서 있거나 앉아 있을 때의 자세 : erect *posture*(서 있는 자세). ***pose*** 미술상의 효과 따위를 위해서 의식적으로[정성스럽게] 취한 posture : The cameraman wanted the actress to hold that *pose.* (카메라맨은 여배우가 그 포즈대로 있을 것을 원했다). ***attitude*** 어떤 감정이나 기분을 나타낼 때 무의식적으로 취한 태도·자세 ; 또는 어떤 목적을 위해서 일부러 취한 태도·자세 : take a strong *attitude* toward them(그들에 대하여 강경한 태도를 취하다). ***stance*** 특히 어떤 종류의 스포츠 따위에서 두 발의 위치에 관계되는 몸의 자세 : the *stance* of a batter[golfer] (타자[골퍼]의 자세).

Póst-Vietnám Sýndrome *n.* 《美》 베트남 후 증후군(後症候群)《베트남 전쟁 제대병에게서 볼 수 있는 적응 장애 따위의 정신 장애 ; 略 PVS》.

pòst·vocálic *a.* 〖音聲〗(자음이) 모음 바로 뒤의[에 오는].

post·wár *a.* 전후(戰後)의(↔*prewar*).

po·sy [póuzi] *n.* 꽃 ; 꽃다발(bouquet) ; 《古》(반지 안쪽 따위에 새긴) 시명(詩銘), 제명(題銘).
〚POESY〛

◇**pot** [pát] *n.* **1 a)** (도자기·금속·유리 따위의) 단지, 주발, 병, 항아리, (운두가 높은) 냄비, 포트 : ~*s* and pans 냄비 등속, 취사 도구 / A little ~ is soon hot. 《속담》 소인(小人)은 금방 화를 낸다 / A watched ~ never boils. 《속담》 서둔다고 일이 되는 것은 아니다《초조해 해서는 안된다》 / The ~ calls the kettle black. 《속담》 똥묻은 개가 겨묻은 개 나무란다. **b)** =CHAMBER POT, CHIMNEY POT, COFFEEPOT, FLOWERPOT, LOBSTER POT, MELTING POT, TEAPOT, *etc.* **2** (단지·냄비 따위) 하나 가득(한 분량) ; 술 ; 《美俗》 싸구려 위스키 ; 《俗》 마약, 마리화나 : a ~ *of* beer 맥주 한 잔. **3** 《口》(경기 따위의) 은상배(銀賞杯), 《俗》 상품 ; 《美口》(poker 따위에서) 한 번에 거는 돈의 총액 ; 공동 자금 ; [흔히 *pl.*] 《口》 거액 ; [the ~] 《英俗》 인기말 ; 우승 후보말 : make a ~[~*s*] *of* money 큰 돈을 벌다. **4** 《口》 배불뚝이(potbelly) ; 《口》 요인, 높은 사람 : a big ~ 거물. **5** 《美俗》 중절모자(=~ hat). **6** 〖사냥〗=POTSHOT : take a ~ *at* a bird 새를 겨누어 쏘다. **7** 《美俗》 술부대, 술고래. **8** 〖撞球〗 포켓에 들어가도록 치는 일격.

boil the pot=***make the pot boil*** 생계를 꾸려나가다(cf. POTBOILER).

go to pot 《口》 못쓰게 되다, 파멸하다 ; 영락하다, 죽다.

in one***'s pot*** 술에 취하여.

keep the pot boiling 생계를 꾸려나가다 ; (게임 따위를) 활기있게 계속해 나가다.

put a person***'s pot on*** 사람을 밀고하다.

—— *v.* (**-tt-**) *vt.* **1** (보존용으로) 병[단지]에 넣다, 병[통]조림하다 : ~*ted* ham ☞ POTTED. **2** [+目/+目+副] 화분에 심다 : We must ~ (***up***) our tulips. 튤립을 화분에 심지 않으면 안된다. **3** 쏘다, 겨누어 쏘다 ; (사냥감을) 사냥하

다 ;《美俗》 주먹으로 때리다, (볼을) 치다. **4** 《口》 손에 넣다, 입수하다(secure). **5** 〔撞球〕 = POCKET 5. **6** 《口》 (유아를) 변기에 앉히다.
—— *vi.* 쏘다(shoot) 〈*at*〉.
〖OE *pott*＜L 《美》 *pottus* ; cf. L *potus* a drink, MLG *pot* pot〗

POT 《美》 구식의 검은 전화통.
〖*p*lain *o*ld *t*elephone〗

pot. potential ; potentiometer ; potion ; pottery.

po·ta·ble [póutəbəl] *a.* 마시기에 알맞은[적합한].
—— *n.* [보통 *pl.*] 음료수, 술.
〖F or L (*poto* to drink)〗

po·tage [poutá:ʒ, pɔ:-] *n.* Ⓤ,Ⓒ 수프 ; 진한 수프 (thick soup) (cf. CONSOMMÉ ; POTTAGE).
〖F ; "POT의 내용물"〗

pót ále *n.* (위스키 따위의) 증류 찌끼《돼지 사료》.

po·tam·ic [pətǽmik, pou-] *a.* 하천(河川)의, 하천 항행의. 〖Gk. *potamos* river〗

pot·a·mol·o·gy [pɑ̀təmɑ́lədʒi] *n.* Ⓤ 하천학.

pot·ash [pɑ́tæʃ] *n.* Ⓤ 잿물 ;〔化〕수산화칼륨 ; = POTASSIUM. 〖Du. ; ⇨ POT, ASH²〗

pótash wàter *n.* 탄산수(炭酸水).

pot·ass [pɑ́tæs] *n.* **1** =POTASH. **2** =POTASSIUM.

po·tas·sic [pətǽsik] *a.* 칼륨의[을 함유한].

po·tas·si·um [pətǽsiəm] *n.* Ⓤ 〔化〕칼륨 : ~ bromide[carbonate, chlorate, chloride, cyanide, hydroxide, nitrate, permanganate, sulfate] 브롬화(化)[탄산, 염소산, 염화, 시안화, 수산화, 질산, 과망간산, 황산] 칼륨.

po·ta·tion [poutéiʃən] *n.* Ⓤ 마시기(drinking) ; 한 번 마시기, 한 잔(drink) ; 술 ; Ⓒ [보통 *pl.*] 음주(飮酒) : deep ~*s* 주연(酒宴).
〖OF＜L ; ⇨ POTION〗

‡po·ta·to [pətéitou] *n.* (*pl.* **~es**) **1 a**) 감자(white [Irish] potato) ;《美》 고구마(sweet[Spanish] potato). **b**) 《俗》 머리 ;《美俗》 추한 얼굴 ; [*pl.*] 《美俗》 돈, 달러. **2** 《美俗》 야구 공 ; (양말의) 구멍. **3** [보통 the ~] 《口》 안성맞춤인 것 : quite the ~ 그야말로 안성맞춤인 것.
drop. . .like a hot potato ☞ HOT.
〖Sp. *patata*＜Taino *batata*〗

potáto bèetle[bùg] *n.* 〔昆〕 감자잎벌레.

potáto bòx *n.* 《俗》 입(mouth).

potáto chìp *n.* [보통 *pl.*] 포테이토 칩《얇게 썬 감자를 튀긴 것》.

potáto crìsp *n.* 《英》 [보통 *pl.*] =POTATO CHIP.

potáto dìgger *n.* 《美俗》 보기싫은 놈.

potáto fàmily *n.* 〔植〕 가지과(科).

potáto-hèad *n.* 바보, 멍텅구리, 얼간이.

potáto ròt *n.* 감자의 역병(疫病).

po·ta·to·ry [póutətɔ̀:ri ; -təri] *a.* 술마시는 (버릇이 있는) ; 술에 빠진. 〖L (*poto* to drink)〗

potáto-tràp *n.* 《美俗》 입(mouth).

pót bárley *n.* 껍질을 벗긴 보리(↔*pearl barley*).

pót·bèllied *a.* 장구통배[배불뚝이]의 ; (그릇이) 아래가 불룩한.

pót·bèlly *n.* 장구통배의[배가 불룩한] 사람 ;《美》 중배가 부른 둥근 난로.

pót·bòil·er *n.* 《口》 돈을 벌기 위한 작품 ; 그 작가 [화가].

pót·bòil·ing *n.* Ⓤ 돈벌이 위주의 창작.

pót-bòund *a.* 화분 전체에 뿌리가 뻗어 자랄 수 없는 ; 발전[성장]의 여지가 없는.

pót·bòy *n.* 술집의 심부름꾼.

pót chèese *n.* 《美》 =COTTAGE CHEESE.

pót-compànion *n.* 《古》 술친구.

po·teen, -theen [poutí:n, pə-, pɑ-] *n.* Ⓤ 《아일》 밀조 위스키. 〖Ir. *poitín* (dim.) 〈POT〗

Po·tem·kin [pətjɔ́:mpkən, poutémp-] *n.* 포촘킨. **Grigori Alexandrovich** ~ (1739-91) 러시아의 군인 · 정치가 ; Catherine 2세의 총신(寵臣).

Po·tém·kin víllage [pətémpkən-] *n.* 바람직하지 못한 사실이나 상태를 감추기 위한 번지르르한 겉치레.

po·ten·cy, po·tence [póutns(i)] *n.* Ⓤ 힘, 잠재력 ; 권력, 권위 ; 세력 ; (약 따위의) 효험, 유효성, 능력 ; 세력을 미치는 사람[것] ; (남성의) 성적 능력. 〖L=power ; ⇨ POSSE〗

pó·tent *a.* **1** 《文語》 유력한, 강력한, 세력이 있는. **2** (약이) 효험[효능]이 있는 ; 남을 승복시키는, (정신적인) 영향을 미치는 ; (남성이) 성적 능력이 있는. 〖L *potent- potens* ; ⇨ POSSE〗

po·ten·tate [póutəntèit] *n.* 유력자, 세력가 ; 주권자, 군주.

***po·ten·tial** [pəténʃəl] *a.* **1** 가능한(possible), (장래에 충분히) 발달할 가능성이 있는 : a ~ genius 천재적 소질이 있는 사람. **2** 잠재하는, 잠재 세력의. **3** 〔理〕 위치의, 전위(電位)의 : ~ difference 전위차(電位差) / ~ energy 위치 에너지. **4** 〔文法〕 가능을 나타내는 : the ~ mood 가능법.
—— *n.* **1** Ⓤ 가능(성), 잠재력, 잠재[장래]성, 소질 : war ~ 전력(戰力). **2** 〔文法〕 가능법. **3** Ⓤ 〔理〕 전위(電位) (=electric ~). **~·ly** *adv.* 잠재적으로, 혹시 (…일지도 모를).
〖OF or L ; ⇨ POTENT〗
類義語 ⟹ LATENT.

poténtial ádversary *n.* 가상 적국.

po·ten·ti·al·i·ty [pətènʃiǽləti] *n.* Ⓤ,Ⓒ 잠재력, 가능성 ; Ⓒ 가능성[잠재력]을 가진 것.

poténtial·ìze *vt.* 가능하게 하다 ; 잠재력화하다.

poténtial transfórmer *n.* 계기용 변압기.

po·ten·ti·ate [pəténʃièit] *vt.* 힘을 주다, 힘[효력]을 더하다 ; 가능하게 하다 ; …의 약효를 더하다.
po·tèn·ti·á·tion *n.*

po·ten·ti·om·e·ter [pətènʃiɑ́mətər] *n.* 〔電〕 전위차계(差計), 분압기(分壓器).

pót·fùl *n.* 냄비[단지] 하나 가득(한 분량).

pót hát *n.* 중산 모자(Derby).

pót·hèad *n.* 《俗》 마약[마리화나] 중독자. 〖POT〗

poth·er [pɑ́ðər] *n.* Ⓤ 운연(雲煙), 자욱한 구름[연기 · 매연] ; 소동, 소란, 혼잡 : be in a ~ 떠들어대고 있다 / make[raise] a ~ about …으로 소란을 피우다. —— *vt.* 괴롭히다, 곤란하게 하다.
—— *vi.* 야단 법석을 떨다. 〖C16＜?〗

pót·hèrb *n.* 삶아서[익혀서] 먹는 야채(vegetable) ; 향미용(香味用) 야채.

pót·hòld·er *n.* 뜨거운 냄비를 들때 쓰는 기구.

pót·hòle *n.* **1** 〔地質〕 구혈(甌穴)《강바닥의 암석에 생긴 단지 모양의 구멍》. **2** 깊은 구멍 ; 노면의 우묵한 곳[구멍]. —— *vi.* 스포츠[취미]로 동굴을 탐험하다. **pót·hòl·er** *n.* 동굴 탐험가.

pót·hòok *n.* (S자형의) 냄비 걸이 갈고리 ; (습자 연습의) S자형 ; [*pl.*] 꼬부랑 글자, 악필(惡筆) ; [*pl.*] 《美俗》 박차(拍車).

pót·hòuse *n.* 《英蔑》 (작은) 맥주집 ; (고급이 아닌) 선술집.

pót·hùnt·er *n.* **1** 닥치는 대로 (마구) 쏘아대는 사냥꾼. **2** 상품을 목적으로 한 경기 참가자. **3** (채집상의 지식이 없는) 아마추어 고고품 채집가.

po·tiche [poutí:ʃ, pɑ-] *n.* (*pl.* **-tích·es** [, -tí:ʃ]) 뚜껑 있는 목이 가는 단지. 〖F (*pot* pot)〗

po·tion [póuʃən] *n.* (물약 또는 독약의) 일회 복용량, 한 첩[포]. 〖OF＜L (*poto* to drink)〗

pot·latch [pátlætʃ] *n.* **1** 포틀래치《미국 북서안 인디언들이 부·권력의 과시로 행하는 겨울 축제의 선물 분배 행사》. **2** 《美口》 (선물이 나오는) 파티. —— *vt.* (종족)을 위해 potlatch 행사를 거행하다 ; (선물을) 주다. —— *vi.* potlatch의 행사를 거행하다. 〚Chinook〛

pót lèad [-lèd] *n.* (경주용 보트 밑에 바르는) 흑연(黑鉛).

pót lìd *n.* 냄비 뚜껑.

pót líquor *n.* 고기나 야채를 삶아낸 국물.

pót·lùck *n.* Ⓤ 있는 재료로 만든 요리 : take ~ 있는 대로 마련한 요리를 먹다.

pótluck sùpper[dìnner] *n.* 각자가 한 접시씩 갖고 와서 여는 저녁 파티(covered-dish supper).

pót·man [-mən] 《英》 *n.* 술친구 ; =POTBOY.

pót màrigold *n.* 〔植〕 금잔화《꽃은 양념으로 씀》.

pót mètal *n.* 구리와 납의 합금 ; (냄비 따위를 만드는) 무쇠 ; 용해 중인 색유리.

Po·to·mac [pətóumək] *n.* [the ~] 포토맥 강《미국의 수도 Washington 시를 흐르는 강》.

pót·pìe *n.* 《美》 (냄비나 운두가 높은 접시에 만들어 담은) 고기 파이 ; 고기를 속에 넣은 스튜.

pót plànt *n.* 화분에 심는 식물, 분재(盆栽).

pot·pour·ri [pòupurí:, ⌐–⌐, poupúəri] *n.* **1** Ⓤ,Ⓒ 포푸리《건조시킨 장미류의 꽃잎을 향료와 혼합하여 단지에 넣고 방안에 향기가 나게 하는 것》. **2** **a)** 〔樂〕 접속곡(medley). **b)** 문집(文集), 잡록(雜錄)〈*of*〉. **3** 혼성, 긁어[주워] 모은 것〈*of*〉. 〚F=rotten pot〛

pót ròast *n.* 뭉근한 불에 쪄서 만든 쇠고기 찜.

POTS [páts] *n.* 아날로그 음성 신호를 전달하는 재래식 전화 서비스(cf. POT). 〚*p*lain *o*ld *t*elephone *s*ervice〛

Pots·dam [pátsdæm] *n.* 포츠담《독일 중동부 베를린시 부근의 황제의 옛 이궁(離宮) 소재지》. ***the Potsdam Declaration*** 포츠담 선언.

pots de vin [*F* po də vɛ̃] *n.* 뇌물, 증수회. 〚F=pots of wine〛

pót·shèrd *n.* 도기(陶器)의 파편.

pót·shòt *n.* **1** 사냥감만을 노린[얻기 위한] 총사냥. **2** 근거리에서의 사격, 닥치는 대로 마구 하는 사격[총질] ; 무책임한 논평 ; 되는 대로 해보기 : take a ~ at …을 함부로 비난하다.

pót·slìng·er *n.* 《美俗》 요리사(cook).

pót stìcker *n.* 〔料〕 군만두.

pót stìll *n.* 단식 증류기(單式蒸溜器) ; 그것으로 걸러 만든 위스키.

pót·stòne *n.* 곱돌《단지 제조용》.

pot·tage [pátidʒ] *n.* Ⓤ 포타주(potage) ; 《古》 (야채 또는 야채와 고기를 넣은) 진한 수프[스튜] ; 《비유》 뒤섞임. 〚OF ; ⇨ POTAGE〛

pót·ted *a.* **1** 화분에 심은 : a ~ tree 분재(盆栽). **2** 단지[병]에 넣은 ; 통조림한 : ~ ham 병조림한 햄 / ~ meat 통조림 고기. **3** 《口》 (간단하게) 요약한 ; 《美俗》 취한 ; 《英俗》 녹음한(canned).

pót·ter[1] *n.* 도공(陶工) ; 옹기장이, 도예가(陶藝家) (ceramist) : ~'s asthma[bronchitis] 도공성(性) 천식 / ~'s clay[earth] 도토(陶土) / ☞ POTTER'S FIELD / a ~'s wheel 도공용 녹로(대) / ~'s work[ware] 도기(陶器). 〚OE ; ⇨ POT〛

potter[2] *vi., vt.* 《英》 빈둥거리다(putter). —— *n.* 멍하니 시간을 보내기. 〚(freq.) 〈*pote* (dial.) to push<OE *potian*〛

pótter's fíeld *n.* (원래 가난한 사람들을 위한) 공동 묘지, 연고자 없는 묘지.

pot·tery [pátəri] *n.* **1** Ⓤ 도기류(陶器類), 옹기(cf. EARTHENWARE) ; 도기 제조(법[업]) ; Ⓒ 도기 제조소. **2** [the Potteries] 도기 산지《영국 Staffordshire의 북부》.

pót·ting *n.* Ⓤ **1** 도기(陶器) 제조. **2** 화분에 심기. **3** (식료품의) 병조림.

pótting shèd *n.* 옮겨심기 전의 꽃을 화분에 심어 보호하는 헛간.

pot·tle [pátl] *n.* **1** 포틀, 반(半) 갤런(=《英》 2.273 liters, 《美》 1.789 liters). **2** 1포틀들이 (포도)주(酒). **3** 《英》 (딸기 따위의) 과일 바구니. 〚OF=small POT〛

Pótt's disèase [páts-] *n.* 〔醫〕 포트병(病), 척추 카리에스. 〚Percivall *Pott* (d. 1788) 영국의 외과 의사〛

Pótt's frácture *n.* 〔醫〕 포트 골절(骨折)《발목이 바깥쪽으로 굽음》. 〚↑〛

pot·ty[1] [páti] *a.* 《英口》 **1** 조그마한, 하찮은(petty) ; (시험 문제 따위가) 쉬운 : a ~ little house 조그맣고 볼품없는 집. **2** 미친 듯한, 돈 것 같은(crazy) ; 열중해 있는〈*about*〉. **3** 《口》 속물적인. 〚C19< ? ; *pot*에서 인가〛

potty[2] *n.* 《口》 어린이용 변기 ; 《兒》 변소. 〚POT〛

pótty mòuth *n.* 《CB俗》 야비한 말을 쓰는 CB대(帶) 라디오 교신자.

pót-vàliant *a.* 술김에 대담해진, 허세의.

pót·vàlor *n.* Ⓤ 술김에 생긴 용기.

pot·wal·lop·er [pátwὰləpər] *n.* 〔英史〕 (1832년 선거법 개정 이전의) 호주(戶主) 선거권 보유자 ; 《俗》 접시닦이. 〚WALLOP=to boil furiously〛

pót-wrèstler *n.* 《美俗》 주방장(chef).

pouch [páutʃ] *n.* **1** 작은주머니 ; (파이프용의) 담배 쌈지, 파우치(=smoking ~) ; 우편낭(囊)《소형》. **2** 탄약 주머니《가죽으로 만든 주머니·케이스》. **3** 돈지갑, 돈주머니(purse) ; 《英俗》 팁 ; 《스코》 호주머니. **4** 주머니 모양의 것 ; (눈 밑의) 처진 살. **5** 〔動〕 (유대류(有袋類) 따위의) 육아낭(育兒囊) ; (다람쥐·원숭이 따위의) 볼 주머니(=cheek ~) ; 〔植〕 낭상포(囊狀胞). **6** (외교 문서 송달용의) 외교행낭. —— *vt.* **1** 주머니[안 주머니]에 넣다. **2** 주머니처럼 늘어뜨리다. **3** (새·물고기가) 삼키다(swallow). **4** 《英俗》 …에게 팁을 주다. —— *vi.* 주머니 모양이 되다, 부풀다(swell out) ; 자물쇠 붙은 주머니에 넣어 우편물·연락 문서를 보내다. 〚OF ; ⇨ POKE[2]〛

pouched [páutʃt] *a.* 주머니가 있는 ; 주머니 모양의 : ~ animals 유대류(의 동물).

pou·drette [pu:drét] *n.* Ⓤ 인분 거름에 목탄 따위를 섞은 비료의 일종.

pouf, pouff(e) [pú:f] *n.* **1** 푸프《18세기 후반 여성의 높게 틀어올려 치장한 머리 모양》. **2** (옷·머리 치장의) 부풀림, 퍼프(puff). **3** 쿠션을 댄 둥근 의자 ; (의자 대용의) 두꺼운 쿠션. **4** 《英俗》 동성애의 남자(poof). 〚F<(imit.)〛

pou·lard(e) [pu:lá:rd] *n.* 난소(卵巢)를 잘라내어 식용으로 살찌운 암탉. 〚F〛

poulp, poulpe [pú:lp] *n.* 〔動〕 낙지(octopus). 〚F〛

poult [póult] *n.* (닭·칠면조·꿩 따위의) 새끼. 〚PULLET〛

poult-de-soie [*F* pudswa] *n.* Ⓤ 골이 지게 짠 비단의 일종. 〚F< ?〛

poul·ter·er [póultərər] *n.* 가금상(家禽商), 새파는 가게《보통 조류 이외에도 산토끼 같은 작은 짐승도 팖》. 〚*poulter* ; ⇨ POULT〛

poul·tice [póultəs] *n.* 찜질(약), 습포(濕布) ;《豪俗》 큰 돈《특히 빚》; 경마에 건 대금.
—— *vt.* …에 습포를 붙이다, 찜질하다.
〖L *pultes* (pl.) 〈*puls* pottage〗

***poul·try** [póultri] *n.* **1** [집합적으로 ; 보통 복수취급] 가금(家禽)《닭·칠면조·오리·거위 때로는 비둘기·꿩 따위도 포함》: Have the ~ been fed? 새에게 먹이를 주었느냐. **2** Ⓤ (식료품으로서) 가금(의 고기) : *P*~ is expensive this winter. 올 겨울은 새고기가 비싸다. **3** [the P~] (London의) 폴트리가(街)《이전에 가금 시장이 있었음》. 〖OF ; ⇨ POULT〗

póultry·man [-mən] *n.* **1** 양계가, 가금(家禽) 사육가. **2** 가금상(poulterer).

pounce[1] [páuns] *vi.* [+*on*+名] **1** 갑자기 달려들다, 별안간 습격하다 ; 뛰어들다 : The cat ~*d* ***on*** the toy car. 고양이는 장난감 자동차에 달려들었다. **2** 《비유》 (남의 결점·잘못 따위를) 심하게 책망하다 : His master ~*d* ***upon*** his blunder. 주인은 그의 실수를 몹시 꾸짖었다.
—— *vt.* 달려들어[덤벼들어] 붙들다.
—— *n.* (맹금의) 발톱 ; 무기 ; 급습 ;《方》 (주의를 촉구하기 위한) 콕콕 찌름 : make a ~ (upon...) (…에게) 달려들다.
on the pounce 막 달려들려고 하여.
〖C17<? ; *puncheon*[1] 또는 ME *punson* pointed tool에서 인가〗

pounce[2] *n.* Ⓤ (잉크가 번지는 것을 막는) 오징어뼈의 가루 ; 색가루《종이본을 뜨기 위한 분말 목탄 따위》. —— *vt.* …에 번지는 것을 막는 가루를 뿌리다 ; …에 색가루를 뿌리다, 색가루를 뿌려 (본을) 뜨다. 〖F<L PUMICE〗

pounce[3] *vi.* (금속 따위에) 구멍을 뚫다 ; (구두·천 따위에) 장식용 구멍을 뚫다.
〖OF *poinçonner* to stamp ; *pounce*[1]과 같은 어원 인가〗

póunce bòx *n.* 잉크가 번지는 것을 막기 위한 가루통《뚜껑에 작은 구멍이 뚫려 있음》.

póun·cet-bòx [páunsət-] *n.* 《古》 (뚜껑에 작은 구멍이 뚫린) 향수 상자 ; =POUNCE BOX.

‡**pound**[1] [páund] *n.* (*pl.* ~**s**, ~) **1** 파운드《무게의 단위 ; 기호 lb. (<L *libra*) ; 1 lb. 는 상형(常衡)에서는 16 ounces, 약 454 grams, 금형(金衡)에서는 12 ounces, 약 373 grams》: a ~ *of* sugar 설탕 1파운드. **2** 파운드《영국·아일랜드·나이지리아·이집트·레바논·수단·시리아·터키·이스라엘 따위의 화폐 단위 ; 기호 £》; 1파운드 화폐. ☞ 活用. **3** 〖聖〗 무나, 미나(mina)《셈족의 화폐 단위》.
by the pound 1파운드당(當).
in the pound 1파운드에.
pound for [***and***] ***pound*** 균등하게, 똑같게.
pound of flesh 《셰익스피어》 가혹한 요구, 치명적인 대가(代價).
pounds, shillings, and pence [£. s. d.] 금전(金錢).
—— *vt.* 《英》 (화폐)의 중량을 검사하다.
〖OE *pund* ; cf. G *Pfund*, L *pondo* pound〗

活用 (1) 영화(英貨) 파운드(pound sterling)에 대한 기호는 숫자 앞에 붙이는 £가 보통이지만 숫자의 뒤에 붙이는 l.을 쓸 때도 있음.
(2) 영화 1파운드(£1 stg.)는 원래 =20 shillings =240 pence ; 1971년 2월부터 =100 pence : £4 4파운드 / a ~[five-~] note 1[5] 파운드 지폐.
(3) 옛 제도하에서의 영화(英貨)에서는 £4. 5s. 6d. [£4-5-6, £4/5/6] (=four pounds five shillings six pence) (4파운드 5실링 6펜스)와 같이 썼으나 10진법이 되면서부터는 £1.07 (1파운드 7펜스) / £6.10 (=six pounds ten (new) pence (6파운드 10펜스)와 같이 쓰이며 2p or £0.02 / 15p or £0.15 / $64\frac{1}{2}$p or £0.$64\frac{1}{2}$ 따위로 씀. 또 가령 $2\frac{1}{2}$은 two and a half (new) pence라고 읽음.

pound**[2] *vt.* **1** [+目/+目+前+名] 빻다, 부수다, 가루로 만들다 : ~ sesame in a mortar 참깨를 절구로 빻다 / The waves ~*ed* the boat ***to pieces. 파도는 보트를 산산 조각내 버렸다. **2** 마구 치다[때리다] ; (피아노 따위를) 쾅쾅 치다, 울리게 하다 ; 둥둥 울려서 연주하다〈*out*〉; (타이프라이터 따위를) 계속쳐서 (소설·기사 따위를) 만들다〈*out*〉: She ~*ed* the door loudly with her fists. 그녀는 문을 주먹으로 쾅쾅 두드렸다 / He was ~*ing* the drum furiously. 맹렬하게 북을 치고 있었다. **3** (반복해서) 철저히 가르치다〈*in*〉.
—— *vi.* **1** [+前+名/+副] 세게 치다, 연타[난타]하다 ; 맹포격하다 : Somebody was ~*ing* ***at*** [***on***] the door. 누군가가 문을 쾅쾅 두드리고 있었다 / I could hear him ~*ing on* the drum. 그가 북을 치고 있는 소리가 들렸다 / The waves ~*ed* ***to*** pieces against the rocks. 파도는 바위에 부딪쳐서 산산이 부서졌다 / The field artillery ~*ed away at* the fortress. 야전 포병대는 요새를 향해서 잇달아 맹포격을 가했다. **2** 둥둥 울리다 ; (심장이) 두근거리다 : Drums were ~*ing* in the distance. 멀리서 둥둥 북소리가 나고 있었다 / After running fast you can feel your heart ~. 빨리 달린 뒤에는 심장이 뛰는 것을 느낄 수 있다. **3** [+前+名] 어슬렁어슬렁[뚜벅뚜벅] 걷다 ; 자꾸[마구] 달리다 : The young man ~*ed* ***along*** the rough road. 젊은이는 울퉁불퉁한 길을 뚜벅뚜벅 걸어 나갔다 / I ~*ed* ***down*** the hill to catch the bus. 버스를 타려고 언덕 길을 마구 달려 내려갔다. **4** 꾸준히 노력하다〈*at, on*〉. —— *n.* 타격, 연타, 강타 ; 치는 소리. 〖OE *pūnian* ; cf. Du. *puin* rubble, LG *pün* rubbish〗
類義語 ⟹ BEAT[1].

pound[3] *n.* (방목하는 소·말을 가두어 넣는) 우리, 울타리 ; 유치장(prison) ; (압수품 따위) 유치소, 압류장 ; 양어장.
—— *vt.* 우리에 넣다 ; 가두다, 구류하다.
〖OE 《美》 *pund* ; cf. PINFOLD〗

póund·age[1] *n.* **1** (금액·중량) 1파운드당(當) 지불하는 요금[수수료·세금]. **2** Ⓤ 〖英史〗 수출입세(稅)《수출입품 1파운드당 1실링씩 징수하는 국왕의 수입》.

poundage[2] *n.* (가축 따위의) 수용 ; 유치, 수감, 감금 ; (수용 가축의) 석방 수수료.

póund·al *n.* 〖理〗 파운달《질량 1파운드의 물체에 작용해서 매초 1피트의 가속도를 내는 힘, 13.825 다인 ; 略 pdl》.

póund càke *n.* 파운드 케이크《카스텔라식의 맛이 진한 과자 ; 원래 버터·설탕·밀가루를 대체적으로 1파운드씩 섞어 만들었던 데서 유래》;《俗》 미녀(美女), 탐나는 여자.

póund·er[1] *n.* 치는[찌르는] 사람 ; 절굿 공이 ;《美俗》 경찰관.

pounder[2] *n.* [합성어로] (중량이) …파운드인 물건[사람] ; (지급·자산·수입이) …파운드인 사람 ; …파운드 포(砲) : a five-~ 5파운드 포《5파운드의 포탄을 발사함》.

póund-fóol·ish *a.* (한 푼을 아끼다가) 100냥을 잃는(cf. PENNY-WISE).

póund·màster *n.* 들개 수용소장(長).

póund nèt *n.* (물고기를 잡는) 어살의 일종.

póund stérling *n.* 영화(英貨) 파운드(☞ POUND[1] 活用; STERLING *a.*).

‡pour [pɔ́ːr] *vt.* **1** [+目/+目+副/+目+前+名/+目+目] 붓다, 따르다, 흘리다 : She ~*ed* ***in*** the water[~*ed* the water ***into*** the pail]. 물을[통에 물을] 부어 넣었다 / She ~*ed* ***out*** the tea. 차를 따랐다 / She ~*ed* hot water ***from*** [***out of***] the thermos. 보온병에서 더운 물을 따랐다 / I ~*ed* him a drink. 그에게 술 한잔을 따라 주었다 / *P*~ yourself another glass of beer. 맥주를 한 잔 더 따라 드세요 / He ~*ed* a glass of water ***for*** me, too. 나에게도 물을 한 잔 따라 주었다. **2** [+目/+目+副/+目+前+名] (빛·열 따위를) 쏟다, 방사하다 ; (총탄·조소·경멸 따위를) 퍼붓다 ; (군중을) 쏟아내다 : The sun ~*ed* ***down*** its heat. 태양이 뜨겁게 내리쬈다 / After the game the stadium ~*ed* crowds ***into*** the streets. 시합 후 경기장에서 군중들이 거리로 쏟아져 나왔다. **3** [+目+副] (말·음악 따위의 소리를) 내다, 쉴새없이 지껄이다[노래하다] : He ~*ed* ***out*** his tale of misfortunes. 그가 겪은 불행한 일을 길게 늘어 놓았다 / He ~*ed* ***forth*** his feelings in a torrent of eloquence. 그는 청산유수로 자신의 감정을 지껄여댔다.

〈회화〉
Would you *pour* me a cup of tea? — Sure. Give me your cup. 「차 한 잔 따라 주겠니」「그래. 컵 이리 줘」

— *vi.* **1** [+前+名/+副/動] 흘러나오다, 넘쳐흐르다(flow) ; [it을 주어로] (비가) 억수같이 쏟아지다 : Water was ~*ing* ***out of*** the pipe. 파이프에서 물이 콸콸 쏟아져 나왔다 / The rain ~*ed* ***down*** as if someone were emptying it out of great buckets. 비가 마치 누군가가 큰 양동이로 물을 퍼붓는 것처럼 쫙쫙 쏟아져 내렸다 / It never rains but it ~*s.* 《속담》 비는 오기만 하면 억수같이 퍼붓는다 ; 불행[나쁜일]은 겹치는 법 ; 「화불단행(禍不單行)」. **2** [+前+名/+副] 《비유》 흐르는 것처럼 이동하다, 쇄도(殺到)하다 : Thousands of people ~*ed* ***out of*** the hall. 수천명의 사람들이 홀에서 마구 쏟아져 나왔다 / Honors ~*ed* ***upon*** him from different countries. 그에게 여러 나라로부터 명예로운 표창이 쇄도하였다 / Applications ~*ed* ***in*** from all quarters. 여기저기서 신청이 쇄도했다. **3** 《口》 (리셉션 따위에서) (여성이) 차 따위를 따르다, 접대역을 맡아 하다.

pour itself (강이) 흘러들다〈*into* the sea〉.

— *n.* 흘러들기, 유출(流出) ; 《口》 호우(豪雨), 억수. **~·er** *n.* 붓는 사람[기구]. 〚ME< ?〛

pour·boire [*F* purbwaːr] *n.* (*pl.* **~s** [—]) (특히 술좌석에서의) 행하(行下), 팁.
〚F=(money) for drinking〛

pour·par·ler [pùrpɑːrléi ; puəpɑ́ːlei] *n.* [보통 *pl.*] 비공식 사전 협의, 예비 교섭.
〚F<OF=to discuss〛

pour·point [púərpɔ̀int] *n.* 〔史〕 (14-15세기경의) 남자가 착용한 누비 재킷의 일종.

pour pren·dre con·gé [pùər prɑ́ːndr kɔːnʒéi] *adv.* 작별을 고하기 위하여(略 P.P.C.).
〚F=to take leave〛

póur spóut *n.* (특수 가공된 조미료·가루 비누 따위 용기의) 주둥이.

pousse-ca·fé [pùːskæféi] *n.* 정찬(正餐) 때 커피와 함께 또는 커피 뒤에 나오는 작은 잔의 리큐어 ; 《美》 (비중이 각기 다른 리큐어를 따른) 5색의 술.
〚F=coffee pusher〛

pous·sette [puːsét] *n.* (country dance의) 원무(圓舞). — *vi.* 원무를 추다. 〚F〛

pou sto [púː stóu] *n.* 《文語》 터전, 활동의 근거지. 〚Gk.=where I may stand〛

pout[1] [páut] *vt.* 뿌루퉁해서 말하다, (입을) 삐쭉거리다 : ~ one's lips 입을 삐쭉 내밀다. — *vi.* 입을 삐쭉 내밀다 ; 토라지다, 뿌루퉁해지다.
— *n.* 입을 삐쭉거리기 ; [*pl.*] 시무룩함.
be in[***have***] ***the pouts*** 불쾌한 얼굴을 하다.
〚ME< ? OE 《美》 *pūtian* ; cf. Swed. (dial.) *puta* inflated〛

pout[2] *n.* (*pl.* ~, **~s**) 〔魚〕 대구류의 일종.
〚OE 《美》 *puta* ; cf. OE *ǣlepūta* eelpout〛

póut·er *n.* 뿌루퉁한 사람, 토라진 사람 ; 〔鳥〕 파우터(모래주머니가 크게 돌출하였고, 이것을 부풀려서 우는 집비둘기).

póuty *a.* 뿌루퉁한, 토라진(sulky) ; 토라지기 잘하는, 시무룩한.

pov·e·ra [pɑ́vərə] *a.* 포베라의(완성된 작품보다 예술적 아이디어나 제작 과정을 중시하는 예술 형식에 대해서 말함).
〚It. (*arte*) *povera* impoverished (art)〛

pov·er·ti·cian [pɑ̀vərtíʃən] *n.* 《美蔑》 빈곤 추방 계획에 참여하고 있는 관리(특히 그 계획으로 사리를 채우는 인물).

***pov·er·ty** [pɑ́vərti] *n.* **1** Ⓤ 가난, 빈곤 : live in ~ 가난하게 살다 / fall into ~ 빈곤해지다. **2** Ⓤ 결핍, 부족 : ~ of blood 〔醫〕 빈혈 / ~ in vitamin A 비타민 A의 부족. **3** Ⓤ (토지의) 불모(不毛), 빈약, 열등. 〚OF<L ; ⇨ PAUPER〛
類義語 ***poverty*** 생활에 어려움을 느끼는 상태에서 오락·문화적인 일을 할 수 없는 상태에 이르기까지 일반적으로 가난[빈곤]을 나타내는 의미가 넓은 말. ***want, destitution*** 음식물이나 집 따위 최저의 생활에도 어려움을 느낄 정도의 극심한 빈곤 상태.

póverty làwyer *n.* (poverty line 이하의 사람을 위한) 무료 변호사, 「국선 변호인」.

póverty lìne[**lèvel**] *n.* 빈곤선(최저 생활 유지에 필요한 소득 수준).

póverty pìmp *n.* 《美俗》 생활 보조금을 가로채서 사복을 채우는 관리.

póverty-strìcken *a.* 몹시 가난한 ; 초라한.

póverty tràp *n.* 《英》 빈곤의 올가미(수입이 늘어도 국가의 보호수당이 적어져 결국은 가난에서 헤어나지 못한다는 말).

POW, P.O.W. prisoner of war(전쟁 포로).

***pow·der** [páudər] *n.* **1** Ⓤ 가루, 분말 : curry ~ 카레 가루 / grind into ~ 갈아서 가루로 만들다. **2** Ⓤ **a)** (가루)분(face powder). **b)** 치분, 가루치약(tooth powder). **3** Ⓤ,Ⓒ 가루약 : take a ~ 가루약을 먹다. **4** Ⓤ 화약(gunpowder) : put ~ into …에 화약을 재다 ; 《비유》 …에 힘을 쏟다. **5** 흙먼지 ; 가랑눈(=∠ **snòw**). **6** Ⓤ 〔競〕 (타격 따위를 가하는) 힘. **7** =POWDER BLUE. **8** 《美俗》 술 한잔.

keep one's ***powder dry*** 만일에 대비하다.

powder and shot 탄약, 군수품 ; 비용, 노력 : not worth ~ *and shot* 노력할 가치가 없다.

put on powder 분을 바르다, 가루를 뿌리다.

smell powder 실전 경험을 하다.

the smell of powder 실전 경험.

— *vt.* **1** 가루로 만들다, 분쇄하다 : ☞ POWDERED. **2** …에 소금[조미료·설탕]을 뿌리다 ; …에 분을 바르다. **3** 뿌리다, 흩뿌리다〈*with*〉. **4** 맹

렬히 공격하다 ;《美俗》 (야구공을) 강타하다.
—— *vi.* 가루가 되다, 빻아지다 ; 분칠하다 ;《美俗》 황급히 사라지다, 도망치다.
〖OF (L *pulver-* *pulvis* dust)〗

pówder bàg *n.* 약봉지, 약주머니 ;《美海軍俗》 포(砲) 담당 하사.

pówder blúe *n.* 〖化〗 분말 화감청(花紺青) ; 담(淡)청색.

pówder bòx *n.* 화장통, 분갑.

pówder bùrn *n.* 화약에 의한 화상.

pówder clòset *n.* (18세기의) 화장방.

pów·dered *a.* 가루 (모양)의, 분을 바른 : ~ milk[medicine] 분유[가루약].

pówder flàsk *n.* 〖史〗 (옛날 사냥 전투용으로 휴대하던) 화약통.

pówder hòrn *n.* 뿔로 만든 화약통.

pówder kèg *n.* 화약통 ; (언제 폭발할지 모르는) 위험물.

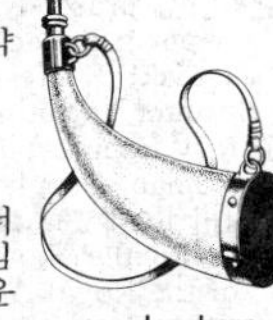
powder horn

pówder magazìne *n.* 화약고, 탄약고.

pówder métallurgy *n.* 〖冶〗 분말 야금.

pówder mìll *n.* 화약 공장.

pówder mònkey *n.* 다이너마이트 담당원, 폭약 관리 책임자 ; (옛 군함의) 소년 화약 운반수.

pówder-pùff *a.* 여성에게 알맞은《경기 따위》. —— *vt.* 《美俗》 가볍게 치다.

pówder pùff *n.* (화장용) 퍼프, 분첩.

pówder ròom *n.* (특히 여성의) 화장실, 휴게실.

pów·dery *a.* 가루의, 가루 모양의 ; 가루투성이의 ; 가루가 되기 쉬운, 푸석푸석한 : ~ snow 싸락눈.

◇**pow·er** [páuər] *n.* **1** Ⓤ [+*to* do/+前+do*ing*] 힘(force), 능력 : the ~ of nature 자연의 힘 / The dog has no ~ *to* live on. 그 개는 이제 살아갈 힘이 없다 / He has the ~ ***of*** hold*ing* his audience. 청중을 사로잡는 힘이 있다. **2 a)** [때때로 *pl.*] (육체상 · 정신상의 특정한) 힘, 능력, 체력, 지력 : His ~*s* were failing. 그의 체력은 쇠약해져 갔다 / a man of great mental ~*s* 정신력이 뛰어난 사람. **b)** Ⓤ (강한) 힘, 활력, 정력(energy). **3** Ⓤ [+*to* do] 권력, 세력, 지배력, 권한〈*over*〉; 정권(=political ~) : the party *in* ~ 정부 여당 / come to[into] ~ 정권을 쥐다 ; 세력을 얻다 / have ~ *over* …을 지배하다, …을 마음대로 하다 / The chief executive has no ~ *to* veto. 대표이사에겐 거부권이 없다. **4** 유력한 사람[것] ; 권력자 ; 강국 : a ~ in politics 정계의 유력자 / the Great *P*~*s* of the world 세계의 열강. **5** 권한, 위임(장) : the ~*s* of Congress 의회의 권한 / the ~*s* of the President 대통령의 권력 / (a) ~ of attorney ☞ ATTORNEY 숙어. **6** [때때로 *pl.*] 신(神)(deity), 악마(demon) ;〖神學〗 [*pl.*] 능품(能品) 천사《9천사 중의 제6위 ; cf. HIERARCHY》: Merciful ~*s*! 자비로우신 하느님! / the ~*s* above 하늘의 신들 / the ~*s* of darkness 악마들. **7** 《口》 다수, 다량 : a ~ *of* people[work] 수많은 사람들[많은 일]. **8** Ⓤ 〖機〗 동력 ; 물리적[기계적] 에너지원, (특히) 전력, 전기 ;《美俗》 폭약 : mechanical[motive] ~ 기계[원동]력 / electric[water] ~ 전력[수력] / a ~ failure[suspension] 정전(停電). **9** 〖數〗 멱(冪), 거듭제곱 : raise to the second[third] ~ 2[3]제곱하다. **10** Ⓤ〖光〗 렌즈의 배율(倍率), 확대력. **11** Ⓤ 〖理〗 작업률, 일률(率) ; 공정(工程). **12** 〖統〗 검출력(檢出力).

beyond [***out of, not within***] one***'s power***(***s***) 힘이 미치지 못하는 : It is *beyond* my ~ to help you. 도와드리기에는 제힘이 너무 부족합니다.

in one***'s power*** (1) 손아귀[지배하]에. (2) 가능한 한 : I did all *in* my ~ to save the boy from drowning. 나는 물에 빠진 소년을 구하기 위해 온갖 힘을 다 기울였다.

More power to your elbow ! ☞ ELBOW.

the powers that be 《흔히 戱》 당국, 당국자, 관계자, (당시의) 권력자.

—— *vt.* …에 동력을 공급하다 ; …을 촉진하다.
—— *vi.* 《俗》 아주 급하게 여행하다.
〖AF *poer*＜L ; ⇨ POSSE〗

類義語 (1) ***power*** 지배 · 통치 · 결정 따위를 내리는 힘이나 권리[권한] : the *power* of a governor (지사의 권한). ***authority*** 어떤 지위 · 직업에 종사하고 있는 사람이 지배 · 명령하는 권위 : the *authority* of a judge(재판관의 권위). ***control*** 규제 · 억제 · 제지 따위를 하는 권한 : government *control* over prices (물가에 대한 정부의 통제권). ***command*** 남에게 명령하여 복종시키는 힘 : He was in *command* of a regiment. (그는 연대를 지휘했다).
(2) ⟹ STRENGTH.

pówer àmplifier *n.* 〖電〗 전력 증폭기.

pówer bàse *n.* 《美》 (정치 · 정책의) 세력 기반, 지지 모체.

pówer·bòat *n.* 발동기선(船), 모터 보트.

pówer bráke *n.* 동력 브레이크.

pówer bròker *n.* 《美》 권력자를 움직여 공작하는 사람, 막후 인물.

pówer càble *n.* 전력선(線).

pówer cùt *n.* 정전(停電), 송전 정지.

pówer dìve *n.* 〖空〗 동력 급강하《엔진을 건 채로 하는 급강하》.

pówer dríll *n.* 〖機〗 동력 천공기[드릴].

pów·ered *a.* (…의) 동력[엔진]이 있는 ; (렌즈 따위가) 배율 …의, …배의 : a high-~ engine 강력 엔진.

pówer elíte *n.* [the ~] 파워 엘리트《권력을 잡고 있는 사람들》.

***pówer·ful** *a.* **1** 강한, 강력한. **2** 세력[권력]이 있는, 유력한. **3** (논지(論旨) 따위) 설득력 있는 ; 효과적인 ; (약 따위) 효능 있는. **4** 《方》 많은 : a ~ lot of 많은. —— *adv.* 《方》 매우.
~**·ly** *adv.* 커다랗게, 강하게 ; 유력하게 ;《方》 많이. ~**·ness** *n.*

pówer fùnction *n.* 〖統〗 검출력 함수 ;〖數〗 멱함수(冪函數).

pówer gàme *n.* 권력[지배력] 획득 경쟁.

pówer gàs *n.* 동력 가스.

pówer·hòuse *n.* 발전소 ;《口》 원동력, 정력가, 강력한 선수, 강력한 팀.

pówer I formátion [-ài-] *n.* 〖美蹴〗 I formation의 fullback 옆에 back 한 명을 더 세워 block 력을 강화한 포메이션.

pówer làthe *n.* 〖機〗 동력 선반(旋盤).

pówer·less *a.* 무력한, 무능한〈*to* do〉; 약한, 무기력한 ; 권력이 없는 ; 효능이 없는.
~**·ly** *adv.* ~**·ness** *n.*

pówer lìne *n.* 송전선(送電線), 전력선.

pówer lòom *n.* 동력 직조기[베틀](cf. HANDLOOM).

pówer lòss *n.* 〖電〗 전력 손실.

pówer·mònger *n.* 권력 투쟁가, 권력주의자.

pówer pàck *n.* 〖電子〗 전원함(電源函).

pówer plànt *n.* 동력 장치 ; 발전소.
pówer plày *n.* 파워 플레이((1) 〔美蹴〕 볼 캐리어의 앞에 블로커(blockers)를 보내는 런 플레이. (2) 〔아이스하키〕 페널티를 위해 한 쪽 팀의 링크 내의 선수가 다른 쪽보다 많은 상태 ; 그 사이에 행하는 집중 공격) ; (정치·외교·군사·경제 따위의) 실력 행사, 집중 공략, 힘의 정책.
power play tactics 〔軍〕 인해 전술.
pówer pòint *n.* ((英)) (벽에 붙은) 콘센트.
pówer pólitics *n.* [단수·복수 취급] 무력 외교 ; 권력 정치.
pówer reàctor *n.* 동력로(爐).
pówer sèries *n.* 〔數〕 멱급수(冪級數).
pówer-shàring *n.* (북아일랜드 통합에 있어서) 신구 양교도에 의한 권력 분담.
—— *a.* 권력을 분담하는.
pówer shòvel *n.* (흙을 파는) 동력 삽.
pówer stàtion *n.* 발전소.
pówer stéering *n.* 〔自動車〕 파워 스티어링, 동력 조타(操舵) 장치.
pówer strùcture *n.* ((美)) 권력측 ; ((美)) 권력 기구[구조].
pówer strùggle *n.* 권력 투쟁.
pówer supplỳ *n.* 전력[동력] 공급.
pówer swèep *n.* 〔美蹴〕 파워 스위프((라인맨이 후퇴하여 공을 가진 선수를 위해 상대팀 선수를 블록하는 end run의 일종)).
pówer táke-off *n.* 동력 인출(引出) 장치((트랙터·트럭에 있는 엔진의 힘으로 펌프·톱 따위를 작동시키기 위한 보조 전도 장치 ; 略 PTO)).
pówer tòwer *n.* 태양 에너지 발전소.
pówer transmìssion *n.* 송전(送電).
pówer ùnit *n.* 엔진((보통은 내연 기관)).
pow·wow [páuwàu] *n.* **1** (북미 인디언의) 주술사(呪術師)[의식] ; (북미 인디언과[끼리]의) 교섭, 협의. **2** ((口)) 집회, (사교적인) 모임, 회의 ; ((英俗)) 작전회의. —— *vi.* **1** (북미 인디언 사이에서) 주문을 외다, 기도를 하다. **2** ((口)) 협의하다 ⟨*about*⟩ ; 지껄이다. —— *vt.* (주문에 의한) 치료를 하다, …에 굿을 하다.
〖Algonquian ; "he dreams"에서 = magician〗
Pow·ys [póuəs] *n.* 포이스((영국 웨일스 중동부의 주 ; 주도는 Llandrindod Wells)).
pox [páks] *n.* (*pl.* ~, ~·**es**) **1** 천연두, 두창, 수두(水痘). **2** [the ~] ((口)) 매독(syphilis).
A pox on you ! 염병할 놈 !
—— *vt.* ((古)) pox[(특히) 매독]에 감염시키다.
〖POCK*s*〗
poz·zo·la·na [pàtsəlá:nə], **-lan** [pátsələn], **poz·zu·o·la·na** [pàtswəlá:nə] *n.* Ⓤ 화산재((시멘트의 원료)).
〖It. (*Pozzuoli* 이탈리아 Naples 근처의 도시)〗
poz·zy [pázi] *n.* ((軍俗)) 잼(jam).
PP 〔化〕 polypropylene. **pp** 〔樂〕 pianissimo. **pp.** pages ; past participle ; 〔樂〕 pianissimo. **P.P., p.p.** parcel post ; parish priest ; past participle ; postpaid. **p.p.** per procurationem. **PPA** phenylpropanolamine((체중 감량약·코막힘 약으로 쓰임)). **PPB, ppb** parts per billion (10억분의…). **PPB(S)** planning, programming, budgeting (system) (컴퓨터에 의한 기획(企劃)·계획·예산 방식). **P.P.C.** pour prendre congé (☞ CONGÉ). **ppd(.)** 〔商〕 postpaid ; prepaid. **P.P.E.** philosophy, politics, and economics. **pph.** pamphlet. **PPHM, pphm** part(s) per hundred million (1억분의 …).
PPI [pì:pì:ái] *n.* 평면 위치 표시기((탐지 레이더의 수신 신호를 브라운관에 표시하는 장치)).
〖*p*lan *p*osition *i*ndicator〗
PPI 〔海保〕 policy proof of interest. **ppl.** participle. **P.P.M., p.p.m., ppm.** parts per million ((100만분의 1 ; 미소 함유량의 단위)). **ppm.** pulse per minute. **PPP** 〔經〕 polluter pays principle(오염 원인자 비용 부담의 원칙). **ppr., p.pr.** present participle. **PPS** polyphenylene sulfide ((고내열성 특수 수지의 하나)). **P.P.S.** ((英)) Parliamentary Private Secretary ; *post postscriptum* ((L)) (= additional postscript). **ppt.** 〔化〕 precipitate. **pptn.** precipitation. **P.Q.** Parliamentary Question ; Province of Quebec ; personality quotient. **p.q.** previous question. **PR** payroll ; prize ring ; public relations ; 〔美郵〕 Puerto Rico.
PR, p.r. [pí:á:r] *vt.* ((美口)) PR하다.
Pr 〔化〕 praseodymium ; Provençal. **pr.** pair(s) ; paper ; power ; preference ; 〔商〕 preferred (stock) ; present ; price ; priest ; prince ; printer ; printing ; pronoun. **P.R.** Parliamentary Reports ; *Populus Romanus* ((L)) (= the Roman People) ; proportional representation (비례 대표). **Pr.** Priest ; Prince. **PRA** ((美)) political-risk assessment. **P.R.A.** President of the Royal Academy.
praam [prá:m] *n.* = PRAM².
prac·ti·ca·ble [prǽktikəbəl] *a.* **1** 실행할 수 있는, 실제적인, 실리적인 ; 실용적인, 유용한. **2** 사용할 수 있는, (다리·도로 따위가) 통행할 수 있는. **3** 〔劇〕 (무대장치·소품이) 실제로 사용할 수 있는, 실물의. **-bly** *adv.* 실행할 수 있게, 실용적으로. **pràc·ti·ca·bíl·i·ty** *n.* 실행 가능성 ; 실용성. **~·ness** *n.*
類義語 ⟹ POSSIBLE, PRACTICAL.
‡prac·ti·cal [prǽktikəl] *a.* **1** 실지의, 실제적인(↔ *abstract, theoretical*) : ~ philosophy 실천 철학 / for (all) ~ purposes ☞ PURPOSE *n.* 숙어. **2** 실용[응용]적인 : ~ English 실용 영어. **3** 실지 경험을 한, 경험이 풍부한, 노련한 ; 사무적인, 산문적인 ; ((蔑)) 실리밖에 모르는 : a ~ teacher 노련한 교사. **4** 실질[사실] 상의 : a ~ failure (거의 실패한거나 다름없는) 실질상의 실패. **5** (…이) 제구실을 잘하는, 일 잘 하는. —— *n.* 실기 시험 ; [*pl.*] 실제가(家). **~·ism** *n.* Ⓤ 실용[실제]주의. **pràc·ti·cál·i·ty** [-kǽl-] *n.* Ⓤ 실제적임, 실용성, 실용주의. **~·ness** *n.*
〖PRACTIC < OF ; ⇨ PRACTICE〗
類義語 ***practical*** 실제의 경험에 의해서 시도되거나 실제에 맞도록 연구되어 있으므로 즉시 실질적이고 쓸모 있는 : *practical* economy (실용 경제). ***practicable*** 어떤 목적·계획이 실행 가능하다고 생각되지만 아직 거기까지는 발달되어 있지 않거나 또는 시도되지 않은 : Space flight did not seem *practicable* before the war. (우주 비행은 전쟁 전에는 실행 가능성이 보이지 않았다).
práctical árt *n.* [보통 *pl.*] 실용적 기술((수예·목공 따위)).
práctical jóke *n.* (입으로만 하는 것이 아닌) 실제 장난, 못된 장난.
***práctical·ly** *adv.* **1** 실지로 ; 실용적으로 ; 실제적으로 : ~ speaking 실은, 실제로는, 사실을 말한다면. **2** [prǽktikli] ((口)) 거의(almost), …나 다름없이 : It rained ~ all day. 거의 온종일 비가 내렸다 / We were already ~ at the top of the hill. 이미 산꼭대기에 오른 것이나 다름없었다.

práctical núrse *n.* 《美》 (간호 학교를 졸업하지 못한) 준간호사(cf. GRADUATE NURSE).

práctical réason *n.* (칸트 철학의) 실천 이성.

práctical theólogy *n.* 실천 학교《설교·전례학(典禮學)·교회 운영 따위의 제도화된 종교 활동의 연구》.

práctical únit *n.* 〖理〗 실용 단위(cf. ABSOLUTE UNIT).

‡**prac·tice, -tise** [prǽktəs] *n.* **1** Ⓤ 실시, 실행, 실천, 실제 ; 경험 : theory and ~ 이론과 실제. **2** [+前+do*ing*] **a**) (개인의) 버릇, 습관 ; (사회의) 관례, 풍습(custom) : a matter of common [daily] ~ 일상 다반사(茶飯事) / the ~ ***of*** ris*ing* early 일찍 일어나는 습관 / make a ~ *of* do*ing* …하는 것을 버릇삼다. **b**) 〖宗〗 예배식 : Christian[Catholic] ~*s* 기독교[카톨릭] 예배(식). **3 a**) Ⓤ 연습, 실습 : daily piano ~ 매일 하는 피아노 연습 / do ~ *in* English conversation 영어 회화를 연습하다 / *P*~ makes perfect. 《속담》 배우기보다 익혀라. **b**) Ⓤ 숙련(skill), 수완 : That golfer got out of ~. 저 사람은 서투르게 골프를 쳤다[골프 솜씨가 떨어졌다]. **4 a**) Ⓤ (의사·변호사 등의) 실무, 업무, 영업 ; 사무소, 진료소 : He is a physician in ~. 개업 의사다. **b**) 환자, 사건 의뢰인 : The doctor[lawyer] has a large ~. 저 의사[변호사]는 환자가[고객이] 많다. **5** [보통 *pl.*] 《古》 책략, 음모, 상투(적) 수단. **6** 〖數〗 실산(實算).

be in practice 숙련되어 있다 ; 개업하고 있다(cf. 4 a)).

be*[*get*] *out of practice 서투르다[솜씨가 떨어지다](cf. 3 b)).

in practice 실제로는 : The idea did not work *in* ~. 생각은 그럴 듯했지만 실용성은 없었다 / *In* ~ it is not easy to distinguish between needs and wants. 실제적인 면에서 필요와 욕구를 구별하기란 쉽지 않다.

put*[*bring*]. . .*in*(*to*) *practice …을 실행하다.

── *v.* (《英》에서는 **-tise**) *vt.* **1** (늘) 행하다, 실행하다 ; (신앙·이념 따위를) 실천하다, 신봉하다 : ~ moderation 중용(中庸)을 지키다, 절제하다 / Always ~ what you preach. 말한 것은 항상 실행하라. **2** [+目/+do*ing*] 연습[실습]하다 : ~ the violin 바이올린 연습을 하다 / *P*~ play*ing* the piano regularly. 규칙적으로 피아노 연습을 하십시오. **3** [+目/+目+*in*+名] 길들이다, 훈련시키다 : ~ a person ***in*** an art 남에게 한가지 기능[기예(技藝)]을 훈련시키다. **4** …을 직업으로 삼다 : ~ law[medicine] 변호사[의사]를 개업하고 있다. ── *vi.* **1** 늘[습관적으로] 행하다, 실행하다 ; 실천하다. **2** [動/+前+名] 연습[실습]하다 : You must ~ more regularly. 더욱 더 규칙적으로 연습하지 않으면 안됩니다 / He is *practicing* ***at***[***on***] the piano. 피아노 연습을 하고 있다. **3** 의사[변호사 등]를 개업하다. **4** [+前+名] 속이다, 사기치다, 기만하다 ; 《古》 음모를 꾸미다 : ~ (***up***)***on*** a person's weaknesses 남의 약점을 이용하다.

〖(n.)은 *advice, device* 따위에 준해서 *practise*에서 ; (v.) <OF or L (Gk. *praktikos*)〗

類義語 (1) (*n.*)⟹ HABIT.

(2) (*v.*) ***practice*** 학문이나 기술을 익히기 위해서 몇번이고 되풀이하여 연습하다 : She *practices* on the piano every day. (그녀는 매일 피아노 연습을 한다). ***exercise*** 심신의 단련을 위해서 규칙적으로 일정한 형식에 따른 연습을 하다 : He *exercises* himself in fencing. (그는 펜싱 연습으로 몸을 단련한다). ***drill*** 특히 단체로 규칙적으로 되풀이하여 연습하다 : *drill* students in these exercises (이러한 연습들로 학생들을 훈련시키다).

prác·ticed, -tised *a.* 연습을 쌓은, 경험이 있는, 숙련된(skilled).

práctice shìp *n.* 연습[훈련]선.

práctice-tèach *vi.* 교생으로서 가르치다, 교생 실습을 하다. **práctice tèaching** *n.*

práctice tèacher *n.* 교생(student teacher).

prac·ti·cian [præktíʃən] *n.* **1** 실행자, 실천가. **2** 종사자. **3** 경험자, 숙련가.

prác·tic·ing, -tis- *a.* **1** (특정한 직업 따위에 종사하여) 활동[개업]하고 있는 : a ~ physician 개업 의사. **2** 종교의 가르침을 실천하고 있는 : a ~ Catholic 실천적인 카톨릭교도.

prac·ti·cum [prǽktikəm] *n.* (교사·임상 의사 양성을 위한) 실습 과목.

‡**practise** ☞ PRACTICE.

prac·ti·tion·er [præktíʃənər] *n.* 종사자, 종업자, (특히) 개업의사, 변호사 ; =GENERAL PRACTITIONER ; 기독교 정신 요법사.

prac·to·lol [prǽktəlɔ̀(:)l, -lòul, -lɑ̀l] *n.* 〖藥〗 프랙톨롤《항(抗)아드레날린 작용제》.

prae- [priː] ☞ PRE-.

prae·di·al, pre- [príːdiəl] *a.* 농지의, 농산물의 ; 토지의, 부동산의 ; 토지에 종속(從屬)하는 : a ~ serf 농노. ── *n.* 농노.

praefect ☞ PREFECT.

prae·mu·ni·re [prìːmjunáiəri] *n.* 〖英史〗 교황 존신죄(尊信罪)《교황이 국왕보다 우월하다고 보는 왕권 멸시죄》 ; 그 규문(糾問) 영장 ; 그 범죄에 대한 징벌. 〖L〗

prae·no·men, pre- [priːnóumən, -men] *n.* (*pl.* ~**s, -nom·i·na** [-nɑ́mənə, -nóu-]) 〖古로〗 첫째 이름《Gaius Julius Caesar의 Gaius》.
〖L (*pre-*, NOMEN)〗

prae·pos·tor, pre- [pripɑ́stər] *n.* 《英》 (퍼블릭 스쿨의) 반장(班長).

prae·sid·i·um [prisídiəm] *n.* =PRESIDIUM.

praeter- ☞ PRETER-.

prae·tor, pre- [príːtər, 英+-tɔːr] *n.* 〖古로〗 집정관(執政官).
〖F *préteur* or L (*prae-*+*it- ire* to go에서인가)〗

prae·to·ri·an, pre- [pritɔ́ːriən] *n., a.* 〖古로〗 집정관(의) ; [P~] 근위병(의).

Praetórian Guárd *n.* (고대 로마 황제의) 근위병(단).

prag·mat·ic [prægmǽtik] *a.* **1** 실천적인, 실용적인 ; 〖哲〗 실용주의의 : a ~ line of thought 실용주의적인 사고 방식. **2** 〖史〗 국무의, 내정의 ; 바쁜, 활동적인. **3** 사실적인. **4** 독단적인(dogmatic), 자부심이 강한(conceited), 완고한 ; 간섭하는, 참견 잘하는. ── *n.* 〖史〗 =PRAGMATIC SANCTION ; 쓸데없이 참견하는 사람, 완고한[독단적인] 사람.
〖L<Gk. (*pragmat- pragma* deed)〗

prag·mát·i·cal *a.* =PRAGMATIC. **~·ly** *adv.* 실천적으로 ; 실용주의적으로.

pragmátic sánction *n.* 〖史〗 국본 칙령(國本勅令) 《국가 원수[국왕]가 공포하여 국가의 기본법이 됨 ; 1713년 신성 로마 황제 Charles 6세가 정한 Hapsburg가(家)의 가헌(家憲)이 유명한데, 이것에 따라 아들이 없는 Charles는 딸 Maria Theresa에 의한 상속을 확보하려고 하였음》.

prag·ma·tism [prǽgmətìzəm] *n.* **1** Ⓤ 〖哲〗 프래그머티즘, 실용주의. **2** Ⓤ 쓸데없는 참견, 독단,

완고 ; 학자인체하기.
prág·ma·tist *n.* 실용주의자 ; 독단주의자.
pràg·ma·tís·tic *a.* 실용주의의.
prag·ma·tize [prǽgmətàiz] *vt.* (공상적인 사물을) 현실화하다 ; (신화를) 합리화하다.
Prague [prɑ́:g] *n.* 프라하《체코의 수도》.
prai·rie [préəri] *n.* **1** (특히 미국 Mississippi강 유역의) 대초원, 프레리 (cf. PAMPAS, SAVANNA(H), STEPPE) : There are few trees *on* the ~*s*. 대초원 지대에는 나무가 거의 없다. **2** 대목초지 ;《美俗》나쁜 골프 코스 ;《美方》숲속의 빈터.
〚F<OF<Rom. (L *pratum* meadow)〛
práirie chìcken[**hèn**] *n.* 〘鳥〙 (북미산) 초원들꿩《복잡한 구애 행동을 함》.
práirie dòg[**màrmot**] *n.* 〘動〙 프레리도그《marmot의 일종 ; 북미 대초원산(產)》.
práirie òyster *n.* 날달걀《숙취(宿醉)의 약으로 먹음》; (식용으로 하는) 송아지의 고환(睾丸) (cf. MOUNTAIN OYSTER).
Práirie Próvinces *n. pl.* 프레리의 여러 주(州)《Manitoba, Saskatchewan, Alberta주 ; 캐나다의 곡창·유전 지대》.
práirie schòoner[**wàgon**] *n.* 《美》 대형 포장마차《식민 시대에 대초원 횡단에 사용했음》.
Práirie Státe *n.* [the ~] 미국 Illinois 주(州)의 속칭.
práirie wòlf *n.* =COYOTE.
‡**praise** [préiz] *vt.* **1** [+目/+目+前+名] 칭찬[찬양]하다 : The boy was highly ~*d* ***for*** his bravery. 소년은 용감하다고 크게 칭찬을 받았다. **2** (신을) 찬미하다, 숭배하다 : God be ~*d* ! 고마우셔라 !
praise a person ***to the skies*** ☞ SKY.
—— *n.* **1** U,C 칭찬, 찬양 : It's worthy of ~. 칭찬할 만하다 / be loud[warm] in his ~*s* 그를 절찬하다 / be loud[warm] in one's own ~*s* 자화자찬하다. **2** U 찬미, 숭배 : *P*~ be to God ! 신을 찬송할지어다. **3** 칭찬할 만한 사람[것].
in praise of …을 칭찬하여 : I cannot say enough *in* ~ *of* his work. 그가 한 일은 아무리 칭찬해도 모자랄 정도다[로 훌륭하다].
práis·able *a.* =PRAISEWORTHY.
〚OF *preisier*<L (*pretium* price) ; cf. PRIZE[1]〛
類義語 ***praise*** 칭찬하다, 찬성·경의(敬意)·추천의 기분을 마음속으로부터 열심히 표명하다 ; 가장 보편적인 말 : The teacher *praised* her fine performance. (선생님은 그녀의 훌륭한 연주를 칭찬하셨다). ***approve*** 찬성 또는 경의의 기분을 나타냄 : His new idea was *approved* by everyone. (그의 새로운 아이디어는 누구에게나 인정을 받았다). ***commend*** approve 보다 격식을 차리는 말 : The mayor *commended* the boy's brave deed. (시장은 소년의 용감한 행위를 칭찬했다).
práise·wòrthy *a.* 칭찬할 만한[가치가 있는], 갸륵한, 훌륭한, 장한.
Pra·krit [prɑ́:krit] *n.* U 프라크리트어(語)《Sanskrit에 대하여 고대·중세의 인도 북중부의 방언》. 〚Skt.=unrefined〛
pra·line [prɑ́:li:n, préi-, -́] *n.* 프랄린《아몬드·호두 따위를 넣은 사탕 과자》.
〚Marshal de Plessis-*Praslin* (d. 1675) 프랑스의 군인 ; 그 요리사가 고안한 것〛
pram[1] [prǽ(:)m] *n.* 《英口》 유모차 ; 《英》 우유 배달용 손수레(handcart). 〚*per*ambulator〛
pram[2] [prɑ́:m, prǽ(:)m] *n.* (바닥이 편평한) 너벅선의 일종. 〚MDu., MLG<OSlav.〛
prám pàrk *n.* 《英》 유모차 보관소.
prance [prǽ(:)ns ; prɑ́:ns] *vi.* (말 따위가) 날뛰며 나아가다〈*along*〉; 《비유》 뽐내며 걷다(swagger), (사람이) 활개치며 돌아다니다〈*about*〉.
—— *vt.* (말을) 날뛰며 나아가게 하다. —— *n.* 도약 ; 뽐내며 걷기, 활보. **pránc·er** *n.* **1** 날뛰는 사람[말], 기운 좋은 말. **2** 《俗》 기마 사관(士官).
pránc·ing·ly *adv.* 날뛰듯이 ; 의기양양하게.
〚ME< ? ; cf. G *prangen* to be in full splendor〛
pran·di·al [prǽndiəl] *a.* 《戱》 식사의, (특히) 정찬(正餐)의. 〚L *prandium* a meal〛
prang [prǽŋ] 《英空軍俗》 *vt.* 맹폭격하다 ; (표적을) 정확히 폭격하다 ; (비행기·탈것을) 추락[충돌]시키다 ; (자동차 따위)에 충돌하다 ; 충격으로 파괴하다. —— *vi.* 비행기[탈것]을 추락[충돌]시키다. —— *n.* 충돌, 추락 ; 맹폭격.
〚C20 (imit.)〛
***prank**[1] [prǽŋk] *n.* 농담, 못된 장난(mischief) ; 간계 ; (기계 따위의) 이상, 고장 : play ~*s* on … 을 조롱하다. —— *vi.* 장난하다. 〚C16< ?〛
prank[2] *vt., vi.* 장식하다(adorn), 모양내다, 성장하다〈*out, up*〉. 〚MDu. *pronken* to strut, Du. *pronk* finery ; cf. G *Prunk*〛
pránk·ish *a.* 희롱하는, 장난치는, 재롱부리는.
~·ly *adv.* **~·ness** *n.*
pránk·ster *n.* 장난꾼, 익살꾼.
pra·sa·dam [prəsɑ́:dəm] *n.* 〘힌두教〙 프라사담《신 또는 성자에게 바치는 음식물, 특히 과일 ; 이것을 먹는 사람은 축복을 받는다고 함》. 〚Skt.〛
prase [préiz] *n.* 〘鑛〙 녹석영(綠石英).
〚F, <Gk.=leek-green〛
pra·seo·dym·i·um [prèizioudímiəm] *n.* U 〘化〙 프라세오디뮴《희토류 원소 ; 기호 Pr ; 번호 59》.
〚G (*praseodym, didym* didymium)〛
prat [prǽt] 《俗》 *n.* [때때로 *pl.*] 볼기, 궁둥이 (buttocks) (cf. PRATFALL) ; 얼간이.
prate [préit] *vi., vt.* 재잘재잘[종알종알] 지껄이다. —— *n.* 수다, 쓸데없는 이야기.
prát·er *n.* 수다쟁이.
〚MDu., MLG *praten*< ? (imit.)〛
prát·fàll *n.* 《美俗》 (코미디 따위에서 웃음을 유발하기 위한) 엉덩방아 ; 실수 : take a ~ 엉덩방아를 찧다. 〚PRAT〛
pra·tie [préiti] *n.* 《아일》 감자. 〚전와(轉訛)〛
prat·in·cole [prǽtiŋkòul, préit-] *n.* 〘鳥〙 제비물떼새. 〚L=meadow inhabitant〛
pra·tique [prætí:k, prǽti:k] *n.* (검역 후에 주는) 입항(入港) 허가증. 〚F<L PRACTICE〛
prát kìck *n.* 《美俗》 바지 뒷주머니.
prat·tle [prǽtl] *vi., vt.* 어린애[혀짤배기]처럼 말하다 ; 쓸데없는 말을 하다, …을 지껄이다 ; (물흐름 따위가) 졸졸거리다. —— *n.* U 어린애 같은[혀짤배기] 말 ; 쓸데없는 이야기 ; 졸졸 흐르는 소리, 물소리. **prát·tler** *n.* 수다쟁이 ; 혀짤배기 소리를 하는 사람, (특히) 아이. **prát·tling·ly** *adv.* 어린애[혀짤배기]처럼 말하면서 ; 재잘재잘 지껄이며.
〚MLG *pratelen* ; ⇨ PRATE〛
prau [práu, prɑ́:u:], **pra·hu** [prɑ́:hu:], **prao** [práu], **proa** [próuə] *n.* 프라후선(船)《인도네시아 지방의 쾌속 범선》.
Prav·da [prɑ́:vdə] *n.* 프라우다《구소련의 공산당 중앙 기관지 ; cf. IZVESTIA》. 〚Russ. =truth〛
prav·i·ty [prǽvəti] *n.* U 《古》 타락 ; 부정 ; (음식물 따위의) 부패.
prawn [prɔ́:n, 美+prɑ́:n] *n.* 〘動〙 징거미(새우)·보리새우류(類)의 새우《LOBSTER보다는 작고 SHRIMP보다는 큰 것》.

come the raw prawn 《濠口》 속이려고 하다, 속이다.
── *vi.* 새우를 잡다 ; 새우를 미끼로 하여 낚시질을 하다. **~·er** *n.* 〖ME< ?〗

prax·e·ol·o·gy [præksiáləd͡ʒi] *n.* 인간 행동학(行動學). **pràx·e·o·lóg·i·cal** *a.* 〖C20 *praxiology* (↓)〗

prax·is [prǽksəs] *n.* (*pl.* **prax·es** [-siːz], **~·es**) 습관 ; 연습, 실습 ; 〔文法〕 연습문제(집). 〖Gk. =deed, action〗

‡pray [préi] *vi.* **1** [動/+前+名] 빌다, 기도하다, (간절히) 바라다, 청하다 : He *~ed* twice a day. 하루에 두번 기도했다 / The peasants *~ed* ***for*** bright sunshine[*for* rain]. 농부들은 햇빛이 나기를[비가 오기를] 빌었다 / She *~ed for* her son. 그녀는 아들을 위해서 기도를 했다 / She *~ed* earnestly ***to*** the gods *for* mercy. 그녀는 신들에게 자비를 베풀도록 열심히 빌었다 / He *~ed to* God *to* help him in his troubles. 신에게 고난으로부터 도와 달라고 기도했다. **2** 《古》 [I ~ 의 생략] 제발, 부디, 바라건대, 아무쪼록(please) : *P~* sit down. 부디 앉아 주십시오 / *P~* don't leave me. 제발 나를 버리고 가지 마시오 / *P~* don't mention it. [응답으로] 천만에요 / What's the use of that, ~? 글쎄 그것이 무슨 소용이 있어요. ── *vt.* [+目/+目+前+名/+目+*to* do/+*that* 節/+目+*that* 節] …에게 기원[간청]하다 : She *~ed* God ***for*** strength in her troubles. 신에게 어려운 처지에 있는 그녀에게 힘을 주시도록 기원했다 / I ~ you *to* help me. 아무쪼록 도와 주시기 바랍니다 / He *~ed that* he might not be seen by anybody who knew him. 그는 자기를 알고 있는 어떤 사람도 만나지 않길 마음속으로 기원했다 / He *~ed* (*to*) God *that* he might be forgiven. 신에게 용서를 빌었다.
be past praying for 회복[회개]할 가망이 없다 ; 개량이 불가능하다.
pray down 기도로 쓰러뜨리다 ; 빌어 납득시키다, 설복하다.
~·ing *n.* 빌기, 기도 **~·ing·ly** *adv.*
〖OF<L *precor* to entreat〗
類義語 ⟹ APPEAL.

***prayer**[1] [préər, prǽər] *n.* **1** Ⓤ 기도, 빌기 : kneel down in ~ 무릎을 꿇고 기도하다 / ☞ COMMON PRAYER. **2 a**) 기도의 문구, 기도문(文) : be at one's *~s* 기도하고 있다 / say[give] one's *~s* 기도를 드리다 / the Lord's *P~* 주기도문 / the Morning[Evening] *P~* 아침[저녁] 기도. **b**) [*pl.*] 기도식(式). **3** 탄원, 바라는 일 ; 〔法〕 탄원(서의 내용) : an unspoken ~ 묵도. **4** 《美俗》 [부정적으로] 극히 적은 희망[기회]. 〖OF<L ; ⇨ PRECARIOUS〗

pray·er[2] [préiər] *n.* 기도하는 사람. 〖PRAY〗

práyer bèad [préər-, prǽər-] *n.* [*pl.*] (기도용의) 염주, (특히) 로사리오(rosary).

práyer bònes [préər-, prǽər-] *n. pl.* 《俗》 무릎(knees).

práyer bòok [préər-, prǽər-] *n.* 기도서(書) ; [the P~ B~]=*The Book of* COMMON PRAYER.

práyer brèakfast [préər-, prǽər-] *n.* 《美》 (프로테스탄트 교회에서의) 조찬 기도회.

práyer·ful [préər-, prǽər-] *a.* 늘 기도하는, 믿음이 깊은. **~·ly** *adv.* 믿음이 깊게. **~·ness** *n.*

práyer·less *a.* 신앙심이 없는, 기도를 생략한.

práyer mèeting[sèrvice] [préər-, prǽər-] *n.* 기도회(會) ; (프로테스탄트의) 수요일에 하는 예배식.

práyer rùg[màt] [préər-, prǽər-] *n.* 무릎 깔개《이슬람교도가 기도할 때 사용함》.

práyer whèel [préər-, prǽər-] *n.* 기도 윤당(輪堂), 회전 예배기(禮拜器)《티베트의 라마교도가 기도하는 데 쓰는 회전식 원통형 상자 ; 경문이 새겨 있음》.

práy-ìn *n.* 집단 항의 기도.

práying mántis[mántid] *n.* 〔昆〕 사마귀(mantis).

P.R.B. Pre-Raphaelite Brotherhood.

pre-, prae- [priː] *pref.* 「미리」「…이전의」「…의 앞부분에 있는」의 뜻. 〖L *prae* (adv., prep.) before〗

preach** [príːtʃ] *vi.* [動/+前+名] 설교하다 ; 전도하다 ; 강도(講道)하다 : That clergyman *~ed* every Sunday. 그 목사는 주일마다 설교했다 / Our teacher *~ed* ***to us boys. 선생님은 우리 학생들에게 성경을 가르치셨다. ── *vt.* **1** 설교하다, 도(道)를 전하다, 권유하다 : ~ the Gospel 복음을 전하다 / Two sermons were *~ed* last Sunday. 지난 주일에는 설교가 두번 있었다. **2** [+目/+目+前+名/+目+目] 권고하다 ; 창도(唱道)하다, 선전하다 : He *~ed* temperance ***to*** the people. 사람들에게 금주(禁酒)를 권고했다 / Don't ~ me a lesson about patience. 나에게 참으라는 설교 따윈 그만두게.
preach against …에 반대하는 설교를 하다.
preach down 탄핵(彈劾)하다, 비난하다 ; 설득하다.
preach to deaf ears 「소귀에 경읽기」.
preach up 칭찬을 하다.
── *n.* 《口》 설교, 법화(法話) (sermon).
〖OF<L *prae-* (*dico* to declare) =to proclaim in public ; cf. PREDICATE〗

préach·er *n.* 설교자, 전도자 ; 훈계자, 선전자 ; 창도자(唱道者) ; 각성(覺醒)시키는 사람.

preach·i·fy [príːtʃəfài] *vi.* 《口》 (지루하게) 설교를 늘어놓다.

préach·ing *n.* Ⓤ 설교 ; 설법 ; 설교가 있는 예배 : a ~ shop 《美俗》 교회.
── *a.* 설교의[같은]. **~·ly** *adv.*

préach·ment *n.* Ⓤ,Ⓒ 설교, 장황한 설법.

préachy *a.* 《口》 설교하기 좋아하는 ; 설교조의, 넌더리나는.

prè·acquáint *vt.* 미리 알리다, 예고하다.

prè·adámic *a.* 아담 이전의.

pre·ádam·ìte *a., n.* 아담 이전의 (사람) ; 아담 이전에 인간이 있었다고 믿는 사람(의).

pre·áddict *n.* 《美》 마약 경험자《잠재적인 중독환자》.

prè·adjúst·ment *n.* 사전(事前) 조정.

prè·admónish *vt.* 사전 훈계[충고]하다.

prè·admonítion *n.* 사전 권고[충고].

prè·adoléscence *n.* 사춘기(思春期) 이전《9살부터 12살 사이》. **-adoléscent** *a., n.*

prè·adúlt *a.* 〔心〕 성인 이전의.

prè·agricúltural *a.* 농경 이전의.

pre·am·ble [príːæmbəl ; -ˊ-] *n.* 머리말, 서문(序文), 서언(序言), 서론 ; (조약 따위의) 전문(前文)〈*to, of*〉 ; [P~] 미국 헌법의 전문 ; 전조, 조짐. ── *vi.* 서론을 말하다.
〖OF<L=going before (*pre-*, AMBLE)〗
類義語 ⟹ INTRODUCTION.

pré·àmp *n.* 《口》 =PREAMPLIFIER.

pre·ámplifier *n.* 〔電〕 프리앰프(preamp), 전치(前置) 증폭기《라디오·레코드플레이어의》.

prè·annóunce *vt.* 예고하다, 예보하다.

~·ment *n.*
prè·appóint *vt.* 미리 명령[정]하다.
~·ment *n.* U,C 예정.
prè·arránge *vt.* 미리[사전에] …의 순서를 조정하다, 타협[협의]하다; 예정하다. **~·ment** *n.* U,C 예정, 협의, 타협.
prè·atmosphéric *a.* 대기(大氣) 형성 이전의.
prè·atómic *a.* 원폭[원자력] (사용) 이전의, 핵(核) 이전의.
pre·áudience *n.* U 〖英法〗 (법정에서의 변호사의) 선술권(先述權).
pre·áxial *a.* 〖解〗 전축(前軸)의; 체축(體軸) 앞의. **~·ly** *adv.*
preb·end [prébənd] *n.* 《英》 CANON의 성직록(聖職祿), 성직록을 내는 토지; 성직록을 받는 성직자의 직.
〖OF<L=pension (*praebeo* to grant)〗
pre·ben·dal [pribéndl, prébən-] *a.* 성직록의; 성직록을 받는 성직자의: ~ stall 성직록을 받는 성직자석(席); 성직록.
preb·en·dary [prébəndèri; -dəri] *n.* 수록(受祿) 성직자; 목사.
prè·biológical, -ic *a.* 생물 발생 이전의, 생명 기원의 전구물(前驅物)의[에 관한]《분자 따위》.
prè·biótic *a.* =PREBIOLOGICAL.
prebiótic sóup *n.* =PRIMORDIAL SOUP.
prè·bóok *vt.* 예약하다.
prè·buílt *a.* 사전에[미리] 건조된.
prec. preceding; preceded.
Pre·cámbrian *a.* 〖地質〗 선(先)캄브리아기(紀)[지층]의. —— *n.* [the ~] 선캄브리아기[층]《고생대가 시작되기 전》.
pre·cáncel *vt.* 우편물에 붙이기 전에 (우표에) 소인(消印)을 찍다. —— *n.* 그 소인이 찍힌 우표.
pre·cáncer·ous *a.* 전암(前癌) 증상의.
prè·carcínogen *n.* 〖醫〗 전(前)발암 물질《발암 물질의 원인이 되는 물질》.
pre·car·i·ous [prikéəriəs, -kǽər-] *a.* **1** 남의 마음대로 되는. **2** 믿을 수 없는, 불확실한, 불안정한(uncertain); 위태로운. **3** 근거가 불확실한, 추정적인. **~·ly** *adv.* 불안정하게, 위태롭게.
〖L *precarius* obtained by begging (*prec- prex* prayer); ⇨ PRAY〗
pré·cást *vt.* (조립식 건축의) 자재를 미리 만들다: ~ concrete (조립용) 콘크리트 부품.
—— *a.* (콘크리트가) 미리 성형(成形)된.
prec·a·tive [prékətiv] *a.* =PRECATORY.
prec·a·to·ry [prékətɔ̀:ri; -təri] *a.* 비는, 기원하는; 〖文法〗 기원의; 〖法〗 탄원적인.
précatory trúst *n.* 〖法〗 유탁(遺託)《간원적 유언 신탁》.
***pre·cau·tion** [prikɔ́:ʃən] *n.* U,C [+*to* do] 조심, 경계; 예방 조치: as a (measure of) ~=by way of ~ 예방 조치로 / take ~*s against* fire 화재에 경계[조심]하다 / You should take special ~*s to* prevent fire. 화재 예방을 위해 각별히 주의해야만 한다. —— *vt.* (남에게) 미리 경고하다.
〖F<L (*prae-*, CAUTION)〗
precáution·àry [; -əri], **-al** *a.* 예방[경계]의, 조심하는: ~ measures *against* epidemic 전염병에 대한 예방책.
pre·cau·tious [prikɔ́:ʃəs] *a.* 경계하는, 조심성 있는, 주의깊은.
***pre·cede** [prisí:d] *vt.* **1** (안내자가) …의 앞에 나서다(↔*follow, succeed*); …에 앞장서다; …앞에 놓다; …보다 앞서 일어나다: Do you know who ~*d* Winston Churchill as Prime Minister? 누가 수상으로서 윈스턴 처칠의 전임자였는지 알고 계십니까 / The consonant is ~*d* by two vowels. 그 자음(子音) 글자 앞에는 두 개의 모음이 나란히 있다. **2** …의 윗자리에 앉다, …보다 우월하다: This duty should ~ all others. 이 의무는 다른 모든 의무에 우선한다. —— *vi.* 앞서다, 앞장서다: the words that ~ 그 앞에 있는 어구.
—— *n.* 〖新聞〗 메움 첫머리 기사《마감 때 새 뉴스를 채우기 위해 스페이스를 보류하는》.
pre·céd·able *a.* 앞설 수 있는, 먼저 일어날 수 있는; 윗자리에 오를 수 있는.
〖OF<L (*prae-*, CEDE)〗
prec·e·dence [présədəns, prisí:-] *n.* U (시간·순서 따위에서) 앞서기(priority); 선행, 선임(先任); 윗자리, 상위(上位); 우선권; 선례(先例); 〖컴퓨〗 우선 순위: personal ~ 집안[문벌]에 의한 서열(序列) / the order of ~ 석차, 자리순; 선임순.
give** a person **the precedence 남의 우위를 인정하다.
take[***have***] (***the***) ***precedence of***[***over***] … 보다 우선하다, …의 위에 서다.
préc·e·den·cy [, prisí:-] *n.*
prec·e·dent[1] [présədənt] *n.* U,C 선례, 전례(前例), (종래의) 관례; 〖法〗 판(결)례: set[create] a ~ *for* …의 선례를 만들다 / There is no ~ *for* such procedure. 그와 같은 절차의 선례는 찾아 볼 수 없다 / make a ~ *of* …을 선례로 하다 / without ~ 선례가 없는(unprecedented).
—— *vt.* …에 대하여 선례를 나타내다; 선례에 따라 지지[변호]하다. 〖OF (↓)〗
pre·ce·dent[2] [prisí:dnt, présədənt] *a.* 선행의, 이전의; =PRECEDING. 〖OF; ⇨ PRECEDE〗
précedent·ed *a.* 선례가 있는(↔ *unprecedented*); 선례에 의해 뒷받침되는.
prec·e·den·tial [prèsədénʃəl] *a.* 선례가 되는[있는]; 선행의.
pre·céd·ing *a.* 앞서는; 이전의; 전술(前述)한, 상기(上記)한: the ~ year 작년(昨年).
類義語 ⟹ PREVIOUS.
pre·cénsor *vt.* (출판물·영화 따위를) 사전 검열하다. **~·shìp** *n.* U 사전 검열(↔*postcensorship*).
pre·cent [prisént] *vt.* …을 선창하다. —— *vi.* (성가의) 선창자가 되다. 〖역성(逆成)<↓〗
pre·cen·tor [priséntər] *n.* (*fem.* **-trix** [-triks]) (교회 성가대의) 선창자, 선영자(先詠者).
〖F or L (*prae-*, *cano* to sing)〗
pre·cept [prí:sept] *n.* **1** U,C 교훈, 훈시, 계율, 권고: Practice[Example] is better than ~. 《속담》 실천[모범]은 교훈보다 낫다. **2** 격언(格言)(maxim). **3** 〖法〗 명령서, 영장(令狀). **4** (기술 따위의) (작업) 지침, 원칙.
〖L=maxim, order (*prae-*, *capio* to take)〗
pre·cep·tive [priséptiv] *a.* 교훈의, 교훈적인; 명령적인. **~·ly** *adv.*
pre·cep·tor [priséptər] *n.* 교훈[지도]자, 교사; 〖史〗 성당 기사단(Knights Templars)의 지방 지부장; 《美》 인턴 지도 교수[의사].
pre·cep·to·ri·al [prì:septɔ́:riəl] *a.* 교훈자의, 교사의; 지도자의. —— *n.* (대학 상급 과정에서의) 개인 지도 과목.
pre·cep·to·ry [priséptəri, prí:sep-] *n.* 〖史〗 성당 기사단(騎士團)의 지방 지부; 그 영지(領地).
pre·cess [prisés, prí:ses] *vi.* 전진하다; 〖天〗 세차(歲差) 운동을 하다. 〖역성(逆成)<↓〗
pre·ces·sion [priséʃən] *n.* U 전진 (운동); 〖天〗 세차(歲差)(운동). **~·al** *a.* 〖L; ⇨ PRECEDE〗

pre-Chrístian *a.* 예수[기독교] 이전의 ; 서력 기원전의[에 관한].

pre·cinct [príːsiŋkt] *n.* 구내, 《英》 경내(境內) ; [*pl.*] 경계(境界) ; [*pl.*] 주위, 부근, 근교(近郊) ; 《美》 선거구, 경찰관구, 학구, 행정관구 ; (관할 구역의) 경찰서, 지서 ; (보행자 천국 · 쇼핑가 따위의) 지정지구.
〚L *prae-* (*cinct- cingo* to gird) = to encircle〛

pre·ci·os·i·ty [prèʃiάsəti] *n.* Ⓤ 까다로움, 괴팍스러움, 지나치게 세심[꼼꼼]함, 점잔빼기.

‡pre·cious [préʃəs] *a.* **1** 귀한, 귀중한, 값비싼 ; 존경해야 할 : the ~ metals 귀금속《금 · 은 · 백금》 / ~ stones 보석. **2** 귀여운, 고마운 ; 《反語》 훌륭한, 좋은《비꼬는 말》. **3** (말씨 따위) 세심하게 고른, 점잔빼는. **4** 《口》 순전한 ; 지독한, 대단한, 굉장한(very great) : a ~ deal 대단하게 / make a ~ mess of it 엉망으로 만들다 / a ~ sight more than …보다 훨씬 더 많이 / He is a ~ rascal. 대단한 악당이다. —— *adv.* 《口》 몹시, 대단히, 매우(very) : He took ~ little notice. 거의 관심을 나타내지 않았다. —— *n.* 《口》 내 귀중한[귀여운] 사람. **~·ly** *adv.* 고가로 ; 성미가 까다롭게, 아주 점잔을 빼며 ; 《口》 몹시, 매우.
〚OF < L (*pretium* price)〛

***prec·i·pice** [présəpəs] *n.* 절벽, 벼랑(cliff) ; 위험한 곳 ; 위기 : be[stand] on the brink of a ~ 위기에 처해 있다.
〚F or L = falling headlong ; ⇨ PRECIPITOUS〛

pre·cip·i·ta·ble [prisípətəbəl] *a.* 가라앉힐 수 있는, 침전성(沈澱性)의.

pre·cip·i·tan·cy, -tance [prisípətəns(i)] *n.* Ⓤ 급하게 서두름, 허둥대는 행위 ; 경솔, 조급한 짓.

pre·cíp·i·tant *a.* = PRECIPITATE. —— *n.* 〔化〕 침전제(沈澱劑).

pre·cip·i·tate [prisípətèit] *vt.* **1** [+目 / +目+前+名] 거꾸로 떨어뜨리다, 던져 떨어뜨리다 : A rock was ~*d* ***down*** the cliff. 바위가 벼랑 아래로 굴러 떨어졌다. **2** 마구 재촉하다, 촉진하다, 급하게 하다 : The outbreak of the war ~*d* the ruin of our firm. 전쟁의 발발은 우리 회사를 도산으로 몰아 넣었다. **3** [+目+*into*+名] (어떤 상태로) 급히 빠져들게 하다, 함몰[몰입]시키다 : He ~*d* himself ***into*** new troubles. 그는 새로운 곤란에 빠져 들었다. **4** 〔化〕 침전시키다 ; 〔理〕 응결시키다. —— *vi.* 거꾸로 떨어지다 ; 〔理〕 응결하다. ——[-tət, -tèit] *n.* 〔化〕 침전물 ; 〔理〕 응결된 수분[비 · 이슬]《따위》. ——[-tət, -tèit] *a.* 거꾸로의, 거꾸로 떨어지는 ; 줄달음쳐 나아가는 ; 급히 서두는, 허둥대는, 경솔한, 조급한, 무턱대고 하는 ; 갑작스러운, 급한 : a ~ rush 아주 급한 돌진. **~·ly** *adv.* 줄달음질쳐 ; 곤두박질쳐 ; 황급[경솔]히 ; 갑자기, 돌연. **~·ness** *n.*
類義語 ⟹ SUDDEN.

pre·cip·i·ta·tion [prisìpətéiʃən] *n.* **1** Ⓤ 급격, 매진(邁進) ; 투하 ; 낙하. **2** Ⓤ 화급, 허둥 댐 ; 경솔 ; 촉진(促進). **3** Ⓤ 침적(沈積) ; 〔化〕 침전, 침강(沈降) ; 〔氣〕 강수, 강우, 강설 ; 강우량.

pre·cíp·i·tà·tive [; -tətiv] *a.* 급한, 가속적인 ; (침전을) 촉진하는.

pre·cíp·i·tà·tor *n.* **1** 촉진하는 것, 촉진자. **2** 강수를 촉진하는 것. **3** 〔化 · 理〕 침전제(劑)[기(器) · 조(槽)].

pre·cip·i·tin [prisípətən] *n.* 침강소(素)《항체의 일종》.

pre·cip·i·tin·o·gen [prisìpətínədʒən] *n.* 침강원(原)《침강소(素)를 생기게 하는 항원》.
-gen·ic [-tìnədʒénik] *a.*

pre·cip·i·tous [prisípətəs] *a.* **1** 깎아지른 듯한, 가파른, 절벽을 이루는. **2** 《주로 美》 성급한, 무모한 ; 엉뚱한. **~·ly** *adv.* 험하게, 가파르게 ; 《주로 美》 무분별하게 ; 급하게.
〚F < L = headlong (*prae-, caput* head)〛

pré·cis, pre- [preisíː, ⌐-; ⌐-] *n.* (*pl.* ~ [-z]) 대의(大意), 개략, 요약(summary) : ~ writing 대의[요점] 작성. —— *vt.* …의 대의를 쓰다, 요약하다(summarize). 〚F (↓)〛

pre·cise** [prisáis] *a.* **1** 정확한, 적확한, 정밀한(exact) ; 정량(正量)의, 조금도 틀림없는. **2** 바로 그…(very) : at the ~ moment 마침 그때. **3** [+*in*+do*ing*] 규칙대로의, 까다로운, 꼼꼼한 : He is prim and ~ ***in manner. 태도가 딱딱하고 꼼꼼하다 / He was very ~ *in* follow*ing* instructions. 아주 정확하게 지시한 것을 지켰다. **~·ness** *n.* Ⓤ 정확, 적확(的確) ; 꼼꼼함.
〚F (L *prae-* (*cis- cido*) = to cut short)〛
類義語 ⟹ CORRECT.

precíse·ly *adv.* 정밀하게, 정확히, 적확하게, 꼼꼼하게, (대답으로 써서) 바로 그대로.

pre·ci·sian [prisíʒən] *n.* 꼼꼼한 사람, 까다로운 사람, 형식에 얽매이는 사람, 현학자(衒學者)(pedant) ; (16-17세기의 영국의) 청교도. **~·ism** *n.* 꼼꼼함, 형식주의.

***pre·ci·sion** [prisíʒən] *n.* **1** 〔修〕 Ⓤ 정확, 적확, 정밀⟨*in*⟩ ; 꼼꼼함 ; 정밀도 ; 정확(精確) ; 〔컴퓨〕 정밀도 : with ~ 정확[적확]하게. **2** [형용사적으로] 정밀한 ; 〔軍〕 정(正)조준의 : ~ instruments 정밀 기계 / ~ gauges 정밀 계기 / ~ bombing 〔軍〕 정조준 폭격. **~·al** *a.* 〚PRECISE〛

precísion dánce *n.* (레뷰(revue) 따위에서의) 라인 댄스.

precísion guíded munítions *n. pl.* 정밀 유도 무기《略 PGM》.

precísion-máde *a.* 정밀하게 만든.

pre·clássical *a.* (특히 로마 · 그리스 문학의) 고전기(古典期) 이전의.

pre·cléar *vt.* …의 안전성을 사전에 보증하다. **~·ance** *n.* 사전 승인.

pre·clínical *a.* 〔醫〕 증상이 나타나기 전의, 임상 전의, 잠복기의. —— *n.* 전(前) 임상 코스《해부 · 생리학 따위의》.

pre·clude [priklúːd] *vt.* [+目 / +目+*from*+名] 배제[제외]하다(exclude) ; 저해하다, 방해하다(prevent) : ~ all objections 모든 방해를 배제하다 / That ~*d* his escap*ing*[him ***from*** escap*ing*]. 그것 때문에 그는 도망갈 수 없게 되었다.
pre·clúd·able *a.* **pre·clú·sion** *n.* Ⓤ 제외, 배제 ; 방지 ; 방해.
〚L PRAE*cludo* ; ⇨ CLOSE[1]〛

pre·clú·sive *a.* 제외하는⟨*of*⟩ ; 방지하는, 예방적인. **~·ly** *adv.*

pre·co·cial [prikóuʃəl] *a.* 부화 후 곧 활동을 할 수 있는, 조숙[조성(早成)]의(↔*altricial*). —— *n.* 조성조(早成鳥)《닭 · 오리 따위》.

pre·co·cious [prikóuʃəs] *a.* 조숙(早熟)한, 어른스러운 ; (식물 따위) 일찍 피는, 올되는. **~·ly** *adv.* 조숙하게. **~·ness** *n.* 〚L *praecoc- praecox* early ripe (*coquo* to cook)〛

pre·coc·i·ty [prikάsəti] *n.* Ⓤ 조숙, 일찍 꽃핌, 올됨(precociousness).

prè·cognítion *n.* Ⓤ 예지(豫知), 사전 인지(事前認知).

prè-Colúmbian *a.* 콜럼버스의 아메리카 대륙 발견 이전의.

prè·compóse *vt.* 미리[사전에] 만들다.

prè·concéive *vt.* 미리 생각하다, 예상하다 : ~*d* ideas 선입관.
prè·concéption *n.* 예상, 선입관, 편견.
prè·concért *vt.* 미리 협정하다, 사전에 타협하다.
prè·concért·ed *a.* 미리 결정된, 사전에 협정[토의]된.
prè·condémn *vt.* (증거 조사도 하지 않고) 미리 유죄를 선고하다.
prè·condítion *n.* 필수 조건, 전제 (조건)〈*for*, *of*〉. —— *vt.* 미리 바라는 상태로 해[조정해] 두다, 미리 …한 조건[기분]을 조절하다, 미리 테스트[조치 따위]에 대비하다.
pre·cónference *n.* 예비 회담.
pre·co·nize [príːkənàiz] *vt.* **1** 선언하다, 성명하다 ; 공포[공표]하다. **2** 지명 소환하다. **3** 〔카톨릭〕 (교황이 신임주교의 이름 및 임지를) 재가하여 공표하다. **prè·co·ni·zá·tion** *n.*
pre·cónquest *a.* 〔英史〕 Norman Conquest (1066) 이전의, 정복[점령] 이전의.
pre·cónscious *a.* 〔精神分析〕 전의식(前意識)의. ~**·ly** *adv.* ~**·ness** *n.*
prè·consideràtion *n.* 사전 고려, 예고(豫考), 예찰(豫察).
pre·consonántal *a.* 〔音聲〕 자음 바로 앞의.
pre·cóntract *n.* 선약, 예약 ; 〔法史〕 결혼 예약. —— [–⌐–] *vt.*, *vi.* 예약하다.
pre·cóok *vt.* (식품을) 미리 조리하다.
pre·cóol *vt.* (과일 · 야채 · 육류 따위를) 발송[출하] 전에 인공적으로 냉동시키다.
pre·cóol·er *n.* 〔機〕 예냉기(豫冷器).
pre·córdial *a.* 〔解〕 심장 앞에 있는, 전흉(부)의.
pre·crítical *a.* 〔醫〕 발증(發症) 전의, 위기 전의 ; 비판적 능력 발달 이전의.
pre·cur·sive [prikə́ːrsiv] *a.* 선구의, 전조의 ; 예보적인.
pre·cur·sor [prikə́ːrsər, 美+príːkəːr-] *n.* **1** 선구자, 선봉(先鋒). **2** 전임자, 선배. **3** 전조(前兆) ; 〔生化〕 선구[전구(前驅)] 물질. 〚L (PRAE*curs*- -*curro* to run before)〛
pre·cur·so·ry [prikə́ːrsəri] *a.* 선구의, 선봉의 〈*of*〉 ; 전조의 ; 예비적인.
pre·cút *vt.* 〔建〕 (건물의 부재(部材)를) 미리 규격에 맞추어 자르다.
pred. predicate ; predicative(ly) ; prediction.
pre·da·cious, -ceous [pridéiʃəs] *a.* 잡아먹는, 포식(捕食)하는 ; 탐욕스런. ~**·ness** *n.* **pre·dac·i·ty** [pridǽsəti] *n.* 탐욕. 〚L *praeda* booty ; cf. AUDACIOUS〛
pre·dáte *vt.* =ANTEDATE. —— [⌐–] *n.* 발행일보다 앞선 날짜가 찍힌 신문.
pre·da·tion [pridéiʃən] *n.* Ⓤ 강탈, 약탈 ; 〔動〕 포식(捕食).
préd·a·tìsm *n.* 〔生態〕 (동물의) 포식 (습성).
pred·a·tor [prédətər] *n.* 약탈하는 사람[것] ; 육식 동물. 〚L=plunderer ; ⇨ PREDACIOUS〛
pred·a·to·ry [prédətɔ̀ːri ; -təri] *a.* **1** 약탈하는 ; 약탈을 목적으로 하는[일로 삼는]. **2** 〔動〕 동물을 잡아 먹는, 육식의(carnivorous). **prèd·a·tó·ri·ly** [; prédətərili] *adv.*
prédatory prícing *n.* 경쟁 상대를 쓰러뜨리기 위한 가격 설정《저요금 따위》.
pré·dàwn *n.*, *a.* 동트기 전(의).
prè·decéase *vt.*, *vi.*, *n.* Ⓤ (어떤 사람보다) 먼저 죽다[죽음].
pred·e·ces·sor [príːdəsèsər, préd-, ⌐–⌐–] *n.* 전임자 ; 선배 ; 앞서의 것(cf. SUCCESSOR). 〚OF<L (*decessor* retiring officer ; ⇨ DECEASE)〛
prè·defíne *vt.* 미리 정하다.
prè·delínquent *n.* 비행(非行) 직전의 청소년. —— *a.* (청소년이) 비행 직전의.
pre·del·la [pridélə] *n.* (*pl.* **-le** [-li, -lei]) 〔宗〕 제단의 대(臺)[단(段)] ; 그 수직면상의 그림[조각]. 〚It. =stool, step< ? OHG *bret* board〛
prè·depárture *a.* 출발 전의.
pre·désignate *vt.* 미리 지정하다 ; 〔論〕 수량사(數量詞)를 앞에 두어 (명사(名辭)·명제)의 양을 나타내다. **prè·designátion** *n.*
pre·des·ti·nar·i·an [pridèstənέəriən, -nǽər-] *a.* 〔神學〕 예정(론)의 ; 숙명론적인. —— *n.* 예정론자. ~**·ìsm** *n.* (운명) 예정설.
pre·des·ti·nate [pridéstənèit] *vt.* [+目 / +目+前+名 / +目+*to* do] (신이 인간 등의 운명을) 미리 정하다, 예정하다 : We are ~*d* ***to*** eternal death[*to* die]. 영원한 죽음에 빠지도록 예정되어 있다. ——[-nət, -nèit] *a.* 예정되어진, 운명의. **-nà·tor** *n.* 예정론자 ; =PREDESTINARIAN.
pre·des·ti·na·tion [priːdèstənéiʃən] *n.* Ⓤ 예정 ; 운명, 숙명 ; 〔神學〕 예정(설).
pre·déstine *vt.* [+目 / +目+前+名] (신이 사람의 운명을) 예정하다 : ~ a person ***to*** some lot 사람을 어떤 운명으로 예정하다. 〚OF or L〛
prè·detérminate *a.* 예정된.
prè·detérmine *vt.* **1** 선결[예정]하다 : The schedule of the conference was ~*d*. 회의의 일정은 미리 정해져 있었다. **2** …할 방향[경향]을 예정하다〈*to*〉. —— *vi.* 미리 정하다[해결하다]. **-determinátion** *n.* Ⓤ 선결, 예정. **-detérminative** *a.*
prè·detérminer *n.* 〔文法〕 한정사 전치어, 전(前)결정사(詞)《both, all 따위처럼 한정사 앞에 오는 말》.
prè·diabétes *n.* 〔醫〕 당뇨병 전증(前症), 전(前)당뇨병. **-diabétic** *a.*, *n.* 당뇨병 전증의 (환자).
predial ☞ PRAEDIAL.
pred·i·ca·ble [prédikəbəl] *a.* 단정되는, 속성(屬性)으로 단정할 수 있는〈*of*〉. —— *n.* 단정할 수 있는 것[물건] ; 속성(attribute) ; [*pl.*] 〔論〕 객어(客語) ; [the ~] 근본적인 개념. **-bly** *adv.* 단정할 수 있게. ~**·ness** *n.* **prèd·i·ca·bíl·i·ty** *n.* Ⓤ 단정할 수 있음.
pre·dic·a·ment [pridíkəmənt] *n.* **1** Ⓤ,Ⓒ 상태 ; 곤경, 궁지 : be in a ~ 곤경에 처해 있다. **2** [, 美+prédik-] 단정되어진 것, 종류 ; 〔論〕 범주(category). 〚L ; ⇨ PREDICATE〛
類義語 ⟹ PLIGHT[1].
pred·i·cant [prédikənt] *a.* 설교하는《교단(敎團) 따위》. —— *n.* **1** 설교사(師)《특히 도미니크회의》. **2** =PREDIKANT.
pred·i·cate** [prédikət] *n.* **1** 〔文法〕 술부(述部), 술어(cf. SUBJECT[1]) ; 〔論〕 빈사(賓辭)(↔ *subject*). **2** 속성(attribute). —— *a.* 〔文法〕 술부[어]의 : a ~ adjective 서술 형용사《보기 He is *English.* / I made him *happy.*》 / a ~ noun 서술 명사《보기 He is an *Englishman.* / I made him a *servant.*》 / a ~ verb 술어 동사. —— *v.* [prédəkèit] *vt.* **1** [+目 / +目+前+名 / +*that* 節 / +目+*to* do] (진실 따위로) 단정[단언]하다, 선언[공언]하다 : His theory ~*s* the system of the universe. 그의 이론은 우주의 체계를 설파하고 있다 / He ~*d* ***of the proposal *that* it was ridiculous[~*d* the proposal *to* be ridiculous]. 그 제안이 엉터리라고 단정했다. **2** [+目+前+名] …이라는 속성을 나타내다 : We ~ whiteness ***of*** snow. 우리는 흰 것을 눈의 속성이라고 말한다《눈

은 흰 속성이 있다》. **3** [＋目＋前＋名] 《美》 (어떤 근거에) 기인하게 하다(found) : Any code of ethics must be ～*d* ***upon*** the basic principles of truth and honesty. 모든 윤리의 규정은 진리와 정직이라는 기본 원칙 위에 세워지지 않으면 안된다. **4** 〖文法〗 (주사(主辭)에 대해서) 진술[빈술(賓述)]하다. **5** 〖文法〗 주어에 대하여 진술[서술]하다. ── *vi.* 진술하다, 주장하다.
〚L PRAE*dicat*- -*dico* to declare〛

prédicate cálculus *n.* 〖論〗 술어(述語) 계산.

prédicate nóminative *n.* 〖文法〗 술어(述語) 주격《그리스어나 라틴어 따위의 주격의 술어 명사 또는 술어 형용사》.

pred·i·ca·tion [prèdəkéiʃən] *n.* Ⓤ,Ⓒ 〖論〗 빈술(賓述) ; 술어적 서술 ; 술어 ; 단정, 단언.

pred·i·ca·tive [prédikətiv, -dəkèi-; pridíkətiv] *a.* **1** 단정적인. **2** 〖文法〗 서술적인(↔*attributive*). ── *n.* 〖文法〗 서술사(詞), 서술어《보어(complement)라고 일컫는 것》. **~·ly** *adv.* 서술적으로, 술사(述詞)로서.

prédicative úse *n.* 〖文法〗 술어 용법(用法), 서술 용법.

pred·i·ca·to·ry [prédəkitɔ̀:ri ; -dəkèitəri, ⌐-⌐--] *a.* 설교의[적인], 설교하는[에 관한].

pre·dict** [pridíkt] *vt.* [＋目 / ＋目＋前＋名 / ＋*that* 節] 예언[예보]하다 : The weather forecast ～*s* sunshine ***for tomorrow. 일기예보에 의하면 내일 날씨가 좋다고 한다 / They ～*ed* [It was ～*ed*] *that* there would be an earthquake. 지진이 일어나리라는 예보가 있었다. **~·able** *a.* 예언[예상·예측]할 수 있는. **~·ably** *adv.* **~·abílity** *n.*
〚L PRAE*dict*- -*dico* to foretell〛
類義語 ⟹ FORETELL.

pre·dic·tion [pridíkʃən] *n.* Ⓤ 예언[예보]하기 ; Ⓒ 예언, 예보.

pre·dic·tive [pridíktiv] *a.* 예언[예보]하는, 예언적인, 전조가 되는〈*of*〉. **~·ly** *adv.*

pre·díc·tor *n.* 예언자 ; 예보자 ; 〖軍〗 대공(對空) 조준 산정기(算定機).

prè·digést *vt.* (음식물을) 소화하기 쉽게 조리하다 ; (책 따위를) 사용[이해]하기 쉽게 하다.
prè·digéstion *n.*

pre·di·kant [prèidikǽnt, -kɑ́:nt] *n.* 설교사《특히 남아프리카의》. 〚Du. PREDICANT〛

pred·i·lec·tion [prì:dəlékʃən, prèd-] *n.* 선입관적 애호, 편애, 기호, 두둔〈*for*〉.
〚F＜L (PRAE*diligo* to prefer) ; cf. DILIGENT〛

prè·dispóse *vt.* **1** [＋目＋前＋名 / ＋目＋*to* do] 미리 처치[처분]하다 ; …의 소인(素因)을 만들다, …에 쏠리게 하다 : My efforts ～*d* me ***to*** the acquisition of knowledge[*to* acquire knowledge]. 노력한 덕택으로 나는 지식을 습득하게 되었다 / He ～*s* me ***in*** my favor. 그에게 호감이 간다 / He found himself ～*d in* her favor. 그는 어느 사이에 그녀에게 호감을 가지게 되었다. **2** [＋目＋*to*＋名] 〖醫〗 걸리기 쉽게 하다 : A cold ～*s* us ***to*** other diseases. 감기는 만병의 근원이다. ── *vi.* 감염되기 쉽게 하다〈*to*〉.

prè·disposítion *n.* 경향, 성질, 소질〈*to* do〉 ; 〖醫〗 소인(素因) : a ～ *to* malaria 말라리아에 걸리기 쉬운 소인.

pred·ni·sone [prédnəsòun, -zòun] *n.* Ⓤ 〖藥〗 프레드니손《부신피질 호르몬제》.

pre·dom·i·nance, -cy [pridɑ́mənəns(i)] *n.* Ⓤ 우세, 탁월, 발군, 우월 ; 지배〈*over*〉.

pre·dóm·i·nant *a.* 우세한, 유력한, 지배적인 ; 탁월한 ; 널리 행해지는 : the ～ color[idea] 주색(主色)[주의(主意)]. **~·ly** *adv.*
類義語 ⟹ DOMINANT.

pre·dom·i·nate [pridɑ́mənèit] *vi.* [動 / ＋前＋名] 주권을 잡다, 지배력을 가지다, 우위를 차지하다, 우세하다, 탁월하다 ; 두드러지다, 돋보이다 : Daffodils ～ ***in*** our garden. 우리집 뜰에는 수선화가 유달리 많다 / Knowledge will always ～ ***over*** ignorance. 지식은 언제나 무지(無知)보다 낫다. ── *vt.* 지배하다, …보다 뛰어나다. ── [-nət] *a.* ＝PREDOMINANT. **~·ly** *adv.*
pre·dóm·i·nàt·ing·ly *adv.* ＝PREDOMINANTLY. **pre·dòm·i·ná·tion** *n.* ＝PREDOMINANCE.
pre·dóm·i·nà·tor *n.*

pre·dóom *vt.* …을 예정하다, 운명지우다〈*to*〉.

prè·dormítion *n.* Ⓤ 〖醫〗 잠들기 전의 반(半)의식의 기간, 수면 전기(前期).

prè·dynástic *a.* (특히 이집트의) 왕조 이전의.

prè·eclámpsia *n.* 〖醫〗 자간전증(子癎前症).

prè·eléct, -ëléct *vt.* 예선하다.

prè·eléction, -ëléc- *n.* 예선, 예비 선거. ── *a.* 선거 전의.

preem [prí:m] *n., vt., vi.* 《美俗》 ＝PREMIERE.

pree·mie, pre·mie [prí:mi] *n.* 《美口》 조산아, 미숙아. 〚*pre*mature＋-*ie*〛

pre·em·i·nence, -ëm- [priémənəns] *n.* Ⓤ 발군 ; 탁월, 걸출 : bad ～ 악평.

pre·ém·i·nent, -ëm- *a.* 발군의〈*in*〉 ; 뛰어난 ; 현저한. **~·ly** *adv.* 현저하게, 뛰어나게.
類義語 ⟹ DOMINANT.

pre·empt, -ëmpt [priémpt] *vt.* **1** 선매권(先買權)에 의해서 획득하다 ; 〖美史〗 (공유지를) 선매권을 얻기 위해 점유하다. **2** 《비유》 선취하다 : The car ～*ed* the parking space. 그 자동차가 주차할 곳을 먼저 차지했다. **3** 〖라디오·TV〗 (특정 프로그램을) 바꾸다. ── *vi.* 〖카드놀이〗 돈을 많이 걸어 상대방이 맞서지 못하게 하다. ── *n.* 〖카드놀이〗 ＝PREEMPTIVE bid. **pre·émp·tor, -ëmp-** *n.* 선매권 획득자[소유자].
〚역성(逆成)＜↓〛

pre·emp·tion, -ëmp- [priémpʃən] *n.* Ⓤ 선매(권), 우선 매수권(買收權)(＝right of ～) ; 《비유》 선취(先取) ; 〖카드놀이〗 상대를 꺾기 위해 돈을 더 걺. 〚L *prae*-(*empt*- *emo* to buy)〛

pre·emp·tive, -ëmp- [priémptiv] *a.* **1** 선매(先買)의, 선매권이 있는 : ～ right 선매권 / a ～ bid 〖카드놀이〗 상대방이 맞서지 못하게 높은 끗수를 부르기. **2** 〖軍〗 선제(先制)의 : a ～ attack 선제 공격. **~·ly** *adv.*

pree·my [prí:mi] *n.* 《美口》 ＝PREEMIE.

preen [prí:n] *vt.* (깃을) 부리로 가지런히 하다. ── *vi.* (새가) 깃을 고르다 ; (사람이) 치장하다. ***preen*** one***self*** 멋을 내다, 몸치장하다 ; 《비유》 뽐내다, 기뻐하다〈*on*〉.

prè·engáge, -ën- *vt.* 예약[선약]하다 ; …의 선입관이 서다. **~·ment** *n.* 예약, 선약.

prè·engineéred *a.* 조립식 규격 단위로 된.

pre-Énglish *n., a.* 고대 서(西)게르만어의 한 방언(의)《영어의 조상에 해당》.

prè·estáblish, -ës- *vt.* 미리 설립[제정]하다 ; 예정하다.

prè·exámine, -ëx- *vt.* 미리 시험[조사]하다.
prè·examinátion, -ëx- *n.*

prè·exílian, prè·exílic, -ëx- *a.* (유태인의) Babylon 유수(幽囚) 이전의.

prè·exíst, -ëx- *vi.* 선재(先在)하다. ── *vt.* …보다 전에 존재하다.

prè·exíst·ence, -ëx- *n.* Ⓤ (영혼의) 선재 ; 전

세(前世) ; (어떤 일의) 전부터의 존재.

Pref., pref. preface ; prefatory ; prefecture ; preference ; preferred ; prefix.

pre·fab [priːfǽb, ⌐⌐] *n.* 《口》 조립식 주택, 조립식 간이 주택(prefabricated house). —— *a.* 조립식의. —— *vt.* ＝PREFABRICATE.

pre·fábricate *vt.* (가옥을) 조립식으로 짓다 ; 미리 만들다 : a ～*d* house 조립식 주택.

prè·fabricátion *n.* Ⓤ 미리 만들어 내기 ; 조립식 주택 부품 제조.

pref·ace** [préfəs] *n.* **1** 머리말, 서문, 서언(緖言). **2** 《비유》 전제 ; 시작의 말. **3** 〖敎會〗 (미사의) 서송(序誦) : a proper ～ 〖英國教〗 성찬 서식(序式). —— *vt.* [＋目 / ＋目＋前＋名] …에 머리말[서문]을 붙이다, …의 서문으로 삼다 ; 시작하다 ; …의 단서가 되다, …의 실마리가 되다 : He ～*d* his talk ***with some coughs. 이야기에 앞서 서 몇 번 헛기침을 했다 / He ～*d* his speech ***by*** referring *to* the recent death of the chairman. 강연의 첫머리에 최근 회장이 작고한 데 대해 언급했다. —— *vi.* 서문을 쓰다, 미리 말해두다.
〖OF<L PRAE*fatio* (*fat-* *for* to speak)〗
類義語 ⟹ INTRODUCTION.

pre·fáde *vt.* (새옷감·옷을) 탈색하다, (일부러) 빛 바랜[퇴색한] 것처럼 보이게 하다.

pref·a·to·ri·al [prèfətɔ́ːriəl] *a.* ＝PREFATORY. **～·ly** *adv.*

pref·a·to·ry [préfətɔ̀ːri ; -təri] *a.* 머리말의, 서문의, 서론의. **prèf·a·tó·ri·ly** [; préfətərili] *adv.* 서문으로서 ; 서문적으로. 〖PREFACE〗

prefd. preferred.

pre·fect, prae- [príːfekt] *n.* **1** 〖로史〗 장관, 행정관. **2** (프랑스·이탈리아의) 지사 : the ～ of police (파리의) 경찰국장. **3** 《英》 (public school 의) 감독생, 반장《다른 학교의 MONITOR에 해당》. **prè·fec·tó·ri·al** *a.* prefect의.
〖OF<L (PRAE*fect-* *-ficio* to set in authority over)〗

***pre·fec·ture** [príːfektʃər] *n.* **1** 현(縣), 부(府). **2** 지사 관사(官舍). **3** Ⓤ prefect의 직[관할권·임기]. **pre·féc·tur·al** *a.* 현의, 부의.

‡pre·fer [prifə́ːr] *vt.* (-rr-) **1** [＋目＋*to*＋名 / ＋目 / ＋do*ing* / ＋*to* do / ＋目＋*to* do / ＋*that* 節 / ＋目＋過分] 오히려 …쪽을 좋아하다, 차라리 …을 택하다 : I ～ physics ***to*** chemistry. 화학보다도 물리학을 더 좋아한다 / Which do you ～, walking or riding? 걸어가는 것과 차를 타고 가는 것 중에서 어느 편이 좋습니까 / Many people ～ liv*ing* in the country *to* liv*ing* in a city. 도시에서 살기보다 시골에서 살고 싶어하는 사람이 많다 / I should ～ *to* have my Sunday afternoon undisturbed. 일요일 오후에는 조용하게 지내고 싶다 / Your wife ～*s* you not *to* start so early. 부인은 당신이 그렇게 빨리 출발하는 것을 좋아하지 않는다 / He ～*red that* nothing should be said about his liberality. 자기가 선심을 쓴다는 것에 남들이 말하지 않기를 바랐다 / She ～*red* the eggs boil*ed*. 달걀은 삶은 쪽을 좋아했다. 주 *prefer* A *to* B의 구문으로 A, B의 위치에 *to* do를 사용하려고 할 경우에는, 전치사 to 대신에 rather than을 사용한다 : I ～ *to* die *rather than* (*to*) become a failure. 나는 실패자가 되기보다는 차라리 죽는 편이 낫다고 생각한다(cf. I ～ dy*ing* *to* becom*ing* a failure.).
2 《文語》 [＋目＋前＋名] 등용(登用)하다, 발탁하다, 승진시키다 : ～ an officer ***to*** the rank of general 장교를 장성(將星)으로 승진시키다.
3 《文語》 [＋目 / ＋目＋前＋名] 제출[제기]하다 : ～ a claim to property 재산을 청구하다 / He ～*red* a charge ***against*** the pickpocket. 소매치기를 고발했다.

〈회화〉
Which would you *prefer* tea or coffee? — Neither at the monent, thank you.「차와 커피 중 어느 것을 드시겠어요」「지금은 아무 것도 생각없어요」

〖OF<L *prae-* (*lat-* *fero* to bear) ＝to carry in front〗
類義語 ⟹ CHOOSE.

pref·er·a·ble [préfərəbəl] *a.* 선택할 만한, 바람직한〈*to*〉. **～·ness, prèf·er·a·bíl·i·ty** *n.*

préf·er·a·bly *adv.* 차라리 ; 즐겨, 오히려, 되도록이면.

***pref·er·ence** [préfərəns] *n.* **1** Ⓤ,Ⓒ 더 좋아함, 선택 ; 편애 : ～ *of* learning *to*[*over*] wealth 부(富)보다도 학문을 좋아함 / His ～ was *for* beer rather than whiskey. 그는 위스키보다도 맥주를 좋아했다. **2** 기호물, 좋아하는 것, 선택물 : Her ～ *in* cooking is an omelet. 그녀가 좋아하는 요리는 오믈렛이다. **3** Ⓤ,Ⓒ 우선권, 선취권 ; 특혜 : offer[afford] a ～ 우선권[특혜]을 주다 / give a claim ～ 어떤 요구에 우선권을 부여하다.
by* [*for*] *preference 좋아하여, 될 수 있으면 : I had wine *by* ～. 포도주가 좋아서 마셨다.
have a preference for …을 좋아하다, …을 고르다, 선택하다 : I *have a* ～ *for* French films. 프랑스 영화를 좋아한다.
have the preference 선택되다, 선호되다.
in preference to …에 우선하여, …보다 오히려 : Most Americans drink coffee *in* ～ *to* tea. 대부분의 미국 사람들은 홍차보다 커피를 즐겨 마신다.
類義語 ⟹ CHOICE.

préference bònd *n.* 《英》 우선 공채 증서.

préference stòck[shàre] *n.* 《英》 ＝PREFERRED STOCK.

pref·er·en·tial [prèfərénʃəl] *a.* **1** 우선의, 선취권이 있는. **2** 선택적인 ; 차별제(制)의. **3** (관세법 따위) 특혜의 ; 《英》 영국과 그 자치령에 특혜를 주는 : ～ right 선취 특권, 우선권 / the ～ tariff [duties] 특혜 관세 / ～ treatment 우대. **～·ìsm** *n.* Ⓤ 특혜(주의). **～·ist** *n.* 특혜주의[론]자. **～·ly** *adv.*

preferéntial shóp *n.* 〖社〗 노동 조합원 우대 공장, 노동 조합 특약 공장.

preferéntial tráding agrèement *n.* 특혜 무역 협정《略 PTA》.

preferéntial vóting[sýstem] *n.* 선택 투표.

prefér·ment *n.* Ⓤ 승진, 승급 ; 발탁.

pre·férred *a.* 선취권이 있는, 우선의 ; 발탁된, 승진한. —— *n.* 《美》 우선주(株).

preférred posìtion *n.* 〖廣告〗 게재 지정 위치 (premium position)《보통 특별 요금이 붙음》.

preférred stòck[shàre] *n.* 《美》 우선주(株) (cf. ORDINARY STOCK).

pre·fér·rer *n.* 선택자, 제출자.

pre·fíght *a.* 시합 전의.

pre·figurátion *n.* 예시, 예표(豫表) ; 예상, 예측 ; 원형(原型).

pre·fígurative *a.* 미리 나타내는 ; 예상의 ; 젊은 세대의 가치관이 우세한 (사회의).

pre·fígure *vt.* **1** …의 모양[형태]을 미리 나타내다, 예시하다. **2** 예상하다. **～·ment** *n.* 예상상

(像)[도(圖)].

pre·fix** [príːfiks] *n.* 〖文法〗 접두사(接頭辭) ; 이름 앞에 붙는 경칭《Sir, Mr. 따위》. ── [⌐́, ⌐⌐́] *vt.* [+目+*to*+名] …의 앞에 놓다[붙이다], …에 서문[표제 따위]을 넣다 ; …에 접두사를 붙이다 : We ~ "Mr." ***to a man's name. 남자 이름 앞에는 "Mr."의 경칭을 붙인다 / A new paragraph has been ~*ed to* Chapter Three. 제 3 장에 새로이 1절이 덧붙여지게 되었다.

préfix·al *a.* 접두사[어]의, 접두사를 이루는.

pre·fix·ion [priːfíkʃən], **pre·fix·ture** [priːfíkstʃər] *n.* Ⓤ 접두사를 붙이기 ; Ⓒ 서문.

préfix notàtion *n.* 〖數·컴퓨〗 접두 부호 표현.

pré·flíght *a.* 비행 전에 일어나는, 비행에 대비한.

pré·fórm *vt.* 미리[앞서서] 형성하다.
── [⌐⌐] *n.* 예비적 형성품《프레스용(用) 레코드판 원료괴(塊) 따위》.

prè·formátion *n.* Ⓤ 미리 형성함 ; 〖生〗 예조(豫造), 전성(前成) : theory of ~ 〖生〗 (개체 발생에 관한) 전성설(前成說).

pre·fórmative *a.* 미리 만드는 ; 〖言〗 (음절·문자 따위 언어 형성의 요소로서) 접두(接頭)된.
── *n.* 접두 요소.

pre·fróntal *a., n.* 〖動·解〗 전액골(前額骨) 앞에 있는, 전두엽(前頭葉) 전부(前部) (의).

prè·galáctic *a.* 〖天〗 성운(星雲) 형성 이전의.

pre·génital *a.* 전성기기(前性器期)의.

preg·gers [prégərz] *a.* 《英俗》 임신한(pregnant).

pre·glácial *a.* 〖地質〗 빙하기 이전의.

preg·na·ble [prégnəbəl] *a.* 정복할 수 있는, 점령하기 쉬운 ; 공격받기[당하기] 쉬운, 약점이 있는.
prèg·na·bíl·i·ty *n.*

preg·nan·cy [prégnənsi] *n.* Ⓤ 임신 ; 풍부 ; 내용 충실, 함축(이 많음), 의미 심장.

***preg·nant** *a.* **1** 임신한 : be six months ~ 임신 6 개월이다. **2** 충만한 : an event ~ *with* consequences 여러 가지 결과를 내포한 사건. **3 a)** 의미심장한, 시사(示唆)적인 ; 〖修〗 함축성이 있는. **b)** 창의성[연구심]이 풍부한. **4** 현명한, 재치가 있는. **5** 《비유》 다산(多産)의, 풍요로운 (prolific) : the ~ year 풍년.
~·ly *adv.* 의미심장하게, 뜻을 품고.
〖F or L (*prae-*, *nascor* to be born)〗

prégnant róller skàte *n.* 《CB俗》 폴크스바겐 (Volkswagen).

pre·héat *vt.* (조작하기에) 앞서 열을 가하다, 예열하다. **~·er** *n.* 예열기(豫熱器).

pre·hen·si·ble [prihénsəbəl] *a.* 파악할 수 있는.

pre·hen·sile [prihénsail, -səl] *a.* 〖動〗 (발·꼬리 따위가) 붙잡기에 알맞은, 파악력[쥐는 힘]이 있는 ; 이해[통찰]력이 있는.
pre·hen·sil·i·ty [priːhensíləti] *n.*
〖F (L PRE*hens-* -*hendo* to seize)〗

pre·hen·sion [prihénʃən] *n.* Ⓤ 〖動〗 포착, 붙잡음, 파악 ; 이해, 납득.

prehist. prehistoric.

prè·históric, -ical *a.* **1** 유사(有史) 이전의, 선사(先史)의. **2** 《口》 아주 옛날의, 태고의 ; 구식인. **-ical·ly** *adv.* 유사 이전에.

pre·hístory *n.* 유사 이전(의 일) ; 선사학(先史學) ; (어떤 사건·상황에 이르기까지의) 경위.
prè·histórian *n.*

pre·hóminid *a., n.* 선행(先行) 인류(의)《Prehominidae 과(科)의 (영장류(靈長類)) ; 사람과(科) (Hominidae) 출현 직전의 조상으로 여겨짐》.

pre·hórmone *n.* 〖生化〗 전(前)[전구(前驅)] 호르몬.

pre·hóspital *a.* (병원에) 입원하기 전의.

pre·húman *a.* 인간 이전의 ; 선행(先行) 인류의.

prè·ignítion *n.* Ⓤ (내연 기관의) 조기점화(早期點火).

prè·indúction *a.* 입대전의, 징집전의.

prè·indústrial *a.* 산업화 이전의 ; 산업혁명 전의 : ~ society 전(前)공업 사회.

prè·infórm *vt.* 미리[사전에] 알리다[정보를 주다, 가르치다].

prè·informátion *n.* 미리[사전에] 정보를 알림[알고 있음].

pre·íntimate *vt.* 미리 알리다.

pre·júdge *vt.* 미리 판단하다 ; 심리하지 않고 판결하다. **-júdgment, ~·ment** *n.*

pre·ju·di·ca·tion [priːdʒùːdikéiʃən] *n.* Ⓤ 예단(豫斷) ; Ⓒ 판례(判例) ; 예심.

***prej·u·dice** [prédʒədəs] *n.* **1** Ⓤ,Ⓒ 편견, 치우친 생각, (보통 나쁜) 선입관 : I think the Western ~ *against* raw fish is merely a ~. 서양 사람이 날 생선을 싫어하는 것은 단지 편견에 지나지 않는다고 본다 / have a ~ against[in favor of] …을 아주 싫어하다[한쪽만 편들다]. **2** Ⓤ 〖法〗 침해(侵害), 손상(injury) : in[to] the ~ of …의 침해[손상]가 되도록.
without prejudice (1) 편견이 없이[없는]. (2) 〖法〗 (…의) 기득권을 침해하지 않고⟨*to*⟩ ; (일반적으로) (…을) 해하지 않고, 다치지 않고⟨*to*⟩.
── *vt.* **1** [+目+前+名] [특히 *p.p.*로] …에 편견을 가지게 하다, 곡해하게 하다 : Persons who have lived long in other countries are seldom ~*d* ***against*** the people who dwell there. 외국에 오래 살아온 사람은 그나라 주민들에게 좀처럼 편견을 갖지 않는다 / These facts have ~*d* us ***in*** his favor. 이런 사실들로 인하여 우리는 그를 좋게 보게 되었다. **2** (권리·이익 따위를) 해치다, …에게 손해를 주다. **~·less** *a.*
〖OF<L *prae-*(*judicium* judgment) ; ⇨ JUDGE〗
類義語 ***prejudice*** 보통 의심·공포·편협·증오를 특징으로 하는 편견 : race *prejudice* (인종적인 편견). ***bias*** 어떤 사람 또는 물건에 대한 좋고 나쁨, 또는 좋고 나쁜 마음의 경향 : his *bias* against a socialist (사회주의자를 싫어하는 그의 편견). ***partiality*** 강한 애착·애정에 의해서 어떤 사람 또는 사물을 특히 좋아하는 경향으로 때로는 불공평함을 암시 : *partiality* for white people (백인에 대한 편애).

préj·u·diced *a.* (선입관적인) 편견을 품은, 편파적인.
be prejudiced against[***in favo***(***u***)***r of***] …에 반감[호감]을 품다.

prej·u·di·cial [prèdʒədíʃəl] *a.* 해로운(hurtful), 불리하게 되는(disadvantageous)⟨*to*⟩ ; 편견을 품게 하는. **~·ly** *adv.* 불리하게 되도록.

pre·kíndergarten *a.* 유치원 가기 전 어린이의 ; 유치한, 미숙한.

prel·a·cy [préləsi] *n.* 고위(高位) 성직자 제도[직무] ; [the ~] 고위 성직자들.
〖AF ; ⇨ PRELATE〗

pre·lap·sar·i·an [priːlæpsέəriən, -sǽər-] *a.* 전락[타락]전의, (특히 Adam과 Eve의 죄로) 인류가 타락하기 전의.

prel·ate [prélət] *n.* 고위 성직자《bishop, archbishop 등》 ; 수도원장. **~·shìp** *n.* Ⓤ 고위 성직자[수도원장]와 같은 직[지위].
〖OF<L ; ⇨ PREFER〗

prélate nul·lí·us [-nuːlíːəs] *n.* (*pl.* **prélates nullíus**) 〖카톨릭〗 면속(免屬) 고위 성직자《어떤

교구에도 속하지 않고 독자적인 지구를 관할함》. 〚L=prelate of no (diocese)〛

prel·at·ess [prélətəs] *n.* 여자 수도원장; 《戱》 prelate의 처.

pre·lat·ic, -i·cal [prilǽtik(əl)] *a.* 고위 성직(자)의; 감독제 지지의. **-i·cal·ly** *adv.*

prel·a·tism [prélətìzəm] *n.* Ⓤ 《蔑》 (교회의) 감독제(지지). **-tist** *n.*

prel·a·ture [prélətʃər] *n.* 고위 성직자의 신분[위엄, 성직록, 관할구]; [the ~] 고위 성직자들.

pré·láunch *a.* 〔宇宙〕 (우주선 따위가) 발사 준비 단계의.

pre·láw *n., a.* 《美》 법학부(law school) 입학 준비(중)(의).

pre·lect [prilékt] *vi.* (특히 대학 강사로) 강의하다, 강연하다. **pre·léc·tion** *n.* 강의. **-léc·tor** *n.* (특히 대학의) 강사. 〚L *prae*-(*lect*-*lego* to read)〛

pre·li·ba·tion [prì:laibéiʃən] *n.* Ⓤ 시식(試食).

pre·lim [prí:lim, prilím] *n.* 《口》 예비 시험; (경기 따위의) 예선. —— *a.* =PRELIMINARY.

prelim. preliminary.

pre·lim·i·nary [prilímənèri; -nəri] *a.* 예비적인; 서문(序文)의; 임시적인《略 prelim.》: a ~ examination 예비 시험 / a ~ hearing 〔法〕 예심(豫審) / ~ remarks 서문, 머리말, 서론. —— *n.* **1** [*pl.*] 예비 행위, 준비; 서문(序文): without *preliminaries* 단도 직입적으로. **2** 예비 시험; (경기 따위의) 예선.
pre·lìm·i·nár·i·ly [; prilíminərili] *adv.* 예비[준비]적으로, 미리, 사전에.
〚F or L (*limin*- *limen* threshold)〛

pre·líterate *a.* 문자 사용 이전의《민족》. —— *n.* 문자를 모르는 사람. **-líteracy** *n.*

prel·ude [préljuːd, 美+préi-, 美+prí:-] *n.* **1** 〔樂〕 전주곡, 서곡, 프렐류드(↔*postlude*). **2** 서막(序幕); 서문, 서두, 서론〈*to, of*〉; 전조〈*to*〉. —— *vt.* …의 전주곡이 되다; …의 서곡을 연주하다, …의 서문[선도(先導)·선구]이 되다; (…의) 전조[선도]가 되다〈*to*〉. —— *vi.* 전주곡[서곡]을 연주하다; (…의) 전주(前奏)[전조(前兆)]가 되다〈*to*〉; (…으로) 시작하다〈*with*〉.
〚F or L *prae*-(*lus*- *ludo* to play)〛

pre·lu·sion [priljú:ʒən] *n.* =PRELUDE.

pre·lu·sive [priljú:siv, -ziv], **-so·ry** [-səri] *a.* 서곡의; 서막의; 서론[머리말]의; 선구[전조]가 되는.

prem. premium.

prè·malígnant *a.* 〔醫〕 악성이 되기 전의, 전암(前癌) 상태의(precancerous).

pré·mán [ˌ ˊˋ] *n.* =PREHOMINID.

pre·márital *a.* 결혼전의, 혼전의.

prè·matúre [ˌ 美+ˊˋ] *a.* 조숙한, 시기상조의, 너무 이른, 때가 되지 않은: a ~ birth[delivery] 조산(早産) / a ~ decay 조로(早老). —— *n.* 조산아(兒), 미숙아; 조발(早發) 포탄. **~·ly** *adv.* (너무) 이르게. **prè·matúrity** *n.* Ⓤ 조숙; 시기상조; 일찍 핌; 조산.
〚L *prae*-(MATURE)=very early〛

pre·med [prí:méd], **pre·médic** *n., a.* 《口》 의학부 예과(학생)(의).

pre·médical *a.* 의대(醫大) 예과의, 의학부 진학 과정의.

prè·medicátion *n.* 〔醫〕 (마취 전의) 전(前)투약.

pre·méditate [ˌ prí:-] *vt., vi.* 미리 숙고[연구·계획]하다. **pre·méditator** [ˌ prí:-] *n.*

pre·méd·i·tàt·ed [ˌ prí:-] *a.* 미리 계획한, 계획적인: a ~ murder 계획적인 살인, 모살(謀殺).

prè·meditátion *n.* Ⓤ 미리 생각하기; 계획; 〔法〕 예모(豫謀), 고의(故意).

pre·méditative [ˌ prí:-] *a.* 사려깊은, 계획적인.

prè·meiótic *a.* 〔生〕 (세포핵의) 감수분열 전의.

pre·ménstrual *a.* 월경(기)전의: ~ tension 월경전의 긴장 증상《두통·골반의 불쾌감 따위》. **~·ly** *adv.*

preménstrual sýndrome *n.* 〔精神醫〕 월경전 증후군《월경전에 일부 여성에게 나타나는 정신적 불안정 상태; 略 PMS》.

pre·métro *n.* 시가(市街) 전차용의 지하도, 지하전차도《지하철과 다름》.

***pre·mier** [primíər, prí:mi-, pré-; prémjər] *n.* 수상(首相)(prime minister); (캐나다의) 주지사: the *P~s'* Conference 《英》 (영연방의) 수상회의(cf. the IMPERIAL Conference). —— *a.* 제 1 위[등]의, 수위의; 최초의, 최고참의: take[hold] the ~ place 수위[수석]를 차지하다.
~·ship [ˌ ˊˋ; ˊˋ] *n.* Ⓤ,Ⓒ premier의 직[임기].
〚OF=first; ⇨ PRIMARY〛

pre·miere [primíər, -mjéər; prémièər, -miər] *n.* 첫날, 프레미어; 초연; 주연 여배우. —— *vt., vi.* (…의) 첫 공연[상연]을 하다; 처음으로 주역을 맡다. —— *a.* 첫날의; 최초의; 주요한; 주연 여배우의: a ~ danseur[danseuse] (발레의) 주역 남성[여성] 댄서[발레리나].

prè·millénnial *a.* 천년왕국전의, 그리스도 재림 이전의, 현세의.

prè·millénnial·ism *n.* 전천년왕국설《천년지복기(千年至福期)전에 그리스도가 재림한다는 설》.

prem·ise [préməs] *n.* **1** 〔論〕 전제: the major[minor] ~ 대[소]전제. **2** [*pl.*] [the ~] 〔法〕 기술한 사항, 전기(前記) 재산《재산·토지·가옥 따위》; 증서의 두서(頭書)《당사자 성명·양도 물건·양도 이유 따위를 기술한 것》. **3** [*pl.*] (토지 및 부속물 딸린) 건물, (대지를 포함한) 집, 건물, 구내, 부지.
see** a person **off the premises (수상쩍은 사람 등을) 집밖으로 쫓아내다.
to be drunk*[*consumed*] *on*[《稀》 *in*] *the premises (술 따위가) 가게 안에서 마셔야 할(cf. ON-LICENSE).
—— [ˌ primáiz] *vt., vi.* 전제로서 [미리] 말하다.
〚OF<L PRAE*missa* set in front (*miss*- *mitto* to send)〛

prem·iss [préməs] *n.* =PREMISE. 〚↑〛

pre·mi·um [prí:miəm] *n.* **1** 할증금(割增金), 증가 할당금, 프리미엄(cf. DISCOUNT). **2** (경쟁 따위의) 상, 상금, 상품, 상장; 특별 상여; 경품; 장려금. **3** 보험료, 계약금. **4** 수수료; 이자. **5** 보수; 사례, 수업료. **6** 〔經〕 초과 구매력; (증권의) 액면 초과액.
be*[*stand*] *at a premium 할증금[프리미엄]을 붙이다, 액면 가격 이상이 되다; 《비유》 큰 수요가 있다, 진귀하다, 귀하게 여기다.
put a premium on …의 장려가 되다, …을 장려하다, 유발하다; 높이 평가하다.
—— *a.* 뛰어나게 우수한; 고가의, 특제의.
〚L=reward (*emo* to buy, take)〛

prémium lòan *n.* 〔保險〕 보험료 대체 대출.

prémium nòte *n.* 보험료 지급 약속어음.

prémium on bónd *n.* 〔金融〕 회사채(債) 발행 차금(差金).

prémium posìtion *n.* 〔廣告〕 =PREFERRED POSITION.

Prémium (Sávings) Bònds *n. pl.* 《英》 할

증금 붙은 (저축) 채권.

prémium sýstem *n.* 상여 제도《시간급 외에, 일의 양·가치에 따라 할증금이 붙음》.

pre·míx *vt.* 사용하기 전에 혼합하다. ── [∸] *n.* 미리 섞은 것. **~·er** *n.*

pre·mólar *n., a.* 소구치(小臼齒)(의).

pre·mon·ish [priːmániʃ] *vt., vi.* 《稀》 미리 경고하다(forewarn), 예고하다. **~·ment** *n.*

pre·mo·ni·tion [prìːməníʃən, prè-] *n.* 예고, 경고; 징후, 전조(foreboding); 예감(presentiment): have a ~ *of* failure 실패할 예감이 들다. 《F or L *prae-*(*monit- moneo* to warn)》

pre·mon·i·tor [primánətər] *n.* 예고자[물], 징조, 전조.

pre·mon·i·to·ry [primánətɔ̀ːri; -təri] *a.* 예고의, 경고의; 전조의; 〖醫〗 전구(前驅)적인.

pre·mótion *n.* 인간의 의지를 결정하는 신의 행위, 신에 의한 인간 행동의 사전 결정, 영감.

pre·múndane *a.* 세계창조 이전의.

pre·mu·ni·tion [prìːmjuníʃən] *n.* Ⓤ 감염 면역; 상관 면역《병원체가 이미 생체내에 존재하기 때문에 생긴 면역》.

pre·nátal *a.* 출생전(前)의, 태아기(胎兒期)의(cf. POSTNATAL). ── *n.* 《口》 태아 검진.

prenátal psychòlogy *n.* 〖心〗 출생전 심리학《임산부와 태아의 심리적 상호작용을 해명》.

prè·na·tól·o·gy *n.* 〖心〗 출생전 과학《태교의 기초적 내용을 해명하는 과학》.

prenomen ☞ PRAENOMEN.

pre·nóminal *a.* (형용사가) 명사를 앞에서 수식하는; praenomen의.

pre·nótion *n.* 예상, 예감.

pren·tice [préntəs] *n.* 《古·方》 =APPRENTICE. ── *a.* 연기도제(年期徒弟)의; 미숙한, 세련되지 않은. 《ap*prentice*》

pre·núclear *a.* 핵무기 시대 전의; 세포핵이 없는.

pre·núptial *a.* 결혼전의, 혼전의; 〖動〗 교미전의: ~ play 〖動〗 (구애의) 교미 전희(前戲).

pre·óccupancy *n.* Ⓤ 선점(先占), 선취(권); 몰두, 전념.

pre·occupátion *n.* **1** Ⓤ 선취, 선점. **2** Ⓤ 선입견, 편견. **3** Ⓤ 몰두, 전념; Ⓒ 열중[걱정]하고 있는 문제. **4** 첫째 임무; (중대) 관심사.

pre·óccupied *a.* **1** (무엇인가에) 마음을 빼앗긴, 여념이 없는, 몰두한; 생각에 잠겨 있는, 건성의: with a ~ air 무언가에 넋을 빼앗기고 있는 듯이, 건성으로. **2** 선취당한, 선약(先約)의.

pre·óccupy *vt.* **1** [+目/+目+*with*+名] [때때로 *p.p.*로] (…의 마음을) 빼앗다, 생각에 잠기게 하다: *preoccupied* by one's own affairs 자기 자신의 일에 골몰하여 / They were *preoccupied* ***with*** their thoughts. 생각에 열중하고 있었다. **2** 먼저 차지하다, 선취하다. **3** …에 선입관[편견]을 품게 하다.

pre·óperative *a.* 수술전의. **~·ly** *adv.*

pre·óption *n.* 첫번째 선택권.

pre·órbit·al *a.* 궤도에 오르기 전의.

prè·ordáin *vt.* 예정하다, 미리 운명을 정하다 (predetermine). **prè·ordinátion** *n.* Ⓤ (운명에 의한) 예정.

prè·orgásmic *a.* 오르가슴을 아직 맛보지 못한.

pre·ówned *a.* 중고의(secondhand).

prep [prép] 《口》 *a.* 진학 준비의(preparatory). ── *n.* 《美》=PREPARATORY SCHOOL; 그 학생; 《美》 학교 운동부의 연습; 《英》 (boarding school 따위에서의) 예습, 복습, 숙제; (경마의) 시주(試走). ── *vt., vi.* 《美》 =PREPARE; 예비 학교에 다니다; 준비 공부를[훈련을] 시키다[하다]. 《*prep*aratory》

prep. preparation; preparatory; prepare; preposition.

pre·páckage *vt.* (식품·제품 따위를) 팔기 전에 포장하다[봉지에 넣다].

pre·páid *v.* PREPAY의 과거·과거분사. ── *a.* 《美》 선불한, 지급이 끝난.

prep·a·ra·tion** [prèpəréiʃən] *n.* **1** Ⓤ,Ⓒ [+*to* do] 준비[채비](하기·한 일): in ~ 준비중에 / in ~ ***for a journey 여행 준비에 / Every ~ was made *to* meet the storm. 폭풍우에 대비하여 만반의 준비가 갖추어졌다 / My ~*s* are complete. 만반의 준비가 되어 있다 / make ~(*s*) (*for*...) (…의) 준비를 하다. **2** Ⓤ **a**) 예비조사, 예습〈*for*〉. **b**) (학생들의 방과 후의) 예습[자습] (시간)《교사가 입회함》. **3** Ⓤ (마음의) 준비, 각오. **4** Ⓤ 조제, 처방, 처리; Ⓒ 조합제, 조제품, (다된) 요리. **5** 〖樂〗 (안어울림음의) 조정. **6** [때때로 P~] 미사[성체 배령] 전의 기도; 〖聖〗 (안식일·축제일 전날의) 준비일. **7** 조직 표본, 프레파라트.

Preparátion H *n.* 프레퍼레이션 H《치질약; 상표명》.

pre·par·a·tive [pripǽrətiv] *a., n.* 예비(의), 준비(의)〈*to*〉; 〖軍〗 준비(신호)의 북[나팔]《따위》. **~·ly** *adv.*

pre·par·a·tor [pripǽrətər] *n.* 조제하는 사람; (특히) 조직 표본 따위를 조제하는 사람.

pre·par·a·to·ry** [pripǽrətɔ̀ːri, -pǽr-, prépər-; -pǽrətəri] *a.* 예비의, 준비의〈*to*〉; 예습적인; 《美》 대학 수험 준비의: a ~ course 예과(豫科). ***preparatory to [부사구를 이루어] …에 앞서서. ── *n.* =PREPARATORY SCHOOL. **-ri·ly** *adv.* 예비적으로; 준비로서.

prepáratory schòol *n.* 《美》 대학 예비교《대학 진학 코스의 사립 학교》; 《英》 예비교《public school 따위에 진학하기 위한》.

‡pre·pare [pripέər, -pǽər] *vt.* **1** [+目/+目+*for*+名/+目+目] 준비하다, 채비하다, 마련하다; 입안(立案)하다, 작성하다; 조제[처방]하다: ~ the table 식사 준비를 하다(cf. COOK, DRESS *vt.* 5) / *P*~ your lessons. 학과를 대비해 예습하시오(cf. *vi.* 주) / We shall ~ lunch ***for*** all of you. 여러분 모두를 위해서 점심을 마련하겠습니다 / Mother ~*d* us a substantial breakfast. 어머니는 우리에게 알찬 조반을 마련해 주셨다. **2** [+目+*for*+名/+目+*to* do] **a**) [때때로 ~ one*self* 로] (남을) 준비시키다, …의 채비를 하게 하다; …에게 …할 각오를 하게 하다; 가르쳐서 준비시키다: ~ students ***for*** an examination 학생들에게 시험준비를 시키다 / It was intended that his son should ~ him*self* *for* the same vocation. 그의 아들도 같은 직업을 갖도록 준비를 시키려는 생각이었다 / He ~*d* him*self* *to* die. 그는 죽을 각오를 했다. **b**) [수동태로] 준비[채비·각오]하고 있다, 기꺼이 (…하려고) 하고 있다: I *am* ~*d* ***for*** either event (*to* occur). 나는 어느쪽의 사태가 일어나더라도[벌어지더라도] 각오가 되어 있다[각오하고 있다] / We *are* ~*d* *to* serve breakfast for all of you. 여러분 모두에게 조반을 드릴 준비가 되어 있습니다. **3** 〖樂〗 (안어울림음을) 조화(된) 음으로 하다.

〈회화〉

What are you doing?—I am *preparing* tomorrow's Enghish lessons. 「뭐하고 있지」 「내일 영어 수업 준비를 하고 있어」

—— *vi.* [+*for*+名/+*to* do] 준비[채비]하다; 각오하다 : The Athenians ~*d* ***for*** a hard fight. 아테네 사람들은 결전에 임할 준비를 했다 / They had to ~ *for* death. 죽음을 각오해야만 했다 / He is *preparing for* the examination. 시험 준비 중이다. 注 ~ *for*...은 중대한 일이나 특히 시간을 요하는 일을 준비할 경우에 쓰임 (cf. *vt.* 1) / After a short rest we ~*d to* climb down. 한숨 돌리고 나서 산을 내려갈 준비를 했다.
pre·pár·er *n.*
〚F or L *prae-*(*paro* to make ready)〛

pre·páred *a.* **1** 채비[준비]가 되어 있는; 각오하고 있는. **2** 조제[조합(調合)]한.
be prepared to do (1) …할 준비[각오]가 되어 있다 : We *are* ~ *to* supply the goods. 현품은 즉시 보내드립니다. (2) 기꺼이[자진하여] …하려고 하다 : I *am* fully ~ *to* forgive. 나는 기꺼이 용서해 줄 생각이다.
-par·ed·ly [, pripéərəd-, -pǽər-] *adv.* 준비[각오·기대]하여; 조제하여.

pre·par·ed·ness [pripéərədnəs, -pǽər-, -péərd-, -pǽərd-] *n.* U 준비; 각오; 〔軍〕 임전태세, 군비(軍備)<*for*>.

pre·páy *vt.* 선불하다, 선납하다 : send a telegram with reply *prepaid* 반신료(返信料) 선납(先納)으로 전보를 치다. **~·ment** *n.* U.C 선불, 선납(先納).

prepd. prepared.

pre·pense [pripéns] *a.* 숙고한 뒤에; 계획적인, 고의의 (intentional). 注 주로 다음 숙어로.
(***of***) ***malice prepense*** 〔法〕 살의(殺意) (를 품고), 가해할 의지(를 가지고).
〚OF *purpensé* premeditated; cf. PENSIVE〛

prepg. preparing. **prepn.** preparation.

pre·pon·der·ance, -cy [pripándərəns(i)] *n.* U 중량[중요성·힘 따위]에 있어서 우세함; 우세, 우위; 다수(majority).

pre·pón·der·ant *a.* 중량[수량·힘]에 있어서 우세한; 우월한, 압도적인<*over*>.

pre·pon·der·ate [pripándərèit] *vi.* [動/+*over*+名] 중량[수량·역량·세력]에 있어서 우세하다; 주요[가장 중요]하다 : This reason ~*s* ***over*** all others. 이 이유는 다른 모든 이유보다도 더 중요하다. —— [-rət] *a.* =PREPONDERANT.
~·ly *adv.* **pre·pòn·der·á·tion** *n.*
〚L (*ponder-* *pondus* weight)〛

***prep·o·si·tion**[1] [prèpəzíʃən] *n.* 〔文法〕 전치사 (cf. POSTPOSITION; 略 prep.).
〚L (PRAE*posit-* *-pono* to place before)〛

prè·posítion[2], **prè-posítion** *vt.* 〔軍〕 (병기나 부대를) 사전에 전개 배치하다.

prepositíon·al *a.* 〔文法〕 전치사의[적인] : a ~ phrase 전치사구; 전치사가 붙은 구.
~·ly *adv.* 전치사적으로[로서].

pre·pos·i·tive [pri:pázətiv] *a.* 〔文法〕 전치(前置)의 (↔*postpositive*). —— *n.* 전치어(語).

pre·pos·i·tor [pri:pázətər] *n.* =PRAEPOSTOR.

prè·posséss *vt.* **1** [+目/+目+前+名] (감정·관념을) …에게 일으키게 하다, (특히) …에게 좋은 인상을 주다, 호의를 가지게 하다 : His manner as a student ~*ed* me ***against*** the present school education. 학생으로서의 그의 태도로 보아 나는 현재의 학교 교육이 좋지 않다는 생각을 하기에 이르렀다 / You are ~*ed* ***in*** his favor. 처음부터 그에게 호감을 가지고 있다. **2** [+目+*with*+名] [보통 수동태로] (감정·관념이 남에게) 선입감을 주다, 스며들게 하다 : He is ~*ed* ***with*** a queer idea. 묘한 생각에 사로잡혀 있다.

prè·posséss·ing *a.* 인상이 좋은, 매력이 있는; 호감을 갖게 하는. **~·ly** *adv.* **~·ness** *n.*

prè·posséssion *n.* 선입감, 편애, 편파적 호의 《보통 좋아하는 경우에 말함》; U 선유(先有).

pre·pos·ter·ous [pripástərəs] *a.* 본말 전도의; 터무니없는, 어리석은, 부자연스런, 비상식적인, 불합리한 (absurd).
~·ly *adv.* 터무니없이, 불합리하게, 어리석게.
〚L *prae-*(*posterus* following) =reversed, absurd〛
類義語 ⟹ ABSURD.

prepostor ☞ PRAEPOSTOR.

pre·po·tence, -ten·cy [pri:póutns(i)] *n.* U 우세; 〔生〕 우성(優性) 유전(력).

pre·pó·tent *a.* 매우 우세한; 〔生〕 우성 유전력을 가진.

prep·pie, -py [prépi] *n.* 《美俗》 PREPARATORY SCHOOL의 학생[졸업생]《부유층 자제가 많음》; 복장·태도가 preppie풍(風)의 사람. —— *a.* preppie 풍의. 〚*prep*+*-ie*〛

préppy [**préppie**] **lòok** *n.* 〔服〕 프레피 룩《preppie풍의 패션으로, 유행에 따르지 않고 고급 옷을 소탈하고 편하게 입는 것이 특징》.

pre·prándial *a.* 식전[정찬전]의.

pre·préference *a.* 《英》 (청구권·주(株) 따위의) 최우선의.

pre·preg [prí:prèg] *n.* U 성형하기 전의 유리 섬유 따위에 수지(樹脂)를 침투시킨 것.
〚*pre-*+im*pregnated*〛

pré-prèss *n.* 〔印〕 인쇄전의 제공정《식자·카메라 촬영 따위 잡지를 인쇄기에 걸기 전에 필요한 준비 공정》.

pre·prímer *n.* 초보 입문서.

pré·prócess *vt.* **1** (자료 따위를) 미리 조사·분석하다. **2** 〔컴퓨〕 (데이터를) 예비적으로 처리하다. **pre·pró·ces·sor** *n.* 예비 처리 장치[프로그램], 앞처리기.

pré·prodúction *a.* 생산 개시 이전의; 시(試)작품 (prototype)의. —— *n.* (극·영화 따위의) 제작에 앞선 시기.

prè·proféssion·al *a.* 전문직의 특정 연구 전의, 전문직 개업 전의.

pré·prógram *vt.* 사전에 …의 프로그램을 짜다; 미리 예정을 세우다.

prè·pro·hórmone *n.* 〔生化〕 프리프로호르몬 《prohormone의 전구 물질(前驅物質)인 고분자 화합물》.

prép schòol *n.* 《口》 =PREPARATORY SCHOOL.

pré·psychótic *a.* 정신병 이전의. —— *n.* 정신병 소질이 있는 사람.

prè·púb *a.* 출판 전의, 발행일 전의.

prè·púbe *n.* 사춘기 전(前)의 사람.

pre·púberty, prè·pubéscence *n.* 사춘기 전의 시기.

pre·puce [prí:pju:s] *n.* 〔解〕 (음경(陰莖)·음핵(陰核)의) 포피(包皮).
〚L *praeputium* foreskin〛

pre·púnch *vt.* …에 미리 구멍을 뚫다; (데이터 따위를) 미리 입력시키다.

Pre-Ráphael·ite *a.*, *n.* 라파엘 전파(前派)의 (화가); Raphael 이전 (14세기초)의 (화가) : the ~ Brotherhood 라파엘 전파《1848년 사실적 화법을 주장한 영국 화가 D. G. Rossetti, W. H. Hunt, J. E. Millais 등이 결성(結成); 略 P.R.B.》.

prè·recórd *vt.* 〔라디오·TV〕 미리 녹음[녹화]해 두다; =PRESCORE.

pre·recórd·ed cassètte *n.* (영화·음악 따위가) 녹화된 테이프.

prè·reléase *n.* 시사회(試寫會), 사전(事前) 공연[공개]. —— *a.* 일반 공개 전에 상영[상연]되는.

pre·réquisite *a.* 미리 필요한, 없어서는 안 될, 필수의⟨*to*⟩. —— *n.* 선행[필요] 조건⟨*to, for, of*⟩; 기초 필수 과목.

pre·rog·a·tive [prirágətiv] *n.* **1** (영국의) 국왕 대권; (일반적으로) 특권, 특전《㊟ privilege보다 격식을 차린 말》: the ~ of mercy 사면권(赦免權) / the royal ~ 군주의 대권. **2** 우선 투표권. —— *a.* 대권[특권]을 갖는; 특권의; 〖로史〗 우선 투표권이 있는: a ~ right 특권.
〚OF or L=privilege (PRAE*rogo* to ask first); 'tribe with the right to vote first'의 뜻〛

prerógative còurt *n.* 〖英史〗 대주교 특권 법원《유언 사건을 취급》; 〖英史〗 국왕 대권 법원《Privy Council을 통해 대권을 발동한 각종 법원》; 〖美史〗 (New Jersey 주(州)의) 유언 법원.

pres. present; presidency; president; presidential; presumptive.

Pres. Presbyterian; Presidency; President.

pres·age [présidʒ] *n.* U,C 조짐, 전조(omen); 징조, 예감: of evil ~ 불길한, 흉조의.
——[ˌ, priséidʒ] *vt.* …의 전조가 되다, …을 예시[예지]하다; …의 예감을 주다: The incident is believed to ~ war. 그 사건은 전쟁의 전조라고 믿어지고 있다. —— *vi.* 조짐[전조]이 되다, 예감이 들다. **~·ful** *a.*
〚F<L (*prae-*, *sagio* to perceive keenly)〛

pre·sánctified *a.* (성찬용 빵·포도주가) 미리 축성(祝聖)된.

Presb. Presbyter; Presbyterian.

pres·by- [prézbi, 美+présbi], **pres·byo-** [prézbiou, -ə, 美+prés-] *comb. form* 「노년」의 뜻. 〚Gk. (*presbus*)〛

pres·by·cu·sis [prèzbikjúːsəs], **-cou·sis** [-kúːsəs] *n.* 〖醫〗 노인성 난청(難聽).

pres·by·ope [prézbiòup] *n.* 노안인 사람.

pres·by·opia [prèzbióupiə] *n.* U 〖醫〗 원시안(遠視眼), 노안(老眼).
près·by·óp·ic [-áp-, -óu-] *a.*

pres·by·ter [prézbətər] *n.* (초대 교회의) 장로, 집사; (장로 교회의) 장로(elder); (감독 교회의) 사제(priest). **~·shìp** *n.* 장로[사제]직[의 임기].
〚L<Gk. =elder (*presbus* old)〛

pres·byt·er·ate [prezbítərət, -rèit] *n.* 장로의 역할[신분]; 장로회(presbytery).

pres·by·te·ri·al [prèzbətíəriəl] *a.* 장로(제도)의, 장로 정치의. —— *n.* [흔히 P~] 장로교회 여성 단체[조직].

Pres·by·te·ri·an [prèzbətíəriən] *a.* [때때로 p~] 장로제의; 장로교회의. —— *n.* 장로교 회원; 장로제주의자. **~·ìsm** *n.* U 장로제; 장로제주의.

Presbytérian Chúrch *n.* [the ~] 장로(파) 교회(cf. EPISCOPAL Church).

Presbytérian·ìze *vt.* …을 장로파[장로제도]로 하다.

pres·by·tery [prézbətèri; -təri] *n.* **1** 장로회; 장로회 관할구. **2** 사제석(司祭席)《교회당 성소(聖所) 동쪽에 있음》; 성전(聖殿)(sanctuary). **3** 〖카톨릭〗 사제관(司祭館).

pré·schóol *a.* 《美》 (학교) 취학 전의.
——[ˌ́ˌ] *n.* 유치원, 보육원《따위》(cf. INFANT SCHOOL). **prè·schóol·er** *n.* 미취학 아동; 유치[보육]원 아동.

pre·sci·ence [príːʃiəns, préʃ-, -siəns; présiəns] *n.* U 예지(豫知); 선견, 식견, 통찰(foresight).
pré·sci·ent *a.* 미리 아는, 선견지명이 있는, 식견[통찰력]이 있는. **-scient·ly** *adv.*
〚L PRAE*scio* to know before〛

prè·scientífic *a.* (근대) 과학 (발달) 이전의, 전(前)과학적인.

pre·scind [prisínd] *vt., vi.* (일부분을) 따로 떼어 놓다⟨*from*⟩; 주의[생각]를 다른 데로 돌리다, 고려하지 않다.

pre·scóre *vt.* 〖映〗 촬영 전에 미리 (소리·배경 음악 따위를) 녹음하다; (판지(板紙) 따위에) 접는 자국을 미리 내다.

pre·scréen *vt.* 사전에[미리] 차단하다; 시사(試寫)하다.

pre·scribe** [priskráib] *vt.* **1** [+目/+目+*to*+名/+*wh.* 節/+*wh.*+*to* do] 명령하다, 지시하다(order); 규정하다: Do what the law ~*s.* 법이 정한 바를 행하라 / ~*d* textbooks 지정 교과서 / He likes to ~ (to*** others) *how* they should act. 그는 (남에게) 어떻게 행동해야 되는가를 지시하고 싶어한다 / Don't ~ *to* me *how to* do it. 일을 어떻게 하라고 명령하지 말게. **2** [+目/+目+前+名] 〖醫〗 (약·치료법 따위를) 처방[지시]하다, …의 처방을 쓰다: He has ~*d* a long rest ***for*** me. 나에게 장시간의 안정을 명했다 / Will you please ~ anything *for* my disease? 무엇이든 저의 병에 대한 처방을 써주십시오 / He had a tonic ~*d* ***to*** him. 강장제를 복용하도록 의사에게 지시를 받았다. **3** 〖化〗 시효로 하다, 시효에 의해 취득하다. —— *vi.* **1** 규정하다, 지령하다. **2** [動/+*for*+名] 〖醫〗 처방을 쓰다: ~ ***for*** a patient[*for* the gout] 환자에게 처방을 써주다[통풍(痛風)에 대한 처방을 하다]. **3** 〖法〗 시효(時效)(에 의한 취득)를 주장하다⟨*to, for*⟩.
〚L PRAE*script-* *-scribo* to direct in writing〛

pre·script [príːskript] *n.* 규정, 규칙, 관습; 지령, 법령, 정령. ——[priskrípt, príːskript] *a.* 규정[지시·지령]된.

***pre·scrip·tion** [priskrípʃən] *n.* **1** U 규정(하기), 규칙, 관습, 법규; 훈령(訓令). **2** 〖醫〗 처방(전(箋)); 처방약. **3** U 〖法〗 시효.

prescríption chàrge *n.* [보통 *pl.*] 《英》 (국민 건강 보험(N.H.S.)에서) 환자가 부담하는 약값.

prescríption drùg *n.* 의사 처방전이 필요한 약(cf. OVER-THE-COUNTER).

pre·scrip·tive [priskríptiv] *a.* 규정하는; 지시[지령]하는; 〖法〗 시효에 의해서 얻는; (일반적으로) 관례의: ~ grammar 규범(規範) 문법.
~·ly *adv.* **~·ness** *n.*

pre·séason *a.* (관광·스포츠 따위) 시즌 전(前)의. ——[ˌ́ˌ] *n.* 시즌 전.

prè·seléct *vt.* 미리 선택하다. —— *vi.* preselector로 이용하다[가 되다].

prè·seléctive *a.* 사전에 선택·맞물림을 할 수 있는, 자동 변속의《기어》.

prè·seléctor *n.* (라디오의 수신 회로와 안테나 사이에 있는, 감도를 높이기 위한) 전증폭기(前增幅器); (자동차의) 기어비(比)를 미리 선택하기 위한 변속장치: ~ gear 자동 변속 기어.

pre·séll *vt.* (광고 따위의 방법에 의해서) 소비자의 구매 의욕을 자극시키다.

***pres·ence** [prézəns] *n.* (↔*absence*) **1** U 존재, 현존, 실재. **2** U 출석, 임석(臨席), 참석; (군대 따위의) 주둔: Your ~ is requested. 출석하시기를 바랍니다. **3** U **a)** 면전(面前), (사람이) 있는 곳: be admitted to[banished from] the royal ~ 배알을 허락받다[어전에서 물러가게 하

다]. **b**) 대면, 배알(拜謁). **c**) (위험 따위의) 근접⟨*of*⟩. **4** Ⓤ [또는 a ~] 풍채, 태도, 됨됨이 : a man of (*a*) noble ~ 기품이 고결한 사람 / He has *a* poor ~. 풍채가 시원치 않다. **5** 영(靈), 영기(靈氣) : an evil ~ 요기(妖氣), 요괴(妖怪).
in the presence of …의 면전에서 ; …에 직면하여.
make one***'s presence felt*** …에게 자기의 존재[중요성]를 알아보게 하다.
presence of mind 평정(平靜), 침착(composure) (cf. ABSENCE *of mind*) : lose ~ *of mind* 당황하다.

présence chàmber *n.* 알현실(謁見室).

◇**pres·ent**[1] [prézənt] *a.* **1** 있는 ; 출석한, 참석한 (↔*absent*) ; (마음에 품고) 있는 : the ~ company 출석한 사람, 한 자리의 사람들 / ~ company excepted[excluded] 여기에 출석하신 여러분은 별도로 하고 / Only a few people were ~ *at* the meeting. 회합의 출석자가 적었다 / *P*~, sir[ma'am]. 네《출석 부를 때의 대답》/ ~ *to* the mind 마음에 떠올라, 잊지 못해서. **2** [*attrib.*로 쓰여] 현재의, 지금의, 오늘날의 ; 당면한, 숙고중인 : at the ~ time[day] 지금으로서는 / ~ members 현 회원(cf. members ~ 출석 회원) / the ~ case 본건(本件), 이 경우 / the ~ volume 본서(本書) / the ~ writer 필자《this writer라고도함》. **3** 〖文法〗 현재의 (cf. PAST, FUTURE) : the ~ tense 현재 시제. **4** 《古》 즉석의, 응급의 (immediate) : a very ~ help 조속한 원조.
—— *n.* **1** [흔히 the ~] 현금, 현재 (cf. PAST, FUTURE) : at ~ 목하, 현재는 / for the ~ 당분간, 당장 / at this ~ 현재, 바로 지금 / up to the ~ 지금까지, 지금 현재로는. **2** Ⓤ 〖文法〗 현재 시제 (=~́ **ténse**) (cf. PAST, FUTURE). **3** [*pl.*] 본문, 본 증서, 이 서류.
〖OF＜L *praesent* - *praesens* (pres. p.) ‹ *prae* - (*sum* to be) =to be before, at hand〗

◇**present**[2] *n.* 선물, 증정물, 선사품, 예물 : He brought back a ~ *for* each of us. 그는 우리들 각자에게 줄 선물을 가지고 돌아왔다.
make a present of a thing ***to*** a person= ***make***[***give***] ***a present to*** a person 남에게 선물을 보내다.
〖OF (↑)〗
類義語 ***present, gift*** 모두 우정·애정·존경 따위의 표현으로 보내는 선물을 나타내는데 보통 *gift*쪽이 *present*보다 격식을 차린 선물에 쓰인다 : Christmas[wedding] *presents* (성탄절[결혼] 선물) / a *gift* to the college (대학에의 기증품). ***donation*** 특히 자선 또는 종교상의 목적으로 행해지는 금전의 gift 또는 공중에게 호소하는 기금 모집에 호응한 것 : a *donation* to the Red Cross (적십자사에의 기부).

◇**pre·sent**[3] [prizént] *vt.* **1 a**) [+目+前+名 / +目+目] 증정하다, 보내다, 주다 : The girls ~*ed* a book ***to*** their teacher in hospital. 소녀들은 입원중인 선생님에게 책을 보냈다 / We ~*ed* him ***with*** a gold watch on his sixtieth birthday. 그의 환갑날에 금시계를 증정했다 / He ~*ed* the Queen his credentials. 그는 여왕에게 신임장을 봉정(奉呈)했다. 주 ⑴ 마지막 예문과 같이 [+目+目]의 구문은 특히 《美》에서 많이 쓰며 《英》에서는 주로 《古》. ⑵ 수동태에서는 : The flowers *were* ~*ed to* their teacher. / He *was* ~*ed with* a gold watch. **b**) [+目+*to*+名 / +目] (계산서 따위를) 건네주다, 제출하다, 내어주다 : They ~*ed* a petition ***to*** the authorities. 당국에 청원서를 제출했다 / The tailor ~*ed* his bill (*to* me). 양복점 주인이 (나에게) 계산서를 내놓았다. **c**) [+目+*to*+名] (경의 따위를) 바치다, 표시하다 : *P*~ my compliments[humble apologies] ***to*** Mr. Smith. 스미스씨에게 안부[사과의 말씀]를 전해 주십시오《정중한 표현》.
2 [+目 / +目+前+名] **a**) 소개하다(introduce) ; 배알(拜謁)시키다 ; 피로(披露)하다 : May I ~ Mr. White (***to*** you)? 화이트씨를 소개합니다 / They were ~*ed* ***at*** Court. 궁중에서 배알이 허용되었다. **b**) 〖劇〗 (극·배우 등을) 등장시키다, 출연시키다, (극을) 상연하다 : The dramatic company ~*ed* "Macbeth" at the Students' Hall. 극단은 학생회관에서 맥베스를 상연했다. **c**) 〖宗〗 (성직자를)추천하다 : ~ a clergyman ***to*** a living 목사를 성직록(聖職祿)에 추천하다. **d**) [~ one*self* 로] 나타나다, 출두[출석]하다 : A heavy knock at the door, and Mr. Jones ~*ed* him*self.* 노크 소리가 크게 난 후 존스씨가 나타났다 / I ~*ed* my*self* ***for*** trial. 나는 재판을 받기 위해서 출두했다.
3 a) [+目 / +目+前+名] 표시하다, 나타내다, 나타내 보이다(exhibit) : She ~*ed* a gay appearance. 그녀는 화사한 모습을 하고 있었다 / He ~*ed* a smiling face ***to*** the world. 그는 늘 웃음 띤 얼굴로 세상을 살았다. **b**) [~ it*self* 로] 나타나다 ; (생각 따위가) 마음에 떠오르다 : An opportunity may ~ it*self* any time. 기회는 언제 올지 모른다.
4 a) [+目+*at*+名] 겨누다, 향하게 하다 : The robber ~*ed* a pistol ***at*** my head. 강도는 내 머리에 권총을 들이댔다. **b**) 〖軍〗 받들어 총을 하다 : *P*~ arms! 〖구령〗 받들어 총!
—— *vi.* **1** 성직 추천권을 행사하다. **2** 보이기 시작하다. **3** [P~!] 〖구령〗 조준!
—— *n.* Ⓤ 총을 겨눔 ; 〖軍〗 받들어 총의 자세 : *at* ~=*at* the ~ 받들어 총을 하여.
〖OF＜L=to exhibit, offer ; ⇨ PRESENT[1]〗
類義語 ⟹ GIVE, OFFER, INTRODUCE.

presént·able *a.* **1** 남 앞에 내놓을 수 있는, 보기 싫지 않은 ; 외모가 괜찮은, 풍채가 좋은. **2** 소개[추천]할 수 있는 ; 선물에 알맞은 ; 상연할 수 있는. **3** 교양 있는, 예절바른. **-ably** *adv.*
pre·sènt·abíl·i·ty *n.* Ⓤ 겉 모양이 좋음, 선물에 적합함.

***pres·en·ta·tion** [prèzəntéiʃən, prì:- ; prèzən-] *n.* **1** Ⓤ 증정, 봉정(奉呈) ; 수여 ; Ⓒ 수여식 ; Ⓒ (공식적인) 선물(gift) : the ~ *of* credentials 신임장의 수여 / the ~ day (대학의) 학위 수여일. **2** Ⓤ,Ⓒ 소개, 피로(披露) ; 배알, 알현⟨*at*⟩ ; 〖宗〗 (성직록에의) 추천(권). **3** Ⓤ 표시, 발표 ; 외양. **4** Ⓤ,Ⓒ 제출, 제시. **5** Ⓤ,Ⓒ 연출, 상연, 상영, 공개. **6** 〖哲·心〗 표상, 관념, 직각(直覺).

presentátion·al *a.* 표상(表象)적인 ; 〖言〗 개념을 표상하는.

presentátion·ism *n.* 〖哲〗 표상 실재론《지각 표상과 실재를 동일시하는 인식론적 입장》.

presentátion còpy *n.* 증정본(本), 기증본.

pre·sen·ta·tive [prizéntətiv, 美+prézəntèit-] *a.* 〖哲·心〗 표상적인 ; 〖宗〗 성직 추천권이 있는.

présent-dáy *a.* 현대의, 오늘날의, 오늘의.

pres·en·tee [prèzəntí:, prizen-] *n.* **1** 〖宗〗 성직록에 추천된 사람. **2** 수증자(受贈者), 수령자 ; 배알자.

presént·er *n.* 증여자 ; 제출자 ; 신고자, 고소자 ; 추천자, 임명자 ; 《英》 (텔레비전·라디오의) 뉴스캐스터(=《美》 anchorman).

présent fòrm *n.* 〖文法〗 현재형.
pre·sen·tient [prisénʃiənt, -zén-, priː-] *a.* 예감하는, 예각(豫覺)하는〈*of*〉.
pre·sen·ti·ment [prizéntəmənt] *n.* 예감, 육감(六感) : have a ~ *of* danger 위험한 예감이 들다. 〚F (*pre-*)〛
présent·ìsm *n.* 현대풍의 견해[사고 방식].
pre·sen·tive [prizéntiv] *a.* 〖哲·言〗 (말이) 표상(表象)의, 대상이나 개념을 직접 나타내는, 직각(直覺)의(↔*symbolic*).
*__présent·ly__ *adv.* **1** 이내, 곧, 얼마 안되어(soon). **2** 《美·스코》 현재, 목하(at present). **3** 《古》 곧바로, 즉시(at once).
presént·ment *n.* **1** Ⓤ 표시, 진술, 서술〈*of*〉. **2** Ⓤ 묘사〈*of*〉; Ⓒ 그림 ; Ⓤ 상연, 연출. **3** 〖法〗 배심원의 고발[고소]. **4** 〖宗〗 진정(陳情), 추천. **5** Ⓤ 제출, 제시, 신청. **6** Ⓤ 〖哲·心〗 표상, 표출. 〚PRESENT[3]〛
présent párticiple *n.* 〖文法〗 현재분사(형).
présent pérfect *n.* 〖文法〗 현재 완료(형).
présent pérfect prògressive ténse *n.* 〖文法〗 현재 완료 진행 시제.
présent pérfect ténse *n.* 〖文法〗 현재 완료 시제(時制).
présent prógressive ténse *n.* 〖文法〗 현재 진행 시제.
présent válue[wórth] *n.* 현재 가치.
présent wít *n.* 기지(機智), 재치.
*__pres·er·va·tion__ [prèzərvéiʃən] *n.* Ⓤ 보존 ; 저장, 보호 ; 보관 ; 보존 상태.
pre·serv·a·tive [prizə́ːrvətiv] *a.* 보존의 ; 보존력이 있는 ; 방부(防腐)의. ── *n.* 예방법 ; 방부제(劑) ; 예방제, …방지기(器).
pres·er·va·tor [prézərvèitər] *n.* 《美》 자연 관광자원 보호관(官), (공원·사적 따위의) 환경 보존 책임자, 미화(美化) 책임 감독관.
pre·serv·a·to·ry [prizə́ːrvətɔ̀ːri ; -təri] *a., n.* 보존(상) (의) ; 저장기(器), 저장소 ; 여자 보호시설.
*__pre·serve__ [prizə́ːrv] *vt.* [+目/+目+前+名] **1** 보호하다 : Saints ~ us! 성자여! 우리를 지키소서《때로 놀랐을 때의 소리》. **2** 보존하다, 유지하다 ; 남겨[챙겨·잃지 않고 간수해] 두다 ; 마음에 새기다, 잊지 않고 기억해 두다 : a well-~*d* man (나이에 비해) 젊어 보이는 사람 / The house has been ~*d* ***for*** future generations. 그 집은 후세의 사람들을 위해서 보존되어 있다. **3** (음식물을) 저장하다 ; 소금 절임[설탕 조림]하다 ; 통[병]조림하다 : ~ fruit ***in***[***with***] sugar 과일을 설탕 조림하다 / Ice ~*s* food ***from*** decay. 얼음은 음식물을 보존한다. **4** 금렵지(禁獵地)로 하다. ── *vi.* 저장 식품으로 하다 ; 금렵지로 하다.
── *n.* **1** [보통 *pl.*] 저장 식품, 설탕 조림, 잼(jam), 통[병]조림한 과일. **2** 금렵지(=game ~), 금어(禁漁) 구역 ; 양어장 ; 《美》 자연 자원 보호 구역. **3** 《비유》 (개인·단체의) 영역, 분야.
pre·sérv·able *a.* 보존[보호·저장]할 수 있는. 〚OF<L *prae-*(*servo* to keep) =to keep safe in advance〛
類義語 ⟹ DEFEND.
pre·sérv·er *n.* 보존자, 보호자 ; 설탕[통]조림업자 ; 금렵지 관리인.
pre·sét *vt.* 미리 세트[설치, 조절]하다. ── *a.* 미리 세트[설치]된《미사일 따위》.
pré·shrúnk *a.* (옷감 따위를) 방축(防縮) 가공한.
*__pre·side__ [prizáid] *vi.* [+前+名] **1** 의장[우두머리]이 되다, 사회를 보다 ; (식탁에서) 주인 노릇을 하다 : Who will ~ ***at*** the meeting? 누가 회의의 사회를 볼 건가요. **2** 통할하다, 주재(主宰)하다 : He ~*s* ***over*** all the workshops. 그가 모든 작업장을 통할하고 있다. **3** 주요 악기를 연주하다 : ~ at the piano 《口》 피아노 연주를 맡아 보다.
〚F<L *prae-*(*sedeo* to sit) =to superintend〛
pres·i·den·cy [prézədənsi] *n.* **1** Ⓤ president의 직[지위, 임기] ; [때때로 P~] 미국 대통령의 지위. **2** 통할, 주재(主宰). **3** [P~] 옛 인도의 3대 관구(Mumbai, Bengal, Madras)의 행정적 명칭. **4** 〖모르몬敎〗 3인 평의회.
‡__prés·i·dent__ *n.* **1** [때때로 P~] 대통령. **2** (대)총통 ; 의장, 회장 ; 총재 ; (대학의) 학장, 총장 ; 《美》 (은행·회사의) 은행장, 대표이사, 사장 ; 사회자, 우두머리. **~·shìp** *n.* =PRESIDENCY. 〚OF<L ; ⇨ PRESIDE〛
président-eléct *n.* 대통령 당선자《당선된 뒤부터 취임할 때까지의 명칭》.
président-for-lífe *n.* 종신 대통령.
pres·i·den·tial [prèzədénʃəl] *a.* **1** PRESIDENT의 : a ~ election 대통령 선거 / the ~ primary 《美》 (각 정당의) 대통령 예비 선거 / the ~ year 《美》 대통령 선거의 해. **2** 주재(主宰)[지배·감독·지휘]하는. **~·ly** *adv.* **~·shìp** *n.* =PRESIDENCY.
presidéntial búg *n.* 《戱》 대통령이 되려는 야망을 일으키게 하는 (가상의) 열병균(菌).
presidéntial góvernment *n.* 〖政〗 대통령 책임제(制) 정부.
présidential vèto *n.* 대통령 거부권.
président prò témpore *n.* 《美》 상원(上院)의 장 대행.
pre·síd·er *n.* 주재자 ; 사회자.
pre·sid·i·al [prisídiəl, -zíd-], **-i·ary** [-dièri ; -əri] *a.* 요새(要塞)의, 수비대의.
pre·síd·ing *a.* 주재[통할]하는 ; 사회보는.
pre·si·dio [prisídiòu, -síːd-] *n.* (*pl.* **-di·òs**) 성채(城砦), (남미·스페인 등지의) 요새 ; 유형지. 〚Sp.<L (↓)〛
pre·sid·i·um [prisídiəm] *n.* (*pl.* **-ia** [-iə], **~s**) [the P~] (구소련의) 최고회의 간부회 ; [the ~ ; 때때로 the P~] (다른 공산주의 국가의) 상임 간부회 ; (비(非)정부기관의) 이사회. 〚Russ.<L ; ⇨ PRESIDE〛
pre·sígnify *vt.* 예고하다.
pre·sóak *vt.* (세탁물·종자 따위를) 미리 담그다. ── [ˊˋ] *n.* 세탁물을 미리 담글 때 쓰는 세제 ; 미리 담그는 일.
‡__press__[1] [prés] *vt.* **1** [+目/+目+副/+目+前+名] 누르다, 밀다 ; 프레스하다, (옷 따위를) 다리다 : ~ flowers (책갈피 따위에 끼워) 꽃을 납작하게 하다 / ~ the button 단추[초인종]를 누르다 ; 《비유》 (총·포 따위) 화문(火門)을 열다, 과감하게 일을 시작하다 / *P*~ your trousers well. 바지를 잘 다리세요 / I ~*ed* (***down***) the accelerator pedal. 액셀러레이터를 힘껏 밟았다 / We ~*ed* ourselves ***against*** the wall. 몸을 벽에 착 붙였다 / He ~*ed* a sticker ***on*** his trunk. 그는 트렁크에 스티커를 딱 붙였다.
2 [+目/+目+前+名] 꽉 죄다, 눌러 부수다, 짜다, 압착(壓搾)하다(squeeze) : ~ grapes 포도를 짜(내)다 / ~ the oil ***out of*** the seeds 씨에서 기름을 짜내다.
3 [+目/+目+前+名] (손을) 꽉 쥐다 ; 꼭 껴안다 : He ~*ed* her ***to*** him[*to* his side]. 그는 그녀를 꼭 껴안았다.
4 [+目/+目+前+名/+目+*to* do] 서두르게 하다, 강요하다 ; …에게 졸라대다, 간청하다 : It

is no good ~*ing* him. 그를 졸라도 소용없다 / He ~*ed* me ***for*** consideration. 나에게 잘 생각하도록 간청했다 / We ~*ed* him *to* stay another week. 그에게 일주일간 더 머물도록 극구 권했다. **5** [+目 / +目+前+名] (의견 따위를) 우겨대다, 주장하다, 강조하다 ; 억지로 떠맡기려고 하다 : I won't ~ my opinion ***upon*** you. 나의 의견을 당신에게 강요할 마음은 없다 / I tried to ~ the present ***on*** her. 그녀에게 억지로 그 선물을 받게 하려고 했다.
6 (공격을) 강행하다 ; [수동태로] …에 육박하다, 밀어닥치다, 밀려들다 : ~ an attack 강습하다 / They *were* hard ~*ed.* 궁지에 몰렸다.
7 a) (감정 · 정신 따위를) 압박하다. **b**) [+目+*for*+名] [수동태로] (돈 · 시간 · 장소에) 쪼들리다, 궁하게 되다, 난처해지다 : He *was* ~*ed* ***for*** time. 그는 시간에 쫓겼다.
8 인쇄하다.
9 (음반을) 원판에서 복제하다.
── *vi.* **1** [+前+名] 누르다, 압박하다 ; 몰려들다, 밀어닥치다, 떼지어 모이다 : People ~*ed* ***toward*** [***round***] the baseball player. 사람들이 야구선수 주위로 우르르 몰려들었다 / Something hard ~*ed* ***against*** his arm. 무엇인가 단단한 물건이 그의 팔을 짓눌렀다. **2** [+前+名 / +副] 밀치고 나아가다, 돌진하다 ; 서두르다 : I ~*ed* ***through*** the crowd. 나는 인파 속을 뚫고 나아갔다 / *P*~ ***on*** [***forward***]. 서둘러라 / He ~*ed on* ***with*** his work. 그는 쉬지 않고 일을 해댔다. **3** 절박(切迫)하다, 긴급을 요하다 : Time ~*es.* 일각의 여유도 없다. **4** [+*for*+名] 조르다, 재촉하다, 강요하다 : They ~*ed* ***for*** payment [an answer]. 지급[회답]을 재촉했다. **5** [+*on*+名 / +副] 압박을 가하다, 무겁게 (내리)누르다 : The responsibilities ~*ed* heavily ***upon*** me. 그 책임이 무겁게 나의 마음을 짓눌렀다 / Anxiety ~*ed* ***down on*** us. 불안이 우리에게 닥쳐왔다.
── *n.* **1** 압박, 압착, 누르기 ; 꽉 쥐기 : a ~ of the hand 손을 꽉 쥐기 / give(...)a slight ~ (…을) 가볍게 누르다. **2 a**) Ⓤ 밀어닥치기 ; Ⓒ 군중, 붐비는 인파(crowd) ; Ⓤ 북적임, 혼잡. **b**) Ⓤ 긴급, 절박 ; 다망(多忙), 분망 : the ~ of business [one's daily life] 일[일상 생활]의 다망함. **3** 압착[압축]기(機), …짜내기 ; 압착형(型) ; 누름단추 : a wine [cider] ~ 포도[사과즙]를 짜내는 기구 / a bell ~ 초인종의 누름 단추. **4** 인쇄기(= printing ~) ; 인쇄(술) ; 인쇄소, 발행처, 출판부 : a university ~ 대학 출판부. **5** [the ~] [집합적으로] 신문(지), …지(紙), 잡지 ; 정기 간행물 ; 출판물 ; 보도 기관, 보도 기자, 보도진, 기자단 ; Ⓒ (신문 · 잡지에 실린) 논설, 논조, 비평 : be favorably noticed by *the* ~ = have a good ~ 신문지상에서 호평을 얻다 / give...to *the* ~ …을 신문에 공표하다 / freedom [liberty] of *the* ~ 출판의 자유. **6** 찬장 ; 양복장 ; 서가(書架). **7** 프레스《라켓 · 스키가 휘거나 비틀리는 것을 막는 고정틀》. **8** 〖力道〗 추상(推上).
correct the press 교정(校正)하다.
in (《英》 ***the***) ***press*** 인쇄중.
off the press 인쇄가 끝나서, 출판[발행]되어.
out of press 절판되어, 다 팔려서.
send [***go***] ***to*** (***the***) ***press*** 인쇄에 돌리다[회부하다].
〖OF<L (freq.) 〈*press- premo* to press〗
類義語 ⟹ URGE.

press² *vt.* **1** 〖史〗 강제적으로 병역에 복무시키다. **2** 징발하다 ; 급할 때 이용하다 : ~ a disused car *into* service 폐차(廢車)를 끌어내어 쓰다.
── *n.* 〖史〗 강제 징집 ; 징발.

préss àgency *n.* = NEWS AGENCY.
préss àgent *n.* (극단 따위의) 선전원, 보도[홍보]담당원, 대변인.
préss associàtion *n.* = NEWS AGENCY ; 신문 발행인 협회.
préss bàn *n.* 게재 금지 ; 기사화 금지.
préss bàron [**lòrd**] *n.* 《口 · 때로 蔑》 신문왕.
préss·bòard *n.* 판지(板紙)《압축한 두꺼운 종이》.
préss bòx *n.* 신문 기자석.
préss bùreau *n.* 보도부[국] ; 홍보 업무.
préss-bùtton *a.* = PUSH-BUTTON.
préss campàign *n.* 신문에 의한 여론 환기.
préss clìpping *n.* 《美》 신문[잡지] 오려낸 것(= 《英》 press cutting).
préss cònference *n.* 기자 회견.
préss còpy *n.* 신문 원고 (사본) ; 유인물.
préss còrps *n.* 《美》 신문 기자단.
préss corrèctor *n.* 교정(校正) 담당자.
préss cùtting *n.* 《英》 = PRESS CLIPPING : a ~ agency (다른 신문 · 잡지의) 기사를 발췌하는 통신사(= 《美》 clipping bureau).
préssed *a.* 압착한, 누른 ; 다리미질 한 ; 바쁜 ; 궁지에 몰린 ; (시간 · 돈 따위가) 모자란 : ~ beef 압착 쇠고기.
préss·er *n.* 압착기[공(工)] ; (세탁물을) 다리는 사람[것].
préss gàllery *n.* (의회 따위의) 신문[보도] 기자석(席).
préss-gàng *n.* 〖史〗 수병(水兵)[병사] 강제 징모대. ── *vt.* 강제 징모하다.
pres·sie, prez·zie [prézi] *n.* 《濠口》 선물, 선사. 〖PRESENT〗
préss·ing *a.* **1** 긴급의(urgent). **2** 졸라대는, 간청하는. ── *n.* Ⓤ 압착하기, 누르기 ; 압착물 ; Ⓒ (원판에서 프레스한) 레코드. **~·ly** *adv.* 긴급하게, 집요하게, 끈덕지게.
préss kìt *n.* (특히 보도 관계자에게 배포되는) 기자 회견 자료.
préss làw *n.* [보통 *pl.*] 신문 조례, 출판[언론]법(法).
préss màgnate *n.* 신문왕.
préss·man [-mən, -mæ̀n] *n.* 인쇄(직)공 ; 《英》 신문 기자, 보도원.
préss·màrk *n.*, *vt.* 《英》 (도서관 장서의) 서가(書架) 번호(를 매기다).
pres·sor [présər, -sɔːr] *a.* 〖生理〗 기능을 증진시키는, 혈압 증진의.
préss pàcket *n.* 〖廣告〗 프레스 패킷, PR용 자료집《영화의 개봉 · 신제품 판매 · 대규모 회의 때, 보도 관계자에게 보내는 각종 자료》.
préss pàrty *n.* (선전 · 보도 의뢰를 위한) 기자 초청 연회.
préss phòto *n.* PR용 사진.
préss pòol *n.* 풀(pool)기자《공동 이용 원고를 쓰는 기자 ; 대표 취재를 할 경우의 대표기자 등》.
préss pròof *n.* 교료지(校了紙).
préss rèader *n.* 교정자.
préss relèase *n.* (보도 관계자에게 미리 배포해 주는) 보도 자료.
préss remàrks *n. pl.* (정부 고관 · 기업 따위의) 신문 발표.
préss represéntative *n.* 《美》 신문 기자단 대표, 신문의 대표인.
préss revìse *n.* 마지막 교정, 교료지(校了紙).
préss·ròom *n.* 《美》 (인쇄소 안의) 인쇄실 ; 신문

기자실.
préss·rùn *n.* (일정 부수를 인쇄하기 위해 필요한) 연속 인쇄(시기) ; 연속 인쇄 부수.
préss sècretary *n.* (미국 대통령의) 공보 비서.
préss sèction *n.* 신문[선전]과 ; 신문 기자석.
préss-shòw *vt.* (일반 공개 전에) 보도 관계자에게 공개하다.
préss-stùd *n.* 《英》 =SNAP FASTENER.
préss tòur *n.* PR 순회《지방 도시를 순회하며 홍보 대상물을 뉴스 매체에서 가급적 많이 다루게 하는 PR 활동》.
préss-ùp *n.* 《英》 =PUSH-UP.
***pres·sure** [préʃər] *n.* **1 a)** Ⓤ 누르기, 밀기, 압착하기, 밀어닥치기 : the ~ *of* a crowd (사람이) 붐빔, 혼잡. **b)** Ⓤ 압축, 압력 ; [또는 a ~] 〖理〗 압력의 단위《기호 P》; 〖電〗 전압 ; 〖氣〗 기압 (=atmospheric ~) ; 〖醫〗 혈압(=blood ~) : high[low] ~ 고[저]혈압. **2** Ⓤ 압박, 압력, 강제 : under (the) ~ *of* hunger[poverty] 굶주림[가난]에 시달려(cf. *under* PRESSURE). **3** Ⓤ,Ⓒ 궁핍, 고난, 곤란 : financial ~ 재정난 / mental ~ 정신적 고뇌 / the ~ *of* the times 불경기 / ~ *for* money 돈에 쪼들림, 자금 궁핍. **4** Ⓤ 긴급, 다망 : the ~ *of* work 일이 분망함.
at high*[*low*] *pressure 《비유》 맹렬하게[천천히] : work *at high* ~ 맹렬하게 일하다.
put pressure*[*bring pressure to bear*] *upon a person 남에게 압력을 가하다, 남을 압박하다.
under pressure 압력이 걸려서 ; 《비유》 압력을 받고, 강제로, 마지못해(cf. 2) : be *under* ~ *from* one's creditors 채권자에게 부채의 상환 독촉을 받고 있다 / He did it *under* ~. 그는 강제에 못이겨[마지못해] 했다.
— *vt.* [+目 / +目+前+do*ing*] 《美》 …에게 압력을 가하다[넣다], 강제로 …하게 하다 : The employees ~*d* the management ***into*** chang*ing* the policy. 종업원들은 경영자측에 압력을 넣어 방침을 변경시켰다. 〖L ; ⇨ PRESS[1]〗
préssure altìmeter *n.* 〖氣〗 기압 고도계.
préssure àltitude *n.* 〖氣〗 기압 고도.
préssure bùlkhead *n.* 〖空〗 압력 격벽(隔壁) 《항공기의 꼬리날개 부분과 객실을 칸막아 객실내의 기압을 지상의 기압 상태로 유지시킴》.
préssure càbin *n.* 〖空〗 기밀실(氣密室).
préssure-còok *vt., vi.* 압력솥으로 요리하다, 가압 조리하다.
préssure còoker *n.* 압력[고압] 솥[냄비].
préssure gàuge *n.* 압력계.
préssure gràdient *n.* 〖氣〗 기압의 기울기.
préssure gròup *n.* 〖社〗 압력 단체《그 자체의 이익을 확보하기 위해서 정당·의회 따위에 압력을 가하는 집단》.
préssure hùll *n.* (잠수함의) 기밀실(氣密室).
préssure mìne *n.* 수압 기뢰.
préssure pòint *n.* 〖醫〗 (지혈할 때 누르는 신체상의) 압점(壓點).
préssure sàucepan *n.* 소형 압력솥.
préssure-sénsitive *a.* **1** 감압성(感壓性)의 : ~ diode 감압 다이오드. **2** (봉투 따위가) 점착성(粘着性)의, 위에서 누르면 잘 붙는.
préssure sòre *n.* 욕창(bedsore).
préssure sùit *n.* 〖空〗 여압복(與壓服) (pressurized suit) 《고도[우주] 비행중에 일어나는 기압의 저하로부터 비행사를 보호함》.
préssure vèssel *n.* 압력 용기.
préssure wèlding *n.* 압력 용접.
préssure wìre *n.* 전압선.

pres·sur·ize [préʃəràiz] *vt.* **1** 〖空〗 (고도 비행중에 기밀실(氣密室)의) 기압을 일정하게 유지하다, 여압(與壓)하다. **2** (기체·액체를) 가압[압축]하다. **3** (압력솥으로) 요리하다(pressure-cook). **4** 압력에 견디도록 만들다. **près·sur·i·zá·tion** *n.* 여압[가압](에 의해 생기는 상태).
prés·sur·ìzed súit *n.* =PRESSURE SUIT.
préssurized wáter reàctor *n.* 가압수형(加壓水型) (동력용) 원자로《略 PWR》.
préss·wòrk *n.* Ⓤ 인쇄(작업) ; 인쇄물(printed matter).
Pres·tel [prestél, ⌐-] *n.* 프레스텔《가입자를 전화로 컴퓨터에 접속하여 텔레비전 스크린에 정보를 표시 제공하는 영국 우편 서비스》. 〖*presto*+*tel*ephone and *tel*evision〗
Prés·ter Jóhn [préstər-] *n.* 프레스터 존《중세에 아시아·아프리카에 기독교 왕국을 건설했다고 전해지는 전설상의 성직자·왕》.
pres·ti·dig·i·ta·tion [prèstədìdʒətéiʃən] *n.* Ⓤ 요술, 기술(奇術). **près·ti·díg·i·tà·tor** *n.* 요술쟁이. 〖F (*preste* PRESTO, DIGIT)〗
***pres·tige** [prestíːdʒ, préstidʒ] *n.* Ⓤ 명성, 신망, 위신, 위세, 세력 : national ~ 국위(國威) / loss of ~ 위신[면목]의 실추. — *a.* 명성이 있는, 신망이 두터운 : a ~ car 고급차 / a ~ school 명문교(名門校). 〖F=illusion<L=feats of juggling, tricks〗
類義語 ⟹ INFLUENCE.
prestíge·ful *a.* 명성[신망, 영명(令名)]이 있는 (prestigious).
pres·tig·i·ous [prestídʒiəs] *a.* **1** 명성[신망]이 있는(esteemed) : a ~ school 유명[명문]학교. **2** 《古》 요술의 ; 기만(欺瞞)의, 속이는.
~·ly *adv.* **~·ness** *n.* 〖C16=deceptive〗
pres·tis·si·mo [prestísəmòu] *a., adv.* 〖樂〗 아주 빠른[빠르게], 프레스토보다 빠른[빠르게], 프레스티시모의[로](cf. LARGO). — *n.* (*pl.* **~s**) 프레스티시모(의 악장[악절]). 〖It. (superl.) ‹PRESTO〗
pres·to [préstou] *a., adv.* 〖樂〗 프레스토로(의), 매우 빠른[빠르게] ; 즉시, 조속히(at once) : Hey ~(, pass[be gone]) ! 얏(, 빨리 변해라[없어져라]) ! 《마술사가 지르는 소리》.
— *n.* (*pl.* **~s**) 프레스토의 악절[악장]. 〖It.<L *praestus* quick〗
prè·stócking *n.* 〖軍〗 사전저장《병기·탄약·장비 따위를 유사시에 대비하여 저장하는 일》.
Pres·ton [préstən] *n.* 프레스턴《잉글랜드 Lancashire의 주도(州都)》.
pré·stréss *vt.* (콘크리트에 철근을 넣어) 압축 응력(應力)을 주다. — *n.* 압축응력을 주기[주는 상태] ; 압축 응력.
pré·stréssed cóncrete *n.* 프리스트레스트 콘크리트, 강현(鋼弦) 콘크리트.
pre·súm·able *a.* 가정[추정]할 수 있는, 있을 듯한(probable). **-ably** *adv.* 추측컨대 ; 아마.
***pre·sume** [prizúːm ; -zjúːm] *vt.* **1** [+目/+*that* 節/+目+*to* do/+目+補] 가정[추정]하다 ; 상상하다, …이라 생각하다[되다] : The court ~*d* the death of the man that disappeared during the war. 법정은 전쟁중에 행방 불명된 그 사람을 사망한 것으로 추정했다 / I ~ *that* you want to have the goods insured. 상품을 보험에 들 생각이시군요 / They ~*d* her (*to* be) dead. 그녀를 죽은 것으로 추정했다. **2** [+*to* do] 감히[대담하게도] …하다 : I won't ~ *to* trouble you. 당신을 번거롭게 할 생각은 없습니다 / May I ~ *to* ask

you a question? 실례지만 한 가지 여쭈어 보아도 되겠습니까. ── *vi.* **1** 가정[추정]하다 : Mr. A, I ~? A씨이시지요《첫 대면 때 이쪽에서 먼저》. **2** [+*on*+名/動] 주제넘게 나서다, 건방지게 굴다 ; (남의 약점 따위를) 이용하다, 편승하다 : He ~*ed* ***on*** her kindness. 그녀의 친절을 악용하였다 / You ~. 주제넘게 굴지 마 ; 건방진 놈이로군.

pre·súm·er *n.* **1** 가정자, 추정자. **2** 주제넘은 놈. 〖OF<L PRAE*sumpt*- -*sumo* to anticipate〗

pre·súm·ed·ly [-ədli] *adv.* 추측컨대, 생각하건대, 아마.

pre·súm·ing *a.* =PRESUMPTUOUS. **~·ly** *adv.*

pre·sump·tion [prizʌ́mpʃən] *n.* **1** U,C [+*that* 節] 가정, 추정 ; 억측 ; 있을 법함, 가능성 ; 인정, 추정의 근거 : ~ of fact 〔法〕 (이미 알려진 사실에 의거한) 사실의 추정 / The ~ is *that*.... 추측컨대… 일 듯하다 / on the ~ *that* he was dead 그가 죽었다고 가정하고. **2** U [+*to* do/+前+do*ing*] 주제넘게 나서기, 뻔뻔스러움, 무례 (arrogance) : a great piece of ~ (아주) 실례가 되는 일 / He had the ~ *to* criticize my work. 무례하게도 내 작품을 비판했다 / Please pardon my ~ ***in*** writ*ing* to you. 편지를 올리게 된 저의 무례를 용서해 주십시오.
〖OF<L ; ⇨ PRESUME〗

pre·sump·tive [prizʌ́mptiv] *a.* 가정의, 추정에 기인한 ; 추정의 근거가 되는.

presúmptive évidence[**próof**] *n.* 〔法〕 추정(적) 증거.

presúmptive héir *n.* =HEIR PRESUMPTIVE.

pre·sump·tu·ous [prizʌ́mptʃuəs] *a.* [+*of*+名+*to* do] 뻔대는, 우겨대는, 건방진, 주제넘은, 외람된, 주책없는 : It is ~ ***of*** me *to* give orders. 내가 명령을 한다는 건 주제넘은 일이다. **~·ly** *adv.* **~·ness** *n.*
〖OF<L ; ⇨ PRESUME〗

prè·suppóse *vt.* **1** [+目/+*that* 節] 미리 추정[가정]하다 : Let us ~ *that* she wants more help. 그녀가 더 도움을 받고 싶어한다고 가정하자. **2** 필요 조건으로서 우선 인정하다, 전제로 하다 : Success ~*s* diligence. 성공은 근면을 전제로 한다. **prè·supposítion** *n.* U,C 예상, 가정 ; 전제(조건).

prè·surmíse *n.* 사전의 억측[추측]. ── *vt.* 사전에 억측[추측]하다.

pret. preterit(e).

prêt-à-por·ter [*F* prɛtapɔrte] *n.*, *a.* 고급 기성복(의). 〖F=ready to wear〗

pré·tàx *a.* 세금이 포함된(before-tax).

pré·tèen *a.*, *n.* 《美》 사춘기 직전의 (어린이)《10-12세》.

pré·tèen·àger *n.* 사춘기 직전의 어린이.

***pretence** ☞ PRETENSE.

‡**pre·tend** [priténd] *vt.* **1** 구실로 삼다, 거짓으로 …이라고 하다, …인 체하다 : He ~*ed* illness. 꾀병을 앓았다. **2** [+*to* do/+*that* 節] 가장하다, (…인 체[것처럼]) 행동하다 ; 자칭[사칭]하다 : The boys ~*ed to* be Indians. 소년들은 인디언 놀이를 했다 / She ~*ed* not *to* know me. 나를 모른 체했다 / I don't ~ *to* be a musician. 내가 음악가라고 말하고 싶지 않다 / Let's ~ (*that*) we are pirates. 해적 놀이를 하자. **3** [+*to* do] 열망하다, 감히 …하다, 하려고 하다(presume) : I cannot ~ *to* advise you. 당신에게 충고하고 싶은 생각은 없소. ── *vi.* [+前+名] 요구하다, 주장하다 ; 《古》 구혼(求婚)하다(make suit) : Both James Stuart and his son Charles ~*ed* ***to*** the throne. 제임스 스튜어트와 그의 아들 찰스는 둘다 왕위 계승을 주장했다 / The young man ~*ed to* the lady[lady's hand]. 청년은 그 여성과 결혼하고 싶다고 했다. ── *a.* 상상적인, 가공의.
〖F or L PRAE*tent*- (later -*tens*-) -*tendo* to stretch in front of (like curtain) ; ⇨ TEND[1]〗
類義語 ⟹ ASSUME.

preténd·ed *a.* 거짓의, 겉치레의. **~·ly** *adv.*

preténd·er *n.* …인 체하는 사람 ; 가장하는 사람 ; 사칭자(詐稱者) ; 왕위를 노리는 사람 ; (근거없이) 요구하는 사람〈*to*〉.
the Old Pretender 〔英史〕 James 2세의 아들 James Edward Stuart(1688-1766)의 별칭.
the Young Pretender 〔英史〕 James 2세의 손자 Charles Edward Stuart(1720-88)의 별칭 ; the Old Pretender의 아들.

preténd·ing *a.* 겉치레의, 거짓의, 거짓말을 퍼뜨리는 ; 왕위를 탐내는.

pre·tense | pre·tence** [priténs, príːtens] *n.* **1** [+*of*+do*ing*/+*that* 節] 구실, 핑계, 변명 (excuse) : *on* the slightest ~ 아주 조그마한 구실을 핑계삼아 / She asked me for $ 10 *on* the ~ ***of visit*ing*[*on* the ~ *that* she would visit] her sister in the hospital. 입원중인 여동생을 문병간다는 구실로 나에게 10달러를 요구했다. **2** U [또는 a ~] [+*of*+do*ing*] 겉치레, 가장, 가면, …인 체(하기)(make-believe) : It's all ~. 모두가 겉치레다 / He made *a* ~ ***of*** affection [*of* be*ing* affectionate]. 애정을 품고 있는 것처럼 꾸몄다. **3** U [+前+do*ing*] 주장, 요구《이 뜻으로는 PRETENSION 쪽이 일반적》 ; 보이며 자랑하기, 뽐내기 : I have[make] no ~ ***of*** be*ing* a genius [***to*** genius]. 천재인 체 하지는 않습니다 / a man without ~ 겉치레가 없는 사람.
under [***on***] (***the***) ***pretense of*** …을 구실삼아, …을 핑계삼아 : He cheated me *under* (*the*) ~ *of* friendship. 우정을 구실삼아 나를 속였다.
〖AF<L ; ⇨ PRETEND〗

pre·ten·sion [priténʃən] *n.* **1** U,C [+*to* do] (암묵적인) 요구(claim), 주장, 권리 ; [때때로 *pl.*] 암암리의 요구, 자부, 자처 : political ~*s* 정치적인 자부[야망] / He has no ~(*s*) ***to*** learning[*to* be a scholar]. 학자인 체하는 티가 없다 / She makes no ~*s to* beauty. 미인티를 내지 않는다. **2** U 겉치레, 허식, 요란스러움, 젠체하기 : without ~ 검소한[하게] ; 허세부리지 않고[는].
〖L ; ⇨ PRETEND〗

pre·ten·tious [priténʃəs] *a.* 잘난 체하는, 허세부리는, 겉치레를 하는 ; 거짓[가장]의. **~·ly** *adv.* 잘난 체하여 ; 거짓으로 가장하여. **~·ness** *n.*
〖F ; ⇨ PRETEND〗

pre·ter-, prae·ter- [priːtər] *comb. form* 「지나친」「넘은」의 뜻. 〖L *praeter* beyond〗

prèter·húman *a.* 인간 이상의, 초인적인.

pret·er·it(**e**) [prétərət] *n.*, *a.* 〔文法〕 과거(의) (past)《略 pret.》. 〖F or L *praeteritum* past〗

préterit(**e**) **ténse** *n.* [the ~] 〔文法〕 과거 시제(時制).

pret·er·i·tion [prètəríʃən] *n.* U 간과(看過), 생략, 탈락 ; 〔神學〕 하느님의 선택에서 누락됨 ; 〔修〕 =PARALIPSIS ; 〔法〕 법정 상속인에 대한 유언 누락. 〖L=passing over〗

pre·ter·i·tive [pritérətiv] *a.* (동사가) 과거형만 있는 ; 과거를 나타내는.

pre·términal *a.* 죽기 전에 일어나는.

pre·ter·mis·sion [prìːtərmíʃən] *n.* U,C 간과(看過), 무시, 탈락, 중단.

pre·ter·mit [prìːtərmít] *vt.* (**-tt-**) 불문에 부치다, 무시하다(disregard) ; 묵과하다, 생략하다 ; 중단하다.

prèter·nátural *a.* 초자연적인, 이상한, 불가사의한. **~·ìsm** *n.* Ⓤ 초자연주의[신앙]. **~·ly** *adv.* 초자연적으로. **~·ness** *n.*

prèter·sénsual *a.* 초(超)감각적인.

pré·tèst *n.* 예비시험[검사]. —— [-́-] *vt., vi.* 예비 시험을 보다, 예비 검사를 하다.

pre·text [príːtekst] *n.* [+前+do*ing*/+*that* 節] 구실, 핑계(pretense), 변명(excuse) : *on* some ~ or other 이 핑계 저 핑계로 / They remained home *on*[*under*] the ~ ***of*** be*ing* ill[*that* they were ill]. 아프다는 핑계로 집에 남았다 / Mary used a call as a ~ ***for*** leav*ing* out of the room. 메리는 전화가 온 것을 핑계로 방에서 나갔다.
—— *vt.* …을 구실로 하다.
〚L=outward display (*prae*-, TEXT)〛

pre-to-post [príːtəpòust] *n.* 〖廣告〗 (시장 조사에서) 사전 사후 조사《광고를 보기 전과 본 뒤의 변화를 측정》.

pretor, pretorian ☞ PRAETOR, PRAETORIAN.

Pre·to·ria [pritɔ́ːriə] *n.* 프리토리아《남아프리카공화국의 행정 수도 ; cf. CAPE TOWN》.

pre·tréat *vt.* 미리 처리하다.

pre·tréat·ment *n.* 사전 처리, 예비 조치 ; 〖化〗 전처리. —— *a.* 처리 전의, 처리 전에 특징적인.

pré·trìal *a.* 공판 전의. —— *n.* 사전 심리.

***pret·ti·fy** [prítifài] *vt.* 《蔑》 천하게[값싸게] 치장하다. **prèt·ti·fi·cá·tion** *n.* Ⓤ 미화(美化).

prét·ti·ly *adv.* 깨끗하게, 예쁘게, 즐겁게 ; 귀엽게, 얌전히.

prét·ti·ness *n.* Ⓤ 깨끗함, 귀여움 ; 얌전함 ; 예쁨 ; 귀여운 행위[말 따위].

◇**pret·ty** [príti] *a.* **1** 예쁜, 깨끗한, 귀여운, 가련한 : a ~ little child 귀여운 아이. **2** (사나이가) 멋을 낸, 맵시부린. **3** (물건·장소 따위) 예쁘장한, 깔끔한. **4** 재미있는, 기분이 좋은. **5** 좋은, 멋있는, 훌륭한 ; 잘하는 ; 《反語》 터무니없는, 지독한 : This is a ~ mess! 이것 참 야단났군! **6** 《口》 (수량·범위 따위) 상당한, 꽤 많은[큰] : The accident will cost him a ~ penny[sum]. 그 사고로 그는 꽤 많은 돈이 들 것이다. **7** 《古》 용감한, 사내다운.
—— [-́-] *adv.* [형용사·다른 부사를 수식하여] 상당히, 꽤 많이(fairly), 상당하게(rather) ; 대단히, 매우(very) : ~ much the same thing 거의 같은 일 / I am ~ well. 아주 건강합니다 / You do it ~ well. 상당히 잘하시는군요(cf. *pretty* WELL) / It's ~ cold this morning. 오늘 아침은 꽤 춥다 / That sounds ~ interesting. 그거 상당히 재미있는 것 같은데 / I'm ~ sick about it. 그 것에 아주 진력이 났다.
pretty well (*adv.*) ☞ WELL[1] *adv.*
sitting pretty 《口》 (경제적·사회적으로) 성공하여 ; 유복하여 ; 유리한 입장에서.
—— *n.* **1** 《호칭》 예쁜이, 여보 ; 착한애[사람·여자], 귀여운 애 : My ~! 얘야, 야 너! **2** [*pl.*] 《美》 예쁜 것, 장신구(裝身具).
—— *vt.* 예쁘게 하다, 아름답게 하다〈*up*〉.
〚OE *prættig* tricky, clever (*præt* trick) ; 현재의 뜻은 15세기부터〛
類義語 ⟹ BEAUTIFUL.

prétty·ish *a.* 예쁘장한, 귀염성 있는, 기분이 좋은 ; 괜찮을 듯한.

prétty-prètty *a.* 지나치게 장식한, 젠체하는, 요란스러운, 야한. —— *n.* 쓸데없는 장식, 싸구려 장식품.

pret·zel [prétsəl] *n.* 프레첼《꽈배기 모양의 짭짤한 비스킷, 맥주 안주에 좋음》. 〚G〛

prev. previous(ly).

pre·vail** [privéil] *vi.* **1** [+前+名/動] 이기다, 극복하다, 우세하다 : The soldiers ~*ed* ***over their enemy. 병사들은 적을 물리쳤다 / Grammar will never ~ ***against*** usage. 문법이 관용에 앞설 수는 없다 / Good will ~. 선(善)은 결국에는 이긴다. **2** 유행하다, 보급되다 : Despair ~*ed* in her mind. 그녀의 가슴속은 절망으로 가득찼다 / The idea still ~*s.* 그 사상은 여전히 보편시되고 있다. **3** [+前+名] 설득[설복]하다 : He ~*ed* ***on*** his friends *to* go with him. 친구들에게 동행해줄 것을 설득했다 / I was ~*ed* ***upon*** *to* stay all night. 권유에 못이겨 하룻밤 묵었다 / He could not ~ ***with*** her, however hard he tried. 그는 최선을 다했으나 그녀의 마음을 돌이킬 수는 없었다. **4** 잘되다, 효과를 나타내다.
〚L PRAE*valeo* to be superior in strength ; ⇨ AVAIL〛
類義語 ⟹ PERSUADE.

prevái·ing *a.* 널리 행해지는, 유행하는, 일반적인, 보통인 ; 세력이 있는, 유력한, 효과적인. **~·ly** *adv.* 일반적으로, 널리, 주로. **~·ness** *n.*
類義語 ***prevailing*** 어떤 때, 어떤 곳에서 다른 모든 것보다 더 널리 받아들여지고, 사용되고, 믿어지고 있는[있던] : a *prevailing* opinion [view] (유력한 의견[견해]). ***current*** 어떤 일정한 시기 또는 현재에 일반적으로 알려지고, 받아들여지고 있는[있던] : *current* belief (오늘날의 신념, 통념). ***prevalent*** 어떤 때, 어떤 장소에서 널리 퍼져 있는[있던] ; prevailing과 같이 지배적인 것은 뜻하지 않음 : a *prevalent* disease (유행병).

prev·a·lence, -cy [prévələns(i)] *n.* Ⓤ 널리 퍼짐, 유행, 보급 ; 우세, 유력 ; 보급률 ; 〖醫〗 유병률(有病率), 이환율(罹患率).

***prév·a·lent** *a.* 일반적으로 행해지는, 유행하는, 널리 쓰이는 ; 효과가 있는 ; 우세한, 유력한. —— *n.* prevalent 한 것. **~·ly** *adv.*
〚L=very powerful ; ⇨ PREVAIL〛
類義語 ⟹ PREVAILNG.

pre·var·i·cate [privǽrəkèit] *vi.* 얼버무리다, 어물어물 넘기다, 속여 넘기다 ; 《婉》 거짓말 하다 (lie). **-cà·tor** *n.* **pre·vàr·i·cá·tion** *n.* Ⓤ,Ⓒ 발뺌, 얼버무려 넘김, 거짓말함.
〚L=to walk crookedly (*varus* bent)〛

pre·vé·nient *a.* 앞의, 이전의, 선행하는, 앞선 ; 방해[훼방]하는〈*of*〉.

prevénient gráce *n.* 〖神學〗 선행적 성총.

‡**pre·vent** [privént] *vt.* **1** [+目+*from*+名/+do*ing*/+目+do*ing*/+目] 막다, 방해하다, 방해[훼방]하여 …시키지 않다[하지 못하게 하다] : We ~*ed* the fire ***from*** spread*ing*. 불길이 번지지 않게 막았다 / Business ~*ed* him *from* go*ing* [his go*ing*, him go*ing*]. 일이 생겨서 그는 가지 못했다《 주 ~*ed him* go*ing*은 구어적》/ Before I could ~ him, he opened the door and entered. 막을 사이도 없이 그는 문을 열고 들어갔다 / His careful study ~*ed* an outbreak of an accident. 그의 주의 깊은 연구 덕분에 사고의 발생이 방지되었다. **2** 《古》 (신(神)이) 지키다, 보호하다 : *P*~ us, O Lord, in all our doings. 주여, 우리가 하는 모든 일에서 우리를 지켜 주소서. **3** 《古》 (희망·의문에) 앞서서 처리하다, …에 선수를 치다. —— *vi.* 방해하다. **~·able, ~·ible** *a.* 막을

수 있는, 방지할 수 있는, 예방할 수 있는.
~·abílity *n.*
〖ME=to anticipate<L PRAE*vent-* *-venio* to come before, hinder〗
類義語 ⟹ HINDER.

pre·ven·ta·tive [privéntətiv] *a., n.* =PREVENTIVE.

prevént défense *n.* 〔美蹴〕 시간이 얼마 남지 않을 때 적은 득점차로 리드한 쪽이 상대의 롱패스에 의한 터치다운을 막으려는 수비 방법.

prevént·er *n.* 예방자, 방지자; 예방 방법[방책·약]; 방해(자), 훼방(자); 〔海〕 보조 기구《밧줄·사슬·볼트 따위》.

***pre·ven·tion** [privénʃən] *n.* Ⓤ 멈추게 하기, 막기, 방지; 예방; 예방법[책]〈*against*〉: ~ *of* fire 화재방지, 방화 / *P*~ is better than cure. 《속담》 예방은 치료보다 낫다 / by way of ~ 예방책으로서; 방해하기 위해 / the Society for the *P*~ of Cruelty to Animals 동물 보호 협회《略 S.P.C.A.》 / the Society for the *P*~ of Cruelty to Children 아동 보호 협회《略 S.P.C.C.》.

pre·ven·tive [privéntiv] *a.* 예방의, 방지하는, 멈추게 하는, 막는, 방해하는: be ~ of …을 예방하다 / ~ measures 예방책. —— *n.* 예방법[책·약]〈*for*〉; 방지자[물]; 방해물.
~·ly *adv.* **~·ness** *n.*

prevéntive deténtion[**custody**] *n.* 〔英法〕 예비구금《상습 전과자에 대한》; 〔美法〕 예비구류《용의자에 대한》.

prevéntive máintenance *n.* 〔컴퓨〕 예방 정비(整備).

prevéntive médicine *n.* 예방 의학.

Prevéntive Sérvice *n.* [the ~] 《英》 (밀수 단속의) 연안 경비대.

prevéntive wár *n.* 예방 전쟁《타국의 적대 행동에 앞서 공격하는》.

pre·víable *a.* 〔醫〕 (태아가) 자궁 밖에서 생존할 수 있게 되기 전의; 〔美法〕 임신 중절이 가능한[허용되는].

pré·vìew *n.* **1** (극·영화 따위의) 시연(試演), 시사(회)(試寫(會)); 신간(新刊) 견본 전시; (전시회 따위의) 내람(內覽), 내견(內見). **2** 《美》 **a**) (영화·텔레비전의) 예고편(prevue) (cf. TRAILER 4). **b**) (라디오의) 예고 프로그램. **3** 예비 검사; 예견, 예기; 예고. **4** 〔컴퓨〕 미리보기.
—— *vt.* … 의 시사[시연]를 보다[보이다].

pre·vi·ous** [príːviəs] *a.* **1** 먼저의, 앞서의, 이전의: a ~ engagement 선약(先約) / the ~ evening 전날 저녁 / the ~ day=the day ~ 전날(the day before) / two days ~ *to* Christmas 크리스마스 이틀 전에. **2** 《口》 [+*in*+do*ing*] 너무 이른, 조급한, 성급한(too hasty): Aren't you a little ~ ***in form*ing* such a plan? 그와 같은 계획을 세우는 것은 좀 빠르지 않습니까.
previous to. . . [전치사구(句)] …이전에, …에 앞서서(cf. 1): ~ *to* the conference 회의하기에 앞서서 / *P*~ *to* leav*ing* England he sold his house. 영국을 떠나기에 앞서 그는 집을 팔았다.
〖L PRAE*vius* leading the way (*via* way)〗
類義語 ***previous*** 시간적으로 또는 순서가 앞서 행하여진, 이전의: a *previous* remark (이전의 언급). ***prior*** previous 이외에 중요성이 크다는 것을 암시함: a *prior* engagement (앞선 약속, 선약). ***preceding*** [the를 붙여서] 특히 직전의: the *preceding* chapter (바로 앞 장(章)). ***former*** 보통 나중의 것(latter)과 비교·대조하여 쓰임.

prévious convíction *n.* 전과(前科).

prévious examinátion *n.* [the ~] 《英》 (Cambridge 대학에서 B.A. 학위의) 제1차 시험 《보통 little go라고 함》.

***prévious·ly** *adv.* 먼저, 전에, 미리, 앞서서: two days ~ (=earlier) 그 이틀 전에.

préviously-ówned cár *n.* 중고차《같은 중고차(used car)라도 성능이 좋고 새것이라는 인상을 주기 위하여 쓰는 말》.

prévious quéstion *n.* 〔議會〕 선결(先決)문제 《본문제의 채결(採決) 여부를 미리 정하는 문제; 略 p. q.》: move the ~ 채결 여부의 동의를 제출하다.

pre·vise [priváiz] *vt.* 미리 알다, 알아차리다; 예고하다.

pre·vi·sion [privíʒən] *n.* Ⓤ 선견(先見), 예견, 예지. —— *vt.* 예견하다(foresee). **~·al, ~·àry** [; -əri] *a.* 선견지명이 있는; 예지의.

prè·vocálic *a.* 〔音聲〕 모음 바로 앞의[에 오는].

prè·vocátion·al *a.* 직업학교 입학 전의.

pre·vue [príːvjùː] *n.* =PREVIEW 2 a).

pré·wár *a.* 전쟁전(前)의(↔*postwar*).

prexy, prex·ie [préksi], **prex** [préks] *n.* 《美學俗》 대학총장, 학장; 사장; 회장.
〖president를 단축 변형한 것〗

***prey** [préi] *n.* **1** 먹이, 밥, 먹을 것, 제물(祭物), 희생(자)(victim): become[fall] a ~ *to* …의 제물[희생]이 되다 / make a ~ *of* …을 먹이로 하다 / He was a ~ *to* fears[passion]. 공포[격정]의 포로가 되었다. **2** Ⓤ 잡아먹는 습성: an animal [a beast] of ~ 맹수(猛獸) / a bird [fish] of ~ 맹금(猛禽)[식육어(食肉魚)]. **3** 《古》 약탈품, 전리품(戰利品)(booty); 약탈(plunder).
—— *vi.* [+*on*+名] **1** 잡아먹다, 먹이로 하다: An eagle ~*s* ***on*** smaller birds and animals. 독수리는 작은 새와 동물을 잡아먹고 산다(cf. LIVE *on*). **2** 빼앗다, 약탈하다: Those villages of frontiersmen were often ~*ed* ***upon*** by Red Indians. 개척자들의 마을은 인디언들에게 자주 약탈당했다. **3** (불안감 따위가) 괴롭히다, 차츰 해를 끼치다: Anger and bitterness have ~*ed* ***upon*** him continually for weeks. 몇 주일 동안이나 분노와 비통함이 그의 마음을 계속 아프게 해왔다. **~·er** *n.* 〖OF (L *praedor* to make booty < *praeda* booty)〗

prez [préz] *n.* [흔히 P~] =PRESIDENT.

PRF, P.R.F. pulse recurrence[repetition] frequency. **prf.** proof.

Pri·am [práiəm] *n.* 〔그神〕 프리아모스《Troy의 왕; Hector, Paris, Troilus의 아버지》.

pri·ap·ic [praiǽpik, -éip-] *a.* 남근(숭배)의; 남근을 강조한; 남근을 연상시키는; 남자다움을 강조한; 남자의 섹스에 관한.

pri·a·pism [práiəpìzəm] *n.* **1** 음란한 행위[몸짓]. **2** 〔醫〕 (병적인) 지속 발기(勃起).

pri·a·pus [praiéipəs] *n.* 남근, 음경(phallus); [P~] 〔그·로神〕 프리아포스《남성 생식력의 신》.
〖Gk. *Priapos*〗

‡price [práis] *n.* **1** 가격, 대가; 시세, 시가(市價) (☞ DEAR 活用): a fixed[set] ~ 정가 / fetch a high ~ 비싸게 팔리다 / get a good ~ for … 을 좋은 값으로 팔다 / make a ~ 값을 말하다 / He bought it at the ~ asked. 부르는 값으로 그것을 샀다 / *P*~*s* have gone up recently. 물가가 최근에 올랐다. **2** 대상(代償), 보상; 현상금(懸賞金); 교환물; 희생; 매수금(買收金), 뇌물: Every man has his ~. 돈에 움직이지 않는 사람

은 없다. **3** (도박 따위에서) 건돈의 비율 ;《美》건돈 ; 돈 : the starting ~ 경마가 출발 직전의 마지막 건 돈의 비율. **4** Ⓤ《古》귀중(한 것), 가치(value) : a pearl of (great) ~ (매우) 고가인 진주.

above*[*beyond, without*] *price (값을 매길 수 없을 정도로) 값비싼 ; 매우 귀중한.

at any price 어떤 대가[희생]를 치르더라도, 반드시, 꼭.

at a price 상당한[비교적 비싼] 값으로 ; 상당한 대가를 치르고.

at the price of …을 희생하여.

set*[*put*] *a price on a person***'s head*** …의 체포[목]에 현상금을 걸다.

set high*[*little*] *price* (*up*)*on … 을 중히 여기다[그다지 중히 여기지 않다].

What price . . . ? (1)〘競馬〙(인기 있는 말의) 승산은 어떤가 ;《비유》…의 가능성을 어떻게 보느냐 : *What* ~ fine weather tomorrow? 내일 날씨는 맑을까. (2) (실패를 냉소적으로) …이란 무슨 꼴이냐, …이 다 뭐냐 : *What* ~ armament reduction? 군비축소가 다 뭐냐. (3) (도대체) 무슨 소용이 있는가 : *What* ~ isolation? 고립정책이 무슨 소용 있어.

> **price**에 관한 ○×
> (×) The *price* of the book is *expensive*[*cheap*].
> (그 책은 값이 비싸다[싸다])
> (○) The *price* of the book is *high*[*low*].
> (○) The book is *expensive*[*cheap*].
> ＊ price는 high, low로 수식되고 그 물건 자체는 *expensive*「비싼」이나 *cheap*「싼」으로 수식된다.

── *vt.* **1** …의 값을 매기다, 평가하다 : All the goods at that store are ~*d* higher. 그 상점의 상품은 다른 곳보다 대체로 비싸다. **2**《口》…의 값을 물어보다[조사하다].

price one***self*** [one***'s goods***] ***out of the market*** 터무니없이 비싼 값을 매겨 시장에서 발붙이지 못하게 되다[물건이 팔리지 않게 되다].

〖OF<L *pretium* price, value ; cf. PRAISE, PRIZE[1]〗

類義語 ***price*** 물건이 팔리는 값, 특히 팔 사람이 매긴 가격 : the *price* of a camera (카메라의 가격). ***charge*** 요금, 특히 통신 · 공공사업 따위의 요금 : the *charge* for admission [telephone call] (입장료[전화 신청 요금]). ***fare*** 주로 (버스 · 택시 따위) 탈것의 요금 : a taxi *fare* (택시 요금). ***cost*** 물건이나 수고 · 노력 · 품삯 따위에 지급한 돈 : the *cost* of the new building (새 건물 짓는 데 든 비용).

príce càrtel *n.* 가격 협정.

príce collùsion *n.*〘마케팅〙가격 공모《동일 업종 기업들이 채택하는 가격 협조》.

Príce Commìssion *n.* (정부의) 물가 통제 위원회.

príce contròl *n.* 물가 통제.

príce cúrrent *n.* (*pl.* **príces cúrrent**) 당일 가격 ; [때때로 *pl.*] 시가표(時價表), 시세표.

príce-cùt *a.* 값을 내린, 가격이 내린.

príce cùtting *n.* 할인, 가격 인하.

priced [práist] *a.* 정가가 붙어 있는 : high-[low-] ~ 비싼[싼] / plainly ~ 정찰(正札)이 붙은 / a ~ catalogue 정가가 매겨져 있는 목록[정가표].

príce discriminàtion *n.* 가격 차별《같은 상품 · 서비스를 상대에 따라 다른 값으로 팔기》.

príce-éarn·ings ràtio *n.*〘證〙주가(株價) 수익률《略 PER》.

príce-fìx·ing *n.* (정부나 업자에 의한) 가격 조작[협정].

príce frèeze *n.* 물가 동결.

príce ìndex *n.* 물가 지수.

príce lèader *n.*〘經〙가격 선도품(先導品).

príce·less *a.* **1** 값으로 따질 수 없는, 대단히 귀중한. **2**《口》아주 재미있는 ;《反語》어처구니없는. ~**·ness** *n.*

príce lìst *n.* 정가표, 시가표, 가격표.

príce per únit *n.* (상품의) 할인 전 단가, (카탈로그 따위에 적혀 있는) 판매 희망 가격.

pric·er [práisər] *n.* 값[정가]을 매기는 사람 ; 사지 않고 값만 물어보는[구경만 하는] 손님.

príce rànge *n.* (일정 기간의) 최고 · 최저 가격 기복.

príce revolùtion *n.* 가격 혁명.

príce-shòp *vi.* (마케팅을 위해 타사 제품의) 가격 조사를 다니다.

príce-stòp *a.* 물가를 동결[고정]시키는.

príce suppòrt *n.*《美》(정부의) 가격 유지책.

príce tàg *n.* 정가표.

príce wàr *n.* (업자간의) 가격 인하 경쟁.

pricey, pricy [práisi] *a.*《英口》값비싼.

***prick** [prík] *vt.* **1** 쿡 찌르다, 찌르다, (찔러서) 구멍을 내다, (구멍을 내어) 찌부러뜨리다 : ~ a balloon 풍선을 찌르다 / ~ a bubble ☞ BUBBLE / ~ the skin with a pin 핀으로 살갗을 쿡 찌르다 / The thorn ~*ed* my finger. 가시에 내 손가락을 찔렸다. **2** (양심 따위를) 괴롭히다 : My conscience ~*ed* me. 양심의 가책을 받았다. **3** (윤곽을) 점선으로 그리다〈*off, out*〉: ~ holes in paper 종이에 구멍을 내다. **4** (명부 · 표(表) 따위에) 표시를 하다. **5**《古》(말에게) 박차를 가하다 ; 자극시키다, 격려하다〈*on, off*〉. **6** (모종을) 찔러 심다, 옮겨 심다〈*in, out, off*〉: ~ *out* seedlings 묘목을 이식하다. **7** (개 · 말이 귀를) 세우다. ── *vi.* **1** 따끔따끔 아프다[쑤시다] : My backs ~. 등이 따끔따끔 쑤신다. **2**《古》박차를 가하다, 말을 타고 달려가다. **3** (귀가) 쫑긋하게 서다, 위쪽으로 향하다.

prick up (귀가) 곤두서다, (탑이) 우뚝 솟다, 초벽(初壁)하다[초벌칠하다].

prick up one***'s ears*** (말 · 개 따위가) 귀를 쫑그리다 ;《비유》(사람이 엿들으려고) 귀를 기울이다, 갑자기 신중해지다.

── *n.* **1** (바늘 따위로) 찌르기, 찔린 상처 ; 쑤심 ; (양심의) 가책. **2** 찌르는 것, 바늘, 가시, 송곳, 머리빗 ;《古》(소 따위를) 모는 막대기 : the ~*s of* a cactus 선인장의 가시. **3** 점(點), 찌른 자국 ;〘樂〙점보(點譜) 악곡. **4**《卑》음경(penis). **5**《俗》지겨운[비열한] 놈.

kick against the pricks ☞ KICK[1] *v.*

〖OE *pric*(*c*)*a* point ; cf. Du. *prik*, Icel. *prik* short stick〗

príck-èared *a.* (개가) 귀가 선 ; 중대가리[까까머리]의.

príck èars *n. pl.* (개 따위의) 쫑긋 선 귀.

príck·er *n.* 찌르는 사람[것] ; 바늘, 송곳 ;《古》경기병(輕騎兵).

prick·et [príkət] *n.* 촛대 ; 두 살난 수사슴《뿔이 아직 갈라지지 않은 ; cf. BROCKET》: a ~'s sister 두 살난 암사슴.

príck·ing *a.* 따끔따끔한, 찌르는(듯한). ── *n.* 따끔따끔한[찌르는 듯한] 아픔 ; 찌르기.

prick·le[1] [príkəl] *n.* 가시(thorn); 바늘, 가시 모양의 것; 찌르는 듯한 아픔. ── *vt., vi.* 따끔따끔 쑤시다[게 하다]; 쑤시는 듯이 아프다[게 하다]. 〚OE *pricel*; cf. G *Prickel*〛

prickle[2] *n.* 버들가지로 엮은 광주리. 〚C17< ?〛

príck·ly *a.* 가시투성이의, 바늘이 있는; 따끔따끔[얼얼] 아픈[쑤시는]; 성가신. **príck·li·ness** *n.*

príckly héat *n.* 땀띠.

príckly péar *n.* 선인장의 일종; 그 열매.

príck tèaser *n.* 《卑》 =COCK TEASER.

príck-ùp *a.* 《口》 꿋꿋한, 늠름한.

pricy ☞ PRICEY.

‡**pride** [práid] *n.* **1** Ⓤ [또는 a ~] 자존심, 만족, 자만: He has (*a*) ~ *in* his ability. 자신의 능력을 자만하고 있다 / take (*a*) ~ *in* …을 자랑하다. **2** 자랑거리: He is the ~ of his parents. 그는 부모의 자랑거리다. **3 a)** 자부심; 긍지, 프라이드(= **próper** ~). **b)** (실력 이상의) 자부; 교만, 오만(= **fálse** ~). **4** Ⓤ 정상, 전성; 원기, 혈기: in the ~ of one's life[years] 전성시대에. **5** (짐승·새 의) 떼(flock): a ~ *of* lions[peacocks] 사자[공작] 떼.

pride of place 고위(高位); 교만, 건방짐.

pride of the world 허영.

the pride of the morning 해돋이 무렵의 안개[소나기]《날씨가 좋아질 징조》.

── *vt.* [+目+前+名] [~ one*self* 로] 자부[자만]하다, 자랑하다: She ~*s* her*self* ***on*** (=is proud of) her skill in cooking. 요리 솜씨를 자랑한다 / He ~*d* him*self on* be*ing* a member of parliament. 국회 의원이라는 것을 큰 자랑거리로 여겼다. 〚OE *prȳde*‹*prūd* PROUD〛

類義語 ***pride*** 자기 또는 자기의 가치·공적·우수함에 대한 정당한 자신[자존심·자랑] 또는 과도한 자신. ***conceit*** 자기의 가치나 업적에 대한 과도한 평가; 지나친 자만. ***vanity*** 자기의 업적이나 외양에 대해서 과도하게 남의 주의를 끌거나, 남으로부터 칭찬을 받고 싶어하는 욕망.

prie-dieu [príːdjəːr; *F* pridjø] *n.* (*pl.* **~s, -dieux** [-z]) 기도대(臺). 〚F=pray God〛

prie-dieu

pri·er [práiər], **prý·er** *n.* 꼬치꼬치 캐는 사람, 탐구자.

***priest** [príːst] *n.* **1** 성직자; (카톨릭의) 사제(司祭)(minister, clergyman); (감독교회의) 목사《BISHOP의 아래, DEACON의 위》. **2** 봉사자: a ~ of science 과학의 사도(使徒).

── *vt.* 성직자[목사]로 만들[임명하]다. **~·lìke** *a.* 성직자의, 성직자다운. 〚OE *prēost*,<L PRESBYTER〛

príest·cràft *n.* 성직자로서의 지식과 기능; 《蔑》 속계(俗界)에 세력을 뻗치려고 하는 성직자의 정략(政略).

príest·ess *n.* (기독교 이외의) 여승(女僧), 여사제(女司祭), 무당.

príest·hood *n.* Ⓤ 승직(僧職), 성직; [집합적으로] 전(全)성직자.

príest·ling *n.* 젊은 사제; 사미승, 동승(童僧).

príest·ly *a.* 성직자의, 사제(司祭)의, 승려의; 성직자[승려]다운. **príest·li·ness** *n.*

príest-rìdden *a.* 성직자[사제]에 지배[좌우]되고 있는.

prig[1] [príg] *n.* 딱딱한[까다로운] 사람, 학자[도덕가·교육자]인 체하는 사람. 〚C18 (cant)=tinker< ?〛

prig[2] *n.* 《英俗》 좀도둑. ── *v.* (**-gg-**) *vt.* 《英俗》 훔치다. ── *vi.* 《英俗》 훔치다; 《英口》 부탁하다, 원하다(beg); 값을 깎다(haggle). 〚C16< ?〛

príg·gery *n.* Ⓤ 딱딱함, 까다로움, 현학적임, 건방짐; 아는 체하기.

príg·gish *a.* 딱딱한, 까다로운; 아니꼬운, 젠체하는(affected). **~·ly** *adv.* **~·ness** *n.*

príg·gism *n.* 자부, 젠체함; 점잔뺌.

prim [prím] *a.* (**prím·mer; prím·mest**) 꼼꼼한, 격식을 차리는, 점잔빼는, [흔히 ~ and proper] (특히 여자가) 새침한(prudish); 잘 손질한, 정연한. ── *v.* (**-mm-**) *vt.* 시치미떼다[떼는 얼굴을 하다], (입을) 꼭 다물다. ── *vi.* 근엄한 태도를 취하다, 점잔빼다. **~·ly** *adv.* **~·ness** *n.* 〚C17 (cant), <OF=excellent; ⇨ PRIME[1]〛

prim. primary; primitive.

pri·ma [príːmə] *a.* 첫째의, 수위(首位)의, 으뜸가는. 〚It.; ⇨ PRIMUS〛

príma ballerína *n.* 프리마 발레리나《발레단 최고의 여성 무용수》. 〚L〛

pri·ma·cy [práiməsi] *n.* Ⓤ 제1위, 수위(首位); 탁월; 〔宗〕 교황[대감독·대주교]의 직(職). 〚OF<L; ⇨ PRIMATE〛

pri·ma don·na [príːmə dánə, prímə-] *n.* (*pl.* **~s, pri·me don·ne** [príː(ː)mei dánei]) (오페라의) 여자 주역[인기] 가수, 프리마 돈나; 《口》 지시받기[단체 행동, 속박, 비판]를 싫어하는 사람, 기분파《특히 여자》. 〚It. =first lady〛

primaeval ☞ PRIMEVAL.

pri·ma fa·cie [práimə féiʃi, -ʃə, -si] *adv., a.* 얼핏 보아서는[의]; 명백한, 자명한. 〚L=first appearance〛

príma fàcie cáse *n.* 〔法〕 일단 증거가 있는 확실[유리]한 사건.

príma fàcie évidence *n.* 〔法〕 (반증이 없는 한 사실의 입증·추정에 충분하다고 보는) 일단 채택된 증거.

pri·mage [práimidʒ] *n.* Ⓤ 〔海〕 운임 환불금.

pri·mal [práiməl] *a.* 제1의, 최초의; 원시의; 주요한; 근본의. ── *n.* (PRIMAL SCREAM THERAPY에 의한) 유아기의 억압된 감정의 해방. **~·ly** *adv.* **pri·mal·i·ty** [praimǽləti] *n.* 〚L; ⇨ PRIME[1]〛

prímal scréam[scréaming] *n.* PRIMAL SCREAM THERAPY에 있어서 환자의 부르짖음.

prímal (scréam) thèrapy *n.* 〔精神醫〕 프라이멀 스크림 요법《유아기의 외상(外傷) 체험을 다시 체험시켜서 신경증을 치료하는 정신요법; 억압된 분노·욕구 불만이 부르짖음·히스테리 상태 따위로 표현됨》.

***pri·mar·i·ly** [praimérəli, práimerə-; práimərі-] *adv.* 첫째로(first of all), 최초로; 주로; 우선, 처음에, 본래(는)(originally).

***pri·mary** [práimeri, -məri; -məri] *a.* **1** 본래의, 근본의. **2** 최초의; 원시적인. **3** 수위(首位)의, 주요한; 제1위의(cf. SECONDARY). **4** 초보의, 초등(初等)의(cf. SECONDARY), 예비의. **5** 〔醫〕 제1기(期)의; 〔生〕 발달의 제1단계에 있는; 〔電〕 1차 코일의; 〔地質〕 원생(原生)의. **6** 〔言〕 제1강세의; 〔文法〕 어근(語根)의; 1차 어구의; 1차 시제의. ── *n.* **1** 제 1[최초의·주요한] 사물; 제 1 원리; 〔電〕 1차 코일. **2** 《美》 예비선거(=~ election); (대표선출·후보자 지명 따위를 하는) 정당 지부의 간부회의. **3** 원색(=~ **cólor**). **4** 〔天〕 (위성(衛星)을 가진) 행성(行星), 주성(主

星). **5** 〔文法〕 1차어《명사 및 명사 상당 어구 : a furiously barking dog에 있어서 *dog* ; cf. SECONDARY, TERTIARY》.
〖L *primarius* ; ⇨ PRIMUS〗
[類義語] ***primary, elementary*** 다같이 「초보의」라는 뜻인데, *primary*는 순서상 우선 최초란 뜻이고, *elementary*는 사물의 처음의 기초적[기본적]인 원리에 관계한다는 것이 본래의 뜻 : the *primary* grades of a school (학교의 저학년) / *elementary* arithmetic (기초적인 산수).

prímary áccent *n.* = PRIMARY STRESS.
prímary cáre *n.* 〔醫〕 1차 진료(cf. AFTER CARE).
prímary céll *n.* 〔電〕 1차 전지(電池).
prímary cóil *n.* 〔電〕 1차 코일.
prímary consúmer *n.* 〔生態〕 1차 소비자《초식 동물》.
prímary educátion *n.* 초등 교육.
prímary elèction *n.* = PRIMARY *n.* 2.
prímary gróup *n.* 〔社〕 제1차 집단《가족 등 직접적인 접촉 관계 속에서 생활하는 사람들 ; cf. SECONDARY GROUP》.
prímary héalth wòrker *n.* = BAREFOOT DOCTOR.
prímary índustry *n.* 〔經〕 제1차 산업《농림·수산업 ; cf. SECONDARY INDUSTRY, TERTIARY INDUSTRY》.
prímary méeting[assémbly] *n.* 예선대회, 예비 회합 ; (정당 따위의) 간부회의.
prímary plánet *n.* 〔天〕 (위성(衛星)과 구별하여) 행성.
prímary prodúcer *n.* 〔生態〕 제1차 생산자《광합성에 의해 무기물에서 유기물을 생산하는 식물》.
prímary prodúction *n.* 〔生態〕 1차 생산《광합성 생물에 의한 유기물의 생산》.
prímary próducts *n. pl.* 농산물.
prímary rócks *n. pl.* 원생암(原生岩).
prímary róot *n.* 〔植〕 원뿌리.
prímary schòol *n.* 초등학교 ; 《美》 (초등학교의) 하급 3[4]학년.
prímary stréss *n.* 제1강세[악센트]《[práimәri] 처럼 [ˊ]로 나타냄》.
prímary strúcture *n.* 미니멀 아트(minimal art)의 조각, 원초적 구조체.
prímary strúcturist *n.* 원초적 구조체 조각가.
prímary ténses *n. pl.* 〔文法〕 1차 시제《현재·미래·과거 및 완료의 총칭》.
prímary wáll *n.* 〔植〕 (세포막의) 1차막.
pri·mate [práimeit] *n.* **1** [흔히 P~] 〔英國教〕 [ˏ -mәt] 수석주교 ; 〔카톨릭〕 수석 주교 ; 대주교. **2** 〔動〕 영장류(靈長類) (Primates)의 동물.
the Primate of All England 캔터베리(Canterbury) 대주교.
the Primate of England 요크(York) 대주교.
~·shìp *n.*
〖OF<L *primat- primas* chief, leader ; ⇨ PRIMUS〗
Pri·ma·tes [praiméiti:z] *n. pl.* 〔動〕 영장류(cf. PRIMATE 2). 〖NL (↑)〗
pri·ma·tial [praiméiʃәl] *a.* 대주교(primate)의 ; 제 1 번의, 수위(首位)의.
pri·ma·tol·o·gy [pràimәtálәdʒi] *n.* Ⓤ 영장류학.
***prime**[1] [práim] *a.* **1** 제1의, 최초의 ; 원시적인 ; 근본적인 : the ~ agent 주인(主因). **2** 수위의, 주된, 가장 중요한. **3** 우량의, 최상의, 일등의 ; 《口》 멋이 있는, 더할 나위 없는(excellent) : ~ beef 최상품 쇠고기 / ~ fish 상등어(上等魚)(↔ *offal*). **4** 청춘의, 혈기왕성한. **5** 〔數〕 소수(素數)의 : a ~ factor 소인수(素因數).
—— *n.* **1** 초기(初期) ; 봄, 청춘 : the ~ *of* the moon 초승달 / the ~ *of* youth 한창때, 청춘기 《21-28세때》 / He was at the ~ *of* his success. 성공의 절정에 있었다. **3** 〔카톨릭〕 (성무 일과의) 조과(早課)《원래 오전 6시, 지금은 8시》. **4** 〔數〕 소수(素數) (= ~ number). **5** 〔펜싱〕 제1의 자세[찌르기] (cf. GUARD *n.* 3). **6** 제 1 [주(主)] 악센트 부호. **7** 〔樂〕 1음(音) 제창(unison) ; 으뜸음.
~·ly *adv.* 최초에[로] ; 《口》 멋지게, 굉장하게 (excellently). **~·ness** *n.*
〖OF<L PRIMUS ; (n.) L *prima* (*hora*) first (hour)〗
prime[2] *vt.* **1** (폭발물 따위)에 뇌관[도화선]을 달다, (총)에 화약을 재다. **2** (물을 빨아올리기 위하여) 펌프에 마중물을 붓다 ; (내연 기관의 실린더나 기화기(氣化器)에) 가솔린을 부어 넣다. **3** (화면·벽 따위를) 애벌칠[초벽]하다. **4** [+目/+目+*with*+名] …에게 미리 가르쳐 알게 하다, 지혜를 주입하다 : President was fully ~*d* ***with*** the latest news by his aides. 대통령은 측근들로부터 최근의 정보를 제공받았다. **5** [+目+*with*+名] 채우다, …에 주입하다 ; …에게 충분히 먹이다[마시게 하다] : I ~*d* the lamp ***with*** oil. 나는 램프에 기름을 가득 부었다 / The girl was well ~*d with* juice. 소녀는 주스를 많이 마셨다.
—— *vi.* 뇌관[도화선]을 장치하여 발화 준비를 하다 ; (보일러가) 물을 수증기와 함께 실린더로 통하게 하다. 〖C16< ? ; ↑에서 인가〗
príme-àged *a.* 장년(壯年)의, 중년의《35-54세》.
príme cóst *n.* 원가, 매입 가격.
príme fáctor *n.* 〔數〕 소인수(素因數).
príme-locátion *a.* 적당한 장소의, 입지(立地)조건이 좋은.
príme merídian *n.* [the ~] 본초 자오선(本初子午線)《영국 Greenwich를 통과하는 경도 0°의 자오선》.
***prìme mínister** *n.* 국무 총리, 총리 대신, 수상(首相) (premier).
prìme mínistry[mínistership] *n.* 수상의 지위[직권, 임기].
príme móver *n.* **1** 〔機〕 원동력《바람·물·전력 따위》 ; 원동기. **2** 《비유》 원동력, 주도자.
príme númber *n.* 〔數〕 소수(素數).
prim·er[1] [prímәr ; prái-] *n.* **1** 초급 독본 ; 입문서 : a Latin ~ 라틴어 입문서. **2** (종교개혁 전의) 소(小)기도서. **3** [prím-] 〔印〕 프리머 (활자) : great ~ 대(大)프리머《18 포인트 ; ☞ TYPE 5 [주]》 / long ~ 소(小)프리머《10 포인트 ; ☞ TYPE 5 [주]》. 〖AF<L ; ⇨ PRIMARY〗
prim·er[2] [práimәr] *n.* 뇌관, 도화선(線) ; 기폭(起爆) 장치, 화약 재는 사람. 〖PRIME[2]〗
príme ráte *n.* 프라임 레이트《미국 은행이 우량 기업에 적용하는 표준[우대] 금리》.
príme ríbs *n. pl.* 갈비살《쇠고기의 최상등품》.
príme tíme *n.* (라디오·텔레비전의) 프라임 타임《보통 오후 7-11시》.
pri·me·val, -mae- [praimí:vәl] *a.* 원시 시대의 ; 태고의, 초기의 : a ~ forest 원시림.
~·ly *adv.* 〖L (PRIMUS, *aevum* age)〗
pri·mi·ge·ni·al [pràimәdʒí:niәl] *a.* 최초로 만들어진, 원시(형)의.
pri·mi·grav·i·da [pràimәgrǽvәdә] *n.* (*pl.* **~s, -dae** [-dì:]) 〔醫〕 초임부(初妊婦).
prim·ing [práimiŋ] *n.* Ⓤ 뇌관을 달기, 점화약, 기폭제(起爆劑) ; (그림 따위) 밑[초벌]칠 ; 〔機〕 증

기·수분이 같이 발생하기 ; (펌프의) 마중물 ; (지식 따위) 갑자기 주입하기.

pri·mip·a·ra [praimípərə] *n.* (*pl.* **~s**, **-rae** [-rìː, -ràì]) 초산부(初産婦) ; 한 번 출산한 부인.

pri·mip·a·rous [praimípərəs] *a.* 초산의.

pri·mi·par·i·ty [pràiməpǽrəti] *n.*

***prim·i·tive** [prímətiv] *a.* **1 a)** 원시의, 초기의 ; 태고의, 옛날의 : a ~ man 원시인(人). **b)** 원시적인, 유치한, 소박한 ; 예스러운, 고풍[구식]의 : ~ weapons 원시적인 무기《활·창 따위》. **2** 근본의, 기본의 : ~ colors 원색(primary colors) / the ~ line 〖數〗 원선(原線). **3** 〖生〗 초생(初生)의, 원시 형태의. **4** 〖言〗 조어(祖語)의 : a ~ word 원어(原語).
—— *n.* **1** 원시인(人) ; 소박한 사람. **2** 르네상스 이전의 화가(의 작품). **3** 〖言〗 어근어(↔ *derivative*). **4** 〖數〗 원선. **5** [P~] =PRIMITIVE METHODIST.
~·ly *adv.* **~·ness** *n.* **prìm·i·tív·i·ty** *n.*
〖OF or L=earliest of its kind ; ⇨ PRIMUS〗

prímitive árt *n.* 원시 미술.

Prímitive Báptist *n.* 원시 침례파(派) 신자《19세기 초에 일어난 보수파 침례교도》.

Prímitive Chúrch *n.* [the ~] 원시 기독교회.

Prímitive Méthodist *n.* 감리교 보수파(의 신자)《Wesley 등의 초기 감리교 정신으로 돌아가려고 1810년 분파한》.

prímitive socíety *n.* 미개 사회.

prím·i·tiv·ìsm *n.* Ⓤ 원시주의. **-ist** *n., a.*

pri·mo[1] [príːmou, prái-] *adv.* 첫째로《略 1°》. 〖L ; ⇨ PRIMUS〗

pri·mo[2] [príːmou] *a., n.* (*pl.* **~s**, **-mi** [-miː]) 〖樂〗 제1부[주요부](의). 〖It. ; ⇨ PRIMUS〗

primo- *pref.* 「처음」「원시」「주요부」「첫째」 따위의 뜻.

pri·mo·ge·ni·al [pràimoudʒíːniəl] *a.* 최초의, 원시의.

pri·mo·gen·i·tor [pràimoudʒénətər] *n.* 조상, 선조(ancestor) ; 시조.

pri·mo·gen·i·ture [pràimoudʒénitʃər, 美+-ətʃùər, 美+-ətjùər] *n.* Ⓤ 장자[맏아들]임, 장자[맏아들]의 신분 ; 〖法〗 장자 상속권[법](=right of ~). **prì·mo·gén·i·tàry** [; -təri], **-gén·i·tal** *a.* 〖L (PRIMUS, *genitura* birth)〗

pri·mor·di·al [praimɔ́ːrdiəl] *a.* 원시의 ; 원시 시대부터 있던 ; 최초의, 초생(初生)의, 근본적인.
—— *n.* 기본 원리, 근본.
~·ly *adv.* **pri·mor·di·al·i·ty** [pràimɔːrdiǽləti] *n.* 〖L (PRIMUS, *ordior* to begin)〗

primórdial bróth[**sóup**] *n.* 원생액(原生液), 원시 수프《지구상에 생명을 발생시킨 유기물의 혼합 용액》.

pri·mor·di·um [praimɔ́ːrdiəm] *n.* (*pl.* **-dia** [-diə]) 〖發生〗 원기(原基), 원시 세포.
〖L (PRIMUS, *ordior* to begin)〗

primp [prímp] *vt., vi.* [*vt.*로서는 ~ one*self*로] 잘 차려입다, 몸치장하다, 모양내다.
〖변형(變形) (dial.) ‹ PRIM〗

prim·rose [prímrouz] *n.* **1** 〖植〗 앵초(櫻草)(의 꽃) : the bird's eye ~ 설앵초(雪櫻草) / ☞ EVENING PRIMROSE. **2** Ⓤ 앵초빛《연한 녹황색》.
—— *a.* 앵초의[가 많은] ; 연한 녹황색의 ; 화려한, 명랑한, 쾌활한. 〖OF and L=first rose〗

Prímrose Dày *n.* 《英》 앵초의 날《4월 19일 ; 앵초를 사랑하던 Disraeli 가 죽은 날》.

Prímrose Híll *n.* 앵초의 언덕《London 의 Regent's Park 북쪽에 있는 언덕》.

Prímrose Léague *n.* 《英》 [the ~] 앵초단(團)[연맹]《Disraeli를 추모해서 1883년에 결성된 보수당의 단체》.

prímrose páth[**wáy**] *n.* [the ~] 환락의 길《셰익스피어작 *Hamlet*에서》 ; 쾌락의 추구, 방탕.

prímrose yéllow *n.* 앵초색, 연노랑.

prim·u·la [prímjələ] *n.* 〖植〗 앵초속(屬)의 각종 초본. 〖L (fem. dim.) ‹ PRIMUS〗

pri·mum mob·i·le [práiməm móubəliː, -mɑ́bə-] *n.* (*pl.* **~s**) 〖天〗 제 10 천(天)《제 9 천(天)이라고도 하였음》 ; 《비유》 원동력(prime mover).
〖L=first moving〗

pri·mus [práiməs] *n.* [때때로 P~] 스코틀랜드 감독파 교회의 감독장. —— *a.* **1** 제1의, 수위의. **2** 《英》 (남학교에서 성이 같은 학생 중) 첫번째인, 최연장인《secundus (2nd), tertius (3rd), quartus (4th), quintus (5th), sextus (6th), septimus (7th), octavus (8th), nonus (9th), decimus (10th)》.
〖L=first ; cf. PRIMO[1]〗

prímus ín·ter pá·res [-íntər pǽriːz ; -pɑ́ːriz] *n.* 동료 중의 제일인자. 〖L〗

Prímus (**stòve**) *n.* 프라이머스《휴대용 석유 난로 ; 상표명》.

prin. principal(ly) ; principle(s).

***prince** [príns] *n.* **1** (*fem.* princess) 왕자, 황태자, 친왕(親王), 프린스, 왕족, 황족 : the manners of a ~ (왕족 같은) 세련된 태도, 점잖음. **2 a)** (공국(公國)·소국(小國)의) 군주, 제후(諸侯), 공(公) (cf. PRINCIPALITY) ; (봉건 시대의) 군주, 영주, 제후 ; 《文語》 (일반적으로) 임금, 군주 : the *P*~ of Monaco 모나코 국왕. **b)** 《비유》 (그 방면의) 제일인자, 대가 : a merchant ~ 호상(豪商) / the ~ of bankers 은행왕. **3** (영국 이외의) 공작(公爵) (cf. DUKE).
(as) happy as a prince 매우 행복한[즐거운].
live like a prince 영화롭게 살다.
a prince among men 품격이 고결한 군자.
a prince of the blood 왕족, 황족, 친왕.
the Prince of Darkness 악마, 사탄(Satan).
the Prince of Peace 평화의 왕《그리스도》.
the Prince of the Apostles 사도 베드로.
the Prince of the Church 〖카톨릭〗 추기경(樞機卿) (cardinal)의 호칭.
the Prince of Wales 영국 황태자(cf. CROWN PRINCE).
the Prince Regent 섭정궁(攝政宮).
the Prince Royal 제 1 왕자[황태자].
~·less *a.* **~·lìke** *a.* 왕후(王侯) 같은, 왕자다운 ; 기품 높은 ; 위엄 있는 ; 대범한. **~·ship** *n.* Ⓤ prince의 신분[지위] ; 황태자로서의 기간.
〖OF<L *princip- princeps* first man, chief ; ⇨ PRIMUS〗

Prìnce Álbert *n.* **1** 앨버트공(公) (☞ ALBERT 2). **2** 《美》 (기장이 긴 더블의) 프록코트.

Prìnce Álbert cóat *n.* 《美》 =PRINCE ALBERT 2.

Prínce Chárming *n.* (Cinderella 이야기에서) Cinderella와 결혼하는 왕자 ; 이상적인 남자.

prínce cónsort *n.* (*pl.* **prínces cónsort**) 여왕·여제(女帝)의 남편(cf. QUEEN CONSORT) ; [the P~ C~] ☞ ALBERT 2.

prínce·dom *n.* PRINCE의 영토 ; Ⓤ PRINCE의 지위[권위].

prínce·kin [-kən] *n.* =PRINCELET.

prínce·let, -ling *n.* 어린 군주 ; 소공자(princekin).

prínce·li·ness *n.* 기품있는 행위[성격] ; 훌륭함.

prínce·ly *a.* **1** 왕자[황태자·왕후(王侯)]의 [로서의]. **2** 왕자[왕후]다운[에 어울리는]. **3** 호쾌한, 광대한(magnificent). —— *adv.* 왕자[황태자]답게[에 어울리게].

prin·ceps [prínseps] *a.* 첫째의, 최초의; 〖解〗(특히 엄지손가락·경동맥(頸動脈)에 관하여) 주요한: edition ~ 초판(初版) / facile ~ 능히 첫째가는. —— *n.* (*pl.* **prin·ci·pes** [prínsəpìːz]) 주요한 것; 초판(본). 〖L; ⇨ PRINCE〗

prínce's-féather *n.* 〖植〗 **1** 당비름의 일종《붉은 꽃》. **2** 털여뀌.

Prínce's métal *n.* 왕금(王金)《구리 75%와 아연 25%의 합금》.

***prin·cess** [prínsəs, -ses; prinsés] *n.* **1** 왕녀, 황녀, 공주. **2** 왕[친왕]비. **3** (영국 이외의) 공작부인(cf. DUCHESS). ㊟ *P*~ Alexandra와 같이 인명(人名)에 붙일 때는 《英》에서는 [prínses].

a princess of the blood 왕녀, 황녀, 공주.

the Princess of Wales 영국 황태자비(cf. CROWN PRINCESS).

the Princess Regent 섭정궁비(攝政宮妃); 섭정 공주.

the Princess Royal (영국의) 제 1 황녀.

—— *a.* 〖服〗 프린세스 형(形)의《몸에 꼭 맞도록 깃에서 플레어 스커트까지 모두 삼각포(gore)로 만들어진》.

~·shìp *n.* Ⓤ princess의 신분[지위].

príncess dréss [gówn, róbe] *n.* 프린세스 드레스《허리 부분에서 잘라내지 않고 옷자락을 퍼지게 만든 원피스 또는 코트》.

prin·cesse [prínses, -⌐] *a.* =PRINCESS; 〖料〗 아스파라거스를 곁들인.

Prince·ton [prínstən] *n.* **1** 프린스턴《미국 New Jersey 주의 학원 도시》. **2** 프린스턴 대학(=~ **Univérsity**)《Ivy League 대학의 하나; 1746년(年) 창립》.

Prínceton Plán *n.* 《美》 선거가 있는 해에 대학생에게 휴가를 주어 자기가 선택한 후보자를 위해 선거운동을 할 수 있게 한 안(案).

***prin·ci·pal** [prínsəpəl, -səpəl] *a.* **1 a)** 주요한, 으뜸가는, 제 1 의, 선두에 서는(leading); 중요한: the ~ rivers of the world 세계의 주요한 하천들 / a ~ cause of his failure 그의 실패의 주된 원인(의 하나). **b)** 〖文法〗 주요한: a ~ clause 주절(主節). **2** 〖商〗 원금(元金)의. —— *n.* **1** 우두머리(chief), 윗사람, 지배자; 장(長), 장관, 사장, 회장, 교장. **2** 주역(主役); 결투의 본인[당사자](cf. SECOND[1] *n.* 5). **3** Ⓤ 〖商〗 원금; 기본재산: ~ and interest 원리(元利). **4** 〖法〗 본인(cf. AGENT); 정범; 주범, 주동자: the ~ and accessory 주종(主從) / the ~ in the first [second] degree 제 1 [2]급 정범《제각기 주범과 종범(從犯)》. **5** 〖法〗 주물(主物), 주건(主件). **6** 〖建〗 주재(主材), 주구(主構). **~·shìp** *n.* Ⓤ 교장[장관, 회장 등]의 지위[직].
〖OF<L=first, chief; ⇨ PRINCE〗
類義語 ⟹ CHIEF.

príncipal áction *n.* 〖法〗 중간 선결(先決) 소송.

príncipal áxis *n.* 〖理〗 주축(主軸).

príncipal bóy[gírl] *n.* [the ~] 《英》 (무언극에서의) 주연 남자[여자]역을 맡는 여배우.

príncipal cláuse *n.* 〖文法〗 주절(主節).

príncipal diágonal *n.* 〖數〗 주요항(主要項).

príncipal fócus *n.* 〖理〗 초점(focal point).

prin·ci·pal·i·ty [prìnsəpǽləti] *n.* **1** Ⓤ 수위(首位), 공국(公國)[소국]의 지위[주권]. **2** 공국, 소국, 후국(侯國). **3** [the P~] 《英》 웨일스 Wales)의 속칭. **4** [*pl.*] 권품(權品) 천사《9천사 중의 제7위; cf. HIERARCHY》. 〖OF〗

príncipal·ly *adv.* 주로; 대개.

príncipal offénder *n.* [the ~] 〖法〗 주범, 정범자(正犯者).

príncipal párts *n. pl.* [the ~] 〖文法〗 동사의 주요형(主要形)《영어에서는 부정사 또는 현재·과거·과거 분사의 세 가지 형》.

príncipal pénalty *n.* 〖法〗 주형(主刑).

príncipal póint *n.* 〖光〗 주점(主點).

príncipal póst *n.* 주주(主柱), 큰 기둥.

príncipal ráfter *n.* 〖建〗 (목조건물 따위의) 주요 서까래.

príncipal séntence *n.* 〖文法〗 주문(主文).

príncipal súm *n.* 〖保險〗 (지급되는 보험금(保險金)의) 최고액.

prin·ci·pate [prínsəpèit, -pət] *n.* 우두머리로서의 지위[권력]; 공국(령); 〖로史〗 원수(元首) 정치《로마 제국 초기의 정치 형식》.

prin·cip·i·al [prinsípiəl] *a.* 최초의, 제일의; 주의(主義)의.

prin·cip·i·um [prinsípiəm] *n.* (*pl.* **-ia** [-iə]) 원리, 원칙; 기원, 기초. 〖L=source, beginning, (pl.) foundations; ⇨ PRINCE〗

prin·ci·ple** [prínsəpəl, -səpəl] *n.* **1** [+前+do*ing*/+*that* 節] **a)** 원리, 원칙: the first ~ 제 1 원리, 본체 / the ~*s* of economics 경제학 원리 / The ~ was set up *that* the chairman should change yearly. 위원장을 해마다 교체한다는 원칙이 세워졌다. **b)** 주의, 근본방침: on the ~ ***of mak*ing* hay while the sun shines 기회를 안놓치겠다는 방침으로 / It is my ~ to decide anything on the spot. 무엇이나 즉석에서 결정한다는 것이 내 주의다. **c)** 〖哲〗 원리; 〖理·化〗 법칙, 율(律): the ~ of casuality 인과율(因果律). **2 a)** 본원(本源), 본질: the vital ~ 활력, 정력. **b)** 〖化〗 원소(元素), 정(精); 동인(動因), 소인: bitter ~*s* 〖化〗 고미소(苦味素) / a coloring ~ 염색소(素). **3** Ⓤ 도(道), 정도(正道), 정의; [*pl.* 또는 집합적으로] 도의, 절조(節操), 지조(志操): a man of ~[no ~] 지조가 있는[없는] 사람. **4** (일정한) 방식, 정석, 비결.

as a matter of principle 주의로서.

in principle 원칙적으로, 이론상(은), 대체(로).

on principle 주의로서, 주의[원칙]에 따라서, 도덕적 견지에서.

〖AF (↑)〗

prín·ci·pled *a.* 절조[지조]가 있는, 도덕에 가인한; [복합어를 이루어] 주의가 …한: high-~ 주의가 고결한 / loose-~ 절조[지조]가 없는.

prink [príŋk] *vt.* **1** [~ one*self* 로] 모양 내다, 성장하다⟨*up*⟩. **2** (새가 깃털을) 가지런히 하다(trim). —— *vi.* 모양을 내다⟨*up*⟩. **~·er** *n.* 〖C16<?; cf. PRANK[2]〗

print** [prínt] *vt.* **1** [+目/+目+前+名] 인쇄[출판·간행]하다, 프린트하다: ~*ed* matter 인쇄물 / The publisher ~*ed* 100,000 copies of the dictionary. 출판사는 그 사전을 10만부 인쇄했다 / He ~*ed* his lectures on English literature. 그는 영문학에 관한 자신의 강의를 출판했다 / The books have been ~*ed* ***on good paper. 그 책들은 질이 좋은 종이로 출판되었다. **2** …에 날인(捺印)하다, 도장을 찍다; …에 형[본]을 뜨다, (천 따위에) 날염하다, 무늬를 찍다: ~*ed* goods 날염한 피륙 / ~*ed* china (전사(轉寫)하여 그림을 그려 넣은) 도자기. **3** [+目/+目+副] (사진을) 인화(印畫)하다: ~ (***off*** [***out***]) a negative 음화

[네거티브]를 인화하다. **4** [+目+*on*+名] 《비유》 …한 인상을 주다(impress) : The scene is ~*ed* **on** my memory. 그 광경은 내 뇌리에 박혀 있다. **5** 활자체로 (똑똑히) 쓰다 : *P*~ your name clearly. 당신의 이름을 활자체로 똑똑히 쓰십시오. **6** 〖컴퓨〗 인쇄하다.
── *vi.* **1** 인쇄를 업으로 하다 ; 간행하다. **2** (사진 따위가) 나오다, 찍히다 : This girl ~*s* well. 이 소녀는 사진이 잘 받는다. **3** 활자체를 본떠서 쓰다.
print out 〖컴퓨〗 (프린터로) 인쇄하다, 프린트아웃하다(cf. PRINTOUT).
── *n.* **1** Ⓤ 인쇄 ; 활자체(cf. SCRIPT) ; 인쇄부수, 「판(版)」: in large[small] ~ (획이) 굵은[가는] 활자로 인쇄되어. **2** 인쇄물, 프린트 ; 《美》 출판물, (특히) 신문. **3** 자국, 흔적 ; 인상, 모습. **4** 판화(版畫), 인화(지(紙)), 석판화(石版畫) 《따위》 ; 화첩(畫帖) ; 〖寫〗 인화, 양화(陽畫) (positive) : a blue ~ 청사진. **5 a)** 지문(指紋) (fingerprint). **b)** 스탬프를 찍는 것, 무늬를 인쇄하는 것. **c)** 모형(母型), 본, 거푸집. **d)** 찍어서 만든 것, 틀로 찍어 굳힌 버터 ; 프린트천, 날염한 피륙 : cotton ~ 날염면포, 무명 프린트 / India ~ 인도 사라사 / a ~ dress 날염한 천드레스. **6** 〖컴퓨〗 인쇄.
in cold print 활자로 인쇄하여 ; 변경할 수 없는 상태가 되어.
in print 활자화되어, 인쇄되어, 출판되어, (책이) 입수 가능하여, 절판(絶版)이 아닌.
out of print 절판되어.
put. . .into print …을 인쇄[출판]하다.
rush into print (저자가) 서둘러 출판하다 ; 급히 신문에 발표하다.
〚OF *priente* (L *premo* to PRESS[1])〛

print. printing.

prínt·able *a.* 인쇄할 수 있는 ; 출판할 가치가 있는 ; 인화(印畫)할 수 있는 ; 눌러 무늬를 박을 수 있는. **prìnt·abílity** *n.*

prínt·clòth *n.* 프린트천《날염용 회색 무명》.

prínt·ed *a.* **1** 인쇄한[된]. **2** 날염한, 프린트의.

prínted círcuit *n.* 인쇄[프린트] 배선 회로 : ~ board 인쇄 회로 기판.

prínted mátter *n.* (특별요금으로 우송할 수 있는) 인쇄물.

prínted pápers *n. pl.* 《英》 =PRINTED MATTER.

prínted préss *n.* 《美》 =PRINT PRESS.

prínt·er *n.* **1** 활판소(所), 인쇄업자 ; 활판 직공 ; 식자[조판]공 ; 출판자. **2** 인쇄기 ; 본[형]을 누르는[찍는] 사람. **3** 〖寫·映〗 인화기. **4** 〖컴퓨〗 인쇄 장치, 인쇄기, 인자기(印字機), 프린터 : ~ controller 인쇄기 제어기 / ~ head 인쇄기 머리틀 / ~ interface 인쇄기 머리틀.
a printer's devil 인쇄소의 견습공.

prínter's érror *n.* 오식(誤植)《略 P.E., p.e.》.

prínter's ímprint *n.* 인쇄(자) 사항《책의 표지 또는 판권장에 쓰인 발행자[인쇄인] 주소·성명·발행 연월일 따위》.

prínter's ínk *n.* 인쇄용 잉크 ; 인쇄물.
spill printer's ink 쓴 것을 인쇄에 맡기다.

prínter's màrk *n.* 인쇄자[소(所)]의 마크[표장(標章)].

prínter's píe *n.* 뒤죽박죽이 된 활자 ; 혼란.

prínt·ery *n.* 사라사 날염 공장 ; 인쇄소[공장].

print fòrmat *n.* 〖컴퓨〗 인쇄 형식.

print hànd[lètter] *n.* 인쇄체의 서체[문자].

***prínt·ing** *n.* **1 a)** Ⓤ 인쇄(술·업). **b)** 인쇄물[부수] ; (제…)쇄. **2** Ⓤ 무늬찍기, 날염 ; 본[형]뜨기 ; 〖寫·映〗 인화(印畫) : silver ~ 질산은(窒酸銀) 인화.

prínting blòck *n.* 판목(版木), 목판(木版).

prínting ìnk *n.* 인쇄용 잉크.

prínting machìne *n.* 《英》 인쇄기(printing press).

prínting òffice *n.* 인쇄소 : the Government *P*~ *O*~ 《美》 정부 인쇄국《略 GPO》.

prínting pàper *n.* 인쇄 용지 ; 〖寫〗 인화지.

prínting prèss *n.* **1** 인쇄기 ; 날염기(機) : a cylinder ~ (인쇄) 윤전기. **2** 인쇄소.

prínting spèed *n.* 〖컴퓨〗 인쇄 속도.

prínt jòurnalism *n.* (방송 저널리즘과 구별하여) 신문·잡지 저널리즘.

prínt jòurnalist *n.* 신문 잡지 기자.

prínt·less *a.* 《주로 詩》 흔적을 남기지 않는, 자취[흔적]가 없는.

prínt·màker *n.* 판화 제작자.

prínt mèdia *n.* 인쇄 매체.

prínt òrder *n.* 인쇄 발주서.

prínt·òut *n.* 〖컴퓨〗 인쇄된 출력 (정보), 출력 정보 지시 테이프, 프린트아웃 ; 인쇄된 것(cf. PRINT *out*).

prínt-out pàper *n.* 인화지.

prínt prèss *n.* 《美》 (라디오·텔레비전 업계에 대해서) 출판·신문계.

prínt·sèll·er *n.* 판화상(版畫商).

prínt shèet *n.* 인쇄 용지.

prínt·shòp *n.* **1** 판화점(店). **2** 《美口》 인쇄 공장, 인쇄소.

prínt·whèel *n.* =DAISY WHEEL.

prínt·wòrks *n.* (*pl.* ~) 사라사[날염] 공장.

***pri·or**[1] [práiər] *a.* 이전의, 먼저의(↔*posterior*) ; (…보다) 앞의, 상석[고위]의, 보다 중요한 : Our appointment is ~ *to* yours. 우리의 약속이 당신의 약속에 우선한다. ── *adv.* [다음 숙어로]
prior to …보다 앞에, 보다 먼저 : *P*~ *to* the advent of the printing press they used to copy by hand. 인쇄기의 출현 이전에는 손으로 필사(筆寫)했었다.
~·ly *adv.*
〚L=earlier, elder (compar.) <OL *pri* before〛
類義語 ⟹ PREVIOUS.

prior[2] *n.* 소(小) 수도원 의원장(cf. PRIORY) ; 수도원 부원장. **~·shìp** *n.* PRIOR의 직[지위·임기].
〚OE and OF<L=administrator (↑)〛

príor·ate *n.* PRIOR[2]의 직·임기 ; =PRIORY.

pri·or·i·tize [praiɔ́(:)rətàiz, -ɑ́rə-, práiərə-] *vt.* (계획·목표)에 우선 순위를 매기다 ; 우선시키다.
── *vi.* 우선 사항을 결정하다.
pri·or·i·ti·za·tion [praiɔ̀(:)rətəzéiʃən, -ɑ̀rə-, pràiərət-; -tai-] *n.*

pri·or·i·ty [praiɔ́(:)rəti, -ɑ́rə-] *n.* **1** Ⓤ 앞서기[먼저임] ; (…보다) 중요함 ; 윗자리 : ~ of one's rank *to* another's 지위가 다른 사람보다 윗자리 / according to ~ 순서에 따라서. **2** Ⓤ 우선 ; 우선권, 선취권 ; 《美》 우선적 배급 ; 〖法〗 우선권 : creditors by ~ 우선 채권자 / give ~ *to* …에게 우선권을 주다 / take ~ *of* …보다 우선권을 얻다, …에 우선하다 / You have ~ *over* him in your claim. 권리로는 그보다도 당신이 우선권이 있다. **3** 우선 할[해야 할] 것, 긴급을 요하는 사항 : a first[top] ~ 최우선 사항.

priórity màil *n.* 《美》 우선 우편《12온스 이상의 제1종 우편물(first-class mail) ; 중량한도는 70파운드, 크기는 길이와 둘레의 합계가 100인치까지》.

priórity prìnciple[sỳstem] *n.* 중점주의.

priórity sèating *n.* (열차의) 우대석《노약자를 위한》.
príor restráint *n.* 〖美法〗 중요 재판 자료 공개 금지령, 사전 억제령.
pri·o·ry [práiəri] *n.* 소(小)수도원《ABBEY의 하위》. 〖L ; ⇨ PRIOR²〗
prise ☞ PRIZE³.
***prism** [prízəm] *n.* **1** 〖光〗 프리즘 ; 분광(分光) ; [*pl.*] 일곱(가지) 색(깔). **2** 〖結晶〗 주(柱). **3** 〖數〗 각기둥. 〖L＜Gk. ＝anything sawn〗
pris·mat·ic [prizmǽtik] *a.* **1** 각기둥의, 삼릉형(三稜形)의 ; 프리즘의 ; 무지개빛의. **2** 〖結晶〗 사방정계(斜方晶系)의. **-i·cal·ly** *adv.* 프리즘식으로[과 같이] ; 무지개빛으로.
prismátic cólors *n. pl.* 스펙트럼 일곱 빛깔.
prismátic cómpass *n.* 프리즘 컴퍼스.
prísm binòculars[glàsses] *n. pl.* 프리즘 쌍안경.
prísm fínder *n.* 〖寫〗 프리즘식 반사 파인더.
pris·moid [prízmɔid] *n.* 〖數〗 각뿔대(frustum of a pyramid). **pris·mói·dal** *a.*
prísmy *a.* ＝PRISMATIC.
‡**pris·on** [prízən] *n.* **1** 교도소, 형무소, 감옥 ; 구치소, 감금소(jail) : a state ~ 《美》 주립 교도소. **2** Ⓤ 금고(禁錮), 감금, 유폐 : be[lie] *in* ~ 수감중이다 / break (*out of*) ~ 탈옥하다 / cast...*into* [put...*in*(*to*)] ~ …을 투옥하다 / go[be sent] *to* ~ 투옥되다. —— *vt.* 《文語》 투옥[감금]하다 (imprison). 〖OF＜L (*prehendo* to seize)〗
príson bìrd *n.* 죄수, 상습범.
príson brèach[brèaking] *n.* 탈옥.
príson brèak *n.* 탈옥.
príson brèaker *n.* 탈옥수(囚).
príson càmp *n.* (죄수의) 교도소 밖의 작업용 숙사 ; 포로 수용소.
príson èditor *n.* (신문의) 편집(명의)인.
***príson·er** *n.* **1** 죄인, 죄수 ; (유치장에) 검속(檢束)된 사람 ; 형사 피고인 ; 포로 : a political [state] ~ ＝ a ~ of State 국사[정치]범 / ~ of war 전쟁 포로《略 POW P.O.W》/ a ~*s'* camp 포로 수용소. **2** 《비유》 붙잡힌[자유를 빼앗긴] 사람[것] : a ~ *to* one's room [chair] 방[의자]에서 떠나지 않는 사람《환자 등》/ He made her hand a ~. 그녀의 손목을 붙잡았다.
hold** a person **prisoner 남을 포로로 잡아두다.
make [***take***] a person ***prisoner*** 남을 포로로 하다.
~·lìke *a.* 〖F ; ⇨ PRISON〗
prísoner of cónscience *n.* 국사범, 정치범.
prísoner's báse *n.* 땅 빼앗기 놀이.
príson fèver *n.* 〖醫〗 발진티푸스.
príson hòuse *n.* 《文語》 교도소, 감방(prison).
príson ván *n.* 《英》 ＝PATROL WAGON.
príson vísitor *n.* 교도소 방문자.
pris·sy [prísi] *a.* 《口》 잔소리 많은, 시끄럽게 구는 ; 신경질적인. **prís·si·ly** *adv.* **-si·ness** *n.* 〖? *prim*＋*sissy*〗
pris·tine [prístiːn, ⸗, prístain] *a.* 초기의, 원시시대의(primitive) ; 소박한, 속진에 오염되지 않은 ; 청결[신선]한. **~·ly** *adv.* 〖L *pristinus* former〗
prith·ee, pryth·ee [príði] *int.* 《古》 바라건대, 아무쪼록, 부디(please). 〖(I) *pray thee*〗
prit·tle-prat·tle [prítlprǽtl] *n.* 실없는 소리. —— *vi.* 실없는 소리를 하다, 수다를 떨다. 〖*prattle*의 가중(加重)〗

priv. private(ly) ; privative.
***pri·va·cy** [práivəsi, 英＋prív-] *n.* **1** Ⓤ 은둔(隱遁) ; (남의 간섭을 받지않는) 사생활 ; 남의 눈을 피하기 ; 은밀, 비밀, 내밀(內密) (secrecy) ; 개인의 자유로운 생활 : in the ~ of one's thoughts 마음 속으로 / You must not disturb a person's ~. 다른 사람의 사생활을 방해해서는 안된다. **2** 《古》 은둔처.
in privacy 숨어서 ; 남몰래 : He liked to live *in* ~. 그는 외부와 손을 끊고 은둔 생활하기를 좋아했다 / I tell you this *in* ~. 이 일을 몰래 말씀드립니다.
prívacy protèction *n.* 〖컴퓨〗 정보[데이터]의 기밀성 방호(防護).
pri·vat·do·cent, -zent [*G* priváːtdotsent] *n.* (*pl.* **~s, -cen·ten, -zen-** [-tən]) (독일어권 대학의) 초빙 강사《학생에게서 사례를 받음》. 〖G〗
‡**pri·vate** [práivət] *a.* **1** 사사로운, 개인에 속하는 ; 개인용(用)의 ; 개개의(↔*public*) : a ~ car 자가용차 / a ~ door 부엌문 / a ~ house 민가(民家) / ~ business 사사로운 일, 사용(私用) / ~ property 사유재산 / a ~ room 사실(私室) / one's ~ life 사생활 / in my ~ opinion 내 개인의 의견으로는. **2** 은밀한, 내밀의, 비밀을 지키는 : Please keep this ~. 아무쪼록 비밀로 해주십시오. **3 a**) 관직[벼슬]을 갖지 않은, 평민인 : a ~ citizen (관직을 안가진) 보통시민 / a ~ man 사인, 서민. **b**) 민간의, 민영의, 사유의, 사립의, 사설(私設)의 : a ~ railway 사설 철도 / a ~ school 사립학교. **c**) 비공개의, 공개되지 않은 ; 사적인 : a ~ letter 사신(私信) / ~ papers 수기(手記) / a ~ view 내람(內覽) (cf. PREVIEW) / a ~ wedding 집안끼리 모여 하는 결혼식. **4** 은둔(隱遁)하는, 남의 눈에 띄지 않는.
for** a person**'s private ear 은밀하게, 내밀히, 남몰래 : I have something *for* your ~ *ear.* 은밀하게 말씀드릴 일이 있습니다.
—— *n.* **1** 병사, 졸병, 병졸(＝~ soldier) (cf. ENLISTED MAN). 㕜 〖英陸軍〗에서는 하사관의 아래 ; 〖美陸軍〗에서는 ~ first class (일등병)의 아래, recruit의 윗계급 ; 〖美海兵隊〗에서는 최하위의 계급. **2** [*pl.*] 음부(陰部).
in private 내밀히, 남몰래 ; 비공식적으로 ; 사생활에서(↔*in public*).
~·ness *n.*
〖L＝taken away (from public affairs) *privat-privo* to deprive, bereave〗
prívate accóunt *n.* 개인 명의의 예금계좌.
prívate áct *n.* 〖法〗 사법률《특정 개인·법인에 대해서만 적용하는 법률》.
prívate attórney *n.* 〖法〗 대리인.
prívate bìll *n.* 특정인·특정 법인·특정 지역의 이권과 관련된 법안.
prívate bránd *n.* 상업자[자가] 상표.
prívate cómpany *n.* 《英》 개인회사《주식을 상장하지 못함》.
prívate detéctive *n.* 사설 탐정.
prívate énterprise *n.* 사기업, 민간[개인] 기업 ; 진취적인 기질.
pri·va·teer [pràivətíər] *n.* 사략선(私掠船)《전시에 적선 나포를 허가받은 민간 무장선》; 사력선의 선장 ; [*pl.*] 사력선의 선원.
—— *vi.* 사략선으로 행동하다[항행하다].
~·ing *n.* Ⓤ (사략선으로의) 해적 행위 ; 해적 노릇[생활] ; 상선 나포.
privatéers·man [-mən] *n.* 사략선(私掠船)의 선장[승무원].

prívate éye *n.* 《口》 사설[사립] 탐정.
prívate fìrst cláss *n.* 《美》 일등병(《略》 PFC, Pfc).
prívate hotél *n.* **1** 《英》 (아는 사람이나 소개받은 사람 이외에는 묵을 수 없는) 민박집, 하숙. **2** 《濠》 주류 판매 허가가 없는 호텔.
prívate invéstigator *n.* =PRIVATE DETECTIVE.
prívate láw *n.* 사법(私法).
prívate·ly *adv.* 내밀하게, 비공식으로; 개인으로서: a ~ financed corporation 민간 자본에 의한 법인.
prívate líne *n.* 〖通信〗 전용(專用) 회선, 사설 회선: ~ service 전용 회선 서비스.
prívate méans *n. pl.* 부수입, 불로소득; 재산.
prívate mémber (of Párliament) *n.* 《英》 (각료직을 겸하지 않은) 평의원, 비각료 의원.
prívate núisance *n.* 〖法〗 사적 불법 방해.
prívate párts *n. pl.* 음부(陰部).
prívate pátient *n.* 《英》 개인 부담 환자(《국민 건강 보험 적용자가 아닌》).
prívate políce *n.* 《美》 민간[청원] 경찰(《공적 경찰과 구별한 경비용역 산업》).
prívate práctice *n.* (의사·건축사 등의) 개인 영업[개업].
prívate préss *n.* (이익보다 취미로 일을 하는) 개인 인쇄소[출판사].
prívate ríght *n.* 〖法〗 사권(私權).
prívate sécretary *n.* 개인 비서.
prívate séctor *n.* 민간 부문.
prívate sóldier *n.* 《英》 병정, 병사(=《美》 enlisted man).
prívate státute *n.* =PRIVATE ACT.
prívate tréaty *n.* 파는 사람과 사는 사람의 담합에 의한 재산의 매각(cf. AUCTION).
prívate wáy *n.* 〖法〗 사통행권; 사도(私道).
prívate-wíre sỳstem *n.* 사설 전화[텔렉스] 회선망.
prívate wróng *n.* 〖法〗 사적 권리의 침해.
pri·va·tion [praivéiʃən] *n.* 상실; (특히 일용품의) 결핍, 부자유, 궁핍; 〖論〗 성질 결여; 박탈, 몰수: die of ~ 궁핍으로 죽다 / suffer many small ~*s* 여러가지 자질구레한 일용품의 궁핍으로 곤란을 겪다. 〚L; ⇨ PRIVATE〛
pri·va·tism [práivətìzəm] *n.* Ⓤ 《美》 사유[사적 자유]의 존중, 사생활 중심주의.
prì·va·tís·tic *a.* 사생활 중심주의의, 사적 자유를 존중하는; 사기업 제도를 인정하는.
priv·a·tive [prívətiv] *a.* **1** (어떤 성질의) 결여를 나타내는, 결핍된, 소극적인. **2** 〖文法〗 (접사(接辭) 따위가) 결성(缺性)을 나타내는, 부정의.
—— *n.* 〖文法〗 결성어(缺性語), 결성사(缺性辭) (《속성(屬性)의 결여를 나타내는 dumb, voiceless 따위; 또한 un-, -less 따위》); 〖論〗 결여 개념.
~·ly *adv.*
prí·va·tìze *vt.* **1** 사영[민영]화하다. **2** 배타[독점]하다; 한정[전유]하다.
prì·va·ti·zá·tion *n.*
priv·et [prívət] *n.* 〖植〗 쥐똥나무속(屬)의 식물. 〚C16< ?〛
priv·i·lege** [prívəlidʒ] *n.* **1** [+前+do*ing*] **a)** Ⓤ,Ⓒ (관직에 따르는) 특권, 특전, 특별 취급; [the ~] 대권(大權) (cf. PREROGATIVE): the water ~ 용수(用水) 사용권 / the ~*s* of birth 명문의 특권 / a writ of ~ 특사장(特赦狀) / Our memberships have the ~ ***of us*ing* the lending service of the library. 본회 회원은 도서관의 도서 대출을 받을 수 있는 특전이 있다. **b)** (개인적인) 은전(恩典), (특별한) 은덕, 은혜, 명예: It was a ~ to attend the ceremony. 그 식전에 참석하는 것은 특별한 명예였다. **2** [the ~] (기본적인 인권에 의한) 권리: *the* ~ of citizenship [equality] 공민[평등]권.
—— *vt.* **1** [+目/+目+*to* do] …에게 특권[특전]을 부여하다: He was ~*d to* come at any time. 그에게는 언제 와도 좋다는 특전이 부여되어 있었다. **2** [+目+*from*+名] 특전으로서 면제하다 (exempt): ~ a person ***from*** some burden 남을 어떤 부담에서 특별히 면제하다.
〚OF<L=bill or law relevant to rights of an individual (PRIVY, *leg- lex* law)〛
prívilege cáb *n.* 《英》 특정 장소[특히 정거장]에서 손님을 기다리는 허가를 받은 택시.
priv·i·leged *a.* 특권[특전]이 있는, 특별 허가[면제]된; 〖法〗 면책 특권의(《발언·정보 따위》); 〖法〗 증언을 거부할 수 있는; 〖海〗 (선박이) 우선 통행권을 가진: the ~ class 특권 계급.
prívileged communicátion *n.* 〖法〗 **1** =CONFIDENTIAL COMMUNICATION. **2** 면책 표시.
priv·i·li·gen·tsia [prìvəlidʒéntsiə] *n.* 특권계급 (the privileged class).
priv·i·ly [prívəli] *adv.* 몰래, 은밀히, 비밀로.
priv·i·ty [prívəti] *n.* 비밀리에 관여하기, 몰래 관여하여 알기〈*to*〉; 〖法〗 당사자 관계, 동일한 권리에 대한 상호 관계; [*pl.*] 음부.
without the privity of …에게 알리지 않고.
with a person***'s privity and consent*** 남의 동의를 얻어.
〚OF *priveté*〛
privy [prívi] *a.* **1** (…에) 몰래[은밀히] 관여[관지(關知)]하는〈*to*〉: I was made ~ ***to*** it. 나는 그것을 비밀리에 알고 있었다. **2** 《古》 숨겨진; 비밀의(secret). **3** 일개인의, 사용(私用)[사유]의.
—— *n.* **1** 〖法〗 당사자, 이해 관계인(人). **2** 《美》 옥외 변소(outhouse). 〚OF *privé*<L PRIVATE〛
Prívy Cóuncil *n.* [the ~] 《英》 추밀원(樞密院) (《略》 P.C.); [p~ c~] 고문단[회의].
prívy cóuncilor *n.* 사적 문제에 관한 고문[상담역]; 고문(관); [P~ C~] 《英》 추밀 고문관(《略》 P.C.).
Prívy Pùrse *n.* [the ~] 《英》 국왕의 내탕금(內帑金)(관리인).
prívy séal *n.* [the ~] 〖英史〗 옥새(玉璽); [the P~ S~] =the LORD PRIVY SEAL.
prívy vérdict *n.* 〖法〗 비밀 평결.
prix [*F* pri] *n.* =PRIZE[1].
prix fixe [prí: fí(:)ks] *n.* (*pl.* **~s**) 정식(定食) (table d'hôte), 정식값. 〚F=fixed price〛
Prix Gon·court [*F* pri gɔ̃ku:r] *n.* 공쿠르상.
‡prize[1] [práiz] *n.* **1** 치하, 상주기, 상품, 경품, 현상금: be awarded [given] a ~ *for* perfect attendance 개근상(皆勤賞)을 수여받다 / carry off [gain, take, win] a ~ *at* an exhibition 전람회에서 상을 받다 / draw a ~ *in* the lottery 복권이 당첨되다. **2** (경쟁 따위의) 목적물, 목표; 남이 부러워하는 것: the ~*s* of life 인생의 목적으로 삼는 것(《부귀·명예 따위》). **3** 《口》 귀중한 것, 멋있는 것: Good health is an inestimable ~. 건강은 더없이 귀중한 보배다. **4** [형용사적으로] **a)** 상품으로 받은[주어지는]: a ~ cup 상배(賞杯) / a ~ medal 우승 메달. **b)** [흔히 반어적으로] 상품을 받기에 알맞은, 훌륭한: a ~ idiot (상이라도 주어야 할 만한) 굉장한 바보. **c)** 입상[입선]한: a ~ novel 입선 소설. **d)** 현상(금)이 붙은:

☞ PRIZEFIGHT. —— *vt.* 중히 여기다, 존중하다 ; 평가하다 : my most ~*d* possessions 나에게 있어서 무엇보다도 중요한 것.
〚ME *pris* prize[1], PRICE〛
類義語 ⟹ (1) (*n.*) REWARD. (2) (*v.*) APPRECIATE.

prize[2] *n.* **1** 노획물, 전리품 ; (특히) 나포선(船) ; 노획 재산. **2** 《비유》 횡재(물).
become (***the***) ***prize of*** [***to***] …에게 나포되다.
make (***a***) ***prize of*** …을 포획하다.
—— *vt.* 나포[포획]하다. 〚OF *prise* a capture, booty (L *prehendo* to seize)〛

prize[3]**, prise** *vt.* 《英》 [+目+副/+目+補] 지레로 들어올리다[움직이다], 비틀어 열다 : ~ the lid ***up*** [***out***] 뚜껑을 비집어 열다 / ~ a door open 문을 비틀어 열다. —— *n.* 지레 (작용).
〚ME and OF *prise* levering instrument (↑)〛

príze còurt *n.* 《英》 (전시의) 포획물 심판소.
príze créw *n.* 나포선 회항원(回航員).
príze dày *n.* 연간 학업 성적 우수자의 표창일.
príze féllow *n.* 《英》 prize fellowship을 받고 있는 학생.
príze féllowship *n.* 《英》 시험 성적 우수자에게 주는 장학금.
príze·fight *n.* 프로권투 시합. **~·er** *n.* 현상[프로] 권투 선수. **~·ing** *n.* =PRIZEFIGHT.
príze·man [-mən] *n.* (*pl.* **-men** [-mən]) 수상자.
príze máster *n.* 〔海〕 나포선 회항 지휘관.
príze mòney *n.* **1** Ⓤ 포획 상금《원래 포획물을 매각하여 포획자에게 분배하는》. **2** Ⓤ (일반적으로) 상금.
priz·er[1] [práizər] *n.* 《古》 현상금이 목적인[을 노린] 경기자.
prizer[2] *n.* 《古》 =APPRAISER.
príze rìng *n.* 현상 권투장 ; 프로 권투계 ; 현상 권투선수와 그 후원자.
príze·wìnner *n.* 수상자, 우승자 ; 수상작(품).
príze·wìnning *a.* 입상[수상]한.
príze·wòrthy *a.* 상을 받을 만한.
PRN, p.r.n. pro re nata.
pro[1] [próu] *n.* (*pl.* **~s**) 《口》 직업 선수, 전문가, 프로. —— *a.* 전문적인, 직업 선수의, 프로의 (professional) : a ~ boxer 직업적인 권투 선수, 프로 복서. 〚*pro*fessional〛
pro[2] *adv.* 찬성하여 : ~ and con 찬반 양론으로. —— *n.* (*pl.* **~s**) 찬성(론) ; 찬성자, 찬성 투표 : the ~*s* and cons 찬반 양론. —— [prou] *prep.* 찬성하여. 〚L=for, on behalf of〛
pro[3] *n.* 《俗》 매춘부(prostitute).
pro[4] *prep.* (=for) …을 위한 ; …에 따라 ; …에 찬성하여. 〚L〛
pro-[1] [próu] *pref.* **1** [현용 접두사] **a**) …의 대신(에), 부(副) : *pro*cathedral 대성당 대용의 교회. **b**) …찬성의, …을 편드는(↔*anti-*) : *pro*slavery 노예 제도 찬성의. **2** [라틴 파생어의 접두사] **a**) 「내다」 : *pro*duce. **b**) 「앞으로」 : *pro*ceed. **c**) 「앞」 : *pro*fane. **d**) 「대신」 : *pro*consul. **e**) 「공개적으로」 : *pro*claim. **f**) 「…에 응하여, …에 따라서」 : *pro*portion. **g**) 「…의 대신에」 : *pro*verb. 〚L〛
pro-[2] [prə, prou, prɑ] *pref.* 「앞」 「전(前)…」《학술용어》 : *pro*ganathous, *pro*gnosis.
〚OF<L and Gk. *pro*〛
PRO., P.R.O. public relations office [officer] ; Public Record Office.
proa ☞ PRAU.
prò·abórtion *a.* 임신 중절 지지의.

pro·áctive *a.* **1** 사전 행동의. **2** 〔心〕 순향(順向)의, 제1차 학습에 영향받은.
pro-am [próuǽm] *a.*, *n.* 프로와 아마추어 합동의 (시합).
prob. probable ; probably ; problem.
prob·a·bi·lism [prɑ́bəbəlizəm] *n.* 〔哲〕 개연론(蓋然論). **-list** *a.*, *n.*
pròb·a·bi·lís·tic *a.* 개연론[설]의 ; 가망성의[에 의거한].
prob·a·bil·i·ty** [prɑ̀bəbíləti] *n.* **1** Ⓤ [+*of*+do*ing* / +*that* 節] 있을[일어날] 법한 일, 가망(성) : Is there any ~ ***of his com*ing*? 그가 올 가능성이 있습니까 / There is every [no] ~ *that* he will take our side. 그가 우리 편을 든다는 것은 충분히 있을 법한[도저히 있을 수 없는] 일이다 / There is a (=some degree of) ~ *that* it will rain toward evening. 저녁때 쯤 비가 내릴 것 같다 / It lacks ~. 그것은 일어날 것 같지 않다. **2** 있을[일어날] 법한 사건 : It is a ~. 그것은 일어날 법하다 / The ~ is that she will forget it. 그녀는 그것을 잊을 것 같다 / The *probabilities* are against us [in our favor]. 어쩐지 우리에게 불리[유리]할 것 같다. ㊟ 실현성이 POSSIBILITY 보다도 강하며, CERTAINTY 보다는 약함. **3** Ⓤ 〔哲〕 개연성(蓋然性) ; 〔數〕 확률, 공산(公算) ; 〔컴퓨〕 확률.
in all probability 거의, 틀림없이, 꼭(very probably) : *In all* ~, the employment situation will improve next year. 틀림없이 내년에는 취업 상태가 좋아질 것이다.
probabílity clòud *n.* 〔原子理〕 확률운(確率雲) 《파동(波動) 방정식을 수반하는 확률밀도 함수에 의해 정해지는 전자의 존재 영역》.
probabílity cùrve *n.* 〔統〕 확률 곡선.
probabílity dènsity *n.* 〔統〕 확률 밀도.
probabílity dènsity fùnction *n.* 〔統〕 확률 밀도 함수.
probabílity distribùtion *n.* 〔統〕 확률 분포.
probabílity fùnction *n.* 〔統〕 확률 함수.
probabílity thèory *n.* 〔數〕 확률론.
‡**prob·a·ble** [prɑ́bəbəl] *a.* 있음직한, …할 것같은, 그럴 듯한, 유망한 : the ~ reason for the fire 그 화재의 유력한 원인 / a ~ candidate 예상되는 후보자 / What is the ~ cost of the new house? 신축 가옥의 비용 견적은 얼마 정도인가 / It is hardly ~ that he will succeed. 어쩐지 성공할 것 같지 않다. —— *n.* **1** 무엇인가 할 만한 사람 ; 일어날 것 같은 사건 ; 될 듯한 일. **2** 유망한 후보자 ; (미식 축구 따위의) 신인, 후보.
〚OF<L ; ⇨ PROVE〛
類義語 ***probable*** 증거 또는 이유상으로 당연히 그렇다[그렇게 된다]고 생각되어지나 아직 완전히 확실하다고는 할 수 없거나 또는 증명되어 있지 않은. ***possible*** probable 정도는 아니지만 어떤 것의 존재·발생·행위의 가능성이 있는. ***likely*** possible 보다는 가능성 또는 진실성은 크지만, probable에 비해서 확실성이 낮은 : There are several *possible* murderers in the case ; the first three are all *likely*, but the second seems *probable* one. (그 사건에서 너덧 사람이 살인 용의자인데 처음 세 사람이 모두 유력하지만, 두번째 사람이 살인자일 확률이 가장 높아 보인다).
próbable cáuse *n.* 〔法〕 (유죄로 인정할 수 있는) 상당한 근거[이유].
‡**prob·a·bly** [prɑ́bəbli] *adv.* 아마도, 십중 팔구는 (very likely) : I'll ~ be a little late. 아마도 조

금 늦을 것이다.

pro·band [próubænd, -ˊ] *n.* 계보의 출발 점이 되는 사람 ; 〖遺〗 발단자(어떤 유전 형질을 가진 최초의 사람).

pro·bang [próubæŋ] *n.* 〖醫〗 인후[식도] 소식자(消息子). 〚변형(變形) ‹*provang* ; W. Rumsey (d. 1660) 웨일스의 판사로 그 발명자의 조어(造語) (< ?)〛

pro·bate [próubeit, -bət] *n.* Ⓤ 〖法〗 유언검인(권) (檢認(權)). —— *vt.* 《美》 (유언장을) 검인하다 ; 보호 관찰에 부치다. —— *a.* 유언 검인 (법원) 의. 〚L *probat- probo* to PROVE〛

próbate còurt *n.* (유언) 검인 법원.

próbate dùty *n.* 〖法〗 상속 동산세(動産稅).

pro·ba·tion [proubéiʃən] *n.* **1** Ⓤ 시험, 검정(檢定). **2** Ⓤ 견습 기간, 실습(기간) ; 《美》 (실격·처벌 학생의) 가급제(假及第) 기간. **3** Ⓤ 〖神學〗 시련, 시험 (ordeal) ; 〖法〗 집행 유예 ; (집행 유예 중의) 보호 관찰 : the ~ system 보호 관찰 제도.
on probation 시험삼아 ; 견습으로 ; 수습으로서 ; 집행 유예로.
place [***put***]... ***on*** [***under***] two years' ***probation*** (범죄자를) 2년간 집행 유예에 처하다.
~·shìp *n.*
〚OF<L ; ⇨ PROVE〛

probátion·al *a.* =PROBATIONARY.

probátion·àry [; -əri] *a.* 시험적인, 시련의, 견습중인 ; 집행 유예(중)의.

probátion·er *n.* **1** 견습생 ; (병원의) 간호 실습생 ; 시보(試補) ; 가(假)입회자. **2** 집행 유예중인 피고인.
~·shìp *n.* 수습 (기간) ; 집행 유예 (기간).

probátion òfficer *n.* 보호 관찰관.

pro·ba·tive [próubətiv, prάb-], **pro·ba·to·ry** [próubətɔ̀ːri ; -təri] *a.* 시험의, 시험삼아 하는 ; 입증하는, 증거를 제시하는.

probe [próub] *n.* **1** 〖醫〗 탐침(探針), 소식자(消息子) ; 탐측기 ; 탐측장치. **2** 시험, 시도 ; (부정 행위 적발을 위한) 철저한 조사 ; 우주 탐사기[인공위성·망원경 따위](대기권 밖을 조사하는데 사용됨) : a lunar ~ 달[월면(月面)] 탐사(장치). **3** 〖컴퓨〗 문안침, 탐색침.
—— *vt.* **1** 〖醫〗 탐침(探針)으로 찾다. **2** 엄밀하게 조사하다 : ~ a person's thoughts [feelings] 남의 사상[감정]을 엄밀히 조사하다. —— *vi.* [+*into*+名] (진상 따위를) 규명하다, 탐사[탐구]하다 : ~ ***into*** the causes of a crime 범죄의 원인을 조사하다.
〚L *proba* proof, investigation ; ⇨ PROVE〛

prób·er *n.* 〖電子〗 프로버(probing을 하는 장치로 전후 좌우의 미세 위치 조정이 가능하며 웨이퍼 검사를 자동적으로 하게 되어 있음).

próbing *n.* 〖電子〗 프로빙(트랜지스터나 IC칩의 패드에 탐침(probe)을 세워 특성 검사를 하는 것) ; 〖工〗 짚어보기.

prob·it [prάbət] *n.* 〖統〗 프로빗(확률을 계산하는 단위).

pro·bi·ty [próubəti] *n.* Ⓤ (시련을 겪고 증명된) 청렴결백, 성실, 정직. 〚F or L (*probus* good)〛

◇**prob·lem** [prάbləm] *n.* **1** [+(前+) *wh.* 節] 문제, 의문, 난문(難問) (cf. QUESTION) : solve a mathematical ~ 수학 문제를 풀다 / We must discuss the ~ ***of*** *how to* prevent war. 어떻게 전쟁을 방지할 수 있을 것인가 하는 문제를 토의해야만 한다. **2** 〖理·數〗 문제, 과제 ; 〖數〗 문제, 작도(作圖) 문제. **3** 〖체스〗 묘수 풀이 문제.
—— *a.* **1** 문제의, 감당할 수 없는 : a ~ child 문제아. **2** 개인적·사회적 문제로 다룬 : a ~ novel [play] 문제 소설[극]. 〚OF or L<Gk.=something put forward (*ballō* to throw)〛

prob·lem·at·ic, -i·cal [prὰbləmǽtik(əl)] *a.* 문제의, 의문의 ; 불확정한, 〖論〗 개연적인 ; 의심스러운, 미심쩍은. **-i·cal·ly** *adv.*

pròb·lem·át·ics *n. pl.* 문제가 많은[불확정적인] 사항.

prob·le·ma·tique [*F* prɔblematik] *n.* (선진 기술 사회에서의 공해·인플레이션 따위의) 복잡한 문제.

próblem pícture *n.* 화가의 의도가 분명하게 나타나 있지 않은 그림.

próblem-solútion advertìsement *n.* 〖廣告〗 문제 해결형 광고.

pro·bos·cid·e·an, -i·an [pròubəsídiən, prəbὰsədíːən] *a., n.* 〖動〗 장비목(長鼻目)의 (동물).

pro·bos·cis [proubάsəs, prə-] *n.* (*pl.* **~·es, -ci·des** [-sədìːz]) (코끼리 따위의) 코 ; (곤충 따위의) 주둥이 ; 《戱》 (인간의) 커다란 코.
〚L<Gk. (*boskō* to feed)〛

probóscis mónkey *n.* 〖動〗 코주부원숭이.

prò·búsiness *a.* 친(親)비즈니스파의, 재계(財界)편의.

proc. procedure ; proceedings ; process ; proclamation ; proctor.

pro·caine [próukein, -ˊ] *n.* Ⓤ 〖藥〗 프로카인(코카인 비슷한 국소 마취제의 일종).

pro·cámbium *n.* 〖植〗 전(前) 형성층.
-cámbial *a.*

pro·cary·ote, -kary- [proukǽriòut] *n.* 〖生〗 원핵생물(주로 세균·남조(藍藻)류 ; ↔*eucaryote*).
prò·cary·ót·ic, -kary- [-άt-] *a.*

pro·ce·dure** [prəsíːdʒər] *n.* Ⓤ,Ⓒ [+前+名] (진행상의) 순서 ; 수속, 절차, 소송 절차, 의사(議事) 순서 ; 처치 ; 〖컴퓨〗 절차 : legal ~ 소송 절차 / summary ~ 약식 재판 절차 / the code of civil [criminal] ~ 민사[형사] 소송법 / the scientific discovery of the ~ ***for split*ting* an atom 원자핵 분열법의 과학적 발견.
pro·cé·dur·al *a.* 절차(상)의. **-al·ly** *adv.*
〚F (↓)〛

pro·ceed** [prəsíːd, prou-] *vi.* **1** [動/+前+名] 나아가다, (향하여서) 가다, 지향하다 : The mountaineers ~*ed* ***to the regions of snow and ice. 등산객들은 빙설지대(氷雪地帶)로 향했다(主이 뜻으로는 대신 went (on)을 쓰는 것이 구어적). **2** [+前+名/+*to* do/動] 속행(續行)하다, (…으로) 옮기다 ; (중단 후) 계속하여 말하다 ; 나아가기[…하기] 시작하다 : We ~*ed* ***to*** business. 일을 하기 시작했다 / Let us ~ ***with*** our lesson. 학과를 시작합시다 / He ~*ed to* light his pipe. 그는 담뱃대에 불을 붙였다 / "In either case," he ~*ed*, "our course is clear." 어떤 경우에도 우리가 취할 길은 분명합니다 라고 그는 말을 계속했다. **3** [+*from*+名] 발(생)하다, 생기다, 유래하다 : All these evils ~ ***from*** war. 이들 모든 폐해(弊害)는 전쟁에서 유래한다. **4** 수속(手續)하다, 절차를 밟다, 처분하다 ; 집행[거행]되다 ; [+*against*+名] 〖法〗 고소[제소]하다 : We shall ~ ***against*** transgressors. 침입자를 고소할 것이다. **5** [+*to*+名/+補] 《英大學》 (더 나아가서 (보통 B.A.보다 더) 상위(上位)의 학위를) 받다 : ~ ***to*** (the degree of) M.A.=~ M.A. 문학 석사 학위를 받다. —— [próusiːd] *n.* [*pl.*] =PROCEEDS.
〚OF<L *pro-*[1] (*cess- cedo* to go)=to advance〛
類義語 ⟹ ADVANCE.

procéed·ing *n.* **1** Ⓤ 진행 ; 행동. **2** 행위, 하는 방식. **3** 처치, 처분 : a legal[an illegal] ~ 합법[불법] 처치. **4** [*pl.*] 의사(록), 회보(會報). **5** [*pl.*] 〖法〗 소송 절차[행위] : summary ~*s* 약식 재판 절차 / take[start] ~*s* (*against*...) (… 을 상대로) 소송을 제기하다.

pro·ceeds [próusi:dz] *n. pl.* 수입, 매상고, 판매고, 수익(收益) ; 결과 : net ~ 순익금, 순이익.

‡**pro·cess**[1] [práses, próu- ; próu-] *n.* **1** Ⓤ 진행, 과정, 경과〈*of*〉 ; 작용 ; 변천, 추이(推移) : the ~ *of* history 역사의 진행 (과정). **2 a**) 방법, 순서, 공정(工程) ; 처치, 조작 ; 〖컴퓨〗 처리. **b**) [형용사적으로] (화학적으로) 가공 처리한 : ☞ PROCESS CHEESE. **3** 〖法〗 소송 절차, 피고 소환 영장(令狀) : serve a ~ on …에게 영장을 송달하다. **4** 〖解·動·植〗 돌기, 융기(隆起) : the alveolar ~ 치조(齒槽) 돌기. **5** 〖印〗 사진 제판법 ; 〖映〗 스크린 프로세스 : the three-color ~ 3색 인쇄법.

in process 진행중으로.

in (***the***) ***process of*** …가[의] 진행중이어서[으로], …하는 중 : *in* ~ *of* construction 건축[공사]중 / *in the* ~ *of* develop*ing* 발전중으로.

—— *vt.* **1** (식품을) 가공[저장]하다 ; (원료를) 화학적으로 (가공) 처리하다 ; (그림 따위를) 사진판으로 복제(複製)하다, (컬러 필름 따위를) 현상하다 : ☞ PROCESS BUTTER. **2** (서류 따위를) 복사하다 ; 〖컴퓨〗 (데이터를) 처리하다 : ~ information 정보를 처리하다. **3** 〖法〗 (남을) 기소하다 ; (남에게) 영장을 송달하다.

〖OF＜L ; ⇨ PROCEED〗

pro·cess[2] [prəsés] *vi.* 《英口》 줄지어 걸어가다. 〖역성(逆成) ‹ *procession*〗

prócess árt *n.* 개념 미술(conceptual art).

prócess blòck *n.* 사진판.

prócess[**pró·cessed**] **bútter**[**chéese**] *n.* 가공 버터[치즈].

prócess contròl *n.* 프로세스 제어《자동 제어의 한 부문》 ; 〖컴퓨〗 처리 통제 ; 〖工〗 공정 관리.

prócess còsting *n.* 〖會計〗 종합[공정별] 원가 계산.

prócess·ing tàx *n.* 《美》 (특히 농산물의) 가공세(稅).

prócessing ùnit *n.* 〖컴퓨〗 (연산) 처리장치.

***pro·ces·sion** [prəséʃən] *n.* **1** 행렬(parade) : a wedding[funeral] ~ 혼례[장의(葬儀)] 행렬 / A ~ *of* graceful swans sailed majestically past. 우아한 백조 떼가 (물위를) 장관을 이루며 미끄러지듯이 지나갔다. **2** Ⓤ (행렬의) 행진, 진행 : walk in ~ 행렬을 지어 걸어가다. —— *vi., vt.* 행렬을 지어 나아가다, 대열을 지어 건다.

〖OF＜L ; ⇨ PROCEED〗

procéssion·al *a.* 행렬(용)의, 행진의 : a ~ chant 〖宗〗 행렬 성가(聖歌) / a ~ cross 행렬용 십자가《행렬의 선두에서 받들고 감》.

—— *n.* 〖宗〗 행렬식서(行列式書) ; 행렬 성가.

~·ly *adv.*

pro·ces·sor [prásesər, próu- ; próu-] *n.* (농산물의) 가공업자 ; =COMPUTER ; 〖컴퓨〗 프로세서《(1) 처리 장치[기]. (2) 프로그램언어를 기계언어로 번역하는 프로그램》.

prócess plàte *n.* (사진 제판용(用)의) 프로세스 건판.

prócess prìnting *n.* 원색 제판법.

prócess sèrver *n.* 〖法〗 영장 송달리, 집달리.

pro·cès-ver·bal [*F* prɔsɛvɛrbal] *n.* (*pl.* **-ver·baux** [*F* -vɛrbo]) (회의의) 의사(議事) 보고서, 공식기록 ; (외교) 기록.

pro-chóice *a.* 임신 중절 합법화 지지(支持)의(↔ *pro-life*), 낙태 옹호의. **pro-chóic·er** *n.*

pro·chro·nism [próukrənìzəm, prák-] *n.* (실제보다 이전으로 기록하는) 연대[날짜] 착오.

***pro·claim** [proukléim, prə-] *vt.* **1** [＋目 / ＋目＋補 / ＋目＋*to* do / ＋*that*節] 선언하다(declare) ; 공포[포고]하다 : Peace was ~*ed.* 평화가[휴전이] 공포되었다 / The people ~*ed* him king. 국민은 그를 왕이라고 선언했다 / The king of Prussia was ~*ed* emperor of Germany. 프러시아 왕은 독일 황제라고 선언되었다 / They ~*ed* him *to be*[~*ed that* he was] an outlaw. 그를 가리켜 법률상의 보호권을 박탈당한 자라고 선언했다. **2** [＋目 / ＋目＋補 / ＋*that* 節] 나타내다(reveal) : The conduct ~*ed* him[~*ed that* he was] a fool. 그 행위로 그가 바보라는 것이 드러났다. **3** (…지역 따위에) 금령(禁令)을 내리다, (집회 따위의) 금지를 선고하다. **4** 찬양하다.

—— *vi.* 선언[포고, 성명]하다.

~·er *n.* 선언자.

〖L *pro-*[1](CLAIM) =to cry out〗

類義語 ⟹ DECLARE.

proc·la·ma·tion [pràkləméiʃən] *n.* **1** Ⓤ 선언, 포고, 발포(發布) : the ~ of war 선전 포고. **2** 성명서, 선언서 : issue[make] a ~ 성명서를 내다, 성명을 발표하다.

pro·clam·a·to·ry [prəklǽmətɔ̀:ri ; -təri] *a.* 선언적인, 공포하는 ; 선언[성명]서의.

pro·clit·ic [prouklítik] *a.* 〖文法〗 후접(後接)(적)인《악센트가 없이 바로 뒤의 말에 밀착되어 발음되어짐 ; ↔*enclitic*》. —— *n.* 후접어(後接語)《관사·전치사·조동사 따위》.

〖NL=leaning forwards ; *enclitic*을 모방한 것〗

pro·cliv·i·ty [prouklívəti, prə-] *n.* [＋*to* do / ＋前＋do*ing*] 성벽(性癖), 기질, 경향 : He had a ~ ***to***[***toward***] warlike activities. 태어나면서부터 호전적인 데가 있었다 / a ~ *to* steal 도벽(盜癖) / a ~ *toward* be*ing* vicious 나쁜 데로 빠지려는 경향. 〖L (*clivus* slope)〗

pro·con·sul [proukánsəl] *n.* **1** 〖古로〗 속주 총독 ; 《英》 (근대의) 식민지 총독. **2** 《英》 부영사(deputy consul). **~·shìp** *n.*

pro·cón·su·lar *a.* 총독(관하)의.

pro·cón·su·late *n.* Ⓤ 총독의 직[임기].

pro·cras·ti·nate [proukrǽstənèit, prə-] *vt.* 우물쭈물하다, (뒤로) 연기하다. —— *vt.* 연기하다.

-nà·tor *n.* 꾸물거리는 사람.

pro·crás·ti·na·tive *a.* 〖L=to postpone until tomorrow (*cras* tomorrow)〗

pro·cràs·ti·ná·tion *n.* Ⓤ 연기[우물쭈물]하기 ; 지연 : *P*~ is the thief of time. 《속담》 지연은 시간의 낭비.

pro·cre·ant [próukriənt] *a.* (아이를) 낳는 ; 다산(多産)의 ; 열매가 많은.

pro·cre·ate [próukrièit] *vt.* (아이를) 낳다, 생기게 하다(produce). —— *vi.* 태어나다, 생기다.

〖L ; ⇨ CREATE〗

prò·cre·átion *n.* Ⓤ 출산 ; 생식(生殖).

pró·cre·àtive *a.* 출산[생식]력이 있는.

pró·cre·àtor *n.* 낳는 사람(generator), 부모(중 아버지).

Pro·crus·te·an [proukrʌ́stiən, prə-] *a.* [흔히 p~] 억지로[무리하게] 기준에 맞추려고 하는.

〖PROCRUSTES〗

Pro·crus·tes [proukrʌ́sti:z, prə-] *n.* 〖그神〗 프로크루스테스《고대 그리스의 강도 ; 붙잡은 사람을

쇠로 만든 침대에 눕혀 침대보다 긴 사람은 다리를 자르고 짧은 사람은 잡아 늘였다고 함》.

pro·crýptic *a.* 〖動〗 보호색의.

proct- [prákt], **proc·to-** [práktou, -tə], **proc·ti-** [práktə] *comb. form* 「항문(肛門)」「직장(直腸)」의 뜻. 〖Gk.〗

proc·to·dae·um, -de- [pràktədí:əm] *n.* (*pl.* **-daea** [-dí:ə], **~s**) 〖動〗 항문관(肛門管), 항문도(肛門道).

proc·tol·o·gy [praktálədʒi] *n.* 직장(直腸)[항문] 병학, 항문과[학].

proc·tor [práktər] *n.* 〖法〗 대리인, 대소인(代訴人); 《英大學》 학생감(監), 시험 감독관. —— *vt., vi.* 망보다, 감시[감독]하다.

proc·to·ri·al [praktɔ́:riəl] *a.* proctor의.

〖단축‹*procurator*〗

próctor·ìze *vt.* (학생감이 학생을) 훈계[처벌]하다. —— *vi.* 《古》 학생감의 직무를 행하다.

próctor·shìp *n.* proctor의 직[임기].

prócto·scòpe *n.* 〖醫〗 직장경(直腸鏡).

pro·cum·bent [proukʌ́mbənt] *a.* **1** 〖植〗 포복성의. **2** 포복하는, 납작 엎드린(prone).

proc·u·ra·cy [prákjərəsi] *n.* Ⓤ 대리직[임무], 대리 사무.

proc·u·ra·tion [pràkjəréiʃən] *n.* **1** Ⓤ 획득. **2** Ⓤ 〖法〗 대리; 위임, 위임권; 위임장: by[per] ~ 대리로《略 per pro(c).》. **3** ⓊⒸ 대금(貸金) 주선(료), 수수료.

proc·u·ra·tor [prákjərèitər] *n.* 〖法〗 (소송) 대리인; 〖古로〗 행정 장관, 지방 수세관(收稅官).

~·shìp *n.* Ⓤ procurator의 직[임기].

〖OF or L; ⇨ PROCURE〗

proc·u·ra·to·ri·al [pràkjərətɔ́:riəl] *a.* 대리인의, 대소(代訴)의.

proc·u·ra·to·ry [prákjərətɔ̀:ri; -təri] *n.* 〖法〗 대리 명령; 위임권(power of attorney).

—— *a.* PROCURATOR[PROCURATION]의.

pro·cure** [prəkjúər, prou-] *vt.* **1** [+目/+目+目/+目+*for*+名] (특히 노력하거나 애를 써서) 획득하다(obtain); (필수품을) 조달하다; (매춘부를) 주선하다: It was difficult to ~ food. 식량을 조달하기가 곤란했다 / His name has ~*d* him respect. 그의 이름은 존경을 받고 있다 / My uncle ~*d* an employment ***for me. 아저씨가 나에게 일자리를 알선해 주셨다. **2** 《古·文語》 일으키다, 야기[초래]하다: ~ a person's death (남의 손을 빌려) 사람을 죽이다. —— *vi.* 매춘부를 주선하다, 뚜쟁이 짓을 하다. **pro·cúr·able** *a.* 얻을 수 있는, 손에 넣을 수 있는; 조달할 수 있는.

〖OF‹L *pro*-¹(*curo* to look after)=to take care of, manage〗

類義語 ⟹ GET.

procúre·ment *n.* **1** Ⓤ 획득; (필수품의) 조달; 발생시키기; 주선. **2** Ⓤ 《美》 (정부의) 매상(買上), 조달.

pro·cúr·er *n.* 획득자; 매춘부 주선자, 뚜쟁이.

pro·cúr·ess *n.* 여자 뚜쟁이.

Pro·cy·on [próusiàn, prás-, -siən; próusiən] *n.* 〖天〗 프로키온《작은개자리의 1등성(星)》.

prod¹ [prád] *n.* 찌르는[꿰뚫는] 막대; 찌르기, 쑤시기; 자극. —— *v.* (**-dd-**) *vt.* **1** 찌르다, 쑤시다: The mischievous children ~*ded* the cattle. 장난기가 있는 아이들이 소를 찔러댔다. **2** [+目/+目+前+名] 《비유》 자극하다(incite), 몰아치다(urge on); 괴롭히다: He ~*ded* the lazy man ***to*** action by scoldings. 게으른 사람을 꾸짖어 활동하도록 자극시켰다. —— *vi.* [+前+名] 찌르다, 들쑤시다, 부추기다: ~ ***at*** a bear 곰을 찌르다. **pród·der** *n.*

〖C16‹?; imit. 인가〗

prod² *n.* 《美》 신동(神童). 〖*prodigy*〗

prod. produce(d); producer; product; production.

prod·e·li·sion [pràdəlíʒən; prəu-] *n.* Ⓤ 두모음(頭母音)의 생략《I am을 I'm으로 하는 따위》.

〖*prod*- PRO-¹, *elision*〗

prod·i·gal [prádigəl] *a.* 낭비하는, 방탕한, 사치스러운, 호사스러운; 통이 큰; 풍부한: the ~ son 〖聖〗 (회개한) 방탕자(放蕩者), (돌아온) 탕아 / He is ~ *of* praise. 남을 마구 칭찬한다 / She is ~ *with* her money. 그녀는 돈을 낭비한다.

—— *n.* 낭비자; 탕아.

play the prodigal 방탕하다, 도락을 즐기다.

~·ly *adv.* 〖L (*prodigus* lavish)〗

類義語 ⟹ LAVISH.

prod·i·gal·i·ty [pràdəgǽləti] *n.* **1** Ⓤ 방탕, 도락(道樂), 낭비. **2** Ⓤ 통이 큼; 풍부.

pródigal·ìze *vt., vi.* 낭비하다.

pro·di·gious [prədídʒəs] *a.* 거대[막대]한(vast, enormous); 《古》 이상한; 불가사의한, 경이적인, 엄청난(extraordinary). **~·ly** *adv.* **~·ness** *n.* 〖L (↓)〗

prod·i·gy [prádədʒi] *n.* 비범(非凡); 천재, 신동(神童); 절세의 미인; 경이(wonder), 이상[불가사의]한 것, 장관(壯觀); 괴물; 《古》 =OMEN.

〖L *prodigium* portent〗

pro·drome [próudroum] *n.* (*pl.* **-ma·ta** [proudróumətə], **~s**) **1** 〖醫〗 전구(前驅) 증상, 전징(前徵). **2** 《稀》 (대저술의) 서론.

〖F, ‹Gk. =forerunner〗

pro·drug [próudrʌ̀g] *n.* 프로드러그《기존약의 치료 효과를 향상시키기 위한 약물》.

◇**pro·duce** [prədjú:s, prou-] *vt.* **1 a**) 생기게 하다, 열리게 하다, 맺게 하다, 산출하다: The tree ~*s* big fruit. 그 나무에는 커다란 열매가 열린다. **b**) [+目/+目+前+名] 제조[생산]하다: Opium is ~*d* ***from*** opium poppies. 아편은 양귀비로 제조된다. **c**) 출판하다; 창작하다, (그림을) 그리다, (시(詩)를) 짓다; (연구를) 해내다; 〖經〗 (이자 따위를) 낳다: That novelist ~*s* very little. 저 소설가는 매우 과작(寡作)의 작가다. **2** [+目/+目+前+名] (문서·증거 따위를) 제출하다, 나타내 보이다, 내놓다: *P*~ your proof. 증거를 내보여라 / I ~*d* passport when asked to. 여권 제시 요구에 응했다 / He ~*d* the shoehorn ***from*** his trouser pocket. 바지 호주머니에서 구둣 주걱을 꺼냈다. **3** (극 따위를) 공연하다, 상연하다, 연출하다. **4** 야기하다, 일으키다, 초래하다: The musical has ~*d* a great sensation throughout the country. 그 뮤지컬은 전국에 굉장한 붐을 불러일으켰다. **5** [+目/+目+*to*+名] 〖數〗 연장하다, 잇다, 연결하다: ~ a line ***to*** a point 점에 선(線)을 잇다. —— *vi.* 산출하다; 제작하다, 생산하다; 창작하다.

produce on the line=MASS-PRODUCE.

—— [prádju:s, 美+próu-] *n.* Ⓤ 생산액[고(高)]; [집합적으로] 농산[천연산]물; 제품, 작품; 결과; [집합적으로] 암컷의 새끼.

pro·dúc·ible *a.* **pro·dùc·ibíl·i·ty** *n.* 〖L *pro*-¹ (*duct*- *duco* to lead)=to bring forward〗

pro·dúc·er *n.* **1** 생산자(↔*consumer*); 제작자. **2** 《英》 (극·영화 따위의) 연출가(家)(=《美》 director); 《美》 프로듀서; (극장의) 경영자, 흥행주. **3** 〖映〗 제작자, 프로듀서《기획·스태프 편

성·제작·상연에서 경제상의 책임까지 지는 사람) ; 〖生態〗 생산자. **4** 〖化〗 가스 발생기(器) [로(爐)].

prodúcer gàs *n.* 발생로(爐) 가스《연료》.

prodúcer[prodúcers'] gòods *n. pl.* 〖經〗 생산재(財) (↔*consumer*(*s'*) *goods*).

pro·dúc·ing *a.* [합성어로] 산출[생산]하는 : oil-~ countries 산유국.

‡prod·uct [prάdʌkt] *n.* **1 a**) 생산물, 생산품 : natural ~*s* 천연 산물 / residual ~*s* 부산물 / the ~*s* of genius 천재적인 작품. **b**) 제작품, 제품 : factory ~*s* 공장 제품. **2** 소산(所産) ; 결과, 성과. **3** 〖經〗 (총)생산량. **4** 〖數·컴퓨〗 곱. **5** 〖化〗 생성물(生成物).
〚L ; ⇒ PRODUCE〛

próduct àdvertising *n.* 제품 광고.

próduct cóncept *n.* 〖마케팅〗 제품 개념《제품 개선을 위해 부단히 노력하는 경영 지침》.

***pro·duc·tion** [prədʌ́kʃən] *n.* **1** Ⓤ 제조, 제작 〈*of*〉 ; 〖經〗 생산(량), 산출(액) (↔*consumption*). **2** 제품, 제작[저작]물, 작품 ; (연구의) 결과 ; 〖生態〗(생물학적) 생산(량). **3** Ⓤ 제공, 제출. **4** Ⓤ 연출(演出), 상연(上演) ; 영화 제작 ; Ⓒ 영화 제작소, 프로덕션 ; 《口》 큰 소동 : make a ~ (out) of... 《口》 …하여 소동을 벌이다. **5** (선 따위의) 연장 ; 〖數〗 연장선.

prodúction cóncept *n.* 〖마케팅〗 생산 개념《생산·유통 효율의 개선에 전념하는 경영 지침》.

prodúction contròl *n.* 생산[공정] 관리.

prodúction gòods *n. pl.* =PRODUCER GOODS.

prodúction lìne *n.* (일관된 작업 따위의) 공정선(工程線).

prodúction nùmber *n.* 〖劇〗 (뮤지컬 코미디 따위에서) 배역 총출연의 노래[춤].

prodúction qùota *n.* 〖經〗 생산 할당.

prodúction reàctor *n.* 〖原子力〗 생산용 원자로 《(1) 우라늄 238에 중성자를 조사(照射)하여 플루토늄 239를 대량 생산하는 원자로. (2) 방사성 동위 원소 생산을 위한 원자로》.

prodúction shàring *n.* 생산 분여 계약.

***pro·duc·tive** [prədʌ́ktiv] *a.* **1** 생산적인, 생산력이 있는 : a ~ society 생산 조합. **2** 생기게 하는 : Poverty is ~ *of* crimes. 빈곤은 범죄를 야기시킨다. **3** 다산(多産)의, 풍부한. **4** 〖經〗 이익을 내는, 영리적인. **5** 〖言〗 신조력(新造力)이 있는 《접사 따위》. **~·ly** *adv.* 생산적으로 ; 풍부하게. **~·ness** *n.* Ⓤ 다산, 다작(多作).

prodúctive capàcity *n.* 생산 시설[설비].

pro·duc·tiv·i·ty [pròudʌktívəti, prὰd- ; prɔ̀dʌk-] *n.* Ⓤ 다산(성(性)), 생산력, 생산성.

próduct liabílity *n.* 《美》 (제품에 의한 피해에 대한) 생산자 책임, 상품 배상책임《略 PL》.

próduct-liabílity insùrance *n.* 제조[생산]물 책임 보험.

próduct-liabílity sùit *n.* 제조[생산]물 책임소송《결함상품 따위에 대해 소비자가 하는》.

próduct lífe cỳcle *n.* 〖經營〗 제품 라이프 사이클 《제품이 생겨나 쇠퇴하기까지의 여러 단계를 나누어 매상고 및 이익의 전형적인 추이를 고찰하는 기업 전략》.

próduct lìne *n.* 〖마케팅〗 제품 라인《같은 기능을 지닌 지극히 관련 깊은 제품군》 : ~ stretching 제품 라인의 확장.

próduct mìx *n.* 〖마케팅〗 제품 믹스《판매되는 전(全) 제품의 리스트 ; 제품 리스트 구성은 폭과 깊이의 두 차원을 지님》.

pro·em [próuem] *n.* 서문, 머리말(preface) ; 개시, 발단. **pro·emi·al** [prouíːmiəl, -ém-] *a.*
〚OF or L<Gk. =prelude〛

pro·énzyme *n.* 〖生化〗 프로 효소(zymogen).

pro·ette [prouét] *n.* (특히 골프의) 여자 프로 선수. 〚PRO[1]〛

pro-Européan *a., n.* 서유럽 통일주의의 (사람) ; 유럽 공동체 가맹 지지의 (사람).

prof [prάf] *n.* 《口》 교수(professor).

Prof. professor.

prof·a·na·tion [prὰfənéiʃən] *n.* Ⓤ 신성(神聖)을 더럽히기, 모독 ; 남용, 악용(misuse).

pro·fan·a·to·ry [prəfǽnətɔ̀ːri ; -təri] *a.* 모독적인, 신성을 더럽히는.

pro·fane [prəféin] *a.* **1** 신성을 더럽히는, 모독적인, 불경(不敬)의. **2** 세속적인(↔*sacred*) ; 비속(卑俗)한 : the ~ (crowd) 속된 무리. **3** 이교(異敎)의, 이단(異端)의 ; 외도(外道)의. ── *vt.* **1** …의 신성을 더럽히다 : ~ the name of God 신의 이름을 더럽히다. **2** 남용[오용]하다(misapply). **~·ly** *adv.* **~·ness** *n.* **pro·fán·er** *n.*
〚OF or L =before (i. e. outside) the temple (*fanum*)〛

pro·fan·i·ty [prəfǽnəti] *n.* **1** Ⓤ 모독(冒瀆), 불경(不敬). **2** Ⓤ,Ⓒ [흔히 *pl.*] 신성을 더럽히는 언사[행동].

pro·fert [próufərt] *n.* 〖法〗 (공개 법정에서의) 기록[서류] 따위의 제출, (서증(書證)의) 제출.

***pro·fess** [prəfés] *vt.* **1 a**) [+目 / +目+補 / +目+過分 / +*that* 節 / +*to* do] 공언[언명(言明)]하다, 고백하다, 주장하다 : He ~*es* a great dislike for me. 나를 아주 싫어 한다고 분명히 말한다 / He ~*ed* himself a supporter of the Jacobites. 그는 스튜어트 왕가의 지지자라고 공언하였다 / She ~*ed* herself convinced. 납득이 간다고 분명히 말했다 / I ~ *that* the idea is new to me. 분명히 말해서 그 생각은 내게는 생소한 것입니다. **b**) …라고 자칭하다, …인 체하다, 가장하다 : I don't ~ *to* be a scholar. 학자라고는 말하지 않겠습니다. **2** …으로의 신앙을 고백하다, 신을 믿다 : Father ~*es* Buddhism. 아버지는 불교 신자시다. **3** 직업으로 삼다 ; …의 교수가 되다, 교수하다 : ~ law [medicine] 변호사[의사] 노릇을 하다 / Mr. Jones ~*es* Romance languages. 존스씨는 로망스어 교수다. ── *vi.* 공언[고백]하다 ; 대학교수로 있다 ; 서약하고 수도회에 입회하다 ; 신앙 고백을 하다.
〚L PRO[1]*fess- fiteor* to declare〛

pro·féssed *a.* **1** 공언한, 공공연한 ; 본직인. **2** 서약하고 수도회에 들어간. **3** 겉보기만의, 외양뿐인, 거짓의, 자칭….

pro·féss·ed·ly [-ədli, -féstli] *adv.* 공공연하게 ; 겉으로는, 거짓으로 ; 자칭하여.

***pro·fes·sion** [prəféʃən] *n.* **1** 직업, (특히 두뇌를 쓰는) 지적(知的) 직업, 전문직. **2** [the ~] 동업자들, 《俗》 배우들. **3 a**) 공언, 선언, 고백. **b**) 거짓 감정, 말뿐임. **4** 신앙고백, 서약하고 종교단체에 들어가기.
by profession 직업은 : He is a lawyer[carpenter] *by* ~. 그의 직업은 변호사[목수]다.
the oldest profession 《戱》 매춘.
〚OF<L=public declaration ; ⇒ PROFESS〛
類義語 ⟹ OCCUPATION.

‡pro·féssion·al *a.* **1** (지적) 직업의[에 알맞은], 직업상의 : ~ education 직업[전문] 교육 / ~ etiquette 동업자간의 예의 / ~ skill 전문 기능, 특기. **2** (지적) 직업에 종사하는, 전문직인 : A lawyer or a doctor is a ~ man. 변호사나 의사

는 전문직이다. **3 a)** 직업적인, 전문가의, 프로의(↔ *amateur*) : ~ football 프로 축구 / a ~ golfer 프로 골퍼 / a ~ playwright 직업적인 (연)극작가. **b)** 《蔑》 장사를 하는 : a ~ politician 정권을 이용하여 사사로운 이익을 꾀하는 사람, 정상배(政商輩). —— *n.* (지적) 직업인, (기술) 전문가 ; 전문가, 직업 선수, 프로(↔*amateur*). **~·ly** *adv.* 전문적[직업적]으로.

proféssional corporátion *n.* 〖法〗 전문직 법인《의사·변호사 등 면허를 받고 영업하는 개인이 전문적인 서비스를 하고 세제상의 우대 조치를 받기 위해 조직하는 단체》.

proféssion·al·ìze *vt., vi.* …을 직업화하다, 전문화하다, 프로화하다.

proféssion·al·ìsm *n.* 전문직업의식, 프로 정신, 전문가[프로] 기질 ; 전문가[프로]라는 것 ; 《婉》〖競〗 가벼운 규칙 위반을 범하여 유리하게 이끌어 가기.

***pro·fes·sor** [prəfésər] *n.* **1** 교수《略 Prof. ; cf. INSTRUCTOR 注》 : a ~ of English literature [the English language] 영문학[영어] 교수 / a full ~ 정(正)교수 / an assistant ~ ☞ ASSISTANT *a.* / an associate ~ ☞ ASSOCIATE *a.* / an extraordinary ~ 객원(客員) 교수 / a ~'s chair 강좌. **2** 공언자 ; 자칭자(自稱者) ; 신앙 고백자. **3** 《口》 (남자) 교사 ; (무용·권투·요술 따위의) 선생《과장된 자칭(自稱)》. **4** 《美俗》 안경을 낀 사람 ; 《美俗》 오케스트라의 리더 ; 《美俗》 (술집 따위의) 피아니스트 ; 《美俗》 도박사 ; 《美俗》 근면가. **~·shìp** *n.* 교수의 직[지위].
〚OF or L ; ⇨ PROFESS〛

proféssor·ate *n.* 교수의 직[임기, 지위] ; 교수회, 교수단(professoriat).

pro·fes·so·ri·al [pròufəsɔ́ːriəl, prɑ̀f- ; prɔ̀f-] *a.* 교수의, 교수다운 ; 학자티를 내는 ; 독단적인(dogmatic). **~·ly** *adv.*

pro·fes·so·ri·at(e) [pròufəsɔ́ːriət, prɑ̀f- ; prɔ̀f-] *n.* 교수회, 교수단(團) ; 대학의 교직, 교수직.

prof·fer [prɑ́fər] *vt.* 《文語》 [+目 / +目+*to*+名] 제의하다 ; 제공하다, 증정하다(offer) : We ~*ed* the information ***to*** them. 그들에게 정보를 제공했다 / He rejected the help that was ~*ed to* him. 자신에게 제공된 원조를 사절했다. —— *n.* 《文語》 제공(물), 제의, 증정물.
〚OF (*pro*-¹, OFFER)〛
類義語 ⟹ OFFER.

pro·fi·cien·cy [prəfíʃənsi] *n.* Ⓤ 숙달, 능숙, 숙련(skill) : an English ~ test 영어 실력 테스트 / ~ *in* English conversation[*at* teach*ing* English] 영어 회화[교수]의 능숙.

pro·fí·cient** *a.* [+*in*+do*ing*] 숙달된, 능숙한, 능란한 : She is very ~ ***in English[music, typing]. 영어[음악, 타자]에 아주 능숙하다 / He was ~ *in* the use of[*in* us*ing*] the gun. 사격에는 명수였다 / He is ~ ***at*** repartee. 그는 아주 재치있게 응답한다. —— *n.* 명인, 대가(expert)〈*in*〉. **~·ly** *adv.* 〚L PRO¹*fect*- -*ficio* to advance〛

***pro·file** [próufail] *n.* **1** 옆모습, 반면상(半面像), (조각상의) 측면. **2** 윤곽(outline) ; 개관도, 대략 ; 〖新聞〗 인물평[소개], 프로필. **3** 〖建〗 종(縱)단면도, 측면도. **4** 태도, 자세. **5** (어떤 데이터를 도식화한) 그래프 ; (특히 심리테스트 따위에 의한) 성격 특성도[표].
in profile 옆모습으로는, 측면에서 보아.
—— *vt.* …의 윤곽을 그리다, …의 측면도를 그리다 ; …의 인물평을 쓰다 ; 반면상으로 만들다.
〚It. *pro*-¹(*filare* to spin) = to draw in outline〛

prófile dràg *n.* 〖空〗 (날개의) 단면(斷面)저항 ; 형상 항력(形狀抗力).

***prof·it** [prɑ́fət] *n.* **1** Ⓤ,Ⓒ (금전상의) 벌이, 수익, 이익, 이윤, 이득(↔*loss*) : clear[net] ~ 순익금 / gross ~ 총이익금 / ~ and loss 손익 / make a ~ *on* (sales of) used cars 중고차(의 판매)로 돈을 벌다 / make one's ~ *of* …을 이용하다 / Newspapers make a ~ *from* the advertisements they carry. 신문은 게재되는 광고로 이익을 올린다 / They sell it *at* a ~ of a thousand won. 그것을 천원 남기고 팔고 있다 / He did it *for* ~. 돈벌이로 그것을 했다. **2** Ⓤ 득, 이득(advantage) : You will gain[get] ~ from your studies. 공부를 함으로써 얻는 바가 있을 것이다 / I have read it with ~[*to* my great ~]. 나는 그것을 읽고 이득이[크게 얻은 바가] 있었다 / There is no ~ *in* complain*ing*[complaint]. 불평해봐야 아무런 이득이 없다.
—— *vi.* [+前+名] 이익을 얻다 : A wise person ~*s* ***by***[***from***] his mistakes. 현명한 사람은 실수도 좋은 경험으로 삼는다《넘어져도 그냥은 안 일어난다》 / I ~*ed* greatly *by*[*from*] my travels in Europe and America. 유럽과 미국 여행에서 배운 바가 많았다.
—— *vt.* [+目 / +目+目] …의 이익이 되다, 득이 되다 : What will it ~ you? 그것이 너에게 무슨 이익이 되겠는가.
〚OF < L *profectus* advance, progress ; ⇨ PROFICIENT〛
類義語 ⟹ ADVANTAGE.

***prófit·able** *a.* 유리한, 벌이가 많은 ; 이익이 되는, 유익한. **-ably** *adv.* **pròfit·abílity** *n.* 수익성, 이윤률. **~·ness** *n.*

prof·i·teer [prɑ̀fətíər] *vi.* (특히 전시(戰時) 따위에) 폭리를 취하다, 부당 이득자가 되다. —— *n.* 폭리 취득자, 부당이익 (취득)자. **~·ing** *a., n.* 폭리를 취하는[취하기].

prófit·less *a.* 이득이 없는, 무익한 ; 쓸모없는. **~·ly** *adv.* **~·ness** *n.*

prófit màrgin *n.* 〖商〗 이윤 차액, 이익금.

prófit shàring *n.* 이익 분배[배당](제).

prófit sỳstem *n.* = FREE ENTERPRISE.

prófit tàking *n.* 〖證〗 이문 먹기《산 가격보다 비싸게 팔아 이익을 올리기》.

prof·li·ga·cy [prɑ́fligəsi] *n.* Ⓤ 방탕, 타락, 품행불량, 난봉 ; 낭비.

prof·li·gate [prɑ́fligət, -ləgèit] *a.* 방탕한, 품행이 불량한 ; 낭비가 심한, 돈 씀씀이가 헤픈. —— *n.* 방탕자, 도락자 ; 낭비가.
〚L (PRO¹*fligo* to strike down, ruin)〛

prof·lu·ent [prɑ́fluənt] *a.* 도도히 흐르는.

pró-fòrm *n.* 〖文法〗 대용형(代用形).

pro for·ma [prou fɔ́ːrmə] *a., adv.* 형식상(의) ; 〖商〗 견적의, 임시의, 가(假)….
〚L = according to form〛

***pro·found** [prəfáund] *a.* **1** 《文語》 깊은(deep). **2** (학문이) 깊이가 있는, 심오한 : a ~ thinker 심오한 사상가. **3** 마음속에서의, 충심의 ; 의미 심장한 ; 충분한, 완전한 : ~ sympathy 마음속에서 우러난 동정 / the ~ silence 깊은 적막 / He fell into a ~ sleep. 깊은 잠에 빠졌다 / She takes a ~ interest in music. 음악에 깊은 흥미를 가지고 있다. **4** 겸손한, 공손한(humble, low) : make a ~ bow 공손하게 인사를 하다. —— *n.* [the ~] 《詩》 깊음, 깊은 곳〈*of* soul〉, 심해(深海)(ocean). **~·ness** *n.*
〚OF < L *pro*-¹(*fundus* bottom) = deep〛

profóund·ly *adv.* 깊이 ; 심오하게 ; 간절히, 대단히 : be ~ moved 크게 감동하다 / be ~ grateful 마음으로부터 감사하다.

prò-fréeze *a.* 핵동결 찬성의.

pro·fun·di·ty [prəfʌ́ndəti] *n.* Ⓤ 깊음, 깊이 ; 심오 ; 심원 ; Ⓒ 심연(深淵) ; [*pl.*] 심오한 사상 ; [*pl.*] 심원한 일.

pro·fuse [prəfjúːs] *a.* **1** 풍부한, 많은, 상당한 양의(abundant) : ~ apologies[thanks] 심심한 사과[감사]의 말씀 / ~ hospitality 융숭한 대접 / He was ~ *in* his thanks for the gift. 그는 선물에 대해 지나칠만큼 감사를 했다. **2** 통이 큰, 후한, 아끼지 않는(lavish) ; 낭비하는, 사치스러운(extravagant) : She is ~ *with*[*of*] her money. 그녀는 돈을 헤프게 쓴다. **~·ly** *adv.* 아낌 없이 ; 풍부하게. **~·ness** *n.*
〖L *pro*-[1](*fus*- *fundo* to pour) = to pour forth〗
類義語 ⟹ LAVISH.

po·fu·sion [prəfjúːʒən] *n.* Ⓤ 풍부 ; 통이 큼 ; 낭비, 사치 : *in* ~ 풍부하게, 많이.
a profusion of... 다량[다수]의….

pro·fu·sive [prəfjúːsiv] *a.* 아끼지 않는, 활수한.

prog[1] [prág] *vt.* (**-gg-**) 《英俗》 (학생들에게) 학생감의 직권으로 처벌하다. —— *n.* 《英俗》 (Oxford 및 Cambridge) 대학의 학생감.
〖PROCTOR〗

prog[2] 《方·英俗》 *n.* (여행·소풍용의) 음식물. —— *vi.* (**-gg-**) 찾아 다니다(forage), 찾아 헤매다(prowl). 〖C17 < ?〗

prog[3] *n.* 《英口》 진보적인 사람, 개혁파.

prog[4] [próug] *n.* 《英口》 (라디오·텔레비전 방송의) 프로그램(program).

pro·gen·i·tive [proudʒénətiv] *a.* 번식하는, 생식력(生殖力)이 있는.

pro·gen·i·tor [proudʒénətər] *n.* 선조, 조상 ; (정치·학문 따위의 분야에서의) 창시자, 선배 ; (동식물의) 원종(原種) ; (문서 따위의) 원본(原本) ; (일반적으로) 원조(元祖).
pro·gén·i·tó·ri·al *a.*
〖OF < L (*progigno* to beget)〗

pro·gen·i·ture [proudʒénətʃər] *n.* Ⓤ 자손을 낳음 ; [집합적으로] 자손, 후손(progeny).

prog·e·ny [prádʒəni] *n.* [집합적으로] 자손, 후손(offspring) ; 후계자 ; 《비유》 결과, 소산(outcome). 〖L = lineage ; ⇨ PROGENITOR〗

prò·gestátion·al *a.* 〖醫〗 임신 전의.

pro·ges·ter·one [proudʒéstəròun] *n.* 〖生化〗 프로게스테론《주요한 황체 호르몬의 일종》.

pro·ges·tin [proudʒéstən] *n.* 〖生化〗 프로게스틴《황체 호르몬, 특히 progesterone》.

pro·ges·to·gen [proudʒéstədʒən] *n.* Ⓤ 〖生化〗 포로게스토겐《황체 호르몬 물질 ; 월경의 주기 이상의 치료용》.

prog·gins [prágənz] *n.* 《英俗》 = PROG[1].

pro·glot·tid [prouglátəd] *n.* 〖動〗 편절(片節)《다절(多節) 촌충류의 각 마디의 하나》.
pro·glót·tic, pro·glot·tid·e·an [pròuglatídiən, prouglàtədíːən] *a.*

pro·glot·tis [prouglátəs] *n.* (*pl.* **-glot·ti·des** [-tədìːz]) = PROGLOTTID.

prog·na·thous [prágnəθəs, pragnéi-], **prog·nath·ic** [pragnǽθik, -néi-] *a.* 〖解〗 턱이 쑥 나온, 돌악(突顎)의 ; 〖昆〗 전구(前口) (식)의.
prog·na·thism [prágnəθìzəm, pragnéiθi-] *n.*
〖Gk. *gnathos* jaw〗

prog·nose [pragnóus, -z] *vt., vi.* 예지하다.

prog·no·sis [pragnóusəs] *n.* (*pl.* **-ses** [-siːz]) U,C 예지, 예측 ; 〖醫〗 예후(豫後)《질병의 경과에 대한 전망》.
〖L < Gk. = knowledge beforehand (*gignōskō* to know)〗

prog·nos·tic [pragnástik] *a.* 예지하는 ; 전조(前兆)가 되는 ; 〖醫〗 예후(豫後)의 : a ~ test 〖教〗 예지 테스트. —— *n.* 전조, 징후(symptom)〈*of*〉 ; 〖醫〗 예후 ; 예지, 예상.

prog·nos·ti·cate [pragnástəkèit] *vt., vi.* (전조에 의해서) 예지하다 ; 예언하다, …의 징후를 나타내다. **prog·nòs·ti·cá·tion** *n.* Ⓤ 예지, 예측, 예언 ; Ⓒ 전조, 징후. **-cà·tive** [, -kətiv ; -kətiv] *a.* **-cà·tor** *n.* 예언자, 점쟁이.

pró·gráde *a.* 〖天〗 (위성 따위가) 천체의 회전 궤도와 동일 방향으로 운동하는.

***pro·gram** | **-gramme** [próugræm, 美 + -grəm] *n.* **1** 프로그램, 프로그램[차례·순서]을 적은 것. **2 a**) 계획, 예정 ; 예정표 : What's the ~ *for* today? 《口》 오늘 예정은 어떻게 됩니까. **b**) (교육·과목의) 과정(표) ; (수업의) 요목(要目), 적요(syllabus). **3** (정당의) 강령, 정강. **4 a**) [-gram] 〖컴퓨〗 프로그램《컴퓨터에 지령하는 작업 순서를 자료에 따라 정밀하게 기록한 것》. **b**) 〖教〗 (자동적 학습을 위해서 면밀하게 분석하여 짠) 프로그램, 학습 계획. —— *v.* (**-grammed,** 《美》 **-gramed ; -gram·ming,** 《美》 **-gram·ing**) *vt.* **1** …의 프로그램[차례·순서표]을 만들다, 계획하다(plan) ; 프로그램에 짜 넣다. **2** [-gram] (컴퓨터에) 프로그램을 공급하다 ; 계획[예정] 대로 하게 하다. —— *vi.* 프로그램을 만들다 ; 계획[예정]대로 하다.
pro·gràm·ma·bíl·i·ty *n.*
〖L < Gk. = to write (*graphō*) publicly〗

prógram dirèctor *n.* 〖放送〗 프로그램 편성자.

prógram lànguage *n.* 〖컴퓨〗 프로그램 언어.

prógram lòading *n.* 〖컴퓨〗 프로그램 로딩《프로그램을 미리 주기억 장치에 기억시키는 것》.

pro·gram·mat·ic [pròugrəmǽtik] *a.* 프로그램의 ; 표제 음악(program music)의.

pró·gram(m)ed *a.* 프로그램에 의한 : ~ learning 프로그램 학습.

prógrammed cóurse *n.* 〖教〗 프로그램 학습 과정(課程).

prógrammed instrúction *n.* 〖教〗 프로그램 학습법에 의한 교수.

pró·gram·(m)er *n.* **1** 〖라디오·TV〗 프로그램 작성[제작]자. **2** 〖컴퓨·教〗 프로그램 작성자[제작 담당자], 프로그램(전문)가 프로그래머.

pro·gram·met·ry [próugræmətri] *n.* 〖컴퓨〗 프로그램 효율 측정.

pró·gram·(m)ing *n.* 〖컴퓨·教〗 풀그리기, 프로그램짜기, 프로그램 작성, 프로그래밍.

prógramming lànguage *n.* = PROGRAM LANGUAGE.

prógram·(m)ist *n.* 프로그램 작성자 ; 표제 음악의 작곡가[지지자].

prógram mùsic *n.* 〖樂〗 표제(標題) 음악(↔ *absolute music* ; cf. TONE POEM).

prógram nòte *n.* 프로그램에 실려 있는 해설.

prógram pìcture *n.* 〖映〗 동시 상영 영화.

Prógram Pràctices *n. pl.* 《美》 〖TV〗 프로그램이 방영되기 전에 행하는 사전 검열.

‡**prog·ress**[1] [prágres ; próu-] *n.* **1** Ⓤ 진행, 전진 ; 진척, 진전. **2** Ⓤ 진보, 향상, 발달(↔ *regress*) ; 발전, 증진, 보급. **3** 과정, 경과, 추이. **4** 《英》 (국왕 등의) 공적 여행, 순수(巡狩).
in progress 진행중(인).

make progress (1) 진행하다, 전진하다. (2) 진보하다, 향상되다 : *make* great[poor] ~ *in* (speak*ing*) English 영어가[로 말하는 것이] 많이 향상되다[향상되지 못하다].
〖↓〗

‡pro·gress[2] [prəgrés] *vi.* **1** 전진하다 ; 진행하다, 진척하다 : The war has ~*ed* sometime. 전쟁은 얼마 동안 계속되었다. **2** [動 / +*in*+名] 진보[발달 · 향상]하다 : We ~ ***in*** learn*ing* step by step. 우리는 한걸음 한걸음 배우면서 깨우친다.
—— *vt.* 전진[진척]시키다.
〖L PRO[1]*gress*- -*gredior* to go forward〗
類義語 ⟹ ADVANCE.

prógress chàser *n.* (공장 따위의) 정기적으로 제조 과정을 검사하는 사람.

pro·gres·sion [prəgréʃən] *n.* Ⓤ 진행, 전진 ; 공정(工程) ; 경과 ; 진보, 발달, 개량 ; 〖天〗 (행성의) 순행운동 ; 〖數〗 수열(數列) (☞ ARITHMETIC [GEOMETRIC] PROGRESSION) ; 〖樂〗 진행.
in progression 차차로, 점차적으로.
~·al *a.*

progréssion·ist *n.* (인류 · 사회에 관한) 진보[혁신]론자.

prógress·ìsm *n.* (정치적 · 사회적인) 진보주의, 혁신주의. **-ist** *n.* =PROGRESSIONIST ; 진보적인 사람(progressive).

***pro·gres·sive** [prəgrésiv] *a.* **1** 진보하는, 진보적인 ; 진보주의의(↔*conservative*). **2** 연속적인, 점진성의 ; (과세가) 누진적인 ; 진행성의《병》: ~ paralysis 진행성 마비 / ~ taxation 누진 과세. **3** 〖文法〗 진행을 나타내는, 진행형의. **4** [흔히 P~] 〖美史〗 진보당의. —— *n.* 진보론자 ; [P~] 〖美史〗 진보당(원) ; 〖文法〗 진행형.
~·ly *adv.* **~·ness** *n.*
〖F or L ; ⇨ PROGRESS〗
類義語 ***progressive*** 보수적(conservative)에 상대되는 말로 사람이 정치 · 교육 따위의 면에서 진보 · 개혁에 찬성하는 ; liberal보다 더 적극적이고 직접적인 행동을 취하는 경향을 암시함. ***advanced*** 과학 · 예술 · 철학 따위의 분야에서 생각이나 지식이 앞서고 있는. ***liberal*** 전통이나 관습 따위에 적의나 편견을 가지지 않고 남의 생각에 관대한. ***radical*** 특히 사회 조직의 근본적인[극단적인 · 과격한] 변혁에 찬성하는.

progréssive assimilátion *n.* 〖言〗 진행 동화.

progréssive cóuntry *n.* 《美》 프로그레시브 컨트리《사회적 주제나 혁신적인 악기를 사용하는 컨트리 음악의 하나》.

progréssive educátion *n.* 진보주의 교육《학생의 개성 · 자주성을 존중하는 교육법》.

progréssive fórm *n.* 〖文法〗 진행형.

progréssive jázz *n.* 프로그레시브 재즈《1950년대의 하모니를 중요시한 재즈》; 모던 재즈.

progréssive léns *n.* 프로그레시브 렌즈《2중 또는 다중 초점 렌즈》.

Progréssive párty *n.* [the ~] 〖美史〗 진보당.

progréssive próof *n.* 〖印〗 (색(色)의) 단계별 교정쇄.

progréssive róck *n.* 프로그레시브 록《복잡한 프레이징과 즉흥을 특성으로 한 전위적 록 음악》.

progréssive sóul *n.* 《美》 프로그레시브 솔《재즈와 디스코 음악의 요소를 가미한 솔 음악》.

progréssive ténse *n.* 〖文法〗 진행 시제.

pro·grés·siv·ìsm *n.* Ⓤ 진보주의, 혁신주의 ; 진보주의 교육이론 ; [P~] 〖美史〗 진보당의 정책[원칙]. **-ist** *n., a.*

prógress pàyment *n.* 일의 진척에 따라 지급되는 대금.

pro·hib·it** [prouhíbət] *vt.* [+目 / +目+*from*+do*ing*] 금하다, 금지하다 ; 방해하다, 예방하다 : ~*ed* articles[goods] 금지품 / The sale of intoxicants is ~*ed*. 주류판매는 금지되어 있다 / The law ~*s* ships ***from approach*ing* this island. 법률은 선박이 이 섬 가까이 접근하는 것을 금하고 있다 / We are ~*ed from* smok*ing* on school grounds. 학교 구내에서의 흡연은 금지되어 있다.

〈회화〉

I'm afraid smoking is *prohibited* in this room. —I'm very sorry. 「이 방에서는 금연입니다」 「정말 죄송합니다」

~·er, -i·tor *n.*
〖L PRO[1]*hibit*- -*hibeo* to hold before prevent〗
類義語 ⟹ FORBID.

prohíbit·ed degrée *n.* =FORBIDDEN DEGREE.

***pro·hi·bi·tion** [pròu*h*əbíʃən] *n.* **1** Ⓤ 금지, 금제(禁制)〈*against* smoking〉; 주류 양조 판매 금지 : I am in favor of[opposed to] ~. 금지에 찬성[반대]이다. **2** 금(지)령 ; 〖法〗 금지 영장 ; 《美》 금주법 ; [보통 P~] 《美》 금주법 기간 《1920-33년》: a ~ state 금주 주(州). **~·ìsm** *n.* Ⓤ 주류 양조 판매 금지주의.

prohibítion·ist *n.* 주류 양조 판매 금지주의자 ; [P~] 금주당의 당원.

Prohibítion pàrty *n.* [the ~] 《美》 금주당 《1869년 결성》.

pro·hib·i·tive [prouhíbətiv] *a.* 금지하는, 금제의 ; (세금이) 영업 따위를 못하게 하는 것이나 다름 없이 과중한, (값이) 몹시 비싼.
~·ly *adv.* **~·ness** *n.*

pro·hib·i·to·ry [prouhíbətɔ̀:ri ; -təri] *a.* =PROHIBITIVE.

pro·hórmone *n.* 〖生化〗 프로호르몬《호르몬의 전구(前驅) 물질》.

pro·ínsulin *n.* 〖生化〗 프로인슐린《인슐린의 전구(前驅) 물질》.

***proj·ect**[1] [prádʒekt, -dʒikt] *n.* 계획, 기획(plan), 설계 ; 사업, 기업, 프로젝트 ; 〖敎〗 연구 과제 ; =HOUSING PROJECT ; 《廢》 생각, 사고 ; 〖컴퓨〗 일감 ; 《美》 공단주택, 단지 : form[draw up] a ~ 계획을 세우다. 〖↓〗
類義語 ⟹ PLAN.

pro·ject**[2] [prədʒékt] *vt.* **1** [+目 / +目+前+名] 던지다, 내던지다, 발사하다, 방출하다 : The apparatus ~*s* missiles ***into space. 그 장치는 미사일을 공중으로 발사한다. **2** 밀어내다, 돌출시키다. **3** [+目+前+名] 투영(投影)[투사(投射)]하다, 비추다 : The tall oak ~*ed* a long shadow ***on*** the ground. 그 높은 오크나무는 땅위에 긴 그림자를 비추고 있었다 / The film was ~*ed on* (***to***) the screen. 영화는 스크린에 비추어 졌다. **4** 〖心〗 (무의식의 감정 · 관념 따위를 다른 대상에) 투사하다, 객관화하다 ; 생생하게 전하다, (목소리를) 분명하게 내다 ; 제시하다, 명확히 하다. **5** 고안[계획]하다 ; 예측하다, 견적하다 : ~ a new dam 새로운 댐을 계획하다. **6** 〖數〗 투영하다, 〖地圖〗 투영도법으로 나타내다[그리다] ; 〖化〗 투입하다〈*into, on*〉. —— *vi.* [動 / +前+名] 돌출하다, 내밀다 ; 분명한 소리를 내다 ; 자기의 사상 · 감정을 분명히 전하다 : The breakwater ~*s* far ***into*** the sea. 방파제가 바다 멀리까지 뻗어 있다.
project one***self*** (심령술(心靈術)로) 먼데 있는

사람에게 자기 모습을 보이다.
~·able *a.*
〖L PRO¹*ject-* *-jicio* to throw forth〗

Próject Galíleo *n.* 〖宇宙〗 갈릴레오 계획《미국 항공우주국(NASA)의 목성 탐사 계획》.

pro·jec·tile [prədʒéktl, -tail ; -tail] *a.* 투사[발사]하는, 추진하는 ; 〖動〗 (촉수 따위) 쑥 내미는 : a ~ weapon 발사 무기. ——[; prɔ́dʒiktàil] *n.* 발사물, 발사체《특히 탄환·로켓 따위》.
〖NL=jutting forward (PROJECT¹·²)〗

projéct·ing *a.* 튀어나온, 돌출한 : ~ eyes 퉁방울눈 / a ~ forehead 튀어나온 이마.

pro·jec·tion [prədʒékʃən] *n.* **1** Ⓤ 투사(投射), 발사, 방사(放射). **2** 돌출(부), 돌출물, 돌기. **3** Ⓤ 〖數〗 투영(법), 사영(射影), 〖地圖〗 투영도법 ; 〖映〗 영사(映寫) ; Ⓒ 투영화(畫) : a ~ booth [machine] 영사실[기(機)]. **4** Ⓤ 계획, 연구 ; 예측, 견적. **5** Ⓤ 〖心〗 주관의 객관화 ; (정신 분석의) 투영. **6** 〖化〗 비금속에서 귀금속으로의 변질. **7** 〖컴퓨〗 비춰내기.

projéction·ist *n.* 지도 제작자 ; 영사[텔레비전] 기사.

projéction prìnt *n.* 확대 사진.

projéction tèlevision *n.* 투영형(投影型) 텔레비전《브라운관에 비친 영상을 렌즈를 통해 스크린에 확대 투사하는 방식의 텔레비전》.

pro·jec·tive [prədʒéktiv] *a.* 투영[사영]의, 투사력이 있는 ; 돌출한 ; 〖心〗 투명의 ; 투영법의[에 의한] : the ~ power of the mind 상상력.
~·ly *adv.* **prò·jec·tív·i·ty** [pròu-] *n.*

projéctive geómetry *n.* 사영(射影) 기하학.

projéctive próperty *n.* 〖數〗 사영적 성질《상영하여도 변하지 않는 기하학적 성질》.

projéctive tést *n.* 〖心〗 투영(投影) 검사법《Rorschach test 따위의 성격 검사》.

pro·jéc·tor *n.* **1** 투영기(器), 투광기(投光器), 프로젝터, 영사기. **2** 계획자 ; 설계자 ; (엉터리·유령 회사의) 발기인.

próject téam *n.* 신규의 과제를 유효하게 처리하기 위해 특별히 편성된 조직.

pro·jec·tu·al [prədʒéktʃuəl] *n.* 영사 교재.

pro·jet [prouʒéi, ⌐⌐] *n.* (*pl.* **~s** [-*z*]) 계획, 설계 (project) ; (조약·법률 따위의) 초안(draft).
〖F PROJECT〗

prokaryote ☞ PROCARYOTE.

prol. prologue.

pro·lac·tin [proulǽktən] *n.* 〖生化〗 프롤락틴《뇌하수체 전엽(前葉)의 성(性)호르몬 ; 생식기관·젖샘 따위의 기능을 증진함》.

pro·la·min [próuləmən, proulǽmən], **-mine** [, próuləmìːn, proulǽmiːn] *n.* 〖生化〗 프롤라민《곡물류에 있는 단순 단백질》.

pro·lan [próulæn] *n.* 〖生化〗 프롤란《생식선 호르몬의 일종 ; 임신부의 소변에 많이 함유되어 있음》.
〖G (L *proles* progeny)〗

pro·lapse [proulǽps ; ⌐⌐] 〖醫〗 *n.* (자궁·직장(直腸)의) 탈출(증). —— *vi.* (자궁·직장이) 탈출하다. 〖L ; ⇨ LAPSE〗

pro·lap·sus [proulǽpsəs] *n.* =PROLAPSE.

pro·late [próuleit] *a.* 〖數〗 편장(扁長)의, (폭이) 넓어진(cf. OBLATE) ; 〖文法〗 =PROLATIVE.
〖L=brought forward〗

pro·la·tive [prouléitiv] *a.* 〖文法〗 서술 보조의 : the ~ infinitive 서술 보조 부정사《보기 must go, willing to go의 *go*, *to go* 처럼 동사·형용사와 결합하여 서술을 확충함》.

prole [próul] *n.*, *a.* 《蔑》 프롤레타리아(의).
〖*prole*tarian〗

pró·lèg *n.* 〖昆〗 배다리《애벌레 시기에만 있는 보행용의 복각(腹脚)》.

pro·le·gom·e·non [pròuligámənàn, -nən ; -legɔ́minən] *n.* (*pl.* **-na** [-nə]) 머리말, 서문 ; [흔히 -na, 단수취급] 서론.
〖L<Gk. (*legō* to say)〗

pro·le·gom·e·nous [pròuligámənəs ; -lə-] *a.* 머리말의, 서문의 ; 서론이 긴.

pro·lep·sis [proulépsəs] *n.* (*pl.* **-ses** [-siːz]) Ⓤ,Ⓒ 예상(anticipation), 예기 ; Ⓤ 〖修〗 예변법(豫辯法)《반대론을 예기해서 미리 반박을 마련해 두는 법》 ; 예기적 표시《미래의 일을 현재 또는 과거의 것으로 씀》 ; 〖文法〗 예기적 서술법《drain the cup dry에서의 *dry*》. **pro·lép·tic** *a.*
〖L<Gk. =anticipation〗

pro·le·tar·i·an [pròulətέəriən, -tǽər-] *a.*, *n.* 프롤레타리아(의), 무산계급의 (사람) (↔*bourgeois*) ; 〖古로〗 최하층계급의 (사람) : ~ literature 프롤레타리아 문학.
~·ìsm *n.* Ⓤ 무산주의 ; 무산 계급 정치.

proletárian·ìze *vt.* 프롤레타리아화(化)하다.
proletàrian·izátion *n.*

pro·le·tar·i·at, -ate [pròulətέəriət, -tǽər-, -æ̀t] *n.* (*pl.* **~, ~s**) 《蔑》 프롤레타리아[무산] 계급(↔*bourgeoisie*) ; 〖古로〗 최하층 계급 : the dictatorship of the ~ 프롤레타리아 독재.
〖F<L=one who served the state by producing offspring (*proles* offspring)〗

pro·le·tary [próulətèri ; -təri] *n.*, *a.* =PROLETARIAN.

pro·let·cult, -kult [proulétkʌlt] *n.* 무산 계급 교육[문화]. 〖Russ.〗

pro·li·cide [próuləsàid] *n.* 영아(嬰兒) 살해.
〖L *proles* offspring〗

pro-lífe *a.* 임신 중절 합법화에 반대하는(↔*pro-choice*). **pro-líf·er** *n.*

pro·lif·er·ate [prəlífərèit, prou-] *vi.*, *vt.* **1** 〖生〗 (분아(分芽)·세포 분열 따위에 의해) 증식[번식]하다[시키다]. **2** 격증[급증]하다[시키다].
——[-rət, -rèit] *a.* 관생(貫生)의《꽃 따위》 ; 수[양]가 증가한.
pro·lìf·er·á·tion *n.* **1** 증식. **2** 급증 ; (핵무기 따위의) 확산 ; 〖植〗 관생.
〖역성(逆成) ‹*proliferation*<F *prolifère* proliferous ; ⇨ PROLIFIC〗

pro·lif·er·ous [prəlífərəs, prou-] *a.* **1** 〖植〗 (구아(球芽)·포복지(枝) 따위로) 번식하는 ; 〖動〗 분지(分枝) 번식하는. **2** 〖醫〗 증식하는. **~·ly** *adv.*

pro·lif·ic [prəlífik, prou-] *a.* **1** 아들을 낳는, 열매를 맺는 ; 다산(多産)의, (땅이) 기름진. **2** 다작(多作)의《작가》, 풍부한 ; (…에) 풍부한‹*in*, *of*›. **3** (…의) 원인이 되는‹*of*›.
-i·cal·ly *adv.* **-i·ca·cy** *n.*
〖L (*proles* offspring)〗

pro·li·fic·i·ty [pròuləfísəti] *n.* 다산력, 다산성.

pro·line [próuliːn, -lən] *n.* Ⓤ 〖生化〗 프롤린《아미노산의 일종》.

pro·lix [proulíks, ⌐⌐] *a.* 장황한, 용장(冗長)의, 지루한. **~·ly** *adv.*
〖OF or L=poured forth, extended〗

pro·lix·i·ty [proulíksəti] *n.* Ⓤ 장황함, 용장(冗長), 지루함.

pro·loc·u·tor [proulákjətər] *n.* 의장, 사회자 ; (영국 국교 교직 회의의) 하원 의장.

pro·log·ize [próulɔ(ː)gàiz, -lɑ-, -dʒàiz], **pro·logu·ize** [-gàiz] *vi.* 머리말을 쓰다, 서론을

말하다.

pro·logue, 《美》 **-log** [próulɔ(:)g, -lɑg] *n.* (↔ *epilogue*) **1** (문예 작품의) 머리말, 서언(序言), (시(詩) 따위의) 서사(序詞)〈*to*〉. **2** (연극의) 프롤로그, 서막, (보통 운문(韻文)의) 첫 머리말. **3** 《비유》 (사건 따위의) 발단, 서막적인 사건[행동]〈*to*〉; 서두 대사를 말하는 배우. —— *vt.* 서두 대사를 말하다; …의 발단[서두]이 되다.
〚OF<L<Gk.; ⇨ LOGOS〛
類義語 ⟹ INTRODUCTION.

***pro·long** [prəlɔ́(:)ŋ, -lɑ́ŋ] *vt.* **1** 길게 하다, 연장하다(extend); 연기하다: ~ a line[visit] 선(線)[방문]을 연장[연기]하다. **2** (모음 따위를) 길게 발음하다.

〈회화〉
Why are you so late coming home? — The meeting was *prolonged* for more than two hours. 「왜 이렇게 늦었어요」「회의가 두 시간 넘게 길어졌거든」

〚OF and L (*longus* long)〛
類義語 ⟹ LENGTHEN.

pro·lon·gate [prəlɔ́(:)ŋgeit, -lɑ́ŋ-] *vt.* =PROLONG.

pro·lon·ga·tion [pròulɔ(:)ŋgéiʃən, -lɑŋ-] *n.* Ⓤ 연장; Ⓒ 연장한 부분, 연장선(線).

pro·lónged *a.* 연장한; 오래 끄는; 장기(長期)의: a ~ stay 장기 체류.

pro·lo·thérapy [pròulou-] *n.* 〖醫〗 증식요법《새 세포를 증식시켜 인대(靭帶)·힘줄 따위의 기능을 회복시킴》.

pro·lu·sion [proulú:ʒən, prə-] *n.* 서두, 서막; 서악(序樂); 시연(試演); 서론, 머리말; 예비 연습, 준비운동. **pro·lu·so·ry** [-lú:səri, -lú:z-] *a.* 〚L (*lus-* *lude* to play)〛

prom [prɑ́m] *n.* 《口》 **1** 《英》 =PROMENADE; 《英》 =PROMENADE CONCERT. **2** 《美》 (대학 따위에서 하는) 무도회, 댄스 파티.

PROM [prɑ́m] 〖컴퓨〗 programmable read-only memory.

prom. promenade; prominent; promontory.

prom·e·nade [prɑ̀mənéid, -nɑ́:d; -nɑ́:d] *n.* **1** (도보·기마로, 보통 정장 차림으로 하는) 산보, 산책, 드라이브(drive); 행렬. **2** 포장된 산책장, 산책길. **3** 《美》 (대학의) 무도회(prom); 무도회 시작 때의 전원의 행진.
—— *vi.* [動/+副/+前+名] 산보하다, 산책하다; 대열을 지어 기운차게 천천히 걷다; 말을[차를] 몰다: The people were *promenading* ***about*** (the town). 사람들이 (시내를) 보란 듯이 돌아다녔다.
—— *vt.* **1** [+目/+目+前+名] (…을 특히 남보란 듯이 뽐내며) 데리고 걸어다니다: He often ~*s* his wife ***along*** the Thames Embankment. 종종 아내를 데리고 템스 강변길을 걸어 다녔다. **2** …을 산책하다.
〚F (*promener* to lead out<L *promino* to drive (animals) forth)〛

promenáde cóncert *n.* 프롬나드 콘서트《연주 중에 청중은 산책해도 좋음》.

promenáde dèck *n.* 산책 갑판(甲板)《1등 승객용(用)》.

Pro·me·the·an [prəmí:θiən] *a.* 프로메테우스의[와 같은], 지극히 독창적인.
Promethean agonies 프로메테우스와 같은 (형벌의) 고통.
—— *n.* 프로메테우스와 같은 사람.

Pro·me·the·us [prəmí:θju:s, -θiəs] *n.* 〖그神〗 프로메테우스《하늘의 불을 훔쳐서 인류에게 준 벌로 Caucasus 산의 바위에 묶였다가 독수리에게 간을 파먹혔다고 함》. 〚L<Gk.=forethinker〛

pro·me·thi·um [prəmí:θiəm] *n.* Ⓤ 〖化〗 프로메튬《희토류 원소; 기호 Pm; 번호 61》.

Pro·min [próumən] *n.* 프로민《나병약; 상표명》.

prom·i·nence [prɑ́mənəns] *n.* **1** Ⓤ 눈에 띔, 두드러짐, 현저, 탁월, 걸출, 빼어남, 명성: come[bring] into ~ 눈에 띄다[띄게 하다]. **2** 돌기, 돌출, 돋을새김; 돌출부, 눈에 띄는 장소: a rocky ~ 바위가 많은 산《따위》. **3** 〖天〗 (태양의) 홍염(紅焰). **próm·i·nen·cy** *n.*

***próm·i·nent** *a.* **1** 돌기한, 돌출된, 돋을새김의: ~ eyes[teeth] 퉁방울 눈[뻐드렁니]. **2** 현저한, 탁월[걸출]한, 유명한: a ~ writer 뛰어난[고명한] 작가. **~·ly** *adv.* 눈에 띄게, 두드러지게, 현저하게. 〚L PRO[1]*mineo* to project〛
類義語 ⟹ NOTICEABLE.

prom·is·cu·i·ty [prɑ̀məskjú:əti, prəmis-] *n.* Ⓤ 뒤범벅, 난잡, 무차별; (남녀의) 난교; 잡혼, 난혼(亂婚).

pro·mis·cu·ous [prəmískjuəs] *a.* **1** 난잡한, 혼잡한(disorderly), (옥석이) 뒤섞인, 혼교(混交)의; (폭격이) 무차별의; 엉망진창인: ~ bathing 남녀 혼욕(混浴) / ~ friendships 상대를 가리지 않는 교우 관계 / in a ~ heap 무질서하게 겹쳐 쌓은. **2** 《口》 마음 내키는 대로 하는, 되는 대로의: ~ eating habits 불규칙적인 식사 습관.
~·ly *adv.* **~·ness** *n.* 〚L (*misceo* to mix)〛

‡prom·ise [prɑ́məs] *n.* **1** [+*to* do / +*that* 節] 약속, 계약: make a ~ 약속하다 / He broke his ~ *to* give the book back to me within a week. 1주일 안에 나에게 그 책을 돌려 주겠다던 약속을 어겼다 / I hope you will keep your ~ *that* the work shall be finished before the end of this month. 그 일을 이달 말까지 완성하겠다는 약속을 지켜 주시기 바랍니다 / A ~ is a ~. 약속은 약속《지키지 않으면 안된다》. **2** 약속한 일[것]: He claimed my ~. 나에게 약속의 이행을 요구했다. **3** Ⓤ [+*of* +do*ing*] 가능성, 믿음직스러움, 전망, 유망: a writer *of* great ~ 전도 유망한 작가 / be full of ~ 전도가 유망하다 / give ~ ***of*** future greatness 장래가 촉망되다 / His planning give reasonable ~ *of* be*ing* successful. 그의 계획은 다분히 성공할 가망성이 있다.
—— *vt.* **1** [+目/+目+目/+目+前+名/+*to* do/+目+*to* do/+*that* 節/+目+*that* 節] 약속[계약]하다: He ~*d* help. 도움을 약속했다 / She ~*d* me a reward. 나에게 사례하겠다고 약속했다 / I ~*d* myself a holiday. 휴일을 기대하고 있었다 / He ~*d* the money ***to*** me, not *to* you. 그 돈을 내게 주겠다고 약속한 것이지, 네게가 아니었다 / He ~*d* not *to* tell anyone. 누구에게도 말하지 않겠다고 약속했다 / I ~*d* him *to* be there at one. 1시에 그곳에 가겠다고 그에게 약속했다 / They ~*d* (us) *that* the work should be done before Saturday. (우리들에게) 토요일 전까지는 일을 끝내겠다고 장담했다. 注 (1) I ~*d* him *to* be there at one. 에서는 *to* be의 의미상의 주어는 목적어인 him이 아니라 문장의 주어인 I와 일치한다; cf. I *told*[*asked*, *allowed*] him *to* be there at one. (2) I *was* ~*d* a reward.라고 하는 수동 구문은 가능하지만 He *was* ~*d* *to* be there at one.은 불가능. **2** …의 가망성[희망]이 있다; [+*to* do] (…할) 듯하다: A rainbow ~*s* fair weather. 무지개를 보니 날씨가 갤 것 같다 / His

boyhood did not seem to ~ much. 그의 소년 시절은 장래에 크게 희망을 걸게 할 만한 것은 아니었다 / It ~*s* *to* be fine this evening. 오늘 저녁에는 갤 것 같다.

—— *vi.* **1** 약속하다, 보증[장담]하다 : It is one thing to ~ and another to perform. 약속과 실행은 별도의 것이다. **2** [+副] 가망성이 있다 : The recent rapid progress in medical science ~*s well* for the future. 최근 의학의 급속한 진보는 미래에 커다란 희망을 갖게 한다.

〚L *promiss- promitto* to send forth ; ⇨ MISSILE〛

Prómised Lánd *n.* **1** [the ~] 〘聖〙 약속의 땅 《가나안(Canaan)을 말함》, 천국(Heaven). **2** [p~ l~] 동경하는 땅[상태].

prom·is·ee [prɑ̀məsíː] *n.* 〘法〙 피(被)약속자, 수약자(受約者) (↔*promisor*).

próm·is·er *n.* 약속자.

*__próm·is·ing__ *a.* 장래가 촉망되는, 전도 유망한, 기대[촉망]되는(hopeful) : The weather is ~. 날씨가 좋아질 것 같다 / a ~ youth 유망한 청년.

in a promising state [***way***] 가망성이 있는, 유망한 ; 회복되어가는 ; 임신하여.

~·ly *adv.*

prom·i·sor [prɑ̀məsɔ́ːr, ⌐--⌐] *n.* 약속자, 계약자 (↔*promisee*) ; 〘法〙 약속 어음 발행인.

prom·is·so·ry [prɑ́məsɔ̀ːri ; -səri] *a.* 약속의 ; 〘商〙 지급을 약속하는 : a ~ note 약속 어음.

pro·mo [próumou] *a.* 《美口》 판매 촉진의, 광고 선전의. —— *n.* (*pl.* ~**s**) 선전 광고, 선전용 필름 [레코드·추천문 따위], (텔레비전·라디오의) 프로그램 예고.

prom·on·to·ry [prɑ́məntɔ̀ːri ; -təri] *n.* 곶(串) (headland) ; 저지가 내려다 보이는 절벽 ; 〘解〙 융기, 돌기. 〚L〛

*__pro·mote__ [prəmóut] *vt.* **1** [+目+*to*+名 / +目+補 / +*to* do / +目] 진급[승급]시키다(↔*demote*) : The boys in Form Ⅲ will soon be ~*d* *to* Form Ⅳ. 3학년 학생은 얼마 후에 4학년으로 진급한다 / Major Graves has been ~*d* (*to* the rank of) lieutenant colonel. 그레이브스 소령은 중령으로 진급했다 / He was ~*d* *to* be manager of the new workshop. 새 공장의 공장장으로 승진했다. **2** 증진[촉진]하다, 조장(助長)하다 ; 장려하다 ; 고무하다 : A kind action ~*s* peace. 친절한 행위는 평화 증진에 기여한다. **3** (법안의) 통과를 위해 애쓰다 : ~ a bill in Parliament 법안의 의회 통과를 꾀하다. **4** 《美》 (선전에서 상품의) 판매를 촉진하다. **5** (주식회사를) 발기하다. **6** 〘체스〙 (졸을) 퀸이 되게 하다. **7** 《美俗》 사취하다, 감쪽같이 가로채다 ; 《美俗》 설득하여 한턱내게 하다 ; 《美俗》 구걸하다.

〚L PRO[1]*mot- -moveo* to move forward〛

類義語 ***promote*** 어떤 운동·주의·주장·계획 따위를 적극적으로 원조·격려하여 성장·전진·발전을 돕다[촉진하다] : *promote* good will between America and China (미국과 중국간의 우의를 증진하다). ***further*** 더욱 한층 더 목표에 가까이 하는 것을 나타냄 : *further* the democratization of Korea (한국의 민주화를 진일보시키다). ***advance*** 어떤 목표를 향하여 전진을 촉진시키다. ***forward*** 촉진시키기 위한 자극·계기가 되는 것을 강조함 : We made a concession to *forward* the negotiation. (협상을 촉진시키기 위해 양보했다).

pro·mót·er *n.* **1** 증진하는 사람[것], 조장자 ; 장려자, 후원자 ; (권투시합 따위의) 흥업주, 프로모터. **2** (새 회사의) 발기인, 설립[창설]자 ; 장본인, 선동자, 〘化〙 조촉매, 촉진제.

*__pro·mo·tion__ [prəmóuʃən] *n.* **1** Ⓤ.Ⓒ 승진, 승격, 진급(↔*demotion*) : get[obtain, win] ~ 승진하다 / *P*~ goes by seniority[merit]. 승진은 연공[공적]을 기준으로 한다. **2** Ⓤ 조장, 진흥, 장려 ; 선동 ; 판촉(물) ; 선전용 자료, 광고 : the ~ *of* health 건강 증진 / the ~ *of* learning 학술 진흥. **3** 주창, 발기, (회사) 창립.

be on one's promotion 결원이 나는 대로 승진하기로 되어 있다 ; 승진을 바라고 조심하다.

~·al *a.*

promótion expènses *n. pl.* 창업비.

promótion shàres *n. pl.* 〘商〙 발기인주(株).

promótion vìdeo *n.* 프로모션 비디오《신곡을 낼 때 선전용으로 만드는 비디오》.

pro·mo·tive [prəmóutiv] *a.* 촉진[조장]하는 ; 장려하는 ; 판매 촉진의.

*__prompt__ [prɑ́mpt] *a.* **1** [+*to* do / +前+do*ing*] 신속한, 기민한 ; 재빨리 처리하는, 즉석의 ; 곧[기꺼이]…하는 : a ~ reply 즉답 / You must be ~ *to* act. 곧 실행하지 않으면 안된다 / He is ~ ***in*** pay*ing* his rent. 그는 집세를 즉시[잘] 지급한다. **2** 〘商〙 즉시불로 하는 : a ~ note 즉시불 어음 / for ~ cash 맞돈으로, 현찰로 ; 즉시불로.

—— *adv.* 꼭, 딱, 정확히 : at six o'clock~ 정각 여섯시에.

—— *vt.* **1** [+目 / +目+*to* do / +目+*to*+名] (남을) 자극하다, 고무하다, 독촉하여[부추겨서] …시키다(inspire) : She was ~*ed* by hatred. 증오심이 일었다 / Her curiosity ~*s* her *to* ask interminable questions. 호기심 때문에 그녀는 끊임없이 질문을 한다 / That has ~*ed* me ***to*** the conclusion. 그런 일이 원인이 되어 그 결론에 이르렀다. **2** 생각나게 하다, (사상·감정을) 불어넣다 : The sight ~*ed* evil thoughts. 그 광경은 보는 이로 하여금 나쁜 생각을 갖게 만들었다. **3** 〘劇〙 (배우 등에게) 대사를 일러주다《무대 뒤 따위에서》, 후견하다 ; (학습하는 사람에게) 옆에서 알려 주다. —— *vi.* 〘劇〙 대사를 일러주다, 후견하다. —— *n.* (*pl.* ~**s** [prɑ́mts, prɑ́mps]) **1** 자극[독촉·촉진]하는 것. **2** 〘商〙 지급 기일, (연(延)거래의) 인도일(日) ; 〘商〙 즉시불. **3** 조언, 충고 ; 주의 ; (대사를 잊은 배우에게) 대사 일러 주기, 후견. **4** 〘컴퓨〙 길잡이.

~·ly *adv.* 신속하게, 기민하게, 즉석에서, 곧 바로. **~·ness** *n.* 민첩, 기민.

〚OF or L=ready, prompt〛

類義語 ⟹ READY.

prómpt·bòok *n.* 〘劇〙 프롬프터용의 대본.

prómpt bòx *n.* 〘劇〙 (무대 뒤의) 프롬프터가 있는 장소.

prómpt·er *n.* 격려자, 고무자 ; 〘劇〙 뒤에서 대사를 일러주는 사람, 프롬프터.

prómpt·ing *n.* Ⓤ 격려, 고무, 선동 ; 고취 ; 〘劇〙 대사를 일러주기, 후견.

promp·ti·tude [prɑ́mptətjùːd] *n.* Ⓤ 신속, 기민 ; 즉결 ; 시간 엄수.

prómpt néutron[**radiátion**] *n.* 〘理〙 즉발(卽發) 중성자[방사].

prómpt sìde *n.* 〘劇〙 프롬프터가 있는 쪽《객석을 향해서 《美》에서는 배우의 오른쪽, 《英》에서는 왼쪽 ; 略 p.s. ; cf. OPPOSITE *prompt*(*er*)》.

prom·ul·gate [prɑ́məlgèit, 美+proumʌ́lgeit] *vt.* **1** (법령을) 발포[공포]하다, 공표하다. **2** (신조(信條) 따위를) 널리 퍼지게 하다, 선전하다 ; (비밀 따위를) 세상에 퍼뜨리다.

pròm·ul·gá·tion *n.* Ⓤ 발포, 공포 ; 보급.

-**gà·tor** [ˏ, 美+proumʌ́lgeitər] *n.* 발포자 ; 보급자. 〖L〗

pron. pronominal ; pronoun ; pronounced ; pronounceable ; pronunciation.

pro·nase [próuneis, -z] *n.* 〖生化〗 프로나아제《방선균의 일종에서 얻어지는 단백질 분해 효소》.

pro·nátal·ìsm *n.* 출산 촉진론, 출산율 증가 찬성론, 출산 장려책.

pro·nate [próuneit] *vt., vi.* 〖生理〗 (손 따위를) 앞으로 펴서 손바닥이 밑으로 가게 하다[되다], (손 따위를) 회내(回內)시키다[하다] (↔*supinate*).

pro·ná·tion *n.* (손·발의) 회내 (작용). 〖L=to bend forward〗

pro·ná·tor *n.* 〖解〗 회내근(回內筋).

prone** [próun] *a.* **1** [+*to* do] (…의) 경향이 있는, (…하기) 쉬운, (…하기) 일쑤인 (liable) : He is ~ ***to idleness[superstition]. 게으름[미신]에 빠지기 쉽다 / He is ~ to get angry. 그는 화를 잘 낸다. **2** 수그러진, (납작) 엎드린, 앞으로 구부린 (cf. SUPINE 1) ; 굴복[복종]한 : fall[lie] ~ 앞으로 엎드리다[넘어지다]. **3** (토지가) 경사진, 내리막의, 험준한. **~·ly** *adv.* **~·ness** *n.* 〖L *pronus* bent forward ; ⇨ PRO-[1]〗

pro·neth·al·ol [prounéθəlɔ̀(:)l, -lòul, -lɑ̀l] *n.* 〖醫〗 프로네탈롤《베타아드레날린 차단제》.

prong [prɔ́(:)ŋ, prɑ́ŋ] *n.* **1** 뾰족한 끝[기구]. **2** (포크 따위의) 갈래 (tine) ; (사슴뿔 모양의) 가지 ; 포크 ; 갈퀴 (rake), (건초용) 쇠스랑.
—— *vt.* 찌르다, 꿰뚫다 ; 긁다, (흙 따위를) 파헤치다. **~ed** *a.* 갈래가 진.
〖ME< ? ; cf. MLG *prang* stake〗

próng·hòrn *n.* (*pl.* **~s**, ~) 〖動〗 (북미 서부산) 가지 모양의 뿔이 나 있는 영양(羚羊).

pro·nom·i·nal [prounɑ́mənl] *a.* 대명사의[적인] : a ~ adjective[adverb] 대명사적 형용사[부사]. —— *n.* 대명사적 어구. **~·ly** *adv.* 대명사적으로[로서]. 〖L ; ⇨ PRONOUN〗

***pro·noun** [próunàun] *n.* 〖文法〗 대명사《略 pron.》. 〖*pro-*[1]+NOUN ; F *pronom*, L *pronomen* 에 준한 것〗

pro·nounce** [prənáuns] *vt.* **1** 발음하다 ; 음독(音讀)하다 : *P*~ your words more clearly. 좀더 똑똑히 발음하시오 / The "t" in "often" is sometimes ~*d*. often의 t는 발음하기도 한다. **2** [+目 / +目+前+名 / +目+補 / +目+過分 / +目+*to* do / +*that* 節] 선언하다, 선고하다 ; 단언[공언]하다 : Then judgment was ~*d*. 그리고나서 판결이 내려졌다 / The judge ~*d* a fine ***on the prisoner. 재판관은 피고에게 벌금형을 선고했다 / She cut the apple and ~*d* it unripe. 사과를 쪼개 보고 나서 익지 않았다고 잘라 말했다 / He was ~*d* completely cured. 완쾌되었다는 말을 들었다 / The general ~*d* the fortress *to be*[~*d that* the fortress was] impregnable. 장군은 그 요새는 난공 불락이라고 단언했다 / The patient was ~*d to be* out of danger. 환자가 고비를 넘겼다고 단언했다. —— *vi.* **1** 발음하다 : He ~*s* well[badly]. 발음이 좋다[나쁘다]. **2** [+前+名] 의견을 말하다, 판단을 내리다 : I would not ~ ***on*** the issue. 그 문제에 대해서는 의견을 말하고 싶지 않다 / The judge ~*d* ***against***[***for, in favor of***] him. 재판관은 그에게 불리[유리]한 판결을 내렸다.
~·able *a.* 발음[단언]할 수 있는.
〖OF<L (*nuntio* to announce)〗

pro·nóunced *a.* 명백한 ; 현저한 ; 확고한, 결단성 있는, 단호한 (decided).
-**nóunc·ed·ly** [-sədli, -stli] *adv.* 명백하게 ; 단호하게.

pronóunce·ment *n.* 공고, 선언, 발표, (의견의) 표명, 단언 ; 의견, 결정, 판결.

pro·nóunc·ing *a.* 발음의, 발음을 표시하는.
—— *n.* Ⓤ 발음(하기) ; 선언, 발표.

pron·to [prɑ́ntou] *adv.* 《口》 조속히 (promptly), 즉시, 재빨리 (quickly). 〖Sp.<L ; ⇨ PROMPT〗

pron·to·sil [prɑ́ntəsìl] *n.* Ⓤ 〖藥〗 프론토실《화농성 세균에 의한 질병에 대한 특효약》.

pro·núclear *a.* **1** 〖發生〗 pronucleus의. **2** 원자력 발전 추진파의.

pro·núcleus *n.* 〖發生〗 전핵(前核), 생식핵.

pró númber *n.* (발송의) 누진 번호.

pro·nun·ci·a·men·to [prənʌ̀nsiəméntou] *n.* (*pl.* **~s**, **~es**) 선언서 ; (특히 스페인어 제국(諸國)의) 혁명당의 선언. 〖Sp. ; ⇨ PRONOUNCE〗

***pro·nun·ci·a·tion** [prənʌ̀nsiéiʃən] *n.* Ⓤ [종류를 말할 때는 Ⓒ] 발음, 발음법 ; 발음 기호 표기 : English ~ 영어의 발음 / variant ~*s* of the word 낱말의 발음 변형. **~·al** *a.*
〖OF<L ; ⇨ PRONOUNCE〗

proof** [prúːf] *n.* **1** [+*that* 節 / +*of*+do*ing*] Ⓤ 증명 ; 증거 ; Ⓒ 증거(가 되는 것) ; 〖法〗 증명, 증거 ; [*pl.*] 〖法〗 증거서류, 증언 : afford ~ ***of … 을 충분히 증명하다 / positive ~ [~ positive] *of* his intention 그의 의지의 확증 / give a ~ *of* one's loyalty[affection] 충성[애정]이 진실하다는 것을 나타내다 / There is no ~ *that* he is guilty[*of* his be*ing* guilty]. 그가 유죄라는 증거는 없다. **2 a**) 시험, 음미(吟味), 시도 (trial) ; 〖數〗 증명, 검산(檢算) ; 〖스코法〗 (배심에 대신한) 판사의 심리 : put[bring]... to the ~ …을 시도해 보다. **b**) 시험소 ; 시험관(管). **3** Ⓤ 시험을 마친 강도(強度)[품질] ; 《古》 (무기 따위의) 내항력(耐抗力), 불관통성 : armor of ~ 견고한[불관통성의] 갑옷 / have ~ *of* shot 탄환이 뚫고 지나가지 못하다. ㊟ 이 뜻으로는 보통 복합어(☞ -PROOF) : fire*proof*, fool*proof*, water*proof*. **4** Ⓤ (알코올 함량의) 강도 단위 ; =PROOF SPIRIT : above[below] ~ 표준 강도 이상[이하]으로. **5** 〖印〗 교정쇄, (판화 따위의) 시험쇄 ; =PROOF COIN : read the ~*s* 교정을 보다. **6** 〖寫〗 (음화(陰畫) 따위의) 시험 인화(印畫).
in proof of*. . .** =as*** (***a***) ***proof of*** …의 증거로(서) : *In* ~ *of* his assertion, he produced a letter. 그의 주장이 옳다는 증거로서 한통의 편지를 내보였다.
—— *a.* 검사필의, 보증이 붙어있는 ; (…에) 견디는, (…이) 통하지 않는 : He is ~ *against* bribery[flattery]. 그에게는 뇌물[아첨]이 통하지 않는다.
—— *vt.* **1** (제품 따위를) 시험[테스트]하다 ; 교정하다 ; 《美》 교정쇄를 찍다. **2** (섬유질의 물건을) 내구성 있게 하다, (천 따위를) 방수(防水) 처리하다.
〖OF<L *proba* ; ⇨ PROVE〗
類義語 ***proof, evidence*** 다함께 어떤 결론이나 판단의 증명이 되는 증거를 뜻하지만 *evidence* 는 *proof* 만큼 완전함을 나타내지 못함.
testimony 어떤 일의 진위(眞僞)를 증명하기 위해 행하는[말하는] 일.

-proof *comb. form* 「…을 통하지 못하게 하는」 「내(耐)…」 「방(防)…」의 뜻.

próof còin *n.* 프루프 코인《신(新)발행 경화(硬貨)의 수집가용 특별 각인한 한정판》.

próof·ing *n.* (방수 따위의) 가공, 보강 ; (이 공정

에 사용하는) 보강 약품.

próof·less *a.* 증거가 없는, 증명할 수 없는.

próof lìst *n.* 〖컴퓨〗 검사 목록, 죽 보(이)기.

próof·màrk *n.* (총 따위의) 시험필 표지(標識), 검인(檢印).

próof plàne *n.* 시험판(板)《물체의 대전성(帶電性)을 조사함》.

próof·rèad [-rì:d] *vt., vi.* (**-rèad** [-rèd]) 교정(校正)하다.

próof·rèad·er *n.* 교정원. **próof·rèad·ing** *n.* Ⓤ 교정.

próof shèet *n.* 교정쇄(刷).

próof spìrit *n.* 표준 강도의 알코올성 음료《미국에서는 알코올 함량 50%, 영국에서는 57.1% ; cf. PROOF *n.* 4》.

próof strèss *n.* 내력(耐力).

prop[1] [práp] *n.* 지주(支柱), 버팀대, 버팀목 ; [*pl.*] 다리(legs) ; 지지자, 지원자, 후원자 : the main ~ *of* a state 국가의 지주[초석] / A son is a ~ *for* one's old age. 아들은 노후의 의지가 된다. ── *v.* (**-pp-**) *vt.* [+目/+目+副/+目+前+名/+目+補] 버티다, 지탱하다, 버팀목을 대다 ; 기대어 세우다 ; (금전적·정신적으로) 지원하다 ; 지지하다 : We ~*ped* our old fence against the storm. 폭풍에 대비해서 낡은 울타리에 버팀목을 대었다 / The boy ~*ped* his bicycle (*up*) ***against*** the wall. 소년은 자전거를 벽에 기대어 세웠다. ── *vi.* (말 따위가) 앞발을 딱 버티고 서다.
〖MDu.=stopper ; cf. G *Pfropfen*〗

prop[2] *n.* 〖數〗 명제(proposition) ; 《口》〖劇〗 소품(property) ; 《空口》 =PROPELLER.

prop[3] *n.* 《美俗》 주먹(fist).

prop. propeller ; proper(ly) ; property ; proposition ; proprietor.

prop- [próup] *comb. form* 〖化〗「프로피온산(酸)에 관련이 있는」의 뜻. 〖*prop*ionic (acid)〗

pro·pae·deu·tic [pròupidjú:tik] *a.* 초보의, 예비의, 입문의. ── *n.* 준비 연구, 예비 학과 ; [~s, 단수취급] 예비 지식, 기초 훈련, 입문 교육. **-déu·ti·cal** *a.*

***prop·a·gan·da** [pràpəgǽndə, pròu-] *n.* **1** Ⓤ 선전, 프로파간다, 선전 활동 : make ~ *for* …을 선전하다. **2** 선전 기관[단체] ; 선전 내용. **3** Ⓤ〖카톨릭〗 포교(布教) ; [the P~]〖카톨릭〗(해외) 포교 성성(聖省)《정식 명칭은 the Congregation of the P~》.
〖NL *congregatio de propaganda fide* congregation for propagation of the faith ; ⇨ PROPAGATE〗

prop·a·gan·dism [pràpəgǽndizəm, pròu-] *n.* Ⓤ 전도, 포교 ; 선전 ; 보급 운동.

pròp·a·gán·dist *n.* 선전자 ; 전도사, 선교사. ── *a.* 선전(자)의 ; 전도(사)의.
pròp·a·gan·dís·tic *a.*

prop·a·gan·dize [pràpəgǽndaiz, pròu-] *vt., vi.* 선전하다 ; 포교하다, 전도하다.

prop·a·gate [prápəgèit] *vt.* **1** 번식시키다, 늘리다, 증식하다 : The trees ~ them*selves* by cuttings. 그 나무는 꺾꽂이로 번식한다. **2** 보급시키다, 선전하다 : She ~*d* the gossip. 그 소문을 퍼뜨렸다. **3** [+目/+目+前+名] (음향 따위를) 전달하다, 전하다 ; (성질 따위를) 유전시키다 : Light is ~*d* ***through*** the air in a straight line. 빛은 대기를 일직선으로 통과하여 전달된다. ── *vi.* 번식[증식]하다 ; 퍼지다 ; 보급되다.
próp·a·ga·ble [-gəbəl] *a.* 보급시킬 수 있는, 선전할 수 있는 ; 번식[증식]할 수 있는. **-gà·tive** *a.* 번식[증식]하는 ; 전파[유포]하는.
〖L *propagat- propago* to increase (plants) by cuttings〗

prop·a·ga·tion [pràpəgéiʃən] *n.* Ⓤ 번식, 증식 ; 선전, 보급 ; 전파, 전달 ; 유전(遺傳).

propagátion delày *n.* 〖電子〗 전달 지연《한 개의 펄스가 전파하는데 요하는 시간》.

próp·a·gà·tor *n.* 번식자 ; 선전자, 포교자(propagandist).

pro·pane [próupein] *n.* Ⓤ〖化〗 프로판《탄화수소의 일종 ; 연료 따위에 쓰임》.
〖*prop*ionic (acid)+-*ane*〗

pro·par·oxy·tone [pròupəráksətòun, -pæ-] *a., n.* 〖그文法〗 어미로부터 세번째 음절에 악센트가 있는 (낱말).

pro pa·tria [prou pá:triɑ̀:] 조국을 위하여.
〖L=for (one's) country〗

pro·pel [prəpél] *vt.* (**-ll-**) 추진하다, 몰다, 나아가게 하다 : ~*ling* power 추진력 / The ship is ~*led* by steam. 그 배는 증기로 운행된다 / He was ~*led* by ambition. 야심(野心)에 사로잡혀 행동했다.
〖ME=to expel<L (*puls- pello* to drive)〗
類義語 ⟹ PUSH.

pro·pél·lant, -lent *a.* 추진하는, 추진용의. ── *n.* 추진시키는 것, 추진체(體) ; (총포의) 발사 화약 ; (로켓 따위의) 추진제《연료산화제》 ; (스프레이용의) 고압가스.

***pro·pél·ler, -lor** *n.* 추진물[자] ; 추진기(器), 프로펠러.

propéller shàft *n.* 프로펠러 축《끝에 스크루 프로펠러가 달려 있음》 ; 프로펠러 샤프트 《변속기에서 구동차축까지 동력을 전달함》.

propéller túrbine ègine *n.* 〖空〗 =TURBO-PROPELLER ENGINE.

pro·pél·ling pèncil *n.* 《英》 =MECHANICAL PENCIL.

pro·pene [próupi:n] *n.* =PROPYLENE.

pro·pen·si·ty [prəpénsəti] *n.* [+前+do*ing* / +*to* do] 경향, 성질, 성벽(inclination) : His ~ ***for*** [***toward***] wonder and adventure was growing constantly. 경이와 모험을 추구하는 그의 성벽은 날로 커져갔다 / Little girls have a ~ *for* play*ing* with their dolls. 어린 계집애들은 인형 놀이를 즐기는 경향이 있다 / She has a ~ *to* exaggerate. 과장하여 말하는 버릇이 있다.

‡prop·er [prápər] *a.* **1** 독특한, 고유의, 본연의, (…에) 특유한〈*to*〉 ; 〖文法〗 고유의, 고유명사적인 (cf. APPELLATIVE, COMMON) : in the ~ sense of the word 그 낱말 본래의 뜻으로는. **2 a)** 적당[적절·타당·지당]한, 어울리는, 알맞은, 올바른 (fitting) : as you think ~ 좋도록, 적당[적절]하게 / ~ for the occasion 경우에 알맞은. **b)** 예절바른, 단정한 ; 《古·方》 훌륭한, 멋진 ; 《古·方》 아름다운, 맵시 있는. **3** 엄격한 의미에서의, 본래의, 고유의, 진정한 : Philippine ~ 필리핀 본토. **4** 《古》 자기의, 스스로의 : with my (own) ~ eyes 바로 이 눈으로. **5** 《英口》 완전한, 대단한, 철저한 : He was in a ~ rage about it. 그 일로 대단히 화를 내고 있었다.
── *adv.* 《俗·方》 전혀, 완전히.
good and proper 《口》 전혀, 완전히.
── *n.* 특정 예배식. **~·ness** *n.*
〖OF<L *proprius* one's own〗
類義語 ⟹ FIT[1].

próper ádjective *n.* 〖文法〗 고유(固有) 형용사

《*American, Korean* 따위》.

próper fráction *n.* 〖數〗 진분수(眞分數).

***próper·ly** *adv.* **1 a**) 적당하게, 적절하게, 상응하게 ; 당연히 : He very ~ refused. 그가 거절한 것은 극히 당연했다. **b**) 정확히, 정식으로, 진정으로 : He speaks English ~. 영어를 정확히 말한다. **c**) 훌륭하게, 예절바르게, 단정하게 : He was ~ dressed. 단정한 옷차림을 하고 있었다. **2** 《口》 완전히, 철저하게(throughly) : The boxer was ~ beaten. 그 권투 선수는 녹초가 되도록 두들겨 맞았다.

properly speaking* = *speaking properly* = *to speak properly 정확하게 말하면.

〈회화〉
Sweep your room *properly*, Betty. — Yes, Mom.「방 청소 잘해라, 베티야」「네, 엄마」

próper mótion *n.* 〖天〗 고유 운동.

próper nóun[**náme**] *n.* 〖文法〗 고유 명사.

próp·er·tied *a.* 재산이 있는, (특히) 부동산[토지]을 가지고 있는 : the ~ class(es) 유산 계급, (특히) 지주 계급.

***prop·er·ty** [prápərti] *n.* **1** Ⓤ 재산, 자산, 소유물(possessions) : a man of ~ 재산가 / personal [real] ~ 동[부동]산 / The secret is common ~. 그 비밀은 누구나 알고 있다. **2** Ⓤ 〖法〗 소유권(ownership) ; 소유 ; 소유 본능, 물욕(物慾) : ~ in copyright 판권 소유. **3** 소유지(地), 토지(estate) : He has a ~ in the country. 시골에 토지를 가지고 있다. **4** (물질 고유의) 성질, 특성 : the *properties* of metal 금속의 특성. **5** 도구 ; 〖劇〗 소품《《英》에서는 의상도 포함함 ; cf. PROPS, SCENERY 2》; 〖劇〗 (상연·상영을 위한) 극, 각본. **6** 《口》 (계약되어 있는) 배우, 선수.
〚OF<L *proprietas* ; ⇨ PROPER〛
[類義語] (1) ***property*** 토지·건물·동물·금전·증권·문서·권리 따위 모두 사람이 합법적으로 소유하는 것. ***goods*** 부동산에 대해서 동산, 특히 가옥내에서 사용하는 가구나 기구를 가리키며 금전이나 서류는 포함하지 않음. ***effects*** goods 이외에 의복·보석·장신구나 서류 따위를 포함하는 개인의 소유물.
(2) ⟹ QUALITY.

próperty ànimal *n.* 《美》 (무대·영화·텔레비전 따위에) 출연시키기 위해 길들인 동물.

próperty dámage insùrance *n.* 재물 손상 보험《자동차 따위로 남의 재산에 손해를 끼친 것에 대한 보험》.

próperty màn[**màster**] *n.* 〖劇〗 소품 담당자《《英》에서는 의상 담당자를 뜻하기도 함》.

próperty òwner *n.* 지주, 가주(家主).

próperty rìght *n.* 재산권.

próperty ròom *n.* 〖劇〗 소품[의상]실.

próperty tàx *n.* 〖法〗 재산세.

pro·phage [próufeidʒ, -fa:ʒ] *n.* 〖菌〗 프로파지《세균 세포내의 비(非)감염성 형태의 파지》.

pró·phàse [próu-] *n.* 〖生〗 (유사 분열(有絲分裂)의) 전기(前期). [주] 이하 metaphase (중기), anaphase (후기), telophase (말기).

proph·e·cy [práfəsi] *n.* **1** Ⓤ 예언 능력. **2** 예언 ; (신의) 계시 ; 예언서 : His ~ has come true. 그의 예언이 들어맞았다.
〚OF<L<Gk. ; ⇨ PROPHET〛

***proph·e·sy** [práfəsài] *vt.* [+目 / +*that* 節 / +目+目] 예언하다(predict) ; 《古》 (성경을) 해석하다 : He *prophesied* war[*that* war would break out]. 전쟁을[전쟁이 일어난다고] 예언하였다 / The Gypsy *prophesied* her a happy marriage. 집시는 그녀에게 행복한 결혼을 예언했다.
[類義語] ⟹ FORETELL.

***proph·et** [práfət] *n.* (*fem.* ~**·ess**) **1 a**) 예언자 ; 신의 뜻을 말하는 사람. **b**) [the P~] 마호메트(Mohammed) ; (모르몬교의 시조인) Joseph SMITH. **c**) [the P~s] (구약 성서의) 예언서 : ☞ MAJOR PROPHETS / ☞ MINOR PROPHETS. **2** (주의 따위의) 대변자, 제창자〈*of*〉. **3** 사물을 예지(豫知)하는 사람, 예보자(豫報者) ; 《俗》 (경마 따위의) 예상가, 예측가 : a weather ~ 일기 예보자. ~**·hòod**, ~**·shìp** *n.* 예언자의 지위[직·인격]. 〚OF<L<Gk. *prohētēs* spokesman〛

pro·phet·ic, -i·cal [prəfétik(əl)] *a.* 예언자의, 예언자다운 ; 예언적인(predictive) : be ~ of … 을 예언하다. **-i·cal·ly** *adv.*

pro·phy·lac·tic [pròufəlǽktik, pràf- ; prɔ̀f-] *a.* (질병을) 예방하는. —— *n.* 〖醫〗 예방약 ; 예방법. **-ti·cal·ly** *adv.* 예방을 위해서.
〚F<Gk. (↓)〛

pro·phy·lax·is [pròufəlǽksəs, pràf- ; prɔ̀f-] *n.* (*pl.* **-lax·es** [-lǽksi:z]) Ⓤ 〖醫〗 (질병 따위의) 예방(법) ; 〖齒〗 (치석 제거를 위한) 이 청소.
〚NL (Gk. *phulaxis* a guarding)〛

pro·pin·qui·ty [prəpíŋkwəti] *n.* Ⓤ (때·장소의) 가까움, 가깝기, 근접(nearness) ; 근친(近親)(kinship) ; 유사(類似).
〚OF or L (*prope* near)〛

pro·pi·o·nate [próupiənèit] *n.* 〖化〗 프로피온산염[에스테르].

pro·pi·ón·ic ácid [pròupiánik-] *n.* 〖化〗 프로피온산(酸)《향료·살균제용》.
〚*pro-*², Gk. *piōn* fat〛

pro·pi·ti·ate [prəpíʃièit] *vt.* 달래다 ; …의 비위를 맞추다 : offer a sacrifice to ~ the gods 신들의 노여움을 달래기 위하여 제물을 바치다.
〚L ; ⇨ PROPITIOUS〛

pro·pi·ti·a·tion [prəpìʃiéiʃən] *n.* Ⓤ 달래기, 위로, 위무(慰撫) ; 〖神學〗 속죄 ; 속죄물.

pro·pí·ti·à·tor *n.* 달래는 사람, 비위를 맞추는 사람, 화해 조정자, 중재자.

pro·pi·tia·to·ry [prəpíʃiətɔ̀:ri ; -təri] *a.* 달래는, 비위를 맞추는 사람, 화해의, 보상(報償)의.
—— *n.* 〖聖〗 속죄소(mercy seat).

pro·pi·tious [prəpíʃəs] *a.* **1** (신들이) 호의를 가지는, 친절한. **2** 행운의, 상서로운, (날씨·환경 따위가) 형편이 좋은, 안성맞춤의, 순조로운〈*to, for*〉 : a ~ sign[omen] 길조(吉兆).
〚OF or L *propitius* favorable〛

próp·jèt *n.* 〖空〗 터보제트.

própjet éngine *n.* 〖空〗 프로펠러가 달린 분사식 추진 기관[엔진].

próp·màn *n.* =PROPERTY MAN.

prop·o·lis [prápələs] *n.* Ⓤ 밀랍(蜜蠟).

pro·pone [prəpóun] *vt.* 《스코》 제의[제안]하다 ; (변명 따위를) 제기하다. 〚L ; ⇨ PROPOUND〛

pro·po·nent [prəpóunənt] *n.* **1** 제의[제안·주창]자. **2** 변호[지지]자. **3** 〖法〗 유언검인(遺言檢認) 신청자. 〚L ; ⇨ PROPOSE〛

***pro·por·tion** [prəpɔ́:rʃən] *n.* **1** Ⓤ 비율, 비(比) : ~ *of* three *to* one 1대 3의 비(율). **2** Ⓤ 균형, 조화 : due[proper] ~ 적당한 균형, 조화 / Scholars tend to lack a sense of ~. 학자는 사물을 균형있게 보는 눈이 결여되기 쉽다. **3** 나눈 몫, 분할, 할당(share) ; 부분(part) : obtain a ~ *of* the profit 자기의 몫을 차지하다 / A large ~ *of* the earth's surface is covered with water.

지구 표면의 대부분은 물로 덮여져 있다 / A large ~ (=number) *of* people are engaged in the production of goods. 많은 사람이 물자의 생산 (부문)에 종사하고 있다. **4** [*pl.*] 크기, 넓이 : a ship of fine ~*s* 당당한 선박. **5** Ⓤ 〖數〗 비례 (cf. RATIO), 비례산(算) : direct[inverse] ~ 정(正) [반(反)]비례 / simple[compound] ~ 단(單)[복(複)]비례.

bear no proportion to …와 균형이 안 잡히다, 조화가 안되다 : His reputation *bore no* ~ *to* his ability. 그의 평판은 그의 능력과 균형을 이루지 못했다《너무 지나친 경우나 또한 미치지 못한 경우에도 말함》.

in proportion as …하는데 비례하여 : *In* ~ *as* the sales increase the profit will rise. 판매가 증가함에 따라 수익도 올라간다.

in proportion to …에 비례하여 : Their earnings are *in* ~ *to* their skill. 그들의 수입은 숙련도에 비례한다 / The country has more newspapers *in* ~ *to* population than any other country in the world. 그 나라는 세계의 다른 어느 나라보다도 인구에 비하여 신문의 수가 많다.

out of (all) proportion to …와 (전혀) 균형이 맞지 않는[어울리지 않는].

—— *vt.* [+目 / +目+前+名] **1** 균형 잡히게 하다, 비례[조화]시키다 : Those rooms are well ~*ed.* 그 방들은 잘 조화 되어 있다 / You must ~ your rent ***to*** your salary. 집세를 네 봉급에 맞추도록 해야 한다. **2** 할당하다, 배당하다.

〚OF or L=for one's portion (*pro-*¹, PORTION)〛

propórtion·able *a.* 비례한, 균형이 잡힌〈*to*〉. **-ably** *adv.*

propórtion·al *a.* 비례한, 균형이 잡힌, 조화된 ; 〖數〗 비례의 : be directly[inversely] ~ *to* …에 정[반]비례하다. —— *n.* 〖數〗 비례항(項) : a mean ~ 비례 중항(中項). **~·ly** *adv.* 비례하여.

pro·por·tion·al·i·ty [prəpɔ̀ːrʃənǽləti] *n.* Ⓤ 비례, 균형.

propórtional cóunter *n.* 〖理〗 비례 계수관.

propórtional divíders *n. pl.* 비례 컴퍼스.

propórtion·al·ist *n.* 비례 대표제론자.

propórtional méter *n.* 〖測〗 비례식 미터《관속을 지나는 가스 중 일정 비율의 양이 계산 미터를 통과하게 하는》.

propórtional númber *n.* 〖數〗 비례수.

propórtional párts *n. pl.* 〖數〗 비례 부분.

propórtional région *n.* 〖原子〗 비례 계수역.

propórtional representátion *n.* 비례 대표제《略 P.R. ; cf. PREFERENTIAL VOTING》.

propórtional spácing *n.* 비례 간격.

propórtional táx *n.* 비례세, 정률세(定率稅)《세 기산액(稅起算額) 여하에 관계없이 세율을 고정해 두는 세(稅)》.

propórtion·ate [-nət] *a.* =PROPORTIONAL. —— [-nèit] *vt.* 균형잡히게 하다 ; 비례시키다 ; 적응시키다. **~·ly** *adv.* 비례하여, 균형이 잡혀.

pro·pór·tioned *a.* 균형이 잡힌 ; [복합어를 이루어] 균형이 …한 : well-~ 균형이 잘 잡힌.

propórtion·ment *n.* Ⓤ 비례, 비율, 균형, 조화.

pro·pos·al** [prəpóuzəl] *n.* **1** Ⓤ,Ⓒ [+前+do*ing*] 신청, 청구 ; 제의, 건의, 제기 ; 계획, 안, 기도, 시도 : make[offer] ~*s* ***of [***for***] peace 화해[휴전]를 제의하다 / ~*s for* increas*ing* international control 국제 관리를 증대시키려는 제안. **2** (특히) 청혼 : make a ~ *to* a woman 여자에게 청혼하다.

類義語 ***proposal*** 제의, 제안 ; 고려한 뒤에 수락 또는 거절되는 것 : a *proposal* of financial aid (재정 원조 제의). ***proposition*** 의론·증명·토의하기 위해서 제출된 진술·이론·계획 따위 ; 때로는 proposal과 같은 뜻으로 쓰임 : the *proposition* that all men are created equal (모든 사람은 평등하게 창조되었다는 명제).

pro·pose** [prəpóuz] *vt.* **1** [+目 / +目+前+名 / +*to* do / +do*ing* / +*that* 節] 신청하다 ; 제의[제안·제언·제창·발의·건의]하다 ; 시도하다, 기도하다 : The plans were ~*d* but not seconded. 그 계획은 제출되었으나 찬성을 얻지 못했다 / I ~ the health of Mr. Beard. 비어드씨의 건강을 위해서 건배합시다 / Mr. Jones ~*d* marriage ***to Margaret. 존스씨는 마거릿에게 청혼을 했다 / Where do you ~ *to* spend your holiday? 당신은 어디서 휴일을 보내려고 하십니까《주 Where *are* you *going to* spend...? 보다도 격식을 차린 표현법》/ He ~*d* writ*ing* a history of the Second World War. 제2차 세계 대전사(史)의 집필을 계획했다 / I ~*d* (*to* him) *that* we (should) take turns. (그에게) 우리가 교대로 할 것을 제안했다《주 should를 생략하는 것은 주로《美》; 이 글은 I said (to him), "Let's take turns."에 대한 간접화법에 해당함》. **2** [+目+*for*+名 / +目+*as*補] 추천하다, 지명하다 : I ~*d* her ***for*** membership. 그녀를 회원으로 추천했다 / Mr. Johnson has been ~*d as* president of the society. 존슨씨가 협회의 회장으로 지명되었다. —— *vi.* **1** 제안[제언]하다, 건의[발의]하다 : Man ~*s*, God disposes. 《속담》 모사(謀事)는 재인이오, 성사(成事)는 재천이라. ☞ DISPOSE *vi.* 1. **2** [+前+名] 청혼[구혼]하다 : Have you ~*d* ***to*** her? 그녀에게 청혼했습니까.

pro·pós·er *n.* 신청인, 제안자.

〚OF *proposer* <L PRO¹*pono* ; cf. POSE〛

類義語 ⟹ INTEND.

prop·o·si·tion [prɑ̀pəzíʃən] *n.* **1** [+*to* do / +*that* 節] 제안, 제의, 발의, 건의 ; 계획, 안(案), 기획 : He made a ~ *to* go there by ship. 그는 그곳에 배로 가자고 제의했다 / Nobody supported his ~ *that* part of the earnings should be pooled. 수입의 일부를 공동자금으로 하자는 그의 제안을 아무도 지지하는 사람이 없었다. **2** 진술, 주장. **3** 〖論〗 명제 ; 〖修〗 주제(主題) ; 〖數〗 명제, 정리(定理). **4** 《口》 **a**) 《美》 사업, 기업 : a paying ~ 수지맞는 사업. **b**) 일 ; 목적, 문제, 형편 ; 상대 : He is a tough ~. 그는 만만치 않은 상대다. **c**) (여자에 대한 성적인) 유혹. **5** 《美》 제공품, 상품. —— *vt.* 《口》 …에게 제안하다, (여자를) 유혹하다.

類義語 ⟹ PROPOSAL.

pròp·o·sí·tion·al *a.* 제출의, 제안의 ; 명제의.

propositíonal cálculus *n.* 〖論〗 명제 계산.

propositíonal fúnction *n.* 〖論〗 명제 함수.

Proposition 13 [∸ θɔ́ːrtíːn] *n.* 《美》 제안13호《1978년 6월 캘리포니아 주에서 주민 투표에 부쳐진 고정 자산세의 세율 제한 조례 개정 제안》.

pro·pos·i·tus [prəpɑ́zətəs] *n.* (*pl.* **-ti** [-tài]) 〖法〗 (가계(家系)의) 창시자 ; 해당자, 본인 ; (유전 조사 따위의) 발단자(proband).

pro·pound [prəpáund] *vt.* 제출하다, 제의[제기]하다 : ~ a theory[question, riddle] 학설[문제, 수수께끼]을 내놓다. **~·er** *n.* 제기자(提起者).

〚C16 *propo*(*u*)*ne* <L ; ⇨ PROPOSE, PROPONE〛

propr. proprietary ; proprietor.

pro·prae·tor, -pre- [prouprí:tər] *n.* 〖로史〗 PRAETOR로 근무한 사람이 지방장관이 되었을 때

의 명칭.

pro·pran·o·lol [prouprǽnəlɔ̀(:)l, -lòul, -lɑ̀l] *n.* 〖藥〗 프로프라놀롤《부정맥(不整脈)·협심증 따위의 치료에 쓰임》.

pro·pri·e·tary [prəpráiətèri ; -təri] *a.* 소유주의, 소유의 ; 재산이 있는 ; 독점의, 전매의 ; 개인 경영의 ; 등록상표[저작권]를 가진 : the ~ classes 유산 계급, 지주 계급 / ~ rights 소유권 / ~ medicines 특허 매약(賣藥). —— *n.* **1** 소유자(owner) ; 소유 단체 : the landed ~ 지주들. **2** Ⓤ,Ⓒ 소유권. 〚L ; ⇨ PROPERTY〛

propríetary cólony *n.* 〖美史〗 (독립 전의) 영주(領主)[독점] 식민지《영국왕이 특정한 사람들에게 전(全) 통치권을 주었음》.

propríetary cómpany *n.* 관리회사《다른 회사의 주식을 대부분 가지고 있는 회사》; 《英》 토지(흥업)회사 ; 《英》 폐쇄 회사《주식을 공개하지 않고 경영자가 독점하는 회사》.

pro·pri·e·tor [prəpráiətər] *n.* (*fem.* **-tress** [-trəs]) **1** 임자, 소유자 ; 지주 : a landed ~ 지주. **2** 경영자, 집주인, (여관의) 주인, (학교의) 교주(校主)《등》.

~·shìp *n.* Ⓤ 소유[경영]자임, 소유(권). 〚변형(變形)‹*proprietary*〛

pro·pri·e·to·ri·al [prəprɑ̀iətɔ́:riəl] *a.* 소유(권)의 ; 소유자의. **~·ly** *adv.* 소유주로서, 소유권에 의해.

pro·pri·e·ty [prəpráiəti] *n.* **1** Ⓤ 적당 ; 타당‹*of*›. **2** Ⓤ 예절바름, 예의바름 : a breach of ~ 예의에 어긋남, 버릇없음. **3** [*pl.*] 예의 범절 : observe the *proprieties* 예의를 지키다.

with propriety 예법대로, 예의바르게, 알맞게. 〚ME=ownership, peculiarity<OF PROPERTY〛

pro·pri·o·cep·tive [pròupriəséptiv] *a.* 〖生理〗 자기 자극(自己刺戟)에 감응하는, 고유수용(固有受容)의. **-cép·tion** *n.*

pro·pri·o·cep·tor [pròupriəséptər] *n.* 〖生理〗 자기(自己)[고유] 수용기(受容器)《자기 자극(自己刺戟)에 감응하는 말초 신경》.

próp ròot *n.* 〖植〗 지주근(支柱根) ; 버팀뿌리《옥수수 따위의 기근(氣根)》.

props [prɑ́ps] *n.* (*pl.* ~) **1** 〖劇〗 =PROPERTY MAN. **2** (연극무대의) 소품《의상을 포함》.

prop·to·sis [prɑptóusəs] *n.* (*pl.* **-ses** [-si:z]) 〖醫〗 (기관, 특히 안구의) 돌출(증).

pro·pul·sion [prəpʌ́lʃən] *n.* Ⓤ 추진(력). 〚PROPEL〛

propúlsion reàctor *n.* 〖理〗 (원자력선 따위의) 추진용 원자로.

pro·púl·sive *a.* 추진하는, 추진력이 있는.

próp wórd *n.* 〖文法〗 지주어(支柱語)《형용사(상당어)에 붙여 복합어 또는 구(句)로서 이것을 명사[대명사]화하는 말 ; 예컨대 a white sheep and a black *one* 과 a white sheep and two black *ones*에의 one과 ones》.

pro·pyl [próupəl] *n., a.* 〖化〗 프로필기(基)(의).

pro·pyl·ic [proupílik] *a.* 〚*propionic, -yl*〛

prop·y·lae·um [prɑ̀pəlí:əm, pròu-] *n.* (*pl.* **-laea** [-lí:ə]) 입구(의 문)《고대 그리스·로마의 신전 따위의》; [the Propylaea] 아테네의 Acropolis의 입구.

própyl álcohol *n.* 〖化〗 프로필 알코올《용제(溶劑)·유기 합성용》.

pro·pyl·ene [próupəli:n] *n.* Ⓤ 〖化〗 프로필렌《유기 합성용》.

própylene glýcol *n.* 〖化〗 프로필렌 글리콜《부동액·윤활유·유기 합성용》.

prop·y·lon [prɑ́pəlɑ̀n] *n.* (*pl.* **-la** [-lə], **~s**) (고대 이집트의 신전 입구 앞에 있는) 기념문. 〚L<Gk.〛

pro ra·ta [prou réitə, -rɑ́:-] *adv., a.* 비례하여[하는] ; 기준율에 따라. 〚L=in proportion〛

pro·rate [prouréit, ⌐⌐] *vt., vi.* [+目/+目+前+名] 《美》 할당하다 ; 안분(按分) 비례하다 : on the ~*d* daily basis 일당 계산으로 / We ~*d* the interests ***among*** us. 이익을 우리들끼리 (일정한 비율로) 분배했다.

pro·rát·able *a.* **pro·rá·tion** *n.*

pro re na·ta [prou réi nɑ́:tə] 임기응변으로 ; 필요에 따라《略 p.r.n.》. 〚L=for the occasion that has arisen〛

pro·ro·gate [prɔ́:rougèit] *vt.* =PROROGUE.

prò·ro·gá·tion *n.*

pro·rogue [prəróug] *vt.* (특히 영국 등지에서 의회를) 정회시키다 ; 《稀》 연기하다. —— *vi.* (의회가) 정회되다. 〚OF<L *prorogo* to extend〛

pros- [prɑ́s] *pref.* 「앞에, …쪽으로」「…가까이에」「그 위에」의 뜻 : *pros*ody. 〚L<Gk.〛

pros. proscenium ; prosecuting ; prosody.

pro·sage [próusidʒ] *n.* 프로시지《식물성 단백질 소시지》.

pro·sa·ic, -i·cal [prouzéiik(əl)] *a.* 산문체(散文體)의, 산문적인 ; 살풍경한, 재미없는 ; 활기 없는, 단조로운, 평범한.

-i·cal·ly *adv.* **-ic·ness** *n.* 〚F or L ; ⇨ PROSE〛

pro·sa·ism [prouzéiizəm, ⌐⌐⌐⌐], **pro·sa·i·cism** [-zéiəsìzəm] *n.* Ⓤ 산문체, 산문적 표현 ; 평범함, 진부, 무취미.

pro·sa·ist [prouzéiəst, próuzeiəst] *n.* 산문 작가 ; 평범한 사람, 취미가 없는 사람.

Pros. Atty. Prosecuting Attorney.

pro·sce·ni·um [prousí:niəm] *n.* (*pl.* **-nia** [-niə], **~s**) 〖劇〗 무대 앞부분《막에서 앞쪽》; (무대와 관객 사이의) 막장치 ; 《古》 (그리스·로마 극장의) 무대 ; 전경(前景). 〚L<Gk. (SCENE)〛

proscénium bòx *n.* (극장의) 무대에 가장 가까운 특별석.

pro·sciut·to [prouʃú:tou] *n.* (*pl.* **-ti** [-ti:], **~s**) 향신료가 많이 든 이탈리아 햄. 〚It.=dried beforehand〛

pro·scribe [prouskráib] *vt.* **1** …에서 법률의 보호를 빼앗다(outlaw), 추방하다(banish). **2** (습관 따위를 위험한 것으로) 금지[배척]하다 ; 〖古로〗 (처벌자 이름을) 공포[포고]하다.

pro·scríb·er *n.* 〚L=to publish in writing ; ⇨ SCRIBE〛

pro·scrip·tion [prouskrípʃən] *n.* Ⓤ 공권(公權)박탈, 추방, 파문, 배척 ; 금지, 규제 ; (습관 따위의) 금지 ; 〖古로〗 (추방·사형(死刑) 따위의) 처벌자 공포[포고].

pro·scríp·tive *a.* 인권 박탈의 ; 추방의 ; 금지의. **~·ly** *adv.*

***prose** [próuz] *n.* **1** Ⓤ 산문 ; 산문체(↔*poetry, verse*). **2** Ⓤ 평범, 단조 ; 무미 건조한 말, 시시한 소리[이야기]. **3** [형용사적으로] **a)** 산문의, 산문으로 된 : ~ poetry 산문시. **b)** 산문적인, 평범한, 단조로운. —— *vt., vi.* **1** 산문으로 쓰다 ; (시를) 산문으로 옮기다. **2** 무미 건조하게 쓰다 ; 지루한 이야기를 하다. 〚OF<L *prosa* (*oratio*) straightforward (discourse)〛

pro·sect [prousékt] *vt.* (실습 따위를 위해) 시체를 해부하다.

pro·sec·tor [prouséktər] *n.* 시체 해부자.
pro·sec·to·ri·al [pròusektɔ́:riəl] *a.*

*__pros·e·cute__ [prásikjù:t] *vt.* **1 a)** 수행하다, 추구하다, 실행하다 : ~ a war 전쟁을 실행하다 / ~ an inquiry 조사를 실시하다. **b)** (장사 따위를) 영위하다, (연구 따위에) 종사하다 : ~ one's studies 연구에 종사하다. **2** [+目/+目+前+名] 기소[고소]하다, 구형(求刑)하다, 소추하다, (법률에 호소하여 권리를) 요구[강행]하다 : Bribery will be ~*d.* 수회(收賄)는 기소될 것이다 / He was ~*d* ***for*** exceed*ing* the speed limit. 속도 위반죄로 기소되었다. ── *vi.* 기소[제소]하다.
〖L *prosecut- prosequor* to pursue ; ⇨ SUE〗

prós·e·cùt·ing attórney *n.* 《美》 검사.

pros·e·cu·tion [pràsikjú:ʃən] *n.* **1** Ⓤ **a)** 수행, 실행 ; 속행(續行), 추구. **b)** 종사, 경영〈*of*〉. **2** Ⓤ,Ⓒ 〖法〗 **a)** 기소, 고발 : a criminal ~ 형사소추(刑事訴追) / the director of public ~*s* 《英》 공소국장. **b)** [the ~] 기소자측, 검찰 당국(↔ *defense*).

prós·e·cù·tor *n.* **1** 수행자, 경영자. **2** 〖法〗 기소[고발]자, 검찰관.

pros·e·cu·to·ri·al [pràsikju:tɔ́:riəl] *a.* PROSECUTOR[PROSECUTION]의.

pros·e·lyte [prásəlàit] *n.* 개종자(改宗者)〈*to*〉 ; 변절자, 전향자. ── *vt., vi.* 개종[전향]시키다[하다] ; 《美》 좋은 조건으로 선발해 가다《회원·운동 선수 등을》. **pros·e·ly·tism** [prásələtizəm, -lai-] *n.* Ⓤ 개종[전향]의 권유 ; 개종 ; 변절.
〖L<Gk. =stranger, convert〗

pros·e·ly·tize [prásələtàiz] *vt., vi.* 《稀》 개종[전향·변절]시키다[하다].

pro·séminar *n.* 《美》 (대학 재학생도 참가할 수 있는) 대학원 학생을 위한 세미나.

pròs·encéphalon *n.* 〖解〗 전뇌(前腦).
-encephálic *a.*

pros·en·chy·ma [prɑséŋkəmə] *n.* (*pl.* **-chym·a·ta** [pràseŋkímətə], **~s**) 〖植〗 섬유 세포 조직, 방추(紡錘) 조직.
-chym·a·tous [pràseŋkímətəs, -kái-] *a.*

próse pòem *n.* (한편의) 산문시.
próse pòetry *n.* [집합적으로] 산문시.

pros·er [próuzər] *n.* 산문가(家) ; 잡문 따위를 쓰는 문필가 ; 지루하게 이야기를 늘어놓는 사람.

Pro·ser·pi·na [prousə́:rpənə], **Pro·ser·pi·ne** [prousə́:rpəni ; prásərpàin] *n.* 〖로神〗 프로세르피나《Jupiter와 Ceres의 딸, Dis에게 끌려가 명계(冥界)의 여왕이 됨 ; 〖그神〗의 Persephone에 해당함》.

pros·i·fy [próuzəfài] *vt., vi.* 산문으로 고치다, 산문을 쓰다 ; 평범[지루]하게 하다.

pro·sit [próuzət, -sət], **prost** [próust] *int.* 축배!, 축하합니다!《축배·성공을 축하할 때의 말》. 〖G<L=may it benefit〗

pro·slávery *n., a.* 노예제도 지지(의).

pro·so [próusou] *n.* (*pl.* **~s**) 〖植〗 수수(millet). 〖Russ.〗

pros·o·deme [prásədì:m] *n.* 〖言〗 운율소(韻律素)《음의 고저, 강세, 연접(連接)의 총칭》.

pro·sod·ic, -i·cal [prəsádik(əl)] *a.* 작시법의 ; 운율법의.

pros·o·dy [prásədi] *n.* Ⓤ 작시법(作詩法), 시형론(詩形論), 운율학(韻律學). **-dist** *n.* 운율학자. 〖L<Gk. (*pros* to, ODE)〗

pros·o·pog·ra·phy [pràsəpágrəfi] *n.* (역사·문학상의) 인물연구 ; 인물의 기술(집).
-pher *n.* **pròs·o·po·gráph·i·cal** *a.*

pro·so·po·poe·ia, -pe·ia [prousòupəpí:ə, pràsəpə-] *n.* Ⓤ 〖修〗 의인법(擬人法).

*__pros·pect__ [práspekt] *n.* **1** 조망(眺望), 전망(展望), 경치(scene) ; (집의) 방위[방향] : The hill commands a fine ~. 그 언덕은 전망이 좋다. **2 a)** Ⓤ [+前+do*ing*] 예상, 기대, 가망(성)(↔ *retrospect*) : There is no[little, not much] ~ ***of*** his success. 그가 성공할 가망성은 전혀[그다지] 없다 / Is there any ~ *of* their win*ning* the game? 그들이 시합에서 이길 가망성은 있니. **b)** [*pl.*] (성공·이익 따위의) 전망, 가능성 : a business with good ~*s* 벌이[성공]가 될 듯한 사업. **3** 기대되는 것 ; 《美》 단골[고객]이 될 듯한 사람, 기부를 할 듯한 사람 ; 가망이 있는 사람 ; 《美》 (지위·직(職) 따위에) 유망한 후보자〈*for*〉. **4** 〖鑛〗 채광 유망지(地) : strike a good[gold] ~ 좋은 광맥[금]맥을 찾아내다.
have...in prospect …의 가망이 있다 ; …을 계획하고 있다 : As yet we *have* nothing *in* ~. 지금으로서는 아무런 가망[가능성]이 없다 / He *has* another business *in* ~. 그는 다른 사업을 계획하고 있다.
in prospect (1) 예기되어, 가망이 있어서 : An abundant harvest is *in* ~. 풍작이 예상되고 있다. (2) 예기하여, 내다보고, 예상하여 ; 앞날에 : They set up the company *in* ~ *of* large profits. 커다란 수익을 내다보고 회사를 만들었다.
── *v.* [; prəspékt] *vi.* **1** 〖鑛〗 [+*for*+名] 시굴(試掘)하다, 탐사하다 ; 《비유》 수사하다 : ~ ***for*** gold 금을 시굴하다. **2** [+副] 가능성[가망]이 있다 : This mine ~*s well*[*ill*]. 이 광산은 가능성[가망]이 있다[없다]. ── *vt.* **1** [+目/+目+*for*+名] 〖鑛〗 시굴하다 : ~ a region ***for*** silver 어떤 지역에서 은(銀)을 시굴하다. **2** 조사하다, 시험하다.
〖L *prospect- prospicio* to look forward〗
類義語 ⟹ VIEW.

pro·spec·tive [prəspéktiv] *a.* 예기되는, 장래의[에 관한](↔*retrospective*) ; 가망이 있는 ; (법률 따위) 장래에 관한 ; 선견지명이있는 : my ~ son-in-law 조만간 사위가 될 사람 / a ~ customer 사달라고[고객이 되어 달라고] 할 수 있을 사람. **~·ly** *adv.* 앞[장래]을 바라보고, 장래에(관해서).

prospéctive adaptátion *n.* 〖生〗 예기 적응《장래의 적응을 가능케 하는 형질의 획득》.

pros·pec·tor [práspektər, prəspék- ; prəspéktər] *n.* (광산의) 시굴자(試掘者), 탐광자.

pro·spec·tus [prəspéktəs] *n.* (설립·창립의) 취지서(趣旨書), 발기서, (사업·계획 따위의) 강령, (신간서적 따위의) 내용 소개 팸플릿 ; 《英》 학교 안내. 〖L=prospect〗

*__pros·per__ [práspər] *vi.* 번영하다, (사업 따위) 성공하다 ; 잘 자라다, 번식하다 : His business has ~*ed.* 그의 사업은 번창하였다 / His father is ~*ing.* 그의 아버지의 일은 잘 되어 간다. ── *vt.* 《古》 번영시키다, 성공시키다 : May God ~ you! 번영할지어다!
〖OF or L *prospero* to cause to succeed ; ⇨ PROSPEROUS〗
類義語 ⟹ SUCCEED.

*__pros·per·i·ty__ [prɑspérəti] *n.* Ⓤ 번영 ; 성공 ; 행운, 행복 ; 부유.

*__prósper·ous__ *a.* 번영하는, 유복한, 부유한(thriving) ; 성공한 ; 알맞은, 순조로운, 행복[다행]한 : ~ weather 아주 좋은 날씨.
in a prosperous hour 계제가 좋게도, 안성맞춤으로.

~·ly *adv.* 번영하여 ; 형편좋게, 안성맞춤으로 ; 순조롭게. **~·ness** *n.*
〖OF<L=favorable〗

pross [prás], **pros·sie**, **pros·sy** [prási] *n.* 《俗》 매음(prostitute).

pros·ta·cy·clin [pràstəsáiklən] *n.* 〔生化〕 프로스타사이클린《항(抗)응혈 작용·혈관 확장 작용이 있는 호르몬 비슷한 물질》.

pros·ta·glan·din [pràstəglǽndən] *n.* 〔生化〕 프로스타글랜딘《혈관 확장·혈전(血栓) 방지 따위에 씀 ; 略 PG》.

pros·tate [prásteit] *n., a.* 〔解〕 전립선(前立腺)(의) : a ~ gland 전립선.
〖F<Gk. *prostatēs* one who stands before〗

pros·ta·tec·to·my [pràstətéktəmi] *n.* Ⓤ〔醫〕 전립선 절제(수술).

Pro. Station Prophylactic Station (성병 예방 조치 시설).

pros·ta·tism [prástətìzəm] *n.* 〔醫〕 전립선 (비대)증.

pros·ta·ti·tis [pràstətáitəs] *n.* 〔醫〕 전립선염.

pros·the·sis [prásθəsəs] *n.* (*pl.* **-ses** [-sì:z]) Ⓤ,Ⓒ 〔言〕 어두음 첨가(語頭音添加)《보기 beloved 의 *be-*, defend의 *de-*》; [, prɑsθí:səs] 〔醫·齒〕 보철, 보철술(補綴術).
〖L<Gk. =placing in addition〗

pros·thet·ic [prɑsθétik] *a.* 보철(학)의 ; 〔化〕 치환의.

pros·thét·ics *n.* (치과의) 보철학, 의치술(義齒術). **-the·tist** [prásθətəst] *n.*

pros·tho·don·tia [pràsθədánʃə] *n.* =PROSTHODONTICS.

pros·tho·don·tics [pràsθədántiks] *n.* 치과 보철학, 의치학.

pros·ti·tute [prástətjù:t] *n.* 매춘부(賣春婦) ; 변절자, 지조를 파는 사내. —— *a.* 매춘의 ; 돈으로 해결하는. —— *vt.* **1** [~ one*self* 로] 매춘하다, (몸·지조를) 팔다. **2** (명예 따위를) 이익을 위해서 팔다, (재능 따위를) 비열한 목적에 제공하다, 악용하다. **-tù·tor** *n.*
〖L *pro-*²(*stitut- stituo=statuo* to set up)=to offer for sale〗

pros·ti·tu·tion [pràstətjú:ʃən] *n.* Ⓤ 매춘 ; 변절 ; 타락 ; 악용.

pros·trate [prástreit] *a.* **1** (굴종을 나타내어) 엎드린, 부복한. **2** 패배[굴복]한. **3** (의기·사기 따위를) 상실한, 의기소침한 ; 녹초가 된〈*with*〉. **4** 〔植〕 포복성(匍匐性)의, 땅을 기는.
—— [; prɔstréit] *vt.* **1** [+目/+目+前+名] 넘어뜨리다, 쓰러뜨리다 ; [~ one*self* 로] (몸을) 엎드리다, 부복하다 : The old man ~*d* him*self* ***before*** the altar. 그 노인은 제단 앞에 엎드렸다. **2** [때때로 수동태로] 기를 죽이다, 쇠약하게 되다 : I was ~*d* by the heat. 더위에 지쳐버렸다.
prós·tra·tive [-trə-] *a.* **prós·tra·tor** *n.*
〖L PRO²*strat- -sterno* to throw in front〗

pros·tra·tion [prɑstréiʃən] *n.* **1** Ⓤ,Ⓒ 부복(俯伏), 엎드려 경배하기 : ~ *before* the altar 제단 앞에 엎드리기[부복하기]. **2** Ⓤ 기가 죽음, 의기소침 ; 쇠약, 피로 : general[nervous] ~ 전신[신경] 쇠약.

pros·ty, pros·tie [prásti] *n.* 《美俗》 매춘(prostitute).

pro·style [próustail] *a., n.* 〔建〕 (그리스의 신전(神殿) 따위) 전주식(前柱式)의 (건물).

prosy [próuzi] *a.* 산문체(散文體)의 ; 평범한, 무취미[무미 건조]한 ; 지루한, 단조로운(prosaic).
〖PROSE〗

prot- [próut] ☞ PROTO-.

Prot. Protectorate ; Protestant.

pròt·actínium *n.* Ⓤ 프로트악티늄《방사성 희금속 원소 ; 기호 Pa ; 번호 91》.

pro·tag·o·nist [proutǽgənəst] *n.* (연극의) 주역, 주인공(역 배우) ; (이야기 따위의) 주인공 ; 주창자, 지도자. 〖Gk. (*prot-, agōnistēs* actor)〗

Pro·tag·o·ras [proutǽgərəs ; -ræs] *n.* 프로타고라스《그리스의 철학자 ; Sophist의 시조(始祖) ; 481?-411? B.C.》. **Pro·tàg·o·ré·an** [-rí:ən] *a.*

prót·amìne *n.* Ⓤ〔生化〕 프로타민《강(強)염기성 단순 단백질》.

pro·ta·no·pia [pròutənóupiə] *n.* 〔醫〕 제1색맹《적(赤)색맹》. **prò·ta·nóp·ic** [-náp-] *a.*

pro tan·to [prou tǽntou] *adv.* 그 정도까지.
〖L=for so much, to a certain extent〗

prot·a·sis [prátəsəs] *n.* (*pl.* **-ses** [-sì:z]) 〔文法〕 (조건문의) 조건절, 전제절(cf. APODOSIS) ; 〔劇〕 (고대 연극의) 도입부. 〖L<Gk.=a proposal〗

pro·te- [próuti], **pro·teo-** [próutiou, -tiə] *comb. form* 「단백질」의 뜻. 〖F〗

Pro·te·an [próutiən, proutí:ən] *a.* **1** Proteus 의 [같은]. **2** [p~] 변화 무쌍한, 여러 방면의, 한 사람이 여러 역을 맡아 하는.

pro·te·ase [próutièis, -z] *n.* Ⓤ〔生化〕 프로테아제, 단백질 분해 효소.

protec. protectorate.

pro·tect [prətékt] *vt.* **1** [+目/+目+前+名] 보호하다, 지키다, 막다 : May God ~ you! 신의 가호가 있기를 / *P*~ your eyes ***from*** the sun. 눈을 태양의 직사광선으로부터 보호하시오 / I'll ~ you *from* be*ing* insulted. 모욕 당하지 않게 당신을 지켜 주겠습니다 / The people thought of a clever trick to ~ themselves ***against*** the king. 백성들은 왕의 압정에서 몸을 지키기 위해 교묘한 방책을 생각해 냈다. **2** 〔經〕 (국내 산업을) 보호하다. **3** 〔商〕 (어음의) 지급 준비를 하다. **4** (기계에) 보호 장치를 달다[시설하다]. —— *vi.* 보호하다. **~·able** *a.* **~·ed** *a.* 보호된, 보호 장치를 한 : ~*ed* rifles 안전장치가 된 소총.
〖L (*tect- tego* to cover)〗
類義語 ⟹ DEFEND.

protéct·ant *n.* 예방 보호제(劑).

protéct·ed víllage *n.* 보호 부락《짐바브웨에서 정부가 게릴라 활동이 심한 지역의 흑인을 이주시킨 캠프 따위의 거주지》.

protéct·ing *a.* 지키는, 보호하는, 방어하는.
a protecting power 이익 대표국.
~·ly *adv.* 보호하도록, 두둔하듯이.

***pro·tec·tion** [prətékʃən] *n.* **1** Ⓤ 보호, 옹호, 비호(庇護) : Some of the plants need ~ *against* weather. 식물들 중에는 악천후로부터 보호해 주지 않으면 안될 것들이 있다. **2** 보호하는 사람[것] : a ~ *against* cold 방한구(防寒具) / This coat is no ~ *from* rain. 이 코트는 전혀 비를 막지 못한다. **3** Ⓤ〔經〕 보호 무역 제도(cf. FREE TRADE). **4** 통행권, 여권 ; 《美》 국적(國籍) 증명서. **5** 〔컴퓨〕 방지.
take a person ***under*** one***'s protection*** 남을 보호하다.
~·ìsm *n.* Ⓤ 보호 무역주의[보호 정책].
~·ist *n., a.* 보호 무역주의의[자] ; 야생동물 보호를 주장하는 (사람).

protéction fòrest *n.* 보안림.

protéction ràcket *n.* 《俗》 폭력단이 행패를 부리지 않는 대신 상점·음식점 따위로부터 돈을 뜯어

내는 행위.

*pro·tec·tive [prətéktiv] *a.* 보호하는 ; 보호 무역[정책]의.

protéctive áction guìde *n.* 〖原子力〗 방호 조치 기준《전리(電離) 방사선의 허용 흡수선량》.

protéctive clóthing *n.* 방호복《불꽃·방사선 따위로부터 몸을 보호하는》.

protéctive colorátion *n.* =PROTECTIVE COLORING.

protéctive cóloring *n.* 〖動〗 보호색(色).

protéctive cústody *n.* (피고 등의 신변을 보호하기 위한) 보호 감금, 예비 구속.

protéctive dúties[táx] *n.* 보호 관세.

protéctive fóods *n. pl.* 영양 식품.

protéctive legislátion *n.* 보호 무역법 ; 사용인 보호법 제도.

protéctive reáction *n.* 〖美軍〗 방어 반응(행동)《간접적·직접적 위협의 원흉으로 생각되는 대상에 대하여 예방적으로 공격하는 일》.

protéctive resémblance[mímicry] *n.* 〖動〗 의태(擬態).

protéctive sỳstem *n.* 보호 무역 제도.

protéctive táriff *n.* 보호 관세(율) (cf. REVENUE TARIFF).

pro·téc·tor *n.* **1** 보호자, 비호자, 옹호자 ; 후원자 : ☞ LORD PROTECTOR. **2** 보호하는 것, 보호[안전] 장치 ; 〖球技〗 프로텍터 : a chest ~ (포수(捕手)·심판 등의) 가슴받이, 프로텍터 / a point ~ 연필의 뚜껑. **3** 〖英史〗 섭정(攝政)(regent). **~·al** *a.* **~·shìp** *n.*

protéctor·ate *n.* 보호국 ; 보호령.

pro·tec·to·ry [prətéktəri] *n.* 소년 감화원(院).

pro·téc·tress [-trəs] *n.* PROTECTOR의 여성형.

pro·té·gé [próutəʒèi, 美+ˋ-ˊ] *n.* (*fem.* **-gée** [—]) 받는[피보호]자, 부하.
〖F (p.p.) ‹*protéger*<L PROTECT〗

pro·teid [próuti:d, -tiəd], **-te·ide** [-taid, -tiàid] *n.* =PROTEIN.

*pro·tein [próuti:n] *n.* U,C 단백질.
〖F and G<Gk. (*prōtos* first)〗

pro·tein·ase [próutənèis, -ti:-, -z] *n.* 〖生化〗 프로테이나아제《단백질을 가수분해하는 효소》.

pro·tein·ate [próutənèit, -ti:-] *n.* 단백질 화합물(化合物).

prótein-càlorie malnutrìtion *n.* 단백질-칼로리 영양 실조.

prótein clòck *n.* 〖生〗 단백질 시계《단백질의 진화 속도를 조절하는 생체내의 가설적 기구》.

pro·tein·oid [próuti:nɔ̀id, próutən-] *n.* 〖生化〗 프로테이노이드《아미노산(酸) 혼합물을 가열하여 중축합(重縮合)해서 얻는 폴리아미노산 ; 단백질 비슷한 성질을 가짐》.

pro·tein·uria [pròutənjúriə, -ti:- ; -tinjúə-] *n.* U 〖醫〗 단백뇨(尿).
-uric [-júrik ; -júə-] *a.*

pro tem [prou tém] *a., adv.* =PRO TEMPORE.

pro tem·po·re [prou témpəri] *adv., a.* 일시적으로 선임되어[된], 임시로[의], 잠정적으로[인]《略 p.t.》. 〖L=for the time being〗

proteo- ☞ PROTE-.

pro·te·ol·y·sis [pròutiɑ́ləsəs] *n.* 〖生化〗 단백질(의) 분해《더욱 단순한 동종(同種) 화합물로 가수분해하는 일》.

pro·teo·lyt·ic [pròutiəlítik] *a.* 단백질 분해의[를 일으키는].

pro·te·ose [próutiòus] *n.* 〖生化〗 프로테오스《효소 따위에 의한 단백질의 가수분해 물질로 유도 단백의 하나》.

prot·er- [prɑ́tər, próu-], **prot·ero-** [prɑ́tərou, próu-, -rə] *comb. form* 「이전의」「…보다 앞의」의 뜻. 〖L<Gk.〗

Prot·er·o·zo·ic [prɑ̀tərəzóuik, pròu-] *a.* 〖地質〗 원생대(原生代)의 : the ~ era 원생대.
—— *n.* [the ~] 〖地質〗 원생대[층(層)].

*pro·test [prətést] *vt.* **1** [+目/+*that* 節] 단언하다 ; 주장하다 ; 증언하다 : He ~*ed* his innocence. 자신의 결백을 주장했다 / I ~*ed that* I had never done such a thing. 그런 일을 한 적이 없다고 주장했다 / It may be ~*ed that* it is right to hate those who do harm. 위해(危害)를 가하는 자를 증오한다는 것은 당연하다는 이론도 있음직하다. **2** 《美》 (결의 따위에) 이의를 제기하다.
—— *vi.* **1** 주장하다, 단언하다. **2** [+*against*+名/動] 항의하다, 이의를 제기하다 : We no longer ~ ***against*** circumstances. 이제는 환경에 대하여 항의 따위는 하지 않는다 / The boys ~*ed against* hav*ing* girls in the game. 사내 아이들은 시합에 여자애들을 참여시키는 것에 이의를 제기했다 / We ~*ed* loudly when we were shut out. 쫓겨날 때에 큰소리로 항의했다.
—— [próutest] *n.* U,C 단언 ; 이의를 제기하기, 불복(不服) ; 항의 ; 〖競〗 항의서(抗議書) : a ~ march 항의 시위 / without ~ 반대도 하지 않고 / enter[make, lodge] a ~ *against* the verdict 평결에 항의를 제기하다.
under protest 이의를 제기하여, 투덜거리며, 마지못해(unwillingly).
protést·er, pro·tés·tor *n.*
〖OF<L *protestor* to declare formally〗
類義語 ⟹ OBJECT².

*Prot·es·tant [prɑ́təstənt] *n., a.* **1** 〖宗〗 신교도(의), 프로테스탄트(의). **2** [p~] 이의를 제기하는 (사람). 〖NL (↑)〗

Prótestant Epíscopal Chúrch *n.* [the ~] =EPISCOPAL 2.

prótestant éthic *n.* 프로테스탄티즘의 윤리《노동에 대한 헌신·검약·노동의 성과를 강조함》.

Prótestant·ìsm *n.* U 신교(의 교리) ; [집합적으로] 신교도, 신교 교회.

Prótestant·ìze *vt., vi.* 신교도가 되다[되게 하다], 신교도화하다, 신교로 하다[되다].

Prótestant Reformátion *n.* [the ~] 종교 개혁(改革).

prot·es·ta·tion [prɑ̀təstéiʃən, pròutes-] *n.* **1** U,C 주장, 단언 : make a ~ *of* one's innocence 자기의 결백을 주장하다. **2** U,C 항의, 이의(의 제기)‹*against*›.

protést·ing *a.* 불복하는 ; 항의하는. **~·ly** *adv.*

Pro·te·us [próutiəs, -tju:s] *n.* 〖그神〗 프로테우스《변화 무쌍한 모습과 예언력을 가진 해신(海神)》; [때로 p~] (모습·성질 따위가) 변하기 쉬운 것[사람], 변덕쟁이.
〖L<Gk. =first〗

pro·tha·la·mi·on [pròuθəléimiən, -ɑ̀n], **-mi·um** [-miəm] *n.* (*pl.* **-mia** [-miə]) 결혼 축가(祝歌).

pro·thal·li·um [prouθǽliəm] *n.* (*pl.* **-lia** [-θǽliə]) 〖植〗 (양치류(羊齒類)의) 전엽체.

pro·thal·lus [prouθǽləs] *n.* (*pl.* **-li** [-θǽlai]) = PROTHALLIUM.

proth·e·sis [prɑ́θəsəs] *n.* (*pl.* **-ses** [-sì:z]) 〖言〗 어두음(語頭音) 첨가, 첨두자(添頭字)《beloved의 *be-* 따위》; 〖그正教〗 성찬 식탁 ; 성찬 준비소. **pro·thet·ic** [prəθétik] *a.*
〖L<Gk. =a putting before〗

pro·thon·o·tary [prouθɑ́nətèri, pròuθənóutəri ; -təri], **pro·ton·o·tary** [proutɑ́nətèri, pròutənóutəri ; -təri] *n.* (법원의) 수석 서기 ; 〔카톨릭〕 (7명의) 최고 기록관의 한 사람.
pro·tho·no·tar·i·al [prouθɑ̀nətéəriəl, -tǽər-] *a.*
pro·thórax *n.* 〔昆〕 앞가슴《가슴 부분의 제1 가슴 마디》.
pro·thrómbin *n.* Ⓤ 프로트롬빈《혈액 속의 응혈소(凝血素)》.
pro·tist [próutəst, -tist] *n.* (*pl.* **~s**, **-tis·ta** [-tə]) 〔生〕 원생(原生) 생물.
pro·tis·tan [proutístən] *n.*, *a.* 원생 생물(의).
pro·tis·tol·o·gy [pròutistɑ́lədʒi] *n.* 원생 생물학.
pro·ti·um [próutiəm] *n.* Ⓤ 〔化〕 프로튬《수소의 동위 원소 ; 기호 H^1, ^1H》. 〖NL (*proto-*)〗
proto- [próutou, -tə], **prot-** [próut] *comb. form* 「제일」「주요한」「원시적」「최초의」「최저의」의 뜻 ; [P~] 〔言〕 「…의 조어(祖語)인」의 뜻 : *Proto*lithic / *Proto*-Indo-European 인도유럽 조어(祖語). 〖Gk. (*prōtos* first)〗
pròto·actínium *n.* PROTACTINIUM의 옛이름.
pròto·bíont *n.* 원시 생물.
pròto·chórdate *a.*, *n.* 〔動〕 원색(原索)동물문(門)의 (동물).
pro·to·col [próutəkɔ̀(:)l, -kòul, -kɑ̀l, -kəl] *n.* **1** 조약안 ; 의정서(議定書) ; 조서(調書). **2** Ⓤ (외교상의) 의례(儀禮), 전례(典禮). **3** [the P~] (프랑스 외무성의) 전례국(典禮局). **4** 〔컴퓨〕 (통신) 규약.
—— *v.* (**-l-** | **-ll-**) *vi.* 의정서[조서]를 작성하다.
—— *vt.* 의정서[조서]에 기록하다.
〖OF<L<Gk. =flyleaf glued to binding of book (*kolla* glue)〗
pròto·cóntinent *n.* 원시대륙.
pròto·gálaxy *n.* 〔天〕 (형성(形成)중인) 원시 소우주[은하].
próto·gène *n.* 원(原)유전자《유전자의 원형》.
pròto·génic *a.* 〔植·地〕 조기[초기] 형성의.
pròto·hístory *n.* 원사(原史)《선사시대와 역사시대 사이》. **-histórian** *n.* **-históric** *a.*
pròto·húman *a.*, *n.* 원시인(의[비슷한]).
próto·lànguage *n.* 〔言〕 공통 기어(基語), 조어(祖語).
pròto·líthic *a.* 〔考古〕 원시석기 시대의.
pròto·mártyr *n.* 최초의 순교자《특히 Saint Stephen을 가리킴》.
pro·ton [próutɑn] *n.* 〔理〕 양성자(陽性子), 프로톤(cf. ELECTRON).
〖Gk. (*prōtos* first)〗
pro·ton·ate [próutənèit] *vt.* 〔理〕 양성자를 더하다. —— *vi.* (여분의) 양성자를 얻다.
pròton·átion *n.*
próton decáy *n.* 〔理〕 양성자 붕괴.
pro·to·ne·ma [pròutəní:mə] *n.* (*pl.* **-ma·ta** [-ní:mətə, -ném-]) 〔植〕 (양치류·이끼류의) 원사체(原絲體), 사상체(絲狀體).
-né·mal, **-ma·tal** [pròutənémətl] *a.*
próton nùmber *n.* =ATOMIC NUMBER.
próton-sýnchrotron *n.* 〔理〕 양성자(陽性子) 싱크로트론《양성자를 초고(超高)에너지로 가속하는 장치》.
pròto·páth·ic *a.* 〔生理〕 (피부 감각 따위의) 원시적인, 원발성(原發性)의 : ~ sensation 원시(성) 감각.
próto·plànet *n.* 〔天〕 원시 행성(行星).
próto·plàsm *n.* Ⓤ 〔生〕 원형질(原形質).
〖Gk. PLASMA〗
pròto·plasmátic *a.* =PROTOPLASMIC.
pròto·plásmic *a.* 원형질의[같은].
próto·plàst *n.* 원생(原生) 동물 ; 〔生〕 원형질체(體). **pròto·plástic** *a.*
prótoplast fúsion *n.* 〔生〕 프로토플라스트 융합(融合).
pròto·pórcelain *n.* 프로토자기(磁器)《소성(燒成) 온도가 낮기 때문에 투광성(透光性)이 적은 초기의 자기》.
próto·stàr *n.* 〔天〕 원시별《하나의 항성으로 진화할 별 사이의 가스나 먼지의 덩이》.
pròto·stéllar *a.*
pro·to·type [próutətàip] *n.* 원형(原型), 모형, 모델, 모범 ; 〔生〕 원형(原形) ; 〔컴퓨〕 원형.
pròto·týpical, **-týpic** *a.* 〖F or L<Gk.〗
prot·óxide *n.* 〔化〕 초급 산화물.
Pro·to·zoa [pròutəzóuə] *n. pl.* 원생(原生)[단세포] 동물류(類) (cf. METAZOA). **prò·to·zó·al** *a.* 〖NL (*prot-*, Gk. *zōion* animal)〗
pro·to·zo·an [pròutəzóuən] *n.*, *a.* 원생[단세포] 동물(의).
pròto·zoólogy *n.* Ⓤ 원생 동물학, 원충학(原蟲學). **-gist** *n.* **-zoológical** *a.*
pròto·zóon *n.* (*pl.* **-zóa**) =PROTOZOAN.
pro·tract [proutrǽkt, prə-] *vt.* **1** 질질 끌게 하다, 길게 하다, 연장[연기]하다 : They *~ed* their visit for some weeks. 몇주간 체류 기간을 연장했다. **2** 〔解〕 뻗치다, 늘이다, 내밀다. **3** 〔測〕 (비례자에 맞추어서) 제도(製圖)하다 ; (분도기로) 도면을 뜨다.
〖L (*tract- traho* to draw)〗
pro·tráct·ed *a.* 오래 끈《질병·교섭 따위》. **~·ly** *adv.* 오래 끌어, 오랫동안에 걸쳐서. **~·ness** *n.*
protrácted méeting *n.* 〔基〕 어느 기간동안 계속되는 신앙 부흥 전도 집회.
pro·trac·tile [proutrǽktl, prətrǽktail] *a.* 뻗게 하는, 내미는.
pro·trac·tion [proutrǽkʃən, prə-] *n.* Ⓤ,Ⓒ 길게 끌기, 잡아늘이기, 연장, 연기 ; 도면을 뜨기 ; (비례자에 맞추어서 한) 제도.
pro·trác·tive *a.* 길게 끄는, 오래 끄는.
pro·trác·tor *n.* 오래[길게] 끄는 사람[것] ; 〔數〕 각도기 ; 〔解〕 신근(伸筋) (↔*retractor*) ; 〔醫〕 이물(異物) 적출기(器).
pro·trep·tic [proutréptik] *n.*, *a.* 권고[지시, 설득, 설교]의 (말).
pro·trude [proutrú:d ; prə-] *vt.* (밀어)내다 ; 내밀다, 비어져 나오다 : The naughty boy *~d* his tongue and ran away. 개구쟁이 소년은 혀를 낼름 내밀고는 도망쳐 버렸다. —— *vi.* [動/+前+名] 밀려나다, 비어져 나오다 : His teeth *~d* too far. 그의 이는 심한 뻐드렁니였다 / A log *~s* ***from*** the lumberyard. 통나무가 목재 적재소에서 비어져 나와 있다. 〖L (*trus- trudo* to thrust)〗
pro·trúd·ent *a.* 내민, 튀어나온, 돌출한.
pro·tru·sile [proutrú:sail, -səl] *a.* (손발·달팽이 눈 모양으로) 튀어나올 수 있는, 비어져 나올 수 있는(↔*retractile*).
pro·tru·sion [proutrú:ʒən ; prə-] *n.* Ⓤ 돌출[융기](하기) ; Ⓒ 돌출[융기] (한 것) (↔*retraction*).
pro·tru·sive [proutrú:siv ; prə-] *a.* 밀어 내는, 내민 ; 돌출한.
pro·tu·ber·ance [prout*j*ú:bərəns ; prə-] *n.* Ⓤ 융기(隆起), 돌출(하기) ; Ⓒ 혹, 마디, 결절(結節) 〈*on* a tree〉 : a solar~ 〔天〕 (태양의) 홍염(紅焰). **-an·cy** *n.* =PROTUBERANCE.
pro·tú·ber·ant *a.* 돌출[돌기]한, 불룩하게 올라

온 ; 현저한. 〖L ; ⇨ TUBER〗
pro·tu·ber·ate [proutjú:bərèit ; prə-] *vi.* 부풀(어 나오)다, 융기하다(bulge).
pro·tyle [próutail], **-tyl** [-təl] *n.* Ⓤ 원질(原質) 《상상의 모든 원소의 본원(本源)》.
‡**proud** [práud] *a.* **1** [+前+do*ing*/+*that* 節/+*to* do] 자랑하는, 자만하는 ; 만족하게 여기는, 영광으로 생각하는 ; 의기양양한 : the ~ father (훌륭한 자식을 가져) 자랑스러운 아버지 / The English people are ~ ***of*** their Queen, Elizabeth Ⅱ. 영국 국민은 엘리자베스 2세를 자랑스럽게 여기고 있다 / He is ~ *of* be*ing*[~ *that* he is] of Dutch origin. 네덜란드 태생이라는 것을 자랑으로 여긴다 / Poets, musicians, and athletes were ~ *to* be crowned with the laurel wreath. 시인이나 음악가나 운동 선수들은 월계관을 받는 것을 영광으로 여겼다. **2** 교만한, 오만한, 거드름 피우는, 으시대는, 뻐기는, 거만한(↔*humble*). **3** 자존[자부]심이 있는, 식견이 있는. **4** (일·물건이) 자랑할 만한, 멋있는, 훌륭한, 당당한. **5** 물이 불은, 부풀어오른 ; (말 따위가) 원기 왕성한.
(*as*) *proud as Punch*[*a peacock, a turkey*] 의기양양하여(cf. TURKEY).
—— *adv.* [다음 숙어로]
do a person ***proud*** 《口》 남을 매우 만족시키다[기쁘게 하다] ; 남의 면목을 세워주다 ; 남에게 융숭한 접대를 하다 : You *do* me ~. (그렇게 말씀하시니) 더없는 영광입니다.
do one***self proud*** 《口》 출세를 하다, 호화스러운 생활을 하다.

> **proud**와 **pride**의 문장 전환
> He *is proud of* his scholarship.
> (그는 자신의 학식을 자랑스럽게 생각하고 있다.)
> → He *takes* (*a*) pride in his scholarship.
> → He *prides himself on* his scholarship.
> * 각기 전치사를 올바로 구별해 쓸 것.

〖late OE *prūd*<OF *prud* valiant<L *prode* advantage, useful〗
類義語 ***proud*** 가장 보편적인 말로 뜻이 넓음 ; 정당한 자존심을 가지고 있는 것에서부터 남을 내려다보며 거만한 것까지도 포함함. ***arrogant*** 자기의 지위나 특권을 배경삼아 필요 이상으로 거만스럽게 굴다. ***haughty*** 집안·지위·계급을 자랑하며 아랫사람을 얕보다. ***insolent*** haughty 한 이외에 남에 대해서 경멸적인 언동을 취하다. ***overbearing*** insolent한데다가 남을 학대하고 고압적인 행동을 하다. ***disdainful*** 자기보다 아랫사람에 대해서 강한 경멸의 마음을 노골적으로 나타내다.
próud flésh *n.* 〖醫〗 (상처가 나은 자리에 생기는) 새살.
próud·héart·ed *a.* 거만한, 교만한, 건방진, 자랑하는. **~·ly** *adv.*
próud·ly *adv.* **1** 뽐내며, 교만하게. **2** 긍지를 가지고, 자랑스럽게. **3** 당당하게, 훌륭하게.
prov. proverb(ially) ; province ; provincial(ly) ; provincialism ; provisional.
Prov. Provençal ; Provence ; 〖聖〗 Proverbs ; Providence ; Province ; Provost.
prov·able [prú:vəbəl] *a.* 증명할 수 있는, 입증할 수 있는 ; 시험해 볼 수 있는.
-ably *adv.* **~·ness** *n.* **pròv·abíl·i·ty** *n.*
‡**prove** [prú:v] *v.* (**~d ; ~d, prov·en** [prú:vən]) *vt.* **1 a**) 시험하다, 실험하다, (기재(器材)를) 시험하다 : ~ a new gun 새총을 시험하다. **b**) 〖數〗 검산하다. **2 a**) [+目/+目+前+名/+*that* 節/+目+補/+目+*to* do] 입증[증명]하다, 보이다 : I will ~ my words. 내 말이 틀림 없음을 증명하겠다 / These papers will ~ (***to*** you) *that* he is innocent. 이 서류로 그가 결백하다는 것이 증명될 것이다 / It was soon ~*d that* he was guilty. 그가 유죄라는 것이 곧 판명되었다 / His experiment ~*d* the theory *to be* valid. 그의 실험으로 그 설이 타당하다는 것이 증명되었다. **b**) [~ one*self* 로] (실적에 의해서) 재능[신뢰성·가치]이 있다는 것을 나타내다 : He has ~*d* him*self.* 시험이 끝났다 / He ~*d* him*self* (*to be*) a capable businessman. 그는 유능한 실업가임을 스스로 입증해 보였다. **3** 〖法〗 (유언의) 검증을 받다, 검인(檢認)하다. **4** 〖印〗 …의 교정쇄(校正刷)를 맡다. **5** (가루 반죽을) 부풀리다, 발효시키다.
—— *vi.* **1** [+*to* do/+補] (…이라는 것을) 알다, (…으로) 판명되다, (…이) 되다(turn out) : He ~*d to be* the author of the book. 그가 그 책의 저자라는 것이 판명되었다 / The news ~*d to be* false. 그 뉴스는 결국 오보로 판명되었다 / Our last attempt ~*d* successful. 우리의 마지막 시도는 좋은 결과를 냈다. **2** (가루 반죽이) 부풀다, 발효하다.

> 〈회화〉
> It seems to be clearing up. — The weather forecast has *proved* wrong. 「날씨가 개나봐요」「일기 예보가 틀렸네요」

〖OF<L *probo* to test, approve (*probus* good)〗
próved resérves *n. pl.* (에너지·광물 따위 천연 자원의) 확인 매장량.
prov·en [prú:vən] *v.* 《英古·美》 PROVE의 과거분사. ㊟ 주로 법률 용어 ; 《美》에서는 일상 PROVED의 대신으로 쓰여지기도 함. —— *a.* 증명된.
not proven 〖스코法〗 증거 불충분한.
prov·e·nance [právənəns] *n.* Ⓤ 기원, 유래, 출처(origin)〈*of*〉 : a picture of doubtful ~ 출처가 불충분한 그림.
〖F (*provenir* to originate<L)〗
Pro·ven·çal [pròuvənsá:l, pràv- ; prɔ̀vɑ:n- ; *F* prɔvɑ̃sal] *a.* PROVENCE의 ; 프로방스 사람[어]의. —— *n.* 프로방스 사람 ; Ⓤ 프로방스어《略 Pr》. 〖F PROVINCIAL〗
Pro·vence [prəvá:ns ; prɔ-] *n.* 프로방스《프랑스 남동부의 고대의 주(州) ; 중세에 서정(抒情)시인 troubadours를 많이 배출했음》.
prov·en·der [právəndər] *n.* Ⓤ 꼴, 여물《주로 건초(乾草)와 탄 곡물》, 사료 ; 《口》 음식물.
—— *vt.* …에게 여물[꼴]을 주다.
〖OF<L ; ⇨ PREBEND〗
pro·ve·nience [prəví:njəns, -niəns] *n.* Ⓤ = PROVENANCE.
pro·ven·tric·u·lus [pròuventríkjələs] *n.* (*pl.* **-li** [-lài, -lì:]) 〖動〗 (새·곤충의) 전위(前胃), (지렁이의) 모이주머니, 위(胃).
***prov·erb** [právə(:)rb] *n.* **1** [+*that* 節] 속담, 격언, 금언(金言), 교훈 : as the ~ goes[runs, says] 그 속담이 말하듯이 / pass into a ~ 속담이 되다(cf. 2) / I now saw the truth of the ~ *that* an Englishman's house was his castle. 이제 나는 영국인의 집은 그들의 성(城)이라는 속담의 참뜻을 알았다. **2** (어떤 점에서) 저명한[인기 있는] 것, 정평이 있는 사람, 웃음거리 ; 전형(典型)(byword) : He is punctual *to* a ~. =His punctuality is a ~. =He is a ~ *for* punctual-

ity. 시간을 잘 지킴은 정평이 나있다 / pass into a ~ 유명해지다, 웃음거리가 되다(cf. 1). **3** 속담극(劇) ; [*pl.*] 속담을 생각해 내어 알아맞추는 놀이. **4** 〖聖〗 우화 ; 비유.
the (***Book of***) ***Proverbs*** 〖聖〗 잠언(箴言)《구약성서 중의 한 편 ; 略 Prov.》.
── *vt.* 속담으로 표현하다 ; 속담으로 만들다 ; 속담 거리로 삼다.
〚OF or L=adage (*verbum* word)〛

pró·vèrb [próu-] *n.* 〖文法〗 대동사(代動詞).

pro·ver·bi·al [prəvə́:rbiəl] *a.* **1** 속담의, 속담에 있는, 속담[격언]다운 : a ~ phrase[saying] 속담. **2** 유명한, 잘 알려진(well-known), 소문난. **~·ist** *n.* 속담을 잘 인용하는 사람 ; 격언을 만드는[연구하는] 사람. **~·ly** *adv.* 속담대로 ; 일반적으로, 널리 (알려져서).

‡**pro·vide** [prəváid] *vt.* **1** [+目/+目+前+名/《美》+目+目] 채비[마련]하다, 준비하다 ; 공급하다(supply), 제공하다 : ~ oneself 스스로 마련하다 / A complete outfit of modern tools and machinery had to be ~*d.* 현대적인 도구와 기계 일체를 준비하지 않으면 안되었다 / We ~ everything ***for*** our customers. 손님을 위해 모든 준비를 다 갖추고 있습니다 / The trees ~ us ***with*** fruit. 그 나무는 우리에게 과일을 제공한다 / We are ~*d with* everything we need. 필요한 것은 모두 마련되었습니다, 준비가 다 갖추어져 있습니다 / They ~*d* us food and drink. 《美》 우리들에게 음식물을 제공해 주었다. **2** [+*that* 節] 규정하다 : The law ~*s that* trespassing shall be punished. 법률은 무단 출입자는 처벌된다고 규정하고 있다. **3** [+目+前+名] 임명하다, 목사(보(補))로 지명하다 : ~ a person ***to*** a benefice 남을 녹(祿)을 받는 목사로 지명하다. ── *vi.* [+前+名] **1** 대비하다, 준비하다 ; 예비 수단을 취하다 : We ~*d* ***for*** our guests. 손님 접대 준비를 했다 / *P*~ ***against*** accidents! 사고에 대비하라. **2** 필요품을 공급하다, 조달하다, 부양하다 : ~ ***for*** a large family 대식구를 먹여 살리다. **3** 규정하다〈*for*〉.
〚L PRO²*vis-* -*video* to see ahead, foresee〛
類義語 ***provide*** 필요한 물품을 미리 준비하여 대비[공급]하다 : The expedition was *provided* with enough food. (먼 여행에 충분한 식량을 마련했다). ***supply*** 사람·장소·시설 따위에 부족한[필요한] 것을 보급하다 : We can *supply* you with water. (우리는 당신들에게 물을 공급할 수 있다). ***furnish*** 집·방 따위에 필요한 물품을 배치하다 : They *furnished* the room with a desk and two chairs. (방에 책상과 의자 두 개를 비치했다). ***equip*** 특수한 목적에 필요한 도구·비품·장치 따위를 비치하다 : The ship was *equipped* with hydroplanes. (선박에는 수상 비행기가 비치되었다).

pro·víd·ed *conj.* [~ that...의 형으로] …이라는 조건으로, 만일…이라고 한다면 (on condition that, if only).
活用 provided는 IF보다도 문어적이며 뜻이 강함 ; PROVIDING과 같이 뒤의 that을 생략하기도 함 : I will accompany you *provided* (*that*) I am well enough. (몸의 상태가 좋으면 따라가겠습니다).

províded schòol *n.* 《英》 공립 초등 학교.

***prov·i·dence** [právədəns, 美+-dèns] *n.* **1** Ⓤ [때때로 P~] 섭리(攝理), 천의(天意), 신의(神意) : a special ~ 천우(天佑) / by divine ~ 신의 섭리로 / a visitation of *P*~ 천재(天災), 불행. **2** [P~] 하느님, 천제(天帝). **3** 선견(先見), 주의, 조심 ; 검약(儉約).

próv·i·dent *a.* 선견 지명이 있는, 조심스러운 ; 검약하는〈*of*〉. 〚L ; ⇨ PROVIDE〛

próvident clùb *n.* 《英》 (대형 점포·통신 판매 조직 따위의) 할부 방식에 의한 판매 조직.

prov·i·den·tial [prɑ̀vədénʃəl] *a.* 신(神)의, 신의(神意)에 의한 ; 행운의. **~·ly** *adv.*

próvident socìety *n.* 《英》 공제조합(friendly society) ; =PROVIDENT CLUB.

pro·víd·er *n.* **1** 공급자 ; 준비를 하는 사람, 설비자 : a universal ~ 잡화상(인), 만물상(商) / ☞ LION'S PROVIDER. **2** 가족을 부양하는 사람 : a good[poor] ~ 가족에게 윤택한[궁한] 생활을 시키는 사람.

pro·víd·ing *conj.* [때때로 ~ that으로] 만일 …이라고 한다면 : He will take the job ~ (*that*) he may do it in his own time. 한가할 때 해도 좋다면 그는 그 일을 맡을 것이다.
活用 provided와 같은 뜻으로 쓰이지만 그것보다 더 스스럼 없는 말. ☞ PROVIDED 活用.

provinc. provincial.

***prov·ince** [právəns] *n.* **1 a**) (캐나다·호주·스페인의) 주(州), 성(省), 현(縣), 국(國), 도(道) : the *P*~ of Alberta 앨버타 주《캐나다》. **b**) [the P~s] 《원래 俗》 캐나다. **2** [the ~s] 지방, 시골 ; 《英》 「지방」 《London을 제외한 전국》: London and *the* ~*s* 수도 런던과 지방. **3** 〖로史〗 (이탈리아 이외의) 영토, 속령(屬領). **4** (학문의) 범위, 영역, (전문) 분야 ; 직분, 본분 : History is not my ~. 역사는 내 전문 분야가 아니다 / It is not (in[within]) my ~ to make a decision. 결정을 내리는 것은 내가 할 일이 아니다. **5** 〖宗〗 대교구(大教區).
〚OF<L *provincia* official charge, conquered territory〛

pro·vin·cial [prəvínʃəl] *a.* **1** (수도에 대하여) 지방의, 시골의, 지방민(民)의(cf. LOCAL 2). **2** 주(州)의, 영토의. **3** 지방적인, 시골풍의 ; 편협한. **4** 대감독[대주교(大主教)] 관구의. ── *n.* **1** 지방인[민] ; 시골뜨기 ; 편협한 사람. **2** 〖宗〗 지방 분구관장(分區管長)[주교(主教)]. **~·ly** *adv.*
〚ME ; ⇨ PROVINCE〛

províncial·ìsm *n.* **1** Ⓤ 지방 기질, 시골 근성, 편협 ; 애향심(愛鄉心), 향당심(鄉黨心). **2** Ⓤ,Ⓒ 지방적 특질[관습], 지방색, 시골풍 ; Ⓤ 지방 사투리, 방언(方言). **3** Ⓤ 〖政〗 지방 제일주의.

províncial·ist *n.* PROVINCE의 주민 ; 지방 제일주의자.

pro·vin·ci·al·i·ty [prəvìnʃiǽləti] *n.* Ⓤ,Ⓒ 지방기질, 시골근성, 편협, 시골풍.

províncial·ìze *vt., vi.* …을 지방적으로 만들다 ; 시골[시골뜨기]식으로 하다[로 만들다] ; 편협하게 하다 ; 시골뜨기가 되다.

próv·ing gròund [prú:viŋ-] *n.* (새로운 장치·구상 따위의) 실험장, 실험대.

pro·vi·sion** [prəvíʒən] *n.* **1** Ⓤ 마련, 채비, 준비, 설비〈*for, against*〉: make ~ 준비하다 / make ~ *for* the future 장래에 대비하다. **2** 공급, 지급 ; 지급량 : a ~ *of* food 식량의 일정량. **3** [*pl.*] 식량, 양식(food) ; 저장품 : *P*~*s* are plentiful. 식량은 풍부하다 / run out of[short of] ~*s* 식량이 떨어지다[모자라다]. **4** 〖法〗 규정, 단서, 조관(條款). **5** 〖教會〗 성직(급) 서임(敍任). ── *vt.* [+目/+目+前+名] …에 식량을 공급하다 : ~ truck ***for an expedition into the desert 사막 탐사에 나가는 트럭에 식량을 싣다. **~·er** *n.* 식량 담

당자[원(員)]. **~·ment** *n.* Ⓤ 식량 공급.
〖OF<L ; ⇨ PROVIDE〗
provísion·al *a.* **1** 가(假)의, 임시의, 잠정적인, 일시적인(temporary) : a ~ treaty 가조약 / a ~ government 임시 정부. **2** [때때로 P~] IRA 잠정파의. ── *n.* **1** (보통 우표가 떨어졌을 때의) 임시 우표. **2** [흔히 P~] IRA 잠정파의 멤버《과격파》. **~·ly** *adv.* 잠정적으로, 임시로.
pro·vì·sion·ál·i·ty *n.* Ⓤ 일시적[잠정(暫定)]적]임.
provísional báll *n.* 〖골프〗 잠정구《당초의 타구가 로스트볼 또는 OB로 여겨질 때, 한 번 더 치는 공》.
provísional órder *n.* 《英》 잠정 명령《사후에 의회의 동의를 얻는 긴급 명령》.
provísion·àry [; -əri] *a.* =PROVISIONAL.
provísion mèrchant *n.* 식료품 상인.
pro·vi·so [prəváizou] *n.* (*pl.* **~s, ~es**) [+*that* 節] 단서(但書), 조건 : You can borrow this book, *with* the ~ *that* you return it to me within a week. 1주일 이내로 돌려 준다는 조건부로 이 책을 빌려 준다 / I make it a ~ *that* …이라는 것을 조건으로 하다.
〖L=it being provided ; ⇨ PROVIDE〗
pro·vi·sor [prəváizər] *n.* (군대·교회 따위의) (식량의) 조달자 ; 〖敎會〗 (전임자의 퇴직을 예상하고) 성직(급) 후임자로 서임된 사람.
pro·vi·so·ry [prəváizəri] *a.* 조건부의 ; 임시의 ; 불의에 대비하는: a ~ clause 단서(但書).
-ri·ly *adv.* 임시로, 일시적으로.
pro·vítamin *n.* 〖生化〗 프로비타민《체내에서 비타민으로 변화하는 물질 ; 카로틴(carotene) 따위》.
pro·vo [próuvou] *n.* (*pl.* **~s**) [때때로 P~] (네덜란드 등지의) 유럽국가의 과격파 ; 《俗》 = PROVISIONAL 2. 〖F *provocateur* agitator〗
pro·vo·ca·teur [prouvɑ̀kətə́ːr] *n.* (경찰의) 앞잡이, 미끼. 〖F ; ⇨ PROVOKE〗
prov·o·ca·tion [prɑ̀vəkéiʃən] *n.* **1** Ⓤ 성나게 하기 ; 약을 올리기 ; 화를 냄, 짜증 ; 도발(挑發), 자극 : feel ~ 화를 내다 / give ~ 화나게 하다 / under ~ 도발을 당하고, 분개하여 / get angry *at*[*on*] the slight ~ 사소한 일로 화를 내다. **2** 화나게 하는 것.
pro·voc·a·tive [prəvɑ́kətiv] *a.* (남을) 성나게 하는, 화나게 하는, 자극적인 ; 도발적인. ── *n.* 화나게 하는 것 ; 자극 ; 흥분제. **~·ly** *adv.* 화나게, 성을 내게 ; 도발적으로. **~·ness** *n.*
pro·voke** [prəvóuk] *vt.* **1** 화나게 하다, 초조하게 하다, 애태우다(vex) : Don't ~ or tease the animals in the cage. 우리 안의 동물을 성나게 하거나 괴롭혀서는 안된다. **2** [+目+前+名/+目+*to* do] 자극시키다, …의 감정을 충동하다 ; 유발시키다 : His foolishness ~*d* me ***into look*ing* angrily at him. 그의 어리석음에 나는 불끈 화가 나서 그의 얼굴을 노려보았다 / A kindness ~*s* a person ***to*** a smile. 친절하게 대하면 누구든지 미소짓는다 / I was ~*d to* behave rudely. 불끈 화가 나서 난폭하게 굴었다. **3** 야기하다 ; 선동하다 : ~ indignation[a laugh] 분개하게 만들다[웃음을 자아내다] / ~ a revolt 반란을 선동하다.
pro·vók·er *n.*
〖OF or L PRO²*voco* to call forth〗
pro·vók·ing *a.* 자극하는, 화가 나는, 약오르는, 짜증이 나는, 귀찮은. **~·ly** *adv.*
pro·vo·lo·ne (chéese) [pròuvəlóuni-] *n.* 프로볼로네 치즈《보통 훈제(燻製)의 단단하고 엷은 빛깔의 이탈리아 치즈》. 〖It.〗

prov·ost [prɑ́vəst, 美+próuvoust] *n.* **1** (영국 대학의) 학장 ; (미국 대학의) 교무처장. **2** 《스코》 시장(市長). **3** [próuvou ; prəvóu] =PROVOST MARSHAL. **~·shìp** *n.* provost의 직[지위, 임기].
〖OE and AF<L *propositus* (*pono* to place)〗
próvost còurt [próuvou- ; prəvóu-] *n.* 군사 재판소《점령 지역내의 경범죄를 즉결함》.
próvost guàrd [próuvou- ; prəvóu-] *n.* 〖軍〗 헌병대.
próvost màrshal [próuvou- ; prəvóu-] *n.* 〖陸軍〗 헌병 사령관, 헌병 대장 ; 〖海軍〗 미결감장(未決監長) ; 〖英海軍〗 법무장교.
próvost sèrgeant [próuvou- ; prəvóu-] *n.* 헌병 하사관.
prow¹ [práu] *n.* 뱃머리, 이물 ; 돌출부 ; (항공기의) 기수(機首) ; 《詩》 배, 선박.
〖F *proue*<L *prora*<Gk.〗
prow² *a.* 《古》 용맹스러운, 용감한.
〖OF ; ⇨ PROUD〗
prow·ess [práuəs] *n.* Ⓤ 무용(武勇) (=military ~), 용감, 용맹(bravery) ; 훌륭한 솜씨. ㊟ 주로 무기를 가지고 과감한 무훈을 뜻하는 문어(文語)적인 말. 〖OF (↑)〗
***prowl** [prául] *vi.* (사냥감을 찾으려·훔칠 기회를 노려) 기웃거리다, 배회하다(wander) : Homeless dogs always ~. 들개는 언제나 여기저기 떠돌아다닌다. ── *vt.* …을 배회하다, 방황하다 : He ~*ed* the streets for hours. 그는 몇 시간 동안 거리를 배회했다.
── *n.* 기웃거림, 배회, 방황, 사냥감 찾기.
be*[*go*] *on the prowl (훔칠 기회를 엿보고) 배회하고 있다[돌아다니다].
take a prowl 배회하다.
〖ME< ?〗
類義語 ⟹ LURK.
prówl càr *n.* 《美》 =SQUAD CAR.
prówl·er *n.* 헤매는 사람[동물] ; 몰래 순찰하는 경찰관 ; 좀도둑《등》.
prox. [prɑ́ks(əmòu)] proximo.
prox. acc. proxime accessit.
Prox·ar [prɑ́ksər] *n.* 〖寫〗 프록서《근접 촬영용 보조 렌즈의 상표명》.
prox·e·mics [prɑksíːmiks] *n.* Ⓤ 근접학《인간이 타인과의 사이에 필요로 하는 공간 및 이 공간과 환경이나 문화와의 관련을 연구함》.
prox·é·mic *a.*
Prox·i·ma [prɑ́ksəmə] *n.* 〖天〗 프록시마《켄타우루스자리에 있는 태양계에 가장 가까운 항성 ; 거리 4.3 광년》.
prox·i·mal [prɑ́ksəməl] *a.* 가장 가까운, 인접하는 ; 〖解·植〗 (신체·식물 중앙[기부(基部)]에) 가까운 쪽의(↔*distal*). **~·ly** *adv.*
prox·i·mate [prɑ́ksəmət] *a.* 가장 가까운, 바로 전[다음]의 ; 근사한(approximate) : the ~ cause 근인(近因) ; 〖法〗 주인(主因). **~·ly** *adv.*
〖L (*proximus* nearest)〗
prox·i·me ac·ces·sit [prɑ́ksəmiː æksésət] *n.* (*pl.* **-me ac·ces·se·runt** [-æksesíərənt]) (시험·경쟁 따위의) 차점자, 차석(次席). 〖L〗
prox·im·i·ty [prɑksíməti] *n.* Ⓤ 근접 ⟨*to*⟩: in close ~ 아주 근접하여 / in the ~ *of* a town 마을 근처에.
proximity of blood 근친(近親).
〖F or L ; ⇨ PROXIMATE〗
proxímity fùze[fùse] *n.* 근접 자동 신관《탄두부에 장착한 신관으로 목표에 접근하면 폭발함》.
proxímity tàlks *n. pl.* 근거리 교섭.

prox·i·mo [práksəmòu] *a.* 내달의《略 prox.; cf. ULTIMO, INSTANT》: on the 5th *prox.* 내달 5일에. 〖L *proximo mens* in the next month; ⇨ PROXIMATE〗
活用 ☞ INSTANT.

prox·i·mo- [práksəmou, -mə] *comb. form* 「근위(近位)의」의 뜻. 〖L *proximus* nearest, next〗

proxy [práksi] *n.* Ⓤ 대리(권); Ⓒ 위임장; 대리투표; 대리인.
be*[*stand*] *proxy for …의 대리가 되다; …의 대용이 되다.
by proxy 대리인으로서.
—— *a.* 대리의[에 의한].
〖ME *procuracy* procuration; ⇨ PROCURE〗

próxy bàttle *n.* 위임장 쟁탈전.

próxy màrriage *n.* 대리[위임] 결혼.

próxy wàr *n.* 대리 전쟁.

pr. p. present participle.

prs. pairs. **P.R.S.** President of the Royal Society. **p.r.s.** 〖商〗 plural rate system; price ratio system. **PRSD** 〖宇宙〗 power reactant storage and distribution(축전(蓄電)·배전 시스템). **PRT** 〖醫〗 photoradiation therapy(광자(光子) 방사선 요법); personal rapid transit (개별용 고속 수송 시스템). **prtd.** printed.

prude [prú:d] *n.* 정숙한 체하는 여자, 숙녀인 체[얌전한 체]하는 여자(cf. COQUETTE); 젠체하는 사람. 〖F *prudefemme*; ⇨ PROUD〗

pru·dence [prú:dəns] *n.* **1** Ⓤ 사려 분별, 신중, 조심, 빈틈없음; 검약: in common ~ 당연히 해야할 경계로서. **2** [P~] 여자 이름.

***prú·dent** *a.* 조심스러운, 세심한, 신중한(cautious), 분별있는, 타산적인(self-interested); 현명한: a ~ housewife 알뜰한 주부 / a ~ policy 신중한 정책: He is ~ *in* do*ing* his duties. 그는 임무를 충실히 수행한다. **~·ly** *adv.* 조심스럽게; 신중하게; 타산적으로. 〖OF or L *prudent-prudens* (단축)〈PROVIDENT〗
類義語 ⟹ WISE.

pru·den·tial [pru:dénʃəl] *a.* **1** 신중한, 세심한; 분별이 있는. **2** (상거래 따위에서) 자유 재량권을 갖는; 권고의, 자문의: a ~ committee 자문 위원회. —— *n.* [*pl.*] 신중한 고려, 신중을 요하는 일. **~·ìsm** *n.* Ⓤ 신중하게 하기; 무사(안일)주의. **~·ist** *n.* 신중한 사람, 세심한 사람. **~·ly** *adv.*

prud·ery [prú:dəri] *n.* Ⓤ 숙녀인 체하기, 젠체하기; [*pl.*] 얌전 빼는 말씨[거동].
〖C18; ⇨ PRUDE〗

prúd·ish *a.* 숙녀인 체하는, 새침한, 점잖은 체하는, 젠체하는. **~·ly** *adv.* **~·ness** *n.*

Prue [prú:] *n.* 여자 이름《Prudence의 애칭》.

pru·i·nose [prú:ənòus] *a.* 〖植·動〗 흰 가루로 덮인, 서리에 덮인 것 같은.

prune[1] [prú:n] *vt.* **1** [+目/+目+副] (불필요한 가지를) 치다, (나뭇가지를) 잘라내다: ~ dead branches 죽은 나뭇가지를 베어내다 / ~ *away* 쓸데없는 초목을 제거하다. **2** [+目/+目+副/+目+*of*+名] 《비유》 (불필요한 것을) 제거하다; (비용 따위) 절약하다; 간결하게 하다: ~ *away* superfluities 없어도 되는 것을 제거하다 / The playwright ~*d* his play ***of*** what he thought was irrelevant. 극작가는 자기의 각본에서 부적당하다고 생각되는 부분을 삭제했다. —— *vi.* (불필요한 것 따위를) 제거하다.
〖F *proignier* < Rom. = to cut to ROUND shape〗

prune[2] *n.* **1** 말린 자두, 서양자두: stewed ~*s* 말린 자두의 설탕 절임. **2** Ⓤ 불그스레한 (짙은) 자색. **3** 《口》 바보, 얼간이; 매력없는 사람; 《美俗》 사내, 녀석.
prunes and prisms [《英》 ***prism***] 젠체하는 말씨[동작].
〖OF < L *prunum* < Gk.〗

pruned [prú:nd] *a.* 《美俗》 술취한.

prúne·fàce *n.* 《美俗》 신통치 않은 얼굴을 한 사람《별명으로 쓰임》.

pru·nel·la [pru:nélə] *n.* Ⓤ (여성용 구두 윗부분에 대는) 두껍게 짠 모직물.
〖? F = sloe (dim.)〈*prune*[2]; 그 색에서〗

pru·nelle [pru:nél] *n.* (껍질과 가지를 제거한) 상품의 말린 자두; = PRUNELLA. 〖F〗

prún·er *n.* (나뭇)가지를 치는 사람[연장]; [*pl.*] = PRUNING SHEARS.

prun·ing [prú:niŋ] *n.* Ⓤ (정원수 따위의) 가지치기, 전지(剪枝), 전정(剪定).

prúning hòok *n.* (나뭇)가지치는[전지용] 낫.

prúning knìfe *n.* 가지치는[전지용] 칼.

prúning shèars *n. pl.* 가지치는[전지용] 가위.

pru·ri·ent [prúəriənt] *a.* 호색적인, 음란한, 외설스러운. **prú·ri·ence, -en·cy** *n.* Ⓤ 호색, 색욕, 열망. **~·ly** *adv.* 〖L *prurio* to itch〗

pru·rig·i·nous [pruərídʒənəs] *a.* 〖醫〗 양진(痒疹)의, 양진에 걸린; 가려운.

pru·ri·go [pruəráigou, -rí:-] *n.* (*pl.* **~s**) Ⓤ 〖醫〗 양진(痒疹).

pru·rit·ic [pruərítik] *a.* 소양증(瘙痒症)의[을 일으키는].

pru·ri·tus [pruəráitəs, -rí:-] *n.* 가려움(증), 소양(瘙痒)(증).

Prus(s). Prussia(n).

Prus·sia [prʌ́ʃə] *n.* 프러시아《독일 북부에 있던 옛 왕국》.

Prús·sian *a.* 프러시아의, 프러시아 사람[어]의, 프러시아풍의; 훈련이 엄격한. —— *n.* 프러시아 사람; Ⓤ 프러시아어. **~·ìsm** *n.* Ⓤ 프러시아 주의《Bismarck풍의 군국주의》.

Prússian blúe *n.* 프러시안 파랑, 감청(紺青).

Prússian brówn *n.* 프러시안 파랑에서 얻은 갈색 안료.

prússian·ìze *vt.* [흔히 P~] 프러시아식으로 하다, 프러시아화하다; 군국주의화하다.
prùssian·izátion *n.*

prus·si·ate [prʌ́ʃièit, -ət] *n.* 〖化〗 시안화물.

prus·sic [prʌ́sik] *a.* 〖化〗 시안화수소산(酸)의.

prússic ácid *n.* 〖化〗 시안화수소산.

pru·ta(h) [pru:tá:] *n.* (*pl.* **-tot(h)** [-tóut, -tóuθ, -tóus], **~, ~s**) 프루타《이스라엘의 옛 화폐단위; 1/1000 pounds; 지금은 agora》.

pry[1] [prái] *vi.* [+前+名/+副] 형편을 살피다, 동정을 살피다, 엿보다(peep); 들추어 내다, (…을) 캐다: He often *pries* ***into*** other people's affairs. 흔히 남의 일을 꼬치꼬치 캔다 / He *pried* ***about.*** 기웃거리며 돌아다녔다. —— *n.* 캐기[들추기] 좋아하는 사람. 〖ME < ?〗

pry[2] *n.* 지레, 쇠지렛대; 지레의 작용.
—— *vt.* **1** [+目+副] 지레로 움직이다[들어올리다]〈*up, off*〉: ~ *up* the lid of a box 지레로 상자뚜껑을 비집어 열다. **2** [+目+前+名] 간신히 꺼내다[손에 넣다], 알아내다: ~ the truth *out of* a person 남에게서 간신히 진상을 알아내다.
pry open 비집어 열다.
〖PRIZE[3]를 *pries* (3 sg.)로 잘못한 것〗

pryer ☞ PRIER.

prý·ing *a.* 들여다보는, 응시하는, 흘끔흘끔 보는; 캐기 좋아하는. **~·ly** *adv.*

prythee ☞ PRITHEE.

PS polystyrene. **PS, P.S.** passenger steamer; permanent secretary; Philological Society; phrase structure; Police Sergeant; power supply(동력[전력] 공급, 동력원, 전원(電源)); private secretary; Privy Seal; Public School. **ps** picosecond(s). **Ps., Psa.** Psalm(s). **ps.** pieces; pseudonym. **P.S., p.s., PS** postscript; 〖劇〗 prompt side. **p.s.** police sergeant. **PSA** public service announcement (공공 서비스 정보). **P.S.A.** Pleasant Sunday Afternoon.

***psalm** [sɑ́:lm; sɑ́:m] *n.* **1** 찬송가, 성가(hymn), 성시(聖詩). **2** [the P~s] [단수취급] 〖聖〗 (구약 성서의) 시편(詩篇) (=the Book of Psalms)《略 Ps., Psa., Pss.》. —— *vt.* 찬송가로 축복하다, 성가를 불러 찬미하다. **psálm·ic** *a.*
〖OE<L *psalmus*<Gk.=(song sung to) twanging of harp (*psallō* to pluck)〗

psálm·bòok *n.* 기도문; 《古》 =PSALTER.

psálm·ist *n.* 찬송가 작자; [the P~] 다윗왕《시편의 작자라고 함》.

psal·mo·dist [sɑ́:mədəst, sǽl-, 美+sɑ́:l-] *n.* 시편(詩篇)[성시(聖詩)] 작자, 찬송가 작자(psalmist); 성가 영창자.

psal·mo·dize [sɑ́:mədàiz, sǽl-, 美+sɑ́:l-] *vt.* 성시(聖詩)[성가]를 영창하다.

psal·mo·dy [sɑ́:mədi, sǽl-, 美+sɑ́:l-] *n.* Ⓤ 성가 영창; Ⓒ [집합적으로] 찬송가, 찬송가집.
〖L<Gk. (PSALM, ODE)〗

Psal·ter [sɔ́:ltər] *n.* 〖聖〗 시편(詩篇) (=the Book of Psalms); [때때로 p~] (예배용) 시편서[집], 성시집《150장으로 된 기도문》.
〖OE (*p*)*saltere* and AF, OF<L<Gk.=psaltery〗

psal·te·ri·um [sɔ:ltíəriəm, sæl-] *n.* (*pl.* **-ria** [-riə]) 〖動〗 겹주름위(胃) (omasum).
〖L (↑); 모양이 유사한 데서〗

psal·tery [sɔ́:ltəri], **-try** [-tri] *n.* 〖樂〗 고대의 현악기.

psam·mite [sǽmait] *n.* Ⓤ 〖地質〗 사(질)암(砂(質)岩). **-mit·ic** [sæmítik] *a.*

p's and q's [pì:zənkjú:z] *n.* 예의범절; 언행; 신중한 언행: watch[mind] one's ~ 언행을 삼가다 / be on one's ~ 애써 얌전히 하고 있다.

PSAT Preliminary Scholastic Aptitude Test (진학 적성 예비시험).

pse·phol·o·gy [sifɑ́lədʒi; se-] *n.* Ⓤ 선거학(選擧學). **-gist** *n.* 선거 연구가.
〖Gk. *psēphos* pebble, vote〗

pseud [sú:d; sjú:d] *a.* 《口》 거짓의, 가짜의, …인 체하는. —— *n.* 잘난 체하는 사람, 거드름 피우는 사람; 사이비, 가짜…《사람》. 〖*pseudo*〗

pseud- [sú:d; sjú:d], **pseu·do-** [sú:dou, -də; sjú:-] *comb. form* 「거짓의」「가짜의」「유사의」의 뜻. 〖Gk.; ⇨ PSEUDO〗

pseud. pseudonym(ous).

pseud·epig·ra·pha [sù:dipígrəfə; sjù:d-] *n. pl.* (*sg.* **-phon** [-fɑ̀n]) [때때로 P~] (구약성서의) 위전(僞典), 위서(僞書). **-phal, -epigráphic, -ical, -epíg·ra·phous** *a.*

psèud·epígraphy *n.* (작품에) 거짓 기자[저자] 이름을 붙이기.

pseu·do [sú:dou; sjú:-] *a.* 가짜의, 모조의; 의사(擬似)의. —— *n.* (*pl.* **~s**) 《口》 겉을 꾸미는 사람, 거짓으로 속이는 사람.
〖Gk. (*pseudēs* false)〗

pseudo- [sú:dou, -də; sjú:-] ☞ PSEUD.

psèudo·aquátic *a.* 수중에서가 아니라 습지에서 나는, 위수생(僞水生)의.

psèudo·archáic *a.* 의고조(擬古調)의.

pséudo·càrp *n.* 〖植〗 헛열매, 가과(假果) (accessory fruit). **psèudo·cárpous** *a.*

psèudo·clássic, -clássical *a.* 의(擬)고전적인. **-clássicism** *n.* Ⓤ 의(擬)고전주의; 의고체(擬古體).

pséudo-còde *n.* 〖컴퓨〗 유사 부호, 의사(擬似) 코드《프로그램이 실행되기 전에 기계 코드로 번역시킬 필요가 있는 것》.

pseu·do·cy·e·sis [sù:dousaií:səs; sjù:-] *n.* 상상임신.

psèudo-évent *n.* 꾸며낸[조작된] 사건.

pséudo·gràph *n.* 위서(僞書), 위필(僞筆), 위작(僞作); 위조(僞造) 문서.

psèudo-instrúction *n.* 〖컴퓨〗 유사 명령(어).

psèudo-intránsitive *a.* 〖文法〗 의사(擬似) 자동사의《보기 Mary *is cooking.* / These potatoes *cook* well.》.

pséudo·mòrph *n.* **1** 부정규형(不定規形), 위형(僞形). **2** 〖鑛〗 가상(假像). **psèudo·mórphic, -mórphous** *a.* **-mórphism** *n.* 가상(상태).

pseu·do·nym [sú:dənìm; sjú:-] *n.* 익명, (특히 저작자의) 아호(雅號), 필명(penname): write under a ~ 익명으로 쓰다.
〖F<Gk. (*onuma* name)〗

pseu·do·nym·i·ty [sù:dənímәti; sjù:-] *n.* Ⓤ 익명으로 쓰기, 익명[아호] 사용.

pseu·don·y·mous [su:dɑ́nəməs; sju:-] *a.* 익명의, 아호를 쓴.

pseu·do·pod [sú:dəpɑ̀d; sjú:-] *n.* (아메바 따위) 위족(僞足)을 가진 원생 동물; =PSEUDOPODIUM. **psèu·do·pód·ic** *a.* **pseu·dop·o·dal** [su:dɑ́pədl; sju:-], **psèu·do·pó·di·al** *a.*

pseu·do·po·di·um [sù:dəpóudiəm; sjù:-] *n.* (*pl.* **-dia** [-diə]) 〖動〗 (아메바형 세포의) 헛발, 위족(僞足), 가족(假足).

psèudo·prégnancy *n.* =PSEUDOCYESIS. **-prégnant** *a.*

psèudo·rándom *a.* 〖統〗 의사 난수(擬似亂數)의: ~ number 의사 난수.

pséudo·sàlt *n.* 〖化〗 의사염(擬似鹽).

psèudo·scíence *n.* Ⓤ,Ⓒ 사이비[의사(擬似)] 과학. **-scientífic** *a.* **-scíentist** *n.*

pséudo·scòpe *n.* 반영경(反影鏡), 위영경(僞影鏡)《요철(凹凸)이 거꾸로 비침》.

psèudo·tuberculósis *n.* 〖醫〗 가성 결핵(증).

p.s.f., psf. pounds per square foot. **PSG** platoon sergeant.

pshaw [ʃɔ́:; pΦ:, pʃɔ́:] *int.*, *n.* 피, 체, 바보 같으니, 뭐야《경멸·불쾌·성급할 때에 내는 소리》. —— [ʃɔ́:; *p*ʃɔ́:] *vi.*, *vt.* 《稀》 흥하고 코웃음치다 〈*at*〉 (cf. PISH). 〖imit.〗

psi[1] [psái, sái, psí:] *n.* (*pl.* **~s**) 그리스어 알파벳의 스물셋째 글자(Ψ *ψ*; 발음은 [ps]에 해당함》.
〖Gk.〗

psi[2] *n.* 프시, 초상(超常) 현상, 초자연 현상; 〖理〗 =PSI PARTICLE. 〖↑〗

psi, p.s.i. pounds per square inch.

psi·khush·ka [psí:xu:ʃkə] *n.* 《Russ. 俗》 = PSYCHOPRISON.

psil·an·thro·py [sailǽnθrəpi], **-pism** [-pìzəm] *n.* Ⓤ 그리스도 범부론(凡夫論)《그리스도의 신성(神性)을 부정하는 학설》.

psi·lo·cin [sáiləsən] *n.* Ⓤ 〖化〗 사일로신《어떤 종

류의 버섯에서 얻어지는 환각제》.
psi·lo·cy·bin [sàiləsáibən] *n.* Ⓤ〖化〗사일로시빈 《멕시코산(産) 버섯에서 얻어지는 LSD 비슷한 환각제》.
psi·lo·sis [sailóusəs] *n.* (*pl.* **-ses** [-si:z])〖醫〗탈모(증), 털뽑기(depilation) ; 스프루(sprue) 《열대성 이질》.
psi·on [sáiɑn] *n.* =PSI PARTICLE.
psí pàrticle *n.*〖理〗=J / PSI PARTICLE.
psit·ta·co·sis [sìtəkóusəs] *n.*〖醫〗앵무병《폐렴과 장티푸스 비슷한 전염병》.
PSO polysulfone《고내열성 특수 수지의 하나》.
pso·ri·a·sis [səráiəsəs] *n.*〖醫〗마른버짐, 건선(乾癬). **pso·ri·at·ic** [sɔ̀:riǽtik] *a., n.* 건선의 ; 건선에 걸린 (사람). 〖NL<Gk. (*psōra* itch)〗
PSRO, P.S.R.O. professional standards review organization. **PSS**〖醫〗progressive systemic sclerosis (공피증(鞏皮症)). **PSS, P.SS., p.ss.** postscripts. **Pss.** Psalms.
psst, pst [pst] *int.* 저, 여보세요, 잠깐《주의를 끌기 위해 부르는 말》. 〖imit.〗
PST, P.S.T., P.s.t., p.s.t. Pacific standard time(태평양 표준시). **P.S.V., p.s.v.** public service vehicle.
psych [sáik] *vt.*《俗》**1** …을 정신적으로 혼란하게 하다, 흥분시키다〈*up*〉. **2** (…을 직감적으로 이해하다, …의 심리를 꿰뚫어 보다〈*out*〉. **3** = PSYCHOANALYZE ; 심리적으로 분석하다. —— *vi.* 정신적으로 혼란해지다〈*out*〉; 흥분하다.
—— *n.*《口》심리학(psychology) ;《俗》마음의 준비가 된 상태.
〖*psych*oanalyse〗
psych- [sáik-], **psy·cho-** [sáikou, -kə] *comb. form*「영혼」「정신」「심리」의 뜻.
〖Gk. (*psukhē* soul, mind)〗
psych. psychic(al) ; psychological ; psychologist ; psychology.
psỳch·análysis *n.* =PSYCHOANALYSIS.
psỳch·asthénia *n.*〖精神醫〗정신 쇠약.
psỳch·asthénic *a., n.*
Psy·che [sáiki] *n.* **1**〖그·로神〗사이키, 프시케《영혼을 인격화한 것으로서, 나비 날개를 단 미녀의 모습을 취함 ; Eros의 애인》. **2** Ⓤ [the p~, one's p~] (육체에 대해서) 영혼, 정신 ;〖心〗정신, 프시케(mind)《의식적·무의식적인 정신생활의 전체 ; cf. CORPUS》. **3** [p~]〖昆〗도롱이나방. **4** [p~]《俗》=PSYCH.
—— *vt., vi.* [P~]《俗》=PSYCH.
psy·che·de·lia [sàikədí:liə, -dél-] *n., pl.* 환각제의 세계 ; 환각제 용품.
psy·che·del·ic [sàikədélik] *a.* **1** 황홀한, 도취(감)의. **2** 환각을 일으키는, 도취적인. **3** 사이키델릭한 ; 사이키 문화의 ; 사이키조(調)의.
—— *n.* 환각제 ; 환각제 상용자.
〖Gk. *psukhē* mind, *dēlos* clear〗
psy·che·del·i·cize [sàikədéləsàiz] *vt.* 사이키조(調)로 하다.
Psýche knòt *n.* 머리를 뒤로 땋아 묶는 여성의 머리형.
psy·chi·a·ter [səkáiətər, sai-], **-trist** [-trəst, sai-] *n.* 정신병 의사[학자].
psy·chi·at·ric, -ri·cal [sàikiǽtrik(əl)] *a.* 정신병학의, 정신병 치료의, 정신과의 : a ~ clinic 정신병 진료소.
psychiátric tést *n.* 정신 감정.
psy·chi·a·try [səkáiətri, sai-] *n.* Ⓤ 정신병학, 정신 의학 ; 정신병 치료법.
〖*psych*-, Gk. *iatros* physician〗
psy·chic [sáikik] *a.* **1** 정신의, 정신적인, 심적(心的)인(↔*physical*) ; 심리적인, 주관적인. **2** 영혼의, 심령(현상)의(supernatural) ; 심령 작용을 받기 쉬운 : a ~ medium 영매(靈媒). **3** (병이) 정신적인 것에 의한, 심인성의.
—— *n.* 무당, 영매. 〖Gk. *psukhē* soul, mind〗
psy·chi·cal [sáikikəl] *a.* =PSYCHIC.
psýchic detérminism *n.*〖心〗(Freud의) 심적 결정론.
psýchic énergyzer *n.*《美》〖醫〗정신 흥분약《억제된 정신 기능을 높임》.
psýchic héaler *n.* 심령(心靈) 요법가(家), 심령술사(術士).
psýchic héaling *n.* 심령 요법.
psýchic númbing *n.* (견디기 어려운 자극에 대한 방위로서 생기는) 정신적 마비 상태, 정신적 무감각.
psý·chics *n.* 심리학(psychology) ; 심령 연구.
psýchic tràuma *n.* 심적 외상(心的外傷).
psy·cho [sáikou] *n.* (*pl.* ~**s**)《口》**1** Ⓤ 정신 분석 ; Ⓒ 정신 신경증 환자, 광인. **2** 괴짜, 기인(奇人). —— *a.* 정신 의학의, 정신병 요법의 ; 정신 신경증의. —— *vt.* 정신 분석을 하다.
psycho- [sàikou, -kə] ☞ PSYCH-.
psỳcho·áctive *a.* (약물이) 정신에 영향을 미치는, 정신 활성(活性)의. **-actívity** *n.*
psỳcho·análysis *n.* Ⓤ 정신 분석(학·법)《略 **psychoanal.**》.
psỳcho·ánalyst *n.* 정신 분석자[학자], 정신 분석 전문의(醫).
psỳcho·analýtic, -ical *a.* 정신 분석(학)의. **-i·cal·ly** *adv.*
psỳcho·ánalyze *vt.* 정신 분석을 하다.
psỳcho·anátomy *n.*〖醫〗심리 해부(법).
psỳcho·bábble *n.* (특히 심리요법을 하는 사람들의) 심리학 특수 용어, 심리 요법 은어(隱語).
psỳcho·biógraphy *n.* (개인의 성격[정신] 형성을 기록한) 성격 분석적 전기(傳記) ; 성격 분석. **-biógrapher** *n.* **-biográphical** *a.*
psỳcho·biólogy *n.* Ⓤ 정신 생물학 ; 생물학적 심리학. **-gist** *n.*
psỳcho·chémical *n.* 정신에 영향을 미치는 화학 약품《전쟁터에서 사용되는 독가스 따위》.
—— *a.* psychochemical의.
psy·cho·del·ic [sàikoudélik] *a., n.* =PSYCHEDELIC.
psỳcho·dràma *n.*〖精神醫〗심리극《정신병 치료를 위하여 환자에게 시키는 극》.
psỳcho·dynámics *n.* 정신 역학.
-dynámic *a.* **-ical·ly** *adv.*
psỳcho·educátion·al *a.* (지능검사 따위) 학습 능력 평가에 쓰이는 심리학적 방법의.
psỳcho·galvánic *a.* 정신 전류의, 정신 전류 장치《거짓말 탐지기 따위》에 관한.
psỳcho·génesis *n.* Ⓤ 정신 발생(학) ;〖心·醫〗심리 기인(起因), 심인(心因).
psỳcho·génic *a.*〖心〗정신에서 발생하는 ;〖醫〗심인성(心因性)의, 정신 작용[상태]에 의한.
psychogénic reáction *n.* 심인(心因)반응.
psỳcho·geriátrics *n.* 노년 정신의학[위생학]. **-geriátric** *a.*
psy·chog·no·sis [sàikəgnóusəs, saikɑ́gnəsəs], **psy·chog·no·sy** [saikɑ́gnəsi] *n.* (*pl.* **-no·ses** [-nóusi:z, -nəsì:z], **-no·sies**) Ⓤ 정신 진단(학).
psýcho·gràph *n.* **1** 심지(心誌), 사이코그래프《성격 특성도(표)》; =PSYCHOBIOGRAPHY. **2** 심

령 서사(書寫)의 도구; 심령에 의하여 사진건판[인화지]에 염사(念寫)된 상(像).
psỳcho·gráph·ics *n.* 사이코그래픽스《시장을 분류할 때 쓰이는 소비자의 생활양식 측정 기술》.
psy·chog·ra·phy [saikágrəfi] *n.* 심지법(心誌法), 사이코그래프법(法); 심령 서사(書寫); (심령에 의한) 염사법(念寫法).
psỳcho·hístory *n.* 역사 심리학《심리 분석적 수법을 이용한 역사적 인물 사건의 분석》.
-histórian *n.* **-históríical** *a.*
psỳcho·kinésis *n.* 염력(念力)《정신력으로 물체를 움직이는 초능력; 略 PK》.
-kinétic *a.* **-ical·ly** *adv.*
psychol. psychological; psychologist; psychology.
psỳcho·linguístics *n.* 언어 심리학.
-linguístic *a.* **-línguist** *n.*
***psy·cho·log·i·cal, -log·ic** [sàikəládʒik(əl)] *a.* 심리학(상)의, 심리학적인; 정신적인: ~ effect 심리적 효과. **-i·cal·ly** *adv.*
psychológical hédonism *n.* 심리학적(的) 쾌락주의.
psychológical móment *n.* [the ~]〖心〗심리적 호기; 위기: at *the*~ 절호의 기회에, 아슬아슬한 순간에.
psychológical nóvel *n.* 심리 소설.
psychológical príćing *n.* 심리학적 가격 결정《90달러짜리 상품을 98달러로 하여 마치 100달러에서 값을 내린 것처럼 생각하게 하는 경우 따위》.
psychológical technòlogy *n.*〖心〗심리공학.
psychológical wárfare *n.* 심리[신경]전.
psy·chol·o·gism [saikálədʒìzəm] *n.*《蔑》심리학주의, 심리학[정신분석학] 용어 사용;〖哲〗심리주의.
psy·chól·o·gist *n.* 심리학자.
psy·chol·o·gize [saikálədʒàiz] *vt., vi.* 심리학적으로 고찰[해석, 설명]하다.
***psy·chol·o·gy** [saikálədʒi] *n.* **1** Ⓤ 심리학. **2** Ⓤ 심리(상태). **3** 심리학의 논문[체계].
medical psychology 임상 심리학.
mob*[*mass*] *psychology 군중 심리(학).
the new psychology 신심리학; 물리 심리학.
psýcho·màncy *n.* Ⓤ 정신 감응, 영통(靈通).
psy·cho·met·ric [sàikəmétrik] *a.* 정신[심리] 측정(학)의; 신비력의.
psỳ·cho·mét·rics *n.*〖心〗정신[심리] 측정(학).
psy·chom·e·try [saikámətri] *n.* Ⓤ 정신[심리] 측정(학); 신비력.
psỳcho·mimétic *a.* 정신병에 가까운 상태에 있는. —— *n.* 향(向)정신약.
psỳcho·mótor *a.* 정신운동(성)의.
psy·chon [sáikɑn] *n.* 사이콘《신경 임펄스 또는 에너지의 가설적 단위》.
psy·chon·ic [saikánik] *a.* 〘*psych-*+-*on*²〙
psỳcho·neurósis *n.* 정신 신경증, 노이로제.
-neurótic *a., n.* 정신 신경증의 (환자), 노이로제에 걸린 (사람).
psỳ·cho·páe·dic *a.* 정신 박약아의: a ~ hospital 정신 박약아 시설.
psy·cho·path [sáikəpæ̀θ] *n.* 정신병질자.
psy·cho·path·ic [sàikəpǽθik] *a.* 정신병(성)의. —— *n.* =PSYCHOPATH.
psychopáthic personálity *n.*〖精神醫〗정신병질 인격(자).
psỳcho·pathólogy *n.* Ⓤ 정신 병리(학).
-gist *n.*
psy·chop·a·thy [saikápəθi] *n.* Ⓤ 정신병; 정신병질(psychopathic personality).
psỳcho·pharmacéutical *n.* 향(向)정신약.
psỳcho·pharmacólogy *n.* (신경) 정신 약리학.
-gist *n.* **-pharmacológical, -ic** *a.*
psỳcho·phýsical *a.* 정신물리학의; 정신적·물질적인 특질을 공유하는.
psỳcho·phýsics *n.* 정신 물리학.
psỳcho·physiólogy *n.* Ⓤ 정신 생리학.
psỳcho·príson *n.* (구소련의) 정신 교도소《반체제자 등을 수용하는 정신병원》.
psỳcho·prophyláxis *n.* Ⓤ〖醫〗정신적 예방(법)《무통 분만법의 하나》.
psýcho·quàck *n.*《俗》무면허 정신과 의사[임상심리의(醫)], 가짜 심리학자.
psy·cho·sis [saikóusəs] *n.* (*pl.* **-ses** [-si:z]) 정신병, 정신 이상.
psỳcho·somátic *a.* (병이) 정의(情意)에 의해 영향받는, 정신 신체(상관)의, 심신의. —— *n.* 정신 신체증 환자. **-ical·ly** *adv.*
psychosomátic diséase *n.* 심신증(心身症), 정신 신체증.
psychosomátic médicine *n.* 정신 신체 의학, 심신 의학(psychosomatics)《신체의 병 치료에 심리학의 원리와 방법을 적용함》.
psỳcho·somátics *n.* 심신 의학.
psỳcho·súrgery *n.* Ⓤ〖醫〗정신 외과, 뇌외과(腦外科). **-súrgical** *a.*
psỳcho·sýnthesis *n.*〖精神醫〗정신 종합 요법, 종합 심리(요법).
psỳcho·téchnics *n.*《美》〖心〗정신 기술《경제학·사회학 따위의 문제에서의 심리학적 방법 응용》. **-téchnical** *a.*
psỳcho·technólogy *n.* =PSYCHOTECHNICS.
psỳcho·therapéutics *n.* 정신 치료학[치료법](psychotherapy).
-therapéutic *a.* **-tical·ly** *adv.*
psỳcho·thérapy *n.* Ⓤ 정신[심리] 요법.
-thérapist *n.*
psy·chot·ic [saikátik] *a.* 정신병의, 정신이상의. —— *n.* 정신병환자, 정신 이상자.
psy·choto·gen [saikátədʒən] *n.* (마약 따위) 정신병을 일으키게 하는 약.
psy·chòto·génic, -genétic *a.*
psy·choto·mimétic [saikàtou-] *a., n.* 환각이나 정신 이상 증상을 일으키는 (약).
-i·cal·ly *adv.*
psỳcho·tóxic *a.* 정신·성격에 유해한《마약은 아니나 남용하면 해로운 암페타민·알코올 따위》.
psỳcho·trópic *a.* 정신에 영향을 주는, 향정신성의《약제》. —— *n.* 향정신약《정신 안정제·환각제 따위》.
psých-òut *n.*《口》정신적으로 동요를 주기, 심리적으로 앞지르기.
psy·chro- [sáikrou, -krə] *comb. form* 「차가운」의 뜻. 〘Gk. (*psukhros* cold)〙
psy·chrom·e·ter [saikrámətər] *n.* 건습구(乾濕球) 습도계, 건습계.
psỳchro·phílic *a.*〖生〗호랭성(好冷性)의: ~ organisms 호저온성 생물.
psýchro·phìle *n.* 저온성균(菌).
psỳchro·tólerant *a.* 내(耐)랭성의.
psy·ops [sáiɑ̀ps] *n. pl.*《口》(심리전에 있어서) 심리 조작. 〘*psy*chological *op*eration*s*〙
psý·wàr [sái-] *n.*《口》심리전(psychological warfare).
PT penetrant test (액체 침투 탐상(探傷)검사).
Pt〖化〗platinum. **Pt.** Point; Port. **pt.** part;

past ; 〔醫〕 patient ; payment ; pint(s) ; point ; port ; preterit. **P.T., PT** Pacific time ; patrol torpedo ; physical therapy ; 〔軍〕 physical training ; postal telegraph ; pupil teacher ; purchase tax. **p.t.** past tense ; post town ; pro tempore ; 《俗》 prick teaser. **pta.** (*pl.* **ptas.**) peseta. **PTA, P.T.A.** Parent-Teacher Association ; 《英》 Passenger Transport Authority ; percutaneous angioplasty.

ptar·mi·gan [tάːrmigən] *n.* (*pl.* ~, ~**s**) 〔鳥〕 멧닭(snow grouse). 〖Gael. ; *p*-는 *pt*-로 시작되는 Gk.에 준한 첨자(添字)〗

PT boat [pìːtíː ⌐] *n.* 《美》 쾌속 초계 어뢰정. 〖*p*atrol[*p*ropeller] *t*orpedo *boat*〗

PTCA 〔醫〕 percutaneous transluminal coronary angioplasty(경피(經皮)적 관(冠)동맥 혈관 재건법). **PTCR** 〔醫〕 percutaneous transluminal coronary recanalization (경피적 관동맥 소통). **Pte.** 〔英軍〕 Private (soldier)《미국에서는 Pvt., pvt.》.

pter- [tér], **ptero-** [térou, térə] *comb. form* 「깃날개」의 뜻. 〖Gk. *pteron* wing〗

pter·id- [térəd], **pte·ri·do-** [təridou, térədou, -də] *comb. form* 〔植〕 「고사리(fern)」의 뜻. 〖Gk. *pterid*- *pteris*〗

pter·i·doid [térədɔ̀id] *a.* 고사리(fern)의, 고사리 모양의.

pter·i·dol·o·gy [tèrədάlədʒi] *n.* 〔植〕 양치학(羊齒學). **-gist** *n.* 양치학자. **ptèr·i·do·lóg·i·cal** *a.*

pterído·phỳte [, térədou- ; téridəu-] *n.* 〔植〕 양치류(羊齒類).

ptèro·dác·tyl [-dǽktəl] *n.* 〔古生〕 익수룡(翼手龍). **-dac·ty·loid** [-dǽktəlɔ̀id], **-dáctylous** *a.*

ptéro·sàur *n.* 〔古生〕 익룡(翼龍).

Ptg. Portugal ; Portuguese. **ptg.** printing. **P.T.I.** Physical Training Instructor.

ptis·an [tízən, tizǽn ; tizǽn] *n.* Ⓤ 보리차. 〖OF<L<Gk. =barley groats〗

PTM pulse-time modulation. **PTO** power take-off. **P.T.O., p.t.o.** please turn over (뒷면[다음 페이지]에 계속).

Ptol·e·ma·ic [tὰləméiik] *a.* **1** 프톨레마이오스(Ptolemy)의 ; 천동설의 (cf. COPERNICAN). **2** 프톨레마이오스 왕가《고대 이집트 왕가》의.

Ptolemáic sýstem *n.* [the ~] 〔天〕 (프톨레마이오스의) 천동설.

Ptol·e·ma·ist [tὰləméiəst] *n.* 천동설 신봉자.

Ptol·e·my [tάləmi] *n.* 프톨레마이오스. **1** **Claudius** ~ 2세기경 Alexandria의 천문학자·수학자·지리학자. **2** 기원전 4-3세기에 이집트를 지배한 프톨레마이오스 왕조의 역대의 왕.

pto·maine [tóumein, -⌐] *n.* Ⓤ 〔化〕 프토마인《단백질의 부패로 생기는 유독물》. **pto·máin·ic** *a.* 〖F<It.<Gk. *ptōma* corpse〗

ptómaine póisoning *n.* 프토마인 중독 ; (널리) 식중독(food poisoning).

pto·sis [tóusəs] *n.* (*pl.* **-ses** [-siːz]) 〔醫〕 하수증(下垂症), (특히) 안검(眼瞼) 하수증. 〖Gk.=a falling〗

PTR photoelectric tape reader. **pts.** parts ; payments ; pints ; points ; ports. **PTV** public television. **Pty., Pty, pty.** proprietary.

pty·a·lin [táiələn] *n.* Ⓤ 〔生化〕 프티알린, 타액(唾液) 녹말 분해 효소.

pty·a·lism [táiəlìzəm] *n.* 〔醫〕 타액(분비) 과다, 유연(증)(流涎(症)).

Pty. Co. Proprietary Company. **Pty. Ltd.** 《英》 Proprietary Limited.

p-type [píː⌐] *a.* 〔電子〕 (반도체·전기전도(電導)가) P형(型)의.

Pu 〔化〕 plutonium.

***pub** [pʌ́b] *n.* 《口》 술집, 목로 주점. 〖*pub*lic house〗

pub. public ; publication ; published ; publisher ; publishing.

púb cràwl *n.* 《俗》 이집저집 돌아다니며 연거푸 술마시기, 술집 순례. ~**·er** *n.*

púb-cràwl *vi.* 술집 순례를 하다(barhop, make the rounds (of pubs)).

pu·ber·ty [pjúːbərti] *n.* Ⓤ 사춘기, 춘기 발동기, 묘령 ; 〔植〕 개화기(開花期).
arrive at puberty 사춘기에 이르다.
the age of puberty 결혼 적령(기)《합법적으로 결혼할 수 있는 나이 ; 남자 14세, 여자 12세》.
〖OF or L (*puber* adult)〗

pu·bes[1] [pjúːbiːz] *n.* (*pl.* ~) 음모, 거웃 ; 음부 ; 〔植·動〕 연모(軟毛). 〖L〗

pubes[2] *n.* PUBIS의 복수형.

pu·bes·cence [pjuːbésəns] *n.* 사춘기에 이름, 묘령 ; 〔植·動〕 연모(軟毛)[솜털]에 덮인 상태 ; 연모, 솜털.

pu·bés·cent *a.* 묘령의 ; 사춘기에 달해 있는 ; 〔植·動〕 연모(軟毛)[솜털]로 덮인. 〖L ; ⇨ PUBES〗

pu·bic [pjúːbik] *a.* 음모[거웃]의 ; 음부의 ; 치골(恥骨)의.
the pubic bone 치골.

pu·bis [pjúːbəs] *n.* (*pl.* **-bes** [-biːz], **-bi·ses** [-bəsìːz]) 〔解〕 치골(恥骨). 〖L *os pubis*〗

publ. publication ; published ; publisher.

‡**pub·lic** [pʌ́blik] *a.* **1** 공중의, 일반 국민의, 공공의, 공공에 속하는 : a ~ bath 공중 목욕탕 / ~ property 공공물[재산] / ~ safety 치안 / ~ welfare 공공 복지 / at the ~ expense 공비(公費)로. **2** 공립의, 공설의 : a ~ market 공설 시장 / a ~ park 공원. **3** 공적인, 공무의, 국사의 : a ~ official[officer] 공무원, 관리 / ~ document 공문서 / a ~ offense 국사범 / ~ life 공적인 생활. **4** 공개의, 공공연한, 평판의 : a ~ auction [sale] 경매, 공매 / a ~ debate 공개 토론회. **5** 소문난, 모르는 사람이 없는 : a ~ scandal 세상이 다 아는 추문 / a matter of ~ knowledge 널리 알려진 일(↔*private*). **6** 유명한, 저명한(prominent). **7** 《稀》국제적인. **8** 《英大學》 대학 전체의, (단과대학과 구별하여) 종합대학으로서의.
be in the public eye 사회의 주목을 끌고 있다.
go public (회사가) 주식을 공개하다 ; 기밀을 공표하다.
make a public protest 공공연하게 항의하다 ⟨*against*⟩.
make public 공표[간행]하다.
— *n.* **1** [the ~] 공중, 국민 ; (일반) 사회, 세상 : the general ~ 일반 대중[사회]. **2** …계(界), …사회, …동아리 : the cinemagoing ~ [집합적으로] 영화 팬 / the reading ~ 독서계. **3** 《英口》 =PUBLIC HOUSE.
in public 공공연히.
the public at large 일반 공중.
~**·ly** *adv.* 공공연히 ; 여론[공적]으로.
〖OF or L *publicus* (PUBES=adult) ; 일설에 (변형) ⟨*poblicus* (*populus* people)〗

públic áccess *n.* 퍼블릭 액세스《시청자가 제작한 프로그램을 방송할 수 있도록 방송기관이 시청

자 단체에 시간대(時間帶)를 제공하는 일》.
públic accóuntant *n.* 《美》 공인 회계사.
públic áct *n.* 공공 관계 법률, 공법(안).
públic-addréss sỳstem *n.* (강당·옥외 따위의) 확성 장치.
pub·li·can [pʌ́blikən] *n.* **1** 〖로史〗 징세관리(徵稅官吏). **2** 《英》 선술집[여인숙](public house)의 주인(=《美》 saloonkeeper).
públic assístance *n.* 《美》 (사회 보장법에 의한) 생활 보호.
***pub·li·ca·tion** [pʌ̀bləkéiʃən] *n.* **1** Ⓤ 발표, 공표 ; 공포(公布). **2** Ⓤ 출판, 발행, 간행 : the date of ~ 발행 연월일. **3** 출판물, 간행물.
públic áuction *n.* 경매(競賣).
públic bár *n.* 《英》 (칸막이한 선술집의) 일반석 (cf. SALOON BAR).
públic bénefit *n.* =PUBLIC GOOD.
públic bídding *n.* 《美》 일반[공개] 입찰.
públic bìll *n.* (의회의) 공공 관계 법안.
Públic Bróadcasting Sèrvice *n.* 《美》 공공 방송망《略 PBS》.
públic chárge *n.* 생활 보호자.
públic cómpany *n.* 《英》 주식 공모 회사.
públic convénience *n.* 《英》 (역 따위의) 공중 변소(=《美》 comfort station).
públic corporátion *n.* 〖法〗 공법인, 공공 단체 ; 공공 기업체, 공사, 공단.
públic débt *n.* 공채(公債).
públic defénder *n.* 《美》 공선(公選) 변호인.
públic domáin *n.* 〖法〗 **1** Ⓤ (저작권·특허권 따위의) 권리 소멸 상태 : The works of R. L. Stevenson are *in* the ~ now. 이제 스티븐슨의 작품은 저작권이 소멸되어 있다. **2** Ⓤ 《美》 국유지(地), 공유지(public land).
públic educátion *n.* 학교 교육, 공교육 ; 《英》 퍼블릭 스쿨식의 교육.
públic énemy *n.* 사회(전체)의 적 ; 공적(公敵), 공개 수사중인 범인 ; 적국.
públic énterprise *n.* 공(公)기업 (↔ *private enterprise*).
públic fúnds *n. pl.* 공채(公債), 공동 기금.
públic gállery *n.* (의회의) 방청석(=**stranger's gallery**).
públic góod *n.* 공익(公益).
públic háll *n.* 공회당.
públic házard *n.* 공해(公害).
públic héalth *n.* 공중 위생.
públic héaring *n.* 공청회(公聽會).
públic hóliday *n.* 공휴일, 축제일.
públic hòuse *n.* **1** 《英》 선술집(bar, 《美》 saloon) (cf. PUB). **2** 여인숙(inn).
públic ínterest *n.* 공익(公益).
públic-ínterest láw *n.* 《美》 공익법《공공 이익 보호를 위한 집단 소송 및 그 밖의 법적 절차를 다루는 법률 분야》.
públic internátional láw *n.* 국제 공법.
pub·li·cist [pʌ́bləsəst] *n.* 국제 법학자 ; 정치 평론가, 정치 기자 ; 선전원(宣傳員). **púb·li·cìsm** *n.* Ⓤ 국제법론, 공론(公論), 정론(政論).
pùb·li·cís·tic *a.* 국제법학자의 ; 정치 평론가의.
***pub·lic·i·ty** [pʌblísəti] *n.* Ⓤ 알려지기, 주지(周知) ; 공표, 선전, 광고 : a ~ hound 《美》 신문에 이름을 올리고 싶어하는 사람 / avoid[shun] ~ 세평[이목]을 피하다 / court[seek] ~ 자기 선전하다, 명성을 얻으려고 애쓰다 / give ~ to …을 공표[발표]하다, …을 광고하다 / a ~ campaign 홍보[선전]활동.
publícity àgent[**màn**] *n.* 광고 대리업자, 광고 취급인[업자].
publícity depàrtment *n.* 선전부.
pub·li·cize [pʌ́bləsàiz] *vt.* 공표[광고, 선전]하다.
públic kéy *n.* 제2의 해독 키를 필요로 하는 암호 해독 키.
públic lánd *n.* (특히 미국 공유지 불하법에 의해 처분되는) 공유지.
públic láw *n.* 공법(公法).
públic lénding rìght *n.* 〖圖書〗 공대권(公貸權) 《공공도서관의 대출에 대해 저자가 보상을 요구할 수 있는 권리》.
públic líbrary *n.* 공립[공개] 도서관.
públic màn *n.* 공인(公人).
públic-mínd·ed *a.* =PUBLIC-SPIRITED.
públic núisance *n.* **1** 〖法〗 공적 불법 방해, 공해. **2** 《口》 세상에 해가 되는 것.
públic óffering *n.* 공모.
públic óffice *n.* 관공서, 관청.
públic ófficer *n.* 공무원(cf. PUBLIC SERVANT).
públic opínion *n.* 여론 : a ~ poll 여론 조사.
públic ównership *n.* 공유(제), 국유(화).
públic péace *n.* 공안(公安).
públic pólicy *n.* 〖法〗 공중 질서와 미풍 양속.
públic prósecutor *n.* 《美》 검찰관.
públic púrse *n.* [the ~] 국고(國庫).
públic relátions *n.* [단수 취급] 섭외(사무) ; 홍보(弘報), 선전 활동, 피아르《略 P.R.》.
públic relátions òfficer *n.* 홍보[섭외]관[장교] 《略 P.R.O.》.
públic ríghts *n. pl.* 공권(公權).
públic ròom *n.* (호텔·배 안의) 출입이 자유로운 라운지.
públic sále *n.* 공매(公賣), 경매(auction).
públic schòol *n.* **1** 《英》 퍼블릭 스쿨《상류 사회 자제 등의 대학 진학 또는 공무원 양성의 기숙사 제도의 사립 중·고등학교》. **2** 《美·Can.》 (초등·중등·고등의) 공립 학교.
públic séctor *n.* 공공 부문.
públic sérvant *n.* (국가) 공무원, 공복(公僕).
públic sérvice *n.* **1** 공공 사업, 공공 기업(체) 《직접적인 이윤 추구를 목적으로 하지 않음》. **2** 공공[사회] 봉사. **3** Ⓤ 관청 근무, 공무(원으로서의 근무).
públic-sérvice corporàtion *n.* 《美》 공익 법인, 공사(公社).
públic spéaker *n.* 공술인(公述人)《국회 공청회에서 의견을 말하는 사람》 ; 연설가.
públic spéaking *n.* 화술 ; 연설.
públic spírit *n.* 공공심, 애국심.
públic-spírit·ed *a.* 공공심[애국심]이 있는.
públic stóres *n. pl.* 군수품 ; 《美》 세관 창고.
públic télevision *n.* (영리를 목적으로 하지 않는) 공공 텔레비전 방송.
públic tránsport *n.* 공공 수송 기관.
Públic Trustée Òffice *n.* [the ~] 《英》 유산(遺産) 관리국.
públic utílity *n.* 공익 사업, 공익 기업(체) ; [보통 *pl.*] 공익 기업주(株), 공채(公債).
públic wélfare *n.* 공공 복지, 공안(公安).
públic wórks *n. pl.* 공공 사업, 공공 토목사업 《도로·댐·학교 건설 따위》.
públic wróng *n.* 〖法〗 공적 권리의 침해, 공적 위법 행위.
‡**pub·lish** [pʌ́bliʃ] *vt.* **1** 발표[공표]하다, 널리 알리다, 퍼뜨리다 ; 피로(披露)하다 ; (법령 따위를) 공포하다 : Don't ~ the faults of your friends. 친

구들의 결점을 퍼뜨리지 마라. **2** (서적·잡지 따위를) 출판하다, 발행하다 : The book will be ~*ed* by the Clarendon Press. 그 책은 클레렌든 출판사에서 출판할 것이다.

〈회화〉
When will that book be *published*? — About the middle of next month.「그 책은 언제 발행됩니까」「다음 달 중순 경입니다」

—— *vi.* 출판하다 ; 저작을 발표하다.
〖ME *puplice* etc.<OF *puplier*, *publier*<L *publico* to make PUBLIC〗
類義語 ⟹ DECLARE.

púb·lish·er *n.* **1** 발표자, 공표자. **2** 발행자 ; 출판업자, 출판사 : a magazine ~ 잡지사 / a newspaper ~ 신문 발행인. **3**《美》(신문·잡지의) 경영자.

públisher's ímprint *n.* 판권장.

públisher's státement *n.* 출판사 부수(部數) 자료 보고서(pink sheet)《미국의 신문 잡지 부수 감사 기구(ABC)에 가맹지(誌)가 제출하는 것으로, 수집되면 회원에게 감사 전의 자료를 배부함》.

públish·ing *n.* 출판(업). —— *a.* 출판(업)의.

públishing hòuse[**còmpany, firm**] *n.* 출판사.

Puc·ci·ni [puːtʃíːni] *n.* 푸치니. **Giacomo** ~ (1858-1924) 이탈리아의 오페라 작곡가.

puc·coon [pəkúːn] *n.* 적색[황색]물감을 만드는 북미산(産)의 식물 ; 그 물감. 〖N. Am. Ind.〗

puce [pjúːs] *n., a.* 암갈색(의).
〖F (L *pulex* flea)〗

puck[1] [pʌ́k] *n.* **1** [P~] **a)**〔英傳說〕영국 민화에 나오는 장난꾸러기 작은 요정(妖精)(Robin Goodfellow). **b)** 퍽 《Shakespeare의 *A Midsummer Night's Dream*에 나오는 장난꾸러기 작은 요정》. **2**《비유》장난꾸러기 아이, 악동, 장난치기 좋아하는 사람. **~·like** *a.*
〖OE *pūca*<?; cf. ON *púci*, Welsh *pwca*〗

puck[2] *n.* (아이스하키용의) 퍽, 고무 원반.
〖C19<?〗

pucka ☞ PUKKA.

puck·er [pʌ́kər] *vt.* [+目/+目+副] …의 주름을 잡다 ; 오그라뜨리다, …에 주름지게 하다 ; (입술을) 오므리다 : She ~*ed* the cloth in sewing. 바느질해가면서 주름을 잡았다 / He ~*ed* (***up***) his brows[face]. 그는 눈썹[얼굴]을 찡그렸다.
—— *vi.* [動/+副] 주름이 잡히다 ; 오그라들다 ; 쭈글쭈글해지다 : This cloth ~*s* (***up***) *badly.* 이 천은 몹시 구겨진다. —— *n.* 주름, 주름살 ; 오그라들기 : in ~*s* 주름져서, 구겨져서.
〖? POKE[2]〗

puck·er·oo, puk- [pʌ̀kərúː] *a.* 《N. Zeal. 俗》무가치한, 깨진. —— *vt.* 못쓰게 하다(ruin).

púck·ery *a.* **1** 주름(살)이 지는, 주름살이 많은. **2** (과일 따위가) 떫은.

púck·ish *a.* 장난을 좋아하는 (작은) 요정 같은, 장난꾸러기의, 제멋대로 하려는.
~·ly *adv.* **~·ness** *n.*

púck·ster *n.* 《俗》아이스하키 선수.

pud[1] [pʌ́d] *n.* 《兒》손(hand), (개·고양이 따위의) 앞발. 〖C17<?〗

pud[2] [púd] *n.* U.C 《英口》푸딩 ;《卑》페니스, 음경 ;《美俗》쉬운 일.

PUD pickup and delivery.

púd·den·hèad [púdn-] *n.* 《英口》=PUDDINGHEAD.

***pud·ding** [púdiŋ] *n.* **1** U.C 푸딩《밀가루 따위에 과일·우유·계란 따위를 넣고 단맛이 나게 구운 식후의 (디저트용) 과자》: The proof of the ~ is in the eating.《속담》「백문이 불여 일견」. **2** U (praise에 대하여) 물질적인 보수, 실속이 있는 것 : more praise than ~ 공치사, 말뿐인 칭찬. **3** 푸딩같이 말랑말랑한 것 ;《美俗》수월한 것. **4** (오트밀·선지 따위를 넣은) 순대[소시지]의 일종 ;《俗》(도둑이 개에게 주는) 독이 든 간《따위》;《口》땅딸보 ;《口》얼간이 ;《卑》페니스, 음경.
(***as***) ***fit as a pudding*** 《美》극히 타당한, 꼭 알맞는, 잘 어울리는.
~·lìke *a.* 〖OF *boudin*<L *botellus* sausage〗

púdding clòth *n.* 푸딩을 찔 때 싸는 보.

púdding fáce *n.* 《口》넓적하고 무표정한 얼굴.

púdding·hèad *n.* 《口》바보, 얼간이.

púdding-hèart *n.* 무기력한 사람.

púdding-píe *n.* 《英》고기 푸딩.

púdding stòne *n.* 〔地質〕=CONGLOMERATE.

púd·dingy *a.* 푸딩 같은 ; 답답한 ; 아둔한.

pud·dle [pʌ́dl] *n.* **1** 물웅덩이. **2** U (점토와 모래를 물로 이긴) 흙반죽. **3** U《口》뒤죽박죽, 엉망진창. —— *vt.* **1** [+目/+目+副] 흙반죽을 만들다 ; …에 흙반죽을 바르다 : ~ ***up*** a hole 흙반죽을 발라 구멍을 메우다. **2** (물을) 흐리게 하다 ; 진창투성이가 되게 하다, 더럽히다. **3** (녹인 쇠를) 휘저어 정련(精鍊)하다. —— *vi.* 흙탕물[물웅덩이]을 휘젓다〈*about*〉. **púd·dler** *n.* 흙을 이기는 사람 ; 연철공(鍊鐵工) ; (용해 금속) 교반기(器), 연철로(爐). 〖(dim.)<OE *pudd* ditch ; cf. G (dial.) *P*(*f*)*udel* pool〗

púd·dled *a.* 《俗》머리가 혼란한, 이상한.

púddle-jùmp *vi.* 《口》경비행기를 띄우다.

púddle jùmper *n.* 《美口》경비행기, 헬리콥터, 소형 자동차《따위》.

púd·dling *n.* U 흙반죽 ; 흙반죽으로 바르기 ; (선철(銑鐵)의) 정련(精鍊), 연철(鍊鐵)(법).

púddling fùrnace *n.* 연철로(鍊鐵爐).

púd·dly *a.* (도로 따위) 물웅덩이가 많은 ; 물웅덩이 같은 ; 진창투성이의, 흐린 ; 더러운.

pu·den·cy [pjúːdənsi] *n.* U 수줍음, 암띰.
〖L (*pudeo* to be ashamed)〗

pu·den·da [pjuːdéndə] *n. pl.* (*sg.* **-dum** [-dəm]) 〔解〕(여성의) 외음부(外陰部).
〖L *pudenda membra* shameful parts (↑)〗

pudge [pʌ́dʒ] *n.* 《俗》땅딸보.

púdgy *a.* 《口》땅딸막한, 뚱뚱한.

pu·di·bund [pjúːdəbʌ̀nd] *a.* 조신한, 숙녀인 체하는(prudish).

pu·dic·i·ty [pjuːdísəti] *n.* U 정숙, 정절.

pueb·lo [pwéblou, puéb-] *n.* 《美》**1** (*pl.* **~s**) 돌이나 adobe로 만든 인디언 부락《미국 남서부 부근에 많음》. **2** (*pl.* **~s,** ~) [P~] 푸에블로족(族)《미국 남서부에 사는 인디언》.
〖Sp. =people, village〗

pu·er·ile [pjú(ː)ərəl, -ràil ; pjúərail] *a.* 어린이의[다운] ; 철없는, 미숙한. **~·ly** *adv.*
〖F or L (*puer* child)〗

pu·er·il·ism [pjú(ː)ərəlìzəm, -rail- ; pjúərail-] *n.* 유치한 짓 ;〔精神醫〕소아성[증], 유치성[증].

pu·er·il·i·ty [pjù(ː)əríləti] *n.* U 철이 없음 ; C 유치한 행동[생각] ; U〔法〕유년기《남자는 7-14세, 여자는 7-12세》.

pu·er·per·al [pjuːə́ːrpərəl] *a.* 〔醫〕출산의, 분만(分娩)에 의한. 〖L (*puer* child, *pario* to bear)〗

puérperal féver *n.* 〔醫〕산욕열.

pu·er·pe·ri·um [pjùːərpíəriəm] *n.* (*pl.* **-ria** [-riə])

산욕기《분만후 정상 상태로 회복될 때까지의 기간》.

Puer·to Ri·can [pwéərtə rí:kən, 美+pɔ́rtə-, 英+pwə́:təu-] *a., n.* 푸에르토리코의 (사람).

Puer·to Ri·co [pwéərtə rí:kou, 美+pɔ́rtə-, 英+pwə́:təu-] *n.* 푸에르토리코《서인도 제도의 섬; 미국의 자치령》.

***puff** [pʌ́f] *n.* **1** 훅 불기, 그 소리; 한번 불기[부는 양]: a ~ *of* wind 일진의 바람. **2** 부푼 물건[부분]; (소매·머리털 따위의) 퍼프. **3** 과장된 칭찬, 자기 선전, 허풍(떨기): get a good ~ *of* one's book 저서에 대해서 매우 칭찬받다. **4** 퍼프, 화장 분첩(powder puff). **5** 슈크림(cream puff). **6** 이불, 깃털 이불.
— *vi.* [動/+前+名/+副] **1** 훅훅 불다; 숨차하다, 헐떡거리다; (담배를) 뻐끔뻐끔 피우다: He ~*ed* hard as he ran. 달리면서 심하게 헐떡거렸다 / The old man ~*ed* (*away*) ***at*** his pipe. 노인은 파이프[담뱃대]를 뻐끔뻐끔 빨았다 / Smoke ~*ed* ***out of*** the locomotive. 기관차에서 연기가 푹푹 솟아올랐다. **2** [動/+前+名] 칙칙(폭폭)하면서 움직이다: The locomotive ~*ed* slowly *away* [***into*** the station]. 기관차는 폭폭 연기를 내뿜으면서 천천히 출발했다[정거장으로 들어왔다]. **3** 부풀다〈*up, out*〉. — *vt.* **1** (먼지·연기 따위를) 훅 불다, 훅훅 불어치우다; (담배를) 뻐끔뻐끔 피우다: I ~*ed* smoke ***into*** his face. 나는 그의 얼굴에 연기를 확 뿜었다. **2** [수동태로] 숨차게 하다, 헐떡거리게 하다: The boy *was* ~*ed* after running to the school. 학교까지 달려간 소년은 숨이 차서 헐떡거렸다. **3** [+目/+副/+目+*with*+名] 부풀게 하다: The sail were ~*ed* ***out with*** wind. 돛은 바람을 받아 부풀었다. **4** 지나치게 칭찬하다; (상점을) 과대 선전하다, 허풍 떨며 소문을 내다.
puff and blow [***pant***] 헐떡거리다.
puff out (1) ☞ *vi.* 3; *vt.* 3. (2) 헐떡이며 말하다: ~ *out* a few words 두세 마디 헐떡이며 말하다. (3) 훅 불어 끄다: I ~*ed out* the match. 성냥불을 훅 불어 껐다.
puff up (1) 부풀어오르다(cf. *vi.* 3). (2) [특히 수동태로] 자랑하게 하다, 으스대게 하다〈*with*〉: He *is* ~*ed up with* self-importance. 자기가 대단한 사람인 양 으스대고 있다.
〖imit.〗

púff àdder *n.* 〔動〕 퍼프 애더《아프리카산의 독뱀의 일종; 화가 나면 몸이 부풀어오름》.

púff·bàll *n.* 〔植〕 말불버섯.

púff bòx *n.* (분첩 넣는) 분갑.

puffed [pʌ́ft] *a.* 부풀은; 숨이 찬.

púff·er *n.* **1** 훅 부는 사람[것]《담배 피우는 사람·증기선(船) 따위》; 《美俗》 심장. **2** 무턱대고 칭찬하는 사람; (경매인의) 바람잡이. **3** 〔魚〕 복어.

púff·ery *n.* Ⓤ 허풍, 과장된 칭찬; 과대 선전.

puf·fin [pʌ́fən] *n.* 〔鳥〕 바다쇠오리의 일종. 〖ME<?〗

púff·ing *n.* Ⓤ 훅 불기; 무턱대고 칭찬하기.

púff pàste [**pàstry**] *n.* (파이·슈크림 따위에) 껍질로 쓰기 위한 반죽.

púff pìpe *n.* (배수관의) 통기(通氣) 파이프.

púff-pùff *n.* 칙칙폭폭(하는 소리); 《兒》 칙칙폭폭《기차》.

púffy *a.* **1** (바람이) 훽 부는, 한 번 불어오는. **2** 숨가쁜, 헐떡거리는. **3** 불룩한, 부푼; 뚱뚱한(fat). **púff·i·ly** *adv.* **-i·ness** *n.* 부풂; 자만; 과장; 〔醫〕 종창.

puffin

pug[1] [pʌ́g] *n.* **1** 발바리의 일종(=**púg-dòg**); 사지코(pug nose); 《애칭》 여우, 토끼, 원숭이《따위》: the Japanese[Chinese] ~ 발바리. **2** 《英》 소형 기관차.
〖C16<?; cf. *pug* (obs.) hobgoblin, monkey〗

pug[2] *n.* 《俗》 프로 권투선수. 〖*pug*ilist〗

pug[3] *n., vt.* (**-gg-**) 《주로 인도》 짐승의 발자국(을 따라가다). 〖Hindi〗

pug[4] *n.* 이긴 흙. — *vt.* (**-gg-**) (진흙을) 이기다; …에 진흙을 채워 넣다; 〔建〕 방음재(防音材) 회반죽을 바르다. 〖C19<?; cf. POKE[1]〗

púg·bàll *n.* 《美》 연식 야구.

Pú·get Sóund [pjú:dʒət-] *n.* 퓨젓사운드《미국 워싱턴 주 북서부에 있는 만(灣)》.

pug·(g)a·ree [pʌ́gəri], **pug·(g)ree** [pʌ́gri] *n.* (인도 사람이 쓰는) 터번(turban); (차일모(遮日帽)에 감아 목뒤로 드리우는) 가벼운 스카프. 〖Hindi〗

púg·ging *n.* Ⓤ 흙반죽, 회벽칠하기; 〔建〕 방음재(材); (음향 방지용) 회반죽.

pugh [pjú:, pí:jú:; pjú:] *int.* 흥, 피이, 체, 젠장《경멸·증오·반감 따위를 나타내는 소리》. 〖imit.〗

pu·gi·lism [pjú:dʒəlizəm] *n.* Ⓤ (프로) 권투.

pú·gi·list *n.* 권투선수(boxer), (특히) 프로복서. 〖L *pugil* boxer〗

pù·gi·lís·tic *a.* 권투의; 권투선수의. **-ti·cal·ly** *adv.*

púg mìll *n.* 흙반죽하는 기계.

pug·na·cious [pʌgnéiʃəs] *a.* 싸우기 좋아하는.
pug·nac·i·ty [pʌgnǽsəti] *n.* Ⓤ 싸우기 좋아함. 〖L *pugnac- pugnax* (*pugno* to fight)〗

púg nóse *n.* 사지코(snub nose).

púg-nòsed *a.* 사지코의.

Púg·wash cónferences [pʌ́gwɑʃ-] *n. pl.* 퍼그워시 회의《핵무기 폐기·세계평화 따위를 토의하는 국제 과학자 회의》.

puis·ne [pjú:ni] *a.* **1** 하위(下位)의, 후배의, 손아래인. **2** 〔法〕 후의, 그 다음의〈*to*〉. — *n.* 하위의 사람, 후배; 배석 판사.
〖OF=younger (*puis* after, *nê* born); cf. PUNY〗

pu·is·sance [pjú:əsəns, pwís-, 美+pju:ís-] *n.* Ⓤ 《古·文語》 권력, 세력, 원기; 〔馬〕 장애물 뛰어넘기 경기.

pú·is·sant *a.* 《古·文語》 권력[세력, 원기]이 있는. **~·ly** *adv.* 〖OF<Rom.; ⇨ POTENT〗

pu·ja, -jah, poo·ja(h) [pú:dʒə] *n.* 〔힌두敎〕 예배; 의식, 제식. 〖Skt.〗

pu·ka[1] [pú:kə] *n.* 푸카《Hawaii 해안에 많은 흰 조가비; 끈을 꿰어 목걸이·팔찌 따위를 만듦》. 〖Haw.〗

puka[2] *n.* 《俗》 남모르게 물건을 숨기는 장소[구멍]; 《卑》 여성 성기. 〖Maori〗

puke [pjú:k] *vi., vt.* 캑하고 토하다. — *n.* 《口》 구토; 《口》 토한 것; 《俗》 싫은 놈[것].
〖C16 (? imit.)〗

puk·ka(h), pucka [pʌ́kə] *a.* 《인도》 무게가 충분한; 진정한; 신용할 만한, 진짜의; 영구적인; 일급의, 최고급의. 〖Hindi=cooked〗

pul [pú:l] *n.* (*pl.* **~s, pu·li** [-li]) 풀《아프가니스탄의 화폐 단위; =1/100 afghani》; 1풀화(貨). 〖Pers.〗

pu·la [pjú:lə] *n.* (*pl.* **~, ~s**) 풀라《보츠와나의 화폐단위; =100 thebe; 기호 Pu》. 〖(Botswana)〗

Pu·las·ki [pəlǽski, pju:-] *n.* 풀래스키《괭이와 도

끼를 겸한 도구》.
〖Edward C. *Pulaski* 20세기 미국의 삼림 경비원〗

pul·chri·tude [pʌ́lkrətjùːd] *n.* Ⓤ《稀》용모가 예쁘장함, 아리따움, 아름다움(beauty).
pùl·chri·tú·di·nous *a.* 아름다운.
〖L (*pulcher* beautiful)〗

pule [pjúːl] *vi.* (아이가) 가냘픈 소리로 울다, (갓난애가) 응애응애 울다, 슬피 울다. 〖imit.〗

pu·li[1] [púli, pjúː-; pjúː-] *n.* (*pl.* **pu·lik** [púlik, pjúː-; pjúː-], **~s**) 헝가리 원산의 털이 매우 긴 목양(牧羊)용 개. 〖Hung.〗

puli[2] *n.* PUL의 복수형.

pulik *n.* PULI[1]의 복수형.

Pul·it·zer [púlətsər, 美+pjúː-] *n.* 퓰리처. **Joseph ~** (1847-1911) 헝가리 태생인 미국의 신문업자.

Púlitzer Príze *n.* 퓰리처상(賞)《미국 시민에 한해서 수여되는 신문·문학·음악상》.

◇**pull** [púl] *vt.* **1** [+目 / +目+副 / +目+前+名] 끌다, 당기다, 끌어[잡아]당기다(↔*push*); (과일 따위를) 따다, 잡아빼다, 뜯어내다; (이·마개 따위를) 뽑다, 빼다; (새의 털을) 뜯다: The boy *~ed* his sister's hair. 소년은 여동생 머리를 잡아당겼다 / He *~ed* the bell. 줄을 잡아당겨 종을 쳤다 / I *~ed* (***out***) weeds in my garden. 정원의 잡초를 뽑았다 / He *~ed* my hand[me ***by*** the hand]. 내 손을 잡아끌었다 / His father *~ed* him *by* the ear. 아버지는 그의 귀를 잡아당겼다《벌로서》/ They *~ed* the sled ***up*** the hill. 썰매를 끌고 언덕을 올라 갔다 / He *~ed* his chair a little *nearer* ***to*** the fire. 의자를 불가로 좀더 끌어당겼다 / *P~* your cap ***over*** your ears. 귀를 덮을 정도로 모자를 푹 눌러 쓰시오. **2** (남의 후원을) 얻다, (단골 손님 등을) 끌어들이다. **3** (보트를) 젓다; (보트가 노로) 저어지다: He *~s* a good oar. 노를 잘 젓는다 / The boat *~s* four oars. 그 보트는 네 사람이 젓는다. **4** (여러가지 얼굴 표정을) 하다[짓다]: ~ a face[faces] 얼굴을 찡그리다 / ~ a long[wry] face 기분나쁜 표정을 짓다. **5** 〖印〗 인쇄기를 손으로 움직여 인쇄하다: ~ a proof 시험쇄(刷)를 손으로 밀어내다. **6** 〖野〗 (공을) 왼쪽[(왼손잡이 타자면) 오른쪽]으로 끌어당겨 치다. **7** 《口》 (계획 따위를) 세우다, 행하다(carry out); (실책 따위를) 저지르다; (사기 따위를) 치다(commit): ~ a stupid trick (on a person) (남에게) 어리석은 속임수를 쓰다. **8** 《口》 (권총·칼 따위를) 뽑다, 빼다, 빼어 들이대다. **9** (맥주를) 통 따위에서 내다[따르다]; 《俗》(담배를) 피우다.
── *vi.* **1** [+*at*+名] 끌다, (잡아)당기다: ~ ***at*** a rope 밧줄을 잡아당기다 / I *~ed at* my tie. 나는 넥타이를 졸라맸다. **2** [+前+名] **a**) (끌리어) 움직이다; (배를) 저어가다: The train *~ed* ***out of*** the station. 기차는 역에서 떠났다 / The boat *~ed* ***for*** the shore. 보트는 기슭을 향해 나아갔다. **b**) (사람이) 젓다(row): *P~* ***for*** the shore. 기슭으로 저어가라. **c**) 애쓰며 나아가다: ~ ***up*** the hill 언덕을 올라가다. **3** (말이) 말을 안듣다. **4** (파이프·담배 따위를) 피우다, (병)에서 술을 단숨에 들이켜다〈*at, on*〉. **5** 후원을 얻다; 손님을 끌어들이다; (취직 따위를 할 때에) 끌어주다; 협력하다.

pull about 이리저리 끌고 다니다; 난폭하게 다루다.

pull apart 흩어지게 하다, 떨어지다; 떼어 놓다; (줄 따위를) 잡아 끊다; (싸움을) 말리다; 헐뜯다, …의 흠을 찾다.

pull at... (1) ☞ *vi.* 1. (2) (담배 따위를) 피우다; (술병)에서 술을 한잔 마시다: ~ *at* one's pipe 담배를 피우다.

pull away 떼어놓다〈*from*〉; 끌어내다, 구출하다〈*from*〉; (어떤 장소에서) 떨어지다, 떠나가다, 물러나다; 나가다, 떠나다; 리드하다〈*from*〉.

pull back (1) 생각을 바꾸어 그만두다, 한 말을 취소하다, 약속을 어기다. (2) (군대가[를]) 후퇴하다[시키다]. (3) 경비를 절약하다.

Pull devil, pull baker!＝***Pull dog, pull cat!*** (줄다리기에서) 양편 모두 분발해라.

pull down (1) 넘어뜨리다, (집 따위를) 헐어버리다. (2) (블라인드 따위를) 내리다; (가치를) 하락시키다: ~ *down* a flag 기(旗)를 내리다. (3) 쇠약하게 하다: Illness *~ed* him *down.* 병에 걸려 쇠약해졌다.

pull down one***'s house about*** one***'s ears*** ☞ HOUSE.

pull for... ☞ *vi.* 2; 《口》 …을 도와 주다, 지지하다, …을 성원하다.

pull in (*vt.*) (1) (목 따위를) 움츠리다; 후퇴시키다. (2) (비용 따위를) 줄이다: ~ *in* one's expenses 비용을 줄이다. (3) 《口》 체포하다. (*vi.*) (4) 절약하다. (5) (열차가) 정거장으로 들어오다, 도착하다: The train *~s in* at 9.00. 열차는 9시에 들어옵니다.

pull off (*vt.*) (1) (서둘러) 벗다: He *~ed off* his hat *to* me. 나를 보고 얼른 모자를 벗었다. (2) (상을) 타다, 획득하다; (경쟁에) 이기다; 《口》 잘해내다: ~ *off* a good speculation 다행히도 예상이 적중하다. (3) (배를) 내다. (*vi.*) (4) 떠나다, 떨어지다, 도망치다.

pull on (잡아당겨) 옷을 입다, (장갑 따위를) 끼다; (양말 따위를) 신다: She *~ed* her stockings *on.* 양말을 신었다.

pull one***self together*** 마음을 가라앉히다, 정신을 차리다, 원기를 회복하다.

pull one***'s weight*** ☞ WEIGHT.

pull out (1) (*vt.*) (이·마개를) 뽑다, 빼다(☞ *vt.* 1); (이야기 따위를) 질질 끌다. (2) (*vi.*) 저어 나가다; (열차가) 정거장을 빠져 나가다; (서랍 따위가) 빠지다.

〈회화〉
I had my decayed tooth *pulled out.* — Did it hurt?「충치를 뽑았어」「아팠니」

pull...out of the fire ☞ FIRE.

pull over (1) (*vt.*) (스웨터 따위를) 머리부터 뒤집어써서 입다(cf. PULLOVER); (테이블 따위를) 뒤집어엎다; 《口》 (차를) 길 한쪽에 바싹 대다. (2) (*vi.*) (차·배가) 저쪽편[이쪽편]으로 나아가다: The car *~ed over to* the side of the road. 차를 길가에 댔다.

pull round 회복시키다[하다], (…의) 건강을 회복하다, …의 생기를 되찾다: This brandy will ~ you *round.* 이 브랜디를 마시면 기운이 날거야.

pull through (*vt.*) …에게 곤란을 극복하게 하다, 완쾌시키다; (*vi.*) 난국을 타개하다, 완쾌하다.

pull together 끌어당겨 맞추다; (보트 젓는 사람처럼) 협력하여 일하다, 사이좋게 해나가다.

pull to pieces 잡아 찢다; 깎아 내리다, 혹평하다: The boy *~ed* the toy[sheet] *to pieces.* 소년은 장난감을 산산이 부수었다[시트를 잡아 찢었다] / My brother *~ed* my remarks *to pieces.* 형은 내 의견을 마구 깎아 내렸다.

pull up (*vt.*) (1) 잡아 뽑다, 뜯어내다; 근절(根絶)하다. (2) (말·차 따위를) 멈추게 하다: The driver ~*ed up* his car at the corner. 운전사는 모퉁이에다 차를 세웠다. (3) 제지(制止)하다 ; 꾸짖다, 비난하다. (*vi.*) (4) (말·차 따위가) 멈추다 : The driver ~*ed up* when the traffic lights changed. 신호가 바뀌자 운전사는 정차했다. (5) (여행중에) 숙박하다.

pull up to [***with***]... (경마 따위에서) 상대방 말을 따라잡다(overtake).

—— *n.* **1** 한번 잡아[끌어]당김 ; (총의) 방아쇠를 끌어당김, 잡아당기는 힘 ; 한 번 젓기 : have a ~ 한 번 젓다. **2** (전진의) 노력 : It was a long hard ~ *up* the hill. 그 언덕을 오르는 것은 길고 괴로운 일이었다. **3** 손잡이, 자루, 당기는 줄. **4** 《口》 (술 따위의) 한 잔, 한 모금 ; (담배의) 한 대 〈*at*〉 : have a ~ *at* the bottle 한 잔 들이켜다. **5** 〖印〗 수쇄(手刷) ; 교정쇄(校正刷). **6** 〖野〗 끌어당겨 치기(cf. *vt.* 6, PULL HITTER). **7** 《口》 매력 ; 《口》 연줄, 연고, 배경, 이점(advantage) : have a ~ [not much ~] *with* the police 경찰에 연고가 있다[별로 없다] / have the ~ *of* a person 남보다 뛰어나다[유리하다].

〖OE *pullian* to pull, pluck ; cf. MDu. *polen* to shell, Icel. *pūla* to beat〗

[類義語] ***pull*** 자기 쪽으로 또는 특정한 방향으로 끌어당기다 ; 가장 보편적인 말. ***draw*** pull 보다 끌어당기는 동작이 매끄럽고 일정한 느낌: *draw* a net (그물을 끌어당기다). ***drag*** 무거워서 좀처럼 움직일 수 없는 것을 조금씩 끌어당기다 : He *dragged* the table across the room. (탁자를 방을 가로질러 끌고 갔다). ***tug*** 열심히 오랫동안 잡아끌다 ; 반드시 생각대로 상대가 움직이지 않는 것도 뜻함 : The child *tugged* at his mother's hand. (그 애는 어머니의 손을 자꾸 잡아끌었다). ***haul*** 무거운 것을 기계의 힘 따위를 이용해서 끌어서 운반하다 : *haul* a piano upstairs (이층으로 피아노를 끌어올리다). ***tow*** 밧줄 또는 로프 따위로 잡아끌다 : *tow* a boat (밧줄로 보트를 끌다).

púll·bàck *n.* Ⓤ 도로 끌어당기기, (특히 군대의) 계획적 후퇴 ; 장애 ; Ⓒ 뒤로 끌어당기는 장치.

púll dàte *n.* (유제품 따위) 판매 유효 기한 날짜.

púll·dòwn *a.* 접었다 폈다 하게 되어 있는《의자·침대 따위》 : a ~ desk 접는 식 책상.

púlled *a.* 따낸, 떼낸 ; 털을 잡아뽑은 ; 건강[기운]이 약해진.

púlled bréad *n.* 빵덩어리에서 속을 뜯어내어 다시 구운 빵조각.

púlled fígs *n. pl.* 상자에 넣기 위해 모양을 가지런히 한 무화과.

púll·er *n.* 끄는 사람[것] ; 따는[뜯는] 사람[기구] ; 잡아빼는[뽑는] 연장 ; (배의) 노젓는 사람 (oarsman) ; 재갈을 거부하는 말.

púll·er-ín *n.* (*pl.* **púll·ers-**) 《美》 (상점의) 손님을 끌어들이는 사람, 여리꾼.

pul·let [púlət] *n.* (특히 1년 미만의) 어린 암탉. 〖OF (dim.) ‹*poule* <L *pullus* chicken〗

púllet disèase *n.* 〖獸醫〗 (닭·칠면조 따위의) 햇 암탉병, 영계병(嬰鷄病).

pul·ley [púli] *n.* **1** 〖機〗 고패, 도르래, 피대 바퀴 (cf. SIMPLE MACHINES, BLOCK *n.* 3) : a compound ~ 복합 도르래 / a driving ~ 주동 도르래 / a fast[fixed] ~ 고정 도르래. **2** 《美俗》 바지의 멜빵(suspenders).

—— *vt.* …에 도르래를 달다 ; 도르래로 끌어올리다. 〖OF *polie* ; cf. POLE[2]〗

púlley blòck *n.* 〖機〗 도르래 장치.

púll guárd *n.* 〖美蹴〗 =PULLOUT.

púll hìtter *n.* 〖野〗 끌어당겨 치는 타자, 풀 히터.

pul·li·cat [pʌ́likət, -ləkæ̀t], **-cate** [-likət, -ləkèit] *n.* 물들인 손수건 ; 그 원단. 〖*Pullicat* 인도 남동 해안의 도시〗

púll-ìn *a., n.* 《英》 자동차를 탄 채로 들어가는 (식당) (=《美》 drive-in).

Pull·man [púlmən] *n.* 〖鐵〗 풀먼 차량(=~ **càr** [**còach**])《쾌적한 설비가 있는 침대차·객차 ; cf. DAY COACH》 ; [흔히 p~] 풀먼 케이스(=~ **càse**)《열면 경첩식 칸막이가 있는 슈트케이스》. —— *a.* 풀먼 차량(용)의 ; [때때로 p~] 길고 사각인. 〖George M. *Pullman* (d. 1897) 미국의 발명자〗

púll-òff *n.* 《美》 간선 도로의 대피소(=《英》 lay-by).

púll-òn *n.* 잡아당겨 입는[신는, 끼는] 것《스웨터·장갑 따위》. —— *a.* 잡아당겨 입는.

púll·òut *n.* (군대·외국 거류민의) 철수 ; (참조용으로 책속에) 접어 끼운 페이지[도판(圖版)] ; 〖空〗 (급강하한 후의) 지상과 평행으로 비행하기 ; 〖美蹴〗 공격 라인의 선수가 자기편 라인의 뒤를 지나 블로커가 되는 플레이(pull guard).

púll·òver *n.* 풀오버《머리부터 뒤집어써서 입는 스웨터 따위》. —— *a.* 머리부터 뒤집어써서 입는.

púll stràtegy *n.* 풀 전략《선전광고 위주로 소비자에게 직접 파고드는 판매촉진 전략》.

púll swìtch *n.* 풀 스위치《끈으로 잡아당김》.

púll tàb *n.* (캔·용기를 열기 위한) 손잡이.

púll-thròugh *n.* (한쪽 끝에는 추를, 다른쪽 끝에는 헝겊을 단) 총신(銃身) 청소용 줄 ; 《英俗》 말라깽이, 키다리.

pul·lu·late [pʌ́ljəlèit] *vi.* 싹[움]트다, 번식하다 ; 급증하다 ; 떼지어 모이다, 꾀다 ; (교리 따위가) 발전하다. **púl·lu·lant** *a.* **pùl·lu·lá·tion** *n.* 〖L *pullulo* to sprout〗

púll-ùp *n.* 정지, 휴게 ; (마차 따위의) 역참, 휴게소 ; (여행자의) 숙박소 ; 〖空〗 (수평 비행으로부터의) 급상승.

púlly-hàul *vt., vi.* 힘껏 끌어[잡아]당기다[끌다]. **-hàuly** *a., n.* 잡아당기는[당기기].

pul·mo- [pʌ́lmou, púl-, -mə] *comb. form* 「폐」의 뜻. 〖L (*pulmon- pulmo* lung)〗

pul·mom·e·ter [pʌlmɑ́mətər] *n.* 폐활량계(計).

pul·mo·nary [pʌ́lmənèri, púl- ; -mənəri] *a.* 폐의, 폐를 침범하는 ; 폐질환의 ; 〖動〗 폐(모양의 기관)이 있는 : ~ complaints[diseases] 폐질환. 〖L ; ⇨ PULMO-〗

púlmonary ártery *n.* 〖解〗 폐동맥.

púlmonary emphyséma *n.* 〖醫〗 폐기종(肺氣腫).

púlmonary tuberculósis *n.* 〖醫〗 폐결핵.

púlmonary véin *n.* 〖解〗 폐정맥.

pul·mo·nate [pʌ́lmənèit, -nət] *a.* 〖動〗 폐(모양의 기관)이 있는, 유폐류(有肺類)의. —— *n.* 유폐류의 동물.

pul·mon·ic [pʌlmɑ́nik, pul-] *a.* 폐의, 폐병의. —— *n.* 폐병 환자.

pul·mo·tor [pʌ́lmòutər, púl-] *n.* 인공 호흡기《상표명》.

***pulp** [pʌlp] *n.* **1** Ⓤ (부드러운) 과육(果肉) ; 연한 덩어리, 흐물흐물한 것. **2** 펄프(wood pulp). **3** 《美》 싸구려 잡지(cf. SLICK *n.*) ; Ⓤ 저속한 작품[읽을거리]. **4** 치수(齒髓) (dental pulp).

beat a person ***to a pulp*** 남을 늘씬하게 패주다.

be reduced to (***a***) ***pulp*** 흐물흐물해지다 ; 지쳐서 녹초가 되다.

—— *vt.* 펄프로 만들다, 흐물흐물하게 하다 ; (커피 열매에서) 과육을 제거하다.

—— *vi.* 펄프같이 되다.
〖L=flesh〗
púlp·er *n.* (커피 열매의) 과육(果肉) 채취기 ; 펄프 제조기.
pulp·i·fy [pʌ́lpəfài] *vt.* 펄프로 하다, 흐물흐물하게 하다.
pul·pit [púlpit, 美+pʌ́l-] *n.* **1** 설교단(壇) ; 연단(演壇). **2** [the ~] 설교 ; [the ~ ; 집합적으로] 설교자(preachers), 종교계. **3** 《美俗》 조종석 ; (포경선의 작살을 발사하는) 상자 모양의 대(臺). **4** (제강소 따위의) 고가(高架) 제어실.
〖L=platform〗
pul·pi·teer [pùlpətíər, 美+pʌ̀l-] *n.* 《蔑》 설교사.
—— *vi.* 설교를 늘어놓다. **~·ing** *n.*
pulp·i·tis [pʌlpáitəs] *n.* (*pl.* **pulp·it·i·des** [pʌlpítədì:z]) 〔齒〕 치수염(齒髓炎). 〖PULP, -itis〗
púlp lìterature *n.* (pulp magazine에 게재되는) 저속하고 엽기적인 작품[소설].
púlp màgazine *n.* 싸구려 잡지.
púlp nòvel *n.* 싸구려 저속 소설.
pulp·óg·raphy *n.* 값싼 잡지류, 지질(紙質)이 나쁜 싸구려 출판물.
púlp·ous *a.* =PULPY.
púlp·wòod *n.* Ⓤ 펄프 용재.
púlpy *a.* 과육(果肉)의 ; 과육상[질]의 ; 부드럽고 연한(soft) ; 흐물흐물한, 즙이 많은(juicy).
pul·que [pú(:)lki:, pʌ́l-] *n.* Ⓤ (멕시코산) 용설란(龍舌蘭)술. 〖Mex.Sp.〗
pul·sar [pʌ́lsər] *n.* 〔天〕 맥동 전파원, 펄서《전파 천체의 하나》.
〖*pulsating star* ; *quasar*를 모방한 것〗
pul·sa·tance [pʌ́lsətəns] *n.* (주기 운동의) 각(角)주파수《각속도》.
pul·sate [pʌ́lseit ; -ˊ] *vi.* **1** (맥박 따위가) 뛰다, (규칙적으로) 고동치다 ; 두근두근하다, 두근거리다, 떨리다. **2** 〔電〕 (전류(電流)가) 맥동하다.
—— *vt.* (다이아몬드를) 체로 쳐서 가려내다.
〖L *pulso* (freq.) <*puls- pello* to drive, beat〗
pul·sa·tile [pʌ́lsətl, -tàil ; -tàil] *a.* 맥박치는, 두근거리는 ; (악기 따위를) 쳐서 울리는. —— *n.* 〔樂〕 타악기.
pul·sa·tion [pʌlséiʃən] *n.* Ⓤ,Ⓒ 맥박, 동계(動悸), 파동 ; (소리의) 진동, (전류의) 맥동 ; 〔로法〕 (고통을 주지 않을 정도의) 구타.
pul·sa·tive [pʌ́lsətiv] *a.* 박동[맥동]하는.
púl·sa·tor [; -ˊ-] *n.* 맥박[고동]치는 것 ; 〔機〕 (전기 세탁기 따위의) 고동 장치 ; 진동기 ; 교반기(攪拌機).
pul·sa·to·ry [pʌ́lsətɔ̀:ri ; -təri] *a.* 맥박치는, 박동[맥동]하는.
pulse**[1] [pʌ́ls] *n.* **1** 맥박 ; 고동, 동계 : feel a person's ~ 남의 맥을 짚어 보다. **2** (광선·음향 따위의) 파동, 진동. **3** 《비유》 의향, 기분 ; 마음의 약동 ; 흥분 : feel the ~ of …의 의향을 탐지하다 / stir a person's ~*s* 남을 흥분시키다. **4** 〔通信〕 펄스《지속 시간이 극히 짧은 전류나 변조(變調) 전파》 ; 〔컴퓨〕 뛰놀이. —— *vi.* [動 / +前+名] 맥박치다, 고동치다 : Her heart ~*d* ***with surprise. 그녀의 가슴은 놀란 나머지 두근거렸다 / The exercise sent the blood *pulsing* ***through*** his veins. 그 운동으로 그의 혈관의 피가 고동쳤다.
—— *vt.* (혈액 따위를) 박동으로 보내다⟨*in, out*⟩ ; 〔通信〕 …을 펄스로 하다 ; …에 펄스를 발생시키다.
〖OF<L ; ⇨ PULSATE〗
pulse[2] *n.* [집합적으로 ; 때로는 복수취급] 콩류, 콩. 〖OF<L *puls* porridge (of meal etc.) ; cf. POLLEN〗
púlse·bèat *n.* 암시 ; 맥(박).
púlse còde modulátion *n.* 〔通信〕 펄스 부호 변조《略 PCM》.
púlse-Dóppler (ràdar) *n.* 펄스 도플러《펄스파를 발신하여 반사되는 전파의 주파수 변화로 속도를 측정》.
púlse hèight ánalyzer *n.* 〔理〕 파고 분석기.
púlse-jèt (éngine) *n.* 〔空〕 펄스 제트 엔진《연소실의 공기 흡입판이 맥박뛰는 것처럼 개폐함》.
púlse·less *a.* 맥박이 없는, 죽은 ; 생기[활기]가 없는.
púlse modulàtion *n.* 펄스 변조(變調).
púlse prèssure *n.* 〔醫〕 맥압(脈壓)《수축기압(收縮期壓)과 확장기압(擴張期壓)의 차》.
púlse ràdar *n.* 펄스 변조 레이더.
púlse-tàking *n.* 《口》 동향조사.
púlse thèrapy *n.* 〔醫〕 펄스[충격] 요법.
púlse tìme modulátion *n.* 〔通信〕 펄스 시(時)변조《略 PTM》.
pul·sim·e·ter [pʌlsímətər] *n.* 맥박계(計).
pul·som·e·ter [pʌlsámətər] *n.* 진공 펌프, 고동 펌프 ; =PULSIMETER.
pul·ta·ceous [pʌltéiʃəs] *a.* 콩을 흐물흐물하게 삶은 것 같은, 풀 같은 ; 부드러운, 곤죽이 된.
pulv. *pulvis* 《L》 (=powder).
pul·ver·a·ble [pʌ́lvərəbəl] *a.* 가루로 만들 수 있는, 부서지는.
pul·ver·a·tor [pʌ́lvərèitər] *n.* 분쇄기.
pul·ver·ize [pʌ́lvəràiz] *vt.* 가루로 만들다, 빻다 ; (액체를) 안개 모양으로 하다 ; 《비유》 (의논 따위를) 분쇄하다, 붕괴시키다. —— *vi.* 가루가 되다, 부서지다. **púl·ver·ìz·able** *a.* **pùl·ver·i·zá·tion** *n.* Ⓤ 분쇄. 〖L (*pulver- pulvis* dust)〗
púl·ver·ìz·er *n.* 미분기(微粉機), 분쇄기 ; 분무기 ; 분쇄자.
pul·ver·u·lent [pʌlvérjələnt ; -véru-] *a.* 가루의, 먼지의, 가루[먼지]투성이의 ; (암석 따위가) 부서지기 쉬운.
pu·ma [pjú:mə] *n.* (*pl.* **~s**, ~) 〔動〕 퓨마, 아메리카표범. 〖Sp.<Quechua〗
pum·ice [pʌ́məs] *n.* Ⓤ 경석(輕石), 부석(浮石) (pumice stone) (cf. LAVA). —— *vt.* 경석[부석]으로 닦다[문지르다].
〖OF *pomis*<L *pumic- pumex*〗
púmice stòne *n.* =PUMICE.
pum·mel [pʌ́məl] *vt.* (**-l-** | **-ll-**) (연달아) 주먹으로 치다(pommel).
***pump**[1] [pʌ́mp] *n.* **1** 펌프 ; 흡(吸)[양(揚)]수기(水器) ; (동물의) 펌프 기관, (특히) 심장 : a bicycle ~ 자전거의 공기 펌프 / a breast ~ 흡유기(吸乳器) / a centrifugal[centripetal] ~ 원심(遠心)[구심(求心)] 펌프 / a feed(ing) ~ 급수(給水) 펌프 / a force[forcing] ~ 밀펌프 / a suction ~ 빨펌프 / the village ~ (옛날의) 마을 공동 우물 펌프 / fetch a ~ 펌프에 마중물을 붓다. **2** 《口》 슬쩍 넘겨짚어 보기, 유도신문. **3** 〔美蹴〕 패서가 공을 던지는 체하는 동작(pump fake). **4** 〔理〕 펌프, 펌핑.
—— *vt.* **1** [+目+副] 펌프로 (물을) 빨아올리다[빨아내다] ; 〔理〕 펌핑하다 : ~ water ***up***[***out***] 펌프로 물을 퍼올리다[퍼내다]. **2** [+目 / +目+補] (우물·배에서 펌프로) 물을 퍼내다 : ~ a ship 뱃바닥에 괸 물을 퍼내다 / He ~*ed* the cistern dry. 수조의 물을 몽땅 퍼냈다. **3** [+目 / +目+前+名 / +目+副] (공기를) 펌프로 주입하다 ; …에 공기를 넣다 : ~ air ***into*** a tube 펌

프로 튜브에 공기를 넣다 / ~ ***up*** a balloon 풍선에 공기를 잔뜩 넣다. **4** [+目 / +目+*into*+名] 《비유》 철저히 가르치다, 쑤셔 넣다, 주입하다 ; (욕설을) 퍼붓다 : He tried to ~ knowledge ***into*** his students. 지식을 학생들에게 주입시키려고 노력했다. **5** 《口》 펌프식으로[처럼] 움직이다 : He ~*ed* my hand. 내 손을 잡고 상하로 세게 흔들었다. **6 a)** [+目+*out of*+名] 슬쩍 넘겨짚어[유도 신문하여] 알아내다 : ~ a secret ***out of*** a person 남에게서 비밀을 캐내다. **b)** 슬쩍 넘겨짚다, 유도 신문하다 : Don't let him ~ you. 그의 유도 신문에 넘어가서는 안된다. **7** [+目 / +目+副] [특히 수동태로] 숨차게 하다, 지치게 하다 : I *was* completely ~*ed* (***out***) when I finished the work. 그 일을 끝냈을 때에는 완전히 지쳐버리고 말았다. —— *vi.* **1** 펌프를 쓰다. **2** 펌프의 작용을 하다 ; (기압계(氣壓計)의 수은이) 급격히 오르내리다 : The heart goes on ~*ing* as long as life lasts. 심장은 생명이 존속하는 한 쉬지 않고 약동한다. **3** 끈질기게 질문하여 [슬쩍 넘겨짚어] 캐내다. **4** 머리를 짜내다 : ~ *for* words 애써 말을 찾다. **5** 《卑》 성교하다.
〖ME< ? imit. ; cf. G *Pumpe*, Du. *pomp*〗

pump[2] *n.* [보통 *pl.*] 펌프스《끈이 없고 뒤축이 낮은 가벼운 신》. 〖C16< ?〗

púmp bòx *n.* (펌프의) 피스톤실(室).

púmp bràke *n.* 펌프의 손잡이.

púmped stórage [pʌ́mpt-] *n.* 〖電〗 양수식 발전 시스템《저(低)전력 소비 때 저수지로 퍼올린 물로 고전력 소비 때 발전》.

púmp·er *n.* 펌프 사용자 ; (양수 장치가 있는)소방자동차 ; 《美》 펌프식 유정(油井).

pum·per·nick·el [pʌ́mpərnìkəl] *n.* Ⓤ 펌퍼니켈《조제(粗製)한 호밀로 만든 검은 빵》.
〖G=lout, stinker< ?〗

púmp fàke *n.* 〖美蹴〗 =PUMP[1].

púmp gùn *n.* 펌프식 연발총《레버를 앞뒤로 움직여 조작함》.

púmp hàndle *n.* **1** =PUMP BRAKE. **2** (힘있게 아래위로 흔드는) 과장된 악수.

púmp-hàndle *vt.* 《口》 (악수할 때 남의 손을) 과장되게 아래위로 흔들다.

púmp·ing *n.* **1** 〖理〗 펌핑《전자나 이온에 빛을 흡수시켜 낮은 에너지 상태에서 높은 에너지 상태로 여기(勵起)시키는 일》. **2** (양수 따위에의) 펌프 사용 ; 펌프 작용.

púmp jòckey *n.* 《俗》 주유소의 점원.

***pump·kin** [pʌ́mpkən, 美+pʌ́ŋkən] *n.* **1** (서양)호박 ; 그 덩굴 ; 《俗》 머리 ; 《美俗》 축구공 ; 《美俗》 납작해진 타이어. **2** [보통(some) ~s] 《美口》 훌륭한[뛰어난] 인물, 중요한 일[것, 장소]. **3** (짙은) 주황색, 호박색. 〖C17 *pompon*, *pumpion*<F *pompon* (obs.)<L<Gk. *pepōn* melon〗

púmpkin hèad *n.* 《口》 멍텅구리, 돌대가리.
 púmpkin-hèad·ed *a.* 어리석은, 바보의.

púmpkin ròller *n.* 《美方》 농부, 시골 사람.

púmpkin·sèed *n.* 호박씨.

púmp prìming *n.* 《비유》 (펌프에 마중물을 붓는 식의) 경제 정책, 국가 재정투자《Roosevelt 대통령의 New Deal 정책의 골자로 공공 토목 사업 따위에 정부 자금을 투입했음》.

púmp ròom *n.* (온천장의) 광천수(鑛泉水) 마시는 곳 ; 펌프실(室).

púmp·shìp *n., vi.* 《卑》 소변(보다).

púmp wèll *n.* 펌프식 우물.

pun[1] [pʌ́n] *n.* (동음 이의어(同音異義語)를 이용한) 말장난, 결말, 재담, 신소리. —— *vi.* (**-nn-**) [動 / +前+名] 말장난하다, 신소리[재담]하다 : ~ (***up***)***on*** a word 말을 비꼬아서 표현하다.
〖C17<? *pundigrion* (obs.) ; cf. It. *puntiglio* fine point, quibble〗

pun[2] *vt.* (**-nn-**) 《英》 (흙·자갈을) 다져서 굳히다, 달구질하다. 〖POUND[2]〗

pu·na [púːnə, -nɑː] *n.* 푸나《Andes 산맥 따위의 춥고 건조한 고원》; (페루 산간의) 찬바람 ; Ⓤ 〖醫〗 고산병(高山病). 〖Am. Sp.<Quechua〗

***punch**[1] [pʌ́ntʃ] *n.* **1** (눌러서) 구멍을 뚫는 기구 ; (차표 따위에) 구멍을 뚫는 가위, 펀치 ; 타인기(打印器) ; 〖컴퓨〗 천공(기) (穿孔(機)) : a bell ~ 방울 달린 타공(打孔) 가위《차장들이 씀》/ a figure [letter] ~ 숫자[문자] 타인기(打印器). **2** 주먹으로 치기, 펀치 : get a ~ on the nose 콧등을 얻어맞다. **3** Ⓤ 《口》 힘, 활기, 신랄, 빗댐, (이야기 따위의) 효과, 《美》(소설·극 따위의) 박력 : a speech with ~ 박력있는 연설.
pull one***'s punches*** 《口》 〖拳〗 일부러 효과가 없는 공격을 하다 ; 《비유》 (공격·비평을) 적당한 선에서 그치다.
—— *vt.* **1** [+目 / +目+前+名] (금속·표 따위에) 구멍을 뚫다 ; 구멍을 내다 ; (못 따위를) 박다 ; (타자기 따위 키[건반]를) 세게 치다[두드리다] : ~ a ticket 표를 펀치로 찍다 / ~ cards 〖컴퓨〗 카드를 천공[펀치]하다 / ~ a time clock 《美》 타임 리코더를 세게 누르다 / ~ holes ***in*** an iron plate 철판에 구멍을 뚫다. **2** [+目 / +目+前+名] …에게 주먹을 먹이다 : ~ a person's chin = ~ a person ***on*** the chin 남의 턱에 펀치를 먹이다. **3** 막대로 쑤시다 ; 《美西部》 (소를) 몰다.
—— *vi.* 강타하다. **~·er** *n.* **1** 키펀처, 구멍 뚫는 사람[기구] ; 펀처 ; 타인기. **2** 《美口》 =COWBOY.
〖POUNCE[3]〗
類義語 ⟹ STRIKE.

punch[2] *n.* **1** 《英方》 땅딸막한 사람[것] ; 《英》 다리가 짧고 굵은 짐말[복마(卜馬)]. **2** [P~] 펀치《punch-and-judy show에 나오는 괴상망측한 꼽추 주인공》. **3** [P~] 펀치《우스개 풍자 그림과 글로 유명한 London의 주간지 ; 1841년 창간》.
(***as***) ***pleased***[***proud***] ***as Punch*** 아주 만족[의기 양양]하여.
〖*Punchi*nello〗

punch[3] *n.* Ⓤ 펀치《술·설탕·더운물·레몬·향료 따위를 펀치 볼(punch bowl) 속에서 섞어 만든 음료》. 〖C17< ?〗

Púnch-and-Júdy shòw *n.* 펀치와 주디《익살스러운 영국의 인형극 ; Punch는 주인공, Judy는 그의 아내》.

púnch bàg *n.* =PUNCHING BAG.

púnch·bàll *n.* **1** 《美》 펀치볼《주먹으로 테니스 공을 치는 야구식 고무공 놀이》. **2** 《英》 =PUNCHING BAG.

púnch·bòard *n.* 《美》 펀치보드《숫자 따위를 인쇄한 종이 조각을 말아 끼워 놓은 많은 구멍이 있는 도박용 작은 판자》.

púnch bòwl *n.* 펀치 볼(☞ PUNCH[3]) ; (산간의) 우묵한 곳, 소분지(小盆地).

púnch càrd *n.* (컴퓨터 따위에 쓰는) 천공 카드, 펀치 카드, 뚫음 카드.

púnch-drùnk *a.* (얻어맞고) 비틀거리는, 그로기 상태가 된 ; 《口》 얼떨떨한, 혼란한.

púnched càrd [pʌ́ntʃt-] *n.* =PUNCH CARD.

púnched tápe, púnched páper tàpe *n.* 〖컴퓨〗 천공(穿孔)테이프, 구멍 뚫린 테이프.

pun·cheon[1] [pʌ́ntʃən] *n.* 지주(支柱), 동바리, 샛기둥 ; 《美》 (마루청 대신에 쓰는) 켠 목재 ; 각인

(刻印器). 〖OF=pointed tool〗

puncheon[2] *n.* 〔史〕 큰 나무통《72-120 갤런들이》, 큰 나무통 가득한 양. 〖OF<?〗

Pun·chi·nel·lo [pʌ̀ntʃənélou] *n.* (*pl.* **~s, ~es**) **1** 펀치넬로《17세기 이탈리아의 희극 또는 인형극의 광대역 ; Punch의 원형(原型)》. **2** Ⓒ [p~] 땅딸막하게 살이 찐 (곱사등인) 사내 ; 괴상망측한 생김새의 사내[동물].

púnch·ing bàg *n.* 《美》 달아맨 자루《권투 연습용》; 비난[공격]의 대상.

púnch làdle *n.* 펀치를 뜨는 국자.

púnch lìne *n.* (문장·연설·광고문 따위에서) 급소를 찔러서 사람을 깜짝 놀라게 하는 문구.

púnch prèss *n.* 〔機〕 천공기(穿孔機).

púnch-ùp *n.* 《英口》 치고 받기 ; 패싸움.

púnchy *a.* 《口》 **1** 힘센, 힘찬. **2** =PUNCH-DRUNK.

punct. punctuation.

punc·tate [pʌ́ŋkteit], **-tat·ed** [-teitəd] *a.* 〔生〕 작은 반점[오목한 곳]이 있는 ; (반)점 모양의.

punc·ta·tion [pʌŋktéiʃən] *n.* 작은 반점[오목한 곳]이 있음 ; 반점.

punc·til·io [pʌŋktíliòu] *n.* (*pl.* **-i·òs**) (의식·수속 절차 따위의) 미세한 점, 자질구레한 것 ; Ⓤ 자질구레한 것에 구애됨, (쓸데없는 일에) 격식을 차림, (지나치게) 꼼꼼함.
〖It. and Sp. (dim.) ‹POINT〗

punc·til·i·ous [pʌŋktíliəs] *a.* (쓸데없이) 격식을 차리는, 꼼꼼한, 딱딱한, 형식만 차리는.
~·ly *adv.* **~·ness** *n.*

punc·tu·al** [pʌ́ŋktʃuəl] *a.* [+前+do*ing*] 시간[기한]을 잘 지키는 ; 정확한 ; 규칙적인 ; 〔數〕 점(點)의 ; 《古》 꼼꼼한 : He is ~ to the minute [moment]. 시간을 1분도 어기지 않는다 / She is ~ ***in meet*ing* her engagements. 어김없이 약속을 지킨다.
(***as***) ***punctual as the clock*** 시간을 엄수하는.
~·ly *adv.* **punc·tu·al·i·ty** [pʌ̀ŋktʃuǽləti] *n.* Ⓤ 시간 엄수 ; 꼼꼼함. **~·ness** *n.*
〖L ; ⇨ POINT〗

punc·tu·ate [pʌ́ŋktʃuèit] *vt.* **1** …에 구두점(句讀點)을 찍다[붙이다]. **2** [+目+*with*+名] (말 따위를) 중단시키다 ; (말 따위에) 힘을 주다, 강조하다 : He ~*d* his remarks ***with*** gestures. 제스처를 써가면서 그의 말을 강조했다. —— *vi.* 구두점을 찍다. **-à·tor** *n.*
〖L=to prick ; ⇨ POINT〗

***punc·tu·a·tion** [pʌ̀ŋktʃuéiʃən] *n.* Ⓤ 구두점 ; 구두법 ; 중단. **pùnc·tu·á·tive** *a.* 구두점의.

punctuátion màrk *n.* 〔文法〕 구두점.

punc·tum [pʌ́ŋktəm] *n.* (*pl.* **-ta** [-tə]) 〔生〕 반점(spot) ; 움푹 팬 곳. 〖L=POINT〗

punc·ture [pʌ́ŋktʃər] *vt.* **1** 찌르다 ; 꿰뚫다 ; …에 구멍을 내다 : a ~*d* wound 자상(刺傷) / He had his motorcar tire ~*d*. 그의 자동차 타이어가 구멍났다. **2** 못쓰게 하다, 엉망이 되게 하다.
—— *vi.* (타이어 따위가) 구멍나다 ; 못쓰게 되다 : Our tires do not ~ easily. 우리 자동차 타이어는 쉽게 구멍나지 않는다. —— *n.* 찌름 ; 뚫음 ; 구멍을 냄 ; 구멍. 〖L ; ⇨ POINT〗

púncture-resístant *a.* (플라스틱 쓰레기 주머니 따위가) 구멍이 잘 뚫어지지 않는, (타이어 따위가) 구멍이 잘 나지 않는.

pun·dit [pʌ́ndət] *n.* 인도의 학자 ; 박식한 사람, 전문가, 권위자(를 자인하는 사람).
〖Hindi<Skt. =learned〗

pung [pʌ́ŋ] *n.* 《美·Can.》 말 한 필로 끌게 하는 상자형 썰매.

pun·gen·cy [pʌ́ndʒənsi] *n.* Ⓤ 얼얼함, 톡 쏨 ; 자극 ; 신랄함, 날카로움 ; 자극적인 맛, 신랄한 말[비평].

pún·gent *a.* **1** 혀나 코를 자극하는, 얼얼한. **2** 날카로운, 신랄한. **3** 마음을 몹시 아프게 하는, 자극하는 ; 〔植〕 뾰족한. **~·ly** *adv.* 얼얼하게 ; 날카롭게, 신랄하게. 〖L=pricking ; ⇨ POINT〗

pun·gle [pʌ́ŋgəl] *vt., vi.* (돈을) 지급하다, 기부하다⟨*up*⟩.

Pu·nic [pjú:nik] *a.* 카르타고(Carthage) (인(人))의 ; 신의가 없는, 배반하는 : ~ faith 배신.
—— *n.* 고대 카르타고어(語).
〖L *Punicus* Phoenician〗

Púnic ápple *n.* 《古》 석류.

Púnic Wárs *n. pl.* [the ~] (카르타고와 로마 사이의 3회에 걸친) 포에니 전쟁.

pu·nim [pú:nim] *n.* 얼굴(face).

‡**pun·ish** [pʌ́niʃ] *vt.* **1** [+目/+目+前+名] (사람·죄를) 벌하다, 처형하다, 징계하다 : His master ~*ed* him ***for*** his carelessness. 주인은 그가 부주의하다고 그를 벌했다 / Any infringement of the law shall be ~*ed* ***with*** a fine. 법률을 어기는 자는 벌금형에 처해진다. **2** (상대방을) 혼내주다, 거칠게 다루다, 혹사하다 ; 〔拳〕 (상대방에게) 강타를 먹이다 ; 《口》 (음식물을) 실컷 먹다[마시다]. —— *vi.* 벌하다, 징계하다. **~·er** *n.* 벌[처벌]하는 사람. **~·ing** *a.* 처벌하는, 처형하는, 응징하는 ; 〔스포츠〕 강타하는 ; 혼내주는.
〖OF<L *punio* ; ⇨ PENAL〗

púnish·able *a.* 벌 줄 수 있는, 처벌할 만한, 처벌해야 할 : a ~ offense 처벌해야 할 죄.
pùnish·abílity *n.*

***púnish·ment** *n.* **1** Ⓤ 처벌, 형벌(penalty) : disciplinary ~ 징계 / divine ~ 천벌 / the ~ *of* crime 범죄의 처벌 / inflict ~ *on* a person *for* a crime 범한 죄에 대해서 사람을 처벌하다. **2** 징벌, 벌주기, 꾸짖기. **3** Ⓤ 《口》 학대 ; (권투 따위의) 강타 ; (경기 따위에서) 지치게 함.

pu·ni·tive [pjú:nətiv] *a.* 벌의, 처벌의, 형벌의, 징벌의 ; 응보(應報)의, 징계적인 : ~ justice 인과응보. **~·ly** *adv.* 〖F or L ; ⇨ PUNISH〗

púnitive dámages *n. pl.* 〔法〕 징벌적 손해 배상금(賠償金).

pu·ni·to·ry [pjú:nətɔ̀:ri ; -təri] *a.* =PUNITIVE.

Pun·jab [pʌndʒɑ́:b, ⌐-] *n.* [(the) ~] 펀자브《인도의 옛 주(州)로 현재는 인도와 파키스탄으로 분속(分屬)》.

Pun·ja·bi [pʌndʒɑ́:bi, -dʒǽbi] *n.* 펀자브인(人) ; Ⓤ 펀자브어(語).

pún·ji stìck[**stàke, pòle**] [púndʒi-] *n.* (정글전(戰)용의) 밟으면 찔리게 장치한 죽창.

punk[1] [pʌ́ŋk] *n.* 《美》 =TOUCHWOOD.
〖? SPUNK〗

punk[2] *a.* 《口》 (품질이) 뒤떨어진, 하등한, (상태가) 비참한, 빈약한, (건강이) 좋지 않은 ; 《俗》 쓸모 없는, 시시한 ; 펑크 록조(調)의. —— *n.* **1 a)** 《口》 풋내기, 애송이, 똘만이, 불량 소년, 불량배 ; 《美俗》 신통치 않은 복서[기수(騎手) 등] ; 《美俗》 (서커스의) 동물의 새끼. **b)** 《美俗》 웨이터, 포터 ; 《廢》 남색의 상대가 되는 소년(catamite) ; 《廢》 매춘부. **2** 《古》 하찮은[시시한] 것, 농담 ; 《俗》 빵 ; 《美俗》 매약(賣藥) ; 《美俗》 질이 나쁜 마리화나. **3** =PUNK ROCK(ER) ; 펑크 패션 ; 펑크 패션의 복장·헤어스타일의 사람.
—— *vi.* [~ out] 《美俗》 무서운 생각이 들다, 뒷걸음질치다. 〖C18<? ; cf. ↑〗

punk·a·bil·ly [pʌ́ŋkəbìli] *n.* 펑커빌리《punk와 country music이 융합한 뉴웨이브록의 일종》.
pun·ka(h) [pʌ́ŋkə] *n.* 《인도》 (야자나무 잎으로 만든) 큰부채, 매다는 부채《천으로 만들어 천장에 매달아 사람 또는 기계로 움직임》, 선풍기. 〖Hindi〗
púnk·er *n.* 《美俗》 신참자, 신출내기 ; 《俗》 펑크록을 춤추는[연주하는] 사람.
púnk fùnk *n.* 〔재즈〕 영국에서 일어난 punk와 뉴욕의 funk가 합류한 음악 조류.
punk·ie, punky[1] [pʌ́ŋki] *n.* 《美》 〔昆〕 등에모기(biting midge).
púnk jàzz *n.* 〔재즈〕 펑크 재즈《1970년대 후반에 영국에서 일어난 punk의 흐름을 1980년대에 재즈에서 흡수 발전한 음악 조류》.
púnk róck *n.* 펑크 록《1970년대 후반에 영국에서 일어난 사회 체제에 대한 반항적인 음악의 조류 ; 강렬한 박자, 괴성과 과격한 가사가 특징》.
púnk róck·er *n.*
púnky[2] *a.* 부싯깃의[과 비슷한] ; 천천히 타는, (잘 타지 않고) 연기만 내는. **púnk·i·ness** *n.* 〖PUNK[1]〗
pun·ner[1] [pʌ́nər] *n.* (땅을 다지는) 달구.
pun·net [pʌ́nət] *n.* (무늬목 오리로 엮은) 과일 바구니. 〖C19 ? (dim.) ‹ *pun* (dial.) POUND[1]〗
pún·ster, punner[2] *n.* 재담꾼, 익살 부리기를 좋아하는 사람. 〖PUN[1]〗
punt[1] [pʌ́nt] *n.* 펀트《밑바닥이 평평한 평저선(平底船)의 일종》. ── *vt.* (펀트를) 삿대로 젓다 ; 펀트로 나르다. ── *vi.* 펀트를 타고 가다. 〖MLG, MDu. =ferryboat＜L *ponto*〗
punt[2] *vi.* **1** 《英口》 (경마에서) 돈을 걸다. **2** (카드 놀이에서) 물주에 대항하여 돈을 걸다. ── *n.* 물주에 대항하여 돈을 거는 사람[걸기]. 〖F *ponter*〗
punt[3] *vt.* 〔蹴〕 땅에 떨어지기 전에 (공을) 차(내)다. ── *n.* 펀트《그 차내는 법 ; cf. DROPKICK, PLACEKICK》. 〖C19 ? *punt* (dial.) to push forcibly ; cf. BUNT[1]〗
púnt·abòut *n.* 축구 연습(용의 축구공).
púnt·er[1], **púnt·ist** *n.* 삿대질 하는 사람, 펀트의 사공.
punter[2] *n.* =PUNT[2].
pun·to [pʌ́ntou] *n.* (*pl.* **~s**) 점(點) ; 〔펜싱〕 찌르기 ; 〔裁縫〕 한 바늘, 한 땀.
pun·ty [pʌ́nti] *n.* 펀티《녹은 유리를 다룰 때 쓰는 쇠막대》.
pu·ny [pjú:ni] *a.* 아주 조그마한 ; 발육이 나쁜 ; 미약한, 보잘것 없는, 하찮은(petty) ; 허약한.
pú·ni·ly *adv.* **pú·ni·ness** *n.* 〖PUISNE〗
pup[1] [pʌ́p] *n.* (여우·늑대 따위의) 새끼 ; 강아지 ; 《口》 (건방진) 풋내기 ; 《美口》 핫도그.
in*[*with*] *pup (암캐가) 새끼를 배어.
sell a person ***a pup*** 《口》 (장차 값이 올라가게 된다고 물건을 속여 팔아) 남을 기만하다.
── *vt., vi.* (**-pp-**) (개 따위가) 새끼를 낳다. 〖*pup*py〗
pup[2] *n.* 《俗》 학생.
pu·pa [pjú:pə] *n.* (*pl.* **-pae** [-pi:, -pai], **~s**) 〔昆〕 번데기(cf. CHRYSALIS, IMAGO, LARVA).
pú·pal *a.* 〖L=doll, girl〗
pu·pate [pjú:peit] *vi.* 〔昆〕 번데기가 되다.
pu·pá·tion *n.*
◇**pu·pil**[1] [pjú:pəl] *n.* **1** 학생《흔히 초등학생·중학생을 말함 ; cf. STUDENT》 ; 제자. **2** 〔法〕 미성년자, 피보호자《남자 14세, 여자 12세 미만》. 〖OF or L *pupillus* ward, orphan〗
[類義語] ⟹ STUDENT.
pupil[2] *n.* 〔解〕 눈동자, 동공(瞳孔). 〖L *pupilla*〗
pú·pil·age, -pil·lage *n.* 유년자[학생]의 신분[기간] ; 《英》 법정 변호사 수습 기간.
pu·pi(l)·lar·i·ty [pjù:pəlǽrəti] *n.* 〔로마法·스코法〕 유년(기), 피후견 연령.
pu·pi(l)·lary[1] [pjú:pəlèri ; -ləri] *a.* 유년자[피후견인, 학생]의. 〖PUPIL[1]〗
pupi(l)lary[2] *a.* 〔解〕 눈동자[동공]의 : ~ membrane 동공막. 〖PUPIL[2]〗
púpil téacher *n.* 〔英史〕 (19세기 후반의 영국 초등학교의) 교(습)생(cf. STUDENT TEACHER).
pup·pet [pʌ́pət] *n.* **1** 손가락 인형 ; 꼭두각시 ; (인형극에 쓰이는) 인형. **2** 꼭두각시, 남의 앞잡이, 로봇 : a ~ king 꼭두각시왕[지배자]. 〖POPPET〗
pup·pe·teer [pʌ̀pətíər] *n.* 꼭두각시[인형]를 놀리는 사람.
púppet góvernment *n.* 괴뢰 정부[정권].
púppet plày[shòw] *n.* 인형극.
púppet regíme *n.* =PUPPET GOVERNMENT.
púppet·ry *n.* **1** Ⓒ 인형극 ; Ⓤ 가면 종교극[무도]. **2** Ⓤ 겉치레, 허식. **3** Ⓒ (소설의) 비현실적인 인물.
púppet státe *n.* 괴뢰 국가.
púppet válve *n.* 〔機〕 퍼핏 밸브.
***pup·py** [pʌ́pi] *n.* **1** (특히 한 살 이하의) 개 새끼, 강아지 ; (물개 따위의) 새끼. **2** 건방진 풋내기 **~·hòod, ~·dom** *n.* 강아지임, 강아지인 시기 ; 건방진 풋내기 시절. **~·ish** *a.* 강아지 같은 ; 건방진. **~·ìsm** *n.* 건방짐. 〖OF=doll, toy ; ⇨ POPPET〗
púppy dòg *n.* 《兒》 강아지, 멍멍이(puppy).
púppy fàt *n.* 유아기·사춘기의 일시적 비만.
púppy lòve *n.* 풋사랑(calf love).
púp tènt *n.* 소형 천막.
pur [pə́:r] *n., v.* (**-rr-**) 《古》 =PURR.
pur- [pə́:r, pər] *pref.* =PRO-[1,2]. 〖AF, OF＜L〗
Pu·ra·na [purɑ́:nə] *n.* 푸라나《산스크리트로 쓰인 고대 인도의 신화·전설·왕조사를 기록한 힌두교의 성전》.
Pur·beck [pə́:rbek] *n.* 퍼벡《영국 Dorset 주(州)의 반도》.
Púrbeck márble *n.* 퍼벡 대리석《질이 좋은 Purbeck stone》.
Púrbeck stóne *n.* 퍼벡 석회암《건축 재료》.
pur·blind [pə́:rblàind] *a.* 반(半)소경의, 눈이 어두운 ; 《비유》 우둔한(stupid), 둔감한(obtuse). **~·ness** *n.* 〖ME *pur*(*e*) (=utterly) *blind* ; 어형은 *pur*-에 동화(同化)〗
***pur·chase** [pə́:rtʃəs] *vt.* **1** 사다(buy), 구입[구매]하다 ; 매수하다 ; (금전이) …의 구매력을 갖다 ; (노력 또는 희생을 치르고) 얻다 : They ~*d* freedom with blood. 피흘려 자유를 얻었다 / a dearly ~*d* victory 큰 희생을 치르고 손에 넣은 승리. **2** 〔海〕 (닻 따위를) 도르래 장치로 끌어올리다. **3** 〔法〕 (상속 이외의 방법으로 토지·가옥)을 취득하다, 물려받다. ── *n.* **1 a)** Ⓤ 사들이기, 구매 : the ~ *of* a person's birthday present 남의 생일 선물을 삼. **b)** Ⓒ 구입물, 구매물, 산 물건 ; 《廢》 노획물 ; 〔法〕 (상속 이외의 방법에 의한) 물려받기 : make a good[bad] ~ 값싸게[비싸게] 사다. **2** Ⓤ 취득, 획득. **3** Ⓤ (토지 따위에서의) 수확고(收穫高), 연수(年收) ; 《비유》 가치 : at ten years' ~ 10년간의 수확고에 상당하는 가격으로. **4** 지레, 도르래, 기중(起重) 장치, 그 작용 ; 힘이 되는 것, 연줄 : get[secure] a ~ *on*

…을 지레로 지탱하다[받치다].

púr·chas·able *a.* 살[구매할] 수 있는 ; 매수할 수 있는. **púr·chas·er** *n.* 사는 사람, 구입[구매]자(buyer).

〖AF=to procure, seek (*pro*-², CHASE¹)〗

類義語 ⟹ BUY.

púrchase mòney *n.* 매입 대금, 대가(代價).

púrchase òrder *n.* 〖商〗 구입 주문(서).

púrchase tàx *n.* 《英》 물품 (구입)세《물품 품목에 따라 세율이 다름 ; cf. SALES TAX》.

púr·chas·ing *n.* 구매, 구입.

púrchasing àgent *n.* 《美》 (공장 따위의) 구매 담당원[주임] ; (의뢰인을 위한) 구매 대리인[업자(業者)].

púrchasing guìld[**associàtion**] *n.* 구매 조합(組合).

púrchasing pòwer *n.* 구매력.

púrchasing-pòwer bònd *n.* 구매력 채권《구매력을 나타내는 지수의 변동에 따라 이자·상환액을 변동시키는 채권》.

pur·dah, par·dah [pə́:rdə ; -dɑ:] *n.* **1** (이슬람교도·힌두교도의 여성의 거실에 친) 커튼, 휘장 ; Ⓤ (푸르고 흰 줄무늬가 있는) 커튼용 무명천. **2** Ⓤ 격리(隔離) 제도《휘장이나 베일로 신분이 높은 여성을 남자나 알지 못하는 사람으로부터 격리시킴》. 〖Urdu=screen, veil〗

‡pure [pjúər] *a.* **1** 순수한, 불순물이 없는, 동질(同質)의, 깨끗한, 순전한(↔*mixed*), (잡것에 대해서) 단일의 : ~ gold 순금. **2** 순혈(純血)의, 순정(純正)의. **3** (학문 따위가) 순수한, 이론적인(↔ *applied*) : ~ mathematics 순수 수학 / ~ literature 순문학 / a ~ painting 〖美術〗 순수 회화 / ~ poetry 순수시 / ~ science 순수 과학. **4** 고결한 ; 결백한, 더럽혀지지 않은, 정숙[정결]한 ; (문체 따위) 고결[고상]한 : ~ *from* sin 죄에 더럽혀지지 않은 / ~ *of*[*from*] taint 오점(汚點)이 없는. **5** 완전한, 단순한, 그저 명색뿐인(mere) : It's ~ nonsense. 전적으로 어리석은 짓이다 / He did it out of ~ mischief. 그저 단순히 장난삼아 해본 것이다. **6** 〖言〗 단(순)모음의《이중모음이 아님》 ; (소리가) 맑은, 순음(純音)의 ; 〖그文法〗 (모음이) 다른 모음 다음에 오는, (자음이) 다른 자음을 수반하지 않는, (어간이) 모음으로 끝나는 ; 〖樂〗 음조가 올바른, 안어울림음이 아닌.

pure and simple 불순물이 섞이지 않은 ; 순전한. 注 보통 명사 뒤에 놓이게 됨 : He is a scholar ~ *and simple.* 순수한 학자다.

~·ness *n.* Ⓤ 깨끗함, 청정 ; 순수, 결백.

〖OF<L *purus*〗

púre·blòod *a., n.* =PUREBRED.

púre·bréd *a.* (동물이) 순종의. ── [ˊˋ] *n.* 순종의 동물.

púre cúlture *n.* (미생물의) 순수 배양(培養).

púre demócracy *n.* 순수[직접] 민주주의《대표에 의하지 않고 국민이 직접 권력을 행사함》.

pu·rée, -ree [pjuəréi, ˊ-; ˊ-] *n.* Ⓤ 퓌레《야채와 고기를 삶아서 가는 체로 거른 것》 ; 퓌레를 기본으로 한 수프. ── *vt.* …으로 퓌레를 만들다, 가는 체로 거르다. 〖F=made PURE〗

púre·héart·ed *a.* 마음이 깨끗한, 청순한, 정직한.

Púre Lánd *n.* 〖佛教〗 정토(淨土), 극락 세계.

púre líne *n.* 〖遺〗 순수 계통, 순계(純系).

***púre·ly** *adv.* **1** 전혀 ; 전연(wholly) : It was ~ my mistake. 전적으로 내 잘못이었다. **2** 맑게 ; 정숙하게 ; 단지(merely). **3** 순수하게, 순결하게, 섞인 것이 없이.

purely and simply 에누리없이, 전적으로.

púre meríno *n.* 《濠俗》 (죄수로서가 아닌) 초기의 순수 이주민 ; 지도적 호주인.

Pur·ex [pjúəreks] *a.* 퓨렉스의《사용한 핵연료를 재처리하여 우라늄이나 플루토늄을 얻는 한 방식에 대해서 말함》.

pur·fle [pə́:rfəl] *n.* (금속실·레이스 따위의) 가장자리 장식. ── *vt.* …의 가장자리를 장식하다.

púr·fling *n.* =PURFLE.

pur·ga·tion [pə:rgéiʃən] *n.* **1** Ⓤ 정화(淨化) ; 〖카톨릭〗 (연옥(煉獄)에서의) 정죄(淨罪) ; 정결하게 하기. **2** Ⓤ (하제(下劑)로) 대변을 통하게 하기, 통변(通便). **3** Ⓤ 〖古英法〗 (선서 또는 재판법에 의한) 무죄 선서.

pur·ga·tive [pə́:rgətiv] *a.* 청결하게 하는 ; 하제(下劑)의 : a ~ medicine 하제. ── *n.* 〖醫〗 하제. **~·ly** *adv.*

pur·ga·to·ri·al [pə̀:rgətɔ́:riəl] *a.* 연옥(煉獄)의 ; 정죄(淨罪)[속죄]하는.

pur·ga·to·ry [pə́:rgətɔ̀:ri ; -təri] *n.* **1** Ⓤ 〖카톨릭〗 연옥. **2** Ⓤ (일시적인) 고난, 징벌, 고행(苦行). ── *a.* 깨끗이 하는, 속죄의.

〖AF<L (↓)〗

purge [pə́:rdʒ] *vt.* **1 a**) [+目 / +目+前+名] (마음·몸을) 정결하게 하다 : ~ the mind ***of*** false notions 마음속에서 잘못된 생각을 일소하다 / He was ~*d of* [***from***] sin. 그의 죄는 씻기었다[속죄되었다]. **b**) [+目+副] 정결히 씻다 : ~ *away* one's sins 죄를 깨끗이 씻다. **2** [+目 / +目+*of*+名] (정당 따위에서 불온[불순] 분자를) 일소하다, 숙청하다 : The party was ~*d* ***of*** its corrupt members. 그 당은 부패 분자를 숙청했다. **3** [+目 / +目+*of*+名] 〖法〗 (남의 혐의 따위를) 풀어주다 ; (남의) 죄를 씻어주다 : He ~*d* himself ***of*** suspicion. 자신의 결백을 입증했다. **4** 〖醫〗 …에게 하제(下劑)를 쓰다, …에 대변을 통하게 하다 : ~ the bowels 하제를 쓰다.

── *vi.* 깨끗해지다 ; 변이 잘 통하다.

── *n.* **1** 청정, 정화. **2** 숙청, (불순 분자의) 추방. **3** 하제(purgative). **púrg·er** *n.*

〖OF<L *purgo* to cleanse, make PURE〗

purg·ee [pə:rdʒí:] *n.* 피(被)추방자.

pu·ri·fi·ca·tion [pjùərəfəkéiʃən] *n.* **1** Ⓤ 정화(淨化) ; 정제(精製). **2** 〖宗〗 죄씻음, 재계(齋戒).

pu·ri·fi·ca·tor [pjúərəfəkèitər] *n.* PURIFY 하는 것 ; 〖宗〗 성배(聖杯)를 닦는 천.

pu·rif·i·ca·to·ry [pjurífikətɔ̀:ri, pjúərəfə- ; pjúərifikèitəri] *a.* 깨끗하게 하는[씻는], 정화의, 재계의 ; 정제의.

pu·ri·fy [pjúərəfài] *vt.* [+目 / +目+前+名] 정화하다, 청결하게 하다 ; 정련(精鍊)하다, 정제하다 ; (남의 죄를) 깨끗하게 하다[씻다] ; (어구를) 세련되게 하다, (말을) 순화하다 : He was *purified* ***from***[***of***] all sins. 모든 죄가 깨끗이 씻겨졌다. ── *vi.* 정화하다, 청결해지다 ; 깨끗해지다. **pú·ri·fi·er** *n.* 정결하게 하는 사람 ; 정제자(精製者) ; 정제용품 ; 청정기(清淨器)[장치].

〖OF<L ; ⇨ PURE〗

Pu·rim [púərim, -ˊ] *n.* 퓨림 축제《2월 또는 3월에 행하는 유태인의 정기적인 축제》.

pu·rine [pjúəri:n] *n.* Ⓤ 〖化〗 푸린《요산(尿酸) 화합물의 원질(原質)》.

pur·ism [pjúərizəm] *n.* Ⓤ (언어 따위의) 순수주의, 순정론(純正論) ; (용어의) 결벽(潔癖).

-ist *n.* 순수주의자. **pu·rís·tic, -ti·cal** *a.*

〖F ; ⇨ PURE〗

Pu·ri·tan [pjúərətən] *n.* 퓨리턴, 청교도(清教徒) ; [p~] 엄격한 사람. ── *a.* [보통 p~] 청교

도의[같은·다운], 엄격한.
〖PURITY ; *Catharan* 따위를 모방한 것〗

Púritan Cíty *n.* [the ~] 미국 Boston 시(市)《속칭》.

pu·ri·tan·i·cal, -ic [pjùərətǽnik(əl)] *a.* [흔히 P~] 청교도적인 ;《蔑》금욕적인, 엄격한.
-i·cal·ly *adv.*

Púritan·ìsm *n.* Ⓤ 청교(도)(주의) ; 청교도 기질 ; [때때로 p~] (특히 종교상 또는 도덕상의) 엄격주의.

púritan·ìze *vt., vi.* 청교도로 만들다 ; 청교도식으로 하다[되다].

Púritan Revolútion *n.* [the ~] 청교도 혁명.

***pu·ri·ty** [pjúərəti] *n.* **1** Ⓤ 청정, 순수 ; 청결. **2** Ⓤ 청렴, 결백 ; 순결. **3** Ⓤ (문체·어구의) 정격(正格), 순정(純正) ;〖化·光〗순도(純度) : ~ of language 언어의 순정함.
〖OF<L ; ⇨ PURE〗

purl[1] [pə́ːrl] *vi.* (시냇물이) 졸졸 흐르다 ; 소용돌이치며 흐르다. —— *n.* 졸졸 흐름[흐르는 소리] ; 소용돌이.
〖C16 (? imit.) ; cf. Norw. *purla* to bubble up〗

purl[2] *vt.* …에 가장자리 장식을 하다 ; (금[은]실로) 수를 놓다 ; 안뜨기하다. —— *n.* Ⓤ 장식한 가장자리 ; (자수용) 금실, 은실 ; Ⓒ (편물의) 안뜨기.
〖C16< ? ; cf. Sc. *pirl* twist〗

purl[3] *n.* Ⓤ〖史〗향쑥을 넣어 조미한 맥주, 강장제 ;《英》진을 넣어 뜨겁게 한 맥주.
〖C17< ?〗

purl[4] *vt.*《英口》(말이 사람·안장 따위를) 뒤엎다, 굴러 떨어지게 하다, 낙마시키다. —— *vi.* 회전하다 ; 뒤집히다. —— *n.* (말이) 승마자 등을 뒤엎는 일 ; 낙마.
〖? *pirl* ; ⇨ PURL[2]〗

púrl·er *n.*《口》낙마(落馬), 거꾸로 떨어뜨리기, 추락 ;《英》강한 펀치 ;《濠》월등히 좋은 것. 〖↑〗

pur·lieu [pə́ːrljuː] *n.* **1**〖法·史〗삼림의 경계지. **2** 자유로이 출입할 수 있는 장소 ; 자주 드나드는 곳, 세력권(haunt). **3** [*pl.*] 인근, 근처 ; [*pl.*] 변두리(outskirts), 빈민가(slums). **4** (도시 따위의) 근교, 인접 지구.
〖ME *purlew*<AF *puralé* perambulation (*aller* to go) ; 어형은 *lieu*에 동화(同化)〗

pur·lin, -line [pə́ːrlən] *n.*〖建〗중도리, 들보, 마룻대. 〖L〗

pur·loin [pəːrlɔ́in, ⌐-] *vt.*《文語·戲》훔쳐내다, 훔치다(steal).
〖AF PUR*loigner* to put away (*loign* far)〗

pu·ro·mýcin [pjùərə-] *n.* Ⓤ〖生化〗퓨로마이신《항생제의 일종》.

***pur·ple** [pə́ːrpəl] *a.* **1** 자줏빛의. **2** [원뜻]《詩》심홍색의, 새빨간(scarlet). **3** 제왕(帝王)의 ; 고위[고관]의. **4** 화려한, 현란한. **5**《美俗》육감적인(erotic), 선정적인(lurid). —— *n.* **1** Ⓤ 자줏빛 ;〖史〗심홍색 : ancient[Tyrian] ~ 심홍색 / royal ~ 푸르스름한 자줏빛. **2** Ⓤ **a)** 자줏빛 예복《옛날에는 고위 고관의 귀족이 입었음》. **b)** [the ~] 왕권, 제위(帝位), 고위. **3** [the ~] 황제[국왕 등]의 지위[권력], 추기경(樞機卿)의 직[지위] : be raised to *the* ~ 제위에 오르다 ; 추기경이 되다. **4** [*pl.*] (피부의) 자반(紫斑). **5** Ⓒ〖貝〗자줏빛 물감의 원료가 되는 소라류.
be born in the purple 제왕[왕후 귀족]의 집안에 태어나다 ;《비유》특권 계급에 있다.
marry into the purple 고귀(高貴)한 집안으로 시집가다.
—— *vt., vi.* 자줏빛으로 만들다[되다].
〖OE<L PURPURA ; *-r-*의 이화(異化)는 ME기(期)〗

púrple émperor *n.*〖昆〗번개오색나비.

Púrple Héart *n.*〖美軍〗명예 부상장(負傷章).

púrple lóosestrife *n.*〖植〗털부처꽃.

púrple mártin *n.*〖鳥〗자색제비《북미산의 자줏빛을 띤 청색의 큰 제비》.

púrple médic *n.*〖植〗= ALFALFA.

púrple mémbrane *n.*〖生〗자막《halobacteria가 생육할 때 세포막에 형성되는 자색의 막》.

púrple pássage *n.* (평범한 작품 중의) 훌륭한 장구(章句) ; 몹시 화려한 문장 ;《濠俗》행운[성공]의 기간.

púrple pátch *n.* 화려한 장구(章句)[문장](purple passage).

púr·plish, púr·ply *a.* 자줏빛의, 자줏빛을 띤.

pur·port [pə́ːrpɔːrt] *n.* 취지, 의미, 의도 ;《稀》목적 : the ~ *of* his letter 그의 편지의 취지.
—— [pərpɔ́ːrt ; pə́ːpət] *vt.* **1** [+目 / +*that* 節] …의 취지로 하다, 의미하다 : The letter ~*s that*.... 그 편지에는 …이라는 취지의 글이 쓰여져 있다 / a letter ~*ing* that …이라는 취지의 편지. **2** [+*to* do] …이라고 칭하다, 주장하다 : a letter ~*ing to* come from his father 그의 아버지에게서 온 것이라는 편지 / The document ~*s to* be official but is really private. 그 문서는 공식적인 것이라고 하지만 실은 비공식적인 것이다.
〖AF<L (*pro*-[2], PORT[4])〗
類義語 ⟹ MEANING.

purpórt·ed *a.* …라는 소문[평판]이 있는. **~·ly** *adv.* 소문에 의하면, 그 말하는 바로는.

‡pur·pose [pə́ːrpəs] *n.* **1** [+前+do*ing*] 목적(aim), 의도 ; 용도(用途) : *for* that ~ 그것을 위해서 / *for* ~*s of* education=*for* educational ~*s* 교육의 목적상, 교육을 위해서 / *For* what ~ are you doing that?=What is your ~ ***in*** do*ing* that? 무슨 목적으로 그런 일을 하고 있는가 / answer[serve] the[one's] ~ 목적에 부합되다, 뜻한 바에 부합되다, 소용이 되다 / bring about [attain, accomplish, carry out] one's ~ 목적을 달성하다 / a novel with a ~=a ~ novel 목적소설. **2** Ⓤ 결심, 결단, 결의(resolution) : weak of ~ 결단력이 약하다 / wanting in ~ 결단력이 없는. **3** Ⓤ 효과, 성과(effect) : There is no ~ *in* oppos*ing*. 반대해도 소용없다[무의미하다]. **4** 요점, 문제점, 논점. **5** 취지, 의미 : speak to the same ~ 같은 취지[의미]의 말을 하다.
be at cross-purposes ☞ CROSS-PURPOSE.
for (***all***) ***practical purposes*** (이론은 별도로 하고) 실제(상으)로는.
for[***with***] ***the purpose of*** do*ing* …하기 위해서 : He bought the land *for the* ~ *of* build*ing* his store on it. 그는 상점을 지을 목적으로 그 토지를 샀다.
of (***set***) ***purpose*** = *on* PURPOSE.
on purpose 고의로, 일부러(↔*by chance, by accident*) : He insulted me *on* ~. 고의로 나를 모욕했다.

〈회화〉
I said it *on purpose.* — Whatever for? 「일부러 그런 말을 했어」「도대체 무엇 때문이지」

on purpose to do …할 예정[작정]으로 : He came up to New York *on* ~ *to* arrange the matter with me. 그는 그 일을 나와 타협하기 위해서 뉴욕으로 왔다 / She planted the tree *on* ~ *for* you *to* remember the day. 그녀는 당신이 그

날을 잊어버리지 않도록 나무를 심었던 것이다.
to all intents and purposes ☞ INTENT[1].
to little [***no***] ***purpose*** 거의[전혀] 효과가 없이.
to some [***good***] ***purpose*** 상당히[충분히] 성공하여, 얼마간[충분히] 효과적으로.
to the purpose 적절히, 요령있게.
── *vt.* [+目 / +*to* do / +do*ing* / +*that* 節] 의도[결의]하다, …하려고 (생각)하다 : He ~*s* (*to* arrange) an interview. 회견을 준비할 생각이다 / They ~*d* open*ing* a restaurant. 레스토랑[요리점]을 개점하려고 생각했다 / His father ~*d that* he should be a clergyman. 그의 아버지는 그를 목사로 만들 생각이었다.
〖OF<L *propono* to PROPOSE〗
類義語 (1) (*n.*) ⟹ INTENTION.
(2) (*v.*) ⟹ INTEND.

púrpose-buílt, -máde *a.* 특정한 목적에 맞게 세워진[만들어진].

púrpose·ful *a.* 목적이 있는 ; 의도적인, 고의의 ; (성격 따위) 단호한, 과단성 있는 ; 의미심장한, 중대한.

púrpose·less *a.* 목적이 없는, 무의미한, 무익한.

púrpose·ly *adv.* 고의로, 일부러.

pur·pos·ive [pə́ːrpəsiv] *a.* 목적[의도]이 있는 ; 목적에 맞는 ; (사람이) 결단력이 있는, 단호한.
~·ly *adv.*

pur·pu·ra [pə́ːrpjərə] *n.* Ⓤ〖醫〗자반병(紫斑病).
〖L<Gk. =shellfish yielding dye〗

pur·pure [pə́ːrpjuər] *n., a.* 〖紋〗자색(의).

pur·pu·ric [pəːrpjúərik] *a.* 자반병의 ; 자줏빛의 : ~ fever 자반열.

pur·pu·rin [pə́ːrpjərən] *n.* 붉은 물감.

purr [pə́ːr] *vi.* (고양이 따위가) 그르렁거리다, 목구멍을 울리다 ; (자동차 엔진이) 부르릉하다 ; (사람이 만족스러운 듯이) 목구멍을 울리는 듯한 소리로 말하다. ── *vt.* 목구멍을 울리며 소리내다, 목구멍을 울리며 말하다 : She ~*ed* her contentment. 만족스러운 듯 기쁘게 말했다.
── *n.* 목구멍을 울리기[울리는 소리]. 〖imit.〗

pur sang [*F* pyr sɑ̃] *a., adv.* 순수한, 진짜의[로].
注 명사·형용사 뒤에 놓임.
〖F (PURE, *sang* blood)〗

***purse** [pə́ːrs] *n.* **1** 돈지갑, 돈주머니 : a long [fat, heavy] ~ 두둑한 돈지갑 ; 부유 / a slender [lean, light] ~ 가벼운 돈지갑 ; 가난 / dip into one's ~ ☞ DIP *vi.* 숙어. **2** 금전, 부(富) ; 자력, 재산 : the public ~ 국고(國庫). **3** 현상금, 기부금. **4** (동식물 따위의) 낭(囊)(pouch), 낭상부(囊狀部) ; 《美》=HANDBAG.
make (***up***) ***a purse for...*** (자선 사업 따위)를 위해 기부금을 모으다.
open one***'s purse*** 돈을 내다[쓰다].
put up [***give***] ***a purse*** 상금[기부금]을 주다.
── *vt.* [+目 / +目+副] (입술을) 오므리다, (눈살을) 찌푸리다 : She ~*d* (***up***) her lips. 입술을 오므렸다. ── *vi.* 오므라들다 ; 주름지다.
〖OE<L *bursa*<Gk. =leather bag〗

púrse bèarer *n.* 회계 담당자, 경리 담당자 ; 《英》의식 때에 대법관(Lord Chancellor) 앞에서 국새(國璽)를 받드는 관리.

púrse cràb *n.* 〖動〗 야자나무게《인도양·태평양의 열대 제도산의 육상 게로 coconut을 먹고 삶》.

púrse·ful *n.* 돈주머니에 하나 가득(한 돈).

púrse nèt *n.* (어업용) 후릿그물.

púrse prìde *n.* 부를 자랑하기, 재산[돈] 자랑.

púrse-pròud *a.* 돈자랑하는.

purs·er [pə́ːrsər] *n.* (배·비행기의) 퍼서, 사무장 ; 《古》(해군의) 재무관(paymaster).

púrse sèine *n.* 어업용 후릿그물.

púrse-snàtch·er *n.* 《美》(핸드백을 채가는) 날치기《사람》.

púrse-strìng *a.* 돈주머니 끈 모양의 ; 돈[재정]을 쥐고 있는.

púrse strìngs *n. pl.* 돈주머니의 끈.
hold the purse strings 금전 출납을 맡아보다.

purs·lane [pə́ːrslein, -lən] *n.* 〖植〗 쇠비름《샐러드용》. 〖OF<L *porcil*(*l*)*aca*〗

pur·su·ance [pərsúːəns ; -sjúː-] *n.* Ⓤ 추구 ; 종사 ; 이행, 수행(遂行).
in (***the***) ***pursuance of*** …에 종사하여 ; …을 이행하여.

pur·sú·ant *a.* (…에) 준[응]하는, 따르는, …에 의한〈*to*〉; 추적하는, 쫓는.
── *adv.* …에 따라서, …에 준하여〈*to*〉.
~·ly *adv.* 따라서, (…에) 준하여〈*to*〉.

***pur·sue** [pərsúː ; -sjúː] *vt.* **1** 추적하다, 뒤쫓다, 몰다 : ~ a robber 도둑을 뒤쫓다. **2** (목적·쾌락 따위를) 추구하다 ; 끈질기게 괴롭히다 ; (불행 따위가) …을 따라다니다 : ~ one's ends 목적을 추구하다 / ~ pleasure 쾌락을 추구하다 / He ~*d* the teacher with a lot of questions. 여러 가지 질문을 하여 선생님을 괴롭혔다 / Misfortune ~*d* him whatever he did. 그가 하는 일마다 불운이 따라다녔다. **3** (계획·조사·연구 따위를) 수행(遂行)하다 ; 종사하다 ; 속행(續行)하다 : He ~*d* his new plan to no end. 새로운 계획이 계속되었지만 소용없었다 / I will ~ my experiments. 실험을 속행할 예정입니다. **4** (길을) 따라가다, 더듬어 가다 ; (방법)에 따르다 : She ~*d* the same fate as he. 그와 같은 운명의 길을 걸었다.
── *vi.* **1** 추적하다, 쫓아가다〈*after*〉. **2** 〖스코法·教會法〗(…을) 기소하다〈*for*〉. **3** 《稀》계속하다(continue), 계속해서 말하다.
pur·sú·able *a.* 추적[추구]할 수 있는.
〖OF<L ; ⇨ PROSECUTE〗

pur·sú·er *n.* 추적자 ; 추구[수행]자, 속행자 ; 연구자 ; 종사자 ; 〖教會法·스코法〗원고(原告), 기소자(prosecutor).

***pur·suit** [pərsúːt ; -sjúːt] *n.* **1** Ⓤ 추적, 추격 ; 추구, 토의 연구 : the ~ *of* happiness 행복의 추구《미국 독립 선언문(1776년)에서》/ the ~ *of* knowledge 지식의 추구. **2** Ⓤ 속행, 수행 ; 종사, 영위 : the ~ *of* one's business 영업. **3** 하는 일 ; 직업, 일 ; 학업 ; 연구 ; 취미 : daily ~*s* 매일의 일 / literary ~*s* 저술업, 문필업.
by pursuit 직업은 : He was a hunter *by* ~. 그의 직업은 사냥꾼이었다.
in pursuit of …을 찾아서, …을 얻으려고 : The ship cruised about *in* ~ *of* whales. 그 배는 고래를 잡기 위해서 여기저기 순항했다.
〖OF (*pur*-, SUIT) ; ⇨ PERSUE〗

pursúit plàne *n.* 추격기(機), (널리) 전투기.

pursúit ràce *n.* (자전거의) 추월 경주.

pur·sui·vant [pə́ːrswivənt ; -si-] *n.* 《英》문장관보(紋章官補) ; 《稀》문장관의 종자(從者) ; 〖史〗칙사 ; 《古·詩》종자(從者).
〖OF (pres. p.) 〈PURSUE〗

pur·sy[1] [pə́ːrsi], **pus·sy** [pʌ́si] *a.* **1** (뚱뚱하여·천식으로) 숨이 가쁜, 숨찬. **2** 뚱뚱한(fat).
púr·si·ly *adv.* **púr·si·ness** *n.*
〖AF *porsif* <OF *polsif* (L *pulso* to PULSATE)〗

pursy[2] *a.* 주름진 ; (입 따위를) 오므린, (눈살 따위를) 찌푸린 ; 부유한, 돈자랑하는. 〖PURSE〗

pur·te·nance [pə́ːrtənəns] *n.* 《古》(도살한 동물

의) 내장.

pu·ru·lence, -cy [pjúərjələns(i)] *n.* Ⓤ 화농(化膿); 고름(pus).

pú·ru·lent *a.* 화농성의, 화농한, 곪은.
〖L; ⇨ PUS〗

pur·vey [pə(:)rvéi] *vt.* **1** [+目/+目+前+名] (식료품 따위를) 조달하다, 공급하다: A wine dealer ~*s* wine ***to*** his customers. 술장수는 손님에게 술을 판다/They ~ food ***for*** the army. 그들은 육군에 식량을 조달하고 있다. **2** (거짓말·추문 따위를) 전하다, 제공하다. —— *vi.* [+*for*+名] 식료품 《따위》의 조달을 하다: The company ~*s* ***for*** the Royal Household. 그 상회에서는 왕실의 조달을 맡아하고 있다.
〖AF<L PROVIDE〗

purvéy·ance *n.* Ⓤ (식료품 따위의) 조달; 〖英史〗 징발권(徵發權)《국왕의 강제 매상권; 1660년 폐지》; 《古》 조달물자: the ~ *of* supplies *for* the army 육군에로의 일용품 납품.

purvéy·or *n.* **1** 어용상인; (왕실·군대 따위의) 조달업자: the *P*~ to the Royal Household 《英》 왕실 어용 상인. **2** 식료품 대는 상인, 조달자. **3** 〖英史〗 식량 징발관(官).

pur·view [pə́ːrvjuː] *n.* (활동·행동·관심 따위의) 범위(scope); 권한; 시계(視界), 시야; 〖法〗 (법령의) 본문, 조항: within[outside] the ~ of …의 범위 안[밖]에/fall within the ~ of Act 1 제1조에 해당하다.
〖AF (p.p.) 〈PURVEY〗

pus [pʌ́s] *n.* Ⓤ 고름, 농(膿), 농즙(膿汁).
〖L *pur-pus*〗

Pú·sey·ìsm [pjúːzi-] *n.* 《蔑》 퓨지주의《Oxford 의 교수 Pusey(1800-82)가 제창한 종교 운동(Oxford movement)》.

Púsey·ìte *n.* 퓨지주의자.

◇**push** [púʃ] *vt.* **1** [+目/+目+副/+目+前+名/+目+補/+目+過分] 밀다(↔*pull*); 밀고 나아가다; 밀어 움직이다; 밀어내다: We ~*ed* the stone, but it was too heavy to move. 돌을 밀었으나 너무 무거워 꼼짝도 하지 않았다/He ~*ed* the button. 단추를 눌렀다《벨을 울릴 경우 따위》/He ~*ed* it a little *nearer* ***to*** the window. 그것을 좀더 창쪽으로 가까이 밀었다/Don't ~ me *forward.* 나를 앞으로 밀지 마시오/We ~*ed* him ***out of*** the room. 그를 방에서 밀어냈다/She ~*ed* the door shut. 문을 밀어서 닫았다/He ~*ed* the lid *to.* 뚜껑을 밀어서 닫았다.
2 [+目/+目+前+名] (길을) 밀어젖히며 나아가다: He ~*ed* his way in ***among*** the crowd. 군중 속을 헤치며 나아갔다.
3 [+目/+目+副] (목적·요구 따위를) 추진해 나가다, 추구하다; (정복 따위를) 확장하다; (상품 따위를) 억지로 떠맡기다, 팔다: ~ one's fortune 부지런히 재산을 모으다/He ~*ed* his own interests. 자기의 이익을 추구했다/He gave up ~*ing* his exploration *further.* 그 이상 탐험을 추진하는 것을 그만두었다/Alexander ~*ed* his conquests still farther *east.* 알렉산더는 더욱 동쪽으로 정복을 확장해 나아갔다.
4 a) [+目+前+名/+目+*to* do] (남에게) 졸라대다, 강요하다(urge); (막다른 데까지) 몰아치다, (끊임없이) 독촉하다: He ~*ed* her ***for*** payment. 그녀에게 끊임없이 지급을 독촉했다/He was ~*ed* ***to*** the verge of exhaustion. 그 이상 견딜 수 없을 만큼 지쳐 버렸다/You must ~ yourself *to* reply the question. 어떻게 해서라도 그 질문에 대답하지 않으면 안된다. **b)** [+目+*for*+名] [수동태로] 압박하다, 곤란하게 하다: I *am* ~*ed* ***for*** time[money]. 시간[돈]이 없어서 곤란을 받고 있다. **c)** [+目/+目+副] 뒤에서 밀어주다, 후원하다: He has no friend who can ~ him. 그에게는 후원해 줄 만한 친구가 없다/My father ~*ed* me *on.* 아버지께서는 계속 내 뒤를 밀어주셨다/He often ~*es* himself *forward.* 그는 자주 주제넘게 나선다.
5 〖聖〗 뿔로 받다, 공격하다.
6 《口》 (마약 따위를) 밀매하다, 행상하다; 《美俗》 밀수하다.
7 《美俗》 (가짜 돈·수표 따위를) 쓰다; 《美俗》 (택시·트럭 따위를) 운전하다; 〖테니스·크리켓·野 따위〗 (볼을) 밀어내듯이 치다; 《美俗》 (사람을) 해치다, 죽이다〈*off*〉.
8 〖컴퓨〗 (데이터 항목을) 밀어넣다.
9 [진행형] 《口》 (수·연령이) …에 접근하다: He is ~*ing* sixty. 그는 예순 살을 바라본다.
—— *vi.* **1** [動/+前+名/+副] 밀다; 밀고 나아가다, 전진하다; 돌출하다, 뚫고 나오다, (식물 따위가) 자라다: I ~*ed* ***with*** all my might. 힘껏 밀었다/Don't ~ ***at*** the back. 뒤에서 밀지 마라/Stop ~*ing* ***against*** the fence. 벽에 기대지 마라/A boy ~*ed* ***behind***[***by***] me. 소년이 내 뒤[곁]를 밀어젖히며 지나갔다/The cape ~*es* ***out into*** the sea. 곶이 바다로 돌출해 있다/Some sprouts have ~*ed* ***up toward*** the sun. 새싹이 햇볕쪽으로 돋아났다/The army had to ~ ***on to*** the front. 군대는 일선[전방]으로 계속 전진하지 않으면 안되었다/Let's ~ *on* ***with*** our homework. 자, 숙제를 해치우자. **2** 크게 노력하다; (임부가 분만시에) 배에 힘을 주다〈*down*〉; 맹렬하게 행하다; 공격하다. **3** 《俗》 마약을 팔다; 《俗》 재즈를 절묘하게 연주하다.
push around 《口》 (남을) 난폭하게[경멸적으로] 다루다, 혹사하다, 학대하다.
push in (배가) 기슭으로 가까이 가다; (사람이) 비집고 들어가다.
push off (배를) 밀어내다; 《口》 떠나가다, 출발[출범(出帆)]하다: It's time to ~ *off.* 이제 작별할[떠날] 시간입니다.
push through ⑴ (*vi.*) 밀어젖히며 나아가다, 꿰뚫고 나가다, (잎 따위가) 나오다. ⑵ (*vt.*) (제안 따위를) 억지로 (…을) 통과시키다; (일 따위를) 완수하다; (남을) 도와서 (시험에) 합격시키다.
—— *n.* **1** 밀기; 떼밀기; 찌르기; 추진(하기); 〖컴퓨〗 밀어넣기: give a ~ 한 번 찔러 보다, 일격을 가하다/at one ~ 단번에 밀어서, 단숨에. **2** 기력, 진취적 기상, 분발, 밀기, 견디어 내기: a man full of ~ and go 정력가/make a ~ 분발하다; 견디어 내다〈*at, for*〉. **3** 〖軍〗 공격; 압력, 압박; [the ~] 《口》 해고, 목잘림: at the first ~ 최초의 공격에; 첫째로. **4** 추천, 후원. **5** 절박, 위기: at a ~ 위급할 때에는/at a ~ *for* money 돈이 궁해져. **6** 〖撞球〗 밀어치기. **7** 〖테니스·크리켓·野 따위〗 푸시《밀어내듯이 치기》. **8** =PUSH BUTTON. **9** 《口》 군중, 한패; 《英俗·濠俗》 (도둑·범인의) 일단, 악당들.
come[***bring, put***] ***to the push*** 위급하게 되다, 궁지에 몰리다.
give[***get***] ***the push*** 《口》 해고하다[되다].
—— *a.* **1** 미는; 밀어서 움직이는. **2** 《俗》 쉬운, 간단한.
〖OF *poulser*<L; ⇨ PULSATE〗

類義語 ***push*** 앞쪽 또는 옆쪽으로 밀다: *push* a button (단추를 누르다). ***shove*** 물건을 밀어서 땅이나 마루의 표면을 매끄럽게 하다; 또는 난

폭하게 밀다 : *shove* the desk in the corner (책상을 구석으로 밀다). ***thrust*** 갑자기 또는 난폭하게 밀다 ; 또는 칼 따위로 푹 찌르다 : *thrust* a dagger into the victim's back (희생자의 등을 단검으로 찔렀다). ***propel*** 어떤 것을 앞쪽으로 밀어내다 : The wind *propelled* the boat. (바람이 배를 앞으로 나아가게 했다).

púsh·bàll *n.* [U,C] 푸시볼《지름 약 6피트의 공을 각 11명으로 구성된 두 팀이 상대방의 골에 밀어넣는 구기 ; 또는 그 공》.

púsh-bìke *n.* 《英口》 (페달식 보통의) 자전거(cf. MOTORBIKE).

púsh bùtton *n.* 누름 단추(press-button).

púsh-bùtton *a.* 누름 단추식의 ; 원격(遠隔) 조종에 의한 : a ~ radio 누름 단추식 라디오 / ~ tuning 〖電子〗 누름 단추식 동조(同調)[파장 조정] / ~ war 누름 단추식 전쟁《원자 유도탄 따위 원격 조종에 의한 전쟁》.

púsh càr *n.* 〖鐵〗 자재 운반용 작업차.

púsh·càrd *n.* =PUNCHBOARD.

púsh·càrt *n.* (노천 상인 · 슈퍼마켓 따위의) 손으로 미는 수레.

púsh·chàir *n.* 《英》 (접는 식의) 유모차(=《美》 stroller).

púsh cỳcle *n.* =PUSH-BIKE.

púsh·dòwn *n.* 〖컴퓨〗 끝먼저내기, 푸시다운《가장 늦게 입력시킨 정보가 가장 먼저 검색[출력]되도록 된 정보 기억 체계》.

púsh·er *n.* 미는 사람[물건], 뒤에서 밀기 ; 〖空〗 추진식 비행기 ; 추진기(推進器) ; 고집이 센 사람, 주제넘게 나서는 사람 ; 《口》 마약 밀매꾼 ; 《俗》 여자, 처녀 ; 《美俗》 가짜 돈 사용자.

púsh·ful *a.* 《口》 진취적인, 활동적인 ; 고집이 있는, 주제넘게 나서는.

púsh-ìn crìme[jòb] *n.* 《美俗》 (문을 열자마자 덮치는) 주택 침입 강도.

púsh·ing *a.* **1** 미는 ; 찌르는. **2** 진취적인, 활동[정력]적인. **3** 고집이 센, 뻔뻔스러운, 주제넘게 나서는.

Push·kin [púʃkən] *n.* 푸슈킨. **Aleksandr Sergeevich** ~ (1799-1837) 러시아의 시인 · 소설가.

púsh·òut *n.* 《美口》 (학교 · 가정 · 직장 따위에서) 쫓겨난 사람.

púsh·òver *n.* 《口》 쉬운 일, 「식은 죽 먹기」, 낙승(樂勝) ; 잘 속는 사람, 감언이설에 넘어가는 사람 ; 지기만 하는 팀[선수] ; 〖空〗 급강하의 시초.

púsh·pìn *n.* 《美》 (보통 대가리 부분이 빨갛거나 파란) 그림[제도]용 압정(cf. DRAWING PIN).

púsh-púll *a.* 〖電子〗 푸시풀 방식의《두 개의 전자관이 한쪽을 누르면 다른쪽이 당기듯 작동함》. ── *n.* 푸시풀 증폭기.

púsh shòt *n.* 〖籠〗 푸시숏《원거리에서 한 손으로 높이 던지는 숏》.

Push·to [pʌ́ʃtou], **-tu** [pʌ́ʃtuː] *n.* (*pl.* **~s**) [U] 아프가니스탄어(語).

púsh-ùp, púsh·ùp *n.* (체조 따위에서) 엎드려 팔굽혀펴기 ; 〖컴퓨〗 처음먼저내기.

púshy *a.* 《口》 배짱이 센, 박력 있는 ; 진취적인 ; 뻔뻔한. **púsh·i·ly** *adv.* **-i·ness** *n.*

pu·sil·la·nim·i·ty [pjùːsələnímәti] *n.* [U] 무기력, 겁이 많음, 소심, 나약.

pu·sil·lan·i·mous [pjùːsəlǽnəməs] *a.* 무기력한, 겁이 많은(cowardly), 소심한. 〖L (*pusillus* petty, ANIMUS)〗

puss[1] [pús] *n.* **1** 고양이(cat). **2** 《口 · 애칭 · 兒》 소녀. **3** 《俗》 연약한 젊은 남자.
puss in the corner 《美》 (아이들의) 자리 빼앗기 술래잡기.
〖C16 < ? ; cf. MLG *pūs*, Du. *poes*〗

puss[2] *n.* 《俗》 얼굴, 낯짝 ; 입 ; 《美》 찡그린 얼굴. 〖Ir. *pus* lip, mouth〗

púss móth *n.* 〖昆〗 나무눈하늘나방.

pussy[1] [púsi] *n.* **1** 《兒》 고양이. **2** (버들강아지 따위의) 꽃차례 ; 고양이 같은 것. **3** 《英》 =TIPCAT. 〖PUSS[1]〗

pus·sy[2] [pʌ́si] *a.* 〖醫〗 고름이 많은[같은]. 〖PUS〗

pussy[3] [púsi] *n.* 《卑》 여성의 음부(vulva) ; 여자 ; 성교. 〖C19 *puss* (< ? Scand.) + -*y*[3] ; OE *pusa* bag, PURSE〗

pússy bùtterfly *n.* 《俗》 IUD《피임용 링》.

pússy·càt [púsi-] *n.* 《兒》 고양이(pussy) ; 《俗》 인상이 좋은 사람, 호인 ; =PUSSY WILLOW.

pússy·fòot [púsi-] *vi.* 살금살금 걷다 ; 기회주의적인 태도를 취하다. ── *n.* (*pl.* **~s**) **1** 살금살금 걷는 사람 ; 기회주의자. **2** 《美》 금주(가) (禁酒(家)) (prohibition(ist)).

pússy wíllow [púsi-] *n.* 〖植〗 버들강아지《갯버들의 일종》.

pus·tu·lant [pʌ́stʃələnt] *a.* 농포(膿疱)가 생기는. ── *n.* 농포 형성제, 발포제.

pus·tu·lar [pʌ́stʃələr] *a.* 〖醫〗 농포성(膿疱性)의.

pus·tu·late [pʌ́stʃəlèit] *vt., vi.* 농포가 생기게 하다[생기다]. ── [-lət, -lèit] *a.* 농포가 생긴, 농포투성이의.

pus·tu·la·tion [pʌ̀stʃəléiʃən] *n.* [U] 농포(가 생김).

pus·tule [pʌ́stʃuːl] *n.* 〖醫〗 농포 ; 〖植 · 動〗 사마귀, 작은 돌기물. 〖OE or L〗

pus·tu·lous [pʌ́stʃələs] *a.* 농포투성이의 ; 농포(성)의.

◇**put**[1] [pút] *v.* (~ ; **pút·ting**) *vt.* **1** [+目+副 / +目+前+名] (어떤 장소에) 놓다, 두다, 놓아두다, 얹다 ; (집어) 넣다, 섞다 ; 눕히다, 가로놓다 ; 가져가다 ; 가까이하다, 붙이다, 대다 : *P*~ your pencils ***down.*** 연필을 내려놓으시오 / She ~ the dish ***on*** the table. 그녀는 접시를 식탁 위에 놓았다 / The physician ~ his hand *on* her forehead. 의사는 그녀의 이마에 손을 얹었다 / You must not ~ your finger ***in*** (***to***) your mouth. 손가락을 입에 넣어서는 안된다 / I ~ the letter *in* my bag. 편지를 가방에 넣었다 / He ~ the man *into* prison. 그 사내를 감옥에 넣었다 / We ~ our daughter ***to*** school. 우리 딸을 학교에 넣었다 / The driver ~ the horse *to* his cart. 마부는 마차에 말을 매었다 / The doctor ~ his ear ***against*** the patient's chest. 의사는 환자의 가슴에 귀를 갖다 대었다.

2 [+目 / +目+前+名] 던지다, 내던지다 ; (칼 따위로) 찌르다, 꿰뚫다, 찔러 넣다 : ~ the shot [weight] 포환던지기를 하다 / ~ a knife ***into*** a body 몸에 칼을 푹 찔러 넣다 / A bullet was ~ ***through*** his arm. 총알이 그의 팔을 관통했다.

3 [+目+前+名 / +目+補] (물건을 어떤 상태로) 만들다, 정리하다, 조정하다 ; 적용하다 : ~ a room ***in***[***out of***] order 방을 정돈하다[어지럽히다] / The engineer ~ his skill ***to*** good use. 기사(技師)는 그의 기술을 충분히 활용했다 / They ~ it ***through*** the test. 그것을 시험해 보았다 / His remarks ~ the matter wrong. 그의 발언이 사태를 악화시켰다.

4 [+目+前+名] (사람을 어떤 상태에) 이르게 하다, (남에게 고통 따위를) 받게 하다 : ~ a person ***to*** torture[*to* flight, *to* death, ***into*** rage] 남을 고문하다[패주(敗走)시키다, 죽게 하다, 화나게 하다] / The young man has ~ me *to* much trouble. 그 청년 때문에 많은 어려움을 겪었다 / His father ~ him *to* apprentice. 아버지는 그를 도제(徒弟)로 보냈다.

5 [+目+前+名] 맡기다, 위탁하다 ; 과(課)하다 ; 탓으로 돌리다, (남에게) 덮어씌우다 ; (돈을) 투자하다, (내기 따위에) 걸다 : ~ one's money ***into*** land[a bank] 토지에 돈을 투자하다[은행에 돈을 예금하다] / He ~ his failure ***to*** my carelessness. 자기의 실패를 내 부주의 탓으로 돌렸다 / A tax is ~ ***on*** gasoline. 휘발유에는 세금이 부과되어 있다 / He ~ five shillings *on* the favorite. 우승 후보 말에 5실링을 걸었다.

6 a) [+目+前+名] 써넣다, 기입하다 ; (도장·인(印) 따위를) 누르다, 찍다, 서명하다 : ~ a tick ***against*** a name 이름에 체크를 하다 / ~ commas ***in*** a sentence 문장 중에 콤마를 찍다 / I ~ my signature ***to*** the document. 서류에 서명을 했다. **b)** [+目+前+名 / +目+副] 표명하다, 말하다, 진술하다(express) : Let me ~ it ***in*** another way. 달리 말해 볼게 / To ~ it *briefly*, ... 간단히[요점만] 말하면…. **c)** [+目+前+名 / +目+副] (말로) 옮기다, 번역하다(translate) : ~ Goethe ***into*** English 괴테(의 작품)을 영어로 번역하다 / Can you ~ this well ***in*** French? 이것을 프랑스어로 잘 옮길 수 있습니까.

7 [+目+前+名] (문제 따위를) 내다, 제출하다 ; (동의 따위를) 표결에 부치다 : He ~ the motion ***to*** the committee. 그 동의를 위원회에 상정했다 / I ~ it *to* you that …을 동의해 주기 바랍니다 / He ~ several questions ***before*** me. 나에게 몇 가지 질문을 했다.

8 a) [+目+*at*+名] 평가하다, 어림잡다, (…으로) 간주하다 : I ~ the losses ***at*** 10,000 dollars. 손해가 1만 달러는 되리라고 생각한다 / He ~*s* the distance *at* ten miles. 거리를 10마일로 추정하고 있다. **b)** [+目+*on*+名] (가격을) 매기다, 붙이다 ; (가치를) 인정하다 : The experts ~ a price ***on*** the painting. 감정가들은 그 그림에 값을 매겼다 / He ~*s* a high value *on* your ability. 당신의 능력을 높이 평가하고 있다.

— *vi.* **1** [+副 / +前+名] 《海》 (배가) 나아가다, (…으로) 향하다 : The ship ~ ***out to*** sea. 배는 출항했다 / ~ ***into*** port 입항하다. **2** (싹이) 나다. **3** 《美口》 퇴거하다 : ~ for home (서둘러) 집으로 돌아가다.

hard put (to it) ☞ HARD *adv.*

put about (*vt.*) (1) (배 따위를) 방향을 돌리게 하다. (2) (소문 따위를) 퍼뜨리다, 공표하다. (3) [보통 수동태로] 《스코》 곤란하게 하다, 혼란시키다 : You must not ~ your*self about.* 주저해서는 안된다, 끙끙 앓지 마라. (*vi.*) (4) (배 따위가) 방향을 돌리다 ; 되돌아가다.

put across (1) (강을) 건네주다 : He ~ me *across* the river. 강을 건네주었다. (2) (부정한 수단으로) 수행하다, 잘 이루어 내다, 훌륭히 성공시키다 ; (생각 따위를 상대에게) 이해시키다, 알게 하다 ; [~ it[this, one, etc.] across a person] 《口》 사람을 속이다, 사기하다 : You *can't* ~ that *across* me. 그런 일을 믿을 수는 없다, 그것은 믿기 어렵다.

put apart = SET *apart.*

put aside (한 곁에) 밀어두다 ; 치우다 ; 저장[저축]해 두다(put by) : ~ *aside* a book 책을 한 곁에 밀어두다 / How much did you ~ *aside* every month? 당신은 매달 얼마나 저축했습니까.

put away (1) 치우다 ; (장래를 위해서) 챙겨두다, 저축하다 : ~ a little money *away* 돈을 조금 저축하다[모아 두다]. (2) 《婉》 (교도소·정신병원 따위에) 집어 넣다. (3) 포기하다, 버리다 : He ~ *away* all prejudices. 편견을 완전히 버렸다. (4) 《婉》 (늙은 개 따위를) 죽이다, (사람을) 처치하다 ; (죽은 사람을) 매장하다(bury) ; 《口》 먹다, 마시다, (먹어) 치우다 ; 《英俗》 전당잡히다 ; 《古》 이혼하다, 인연을 끊다.

put back (*vt.*) (1) 원상태로 돌리다, 제자리로 되돌리다 : *P*~ the dictionary *back* on the shelf when you're through. 다 보았으면 사전을 책장에 도로 갖다 꽂으시오. (2) 후퇴[정체(停滯)]시키다 ; 늦추다, 연기하다(put off) ; 《美》 낙제시키다 ; (시계의) 바늘을 되돌리다 : *P*~ the clock *back* five minutes. 시계를 5분 뒤로 돌리시오(cf. CLOCK 숙어) / The earthquake ~ *back* railway transport. 지진이 철도 수송을 지체[정체]시켰다. (3) (체중 따위를) 원래대로 하다. (4) (남에게 얼마를) 쓰게 하다. (*vi.*) (5) (배 따위가) 돌아가다, 되돌아가다 : The boat ~ *back* to shore. 보트는 기슭으로 되돌아갔다.

put by (1) 챙겨두다, 모아[저축해] 두다 : ~ *by* money for the future 장래를 대비하여 돈을 저축하다. (2) 면직시키다, 무시하다 ; 피하다 : Jones was ~ *by* in favor of Smith. 존스가 면직되고 스미스가 채용되었다.

put down (*vt.*) (1) 내려놓다 : ☞ *vt.* 1 / *P*~ me *down* at Oxford Circus, please. 옥스퍼드 서커스에서 내려 주십시오. (2) 저장해[보전해] 두다 : She ~ *down* vegetables in salt. 야채를 소금에 절여 두었다《저장하기 위해》. (3) (힘·권력으로) 누르다, 가라앉히다 ; 헐뜯다, 깎아내리다 ; 《口》 꼼짝 못하게 하다 ; 〖聖〗 (위계를) 떨어뜨리다 : ~ *down* a strike 스트라이크[파업]를 가라앉히다 / ~ *down* a rabble 떠들어대는 무리를 잠자코 있게 하다. (4) 줄이다, 축소하다, (가격 따위를) 내리다. (5) 쓰다, 기입[기장(記帳)]하다 ; (예약·신청자로서) …의 이름을 기입하다 : ~ *down* an address 주소를 쓰다 / *P*~ me *down* *for* 50 dollars. 50달러(의 기부)로 저의 이름을 써넣어 주세요 / *P*~ them *down* to me. 그것을 제 앞으로 달아주세요. (6) [+目+*at*+名 / +目+*as* 補] 생각하다, 여기다, 간주하다 : I ~ the child *down* ***at*** nine. 그 아이를 아홉 살로 보았다 / They ~ him *down as* an idiot. 그를 천치라고 생각했다. (7) 돌리다, 귀착시키다(attribute) : He ~ the mistake *down to* me. 그 잘못을 내게로 돌렸다 / His long life is ~ *down to* moderation. 그의 장수(長壽)는 절제했기 때문이라고 생각된다. (*vi.*) (8) (비행기·조종사가) 착륙하다.

put down the drain ☞ DRAIN.

put forth 《古》 (손 따위를) 내밀다 ; (싹·잎 따위가) 돋아나다 ; 출판하다 ; 《美》 (의견 따위를) 발표하다, 제출하다 ; (힘 따위를) 발휘하다 ; 출발하다, 출항[출범]하다 : The raspberries are ~*ting forth* new canes. 나무딸기가 새 가지를 내고 있다 / We should ~ *forth* our best efforts. 최선의 노력을 다해야 한다.

put forward (1) 앞쪽으로 내놓다 ; 눈에 띄게 하다 ; 추천하다 : They ~ him *forward for* chairman. 그를 의장으로 추천했다. (2) 제창(提唱)하다, 주창하다 : He had no desire to ~ *forward* his plan. 계획을 추진하는 것을 바라지 않았다. (3) 촉진하다 ; …의 날짜를 빠르게 하다 ; (시계 바늘을) 빨리 가게 하다 : ~ an hour *forward* (시계 바늘을) 1시간 빠르게 하다.

put in (*vt.*) (1) 들이다, 꽂다 : He ~ his head *in* at the door. 문에서 머리를 들이밀었다. (2)

(말 따위를) 참견하다 ; (타격 따위를) 가하다 ; 제출하다 : ~ *in* a (good) word for one's friend 친구를 위해서 말을 거들다(☞ WORD 숙어) / We ~ *in* a plea. 탄원서를 제출했다. (3) 임명하다 ; (가정 교사 등을) 두다. (4) 실행하다 : ~ a new plan *in* practice 새 계획을 실행하다. (5) (시간을) 보내다 : ~ *in* a day *at* mah-jongg 마작(麻雀)으로 하루를 보내다. (*vi.*) (6) 입항(入港)하다 ; (피난·보급 따위를 위해) 들르다, 머물다 (cf. PUT[1] *vi.*) : The ship ~ *in at* Manila for stores. 그 배는 보급을 받기 위해 마닐라에 기항(寄港)했다.

put in for... (일자리·직업 따위를) 신청하다, 지원하다.

put it on 《口》 [보통 ~ it on thick] (1) 감정을 과장하여 표현하다, 몹시 잘난 체하다 ; 허풍을 떨다, 큰소리만 치다. (2) 터무니없는 값을 부르다 : Some of the hotels ~ *it on* during the holiday season. 호텔들 중에는 휴가 시즌 동안에 터무니없는 값을 부르는 곳도 있다. (3) 살찌다.

put off (*vt.*) (1) 제거하다, 벗기다, (던져) 버리다 : You must ~ *off* childish fears. 어린애 같은 공포심은 떨쳐버리지 않으면 안된다《㊟ 의복을 목적어로 할 때에는 take off를 보통 씀》. (2) 연기하다, 지연시키다 ; 기다리게 하다 : Don't ~ *off* answer*ing* the letter. 답장 쓰는 것을 미루지 마라 / We have ~ the Robinsons *off* until Saturday. 로빈슨가(家)와의 약속을 토요일까지 연기했다. (3) 회피하다, 변명하다, 따돌리다, 떨쳐버리다 ; (남의) 주의를 다른 데로 쏠리게 하다, 방해하다 ; (남에게서) …할 의욕을 빼앗다, 싫어하게 만들다 : He is not to be ~ *off with* words. 말 따위로는 속아 넘어가지 않는다 / The mere smell of that cheese ~ me *off* the food. 그 치즈 냄새만 맡아도 그 음식에 대한 식욕이 사라져 버린다. (*vi.*) (4) (배 따위가) 해안을 떠나다, 출항하다 : They ~ *off* the pier *on* a long journey. 부두를 떠나 긴 항로에 올랐다.

〈회화〉
Do you mind if we *put off* the meeting until next week? — No, I don't. 「회합을 내주까지 연기해도 되겠습니까」「네, 그럼요」

put on (1) 입다, (구두·양말·모자 따위를) 신다, 쓰다(↔*take off*) : ~ *on* ordinary clothes 평상복을 입다 / ~ *on* one's bedroom slippers 침실용 슬리퍼를 신다 / ~ *on* a pair of glasses 안경을 쓰다. (2) 《口》 …한 것처럼 보이다, …티를 내다, …인 체하다 : His innocent air is all ~ *on*. 그의 천진난만한 태도는 연기에 불과하다. (3) 늘다, 증가하다 ; (경기(競技) 따위에서) 점수를 따다 ; 촉진하다, 빠르게 하다 : ~ *on* the pace 걸음을 빨리 하다 / He is ~*ting on* weight. 체중이 늘고 있다 / They ~ *on* 90 runs. (크리켓에서) 90점을 땄다 / The clock was ~ *on* one hour. 시계가 1시간 빠르게 맞춰졌다《서머타임 따위로》. (4) (특별 열차를) 마련하다 ; (연극을) 상연하다 ; 〖크리켓〗 (투수의 위치에) 세우다 : ~ another man *on to* bowl 다른 사람을 투수로 세우다.

put one***self over*** (청중들에게) 자기의 인품에 대한 인상을 주다.

put a person ***on to***[***onto***] 남을 …에게 주선하다, …에게 남의 전화를 연결하다 ; 남에 대해 …에게 밀고하다 ; …으로 남의 주의를 쏠리게 하다, …을 남에게 알리다.

put out (*vt.*) (1) 내놓다, 내보내다 ; (싹 따위를) 내다, 내밀다 : I ~ my tongue *out for* the doctor. 의사에게 혀를 내밀어 보였다. (2) 쫓아내다 ; 해고하다. (3) (관절(關節)을) 삐다 ; 다치다 : He ~ his ankle *out* during the match. 시합중에 발목을 삐었다. (4) 끄다, 소멸[소등(消燈)]하다 (turn out) : ~ *out* the lights[the candle] 전등[촛불]을 끄다. ㊟ 일반적으로 이런 종류의 표현으로 목적어가 인칭 대명사면 그것을 부사 앞에 놓고, 목적어가 명사 따위라면 부사는 그 앞에 놓아도 좋고 뒤에 놓아도 좋음《보기 ~ *out* the light / ~ the light *out* / ~ it *out*》 ; 그러나 그 경우에라도 부사가 목적어 앞에 있으면 목적어 쪽이 강조되고 부사가 목적어 뒤에 있다면 부사 자체의 뜻이 명확해짐. (5) 밖으로 내놓다, (남에게) 넘기다 : We ~ *out* our washing. 우리는 세탁물을 세탁소에 보낸다. (6) 대출(貸出)하다 : He ~ *out* $1000 at 5 per cent. 5부 이자로 1000달러를 대부[대출]했다. (7) 산출하다(cf. OUTPUT 1) ; 출판하다. (8) 분기(奮起)하다 ; 분발하다 ; 발휘하다 : ~ *out* one's best efforts 최선의 노력을 다하다. (9) [흔히 수동태로] 혼란시키다, 당황하게 하다 ; 곤란하게 하다, 초조하게 하다, 화나게 하다 : The least sound ~*s* her *out*. 조그마한 소리에도 그녀는 당황한다 / I was very much ~ *out* by his rudeness. 그의 버릇없는 태도에 아주 진저리가 났다. (10) 〖野·크리켓〗 아웃시키다(cf. PUTOUT). (*vi.*) (11) 출범(出帆)하다(cf. PUT[1] *vi.*) ; 갑자기 떠나다. (12) 노력하다. (13) (눈을) 안보이게 하다 ; (남을) 실신시키다.

〈회화〉
How long did it take to *put out* the fire? — About two hours. 「불을 끄는 데 시간이 얼마나 걸렸습니까」「두 시간쯤이요」

put over (*vt.*) 맞은편으로 건네주다 ; 연기하다 ; (영화·연극 따위를) 성공시키다, (정책 따위를) 이해시키다(put across) ; (*vi.*) (배 따위가) 도항(渡航)하다, 건너다.

put paid to... ☞ PAID.

put through (1) 이루다, 수행하다, 성취하다 : Our new plan has been ~ *through* successfully. 우리들의 새 계획은 성공적으로 수행되었다. (2) (전화를) 걸다, 연결하다 ; (전언 따위를) 전하다 : Please ~ me *through to* MUS 3136. 엠유에스국 3136번으로 연결해 주세요. (3) …을 통하게 하다 ; (법안 따위를) 통과시키다 ; (남을) 도와서 (시험에) 합격시키다, (대학 따위를) 졸업시키다.

put a person ***through it*** 《口》 남을 엄중하게 심문하다《죄 따위를 자백받기 위해서》.

put together 조립하다 ; (생각 따위를) 정리하다 ; 끌어 모으다, 합계하다 ; 생각을 모으다, 종합하다 : I ~ all this *together*, and I supposed that.... 나는 이같은 일을 모두 종합해 보고 …라고 추측했다 / ~ two and two *together* ☞ TWO 숙어.

put up (*vt.*) (1) 올리다 ; 게시(揭示)하다 ; (결혼 예고(banns)를) 발표하다 ; (우산을) 쓰다, 받다 ; 수립하다, (집 따위를) 짓다 ; (머리를) 묶다, 땋다 : ~ *up* a flag 기를 올리다 / ~ *up* a tent 텐트를 치다 / ~ one's feet *up* 《口》 발을 아무렇게나 뻗고 쉬다. (2) (기도를) 드리다, 올리다 ; (탄원서를) 제출하다 ; (태도 따위를) 보이다 ; (저항 따위를) 나타내다, 계속하다 : ~ *up* a bluff 허세를 부리다, 흥감을 부리다 / They have ~ *up* a long hard fight against the ocean. 대양(大洋)과 장기간에 걸친 격심한 투쟁을 계속해 왔다. (3) (상품을) 팔려고 내놓다 : ~ *up* furniture *for* auction 가구를 경매에 부치다. (4) (값을) 올리다 :

~ *up* the rent by five dollars a week 1주에 5달러 집세를 올리다. (5) 저장하다; (식료품·약품 따위를) 포장하다, 짐을 꾸리다; [+目+目] 포장하여 준비하다: This hotel will ~ you *up* snacks. 이 호텔에서는 너희에게 가벼운 식사[도시락]를 싸줄 것이다. (6) 후보자로 지명하다; 추천하다: He was ~ *up for* the president of the club. 클럽의 회장으로 추천되었다. (7) (자금을) 제공하다, 지급하다; 《美口》 (돈을 …에) 상으로 걸다. (8) 치우다, 챙기다; (칼을) 칼집에 꽂다: We must ~ *up* the garden chairs for the winter. 정원용 의자는 겨울 동안에는 치우지 않으면 안된다. (9) 머물게 하다, 숙박시키다: Will you ~ us *up* for the weekend? 주말 동안에 우리들에게 숙소를 제공해 주시지 않겠습니까. (10) (연극을) 상연하다. (11) (잡을 사냥감을) 몰아내다. (12) 《口》 [보통 수동태로] (속임수·엉터리수를) 미리 짜놓다, 꾸며놓다(cf. PUT-UP). (*vi.*) (13) 《英》 입후보하다: ~ *up for* Parliament 의원에 입후보하다. (14) 숙박하다: We ~ *up* for the night *at* a hotel. 그날밤 호텔에서 숙박했다.

***put* (*up*)*on*...** 《口》 …을 속이다, …을 기화로 삼다; …을 부당하게 취급하다.

put a person ***up to*...** (1) …에게 (일 따위)를 가르치다, 남에게 …을 알리다[경고하다]: I ~ the new maid *up to* her work. 나는 새로 온 가정부에게 할 일을 일러 주었다. (2) 남을 부추겨서 … 시키다: Who ~ her *up to* (do) the crime? 누구의 교사를 받고 그녀는 죄를 범했을까. (3) (생각 따위를) …에게 제시하다; (결정 따위를) …에게 맡기다.

put a person ***up*** *to* do = PUT a person *up to*... (2).

put up with …을 참다, 견디다(endure): I had to ~ *up with* a great many inconveniences. 많은 불편을 견디어 내지 않으면 안되었다.

── *a.* 《口》 자리잡은, 정착한(fixed).

stay put ☞ STAY¹.

── *n.* **1** 찌르기, 밀기. **2** 던지기; Ⓤ 던진 거리. **3** 〔證〕 매도 선택권(=~ **òption**) 《특정한 증권을 일정 기간중에 소정의 가격으로 매도할 수 있는 권리; ↔*call*》: ~ and call 주식 매매 선택권. 〚ME *putten*; cf. OE *potian* to push, *putung* instigation, Norw., Icel. *pota* to poke〛

put² *n.*, *v.* ☞ PUTT.

pu·ta [pú:tə] *n.* 《美卑》 매춘부, 아무하고나 잠자는 아가씨. 〚Sp.〛

pu·ta·men [pju:téimən] *n.* (*pl.* **-tam·i·na** [-tǽmənə]) 〔植〕 (핵과(核果)의) 단단한 내과피(內果皮), 핵(核).

pút-and-táke *n.* 사각 팽이[주사위]의 눈금에 따라 내기한 돈을 나누는 운에 맡긴 게임.

pu·ta·tive [pjú:tətiv] *a.* 추정[추측](상)의; 소문에 들리는, 여론[세평]에 의한. **~·ly** *adv.* 〚OF or L (*puto* to think)〛

pút-dòwn *n.* (비행기의) 착륙; 《口》 해치우기, 혹평, 남을 난처하게 만드는 말[행위], 강렬한 반박; 해고, 거절.

put·log [pútlɔ̀(:)g, -lɑ̀g], **pút·lòck** *n.* 〔建〕 비계, 발판(용 통나무).

pút-òff *n.* 발뺌, 변명; 연기.

pút-ón *a.* …인 체하는, 겉치레의. ── [ㅅㅡ] *n.* 겉치레, 치장; 젠체하는 사람; 《口》 속이기, 못된 장난; 《口》 비꼼, 패러디.

pút-ón ártist *n.* 《俗》 남을 잘 속이는 사람.

pút·òut *n.* 〔野〕 아웃시키기, 척살(刺殺).

put-put [pʌ́tpʌ́t, ㅅㅡ] *n.* (소형 가솔린 엔진의) 통통거리는 소리; 《口》 소형 가솔린 엔진(이 달린 차[보트]). ── *vi.* (**-tt-**) 통통 소리를 내다; 통통거리며 나아가다[운전하다]; 차[보트]를 통통거리며 몰고[타고] 가다. 〚imit.〛

pu·tre·fac·tion [pjù:trəfǽkʃən] *n.* Ⓤ 부패(작용); Ⓒ 부패물; 타락. **pù·tre·fác·tive** *a.* 부패(작용)의; 부패시키는.

pu·tre·fy [pjú:trəfài] *vt.* 썩이다, 부패시키다; 곪게 하다. ── *vi.* 썩다, 부패하다(rot); 곪다. 〚L *putreo* to rot〛

pu·tres·cent [pju:trésənt] *a.* 썩어가는, 부패성의. **pu·trés·cence** *n.* Ⓤ 부패.

pu·tres·ci·ble [pju:trésəbəl] *a.*, *n.* 썩기[부패하기] 쉬운 (것).

pu·trid [pjú:trəd] *a.* **1** 부패한; 악취가 나는; 더러운; 타락한(corrupt): turn ~ 썩다. **2** 《口》 불쾌한, (냄새가) 고약한(rotten).
pu·trid·i·ty [pju:trídəti] *n.* Ⓤ 부패; 타락. 〚L (*puter* rotten)〛

pu·tri·lage [pjú:trəlidʒ] *n.* 부패물.

putsch [pútʃ] *n.* 소규모의 반란[폭동]. **~·ist** *n.* 반란자, 폭동을 일으키는 사람. 〚Swiss G=thrust, blow〛

putt, put [pʌt] *vi.*, *vt.* 〔골프〕 퍼트하다《(공을) 골프채로 살짝 쳐 홀에 넣기; cf. PUTTER²》. ── *n.* 경타(輕打), 퍼트. 〚PUT¹〛

put·tee [pʌ́ti, 美+pʌtí:] *n.* 감는 각반(脚絆); 《美》 가죽 각반. 〚Hindi〛

put·ter¹ [pútər] *n.* 놓는 사람; 운반하는 인부. 〚PUT¹〛

putt·er² [pʌ́tər] *n.* 〔골프〕 퍼트하는 사람; 퍼터《퍼트용 골프채》. 〚PUTT〛

put·ter³ [pʌ́tər] *vi.* 꾸물거리며 일하다; 어슬렁거리다(=《英》 potter) 〈*over*, *along*, *around*〉. ── *vt.* [+目+副] (시간을) 빈둥빈둥 보내다, 낭비하다: Don't ~ your time *away*. 시간을 빈둥빈둥 허비해서는 안된다. 〚POTTER²〛

put·ter⁴ [pʌ́tər] *vi.* 펑펑하는 소리를 내다[내며 나아가다].
putter out (불꽃·촛불·엔진 따위가) 조금씩 연소 상태가 나빠지다, 꺼져가다. 〚imit.〛

put·ter-off·er [pútərɔ́(:)fər] *n.* 《美俗》 뒤로 미루는 사람.

putti *n.* PUTTO의 복수형.

put·tie [pʌ́ti] *n.* =PUTTEE.

pút·ti·er *n.* (유리창에) 퍼티(putty)를 바르는 사람, 유리공(工)(glazier).

pútt·ing grèen [pʌ́tiŋ-] *n.* 〔골프〕 (홀 주변의) 퍼트 구역[연습장소].

put·to [pú:tou] *n.* (*pl.* **put·ti** [-ti]) [보통 *pl.*] 〔美術〕 푸토《큐피드와 같은 어린아이의 나체상(像)》. 〚It. =boy<L *putus*〛

puttoo ☞ PATTU.

putt-putt [pʌ́tpʌ́t, ㅅㅡ] *n.*, *vi.* =PUT-PUT.

put·ty¹ [pʌ́ti] *n.* **1** Ⓤ 퍼티《접합제의 일종》; 퍼티색: glaziers' ~ 유리창 접합용 퍼티 / jewelers' ~ =PUTTY POWDER. **2** 자유자재로 변형되는 것; 남이 시키는 대로 하는 사람.
── *vt.* [+目/+目+副] 퍼티로 이어 붙이다[때우다]; …에 퍼티를 바르다: ~ *up* holes in the woodwork 목공 세공(木工細工)한 구멍을 퍼티로 메우다. 〚F *potée* POT¹ full〛

putty² *n.* =PUTTEE.

pútty knìfe *n.* 퍼티용 흙손[칼].

pútty mèdal *n.* 《英戲》 적은 노력[수고]에 걸맞

는 보수.

pútty pòwder *n.* 퍼티 가루《유리·대리석·금속 따위를 닦는 주석[납] 가루》.

pút-ùp *a.* 미리 짠[꾸민], 야바위의 : a ~ job 미리 짠 일, 야바위.

pút-upòn *a.* 학대받은, 혹사된 ; 이용당한, 속은.

putz [púts] *n.* 《美俗》 페니스 ; 바보, 보기 싫은 놈. 〖Yid.〗

‡**puz·zle** [pʌ́zəl] *n.* **1** [단수형으로만 쓰여] 당혹(當惑), 혼란 : in a ~ 어리둥절해서〈*about*〉. **2** 난처하게 하는 사람[것], (특히) 어려운 문제, 난문(難問) (puzzler) ; 생각해야 하는 일, 알아맞히기, 수수께끼, 퍼즐 : a ~ ring 지혜의 고리《장난감》/ It is a ~ to me how he did it. 그가 그것을 어떻게 했는지 짐작이 가지 않는다. —— *vt.* 어쩔줄 모르게 하다, 괴롭히다, 당황케 하다 : Her long silence ~*d* me. 그녀의 오랜 침묵이 나를 당황케 했다 / I ~*d* my brains *about*[*over*] the answer. 해답 때문에 골치를 앓았다. 注 과거분사는 형용사처럼 쓰인다[+(前+) *wh.* 節 / +*to* do] : I'm very ~*d*. 도무지 어쩔줄을 모르겠다 / He was quite ~*d what to* do next. 다음은 어떻게 하면 좋을지 전혀 알 수가 없었다 / I was ~*d which* way *to* take. 어느 길을 가야 할지 난감했다 / I was ~*d to* see her behaving like that. 그녀가 그렇게 행동하는 것이 도무지 납득이 안갔다.
—— *vi.* [+前+名] 어찌할 바를 모르다, 질리다 ; 머리를 짜내다 : He ~*d* ***over*** the problem quite a while. 잠시 동안 그 문제를 해결하고자 머리를 짜내었다.
puzzle out 생각해 내다, 판단하다, (수수께끼·비밀을) 풀다 : I succeeded in *puzzling out* the mystery. 그 비밀을 풀 수가 있었다.
〖C16 < ?〗
類義語 (1) (*n.*) ⟹ MYSTERY.
(2) (*v.*) ***puzzle*** 문제·사태 따위가 아주 까다롭고 복잡해서 이해·해석에 곤란을 느끼게 하다. ***perplex*** puzzle에 더하여 언동·사고상의 의문·괴로움 따위를 나타낸다. ***confuse*** 정도에 관계없이 심리적으로 혼란시키다. ***confound*** 상대를 완전히 confuse시켜 놀라게 하거나 당황하게 하다. ***bewilder*** 완전히 confuse시켜서 냉정하고 이성적으로 생각하지 못하게 하다.

púzzle·héad·ed *a.* 머리[생각]가 혼란스러운.

púzzle·ment *n.* Ⓤ 당황, 곤혹, 질림.

púz·zler *n.* 곤란[당황]하게 하는 사람[것] ; (특히) 난문(難問).

púz·zling *a.* 당황하게 하는, 곤란하게 하는, 종잡을 수 없는(perplexing). **~·ly** *adv.* **~·ness** *n.*

P.V. Priest Vicar. **p.v.** post village. **PVC** 〔化〕 polyvinyl chloride(염화 비닐). **PVS** Post-Vietnam Syndrome《베트남 후증후군 ; 제대 후의 정신 장애》. **PVT** pressure, volume, temperature. **Pvt., pvt.** 〔美陸軍〕 Private, private(사병). **PW, P.W.** 《英》 policewoman ; prisoner of war(포로) ; public works. **p.w.** per week. **PWA, P.W.A.** 《美》 Public Works Administration《공공사업국 ; 1933-44》.

P wave [píː ⌐] *n.* 〔地質〕 P파(波), (지진의) 종파(縱波). 〖*p*ressure *wave*〗

PWD, P.W.D. Public Works Department ; Psychological Warfare Division. **PWR, P.W.R.** pressurized water reactor(가압 수형(동력용) 원자로). **pwr.** power. **pwt(.)** pennyweight. **PX, P.X.** please exchange ; 〔美陸軍〕 Post Exchange. **pxt.** pinxit.

py- [pái], **pyo-** [páiou, páiə] *comb. form* 「농」 「고름」의 뜻. 〖Gk. *puon* pus〗

pya [pjáː, piáː] *n.* 미얀마의 화폐 단위(《=1/100 kyat》) ; 그 주화.

pyaemia ☞ PYEMIA.

pyc·nid·i·um [piknídiəm] *n.* (*pl.* **-nid·ia** [-diə]) 〔植〕 (불완전균류(菌類)의) 분포자기(粉胞子器).
pyc·níd·i·al *a.*

pyc·nom·e·ter, pic- [piknámətər] *n.* 비중병(比重瓶).

pye ☞ PIE[4].

pýe-dòg, pí(e)-dòg [pái-] *n.* (동남 아시아의) 들개. 〖Hindi〗

py·el- [páiəl], **py·e·lo-** [páiəlou, -lə] *comb. form* 「골반」「신우(腎盂)」의 뜻.
〖Gk. *puelos* trough〗

py·e·li·tis [pàiəláitəs] *n.* Ⓤ 〔醫〕 신우염(腎盂炎). **pỳ·e·lít·ic** [-lít-] *a.*

py·e·log·ra·phy [pàiəlágrəfi] *n.* 〔醫〕 신우조영(腎盂造影)(법), 신우 촬영(법).

pỳelo·nephrítis *n.* 〔醫〕 신우신염(腎盂腎炎).

py·emia, -ae·mia [paiíːmiə] *n.* 〔醫〕 농혈(膿血)(증). **py·émic, -áe·mic** *a.*
〖NL (Gk. *py*-, *haima* blood)〗

pyg·mae·an, -me-, pig- [pigmíːən] *a.* = PYGMY.

Pyg·ma·li·on [pigméiliən] *n.* 〔그神〕 피그말리온《자기가 만든 상아상(像) Galatea에 반한 사이프러스 섬의 왕·조각가》.

Pyg·my, Pig- [pígmi] *n.* **1** 피그미족《아프리카 적도 부근에 사는 키가 작은 흑인》. **2** 〔그神〕 황새와 싸워서 멸망한 난쟁이족. **3** [p~] 난쟁이 ; [p~] 지능이 뒤떨어지는 사람 ; [p~] 작은 요정 ; [p~] 보잘것없는 사람[물건]. —— *a.* **1** [p~] 난쟁이의. **2** [p~] 아주 작은, 하찮은.
〖L < Gk. *pugmaios* dwarf(ish)〗
類義語 ⟹ DWARF.

pýgmy hippopòtamus *n.* 〔動〕 라이베리아하마《라이베리아산(産)》.

pýgmy·ish *a.* 난쟁이 같은, 왜소한.

***pyjamas** ☞ PAJAMAS.

pyk·nic [píknik] *a.*, *n.* 비만형의 (사람).

py·lon [páilən, -lɑn] *n.* **1** (고대 이집트의) 탑문(塔門). **2** 〔空〕 (비행장의) 목표탑. **3** (고압선용의) 철탑(鐵塔). 〖Gk. (*pulē* gate)〗

py·lo·rec·to·my [pàiləréktəmi] *n.* Ⓤ 유문(幽門) 제거[적출(摘出)](술(術)).

py·lor·ic [pailɔ́(ː)rik, -lár-] *a.* 〔解〕 유문의.

py·lo·rus [pailɔ́ːrəs] *n.* (*pl.* **-ri** [-rai, -riː]) 〔解〕 유문(幽門).

pymt. payment.

pyo- [páiou, páiə] ☞ PY-.

pỳo·génesis *n.* Ⓤ 화농(化膿)(작용).

pỳo·génic *a.* 〔醫〕 고름이 나오는, 화농성의.

py·oid [páiɔid] *a.* 〔醫〕 고름의, 고름 같은.

py·or·rhea, -rhoea [pàiəríːə, -ríə] *n.* Ⓤ 〔醫〕 농루(膿漏)(증). 〖*pyo*-, Gk. *rheō* to flow〗

py·o·sis [paióusəs] *n.* 화농.

pyr- [páir], **py·ro-** [páiərou, -rə] *comb. form* 「불」「열」「열작용에 의한」「초성(焦性)의」의 뜻.
〖Gk. ; ⇒ PYRE〗

***pyr·a·mid** [pírəmìd] *n.* **1** 피라미드, 금자탑(金字塔). **2** 〔數〕 각뿔 ; 〔結晶〕 추(錐) : a regular [right] ~ 정(正)[직] 각뿔. **3** 피라미드형의 것 ; 〔社〕 피라미드형 조직. —— *vt.* 피라미드형으로 하다 ; (비용·임금 따위를) 점차 올리다.
—— *vi.* 피라미드형으로 되다.
〖C16 *pyramis* < L < Gk. *puramid*- *puramis* < ?〗

py·ram·i·dal [pərǽmədl, pìrəmídl] *a.* pyramid의[와 같은]; 거대한.
pyrámidal péak *n.* 〔地質〕 빙식첨봉(尖峰).
py̆r·a·míd·ic, -i·cal *a.* 피라미드형의, 각뿔의; 거대한. **-i·cal·ly** *adv.*
Py·ram·i·don [pərǽmədàn] *n.* 피라미돈《진통·해열제 aminopyrine의 상표명》.
Pyr·a·mus [pírəməs] *n.* 〔그神〕 피라모스《사랑하는 Thisbe가 사자에게 물려 죽었다고 잘못 믿어 자살한 젊은이》.
pyre [páiər] *n.* (화장용(火葬用)의) 장작더미 (funeral pile). 〖L<Gk. (*pur* fire)〗
Pyr·e·ne·an [pìrəníːən] *a.* 피레네 산맥의. ── *n.* 피레네 산지의 주민.
Pyr·e·nees [pírənìːz; ⌐-⌐] *n. pl.* [the ~] 피레네 산맥《프랑스와 스페인 국경에 있음》.
py·re·noid [paiəríːnɔid, páiərənɔ̀id] *n.* 〔生化〕 피레노이드《조류(藻類)의 엽록체에 있으며 녹말의 형성·저장에 관여하는 단백질 덩어리》.
py·re·thrin [paiəríːθrən, -réθ-] *n.* Ⓤ 피레트린《제충국(除蟲菊)의 살충 성분; 살충제》.
py·re·thrum [paiəríːθrəm, -réθ-] *n.* **1** 〔植〕 제충국(除蟲菊). **2** Ⓤ 제충국가루《약제》.
py·ret·ic [paiərétik] *a.* 〔醫〕 열병의, 열병용의. ── *n.* 해열제. 〖NL<Gk. (*puretos* fever)〗
pyr·e·tol·o·gy [pìrətálədʒi, pàiərə-] *n.* Ⓤ 열병학(熱病學).
Py·rex [páiəreks] *n.* Ⓤ 파이렉스《내열(耐熱) 유리(그릇); 상표명》.
py·rex·i·a [paiəréksiə] *n.* Ⓤ 〔醫〕 발열, 열병. **-réx·ic, -réx·i·al** *a.* 열병의.
pyr·helióm·eter [pàiər-, pìər-, pər-] *n.* 태양열 측정계, 일사계(日射計).
pyr·id- [pírəd], **pyr·i·do-** [pírədou, -də] *comb. form* 「피리딘(pyridine)」의 뜻.
pyr·i·dine [pírədìːn, -dən] *n.* 〔化〕 피리딘《가연성(可燃性)의 특이한 냄새가 나는 액체; 용제·알코올 변성제·유기 합성용》.
pyr·i·dox·ine [pìrədáksiːn, -sən], **-in** [-sən] *n.* Ⓤ 〔生化〕 피리독신《비타민 B_6》.
pýr·i·fòrm [pírə-] *a.* 서양배(pear) 모양의.
py·rim·i·dine [paiərímədìːn] *n.* 〔化〕 피리미딘《마취성의 자극적인 냄새가 나는 결정 덩어리》; 피리미딘의 유도체, 피리미딘 염기《DNA, RNA의 구성 성분》.
py·rite [páiərait] *n.* 황철광(黃鐵鑛).
py·ri·tes [paiəráitiːz, 美+páiraits] *n.* (*pl.* ~) 〔鑛〕 황철광(黃鐵鑛)(iron pyrites): copper ~ 황동광(黃銅鑛). 〖L<Gk.; ⇨ PYRE〗
py·rit·ic, -i·cal [paiərítik(əl)] *a.* 황철광의.
py·rit·if·er·ous [pàiəraitífərəs] *a.* 황화광을 함유하는[생성하는].
py·ro [páiərou] *n.* (*pl.* **~s**) 〔化〕 초성(焦性) 갈산《사진 현상약》.
pyro- [páiərou, -rə] ☞ PYR-.
Py·ro·ce·ram [pàiərousərǽm] *n.* 파이로세람《내열(耐熱) 강화 유리(그릇); 상표명》.
py̆ro·chémical *a.* 고온도 화학 변화의.
py̆ro·eléctric *a.* 초전기(성)(焦電氣(性))의. ── *n.* 초전기 물질.
py̆ro·electrícity *n.* Ⓤ 〔理〕 초전기.
py·ro·gál·lic ácid [pàiərougǽlik-, -gɔ́ːl-] *n.* = PYROGALLOL.
py·ro·gal·lol [pàiərəgǽlɔ(ː)l, -oul, -ɑl] *n.* Ⓤ 〔化〕 초성 갈산, 피로갈롤《현상 주약(現像主藥)》.
py·ro·gen [páiərədʒən] *n.* 발열성 물질, 발열원.
py̆ro·génic, -genétic *a.* 열(병)을 발생시키는, 열(병)에 의해 생기는; 화성(火成)의《암석 따위》. **-ge·níc·i·ty** [-dʒənísəti] *n.*
py·rog·e·nous [paiərádʒənəs] *a.* =PYROGENIC.
py·rog·nos·tics [pàiərəgnástiks; -rɔg-] *n.* [단수·복수취급] 가열 반응.
pý·ro·gràph *n.* 낙화(烙畫).
py·rog·ra·phy [paiərágrəfi] *n.* Ⓤ 낙화술(烙畫術)(poker work); Ⓒ 낙화.
py̆ro·gravúre *n.* 낙화법(烙畫法).
py·rol·a·try [paiərálətri] *n.* 배화교(拜火教).
py̆ro·lígneous *a.* 목재 건류의.
pyrolígneous ácid *n.* 〔化〕 목초산.
py·rol·y·sis [paiərálәsəs] *n.* 〔化〕 열분해.
py̆ro·magnétic *a.* 〔理〕 열자기(熱磁氣)의(thermomagnetic).
py·ro·man·cy [páiərəmæ̀nsi] *n.* Ⓤ 불로 치는 점(占)(술).
py̆ro·mánia *n.* Ⓤ 방화벽(放火癖). **-mániac** *n.* 방화벽자, 방화광(狂). **py̆ro·maníacal** *a.*
py̆ro·métallurgy *n.* (고온도를 이용하는) 건식(乾式) 야금(법).
py·rom·e·ter [paiərámətər] *n.* 〔理〕 고온계(高溫計). **py·róm·e·try** *n.* 고온 측정(법[학]). **py·ro·met·ric** [pàiərəmétrik] *a.* **-ri·cal·ly** *adv.*
pyrométric cóne equìvalent *n.* 〔化〕 내화도(耐火度)《略 p.c.e.》.
py·ro·nine [páiərəniːn] *n.* 피로닌(염료)《주로 생물용 착색제로 쓰임》.
py·rope [páiəroup] *n.* Ⓤ 홍석류석(紅石榴石).
py̆ro·phóbia *n.* Ⓤ 공화증(恐火症).
py·ro·phor·ic [pàiərəfɔ́(ː)rik, -fár-] *a.* 〔化〕 자연 발화할 수 있는; 합금이 마찰될 때 불꽃을 내는; 자연성(自然性)의.
py̆ro·photógraphy *n.* (유리·도기의) 인화(印畫) 사진술.
py·ro·sis [paiəróusəs] *n.* Ⓤ 〔醫〕 가슴 앓이(heartburn). 〖NL<Gk. (*puroō* to set on fire); ⇨ PYRE〗
pýro·stàt *n.* 고온용 온도 조절기; 화재 탐지기.
pyrotech. pyrotechnic(al); pyrotechnics.
py̆ro·téchnic *a.* 불꽃(제조술)의; 눈부신, 화려한. ── *n.* 불꽃; 불꽃과 비슷한 장치, 화공품《로켓 점화 장치·폭발 장치 따위》; 불꽃용 연소물.
py̆ro·téchnics *n.* **1** Ⓤ 불꽃 제조술. **2** 불꽃(쏘아) 올리기; 《비유》(말솜씨·재치 따위가) 멋있음, 뛰어남.
py̆ro·téch·nist [-téknəst] *n.* 불꽃 제조자.
pýro·tech·ny [-tèkni] *n.* Ⓤ 불꽃 제조술, 불꽃(쏘아) 올리기.
py̆ro·tóxin *n.* Ⓤ 〔菌〕 발열독(發熱毒).
py·rox·ene [paiəráksiːn, ⌐-⌐; ⌐-⌐] *n.* Ⓤ 〔鑛〕 휘석(輝石).
py·rox·y·lin [paiəráksələn], **-line** [-lìːn, -lən] *n.* 〔化〕 피록실린《니트로셀룰로오스 중의 약면약(弱綿藥); 콜로디온 제제(製劑)용》.
Pyr·rha [pírə] *n.* 〔그神〕 피라《Deucalion의 처》.
pyr·rhic[1] [pírik] *n., a.* (고대 그리스의) 전무(戰舞)(의), 칼춤(의): a ~ dance 전무. 〖L or Gk.; *Purrhikhos* 고안자라고 함〗
pyrrhic[2] *n., a.* 〔韻〕 단단격(短短格)《⏑⏑》(의), 약약격(弱弱格)《××》(의). 〖L<Gk.〗
Pyrrhic *a.* Pyrrhus 왕의.
Pýrrhic víctory *n.* 피로스의 승리《막대한 희생을 치르고 얻은 승리; 보람없는 승리》.

Pyr·rho [pírou] *n.* 피론(365 ?-? 275 B.C.)《그리스의 회의파(懷疑派) 철학자》.

Pyr·rho·ni·an [piróuniən], **Pyr·rhon·ic** [piránik] *a.* 피론의, 회의론(懷疑論)의. —— *n.* 피론 학도 ; 회의론자.

Pyr·rho·nism [pírənìzəm] *n.* 〖哲〗 피론의 학설, 절대회의설(懷疑說).
-nist *n.*

pyr·rho·tite [pírətàit], **-tine** [-tàin, -tì:n] *n.* 〖鑛〗 자황철광(磁黃鐵鑛) (magnetic pyrites).

Pyr·rhus [pírəs] *n.* 피로스(318 ?-272 B.C.)《고대 그리스의 왕 ; 로마군을 격파했으나 막대한 희생을 치렀음(279 B.C.)》.

py·rúvic ácid [paiərú:vik-] *n.* 〖生化〗 피루브산, 초성(焦性) 포도산《생물의 기본적인 대사(代謝)에 관여하는 물질》.

Py·thag·o·ras [paiθǽgərəs, pə-] *n.* 피타고라스《기원전 6세기경의 그리스의 철학자·수학자》.

Py·thag·o·re·an [paiθæ̀gərí:ən, pə-] *a.* 피타고라스(학설)의. —— *n.* 피타고라스의 학설 신봉자.
~·ìsm, Py·thág·o·rìsm *n.* 피타고라스의 학설《영혼의 전생(轉生)을 믿고 수(數)를 만물의 근본 원리로 삼음》.

Pythagoréan proposítion[**théorem**] *n.* [the ~] 〖數〗 피타고라스의 정리.

Pyth·ia [píθiə] *n.* 〖그神〗 피티아《Delphi의 Apollo신의 무녀[무당]》.

Pyth·i·an [píθiən] *a.* **1** Delphi의 ; (Delphi에 있는) 아폴로(Apollo) 신전[신탁]의. **2** Pythian Games의. —— *n.* **1** Delphi의 주민. **2** [때때로 the ~] 아폴로의 무녀 ; [the ~] 아폴로신.

Pýthian Gámes *n. pl.* [the ~] Delphi에서 4년마다 행하여졌던 고대 그리스의 경기 축제.

Pýthian óracle *n.* [the ~] 아폴로(신)의 신탁.

Pythias ☞ DAMON AND PYTHIAS.

py·thon [páiθən, -θɑn] *n.* **1** 〖動〗 입금뱀 비슷한 큰 비단뱀 ; Ⓤ [P~] 〖그神〗 피톤《Apollo 신이 Delphi에서 퇴치한 큰 뱀》. **2** 점을 치는[예언을 하는] 영(靈)[악령] ; 그 영[악령]에게 사로잡힌 사람. 〚L<Gk.〛

py·tho·ness [páiθənəs, píθə- ; -nes] *n.* 여신관(女神官), 여자 예언자 ; 마녀, 무녀.

py·thon·ic [paiθánik] *a.* 신탁(神託)의 ; python 같은[의].

py·uria [paijúəriə] *n.* Ⓤ 〖醫〗 농뇨(膿尿)(증).

pyx [píks] *n.* 〖카톨릭〗 성체용기(聖體容器) ; (영국 조폐국의) 화폐 견본함, 화폐 검사함.
the trial of the pyx 견본 화폐 검사.
—— *vt.* 《英》 (견본 화폐를) 화폐 검사함에 넣다 ; (주조한 화폐를) 검사하다. 〚*pyxis*〛

pyx·id·i·um [piksídiəm] *n.* (*pl.* **-ia** [-iə], **~s**) 〖植〗 개과(蓋果).

pyx·is [píksəs] *n.* (*pl.* **-i·des** [-sədi:z]) 〖古그·古로〗 작은 상자, 보석 상자, 화장품 상자 ; 〖植〗 = PYXIDIUM ; [P~] 〖天〗 나침반자리. 〚L<Gk. BOX〛

P.Z.I. protamine zinc insulin《프로타민 아연 인슐린 ; 당뇨병 치료제》.

Q

q, Q [kjúː] *n.* (*pl.* **q's, qs, Q's, Qs** [-z]) **1** 큐《영어 알파벳의 열일곱번째 자(字)》; Q자형(의 것). **2** 〔스케이트〕Q자형 회전. **3** 제 17번째(의 것)《J를 뺄 때는 16번째》.
a reverse Q 〔스케이트〕역(逆)Q자형 선회.
the Q department 〔軍〕병참부.
mind [***be on***] one***'s P's and Q's*** ☞ p.

Q 〔電子〕Q factor; 〔체스·카드놀이〕 queen; Queen('s); question; quetzal[quetzal(e)s]; Quiller-Couch《필명》; 〔理〕heat《열 에너지의 단위; $=10^{18}$ btu》. **Q.** quarto; Quebec; Queen; question; 〔電〕 coulomb. **q.** *quadrans*《L》(=farthing); quaere; quarter(ly); quartile; quarto; quart(s); quasi; query; question; quintal; quire; quoted; quotient. **Q.A.B.** 《英》Queen Anne's Bounty.

Q.A.I.M.N.S. 《英》 Queen Alexandra's Imperial Military Nursing Service《현재는 Q.A.R.A.N.C.》.

qa·nat [kɑnáːt] *n.* 카나트《관개용 지하 수로》. 〖Arab.〗

Q. and A. question and answer (질의 응답).

Qán·tas Áirways [kwántæs-] *n.* 콴타스 항공《오스트레일리아 항공 회사》. 〖*Q*ueensland *a*nd *N*orthern *T*erritory *A*ir *S*ervices〗

Q.A.R.A.N.C., QARANC 《英》 Queen Alexandra's Royal Army Nursing Corps.

Qa·tar, Ka·tar [káːtɑːr; kætáːr] *n.* 카타르《페르시아 만 연안의 수장국》. **Qá·ta·ri, Ká·ta·ri** [; kætáːri] *n., a.* 카타르 주민(의).

QB 〔체스〕 queen's bishop. **Q.B.** Queen's Bench. **q.b.** 〔美蹴〕 quarterback.

Q-boat [kjúː-] *n.* Q보트《제1차 세계 대전중 독일 잠수함 격침을 위해 어선이나 상선으로 가장한 영국 군함》.

QBP 〔체스〕queen's bishop's pawn.

QC [kjúːsíː] *a.* =QUICK-CHANGE.

Q.C., QC Quartermaster Corps; Queen's College; Queen's Counsel; quality control. **QCD** quantum chromodynamics. **q.d., Q.D.** *quaque die*《L》(=daily). **q.d.a., QDA** quantity discount agreement. **q.e.** *quod est*《L》(=which is). **QEA** Qantas Empire Airways Ltd.《QANTAS AIRWAYS의 전신; 1935-70》. **QED** quantum electrodynamics. **Q.E.D., QED** *quod erat demonstrandum*《L》(=which was to be demonstrated). **Q.E.F., QEF** *quod erat faciendum*《L》(=which was to be done). **Q.E.I., QEI** *quod erat inveniendum*《L》(=which was to be found). **QE2** Queen Elizabeth 2 (영국의 호화 여객선). **Q. F.** quick-firing.

Q factor [kjúː -] *n.* 〔電子〕 Q인자《공명의 민감도를 나타내는 양; 〔理〕핵반응에의 반응열》.

Q fever [kjúː -] *n.* 〔醫〕 Q열(熱)《고열·오한·근육통·쇠약 따위를 수반함》.

Qi·a·na [kiːáːnə] *n.* 키아나《나일론계의 합성 섬유; 상표명》.

q.i.d., Q.I.D. 〔處方〕 *quater in die*《L》(=four times a day).

Qing·hai [tʃíŋhái], **Tsing-** [, *t*síŋ-; tsíŋ-], **Ching-** [; tʃíŋ-] *n.* 칭하이(青海)《(1) 중국 서부의 성. (2) 그 성 북동부의 함수호(湖)》.

qi·vi·ut [kíːviùːt] *n.* 사향소의 담갈색의 부드러운 솜털; 그 털실. 〖Eskimo〗

QKt 〔체스〕 queen's knight. **QKtP** 〔체스〕 queen's knight's pawn. **ql.** quintal. **q.l.** 〔處方〕 *quantum libet*《L》(=as much as you please). **Qld, Q'land, Q'l'd** Queensland. **QM** Quartermaster. **q.m., Q.M.** 〔處方〕 *quoque matutino*《L》(=every morning). **QMC** Quartermaster Corps. **Q. Mess.** Queen's Messenger. **QMG, Q.M.G., Q.M.Gen.** Quartermaster General. **QMS** Quartermaster Sergeant. **q.n.** 〔處方〕 *quaque nocte*《L》(=every night). **QNP** 〔체스〕queen's knight's pawn. **QP** 〔체스〕queen's pawn. **q.p., Q.P., q. pl.** 〔處 方〕 *quantum placet*《L》 (=as much as you please). **Qq., qq.** quartos; questions. **qq.v.** *quae vide*《L》(=which see). **QR** 〔체스〕 queen's rook.

Q-rat·ing [kjúːrèitiŋ] *n.* =TV-Q.

QRP 〔체스〕 queen's rook's pawn. **qr(s).** quarter(s); quire(s). **qrtly** quarterly. **Q.S., QS** quarter sessions; Queen's Scholar. **q.s., QS** 〔處 方〕 *quantum sufficit*《L》(=as much as suffices); quarter section. **QSE** 《英》 qualified scientist and engineer.

Q-ship [kjúː-] *n.* =Q-BOAT.

Q signal [kjúː -] *n.* 〔通信〕Q신호《Q로 시작되는 문자의 부호로 특정 내용을 전하는 것》.

QSL *n.* 〔通信〕 수신 승인(受信承認); QSL 카드《교신 기념 카드》.

QSO [kjùːèsóu] *n.* =QUASI-STELLAR OBJECT; 〔通信〕 교신.

QSRS quasi-stellar radio source.

QSTOL [kjúːstòul] *n.* 〔空〕 큐에스톨기(機), 저(低)소음 단거리 이착륙기. 〖*q*uiet *s*hort *t*ake-*o*ff and *l*anding〗

Q-switch [kjúː-] *n.* Q스위치《레이저로 첨두(尖頭) 출력이 큰 펄스(pulse)를 끌어내는 장치》.
— *vt.* (고체 레이저)에 Q스위치로 높은 에너지의 펄스를 내게 하다.

QSY 〔通信〕 송신 주파수의 변경.

Q.T., q.t. [kjúːtíː] *n.* 《口》 quiet.
on the (***strict***) ***Q.T.*** (극히) 비밀리에, 몰래.

qt. quantity; quart(s); quarter. **qto.** quarto. **qtr.** quarter(ly). **qts.** quarts. **qty.** quantity. **qu.** quart; quarter(ly); quasi; queen; query; question.

qua [kwéi, kwáː] *adv.* …의 자격으로, …로서 (as). 〖L=(in the way) in which (abl. fem.

sg.) 〈*qui* who〉】

Quaa·lude [kwéilu:d] *n.* 퀘일루드《metha-qualone의 상표명》.

quack[1] [kwǽk] *n.* **1** 꽥꽥《집오리 우는 소리》. **2** (라디오 따위의) 소음; (떠들썩한) 수다. —— *vi.* 꽥꽥 울다; 시끄럽게 지껄이다; 객적은 수다를 떨다. 【imit.; cf. G *quacken* to croak, quack】

quack[2] *n.* 가짜 의사, 돌팔이[엉터리] 의사(charlatan); 사기꾼. —— *a.* 가짜 의사의, 사기[엉터리]의: a ~ doctor 가짜[돌팔이] 의사 / ~ medicine[remedy] 엉터리 약[요법]. —— *vi., vt.* 엉터리 치료를 하다; 과대 선전을 하다; 아는 체하다, 식자연하다, 허풍떨다.
【*quack*salver＜Du. (*quack*[1], *salver* seller of salves, ointments)】

quáck·ery *n.* Ⓤ,Ⓒ 엉터리 요법[치료]; 사기.

quáck gràss *n.* ＝COUCH GRASS.

quáck·ish *a.* 돌팔이 의사 같은, 사기꾼의. **~·ly** *adv.*

quáck-quáck *n.* 꽥꽥; 《兒》 집오리.

quack·sal·ver [kwǽksæ̀lvər] *n.* 《古》 가짜[돌팔이] 의사; 허풍선이; 사기꾼.

quack·u·punc·ture [kwǽkjəpʌ̀ŋktʃər] *n.* 엉터리 침술 요법. 【*quack*＋ac*upuncture*】

quad[1] [kwɑ́d] *n.* 《口》 QUADRANGLE 2.

quad[2] *n.* 《口》 ＝QUADRANT.

quad[3] *n.* 《口》 ＝QUADRUPLET.

quad[4] *n.* 《英俗》 ＝QUOD.

quad[5] *n.* 〖인쇄〗 쿼드(＝quadrat)《공백(空白)을 메우는 공목(空木)의 일종》. —— *vt.* (**-dd-**) (주식(鑄植)에서) …에 쿼드를 채워 넣다.

quad[6] *n.* 《俗》 ＝QUAALUDE.

quad[7] *n.* 《英》 쿼드《열량의 단위: ＝10^{15}btu》. 【*quad*rillion】

quad[8] *n.* 《美俗》 헤드라이트가 네 개인 자동차; [*pl.*] 자동차의 네 개의 헤드라이트.
【L *quattuor* four】

quad[9] *a.* 《口》 ＝QUADRAPHONIC. —— *n.* ＝QUADRAPHONY.

quad[10] *a.* 네 배의 넓이인…《인쇄용지에 대해 씀》. 【*quadruple*】

quad. quadrangle; quadrant; quadrat; quadrilateral; quadruple.

quád dénsity *n.* 〖컴퓨〗 4배 기록 밀도.

quad·plex [kwɑ́dplèks] *a.* 4중의; 4배의. —— *n.* 4세대 연립 주택. 【*quadruplex*】

quadr- [kwɑ́dr] ☞ QUADRI-.

quad·ra·ble [kwɑ́drəbəl] *a.* 〖數〗 제곱할 수 있는.

quad·ra·ge·nar·i·an [kwɑ̀drədʒənέəriən, -nǽər-] *a., n.* 40대의 (사람).
【L *quadragenarius* (*quadrageni* forty each)】

Quad·ra·ges·i·ma [kwɑ̀drədʒésəmə] *n.* 〖教會〗 사순절(Lent)의 첫째 일요일(＝≒ **Súnday**); 《廢》 (사순절의) 40일(간).
【L＝fortieth; Lent의 40일에서】

quad·ra·ges·i·mal [kwɑ̀drədʒésəməl] *a.* (사순절 정진(精進)처럼) 40일간 계속되는; [Q~] 사순절의.

quadraminium ☞ QUADROMINIUM.

quad·ran·gle [kwɑ́dræ̀ŋgəl] *n.* **1** 사각형, 사변형《특히 정사각형과 직사각형》. **2** (특히 대학에서 건물로 둘러싸인) 가운데 뜰, 가운데 뜰을 둘러싼 건물. **3** (미국의) 육지(陸地) 구획《동서 약 17-24 km, 남북 약 27km의 표준 지도상의 한 구획》.
【OF＜L; (*quadr*-, ANGLE[1])】

qua·dran·gu·lar [kwɑdrǽŋgjələr] *a.* 사각형의, 사변형의. **~·ly** *adv.*

quad·rant [kwɑ́drənt] *n.* 〖數〗 사분면(四分面), 상한(象限); 〖天·海〗 사분의(儀), 상한의(儀)《옛 천문 관측기》; 사분면 모양의 기계의 부품《따위》. **qua·dran·tal** [kwɑdrǽntl] *a.*
【L *quadrant*- *quadrans* quarter】

quad·ra·phónic [kwɑ̀drə-] *a.* (녹음 재생이) 4채널 방식의. 【*quadri*-, (STEREO) PHONIC】

quàdra·phónics *n.* ＝QUADRAPHONY.

qua·draph·o·ny [kwɑdrǽfəni] *n.* (녹음·재생 따위의) 4채널 방식.

quad·ra·sónic [kwɑ̀drə-] *a.* ＝QUADRAPHONIC.

quàd·ra·són·ics *n.* ＝QUADRAPHONY.

quad·rat [kwɑ́drət] *n.* 〖印〗 공목(空木), 인테르《略 quad》; 〖生態〗 쿼드러트《동식물 군락(群落) 연구를 위해 구획한 네모꼴 토지》.
an em*[*m*] *quadrat (m자 폭의) 전각 인테르.
an en*[*n*] *quadrat (n자 폭의) 반각 인테르.
【↓】

quad·rate [kwɑ́drət, -reit] *a.* 사변형의, 정사각형의; 방형(方形)의: a ~ bone[muscle] 방형골[근] / a ~ lobe (뇌수의) 방형엽(葉).
—— *n.* 정사각형; 〖解〗 방형골(骨), 방형근(筋).
—— *v.* [kwɑ́dreit; -ㄹ] *vt.* 적합[일치, 조화]시키다〈*with, to*〉; (정)사각형으로 하다. —— *vi.* 적합하다, 일치하다〈*with*〉.
【L (*quadro* to make square)】

quad·ra·thon [kwɑ́drəθɑ̀n] *n.* 4종 경기《수영·경보·자전거·마라톤을 하루에 치르는 경기》.

qua·drat·ic [kwɑdrǽtik] *a.* 〖數〗 2차의; 정사각형의: a ~ equation 2차 방정식 / ~ paper 그래프 용지, 모눈종이. —— *n.* 〖數〗 2차 방정식.

quadrátic fórm *n.* 〖數〗 2차 형식.

quadrátic fórmula *n.* 〖數〗 (2차 방정식의) 근(根)의 공식.

quad·ra·ture [kwɑ́drətʃər, -tʃùər] *n.* **1** Ⓤ 네모꼴로 만들기; 〖數〗 구적(법)(求積(法)). **2** 〖天〗 구(矩), 구상(矩象); (달의) 현(弦).
(*the*) *quadrature of the circle* 원적(圓積)문제《「주어진 원과 같은 면적의 정사각형을 만드시오」라는 작도(作圖) 불가능한 문제》.
【F or L; ⇨ QUADRATE】

qua·dren·ni·al [kwɑdréniəl] *a.* 4년간의, 4년마다의. —— *n.* 4년; 4년 마다의 행사; 4주년 기념일[제]. **~·ly** *adv.* 【↓】

qua·dren·ni·um [kwɑdréniəm] *n.* (*pl.* **~s, -nia** [-niə]) 4년간. 【L (↓); cf. BIENNIAL】

quad·ri- [kwɑ́drə], **quadr-** [kwɑ́dr], **quad·ru-** [kwɑ́dru] *comb. form* 「4」「2제곱」의 뜻.
【L (*quattuor* four)】

quad·ric [kwɑ́drik] *a., n.* 〖數〗 2차의; 2차 곡면(曲面); 2차 함수.

quàdri·centénnial *a.* 400년(째)의. —— *n.* 400주년 기념(일), 400년 잔치.

quad·ri·ceps [kwɑ́drəsèps] *n.* 〖解〗 대퇴 사두근(四頭筋). **quàd·ri·cíp·i·tal** [-sípətl] *a.*

quad·ri·fid [kwɑ́drəfid, -fəd] *a.* 〖植·動〗 네 갈래로 된: a ~ leaf[petal] 네 갈래로 된 잎[꽃잎].

qua·dri·ga [kwɑdrí:gə, -drái-] *n.* (*pl.* **-gae** [-dʒi:, -gài]) 〖古로〗 4두 2륜 전차(戰車).

quàdri·láteral *n., a.* 사변형(의); 사변의; 사변형 요새지: a complete ~ 〖數〗 완전 사변형.

quàdri·língual *a.* 4개국어를 쓰는[로 된].

qua·drille[1] [kədríl, kwə-] *n.* 〖트럼프〗 카드리유《네 명이 40장의 카드로 함; 17-18세기에 유행함》.
【F＜? Sp. (*cuarto* fourth); 어형은 ↓에 동화】

quadrille[2] *n.* 카드리유《네모꼴을 이루며 네 명이 짝지어 추는 프랑스에서 기원한 고풍(古風)의 춤;

그 곡(曲)》.
〖F<Sp.=troop, company (*cuadra* square)〗
qua·dril·lion [kwɑdríljən] *n.* 《英·獨·프》 백만의 4제곱《10^{24}》; 《美》 천의 5제곱, 천조《10^{15}》.
quad·ri·no·mi·al [kwɑ̀drənóumiəl] *a.* 〖數〗 4항(項)의. —— *n.* 4항식.
quad·ri·par·tite [kwɑ̀drəpɑ́:rtait] *a.* 4조(組)로 나뉘는; 4부분[4인]으로 이루어진; 4나라 사이의: a ~ pact 4(개)국 협정. **~·ly** *adv.*
quàdri·phónic *a.* =QUADRAPHONIC.
quádri·pòle *n.* =QUADRUPOLE.
quad·ri·reme [kwɑ́drərì:m] *n.* 〖古로〗 4열 노(櫓)의 배, 4단 노의 갤리선(galley).
quàdri·sónic *a.* =QUADRAPHONIC.
quàdri·syllábic *a.* 4음절의.
quádri·sỳllable *n.* 4음절어.
quàdri·válent *a.* 〖化〗 4가(價)의. **-válence, -cy** *n.* Ⓤ 〖化〗 4가(價).
qua·driv·i·um [kwɑdríviəm] *n.* (*pl.* **~s, -ia** [-iə]) Ⓤ 〖史〗 4과(科)《중세 대학의 산술·기하·천문학·음악; cf. TRIVIUM》.
quad·ro [kwǽdrou] *n.* (*pl.* **~s**) (계획 도시의) 가로의 구획. 〖Port.=square〗
quad·ro·min·i·um, quad·ra- [kwɑ̀drəmíniəm] *n.* 4세대 연립 주택(quadplex).
〖cf. CONDOMINIUM〗
qua·droon [kwɑdrú:n] *n.* 백인과 MULATTO와의 혼혈아, 흑인의 피가 4분의 1가량 섞인 사람(cf. OCTOROON, SAMBO[1]). 〖Sp. (*cuarto* fourth)〗
quadru- [kwɑ́dru] ☞ QUADRI-.
qua·dru·ma·na [kwɑdrú:mənə] *n. pl.* 〖動〗 사수류(四手類)《손 모양의 발을 특징으로 하는 인류 이외의 영장류》. **-nal** *a.* **quad·ru·mane** [kwɑ́drumèin], **qua·drú·ma·nous** *a., n.* 사수류의 (동물). 〖L *manus* hand〗
quad·ru·ped [kwɑ́drəpèd] *n.* 〖動〗 네발 짐승. —— *a.* 네발 가진. 〖F or L (*quadri-, -ped*)〗
qua·dru·pe·dal [kwɑdrú:pədl, kwɑ̀drəpédl] *a.* 〖動〗 네발을 가진; 네발 짐승의.
qua·dru·ple [kwɑdrú:pəl, kwɑ́drə-] *a.* 4겹의(cf. SEXTUPLE); 4배의(fourfold); 4부분으로[단위로] 이루어진; 〖樂〗 4박자의: a ~ tune 4박자의 곡 / the *Q*~ Alliance 〖史〗 4국 동맹 / ~ amputee 사지(四肢)를 잃은 사람 / ~ measure [rhythm, time] 〖樂〗 4박자. —— *n.* 4배: the ~ *of* …의 4배. —— *vt., vi.* 4배로 하다[가 되다]. **qua·drú·ply** *adv.*
〖F<L (*quadri-, -plus* -fold)〗
quad·rup·let [kwɑdrʌ́plət, -rú:p-, kwɑ́d-] *n.* **1** 네 쌍둥이 중의 한 사람; [*pl.*] 네 쌍둥이. **2** 네 개 한 벌, 네 개 한짝; 4인승 자전거.
quad·ru·plex [kwɑ́drəplèks, kwɑdrú:pleks] *a.* **1** 네 겹[배]의(fourfold). **2** (같은 회로를 쓰는) 4중 송신의.
qua·dru·pli·cate [kwɑdrú:plikət, -kèit] *a.* 4배[겹]의(fourfold); 네 번 반복한; (문서 따위를) 네 통으로 작성한. —— *n.* 네 통 중의 하나; [*pl.*] (같은 사본의) 네 통. —— [-kèit] *vt.* 4배로[겹으로] 하다(cf. DUPLICATE); (문서 따위를) 4통 작성하다, …의 사본을 4통 뜨다.
qua·drù·pli·cá·tion *n.* (문서 따위) 4통 작성.
〖L (*quadri-, plico* to fold)〗
quad·ru·plic·i·ty [kwɑ̀drəplísəti] *n.* 4중성.
quádru·pòle *n.* 〖電〗 4중극(四重極), 4극자.
quae·re [kwíəri] *vt.* [명령] 살펴보라, 조사하라; 알고[묻고]싶다: *Q*~ more about it. 좀더 조사해 보라 / He says he is going to retire, ~? 은퇴할 생각이라고 한다, 과연 그럴까. —— *n.* 의문, 문제(question). 〖L〗
quaes·tor, ques- [kwí:stər, kwés-] *n.* 〖古로〗 심문관(審問官), (후에) 재무관. **~·shìp** *n.* Ⓤ quaestor의 직[임기].
quaff [kwɑ́(:)f] *vt., vi.* [+目 / +目+副 / 動] 《文語》 꿀꺽꿀꺽 들이켜다, 단숨에 죽 들이켜다: ~ (***off***) a glass of wine 포도주 한잔을 단숨에 들이켜다. —— *n.* 단숨에 들이켜기; 통음(痛飮).
~·er *n.* 〖? imit.〗
quag [kwǽ(:)g, kwɑ́g] *n.* =QUAGMIRE.
〖C16<? (imit.); cf. *quag* (dial.) to shake〗
quag·ga [kwǽgə, kwɑ́gə] *n.* 〖動〗 얼룩말의 일종《남아프리카산(產)으로 지금은 멸종》. 〖Afrik.〗
quág·gy *a.* 소택지의(boggy); 진창의.
quag·mire [kwǽgmàiər, kwɑ́g-] *n.* **1** 소택지, 질퍽질퍽한 땅(bog, marsh). **2** 《비유》 진퇴유곡의 곤경, 수렁, 궁지. 〖*quag*+*mire*〗
qua·hog, -haug [kwɔ́:hɔ(:)g, -hɑg] *n.* 《美》 대합조개의 일종《북미 대서양 연안산》.
quaich, quaigh [kwéix] *n.* 《스코》 (손잡이가 두 개 달린 나무) 술잔.
Quai d'Or·say [kèi dɔ:rséi; *F* kɛ dɔrsɛ] *n.* [the ~ *or* le ~] 프랑스 외무성《그 건물이 있는 파리의 Seine강 왼쪽 기슭의 거리 이름에서》; 프랑스 외교 (정책); 프랑스 정부.
quail[1] [kwéil] *n.* (*pl.* **~, ~s**) **1** 〖鳥〗 메추라기. **2** 《美學俗》 소녀, 여자, (특히) 남녀 공학의 여학생.
〖OF<L<? (imit.)〗
quail[2] *vi.* [+前+名 / 動] 기가 죽다, 겁내다, 움츠리다(shrink): The boy ~*ed* ***at*** the dreary sight. 소년은 그 황량한 광경을 보고 움찔했다 / Her eyes ~*ed* ***before*** his angry looks. 그녀는 그의 성난 얼굴을 보자 움찔했다 / My courage ~*ed*. 나의 용기도 꺾였다. —— *vt.* 겁먹게 하다, 움츠리게 하다.
〖ME<?; cf. OF *quailler*<L COAGULATE〗
quáil càll[pìpe] *n.* 메추라기 피리(의 소리) 《메추라기를 꾀어내기 위한 피리소리》.
quaint [kwéint] *a.* 별스러워[색다르고] 재미있는, 예스럽고 풍취가 있는; 기이한, 기묘한(odd).
~·ly *adv.* **~·ness** *n.* 〖ME=wise, cunning<OF *cointe*<L (p.p.)〈*cognosco* to ascertain〗
[類義語] ⟹ STRANGE.
quake [kwéik] *vi.* **1** 흔들리다, 진동(震動)하다(shake): The earth began to ~ suddenly. 지면이 갑자기 흔들리기 시작했다. **2** [動 / +前+名] 부들부들[덜덜] 떨다, 전율하다(shiver): I was *quaking* ***at*** the knees. 무릎이 부들부들 떨리고 있었다. —— *n.* **1** 요동, 진동, 부들부들 떨림, 전율. **2** 《口》 지진(地震)(earthquake).
〖OE *cwacian*; cf. G *wackeln*〗
[類義語] ⟹ SHAKE.
quáke·pròof *a.* 내진성의.
quak·er [kwéikər] *n.* **1** 떠는 사람[것]. **2 a)** [Q~] 퀘이커 교도《George Fox가 창시한 기독교의 일파인 프렌드회(會)(Society of Friends)의 회원으로 절대 평화주의》. **b)** [Q~] Pennsylvania 주 사람; 《美》 =QUAKER GUN. **3** [q~] =QUAKER MOTH.
〖주의 말씀으로 떨린다고 하는 속칭으로 퀘이커 교도 자신은 이 말을 쓰지 않음〗
quáker·bìrd *n.* 〖鳥〗 앨버트로스의 일종.
Quáker Cíty *n.* [the ~] 미국 Philadelphia 시(市)의 속칭.
Quáker·dom *n.* Ⓤ =QUAKERISM.
Quáker gùn *n.* 《美》 (배나 요새의) 가짜 대포,

목제 대포. 〖퀘이커의 평화주의에서〗

Quáker·ish *a.* 퀘이커 교도 같은 ; 근엄한, (복장 따위가) 간소한. **~·ly** *adv.* 퀘이커교식으로 ; 근엄하게.

Quáker·ìsm *n.* Ⓤ 퀘이커파(의 교리·관습).

quáker-làdies *n. pl.* 〔植〕 (북미산의) 꼭두서니과(科)의 식물.

Quáker·ly *a.* =QUAKERISH.
—— *adv.* 퀘이커 교도답게.

Quáker mèeting *n.* **1** 퀘이커 교도의 집회《성령에 감응한 회원이 기도를 소리내어 올릴 때까지 모두 침묵을 지킴》. **2** 《비유》 침묵의 집회, 말을 하지 않는 집회, 철야 (기도).

quáker mòth *n.* 〔昆〕 밤나방.

quak·ing [kwéikiŋ] *a.* 흔들리는, 흔들흔들하는 ; 떨고[전율하고] 있는.

quáking ásh[**áspen, ásp**] *n.* 〔植〕 미류나무, 포플러.

quaky [kwéiki] *a.* 떨리는, 흔들리는.

qual. qualitative.

qual·i·fi·ca·tion [kwɑ̀ləfəkéiʃən] *n.* **1 a)** Ⓤ 자격 부여[증명], 면허 ; Ⓒ 자격증명서, 면허장 : property ~ 재산자격《선거권 따위에 관한》/ a medical ~ 의사 면허. **b)** [+*for*+do*ing*] 자격 : He has no ~*s* ***for*** the post. 그는 그 직위를 맡을 자격이 없다 / These are ~*s for* enter*ing* a university. 이러한 것들이 대학 입학을 하는데 필요한 자격들이다. **2** Ⓤ,Ⓒ 제한(을 가하는 것), 한정(하는 것) ; 손질, 수정(modification) : with certain ~*s* 어떤 제한[조건]을 붙여 / without (any) ~ 무제한[무조건]으로.

qual·i·fi·ca·tory [kwɑ́ləfəkèitəri, -kətɔ̀:ri ; -kətəri, -kèitəri] *a.* 자격을 부여하는 ; 제한[한정]하는 ; 조건부의.

***quál·i·fied** *a.* **1** 자격있는, 적임의(competent, fit)〈*for*〉; 면허의, 검정을 받은. **2** 제한[한정]된, 조건부의 ; 수정된 : in a ~ sense 에누리하여, 줄잡아 / ~ acceptance 〔商〕 (어음의) 제한 인수. **3** 《英口》 심한, 엄청난(damned).
~·ly *adv.*

quál·i·fi·er *n.* 자격[권한]을 부여하는 사람[것] ; 한정하는 것 ; 〔컴퓨〕 정성자 ; 〔文法〕 수식어구《형용사(구)·부사(구) 따위》; 자격을 딴 사람, (특히) 예선 통과자 ; 예선.

‡qual·i·fy [kwɑ́ləfài] *vt.* **1** [+目/+目+*for*+名/+目+*to* do/+目+*as* 補] …에 자격[권한]을 주다, 적임자로 하다 : I *qualified* myself ***for*** the office. 그 직종의 자격을 획득했다 / He is *qualified as*[*to be*] a lawyer. 변호사로서의 자격이 있다 / Is he *qualified* to lead the expedition? 그는 탐험대를 지휘할 만한 자격이 있느냐 / a ~*ing* examination 자격 검정시험. **2** 제한[한정]하다(limit) ; 〔文法〕 (언어의) 의미를 한정하다, 수식하다(modify) : Adjectives ~ nouns. 형용사는 명사를 수식한다. **3** [+目/+目+*with*+名] (노여움을) 누그러뜨리다, 가라앉히다(soften) ; (술 따위를) 묽게 하다 : ~ spirits ***with*** water 술에 물을 타다. **4** [+目+*as* 補] (…라고) 진술하다, 칭하다(describe), 간주하다 : Their actions may be *qualified as* irrational. 그들의 행동은 불합리하다고 볼 수 있다. —— *vi.* **1** [+*for*+名/+*as* 補] 자격을 얻다, 면허[인가]를 받다 ; 적임자라고 증명하다 : He has not yet *qualified* ***for*** the race. 아직 경주에 출전할 자격이 없다 / It takes six years to ~ *as* a doctor. 의사 자격을 얻는 데는 6년이 걸린다. **2** 〔競〕 예선을 통과하다 ; (사격 연습장에서 사수로서의) 자격에 필요한 점수를 올리다. **quál·i·fi·able** *a.* 〖F<L (*qualis* such as, of what kind)〗

quálify·ing gáme[**héat, róund**] *n.* 예선.

qual·i·ta·tive [kwɑ́lətèitiv, 英+-tə-] *a.* 성질(상)의, 질적인(↔*quantitative*).
~·ly *adv.* 질적으로.

quálitative análysis *n.* 〔化〕 정성(定性) 분석.

Qua·li·täts·wein [kwɑ̀litéitsvàin] *n.* 독일산 고급 포도주. 〖G〗

‡qual·i·ty [kwɑ́ləti] *n.* **1** Ⓤ,Ⓒ 질(質), 소질, 자질, 품질, (↔*quantity*) : of good[poor] ~ 질이 좋은[나쁜] / *Q*~ matters more than quantity. 양보다 질이 더 중요하다. **2** Ⓤ 양질, 우량성(excellence) : have ~ 우수하다, 뛰어나다. **3** [+前+do*ing*] 특질, 특성, 특색 : the *qualities* of gold[a king] 금의 특성[왕의 자질] / Is laughter a ~ of man? 웃음은 인간의 특질인가 / The man had the ~ ***of*** lead*ing* the people. 그 사람은 민중의 지도자로서의 자질을 갖추고 있다. **4** Ⓤ 《古》 소양(素養), 교양 ; 높은 신분 : a lady *of* ~ 귀부인 / the ~ 상류 사회의 사람들(↔*the common people*). **5** [형용사적으로] **a)** 상류사회의, 귀족의[적인] : ~ people 상류 사회의 사람들. **b)** 질 좋은, 우수한(excellent) : ~ goods[meat, leather] 우량품[양질의 고기, 고급 피혁] / a ~ magazine 고급 잡지.
give a person ***a taste of*** one***'s quality*** 남에게 수완[능력]을 엿보이다, 솜씨를 드러내다.
〖OF<L ; ⇨ QUALIFY〗
類義語 ***quality*** 가장 뜻이 넓은 단어로서 사람이나 물건의 근본적인 또는 다른 것과 구별할 수 있는 개성적이거나 전형적인 성질 ; 유형·무형을 불문 : Strength is a *quality* of iron. (강도는 철의 특성이다). ***property*** 어떤 물질이 본질적으로 지니는 성질 : Radioactivity is a *property* of uranium. (방사능은 우라늄의 속성이다). ***character*** 개인[개체] 또는 종족·계급 따위의 특징이 되는 성질 ; 과학적·형식적인 낱말 : the *character* of our nation (우리 국민의 특성). ***attribute*** 어떤 물질이 마땅히 가지고 있다[가져야 한다]고 생각되는 성질 : Kindness is an *attribute* of a good nurse. (친절은 훌륭한 간호사가 갖춰야 할 자질이다). ***trait*** 사람의 특색이 되는 성격 : Cheerfulness is his finest *trait.* (명랑하다는 것이 그의 가장 좋은 특성이다).

quálity cìrcle *n.* 품질 관리 서클《규모가 작은 노동자 팀들이 생산 향상과 생산 문제 해결을 토의하는 모임》.

quálity contròl *n.* 품질 관리.

quálity pòint[**crèdit**] *n.* 《美》 =GRADE POINT.

qualm [kwɑ́:m, kwɔ́:m, 美+kwɑ́:lm] *n.* (일시적인) 현기증, 구역질, 메스꺼움 ; 불안, 걱정 ; 양심의 가책. —— *vt.* 《美俗》 초조하게 하다, 걱정시키다. 〖C16<? ; cf. OE *cwealm* death or plague, OHG *qualm* despair〗

quálm·ish *a.* 메스꺼운 ; 양심에 걸리는.

quan·da·ry [kwɑ́ndəri] *n.* 곤혹, 곤경, 당황, 진퇴 양난(의 처지), 난국 : be *in* a (great) ~ (전혀) 어찌 할 바를 모르다.
〖C16<? ; cf. L *quando* when〗

quan·go, Quan·go, QUANGO [kwǽŋgou] *n.* (*pl.* **~s**) 《英》 특수 법인《정부로부터 재정 지원과 상급 직원의 임명을 받으나 독립된 권한을 가진 기관》. 〖*qua*si-*n*on-*g*overnmental *o*rganization or *qua*si-*a*utonomous *n*ational *g*overnment *o*rganization〗

quant. quantitative.

quanta *n.* QUANTUM의 복수형.
quan·tic [kwɑ́ntik] *n.* 〔數〕 (다변수의) 동차 다항식(同次多項式).
quan·ti·fi·ca·tion [kwɑ̀ntəfəkéiʃən] *n.* 정량화(定量化), 수량화 ; 〔論〕 부량(附量), 한량화(限量化)《빈사·단어·명제의 논리량을 한정함》.
~·al *a.* **~·al·ly** *adv.*
quán·ti·fi·er *n.* 〔文法〕 수량(형용)사 ; 〔論〕 양기호 ; 계량 숙련자 ; 데이터를 수량화하는 사람 ; 〔컴퓨〕 정량자.
quan·ti·fy [kwɑ́ntəfài] *vt.* …의 양을 달다[재다] (measure) ; 〔論〕 (all, every, some 따위를 써서 명제의) 양을 한정하다. **quán·ti·fi·able** *a.*
〖L ; ⇨ QUANTITY〗
quan·ti·tate [kwɑ́ntətèit] *vt.* (특히 정확하게) …의 양을 측정[평가]하다 ; 수량사로 나타내다.
quan·ti·ta·tive [kwɑ́ntətèitiv, 英+-titə-] *a.* 양의, 양적인 (↔*qualitative*). **~·ly** *adv.*
〖L ; ⇨ QUANTITY〗
quántitative análysis *n.* 〔化〕 정량분석 ; 〔經營〕 양적 분석.
quántitative genétics *n.* 양(量) 유전학.
quántitative inhéritance *n.* 〔遺〕 양적 유전.
***quan·ti·ty** [kwɑ́ntəti] *n.* **1** Ⓤ 양(↔*quality*) : I prefer quality to ~. 양보다도 질을 택한다. **2** (어떤 특정의) 분량, 수량 : a large ~ *of* wine [books] 다량의 술[많은 책] / They had only a small ~ left. 그들에게는 소량[소수]밖에 남아 있지 않았다 / a given ~ 일정량. **3** [때때로 *pl.*] 다량, 다수 : I had *quantities of* work to do. 해야 할 일이 많이 있었다. **4** 〔數〕 양, 양을 나타내는 숫자[부호] : a known ~ 기지량[수] / an unknown ~ 미지량[수] ; 《비유》 미지수의 사람[것] / a negligible ~ 무시할 수 있는 수량 ; 《비유》 무시해버릴 수 있는 사람[것]. **5** [형용사적으로] 양적인, 수량의 : ~ production 대량 생산.
in quantity = ***in*** (***large***) ***quantities*** 다량의[으로], 많은[많이] : The baker buys flour *in* ~. 제빵업자는 밀가루를 대량으로 사들인다 / Many chemicals are obtained from petroleum *in* large *quantities.* 석유에서 많은 화학제품이 다량으로 얻어진다. 〖OF<L ; ⇨ QUANTUM〗
quántity màrk *n.* 〔音聲〕 (모음에 붙이는) 음량기호《macron(¯), breve(˘) 따위》.
quántity survèyor *n.* 〔建〕 적산사(積算士).
quántity thèory *n.* 화폐 수량설《물가 수준이 화폐 공급량에 정비례한다는 설》.
quan·ti·va·lence [kwɑntívələns] *n.* Ⓤ 〔化〕 원자가(價).
quan·tize [kwɑ́ntaiz] *vt.* 〔理〕 양자화(量子化)하다. **quán·tiz·er** *n.* **quàn·ti·zá·tion** *n.*
quán·tized *a.* 〔理〕 양자화된 : ~ angular momentum 양자화된 각운동량(角運動量).
quántized búbble *n.* =HARD BUBBLE.
quant. suff. 〔處方〕 quantum sufficit.
quan·tum [kwɑ́ntəm] *n.* (*pl.* **-ta** [-tə]) **1** 양(量), 액(額) (quantity, amount). **2** 특정량, 할당량 ; 몫(share). **3** 〔理〕 양자(量子). ― *a.* 획기적인, 비약적인.
〖L (neut.) ‹*quantus* how much〗
quántum chémistry *n.* 〔化〕 양자 화학.
quántum chromodynámics *n.* 양자 크로모역학《quark의 상호 작용에 관한 이론 ; 略 QCD》.
quántum electrodynámics *n.* 양자 전자(電磁) 역학《略 QED》.
quántum electrónics *n.* 양자 일렉트로닉스, 양자 전자 공학.
quántum jùmp[**léap**] *n.* 〔理〕 양자(量子) 도약 ; 《비유》 일대 비약, 약진(躍進).
quántum líb·et [kwɑ́:ntəmlíbet] 〔處方〕 원하는 만큼《略 q.l.》. 〖L=as much as you please〗
quántum mechánics *n.* 〔理〕 양자 역학.
quántum nùmber *n.* 〔理〕 양자수.
quántum óptics *n.* 양자 광학.
quántum phýsics *n.* 〔理〕 양자 물리학.
quántum statístics *n.* 〔理〕 양자 통계학.
quan·tum suf·fi·cit [kwɑ́:ntəm sʌ́fəkìt] 〔處方〕 충분할 만큼 ; 충분한 양《略 q.s., quant. suff.》. 〖L=as much as it suffices〗
quántum thèory *n.* 〔理〕 양자론.
quap [kwɑ́p] *n.* 〔理〕 콥《반양성자와 quark로 이루어진 가설상의 입자》.
quar. quart ; quarter(ly).
quar·an·tine [kwɑ́rəntì:n, 美+kwɔ́:r-] *vt.* (전염병 환자 등을) 격리하다 ; 《비유》 (정치적·사회적으로) 고립시키다, 단교하다 ; (배·승객을) 검역하다 : The patients were immediately ~*d.* 환자들은 즉시 격리되었다. ― *vi.* 검역하다.
― *n.* **1** Ⓤ 격리, (전염병 발생지로부터의 여행자·화물에 대한) 교통차단 ; (정치적·사회적인 제재로서의) 고립화, 사회적 추방, 배척, 절교 : be *in*[*out of*] ~ 격리중이다[격리가 풀리다]. **2** Ⓤ 검역 정선(停船) 기간《원래 40일간》. ― *a.* 검역의 : a ~ officer[station] 검역관[소] / ~ regulations 전염병 예방 규정.
〖It.=forty days (*quaranta* forty)〗
quárantine flàg *n.* 전염병 선기(船旗), 검역기《노란색》.
quar·en·den [kwɑ́rəndən], **-der** [-dər] *n.* 〔園藝〕 잉글랜드 Devon 및 Somerset산(産)의 심홍색 사과.
quark [kwɑ́:rk, kwɔ́:rk] *n.* 쿼크《hadron의 구성 요소라고 하는 입자》. 〖J. Joyce의 조어(造語) ; *Finnegans Wake* 중의 "Three *quarks* for Muster Mark"를 미국의 물리학자인 M. Gell-Mann (1929-)이 전용하여 명명(命名)〗
‡**quar·rel**[1] [kwɑ́rəl, kwɔ́:r-] *n.* **1** 싸움, 말다툼, 반목(反目) : have a ~ *with* …와 싸우다 / seek [pick] a ~ *with* …에게 싸움을 걸다 / a ~ *between* Jack *and* Alice 잭과 앨리스와의 반목[불화] / fasten[fix] a ~ (*up*) *on* …에 시비를 걸다 / espouse[take up] a person's ~ 남의 싸움을 편들다 / make up a ~ 화해하다 / It takes two to make a ~. ☞ TWO *n.* 1. **2** 싸움[말다툼]의 원인, 불화, 불평 ; 싸움의 변명 : in a good ~ 이유가 정당한 싸움에서 / I have no ~ *against* my present salary[*with* the employer]. 현재의 급료[고용주]에 대해 아무런 불평[시빗거리]도 없다.
― *vi.* (**-l-** | **-ll-**) **1** [動 / +前+名 / +(前+) *wh.* 節·句] 싸우다, 말다툼하다, 다투다 ; 사이가 나빠지다 : They ~*ed* ***with*** one another ***over*** [***about***] a trifling matter. 사소한 일로 서로가 말다툼했다 / The boy ~*ed with* his sister ***for*** the biggest apple. 소년은 누나와 제일 큰 사과를 서로 차지하려고 다투었다 / The children were ~*ing who* should take the toy. 아이들은 그 장난감을 서로 가지려고 다투고 있었다. **2** [+*with*+名] 불평[잔소리]하다, 책망하다(find fault) ; 반대하다 : It is no use ~*ing* ***with*** Providence. 하늘을 원망해 보았자 별 수 없다 / A bad workman ~*s with* his tools. 《속담》 서투른 무당이 장구만 나무란다.
quarrel with one***'s bread and butter*** (핫김

에) 자기의 직업을 버리다, 밥벌이를 잃을 행동을 하다.
quá·rel·(l)er *n.* 말다툼[싸움]하는 사람 ; 걸핏하면 싸우는 사람.
〖OF＜L *querela* (*queror* to complain)〗

quarrel² *n.* **1** 〖史〗 활촉이 네모난 화살. **2** 마름모꼴의 유리창[타일]. **3** (석공의) 끌(chisel).
〖OF (dim.)＜L *quadrus* square〗

quárrel·some *a.* 싸움을 좋아하는 ; 성을 잘 내는. **~·ly** *adv.* **~·ness** *n.*

quár·ri·er *n.* ＝QUARRYMAN.

quar·ry¹ [kwɑ́ri, 美＋kwɔ́ːri] *n.* **1** 채석장, 돌산. **2** 《비유》 (지식·자료 따위의) 원천, (인용구 따위의) 출처 : a ~ *of* information 지식의 원천[보고]. ── *vt.* **1** [＋目／＋目＋副] (돌을) 떠[잘라]내다 : ~ (***out***) stones 돌을 떠내다. **2** (고문서·서류 따위에서 사실을) 찾아내다, (기록 따위를) 탐색하다, 얻다. **3** …에 채석장을 만들다. ── *vi.* [動／＋*in*＋名] 애써서 조사하다 : ~ ***in*** many documents 많은 서류를 조사하다. 〖OF＝squared stone (L *quadrum* square)〗

quarry² *n.* [보통 단수형으로만 사용하여] 사냥에서 잡히는 불치, 사냥감 ; 추구물 ; 노리는 적[원수]. 〖AF＜L *cor* heart ; 사냥개에게 준 "사냥감의 내장"의 뜻 ; OF *cuir* leather, *curer* to disembowel의 영향이 있음〗

quarry³ *n.* 네모[마름모]의 유리판 ; 사각형 타일. 〖QUARREL²〗

quárry·ing *n.* Ⓤ 석공(업), 채석.

quárry·man [-mən] *n.* 채석공, 석수.

*__quart¹__ [kwɔ́ːrt] *n.* **1** 쿼트《용량의 단위 ; 액량은 1/4 gallon, 《美》 약 0.95 liters, 《英·Can.》 약 1.14 liters ; 건 량(乾 量)은 1/8 peck, 2 pints, 《美》 약 1.10 liters, 《英》 약 1.14 liters》. **2** 1쿼트들이의 병[단지]《따위》.
try to put a quart into a pint pot 불가능한 일을 시도하다.
〖OF＜L *quartus* fourth〗

quart² *n.* **1** 〖카드놀이〗 같은 그림이 넉 장 연속인 패. **2** 〖펜싱〗 ＝CARTE.
quart major 〖카드놀이〗 최고점의 넉 장 패《ace, king, queen, jack》.
〖F (↑)〗

quart. quarter ; quarterly.

quártal hármony *n.* 〖樂〗 4도(度) 화음.

quar·tan [kwɔ́ːrtn] *a.* 4일마다의(cf. TERTIAN). ── *n.* 〖醫〗 4일열.

quar·ta·tion [kwɔːrtéiʃən] *n.* 〖化〗 금·은의 질산 분해법, 4분법.

quárt bòttle *n.* 쿼트 병《1/6 gallon들이 술병》.

quarte [kɑ́ːrt] *n.* 〖펜싱〗 제4의 자세(cf. GUARD *n.* 3). 〖F〗

◇**quar·ter** [kwɔ́ːrtər] *n.* **1 a**) 4분의 1(a fourth) : a ~ of a mile 4분의 1마일／a mile and a ~ 1마일과 4분의 1／three ~*s* 4분의 3／for a ~ (of) the price＝for ~ the price 그 가격의 4분의 1로. **b**) 15분 : at a ~ past[to] five 5시 15분에[전에] 《㊟ 《美》에서는 이 경우의 a는 흔히 생략됨 ; cf. HALF past five》／strike the ~*s* (시계가) 15분마다 (종을) 치다／It isn't the ~ yet. 아직 15분이 채 못된다. **c**) 1년의 4분의 1《3개월》; 1분 기(分 期)《4지 불 기 의 하 나 ; cf. QUARTER DAYS》; 3개월마다의 지급 ; 《美》 (4학기제 학교의) 1학 기《약 12주 간 ; cf. SEMESTER, TERM 2 b)》 : the house rent for this ~ 이번 분기의 집세. **d**) 〖天〗 현(弦)《달의 공전 주기의 4분의 1》 : the first[last] ~ 상[하]현. **e**) 《英》 쿼터《곡량의 단 위 : 1/4 ton ; ＝8 bushels》; 1/4 hundredweight《《英》 28 lb., 《美》 25 lb.》; 4분의 1야드 (＝9 inches). **f**) 4분의 1마일 ; 《英》 [the ~] 4분의 1마일 경주(의 거리) : He has done *the* ~ in 50″. 4분의 1마일을 50초에 달렸다. **g**) 〖海〗 4분의 1길(fathom). **h**) 《美·Can.》 4분의 1달러(＝25 cents), 25센 트 은 화(cf. PENNY, NICKEL, DIME). **i**) (짐승의) 사지(四肢)의 하나, 사등분한 한 부분《식탁용》; 〖紋〗 방패의 4분의 1. **j**) 〖競〗 쿼터《축구 따위의 시합시간의 4분의 1 ; cf. HALF *n.* 2 d)》; 〖美蹴〗 ＝QUARTERBACK.
2 a) 방위, 방향 ; 지방, 지역 : from every ~ ＝ from all ~*s* 사방팔방에서／What ~ is the wind in? 풍향[형세]은 어떠냐《비유적으로도 씀》. **b**) (도시의) 지구, …가(街) ; (특정 지구의) 거주자들 : the Jewish ~ 유태인 거주 지역／the manufacturing ~ 공장지대／the residential ~ 주택지구. **c**) 방면, (정보 따위의) 출처(source) : from a good[reliable] ~ 확실한[믿을 만한] 소식통으로부터.
3 [*pl.*] **a**) 〖軍〗 병사(兵舍), 진영(cf. HEADQUARTERS) : winter ~*s* 동계(冬季)용 병사, 겨울의 진영(陣營). **b**) 〖海〗 부서(post, station). **c**) 주거, 숙소(lodgings) : living ~*s* 거처, 숙소／the servants' ~*s* 하인들의 방／take up one's ~*s* 숙박하다, 체재하다〈*in, at, with*〉／live in close ~*s* 좁은 집에서 북적거리며 살다.
4 〖海〗 선 미(船 尾)측(cf. QUARTERDECK) : on the ~ 배의 선미[고물]쪽에.
5 Ⓤ 관대함, 자비(clemency) ; 경감, 유예 ; (항복한 사람의) 구명(救命), 애걸 : ask for[cry] ~ (패전 병사·포로 등이) 살려달라고 애걸하다／give no ~ to …을 가차없이 공격하다／give[receive] ~ 구명을 허락하다[받다].
at close quarters (서로 닿을 정도로) 접근하여, 달라붙어서.
a bad quarter of an hour 불쾌한[싫증나는] 한 때.
beat. . .to quarters 〖海〗 (승무원을) 부서에 배치하다.
── *a.* **1** 4분의 1의, 4반분의 : a ~ mile[yard] 4분의 1마일[야드]. **2** [복합어를 이루어] 불완전한, 절반 이하의.
── *vt.* **1** 4(등)분하다 ; (동물의 몸을) 사지로[사등분으로] 나누다 ; (반역자를) 사지를 찢어 죽이다 ; 〖紋〗 (방패를) 가로 세로선으로 4분하다(cf. QUARTERING). **2** [＋目／＋目＋前＋名] (병사를) 숙영(宿營)시키다, …에게 숙사를 제공하다 ; 숙박시키다(billet) : The soldiers are to be ~*ed* ***in*** all the houses of the village. 병사들은 마을의 민가에서 숙영할 예정이다. **3** (사냥개 따위가 사냥감을 찾아) …을 이리저리 뛰어다니다.
── *vi.* **1** 숙박하다, (군대가) 숙영하다〈*at, with*〉. **2** 〖海〗 (바람이) 배의 뒤쪽에서 비스듬히 불어 오다. **3** (사냥개 따위가 사냥감을 찾아) 이리저리 뛰어다니다. 〖OF＜L＝fourth part (of a measure) 〈*quartus* fourth〗

quárter·age *n.* Ⓤ 4분기마다의 지급(금) ; (군대 따위의) 숙소 할당 (비용) ; 숙박, 숙소.

quárter·bàck *n.* 〖美蹴〗 쿼터백《forward 와 halfback의 사이에 위치함 ; 略 q.b. ; cf. BACK *n.* 4》. ── *vt.* 지휘하다 ; 계획하다 ; 〖美蹴〗 (팀의) 공격 지휘를 하다. ── *vi.* 〖美蹴〗 quarterback 역할을 하다.

quárterback snéak *n.* 〖美蹴〗 쿼터백 스니크《쿼터백이 직접 공을 갖고 중앙 돌파함》.

quárter bèll *n.* 15분마다 치는 시계 종.

quárter bìnding *n.* 〔製本〕 책등에 가죽[헝겊]을 댄 장정(裝幀).
quárter-bòund *a.* 책등에 가죽[헝겊]을 댄.
quárter-brèd *a.* (마소 따위) 4분의 1만 순종인.
quárter-brèed *n.* 《美》 1/4만 다른 인종[(특히) 인디언]의 피가 섞인 사람.
quárter bùtt *n.* 〔撞球〕 반 버트(half butt)보다 짧은 큐.
quárter cràck *n.* 〔獸醫〕 제측렬(蹄側裂)《말굽이 상하로 갈라지는 병》.
quárter dàys *n. pl.* 4분기 지급일. ㊟ 《美》는 1월, 4월, 7월, 10월의 각각 초하루 ; 《英》은 Lady Day(3월 25일), Midsummer Day(6월 24일), Michaelmas Day(9월 29일), Christmas Day(12월 25일) (cf. QUARTER *n.* 1 c)).
quárter·dèck *n.* 〔海〕 **1** 선미 갑판, 뒷 갑판. **2** [the ~ ; 집합적으로] 고급선원, 사관(officers) (cf. FORECASTLE, LOWER DECK, WARDROOM).
quárter dóllar *n.* 《美》 25센트 은화.
quár·tered *a.* **1** 4분한 ; (목재 따위) 네조각으로 나눈 ; 〔紋〕 (방패가) 가로 세로선으로 4분된. **2** 숙사를 얻은.
quàrter·fínal *n., a.* 〔競〕 준준결승(의) (cf. SEMIFINAL). **~·ist** *n.*
quárter hòrse *n.* 〔馬〕 단거리 경주말, 쿼터 호스 《1/4마일 경주말》.
quárter hóur *n.* 15분간 ; (어떤 시각의) 15분전[후]의 시점. **~·ly** *a., adv.*
quárter ìll *n.* (소·양의) 기종저(氣腫疽).
quárter·ing *n.* **1** Ⓤ 4(등)분, (특히 죄인을) 사지를 찢어 죽이기. **2** [*pl.*] 〔紋〕 짜맞춘 문장(紋章) 《자기집의 문장에다 남의 것을 짜맞추어 넣기》. **3** Ⓤ (병사의) 숙사 할당. **4** 〔建〕 샛기둥.
—— *a.* 직각으로 부착된 ; 〔海〕 풍파가 뒤에서 엇몰아치는.
quárter lìght *n.* 《英》 (마차의) 옆창.
quárter lìne *n.* 〔海〕 선박의 사다리꼴 대형.
quárter·ly *a., adv.* **1** 1년에 4회의[에], 계절마다(의), 4분기의[에]. **2** 〔紋〕 방패꼴을 넷으로 나눈[나누어] : ~ quartered 방패꼴의 1/16형(形)[모양]의. —— *n.* (*pl.* **-lies**) 연 4회 간행물, 계간물(季刊物)[지(誌)].
quárter·màster *n.* 〔陸軍〕 보급[병참] 장교《숙사 할당·양식·피복·연료·운수 따위를 관장 ; 略 Q.M.》 ; 보급부대원 ; 〔海軍〕 조타수(操舵手).
Quártermaster Còrps *n. pl.* 《美》 보급[병참] 부대《略 QMC》.
quártermaster géneral *n.* 〔陸軍〕 병참감(兵站監)《略 QMG》.
quártermaster sérgeant *n.* 〔軍〕 병참부 하사관《略 QMS》.
quárter-míler *n.* 4분의 1마일 경주 선수.
quar·tern [kwɔ́ːrtərn] *n.* **1** 액량의 단위《pint, gill 따위의 4분의 1》. **2** 곡량(穀量)의 단위《peck, stone 따위의 4분의 1》 ; 《英》 빵의 무게를 재는 단위《3½ lb.》. 〚OF〛
quárter nélson *n.* 〔레슬링〕 쿼터 넬슨《4분의 1 목누르기 ; cf. FULL NELSON, HALF NELSON》.
quártern lóaf *n.* 《英》 4파운드의 빵덩어리 ; 사방 4인치의 빵《샌드위치용》.
quárter nòte *n.* 〔樂〕 4분음표(crotchet).
quárter-phàse *a.* 〔電〕 이상(二相)의.
quárter-plàte *n.* 〔寫〕 명함판의 건판, 명함판 사진《8.3×10.8㎝》.
quárter rèst *n.* 〔樂〕 4분 쉼표.
quárter·sàw *vt.* (통나무를) 세로로 네조각으로 켜다. **-sáwed, -sáwn** *a.* 곧은 나뭇결의.
quárter séction *n.* 《美》 〔測〕 쿼터 섹션《정부 측량의 단위로 1/4 section(=160 acres), 사방 반 마일의 토지.
quárter sèssions *n. pl.* 《英》 사계법원《3개월마다 개정되는 하급법원 ; 1972년부터는 Crown Court가 대신함》 ; 《美》 (New Jersey 따위 몇 개 주에서) 3개월마다 개정되는 하급법원.
quárter·stàff *n.* (*pl.* **-stàves**) 6척봉(棒)《양끝에 쇠를 박은 나무 몽둥이 ; 원래 영국 농민의 무기》.
quárter tòne[**stèp**] *n.* 〔樂〕 4분음, 4분의 1음 《semitone의 1/2》.
quárter vènt *n.* 《英》 =QUARTER LIGHT.
quárter-wìnd *n.* 〔海〕 고물 옆쪽에서 비스듬히 불어오는 순풍(cf. QUARTER *vi.*).
quar·tet(**te**) [kwɔːrtét] *n.* **1** 〔樂〕 4중주[창], 쿼텟 ; 4중주[창]자 ; 4중주[창]단. ☞ SOLO ㊟. **2** 네 개 한벌, 네 개 한패. 〚It.〛
quar·tic [kwɔ́ːrtik] *a.* 〔數〕 4차의. —— *n.* 4제곱 ; 4차방정식.
quar·tile [kwɔ́ːrtail, 美+-təl] *a.* 〔占星〕 4분의 1 대좌(對座)의《두 행성이 90도 떨어진 위치에 있는》 ; 〔統〕 4분위(分位)의. —— *n.* 〔占星〕 구상(矩象), 〔統〕 4분위수(數).
quar·to [kwɔ́ːrtou] *n.* (*pl.* **~s**) Ⓤ.Ⓒ 4절판(切判) 《略 q., Q., 4 to, 4°》 ; Ⓒ 4절판인 책(cf. FORMAT) : a ~ edition 4절판.
quar·tus [kwɔ́ːrtəs] *a.* 《英》 넷째의《동성인 학생의 이름 뒤에 붙임 ; cf. PRIMUS》. 〚L=fourth〛
quartz [kwɔ́ːrts] *n.* Ⓤ 〔鑛〕 석영(石英) : smoky ~ 연(煙)수정 / violet ~ 자(紫)수정(amethyst). 〚G<Slav.〛
quártz crỳstal *n.* 〔電子〕 수정 결정판(結晶板).
quártz(**-crýstal**) **clòck** *n.* 수정 시계《정밀 전자 시계의 일종》.
quártz glàss *n.* 석영 유리.
quartz·ite [kwɔ́ːrtsait] *n.* Ⓤ 〔地質〕 석영암(岩), 규암(硅岩).
quártz làmp *n.* 석영 수은등.
quártz plàte *n.* 〔電〕 수정판《수정 진동자의 판》.
quártz wàtch *n.* 수정 시계(=**quártz-crýstal wàtch**).
qua·sar [kwéizɑːr, -sɑːr] *n.* 〔天〕 퀘이사, 준성(準星), 항성상(恒星狀) 천체. 〚*quasi-stellar*〛
quash[1] [kwɑ́ʃ, 美+kwɔ́ːʃ] *vt.* 진압하다, 진정시키다(suppress), 누르다 : ~ a revolt 반란을 진압하다. 〚ME=to smash<OF<L *quasso* to shake violently, shatter〛
quash[2] *vt.* 〔法〕 (판결·고발 따위를) 파기[폐기]하다, 무효로 하다(annul) : The judge ~*ed* the charges against the prisoner. 재판관은 피고인에 대한 고소를 파기했다.
〚OF *quasser* to annul<L (*cassus* null, void)〛
qua·si [kwéizai, -sai, kwɑ́ːzi, -si] *a.* 어떤 의미에서의, 유사한, 표면상의. —— *adv.* 말하자면, 어느 정도, 거의, 표면상《略 q., qu.》. 〚L=as if〛
qua·si- [kwéizai, -sai, kwɑ́ːzi, -si] *comb. form* 「유사」「의사(擬似)」「준(準)」의 뜻 : *quasi*-cholera (유사 콜레라), a *quasi*-war (준전쟁).
quási·átom *n.* 〔理〕 준(準)원자《원자간 충돌로 원자핵이 서로 접근하여 원자 상태를 만든 것》.
quási cóntract *n.* 〔法〕 준(準)계약.
quási·físsion *n.* 〔原子〕 준(準)핵분열.
quási-judícial *a.* 준(準)사법적인 ; 준재판관적 사문(査問) 권한이 있는.
quási-législative *a.* 준(準)입법적인 (기능(機能)을 가진).
quási·mólecule *n.* 〔理〕 준(準)분자.

quàsi·párticle *n.* 〔理〕 준입자(準粒子).
quási-stéllar óbject *n.* 항성상(恒星狀) 천체 《略 QSO》.
quási-stéllar rádio sòurce *n.* 〔天〕 항성상 전파원《略 QSRS》.
quas·qui·centénnial [kwɑ̀skwi-] *n., a.* 125주년 기념제(의). 〚L *quadrans* quarter ; cf. SESQUICENTENNIAL〛
quas·sia [kwɑ́ʃiə] *n.* 〔植〕 소태나무과(科)의 식물 《남미산》; Ⓤ 그 목재[나무껍질·뿌리], 그것에서 채취하는 고미제(苦味劑)《강장액·구충용》. 〚G. *Quassi* 18세기에 그 약효를 발견한 수리남의 흑인〛
quat·er- [kwɑ̀tər, kwətə́:r-] *comb. form* [특히 화합물의 이름에 붙여] 「(기(基) 또는 분자가) 4배인」의 뜻. 〚L ↓〛
quat·er·centénary [kwɑ̀tər- ; kwæ̀t-] *n.* 400주년 (기념) (cf. CENTENARY).
〚L *quater* four times〛
qua·ter·nary [kwətə́:rnəri, 美+kwɑ́:tərnèri] *a.* **1** 4요소로 이루어지는, 〔化〕 4기(基)[원소]로 된 ; 4개 한벌의 ; 〔數〕 4변수(變數)의. **2** [Q~] 〔地質〕 제4기(紀)의 : the *Q*~ period 제4기.
—— *n.* **1** 4개 한조(組)의 것. **2** [the Q~] 〔地質〕 제4기[층]. 〚L (*quaterni* four each)〛
qua·ter·ni·on [kwətə́:rniən, kwɑ:-] *n.* 네 개 한벌 ; 4인조 ; [*pl.*] 〔數〕 4원수(元數).
qua·ter·ni·ty [kwətə́:rnəti, kwɑ:-] *n.* 네 개 한벌 ; 4인조 ; [the Q~] 사위일체(四位一體).
qua·tor·zain [kətɔ́:rzein, kæ-, kǽtərzèin] *n.* 14행시(詩).
qua·train [kwɑ́trein, -ˊ] *n.* 4행연구(聯句) 《보통 abab의 압운(押韻) 형식을 가진 것》, 4행시.
〚F (↓)〛
qua·tre [kǽtrə, kɑ́:tər] *n.* =CATER². 〚F=four〛
qua·tre·foil [kǽtərfɔ̀il, kǽtrə-] *n.* 사판화(四瓣花) ; 〔建〕 네 잎 장식 ; 〔紋〕 네 잎 무늬.
〚AF (QUATRE, FOIL)〛

quatrefoil

quat·tro·cen·tist [kwɑ̀troutʃéntəst] *n.* [흔히 Q~] 15세기 이탈리아의 미술가[작가].
quat·tro·cen·to [kwɑ̀troutʃéntou] *n.* [흔히 Q~] 15세기《이탈리아 문예 부흥의 초기》; 15세기 이탈리아 미술[문학]. 〚It.=400 ; '1400년대'의 뜻에서〛
qua·ver [kwéivər] *vi.* (특히 음성이) 떨리다 (vibrate) ; 목소리를 떨다, 떨리는 목소리로 노래하다, 악기로 떨리는 음을 내다 : "How terrible!" said the old woman in a ~*ing* voice. 「아이구 무서워」라고 노파는 떨리는 목소리로 말했다.
—— *vt.* (가락을) 떨게 하다 ; [+目 / +目+副] 떨리는 목소리로 노래하다[말하다] : She ~*ed* (***out***) an folk song. 그녀는 떨리는 목소리로 민요를 노래했다. —— *n.* **1** 진음(震音), 떨리는 목소리. **2** 〔樂〕 8분 음표(eighth note) : a ~ rest 8분 쉼표. **quá·very** *a.* 〚(freq.) ‹ *quave* (obs.) < ? OE 《美》 *cwafian* (imit.)〛
quá·ver·ing *a.* (목소리가) 떨리는(tremulous). **~·ly** *adv.*
quay [kí:, kwéi] *n.* 부두, 선창.
〚OF<Celt. ; cf. Corn. *kē* hedge, fence, OE *hecg* hedge〛
quáy·age *n.* Ⓤ 부두세(稅), 계선료(繫船料) ; 부두 용지(用地) ; [집합적으로] 부두(quays).
quáy·sìde *n.* 부두 지대.
Que. Quebec.
quean [kwí:n, kwéin] *n.* 《英古·美》 뻔뻔스러운 여자[소녀], 말괄량이 ; 매춘부 ; 《스코》 소녀, 처녀, (미혼의) 젊은 여자. 〚OE *cwene* woman< Gmc. ; QUEEN과 같은 어원〛
quea·sy, quea·zy [kwí:zi] *a.* **1** (음식이) 메스꺼운 ; (위에서) 음식물을 받지 않는, 느글거리는 ; 욕지기나는. **2** 성미가 까다로운 ; 소심한, 불쾌한, 불안한. **quéa·si·ly, -zi-** *adv.* 메스껍게. **-si·ness, -zi-** *n.* Ⓤ 욕지기 ; 불안.
〚? AF and OF 《美》 *coisi* ; cf. OF *coisier* to hurt〛
Que·bec [kwibék, ki-, ke-], **Qué·bec** [*F* kebɛk] *n.* 퀘벡《캐나다 동부의 주 ; 그 주도 ; 略 Que.》.
Que·be·cois, Qué- [kèibəkwɑ́:, -be- ; *F* kebɛkwa] *n.* (*pl.* ~ [-z ; *F* —]) (프랑스계) 퀘벡인.
que·bra·cho [keibrɑ́:tʃou] *n.* (*pl.* **~s**) 〔植〕 케브라초《남미산 옻나무과의 식물》; 그 목재, 껍질《약제·염료용》. 〚Am. Sp.〛
Quech·ua, Kech- [kétʃwə, kətʃú:ə] *n.* (*pl.* ~, **~s**) (페루 따위의) 케추아족 ; 케추아어《원래 잉카 문명권의 공용어》.
Quech·uan, Kech- [kétʃwən, kətʃú:ən] *n., a.*
◇**queen** [kwí:n] *n.* **1 a**) 여왕, 여제(女帝) (cf. KING). ☞ 活用. **b**) 왕비《QUEEN CONSORT라고도 함》. **c**) 여신, (신화적 또는 전설적인) 여왕. **2** 여왕에 비길만한 여자[것], 미인, (특히) 미인대회의 우승자, (사교계 따위의) 여왕 : a ~ of beauty 미(美)의 여왕. **3** 연인, 정부(情婦), 아내. **4** (벌·개미 따위의) 여왕. **5** 〔카드놀이·체스〕 퀸. **6** 《俗》 호모(의 여자 역할).
Queen Anne is dead. 그것은 낡아빠진[진부한] 이야기다.
***queen of the meadow*(*s*)** =MEADOWSWEET.
the Queen of Grace 성모 마리아.
the queen of hearts 〔카드놀이〕 하트의 퀸 ; 미인(美人).
the Queen of Heaven 성모 마리아 ; =JUNO.
the Queen of love=VENUS.
the Queen of night 밤의 여왕, 다이아나, 달.
the Queen of the Adriatic=VENICE.
the queen of the seas 일곱 바다의 여왕《이전의 Great Britain》.
to the queen's taste 《美》 아무리 까다로운 사람이라도 만족시키는, 더할 나위 없는.
turn Queen's evidence ☞ EVIDENCE.
—— *vt.* **1** 왕비[여왕]로 삼다. **2** 〔체스〕 (졸(pawn)을) 퀸으로 쓰다. —— *vi.* 여왕으로 군림하다 ; 《美俗》 여성을 에스코트[과 데이트]하다.
queen it (…에 대하여) 여왕처럼 행동하다, 여왕인 체하다, 빼기다, 좌지우지(左之右之)하다 ⟨*over*⟩(cf. LORD[KING] *it*).
〚OE *cwēn*<Gmc. (OS *quān*, ON *kvæn*, Goth. *qēns* wife) ; cf. QUEAN〛
活用 영국에서는 현군주가 여왕인 경우는 숙어중의 King은 Queen이 된다 : the *Queen's* English=the KING'S ENGLISH / *Queen's* weather ☞ WEATHER *n.* 1.
Quéen Ánne *n.* 앤 여왕(☞ ANNE 2) ; [형용사적으로] (18세기 초기의 건축·가구 따위가) 앤 여왕조(朝) 양식의.
Quéen Ánne's láce *n.* 〔植〕 야생의 당근《재배 당근의 원종》.
quéen ánt *n.* 〔昆〕 여왕개미.
quéen bée *n.* 〔昆〕 여왕벌 ; 《俗》 여성 리더.

quéen·càke *n.* 작은 하트형의 건포도 과자.
quéen cónsort *n.* (*pl.* **quéens cónsort**) (국왕의 아내로서의) 왕비(cf. PRINCE CONSORT, QUEEN REGNANT).
quéen·dom *n.* 여왕국(cf. KINGDOM); Ⓤ 여왕의 지위.
quéen dówager *n.* 황태후《국왕의 미망인; cf. QUEEN MOTHER》.
quéen·hòod *n.* 여왕으로서의 신분[위계, 존엄].
quéen·ing *n.* 《英》 사과의 한 품종.
quéen·less *a.* 여왕이 없는; (꿀벌이) 여왕벌이 없는.
quéen·lìke *a.* 여왕 같은, 여왕다운.
quéen·ly *a.* 여왕 같은; 여왕다운, 여왕에 어울리는(cf. KINGLY). —— *adv.* 여왕같이[답게], 여왕에 어울리게. **quéen·li·ness** *n.*
Quéen Máb [-mǽ(:)b] *n.* 인간의 꿈을 지배한다는 요정《영국·아일랜드의 민화》.
Quéen Máud Lánd [-mɔ́:d-] *n.* 퀸모드랜드《남극 대륙의 대서양 쪽의 부분》.
quéen móther *n.* 황태후《현 군주의 어머니; cf. QUEEN DOWAGER》; 왕자가 있는 여왕.
Quéen of Máy *n.* [the ~] = MAY QUEEN.
quéen·pìn *n.* 《俗》 그룹의 중심이 되는 여성.
quéen pòst *n.* 〖建〗 쌍대공, 암기둥(cf. KING POST).
quéen régent *n.* (*pl.* **quéens régent**) 섭정(攝政) 여왕.
quéen régnant *n.* (*pl.* **quéens régnant**) (한 나라의 군주로서의) 여왕(cf. QUEEN CONSORT).
Queens [kwí:nz] *n.* 퀸스《New York시 동부의 한 구(區)》.
Quéen's Bénch (**Divìsion**) *n.* [the ~] = KING'S BENCH (DIVISION).
Quéens·ber·ry rùles [kwí:nzbèri-; -bəri-] *n. pl.* 퀸스베리 규칙《영국의 Queensberry 후작이 설정한 권투의 여러 규칙》.
Quéen's Bírthday *n.* [the ~] 《英》 여왕 탄생일《Elizabeth 2세의 탄생일(4월 21일); 공식 축제일은 6월》.
Quéen's Cólour *n.* 《英》 연대기(聯隊旗).
Quéen's Cóunsel[**Énglish, évidence**] ☞ KING'S COUNSEL[ENGLISH, EVIDENCE].
quéen's híghway *n.* 《英》 공도(公道)(king's highway).
quéen·ship *n.* 여왕임; 여왕의 지위; 여왕다움.
quéen·sìde *n.* 〖체스〗 (게임 시작 때의 판면(板面)의) 퀸 쪽.
quéen-sìze *a.* (여성복 따위) 퀸사이즈[준특대(準特大)]의; (침대가) 퀸사이즈의《60×80인치; cf. KING-SIZE》; 퀸사이즈의 침대에 맞는 크기의《시트 따위》.
Quéens·lànd [, -lənd] *n.* 퀸즐랜드《오스트레일리아 북동부의 주》. **~·er** *n.*
Quéen's spéech *n.* = KING'S SPEECH.
quéen-stìch *n.* 장식 자수(刺繡)(의 일종).
quéen sùbstance *n.* 〖生化〗 여왕 물질《여왕벌이 분비하여 일벌의 난소 성장을 억제하는 페로몬의 일종》.
quéen's wàre *n.* (영국의) 크림 빛깔의 Wedgwood산 도자기《영국 왕실의 전용 도자기가 된 데서 이 이름이 붙었음》.
quéen's wéather *n.* [the ~] 《英》 쾌청.
quéen wásp *n.* 암펄, 여왕벌.
***queer** [kwíər] *a.* **1** 묘한, 별난(odd): a ~ fish 괴짜. **2** 수상한, 의심스러운: a ~ transaction 부정한 거래 / a ~ figure in the garden 정원의 수상한 사람의 모습. **3** 《口》 기분 나쁜, 어지러운(faint), 현기증이 나는(giddy); 기분이 언짢은: I felt a little ~. 다소 기분이 언짢았다. **4** 《美俗》 가짜의: ~ money 가짜 돈. **5** 《英俗》 술에 취한(drunk). **6** 《俗》 동성애의(homosexual). **7** 머리가 좀 돈.
—— *vt.* 《俗》 엉망진창으로 만들다, 망쳐 놓다(ruin); 기분을 언짢게 하다.
queer** a person**'s pitch** = **queer the pitch for a person 《주로 英》 남의 계획[성공]을 망쳐 버리다(cf. PITCH¹ *n.* 6).
—— *n.* 《口》 호모, 동성애의 남자; 기인, 괴짜; [보통 the ~] 《俗》 가짜돈.
~·ly *adv.* **~·ness** *n.*
〖C16 < ? G *quer* oblique ‹ THWART〗
類義語 ⟹ STRANGE.
quéer dúck *n.* 《美俗》 괴짜, 기인.
quéer·ish *a.* 조금 이상한[기분 나쁜].
Quéer Strèet *n.* [때때로 q~ s~] 《口》 특히 경제적으로 곤란한 상태, 어려운 상태.
in Queer Street 돈에 궁하여, 곤궁에 빠져.
quell [kwél] *vt.* 《詩·文語》 (반란 따위를) 진압하다, 평정하다; (공포 따위를) 억누르다, 가라앉히다: ~ a riot 반란을 진압하다. —— *n.* 《古》 진압력; 《廢》 학살. **~·er** *n.*
〖OE *cwellan* to kill; cf. G *quälen*〗
quench [kwéntʃ] *vt.* **1** 《文語》 (불·빛 따위를) 끄다[없애다](extinguish): Water ~*es* fire. 물로 불을 끈다. **2** 《文語》 (희망·속력·동작을) 잃게 하다, 억누르다; (갈증을) 풀다; (감정 따위를) 가라앉히다: ~ one's thirst 갈증을 풀다. **3** 《俗》 (반대자의) 입을 막다. **4** (가열한 것을) 물에 넣어 식히다: We ~ hot steel to harden it. 가열한 강철을 강도를 높히기 위해 물에 냉각시킨다.
—— *vi.* 가라앉다; 차가워지다; 꺼지다.
quench the smoking flax 〖聖〗 꺼져가는 등불을 끄다《이사야 42:3》.
~·able *a.* 〖OE -*cwencan* (caus.) ‹ -*cwincan* to be extinguished〗
quénch·er *n.* **1** quench하는 사람; 냉각기(器). **2** 《口》 갈증을 푸는 것, 마실 것: a modest ~ 가볍게 한 잔.
quénch·less *a.* 끌 수 없는, (억)누를 수 없는.
que·nelle [kənél] *n.* 고기 완자《생선이나 고기 따위를 다져서 양념하여 둥글게 빚어 튀긴 것》.
〖F < ? G *Knödel* dumpling < OHG *knodo* knot〗
Quen·tin [kwéntən] *n.* 남자 이름.
〖F < L *quintus* fifth〗
quer·ce·tin, -ci- [kwə́:rsətən] *n.* 〖化〗 케르세틴《황색 염료》.
quer·i·mo·ni·ous [kwèrəmóuniəs] *a.* 투덜대는, 불평이 많은. **~·ly** *adv.* **~·ness** *n.*
que·rist [kwíərəst] *n.* 심문하는 사람, 질문자.
quern [kwə́:rn] *n.* 맷돌, 손절구.
〖OE *cweorn*(*e*)〗
quer·u·lous [kwérjələs] *a.* 투덜거리는, 불평 투성이의, 푸념하는; 성급한(peevish). **~·ly** *adv.* 투덜거리며; 성마르게. **~·ness** *n.*
〖L (*queror* to complain)〗
que·ry [kwíəri] *n.* **1** 질문《불신·의문을 포함》, 의문, 의혹; 〖컴퓨〗 질문, 조회. **2** 물음표(question mark)《?》. **3** [의문구 앞에 쓰여 보통 q., qu., qy.라고 略함] 묻건대, 과연 그런가(Is this true?): *Q*~[*Qu.*], was the money ever paid? 묻겠는데, 도대체 돈은 지급했느냐. —— *vt.* **1** (진위(眞僞)를) 캐묻다, …에 의심을 나타내다, 수상히 여기다: I am inclined to ~ the accuracy

of that statement. 그 진술의 정확성에 대해 묻고 싶다. **2** …에 물음표를 붙이다. —— *vi.* 질문하다, 의문으로 여기다.
〚*quere*<L QUAERE (impv.) 〈*quaero* to inquire〛
類義語 ⟹ ASK (1).

ques [kwés] *n.* 《해커俗》 의문부. —— *int.* (의문·당혹을 나타내어) 네?

ques. question.

***quest** [kwést] *n.* 《文語》 탐색(search), 추구(pursuit)〈*for*〉; (특히 중세 기사의) 탐구(물).
in quest of …을 찾아서[추구하여]: He left home *in* ~ *of* adventure. 그는 모험을 찾아서 집을 떠났다.
—— *vi.* [+*for*+名/+副] …을 찾다, 탐색[추구]하다; (특히 사냥개가) 짐승의 뒤를 밟아 찾다: The dogs ~*ed* (***about***) ***for*** the foxes. 개는 여우의 뒤를 밟아 찾아다녔다. —— *vt.* 《詩》 찾다, 수색하다, 추구하다〈*out*〉.
~·er *n.* 〚OF (L *quaesit-* *quaero* to seek)〛

◇**ques·tion** [kwéstʃən] *n.* **1 a)** 물음, 질문, 질의(↔*answer*): put a ~ to …에게 질문하다. **b)** 〔文法〕 의문문. **2** Ⓤ [+前+do*ing* /+*that* 節] 의문, 의심: There is no ~ ***about*** her chastity [her be*ing* chaste]. 그녀가 순결하다는 것은 의심할 여지가 없다 / There is no ~ *that* existentialism has the appeal of a religion to many people. 실존주의가 많은 사람들에게 종교적인 호소력을 가지고 있는 것은 의심할 여지가 없다 / You will make no ~ ***of*** it. 그것에 대해서는 인정하겠지. **3** [+前+do*ing* /+(前+) *wh.* 節·句] 문제; 논점; 의제; 현안(cf. PROBLEM): an open ~ 미결문제 / the ~ at[in] issue 계쟁(係爭) 문제, 현안 / the ~ ***of*** unemployment 실업 문제 / The ~ *of* secur*ing* enough personnel is more important. 충분한 인원을 확보한다는 문제가 더욱 중요하다 / We must consider the ~ *whether* we can afford such huge sums. 그만한 거액을 낼 여유가 있는지 없는지 하는 문제를 생각해야만 된다 / The ~ *of how to* coordinate our activities will be discussed. 우리들의 활동을 어떻게 조정할 것인가 하는 문제가 토의될 것이다 / The ~ is who is to put up the money. 문제는 누가 돈을 내느냐에 있다. **4** (가벼운 의미로) 문제, 일, 사정(matter): It is only a ~ *of* time. 다만 시간 문제다.
beg the question ☞ BEG.
beside the question 본제(本題)를 벗어나.
beyond (***all***) ***question*** 의심할 여지 없이, 확실히, 물론.
call. . .in question (진술 따위) 의심을 품다, …에 이의를 제기하다.
come into question 논의되다, 문제가 되다.
in question 문제의; 해당의: the person[matter] *in* ~ 본인[본건].
out of[***past, without***] ***question*** 《古》 = *beyond* QUESTION.
out of the question 문제되지 않는, 고려할 가치도 없는; 전혀 불가능한.
put the question (의장이) 표결에 부치다.
Question ! (집회 따위에서 발언자의 탈선을 주의시켜) 본제로 돌아가라!; 이의 있소!
question and answer 질의응답, 문답.

〈회화〉
May I ask you a *question*? — Certainly. What is it? 「질문 하나해도 되겠습니까」「그럼요. 뭔데요」

—— *vt.* **1** [+目/+目+前+名] …에게 질문하다, 묻다(ask); 심문하다(inquire of): I ~*ed* the boy until he told all he knew. 소년이 알고 있는 것을 모조리 털어놓을 때까지 이것저것 물어보았다 / We ~*ed* the Governor ***on*** his policies. 지사에게 정책에 대해서 질문했다. **2** [+目/+*wh.* 節/+*that* 節] 의심하다, 문제로 삼다, 이의를 제기하다; 논의하다(dispute): The account may be ~*ed.* 그 이야기가 정말인지 어떤지는 의심스럽다 / I ~ *whether* this measure is legal. 이 조치가 합법적인지 어떤지 의문이다 / *It* cannot be ~*ed that* she is very clever. 그녀가 매우 영리하다는 것만은 의심할 여지가 없다. **3** (자연현상·근원 따위를) 탐구하다. —— *vi.* 질문을 하다. **~·er** *n.* 질문자, 심문자.
〚OF<L (↑)〛
類義語 ⟹ ASK (1).

quéstion·able *a.* **1** 의심스러운, 미심쩍은. **2** 수상한, 문제가 되는. **-ably** *adv.*
類義語 ⟹ DOUBTFUL.

quéstion·àry [; -əri] *a.* 질문의, 의문의.
—— *n.* =QUESTIONNAIRE.
〚L or F; ⇨ QUESTIONNAIRE〛

quéstion-bègging *n.* 논점(論點) 회피, 논점 선취. 〚beg the question(논점을 피하다)에서〛

quéstion·ing *n.* 질문, 심문. —— *a.* 캐묻는, 미심쩍은 듯한, 수상한; 탐구적인.

quéstion·ing·ly *adv.* 미심쩍은 듯이, 의심스러운 듯이, 질문조로.

quéstion·less *a.* 《文語》 문제[의심]없는, 확실한. —— *adv.* 문제 없이, 의심 없이.

***quéstion màrk**[**stòp**] *n.* **1** 의문부호, 물음표(?). **2** 《美》 미지의[불확실한] 사항, 「미지수」.

quéstion màster *n.* 《英》〔放送〕 퀴즈 프로그램의 출제[사회]자.

ques·tion·naire [kwèstʃənéər, -nǽər, kès-] *n.* (참고 자료를 얻기 위한) 질문사항, (조목별로 적은) 질문표, 앙케트; 질문표에 의한 조사.
—— *vt.* …에 질문표를 보내다; (질문표에 의해) …으로 부터 참고 자료를 얻다.
〚F (*questionner* to QUESTION)〛

quéstion tàg *n.* 〔文法〕 =TAG QUESTION.

quéstion tìme *n.* 〔英議會〕 질문시간.

questor ☞ QUAESTOR.

quetch [kwétʃ] *vi.* 《美俗》 잔소리하다.

quet·zal [ketsɑ́:l, kétsəl] *n.* **1** (*pl.* **~s, -za·les** [-leis]) 〔鳥〕 케찰《중미산의 꼬리가 긴 아름다운 새의 일종》. **2** (*pl.* **-zales**) 케찰《과테말라의 화폐 단위; =100 centavos; 기호 Q》. 〚Am. Sp.〛

***queue** [kjú:] *n.* **1** 변발(辮髮), 땋아 늘인 머리. **2** (차례를 기다리는 사람이나 탈 것의) 열(列), 줄, 행렬: in a ~ 열을 지어 / form a ~ 줄을 짓다. **3** 〔컴퓨〕 대기열. **4** 〔紋〕 짐승의 꼬리.
jump the queue 《英》 (차례를 무시하고) 새치기 하다, 차례를 기다리지 않고 물건을 손에 넣으려고 하다, 우선적으로 다루다.
—— *v.* (**quéu**(**e**)**·ing**) *vt.* (머리를) 땋아 늘이다; 〔컴퓨〕 대기 행렬에 넣다. —— *vi.* [+副] 줄짓다, 줄지어 차례를 기다리다; 줄에 끼다: You have to ~ ***up*** at the bus stop. 버스 정류장에선 줄지어 차례를 기다리지 않으면 안된다 / More people were *queuing* ***on*** to get admission tickets. 입장권을 구하려고 점점 많은 사람들이 줄을 짓고 있었다. 〚F<L *cauda* tail〛

quéue·ing thèory *n.* 〔數〕 대기 행렬 이론.

quéue júmper *n.* (줄에) 새치기하는 사람.

Qué·zon Cíty [kéizɑn-, kéisɔ:n-] *n.* 케손 시티

《1948-75년 필리핀의 공식 수도 ; 현재는 Metropolitan Manila의 일부》.

quib·ble [kwíbəl] *n.* 애매한 말(투) ; 핑계, 둔사(遁辭), 궤변, 억지소리(evasion). ── *vi.* 발뺌하다, 애매한 말을 하다, 핑계를 대다, 억지쓰다 〈*over*〉. **quíb·bler** *n.* **quíb·bling** *a., n.* 속이는, 핑계(대는). **quíb·bling·ly** *adv.* 핑계를 대어. 〖? (dim.)〈*quib* (obs.) quibble〈L *quibus* (dat. and abl. pl.)〈*qui* who〗

quiche [kíːʃ] *n.* 파이의 일종. 〖F〗

quíche-éat·er *n.* 《美俗》 계집애 같은 남자, 호모 ; 비열한 놈.

◇**quick** [kwík] *a.* **1** 급속한, 신속한(↔*slow*) : a ~ grower 성장이 빠른 식물 / in ~ motion 신속하게 / Be ~ ! 빨리(해라) ! / He did a ~ mile. 그는 순식간에 1마일을 달렸다 / *Q*~ at meal, ~ at work. 《속담》 밥을 빨리 먹는 사람은 일처리도 빠르다. **2** [+*to* do / +前+do*ing*] 재빠른, 민첩한 ; 영리한, 이해가 빠른 : He was ~ *to* see the advantage in doing that. 그렇게 하는 것이 유리하다는 것을 재빨리 깨달았다 / He is ~ ***at*** figures[*at* learn*ing* languages]. 계산이[외국어를 배우는 것이] 빠르다 / You are ~ ***in*** action [*in* answer*ing* questions]. 동작이 민첩하다[재빠르게 질문에 응답한다] / He is ~ ***of*** hear*ing* [understand*ing*]. 귀가 밝다[이해가 빠르다] / That boy is not very ~. 《口》 그 애는 그다지 머리가 좋지 않다. **3** 성급한, 화를 잘 내는 : a ~ temper 급한 성미. **4** 민감한, 날카로운(acute) : The dog has a ~ sense of smell. 개는 후각이 예민하다. **5** 활기 있는 : ~ water 흐르는 물 / in ~ agony 몹시 고민하여. **6** 《古·方》 살아있는(living) ; 《古》 임신한(pregnant) ; 《주로 英》 살아있는 식물로 이루어져 있는 : the ~ and the dead 산 자와 죽은 자 / ~ with child (임신하여) 태동(胎動)을 느끼고 있는《원래는 with quick child》 / a ~ fence[hedge] 산울타리. **7** 〔經〕 곧 환금(換金)할 수 있는. **8** 〔鑛山〕 광석을 함유한, 생산성이 있는《광맥 따위》.

a quick one 《口》 급히 마시는 한 잔(의 술).

── *n.* Ⓤ (손톱 밑의) 속살, 생살 ; (상처의) 새살, 새로 돋는 살, (특히) 새살의 표피 ; (감정의) 급소, 「아픈 데」 ; [the ~] 살아 있는 사람 ; (산울타리를 이루는) 뿌리박은 식물.

to the quick (1) 속살까지 ; 골수까지 : The remark cut[touched] him *to the* ~. 그 말은 그의 급소를 찔렀다. (2) 철두철미, 순전한 : a Tory *to the* ~ 골수 토리[보수]당원. (3) 산 것처럼 : He is painted *to the* ~. 그는 살아 있는 것처럼 그려졌다.

── *adv.* **1** [동사 뒤에 와서] 빨리, 서둘러서, 재빨리(quickly) : Come ~. 빨리 와 / Now then, ~! 어서어서, 빨리 ! / He wants to get rich ~. 그는 일확천금을 꿈꾸고 있다 / (as) ~ as lightning[thought, wink] 번개처럼, 순식간에. ☞ 活用. **2** [분사와 결합하여] =QUICKLY, SOON : ~ forgotten 곧[쉬] 잊어버리는.

~·ness *n.* Ⓤ 기민, 민첩 ; 급속, 신속 ; 성급, 화를 잘냄. 〖OE *cwic*(*u*) living ; cf. G *keck* bold, L *vivus* living〗

活用 quick *adv.* 1에 대해서는 다음의 점에 주의.
 i) quick은 quickly보다도 강하며 주로 동사의 뜻보다도 부사의 뜻에 치중할 때에 쓰이는 구어적인 말이다 ; 감탄문에서 how 다음에 놓일 때 이외에는 항상 동사 뒤에 놓음 : Don't talk so *quick.* (그렇게 빠르게 말하지 마시오). ii) 특히 《口》에서는 비교급·최상급으로서 more [most] quickly보다도 quicker, quickest의 쪽이 많이 쓰인다 : Mary ran *quicker* than Tom. (메리는 톰보다 빨리 달렸다) / Who will be there *quickest*? (누가 그곳에 제일 먼저 갈까요). ☞ SLOW 活用.

類義語 (1) ⟹ READY.
 (2) ***quick*** 속도보다도 행동을 개시하는 신속성, 단시간에 행해지는 것을 강조 : a *quick* reply [walk] (빠른 대답[걸음]). ***rapid, fast*** 모두 운동·동작·행동 따위가 빠른 것을 나타내지만 rapid에서는 운동이나 동작이 빠른 것에 중점을 두며 fast에서는 빠른 사람이나 물건에 중점을 둔다 : the *rapid* growth of plants (식물의 빠른 성장) / a *fast* runner (빨리 달리는 사람). ***swift*** rapid의 정도가 높다는 것 이외에 운동의 경쾌함·매끄러움을 나타냄 : a *swift* automobile (빠른 자동차). ***speedy*** quick과 더불어 속도가 빠르다는 것도 나타냄 : a *speedy* recovery (빠른 회복).

quíck-and-dírty *n.* 《美俗》 간이 식당, 스낵바.

quíck ássets *n. pl.* 《美》〔經〕 당좌[유동] 자산 《현찰 또는 당장 현금화할 수 있는 자산》.

quíck brèad *n.* 버터와 베이킹 파우더·소다를 섞어 부풀려 즉석에서 구운 빵《머핀 따위》.

quíck búck *n.* 《美俗》 쉽게 번[벌리는] 돈, 불로소득, 부당하게 번 돈(fast buck).

quíck-chánge *a.* (배우가) 재빨리 변장하는 ; 재빨리 교체되는 ; (항공기가) 여객기에서 수송기로 빨리 바꿀 수 있는.

quíck-drý·ing *a.* 빨리 마르는.

quíck-éared *a.* 귀가 밝은, 빨리 알아듣는.

quíck·en** *vt.* **1** 빠르게 하다, 서두르다(hasten) : *Q*~ your pace. 좀 더 빨리 걸으시오. **2** [+目 / +目+前+名] 한층 활발하게 하다, 활기 띠게 하다, 소생시키다, 재촉하다, 자극시키다, 분기시키다(arouse) : ~ the imagination 상상력을 불러일으키다 / He ~*ed* the hot ashes ***into flames. 그는 뜨거운 재를 휘저어서 불꽃이 일게 했다. ── *vi.* 빨라[급해]지다 ; 활기[생기] 띠다 ; 살아나다, 소생하다 ; (태아가) 태동(胎動)을 시작하다 : The runner's pace ~*ed.* 주자의 속도가 빨라졌다 / The patient's pulse ~*ed.* 환자의 맥박이 빨라졌다. **~·er** *n.*

類義語 ⟹ ANIMATE.

quícken·ing *a.* 살리는, 소생시키는 ; 활발하게 하는, 힘이 나게 하는.
── *n.* 〔醫〕 태동초감(胎動初感).

quíck-éyed *a.* 눈이 밝은, 눈치 빠른.

quíck fíre *n.* 〔軍〕 속사(速射).

quíck-fíre, quíck-fíring *a.* 속사의 ; 《口》 잇따라 퍼붓는《질문 따위》 : a ~ gun 속사포.

quíck-fírer *n.* 속사포.

quíck fíx *n.* 《口》 임시 변통의[민첩한] 해결(책), 응급 처치, 즉효약.

quíck-fréeze *vt.* (식료품을) 급속 냉동하다.
── *vi.* 냉동되다, (식료품이) 급속 냉동되다.

quíck-fréezer *n.* 급속 냉동고[냉동실].

quíck fréezing *n.* 급속 냉동(법).

quíck-frózen *a.* 급속 냉동한.

quíck·ie, quícky *n.* 《俗》 급히 서둘러 만든 것, 속성(速成)의 싸구려 영화[소설] ; 속성 연구[계획] ; 급히 서두른 여행[일] ; (단기의) 예고없이 하는 파업 ; 단숨에 들이키는 한 잔(의 술) ; 《卑》 후다닥 끝내는 성교. ── *a.* 급히 만든, 즉석의.

quíck kíck *n.* 〔美蹴〕 퀵 킥《세번째 다운 이전에 수비측의 의표를 찔러 행하는 punt》.

quíck·lìme *n.* Ⓤ 생석회(↔*slaked lime*).

quíck-lúnch *n.* 《美》 간이 식당《간단한 식사·샌드위치 따위가 전문》.

◇**quíck·ly** *adv.* 빨리, 급히 서둘러, 신속히, 곧: Please don't speak so ~. 그렇게 빨리 말하지 마십시오 / Can't you finish your work more ~? 더 빨리 일을 끝낼 수 없습니까 / He recovered [get better] surprisingly ~. 그는 놀랄 정도로 빨리 회복되었다.
活用 ☞ QUICK.

quíck màrch *n.* 〖軍〗 속보(速步) 행진.

quíck ópener *n.* 〖美蹴〗 퀵 오프너《백이 쿼터백으로부터 패스를 받아 블로커에 의해 생긴 적의 방어선상의 공간을 향해 돌진하는 공격 플레이》.

quíck púsh *n.* 《美俗》 잘 속는 놈, 「봉」.

quíck·sànd *n.* U,C 유사(流砂)《그 위를 지나가는 사람이나 동물 따위를 빨아 들이는 모래밭》; 위험하여 방심할 수 없는 상태[사태].
qúick·sàndy *a.*

quíck-scént·ed *a.* 후각이 예민한, 냄새 잘 맡는.

quíck·sèt *n.* 《주로 英》 (특히 아가위나무의) 산울타리(=~ **hèdge**) (cf. DEAD fence *a.* 2). —— *a.* 산울타리의.

quíck-sètting *a.* (시멘트 따위가) 빨리 굳는, 급결(急結)하는.

quíck-síght·ed *a.* 눈치 빠른, 눈이 밝은; 시력이 예리한.

quíck·sìlver *n.* U **1** 수은(mercury). **2** 쾌활한 성질, 변하기 쉬운 기질, 변덕; C 변덕스러운 사람. —— *a.* 수은의[같은]; 변하기 쉬운, 움직임이 빠른. —— *vt.* (금속을) 수은과 합금시키다; 수은을 바르다《거울용(用) 유리 뒷면에》.

quíck·stèp *n.* 〖軍〗 속보, 속보 행진곡; 〖댄스〗 속보(速步), 퀵스텝. —— *vi.* 속보로 행진하다; 퀵스텝을 추다.

quíck stúdy *n.* 이해가[습득이] 빠른 사람《특히 배우, 연주가》.

quíck-témpered *a.* 화 잘 내는, 성급한.

quíck tìme *n.* 〖軍〗 속보《1분간에 120보》.

quíck-wítted *a.* 약삭빠른, 재치있는.

quid[1] [kwíd] *n.* (*pl.* ~, ~**s**) 《英俗》 1파운드 금화(sovereign), 1파운드(£1): five ~ 5파운드.
be not the full quid 《濠俗》 저능하다.
be quids in 《英口》 제대로 잘 하다, 더할 나위 없다. 〚C17<?; cf. *quid* nature of a thing<L *quid* what, something〛

quid[2] *n.* 한번 씹을 분량《씹는 담배의》.
〚(dial.)〈*cud*〛

quid·di·ty [kwídəti] *n.* **1** 궤변, 억지소리(quibble). **2** 본질, 실체(實體). 〚L (*quid* what)〛

quid·nunc [kwídnʌ̀ŋk] *n.* (세상 소문 따위를) 캐기[퍼뜨리기] 좋아하는 사람.
〚L=what now?〛

quid pro quo [kwìd prou kwóu] *n.* (*pl.* **~s, quìds pro quó**) 대상(물)(compensation), 응분의 대상, 보상; 상응(相應)조치.
〚L =something for something〛

qui·és·cence, -cy *n.* U 정지, 휴지(休止); 무활동(inactivity); 침묵, 정적.

qui·es·cent [kwiésənt, kwai-] *a.* 정지한; 무활동의; 침묵의. **~·ly** *adv.* 정지하여; 침묵하여.
〚L (↓)〛

◇**qui·et** [kwáiət] *a.* (~·**er**; ~·**est**) **1** 조용한, 평온한: He lives a ~ life. 평온한 생활을 하고 있다. **2** 고요한, 소리를 내지 않는, 잠잠한(↔*noisy*): Be ~! 조용히! **3** 침착한, (움직이지 않고) 가만히 있는. **4** 한적한, 쥐죽은 듯 조용한. **5** 마음이 편안[평정(平靜)]한(serene). **6** (태도·언어 따위가) 얌전한, 온화한, 공손한, 정숙한; 말이 없는, 내성적인: a ~ reproach[admonition] 조용한 질책[훈계]. **7** 평온무사한, 평화스러운. **8** (환경·생활 따위가) 단조로운. **9** (복장·색채 따위가) 점잖은, 수수한, 화려하지 않은(↔*loud*). **10** 비밀의, 은근한: I had a ~ dig at him. 그를 은근히 비꼬았다. **11** 〖商〗 활발치 못한: a ~ market 활기없는[한산한] 시장.
—— *n.* **1** U 조용함, 한적함, 정적. **2** U 휴양, 안식, 안정(repose). **3** U 마음의 평정, 안도감; (사회적인) 평화, 태평: live in peace and ~ 무사태평하게 살다.
at quiet 조용[평온]하게.
on the quiet 남몰래, 은밀히(secretly) (cf. *on the* Q.T.).
—— *vt.* 조용하게 하다; 달래다, 위로하다, 안심시키다(soothe); (소란·공포 따위를) 진정시키다, 가라앉히다(pacify): The teacher tried to ~ the excited pupils. 선생님은 흥분한 학생들을 진정시키려고 했다. —— *vi.* [+副] 조용해지다, 평온해지다; 가라앉다: The town gradually ~*ed* ***down*** after the flood. 마을은 홍수가 지나간 뒤에 차츰 평온해졌다. —— *adv.* 조용하게, 평온하게. **~·en** *vt., vi.* 《英》 =QUIET. **~·er** *n.* 〖機〗 (내연 기관 따위의) 방음 장치. **~·ness** *n.*
〚(AF)<OF<L *quiet- quiesco* to become calm (*quies* quiet)〛
類義語 ***quiet*** 흥분·소동·동요 따위가 없이 조용한: a *quiet* holiday[engine] (조용한 휴일[엔진]). ***still*** 소리가 나지 않는, 그리고 또한 거의 항상 물체가 움직이지 않는: a *still* night (고요한 밤). ***noiseless, silent*** 모두 소리가 없다는 것을 나타내며 때때로 소리를 수반하지 않고 움직이는, 또한 소리가 나지 않으므로 미처 알아채지 못하는 것을 암시한다: *noiseless* footsteps (소리없는 발자국) / a *silent* motor [revolver] (소리 안나는 모터[연발권총]). ***hushed*** 소리를 내지 못하게 하여 조용해진: the *hushed* corridors of a church (조용한 교회의 복도).

quíet·ism *n.* U **1** 〖宗〗 정적주의《17세기 말의 신비주의적 종교 운동》. **2** (정신·생활의) 평화, 고요함. **quíet·ist** *n.* 정적주의자.

‡**quíet·ly** *adv.* 조용히, 살짝; 침착하게, 점잖게; 평온하게; 은근하게: He closed the door ~. 그는 살짝 문을 닫았다.

quíet ròom *n.* (정신 병원의) 구속실《격리실》.

qui·e·tude [kwáiətjù:d] *n.* U 정적, 평온, 온화함. 〚L; ⇨ QUIET〛

qui·e·tus [kwaiíːtəs] *n.* **1** (숨을 끊는) 마지막 일격, 결정타. **2** 죽음, 소멸. **3** (채무 따위의) 해제, 청산; 활동 중지 기간, 무기력 상태.
get** one's **quietus 죽다, 최후의 일격을 맞다.
give** a person **his quietus 남의 숨통을 끊다, 남을 죽이다.
〚L *quietus* (*est* he is) quit; ⇨ QUIET〛

quiff[1] [kwíf] *n.* 《英》 곱슬머리《앞이마에 늘어뜨린》; 《俗》 교묘한 수단. 〚C20<?〛

quiff[2] *n.* **1** 《美俗》 쉽게 성교에 응하는 여자, 몸가짐이 헤픈 여자. **2** (담배 연기의) 한 번 내뿜기; 일진의 바람. 〚WHIFF〛

***quill** [kwíl] *n.* **1** (새의) 깃, 깃촉; (새의 날개 또는 꼬리에 있는 억세고 튼튼한) 큰 깃(=~ **féather**). **2** 깃대로 만든 물건; (거위의 깃으로 만든) 깃펜(=~ **pén**), (현악기의) 채(plectrum); 관(管) 모양의 실패. **3** (고슴도치의) 뻣뻣한 털(spine).

drive the quill 펜을 놀리다, 쓰다.
—— *vt.* **1** (레이스 따위)에 관(管) 모양의 주름을 달다; (실을) 실패에 감다; 바늘 따위로 (찔러) 꿰뚫다; (새)의 깃털을 뽑다. **2** 《俗》 …에게 아양떨다, 교태를 부리다.
〚ME=hollow reed< ? LG *quiele*〛

quíll-drìver *n.* 《戱·蔑》 부지런히 무엇을 쓰는 사람, 마구 써 대는 문필가, (특히) 하급서기.

Quil·ler-Couch [kwílərkú:tʃ] *n.* 퀼러쿠치. Sir **Arthur Thomas** ~ (1863-1944) 영국의 소설가·비평가《필명 Q》.

quil·let [kwílət] *n.* 《英古》 **1** 핑계, 발뺌, 얼버무림. **2** 세세한 구별.

quíll·ing *n.* (레이스·리본에) 관(管) 모양의 주름잡기; 그 레이스[리본].

quíll shàft *n.* 〔機〕 퀼 샤프트, 중공축(中空軸) 《속이 빈 샤프트》.

***quilt** [kwílt] *n.* **1** (솜·양털·깃털 따위를 속에 넣은) 누비 이불, 깃털 이불. **2** (일반적으로) 이불, (침대의) 침대 커버(coverlet).
—— *vt.* **1** (속을 넣고) 누비다. **2** (화폐·편지 따위를) 옷 같은 것에 넣고 꿰매다. **3** …에 이불을 덮다. **4** 《英》 (문학작품 따위를) 모아 편집하다. **5** 《俗》 때리다, 매질하다(thrash). —— *vi.* 《美》 누비 이불을 만들다. **~·er** *n.*
〚OF *cuilte*<L *culcita* cushion〛

quílt·ed *a.* 누비 이불식의: a ~ coat 누비어서 만든 웃옷.

quílt·ing *n.* **1** Ⓤ 누비질, 누비 이불 만들기; 누비 이불 재료. **2** =QUILTING BEE.

quílting bèe[**pàrty**] *n.* 《美》 누비 이불 만드는 여자들의 모임 (cf. BEE 3).

quim [kwím] *n.* 《卑》 =VAGINA; 《美俗》 호모 (queen).

quin [kwín] *n.* 《口》 =QUINTUPLET.

quin. quintuple; quintuplet.

quin- [kwín], **quino-** [kwínou, -nə] *comb. form* 「키나나무[나무껍질]」「〔化〕 퀴논」의 뜻.
〚Sp. (↓)〛

qui·na [kí:nə] *n.* 키나나무 껍질.
〚Sp. *kina*<Quechua〛

quin·a·crine (**hydro·chlóride**) [kwínəkrì:n (-)] *n.* 〔藥〕 퀴나크린《말라리아 약》.

quínacrine mùstard *n.* 퀴나크린 머스터드《사람의 Y염색체를 염색하여 형광을 발하게 하는 화합물; 성(性) 판정에 쓰임》.

qui·na·ry [kwáinəri] *a.* 다섯의, 다섯으로 된, 다섯개 씩의(=quintuple); 오진법의. —— *n.* 다섯으로 이루어진 조(組), 오진법의 수.

qui·nate¹ [kwáineit] *a.* 〔植〕 다섯 개의 작은 잎으로 된. 〚L *quini* five each〛

quin·ate² [kwáineit, kwín-] *n.* 〔化〕 퀴닌산염(酸鹽)[에스테르].

quince [kwíns] *n.* 〔植〕 마르멜로(의 열매)《열매는 마멀레이드 따위를 만듦》.
〚(pl.) ‹ *quoyn* (obs.) <OF<L *coteneum* (Crete의 *Cydonia*산(産) 사과)〛

quìn·céntenary [; -sentí:nəri] *a.* 500년(째)의; 500년간 계속되는; 500세의. —— *n.* 500년제[기념 축제]. 〚L *quinque* five〛

quìn·centénnial *a.*, *n.* =QUINCENTENARY.

quin·cun·cial [kwinkʌ́nʃəl], **quin·cunx·ial** [-kʌ́nksiəl] *a.* (주사위의) 다섯 눈 모양의, (카드패의) 다섯 점 모양의. **~·ly** *adv.*

quin·cunx [kwínkʌŋks] *n.* 다섯 눈 모양의 것, 5점형; 〔植〕 5엽(葉) 배열.
〚L=five twelfths (*uncia* OUNCE¹)〛

quin·décagon [kwin-] *n.* 〔數〕 15각형. 〚L〛

quin·de·cen·ni·al [kwìndiséniəl] *a.* 15년마다의, 15주년 (기념)의. —— *n.* 15주년, 15년제(祭).

quìn·decíllion *n.*, *a.* 퀸디실리언(의)《미국에서는 10⁴⁸, 영국·독일·프랑스에서는 10⁹⁰》.

quin·es·trol [kwinéstrɔ(:)l, -troul, -trɑl] *n.* 〔生化〕 퀴네스트롤《estrogen의 일종》.

quin·gen·ten·a·ry [kwìndʒenténəri, 美+kwindʒéntənèri, 英+kwìndʒentí:nəri] *n.*, *a.* =QUINCENTENARY. 〚L *quingenti* five hundred; *centenary*에 준한 것〛

quín·ic ácid [kwínik-] *n.* 〔化〕 퀸산.

quin·i·dine [kwínədì:n, -dən] *n.* Ⓤ 〔藥〕 퀴니딘《부정맥 치료·말라리아 치료약》.

qui·nie·la [ki:njélə], **-nel·la** [-nélə] *n.* 《美》 (경마 따위의) 연승 복식(複式).

qui·nine [kwáinain; kwiní:n] *n.* Ⓤ 퀴닌, 퀴닌제(劑)《해열제, 항말라리아약》. 〚QUINA〛

quínine wàter *n.* 퀴닌이 든 탄산 음료.

quin·o·line [kwínəlì:n, -lən] *n.* 〔化〕 퀴놀린《특이한 냄새가 나는 유상(油狀)의 투명한 액체》.

qui·none [kwinóun, ⌐-] *n.* Ⓤ 〔化〕 퀴논《황색의 결정 화합물; 사진·가죽 무두질용》; 퀴논 화합물(化合物).

quin·qua·ge·nar·i·an [kwìŋkwədʒənéəriən, -nǽər-, kwiŋkwǽdʒə-] *a.*, *n.* 50대의 (사람) (cf. QUADRAGENARIAN).

quin·quag·e·nary [kwìŋkwɑ́dʒənèri; kwìŋkwədʒí:nəri, kwiŋkwǽdʒə-] *a.* 50세[대]의.
—— *n.* 50세의 사람; 50주년 기념일.

Quin·qua·ges·i·ma [kwìŋkwədʒésəmə] *n.* 오순절(의 일요일).

quin·quan·gu·lar [kwinkwǽŋgjələr; kwìŋkwǽŋgju-] *a.* 5각이 있는; 5각형의.

quin·que- [kwíŋkwə], **quinqu-** [kwíŋkw] *comb. form* 「다섯」「5」의 뜻. 〚L; ⇨ QUINT〛

quìnque·céntenary [; -sentí:nəri] *n.*, *a.* =QUINCENTENARY.

quìnque·centénnial *a.*, *n.* =QUINCENTENARY.

quin·quen·ni·ad [kwiŋkwéniæ̀d] *n.* =QUINQUENNIUM.

quin·quen·ni·al [kwiŋkwéniəl] *a.* 5년마다의; 5년의, 5년간 계속되는. —— *n.* 5년마다 발생하는 것; 5주년 (기념), 5년제(祭), 5주년 기념일; 5년의 임기; 5년간. **~·ly** *adv.*

quin·quen·ni·um [kwiŋkwéniəm] *n.* (*pl.* **~s**, **-nia** [-niə]) 5년간.

quìnque·pártite *a.* 다섯으로 갈린; 5부로 된.

quin·que·reme [kwíŋkwərì:m] *n.* 〔古로〕 노가 5단으로 된 갤리선(cf. GALLEY 1). 〚L *remus* oar〛

quin·que·va·lent, **-qui-** [kwìŋkwəvéilənt, kwiŋkwévələnt] *a.* 〔化〕 다섯 개의 각기 다른 원자가를 가진, 5가(價)의; 5가 원자의.

quin·qui·na [kinkí:nə; kwiŋkwáinə] *n.* 키나나무껍질; 〔植〕 키나나무.

quins [kwínz] *n. pl.* 《口》 다섯 쌍둥이.

quin·sy [kwínzi] *n.* Ⓤ 〔醫〕 (화농성의) 후두염(喉頭炎), 편도선염(扁桃腺炎). **-sied** *a.* 편도선염에 걸린. 〚OF<L *quinancia*<Gk. (*kun-* dog, *agkhō* to throttle)〛

quint¹ [kwínt] *n.* **1** [英+kínt] 〔카드놀이〕 5장이 연속된 같은 종류의 패. **2** 〔樂〕 5도 음정; (오르간의) 보통보다 5도 높은 음을 내는 스톱; (바이올린의) E선.
〚F<L (*quintus* fifth ‹ *quinque* five)〛

quint² *n.* 《口》 다섯 쌍둥이 중의 한 사람.
〚*quint*uplet〛

quint³ *n.* 《美俗》 농구팀. 〖*quint*et〗

quin·tain [kwíntən] *n.* 〔史〕 창(槍) 과녁 ; 창 과녁 찌르기《중세의 무예》. 〖OF〗

quintain

quin·tal [kwíntl] *n.* 퀸틀《《美》 100 lb., 《英》 112 lb.》 ; 〔미터法〕 100 kg 《상형(常衡)에서 220.46 lb.》.

quin·tan [kwíntən] *a.* 〔醫〕 5일마다 일어나는《열(熱)》. ── *n.* 〔醫〕 5일열.

quinte [kǽnt ; *F* kɛ̃:t] *n.* 〔펜싱〕 제 5 자세 (cf. GUARD *n.* 3).

quin·tes·sence [kwintésəns] *n.* (물질의) 가장 순수한 본질, 정수, 진수(眞髓), 전형 ; (고대 철학에서) 제 5 원(元) 《흙·물·불·바람 이외에 존재하는 우주의 구성 요소로 생각했던 것》 : the ~ *of* virtue 덕행의 귀감.
〖OF (L *quinta essentia* fifth substance)〗

quin·tes·sen·tial [kwintəsénʃəl] *a.* 정수(精髓)의, 전형의 ; 제 5 원의.

quin·tet, -tette [kwintét] *n.* **1** 〔樂〕 5중주[창], 5중주[창]자, 5중주[창]단, 퀸텟. ☞ SOLO ㊟. **2** 5인조, 다섯 개 한벌 ; 《美口》 (남자) 농구팀. 〖F<It. (*quinto* fifth‹QUINT¹)〗

quin·tic [kwíntik] *a.* 〔數〕 5차의. ── *n.* 5차(방정)식.

quin·tile [kwíntail, -tl] *n.* 〔占星〕 두 별이 황도(黃道)의 1/5 (즉 72°) 떨어져 있는 성위(星位) ; 〔統〕 5분위수(分位數).
── *a.* 〔占星〕 quintile의.

quin·til·lion [kwintíljən] *n., a.* 퀸틸리언(의) 《《美》에서는 10^{18}, 《英·獨·프》에서는 10^{30}》.

quin·tu·ple [kwintjú:pəl, -tʌ́p-, kwíntə-] *a.* 5배의, 5배 양[액]의 ; 5부분으로 된 ; 5겹의 (fivefold). ── *n.* 5배(의 양) ; 《稀》 다섯 개 한 벌의 것. ── *vt., vi.* 5배로 하다[가 되다].
〖F (⇨ QUINT) ; *quadruple*에 준한 것〗

quin·tup·let [kwintʌ́plət, -tjú:-, kwíntəp- ; kwíntjuplit, kwintjú:-] *n.* **1** 다섯 쌍둥이 중의 한 사람 ; [*pl.*] 다섯 쌍둥이. **2** 다섯 개[사람] 한벌[조]. **3** 〔樂〕 다섯 잇단음표.

quin·tu·pli·cate [kwintjú:plikət] *a.* 5배의, 다섯 겹의, (서류 따위를) 5통 작성한. ── *n.* 5배의 수[액수·양]. ── [-pləkèit] *vt., vi.* 5배하다[가 되다]. **quin·tù·pli·cá·tion** *n.*

quin·tus [kwíntəs] *a.* 《英》 5번째의《같은 성의 남학생 이름 뒤에 덧붙임 ; cf. PRIMUS》.

quip [kwíp] *n.* **1** 경구(警句), 재담 ; 신랄한 말, 빈정대는 말. **2** 핑계 (quibble). **3** 기이한 것.
── *v.* (**-pp-**) *vi.* 빈정대다, 조롱하다. ── *vt.* 놀리다, 조롱하다.
〖*quippy* (obs.) < ? L *quippe* forsooth〗

quíp·ster *n.* 잘 비꼬는 사람.

qui·pu [kí:pu:, kwípu:] *n.* (고대 페루인이 사용했던) 결승(結繩) 문자. 〖Sp.〗

quire¹ [kwáiər] *n.* (종이의) 한 첩(帖) 《1 REAM의 1/20, 24매 또는 25매 ; 略 q., qr.》.
in quires (책을) 제본하지 않고, 미제본으로.
〖OF *qua*(*i*)*er*<L ; ⇨ QUATERNARY〗

quire² *n., v.* 《古》 =CHOIR.

Quir·i·nal [kwírənl] *n.* [the ~] 퀴리날리스의 언덕《고대 로마의 일곱 언덕의 하나》 ; 이 언덕에 있는 궁전《옛 이탈리아 왕궁 ; 지금은 대통령 관저》 ; (Vatican에 대하여) 이탈리아 정부[궁전].
── *a.* 퀴리날리스의[에 사는] ; QUIRINUS의.

Qui·ri·nus [kwəráinəs] *n.* 〔로神〕 퀴리누스《전쟁의 신 ; 뒤에 Romulus와 동일시됨》.

quirk [kwə́:rk] *n.* **1** 발뺌, 핑계 (quibble). **2** 경구(警句), 재담. **3** 변덕스러움 ; 괴벽. **4** (글·그림의) 장식체로 쓰기[곡선으로 그리기] (flourish). **5** 〔建〕 (쇠시리의) 깊은 홈. ── *vt.* 비틀다, 꼬이게 하다. ── *vi.* 비틀다, 꼬이다. **quírky** *a.* 교활한, 변덕스러운. **quírk·i·ly** *adv.* **-i·ness** *n.* 〖C16< ?〗

quir·l(**e**)**y** [kwə́:rli] *n.* 《美俗》 궐련 (cigarette).

quirt [kwə́:rt] *n.* 《美》 가죽으로 꼰 말채찍.
── *vt.* 말채찍으로 때리다. 〖Mex. Sp.〗

quisle [kwízəl] *vi.* 조국을 팔다[배반하다].
quísler *n.* =QUISLING. 〖역성(逆成)‹↓〗

quis·ling [kwízliŋ] *n.* 제5열 분자 (fifth columnist) ; 배신자, 매국노 (traitor). **~·ìsm** *n.* 매국[반역] 행위. 〖노르웨이의 파시스트 정치가 V. *Quisling* (d. 1945)의 제2차 대전중의 행위에서〗

***quit** [kwít] *pred. a.* **1** 벗어난 (rid) : money to be ~ *of* a person 관계를 끊는 대가로 주는 돈 / get ~ *of* one's debts 빚을 다 갚다. **2** 《古》 허락받은, 방면(放免)된 (free) : The others can go ~. 다른 사람들은 가도 좋다.
── *v.* (**quít·ted,** 《美》 **quit** ; **quít·ting**) *vt.* **1** (사람·장소를) 떠나다 (leave), 물러나다 ; 버리고 가다, 포기하다 (give up) : He ~ his room in anger. 그는 화가 나서 방을 나갔다. **2** [+目 / +do*ing*] 《美》 (일 따위를) 그만두다 (discontinue), 중지하다 (stop) : The clerks ~ their work at five. 점원은 5시에 일을 끝낸다 / *Q*~ complain*ing*. 불평은 그만두시오. **3** [+目 / +目+*with*+名] 《詩》 보답하다, 갚다, 돌려주다, 청산하다 : Death ~*s* all scores. 죽음은 만사를 청산한다 / ~ love ***with*** hate 사랑을 미움으로 갚다.
── *vi.* **1** 떠나가다 (go away), (차지인(借地人) 등이) 물러나다 : We have received notice to ~. 떠나라는 통지를 받았다. **2** 《美》 일을 중지하다 ; 《口》 직장을 그만두다 (resign). **3** 《美俗》 (모터가) 고장나다 ; 죽다.
quit one***self*** 《古》 행동하다 : *Q*~ your*self* like a man. 남자답게 행동해라.
quit hold of …을 놓아주다.
── *n.* 사직, 퇴직 ; 떠나기, 포기.
〖OF<L ; ⇨ QUIET〗
類義語 ⟹ GO.

quítch (**gràss**) [kwítʃ(-)] *n.* 개밀속(屬)의 식물. 〖OE *cwice*〗

quít·clàim *n.* 〔法〕 권리의 포기 ; 권리 포기서.
── *vt.* [+目] 권리를 포기하다.

quítclaim dèed *n.* 〔法〕 권리(權利) 포기[양도] (증서).

◊**quite** [kwáit] *adv.* **1 a)** 아주, 완전히, 모조리 (wholly), 지극히 ; 절대적으로 : ~ certain 아주 확실하여 / (Oh,) ~. 《주로 英》 =*Q*~ so. 바로 그렇다, 그대로다 / The doctor has told me that she has ~ recovered from her illness. 그녀가 완쾌됐다고 의사가 내게 말했다. ☞ 活用. **b)** [부정어와 함께 사용하여 ; 부분부정] 완전하게는 …이 아닌, 모조리 …은 아닌 : She was*n't* ~ ready. 아직도 준비가 충분히 돼 있지는 않았다 / I am *not* ~ well. 아직 완쾌되지는 않았다 / He [She] is*n't* ~. 《英口》 완전히 신사[숙녀]라고는 할 수 없다《㊟ a gentleman[lady]을 보충함》. **2** 사실상 ; 말하자면, …와 다름없이 : He is ~ crazy about golf. 그는 골프광(狂)이라 해도 좋을

정도다 / He[She] is ~ a grown-up. 그는[그녀는] 제법 어른이 됐다고 할 수 있다. **3** 《口》 **a)** 제법, 꽤, 상당히(considerably) : She is ~ a pretty girl. 그녀는 꽤 예쁜 소녀다 / He is ~ a fellow. 그는 상당한 놈이다. **b)** 분명히[상당히] …(이지만 그러나), 다소간(more or less) : She is ~ pretty, but uninteresting. 그녀는 분명히 예쁘기는 하지만 재미가 없는 여자다. ☞ 活用.

be quite the thing ☞ THING 3.

quite a few ☞ FEW.

quite a little*＝*quite a bit ☞ LITTLE *pron.*

〈회화〉
How are you feeling? — I'm *quite* well now.
「기분은 어떻습니까」「아주 좋습니다」

〚*quite* (obs. a.) quit〛

活用 (1) quite가 부정관사를 수반하는 「형용사＋명사」에 붙을 때는 *quite* a(n)…과 a *quite*…와의 두 어순의 경우가 있다 ; 본래 전자는 「a(n)＋형용사＋명사」의 전체를 수식하고 후자는 형용사만을 수식하나 일반적으로 후자는 전자보다 격식을 차린 표현으로서 대체로 《美》에서 많이 쓰인다(☞ RATHER 活用 (1)) : It is a *quite* good book (＝《英》 *quite* a good book). (아주[꽤] 좋은 책이다).

(2) 3의 용법에서는 주관적인 판단을 나타내어 「뜻밖에, 생각 밖에」라는 기분이 포함되는 수가 많다 ; 따라서 Your book is *quite* interesting. 따위로 말하면 「당신의 저서는 (대수롭지 않은 것으로 생각했으나) 비교적 재미있다」라는 뜻이 되어 상대편에게 실례가 된다. 이에 대하여 1 a)의 용법은 객관적으로 틀림이 없는 정도를 나타내는 것으로 꽤 명확한 문맥으로 사용하지 않는 한 3의 뜻으로 취급될 염려가 있다. 요컨대 상대방을 칭찬할 때에는 quite는 쓰지 않는 편이 무난하다고 볼 수 있다.

Qui·to [kíːtou] *n.* 키토《남미 에콰도르(Ecuador)의 수도》.

quít ràte *n.* 이직률(離職率).

quít·rènt *n.* 〖史〗 (봉건 시대에 부역을 면하기 위하여 영주에게 바친) 면역조(免役租).

quits [kwíts] *pred. a.* 대등[팽팽]하게 되어, (갚거나 또는 보복하여) 피장파장이 된, 비긴(on even terms) : We became ~ now. 이제 피장파장이다 / He determined to be ~ *with* the man. 그 남자에게 보복하기로 결심했다.

cry quits 비겼다고 말하다, 무승부로 하다, 비긴 것에 동의하다.

double or quits ☞ DOUBLE *n.*

── *int.* 무승부《비길려고 할 때 말함》.

〚? L *quittus* ; ⇨ QUIT〛

quit·tance [kwítəns] *n.* **1** Ⓤ 면제, 해제(release) 〈*from*〉 ; Ⓒ 영수증(receipt) : Omittance is no ~. 《셰익스피어》 빚 재촉이 없다고 청산(清算)된 것은 아니다. **2** Ⓤ 보상, 보답.

quít·ter *n.* 《美口》 (일·의무 따위를) 포기하는 사람, 게으름뱅이(shirker) ; 겁쟁이(coward).

quit·tor [kwítər] *n.* 〖獸醫〗 말발굽에 생기는 종기의 일종.

quiv·er**¹ [kwívər] *vi.* [動 / ＋副] 흔들리다, 떨리다(tremble) : The leaves ~*ed* in the wind. 나뭇잎이 바람에 한들거렸다 / She was ~*ing* ***with fear. 그녀는 공포로 떨고 있었다. ── *vt.* 떨게 하다, 진동시키다 : He was ~*ing* his lips. 그는 입술을 떨고 있었다. ── *n.* 떨림, 진동 ; 진동하는 소리. 〚*quiver* (obs.) nimble ; cf. QUAVER〛

類義語 ⟹ SHAKE.

quiver² *n.* 화살통, 전동(箭筒).

have an arrow*[*a shaft*] *left in* one's *quiver 아직 수단[자력]은 남아 있다.

a quiver full of children 〖聖〗 대가족.

~·fùl *n.* 전동에 그득한 화살 ; 다수, 많음.

〚AF＜Gmc. (OE *cocor*, G *Köcher*)〛

quív·er·ing *a.* 떨고 있는, 흔들리는. **~·ly** *adv.*

qui vive [kiː víːv] *n.* 누구냐《보초 등의 수하》.

on the qui vive 경계하여(on the lookout), 망보며〈*for*〉.

〚F＝(long) live who? i.e. on whose side are you?〛

Qui·xote [kwíksət, kihóuti] *n.* [흔히 q~] ＝ DON QUIXOTE.

quix·ot·ic, -i·cal [kwiksátik(əl)] *a.* **1** 돈키호테식(式)의, (극단적으로) 의협심이 있는. **2** 공상적인, 비실제적인. ── *n. pl.* [-ics] 돈키호테적인 성격. **-i·cal·ly** *adv.* 돈키호테식으로 ; 의협적으로 ; 공상적으로.

quix·o·tism [kwíksətìzəm], **-o·try** [kwíksətri] *n.* Ⓤ 돈키호테적인 성격 ; Ⓒ 기사(騎士)연하는 [공상적인] 행동[생각].

***quiz** [kwíz] *n.* (*pl.* **quíz·zes**) **1** 《원래 美》 묻기, 질문, 시험, 테스트《구두 또는 필기에 의한 간단한 것》 ; (라디오·텔레비전의) 퀴즈. **2** 짓궂은 장난(practical joke). **3** 희롱하는 사람, 야유하는 사람. **4** 《古》 괴짜, 옷차림이 별난 사람.

── *vt.* (**-zz-**) **1** 《원래 美》 실력을 시험해 보기 위해 (남에게) 질문하다, (학교 따위에서) 시험을 보다. **2** (남을) 놀리다, 희롱하다 ; 비웃듯이 바라보다, 신기한 듯이 힐끗힐끗 쳐다보다.

~·(z)ee [kwiziː] *n.* Ⓤ 질문을 받는 사람 ; 《口》 퀴즈 참가자. **~·zer** *n.* 질문자 ; 퀴즈풀이[놀이].

〚C18＜?〛

quíz gàme[**prògram, shòw**] *n.* 〖放送〗 퀴즈놀이[프로그램].

quíz kìd *n.* 《美》 지적으로 조숙한 아이, 신동.

quíz·màster *n.* 퀴즈 프로그램의 사회자.

quiz·zi·cal [kwízikəl] *a.* **1** 장난치기[비웃기·희롱하기]를 좋아하는. **2** 익살스러운, 기묘한, 이상야릇한(queer). **~·ly** *adv.* **~·ness** *n.*

quíz·zing glàss *n.* 외알 안경, 단안경(單眼鏡).

quo·ad hoc [kwɔ̀ːɑːd hóuk] 여기까지는 ; 이것에 관해서는. 〚L＝as far as this〛

quod [kwád] *n.* 《英俗》 감옥, 교도소. ── *vt.* (**-dd-**) 감옥에 처넣다.

in*[*out of*] *quod 투옥된[출옥한].

〚C17＜?〛

quod erat de·mon·stran·dum [kwɔ̀ːd éraːt dèmənstrǽndəm, -dèimɔːnstráːndum] 그것은 증명되어야만 했다《略 Q.E.D.》.

〚L＝which was to be proved〛

quòd érat fa·ci·én·dum [-fàːkiéndum] 그것은 행해져야만 했다《略 Q.E.F.》.

〚L＝which was to be done〛

quòd érat in·ve·ni·én·dum [-ìnveniéndum] 그것은 발견되어야만 했다《略 Q.E.I.》.

〚L＝which was to be found〛

quod·li·bet [kwádləbèt] *n.* (신학·철학상의) 미묘한 논점(論點) ; 〖樂〗 쿼들리베트《주지의 선율[가사]을 짜맞춘 유머러스한 곡》. 〚L〛

quod vi·de [kwɔːd wídei, kwad váidi] 다음 말을 보라, …참조《略 q.v.》. 〚L＝which see〛

quoin [kwɔ́in] *n.* **1** (벽·건물의) 외각(外角) ; (방의) 구석(corner) ; 귓돌(cornerstone) ; 아치돌. **2** 쐐기 모양의 받침[대목(臺木)]. **3** 〖印〗 (판면을 죄는) 쐐기. ── *vt.* …에 귓돌로 받치다, 쐐

기를 박다[죄다]. 〖COIN〗

quoit [kwɔ́it, kéit] *n.* (고리 던지기용의) 고리 《금속·로프·고무 따위로 만든》; [단수취급; ~s] 고리 던지기: ☞ DECK QUOITS. ── *vt.* 고리 던지기처럼 하여 던지다. ── *vi.* 고리 던지기를 하다. 〖ME< ?〗

quoit

quo·mo·do [kwóuməd̀ou] *n.* 하는 식, 방법.

quon·dam [kwándæm, -dəm] *a.* 이전의, 예전의: a ~ friend of mine 나의 옛 친구. 〖L (adv.)=formerly〗

Quón·set (hùt) [kwánsət(-)] *n.* 《美》 퀀세트식 막사[병사] (cf. NISSEN HUT). 〖*Quonset* Point: Rhode Island 주(州)의 해군 항공 기지로 그것을 최초로 건설한 곳〗

quor·ate [kwɔ́:rət] *a.* 《英》 정족수에 달한.

quo·rum [kwɔ́:rəm] *n.* **1** 〔法〕 (의사진행·의결에 필요한) 정족수(定足數): have[form] a ~ 정족수를 이루다[채우다]. **2** 〔英史〕 (재판 개정의 정족수를 이루는) 특정의 치안 판사. **3** 선발된 단체. **4** (모르몬 교회의) 종교 회의. 〖L=of whom〗

quot. quotation; quoted.

quo·ta [kwóutə] *n.* 몫, 배당량; 분담[할당]액; (제조·수출입의) 상품 할당량; (외국에서 미국에로의) 연간 이민 할당수. ── *vt.* 할당하다, 분담시키다. 〖L (fem.) ‹ *quotus* (*quot* how many)〗

quot·abil·i·ty [kwòutəbíləti] *n.* 인용 가치.

quot·able [kwóutəbəl] *a.* 인용할 수 있는; 인용할 가치가 있는; 인용에 적합한.

quóta ìmmigrant *n.* 《美》 정부의 이민 수용 제한을 적용받는 이민.

quóta sỳstem *n.* (수입액·이민수 따위의) 할당 제도.

***quo·ta·tion** [kwoutéiʃən] *n.* **1** Ⓤ 인용; Ⓒ 인용문[구·어] 〈*from*〉. **2** 〔商〕 시세(표), 시가; 견적(액) 〈*for*〉; 〔證〕 상장. **3** 〔印〕 공목(空木).

***quotátion màrks** *n. pl.* 인용부호.

quo·ta·tive [kwóutətiv] *a.* 인용한; 인용되는; 인용하는 버릇이 있는.

quote** [kwóut] *vt.* **1** [+目/+目+*from*+名/+目+目/+目+*as* 補] (남의 말·문장 따위를) 인용하다, 따서 쓰다: He ~*d* Shakespeare[~*d* a phrase ***from Shakespeare]. 그는 셰익스피어가 한 말[셰익스피어의 구절]을 인용했다 / He ~*d* me nice examples. 그는 나에게 좋은 예를 들어주었다 / The Governor was ~*d* *as* saying that prompt measures would be taken. 지사(知事)는 조속한 조치를 강구하겠다고 말한 것으로 보도되었다. **2** (어구·문장 따위를) 인용부호로 묶다. **3** [+目/+目+*at*+名/+目+目] 〔商〕 (가격을) 말하다; …에 값을 매기다, 가격을 어림[견적]하다: shares ~*d* ***at*** $20 시세가 20달러 되는 주식 / Please ~ me your utmost prices. 최대한의 값을 말해 보시오.
── *vi.* **1** [動/+*from*+名] 인용하다: The Bible is the best book to ~ ***from***. 성서는 인용하기에는 가장 좋은 책이다. **2** 인용(문)을 시작하다(cf. UNQUOTE). ── *n.* 《口》 **1** 인용문[구]. **2** 인용부호. **quót·er** *n.* 인용자; 가격 견적자. 〖L *quoto* to mark with numbers (*quot* how many)〗

類義語 ***quote*** 말한 사람 또는 쓴 사람의 이름을 들면서 타인이 말한 것, 쓴 것을 정확히 또는 요약해서 인용하다. ***cite*** 어떤 일의 증거나 권위로서 이름이나 항목을 정확히 인용하는 것은 아닌 경우에 씀.

quóte-dròp *vi.* 《美》 함부로 인용구를 쓰다.

quóte·wòrthy *a.* 인용할 가치가 있는.

quoth [kwóuθ] *vt.* 《古》 말했다(said). 주 직설법 1·3인칭 과거형으로 언제나 주어 앞에 놓임: "Very true," ~ he. 「과연」이라고 그는 말했다. 〖OE *cwæth* (past) ‹ *cwethan* to say; cf. BEQUEATH, OHG *quedan*〗

quotha [kwóuθə] *int.* 《古》 (놀람·경멸 따위의 뜻을 나타내어) 정말!, 암!, 과연!, 기가 막혀! 〖*quoth he*〗

quo·tid·i·an [kwoutídiən] *a.* **1** 나날의; 〔醫〕 매일 일어나는: ~ fever 매일열. **2** 흔히 있는, 평범한, 쓸데 없는(trivial). ── *n.* U,C 〔醫〕 매일열; 매일 반복하기. 〖OF<L (*quotidie* daily)〗

quo·tient [kwóuʃənt] *n.* 〔數·컴퓨〕 몫; 지수, 비율; 분담: a differential ~ 〔數〕 미분 계수 / ☞ INTELLIGENCE QUOTIENT. 〖L *quotient-quotiens* how many times (*quot* how many)〗

quo·ti·e·ty [kwoutáiəti] *n.* Ⓤ 율(率), 계수.

quo va·dis? [kwou wá:dəs, -vá:-] (주여) 어디로 가시나이까《요한복음 16:5》. 〖L=whither goest thou?〗

quo war·ran·to [kwòu wɔ(:)rǽntou, -wɑr-, -wə-] *n.* 〔法史〕 심문 영장《옛날에 직권·특권 따위의 남용자에게 해명을 요구한 영장》. 〖L=by what warrant〗

Qur'·an, Qu·ran [kurá:n] *n.* =KORAN.

q.v. [kjú:ví:, *h*wítʃ sí:] *quod vide* 《L》 (=which see).

Q-value [kjú:-] *n.* 〔理〕 Q값《핵반응 따위에서의 반응열에 상당하는 에너지》.

qwer·ty, QWERTY [kwə́:*r*ti] *n.* 《口》 (타이프라이터의 문자 배열이) 통상배열(通常配列)의 키보드.

Qy., qy. query.

R

r, R [á:r] *n.* (*pl.* **r's, rs, R's, Rs** [-z]) **1** 아르《영어 알파벳의 열여덟번째 글자》. **2** R자형(의 것). **3** X선·라듐 방사능의 단위.

R 〔化〕 radical ; 〔數〕 radius ; rand ; 《美》 〔映〕 restricted《18세 미만의 미성년자는 보호자의 동반이 필요함 ; cf. G, PG》 ; rial ; 〔理〕 roentgen ; 〔체스〕 rook ; ruble ; rupee(s). **R, r** 〔數〕 ratio ; 〔電〕 resistance. **R.** rabbi ; 〔化〕 Radical ; railroad ; railway ; Reaumur ; rector ; redactor ; Regiment ; *Regina* 《L》 (=queen) ; Republic(an) ; response ; *Rex* 《L》 (=king) ; River ; Royal. **R, ℞** 〔處方〕 *recipe* 《L》 (=take). **r.** rare ; rate ; received ; recipe ; red ; repeat ; return ; residence ; 〔時計〕 *retarder* 《F》 (=slow) ; retired ; right ; road ; rod(s) ; run(s). Ⓡ registered trademark(등록상표).

Ra [rá:] *n.* (이집트 신화의) 태양신. 〚Egypt.〛

RA Regular Army. **R. A.** Rear Admiral ; Road Association ; 《英》 Royal Academy[Academician] ; 《英》 Royal Artillery. **Ra** 〔化〕 radium. **R.A.A.F.** Royal Australian Air Force ; Royal Auxiliary Air Force. **RAAMS** 〔軍〕 remote anti-armor mine system (원격 대(對)전차용 지뢰 시스템).

Ra·bat [rəbá:t] *n.* 라바트《모로코의 수도》.

rab·bet [rǽbət] *n.* 〔木工〕 사개, 사개맞춤(= ∼ **jòint**). ── *vt.* 사개맞춤으로 잇다. ── *vi.* 사개맞춤이 되다〈*on, over*〉.
〚OF *rab*(*b*)*at* recess ; ⇨ REBATE²〛

rábbet plàne *n.* 개탕 대패.

rab·bi [rǽbai] *n.* 라비《(1) 유태교·유태인 사회의 종교적 지도자. (2) 유태의 율법박사. (3) 탈무드의 작성자. (4) 유태인에 대한 경칭》 ; 〔政〕 후원자.
〚L<Gk.<Heb.=my master〛

rab·bin [rǽbən] *n.* =RABBI ; [the ∼s] (2-13세기의) 유태의 권위적 율법학자들. 〚F ; ↑〛

rab·bin·ate [rǽbənət] *n.* Ⓤ rabbi의 직[신분·임기] ; [집합적으로] rabbi들.

rab·bin·ic, -i·cal [rəbínik(əl)] *a.* rabbi의 ; 라비풍(風)의 ; 라비의 가르침[말투]의.

Rabbínic (**Hébrew**) *n.* (특히 중세의 rabbi가 사용한) 라비 어(語), 후기 헤브라이 어(語).

rábbin·ism *n.* 유태 율법주의 ; 라비의 교리 ; 라비의 말투.

Rab·bin·ite, -ban- [rǽbənàit], **Rab·bin·ist, -ban-** [rǽbənəst] *n.* [흔히 r∼] 라비 신봉자, 라비파 유태교도《Talmud에 집착하고 라비의 설교를 신봉함》.
Ràb·bin·ít·ic [-nít], **Ràb·bin·ís·tic** *a.*

***rab·bit**¹ [rǽbət] *n.* **1 a**) (*pl.* ∼, ∼**s**) 집토끼《hare보다도 몸집이 작음》, (일반적으로) 토끼 ; (때로) 산토끼(hare) ; 코튼테일(cottontail) : breed like ∼*s* 아이를 많이 낳다. **b**) Ⓤ 토끼의 모피. **2 a**) 겁쟁이, 뱅충이 ; 《英口》 수다. **b**) 《英口》 (골프·테니스 따위의) 서투른 경기자(cf. TIGER 3). **3 a**) 〔도그 레이스〕 개를 쫓아가게 하기 위해 기계로 달리게 하는 토끼 모양을 한 것. **b**) (장거리 경주에서) 스타트 직후 빠른 페이스로 동료를 이끄는 주자. **4** =WELSH RABBIT. **5** 〔理〕 래빗《원자로 내에서 시료(試料)를 이동시킬 때 공기압 또는 수압으로 추진하는 소형 용기》. **6** 《美俗》 야채 샐러드.
── *vi.* 토끼 사냥을 하다 ; 《英口》 수다떨다, 지루하게 하다〈*on, away* ; *about*〉. 〚? OF ; cf. Walloon *robète* (dim.) <Flem. *robbe* rabbit〛

rabbit² *vt.* 《古》 저주하다 : Odd ∼ it! 빌어 먹을 것! 〚? *rat*²〛

rábbit antènna *n.* 토끼 귀 모양의 실내 텔레비전 안테나.

rábbit bàll *n.* 래빗 볼《탄력이 좋은 야구공 ; 현재 야구에서 쓰는 공》.

rábbit bùrrow *n.* 토끼 굴《토끼가 새끼를 키우기 위해 팜》.

rábbit èars *n. pl.* =RABBIT ANTENNA ; [단수 취급] 《美俗》 (심판이나 선수가) 관중을 지나치게 의식하기 ; 그런 심판[선수].

rábbit fèver *n.* 야토병(野兎病) (tularemia).

rábbit fòod *n.* 《美俗》 푸른 야채《특히 상추》, 생야채.

rábbit·fòot *n.* 《美俗》 탈옥수.
── *vi.* 달아나다.

rábbit-fòot, rábbit's fòot *n.* 토끼발《행운의 부적으로 가지고 다니는 토끼의 왼쪽 뒷발》.

rábbit hèart *n.* 《美口》 겁(쟁이).

rábbit hùtch *n.* 토끼장.

rábbit-móuthed, rábbit·mòuth *a.* =HARE-LIPPED.

rábbit pùnch *n.* 〔拳〕 래빗 펀치《뒤통수를 치는 반칙》. **rábbit-pùnch** *vt.*

rábbit·ry *n.* [집합적으로] 토끼 ; 토끼 사육장.

rábbit wàrren *n.* **1** 토끼 사육장. **2** 《비유》 붐비는 뒷골목.

rab·ble¹ [rǽbəl] *n.* **1** 어중이떠중이, 오합지졸(烏合之卒). **2** [the ∼] 《蔑》 하층민, 천민, 대중. **3** (동물·곤충의) 떼 ; 《稀》 뒤죽박죽.
── *a.* 무리의, 무리를 이룬.
── *vt.* 떼를 지어 습격하다.
〚ME=pack of animals< ? ; cf. MDu. *rabbelen* to chatter, rattle〛

rabble² *n.* 〔冶〕 교반봉(攪拌棒)《제철용》.
── *vt.* 교반봉으로 휘젓다, 웃물을 떠내다.
ráb·bler *n.*
〚F<L=fire shovel (*rut- ruo* to rake up)〛

rabble³ *vt., vi.* 《英方》 =BABBLE.

rábble-ròuse *vi.* 민중을 선동하다.
rábble-ròusing *a., n.* 〚역성 < ↓〛

rábble-ròuser *n.* 민중 선동가.

Rab·e·lais [rǽbəlèi, ∸∸∸] *n.* 라블레. **François** ∼ (1494?-1553) 프랑스의 풍자(風刺) 작가.

Rab·e·lai·sian, -lae- [ræ̀bəléiʒən, -ziən] *a.* 라블레풍(風)의《속되고 익살맞은》. ── *n.* 라블레 숭배자[모방자, 연구가].

rab·id [rǽbəd] *a.* **1** 맹렬한 ; 미친듯한, 광신적인, 과격한 ; 광포한, 격심한(furious). **2** 공수병(恐

水病)에 걸린, 광견(狂犬)의 : a ~ dog 미친 개. **~·ly** *adv.* 맹렬히. **~·ness** *n.*
〖L (*rabio* to rave)〗

ra·bid·i·ty [rəbídəti] *n.* Ⓤ **1** 맹렬, 격렬 ; 과격 ; 완고. **2** 광견병에 걸린 상태, 광기.

ra·bies [réibi:z] *n.* (*pl.* ~) 광견병(病), 공수병(hydrophobia). 〖L (↑)〗

R. A. C. 《英》 Royal Armoured Corps ; Royal Automobile Club.

rac·coon, ra- [rækúːn, rə-] *n.* (*pl.* ~, ~**s**) 〔動〕 미국너구리《나무 위에 살며 밤에 활동하는 작은 동물》; Ⓤ 그 모피.
〖Am. Ind.〗

raccóon dòg *n.* (동부(東部) 아시아산(産)) 너구리.

raccoon

◇**race**[1] [réis] *n.* **1 a)** 경주 ; (각종) 레이스《경조(競漕)·경마·경견(競犬)·자전거 경주 따위》: an open ~ 누구나 참가할 수 있는 공개 경주 / ride a ~ 경마[자전거 경주]에 출전하다 / run a ~ *with* …와 경주하다 / win[lose] a ~ 경주에 이기다[지다]. **b)** 선거전 ; (일반적으로) 경쟁 ; (기한 따위에 늦지 않도록) 몹시 서두름 : an armament ~ 군비 경쟁 / a ~ *for* supremacy 쟁패전(爭霸戰) / a ~ *for* a train 열차 시간에 대기 위한 질주 / a ~ *against* time 시간과의 경쟁《기한까지 뭔가 마무리짓기 위한 필사의 노력》. **2** [the ~s] 경마(cf. RACE MEETING) : play *the* ~*s* 《美》 경마에 돈을 걸다. **3** (태양·달 따위의) 운행. **4** 《古》 시간의 경과 ; (사건·이야기 따위의) 진행. **5** 《古》 인생행로 ; 경력 : His ~ is nearly run. 그의 수명은 거의 다 했다. **6** 여울 ; 급류. **7** 물길, 수로(channel), 용수(用水) (cf. MILLRACE). **8** 〔機〕 베어링의 강철알이 도는 홈 ; 방적기의 북이 움직이는 홈.
be in the race 성공할 가망이 있다〈*for*〉.
── *vi.* **1** [動 / +前+名] 경주하다, 경쟁하다 : ~ ***with*** a person 남과 경주하다 / ~ ***against*** time 시간과 경쟁하다(cf. *n.* 1) / Eight horses will ~ ***for*** the cup. 여덟 마리의 말이 우승배를 놓고 경주할 것이다 / Some boys were *racing* ***over*** the course. 몇 명의 소년이 경주 코스를 달리고 있었다. **2** 경마[자전거 경주 따위]를 하다 ; 경마에 출장하다 ; 경마《따위》에 골몰하다[를 업으로 삼다]. **3** [動 / +前+名] 전속력으로 달리다[질주하다] ; (모터 따위가) 헛돌다 : The stream ~*d* ***down*** the valley. 시냇물은 골짜기로 세차게 흘러 내려가고 있었다. ── *vt.* **1** [+目 / +目+*against*+名] 경쟁시키다 ; (말·요트 따위를) 시합에[레이스에] 내보내다 : He ~*d* his bicycle ***against*** a motorcar. 자전거를 타고서 자동차와 경주하였다. **2** [+目 / +目+前+名] …와 경주하다, …을 달려 앞지르려고 하다 : I'll ~ you ***to*** school. 학교까지 경주하자. **3** [+目 / +目+前+名] **a)** 전속력으로 달리게 하다, (차를) 급히 몰다 ; (의안 따위를) 급히 통과시키다 : He ~*d* her ***through*** the country in his car. 그녀를 차에 태우고 시골길을 급히 달렸다 / They ~*d* the bill *through* the House. 그 의안을 하원에서 전격적으로 통과시켰다. **b)** (모터 따위를) 헛돌게 하다.
〖ON *rás* running, race ; OE *rǣs* rush와 같은 어원(語源)〗

***race**[2] *n.* **1** 인종, 종족 ; [the ~] 인류(human race) ; 민족 ; 국민(nation) : the black[white, yellow] ~ 흑[백, 황]색 인종 / the Korean ~ 한민족 / a ~ problem 인종문제 / ~ prejudice 인종적 편견. **2** 씨족, 가족 ; 자손 ; Ⓤ 가계 ; 명문[오랜 문벌] 출신. **3** 패거리, 동아리, 부류 : the contemporary ~ *of* writers 현대의 문인 부류. **4** (생물의) 유(類) ; 〔動〕 품종 : the feathered [finny, four-footed] ~ 조(鳥)[어(魚), 사족]류. **5** (특정 인종의) 특성, 특징 ; 《廢》 (술·문체 따위의) 특징, 풍미, 풍격.
── *a.* **1** 인종의, 인종적인(racial). **2** 《婉》 흑인(종)의. **3** 《美俗》 race music의.
〖F<It. *razza*<? Arab.〗
類義語 ⟹ NATION.

race[3] *n.* 생강 뿌리. 〖OF<L RADIX〗

ráce·abòut *n.* 《美》 경주용 요트[자동차].

ráce-bàit·ing *n.* Ⓤ (모욕적인) 인종 공격.

ráce bàll *n.* 경마와 관련된 무도회.

ráce càrd *n.* 경마 순번표.

ráce·còurse *n.* 경주장, 경마장 ; 경주로 ; (물레방아의) 물길.

ráce-cùp *n.* race의 우승배.

ráce gìnger *n.* 생강 뿌리.

ráce·gò·er *n.* 경마[자동차 경주 따위] 팬.

ráce gròund *n.* 경마장, 경주장.

ráce hàtred *n.* 인종적 반감[증오].

ráce·hòrse *n.* 경마용 말(racer).

ra·ceme [reisíːm, rə-] *n.* 〔植〕 총상(總狀) 꽃차례. 〖L=grape bunch〗

ráce mèeting *n.* 《英》 경마, 경마대회.

ra·ce·mic [reisíːmik, rə-] *a.* 〔化〕 라셈산(酸)의 : ~ acid 〔化〕 라셈산《포도즙 속에 있는 타르타르산(酸)의 일종》.

ra·ce·mi·za·tion [reisìːməzéiʃən, rə-; ræ̀sə-mai-] *n.* 〔化〕 라세미화(化)《선광성(旋光性)의 감소·상실》; 〔考古〕 라세미화법《라세미화의 정도 측정에 의한 화석 연대 결정법》. **ra·ce·mize** [reisíːmaiz, rə-; rǽsəmàiz] *vt., vi.*

rac·e·mose [rǽsəmòus, 美+reisíːmous, 美+rə-], **-mous** [-məs] *a.* 〔植〕 총상(꽃차례)의 ; 〔解〕 포도상(狀)의.
〖L ; ⇨ RACEME〗

ráce mùsic *n.* 《美俗》 레이스 뮤직《블루스곡을 기초로 한 단순한 재즈》.

ráce psychòlogy *n.* 인종 심리학.

rac·er [réisər] *n.* 경주자, 레이서 ; 경마용 말 ; 경주용 요트[자전거·자동차 따위].

ráce relàtions *n. pl.* (한 사회 안의) 인종관계 ; [단수취급] 인종 관계론.

ráce rìot *n.* (특히 흑·백인 사이의) 인종 폭동.

ráce rùnner *n.* 〔動〕 레이스 러너《걸음이 빠른 북미산 도마뱀의 일종》.

ráce stànd *n.* 경마[경마장] 관람석.

ráce sùicide *n.* 민족 자멸《산아 제한에 의한 인구의 점감》.

ráce·tràck *n.* 경마장 ; 경주장, 트랙.

ráce wàlker *n.* 경보 선수.

ráce wàlking *n.* 〔스포츠〕 경보.

ráce·wày *n.* 《美》 (물레방아·광산 따위의) 수로(水路) ; (전선 보호용) 옥내[지하] 배관 ; 〔機〕 = RACE[1] ; (harness[drag] race용의) 주로(走路).

ra·chel [rəʃél] *a., n.* 살색(의)《화장품 색깔》.

Ra·chel [réitʃəl] *n.* **1** 여자 이름. **2** 〔聖〕 라헬《Jacob의 아내》. 〖Heb.=ewe〗

ra·chi- [réiki, rǽki], **ra·chio-** [réikiou, rǽkiou, -kiə] *comb. form* 「척추」의 뜻.
〖Gk. (*rhakhis* spine)〗

ra·chis [réikəs, rǽk-] *n.* (*pl.* **~·es, rach·i·des**

[rǽkədìːz, réi-]) 척추, 척주 ; 화축(花軸), 엽축(葉軸) ; 우축(羽軸)《새깃의》.

ra·chi·tis [rəkáitəs] *n.* Ⓤ 〖醫〗 =RICKETS.

Rach·ma·ni·noff [rækmǽnənɔ̀ːf, rɑːkmɑ́ːnə-, -nɔ̀ːv ; -nɔf] *n.* 라흐마니노프. **Sergei V**(**assilievich**) ~ (1873-1943) 러시아의 작곡가(作曲家)·피아니스트.

Rach·man·ism [rǽkmənìzəm] *n.* 《英》 빈민가 주민에 대한 집주인의 착취. 〖Perec *Rachman*(d. 1962) 폴란드 태생인 영국인으로 London의 지주〗

*__ra·cial__ [réiʃəl] *a.* 인종(상)의, 종족의, 민족의. **~·ly** *adv.* 〖RACE²〗

rácial·ìsm *n.* Ⓤ 인종주의 ; 인종적 편견, 인종차별. **-ist** *n.* **rà·cial·ís·tic** *a.*

rácial stèering *n.* 《美》 인종 차별적 부당 유도(誘導)《부동산업자가 백인용과 흑인용의 부동산 일람표를 따로 마련하기》.

rácial uncónscious *n.* =COLLECTIVE UNCONSCIOUS.

Ra·cine [*F* rasin] *n.* 라신. **Jean Baptiste** ~ (1639-99) 프랑스의 극작가.

rac·ing [réisiŋ] *n.* Ⓤ 경마(cf. HUNTING 1 a)) ; 경주 ; 보트 경주 : a ~ boat 경주용 보트 / a ~ yacht 경주용 요트 / a ~ cup (경마 따위의) 우승배 / a ~ man 경마광[팬] / a ~ prophet (경마 따위의) 승부를 예언[예상]하는 사람.

rácing càr *n.* 경주용 자동차.

rácing còlors *n. pl.* (마주(馬主)를 나타내는) 기수의 모자와 옷 색깔.

rácing flàg *n.* 경주 중인 요트가 마스트 끝에 다는 식별기(旗).

rácing fòrm *n.* 《美俗》 경마 신문.

rácing gìg *n.* 2[3]인승의 길쭉한 경주용 보트.

rácing skàte *n.* 경주용 스케이트.

rácing skìff *n.* 1인승의 길쭉한 경주용 보트.

rac·ism [réisizəm] *n.* Ⓤ 민족적 우월감 ; 인종차별, 인종적 증오. 〖RACE²〗

*__rack__¹ [rǽk] *n.* **1 a**) (열차 따위의) 그물 선반 ; …걸이(cf. HAT RACK, PIPE RACK, PLATE-RACK) ; …꽂이, …대. **b**) (서류 분류용의) 상자 선반 ; 시렁같이 매다는 여물통 ; (수리하기 위해) 자동차를 들어올리는 장치 ; 〖撞球〗 래크《시합 전에 공을 가지런히 하기 위한 삼각형의 나무틀》. **2 a**) [the ~] 고문대(拷問臺). **b**) 고문 ; (육체, 정신의) 큰 고통. **3** 〖機〗 (톱니 바퀴의) 톱니 막대. **4** 《美俗》 침대, 방.

on the rack 고문을 당하여 ; 심히 고통스러워[괴로워]하여 ; 애써 ; 긴장해서.

put. . .on*[*to*]** ***the rack …을 고문하다.

── *vt.* **1** [+目/+目+前+名] 고문하다 ; (온몸을 잡아 찢듯이) 고통을 주다, 괴롭히다 ; 혹사시키다 : He was *~ed* ***with*** a bad headache[by remorse]. 심한 두통[뉘우침]으로 고통받았다. **2** (소작인 등을) 착취하다 ; (지대 따위를) 무리하게 징수하다 ; (토지를) 과도한 경작으로 메마르게 하다. **3 a**) 대[선반, 시렁]에 얹다 ; 〖撞球〗 (공을) 래크에 넣다. **b**) 《英》 (말을) 건초시렁에 매다 <*up*> ; 건초시렁에 여물을 넣다 <*up*>. **4** 〖機〗 래크를 이용하여 신축시키다. **5** 〖海〗 (두 줄의 로프를) 동여 매어 잇다. ── *vi.* 무리하게 비틀어 구부러지다 ; 《美俗》 자다.

rack one***'s brains*** ☞ BRAIN.

rack up 《口》 (승리 따위를) 달성하다, (득점을) 올리다 ; …에 (결정적인) 승리를 거두다 ; 때려 눕히다 ; (사진기의 프레임을) 똑바로 하다.

〖Du., MLG=rail, framework <? *recken* to stretch ; cf. OE *reccan*, G *recken* to stretch〗

類義語 ⟹ TORMENT.

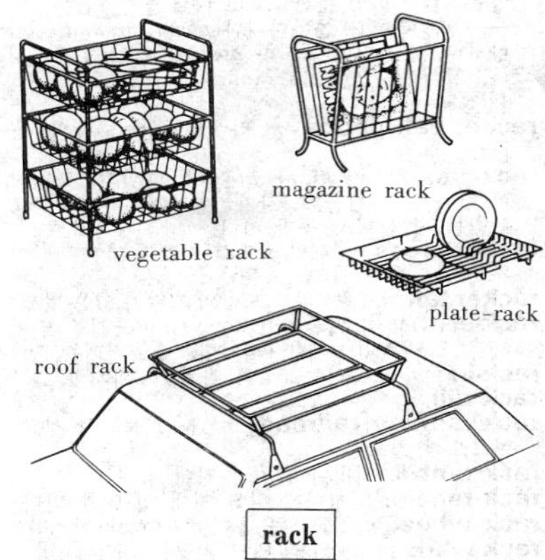

rack

rack² *n.* Ⓤ 《古》 파괴(cf. WRACK¹ 3) : go to ~ (and ruin) 황폐해지다, 파멸하다, 못쓰게 되다. 〖WRACK¹〗

rack³ *vt.* (포도주 따위를) 찌끼에서 짜내다 ; (통에) (흑)맥주를 채우다.
〖Prov. (*raca* stems and husks of grapes, dregs)〗

rack⁴ *vi.* (구름 따위가) 바람에 불려 하늘 높이 날다. ── *n.* 비운(飛雲), 조각구름.
〖? Scand. ; cf. Norw. and Swed. (dial.) *rak* wreckage (*reka* to drive), OE *wrecan* to drive〗

rack⁵ *n.* (말의) 가볍게 뛰는 걸음《속보와 보통 걸음의 중간 보조(步調)》; 측대보(側對步) (pace). ── *vi.* (말이) 측대보로[가볍게] 뛰어 가다.
〖? *rock*² ; 일설(一說)에 Arab. *faras rikwa* easy-paced horse에서〗

rack⁶ *n.* (양(羊)·송아지·돼지의) 목덜미 살 ; 양새끼의 갈비 살 ; =RACKABONES. 〖? RACK¹〗

rack⁷ *n.* =ARRACK.

rack·a·bones [rǽkəbòunz] *n.* [단수·복수취급] 《美》 말라깽이 ; 야윈 말.

ráck-and-pínion *n.* 〖機〗 래크와 피니언《rack와 pinion을 맞물려 회전 운동을 직선 운동으로 바꾸거나 또 그 반대의 일을 하는 장치》. ── *a.* 〖自動車〗 (핸들 장치가) 래크와 피니언식의.

ráck-and-pínion ràilway *n.* =RACK RAILWAY.

ráck càr *n.* 〖鐵〗 자동차·재목 따위를 수송하는 기다란 화차.

racked [rǽkt] *a.* 《美俗》 장악하고 있는, 성공이 틀림없는, 시험 통과[학점 취득]에 자신 있는.

*__rack·et__¹ [rǽkət] *n.* **1** (테니스 따위의) 라켓(racquet). **2** [~s, 단수취급] =RACQUETS. **3** 라켓 모양의 눈위를 걷는 신(snowshoe).
〖F < It. < Arab. =palm of hand〗

racket² *n.* **1** Ⓤ 소란, 소음. **2** Ⓤ 야단법석, 유흥. **3** 《口》 부정 ; 《口》 손쉬운 생계수단, 부정한 돈벌이 ; 밀매매 ; 사기, 협박, 공갈로 강탈하기, 횡령. **4** 《俗》 직업 : It isn't my ~. 내가 알 바 아니다. **5** [the ~] 쓰라린 경험, 시련 ; [the ~s] 조직적인 비합법 활동.

go on the racket 유흥[도락]을 즐기다.

make*[*kick up*]** ***a racket 대소란을 일으키다.

stand the racket 시련을 견디어 내다⟨*of*⟩; 책임을 지다⟨*of*⟩; 계산을 치르다.
— *vi.* 떠들고 돌아다니다⟨*about, around*⟩; 방탕하다, 흥청거리며 살다⟨*about*⟩; ⦅美俗⦆ 사기치다, 갈취하다. 〚C16< ? imit.〛
類義語 ⟹ NOISE.

rácket bàll[**còurt**] *n.* 라켓(racquets)용의 공[코트].

rack·e·teer [rækətíər] *n.* (상점 따위의) 조직적인 협박자, 사기꾼, 공갈자, 협잡배. — *vi., vt.* 무리를 지어 협박[공갈]하다.

rácket prèss *n.* 라켓 프레스⦅라켓의 테가 뒤틀어지지 않도록 끼워 두는 틀⦆.

rácket·tàil *n.* 〔鳥〕 라켓 모양의 꼬리가 있는 벌새.

ráck·et(·t)y *a.* 떠들썩한(noisy); 떠들기를 좋아하는; 도락적인; 약한, 허약한, 흔들거리는.

ráck·ing *a.* 고문하는; 심히 괴로운; 과격한.

ráck ràil *n.* 톱니 궤도.

ráck ràilway[**ràilroad**] *n.* 톱니 궤도식 철도, 아프트식 철도.

ráck rènt *n.* 엄청나게 비싼 지대[집세].

ráck-rènt *vt.* 엄청나게 비싼 지대[집세]를 받다.

ráck whèel *n.* 〔機〕 큰 톱니바퀴(gear wheel).

ráck·wòrk *n.* Ⓤ 〔機〕 래크 기구[장치].

ra·con [réikɑn] *n.* 〔空〕 레이콘⦅레이더용 비컨; 전파로 항공기·선박에 자기의 위치·방향을 알리는 신호⦆.
〚*ra*dar+bea*con*〛

ra·con·tage [*F* rakɔ̃tɑːʒ] *n.* 이야기, 소문, 일화(逸話). 〚F (*raconter* to relate)〛

rac·on·teur [rækɑntə́ːr] *n.* (*fem.* **-teuse** [-tə́ːz]) 이야기꾼; 말재주가 좋은 사람, 담화가.
〚F; ⇨ RECOUNT[1]〛

racoon ☞ RACCOON.

rac·quet [rǽkət] *n.* =RACKET[1]; [~s, 단수취급] 라켓⦅벽으로 둘러싸인 코트에서 공을 벽에 되튀기는 스쿼시 비슷한 구기(球技)⦆.

rácquet·bàll *n.* ⦅美⦆ 라켓볼⦅2-4명이 자루가 짧은 라켓을 사용해서 하는 squash 비슷한 구기⦆.

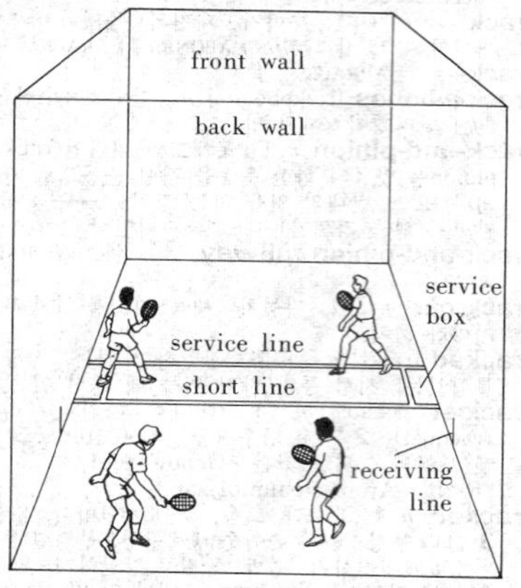

racquetball

racy[1] [réisi] *a.* **1** 본 바닥의, 맛이 독특한, 향기로운: a ~ flavor 독특한 맛. **2** 발랄한, 팔팔한; (문체 따위) 활기 있는, 기운찬, 명쾌한. **3** ⦅美⦆ (이야기가) 외설적인, 음탕한, 도색적인.
racy of the soil 그 고장 특유의; 단순하고 소박한; 발랄한.
rác·i·ness *n.* 〚RACE[2]〛

racy[2] *a.* 레이스하기에 적합한 (체격의); (동물이) 홀쭉하고 지방이 적은, 여윈.
〚RACE[1]〛

rad[1] [ræd] *n.* 〔理〕 래드⦅흡수선량(吸收線量)의 단위⦆. 〚*rad*iation〛

rad[2] *n.* ⦅美俗⦆ 과격파(radical).

rad 〔數〕 radian(s). **rad.** 〔數〕 radical; radiator; radio; radius; radix. **R. A. D. A., RADA** [rɑ́ːdə] ⦅英⦆ Royal Academy of Dramatic Art.

***ra·dar** [réidɑːr] *n.* Ⓤ 〔電子〕 전파 탐지법, 레이더; Ⓒ 전파탐지기, 레이더 (장치); (속도 위반 차량 단속용의) 속도 측정 장치. — *a.* 레이더의: a ~ beacon 레이더 비컨.
〚*ra*dio *d*etection[*d*etecting] *a*nd *r*anging〛

rádar astrònomy *n.* 레이더 천문학.

rádar dàta prócessing sỳstem *n.* 항공로 레이더 정보처리 시스템.

rádar fènce[**scrèen**] *n.* 레이더 망.

rádar hòming *n.* 레이더로 유도됨.

rádar·man [-mən] *n.* 레이더 기사.

rádar·scòpe *n.* (레이더) 전파 수상경(受像鏡).
〚*radar*+oscillo*scope*〛

rádar tèlescope *n.* 레이더 망원경.

rádar tràp *n.* 〔交通〕 (레이더에 의한) 속도 위반 차량 탐지 장치.

rad·dle[1] [rǽdl] *n.* Ⓤ 자토(赭土), (도료로 쓰는) 붉은 황토(red ocher). — *vt.* **1** =RUDDLE 1. **2** (얼굴 따위에 연지를) 발라대다.
〚*ruddle*〛

raddle[2] *vt.* 한데 합쳐서 꼬다, 짜다, 엮다.
— *n.* (엮어서 울타리 따위를 만드는) 길고 낭창낭창한 나뭇가지; (낭창낭창한 나뭇가지 따위로 엮어서 만든) 울타리.
〚OF=stout pole, rail of a cart< ? MHG *reitel*〛

ra·di- [réidi, -də], **ra·dio-** [réidiou, -diə] *comb. form* 「방사」「복사(輻射)」「반지름」「요골」「방사성[능]」「라듐」「방사성 동위 원소」「무선」의 뜻.
〚L; ⇨ RADIUS〛

***ra·di·al** [réidiəl] *a.* **1** 광선의; 방사(放射)상의, 복사(輻射)상의, 중심에서 사방으로 퍼지는; 방사부가 있는: a ~ engine 방사상 내연기관. **2** 반지름(radius)의. **3** 〔解〕 요골(橈骨)의. — *n.* 방사부; 〔解〕 요골신경[동맥]; 레이디얼 타이어 (radial tire). **~·ly** *adv.*
〚L; ⇨ RADIUS〛

rádial ártery *n.* 〔解〕 요골 동맥.

rádial·ìze *vt.* 방사상(放射狀)으로 늘어놓다.

rádial(**-plỳ**) **tìre** *n.* 레이디얼 타이어.

rádial sýmmetry *n.* 〔生〕 방사 대칭(對稱)⦅해파리·불가사리 따위의 생물체 모양⦆.

rádial velócity *n.* 〔天〕 시선(視線) 속도⦅천체가 관측자에 대해 전진 또는 후퇴하는 속도⦆.

ra·di·an [réidiən] *n.* 〔數〕 라디안⦅각도의 단위; 기호 rad⦆.

***ra·di·ance, -cy** [réidiəns(i)] *n.* Ⓤ **1** 발광; 광휘(光輝); (눈·얼굴의) 빛남. **2** 〔理〕 복사 조도; =RADIATION.

***rá·di·ant** *a.* **1** 빛[열]을 내는, 빛[열]을 반사하는; 빛나는, 찬란한; 환한, 밝은. **2** 즐거운 듯한,

희색이 만면한. **3** 복사(輻射)의, 방사되는, 복사열의 : ~ energy 〔理〕 복사 에너지 / ~ heat [rays] 복사열[선] / ~ heating 복사 난방.
— *n.* 〔光〕 광점(光點), 광체(光體) ; 〔天〕 = RADIANT POINT ; 가스[전기] 난방기의 백열하는 부분, 복사 방열부, 방열재. **~·ly** *adv.*
〖L ; ⇨ RADIUS〗
類義語 ⟹ BRIGHT.

rádiant flúx *n.* 〔理〕 방사속(放射束).

rádiant héater *n.* 복사[방사] 난방기.

rádiant pòint *n.* 〔天〕 (유성군(流星群)의) 복사점 ; 〔理〕 (빛·전파 따위 복사선의) 복사점.

ra·di·ate** [réidièit] *vi.* [動 / + *from* + 名] **1** (열·빛 따위가) 사출[복사, 방사, 방출]되다 : Light and heat ~ ***from the sun. 빛과 열은 태양으로부터 방사된다. **2** 복사상(狀)으로 발산하다, 사방으로 퍼지다.
— *vt.* (열·빛 따위를) 방출하다, 복사[방사]하다 ; 《비유》 흩뿌리다, 널리 퍼뜨리다 : His face ~*d* joy. 그의 얼굴은 기쁨으로 빛나고 있었다.
— [-ət, -èit] *a.* 사출하는 ; 복사상(輻射狀)의. **~·ly** *adv.* 〖L ; ⇨ RADIUS〗

***ra·di·a·tion** [rèidiéiʃən] *n.* Ⓤ 발광, 방열(放熱) ; 〔理〕 복사, 방사 ; Ⓒ 방사물, 방사선, 복사 에너지 ; 방사상 배열 ; 방열기(radiator) 방사능, 방사성.

radiátion bèlt *n.* 〔理〕 = VAN ALLEN (RADIATION) BELT.

radiátion chémistry *n.* 방사선 화학.

radiátion dàmage *n.* 〔病理〕 방사선 장애.

radiátion-fìeld photógraphy *n.* = KIRLIAN PHOTOGRAPHY.

radiátion fòg *n.* 〔氣〕 복사 안개.

radiátion mèasure *n.* 방사선 측정.

radiátion prèssure *n.* 방사압, 복사압.

radiátion sìckness *n.* 〔醫〕 방사선 멀미, 방사선 숙취.

ra·di·a·tive [réidièitiv] *a.* 빛[열]을 방출하는 ; 복사[방사]적인.

rá·di·à·tor *n.* **1** 복사체, 사광체(射光體), 방열물. **2** 라디에이터, 방열기 ; 난방기(器). **3** 〔通信〕 송신 안테나. **4** (자동차·비행기의) 냉각장치.

***rad·i·cal** [rǽdikəl] *a.* **1** 근본적인, 기초의. **2** 철저한 ; 급진적인, 과격한(extreme), 과격파의, 혁명적인(revolutionary) : a ~ party 급진[과격]파. **3** 본래[천성]의. **4 a)** 〔數〕 근(根)의 : a ~ expression 무리식. **b)** 〔化〕 기(基)의 ; 〔植〕 뿌리의. **c)** 〔言〕 어근(語根)의 : a ~ word 어근어.
— *n.* **1** 기부(基部) ; 기초 ; 급진당원[론자]. **2 a)** 〔數〕 근 ; 근호(根號). **b)** 〔化〕 기(基) (root). **c)** 〔言〕 어근. **d)** (한자의) 부수(部首) 《변(邊)·방(旁)·관(冠) 따위》. **~·ly** *adv.* 본래 (naturally) ; 철저하게 ; 근본적으로. **~·ness** *n.*
〖L ; ⇨ RADIX〗
類義語 ⟹ PROGRESSIVE.

rádical áxis *n.* 〔數〕 근축(根軸).

rádical chíc *n.* (사교계의) 과격파 성향.

rádical·ìsm *n.* Ⓤ 급진주의.

rad·i·cal·i·ty [rædikǽləti] *n.* 근본적인 것[성질] ; 과격[급진]성.

rádical·ìze *vt., vi.* 급진적으로 하다[되다], 근본적으로 개혁하다.
ràdical·izátion *n.*

rádical léft *n.* = NEW LEFT.

rádical ríght *n.* 급진 우익, 극우.

rádical sìgn *n.* 〔數〕 근호(√‾).

rad·i·cand [rǽdəkæ̀nd] *n.* 〔數〕 근호 속의 숫자 (√3의 3 따위). 〖L〗

rad·i·cate [rǽdəkèit] *vt.* (식물을) 뿌리박게[내리게] 하다.
〖L *radico* to take root (*radix*)〗

rad·i·cel [rǽdəsèl] *n.* 〔植〕 잔 뿌리(rootlet), 어린 뿌리(radicle).

ra·di·ci·da·tion [rèidəsədéiʃən] *n.* (식품에 대한) 방사선 조사(照射) 살균.

rad·i·cle [rǽdikəl] *n.* 〔植〕 잔[어린] 뿌리.
〖L (dim.) ‹RADIX〗

rad·ic-lib [rǽdiklíb] *n.* 《美口》 급진적 자유주의자. 〖*radic*al-*lib*eral〗

ra·di·esthésia [rèidi-] *n.* 방사 감지《점지팡이 따위로 숨겨진 물건이 내는 에너지를 감지함》 ; 수맥(水脈) 탐지 ; 방사 감지의 연구.

***radii** *n.* RADIUS의 복수형.

***ra·dio** [réidiòu] *n.* (*pl.* **-di·òs**) **1 a)** Ⓤ 무선 전신[전화](wireless telegraphy[telephony]). **b)** 무선(에 의한) 통신, 무선 전보(radiogram). **2 a)** Ⓤ [보통 the ~] 라디오 방송 ; (라디오) 방송사업 ; 라디오 방송국 ; 무선국 : ~ and television 라디오와 텔레비전 / set the time[one's watch] by *the* ~ 시간[시계]을 라디오에 맞추다 / listen (in) *to the* ~ 라디오를 듣다 / talk *over the* ~ 라디오를 통해 말하다[강연하다] / I listened to the news *on*[heard the news *on*, heard the news *over*] *the* ~ last night. 어젯밤에 그 뉴스를 라디오로 들었다 / *R*~ is an important medium of communication. 라디오는 중요한 보도기관이다. **b)** 라디오 수신기 : I have bought a new ~. 새 라디오를 샀다 / a portable ~ 휴대용 라디오. **c)** 무선전신기, 무선 장치.
by radio 무선(전신)으로, 무전으로 ; 라디오 (방송)으로.
— *a.* **1** 방사 에너지의, 방사성의. **2** 무선 전신[전화]의 ; 라디오(방송)의 ; 라디오 기술 전문의.
— *vt.* (통신을) 무선으로 보내다 ; (프로그램 따위를) 라디오로 방송하다.
— *vi.* 무선으로 연락하다 ; 라디오 방송을 하다.
〖*radio*telegraphy etc.〗

radio- [réidiou, -diə] ☞ RADI-.

ràdio·actínium *n.* 〔化〕 라디오악티늄《방사성 동위 원소인 토륨 227의 다른 이름》.

ràdio·áctivate *vt.* 방사성으로 만들다.

ràdio·áctive *a.* 방사성[방사능]이 있는 : a ~ element 방사성 원소 / ~ fallout 방사성 낙진 / ~ rays 방사선.

radioáctive áge *n.* 〔理〕 방사성 연대.

radioáctive contaminátion *n.* 방사능 오염.

radioáctive dáting *n.* 방사성 연대 측정.

radioáctive decáy *n.* 방사성 붕괴.

radioáctive ísotope *n.* 방사성 동위원소(radioisotope).

radioáctive séries *n.* 방사성 계열.

radioáctive stándard *n.* 〔理〕 표준 방사성 물질《방사선 측정 장치에 쓰임》.

radioáctive trácer *n.* 〔理〕 방사성 추적자.

radioáctive wárfare *n.* 방사능전, 방사능 전쟁 (radiological warfare)《略 R. W.》.

radioáctive wáste *n.* 방사성 폐기물.

ràdio·actívity *n.* Ⓤ 〔理〕 방사능[성] : artificial ~ 인공 방사능.

ràdio·ámplifier *n.* 〔通信〕 고주파 증폭기(增幅機)[장치].

ràdio·assáy *n.* 방사 정량법(定量法)[분석].

rádio astrómetry *n.* 전파 천문 측정학《전파원의 위치나 전파의 세기 따위를 연구하는 전파 천

문학의 한 부문》.
rádio astrónomer *n.* 전파 천문학자.
rádio astrónomy *n.* 전파 천문학.
ràdio·áuto·gràph *n.* =AUTORADIOGRAPH.
rádio bèacon *n.* 무선 표지(無線標識), 라디오 비컨.
rádio bèam *n.* 〖通信〗 라디오[신호] 전파, 무선 빔《방향지시 따위 무선 유도(誘導)를 함》.
ràdio·biólogy *n.* Ⓤ 방사선 생물학.
ràdio·bróad·càst *n.* Ⓤ,Ⓒ 라디오[무선] 방송. —— *vi., vt.* (~, ~**·ed**) 라디오[무선]로 방송하다. ~**·er** *n.* 라디오[무선] 방송자 ; 라디오[무선] 방송 장치. ~**·ing** *n., a.* 라디오[무선] 방송(의) : a ~*ing* station 라디오 방송국.
rádio càb *n.* 무선 장비를 갖춘 택시.
rádio càr *n.* (순찰차처럼) 연락용 단파 무선 장비를 갖춘 자동차.
ràdio·cárbon *n.* Ⓤ 〖化〗 방사성 탄소.
radiocárbon dàting *n.* =CARBON DATING.
ràdio·cárdiogram *n.* 〖醫〗 방사(능) 심전도(心電圖).
ràdio·cardiógraphy *n.* 방사 심전도 측정.
rádio cassétte recòrder *n.* 라디오 카세트 리코더《라디오와 카세트 리코더가 합쳐진 것》.
rádio·càst *vt.* (~, ~**ed**) =RADIOBROADCAST.
ràdio·chémistry *n.* Ⓤ 방사 화학.
Rádio Cíty *n.* 라디오 시티《미국 New York 시의 환락가 ; cf. ROCKEFELLER CENTER》.
ràdio·cóbalt *n.* 〖化〗 방사성 코발트 ; (특히) 코발트 60.
rádio communicátion *n.* 무선 통신.
rádio còmpass *n.* 무선 방향 탐지기, 무선 나침반(盤).
rádio contról *n.* 무선 통제[조종] ; (순찰차나 택시에 대한) 무선 지령.
rádio-contrólled *a.* 무선 조종의.
ràdio·detéctor *n.* 무선 검파기(檢波器).
rádio diréction finder *n.* 무선 방향 탐지기 (radio compass)《略 RDF》.
rádio-ècho sòunding *n.* 전파 음향 측심법《고주파 전파의 반사에 의하여 수심 따위를 측정하는 방법》.
ràdio·élement *n.* 방사성 원소.
rádio fìeld inténsity[**stréngth**] *n.* 〖電〗 전파 강도(強度) ; 전자기장의 세기.
Rádio Frée Éurope *n.* 자유 유럽 방송《미국의 동유럽에 대한 선전방송 ; 독일 뮌헨이 거점》.
rádio fréquency *n.* 무선 주파수.
rádio-fréquency wélding *n.* 고주파 용접.
rádio gàlaxy *n.* 〖天〗 전파 은하.
ràdio·génic *a.* **1** (가수 등이) 라디오 방송에 적합한(cf. PHOTOGENIC, TELEGENIC). **2** 〖理〗 방사능에 의하여 발생하는 ; 방사능을 방출하는.
ràdio·goniómeter *n.* 무선 방위계(方位計).
rádio·gràm *n.* **1** =RADIOGRAPH[1]. **2** 무선 전보. **3** =RADIOGRAMOPHONE.
ràdio·grámophone *n.* 《英》 라디오 겸용 전축.
rádio·gràph[1] *n.* 방사선 사진, (특히) 뢴트겐 사진. —— *vt.* …의 뢴트겐 사진을 찍다.
radiograph[2] *vt.* …에게 전보를 치다. 〖*radio*-, tele*graph*〗
ra·di·og·ra·phy [rèidiágrəfi] *n.* Ⓤ X선 촬영법.
rà·dio·gráph·ic *a.* X선 촬영(법)의.
rádio héating *n.* 〖電〗 고주파 가열.
rádio·ìmmuno·ássay *n.* 〖醫〗 (방사성 동위 원소에 의한) 표지(標識) 면역 검정(법), 방사 면역 검정(법).
rádio interférence *n.* 혼신(混信), 전파 방해, 라디오 장애.
ràdio·ísotope *n.* 〖化〗 방사성 동위체[원소].
ràdio·isotópic *a.*
radioisotópic thermoeléctric gènerator *n.* 원자력 전지《略 RTG》.
rádio knìfe *n.* (외과용) 전기 메스.
ràdio·lábel *vt.* 〖化〗 (원소를) 방사성 동위 원소를 써서 식별하다. —— *n.* 식별에 쓰이는 방사성 동위 원소.
ra·di·o·lar·i·an [rèidiouléəriən, -lǽər-] *n., a.* 방산충류(放散蟲類) (의).
rádio lìnk *n.* 무선 링크《두점 사이의 통신로를 형성하는 무선 통신계(系)》.
ràdio·locátion *n.* Ⓤ 전파 탐지법.
rádio·lòcator *n.* 《英》 전파탐지기, 레이더.
ra·dio·log·i·cal, -logic [rèidiouládʒik(əl)] *a.* 방사선(의)학의 ; 핵 방사선의 : ~ warfare 방사능 전쟁.
ra·di·ol·o·gy [rèidiálədʒi] *n.* Ⓤ 방사선(의)학 ; 〖醫〗 X선과.
-gist *n.* 방사선 학자 ; X선 기사.
ra·di·ol·y·sis [rèidiáləsəs] *n.* (*pl.* **-ses** [-sìːz]) 〖化〗 방사선 분해.
rádio·màn *n.* 무전 기사 ; 방송 사업 종사자.
ràdio·meteóro·gràph *n.* 〖氣〗 =RADIOSONDE.
ra·di·om·e·ter [rèidiámətər] *n.* 〖理〗 라디오미터, 복사계(輻射計).
rà·di·óm·e·try *n.* 복사 측정술, 라디오 미터 사용법.
ràdio·micrómeter *n.* 〖理〗 열전(熱電) 복사계.
rádio mònitoring *n.* 〖軍〗 전파 감시.
rádio navigátion *n.* 〖空·海〗 무선[전파] 항법[항행(航行)].
ra·di·on·ics [rèidiániks] *n.* Ⓤ =ELECTRONICS.
ràdio·núclide *n.* 〖理〗 방사성 핵종(核種).
rádio pàger *n.* 무선 호출 수신기.
ra·di·opaque [rèidioupéik] *a.* 방사선[X선] 불투과성의.
-opácity *n.*
rádio·pharmacéutical *a., n.* 〖藥〗 방사성 의약품(의).
rádio·phòne *n.* =RADIOTELEPHONE ; 〖理〗 광선 전화기.
—— *vt., vi.* =RADIOTELEPHONE.
ràdio·phónic *a.* 전자음악의.
ràdio·phónics *n.* 《英》 전자음악 ; 라디오 방송 ; 녹음 재생음.
ràdio·phóto *n.* 무선 전송 사진, 무선 사진 전송.
ràdio·phóto·gràph *n.* 무선 전송 사진.
ràdio·photógraphy *n.* Ⓤ 무선 사진 전송.
ràdio·protéctive *a.* 〖醫〗 방사선 방호의.
-protéction *n.*
ràdio·protéctor *n.* 〖醫〗 방사선 방호제.
rádio púlsar *n.* 〖天〗 전파 펄서《가시 광선이나 X선을 내는 펄서와 구별하여 말함》.
rádio rànge *n.* 무선 항로 표지.
rádio recéiver[**recéiving sèt**] *n.* 라디오 수신기.
rádio rélay *n.* 무선 중계(국(局)).
ràdio·resístance *n.* 〖理〗 복사 에너지의 효과에 대한 저항.
ràdio·scópe *n.* 방사선 측정기.
ra·di·os·co·py [rèidiáskəpi] *n.* X선 투시(법).
rádio sèt *n.* 무선 송[수]신 통신 장비, 무선기, 라디오.
rádio·sònde *n.* 〖氣〗 라디오존데《상공의 기상 상

태를 관측하여 무선으로 지상에 송신하게 하는 장치 ; cf. SONDE》.
rádio sòurce *n.* 〖天〗 전파원(源).
rádio spèctrum *n.* 무선 주파 스펙트럼.
rádio stàr *n.* 〖天〗 전파별《우주 전파원의 하나》.
rádio stàtion *n.* 무선국 ; 라디오 방송국.
ràdio·stérilize *vt.* X선[방사선]으로 살균하다.
ràdio·súrgery *n.* 방사선 외과(外科).
ràdio·téle·gràm *n.* 무선 전보.
ràdio·téle·gràph *n.* 무선 전신. —— *vt., vi.* 무선 전신으로 보내다[을 치다].
ràdio·telégraphy *n.* Ⓤ 무선 전신(술).
ràdio·téle·phòne *n.* 무선 전화(기).
—— *vt.* …에게 무선 전화를 걸다. —— *vi.* 무선 전화를 걸다.
ràdio·teléphony *n.* Ⓤ 무선 전화.
rádio télescope *n.* 전파 망원경.
ràdio·téle·tỳpe *n.* 무선 텔레타이프, 무선 전신 타자기.
ràdio·therapéutics *n.* =RADIOTHERAPY.
ràdio·thérapy *n.* Ⓤ 방사선 요법[치료법].
rádio·thèrmy *n.* 방사선열(熱) 요법.
ràdio·tóxin *n.* 방사성 독물. **-tóxic** *a.*
rà·dio·tox·o·lóg·ic [-tɑ̀ksəlɑ́dʒik] *a.* 방사성 독물 연구의.
rádio transmítter *n.* 무선 송신기.
rádio tùbe *n.* 진공관, 전자관.
rádio·vìsion *n.* 《古》 =TELEVISION.
rádio wàve *n.* 〖通信〗 전파.
rad·ish [rǽdiʃ] *n.* 〖植〗 무 ; 《野俗》 볼 ; 《美俗》 야구. 〚OE *rædic* and OF<L RADIX〛
ra·di·um [réidiəm] *n.* Ⓤ 〖化〗 라듐《방사성 금속원소 ; 기호 Ra ; 번호 88》.
〚L RADIUS〛
rádium emanàtion *n.* 〖化〗 =RADON.
rádium·thèrapy *n.* Ⓤ 라듐 요법.
***ra·di·us** [réidiəs] *n.* (*pl.* **-dii** [-diài], **~·es**) **1** 반지름(cf. DIAMETER). **2** (배·비행기가) 연료를 보급하지 않고 되돌아 갈 수 있는 거리, 행동 반경 ; 《비유》 (행동·영향의) 범위, 구역 : the ~ of action 행동 반경 / within a ~ of three miles 3마일 거리 내에[의] / the four-mile ~ (London의 Charing Cross에서) 4마일 이내. **3** 복사(輻射)선 ; (수레바퀴의) 살. **4** 〖解〗 요골(橈骨) ; 〖植〗 사출화(射出花) ; 〖動〗 사출부. **5** (육분의(六分儀)·사분의 따위의) 바늘, 침. —— *vt.* (모서리 따위)를 둥그스름하게 하다.
〚L=rod, spoke, ray〛
rádius véctor *n.* (*pl.* **rádii vec·tó·res** [-vektɔ́:ri:z], **~s**) 〖數·天〗 동경(動徑).
ra·dix [réidiks] *n.* (*pl.* **~·es, rad·i·ces** [réidəsì:z ; rǽd-]) 〖哲〗 근원 ; 〖植〗 뿌리, 근(root) ; 〖文法〗 어근 ; 〖數〗 기(基), 근(根) ; (통계의) 기수(基數).
〚L *radic- radix* root〛
rad-lib [rǽdlíb] *n.* 《美口》 =RADIC-LIB.
R Adm, R. Adm., RADM Rear Admiral.
ra·dome [réidoum] *n.* 레이돔《항공기의 외부 레이더 안테나 보호용의 플라스틱 덮개》.
〚*ra*dar *dome*〛
ra·don [réidɑn] *n.* Ⓤ 〖化〗 라돈《라듐의 붕괴로 생기는 방사성 원소 ; 기호 Rn ; 번호 86》.
〚*radium*+*-on*[3]〛
rad·u·la [rǽdʒələ] *n.* (*pl.* **-lae** [-lì:, -lài], **~s**) 〖動〗 (연체 동물의) 치설(齒舌).
rad·u·lar [rǽdʒələr] *a.*
RAF, R.A.F., raf [, 《口》 rǽ(:)f] 《英》 Royal Air Force(cf. USAF).
raff [rǽ(:)f] *n.* 하층사회, 어중이떠중이 ; 《英方》 쓰레기, 잡동사니.
Ráf·fer·ty('s) rúles [rǽfərti(z)-] *n. pl.* 《濠俗》 (권투 따위에서) 무규칙(no rules at all).
〚C20<?〛
raf·fia [rǽfiə] *n.* 〖植〗 라피아야자《Madagascar 산》(= ∠ **pàlm**) ; Ⓤ 라피아야자잎의 섬유.
〚Malagasy〛
raf·fi·nate [rǽfənèit] *n.* Ⓤ 〖化〗 라피네이트《석유 따위를 용제(溶劑)로 녹일 때 남는 불용해 부분》.
raf·fi·né [*F* rafine] *a.* 세련된, 고상한. —— *n.* 멋쟁이.
〚F=refined〛
raf·fi·nose [rǽfənòus, -z] *n.* 〖化〗 라피노오스《식물에 많은 3당류》.
ráff·ish *a.* 저급한, 품위없는, 야한 ; 평판이 나쁜, 방탕한, 불량한. 〚RAFF〛
raf·fle[1] [rǽfəl] *n.* 추첨[복권]판매《번호가 있는 표를 많은 사람들에게 팔고 추첨하여 당첨된 사람에게 상품을 건네줌》.
—— *vt.* 추첨[복권] (판매법)으로 팔다. —— *vi.* [+*for*+名] 《稀》 추첨(판매)에 한 몫 끼다 : ~ ***for*** a watch 시계 추첨에 한 몫 끼다.
〚OF *rafle* a dice game<?〛
raffle[2] *n.* 폐물, 쓰레기(rubbish).
〚? OF *ne rifle, ne rafle* nothing at all ; 또는 ? F *rafle* act of snatching, sweeping<OF<MHG *raffen* to snatch〛
***raft**[1] [rǽ(:)ft ; rɑ́:ft] *n.* **1** 뗏목(배) ; 〖軍〗 부교(浮橋). **2** [집합적으로] (항행을 방해하는) 물위에 뜬 나무[얼음]《따위》. —— *vt.* 뗏목으로 나르다 ; (강물을) 뗏목으로 건너다 ; 뗏목으로 엮다.
—— *vi.* [動/+前+名] 뗏목으로 가다 ; 뗏목을 이용하다 : ~ ***down*** a stream 뗏목을 타고 강을 따라 내려가다.
〚ON *raptr* RAFTER[1]〛
raft[2] *n.* 《美口》 다량(abundance) ; 다수〈*of*〉 : a ~ *of* trouble 많은 곤란.
〚RAFF=jumble〛
raf·ter[1] [rǽ(:)ftər ; rɑ́:ftər] *n.* 〖建〗 서까래.
from cellar to rafter 집 전체.
—— *vt.* …에 서까래를 얹다 ; 서까래로 쓰다 ; 《英方》 쟁기로 갈아 엎어 밭이랑을 만들다.
〚OE *ræfter* ; cf. RAFT[1]〛
ráft·er[2] *n.* 뗏목을 타는 사람. 〚RAFT[1]〛
rafter[3] *n.* (특히 칠면조의) 무리. 〚RAFT[2]〛
ráfts·man [-mən] *n.* 뗏목 타는 사람.
R.A.F.V.R. 《英》 Royal Air Force Volunteer Reserve(공군 지원 예비군).
***rag**[1] [rǽ(:)g] *n.* **1** 넝마(tatter) ; 넝마조각 ; [*pl.*] 누더기. **2** [*pl.*] (제지(製紙) 또는 속을 채우는데 쓰는) 넝마. **3** 조각, 단편 : a ~ *of* cloud 조각구름 / There was not a ~ *of* decency about him. 그에게서 고상한 점은 조금도 찾아 볼 수 없었다. **4 a)** 《蔑》 (신문지·손수건·깃발·돛·지폐 따위를 일컫는) 넝마조각. **b)** 미천한 사람, 누더기를 걸친 사람. **5** (금속 절단면 따위의) 깔쭉깔쭉함. **6** [the R~] 《英俗》 육해군인 클럽.
(***as***) ***limp as a rag*** 아주 피곤하여[지쳐서], 녹초가 되어.
chew the rag ☞ CHEW.
in rags 누더기를 입고 ; 너덜너덜 해어져.
to rags 너덜너덜하게 : be worn *to* ~*s* 너덜너덜해지다, 갈기갈기 찢어지다.
—— *vi., vt.* (**-gg-**) 너덜너덜하게 되다[만들다] ; 《美俗》 화장하고 모양을 내다, 잘 차려 입다〈*out,*

R

up〉. 〖? 역성(逆成)〈*ragged*〗

rag² *v.* (**-gg-**) *vt.* 《口》 꾸짖다; 희롱하다, 들볶다 (tease); 《英口》 …에게 장난치다; (장난쳐서 남의 방을) 어지르다. ―― *vi.* 《英口》 장난치다; 야단법석을 떨다. ―― *n.* 《英口》 (학생 등의) 짓궂은 장난; 농담; 소동; (자선 따위를 위한) 학생의 가장 행렬.
〖C18< ?; cf. OIcel. *ragna* to curse〗

rag³ *n.* 《英》 경질암(硬質岩), (널빤지처럼 쪼개지는) 석회암; 지붕을 이는 슬레이트.
〖ME< ?〗

rag⁴ *n.* 래그(래그타임의 리듬으로 쓰여진 곡); 래그타임(ragtime). ―― *v.* (**-gg-**) *vt.* ragtime으로 연주하다. ―― *vi.* ragtime을 연주하다.
〖*rag*time〗

ra·ga [rɑ́ːgə] *n.* 〖樂〗 라가《인도 음악의 선율형식; 그것에 의한 즉흥연주》.
〖Skt.=tone, color〗

rag·a·muf·fin [rǽgəmʌ̀fən] *n.* 누더기를 (몸에) 걸친 초라한 사람; 부랑아.
~**·ly** *a.* 추레한.
〖*Piers Plowman*의 악마 *Ragamoffyn*; cf. RAG¹〗

rág-and-bóne màn *n.* 《英》 고물장수.

ràga-róck *n.* 라가록《라가를 응용한 록음악》.

rág bàby *n.* =RAG DOLL.

rág·bàg *n.* 잡동사니를 넣어 두는 자루; 뒤죽박죽; 너절한 사람.

rág bòlt *n.* 〖機〗 가시 볼트, 미늘 달린 볼트.

rág bòok *n.* (찢기지 않게) 천으로 만든 아동용(用) 책.

rág dày *n.* 《英》 (학생들이) 자선을 목적으로 하는 가장 행렬의 날.

rág dòll *n.* 헝겊으로 만든 인형, 봉제 인형(rag baby).

rage** [réidʒ] *n.* **1** U,C 격노, 분노(fury): livid with ~ 분노로 새파래져 / in a (fit of) ~ 화가 치밀어서. **2** U 격렬성, 맹렬, 맹위(猛威)(violence): the ~ of Nature 대자연의 맹위 / burst into a ~ of tears 왈칵 울음을 터뜨리다. **3** [+*for*+do*ing*] 격정, 열망; 갈망; …광(狂)(mania): He had a ~ ***for (collect*ing*) first editions. 초판물(初版物) (수집)에 열중하고 있었다. **4** 대유행하는 것, 인기 있는 것[사람]: This type of dress is now (all) the ~. 이런 스타일의 옷이 지금 대유행이다.
―― *vi.* [動/+前+名] **1** (사람이) 격노하다; 사납게 날뛰다; 호통치다, 욕설을 퍼붓다: Jim ~*d* (and fumed) ***against*** all of us. 짐은 우리들 모두에게 욕설을 퍼부었다. **2** (폭풍우·질병·열정 따위가) 맹위를 떨치다; 절정에 달하다, 창궐하다: The wind ~*d* all night. 바람이 밤새도록 세차게 불었다 / The fever ~*d* ***throughout*** the country. 열병이 온 나라에 만연했다.
―― *vt.* [+目+副] [~ one*self*로] (사람·폭풍우 따위가) 사나워진 후에 가라앉다〈*out*〉: The tempest ~*d itself* ***out***. 폭풍우(暴風雨)가 겨우 가라앉았다.
〖OF<L RABIES〗
類義語 ⟹ ANGER.

ráge·ful *a.* 격분한, 노발대발한.

rág fàir *n.* 헌옷[넝마] 시장.

***rag·ged** [rǽgəd] *a.* **1** (옷이) 떨어진; 누덕누덕한, 다 해어진. **2** 누더기를 입은; 초라한. **3** 깔쭉깔쭉한; 울퉁불퉁한. **4** (음성 따위가) 조화되지 않은, 귀에 거슬리는(harsh). **5** 결점 있는, 불완전한; (노젓는 것이) 고르지 못한, 조정(調整)이 안된. **6** 야생의(wild); 손질이 안된; (머리털 따위가) 텁수룩한, 뒤엉클어진.
~**·ly** *adv.* ~**·ness** *n.*
〖ON *roggvathr* tufted〗

rágged édge *n.* 벼랑 끝; 가장자리, 물가.
on the ragged edge 위기에 처하여, 고빗사위에서.

rágged róbin *n.* 〖植〗 나도개미자리과(科)의 동자꽃의 일종.

rágged schóol *n.* 〖英史〗 빈민 학교.

rág·gedy *a.* 누덕누덕한; 텁수룩한.

rag·gee, ra·gi [rǽgi] *n.* 〖植〗 왕바랭이의 일종.

rág·ger¹ *n.* 《美俗》 신문 기자. 〖RAG¹〗

ragger² *n.* 《美俗》 래그타임 팬. 〖RAG⁴〗

rag·gle-tag·gle [rǽgəltǽgəl] *a.* 잡동사니의, 잡다한. 〖RAGTAG〗

rag·ing [réidʒiŋ] *a.* **1** 격노한. **2** 거칠어지는, 맹렬한, 맹위를 떨치는: ~ pestilence 창궐하는 유행병. ~**·ly** *adv.*

rag·lan [rǽglən] *n.* 래글런《래글런 소매가 붙은 낙낙한 외투》.

ráglan sléeve *n.* 〖服〗 래글런 소매《어깨솔기 없이 통짜로 내리달린 소매》.

rág·màn [ˌ -mən] *n.* 넝마장수, 넝마주이.

ra·gout [rægúː] *n.* U,C 라구《고기·야채를 넣어서 끓여 맛이 진한 스튜》. ―― *vt.* (**~ed**; **~·ing**) 조리하여 스튜로 만들다.
〖F (*ragoûter* to revive taste of〈*re-*, GUST²)〗

rág pàper *n.* 목화[아마] 섬유로 만든 고급 종이.

rág·pìck·er *n.* 《美》 넝마주이.

rág ràt *n.* 《美俗》 아이, 개구쟁이.

rág ròof *n.* =RAGTOP.

rág rùg *n.* 넝마로 만든 깔개.

rág shòp *n.* 넝마전, 헌옷 가게.

rág·stòne *n.* U 경질암(硬質岩), 조암(粗岩).

rág·tàg *n.* =RAGTAG AND BOBTAIL. ―― *a.* 넝마의, 몰락한, 초라한.

rágtag and bóbtail *n.* [the ~] 사회의 쓰레기, 하층민; 부랑배, 건달패.

rág·tìme *n.* U 래그타임《재즈 음악의 일종》.
―― *a.* 홀가분한, 아무렇지도 않은, 되는 대로의; 웃기는.
〖? *ragged time*〗

rág·tòp *n.* 《美俗》 포장 지붕식 자동차.

rág tràde *n.* [the ~] 《口》 복식 산업《특히 여성옷을 취급함》.

rág·wèed *n.* 〖植〗 두드러기쑥; 산골국화, (특히) 개쑥갓.

rág whèel *n.* 〖機〗 쇠사슬 톱니바퀴.

rág·wòrt *n.* 〖植〗 개쑥갓속(屬)의 식물.

rah [rɑ́ː, 美+rɔ́ː] *int.* 《美》 만세!, 이겨라, 잘 한다《응원 구호》.
―― *a.* =RAH-RAH.

ráh-ràh *a.* 《口》 열렬한, 열광적으로 외치는.
―― *vi.* rah라고 외치다, 환성을 올리다.

***raid** [réid] *n.* **1** (약탈 목적의) 불의의 침입, 급습; 공습(air raid); (경찰의) 수색, (불량배) 단속: make a ~ (*on*...) (…을) 습격하다, 수색[단속]하다. **2** 종업원[조합원] 빼돌리기. **3** 〖商〗 투매《상장을 하락시킬 목적으로 일제히 팔기》. **4** 공금 유용.
―― *vt., vi.* 쳐들어가다, 급습[공습]하다, (경찰이) 수색[단속]하다: ~ the icebox ☞ ICEBOX 숙어 / The night club was ~*ed* by the police. 그 나이트클럽은 경찰의 급습을 받았다.
〖Sc.<OE *rād* ROAD〗

ráid·er *n.* 급습자; 침입자, 침략자; 〖軍〗 특공대(원); (시장을) 교란시키는 사람.

***rail**[1] [réil] *n.* **1** 가로장(bar) ; 가로대 ; 난간 ; 울타리, 담(fence). **2** 레일, 궤도, 철도. **3** 드래그 레이스용 특수차《뒷바퀴는 대형 타이어고 앞바퀴는 자전거 타이어》.
(as) straight as a rail 똑바로.
by rail 철도(편으)로.
free on rail ☞ FREE *a.*
off the rails 탈선하여 ; 《비유》 정도를 벗어나, 혼란하여 ; 미쳐서.
on the rails 궤도에 올라, 순조로이 진행되어.
ride a person **on a rail** 《美》 사람을 가로대에 태워 (마을 밖으로) 나르다《사형(私刑)의 일종》; 《비유》 사회에서 매장시키다.
— *vt.* **1** [+目/+目+副/+目+前+名] 가로장[난간]으로 두르다 : The fields were ~*ed* **in** [**off from** the lane]. 밭은 울타리로 둘러싸여 있었다[둘러싸여 좁은 길에서 떨어져 있었다]. **2** …에 레일을 깔다 ; 철도로 수송하다.
〖OF *reille* iron rod<L *regula* RULE〗
rail[2] *vi.* [+前+名] 욕설을 퍼붓다, 꾸짖다 ; 조소하다 ; 투덜거리다 : It is as if you were ~*ing* **at** fate. 너는 마치 운명에 대해서 푸념을 하는 것 같구나 / He ~*s* **against** anybody. 아무에게나 욕지거리를 한다. — *vt.* (남을) 매도하여 …하게 하다. — *a.* 매도하는.
〖F *railler* to mock〗
rail[3] *n.* (*pl.* ~, ~**s**) 〖鳥〗 뜸부기. 〖OF<? imit.〗
rail[4] *n.* [(the) ~] 《美俗》 매독.
ráil·age *n.* Ⓤ 철도 운임 ; 철도 수송.
ráil·càr *n.* 기동차 ; 《美》 철도 차량.
ráil fènce *n.* 《美》 가로장 울타리.
ráil·hèad *n.* 철도 선로의 끝 ; 〖軍〗 병참(兵站)종착역《군수품의 철도 수송 하차역》.
ráil·ing[1] *n.* [때때로 *pl.*] 난간, 울타리, 담(cf. FENCE, HEDGE, PALING) ; [집합적으로] 레일 ; Ⓤ 레일 재료. 〖RAIL[1]〗
railing[2] *n.* Ⓤ 욕지거리, 폭언. 〖RAIL[2]〗
rail·lery [réiləri] *n.* Ⓤ,Ⓒ 농담, 희롱, 야유.
〖F ; ⇨ RAIL[2]〗
ráil·less *a.* 레일이 없는, 무궤도의.
ráil·man [-mən] *n.* **1** 부두의 적화(積貨) 신호원. **2** 철도 종업원, 철도원.
ráil mòtor *n.* 전동차, 기동차.
ráil rìde *n.* 〖윈드서핑〗 레일 라이드《보드를 옆으로 세우고 가장자리에 서서 범주(帆走)하기》.
‡ráil·ròad *n.* 《美》 **1** 철도, 선로, 궤도 ; 철도시설 ; 철도회사《略 R. R.》; [*pl.*] 철도주. 注 《英》에서는 railway ; 《美》에서도 경편(輕便)[시가] 궤도는 railway라 함. **2** [형용사적으로] 철도의 : a ~ accident 철도 사고 / a ~ bridge 철교 / a ~ carriage 철도 객차 / a ~ company 철도 회사 / a ~ engineer=a RAILWAY engineer / a ~ line 철도 선로.
— *vt.* 《美》 **1** 철도로 수송하다 ; …에 철도를 부설하다. **2** [+目+前+名] 《口》 (부당하게) 빨리 보내다 ; (의안을) 억지로 통과시키다 : He was ~*ed* **to** prison without any fair trial. 아무런 공정한 재판도 받지 못하고 즉시 투옥되었다 / They ~*ed* the motion **through** the committee. 그 동의를 위원회에 회부하여 억지로 통과시켰다.
— *vi.* 철도에서 일하다 ; 철도로 여행하다.
ráilroad cròssing *n.* 철도 건널목.
ráil·ròad·er *n.* 《美》 철도(종업)원 ; 철도부설 기술자(技術者).
ráilroad flàt[**apàrtment**] *n.* 《美》 (좁은 방이 한 줄로 늘어서 있고 각 방이 옆방으로의 통로를 겸하는) 값싼 아파트.
ráil·ròad·ing *n.* Ⓤ 《美》 철도 부설 사업[작업] ; 철도 사업 ; 철도 여행 ; 《口》 사람[일]을 재촉하기, (의안의) 억지 통과.
ráilroad màn *n.* 철도(종업)원.
ráilroad pèn *n.* 《美》 (제도용(製圖用)의) 복선(複線) 가막부리.
ráilroad stàtion *n.* 《美》 철도역.
ráil-splìtter *n.* **1** 울타리용 가로장을 만드는 사람. **2** [the R~-S~] Abraham Lincoln의 별명(別名).
ráil tràck *n.* 궤도, 선로.
‡ráil·wày *n.* **1** 《英》 철도(=《美》 railroad) : ☞ ELEVATED RAILROAD[RAILWAY]. **2** 《美》 경편[시가, 고가, 지하철] 궤도. **3** [형용사적으로] 《주로 英》 철도의(☞ RAILROAD *n.* 2) : a ~ engineer 철도기사 / a ~ novel 가볍게 읽을 수 있는 소설 / a ~ servant 철도 종업원(railwayman).
at railway speed 급히 서둘러, 부랴부랴.
— *vi.* 기차 여행을 하다.
ráilway càrriage *n.* 《英》 객차.
ráilway cròssing *n.* 《英》 철도 건널목.
ráilway cùrve *n.* 운형(雲形)자.
ráil·wày·màn [, -mən] *n.* 《英》 철도(종업)원 (=《美》 railroader).
ráilway rúg *n.* 《英》 기차 여행용 무릎덮개.
ráilway stàtion *n.* 《英》 철도역.
ráilway súb-òffice *n.* 《英》 철도 우편 지국.
ráilway yàrd *n.* 《英》 철도 조차장.
rai·ment [réimənt] *n.* Ⓤ 《文語》 의류, 의복.
〖*arrayment* (obs.) ; ⇨ ARRAY〗
◇rain [réin] *n.* **1** Ⓤ 비, 빗물 ; 강우(降雨) ; 우천(rainy weather) : We had little ~ this summer. 금년 여름은 비가 적었다 / The ~ came down in torrents. 비가 억수같이 쏟아졌다 / I was caught in the ~. 비를 만났다 / The ~ stopped suddenly. 비가 갑자기 그쳤다 / They went out in the ~. 비가 오는데 외출했다 / She invited me to come in out of the ~. 그녀는 나에게 비를 피해서 안으로 들어오라고 권했다 / It looks like ~. 비가 올 것 같다. **2** [형용사를 수반하여] : (a) heavy ~ 호우. **3** [the ~s] (열대 지방의) 우기(雨期). **4** 《비유》 빗발치듯하는 것 : a ~ *of* kisses[blows] 소나기같이 퍼붓는 키스[타격].
rain or shine 날씨에 관계없이 ; 비가 오든 개든 ; 어떤 일이 있어도.
— *vi.* **1** [動/+副] [it을 주어로 하여] 비가 내리다 : *It* is ~*ing* hard[fast]. 비가 몹시 내리고 있다 / *It* never ~*s* but it pours. 《속담》 비가 오기만 하면 언제나 억수같이 쏟아진다 ; 「화불단행(禍不單行)」/ *It* ~*s* cats and dogs. ☞ CAT / *It* ~*ed* **in**. 비가 들이쳤다. **2** [+前+名] (어떤 것이) 비오듯하다, 흘러내리다 : I felt tears ~ **down** my cheeks. 눈물이 비오듯 뺨으로 흘러내리는 것을 느꼈다 / Misfortunes ~*ed* thick **upon** him. 불행이 그에게 잇달아 닥쳤다. **3** 비를 내리다 : The clouds began to ~. 구름은 비를 뿌리기 시작했다. — *vt.* [+目/+目+*on*+名] 비오듯 내리게 하다, 비오듯 쏟아지게 하다(pour down) ; 빗발치듯 퍼붓다 : It ~*ed* blood[invitations]. 피가[초대장이] 비오듯 쏟아졌다[왔다] / Her eyes ~*ed* tears. 그녀의 눈에서 눈물이 비오듯 쏟아졌다 / I ~*ed* blows (**up**)**on** him. 나는 그에게 마구 주먹질했다 / He has ~*ed* benefits *upon* me. 그는 나에게 분에 넘치는 은혜를 베풀어 주었다.
rain it**self out** 비가 그치다 : It has ~*ed* it*self*

out. 비가 그쳤다[멈추었다].
⟦OE *regn* ; cf. G *Regen*⟧

ráin·bànd *n.* 우선(雨線)《태양 스펙트럼의 흑선》.
ráin bàrrel *n.* 소리만 요란한 것[일].
ráin bòot *n.* 우화(雨靴), 레인 부츠.
***rain·bow** [réinbòu] *n.* 무지개 : all the colors of the ~ 온갖 종류의 빛깔.

〈회화〉
Look at the *rainbow* ! — It's pretty, isn't it ?
「저 무지개 좀 봐」「예쁘지」

—— *a.* 무지개 빛깔의, 7색의 ; 여러 색의 ; 가지 각색의. —— *vt.* …에 무지개가 서게 하다, 무지개처럼 만들다. —— *vi.* 무지개처럼 보이다.
ráin·bòwy *a.* 무지개 같은.
⟦OE *regnboga* ; ⇨ RAIN, BOW[3]⟧

ráinbow chàser *n.* 공상가.
ráinbow pìll *n.* 《俗》 여러 가지 빛깔로 된 정제[캡슐] ; (특히) 한쪽은 적색이고 다른 쪽은 청색인 캡슐《진정·수면제인 아모바르비탈(amobarbital)과 세코바르비탈(secobarbital)》.
ráinbow tròut *n.* 〖魚〗 무지개송어《미국 캘리포니아주 및 캐나다 서해안산》.
ráin bòx *n.* 〖劇〗 빗소리를 내는 상자장치.
ráin chàrt *n.* 등우선도(等雨線圖).
ráin chèck *n.* 《美》 우천인환권《비 때문에 옥외 경기가 중단되었을 때 다음에 쓰도록 관람자에게 나눠줌》; (초대 따위의) 연기.
—— *vt.* 연기하다.
ráin clòud *n.* 비구름(nimbus).
ráin·còat *n.* 비옷, 레인코트.
ráin dàte *n.* (옥외 행사의) 당일이 우천일 경우의 변경일.
ráin dày *n.* (강우량 0.2mm 이상의) 강우일.
ráin dòctor *n.* (주술로) 비를 오게 하는 사람.
ráin·dròp *n.* 빗방울, 낙숫물.
***ráin·fàll** *n.* U,C 강우 ; (강)우량, 강수량 : a ~ chart 등우선도(等雨線圖).
ráin fòrest *n.* 강우량이 많은 열대[온대]지방의 수풀, 우림(雨林).
ráin gàuge *n.* 우량계.
ráin glàss *n.* 청우계(晴雨計).
ráin·less *a.* 비가 안오는, 건조한 날이 많은.
ráin lòcker *n.* 《CB俗》 샤워실(室).
ráin·màker *n.* (미개지에서) 주술로 비를 내리게 하려는 사람 ; 인공 강우 전문가[과학자].
ráin·màking *n.* 인공강우.
ráin òut *n.* 《美俗》 (옥외 행사의) 비로 인한 중지.
ráin·òut *n.* 〖理〗 방사성 물방울의 강하.
ráin·pròof *a.* (천·외투 따위) 방수(防水)의.
—— *n.* =RAINCOAT.
—— *vt.* …에 방수 처리를 하다.
ráin ràdar *n.* 레인 레이더《빗방울의 수효·크기를 측정함》.
ráin shàdow *n.* 〖氣〗 비그늘《산이 비바람을 막아 강수량이 적은 지역》.
ráin·shòwer *n.* 〖氣〗 소나기, 소낙비.
ráin·spòut *n.* (배수용 세로) 홈통 ; 물기둥.
ráin·stòrm *n.* 폭풍우.
ráin·sùit *n.* 레인슈트《위아래 한 벌로 된 비옷》.
ráin·tìght *a.* =RAINPROOF.
ráin·wàsh *n.* 〖地質〗 우식(雨蝕), 세식(洗蝕)《빗물에 의한 침식》.
ráin·wàter *n.* U 빗물(cf. SPRINGWATER), 연수(軟水)(soft water).
ráin·wèar *n.* [집합적으로] 비옷.
ráin·wòrm *n.* 〖動〗 지렁이.

‡ráiny *a.* 비의, 비가 오는, 비가 섞인, 비가 올듯한 ; 비가 많은 : ~ weather 우천.
ráin·i·ly *adv.* 비가 와서. **ráin·i·ness** *n.* 비가 많이 내림.
ráiny dáy *n.* **1** 비오는 날. **2** 《비유》 만일의 경우, 곤궁할 때 : provide against[for] a ~ 만일을 위해 비축하다.
save up for a rainy day 만일의 경우에 대비하여 저축하다.
ráiny séason *n.* 우기, 장마철.
◇raise [réiz] *vt.* **1** [+目/+目+前+名] 올리다 ; 높이 게양하다 ; (쓰러진 물건·기둥 따위를) 일으키다, 세우다 ; 끌어올리다, 떠오르게 하다 : *R*~ your right hand. 오른손을 드시오 / He ~*d* his cup ***to*** his lips. 그는 컵을 입에 갖다 대었다 / The sunken boat was ~*d to* the surface of the lake. 침몰한 보트는 호수 수면 위로 인양되었다.
2 a) 세우다, 짓다(build, erect) : ~ a monument[palace] 기념비[궁전]를 세우다. **b)** 《美》 (집의 용마루를) 올리다.
3 (먼지 따위를) 일게 하다 ; (반란 따위를) 일으키다 : ~ a cloud of dust 자욱하게 흙먼지를 일으키다.
4 [+目+前+名] 승진[진급]시키다 : They ~*d* the salesman ***to*** manager. 외판원을 지배인으로 승진시켰다 / The soldier was ~*d* ***from*** the ranks. 그 병사는 장교로 진급했다.
5 늘리다, 높이다 ; (목소리를) 돋우다 : ~ one's reputation 명성을 높이다 / ~ the rent 집세를 올리다 / *R*~ your voice, if you please. 부디 좀 더 큰소리로 말해주시오.
6 [+目/+目+副/+目+前+名] 소생시키다 ; (영혼 따위를) 불러내다 ; (사냥감을) 날아[뛰어] 오르게 하다 ; (희망을) 불러일으키다 : ~ a person's hopes 남의 희망을 불러 일으키다 / ~ the dead 죽은 사람을 다시 살리다 / A deliverer was ~*d* ***up***. 구원자가 출현했다 / The hound ~*d* a fox ***from*** the brush. 사냥개는 덤불에서 여우 한 마리를 몰아냈다.
7 (소리 따위를) 내다, 지르다 ; 생기게 하다, 일으키다 ; (웃음 따위를) 자아내다 : No one ~*d* his voice. 아무도 소리 내는 사람이 없었다 / The sight ~*d* a blush on her cheeks. 그 광경을 보자 그녀의 볼이 붉어졌다 / Your joke will ~ a laugh. 너의 농담을 들으면 (저절로) 웃음이 터져 나올거야.
8 제기하다 : ~ a protest[an objection] 항의[이의]를 제기하다.
9 a) 기르다, 사육하다(breed) ; 재배하다(cf. REAR[2] 3) : The farmer ~*s* crops and cattle. 농부는 농작물을 재배하고 소를 사육한다. **b)** 《원래 美》 (아이를) 키우다, 양육하다(rear, bring up) : ~ a large family 대가족을 부양하다 / *R*~*d* in a country town, he went to New York at the age of eighteen. 그는 어느 시골 읍에서 자라서 18살 때에 뉴욕으로 나왔다.
10 (군대를) 모으다, 징모하다, 모집[소집]하다 (muster) ; (돈을) 조달하다, 마련하다 : They are *raising* funds for the expedition. 탐험 자금을 조달[마련]하고 있는 중이다.
11 (포위·금지 따위를) 풀다 : Our soldiers ~*d* the siege of the fort by driving away the enemy. 아군 병사들은 적군을 물리쳐서 요새의 포위를 뚫었다.
12 〖海〗 (육지나 다른 배 따위가) 보이는 곳까지 오다 : Our ship soon ~*d* land. 우리 배는 얼마 안되어 육지가 보이는 곳에까지 왔다.

13 (빵을) 부풀게 하다 : Bread is ~*d* by yeast. 빵은 이스트로 부풀린다.
14 《美》 임명하다.
㊟ raise를 포함하는 숙어는 그 목적어가 되는 명사를 참조.
— *vi.* **1** 《方》 일어나다, 일어서다(rise). **2** (포커 따위에서) 더 많이 걸다.
— *n.* **1** 높이기 ; 높인[돋운] 곳. **2** 증가 ; 《美》 임금인상, 승급(=《英》 rise) : a ~ *in* salary 승급(昇給).
〚ON *reisa* ; OE *rǣran* REAR²와 같은 어원 ; cf. RISE〛
類義語 ⟹ LIFT.

raised [réizd] *a.* **1** 높인, 한층 높은, 돋우어 올린 : a ~ bottom (되 따위의) 돋우어 올린 바닥. **2** 돋을 새김한 : ~ work 양각(陽刻) 세공 / ~ letters[type] 점자(點字). **3** 《美》 (금액 따위를) 인상한 : a ~ check 변조 수표. **4** 〔料〕 (효모로) 부풀린 : ~ pastry 산 모양으로 부풀린 과자.

ráised béach *n.* 융기 해안.

ráised ránch *n.* 1층의 반이 지하에 있는 2층집 (bi-level).

rais·er [réizər] *n.* raise 하는 사람[것] ; 올리는 사람[기구] ; 사육[배양]자 ; 효모.

***rai·sin** [réizən] *n.* [보통 *pl.*] 건포도, 레이즌 ; 짙은 청자색 ; 《美俗》 흑인 ; 《美俗》 노인, 할머니 : ~ grapes (보통 씨 없는) 건포도용 포도.
〚OF＜L RACEME〛

rai·son d'ê·tre [*F* rɛzɔ̃ dɛtr] *n.* (*pl.* **rai·sons d'être** [—]) 존재 이유.
〚F=reason for being〛

rai·son·né [*F* rɛzɔne] *a.* 조직[합리]적으로 배열한 : ☞ CATALOGUE RAISONNÉ.

raj [rɑ́:dʒ] *n.* 《인도》 주권 ; 지배, 통치.
〚Hindi=reign〛

ra·ja, -jah [rɑ́:dʒə] *n.* [흔히 R~] 《인도》 라자, 왕, 왕후(cf. RANI) ; (일반적으로) (말레이·자바의) 추장(酋長) ; 귀족.
〚Hindi＜Skt.=king〛

Raj·put, Raj·poot [rɑ́:dʒput, rɑ́:ʒ-] *n.* 라지푸트《인도의 무사 계급의 일원(一員)》.
〚Hindi〛

rake**¹ [réik] *n.* 갈퀴, 써레, 고무래 ; 부지깽이. (*as*) ***lean[***thin***] ***as a rake*** 피골이 상접한.
— *vt.* **1** [+目+副/+目+前+名] (갈퀴 따위로) 긁어 모으다, 긁어 내다 ; (불을) 헤치다 : He ~*d together* the dead leaves[~*d* the dead leaves ***off*** the garden]. 가랑잎을 긁어 모았다[뜰에서 가랑잎을 긁어 냈다] / Some men were *raking* ***up*** hay. 몇 명의 남자들이 마른 풀을 긁어 모으고 있었다. **2** [+目/+目+補] (고무래로) 긁다, 긁어서 고르다 ; 청소하다 ; 할퀴다, 스치다 : They were *raking* the paths (clean). 오솔길을 갈퀴로 (깨끗이) 청소하고 있었다. **3** [+目/+目+前+名/+目+副] 여기 저기서 긁어 모으다 ; 샅샅이 찾다, 꼬치꼬치 캐다 : I ~*d* all those books ***for*** examples of the expression. 그 책들을 샅샅이 뒤져 그 표현의 용례를 찾았다 / Don't ~ ***up*** the past. 지나간 일을 꼬치꼬치 캐지마라. **4 a**) 〔軍〕 (기총) 소사(掃射)[종사(縱射)]하다. **b**) 훑어보다 ; (창문에서) 멀리 내다보다.
— *vi.* **1** 갈퀴[고무래]를 쓰다, 갈퀴로 긁다. **2** [+前+名/+副] 샅샅이 뒤지다, 노력하여 조사하다 : I ~*d* (***about***) ***among*** the old manuscripts. 낡은 필사본 속을 이리저리 찾아보았다.
〚OE *racu* ; cf. G *Rechen* ; (v.)는 ON *raka* to scrape, rake도 영향〛

rake² *n.* 방탕아(libertine).
— *vi., vt.* 방탕하다.
〚*rakel* (dial.) ＜RAKEHELL〛

rake³ *n.* 경사(도) ; 〔海〕 이물[고물]의 돌출부, (돛대·굴뚝 따위의) 고물[뒤쪽]로의 경사.
— *vi.* (돛대·굴뚝 따위) 경사지다. — *vt.* 경사지게 하다.
〚C17＜? ; cf. G *ragen* to project, Swed. *raka*〛

rake⁴ *vi.* (매가) 사냥감을 쫓아서 날다 ; (사냥개가) 땅에 코를 대고 사냥감을 쫓다 ; 《方》 빠르게 나아가다 : ~ out[off, away] (매가) 사냥감을 놓치고 날다.
〚OE *racian* to go forward＜?〛

rake·hell [réikhèl] *n.* 방탕한[방종한] 사람.
— *a.* 방탕한, 방종한.
〚*rake*² + *hell*〛

ráke-òff *n.* 《俗》 (부정 이익 따위의) 배당, 수수료, 리베이트(rebate).

rak·ish¹ [réikiʃ] *a.* **1** (배가) 경쾌한, 속력이 빠를 것 같은《해적선이 대부분 경사진 마스트를 소유하고 있었던 데서》. **2** 멋진, 날씬한(smart).
〚RAKE³〛

rakish² *a.* 방탕한, 도락적인(fast). 〚RAKE²〛

rale, râle [rǽ(:)l, rɑ́:l ; rɑ́:l] *n.* 〔醫〕 (허파의) 수포음(水泡音), 라셀. 〚F〛

Ra·leigh, Ra·legh [rɔ́:li, rɑ́:-] *n.* 롤리. Sir **Walter** ~ (1552?-1618) 영국의 군인·탐험가·정치가.

rall [rɔ́:l] *n.* 《美俗》 폐결핵 환자.

rall. rallentando.

ral·len·tan·do [rɑ̀:ləntɑ́:ndou ; rӕlentǽn-] *a., adv.* 〔樂〕 랄렌탄도, 점점 느린[느리게](ritardando). — *n.* 랄렌탄도(의 악장). 〚It.〛

rál·li càrt[**càr**] [rǽli-] *n.* [흔히 R~] 4인승의 소형 2륜 마차.
〚최초의 구입자 이름에서〛

ral·ly**¹ [rǽli] *vt.* **1** 다시 집합시키다 ; 불러들이다, 집결하다, 규합하다 : The commander was able to ~ the fleeing troops. 그 지휘관은 패주하는 군대를 규합할 수 있었다. **2** 만회하다, 고무하다 ; (정력을) 집중하다, (체력·기력 따위를) 회복하다 : I *rallied* all my energy for further effort. 모든 정력을 집중시켜 다시 한 번 분발했다 / He *rallied* his spirits[wits]. 기력[지혜]을 되찾았다[짜내었다]. — *vi.* **1** [動/+前+名] 다시 모이다, 다시 세력을 가다듬다 ; (원조 따위를 위해) 모여들다, 참가하다, 집결하다 : His partisans *rallied* (a***)***round*** him. 그의 일당들은 그의 주위에 집결했다 / He *rallied* ***to*** the side of his wounded comrade. 부상당한 전우 곁으로 달려갔다. **2** [動/+*from*+名] (시장·경기 따위가) 회복되다, 원기를 회복하다 : The patient will soon ~. 환자는 곧 기력이 좋아질 겁니다 / She *rallied* ***from*** her coma. 혼수상태에서 회복됐다. **3** 〔테니스 따위〕 서로 연달아 쳐넘기다.
— *n.* **1** 재집합, 재거(再擧) ; 만회 ; (기력, 경기 따위의) 회복. **2** 《美》 (정치적·종교적) 대회, 집회. **3** 〔테니스〕 서로 연달아 쳐넘기기, 랠리 ; 〔拳〕 서로 치고 받기 ; 〔野〕 반격. **4** 랠리《일반 도로에서 행하는 자동차 경주》.
〚F *rallier* (re-, ALLY¹)〛

rally² *vt., vi.* [+目/+目+前+名] 조롱하다, 업신여기다, 놀리다 : We *rallied* him ***on*** his haircut. 그의 머리 깎은 모양을 보고 놀려댔다.
~·ing·ly *adv.*
〚F *rallier* ; ⇨ RAIL²〛

rálly·cròss *n.* 랠리크로스《자동차의 황무지 주행

경기》.

rálly·ing crỳ *n.* (단체·운동 따위의) 표어, 슬로건(slogan).

ráll ying pòint *n.* 재집결[집합] 지점; 활력 회복점; 세력을 되찾는 계기, 구심점.

rálly·ist *n.* (자동차) 랠리 참가자.

rálly·màster *n.* (자동차) 랠리 조직 위원장.

Ralph [rǽlf; réif, rǽlf] *n.* 남자 이름.
〚Gmc.=counsel+wolf〛

***ram** [rǽ(ː)m] *n.* **1** (거세하지 않은) 숫양(cf. EWE, SHEEP). **2** [the R~] 〘天〙 양자리(Aries). **3** 파성퇴(破城槌)(battering ram); (군함 이물의) 충각(衝角); 충각함. **4** 말뚝 박는 기구, 드롭 해머. **5** 자동 양수기; 피스톤.
—— *v.* (-**mm**-) *vt.* **1** [+目/+目+前+名] 파성퇴로 치다, 충각으로 들이받다; 부딪치다: Their ship ~*med* ours. 그들 배가 우리 배를 충각으로 들이받았다 / He ~*med* his head ***against*** the wall[~*med* his horse ***at*** the fence]. 그는 머리를 벽에 부딪쳤다[말을 담쪽으로 돌진시켰다]. **2** [+目/+目+前+名/+目+副] (말뚝 따위를) 때려 박다; (흙 따위를) 다지다; (기둥·식물 따위를) 둘레에 흙을 다져 넣어 고정시키다[심다]; 탄약 꽂을대(ramrod)로 재어넣다: They were ~*ming* piles ***into*** the river bed[~*ming* ***down*** the soil]. 강 밑바닥에 말뚝을 박고[흙을 다지고] 있었다 / He ~*med* a charge *home* (*into* the gun). 그는 탄약을 (대포에) 깊숙이 재었다. **3** [+目/+目+前+名] 《口》 쑤셔 넣다: He ~*med* his clothes ***into*** the bag. 옷가지를 가방에 쑤셔 넣었다. **4** (생각·법안 따위를) 억지로 밀어붙이다〈*through*〉. —— *vi.* 박아 굳히다; (차)가 심하게 부딪다〈*into*〉; (기차 따위가) 무서운 속도로 달리다.
ram*...*down a person***'s throat***[***into*** a person***'s head***] …을 되풀이하여 남에게 충분히 납득시키다.
ram*...*home ☞ *vt.* 2; (의론 따위를) 충분히 강조하다.
〚OE *ram(m)*; cf. G *Ramm*, ON *rammr* fierce〛

RAM [rǽ(ː)m] 〘컴퓨〙 random-access memory 《램; 막기억 장치》. **R.A.M.** 《英》 Royal Academy of Music.

Ra·ma [rɑ́ːmə] *n.* 〘힌두敎〙 라마《Vishnu 신의 일곱번째 화신(化身)》. 〚Skt.〛

Ram·a·dan [rǽmədɑ̀ːn, -dæ̀n; ræ̀mədɑ́ːn] *n.* (이슬람력의) 9월《이달에 이슬람교도는 해뜰 때부터 해질 때까지 단식함》; 라마단 단식.
〚Arab.〛

rám-àir tùrbine *n.* 〘空〙 램에어 터빈《고장에 대비하여 장치하는 작은 터빈으로 비행기의 풍압을 원동력으로 이용함》.

Rá·man effèct [rɑ́ːmən-] *n.* 〘理〙 라만 효과《빛이 투명한 물질을 통과할 때 산란광에 파장이 다른 빛이 섞이는 현상》.
〚Sir C. V. *Raman* (d. 1970) 인도의 물리학자〛

Ra·ma·ya·na [rɑːmɑ́ːjənə, 英+-máiənə] *n.* [the ~] 라마야나《산스크리트어로 기록된 고대 인도의 서사시; cf. MAHABHARATA》.

ram·ble** [rǽmbəl] *vi.* [動/+前+名] **1** 빈둥빈둥 거닐다, 한가로이 걷다: They ~*d* ***through the woods[***over*** the country]. 숲속을[그 지방 일대를] 정처없이 돌아다녔다. **2** 두서없이 지껄이다[쓰다], 만연히 연구하다. **3** (덩굴풀 따위가) 우거지다: Vines have ~*d* all ***over*** the fence. 덩굴풀이 담 전체에 우거져 있다. —— *vt.* 정처없이 건다, 어슬렁거리다. —— *n.* 산책, 산보(stroll); 꾸불꾸불한 길; 《稀》 만담, 만필(漫筆).
on the ramble 산책 중에.
〚? MDu. *rammelen* (of animal) to roam (freq.) ‹ *rammen* to copulate with; 일설에 ? ME *romblen* (freq.) ‹ *romen* to roam〛
類義語 ⟹ ROAM.

rám·bler *n.* 어슬렁거리는[산책하는] 사람; 만담하는 사람; 〘植〙 덩굴장미(= ~ **ròse**).

rám·bling *a.* **1** 어슬렁거리는, 산책하는; 방랑하는. **2** 산만한, 무질서한, 두서없는. **3** (집·거리 따위가) 무질서하게 뻗어있는. **4** 〘植〙 덩굴지는. ~**·ly** *adv.* ~**·ness** *n.*

ram·bunc·tious [ræmbʌ́ŋkʃəs] *a.* 《美口》 난폭한, 제멋대로의, 다루기 어려운.
〚C19< ?; 일설에 (변형(變形)) ‹ *robust*〛

R.A.M.C. Royal Army Medical Corps.

RAMD 〘軍〙 reliability, availability, maintainability and durability ((무기개발의) 신뢰성·가동성·정비성·내구성).

ram·e·kin, ram·e·quin [rǽmikən] *n.* 〘料〙 치즈에 빵가루·계란 따위를 섞어 구운 것; 그것을 굽는 오지 냄비.
〚F<LDu. (dim.) ‹ *ram* cream〛

Rameses ☞ RAMSES.

ram·ie, ram·ee [rǽmi] *n.* 〘植〙 라미, 모시풀《말레이산 관목의 일종》; Ⓤ 라미의 섬유.
〚Malay〛

ram·i·fi·ca·tion [ræ̀məfəkéiʃən] *n.* **1** 분지(分枝), 분기; 지맥, 지류; [집합적으로] 나뭇가지(branches). **2** 분파, 소구분. **3** (파생된) 효과, 결과.

ram·i·fy [rǽməfài] *vi., vt.* 가지가 나다; 분기[분파]하다; 소구분되다[하다].
〚F<L (*ramus* branch)〛

rám·jèt (ègine) *n.* 〘空〙 램제트 (엔진)《제트 엔진의 일종》.

rám·mer *n.* **1** 처박는 사람[것], (땅다지는) 달구, 메, 찌르는 막대. **2** =RAMROD.

rám·mish *a.* 숫양(羊)같은; 역겨운 냄새가[맛이] 나는; 호색(好色)의.

ra·mose [réimous; rəmóus] *a.* 가지가 난; 갈려나간; 갈라진; 가지 모양의.

ra·mous [réimous] *a.* =RAMOSE; 가지의, 가지같은.

ramp[1] [rǽmp] *vi.* **1** (사자 따위가) 뒷다리로 일어서다《특히 문장(紋章)의 도안에서》. **2** [+副] 날뛰며 돌아다니다, 뛰어다니다; 덤벼들려고 하다: See the children ~*ing* ***about*** in the playground. 아이들이 운동장에서 뛰놀고 있는 것을 보시오. **3** 〘建·築城〙 경사지다, 물매를 이루다. —— *vt.* 〘建·築城〙 …에 경사면을 만들다; 휘게 하다.
—— *n.* **1** 비탈길, 경사로(slope), (입체 교차로 따위의) 램프; 〘建〙 (난간 따위의) 만곡부; (비행기의) 트랩. **2** 덤벼들려고 하는 자세.
〚F *ramper* to crawl, rear<Gmc.; cf. OHG *rumpfan* to wrinkle〛

ramp[2] *n.* 《英口》 사기; 폭리. —— *vi., vt.* 사취(詐取)하다; (…에서) 폭리를 취하다.
〚C16< ?; (n.) ‹ (v.)〛

ramp[3] *n.* 〘植〙 =RAMPION; 파속(屬)의 식물; (특히) =RAMSON. 〚역성(逆成) ‹ *ramps*〛

ram·page [rǽmpeidʒ; -ˊ] *n.* (성나서) 날뛰기, 대소동, 야단법석.
go on a[***the***] ***rampage*** 마구 날뛰다.
——[-ˊ] *vi.* 날뛰며 돌아다니다, 미쳐 날뛰다.
〚? RAMP[1]〛

ram·pa·geous [ræmpéidʒəs] *a.* 날뛰는, 손을 댈

R

수 없는 ; 난폭한.
~·ly *adv.* **~·ness** *n.*

rám·pan·cy *n.* **1** Ⓤ (언동이) 과격함 ; (질병·재앙·미신 따위의) 창궐, 만연. **2** Ⓤ〖紋〗(사자 따위가) 뒷발을 딛고 일어서기.

ram·pant [rǽmpənt] *a.* **1** 맹렬한 ; 엄청난 ; 심한, 과격한 ; 자유 분방한. **2** 무성한, 번성한 ; (질병 따위가) 유행하는 ; 만연하는. **3**〖紋〗(특히 사자가) 뒷발로 일어선(cf. SALIENT) : a lion ~ 뒷발로 선 사자.
〖OF ; ⇨ RAMP[1]〗

ram·part [rǽmpɑːrt, -pərt] *n.* 성벽, 누벽(壘壁) ; 《비유》 방어, 수비. —— *vt.* …에 누벽[성벽]을 두르다 ; 방어하다.
〖F (*remparer* to fortify ‹ *emparer* to take possession of)〗

ram·pi·on [rǽmpiən] *n.*〖植〗레퐁스《초롱꽃속(屬)의 식물 ; 유럽산》.

rámp wèight *n.*〖空〗램프 중량《항공기가 비행을 시작할 때의 최대 중량》.

rám·ròd *n.* **1** 탄약 꽂을대, 쇠꼬챙이《총기에 화약을 재는 데 썼음》; 쪽 곧은[경직된] 것. **2** 엄한 책임자[상관], 까다로운 사람, 엄격한 사람.
(*as*) ***stiff as a ramrod*** 딱딱한.
—— *a.* 반듯한, 쪽 곧은 ; 딱딱한, 유연성이 없는 ; 엄격한. —— *vt.* 《口》 억지로 밀다, (남)에게 엄한 규율을 밀어 붙이다.
〖*ram*+*rod*〗

Ram·ses [rǽmsiːz], **Ram·e·ses** [rǽməsìːz] *n.* 람세스, 라메세스《고대 이집트 역대 왕의 이름, 특히 (1) 제19 왕조의 ~ Ⅱ(재위 1304-1237 B.C.). (2) 제20 왕조의 ~ Ⅲ(재위 1198-1166 B.C.)》.

ram·shack [rǽmʃæ̀k] *a.* =RAMSHACKLE.

ram·shack·le [rǽmʃæ̀kəl] *a.* (마차·집 따위가) 쓰러질 것 같은, 흔들거리는, 덜컥거리는(rickety). 〖*ramshackled* (p.p.) ‹ *ransackle* (obs.) to RANSACK〗

ram·son [rǽmzən, -sən] *n.* 잎이 넓은 마늘의 일종 ; [*pl.*] 그 뿌리《샐러드용》.

◇**ran** *v.* RUN의 과거형.

Ran [rɑ́ːn] *n.*〖北유럽神〗바다의 여신.

R. A. N. Royal Australian Navy.

***ranch** [rǽ(ː)ntʃ ; rɑ́ːntʃ] *n.* **1** (특정한 가축[작물]을 기르는) 사육장, 농장, 목축장, 방목(放牧)장 (cf. FARM) : on[at] the ~ 목장에서. **2** [집합적으로] 목장에서 일하는 사람들. **3** (대)농장.
—— *vi.* 목장을 경영하다 ; 목장에서 일하다.
—— *vt.* (농장)의 rancher로 일하다 ; (가축 따위를) 사육장에서 기르다.
〖Mex. Sp. RANCHO, Sp.=persons eating together〗

ránch·er *n.* ranch에서 일하는 사람, 목장 노동자, 목동 ; (고용된) 목장 감독 ; 농장주(主).

ranch·er·ie [rǽ(ː)ntʃəri ; rɑ́ːn-] *n.* 《Can. 西部》 (인디언) 보호 지역(reservation).

ran·che·ro [ræ(ː)ntʃéərou, -tʃǽərou ; rɑːn-] *n.* (*pl.* **~s**) 《美》 =RANCHER.

ranch·ette [ræntʃét] *n.* 작은 목장.

ránch hòuse *n.* 《美》 목장주인의 집.

ran·chi·to [rɑːntʃíːtou] *n.* (*pl.* **~s**) 작은 가축 농장, 오두막집. 〖Am. Sp.〗

ránch·man [-mən] *n.* 《美》 목장 경영자 ; 목장의 노동자, 카우보이.

ran·cho [rǽ(ː)ntʃou, rɑ́ːn-] *n.* (*pl.* **~s**) (중남미에서 목장 노동자의) 가건물 ; =RANCH.
〖Mex. Sp.=small farm〗

ran·cid [rǽnsəd] *a.* (버터 따위가) 썩은 냄새가 나는 ; 불쾌한, 고약한, 역겨운(offensive).
~·ly *adv.* **~·ness** *n.* 〖L=stinking〗

ran·cid·i·ty [rænsídəti] *n.* Ⓤ 썩은 냄새.

ran·cor | -cour [rǽŋkər] *n.* Ⓤ 사무친 한, 원한, 악의(惡意). 〖OF‹L (RANCID)〗

ráncor·ous *a.* 원한[악의]이 있는.

rand[1] [rǽnd] *n.* 구두 뒤축에 대어 밑을 판판하게 하는 가죽 ; 《英方》 (경작지의) 경계 ; (천의) 가장자리.
〖OE *rand* ; cf. G *Rand*, ON *rönd* edge, rim〗

rand[2] [rǽnd, rɑ́ːnd, -t] *n.* (*pl.* ~) 랜드《남아프리카 공화국의 화폐단위 ; =100cents》.
〖the *Rand*, Johannesburg 근처의 금광〗

ran·dan[1] [rǽndæn, -⌐] *n.* 《口·方》 난장판 : go on the ~ 난장판을 벌이다. 〖RANDOM〗

randan[2] *n.* 《英》 셋이서 젓는 보트의 일종《가운데 사람은 노 두개, 양 옆 사람은 한 개로 저음》; 그 젓는 법. 〖C19‹?〗

R & B, r & b rhythm and blues. **R. & D., R. and D.** research and development(연구 개발). **R. & I.** =R. ET I.

Ran·dolph [rǽndɑlf] *n.* 남자 이름.
〖Gmc. =shield+wolf〗

***ran·dom** [rǽndəm] *a.* **1** 닥치는대로의. **2** 엉터리의, 마구잡이의 : a ~ guess 억측 / a ~ shot 난사(亂射). **3** 임의의 ;〖統〗무작위(無作爲)의.
—— *adv.* 엉터리로, 임의로, 앞뒤가 안 맞게.
—— *n.* [다음 숙어로]
at random 엉터리로 ; 닥치는대로 : speak *at* ~ 입에서 나오는대로 지껄이다.
~·ly *adv.* 《稀》 엉터리로 ; 닥치는대로.
〖OF=great speed (*randir* to gallop, run‹ Gmc.)〗

類義語 ***random*** 뚜렷한 목적·계획·선택 없이 일어난[행해진] : a *random* examination (계획없이 실시하는 시험). ***haphazard*** 결과나 다른 것과의 관계[관련] 따위를 전혀 고려하지 않고 말[행동]하는 ; 우연성을 강조 : a *haphazard* selection of dresses(아무렇게나 옷을 고름). ***casual*** 의지·목적 없이 뜻밖에 발생한 (것처럼 보이는) ; 무관심·냉담성을 암시 : a *casual* acquaintance(우연히 알게된 사람). ***desultory*** 닥치는대로 이것저것 손을 대보듯 조직성·계통성이 결여된 것을 나타냄 : *desultory* reading (난독(亂讀)). ***chance*** 예정·계획 없이 우연히 일어난 : a *chance* occurrence (우연히 일어난 일).

rándom áccess *n.*〖컴퓨〗무작위 접근, 비(非)순차적 접근. **rándom-áccess** *a.*

rándom-áccess mémory *n.*〖컴퓨〗무작위 접근 기억 장치《略 RAM》.

rándom fíle *n.*〖컴퓨〗막[무작위] (기록)철.

ran·dom·ic·i·ty [rændəmísəti] *n.* 한결같지[고르지] 않음 ; 불균일성(性).

rándom·ìze *vt.* (난수표를 쓰는 따위) 무작위화하다. **-ìz·er** *n.* 무작위 추출 장치.

rándom lógic *n.*〖電子〗불규칙 논리.

rándom sámple *n.*〖統〗임의 표본, 무작위 표본[추출].

rándom sámpling *n.*〖統〗무작위[임의] 추출법(法).

rándom váriable *n.*〖統〗확률 변수.

rándom wálk *n.*〖數〗난보(亂步) ;〖證〗(주가 예측에 관한) 랜덤 워크설(說).

R & R, R and R〖美軍〗rest and recreation [recuperation](휴양[위로]휴가) ; rock 'n' roll.

randy [rǽndi] *a.* 《스코》 촌스럽고 천한 ; 잔소리가

R

심한;《英方》날뛰는, 다루기 어려운《소 따위》; 호색의. ── *n.* 《스코》 잔소리가 심한[품행이 나쁜] 여자; 버릇없는 거지.
〖? *rand* (obs.) < Du. *randen* (obs.) to RANT〗

Ran·dy *n.* 남자 이름《Randolph의 애칭》.

ranee ☞ RANI.

◇**rang** *v.* RING²의 과거형.

range** [réindʒ] *vt.* **1** [+目/+目+前+名] 가지런히 하다, 정렬시키다, 배치하다; 분류하다, 정리하다: The teacher ~*d* his pupils ***along the curb. 교사는 학생들을 보도의 연석(緣石)을 따라 정렬시켰다 / I ~*d* the books ***on*** the shelf by [according to] size. 책을 크기에 따라 선반에 가지런히 정돈하였다. **2** [+目+前+名] [보통 수동태 또는 ~ one*self* 로] 대열에 넣다; (패거리·당 따위에) 가입시키다, 참여시키다: The people *were* ~*d* ***against*** the politician[***among*** the rebels]. 사람들은 그 정치가의 반대편이 되었다 [반란자들과 한 패가 되었다] / They ~*d* them*selves* ***on*** the side of law and order. 그들은 법과 질서의 편에 섰다. **3** (지역을) 걸어[떠돌아] 다니다. **4** 방목하다. **5** (총·망원경 따위를) 조준(照準)하다[맞추다]: ~ a gun[telescope] *on* an object 총[망원경]을 목표물에 맞추다.
── *vi.* **1** [+副/+前+名] 일직선이 되다; 병행하다, 나란히 되다; (산맥 따위가) 연속되다, 뻗다: The boundary ~*s* *east* and *west*[***from*** northwest ***to*** southeast]. 경계선은 동서로[북서에서 남동쪽에 걸쳐] 뻗어 있다 / A 12mo does not ~ well ***with*** a folio. 12절판(判)은 2절판과는 줄이 잘 맞지 않는다. **2** [+前+名] (동식물이) 분포하다: This plant ~*s* ***from*** Canada ***to*** Mexico. 이 식물은 캐나다에서 멕시코에 걸쳐 분포하고 있다. **3** [+前+名/+副] **a**) 돌아다니다, 헤매다: Those animals ~*d* ***through*** the forests. 그 동물들이 숲속을 헤매었다. **b**) 《비유》 (화제가 …의) 범위에 미치다, 이르다: The lecturer ~*d* *far* and *wide*. 강사는 널리 여러 화제를 언급했다 / His studies ~ ***over*** several languages. 그의 연구는 수개 국어에 이르고 있다. **4** 변화하다; (온도계 따위가) 오르내리다: The temperature ~*s* ***from*** ten ***to*** thirty degrees [***between*** ten ***and*** thirty degrees]. 기온이 10도에서 30도 사이를 오르내린다. **5** [+*over*+名] (총의) 사정(射程) 거리가 …이다; (탄알이 …까지) 닿다, 이르다: These guns ~ ***over*** seven miles. 이들 대포의 사정거리는 7마일이다.

range** one**self ☞ *vt.* 2; (결혼 따위에 의하여) 생활을 안정시키다, 일정한 직업을 가지다; 편들다〈*with*〉.

── *n.* **1 a**) 줄, 열, 잇닿음; 산맥, 죽 잇대어 있는 산: a mountain ~ =a ~ of mountains 산맥 / a long ~ of arches and bridges 길게 이어져 있는 아치와 다리. **b**) (같은 종류의 것의) 연속, 한 벌, 집합. **c**) 계급; 부류. **2** 범위, 구역, 퍼짐; (동식물의) 분포 구역; 서식기(棲息期), 번성기(繁盛期); (수중 동물이 사는) 수심, 서식 범위. **3 a**) 〖軍〗 사정(射程), 착탄거리. **b**) 〖空〗 항속(航續) 거리. **c**) 음역; 시계(視界). **d**) 사격장 (rifle range); (양궁·골프의) 연습장; (로켓 따위의) 시사(試射)장, 실험장. **4** 방목지, 목장. **5** 〖統〗 범위; 〖컴퓨〗 범위. **6** (가스) 레인지. **7** 방향. **8** 서성댐, 배회, 방황.

at long**[*short, close*]** ***range*** 원[근]거리에서.

in range with …와 같은 방향에.

out of one***'s range*** 손이 미치지 않는; 자기의 지식 밖의 일로.

within**[*out of*]** ***range*** 사정내[밖]에서[의].
〖OF=row of persons〈*ranger* to position; ⇨ RANK¹〗

類義語 (1) (*v.*) ⟹ ROAM.
(2) (*n.*) ***range*** 마음이나 감각에 의하여 이해 또는 느껴지는 범위; 또는 기계의 힘이 미치는 범위: Many stars are out of the *range* of the telescope. (많은 별들이 망원경으로 볼 수 있는 범위 밖에 있다). ***reach*** 손을 뻗어서 닿을 수 있는 범위; 또는 효과·영향을 미치는 한계: He was beyond the *reach* of human aid. (그는 사람의 힘으로는 구제할 수 없는 상태에 있었다). ***scope*** 이해·적용 따위가 미치는 범위·영역; 그 영역 밖은 힘이 미치지 못함을 암시함: The plan is out of the *scope* of our activities. (그 계획은 우리의 활동 범위 밖이다). ***compass*** scope와 같이 어떤 것이 작용[행동]할 수 있는 한: The idea was not within the *compass* of his mind. (그 아이디어는 그의 생각으로는 낼 수 없는 것이었다). ***gamut*** 어떤 범위 내의 모든 단계를 가리킴: The family experienced the whole *gamut* of suffering. (그 가족은 온갖 고난을 겪었다).

ránge finder *n.* 거리측정기, 거리계 (cf. VIEWFINDER).

ránge pòle *n.* 〖測〗 측량대, 폴.

rang·er [réindʒər] *n.* 배회자; 사냥감을 모는 데 쓰는 사냥개; 《美》 산림 경비대원[감시원] (forest ranger); 《英》 왕실소유림 감시원; [R~] 《美》 (제2차 세계 대전의) 유격 대원, 레인저 부대원 (cf. COMMANDO); 《英》 레인저《Girl Guides의 16세 이상의 단원》; 기마 경찰대원.

Ran·goon [ræŋgúːn] *n.* 랑군《미얀마의 수도인 Yangon의 옛 이름》.

rangy [réindʒi] *a.* 《美》 **1** (동물의 발이) 걸어다니기에 알맞은; (사람·동물이) 팔다리가 껑충한. **2** 넓은, 광범한. **3** 산맥이 있는, 산이 많은.

ra·ni, -nee [ráːni] *n.* 라니《옛 인도의 여왕, raja의 아내, 왕녀 등》.
〖Hindi〗

***rank**¹ [ræŋk] *n.* **1 a**) 열; 줄; 〖軍〗 횡렬《보통 2열; cf. FILE²》; [*pl.*] 군대: the front[rear] ~ 전[후]열. **b**) [*pl.*] (장교와 구별하여) 사병들, 졸병. **2** U.C 지위, 계급, 등급; U 고위, 요직; 상류 사회: the ~ of major 소령의 계급 / be higher *in* ~ 계급[등급]이 높다 / people *of* all ~*s* 모든 계급[계층]의 사람들 / a person *of* (high) ~ 신분이 높은 사람 / a writer *of* the first ~ 일류작가 / the ~ and fashion 상류사회. **3** 《英》 =STAND 7. **4** 〖컴퓨〗 순번. **5** 〖數〗 (행렬의) 계수.

break rank**(*s*)** 열을 흐트러뜨리다, 낙오하다.

close the ranks 〖軍〗 열을 좁히다; 《비유》 단결을 굳히다, 일치단결하다.

fall into rank 열에 끼다, 정렬하다, 줄짓다.

give first rank to …을 제 1위에 놓다.

keep rank 질서를 유지하다.

pull one***'s rank on*** . . . 《軍俗》 지위를 이용하여 …에게 명령을 따르게 하다.

reduce a person ***to the ranks*** 〖軍〗 (처벌로서) …을 사병으로 강등하다.

rise from the ranks 졸병[낮은 신분]에서 출세하다: He *rose from the* ~*s* to become a foremost industrialist. 그는 밑바닥에서부터 입신하여 일류 실업가가 되었다.

take rank of …위에 서다, …보다 상위를 차지하다.

take rank with …와 어깨를 나란히 하다.
— *vt.* **1** 나란히 세우다, 정렬시키다 ; (…와) 나란히 하다, 열을 같게 하다 : ~ soldiers 병사를 정렬시키다. **2** [+目+前+名/+目+*as* 補] (어떤 지위·순위로) 놓다, 분류하다, …에 등급을 매기다 ; 평가하다 : Don't ~ me ***among*** such people. 나를 그러한 사람과 똑같이 취급하지 마라 / Charles Dickens is ~*ed as* one of the greatest English novelists. 찰스 디킨스는 영국 최대의 소설가 중의 한 사람으로 꼽히고 있다. **3** 《美》 …보다 낫다, …의 위에 서다 : A colonel ~*s* a major. 대령은 소령보다 높다. **4** 《美俗》 (남)에게 고자질하다, 배반하다 ; 《美俗》 괴롭히다. — *vi.* **1 a)** [+副/+*as* 補/+前+名] 위치하다, 지위를 차지하다, 자리잡다 : He ~*s high as* a critic. 그는 평론가로서 높은 지위를 차지하고 있다 / New York ~*s as* one of the biggest cities in the world. 뉴욕은 세계에서 가장 큰 도시들 중의 하나다 / He ~*s* ***with*** the best English authors. 그는 영국의 일류작가의 한 사람으로 인정받고 있다. **b)** 《美》 윗자리를 차지하다. **2** 정렬하다 ; 〖軍〗 진군하다〈*off, past*〉. **3** (파산자의 재산에 대해) 청구권을 가지다.
〖OF＜Gmc. ; cf. OHG *hring*RING[1]〗

rank[2] *a.* **1** 무성한, 울창한. **2** (땅이) 지나치게 기름진. **3** 악취를 풍기는 ; 맛이 고약한 ; 썩은. **4 a)** 심한, 순전한. **b)** 엄청난 : ~ treason 대역(大逆). **5** 미천한, 누추한, 난잡한. **~·ly** *adv.*
〖OE *ranc* overbearing, strong ; cf. MLG *rank* long and thin, ON *rakkr* erect〗

ránk and fíle *n.* [the ~] 하사관과 졸병 ; 《비유》 일반 시민, 평회원들, 평사원들, 일반 조합원들, 평당원들.

ránk and fíler *n.* rank and file의 일원.

rank·er [rǽŋkər] *n.* rank하는 사람 ; 《英》 병졸, 사병 ; 사병 출신의 장교.

rank·ing [rǽŋkiŋ] *n.* Ⓤ 순위, 등급 사정, 서열, 랭킹.

〈회화〉
What was your *ranking*? — I was number 10.
「몇위였니」「10위였어」

— *a.* 《美》 빼어난, 일류의 ; 간부의, 상급의 : a ~ officer 간부장교.

ran·kle [rǽŋkəl] *vi.* **1** [動/+前+名] (불쾌한 감정 따위가) 두고 두고 마음을 괴롭히다, (원한 따위가) 가슴에 맺히다. **2** 《古》 (상처 따위가) 곪다, 쑤시다.
— *vt.* 초조하게 하다 ; 화나게 하다 ; 분개시키다 ; 쑤시게 하다.
〖OF (*d*)*rancler* to fester＜L *dra*(*cu*)*nculus* (dim.) ‹ *draco* serpent〗

RANN 《美》 Research Applied to National Needs.

ran·sack [rǽnsæk] *vt.* **1** [+目/+目+前+名] 샅샅이 뒤지다[찾다], 찾아 헤매다 : They had ~*ed* my room to find the letter. 편지를 찾아내려고 내 방을 구석구석 뒤졌다 / He ~*ed* London ***for*** the book. 그 책을 구하려고 온 런던을 찾아 헤맸다. **2** [+目+*of*+名] …에서 빼앗다, 약탈하다(rob) : The house was ~*ed* ***of*** all its valuables. 집안의 귀중품이 전부 약탈당했다.
〖ON (*rann* house, *saka* to seek)〗

***ran·som** [rǽnsəm] *n.* **1** (포로의) 몸값, 배상금. **2** Ⓤ 몸값을 치르고 석방됨, 되찾음 ; 〖基〗 예수의 속죄(贖罪), 죄 갚음. **3** Ⓤ 공갈, 협박(blackmail).
hold a person ***to***[***for***] ***ransom*** 남을 인질로 하여 몸값을 요구하다.
— *vt.* **1** (배상금을 치르고) 사람을 되찾다 ; 배상하다. **2** …에게[의] 몸값[배상금]을 요구하다. **3** 〖基〗 속죄하다.
〖OF＜L REDEMPTION〗

ránsom bìll[**bònd**] *n.* 나포 선박 환매 증서.

rant [rǽnt] *vi.* 고함치다, 폭언을 하다, 큰소리치다, 아우성치다, 호언장담하다, 열광적으로 설교하다 : ~ and rave 마구 떠들어대다. — *vt.* 고래고래 소리치다 : The actor ~*ed* the scene on the stage. 그 배우는 대사를 고함치듯 외치며 그 장면을 연기했다. — *n.* Ⓤ 호언장담 ; 고함소리, 노호(怒號). 〖Du. *ranten* to rave〗

ran·tan·ker·ous [ræntǽŋkərəs] *a.* ＝CANTANKEROUS. 〖변형(變形)〗

ránt·er *n.* **1** rant하는 사람. **2** [R~] 초기 메서디스트 교파의 이명(異名).

ra·nun·cu·lus [rənʌ́ŋkjələs] *n.* (*pl.* **~·es**, **-li** [-lài]) 〖植〗 미나리아재비속(屬)의 식물.
〖NL＜L (dim.) ‹ *rana* frog〗

ranz des vaches [rɑ̀ːŋs dei vɑ́ːʃ ; *F* rɑ̃ de vaʃ] *n.* 랑 데 바슈《Alps의 목동이 뿔 피리로 부는 목곡(牧曲)》.

R.A.O.C. 《英》 Royal Army Ordnance Corps.

***rap**[1] [rǽp] *n.* **1** 톡톡[똑똑] 두드림〈*at, against, on*〉 ; 세게 두드리는 소리. **2** 《口》 심한 꾸중, 비난 ; 《俗》 고소, 고발 ; 《俗》 형사상의 책임, 범죄 용의 ; 체포 ; 징역형 : take the ~ 꾸지람 듣다 《흔히 다른 사람 대신에》. **3** 《俗》 지껄임, 잡담.
give a rap on the knuckles ☞ KNUCKLE.
— *v.* (**-pp-**) *vt.* **1** 톡톡[똑똑] 두드리다 : The chairman ~*ped* the table to call the meeting to order. 의장은 책상을 똑똑 두드려 회합의 분위기를 정숙히 하려고 했다. **2** 나무라다, 혹평하다, 비난하다(reprove). **3** 갑자기 심한 말을 하다, 내뱉듯이 말하다〈*out*〉 : ~ *out* an oath 내뱉듯이 욕을 하다. **4** 판결을 내리다 ; (형사범으로서) 체포하다, 형벌에 처하다.
— *vi.* [+前+名] 톡톡[똑똑] 두드리다 ; 《俗》 지껄이다, 잡담하다 ; 《俗》 의기투합하다 : He ~*ped* ***at*** the door[***on*** the table]. 그는 문을 똑똑 두드렸다[테이블을 톡톡 쳤다].
rap out (*vt.*) (1) 심하게[갑자기] 말하다, (신소리를) 마구 하다 : ~ *out* an answer 내뱉듯이 대답을 하다 / ~ *out* a pun 신소리를 하다. (2) (심령이) 톡톡 두드리는 소리로 알리다. (*vi.*) (3) 따끔하게 말하다.
〖ME＜? imit.〗

rap[2] *vt.* (**rápped, rapt** [rǽpt] ; **ráp·ping**) 《古》 운반해버리다 ; 《古》 황홀하게 하다, 열중하게 하다 ; 《廢》 낚아 채다, 날치기하다.
rap and rend 강탈하다 ; 어떻게든 손에 넣다.
〖역성(逆成) ‹ *rapt*〗

rap[3] *n.* 랩《18세기 아일랜드의 위조 화폐 ; 반(半)페니에 상당》 ; [부정구문] 《口》 한푼 ; 조금도 : I don't care[mind] a ~. 나는 조금도 개의치 않는다. 〖Ir. *ropaire* counterfeit coin〗

rap[4] *n.* ＝RAP MUSIC.

ra·pa·cious [rəpéiʃəs] *a.* **1** 욕심 많은(greedy) ; (탐욕스러워) 만족할 줄 모르는. **2** 강탈하는, 약탈하는 ; 〖動〗 생물을 잡아먹는, 육식하는.
~·ly *adv.* **~·ness** *n.*
〖L *rapac-* *rapax* ; ⇨ RAPE[1]〗

ra·pac·i·ty [rəpǽsəti] *n.* Ⓤ 탐욕 ; 강탈, 약탈.

R.A.P.C. 《英》 Royal Army Pay Corps.

ráp clùb *n.* 《美俗》 잡담[수다] 클럽《실제로는 매

춘을 시킴》.

RAPCON 〔空〕 radar approach control (레이더 진입 관제).

rape[1] [réip] *vt.* **1** 〔法〕 강간하다(violate). **2** 《文語》 (전쟁 따위에서 나라·도시 따위를) 약탈하다, 파괴하다 ; 《古》 강탈하다. ── *n.* **1** U,C 〔法〕 강간. **2** U,C 《文語》 약탈, 침범〈*of*〉; 《古》 강탈〈*of*〉. **ráp·er** *n.*
〚AF<L *rapt- rapio* to seize〛

rape[2] *n.* U 〔植〕 평지.
〚L *rapa, rapum* turnip〛

rape[3] *n.* 포도즙을 짜고 남은 찌꺼기《초(醋) 제조용》; 초 제조용의 여과기.
〚F=grape stalk<L<Gmc.〛

rápe càke *n.* 평지씨의 깻묵.

rápe òil *n.* 평지씨 기름, 종유(種油).

rápe·sèed *n.* U,C 평지 씨앗(coleseed) : ~ oil 평지씨 기름.

rápe shìeld *n.* 《美》 폭행[강간] 피해자 보호법.

ráp gròup *n.* 《美俗》 토론 그룹.

Ra·pha·el [rǽfiəl, réi-] *n.* **1** [; réifəl, rǽfeil] 남자 이름. **2** [, rá:- ; rǽfeiəl] 라파엘로 (Raffaello Santi[Sanzio]) (1483-1520)《이탈리아의 화가·조각가·건축가》. **3** [; rǽfeiəl] 〔聖〕 라파엘《대천사》. 〚Heb.=God heals〛

Ra·pha·el·esque, Raf·fa·el- [ræ̀fiəlésk ; -feiəl-] *a.* 라파엘로식[풍(風)]의.

‡**rap·id** [rǽpəd] *a.* **1** 빠른, 급한, 신속한 ; 재빠른, 기민한 : a ~ river 급류 / make ~ progress 급속한 진보를 이루다. **2** 급히 서두르는, 조급한 : take a ~ glance 재빨리 흘깃 보다. **3** (비탈 따위가) 가파른(steep). **4** 〔寫〕 노출시간이 짧은.
── *n.* **1** [보통 *pl.*] 여울, 급류. **2** 《美》 고속 수송 열차[시스템].
〚L=tearing away, seizing ; ⇨ RAPE[1]〛
類義語 ⟹ QUICK.

Rápid Deplóyment Fòrce *n.* 《美》 신속 배치군《거점이 없는 지역에서의 분쟁 때 급파될 수 있는 부대 ; 略 RDF》.

rápid éye mòvement *n.* 〔心〕 급속 안구(眼球)운동《수면 중에 안구가 급속히 움직이는 현상 ; 뇌파·심장의 고동의 변화·꿈 따위와 관계가 있다고 함 ; 略 REM》.

rápid-fíre *a.* 연달은 ; 속사(速射)의 : a ~ gun 속사포.

ra·pid·i·ty [rəpídəti] *n.* U 급속, 민첩 ; 속도 : with ~ 신속하게(rapidly).

rápid·ly *adv.* 빠르게, 신속히, 서둘러.

rápid solidificátion *n.* 급랭 응고.

rápid tránsit *n.* (도시에서 지하철·고가철도 따위에 의한) 고속 수송(법).

rápid wáter *n.* 《美》 (소방 펌프의 물의 유출 속도를 늘리기 위한) 소화용 액제(液劑).

ra·pi·er [réipiər] *n.* 가느다란 쌍날 칼《주로 결투용》; [형용사적으로] 날카로운 : a ~ thrust 가느다란 칼로 찌르기 ; 재치있게 받아 넘기는 대답 ; 따끔한 풍자. 〚? Du. or LG<OF (*espee*) *rapiere* rasping sword<?〛

rap·ine [rǽpən, -ain] *n.* U 《文語》 강탈, 약탈(plunder). 〚OF or L ; ⇨ RAPE[1]〛

rap·ist [réipəst] *n.* 강간범(raper).

ráp mùsic *n.* 랩 뮤직《1970년대 말부터 디스크자키와 흑인들에 의해 발전된 팝 뮤직의 한 스타일》.

ráp pàrlor[stùdio] *n.* 《美俗》 =RAP CLUB.

rap·pee [ræpí:] *n.* 냄새맡는 담배의 일종.

rap·pel [rəpél, ræ-] *n.* 〔登山〕 라펠《이중으로 결속된 로프로 암벽을 내려가기》. ── *vi.* (**-ll-**) 라펠로 내려가다.

ráp·per *n.* (문의) 노커(knocker) ; 두드리는 사람[것] ; 《美俗》 남에게 누명을 씌우는 죄 ; 《美俗》 말하는 사람, 논자.

rap·port [ræpɔ́:r] *n.* **1** U 일치 ; 관계 ; 조화 : in ~ *with* …와 화합[일치]하여. **2** (심령술에서 영매(靈媒)를 통한) 영적 교통(communication).
〚F=to bring back (L *porto* to carry)〛

rap·por·teur [ræ̀pɔ:rtə́:r] *n.* (위원회·학회 따위의) 보고자. 〚F〛

rap·proche·ment [ræ̀prɔ:ʃmá:ŋ, ræpróuʃma:ŋ ; ræprɔ́ʃma:ŋ ; *F* raprɔʃmɑ̃] *n.* U (특히 국가간의) 친선, 우호회복, 화해. 〚F ; ⇨ APPROACH〛

rap·scal·lion [ræpskǽljən] *n.* 악한, 부랑배, 못된 놈, 건달. 〚C17 *rascallion*<? *rascal*〛

ráp sèssion *n.* 《美俗》 (rap group에 의한) 그룹 토의.

ráp shèet *n.* 《美俗》 전과(前科) 기록.

rapt [rǽpt] *vt.* RAP[2]의 과거형. ── *a.* **1** 황홀한, 넋을 잃고 있는. **2** 열중한, 골몰한, 몰두하고 있는 : He was ~ *in* work[*with* joy]. 그는 일에 열중하고[기쁨에 넋을 잃고] 있었다.
〚L (p.p.) 〈 RAPE[1]〛

rap·tor [rǽptər, -tɔ:r] *n.* 〔鳥〕 맹금.

rap·to·ri·al [ræptɔ́:riəl] *a.* **1** 생물을 잡아먹는. **2** 맹금류(猛禽類)의 : ~ birds 맹금. **3** (발톱이) 먹이를 잡기에 알맞은. ── *n.* 맹금.

***rap·ture** [rǽptʃər] *n.* **1** U [때때로 *pl.*] 황홀경, 광희(狂喜), 환희(ecstasy) ; 환희의 표현[를 나타냄] : be *in* ~*s* 황홀해 있다 / fall[go] *into* ~*s* over …에 황홀해지다. **2** 《稀》 (특히 천국으로) 사람을 데려가기 ; 《古》 유괴.
── *vt.* 황홀하게 하다, 기쁨에 넘치게 하다 (enrapture). **~d** *a.* 《古》 황홀한, 미칠듯이 기뻐하는. 〚F or L ; ⇨ RAPT〛
類義語 ***rapture*** 커다란 기쁨이나 즐거움에 넋을 잃고 황홀해 있는 상태 : He listened to the sweet music in a perfect *rapture.* (그는 완전히 도취되어 그 감미로운 음악을 들었다).
ecstasy 감각을 마비, 압도시켜 사람을 황홀케 하는 강렬한 기쁨 : Jane heard John's proposal in *ecstasy.* (제인은 존의 청혼을 들으며 황홀해 했다).

ráp·tur·ous *a.* 기뻐 날뛰는, 미칠듯이 기뻐하는, 열광적인(enraptured). **~·ly** *adv.*

ra·ra avis [rérə éivəs, rá:rə á:wəs ; rá:rə ǽvis] *n.* (*pl.* **~·es, ra·rae aves** [réri: éivi:z ; rá:rai ǽveis]) 아주 드문 일[사람], 진품(珍品).
〚L=rare bird〛

‡**rare**[1] [rέər, rǽər] *a.* **1** 드문, 희귀한, 진기[절묘]한 : a ~ event 보기드문 사건 / in ~ cases=on ~ occasions 드물게, 때로는 / It is ~ *to* see such a sight. 이런 광경을 보는 것은 아주 드문 일이다 / It is ~ *for* him *to* go out. 그가 외출하는 일은 드물다. ☞ 活用. **2** 《口》 참 좋은, 훌륭한, 매우 재미있는 : They had ~ fun[a ~ time]. 그들은 참으로 즐거웠다[즐거운 시간을 보냈다]. **3** 희박한(thin) : The air is ~ on high mountains. 높은 산에는 공기가 희박하다.
rare and. . . 《口》 대단히 : ~ *and* hungry 아주[몹시] 시장하여.
rare old 《口》 아주 좋은[나쁜], 대단한.
── *adv.* 《口》 매우, 극히.
~·ness *n.* 희귀 ; 희박 ; 진기.
〚L *rarus*〛
活用 It is *rare* that....보다는 It is *rarely* that.... 쪽이 일반적임 : It is *rarely*[*rare*] that she visits

her aunt. (그녀가 아주머니를 방문하는 일은 좀처럼 없다).

[類義語] ***rare*** 동류의 것으로 수나 그 보기가 적은; 따라서 보통은 매우 가치가 있는 것을 암시한다: a *rare* jewel (진귀한 보석). ***infrequent*** 오랜 간격을 두고 발생[출현]하는, 빈번히 생기지 않는: an *infrequent* visitor (드물게 오는 방문객). ***uncommon, unusual*** 양쪽 다 보통 때는 일어나지 않는, 따라서 예외적이거나 특히 두드러진: an *uncommon* disease (흔치 않은 병) / his *unusual* kindness (그의 각별한 친절). ***scarce*** 보통 때 또는 이전에는 풍부했으나 지금은 부족한: Onions are *scarce* these days. (요즘 양파가 귀하다).

rare[2] *a.* (고기 따위) 설구워진(cf. MEDIUM, WELL-DONE). 〖*rear* (obs.) (of eggs) half-cooked<OE *hrēr* boiled lightly〗

ráre bírd *n.* =RARA AVIS.

rare·bit [réərbət, rǽər-] *n.* =WELSH RABBIT.

ráre bóok *n.* (고서 따위) 희귀한[진귀한] 책.

ráre éarth *n.* 〔化〕 희토(稀土)류 산화물; =RARE EARTH ELEMENT.

ráre éarth èlement[mètal] *n.* 〔化〕 희토류 원소.

rár·ee-shòw [réəri-, rǽəri-] *n.* 요지경(peep show); (일반적으로) 구경거리.

rar·e·fac·tion [rèərəfǽkʃən, ræ̀ərə-] *n.* Ⓤ 희박; 희박화.

rár·e·fied, rár·i·fied *a.* 선발된 사람의, 선량의; 심오한, 의미 심장한; (지위·성질 따위) 매우 높은, 격조 높은, 고상한; 희박한(rare).

rar·e·fy, rar·i·fy [réərəfài, rǽərə-] *vt.* **1** (공기·가스 따위를) 희박하게 하다(↔*condense*). **2** 순화[정화]하다(purify); (의론 따위를) 세련되게 하다. —— *vi.* 희박해지다.
〖OF or L (RARE[1], *facio* to make)〗

ráre gás *n.* 〔化〕 희(稀)가스, 비활성 기체.

***ráre·ly** *adv.* **1** 드물게, 좀처럼 …않다(seldom): We ~ see him nowadays. 요즘은 좀처럼 그를 볼 수가 없다 / It is ~ that he drinks. 그가 술을 마시는 일은 좀처럼 없다(☞ RARE[1] [活用]). [注] 문장중의 어순은 SELDOM과 같다. **2** 진기하리만큼, 특출하게(uncommonly): She was ~ beautiful. 그녀는 특출하게 예뻤다.
rarely if ever 설사 …하더라도 극히 드물게 (seldom if ever): She ~ *if ever* plays the piano now. 지금은 거의 피아노를 치는 일이 없다. [注] 《口》에서는 She ~ *ever* plays….의 형식도 씀.
rarely or never 좀처럼 …(하지) 않다(seldom or never): He ~ *or never* laughs. 좀처럼 웃지 않는다.

ráre·rìpe *a.* 《美》 조생종의, 일찍 여무는. —— *n.* 조생종의 과일[야채].

rar·ing [réəriŋ, rǽər-] *a.* 《口》 몹시 …하고 싶어하는, 좀이 쑤시는(eager)〈*to* do〉.
〖(pres. p.) ‹*rare* (dial.) to ROAR or REAR[2]〗

rar·i·ty [réərəti, rǽər-] *n.* Ⓤ 희박; 진기; Ⓒ 진품: ~ value 희소 가치.

RAS 〔컴퓨〕 reliability, availability & serviceability(신뢰도·이용 가능도·보수 가능도; 컴퓨터 능력 평가의 주요소). **R.A.S.** 〔海〕 refueling at sea(해상 급유); 《英》 Royal Asiatic Society; 《英》 Royal Astronomical Society. **R.A.S.C.** 《英》 Royal Army Service Corps《현재는 R.C.T.》.

ras·cal [rǽ(:)skəl; rɑ́:s-] *n.* **1** 악당, 불량배. **2** 《戲》 장난꾸러기; 녀석, 놈(cf. VILLAIN): You lucky ~! 재수 좋은 녀석. **3** 《古》 천한 자, 하층민. —— *a.* 불량배의, 파렴치한; 천한; 《古》 하층민의: the ~ rout 대중, 평민. **~·dom** *n.* 악당들; 악당 근성. **~·ism** *n.* =RASCALITY.
〖OF *rascaille* rabble (? L *ras- rado* to scrape)〗

ras·cal·i·ty [ræskǽləti; rɑ:s-] *n.* Ⓤ 악당의 짓, 비행(非行); 악당 근성; Ⓒ 나쁜 짓; 하층민.

rás·cal·ly *a.* 무뢰한, 악랄한; 야비한, 교활한; 더러운. —— *adv.* 악당처럼, 교활하게, 야비하게.

rase [réiz] *vt.* 새기다, 조각하다; 깎아내다, 문질러서 없애다, 지우다(erase); 파괴[분쇄]하다(raze). —— *vi.* 칼자국을 내다, 표시를 하다.
rás·er *n.* 〖OF *raser* to RAZE〗

***rash**[1] [rǽ(:)ʃ] *a.* [+*of*+[名]+*to* do] 무모한, 무분별한, 경솔한, 분별 없는; 성급한, 덤비는: It would be ~ to assert that …라고 주장한다면 그것은 경솔한 짓이리라 / It was ~ *of* him *to* say so. 그가 그렇게 말한 것은 분별없는 짓이었다.
—— *adv.* 《古》 =RASHLY. **~·ly** *adv.* 분별없게, 무모[경솔]하게(도). **~·ness** *n.*
〖ME=quick<OE 《美》 *ræsc*; cf. OHG *rasc* fast, clever〗

rash[2] *n.* **1** 발진, 뾰루지: a heat ~ 땀띠. **2** 《비유》 (보통 불쾌한 일 따위의) 빈발, 다발(多發).
〖cf. OF *ra(s)che* eruptive sores=It. *raschia* itch〗

rash·er [rǽ(:)ʃər] *n.* 베이컨[햄]의 얇은 조각.
〖C16<? *rash* (obs.) to cut〗

rasp [rǽ(:)sp; rɑ́:sp] *n.* **1** (이가 거친) 줄; 강판. **2** 줄질(하는 소리), 삐걱[박박] 소리, 삐걱거림. **3** 초조, 안달. —— *vt.* **1** [+目/+目+[前]+[名]/+目+[副]] 이가 거친 줄로 쓸다; 거칠게 문지르다, 박박 쓸다: ~ ***off*** corners 모서리를 깎아내다 / The water has ~*ed* ***away*** the rocks. 물로 인해서 바위가 깎이었다. **2** [+目+[副]] 귀에 거슬리는[거친] 소리로 말하다: He ~*ed* ***out*** a command. 그는 거친[신경질적인] 소리로 명령을 내렸다. **3** 안타깝게[초조하게] 하다: The noises ~*ed* his feelings[nerves]. 소음으로 그의 감정[신경]이 곤두섰다.
—— *vi.* [動/+[副]/+*on*+[名]] 삐걱거리다, 삐걱거리는[박박] 소리를 내다: Don't let your file ~. 줄로 싹싹 소리를 내지 말아다오 / He was ~*ing* (*away*) ***on*** his violin. 삐익삐익거리면서 바이올린을 켜고 있었다.
〖OF *raspe(r)*<Rom. (WGmc. 《美》 *raspōn* to scrape together)〗

ras·pa·to·ry [rǽspətɔ̀:ri; rɑ́:spətəri] *n.* 〔外科〕 골막 박리기(骨膜剝離器).

rasp·ber·ry [rǽzbèri, rɑ́:z-, -bəri; rɑ́:zbəri] *n.* **1** 〔植〕 나무딸기. **2** 《俗》 (입술 사이에서) 혀를 차는 소리《경멸·냉소를 나타냄》; 경멸[냉소]하는 몸짓: get[give] the ~ 조소를 받다[하다].
〖*rasp* (dial.) (‹*raspis* (obs.) raspberry<?)+BERRY〗

ráspberry cáne *n.* 나무딸기의 나무[새 가지].

ráspberry vínegar *n.* 나무딸기 시럽.

ràsp·er *n.* (특히 사탕무·사탕수수 따위를) 가는 도구; 〔사냥〕 (뛰어 넘기 어려운) 높은 울타리.

rásp·ing *a.* 삐걱거리는(grating); 초조하게 만드는, 귀에 거슬리는(irritating).

ráspy *a.* 삐걱삐걱 소리내는, 삐걱거리는(rasping); 화 잘내는, 성마른(irritable).

ras·sle [rǽsəl] *n., v.* 《口·方》 =WRESTLE.

Ras·ta [rǽstə] *n., a.* =RASTAFARIAN.

Ras·ta·fa·ri·an [ræ̀stəféəriən, -fǽər-] *n., a.* 라스타파리안(의)《이전의 에티오피아 황제 하일레

셀라시에를 신으로 받드는 자메이카 흑인 ; 아프리카로의 복귀를 주창). **~·ism** *n.*

ras·ter [rǽstər] *n.* 〖TV〗 래스터《브라운관에 나타나는 주사선의 화상(畫像)》; 〖컴퓨〗 점방식.

ráster·scàn *n.* 〖電子〗 래스터 주사(走査).

***rat** [rǽt] *n.* **1** 쥐, 시궁쥐. 㕘 mouse보다 큰 종류. **2** 《俗》 변심한 사람, 탈당자 ; 배신자, 비열한 자 ; (조합의 협정보다) 낮은 임금으로 일하는 직공, 스트라이크에 끼지 않는 직공, 파업 파괴자. **3** 《俗》 밀고자, 스파이. **4** 《美》 다리, 딴머리.

(as) drunk* [*poor, weak*] *as a rat 곤드레 만드레 취하여[무일푼이 되어, 아주 기운이 빠져].

like* [*(as) wet as*] *a drowned rat 물에 빠진 생쥐처럼 흠뻑 젖어.

Rats! 《俗》 허튼 수작마라!, 설마!, 바보같은 소리 마라!

smell a rat 낌새[눈치]를 채다, 이상하다고 느끼다.

—— *v.* (**-tt-**) *vi.* **1** 쥐를 잡다 : go ~*ting* 쥐 잡으러 가다. **2** [動/+*on*+名] 《俗》 탈당[변절]하다 ; 비열한 짓을 하다 : He ~*ted* ***on*** his pals. 그는 동료를 배신했다. **3** 《俗》 조합 협정액보다 낮은 임금으로 일하다. —— *vt.* 《美》 다리를 넣어 부풀리다.

〚OE *ræt* and OF *rat* < Rom.〛

rat·able, rate- [réitəbəl] *a.* **1** 비례하는, 일정한 비율에 따른. **2** 평가할 수 있는. **3** 《英》 지방세를 부담해야 할, 과세해야 할(taxable).

-ably *adv.* **~·ness** *n.* **ràt(e)·abíl·i·ty** *n.*

rátable válue *n.* 《英》 (지방세의) 과세 평가액.

rat·a·fia [rӕtəfíə] *n.* 라타피아《(1) 서양자두 따위의 핵(核)과 아몬드 따위로 만드는 리큐어류(類). (2) 아몬드의 익스트랙트》; 《英》 라타피아 비스킷《작은 매커룬의 일종》. 〚F ; cf. TAFIA〛

rat·al [réitəl] *n.* 《英》 지방세 과세 표준액.

—— *a.* 지방세의.

ratan ☞ RATTAN.

rat·a·plan [rӕtəplǽ(:)n] *n.* (북, 말의 발굽, 기관총 따위의) 반복해서 나는 소리. —— *vi., vt.* (**-nn-**) 등등 울리다[울리게 하다]. 〚F (imit.)〛

rat-a-tat [rǽtətǽt], **rat-a-tat-tat** [rǽtətӕttǽt] *n.* 쾅쾅, 둥둥(rat-tat) 《문·북 따위를 두드리는 소리》. 〚imit.〛

ra·ta·touille [*F* ratatuj] *n.* 〖料〗 라타투유《프로방스풍의 야채 스튜》. 〚F (dial.)〛

rát·bàg *n.* 《濠俗》 몹시 불쾌한 놈 ; 바보, 괴짜 ; 어쩔 수 없는 녀석, 인간 쓰레기 ; 거친 말. 〚C20 (RAT, BAG[1])〛

rát-bìte fèver [**disèase**] *n.* 〖醫〗 서교증[병](鼠咬症[病]).

rát·càtch·er *n.* 쥐잡는 사람[동물] ; 《英俗》 약식 사냥복.

ratch [rǽtʃ] *n.* 〖機〗 톱니바퀴 멈추개(ratchet) ; 래칫 휠.

ratch·et [rǽtʃət] *n.* 〖機〗 래칫 휠 장치《톱니바퀴 멈추개와 래칫 휠에 의한 전동(傳動) 장치》; 래칫 휠, 톱의 톱니, 톱니바퀴 멈추개 ; (래칫 휠 따위의) 멈추개. —— *v.* (**-tt-**) *vi.* 래칫 휠(장치)로 움직이다. —— *vt.* (기계·공구 따위)에 래칫 휠을 부착하다.

〚F *rochet* lance-head ; cf. It. *rocchetto* spool, ratchet〛

rátchet drìll *n.* 〖機〗 깔쭉니송곳, 수동 드릴.

rátchet effèct *n.* 단속적 효과.

rátchet jàw *n.* 《CB俗》 재잘거리는 사람.

rátchet whèel *n.* 래칫 휠, 미늘 톱니바퀴, 깔쭉톱니바퀴.

‡**rate**[1] [réit] *n.* **1** 율, 비율, 보합(步合) : *at* the ~ of …의 비율로 / birth ~ 출산율 / the ~ of discount 할인율. **2** 시세 ; 값, 요금, 평가 : the ~ of exchange 환(換)시세 / postal[railroad] ~*s* 우편[철도] 요금 / give special ~*s* 할인하다. **3** 진도, 속도 : *at* the[a] ~ of 40 miles an hour 시속 40마일의 속도로. **4** 세금 ; [보통 *pl.*] 《英》 지방세 : ~*s* and taxes 지방세와 국세 / pay the ~*s* 지방세를 내다. **5** 종류, 등급 : ☞ FIRST-RATE, SECOND-RATE, *etc.*

at a high* [*low*] *rate 비싼[싼] 값으로 : live *at a high* ~ 호화롭게 살다.

at an easy rate 싼 값으로 ; 손쉽게.

at any rate 여하튼, 어찌됐든(in any case) ; 적어도(at least) ; 어떤 일이 있어도.

at that rate 그런 형편으로(는) ; 그렇다면.

at this rate 이런 형편으로(는) ; 이래서는.

—— *vt.* **1** [+目+*at*+名/+目+*as* 補/+目+副] 견적하다, 평가하다 : It is difficult to ~ a man ***at*** his true value. 사람의 진가를 평가하는 것은 어렵다 / The house may be ~*d as* worth $100,000. 그 집은 가격을 10만 달러로 봐도 좋을 것이다 / I don't ~ his merits so *high.* 그의 공적을 그렇게 높이 평가하지는 않는다.

2 [+目+*as* 補/+目+前+名] (…로) 간주하다, 생각하다 : He ~*s* his abilities *as* superior to ours. 그는 자신의 재능이 우리의 재능보다 우수하다고 생각하고 있다 / Do you ~ him ***among*** your benefactors? 그 분을 은인의 한 사람이라고 생각하고 있습니까.

3 《주로 英》 [+目+前+名/+目+副] [보통 수동태로] 과세하기 위해 평가하다, …에게 지방세를 부과하다(cf. *n.* 4) : We *are highly* ~*d* for education. 우리들에게 고액의 교육세가 부과되고 있다.

4 〖海〗 (선원·선박의) 등급을 정하다 ; 〖電·機〗 정격(定格)하다.

5 《美》 [+目+補] …에 평점을 매기다 : His exam paper has been ~*d* A. 그의 답안은 A 평점이 매겨졌다.

—— *vi.* [+*as* 補/+補/+副] 견적되다, 평가되다 ; 위치하다 : The ship ~*s as* first[~*s* A 1]. 그 배는 1급 선박이다 / He ~*s high* in my estimation. 나는 그를 높이 평가하고 있다.

〚OF < L *rata* ; ⇨ RATIO〛

rate[2] *vt.* [+目/+目+前+名] 꾸짖다(scold), 욕을 퍼붓다(cf. BERATE) : He ~*d* the boy ***for*** his laziness. 그 소년을 게으르다고 꾸짖었다.

—— *vi.* 호통치다.

〚ME < ? ; cf. Swed. *rata* to chide〛

rateable ☞ RATABLE.

ráte bàse *n.* (잡지의) 보증 부수《이것을 기준으로 광고료가 결정됨》.

rát·ed lóad [réitəd-] *n.* 〖機〗 정격 부하(負荷).

ráted pówer *n.* 〖오디오〗 정격 출력(定格出力).

ra·tel [rá:tl, réitl] *n.* 〖動〗 꿀오소리[라텔] 《남아프리카·인도산》. 〚Afrik.〛

ráte·mèter *n.* (계수기의) 계수율계(計數率計).

ráte·pày·er *n.* 《英》 지방세 납부자.

rat·er [réitər] *n.* **1** 평가[측정]자. **2** [복합어를 이루어] (어떤) 등급에 속하는 것 : a first-~ 일류 인사, 일급품 / a 10-~ 10톤(급) 요트.

rát fink *n.* 《美俗》 꼴보기 싫은 놈(fink), 밀고자, 배반자.

rathe [réið, 美+rǽθ], **rath** [rǽθ ; rá:θ] *a.* 《古·詩》 시각[시기]이 이른, 일찍 피는, 올되는 ; 신속한. —— *adv.* 아침 일찍, 계절[시기]의 초기에 ;

조속히. ~·**ly** *adv.* ~·**ness** *n.*

°**rath·er** [rǽðər, rɑ́ː- ; rɑ́ː-] *adv.* **1** 오히려, 어느 쪽인가 하면 : It is ~ cold *than* not[otherwise]. 어느 쪽인가 하면 추운 편이다 / He is a writer ~ [~ a writer] *than* a scholar. 그는 학자라기 보다 문필가다 / I would stay home ~ *than* go out on such a rainy day. 이런 비오는 날에는 외출하는 것보다 오히려 집에 있고 싶다. ☞ 活用 (1). **2** 그것보다는 …하는 편이 낫다, …해야 하다 : I should ~ think so. 그렇겠지요. **3** 꽤, 다소, 약간(somewhat), 조금(slightly) (cf. FAIRLY 3). ☞ 活用 (2), (3).

or rather 아니 오히려 : late last night, *or* ~ early this morning 어제 저녁 늦게라고 하기보다는 오늘 아침 일찍 / He woke early, *or* ~, he was pulled out of bed. 그는 일찍 일어났다기 보다는 오히려 잠자리에서 끌려나왔다.

the rather that[***because***] …이기때문에 더욱.

would[***had***] ***rather*** 오히려 …하는 편이 낫다(고 생각하다), (…보다는) 차라리 …하고 싶다 : I *had* ~ never have been born *than* have seen this day of shame. 이러한 수치를 당할 바에는 차라리 내가 태어나지 않았더라면 좋을뻔 했다 / I *would* ~ go[not go]. 어느 쪽인가 하면 가고 싶다[가고 싶지 않다].

—— [-ðɔ́ːr] *int.*《英口》[반어적으로 강한 긍정의 대답으로] 그렇고 말고, 확실히(certainly) (cf. COME *adv.* 3). 주 주로《英》에서 쓰지만 지금은 약간 낡은 용법 : Do you like this?— *R*~! 이것을 좋아하십니까—좋아하다 마다요.

〚OE *hrathor* (compar.) ‹ *hræthe* (adv.) quickly, early〛

活用 (1) rather는 QUITE와 같이 대개《美》*a rather* old man,《英》*rather an* old man의 어순. 단, 「관사+명사」를 수식하는 경우에는 항상 그 앞에 놓인다 : The attempt was *rather* a failure. (그 시도(試圖)는 오히려 실패였다). ☞ QUITE 活用 (1).

(2) 비교급이나 too 앞에도 쓰인다《FAIRLY에는 이 용법이 없음》: I am feeling *rather better* this morning. (오늘 아침은 평소보다 기분이 약간 좋다) / This book may be *rather too* easy for you. (이 책은 너에게 오히려 너무 쉬울지도 모른다).

(3) fairly와의 의미상의 세밀한 차이에 대해서는 ☞ FAIRLY 活用.

ráther·ish *adv.*《美口》=SOMEWHAT.

rát·hòle *n.* 쥐구멍 ; 좁고 지저분한 방[장소].

down the rathole 보람없는 목적을 위해.

—— *vt.*《美俗》남의 눈에 띄지 않게 두다.

raths·kel·ler [rɑ́ːtskèlər] *n.* (독일의) 시청 지하식당 ;《美》(독일식) 지하식당[술집]. 〚G〛

rat·icide [rǽtəsàid] *n.* 쥐약.

rat·i·fi·ca·tion [rӕtəfəkéiʃən] *n.* U,C 비준(批准), 재가 ; 실증 ;〘法〙추인.

rat·i·fy [rǽtəfài] *vt.* 비준하다, 재가하다 ; 실증하다 : ~ a contract[an agreement] 계약[협정]을 비준하다. **rát·i·fi·er** *n.*

〚OF<L ; ⇨ RATE[1]〛

類義語 ⟹ APPROVE.

ra·ti·né [rӕtənéi], **ra·tine** [rӕtənéi, rætíːn] *n.* U 라티네직(織)《매듭진 실로 짠 거친 직물》. 〚F〛

rat·ing[1] [réitiŋ] *n.* **1 a**) (선박·선원의) 등급, 급별 ; (자동차·기계 따위의) 등급 매김 ;〘電〙정격(定格). **b**) 〘美軍〙직종별 등급 ;〘英海軍〙하사관·수병. **c**) [*pl.*] 어떤 등급의 전원(全員). **2** U (과세를 위한) 평가, 사정 ; C 평가액. **3**《美》(시험의) 평점 : a ~ *of* 80% in English 영어의 평점 80점. **4**《英》지방세 부과(액). **5** (텔레비전·라디오의) 시청[청취]률. 〚RATE[1]〛

rating[2] *n.* 꾸짖음, 질책.

give a sound rating 엄하게 꾸짖다.

〚RATE[2]〛

***ra·tio** [réiʃou, -ʃiòu] *n.* (*pl.* **~s**) U,C 〘數〙비, 비율(cf. PROPORTION 5) ;〘經〙(복본위제의) 금과 은의 비율 : *in* direct[inverse, reciprocal] ~ 정[역, 반]비례로 / simple [compound] ~ 단[복]비례 / They are *in* the ~ of 3 : 2[three to two]. 3대 2의 비율이다.

〚L (*rat- reor* to reckon)〛

ra·ti·o·ci·nate [rӕtióusənèit, rӕʃi-, rɑ̀ːsi- ; rӕtiɔ́sinèit] *vi.* 추리[추론]하다 ; 삼단논법으로 추론하다. 〚L (↑)〛

rà·ti·ò·ci·ná·tion *n.* U (삼단논법 따위에 의한) 추론, 추리.

ràti·ó·ci·nà·tive *a.* 추리의, 추론적인, 이론만 아는, 이론을 좋아하는.

***ra·tion** [rǽʃən, 美+réi-] *n.* **1** (식료품·연료 따위의) 일정 배급량, 정량, 할당 ; [*pl.*] 식료품, 양식 : *on* short ~*s* 식료품이 제한되어 / be put *on* ~*s* 할당 배급을 받다, 배급제로 적용되다 / a ~ book[card] 배급 통장[카드]. **2** [보통 *pl.*] 〘軍〙하루분의 식량, 휴대 식량 : ☞ IRON RATION.

—— *vt.* **1** [+目/+目+副/+目+*to*+名] (정량의 식품·연료 따위를) 배급하다 ; …의 배급을 제한하다 : Water must now be ~*ed.* 지금은 급수 제한을 해야 된다 / In wartime food is ~*ed* (***out***) ***to*** the public. 전시에는 식량이 국민에게 배급제로 공급된다. **2** …에게 정량의 배급을 하다 ; (병사에게) 급식하다 : Citizens are ~*ed* when supplies are scarce. 물자 공급이 부족할 때에는 시민은 할당 배급을 받는다. **3** (물건·소비자)의 소비를 제한하다 ; (물건·용어 따위를) 예비로 쓰다.

〚F<It. or Sp. <L RATIO ; ⇨ REASON〛

***ra·tio·nal** [rǽʃənl] *a.* **1** 이성의[이 있는], 도리를 아는 ; 사리에 맞는, 합리적인(↔*irrational*). **2** 추리의 : the ~ faculty 추리력. **3** 순이론적인, 이성[합리]주의의. **4** 〘數〙유리(有理)의(↔*irrational*) : a ~ expression[number] 유리식[수].

—— *n.* **1** 합리적인 것 ; 도리를 분별하는 것, 인간 ; =RATIONALE. **2** 〘數〙유리수. **~·ly** *adv.*

〚L ; ⇨ RATIO〛

類義語 ***rational*** 추론에 의하여 결론을 끄집어 내는 따위, 논리적[이론적]으로 생각하는 능력이 있는 ; 전문적·기술적인 느낌을 주는 말로 흔히 정서적·감정적이 아니라는 것을 암시한다 : a *rational* explanation of the problem (그 문제의 합리적 설명). ***reasonable*** 사물의 결정이나 선택을 하는데 실제적인 이성을 작용시키는 ; rational보다 상식적이며 온당한 느낌을 준다 : a *reasonable* solution of the problem (그 문제의 합리적인 해결). ***sensible*** 상식적이고 양식 있는 건전한 판단력을 나타낸다 : a *sensible* decision (분별 있는 결정).

rátional dréss *n.* 합리복《특히 예전에 여성이 자전거를 탈 때 입었던 반바지》.

ra·tio·nale [rӕʃənǽl ; -nɑ́ːl] *n.* 이론적 해석[근거]〈*of*〉; 근본적 이유, 원리〈*of, for*〉.

〚NL (neut.) ‹RATIONAL〛

rátional-emótive thèrapy *n.* 〘心〙논리(정동) 요법(論理(精動)療法).

rátional expectátionist *n.* 합리적 기대론자.

rátional expectátions *n. pl.* 〘經〙합리적 기대

(가설).

rátional fúnction *n.* 〖數〗 유리 함수.

rátional·ìsm *n.* Ⓤ 이성론, 순리론(純理論), 합리주의(cf. EMPIRICISM) ; (종교상의) 이성주의. **-ist** *n.* 합리주의자, 순리론자.

rà·tio·nal·ís·tic *a.* 순리론적인, 합리적인, 이성주의의 ; 합리주의자의, 순리론자의. **-ti·cal·ly** *adv.*

ra·tio·nal·i·ty [ræ̀ʃənǽləti] *n.* Ⓤ 순리성(純理性), 합리성 ; 도리를 분간함 ; [*pl.*] 합리적 행동[견해].

ràtional·izátion *n.* Ⓤ 합리화 ; 합리적 상태 ; 〖數〗 유리화(有理化).

rátional·ìze *vt.* **1** 합리화하다 ; 합리적으로 해석하다[설명하다 · 다루다] ; (산업 따위)의 경영을 합리화하다. **2** 〖心〗 (옳지 않은 행위 따위에 대해 무의식적으로) 합리적으로 보이려고 하다 ; …에 구실을 붙이다, 변명하려고 하다 : He ~*d* his prejudice. 그는 자기 편견에 그럴듯한 이유를 붙였다. **3** 〖數〗 유리화(有理化)하다. ── *vi.* 합리적으로 생각[행동]하다 ; (산업 따위의) 합리화를 하다 ; 〖心〗 합리화하다.

rátion·ing sỳstem *n.* 배급 제도.

rat·ite [rǽtait] *a.* (흉골(胸骨) 따위에) 용골 돌기가 없는, (주금류(走禽類) 같이) 평평한 흉골을 가진. ── *n.* 주금류의 새《타조 따위》.

rat·lin(e) [rǽtlən] *n.* 〖海〗 줄 사닥다리의 디딤줄 ; [*pl.*] 밧줄 사닥다리. 〖ME< ?〗

rát mìte *n.* 〖動〗 진드기의 일종《쥐 · 사람의 피를 빨아먹음》.

RATO, ra·to [réitou] *n.* 〖空〗 로켓 보조 이륙(離陸). 〖*r*ocket-*a*ssisted *t*ake*o*ff〗

ra·toon [rætúːn] *n.* (사탕수수 따위의) 그루터기에서 나온 움, 그루터기 모종. ── *vi.* 그루터기에서 움이 트다. ── *vt.* (작물을) 그루터기 모종으로 재배하다. 〖Sp.〗

rát pòison *n.* 쥐약.

rát ràce *n.* 《口》 치열하고 무의미한 경쟁, 과당 경쟁 ; [the ~] 《口》 경쟁 사회, 격심한 경쟁장(場) ; 《口》 대혼란 ; 《美俗》 댄스 파티.

rát·ràc·er *n.* 《美口》 치열한 경쟁을 하는 사람 ; 혼잡에 휘말린 사람.

rát's áss *n.* 《俗》 약간의 주의[관심].

ráts·bàne *n.* Ⓤ 쥐약《특히 삼이산화비소》.

RATT radio teletype(무선 텔레타이프).

rát·tàil *n.* 쥐꼬리 비슷한 것 ; 털이 (거의) 없는 꼬리(를 가진 말).

rat·tan, ra- [rætǽ(ː)n ; rə-] *n.* 〖植〗 등(나무) ; 등나무의 줄기 ; Ⓤ [집합적으로] 등나무《제품용으로서의 줄기》; Ⓒ 등나무 지팡이, 등나무 회초리. ── *vt.* 등나무 회초리로 때리다. 〖Malay〗

rat-tat [rǽttǽt], **rat-tat-tat** [rǽtətǽt], **rat-tat·too** [rǽtətúː] *n.* =RAT-A-TAT. 〖imit.〗

rat·ten [rǽtn] *vt.* 《英》 (…에게) 싫어하는 짓을 하다《노동 쟁의 때 공장의 용구 · 기계를 집어내거나 부수는 일 따위를 말함》. **~·er** *n.* **~·ing** *n.*

rát·ter *n.* **1** 쥐 잡는 사람[개 · 고양이 · 기구] : This dog is a good[poor] ~. 이 개는 쥐를 잘 잡는다[잡는 것이 서투르다]. **2** 《俗》 탈당[변절]자, 배신자 ; 파업 파괴자.

rát·tish *a.* 쥐 같은 ; 쥐가 번식한.

rat·tle** [rǽtl] *vi.* [動/+副/+前+名] **1** 덜걱덜걱[우르르 · 후두두] 소리나다 : We heard the windows *rattling* ***in the strong wind. 강풍에 창문이 덜걱거리는 소리가 들렸다 / The hail ~*d* ***on*** the roof. 우박이 지붕 위에 후두두 쏟아져 내렸다 / He ~*d* ***at*** the door. 문을 덜거덕덜거덕 흔들었다. **2** (차가) 덜거덕거리며 달리다 ; 위세 좋게 차를 몰다[말을 타고 가다] ; (사람이 차로) 질주하다 : The cab ~*d* ***by***[***down*** the path]. 마차가 덜거덕거리며 지나갔다[작은 길을 지나갔다] / They ~*d past.* 그들은 차를 타고 덜거덕거리며 지나갔다. **3** 술술 말하다[읽다 · 노래하다], 재잘거리다 : He ~*d away* gaily[~*d* ***through*** his speech]. 그는 명랑하게 지껄여댔다[줄줄 빠른 어조로 얘기를 끝냈다].

── *vt.* **1** [+目/+目+副] 덜컥덜컥[덜걱덜걱] 소리내다, 덜걱덜걱 흔들다 : The wind was *rattling* the windows. 바람이 창문을 덜컥덜컥 흔들고 있었다 / The storm ~*d* the slates on the roof. 폭풍으로 인해 지붕의 슬레이트가 덜거덕거렸다 / They ~*d* ***up*** the anchor. 삐걱삐걱 소리내며 닻을 올렸다. **2** [+目/+目+副] (시 · 이야기 · 선서 따위를) 술술 외다[읽다, 노래하다], 재잘거리다 : The girl ~*d* ***off*** her lessons. 소녀는 과제를 술술 외었다. **3** [+目/+目+前+名] 잽싸게 움직이다[해치우다] : They ~*d* the bill ***through*** the House. 그들은 그 안건을 의회에서 일사천리로 심의하여 통과시켰다. **4** 힘을 돋우다 〈*up*〉 ; 《口》 흥분시키다, 혼란시키다, 떠들썩하게 하다, 놀라게 하다. **5** 수풀을 두들겨 (사냥감을) 몰아내다.

── *n.* **1** Ⓤ 덜컹덜컹, 덜그럭덜그럭 ; 왁자지껄 ; 조잘조잘 ; Ⓒ =DEATH RATTLE. **2** 딸랑이《장난감》; 〖動〗 (특히 방울뱀 꼬리의) 소리내는 기관《각질(角質)로 고리 모양을 하고 있음》. **3** 수다스러운 사람(rattler). 〖? MDu. and LG *ratelen* (imit.) ; cf. OE *hratian* to rush〗

ráttle·bàg *n.* 딸랑 주머니《장난감》.

ráttle·bòx *n.* 딸랑 상자《장난감》; 〖植〗 활나물《콩과의 일종》.

ráttle·bràin, -hèad, -pàte *n.* 수다스럽고 머리가 텅빈 사람, 경박한 사람. **ráttle·bràined, -hèad·ed, -pàted** *a.* 수다스럽고 머리가 텅빈, 경박한.

rát·tler *n.* **1** 덜걱덜걱 소리내는 것[사람] ; 《美口》 =RATTLESNAKE. **2** 수다쟁이. **3** 《口》 훌륭한 것, 일품, (특히) 우수한 말. **4** 《口》 폭풍우 ; 《美口》 화물 열차.

ráttle·snàke *n.* 〖動〗 방울뱀 ; 배반자, 믿을 수 없는 녀석.

ráttle·tràp *n.* **1** 덜거덕거리는 낡은 마차, 고물 자동차《따위》. **2** [보통 *pl.*] (쓸모없는) 골동품. **3** 《俗》 수다쟁이 ; 《俗》 입.

── *a.* 덜컹거리는, 낡아빠진(rickety) : a ~ vehicle 고물차.

rát·tling *a.* **1** 덜거덕[덜컹]거리는. **2** 《口》 활발한, 힘찬. **3** 《口》 훌륭한, 굉장한. ── *adv.* 《口》 아주, 매우. **~·ly** *adv.* 〖RATTLE〗

rát·tly *a.* 덜거덕거리는, 덜컹덜컹하는.

rát·tràp *n.* 쥐덫 ; 《비유》 절망적 상황, 난국 ; (자전거의) 표면이 우툴두툴한 페달 ; 《口》 지저분한[황폐한] 건물 ; 《俗》 입(mouth).

rát·ty *a.* **1** 쥐 같은 ; 쥐가 많은. **2** 《俗》 초라한 ; 천한. **3** 《口》 안달하는, 성을 잘 내는 : get ~ (*with*...) (…에) 성내다.

rau·ci·ty [rɔ́ːsəti] *n.* 쉰 목소리, 귀에 거슬림.

rau·cous [rɔ́ːkəs] *a.* 목이 쉰, 쉰 목소리의, 귀에 거슬리는 ; 시끄러운. **~·ly** *adv.* **~·ness** *n.* 〖L〗

raughty ☞ RORTY.

raunch [rɔ́ːntʃ] *n.* 《美俗》 초라함, 구중중함 ; 천함, 외설. 〖역성(逆成) < ↓〗

raun·chy [rɔ́ːntʃi] *a.* 《俗》 단정치 못한, 너저분한 ; 야비한, 상스러운 ; 음탕한.
〖C20 < ?〗

rau·wol·fia [rauwúlfiə, rɔː-] *n.* 〔植〕 인도사목(蛇木) ; 인도사목 뿌리의 추출액[말린 뿌리]《혈압강하제·진정제》.
〖L. *Rauwolf* (d. 1596) 독일의 식물학자〗

rav·age [rǽvidʒ] *n.* **1** Ⓤ 파괴, 황폐 ; 파괴의 맹위(猛威). **2** [*pl.*] 황폐해진 흔적, 참해(慘害), 손해 : the ~*s of* war 전화(戰禍). —— *vt.* 황폐하게 하다, 휩쓸다, 약탈하다 ; 파괴하다, 해치다 : The war ~*d* the whole country. 전쟁으로 나라 전체가 황폐해졌다 / Her countenance had been ~*d* by grief. 그녀의 얼굴은 슬픔으로 초췌해 보였다. —— *vi.* 휩쓸리다 ; 파괴행위를 하다.
〖F *ravine* rush of water〗

R.A.V.C. 《英》 Royal Army Veterinary Corps (육군 수의 부대).

rave**[1] [réiv] *vi.* **1** [動/+前+名] (미친 사람처럼) 중얼중얼 지껄이다, 헛소리하다 ; 고함을 치다 : You've been *raving*! 헛소리(같은 알아들을 수 없는 말)만 하고 있구나 / Don't ~ ***at[***against***] me. 버럭버럭 대들지마라. **2** [+*about*+名] 정신없이 지껄이다, 열심히 설명하다 ; 격찬하다 : Everybody ~*d* ***about*** the new singer. 누구나 모두 그 신인 가수를 격찬했다. **3** [動/+前+名] (바람·물 따위가) 휘몰아치다 : The wind was *raving* ***through*** the forest. 바람이 사납게 숲속을 휘몰아 치고 있었다. —— *vt.* **1 a)** (미친 사람처럼) 정신없이 지껄이다 : She ~*d* her grief. 슬픈 심정을 정신없이 지껄였다. **b)** [+目+補] [~ one*self* 로] 고래고래 소리지르다 : He ~*d* him*self* hoarse. 그는 고함을 쳐서 목이 쉬었다. **2** [+目+副] [~ one*self* 로] (폭풍우 따위가) 휘몰아치다 : At last the storm ~*d* it*self* ***out***. 폭풍은 사납게 휘몰아치다가 마침내 그쳤다.
—— *n.* **1** 큰소리치기, 미친듯이 날뛰기 ; 미친듯이 날뛰는 소리 ; 《英俗》 유행 ; 《英俗》 술마시며 법석을 떨기, 떠들썩한 파티. **2 a)** 격찬, 격찬의 평 ; [형용사적으로] 《口》 절찬[격찬]의. **b)** 《俗》 혹평, 깎아내리기. **c)** 열중 ; 《俗》 연인 : be *in* a ~ *about* a person 《俗》 남의 열렬한 팬이다.
〖? OF *raver* (dial.) ; cf. MLG *reven* to be senseless, rave〗

rave[2] *n.* [보통 *pl.*] (짐을 더 싣기 위한 짐수레·썰매 따위의) 가로로 댄 (보조)틀.
〖*rathe* (dial.) < ?〗

rav·el [rǽvəl] *v.* (**-l-** | **-ll-**) *vt.* **1** [+目/+目+副] **a)** (꼬여있는 것을) 풀다 : She ~*ed* (***out***) the skein of wool. 그 털실의 타래를 풀었다. **b)** (얽힌 사건 따위를) 밝히다, 해명하다〈*out*〉. **2** (실·머리카락 따위를) 얽히게 하다 ; 《비유》 (문제 따위를) 혼란[복잡]하게 하다 : the ~*ed* skein of life 복잡하기 짝이 없는 인생.
—— *vi.* **1** [動/+副] 풀어지다 ; (곤란이) 해소되다 : The difficulty soon ~*ed* ***out***. 그 곤란은 이내 해소되었다. **2** 얽히다, 분규(紛糾)하다.
—— *n.* **1** (밧줄·피륙 의) 풀린 끝(가닥). **2** (털실 따위의) 얽힘〈*of*〉: a ~ *of* wool 털실의 엉킴. **3** 혼란, 착잡.
〖? Du. *ravelen* to tangle, fray out < LG *rebbeln* to ripple flax〗

rave·lin [rǽvlən] *n.* 〔築城〕 V자형의 외곽 보루.

rável·(l)ing *n.* **1** Ⓤ (얽힌 것을) 풀기 ; 풀림. **2** 엉킨 실(가닥).

rável·ment *n.* 뒤얽힘, 혼란, 분규.

ra·ven[1] [réivən] *n.* **1** 〔鳥〕 떠돌이까마귀《흔히 불길한 징조로 보고 있음》. ㊟ crow보다 큰 종류. **2** (일반적으로) 까마귀속의 여러 종류. **3** [the R~] 〔天〕 까마귀자리(Corvus). —— *a.* 새까만, 검고 윤나는 : ~ hair 검은 머리.
〖OE *hræfn* ; cf. G *Rabe*〗

rav·en[2] [rǽvən] *vi.* **1** 약탈하다, 휩쓸고 다니다〈*about*〉; 먹이를 찾아다니다〈*for, after*〉. **2** 게걸스레 먹다. —— *vt.* 마구 먹어대다. —— *n.* = RAVIN.
〖OF *raviner* to ravage < L RAPINE〗

rav·en·ing [rǽvəniŋ] *a.* 먹이를 찾아다니는 ; 게걸스럽게 먹는 ; 탐욕스런.
—— *n.* =RAVIN.

ráve nòtice *n.* 《俗》 매우 열의에 찬 신문의 극평(劇評).

rav·en·ous [rǽvənəs] *a.* 마구 먹어대는, 게걸스런 ; 굶주린 : be ~ *for* food 먹을 것에 굶주리고 있다. **~·ly** *adv.* **~·ness** *n.*
類義語 ⟹ HUNGRY.

rav·er [réivər] *n.* 《英俗》 제멋대로 생활하는 사람, 방탕아 ; 열광적인 사람[팬] ; 동성연애자.

ráve-ùp *n.* 《英俗》 떠들썩한 파티.

rav·in [rǽvən] *n.* 《文語》 Ⓤ,Ⓒ 약탈 ; 포식(捕食) ; Ⓒ 약탈물 ; 먹이 : a beast[bird] of ~ 맹수[맹금]. —— *vi., vt.* =RAVEN[2].

ra·vine [rəvíːn] *n.* 협곡(峽谷), 산골짜기(gorge)《급류의 침식으로 생긴 산간의 깊고 험준한 골짜기 ; canyon 보다 작으며 gully보다 큼》.
〖F ; ⇨ RAPINE〗

rav·ing [réiviŋ] *a.* **1** 미쳐 날뛰는 ; 광란(狂亂)의 ; 지리멸렬한 이야기를 하는. **2** 《美口》 대단한, 굉장한. —— *adv.* 대단히 : be ~ mad 완전히 미치다. —— *n.* [보통 *pl.*] 잠꼬대, 허튼 소리 ; 광란, 노호(怒號).

rav·i·o·li [rævióuli] *n.* (*pl.* ~, ~**s** [-liːz]) 라비올리《저며서 양념한 고기를 얇은 가루 반죽에 싼 요리》. 〖It.〗

rav·ish [rǽviʃ] *vt.* **1** 강탈하다. **2** 황홀하게 하다, 기뻐 날뛰게 하다. **3** 강간하다.
~·ment *n.* 〖OF < L ; ⇨ RAPE[1]〗

rávish·ing *a.* 매혹적인, 황홀케 하는(captivating).

***raw** [rɔː] *a.* **1** 날것의 ; 설익은, 설구워진. **2** 원료 그대로의, 가공하지 않은 ; 정제하지 않은, (명주 따위) 꼬지 않은 ; (술이) 물 타지 않은 ; 〔寫〕 (필름이) 촬영되지 않은 : ~ hide 생가죽 / ~ rubber 생고무 / ~ milk 미(未)살균 우유 / ~ spirits 물 타지 않은 술. **3** 생소한, 무경험의, 미숙한, 익숙지 않은〈*to*〉: a ~ recruit 신병. **4** (상처 따위) 살갗이 벗겨진, 쓰라린, 얼얼한. **5** 으스스 추운. **6** 갓 만든(fresh) : ~ paint 갓 칠한 페인트. **7** 《口》 지독한, 불공평한. **8** 《美》 노골적인 ; 음란한(indecent). **9** 〔컴퓨〕 거친, 날…. —— *n.* **1** [the ~] 살갗이 벗겨진 곳, 생살, 찰상(擦傷), 아픈 곳 : touch a person on *the* ~ 《英》 남의 아픈 데[약점]를 건드리다. **2** [the ~] 생것, 날것, (특히) 술의 원액. **3** 버릇없는 사람. **4** 가공하지 않은 것 ; [*pl.*] 조당(粗糖) ; 생굴.
in the raw 자연 그대로(의) ; 《美口》 나체로(의) : life *in the* ~ 적나라한 인생.
~·ly *adv.*
〖OE *hrēaw* ; cf. G *roh*〗
類義語 ***raw*** 원료나 천연 산물이 가공되지 않은 : *raw* wool (원모(原毛)). ***crude*** 불순물을 제거하거나 정제·가공을 하지 않은 : *crude* rubber (생고무).

ráw·bòned *a.* 말라빠진, 앙상한(gaunt).

R

ráw dáta *n.* 〔컴퓨〕 생데이터《처리나 집계(集計)가 행해지기 전의 데이터》.
ráw déal *n.* 《口》 부당한 취급, 가혹한 처사 : have[get] a ~ 푸대접 받다.
ráw·hìde *n.* Ⓤ (가축의) 생가죽 ; Ⓒ 생가죽으로 만든 채찍[밧줄]. —— *a.* 생가죽의[으로 만든]. —— *vt.* 《美》 생가죽 채찍으로 때리다.
ra·win [réiwən] *n.* 〔氣〕 레이윈《기구·레이더 따위에 의한 상층 기류 관측》. 〖*ra*dar+*win*d〗
ra·win·sonde [réiwənsɑ̀nd] *n.* 〔理〕 레이윈 존데《레이더 추적 라디오존데에 의한 상층 기상 관측》.
ráw·ish *a.* 날것의, 미숙한.
ráw matérial *n.* 원료, 소재(素材).
ráw·ness *n.* Ⓤ 생[날]것, 미숙 ; 가공하지 않음, 거칢 ; [또는 a ~] 으스스한 추위, 냉습.
rax [rǽks] *vt., vi.* 《스코》 기지개를 켜다.
***ray**[1] [réi] *n.* **1** 광선 ; 《비유》 (희망의) 빛, 서광, (한 줄기) 광명 ; 시선 ; 약간, 소량 : a ~ of genius 천재의 번득임 / There is not a ~ of hope. 한가닥의 희망도 없다. **2** 〔理〕 열선, 방사선, …선(線) : anode[cathode] ~*s* 양극[음극]선. **3** 〔數〕 (원의) 반지름. **4** 사출형의 것[부분] ; 〔植〕 =RAY FLOWER ; 〔動〕 (불가사리의) 팔 부분, (물고기의) 지느러미 줄기. —— *vi.* (빛·생각·희망 따위가) 번득이다〈*forth, off, out*〉; 방사하다. —— *vt.* (빛 따위를) 발하다, 방사하다 ; 광선으로 비추다 ; (방사선 요법에서) 조사(照射)하다. 〖OF<L RADIUS〗
類義語 ⟹ BEAM.
ray[2] *n.* 〔魚〕 가오리. 〖OF *raie*<L *raia*〗
ray[3] ☞ RE[1].
ray[4] *int.* =HURRAH.
Ray *n.* 남자이름《Raymond, Raymund의 애칭》.
ra·ya, -yah [rɑ́:jə, ráiə] *n.* 〔史〕 오스만 제국의 비이슬람교도 농민《특히 크리스트교도》.
ráy flòwer[flòret] *n.* 〔植〕 (국화과(科) 식물의) 설상화(舌狀花).
ráy gùn *n.* (SF에 나오는) 광선총.
Ray·leigh [réili] *n.* 레일리. 3rd Baron ~, **John William Strutt** (1842-1919) 영국의 물리학자 ; Nobel 물리학상(1904).
Ráyleigh wàve *n.* 〔理〕 레일리파(波) 《균질(均質)의 반무한 탄성체(半無限彈性體)의 매질(媒質)에 전파되는 표면파(表面波), 특히 지진으로 지구의 표면에 전파되는 파동》.
ráy·less *a.* 광선이 없는 ; 캄캄한 ; 〔植〕 설상화(舌狀花)가 없는 ; 〔魚〕 지느러미 줄기가 없는. **~·ness** *n.*
Ray·mond, -mund [réimənd] *n.* 남자 이름 《애칭 Ray》. 〖OF<Gmc.=counsel+protection〗
Ray·náud's disèase [reinóuz-] *n.* 〔醫〕 레이노병(病)《레이노 현상 발작을 특징으로 하는 혈관 장애》. 〖M. *Raynaud* (d. 1881) 프랑스의 의사〗
Raynáud's phenòmenon *n.* 레이노 현상《손의 소동맥 수축에 의한 일시적 혈액 부족으로 손가락·손의 일부가 창백해지는 현상》. 〖↑〗
ray·on [réiɑn] *n.* Ⓤ 레이온, 인조견사(絹絲) : ~ yarn 방직인견(人絹). 〖RAY[1]〗
ra·za·kar [rɑ:zɑ:kɑ́:r] *n.* (파키스탄, 특히 이전의 동파키스탄의) 비정규군 부대원. 〖Urdu〗
raze [réiz] *vt.* **1** [+目/+目+*to*+名] 완전히 파괴하다, 무너뜨리다 : The house was ~*d* ***to*** the ground by the earthquake. 그 집은 지진으로 완전히 무너져 버렸다. **2** (기억 따위를) 지우다, 없애다(erase). **ráz·er** *n.* 〖OF=to shave close<L *ras- rado* to scrape〗
ra·zee [reizí:] *n.* 상갑판을 잘라내고 뱃전을 낮춘 군함[배]. —— *vt.* …의 뱃전을 낮추다 ; 잘라 내어 작게 하다. 〖F=cut-off〗
rá·zon (bòmb) [réizɑn(-)] *n.* 무선 장치로 방향·항속 거리를 조종하는 폭탄. 〖*ra*nge+*azon*〗
ra·zoo [rəzú:] *n.* [부정구문으로] 《濠俗》 소액의 돈 : have *not* a (brass) ~ 단돈 한푼도 없다.
***ra·zor** [réizər] *n.* **1** 면도칼 ; 전기 면도기. **2** 〔貝〕 =RAZOR CLAM.
(as) sharp as a razor 예리한 ; 빈틈 없는.
—— *vt.* …에 면도칼을 대다 ; 《美俗》 (훔친 물건을) 눈대중으로 나누다.
〖OF *rasor* ; ⇨ RAZE〗

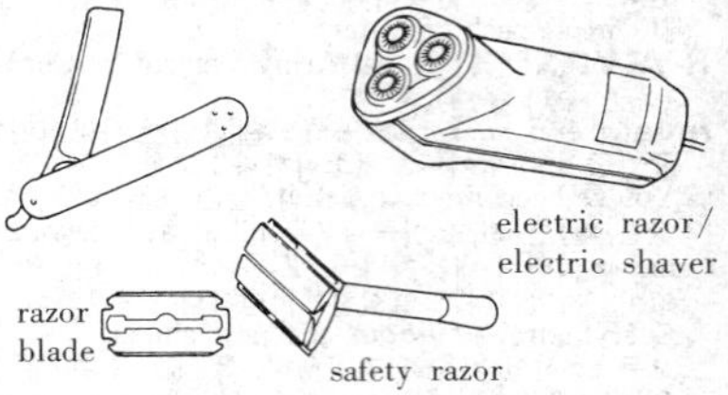

electric razor / electric shaver
razor blade
safety razor

razor

rázor·bàck *n.* **1** 긴수염고래. **2** 《美》 반(半)야생돼지. **3** 뾰족한 (산)등, 깎아지른 듯한 산등 ; 《美俗》 (서커스의) 잡역부. —— *a.* =RAZOR-BACKED.
rázor-bácked *a.* (산)등이 뾰족한.
rázor·bìll *n.* 〔鳥〕 큰부리바다오리.
rázor clàm *n.* 〔貝〕 맛조개.
rázor cùt *n.* 레이저 컷《면도칼을 이용해서 하는 머리깎기》.
rázor-cùt *vt.* (머리털을) 면도칼로 자르다.
***rázor-èdge** *n.* **1** 면도날 ; 예리한 날 ; 깎아지른 듯한 산등성이(ridge). **2** 《비유》 위기 ; 아슬아슬한 고비〈*of*〉: be on the[a] ~ 위기에 처해 있다, 매우 불안정한 상태다.
rázor fìsh[shèll] *n.* 〔貝〕 =RAZOR CLAM.
rázor-grìnd·er *n.* 《英》 쏙독새.
rázor hàircut *n.* =RAZOR CUT.
rázor jòb *n.* 《英口》 가차없는 공격[비판].
rázor-shàrp *a.* 매우 날카로운.
rázor slàsher *n.* 면도칼로 상대를 해치는 사람.
rázor stràp *n.* 혁지(革砥)《면도칼을 가는데 씀》.
rázor-thìn *a.* 매우 얇은, 종이 한 장 차의, (표차 따위가) 극히 적은.
razz [rǽ(:)z] *vt.* 《美俗》 혹평하다, 비난하다, 비웃다. —— *n.* 혹평, 비난, 비웃기.
give[get] the razz 혹평하다[당하다], 조소하다[를 받다].
raz·zia [rǽziə] *n.* Ⓤ 침략, 약탈.
raz·zle [rǽzəl] *n.* 《俗》 야단 법석(razzle-dazzle).
be[go] on the razzle 법석떨다.
rázzle-dázzle *n.* 《俗》 **1** Ⓤ 야단법석 ; 떠들썩한 분위기 ; (경기 상대에 대한) 교란책. **2** 파동식 회전목마 ; 매춘부.
be[go] on the razzle-dazzle 《俗》 난장판을 벌이다.
〖가중(加重) ‹ *dazzle*〗
razz·ma·tazz, raz·ma·taz [rӕ̀(:)zmətǽ(:)z] *n.* Ⓤ《口》 떠들썩함, 현란한 분위기[흥행, 전람회] ;

대대적인 선전, 시끄러운 광고 ; 애매한 말씨 ; 열의, 활기 ; 예스러운 것, 회고적인 것.
〚? *razzle-dazzle*〛

R.B. Rifle Brigade. **RB-** 〘美軍〙 reconnaissance bomber(정찰 폭격기(爆擊機)). **Rb** 〘化〙 rubidium. **R.B.A.** 《英》 Royal (Society of) British Artists(왕립 미술가 협회).
RBC, rbc red blood cell[corpuscule] ; red blood cell (count). **RBE** relative biological effectiveness[effect, efficiency]. **R.B.I., rbi, r.b.i.** run(s) batted in. **R.C.** Red Cross ; reinforced concrete(철근 콘크리트) ; Reserve Corps ; Roman Catholic ; Reformed Church(개혁파 교회). **RCA** Radio Corporation of America. **RCAF, R.C.A.F.** Royal Canadian Air Force(캐나다 공군). **RCC** 〘宇宙〙 reinforced carbon-carbon《우주 왕복선 기수의 강화 카본재(材)》.
R.C.C(h). Roman Catholic Church.
rcd. received ; record. **R.C.M.** 《英》 Royal College of Music. **R.C.M.P.** Royal Canadian Mounted Police(캐나다 기마경찰대).
R.C.N. Royal Canadian Navy (캐나다 해군) ; 《英》 Royal College of Nursing(왕립 간호학교). **R.C.N.C.** 《英》 Royal Corps of Naval Constructors. **R.C.O.** 《英》 Royal College of Organists.

r color [ɑ́ːr ⌐] *n.* 〘音聲〙 (모음의) r음색《further [fə́ːrðər]의 미국 발음 [əːr, ər] 따위》.

r-colored [ɑ́ːr⌐] *a.* 〘音聲〙 (모음이) r 음색을 띤.

R. C. P. Royal College of Physicians. **rcpt.** receipt. **RCS** 〘宇宙〙 reaction control system (반동 자세 제어 장치). **R.C.S.** 《英》 Royal College of Surgeons(왕립 외과 학원). **rct.** recruit. **R.C.T.** Royal Corps of Transport(영국군 수송부대). **RCV** 〘海洋工學〙 remote controlled vehicle《원격 제어 장치, 유삭식(有索式) 무인 해중관찰(작업) 장치》. **R.C.V.S.** 《英》 Royal College of Veterinary Surgeons(수의학회).

-rd [숫자 3뒤에 붙여서 서수를 나타냄] : 3*rd*, 23*rd*.

R. D. Royal Dragoons (용기병(龍騎兵)) ; Rural Delivery. **R/D, R. D.** 〘商〙 refer to drawer.
Rd. rendered ; road. **rd.** rendered ; road ; rod(s) ; round. **RDA** recommended dietary allowance. **RD & A** research, development and acquisition(연구 개발과 조달).
R.D.C. Royal District Council ; 〘英史〙 Rural District Council. **RDF** radio direction finder ; 〘軍〙 Rapid Deployment Force.

RDX [ɑ̀ːrdìːéks] *n.* =CYCLONITE.
〚*R*esearch *D*evelopment E*x*plosive〛

re[1] [réi, ríː], **ray** [réi] *n.* 〘樂〙 레《장음계의 제 2 음》, 라음(☞ SOL-FA).
〚L *resonare*〛

re[2] [réi, ríː] *prep.* 〘法·商〙 …에 관하여(concerning) : *re* Brown 브라운 사건에 관하여.
〚L (abl.) ‹ *res* thing〛

Re [réi, ríː] *n.* 〘이집트神〙 레《Ra의 별칭》.

're [ər] are의 단축형 : we'*re* [wiər], you'*re* [juər], they'*re* [ðeiər].

re- [ré, rè, riː, ri, rə] *pref.* **1** 「상호, 반대, 후(後), 물러남, 비밀, 떨어짐, 거(去), 하(下), 재(再), 부(否), 불(不)」 따위의 뜻 : *re*bel, *re*sist, *re*main, *re*double, *re*sign. **2** [riː, riː, ríː] [동사나 그 파생어에 자유로이 붙여] 「다시, 거듭, 새로이, 고쳐, 원상으로 복귀하다」 따위의 뜻 : *re*act, *re*capture, *re*cover, *re*enter, *re*assure.
〚L *re-*, *red-* again, back, etc.〛

Re 〘化〙 rhenium ; rupee. **re., r.e.** 〘美蹴〙 right end. **R.E., RE** real estate ; Reformed Episcopal ; Right Excellent ; Royal Exchange ; Royal Engineers ; right eye. **REA, R.E.A.** Railway Express Agency ; 《美》 Rural Electrification Administration.

◇**reach** [riːtʃ] *vt.* **1** …에 도착[도달]하다(arrive in [at]) : We shall ~ New York tonight. 오늘밤 뉴욕에 도착한다.
2 a) …에 이르다, 닿다 : Have you ~*ed* the end of the first chapter? 제1장을 끝까지 읽었습니까 / They have ~*ed* old age. 노령에 이르렀다 / Not a sound ~*ed* his ears. 아무 소리도 그의 귀에 들리지 않았다. **b**) …에 명중하다(hit). **c**) …에 미치다, 퍼지다 ; (수량이) …에 이르다 : His influence ~*es* the next village. 그의 영향력은 인근 마을까지 미친다 / The cost of the war ~*ed* billions of dollars. 전쟁 비용은 수십억 달러에 이르렀다. **d**) (결과·결론 따위에) 도달하다 : ~ an agreement 합의에 도달하다.
3 (목적 따위를) 달성하다 : The aim has been ~*ed*. 목표는 달성되었다.
4 a) [+目/+目+副/+目+前+名] (손 따위를) 내밀다, 뻗치다 : I ~*ed* ***out*** my hand ***for*** the ball. 공을 잡으려고 손을 쭉 뻗쳤다 / He ~*ed* his arm ***across*** the table. 테이블의 저쪽까지 팔을 뻗쳤다. **b**) [+目+目/+目+前+名/+目+副] 손을 뻗쳐 잡다 ; (타격 따위를) 가하다 : Will you ~ me that hat? 그 모자 좀 집어 주시겠습니까 / *R*~ him a kick. 저놈을 한번 차버려라 / Do you mind ~*ing* that stick ***for*** my father? 그 지팡이를 아버지께 집어드리시지요 / She ~*ed* ***down*** the book from the top shelf. 맨 위 선반에서 그 책을 끄집어냈다.
5 (남의) 환심을 사다, (마음을) 움직이다 : Men are often ~*ed* by flattery. 사람은 흔히 아첨에 흔들리기 쉽다.
6 (전화 따위로) …와 연락하다(get in touch with) : You can ~ me by calling this number. 이 번호를 돌리면 나와 통화할 수 있다.

〈회화〉
Has the letter *reached* you? — Yes, it came yesterday. 「편지 왔니」「응, 어제 왔어」

— *vi.* **1** [+前+名/+副] 손을 뻗치다 ; 발돋움하다 ; 얻으려고[달성하려고] 애쓰다 : The boy ~*ed* (***out***) ***for*** the branch. 소년은 그 가지를 잡으려고 손을 뻗쳤다 / The mind ~*es forward* ***to*** an ideal. 마음은 이상을 향하여 나아가려고 한다.
2 [+*to*+名/+副] 퍼지다, 골고루 미치다 ; 달하다, 이르다 : I cannot ~ ***to*** the shelf. 선반까지 손이 닿지 않는다 / as *far* as the eye can ~ 눈에 보이는[바라볼 수 있는] 한 / How *far* does this road ~? 이 도로는 어디까지 뻗쳐 있니.
reach out a helping hand 구원의 손길을 뻗치다, 도와 주다, 원조하다(cf. HELPING HAND).
— *n.* **1** (잡으려고) 손을 뻗침 ; 발돋움 : You can get it by a long ~. 쭉 손을 뻗치면 그것을 잡을 수 있다. **2** Ⓤ 뻗칠 수 있는[닿는] 능력[범위], 리치 ; 착탄(着彈)거리(range). **3** Ⓤ 세력범위 ; 이해력(力), 견해 ; (음·색 따위의) 지각범위. **4** 범위, 구역 ; 넓이(expanse). **5** (강의 두 굽이 사이의 한 눈에 바라볼 수 있는) 직선 유역 ; 곶(promontory) : the upper [lower] ~*es* of the Thames 템스 강의 상[하]류. **6** [*pl.*] 중요한

위치. **7** (짐마차 따위의) 연결봉. **8** 〖海〗 (돛의 방향을 바꾸지 않은) 한 침로의 항정(航程).

beyond [***above***] ***one's reach*** 손이 닿지 않는, 힘이 미치지 않는.

out of reach of …이 닿지[미치지] 않는 (곳에) : Keep all medicines *out of* ~ *of* children. 약품들은 모두 아이들의 손이 닿지 않는 곳에 두시오 / They lived in a lonely corner *out of* ~ *of* the noisy world. 시끄러운 세상에서 떨어진 외딴 곳에 살고 있었다.

within (***easy***) ***reach of*** . . . (쉽사리) 손이 미칠 수 있는 곳에.

~·able *a.* **~·er** *n.*

〖OE *rǣcan* ; cf. G *reichen*〗

類義語 (1) (*v.*) ***reach*** 어떤 목표·목적·행선지·지위 따위에 이르다 ; 가장 범위가 넓은 말. ***gain*** 많은 노력을 하여 어떤 목표·목적에 달하다 : They *gained* the peak of the mountain. (애써서 산꼭대기에 도달했다). ***achieve*** 어떤 일을 달성하기 위한 기술·능력·노력·인내 따위를 강조 : We've *achieved* a great success. (대성공을 거두었다). ***attain*** 야심·대망에 불타서 보통 사람은 이룰 수 없는 목표에 도달하다 : *attain* one's end[ambition] (목적[야망]을 이루다). ***accomplish*** 할당된 일·목표 따위를 성취하다 : *accomplish* one's mission (사명을 완수하다).
(2) (*n.*) ⟹ RANGE.

réach and frèquency *n.* 〖廣告〗 도달도와 도달 횟수《일련의 광고 활동으로 그 광고가 어느 정도 침투했는가를 측정하는 데 쓰이는 두 요소》.

réached *a.* 《美》〖政〗 뇌물을 받은, 부패[타락]한.

réach-me-dòwn *a., n.* 《英口》 =HAND-ME-DOWN.

re·act** [riǽkt] *vi.* **1** [+前+名] 반응하다[을 나타내다] ; 반대[반항]하다, 서로 영향을 주다 : Our eye ~*s* ***to light. 우리들의 눈은 빛에 반응한다 / Your applause would ~ (***up***)***on*** the orator. 갈채를 보내면 연사는 반응을 보일 것이다 / The people soon ~*ed* ***against*** the tyrannical system. 국민들은 이내 그 압제에 반항했다. **2** [+*on*+名] 〖化〗 반응하다 ; 〖理〗 반작용하다 : Nitrous oxide ~*s* (***up***)***on*** this metal. 일산화이질소는 이 금속에 반응을 일으킨다. **3** 〖軍〗 역습하다. **4** 반동하다, 역행하다. —— *vt.* …에 (화학) 반응을 일으키다.

〖*re-*+*act* and L *re-*(*ago* to ACT)〗

re·áct *vt.* 재연(再演)하다 ; 다시 하다.

re·ac·tance [riːǽktəns] *n.* Ⓤ 〖電〗 유도 저항, 감응 저항.

re·ác·tant *n.* 〖化〗 반응 물질.

***re·ac·tion** [riǽkʃən] *n.* **1** Ⓤ.Ⓒ (작용에 대한) 반작용, 반동〈*on, upon*〉 : action and ~ 작용과 반작용. **2** Ⓤ.Ⓒ 반항, 반발 ; (정치상의) 반동, 「역코스」 ; 〖證〗 반락(反落) : conservative ~ 보수 반동. **3** Ⓤ.Ⓒ (자극·사건·영향 따위에 대한) 반응, 태도, 의견, 인상. **4** Ⓤ.Ⓒ 〖醫·心〗 반응, 반동 ; 〖化〗 반응 ; 〖理〗 반작용(↔*action*), 반동력 ; 핵(核)반응. **5** 〖電〗 재생 : a ~ condenser 재생 축전기.

~·al *a.* **~·al·ly** *adv.*

***re·áction·àry** [; -əri] *a.* **1** 반동의, 반발적인. **2** 반동적인, 복고(復古)적인 : a ~ statesman 반동[보수] 정치가. **3** 되돌아가는. **4** 〖化〗 반응의. —— *n.* 반동주의자, 보수주의자.

reáction contròl *n.* 〖電〗 재생 조정기.

reáction èngine[**mòtor**] *n.* 〖空·宇宙〗 반동 기관, 반동 엔진《유체 분사의 반작용으로 추진력을 얻는 엔진》.

reáction formàtion *n.* 〖心〗 반동 형성《미워하면서도 극단적인 애정을 표시》.

reáction·ìsm *n.* Ⓤ 반동[복고·보수]주의, 복고론. **-ist** *n., a.*

reáction shòt *n.* 〖映·TV〗 얼굴에 나타나는 반응을 포착하는 촬영 ; 표정의 클로즈업.

reáction tìme *n.* 〖心〗 반응 시간.

reáction whèel *n.* (유수(流水)의 반동으로 도는) 반동 물레방아.

re·áctivate *vt., vi.* (특히 부대·군함 따위) 현역에 복귀시키다[으로 복귀하다] ; (유휴 공장 따위) 재가동시키다, 부활시키다[하다].

re·ac·tive [riǽktiv] *a.* **1** 반동[복고]적인. **2** 〖化〗 반응적인 ; 〖理〗 반작용적인 ; 〖電〗 무효의. **~·ly** *adv.*

rè·actívity *n.* Ⓤ 반동(성·력) ; 반응 ; 반발 ; 〖理〗 반응성[도].

re·ác·tor *n.* 반응[반동]을 나타내는 사람[동물] ; 〖心〗 반응자, 피험자(被驗者) ; 〖原子理〗 원자로 (atomic furnace, atomic pile, nuclear reactor, pile).

reáctor zòne *n.* 〖地〗 자연 원자로 지대《오클로 현상(Oklo phenomenon)의 흔적이 보이는 지역》.

◇**read**[1] [ríːd] *v.* (**read** [réd]) *vt.* **1 a**) 읽다 : He was ~*ing* a book[the letter, a piece of music]. 그는 책[편지, 악보]을 읽고 있었다 / She seldom ~*s* English. 좀처럼 영어를 읽지 않는다. **b**) [+目/+*that* 節] 읽어서 알다(cf. *vi.* 2) : I have ~ in the newspaper *that* they had plenty of snow there yesterday. 어제 그곳에 큰 눈이 내렸다는 것을 신문에서 읽고 알았다.

2 a) [+目/+目+前+名] (수수께끼 따위를) 풀다, (꿈을) 해몽하다, (사람의 마음·안색을) 알아채다, 간파하다 ; (의미를) 읽고 파악하다 ; (관찰에 의해) 깨닫다, 이해하다 : ~ the sky 점성(占星)하다 ; 날씨를 살피다 / ~ the signs of the times 시류를 알아차리다 / ~ the future 미래를 점치다 / The fortune-teller offered to ~ her hand[palm]. 그 점쟁이는 그녀의 손금을 봐 주겠다고 말했다 / She ~ a hostile intent ***in*** the friendly letter. 그 우호적인 편지 속에 적의(敵意)가 있음을 알아챘다 / ***For*** "fail," a misprint, ~ "fall." fail은 fall의 오식. **b**) [+目+副/+目+*as* 補] (…의 의미로) 해석하다 : The statement may be ~ several ways. 그 성명은 여러 가지로 해석할 수 있다 / You cannot ~ her silence *as* consent. 그녀의 침묵을 동의로 간주할 수는 없다.

3 [+目/+目+*to*+名/+目+目/+目+副] 음독(音讀)하다 : ~ Mass ☞ MASS[2] 숙어 / He ~ his lecture[sermon]. 원고를 읽으면서 강연[설교]을 했다 / *R*~ this story ***to*** me. 이 이야기를 읽어다오 / He always wants to ~ us his poems. 언제나 자신의 시를 우리에게 읽어주고 싶어한다 / The teacher ~ us our lesson. 선생님은 책을 읽어주시며 수업하셨다(cf. *read* a person *a* LESSON[LECTURE]) / I'll ~ ***out*** the letter *to* all of you. 이 편지를 여러분 모두에게 읽어주겠다.

4 (온도계 따위가 도(度)를) 나타내다 : The thermometer ~ 65 degrees. 온도계는 (화씨) 65도를 가리키고 있었다.

5 (특히 대학에서) 공부[연구]하다(study) (cf. READ[1] *up*) : He is ~*ing* chemistry at Yale. 그는 예일 대학에서 화학을 공부하고 있다.

6 [+目+前+名/+目+補] [흔히 ~ one*self* 로] …에게 읽어 …시키다 : He ~ the child [~

him*self*] ***to*** sleep. 그는 아이에게 책을 읽어주어 잠들게 했다[책을 읽다가 잠들었다] / He ~ him*self* hoarse[stupid, blind]. 그는 책을 너무 읽어 목이 쉬었다[멍해졌다, 실명했다].
7 [보통 수동태로] (의회에서) 독회(讀會)에 회부하다 : The Bill *was* ~ for the first time. 의안은 제1독회에 회부되었다.
8 〖컴퓨〗 (펀치카드 따위)의 정보를 판독하다, (정보를) 읽다.
9 《俗》 점검하다, 순회하다.
— *vi.* **1** 읽다, 독서하다 ; 음독하다, 낭독하다 ; 강독하다(lecture) : I seldom have time to ~. 나는 별로 독서할 시간이 없다 / The blind ~ with their fingers. 장님은 손가락으로 책을 읽는다 / He ~*s* well. 독서를 잘 한다(cf. WELL-READ) / He that runs may ~. 달리고 있는 사람도 해독할 수 있을 정도로 아주 명백하다.
2 [+前+名] 읽어서 알다(cf. *vt.* 1 b)) : We ~ ***of*** heroes of other days. 우리들은 옛 영웅의 이야기를 책을 읽어 안다 / I have ~ *of*[***about***] the accident in the newspaper. 그 사고 소식을 신문에서 읽고 알았다 / I am ~*ing about* the Civil War. 남북전쟁에 관해 쓴 것을 읽고 있다.
3 [動/+*for*+名] 연구[공부]하다 : He decided to ~ ***for*** the bar[*for* a degree, *for* honors]. 변호사가 되기 위해[학위를 얻기 위해, 우등을 목표로] 공부하기로 결심했다.
4 [+副/+補] (…하게) 읽히다 : This play ~*s* *better* than it acts. 이 희곡은 연극으로 보는것보다 책으로 읽는 것이 더 재미있다 / The poem ~*s* *like* nothing in particular until you get to the last line. 그 시는 마지막 행까지 읽어보지 않으면 특별히 이렇다할 시처럼 보이지 않는다.
5 [+副/+*as* 補] (…라고) 쓰여 있다, 해석되다 : The rule ~*s* two different ways. 그 규칙은 두가지 다른 뜻으로 해석된다 / It ~*s* *as* follows. 그 문구는 다음과 같다.

〈회화〉

Do you like to *read*? — Yes, very much. 「독서 좋아하십니까」「네, 무척 좋아합니다」

read between the lines ☞ LINE[1].
read from[***out of***] ***a book*** 책의 어떤 대목을 골라서 낭독하다.
read a person ***like a book*** 남의 마음을 읽어내다[알아채다].
read one***self in*** (영국 국교의 39개조 신조 따위를 공개적으로 낭독하고) 목사 직에 오르다.
read out (1) 음독하다(cf. *vt.* 3). (2) 〖컴퓨〗 (데이터를) 판독하다(☞ READOUT).
read a person ***out of...*** (그 취지를 선언하고) 남을 …에서 제명하다 : They ~ him *out of* the party. 그를 당에서 제명했다.
read through[***over***] 끝까지 읽다, 통독(通讀)하다.
read to one***self*** 묵독(默讀)하다.
read up (어떤 학과를) 연구[전공]하다 ; 복습[예습]하다 : We were asked to ~ *up* our notes before attending the conference. 회의에 참석하기 전에 원고를 잘 읽어 두라는 당부를 받았다.
read with a person (가정 교사가) 남의 공부 상대를 하다.
— *n.* **1** (한 번의) 독서(시간) ; 읽을 거리 : He was having a quiet[quick, short] ~. 조용히[빠르게, 잠깐] 책을 읽고 있었다 / I should like to have a good ~. 차분히 독서를 하고 싶습니다. **2** 〖컴퓨〗 판독. 〚OE *rǣdan* to advice, interpret, discern ; cf. G *raten* to counsel〛

◇**read**[2] [réd] *v.* READ[1]의 과거·과거분사. — *a.* [부사와 함께] 읽어[공부하여] 정통해 있는 : He is *deeply*[*well*] ~ in the classics. 고전에 정통해 있다 / be *little*[*slightly*] ~ in …을 잘 모르다 / a *well*-~ man 박식한 사람.

read[3], **reed** [ríːd] *n.* (반추 동물의) 추위(皺胃) (abomasum). 〚OE *rēada*〛

réad·able *a.* **1** 재미있게 읽을 수 있는[써 있는], 읽기 쉬운 : a ~ book 재미있는 책. **2** (필적·인쇄 따위) 읽을 수 있는, 읽기 쉬운(legible). **~·ness** *n.* **-ably** *adv.* 읽어서 재미있게, 읽기 쉽도록. **rèad·abíl·i·ty** *n.*

read-a-thon [ríːdəθàn ; -θən] *n.* 독서 마라톤, 연속 독서 장려, 도서관 이용 운동 : Join the ~. 연속 독서 운동에 참가합시다.

rè·addréss *vt.* **1** …에게 다시 말을 걸다. **2** …의 주소를 고쳐 쓰다 : ~ a letter to …에게 편지를 돌려 보내다.

***réad·er** *n.* **1** 읽는 사람, 독자 ; 독서가 : a great ~ 책을 많이 읽는 사람 / the common ~ 일반독자. **2** 낭독자. **3 a)** (출판사의) 출판 고문《원고의 출판 가부를 결정함》. **b)** 교정담당자(proof-reader). **4** 독본, 리더. **5 a)** 《英》 (대학의) 강사 : a ~ *in* history 역사 강사. **b)** 《美》 (대학의) 조교. **c)** (가스·전기 따위의 사용량의) 검침원. **6** ＝MICROREADER. **7** 〖宗〗 ＝LAY READER. **8** 〖컴퓨〗 읽개, 판독기 : a card[tape] ~ 카드[테이프] 판독기. **9** 《美俗》 **a)** (쇼·노점 따위) 큰 길에서 영업하기 위한 허가증. **b)** 마약조제법 지시서 ; 처방전. **c)** 수배자의 조회통지.

réader·shìp *n.* **1** Ⓤ reader의 직[신분]. **2** (잡지·논문 따위의) 독자 수[층].

réader's sérvice càrd *n.* 독자 카드《잡지 따위에 끼워 넣은 요금 별납 엽서》.

***read·i·ly** [rédəli ; rédi-] *adv.* **1** 쾌히, 주저하지 않고, 기꺼이 : She ~ consented. 쾌히 승낙했다. **2** 손쉽게(easily) ; 곧, 즉시 : Nowadays you cannot ~ get a maid. 요즘에는 손쉽게 가정부를 구할 수 없다.

réad·i·ness [rédi-] *n.* Ⓤ [+*to* do] 준비, 채비 ; 신속 ; 용이(容易) ; 자진해서 하기 ; 쾌락(快諾) : ~ ***of*** wit 임기응변의 기지 / in ~ ***for*** an emergency (항상) 비상 사태에 대비하여 / *with* ~ 쾌히, 자진해서, 기꺼이 / He expressed his ~ *to* adopt the reform bill. 당장이라도 그 개혁안을 채택하고 싶다는 의향을 표명했다.

***réad·ing** *n.* **1** Ⓤ 독서, 읽기 ; 낭독. **2** (의회의) 독회 : the first[second, third] ~ 제1[제2, 제3] 독회《영국에서는 제3독회를 거쳐 칙재(勅裁)를 얻은 다음 법률이 됨》. **3** (읽을 거리에 의한) 학문 연구 ; 독서량 ; Ⓤ 학식, (특히) 문학상의 지식 : a man of wide[vast, extensive] ~ 박식한 사람. **4 a)** Ⓤ 읽을거리 : good[dull] ~ 재미있는[지루한] 읽을거리. **b)** [*pl.*] 선집(選集), …독본 : ~*s from* Shakespeare 셰익스피어 선집 / side ~*s* 부독본. **c)** 공개 낭독회. **5** (청우계·온도계 따위의) 표시 도수, 기록. **6** (사본·원고 따위의) 읽는 법(version), 다른 책에 의한 어구의 차이, 이문(異文) ; 판단, 해석 ; (각본의) 연출 : There are various ~*s* *of* this passage. 이 대목은 여러 가지로 읽을 수 있다 / What is your ~ *of* the fact? 너는 이 사실을 어떻게 보니.
a penny reading 〖英史〗 (빈민을 위한) 입장료가 싼 독서회[낭독회].
— *a.* 독서하는, 책을 좋아하는 ; 독서(용)의 ;

근면한 : the ~ public 독서계(界) / a ~ book = READER 4.

Read·ing [rédiŋ] *n.* 레딩《잉글랜드 남부 Berkshire의 주도(州都)》.

réading àge *n.* 독서 연령《같은 정도의 독서 능력을 가진 아동의 평균 연령》.

réading dèsk *n.* (서서 읽을 수 있게 된 비스듬한) 독서대, 열람 책상 ; (교회의) 성서대(lectern).

réading glàss *n.* 확대경, (잔 글자를 보는) 돋보기 ; [*pl.*] 독서용 안경.

réading làmp[**lìght**] *n.* (갓이 달린) 독서용 램프[전기 스탠드].

réading lìst *n.* (대학 따위의) 추천도서.

réading màtter *n.* (광고와 구별해서 신문·잡지의) 읽을거리, 기사.

réading nòtice *n.* 기사식(式) 광고《신문·잡지에서 일반 기사와 같은 활자로 조판함》.

réading ròom *n.* 도서 열람실, 독서실 ; (인쇄소의) 교정실.

réading wànd *n.* 《英》 상품에 붙어 있는 코드 정보를 판독하여 기억하는 전자 장치.

rè·adjúst *vt.* 다시 정리[조정]하다 ; 재정(財政)을 바로잡다.

rè·adjúst·ment *n.* U,C 재정리[조정] ; (회사의) 자주(自主)정리.

rè·admít *vt.* 다시 넣다 ; 다시 허가하다.

rè·admís·sion, rè·admíttance *n.* 재입(학), 재허가.

réad-ónly mèmory *n.* 〔컴퓨〕 늘기억 장치, 읽기 전용 기억 장치《略 ROM》.

rè·adópt *vt.* 다시 양자로 삼다 ; 다시 채용하다.

rè·adórn *vt.* 다시 장식하다, 고쳐 꾸미다.

réad·òut *n.* U,C 〔컴퓨〕 (정보의) 읽어내기《기억 장치에서 정보를 끄집어내기》; U 판독된 정보 ; 정보의 개요 ; (인공 위성으로부터의 데이터·화상의) 무선송신.

réad-wríte hèad *n.* 〔컴퓨〕 읽기 쓰기 헤드.

réad-wríte mèmory *n.* 〔컴퓨〕 읽기 기록 기억 장치《略 RWM》.

◇**ready** [rédi] *a.* (보통 **réad·i·er, -i·est**) **1** [*pred.* 로 써서] [+*to* do] **a**) 채비[준비]된(prepared) : ~ ***for*** printing [working, sea] 인쇄 [운전·출범]할 준비가 된 / On the bed I saw a new dress ~ *for* me *to* put on. 내가 아무 때라도 입을 수 있도록 새옷이 침대 위에 놓여 있는 것을 보았다 / The soldiers were ~ *to* defend the fortress if the enemy should attack it. 병사들은 적이 공격하면 요새를 방어하려고 대비하고 있었다 / Lunch is ~. 점심이 준비되었습니다. **b**) 각오가 된, 언제라도[기꺼이] …하는(willing) : He was always ~ *to* help people in trouble. 곤경에 빠진 사람들을 언제나 기꺼이 도왔다. **c**) 막 …하려고 하는 : A tiger was getting ~ *to* jump on him. 호랑이가 막 그에게 덤비려 하고 있었다. **d**) …하기 쉬운(apt) : The man who is too lazy to work for his living is the most ~ *to* beg or *to* steal. 게을러서 생계를 위해 일하는 것조차 싫어하는 사람은 거지노릇이나 절도를 가장 하기 쉬운 사람이다.
2 몸에 지니고 있는, 수중에 있는 ; 재빠른, 신속한, 즉시의 ; 능란한 : ~ *at*[*with*] excuses 핑계를 잘 대는 / a ~ writer 건필가 / have a ~ pen 달필이다 / a ~ wit 재치, 기지.
3 손 가까이에 있는, 손에 넣기 쉬운 ; 손쉬운, 즉시 쓸 수 있는, 편리한(handy) : the *readiest* way to do it 그것을 가장 손쉽게 할 수 있는 방법.
4 [명령형] 〔競〕 준비를 갖춘 ; 〔軍〕 준비 자세를 취한 : *R*~, steady, go! 제자리에, 준비, 스타트! / *R*~, present, fire! 거총, 겨누어, 쏴!
get ready (***for...***) (…을 위해) 채비[준비]하다 : As soon as she gets home, she has to *get* ~ *for* supper. 귀가하는 즉시 저녁(식사)를 준비하지 않으면 안된다.
have...ready …을 준비해 두다, 갖추고 있다 : You had better *have* games ~ for a party. 파티를 열 때는 게임을 준비해 두는 것이 좋다.
hold one***self ready to*** do …하려고 자세를 취하다[채비하다].
make[***get***]***...ready for***[***to*** do] …을 위해서[…하려고] …을 준비하다, 채비하다 : I *got* my camera ~ *to* take the photograph. 사진을 찍으려고 카메라를 준비했다.
ready to one***'s hand*** ☞ HAND *n.*
—— *vt.* 채비[준비]하다.
—— *adv.* (보통 **réad·i·er, -i·est**) **1** [보통 *p. p.* 와 함께] 미리, 준비하여 : The boxes were ~ pack*ed*. 상자들은 미리 포장되어 있었다 / We bought some food ~ cook*ed*. 이미 조리되어 있는 식품을 샀다 / ☞ READY-MADE. **2** [보통 비교급·최상급의 형태로] 신속하게 : the child that answers *readiest* 가장 빨리 대답하는 어린이. **3** 기꺼이, 척척. —— *n.* [the ~] 〔軍〕 (사격) 준비 자세 ; 《口》 현금 ; 〔컴퓨〕 준비.
〖OE *rǣde*<Gmc. 《美》 *raidh-* to put in order, prepare〗

類義語 ***ready*** 어떤 요구·주문 따위에 대하여 금방 그것에 응해서 행동을 취할 준비·마음의 자세가 되어 있는 ; 그 사람이 손쉽게 할 수 있는, 또는 숙련되어 있음을 암시하는 수가 있음 : They were *ready* for the experiment. (실험 준비가 다 되었다). ***prompt*** 훈련·연습을 해서 언제라도 요구에 응할 수가 있는 ; 흔히 동작을 강조함 : She is *prompt* to help patients. (그녀는 민첩하게 환자를 돕는다). ***quick*** 천부적인 재능에 의하여 재빨리 받아넘기고 응할 수 있는 : He is *quick* in decision. (그는 결단이 빠르다). ***apt*** 뛰어난 재능이나 특별한 능력이 있기 때문에 빨리 응할 수 있는 : an *apt* student (재기가 있는 학생).

réady bòx *n.* (함포 따위의) 탄약 보급상자.

réady càsh *n.* =READY MONEY.

réady-fàded *a.* 빛이 바래 보이도록 한.

réady-for-wéar *a., n.* =READY-TO-WEAR.

réady-máde *a.* **1** 만들어 놓은, 기성품의, 레디메이드의(↔ *made-to-order, custom-made, bespoke*). **2** (사상·의견 따위가) 창의성이 없는, 제것이 아닌.

〈회화〉
Did you have your suit made? — No, it's a *ready-made* suit. 「양복을 맞추신 건가요」「아니오, 기성복인데요」

—— *n.* 기성복.

réady-mìx *a., n.* (바로 쓸 수 있게) 각 성분을 미리 조합해 놓은 (것).

réady mòney *n.* 현금, 맞돈.

réady réckoner *n.* 계산표, (이자·세액 따위의) 조견표.

réady ròom *n.* (비행사가 출격 전에 명령을 받는) 상황실.

réady-to-éat *a.* (식품이) 인스턴트의, 즉시 먹을 수 있는.

réady-to-wéar *a.* (양복이) 기성품인 ; 기성복을

취급하고 있는.
—— n. (pl. ~s, ~) 기성복.
réady-wítted a. 임기 응변의, 재치[기지] 있는.
rè·affírm vt. 다시 단언[긍정·시인]하다, 재확인하다. **rè·affirmátion** n. 재단언, 재긍정.
rè·affórest vt. 《英》 재조림(再造林)하다. **rè·afforestátion** n. 재조림.
Rea·gan [réigən] n. 레이건. **Ronald Wilson** ~ (1911-) 미국의 제40대 대통령.
Rea·ga·nom·ics [rèigənámiks] n. 레이거노믹스 《레이건의 경제 정책》. 〖*Reagan*+econ*omics*〗
re·agent [riéidʒənt] n. 〖化〗 시약 ; 반응물 ; 반응력 ; 〖醫·心〗 피험자(被驗者).
re·ággregate vt., vi. (세포 따위를) 재응집(凝集)시키다[하다]. ——[-gət] n. 재응집한 것.
◇**re·al**[1] [rí:əl, ríəl] a. **1** 실재(實在)하는, 현실의, 실제의(↔*ideal, nominal*) ; 객관적인 ; 〖哲〗 실재적인 : ~ life 실생활. **2 a**) 참다운, 진짜의, 진정한(genuine) : a ~ pearl 진짜 진주 / ~ silk 본견(本絹) / a ~ illness (꾀병이 아닌) 진짜병 / a ~ summer 여름다운 여름 / the ~ thing 진짜, 본고장 물건, 상등품 / a ~ man 성실한 사람 ; 남자[인 간]다 운 남 자[인 간] / He has not yet effected a ~ cure. 아직 완치되지 않았다. **b**) 진심의(sincere) : I felt ~ sympathy. 진심으로 동정했다. **3** 〖法〗 물적인, 부동산의(↔*personal, movable*). **4** 〖數〗 실수의 ; 〖光〗 실상(實像)의(↔ *virtual*). —— *adv.* 《美口·스코》 정말로(really), 매우, 아주(very) : He was ~ glad to see me. 나를 만나서 정말로 기뻐했다 / It was a ~ nice day. 참으로 날씨가 좋은 날이었다. —— n. [the ~] 현 실, 실 체(reality) (cf. IDEAL), 실물 ; 〖數〗 =REAL NUMBER. **~·ness** n.
〖AF and L *realis* (*res* thing)〗
[類義語] ⟹ TRUE.
re·al[2] [rí:əl ; reiá:l] n. 레알《(1) (pl. **~s**, **-a·les** [reiá:leis]) 스페인·중남미의 옛 작은 은화 : 약 12.5센트 ; bit라고도 불리며 아메리카의 식민지에서 널리 사용되었음. (2) (pl. **reis** [réis, -ʃ, -z, -ʒ], **~s**) 포르투갈·브라질의 옛 통화 단위》.
〖Sp. and Port. =ROYAL〗
réal áction n. 〖法〗 물적(物的) 소송《물(物) 자체의 회복을 청구함》.
réal chéese n. [the ~] 《俗》 중요 인물, 거물(cheese).
réal definítion n. 실질 정의(定義)《물건의 성질 또는 본질을 설명하는 정의》.
réal estàte n. 〖法〗 부동산《토지·가옥 따위》 ; 《美俗》 (손이나 얼굴의) 더러움.
réal estàte àgent n. 《美》 부동산 중개인(仲介人) (=《英》 estate agent).
réal fáir a. 《俗》 매우 멋진[훌륭한].
réal fócus n. 〖光〗 실(實)초점.
re·al·gar [riǽlgər] n. 〖鑛〗 계관석(鷄冠石).
reálgar yéllow n. 밝은 황색.
real GNP [⌐ dʒì:ènpí:] n. 실질 국민 총생산.
réal góne a. 《俗》 훌륭한, 대단한, 멋진.
re·a·lia [ri:éiliə] n. pl. **1** 실물 교재. **2** 〖哲〗 실재물, 현실.
rè·alígn, rè·alíne vt. 재편성[조정]하다. **~·ment** n.
réal ímage n. 〖光〗 실상(實像).
réal·ìsm n. **1** Ⓤ 현실주의(↔*idealism*) ; 사실(寫實)[현실]성 ; 〖藝〗 사실주의, 리얼리즘(cf. CLASSICISM, ROMANTICISM). **2** Ⓤ 〖哲〗 실재론, 실념론(實念論)(cf. NOMINALISM) ; 〖敎〗 실학주의 ; 〖法〗 실체주의.
réal·ist n. 현실주의자, 실제가 ; realism 신봉자[론자] ; 〖藝〗 사실주의 작가[예술가]. —— a. 리얼리즘 (신봉자)의.
*__re·al·is·tic__ [rì:əlístik, rìə-] a. **1** 현실주의의, 현실적인, 실제적인(↔*idealistic*) ; 〖藝〗 사실파의, 사 실 주 의 의, 사 실 적 인 (cf. CLASSICAL, ROMANTIC). **2** 〖哲〗 실재론적인. **3** 실감나는, 박진감(迫眞感)이 넘치는, 리얼한.
-ti·cal·ly adv. 현실(주의)적으로 ; 사실적으로 ; 실재론적으로.
*__re·al·i·ty__ [ri:ǽləti, ri-] n. **1** Ⓤ,Ⓒ 현실, 실재, 본체(本體) (↔*delusion*) ; 진실, 사실(↔*ideality*) : not a dream, but a ~ 꿈이 아닌 현실 / the stern *realities of* life 인생의 가혹한 현실 / He always searched after God and ~. 늘 신과 진실을 추구했다. **2** Ⓤ 실물 그대로임, 박진성(迫眞性) : He describes the scene with startling ~. 그 광경을 놀라울 정도로 생생하게 묘사하고 있다. **3** 〖法〗 =REALTY.
in reality (그런데) 실은(cf. *in* NAME) ; 실제로, 진 실 로 : He looks young, but *in* ~ he is past forty. 그는 젊어 보이기는 하지만 실은 40을 넘었다.
reálity prìnciple n. 〖精神分析〗 현실 원칙《환경의 불가피한 요구에 적응하여 작용하는 심리 과정의 원리》.
reálity thèrapy n. 현실 요법《현실을 받아들이고 그것에 적응하기 위한 심리 요법》.
*__re·al·iza·tion__ [rì:əlazéiʃən, rìə- ; -lai-] n. **1** Ⓤ 정말[진실]이라고 생각함[느낌·깨달음], 실상(實相)을 알기, 인식. **2** Ⓤ 실현, 현실화⟨*of*⟩ ; 실현한 것 ; 실물처럼 그림. **3** Ⓤ 현금화 ; 환금 ; (돈·재산의) 취득.
‡**re·al·ize** [rí:əlàiz, ríə-] vt. **1** [+目/+*that* 節/+*wh.* 節] 깨닫다, 납득하다, 이해하다 : She has not ~*d* her own mistakes. 자신의 잘못을 깨닫지 못하고 있다 / I fully ~*d that* it was the only way. 그 방법밖에 없다는 것을 나는 충분히 알아차리고 있었다 / You will ~ *how* hard the work is. 그 일이 얼마나 어려운 것인가를 깨닫게 될 것이다. **2** 실현[실행]하다 : His dream of going abroad was ~*d*. 외국에 가려는 그의 꿈은 실현되었다. **3** 있는 그대로 보이다, 실감나게 그리다[묘사하다], 사실적(寫實的)으로 나타내다 : These details help to ~ the scene. 이 상세한 설명은 그 광경을 있는 그대로 나타내는데 도움이 된다. **4** (유가증권·부동산을) 현금으로 바꾸다 ; (재산·이익을) 얻다, (돈을) 벌다 ; (얼마에) 팔리다.
—— *vi.* (…을 팔아) 돈으로 바꾸다 ; 돈이 되다.
ré·al·ìz·able a. **-ìz·er** n.
〖REAL[1] ; F *réaliser*를 모방한 것〗
ré·al·ìz·ing a. 민감한, 예민한.
rè·allíance n. 재동맹.
réal-lìfe a. 현실의, 공상[가공]이 아닌, 실재의.
‡**re·al·ly** [rí:əli, ríəli] adv. **1 a**) [흔히 ~ and truly] 실제로, 참으로, 정말로(truly, actually) : Is it ~ so? 정 말 그 렇 습 니 까 / Tell me what you ~ think. 너의 진심을 말해다오. **b**) 실제로는, 정말은, 실은 : He was ~ joking ; he was only pretending to be serious. 다만 진지한 체하고 있었을 뿐, 실은 농담을 하고 있었던 겁니다. **2 a**) 참으로, 확실히 : It ~ is a pity. 유감 천만이다. **b**) [감탄사적으로 써서 ; 놀람·의심·비난을 나타내어] 허, 저런 : *R*~? 정말입니까 / *R*~! 그렇고 말고 / Not ~! 설마! / Well ~! 저런 저런 (놀랐는데)!
rè·allý vt. 재동맹하다.

***realm** [rélm] *n.* **1** 《文語》〔法〕 왕국, 국토 : the laws of the ~ 영국 국법. **2** 영역, 범위 ; 〔植·動〕 (분류의) 부문, 계 : the ~ of nature 자연계 / the ~*s* of fancy[poetry] 공상[시]의 영역 / the ~ of science 자연계. 〚OF<L REGIMEN ; 어형은 OF *reiel* royal의 영향〛

réal móney *n.* 실질 화폐, 현금.

réal númber *n.* 〔數·컴퓨〕 실수(實數)《유리수와 무리수의 총칭》.

réal párt *n.* 〔數〕 실수 부분.

re·al·po·li·tik [riáːlpoulitìːk] *n.* [흔히 R~] (힘에 의한) 현실 정치[정책]. 〚G〛

réal présence *n.* [흔히 R~ P~] 〔神學〕 그리스도의 실재《미사[성찬]에서의 그리스도의 피와 살의 실재설》.

réal próperty *n.* 〔法〕 부동산.

réal ténnis *n.* 《英》 =COURT TENNIS.

réal tíme *n.* 〔컴퓨〕 즉시, 실(實)시간《사상(事象)과 그 데이터 처리가 같은 속도로 진행되는 일》; (일반적으로) 즉시, 동시.

réal-tìme *a.* 〔컴퓨〕 실시간의 ; (일반적으로) (기록·방송 따위) 즉시의, 동시의.

réal-tíme operàtion *n.* 〔컴퓨〕 즉시[실시간] 처리.

réal-tíme sỳstem *n.* 〔컴퓨〕 즉시[실시간] 체계 (cf. BATCH SYSTEM).

Re·al·tor [ríːəltər, -tɔ̀ːr ; ríəl-] *n.* 부동산업자 《특히 전미(全美) 부동산업자 협회(National Association of Realtors)의 공인 부동산 중개인 ; 단체 마크》.

réal·ty *n.* Ⓤ 부동산(real estate) (↔*personalty*).

réal-válued *a.* 〔數〕 실수치의 : ~ function 실수치 함수.

réal wáges *n. pl.* 〔經〕 실질임금(↔ *money wages*).

réal wórld *n.* 실사회, 현실적 영역.

ream[1] [ríːm] *n.* **1** 연(連)《이전은 480매(=**shórt** ~), 지금은 500매(=**lóng** ~) ; cf. QUIRE[1]》. **2** [*pl.*] 다량《특히 종이나 서류》 : He writes ~*s* (and ~*s*) of verse. 그는 실로 많은 시를 쓴다. 〚OF<Arab.=bundle〛

ream[2] *vt.* **1** (총 따위)의 구경을 넓히다 ; (reamer 따위로 구멍을) 넓히다 ; (불량 부분을) 구멍을 넓혀 제거하다〈*out*〉. **2** 《美》 (레몬 따위)의 즙을 짜내다 ; (파이프의 담배통을) 리머로 청소하다 ; 〔海〕 (뱃널의 틈을) 넓히다. **3** 《美俗》 속이다, 기만하다(cheat).

ream out 《美俗》 호되게 나무라다, 몹시 꾸짖다. 〚C19< ? ; cf. ME *remen* to open up<OE *rȳman* to widen〛

réam·er *n.* 리머, 확공기(擴孔器) : a taper ~ 테이퍼 리머《점차 작아지는 구멍을 마무르는 데 씀》; 《美》 과즙 압착기.

reamer

re·ánimate *vt.* 되살리다 ; 소생[부활]시키다 ; (힘을 잃은 자에게) 원기를 북돋우다(enliven), 격려하다.

re·animátion *n.* 소생, 부활 ; 고무, 격려.

***reap** [ríːp] *vt.* **1** 베다, 베어들이다, 수확하다 : ~ crops 작물을 베어들이다. **2** (이익 따위를) 획득하다 ; 《비유》 (보답 따위를) 받다 : ~ what one has sown=~ the fruits of one's actions 뿌린 씨를 거두다《인과응보·자업자득》/ Kind acts ~ happy smiles. 친절한 행위에 즐거운 웃음이 따른다. —— *vi.* 수확하다 ; 《비유》 보답을 받다 : You cannot ~ where you have not sown. 남이 쌓은 공을 가로채는 일은 할 수 없다. 〚OE *ripan, reopan*< ?〛

réap·er *n.* **1** 베어들이는 사람, 수확자 ; 곡식 베는 기구. **2** [the (Grim) R~] 사신(死神), 죽음《흰 수의(壽衣)를 입고 손에 큰 낫(scythe)을 든 모습으로 그려짐》.

réaper and bínder *n.* 바인더《베면서 다발로 묶는 기계》.

réap·ing machìne *n.* 자동 수확기(收穫機).

rè·appárel *vt.* 다시 입히다, 새로 단장하다.

rè·appéar *vi.* 재현[재발]하다.

rè·appéarance *n.* 재현, 재발.

rè·applicátion *n.* Ⓤ 재적용 ; 재신청, 재지원, 재종사.

rè·applý *vt.* 다시 사용[적용]하다, 다시 종사시키다. —— *vi.* 다시 신청[지원]하다.

rè·appóint *vt.* 재차 임명[지정]하다, 복직[재선]시키다. **~·ment** *n.* 복직, 재임, 재선.

rè·appórtion *vt.* …을 다시 배분[할당]하다 ; (의회의) 의석을 재배분하다. —— *vi.* 재배분하다. **~·ment** *n.*

rè·appráise *vt.* …을 재평가[재검토]하다.

rè·appráisal *n.* 재평가, 재검토.

***rear**[1] [ríər] *n.* **1** 뒤, 배후, 배면(부), (최)후부 : She followed them *in* the ~. 그녀는 뒤에서 그들을 따라갔다. **2** 〔軍〕 후위, 후미(↔*van*[2]) : We took[attacked] the enemy *in* (the) ~. 우리는 적의 배후를 공격했다. **3** 《口》 궁둥이(buttocks) ; 《英口》 변소.

at*[*in*] *the rear of …의 배후에, (집 따위)의 뒤에(↔*in front of*) : a room *in the* ~ *of* a shop 가게 뒤쪽에 있는 방.

bring up the rear 후위를 맡아 보다.

go to the rear 배후로 돌다.

hang on the rear of... (기회만 있으면 공격하려고) 적의 뒤를 따라 다니다.

—— *a.* 후방의(↔*frontal*) : the ~ gate 뒷문 / a ~ rank 후열(後列) / ~ service 후방 근무.

—— *adv.* 후방에, 후방에서.

〚? *rear*ward or *rear*guard ; cf. VAN[2]〛

***rear**[2] *vt.* **1** 《文語》 들어 올리다, 곧추 세우다, 일으키다, 솟게 하다 : The mountains ~*ed* their crests into the clouds. 산봉우리들은 구름사이로 우뚝 솟아 있었다. **2** 《文語》 세우다, 짓다 ; (목소리 따위를) 내다, 높이다 ; (말을) 뒷발로 서게 하다 : There they ~*ed* a monument in his memory. 그들은 그곳에 그를 기념하여 비를 세웠다. **3** 기르다 ; 재배하다 ; 양육하다, 교육시키다(cf. RAISE 9) : ~ cattle[poultry] 소[닭]를 사육하다 / ~ one's children[a family] 아이[가족]를 기르다[부양하다]. —— *vi.* (말 따위가) 뒷발로 서다 ; 자리를 박차고 일어나다 ; 《文語》 솟다 ; 《方》 드러나다.

rear* one*'s*[it*'s*] *head 머리를 쳐들다 ; 《비유》 (나쁜 생각 따위가) 고개를 쳐들다, (사람이) 두각을 나타내다 : The snake ~*ed its head.* 뱀이 대가리를 쳐들었다 / Sin again ~*ed its* ugly *head.* 죄악은 다시 그 추한 머리를 쳐들었다. 〚OE *rǣran*<Gmc. (caus.) 〈《美》 *reisan* to raise〛

réar ádmiral *n.* 해군 소장.

réar énd *n.* 후부, 후미 ; 《口》 궁둥이(buttocks).

réar-énd *a.* 후미의, 후부의(↔*head-on*) : a ~ collision (열차 따위의) 추돌(追突).

réar·er *n.* **1** 양육자, 사육자, 재배자. **2** (뒷발로)

일어서는 버릇이 있는 말.
réar·guàrd *a.* (우세한 것에 대해) 저항[저지]하는, 지연시키는 : fight a ~ action 지연 작전을 펴다, 연명(延命) 공작을 하다《후미부대가 아군의 퇴각을 돕기 위해 적군과 교전하는 데서》.
réar guárd *n.* 〖軍〗 후위(rear) (↔*vanguard*) ; (정당 따위의) 보수파.
〚F *rereg(u)arde*〛
réar líght[lámp] *n.* (자동차의) 미등(尾燈).
re·árm *vt.* 재무장시키다, 재군비시키다 ; …에 신무기를 갖추다(cf. DISARM). —— *vi.* 재무장[재군비]하다 ; 신무기로 무장하다.
re·ármament *n.* 재(再)무장, 재(再)군비(cf. DISARMAMENT).
réar mírror *n.* =REARVIEW MIRROR.
réar·mòst *a.* 최후미의, 최후의.
rè·arránge *vt.* 다시 정리[정렬]하다 ; 다시 배열하다 ; (사람 등을) 재배치하다 ; …의 일시를 재지정하다. —— *vi.* 〖化〗 전위(轉位)하다.
~·ment *n.*
réar síght *n.* (총의) 뒤쪽 가늠자.
réar vással *n.* 배신(陪臣), 가신(家臣).
réar·vìew mírror *n.* (자동차의) 뒤 살핌 거울.
réar-vìsion mírror *n.* =REARVIEW MIRROR.
réar·ward *a.* 후미의, 맨 뒤의. —— *adv.* 후방에[으로], 배후에[로]. ——《古》 *n.* 후방, 후부 ; 〖軍〗 후위 : *in*[*at*] the ~ 후부에, 후위에.
〚AF *rerewarde*=*rearguard*〛
réar·wards *adv.* =REARWARD.
réar-whéel drìve *n.* 〖自動車〗 후륜구동.
rè·ascénd *vi.*, *vt.* 다시 오르다, 재상승하다.
rè·ascénsion, rè·ascént *n.* 다시 오르기, 재상승.
◇**rea·son** [ríːzn] *n.* **1** Ⓤ 추리력, 판단력, 이성, 이지(理智) : His ~ failed him. 그는 이성에 따른 행동을 하지 못했다.
2 Ⓤ 도리, 이치 : bring a person to ~ 남에게 도리를 깨닫게 하다 / hear[listen to] ~ 도리에 따르다, 남의 말을 잘 알아듣다 / speak[talk] ~ 지당한 말을 하다 / There is ~ in what you say. 네가 말하는 것에도 일리가 있다 / We have ~ on our side. 우리 쪽이 정당하다.
3 Ⓤ,Ⓒ [+前+do*ing* / + *to* do / + *that* 節] 이유, 까닭(cause), 동기 ; 변명, 충분한 이유 : What is the ~ ***for*** his absence? 그가 결석한 이유는 뭔가요 / He gave a ~ *for* it. 그 이유를 말했다 / She had her own ~*s for* com*ing* here. 이곳에 온 데는 그녀 나름의 이유가 있었다 / There is (every) ~ *for* their be*ing* displeased. 그들의 감정이 상해있는 데는 (그럴만한) 이유가 있다 / That was the ~ ***of*** my leav*ing* England. 그런 까닭으로 나는 영국을 떠났다 / You can tell the ~*s why* it is warmer in summer and colder in winter. 여름은 덥고 겨울은 추운 이유를 알 수 있겠지 / I see no ~ *why* they *should* not make a happy couple. 그들 두 사람이 행복한 부부가 될 수 없다는 이유를 모르겠다 / The ~ *why* he hesitates is that.... 그가 망설이고 있는 까닭은 …때문이다 (☞ 活用) / There is ~ *to* believe that he is dishonest. 그가 정직하지 못하다고 믿을 만한 까닭이 있다 / *For* some ~, the winter seemed long this year. 무슨 까닭인지 올해는 겨울이 긴 것 같았다 / He resigned *for* no other ~ than this. 단지 이런 이유로 사직했다 / The meeting was held over *for* the simple ~ *that* the chairman was ill. 그 모임은 의장이 병이 났다는 이유만으로 연기되었다.

> **reason을 이용한 전형적 구문**
> The reason *for* her absence was *that* she was ill.
> → The reason *why* she was absent was *that* she was ill.
> (그녀가 결석한 것은 병이 났기 때문이다.)
> ☆ why는 생략될 수도 있다. that 대신에 because를 써서 The reason...is *because* she was ill.이란 형식도 쓸 수 있으나 that을 써야만 할 때도 있다.

4 Ⓤ 제정신, 사려, 분별 : lose one's ~ 미치다 / be restored to ~ 제정신이 들다.
5 〖論〗 논거 ; 〖論〗 전제(premise), (특히) 소전제 ; 〖哲〗 이성.
***as reason is*[*was*]** 양식(良識)에 따라.
by reason of …의 이유에서, …때문에 : The business failed *by* ~ *of* mismanagement. 그 사업은 그릇된 경영 때문에 실패했다.
in reason 도리상 ; 무리가 아닌, 올바른 : Whatever he does or says is *in* ~. 그가 행동하는 것이나 말하는 것은 모두 이치에 맞는다.
neither rhyme nor reason*=*without rhyme or reason ☞ RHYME *n.*
reasons of state 국가적인 이유《흔히 정치가의 구실》.
stand to reason that …은 당연하다, …은 도리에 맞다 : It *stands to* ~ *that* I should decline the offer. 그 제의를 거절하는 것은 당연하다.
the woman's reason 여자의 (당치도 않은) 논리《I love him because I love him. 따위》.
with reason (…하는 것도) 당연하게, 무리가 아니게(rightly) : He complains *with* ~. 그가 불평을 하는 것도 무리는 아니다.
—— *vi.* **1** [動 / +前+名] 추리[추론]하다, 판단을 내리다 : You should not ~ ***from*** false premises. 그릇된 전제하에서 추론해서는 안된다.
2 [+前+名] 설복하다, 이치를 설명하다 ; 논하다, 담론하다 : I tried to ~ ***with*** him ***about*** the advantages of entering a university. 그에게 대학에 입학하는 것이 유리하다는 점을 납득시키려고 애썼다 / To ~ ***on*** such a subject is of little use. 이와같은 문제에 대해서 논하는 것은 그다지 도움이 되지 않는다. —— *vt.* **1** [+目 / + *that* 節 / + *wh.* 節] 논하다, 논증(論證)[논단]하다 : His argument is well ~*ed*. 그의 논의는 논리 정연하다 / He ~*ed that* this would be the best way for us to take. 이것이 우리가 취해야 할 최선의 길이라고 설득했다 / I will ~ *why* you are wrong. 왜 네가 틀렸는가를 논증하겠다. **2** [+目+副] 이론적으로 생각해내다 : Man is the only animal that can ~ ***out*** his problems. 인간은 자신의 문제를 이론적으로 해결할 수 있는 유일한 동물이다. **3** [+目+前+名] 논의하여 …을 설득하다 : He tried to ~ me ***out of*** my obstinacy. 그는 나를 설득하여 나의 고집을 꺾으려고 했다.
〚OF<L RATIO=reason, computation〛
活用 That was the *reason* of my leaving England[the *reason* that I left England]. 는 That was *why*[*the reason*] I left England. 로도 표현할 수 있으나, That was *the reason why* I left England.처럼 the reason why가 This is, That is 따위에 계속되어 쓰이는 것은 관례가 아님 ; 또한 *The reason why* he hesitates is *that*....의 구문은 《口》에서는 접속사 that 대신

에 because가 쓰이는 수도 있다. ☞ BECAUSE 活用 (2), WHY 活用 (3).
類義語 (1) (*n.*) ⟹ CAUSE.
(2) (*v.*) ⟹ THINK.

***réason·able** *a.* **1** 사리를 아는, 분별있는 ; 《稀》 이성적인. **2** 도리에 맞는, 합리적인, 조리있는, 정당한 ; 온당한, 적당한, (가격 따위) 비싸지 않은 ; (기부 따위가) 응분의. **~·ness** *n.*
類義語 ⟹ RATIONAL.

réasonable áccess rùles *n. pl.* 《美》 정당한 액세스 규칙《(정견발표 따위의) 매스미디어 이용권을 고의로 방해한 방송 회사에 대한 처벌 규정 ; cf. FAIRNESS DOCTRINE》.

réason·ably *adv.* 합리적으로, 사리에 맞도록 ; 적절하게, 적당히, 무리하지 않게 ; 상당히, 꽤.

réa·soned *a.* 도리에 의거한, 사리에 맞는 ; 심사숙고한 ; 상세한 이유를 붙인.

réason·ing *n.* Ⓤ 추리, 추론 ; 이론 ; 논법 ; 추리력 ; 논거, 증명. —— *a.* 추리의 ; 이성적인 : a ~ creature 인간 / ~ power 추리력.

réason·less *a.* 사리를 모르는, 이치에 닿지 않는, 불합리한 ; (동물 따위) 이성이 없는.

rè·assémble *vt.* 다시 모으다 ; 새로 짜맞추다[조립하다]. —— *vi.* 다시 모이다.
rè·assémblage *n.* 재집합 ; 재조립.

rè·assért *vt.* 거듭 단언하다, 거듭 주장하다.
rè·assértion *n.* 재주장.

rè·asséss *vt.* 재평가하다 ; 재할당하다 ; 다시 과세[부과]하다. **~·ment** *n.*

rè·assígn *vt.* 다시 위탁하다 ; 재양도하다 ; (양도된 것을) 반환하다. **~·ment** *n.*

rè·assúme *vt.* (임무 따위를) 다시 떠맡다 ; (어떤 태도 따위를) 다시 취하다 ; 재가정(再假定)하다 ; 다시 시작하다.
rè·assúmption *n.* 되찾기 ; 재인수 ; 재가정 ; 재개시.

rè·assúrance *n.* **1** Ⓤ 안심, 안도감 ; 자신, 확신. **2** Ⓤ 재보증 ; 재보험.

rè·assúre *vt.* **1** …에게 원기를 회복시키다, (…하여) 안심시키다 : All the passengers were ~*d* by the captain's confidence during the storm. 폭풍우 중에 선장이 보인 침착한 태도에 승객들은 모두 안심하였다. **2** 재보증하다 ; 《英》 …에 재보험을 들다.

〈회화〉
I feel *reassured* with you here. — Don't worry. Everything will be O.K. 「당신이 여기 계시니 안심이 되요」「걱정 마세요. 다 잘 될거예요」

rè·assúring *a.* 안심시키는, 힘을 북돋우는, 마음 든든한(encouraging), 위안을 주는. **~·ly** *adv.*

Reaum., Réaum. Réaumur.

Re·au·mur, Ré- [rèioumjúər, reióumər, -mjuər] *a.* 열씨(列氏) 눈금(= ∼ **scále**)의《물의 끓는점을 80°, 어는점을 0°로 함 ; 略 R》.
〖René A. Ferchault de *Réaumur* (d. 1757) 프랑스의 물리학자〗

reave[1] [ríːv] *v.* 《古》 (**~d, reft** [réft]) *vt.* **1** 약탈하다 ; [+目+前+名] [보통 *p. p.* 로] …에게서 빼앗다(bereave) : parents *reft* ***of*** their children 자식을 잃은 부모. **2** 강탈하다, 가져가다〈*away, from*〉, 훔치다. —— *vi.* 빼앗다.
〖OE *rēafian* ; cf. G *rauben*〗

reave[2] *vt.* (**~d, reft** [réft]) 《古》 찢다, 끊다.
〖? *reave*[1] and ON *rifa* to RIVE〗

rè·awáke *vt., vi.* 다시 깨우다[깨다].

rè·awáken *vt., vi.* 다시 각성시키다[하다].

reb [réb] *n.* [흔히 R~] 《美口》 남군(南軍) 군인. 〖*rebel*〗

REB 〖理〗 relativistic electron beam(상대론적 전자 빔).

Re·ba [ríːbə] *n.* 여자 이름.

rè·baptíze *vt.* 재세례하다 ; 다시 이름을 짓다.
re·báptism *n.* 재세례 ; 재명명.

re·bar·ba·tive [ribáːrbətiv] *a.* 《文語》 호감을 느낄 수 없는, 불쾌한.
〖F (*barbe* beard)〗

re·bate[1] [ríːbeit, ribéit] *vt.* **1** 할인하다 ; (지불한 금액의 일부를) 환불하다. **2** 《古》 감소시키다, 약화시키다 ; 《古》 (칼날 따위를) 무디게 하다.
—— *vi.* (관행으로) 환불을 하다.
—— *n.* 할인(discount) ; 환불, 리베이트 ; 감소 : You are allowed a ~ of $ 10. 당신은 10달러를 환불받게 됩니다.
〖OF *rabattre* (*re-*, ABATE)〗

re·bate[2] [rǽbət, ríːbeit] *n., v.* =RABBET.

re·bec, -beck [ríːbek, rébek] *n.* 레벡《중세·르네상스의 3현(絃) 찰현 악기》.

Re·bec·ca [ribékə] *n.* 여자 이름《애칭 Becky》.
〖Heb.=binding〗

Re·bek·ah [ribékə] *n.* **1** 여자 이름. **2** 〖聖〗 리브가《Isaac의 아내, Jacob과 Esau의 어머니 ; 창세기 24-27》. 〖↑〗

reb·el** [rébəl] *n.* 반역자, 반항자〈*against, to*〉 ; [흔히 R~] 《美》 반란군 병사《남북 전쟁의 남군 병사》 ; [흔히 R~] 《美口》 남부의 백인. —— *a.* 모반의, 반역의 ; 반도(叛徒)의 ; 반역적인, 반항적인 : the ~ army 반란군. —— [ribél] *vi.* (**-ll-**) **1** 모반하다, 반역하다 ; 반대[반항]하다 : The masses ~*led* ***against the government. 민중은 정부에 대하여 반란을 일으켰다. **2** [動/+前+名] 반감을 나타내다, 몹시 싫어하다 ; 화합하지 않다 : The boys ~*led* ***at*** hav*ing* to stay in on so fine a day. 아이들은 그렇게 좋은 날씨에 집안에 틀어박혀 있어야만 하는 것에 강한 반감을 나타냈다.
〖OF<L (*re-*, *bellum* war)〗

rébel·dom *n.* Ⓤ,Ⓒ [집합적으로] 반도 ; 반도의 제압 지역, 《美》 (특히 남북 전쟁 때의) 남부 연방 ; 반역 행위.

***re·bel·lion** [ribéljən] *n.* **1** 모반, 반란, 폭동 : the Great *R*~ 〖英史〗 (1642-60년의) 대반란. **2** Ⓤ (권력에 대한) 반항.
rise in rebellion 폭동을 일으키다.
〖OF<L=revolt (of those conquered) ; ⇨ REBEL〗
類義語 ***rebellion*** 확립된 권위·정권에 대해서 무장한 공공연한 저항. ***revolution*** 대규모의 rebellion에 의해서 구정부를 타도하고 신정부를 수립함 ; 일반적으로 사회적 대변혁을 단행함. ***insurrection*** rebellion보다 규모가 작고 조직이 약한 소동. ***revolt*** 충성을 저버리고 확립된 권위에 대해서 복종을 거부함《insurrection보다 소규모의 반항》. ***mutiny*** 병사, 특히 수병이 상관에게 하는 강력한 revolt. ***riot*** 작은 범위에 국한된 폭동《흔히 전반적인 rebellion으로 발전할 징조가 있는 것》.

re·bel·lious [ribéljəs] *a.* 반란의, 모반한 ; 반역심이 있는, 반항하는 ; (병이) 쉬 낫지 않는, 고질적인 ; (일이) 힘에 겨운 : ~ subjects 역신(逆臣) / a ~ temper 반항적인 기질 / ~ curls 컬이 금방 풀리는 머리.
~·ly *adv.* **~·ness** *n.*

rè·béllow *vt., vi.* 《詩》 (바람 따위가) 윙윙 되울리

다 ; 크게 반향하다〈*to*, *with*〉.

re·bínd *vt.* (**re·bóund**) 다시[고쳐] 묶다 ; 다시 제본하다.

re·bírth *n.* U,C 갱생 ; 재생 ; 부활.

re·blóom *vi.* 다시 피다 ; 되젊어지다.

reb·o·ant [rébouənt] *a.* 《詩》 울려 퍼지는, 하늘 높이 반향하는(reverberating).

re·bop [ríːbɑ̀p] *n.* =BEBOP.

re·bórn *a.* 다시 태어난, 재생한.

rebound[1] *v.* REBIND의 과거·과거분사.

re·bound[2] [ribáund] *vi.* **1** [動/+前+名] (공 따위가) 되튀다 ; 반향하다(reecho) ; 〖籠·하키〗 리바운드를 잡다 : The ball ~*ed* ***from*** the fence. 공이 담에서 되튀어왔다. **2** [+*upon*+名] (행동이 본인에게) 되돌아오다 : The evil he did ~*ed* ***upon*** him. 그가 저지른 악행은 그 자신에게 되돌아왔다. **3** 원래대로 되돌아가다, 회복하다.
—*vt.* 되튀기다, 튀어 돌아오게 하다 ; 반향시키다. —[ríːbàund, ribáund ; ribáund] *n.* **1** 되튐, 반발 ; 〖籠·하키〗 리바운드 ; 리바운드를 잡음. **2** 메아리, 산울림, 반향(echo) ; (감정 따위의) 반동. **3** 회복.
take [***catch***] a person ***on*** [***at***] ***the rebound*** 역(逆)감정을 이용하여 남에게 반대 행동을 취하게 하다.
〚OF *rebonder* ; ⇨ BOUND[2]〛

re·bo·zo, -so [ribóuzou, -sou] *n.* (*pl.* ~**s**) 레보조《스페인·멕시코 여성이 머리나 어깨에 두르는 긴 스카프》. 〚Am. Sp.〛

re·bránch *vi.* 재분지(再分枝)하다, 이차적으로 분기(分岐)하다.

re·bréather *n.* 산소 호흡기.

re·bróad·càst *vt.* (~, ~**ed**) 재방송하다 ; 중계 방송하다(relay). —*n.* 재방송 (프로그램) ; 중계방송 (프로그램).

re·buff [ribʌ́f] *n.* 거절, 퇴짜 ; 저지, (계획 따위의) 좌절. —*vt.* 거절하다 ; 저지하다.
〚OF<It.=a reprimand (*ri*- RE-, *buffo* puff, gust)〛

re·buíld *vt.* 재건축[개축]하다 ; 다시 짓다[조립하다](reconstruct).

re·buke [ribjúːk] *vt.* [+目/+目+前+名] 견책하다, 비난하다, 징계하다 ; 억제하다, 저지하다 : The teacher ~*d* his pupils ***for*** be*ing* lazy. 선생님은 학생들을 게으르다고 꾸짖었다. —*n.* U,C 견책, 비난 : give[receive] a ~ 견책하다[당하다] / without ~ 나무랄데 없이, 아무 결점 없이(blameless).
〚AF=to beat, cut down wood (*busche* log)〛
類義語 ⟹ SCOLD.

re·búry *vt.* 다시 파묻다, 개장(改葬)하다.

re·bus [ríːbəs] *n.* 수수께끼 그림, 그림 찾기.
〚F<L *rebus* (abl. pl.) 〈*res* thing〛

re·but [ribʌ́t] *v.* (**-tt-**) *vt.* 물리치다, 퇴박하다 ; 반박하다 ; 〖法〗 논박[반박]하다, …의 반증을 들다 : ~ an argument 논거(論據)를 반박하다 / ~*ting* evidence 반증. —*vi.* 반증을 들다.
~**·ment** *n.* 〚AF *rebuter* ; ⇨ BUTT[4]〛

re·bút·tal *n.* 〖法〗 원고의 반박 ; 반증(의 제출).

re·bút·ter[1] *n.* 반박자(者) ; 반증, 반론.

rebutter[2] *n.* 〖法〗 (피고측의) 제 3 답변.

rec [rék] *n.* [흔히 복합어로 형용사적으로 쓰여] = RECREATION.

rec. receipt ; received ; receptacle ; recipe ; record(er) ; recorded ; recording ; recreation.

re·cal·ci·trant [rikǽlsətrənt] *a.* 완강히 저항하는, 반항적인 ; 다루기 어려운, 조작이 까다로운 ; 〖醫〗 (치료에 대하여) 불응성인.
—*n.* 고집 불통인 사람, 반항자.
re·cál·ci·trance, -cy *n.* 고집 불통, 반항.
〚L *recalcitro* to kick out (*calc*- *calx* heel)〛

re·cal·ci·trate [rikǽlsətrèit] *vi.* 완강히 반항[저항]하다〈*against*, *at*〉 ; 고집부리다 ; 되걷어차다, 몹시 싫어하다. **re·càl·ci·trá·tion** *n.* (완강한) 반항 ; 고집부림 ; 혐오.

re·ca·lesce [rìːkəlés] *vi.* 〖化〗 재휘(再輝)하다, 재열(再熱)하다《냉각되어 가는 탄소강이 일정온도에 달하여 발열함》.

re·call** [rikɔ́ːl] *vt.* **1** 되부르다 ; (대사를) 소환[파면]하다 ; 《美》 (공직에 있는 사람을) 리콜하다 ; (결함 상품을) 회수하다 : The Japanese ambassador has been ~*ed*. 일본 대사는 소환되었다. **2** (명령·앞서 말한 것을) 취소하다, 철회하다. **3** [+目/+目+*to*+名/+do*ing*/+*wh*.節/+*that* 節] 생각해내다, 상기(想起)시키다 : The story ~*ed* old faces ***to my mind. 그 이야기는 나의 마음속에 옛 친구들의 얼굴을 상기시켰다 / I ~*ed* hav*ing* met him before. 그 사람을 전에 만난 일이 생각났다 / I cannot ~ *what* was said then. 그때 무슨 말을 했는지 생각나지 않는다 / I do ~ *that* I put the book on a shelf. 분명히 그 책을 선반 위에 둔 것을 기억하고 있다. **4** 《詩》 소생시키다〈*to* life〉 ; 부활시키다. —[, ríːkɔ̀ːl] *n.* **1** U,C 되부름 ; (대사 등의) 소환 ; 《美》 리콜《일반 투표에 의한 공직자의 해임(권)》 ; (결함 상품의) 회수. **2** U 회상, 상기. **3** U 취소 ; 철회. **4** [the ~] 〖軍〗 (나팔·북 따위의) 재집합 신호소리 ; 〖海〗 소정(召艇)신호. **5** 〖컴퓨〗 되부르기.
beyond [***past***] ***recall*** 생각이 나지 않는 ; 돌이킬 수 없는.
re·cáll·able *a.* recall할 수 있는.
類義語 ⟹ REMEMBER.

rè·canalizátion *n.* 〖醫〗 (혈관·정관(精管) 따위의) 재소통(再疎通).

re·cant [rikǽ(ː)nt] *vt.* (신앙·주장 따위를) 취소하다, 철회하다, 고치다. —*vi.* 자기 주장을 취소하다 : The torturers could not make the man ~. 고문자들은 그 사람의 주장을 철회하게 할 수가 없었다. **re·can·ta·tion** [rìːkæ(ː)ntéiʃən] *n.* 취소, 철회, 변설(變說).
〚L *re*-(*canto* to sing, CHANT)=to revoke〛

re·cáp[1] *vt.* …에게 다시 모자를 씌우다 ; …에게 새 모자를 씌우다 ; 《美》 (타이어를) 재생시키다(cf. RETREAD). —[⌐⌐] *n.* 재생 타이어.

ré·càp[2] *n.* 《口》 =RECAPITULATION.
—[, rikǽp] *vt.*, *vi.* =RECAPITULATE.

re·càpital·izátion *n.* U 자본 재구성.

re·cápital·ìze *vt.* (…의) 자본 구성을 바꾸다.

rè·capítulate *vt.*, *vi.* (…의) 요점을 되풀이하다, 요약하다(summarize) ; 〖生〗 발달 단계를 반복하다 ; 〖樂〗 (제시부를) 재현(再現)하다.
rè·capítulator *n.* 요약자. 〚L ; ⇨ CAPITAL〛

rè·capitulátion *n.* U,C **1** 요점의 반복 ; 개괄, 요약. **2** 〖生〗 발생 반복 ; 〖樂〗 (소나타 형식의) 재현부. **rè·ca·pít·u·là·tive, rè·ca·pít·u·la·tò·ry** [; -təri] *a.* 요약적인.

re·cáption *n.* 〖法〗 (부당하게 빼앗긴 물건을) 자력으로 되찾기.

re·cápture *vt.* 탈환하다, 되찾다 ; (어떤 감정 등을) 불러일으키다 ; 《美》 (특히 공익사업 회사의 일정액 이상의 수익을) 징집하다. —*n.* U 탈환, 회복 ; 《美》 (정부에 의한 수익 일부의) 징집, 초과세 ; C 되찾은 물건[사람].

re·cást *vt.* **1** 개주(改鑄)하다, 다시 주조하다 : ~

a bell[gun] 종[총]을 다시 주조하다. **2** 다시 쓰다[만들다]; 다시 계산하다: ~ a sentence [chapter] 문장[장]을 다시 쓰다. **3** (연극에서) …의 배역을 바꾸다. —— [ˊˊ, -ˊ; ˊˊ] *n.* 개주(물); 개작(改作)(품); 다시 계산함; 배역 변경.

rec·ce [réki] *n.* 《軍口》 =RECONNAISSANCE. —— *vt., vi.* =RECONNOITER.

recd., rec'd. received.

re·cede**[1] [risíːd] *vi.* **1** [動/+*from*+名] 물러나다, 후퇴하다, 멀어지다: The tide was *receding.* 조수가 빠지고 있었다 / The coast slowly ~*d* (from*** the ship). 해안이 서서히 (배에서) 멀어져 갔다. **2** [動/+*from*+名] 움푹 들어가다, 뒤쪽으로 기울다: The cliff ~*s* abruptly ***from*** its base upward. 벼랑은 아래서 위로 감에 따라 심하게 움푹 패여 있다《가파르게 경사져 있다》/ He has a *receding* chin[forehead]. 그는 턱이 쏙 들어가 있다[이마가 홀렁 벗겨져 있다]. **3** [+前+名] (계약 따위에서) 손을 떼다, (약속 따위를) 취소하다: He ~*d* ***from*** the bargain. 그 계약에서 손을 뗐다. **4** 감퇴[축소]하다; (가치·품질 따위가) 감소하다, 떨어지다; (기억 따위가) 희미해지다: The prices have much ~*d.* 물가가 많이 떨어졌다.
〖L *re*-(*cess*- *cedo* to CEDE)〗

re·cède[2] *vt.* (본래의 소유자에게) 반환하다.
〖*re*-, CEDE〗

re·céd·ing cólor *n.* 후퇴색《청·녹·자색 따위》.

***re·ceipt** [risíːt] *n.* **1** Ⓤ 수령, 영수; 수령한 물건; [보통 *pl.*] 수령액. **2** 영수증, 인수증. **3** 《古》 =RECIPE.
be in receipt of . . . 《商》 …을 받다: I *am in* ~ *of* your letter dated.... (…)날짜에 보내신 편지는 잘 받았습니다.
on* (*the*) *receipt of …을 받는대로 곧.

〈회화〉
I want to exchange this sweater. There's a hole in it.—Do you have your *receipt*? 「이 스웨터를 교환하고 싶은데요. 구멍이 났어요」「영수증 가지고 계십니까」

—— *vt.* (계산서에) 영수필(Received)이라 쓰다, 영수증을 떼다. —— *vi.* 《美》 영수증을 떼다〈*for*〉.
〖AF *receite*<L (p.p.) ‹RECEIVE; -*p*-는 L을 모방한 삽입〗

recéipt bòok *n.* 수령 대장.

re·céipt·or *n.* 수령인; 《美法》 압류물 보관인.

recéipt stàmp *n.* 수입 인지.

re·céiv·able *a.* **1** 받을 수 있는; 받아야 할(↔ *payable*): bills ~ 받을 어음. **2** 믿을 만한: a ~ certificate 신용할 수 있는 증명서. —— *n.* [*pl.*] 받을 계산[어음].

‡**re·ceive** [risíːv] *vt.* **1** [+目/+目+前+名] 수령하다, 받다, 얻다: ~ the sacraments 성찬을 받다 / ~ (Holy) Communion 성체(聖體)를 배령(拜領)하다 / I have ~*d* your letter. 당신의 편지를 받았습니다 / He ~*d* a telegram ***from*** home yesterday. 그는 어제 고향에서 온 전보를 받았다.
2 (신청 따위를) 접수하다, 수리(受理)하다: ~ gifts 선물을 받아들이다.
3 경험하다, 겪다, 받다: She ~*d* sympathy[a warm welcome]. 그녀는 동정[따뜻한 환영]을 받았다 / He ~*d* a severe beating. 그는 모진 매를 맞았다.
4 (힘·무게·적 등을) 막아[받아]내다, 지탱하다; 수용하다: The boat was large enough to ~ ten men. 그 보트는 열 사람을 충분히 태울 수 있는 크기였다.
5 [+目+前+名] 맞아들이다, 환영하다, 접견하다: The new couple were cordially ~*d.* 그 신혼부부는 따뜻하게 환영받았다 / We were ~*d* ***into*** the church. 우리는 교회의 일원으로 받아들여졌다.
6 [+目/+目+*as* 補] 이해하다; 믿다, 용인하다, 받아들이다: ~ new ideas 새로운 사상을 이해하다 / The theory has been widely ~*d.* 그 학설은 널리 받아들여졌다 / I ~ it *as* certain. 그것을 확실하다고 믿고 있다.
7 (훔친 물건을) 사들이다, 고매(故買)하다: ~ stolen goods 훔친 물건을 사들이다.
8 (고백·충고 따위를) 들어주다, 받다, 듣다.
9 (테니스 따위에서) (서브를) 받아 치다, 리시브하다(cf. SERVE *vt.* 9).
10 《通信》 (전파를) 수신하다, 청취하다.
—— *vi.* **1** 받아들이다; 성찬을 받다, 성체(聖體)를 배령하다(take Communion). **2** 응접하다, 방문을 받다: He is not *receiving* today. 오늘은 남과 만나지 않는다[면회를 사절한다]. **3** 《通信》 수신[수상(受像)]하다, 청취하다. **4** (테니스 따위에서) 리시브하다(cf. SERVE).
〖OF<L *re*-(*cept*- *cipio*=*capio* to take)=to get back again〗

類義語 ***receive*** 주어진[배분된] 것, 제공된 것을 받아들이다; 받는 사람의 동의·승낙의 유무에는 관계없음: *receive* a letter (편지를 받다). ***accept*** 기꺼이[호의적으로] 받아들이다; 때때로 마지못해 받아들이는 것도 나타냄: *accept* a proposal[an offer] (제의를 받아들이다). ***admit*** 받는 사람의 허가·승낙·양보를 나타냄: We'll *admit* him in our club. (그를 우리 클럽에 넣어주겠다). ***take*** 《口》 주어진 것, 증정된 것을 받다: He didn't *take* my money [present]. (그는 내 돈[선물]을 받지 않았다).

re·céived *a.* 받아들여진, 믿어지고 있는, 용인된: a ~ text 표준판 / the ~ view[opinion] 일반에게 용인된 의견.

Recéived Pronunciátion *n.* 표준 발음《영국의 음성학자 Daniel Jones의 용어로 Received Standard의 발음; 略 RP》.

Recéived Stándard (Énglish) *n.* 공인 표준 영어《영국의 public school, Oxford, Cambridge 대학과 널리 교양인 사이에서 쓰이는 영어》.

***re·céiv·er** *n.* **1** 수취인, 수령인. **2** 수납담당자. **3** 접대자. **4** 《法》 (파산) 관재인(管財人), (계쟁(係爭) 재산) 수탁 관리자, 수익 관리인. **5** (테니스 따위의) 리시버(striker) (cf. SERVER); 응전자(應戰者). **6** 장물 취득자. **7** 그릇, …받이, 가스탱크; 《化》 (증류기에서 나오는 액체를) 받는 그릇. **8** 수신기(receiving set), 수화기, 리시버(↔ *sender*), (텔레비전의) 수상기. **9** 《컴퓨》 받음기, 수신기.

recéiver géneral *n.* (*pl.* **recéivers géneral**) (Massachusetts 주의) 세입 징수관, 조세청장.

recéiver·shìp *n.* 《法》 관재인의 직[임기]; 재산 관리를 맡기.

re·céiv·ing *a.* 받아들이는; 환영의; 수신의: a ~ aerial[antenna] 수신 안테나. —— *n.* Ⓤ 수취; (장물의) 취득.

recéiving blànket *n.* 목욕을 시킨 후 아기를 싸는 담요.

recéiving énd *n.* 받는 쪽; 싫어도 받아들여야 하는 사람, 희생자; 《野俗》 포수의 수비위치.
be at*[*on*] *the receiving end 받는 쪽이다;

공격의 대상이 되다, (…으로) 싫은 생각을 하고 있다〈*of*〉.

recéiving lìne *n.* (무도회·리셉션 따위에서) 손님을 영접하는 주최자들의 늘어선 열(列).

recéiving òrder *n.* 《英》 (파산(破産) 재산의) 관리 명령(서).

recéiving sèt *n.* 수신[수상]기.

recéiving shìp *n.* 〖海軍〗 신병 연습함.

recéiving stàtion *n.* 수신소[국].

re·cen·cy [ríːsənsi] *n.* 최신, 새로움, 새로운 것.

re·cen·sion [risénʃən] *n.* 교정(校訂) ; 교정본, 개정판.

‡**re·cent** [ríːsənt] *a.* 요즘의, 최근의(late), 새로운(modern) ; [R~] 〖地質〗 현세의 : The school system has changed a great deal in ~ years. 학교 제도가 근래에 크게 바뀌었다. ── *n.* [the R~] 〖地質〗 현세(Holocene). **~·ness** *n.* 〚F or L *recent- recens*〛

‡**récent·ly** *adv.* 최근에, 요즘, 근래에(cf. LATELY) : He has ~ returned home from Europe. 최근에 유럽에서 귀국했다 / I did not know it until quite ~. 아주 최근까지지도 몰랐다.

re·cep·ta·cle [riséptikəl] *n.* **1** 용기 ; 두는 곳, 저장소 ; 피난소. **2** 〖植〗 꽃받침. **3** 〖電〗 소켓, 콘센트. 〚OF or L ; ⇨ RECEIVE〛

re·cep·ti·ble [riséptəbəl] *a.* 받을 수 있는, 수용할 수 있는.

***re·cep·tion** [risépʃən] *n.* **1** Ⓤ 수취, 수령, 수리 ; 수용. **2 a)** 응접, 접견, 접대 ; 환대 ; 환영회, 리셉션 ; 응접실, 접견실 ; 대합실 ; 《英》 (호텔·회사 따위의) 접수처 : hold a ~ 환영회를 열다〈*for*〉/ a warm ~ 열렬한 환영 ; 《反語》 거센 저항 / a wedding ~ 결혼 피로연. **b)** Ⓤ 입회허가, 입회, 가입. **c)** 《英》 유아학교(infant school)의 일학년의 학급 ; 《英》 이주민을 위한 학급. **3** 평판 : have a favorable ~ 호평을 받다. **4** Ⓤ (새 학설 따위의) 용인, 승인. **5** Ⓤ (지식의) 수용(력) ; 감수, 감득. **6** Ⓤ 〖通信〗 접수, 청취(상태), 수신(율) ; 수신[수상]력.

a reception committee 접대위원.

〚OF or L ; ⇨ RECEIVE〛

recéption cènter *n.* (피난민·무주택자·신병 등의) 수용 센터.

recéption clèrk *n.* 《英》 (호텔의) 접수원, 객실 예약 담당자.

recéption dày *n.* 면회일.

recéption dèsk *n.* (호텔의) 접수처.

recéption·ist *n.* 접수원, 접대원.

recéption òrder *n.* 《英》 (정신 이상자의) 수용 명령(命令).

recéption ròom[**hàll**] *n.* 응접실, 접견실 ; 대기실, 대합실 ; 거실《부동산업자의 용어》.

re·cep·tive [riséptiv] *a.* (사상 따위를) 받아들이는, 수용적인, 감수성[이해력]이 예민한 ; 감각 기관의. **~·ly** *adv.* **~·ness** *n.*

re·cep·tiv·i·ty [rìːseptívəti] *n.* Ⓤ 수용[감수]성, 이해력 ; 감수성이 예민함.

re·cep·tor [riséptər] *n.* 〖生理〗 수용기(受容器), 감각기관(sense organ) ; 〖生化〗 수용체.

re·cep·to·rol·o·gy [risèptərálədʒi] *n.* 수용체학(受容體學), 수용 기관학.

recéptor sìte *n.* 〖生化〗 (세포 중의) 수용기[체] 부위.

rè·certificátion *n.* 증명(서)의 갱신(제도).

***re·cess** [ríːses, risés] *n.* **1** 휴게, 휴식 ; (의회의) 휴회 ; 《美》 (법정의) 휴정 ; 《美》 (대학의) 휴가 ; 《美》 (학교의) 휴식시간. **2** 은거지 ; [*pl.*] 깊숙한 곳, 구석 ; 심오 : in the in(ner)most ~*es* of the soul[heart] 마음 속 깊은 곳에(서는). **3** (산맥·해안선 따위의) 후미진 곳 ; 벽의 움푹 들어간 곳, 벽감(niche), 반침(alcove). **4** 〖解〗 (기관의) 와(窩), 오목하게 들어간 곳. **5** 후퇴.

at recess 휴식시간에.

during recess 휴식시간 중에.

go into recess 휴회하다.

in recess 휴회[휴정(休廷)] 중에.

── *vt.* 오목한 곳[벽감·반침 따위]에 두다[숨기다] ; 《美》 중단하다 ; …에 오목한 곳[벽감]을 만들다. ── *vi.* 《美》 휴회[휴정]하다(adjourn), 휴교하다. 〚L ; ⇨ RECEDE[1]〛

re·ces·sion[1] [riséʃən] *n.* **1** Ⓤ 퇴거, 후퇴 ; (예배 후의) 퇴장(의 줄). **2** 후미진 곳, 오목한 곳, 쑥 들어간 곳. **3** (일시적인) 경기침체, 경기 후퇴(slump). **recéssion·àry** [; -əri] *a.* 경기 후퇴의. 〚↑〛

re·céssion[2] *n.* Ⓤ (점령지의) 반환. 〚RECEDE[2]〛

recéssion·al *a.* **1** 퇴거의, 퇴장의. **2** 《美》 (의회가) 휴회 중인 ; 《美》 휴정(休廷)의 ; 휴가의.

── *n.* 퇴장할 때 부르는 찬송가(= ~ **hỳmn**) ; (예배 후의) 퇴장(의 줄).

re·ces·sive [risésiv] *a.* 퇴행(退行)의, 역행의 ; 〖遺〗 열성의(cf. DOMINANT) : a ~ character 열성형질(形質). ── *n.* 〖遺〗 열성형질.

recéssive áccent *n.* 〖音聲〗 역행(逆行) 악센트 《cigarétte → cígarette 처럼 단어의 악센트가 뒤에서 앞으로 이동함》.

Rech·ab·ite [rékəbàit] *n.* 〖聖〗 레갑인(人) 《황야에서 텐트생활을 하고 음주를 하지 않았음 ; 예레미야 35 : 2-19》 ; 금주가, 금주회원《특히 1835년 영국에서 결성된 금주회 Independent Order of ~s의 회원》 ; 텐트 생활자.

re·chárge *vt.* 재충전하다 ; 재장전하다 ; 재고발하다 ; 재습격하다 ; 역습하다. ── [, ríː-] *n.* 재습격 ; 역습 ; 재장전 ; 재충전.

re·chárter *n.* (선박 따위의) 재계약 ; (지점 따위의) 신규 (설립) 허가. ── *vt.* 재계약하다 ; (지점 따위의) 신규 설립을 허가하다.

ré·chauf·fé [rèiʃouféi, -- ; riʃóufei ; *F* reʃofe] *n.* 〖料〗 다시 데운[찐·삶은] 음식 ; (문장·소설 따위의) 재탕. ── *a.* 다시 데운 ; 재탕한.

re·chéck *vt.* 다시 대조하다.

re·cher·ché [rəʃeərʃéi, -- ; *F* rəʃɛrʃe] *a.* (식사·언어 따위가) 공들인, 세련된, 훌륭한 ; 정선된(choice). 〚F (p.p.) ‹ *re-*(*chercher* to seek) = to make thorough search for〛

re·chrísten *vt.* 다시 명명하다, 새 이름을 붙이다.

re·cid·i·vism [risídəvìzəm] *n.* 〖法〗 상습적 범행, 누범(累犯) ; 〖精神醫〗 상습성, 누범성.

re·cid·i·vist [risídəvəst] *n., a.* 〖法〗 상습범(의).

re·cid·i·vous [risídəvəs] *a.* 죄를 거듭 저지르기 쉬운 ; 상습범적인.

〚F＜L *recidivus* falling back ; ⇨ RECEDE[1]〛

recip. reciprocal ; reciprocity.

***rec·i·pe** [résəpìː ; -pi] *n.* **1** (요리의) 조리법, (음료의) 제조법〈*for*〉. **2** 비결, 비법, 비방〈*for*〉. **3** 처방(전) (prescription).

〚L (2nd sg. impv.) ‹ *recipio* to RECEIVE〛

re·cip·i·ent [risípiənt] *n.* 수납자, 수취인 ; 수혈자 ; 용기(容器). ── *a.* 수령하는, 수용하는 ; (사상·인상(印象) 따위를) 잘 받아들이는, 감수성이 있는.

re·cíp·i·ence, -en·cy *n.* 수령, 수납 ; 수용성, 감수성. 〚F＜It. or L ; ⇨ RECEIVE〛

re·cip·ro·cal [risíprəkəl] *a.* **1 a)** 상호의, 서로간

의 ; 호혜적인 : ~ help 상호부조 / ~ love 서로 사랑함 / a ~ treaty 호혜조약. **b**) 〔文法〕 상호 관계의 ; 〔遺〕 상반의, 상호의, 교환적인. **2** 보복의, 보답의, 대상적(代償的)인. **3** 상반하는 ; 〔數〕 상반된, 반대[역]의 ; 〔論〕 환용(換用)할 수 있는 : ~ proportion 〔數〕 반비례. ── *n.* 〔數〕 역수. **~·ly** *adv.* 상호간에, 호혜적으로.
〖L *reciprocus* moving to and fro (*re-* back, *pro* forward)〗
類義語 ⟹ MUTUAL.

recíprocal prónoun *n.* 〔文法〕 상호 대명사 《each other, one another 따위》.

recíprocal tráde *n.* 호혜 무역[통상].

recíprocal translocátion *n.* 〔遺〕 상호[교환] 전좌(轉座) 《서로 같지 않은 두 염색체가 서로 일부분을 교환하는 일》.

re·cip·ro·cate [risíprəkèit] *vt.* **1** 교환하다, 주고받다 ; …에 보답하다, 답례하다 : He ~*d* her affection. 그는 그녀와 서로 애정을 주고 받았다. **2** 〔機〕 왕복 운동을 시키다. ── *vi.* **1** [動 / + 前+名] 보답하다, 답례하다 : To every attack he ~*d* ***with*** a blow. 공격을 받을 때마다 그도 되받아쳤다. **2** 〔機〕 왕복 운동을 하다 : *reciprocating* motion 왕복 운동. **3** 일치하다, 상당하다.
re·cíp·ro·cà·tor *n.* 답례자 ; 〔機〕 왕복 기관.

re·cíp·ro·càt·ing èngine *n.* 〔機〕 왕복 기관.

re·cip·ro·ca·tion [risìprəkéiʃən] *n.* **1** Ⓤ 교환 ; 보복, 앙갚음. **2** Ⓤ 〔機〕 왕복운동 ; 일치, 대응.

rec·i·proc·i·ty [rèsəprɑ́səti] *n.* Ⓤ 상호관계, 상호 의존 상태 ; 상호작용 ; 교환 ; 〔商〕 상호 이익, 호혜주의.

re·ci·sion [resíʒən] *n.* Ⓤ (법률 따위의) 취소, 폐기(廢棄).

***re·cit·al** [risáitl] *n.* **1** 상설(詳說), 상술 ; 설화(說話) (story), 기술(account). **2** 암송, 낭송, 음송. **3** 독주(회), 독창(회), 리사이틀 (cf. CONCERT) ; 《稀》 (한 작곡가의) 작품 연주. **3** 〔法〕 (증서 따위의) 사실의 설명부분, 비고 부분.

rec·i·ta·tion [rèsətéiʃən] *n.* **1** Ⓤ 상설. **2** Ⓤ,Ⓒ 암송 ; 낭송 ; Ⓒ 암송 문구. **3** Ⓤ,Ⓒ 《美》 학과의 구두 답변 연습 ; 수업시간.

rec·i·ta·tive [rèsətətíːv] *n.* **1** 〔樂〕 레시터티브, 서창(敍唱) 《(1) 오페라·오라토리오 따위에서 노래부르기 보다는 말하는 쪽에 중점을 두는 창법 ; 그것을 위한 작품 ; cf. ARIA. (2) 기악곡에서 레시터티브풍의 악절(樂節)》. **2** = RECITATION.
── *a.* 레시터티브(풍)의. 〖RECITE[1]〗

re·cite**[1] [risáit] *vt.* **1** [+目 / +目+*to*+名] (특히 청중 앞에서) 암송하다, 낭음(朗吟)[낭송]하다 ; 《美》 (과제를) 교사 앞에서 암송하다 : She ~*d* the poem ***to the class. 급우들에게 그 시를 암송하여 들려줬다. **2** 이야기하다 ; 열거하다 ; 〔法〕 (사실을) 문서에 구진(具陳)하다 : ~ one's adventures 모험담을 얘기하다 / Can you ~ the names of the States? 합중국의 주(州) 이름을 외울 수 있습니까. ── *vi.* 암송[낭송]하다 ; 《美》 (과제를 교사 앞에서) 암송하다.
〖OF or L *re-* (*cito* to CITE) = to read out〗

ré·cíte[2] *vt.* 재인용하다.

re·cít·ing nòte *n.* 〔樂〕 서창조(敍唱調) 《시편창(詩編唱) 중의 끎음》.

reck [rék] *vi., vt.* 《詩·文語》 [부정 또는 의문 구문에서] **1** [+前+名 / +*wh.*節] 개의(介意)하다, 관심을 두다(care) : They ~*ed little*[*nothing*] ***of*** the danger. 위험 같은 것은 거의[전혀] 개의치 않았다 / He ~*ed not what* might happen. 어떤 일이 일어나든 개의치 않았다. **2** [비인칭 it과 함께] 관계하다(concern) : *It* ~*s* not. = What ~*s it*? 어떻든 상관없다.
〖OE *reccan* (< ?) and 《美》 *rēcan* ; cf. OHG *ruohhon* to take care〗

***réck·less** *a.* 분별 없는, 무모한 ; (위험 따위를) 염두에 두지 않는 〈*of*〉.
~·ly *adv.* 분별 없이, 앞뒤를 가리지 않고 ; 거리낌 없이. **~·ness** *n.*

reck·on** [rékən] *vt.* **1** [+目 / +目+副 / +目+前+名] 세다, 계산하다(count) ; 총계하다 : *R*~ the cost of the trip before you go. 떠나기 전에 여비를 계산해 보시오 / He ~*ed* ***up the bill. 계산서를 합산했다.
2 [+目+補 / +目+*as* 補 / +目+*to* do] 단정[판단]하다, 간주하다 : I ~ him the best swimmer in my class. 그가 반에서 제일 헤엄을 잘 친다고 생각하고 있다 / Most of the population there are ~*ed as*[~*ed to be*] uneducated. 그곳 주민의 대부분은 교육을 못 받은 사람들이라고 생각되어진다.
3 [+*that* 節] 《口》 생각하다(cf. CALCULATE 3, GUESS 3, FANCY 2, SUPPOSE 2) : I ~ he is well over sixty. 나는 그가 60세를 훨씬 넘었으리라고 생각한다. 주 특히 《美》에서 삽입적으로도 씀 : She will come soon, I ~. 그녀는 곧 올 것이다.
── *vi.* **1** 계산하다, 셈하다, 세다 ; 지급하다, 청산하다. **2** [+*on*+名] 기대하다 : I am not ~*ing* ***on*** her help. 그녀의 도움 같은 것은 아예 기대하지 않는다 / We did not ~ *on* find*ing* you here. 너를 여기서 만날 줄이야 생각조차 못했다.
3 《美口》 생각하다, 판단하다 : It is a nice book as you ~. 당신이 생각한 대로 그것은 재미있는 책입니다.
reckon in 계산[셈]에 넣다 : Did you ~ *in* this item? 이 항목을 계산에 넣었습니까.
reckon with (1) …을 청산하다. (2) …을 고려에 넣다, 예기하다(anticipate) : She had not ~*ed with* so many obstacles. 그렇게 많은 장애에 부딪칠 줄은 예기치 못했다. (3) …을 처리하다, 다루다(deal with) : I have to ~ *with* a lot of problems every day. 매일 나는 많은 문제들을 처리해야 한다.
reckon without one***'s host*** ☞ HOST[1].
~·able *a.*
〖OE (*ge*)*recenian* to narrate, recount ; cf. G *rechnen*〗
類義語 ⟹ COUNT[1], RELY.

réckon·er *n.* 계산자 ; 청산인 ; 계산 조견표.

réckon·ing *n.* **1** Ⓤ 계산(calculation) ; 견적. **2** (술집 따위의) 계산서 ; 청산. **3** 《비유》 응보, 벌. **4** Ⓤ 〔海〕 (천문 관측에 의한) 선박위치의 추산, 추측 선위(船位).
be out in[***of***] one***'s reckoning*** 계산이 틀리다 ; 기대가 어긋나다.

re·claim [rikléim] *vt.* [+目 / +目+前+名] **1** 교정[개선]하다(reform) : a ~*ed* drunkard 술을 끊은 주정뱅이 / He was ~*ed* ***from*** the vice. 나쁜 행실에서 발을 뺐다. **2** 개간[개척]하다 ; 매립하다, (소택지를) 간척하다 : ~*ed* land 매립지. **3** 개화[교화]하다(civilize) ; (천연자원을) (재생) 이용하다. ── *vi.* 항의하다 ; 큰소리내다.
── *n.* 교정[교화·재생·개발](시킨 것).
past[***beyond***] ***reclaim*** 회복[개심·교정·교화]의 가망이 없는.
~·able *a.* **~·er** *n.*
〖OF < L *re-* (*clamo* to shout) = to exclaim〗
類義語 ⟹ RECOVER.

re·cláim *vt.* …의 반환을 요구하다, 되찾다. 〖*re-*〗

re·cláim·ant *n.* 반환 청구자 ; 교정자 ; 개간자.

rec·la·ma·tion [rèkləméiʃən] *n.* Ⓤ 교정, 교화 ; 개간, 매립, 간척 ; 재생. 〖L ; ⇨ RECLAIM〗

ré·clame [reiklɑ́:m ; *F* reklam] *n.* 인기, 평판, 세간(世間)의 주목 ; 인기 획득의 재능, 매명(賣名)의 욕구.

re·clássify *vt.* 재분류하다 ; …의 의무 병역 분류를 바꾸다 ; (비밀) 등급을 바꾸다.

rec·li·nate [rékl ənèit, -nət] *a.* 〖植〗 아래로 굽은, 아래로 처진《잎 따위》.

re·cline** [rikláin] *vt.* [+目/+目+前+名] 기대게 하다 ; 눕히다, 의지하다 : He sat *reclining* his arms ***on the counter. 그는 양 팔을 카운터에 올려 놓고 앉아 있었다. —— *vi.* [+前+名] 기대다, 의지하다(lean) ; 드러눕다(lie down) : He ~*d* ***on*** the sofa reading a magazine. 그는 잡지를 읽으면서 소파에 누워 있었다. 〖OF or L=to lean back〗

re·clín·ing chàir *n.* (등받이와 발판이 조절되는) 안락 의자.

re·clósable *a.* (봉지·포장 용기 따위) 다시 밀폐할 수 있는.

re·clóthe *vt.* 다시[새로] 입히다, 갈아 입히다.

rec·luse [riklú:s, 美+réklu:s, 美+-z] *a.* 은둔(隱遁)한 ; 적적한. —— *n.* 속세를 버린 사람 ; 은둔자. **re·clú·sive** *a.* 은둔한, 속세를 떠난 ; 쓸쓸한. **~·ly** *adv.* **~·ness** *n.* 〖OF<L *re-*(*clus- cludo*)=to shut away〗

re·clu·sion [riklú:ʒən] *n.* Ⓤ 은둔(隱遁) ; 속세를 떠남 ; 고독 ; 사회적 소외(疏外).

re·cóal *vt., vi.* 석탄을 재보급하다.

re·cóat *vt.* (페인트 따위로) 다시 칠하다, 덧칠하다 ; 고쳐 칠하다.

***rec·og·ni·tion** [rèkəgníʃən, -kig-] *n.* **1** Ⓤ 인식 ; 인지(認知) ; 승인 : give ~ to …을 인정하다 / receive[meet with] much ~ 크게 인정 받다. **2** Ⓤ (공로 따위를) 인정함[알아줌], 표창 ; 보수, 사례. **3** Ⓤ 알아보기, 안면 ; 인사, 절.
beyond[***out of***] ***recognition*** 옛 모습을 찾아볼 수 없을 만큼, 알아볼 수 없을 만큼.
in recognition of …을 인정하여, …의 답례[상·보수]로.
〖L ; ⇨ RECOGNIZE〗

réc·og·nìz·able *a.* 인식[승인]할 수 있는 ; 본 기억이 있는.
-ably *adv.* **rèc·og·nìz·abíl·i·ty** *n.*

re·cog·ni·zance [rikɑ́gnəzəns] *n.* 인지 ; Ⓒ 〖法〗 서약(서) ; 서약 보증금.
〖OF=recognition ; ⇨ RECOGNIZE〗

re·cóg·ni·zant *a.* 《古》 인정[인지]하는, 의식하는 〈*of*〉.

‡rec·og·nize [rékəgnàiz, -kig-] *vt.* **1** [+目/+目+*to* do/+目+*as* 補/+*that* 節] 인정하다, 승인하다(acknowledge) ; 인가[공인]하다 : He refused to ~ my signature. 나의 서명을 인정하려고 하지 않았다 / Professor A is ~*d to be* one of the greatest scholars in English literature. A 교수는 영문학에서는 가장 훌륭한 학자의 한 사람으로 인정받고 있다 / I must ~ *that* I am not qualified for the post. 그 직위에 적임이 아니라는 것을 인정하지 않을 수 없다. **2** (남의 수고 따위를) 인정하다, 표창하다, 감사하다 : Your services must be duly ~*d*. 당신의 공로는 응분의 표창을 받아야만 해요. **3** 인지하다 ; 본 기억이 있다, (보고) 생각나다 ; (알아보고) 인사하다 : You have changed so much that I can hardly ~ you. 너무 변해서 못 알아볼 정도입니다 / They no longer ~ us. 그들은 이제 우리와는 인사도 하지 않는 사이다. **4** 〖法〗 (비적출자를) 인지하다 ; 〖美議會〗 …에게 발언권을 인정하다, 발언을 허락하다. —— *vi.* 〖美法〗 서약증서[보석증]을 내다, 서약하다.
〖OF<L *re-*(*cognosco* to know) ; cf. COGNITION〗

re·cog·ni·zee [rikɑ̀gnəzí:] *n.* 〖法〗 수(受)서약자, 서약을 받는 사람.

re·cog·ni·zor [rikɑ̀gnəzɔ́:*r*] *n.* 〖法〗 서약자.

re·coil [rikɔ́il] *vi.* **1** 되튀다, 반동하다 ; (포가 발사후에) 뒤로 반동하다. **2** [動/+前+名] 뒷걸음질치다, 움찔하다(shrink) : They ~*ed* ***from*** such radical ideas. 그들은 그와 같은 과격한 사고방식에 반발을 느꼈다 / Most of you would ~ ***at*** see*ing* a cat killed on the road. 길에서 죽은 고양이를 보면 대부분의 사람들은 뒷걸음질칠 것이다. **3** [+*on* +名] 되돌아오다 : Plots sometimes ~ (***up***) ***on*** the plotters. 음모는 음모자 자신에게 되돌아올 때가 있다.
—— [, rí:kɔ̀il] *n.* **1** 되튀기, 반동 ; (발포 후의 포(砲)의) 반동, 후좌(後座). **2** 뒷걸음질, 위축, 혐오〈*from*〉.
〖OF *reculer* (L *culus* buttocks)〗
類義語 ***recoil*** 공포·놀람·혐오 따위로 갑자기 뒷걸음질치다. ***shrink*** 고통·공포로 움츠러지듯 recoil하다. ***flinch*** 약하거나 겁이 나서 곤란·위험·고통 따위에 움찔하다. ***wince*** 얼굴을 찡그리거나 하여 저도 모르게 겁내면서 flinch 하다.

re·cóil *vt., vi.* 다시 감다[감기다].

recóil·less *a.* 반동이 없는[적은], 무반동의 : a ~ gun 무반동총[포].

re·cóin *vt.* 개주(改鑄)하다.

re·cóin·age *n.* Ⓤ 개주 (화폐).

***rec·ol·lect**[1] [rèkəlékt] *vt.* [+目/+do*ing*/+目+do*ing*/《稀》+*to* do/+*that* 節/+目+*to* do/+*wh.*+*to* do/+*wh.*節] 상기하다, 회상하다(remember) : I don't ~ you. 너를 본 기억이 없다 / I ~ hear*ing* his speech then. 그 때 그의 연설을 들은 기억이 난다 / I ~ his[him] tell*ing* me the story. 그가 그 이야기를 나에게 해준 기억이 난다《주 목적격 him을 쓰는 것은《口》》/ I can ~ *to* have speculated on the possibility. 《稀》 그 가능성에 대해서 생각해 보았던 것을 상기할 수가 있다 / He ~*ed* her *to be* the person he had seen there before. 그녀가 이전에 거기서 만난 적이 있는 사람이라는 것이 생각났다 / I ~*ed that* he had been there. 나는 그가 거기 있었다는 것이 생각났다 / Can you ~ *how to* get there[*how* you got there]? 거기에 어떻게 가면 좋은지[어떻게 해서 거기에 갔는지] 생각이 납니까. —— *vi.* 상기하다, 생각해 내다 : As far as I ~, ... 생각나는 바에 의하면….
〖L *re-*(*collect- colligo* to COLLECT[1])〗
類義語 ⟹ REMEMBER.

rè-colléct *vt.* **1** 다시 모으다. **2** [때때로 **rè·colléct**[2]] (마음을) 가라앉히다, 진정시키다 ; (용기를) 불러 일으키다 : be ~*ed* 침착하다 / ~ oneself[one's thoughts] 마음을 가라 앉히다, 마음을 진정시키다, 침착해지다. 〖*re-*〗

rè·colléct·ed *a.* 침착한, 냉정한 ; 명상에 잠긴 ; 상기한, 기억이 되살아 나는.

***rec·ol·lec·tion** [rèkəlékʃən] *n.* **1** Ⓤ [또는 a ~] [+*of* +do*ing*] 회상, 회고, 상기 : I have *a* dim

~ ***of*** it. 그 일을 어렴풋이 기억하고 있다 / He had *a* clear ~ *of* hav*ing* seen the sight. 그 광경을 본 것을 뚜렷이 기억하고 있다. **2** Ⓤ 기억력. **3** [때때로 *pl.*] 추억, 옛 생각, 회상록. **4** 마음의 평정, 명상.
be past [***beyond***] ***recollection*** 생각[기억]나지 않다.
in [***within***] one***'s recollection*** 기억에 남는.

rèc·ol·léc·tive *a.* 기억력이 있는 ; 추억의.

re·cólonize *vt.* 다시 식민지로 하다, 재식민지화하다. **re·colonizátion** *n.* 재식민.

re·cólor *vt.* 다시 칠하다, 다시 물들이다.

re·com·bi·nant [ri:kámbənənt] *a.* 〖遺·生化〗 재(再)조합형의. —— *n.* (유전자의) 재조합형, 재조합을 나타내는 개체.

recombinant DNA [ˊ dì:ènéi] *n.* 〖遺〗 재조합된 DNA.

re·combinátion *n.* 재결합 ; 〖遺〗 재조합.

recombinátion·al repáir *n.* 〖遺〗 (DNA 분자의) 재조합 회복.

rè·combíne *vt.* 재결합하다.

rè·commén̈ce *vt., vi.* 다시 시작하다, 다시 하다, 재개하다. **~·ment** *n.*

rec·om·mend** [rèkəménd] *vt.* **1 a**) [+目/+目+前+名/+目+*as* 補/+目+目] 추천[천거]하다 : His former employer ~*s* him warmly. 그의 이전의 고용주는 진심으로 그를 추천하고 있다 / He ~*ed* the young man ***to our firm[***for*** the post]. 그 청년을 우리 회사에[그 직에] 추천했다 / This hotel may be ~*ed* ***for*** its cooking. 이 호텔은 요리를 잘한다고 추천할 만하다 / I can ~ Miss Green *as* a good typist. 그린 양(孃)을 우수한 타이피스트로 추천할 수 있다 / Can you ~ me a gardener? 정원사를 한 사람 추천해 주시겠습니까. ㊟ 수동태로는 : This book has *been* ~*ed to* me. 이 책이 나에게 추천되었다 / I have *been* ~*ed* this book. 나는 이 책을 추천받았다. **b**) (행위·성질 따위를) 남의 마음에 들게 하다, 호감을 사다 : His manners ~ him. 행실이 좋아서 사람이 잘 따른다 / His fine pronunciation ~*s* him *as* a teacher of English. 그는 발음이 훌륭하여 영어 교사로서 득을 보고 있다.
2 [+目+*to* do/+*that* 節] 권하다, 충고하다(advise) : The druggist has ~*ed* me *to* try this ointment for sunburn. 그 약사는 나에게 햇볕에 타지않게 이 연고를 바르라고 권했다 / I have been ~*ed to* go by airplane. 비행기로 가라는 권고를 받았다 / He ~*ed that* the prisoners (should) be released. 포로를 석방하도록 충고했다《㊟ should를 생략하는 것은 주로 《美》》.
3 [+目+*to*+名] 위임하다, 위탁하다 : She ~*ed* herself[her soul] ***to*** God. 그녀는 하느님에게 자신[영혼]을 맡겼다.

〈회화〉
How was that movie he *recommended*? — I was deeply moved by it. 「그가 추천한 영화 어땠어요」「무척 감동적이었어요」

—— *n.* 《口》 =RECOMMENDATION.
~·able *a.* 추천할 수 있는, 권할 만한. **~·er** *n.* 〖L (*re-*)〗

***rec·om·men·da·tion** [rèkəmendéiʃən] *n.* Ⓤ 추천, 추대, 권장 ; Ⓒ 추천장 ; Ⓒ 장점, 좋은 점 ; Ⓤ 권고, 충고.

rèc·om·ménd·a·tò·ry [; -təri] *a.* 추천의 ; 권고의 ; 장점이 되는 : a ~ letter 추천장.

rè·commít *vt.* 다시 위탁하다 ; 다시 위원회에 회부하다 ; 다시 투옥[억류]하다 ; 다시 범하다.
~·ment, rè·commíttal *n.* Ⓤ (의안의) 재차 회부 ; 재위탁 ; 재범.

rec·om·pense [rékəmpèns] *vt.* [+目/+目+前+名/+目+目] …에게 보답하다, 갚다 ; 보상하다 : They ~*d* him ***for*** his services[~*d* his services ***to*** him, ~*d* him his services]. 그의 봉사에 보답했다 / He ~*d* good ***with*** evil. 선을 악으로 갚았다. —— *vi.* 갚다, 보상을 치르다, 보답하다. —— *n.* Ⓤ,Ⓒ 보답 ; 보수(reward) ; 보상. 〖OF<L ; ⇨ COMPENSATE〗

rè·compóse *vt.* **1** 다시 만들다, 개조(改組)하다. **2** (감정·다툼 따위를) 가라앉히다, 진정시키다.
rè·composítion *n.*

re·con[1] [rikán] *n.* 《口》 =RECONNAISSANCE.
—— *vt., vi.* =RECONNOITER.

recon[2] *n.* 〖遺〗 레콘《유전자의 최소의 재조합 단위》. 〖*re*combination+*-on*〗

re·cóncentrate *vt., vi.* 재집중[재집결]하다.

rec·on·cil·able [rèkənsáiləbəl, ˊ-ˋ--] *a.* 조정[화해]할 수 있는, 조정할 가망이 있는 ; 조화[일치]시킬 수 있는. **-ably** *adv.* 화해[조정]적으로.

rec·on·cile** [rékənsàil] *vt.* **1** [+目/+目+*with*+名] 화해시키다 : The boys were soon ~*d.* 그 소년들은 곧 화해했다 / The workers will soon become ~*d* ***with their employer. 노동자들은 곧 고용주와 화해하게 될 것이다. **2** 조정하다(settle) : I ~*d* the dispute among the boys. 나는 소년들의 싸움을 조정해 주었다. **3** [+目+*with*+名] 조화[일치]시키다(harmonize) : What he said could not be ~*d* ***with*** the facts of the case. 그가 한 말은 그 경우의 사실과 부합되지 않았다. **4** [+目+*to*+名] [~ one*self* 또는 수동태로] 단념시키다, 만족시키다 : He found it hard to ~ him*self* ***to*** the disagreeable state. 그는 그런 비위에 거슬리는 상태를 감수하기가 어렵다는 것을 알았다 / I *was* ~*d to* liv*ing* in the country. 시골 생활에 만족하게 되었다.
~·ment *n.* Ⓤ =RECONCILIATION.
〖OF or L ; ⇨ CONCILIATE〗

rec·on·cil·i·a·tion [rèkənsìliéiʃən] *n.* Ⓤ,Ⓒ 화해 ; 조정(調停) ; 조화, 일치 ; Ⓤ 복종, 체념.

rec·on·cil·i·a·to·ry [rèkənsíliətɔ̀:ri, -ljə- ; -təri] *a.* 화해[조정]의 ; 조화[일치]의.

rec·on·dite [rékəndàit, rikándait] *a.* 심원한, 난해한 ; 보이지 않는, 숨겨진. **~·ly** *adv.* **~·ness** *n.* 〖L=put away (p.p.) ‹ *re-* (*condo* to hide)〗

rè·condítion *vt.* 수리(修理)하다.

rè·condúct *vt.* 데리고 돌아오다, 출발점으로 되돌아가게 하다(conduct back).

rè·confígure *vt.* (비행기·컴퓨터 따위의) 형(型)[부품]을 바꾸다.

rè·confírm *vt.* 재확인하다, (특히) …의 예약을 재확인하다.

re·confirmátion *n.* 재확인 ; 〖空〗 예약 재확인.

re·con·nais·sance [rikánəzəns, -səns ; -səns] *n.* Ⓤ,Ⓒ 〖軍〗 정찰, 정찰대 ; Ⓤ,Ⓒ 답사 ; 예비 조사 : ~ in force 무력(武力) 수색, 강행 정찰 / ~ by fire 화력 수색[정찰].
〖F=recognition ; ⇨ RECOGNIZE〗

recónnaissance sàtellite *n.* 정찰[수색]용 인공위성.

re·con·noi·ter | **-tre** [rì:kənɔ́itər, rèk-] *vt., vi.* 정찰하다 ; (토지를) 답사하다. —— *n.* =RECONNAISSANCE. 〖F<L ; ⇨ RECOGNIZE〗

re·cónquer *vt.* …을 재정복하다 ; (특히) 정복하여 도로 빼앗다.

R. Econ. S. 《英》 Royal Economic Society.
***rè·consíder** *vt.* 재고(再考)하다, 다시 생각하다 ; (의안·동의·투표 따위를) 재의(再議)[재심]에 부치다. —— *vi.* 재고하다 ; 재의하다.
rè·considerátion *n.* U 재고 ; 재심의.
rè·consígn *vt.* 다시 교부[위탁, 탁송]하다.
rè·consígn·ment *n.* 재위탁 ; 〖商〗 (경로·화물 인도지·수화인(受貨人) 등에 대한) 송장(送狀)의 변경.
rè·constítuent *a.* 새 조직을 만드는 ; 새로운 정력을 부여하는. —— *n.* 강장제.
re·cónstitute *vt., vi.* 재구성[재조직, 재편성, 재설정, 재형성]하다.
re·constitútion *n.* 재구성, 재편성, 재설정.
***rè·constrúct** *vt.* 재건하다, 부흥하다, 개조하다 ; 복원하다 : ~ a ruined castle 폐허가 된 성을 재건[복원]하다.
***rè·constrúction** *n.* U 재건, 재구성, 개조, 부흥 ; [the R~] 〖美史〗 재건, 재편입《남북전쟁 후 남부 각주 재통합 (기간)》 ; C 재건[복원]된 것.
rè·constrúction·ist *n.* 재건주의자, 개조(改造)주의자 ; [흔히 R~] 〖유태教〗 (미국에서의) 재건주의자. **-ìsm** *n.*
rè·constrúctive *a.* 재건[개조, 부흥]의. **~·ly** *adv.* **~·ness** *n.*
rè·convéne *vt., vi.* 재소집[재집합]하다.
rè·convérsion *n.* U **1** 재개종(再改宗), 복당(復黨) ; 복구, 복귀. **2** (군수 산업의 평화 산업으로의) 재전환 ; (기계의) 재개장(再改裝).
rè·convért *vt., vi.* **1** 재개종[복당]시키다[하다] ; 복원(復元)시키다. **2** 재전환시키다 ; 재개장하다.
rè·convéy *vt.* **1** 원위치[장소]로 되돌리다. **2** 원임자에게 되돌려 주다, 재양도하다.
rè·convéy·ance *n.* U 반송(返送), 재양도(再讓渡).
re·cópy *vt.* **1** …을 다시 베끼다[복사하다]. **2** …의 부본을 만들다. —— *n.* 부본 : make a ~ of …의 부본을 만들다.
◇**re·cord** [rikɔ́ːrd] *vt.* **1** [+目/+目+前+名] 기록하다, 등록하다 ; 기록으로 남기다, …의 증거가 되다 : We ~ our thoughts and experiences ***in*** diaries. 우리는 자신의 생각이나 경험을 일기에 기록한다. **2** 녹음[녹화]하다 : His speech has been ~*ed* by the tape recorder. 그의 연설은 테이프 리코더로 녹음되어 있다 / Cameras ~ the features of persons long dead. 카메라는 오래 전에 죽은 사람들의 모습도 보존한다 / The radio program was ~*ed.* 그 라디오 프로그램은 녹음된 것이었다(cf. LIVE[2] program). **3** 나타내다, 알리다 ; (온도계 따위가) 표시하다 : The thermometer ~*s* 20℃. 온도계는 섭씨 20도를 가리키고 있다. —— *vi.* 기록[녹음, 녹화]하다.
—— [rékərd ; -ɔːd] *n.* **1** U,C 기록, 등록, 등기 ; 증거, 증언, 설명. **2** 이력 ; 신원 ; 전과 : a family ~ 족보 / police ~*s* 전과 / one's previous criminal ~ (개인의) 전과 / have a good [bad] ~ 이력이 좋다[나쁘다]. **3** 성적. **4** 〖競〗 기록 ; 최고 기록, 레코드 : beat[break] the ~ 기록을 깨다. **5** 기록에 남겨 기념할 만한 것, 기념물 ; (축음기의) 음반, 레코드 : cut a ~ 레코드에 녹음하다. **6** 〖컴퓨〗 레코드《file의 구성 요소가 되는 정보의 단위》.
bear record to …을 증언하다.
a court of record 등기 법원.
go [***place*** one***self***] ***on record*** 《원래 美》 공공연히 의견을 말하다, 언질을 주다.
keep to the record 본론에서 벗어나지 않다.
a matter of record 공식 기록으로 있는 사실.
off the record 《원래 美》 기록에 남기지 않는, 비공식의, 발표해서는 안되는 : What I am going to say is *off the* ~. 내가 하고자 하는 말은 이 자리에서만으로 그치기로 합시다《공표해서는 안됨》.
on record (공식으로) 기록되어 ; 공표되어 : the greatest earthquake *on* ~ 이제까지 (한번도) 없었던 대지진.
put. . .on record …을 기록하다.
take [***call***]***. . .to record*** = *call. . .to* WITNESS.
travel out of the record 본제(本題)[줄거리]에서 벗어나다.
—— [rékərd ; -ɔːd] *a.* 기록적인, 공전(空前)의 : a ~ crop (기록적인) 대풍작.
〚OF (n.) = remembrance 〈 *recorder* 〈 L = to remember(*cord- cors* heart)〛
récord brèaker *n.* 기록을 깨뜨린 사람.
récord-brèak·ing *a.* 기록을 깬, 공전의 : a ~ crop 기록을 깬 수확고.
récord chànger *n.* (축음기 따위의) 레코드를 바꾸는 자동 장치.
recórd·ed delívery *n.* 《英》 간이 등기 우편.
***recórd·er** *n.* **1** 기록 담당자, 등록자 ; 《英》 시(市)재판관. **2 a**) 기록계(計)[기], 녹음[녹화]기 : a time ~ 타임 리코더, 시간 기록기. **b**) 수신기. **3** 〖樂〗 리코더.
récord fìlm *n.* 기록 영화.
récord hòlder *n.* (최고)기록 보유자.
***recórd·ing** *a.* 기록하는, 기록 담당의 ; 기록 장치의. —— *n.* U,C 녹음, 녹화 ; 녹음의 질(質), (특히) 충실도 ; C 녹음[녹화]된 것《음반·테이프》 : make a ~ of …을 녹음[녹화]하다.
recórding àngel *n.* 기록 천사(天使)《사람의 선악 행위를 기록한다고 함》.
recórding hèad *n.* 〖電子〗 (테이프 리코더·VTR의) 녹음[녹화] 헤드 ; (레코드 제조에 쓰는) 커터(cutter).
recórd·ist *n.* 기록 담당자 ; 〖映〗 녹음 담당자.
récord plàyer *n.* 레코드 플레이어.
re·count[1] [rikáunt] *vt.* [때때로 복수형의 목적어를 수반하여] 상세히 말하다, 이야기하다 ; 열거하다 : He ~*ed* all his adventures in Africa. 아프리카에서의 모험을 전부 상세히 이야기했다.
〚AF *re-*(*conter* to COUNT[1])〛
類義語 ⟹ TELL.
re·cóunt[2] *vt., vi.* 다시 세다, 고쳐 세다 : ~ the votes 표수를 다시 세다. —— [⌐⌐, -⌐] *n.* (투표 따위의) 재계표(再計票), 다시 세기.
re·cóunt·al [ri-] *n.* 자세한 이야기, 상술(詳述) ; 열거.
re·coup [rikúːp] *vt.* **1** [+目/+目+*for*+名] 벌충하다, 메우다, …에 보상을 치르다 : ~ one's losses 손해를 배상하다 / He ~*ed* me[him*self*] ***for*** the loss. 그는 나에게 손실을 변상해 주었다 [자신의 손실을 보상했다]. **2** 〖法〗 빼다, 공제하다. —— *vi.* 잃은 것을 되찾다 ; 〖法〗 공제 청구를 하다. —— *n.* 공제 ; 벌충.
~·ment *n.* U 공제 ; 보상.
〚F *re-*(*couper*) = to cut back〛
re·course [ríːkɔːrs, rikɔ́ːrs] *n.* **1** U 의존함, 의뢰 ; C 의지가 되는 것[사람] : *R~ to* arms was open to them. 그들에게는 무기에 의존하는 길이 열려있었다 / His last ~ was the law. 그가 믿는 최후의 것은 법이었다. **2** U 〖法〗 상환청구(권).
have recourse to …에 의지하다, …을 사용하다 : He *had* ~ *to* the law[*to* money lenders].

법률[대금업자]에 의지했다.
〖OF<L=a running back ; ⇨ COURSE〗

‡re·cov·er [rikʌ́vər] *vt.* **1 a**) 되찾다, 회복하다 : He is ~*ing* his courage[strength]. 그는 용기[체력]를 되찾고 있다 / I ~*ed* my legs[feet]. (넘어진 뒤에) 일어섰다 / She ~*ed* her balance [composure]. 몸의 균형[침착성]을 되찾았다. **b**) [~ one*self* 로] 제정신이 들다 ; 침착해지다 ; 보통의 자세로 되돌리다, 균형을 되찾다 ; 손발이 자유롭게 되다 : I nearly fell but managed to ~ my*self*. 하마터면 넘어질 뻔했으나 겨우 몸을 가누었다.
2 a) (손실을) 벌충하다 : ~ losses[lost time] 손실[잃어버린 시간]을 만회하다. **b**) 〖法〗 (손해 배상을) 받다 ; 소유권을 되찾다.
3 [+目/+目+*to*+名] 소생시키다, 회복시키다 : A dead man cannot be ~*ed* ***to*** life. 죽은 사람이 되살아날 수는 없다.
4 [+目/+目+*from*+名] (나쁜 길에서) 개심(改心)시키다 ; 매립하다 ; 재생시키다 : ~ land ***from*** the sea 바다를 매립하다 / Many useful substances are now ~*ed from* materials that used to be thrown away. 옛날에 폐기되었던 물질에서 지금은 유용한 물질이 많이 재생되고 있다.
5 〖펜싱〗 (찌른 다음에) (검을) 준비 자세로 되돌리다.
6 《稀》 …으로 되돌아가다[오다].
—— *vi.* **1** [動/+*from*+名] **a**) 원상 복구하다, 냉정해지다(cf. *vt.* 1 b)) : I sat down to ~ ***from*** my agitation. 나는 앉아서 흥분을 가라앉혔다. **b**) 회복[완쾌]하다 : The patient ~*ed* very quickly. 환자는 아주 빠르게 회복했다 / She is ~*ing* ***from*** a severe illness. 그녀는 중병에서 회복돼 가고 있다 / The country has not yet ~*ed from* the effects of the war. 그 나라는 전쟁의 상처가 아직 가시지 않고 있다. **2** 〖泳·보트〗 RECOVERY 자세를 취하다. **3** 〖法〗 소송에 이기다.
—— *n.* 자세의 회복.
〖AF<L ; ⇨ RECUPERATE〗
類義語 ***recover*** 뭔가 잃어버린 것을 발견하다, 또는 되찾다 : He *recovered* the stolen watch [his health]. 그는 도난당한 시계[건강]를 되찾았다). ***regain*** 약취당한 것, 빼앗긴 것을 되찾다 ; 강한 의지를 나타냄 : She tried to *regain* his affections. (그녀는 그의 애정을 되찾으려고 애썼다). ***retrieve*** 특히 열심히 노력하여 regain하다 : He was determined to *retrieve* his fame. (그는 자신의 명성을 되찾을 결심을 했다). ***reclaim*** 전보다 좋은[쓸모 있는] 상태로 회복하다 : *reclaim* barren land (불모지를 개간하다).

re-cóver *vt.* 다시 덮다, 고쳐 덮다 ; 다시 바르다 ; …에 표지를 갈아 붙이다. 〖*re*-〗

recóver·able *a.* 되찾을[회복시킬] 수 있는.

***re·cov·ery** [rikʌ́vəri] *n.* **1** U,C 되찾음〈*of*〉; 복구, 수복(修復) ; (병 따위의) 회복, 완쾌〈*from*〉: make a quick ~ (*from*...) (…에서) 빨리 원상 복구하다, 빨리 회복하다. **2** U,C 〖法〗 (권리·재산의) 회복 ; 승소. **3** U,C 〖펜싱·拳〗 (공격후) 방어[준비] 자세(로 되돌아가기). **4** (토지의) 매립. **5** (우주선 캡슐 따위의) 회수 ; (석유·천연가스 따위의) 회수, 채수(採收), 재생 ; 〖鑛〗 실수율(實收率). **6** 〖泳·보트〗 다음 스트로크를 위해 팔[노]을 앞으로 되돌림.

recóvery ròom *n.* (병원의) 회복실《환자를 수술 후 일반 병동으로 옮기기까지 용태를 보는 방》.

recpt. receipt.

rec·re·ant [rékriənt] *a.* 《文語》 **1** 겁이 많은, 비겁한(cowardly). **2** 변절한, 불성실한.
—— *n.* 겁쟁이, 비겁한 사람 ; 배신자.
réc·re·an·cy, -ance *n.* U 겁많음, 비겁, 변절.
~·ly *adv.*
〖OF (pres. p.) 〈 *recroire* to surrender<L=to yield in trial by battle ; ⇨ CREED〗

rec·re·ate [rékrièit] *vt.* [+目/+目+前+名] 휴양시키다 ; …의 기운을 북돋아주다, 기분전환을 시키다 : I often ~ my*self* ***with*** garden*ing*. 나는 종종 정원을 손질하며 기분전환을 한다.
—— *vi.* 휴양하다, 기분전환하다.
〖L *re*-(*creo* to CREATE)〗

rè-créate *vt.* 재창조하다, 고쳐[다시] 만들다 ; 재현하다.

***rec·re·ation** [rèkriéiʃən] *n.* U,C 휴양, 원기회복 ; 기분전환, 오락, 레크리에이션.
~·al *a.*

rè-creátion *n.* U,C 개조(물), 재창조.

recreátional véhicle *n.* 레크리에이션용 차량 《camper, trailer 따위 ; 略 RV》.

recreátion gròund *n.* 《英》 운동장, 유원지.

recreátion·ist *n.* (특히 옥외에서) 레크리에이션을 즐기는 사람, 행락객.

recreátion ròom[hàll] *n.* 《美》 오락실, 유희실, 게임실(室)(rec room[hall]).

rec·re·ative [rékrièitiv] *a.* 보양이 되는, 기분 전환의, 원기를 북돋아주는.
~·ly *adv.* **~·ness** *n.*

rec·re·ment [rékrəmənt] *n.* 〖生理〗 재귀액(再歸液)《몸에서 분비되어 재흡수되는 침 따위》; (유용한 것에서 분리된) 폐물 ; (광석의) 찌꺼기.

rec·re·men·ti·tious [rèkrəməntíʃəs] *a.* 불순물의 ; 여분의, 쓸데없는.

re·crim·i·nate [rikrímənèit] *vi., vt.* 서로 책하다, 역습하다, 죄를 서로 뒤집어 씌우다, 반소하다, 서로 비난하다(cf. CRIMINATE).
re·crìm·i·ná·tion *n.* (맞)비난 ; 〖法〗 반소(反訴). **re·crím·i·nà·tive, re·crím·i·na·to·ry** [-nətɔ̀ːri ; -nèitəri] *a.*
〖L *re*-(*criminor* to accuse〈CRIME)〗

réc ròom[hàll] [rék-] *n.* 《美口》 =RECREATION ROOM[HALL].

re·cróss *vt., vi.* 다시 가로지르다[건너다] ; 다시 교차하다.

re·cru·desce [rìːkruːdés] *vi.* (병·아픔·불안 따위가) 재발하다, 재연(再燃)하다.
〖L *re*-(*crudesco* to be aggravated〈CRUDE)〗

rè·cru·dés·cence *n.* U 재발, (병이) 도짐, 재연(再燃).

rè·cru·dés·cent *a.* 재발[재연]한, 다시 도지는.

re·cruit** [rikrúːt] *n.* **1** 신병, 보충병 ; 〖美陸·海軍〗 최하급병. **2** 신회원, 신입 사원, 신당원 ; 풋내기 ; 신입생. —— *vt.* **1 a**) [+目/+目+*from*+名] …에 신병[신회원]을 들이다 : The new party was largely ~*ed* ***from the labor classes. 신당의 당원은 노동계급에서 많이 모집되었다. **b**) 신병[신회원]으로 하다. **2** 보충하다 (replenish) ; …의 수를 늘리다[유지하다] : ~ one's stores 상품을 보충하다. **3** 회복시키다, 원기를 북돋아주다 : ~ one's health[strength] 건강[체력]을 회복하다. —— *vi.* **1** 신병[신회원]을 모집하다[들이다] ; 보충을 하다. **2** 보양하다 : You had better take a holiday and try to ~. 휴가를 얻어 보양[요양]에 힘쓰는 것이 좋겠다.
~·al *n.* U 보충, 보급. **~·er** *n.* **~·ment** *n.* U 신병 징모 ; 신규 모집 ; 보충 ; 원기 회복.

〖C17=reinforcement<F *recrute* (dial.) =*recrue*; ⇨ CREW¹〗
recrúit·ing òfficer *n.* 징병관.
re·crýstallize *vt., vi.* 재결정(再結晶)시키다[하다]. **re·crystallizátion** *n.*
rec. sec., Rec. Sec. recording secretary.
rect. receipt; rectangle; rectangular; rectified; rector; rectory.
rec't. receipt.
rect-¹ [rékt], **rec·ti-** [réktə] *comb. form* 「곧은, 바른」「직각」의 뜻. 〖L (*rectus* straight)〗
rect-² [rékt], **rec·to-** [réktou, -tə] *comb. form* 「직장(直腸)」의 뜻. 〖L; ⇨ RECTUM〗
recta *n.* RECTUM의 복수형.
rec·tal [réktl] *a.* 직장(直腸)의.
réctal cápsule *n.* 〖藥〗 직장 투여 캡슐《좌약》.
rec·tan·gle [réktæ̀ŋgəl] *n.* 직사각형.
〖F or L (*rect-*¹, ANGLE¹)〗
rec·tan·gu·lar [rektǽŋgjələr] *a.* 직사각형의; 직각의: ~ hyperbola 〖數〗 직각 쌍곡선.
~·ly *adv.* **rec·tàn·gu·lár·i·ty** *n.* 직사각형[직각]임.
recti- [réktə] ☞ RECT-¹.
rec·ti·fi·ca·tion [rèktəfəkéiʃən] *n.* Ⓤ 개정, 수정, 교정(矯正); 조정; 〖化〗 정류(精溜); 〖電〗 정류(整流); 〖數〗 구장법(求長法).
réc·ti·fi·er *n.* **1** 개정[수정]자. **2** 〖化〗 정류기; 〖電〗 정류기(整流器).
rec·ti·fy [réktəfài] *vt.* **1** 개정[수정·교정]하다, 고치다; (폐풍을) 없애다: That mistake can be *rectified.* 그런 잘못은 고칠 수 있다 / The matter will ~ itself in a few days. 사태는 몇일안으로 개선될 것이다. **2** 〖化〗 (술을) 정류(精溜)하다; 〖電〗 정류(整流)하다; 〖機〗 조정하다; 〖數〗 곡선의 길이를 구하다: a ~*ing* detector 〖電〗 정류 검파기 / a ~*ing* tube[valve] 〖化〗 정류관(精溜管); 〖電〗 정류(整流)관.
réc·ti·fi·able *a.* **rèc·ti·fi·abíl·i·ty** *n.*
〖OF or L (*rect-*¹)〗
rècti·línear, -líneal *a.* 직선의, 직선으로 둘러싸인[이루어진]; 직진(直進)하는.
〖L (*rect-*¹, LINE¹)〗
rec·ti·tude [réktət*j*ù:d] *n.* Ⓤ 정직, 청렴; 정확.
〖OF or L (*rectus* right)〗
rec·to [réktou] *n.* (*pl.* **~s**) (책의) 오른쪽 페이지 (↔*reverse*); 종이의 표면(↔*verso*).
〖L=on the right (side)〗
rec·tor [réktər] *n.* **1** 〖英國敎〗 교구 목사《원래 교구의 수입(☞ TITHE)을 수령했음; cf. VICAR》; 《美》 (신교 감독파의) 교구 목사; 〖카톨릭〗 주임 사제, 신학교장, (수도)원장. **2** 교장, 학장, 총장. **~·ate** [-rət] *n.* Ⓤ,Ⓒ rector의 직[지위·임기]. **~·shìp** *n.* rector의 직.
〖OF or L=ruler (*rect- rego* to rule)〗
rec·to·ri·al [rektɔ́:riəl] *a., n.* rector의 (선거).
rec·to·ry [réktəri] *n.* rector의 주택[영지·수입] (cf. VICARAGE).
rec·trix [réktriks] *n.* (*pl.* **-tri·ces** [réktrəsì:z, rektráisi:z]) [보통 *pl.*] 〖鳥〗 꽁지깃.
rec·tum [réktəm] *n.* (*pl.* **~s, -ta** [-tə]) 〖解〗 직장(直腸). 〖L=straight〗
re·cu·ler pour mieux sau·ter [*F* rekyle pur mjø sote] 일보 후퇴 이보 전진.
〖F=to draw back in order to make a better jump〗
re·cúm·ben·cy *n.* Ⓤ 기댐, 가로누움; 휴식(休息) (repose).
re·cum·bent [rikʌ́mbənt] *a.* **1** 가로누운(lying down); 기 댄(reclining) 〈(*up*) *on, against*〉. **2** 휴식하고 있는(resting). **3** 활발하지 못한, 태만한. —— *n.* 누워있는 사람[짐승, 식물 따위].
~·ly *adv.*
〖L *re-*(*cumbo* to lie)=to recline〗
re·cu·per·ate [rik*j*ú:pərèit] *vt.* (건강·손실 따위를) 회복하다, 되찾다. —— *vi.* 건강[힘]을 되찾다; 손실을 만회하다, 회복하다: He has gone to the seaside to ~ after illness. 그는 병후의 보양을 위해 바닷가에 가 있다.
re·cù·per·á·tion *n.* Ⓤ 회복, 복구.
〖L *recupero* to recover〗
re·cu·per·a·tive [rik*j*ú:pərèitiv, -rət-] *a.* 회복시키는; 원기를 북돋우는; 회복력이 있는.
re·cur** [rikə́:r] *vi.* (**-rr-**) **1** [+*to*+名] **a**) 회상하다, (생각·이야기 따위가) 되돌아가다: I shall ~ ***to the subject later on. 그 문제에 대해서는 나중에 또 언급하기로 하겠다. **b**) 마음에 다시 떠오르다, 회상되다: Those past experiences constantly ~*red* ***to*** me. 과거의 그 경험들이 자꾸만 머리에 떠올랐다 / The scene has often ~*red to* her memory. 그 때의 정경이 종종 그녀의 뇌리에 떠오르곤 했다. **2** 때때로 일어나다, 재발하다; 반복되다: This festival ~*s* every five years. 이 축제는 5년마다 돌아온다. **3** 〖數〗 순환하다 (circulate): ☞ RECURRING decimal. **4** 의뢰하다, 호소하다〈*to*〉.
〖L (*curro* to run)〗
re·cúr·rence *n.* **1** Ⓤ,Ⓒ 재기(再起), 재현(repetition), 재발, 회귀; 순환. **2** Ⓤ,Ⓒ 회상, 추억.
re·cúr·rent *a.* **1** 재발[재현·빈발]하는, 정기[주기]적으로 일어나는. **2** 〖醫〗 회귀성(回歸性)의: a ~ fever 회귀열(回歸熱).
~·ly *adv.* 되풀이해서.
recúrrent educátion *n.* 〖教〗 회귀(回歸) 교육《사회인이 다시 학교에 돌아와 교육을 받는 일》.
re·cúr·ring *a.* 되풀이하여 발생하는; 〖數〗 순환하는: ~ decimal 〖數〗 순환소수.
re·cur·sion [rikə́:rʒən] *n.* 회귀(return); 〖컴퓨〗 되부름; 〖數〗 귀납.
re·cur·sive [rikə́:rsiv] *a.* 〖컴퓨〗 되부르는; 〖數〗 귀납적인; 반복하는, 순환적인: ~ functions 귀납적 함수. **~·ly** *adv.* **~·ness** *n.*
recúrsive subróutine *n.* 〖컴퓨〗 되부름 서브루틴《자기 자신을 호출할 수 있는 서브루틴》.
re·cur·vate [rikə́:rvət, -vèit] *a.* 휘어진, 젖혀진.
re·cúrve *vt.* 뒤로 젖히다. —— *vi.* (바람·물결 따위가) 굽이쳐 되돌아오다, 반곡(反曲)하다.
〖L (*re-*)〗
rec·u·sance [rékjəzəns] *n.* =RECUSANCY.
réc·u·san·cy *n.* 완강하게 복종을 거부하기; 〖英史〗 국교 기피.
réc·u·sant *a., n.* 권력[규칙·사회 관습 따위]에의 복종을 거부하는 (사람); 욕구[명령]에 따르지 않는 (사람); 〖英史〗 국교 기피(자) (의).
re·cuse [rikjú:z] *vt.* 〖法〗 (법관·배심원 등을) 기피하다. **re·cú·sal** *n.*
〖L *recuso* to refuse; ⇨ CAUSE〗
rec·vee, rec-v [rèkví:] *n.* 《口》 =RECREATIONAL VEHICLE.
re·cýcle *vt.* …을 재생 이용하다, 재순환시키다, (원유(原油)에 의한 잉여 이익을) 환류(還流)시키다. —— *vi.* 초읽기를 재개하다; (전자 장치가) 조작 개시 전의 상태로 돌아가다; 재생 이용하다.
—— *n.* 재순환 과정(過程). **re·cý·cla·ble** *a.*
re·cýcler *n.* **re·cýcling** *n..* 재이용, 재생이용.

◇**red** [réd] *a.* (**réd·der** ; **réd·dest**) **1** 붉은, 적색의 ; 혈색이 좋은 ; (장사 따위) 적자의 : a ~ rose 빨간 장미 / The young man turned ~ with anger[shame]. 그 젊은이는 화가 나서[부끄러워] 얼굴이 벌개졌다 / Her cheeks burned ~. 그녀의 두 뺨은 붉게 달아올랐다. **2** 머리털이 붉은, 붉은 머리의 ; 피부가 구릿빛의. **3** (눈이) 빨간 ; 피로 물든. **4** 타는 듯한, (전쟁 따위가) 치열한. **5** [때때로 R~] 과격한, 혁명적인, 적화(赤化)한, 공산주의의(↔*white* ; cf. PINK[1]) ;《口》좌익의, 급진적인. **6**《英》(지도의 색깔에서) 영령(英領)의, 영연방(내)의 : an all-~ line 전영(全英) 항(공)로. **7** (자석이) 북극을 가리키는, 북극의. **8**《美俗》(장소가) 이익을 올리는, 가져오는.

paint the map red《英》대영 제국의 영토를 넓히다.

paint the town red《口》난장판을 벌이다, (바(bar)나 나이트클럽에 가서) 법석떨며 즐기다.

〈회화〉
What color is your car? — It's *red*.「네 차는 무슨 색이니」「빨간색이야」

—— *n.* **1** Ⓤ,Ⓒ 빨강, 적색. **2** Ⓤ 빨간 그림물감[안료(顔料), 도료, 염료] ; 붉은 천 ; 붉은 양복지 : dressed *in* ~ 붉은 옷을 입은. **3** 과격파, [때때로 R~] 공산당원[주의자](cf. PINK[1]) ;《口》좌익, 급진파 ; [the R~s] 적군(赤軍). **4** [*pl.* ; 흔히 R~s]《美》아메리칸 인디언. **5** [the ~] 적자. **6**《美俗》1센트 동화(red cent). **7**《俗》〖藥〗세코날(Seconal). **8** [the ~, the R~]〖英史〗적색 함대.

be in the red《원래 美》적자를 내고 있다, 빚을 지고 있다(cf. *be in the* BLACK).

go into the red《원래 美》적자를 내다, 결손(缺損)을 보다.

go out of the red《원래 美》적자를 면하다, 적자에서 헤어나다.

see red《口》분노하다, 발끈 화를 내다.

—— *vt., vi.* (**-dd-**) =REDDEN.

〚OE *rēad* ; cf. G *rot*, L *ruber* and *rufus* RUFOUS〛

red. reduce(d) ; reduction.

re·dact [ridǽkt] *vt.* (원고 따위를) 편집하다(edit) ; (진술서를) 작성하다. **re·dác·tor** *n.* 편집자 ; 교정자.

re·dac·tion [ridǽkʃən] *n.* 편집(editing) ; 교정, 개정(revision) ; 신판, 개정판. **~·al** *a.* 편집[교정]의.

réd ádmiral *n.* 〖昆〗큰멋쟁이나비의 일종《유럽·북미산》.

réd alért *n.* 적색 경보《적의 공습이 임박해진 가장 긴급한 경보》; 갑호(甲號) 비상[경계] 태세 ; 긴급 비상 사태.

réd álga *n.* 〖植〗홍조(紅藻).

re·dan [ridǽn] *n.* 〖築城〗철각(凸角) 보루.

Réd Ármy *n.* [the ~] 붉은 군대《1918년부터 46년까지의 구소련군의 공식 명칭》.

réd ársenic *n.* =REALGAR.

réd·àssed *a.*《美俗》불같이 노한, 격노한.

réd-bàcked *a.* 등이 붉은.

réd-bàit *vt., vi.* [때때로 R~] 공산주의자라 하여 탄압[공격, 비난]하다, 공산주의자를 색출하다. **~·er** *n.* **~·ing** *n.*

réd báll *n.*《美俗》급행 화물 열차 ; 급행편《열차, 트럭, 버스》.
〚화물 열차에 붙인 붉은 표지에서〛

réd ballóon *n.* 레드 벌룬《위기 경고의 표지》.

réd bárk *n.* (품질이 좋은) 붉은키나나무 껍질.

réd béet *n.* 〖植〗(샐러드용) 붉은순무.

réd·bìrd *n.* **1** =CARDINAL *n.* 4. **2** 멧새과의 멋쟁이류의 새.

réd-blìnd *a.* 적색맹(赤色盲)의.

réd blìndness *n.* 〖醫〗적색맹(赤色盲).

réd blóod cèll[**còrpuscle**] *n.* 〖解〗적혈구.

réd-blóod·ed *a.* 남자다운, 혈기 왕성한, 용감한.

Réd Bóok *n.* [the ~]《英》(19세기의) 신사록(紳士錄)《nobility와 gentry의 이름을 기재한 붉은 표지의 책》.

réd bráss *n.* 〖冶〗적색 황동.

réd·brèast *n.* **1** 〖鳥〗가슴이 붉은 새. **2** 〖魚〗배가 붉은 선피시과(科)의 민물고기.

réd-brèast·ed *a.* 가슴이 붉은.

réd·brìck *a.* 붉은 벽돌로 만든 ; [흔히 R~]《英》(대학이) 근대에 창립된(cf. OXBRIDGE).
—— *n.* [흔히 R~] 근대에 창립된 대학.

Réd Brigádes *n. pl.* [the ~] 붉은 여단《이탈리아의 도시 게릴라》.

réd·bùd *n.* 〖植〗미국박태기나무.

réd·càp *n.* **1**《美》(철도의) 수화물 운반인 ;《英》헌병. **2** 〖鳥〗(유럽산의) 오색핀치.

réd cárpet *n.* (귀빈 등을 맞아들이기 위해 까는) 붉은 융단 ; [the ~] 귀빈을 대하는 듯이 정중함 : roll out *the* ~ for a person《美》사람을 정중히 맞이하다[맞이할 준비를 하다], 남을 극진하게 대접하다.

réd-cárpet *a.* (귀빈을 대하는 듯이) 정중한 : give a person a ~ reception 붉은 융단을 깔고 (귀빈 등을) 성대하게 환영하다 ;《비유》사람을 정중히[극진히] 대접하다.

réd cédar *n.* 〖植〗연필향나무 ; 미국찝방나무.

réd céll *n.* =RED BLOOD CELL.

réd cént *n.*《口》(옛날의) 1센트 동화, 동전 ; [부정문에 쓰여] 한 푼 : be *not* worth a ~ 한 푼의 가치도 없다 / I do*n't* care a ~ if you do. 네가 그렇게 한다해도 나는 조금도 개의치 않는다.

réd chícken *n.*《俗》생(生)[조제(粗製)] 헤로인《불순물이 많이 든》.

Réd Chína *n.* 중국《중화인민공화국의 속칭》.

réd clóver *n.* 〖植〗붉은토끼풀《사료용》.

réd·còat *n.* [흔히 R~] (미국 독립전쟁 당시의) 영국 군인.

réd córpuscle[**corpúscule**] *n.* 적혈구(red blood cell).

Réd Créscent *n.* [the ~] 붉은 초승달《이슬람교국의 적십자사에 해당하는 조직》.

Réd Cróss *n.* **1** [the ~] **a**) (국제) 적십자사《1864년 스위스의 Geneva에서 창설되어 세계 각국에 지사가 있음 ; 적십자(=Geneva cross)를 기장으로 삼음 ; 정식명 the International Red Cross》; (각국의) 적십자사. **b**) [the ~] 적십자장(章). **2** [r~ c~] (흰 바탕에 붉은) 성(聖) 조지 십자장(十字章)《영국의 국장》.

redd [réd] *vt.*《方》정돈하다, 치우다〈*out, up*〉; 해결하다〈*up*〉. —— *vi.* 정돈하다〈*up*〉.
〚ME ＜? RID[1]〛

réd déal *n.* 유럽소나무의 재목.

réd dèer *n.* 〖動〗백두산사슴.

réd·den** *vt.* 붉게 하다 ; 얼굴을 붉히게 하다 : The blood ~*ed* the bandage. 피로 붕대가 빨갛게 되었다. —— *vi.* [動/+前+名] 붉어지다, 얼굴을 붉히다(blush) : She ~*ed* ***at the sight. 그녀는 그것을 보고 얼굴을 붉혔다.

réd dévil *n.*《俗》SECOBARBITAL의 붉은 캡슐 ; [*pl.*] 영국 육군 낙하산 연대.

réd·dish *a.* 불그스름한, 붉은 색을 띤.

red·dle [rédl] *n.* 〖鑛〗 (도료로 쓰는) 붉은 황토, 자토(赭土).
réd-dòg *vt., vi.* 《美蹴俗》 =BLITZ.
réd dúster *n.* 《英口》 =RED ENSIGN.
rede [ríːd] *vt.* 《英古·詩·方》 충고하다 ; (수수께끼 따위를) 풀다 ; 해석하다 ; 이야기하다.
—— *n.* 충고 ; 계획 ; 해석 ; 속담 ; 이야기 ; 운명.
re·décorate *vt., vi.* 다시 꾸미다, 개장(改裝)하다. **re·decorátion** *n.* **re·décorator** *n.*
***re·deem** [ridíːm] *vt.* **1** [+目/+目+*from*+名] 도로 사다[되사다], (저당 잡힌 것을) 도로 찾다 ; (명예 따위를 애써서) 회복하다 ; 수복하다 ; 개량하다, 개선하다 ; (채무 따위를) 상환[상각]하다, (지폐 따위를) 회수하다 : ~ a mortgage 저당물을 되찾다 / ~ one's honor[good name] 명예를 회복(回復)하다 / ~ one's pawned watch[one's watch **from** pawn] 저당 잡힌 시계를 도로 찾다. **2** [+目/+目+*from*+名] (노예·포로를) 몸값을 치르고 구해내다(ransom) ; 구출하다(save) ; 〖神學〗 (신·그리스도가) 구원하다 : ~ oneself[one's life] 몸값을 내고 목숨[생명]을 건지다 / Jesus Christ *~ed* men **from** vice. 예수 그리스도는 인류를 죄악에서 구원하였다. **3** [+目/+目+*from*+名] (결점 따위를) 메우다, 벌충하다 : That fault of his can be *~ed* by his good points. 그의 장점이 결점을 보완할 수 있다 / The eyes ~ the face **from** ugliness. 눈이 못생긴 얼굴을 보완해 주고 있다. **4** (약속·의무를) 이행하다. **5** 매립하다.
〖OF *redimer* or L *re-*(*empt-* *imo*=*emo* to buy)〗
類義語 ⟹ SAVE[1].
redéem·able *a.* (한 번 판 것을) 도로 살 수 있는, (한 번 잡힌 저당물을) 다시 찾을 수 있는 ; 구해낼 수 있는 ; 상환[상각]할 수 있는 ; 속죄할 수 있는 : bonds ~ in 1999 1999년 상환권.
-ably *adv.* **-abíl·i·ty** *n.*
redéem·er *n.* 되사는 사람 ; (저당물을) 되찾는 사람 ; 몸값을 치르고 빼내는 사람 ; [the R~] 예수 그리스도.
redéem·ing *a.* 벌충하는, 명예 회복의 : a ~ feature[point] 다른 결점을 커버[벌충]하는 장점.
rè·delíver *vt.* 돌려주다, 되돌리다 ; 다시 교부하다 ; 해방하다(liberate) ; 되풀이하여 말하다.
rè·delívery *n.* 반환, (원상) 회복(restitution).
re·demp·tion [ridémpʃən] *n.* **1** Ⓤ 되찾음, 되삼, 저당물 되찾기 ; 몸값을 내고 사람을 데려 가기 ; 상환, 회수 ; 이행 ; 보상. **2** Ⓤ 〖神學〗 (그리스도에 의한) 죄의 대속(代贖), 속죄, 구원(salvation). **3** 보상[속죄]하기 ; 장점.
beyond*[*past, without*] *redemption 회복할 가망이 없는 ; 구제하기 어려운.
in the year of our redemption 1999 서기 1999년에.
〖OF<L ; ⇨ REDEEM〗
redémption prìce *n.* 〖證〗 상환[환매] 가격.
re·demp·tive [ridémptiv] *a.* (한 번 판 물건을) 다시 사는, 저당물을 되찾는 ; 몸값을 치르고 빼내는, 구조의 ; 보상의 ; 상환의 ; 속죄의.
re·demp·to·ry [ridémptəri] *a.* =REDEMPTIVE.
réd énsign *n.* [the ~] 영국 상선기(商船旗).
rè·deplóy *vt., vi.* (군대·노동력·생산시설 따위를) 이동[전진·전환]시키다[하다]. **~·ment** *n.* 이동, 이전, 배치 전환.
rè·devélop *vt.* 재개발하다 ; 〖寫〗 재현상하다.
rè·devélop·ment *n.* 재개발, 재흥, 재건.
réd·èye *n.* **1** 눈이 붉은 물고기, 황어. **2** 〖動〗 미국살무사(copperhead). **3** [R~] 〖美陸軍〗 레드아이《어깨에 메는 지대공 미사일》.
réd-èye *n.* **1** 《美口》 야간 비행편(=~ **flíght**). **2** Ⓤ 《美俗》 하급 위스키 ; 케첩 ; 《Can. 俗》 토마토 주스를 섞은 맥주. **3** 〖寫〗 레드아이《플래시를 써서 찍은 사진속의 인물의 눈이 빨갛게 찍히는 현상》. **4** 〖鳥〗 =RED-EYED VIREO.
réd éye *n.* 《美口》 (철도의) 빨간 신호.
réd-èyed *a.* **1** (울어서) 눈 언저리가 붉은, 눈이 부은. **2** (새 따위) 눈이 빨간, 눈 언저리에 붉은 테가 있는.
réd-eyed víreo *n.* 〖鳥〗 붉은눈비리오《북미 북동부산(產)》.
réd-eye grávy *n.* 《美》 햄즙으로 만든 고깃국물.
réd éyes *n. pl.* 핏발선 눈 ; 울어서 부은 눈 ; (새 따위의) 붉은 눈 : with ~ 핏발선 눈으로 ; 몹시 울어서 눈이 부은.
réd-eye spécial *n.* 야간 비행편.
réd-fáced *a.* 얼굴이 붉은 ; 얼굴 빨개진 ; 부끄러운 ; 당황한 ; 화가 난.
réd·fìn *n.* 〖魚〗 지느러미가 붉은 각종 민물고기.
réd fír *n.* 〖植〗 **1** 붉은전나무. **2** 미송나무.
réd fíre *n.* (신호용) 빨간 불꽃.
réd·fìsh *n.* 《英》 연어《시장에서 쓰는 말》; (일반적으로) 불그스름한 물고기 ; (특히) 대서양볼락.
réd flág *n.* **1** 적기(赤旗)《혁명기·위험신호·개전(開戰)기》. **2** [the R~ F~] 적기가(歌)《영국 노동당가(歌)》.
réd fóx *n.* 〖動〗 여우, 붉은여우 ; 여우 가죽.
réd gíant *n.* 〖天〗 적색 거성(巨星).
réd góld *n.* 《古·詩》 순금 ; 금화폐.
réd góods *n. pl.* 레드 상품《이익률은 비교적 낮으나 회전이 빠르고 널리 팔림 ; 식료품 따위》.
réd-grèen *n.* =RED-GREEN BLINDNESS.
réd-green (cólor) blìndness *n.* 〖醫〗 적록(赤綠) 색맹.
réd gróuse *n.* 〖鳥〗 (영국산의) 붉은들꿩.
Réd Guárd *n.* (중국의) 홍위병(紅衛兵) ; 급진좌파《사람》.
Réd Guárd·ism *n.* (중국의) 홍위병 운동.
réd gúm *n.* **1** 〖醫〗 (유아에게 생기는) 땀띠. **2** 〖植〗 유칼리나무 ; 그 목재[수지].
réd-hánd·ed *a., adv.* **1** 손이 피투성이가 된[되어]. **2** 현행범의[으로] : be caught ~ 현행범으로 체포되다.
réd hánds *n. pl.* 피로 물든 손 ; 《비유》 살인죄 : with ~ 피로 물든 손으로 ; 살인을 범하여.
réd hát *n.* 추기경(cardinal)(의 모자[지위, 권위]) ; 《英俗》 참모 장교.
réd·hèad *n.* 머리털이 붉은 사람 ; 〖鳥〗 붉은머리딱따구리.
réd·hèad·ed *a.* 머리털이 붉은 ; 붉은 머리의《새 따위》.
rédheaded wóodpecker *n.* 〖鳥〗 붉은머리딱따구리(redhead)《북미산》.
réd héat *n.* 〖理〗 적열(赤熱) (상태·온도) ; 심한 흥분, 격노.
réd hérring *n.* **1** 훈제(燻製) 청어 : neither fish, flesh, nor good ~ ☞ FISH *n.* 숙어. **2** 《비유》 남의 주의를 딴 데로 쏠리게 하는 것.
***draw a red herring across the path*[*track, trail*]** (남의 주의를 딴 데로 돌리기 위해) 본 줄거리와 관계 없는 사항을 끄집어 내다《여우 사냥용 사냥개 훈련에 훈제 청어를 쓰는 데서》.
réd-hót *a.* **1** 적열(赤熱)의 ; 열렬한, 몹시 흥분한. **2** 과격한, 극단적인. **3** (뉴스 따위) 최신의. **4** 열광적인, 격렬한 ; 《美俗》 섹시한.

——[⌐⌐] *n.* 《美》 **1** 흥분[열광]하고 있는 사람; 과격 급진주의자; 《俗》 여자를 데리고 있지 않은 남자. **2** 《口》 핫도그, 프랑크푸르트 소시지; 붉은 계피를 넣은 과자.

réd-hót mámma *n.* 《美俗》 발랄한[화끈한, 섹시한] 연인《육체파 미녀》.

réd húnt *n.* 공산당 소탕, 공산주의자 색출.

Rè·diffúsion *n.* 《英》 리디퓨전《유선(有線) 방식에 의한 라디오·텔레비전 프로그램의 중계 시스템; 상표명》.

rè·digést *vt.* 다시 소화하다; 다시 편집하다.

Réd Índian *n.* =AMERICAN INDIAN.

red·in·gote [rédiŋgòut] *n.* 레딩고트《앞이 터진 긴 여성용 코트》.
〖F<E *riding coat*〗

réd ínk *n.* 붉은 잉크; 《口》 손실, 적자(상태) (↔ *black ink*).

red·in·te·grate [redíntəgrèit, ri-] *vt.*, *vi.* 원상 복구하다(renew), 복원[재건]하다.

red·in·te·gra·tion [redìntəgréiʃən, ri-] *n.* 복구, 복원; 〖心〗 (과거 체험의) 복원, 재생.
red·ín·te·grà·tive *a.*

Réd Internátional *n.* =COMMUNIST INTERNATIONAL.

rè·diréct *vt.* …의 방향을 바꾸다; (편지의) 수신인 이름[주소]을 고쳐 쓰다. —— *a.* 〖美法〗 재(再)직접 신문의.

rediréct examinátion *n.* 재직접 신문.

rè·diréction *n.* 방향을 바꾸기; 수신인 주소를 고쳐 씀; 수신인의 고쳐 쓴 주소.

re·díscount *n.* (어음의) 재할인; [보통 *pl.*] 재할인 어음. —— *vt.* 재할인하다.

redíscount ràte *n.* 〖商〗 (어음의) 재할인율.

rè·discóver *vt.* 재발견하다.
rè·discóvery *n.* U,C 재발견.

rè·distríbute *vt.* 재분배[재구분]하다.
re·distribútion *n.* U,C 재분배, 재구분.

re·dístrict *vt.* (행정구·선거구를) 재구획하다.

rè·divíde *vt.*, *vi.* 재분배[재구분]하다[되다].
rè·divísion *n.* U,C 재분배[재구분].

red·i·vi·vus [rèdəváivəs] *a.* 되살아난, 다시 태어난, 환생한.

réd jásmine *n.* 〖植〗 **1** 인도재스민《협죽도과; 서인도 제도산》. **2** 메꽃과의 일종.

réd lábel *n.* 《美》 화기 주의 경고문구《인화 물질의 포장에 표시함》.

réd lámp *n.* 《英》 붉은 외등《병원·약국·유곽(1914-18) 따위의 야간등》; 위험 신호.

réd láne *n.* 《英俗》 목구멍(throat).

réd láttice *n.* 《古》 목로 주점(alehouse).

réd léad [-léd] *n.* 연단(鉛丹)(minium); 《美俗》 토마토 케첩.

réd-léad [-léd] *vt.* …에 연단을 바르다.

réd·lèg *n.* 다리가 붉은 새《붉은발도요 따위》.

réd-lègged *a.* (새 따위) 다리가 붉은.

réd-létter *a.* 붉은 문자의, 붉은 글자로 표시한; 기념할 만한, 중요한: a ~ day 경축일, 축제일《달력에 붉은 글자로 나타내는 데서》; 길일(吉日), 기념일. —— *vt.* (기쁜 일을 기념하여) 붉은 문자로 기록하다, 특필하다.

***réd líght** *n.* 적신호《Stop을 의미하는 교통 신호》; 위험신호(↔*green light*); 홍등, 붉은 등(불): go through a ~ 적신호를 (무시하고) 돌파하다 / see the ~ 위험을 알아채다.

réd-lìght *vt.* 《美俗》 (남을) 움직이는 열차에서 밀어 떨어뜨리다; (남을) 불편한 곳에다 차에서 내려놓다.

réd-líght dìstrict *n.* 홍등가, 화류계. 〖원래 유곽의 입구에 적색등을 점등한 데서〗

réd·líne *vi.*, *vt.* 《美》 (급여 지급 대장 따위의) 리스트에서 (항목을) 삭제하다; ((지역)에) REDLINING을 행하다[적용하다]; 〖空〗 레드아크[레드라인, 운용한계]로 비행하다[에 맞추다].
—— *n.* 〖空〗 레드아크, 레드라인, 운용한계(속도)《안전을 유지하며 비행할 수 있는 한계점[속도]》.

réd·líning *n.* 《美》 (은행·보험 회사에 의한) 특정 경계 지구 지정《부동산 담보 융자·보험 계약 따위가 거부됨》.

réd màn *n.* (아메리칸) 인디언.

réd máss *n.* [때때로 R~ M~] 사제(司祭)가 붉은 제의(祭衣)를 입고 드리는 미사.

réd mèat *n.* 붉은 고기《쇠고기·양고기 따위; cf. WHITE MEAT》.

réd múllet *n.* 〖魚〗 노랑촉수《식용 바닷물고기》.

réd·nèck *n.* 《美口》 남부의 농장 노동자《특히 배우지 못한 백인 노동자》; 《英口》 (로마) 카톨릭교도.
—— *a.* 《美口》 =RED-NECKED.

réd-nécked *a.* 《美口》 성난, 발끈한.

réd·ness *n.* U 붉음, 적색, 불그스름함.

Red No. 40 [⌐ nʌ́mbər fɔ́ːrtiː] *n.* 적색 40호《Red No. 2를 대신하는 착색료》.

Red No. 2 [⌐ nʌ́mbər túː] *n.* 적색 2호《나프탈렌에서 얻어지는 인공 착색료; 발암성이 의심되어 미국에서는 1976년부터 사용금지》.

re·dó *vt.* (**re·díd**; **re·dóne**) 다시 하다, 고치다; 다시 수리하다[장식하다]; 편집하다: It's time we had the fence *redone*. 이제 울타리 수리를 해야 할 때다. ——[⌐⌐, ⌐⌐] *n.* 고치기; 개장; 편집.

réd ócher *n.* 대자석(代赭石), 자토(赭土)《붉은 빛깔의 흙 종류, 안료에 씀; cf. RUDDLE》.

réd óil *n.* 《俗》 =HASH OIL.

red·o·lence, -cy [rédələns(i); rédəu-] *n.* U 방향(芳香), 향기.

réd·o·lent *a.* **1** 향기를 풍기는; 냄새가 강한〈*of*〉. **2** 《비유》 (…을) 연상케 하는, 암시하는(suggestive)〈*of*〉. **~·ly** *adv.*
〖OF or L (*red*- re-, *oleo* to smell)〗

réd òne *n.* 《美俗》 특별히 장사가 잘 되는 장소[날, 수지가 맞는 일].
〖RED-LETTER day〗

réd órpiment *n.* =REALGAR.

re·dóuble *vt.* **1** 배가(倍加)하다; 세게 하다, 불리다: We ~*d* our efforts[zeal]. 한층 더 노력했다[열의를 올렸다] / Seeing the goal ahead, the runner ~*d* his speed. 눈앞에 결승점이 보이자 주자는 속도를 한층 높였다. **2** 《古》 되풀이하다; 《廢》 울려퍼지다(reecho).
—— *vi.* **1** 배가하다, 강해지다: The rain ~*d*. 비는 더욱 세차졌다. **2** 갑자기 되돌아오다(double back). **3** 〖카드놀이〗 (브리지에서) 상대편이 배로 올린 것을 다시 배로 올리다.
double and redouble 더욱 더 늘리다.
—— *n.* 〖카드놀이〗 (브리지에서) 상대편이 배로 올린 것을 다시 배로 올리기.
〖F (*re*-)〗

re·doubt [ridáut] *n.* 〖築城〗 방형 보루(方形堡壘); 요새, 보루.
〖F *redoute*<L (⇨ REDUCE); -*b*-는 *doubt*(*able*) 따위의 영향〗

re·doubt·able [ridáutəbəl] *a.* 《文語》 가공할 만한, 깔볼 수 없는(formidable); 황공한, 당당한. **-ably** *adv.* **~·ness** *n.*
〖OF; ⇨ DOUBT〗

re·doubt·ed [ridáutəd] *a.* 《古》=REDOUBTABLE.

re·dound [ridáund] *vi.* [+前+名] **1** (결국) 크게 이바지하다, 기여하다, 높이다(contribute); (이익·손해 따위가) 돌아가다, 미치다(result): This achievement will ~ ***to*** his credit. 이 업적은 그의 신망을 크게 높이게 될 것이다. **2** (행위가 결과로) 되돌아오다, 되미치다(recoil, rebound) 〈*on*〉: His past misdeeds ~*ed* (***up***) ***on*** him. 과거의 나쁜 행실의 영향이 자신에게 되돌아왔다.
—— *n.* 결과가 미침.
〚ME=to overflow<OF<L *red*(*undo* to surge<*unda* wave); *red-*=*re-*〛

réd·òut *n.* 〖空〗 (비행중의) 일시적 적시(赤視) 시야 상실.

re·dox [rí:dɑks] *n., a.* 〖化〗 산화 환원(의).
〚*red*uction+*ox*idation〛

réd óxide *n.* 〖化〗 철단(鐵丹), 삼산화 이철(三酸化二鐵)(ferric oxide).

réd páint *n.* 《美俗》 케첩.

réd-péncil *vt.* (원고 따위를 붉은 연필로) 수정[삭제]하다, 정정하다; …에 붉은 글자를 써넣다(cf. BLUE-PENCIL).

réd pépper *n.* 고추(cayenne pepper)《양념》; 고추《열매》.

Réd Plánet *n.* [the ~] 붉은 행성《화성의 속칭》.

réd·pòle *n.* 《俗》 홍방울새(redpoll).

réd·pòll *n.* 〖鳥〗 (유럽산) 홍방울새.

réd póll(ed) *n.* [흔히 R~ P~] 〖動〗 (뿔이 없고 털이 붉은) 레드 폴종(種)의 소.

Réd Pówer *n.* 레드 파워《아메리칸 인디언의 문화적·정치적 운동의 슬로건》.
〚1961년 Mescalero Apache족이 제창〛

réd púrge *n.* 적색분자 추방[숙청].

ré·dràft [ˌ-ˊ; ˊ-ˌ] *n.* 다시 쓴 초안; (법안 따위의) 재기초; 〖商〗 역(逆)환어음.
—— *vt.* 다시 쓰다; 다시 기초하다.

réd rág *n.* (소·사람 등을) 성나게 하는 것; 붉은 넝마《혁명파의 붉은 기를 조롱하는 말》; 밀의 녹병(病); 《俗》 혀(tongue).

re·dráw *vt.* …을 고쳐 적다, (선)을 다시 긋다.
—— *vi.* 어음을 재발행하다.

re·dress[1] [ridrés] *vt.* **1** (불행·손해·과실 따위를) 시정하다, 제거하다; (손해·부정 따위의) 피해자에게 보상하다[를 구제하다]. **2** (불균형을) 고치다. ——[ˌ, 美+rí:dres] *n.* Ⓤ 구제(책); 교정(수단), 제거; 보상. **~·able** *a.* **~·er** *n.*
〚OF (*re-*)〛

re·dréss[2] *vt.* 다시 입히다; 다시 고치다; 붕대를 다시 감다.

réd ríbbon *n.* (경기 따위에서) 2등상; 《英》 바스 훈장(the Order of the Bath)의 띠[착용자]; 레종도뇌르(Legion of Honor) 훈장의 띠[착용자].

Réd Ríver *n.* [the ~] 레드 강(江)《미국 Texas, Oklahoma 양 주(州)의 경계를 흘러 Mississippi 강과 합류》.

réd rúst *n.* 〖植〗 붉은녹병.

réd sándalwood *n.* 〖植〗 자단.

Réd Séa *n.* [the ~] 홍해(紅海).

réd séaweed *n.* 홍조(紅藻)(red alga).

réd·shànk *n.* 〖鳥〗 붉은발도요.

réd·shíft *n.* 〖天〗 (스펙트럼의) 적색 이동.

réd·shìrt *n.* 붉은 셔츠당원[대원]《특히 이탈리아의 Garibaldi가 이끈 혁명 당원》; 《美俗》 (대학의) 유급(留級) 선수. —— *vt.* 《美俗》 ((대학) 선수를) 1년간 유급시켜 시합에 출전시키지 않다.

réd-shórt *a.* 〖冶〗 열에 약한(cf. COLD-SHORT).
~·ness *n.* 적열취성(赤熱脆性).

réd·skìn *n.* 《흔히 蔑》 =AMERICAN INDIAN.

réd snápper *n.* 〖魚〗 빨갱이, (특히) 물퉁돔, 금눈돔.

réd snów *n.* 적설(赤雪)《극지·고산 지대의》.

réd spíder *n.* 〖昆〗 잎진드기《포도의 큰 해충》.

Réd Squáre *n.* [the ~] (Moscow에 있는) 붉은 광장.

réd squírrel *n.* 〖動〗 (북미산의) 붉은다람쥐.

Réd Stár *n.* 국제 동물 애호 단체.

réd·stàrt *n.* 〖鳥〗 (유럽산의) 흰이마딱새.

réd tápe *n.* **1** Ⓤ (공문서를 매는) 붉은 끈. **2** Ⓤ 관청식, 관료적 형식주의, 번문 욕례(繁文縟禮).
〚이전에 잉글랜드에서 공문서를 붉은 끈으로 묶은 데서〛

réd-tápe *a.* 관청식의, (관료적) 형식주의의, 번문 욕례의.

rèd-tápism *n.* Ⓤ 관청식; 번거로운 절차, 번문 욕례.

rèd-tápist *n.* 관료적인 사람.

Réd Térror *n.* [the ~] 〖프史〗 혁명 공포 정치; (일반적으로) 적색 테러(cf. WHITE TERROR).

réd tíde *n.* 적조(赤潮).

réd·tòp *n.* 〖植〗 흰겨이삭《목초》.

réd tríangle *n.* 홍삼각(紅三角)《기독교 청년회의 휘장》; 기독교 청년회(Y. M. C. A.).

Red 2 [ˊ tú:] *n.* =RED NO. 2.

re·duce** [rid*j*ú:s] *vt.* **1** [+目/+目+*to*+名] 줄이다, 축소하다; 한정하다; (하위로) 끌어내리다, 낮추다(lower); 할인하다; 감축하다; (그림 물감·페인트를) 묽게 하다, 풀다(thin); 약화시키다, 쇠약하게 하다: I tried to ~ my expenses [my weight]. 비용을 감축하려고[체중을 줄이고자] 애썼다 / He was ~*d* ***to the ranks. 사병으로 강등되었다 / The old man was ~*d* *to* a skeleton. 노인은 야위어 피골이 상접했다 / We have ~*d* our expenditure almost *to* nothing. 우리는 경비를 거의 영으로 줄였다 / They were in ~*d* circumstances. 그들은 영락[몰락]해 있었다 / a ~*d* official 감원당한 공무원.
2 [+目+*to*+名] **a**) 원래의 상태로 하다, 복귀시키다: The police soon ~*d* the mob ***to*** order. 경찰은 곧 폭도를 진압했다. **b**) (어떤 상태에) 별수없이[강제로] 이르게 하다: The rebels were ~*d* ***to*** submission. 반란군은 별수없이 항복했다 / The girls were ~*d* *to* silence[tears]. 소녀들은 아무 소리 못하고 말았다[울음을 터뜨리고 말았다] / The poor man was ~*d* *to* begg*ing*[steal*ing*]. 그 불쌍한 남자는 구걸[도둑질]을 하기에 이르렀다. **c**) (어떤 모양에서 다른 모양으로) 변형시키다, 바꾸다(change): ~ a statement ***to*** its simplest form 어떤 진술을 가장 간단한 형식으로 고치다 / The clods were ~*d* *to* powder. 그 흙덩어리는 부서져서 가루가 되었다 / The unwritten customs were ~*d* *to* writing. 불문율의 관례가 성문화되었다. **d**) 적응[일치]시키다: ~ a rule ***to*** practice 규칙을 실행하다.
3 진압하다, 복종시키다, 정복하다(conquer).
4 〖數〗 환산하다, 통분(通分)하다, 약분(約分)하다: ~ an equation 방정식을 풀다.
5 〖醫〗 (탈구 따위를) 고치다, 정복(整復)하다.
6 [+目/+目+*to*+名] 〖化〗 환원하다, 분해하다; 〖冶〗 정련하다: Let's ~ this compound ***to*** its elements. 이 화합물을 원소로 분해해 봅시다.
7 〖寫〗 감력(減力)하다; 〖生〗 (세포를) 감수 분열시키다.
8 (천체 관측 따위에서) …을 수정[조정]하다.
—— *vi.* 줄다, 축소되다; 농축되다; 환원되다; 바뀌다; 일치하다; 《口》 (절식 따위로) 체중이 줄

다 ; 〔生〕 감수 분열하다 ; (페인트 따위가 …으로) 묽어지다⟨*with*⟩ : No more, thanks, I'm *reducing*. 고맙지만 더이상 못 먹겠다, 절식 중이니까.
re·dúc·ible *a.* reduce 할 수 있는. **-ibly** *adv.*
re·dùc·ibíl·i·ty *n.*
〚ME=to restore to original or proper position<L *re-* (*duct- duco* to lead)〛
類義語 ⟹ DECREASE.

re·dúc·er *n.* reduce 하는 사람[것] ; 〔寫〕 감력제, 현상약 ; 〔化〕 환원제 (reducing agent) ; 〔機〕 지름이 다른 소켓, 리듀서.

re·dúc·ing *n., a.* (절식·약 따위에 의한) 체중 감량법 ; 〔化〕 환원하는 ; 축소하는.

redúcing àgent *n.* 〔化〕 환원제.

redúcing glàss *n.* 〔光〕 축소 렌즈.

re·duc·tase [ridʌ́kteis, -z] *n.* 〔化〕 환원 효소.

re·duc·tio ad ab·sur·dum [ridʌ́ktiòu æd æbsə́ːrdəm, -ʃiòu-, -siòu-, -zə̀ːrd-] *n.* 〔論〕 귀류법, 간접 환원법 ; 성과 없는 논의, 극단적인 예.
〚L=reduction to absurdity〛

***re·duc·tion** [ridʌ́kʃən] *n.* **1** Ⓤ,Ⓒ 축소, 삭감 ; 할인 ; 축사(縮寫) ; Ⓒ 축도 : a ~ *in*[*of*] numbers 감수(減數) / give[get] a ~ *of* 10 percent 10퍼센트를 할인해 주다[받다] / What ~ will you make *on* this article? 이 물품을 (산다면) 얼마나 할인해 주겠습니까. **2** Ⓤ 변형, 화성(化成) ; 적합, 적응 ; 항복, 귀순. **3** Ⓤ 〔數〕 약분, 환산 ; 〔化〕 환원(법) ; 〔醫〕 복위(復位), 정복(整復)(술) ; 〔論〕 환원법, 개격법(改格法) ; 〔天〕 수정(修正)《관측중의 오차의 보정(補正)》. **4** 〔寫〕 감력 ; 〔生〕 감수 분열 ; 〔樂〕 (특히 피아노곡으로의) 간약 편곡 ; 〔컴퓨〕 (데이터의) 정리(整理).
〚OF or L ; ⇨ REDUCE〛

redúction divìsion *n.* 〔生〕 감수 분열.

redúction fòrmula *n.* 〔數〕 환원[환산] 공식.

redúction gèar *n.* 〔機〕 감속 기어[장치].

redúction·ìsm *n.* **1** 〔生〕 환원(還元)주의《생명 현상은 물리학적·화학적으로 다 설명할 수 있다고 함》 ; 〔論〕 환원주의《복잡한 데이터·현상을 단순하게 환언하려는 이론》. **2** 《蔑》 과도한 단순화 (지향).

re·duc·tive [ridʌ́ktiv] *a.* 감소[축소]하는 ; 복원[환원]하는 ; MINIMAL ART의. —— *n.* 감소[환원]시키는 것.

re·dúc·tiv·ìsm *n.* =MINIMAL ART.
-ist *n.*

re·duc·tor [ridʌ́ktər] *n.* 〔化〕 환원 장치.

re·dun·dancy, -dance [ridʌ́ndəns(i)] *n.* Ⓤ,Ⓒ **1** 여분, 잉여(물) ; 《英》 (합리화 따위로 생기는) 노동력의 잉여, 잉여 노동자의 해고. **2** 용장(冗長), 중복 ; 군말 ; (정보 따위의) 용장성[도] ; 〔컴퓨〕 중복.

redúndancy chèck *n.* 〔컴퓨〕 중복 검사《부가된 중복 정보를 체크하여 정보의 정확성을 검사》.

redúndancy pàyment *n.* 《英》 (합리화 따위에 의한 잉여 노동자 해고시에 주는) 퇴직 수당.

re·dún·dant *a.* **1** 여분의, 과다한 (superfluous) ; 중복하는 ; 잉여의 《노동력》 ; (표현이) 장황한. **2** 많은, 풍부한. **3** (우주선 장치 따위) 용장성(冗長性)이 있는 ; 〔工〕 (구조가) 부정정(不靜定)의.
~·ly *adv.* 여분으로 ; 장황하게.
〚L ; ⇨ REDOUND〛

redúndant vérb *n.* 〔文法〕 이중 변화 동사《이중 과거형을 갖는 hang, work 따위》.

redupl. reduplicate ; reduplication ; reduplicative.

re·dúplicate [ri-] *vt.* **1** 이중으로 하다, 배가하다 ; 되풀이하다. **2** 〔文法〕 (문자·음절을) 중복시키다 ; 음절을 중복시켜 (시제(時制)의 변화형을) 만들다. —— *vi.* 이중이 되다, 배가 되다, 중복하다. —— *a.* 되풀이한, 반복[중복]한 ; 배가한. —— *n.* reduplicate 시킨 것.
〚L (*re-*)〛

re·duplicátion [ri-] *n.* **1** Ⓤ 이중으로 함, 배가(倍加) ; 반복. **2** Ⓤ 〔文法〕 (어두·음절의) 중복 ; Ⓒ 겹친 글자[음절].

re·dúplicative [ri-] *a.* 반복하는 ; 배가(倍加)하는, 이중의.

re·dux [ridʌ́ks] *a.* 돌아온《명사 뒤에 옴》.
〚L=brought back, returned ; ⇨ REDUCE〛

réd vítriol *n.* 황산 코발트.

réd·wàre *n.* 《美》 산화철을 많이 함유한 점토로 만든 질그릇.
〚WARE[1]〛

réd whèel *n.* 《CB俗》 순찰차 꼭대기의 뱅뱅 도는 빨간 등(불).

réd wíne *n.* 붉은 포도주《주로 붉은 포도를 쓰며 껍질과 함께 발효시켜서 만듦 ; cf. WHITE WINE, ROSÉ》.

réd·wìng *n.* 〔鳥〕 **1** 붉은날개지빠귀(=**réd-wìnged thrúsh**) 《유럽산(産)》. **2** =REDWING BLACKBIRD.

rédwing bláckbird, réd-winged bláckbird *n.* 〔鳥〕 붉은깃찌르레기《북미산》.

réd·wòod *n.* 〔植〕 미국삼나무《미국 California산으로 높이가 130m에 이르는 교목 ; cf. SEQUOIA, BIG TREE》 ; Ⓤ (일반적으로) 적색 목재.

Rédwood Nátional Párk *n.* 레드우드 국립공원《California 주 북서부 태평양 연안의 redwood의 삼림》.

réd wórm *n.* 〔動〕 =BLOODWORM, (특히) 실지렁이《낚싯밥》.

re·dýe *vt.* …을 다시 염색하다.

réd-yéllow *a.* 주황색의.

re·écho *vt., vi.* 되풀이해서 반향(反響)하다, 울려 퍼지다. —— *n.* 반향의 반복.

***reed** [ríːd] *n.* **1** 〔植〕 갈대 : a thinking ~ ☞ THINKING. **2** Ⓤ 갈대 밭 ; [*pl.*] 《英》 (지붕 이는) 이엉. **3** 《詩》 갈대 피리, 목적(牧笛) (reed pipe) ; [the 또는 one's ~] 목가, 전원시(pastoral poetry). **4** 《詩》 화살. **5** 〔樂〕 (악기의) 혀, 리드《입대고 부는 곳》 ; [the ~s] 리드 악기(부) (cf. STRINGS, BRASS) ; 〔建〕 =REEDING. **6** (베틀의) 바디.
a broken*[*bruised*] *reed 〔聖〕 「부러진 갈대」, 믿을 수 없는 사람[것] : rely upon *a broken* ~ =*lean on a* REED.
lean on a reed 못믿을 사람[것]에 의지하다.
—— *vt.* **1** (지붕을) 갈대로 이다 ; (짚을) 이엉으로 쓰다 ; 갈대로 장식하다 ; 〔建〕 REEDING으로 장식하다. **2** (악기에) 리드를 붙이다.
〚OE *hrēod* ; cf. G *Riet*〛

réed·bìrd *n.* 《美南部》 =BOBOLINK ; =REED WARBLER.

réed·ed *a.* **1** 갈대가 우거진, 갈대로 덮인 ; 〔建〕 reeding으로 장식한. **2** 〔樂〕 리드가 달린.

re·édify *vt.* =REBUILD.

réed·ing *n.* 〔建〕 (기둥·벽 따위에) 홈이 있는 쇠시리 ; (경화의) 깔쭉깔쭉함.

re·édit *vt.* 다시 편집하다, 개정하다.

rè·edítion *n.* 개정판.

réed màce *n.* 〔植〕 부들(cattail).

réed·man [-mən] *n.* 리드(악기) 연주자.

réed òrgan *n.* 〔樂〕 리드 오르간《파이프를 사용하

지 않고 리드를 사용한 소형 오르간 ; cf. PIPE ORGAN》.

réed pìpe *n.* 갈대피리, 목적(牧笛) ; 〖樂〗 리드 파이프《금속성 리드의 진동으로 소리를 내는 오르간의 파이프》.

réed rèlay *n.* 〖電〗 리드 계전기(繼電器)《전화 교환 시스템용》.

réed stòp *n.* 〖樂〗 (파이프 오르간의) 리드 스톱.

re·éducate *vt.* 재교육하다, …에게 교육을 다시 시키다. **re·educátion** *n.* Ⓤ 재교육(再敎育). **re·éducative** *a.*

réed wàrbler *n.* 〖鳥〗 (유럽) 개개비.

réedy *a.* **1** 갈대가 많은, 갈대가 무성한 ; 《주로 詩》 갈대로 만든. **2** 갈대 같은 ; 호리호리한. **3** 갈대피리 소리 비슷한 ; (소리가) 새된, 높고 날카로운. **réed·i·ness** *n.* **réed·i·ly** *adv.*

reef[1] [ri:f] *n.* **1** 암초 ; 모래톱, 사주(砂洲) ; 장애. **2** 광맥. 〚MDu., MLG<ON *rif* RIB〛

reef[2] *n.* 〖海〗 (돛의) 축범부(縮帆部)《돛을 말아올려 줄일 수 있는 부분》.

take in a reef 돛을 줄이다 ; 재정을 긴축하다 ; 《비유》 신중히 하다.

── *vt.* (돛을) 줄이다〈*in*〉; (topmast, bowsprit 따위를) 짧게 하다 ; 《美》 (축범하듯이) 접치다.

── *vi.* 돛을 줄이다, 축범하다.

〚Du.<ON (↑)〛

réef·er[1] *n.* **1** 축범하는 사람 ; 《口》 축범담당《해군 소위 후보생(midshipman)의 별명》. **2** (보통 질긴 푸른 천으로 만든) 두꺼운 더블 재킷. **3** = REEF KNOT. 〚REEF[2]〛

reefer[2] *n.* 《口》 마리화나 궐련 ; 마리화나 궐련을 피우는 사람. 〚? REEF[2]〛

ree·fer[3] [rí:fər] *n.* 《美口》 냉장고, 냉동 트럭, 냉동선, 냉동 화차. 〚REFRIGERATOR〛

réefer wèed *n.* 《口》 마리화나.

réef knòt *n.* 〖海〗 맞매듭, 옭매듭(square knot).

réef pòint *n.* 〖海〗 리프 포인트, 축범삭(縮帆索)《돛을 말아올려 매는》.

reek [rí:k] *n.* Ⓤ 김, 증기 ; 악취 ; 《方》 연기.

── *vi.* **1** 연기나다 ; 김을 내다. **2** [+*of*+名] **a**) 악취를 풍기다, …의 냄새가 나다 : He ~*ed* ***of*** alcohol[garlic]. 그에게서는 알코올[마늘] 냄새가 났다 / This room is ~*ing of* cigar smoke. 이 방은 담배 냄새 때문에 숨이 막힌다. **b**) 《비유》 기미가 있다 : ~ ***of*** affectation 젠체하다 / ~ *of* murder 살기를 띠고 있다. **3** [+前+名] (땀·피 따위) 투성이가 되다 : The horse was ~*ing* ***with*** sweat. 말은 땀투성이었다.

── *vt.* 연기[증기]로 처리하다, 연기로 그슬리다 ; 《方》 (연기 따위를) 내다, 피우다 ; (매력 따위를) 발산하다.

~·er *n.* **réeky** *a.* 연기가 나는, 그을은 ; 김이 나는 ; 냄새가 고약한.

〚OE(n.) *rēc*, (v.) *rēocan* ; cf. OHG *rouh* smoke〛

***reel**[1] [rí:l] *n.* **1 a**) 《주로 英》 얼레, 실패, 자새(spool, bobbin). **b**) (낚싯대의) 실감는 틀, 릴. **c**) (실패에 감은) 한 타래의 실, 한 두루마리〈*of*〉. **2** (기계의) 회전부. **3** (케이블 따위의) 감는 틀 ; 틀에 감은 필름 ; 〖映〗 권(卷)《보통 한 권은 1000 feet 또는 2000 feet》: a six-~ film 여섯권 짜리의 영화. **4** 〖컴퓨〗 테, 감개.

(***straight***) ***off the reel*** (실 따위가) 줄줄 풀려 ; 《口》 술술, 거침없이.

── *vt.* **1** (실을) 얼레[실패]에 감다. **2** [+目+副/+目+前+名] (누에고치 따위에서) 실을 뽑다 ; (물고기 따위를) 릴로 감아 당기다 : ~ ***in*** [***up***] the log line 측정선(測程線)을 릴로 감아들이다 / ~ *in* a fish 물고기를 릴로 끌어당기다 / ~ the cocoon silk ***off*** = ~ the silk thread ***off*** cocoons 누에고치에서 생사를 뽑아내다.

reel off (1) ☞ *vt.* 2. (2) 거침없이[술술] 말하다, 입담 좋게 이야기하다 : The boy began ~*ing off* the series of names[the long verses]. 그 소년은 일련(一連)의 이름[긴 시]을 술술 암송하기 시작했다.

〚OE *hrēol* < ? ; cf. ON *hræll* weaver's rod〛

reel[2] *n.* 갈짓자 걸음, 비틀거림(stagger) ; 현기증(giddiness). ── *vt.* 비틀거리게 하다 ; …에게 현기증을 일으키게 하다 ; 휘청거리게 하다. ── *vi.* **1** [動/+副/+前+名] 비틀거리다, 갈짓자로 걷다 : He got up but ~*ed* like a drunken man. 그는 일어섰으나 술취한 사람처럼 비틀거렸다 / The old man went ~*ing* ***along***[***down*** the street]. 노인은 비틀비틀[거리를 비틀비틀] 걸어갔다. **2** 현기증이 나다 ; (심신이) 동요하다 : My mind [brain] ~*ed* at the news. 그 소식을 듣고 나는 머리가 어찔어찔했다. **3** (전투대열이) 흩어지다 ; (광경이) 흔들리는 것처럼 보이다 : The enemy ~*ed* when surprised by the unit. 적군은 그 부대의 기습공격을 받고 (대열이) 흩어졌다 / The whole room ~*ed* before my eyes. 방 전체가 내눈 앞에서 흔들리는 것같이 보였다.

~·ing·ly *adv.* 비틀거리면서, 갈짓자 걸음으로, 비틀비틀 ; 동요(動搖)하여.

〚ME REEL[1]〛

類義語 ⟹ STAGGER.

reel[3] *n.* 릴《스코틀랜드 고지(高地) 사람의 경쾌한 춤》; 그 곡. ── *vi.* 릴을 추다.

〚? REEL[2]〛

rè·eléct *vt.* 재선[개선(改選)]하다.

rè·eléction *n.* Ⓤ,Ⓒ 재선, 개선.

re·éligible *a.* 재선[재임] 자격이 있는.

réel·màn *n.* 《濠》 구명 밧줄을 감는 릴 조작원《해수욕장의 구조대의 일원》.

réel-to-réel *a.* (테이프 리코더가) 오픈 릴식인.

rè·embárk *vt., vi.* 다시 승선시키다[하다], 다시 물건을 (배·비행기에) 싣다.

re·embarkátion *n.* Ⓤ 재승선(再乘船).

rè·embódy *vt.* 재형성[재편성]하다.

rè·emérge *vi.* 다시 나타나다, 재현[재출현]하다.

rè·emérgence *n.* Ⓤ 재출현. **rè·emérgent** *a.*

rè·emplóy *vt.* …을 재고용하다.

rè·emplóy·ment *n.*

rè·enáct *vt.* **1** (법률 따위를) 다시 제정하다. **2** (연극·배역 따위를) 재연하다 ; (이전의 사건 따위를) 재현하다. **~·ment** *n.* 재제정(再制定) ; 재연(再演), 재상연 ; 재현.

rè·en·fórce *vt.* 《美》 =REINFORCE.

~·ment *n.* 《美》 =REINFORCEMENT.

rè·en·gáge *vt.* …을 다시 고용하다.

re·éngine *vt.* (배 따위에) 엔진을 바꾸어 달다.

rè·en·líst *vi.* 재입대하다. ── *vt.* 재입대시키다.

~·ment *n.* 재입대(자) ; 재입대 후의 기간.

re·énter *vt., vi.* 다시 넣다 ; …에 다시 가입[등록]하다 ; 재기입하다 ; 〖法〗 다시 소유권을 얻다 ; 〖彫〗 파서 더 깊게 하다 ; 〖染〗 두번 염색하다 ; 《美俗》 마약에 의한 도취에서 깨어나다.

── *n.* 《美俗》 마약의 도취에서 깨어남.

re·énter·able *a.* 〖컴퓨〗 재입(再入) 가능한.

re·énter·ing[**reéntrant**] **àngle** *n.* 오목각.

re·éntrance *n.* =REENTRY.

re·éntrant *a.* 다시 들어가는 ; 안을 향해 있는 ; 〖築城〗 요각(凹角)의(↔*salient*) ; 〖컴퓨〗 재입 가능한. ── *n.* 〖築城〗 요각 ; 다시 들어가는 사람

[것]; 안으로 향하고 있는 사람[것].

re·éntry *n.* 다시 넣기[들어가기]; 재입국; 재등록; 〖法〗 (부동산의) 점유권의 재취득; (로켓·우주선의 대기권에의) 재돌입(=atmospheric ~); 《美俗》 마약의 도취에서 깨어남; 〖카드놀이〗 상대로부터 리드(lead)를 도로 뺏을 수 있는 유력한 패(=**cárd of** ~).

reéntry còrridor *n.* 〖로켓〗 재돌입 회랑《대기권에 재돌입한 물체가 지구상에서 무사히 회수되는 통로》.

reéntry dràft *n.* 〖野〗 리엔트리 드래프트《자유계약 선수를 대상으로 한》.

rè·estáblish *vt.* **1** 복직[복위]하다; 재건하다. **2** 복구[부흥]하다(restore); 회복하다.
~·ment *n.*

reeve[1] [ríːv] *vt.* (**~d, rove** [róuv]; **rove, rov·en** [róuvən]) 〖海〗 [+目+副/+目+前+名] **1** (밧줄을 구멍에) 꿰다〈*through*〉. **2** (밧줄·실을) 구멍에 꿰어[감아서] 동여매다: ~ a rope ***in*** [***on, round, to***] a yard 밧줄을 구멍에 꿰어 (돛대의) 활대에 동여매다[밧줄을 활대에 칭칭 감다]. **3** (배가 얼음·여울 따위의 사이를) 누비며 가다. —— *vi.* (밧줄이) 도르래[고리]에 꿰어지다. 〚? Du. *reven* REEF[2]〛

reeve[2] *n.* **1** 〖英史〗 (읍·지방의) 장관, 원; 장원(莊園)의 관리인(cf. SHERIFF). **2** 하급 지방 관리; 《Can.》 (읍·면 의회의) 의장. **3** 〖鑛山〗 십장, 갱내 감독(foreman).
〚OE (*ge*)*rēfa* (*y-*, 《美》 *rōf* assembly); cf. OHG *ruova* number, array〛

reeve[3] *n.* 〖鳥〗 목도리도요의 암컷(cf. RUFF[1]).
〚C17< ?〛

rè·exámine *vt.* 재시험[재검사, 재심사]하다; 〖法〗 재심문하다.
rè·examinátion *n.*

rè·exchánge *n.* 재교환; 역(逆)환어음.

rè·expórt *vt.* (수입품을) 재[역]수출하다.
—— [-ˊ-] *n.* Ⓤ 재[역]수출; Ⓒ 재수출품; [보통 *pl.*] 재수출고.

re·exportátion *n.* Ⓤ 재[역]수출; Ⓒ 역수출품.

ref [réf] *n., vt., vi.* 《口》 =REFEREE.

ref. referee; reference; referred; refining; reformation; reformed; reformer; refund; refunding.

re·fáce *vt.* 표면[겉]을 새로 단장하다.

re·fáshion *vt.* 다시 만들다, 개조하다, 개장(改裝)하다; 모양[배열]을 바꾸다.

re·fásten *vt.* 다시 설치하다[묶다, 철하다].

Ref. Ch. Reformed Church.

re·fect [rifékt] *vt.* 《古》 (음식물을 섭취하여) 기력을 북돋우다. 〚OF<L *re-*(*fect- ficio=facio* to make) =to renew〛

re·fec·tion [rifékʃən] *n.* **1** Ⓤ 기분 전환, 위안, 휴양. **2** Ⓤ (음식에 의한) 원기 회복; 음식을 섭취하기; Ⓒ 간단한 식사, 간식.
〚OF<L (↑)〛

re·fec·to·ry [riféktəri] *n.* (특히 수도원의) 식당(dining room); 다실, 휴게실.
〚L (↑)〛

reféctory tàble *n.* 직사각형의 긴 식탁; 양끝을 접을 수 있는 장방형 식탁.

re·fer** [rifə́ːr] *v.* (**-rr-**) *vt.* **1** [+目+前+名] (사람을 …에게) 보내다, 조회시키다: I ~*red* her ***to the principal. 그녀에게 교장한테 가보도록 일렀다 / I was ~*red to* the secretary ***for*** information. 상세한 것은 비서에게 알아보라는 것이었다. **2** [+目+*to*+名] (서적 따위를) 참조시키다; (사건·문제 따위에) 주목[유의]시키다(direct attention): He usually ~*s* his pupils ***to*** this dictionary. 평소 학생들에게 이 사전을 참조하라고 이른다 / The asterisk ~*s* the reader *to* a footnote. 별표(*)는 독자에게 각주(脚註)를 보라는 뜻이다(cf. *vi.* 2 b)).
3 a) [+目+*to*+名] (사건·문제 따위를) 일임하다, 위탁[부탁]하다: They decided to ~ the dispute ***to*** the United Nations. 그 논쟁점을 UN에 일임하기로 했다 / I ~ myself *to* your generosity. 당신의 관대한 처분을 바랄 뿐입니다. **b)** 《英》 (논문 따위를) 되돌려 보내다; 《英》 (시험에서 학생을) 낙제시키다, …에게 추가시험을 허락하다.
4 [+目+*to*+名] (기원·원인을 …에) 있다고 간주하다, (…의) 탓으로 치다, 돌리다(assign); (종류·시대 따위에) 속하는 것으로 하다: He ~*red* his success ***to*** his own hard work. 그는 자신이 성공한 것을 열심히 일한 탓이라고 생각했다 / Irish glass is usually ~*red to* Waterford. 아일랜드제(製)의 유리는 보통 워터퍼드산(産)이라고들 말한다.
—— *vi.* **1** [+*to*+名] **a)** 언급하다, 입밖에 내다; 인용하다, 인증하다: The speaker ~*red* ***to*** his personal experiences. 그 연사는 자신의 개인적 경험을 언급했다 / The author frequently ~*s* *to* the Bible. 저자는 자주 성서를 인용한다 / I never ~ *to* you by the remark. 그렇다고 해서 결코 당신 이야기는 아닙니다. **b)** (…을 …라고) 부르다: The American Indians ~*red* ***to*** salt *as* "magic white sand." 아메리칸 인디언은 소금을 마법의 흰 모래라고 불렀다.
2 [+*to*+名] **a)** 관련되어 있다, 적용되다(apply): This statement ~*s* ***to*** all of us. 이 말은 우리 모두에게 적용된다 / The regulations ~ only *to* minors. 그 규칙은 미성년자에게만 적용된다. **b)** 지시하다: The asterisk ~*s* ***to*** a footnote. 별표(*)는 각주(脚註)의 표시다(cf. *vt.* 2). **c)** 〖文法〗 (대명사가 명사 따위를) 가리키다, 받다: What noun does this "it" ~ ***to***? 이 it은 어느 명사를 가리키고 있는가.
3 [+前+名] **a)** (인물·능력 따위에 대해 …에게) 알아보다, 조회하다: We have ~*red* ***to*** the former employer ***for*** his character. 그의 인물됨에 대해서 전 고용주에게 알아보았다 / *R*~ *to* drawer. 〖商〗 발행인 회부《은행에서 부도수표 따위에 R. D. 또는 R/D라고 약기함》. **b)** 참고하다, 참조하다: For the proof the author ~*s* ***to*** the passage quoted. 증거용으로 저자는 인용한 구절을 참조하고 있다. **re·fér·rer** *n.*
〚OF<L *re-*(*lat- fero* to bring) =to carry back〛

類義語 ***refer*** 남의 주의·관심을 끌기 위해서 공공연히 직접 어떤 사람[물건]의 이름을 들거나 또는 어떤 것을 언급하다. ***allude*** 예사로운 또는 완곡한 표현으로 혹은 비유로 어떤 사람[물건]을 넌지시 암시하다: She never *referred* to his conduct, though she sometimes *alluded* to it by hinting. (그녀는 가끔 그의 행동에 대해서 암시는 했으나 결코 공공연히 말하지는 않았다).

ref·er·able [réfərəbəl, rifə́ː-] *a.* 돌릴 수 있는, (…의) 탓이라고 해도 되는; 귀속시킬 수 있는〈*to*〉.

***ref·er·ee** [rèfəríː] *n.* (어떤 일을) 위임[위탁]받은 사람; 신원 보증인(reference); 〖法〗 중재인; (축구·권투 따위의) 주심, 심판원, 레퍼리.
—— *vt.* …의 중재를 하다, 심판하다: ~ a football game 축구 시합의 심판을 보다. —— *vi.* 중재[심판]하다.

類義語 ⟹ JUDGE.

***ref·er·ence** [réfərəns, 美+réfərns] *n.* **1** Ⓤ,Ⓒ (서적 따위의) 참고, 참조, 대조 ; 언급, 논급 : (a) ~ *to* an encyclopedia 백과 사전을 참조할 것 / His ~ *to* the party reminded me of an engagement for that evening. 그가 회합에 대한 얘기를 하자 나는 그날 저녁의 약속이 생각났다. **2** Ⓤ 관련, 관계〈*to*〉; 지시, 표시 ; 〖文法〗 지시〈*to*〉. **3** 조회, 문의〈*to*〉. **4** (신원·신용 따위의) 증명서 ; 신원 보증인, 신용 조회처 : He has a good ~ from his former employer. 그에게는 전 고용주로부터의 좋은 추천장이 있다. **5** 참고서 ; 참조 문헌 ; 참조문, 인용문, 참조 부호《asterisk (*), obelisk (†), double obelisk (‡), paragraph (¶), section (§) 따위》. **6** Ⓤ (위원회 따위에의) 위탁, 회부〈*to*〉; 위탁의 범위 ; 〖法〗 중재, (중재인에 대한) 사건 부탁 : the terms of ~ 위탁의 조건, 권한 / outside the ~ (위탁의) 권한 밖으로. **7** 〖컴퓨〗 참조.
for (one's) ***reference*** 참고하기 위하여[위한].
have reference to …에 관계가 있다.
in [***with***] ***reference to*** …에 관해서.
make reference to …에 언급하다 ; …을 참조하다, …에 조회하다, …에게 알아[물어]보다 : He *made* ~ *to* the election. 그는 선거에 대해서 언급을 했다 / I advise you to *make* ~ *to* an encyclopedia. 백과 사전을 참조하도록 권한다.
without reference to …에 관계없이, …에 구애되지 않고.
—— *a.* 기준의, 참조용의. —— *vt.* …에 참조 사항[부호]을 달다 ; 참조문으로 인용하다 ; (표 따위에) 참조하기 쉽게 하여 싣다.

réference bíble *n.* 주석 성서《난외에 참조 항목을 표시한 것》.

réference bòok *n.* 참고 도서《사전·지도 따위나 대출 금지된 관내 열람 도서》.

réference gròup *n.* 〖社〗 준거(準據) 집단《개인이 그 속에 수용되기를 바라는 집단》.

réference líbrary *n.* 참고 도서관《관 밖으로의 대출을 불허함》; 참고 도서류.

réference lìne *n.* 기준선《좌표 설정의 기준이 되는 선》.

réference màrk *n.* 참조 부호(☞ REFERENCE 5).

réference sèrvice *n.* 레퍼런스 서비스, 참고 업무《이용자가 원하는 정보 따위에 관해 안내·지도하는 도서관 활동의 하나》.

ref·er·en·dum [rèfəréndəm] *n.* (*pl.* **~s, -da** [-də]) 국민 투표, 일반 투표 ; 〖外交〗 (본국 정부에 보내는) 청훈서(請訓書).
〖L ; ⇨ REFER〗

ref·er·ent [réfərənt] *n.* 〖言〗 (말이) 지시하는 대상(물). —— *a.* 지시의 ; …에 관한〈*to*〉.

ref·er·en·tial [rèfərénʃəl] *a.* 참고의, 참조의 ; 참고용의 ; 조회의 ; 관계 있는, 관련되는 ; 〖言〗 (말이) 지시하는 대상의. **~·ly** *adv.*
ref·er·en·tial·i·ty [rèfərènʃiǽləti] *n.*

re·fer·ral [rifə́:rəl] *n.* REFER하기 ; 면접후 구직자를 구인처로 보내기 ; 진찰 후 환자를 전문의 등에게 보내기[소개하기] ; 보내진[소개된] 사람.

re·férred páin *n.* 〖醫〗 관련통(關聯痛)《실제 환부와는 떨어진 곳의 통증》.

ref·fo [réfou] *n.* (*pl.* **~s**) 《濠俗》 유럽으로부터의 난민.

re·fíll *vt., vi.* 다시 채우다[메우다], 보충하다.
——[⌐⌐] *n.* 보충물, 갈아 채우는 것, 리필 ; (음식물의) 두 그릇[잔]째 : a ~ for a ballpoint pen 볼펜의 갈아 끼우는 심. **~·able** *a.*

rè·fináce [, ri:fáinæns] *vt., vi.* (…의) 재정을 다시 세우다, (…에) 자금을 보충하다 ; (사채나 우선주를) 상환하기 위해서 증권류를 매각하다, 빚을 갚고 또 빚을 내다.

re·fine** [rifáin] *vt.* **1** 정제[정련]하다 ; (불순물을 제거하여) 맑게 하다(clarify) : Sugar, oil, and metals are ~*d* before being used. 설탕, 기름, 금속은 사용하기 전에 정제된다. **2** 고상[우아]하게 하다, 세련되게 하다, 품위[풍류, 멋]있게 하다 ; 다듬다(polish) : You must ~ your manners [language]. 예의 범절[말씨]을 품위있게 하지 않으면 안된다. —— *vi.* **1** 순수해지다, 맑아지다. **2** 세련되다, 고상[우아]해지다. **3** [+*on*+名] **a)** 세밀하게 구별하다 ; 상세하게 논하다 : He ~*s* (up***)***on*** everything. 무엇이든 세밀히 구분하여 논한다. **b)** 세련되게 하다[개량하다] ; (…보다) 낫다 : Those poets think they can ~ (***up***)***on*** their predecessors. 그 시인들은 전시대의 시인들보다 더 나을 수 있다고 생각한다. **re·fín·able** *a.* 정제[정련]할 수 있는 ; 품위[풍치]를 더할 수 있는. **re·fín·er** *n.* refine하는 사람[기구, 기계].

***re·fíned** *a.* **1** 정제[정련]된 : ~ sugar 정제당. **2** 《때때로 蔑》 세련된, 고상한, 우아한. **3** 미묘한, 정교한 ; 엄정한, 정확한.
~·ly *adv.*

refíne·ment *n.* **1** Ⓤ 정제, 정련 ; 순화(純化). **2** Ⓤ 세련, 고상, 우아, 교양. **3** 정교한 고안 ; 세밀한 구분 ; 치밀한 사고 : ~*s of* metaphysical thought 정묘한 형이상학적 사고 / a ~ *of* logic 치밀한 논리. **4** 개선, 개량 ; 진보, 극치.

re·fín·ery *n.* 정제[정련]소[장치], 정유소 : an oil ~ 정유 공장 / a sugar ~ 제당(製糖)소.

re·fínish *vt.* (목재·가구 따위) 표면을 다시 끝손질하다. **~·er** *n.*

re·fít *vt.* (선박 따위를) 재장비[개장(改裝)·수리]하다. —— *vi.* (특히 배가) 수리되다, 재장비[개장]되다. ——[, ⌐⌐] *n.* (특히 배의) 수리, 개장.
~·ment *n.*

refl. reflection ; reflective(ly) ; reflex(ive).

re·flate [rifléit] *vt.* (통화를) 다시 팽창시키다(cf. INFLATE, DEFLATE). —— *vi.* (정부가) 통화 재팽창 정책을 쓰다. 〖역성(逆成) ‹↓〗

re·fla·tion [rifléiʃən] *n.* Ⓤ 〖經〗 (디플레이션 후의) 통화 재팽창, 리플레이션. **reflátion·àry** [; -əri] *a.* 〖*deflation, inflation*에 준한 것〗

re·flect** [riflékt] *vt.* **1** 반사[반향]하다 : The pavement ~*ed* the heat[light]. 포장도로가 열[빛]을 반사하고 있었다. **2 a)** [+目/+目+*in*+名] (거울 따위가 모습을) 비추다 : She was looking at her figure ~*ed* ***in the mirror. 그녀는 거울에 비친 자신의 모습을 바라보고 있었다 / The trees are clearly ~*ed in* the lake. 나무들이 호수에 뚜렷하게 비치고 있다. **b)** 반영(反映)하다, 나타내다 : The language of a people often ~*s* its characteristics. 한 민족의 언어는 흔히 그 민족의 특성을 반영한다. **3** [+目+*on*+名] (신용·명예 따위를) 가져오다, 초래하다 : His deeds ~ honor (***up***)***on*** the school. 그의 행위로 학교의 명성이 높아진 셈이 된다. **4** [+*that* 節/+*wh.* 節] 숙고하다, 곰곰이 생각하다 : She ~*ed that* she was no longer wanted. 자신은 더이상 쓸모가 없는 인간이라고 생각했다 / I never ~*ed how* hard it would be to complete this work. 이 일을 완성한다는 것이 얼마나 어려운가를 잘 생각해 보지도 않았다.
—— *vi.* **1** (빛 따위가) 반사하다 ; (수면 따위가)

반사되다, 그림자를 비치다. **2** [+*on*+名] (행위 따위가) 신용을 해치다, 체면을 손상시키다 : Your rudeness only ~*s* (***up***)***on*** yourself. 너의 무례함은 오직 네 자신을 깎아 내릴 뿐이다. **3** [動/+*on*+名] 잘 생각하다, 곰곰이 궁리하다, 반성하다 : I want time to ~. 차분히 생각해 볼 시간을 갖고 싶다 / *R*~ (***up***)***on*** what I have said to you. 방금 내가 말한 것을 곰곰이 생각해 보시오. **4** [+*on*+名] 비난[중상]하다, 비방하다 : He ~*ed* (***up***)***on*** my veracity. 그는 나의 성실성에 대해 중상했다.

~·ing·ly *adv.* **1** 내성적으로, 심사 숙고하여. **2** 반사에 의해서, 반사적으로. **3** 비난하여.

〖OF or L *re*-(*flex*- *flecto* to bend)〗

類義語 ⟹ CONSIDER, THINK.

re·fléc·tance *n.* 〖理〗 반사율.

refléct·ing tèlescope *n.* 반사 망원경.

***re·flec·tion | re·flex·ion** [riflékʃən] *n.* **1** Ⓤ 반사, 반영 ; 반사광, 반사열, 반향음(反響音) ; (신경 따위의) 반사 작용. **2** 영상, (물에 비친) 그림자 ; 남을 흉내내는 사람, 꼭 닮은 사람[언행·사상]. **3** Ⓤ 내성(內省) ; 묵상, 숙고 ; 〖哲〗 반성 : (up)on ~ 숙고한 끝에 ; 곰곰이 생각해보면 / without (due) ~ 잘 생각해 보지도 않고, 경솔하게. **4** (숙고 끝에 얻은) 감상, 의견, 생각 : ~*s on* his conduct 그의 행동에 대한 소견 / ~*s upon* history 역사에 대한 사상. **5** 비난, 심한 책망 ; 불명예, 체면을 손상하는 일 : cast a ~ (*up*) *on* …을 비난하다 ; …의 불명예가 되다 / That will be a ~ *upon* our honor. 그것은 우리의 명예를 손상시키게 될 것이다. **6** 〖解〗 반전(反轉)[굴절](부) ; 〖數〗 선대칭 변환. **~·al** *a.* **1** 반사의, 반사에 의한. **2** 반성의, 숙고[재고]의.

〖OF or L ; ⇨ REFLECT〗

re·flec·tive [rifléktiv] *a.* **1** 반사[반조(反照)]하는 ; 반영하는 ; (동작이) 반사적인, 상호적인 ; 〖文法〗 재귀의(reflexive). **2** 반성[숙고]하는, 묵상적인 ; 내성적인, 사려깊은. **~·ly** *adv.* 반성하여 ; 반사적으로. **~·ness** *n.*

類義語 ⟹ PENSIVE.

re·flec·tiv·i·ty [rì:flektívəti] *n.* Ⓤ 반사력 ; 〖理〗 =REFLECTANCE.

re·flec·tom·e·ter [rì:flektámətər] *n.* 〖光〗 반사(율)계. **rè·flec·tóm·e·try** *n.*

re·fléc·tor *n.* **1** 반사물[기], 반사경[판] ; 반사면 ; 〖理〗 (원자로 속의) 반사재(材)[체(體)] ; 반사 망원경. **2** 반영하는 것[사람]. **3** 심사 숙고하는 사람, 반성자 ; 비평가.

re·flet [rəfléi] *n.* 표면의 특별한 광택, (특히) 도자기의 금속적인 광택, 진주색. 〖F〗

re·flex [rí:fleks] *a.* **1** 〖生理〗 반사 작용의, 반사적인. **2** (빛 따위가) 반사한. **3** (풀·줄기 따위가) 휘어진. **4** 반성하는, 내성적인. **5** (효과·영향 따위) 반동적인 ; 되돌아오는, 재귀(再歸)적인. **6** 〖電子〗 반사형(反射型)의. **7** 〖數〗 우각(優角)의.

—— *n.* **1** 〖生理〗 반사 운동, 반사 작용 ; [*pl.*] 신속하게 반응하는 능력. **2** (거울 따위에 비친) 모습, 그림자. **3** (빛·열의) 반사 ; 반사광[열, 음(音) 따위]. **4** (습관적인) 사고 방식, 행동 양식. **5** 〖電子〗 리플렉스 수신기 ; =REFLEX CAMERA. **6** 복사, 재생 ; 반영 ; 〖言〗 (전기(前期)로부터의) 발달형, 대응어. —— [rifléks] *vt.* 반사시키다 ; 되접다, 휘게 하다. **~·ly** *adv.* 반사적으로 ; 반성해서 ; 회상적으로, 내성적으로.

〖L ; ⇨ REFLECT〗

réflex ángle *n.* 〖數〗 우각(優角)《180°와 360°사이의 각(角)》.

réflex árc *n.* 〖生理〗 (신경(神經) 경로의) 반사궁(反射弓).

réflex cámera *n.* Ⓒ 〖寫〗 리플렉스 카메라 : a twin-[single-]lens ~ 2안(二眼)[1안] 리플렉스 카메라.

refléx·ible *a.* (빛·열 따위가) 반사하는, 반사성의. **reflèx·ibílity** *n.* 반사성.

reflexion ☞ REFLECTION.

re·flex·ive [rifléksiv] *a.* **1** 반사성의. **2** 반성적인, 회상적인. **3** 〖文法〗 재귀(再歸)의 : a ~ pronoun 재귀 대명사 / a ~ verb 재귀 동사《He often *absents* himself.에서의 absent 따위》.

—— *n.* 〖文法〗 재귀 동사[대명사]. **~·ly** *adv.* **~·ness** *n.* **re·flex·iv·i·ty** [rì:fleksívəti] *n.*

re·flex·ol·o·gy [rì:fleksálədʒi] *n.* 〖生理〗 반사학.

re·flóat *vt.* **1** 다시 뜨게 하다, 떠오르게 하다. **2** (침몰선을) 끌어 올리다, 이초(離礁)시키다. **3** (채권 따위를) 다시 시장에 내어 팔다. —— *vi.* 떠오르다, 이초하다. **rè·floatátion** *n.*

rè·florescence *n.* (꽃이) 다시 핌.

rè·floréscent *a.* (꽃이) 다시 피는.

re·flów *vi.* 조수가 빠지다, 썰물이 되다 ; 역류[환류]하다. —— [╌] *n.* 썰물 ; 역류, 환류.

re·flu·ence [réfluəns, reflú:-] *n.* 퇴류(退流), 역류 (작용).

ré·flu·ent [, -╌] *a.* (조류(潮流)·혈액 따위가) 빠지는, 퇴류[역류(逆流)]하는.

re·flux [rí:flʌks] *n.* 퇴류, 역류 ; 퇴조(退潮) ; 〖化〗 환류 : flux and ~ ☞ FLUX *n.* 2.

—— [riflʌ́ks, rí:flʌks] *vt.* 〖化〗 환류하다.

re·fóot *vt.* (해진 양말의) 바닥을 깁다.

re·fórest *vt.* 《美》 재조림(再造林)하다.

re·forestátion *n.* Ⓤ 재조림.

***re·form** [rifɔ́:rm] *vt.* **1** 개정[개혁·개선]하다 ; 수정[정정]하다(correct) ; (폐해·혼란 따위를) 구제하다, 제거하다 ; 개심(改心)시키다, 교정하다 : They are going to ~ this law. 그들은 이 법률을 개정하려 하고 있다 / The chaplain tried to ~ the criminal. 그 교회사(敎誨士)는 죄인을 갱생시키려고 힘썼다 / The man has completely ~*ed* himself. 그 남자는 완전히 개심하였다. **2** 〖化〗 (석유 따위를) 개질하다.

—— *vi.* 개선[개혁·교정]되다 ; 개심하다.

—— *n.* Ⓤ,Ⓒ 개정, 개혁, 개선 ; 구제 ; 교정, 개심 ; 정정 ; [형용사적으로] 개정의, 개혁파의.

~·able *a.* 개혁[개선, 개정]할 수 있는 ; 개심할 가망이 있는. **re·fòrm·abílity** *n.*

〖F or L (*re*-)〗

re-fórm *vt., vi.* 다시 만들다, 고쳐 만들다 ; 재편성하다, 개편하다[되다].

Refórm Àct *n.* [the ~] 〖英史〗 (특히 1832년의) 선거법 개정법(cf. REFORM BILL).

ref·or·ma·tion [rèfərméiʃən] *n.* Ⓤ,Ⓒ **1** 개혁, 개정, 개선. **2** 개심 ; 교정(矯正). **3** [the R~] 〖史〗 (16세기의) 종교 개혁.

~·al, ~·ary *a.*

rè·formátion *n.* Ⓤ,Ⓒ 재구성, 재편성 ; 개조.

re·for·ma·tive [rifɔ́:rmətiv] *a.* 개선[개혁]의 ; 교정의, 감화의 ; 쇄신하는, 혁신적인.

~·ly *adv.* **~·ness** *n.*

re·for·ma·to·ry [rifɔ́:rmətɔ̀:ri ; -təri] *n.* (소년 소녀의) 감화원, 교호원. —— *a.* 개혁[개선, 교정]을 위한.

Refórm Bìll *n.* [the ~] 〖英史〗 선거법 개정법안 (cf. REFORM ACT).

re·fórmed *a.* **1** 개량[개혁]된, 개선된 ; 개심한. **2** [R~] 신교의, (특히) 칼뱅파(派)의.

refórmed spélling *n.* 개량 철자법《through를 thru, though를 tho로 묵음(默音)을 빼고 소리 위주로 표기하는 방법》.
refórm·er *n.* 개혁[개량, 개조, 혁신]가 ;〖英史〗선거법 개정론자 ; [R~] (16세기) 종교 개혁자.
refórm·ism *n.* 개혁[혁신, 개량]주의[운동, 정책]. **-ist** *n., a.* 혁신주의자(의).
Refórm Júdaism *n.* 개혁파 유태교.
refórm schòol *n.* 감화원, 교호원(reformatory).
refr. refraction.
re·fract [rifrǽkt] *vt.* 〖理〗(광선을) 굴절(屈折)시키다 ; (눈·렌즈)의 굴절력을 측정하다 : Water ~*s* light. 물은 광선을 굴절시킨다.
~·able *a.* 굴절성의[이 있는].
〚L *re-*(*fract- fringo*) =to break open〛
refráct·ing àngle *n.* 〖理〗 굴절각.
refrácting tèlescope *n.* 굴절 망원경.
re·frac·tion [rifrǽkʃən] *n.* Ⓤ 굴절(작용) ;〖光〗(눈의) 굴절력(측정) ;〖天〗대기차(大氣差) : the index of ~〖理〗굴절률.
~·al *a.* 굴절하는, 굴절성의.
re·frac·tive [rifrǽktiv] *a.* 굴절하는, 굴절력을 가지는 ; 굴절에 의한 : the ~ index 굴절률.
re·frac·tiv·i·ty [rì:fræktívəti] *n.* 굴절성.
re·frac·tom·e·ter [rì:fræktɑ́mətər] *n.* 〖理〗굴절계(計), 굴절률 측정기.
re·frác·tor *n.* 굴절 매체(媒體) ; 굴절 렌즈 ; 굴절 망원경.
re·frac·to·ry [rifrǽktəri] *a.* **1** 다루기 힘든, 말을 듣지 않는, 순종하지 않는. **2** 〖醫〗난치(難治)의, 고질의 ; 저항력이 있는. **3** 용해[처리]하기 어려운 ; 내화성(耐火性)의. **4** 〖生·生理〗 (자극에) 반응하지 않는, 무반응성의, 저항력이 있는, 면역성의. —— *n.* 완고한 것[사람] ; 내화 물질 ; [*pl.*] 내화 벽돌 ; 잘 녹지 않는 물질.
re·frác·to·ri·ly *adv.* **-ri·ness** *n.*
〚L ; ⇨ REFRACT〛
re·frain**[1] [rifréin] *vi.* [+*from*+名] 끊다, 그만두다, 삼가다, 참다 : I could not ~ ***from laughter. 웃지 않을 수가 없었다 / We shall ~ *from* enter*ing* into further detail. 이 이상 상세하게 말하는 것은 그만두겠다. —— *vt.* 《古》 억제하다, 삼가다 : ~ oneself 자제(自制)하다.
〚OF<L (*frenum* bridle)〛
類義語 ***refrain*** 충동을 억누르고 언행을 삼가다. ***abstain*** 해로운 일 따위를 자발적인 극기심(克己心)으로 또는 숙고한 끝에 그만두다. ***forbear*** 특히 화난 것을 참고서 refrain하다(↔*persist, continue, venture*).
refrain[2] *n.* (시·노래의) 후렴, 반복구절(burden, chorus) ; 상투적인 문구.
〚OF (*refraindre* to resound<L REFRACT)〛
re·fráme *vt.* 다시 구성하다 ; …에 틀을 다시 대다.
re·fran·gi·ble [rifrǽndʒəbəl] *a.* 굴절성의.
~·ness, re·fràn·gi·bíl·i·ty *n.* 굴절성.
〚NL ; ⇨ REFRACT〛
re·fresh** [rifréʃ] *vt.* **1** [+目/+目+前+名] [특히 ~ one*self* 또는 수동태로] …의 기분을 상쾌하게 하다, 활기띠게 하다[원기를 돋우다] : He ~*ed* him*self* ***with a glass of water. 물을 한잔 마시고 원기를 회복했다 / I *was* quite ~*ed.* 아주 기분이 상쾌해졌다. **2** (기억 따위를) 새롭게 하다(renew) ; (불을) 다시 타오르게 하다 ; (배 따위에 양식·물 따위를) 새로이 공급하다 ; 충전(充電)하다 : You have only to ~ your memory of it. 그것에 관한 기억을 되살리기만 하면 된다. **3** 〖컴퓨〗 (다이내믹 메모리를) 재생하다《기억 유지를 위해 데이터의 신호를 필요한 주기로 반복하여 줌》. —— *vi.* (음식·휴양 따위로) 원기를 회복하다, 기분이 상쾌해지다 ; 먹고 마시다, (특히) 한잔 하다 ; (배 따위가) 양식 따위를 보충하다.
〚OF ; ⇨ FRESH〛
類義語 ⟹ RENEW.
refrésh·er *n.* **1** 원기를 회복시키는 사람[것] ; 음식물 ; 청량 음료 ; 《口》 술. **2** 생각나게 하는 것. **3** 《英》 가외 보수, 추가 사례《소송을 오래 끌 때 변호사에게 지급》. **4** =REFRESHER COURSE.
refrésher còurse *n.* 재교육 과정《전문 지식을 보완·갱신하기 위한》.
refrésh·ing *a.* 상쾌한, 시원한, 속이 후련한 ; 참신한 ; 새롭고 재미있는 : a ~ beverage[drink] 청량 음료.

〈회화〉
How long did you swim? — About an hour, I was very tired, but it was really *refreshing.*
「얼마 동안이나 수영을 하셨어요」「한 시간 가량요, 무척 지쳤지만 기분은 정말 상쾌했어요」

~·ly *adv.* **~·ness** *n.*
***refrésh·ment** *n.* **1** Ⓤ 원기 회복, 기분을 상쾌하게 함 : Then we feel ~ of mind and body. 그때에 우리는 심신의 상쾌함을 느낀다. **2** Ⓤ,Ⓒ **a)** 원기를 회복시키는 것 : We find ~ in poetry amid life's worries. 시를 읽을 때에는 인생의 번뇌 속에서도 기분이 상쾌해진다 / A hot bath is a great ~ after a day's work. 하루의 일을 마친 후 뜨거운 물로 목욕을 하면 기운이 상당히 회복된다. **b)** [보통 *pl.*] (특히) 간단한 음식물, 다과 : *R*~*s* can be obtained at the station. 역에서 간단히 식사할 수 있다.
refréshment càr *n.* 식당차.
refréshment ròom *n.* (역·회관 따위의) 식당.
Refréshment Sùnday *n.* =MID-LENT SUNDAY.
refrig. refrigerate ; refrigeration.
re·frig·er·ant [rifrídʒərənt] *a.* **1** 얼리는 ; 냉각시키는 ; 서늘하게[차게] 하는. **2** (약 따위) 해열하는. —— *n.* **1** 냉각[냉동]제 ; 청량제[음료]. **2** 해열제 ; 완화제〈*to*〉.
re·frig·er·ate [rifrídʒərèit] *vt.* 냉각시키다 ; 서늘하게[차게] 하다 ; (식료품을) 냉장[냉동]하다. —— *vi.* 차가워지다, 얼다.
〚L *re-*(*frigero* to cool< *frigus* cold)〛
re·frìg·er·á·tion *n.* Ⓤ 냉각, 냉동 ; 냉장.
re·fríg·er·à·tive [ˌ, 英+-rətiv] *a.* 냉각하는, 냉동의 ; 냉장의.
***re·fríg·er·à·tor** *n.* 냉각[냉동] 장치, 냉동기 ; 냉장고 ; 증기 응결기.
refrígerator càr *n.* (철도의) 냉동차.
re·frig·er·a·to·ry [rifrídʒərətɔ̀:ri ; -təri] *a.* 냉각하는. —— *n.* (냉각 장치의) 냉각실 ; 냉각 탱크 ; 빙고(氷庫) ; (증류기의) 증기 응축기(凝縮器).
re·frin·gent [rifríndʒənt] *a.* =REFRACTIVE.
reft[1] [réft] *v.* REAVE[1]의 과거·과거분사.
—— *a.* =BEREFT, DEPRIVED.
reft[2] *v.* REAVE[2]의 과거·과거분사.
re·fúel *vt., vi.* (…에) 연료를 보급하다.
ref·uge [réfju:dʒ] *n.* **1** Ⓤ 피난, 도피, 보호 : give ~ to …을 숨겨 주다 / seek ~ *with* a person 남한테로 도피하다 / take ~ *in*[*at*] …에 피난하다, 도피하다. **2** 피난처, 도피처, 은신처 ; (도로의) 안전지대(safety island) ; 조류 보호 지구 ; (등산자의) 피난 오두막 : find a ~ *in* …에 피난하다.

3 믿을 수 있는 사람[것], 의지, 위안자, 위안물 ; (궁지를 빠져 나오기 위한) 수단, 방편, 발뺌, 핑계 : the ~ of the distressed 괴로워하는 자의 벗 / the last ~ 최후의 수단, 비장의 솜씨.
a house of refuge 빈민[난민] 수용소, 보호 시설, 양육원.
the city of refuge 〘聖〙 도피성(逃避城)《고대 유태의 죄인 보호 도시였던 Palestine의 6도시 중의 하나》.
— *vt.* 《古》 몰래 숨겨두다.
— *vi.* 《古》 피난하다.
〚OF<L (*fugio* to flee)〛

***ref·u·gee** [rèfjudʒíː, ⌐-⌐] *n.* 피난자 ; 난민, 망명자 ; 도망자 : a ~ government 망명 정부.
refugée càpital *n.* 피난 자본(cf. HOT MONEY).
refugée·ism *n.* 망명자[피난자, 도망자]의 상태[신분].
re·fu·gi·um [rifjúːdʒiəm] *n.* (*pl.* **-gia** [-dʒiə]) 〘生態〙 레퓨지아《빙하기와 같은 대륙 전체의 기후 변화기에 비교적 기후의 변화가 적어서 다른 곳에서는 멸종된 것이 살아남은 지역》.
〚L REFUGE〛
re·ful·gence, -cy [rifʌ́ldʒəns(i)] *n.* 광휘, 빛남, 광채.
re·fúl·gent *a.* 빛나는, 찬란한. **~·ly** *adv.*
〚L RE*fulgeo* to shine brightly〛
re·fund[1] [rifʌ́nd, ríː⌐ ; riː-] *vt., vi.* 반환하다 ; 상환하다 ; (산 물건을) 반품하다 ; (남)에게 배상하다. — [ríː⌐] *n.* U,C 반환(물) ; 상환(금).
~·able *a.* **refùnd·abílity** *n.* **~·ment** *n.*
〚ME=to pour back<OF or L (*fundo* to pour)〛
re·fúnd[2] *vt.* 새로 적립하다 ; (공채 따위를) 차환(借換)하다 ; (구(舊)증서를) 신증서와 바꾸다.
〚*re-*〛
re·fur·bish [rifə́ːrbiʃ] *vt.* 다시 닦다, 다시 갈다 ; 일신하다(renovate). **~·ment** *n.*
re·fúrnish *vt., vi.* 새로 설비하다 ; …에 새로운 설비를 장치하다.
re·fús·able *a.* 거절[거부]할 수 있는.
***re·fús·al** *n.* **1** U,C [+*to* do] 거절, 거부, 사퇴, 사절(↔*acceptance*) : take no ~ 거절 못하게 하다 / give a person a flat ~ 남에게 딱잘라 거절하다 / They were offended by his ~ *to* attend the party. 그가 모임에 참석하는 것을 거절해서 그들은 기분이 상했다. **2** [흔히 the ~] 취사선택(권), 거부권, 우선권, 선매권 : buy *the* ~ of... (착수금을 주고) …의 우선권을 얻다 / give [have] *the* ~ of …의 취사권을 주다[얻다].
‡re·fuse[1] [rifjúːz] *vt.* **1** [+目 / +*to* do / +目+目 / +目+*to*+名] 거절[거부]하다, (제의 따위를) 받아들이지 않다, 사퇴하다 : He ~*d* our offer. 우리들의 제의를 거절했다 / He ~*d to* discuss the question. 그 문제를 논하려고 하지 않았다 / She ~*d to* reveal her identity. 그녀는 자신의 정체를 밝히려 하지 않았다 / The engine ~*d to* start. 엔진이 아무리해도 작동되지 않았다 / He ~*d* me help. 나에게 원조를 거절했다 / They were ~*d* admittance. 입장을 거절당했다 / He ~*d* nothing ***to*** his daughter. 딸이 무엇을 졸라도 거절하지 않았다 / That favor was ~*d* (*to*) us. 그 혜택은 우리에게 주어지지 않았다. **2** (말이 도랑 · 울타리 따위를) 뛰어 넘으려 하지 않고 갑자기 멈춰서다. **3** (여자가 남자의) 청혼을 물리치다(↔*accept*). **4** 〘軍〙 (방어전 따위에서) 아군의 측면 부대를 예비로 남겨두다. — *vi.* **1** 거절하다, 퇴짜놓다(cf. DECLINE *vi.* 1) : I asked her to come, but she ~*d.* 오라고 했으나 그녀는 거절했다. **2** 〘카드놀이〙 같은 짝패가 없어 다른 패를 내다.
〚OF<? L *recuso* (⇨ RECUSANT) ; *-f-*는 L *refuto* to REFUTE의 영향인가〛
類義語 ***refuse*** 분명하게 때로는 퉁명스럽게 거절하다 : She *refused* to go with him. (그와의 동행을 거절했다). ***decline*** refuse보다 공손한 말 ; 초대 · 제안 따위를 사절하다 : He *declined* my invitation. (나의 초대를 사양했다). ***reject*** 어떤 사람과 관계하는 것을 또는 어떤 일을 받아들이는[믿는, 들어주는] 것을 딱 잘라 거절하다 ; refuse보다 부정적 또는 적대적인 말 : He *rejected* our friendly proposal. (우리의 우호적인 제의를 거부했다).
ref·use[2] [réfjuːs, -z] *n.* U 폐물, 찌꺼기, 쓰레기 ; 《비유》 (인간의) 폐물, 쓰레기. — *a.* 폐물의, 무가치한. 〚OF=rejection (↑)〛
réfuse dàmp *n.* (도시의) 쓰레기 폐기장.
re·fuse·nik, -fus- [rifjúːznik] *n.* (구소련에서) 출국이 허가되지 않는 시민[과학자].
re·fús·er *n.* **1** 거절하는 사람, 사퇴자. **2** 영국 국교 기피자(recusant). **3** (도랑 · 울타리 따위를) 뛰어 넘으려 하지 않고 멈춰서는 말.
re·fút·al *n.* =REFUTATION.
ref·u·ta·tion [rèfjutéiʃən] *n.* U,C 논박, 논파(論破), 반박.
re·fute [rifjúːt] *vt.* 논박[논파 · 반박]하다 : ~ a statement [an argument] 진술[논의]을 반박하다 / ~ an author [opponent] 저자[상대]를 논박하다. **re·fút·able** *a.* **-ably** *adv.* **re·fút·er** *n.*
〚L *re-* (*futo* to beat) ; cf. CONFUTE〛
Reg. Regent ; Regiment ; *Regina* 《L》 (=Queen). **reg.** regent ; regiment ; region ; register(ed) ; registrar ; registry ; regular(ly) ; regulation ; regulator.
***re·gain** [rigéin] *vt.* **1** 회복하다 ; 탈환하다 : ~ health 건강을 회복하다 / ~ one's freedom 자유를 되찾다 / ~ one's footing (넘어진 사람이) 일어나다, 다시 일어서다. **2** …에 복귀[귀착]하다, 다시 도착하다(reach again) : ~ the shore 물가에 도착하다. **~·able** *a.* **~·er** *n.* 〚F (*re-*)〛
類義語 ⟹ RECOVER.
re·gal[1] [ríːgəl] *a.* 국왕[제왕]의(royal) ; 국왕다운, 왕자다운 ; 당당한(stately) : ~ government [office] 왕정(王政)[왕위] / live in ~ splendor 왕후 같은 생활을 하다. **~·ly** *adv.* 왕으로서[답게]. **~·ness** *n.* 〚OF or L (*reg- rex* king)〛
regal[2] *n.* 〘樂〙 리갈《16-17세기의 휴대용 소형(小型) 오르간》. 〚OF (↑)〛
re·gale [rigéil] *vt.* [+目 / +目+前+名] 융숭하게 대접하다 ; 아주 기쁘게 하다, 즐겁게 하다 : Delightful music ~*s* our ears. 아름다운 음악은 우리 귀를 즐겁게 해준다 / They were *regaling* themselves ***with*** beer. 맥주를 즐겁게 마시고 있었다 / He ~*d* us[himself] ***on*** the beautiful scene. 그는 그 아름다운 광경을 보여주어 우리를 즐겁게 해주었다[광경을 보며 즐겼다]. — *vi.* 맛있게 음식을 먹다, 미식(美食)하다〈*on*〉. — *n.* 성찬, 향응 ; 진미.
~·ment *n.* U 접대, 향응 ; 산해진미(山海珍味) ; 미식(美食). **re·gál·er** *n.*
〚F (OF *gale* pleasure) ; ⇨ GALLANT〛
re·ga·lia[1] [rigéiljə] *n. pl.* **1** 왕위의 상징, 즉위의 보기(寶器)《왕관 · 홀(笏) (scepter), 보주(寶珠) 따위》; 왕권. **2** (관위(官位) · 협회 따위의) 기장(insignia), 훈장. **3** 화려한 예복 차림 ; 좋은 옷(finery). 〚L=royal privileges〈REGAL[1]〛

regalia² *n.* 고급 엽궐련《Cuba 산》.
〖Sp. (↑)〗

régal·ìsm *n.* 제왕교권설(帝王敎權說), 제왕교권주의《국왕의 교회 지배를 인정하는》.

re·gal·i·ty [rigǽləti] *n.* Ⓤ 왕위 ; [보통 *pl.*] 왕권 ; Ⓒ 왕국.

‡**re·gard** [rigɑ́:rd] *vt.* **1 a)** [+目+*as* 補] (…라고) 생각하다, (…라고) 간주하다 : I ~ the situation *as* serious. 사태를 중대시하고 있다 / The man was ~*ed as* a danger to society. 그 남자는 사회에 대한 위험 인물로 간주되었다. ☞ 活用. **b)** [+目+前+名/+目+副] (호의·증오 따위를 가지고) 보다, 대우하다 : He ~*ed* the situation ***with*** anxiety. 그는 사태를 우려했다 / I ~ him *with* reverence. 그를 존경하고 있다 / She still ~*s* me *kindly.* 아직도 나에게 호의를 가지고 있다. **2 a)** [때때로 부정·의문 구문에서] 고려[참작]하다, …에 주의하다 : He *seldom* ~*s* his wife's wishes. 그는 아내의 소원 같은 것에 좀처럼 마음을 쓰지 않는다 / *Nobody* ~*ed* what she said. 아무도 그녀의 말에 주의하는 사람은 없었다. **b)** 존중하다, 중요시하다 : He had been highly ~*ed* in his home town. 그는 고향에서 매우 존경을 받았었다. **3** (사물이) …에 관계하다 (concern) : It did not ~ us at all. 그것은 전혀 우리와 관계없는 일이었다. **4** 주시[주목]하다, 응시하다《㊟ 보통 부사(구)와 함께 쓰임》: He was ~*ing* me *intently*[*with curiosity*]. 그는 나를 빤히[신기하다는 듯] 응시하고 있었다. ── *vi.* 유의[주목]하다〈*on*〉.

as regards . . .* = *as regarding …에 관해서는, …의 점에서는(concerning) : *As* ~*s* money, I have enough. 돈이라면 충분히 있다.

── *n.* **1** Ⓤ 주의, 관심. **2** Ⓤ 걱정, 배려〈*for*〉. **3** Ⓤ《古》주시(注視), 주목. **4 a)** Ⓤ 고려(顧慮) (consideration) ; [또는 a ~] 존중, 존경〈*to, for*〉; 경의, 호의, 호감 : have *a* great[high] ~ *for* ... = hold...in high ~ …을 매우 중시하다[존경하다] / pay high ~ *to* …에 지대한 경의를 표하다. **b)** [*pl.*] (편지 따위의) 문안 인사 : Give him my (best) ~*s.* = Give my (best) ~*s* to him. 그에게 (부디) 안부 전해 주시오. **5** 점, 사항 ; 관련, 관계.

***in regard to*[*of*] . . .** = *with* REGARD *to* ....

in this*[*that*] *regard 이[그] 일에 대해선.

with regard to …에 관해서(는) (concerning, about) : *With* ~ *to* this there is no disagreement among the member nations. 이 점에 관해서는 가맹국간에 이론이 없다.

***without regard to*[*for*]** …을 고려(顧慮)하지 않고, …에 상관없이.

〖OF *regard*(*er*) (⇨ GUARD) ; cf. REWARD〗

活用 regard (*vt.*) 1 a)는 I *regard* it *as* an insult. (나는 그것을 모욕으로 생각한다)와 같이 [+目+*as*補]의 문형(文型)으로 쓰는 것이 바른 용법이다. 따라서 유의어인 consider는 I *consider* it (*to be*) an insult. 또는 I *consider that* it is an insult.라고 [+目+*to* do]나 [+*that* 節]의 문형으로 쓰이지만 regard는 그와 같이는 쓰이지 않는다.

類義語 (1) ***regard*** 중요성을 평가하다 ; 뜻이 가장 소극적인 말. ***respect*** 가치 있는 것에 대하여 그것에 어울리는 경의를 표하다. ***esteem*** respect 하고 크게 존경하다. ***admire*** 뛰어난 진가를 인정하고 찬양하다(↔*disregard, overlook, despise*).
(2) ⟹ RESPECT.

re·gar·dant [rigɑ́:rdənt] *a.* 〖紋〗 (사자 따위가) 머리를 뒤로 향한 (자세의) ;《古·詩》눈여겨 보는, 주의깊은.

regárd·ful *a.* **1** 주의[사려]깊은, 유의하는〈*of*〉, 용의주도한. **2** 경의를 표하는〈*for*〉.
~·ly *adv.* **~·ness** *n.*

*__regárd·ing__ *prep.* …에 관해서(는), …에 대해 말하면, …의 점에서는(with regard to).

*__regárd·less__ *a.* 부주의한 ; 무관심한〈*of*〉.
regardless of …에 관계없이, …에도 불구하고 : ~ *of* age or sex 연령·성별에 관계없이.
── *adv.* [생략구문] 비용[반대, 곤란]에 구애되지 않고 : She was got up ~. 그녀는 돈에는 상관않고 잔뜩 치장하고 있었다.
~·ly *adv.* **~·ness** *n.*

re·gáther *vt.* 다시 모으다.
── *vi.* 다시 모이다.

re·gat·ta [rigǽtə] *n.* 보트[요트] 경주[경조(競漕)]. 〖It.〗

regd. registered.

re·ge·late [rí:dʒəlèit] *vi.* 〖理〗 복빙(復氷)하다《녹은 얼음이나 눈이 다시 얼어 붙음》.
re·ge·la·tion [rì:dʒəléiʃən] *n.* Ⓤ 〖理〗 복빙.

re·gen·cy [rí:dʒənsi] *n.* **1** Ⓤ,Ⓒ 섭정 정치 ; 섭정의 직위, 집권직 ; Ⓒ 집정기(執政期) ; 섭정 통치 구역 ; 섭정[집권]단 ; Ⓤ,Ⓒ 《美》 대학 평의원의 직. **2** [the R~] 섭정기《영국에서는 1811-20》.
── *a.* 섭정의 ; [R~] (영국·프랑스의) 섭정시 대풍의《가구·복장》.
〖L *regentia* ; ⇨ REGENT〗

re·gen·er·a·ble [ri:dʒénərəbəl] *a.* 재생시킬 수 있는 ; 〖宗〗 갱생[개심]시킬 수 있는 ; 혁신[개조, 재건]할 수 있는.

re·gen·er·a·cy [ridʒénərəsi] *n.* Ⓤ 재생 ; 갱생, 갱신, 혁신 ; 부흥.

re·gen·er·ate [ridʒénərèit] *vt.* **1** 〖宗〗 갱생시키다, 신의 아들[기독교도]로 만들다 ; 개심시키다. **2** 재생하다, 재생이용하다 ; 〖生〗 (잃은 기관)을 재생하다 : If a young crab loses a claw, it can ~ a new one. 새끼 게는 집게발을 잃었을 경우 새 집게발을 재생시킬 수 있다. **3** 혁신[쇄신]하다. **4** 〖理·電子〗 재생하다. ── *vi.* 재생하다 ; 〖宗〗 새 생명을 얻다, 갱생하다 ; 개심하다. ── [-rət] *a.* **1** 〖宗〗 새 생명을 얻은, 갱생한. **2** 〖生〗 재생한 ; 개량[쇄신]된. ── [-rət] *n.* (정신적으로) 갱생한 사람 ; 〖生〗 재생체. 〖L (*re-*)〗

re·gen·er·a·tion [ridʒènəréiʃən] *n.* Ⓤ 재건, 부흥, 부활 ; 개혁, 개심, 쇄신 ; 〖宗〗 갱생, 신생 ; 〖生〗 재생.

re·gen·er·a·tive [ridʒénərèitiv, -dʒénərət-] *a.* 재생시키는 ; 개심시키는 ; 혁신의, 개조하는 ; 〖機〗 복열(復熱)식의 ; 〖通信〗 재생식의.

regénerative bráking *n.* 〖電〗 회생 제동.

regénerative cóoling *n.* 재생식 냉각법.

regénerative féedback *n.* 〖電子〗 재생 피드백《입력 위상(位相)에 맞추어 되돌려짐》.

regénerative fùrnace *n.* 재생로(爐).

re·gén·er·à·tor *n.* 재생[갱생]자 ; 개심자(改心者) ; 쇄신자, 개혁자 ; 〖機〗 열교환기, 복열[축열]실 ; 〖電〗 재생기(再生器).

re·génesis *n.* Ⓤ 재생, 갱생 ; 갱신 ; 부활.

re·gent [rí:dʒənt] *n.* 섭정(攝政) ; 《美》(주립 대학 따위의) 평의원 ; 《美》 학생감. ── *a.* [명사 뒤에 써서] 섭정하는 : the Prince[Queen] *R*~ 섭정 황태자[여왕]. 〖OF or L (*rego* to rule)〗

re·gérminate *vi.* 다시 싹트다.

reges *n.* REX의 복수형.

reg·gae [réigei, régei] *n.* Ⓤ 레게《자메이카에서 기원한 록풍의 음악》. 〖(W. Ind.)〗

Reg·ge [rédʒei] *a.* 〔原子〕 레제 이론의[에 관한].

Reg·ge·ism [rédʒeiìzəm] *n.* =REGGE THEORY.

Régge thèory *n.* 〔原子〕 레제 이론《강한 상호 작용을 하는 소립자의 반응을 수학적인 극(極)이나 궤도를 써서 나타낸 이론》. 〖Tullio E. *Regge* (1931-) 이탈리아의 이론 물리학자〗

Reg·gie, -gy [rédʒi] *n.* 남자 이름 《Reginald의 애칭》.

reg·i·cide [rédʒəsàid] *n.* **1** Ⓤ 국왕 시해, 대역죄 ; Ⓒ 국왕 시해범. **2** [the R~s] 〔英史〕 Charles 1세를 사형에 처한 67명의 판사들.

règ·i·cíd·al *a.* 〖L (*reg- rex* king, *-cide*)〗

re·gie [reiʒíː, ⌐-] *n.* (프랑스·이탈리아의) 정부 전매 (제도) ; 정부직영, 관영.
〖F ; ⇨ REGIMEN〗

re·gíld *vt.* 다시 도금(鍍金)하다.

***re·gime, ré·gime** [reiʒíːm, ri-, -dʒíːm] *n.* **1** 제도 ; 통치[관리] 양식 ; 정체(政體), 체제 ; 정권, 정부 ; 통치[지배] 기간 : the ancient[old] ~ 구정체 ; 구체제(☞ ANCIEN RÉGIME) / under a new ~ 새체제[정권]하에서. **2** 〔醫〕 =REGIMEN 1. 〖F (↓)〗

reg·i·men [rédʒəmən ; -mèn] *n.* **1** 〔醫〕 섭생, 양생법, 식이(食餌)요법. **2 a)** Ⓤ 《稀》 통치, 관리 ; 정체, 현행 제도. **b)** Ⓤ 〔文法〕 (전치사 따위의) 지배(government) ; Ⓒ 〔文法〕 지배어.
〖L (*rego* to rule)〗

reg·i·ment [rédʒəmənt] *n.* **1** 〔軍〕 연대 (☞ ARMY 1) : the Colonel of the ~ 연대장. **2** [때때로 *pl.*] 다수, 대군(大群)〈*of*〉. **3** 《古》 지배(rule), 통치(government). ── [rédʒəmènt] *vt.* **1** 〔軍〕 연대에 편성[편입]하다. **2** …에 단체훈련을 실시하다, 조직화[규격화]하다, 통제하다 : A totalitarian state ~*s* its citizens. 전체주의 국가는 시민을 규격화한다. 〖OF<L (↑)〗

reg·i·men·tal [rèdʒəméntl] *a.* 연대의, 연대 소속의, 통제적인 : a ~ color 연대기, 군기.
── *n.* [*pl.*] 연대복, 군복. **~·ly** *adv.*

reg·i·men·ta·tion [rèdʒəməntéiʃən, -men-] *n.* Ⓤ 연대의 편성 ; 편성, 유별(類別) ; 조직화, 규격화 ; 통제 ; 단체 훈련.

re·gi·na [ridʒáinə] *n.* [칭호로 쓸 때는 R~] 《英》 현(現) 여왕, 여황제(cf. REX).
〖L=queen ; ⇨ REX〗
活用 R. 이라고 약하여 포고 따위의 서명에 쓰임 : E. *R.* (=Queen Elizabeth) ; 또 Reg.라고 약하여 왕실 대 국민의 소송사건에서 칭호로 쓰임 : *Reg.* v. Jones (여왕 대 존스).

Re·gi·na [ridʒáinə, 美+-dʒíː-] *n.* 여자 이름. 〖↑〗

re·gí·nal *a.* 여왕의, 여왕에게 어울리는.

Reg·i·nald [rédʒənəld] *n.* 남자 이름《애칭 Reggie》. 〖OE=wise dominion (counsel+rule)〗

***re·gion** [ríːdʒən] *n.* **1** 지방, 지역, 지구 ; 지대 ; [*pl.*] (도시에서 떨어진) 지방 : a desert ~ 사막지대 / a fertile ~ 비옥한 지방. **2** [때때로 *pl.*] (세계 또는 우주의) 부분, 경역(境域) ; (동식물 분류상의) 구 ; (대기 또는 바닷물의) 층(layer) : the airy ~ 하늘 / ☞ LOWER REGIONS / the ~ beyond the grave 저승 / the upper ~*s* 하늘, 천국. **3** 범위, 영역, 분야 : the ~ *of* science 과학의 영역. **4** 〔解·動〕 (신체의) 부위(部位), 국부 : the lumbar ~ 요부(腰部). **5** 행정구, 관구, 구. **6** 〔컴퓨〕 영역.
in the region of …의 가까이[부근]에, 약….
〖OF<L=direction, district (*rego* to rule)〗

***région·al** *a.* **1** 지역적인, 지대(地帶)의. **2** (특정한) 지방의, 지방적인(local). **3** 〔醫〕 국부의.
── *n.* 지방 상대의 것《지방지 따위》; 《美》 지방 증권 거래소. **~·ly** *adv.*

régional cóuncil *n.* (스코틀랜드의) 주의회(州議會).

régional edítion *n.* 〔出版〕 지역판(版).

région·al·ìsm *n.* **1** Ⓤ 지방(분권)주의. **2** Ⓤ 향토애. **3** 지역적 특질, 지방색 ; 지방적 표현, 방언. **4** Ⓤ 〔文藝〕 지방주의.

régional líbrary *n.* 《美》 지역 도서관《보통 같은 주내의 근린 지역 공용의 공립 도서관》.

régional metamórphism *n.* 〔地質〕 광역(廣域) 변성 작용.

régional théater *n.* 〔劇〕 지역 극단(劇團)《뉴욕 이외의 극단》.

re·gis·seur [*F* reʒisœːr] *n.* 무대 감독, (특히 발레의) 연출가.

***reg·is·ter** [rédʒəstər] *n.* **1** 기록, 등기, 등록. **2** 등록부[등기부](=~ **bòok**) : ☞ PARISH [CHURCH] REGISTER / a ship's ~ (세관의) 선적(船籍) 증명서. **3** 표(表), 목록, 기재[등록] 사항. **4** 자동 기록기, (금전) 등록기, 레지스터, 기록 표시기. **5** (연료에의) 혼합공기 조절 장치, (특히 난방의) 통풍 조절 장치, 환기조절 밸브. **6** 〔樂〕 성역(聲域), 음역 ; (오르간의) 스톱(stop) : ☞ HEAD[CHEST] REGISTER. **7** Ⓤ 〔印〕 인쇄면《따위》의 앞뒤를 바로 맞추기, 정합(整合) ; 〔寫〕 건판[필름]면과 핀트 글라스면과의 일치. **8** 〔컴퓨〕 기록기《기억된 정보를 수시로 사용할 수 있게 되어 있는 장치》. **9** 〔言〕 위상(어), 언어 사용역(使用域).
── *vt.* **1 a)** 등기[등록]하다 ; 기록하다 : ~ the names of the new members 신입 회원의 이름을 등록하다 / ~ the birth of a child 어린애의 출생 신고를 하다. **b)** [~ one*self* 로] 선거인 명부에 등록하다. **c)** 명심하다. **2** 등기로 부치다 : get[have] a letter ~*ed* 편지를 등기로 부치다 / ~ luggage on a railway 《英》 수화물을 맡기고 물표를 받다. **3** (온도계 따위가) 가리키다 ; (기계가) 스스로 기록하다 : The thermometer ~*ed* four degrees of frost. 온도계는 영하 4도를 가리키고 있었다. **4** (놀람·기쁨 따위의) 표정을 짓다 : He[His face] ~*ed* irrepressible joy. 그에게[그의 얼굴에]는 억누를 수 없는 기쁨의 표정이 나타나 있었다. **5** 〔印〕 (앞뒤의 인쇄면을) 바로 맞추다.
── *vi.* **1** [動/+前+名] 숙박부《따위》에 기재하다 ; 서명하다 ; 등록하다 ; 선거인 명부에 등록하다 : A person must ~ before he can vote. 선거인 명부에 등록을 하지 않으면 투표할 수 없다 / ~ ***at*** a hotel 《美》 호텔에 투숙하다. **2** 〔印〕 인쇄면의 안팎이 바로 맞다. **3** 《口》 [動/+*with*+名] 마음에 새겨지다 : The name simply did not ~ ***with*** me. 그 이름이 전혀 생각나지 않았다. **4** (배우 등이) 놀람[기쁨 따위]을 몸짓[얼굴 표정]으로 전하다[표현하다].

〈회화〉
Have you *registered* for the course? — I tried to, but it was full. 「수강신청을 하셨나요」「하려고 했는데 꽉 찼더군요」

〖OF or L (*regest- regero* to transcribe, record<*gero* to carry)〗
類義語 ⟹ LIST.

rég·is·tered *a.* 등록[등기]된, 등기 우편의, 기명

의 : a ~ reader 예약 독자.
régistered áircraft *n.* 〖空〗 등록 항공기《고유의 등록 기호를 취득한 항공기》.
régistered bónd *n.* 기명(記名) 공채[채권]《소유자 이름을 씀》.
régistered máil *n.* 《美》 등기 우편.
régistered núrse *n.* 《美》 정[등록된] 간호사 《略 R.N.》.
régistered póst *n.* 《英》 =REGISTERED MAIL.
régistered representátive *n.* 〖證〗 등록된 증권 세일즈맨.
régistered tónnage *n.* =REGISTER TONNAGE.
régister òffice *n.* **1** 등기소 : marriage at a ~ =marriage at a REGISTRY OFFICE. **2** 《美》 직업 소개소.
régister of wílls *n.* 《美》 유언 검증관.
régister tòn *n.* =TON[1] 3 f).
régister tòne *n.* 〖言〗 음역 음조, 단계 음조.
régister tònnage *n.* 〖海〗 등록 톤수.
reg·is·tra·ble [rédʒəstrəbəl] *a.* 등록[등기]할 수 있는 ; 등기 우편으로 할 수 있는 ; 나타낼 수 있는.
reg·is·trant [rédʒəstrənt] *n.* 등록자.
reg·is·trar [rédʒəstrɑ̀ːr ; ⌐-⌐] *n.* (법정·대학 따위의) 기록[학적] 담당자, 등록관, 등기관, 호적 담당자. 〖ME *registrer* ; ⇨ REGISTER〗
Régistrar-Géneral *n.* (London의) 호적 본서 장관.
reg·is·trary [rédʒəstrəri] *n.* (케임브리지 대학의) 기록[학적] 담당자(registrar).
***reg·is·tra·tion** [rèdʒəstréiʃən] *n.* **1** Ⓤ 기재, 등기 ; 등록 ; 기명 : a ~ fee 등기료. **2** 등록[기재] 사항 ; 등록된 사람들[선거인] ; 등록자수, 등록 증서 ; (온도계 따위의) 표시. **3** 〖樂〗 (오르간의) 스톱 조절법 ; 〖印〗 (앞뒤 양면의) 맞춰 짜기.
registrátion bòok *n.* 《英》 (자동차의) 등록증 (logbook).
registrátion nùmber[màrk] *n.* (자동차) 등록 번호, 차량 번호.
registrátion plàte *n.* (자동차의) 번호판.
reg·is·try [rédʒəstri] *n.* **1** Ⓤ 기재, 등기, 등록, (우편) 등기 ; 등기부 ; 등록사항 ; 선적 : a ~ fee 《美》=a REGISTRATION fee. **2** =REGISTRY OFFICE. **3** 《古》 직업소개소(=servants' ~).
régistry òffice *n.* 《英》 호적 등기소《출생·결혼·사망 따위를 등기하는 관청》 : marriage at a ~ (종교적 의식을 올리지 않는) 신고 결혼.
re·gi·us [ríːdʒiəs, -dʒəs] *a.* 왕의(royal), 흠정(欽定)의 ; 칙임(勅任)의.
〖L=royal ; ⇨ REX〗
Régius proféssor *n.* (Oxford, Cambridge 대학의) 흠정(欽定) 강좌 담임 교수《특히 Henry 8세가 창설》.
re·gláze *vt.* (창)에 다시 유리를 끼우다 ; …의 유리를 갈아 끼우다.
reg·nal [régnl] *a.* (…왕) 재위시절의, 치하(治下)의, 성대(聖代)의 ; 왕국의 ; 왕의 : the ~ day 즉위 기념일 / the ~ year 즉위 기원(紀元).
reg·nant [régnənt] *a.* **1** 통치하는, 지배하는 (reigning) : ☞ QUEEN REGNANT. **2** 우세한, 세력 있는 ; 일반적으로 행해지고 있는, 유행의. 〖L ; ⇨ REIGN〗
reg·num [régnəm] *n.* (*pl.* **-na** [-nə]) 왕국(kingdom).
rego [rédʒou] *n.* (*pl.* **rég·os**) 《濠俗》 자동차 등록 (료[기간]).
reg·o·lith [régəlìθ] *n.* 〖地質〗 표토(表土) (mantlerock) ; 〖海洋〗 표층 쇄설물(碎屑物).
re·górge *vt.* 토하다, 게우다 ; 되던지다. —— *vi.* 다시 흘러나오다, 역류하다.
Reg. Prof. Regius Professor.
re·gráde *vt.* (도로 따위를) 다시 경사지게 하다 ; (학생의) 학년을 바꾸다.
re·gránt *vt.* 다시 허가하다, 재교부하다, …에게 다시 교부금을 주다. —— *n.* 재허가, 재교부 ; 재교부금.
re·grate [rigréit] *vt.* 〖史〗 (곡물 따위를 비싸게 팔려고) 사모으다, 매점하다(buy up) ; (매점한 것들을 비싸게) 팔아넘기다. 〖OF<Gmc.〗
re·grát·er, -grá·tor *n.* 매점자 ; 《英》 (농가에 다니며 곡물을 사들이는 일 따위를 하는) 중매인 (middleman), 사재기 상인.
re·gress [ríːgres] *n.* **1** 되돌아감, 후퇴, 역행, 복귀⟨*to, into*⟩ ; 복귀권. **2** Ⓤ 퇴보(↔*progress*). **3** 〖天〗 역행. —— [rigrés] *vi.* 되돌아오다 ; 〖天〗 회귀(回歸)[역행]하다. —— *vt.* 〖心〗 퇴행시키다 ; 〖統〗 회귀추정을 하다《하나 또는 그 이상의 독립 변수[조사 변수]에 종속 변수[보조 변수]가 결부된 정도를 헤아림》. 〖L *re-*(*gress- gredior*=*gradior* to step)=to go back〗
re·gres·sion [rigréʃən] *n.* Ⓤ 되돌아옴, 복귀 ; 후퇴, 퇴보 ; 〖生〗 퇴화 ; 〖天〗 회귀, 역행.
re·gres·sive [rigrésiv] *a.* 후퇴의, 복귀하는 ; 퇴보[퇴화]하는, 타락하는.
re·grés·sor *n.* 후퇴하는 사람 ; 복귀자.
‡re·gret [rigrét] *n.* **1** Ⓤ [+前+do*ing*] 유감 ; 애석 ; 회한(悔恨) ; 비탄, 낙담, 실망 : express ~ ***for*** …을 사과하다 / feel ~ *for* …을 후회하다 / express ~ ***at*** …에 유감의 뜻을 표하다 / He felt a great ~ *at* the loss of his friend[*at* hav*ing* spent his time in that way]. 그는 친구의 죽음을 몹시 슬퍼했다[그렇게 시간을 낭비한 것을 심히 후회했다] / hear with ~ *of*[*that*...] …을[이라고] 듣고 유감스럽게 여기다. **2** [*pl.*] 정중한 거절, (초대에 대한) 사절장 : send (one's) ~*s* 초대에 대한 사절장을 보내다 / I shall refuse it with many ~*s* (=much ~). 매우 유감이지만 사절하겠습니다.
have no regrets 유감으로 여기지 않다 : Looking back over the long years, he *had no* ~*s*. 그는 오랜 세월을 돌이켜 보아도 후회되는 일이 조금도 없었다.
a matter for regret 유감스러운 사건, 분한 일 : It is *a matter for* ~ that there is always some trouble going on in some parts of the world. 세계 어디선가 언제나 어떤 분쟁이 계속되고 있다는 것은 유감스러운 일이다.
to one***'s regret*** 유감스럽게도 : *To* my ~, the plan had to be given up. 유감스럽게도 그 계획은 단념하지 않을 수 없었다.
—— *v.* (**-tt-**) *vt.* [+目 / +*to* do / +do*ing* / +*that* 節] 후회하다, 분해하다, 유감으로 생각하다, 마음 아프게 여기다, 슬퍼하다, 한탄하다 ; 애석하게 여기다, 아쉬워하다 : I ~*ted* my words soon after. 나는 내가 한 말을 곧 후회했다 / He ~*ted* his child's ignorance. 자기 자식이 무지한 것을 슬퍼했다 / I ~ *to* say that Mr. Smith is ill in bed. 유감스럽게도 스미스씨는 병으로 자리에 누워있습니다《㊟ I am sorry to say that.... 보다 형식만 차리는 표현법》 / He ~*ted* not hav*ing* come oftener to her. 그는 더 자주 그녀에게 와 주지 못한 것을 후회하였다 / I ~ *that* you should be compelled to sell your house. 당신이 집을 팔아야 한다니 섭섭합니다 / *It* is to be ~*ted that* he should have died so young. 그가 그렇게 젊은 나

이로 죽었다니 애석한 일이다. —— *vi.* 후회하다; 한탄하다. 〚OF=to bewail<Scand. (ON *gráta* to weep, GREET[2])〛

類義語 ⟹ PENITENCE.

regrét·ful *a.* 후회하고 있는, 불만으로 생각하고 있는, 슬퍼하는; 섭섭한, 애석한; 유감[애도]의 뜻을 나타내는. **~·ly** *adv.* 후회하여, 애석하게 여겨, 유감스럽게.

regrét·less *a.* 유감스럽게 생각하지 않는.

re·grét·ta·ble *a.* 유감스러운, 섭섭한, 불쌍한, 슬퍼해야 할, 개탄스러운. **-bly** *adv.* 섭섭하게도, 유감스럽게도, 애통하게도.

re·gróup *vt.* …을 다시 모으다; 〔軍〕 (패배나 공격 후에 군을) 재편성하다. —— *vi.* 재조직하다, (부대를) 재편성하다.

regs [régz] *n. pl.* 규제, 규정, 규칙(regulations).

Regt., regt. regent; regiment.

reg·u·la·ble [régjələbəl] *a.* 규제[조정]할 수 있는; 단속[제한]할 수 있는.

‡**reg·u·lar** [régjələr] *a.* **1 a)** 규칙적인, 질서 있는, 질서 정연한; 계통이 선[조직적인]; 균형잡힌, 조화된: one's ~ features 단정한 용모 / a ~ life 규칙적인 생활 / a ~ pulse 정상적인 맥박 / He keeps ~ hours. 규칙적인 생활을 하고 있다. **b)** 〔카톨릭〕 수도원에 속하는(↔*secular*): a ~ marriage 교회[정식] 결혼(cf. CIVIL MARRIAGE). **2** 정기적인, 정례의; 불변의, 정상적인; 표준대로의; 보통의, 여느때의; 〔文法〕 규칙 변화의: a ~ customer 단골 손님 / a ~ occupation 일정한 직업 / (a) ~ size (양복 따위) 표준 사이즈[형] / ~ conjugation 〔文法〕 (동사의) 규칙 활용 / ~ verbs 〔文法〕 규칙 동사. **3** 〔軍〕 상비의, 정규의; 〔植〕 (꽃이) 가지런한; 〔結晶〕 등축(等軸)의; (다각형이) 등변 등각의; (다면체의) 각 면이 같은, 정…: a ~ soldier 정규병 / a ~ polygon 정다각형. **4** 면허[자격]있는, 본직인; 정규의, 정식의; 〔美政〕 공인의: a ~ doctor 자격 있는 의사 / a ~ member 정회원(cf. GUEST member) / a ~ candidate 공인 후보. **5 a)** 《口》 완전한, 진짜의: a ~ rogue 진짜 악당 / It was a ~ holiday. 휴일다운[즐거운] 휴일이었다. **b)** 《美口》 (기분이) 좋은, 귀여운: He is a ~ guy. 그는 좋은 친구다.

〈회화〉
Do you exercise nowadays?—Every morning, *regular* as clockwork. 「요즘 운동을 하십니까」「네, 매일 아침 규칙적으로요」

—— *n.* **1** [보통 *pl.*] 정규병. **2** 《口》 단골 손님; 《口》 상시 고용인. **3** 《口》 (운동 선수 등) 정규 멤버, 상비군. **4** (양복 따위의) 표준 사이즈, 표준형. **5** 〔美政〕 충실한 당원, **6** 수사.
—— *adv.* 《方》 =REGULARLY.
〚OF<L (*regula* RULE)〛

類義語 ⟹ NORMAL, STEADY.

régular ármy *n.* 상비군, 정규군; [the R~A~] (예비역 등을 포함하지 않은) 미(美)합중국 상비군(United States Army).

***reg·u·lar·i·ty** [règjəlǽrəti] *n.* Ⓤ 규칙적임; 균형; 질서, 조화; 일정 불변; 정규, 정상: with ~ 규칙적으로(regularly).

régular·ìze *vt.* 규칙적으로 하다; 질서를 세우다, 조직화하다, 정리하다, 조정하다.
règular·izátion *n.*

***régular·ly** *adv.* 규칙적으로; 정기적으로; 꼼꼼하게, 고지식하게; 정식으로; 알맞게; 균형있게, 고르게; 《口》 아주, 완전히.

régular polyhédron *n.* 〔數〕 정다면체.

régular pýramid *n.* 〔數〕 정각뿔.

régular refléction *n.* 〔光〕 정(正)반사.

régular séason *n.* 〔野〕 공식전(戰).

régular sólid *n.* 〔數〕 정(正)다면체.

***reg·u·late** [régjəlèit] *vt.* **1** 규정하다, (규칙으로) 단속하다, 통제하다; 규칙대로 하게 하다: The traffic should be strictly ~*d.* 교통정리는 엄격하게 행해지지 않으면 안된다 / He always tried to ~ his own conduct according to others. 그는 언제나 남을 따라서 자신의 행위를 규제하려고 애썼다 / a well-~*d* family 규율이 있는[틀이 잡힌] 가정. **2** 조절[조정]하다; 정리하다: ~ the temperature of a room 방의 온도를 조절하다.
rég·u·là·tive [, -lə-], **rég·u·la·tò·ry** [; -təri] *a.* 규정하는; 단속의; 정리하는.
〚L; ⇨ REGULAR〛

***reg·u·la·tion** [règjəléiʃən] *n.* **1** Ⓤ 규제, 단속; 가감, 조절, 조정; 〔發生〕 조절. **2** 규칙, 규정, 법규: traffic ~*s* 교통 규칙. —— *a.* 정규의, 규정의, 표준의; 보통의, 정해진: a ~ ball 규정된 공 / a ~ cap[uniform] 제모[제복] / of the ~ size 규정된 크기의 / exceed the ~ speed 규정 속도를 초과하다 / a ~ game 정식 시합 / a ~ mourning 정식상(正式喪).

類義語 ⟹ LAW.

rég·u·là·tor *n.* **1** 규정자; 단속하는 사람, 정리자. **2** 〔機〕 조절[조정]기, 가감기; 조절 장치, (시계의) 시간 조절 장치; 표준시계; 〔生化〕 = REGULATOR GENE. **3** 원칙; 표준.

régulator[régulatory] gène *n.* 〔生化〕 조절[제어] 유전자.

régulatory ágency *n.* (기업을 감독하고 규칙을 지키게 하기 위한) 관리 기관.

Reg·u·lo [régjəlòu] *n.* 《英》 (가스레인지의) 온도 자동 조절 장치《상표명》.

reg·u·lus [régjələs] *n.* (*pl.* **~·es, -li** [-lài]) **1** [R~] 〔天〕 레굴루스《사자자리(Leo)의 α별로 1.4 등성(等星)》. **2** 〔化·冶〕 불순물《금속 정련을 할 때 생기는》. **3** 〔鳥〕 =KINGLET.
〚L=petty king; ⇨ REX〛

Reg·u·lus [régjələs] *n.* 레굴루스. **Marcus Atilius** ~ (d.? 250 B.C.) 로마의 장군.

re·gur·gi·tate [rigə́:rdʒətèit] *vi.* 되돌려 내뿜다; 역류하다. —— *vt.* [+目/+目+前+名] 게우다, 토하다: The baby ~*d* food ***from*** his stomach. 아기가 먹은 것을 토했다.
〚L (*re-*); cf. INGURGITATE〛

re·gur·gi·ta·tion [rigə̀:rdʒətéiʃən] *n.* 되뿜음; 역류; 토함, 반추.

re·hab [rí:hæ̀b] *n.* 《美》 =REHABILITATION; 갱생 시설. —— *vt.* =REHABILITATE. **~·er** *n.*

re·ha·bil·i·tant [rì:*h*əbílətənt] *n.* 사회 복귀 치료[훈련]를 받고 있는 환자[장애자, 범죄자].

re·ha·bil·i·tate [rì:*h*əbílətèit] *vt.* **1** 회복[복구]하다, 부흥하다: ~ an old house 낡은 집을 복구하다. **2** (지위·권리 따위를) 도로 찾다, 만회하다: ~ oneself 명예[신용]를 회복하다 / He was ~*d* in public esteem. 다시 세상에서 존경받는 사람이 되었다. **3** (불구·부상자·범죄자 등을) 갱생[사회 복귀]시키다.
rè·ha·bíl·i·tà·tive *a.* **rè·ha·bíl·i·tà·tor** *n.* 복권[복위]자, 명예 회복자. 〚L (*re-*)〛

re·ha·bil·i·ta·tion [rì:*h*əbìlətéiʃən] *n.* Ⓤ 복직, 복위, 복권; 명예 회복; 부흥, 재건; 갱생(更生); 사회 복귀.

re·hándle *vt.* **1** 다시 다루다. **2** 개조[개주(改

鑄)]하다(recast), 개작하다.

re·hásh *vt.* 다시 썰다[저미다]; 다시 만들다[말하다], 재탕하다: The speaker only ~*ed* some lectures he had made before. 그 연사는 전에 했던 강연을 그대로 되풀이한 것에 불과했다.
—— [⌐⌐] *n.* 낡은 것을 고쳐 쓰기, 재탕, 개작.

re·héar *vt.* 다시 듣다; 〖法〗 재심(再審)하다.

*__re·héars·al__ *n.* **1** ⓊⒸ (연극 따위의) 리허설, 예행 연습(회), 대본 읽기, 시연(試演): put a play into ~ 연극의 공연 연습을 하다 / ☞ DRESS REHEARSAL. **2** Ⓤ 암송, 복창, 음송(吟誦); Ⓒ 이야기, 설화.

*__re·hearse__ [rihə́:rs] *vt.* **1** 예행 연습하다, 대본(臺本)읽기를 하다, 시연(試演)하다, …의 리허설을 하다: ~ an opera 오페라를 시연하다 / They were *rehearsing* the parts in the play. 그들은 연극에서 맡은 역의 연습을 하고 있는 중이었다. **2** (예행 연습을 시켜서) 익히게[숙달하게] 하다. **3** 낭송[암송]하다; 상세히 이야기하다; 열거하다: He ~*d* all the happenings of that night. 그 날밤에 생긴 일을 낱낱이 이야기했다. —— *vi.* 예행 연습을 하다; 낭송하다.
〖AF (*hercer* to harrow < HEARSE)〗

re·héat *vt.* 다시 가열(加熱)하다.
—— [⌐⌐] *n.* 〖空〗 (제트 엔진의) 재연소(법) (afterburning); (제트 엔진의) 재연소 장치.

re·héat·er *n.* 재가열기《한번 쓴 증기의 재사용을 위해 가열하는 장치》.

re·hóuse [-háuz] *vt.* …에 새 집을 마련하다, 새 집에 살게 하다: The sufferers from the earthquakes were immediately ~*d.* 지진으로 인한 이재민들은 바로 새 집이 마련되었다.

re·húman·ize *vt.* …에게 인간성을 회복시키다.
re·hùman·izátion *n.*

re·hýdrate *vt.* 〖化〗 재수화(再水和)하다, (물을 부어 건조식품을) 원상으로 돌리다.

Reich [ráik; *G* ráiç] *n.* [the ~] 독일제국.
〖G=empire〗

Reichs·bank [ráiksbæ̀ŋk; *G* ráiçsbaŋk] *n.* 독일 제국 은행《1945년 폐쇄》.

reichs·mark [ráiksmɑ̀:rk; *G* ráiçsmark] *n.* (*pl.* **~s,** ~) [때때로 R~] 독일의 화폐 단위 (1924-48).

Reichs·tag [ráikstɑ̀:g; *G* ráiçsta:k] *n.* (예전의) 독일 의회.

re·ify [rí:əfài, 美+réiə-] *vt.* (추상 관념 따위를) 구체[구상]화하다(materialize).
〖L *res* thing〗

*__reign__ [réin] *n.* **1** 성대(聖代), 치세(治世): in the ~ of Queen Victoria 빅토리아 여왕 대(代)에. **2** Ⓤ 군림, 통치, 지배; 통치[지배]권, 세력, 권세: the ~ of law 법의 지배 / under the ~ of Queen Victoria 빅토리아 여왕의 통치하에 / Night resumes her ~. 다시 밤의 세계가 된다.
the Reign of Terror (1) 공포 시대《프랑스 혁명이 가장 광포했던 1793년 3월-1794년 7월》. (2) [r~ of t~] (일반적으로) 공포 시대[상태].
—— *vi.* **1** [動/+前+名] 주권을 잡다, 통치하다, 군림하다: Queen Elizabeth Ⅰ ~*ed* from 1558 till 1603. 엘리자베스 1세는 1558년부터 1603년까지 통치했다 / How many years has the present king been ~*ing* ***over*** the country? 현재의 왕이 그 나라를 통치하기 시작한지 몇년이 됩니까. **2** 세력을 떨치다, 세도를 부리다(dominate). **3** 크게 유행하다, 널리 퍼지다(prevail): There was silence ~*ing* in the large hall. 그 큰 홀은 물을 끼얹은 듯 조용했다.
〖OF < L *regnum*; ⇨ REX〗

réign·ing *a.* 군림하는; 세도를 부리는; 크게 유행하는, 널리 퍼지는: the ~ businessman 당대에 제일가는 대실업가.

rè·illúsion *vt.* 다시 환상을 갖게 하다.

re·im·burse [rì:əmbə́:rs] *vt.* [+目/+目+*for*+名/+目+目] 상환하다, 환불하다, 갚다(repay), 변제[배상]하다(indemnify): I shall ~ the expenses. 그 경비는 내가 갚겠다 / I ~*d* him [myself] ***for*** the losses. 나는 그에게 손해 배상을 했다[내 자신의 손실을 벌충했다] / The book had such a poor sale that it did not ~ the publisher its printing costs. 그 책은 별로 팔리지 않아서 출판사는 인쇄비도 충당할 수 없었다 / I have been ~*d* (*for*) the expenses. 그 비용을 (이미) 돌려받았습니다. **~·ment** *n.* ⓊⒸ 반제, 상환, 환불, 변제, 배상.
〖*re-, imburse* (obs.) to put in PURSE < L〗

rè·impórt *vt.* (수출품을) 재[역]수입하다.
—— [⌐⌐⌐] *n.* Ⓤ 재[역]수입; 재[역]수입품.

rè·importátion *n.* Ⓤ (수출품 따위의) 재[역]수입; Ⓒ 역수입품.

rè·impóse *vt.* (폐지한 세금 따위를) 다시 부과하다. **re·imposítion** *n.* Ⓤ 재부과, 재규제.

rè·impréssion *n.* 재인상; 재판, 번각(reprint).

*__rein__ [réin] *n.* [때때로 *pl.*] **1** (보통 가죽으로 만든) 고삐. **2** 《비유》 제어 수단; 구속, 통제, 견제.
assume [***drop***] ***the reins of government*** 정권을 쥐다[내놓다].
give (***a***) ***free*** [***full***] ***rein*** [***the reins, a loose rein***] ***to*** …에 자유를 주다, …이 좋을대로 하게 하다: He *gave the ~s to* his anger. 그는 분통을 터뜨리고 말았다.
give . . . rein [***the reins***] (말(horse)을) 가고 싶은 데로 가게 하다.
hold [***keep***] ***a tight rein over*** [***on***] …을 엄격히 다루다[버릇들이다].
hold the reins 정권《따위》을 쥐고 있다.
take the reins 지도[지배]하다.
throw (***up***) ***the reins to . . .*** (말)의 고삐를 놓다; 《비유》 …의 자유에 맡기다.
with a loose rein 고삐를 늦추어; 제멋대로 하게 하여.
—— *vt.* **1** [+目/+目+副] (말을) 고삐로 다루다, 어거하다: ~ *back* [***up***] a horse 말을 멈추다. **2** 《비유》 제어하다, 억제하다.
—— *vi.* 말《따위》을 세우다, 말《따위》의 보조를 늦추다〈*in, up*〉.
rein in (1) (말의) 보조를 늦추다[멈추게 하다]: The horseman held his horse tightly ~*ed in.* 기수는 고삐를 세게 당겨 말을 멈추게 했다. (2) 억제하다: He could hardly ~ *in* his passions. 그는 자신의 열정을 억제할 수 없을 정도였다.
〖OF *rene*; ⇨ RETAIN〗

re·in·car·nate [rì:ənkɑ́:rneit, ri:ínkɑ:r-] *vt.* (영혼에) 다시 육신을 부여하다; 화신(化身)시키다.
—— [rì:ənkɑ́:rnət] *a.* 다시 육신을 얻은; 화신한.

re·incarnátion *n.* **1** Ⓤ 다시 육신을 줌; 영혼재래(再來)(설). **2** 재생, 환생, 화신.

rè·incórporate *vt.* 다시 합동하다, 다시 법인 조직체로 하다.

*__rein·deer__ [réindìər] *n.* (*pl.* ~, **~s**) 〖動〗 순록(馴鹿). 〖ON (*hreinn* reindeer, *dȳr* DEER)〗

réindeer mòss [**lìchen**] *n.* 〖植〗 꽃이끼, 순록이끼《순록이 먹음》.

rè·indùstrial·izátion *n.* 산업 부흥《경제적 경쟁력 강화를 표방하는 미국 정부의 산업 정책》.

re·in·force** [rìːənfɔ́ːrs] *vt.* **1** [＋目／＋目＋前＋名] 보강[증강·강화]하다, 기운을 불어 넣다 (strengthen) : ～ a bridge 다리를 보강하다 / ～ one's argument (예증 따위로) 주장을 강화하다 / ～ a supply 보급을 증강하다 / ～ a garment ***with an extra thickness of cloth 의복에 아주 두터운 천을 덧대어 튼튼하게 하다. **2** …에 원군[원병]을 보내다, 증원하다. **3** 〖心〗 (자극에 대한 반응을) 강화하다. ── *n.* 보강재, 덧대는 것[천] ; 총상(銃床).
〚F *renforcer* ; ⇨ ENFORCE〛

ré·in·fòrced cóncrete *n.* 철근 콘크리트.

reinfórce·ment *n.* **1** Ⓤ 보강, 강화, 증원 ; [때때로 *pl.*] 증원 부대[함대], 원병. **2** [때때로 *pl.*] 보강재, 보급품. **3** 〖心〗 강화.

reinfórcement thèrapy *n.* 〖精神醫〗 강화 요법 《상을 주어 정상적인 반응을 조장시키는 정신병 치료법》.

re·ínk *vt.* 다시 잉크를 묻히다.

réin·less *a.* 고삐를 매지 않은 ; 구속받지 않는, 자유로운 ; 방종한(loose).

reins [réinz] *n. pl.* 《古》 신장(腎臟) ; 허리(부분) ; 감정과 애정. 〚OF＜L *renes* (pl.)〛

rè·insért *vt.* …을 다시 끼워 넣다[써넣다].

rè·in·státe *vt.* [＋目／＋目＋前＋名] 원래대로 하다 ; 복위[복권·복직]시키다 ; …의 건강을 회복시키다 : I was ～*d* ***in*** my former office[***to*** my lost privileges]. 나는 복직[복권]이 되었다. **～·ment** *n.* Ⓤ 복위, 복권, 복직, 재임 ; 회복.

rè·instrúct *vt.* 다시 가르치다, 재교육하다.

rè·insúre *vt.* …을 위해 재보험을 들다. ── *vi.* (안전 따위에 대한) 보증을 더욱 확실하게 하다. **rè·insúrance** *n.* 재보험(액). **rè·insúrer** *n.* 재보험자.

re·íntegrate *vt.* 다시 완전하게 하다 ; 재건[복원]하다 ; 재통합[재통일]하다. **re·integrátion** *n.* Ⓤ 재건, 재통일.

rè·intér *vt.* 다시 묻다, 개장(改葬)하다.

rè·intérpret *vt.* 재해석하다 ; 새로 해석하다.

rè·introdúce *vt.* 다시 소개하다 ; 다시 도입하다 ; 다시 제출하다. **re·introdúction** *n.*

rè·invént *vt.* 재발명하다 ; 철저하게 다시 고치다, 개혁하다. **rè·invéntion** *n.*

rè·invést *vt.* 재투자하다 ; 다시 주다 ; 다시 임명하다 ; 회복하다. **～·ment** *n.*

rè·invígorate *vt.* 다시 활기띠게 하다, 되살아나게 하다.

reis *n.* REAL[2]의 복수형.

re·íssue *vt.* (수표·통화·서적 따위를) 재발행하다, 재발급하다. ── *vi.* 다시 나오다[나타나다]. ── *n.* Ⓤ,Ⓒ 재발행 ; Ⓒ 재발간물 ; 〖映〗 신판.

REIT [, ríːt] 《美》 real estate investment trust (부동산 투자 신탁).

re·it·er·ant [riːítərənt] *a.* 여러번 되풀이하는.

re·it·er·ate [riːítərèit] *vt.* 되풀이하다, 반복하다 (repeat) : ～ one's command 명령을 복창하다. 〚L (*re-*)〛

re·it·er·á·tion *n.* Ⓤ,Ⓒ 반복 ; 중언, 부언.

re·it·er·a·tive [riːítərèitiv, -tərə-] *n.* 〖文法〗 중첩어, 반복어《dillydally, willy-nilly 따위》. ── *a.* 되풀이하는, 반복하는.

reive [ríːv] *vt., vi.* ＝REAVE[1]. **réiv·er** *n.*

re·jas·ing [ridʒéisiŋ] *n.* 《美》 폐기물 재이용. **re·jás·er** *n.* 〚*re*using *j*unk *as* someth*ing* else〛

***re·ject** [ridʒékt] *vt.* **1** 거절하다, 각하하다, 거부[부인]하다(↔*accept*) : ～ a vote 투표를 무효로 하다 / I offered to help him but was ～*ed.* 그를 돕고자 제의했으나 거절당했다. **2** (불량품 따위를) 배척하다, 버리다(↔*choose*) ; 잡아떼다, 무시하다 : All apples with soft spots are ～*ed.* 무른 데가 있는 사과는 모조리 폐기된다. **3** (위가 음식물을) 받지 않다, 토하다(vomit) ; 〖生理〗 (이식된 장기 따위)에 거부 반응을 나타내다. **4** (레코드 체인저가 세트한 레코드를) 연주하지 않고 건너 뛰다. ── [ríːdʒekt] *n.* 거절된 사람[것], 불합격자[품], 흠 있는 것.
rejéct·er *n.* 거절자. **rejéc·tive** *a.*
〚L *re-*(*ject- icio*＝*jacio*)＝to throw back〛
類義語 ⟹ REFUSE[1].

re·ject·ee [ridʒektíː] *n.* 거절당한 자 ; (징병검사의) 불합격자.

re·jec·tion [ridʒékʃən] *n.* Ⓤ,Ⓒ **1** 거절, 기각 ; 부결. **2** 구토 ; 폐기[배설]물. **3** 〖生理〗 거절(반응), 거부(반응) ; REJECT된 것.

rejéction frònt *n.* 거부 전선(戰線)《이스라엘과의 어떤 교섭·화평이든 거부하는 아랍 제국 및 아랍인 조직의 전선》.

rejéction·ist *n., a.* 거부파(의)《이스라엘과의 교섭이나 화평을 일체 거부하는 아랍 지도자·조직·국가》.

rejéction slìp *n.* (출판사가 원고에 붙여 저자에게 반송하는) 거절 쪽지.

rejéction sỳmptom *n.* 거부반응.

rejéctive árt *n.* ＝MINIMAL ART.

re·jéc·tiv·ist *n.* ＝MINIMALIST.

re·jéc·tor *n.* ＝REJECTER ; 〖電〗 제파기(除波器).

re·jíg *vt.* 《英口》 (공장)에 새로운 시설을 갖추다 ; 불완전한 곳을 고치다, 재조정하다. ── [⌐⌐] *n.* 불완전한 곳을 고치기.

re·jígger *vt.* 《口》 ＝REJIG. ── *n.* 《英》 불완전한 곳을 고치는 사람.

***re·joice** [ridʒɔ́is] *vt.* **1** 기쁘게 하다(make glad) : It ～*d* my heart to hear that my son had succeeded in the examinations. 아들이 시험에 합격했다는 소식을 듣고 내 마음은 기쁨에 넘쳤다. **2** [수동태로] 기뻐하고 있다 : I *am* ～*d to* be among the first to welcome you. 당신을 맨 먼저 환영할 수 있는 한 사람이 되어 즐겁습니다.
── *vi.* **1** [＋前＋名／＋*to* do／＋*that* 節] 좋아하다, 기뻐하다, 축하하다 : He ～*d* ***at*** the news of his success. 성공했다는 소식을 듣고 아주 기뻐했다 / They all ～*d* ***over*** the brilliant victory. 모두 그 찬란한 승리를 축하했다 / She ～*d* ***in*** her daughter's happiness. 딸이 행복하여 그녀도 기뻤다 / He ～*d* that[～*d to* hear that] they had been reconciled. 그들이 서로 화해한 것을[했다는 소식을 듣고서] 매우 기뻐했다. 注 《口》에서는 rejoice 대신에 be glad, be pleased를 씀. **2** [＋*in*＋名] 누리다, 향유하다 ; 《戯》 (이름·칭호를) 가지고 있다 : ～ ***in*** good health 건강을 누리다 / He ～*s in* the name of Bacon. 《戯》 그는 베이컨이라 불리고 있다.
〚OF REjoiss- -joir ; ⇨ JOY〛

re·jóic·ing *n.* **1** Ⓤ 기쁨, 환희. **2** [*pl.*] 환호 ; 축하, 경사 ; 환락, 놀이.

re·jóin[1] *vt.* **1** 재통합[재결합]시키다. **2** 다시 합치다, 재회하다 : They ～*ed* their ship. 그들은 소속된 배로 돌아갔다. ── *vi.* 다시 결합하다.

re·join[2] [ridʒɔ́in] *vi.* **1** 응답[답변]하다. **2** 〖法〗 (피고가) 제2답변을 하다, 항변하다. ── *vt.* …라고 응답[답변]하다. 〚OF RE*joindre* ; ⇨ JOIN〛

re·join·der [ridʒɔ́indər] *n.* **1** 답변, 대답, 응답, (특히) 답변에 대한 대답, 재답변, 재회답 ; 말대꾸. **2** 〖法〗 (피고의) 제2답변서.

in rejoinder 대답으로서, 응답하여〈*to*〉.
〚AF (↑)〛

re·ju·ve·nate [ridʒúːvənèit] *vt., vi.* 도로 젊어지게 하다[지다], 원기를 회복시키다[하다].
〚L *juvenis* young〛

re·jù·ve·ná·tion *n.* Ⓤ 도로 젊어짐, 회춘, 원기 회복.

re·jú·ve·nà·tor *n.* **1** 회춘약, 도로 젊어지게 하는 약. **2** 회춘 전문의(醫).

re·ju·ve·nesce [ridʒùːvənés] *vi., vt.* 도로 젊어지(게 하)다 ; 〖生〗 새로운 활기를 얻다[주다].

re·jù·ve·nés·cence *n.* Ⓤ 도로 젊어지기, 회춘 ; 〖生〗 (세포의) 부활[재생(再生)].

re·jù·ve·nés·cent *a.* 도로 젊어지(게 하)는, 회춘(回春)의.

re·ju·ve·nize [ridʒúːvənàiz] *v.* ＝REJUVENATE.

re·kíndle *vt., vi.* 다시 불붙이다 ; 다시 타다 ; 다시 기운내다[나다].

-rel [rəl] *suf.* 「소(小)」「경멸」의 뜻을 가진 명사를 만듦 : mong*rel*, scound*rel*. 〚ME<OF〛

rel. relating ; relative(ly) ; released ; religion ; religious.

re·lábel *vt.* 표찰[딱지]을 다시[고쳐] 붙이다 ; 새 이름을 붙이다, 명칭을 변경하다, 개칭하다.

relaid *v.* RELAY²의 과거 · 과거분사.

re·lapse [rilǽps] *vi.* [＋*into*＋名] 원래대로 되돌아가다 ; 다시 나쁜 길로 빠지다, 타락[퇴보]하다〈*into*〉; (병이) 도지다, 재발하다〈*into*〉: She ～*d* ***into*** melancholia[silence]. 다시 울적해졌다[입을 다물어버렸다] / He ～*d* *into* crime [coma]. 그는 다시 악의 길로[혼수상태에] 빠져들었다. —— *n.* **1** 되돌아감 ; 타락, 퇴보〈*into*〉. **2** (병의) 재발 : have a ～ 재발하다. 〚L (*re*-)〛

re·láps·ing féver *n.* 〖醫〗 재[회]귀열.

re·late** [riléit] *vt.* **1** [＋目 / ＋目＋前＋名] 말하다, 이야기하다(tell) : Tom ～*d* ***to his parents some amusing stories about his classmates. 톰은 반친구에 대한 재미있는 얘기를 부모님께 말했다. **2** [＋目＋前＋名] 관계[관련]시키다(connect) : We cannot ～ these results ***with***[***to***] any particular cause. 이 결과들을 특정한 원인에 관련지어서 생각할 수는 없다. **3** [＋目＋*to*＋名] [수동태로] (…와) 친척관계에 있다, 인척(姻戚)이다 : She *is* closely[distantly] ～*d* ***to*** me. 그녀는 나와 가까운[먼] 친척 관계다 / Norwegian *is* ～*d to* Swedish and Danish. 노르웨이어는 스웨덴어나 덴마크어와 밀접한 관계가 있다. —— *vi.* **1** [＋*to*＋名] 관련이 있다, 연관되어 있다 : She won't notice anything but what ～*s* ***to*** herself. 그녀는 자신에 관계되는 일 이외는 어떠한 일에도 주의를 기울이려 하지 않는다. **2** 부합[합치]하다〈*with*〉. **3** 소급하여 적용되다[발효하다]〈*to*〉.
relating to …에 관하여.
re·lát·able *a.* **re·lát·er** *n.* 이야기하는 사람(narrator). 〚L ; ⇨ REFER〛
類義語 ⟹ TELL.

***re·lát·ed** *a.* **1** 관계 있는, 관련되어 있는 ; 상관되어 있는 ; 동류의 ; 동족의, 친척의, 친척관계의, 혈연의, 인척의 : be ～ to …와 관계가 있다 ; 친척이다 / ～ language 동족어. **2** 이야기된, 진술한. **～·ly** *adv.* **～·ness** *n.*

‡**re·la·tion** [riléiʃən] *n.* **1** Ⓤ,Ⓒ 관계, 관련 : the ～ *between* cause and effect 인과관계 / have ～ *to* …와 관계가[관련이] 있다 / be out of all ～ *to*...＝bear no ～ *to* …와 전혀 관계가 없다, …와 전혀 어울리지 않다. **2** Ⓤ 친족[인척]관계, 연고(《주 RELATIONSHIP 쪽이 일반적》) ; Ⓒ 친척(《주 RELATIVE 쪽이 일반적임》) : Is he any ～ *to* you? 그와는 친척이 되십니까. **3** Ⓤ 설화, 진술, 언급 ; Ⓒ 이야기 : make[have] ～ *to* …에 언급하다[하고 있다]. **4** [*pl.*] 이해관계, (국가 · 민족간의) 관계, 유대, 교섭 ; (이성과의) 관계 : the friendly ～*s between* Korea and America 한미간의 우호관계 / They had no business ～(*s*) *with* the firm. 그 회사와 상거래가 없었다. **5** Ⓤ 〖法〗 고발, 신고 ; (법 효력의) 소급〈*to*〉. **6** 〖컴퓨〗 관계.
in[***with***] ***relation to*** …에 관해서.

relátion·al *a.* **1** 관계가 있는 ; 상관적(相關的)인. **2** 친척[일가]인. **3** 〖文法〗 문법적인 관계를 나타내는. **～·ly** *adv.* 관계하여 ; 상관적으로.

‡**relátion·shìp** *n.* **1** Ⓤ 친척 관계 : degrees of ～ 촌수. **2** 〖生〗 유연 관계 ; 관계, 관련.

rel·a·ti·val [rèlətáivəl] *a.* 〖文法〗 관계사(詞)의. **～·ly** *adv.* 관계사로서.

***rel·a·tive** [rélətiv] *n.* **1** 친척, 인척, 일가. **2** 〖文法〗 관계사[절], (특히) 관계대명사. **3** 관계물[사항] ; 상대적 존재 ; 상대어. —— *a.* **1** 관계 있는, 연관되어 있는〈*to*〉. **2** 적절한〈*to*〉. **3** 비교상의, 상대적인, 상관적인(↔*absolute*) ; 비례하는〈*to*〉: ～ merits 우열(優劣). **4** 〖文法〗 관계를 나타내는, 관계사에 이끌리는.
relative to …에 관해서 ; …의 비율로, …에 비례해서.
〚OF or L ; ⇨ RELATE〛

rélative áddress *n.* 〖컴퓨〗 상대(相對) 번지(cf. BASE ADDRESS).

rélative ádjective *n.* 〖文法〗 관계형용사.

rélative ádverb *n.* 〖文法〗 관계부사.

rélative áperture *n.* 〖光〗 (망원경 · 카메라 따위의) 구경비(比).

rélative biológical efféctiveness *n.* 생물학적 효과비(效果比)(《略 RBE》).

rélative cláuse *n.* 〖文法〗 관계절.

rélative fréquency *n.* 〖統〗 상대 도수.

rélative humídity *n.* 〖氣〗 상대 습도.

***rélative·ly** *adv.* 상대적으로 ; 비교적 ; (…에) 비례하여〈*to*〉.

rélative majórity *n.* 《英》 상대 다수(《선거에서 과반수 미달인 경우의 수위》).

rélative prónoun *n.* 〖文法〗 관계대명사.

rél·a·tiv·ìsm *n.* Ⓤ 〖哲〗 상대론[주의] ; 〖理〗 상대성 이론. **-ist** *n.* 상대론자, 상대주의자.

rel·a·tiv·is·tic [rèlətivístik] *a.* 〖哲〗 상대론[주의]의 ; 〖理〗 상대론적인.

rel·a·tiv·i·ty [rèlətívəti] *n.* **1** Ⓤ 관계가 있음, 관련[상관](성) ; 의존성. **2** Ⓤ 〖理〗 상대성(이론) ; 〖哲〗 상대론[주의](relativism) : the principle of ～ 상대성 원리.

rél·a·tiv·ìze *vt.* 상대화하다, 상대적으로 다루다[생각하다].

re·lá·tor *n.* 이야기하는 사람 ; 〖法〗 범죄 신고자, 고발인.

‡**re·lax** [rilǽks] *vt.* **1** 늦추다, 이완시키다(loosen) ; …에서 힘을 빼다 : ～ one's muscles 근육의 힘을 풀다 / ～ the bowels 변이 통하게 하다 / I ～*ed* my grip on the rope. 나는 밧줄을 잡은 손을 늦추었다. **2** (법 따위를) 관대히 하다 ; 경감하다, 완화하다 : Discipline cannot be ～*ed* until the last day of school has passed. 학교에 다니는 마지막 날까지 규율은 지켜야 한다. **3** (주의 · 노력 따위를) 줄이다, 느슨하게 하다 : You must not ～ your efforts[attention]. 노력[주의]을 게을리해서는 안된다. **4** (남)의 긴장을 풀다, 편하게 하다, 쉬게 하다 : I am feeling ～*ed*.

마음이 편해지고 있다. **5** 인도하다, 양도하다.
—— *vi.* [動/+前+名] 누그러지다 ; 풀리다 ; 약해지다 ; 편안히 하다, 피로를 풀다 ; 쉬다 : You had better take a day or two off and ~. 하루 이틀 쉬어 피로를 푸는 것이 좋다 / Don't ~ ***in*** your efforts. 노력을 게을리해서는 안된다 / The old man's face *~ed* ***into***[*in*] a smile. 노인의 (굳어진) 얼굴은 미소로 부드러워졌다.

〈회화〉
I just want to *relax* this weekend. — That's not a bad idea. 「이번 주말에는 좀 쉬고 싶어」 「그거 나쁘지 않군」

〚L *re-*(*laxo* < LAX[1])〛

reláx·ant *a.* 늦추는, 이완성의.
—— *n.* 이완약 ; 완하제, 하제.

re·lax·a·tion [rìːlækséiʃən] *n.* **1** Ⓤ 느슨함, 느긋함, 이완(弛緩) ; (벌·의무의) 경감, 완화 ; 휴양, 피로 회복, 휴식 ; 쇠퇴, 정력 감퇴. **2** Ⓤ 기분 전환 ; Ⓒ 기분 전환으로 하는 일, 오락, 레크리에이션(recreation).

re·láxed *a.* 느즈러진 ; (법 따위) 엄하지 않은, 느슨한 ; 긴장을 푼, 편한.

re·láx·ed·ly [-ədli, -tli] *adv.* 느즈러져 ; 누그러져 ; 느슨히, 느긋이 ; 긴장을 풀고.

reláxed thróat *n.* 〖醫〗 인후(咽喉) 카타르.

re·lax·in [rilǽksən] *n.* 〖醫〗 릴랙신, 단백 호르몬《출산을 촉진하는 호르몬》.

reláx·ing clímate *n.* (몸이) 나른해지는 기후.

re·lax·or [rilǽksər] *n.* 《美》 곱슬머리를 펴는 약.

***re·lay**[1] [ríːlei] *n.* **1** 갈아 타는 말, 역마(驛馬)(= ~ **hòrse**) ; (사냥의) 교대용 개 ; (교대용 말이 있는) 역참(驛站). **2** 교체(shift) ; 교체자, 신참(新參) ; 새로운 공급, 신재료 : a ~ *of* cakes (더 먹으려고) 다시 내놓은 과자. **3 a**) = RELAY RACE. **b**) 릴레이 경주에서 한 사람이 뛰는 거리. **4** 〖電·컴퓨〗 계전기(繼電器) ; 〖軍〗 체전(遞傳), 체송(遞送) ; 〖라디오·TV〗 중계.
——[ríːlei, riléi ; riléi] *vt.* **1** …과 교대할 것을 마련하다 ; 새 사람과 교대시키다, 갈아 타는 말을 준비하다 ; 새 재료를 공급하다. **2 a**) 중계하다. **b**) (전할 말 따위를) 중계하여 전하다, 교체해서 보내다. **c**) 〖通信〗 중계하다. —— *vi.* **1** 교체할 것을 얻다. **2** 중계방송하다.
〚OF = to leave behind ; ⇨ LAX[1]〛

re·láy[2] *vt.* (**-láid**) 다시 놓다, 고쳐 놓다 ; (포석(鋪石)·철도 따위를) 다시 깔다[놓다] ; 다시 쌓다 ; (벽 따위를) 새로 칠하다 ; (세금 따위를) 다시 부과하다. 〚*re-*〛

rélay bàse *n.* 중계 기지.

rélay bróadcast *n.* 중계 방송.

rélay móbile *n.* (방송용) 중계차(mobile unit).

rélay ràce *n.* 릴레이 경주[경영(競泳)], 계주.

rélay státion *n.* 〖通信〗 중계국(局).

re·léarn *vt.* 다시[고쳐] 배우다.

re·lease** [rilíːs] *vt.* **1** [+目/+目+*from*+名] **a**) 놓아주다, 떼어놓다, 끌려놓다 ; (폭탄을) 투하하다 : He suddenly *~d* my arm. 그는 갑자기 내팔을 놓았다 / They *~d* several bombs ***from the airplane. 비행기에서 폭탄 여러 개를 투하했다. **b**) 석방[방면]하다, 자유롭게 하다(↔*capture*) : They will ~ the prisoners. 포로들을 석방할 것이다. **c**) 면제하다, 해제하다 : I'll ~ you ***from*** your obligation. 너의 의무를 면제해주겠다 / We are *~d from* duty at five o'clock. 우리는 다섯 시에 근무가 끝난다. **2** [+目/+目+前+名] (영화를) 개봉하다 ; (정보·레코드·신간서 따위를) 공개[발표·발매]하다 ; (식품·물자 따위를) 방출하다 : The scientist agreed to ~ his article ***for*** publication. 그 과학자는 논문을 공표할 것에 동의했다. **3** 〖法〗 포기[기권]하다 ; 양도하다.
—— *n.* **1** Ⓤ 풀어[놓아]줌 ; 발사, (폭탄의) 투하. **2** Ⓤ 석방, 방면〈*from*〉 ; 면제, 해제. **3** Ⓤ 해방, 구출, 구제〈*from*〉 ; 위자(慰藉). **4** Ⓤ,Ⓒ 〖法〗 기권(증서), 양도(증서). **5** Ⓤ,Ⓒ 공개(물) ; 발표(물), 허가(품) ; 개봉(영화) ; (레코드 따위의) 발매. **6** Ⓤ,Ⓒ 방출(품) : ~ of surplus goods 잉여 물자의 방출. **7** 〖機〗 방기(放汽)장치 ; 〖寫〗 (카메라의) 릴리스. **8** 〖컴퓨〗 배포.
〚OF < L ; ⇨ RELAX〛
類義語 ⟹ FREE.

re-léase *vt.* (토지·가옥 따위를) 계약을 갱신하여 빌려주다, 전대(轉貸)하다.

reléase còpy *n.* (공식 발표 전의) 사전 보도 자료《출판·방송일시를 지정한 기사》.

reléase dàte *n.* release copy의 보도 시한.

reléase(d) tìme *n.* 《美》 자유 시간《공립학교에서 학생들이 종교 교육을 받거나 교회 활동을 하기 위해 학교 밖으로 나가도 되는 시간》.

re·leas·ee [riliːsíː] *n.* (채무 따위의) 피(被)면제자 ; 〖法〗 (권리·재산의) 양수인(讓受人).

reléase prìnt *n.* 〖映〗 개봉 영화[필름], 일반 상영용 필름.

re·léas·er *n.* 해방자, 석방자 ; 〖生〗 릴리서.

re·léas·ing fàctor *n.* 〖生〗 호르몬 방출인자.

re·léa·sor *n.* 〖法〗 기권자 ; 양도인.

rel·e·gate [réləgèit] *vt.* [+目+*to*+名] **1** (어떤 장소·지위로) 물러나게 하다, 좌천시키다 ; 추방하다 : ~ a person ***to*** an inferior position 남을 낮은 지위로 떨어뜨리다. **2** (하위의 종류·등급 따위에) 귀속시키다, 소속케 하다, 돌리다 : The football team was *~d* ***to*** the second division. 그 축구 팀은 2조에 소속되었다. **3** (사건 따위를) 이관시키다, 위임[위탁]하다 ; (사람을) 조회시키다 (refer) : He *~d* the task ***to*** his assistant. 그는 그 일을 조수에게 맡겼다.
〚L *re-*(*legat- lego*) = to send away〛

rèl·e·gá·tion *n.* Ⓤ 좌천 ; 귀속 ; (사건의) 이관, 위탁, 위임 ; 추방.

re·lent [rilént] *vi.* (마음이) 누그러지다, 풀리다, 불쌍히 여기다(become less severe) : He *~ed* at the sight of misery. 그는 그 처참한 광경을 보고 불쌍하게 여겼다. —— *vt.* 《廢》 …의 마음을 누그러뜨리다, 달래다. **~·ing·ly** *adv.*
〚L *re-*(*lento* to bend < *lentus* flexible)〛

relént·less *a.* [+前+do*ing*] 용서없는, 엄한, 냉혹[잔인]한, 매정하고 무자비한 : He was ~ ***in*** worry*ing* me about the matter. 그 일에 관해서 나를 무척이나 괴롭혔다. **~·ly** *adv.* 무정하게, 용서없이. **~·ness** *n.*

re·lét *vt.* (토지·가옥 따위를) 다시 빌려주다.
——[⌐⌐] *n.* 《英》 다시 임대하는 주거.

rel·e·vance, -cy [réləvəns(i)] *n.* Ⓤ **1** 관련(성) ; 적당, 적절 : have *relevance to* …에 관련되다. **2** 〖컴퓨〗 (사용자가 필요로 하는 데이터의) 검색 능력.

rél·e·vant *a.* (당면한 문제에) 관련된 ; 적절한(↔*irrelevant*) ; 《口》 의미가 있는 : the documents ~ *to* the subject 그 주제에 관한 문서. **~·ly** *adv.*
〚L (pres. p.) < *relevo* to RELIEVE〛

re·lì·abíl·i·ty *n.* Ⓤ 신뢰할 수 있음, 기대할 수 있음, 신뢰도, 확실성 ; 〖컴퓨〗 믿음성, 신뢰도 : a ~ test (자동차 따위의) 장거리 시험.

***re·li·able** [riláiəbəl] *a.* 의지할 수 있는, 믿음직

한 ; 확실한, 신뢰성이 있는. —— *n.* 의지할 수 있는 것[사람], 신뢰할 수 있는 것[사람]. **-ably** *adv.* **~·ness** *n.* 〖RELY〗

類義語 ***reliable*** 사람이나 물건이 자기의 기대·요구에 응할 수 있으므로 신용[기대]할 수 있는. ***dependable*** 필요하거나 위급한 때에 의지할 수 있는 ; 흔히 착실성, 침착성을 암시한다. ***trustworthy*** 사람의 성실성·정직성·판단력 따위가 충분히 믿음직한.

re·li·ance [riláiəns] *n.* **1** Ⓤ 신뢰, 신용, 신임, 의지 : I put[placed] ~ (*up*)*on* him[his statement]. 그[그의 말]를 신용했다 / I have[feel] no ~ *on* his assurance. 그의 보증은 신뢰가 가지 않는다 / She acted *in* ~ *on* his promises. 그녀는 그의 약속을 신뢰[기대]하고 행동했다. **2** 의지할 만한 사람[것], 의지할 곳.

re·lí·ant *a.* 신뢰하는, 의지하는, 기대를 건〈*on*〉; 자신을 믿는, 독립독행의(self-reliant). —— *n.* [R~] 릴라이언트《영국 Reliant Motor 사제의 자동차》. **~·ly** *adv.*

***rel·ic** [rélik] *n.* **1 a**) [*pl.*] 유물, 유품, 유적(ruins). **b**) (과거 풍속 따위의) 잔영(殘影), 잔재, 유풍. **2 a**) 〖宗〗 (성인·순교자 등의) 성골, 성보(聖寶), 유보. **b**) 기념물, (고인의) 유품. **3** [*pl.*] 시체, 유골(remains). **4** 〖生〗 =RELICT. 〖OF<L RELIQUIAE〗

rel·ict [rélikt] *n.* 《古》 미망인, 과부 ; 〖生〗 잔존생물《환경의 변화로 한정된 지역에만 살아 남은 생물》. —— *a.* 살아 남은 ; 《古》 미망인의. 〖OF<L ; ⇨ RELINQUISH〗

re·lic·tion [rilíkʃən] *n.* (해면·호면(湖面) 따위의) 수위 감퇴에 의한 토지의 증대 ; 수위 감퇴 고정지.

***re·lief**[1] [rilí:f] *n.* **1** Ⓤ [또는 a ~] (고통·걱정거리 따위의) 제거, 경감〈*from*〉; 위안, 안심, 안도 : give a sigh of ~ 한숨 돌리다 / What a ~ ! 이제 안심이다 / I heard the news *with* much ~. 그 소식을 듣고 아주 안심했다 / It was a great ~ *to* her to learn that her husband had safely arrived there. 남편이 무사히 그곳에 도착했다는 것을 알고 크게 안심했다. **2** Ⓤ (빈민 등의) 구조, 구제, 구원 ; 구제 기금[물자] : ~ *of* old people 노인 원호 / on ~ (정부의) 구호를 받고 / indoor ~ 원내 구호《구빈원에 수용해서 시행》/ outdoor ~ ☞ OUTDOOR 2. **3** Ⓤ 기분전환, 심심풀이. **4** Ⓤ 교체 ; Ⓒ 교대자[병].

to** one's **relief 안심한 것은 : *To our* great ~, the miners were all saved. 갱부들이 모두 구출되어 우리는 크게 안심했다.

—— *a.* **1** 구제(용)의 ; 교체의 : a ~ fund 구제 기금 / ~ goods 구호 물자 / ~ works 실업 구제 사업《토목 공사 따위》. **2** 〖野〗 구원의, 릴리프의. 〖OF and It. ; ⇨ RELIEVE〗

***relief**[2] *n.* **1** Ⓤ 〖彫·建〗 부조(浮彫), 돋을새김, 양각(陽刻) ; 〖畫〗 돋보이게 그리기 ; Ⓒ 양각 세공[무늬](cf. ROUND[1] *n.* 1 b)) ; 〖印〗 =RELIEF PRINTING : ☞ HIGH[LOW] RELIEF. **2** Ⓤ 두드러짐, 탁월 ; 윤곽의 선명, (대조에 의한) 강조, 강세(emphasis) : bring[throw]...into ~ …을 두드러지게 하다. **3** Ⓤ (토지의) 고저, 기복.

in relief 돋을새김으로 ; 두드러지게, 뚜렷하게 : The old castle stood out *in* (bold[strong]) ~ against the sky. 그 고성(古城)은 하늘을 배경으로 우뚝 솟아 있었다.

—— *a.* 양각[부조]이 있는 ; 표면이 평평하지 않은 ; 철판 인쇄의[에 의한]. 〖↑〗

relíef àce *n.* 〖野〗 릴리프 에이스《팀내에서 가장 신뢰받는 구원 투수》.

relíef·er *n.* 《美口》 (국가로부터) 생활 보조금을 받는 사람 ; 〖野〗 구원 투수.

relíef màp *n.* 입체[모형] 지도.

relíef pìtcher *n.* 〖野〗 구원 투수.

relíef prìnting *n.* 〖印〗 철판 인쇄(letterpress).

relíef ròad *n.* 《英》 (교통체증을 덜기 위한) 우회도로(bypass).

relíef vàlve *n.* 〖機〗 안전판(瓣)[밸브].

re·li·er [riláiər] *n.* 신뢰자, 의뢰인.

re·lieve** [rilí:v] *vt.* **1** [+目/+目+*from*+名] 구출하다, 구조[구원·구제]하다 : The soldiers ~*d* the fort. 병사들은 그 요새를 구출했다 / He devoted himself to *relieving* the distressed. 그는 빈민구제에 몸을 바쳤다 / Death ~*d* him ***from the pain. 죽음이 그를 그 고통에서 구해 주었다. **2 a**) [+目/+目+*of*+名] (고통·사람의 기분 따위를) 누그러뜨리다 ; (고통·부담을 덜어서) 안심시키다, 편안하게 하다 ; 《戲》 …로부터 (물건을) 훔치다 : The tears ~*d* her. 눈물을 흘리고 나니 그녀의 마음이 조금 편해졌다 / That ~*d* him ***of*** all responsibility. 그 덕택으로 그는 책임이 전부 면제됐다 / He offered to ~ me *of* my suitcase. 그는 나에게 여행가방을 들어다 주겠다고 제의했다 / The thief ~*d* (=robbed) him *of* his purse. 《戲》 그는 도둑에게 돈지갑을 강탈당했다. **b**) [+*to* do] [*p.p.*로] 안심하다, 안도의 숨을 쉬다 : I *am* ~*d to* hear it. 그 말을 듣고 안심했습니다 / He felt much ~*d to* hear her laugh with the usual heartiness. 그녀가 평소처럼 마음껏 웃는 것을 듣고 안심했다. **3 a**) 교대하여 쉬게 하다 ; 〖野〗 (투수를) 구원하다 : ~ the watch 감시인[야경꾼]을 교대시키다 / We shall be ~*d* at five o'clock. 다섯 시에 교대하게 되어있다 / ~ the starting pitcher 선발 투수를 구원[릴리프]하다. **b**) [+目+*of*+名] 해직[해임]시키다 : He was ~*d* ***of*** his office. 그는 해직되었다. **4** (단조로움을) 덜다, …에게 변화를 갖게 하다. **5** [+目/+目+*with*+名] [특히 *p.p.*로] 돋보이게 하다, 눈에 띄게 하다 : Her black bodice was ~*d by*[***with***] white lace. 그녀의 검정 보디스《코르셋 위에 입는 여성용 웃옷》는 하얀 레이스로 인해 돋보였다.

—— *vi.* **1** 구원하다 ; 〖野〗 구원 투수를 맡다. **2** 뛰어나다.

relieve nature[one***self***] 대변[소변]을 보다.

relieve** one's **feelings (울거나 고함쳐서) 울분을 풀어버리다, 불만을 해소하다.

re·líev·able *a.* **re·líev·er** *n.* relieve 하는 사람[것] ; 〖野〗 =RELIEF PITCHER. 〖OF<L *re-*(*levo*‹*levis* light[2]) =to raise again, alleviate〗

類義語 ⟹ COMFORT (*v.*).

re·líev·ing òfficer *n.* 〖英史〗 (행정교구 따위의) 빈민 구제 위원.

re·lie·vo [rilí:vou, riljéi-] *n.* (*pl.* **~s**) Ⓤ,Ⓒ 〖彫·建〗 =RELIEF[2] : ☞ ALTO-[BASSO-, MEZZO-] RELIEVO.

in relievo 양각(陽刻)한[되어]. 〖It.=RELIEF[2]〗

re·li·gio- [rilídʒiou, -iə] *comb. form* 「종교(religion)」의 뜻.

‡**re·li·gion** [rilídʒən] *n.* **1** Ⓤ 종교. **2** 종파, 교파, …교 : the Christian ~ 기독교 / the established ~ ☞ ESTABLISHED 2. **3** [the R~] 신교(Protestantism). **4** Ⓤ 수도[신앙] 생활 ; 신앙, 신앙심 : be in ~ 수도자[성직자]다 / enter into

~ 수도회[생활]에 들어가다, 수도자가 되다 / experience ~ ☞ EXPERIENCE *v.* 숙어. **5** (신앙처럼) 굳게 지키는 것, 온 정신을 쏟는 것, 신조, 주의 : The pursuit of success was a ~ to him. 그는 오직 입신출세에 전념했다 / He makes a ~ of keeping[makes it a ~ to keep] faith with his friends. 친구에게 신의를 지키는 것을 신조로 삼고 있다. **~·ìsm** *n.* Ⓤ 종교에 빠져 듦, 광신 ; 독실한 체함. **~·ist** *n.* 신앙가 ; 광신도 ; 사이비 신자. **~·less** *a.* 무종교의, 신앙(심)이 없는. 〚OF<L *religion- religio* bond, reverence〛

relígion·er *n.* 수사 ; =RELIGIONIST.

relígion·ìze *vt.* …에게 믿음이 일게 하다 ; 종교적으로 해석하다.

re·li·gi·ose [rilídʒiòus] *a.* 종교에 미친, 광신적인 ; 독실한 신자인 체하는.

re·lig·i·os·i·ty [rilìdʒiɑ́səti] *n.* Ⓤ 광적인 신앙 ; 신앙심 깊은 체하기.

‡**re·li·gious** [rilídʒəs] *a.* **1** 종교(상)의, 종교적인 (↔*secular*). **2 a**) 신앙의, 신앙심 깊은, 경건한 : a ~ man[life] 신앙인[생활]. **b**) [명사적으로 ; the ~] 신앙인들. **3** 양심적인, 세심한, 용의주도한 ; 엄정한 ; 열렬한(fervent) : His loyalty was ~ in its devotion. 그의 충성은 참으로 헌신적인 것이었다. **4** 계율에 순종하는, 수도의 ; 수도회에 속하는, 교단의. **5** 《詩》 신성한, 성스러운. —— *n.* (*pl.* ~) 수사, 수녀. ㊟ 집합적으로는 보통 the, some, several 따위를 앞에 붙여 씀. **~·ly** *adv.* 독실하게 ; 경건히 ; 양심적으로. **~·ness** *n.* 〚OF<L ; ⇨ RELIGION〛

類義語 ***religious*** 어떤 특정의 종교를 믿고 그 교의를 평소에도 충실히 지키는 : lead a *religious* life (신앙 생활을 하다). ***devout*** 자기의 신앙이나 종교에 성심성의를 다하는 : a *devout* Christian (독실한 기독교도). ***pious*** 종교상의 계율이나 가르침을 충실히 준수하는 ; 나쁜 뜻으로는 겉치레[형식상]만의 믿음을 나타냄 : She is *pious* only at church. (그녀는 교회에서만 신앙심이 깊다).

relígious hòuse *n.* 수도원(convent).

Relígious Socíety of Fríends *n.* [the ~] = the SOCIETY of Friends.

re·líne *vt.* 새로운 선을 긋다 ; 안(감)을 갈다[새로 대다].

re·lin·quish [rilíŋkwiʃ] *vt.* **1** 그만두다, 버리다, 포기하다(give up) : ~ hope[a plan, a bad habit] 희망[계획, 나쁜 습관]을 버리다[포기하다]. **2** [+目 / +目+*to*+名] 양도[기권]하다 : They had to ~ their position ***to*** the enemy. 그 진지를 적에게 내주지 않을 수 없었다. **3** …을 쥔 손을 늦추다, 손을 놓다. **4** (고국 따위를) 떠나다. **~·ment** *n.* Ⓤ 포기 ; 양도. 〚OF<L *re-*(*lict- linquo*)=to leave behind〛

類義語 ⟹ YIELD.

rel·i·quary [réləkwèri ; -kwəri] *n.* 성골함(聖骨函), 유골함 ; 성물함(聖物函), 유물함. 〚F or L ; ⇨ RELIC〛

rel·ique [rélik ; *F* rəlik] *n.* 《古》 =RELIC.

re·liq·ui·ae [rilíkwiì:, -wiài] *n. pl.* 유물 ; 유해 ; 〔地質〕 화석 ; 줄기에 붙은 고엽(枯葉). 〚L ; ⇨ RELINQUISH〛

rel·ish [réliʃ] *n.* **1** Ⓤ 맛(taste), 풍미, 향미(flavor) ; (음식 따위의) 독특한 맛 ; 좋은 맛 : give ~ to …에 감미를 더하다 / have no ~ 맛이 없다. **2** Ⓤ 재미, 흥미. **3** Ⓤ,Ⓒ 조미료, 양념, 고명. **4** Ⓤ 식욕 ; 기호, 취미(liking)〈*for*〉: have no ~ *for* …에 취미[흥미]가 없다 / with ~ 맛있게 ; 재미있게. **5** 소량 ; 기미, 낌새〈*of*〉. —— *vt.* **1** 맛있게 먹다[마시다], 맛보다, 상미(賞味)하다 : ~ one's food 음식을 맛보다. **2** [+目 / +do*ing*] 좋아하다, 즐기다(like) : I ~*ed* that simple family life. 나는 그 간소한 가정 생활이 마음에 들었다 / He won't ~ hav*ing* to walk all that distance. 그 먼 거리를 내내 걸어야 한다는 것을 좋아하지 않을 것이다. **3** 《稀》 …에 맛을 내다, …의 맛을 좋게 하다. —— *vi.* [+*of*+名] 맛이 나다, 풍미가 있다(taste) ; 기미[냄새]가 있다 : The biography ~*es* too much ***of*** romance. 그 전기는 낭만적인[과장된] 대목이 너무 많다. 〚ME *reles* aftertaste<OF=something left behind ; ⇨ RELEASE〛

re·líve [-lív] *vt.* (경험·생활 따위를 상상속에서) 다시 체험하다, (과거를) 회상하다. —— *vi.* 다시 살아나다, 소생하다.

re·lóad *vt.* …에 다시 짐을 싣다, 짐을 옮겨싣다 ; …에 다시 탄환을 재다. —— *n.* 재장전.

rè·locátable *a.* 〔컴퓨〕 재배치가 가능한 : ~ binary module 재배치 가능 2진 모듈 / ~ loader 재배치 가능 로더.

re·lócate *vt.* 고쳐 놓다 ; 다시 배치하다 ; (주거·공장·주민 등을) 새 장소로 옮기다 ; 〔美軍〕 강제 격리 수용하다 ; 〔컴퓨〕 다시 배치하다. —— *vi.* 이전[이동]하다.

rè·locátion *n.* Ⓤ 재배치, 배치전환 ; 〔美軍〕 (적국인의) 강제 격리 수용 ; 〔컴퓨〕 재배치 : ~ camp 〔美軍〕 (적국인) 격리 수용소.

rel. pron. relative pronoun.

re·lu·cent [rilјú:sənt] *a.* (반짝반짝) 빛나는, 반짝이는. **-cence** *n.*

re·luct [rilʌ́kt] *vi.* 《古》 싫어하다, 마음내키지 않다 ; 주저하다〈*of*〉; 저항하다(struggle)〈*at, to, against*〉. 〚L RE*luctor* to struggle against〛

re·luc·tance, -cy [rilʌ́ktəns(i)] *n.* **1** Ⓤ [+*to* do] 질색, 싫어함, 마지못해 함, 본의 아님 ; 《稀》 반항 : with ~ =RELUCTANTLY / without ~ 기꺼이 / He showed the greatest ~ ***to*** it[*to* make a reply]. 그것에[대답을 하는데] 몹시 못마땅한 태도를 보였다. **2** 〔電〕 자기(磁氣) 저항.

***re·lúc·tant** *a.* **1** [+*to* do] 싫어하는, 꺼리는, 마음이 내키지 않는(unwilling), 달갑지 않은, 마지못해 하는 : a ~ answer 억지로[마지못해] 하는 대답 / She was[seemed] ~ *to* go with him. 그와 같이 가는 데에 마음이 내키지 않았다[않는 것 같았다]. **2** 다루기 힘드는. **3** 《稀》 저항[반항]하는. **~·ly** *adv.* 마지못해, 싫어하면서.

類義語 ***reluctant*** 싫거나 결심이 서지 않기 때문에 어떤 일을 행하는 데 마음이 내키지 않는 : She is *reluctant* to marry him. (그와 결혼하는 것이 마음에 내키지 않는다). ***disinclined*** 자기의 취미에 맞지 않아서 또는 찬성하지 않기 때문에 하기를 꺼리는 : I feel *disinclined* to quarrel with you. (너와 다툴 마음이 없다). ***hesitant*** 겁을 먹거나 결심이 서지 않아서 행동하기를 망설이고 있는 : She was *hesitant* to accept his proposal. (그의 제의를 받아들이기를 주저했다). ***loath*** 몹시 싫어서 전혀 하려고 하지 않는 : She was *loath* to leave with mother. (어머니와 헤어지기를 싫어했다). ***averse*** 습관적으로 꺼리는 기분을 갖고 있는 ; loath 만큼 강한 혐오의 감정을 나타내지는 않음 : She is *averse* to borrowing money. (그녀는 돈을 꾸는 것을 좋아하지 않는다).

relúctant drágon *n.* 충돌을 피하고 싶어하는 지도자《정치가·군장교》.

re·lume [rilúːm] *vt.* 《詩》 다시 불을 붙이다[켜다]; 다시 밝히다, 다시 비추다.

re·lu·mine [rilúːmən] *vt.* =RELUME.

*__re·ly__ [rilái] *vi.* [+*on*+名] 신뢰하다, 기대하다, 의지하다(depend) : You may ~ (***up***)***on*** his sincerity. 그의 성실성을 신뢰해도 좋다 / The man is not to be *relied upon*. 그 남자는 신용할 수 없다 / Can I ~ *on* you *to* be punctual? 당신은 시간을 엄수할 수 있습니까 / I ~ *on* get*ting* my money back in due time. 내 돈을 기일까지 돌려 받기를 기대하고 있다 / You can ~ *on* my watch keep*ing* time. 내 시계는 시간이 틀리는 일이 절대로 없습니다. 〚ME=to rally, be vassal to<OF<L RE*ligo* to bind closely〛

活用 rely (up)on 뒤에 *that*절이 계속되는 경우에는 사이에 it을 놓고 You may *rely upon it that* I shall have it done before Saturday.라고 할 수도 있으나(cf. DEPEND 1 b)) 그것보다는 동명사를 써서 You may *rely upon* my hav*ing* it done before Saturday. (염려마세요, 토요일까지는 마무리할테니)라고 하는 편이 좋다.

類義語 ***rely*** 지금까지의 경험으로 보아 기대한 대로 해줄 것이라고 믿다 : I *rely* on his ability. (나는 그의 능력을 신뢰한다). ***trust*** 실망을 하는[배반을 당하는] 일은 절대로 없으리라고 깊이 신뢰하다 : He is a man to be *trusted*. (그는 신용할 만한 사람이다). ***depend*** 지지·원조를 기대하고 의지하다 : She *depends* on her friends to make decisions. (결정을 하는 데 친구에게 의지한다). ***count, reckon*** 《口》 확실한 것으로 생각하고[계산하고] 기대를 걸다 : They *counted*[*reckoned*] on my paying the expenses. (그들은 내가 그 비용을 지급할 것으로 생각했다).

rem, REM[1] [rém] *n.* (*pl.* ~) 〔理〕 렘(인체에 주는 피해 정도에 따른 방사선량의 단위). 〚*r*oentgen *e*quivalent *m*an〛

REM[2] [rém] *n.* (*pl.* **REMs**) 〔心〕 렘《꿈꿀 때의 급속한 안구 운동》. 〚*r*apid *e*ye *m*ovement〛

rem. remark; remittance.

‡**re·main** [riméin] *vi.* **1 a**) [動/+前+名/+*to* do] 남다, 잔존[존속]하다, 살아남다; 남겨지다 : If you take 3 from 7, 4 ~*s*. 7에서 3을 빼면 4가 남는다 / Nothing ~*s* but to draw the moral. 나머지는 다만 교훈을 설명하는 것뿐이다 / Nothing ~*s* ***to*** me. 나에게는 아무것도 남아 있지 않다 / The memory ~*s* ***with*** us. 그 기억은 아직도 우리의 가슴 속에 남아 있다 / Much yet ~*s to* be done. 해야 할 일이 아직도 많이 남아 있다. **b**) [it을 주어로 하여] [+*to* do] 아직도 …하여야 한다 : *It* ~*s to* say a few words on the excellence of the book. 아직도 그 책의 우수함에 대하여 몇마디 덧붙여야 한다. **2** [+副/+前+名] 머무르다, 체재하다(stay) : He will ~ *here* three days more. 3일간 더 이곳에 체류할 것이다 / They ~*ed* ***at*** the hotel till Monday. 그 호텔에 월요일까지 머물렀다. **3** [+補/+do*ing*/+前+名] …인 그대로다, 여전히 …이다(continue to be) : For a moment he ~*ed* speechless. 잠시 동안 그는 잠자코만 있었다 / I am afraid this will ~ ***with*** me an unpleasant memory. 이것이 나에게 불쾌한 기억으로 남을까 두렵다(cf. 1 a)) / The natural beauty of the country ~*s* unchanged. 그 나라의 자연미는 언제나 변함이 없다 / Let it ~ as it is. 그대로 두시오 / She ~*ed* stand*ing* there. 거기에 선 채로 있었다 / The people ~ ***at*** peace. 그 국민은 평화를 유지하고 있다. **4** [+*with*+名] 결국 …의 것이 되다, (…의 손에) 돌아가다 : Victory ~*ed* ***with*** the Thebans. 승리는 테베 사람에게로 돌아갔다.

I remain, yours sincerely. 재배《편지의 끝맺는 말》.

—— *n.* **1** [보통 *pl.*] 나머지, 잔여물; 잔고[액]; 미량(微量). **2** 잔존자, 유족, 생환자. **3** [보통 *pl.*] 유해, 유골. **4** 유저(遺著), 유고(遺稿); 유물, 유적; 화석(化石); 유풍, 잔영(殘影). 〚OF<L *re-*(*maneo* to stay)〛

類義語 ⟹ STAY[1].

re·main·der [riméindər] *n.* **1** 나머지[그 밖의 사람들(the rest), 잔류자. **2** [*pl.*] 유적. **3** 〔數·컴퓨〕 나머지. **4** 남은[여분의] 것; 팔다 남은 책. **5** 〔法〕 잔여권.

—— *a.* 남은, 여분의; 따로 남겨 놓은.

—— *vt.* 팔다 남은 책을 싸게 팔다.

remáinder thèorem *n.* 〔數〕 나머지 정리.

re·máke *vt.* 다시 만들다; 개조하다, 바꾸다 (transform). —— [⌐⌐] *n.* 개작, 번안, 재제작품, (특히) 재영화화 작품.

re·mán[1] *vt.* **1** (함선에) 새로 승무원을 승선시키다; (포대(砲臺) 따위에) 다시[새로] 인원을 배치하다. **2** …에게 용기를 되찾게 하다.

re·man[2] [ríːmæn, ⌐⌐] *n.* 〔自動車〕 **1** 부품 재생산. **2** 완전 재생부품. **3** 완전 재생부품 제조업자. —— *a.* 부품 재생산의. 〚*reman*ufacturing〛

re·mand [rimǽ(ː)nd; -máːnd] *vt.* [+目/+目+*to*+名] 〔法〕 (사건을) 하급 법원에 반송하다; (다시 조사하기 위해) 재구류[재유치]하다; (일반적으로) 되돌려 보내다 : He was ~*ed* in custody. 그는 재구류되었다. —— *n.* 〔法〕 재구류(자), 재유치 : *on* ~ 재구류[재유치] 중인. 〚L *re-*(*mando* to commit)=to send back word〛

remánd hòme[**cèntre**] *n.* 《英》 소년 구치소 《1969년 COMMUNITY HOME으로 개칭》.

rem·a·nence [rémənəns] *n.* 〔電〕 잔류 자기(殘留磁氣).

rém·a·nent *a.* 남는, 잔류[잔존]하는; 〔電〕 잔류 자기의. 〚ME; ⇨ REMAIN〛

re·máp *vt.* …의 지도를 고치다; …의 선을 다시 긋다; …의 배치를 바꾸다, 재배치하다.

*__re·mark__ [rimáːrk] *vt.* [+目/+*that* 節] **1** 알아채다, 깨닫다, (주의해서) 보다(notice) : I ~*ed* the unpleasant odor as soon as I entered the house. 그 집에 들어서자 마자 고약한 냄새가 나는 것을 알아챘다 / He ~*ed that* she was embarrassed. 그녀가 당황하고 있는 것을 알아차렸다. **2** (감상·비평·소견 따위로서) 말하다(say), 진술하다, 적다 : as ~*ed* above 위에서 말한 바와 같이 / "I thought you had gone," he ~*ed*. 네가 이미 가버린 것으로 생각했다 라고 그는 말했다 / She ~*ed* (*that*) we'd better go at once. 그녀는 우리들에게 당장 떠나라고 말했다. —— *vi.* [+*on*+名] 말하다; (논)평하다 : This point has often been ~*ed* (***up***)***on***. 이 점은 이제까지 종종 얘기되어 왔었다. —— *n.* **1** 말, 비평, 의견 : make[pass] a ~ (무엇인가) 말하다, 언급하다 / make ~*s* 비평하다, 감상[소견]을 말하다; (짤막한) 연설을 하다 / Let's pass it without ~. 그것은 묵과[묵인]하기로 합시다 / a theme of general ~ 항간의 화젯거리. **2** Ⓤ 주의, 주목 : This is nothing worthy of ~. 이것은 하등의 주목할 가치가 없다. **3** 〔컴퓨〕 설명. 〚F *re-*(*marquer* to MARK[1])〛

類義語 ***remark*** 짧은[간단한], 그 자리에서 떠오른 생각을 말한[적은] 것 : a *remark* about her dress (그녀의 옷에 대한 의견). ***observation*** 어느 정도 주의해서 관찰하거나 생각한 것에 대해서 자신의 의견을 발표한 것 : an *observation* on the reformation (개혁에 관한 고찰). ***comment*** 어떤 문제에 대한 비판·설명·해석 따위를 포함한 remark 또는 observation : a *comment* on the drama (연극에 대한 논평).

rè·márk *vt.* …에 다시 표시를 하다, 표시를 고쳐 적다 ;〖商〗정찰을 고쳐 붙이다.

***remárk·able** *a.* 주목할 만한, 놀랄 만한 ; 비범한, 현저한, 두드러진, 우수한 : a year ~ *for* disasters 재해가 유난히 많았던 해 / He is ~ *for* diligence. 그는 보기드문 노력가다. **~·ness** *n.* **-ably** *adv.* 현저하게, 매우, 대단히.

類義語 ⟹ NOTICEABLE.

re·marque [rimɑ́ːrk] *n.* 〖美術〗 (도판·조각의 진도를 나타내는) 표시 ; 표시[약도]가 붙은 도판 [교정쇄] (=~ **pròof**). 〚F=remark, note〛

re·márriage *n.* U,C 재혼.

re·márry *vi., vt.* 재혼하다[시키다].

ré·màtch *n.* 재시합. ── [-⌐] *vt.* 재시합시키다.

Rem·brandt [rémbrænt] *n.* 렘브란트. ~ (**Harmenszoon**) **van Rijn**[**Ryn**] (1606-69) 네덜란드의 화가. **~·ésque** *a.* 렘브란트풍의.

R. E. M. E. 《英》 Royal Electrical and Mechanical Engineers.

re·me·di·a·ble [rimíːdiəbəl] *a.* 치료할 수 있는 ; 구제[교정]할 수 있는. **-bly** *adv.* **~·ness** *n.*

re·me·di·al [rimíːdiəl] *a.* 치료하는, 치료상의 ; 구제(救濟)적인 ; 교정하는, 개선하는 ; 보수하는 ; 〖教〗치료의 : ~ reading (독서의 장애를 제거하기 위한) 독서 교정법. **~·ly** *adv.*

re·me·di·a·tion [rimìːdiéiʃən] *n.* 시정, 교정, 개선 ; 보수 ; 치료 교육.

rém·e·di·less *a.* 불치의 ; 돌이킬 수 없는 ; 구제[교정]할 수 없는 ;〖法〗구제 방법이 없는.

***rem·e·dy** [rémədi] *n.* U,C 의료, 치료, 치료법 ; 치료약 ; 구제[개선]책, 교정법 ;〖法〗구제 방법 《권리 침해의 방지[보전, 회복]의 방법》 ;〖造幣〗공차(公差) (tolerance) : Is there any good ~ *for* this disease? 이 병을 치료하기 위한 좋은 방법이 있습니까 / The subject of his speech is the ~ *of* social evils. 그의 강연 주제는 사회악의 교정이다 / There is no ~ but to cut down expenses. 경비를 삭감할 수 밖에 별도리가 없다.

〈회화〉

It's started raining heavily again, Bill. — I'm afraid we have no *remedy* but to wait. 「또 비가 심하게 쏟아지기 시작했어, 빌」「기다리는 수 밖엔 없겠구나」

── *vt.* **1** 치료하다, 고치다(cure). **2** 보수하다 ; 보상하다 ; 구제하다 ; 교정[개선]하다 ; 제거하다, 경감하다 : This evil must promptly be *remedied.* 이 악폐는 신속히 개선되어야 한다. **3** 배상하다. 〚AF<L *remedium* (*medeor* to heal ; cf. MEDICINE)〛

類義語 ⟹ CURE.

◇re·mem·ber [rimémbər] *vt.* **1** [+目 / +do*ing* / +目+do*ing* / +*that*節 / +*wh.*節 / +*wh.* + *to* do / +目+*as* 補 / +目+前+名] 기억하다 ; 상기(想起)하다, 생각해 내다(↔*forget*) : I don't ~ her name. 나는 그녀 이름을 기억하지 못한다 / I ~ see*ing* her somewhere before. 그녀를 전에 어디선가 본 기억이 난다 / She ~*ed* hav*ing* heard him mention it. 그가 그것에 대하여 말하는 것을 들은 기억이 났다 / I can't ~ you[your] say*ing* so. 네가 그렇게 말한 것을 기억하지 못하겠다 / I don't ~ *that* I have invited him. 그를 초대한 기억이 없다 / Do you ~ *where* you met her? 그녀를 어디서 만났는지 기억이 납니까 / Do you ~ *how to* spell his name? 그의 이름을 어떻게 쓰는지 기억하십니까 / Sir Thomas More is ~*ed as* the author of "Utopia." 토머스 모어경(卿)은 유토피아의 저자로 기억되고 있다 / We shall ~ Mr. Smith ***for*** his generosity to the poor. 스미스씨는 가난한 사람들에게 잘해준 것으로 언제까지나 잊혀지지 않을 것이다 / He still ~*s* it ***against*** me. 그는 아직도 나에 대하여 그 일을 꽁하게 생각하고 있다.
2 [+*to* do] 잊지 않고 …하다(↔*forget*) : *R*~ *to* keep the screws. 그 나사를 잊지 말고 간수해라 / I suppose you didn't ~ *to* pay the electric light bill. 아마도 전기 요금 내는 것을 잊었겠지.
3 …에게 사례하다, 팁을 주다(tip) ; …에게 선물을 보내다 : Please ~ the bellboy. 잊지 말고 보이에게 팁을 주시오 / He ~*ed* her in his will. 그는 유언장에 그녀의 이름을 써 넣어 (유산을 나누어) 주었다.
4 [+目+前+名] …으로부터 안부를 전하다[전언하다] : *R*~ me (kindly) ***to*** Mr. Brown. 브라운씨에게 안부 전해 주시오 / He begs to be ~*ed to* you. 그 분이 당신에게 안부를 전해달라고 하는군요.

〈회화〉

Remember me *to* your family. — I will. 「가족들에게 안부 전해 주세요」「그러죠」

── *vi.* **1** 생각해 내다, 회고하다, 기억하다 : if I ~ right(ly) 내 기억이 정확하다면, 확실히. **2** 기억력이 있다.

remember one***self*** (자신의 무례한 짓 따위를) 알아차리고 아찔해하다, 정신이 번쩍들다.

〚OF<L (*re-*, MEMORY)〛

類義語 ***remember*** 전에 알고 있던 일이나 경험한 것을 상기하다 ; 때로 의식적으로 생각해 내는 일에도 쓰이나 보통은 저절로 생각나는 것 : Do you *remember* the event? (그 사건을 기억하십니까). ***recall*** 애써서 의식적으로 상기하다 : I tried to *recall* what he had said. (그가 말한 것을 상기하려고 애썼다). ***recollect*** 잊어버린 일을 생각해 내려고 하는 노력을 강조 : I cannot *recollect* the days when I was there. (내가 그곳에 가 있었던 날들이 아무리 해도 회상되지 않는다). ***remind*** 어떤 일을 상기시키는 원인[자극]이 되다 : This book *reminds* me of my father. (이 책을 보면 아버지 생각이 난다).

remémber·able *a.* 기억할 수 있는 ; 기억해야 할 (memorable).

***re·mem·brance** [rimémbrəns] *n.* **1** U 잊지 않고 있음, 기억 ; 추억 ; 회상 : bear[hold, keep]... in ~ …을 기억하고 있다 / bring...to[put...in] ~ …을[…에게] 상기시키다 / call[come] to ~ 기억나다[머리에 떠오르다] / escape one's ~ 잊어버리다 / have no ~ of …을 조금도 기억하지 못하다. **2** U 기억력 ; 기억 범위. **3** U 기념 ; C 기념품, 추억에 남는 것, 유물. **4** [*pl.*] (안부를 묻는) 전언, 인사.

in remembrance of …의 기념으로 : a service *in* ~ *of* the fallen 전사자 (추도)를 위한 의식.

類義語 ⟹ MEMORY.

Remémbrance Dày *n.* 영령 기념일《(1) 《Can.》 제 1·2차 세계대전의 전사자를 기념하는 법정 공휴일 ; 11월 11일. (2) 《英》 Remembrance

Sunday의 옛 이름 ; cf. ARMISTICE DAY, POPPY DAY》.

re·mém·branc·er *n.* **1** 생각나게 하는 사람[것], 기념물, 유물, 유품〈*of*〉. **2** 비망록.
the City Remembrancer 《英》 (의회의 위원회 따위에서) 런던 시의회 대표자.
the King's [***Queen's***] ***Remembrancer*** 《英》 왕실 수입 징수관《최고법원 주사(主事)가 겸무》.

Remémbrance Sùnday *n.* 《英》 영령(英靈) 기념 일요일《제1·2차 세계대전의 전사자를 기념하는 날 ; 현재는 11월 11일에 가장 가까운 일요일로 정함》.

re·merge [rimə́ːrdʒ] *vt., vi.* 다시 몰입시키다[하다] ; 재합동[재합병]시키다[하다].

rem·i·grant [rémәgrәnt] *n.* (이민(移民)의) 귀국[귀환]자.

re·mígrate *vi.* 재이동[재이주]하다 ; (이민이) 귀국하다. **rè·migrátion** *n.*

re·militarizátion *n.* Ⓤ 재군비.

re·mílitarize *vt.* 재군비를 갖추다.

‡**re·mind** [rimáind] *vt.* [+目+*of*+名/+目+*to* do/+目+*that* 節/+目] 생각나게 하다, 상기시키다, 연상시키다 : That ~*ed* me ***of*** the happy days I had spent there. 저것은 내가 전에 거기서 지냈던 행복한 나날을 상기시켰다 / You ~ me *of* your father. 너를 보니 너의 아버지 생각이 난다 / *R*~ me *to* take the umbrella back, please. 잊지 말고 우산을 가지고 가라고 일러주시오 / Don't forget to ~ him *that* the meeting has been postponed. 모임이 연기되었다는 것을 잊지 말고 그에게 일러 주게 / Passengers are ~*ed that*.... 승객 여러분께서는 …을 잊지 말아 주시기 바랍니다 / That ~*s* me. 그 말을 들으니 생각난다. 注 마지막 예문 및 그와 비슷한 뜻의 문장에서는 목적어를 생략하는 수도 있음.

> **remind**와 **remember**의 용법과 문장전환
> remember는 「(사람이 …을) 회상하다」의 뜻인데 대하여 remind는 「(남에게 …을) 생각나게 하다」의 뜻이다. 따라서 다음과 같은 문장 전환이 가능하다.
> Whenever I see this picture, I *remember* her.
> (이 사진을 볼 때마다 나는 그녀 생각이 난다.)
> → This picture always *reminds* me *of* her.
> (이 사진은 언제나 나에게 그녀를 생각나게 한다.)
> → I never see this picture without *remembering* her [without *being reminded of* her].
> (그녀 생각을 하지 않으면 이 사진을 보는 일은 없다.)
> * without reminding her는 쓸 수 없음.

類義語 ⟹ REMEMBER.

remínd·er *n.* **1** 생각나게 하는 사람[것] ; 독촉장. **2** (상기시키기 위한) 조언, 주의, 신호.

remínd·ful *a.* 생각나게 하는, 추억거리가 되는〈*of*〉; 기억하고 있는, 잊지 않은〈*of*〉.

Rem·ing·ton [rémiŋtәn] *n.* [때때로 r~] 《美俗》 기관총. 〖타이프라이터의 이름에서〗

rem·i·nisce [rèmәnís] *vi.* 추억하다, 추억을 얘기하다. —— *vt.* …의 추억을 말하다[기록하다]. 〖역성(逆成) < ↓〗

rèm·i·nís·cence *n.* **1** Ⓤ 회상, 추억, 기억 ; 기억력. **2** 추억에 남는 것[일]〈*of*〉. **3** 옛 생각 ; [*pl.*] 회고담, 회상록〈*of*〉. 〖L (*reminiscor* to remember)〗

rèm·i·nís·cent *a.* **1** 옛날을 회상하는, 추억의, 회고(담)의. **2** 추억에 잠기는. **3** 생각나게 하는, 회상케 하는, 암시하는〈*of*〉. —— *n.* 추억을 얘기하는 사람 ; 회상록을 쓰는 사람. **~·ly** *adv.* 옛날을 돌이키며 ; 회고적으로.

re·mínt *vt.* (고(古)화폐·폐화(廢貨)를) 다시 주조하다, 개주(改鑄)하다.

re·mise [rimáiz, rәmíːz] *vt.* 〔法〕 (권리·재산 따위를) 양도하다, 포기하다. —— *n.* 양도, 양여.

re·miss [rimís] *a.* **1** [+前+do*ing*] 태만한, 부주의한 : No policeman ought to be ~ ***in*** his duties. 경찰관은 직무에 태만해서는 안된다 / I have been very ~ *in* writ*ing* to you. 오랫동안 소식을 전해드리지 못했습니다. **2** 무기력한, 느린 ; 깔끔치 못한. **~·ly** *adv.* **~·ness** *n.* 〖L (p.p.) < REMIT〗

re·miss·ible [rimísәbәl] *a.* 용서할 수 있는 ; 면제[완화]할 수 있는. **re·mìss·ibíl·i·ty** *n.*

re·mis·sion [rimíʃәn] *n.* **1** Ⓤ,Ⓒ 용서, (죄의) 사면, 면제〈*of*〉. **2** Ⓤ (진통·힘·효과 따위의) 경감, 완화, 진정 ; (분노 따위의) 누그러짐, 풀림. 〖REMIT〗

re·mis·sive [rimísiv] *a.* 사면[면제]하는, 관대한 ; 경감하는, 늦추는.

re·mit [rimít] *v.* (**-tt-**) *vt.* **1 a**) (하느님이 죄를) 용서하다. **b**) (빚·형벌 따위의 징수·집행을) 면제하다 : The examination fees have been ~*ted.* 수험료가 면제되었다. **2** 경감하다, 늦추다 : We didn't ~ our efforts until we attained our end. 목적을 달성할 때까지 노력을 늦추지 않았다. **3** [+目/+目+*to*+名] (사건을) 하급 재판소에 이송하다 ; (사건의 결정을) 위임하다 : The matter may be ~*ted* ***to*** a higher court. 사건은 상급 재판소로 올라갈런지도 모른다. **4** 원상태로 되돌리다 ; 연기하다〈*to, till*〉. **5** [+目+*to*+名/+目+目] (금전 따위를) 보내다, 송달하다(send) : I'll ~ the money ***to*** your creditor. 그 돈을 당신의 채권자에게 보내겠습니다 / I hope you will ~ me the money at the earliest convenience. 되도록 빨리 송금 바랍니다. —— *vi.* **1** 송금하다 : Enclosed is our bill ; please ~. 계산서를 동봉하였음 ; 송금해 주시오. **2** 감퇴하다, 누그러지다(abate) ; (병이) 차도가 있다 ; 쉬다, 그만두다 : The wind has ~*ted.* 바람이 잠잠해 졌다.
—— *n.* 〔法〕 (상고 법원에서 원심으로의) 사건기록 이송 ; 부탁받은 것《사항·절차 따위》. 〖L RE*miss*- -*mitto* to send back〗

re·mít·tal *n.* 사면, 면제 ; (사건의) 이송.

re·mít·tance *n.* Ⓤ 송금 ; Ⓒ 송금액 : make (a) ~ 송금하다, (환어음 따위를) 발행하다.

remíttance màn *n.* 《英》 본국으로부터 온 송금을 받아서 외국에서 생활하는 사람《게으름뱅이의 표본》.

re·mit·tee [rimitíː] *n.* 송금 수취인.

re·mit·tent [rimítәnt] *a.* (열이) 올랐다 내렸다 하는 : a ~ fever 이장열(弛張熱).
—— *n.* Ⓤ 이장열(弛張熱). **~·ly** *adv.* 〖L ; ⇨ REMIT〗

re·mít·ter *n.* 송금인, 발행인, 화물 발송인 ; 〔法〕 (소송 사건의 하급 재판소에의) 이송 ; 〔法〕 복권(復權).

rem·nant [rémnәnt] *n.* **1** [the ~] 나머지, 잔여, 남은 것. **2** 허섭쓰레기, 자투리, 나부랭이. **3** 잔존물, 유물, 옛자취(relic). —— *a.* 남은 (물건의) : a ~ sale 팔다 남은 것의 염가 판매. 〖OF ; ⇨ REMAIN〗

re·módel *vt.* [+目/+目+*into*+名] …의 형(型)을 고치다, 개작[개조]하다 ; (행동 따위를) 고치다 : a ~*ed* army 개편군 / The building was ~*ed* ***into*** a department store. 그 건물은 백화점으로 개조되었다.

re·móld | re·móuld *vt.* …의 형을 고치다, 다시 만들다, 개조[개주(改鑄)]하다(remodel).

re·mónetize *vt.* 다시 통화[법정화폐]로 만들다.
re·monetizátion *n.*

re·mon·strance [rimánstrəns] *n.* U,C 충고, 간언(諫言) ; 항의 ; 《古》 진정서, 항의서.

re·món·strant *a.* 간언하는, 충고의 ; 항의의.
—— *n.* 충고자 ; 항의자.
~·ly *adv.*

re·mon·strate [rimánstreit, rémənstrèit] *vi.* [+前+名/+動] 간언하다, 충고하다 ; 항의하다 : He ~*d* ***with*** his son ***on*** the ill effects of reading in bed. 잠자리에서 독서하는 것은 나쁜 영향을 미치니 하지 말라고 아들에게 주의를 주었다 / We ~*d* ***against*** the ill-treatment of prisoners of war. 우리는 포로들에 대한 학대에 항의하였다. —— *vt.* 항의하여 (…라고) 말하다.
re·món·stra·tor [, rémənstrèitər] *n.*
〖L *re-*(*monstro* to show)=to point out〗
類義語 ⟹ OBJECT².

re·mon·stra·tion [rìmanstréiʃən, rèmən-] *n.* U 간언, 충고 ; 항의, 항변.

re·mon·stra·tive [rimánstrətiv] *a.* 간언하는, 충고의 ; 항의의.

re·mon·tant [rimántənt] *a.* (장미가) 두 번 피는.
—— *n.* 두 번 피는 장미.

rem·on·toir(e) [rèməntwá:r] *n.* (시계의) 속도 조절 톱니바퀴.

rem·o·ra [rémərə, rimɔ́:rə] *n.* 〖魚〗 빨판상어, 대빨판이(shark sucker) ; 《古》 방해, 장애물.
〖L=hindrance (*mora* delay)〗

***re·morse** [rimɔ́:rs] *n.* **1** U 양심의 가책, 자책(自責), 후회〈*at, for*〉. **2** 《廢》 연민, 자비심(pity) : without ~ 가차[사정] 없이.
〖OF<L (*mors- mordeo* to bite)〗
類義語 ⟹ PENITENCE.

remórse·ful *a.* 후회 막심한, 양심의 가책을 받는.
~·ly *adv.* **~·ness** *n.*

remórse·less *a.* **1** 후회없는. **2** 무자비한, 무정한, 냉혹[잔인]한.

***re·mote** [rimóut] *a.* (**-mót·er ; -mót·est**) **1** 먼, 먼 곳의〈*from*〉. **2** 멀리 떨어진 ; 외진, 외딴 ; 궁벽한(secluded)〈*from*〉: a ~ village 벽촌. **3** [부사적으로] 떨어져서(far off) : dwell ~ 멀리 떨어져 살다 / live ~ 벽촌에 살다. **4** 먼 옛날의 [훗날의]〈*from*〉: a ~ ancestor[descendant] 먼 조상[후손]. **5** 연분이 먼, 관계가 희박한 ; 간접의. **6** 크게 다른, 별종(別種)의 〈*from*〉. **7** 희미한, 미미한(slight) ; 여간해서 일어날 것 같지 않은 : There may be a ~ possibility. 만에 하나 있을까 말까 한 일이다 / I hadn't the ~*st* idea what he meant. 그가 무슨 말을 지껄이고 있는지 나는 갈피를 잡을 수 없었다. **8** 원격 제어에 의한, 리모트 컨트롤의. —— *n.* 〖라디오·TV〗 스튜디오 바깥 방송 프로그램《스튜디오 바깥에서 얻을 수 있는 경기·사건 정보 따위》. —— *vt.* 먼 곳까지 퍼뜨리다. **~·ly** *adv.* 멀리 (떨어져) ; 간접적으로 ; 미미하게. **~·ness** *n.* 멀리 떨어져 있음, 원격 ; 소원(疏遠) ; 미미함.
〖L=far removed (p.p.) <REMOVE〗
類義語 ⟹ FAR.

remóte áccess *n.* 〖컴퓨〗 원격 접근《원격지의 단말이 중앙 컴퓨터에 접근하는 것》.

remóte bátch *n.* 〖컴퓨〗 원격 일괄《통신 회로로 접속된 입력 장치로부터 컴퓨터에 데이터 따위를 일괄적으로 입력 처리하는 방식》.

remóte contról *n.* 〖電·通信〗 원격 제어, 리모트 컨트롤.

remóte jób èntry *n.* 〖컴퓨〗 원격 작업 입력《略 RJE》.

remóte kéy *n.* 〖樂〗 원격조(遠隔調).

remóte manípulator àrm *n.* 원격 조작팔《우주 왕복선에 적재한》.

remóte manípulator sỳstem *n.* 원격 조작장치《略 RMS》.

remóte prócessing *n.* 〖컴퓨〗 원격 처리.

remóte sénsing *n.* 원격 탐사《인공 위성으로부터 보내온 사진·레이더 따위에 의한 지형 따위의 관측》.

remóte sénsor *n.* 원격 탐사기.

re·mo·tion [rimóuʃən] *n.* 멀리 떨어져 있기[있는 상태] ; 이동, 제거.

re·mou·lade [rèiməlá:d] *n.* 레물라드 (소스)《마요네즈에 향료와 썬 피클 따위를 섞은 찬 소스 ; 냉육·생선·샐러드용》. 〖F〗

remould ☞ REMOLD.

re·móunt *vt., vi.* **1** (말 따위에) 다시 타다 ; 다시 오르다. **2** (대포 따위를) 다시 설치하다, (사진·보석 따위를) 바꾸어 끼다 ; …에 새 말을 보충하다. **3** (과거의 시대·근원으로) 거슬러 올라가다.
——[⌐⌐] *n.* 새 말, 보충된 말 ; 〖軍〗 새 말 보충.

re·mòv·abíl·i·ty *n.* U 이동 될 수 있음 ; 면직[해임]할 수 있음.

re·móv·able *a.* **1** 이동할 수 있는 ; 떼어낼[제거할] 수 있는. **2** 면직[해임]할 수 있는.
-ably *adv.* **~·ness** *n.*

***re·móv·al** *n.* **1** U,C 이동, 이전 ; 이사(移徙), 전거 ; 〖法〗=REMOVER. **2** U,C 해임, 면직. **3** U,C 제거, 철거 ; 《婉》 살해.

remóval vàn *n.* 《英》 이삿짐 운반차.

‡re·move [rimú:v] *vt.* **1 a)** [+目/+目+*from*+名] 옮기다, 이전시키다 ; 〖法〗 (사건을) 이송하다, 치우다, 제거하다(take away) ; 벗다, 끄르다(take off) : I was allowed to ~ the bandage. 붕대를 풀어도 좋다는 허락을 받았다 / For a moment he did not ~ his eyes ***from*** the face of the little girl. 잠시동안 그는 그 조그만 소녀의 얼굴에서 눈을 떼지 않았다 / The boy was ~*d* *from* school. (병 따위로 부모의 청에 의하여) 소년은 자퇴했다. **b)** [수동태로] 《英古》 (만찬 메뉴에서) 다음에 (…이) 나오다(cf. *n.* 4) : The sole *was* ~*d* by roast beef. 혀가자미 요리 다음에는 로스트 비프가 나왔다. **2** [+目/+目+*from*+名] 일소[제거]하다(get rid of), 말살하다 ; 《婉》 살해하다 : That has ~*d* all doubts. 그것으로 모든 의혹은 풀렸다 / Can these ink stains be ~*d* ***from*** the clothes? 이 잉크 얼룩이 옷에서 깨끗이 빠질 수 있을까요. **3** [+目/+目+前+名] 해임[면직·해고]하다 ; 퇴학을 명하다 : The magistrate was ~*d* ***from*** office. 치안 판사는 해임되었다 / The official was ~*d* ***for*** taking bribes. 그 공무원은 수회 혐의로 면직되었다. —— *vi.* **1** [動/+前+名] 이동하다, 이전하다(move) : They ~*d* ***into*** the country[***from*** London ***to*** Oxford]. 그들은 시골로[런던에서 옥스포드로] 이사했다. **2** [+*from*+名] 《詩》 떠나다, 사라지다 : Truth has ~*d* ***from*** earth. 진리는 이 세상에서 사라졌다.
remove furniture 이삿짐 운송업을 하다.

remove mountains ☞ MOUNTAIN.
remove one***self*** 떠나가다, 물러가다.
—— *n.* **1** 《古》이전, 이사(move). **2 a)** 거리, 간격 ; 단계, 계층(step, stage) : *at* many *~s from* …에서 멀리 떨어져서 / Genius is but one ~ *from* insanity. 천재와 광인은 종이 한 장 차다. **b)** 등급 ; 촌수 : a (first) cousin *at* one ~ =a cousin once REMOVED / a cousin *in* the second ~ =a cousin twice REMOVED. **3** 《英》 (학교에서의) 진급 : get one's[a] ~ 진급하다. **4** 《英古》 다음 접시[요리](cf. *vt.* 1 b)).
〖OF＜L *re-*(*mot- moveo* to move)〗
類義語 ⟹ MOVE.

re·móved *a.* **1** 간격이 떨어진, 사이를 둔 ⟨*from*⟩ ; 제거된 ; 저 세상으로 간. **2** …촌(寸)의 : a (first) cousin once[twice] ~ 사촌의 자녀[손자].

re·móv·er *n.* **1** 이전[전출]자 ; 《英》 (이삿짐의) 운송업자. **2** (페인트 따위의) 박리제(剝離劑). **3** 〖法〗 사건이송.

REM sleep [rém ⌒] *n.* 〖生理〗 =PARADOXICAL SLEEP.

re·mu·da [rimjúːdə] *n.* (목장에서 일꾼이 당일 쓸 말을 고르는) 말의 무리.
〖Am. Sp. =shift of horses〗

re·mu·ner·ate [rimjúːnərèit] *vt.* [+目/+目+前+名] …에게 보수를 주다, 보답하다(reward) : ~ a person ***for*** his work[services] 남에게 일[근무]의 보수를 주다.
re·mú·ner·a·ble *a.* **re·mú·ner·à·tor** *n.*
〖L *re-*(*muneror* to give＜*muner- munus* reward)〗
類義語 ⟹ PAY.

re·mu·ner·a·tion [rimjùːnəréiʃən] *n.* Ⓤ 보수, 보상(reward) ; 급료(pay)⟨*for*⟩.

re·mu·ner·a·tive [rimjúːnərətiv, 美+-rèit-] *a.* 이익[수익]이 있는, 보수가 있는 ; 수지 맞는, 유리한(paying). **~·ly** *adv.* **~·ness** *n.*

Re·mus [ríːməs] *n.* 레무스(☞ ROMULUS).

Re·na [ríːnə] *n.* 여자 이름.

Ren·ais·sance [rènəsáːns, -záːns, ⌒⌒⌒ ; rənéisəns] *n.* **1 a)** [the ~] 문예 부흥, 르네상스 《14-16세기 유럽에서 일어난 고전 문학·예술의 부흥》. **b)** 르네상스의 미술[건축] 양식. **2** [r~] (문예·종교 따위의) 부흥, 부활 ; 신생, 재생.
—— *a.* 문예 부흥 (시대)의 : ~ style 르네상스 양식 / ~ painters[sculpture] 문예 부흥기의 화가[르네상스식(式) 조각].
〖F＜OF = rebirth (L RE*nascor* to be born again) ; cf. NASCENT〗

Re·nais·sant [renéisənt] *a.* 르네상스의 ; [r~] 부흥하고 있는.

re·nal [ríːnl] *a.* 신장(腎臟)의, 신장부의 : ~ diseases 신장병 / a ~ calculus 신장결석.
〖F＜L (*renes* kidneys)〗

rénal cápsule[glánd] *n.* 〖解〗 부신(副腎).

re·náme *vt.* 새로이 명명하다, 개명(改名)하다.

Ren·ard [rénərd] *n.* =REYNARD.

re·nas·cence [rinǽsəns, -néi-] *n.* 갱생, 재생, 부활, 부흥⟨*of*⟩ ; [R~]=RENAISSANCE.

re·nás·cent *a.* 재생[갱생]하는 ; 부활[부흥]하는 ; 재기(再起)하는, 만회[회복]하는.

ren·con·tre [renkántər ; *F* rɑ̃kɔ̃ːtr], **ren·coun·ter** [renkáuntər] *n.* **1** 조우전(遭遇戰), 회전(會戰) ; 결투 ; 논쟁. **2** 해후(邂逅), 우연히 만남.
—— *vt., vi.* 《古》 [recounter] (…와) 조우하다, 우연히 만나다(meet with).

rend [rénd] *v.* (**rent** [rént], **~·ed**) *vt.* **1** [+目/+目+副/+目+前+名] 찢다, 째다(tear), 쥐어 뜯다 ; 쪼개다, 분열시키다, 분리하다 : The war *rent* the country *asunder*[*rent* the province ***from*** the empire]. 전쟁으로 인해서 그 나라는 둘로 갈라졌다[그 지역은 제국에서 떨어져 나갔다]. **2** [+目/+目+*from*+名] 잡아[비틀어] 떼다, 강탈하다 : Will they ~ the child ***from*** his mother? 그들은 아이를 어머니로부터 떼어놓을 것인가. **3** (환성 따위가 하늘을) 찌르다 ; 《文語》 (가슴·마음을) 에다, 산란하게 하다 : A roar *rent* the air. 함성이 하늘을 찌를 듯했다 / Her heart was *rent* by grief. 그녀의 가슴은 슬픔으로 찢어지는 것 같았다. —— *vi.* 찢어지다, 쪼개지다, 조각나다, 분열하다.
〖OE *rendan*〗

***ren·der** [réndər] *vt.* **1** [+目+補] (사람 등을 …한 상태로) 되게 하다(make) : His wealth *~s* him important. 그는 돈 때문에 행세한다 / His efforts were *~ed* futile. 그의 노력은 수포로 돌아갔다.
2 a) [+目+*to*+名/+目+目] (봉사를) 하다, 진력하다 : What service did he ~ (***to***) you? 그가 당신에게 무슨 일을 해 주었나요. **b)** [+目/+目+*to*+名] (원조를) 하다 : He used to ~ help ***to*** anyone in need. 그는 곤궁에 처한 사람이라면 누구에게든 원조의 손길을 뻗치곤 했다. **c)** (공경의 뜻 따위를) 보이다[나타내다] : ~ homage ☞ HOMAGE.
3 [+目/+目+前+名] **a)** 보답으로 주다 : They *~ed* thanks ***to*** God. 신께 감사드렸다 / It is necessary to ~ good ***for*** evil. 악을 선으로 갚는 것이 필요하다. **b)** (당연히 지급해야 할 것을) 치르다 ; (빌린 것을) 되돌려 주다 : They *~ed* tribute ***to*** the conqueror. 정복자에게 공물(貢物)을 바쳤다 / *R~* ***unto*** Caesar the things that are Caesar's. 〖聖〗 가이사의 것은 가이사에게 돌려주라《마가복음 12 : 17》.
4 [+目/+目+副/+目+*to*+名] 포기하다, 넘겨주다, 양도하다(give up) : They *~ed* ***up*** the port ***to*** the enemy. 항구를 적에게 넘겨주었다.
5 (계산서·이유·회답 따위를) 내다, 제출하다 (submit) : ~ a bill[an account] for payment 지급 청구서[보고서]를 제출하다.
6 a) 표현하다, 묘사하다, 연출[연주]하다 : A good actor *~s* a character to the life. 명배우는 맡은 인물을 실지 그대로 연기한다 / The piece of music was well *~ed*. 그 곡은 훌륭하게 연주되었다. **b)** [+目+前+名] 번역하다(translate) : *R~* the following ***into*** Korean. 다음 글을 한국어로 번역하시오 / Poetry can never be adequately *~ed* ***in*** another language. 시는 결코 다른 언어로 완전히 번역될 수는 없다.
7 [+目/+目+副] (지방을) 녹이다, 녹여서 정제하다 : ~ ***down*** fat 지방을 정제하다.
8 〖建〗 (벽의) 초벌[애벌]칠을 하다.
—— *vi.* **1** 보답하다. **2** 녹여서 지방[기름·밀랍]을 뽑아내다.
render an account of... ☞ ACCOUNT.
—— *n.* **1** 〖史〗 연공, 지대(地代). **2** 〖建〗 초벌[애벌]칠. **3** (지방을 녹여 정제한) 정제유.
〖OF＜Rom. (L *reddo* to give back ; *red-*=*re-*)〗

rénder·ing *n.* **1** Ⓤ,Ⓒ 표현, 연출, 연주 ; 번역(솜씨), 번역문. **2** Ⓤ (지방의) 정제(精製). **3** 반환(물), 인도(품), 교부(품). **4** 〖建〗 초벌[애벌]칠.

rénder·sèt *vt.* (벽에) 두벌칠 하다. —— *n., a.* 두벌칠(한).

ren·dez·vous [rɑ́:ndivù:, -dei-] *n.* (*pl.* ~ [-z]) **1** (때와 장소를 정한) 회합(의 약속), 랑데부. **2** 회합 예정 장소 ; 집합소, 많은 사람들이 모여드는 곳《유원지 따위》. **3** 〔軍〕 (군대·함대의) 지정 집합지, 집합기지 ; 집합, 집결. **4** (우주선의) 랑데부.
—— *vi., vt.* (**~es** [-z] ; **~ed** [-d] ; **-vous·ing** [-vù:iŋ]) 약속 장소에서 만나다[만나게 하다] ; 집합[집결]하다[시키다]. 〖F *rendez vous* (impv.) present yourselves ; ⇨ RENDER〗

ren·di·tion [rendíʃən] *n.* 연주, 연출〈*of*〉; 번역, 해석〈*of*〉; 《古》 (특히 탈주범의 본국으로의) 인도. 〖F ; ⇨ RENDER〗

ren·e·gade [rénigèid] *n.* 배교자(背敎者), (특히) 이슬람교로 개종한 기독교도 ; 탈당자, 변절자, 배신자 ; 법률이나 관습에 구속받기를 거부하는 사람 ; 반역자. —— *a.* 배교의 ; 배신한, 변절한. —— *vi.* 배교[변절]자가 되다 ; 저버리다, 배반하다, 변절하다〈*from*〉.
〖Sp.<L (*nego* to deny)〗

re·nege, 《英》 **-negue** [riníg, -nég, -ní:g, -néig ; -ní:g, -néig] *vi.* **1** 〔카드놀이〕 =REVOKE. **2** 손을 떼다, 약속을 어기다, 취소하다〈*on*〉.
—— *vt.* 《古》 부정(否定)하다, 포기하다.
—— *n.* 〔카드놀이〕 판에 깔린 같은 짝의 패가 있으면서도 다른 패를 내기《반칙행위》.
re·nég(u)·er *n.* 〖L ; ⇨ RENEGADE〗

rè·negótiate *vt., vi.* 재교섭하다 ; (전시 계약 따위를) 재조정하다.
rè·negótiable *a.* **rè·negotiátion** *n.*

***re·new** [rinjú:] *vt.* **1** 일신하다, 갱신하다 ; 재흥[재건]하다 ; 새것으로 바꾸다 ; 보완[보충]하다 : ~ one's enthusiasm 열의를 새롭게 하다 / The trees ~ their foliage every spring. 나무는 봄마다 새잎이 돋아난다 / You must ~ your store of gasoline. 가솔린을 보급하지 않으면 안된다. **2** 갱생[소생]시키다 ; 회복[부활]시키다 ; 되찾다 : ~ one's youth 회춘(回春)하다, 되젊어지다. **3** 다시 시작하다 ; 되풀이하다 : ~ an attack 공격을 재개하다 / ~ one's application[demands, complaints] 신청[요구·불만]을 되풀이하다. **4** (계약·어음 따위의 기한을) 고쳐 쓰다, 갱신하다 : The agreement[lease] has been *~ed* for another year. 그 협정[차지(借地) 계약]은 1년 더 연장되었다 / a *~ed* bill 개서 환어음. —— *vi.* **1** 갱신[연장]하다. **2** 다시 시작되다[일어나다]. **3** 새로워지다, 회복하다.
[類義語] ***renew*** 낡은 것, 피폐한[약해진] 것, 마모(磨耗)된 것을 새로운 상태로 하거나 새 것과 바꾸다 ; 가장 뜻이 넓다 : *renew* the curtains (커튼을 새것으로 바꾸다). ***renovate*** 파손된 부분을 물로 씻거나 새것으로 바꾸거나 혹은 수리하거나 하여 본래의 상태로 되돌리다 : *renovate* an old house (낡은 집을 수리하다).
restore 파괴나 질병·소모·쇠약 따위를 겪은 것을 본래의 좋은 상태로 되돌리다 : *restore* the ruined castle (파괴된 성곽을 개수하다).
refresh 음식물이나 휴양 따위 필요한 것을 공급하여 쇠약한 체력·원기 따위를 회복시키다 : *refreshing* drinks (청량 음료).

renéw·able *a.* (계약 따위를) 갱신[계속]할 수 있는 ; (폐지된 안 따위가) 부활[회복] 할 수 있는 ; 다시 시작할 수 있는.

renéwable resóurces *n. pl.* 〔環境〕 재생 가능 자원.

***renéw·al** *n.* **1** [U,C] 일신, 갱신. **2** [U,C] 부흥, 부활, 재생, 소생 ; 재개(再開), 다시 함 ; (도시 따위의) 재개발. **3** [U,C] (계약·어음 따위의) 고쳐 쓰기, 갱신, 기한 연기 ; (계약의) 갱신 비용.

renéw·ed·ly [-ədli] *adv.* 다시 ; 새롭게.

re·ni- [rí:nə, rénə], **re·no-** [rí:nou, rénou, -nə] *comb. form* 「신(장)(腎(臟))」의 뜻. 〖L *ren*〗

réni·fòrm *a.* 〔植〕 (잎 따위가) 신장 모양의, 잠두(蠶豆) 모양의.

re·nig [riníg] *vi.* (**-gg-**), *n.* 《美口》 =RENEGE.

re·nin [rí:nən, rénən] *n.* 〔生化〕 레닌《신장 안에 생기는 단백질 분해 효소로 고혈압 따위의 원인》.

ren·i·ten·cy [rénətənsi, rinái-] *n.* 저항, 반항 ; 옹고집.

rén·i·tent [, rinái-] *a.* 저항[반대]하는 ; 완강히 반항하는, 다루기 힘든.
〖F<L (*renitor* to oppose)〗

ren·min·bi [rénmínbí:], **jên-min-pi** [dʒénmínpí:] *n.* (*pl.* ~) 중국의 통화《기본 단위는 위안(元(yuan)) ; 略 RMB》; =YUAN. 〖Chin.〗

ren·net[1] [rénət] *n.* [U] 레닛《치즈 제조용으로 조제한 송아지의 제4위(胃)의 내막(內膜)》; 응유(凝乳) 효소 ; 〔生化〕 =RENNIN ; 레닌 대용품.
〖? OE 《美》 *rynet* ; cf. OE *rinnan* to RUN〗

rennet[2] *n.* 《英》 〔園藝〕 사과의 일종《프랑스 원산》.
〖F〈? *reine* queen, *raine* frog (그 반점에서)〗

ren·nin [rénən] *n.* [U] 〔生化〕 레닌, 응유(凝乳) 효소《젖을 응고시키는 위액 속의 효소》.

Re·no [rí:nou] *n.* 리노《미국 Nevada 주 서부의 도시 ; 이혼이 용이한 곳으로 유명함》.
go to Reno 《美》 이혼하다.

reno- [rí:nou, rénou, -nə] ☞ RENI-.

réno·gràm *n.* 〔醫〕 레노그램《방사성 물질을 사용한 신장(腎臟)의 배설 상황 기록》.

re·nog·ra·phy [ri:nágrəfi] *n.* 〔醫〕 신장 촬영(법)(撮影(法)), 레노그래피.
re·no·graph·ic [rì:nəgrǽfik] *a.*

Re·noir [rénwɑ:r ; *F* rənwa:r] *n.* 르누아르, **Pierre Auguste** ~ (1841-1919) 프랑스의 인상파 화가.

re·nóminate *vt.* 재지명하다, 재임명하다.
re·nominátion *n.* 재지명, 재임명.

re·nòrmal·izátion *n.* 〔理〕 (양자론의) 재규격화《무한대의 물리량을 실험값으로 바꾸어 계산하는 방법》. **re·nórmal·ìze** *vt.*

***re·nounce** [rináuns] *vt.* **1** (공식적으로) 포기[폐기]하다, 기권하다 ; (습관 따위를) 그만두다 ; 선서하여 버리다[끊다] ; 단념하다 : Japan has *~d* war. 일본은 전쟁을 포기했다 / He *~d* his rights to the inheritance. 상속권을 포기했다 / She *~d* all happiness for herself. 일신의 행복을 전부 포기했다 / He *~d* the world. 그는 은둔 생활에 들어갔다. **2** 부인하다, 거절하다 ; …와의 인연을 끊다 : ~ friendship 절교하다 / He was *~d* by his father. 그는 아버지에게서 의절당했다. **3** 〔카드놀이〕 (나온 패와 같은 패가 없어서) 다른 조(組)의 패를 내다(cf. REVOKE). —— *vi.* **1** 포기[기권]하다 ; 〔法〕 권리《따위》를 포기하다. **2** 〔法〕 다른 조의 패를 내다. —— *n.* 〔카드놀이〕 나온 패와 같은 패가 없어서 다른 조의 패를 내기.
~·ment *n.* **re·nóunc·er** *n.*
〖OF<L (*nuntio* to announce)〗

rèno·váscular *a.* 〔解·醫〕 신혈관(성)(腎血管(性))의.

ren·o·vate [rénəvèit] *vt.* **1** 새롭게 하다, 쇄신[혁신]하다 ; 수선[수리]하다 : ~ an old building 낡은 건물을 수리하다. **2** …의 원기를 회복시키다, 기운을 북돋우다(refresh). —— *a.* 《古》 쇄신한, 수선한(renovated). **-và·tor** *n.* 혁신[쇄신]자 ; 수선자. **rèn·o·vá·tion** *n.* [U,C] 쇄신, 혁신 ; 수

리, 수선 ; 원기 회복.
〚L *re-*(*novo* to make new〈*novus* new)〛
[類義語] ⟹ RENEW.

re·nown [rináun] *n.* [U] 명성, 명망(fame) : *of* (great, high) ~ (매우) 유명한.
— *vt.* 《古》 유명하게 만들다.
~·less *a.* 유명하지 않은.
〚OF (*renomer* to make famous < NOMEN)〛

***re·nówned** *a.* 유명한, 명성이 있는 〈*as, for*〉.
~·ly *adv.* **~·ness** *n.*
[類義語] ⟹ FAMOUS.

‡rent[1] [rént] *n.* **1** [U,C] 임대[임차]료, 지대, 소작료 ; 집세, 방세 ; 〔經〕 지대 ; 〔經〕 초과 이윤. **2** 셋집, 셋방.
For rent. 《게시》 셋집[셋방] 있음(=《英》 To let.).
— *vt.* **1** [+目/+目+*from*+名] …에 대하여 지대[집세·사용료]를 지급하다, 임차하다 : They ~ a house ***from*** Mr. Smith. 스미스씨로부터 집을 빌리고 있다. **2** [+目/+目+*to*+名] …에 대하여 지대[집세]를 부과하다, 임대하다 : He ~*ed* the house ***to*** us at £900 a year. 그는 우리들에게 그 집을 1년에 900파운드로 세주었다.

〈회화〉
Do you own your house? — No, it's a *rented* house. 「집을 가지고 계신가요」「아니오, 셋집입니다」

— *vi.* [+副+名] 세놓다, 임대되다 : The farm ~*s* ***at*** £5000 a year. 그 농장은 1년에 5000파운드로 임대되고 있다 / The room ~*s* ***for*** $200. 그 방은 방세가 200달러다.
~·able *a.* **rènt·abíl·ity** *n.*
〚OF=revenue<Rom. ; ⇨ RENDER〛
[類義語] ⟹ HIRE.

rent[2] *v.* REND의 과거·과거분사.

rent[3] *n.* **1** (옷 따위의) 째진 틈, 해진 곳 : a ~ *in* a sleeve 소매의 해진 곳. **2** 갈라진 틈 ; 틈새 ; 협곡(峽谷) : a ~ *in* a hillside[the clouds] 산중턱[구름]의 갈라진 틈. **3** (관계·의견의) 분열 ; 불화. 〚REND〛

rént-a-bìke *n.* 임대 자전거.

rént-a-càr *n.* 렌터카, 임대 자동차. 〚*rent a car*〛

rént-a-cròwd, rént·a·cròwd *n.* 《英俗》 (돈 따위로) 동원한 군중.

rént·al *n.* 임대[임차]료, 지대[소작료]의 총액, 총사용료 ; 지대[집세·사용료]의 총수입 ; 《美》 대차물(貸借物) 《아파트·자동차·텔레비전 따위》 ; 임대업무[임대회사].
— *a.* 임대의 ; 지대[집세]의 ; 임대업무를 행하고 있는.

réntal equívalent ìndex *n.* 《美》 임대주택 코스트 환산 지수.

réntal lìbrary *n.* 《美》 =LENDING LIBRARY 1.

rént-a-mòb, rént·a·mòb *n.* 《英俗》 (돈 따위로) 동원한 야유군[폭도].

rént-a-sùit *n.* 임대 슈트[고급 양복].

rént chàrge *n.* (*pl.* **rénts chàrge**) 〔法〕 지대부담 《날인 증서에 의해 부담하게 되는 지대로 지급받을 권리자가 토지의 복귀권을 가지지 않는 경우의 지대 ; 통상적으로 동산 압류의 권리가 부여되어 있음》.

rente [*F* rɑ̃:t] *n.* (*pl.* **~s** [—]) 연금(年金), 연수(年收) ; 연금증서 ; [*pl.*] (프랑스 정부 발행의) 장기 공채, 그 이자. 〚F=dividend〛

rént·ed *a.* [복합어를 이루어] 세(貰)가 …한 : high-[low-]~ 세가 비싼[싼].

ren·ten·mark [réntənmɑ̀:rk] *n.* [때때로 R~] 렌텐마르크 《1923-31년 독일 정부가 통화 안정을 위하여 중앙은행에 발행케 한 지폐》.

rént·er *n.* 임차[차지·소작·차가]인 ; 임대인 ; (일반적으로) 빌려주는 사람, 빌리는 사람 ; 《英》 영화 배급업자.

rént-frée *a., adv.* 지대[집세·사용료]가 없는[없이], 임대료 없는[없이].

ren·ti·er [*F* rɑ̃tje] *n.* 불로소득 생활자 《금리·지대·배당 따위로 생활하는 사람》. 〚F (RENTE)〛

rént pàrty *n.* 주최자의 집세를 마련하기 위해 여는 파티.

rént-ròll *n.* 《英》 지대장부, 소작장부, 대출장부 ; 지대[집세] 따위의 총액.

'rents [rénts] *n. pl.* 《俗》 양친(兩親), 어버이. 〚pa*rents*〛

rént sèrvice *n.* 〔法〕 지대 봉사 《일정의 봉사가 부수적으로 부담되는 지대》 ; 지대 노역(勞役) 《지대 대신에 하는 노역》.

rént strìke *n.* 집세 지급 거부 운동.

re·númber *vt.* **1** 다시[고쳐] 세다. **2** 번호를 다시 매기다.

re·nun·ci·a·tion [rinʌ̀nsiéiʃən] *n.* **1** [U] 포기, 기권 ; 단념 ; 거절, 부인 ; 거절[포기] 성명(서), 포기 승인장. **2** [U] 극기(克己), 자제.
re·nún·ci·à·tive [; -siə-], **re·nún·ci·a·tò·ry** [-siə- ; -təri] *a.* 포기하는, 기권의 ; 부인[거절]의 ; 자제의. 〚OF or L ; ⇨ RENOUNCE〛

ren·voi [renvɔ́i] *n.* (외교관 등의) 국외 퇴거(國外退去) ; 〔國際法〕 국제 사법상의 문제를 자국의 법률 이외의 법률에 위탁하기.

re·óccupy *vt.* 다시 차지[점령]하다, (집에) 다시 살다 ; 다시 종사시키다[일하게 하다].

re·óffer *vt.* (증권을) 시중에 팔려고 내놓다.

re·ópen *vt.* 다시 열다 ; 다시 시작하다, 재개하다 : The matter is settled and cannot be ~*ed.* 일이 결정돼 있어 다시 시작할 수는 없다.
— *vi.* 다시 열리다 ; 재차 시작되다 : The law court will ~ on Monday. 법정은 월요일에 다시 개정된다.

re·órder *vt.* 재정리하다 ; 〔商〕 재[추가] 주문하다.
— *vi.* 〔商〕 재[추가] 주문하다. — *n.* 〔商〕 재[추가]주문.

re·ordinátion *n.* 두번째의 성직 서임(敍任), 재안수(再按手).

re·órganize *vt.* 재편성하다 ; 개조(改組)[개편·개혁]하다. **re·organizátion** *n.* [U,C] 재편성, 재조직, 개조.

re·órient *vt.* 새로운 방침[방향]을 정해 주다, 재교육시키다. **re·orientátion** *n.* [U] 재교육.

re·órientate *vt.* =REORIENT.

rep[1], **repp** [rép], **reps** [réps] *n.* [U] 렙 《실내 장식용의 골지게 짠 천의 일종》. **répped** *a.*
〚F *reps* < ? E *ribs* (pl.) 〈*rib*〉〛

rep[2] *n.* 《俗》 건달, 난봉꾼. 〚? *rep*robate〛

rep[3] *n.* 《口》 =REPERTORY ; =REPERTORY COMPANY[THEATER].

rep[4] *n.* 《口》 대표, 외교원(representative) ; [U] 《美俗》 명성(reputation), (갱 등의) 패거리 내에서의 지위.

rep[5] *n.* 《英學生俗》 암송(暗誦), 암기 ; 암송한 시구(詩句). 〚*rep*etition〛

rep[6] *n.* (*pl.* ~, **~s**) 렙 《방사선 흡수선량(量)의 단위》. 〚*r*oentgen *e*quivalent *p*hysical〛

Rep. 《美》 Representative ; Republic ; Republican. **rep.** repair ; repeat ; report ; reported ; reporter ; representative ; reprint ; republic.

re·páck·age *vt.* 짐을 다시 꾸리다, 포장을 다시 하다 ; 더 좋은[매력적인] 모양으로 하다.
re·páck·ag·er *n.*

***repaid** *v.* REPAY의 과거·과거분사.

re·páint *vt.* 페인트를 다시 칠하다. ── [, 美+⌣⌣] *n.* 다시 칠하기 ; 다시 칠한 것[부분].

‡re·pair[1] [ripέər, ripǽər] *vt.* **1** 수선[수리]하다 (cf. MEND) : ~ a house[road, watch] 집[도로, 시계]을 수리[수선]하다. **2** 정정[교정]하다 (remedy) : ~ a defect[an error] 결함[잘못]을 고치다. **3** 보상하다, 배상하다 : You must ~ the harm done. 네가 끼친 손해를 배상해야 한다. **4** 치료하다 ; 회복하다. ── *vi.* 수선[수리]하다. ── *n.* **1** Ⓤ 수선, 수리, 손질 ; 수리 상태 ; [흔히 *pl.*] 수선[수리·복구] 작업 ; [흔히 *pl.*] 수선 부분 ; [*pl.*] 〖會計〗 수선비 : under ~(s) 수선 중인[의] / *R*~*s* done while you wait. 〖廣告〗 기다리는 동안 즉석에서 수선해 드립니다 / in good[bad] ~ =in[out of] ~ 손질이 잘된[안된]. **2** 보상. **3** 회복. **~·able** *a.* 수선[배상]할 수 있는 ; 되찾을 수 있는《손해 따위》. **⌣·abílity** *n.* **~·er** *n.* 수리인, 수선인.
〖OF<L (*paro* to make ready)〗
類義語 ⟹ MEND.

repair[2] *vi.* [+前+名] **1** 가다(go), 자주 다니다 ; 여럿이 가다, 모여들다 : The ambassador ~*ed* ***to*** Rome. 대사는 로마로 갔다. **2** 의지하고 가다 : He ~*ed* ***to*** his uncle *for* aid. 그는 아저씨를 믿고 도움을 청하러 갔다. ── *n.* 《古》 자주 가기 ; 《古》 자주 가는 곳, 많은 사람들이 모여드는 장소 : have ~ *to* …에 자주 가다.
〖OF<L ; ⇨ REPATRIATE〗

repáir·màn [, -mən] *n.* (기계 따위의) 수리공.

repáir·pèrson *n.* 수리공[수리인].

repáir shìp *n.* 수리선.

re·pand [ripǽnd] *a.* 〖植〗 (잎이) 물결 모양의 가장자리로 되어 있는.

re·páper *vt.* …에 종이를 갈아 붙이다 ; 새 종이로 다시 포장하다.

rep·a·ra·ble [répərəbəl] *a.* 수선할 수 있는 ; 보상[배상]할 수 있는.

rep·a·ra·tion [rèpəréiʃən] *n.* **1** Ⓤ 배상, 보상 ; [*pl.*] 배상금 : make ~ *for* …을 배상하다. **2** Ⓤ,Ⓒ 수선 ; 회복 ; [*pl.*] 〖會計〗 수선비(repairs).
〖OF<L ; ⇨ REPAIR[1]〗

re·par·a·tive [ripǽrətiv], **re·par·a·to·ry** [ripǽrətɔ̀:ri ; -təri] *a.* 수선[수리]의 ; 회복의[시키는] ; 배상의.

rep·ar·tee [rèpərtí:, -pɑ:r-, -téi ; -pɑ:-] *n.* **1** 재치있는 대답. **2** Ⓤ 재치있게 대답하는 재간[솜씨]. ── *vi.* 《稀》 재치있게 대답하다.
〖F *re-*(*partir* to PART)=to reply promptly〗

rè·partítion *n.* Ⓤ 분배, 구분, 할당 ; 재분배, 재구분, 재분할. ── *vt.* 분배하다 ; 재분배하다, 재구분하다, 재분할하다.

re·páss *vi.* 다시 지나가다, 되돌아가다. ── *vt.* 다시 지나가게 하다 ; (의안 따위를) 다시 제출하여 통과시키다. **re·páss·age** *n.* 되돌아오기[가기] ; 재통과.

re·past [ripǽ(:)st ; -pɑ́:st] *n.* **1** 식사(meal) ; (한 번의) 식사량 : a dainty[rich] ~ 미식(美食) / a light[slight] ~ 간단한 식사. **2** 《古》 식사하기 ; 《古》 식사시간. ── *vi.* 식사를 하다. ── *vt.* 《廢》 …에게 음식을 주다.
〖OF<L *repast-* *repasco* to feed〗

re·pa·tri·ate [ri:péitrièit, -pǽt-] *vt.* 본국으로 송환하다 : The prisoners of war were soon ~*d*. 포로들은 곧 본국으로 송환되었다. ── *vi.* 본국으로 되돌아가다. ── [-triət, -trièit] *n.* 송[귀]환자, 돌아오는 사람(cf. EVACUEE).
re·pà·tri·á·tion *n.* Ⓤ 본국 송환[귀환].
〖L (*patria* native land)〗

re·pay** [ripéi] *v.* (**-páid**) *vt.* **1** [+目/+目+目/+目+*to*+名] (돈을) 갚다, 상환하다 : I will ~ this money as soon as I can. 이 돈을 되도록 빨리 갚겠습니다 / Just lend me 10 pence, and I'll ~ you tomorrow. 10펜스만 좀 빌려 주세요, 내일 갚겠습니다 / When will you ~ him the money? 그에게 언제 돈을 갚을거니 / Please ~ it ***to my brother. 부디 그것을 내 형에게 돌려 주시오. **2** [+目/+目+前+名] …에 보답하다, 은혜를 갚다 ; …에게 앙갚음을 하다 : I can never ~ all your kindness. 당신의 극진한 친절에 대해서 보답할 길이 없습니다 / This wonderful view ~*s* us ***for*** all the hard work. 이 놀랄만한 광경으로 우리가 한 모든 고생은 보답이 된 셈이다 / He *repaid* me only ***with*** ingratitude. 그의 나에 대한 보답은 배은망덕 뿐이었다. ── *vi.* 빚을 갚다 ; 보답하다 ; 벌을 내리다. **~·able** *a.* 돌려줄[반제할] 수 있는 ; 돌려주어야 할, 반제해야 할. **~·ment** *n.* 반제 ; 보상, 보답 ; 보복.
〖OF (*re-*)〗

***re·peal** [ripí:l] *vt.* (법률 따위를) 무효로 하다, 폐지[폐기·철회]하다 : The law was finally ~*ed*. 그 법률은 마침내 폐지되었다. ── *n.* Ⓤ,Ⓒ 폐지, 폐기, 취소, 철회 ; [보통 R~] 〖史〗 (영국과 아일랜드의) 합병 철회 운동. **~·able** *a.* (법률 따위) 폐지할 수 있는, 취소할 수 있는. **~·er** *n.* 폐지론자 ; [보통 R~er] 〖史〗 (영국과 아일랜드의) 합병 철회론자.
〖OF (*re-*, *apeler* to call, APPEAL)〗

‡re·peat [ripí:t] *vt.* **1** [+目/+*that* 節] 되풀이하다, 반복하다 : I ~*ed* the word for emphasis. 그 말을 강조하기 위해 되풀이했다 / I ~ *that* no such conduct can be tolerated any longer. 되풀이해서 말하지만 그와 같은 행위는 더 이상 참을 수 없다 / The story won't bear ~*ing*. 그 이야기는 되풀이할 만한 것이 못된다. **2** 암송[복창]하다 ; (비밀을) 남에게 말하다, 말을 옮기다 : The girl ~*ed* the poem fluently. 소녀는 그 시를 술술 암송했다 / *R*~ these sentences after me. 나를 따라 이 문장들을 복창하시오 / I promised not to ~ the secret. 비밀을 남에게 말하지 않기로 약속했다. **3** 되풀이하다, 재현하다. **4** (상품을) 추송(追送)하다.
── *vi.* **1** 되풀이하다, 되풀이하여 말하다 ; (소수가) 순환하다(recur) ; (총포가) 연발하다. **2** (음식이) 입으로 되넘어오다, (양파 따위) 뒷맛이 남다 : Onions sometimes ~ (《美》 *on* me). 양파는 때때로 먹은 후에 냄새가 입안에 남아 있다. **3** 《美》 (불법으로) 이중 투표하다.
repeat one***self*** (보통 무의식적으로) 같은 것을 되풀이해서 말하다[행하다] ; 다시 일어나다[나타나다] : She did nothing but ~ her*self*. 그녀는 단지 같은 것만 되풀이할 따름이었다 / History ~*s* it*self*. 역사는 되풀이된다.
── *n.* **1** 되풀이, 반복. **2** 〖樂〗 도돌이. **3** 사본, 복제 ; 반복 무늬. **4** 〖商〗 재공급, 재[추가]주문. **5** 재방송 프로그램(rebroadcast).
〖OF<L (*peto* to ask)〗

***repéat·ed** *a.* 되풀이된, 자주 일어난.
~·ly *adv.* 되풀이하여, 재삼재사.

repéat·er *n.* **1** 되풀이하는 사람[것] ; 암송자. **2** 반복해서 치는 시계《스프링을 누르면 15분마다 소리를 내어 시간을 알림》. **3** 연발총. **4** 《美》 이중 투표하는 부정 투표자. **5** 〖數〗 순환 소수. **6** 《美》 상습범 ; 《美》 유급생.

repéat·ing *a.* **1** 반복하는 ; 순환하는. **2** 연발식의(총).

repéating décimal *n.* 〖數〗 순환 소수.

repéating firearm[**rìfle**] *n.* 연발총(連發銃) (repeater).

repéating wàtch *n.* 반복해서 치는 시계(時計) (repeater).

re·pe·chage, -pê- [rèpəʃɑ́:ʒ, rəpé- ; *F* rəpɛʃa:ʒ] *n.* (준결승 진출을 위한) 패자 부활전. 〖F (RE*pêcher* to fish out, rescue)〗

re·pég *vt.* (변동 시세제 통화를) 고정 시세제로 복귀시키다.

re·pel [ripél] *v.* (**-ll-**) *vt.* **1** 쫓아버리다, 격퇴하다 ; 퇴짜놓다, 거부[거절]하다 ; 반박하다 : They succeeded in ~*ling* the attack. 공격을 격퇴할 수 있었다 / May ~*led* Jack's advances. 메이는 잭의 구애(求愛)를 거절했다. **2** 싫증나게 하다, 불쾌하게 하다 : The odor ~*s* me. 냄새가 역하다. **3** 〖理〗 반발하다, 튀기다(↔*attract*) : Particles with similar electric charges ~ each other. 전하량(電荷量)이 같은 분자는 서로 반발한다. ── *vi.* 퇴짜맞다 ; 불쾌감을 주다. 〖L *re*-(*puls*- *pello* to drive)〗

re·pél·lent, -lant *a.* **1** 쫓아버리는, 물리치는 ; (물 따위) 배지 않는 ; (벌레 따위) 꾀지 않게 하는. **2** 싫은, 불쾌한, 지긋지긋한, 지겨운 : a ~ task 지긋지긋한 일. ── *n.* **1** Ⓤ 반발력. **2** Ⓤ 방수 가공제. **3** Ⓤ,Ⓒ 방충제 ; 〖醫〗 (종기 따위를) 삭게 하는 약. **re·pél·lence, -lance, -cy** *n.* Ⓤ 반발(성) ; 방수[방충]성 ; 불쾌감.

re·pent** [ripént] *vi.* [動/+*of*+名] 후회하다(cf. REGRET) ; 참회하다 ; 분해하다, 서운하게 여기다 : She soon ~*ed* ***of her hasty marriage. 그녀는 서둘러 결혼한 것을 곧 후회했다 / He had nothing to ~ *of*. 아무것도 후회할 일이 없었다 / He soon ~*ed of* hav*ing* said so. 그렇게 말한 것을 곧 후회했다. ── *vt.* [+do*ing* / +*that* 節/+目] 후회하다, 뉘우치다 ; 유감스럽게 생각하다 : I ~ hav*ing* offended my sister. 누이의 감정을 상하게 한 것을 후회하고 있다 / I soon ~*ed that* I had offended her. 나는 그녀의 감정을 상하게 한 것을 곧 후회했다 / He ~*ed* his thoughtlessness. 그는 자신의 경솔함을 후회했다 《㊟ 이와 같이 뒤에 명사 표현이 따를 때에는, He ~*ed of* his thoughtlessness. 처럼 쓰는 것이 일반적 ; ☞ *vi.*》. **~·er** *n.* 〖OF (*pentir* to be sorry<L *paenitet* ; cf. PENITENT)〗

repént·ance *n.* Ⓤ 후회, 회한(悔恨) ; 회개 : ~ *for* one's sin 지은 죄의 회개 / It was too late now for ~. 이제 후회하기에는 너무 늦었다《후회한들 소용없다》.
類義語 ⟹ PENITENCE.

repént·ant *a.* 유감으로 생각하는, 후회하는〈*of*, *for*〉; 회개하는, 참회의. **~·ly** *adv.* 후회하여, 참회하여.

re·péople *vt.* …에 다시 사람을 거주시키다, 재식민(再植民)하다 ; =RESTOCK.

re·per·cus·sion [rì:pərkʌ́ʃən] *n.* Ⓤ,Ⓒ 되돌아옴 ; 되튐 ; (빛 따위의) 반사, (소리의) 반향(反響) ; [보통 *pl.*] (간접적) 영향, (사건 따위의) 반동 ; 격퇴, 반격. **rè·per·cús·sive** *a.* 되튀는 ; 반향[반사]하는. 〖OF or L (*re*-)〗

rep·er·toire [répərtwɑ̀:*r*] *n.* **1** 레퍼토리, 연예[상연] 목록, 연주 곡목. **2** 능력의 범위, 할 수 있는 것의 전부[목록] ; 저장. 〖F<L=inventory (*repert*- *reperio* to find)〗

rep·er·to·ry [répə*r*tɔ̀:ri ; -təri] *n.* **1** =REPERTOIRE ; 레퍼토리제(制)《전속 극단이 일정수의 프로그램을 교대로 상연함》; =REPERTORY COMPANY ; =REPERTORY THEATER. **2** (지식 따위를) 쌓기, 수집(stock), 모으기〈*of*〉; 저장소, 보고(寶庫) (treasury). 〖L (↑)〗

répertory còmpany *n.* 레퍼토리 극단《여러 종류의 연극을 연이어 정기적으로 상연함》.

répertory thèater *n.* 레퍼토리 극장《전속 극단을 두어 레퍼토리를 차례로 상연함》.

rè·perúse *vt.* 다시 읽다 ; 재검토[재음미]하다. **rè·perúsal** *n.*

rep·e·tend [répətènd] *n.* 〖數〗 (순환 소수의) 순환마디 ; 반복 어구[음].

ré·pé·ti·teur [*F* repetitœ:r] *n.* (*fem.* **-tris** [*F* -tris], **-teuse** [*F* -tœ:z]) (오페라 하우스 소속의) 가수를 연습시키는 사람.

***rep·e·ti·tion** [rèpitíʃən] *n.* Ⓤ,Ⓒ 되풀이, 반복 ; 암송, 복창, 재현 ; 〖樂〗 반복 연주 ; Ⓒ 복사, 모사(模寫), 부본(副本) : by ~ 복창하여. **~·al, ~·àry** [; -əri] *a.* 반복의. 〖F or L ; ⇨ REPEAT〗

rep·e·ti·tious [rèpitíʃəs] *a.* 자꾸 되풀이하는, 중복하는, 반복성의 ; 번거로운. **~·ly** *adv.* **~·ness** *n.*

re·pet·i·tive [ripétətiv] *a.* 되풀이하는, 반복성의. **~·ly** *adv.* **~·ness** *n.*

repetitive DNA [⌐ dì:èné i] *n.* 〖生化〗 반복성 DNA《각 세포에 특정한 유전자가 반복해서 들어 있는 DNA》.

re·phráse *vt.* 다시 말하다, 바꾸어 말하다.

re·píece *vt.* 다시 엮어 맞추다[짜맞추다].

re·pine [ripáin] *vi.* [動/+前+名] 불평을 늘어놓다, 푸념하다(complain), 안달하다(fret) : ~ ***at*** one's sad fate 자기 자신의 비운을 한탄하다 / ~ ***against*** Providence 신의 섭리에 불만을 품다. **re·pín·er** *n.* 〖*repent*에 준하여 *pine*[1]에서〗

repl. replace(ment).

re·place** [ripléis] *vt.* **1** 제자리에 다시 두다, 되돌려 놓다(put back) : He ~*d* the receiver. 수화기를 제자리에 놓았다 / *R*~ the book on the shelf. 책을 서가(書架)에 도로 갖다 꽂으시오. **2 a)** …을 대신하다, …의 후임이 되다 : Nothing can ~ a mother's love. 아무것도 어머니의 사랑을 대신할 수는 없다 / He is hard to ~. 그는 다시 얻기 어려운[둘도 없는] 인물이다 / Mr. A was ~*d* as prime minister by Mr. B. A씨의 뒤를 이어 B씨가 수상이 되었다. **b)** [+目/+目+前+名] 바꾸다, 갈아치우다, 교환하다, 보충하다(cf. SUBSTITUTE) : ~ a dead battery 다 쓴 전지를 갈다 / Plastics have ~*d* many things. 플라스틱 제품이 여러가지 물건들을 대신하게 되었다 / We have to ~ the money. 돈을 채워 넣어야[벌충해야] 한다 / They have ~*d* their sedan ***with [***by***] a coupe. 그들은 세단을 쿠페 형(型)으로 바꾸었다 / All the old computers have been ~*d by* new ones. 낡은 컴퓨터는 모두 새 것으로 교환되었다. **~·able** *a.* 제자리에 되돌릴 수 있는 ; 갈아치울[바꿀] 수 있는, 교체할 것이 있는.
類義語 ***replace*** 없어진 것, 파손된 것, 닳아빠진 것 따위를 갈아치우다 ; 또는 어떤 사람 대신 그 지위에 앉다 : *replace* a vacuum tube of a television set (텔레비전의 진공관을 갈아 끼우다). ***supersede*** 구식이 된 것, 쓰지 못하게 된 것을 새 것으로 바꾸다 ; 형식에 치우친 말 : Buses are *superseding* streetcars. (버스가 전

차로 대체되고 있다). ***supplant*** 음모나 폭력에 의해 어떤 사람의 지위를 빼앗고 그 자리에 들어서다 : The revolutionists tried to *supplant* the president. (혁명가들은 대통령을 밀어내려고 시도했다).

re·pláce·ment *n.* **1** Ⓤ 제자리에 갖다 놓음, 반환 ; 복직, 복위. **2** Ⓤ 바꿔 놓음, 교체 ; Ⓒ 교체하는 사람[것], 후임 ; Ⓒ 〖軍〗 보충병, 교체요원. **3** 〖컴퓨〗 대체.

replácement dèpot *n.* 〖軍〗 병력 보충 부대.

replácement lèvel *n.* 인구 보충 수준《총인구를 유지하는 데 필요한 출생률》.

rep·la·mine·form [rèpləmí:nfɔ̀ːrm] *n., a.* 세라믹 · 금속 · 중합체 따위로 생체의 조직 · 구조를 복제한 재료를 얻는 공정[기술](의). 〚? *repl*icated + *amine* + *form*〛

re·plánt *vt., vi.* 다시 심다, 옮겨 심다, 이식하다 ; (땅에) 다른 초목을 심다 ; 이주시키다 ; (절단된 손 · 손가락 따위를) 재이식하다.

rè·plantátion *n.* Ⓤ 재식(再植), 이식.

re·pláy *vt.* (시합을) 다시 하다, 거듭하다 ; 재연(再演)하다. ── [ˊ-] *n.* 재시합 ; 재연 ; (테이프 따위의) 재생.

re·plen·ish [ripléniʃ] *vt.* **1** [+目 / +目+*with*+名] 채우다 ; 다시 채우다 ; …에 연료를 대다 ; 보충[보급]하다 : We ~*ed* the fire. 우리는 불을 다시 지폈다 / He ~*ed* his pipe ***with*** tobacco. 그는 파이프에 담배를 다시 담았다. **2** 《古》 (장소에) 사람[동물]으로 채우다 ; 《古》 영감으로 채우다, (정신을) 고양하다, 완성하다. ── *vi.* 가득차다. **~·er** *n.* **~·ment** *n.* 〚OF *re*- (*plenir* < *plein* full)〛

re·plete [riplí:t] *a.* 충만한(filled), 충분히 가지고 있는[갖춘]〈*with*〉; 포식[포만, 만끽]한〈*with*〉; 듬직한 ; 충실한. **~·ness** *n.* 〚OF or L (*plet*- *pleo* to fill)〛

re·ple·tion [riplí:ʃən] *n.* Ⓤ,Ⓒ 충만, 충실, 과다 ; 포식, 포만, 만끽 ; 만족 ; Ⓤ 〖醫〗 다혈증.

to repletion 가득히, 실컷, 충분히.

re·plev·in [riplévən] *n.* 〖法〗 압류 동산의 회복 ; (부당하게 압류된) 동산 회복 소송 ; 동산 회복 영장. ── *vt.* = REPLEVY.

re·plevy [riplévi] *vt.* 〖法〗 (부당하게 압류된 동산을) 소송하여 도로 찾다 ; 《古》 보석(保釋)하다.

rep·li·ca [réplikə] *n.* 〖美術〗 레플리카《원작자에 의한 원작의 모사[복사]》; 사본, 복제(품) ; 〖樂〗 도돌이. 〚It. (*replicare* to REPLY)〛

rep·li·car [réplikà:r] *n.* 클래식 카의 복제차《엔진이나 부품은 새것으로 되어 있음》. 〚*replica* + *car*〛

rep·li·case [réplikèis, -z] *n.* 〖生化〗 레플리카제, RNA 레플리카제《RNA를 주형(鑄型)으로 하여 RNA를 합성하는 효소》.

rep·li·cate *v.* [répləkèit] *vt.* 모사[복제]하다 ; 되풀이하다 ; 대답[응답]하다. ── *vi.* 접혀 겹쳐지다 ; 〖法〗 (피고의 최초 답변에 대해 원고가) 재항변을 하다 ; 〖生化〗 (자기) 복제하다. ── [-likət] *n.* 〖統〗 (반복에서의) 1회의 실험 ; 〖樂〗 1옥타브 높은[낮은] 반복음 ; 〖生化〗 복제《복제된 유전자, RNA 따위》. ── [-likət] *a.* 반복된 ; (잎 따위) 뒤로 젖혀진. 〚L ; ⇨ REPLY〛

rep·li·ca·tion [rèpləkéiʃən] *n.* **1** Ⓤ,Ⓒ (잎 따위의) 뒤로 젖힘. **2** Ⓤ,Ⓒ 사본, 복사, 모사 ; 메아리, 반향(反響) (echo). **3** 응답 ; 〖法〗 (피고의 답변에 대한) 원고의 재항변. **4** 〖統〗 반복 ; 〖生化〗 (DNA 따위의) 복제.

rep·li·con [répləkàn] *n.* 〖生化〗 레플리콘《DNA나 RNA의 복제 단위》.

re·plót·ting *n.* 환지 ; 토지 구획 정리 : a ~ map 구획 정리도.

‡re·ply [riplái] *vi.* [動 / +*to*+名] 대답[응답]하다 ; 응전하다 ; 〖法〗 (피고의 항변에 대해 원고가) 답변하다 : He *replied* with a cutting remark. 신랄한 답변을 하였다 / I won't ~ ***to*** this letter. 나는 이 편지에 회답을 하지 않겠다. **2** 반향하다 (echo). ── *vt.* [+目 / +目+*to*+名 / +*that* 節] …라고 대답하다, 대꾸하다 : I did not know what to ~. 어떻게 대답해야 할지 몰랐다 / He *replied* (***to*** her) *that* his mind had been made up. 그는 결심이 섰다고 (그녀에게) 대답했다. ── *n.* **1** 대답, 회답, 답변 : make a ~ 대답하다 / He made no ~ *to* my request. 그는 나의 부탁에 아무런 대답도 하지 않았다. **2** 응전 ; 〖法〗 원고의 재항변.

[주] answer 보다 딱딱한 말.

in reply (***to*...**) (…의) 대답으로서, (…에) 대답하여 : a letter *in* ~ *to* an inquiry 조회에 대한 회답 / He said nothing *in* ~. 아무 대답도 하지 않았다 / *In* ~ *to* the question, he referred me to "The Observer." 그 질문에 대답하여 그는 나에게 업저버를 보라고 말했다.

〈회화〉
He pressed me for an immediate *reply.* — What was your answer? 「그가 즉시 대답해 달라고 독촉하더군」「그래 뭐라고 대답했는데」

〚OF < L RE*plico* to fold back〛
[類義語] ⟹ ANSWER.

replý cóupon *n.* 회신권《우표와 교환이 가능》.

replý-pàid *a.* 회신료 지급필의 : a ~ telegram 회신료 선납 전보.

replý (póstal) càrd *n.* 《美》 왕복 엽서.

re·po [rí:pòu] *n.* (*pl.* **~s**) 《美口》 = REPURCHASE AGREEMENT.

re·póint *vt.* (벽돌 건물의) 이음매를 다시 칠하다.

ré·pon·dez s'il vous plaît [*F* repɔ̃de sil vu plɛ] 회답을 바랍니다《초대장 따위에 첨가하는 문구 ; 略 R. S. V. P.》.

re·pópulàte *vt.* …에 다시 식민하다[거주시키다].

‡re·port [ripɔ́:rt] *n.* **1** (조사 · 연구의) 보고(서), 리포트 : make a ~ 보고하다 / draw up a ~ *on* an accident 사고에 대한 보고서를 작성하다. **2** 공보(公報) ; (학교의) 성적표(= ~ card) ; (법원 따위의) 심사 보고서 : The boy had a good [bad] ~ that term. 소년은 그 학기 성적이 좋았다[나빴다]. **3** (신문 따위의) 보도, 기사. **4** [보통 *pl.*] 판례집, 판결록 ; 의사록 ; (강연 · 토론 따위의) 속기록, 기록. **5 a)** Ⓤ 평판 : a man of good [ill] ~ 평판이 좋은[나쁜] 사람 / He held his course through good and evil ~. 남이 뭐라고 하든 개의치 않고 자신의 방침대로 관철시켰다. **b)** Ⓤ,Ⓒ [+*that* 節] 소문(rumor) : Mere ~ is not enough to go upon. 단순한 (남의) 소문 따위는 믿을 만한 것이 못된다 / *R*~ goes [runs, has it] *that* …라는 소문이다(It is reported that...) / There was a ~ *that* Tom had stolen the watch from her. 톰이 그녀에게서 시계를 훔쳤다는 소문이 퍼졌다. **6** 총성, 포성, 폭음 : The rocket exploded with a loud ~. 로켓은 큰 폭음을 내며 작렬했다. **7** 〖컴퓨〗 보고서.

Report to the Nation 「국민에게의 보고」《영국 정부가 2주일마다 일류신문에 발표하는 주로 경제 · 시사문제 따위에 관한 정보》.

── *vt.* **1** [+目 / +目+前+名 / +*that* 節 / +

目+*to* do/+目+補/+do*ing*] 보고하다, (남의 말을) 전달하다; 공표[발표]하다, 보도하다; (항간에서) 전하다: He ~*ed* his accident ***to*** the police. 경찰에 사고를 신고했다/The chairman ~*ed that* the number of applicants had increased. 위원장은 지원자의 수가 증가했다고 보고했다/It is ~*ed* that over three hundred people died in the earthquake. 그 지진으로 300명 이상의 사람이 사망했다고 전해졌다/They ~*ed* him *to be* the best man for this job. 그가 이 일에 가장 적합한 인물이라고 보고했다/She has been ~*ed* dead. 그녀는 죽었다고 전해졌다/He ~*ed* hav*ing* seen the man at the meeting. 그 회합에서 그 남자를 봤다고 보고했다. **2** (강연을) 기록하다; (기사화하기 위해서) …에 대해 쓰다, 보도하다(cover): ~ a speech[trial] 연설[공판]의 기사를 쓰다. **3** [+目/+目+前+名] (잘못(했다는 이유로 남)을) 고발하다, 고자질하다, 알리다: I will ~ you ***to*** the police ***for*** commit*ting* a fraud. 너를 사기죄로 경찰에 고발하겠다. **4** [+目/+目+*to*+名] [~ one*self* 로] (도착·귀환 따위를 상관에게) 신고하다; 출두하다(cf. *vi.* 3): *R*~ your*self to* the manager between 2 and 3. 2시에서 3시 사이에 지배인에게로 오시오.

—— *vi.* **1 a**) [+*on*+名] 보고하다, 복명하다; 보고서를 작성[제출]하다: He ~*ed* (***up***)***on*** the war situation. 전황(戰況)에 대해 보고했다. **b**) 인상을 말하다[적다]〈*of*〉. **2** [+*for*+名] (탐방) 기자 일을 보다, 보도하다: He ~*s* ***for*** "The Times." 그는 타임즈의 기자다. **3** [+前+名] 신고하다, 복명하다, 출두하다(cf. *vt.* 4): He was told to ~ ***to*** the police. 그는 경찰에 출두하라는 지시를 받았다/You are to ~ ***for*** duty at 8. 30 a. m. 오전 여덟 시 반에 출근해 주십시오. **4** (사람에 대하여) 책임을 지다; (남)의 감독하에 있다.

move to report progress 〖英下院〗 (흔히 방해 목적으로) 토론 중지의 동의를 제출하다.

report progress 《英》 경과를 보고하다.

〚OF *report*(*er*) <L=to carry back (*re-*, PORT[4])〛

類義語 ⟹ TELL.

repórt·able *a.* 보고[보도]할 수 있는; 보고[보도] 가치가 있는.

re·port·age [ripɔ́ːrtidʒ, rèpɔːrtáːʒ, -pər-] *n.* 보고, 보도; 르포르타주, 보고 문학[문체], 현지 탐방 보도. 〚F; ⇨ REPORT〛

repórt càrd *n.* 《美》 (정기적으로 학교에서 학부형에게 보내는) 성적표, 통지표.

repórt·ed·ly *adv.* 전해진 바에 의하면, 들리는[보도된] 바로는.

repórted spéech *n.* Ⓤ 〖文法〗 간접화법(indirect narration); (간접화법의) 피전달부.

repórt·er *n.* 보고[신고]자; (보도) 기자, 리포터, 통신[보도]원〈*for*〉, (라디오·텔레비전의) 뉴스 아나운서; 의사[판결] 기록 작성자; 속기사.

rep·or·to·ri·al [rèpərtɔ́ːriəl, rìː-, -pɔːr-] *a.* 《美》 보고[보도]자의, 기자의, 통신원의; 보고의; 보고적인. **~·ly** *adv.*

repórt stàge *n.* [the ~] 〖英下院〗 (제3독회 전에 행해지는) 위원회 보고의 심의.

re·pos·al [ripóuzəl] *n.* 《廢》 (신뢰·신용 따위를) 두기.

re·pose[1] [ripóuz] *n.* **1** Ⓤ 휴식(rest); 수면; 휴양, 정양: seek[take, make] ~ 휴식하다. **2** Ⓤ 안일, 정지(靜止); 평정, 한적; 〖宗〗 (성인의) 영면. **3** Ⓤ 침착, 태연자약; 〖畫〗 (색채 따위의) 조화, 안정감: This picture lacks ~. 이 그림은 안정감이 없다. —— *vt.* [+目/+目+前+名] 눕히다, 쉬게 하다, 휴양시키다: *R*~ yourself for a while. 잠시 누워서 쉬시오/He ~*d* his head ***on*** the pillow. 베개를 베고 쉬었다. —— *vi.* 주 rest, lie에 대한 《文語》. **1** [動/+前+名] **a**) 쉬다, 휴식하다: ~ *on* a couch 긴의자에서 쉬다. **b**) 잠자다, 편안한 자세로 눕다; 영면하다: The village ~*d* ***in*** the dusk. 그 마을은 황혼속에 잠들고 있었다/Below this stone ~ the mortal remains of.... 이 돌 아래 …의 영혼이 잠들다《묘비의 문구》. **c**) 얹혀 있다: The foundations ~ ***upon*** rock. 토대는 암석 위에 놓여 있다. **2 a**) [+*on*+名] 기초를 두다, 기인하고 있다(be based): Medieval justice ~*d* greatly ***on*** the system of fines. 중세의 재판은 다분히 벌금제에 의존하고 있었다. **b**) [+*in*+名] 《古》 의지하다, 신용하다: Her trust ~*d* ***in*** God. 그녀는 신을 의지하고 있었다. **3** [+*on*+名] (기억 따위가) 언제까지나 머물다: His mind ~*d* (***up***)***on*** the past. 언제까지나 과거의 추억에 잠겨 있었다.

〚OF *repos*(*er*) <L; ⇨ PAUSE〛

repose[2] *vt.* [+目+*in*+名] (신용 따위를) 두다; (희망을) 걸다; (권한 따위를) 위임[위탁]하다; 《古》 맡기다: They ~*d* complete confidence ***in*** his loyalty. 그의 충성심을 전적으로 신뢰하고 있었다. 〚*re-*〛

repóse·ful *a.* 평정한, 차분한, 침착한. **~·ly** *adv.* **~·ness** *n.*

re·pos·it [ripázət] *vt.* 보존하다, 저장[저축]하다(store), 맡기다(deposit); [riː-] 《稀》 되돌려놓다(put back).

re·po·si·tion[1] [rìːpəzíʃən, rèp-] *n.* Ⓤ 저장, 보존, 보관, 저축; 《스코》 복귀. 〚↑〛

rè·posítion[2] *vt.* 다른[새로운] 장소로 옮기다, …의 위치를 바꾸다.

re·pos·i·to·ry [ripázətɔ̀ːri; -təri] *n.* **1** 용기; 저장소, 창고; 《비유》 (지식 따위의) 보고; 진열장, 매점; 박물관(museum). **2** 납골당(納骨堂), 매장소. **3** (비밀 따위를) 털어놓을 수 있는 사람〈*of*〉. —— *a.* (약제가) 지속성의.

〚F or L; ⇨ REPOSE[2]〛

rè·posséss *vt.* 다시 입수하다, 되찾다; (분할 지급 계약 따위의 불이행으로 상품을) 회수하다, 인수하다; (남에게) 되찾아[회복시켜] 주다.

rè·possésion *n.* 재소유, 회복.

re·pót *vt.* (식물을) 다른 화분에 옮겨 심다.

re·pous·sé [rəpuːséi; ⌐-⌐] *a.*, *n.* (금속 세공에서) 안쪽을 쳐서 바깥 쪽을 두드러지게 한 (세공). 〚F (p.p.) ‹ *re-* (*pousser* to PUSH)〛

re·pówer *vt.* …에 동력을 재공급하다; (특히) (선박 따위에) 새로운[다른] 엔진을 장치하다.

repp, repped ☞ REP[1].

repr. represent(ing), represented; reprint(ed).

rep·re·hend [rèprihénd] *vt.* 꾸짖다, 나무라다, 책망하다, 비난하다(blame): ~ a person's conduct 남의 행위를 꾸짖다.

〚L (*prehens- prehendo* to seize)〛

rep·re·hen·si·ble [rèprihénsəbəl] *a.* 비난할 만한, 괘씸한. **-bly** *adv.* 괘씸하게도. **~·ness** *n.*

rep·re·hen·sion [rèprihénʃən] *n.* Ⓤ 질책, 견책(譴責), 비난.

rep·re·hen·sive [rèprihénsiv] *a.* 꾸짖는, 비난적인, 견책적인. **~·ly** *adv.*

***rep·re·sent** [rèprizént] *vt.* **1 a**) 표현[묘사]하다, 그리다, 그려져 있다(portray): This painting ~*s* a hunting scene. 이 그림은 사냥하는 장면을 그린 것이다. **b**) 나타내다, 상징하다; 의미

하다 : The stars in the American flag ~ the States. 미국 국기의 별은 주(州)를 나타낸다 / His excuses ~*ed* nothing to me. 그의 변명은 나에게 아무 소용이 없었다. **c)** …에 해당하다, …의 대신이 되다 : Camels are ~*ed* in America by llamas. 아메리카에서 낙타에 해당하는 것은 야마다. **d)** …의 표본[전형]을 나타내다 : Every major American writer is ~*ed* in the library. 그 도서관에는 미국의 모든 일류 작가의 작품이 소장되어 있다.

2 대리[대표]하다 ; …의 대의원[대표자]이 되다 : The State was ~*ed* in Congress by three Democrats. 그 주는 의회에서 3명의 민주당 의원이 선출되었다 / Each party is ~*ed* at the committee. 그 위원회에는 각 당에서 대표가 나와 있다 / Our firm is ~*ed* in Korea by Mr. White. 우리 회사의 한국에서의 대표[지사장]는 화이트씨입니다.

3 (연극을) 공연하다, 상연하다 ; (…역으로) 분장하다 : The actor was somewhat old to ~ Hamlet. 그 배우는 햄릿역을 하기에는 좀 늙었다.

4 [+目/+目+前+名/+*that* 節/+目+*as* 補] 설명하다, 지적하다, 묘사하다 ; 마음에 그리다, 상상하다 : The orator ~*ed* the importance of the bill ***to*** his audience. 연사는 청중에게 그 법안의 중대성을 설명했다 / Can you ~ infinity *to* yourself? 무한이라는 것을 상상할 수 있습니까 / I ~*ed* (*to* him) *that* the plan was not practicable. (그에게) 그 안은 실행불가능하다는 것을 지적해 주었다 / Macaulay ~*s* King Charles *as* a faithless fanatic. 매콜리는 찰스왕을 신의가 없는 광신자로 묘사하고 있다.

5 [+目+*as* 補/+目+*to* do/+*that* 節] (…라고) 말하다, 주장하다, 단언하다 : He ~*ed* the plan *as* safe, but it was not. 그는 그 계획이 안전하다고 주장했지만 그렇지 않았다 / The stranger ~*ed* himself *as*[*to* be] a lawyer. 그 낯선 사람은 자기가 변호사라고 주장했다 / He ~*ed* *that* he had served in the R. A. F. 그는 영국 공군에 근무한 적이 있다고 말했다.

── *vi.* 항의[진정]하다.

~·able *a.* **~·er** *n.*

〚OF or L ; ⇨ PRESENT³〛

rè-presént *vt.* **1** 다시 선사하다, 다시 제출하다. **2** (연극 따위를) 재상연하다.

rep·re·sen·ta·tion [rèprizentéiʃən] *n.* **1** Ⓤ 표시, 표현, 묘사 ; Ⓒ 초상, 화상, 조상(彫像), U,C 구상(具象). **2** [흔히 *pl.*] 설명, 진술, 주장, 단언 ; [흔히 *pl.*] 항의(remonstrance) : make ~*s* to[against] …에게 진정[항의]하다 / on a false ~ *that* …라는 거짓 진술에 입각하여. **3** U,C 연출 ; 분장. **4** Ⓤ 상상(력), 개념작용 ; 표상(表象) ; 〔美術〕 구상주의(representationalism). **5** Ⓤ 대표, 대리 ; [집합적으로] 대표자 : functional [vocational] ~ 직능대표. **6** Ⓤ 대의제도 ; 대의원 선출권 ; 대표단 의원단 : proportional ~ 비례대표제 / regional ~ 지역 대표제 / No taxation without ~. 대의권 없이는 납세 의무 없음. **7** 〔컴퓨〕 표현.

representátion·al *a.* 표상의 ; 대표(제)의 ; 〔美術〕 구상주의의(↔*nonrepresentational*).

representátion·al·ìsm *n.* 〔哲〕 표상(表象)주의 《우리가 지각하는 것은 실재(實在)의 사상(寫像)인 표상에 지나지 않는다고 하는 입장》 ; 〔美術〕 구상(具象)주의. **-ist** *n.*

representátion·ìsm *n.* 〔哲〕 =REPRESENTATIONALISM.

***rep·re·sen·ta·tive** [rèprizéntətiv] *n.* **1** 대리인, 대표자〈*of, from, on, at*〉, 사절 ; 후계자, 상속인 : real[natural] ~ 가계 상속인. **2** 국회의원 ; 《美》 하원 의원(cf. CONGRESSMAN, SENATOR) : the House of *R*~*s* (미국 의회·주의회의) 하원. **3** 대표하는 것, 견본, 표본, 전형. **4** 재외사절. **5** 유사물. ── *a.* **1** 대표하는, 대리의 ; 대의제(代議制)의 : the ~ chamber[house] 대의원(院) / ~ government 대의정체 / the ~ system 대의제 / The Congress[Parliament] is ~ *of* the people. 의회는 국민을 대표한다. **2** 나타내는, 묘사하는, 상징하는 ; 표상의 ; 대응하는 ; 〔美術〕 구상의 : The illuminations are ~ *of* medieval life. 그 채색 장식은 중세인의 생활을 묘사하고 있다. **3** 전형적인(typical).

~·ly *adv.* **~·ness** *n.*

〚OF or L ; ⇨ REPRESENT〛

represént·ed spéech *n.* 〔文法〕 묘출화법《직접화법과 간접화법의 중간 성격을 가짐》.

re·press [riprés] *vt.* **1** 억압하다, 진압하다 : ~ a revolt[riot] 반란[폭동]을 진압하다. **2** (충동·욕구 따위를) 억누르다, 억제하다(check) : ~ one's emotions[tears] 감동[눈물]을 억제하다. **3** 〔法〕 억압하다 ; 〔法〕 (유전자를) 억제하다.

~·er *n.* 억압하는 것, 억압자.

~·ible *a.* 억압[진압] 할 수 있는.

〚L ; ⇨ PRESS¹〛

re-préss *vt.* 다시 누르다, 다시 죄다 ; (특히 레코드를) 재(再)프레스하다.

re·préssed *a.* 억눌린, 진압된, 억압된.

re·pres·sion [ripréʃən] *n.* Ⓤ 억제, 제지, 진압 ; 〔心〕 억압(cf. INHIBITION) ; Ⓒ 억압 본능.

re·pres·sive [riprésiv] *a.* 제지하는, 억압적인, 진압의. **~·ly** *adv.* **~·ness** *n.*

représ·sor *n.* **1** 억압하는 것. **2** 〔遺〕 억제 물질.

représsor pròtein *n.* 〔生化〕 억제 단백질《제어 유전자에 의해서 만들어지는 단백질》.

re·prieve [riprí:v] *vt.* **1** 〔法〕 (사형수의) 형의 집행을 유예하다. **2** (위험·곤란에서) 일시 구제하다, 잠시 경감하다. ── *n.* **1** U,C (형의) 집행유예, (사형) 집행연기(영장). **2** U,C 일시적 경감[해방, 구제], 유예. **re·príev·al** *n.*

〚C16 *repry*<AF and OF RE*pris* -*prendre* to take back〛

rep·ri·mand [réprəmæ̀(:)nd ; -mɑ̀:nd] *n.* U,C 견책(譴責), 징계(reproof) ; 비난, 질책. ── *vt.* [+目/+目+前+名] 견책하다, 징계하다 ; 질책하다 : He was sharply ~*ed* ***for*** indulgence in the habit. 그는 그 습관에 빠져 있다는 이유로 몹시 꾸지람을 들었다.

〚F<Sp.<L ; ⇨ REPRESS〛

re·prínt *vt.* 재판[번각(飜刻)]하다, 재인쇄하다 : The book is ~*ing* (=being ~*ed*). 그 책은 재판(再版)중이다. ──[ˊˋ] *n.* 재판, 번각판 ; (잡지 따위의) 발췌 인쇄(offprint).

re·pri·sal [ripráizəl] *n.* U,C 보복 ; [보통 *pl.*] 배상금 ; 〔史〕 보복적 강탈 ; (일반적으로) 앙갚음 : make ~(*s*) 앙갚음 하다.

letters of reprisal 〔史〕 나포(拿捕) 면허장.

〚AF *reprisaille*<L ; ⇨ REPREHEND〛

re·prise [riprí:z] *n.* **1** [보통 *pl.*] [, ripráiz] 〔法〕 토지에 드는 연간 경비. **2** 〔樂〕 (제 1 주제의) 재현부. **3** 재개, 반복, 되풀이.

beyond[***above, beside***] ***reprises*** 여러 경비를 치른 나머지의.

── *vt.* …의 연주를 반복하다 ; 《古》 (무력으로) 되찾다 ; 《古》 =COMPENSATE. 〚F ; ⇨ REPRIEVE〛

re·pro [ríːprou] 《口》 *n.* (*pl.* **~s**) =REPRODUCTION ; =REPRODUCTION PROOF.

re·proach** [ripróutʃ] *vt.* **1** [+目/+目+前+名] 꾸짖다, 나무라다 ; 비난하다(blame) : She *~ed* her son ***for be*ing* late for dinner. 저녁식사에 늦었다고 아들을 꾸짖었다 / Don't you have anything to ~ yourself ***with***? 너 스스로 가책받을 만한 일은 없니 / He *~ed* his pupil *with* laziness. 학생을 게으르다고 꾸짖었다. **2** 《稀》 …의 체면을 손상시키다(disgrace). ── *n.* **1** Ⓤ 질책, 비난 ; Ⓒ 비난의 말 ; 비난의 대상 : *without* [*beyond*] ~ 흠잡을 데 없는, 나무랄 데 없는 / He heaped *~es* on his son. 아들을 마구 야단쳤다. **2** Ⓤ 치욕, 불명예 ; Ⓒ 수치가 되는 것 : That will bring ~ upon you. 그것은 네 얼굴에 먹칠하는 꼴이 될 것이다. **~·able** *a.* 비난할 만한, 나무라야 할. **~·er** *n.* **~·ing·ly** *adv.* 꾸짖듯이, 책망하듯이, 비난조로. 〖OF *reproche*(*r*) (*re-*, L *prope* near) ; 'bring back near'의 뜻〗
類義語 ⟹ SCOLD.

repróach·ful *a.* **1** 꾸짖는, 나무라는, 비난하는 듯한. **2** 《古》 수치스러운, 비난할 만한.
~·ly *adv.* 비난하듯이.

repróach·less *a.* 비난의 여지가 없는, 더할 나위 없는(irreproachable). **~·ness** *n.*

rep·ro·bate [réprəbèit] *vt.* **1** 나무라다, 비난하다 ; 물리치다, 거부하다 ; 〖法〗 (증서를) 거부하다. **2** 〖神學〗 (신이) 저버리다. ── *a.* **1** 신에게 버림받은(↔*elect*). **2** 사악한, 타락한 ; 절개 없는. ── *n.* 신에게 버림받은 사람 ; 타락자, 건달, 무뢰한. 〖L ; ⇨ PROVE〗

rep·ro·ba·tion [rèprəbéiʃən] *n.* **1** Ⓤ 〖神學〗 영벌(永罰), 영원한 정죄(↔*election*). **2** Ⓤ 반대, 배격, 이의(異議)〈*against*〉. **3** Ⓤ 비난, 질책.

re·prócess *vt.* (폐품 따위를) 재가공하다, 재생하다, 재처리하다.

re·prócess·ing plànt *n.* (핵연료) 재처리 공장, 재처리 플랜트.

rè·prodúce** *vt.* **1** 재생시키다 ; 재현하다, 부활시키다(revive) : Lobsters can ~ claws when these are torn off. 로브스터는 집게발이 떨어져 나가도 재생할 수 있다 / They are endeavoring to ~ the social conditions of prewar days. 전쟁 전의 사회상태를 재현하려고 힘쓰고 있다. **2** [+目/+目+前+名] 복사[모조]하다 ; 재판(再版)[번각(飜刻)]하다 : Her features have been *~d* pretty well ***on canvas. 그녀의 얼굴이 캔버스에 아주 잘 그려져 있다 / These illustrations have been *~d* ***from*** some rare prints. 이들 삽화는 몇몇 진귀한 판화에서 복사한 것이다. **3** 낳다, 생식하다, 번식시키다 : ~ offspring[one's kind] 새끼[자기 종족]를 번식시키다 / ~ oneself 생식[번식]하다. ── *vi.* **1** 생식[번식]하다 : Most plants ~ by seeds. 대개의 식물은 씨로 번식한다. **2** 복제[복사, 재생]되다 : This print will ~ well. 이 판화는 잘 복제될 것이다.
rè·prodúcer *n.* **rè·prodúcible** *a.*

rè·prodúction *n.* **1** Ⓤ 재생, 재현 ; 〖經〗 재생산. **2** 복사물, 번각물(飜刻物), 복제, 모조 ; 재간(再刊), 재연(再演). **3** Ⓤ 〖生〗 생식. **4** Ⓤ 〖心〗 재생 작용.

reprodúction prò̀of *n.* 〖印〗 전사지.

rè·prodúctive *a.* **1** 생식의 : ~ organs 생식기. **2** 재생[재현]의. **3** 다산의(fertile) : a ~ race 다산(多産)의 종족. ── *n.* 〖昆〗 (흰개미류의) 생식계급. **~·ly** *adv.* **~·ness** *n.*

re·prógram *vt., vi.* (컴퓨터 따위의) 프로그램을 다시 만들다.

re·prog·ra·phy [riprágrəfi] *n.* (사진·전자 장치에 의한 책이나 문서의) 복제, 복사 (기술).
re·prógra·pher *n.*

re·proof [riprúːf] *n.* Ⓤ 질책, 견책, 비난 ; Ⓒ 의견, 잔소리 : a word of ~ 비난하는 말, 잔소리. ***in reproof of*** …을 비난하여.
〖OF〗

re-próof *vt.* (외투 따위를) 다시 방수가공하다.

répro pròof *n.* =REPRODUCTION PROOF.

re·próv·able *a.* 비난할 만한. **~·ness** *n.*

re·próv·al [riprúːvəl] *n.* =REPROOF.

re·prove** [riprúːv] *vt.* [+目/+目+前+名] 꾸짖다, 질책하다 ; 나무라다, 비난하다(blame) : He *~d* me to my face. 그는 나를 맞대놓고 책망했다 / She *~d* the maid ***for her carelessness in washing up. 그녀는 가정부에게 조심성없이 설거지한다고 꾸짖었다. **re·próv·ing·ly** *adv.* 비난하듯이, 꾸짖듯이, 듣기 싫게.
〖OF<L ; ⇨ REPROBATE〗
類義語 ⟹ SCOLD.

rè·provísion *vt.* 다시 음식[식량]을 보급하다.

reps ☞ REP[1].

rept. receipt ; report.

***rep·tile** [réptl, -tail ; -tail] *n.* **1** 파행(爬行) 동물 ; 〖動〗 파충류의 동물. **2** 《비유》 비열한 인간, 치사한 인간. ── *a.* **1** 파행하는, 기어다니는 ; 파충류의. **2** 《비유》 비열한, 치사한(base) ; 악의 있는, 나쁜.
〖OF or L (*rept-* *repo* to creep)〗

Rep·til·ia [reptíliə] *n. pl.* 파충류《분류명》.

rep·tíl·i·an *a.* **1** 파충류의[같은]. **2** 비열한, 음흉한. ── *n.* 파행 동물, 파충류.

Repub. Republic ; Republican.

***re·pub·lic** [ripʌ́blik] *n.* **1** 공화국 ; 공화정체. **2** …사회, …계(界), …단(壇) : the ~ of letters 문학계, 문단 ; 문학. **3** 《廢》 국가.
〖F<L (*res* concern, PUBLIC)〗

***re·pub·li·can** [ripʌ́blikən] *a.* **1** 공화국의 ; 공화정체[주의]의. **2** [R~] 《美》 공화당의(cf. DEMOCRATIC). **3** (새 따위가) 떼지어 사는.
── *n.* **1** 공화주의자. **2** [R~] 《美》 공화당원(cf. DEMOCRAT).

repúblican·ìsm *n.* Ⓤ 공화정체[주의] ; [R~] 《美》 공화당의 주의[정책] ; [R~] [집합적으로] 《美》 공화당, 공화당원.

repúblican·ìze *vt.* 공화국으로 하다, 공화 정체로 하다 ; 공화주의화하다.

Repúblican párty *n.* [the ~] 《美》 공화당 《the Democratic party와 더불어 미국의 2대 정당 ; cf. ELEPHANT》.

re·publicátion *n.* Ⓒ 재판(再版)(물), 번각(飜刻)(물) ; Ⓤ 재발포(再發布), 재발행.

rè·públish *vt.* 재발포하다, 재발행하다 ; 재판[번각]하다 ; 〖法〗 (유언장 따위의) 취소를 해제하다.

re·pu·di·ate [ripjúːdièit] *vt.* **1** 거절하다 ; (교리 따위를) 거부[부정]하다 ; (혐의·비난을) 부인[부정]하다 ; (아내와) 이혼하다 ; (어버이와 자식의) 인연을 끊다 : He *~d* the authorship of the book. 그 책을 자기가 저술한 것이 아니라고 말했다 / He *~d* (any connection with) his old friend. 그는 옛 친구와 인연을 끊었다. **2** (채무 따위의) 이행을 거절하다 ; (국가가 국채의) 지급을 거절하다. **re·pú·di·à·tor** *n.* 이혼자 ; 포기자, 거절[거부]자 ; 지급 거절자.
〖L (*repudium* divorce)〗

re·pu·di·a·tion [ripjùːdiéiʃən] *n.* Ⓤ 포기, 거절,

부인 ; 이혼, 절연 ; (국채 따위의) 지급 거절 ; 〖敎會〗 (성직자의) 성직록의 사절.

re·pugn [ripjúːn] *vi.* 《古》 반대하다, 반항하다 〈*against*〉. ── *vt.* 《稀》 …에 반항[저항]하다 ; 《廢》 …과 모순되게 하다 ; 싫증나게 하다. 〖L (*pugno* to fight)〗

re·pug·nance, -cy [ripʌ́gnəns(i)] *n.* **1** Ⓤ [+前+do*ing* / +*to* do] 질색 ; 혐오, 반감(aversion) : He has a great ~ ***to*** figures[*to* writ*ing* letters]. 숫자는[편지쓰는 것은] 아주 질색이다 / She showed no small ~ *to* accept the money. 그 돈을 받아들이는데 적지않게 싫은 기색을 보였다. **2** U,C 모순, 불일치〈*of, between, to, with*〉. 類義語 ⟹ AVERSION.

re·púg·nant *a.* **1** 매우 불쾌한, 지겨운, 싫은 : It is ~ *to* me even to speak to him. 그에게는 말하기조차 싫다. **2** 모순된 ; 일치[조화·양립]하지 않는 : These actions seem ~ *to* his words. 이러한 행동은 그의 말과 모순된 것으로 생각된다. **3** 《詩》 반항하는, 반감을 품는(hostile)〈*to*〉. **~·ly** *adv.* 〖F or L=resisting ; ⇨ REPUGN〗

re·pulse [ripʌ́ls] *vt.* **1** 격퇴하다(repel) ; 반박하다 : ~ the enemy[an attack] 적[공격]을 격퇴하다. **2** (사람·신청·구혼 따위를) 퇴짜놓다, 거절하다 ; 혐오하다. ── *n.* 격퇴 ; 반박, 거절, 퇴짜놓기 : meet with[suffer] a ~ 격퇴[거절]당하다. 〖L ; ⇨ REPEL〗

re·pul·sion [ripʌ́lʃən] *n.* **1** Ⓤ 격퇴 ; 반박 ; 거절. **2** U,C 반감, 혐오, 지긋지긋함(aversion)〈*for*〉. **3** Ⓤ 〖理〗 반발력, 척력 ; 〖醫〗 소산(消散).

re·pul·sive [ripʌ́lsiv] *a.* 물리치는, 되쫓아버리는 ; 쌀쌀한(repellent), 냉담한(cold) ; 싫은 ; 지긋지긋한 ; (소리를) 되울리는 ; 〖理〗 반발하는 : ~ force 〖理〗 척력, 반발력. **~·ly** *adv.* 지긋지긋하게, 싫증나게 ; 쌀쌀하게, 냉담하게.

repúlsive(-tỳpe) màglev *n.* 〖鐵〗 반발식의 자기 부상(磁氣浮上).

rep·únit [rep-] *n.* 렙유닛《동일 정수(整數)가 배열된 수 ; 22, 222, 2222 따위》. 〖*rep*eating *unit*〗

re·púrchase *vt.* 되사다.
── *n.* 되사기 ; 되사는 물건.

repúrchase agrèement *n.* 《美》 환매(還買) 약정《재무부 증권 따위의 환매 협약》.

rep·u·ta·ble [répjətəbəl] *a.* 평판이 좋은, 명성이 자자한 ; 훌륭한, 존경할만한(honorable, respectable) ; (말이) 표준적인. **-bly** *adv.* 평판좋게 ; 훌륭하게. 〖F or L ; ⇨ REPUTE〗

rep·u·ta·tion** [rèpjətéiʃən] *n.* **1** U,C [+前+do*ing*] 평판, 세평 ; 소문 : a man *of* good[high] ~ 평판 좋은 사람 / a man *of* poor ~ 평판 나쁜 사람 / He has[enjoys] a good ~ *as* a physician. 의사로서 평판이 좋다 / He had a ~ ***for business sagacity. 실무 능력이 뛰어나기로 평판이 나 있었다 / She has the ~ ***of*** be*ing* kind to the poor. 가난한 사람들에게 친절하다는 평판을 듣고 있다 / make a ~ for oneself 평판을 얻다, 명성을 떨치다. **2** Ⓤ 호평, 명망, 명성(fame) : a person *of* ~ 명망가 / a man *of* no ~ 평판이 좋지 않은 사람 / live up to one's ~ 행실이 평판 그대로다. **~·al** *a.*

***re·pute** [ripjúːt] *n.* **1** Ⓤ 평판, 세평(reputation) : be in high[of good] ~ 평판이 좋다, 신용이 있다 / by ~ 세평으로는. **2** Ⓤ 호평, 명성(fame) (↔*disrepute*) : a man of ~ 세상에 알려진 사람 / wines of ~ 명주(名酒). ── *vt.* [+目+*to* do / +目+補 / 《稀》+目+*as* 補 / +目+副] [보통 수동태로] 평하다, 일컫다, 간주하다(consider) : He *was* ~*d to be* stingy. 인색하다는 평판이었다 / He *is* ~*d* (*as*) the best dentist in the town. 그 시에서 제일가는 치과의사라고 이름이 나 있다 / He *is ill*[*well, highly*] ~*d*. 평판이 나쁘다[좋다]. 〖OF or L *re*-(*puto* to reckon)=to think over〗

re·pút·ed *attrib. a.* …라고 일컬어지는, …의 평판이 있는 ; 유명한, 평판이 좋은 : his ~ father 그의 아버지라고 일컬어지는 사람 / a ~ pint 《英》 이른바 1파인트들이의 병《맥주 따위》.
~·ly *adv.* 세평에 따르면, 평판으로는.

req. request; require(d); requisition.

‡re·quest [rikwést] *vt.* [+目/+目+前+名/+*to* do/+目+*to* do/+*that* 節] 부탁하다, 간청[간원]하다(ask) : as ~*ed* 부탁받은 대로 / We ~ the honor of your company. 부디 참석해 주시기 바랍니다 / What I ~ ***of*** you is that you should keep it secret. 내가 자네에게 바라는 것은 그것을 비밀로 해달라는 것이네 / I ~ *to* be informed of the current affairs. 현재의 정세를 알려주기 바란다 / I must ~ you *to* hold your tongue. 조용히 해주시기 바랍니다 / The public is ~*ed* to keep off the grass. 일반인들은 잔디밭에 들어가지 마시기 바랍니다 / He ~*ed that* the error (should) be corrected. 그는 그 착오를 정정해 달라고 부탁했다 《㈜ should를 생략하는 것은 주로 《美》》.
── *n.* **1** U,C 소원, 부탁, 요구 ; 요청, 요망, 간청 : We made a ~ *to* them *for* the information. 우리는 그들에게 정보를 제공해 달라고 요청했다. **2** 청구[요구]물, 수요품 ; 간청문, 의뢰문, 청원서. **3** Ⓤ 수요(demand) : This article is ***in*** (great) ~. 이 상품은 (많은) 수요가 있다 / Mr. Johnson was very much *in* ~ as a lecturer. 존슨 씨는 강사로서 많은 출강 요청을 받았다 / come into ~ 수요가 생기다.

at a person's request*＝*at the request of a person 남의 부탁으로 : I did so *at* your ~. 당신의 부탁을 받고 그렇게 했습니다.

by*[*at*] *request 요청에 응하여, 부탁대로 : Buses stop here only *by* ~. 버스는 요청이 있을 때만 이곳에 정차한다.

on*[*upon*] *request 청구하면, 신청하면, 청구[신청]하는 대로 : It is available *on* ~ *to* you. 당신이 신청하시는 대로 드리겠습니다.

〈회화〉
I have a *request* to make (of you).— What's that? 「부탁이 하나 있는데요」「뭔데요」

~·er *n.* 청구자. 〖OF<L ; ⇨ REQUIRE〗
類義語 ⟹ ASK (2).

requést nòte *n.* 《英》 (세관의) 과세 대상 화물 양륙 허가 신청서.

requést stòp *n.* (승하차객이 있을 때만 서는) 버스 정류장.

re·quíck·en *vt., vi.* 소생시키다[하다] ; 다시 활기띠게 하다[활기 띠다].

req·ui·em[1] [rékwiəm, -em, 美+réik-, 美+ríːk-] *n.* **1** [흔히 R~] 〖카톨릭〗 **a**) 위령미사《죽은 이를 위한 미사》. **b**) 위령곡(曲), 진혼곡. **2** (죽은 사람의 명복을 비는) 애가(哀歌)(dirge), 만가(挽歌). 〖L=rest ; 미사의 최초의 말〗

réquiem[2] **(shàrk)** *n.* 〖魚〗 흉상어《참상어과인 상어의 총칭》. 〖F〗

req·ui·es·cat [rèkwiéskɑːt, -kæt, rèikwiéskɑːt] *n.* 죽은 사람을 위한 기도. 〖L ; ↓에서〗

requiéscat in páce [-in páːke, -páːtʃei] 고이

잠드소서《묘비명 ; 略 RIP》. 〖L=may he[she] rest in peace! (*requiesco* to rest)〗

‡**re·quire** [rikwáiər] *vt.* **1** [+目/+目+前+名/+目+*to* do/+*that* 節] (권리로서, 권력에 의해) 요구하다 ; 명하다, 명령하다 ; 《古》 요청하다, 부탁하다 : Your presence is urgently ~*d.* 필히 출두해 주십시오 / We will do all that is ~*d* ***of*** us. 무슨 일이든 요구하는 대로 하겠습니다 / He ~*d* some more information ***from*** me. 그는 나에게 좀더 많은 정보를 전해줄 것을 요구했다 / You are ~*d to* report to the police. 경찰서로 출두하기를 명한다 / The law ~*s that* there (shall) be no delay. 그 법률이 명하는 바에 의하면 일각의 유예도 있을 수 없다 《주 shall을 생략하는 것은 주로 《美》》. **2** [+目/+*to* do/+do*ing*/+*that* 節] 필요로 하다(need) ; …하고 싶다 ; 《英》 (…할) 필요를 느끼다 : The matter ~*s* utmost care. 그 일은 세심한 주의를 필요로 한다 / He ~*s to* be warned against drinking. 그에게 술을 삼가도록 경고할 필요가 있다 / The young seedlings ~ look*ing* after carefully. 그 묘목은 조심해서 돌보아야 할 필요가 있다《주 이 구문에는 need, want의 쪽이 적절함》 / The situation ~*s* ***that*** this should be done immediately. 상황으로 보아 이 일은 즉각 해야 한다. —— *vi.* **1** (법률 따위가) 요구하다, 명하다. **2** 《古》 필요하다 : more than ~*s* 필요 이상으로.
〖OF<L RE*quisit*- -*quiro* to seek〗
類義語 ⟹ DEMAND.

re·quíred cóurse *n.* 필수 과목.

requíre·ment *n.* 요구, 필요 ; 요구물, 필요물 ; 필요 조건, 자격.

req·ui·site [rékwəzət] *a.* 필요한, 필수(必須)의 (needful)〈*for, to*〉. —— *n.* 필수품, 필요물, 요소, 요건〈*for*〉. **~·ly** *adv.* **~·ness** *n.*
〖L ; ⇨ REQUIRE〗
類義語 (1) (*a.*) ⟹ NECESSARY.
(2) (*n.*) ⟹ NEED.

req·ui·si·tion [rèkwizíʃən] *n.* **1** Ⓤ (권력 따위에 의한) 요구, 청구 ; 징발, 징용 ; Ⓒ 징발 명령(서) : The army made a ~ *on* the villagers *for* provisions. 군(軍)은 마을 사람들에게 식량 징발의 명령을 내렸다. **2** Ⓤ 소용, 수요 : be in [under] ~ 수요가 있다, 사용되다. **3** 필요조건 ; 청구서, 명령서 ; 〖法〗 (타국으로 도주한 범죄자의) 인도 요구.
bring [***call, place***] ***...into requisition*** = ***put...in requisition*** = ***lay...under requisition*** …을 징용[징발]하다.
—— *vt.* **1** 징발[징용]하다, 접수하다 ; 강제 사용하다 : ~ supplies[horses, labor] 물자[말·노무자]를 징발하다. **2** (도시 따위에서 물자 따위를) 징발하다 ; …에게 요구하다 ; …을 요구[청구]하는 서류를 제출하다 : The army ~*ed* the village ***for*** stores. 군은 그 마을에서 식량을 징발했다.
〖F or L ; ⇨ REQUIRE〗

re·quit·al [rikwáitl] *n.* Ⓤ 보답, 보상 ; 보복, 복수, 벌 : in ~ of[for] …의 보수로, …의 보답으로 ; …의 앙갚음[보복]으로.

re·quite [rikwáit] *vt.* [+目/+目+前+名] …에 보답하다(reward) ; …에 보복하다, 복수하다 (avenge) : Did she ~ your love? 그녀가 당신의 사랑에 응하던가요 / The Bible tells us to ~ evil ***with*** good. 성경은 우리에게 악을 선으로 갚으라고 가르치고 있다 / I'll ~ you ***for*** your help. 당신의 도움에 보답하겠습니다.
requite like for like 똑같은 방법으로 보복하다, 즉각 보복하다.
〖*re*-, *quite* (obs.) to QUIT〗

re·rádiate *vt., vi.* 〖理〗 재복사하다.
re·radiátion *n.* 〖理〗 재복사. **re·rádiative** *a.* (열 따위를) 재복사할 수 있는.

re·ráil *vt.* (기관차를) 선로에 되돌리다.

re·réad *vt.* 다시 읽다, 되풀이해서 읽다.

rè·recórd *vt.* 재녹음하다.

rere·dos [ríərdɑs] *n.* (교회의 제단 뒤의) 장식벽 [병풍] (altarpiece) ; 난로의 뒤쪽벽.
〖AF (ARREAR, *dos* back)〗

rè·refíne *vt.* (사용한 모터 오일을 윤활유로 하기 위해) 재정제하다.

rè·releáse *vt.* (영화·레코드를) 재공개[재발매]하다. —— *n.* 재발매[재공개](된 것).

re·róute *vt.* 다른[새로운] 길로 수송하다.

re·róut·ing *n.* 〖空〗 운송 계약의 변경.

re·rún *vt.* **1** 재상영하다, (텔레비전 프로그램을) 재방송하다. **2** 〖컴퓨〗 …을 다시 실행하다.
—— [⌐⌐] *n.* **1** (영화의) 재상영, (텔레비전의) 재방송 ; 재상영 영화, 텔레비전 방송 프로그램. **2** 〖컴퓨〗 재실행.

res [réis, ríːz] 〖法〗 *n.* (*pl.* ~) 물(物), 실체 ; 물건 ; 사건 ; 재산. 〖L〗

res. research ; reserve ; residence ; resides ; residue ; resigned ; resistance ; resolution.

re·sáddle *vt.* 안장을 다시 얹다, 안장을 갈다.

re·sáil *vt., vi.* 재출범하다 ; 귀항하다(sail back).

ré·sàle [, ⌐⌐] *n.* Ⓤ,Ⓒ 재판매, 전매(轉賣) ; (구매자에게의) 추가 판매.

résale prìce màintenance *n.* 《英》 재판매 가격 유지.

re·scind [risínd] *vt.* (법률·조약 따위를) 무효로 하다, 폐지하다 ; (명령 따위를) 철회하다 ; (계약을) 해제하다 ; 없애다.
〖L RE*sciss*- -*scindo* to cut off〗

re·scis·sion [risíʒən] *n.* Ⓤ 폐지, 폐기, 무효 ; 철회 ; 계약 해제 ; 예산 취소[폐기].
〖L ; ⇨ RESCIND〗

re·scis·so·ry [risísəri] *a.* 무효로 하는, 폐지하는 ; 철회의 ; 취소의, 해제하는 : a ~ action 증서 무효 확인 소송.

re·script [ríːskrìpt] *n.* **1** 로마 황제 칙재서(勅裁書) ; 〖카톨릭〗 교황 답서[교서]. **2** 칙어(勅語), 칙서, 칙령, 포고(령). **3** 다시 쓰기[쓴 것] ; 사본, 부본. 〖L *re*-(*script*- *scribo* to write) = to reply in writing〗

res·cue** [réskjuː] *vt.* **1** [+目/+目+前+名] (위험에서) 구하다, 구조하다(deliver) ; 석방하다 : He ~*d* the boy ***from drown*ing*. 그는 물에 빠진 소년을 구조했다 / Their names were ~*d from* oblivion. 그들의 이름은 (세상에서) 잊혀지지 않게 되었다. **2** (전리품·피점령지 따위를) 탈환[탈회]하다 ; 〖法〗 (죄수를) 탈주시키다, (차압 재산을) 탈환하다. —— *n.* **1 a)** Ⓤ,Ⓒ 구출, 구원 ; (인명) 구조. **b)** [형용사적으로] 구조의, 구제의 : a ~ home (윤락 여성의) 갱생원 / a ~ party 구조대 / ~ work (부녀자의) 구제사업. **2** Ⓤ 〖法〗 (죄수·차압 물건의) 불법탈환.
come [***go***] ***to the rescue*** (***of...***) (…을) 구조하러 오다[가다], 구하려고 힘쓰다, 구원의 손길을 뻗치다.
rés·cu·er *n.* 구조자, 구원자.
〖OF *re*-(*escourre* to shake out<L *ex*-[1], QUASH)〗
類義語 ⟹ SAVE[1].

réscue bàll *n.* 레스큐 볼《개인용 우주탈출 구형(球形) 장치》.

réscue bòat *n.* 해난 구조선.
re·séal *vt.* 다시 봉(함)하다, 고쳐 봉하다.
re·search** [risə́ːrtʃ, ríːsəːrtʃ] *n.* **1** Ⓤ (용의주도한) 탐색, 조사〈*after, for*〉. **2 a**) Ⓤ [때때로 *pl.*; 또는 a ~] (과학적인) 연구, 학술연구, 탐구 : the results of recent ~ *in* physics 물리학에서의 최근의 연구 성과 / My father is always busy with ~. 아버지는 언제나 연구에 바쁘시다 / Einstein began his ~ *on* relativity. 아인슈타인은 상대성 원리에 대한 연구를 시작했다 / They are making[carrying out] ~*es*[a ~] *into* the history of languages. 그들은 언어사 연구를 하고 있다. **b**) Ⓤ 연구 능력, 연구심 : a scholar of great ~ 연구열이 대단한 학자. —— *vt., vi.* [動/+前+名] 연구하다, 조사하다 : ~ ***into a problem 문제를 조사하다.
~·er, ~·ist *n.* 연구[조사]원.
〚F (*re-*)〛
reséarch assoc̀iation *n.* 연구 조합.
reséarch dirèctor *n.* (기업의) 조사 담당 이사.
reséarch·ful *a.* 연구에 몰두하고 있는, 학구적인.
reséarch lìbrary *n.* 연구[전문] 도서관.
reséarch proféssor *n.* 연구 교수.
reséarch reàctor *n.* 연구용 원자로.
reséarch submèrsible *n.* (심해) 잠수 조사선.
reséarch wòrker *n.* =RESEARCHER.
re·séat *vt.* **1** 다시 앉히다[착석, 복직시키다] : ~ oneself 다시 앉다. **2** (교회·극장 따위에) 새 좌석을 마련하다. **3** (의자의) 앉는 판을 갈다 ; (양복 바지의) 궁둥이 부분을 갈아 대다.
re·seau, ré- [reizóu] *n.* (*pl.* **~s** [-z], **~x** [-z]) 망상(網狀) 조직(network) ; 그물 세공의 레이스 천 ; 〖天〗 레조《천체 사진에서 각 천체의 위치를 측정하기 위한 동일 건판(乾板)상의 방안(方眼)》; 〖寫〗 레조《3원색을 기하학적 무늬로 배치한 천연색 사진용 스크린》.
〚F ; ⇨ RETINA〛
re·sect [risékt] *vt.* 〖醫〗 (조직의 일부를) 절제하다, 잘라내다.
re·sec·tion [risékʃən] *n.* Ⓤ 〖醫〗 절제(술).
~·al *a.*
re·se·da [risíːdə, réizədàː ; résidə] *n.* 〖植〗 목서초(木犀草)의 일종 ; 연둣빛.
re·séed *vt.* (땅·밭에) 다시[새로] 씨를 뿌리다 ; [~ oneself로] 스스로 씨뿌리다, 자생하다.
—— *vi.* 자생하다.
re·ségregate *vt.* …에 대한[있어서의] 인종차별을 부활시키다. **re·segregátion** *n.* 《美》 (흑인과 백인의) 재분리(再分離).
re·séize *vt.* 다시 잡다 ; 다시 점유[점령]하다, 탈환하다 ; 〖法〗 (토지의) 점유권을 회복하다.
re·séizure *n.* Ⓤ,Ⓒ 재입수, 재점유, 탈환, 회복.
re·séll *vt., vi.* 다시 팔다, 전매(轉賣)하다.
***re·sem·blance** [rizémbləns] *n.* **1** Ⓤ 유사(類似) (likeness) ; Ⓒ 유사점, 유사도 : He has a strong ~ *to* his father. 아버지를 꼭 닮았다 / There was a distant[faint] ~ *between* them. 그들 사이에는 어딘가 닮은 데가 있었다 / There is a ~ *of* character. 성격이 닮은 데가 있다. **2** 유사물 ; 닮은 얼굴, 초상, 상(像), 그림(image). **3** 《古》 외관, 외형, 모양.
bear* (*a*) *resemblance to …와 닮다 : The play *bears* very little ~ *to* the original novel. 그 연극은 원작 소설과 아주 딴판이다.
類義語 ⟹ LIKENESS.
re·sém·blant *a.* 유사한, 비슷한.
***re·sem·ble** [rizémbəl] *vt.* …을 닮다 : The child ~*s* his father. 그 아이는 아버지를 닮았다 / The brothers ~ each other. 그 형제는 서로 닮았다. 주 수동태로는 쓰이지 않음.

> **resemble의 ○×**
> (×) This house *is resembing with* that one. (이 집은 저 집과 비슷하다.)
> (◯) This house *resembles* that one.
> ＊resemble은 타동사여서 직접 목적어를 취하므로 전치사는 필요없다. 명사의 경우에는 resemblance *to*...「…와의 유사성」임을 알아야 한다.

〚OF (*sembler* to seem < L *similis* like)〛
re·sénd *vt.* 다시 보내다 ; 되돌려 보내다.
***re·sent** [rizént] *vt.* [+目/+do*ing*] 화내다, 분개하다, 원망하다, 몹시 싫어하다 : He ~*ed* the cutting remark. 그는 비꼬는 말에 화를 냈다.
resént·ful *a.* 분개[원망]하고 있는 ; 성 잘내는.
~·ly *adv.* 분개하여, 원망하여. **~·ness** *n.*
resént·ment *n.* Ⓤ 원한 ; 화, 분개〈*against, at*〉.
類義語 ⟹ OFFENSE.
res·er·pine [risə́ːrpiːn, résərpìːn, -pən] *n.* 〖藥〗 레세르핀《혈압 강하제, 신경안정제(劑)》.
***res·er·va·tion** [rèzərvéiʃən] *n.* **1 a**) Ⓤ,Ⓒ 보류, 유보(留保)(조항), 유보권 : a mental ~ 의중(意中) 유보《진술 따위에서 중대한 것을 감추어두기》. **b**) 제한, 조건, 단서(但書). **2** 《美》 **a**) (객실·좌석·차표 따위의) 지정, 예약(=《英》 booking) : I have *made* all the ~*s for* my European trip. 유럽 여행의 예약을 전부 마쳤다. **b**) 예약석[실]. **3** 《美》 (인디언을 위한) 정부 지정 거주(지), 거류지 ; 공공 지정지《학교·삼림 따위로 쓰임》; 수렵을 금하는 곳 ; 《英》 (차도의) 중앙 분리대 : the Indian ~*s* 인디언 보호 구역.
off the reservation 평소의 긴장에서 풀려, 마음 편하게.
with reservations 조건[유보]부로.
without reservation 숨김없이, 솔직하게 ; 무조건 : I answered *without* ~. 솔직하게 대답했다 / They accepted our proposal *without* ~. 우리의 제의를 무조건 수락했다.

> 〈회화〉
> Do you have a *reservation*? — Yes. The name is Kim. 「예약을 하셨나요」「네. 김이라고 하는데요」

‡re·serve [rizə́ːrv] *vt.* **1** [+目/+目+*for*+名] (다음에 쓰기 위해) 따로 간직해[쓰지 않고, 남겨] 두다 : *R*~ some milk ***for*** tomorrow. 내일 마실 우유를 좀 남겨 둬라 / You had better ~ your energies *for* the new task. 새로운 일을 위해서 정력을 아껴두는 편이 좋겠다. **2** [+目/+目+*for*+名] (좌석 따위를) 예약해 놓다 ; (…용으로) 지정하다(☞ RESERVED 1) : I'll ~ a table. 테이블 하나를 예약해 두겠다 / These bathing boxes are ~*d* ***for*** ladies. 이 탈의장들은 여성용이다. **3** 훗날로 미루다, 연기하다(postpone) ; 삼가다, 경원하다, 보류하다 : ~ one's judgment 판단[판결]을 보류하다. **4** [+目/+目+*to*+名] 보유(保有)하다 ; (권리·이익·조약의 적용 따위를) 유보하다 : He has ~*d* the right to use the well ***to*** his family. 그의 가족을 위해 그 우물 사용권을 보유하고 있다. **5** [+目+*for*+名] **a**) (사람을) 운명짓다 : He had been ~*d* ***for*** that fate. 그는 그와 같이 운명지어져 있었다. **b**) [수동태로] (누구의 것으로서) 운명짓다 : It *was* ~*d* ***for*** him to make the admirable discovery. 이 굉장한 발견은 그에 의해 처음으로 이루어졌다.

—— *n.* **1** 비축⟨*of*⟩; 보존물, 예비품. **2 a)** 준비[예비]금, 적립금 : the gold ~ (지폐 발행 은행의) 금 준비. **b)** 〖軍〗 (1) [때때로 *pl.*] 원군, 예비대, 증원함대. (2) (현역이 아닌) 예비군, 예비함대 : an officer *in* the ~ 예비역 장교. **c)** 〖競〗 후보 선수; (품평회 따위의) 예비 입상자. **3** 특별 보류지; 금렵지(禁獵地) (game reserve) : a forest ~ 보호림 / a ~ *for* wild animals 야생 동물 보호지역. **4** Ⓤ 보류, 보존, 예비, 준비. **5 a)** Ⓤ,Ⓒ 제한, 제외, 유보(留保) : We publish it with all ~[all proper ~*s*]. 그것을 발표는 하지만 그 진위는 보증할 수 없다. **b)** Ⓤ,Ⓒ (경매 따위의) 최저 가격 (제한) (cf. RESERVE PRICE). **6** Ⓤ 자제, 근신, 삼감, 겸손; 침묵; 《古》 비밀 : throw off ~ 털어놓다 / He broke through his ~. 그는 흉금을 터놓게 되었다《갑자기 입을 열기 시작했다 따위》. **7** 〖컴퓨〗 예약. **8** [형용사적으로] 비축해 둔, 예비의; 준비의 : a ~ fund 예비금 / one's ~ strength 축적해 놓은 힘, 여력.

be placed to the reserve (군함이) 예비함대에 편입되다.

in reserve 따로 떼어 놓은; 비축해 둔; 예비의 : keep[have]...*in* ~ …을 예비로 남겨두다.

place. . .to reserve 〖商〗 …을 준비금[적립금]으로 이월하다.

place [***put***] ***a reserve*** (***up***)***on. . .*** (경매품 따위에) 최저 가격을 매기다.

with reserve 조건부로; 삼가.

without reserve 숨김없이, 스스럼 없이; 무조건적으로; (경매에서) 최저 가격을 매기지 않고.

〚OF<L RE*servo* to keep back〛

類義語 ⟹ KEEP.

resérve bànk *n.* 《美》 준비 은행《연방 준비 은행의 하나》.

resérve càrd *n.* 도서 대출 예약 카드, 도서 대출 통지서.

resérve cìty *n.* 《美》 준비금 시(市)《국립은행 조례로 정한 47개의 전국 금융 중심도시의 하나》.

resérve clàuse *n.* 유보 조항《프로 스포츠에서 선수는 트레이드나 계약 해제에 의하지 않는 한 다른 팀으로 이적(移籍)할 수 없다는 조항》.

re·sérved *a.* **1** 보류된, 따로 둔; 예약된, 전세준[낸], 지정된; 예비의; (직업이) 병역 면제의 : a ~ seat 예약[지정]석 / a ~ car[carriage] (열차의) 전세차 / a ~ ration 예비식량《긴급시에 사용하는 농축(濃縮)식품》. **2** 제한된. **3** 삼가는, 조심하는, 속을 터놓지 않는, 말이 없는, 내성적인 (↔*communicative*).

resérved ármy *n.* 예비군.

resérved bóok *n.* (도서관의) 필수 과목용 참고도서; 대출[열람] 예약 도서.

resérved líst *n.* 《英》 해군 예비역 장교 명부.

re·sérv·ed·ly [-ədli] *adv.* 삼가, 마음을 터놓지 않고; 서먹서먹하게.

resérved pówer *n.* 〖美政〗 유보권한《주 또는 국민을 위해 헌법에 유보되어 있는 권한》.

resérved wórd *n.* 〖컴퓨〗 예약어(豫約語).

resérve òfficer *n.* 예비역 장교.

Resérve Ófficers' Tráining Córps *n.* 《美》 예비 장교 훈련단《略 ROTC》.

resérve prìce *n.* 〖商〗 (경매 따위의) 최저 가격.

re·sérv·ist *n.* 예비병, 재향군인.

res·er·voir [rézərvwɑ̀ːr, 美+-vɔ̀ːr] *n.* **1** 저장소; 저수지; 급수소; 저장기(器), 저수 탱크, 수조, (램프의) 기름통, (만년필의) 잉크통; 가스통 : a depositing[settling] ~ 침전지(沈澱池) / a receiving ~ 집수지(集水池). **2** 《비유》 (지식·부 따위의) 저장, 축적, 보고⟨*of*⟩. —— *vt.* 저수지《따위》에 비축하다; 축적하다.

〚F; ⇨ RESERVE〛

re·sét[1] *vt.* **1** [+目/+目+*in*+名] 다시 놓다; 〖印〗 (활자를) 다시 짜다; (보석을) 다시 박다; 〖醫〗 (부러진 뼈를) 이어 맞추다, 정형[접골]하다 : The bone was ~ ***in*** its socket. 그 뼈는 관절와(窩)에 이어 맞추어 졌다. **2** (날붙이에) 날을 다시 세우다, 다시 갈다 : ~ a saw 톱날을 세우다. **3** 〖컴퓨〗 …을 재시동하다. **4** 리셋하다.

—— [⌐⌐] *n.* 다시놓기; 다시박기; 〖印〗 재조판(한 것); (볼링의) 리셋; 〖컴퓨〗 재시동.

reset[2] *vt., vi.* 《스코》 (죄인을) 은닉하다, 훔친 물건을 받다. —— *n.* Ⓤ 죄인 은닉; 장물 수수(贓物收受).

re·séttle *vt.* **1** [+目/+目+*in*+名] (특히 피난민을) 다시 정착시키다 : The refugees were ~*d* [~*d* themselves] ***in*** Canada. 피난민들은 캐나다에 다시 정착했다. **2** 다시 …에 식민하다. **3** (분쟁 따위를) 다시 가라앉히다, 다시 진정시키다.

—— *vi.* 다시 정착하다; 다시 평정되다.

~·ment *n.* 재식민, 재정주; 재진정.

res ges·tae [réis géstai, ríːz dʒéstiː] *n. pl.* 이룩한 일, 업적; 〖法〗 (증거 능력이 있는) 부대 상황. 〚L〛

re·shápe *vt.* 다시 만들다, …에 새 형태를 갖추게 하다; 새 국면을 개척하다. —— *vi.* 새 형태를 취하다.

re·shárp·en *vt.* 다시 갈다; 다시 날카롭게 하다.

re·shíp *vt.* 다시 배에 싣다; 다른 배에 옮겨 싣다. —— *vi.* 다시 승선하다.

~·ment *n.* Ⓤ 재선적(再船積), 옮겨싣기; 재승선; Ⓒ 재선적 화물.

re·shúffle *vt.* **1** 〖카드놀이〗 패를 다시 치다. **2** (내각 따위를) 개편[개각, 교체]하다. —— *n.* **1** 〖카드놀이〗 패를 다시 침. **2** (내각 따위의) 교체[경질], 개편, 개각.

re·sid [rizíd] *n.* =RESIDUAL OIL.

re·side** [rizáid] *vi.* **1** [+副/+前+名] 살다(live); 주재하다 : They are *residing* abroad[in*** New Haven]. 외국에[뉴헤이번에] 살고 있다. **2** [+*in*+名] (성질이) 존재하다; (권리 따위가) 속하다, 귀속하다 : Her charm ~*s* ***in*** her attitude of reserve. 그녀의 매력은 그 얌전한 태도에 있다 / There the supreme authority ~*s in* the Pope. 그곳에서 최고의 권위는 교황에게 있다.

re·síd·er *n.* 〚OF<L (*sedeo* to sit)〛

***res·i·dence** [rézədəns] *n.* **1** 주소, (회사 따위의) 소재지, 거주지; 주택, 저택; 기숙사 : an official ~ 관저, 공관, 관사. **2** Ⓤ 거주, 거류; 주재; (휴양 따위를 위한) 체류 : *R*~ is required. 임지에 거주할 것을 요함. **3** 거주[체류] 기간; (대학에서의) 연구[교육]기간. **4** Ⓤ (권력 따위의) 소재(seat)⟨*of*⟩. **5** 〖法〗 거주자의 신분. **6** (물질의) 잔존, 지속, 체류.

have [***keep***] one***'s residence*** 거주하다.

in residence (실제로) 거주하여; (임지에) 주재하여, 관저에 살며; (대학 관계자가) 교내 거주하여[하는].

take up one***'s residence in*** …에 주거(지)를 정하다.

rés·i·den·cy *n.* **1** 총독대리 공관《옛 인도 지방 정부에서의; cf. RESIDENT *n.* 2》. **2** Ⓤ 《美》 전문 의학 실습기간《의과 학생이 인턴을 끝낸 후 병원에서 실습하는; cf. INTERNSHIP》; 《美》 전문교육.

rés·i·dent** *a.* **1** **a**) 거주하는, 재류의⟨*at, in*⟩ : ~ aliens 재류 외국인 / a ~ physician[surgeon] = RESIDENT *n.* 4 / a ~ tutor[governess] 입주한 남자[여자] 가정교사 / the ~ population of the city 시의 상주 인구. **b**) 주재하는. **2** 내재하는, 고유의 : privileges ~ ***in a class 계층 고유의 특권. **3** 〘動〙 (새·짐승이) 이주하지 않는(↔ *migratory*). —— *n.* **1** 거주자, 재류자(cf. INHABITANT) ; 거류민 : foreign ~*s* 재류 외국인 / summer ~*s* 피서객. **2** 외국 주재 사무관, 총독대리《옛 인도 지방 정부에서의 ; cf. RESIDENCY 1》; 변리공사(=minister resident). **3** 〘動〙 정착성 동물, 텃새(↔*migratory bird*). **4** 《美》 전문의학 실습생, 레지던트《☞ RESIDENCY 2 ; cf. INTERN》, 실습생. **5** 〘컴퓨〙 상주.
〚OF or L ; ⇨ RESIDE〛

résident commíssioner *n.* 〘美議會〙 (푸에르토리코의) 상주 대표《하원에서 발언권만 있고 표결권이 없음》.

***res·i·den·tial** [rèzədénʃəl] *a.* **1** 주택의 ; 주택에 적합한 : a ~ district[quarter] 주택지[지역]. **2** 거주에 관한. **3** (학생을 위한) 숙박설비[기숙사]를 갖춘 : a ~ college 기숙제(寄宿制) 대학.

residéntial hotél *n.* 주거용(用) 호텔, 호텔식 아파트.

res·i·den·ti·ary [rèzədénʃièri, -ʃəri ; -ʃəri] *a.* **1** 일정 기간 관사에 거주해야 하는 : a canon ~ 〘宗〙 해마다 CATHEDRAL의 숙사에 거주해야 하는 참사 회원. **2** 거주하는, 주재하는.
—— *n.* 거주자, 주재자(resident).

re·sid·u·al [rizídʒuəl] *a.* **1** 잔류성의 ; 잔여의 : ~ property 잔여 재산. **2** 〘數〙 **a**) 나머지의. **b**) (계산 착오가) 설명이 안되는, 제거할 수 없는.
—— *n.* **1** 잔여, 나머지 ; 〘數〙 나머지, 오차, 잔차(殘差). **2** [보통 *pl.*] 〘라디오·TV〙 (출연자에게 지급하는) 재방송료. 〚L RESIDUUM〛

resídual érror *n.* 〘數〙 잔차(殘差)《한무리의 측정값과 그 평균값과의 차》.

resídual óil *n.* 〘化〙 잔유(殘油)《원유를 정제하고 남은》.

resídual pówer *n.* 〘美政〙 정부의 잔여 권한.

resídual próduct *n.* 부산물(by-product).

resídual secúrity *n.* 〘證〙 잔여(청구권) 증권《보통주나 전환사채》.

re·sid·u·ary [rizídʒuèri ; -djuəri] *a.* **1** 나머지의, 잔여의 ; 잔류(성)의, 찌꺼기의. **2** 〘法〙 잔여 재산[유산]의 : a ~ bequest 잔여 재산 유증(遺贈).

resíduary cláuse *n.* 〘法〙 (유언 중의) 잔여 유산 처분조항[문구].

resíduary estáte *n.* 〘法〙 잔여 재산.

resíduary légacy *n.* 〘法〙 잔여 재산 유증.

resíduary legatée *n.* 〘法〙 잔여 재산 수유자.

res·i·due [rézədjù:] *n.* 잔여 ; 〘數〙 나머지, (함수론의) 유수(留數) ; 〘法〙 잔여 재산 ; 〘化〙 잔류물, 찌꺼기.
for the residue 기타에 대해서 말하면.
〚OF<L RESIDUUM〛

re·sid·u·um [rizídʒuəm] *n.* (*pl.* **-sid·ua** [-dʒuə]) **1** 잔여, 남은 것. **2** 〘化〙 잔류물《연소·증발 따위의 뒤에 남는》; 부산물(residual product). **3** 〘數〙 나머지 ; 잔차(殘差)(residual error). **4** 〘法〙 잔여 재산.
〚L=remaining ‹ RESIDE〛

re·sign** [rizáin] *vt.* **1** (지위·관직 따위를) 사임하다, 퇴직하다 ; (권리·희망 따위를) 포기[단념]하다 : He ~*ed* his post as headmaster. 교장의 직위를 사임했다. **2** [+目+*to*+名] 양도하다, 위탁하다 : They ~*ed* their child ***to an adoption agency. 그들의 아이를 입양 알선 기관에 위탁했다 / I will ~ myself *to* your guidance. 부디 지도편달을 바라겠습니다. **3** [+目+*to*+名] [보통 ~ one*self* 또는 수동태로] 몸을 맡기다, 따르다, 체념하고 …하다 : He ~*ed* him*self* [*was* ~*ed*] ***to*** his fate. 그는 체념하고 운명에 내맡겼다[따랐다] / She had to ~ her*self* to bring*ing* up her baby alone. 그녀는 체념하고 혼자힘으로 아기를 양육해야만 했다. —— *vi.* [動 / +*from*+名 / +*as* 補] (특히 정식으로) 사직[퇴직]하다, 물러나다 ; 복종하다, 따르다 : The Cabinet has ~*ed.* 내각이 사직했다 / He ~*ed* ***from*** the club. 그는 클럽에서 탈퇴했다 / He will ~ *as* chairman. 그는 의장직에서 물러날 것이다.
〚OF<L *re-*(*signo* to sign) =to unseal, cancel〛
類義語 ⟹ YIELD.

re-sígn *vt.* 다시 서명하다, 재조인하다.

***res·ig·na·tion** [rèzignéiʃən] *n.* **1** Ⓤ 사직, 사임. **2** 사표(=a letter of ~) : give in[hand in, send in, tender] one's ~ 사표를 내다. **3** Ⓤ 포기, 단념 ; 복종, 인종(忍從), 체념⟨*to*⟩ : meet one's fate with ~ 운명을 감수하다.

re·sígned *a.* **1** 체념한, 묵묵히 따르는 : with a ~ look 체념한 표정으로. **2** 사직한, 퇴직한 (retired) ; (지위 따위가) 공석이 된.

re·sígn·ed·ly [-ədli] *adv.* 체념하고, 별 수 없이.

re·sile [rizáil] *vi.* **1** 되튀다 ; 본디의 형태로 되돌아가다 ; 탄력이 있다. **2** 곧 원기를 회복하다. **3** (계약 따위에서) 손을 떼다⟨*from*⟩.
〚F or L (*salio* to jump)〛

re·sil·ience, -cy [rizíljəns(i), -iəns(i)] *n.* Ⓤ 되튀기, 반동 ; 탄력, 탄성(elasticity) ; (원기의) 회복력, 쾌활(buoyancy).

re·síl·ient *a.* 되튀는 ; 탄력 있는 ; 곧 기운을 회복하는 ; 쾌활한, 발랄한.
〚L *resile* (⇨ RESILE) ; cf. SALIENT〛

res·in [rézən ; rézin] *n.* Ⓤ,Ⓒ 수지(樹脂), 송진 (cf. ROSIN, PLASTIC) ; 합성수지(synthetic resin). —— *vt.* …에 수지를 바르다, 수지로 처리하다. 〚L<Gk. =pine, resin〛

résin·àte *vt.* 수지로 처리하다, 수지가 스며들게 하다. ——[-nət, -nèit] *n.* 〘化〙 수지산염.

res·in·if·er·ous [rèzənífərəs] *a.* 수지를 분비하는.

re·sin·i·fy [rezínəfài ; rézin-] *vt., vi.* 수지화하다 ; 수지로 처리하다.

res·in·oid [rézənɔ̀id] *a., n.* 수지같은 (물질).

résin·ous *a.* 수지(질)의 ; 수지로 만든 ; 수지를 함유한 ; 수지에서 채취한.

***re·sist** [rizíst] *vt.* **1** [+目 / +do*ing*] 저항[반항·적대]하다(oppose), 거역하다(disobey) ; 방해하다, 저지하다 : He ~*ed* the authority of the Court. 법의 권위에 반항했다. **2** (화학작용·자연력 따위에) 견디다, 저항하다 : This watchcase ~*s* water. 이 시계는 방수 처리가 되어 있다. **3** **a**) (유혹 따위를) 이겨내다, 물리치다 : The temptation was too strong for him to ~. 그 유혹은 그가 물리치기에는 너무 강렬한 것이었다. **b**) [+目 / +do*ing*] [부정구문으로] 참다, 억제하다 : I can*not* ~ a joke. 나는 농담에는 맥을 못춘다 / I could *not* ~ laugh*ing.* 나는 참다못해 웃음을 터뜨렸다. —— *vi.* 저항[반대]하다 ; [부정구문으로] 참다 : The enemy ~*ed* stoutly. 적은 완강하게 저항했다 / I can*not* ~ any longer. 나는 더 이상 참을 수 없다. —— *n.* 방부제 ; 방염제(防染劑) ; 절연도료.
〚OF or L *re-*(*sisto* to stop ‹ *sto* to stand) =to

stand still, oppose〛
類義語 ⟹ OPPOSE.

***resist·ance** *n.* **1 a)** Ⓤ [또는 a ~] 저항, 반항, 적대, 반대 ; 방해 ; 저항력 ; ⓊⒸ 반감 : passive ~ 소극적 저항 / the ~ of the air 공기의 저항 / build up ~ *to* disease 병에 대한 저항력을 기르다 / Mass communication sometimes arouses ~(*s*) in us. 때로 매스컴은 우리에게 저항감을 느끼게 한다. **b)** [때때로 the R~] 레지스탕스, (지하) 저항운동 : the French *R*~ in World War Ⅱ 제2차 세계대전중 프랑스의 반(反)나치스 저항운동. **2** Ⓤ 〔電〕 저항 ; Ⓒ (전류) 저항장치, 저항기 (resistor) : electric(al) ~ 전기저항.
a line of resistance 저항선.
make [***offer, put up***] ***resistance*** 저항하다, 저항을 시도하다 : The enemy *made* a stout ~. 적은 완강히 저항했다 / They *offered* no ~ to the police. 그들은 경찰에게 아무런 저항도 보이지 않았다.
the line of least resistance 가장 편한 방법, 최소 저항선 : take[choose, follow] *the line of least* ~ 가장 편한 방법을 택하다.

resístance bòx *n.* 〔電〕 저항 상자《가변 저항기(抵抗器)》.

resístance còil *n.* 〔電〕 저항 코일.

resístance lèvel *n.* 〔證〕 (시세의) 저항선.

resístance thermòmeter *n.* 저항 온도계.

resíst·ant, resíst·ent *a.* 저항하는, 견디어내는 ; 방해하는. —— *n.* 저항자 ; 반대자 ; 방염제 (防染劑) (resist). **~·ly** *adv.*

resíst·er *n.* 저항하는 사람[것] ; 반정부주의자.

resìst·ibílity *n.* 저항[반항]할 수 있음 ; 저항력 ; 저항성.

resíst·ible, -able *a.* 저항[반항]할 수 있는.

resíst·ing·ly *adv.* 저항[반항]하여.

resíst·ive *a.* 저항하는, 저항성의 ; 〔電〕 저항의.

re·sis·tiv·i·ty [rizìstívəti, rì:zistívəti] *n.* 저항력 ; 〔電〕 저항률, 고유 저항.

resíst·less *a.* 저항할 수 없는(irresistible) ; 저항하지 않는, 저항력이 없는. **~·ly** *adv.*

re·sís·to·jèt [rizístou-] *n.* 〔宇宙〕 전기 저항 제트 엔진.

re·sís·tor *n.* 〔電 · 컴퓨〕 저항기.

re·sít *vt., vi.* 《英》 (불합격 후) 다시 시험치다. —— [⌐⌐] *n.* (불합격자를 위한) 재[추가]시험.

re·sítting *n.* (의회 따위의) 재개회.

res ju·di·ca·ta [rí:z dʒù:diká:tə, réis-] *n.* 〔法〕 기결 사건. 〚L〛

res·me·thrin [rezmí:θrən, -méθ-] *n.* 〔藥·化〕 레즈메트린《제충국(除蟲菊)의 피레트린(pyrethrin)에서 얻는 속효성 합성 살충제》.
〚? *res*in + *meth*yl + pyr*ethrin*〛

re·sóle *vt., vi.* (구두의) 창을 갈다. —— [⌐⌐] *n.* 새 구두창.

re·sol·u·ble [rizáljəbəl] *a.* **1** 분해할 수 있는, 용해할 수 있는〈*into*〉. **2** 해결할 수 있는.
~·ness, re·sòl·u·bíl·i·ty *n.*
〚F or L ; ⇨ RESOLVE〛

***res·o·lute** [rézəlù:t] *a.* 굳게 결심한, 결연한 (determined) ; 단호한, 확고한 ; 굳은 의지를 보이는 : a ~ will 불굴의 의지. —— *n.* 굳게 결의한 사람, 단호한 사람. **~·ness** *n.*
〚L (p.p.) ‹ RESOLVE〛

résolute·ly *adv.* 단호히, 결연히.

res·o·lu·tion** [rèzəlú:ʃən] *n.* **1 a)** [+*to* do] 결의, 결심(한 일) ; 결정 : good ~*s* 행실을 고치려는 결심 / form[make, take] a ~ 결심하다, 각오하다 / He made vain ~*s* never ***to repeat the act. 다시는 그 행동을 되풀이하지 않겠다고 결심했으나 소용없었다. **b)** Ⓤ 결단(력), 불굴 : a man *of* great ~ 결단력이 강한 사람. **2** 결의(안) ; 결의문〈*on*〉: pass a ~ 결의하다〈*in favor of, against*〉. **3** Ⓤ 분해, 분리, 분할, 분석 ; 변환, 전환. **4** ⓊⒸ (의문 따위의) 해결, 해답(solution). **5** Ⓤ 〔醫〕 (종기 따위가) 삭아 없어짐. **6** 〔樂〕 해결《안어울림음에서 어울림음으로 옮김》. **7** 〔컴퓨〕 해상도. **~·er, ~·ist** *n.* 결의에 참가[서명]하는 사람, 결의찬성자.

re·sol·u·tive [rizáljətiv, rézəlù:-] *a.* 용해할 수 있는, 분해력이 있는 ; 〔醫〕 (종기를) 삭히는 ; 〔法〕 (계약 · 의무 따위를) 해소하는 : a ~ clause 〔法〕 해제 조항. —— *n.* 《古》 =RESOLVENT.

re·sólv·able *a.* 용해성의, 분해할 수 있는〈*into*〉; 해결할 수 있는. **re·sòlv·abíl·i·ty** *n.* Ⓤ 분해[용해]성.

re·solve** [rizálv] *vt.* **1** [+目 / +目+*into*+名] **a)** 분해[용해 · 분석]하다 : ~ a velocity ***into its components 속력을 그 구성요소로 분해하다 / We should ~ the problem *into* its elements. 그 문제를 각 요소로 분석해야 한다. **b)** (분해 · 분산하여) 변하게 하다 ; 변형시키다 : The fog was soon ~*d* ***into*** rain. 안개는 이내 비로 변했다 / The House ~*d* itself *into* a committee. 의회가 위원회로 되었다. **c)** 〔醫〕 (종기 따위를) 삭히다. **d)** 〔樂〕 안어울림음을 어울림음으로 이행시키다. **e)** 〔光〕 해상(解像)하다. **f)** 〔數〕 분해하다. **g)** 〔化〕 (라세미 혼합물을) 분해하다.
2 (의혹 따위를) 풀다, 해명하다 ; (문제 따위를) 해결하다(solve) : That will ~ your doubts. 그것으로 당신의 의혹도 풀릴 것이오 / The problem of its origin has not yet been ~*d*. 그것의 기원(起源)에 관한 문제는 아직도 해결되지 않고 있다.
3 a) [+*to* do / +*that* 節] 결심[결정]하다 : He ~*d* never *to* go any such places. 두 번 다시 그러한 장소에는 가지 않겠다고 결심했다 / I ~*d* *that* nothing should hold me back. 무슨 일이 있어도 물러서지 않겠다고 결심했다. **b)** [+*that* 節 / +*to* do] (의회 따위가) 결의하다 : The committee ~*d that* the step (should) be authorized[~*d to* authorize the step]. 위원회는 그 조치를 승인하기로 결의했다《주 *that* 節 안의 should를 생략하는 것은 주로 《美》》 / *R*~*d*, (=It has been ~*d*) *that* the question be adjourned for a week. 본회는 그 의제를 일주일 후에 계속 심의하기로 결의한다. **c)** [+目+前+名 / +目+*to* do] 《稀》 (남에게 …할 것을) 결심시키다(cf. RESOLVED) : This discovery ~*d* us ***on*** go*ing*[*to* go] forward. 이번 발견으로 우리는 더욱 전진하기로 결심했다.
—— *vi.* **1** 분해[환원]되다, 변하다〈*into*〉; 〔樂〕 어울림음으로 되다 ; 〔醫〕 (종기 따위가) 삭다 ; 〔法〕 무효로 되다, 소멸하다. **2** [+*on*+名] 결심하다 ; 결정[결의]하다 : They ~*d* (***up***) ***on*** go*ing* back the same way. 같은 길로 되돌아가기로 결심했다.
—— *n.* **1** [+*to* do] 결심, 결의(resolution) : He made a ~ *to* stop smoking. 담배를 끊으려고 결심했다. **2** Ⓤ 《文語》 =RESOLUTION 1 b) : a man *of* high ~ 굽히지 않는 사람. **3** 《美》 (의회 따위의) 결의.
〚L *re*-(*solut*- *solvo* to solve) = to unfasten, reveal〛
類義語 ⟹ DECIDE.

re·sólved *a.* [+*to* do / +*that* 節] 결심한(determined) ; 단호한, 굳은(resolute) : We are ~ *to* do our utmost. 우리는 최선을 다하기로 결심하고 있다 / I was ~ *that* he should come with me. 나는 그를 꼭 데리고 올 생각이었다.

re·sólv·ed·ly [-ədli] *adv.* 단호히, 결연히.

re·sólv·ent *a.* 분해하는, 용해하는, 소산(消散)시키는, 삭히는. —— *n.* 분해물 ;〔數〕분해방정식 ;〔化〕용제(溶劑) ;〔醫〕(종기 따위를) 삭히는 약, 소산제.

re·sólv·er *n.* 해결[해답]자 ; 결심하는 사람.

re·sólv·ing pòwer *n.* 해상력(解像力)《피사체(被寫體)의 세부를 재현하는 능력》; (망원경의) 분해능력.

res·o·nance [rézənəns] *n.* **1** Ⓤ 〔理〕 공명(共鳴), 공진(共振) ;〔通信〕 (파장의) 동조(同調), 공진. **2** Ⓤ 반향, 울림, 메아리(echo).
〖F or L ; ⇨ RESOUND〗

résonance bòx[**chàmber**] *n.* 공명 상자.

rés·o·nant *a.* (소리 따위가) 반향하는, 울리는 ; (벽·방 따위가) 공명을 일으키는, 울려 퍼지는 〈*with*〉. —— *n.*〔音〕공명음. **~·ly** *adv.*

résonant cìrcuit *n.*〔電子〕공진(共振) 회로.

res·o·nate [rézənèit] *vi., vt.* 공명[반향]하다[시키다] ;〔電子〕공진하다[시키다].

rés·o·nà·tor *n.* 공명기(器) ;〔電子〕공진기(共振器)[자(子)].

re·sorb [risɔ́ːrb, -zɔ́ːrb] *vt., vi.* 재흡수하다.

resórb·ent *a.* 재흡수하는. **-ence** *n.*

res·or·cin [rəzɔ́ːrsən] *n.* 〔化〕 =RESORCINOL.

res·or·cin·ol [rəzɔ́ːrsənɔ̀(ː)l, -nòul, -nàl] *n.*〔化〕레조르시놀《염료 제조·의약·사진용》.

re·sorp·tion [risɔ́ːrpʃən, -zɔ́ːrp-] *n.* Ⓤ 재흡수.

re·sort** [rizɔ́ːrt] *vi.* [+*to*+名] **1** 가다 ; 자주[상습적으로] 가다 ; 체재하다 : Young people ~ ***to the seaside or mountains in summer. 젊은이들은 여름에 바닷가나 산에 자주 간다. **2** (어떤 수단에) 호소하다, 의지하다, 도움을 구하다 : ~ ***to*** extreme measures 극단의 방법에 호소하다 / At last the police ~*ed to* force. 마침내 경찰은 실력을 행사했다.
—— *n.* **1** 사람들이 자주 가는 곳, (특히) 유원지 ; 유흥지 : a health ~ 보양지 / a holiday ~ 휴일의 유원지 / a summer ~ 피서지 / a winter ~ 피한지. **2** Ⓤ 가기, 자주 다니기 ; 많은 사람의 모임 : a place *of* great[general, public] ~ 사람이 많이 몰려드는 곳. **3** Ⓤ 의지, 호소〈*to*〉; Ⓒ 의지가 되는 사람[것], (호소하는) 수단 : have[make] ~ *to* force[violence] 완력[폭력]에 의지하다 / without ~ *to* …에 의지하지 않고.
in the last resort 최후의 수단으로서, 마침내.
〖OF (*sortir* to go out)〗
類義語 ⟹ RESOURCE.

re-sórt *vt.* 재분류하다, 다시 구분하다. **~·er** *n.*

resórt·er *n.* (유흥지 따위에) 잘 가는[모이는] 사람, 왕래하는 사람.

re·sound [rizáund] *vi.* [動/+前+名] **1** (소리·악기 따위가) 울려 퍼지다, 반향하다 ; 공명하다 (echo) : The pipe organ ~*ed.* 파이프 오르간이 울려 퍼졌다 / Radios ~ ***from*** every house. 라디오 소리가 어느 집에서나 크게 들려온다. **2** (장소가) 울리다, 메아리치다 : The hills ~*ed* when we shouted. 우리가 외치자 산이 메아리쳤다 / The room ~*ed* ***with*** the children's shouts. 그 방은 아이들의 떠드는 소리로 요란했다. **3**《비유》(명성·사건 따위가) 널리 알려지다, 자자하다 : His discovery ~*ed* ***through*** the world. 그의 발견은 전세계에 널리 알려졌다.
—— *vt.* **1** 울려 퍼지게 하다. **2**《비유》소리높여 말[반복]하다, 칭찬하다, 찬양하다 : ~ a hero's praise 영웅을 찬양하다.
〖F or L *re-*(*sono* to SOUND[1])〗

re-sóund *vi., vt.* 다시 울리다[울리게 하다].

resóund·ing *a.* 반향하는, 울리는 ; 널리 알려진 ; 철저한 ; 명확한. **~·ly** *adv.*

***re·source** [ríːsɔːrs, ríːzɔːrs, risɔ́ːrs, rizɔ́ːrs ; risɔ́ːs, rizɔ́ːs] *n.* **1 a**) [보통 *pl.*] 자원, 공급원, 물자 : ☞ NATURAL RESOURCES / human ~*s* 인적 자원. **b**) [*pl.*] 재원, 자력, 자산 : ~*s* of money 재원. **2 a**) (만일의 경우의) 의지, 수단, 방안, 방편(shift, expedient) : Flight was his only ~. 그는 도망칠 수 밖에 별도리가 없었다 / We were at the end of our ~*s.* =No ~ was left us. 우리는 속수 무책이었다. **b**) 기분전환, 심심풀이, 오락 (pastime) : a man of no ~*s* 무취미한[따분한] 사람 / Reading is a great ~. 심심풀이로 독서 이상가는 것은 없다. **3** [*pl.*] (내재된) 힘, 재주, 역량 ; 기지(機智), 임기응변의 재치 : a man of ~[no ~] 재치 있는[없는] 사람, 능력이 뛰어난 [무능한] 사람. **4**〔컴퓨〕자원.
be thrown on one***'s own resources*** 스스로 타개해야 할 처지에 놓이다.
leave a person ***to his own resources*** 남을 제멋대로 시간을 보내도록 하다, (조언 따위를 하지 않고) 남을 내버려 두다.
〖F<OF (p.p.) ‹ *resourdre* to relieve, rise away< L (*surgo* to rise)〗
類義語 ***resource*** 사람이 필요·긴급한 경우에 원조를 구하는[의지하는] 것·사람·방법 따위 : Climbing a tree is a cat's *resource* when chased by a dog. (고양이가 나무에 기어 오르는 것은 개에 쫓겨 다급할 때 취하는 방편이다). ***resort*** 최후의 수단 ; 때때로 resource와 같은 뜻으로 쓰임 : We had to take a taxi as a last *resort.* (우리는 최후의 수단으로 택시를 잡아야만 했다). ***expedient*** 보통의, 또는 정당한 방법의 대용으로서 어떤 목적을 달성하기 위해서 쓰는 수단 ; 편법 : This deck chair is a good *expedient* for an unexpected guest. (이 간이용 의자는 예기치 않은 손님에게 안성맞춤이다). ***makeshift*** 즉석에서 고안된 expedient ; 때로는 정도의 나쁨·태만 따위를 암시 : She used a box as a *makeshift* for chair. (그녀는 의자 대신 임시변통으로 상자를 썼다).

resóurce·ful *a.* **1** 기략[재치]이 풍부한, (임기응변의) 기지가 있는, 꾀바른 ; 수단좋은. **2** 자력이 있는, 자원이 풍부한. **~·ly** *adv.* **~·ness** *n.*

resóurce·less *a.* 방책이 없는 ; 재치가 부족한 ; 자원이 없는.

resp. respective(ly) ; respiration ; respondent.

re·spéak *vi.* 다시[거듭] 말하다.
—— *vt.* (되풀이해서) 울리다, 반향하다.

‡**re·spect** [rispékt] *vt.* **1** 존경하다 : ~ oneself 자중하다, 자존심이 있다 / Children ought to ~ their elders. 아이들은 손윗사람을 존경해야 한다. **2** 중히 여기다, 소중히 하다 ;《古》고려하다, 주의하다 : He is a man who ~*s* his word. 그는 약속을 중히 여기는 사람이다 / I hope you will ~ my wishes. 나의 희망을 고려해 주기 바랍니다 / One should ~ another's privacy. 누구나 타인의 사생활을 존중해야 한다. **3**《稀》…에 관계하다, 관여하다(cf. RESPECTING).
as respects …에 관하여, …에 대해서(는).
respect persons《古》(지위가 높은 사람을) 특별 대우하다, 사람에 따라 차별 대우하다.

—— *n.* **1** Ⓤ **a)** 경의, 존경(↔*contempt*); [*pl.*] 인사, 문안 : He shows great ~ *for* [*to*] old age. 그는 노인을 존경한다 / He had no ~ *for* his seniors. 그는 선배를 존경하는 마음이 없었다 / with all ~ *for* your opinion 당신의 의견은 지당합니다마는 / He had the ~ *of* his students. 학생들의 존경을 받았다 / pay one's ~*s to* …에게 인사하러 가다 / send[give] one's ~*s to* …에게 안부를 전하다. **b)** 존중, 중시〈*for*〉. **c)** 주의, 관심 : have[pay] ~ *to* …에 관심을 가지다, …을 고려하다. **2 a)** 점(point), 대목, 세목(detail) : *in* all[many, some] ~*s* 모든[많은, 어떤] 점에서 / *in* every ~ 모든 점에서 / *in* no ~ 어떤 점에서도 (결코) …아니다 / *in* this ~ 이 점에서 / *In* that ~ he was mistaken. 그 점에서 그는 틀렸다. **b)** Ⓤ 관계, 관련 : have ~ *to* …와 관계가 있다.

in respect of... (1) =*with* RESPECT *to*. (2) 《古》 …을 고려하여, …때문에(on account of).

in respect that... 《古》 …라는 것을 생각하면, …라는 점을 고려하여, …이므로.

in respect to... =*with* RESPECT *to*.

respect of persons 특별 대우, 차별 대우(cf. RESPECTER).

with respect to …에 관해서, …에 대해서(는) (concerning, about).

without respect to …을 고려하지 않고, …을 무시하고.

〖OF or L (*respect- respicio* to look back at)〗

類義語 ***respect*** 사람이나 물건의 높은 가치를 인정하고 그에 상응하는 경의를 표하다, 또는 배려를 하다 : a judge *respected* by many (많은 사람에게 존경받는 법관). ***esteem*** respect에 덧붙여 그 사람 또는 물건을 소중히 하고 호의를 갖는 것을 나타냄 : a soldier *esteemed* for his courage (뛰어난 용기로 존경받는 병사). ***admire*** 훌륭한 사람이나 사물의 가치를 인정하고 esteem 보다 더욱 강한, 혹은 진정한 애정을 품다 : a hero *admired* by every countryman (모든 국민의 칭송을 받는 영웅). ***regard*** 사람이나 물건을 고려[평가]할 만한 가치가 있다고 인정하고 이것에 호의적·동정적인 관심을 갖다 : The novel is highly *regarded* by critics. (그 소설은 비평가들로부터 높이 평가된다).

respèct·abílity *n.* **1** Ⓤ 존경할 만함, 고결, 훌륭한 태도[행위]; 체면, 체통, 상당한 지위[신용]가 있음, (주거 따위가) 손색 없음. **2** [집합적으로] 신분이 높은 사람들, 지체높은 사람들. **3** [*pl.*] 인습적 예절[관습](conventions).

***respéct·able** *a.* **1** 존경할 만한, 훌륭한. **2** 품행이 단정한; 상당한 지위에 있는; 부끄럽지 않은, 모양새가 좋은, 보기 싫지 않은(presentable) : a ~ suit of clothes 모양새 좋은 옷. **3** (질·수량·크기 따위가) 상당한, 꽤 많은; 그런대로의 : a ~ minority 소수지만 상당한 수.

—— *n.* [보통 *pl.*] 존경할 만한 사람, 훌륭한 사람(respectable person). **-ably** *adv.* 훌륭히; 꽤, 상당히; 보기 싫지 않게, 품위 있게.

respéct·ed *a.* 훌륭한, 높이 평가되는 : get into a ~ high school 일류 고등학교에 입학하다.

respéct·er *n.* (사람을) 차별 대우하는 사람, 편파적인 사람. 주 보통 다음 숙어로 쓰임.

no respecter of persons (지위·빈부 따위로) 사람을 차별 대우하지 않는 사람, 편파적이지 않은 사람(cf. RESPECT *persons*).

***respéct·ful** *a.* 경의를 표하는, 공손한, 예의바른, 정중한 : You should be ~ *to* [*toward*] your superiors. 손윗사람에 대해서 경의를 표해야 한다 / The older generation are ~ *of* tradition. 나이든 사람들은 전통을 존중한다.

keep [***stand***] ***at a respectful distance from...*** 삼가서 …에 가까이 하지 않다, …을 경원하다.

respéct·ful·ly *adv.* 공손히, 삼가, 정중하게.

Yours respectfully =《美》 ***Respectfully*** (***yours***) 경백(敬白)《편지의 끝맺음 말; cf. YOURS 4》.

respéct·ing *prep.* …에 관해서(는), …에 대하여 (concerning, about).

***re·spec·tive** [rispéktiv] *a.* 각각의, 저마다의, 각자의. 주 보통 복수 명사와 함께 쓰임.
〖F or L; ⇨ RESPECT〗

***respéctive·ly** *adv.* 각기, 각각, 저마다 : The first, second, and third prizes went to Jack, George, and Frank ~. 1등상은 잭, 2등상은 조지, 3등상은 프랭크가 각각 탔다.

re·spéll *vt.* 다시 철자하다; 철자를 바꾸다.

res·pi·ra·ble [réspərəbəl, rispáiərə-] *a.* 호흡할 수 있는, 호흡에 적합한. **rès·pi·ra·bíl·i·ty** *n.*

res·pi·ra·tion [rèspəréiʃən] *n.* Ⓤ 호흡 (작용) (breathing); Ⓒ 한번의 호흡[숨쉼](breath).

res·pi·ra·tor [réspərèitər] *n.* (천으로 된) 마스크; 방독 마스크(gas mask); 인공 호흡 장치.

res·pi·ra·to·ry [réspərətɔ̀ːri, rispáiərə-; rispáiərətəri] *a.* 호흡(작용)의, 호흡하기 위한 : the ~ organs 호흡 기관 / a ~ disease 호흡기 질환.

réspiratory distrèss sỳndrome *n.* 〖醫〗 (신생아의) 호흡 장애 증후군.

réspiratory énzyme *n.* 〖生化〗 호흡 효소《세포 호흡에 작용하는 효소》.

réspiratory quótient *n.* 〖生〗 호흡비(比), 호흡률《略 RQ》.

réspiratory sỳstem *n.* 〖生〗 호흡기계(系).

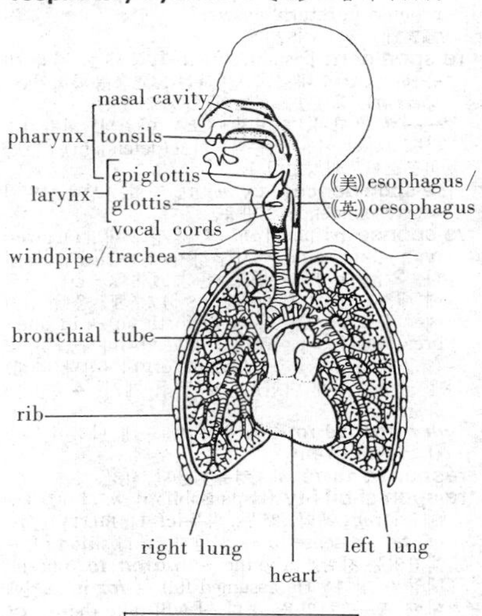

respiratory system

re·spire [rispáiər] *vi.* 호흡하다(breathe) ; 숨쉬다, 휴식하다 ; 한 숨 돌리다. ── *vt.* 호흡하다 ; 《古·詩》(향기를) 풍기다, …한 기분이 들게 하다. 〖OF or L (*spiro* to breathe) ; cf. SPIRIT〗

res·pite [réspət, 英+-pait] *n.* **1** 일시적 중지[중단], 휴지(lull) ; 휴식기간. **2** 유예, 연기 ; (사형의) 집행 유예(기간).
put. . .in respite …을 유예하다[연기하다].
── *vt.* **1** 〖法〗(범죄자에게) 형집행을 유예하다, (부채의) 회수를 유예[연기]하다. **2** (고통 따위를) 잠시 덜어 주다.
〖OF<L ; ⇨ RESPECT〗

réspite càre *n.* 일시적 (간호) 위탁《가족 대신 노인 환자를 일시적으로 보살피는 제도》.

re·splend [rispléndl] *vi.* 빛나다, 반짝이다.
〖L RE*splendeo* to shine brightly ; cf. SPLENDID〗

re·splen·dent [rispléndənt] *a.* 빛나는, 눈부신, 찬란한. **~·ly** *adv.* 찬란하게, 눈부시게.
re·splén·dence, -cy *n.*

re·spond** [rispάnd] *vi.* **1** [動/+前+名] 대답[응답]하다(reply) ; 응하다, 응수하다 : ~ ***to a toast[speech of welcome] 축배에 대해 감사의 말을 하다[환영사에 답하다] / The wireless call was soon ~*ed to.* 무선 호출을 하자 곧 응답이 있었다 / Thus insulted, John ~*ed* ***with*** a blow. 그렇게 모욕을 당하자 존은 일격에 응수했다. **2** [+*to*+名] (…에) 감응[반응]하다(react) ; 좋은 반응을 보이다 : Plants usually ~ ***to*** proper treatment. 식물은 보통 적당히 돌보기만 하면 잘 자란다 / The plane ~*s* well *to* the controls. 비행기는 조종 장치에 민감하게 반응한다. **3** 〖宗〗(회중이 목사[사제]에게) 응송(應誦)하다. **4** 〖法〗책임을 다하다, 배상하다〈*in*〉; 《稀》 일치[부합]하다.
── *vt.* 대답[응답]하다.
── *n.* 〖基〗응창 성가.
〖OF<L *re-*(*spons- spondeo* to promise)=to promise in return, answer〗
類義語 ⟹ ANSWER.

re·spon·dent [rispάndənt] *a.* **1** 응하는, 감응[반응]하는〈*to*〉; 대답[응답]하는 ; 〖心〗응답적인(↔ *operant*). **2** 〖法〗피고의 입장에 있는.
── *n.* 응답자, 답변자, (조사 따위의) 회답자 ; 〖法〗(특히 이혼 소송의) 피고(defendant) ; 〖法〗피공소인, 피상고인.
re·spón·dence, -cy *n.* Ⓤ 적합, 상응, 일치(correspondence) ; 반응, 응답.

***re·sponse** [rispάns] *n.* **1** 응답, 대답(answer, reply) : make no ~ 대답하지 않다, 응답이 없다. **2** Ⓤ,Ⓒ 감응, 반응, 반향 ; 〖生理·心〗(자극에 대한) 반응(cf. STIMULUS 3) ; 〖理〗응답《입력에 대응한 출력》: call forth no ~ in one's breast 가슴속에 아무런 감흥도 일어나지 않다. **3** 〖宗〗응답성가, 응송(responsory) ; (신탁(神託)을 구하는 자에 대한) 신의 응답, 계시. **4** 〖컴퓨〗응답.
in response to …에 응하여, …에 답하여.
〖L ; ⇨ RESPOND〗

respónse tìme *n.* 〖컴퓨〗응답 시간.

re·spon·si·bil·i·ty** [rispὰnsəbíləti] *n.* **1** Ⓤ [+前+do*ing*] 책임, 책무, 의무(cf. LIABILITY)〈*for, of, to*〉: a sense of ~ 책임감 / a position of ~ 책임있는 지위 / take the ~ (up***)***on***[***to***] oneself 책임을 맡다 / He assumed full ~ ***for*** it. 그것에 대한 모든 책임을 졌다 / I will take the ~ ***of*** do*ing* it. 책임을 지고 그것을 하겠습니다 / I did it *on* my own ~. 내 책임 하에 그것을 했다《독단으로 했다》. **2** (구체적인) 책임, 부담, 무거운 짐 ; 책임져야 할 대상 : be relieved of one's ~[*responsibilities*] 책임을 면제받다. **3** Ⓤ 신뢰성[도], 확실성(reliability).
類義語 ⟹ DUTY.

‡**re·spon·si·ble** [rispάnsəbəl] *a.* **1** [+前+do*ing*] **a**) 책임을 져야 할, (…에게) 책임이 있는 : I am ~ ***to*** her ***for*** the safety of her family. 그녀의 가족을 안전하게 보살펴 줄 책임이 내겐 있다 / The public should be ~ *for* elevat*ing* the standards of broadcast programs. 대중은 방송 프로그램의 수준을 높이는 문제에 대해서 책임을 져야 한다. **b**) 《美》(…의) 원인이 되는, (…을) 초래한 : The rain is ~ ***for*** the condition of the roads. 도로 상태가 나쁜 것은 비때문이다. **2** (일·지위 따위가) 책임이 무거운, 책임 있는. **3** 책임을 다 할 수 있는, 도의심 있는 ; 믿을 수 있는, 확실한(reliable).
hold a person ***responsible for. . .*** 남에게 책임을 지우다, 전가하다.
make one***self responsible for*** …의 책임을 떠맡다.
-bly *adv.* 책임지고, 확실히. **~·ness** *n.*
〖F ; ⇨ RESPOND〗
類義語 ***responsible*** 권위[권력]가 있는 사람으로부터 어떤 일·책임·의무 따위가 위임되고 있는 ; 태만하면 처벌받는 것을 암시 : Dr. Brown is *responsible* for completing the new plane. (브라운 박사는 새 비행기를 완성할 책임을 지고 있다). ***answerable*** 시비를 가리는 사람 앞에서 답변하지 않으면 안될 법률적·도덕적인 책임이 있는 : Parents are *answerable* for the crimes of their children. (부모들은 자녀들의 범죄에 대해 책임이 있다). ***accountable*** 자기 자신의 언행에 대하여 공개해야 할 책임이 있는 : We are held *accountable* for what we say. (우리가 하는 말에 대해서 우리는 책임을 져야 한다).

re·spon·sions [rispάnʃənz] *n. pl.* (Oxford 대학의) B. A. 학위의 제1차 시험《입학시험에 해당하나 1960년 폐지 ; 보통 smalls라고도 함 ; cf. MODERATION 2》.

***re·spon·sive** [rispάnsiv] *a.* 대답하는(answering) ; 반응[공명]하는, 민감한, 이해가 빠른 ; 쉽사리 감응하는〈*to*〉.
~·ly *adv.* **~·ness** *n.*

re·spón·sor *n.* 〖通信〗(질문기(機)의) 수신부.

re·spon·so·ry [rispάnsəri] *n.* 〖宗〗응답 성가, 응송《성구(聖句) 낭독 후[사이]의 성가》.

res pu·bli·ca [reis pú:blikὰ:, ri:z pʌ́blikə] *n.* 국가, 공화국 ; =COMMONWEAL.
〖L ; ⇨ REPUBLIC〗

res·sen·ti·ment [*F* rəsɑ̃timɑ̃] *n.* 원한(怨恨).

◇**rest**[1] [rést] *n.* **1** Ⓤ,Ⓒ 휴식, 휴게, 정양(↔ *motion*) ; 수면 : without ~ 쉬지 않고 / give a ~ 잠시 쉬게 하다 / have[take] a ~ 잠시 쉬다. **2** Ⓤ 안정, 안락 ; 안심 ; 평온. **3** 안식처, 숙박소 : a seamen's ~ 해원(海員) 숙박소. **4** Ⓤ 《詩》영면, 죽음. **5** 휴지, 정지 ; 〖樂〗쉼표 ; 〖韻〗중간 휴지. **6** (물건을 얹는) 대 ; (총포의) 조준대(照準臺) ; (당구장의) 큐걸이 ; 휴식용 발판.
at rest 휴식하여 ; 안심하고 ; 영면(永眠)하여 ; 정지해서 ; 해결[낙착]되어 : set a question *at* ~ 문제를 해결하다 / set a person's mind *at* ~ 남을 안심시키다.
come to rest 정지하다, 멈추다.
a day of rest 안식일, 일요일.
go[***retire***] ***to rest*** 잠자다(go to bed).

go to** one's **rest 영면(永眠)하다.
lay. . . to rest ☞ LAY[1].
set. . . at rest ☞ *at* REST.
take (one'**s**) **rest** 쉬다, 자다.
—— *vi.* **1** [動/+副/+前+名] 쉬다 ; 드러눕다, 잠자다 ; 영면하다 : We have now let the field ~. 지금 그 밭은 갈지않고 놀리고 있다 / Let's ~ *here* a while. 여기서 잠깐 쉽시다《주 이 뜻으로는 have a rest(☞ *n.* 1)를 쓰는 것이 구어적임》/ ☞ REST *up* / It is time to ~ ***from*** work. 일을 멈추고 잠시 쉴 시간이다 / The old man spent many hours ~*ing* ***in*** a chair. 노인은 몇 시간이고 의자에 앉아 쉬고 있었다 / May his soul ~ *in* peace! 그의 명복을 빈다.
2 [動/+副/+前+名/+補] 휴지[정지(靜止)]하다 ; 그대로다[있다] : The waves never ~. 물결은 결코 멈춰있지 않는다 / We cannot let the matter ~ *there*[***at*** that]. 문제를 그대로 방치해 둘 수는 없다 / The airplane ~*ed* motionless ***on*** the airfield. 비행기는 비행장에 정지해 있었다.
3 [動/+前+名] 안심하고 있다, 차분히 있다 : I cannot ~ until the matter is settled. 문제가 해결될 때까지는 안심할 수 없다 / He could not ~ ***under*** such an accusation. 그러한 비난을 받고 가만히 있을 수 없었다.
4 [+*on*+名] 걸리다, 펼쳐있다(lie) ; (눈·시선이) 멈추다, 쏠리다 : I saw a shadow ~ ***on*** her face. 그녀의 얼굴에 어두운 그림자가 진 것을 보았다 / His eyes ~*ed* upon a pretty girl. 그의 시선은 아름다운 소녀에게 쏠렸다.
5 a) [+前+名] 얹혀[받쳐져] 있다, 기대다 : He stood with his hands ~*ing* ***on*** the table. 테이블에 양손을 짚고 서 있었다 / Let this ladder ~ ***against*** the wall. 이 사다리를 벽에 기대 세워 놓은 채로 두시오. **b**) [+*on*+名] 의지하다, 의거하다(depend) (cf. *vt.* 2 b), REST[2] *vi.* 2) : I ~*ed* ***on*** his promise. 그의 약속만을 믿었다 / Shakespeare's fame ~*s* ***upon*** his tragedies more than *upon* his comedies. 셰익스피어의 명성은 희극에서보다 오히려 비극에 있다. **c**) [+*in*+名] 신뢰하다, 믿다 : Be content to ~ ***in*** God. 신을 믿는 것에 만족하라.
6 《法》 증거 제출을 자진하여 중지하다.
—— *vt.* **1 a**) 쉬게 하다, 휴양시키다 ; 편안하게 하다 : He stopped to ~ his horse. 멈추어 말을 쉬게 했다 / We must ~ the ground. 땅을 쉬게 해야 한다 / This color ~*s* the eyes. 이 색깔은 눈을 편하게 해준다 / Are you quite ~*ed*? 충분히 휴식을 취했습니까 / *R*~[God ~] his soul! 신이여, 그의 영혼을 편히 쉬게 해주소서! **b**) [~ one*self* 로] 휴식하다 : I ~*ed* my*self* for a while. 나는 잠시 휴식을 취했다.
2 a) [+目+前+名] 두다, 얹다, 기대게 하다 : He ~*ed* his left elbow ***on*** the mantelpiece. 왼쪽 팔꿈치를 벽난로의 (장식) 선반에 기대고 있었다 / Give me something to ~ this paper *on*. 뭔가 이 종이를 얹을 만한 것을 주시오 / He ~*ed* his rifle ***against*** the wall. 라이플총을 벽에 기대어 세웠다. **b**) [+目+*on*+名] 의지하게 하다, 근거를 두게 하다(base) ; (희망을) 걸다 : He ~*ed* his argument (***up***)***on*** trivialities. 하찮은 것을 논거로 삼아 자기 주장을 내세웠다.
3 《法》 증거 제출을 자진하여 중지하다.
rest on** one's **oars ☞ OAR *n.*
rest up 푹 쉬다, 휴식하여 원기를 회복하다.
〚OE *ræst, rest* ; cf. G *Rast*, ON and Goth.=a mile (휴식을 필요로 하는 거리)〛

***rest**[2] *n.* **1** [the ~] 잔여, 나머지(remainder) 〈*of*〉: *The* ~ is simple arithmetic. 나머지는 간단한 계산이다 / He lived here with his family for *the* ~ of his life. 그는 이곳에서 가족과 함께 여생을 보냈다.
2 [the ~ ; 복수취급] 그밖의 사람들[것들](the others) : *The* ~ (of us) are to stay behind. (우리들 중에서) 나머지 사람들은 뒤에 남기로 되어 있다.
3 [the ~] 《英》 〚銀行〛 적립금, 준비금 ; [the ~] 〚商〛 차감 잔고.
among the rest 그 속에 끼어서 ; 그 중에서도.
and the rest=***and all the rest of it*** 기타 등등, 그 밖에 무엇이든.
(***as***) ***for the rest*** 기타(에 대해서)[나머지]는.
as to the rest 기타의 점에 대해서는, 그밖에 대해서 말하자면.
—— *vi.* **1** [+補/+過分] 여전히 …이다, …인 대로다, …인 대로 있다(remain) (cf. REST[1] *vi.* 2) : The case ~*s* a mystery. 사건은 여전히 미궁에 빠져 있다 / ~ content[satisfi*ed*] 만족하고 있다, 감수하고 있다 / *R*~[You may ~] assur*ed* that I will do my best to help them. 전력을 다하여 그 사람들을 도울테니 안심하시오. **2** [+*with*+名] (결정·책임 따위가) …하기에 달려 있다, (…에) 있다(cf. REST[1] *vi.* 5 b)) : In Switzerland, power to veto ~*s* ***with*** the people. 스위스에서는 국민들에게 거부권이 있다 / It ~*s with* the President to decide. 결정은 대통령의 생각여하에 달려있다. —— *vt.* 《廢》 (어떤 상태로) 유지하다.
〚OF *reste*(*r*) < L (*sto* to stand)〛
rest[3] *n.* 〚史〛 (갑옷의) 창받이. 〚ar*rest*〛
re·stáge *vt.* 재상연하다.
re·stámp *vt.* 다시 도장 찍다 ; 다시 우표를 붙이다 ; 다시 밟다.
re·stárt *vi., vt.* 재출발하다[시키다] ; 재착수하다, 재개시하다. —— *n.* 재착수, 재개시.
re·státe *vt.* 다시 말하다, 다시 성명을 내다 ; 바꾸어[고쳐] 말하다. **~·ment** *n.*
‡res·tau·rant [réstərənt, -rɑ̀ːnt, -tərnt ; réstərɔ̃ːŋ, -rɔ̀nt] *n.* 요리점, 음식점, 레스토랑 ; (호텔·극장 따위의) 식당.

〈회화〉
Have you ever eaten at that *restaurant*? — No. Shall we try it out? 「저 레스토랑에서 식사해본 적 있니」 「없어. 한번 해볼까」

〚F ; ⇨ RESTORE〛
réstaurant càr *n.* 《英》 =DINING CAR.
res·tau·ra·teur [rèstərətə́ːr ; -tɔ(ː)rə-] *n.* 요리점 주인. 〚F〛
rést cùre *n.* (주로 정신병의) 안정요법.
rést dày *n.* 휴일, 안식일 ; 《稀》 일요일.
rést ènergy *n.* 〚理〛 정지(靜止) 에너지.
rést·ful *a.* 평안한, 조용한, 차분한.
~·ly *adv.* 평안하게, 조용하게. **~·ness** *n.*
類義語 ⟹ COMFORTABLE.
rést·hàrrow *n.* 〚植〛 오노니스《콩과의 토끼풀 비슷한 뿌리가 질긴 잡초》.
〚*rest* (obs.) (<*arrest* to hinder) + *harrow*[1]〛
rést hòme *n.* 요양소(sanatorium).
rést hòuse *n.* **1** (여행자용의 검소한) 숙박소. **2** (인도 등지에 있는 여행자용의) 휴게소.
res·tiff [réstif] *a.* 《古》 =RESTIVE.
rést·ing *a.* 휴식하는, 활동하지 않는 ; 〚植〛 (씨·홀씨가) 휴면중의 ; 〚生〛 (세포 따위가) 증식하지 않는 : a ~ spore 휴면 세포.

rést·ing-plàce *n.* 휴게소 ; [one's (last) ~] 무덤(the grave) ;〖建〗(계단의) 층계참(landing).

res·ti·tute [réstətjùːt] *vt.* 본래의 지위[상태]로 복귀시키다, 되돌리다 ; =REFUND[1]. ── *vi.* 원상태로 되돌리다.
〚L *re-*(*stitut- stituo*=*statuo* to establish)=to restore〛

res·ti·tu·tion [rèstətjúːʃən] *n.* **1** Ⓤ 반환, 상환 ⟨*of*⟩ ; 손해배상 : make ~ 반환[상환·배상]하다. **2** Ⓤ 복위, 복직 ; 복구, 회복 ;〖理〗탄성력에 의한 복원 ;〖法〗원상회복 : force[power] of ~ 복원력(復原力). **rés·ti·tù·tive** *a.*
〚OF or L (↑)〛

res·tive [réstiv] *a.* **1** (말이) 나아가기를 싫어하는, 부리기 힘든, 다루기 힘든, 반항적인. **2** 침착하지 못한, 마음이 들뜬(restless).
~·ly *adv.* **~·ness** *n.*
〚OF ; ⇨ REST[2]〛

***rést·less** *a.* 차분하지 못한, 들뜬, 침착하지 못한, 불안한(uneasy) ; 잠 못이루는 ; 끊임없는 ; 쉬지 못하게 하는. **~·ly** *adv.* **~·ness** *n.*
〚OE *restlēas* ; ⇨ REST[1]〛

rést màss *n.*〖理〗정지(靜止) 질량.

re·stóck *vt.* [+目/+目+*with*+名] (…에) 새로 사들여 놓다 ; (못에 물고기를) 새로 넣다 : They ~*ed* the pond ***with*** carp. 그들은 못에 새로 잉어를 넣었다.

re·stor·able [ristɔ́ːrəbəl] *a.* 회복[복구]할 수 있는, 다시 부흥시킬 수 있는.

***res·to·ra·tion** [rèstəréiʃən] *n.* **1** Ⓤ 회복, 부활, 복구, 복원 ;〖神學〗만민구제. **2** Ⓤ 복직, 복위 ; [the R~]〖英史〗왕정 복고[회복]《1660년(年)의 Charles 2세의 즉위》, 왕정 복고 시대《1660-85, 때로는 James 2세의 치세까지도 포함하여 1688년까지》; [the R~]〖프史〗왕정 복고《1814년의 Louis 18세의 즉위》, 왕정 복고 시대《1814-30, 1815년 Napoleon의 백일 천하를 포함함》. **3** Ⓤ (미술품·문헌 따위의) 수복(修復), 교정 ; Ⓒ (건물·사멸 동물 따위의) 원형 모조 ; 복원[수복]된 것《건물 따위》. **4** Ⓤ 반환, 환부(還付).

restorátion·ìsm *n.*〖神學〗만민 구제설(萬民救濟說).

re·stor·a·tive [ristɔ́ːrətiv] *a.* (음식·약제가) 원기를 회복시키는. ── *n.* 각성제 ; 강장제.

re·store** [ristɔ́ːr] *vt.* **1** [+目/+目+*to*+名/+目+目] 제자리로 되돌리다, 반환하다 : The stolen document was soon ~*d* ***to its owner. 도난당한 문서는 곧 주인에게 반환되었다 / Has he ~*d* her the money? 그녀에게 그 돈을 되돌려 주었을까 / The money has not yet been ~*d to* her. 그 돈은 아직도 그녀에게 반환되지 않았다《注 She has not yet *been* ~*d* the money. 라는 수동태 구문은 주로《美》》. **2** [+目/+目+*to*+名] 복직[복위]시키다 : They ~*d* the king (***to*** the throne). 왕을 복위시켰다 / The officer has been ~*d to* his command. 그 장교는 사령관으로 복위되었다. **3** [+目/+目+前+名] 부흥[재흥]하다 ; 복구[재건]하다, 수선[수복]하다 ; (고생물 따위를) 복원(復原)하다 ; (원문을) 교정하다 : The first thing they had to do was to ~ law and order. 무엇보다도 우선 해야할 일은 치안을 회복하는 것이었다 / The old church was ~*d* ***out of*** all recognition. 그 낡은 교회는 몰라볼 정도로 훌륭히 복구되었다. **4** [+目/+目+*to*+名] (사람·건강·원기·의식 따위를) 회복시키다, 되찾다 : She was soon ~*d* ***to*** life[consciousness]. 곧 제정신을 차렸다[의식을 되찾았다].
〚OF<L *restauro* to renew〛
類義語 ⟹ RENEW.

re·stór·er *n.* 원래대로 되돌리는 사람[것] : a hair ~ 양모제(養毛劑), 발모제.

restórer gène *n.*〖遺〗(수정 능력) 회복 유전자.

re·strain** [ristréin] *vt.* **1** [+目/+目+*from*+名] 제지[방지]하다 ; 억제하다, 규제하다 ; 제한하다 : He could not ~ his temper. 그는 치밀어오르는 분노를 억누를 수가 없었다 / He ~*ed* himself ***from open*ing* the letter. 그는 호기심을 억누르고 편지를 뜯어 보지 않았다. **2** 구속[수감·감금]하다. 〚OF<L *re-*(*strict- stringo* to tie)=to draw back tightly〛
類義語 ***restrain*** 강한 힘 또는 권력으로 행동을 제지·억압·지배하다 ; 가장 일반적인 말 : *restrain* one's curiosity (호기심을 억누르다). ***curb*** 말을 재갈로 제어하는 뜻에서 어떤 운동·행동을 갑자기 강한 힘으로 제지시키다 : In his passion he could not *curb* his impulse to throw a stone. (그는 흥분하여 돌을 던지고 싶은 충동을 억제할 수 없었다). ***check*** 어떤 행동·진행을 지연시키거나 방해하다 : *check* inflationary trends (통화 팽창의 추세를 억제하다). ***bridle*** 강한 감정·욕망 따위를 억누르다 ; curb, check 보다도 의미가 강함 : *bridle* one's passion (격정을 억누르다).

re-stráin *vt.* 다시 잡아 당기다.

re·stráined *a.* 삼가는, 자제하는 ; (생각이) 온당한 ; 구속[억제]된. **restráin·ed·ly** [-ədli] *adv.* 자제하여, 참고서, 거북하게.

restráin·er *n.* 제지자 ; 억제자[물] ;〖寫〗현상(진행) 억제제.

restráin·ing òrder *n.*〖法〗금지 명령.

***re·straint** [ristréint] *n.* **1** Ⓤ,Ⓒ 제지, 억제 ; 금지 ; 구속, 속박 ; 수감, 감금 : in ~ of vice 악을 억제하여 / put a ~ on a person[a person's activity] 남[남의 활동]을 억제하다. **2** Ⓤ (선박의) 출항[입항]금지. **3** 억제[구속]력[작용] ; 억제[구속] 수단[도구]. **4** Ⓤ 스스러움, 사양, 자제(自制), 신중, 근신.
restraint of trade〖經〗(가격 유지를 위한) 거래 제한.
under restraint 속박[구속·감금]되어 : put a lunatic *under* ~ 정신 병자를 (정신 병원에) 감금하다 / lay a person *under* ~ 남을 속박[구속]하다 / be *under* no ~ 구속이 없는 자유의 몸이다.
without restraint 자유로이 ; 제멋대로 ; 거리낌없이.

re·strict** [ristríkt] *vt.* [+目/+目+*to*+名] 제한하다, 한정하다(limit) ; 금지[제지]하다 : He was ~*ed* ***to five cigarettes a day. 하루에 담배 다섯 개비로 제한되었다 / I am ~*ed to* advis*ing*. 충고를 하는 것만이 나에게 허용되어 있다.
〚L ; ⇨ RESTRAIN〛
類義語 ⟹ LIMIT.

restríct·ed *a.* **1** 한정된, 제한된(limited) ; 좁은. **2** 특정인에게 한정된, (특히) 백인에게 한정된 : a ~ hotel (백인밖에 이용할 수 없는) 비개방적인 호텔. **3** 기밀의. **~·ly** *adv.* **~·ness** *n.*

restrícted área *n.*〖美軍〗출입 금지 구역 ;《英》자동차 속도 제한 구역.

***re·stric·tion** [ristríkʃən] *n.* Ⓤ,Ⓒ 제한, 한정 ; 구속 ; 제약 ; 제한[한정]한 것, 규정 ;〖論〗한정(限定) : currency ~*s* 통화 (반출) 제한 / impose [place, put] ~*s* on …에 제한을 가하다 / lift [remove, withdraw] ~*s* 제한을 해제하다.

restríction endonùclease *n.* =RESTRICTION

ENZYME.

restríction ènzyme *n.* 〖生化〗 제한 효소《두 줄 사슬 DNA를 특정 부위에서 절단하는 효소》.

restríction·ìsm *n.* Ⓤ 제한주의[정책]; 무역 제한 (정책); 기계화[오토메이션] 제한 정책; (일을 오래 계속시키기 위한) 생산량 제한 정책. **-ist** *n., a.* 제한주의자[정책]; 제한주의(자)의[적인].

restríction sìte *n.* 〖生化〗 제한 부위《제한 효소가 절단하는 두 줄 사슬 DNA 상의 부위》.

re·stric·tive [ristríktiv] *a.* **1** 제한[한정·구속]하는. **2** 〖文法〗 한정적인, 제한적인 (↔*continuative, nonrestrictive*). —— *n.* 〖文法〗 제한어, 한정어, 제한 표현. **~·ly** *adv.* 제한적으로, 한정해서. **~·ness** *n.*

restríctive cláuse *n.* 〖文法〗 제한적 관계사절.

restríctive práctice *n.* 《英》 제한적 관행《(1) 기업간의 경쟁을 제한하는 협정. (2) 노동조합에 의한 조합원이나 사용자의 행위의 제한》.

restríctive úse *n.* 〖文法〗 제한 용법.

re·stríke *vt., vi.* 다시 치다, 고쳐 치다; (화폐를) 개주(改鑄)하다. —— [⌐, ⌐⌐] *n.* 개주된 화폐.

re·stríng *vt.* (현악기·라켓 따위의) 현(絃)[장선(腸線)]을 갈아 대다.

rést ròom *n.* 《美》 (빌딩·극장 따위의) 휴게실, 화장실.

re·strúcture *vt., vi.* 재구성하다, 개조하다.

re·stúdy *vt.* 재학습[연구]하다, 재조사[재검토]하다. —— *n.* 재학습, 재조사.

re·stúff *vt.* 다시 틀어 넣다, 속을 갈아 넣다.

re·stýle *vt.* …을 다시 만들다, 모델을 바꾸다.

◇**re·sult** [rizʌ́lt] *n.* **1** Ⓤ,Ⓒ 결과(↔*cause*), 성과, 결말, 귀추, (좋은) 성적: meet with good ~*s* 좋은 결과를 얻다. **2** (계산의) 결과, 답; [*pl.*] (스포츠의) 성적 일람표, 스코어; 《英俗》 (축구 시합의) 승리.

as a [《稀》 ***the***] ***result of*** …의 결과로서.

in result 《美》 그 결과.

in the result 결국.

without result 헛되이, 보람[효과] 없이.

〈회화〉

What was the *result* of the examination? — I got a good *result*. 「시험 성적 어떻게 됐니」「잘 나왔어」

—— *vi.* **1** [+*from*+名/動] 결과로서 생기다; 기인[유래]하다: Disease often ~*s* ***from*** poverty. 질병은 종종 빈곤으로 생긴다 / War is sure to ~. 그 결과 전쟁이 일어날 것이 틀림없다. **2** [+*in*+名/+副] 귀착하다; 끝나다(end): The plan ~*ed* ***in*** failure. 그 계획은 결국 실패했다 / The trial ~*ed* *in* his be*ing* condemned to two years' imprisonment. 재판은 그에게 금고 2년을 선고함으로써 끝났다 / Our attempt ~*ed* *badly.* 우리의 시도는 결과가 좋지 않았다.

〖L *re-*(*sulto* < *salio* to jump) = to spring back〗

類義語 (1) (*n.*) ⟹ EFFECT.

(2) (*v.*) ⟹ FOLLOW.

re·sul·tant [rizʌ́ltənt] *a.* 결과로서 생기는; 합성된: ~ force 〖理〗 합성력(合成力). —— *n.* 결과; 〖理〗 합성력, 합성 운동; 〖數〗 종결식.

resúlt·ful *a.* 성과 있는, 유효한.

resúlt·ing·ly *adv.* 그 결과로서, 결국.

resúlt·less *a.* 성과 없는, 무익한. **~·ly** *adv.*

***re·sume**[1] [rizúːm; -zjúːm] *vt.* **1** 다시 차지하다 (take again); (건강 따위를) 되찾다, 회복하다: Please ~ your seats. 제발 다시 앉아 주세요. **2** [+目 /+do*ing*] 다시 시작하다, 다시 계속하다: The House ~*d* work[its labors]. 의회가 재개되었다 / Now, ~ read*ing* where you left off. 자, 읽다 만데부터 계속해서 읽으시오. **3** 요약하다(cf. RÉSUMÉ). —— *vi.* (이야기·일 따위를) 다시 시작하다, 계속하다; (의회 따위가) 재개되다.

resume the thread of one***'s discourse*** 이야기를 다시 본론으로 돌리다.

to resume [독립 부정사구] 이야기를 계속하면.

re·súm·able *a.* 되찾을[회복될, 재개(再開)할] 수 있는.

〖OF or L (*sumpt- sumo* to take)〗

ré·su·mé, re·su·me[2]**, re·su·mé** [rézəmèi, réi-, ⌐⌐⌐; rézju(ː)mèi, réi-, -zu(ː)-] *n.* 개요(summary), 요약(cf. RESUME[1] *vt.* 3); 《美》 (취직 희망자의) 이력서. 〖F (p.p.) < ↑〗

re·súmmon *vt.* 다시 소환[소집]하다. —— *n.* [*pl.*] 〖法〗 재소환(장(狀)).

re·sump·tion [rizʌ́mpʃən] *n.* **1** Ⓤ,Ⓒ 재개(시), 속행. **2** Ⓤ,Ⓒ 되찾음, 회수, 회복, 재점유; 〖銀行〗 정화(正貨) 태환(兌換) 복귀.

〖OF; ⇨ RESUME[1]〗

re·sump·tive [rizʌ́mptiv] *a.* 되찾는; 다시 시작하는; 개요의, 개설의. **~·ly** *adv.*

re·súpinate [ri-] *a.* 〖植〗 도립된; 전도(轉倒)된, 역(逆)의, 뒤집어진.

re·supinátion [ri-] *n.* Ⓤ 〖植〗 도립(倒立).

rè·supplý *vt.* 재공급하다, 새로 공급하다, 보급하다. —— *n.* 재공급, 신공급, 보급.

re·súrface *vt.* …의 표면을 갈아 붙이다; 재포장하다. —— *vi.* (잠수함이) 다시 수면에 떠오르다.

re·surge[1] [risə́ːrdʒ] *vi.* 되살아나다, 재기[부활]하다. 〖L; ⇨ RESURRECTION〗

re·súrge[2] *vi.* (파도 따위가) 다시 밀려오다; 일진일퇴하다. 〖*re-*〗

re·súr·gent *a.* 소생[재기·부활]하는. —— *n.* 되살아난 사람, 재기[부활]자.

re·súr·gence *n.* Ⓤ 재기, 부활.

〖L; ⇨ RESURRECTION〗

res·ur·rect [rèzərékt] *vt.* **1** (옛날의 관습·폐어(廢語) 따위를) 부활시키다, 부흥시키다. **2** 무덤을 파헤쳐 (시체를) 파내다[훔치다](exhume); 《口》 (일반적으로) 파내다(dig up). **3** 〖神學〗 소생시키다. —— *vi.* 〖神學〗 되살아나다, 부활하다.

rès·ur·réc·tor *n.* 〖역성(逆成) < ↓〗

res·ur·rec·tion [rèzərékʃən] *n.* **1** [the R~] 그리스도의 부활; [the R~] (최후 심판일의) 전인류의 부활. **2** Ⓤ 부흥, 부활, 재유행(流行)〈*of*〉. **3** (시체 따위의) 도굴.

〖OF < L *re-*(*surrect- surgo*) = to rise again〗

resurréction·ìsm *n.* (최후의 심판일의) 전인류의 부활을 믿음; 시체 도굴.

resurréction·ist *n.* **1** (망각되어 버린 것을) 부활시키는 사람. **2** 죽은 자의 부활을 믿는 사람. **3** 시체 도굴자.

resurréction màn *n.* (팔 목적으로 하는) 시체 도굴자(body snatcher).

resurréction pìe *n.* 《口》 남은 음식으로 만든 고기가 든 파이.

re·súrvey *n.* 재조사, 재측량, 재답사.

—— [⌐⌐⌐] *vt., vi.* 재조사[재측량·재답사]하다.

re·sus·ci·tate [risʌ́sətèit] *vt., vi.* 소생시키다[하다](revive); 부흥[회복]하다, 부활시키다.

re·sùs·ci·tá·tion *n.* **re·sús·ci·tà·tive** *a.* 소생시키는; 부흥[회복]시키는.

〖L *re-*(*suscito* to raise < *sus-* SUB-, CITE)〗

re·sús·ci·tà·tor *n.* 부활[회복]시키는 사람[것];

인공 호흡기.

ret [rét] *v.* (**-tt-**) *vt.* (부드럽게 하기 위해 삼 따위를) 물에 담그다[적시다]; (건초 따위를) 누져서 썩게 하다. —— *vt.* (삼 따위가) 물에 담기어 부드럽게 되다; (건초 따위가) 누져서 썩다.

ret. retain; retired; return(ed).

re·ta·ble [rí:teibəl, rétəbəl] *n.* 제단 뒤의 선반[칸막이]《십자가·성화 따위를 둠》.
〖F<Sp. (L *retrotabulum* rear table)〗

re·tail** [rí:teil] *n.* Ⓤ 소매(↔*wholesale*); 소매점: *at* ~ 《美》=《英》 *by* ~ 소매로. —— *a.* 소매의: a ~ dealer[price, store] 소매상인[가격, 가게]. —— *adv.* 소매로: sell ~ 소매하다. —— *vt.* **1** 소매하다(↔*wholesale*). **2** [, ritéil] (소문 따위를) 퍼뜨리다, (들은 말을) 그대로 옮기다: She ~*s* any kind of rumor. 어떠한 소문을 들어도 그대로 퍼뜨린다. —— *vi.* [+前+名] (상품이) 소매되다: This article ~*s* (=is ~*ed*) ***at[***for***] $ 2. 이 물품은 2달러에 팔리고 있다.
〖OF (*taillier* to cut); ⇨ TALLY〗

rétail·er *n.* **1** 소매상인. **2** 들은 말을 옮겨 퍼뜨리는 사람.

***re·tain** [ritéin] *vt.* **1** 간직하다, 보유[보류]하다, 유지[보존]하다; 잊지 않고[기억하고] 있다: China dishes ~ heat longer than metal pans do. 사기접시는 금속제 냄비보다 열을 오래 보존한다/I ~ a clear memory of those days. 그 무렵의 일을 아직도 또렷이 기억하고 있다. **2** (변호사 등을) 고용해 두다, (하인을) 두다(hire).
〖AF<L *re-*(*tent- tineo*=*teneo*)=to hold back〗
類義語 ⟹ KEEP.

retáined óbject *n.* 〖文法〗 보류 목적어.

retáin·er[1] *n.* **1** 보존[보유]자[물]. **2 a)** 《古》 가신(家臣), 부하, 시종(dependent). **b)** 하인(servant); 〖機〗 보지기(保持器), 리테이너; 〖齒〗 고정 장치, 유지 장치. 〖RETAIN〗

retainer[2] *n.* (변호사 등을) 고용해 두기, 고용되어 있기; 〖法〗 변호 약속, 소송 의뢰(서); 변호사 의뢰료(retaining fee)《사건을 예상하여 변호사를 예약해 두기 위해》; 부재시의 할인한 집세. 〖ME; OF *retenir* to RETAIN의 명사적 용법(用法)인가〗

retáin·ing fèe *n.* 변호사 의뢰료(retainer).

retáining wàll *n.* 옹벽《토사의 붕괴를 막음》.

re·táke *vt.* 다시 잡다; 되찾다, 회복하다; 〖映〗 (장면을) 다시 촬영하다. —— [⌐⌐] *n.* 〖映〗 다시 찍기, 재촬영(한 장면·사진).

re·tal·i·ate [ritǽlièit] *vi.* [動/+*on*+名] 앙갚음하다, 보복하다; 응수하다, 맞받아 대꾸하다; 보복 관세를 부과하다: ~ ***for*** an injury 상해에 대해 같은 수단으로 보복하다/He sought every opportunity to ~ (***up***)***on*** his persecutors. 온갖 기회를 노려 박해자들에게 복수하려고 했다. —— *vt.* 보복으로 (위해·모욕 따위를) 가하다; (비난에) 응수하다; …에 보복하다.
〖L (*talis* of such kind)〗

re·tàl·i·á·tion *n.* Ⓤ 앙갚음, 보복, 복수.
in retaliation of …의 보복으로서.

re·tál·i·à·tive *a.* 보복적인, 앙갚음의, 복수심이 강한: a ~ tariff 보복 관세.

re·tal·i·a·to·ry [ritǽljətɔ̀:ri, -tǽliə-; -təri] *a.* = RETALIATIVE.

***re·tard** [ritɑ́:rd] *vt.* …의 속도를 줄이다(↔*accelerate*); 지연시키다, 지체시키다; 방해하다, 저지하다(hinder): We were ~*ed* by a visitor just as we were leaving home. 막 집을 떠나려 할 때 손님이 찾아와 지체되었다. —— *vi.* (조수의 간만·천체의 운행 따위가) 늦어지다, 지연되다. —— *n.* **1** 지체, 지연; 방해; 저지: the ~ of the tide[of high water] 〖天〗 지조(遲潮)시간《만월과 그 뒤의 만조와의 사이》. **2** [rí:tɑ:rd] 《美俗》 바보, (사회적으로) 미숙한 사람, (신체적으로) 결함 있는 사람. **~·ment** *n.* =RETARDATION.
〖OF<L (*tardus* slow)〗

re·tar·dant [ritɑ́:rdənt] *a.* 저지[지연]시키는. —— *n.* 지연시키는 것; 〖化〗 지연제, 억제제: a rust ~ 녹 방지제(劑).

re·tar·date [ritɑ́:rdeit] *n.* [, -dət] 지능이 뒤지는 사람. —— *vt.* 《廢》 =RETARD. —— *a.* 《廢》 = RETARDED.

re·tar·da·tion [rì:tɑ:rdéiʃən] *n.* Ⓤ,Ⓒ 지연; 저지, 방해; 지체[방해]량; 방해물; 〖心〗 정신 지체; 〖理〗 감속도(↔*acceleration*).

re·tard·a·tive [ritɑ́:rdətiv], **re·tard·a·to·ry** [ritɑ́:rdətɔ̀:ri; -təri] *a.* 지체시키는; 방해[저지]하는; (속도를) 느리게 하는.

retárd·ed *a.* 발달이 늦은, 지능이 뒤지는: ~ children 지진아.

retárd·ee [, -⌐⌐] *n.* 지능이 뒤지는 사람.

retárd·er *n.* 지연시키는 것; 〖化〗 (화학 작용의) 억제제, (시멘트의) 응결 지연제.

re·tárget *vt.* **1** (로켓 따위를) 새 목표물을 겨누게 하다. **2** (상품을) 새로운 구매자층에 맞추다.

re·táste *vt., n.* 다시 맛보다[맛보기].

retch [rétʃ, 英+rí:tʃ] *vi.* 구역나다(cf. VOMIT). —— *vt.* 구토하다. —— *n.* 구역질; 웩《구역질할 때 내는 소리》.

retd. retained; retired; returned.

re·te [rí:ti, réiti] *n.* (*pl.* **re·tia** [rí:tiə, réit-, -ʃiə]) 〖解〗 (신경·섬유·혈관 따위의) 망(網), 그물 모양, 망상 조직. 〖L=net〗

re·téll *vt.* 다시 (고쳐서) 얘기하다; 다시 세다: old Greek tales *retold* for children 어린이를 위해 쉽게 고쳐 쓴 그리스의 옛 이야기.

re·téll·ing *n.* 개작(改作)된 이야기.

re·ten·tion [riténʃən] *n.* **1** Ⓤ 보류, 보유, 보지; 유지. **2** Ⓤ 유치, 감금. **3** Ⓤ 유지력; 기억(력). **4** Ⓤ 〖保險〗 보유(액). **5** Ⓤ 〖醫〗 분비폐지, 정체(停滯): ~ of urine 요폐(尿閉).
〖OF or L; ⇨ RETAIN〗

re·ten·tive [riténtiv] *a.* 유지[보유]하는〈*of*〉, 유지력이 있는; 습기를 보존하는; 기억력이 좋은; 〖醫〗 (붕대 따위를) 움직이지 않게 하는: a ~ memory 좋은 기억력/a substance ~ *of* moisture 습기를 오래 보존하는 물질.
~·ly *adv.* 보유하여; 잘 기억하여. **~·ness** *n.*

re·ten·tiv·i·ty [rì:tentívəti, ri-] *n.* Ⓤ 보유[기억]력; 〖理〗 보자성(保磁性).

ré·tèst [-⌐] *vt.* …을 재시험[재분석]하다. —— [, -⌐] *n.* 재시험, 재분석.

re·thínk *vt., vi.* 다시 생각하다, 재고하다. —— [⌐⌐, -⌐] *n.* 재고.

R.et I. *Rex et Imperator* 《L》 (=King and Emperor); *Regina et Imperatrix* 《L》 (=Queen and Empress).

re·ti·ary [rí:ʃièri; -ʃəri] *a.* 그물로 무장한; 그물 모양의; 그물을 만드는 솜씨가 좋은. —— *n.* 그물[거미줄]을 치는 거미.

ret·i·cence [rétəsəns], **-cen·cy** [-sənsi] *n.* Ⓤ,Ⓒ 말이 없음, 침묵, 과묵(taciturnity); Ⓤ 삼가기, (입을) 조심하기〈*of*〉.
〖OF<L (REticeo to keep silent); ⇨ TACIT〗

rét·i·cent *a.* 말이 없는, 입이 무거운, 과묵한; 말을 삼가는: He was very ~ *about*[*on*] that event. 그 사건에 관해서는 입이 아주 무거웠다.

~**ly** *adv.* 과묵하게.
ret·i·cle [rétikəl] *n.* 〖光〗 (망원경 따위의 렌즈에 있는) 망선(網線) (reticule) 《십자선(cross hairs) 따위》. 〖L=network ; ⇨ RETICULUM〗
re·tic·u·lar [ritíkjələr] *a.* 그물 모양의 ; 뒤얽힌 ; 〖解〗 세망(細網)의.
re·tic·u·late [ritíkjələt, -lèit] *a.* 그물 모양의, 망상(網狀)의. —— [-lèit] *vt., vi.* 그물 모양이 되게 하다[되다]. ~**ly** *adv.*
〖(v.) 역성(逆成) ‹ *reticulated* ‹ *reticulate* (a.) ‹ L=made like net (RETICULUM)〗
re·tic·u·la·tion [ritìkjəléiʃən] *n.* [때때로 *pl.*] 그물 세공(network), 그물 코 ; 그물 모양의 것[조직] ; 〖寫〗 그물 모양의 주름《감광유제(感光乳劑)에 생김》.
ret·i·cule [rétikjùːl] *n.* **1** (여성용 그물 모양의) 주머니, 손가방. **2** 〖光〗 =RETICLE.
〖F‹L ; ⇨ RETICULUM〗
re·tíc·u·lo·cỳte [ritíkjəlou-] *n.* 〖解〗 망상(網狀) 적혈구.
re·tic·u·lo·endothélial [ritìkjəlou-] *a.* 〖解〗 (세)망내(피)계((細)網內(皮)系)의 : ~ system 세망내피계.
re·tic·u·lum [ritíkjələm] *n.* (*pl.* **-la** [-lə]) 그물 모양의 것[조직] (network) ; 벌집 위(胃)《반추동물의 제 2 위》 ; [R~] 〖天〗 그물(자리) (the Net) : ~ cell 〖解〗 세망 세포.
〖L (dim.) ‹ RETE〗
ré·ti·fòrm [ríːtə-, rétə-] *a.* 그물 모양의, 망상 조직의.
ret·in- [rétən-], **ret·i·no-** [rétənou, -nə] *comb. form* 「망막(網膜) (retina)」의 뜻. 〖L〗
ret·i·na [rétənə] *n.* (*pl.* ~**s**, **-nae** [-nìː, -nài]) 〖解〗 (눈의) 망막(網膜). **ret·i·nal** [rétənəl] *a.* 〖L ; ⇨ RETE〗
ret·i·ni·tis [rètənáitəs] *n.* 〖醫〗 망막염.
rétino·scòpe *n.* (눈의) 굴절을 판정하는데 쓰는 검영기(檢影器) (skiascope).
ret·i·nos·co·py [rètənáskəpi] *n.* 〖醫〗 망막 검시법, 검영법.
ret·i·nue [rétənjùː] *n.* [집합적으로] (특히 왕후·귀인 등의) 시종, 수행원(suite).
〖OF (p.p.) ‹ *retenir* to RETAIN〗
re·tir·a·cy [ritáiərəsi] *n.* 은퇴(retirement).
re·tir·ant [ritáiərənt] *n.* 퇴직자(retiree).
re·tire** [ritáiər] *vi.* **1** [動/+前+名] **a**) 퇴직하다 ; 폐업하다 : He has ~*d* ***on a pension[***under*** the age limit]. 연금을 받고[정년으로] 퇴직했다 / The president will soon ~ ***from*** office. 회장은 곧 사임할 것이다. **b**) 은퇴[퇴역]하다 : My father will shortly ~ ***from*** the world. 아버지는 머지않아 은퇴하실 겁니다. **2** [動/+前+名] **a**) 물러나다, 떠나다 : After greeting us, Mr. Smith ~*d* ***to*** his study. 우리들과 인사를 마치자 스미스씨는 서재로 물러났다 / ~ *to* bed 취침하다(cf. d)). **b**) 식당에서 응접실로 물러가다 : The men went on drinking and smoking, while the ladies ~*d*. 남자들은 줄곧 술을 마시며 담배를 피우고 있었으나 부인들은 응접실로 물러갔다. **c**) 〖軍〗 후퇴[퇴각]하다(cf. RETREAT) ; 〖크리켓〗 (타자가 실수 따위로) 물러나다 : The enemy ~*d* ***to*** the trenches. 적은 참호로 후퇴했다. **d**) 잠자리에 들다(go to bed) : My wife ~*d* early that night. 처는 그날 밤 일찍 잠자리에 들었다. **3** 입후보를 단념하다. **4** (파도 따위가) 빠지다, (해안선 따위가) 쑥 들어가다. —— *vt.* **1** [+目/+目+*from*+名] **a**) 은퇴[퇴직·퇴역]시키다 ; 퇴거[퇴각]시키다 ; 숨다, 물러나다 ; 되돌리다 : He was compulsorily ~*d* as incompetent. 무능하다고 강제로 퇴직당했다. **b**) 〖軍〗 후퇴[철수]시키다 : The troops were ~*d* ***from*** an action. 그 부대는 전선에서 철수되었다. **2** (어음·지폐 따위를) 회수하다, 상환하다. **3** 〖野·크리켓〗 (타자를) 아웃시키다(put out).
retire into one***self*** 비사교적이 되다, 남과의 접촉을 기피하다, 갑자기 말이 없어지다.
—— *n.* 은퇴, 은거 ; 〖軍〗 후퇴의 신호(retreat) : sound the ~ 퇴각 나팔[북]을 불다[울리다].
〖F (*tirer* to draw)〗
[類義語] ⟹ GO.
re·tíred *a.* **1** 은퇴한, 퇴직한 (사람의) ; 〖軍〗 퇴역의(cf. ACTIVE) : a ~ pension= ~ pay 퇴직연금, 은급 / a ~ life 은퇴[은둔] 생활. **2** 사양하는, 나서려 들지 않는. **3** 외딴, 구석진, 궁벽한 : He is now living in a ~ spot. 그는 지금 벽촌에서 살고 있다. ~**ly** *adv.* ~**ness** *n.*
retíred líst *n.* [the ~] 《美》 퇴역 군인[《英》 퇴역장교] 명부.
re·tir·ee [ritaiəríː, -ˊ-ˋ] *n.* 은퇴자, 퇴직자.
***retíre·ment** *n.* **1** Ⓤ 퇴거, 퇴각 ; 은퇴, 은거 : go into ~ 은거하다 / live[dwell] in ~ 한거하다. **2** Ⓤ,Ⓒ 퇴직, 퇴역, 정년 ; 정년후의 시기[인생]. **3** 은거처, 벽촌, 외진 곳. **4** (자사 발행 사채 따위의) 상환. —— *a.* 퇴직[은둔 생활]자의.
retírement commùnity *n.* 은퇴자[노인] 전용 주택지, 노인촌.
retírement pènsion *n.* 퇴직[노령] 연금.
re·tír·ing *a.* **1** 암띤, 스스러워하는, 내성적인 (reserved), 수줍어하는(shy). **2** 퇴직(자)의 ; 은퇴의 : a ~ allowance 퇴직금 / a ~ pension 퇴직연금, 은급. ~**ly** *adv.* ~**ness** *n.*
retíring àge *n.* 퇴직 연령.
retíring collèction *n.* 설교[연주회] 후의 헌금.
re·tóol *vt.* (공장 따위)의 기계 설비를 바꾸다 ; 재편성하다. —— *vi.* 기계 설비를 개선하다.
re·tor·na·do [rètɔːrnáːdou] *n.* (*pl.* ~**s**) 외국에 돈벌이하러 갔다 돌아온 스페인인 ; 옛 식민지에서 돌아온 포르투갈인. 〖Sp., Port. =returnee〗
re·tor·sion [ritɔ́ːrʃən] *n.* Ⓤ 〖國際法〗 =RETORTION.
re·tort**[1] [ritɔ́ːrt] *vt.* **1** [+目/+目+前+名] (공격·비난 따위에) 대꾸하다, 응수하다, 앙갚음하다, …에게 반박하다 : ~ blow ***for blow 되받아치다 / ~ a jest (***up***)***on*** a person 남을 응수하여 놀려주다 / I ~*ed* an argument ***against*** him. 그의 주장을 반박했다. **2** …라고 말대꾸하다 : "It's no business of yours," he ~*ed*. 「그것은 네가 알 바가 아니야」라고 그는 말대꾸했다. —— *vi.* [動/+*on*+名] 앙갚음[말대꾸]하다 ; 보복하다 : ~ (***up***)***on*** one's accusers 비난자에게 응수하다.
—— *n.* Ⓤ,Ⓒ 앙갚음, 말대꾸, 반박 : *in* ~ 앙갚음으로. 〖L RE*tort*- -*torqueo* to twist back〗
retort[2] *n.* 〖化〗 레토르트, 증류기. —— *vt.* (수은을) 증류기[레토르트]로 분리하다. ~**able** *a.*
〖F‹L (↑) ; 그 형상에서〗
retórtable póuch *n.* 레토르트 식품[포장], 내열(耐熱) 플라스틱 밀봉 가열 살균 식품.
retórt·er *n.* 앙갚음[말대꾸]하는 사람.
re·tor·tion [ritɔ́ːrʃən] *n.* **1** Ⓤ 되휘기, 비틀리기. **2** 〖國際法〗 (높은 관세 따위의) 보복.
re·tóuch *vt.* (그림·사진·문장 따위를) 손질하다, 수정하다, 가필하다. —— *vi.* 손질하다, 수정하다, 가필하다. —— [ˊ-ˋ, -ˊ] *n.* 수정(한 곳) ; 수정시킨 것[사진 따위]. 〖? F (*re*-)〗

re·tráce *vt.* **1** [+目/+目+*to*+名] 되돌아가다, 되풀이하다 : You must ~ your way. 온 길을 되돌아가야 한다 ; 다시 고쳐 해야만 한다 / He ~*d* his steps ***to*** where he started. 그는 출발했던 곳으로 되돌아갔다. **2** …의 근본을 캐다, 거슬러 올라가 조사하다. **3** 회고[회상]하다 : ~ one's past actions 과거의 행동을 회상하다.
〖F (*re-*)〗

re·tráce *vt.* 다시 투사(透寫)하다, (지워진 선 따위를) 다시 긋다.

***re·tract** [ritrǽkt] *vt.* **1** (혀 따위를) 안으로 끌어들이다, 수축시키다 : The dog ~*ed* his lips. 개는 입술을 오므렸다《이빨을 드러냈다》. **2** (앞서 한 말·선서 따위를) 취소하다, 취하하다, 철회하다(recant). —— *vi.* **1** 쑥 들어가다, 오므라들다 : A cat's claws can ~. 고양이의 발톱은 오므릴 수 있다. **2** 한 말을 취소하다[철회하다].
〖L REtract- -*traho* to draw back〗

retráct·able *a.* **1** 취소[철회]할 수 있는. **2** 오므릴 수 있는.

re·trac·ta·tion [rìːtræktéiʃən] *n.* U,C 취소, 철회(retraction) ; 신축력.

re·trac·tile [ritrǽktl, -tail ; -tail] *a.* 신축자재의, (고양이의 발톱·거북의 머리처럼) 오므릴 수 있는(↔*protrusile*).

re·trac·til·i·ty [rìːtræktíləti] *n.* U 신축력.

retráct·ing lánding gèar *n.* 〖空〗 비행기가 이륙한 후 기체내로 접어들이는 바퀴 다리.

re·trac·tion [ritrǽkʃən] *n.* **1** U,C (발톱 따위를) 오므리기(↔*protrusion*). **2** U,C 취소, 철회.

re·trac·tive [ritrǽktiv] *a.* 오므리는, 수축[신축]성의. **~·ly** *adv.* **~·ness** *n.*

re·trác·tor *n.* **1** 〖醫〗 (상처를 벌리는) 견인기(牽引器), 견인 붕대. **2** 〖解〗 수축근(收縮筋)(↔*protractor*). **3** 철회하는 것[사람].

re·tráin *vt.* …을 재훈련[재교육]시키다.
—— *vi.* 다시 훈련하다, 재교육을 받다.

re·tral [ríːtrəl, rét-] *a.* 배후의, 뒤쪽의. **~·ly** *adv.*
〖*retro-*, *-al*〗

rè·transláte *vt., vi.* (원어로) 도로 번역하다, 되번역하다 ; 중역(重譯)하다 ; 개역하다.
rè·translátion *n.*

re·tréad *vt.* (자동차 타이어의) 바닥을 재생하다 (cf. RECAP[1]) ; 《비유》 (퇴직자를) 재훈련시키다 ; 《口》 (새것처럼) 다시 만들다, 고쳐 만들다.
——[⌒] *n.* (낡은 타이어의 바닥을 다시 붙인) 재생 타이어 ; 《美口》 재소집병 ; 《美口》 (퇴직후) 일을 위해 재훈련 받는 사람.
〖C20 (*re-*)〗

re·tréad *vt.* 되밟아가다, 되돌아 걷다 ; 다시 밟다.
〖C16 (*re-*)〗

***re·treat** [ritríːt] *n.* **1** U,C 퇴각, 후퇴 ; C 후퇴 신호 ; (일몰시의) 귀영(歸營) 북[나팔], 국기 강하식 : sound the [a] ~ 후퇴 신호를 하다. **2** 은퇴 ; 은둔 장소, 은신처, 피난처 ; 잠복장소 ; (알코올 중독자·정신 이상자 등의) 보호 수용소 : a mountain ~ 산장 / a rural ~ 시골[촌]의 은둔처 / a summer ~ 피서지. **3** U,C 〖카톨릭〗 피정(避靜)(기간) ; 수양회 : be in ~ 피정중이다.
be in full retreat 총퇴각[패배]하다.
beat a retreat 퇴각 신호로 북을 치다 ; 퇴각하다 ; 손을 떼다.
cover [***cut off***] ***the retreat*** 퇴각 부대의 후위를 엄호하다[퇴로를 차단하다].
—— *vi.* **1** [動/+前+名] 물러가다, (특히 군대가) 퇴각하다(cf. RETIRE *vi.* 2 c)) : They ~*ed before* the advance of the enemy. 적의 진격에 눌려 퇴각했다 / They ~*ed* ***on*** the capital. 수도를 향하여 퇴각했다. **2** 쑥[움푹] 들어가다《注 이 뜻으로는 RECEDE가 보통》 : a ~*ing* chin 쑥 들어간 턱. **3** 은퇴[은거]하다. —— *vt.* 〖체스〗 (특히 말을) 뒤로 물리다, 뒤로 빼다.
〖OF<L ; ⇨ RETRACT〗

re·tréat *vt., vi.* 다시 처리하다.

retréat·ant *n.* (일시적으로 수도원 따위에 들어가) 피정(避靜)을 하는 사람, 묵상자.

re·tree [ritríː] *n.* 불량 종이, 흠있는 종이.

re·trench [ritréntʃ] *vt.* **1** 단축하다, 축소하다 ; (비용 따위를) 절감하다, 삭감하다(reduce). **2** 삭제하다, 생략하다 : Several passages of this book might be ~*ed.* 이 책에는 삭제해도 될 만한 곳이 몇 구절 있다. **3** 〖築城〗 (성 따위에 참호·흉벽으로) 복곽(複郭)을 만들다. —— *vi.* 절약하다(economize), 비용을 절감하다.
~·ment *n.* U,C 단축, 축소 ; 삭제, 삭감 ; 경비 절감, 절약 ; C 〖築城〗 복곽, 내곽(內郭).
〖F (*re-*)〗

re·tríal *n.* 다시 함, 재시험 ; 〖法〗 재심.

re·tríbal·ìze *vt.* 부족(部族) 상태로 복귀시키다.
re·trìbal·izátion *n.*

ret·ri·bu·tion [rètrəbjúːʃən] *n.* U,C 보복, 앙갚음 ; 징벌 ; 응보, 천벌 : the day of ~ 최후의 심판일 ; 응보의 날. 〖L ; ⇨ TRIBUTE〗

re·trib·u·tive [ritríbjətiv] *a.* 보복의, 응보의.
~·ly *adv.*

re·tríb·u·tiv·ìsm *n.* (형벌의) 응보[보복]주의.
-ist *n., a.*

re·trib·u·to·ry [ritríbjətɔ̀ːri ; -təri] *a.* =RETRIBUTIVE.

re·tríev·al *n.* **1** U 회복, 복구, 만회 ; 수선, 수정, 정정 ; 보완, 보상 ; 회복[복구]의 가망 : beyond [past] ~ 회복의 가망이 없는[없을 정도로]. **2** 〖컴퓨〗 (정보의) 검색 : information ~ 정보 검색 (cf. RETRIEVE *vt.* 7, STORAGE 1).

re·trieve [ritríːv] *vt.* **1** 되찾다, 회수하다(get again) ; 회복하다 : I should like to ~ my umbrella left in the car. 차 안에 두고 내린 우산을 찾았으면 한다. **2** 부활[갱생]시키다, 회복하다(restore) : ~ one's fortunes 재산을 다시 모으다 / He wanted to ~ his honor[~ himself]. 명예를 만회[회복]하기를 원했다. **3** 메우다, 보상하다(atone for) ; 수선하다, 정정하다 : ~ one's errors 잘못을 정정하다. **4** (사냥개가 불치를) 찾아서 가져오다. **5** 생각해 내다, 상기하다. **6** [+目+*from*+名] 구해내다 : ~ a person ***from*** bad ways [*from* ruin] 남을 악의 길[파멸]에서 구하다. **7** 〖컴퓨〗 (정보를) 끌어내다, 검색하다.
—— *vi.* (사냥개가) 불치를 찾아 물어 오다.
—— *n.* U 회복, 회수, 만회 : beyond[past] ~ 회복의 가망이 없는. 〖OF (*trouver* to find)〗
類義語 ⟹ RECOVER.

re·tríev·er *n.* 되찾는[회복하는] 사람[것] ; 회복자 ; (특히) 리트리버《불치를 물어오는 구실을 하는 사냥개》.

re·trím *vt.* 다시 잘라내다 ; 다시 꾸미다 ; (다시 켜기 위해) …의 심지를 자르다 : ~ a lamp 램프의 심지를 자르다.

ret·ro[1] [rétrou] *n.* (*pl.* **~s**) =RETRO-ROCKET.

retro[2] *n., a.* (패션·음악 따위의) 복고(의), 재유행(의). 〖F *rétro* <? *rétrospectif* retrospective〗

RETRO, Ret·ro [rétrou] *n.* (*pl.* **~s**) 《美》 우주선 역추진 로켓 기술자. 〖*retro*fire officer〗

ret·ro- [rétrou, -rə] *comb. form* 「후방으로」「다시 제자리로」「반대로」 따위의 뜻. 〖L〗

rétro·àct *vi.* **1** 반대로 움직이다. **2** 거꾸로 작용하다; (법령 따위가) 소급력이 있다.

rètro·áction *n.* Ⓤ 반동, 반작용; 역동(逆動); (법·세금 따위의) 소급 효력.

rètro·áctive *a.* (효력이) 소급되는; (어떤 기일로) 효력이 거슬러 올라가는: a ~ law[statute] 소급법 / ~ *to* May 1 5월 1일로 소급하여. **~·ly** *adv.* 소급적으로.

ret·ro·cede [rètrousíːd] *vt.* (영토 따위를) 반환하다, 돌려주다. —— *vi.* 물러나다; 〖醫〗 (병이) 내공(內攻)하다.

rèt·ro·cés·sion [-séʃən] *n.* Ⓤ 후퇴; 〖醫〗 내공; (영토 따위의) 반환, 돌려줌.

rétro·chòir *n.* 〖建〗 (교회·사원 따위의) 제단 뒷부분.

rètro·cognítion *n.* 〖心〗 역행인지(逆行認知).

rétro·ènɡine *n.* 역추진 로켓 엔진.

rétro fàshion *n.* 〖服〗 레트로 패션, 복고 의상(復古衣裳).

rétro·fìre *vt.* (역추진 로켓을) 점화시키다. —— *vi.* (역추진 로켓이) 점화하다. —— *n.* Ⓤ 역추진 로켓의 점화.

rètro·fít *n.* 구형(舊型) 장치[장비]의 개장(改裝). —— *vt.* (구형 장치를) 개장하다; (비행기·컴퓨터 따위)의 장치[장비]를 개장하다.

ret·ro·flex(ed) [rétrəflèks(t)] *a.* 뒤로 휜; 반전(反轉)한, 〖醫〗 뒤로 굽은; 〖音聲〗 반전음의, 혀가 꼬부라진 (소리의).

ret·ro·flex·ion, -flec·tion [rètrəflékʃən] *n.* Ⓤ 반전; 〖醫〗 (자궁) 후굴(後屈); 〖音聲〗 반전음.

rètro·gradátion *n.* Ⓤ 후퇴; 퇴보, 퇴화; 역행; 〖天〗 (유성의) 역행 (운동).

ret·ro·grade [rétrəgrèid] *a.* **1 a**) 후퇴하는, 되돌아가는; 역행하는; 〖宇宙〗 역추진의; 〖天〗 역행하는. **b**) (순서 따위) 역의. **c**) 〖醫〗 (건망증 따위가) 역행성의. **2** 나빠지는, 퇴행하는, 퇴화하는. **3** 《古》 모순된, 반대의. —— *vi.* **1** 후퇴하다, 역행하다, 소급하다; 퇴보[퇴화]하다, 타락하다. **2** 〖天〗 (유성 따위가) 역행하다. —— *vt.* 《古》 되돌아 가게 하다, 역행시키다. —— *n.* 《稀》 = RETROGRESSION; 타락자. —— *adv.* 거슬러올라가, 역으로. 〚L *retro-*(*gress- gradior* to go)=to move backwards〛

ret·ro·gress [rètrəgrés] *vi.* 뒤로 돌아가다, 후퇴하다, 역행하다; 하강하다, 퇴화[퇴보]하다, 쇠퇴하다. 〚L; ↑〛

ret·ro·gres·sion [rètrəgréʃən] *n.* Ⓤ 후퇴; 〖生〗 퇴화, 퇴보; 쇠퇴; 〖天〗 회귀(回歸), 역행운동.

ret·ro·gres·sive [rètrəgrésiv] *a.* 후퇴[역행]하는; 퇴화하는.

ret·ro·ject [rétrədʒèkt] *vt.* 뒤로 던지다, 되던지다 (↔ *project*).

rètro·lén·tal [-léntl] *a.* 〖解〗 수정체 뒤[뒤쪽]의.

retroléntal fibroplásia *n.* 〖醫〗 수정체 후(방) 섬유 증식(증), 후(後) 수정체 섬유 증식(증).

rètro·língual *a.* 〖解〗 후설(後舌)의, 혀의 안쪽에 있는《선(腺) 따위》.

ret·ro·nym [rétrənim] *n.* **1** 일반화된 상표명 《Band-Aid(반창고), Kleenex(화장지) 따위처럼 거의 보통명사화 된 것》. **2** 광고 따위의 표기가 일반화한 것《Kentucky Fried Chicken의 finger-lickin' good(손가락을 빨 정도로 맛있는) 따위》.

rétro·pàck *n.* 우주선 역추진 보조 로켓 시스템.

ret·ro·pul·sion [rètrəpʌ́lʃən] *n.* Ⓤ **1** 뒤로 밀어내기. **2** 〖醫〗 후방 돌진《뒤로 비틀거리는 증세》.

rètro·refléction *n.* 역반사《반사 경로가 입사(入射) 경로와 평행인 경우》. **-refléctive** *a.*

rètro·refléctor *n.* 역반사체《반사광선을 입사광선과 평행으로 하기 위한 장치》; 레이저 광선 역반사 장치.

rétro-ròcket *n.* 역추진 로켓.

re·trorse [ritrɔ́ːrs, ríːtrɔːrs] *a.* 〖動·植〗 거꾸로 [뒤로, 아래로] 향한. **~·ly** *adv.*

ret·ro·spect [rétrəspèkt] *n.* **1** Ⓤ 회고, 추억, 회상(↔*prospect*): in ~ 회상하여, 돌이켜 보아. **2** Ⓤ (과거로의) 소급 적용, 소급력. —— *vt., vi.* 회고[회상]하다; 추억에 잠기다. —— *a.* =RETROSPECTIVE. 〚L (*specio* to look)〛

ret·ro·spec·tion [rètrəspékʃən] *n.* Ⓤ,Ⓒ 회고, 회상, 추억.

ret·ro·spec·tive [rètrəspéktiv] *a.* **1** 회고의, 회상의(↔*prospective*); 과거로 소급하는: a ~ exhibition 회고전(回顧展). **2** =RETROACTIVE. —— *n.* (화가 등의) 회고전; 작품연표.

ret·rous·sé [rətruːséi, rətrúːsei, rètruːséi; rətrúːsei] *a.* (코끝 따위가) 위로 향한[젖혀진], 들창코의. 〚F=tucked up; ⇨ TRUSS〛

ret·ro·ver·sion [rètrəvə́ːrʒən, -ʃən; -ʃn] *n.* 뒤로 굽음, 반전; 퇴화, 퇴행; (특히 자궁의) 후굴.

ret·ro·vert [rétrəvə̀ːrt] *vt.* 뒤로 구부리다; (특히 자궁을) 후굴시키다. **~·ed** *a.*

rétro·vìrus *n.* 〖生〗 레트로바이러스《유전 정보를 부호화하는데 DNA 대신 RNA를 쓰는 바이러스》.

re·trý *vt.* 다시 시도하다; 〖法〗 재심리하다; 재시험보다.

ret·si·na [retsíːnə, rétsənə] *n.* Ⓤ 수지(樹脂)가 든 포도주《그리스산(産)》. 〚Gk.< ? It.=resin〛

ret·tery [rétəri] *n.* (아마(亞麻)를) 물에 담가 두는 장소.

rét·ting *n.* Ⓤ (아마(亞麻) 따위를) 물에 담그기《부드럽게 하기 위함》.

‡**re·turn** [ritə́ːrn] *vi.* **1** [動/+副/+前+名] 돌아가다[오다], 복귀하다: My father will ~ *home* ***from*** Europe next month. 아버지는 다음달 유럽에서 귀국하실 것입니다 / They have ~*ed* ***to*** Boston. 보스톤으로 돌아왔다. **2** [+*to*+名] (앞서의 화제로) 되돌아가다: Now let us ~ ***to*** that question of philosophy. 이제 그 철학의 문제로 되돌아 갑시다. **3** [動/+*to*+名] (원래의 상태로) 복귀하다; (질병 따위가) 도지다, 재발하다: ~ ***to*** life 소생하다 / ~ *to* oneself 제 정신이 들다 / The body shall ~ *to* dust. 육체는 죽어 흙으로 돌아간다. **4** 대답하다, 말대꾸하다.

—— *vt.* **1** [+目/+目+前+名/+目+目] 반환하다, 되돌리다, 돌려주다, 도로 보내다; (포로 등을) 송환하다; 반사[반향]하다: He forgot to ~ the book ***to*** its place. 그 책을 제자리에 도로 갖다 놓는 것을 잊었다 / The purse was ~*ed to* her. 지갑은 그녀의 손에 되돌아 갔다 / In case of nondelivery, ~ *to* the sender. 배달 불능일 때는 발송자에게 반송해 주시오《㊟ 목적어 this letter가 생략된 것》/ Please ~ (me) the umbrella I lent you the other day. 일전에 빌려드린 우산을 돌려 주십시오.

2 (이익 따위를) 낳다: The bazaar has ~*ed* a fairly good interest. 바자에서 꽤 많은 이익이 남았다.

3 [+目/+目+前+名] 보답하다, 답례하다, 당한 대로 갚아 주다: ~ thanks (식사 전에) 감사의 기도를 올리다; (축배 따위에 대하여) 감사의 말을 하다 / ~ a blow 되받아치다 / ~ a visit 답례의 방문을 하다 / ~ a person's praise 되받아 남을 칭찬하다 / ~ like ***for*** like 같은 수단으로 응수하다[앙갚음하다].

4 …라고 대답하다(reply) ; 대꾸하다 : "Not at all," he ~*ed*. 원 천만에요 라고 그는 대답했다. **5** [+目/+目+前+名/+目+補] (공식적으로) 보고[신고]하다, 복명하다 ; (배심원이) 답신하다 : The jury ~*ed* a verdict of guilty. 배심원들은 유죄의 평결(評決)을 내렸다 / The liabilities were ~*ed* ***at*** $3000. 부채액은 3000 달러라고 보고되었다 / The prisoner was ~*ed* guilty. 피고는 유죄라고 답신되었다.
6 [+目/+目+*to*+名] (선거구가) 선출하다, 재선하다 : ~ a member ***to*** Parliament 국회의원을 선출하다.
7 〖카드놀이〗 같은 패로 응하다 : ~ one's partner's[opponent's] lead 짝[상대방]이 낸 것과 같은 패를 내다.
8 〖테니스〗 (공을) 되받아 치다(strike back).
To return [독립부정사구] 여담은 그만두고, 본제로 돌아가.
—— *n.* **1** U.C 귀환 ; 귀가, 귀국(= ~ **hóme**) : start on one's ~ home 귀로에 오르다 / On his ~, he learned that his mother had died. 귀가하여 비로소 모친이 사망한 것을 알았다. **2** U.C 회귀, 재발 ; 복귀 : the ~ of the season 계절의 순환 / Many[I wish you many] happy ~*s* (of the day)! 만수무강하시기를 바랍니다《생일 따위의 축사》. **3** U.C 반환, 되돌림 ; [*pl.*] (소매상 또는 구매자로부터의) 반품 ; [*pl.*] (선전에 대하여) 응할 수 있는 우편물 : the ~ of a loan 부채의 상환. **4** 답례, 응답, 보답 ; 말대꾸 : the ~ of a salute 답례(포(砲)) / make a ~ *for* …에 대해 답례[보복]하다. **5** 대답, 회답. **6** [때때로 *pl.*] 보수, 수입, 수익 : Small profits and quick ~*s*. 박리 다매《상점표어 ; 略 S. P. Q. R.》. **7** 보고(서) ; 신고(서) ; [보통 *pl.*] 통계표 : an income tax ~ 소득세의 신고(서) / election ~*s* 선거개표 보고(서) / make a ~ of …의 신고[보고]를 하다. **8** 《주로 英》 선출(election) : secure a ~ (의원으로) 당선되다. **9** 〖테니스〗 (공을) 되받아치기 ; 〖펜싱〗 되찌르기. **10** 《英》 =RETURN TICKET. **11** 〖컴퓨〗 복귀. **12** [형용사적으로] 되돌아오[가]는 ; 《英》 왕복의(cf. SINGLE 6) ; 회답[답례]의 ; 재차의 : the ~ half (왕복표의) 돌아오는 표 / a ~ cargo 회송 화물 / a ~ passenger 돌아가는 승객 / a ~ voyage 귀항 / a ~ visit 답례의 방문 / a ~ envelope 반신용 봉투.
by return (***of post*** [《美》 ***mail***]) 지급 회신편으로, 지급으로 : Please send a reply *by* ~. 즉시 회답 바랍니다.
in return 사례[답례]로, 회답으로 ; 그 대신에 : write *in* ~ 답장을 쓰다 / He kissed her *in* ~. 그녀에게 답례로 키스했다 / I want nothing *in* ~. 아무런 답례도 바라지 않는다.
in return for[***to***] …의 답례로, …의 보답으로.
without return 이익[소득]없이.
〚AF<Rom. ; ⇨ TURN〛

retúrn·able *a.* 반환할 수 있는 ; 되돌려 주어야 할 ; 보고해야 할 ; 〖法〗 회부해야 할. —— *n.* 《美》 돌려주면 돈을 받을 수 있는 빈병[깡통].
retúrn addrèss *n.* 발신[발송]인의 주소 ; 〖컴퓨〗 복귀 번지.
retúrn càrd *n.* 반신용 엽서《상품 주문용》.
re·túrned *a.* 반송된 ; 돌아온 : a ~ soldier 귀환병 / ~ empties (발송주에게) 반송된 빈 상자[빈병 따위].
re·turn·ee [ritəːrníː] *n.* 귀환자, 귀환병 ; 귀국자 ; 복학자.
retúrn gáme[**mátch**] *n.* (경기의) 설욕전, 리턴 매치.
retúrn·ing òfficer *n.* 《英》 선거 관리관《선거를 관리하고 결과를 당국에 보고함》.
retúrn·less *a.* 보수[수익·벌이]가 없는 ; 돌아갈 수 없는 ; 피할 수 없는.
retúrn on invéstment *n.* 〖會計〗 투자 수익[이익]《略 R. O. I.》.
retúrn pòstage *n.* 반신용 우표[우편 요금].
retúrn pòstage guarantéed *n.* 〖美郵〗 반송 요금 보증.
retúrn tícket *n.* 《英》 왕복표(=《美》 round-trip ticket).
retúrn tríp *n.* 《英》 왕복여행(=《美》 round-trip).
re·tuse [ritjúːs] *a.* 〖植·昆〗 (잎·날개의) 끝이 둥글고 가운데가 움푹한.
Reu·ben [rúːbən] *n.* **1** 남자 이름. **2** 〖聖〗 르우벤《Jacob과 Leah 사이에 태어난 장남》 ; 르우벤족《Reuben의 자손, 이스라엘 12지파의 하나》. 〚Heb.=behold a son, or renewer〛
Réuben sàndwich *n.* 루벤 샌드위치《호밀빵에 콘비프, 스위스 치즈, sauerkraut를 얹어서 구운 샌드위치》.
re·únify *vt.* 다시 통일[통합]시키다.
re·unificátion *n.* U 재통일.
***re·únion** *n.* **1** U 재결합[합동] ; 재회(의 모임) ; 동창회. **2** [흔히 réunion] 친목회. **~·ism** *n.* U 〖宗〗 카톨릭과 영국국교의 재결합주의. 〚F (*re-*)〛
rè·uníte *vt., vi.* 재결합[합동]시키다[하다] ; 화해[재회]시키다[하다].
re·úp *vi.* 《美俗》 다시 입대하다, 다시 응모하다 (reenlist).
re·úp·tàke *n.* 〖生理〗 재흡수《신경세포가 자극 전달이 끝난 전달 물질을 다시 흡수하는 것》.
re·úse [-júːz] *vt.* 다시 이용하다, 재생하다. —— [-júːs] *n.* U 재사용[활용]. **re·úsable** *a.* 재사용[활용]할 수 있는. **re·usabílity** *n.*
re·úsed *a.* (양털 따위) 재생한.
Reu·ters [rɔ́itərz] *n.* (영국의) 로이터 통신사.
re·útilize *vt.* 다시 이용하다.
rev [rév] *n.* 《口》 (엔진 따위의) 회전. —— *v.* (**-vv-**) [흔히 ~ up] *vt.* (엔진 따위)의 회전 속도[회전수]를 높이다, 증가시키다 ; 고속으로 운전하다 ; …의 템포를 빠르게 하다 ; 증가시키다 ; 활발하게 하다 ; 자극하다. —— *vi.* (엔진이) 회전 속도가 올라가다 ; 증대하다 ; 활발해지다. 〚*rev*olution〛
rev. revenue ; reverse(d) ; review(ed) ; revise(d) ; revision ; revolution ; revolving.
REV 〖宇宙〗 reentry vehicle(재돌입 비상체(飛翔體)). **Rev.** Revelation(s) ; Reverend.
re·váccinate *vt.* 재접종(再接種)하다.
re·válidate *vt.* 재확인하다 ; 법적으로 유효하다고 재인정하다 ; (증명서 따위를) 갱신하다.
re·validátion *n.*
re·válorize *vt.* (자산)의 평가를 변경하다 ; (통화)의 가치를 변경하다. **re·valorizátion** *n.*
re·váluate *vt.* 재평가하다 ; (평가) 가치를 변경하다, (특히) 평가를 절상하다. **re·valuátion** *n.* U 재평가 ; (통화 가치의) 개정, (특히) 평가절상.
re·válue *vt.* 재평가하다.
re·vámp *vt.* 《美》 **1** 바대를 대다 ; 깁다, 수선하다 (patch up) : ~ old boots 헌 구두를 수선하다. **2** 《口》 개조[개정·개편·개혁·혁신]하다 : ~ agriculture in a backward country 후진국의 농업을 재개발하다. —— *n.* 수선 ; 혁신, 개혁, 개조, 개작.

re·vanche [*F* rəvɑ̃ːʃ] *n.* 보복정책 ; 실지(失地) 회복정책 ; 복수전.

re·vanch·ism [rəvɑ́ːʃizəm] *n.* Ⓤ =REVANCHE. **-ist** *n., a.*

re·váscular·ìze *vt.* 〖醫〗 (심장 따위)에 혈관을 이식하다. **re·vàscular·izátion** *n.*

rév còunter *n.* 《英口》 =TACHOMETER.

Revd. Reverend.

re·veal**[1] [riví:l] *vt.* **1** [+目/+目+*to*+名/+*that* 節/+目+*as* 補] 나타내다, 드러내다, 폭로하다, 적발하다 ; 알리다, (비밀 따위를) 누설하다 (↔*conceal*) : He did not ~ his identity after all. 결국 자신의 정체를 밝히지 않았다 / His genius ~*ed* it*self*. 그의 천재적인 재능이 드러났다 / He ~*ed* the secret ***to his wife. 비밀을 아내에게 누설했다 / Tests ~*ed that* there were no disease microbes in the soil. 검사 결과 그 토양에는 병균이 함유되어 있지 않다는 것이 판명되었다 / In this book the author ~*s* himself *as* full of kindness. 이 책을 읽으면 저자는 따뜻한 마음의 소유자임을 알 수 있다. **2** [+目/+目+*to*+名] 나타내다, 보여주다(show) : The moonlight ~*ed* her fair face. 달빛에 그녀의 하얀 얼굴이 보였다 / The telescope ~*s* a lot of distant stars ***to*** our sight. 망원경으로 우리는 멀리에 있는 많은 별들을 볼 수가 있다. **3** (신이) 계시[묵시]하다.
—— *n.* Ⓤ 묵시, 계시 ; 폭로.
〖OF or L=to unveil (*velum* veil)〗
類義語 ***reveal*** 감추어져 있는 것, 비밀스런 것을 베일을 벗기고 명확히 하다 : *reveal* a secret (비밀을 밝히다). ***disclose*** 감추어져 있는 것을 노출시키다, 밝히다 : She *disclosed* her intention to marry. (그녀는 결혼하려는 의사를 밝혔다).

reveal[2] *n.* 〖建〗 (창·입구의) 문설주(jamb) ; (자동차의) 창틀. 〖C15 *revale* (obs.) to lower<OF (*avaler* ; ⇨ VAIL[1])〗

re·véaled relígion *n.* 계시종교《신의 계시를 인정하고 그것에 근거를 둔 종교 ; cf. NATURAL RELIGION》.

revéaled theólogy *n.* 계시 신학《계시에 의해서만 진리를 얻을 수 있다고 함 ; cf. NATURAL THEOLOGY》.

revéal·ing *a.* 드러나 있는, 노출된 ; 계발적인 ; 의미심장한.

Reved. Reverend.

rev·eil·le [révəli ; rivǽli] *n.* 〖軍〗 기상 나팔[북] ; 조례. 〖F *réveillez* (impv. pl.) wake up (L *vigilo* to watch)〗

rev·el [révəl] *v.* (-l- | -ll-) *vi.* **1** 주연을 베풀다, 술마시며 흥청대다. **2** [+*in*+名] 몹시 즐기다, 열중하다, 탐닉하다 : Some people ~ ***in*** others' misfortunes. 남의 불행을 보고 좋아하는 사람도 있다. —— *vt.* [+目+副] (시간·금전을) 음주로 낭비하다 : He ~*ed away* his money[the time]. 그는 술로 돈을 낭비했다[흥청대고 놀며 허송세월을 보냈다]. —— *n.* [때때로 *pl.*] 술잔치 ; Ⓤ 흥청망청 떠들기. **rév·el·er** | **-el·ler** *n.* 주연을 베푸는 사람, 술마시고 떠드는 사람 ; 난봉꾼.
〖OF<L ; ⇨ REBEL〗

rev·e·la·tion [rèvəléiʃən] *n.* **1 a**) Ⓤ 적발, 폭로, 들추어내기 ; 누설, 발각 : the ~ *of* the thief's hiding place 도둑 은신처의 발각. **b**) 폭로된 사물 ; 뜻밖의 새 사실 : It was a ~ *to* me. 그것은 나에게는 뜻밖의 사실이었다 / What a ~ ! 얼마나 뜻밖의 이야기인가 ! **2** 〖宗〗 천계, 계시, 묵시 ; Ⓒ 계시 종교(revealed religion) ; 성서. **3** [the R~, (the) R~s ; 단수 취급] 〖聖〗 요한 계시록(the Book of Revelations of St. John the Divine) 《신약성서의 마지막 서(書) ; 略 Rev.》. **~·al** *a.* 천계[묵시]의.
〖OF or L ; ⇨ REVEAL[1]〗

revelátion·ist *n.* 천계[계시]를 믿는 사람 ; [the R~] 계시록의 작자.

rev·e·la·tor [révəlèitər] *n.* 계시자 ; 폭로자.

re·vel·a·to·ry [révələtɔ̀:ri, rivél- ; -təri] *a.* 계시의, 계시적인 ; (…을) 나타내는〈*of*〉.

rével·ròut *n.* 《古》 [집합적으로] 술마시고 흥청거리는 사람들.

rével·ry *n.* Ⓤ [때때로 *pl.*] 술마시며 흥청거리기, 음주방가(飮酒放歌)하는 대소란, 환락(merry-making).

rev·e·nant [révənənt] *n.* (유형(流刑)·긴 여행 따위에서) 돌아온 사람 ; 저승에서 되돌아온 사람, 망령, 유령. —— *a.* (유형·긴 여행 따위에서) 돌아온 ; 유령의[에 관한, 에 특유한].
〖F (*revenir* to return)〗

re·venge** [rivéndʒ] *n.* **1** Ⓤ [또는 a ~] 복수(vengeance) ; 앙갚음, 보복 : have[take] one's ~ 복수를 하다, 원한을 풀다 / in[out of] ~ *for* …의 보복[앙갚음]으로 / seek one's ~ (*up*) *on* …에게 복수할 기회를 노리다. **2** Ⓤ 복수심, 유한(遺恨). **3** 〖競〗 설욕(雪辱)할 기회 : give a person his ~ (패자에게) 설욕의 기회를 주다, 설욕전에 응하다. —— *vt.* **1** [+目+*on*+名] [~ one*self* 또는 수동태로] 복수하다 : He swore to ~ him*self*[to *be* ~*d*] ***on his enemy. 그는 적에게 복수할 것을 맹세했다. **2 a**) (피해자의) 원한을 풀어주다, 원수를 갚다. **b**) (부정에 대해) 보복하다 : I'll ~ that insult. 나는 그 모욕에 대해 앙갚음하겠다 / He ~*d* his son's death. 그는 아들의 죽음을 복수했다. —— *vi.* 《古》 원수를 갚다, 원한을 풀다〈*upon*〉.
〖OF<L ; ⇨ VINDICATE〗
類義語 ***revenge*** 가해자에게 개인적인 보복을 가하는 것으로 상대방에 대한 악감정이 나타나 있다 : The gangster *revenged* the murder of his companion. (그 악한은 자기 동료를 살해한 사람에게 보복했다). ***avenge*** 부정이나 나쁜 일·압박에 대하여 당연한 또는 정당한 앙갚음을 하다 : We *avenged* the criminal by bringing him to court. (법의 심판을 받게 함으로써 범인에게 보복했다).

revénge·ful *a.* 복수심에 불타는, 앙심 품은. **~·ly** *adv.*

rev·e·nue** [révənjù:] *n.* **1** Ⓤ 세입(annual income) ; (투자·부동산 따위에 의한) (불로) 소득 : ☞ INLAND[INTERNAL] REVENUE. **2** Ⓤ 수익, (정기적인) 수입 ; 수입원 ; 수입 항목 ; 세입 내역. **3** [*pl.* ; 때때로 one's ~s] (국가·단체·개인 등의) 총수입, 총소득. **4** 국세청, 세무서. ***defraud the revenue 탈세하다.
〖OF (p.p.) 〈*revenir* to return<L RE*venio*〗

révenue bònd *n.* 세입 담보채(債).

révenue cùtter *n.* (정부의) 밀수 감시정(艇).

révenue enhàncement *n.* 세입증가《증세라는 말 대신에 쓰는 표현》.

révenue expénditure *n.* 〖商〗 수익지출(cf. CAPITAL EXPENDITURE).

révenue òfficer *n.* 밀수 감시관.

rév·e·nù·er *n.* 《美》 밀수 감시관 ; 밀주 단속 세무관 ; (밀수) 감시선.

révenue shàring *n.* 《美》 (연방 정부에서 각 주로의) 세입 교부.

révenue stàmp *n.* 수입 인지.
révenue tàriff *n.* 수입 관세 (cf. PROTECTIVE TARIFF).
révenue tàx *n.* 수입세.
re·verb [rivə́:rb, rí:və:rb] *n.* (스테레오 따위의) 잔향(殘響), 반향(反響) ; 잔향(부가)장치.
—— [rivə́:rb] *vt., vi.* 《口》 =REVERBERATE.
re·ver·ber·ant [rivə́:rbərənt] *a.* 반향하는 ; 반사하는.
re·ver·ber·ate [rivə́:rbərèit] *vt.* [+目 /+目+前+名] 반향시키다, 울려 퍼지게 하다(echo) ; (빛·열을) 반사하다, 굴절하다 : The report of the gun was ~*d* ***through*** the hills. 총성이 이산 저산에 메아리쳤다. —— *vi.* [動 /+前+名] 반향하다, 울려퍼지다 ; 반사하다 : The shout of applause ~*d* ***through*** the hall. 환성이 회장안에 울려퍼졌다. —— [-rət] *a.* =REVERBERANT. 〖L RE*verbero* to beat back〗
re·vér·ber·àt·ing fùrnace[**kìln**] *n.* 반사로.
revérberating tìme *n.* 잔향 시간.
re·ver·ber·a·tion [rivə̀:rbəréiʃən] *n.* Ⓤ 반향, 잔향(殘響) ; 반사 ; 반사광[열] ; [*pl.*] 잔향[반향]음(音).
re·ver·ber·a·tive [rivə́:rbərèitiv, -rət-] *a.* 반향하는(resounding) ; 반사하는(reflective).
re·vér·ber·à·tor *n.* 반사기(器) ; 반사경 ; 반사등 ; 반사로.
re·ver·ber·a·to·ry [rivə́:rbərətɔ̀:ri ; -təri] *a.* 반사의, 반사에 의한 ; 반향하는 ; 굴절한. —— *n.* 반사로(爐).
revérberatory fùrnace *n.* 반사로.
re·vere[1] [rivíər] *vt.* 존경하다, 숭배하다 : People ~*d* the saint. 사람들은 그 성인을 숭배했다. 〖F or L (*vereor* to fear)〗
類義語 ⟹ WORSHIP.
revere[2] *n.* =REVERS.
rev·er·ence [révərəns] *n.* **1** Ⓤ 존경, 숭배 ; 경의 : feel ~ *for* …을 숭배하다, …을 존경하다. **2** Ⓤ 위덕(威德), 위엄. **3** 《英古·美》 경례, 공손한 태도 : make a profound ~ 공손히 절하다. **4** [보통 your[his] R~] …님《성직자의 경칭》.
hold a person ***in reverence*** 남을 존경하다.
pay reverence to …에게 경의를 표하다, 경례하다.
—— *vt.* 존경하다, 숭배하다(revere). 〖OF<L ; ⇨ REVERE[1]〗
類義語 ⟹ HONOR.
rev·er·end [révərənd] *a.* **1** (사람·사물·장소 따위가) 거룩한, 존귀한. **2** [the R~] …님《성직자의 경칭 : 略 (the) Rev(d).》. ☞ 活用. **3** 성직자의, 목사의 : the ~ gentleman 그 성직자[목사] / a ~ utterance 성직자의 말. **4** =REVERENT. —— *n.* [the ~] 《口》 목사, 성직자. 〖OF or L (gerund.) ‹REVERE[1]〗
活用 성직자에 대한 경칭으로 쓰일 때는 성과 이름을 붙이고 그 앞에 the를 붙이는 것이 공손한 용법 : the *Reverend* Joseph[J.] Hames / the *Reverend* Dr. Joseph[J.] Hames (조셉 헤임스 목사님). 위의 예에서 *Reverend*을 생략하여 *Rev.*라고 하는 것은 신문이나 격식을 차리지 않는 표현에서의 용법이다. 같은 글 속에서 재차 언급할 때에는 the *Rev.* Mr.[Dr.] Hames라고 말하며, *Rev.* Hames나 the Reverend라고는 하지 않는다. 회화체의 호칭에서도 성이나 이름을 붙이지 않고 다만 *Reverend*라고 하는 것은 실례가 된다. 또한 *the Most Reverend*는 *archbishop*의 존칭이고, *the Right Reverend*는 *bishop*에 대한 존칭이다.
Réverend Móther *n.* 수녀원장에 대한 경칭.
rev·er·ent [révərənt] *a.* 경건한, 공손한.
~·ly *adv.* 〖L ; ⇨ REVERE[1]〗
rev·er·en·tial [rèvərénʃəl] *a.* 공손[정중]한, 존경을 나타내는, 경건한. **~·ly** *adv.*
rev·er·ie, rev·ery [révəri] *n.* **1** Ⓤ,Ⓒ 환상, 몽상, 공상 ; 《古》 망상 : be lost in ~ 공상[사색]에 잠겨 있다. **2** 〖樂〗 환상곡. 〖F<OF=rejoicing, wildness (*rever* to be delirious< ?)〗
re·vers [rivíər, -véər] *n.* (*pl.* ~ [-z]) 접어 젖힌 깃, (옷깃·커프스 따위의) 단. 〖F ; ⇨ REVERSE〗
re·ver·sal [rivə́:rsəl] *n.* Ⓤ,Ⓒ 반전(反轉), 전도 ; 역전(逆轉) ; 〖法〗 취소, 파기 ; 〖寫〗 반전(현상).
***re·verse** [rivə́:rs] *n.* **1** Ⓤ 역(逆), 반대 ; 〖印〗 반전 인쇄물 : quite the ~ =the very ~ 그 정반대 / He made remarks the ~ *of* complimentary. 그는 찬사는 커녕 전혀 반대의 말을 했다. **2** 뒤, 뒷면, 배후 ; (주화·메달 따위의) 이면(↔*obverse*) ; 왼쪽 페이지(verso) (↔*recto*). **3** (창·총 따위의) 개머리판, 밑동. **4** 전환 ; 〖機〗 역전(장치) ; (자동차의) 후진(장치), 백(기어) (= ~ **géar**) ; 〖댄스〗 반대 방향으로 돌기 : a ~ *of* plans 계획의 전환. **5** 불운, 실패, 손실, 패배(defeat) : the ~*s of* fortune 불운, 패배 / suffer [sustain, meet with, have] a ~ 실패하다, 패배하다.
in reverse 뒷면에 ; 거꾸로, 반대로 : drive a car *in* ~ 차를 후진시키다 / take...*in* ~ …을 배후에서 공격하다.
—— *a.* **1** 반대의, 거꾸로의 ; 〖印〗 반전 인쇄의 : in ~ order 역순으로. **2** 뒤의, 배후의 ; 뒤로 향한, 역전(逆轉)하는, 후퇴용의.
—— *vt.* **1** 거꾸로 하다, 반대로 하다 ; 역전(逆轉)시키다 ; 뒤집다 : ~ a process[procedure] 순서를 거꾸로 하다. **2** 바꿔놓다, 전환하다 ; 〖印〗 반전 인쇄하다 : Our positions have been ~*d*. 우리의 입장은 역전되어 있다. **3** 〖機〗 역동(逆動)[역류]시키다, 역전시키다. **4** 완전히 바꾸다, 일변시키다 ; 〖法〗 파기하다, 취소하다 : ~ a decision[sentence] 판결[선고]을 취소하다. **5** (통화 요금을) 수신인 지급으로 하다.
—— *vi.* **1** 거꾸로 되다 ; 되돌아가다, 역행하다 ; (엔진 따위가) 역회전하다 ; 역동(逆動)하다. **2** 〖댄스〗 반대로[거꾸로] 돌다.
Reverse arms ! 거꾸로 총! 《장례식 따위에서 총을 거꾸로 메게 하는 구령》.
~·ly *adv.* 거꾸로, 반대로 ; 이에 반하여, 한편으로는. 〖OF<L ; ⇨ REVERT〗
類義語 (1) (*v.*) ***reverse*** 정반대의 위치·방향·순서로 바꾸다 ; 가장 일반적인 말 : *reverse* a car (자동차를 뒤로 몰다). ***invert*** 엄밀하게 말해서 상하를 전도시키다, 또는 안쪽을 바깥이 되게 하다 : The image is *inverted* by the lens. (상(像)은 렌즈에 의해 거꾸로 된다).
(2) (*a.*) ⟹ OPPOSITE.
revérse àdvertising *n.* 역(逆)광고《소비자가 요구사항을 데이터베이스에 입력하면 공급자가 그것을 보고 고객을 찾아내는 방법》.
revérse ángle *n.* 〖TV〗 역(逆)각도《카메라의 위치를 피사체의 뒤에서 잡아 대면하고 있는 리포터를 비치기》.
revérse-chárge *a.* 《英》 (통화 요금이) 수신인 지급의.
revérse commúter *n.* 역방향 통근자《도시에서 교외로 통근함》.

revérse commúting *n.* 역방향 통근.
revérse cúlture shòck *n.* 역(逆)문화 쇼크《외국에서 오랫동안 생활한 사람이 고국에 돌아왔을 때 느끼는 소외감》.
re·vérsed *a.* 거꾸로 된, 반대의, 뒤집힌 ; 취소된, 파기된 ; 왼쪽으로 감는.
revérse discriminátion *n.* 《美》 역(逆) 차별《소수파 우대에 따른 다수파에 대한 차별 ; 백인이나 남성에 대한 차별》.
revérse-enginéer *vt.* 역설계(逆設計)하다, 분해하여 모방하다《타사 제품의 과정을》. **~ed** *a.* 분해하여 모방한《흔히 반도체에 대해 쓰임》.
revérse enginéering *n.* 분해(分解)공학, 역설계《타사 신제품을 분해하여 구조를 분석하고 그 설계를 역으로 탐지하는 기술》.
re·vérs·er *n.* 역으로 하는 사람[것] ; 〖電〗 전극기(轉極器), 반전기(反轉器).
revérse rácism *n.* 《美》 역(逆)인종차별《백인에 대한 인종차별》.
revérse transcrìptase *n.* 〖生化〗 역전사(逆轉寫) 효소《RNA에 의존하여 DNA를 합성하는 효소 ; cf. TEMIN ENZYME》.
re·vérs·ible *a.* REVERSE 할 수 있는 ; (화학 반응이) 가역(可逆)의 ; (직물이) 양면직으로 된 ; (명령·판결 따위) 철회할 수 있는, 취소 가능한 : a ~ coat 안팎 양면으로 다 입을 수 있는 코트. —— *n.* 안팎이 같은 천.
re·vérs·ing líght *n.* (자동차의) 후진등(燈).
re·ver·sion [rivə́ːrʒən, -ʃən ; -ʃn] *n.* **1** U,C 되돌아감, 환원, 복귀. **2** U,C 〖生〗 귀선(歸先) 유전, 격세 유전(atavism). **3** U,C 전도, 역전 ; 전환. **4** 〖法〗 U,C 재산의 복귀 ; C 복귀재산 ; 복귀권. 〚OF or L ; ⇨ REVERSE〛
revérsion·àry [; -əri], **revérsion·al** *a.* **1** 〖法〗 장래 복귀해야 할. **2** 〖生〗 귀선(歸先)[격세] 유전의. **3** 되돌아가는.
revérsion·er *n.* 〖法〗 복귀권자.
re·vert [rivə́ːrt] *vi.* [+*to*+名] **1** (옛 관습·의견·상태·화제로) 돌아가다, 되돌아가다 ; 〖生〗 격세 유전하다 : The region has ~*ed* ***to*** a wilderness. 그 지방은 본래의 황야로 되돌아갔다. **2** 〖法〗 복귀하다, 귀속하다 : If you die without heirs, your property will ~ ***to*** the State. 상속자 없이 사망하면 재산은 국가의 소유로 귀속된다. **3** (처음 이야기로) 되돌아가다, 회상하다 : Let us ~ ***to*** the subject. 본론으로 되돌아 가기로 하자. —— *vt.* (눈길을) 되돌리다, (발길을) 돌리다. —— *n.* **1** 〖法〗 =REVERSION. **2** (특히) 본래의 종교로 귀의한 사람. **3** revert하는 사람[것].
~·er *n.* **~·ible** *a.* 되돌아 갈 수 있는 ; (재산·권리 따위를) 복귀해야 할⟨*to*⟩.
〚OF<L (*vers- verto* to turn)〛
re·ver·tant [rivə́ːrtənt] *n., a.* 〖生·遺〗 귀선(歸先) 돌연 변이체(의).
re·vert·ase [rivə́ːrteis, -z] *n.* =REVERSE TRANSCRIPTASE.
revery ☞ REVERIE.
re·vést *vt.* 다시 수여[부여]하다 ; 복직시키다 ⟨*in*⟩ ; (토지·지위 따위)의 권리를 회복시키다 ⟨*in*⟩ ; (옷을) 다시 입히다. —— *vi.* 다시 수여되다 ; (권리 따위가) 복귀되다⟨*in*⟩.
re·vet [rivét] *vt.* (-tt-) (제방·벽 따위를) 돌로 덮다, …의 바깥 쪽을 축조하다. **~·ment** *n.* U 〖築城〗 피복(facing) ; C 〖土〗 옹벽(擁壁), 호안(護岸). 〚F *revêtir* to clothe ; ⇨ VEST〛
re·view** [rivjúː] *vt.* **1 a)** 재조사하다, 재음미하다, 잘 조사하다 : He ~*ed* the scene of the crime. 범죄 현장을 재조사했다. **b)** 다시보다 ; 재검토하다, 관찰하다 ; 〖法〗 재심리하다 : A superior court may ~ decisions of a lower court. 상급 법원은 하급 법원의 판결을 재심리할 수 있다. **c)** 《美》 (학과 따위를) 복습하다(↔*prepare*) : ~ today's lessons 오늘 배운 것을 복습하다. **d)** 회고하다, 회상하다 : He ~*ed* his past life. 과거의 생활을 돌이켜 봤다. **2** (서적 따위를) 비평[논평]하다 : All his works were favorably ~*ed.* 그의 작품은 어느 작품이나 호평이었다. **3** 정밀히 조사하다 ; 검열하다 ; 열병(閱兵)하다 : The President ~*ed* the fleet. 대통령은 그 함대를 사열했다. —— *vi.* [動/+前+名] 평론을 쓰다, 비평[서평]하다 ; 회고하다, 돌이켜보다 ; 《美》 복습하다 : He ~*s* ***for the newspaper. 그 신문의 서평란을 담당하고 있다. —— *n.* **1** U 재조사, 재검토, 재음미 ; 관찰 ; C 개관. **2** U,C 〖法〗 재심리 : a court of ~ 재심 법원. **3** U 회고, 반성. **4** U 복습, 연습 ; C 연습 문제(exercises). **5** U,C 비평, 평론, 서평 ; C 평론 잡지 : a ~ copy (신간) 서평용의 증본(贈本) / ☞ BOOK REVIEW. **6** 검사, 검열 ; 열병, 관병[관함]식 : a military [naval] ~ 열병[관함]식. **7** 〖劇〗 =REVUE.
be*[*come*] *under review 재검토되다.
march in review 분열 행진을 하다.
pass*(. . .)*in review 검열을 받다, 검열하다 ; 회고하다.
~·able *a.* **~·al** *n.* U 재조사 ; 검열 ; 교열 ; 《美》 복습 ; 비평, 평론. **~·er** *n.* 평론[비평]가 ; 평론잡지 기자 ; 검열자 ; 재심자.
〚OF (*revoir* ; ⇨ VIEW)〛
revíew òrder *n.* (열병식 따위의) 정장(正裝) ; 열병 대형.
re·vile [riváil] *vt.* …의 욕을 하다, 욕설을 퍼붓다. —— *vi.* [動/+前+名] 욕하다, 욕지거리하다 : ~ ***at***[***against***] abuses 악폐(惡弊)를 맹렬히 비난하다. **~·ment** *n.* 욕, 욕설.
〚OF ; ⇨ VILE〛
***re·vise** [riváiz] *vt.* **1** 교정[정정·개정]하다, 교열[교정]하다. **2** 수정하다, 변경하다 : I cannot help *revising* my opinions of him. 그를 다시 보지[재평가하지] 않을 수 없다. **3** 재검사하다. **4** 《英》 (학과를) 복습하다(review). —— *n.* **1** 〖印〗 재교쇄(再校刷). **2** U,C 《稀》 수정, 정정, 교정.
re·vís·al *n.* 교정, 정정, 개정, 수정 ; 재검사.
〚F or L *reviso* (*vis- video* to see)〛
re·vísed edítion *n.* 개정판(改訂版).
Revísed Stándard Vérsion *n.* [the ~] 개정 표준역 성서《AMERICAN STANDARD VERSION을 개정하여 1946년(신약), 1952년(구약) 및 1957년(외전)을 미국에서 발행 ; 略 RSV, R. S. V.》.
Revísed Vérsion *n.* [the ~] 개역(改譯) 성서《AUTHORIZED VERSION을 개정하여 1881년(신약), 1885년(구약) 및 1895년(외전)을 영국에서 발행 ; 略 R. V., Rev. Ver.》.
re·vís·er, re·ví·sor *n.* **1** 교정[교열]자 ; 개정[수정]자 ; 개역 성서(Revised Version)의 역자. **2** 〖印〗 교정 담당자.
***re·vi·sion** [rivíʒən] *n.* **1** U,C 교정, 정정, 수정 ; 개정⟨*of, in*⟩ ; 교열. **2** 개정판(revised edition) ; 수정본, 개역(改譯). **3** [the R~] 개역성서.
~·al, ~·àry [; -əri] *a.* **~·ìsm** *n.* U 수정론 ; 수정주의, 수정사회주의. **~·ist** *n.* 수정론[주의]자.
re·vísit *vt.* 다시 방문하다, 다시 찾아가다 ; 되돌아오다. —— *n.* 재방문, 귀환.
re·vi·so·ry [riváizəri] *a.* 교정[정정·개정]의.
re·vítal·ìze | **-ìse** *vt.* …에 다시 생기를 불어넣다,

소생시키다, 부흥[부활]시키다.

re·vìtal·izátion *n.* **1** 새로운 활력[생명력, 힘]을 주기. **2** 경기 부양화, 경제력 활성화 : They argued that lower tax rates were essential to ~ of the private section. 민간 산업의 경기 활성화를 위해서는 세율의 인하가 불가결하다고 논했다.

***re·vív·al** *n.* **1** Ⓤ 소생, 부활, 재생. **2** 회복 ; 부흥, 재흥, 복고(復古) ; 〖法〗 (법적 효력의) 부활, 갱신. **3** Ⓤ,Ⓒ 〖宗〗 신앙부흥 (운동) ; Ⓒ (신앙 부흥을 위한) 전도집회 ; [the R~] 문예 부흥 (Renaissance) ; Ⓤ,Ⓒ 재상연, 재연주, 리바이벌.
the revival of architecture*=*the Gothic revival (19세기의) 고딕 건축의 부흥.
***the Revival of Learning*[*Letters, Literature*]** 문예부흥.
~·ìsm *n.* 신앙 부흥 운동 ; 부흥 기운. **~·ist** *n.* 부흥[재흥]자 ; 신앙 부흥 운동자.

***re·vive** [riváiv] *vi.* **1** 소생하다, 부활하다 ; 회복하다 : His courage[spirits, hopes] ~*d.* 그의 용기[원기, 희망]가 다시 솟구쳤다. **2** 부흥[재흥]하다, 다시 유행하다 : The old custom has ~*d.* 옛날 관습이 되살아났다. **3** 〖化〗 환원하다. —— *vt.* **1** 소생시키다, 다시 기운나게 하다 ; 회복시키다 : He managed to ~ the half-drowned girl. 익사할 뻔한 소녀를 간신히 소생시킬 수가 있었다 / His encouraging words ~*d* my drooping spirits. 그의 격려의 말을 듣고 나의 침체된 원기가 되살아났다. **2** 부활시키다, 다시 유행케 하다 ; 재상연[재상영]하다 : We tried to ~ the old customs. 그 옛날 관습을 부흥시키려고 힘썼다 / The old film was ~*d* on the screen. 그 옛 필름이[영화가] 재상영되었다. **3** 〖化〗 환원시키다.
re·vív·able *a.* 소생시킬 수 있는, 부활할 수 있는, 부흥이 가능한.
〖OF or L (*vivo* to live)〗

re·vív·er *n.* 부활한 사람[것] ; 《口》 자극성 음료, 흥분제 ; (바랜 색깔을 다시 물들이는) 물감.

re·viv·i·fy [rivívəfài] *vt.* **1** 소생시키다, 부활시키다(revive) ; 기운나게 하다. **2** 〖化〗 환원시키다.
re·viv·i·fi·ca·tion [rivìvəfəkéiʃən] *n.* Ⓤ 원기 회복 ; 〖化〗 환원. **re·vív·i·fi·er** *n.*

rev·i·vis·cence [rèvəvísəns, rì:vai-] *n.* Ⓤ 소생, 부활 ; 원기 회복 ; 〖生〗 (동면에서) 깨어남.
-cent *a.*

re·ví·vor *n.* 〖法〗 (중단된 소송의) 부활 절차.

rev·o·ca·ble [révəkəbəl] *a.* 폐지[취소]할 수 있는. **-bly** *adv.* 폐지[취소]되도록.

rev·o·ca·tion [rèvəkéiʃən] *n.* Ⓤ,Ⓒ 폐지, 취소 ; 〖法〗 (계약·유언 따위의) 취소, 철회.
〖OF<L ; ⇨ REVOKE〗

rev·o·ca·to·ry [révəkətɔ̀:ri ; -təri] *a.* 폐지[취소·해제]의.

re·vóice *vt.* 다시 소리내다 ; 반향시키다 ; (오르간 따위를) 조율하다.

re·voke [rivóuk] *vt.* 취소하다, 폐지하다, 무효화하다, 해약하다(repeal) : ~ a decree 법령을 폐지하다 / He had his driving license ~*d.* 그는 운전면허를 취소당했다. —— *vi.* 〖카드 놀이〗 (판에 깔린 같은 짝의 패가 있으면서도 규칙을 어기고) 다른 패를 내다(renege). —— *n.* 취소, 폐지 ; 〖카드 놀이〗 revoke 하기 : make a ~ = revoke (*vi.*). **re·vóker** *n.* **re·vók·able** *a.*
〖OF or L *re-*(*voco* to call) =to call back, withdraw〗

***re·volt** [rivóult] *n.* **1** 반란, 반역 ; 폭동. **2** Ⓤ 반항(심), 반항적 태도 ; 싫증, 불쾌, 반감.
in revolt 반항하여 ; 불쾌함을 느껴.
rise in revolt 반란을 일으키다〈*against*〉.
—— *vi.* **1** [動/+前+名] 반란을 일으키다, 반항하다, 배반하다 : The mob ~*ed* ***against*** the governor. 폭도들은 도지사에게 반란을 일으켰다 / ~ ***from*** one's allegiance 충성의 맹세를 배반하다 / ~ ***to*** the other side 모반하여 상대방 쪽으로 돌아서다, 자기편을 배반하고 적에 붙다. **2** [+前+名] 구역나다, 혐오감을 느끼다, 반감을 품다 : The stomach ~*s* ***at*** such food. 그런 음식은 보기만 해도 구역난다 / His whole nature ~*ed* ***against***[***from***] that case of corruption. 그는 그 독직사건에 심한 불쾌감을 느꼈다. —— *vt.* 비위 상하게 하다, 불쾌하게 하다 : The meal ~*ed* him. 그 식사로 그는 비위가 상했다.
〖F<It. (intens.) 〈REVOLVE〗
類義語 ***revolt*** 국가나 권력[권위]에 대한 지배를 거부하는 것. ***rebellion*** 권력에 대하여 무장하여 공공연히 반항하는 조직화된 활동 ; 역사상의 사건에 대해서 말할 때에는 실패한 반란에 쓰이는 것이 보통. ***revolution*** 대규모의 rebellion에 의하여 낡은 정부를 타도하고 새 정부를 수립하는 일. ***insurrection*** rebellion보다 규모가 작은 [국지적인] 폭동. ***mutiny*** 병사, 특히 해병이 상관에 대하여 행하는 폭력적인 반항. ***uprising*** 정부에 대한 반항의 시초 ; 소규모의 폭동 또는 큰 rebellion의 초기 단계에도 쓰임.

re·vólt·ed *a.* 반란을 일으킨.

revólt·ing *a.* 반란을 일으키는 ; 불쾌감을 자아내는, 참으로 싫은(disgusting) : It was ~ *to* the Englishman's idea of fair play. 그것은 영국인의 공명정대한 시합정신에 위배되는 불쾌하기 짝이 없는 일이었다. **~·ly** *adv.* 메스꺼울 정도로, 참으로 불쾌하게, 꺼림칙하게.

rev·o·lute[1] [révəlù:t] *a.* 〖植〗 (잎 따위) 밖으로 감긴(cf. CONVOLUTE). 〖L (p.p.) 〈REVOLVE〗

revolute[2] *vi.* 혁명에 가담하다 ; 혁명을 일으키다[겪다]. 〖역성(逆成) 〈 ↓ 〗

***rev·o·lu·tion** [rèvəlú:ʃən] *n.* **1** Ⓤ,Ⓒ 혁명 ; 대변혁, 격변 : ☞ AMERICAN REVOLUTION / ☞ ENGLISH REVOLUTION / ☞ FRENCH REVOLUTION / ☞ INDUSTRIAL REVOLUTION / ☞ RUSSIAN REVOLUTION. **2** 회전, 선회 ; Ⓤ 〖理〗 회전운동. **3** Ⓤ 〖天〗 운행, 공전(公轉) (cf. ROTATION). **4** Ⓤ 주기(週期) ; 순환, 회귀.
〖OF or L ; ⇨ REVOLVE〗
類義語 ⟹ REVOLT.

***revolútion·àry** [; -əri] *a.* **1** 혁명의 ; 혁명적인, 대변혁의 ; 혁명[대변혁]을 초래하는. **2** 회전의, 선회의. **3** [R~] 미국 독립 전쟁(시대)의.
—— *n.* =REVOLUTIONIST.

Revolútionary cálendar *n.* [the ~] 프랑스 혁명력(=French ~).

Revolútionary Wár *n.* [the ~] 〖美史〗 혁명전쟁《1775-83년의 독립전쟁》.

Revolútionary Wárs *n. pl.* [the ~] 〖프史〗 혁명전쟁《혁명정부하의 프랑스와 영국·오스트리아·프로이센 등과의 전쟁 ; 1792-1802》.

revolútion·ìsm *n.* Ⓤ 혁명주의[론].

revolútion·ist *n., a.* 혁명가(의), 혁명론자[당원, 주의자](의).

revolútion·ìze *vt.* 혁명[대변혁]을 일으키다, 혁명화하다 ; …에 혁명 사상을 불어넣다.
—— *vi.* 대변혁을 일으키다.

re·volve** [rivɑ́lv] *vi.* [+前+名/動] 회전하다, 선회하다(rotate) ; 순환하다 ; 주기적으로 일어나다 : Planets ~ ***(a)round the sun. 행성은 태양의 둘레를 돈다 / The earth ~*s* ***on*** its axis. 지구

는 지축을 중심으로 자전(自轉)한다 / The four seasons ~. 4계절은 순환한다. —— *vt.* **1** 회전시키다, 선회시키다 : a mechanism for *revolving* the turntable 회전대의 회전장치. **2** [+目 / +目+副] 곰곰이 생각하다, 궁리하다, 심사숙고하다 : I ~*d* the problem in my mind. 그 문제를 마음 속에서 곰곰이 생각했다 / He ~*d* the matter (***round***) before giving an answer. 그는 대답하기 전에 그 일을 숙고했다.
〖L *re*-(*volut*- *volvo* to roll)〗
類義語 ⟹ TURN.

***re·vólv·er** *n.* 리볼버, 회전식 연발 권총(cf. CYLINDER) ; 회전하는 사람[것] ; (제강(製鋼)에서의) 회전로 : the policy of the big ~ 《비유》 (보복 관세에 의한) 위협 정책.

re·vólv·ing *a.* 회전하는, 회전식의 : a ~ bookstand 회전서가.

revólving crédit *n.* 〔商〕 회전 신용 계정《미(未)상환 융자 금액이 한도 이내면 몇 번이라도 융자에 응함》.

revólving dóor *n.* 회전문[도어] ; 《비유》 (행동·절차 따위의) 끝없는 반복, 공전(空轉).

revólving-dóor cábinet *n.* 개각(改閣)을 되풀이하는 불안정한 정권.

revólving fúnd *n.* 회전 자금.

revólving stáge *n.* 회전 무대.

re·vue [rivjúː] *n.* 시사 풍자극, 리뷰《촌극·노래·무용 따위로 구성된 뮤지컬 코미디 같은 것으로 최근의 사건을 풍자적으로 묘사》. 〖F=REVIEW〗

re·vul·sion [rivʌ́lʃən] *n.* **1** Ⓤ [때때로 a ~] 격변, 급변 ; 급격한 반동 <*from*>. **2** Ⓤ,Ⓒ (극도의) 반감, 혐오, 싫증(repulsion, disgust) <*against*>. **3** Ⓤ 〔醫〕 유도법《특히 반대 자극 따위에 의한》.
〖F or L *re*-(*vuls*- *vello* to pull)=to pluck away〗

re·vul·sive [rivʌ́lsiv] *a.* 〔醫〕 (혈액을) 유도하는. —— *n.* 유도제(劑) ; 유도 기구. **~·ly** *adv.*

Rev. Ver. Revised Version (of the Bible).

re·ward** [riwɔ́ːrd] *n.* Ⓤ,Ⓒ [+前+do*ing*] 보수, 보상, 상(賞) ; 보답, 응보, 벌 ; Ⓒ 현상금, 사례금《유실물의 반환·죄인의 체포 따위에 대한》 : I gave her a ~ ***for look*ing* after the children during my absence. 내가 없는 동안 아이들을 돌봐준 그녀에게 사례를 했다.
in reward for …의 상으로서, …에 보답하여.
—— *vt.* [+目 / +目+前+名] 보답하다, 보상하다 ; 보수[상·포상]를 주다 ; 보복하다 : ~ a service 공로에 보답하다 / The teacher ~*ed* Tom ***for*** his diligence. 선생님은 톰에게 근면하다고 상을 주셨다 / The mother ~*ed* her child ***with*** a pretty story. 어머니는 아이에게 상으로서 재미있는 얘기를 해주셨다. —— *vi.* 보답하다, 보수[보상]를 주다. **~·able** *a.* **~·ing** *a.* 득이 되는, (…할) 보람이 있는, (…할 만한) 가치가 있는. **~·less** *a.* 보수 없는, 헛수고의.
〖AF *reward*(*er*) REGARD〗
類義語 ***reward*** 착한 행위, 공로 따위에 대한 보수[포상] : He received a *reward* for saving the child. (그는 아이를 구해준 데에 대한 포상을 받았다). ***prize*** 경쟁 또는 제비뽑기·승부를 겨루는 일 따위에서 얻은 것 : She won the first *prize* in the race. (그녀는 그 경주에서 1등상을 탔다). ***award*** 심판이나 판정자 등의 판단[결정]에 의해 주어진 상 ; 경쟁의 뜻은 표면에 나타나지 않음 : He received an *award* for the best novel of the year. (그는 그 해의 최우수 소설상을 받았다).

re·wínd [-wáind] *vt.* (테이프·필름을) 되감다, 다시 감다. ——[⌐⌐, ⌐⌐] *n.* 되감긴 테이프[필름] ; 되감는 장치 ; 되감기.

re·wíre *vt.* **1** …의 철사[배선]를 갈다. **2** …의 답전(答電)을 치다.

re·wórd *vt.* 바꾸어 말하다 ; 되풀이하다(repeat).

re·wórk *vt.* 개정하다, 뜯어고치다 ; 재생하다, 재가공하다.

re·wríte *vt.* 다시 쓰다 ; 고쳐 쓰다 ; 바꿔 쓰다 ; 《美》〔新聞〕 (기자가 제출한 원고를) 고쳐 써서 기사화 하다. ——[⌐⌐] *n.* 고쳐 쓰기 ; 《美》 고쳐 쓴 기사.

réwrite màn *n.* 《美》 (원고를 기사용으로) 고쳐 쓰는 기자, 정리부원(員).

rex [réks] *n.* (*pl.* **re·ges** [ríːdʒiːz]) 국왕, 군주 ; [R~] 현 국왕《略 R. ; cf. REGINA》. 〖L=king〗

Rex *n.* 남자 이름.

Rex·ine [réksiːn] *n.* 렉신《모조 피혁(皮革)의 상품명》.

Réye('s) sỳndrome [rái(z)-, réi(z)-] *n.* 레이 증후군《어린아이에게 나타나는 종종 치명적인 뇌장애》. 〖R. D. *Reye* (d. 1977) 호주의 의사〗

Rey·kja·vík [réikjəvì(ː)k] *n.* 레이캬비크《아이슬란드의 수도·항구》.

Reyn·ard [rénərd, réi-, -nɑːrd, 美+-nɑːr] *n.* **1** 르나르《중세의 풍자 동화 *Reynard the Fox* (여우 이야기)의 주인공인 여우의 이름》. **2** [r~] 여우(fox). 〖F *Renart*〗

Reyn·old [rénəld] *n.* 남자 이름. 〖⇨ REGINALD〗

Reyn·olds [rénəldz] *n.* 레이놀즈. Sir **Joshua** ~ (1723-92) 영국의 초상화가.

rf. 〔野〕 right field(er). **r.f.** radio frequency ; range finder ; rapid fire. **R.F.** *République Française* 《F》 (=French Republic) ; Reserve Force ; Royal Fusiliers. **R.F.A.** Royal Field Artillery (영국 야전 포병대).

R factor [ɑ́ːr ⌐] *n.* 〔生化〕 R인자《항성 물질에 대한 내성(耐性)의 원인이 되는 세균 성분》. 〖*r*esistance〗

RFC Reconstruction Finance Corporation. **R.F.C.** Royal Flying Corps《현재 R.A.F.》 ; Rugby Football Club. **RFD, R.F.D.** rural free delivery. **RFI** 〔通信〕 radio frequency interference (무선 주파 방해). **r.g., rg.** 〔美蹴〕 right guard. **R.G.A.** 《英》 Royal Garrison Artillery. **RGB** 〔TV〕 red, green, blue《컬러 TV화상의 3원색》. **R.G.S.** Royal Geographic Society (영국 지리학회). **Rgt.** regiment. **Rh** 〔生化〕 Rh factor ; 〔化〕 rhodium. **RH, R.H., r.h.** 〔樂〕 right hand《오른손(사용) ; cf. L.H.》. **r.h.** relative humidity (상대 습도) ; Royal Highlanders (영국 고지(高地) 연대) ; Royal Highness. **R.H.A.** 《英》 Royal Horse Artillery ; Royal Humane Association.

rhabd- [rǽbd], **rhab·do-** [rǽbdou, -də] *comb. form* 「막대 모양[봉상(棒狀)] (구조)」의 뜻.
〖Gk. *rhabdos* rod〗

rhábdo·coele [-sìːl] *n.* 〔生〕 봉장류(棒腸類).

rhab·do·man·cy [rǽbdəmæ̀nsi] *n.* 막대기 점《옛날에 지하의 광물·광천·유정(油井) 따위를 찾아내기 위한 점술》.

Rhad·a·man·thus, -thys [ræ̀dəmǽnθəs] *n.* **1** 〔그神〕 라다만티스《Zeus와 Europa의 아들, 정의의 귀감이 되었기 때문에 죽은 뒤에 지옥의 세 재판관의 하나로 뽑혔음》. **2** 엄정 강직한 법관.
-thine [-θən, -θain ; -θain] *a.* [흔히 r~] Rhadamanthus의 ; 엄정한.

Rhae·to-Románic, -Románce [rìːtou-] *n.*, *a.* 레토로망스어(語)《스위스 남동부, Tyrol, 이탈리아 북부의 로망스어》(의).

rhap·sod·ic, -i·cal [ræpsádik(əl)] *a.* 서사시의, 음송시의 ; 광상적인, 열광적인, 과장된. **-i·cal·ly** *adv.*

rhap·so·dist [rǽpsədəst] *n.* **1** 〖古그〗 음유(吟遊)시인, 서사시 음송자. **2** 광문(狂文) 작자 ; 광시[광상곡] 작자.

rhap·so·dize [rǽpsədàiz] *vi.* [動/+前+名] 광문[광시]을 쓰다 ; 광시곡을 짓다 ; 서사시를 낭송하다 ; 열광적으로 말하다[쓰다] : The composer ~*d* ***over*** [***about, on***] the victory. 그 작곡가는 승리의 광시곡을 작곡했다. —— *vt.* rhapsody 풍으로 쓰다[작곡하다, 낭송하다].

rhap·so·dy [rǽpsədi] *n.* **1** 〖古그〗 서사시(의 1절). **2** 열광적인 문장[시가·말] ; 〖樂〗 광상곡, 광시(狂詩)곡 : Liszt's *Hungarian Rhapsodies* 리스트의 헝가리 광시곡. **3** Ⓤ 열중, 무아지경. ***go into rhapsodies*** 열광적으로 말하다[쓰다·칭찬하다], 허풍을 떨다〈*over*〉.
〖L<Gk. (*rhaptō* to stitch, ODE)〗

rhat·a·ny [rǽtəni] *n.* 〖植〗 라타니아《콩과(科)의 관목 ; 남미산 ; 약용》.

RHB, rhb, r.h.b. 〖美蹴〗 right halfback.

r.h.d. right-hand drive.

rhbdr. rhombohedron.

Rhea [ríːə ; ríə] *n.* **1** 여자 이름. **2** 〖그神〗 레아《대지의 여신 ; Cronus의 아내로 Zeus, Hera 등 많은 제신의 어머니 ; cf. CYBELE》. **3** [r~] 〖鳥〗 레아, 미국타조《남미산》. 〖Gk.〗

Rhen·ish [réniʃ, ríː-] *a.* 라인 강 지방의 : ~ wine [hock] 라인 백포도주. ㊟ 지금은 보통 Rhine을 형용사로 씀. —— *n.* =RHINE WINE.
〖AF *reneis*<L (*Rhenus* the Rhine)〗

rhe·ni·um [ríːniəm] *n.* Ⓤ 〖化〗 레늄《희유 금속원소 ; 기호 Re ; 번호 75》. 〖NL<L *Rhenus* (↑)〗

rheo- [ríː(ː)ou, ríː(ː)ə] *comb. form* 「흐름」의 뜻. 〖Gk.〗

rheo. rheostat.

rhe·ol·o·gy [riálədʒi] *n.* 〖理〗 유동학(流動學)《물질의 변형과 유동에 관한 과학》.

rhe·om·e·ter [riámətər] *n.* 〖電〗 전류계(計) ; 〖醫〗 혈류계(血流計).

rhe·óm·e·try *n.* Ⓤ 〖電〗 전류 측정 ; 〖醫〗 혈행(血行) 측정.

rhéo·scòpe *n.* 〖理〗 전류 검사기, 검류기.

rhéo·stàt *n.* 〖電〗 가감(加減) 저항기.

rhèo·táxis *n.* Ⓤ 〖生〗 주류성(走流性).

rhéo·tòme *n.* 〖電〗 단속기(斷續器).

rhéo·tròpe *n.* 〖電〗 변류기.

rhe·ot·ro·pism [riátrəpìzəm] *n.* Ⓤ 〖植〗 굴류성(屈流性). **rhèo·trópic** *a.*

rhe·sus [ríːsəs] *n.* =RHESUS MONKEY ; [R~] 〖그神〗 레소스《Troy를 원조한 Thrace의 왕》. 〖Gk. *Rhēsos*〗

rhésus bàby *n.* 〖醫〗 Rh 용혈성(溶血性) 질환의 신생아[태아].

Rhésus fàctor[**àntigen**] *n.* 〖生化〗 =RH FACTOR.

rhésus mónkey *n.* 〖動〗 붉은털원숭이《북인도산의 단미종(短尾種)이며 의학 실험용》.

rhet. rhetoric ; rhetorical.

rhe·tor [ríːtər] *n.* (고대 그리스·로마의) 웅변술 교사, 수사학자(修辭學者) ; 《稀》 직업적 연설가. 〖L<Gk. =orator〗

rhet·o·ric [rétərik] *n.* **1** Ⓤ 수사학 ; 웅변(술) ; 수사적 기교 ; 화려한 문체, 미사(美辭) ; 과장 ; 설득력, 매력〈*of*〉. **2** Ⓤ 《美》 작문법, 작시법(art of composition) ; Ⓒ 작문 지도서.
〖OF<L<Gk. (↑)〗

rhe·tor·i·cal [ritɔ́(ː)rikəl, -tár-] *a.* 수사학의 ; 수사상의, 수사적인 ; 웅변적인, 미사여구만 쓰는 ; 표현이 과장된. **~·ly** *adv.*

rhetórical quéstion *n.* 〖文法〗 수사의문《수사적 효과를 노리고 대답을 기대하지 않는 의문 ; 예 Who knows? (=Nobody knows.)》.

rhet·o·ri·cian [rètəríʃən] *n.* 수사학자 ; 웅변가, 과장적인 연설가[작자], 미문가(美文家).

rheum [rúːm] *n.* 《英古》 **1** Ⓤ 점막 분비물《눈물·타액·콧물 따위》. **2** Ⓤ 비(鼻) 카타르, 코감기.
〖OF<L<Gk. *rheumat- rheuma* stream (*rheō* to flow)〗

rheu·mat·ic [rumǽtik] *a.* 류머티즘(성)의. —— *n.* 류머티즘 환자 ; [the ~s] 《口》 류머티즘 (rheumatism). **-i·cal·ly** *adv.*
〖OF or L<Gk. (↑)〗

rheumátic diséase *n.* 〖醫〗 류머티즘성 질환.

rheumátic féver *n.* 〖醫〗 류머티즘 열(熱).

rheu·mat·icky [ruːmǽtiki] *a.* =RHEUMATIC.

rheu·ma·tism [rúːmətìzəm] *n.* 〖醫〗 류머티즘.

rheu·ma·toid [rúːmətɔ̀id] *a.* 류머티즘성(性)의 ; 류머티즘에 걸린.

rhéumatoid arthrítis *n.* 〖醫〗 류머티즘성(性) 관절염.

rhéumatoid fáctor *n.* 〖醫〗 류머티즘 인자.

rheu·ma·tol·o·gy [rùːmətálədʒi] *n.* 〖醫〗 류머티즘학(學). **-gist** *n.*

rhéumy *a.* **1** 점액을 분비하는 ; 코감기에 걸린. **2** (공기 따위가) 냉습한. **rhéum·i·ness** *n.*

Rh factor [áːréitʃ ⌐] *n.* 〖生化〗 Rh 인자(因子) (Rhesus factor)《적혈구 속의 응혈소》.

R.H.G. Royal Horse Guards (영국 기병(騎兵) 의장대).

rhin- [ráin], **rhi·no-** [ráinou, -nə] *comb. form* 「코」「비강(鼻腔)」의 뜻.
〖Gk. (*rhin- rhis* nostril, nose)〗

rhi·nal [ráinl] *a.* 〖解〗 코의, 비강(鼻腔)의 : ~ cavities 비강.

rhine[1] [ríːn] *n.* 《方》 하수로, 도랑.
〖? ME *rune* watercourse〗

rhine[2] [ráin] *n.* 《口》 뚱뚱보. 〖? *rhino*ceros〗

-rhine ☞ -RRHINE.

Rhine [ráin] *n.* [the ~] 라인 강《스위스에서 발원하여 독일·네덜란드를 지나 북해로 흘러듦》.

rhíne·stòne [ráin-] *n.* Ⓤ 라인석(石) 《모조 다이아몬드》. 〖RHINE〗

Rhíne wìne *n.* 라인 포도주(酒)《주로 백색 ; cf. RHENISH》.

rhi·ni·tis [raináitəs] *n.* Ⓤ 〖醫〗 비염(鼻炎).

rhi·no[1] [ráinou] *n.* (*pl.* **~, ~s**) 《口》 =RHINOCEROS.

rhino[2] *n.* (*pl.* **~, ~s**) 《英俗》 돈(money), 현금(cash) : ready ~ 현금. 〖C17<?〗

rhino[3] *n.* (*pl.* **~s**) 모터달린 방주(方舟), 부잔교(浮棧橋)용 자동 방주(= ⌐ **fèrry**)《미해군 상륙작전 때의 차량 수송에 쓰임》. 〖RHINO[1]〗

rhino[4] *n.* 《俗》 우울, 의기 소침 ; 《英》 치즈. —— *a.* 향수병에 걸린, 우울한 ; 파산한.
〖C20<?〗

rhino- [ráinou, -nə] ☞ RHIN-.

rhi·noc·er·os [rainásərəs, rə-] *n.* (*pl.* **~·es, ~, -eri** [-rài]) 〖動〗 무소, 코뿔소.
〖L<Gk. *rhino-*(*keras* horn)〗

rhi·nol·o·gy [rainɑ́lədʒi] *n.* Ⓤ 비과학(鼻科學).
rhìno·plástic *a.* 비형성술(鼻形成術)의.
rhíno·plàsty *n.* Ⓤ 〖醫〗 비형성술.
rhi·nor·rhea [ràinəríːə] *n.* 〖醫〗 비루(鼻漏) 《콧물이 지나치게 많이 나오는 증상》.
rhíno·scòpe *n.* 비경(鼻鏡).
rhi·nos·co·py [rainɑ́skəpi] *n.* Ⓤ 〖醫〗 검비법(檢鼻法), 비경(鼻鏡) 검사법.
rhì·no·scóp·ic [-skɑ́p-] *a.*
rhìno·vírus *n.* 코감기 바이러스.
R. Hist. S. 《英》 Royal Historical Society.
rhiz- [ráiz], **rhi·zo-** [ráizou, -zə] *comb. form* 「뿌리」의 뜻. 〖Gk. (*rhiza* root)〗
-rhi·za, -r·rhi·za [ráizə] *n. comb. form* (*pl.* **-(r)rhizae** [ráiziː], **~s**) 「뿌리(같은 부분)」의 뜻 : myco*rrhiza.* 〖L<Gk. (↑)〗
rhi·zan·thous [raizǽnθəs] *a.* 뿌리에서 직접 꽃을 피게 하는.
rhiz·ic [rízik] *a.* 〖數〗 근(root)의.
rhízo·càrp *n.* 〖植〗 숙근성(宿根性) 식물.
rhi·zoid [ráizɔid] *a.* 뿌리 모양의. ── *n.* 헛뿌리.
rhi·zo·ma [raizóumə] *n.* (*pl.* **-ma·ta** [-tə]) = RHIZOME.
rhi·zome [ráizoum] *n.* 〖植〗 뿌리줄기, 근경. 〖Gk. *rhizoma* ; ⇨ RHIZ-〗
rhi·zoph·a·gous [raizɑ́fəgəs] *a.* 뿌리를 먹는, 식근성(食根性)의.
rhi·zo·pod [ráizəpɑ̀d], **rhi·zop·o·dan** [raizɑ́pədn] *a.* 〖動〗 근족충(根足蟲)류의. ── *n.* 〖動〗 근족충류의 동물《아메바 따위》.
rhízo·sphère *n.* 헛뿌리권(圈)《식물의 뿌리가 뻗는 부분의 토양층》.
Rh negative [ɑ̀ːréitʃ ⌐́] *n.* Rh 인자 음성의 혈액[사람]《略 Rh^-》.
Rh-negative [⌐⌐́⌐] *a.* 〖生化〗 Rh 음성의, 적혈구에 Rh 인자가 없는.
rho [róu] *n.* (*pl.* **~s**) **1** 로《그리스어 알파벳의 17번째의 글자 Ρ, ρ; 영자의 R, r에 해당》. **2** 〖理〗 로 입자(rho particle, rho meson) 《아주 불안정한 중간자 ; 질량은 전자의 1490배》. 〖Gk.〗
rhod- [róud], **rho·do-** [róudou, -də] *comb. form* 「장미(rose)」「붉은(red)」의 뜻. 〖Gk. (*rhodon* rose)〗
Rho·da [róudə] *n.* 여자 이름. 〖Gk.=rose〗
rho·da·mine [róudəmìːn, -mən] *n.* Ⓤ 〖化〗 로다민《적록색 분말 ; 종이·생물체 염색용》.
Rhòde Ísland [ròud-] *n.* 로드 아일랜드 《미국 New England의 한 주(州) ; 주도 Providence ; 略 R.I., RI》.
Rhòde Ísland Réd *n.* 〖鷄〗 로드아일랜드레드《미국에서 개량한 털이 적갈색인 계란·고기 겸용종(種) 닭》.
Rhòde Ísland Whíte *n.* 〖鷄〗 로드아일랜드화이트《미국에서 개량한 계란·고기 겸용종(種) 닭 ; 깃털 색깔은 순백(純白)》.
Rhodes [róudz] *n.* **1** 로도스 섬《에게 해(海)(Aegean Sea) 남동부의 섬 ; cf. COLOSSUS》. **2** 로즈. **Cecil John** ~ (1853-1902) 영국의 정치가, 남아프리카 공화국 총독.
Rho·de·sia [roudíːʒiə ; -ʃə, -ziə] *n.* 로디지아《아프리카 남부의 중앙부 지역 ; 잠비아(Zambia)와 짐바브웨로 나뉨》. **Rho·dé·sian** *a., n.* 로디지아의 ; 로디지아 사람. 〖C. J. *Rhodes*〗
Rhodésian mán *n.* 〖人類〗 로디지아인《그 머리뼈가 Rhodesia에서 발견된 아프리카형 네안데르탈구인(舊人)》.
Rhódes schólar *n.* 로즈 장학금 수령자.
Rhódes schólarship *n.* 로즈 장학금《C. J. Rhodes의 유언에 의해 영연방·미국·독일에서 Oxford 대학에 유학하는 사람에게 수여》.
Rho·di·an [róudiən] *a., n.* RHODES섬의 (사람).
rho·di·um [róudiəm] *n.* Ⓤ 〖化〗 로듐《금속원소 ; 기호 Rh ; 번호 45》. 〖Gk. *rhod-* ; 용해 염분(溶解鹽分)이 나타내는 장미색에서〗
rho·do·den·dron [ròudədéndrən] *n.* 〖植〗 철쭉속(屬)의 식물《만병초 따위》. 〖L<Gk. (*dendron* tree)〗
rho·do·lite [róudəlàit] *n.* Ⓤ 장미빛 석류석(石)의 일종《보석으로 씀》.
rho·do·ra [roudɔ́ːrə] *n.* 〖植〗 철쭉의 일종《북아메리카산(產)》.
rhomb [rɑ́m*b* ; rɔ́m] *n.* (*pl.* **~s** [rɑ́mz]) =RHOMBUS ; =RHOMBOHEDRON.
rhomb- [rɑ́mb], **rhom·bo-** [rɑ́mbou, -bə] *comb. form* 「마름모꼴」「사방형(斜方形)」의 뜻. 〖Gk. ; ⇨ RHOMBUS〗
rhomb. rhombic.
rhom·bic [rɑ́mbik] *a.* **1** 마름모꼴의, 사방형(斜方形)의. **2** 〖結晶〗 사방정계(晶系)의. ── *n.* = RHOMBIC ANTENNA.
rhómbic anténna[**áerial**] *n.* 〖電〗 롬빅 안테나《마름모꼴의 도체(導體)가 있는 수평 안테나》.
rhómbo·chàsm *n.* 〖地質〗 (단층간의 긴장에 의해 생기는) 마름모꼴 균열.
rhòmbo·hédron *n.* (*pl.* **~s**, **-dra**) 능면체, 사방6면체《결정(結晶)》.
rhom·boid [rɑ́mbɔid] *n., a.* 편능형(偏菱形)(의), 장사방형(의).
rhom·boi·dal [rɑmbɔ́idl] *a.*
rhom·bus [rɑ́mbəs] *n.* (*pl.* **~·es**, **-bi** [-bai, -biː]) 〖數〗 마름모, 사방형 ; 〖結晶〗 사방 6면체. 〖L<Gk.〗
rhó mèson *n.* 〖理〗 로 중간자(中間子).
rhon·chus [rɑ́ŋkəs] *n.* (*pl.* **-chi** [-kai]) 〖醫〗 나음(囉音), 수포음(水泡音), 라셀음.
Rhone [róun] *n.* [the ~] 론 강《알프스에서 발원하여 프랑스 남동부를 흘러 지중해로 들어감》.
rhó pàrticle *n.* 〖理〗 로 입자(rho).
r.h.p. rated horsepower (공칭 마력(馬力)).
R.H.P.C. rapid hardening portland cement (급경(急硬)시멘트).
Rh positive [ɑ̀ːréitʃ ⌐́] *n.* Rh 인자 양성의 혈액[사람] 《略 Rh^+》.
Rh-positive [⌐⌐́⌐] *a.* 〖生化〗 Rh 양성의, 적혈구에 Rh 인자가 있는.
R.H.S. Royal Historical Society (왕립 사학(史學)회) ; Royal Humane Society (왕립 수난(水難) 구제회).
rhu·barb [rúːbɑːrb] *n.* **1** Ⓤ 〖植〗 대황(大黃)《그 잎줄기는 식용》. **2** Ⓤ 대황의 근경《하제(下劑)·고미약(苦味藥)》. **3** Ⓤ 대황색, 연한 황색(citrine). **4** 《美俗》 말다툼, 싸움(row), (야구시합 따위의) 말썽, 불평, 항의 ; 《美俗》 저공에서의 기총 소사. **5** 《口》 왁자지껄《무대에서 군중이 'rhubarb'를 연발하여 효과를 낸 데서》.
── *vi., vt.* 《美俗》 저공에서 기총 소사하다.
── *int.* 《口》 중얼중얼, 왁자지껄.
〖OF<L (Gk. *rha* rhubarb, *barbaros* foreign)〗
rhúbarb·ing *a.* 《英》 (배우가) 군중의 역할로서 왁자지껄하게 떠들어대는. ── *n.* 소란, 혼란.
rhumb [rʌ́m*b* ; rʌ́m] *n.* (*pl.* **~s** [rʌ́mz]) 〖海〗 나침 방위(羅針方位)《32개의 방위가 있음》; 나침 방위선, 항정선(航程線) (rhumb line).
rhum·ba [rʌ́mbə, rú(ː)m-] *n.* =RUMBA.

rhúmb lìne *n.* 〖海〗 항정선(航程線)《배가 일정한 나침반의 방향을 유지하고 있을 때 그리는 선으로 각 자오선에 동일 각도로 변함》.

***rhyme, rime** [ráim] *n.* **1** U,C 운(韻), 각운(脚韻), 압운(押韻) : double[female, feminine] ~ 2중운[여성운]《motion : notion과 같이 2음절의 압운》/ imperfect ~ 불완전운《예컨대 love : move, race : phase》/ single[male, masculine] ~ 단운(單韻)[남성운]《disdain : complain과 같이 마지막 1음절만의 압운》/ in ~ 운을 맞추어, 운문으로. **2** 동운어. **3** U,C 압운시 ; [보통 *pl.*] 운문, 시가 : ☞ NURSERY RHYMEs.
neither rhyme nor reason = ***without rhyme or reason*** 분별없는, 전혀 까닭을 알 수 없는, 조리가 서지 않는 ; 불합리하게(도).
—— *vi.* **1** 시를 짓다 ; 시작으로 살아가다. **2** [動/+前+名] 운을 달다, 운이 맞다 ; 일치하다, 호응하다 : "Long" and "song" ~. long과 song은 운이 맞는다 / "Measure" ~*s* ***with*** "pleasure." measure와 pleasure는 운이 맞는다.
—— *vt.* **1** (시·운문을) 짓다 ; (운을 맞춘) 시로 하다 : ~ a story 이야기를 운문으로 만들다. **2** [+目+前+名] …에 운을 맞추다 : We cannot now ~ "mead" with "shade." 오늘날에는 mead를 shade와 운을 맞출 수가 없다. **3** [+目+副] (세월을) 시작(詩作)으로 보내다, 시를 짓고 지내다 : ~ days *away* 시를 지으며 나날을 보내다.
〖OF *rime* < L ; ⇨ RHYTHM ; *-h-*는 17세기(世紀)에 삽입〗

rhýmed *a.* 운(韻)을 맞춘 : ~ verse 압운시(cf. BLANK VERSE).

rhýme·less *a.* 무운의, 운이 맞지 않은.

rhym·er, rim·er [ráimər] *n.* 작시자(versifier), (특히) 엉터리 시인(rhymester).

rhýme róyal *n.* 제왕운시(帝王韻詩)《ababbcc의 순으로 압운하며 각행 10개의 음절을 가진 7행시》.

rhýme·ster, ríme- *n.* 엉터리 시인.

rhým·ing dìctionary *n.* 압운 사전, 동운어(同韻語) 사전.

rhýming slàng *n.* 압운 속어《두 단어 이상의 단어에서 마지막 단어가 의도하는 단어와 압운함 ; cherry ripe로 pipe를 나타내는 따위》.

rhym·ist [ráiməst] *n.* 시(詩) 짓는 사람(poet).

rhy·o·lite [ráiəlàit] *n.* 유문암《화산암의 일종》.

***rhythm** [ríðəm] *n.* U,C 율, 율동, 리듬 ; 주기적 변동, 주기성 ; 〖韻〗 운율, 미터 ; 〖樂〗 리듬, 가락. 〖F or L < Gk. *rhuthmos*〗

rhýthm and blúes *n.* 〖樂〗 리듬 앤드 블루스《흑인 음악의 일종》.

rhýthm bànd *n.* (어린이들의) 타악기 밴드.

rhyth·mic, -mi·cal [ríðmik(əl)] *a.* 율동적인, 리드미컬한 ; 주기적인, 규칙적으로 순환하는.
—— *n.* = RHYTHMICS.
-mi·cal·ly *adv.* 율동적으로. **-mic·i·ty** [riðmísəti] *n.* 율동성.

rhýth·mics *n.* 음률학, 음률론.

rhýthmic spórtive gymnástics *n.* 〖스포츠〗 리듬 체조.

rhýth·mist *n.* 리듬 감각이 있는 사람 ; 리듬을 만드는 사람, 리듬을 연구하는 사람.

rhýthm·less *a.* 리듬[음률]이 없는 ; 운율이 없는.

rhýthm mèthod *n.* 주기(周期) (피임)법.

rhýthm sèction *n.* 〖樂〗 리듬 섹션《밴드의 리듬 담당 그룹》.

rhyt·i·dec·to·my [rìtədéktəmi] *n.* 〖醫〗 주름 절제(술) ; = FACE-LIFT.

R. I. *Regina et Imperatrix* 《L》(= Queen and Empress) ; *Rex et Imperator* 《L》(= King and Emperor) ; Rhode Island ; Rotary International ; Royal Institution[Institute].

ria [ríːə] *n.* 〖地〗 길고 좁은 후미 ; [*pl.*] 리아스식 해안. 〖Sp. *ría* < *rio* river〗

ri·al [riɔ́ːl, -ɑ́ːl] *n.* 리알《이란의 화폐단위 ; = 100 dinars ; 기호 R》. 〖Pers. < Arab.〗

ri·al·to [riǽltou] *n.* **1** [the R~] 베니스 대운하(the Grand Canal)의 대리석 다리. **2** 거래소, 시장. **3** (*pl.* **~s**) 《美》 극장가 ; [the R~] (New York시) Broadway의 극장가.

ri·ant [ráiənt] *a.* 명랑한, 쾌활한. **~·ly** *adv.*

***rib**[1] [ríb] *n.* **1** 〖解〗 늑골, 갈빗대 : ☞ FALSE RIB / ☞ TRUE RIB. **2** 〖植〗 잎맥 ; 〖昆〗 시맥. **3** 늑골 모양의 것 ; (선박의) 늑재(肋材) ; (우산·부채 따위의) 살 ; 〖建〗 리브《둥근 지붕의 서까래》, (다리의) 가로보. **4** (논·밭의) 이랑, 두렁 ; (모래위의) 물결 자국 ; (직물·편물 따위의) 이랑. **5** 〖料〗 갈비 ; [*pl.*] = SPARERIBS ; 《美俗》 고기, 소고기, (특히) 로스트비프 ; 《美俗》 충분한 식사. **6** 《戲》 처(wife), 여자.
asternal [***short***] ***ribs*** (흉골에 연결되지 않은) 가(假)늑골.
poke [***nudge***] a person ***in the ribs*** (조심[주의]하라고) 남의 옆구리를 살짝 찌르다.
ribs [***a rib***] ***of beef*** 쇠갈비.
smite under the fifth rib 심장을 찔러 죽이다.
sternal ribs (흉골에 연결된) 진(眞)늑골.
tickle a person ***in the ribs*** 남을 웃기다.
—— *vt.* (**-bb-**) **1** …에 늑골[늑재]을 대다 ; 늑골[늑재]로 둘러싸다. **2** 이랑을 지어 (땅을) 갈다 ; …에 이랑 무늬를 달다. **ríb·ber**[1] *n.* **ríb·by** *a.*
〖OE *rib*(*b*) ; cf. G *Rippe*, ON *rif* REEF[1]〗

rib[2] 《口》 *vt.* (**-bb-**) 괴롭히다(tease), 조롱하다.
—— *n.* 조롱, 빈정거림, 패러디.
ríb·ber[2] *n.* 〖C20 ?*rib*-tickler〗

rib- [ráib], **ri·bo-** [ráibou, -bə] *comb. form* 〖化〗 「리보오스(ribose)」의 뜻.

R. I. B. A. Royal Institute of British Architects (영국 왕립 건축학회).

rib·ald [ríbəld] *a.* 음란한 말을 하는, (말이) 상스러운 ; 야비한, 불손한. —— *n.* 상스러운 말을 하는 사람, 입이 건 사람.
〖ME = lowborn retainer < OF (*riber* to be licentious < Gmc.) ; cf. OHG *rīban* to be wanton〗

rib·al·dry [ríbəldri] *n.* U 상스러움, 야비함 ; 상스러운 말[농담].

rib·and [ríbənd] *n.* 《古》 = RIBBON.
〖OF *riban* < ? Gmc.〗

ri·ba·vi·rin [ràibəváiərən] *n.* 〖生化〗 리바비린《바이러스의 DNA및 RNA의 복제를 저해하는 합성 리보 핵산》.
〖*ribo*nucleic *a*cid + *vir*us + *-in*〗

rib·band [ríbbæ̀nd, ríbənd ; ríbənd] *n.* (배의 늑재를 지탱하는) 대판(帶板), 임시로 댄 널빤지.

ribbed [ríbd] *a.* [때때로 복합어를 이루어] 늑골이 있는 ; 이랑이 있는 : ~ fabric 골이 지게 짠 천 / close-~ 가는 골이 진.

ríb·bing *n.* **1** [집합적으로] 늑골 ; (잎맥 따위의) 늑골 모양의 조직 ; 이랑, 두렁 ; (천의) 이랑 무늬. **2** U 늑재(肋材)를 붙이기.

***rib·bon** [ríbən] *n.* **1** U,C 리본. **2** 리본 모양의 것, 가늘고 긴 천 조각 ; 잉크 리본《타이프라이터·압인기용》, (훈장의) 수(綬), 장식 띠 : ☞ BLUE RIBBON / ☞ RED RIBBON / a ~ of road (리본처럼 기다랗게 뻗은) 도로. **3** (시계의) 태엽 ; 띠톱 ; 금속성 줄자. **4** [*pl.*] 고삐(reins). **5** 〖木工〗

장선받이. **6** 〖船〗 대판(帶板).
be torn to*[*hang in*] *ribbons 갈기갈기 찢어지다[찢어져 늘어지다].
handle*[*take*] *the ribbons 말[마차]을 몰다.

〈회화〉
That's a pretty *ribbon* you're wearing.—Thank you. My sister gave it to me. 「예쁜 리본을 맸구나」「고마워. 언니가 준거야」

—— *vt.* **1** …에 리본을 달다 ; …을 리본으로 장식하다. **2** 끈 모양으로[가늘게] 찢다. **3** 리본과 같은 줄을[무늬를] 붙이다.
—— *vi.* 리본 모양으로 되다.
〖RIBAND〗

ríbbon bùilding *n.* RIBBON DEVELOPMENT식(式)의 건축.

ríbbon còpy *n.* 타이프라이터로 친 서류사본.

ríbbon devèlopment *n.* 대상(帶狀) 발전[개발] (string development)《간선도로를 따라 띠 모양으로 뻗어가는 건축군(群)》.

ríb·boned *a.* 리본을 단[으로 장식한] ; 띠 모양의 줄(무늬)가 있는.

ríbbon·fìsh *n.* 몸이 가늘고 긴 각종의 바닷물고기.

ríbbon mìcrophone *n.* 〖電子〗 리본 마이크로폰《금속 리본의 움직임을 따라 기전력(起電力)을 발생시킴》.

ríbbon pàrk *n.* 대상 녹지(帶狀綠地).

Ríbbon Socìety *n.* [the ~] 녹색 리본회《19세기 초에 아일랜드에서 신교도에 대항하기 위해 결성된 카톨릭교도의 비밀 결사》.

ríbbon wòrm *n.* 유형(紐形) 동물.

ríb càge *n.* 〖解〗 흉곽(胸廓).

ri·bes [ráibiːz] *n.* (*pl.* ~) 〖植〗 까치밥나무속(屬)의 각종 작은 과일나무. 〖L＜Arab.〗

ríb·less *a.* 늑골이 없는 ; 늑골이 안 보이는, 살찐.

ribo- [ráibou, -bə] ☞ RIB-.

ri·bo·fla·vin [ràibəfléivən, ⌐-⌐-] *n.* 〖生化〗 리보플라빈《비타민 B_2 또는 비타민 G》.

rìbo·núclease *n.* 〖生化〗 리보뉴클레아제《RNA의 가수 분해를 촉매하는 효소》.

rìbo·nucléic ácid *n.* 〖生化〗 리보핵산《略 RNA》.

ri·bose [ráibous, -z] *n.* 〖化〗 리보오스.

ribosomal RNA [⌐ ɑ̀ːrènéi] *n.* 〖生化〗 리보솜 RNA, 리보솜 리보핵산.

ríbo·sòme *n.* 〖生化〗 리보솜《세포 중의 RNA와 단백질의 복합체 ; 단백질 합성이 행해짐》.
rì·bo·sóm·al *a.*

ríb-stìckers *n. pl.* 《美俗》 콩(beans).

ríb-tìckler *n.* 《口》 농담, 우스갯소리(joke).
〖cf. tickle a person in the RIB[1]〗

-ric [rik] *suf.* 「관할 구역」「영역」의 뜻의 명사형 어미 : bishop*ric*.
〖OE *rice* reign, dominion ; ⇨ RICH〗

Ri·car·di·an [rikáːrdiən] *a.* 리카도 학설[학파]의. —— *n.* 리카도 학도.

Ri·car·do [rikáːrdou] *n.* 리카도. **David** ~ (1772-1823) 영국의 경제학자.
〖It., Sp. ; ⇨ RICHARD〗

‡rice [ráis] *n.* (*pl.* ~) Ⓤ 쌀 ; 밥 ; 벼 : a ~ crop 미작(米作), 벼농사 / enriched ~ 강화미(強化米) / polished ~ 백미 / rough ~ 벼. 注 유럽과 미국에서는 신혼여행의 출발을 축하하여 신랑·신부에게 쌀을 집어 던지는 풍습이 있음. —— *vt.* (감자 따위를) RICER로 으깨다, 쌀알 모양으로 하다.
〖OF *ris*＜It.＜L＜Gk. *oruza*＜ (Oriental)〗

ríce bàll *n.* 주먹밥.

ríce·bìrd *n.* 〖鳥〗 (북미산) 논에 나타나는 각종 새(bobolink).

ríce bòwl *n.* 밥 그릇 ; 쌀 생산지대.

ríce bràn *n.* 쌀겨.

ríce fìeld *n.* 논, 무논.

ríce flòur *n.* 쌀가루.

ríce làdle *n.* 주걱, 국자.

ríce pàper *n.* 라이스 페이퍼《얇은 고급 종이의 일종 ; 궐련용 종이로 사용》.

ríce pòlishings *n. pl.* 왕겨.

ríce púdding *n.* 라이스 푸딩《우유·쌀·설탕으로 만든 푸딩》.

ric·er [ráisər] *n.* 《美》 라이서《삶은 감자 따위를 으깨어 쌀알 정도의 굵기로 국수처럼 뽑는 기구》.

ríce thròwing *n.* 결혼식 후 신랑 신부에게 쌀을 뿌리는 일.

ríce wàter *n.* 미음《환자용》.

ríce wèevil *n.* 〖昆〗 바구미.

◇rich [rítʃ] *a.* **1** 부유한, 부자의(↔*poor*) ; [명사적으로 ; the ~] 부자(rich people) (↔*the poor*) : (as) ~ as Croesus[a Jew] 아주 돈 많은[갑부인]. **2** 많은 ; 풍부한, 윤택한 ; (나라 따위에) 자원이 풍부한 : The country is ~ *in* oil. 그 나라는 석유가 풍부하다 / Those hills are ~ *with* old legends. 저 산들에는 오래된 전설이 많이 얽혀 있다. **3** (토지가) 기름진. **4** 귀중한 ; 값진, 화려한. **5** 영양분 있는 ; 농후한 ; 맛 좋은, 감칠 맛이 있는(full-bodied). **6** (색이) 짙은, 선명한(vivid) ; (소리가) 낭랑한 ; (냄새가) 강렬한. **7** 《口》 **a**) 아주 우스운, 매우 재미있는 : That is ~! 그것 참 재미있다! **b**) 얼토당토 않은, 터무니 없는(absurd). **8** 의미심장한.
rich and poor 부자나 가난한 사람이나.
strike in rich ☞ STRIKE *v.*
〖OE *rice* and OF *riche* great, powerful＜Gmc. (G *reich*) ＜Celt. (OIr. *rí* king) ; cf. REX〗
類義語 ***rich*** 자신의 보통의 필요·욕망을 충족시키는 이상으로 돈이나 재산이 있는 ; 가장 일반적인 말. ***wealthy*** rich의 정도가 높고 게다가 호화로운 생활을 하여 사회적인 영향력이 있는 것 따위를 암시. ***well-to-do*** 편안한 생활을 하기에 충분한 돈이나 재산을 가진.

Rich·ard [rítʃərd] *n.* **1** 남자이름. **2** (잉글랜드의 왕) 리처드. (1) ~ Ⅰ (~ the Lion-Heart) 사자심왕(1157-99 ; 재위 1189-99). (2) ~ Ⅱ (1367-1400 ; 재위 1377-99). (3) ~ Ⅲ (1452-85 ; 재위 1483-85).
Richard's himself again 리처드는 회복했다《병·공포·실망 따위에서 회복되었을 때에 말함 ; Cibber(1671-1757)가 개작한 Shakespeare작 *Richard* Ⅲ에서》.
〖OF＜Gmc. =rule hard〗

Ríchard Róe *n.* 〖法〗 **1** 리처드 로《부동산 회복 소송에서의 피고의 가상명 ; cf. JOHN DOE》. **2** (일반적으로 거래·절차·소송 따위의) 한쪽 당사자의 가명.

rích bítch *n.* 《俗》 돈 많은 여자.

rich·es [rítʃəz] *n. pl.* 부(富)(wealth), 재보 ; 풍부함 : He was said to have heaped up[have amassed] great ~. 그는 큰 재물을 모았다고들 했다 / *R*~ have wings. 《속담》 돈에는 날개가 달렸다 / the ~ of knowledge[the soil] 《비유》 지식의 풍부[토지의 풍요].

rích·ly *adv.* 부유하게 ; 풍요하게 ; 값지게 ; 농후하게 ; 강렬하게 ; 풍부히, 충분히 ; 훌륭하게.

rích·ness *n.* Ⓤ 부유 ; 풍부, 윤택 ; 풍요, 비옥 ; 귀중, 훌륭함 ; 자양분이 많음, 농후.

Rích·ter scàle [ríktər-] *n.* 리히터 지진계《지진의 진도(震度) 척도용 ; 1-10까지 있음》. 〖Charles F. *Richter* (1900-86) 미국의 지진학자〗

rick[1] [rík] *n.* (말린 풀 따위의) 큰 더미, 건초의 퇴적(堆積), 짚가리. ── *vt.* (보리·건초 따위를) 쌓아 올리다, 짚가리로 하다. 〖OE *hrēac* < ?〗

rick[2] *vt., n.* = WRICK.

rick·ets [ríkəts] *n. pl.* [단수·복수 취급] 구루병(佝僂病), 곱사등 ; 골연화(증) : *R*~ affects the bones. 구루병은 뼈를 상하게 한다.
〖C17 < ? ; cf. Gk. *rhakhitis* rachitis〗

rick·ett·sia [rikétsiə] *n.* (*pl.* **-si·as, -si·ae** [-siì:, -siài], ~) 〖生〗 리케차《발진티푸스 따위의 병원체 ; 절지 동물의 체내에 기생하여 인간이나 동물을 발병케 함》.
〖Howard T. *Ricketts* (d. 1910) 미국의 병리학자〗

rick·ety [ríkəti] *a.* 구루병에 걸린, 곱사등의, 관절이 약한 ; 휘청거리는, 쓰러질 듯한. 〖RICKETS〗

rick·ey [ríki] *n.* 진(gin)과 탄산수에 라임(lime) 과즙을 탄 음료.

rick·rack, ric·rac [ríkræ̀k] *n.* U,C 리크랙《지그재그로 된 끈목의 가장자리 장식》.
〖가중(加重) ‹ *rack*[1]〗

ricky-tick [ríkitík] *n.* 《美俗》 리키틱《1920년대에 유행한 빠르고 기계적·규칙적인 비트의 재즈》.
── *a.* 리키틱풍의 ; 케케묵은, 구식의.

ric·o·chet [ríkəʃèi, 英 + -ʃèt] *n.* U,C (탄환 따위가 물수제비 뜨듯이) 스쳐 날기, 도탄(跳彈).
── *vi.* (~**ed** [-ʃèid], **-chet·ted** [-ʃètəd] ; ~**·ing** [-ʃèiiŋ], **-chet·ting** [-ʃètiŋ]) (탄알 따위가) 스쳐 날다[지나가다](skip), 도탄으로 사격하다.
〖F < ?〗

R.I.C.S. 《英》 Royal Institute of Chartered Surveyor(왕립 공인 측량사 협회).

rid**[1] [ríd] *vt.* (~, **ríd·ded ; ríd·ding**) **1** [+目+ *of*+名] **a**) 해방하다, 면하게 하다, 자유롭게 하다, …에서 제외하다, 제거하다 : We must ~ the house **of** rats. 집에서 쥐를 없애지 않으면 안된다. **b**) [수동태 또는 ~ one*self* 로] (바람직하지 않은 것을) 면하다[벗어나다] : He *is* ~ ***of fever. 그는 열이 내렸다 / ~ one*self of* a bad habit 악습에서 벗어나다. **2** 《古》 (돌림병 따위를) 없애다, 몰아내다.
get rid of …을 면하다, 벗어나다, 제거하다 ; …을 그만두다, 폐하다, 죽이다(kill) : I can't *get* ~ *of* this cold. 이 감기가 도무지 낫지 않는다 / These articles may be hard to *get* ~ *of.* 이 물건들은 여간해서 팔리지 않을지도 모른다 / Rats should be *got* ~ *of.* 쥐는 퇴치해야만 한다.
〖ME=to clear (land etc.) <ON〗

rid[2] *v.* 《古》 RIDE의 과거형.

RID Remove Intoxicated Drivers《음주 운전자를 추방하는 모임 ; cf. MADD》.

rid·able, ride·able [ráidəbəl] *a.* (말에) 탈 수 있는 ; 타고 지나갈 수 있는.

ríd·dance *n.* U,C 모면 ; 제거, 몰아 냄 : They [Their departure] will be a good ~. 그들이 없어지면[떠나 버리면] 마음이 홀가분해질 것이다 / A good[Good] ~! 잘 떼어 버렸다 !
make clean riddance of …을 일소하다.
〖RID[1]〗

◊**rid·den** [rídn] *v.* RIDE의 과거분사. ── *a.* **1** 지배된 ; 학대받은〈*by*〉. **2** (악몽 따위에) 시달린, 고통받은 ; …이 제멋대로 날뛰는, 득실거리는 : ☞ BEDRIDDEN / fear-~ 공포에 질린.

***rid·dle**[1] [rídl] *n.* 수수께끼, 난문, 난제 ; 알 수 없는 것[일] ; 불가사의한 인물 : I will put a ~ to you, boys. 얘들아, 내가 너희들에게 수수께끼를 내겠다 / speak *in* ~*s* 수수께끼를 내다, 수수께끼 같은 말을 하다. ── *vi.* 수수께끼를 내다.
── *vt.* [+目/+目+目] (수수께끼 따위를) 풀다 : *R*~ me, ~ me. 이 수수께끼를 풀어 보아요 / *R*~ me this. 이 수수께끼를 풀어 보시오.
〖OE *rǣdels*(*e*) opinion, riddle (*rǣd* counsel ; ⇨ READ[1]) ; -*s*를 복수 어미로 잘못 본 것 ; cf. CHERRY, PEA〗
類義語 ⟹ MYSTERY.

riddle[2] *n.* 눈이 성긴 체[어레미]. ── *vt.* **1** (곡식 따위를) 체질해서 가르다, 체로 치다 ; (난로의 격자 따위를) 재를 떨어 뜨리기 위해 흔들다. **2** [+目/+目+前+名] (탄알 따위로 벽·사람 등을) 구멍 투성이로 만들다 : The ship was ~*d* ***with*** shot. 그 배는 탄알로 구멍 투성이가 되었다. **3** (증거·사실 따위를) 정밀히 조사[검토]하다 ; 사실을 들어 (사람·이론을) 꼼짝 못하게 하다 : ~ a theory[an argument] 학설[의론]을 철저하게 논파하다. ── *vi.* **1** 체질하다, 체질하여 고르다. **2** (추위 따위가) 스미다.
〖OE *hriddel* ‹ *hrīder* ; cf. OE *hrīdrian* to sift, L *cribrum* sieve〗

ríd·dling *a.* 수수께끼 같은, 불가해한 ; 수수께끼를 푸는, 점을 치는. ~**·ly** *adv.*

ríd·dlings *n. pl.* 체로 거른 찌꺼기.

◊**ride** [ráid] *v.* (**rode** [róud] ; **rid·den** [rídn]) *vi.* **1** [動/+副/+前+名] **a**) 말을 타다 ; 말을 부리다 : ~ behind (기수의) 뒤에 타다 / ~ double 말에 두 사람이 타다 / ~ bareback 안장 없이 말을 타다 / She was *riding* astride[sidesaddle]. 말에 모로 걸터앉아 타고 있었다 / He jumped on his horse and *rode* ***off***[*away*]. 말에 뛰어 올라 타고 가버렸다 / He *rode* ***over*** to see me yesterday. 어제 말을 타고 나를 만나러 왔다 / ~ *on* horseback 말을 타다 / ~ ***at*** full gallop (전속력으로) 말을 몰다. **b**) (탈것을) 타다 ; 타고 가다 ; 자전거 여행을 하다(cf. DRIVE *vi.* 1) : ~ ***in***[***on***] a train 기차를 타다.
2 [動/+*on*+名] (말 타듯이) 올라타다, 걸터타다 : He walked along with a little boy *riding* ***on*** his shoulder. 그는 사내 아이를 어깨에 목말 태우고 걸어 갔다.
3 [動/+前+名] (물·공중에) 뜨다, 정박하다 ; (달·태양이) 중천에 걸리다 : The sun was *riding* high ***in*** heaven. 태양이 하늘 높이 떠 있었다 / The ship ~*s* ***at*** anchor. 그 배는 닻을 내리고 정박하고 있다 / The boat *rode* ***over*** angry waves. 보트는 성난 파도를 타고 나아 갔다.
4 [動/+前+名] 걸려 있다, 얹혀있다, (지탱되어) 움직이다 : The wheel ~*s* ***on*** the axle. 바퀴는 차축(車軸)을 중심으로 하여 돈다.
5 [+副/+補] (말 따위를) 탈 수 있다, 탄 기분이 …하다 ; (땅이) 말타기에 …하다 : a horse that ~*s* easily 다루기 쉬운 말 / The course *rode* soft after the rainfalls. 비 온 뒤라서 말을 타고 달리기에는 (땅이) 너무 물렀다 / The frost had made the ground ~ hard. 서리 때문에 승마하기에는 땅이 너무 굳어 있었다.
6 [+補] 승마복을 입은 몸무게가 …이다 : I ~ 12 stone. 승마복 입은 체중이 12스톤이다.
7 (부러진 뼈·인쇄 따위가) 서로 겹치다 : A bone ~*s.* 뼈가 부러져서 서로 겹치다.
── *vt.* **1** [+目/+目+前+名] (말·탈 것 따위에) 타다, 타고 가다, 말 따위를 몰다 : ~ a horse [bicycle, car] 말[자전거·자동차]을 타다 / ~ the whirlwind ☞ WHIRLWIND / ~ one's horse

at a fence 담을 뛰어 넘으려고 말을 달리다 / ~ one's horse *at* an enemy 말을 타고 적에게 돌격하다. **2** 말[자동차]로 지나가다 ; 말《따위》을 타고 행하다 : ~ the circuit ☞ CIRCUIT 4 / He *rode* the ford quickly. 말을 탄채로 그 얕은 여울을 재빨리 건넜다 / We *rode* a race (with each other). 경마를 했다. **3** [＋目 / ＋目＋*on*＋名] 태우다, 말타게 하다 ; 《美》 태우고 가다, 태워서 나르다 : ~ a child ***on*** one's back 아이를 등에 말태우다 / ~ a person *on* a rail ☞ RAIL[1] 숙어. **4 a**) …에 뜨다, 운반되다, 떠받쳐지다 : The ship was *riding* the waves. 배는 파도를 타고 나아가고 있었다. **b**) …에 걸리다, 얹혀 있다 : Spectacles ~ his nose. 안경이 그의 코에 걸려 있다. **5 a**) [주로 *p. p.*로] 지배하다, 압제하다 ; 애먹이다, 괴롭히다 : be *ridden* by doubts [prejudices] 의혹[편견]에 사로잡히다. **b**) 《口》 조롱하다, 짓궂게 굴다(tease). **6** 말을 타고 사냥하다 ; 말을 타고 (짐승 떼를) 몰아내다〈*off*, *out*〉. **7** 〖競馬〗 (말을) 너무 지나치게 부리다. **8** (배를) 매다, 정박시키다.

〈회화〉

I have to *ride* a crowded train to school. — So do I. 「나는 만원 전철을 타고 학교에 가야 해」 「나도 그래」

ride again 《口》 원상태로 되돌리다 ; 《비유》 원기를 되찾다.
ride down 말로 …을 뒤쫓다, 말로 뒤쫓아 몰아세우다 ; 말로 받아서 쓰러 뜨리다 ; 압도하다 ; 너무 타서 말을 쓰러지게 하다.
ride for a fall 난폭하게 말을 타다 ; 《비유》 무모한 짓을 하다.
ride high 성공하다, 극복하다, 잘 해내다.
ride off on a side issue 요점을 피하고 지엽적인 문제를 내다.
ride out (폭풍을) 극복하다 ; 《비유》 곤란을 이겨내다, 공격[토론 따위]을 물리치다 : ~ *out* the storm (배가) 폭풍우를 이겨내다.
ride (***roughshod***) ***over*** …을 짓밟다 ; …을 억압하다.
ride . . . to death (말을) 너무 혹사하여 죽게 하다 ; 《비유》 (방법 · 농담 따위를) 지나치게 하여 오히려 역효과를 내다.
ride to hounds (여우 사냥에서) 사냥개 뒤에서 말을 몰다, 사냥개를 뒤쫓아 여우 사냥을 하다.

—— *n.* **1** (말 · 탈 것 · 사람 등 따위에) 타기[태우기], 타고[태우고] 가기 ; 기마[교통 기관을 이용한] 여행 : give a person a ~ 남을 태워주다 / go for a ~ 승마하러 나가다 / have[take] a ~ (말 · 마차 따위에) 한번 타다. **2** 타는 시간. **3** (특히 숲속의) 승마 도로. **4** 교통 수단 ; (유원지 따위의) 탈것. **5** 〖英軍〗 보충기병대. **6** 〖재즈〗 즉흥적인 부분.
take a person ***for a ride*** 《口》 (갱 등이) 사람을 자동차로 꾀어내어 죽이다, 살해하다 ; (남을) 속이다, 사기치다.
〖OE *ridan* ; cf. G *reiten*〗

活用 (1) ride는 기차 이외에 전차, 자동차, 자전거 따위에도 쓰이며 경우에 따라서는 전치사 in 또는 on을 씀 : ride *on*[*in*] a train[a car, a bus, a cart] (전차[자동차 · 버스 · 수레]에 타다). 또 《美》에서는 배를 타는데도 ride를 씀. (2) 《英》에서는 말을 타는 것을 ride라 하고 그 외 탈것[차 따위]에는 drive라고 하는데 《美》에서는 어느 편이나 다 ride를 씀 : ride a horse / ride in a train.

rideable ☞ RIDABLE.
ríde·òut *vi.*, *vt.* 《美俗》 〖재즈〗 (마지막 합창 부분을) 즉흥적 · 열광적으로 연주하다.
***rid·er** [ráidər] *n.* **1** 타는 사람, 기수 ; 《美》 카우보이. **2** (문서 · 의안 따위의) 추서(追書), 첨서(添書), 추가 조항 ; 《英》 (특히 의회 제3독회에서의) 부가 조항 ; 《英》 (배심원의 평결에 부기한) 보충 의견서. **3** 〖數〗 계(系) (corollary), 응용 예제. **4** 다른 것 위에 얹혀 있는 것 ; (난간의) 손잡이 ; [*pl.*] (목조선의) 보강재. **5** 《美俗》 경마, 자동차 레이스 ; 환각(trip) 《LSD 따위에 의한》.
by way of rider (…의) 추가로서, 첨부하여〈*to*〉.
~·less *a.* 타는 사람 없는 ; 추가 조항 없는.
ríder·shìp *n.* 《美》 (버스 · 철도 따위) 교통 기관의 이용자 수(數), 승객수.
***ridge** [rídʒ] *n.* **1** (동물 따위의) 등, 등마루 ; 봉우리(crest) ; 능선 ; 콧날. **2** 산마루, 산등성이 ; 산맥 ; 분수령. **3** 이랑, 두둑. **4** 〖建〗 (지붕의) 용마루. —— *vt.* **1** …에 용마루를 대다. **2** …에 이랑을 내다[세우다] 〈*up*〉 ; 이랑 모양으로 하다 ; 이랑[두둑]에 심다. —— *vi.* 이랑[두둑]이 되다 ; (이랑 모양으로) 융기(隆起)하다 ; 물결이 일다.
〖OE *hrycg* ; cf. G *Rücken*〗
rídge bèam *n.* 마룻대 ; 천막의 들보 재목.
rídge·pòle, rídge·pìece *n.* 마룻대 ; (천막의) 들보 재목.
rídge tìle *n.* 〖建〗 용마루 기와.
rídge·trèe *n.* 《古》 ＝RIDGEPOLE.
rídge·wày *n.* 산마룻길 ; 논둑[밭둑] 길.
ridgy [rídʒi] *a.* 등이 있는 ; 이랑[둑]이 있는 ; 융기한《산맥 따위》.
***rid·i·cule** [rídəkjùːl] *vt.* 비웃다, 조롱하다, 놀리다. —— *n.* Ⓤ 조소, 조롱, 희롱 ; Ⓒ 《古》 조소의 대상, 웃음거리.
bring a person ***into ridicule***＝***cast ridicule upon*** a person＝***hold up*** a person ***to ridicule*** 남을 비웃다, 희롱하다, 놀리다.
〖F or L＝laughable (*rideo* to laugh)〗

類義語 ***ridicule*** 어떤 사람이나 모양을 비웃다 ; 반드시 악의가 있다고는 볼 수가 없다 : He *ridiculed* her new haircut. (그녀의 새 머리 모양을 비웃었다). ***deride*** 악의를 가지고 경멸하며 조롱하다 : Don't *deride* his efforts. (그의 노력을 얕보아 조롱마라). ***mock*** 남의 특징을 흉내내고 경시하여 놀리다 : It is bad to *mock* his steps. (그의 걸음걸이를 흉내내어 놀리는 것은 좋지 않다).

***ri·dic·u·lous** [rədíkjələs] *a.* 어리석은, 우스운 ; 어이 없는. **~·ly** *adv.* 어리석게, 우습게.
類義語 ⟹ ABSURD.
rid·ing[1] [ráidiŋ] *n.* **1** Ⓤ 승마, 승차. **2** [형용사적으로] 승마(용)의 : a ~ clothes[dress] 승마복.
〖RIDE〗
riding[2] *n.* [보통 R~] 《英》 구(區) 《영국 Yorkshire 주를 동 · 서 · 북 셋으로 나눈 행정구역 ; 1974년에 폐지》 : the Three *R~s* 전(全)요크셔.
〖OE 《美》 *thriding*<ON＝third part ; *th*-의 소실(消失)은 앞에 있는 eas*t*[nor*th*, etc.]와의 동화(同化)에서〗
ríding bòots *n. pl.* 승마화.
ríding brèeches *n. pl.* 승마용 바지.
ríding còat *n.* 승마용 상의.
ríding cròp[**whìp**] *n.* 말채찍《끝에 가죽 고리가 달린》.
ríding hàbit *n.* 여자용 승마복.
ríding làmp[**lìght**] *n.* 〖海〗 정박등《흰색》.

ríding màster *n.* 마술 교사, 기병대 마술 교관.
ríding schòol *n.* 승마 학교, 육군 마술 연습소.
ríding·sùit *n.* 승마복.
riel [riːél; ríːəl] *n.* (*pl.* ~**s**) 캄보디아 화폐단위.
Ries·ling [ríːzliŋ, ríːs-] *n.* Ⓤ [때때로 r~] 라인 산(產)의 백포도주. 〚G〛
rif [ríf] 《美俗》 *n.* (특히 공무원 감원 때의) 해고 ; 격하(格下). —— *vt.* (**-ff-**) 《口》 (예산 절감을 위해) 제대시키다, 감원시키다.
〚*r*eduction *in f*orce〛
RIF [ríf] 《美》 Reduction In Force 《재정적 이유로 인한 정부 기관의 감원 ; 그 해고 통지》.
rif·a·my·cin [rìfəmáisən, raifǽməsən] *n.* 〚生化〛 리파마이신《항생 물질》. 〚*rif*-(<*r*eplication *i*nhibiting *f*ungus)+-*a*-(<-*o*-)+-*mycin*〛
rife [ráif] *pred. a.* 《文語》 **1** (전염병이) 유행하는, (소문이) 자자한(prevalent). ☞ 活用. **2** 충만한, 대단히 많은, 풍부한(abundant) : The thesis is ~ *with* errors. 그 논문은 오류 투성이다.
—— *adv.* 엄청난, 많은, 충분한.
〚OE *rȳfe*<? ON *rífr* acceptable, generous〛
活用 1의 의미에서는 주로 be 또는 grow, wax²와 함께 쓰임 : Superstition *is*[*has grown*] *rife* among the savage tribes. (야만족 사이에는 미신이 판을 치고 있다).
riff [ríf] *n.* 〚재즈〛 반복 악절[선율]. —— *vi.* 반복 악절을 연주하다.
〚C20<? ; 일설(一說)에 <*ref*rain〛
Riff *n.* (*pl.* ~**s**, **Riffi** [-i], ~) 리프인(人)《모로코 북쪽 산맥의 베르베르인(人)》 ; 리프어《베르베르어의 방언》.
rif·fle [ríf*ə*l] *n.* **1** 《美》 (강의) 여울(rapid) ; 잔물결(ripple). **2** 리플《트럼프 패 섞기》. —— *vt., vi.* (트럼프 패를) 리플하다《양손에 나눠쥐고 끝을 튀기며 섞음》 ; (강이) 잔물결을 일으키며 흐르다.
〚? RUFFLE¹〛
riff·raff [ríffræ̀(ː)f] *n.* [집합적으로 ; the ~] 하층민, 천민 ; (인간) 찌꺼기, 어중이떠중이.
—— *a.* 하찮은, 시시한, 쓰레기의.
〚OF *rif et raf*〛
***ri·fle**¹ [ráif*ə*l] *n.* **1** 라이플총, 선조총(旋條銃) (cf. GUN, MUSKET, SMOOTHBORE) ; (일반적으로) 소총. **2** 라이플총병(兵) ; [*pl.*] 라이플총부대(cf. BAYONETs, SABERs). **3** 《古》 (총포의) 선조, 강선(腔線). —— *vt.* (총신·포신에) 강선을 내다[새기다] ; 소총으로 쏘다. —— *vi.* 소총을 쏘다 [사용하다]. 〚↓〛
rifle² *vt.* (훔치기 위하여) 샅샅이 뒤지다, 강탈[약탈]하다 ; 빼앗다, 훔치다 : The rogue ~*d* all my pockets. 그 괴한은 내 호주머니를 샅샅이 뒤졌다. 〚OF=to graze, plunder<ODu.〛
ríflе·bìrd *n.* 〚鳥〛 긴부리극락조《오스트레일리아산(產) ; 그 우는 소리가 총알이 바람을 가르며 날아가는 소리와 비슷함》.
Ríflе Brigáde *n.* 《英》 라이플 여단.
ríflе còrps *n.* (지원병으로 구성된) 소총 부대.
rí·fled *a.* (총·포가) 강선을 새긴 ; 탄환이 강선에 맞도록 한.
ríflе gréen *n.* 암녹색(暗綠色)《RIFLEMAN이 입는 군복의 빛깔》.
ríflе grenàde *n.* 총류탄(銃榴彈)《총구에 특수 장치를 달아 발사하는 수류탄》.
ríflе gròund *n.* 소총 사격장.
ríflе·man [-mən] *n.* 라이플총병 ; 라이플소총 명사수(名射手).
ríflе pìt *n.* (라이플총) 사격 참호.
ríflе ràngе *n.* (소총) 사격장 ; Ⓤ 소총 사정.
ríflе·ry *n.* 소총 사격(술).
ríflе·scòpe *n.* 라이플총 망원 조준기.
ríflе·shòt *n.* **1** 소총탄 ; Ⓤ 소총 사정(射程). **2** 소총사수 ; 명사수.
rí·fling *n.* 강선(腔線)을 새겨 넣음 ; 강선.
rift [ríft] *n.* 터진 틈 ; 갈라진 틈, 째진 금(split).
a little rift within the lute 발광의 징조 ; 불화[파열]의 전조.
—— *vt.* 쪼개다, 가르다. —— *vi.* 쪼개지다, 갈라지다.
〚Scand. (Dan., Norw. *rift* fissure) ; cf. RIVE〛
ríft vàlley *n.* 〚地〛 지구대(地溝帶).
rig¹ [ríg] *v.* (**-gg-**) *vt.* **1** [+目/+目+*with*+名] 〚海〛 …에 삭구(索具)를 장비하다 ; 의장(艤裝)하다(equip) ; (비행기)의 날개[동체 따위]를 조립하여 조정하다, 정비하다 : The ship is ~*ged* ***with*** new sails. 배에 새 돛이 장비되어 있다. **2** [+目+副] 준비하다, 장비하다 : We ~*ged* ***up*** a Christmas tree in the room. 방에 크리스마스 트리를 세웠다. **3** [+目+副] 《口》 치장하다, 옷치레하다 : He had ~*ged* himself ***out*** as a horseman. 그는 (승마복을 입고) 기사 차림을 하고 있었다. **4** [+目+副] 임시 변통으로 만들다, 급히 만들다 : The explorers ~*ged* ***up*** a shed for the winter months. 탐험자들은 월동을 위한 (임시) 오두막을 서둘러 지었다. —— *vi.* [動/+前+名] (배가) 삭구(索具)를 장비하다 : Has the ship ~*ged* ***for*** the voyage yet? 그 배는 이제 출범할 장비를 끝냈느냐.
—— *n.* **1** 〚海〛 삭구 장비, 의장(艤裝) ; 범장(帆裝) ; 장비, 장치, 용구 ; 《口》 낚시 도구 ; (유전의) 굴삭 장치. **2** Ⓤ 《口》 복장, 몸차림, 풍채 : in full ~ 성장하여. **3** 《美》 말을 맨 마차 ; 《美》 트레일러차, 트럭, 자동차.
the cut of one's ***rig*** ☞ CUT³.
〚? Scand. ; cf. Norw. *rigga* to wrap〛
rig² *n.* 《英》 사기, 속임수 ; 장난 ; 〚商〛 시세 조작, 매점(買占).
run a rig 희롱하다, 장난치다〈*on*〉.
—— *vt.* (**-gg-**) 《口》 부정 수단으로 조작하다, 미리 짜고 농간 부리다 : ~ an election 선거에 부정수단을 쓰다 / ~ a cycling race 자전거 경기에서 미리 짜고서 부정을 하다 / ~ the stock market (투기꾼이) 주식 시세를 농간 부리다.
〚C19=to swindle<?〛
rig·a·doon [rìgədúːn], **ri·gau·don** [*F* rigodɔ̃] *n.* 리고동《17-18세기에 유행한 쾌활한 2인 무용 ; 그 춤곡》.
Ri·gel [ráidʒəl, -gəl] *n.* 〚天〛 리겔성《오리온자리의 β성으로 광도 0.2등성》.
ri·ges·cence [ridʒésəns] *n.* Ⓤ 경화(硬化), 경직.
ri·ges·cent [ridʒésənt] *a.* 굳어지는, 경직하는.
rigged [rígd] *a.* [복합어를 이루어] …식 범장(帆裝)의.
ríg·ger¹ *n.* **1** 〚海〛 의장(艤裝)하는 사람 ; 〚空〛 (기체의) 조립 정비공 ; (일반적으로) 준비자. **2** 〚海〛 …식의 범장의 배 : a square-~ 횡범선(橫帆船).
〚RIG¹〛
rigger² *n.* (증권 시장 따위에서) 시세를 조작하는 사람. 〚RIG²〛
ríg·ging *n.* **1** Ⓤ 〚海〛 삭구《돛·돛대·밧줄 따위》 ; 의장. **2** Ⓤ 장비, 준비(equipment) ; 복장.
Ríggs' disèase [rígz-] *n.* 〚齒〛 치조 농루(齒槽膿漏).
〚John M. *Rigg* (d. 1885) 미국의 치과 의사〛
◇**right** [ráit] *a.* **1** [+*to* do/+前+do*ing*/+*of*+名+*to* do] 바른, 정당한, 정의의(↔*wrong*) ; (사

람이) 선량한 ; 《美俗》 경찰과 관계가 없는 : act a ~ part 바른 행위를 하다 / Always do what is ~. 항상 바른 일을 해라 / Was he ~ ***to*** leave her? 그가 그녀를 떠나버린 것은 옳은 일이었을까 / You were ~ ***in*** judg*ing* so[*in* your judgment]. 네가 그렇게 판단한 것은[너의 판단은] 옳았다 / It was quite ~ *of* you *to* refuse the offer. 네가 그 제의를 거절한 것은 정말 옳았다. **2** 정확한(correct), 진정한(true) : My watch isn't ~. 내 시계는 정확하지 않습니다. **3** 적당[적절]한 ; 나무랄 데 없는 ; 바람직한(favorable) ; 정연한 : All's ~. 만사가 잘 되어간다 / All's ~ *with* the world. 태평성세의 시절이로다《R. Browning의 시에서》 / Jack is the ~ boy *for* the job. 잭은 그 일을 해내는데는 적임의 소년이다 / It is quite ~ that he has been dismissed. 그를 해고시킨 것은 참으로 온당한 조치다 / That's ~. 그것으로 되었다 ; 《口》 그렇다, 바로 그대로다(Yes) / *R*~ you are. 《口》 옳은 말이오, 네가 말한 그대로다 ; (제의·명령에 답하여) 좋다, 잘 알았다 / *R*~! =All ~! 됐어!, 좋아! **4** 건강한(healthy) ; 건전한 ; 정상의, 제 정신의 : feel ~ 몸 상태가 좋다. **5** 표면의, 정면의 ; 겉의 : the ~ side 표면. **6** [*attrib.* 로 쓰여] 우측[오른편]의, 오른쪽의(↔ *left*) : give[offer] a person the ~ hand of fellowship ☞ FELLOWSHIP 숙어. **7** 직각의 ; 《古》 곧은 : a ~ line 《古》 직선.

all right 더할 나위 없는[없이], 좋은(cf. 3) : He is *all* ~. 그는 온전한 인간이다, 그는 충분히 할 수 있다, 그는 건강하다《따위》 / It's *all* ~. 염려 없다, 더할 나위 없다《따위》 / *All* ~! You shall remember this. 《反語》 좋아! 두고 보자.

get on the right side of a person 남의 마음에 들다.

get...right (1) =*put*...RIGHT. (2) …을 올바르게 이해하다[시키다], 명확히 하다.

on the right side of ☞ SIDE *n.*

put[***set***] one***self right with*** …와 친해지다, …의 마음에 들다, …와 화해하다.

put[***set***]***...right*** …을 정리[조정]하다, 정돈하다 ; …을 교정하다, 정정하다 ; …의 건강을 회복시키다 : I *put* my watch ~. 시계를 맞췄다 / Please *put* me ~ if I make a mistake. 만약 틀리면 정정해 주시오 / Regular living will *put* him ~. 규칙적인 생활을 하면 그는 다시 건강을 회복할 것이다.

right and left 좌우로[의] ; 사방팔방에서.

Right Oh! 《英俗》 좋아, 알았다, 오케이(All right!).

right or wrong 좋든 나쁘든간에, 기필코.

the right side up ☞ SIDE *n.*

the right way 옳은 길, 본도(本道), 정도(正道) ; 진상 ; 가장 효과적인 방법(으로) ; 올바르게, 적절히.

—— *adv.* **1** 정당하게, 공정히 ; 정확히 ; 진심으로 : if I remember ~ 내 기억이 맞는다면, 분명코. **2** 적당히 ; 원하는 대로 ; 순조롭게 ; 알맞게 ; 정연하게 : Things went ~. 만사가 순조로웠다. **3** 오른편으로, 오른쪽으로, 우측으로(↔*left*) : *R*~! 〖美海〗 배를 오른쪽으로 돌려라! (starboard). **4** [강조어로서 ; cf. JUST *adv.*] **a**) 아주, 완전히 : The car turned ~ round. 차는 완전히 한바퀴 돌았다. **b**) 《美口》 [부사·전치사에 앞서서] 바로, 꼭, 틀림없이, 딱 알맞게 : ~ now 《美口》 지금 곧, 바로 지금 / ~ here 꼭 여기서, 이 장소에서 / ~ opposite 바로 맞은편에, 정반대로 / ~ in the middle 꼭 한가운데에 / ~ over the way 길 바로 맞은 편에 / ~ at the beginning 시초에 / ~ in the middle of one's work 한창 일하는 중에. **5** 《美口》 곧, 이내 : I'll be ~ back. 이내 돌아오겠다 / *R*~ after lunch mother went shopping. 점심 식사후에 어머니는 곧 장보러 나가셨다. **6 a**) 곧장, 정면으로 : ~ in the wind's eye 맞바람을 안고 / Go ~ on to the end of the street. 거리의 끝까지 곧장 가시오 / I went ~ at him. 그를 향해 곧장 갔다. **b**) 죽, 줄곧(all the way) 〈*to, into, round, through, etc.*〉. **7** 《美口·英古》 아주, 매우, 대단히(very) : I know ~ well that …라는 것은 충분히 잘 알고 있다. **8** [존칭으로서] 매우(very) : the *R*~ Reverend ☞ REVEREND 2 b).

all right 더할 나위 없이, 좋게 ; 무사히 ; 확실하게, 틀림없이 : I'll be there *all* ~. 그곳에 틀림없이 가겠다.

come right 올바르게[제대로] 되다, 좋아지다 (↔*go wrong*) ; 실현하다.

get in right with a person 《美》 남의 마음에 들다, 남의 비위를 맞추다.

right along 《美口》 줄곧, 끊임없이, 쉬지 않고 : work ~ *along* 쉬지 않고 계속 일하다.

right away 곧장, 당장에(at once) : Let's begin ~ *away.* 곧 시작합시다.

right off 《美口》 금방 ; 명백하게, 노골적으로.

—— *n.* **1** Ⓤ 정당 ; 정의, 정도, 공정(↔*wrong*) : Do her ~. 그녀에게 (응당) 해줄 것을 해주시오. **2** Ⓤ,Ⓒ [+*to* do / +前+do*ing*] 권리 : ~*s* and duties 권리와 의무 / assert[stand on] one's ~*s* 자기 권리를 주장하다 / claim a ~ ***to*** the use of land 토지의 사용권을 주장하다 / I have a[the] ~ *to* demand an explanation. 내게는 설명을 요구할 권리가 있다《당연히 요구할 수 있다》 / You have no ~ *to* say[***of*** say*ing*] such things to your superiors. 너는 윗사람에게 그런 말을 할 권리가 없다 / the ~ *of* search ☞ SEARCH *n.* 숙어 / ☞ RIGHT-OF-WAY. **3** [*pl.*] 진상 ; [*pl.*] 올바른 상태 : the ~*s* (and wrongs) of the matter 일의 진상[진위]. **4** Ⓤ 오른쪽, 우측, 오른편(↔ *left*) : on one's ~ 오른쪽[우측]에 / *on*[*from*] the ~ *of* …의 오른쪽에[부터] / *to* the ~ *of* …의 오른편으로 / Keep *to* the ~. 우측통행. **5** 〖軍〗 우익 ; 〖野〗 우익(수) ; 〖拳〗 오른손의 타격, 라이트(↔*left*). **6** [the R~] 〖政〗 우파, 보수당 (cf. LEFT[1] *n.* 2, CENTER *n.* 5) : sit on *the* *R*~ 우파[보수당] 의원이다.

a bit of all right 《英口》 흠잡을 데 없는 사람[물건], 호감이 가는 사람[물건].

bring...to rights 《口》 …을 원래의 상태로 하다, 고치다, 바로 하다.

by (***good***) ***rights***=***by***[***of***] ***right*** 바르게, 정당히 : The land belongs to him *by* ~(*s*). 그 토지는 마땅히 그의 것이다.

by[***in***] ***right of*** …의 권리로, …의 이유에서 : He took the chair *by* ~ *of* seniority. 선임(先任)이라는 이유에서 그가 의장직을 맡았다.

do a person ***right*** 사람을 공평하게 다루다, 정당하게 평가하다.

go[***turn***] ***to the right about*** 뒤로 돌아서다 ; 《비유》 정책[주의·정세 따위]을 일변하다.

in one***'s own right*** 자신의 명의로, 자기의 (타고난) 권리로 : a queen *in* her *own* ~ 여왕《왕비로서가 아니라 타고날 때부터 여왕으로서의 권리를 가진 사람 ; cf. QUEEN CONSORT》 / a peeress *in* her *own* ~ ☞ PEERESS / She has a little money *in* her *own* ~. 그녀는 자기 명의[자기 자

신]의 돈을 약간 가지고 있다.
in the right 도리에 맞는, 올바른(↔*in the wrong*) : You are *in the* ~. 너의 주장은 도리에 맞는다, 네가 정당하다.
keep on** one's **right 우측으로 나아가다 ; 정도(正道)를 걷다.
set [***put***]***...to rights*** …을 정돈하다, 고치다 ; 바로 잡다 : He is always *setting* people *to* ~*s.* 그는 언제나 남을 책망한다.
the bill of rights 인민의 기본적 인권에 관한 선언 ; [the B~ of R~s] 《英》 권리 장전(章典)《1689년 제정한 법률》; 《美》 권리 장전《1791년 미합중국 헌법에 부가된 최초의 10개조 수정(the Amendments)》.

〈회화〉
Would you tell me how to get to the city hall? — Go straight down this street, and you will see a white building on the *right.* 「시청은 어떻게 가면 됩니까」 「이 길로 쭉 가면 오른쪽에 흰 건물이 보일겁니다」

—— *vt.* **1** 고치다 ; 바로 잡다 ; 세우다, 일으키다 : ~ the helm 〖海〗 (돌린) 키를 똑바로 하다 / The car skidded but was quickly ~*ed.* 자동차는 옆으로 미끄러졌으나 재빨리 바로 세워졌다 / The boat ~*ed* itself. 보트는 똑바로 방향을 고쳐 잡았다 / Your wrongs ought to be ~*ed.* 너의 잘못은 시정하지 않으면 안된다. **2** …에게 권리를 부여하다[회복시키다] ; 구하다 : ~ the oppressed 피압박자를 구출하다.
—— *vi.* (기울어진 배 따위가) 반듯하게 되다.
〚OE *riht* ; (n.) < (a.) ; cf. Du. and G *recht,* L *rectus* straight, right〛

ríght-abòut *n.* 정반대의 방향.
send...to the right-about (군대를) 뒤로 돌려 후퇴시키다 ; (사람을) 쫓아 버리다, 물리치다 ; 즉석에서 해고시키다.
—— *a., adv.* 반대 방향의[으로].

ríght-abòut-fáce *n.* 〖軍〗 뒤로 돌아 ; 《비유》 (정책·주의 따위의) 전환, 전향.

ríght-and-léft *a.* 좌우의 ; 좌우 양발[양손]에 맞게 (설계)된.

ríght ángle *n.* 〖數〗 직각 : at ~*s* with …와 직각으로, 수직으로.

ríght-ángle(d) *a.* 직각의.

ríght árm *n.* 오른팔 ; 심복(right hand).

ríght ascénsion *n.* 〖天〗 시경 ; 적경(赤經).

Ríght Bánk *n.* [the ~] (Seine 강의) 우안(右岸)(cf. LEFT BANK).

ríght-bráin *n.* 우측뇌《대뇌의 우반부》.

ríght-dówn *a., adv.* 완전한[히], 철저한[하게].

ríght·en *vt.* 고치다, 바로잡다.

righ·teous [ráitʃəs] *a.* **1 a)** 정의의, 공정한 ; 청렴한, 덕망 있는 : ~ overmuch 너무 충실하고 정직한, 지나치게 강직한. **b)** [명사적으로 ; the ~] 올바른 사람들, 덕망있는 인사들. **c)** 자신의 올바름을 굳게 믿고 있는(cf. SELF-RIGHTEOUS). **2** 정당한, 당연한 : ~ indignation의분(義憤). **3** 《美俗》 훌륭한, 굉장한, 최고의 ; 《美俗》 진짜의 ; 《美俗》 독선적인, 잘난체 하는. **~·ly** *adv.* **~·ness** *n.*
〚OE *rihtwīs* ; 어미는 *-ous*에서 동화(同化)〛
類義語 ⟹ MORAL.

ríghteous búsh *n.* 《美俗》 마리화나.

ríghteous móss *n.* 《美黑人俗》 백인(白人) 특유의 머리털.

ríght·er *n.* 바로잡는 사람 ; 정의를 행하는 사람, 의인 : a ~ of wrongs 악을 바로잡는 사람.

ríght fáce *n.* 〖美軍〗 우향우, 우로 돌아.

ríght fíeld *n.* 〖野〗 외야의 우익.

ríght fíelder *n.* 〖野〗 우익수(右翼手).

***ríght·ful** *a.* 바른, 정의에 입각한 ; 정당한 권리를 가진 ; 적법의, 합법적인, 정당한 ; 당연한 ; 어울리는, 적절한. **~·ly** *adv.* 바르게, 합법적으로, 당연히. **~·ness** *n.*

ríght gúy *n.* 《美俗》 신용할 수 있는 녀석.

ríght hánd *n.* 오른손 ; [a person's ~] 믿을 수 있는 사람, 유능한 보좌역, 심복 ; 오른쪽 (방향) ; 오른쪽 자리, 영예의 자리, 상석.
put** one's **right hand to the work 본격적으로 일하다.

ríght-hánd *a.* **1** 오른쪽의, 오른손의, 우측의 ; 오른손을 쓰는 : the ~ side 우측 / ~ traffic 우측통행 / a ~ glove 오른손 장갑. **2** 심복이 되는, 의지가 되는. **3** (밧줄 따위) 오른쪽으로 꼰.

ríght-hánd·ed *a.* **1** 오른손잡이의(cf. LEFT-HANDED). **2** (타격 따위가) 오른손에 의한 ; (도구 따위가) 오른손용의. **3** 오른쪽으로 도는, 우선성(右旋性)의(clockwise) ; 오른쪽으로 감은.
—— *adv.* 오른손으로[을 써서].
~·ly *adv.* **~·ness** *n.*

ríght-hánd·er *n.* 오른손잡이 ; 오른손에 의한 일격(一擊) ; 오른손으로 던지기.

ríght-hánd mán *n.* 심복, 의지가 되는 사람.

ríght-hánd rúle *n.* [the ~] 〖理〗 (플레밍의) 오른손 법칙.

Ríght Hónorable *n.* 백작 이하의 고관 귀족에 대한 의례적인 또는 공식 경칭《略 Rt. Hon.》.

ríght·ish *a.* 우파로[우익으로] 기운.

ríght·ist *n.* [때때로 R~] 우익[우파]의 사람, 보수주의자, 국수주의자. —— *a.* [때때로 R~] 우익[우파]의(↔*leftist*).

ríght jóint *n.* 《美俗》 건전한 나이트클럽[도박장 따위] ; 공정한 대우를 받을 수 있는 교도소.

ríght-láid *a.* (밧줄 따위) 오른쪽으로 꼰.

ríght·less *a.* 권리[자격]를 잃은 ; 권리가 없는, 자격이 없는.

ríght-líned *a.* 직선의.

***ríght·ly** *adv.* **1** 바르게, 정당하게. **2** 정확히 ; 참으로 : If I remember ~ …. 기억이 틀림없다면[확실히]…. **3** 적당히, 당연히 : He is ~ served. 그는 당연한 응보를 받은 것이다.

ríght-mínd·ed *a.* 마음이 올바른, 의로운, 정직한, 성실한 ; (생각·정신이) 정상인, 건전한.
~·ly *adv.* **~·ness** *n.*

ríght móney *n.* 《俗》 전문가(專門家)가 투자하는 돈(smart money).

ríght·ness *n.* Ⓤ 올바름 ; 청렴강직 ; 정의, 공정 ; 정확 ; 진실 ; 적절.

ríght of asýlum *n.* [the ~] 〖國際法〗 (망명자의) 비호권(庇護權), 피(被)보호권.

ríght of líght *n.* [the ~] [때로 R~ of L~] 〖英法〗 일조권(日照權).

ríght of primogéniture *n.* [the ~] 〖法〗 장자상속권(primogeniture).

ríght of prívacy *n.* [the ~] 〖法〗 프라이버시의 권리《사생활을 보호받을 권리 ; cf. INVASION OF PRIVACY》.

ríght of úser *n.* [the ~] 〖法〗 사용권 ; 계속적 행사에서 생기는 추정(推定) 권리.

ríght of vísit [**visitátion**] (**and séarch**) *n.* [the ~] 〖國際法〗 (교전국의 공해상의 중립국 선박에 대한) 수색권.

ríght-of-wáy *n.* (*pl.* **ríghts-, ~s**) **1** (타인 소유지 내의) 통행권, 통행권이 있는 도로. **2** 《美》 공

로(公路) 용지 ; 철도[선로] 용지, 노반(路盤) ; 송전선[수송관] 용지. **3** (교통상의) 우선 통행권 ; 우선권《발언 따위》; 진행 허가.

right-oh, righto, right-o [ráitòu, -óu] *int.* 《英口》 =ALL RIGHT, OK.

ríght-ón *a.* 《美俗》 **1** 사정에 밝은, 앞선 ; 찬성할 수 있는, 납득되는. **2** 전적으로 옳은, 진정 믿을 수 있는.

ríghts *n., a.* 《美口》 민권(의) : a ~ worker 민권 운동가[옹호가].

ríghts diplòmacy *n.* =HUMAN RIGHTS DIPLOMACY.

ríghts íssue *n.* 〖證〗 주주 할당 발행.

ríght stáge *n.* 〖劇〗 (객석을 향해) 무대 오른쪽.

ríght thíng *n.* **1** [the ~] 《口》 도의적으로 가장 양심적인[올바른] 일. **2** 《美俗·해커》 (프로그램 작성에) 가장 좋은 방법.

ríght-to-chóose *a.* 임신 중절을 택할 권리를 주장하는 : a ~ group 임신 중절 권리파.

ríght-to-díe *a.* 죽을 권리를 인정하는《회복 불능 환자의 안락사 따위와 같은》: a ~ bill 「존엄사(尊嚴死)」 법안.

ríght-to-lífe *a.* 임신 중절에 반대하는《임신 중절 금지법을 지지함》. **-lífer** *n.* 임신 중절 금지법 지지자.

ríght to refúse *n.* [the ~] 거부권 : reserve ~ 거부권을 유보하다. ㊟ 정치, 특히 국제 외교회의 장에서는 veto라고 한다.

ríght-to-wórk *a.* 〖美法〗 노동권의[에 관한]《클로즈드 숍 및 유니언 숍에 반대 또는 금지함》.

ríght-to-wórk láw *n.* 〖美法〗 노동권법《직업의 유지를 위해 조합에 가입해야 한다는 조건을 금지하는 법률》.

ríght tríangle *n.* 직각 삼각형.

ríght túrn *n.* 몸을 오른쪽으로 90°돌림 ; 〖구령〗 우향우.

ríght·ward *a., adv.* 오른쪽으로 향하는[향하여], 오른쪽의[으로].

ríght·wards *adv.* 오른쪽에[으로], 우측으로.

ríght whàle *n.* 〖動〗 큰고래.

ríght wíng *n.* **1** (정당 따위의) 우익, 우파, 보수파. **2** 〖競〗 우익(수) (↔*left wing*).

ríght-wíng *a.* 우익의, 우파의. **~·er** *n.* 우파의 사람, 보수주의자.

ríghty *n., a., adv.* 《美口》 오른손잡이(의) ; 오른손으로 ; 《英口》 우익 쪽[보수파] 사람.

***rig·id** [rídʒəd] *a.* **1** 굳은, 경직된[강직한] (stiff) ; 고정된. **2** 엄격한, 엄정한, 엄숙한(stern) ; 엄밀한, 정밀한, 정확한(precise). **3** 강직한, 불굴의 ; 〖機〗 강체(剛體)의 ; 〖空〗 (비행기가) 경식(硬式)의 : a ~ dirigible 경식 비행선. **4** (사고방식 따위가) 까다로운, 융통성이 없는(↔*pliable*). **~·ly** *adv.* 굳게 ; 엄격히 ; 까다롭게. **~·ness** *n.* 〚F or L ; ⇨ RIGOR²〛

類義語 ⟹ STIFF, STRICT.

ri·gid·i·fy [ridʒídəfài] *vt., vi.* 굳게[엄격, 엄밀하게] 하다[되다]. **ri·gìd·i·fi·cá·tion** [-fə-] *n.*

ri·gid·i·ty [ridʒídəti] *n.* **1** Ⓤ 굳음, 강직(強直), 경직(硬直)(성) ; 〖理〗 강성률(剛性率). **2** Ⓤ 엄격, 엄숙 ; 엄밀. **3** Ⓤ 강직성, 불굴. **4** RIGID한 것[사람].

ríg·man *n.* (어선의) 어망 담당자, 어로(漁撈)원.

rig·ma·role, rig·a·ma- [rígəməròul] *n.* 시시한 긴 이야기[글]. —— *a.* 데데한, 조리가 없는, 두서없는. 〚C18 *ragman roll* catalogue〛

rig·or¹ | **rig·our** [rígər] *n.* **1** Ⓤ 엄함, 엄격(severity) ; 《美俗》 냉담함 ; 가혹한 행위 ; (법률·규칙 따위의) 여행(勵行)〈*of*〉: execute a law with ~ 법을 엄중히 실시하다. **2** [때로 *pl.*] (추위 따위가) 혹심함, 혹독 ; (생활 따위의) 고난, 곤궁, 어려움 : the ~*s* of life 생활고(苦). **3** Ⓤ 엄밀, 정밀, 정확성(exactness). 〚OF<L (*rigeo* to be stiff)〛

rig·or² [rígər, 英+ráigɔːr] *n.* Ⓤ 〖醫〗 오한(惡寒) ; (신체 조직의) 강[경]직. 〚L (↑)〛

rig·or mor·tis [rígər mɔ́ːrtəs, 英+ráigɔːr-] Ⓤ 〖醫〗 사후강직(死後強直). 〚L=stiffness of death〛

rígor·ous *a.* **1** (규칙·기후 따위가) 혹독한, 엄격한, 가혹한. **2** 엄밀한, 정밀한, 정확한. **~·ly** *adv.* **~·ness** *n.*

類義語 ⟹ STRICT.

ríg·òut *n.* 《口》 채비, 준비 ; 한벌의 옷.

Rigs·dag [rígzdɑ̀ːg] *n.* [the ~] (1849-1953년의) 덴마크의 이원제 국회. 〚Dan.〛

Rig-Véda [rig-] *n.* [the ~] 리그베다《인도에서 가장 오래된 종교적 문헌으로 바라문교의 근본 성전 ; cf. VEDA》.

R.I.I.A. 《英》 Royal Institute of International Affairs.

Riks·dag [ríksdɑ̀ːg] *n.* 스웨덴 국회《일원제》.

rile [ráil] *vt.* 《口》 성나게 하다, 약올리다, 짜증나게 하다 ; (액체를) 흐리게 하다. 〚변형(變形) < *roil*〛

ri·lie·vo [riljévou] *n.* (*pl.* **-vi** [-viː], **~s**) 돋을새김(relief). 〚It.〛

rill¹ [ríl] *n.* 작은 내, 시내, 실개천. —— *vi.* 시냇물처럼 흐르다. 〚Du. or LG〛

rill² [ríl], **rille** [ríl, rílə] *n.* 〖天〗 달 표면의 좁고 긴 계곡. 〚G *Rille* channel ; cf. ↑〛

rill·et [rílət] *n.* 실개천, 작은 개울.

***rim** [rím] *n.* **1** 가장자리, 변두리, (둥근 물건의) 테두리 : the ~ *of* a cup. 컵의 가장자리. **2** [*pl.*] (안경의) 테 ; 림《차바퀴의 테》, 외륜(外輪), 테두리쇠. **3** 〖籠〗 링《골의 쇠테두리》; 〖골프〗 컵의 가장자리 ; 《詩》 둥근 것 : the golden ~ 왕관. **4** 〖海〗 수면, 해면. —— *v.* (**-mm-**) *vt.* …에 가장자리[가, 테]를 두르다. —— *vi.* rim을 만들다. 〚OE *rima* ; cf. ON *rimi* ridge〛

類義語 ⟹ BORDER.

rím bràke *n.* 림 브레이크《차바퀴 테에 작용하는 브레이크》.

rím-drìve *n.* 림 구동(驅動) 장치《모터의 축과 회전반의 테의 접촉으로 동력을 전달함 ; 녹음기·축음기 따위에 씀》.

rime¹ [ráim] *n.* Ⓤ 《文語》 흰서리(hoarfrost). —— *vt.* 서리로 덮이다. 〚OE *hrīm* ; cf. ON *hrím* frost〛

rime² ☞ RHYME.

rimer ☞ RHYMER.

rimester ☞ RHYMESTER.

rím·lànd *n.* 〖地政〗 (HEARTLAND의) 변두리[주변] 지역.

rím·less *a.* (안경 따위) 테가 없는.

rímmed *a.* [보통 복합어를 이루어] …의 테가 있는 : one's red-~ eyes 울어서 눈언저리가 벌겋게 된 눈.

Rim·mon [rímən] *n.* 〖聖〗 림몬《Damascus에서 숭배되던 신》.

bow down in the house of Rimmon 〖聖〗 자기 신념을 굽히다《열왕기하 5 : 18》.

ri·mose [ráimous], **ri·mous** [ráiməs] *a.* 〖植〗 째진[갈라진] 틈이 많은.

Rim·Pac [rímpæ̀k] *n.* 〖軍〗 림팩, 환태평양 제국

해군 합동 연습.
〖*Rim* of the *Pac*ific Exercise〗

rim·ple [rímpəl] *n.* 주름, 구김살, 접은 금.
—— *vt.* …에 주름을 잡다, 구겨지게 하다.
—— *vi.* 주름지다, 구겨지다.

rím·ròck *n.* 벼랑 끝의 바위. —— *vt.* 《美》(양을) 벼랑에서 떨어뜨려 죽이다 ; 《美俗》(속여서 남을) 빠뜨리다[실패시키다].

rimy [ráimi] *a.* 서리로 덮인(frosty).

rinc·tum [ríŋktəm] *n.* 《卑》 =RECTUM.
—— *vt.* (~) 《美俗》 해치우다, 쳐부수다.

rind [ráind] *n.* **1** Ⓤ (수목·과일·베이컨·치즈·고래 따위의) 껍질, 외피 ; Ⓒ 그 한 조각. **2** (사물의) 겉모양, 외관, 외면. —— *vt.* …의 껍질을 벗기다, 껍데기를 까다. 〖OE *rind(e)* ; cf. G *Rinde*, OE *rendan* to rend〗
類義語 ⟹ SKIN.

rínd·ed *a.* [보통 복합어를 이루어] …의 껍질이 있는, 껍질이 …한 : smooth-~ 껍질이 부드러운.

rin·der·pest [ríndərpèst] *n.* Ⓤ 〔獸醫〕 우역(牛疫)《소의 심한 전염병》.
〖G (*Rinder* cattle, PEST)〗

◊**ring**[1] [ríŋ] *n.* **1** 바퀴, 고리(circle) ; 원, 고리[바퀴] 모양의 물건 ; 둥그렇게 둘러앉음 ; 반지, 귀고리, 팔찌, 코고리 ; [*pl.*] (체조의) 링《용구·경기》 : a wedding ~ 결혼반지 / form a ~ 원을 이루다, 빙 둘러앉다 / The pupils stood *in* a ~. 학생들은 둥그렇게 원을 이루어 섰다 / He was puffing ~*s of* cigarette smoke. 담배 연기를 동그랗게 뿜어 내고 있었다. **2** [*pl.*] 수문(水紋) ; 파문 ; [*pl.*] (목재의) 연륜, 나이테 ; (양치류의) 환대(環帶). **3** 원형장, 경기장, 씨름판 ; 경마장 ; 〔競馬〕 도박사 좌석 ; [the ~] 권투장, 링《원래 구경꾼이 빙 둘러싼 데서》 ; [집합적으로] 권투 선수, 경마사. **4** (사리(私利)를 취하기 위한) 도당, 한패 ; 매점(買占)[매출(賣出)] 동맹 : a ~ *of* spies=a spy ~ 스파이단 / make[form] a ~ 매점 동맹을 맺다. **5 a)** 〔數〕 (집합의) 환(環) ; 〔컴퓨〕 고리. **b)** 〔化〕 고리. **6** 〔建〕 링, 바퀴 모양의 테두리. **7** 〔天〕 (토성 따위의) 고리.

lead the ring 《古》 솔선하다, 발기인이 되다(cf. RINGLEADER).
meet in the ring 시합을 하다.
run [***make***] ***rings around*** a person 《口》 남보다 훨씬 빨리 가다, 남을 훨씬 능가하다 ; 남을 결정[압도]적으로 이기다.
throw one***'s hat in the ring*** ☞ HAT.
tilt [***ride, run***] ***at the ring*** 높이 매단 고리를 말을 달리면서 창끝에 걸다《옛날의 무예》.
win the ring 《古》 상을 타다, 이기다.

〈회화〉
Who gave that *ring*? — My boyfriend. 「그 반지 누가 주었니」 「내 남자 친구가」

—— *v.* (**~ed**, 《稀》 **rung** [rʌ́ŋ]) *vt.* **1** [+目/+目+副/+目+前+名] 둥글게 둘러싸다, 에워싸다 ; (둥글게) 둘러앉히다 ; 몰이 사냥하다 : ~ (***up***) cattle (주위를 돌며) 가축을 한 곳에 모으다 / The young singer was ~*ed* ***about*** [***round***] ***with*** the excited girls. 그 젊은 가수는 열광하는 소녀들에게 둘러싸였다 / We ~*ed* ourselves *round* the pole. 기둥을 둘러싸고 둥글게 앉았다. **2 a)** …에 고리[반지·귀고리·코고리]를 끼우다 ; (전서 비둘기 따위에) 발고리를 끼우다. **b)** (놀이에서) …에 쇠고리를 던져 끼우다. **3** 〔園藝〕 …의 껍질을 고리 모양으로 벗기다 ; (사과·양파 따위를) 둥글게 썰다.
—— *vi.* 고리 모양이 되다, 둥글게 되다 ; (매·솔개 따위가) 원을 그리며 날아오르다 ; (여우 따위가) 원을 그리며 달리다.
〖OE *hring* ; cf. G *Ring*〗

◊**ring**[2] *v.* (**rang** [rǽŋ], 《稀》 **rung** [rʌ́ŋ] ; **rung**) *vi.* **1 a)** [動/+副] (방울·종 따위가) 울리다, 울려 퍼지다 ; (나팔 따위가) 울려 퍼지다 : The bell is ~*ing.* 벨[종]이 울리고 있다 / I heard a shot ~ ***out*** somewhere. 어디선가 한 발의 총성이 울리는 것을 들었다. **b)** (귀가) 윙윙 울리다, 귀울다 : His ears are still ~*ing.* 그의 귀는 아직도 울리고 있다. **c)** [+前+名] (말 따위가 아직도) 귀에 들리다[는 듯하다], 기억에 남다 : The melody still *rang* ***in*** her ears. 그 가락은 아직도 그녀의 귀에 들리는 듯했다. **2** [+補] …의 소리가 나다 ; …처럼 들리다 : A coin ~*s* true[false]. 동전은 소리로 진[가]짜임을 알 수 있다 / The orator's words *rang* hollow. 연사의 말은 별 내용이 없는 것처럼[불성실하게] 들렸다. **3** [+*with*+名] (소리가 …에) 울려 퍼지다 ; 《비유》 (평판이) 높아지다 : The beach *rang* ***with*** young people's shouts. 해변가에는 젊은이들의 함성이 울려 퍼졌다 / The whole school *rang with* the praises of the brilliant girl. 학교 전체가 그 훌륭한 소녀에 대한 칭찬으로 떠들썩했다. **4** [動/+前+名] 신호의 종[벨]을 울리다 : I wonder who is ~*ing* at the front door. 누가 현관의 초인종을 울리고 있을까 / I *rang* ***for*** the maid. 벨을 울려 하녀를 불렀다.
—— *vt.* **1 a)** (종·방울 따위를) 울리다, 치다 : ~ the church bells 교회의 종을 울리다. **b)** (물건을) 울려서 진짜인지를 시험하다 : ~ a coin 동전을 (울려보고 진짜 여부를) 가려내다. **2** [+目/+目+副] 종[초인종]을 울려 부르다 : ~ a servant ***down*** [***in, up***] 벨을 울려 하인을 아래로[안으로, 위로] 부르다. **3** [+目/+目+副] 종[벨]을 울려 알리다 : ~ an alarm 종을 울려 긴급함을 알리다 / *R*~ ***out*** the Old Year and ~ ***in*** the New. 종을 울려 묵은 해를 보내고 새해를 맞이하라. **4** 《주로 英》 [+目+副/+目+前+名] …에게 전화를 걸다(telephone) : I'll ~ you ***up*** again tomorrow morning. 내일 아침 다시 전화하겠다《㊟ 《美》에서는 I'll CALL you *up*.…을 씀》 / He *rang up* George ***on*** the phone. 조지에게 전화를 걸었다. **5** 큰소리로 말하다, 울려 퍼지게 하다 ; 시끄럽게 말하다(din) : ~ a person's praises 남을 요란하게 칭찬하다. **6** (타임 리코더·금전 등록기)에 기록하다, (금액을) 금전 등록기에 기록하다.

ring a bell 《口》 반응[공감]을 일으키다 ; 상기시키다, (어떤 일을) 회상시키다.
ring again 메아리치다, 반향(反響)하다〈*to*〉.
ring down [***up***] ***the curtain*** 벨을 울려 막을 내리다[올리다] ; 《비유》 (…의) 결말[개시]을 알리다〈*on*〉.
ring in (새해를) 종을 울려 맞이하다(cf. *vt.* 3), …의 도착을 알리다 ; (타임 리코더로) 도착 시간을 기록하다(↔*ring out*).
ring off 전화를 끊다.
ring one***'s own bell*** 자화자찬하다.
ring out (가는 해를) 종을 울려 보내다(cf. *vt.* 3) ; (타임 리코더로) 퇴근 시간을 기록하다(↔ *ring in*).
ring the bell 《口》 일이 잘 되다, 성공하다《체력이나 능력 따위의 시험에서 장치된 종을 울리는 사람이 이기는 데서》.
ring the changes ☞ CHANGE *n.*

ring the knell of . . . ☞ KNELL *n.*
ring up 《주로 英》 종[벨]을 울려 깨우다 ; 전화를 걸다 ; 전화로 불러내다(cf. *vt.* 4) ; 《美》 (금액을) 금전 등록기에 넣다.
—— *n.* **1 a**) (종·벨 따위를) 울리기[울림] ; 울리는 소리 : give the bell a ~ 벨을 (눌러) 울리다. **b**) 전화 소리[걸기] : Give me a ~ (*up*) this afternoon. 오후에 나에게 전화를 걸어 주시오. **2** [단수형만으로 써서] (물건의 성질·진위를 나타내는) 소리, 울림 ; 가락, 느낌 : try the ~ *of* a coin 동전을 소리내어 진짜 여부를 알아보다 / have the true[right] ~ 진짜의 소리가 나다 / His words have the ~ *of* truth. 그의 말에는 진실이 담겨 있다. **3** [단수형만으로 써서] 잘 울리는 소리. **4** 한 벌의 종(소리) : a ~ *of* six bells 여섯 개가 한 벌인 종.
〖OE *hringan* ; cf. Du. and G *ringen*〗

ríng-a-dìng *n.* 《美俗》 대소동 ; 조바심나게[가슴 설레게] 하는 것[사람]. —— *a.* 못 견디게[가슴설레게]하는, 아슬아슬한.

ríng(-aròund)-a-rósy, -the-rósy *n.* 노래하며 둥글게 돌다가 신호에 따라 급히 앉는 놀이.

ríng·bàrk *vt.* (나무)의 껍질을 고리 모양으로 벗기다(girdle).

ríng·bòlt *n.* 고리 달린 볼트.

ríng·bòne *n.* (말의) 지골류(趾骨瘤).

ríng càrtilage *n.* 〖解〗 환상(環狀) 연골.

ríng cìrcuit *n.* 〖電〗 (주택 내부 따위의 배전용의) 환상(環狀) 회로.

ríng còmpound *n.* 〖化〗 고리식(式) 화합물.

ríng·cùt *vt.* (나무 껍질을) 고리 모양으로 벗기다.

ríng dìke *n.* 환상 암맥(環狀岩脈).

ríng·dòve *n.* 〖鳥〗 (유럽산) 양비둘기, 멧비둘기.

ringed [ríŋd] *a.* **1** 고리가 있는 ; 고리 모양의. **2** 반지를 낀 ; 결혼한(married), 약혼한(engaged).

rin·gent [ríndʒənt] *a.* **1** 입을 크게 벌린. **2** 〖植〗 입을 벌린 모양의.

ríng·er *n.* **1** 둘러싼 사람[것]. **2** 쇠고리[편자] 따위를 푯대에 던지는 사람. **3** 종을 울리는 사람 ; 종을 울리는 장치. **4** 《俗》 [때때로 dead ~] 꼭 닮은 사람[것] : He is a (*dead*) ~ *for* his father. 그는 그의 아버지를 꼭 닮았다. **5** 《俗》 경기의 부정 참가자, 바꿔치기한 선수[말].

Ríng·er('s) solùtion[flùid] *n.* 〖生化〗 링거액(液). 〖Sydney *Ringer* (d. 1910) 영국의 의사〗

ríng fènce *n.* (둘러싼) 울타리 ; 제한, 속박.

ríng fìnger *n.* (보통 결혼반지를 끼는 왼손의) 약손가락, 무명지.

ríng formàtion *n.* 〖天〗 환상체(環狀體) 《달 표면의 crater 따위》.

ríng gèar *n.* 〖機〗 링 기어《안쪽에 톱니가 있음》.

ríng gòal *n.* 고리 던지기《놀이의 일종》.

ring·hals [ríŋhæls] *n.* 〖動〗 독뿜는코브라《남아프리카산》.

ríng hùnt *n.* 주위에 불을 놓아 잡는 사냥법.

ríng·ing *a.* 울리는, 울려 퍼지는 ; 명명백백한, 열렬한 : a ~ frost 밟으면 버석버석 소리나는 서리.
—— *n.* 귀울음, 이명(耳鳴) : have a ~ in the ears 귀울다.

ríng·lèad·er *n.* (폭동 따위의) 주모자 ; 장본인.

ríng·let *n.* **1** 작은 고리, 작은 바퀴. **2** 곱슬머리(curl). **~·ed** *a.* 곱슬머리로 한. 〖*-let*〗

ríng lòck *n.* 고리 자물쇠《몇 개의 홈을 낸 고리를 맞추어서 여는 일종의 부호 자물쇠》.

ríng màil *n.* 쇠사슬 갑옷.

ríng·man [-mən] *n.* 《英》 (경마 따위의) 도박꾼(bookmaker) ; 《美》 복서(boxer).

ríng·màster *n.* (서커스의) 말의 연기 지도자, 곡마단장.

ríng·nèck *n.* 목둘레에 고리무늬가 있는 새[동물].

ríng-nèck(ed) *a.* 〖動〗 목 둘레에 고리 무늬가 있는《새·동물》.

ríng nèt *n.* 포충망(捕蟲網), 사내끼《따위》.

ríng of fíre *n.* [the ~] 환(環)태평양 화산대.

ríng-pùll *a.* 고리를 잡아당겨 딸 수 있는《캔맥주·캔음료 따위》.

ríng ròad *n.* 《英》 (도시 주변의) 환상 도로, 순환도로(=《美》 belt highway, belt way).

ríng·sìde *n.* 링사이드《권투·서커스·씨름판 따위의 맨 앞 자리》; (일반적으로) 가까이서 볼 수 있는 장소, 극장의 무대 바로 앞쪽의 관람석.
—— *a., adv.* 링사이드의[에서].

ríng·ster *n.* 《美》 패거리의 한 사람, 정치 깡패.

ríng·tàil *n.* 《美俗》 불평꾼, 성마른 사람 ; 《濠俗》 겁쟁이, 믿지 못할 사람.

ríng·tòss *n.* 고리 던지기《놀이》.

ríng vaccinátion *n.* 전원(全員) 접종《환자와 관계 있는 모든 사람에게 하는 예방 접종》.

ríng·wáy *n.* 《英》 =RING ROAD.

ríng·wòrm *n.* Ⓤ 〖醫〗 백선(白癬) 《버짐 따위》, 완선(頑癬).

rink [ríŋk] *n.* **1** 컬링(curling) 경기장, 아이스하키장. **2** (보통 실내의) 스케이트장, 스케이트 링크 ; 롤러 스케이트장 ; 론 볼링(lawn bowling) 장의 일부. **3** (BOWL*s*, CURLING의) 팀《4명으로 구성》. —— *vi.* 스케이트를 타다. **~·er** *n.* 아이스[롤러] 스케이트를 타는 사람.
〖ME (Sc.) =jousting ground< ? ; cf. OF RANK[1]〗

rinky-dink [ríŋkidíŋk] *a.* 《美俗》 케케묵은 ; 싸구려의. —— *n.* 케케묵은 것 ; 싸구려 오락 시설 ; 속임수. 〖C20< ?〗

rinse** [ríns] *vt.* [+目/+目+副] **1** 헹구다, 부시다 ; 헹구어 비눗물을 빼다, 씻어내다 : ~ the clothes 옷을 헹구다《비눗물을 없애기 위해서》/ *R*~ (out***) your mouth. 입을 가셔라 / Be careful to ~ the tea leaves *away*. 차 찌꺼기를 (찻주전자에서) 잘 씻어내시오. **2** (음식을) 위(胃)에 흘려 넣다 : *R*~ the food ***down*** with a glass of water. 그 음식을 물 한잔을 마셔 내려 보내시오.
—— *n.* **1** 헹구기, 부시기 ; 헹구어 씻어냄 : give it a ~ 한번 헹구다. **2** 린스(제)《머리 감기·머리 염색용》. 〖OF *rincer*< ?〗

rins·ing [rínsiŋ] *n.* Ⓤ,Ⓒ 헹구기, 부시기 ; [보통 *pl.*] 부신 물 ; [보통 *pl.*] 찌꺼기, 남은 것 : give a ~ 부시다, 헹구다.

Rio [ríːou] *n.* =RIO DE JANEIRO ; (*pl.* **~s**) 브라질산 커피. —— *a.* 리우데자네이루의.

RIO 〖美空軍〗 radar-intercept officer.

Rio de Ja·nei·ro [ríːou dei ʒənéərou ; -də dʒəníə-] *n.* 리우데자네이루《브라질 옛 수도 ; 略 Rio》. 〖Port.=river of January〗

Rio Gran·de *n.* **1** [ríːou grǽndi] [(the) ~] 리오그란데《미국과 멕시코의 국경을 이루는 강》. **2** [-grǽndə, -di] [the ~] 리우그란데《브라질 남동부를 서쪽으로 흐르는 강》.

***ri·ot** [ráiət] *n.* **1** 폭동, 소동 ; 〖法〗 소요죄《3인 이상의 공동의 폭력 행위》: put down a ~ 폭동을 진압하다. **2** Ⓤ 《古》 방종, 방탕. **3** Ⓤ 술마시고 떠들기, 혼란. **4** [a ~] 다채로움, 각양각색〈*of*〉; (상상·감정 따위의) 분방, 분출, 분류〈*of*〉: *a* ~ *of* color 다채로운 색깔. **5** 《口》 아주 유쾌한 사람[것], 큰 웃음거리.
run riot 방탕하다 ; 떠들어대다 ; 창궐하다, (꽃이) 만발하다.

—— *vi.* **1** 폭동을 일으키다 ; 떠들다 ; 술마시고 떠들다. **2** 방탕한 생활을 하다, 난봉피우다. **3** 《稀》 지나치게 빠져들다, 탐닉하다 : Don't ~ ***in*** emotion. 감정에 빠져들어서는 안된다. **4** 만발하다, 무성하다.

—— *vt.* [+目+副] 방탕생활을 하여[유흥으로] (시간·금전을) 낭비하다[헛되이 보내다] : ~ *away* one's time[money] 흥청망청하여 시간[돈]을 허비하다. **~·er** *n.* 폭도, 폭민 ; 난잡하게 떠들어대는 사람 ; 방탕자, 난봉꾼. 〖OF=dispute< ?〗

ríot àct *n.* [the R~ A~] 《英》 소요(騷擾) 단속령 《1715년 발포》 ; [the ~] 호되게 꾸짖음, 경고 : read *the* ~ (경찰이) 소요 단속령을 읽어 들려주다 ; 《口》 (부모 등이 어린애를) 심하게 야단치다, 엄중히 타이르다.

ríot gèar *n.* 폭동 진압용 장비.

ríot gùn *n.* 폭동 진압용 산탄총.

ríot·ous *a.* 폭동을 일으키는 ; 소란스런 ; 흥청망청하는 ; 분방한 ; 풍부한. **~·ly** *adv.* **~·ness** *n.*

ríot shìeld *n.* 폭동 진압용 방패.

ríot squàd[políce] *n.* 폭동 진압 경찰대, 경찰 기동대.

rip**[1] [ríp] *v.* (**-pp-**) *vt.* **1** [+目/+目+副/+目+前+名/+目+補] 찢다 ; 열어 젖히다, 찢어 헤치다 ; 벗겨[찢어·베어]내다 : ~ a tire 타이어를 찢다 / ~ the trimming ***off (a garment) (의복에서) 가장자리 장식을 떼어내다 / The wild boar ~*ped* ***up*** the dog with its tusks. 멧돼지는 엄니로 개의 몸뚱이를 물어뜯었다 / He ~*ped* the page ***out of*** the book. 그는 책에서 그 페이지를 찢어 냈다 / I ~*ped* open the envelope. 그 봉투를 뜯어 열었다. **2** (목재를) 세로 켜다. **3** 《口》 [+目+副] 거칠게 말하다 : ~ ***out*** an oath 거칠게 욕지거리하다. **4** [+目+副] (과거 따위를) 폭로하다 : ~ ***up*** an old sore 과거의 달갑지 않은 문제를 끄집어내다. **5** 볼을 강타하다.

—— *vi.* **1** 째지다, 터지다. **2** 《口》 무서운 기세로 나아가다, 돌진하다 : Let her[it] ~. (배·차·기계 따위를) 정지시키지 마라, 그대로 달리게 내버려 둬라. **3** 거칠게 말하다. —— *n.* **1** 잡아 찢음, 찢어진 곳 ; 터짐〈*in*〉 ; 열상(裂傷). **2** = RIPSAW. **3** 《俗》 훔친[빼앗은] 물건.
〖ME< ? ; cf. Flem. *rippen* to strip off roughly〗

rip[2] *n.* **1** (조류의 충돌에 의한) 격랑, 급조(急潮) (tide rip) (cf. RIPTIDE). **2** (암초 따위에 의한) 격랑, 격류 ; (강의) 여울에 이는 파도.
〖*riptide* (? RIP[1])〗

rip[3] *n.* 방탕자, 난봉꾼, 망나니 ; 배반자 ; 폐마(廢馬). 〖C18 〈? REP[2]〗

R. I. P. *requiesca(n)t in pace* 《L》(=May he [she, they] rest in peace!).

ri·par·i·an [rəpέəriən, rai-, -pǽər-] *a.* **1** 강기슭의 ; 치수(治水)의. **2** 강기슭에 나는[사는].

—— *n.* 강기슭에 사는 사람 ; 〖法〗 하안(河岸) 소유자 : ~ right 하안 소유자권.
〖 (*ripa* bank)〗

ríp còrd *n.* 〖空〗 (기구·비행선의) 긴급 가스 방출삭(索) ; (낙하산을) 펼치는 줄.

ríp cùrrent *n.* 역조(逆潮), 이안류(離岸流)《바닷가에서 난바다쪽으로 흐르는 강한 조류(潮流)》 ; 《비유》 심적 갈등.

***ripe** [ráip] *a.* **1** 익은 : a ~ grape 익은 포도. **2** 마실[먹을] 만하게 된, 숙성한 : ~ cheese 숙성된 치즈. **3** 난숙한, 무르익은 ; 한창인 ; 원숙한, 노련한 ; 노령에 달한 : at a ~ age 고령으로 / a person of ~ judgment 판단력이 원숙한 사람, 경험이 풍부한 사람 / a person of ~ years 어른, 성인 / Soon ~, soon rotten. 《속담》 빨리 익으면 빨리 썩는다. **4** [+*to* do] 준비를 갖춘(ready), 기회가 무르익은 : a plan ~ *for* execution 거의 실행할 단계에 이른 계획 / an opportunity ~ *to* be seized 절호의 기회. **5** (익은 과일처럼) 붉고 탐스러운 : one's ~ lips 붉고 탐스러운 입술. **6** 화농(化膿)한, 곪은. **7** 《口》 천한, 외설스런 ; 《古》 취한(intoxicated). —— *vt., vi.* 《方·詩》=RIPEN.
~·ly *adv.* 익어서 ; 원숙하여 ; 기회가 무르익어.
~·ness *n.* 성숙 ; 원숙 ; 기회가 무르익음 ; 곪음.
〖OE *rīpe* ; cf. G *reif*〗

類義語 ***ripe*** (과일·야채·곡물 따위가) 익은 ; 넓은 의미로는 어떤 행동을 하는데 충분한 준비·조건이 갖추어져 있는 : *ripe* apples (익은 사과) / The time is *ripe* for our action. (우리가 행동할 시기가 무르익었다). ***mature*** 생물이나 정신, 지능 따위가 충분히 성장·발육[발달]한 : a *mature* animal (충분히 자란 동물) / a *mature* opinion (원숙한 의견). ***mellow*** 잘 익은 과실처럼 부드럽고 달콤하고 견실하여 미숙한 점이 없는 : a *mellow* fruit (잘 익은 과일) / *mellow* age (원숙한 나이). ***adult*** 사람이 정신적·육체적으로 완전히 어른이 된 : an *adult* behavior (어른다운 행동).

rip·en** [ráipən] *vi.* [動/+*into*+名] 익다, 성숙[원숙]하다 ; 곪다 : The wheat has ~*ed.* 보리가 여물었다 / The mere acquaintance ~*ed* ***into friendship. 다만 안면만 있던 것이 우정으로까지 발전했다. —— *vt.* 익히다 ; 원숙하게 하다 : The sun ~*s* fruit. 햇빛은 과일을 익게 한다.

ríp-òff *n.* 《俗》 도둑질, 착취, 횡령, 사취 ; 엄청나게 이익이 많은 기업 ; 도둑 ; 도작(盜作) ; 가짜[엉터리] 상품. —— *vt.* 훔치다, 사취하다.

ríp-off àrtist *n.* 《美俗》 도둑, 사기꾼.

ri·poste, -post [ripóust] *n.* **1** 〖펜싱〗 (날카롭게) 되찌르기. **2** 재치있는 즉답, 날카로운 응수[반박]. **3** 반격, 반론.

—— *vi.* 되찌르다 ; 즉각 응수하다 ; 반격하다.
〖F<It.=response ; ⇨ RESPOND〗

ríp pànel *n.* 〖空〗 (기구의) 긴급 가스 방출구 ; 《美方》 두 대를 이은 썰매.

ríp·per[1] *n.* **1** 찢는[째는] 사람[것] ; =RIPSAW. **2** 《美俗·英古俗·濠俗》 멋있는 사람[것]. 〖RIP[1]〗

ripper[2] *a.* 《美》 자기 파에 유리한 개조를 허용하는 《법안 따위》. 〖↑〗

ríp·ping *a.* 찢는, 째는 ; 《美口·古俗》 멋있는, 훌륭한(splendid). —— *adv.* 《美口·古俗》 멋있게, 훌륭하게 : ~ good 썩 좋은. **~·ly** *adv.*

rípping bàr *n.* 노루발 지레《한쪽 끝이 갈라져 못 뽑이를 겸함》.

***rip·ple**[1] [rípəl] *n.* **1** 잔물결(wavelet) ; 파문(波紋) ; =RIPPLE MARK. **2** 파상(波狀) ; (머리 따위의) 물결 모양, 웨이브. **3** 잔물결 소리, 찰랑거리는 소리 ; 소곤거림[거리는 소리]. **4** 《美》 작은 여울. **5** (근육 따위의) 파동 ; 〖電〗 리플, 맥동(脈動) ; 〖理〗 (유체의) 표면 장력파. —— *vt.* **1** …에 잔물결을 일으키다 ; …에 파문을 일으키다 : A breeze ~*d* the surface of the pond. 미풍이 못 수면에 잔물결을 일으켰다. **2** (머리 따위를) 곱슬곱슬하게 하다. —— *vi.* 잔물결이 일다 ; 소곤거리다 : The wheat was *rippling* in the breeze. 밀이 미풍에 잔물결치고 있었다. **ríp·pler**[1] *n.*
〖C18 (n.), C17 (v.)< ? ; (freq.) 〈 *rip*[2]인가〗
類義語 ⟹ WAVE.

ripple[2] *n.* 아마(亞麻) 씨를 훑는 기계. —— *vt.* 아마 씨를 훑는 기계에 걸다. **ríp·pler**[2] *n.* 아마 씨를 훑는 사람[기계]. 〖ME ; cf. MDu. *repelen,*

MHG *reffen* to ripple²]
rípple clòth *n.* 물결 모양의 무늬가 있는 부드러운 모직물의 일종《드레스 따위로 씀》.
rípple contròl *n.* 리플 컨트롤《전력 수요가 최고일 때에 전력 회사가 수요 가정의 온수기를 자동적으로 끄는 시스템》.
rípple effèct *n.* 파급 효과, 연쇄 작용.
rípple màrk *n.* (모래위 따위의) 잔물결 자국, 파형(波形); (지층면에 남겨진) 연흔.
rip·plet [ríplət] *n.* 잔물결, 작은 파문.
ríp·ply *a.* 잔물결이 인; 파문이 있는; 찰싹[찰랑]거리는.
rip·rap [ríprӕp] *n.* 《美》〖土〗(기초 공사에 쓰는) 잡석, 사석(捨石); 잡석 토대. ── *vt.* (**-pp-**) 잡석을 넣어 굳히다; …에 기초를 만들다.
ríp-ròar·ing, rip-róar·i·ous [-rɔ́:riəs] *a.* 《口》 시끄러운, 떠들썩한, 소란스러운; 만취되어 법석대는; 자극적인, 흥분시키는.
ríp·sàw *n.* 세로로 켜는 톱(rip).
ríp·snórt·er *n.* 《口》 **1** 몹시 떠드는[난폭한] 사람. **2** 맹렬한 것; 굉장한 것[일, 사람]; 격투; 큰 수확; 대폭풍.
ríp·stòp *a., n.* 립스톱의 (천)《일정 간격으로 두 가닥으로 꼰 실을 대어 길게 찢어지지 않게 한》.
ríp strìp *n.* **1** (담뱃갑·포장지 따위를 뜯기 위해 부착시킨) 개봉용 띠(=tear strip). **2** 《美俗》 고속도로.
ríp·tìde *n.* =RIP CURRENT.
Rip van Win·kle [rìp vӕn wíŋkəl] *n.* 립밴윙클《Washington Irving작 *The Sketch Book* 속의 이야기와 그 주인공의 이름》; 시대에 뒤떨어진 사람; 잠만 자는 사람.
‡**rise** [ráiz] *v.* (**rose** [róuz]; **ris·en** [rízən]) *vi.* **1** [動/+前+名] 올라가다(↔*fall*), 오르다, 솟아오르다, (해·달·별 따위가) 뜨다: The curtain ~*s.* 막이 오른다; 새 국면이 전개된다 / The sun ~*s* in the east. 태양은 동쪽에서 떠오른다 / Morning[Dawn] ~*s.* 아침[새벽]이 된다 / The moon is *rising* ***above*** the horizon. 달이 지평선 위로 솟아오르고 있다.
2 [動/+前+名] 일어나다, 기상하다(☞ ARISE 活用); 일어서다(stand up): He ~*s* early in the morning. 그는 아침에 일찍 일어난다 / I *rose* to shake hands with him. 일어서서 그와 악수했다 / A horse sometimes ~*s* ***on*** its hind legs. 말은 때때로 뒷발로 일어선다.
3 [動/+前+名] 입신하다, 승진하다, 향상하다; 흥성하다, 번영하다: ~ in life[the world] 출세하다 / ~ ***to*** greatness 위대해지다 / ~ *to* fame 명성을 날리다 / He *rose* ***from*** the ranks. 사병에서 장교로 승진했다.
4 오르막이 되다, 치받이가 되다: The ground gradually ~*s* toward the east. 지면은 동쪽으로 차츰 오르막이 되어 있다.
5 [動/+前+名] 우뚝 솟다, 치솟다(tower up): The mountain ~*s* 1000 meters ***out of*** the sea. 그 산은 해발 1000미터다 / Mt. Everest ~*s* ***to*** the height of 8848 meters. 에베레스트산은 높이가 8848미터에 이른다 / The tower ~*s* steeply ***from*** the flat ground. 그 탑은 평지에서 뾰족하게 치솟아 있다.
6 [動/+副/+前+名] (값이) 오르다, 귀등하다; 부피가 커지다, 많아지다; 증수(增水)하다, (조수가) 밀려들다; (육지가) 융기하다; (빵 따위가) 부풀어오르다; (온도계 따위가) 상승하다: The prices have ~*n* again. 물가가 다시 올랐다 / Yeast makes dough ~. 이스트는 빵반죽을 부풀어오르게 한다 / The river has ~*n* more than one foot. 강수량이 1피트 이상 불었다 / The thermometer has ~*n* ***above*** 90°. 온도계가 (화씨) 90도 이상으로 올라갔다.
7 [動/+前+名] 떠오르다; (물고기가) 먹이를 찾아 수면으로 떠오르다: I saw bubbles *rising* ***from*** the bottom of the sea. 거품이 해저에서 떠오르는 것을 보았다 / Tears were *rising* ***to*** her eyes. 그녀의 눈에 눈물이 글썽거리고 있었다.
8 폐회하다, 산회(散會)하다: Parliament ~*s* on Friday. 국회는 금요일에 폐회한다.
9 [動/+*from*+名] 소생하다: Christ is believed to have ~*n* ***from*** the dead. 그리스도는 죽은자 가운데서 되살아났다고 믿어지고 있다.
10 (감정 따위가) 격해지다, 격렬해지다; (기운이) 나다; (바람이) 일다, (폭풍이) 일어나다; (소리가) 높아지다; (색이) 짙어지다: The wind is *rising.* 바람이 일고 있다 / His voice *rose* when he heard them whisper. 그들의 소곤거리는 소리를 들었을 때 그의 목소리는 높아졌다.
11 [+*against*+名] 배반하다, (반항하여) 일어나다(rebel): The people *rose* ***against*** the oppression. 사람들은 압제에 반항하여 일어났다.
12 [+前+名/+副] 근원을 이루다; (일이) 생기다, 발생하다; (생각 따위가) 마음에 떠오르다: The river ~*s* ***in*** the mountains. 그 강의 원천은 산맥에서 시작된다 / A quarrel often ~*s* ***from*** a misapprehension. 싸움은 흔히 오해에서 비롯된다 / The idea *rose* ***before*** my mind. 그 생각이 마음에 떠올랐다 / *Where* does the Mississippi ~? 미시시피 강은 어디에서 시작되느냐.
13 [+*to*+名] (…에) 맞서서 일어나다, (…을) 감당하다, 대처하다; 열렬한 반응을 보이다, 박수갈채하다: ~ ***to*** the emergency[crisis, occasion] 위급에 맞서 일어나다, 위기에 대처하다, 임기응변으로 재능을 발휘하다 / ~ *to* the requirements 요구에 응할 힘이 있다, 임무를 감당하다 / I can't ~ *to* it. 그것을 할 능력[의사]이 없다.
14 (감정·행위 따위를) 초월하다, 극복하다: He ~*s* ***above*** petty jealousies. 그는 사소한 시기심 따위는 초월하고 있다.

〈회화〉
He *rose* rapidly in his company. — I'm not surprised. He's a hard worker. 「그는 회사에서 빨리 승진했어요」「당연하죠, 근면한 사람이니까요」

── *vt.* **1 a)** 올리다, 올라가게 하다, 높이다. **b)** (새·짐승을) 날아오르게[뛰어나오게] 하다; (물고기를) 수면으로 꾀어내다. **2** 〖海〗 (접근해서) 배의 모습이 점차 수평선 위에 나타나는 것을 보다. **3** (언덕을) 오르다.
rise and fall (배가) 파도에 오르내리다; (가슴이) 뛰다.
rise and shine (잠자리에서) 일어나다; [흔히 명령] 기상!
rise to a fence (말이) 울타리를 뛰어넘다.
rise to one***'s feet*** 일어서다.
rise to the bait[***fly***] (물고기가) 미끼[제물 낚시]를 물다; 《비유》 (사람이) 유혹에 빠지다.
── *n.* **1** 오르기, 상승; 《美》 (무대의) 막이 오름, 개막(cf. *at* RISE); (해·달·별의) 뜨기(cf. *at* RISE *of moon*[*sun*]). **2** 입신, 출세; 향상, 진보; 융성, 번영: have[make, achieve] a ~ 입신하다, 출세하다 / the ~ and fall of the Roman Empire 로마 제국의 흥망[성쇠]. **3** 소생, 부활. **4** (값이) 오름, 등귀; 증가(량)

(increase), 증대(량), 증수(량) ; 〖樂〗 음성[가락]의 고조 : the ~ *in* the price of wheat 밀 가격의 등귀 / the ~ and fall of tide (조수의) 간만 / the ~ and fall of voice 소리의 고저, 억양. **5** 《英》 승급(=《美》 raise) : ask for a ~ 승급을 요구하다. **6** 오르막길 ; 고대(高臺), 언덕 : a ~ *in* the ground 높은 지대. **7** 기원, 근원 ; 발기, 발생, 출현. **8** (물고기가) 수면에까지 떠오름 : He has fished all the afternoon but never had a ~. 그는 오후 내내 낚시질을 했으나 고기는 한마리도 낚지 못했다.

at rise of moon [***sun***] 달[해] 뜰 때에. 注 일반적으로는 at MOONRISE[SUNRISE]와 같이 복합어를 씀.

get [***have, take***] ***a*** [***the***] ***rise out of*** a person 《口》 (조롱하여) 남을 화나게 하다 ; 남을 안달나게 하여 바라던 대답을 얻어내다.

give rise to …을 일으키다, 야기시키다, 생기게 하다 : A privilege often *gives* ~ *to* abuses. 특권은 흔히 남용을 야기시킨다.

on the rise 오르고 있는, 등귀 경향을 보이는.

take [***have***] ***its rise*** 일어나다, 생기다 ; 근원이 되다 : The river *has its* ~ *in* the lake. 그 강은 그 호수에서 시작된다 / The so-called technological revolution *takes its* ~ *in* the Industrial Revolution. 이른바 기술혁명은 산업혁명에 그 기원을 두고 있다.

〚OE *rīsan* ; cf. G *reisen* to travel〛

類義語 ***rise, arise*** 양쪽 다 어떤 일이 발생하는, 또는 발생하여 남의 주의를 끌게 된다는 뜻 ; 그 밖에 *rise*는 상승 *arise*는 인과 관계를 나타내는 수가 있다 : Many empires *rose* and fell in China. (중국에서 많은 제국이 흥하고 망했다) / The accident *arose* from the driver's drunkenness. (그 사고는 운전자의 음주로 인해 발생했다). ***spring*** 갑자기 발생하다 : Towns *sprang* up where oil was discovered. (석유가 발견된 곳에 도시가 생겼다). ***originate*** 명확한 원인·출처·기원 따위를 나타낼 때에 쓰임 : The story *originated* from a Greek legend. (그 이야기는 그리스의 전설에서 나왔다). ***derive*** 어떤 기원에 유래하여 거기서 발달[발전]하다 : This word *derives* from Latin. (이 단어는 라틴어에서 나온 말이다). ***flow*** 물과 같이 어떤 근원에서 흘러나오다 : All blessings *flow* from God. (모든 은총이 신으로부터 나온다). ***issue*** 출구에서 나타나다, 나오다 : Not a word of sympathy *issued* from her lips. (그녀의 입에서는 동정의 말이 한 마디도 나오지 않았다).

‡**ris·en** [rízən] *v.* RISE의 과거분사. —— *a.* 오른, 일어난 ; 부활한 : the ~ sun 떠오른 태양 ; 떠오르는 해처럼 한창 일어나는 사람[것].

ris·er [ráizər] *n.* **1** 일어나는 사람 : an early ~ 일찍 일어나는 사람 / a late ~ 늦잠 자는 사람. **2** 반도, 폭도. **3** 〖建〗 (계단의) 수직널 ; 낙하산 펴는 줄.

ríse·tìme *n.* 〖電〗 오름 시간《펄스 진폭의 10% 값에서 90% 값에 이르는데 요하는 경과 시간》.

ris·i·bil·i·ty [rìzəbíləti] *n.* Ⓤ 웃는 성질, 웃는 버릇 ; 크게 웃음, 흥겹게 떠들기(merriment) ; [흔히 *pl.*] 웃음에 대한 감각, 유머.

ris·i·ble [rízəbəl] *a.* 웃을 수 있는 ; 잘 웃는 ; 웃음의 ; 웃기는, 우스운. —— *n.* [*pl.*] 유머 감각.

〚L (*ris- rideo* to laugh)〛

ris·ing [ráiziŋ] *a.* **1** 솟는, 오르는, (해·달·별이) 떠오르는 : the ~ sun 아침 해. **2** (값이) 오르는, 등귀하는 ; 증대[증가]하는 : a ~ market 등귀 시세. **3** 증진[향상]하는 ; 신진[신흥]의 ; 증수하는 : a ~ man 신진 인물 / the ~ generation 청년(층). **4** 오르막[치받이]의 ; 높아진 : a ~ hill 치받이 언덕 / ~ ground 높은 지대. **5** 발흥(勃興)하는, 발달[성장] 중인. —— *prep.* **1** …에 가까운, 거의 …한 : a boy ~ ten 곧 열살이 되는 소년. **2** 《美方》 (수·양이) …이상의(more than) 〈*of*〉. —— *n.* **1** Ⓤ 상승 ; (해·달·별이) 뜨기. **2** Ⓤ 기립 ; 기상. **3** Ⓤ 소생, 되살아남, 부활. **4** 모반, 반란(rebellion). **5** 돌출물[부](projection) ; 《方》 종기, 부스럼. **6** (빵 부풀리는) 이스트, 효모.

the rising of the sun 먼동이 틈, 해돋이 ; 〖聖〗 먼동이 트는 나라, 동방, 동양.

rísing rhýthm *n.* 〖韻〗 (악센트가 시각(詩脚)의 마지막 음절에 오는) 상승 운율(韻律).

rísing vòte *n.* 기립(起立) 투표.

‡**risk** [rísk] *n.* **1** Ⓤ,Ⓒ [+前+do*ing*] 위험(danger), 모험 ; 위험성[도], 손상[손해]의 염려 : run [take] a ~ 위험을 무릅쓰고 해보다 / Mind you don't take too many ~*s.* 너무 이것저것 위험한 일에 손을 대지 않도록 하시오 / He was ready to run the ~ ***of*** los*ing* everything. 그는 모든 것을 잃어버릴 각오하에 위험을 무릅쓰기로 마음먹었다 / There was some ~ *of* her be*ing* taken in. 그녀에게는 속아 넘어갈 위험이 다소 있었다. **2** 〖保險〗 (보험 대상으로서의) 위험, 사고《화재·해난(海難) 따위》 ; 위험(률) ; 보험금(액) ; 피보험자[물].

at all risks=***at any*** [***whatever***] ***risk*** 어떤 위험을 무릅쓰고라도, 기필코.

at risk 《英》 위험한 상태로[인] ; 임신할 우려가 있는.

at one***'s own risk*** 자기 책임하에서.

at the risk of …의 위험을 무릅쓰고, …을 희생하여 : *at the* ~ *of* one's life 목숨을 걸고.

—— *vt.* **1** 위태롭게 하다 ; (목숨 따위를) 내걸다 : ~ one's fortune[life] 재산[생명]을 걸다. **2** [+目/+do*ing*] 감행하다, …을 각오하고 하다 : ~ failure 실패를 각오하고 하다 / I can't ~ get*ting* a puncture in the middle of the night. 한밤중에 구멍날지도 모를 위험을 감행할 수는 없다.

rísk·less *a.* 위험성이 없는.

〚F *risque*(*r*) <It.〛

類義語 ⟹ DANGER.

rísk-bénefit ràtio *n.* 위험성과 수익성의 비율《의료나 사업 따위에서의 실패의 위험성과 성공에 의한 수익성의 관계》.

rísk càpital *n.* =VENTURE CAPITAL.

rísk-frée *a.* (통신 판매 따위에서 해약해도) 산 사람이 손해가 없는.

rísk·ful *a.* 위험성이 많은.

rísk mànager *n.* 보험 담당 임직원.

rísk·mòney *n.* Ⓤ (은행 따위에서 출납원에 지급하는) 부족금 보상 수당.

rísky *a.* **1** 위험한, 모험적인. **2** (말·연극 장면 따위가) 음란한, 외설적인.

rísk·i·ly *adv.* **rísk·i·ness** *n.*

ri·sor·gi·men·to [risɔ̀ːrdʒiméntou, -zɔ̀ːr-] *n.* (*pl.* **~s**) 부흥[부활](시대) ; [R~] 리소르지멘토《19세기 이탈리아의 국가 통일 운동[시대]》.

〚It.=rising again〛

ri·sot·to [risɔ́(ː)tou, -sát-, -zɔ́(ː)t-, -zát-] *n.* (*pl.* **~s**) 〖料〗 리소토《쌀에 양파·치즈·닭고기 따위를 넣고 만든 이탈리아의 요리》. 〚It.〛

ris·qué [riskéi ; ⌐-] *a.* 외설적인, 음란한.

〚F (p.p.) 〈RISK〛

ris·sole [risóul, ⌐-] *n.* 〖料〗 고기 만두《파이피(皮)에 고기·생선 따위를 채워 넣어 기름에 튀긴 것》. 〖F<OF<L=reddish (*russus* red)〗

rit., ritard. ritardando.

Ri·ta [ríːtə] *n.* 여자 이름. 〖It. (dim.) ‹ *Margarita* ; ⇨ MARGARET〗

ri·tar·dan·do [ritɑːrdɑ́ːndou, riː- ; rìtɑːdǽn-] *a., adv.* 〖樂〗 리타르단도의[로], 차츰 느린[느리게] (rallentando). ── *n.* (*pl.* **~s**) 리타르단도(의 악절). 〖It.〗

***rite** [ráit] *n.* **1** (종교나 기타 여러 방면의) 의식, 제식, 의례(儀禮) : the burial[funeral] ~*s* 장례식 / the ~ of confirmation 〖基〗 견진(堅振) 성사. **2** 관습, 관례. 〖OF or L *ritus* religious ceremony〗 類義語 ⟹ CEREMONY.

ríte of pássage *n.* 〖人類〗 통과 의례《출생·성인식·결혼·죽음 따위 인생의 전환기를 맞을 때의 의식》 ; 인생의 전환기가 되는 사건《병·죽음 따위》.

ri·tor·nel·lo [rìtərnélou, -tɔːr-] *n.* (*pl.* **~s, -li** [-liː]) 〖樂〗 리토르넬로《(1) 17세기 이탈리아의 오페라에서 노래의 전주·간주(間奏)·후주(後奏)로서 연주하는 기악적 부분. (2) 콘체르토 그로소의 총연주 부분. (3) 마드리갈(madrigal)에서 주체를 이루는 시(詩)의 절(節) 뒷부분》. 〖It.〗

rit·u·al [rítʃuəl, 美+-tʃəl] *a.* 의식(으로서)의, 식의 ; 관습에 의한 : a ~ dance 의식 무도.
── *n.* **1** Ⓤ 의식 형식, 예배식 절차, 전례(典禮). **2** 의식, 예배식, 의식적 행사 ; (고수해야 할) 관례. **3** 의식서, 전례서.
rítual·ìsm *n.* Ⓤ **1** 의식주의. **2** [R~] (영국국교회) 의식파의 관행. **3** 〖教會〗 의식학. **~·ist** *n.* 의식주의자 ; [R~] (영국국교회) 의식파의 사람 ; 의식에 정통한 사람. **rìt·u·al·ís·tic** *a.* 의식적인 ; 의식주의의, 의식에 편중하는.
~·ly *adv.* 〖L ; ⇨ RITE〗
類義語 ⟹ CEREMONY.

rítual·ìze *vt.* 의식화(儀式化)하다, 의식으로 행하다. ── *vi.* 의식적으로 되다.

rítual múrder *n.* 의례적 살해《희생적 살해》.

ritz [ríts] *n.* 허세부리기, 과시 : put on the ~ 부자처럼 호의호식하다. ── *vt.* …에게 거만하게[오만하게] 굴다, 냉대하다. 〖*Ritz* hotels 호화로운 호텔의 이름 ; César *Ritz* (d. 1918) 스위스의 그 호텔의 소유자〗

rítzy *a.* 《口》 호화로운, 아주 멋진, 몹시 사치한, 고급의 ; 거만한 ; 속물의. 〖↑〗

riv. river.

riv·age [rívidʒ] *n.* 《古·詩》 해안, 연안(coast), 강기슭(bank) ; 《英古》 하천 통행세.

***ri·val** [ráivəl] *n.* 경쟁자, 호적수, 라이벌 ; 서로 겨루는 사람[것], 필적하는 사람[것] : without a ~ 무적(無敵)으로 / The book has no ~ *in* its particular field. 그 분야에서는 그 책만한 것이 없다 / They were ~*s for* the throne. 그들은 왕좌를 노리고 서로 겨루었다.
── *a.* 경쟁하는, 대항하는, 서로 싸우는 : ~ lovers 연적 / ~ suitors 구혼의 경쟁자.
── *v.* (**-l-** | **-ll-**) *vt.* [+目/+目+*in*+名] …와 경쟁하다, 맞서다 ; …와 비교되다, …와 닮다 : The two young men ~*ed* each other ***in*** love. 두 젊은이는 서로 연적이 되어 겨루었다 / Her cheeks ~ the rose *in* hue. 그녀의 볼 빛깔은 장미에 못지 않게 아름답다 / Donne cannot ~ Milton *in* grandeur and beauty. 장엄함과 아름다움이라는 점에서 던은 도저히 밀턴에 미치지 못한다. ── *vi.* 《古》 경쟁하다, 서로 다투다〈*with*〉.
~·shìp *n.* =RIVALRY.
〖L=using same stream (*rivus* stream)〗
類義語 ⟹ OPPONENT.

ríval·ry *n.* Ⓤ,Ⓒ 경쟁, 대항, 적대(하는 것) : friendly ~ 상호 격려하며 경쟁하기.

rive [ráiv] *v.* (**~d** ; **riv·en** [rívən], **~d**) *vt.* [+目/+目+副/+目+前+名] 찢다, 쪼개다 ; 비틀어떼다, 잡아떼다 ; (마음 따위를) 괴롭히다 : He ~*d* a branch ***off*** (the tree). 그는 (그 나무에서) 가지를 비틀어 꺾었다.
── *vi.* 찢어지다, 쪼개지다. 〖ON *rífa*〗

riv·en [rívən] *v.* RIVE의 과거분사. ── *a.* 찢어진, 쪼개진.

◇**riv·er**[1] [rívər] *n.* **1** 강 : swim *in* the ~ 강에서 헤엄치다 / go boating *on* the ~ 강으로 뱃놀이 가다. 注 고유명사에서의 용법 : 《英》 the ~[the *R*~] Thames / 《美》 the Hudson *R*~. **2** (용암·빙하 따위의) 흐름 ; [*pl.*] 다량의 흐름[액체] : ~*s of* tears 넘쳐흐르는 눈물. **3** [the ~] 생사의 갈림길 : cross *the* ~ (of death) 죽다.
sell **a person *down the river*** 《口》 (남을) 배반하다(betray), 혹사[학대] 하다《노예를 미시시피 강 하류의 농장에 팔아먹은 데서》.
send **a person *up the river*** 《美俗》 남을 교도소에 가두다《죄인을 뉴욕에서 허드슨 강을 거슬러 올라가 Sing Sing 교도소로 보낸 데서》.
〖AF *rivere*<Rom. (L *ripa* bank) ; cf. RIPARIAN〗

riv·er[2] [ráivər] *n.* 찢는[쪼개는] 사람[것]. 〖RIVE〗

riv·er·ain [rívərèin, ⌐-⌐] *a.* 강의, 냇가[강변]의 ; 강변에 사는. ── *n.* 강변 지역.

ríver·bànk *n.* 강둑, (경사진) 강기슭.

ríver bàsin *n.* 〖地〗 (하천의) 유역, 집수(集水) 지역.

ríver·bèd *n.* 하상(河床), 강바닥.

ríver·bòat *n.* 강(江)배.

ríver bòttom *n.* 《美》 강변에 연한 낮은 지대.

ríver·frònt *n.* (도시의) 강가(지역), 강기슭.

ríver-gòd *n.* 수신(水神), 하백(河伯).

ríver·hèad *n.* 강의 발원지, 수원, 원류.

ríver hòrse *n.* =HIPPOPOTAMUS.

riv·er·ine [rívərài n, 美+-rìːn] *a.* 강의[에 관한, 에 의하여 만들어진], 강기슭에 있는[사는].

ríver nóvel *n.* =ROMAN-FLEUVE.

ríver pòrt *n.* 하항(河港).

ríver·sìde *n., a.* 강가(의), 강변(의).

Ríverside Párk *n.* 리버사이드 파크《New York 시 Hudson 강가의 공원》.

ríver·wàll *n.* 제방, 호안(護岸).

ríver·ward(s) *adv.* 강쪽으로.

riv·et [rívət] *n.* 대갈못, 리벳 ; [*pl.*] 《美俗》 돈(money). ── *vt.* **1** [+目/+目+副/+目+前+名] 대갈못을 박다, 리벳으로 고정시키다 : ~ two pieces of iron *together* 두개의 철판을 대갈못으로 맞붙이다 / ~ a metal plate ***on*** a roof 지붕에 금속판을 리벳으로 고정시키다. **2** [+目/+目+副] (대갈못·못 따위를) 대가리를 꾸부려 박다, (뚫고 튀어나온 나사못의) 끝을 찌부러뜨려 고정시키다 : ~ (***over***) the head of a bolt 나사못 대가리를 두드려서 찌부러뜨리다. **3** 《비유》 고정시키다, 굳게 하다 : ~*ed* friendship 굳게 맺어진 우정. **4** [+目/+目+前+名] (시선·주의 따위를) 집중하다, 쏟다 : He stood there, his eyes ~*ed* ***on*** the scene. 그는 그 광경에 시선을 집중시킨 채 그곳에 서 있었다.
~·er *n.* 리벳공(工) ; 리벳 죄는 기계.

〖OF (*river* to clench)〗

rívet gùn *n.* (자동식) 리벳 박는 기계.

rívet·ing *a.* 황홀케 하는, 매혹적인.

Riv·i·era [rìviéərə] *n.* **1** [the ~] 리비에라《지중해 연안의 프랑스의 Nice 근처에서 이탈리아의 La Spezia까지의 경치가 좋고 기후가 따뜻한 지대》. **2** [혼히 r~] 해안 피한지 : the Cornish ~ 콘월(Cornwall) 리비에라《영국 남서부의 경승지·피한지》.

riv·i·ère [rìviéər] *n.* (특히 여러 줄로 된) 보석 목걸이. 〖F〗

riv·u·let [rívjələt] *n.* 개울, 실개천. 〖F (dim.) < ? It. (L *rivus* stream)〗

ríx-dòllar [ríks-] *n.* 릭스달러《옛 네덜란드·독일 등지의 은화》.

Ri·yadh [ri:jɑ́:d] *n.* 리야드《사우디아라비아의 수도(首都)》.

ri·yal [rijɔ́:l, -jɑ́:l] *n.* 리얄《사우디아라비아의 화폐 단위 ; 기호 R》. 〖Arab.<Sp.〗

RJ, R.J. 〔軍〕 road junction. **RJE** 〔컴퓨〕 remote job entry. **R.L.** 《英》 Rugby League. **R.L.O.** returned letter office. **R.L.S.** Robert Louis Stevenson. **rly., Rly.** railway. **R.M.** Resident Magistrate ; 《英》 Royal Mail ; 《英》 Royal Marines. **RM, r.m.** reichsmark(s). **rm.** (*pl.* **rms.**) ream ; room. **R.M.A.** 《英》 Royal Marine Artillery ; 《英》 Royal Military Academy. **RMB** renminbi. **R.M.C.** 《英》 Royal Military College 《지금은 R.M.A》. **R.Met.S.** 《英》 Royal Meteorological Society. **R.M.L.** Royal Mail Lines Ltd.

R months [ɑ́:r ⌐] *n. pl.* 「R」달《달 이름에 r자가 있는 9월에서 4월까지의 8개월 ; 북반구의 굴(oyster)의 계절》.

RMS, rms, r.m.s. root-mean-square. **rms.** reams ; rooms. **RMS** 〔宇宙〕 remote manipulator system. **R.M.S.** 《英》 Royal Mail Service ; 《英》 Royal Mail Steamer [Steamship]. **Rn** 〔化〕 radon. **R.N.** 《美》 Registered Nurse ; 《英》 Royal Navy.

RNA [ɑ̀:rènéi] *n.* 〔生化〕 리보 핵산(ribonucleic acid).

RNA polymerase [ɑ̀:rènéi ⌐] *n.* 〔生化〕 RNA 중합(重合) 효소《DNA를 주형(鑄型)으로 하여 RNA를 합성하는 반응을 촉매하는 효소》.

RNA replicase [ɑ̀:rènéi ⌐] *n.* 〔生化〕 =REPLICASE.

R.N.A.S. 《英》 Royal Naval Air Service ; 《英》 Royal Naval Air Station.

RN·ase [ɑ̀:rénèis, -z], **RNA·ase** [ɑ̀:rènéièis, -z] *n.* 〔生化〕 RN아제(=RIBONUCLEASE).

RNAV 〔空〕 area navigation. **R.N.C.** 《英》 Royal Naval College. **rnd.** round. **R.N.D.** 《英》 Royal Naval Division. **R.N.L.I.** Royal National Lifeboat Institution(전영(全英) 해난 구조 협회). **R.N.R.** 《英》 Royal Naval Reserve. **R.N.V.R.** 《英》 Royal Naval Volunteer Reserve. **R.N.Z.A.F.** Royal New Zealand Air Force. **R.N.Z.N.** Royal New Zealand Navy. **R.O.** Receiving Office ; Receiving Officer ; Regimental Order ; 《英》 Royal Observatory. **ro.** recto ; roan ; rood. **R/O** rule out.

roach[1] [róutʃ] *n.* (*pl.* ~, ~**·es**) 〔魚〕 로치《유럽산 잉어과의 민물고기》. 〖OF< ?〗

roach[2] *n.* =COCKROACH ; 《俗》 마리화나 담배 꽁초 ; 《美俗》 경찰관 ; 《美俗》 눈길을 끌지 못하는 여자. 〖cock*roach*〗

roach[3] *n.* 〔海〕 가로돛의 아래 가장자리를 활등 모양으로 자른 것 ; 짧게 자른 말의 갈기 ; 이마 위[옆]에서 뒤로 빗어 젖혀 만 머리털. ── *vt.* (머리를) roach로 하다⟨*up*⟩ ; (말 갈기를) 짧게 자르다 ; 〔海〕 (가로돛의) 아래 가장자리를 활등 모양으로 자르다. 〖C18< ?〗

róach bàck· *n.* (개 따위의) 굽은 등.

róach clìp[hòlder] *n.* 《美俗》 마리화나 담배꽁초를 피우기 위한 클립[홀더].

◇**road** [róud] *n.* **1** 길, 도로 ; 가도(highway) ; (도시의) 시가(street)《略 Rd.》 ; 차도 : the London *R*~ 런던 가도 / Victoria *R*~ 빅토리아 가(街) / 30 York *Rd.*, London 런던시 요크가 30번지 / All ~*s* lead to Rome. 모든 길은 로마로 통한다. ☞ 活用. **2** 통로, 행로, 진로 : the ~ *to* London 런던으로 통하는 길. **3** 길, 상도(常道)(path, way) ; 방법, 수단(means) : the ~ *to* ruin 파멸에의 길 / on the (high) ~ *to* recovery [success] 회복[성공]의 도상에서 / ☞ ROYAL ROAD. **4** 《美》 철도(railroad). **5** 〔海〕 [혼히 *pl.*] 정박지, 묘지(錨地)(roadstead) : the outer ~ 외항. **6** =ROADBED 2. **7** [the ~] 《美》 (극단·선수단 따위의) 지방 순회 공연[시합]지, 원정지(cf. *on the* ROAD, ROAD SHOW), 지방《보통 New York 이외의 도시》. **8** 출발 허가.

break a road 길을 개척하며 나아가다, 곤란을 극복하며 나아가다.

by road 육로로.

for the road 작별의 표시로 : We had one *for the* ~. 작별을 아쉬워하며 한잔했다.

get out of a person***'s*** [***the***] ***road*** (남의) 통행에 방해가 되지 않도록 길을 비키다 : *Get out of* my ~. 방해가 되니 내가 가는 길을 비켜다오.

hit the road 《俗》 출발하다, 떠나다 ; 퇴거하다 ; 《俗》 방랑생활을 시작하다 ; 《俗》 세일즈맨으로서 돌아다니다 : *Hit the* ~ ! 가버려라 !, 사라져 버려라 !

in one***'s*** [***the***] ***road*** (…의) 길을 가로막고 ; 《口》 (…의) 방해가 되어.

on the road (1) 여행 도중에. ☞ 活用. (2) (세일즈맨이) 지방을 돌아서 ; (극단 따위가) 지방 순회 공연중인 ; 방랑 (생활을) 하여.

take the road = *take to the* ROAD (1).

take to the road (1) 여행을 떠나다 ; 방랑 생활을 시작하다. (2) 《古》 노상강도가 되다.

── *vt.* (사냥개가) 짐승 냄새를 맡고 쫓다.

~**·less** *a.* 도로가 없는.

〖OE *rād* ride, journey (*rīdan* to RIDE)〗

活用 「길에(서)」라는 경우의 전치사는 보통 on : There was ice *on* the *road*. (길은 얼어 붙었다). in 은 특히 통행 방해의 관념을 포함하는 경우에 씀 (cf. *in* one*'s* [*the*] ROAD) : Don't stand *in* the *road* but get on the pavement. (도로에 서있지 말고 보도로 올라가시오).

róad·able *a.* (자동차가) 도로변을 달리기에 알맞은 ; (비행기가) 활주할 수 있는. **ròad·abílity** *n.* Ⓤ (자동차의) 노면 주행 성능 ; (비행기의) 활주 가능성.

róad àgent *n.* 〔美史〕 (역마차 시대의) 노상 강도(highwayman).

róad allówance *n.* 《Can.》 (정부의) 도로용지 (=《美》 right-of-way).

róad·bèd *n.* **1** 노반(路盤)《철도의 레일 밑에 자갈 따위를 깐 토대》. **2** 노상(路床)《도로의 기초 토대》. **3** 차도 ; 노면(路面).

róad·blòck *n.* **1** 도로상의 바리케이드[방책(防柵)] ; 도로봉쇄, 노상 장애물. **2** (일반적으로) 장애(물), 방해(물) (obstacle)〈*to*〉.
—— *vt.* 봉쇄하다, …의 진행을 방해하다.

róad·bòok *n.* 도로 안내서.

róad-bòund *a.* 도로만을 달리는 ; 이동하는데 도로만을 이용하는 : ~ vehicles 도로전용의 탈것.

róad còmpany *n.* 《美》 (New York 흥행이 끝난) 지방 순회 극단.

róad·cràft *n.* Ⓤ 《英》 (자동차) 운전 기술.

róad dràg *n.* 노면 고르는 기계.

róad fùnd *n.* 《英》 도로 기금《도로·다리의 건설 유지를 목적으로 함》.

róad fùnd lìcence *n.* 《英口》 자동차세(稅) 납부 증명서.

róad gàme *n.* 원정 시합, 로드게임.

róad gàng *n.* 도로 공사[보수]반(班) ; 《美》 도로 보수에 동원되는 죄수들.

róad hòg *n.* (다른 차선으로 나오거나 도로의 중앙을 달려) 다른 차의 진행을 방해하는 운전자.

róad hòlding *n.* Ⓤ 《英》 (자동차의) 노면 유지 성능, 주행 안전성.

róad·hòuse *n.* 길가에 있는 여관·술집·나이트 클럽《따위》.

róad·ie *n.* 《俗》 (록 그룹 따위의) 지방공연 매니저.

róad jòckey *n.* 《CB俗》 트럭 운전사.

róad-làmp *n.* 가로등.

róad-màker *n.* 도로 건설 (기술)자.

róad-màking *n.* 도로 건설 (기술).

róad·màn [, -mən] *n.* 도로 공사 인부 ; 도로사용자, 트럭운전사 ; 로드레이스선수.

róad mànager *n.* =ROADIE.

róad màp *n.* (특히 자동차 여행용의) 도로 지도.

róad mènder *n.* 도로 보수공.

róad mètal *n.* 도로 포장용 자갈[재료], 밸러스트 (ballast).

róad pèn *n.* 끝이 두 갈래로 갈라진 제도용(製圖用) 펜《지도에 도로를 그림》.

róad pèople *n.* 《美俗》 집을 떠나 각지를 방랑하는 사람들.

róad ràcing *n.* (특히 자동차의) 도로 경주, 로드레이스《공로(公路) 또는 실제의 공로를 본뜬 코스에서 행함》.

róad ràsh *n.* 《俗》 스케이트보드(skateboard)에서 떨어져 생긴 상처.

róad ròller *n.* (도로를 굳히는) 로드 롤러.

róad·rùnner *n.* 〖鳥〗 로드러너《미국 서부산의 뻐꾸기(cuckoo) 비슷한 새로 땅위를 달리며 뱀 따위를 잡아 먹음》.

róad sènse *n.* (운전자·보행자·개 등의) 도로 이용 능력, 도로 감각.

róad shòw *n.* **1** 순회 흥행, 지방 흥행. **2** (좌석을 미리 팔아서 행하는 신작 영화의) 특별 독점 흥행, 로드 쇼.

róad-shòw *vt.* (영화를) 특별 독점 흥행으로 하다, 로드 쇼를 하다.

róad·sìde *n.* 길가, 노변 : by[on, at] the ~ 길가에, 노변에. —— *a.* 연도의, 길가의 : a ~ inn 길가의 여인숙.

róad sìgn *n.* 도로 표지.

róad stàke *n.* 《美俗》 여행 비용.

róad·stèad *n.* 〖海〗 (항구 밖의) 정박소, 항구 밖의 투묘소(投錨所) (cf. ROAD *n.* 5).

róad·ster *n.* **1** 《英》 (도로용의 보통의) 견고한 자전거 ; (도로용) 승용마, 마차말. **2** 로드스터《2[3] 인승 무개 자동차 ; 좌석은 앞부분에만 있으며 후부에 보조석이 있는 것도 있음》.

róad tèst *n.* (차의) 실지 성능 시험 ; (자동차 운전 면허를 취득하기 위한) 노상 운전 시험.
—— *vt.* …에 노상 성능[운전]시험을 하다.

róad·wày *n.* 도로 ; (특히) 차도(pavement) (cf. SIDEWALK) ; (철도의) 선로 ; (다리의) 차도부분.

róad·wòrk *n.* 〖스포츠〗 로드워크《트레이닝·컨디션 조정을 하기 위한 노상의 장거리 러닝》; [~s] 도로공사.

róad·wòrthy *a.* (차·말 따위가) 도로용의, 도로에서 몰기에 적합한 ; (사람이) 여행에 견디는.

roam [róum] *vi.* [動/+前+名] 돌아다니다, 배회하다(ramble) ; 방랑하다(wander) : The traveler ~*ed* ***about*** the world. 그 여행자는 세계를 만유(漫遊)했다 / We ~*ed* ***through*** the fields. 들판을 배회했다. —— *vt.* (…을) 돌아다니다, 방랑하다 : We ~*ed* the banks of the river gathering many bunches of flowers. 여러 다발의 꽃을 꺾으면서 강둑을 돌아다녔다. —— *n.* 돌아다니기, 배회 ; 방랑. **~·er** *n.* 배회자, 방랑자.
〖ME< ?〗
類義語 ***roam*** 넓은 지역을 정처없이 돌아다니다 ; 자유·즐거움 따위를 암시 : *roam* about the country (시골을 돌아다니다). ***ramble*** 일정한 길이나 계획에서 벗어나 목적도 없이 기분 내키는대로 배회하다 : *ramble* through the woods (숲 속을 배회하다). ***rove*** 넓은 지역을 거닐다 ; 뭔가 목적·계획이 있음을 암시 : Bandits *rove* through these hills. (산적들은 이 언덕을 어슬렁거린다). ***stray*** 어느 일정한 장소나 코스에서 이탈하여 헤매다 ; 종종 길을 잃다는 뜻을 나타냄 : Some sheep *strayed* from the fold. (양 몇마리가 우리에서 나가 길을 잃었다). ***range*** 꽤 넓지만 한정된 지역을 뭔가를 찾기 위해 돌아다니다 : Cattle *range* over plains. (소들이 초원을 돌아다닌다). ***wander*** 뚜렷한 진로나 목적이 없이 어떤 장소에서 어떤 장소로 이동하다.

roan[1] [róun] *n.* Ⓤ 론《부드러운 양가죽 ; 모로코 가죽 대용의 제본용 가죽》. 〖북 프랑스의 도시 *Rouen*의 고형(古形) *Roan*에서인가〗

roan[2] *a., n.* 밤색에 흰 또는 회색 털이 섞인 (말·소). 〖OF<? Sp. ; cf. Goth. *rauths* red〗

róan ántelope *n.* 〖動〗 론안텔로프《아프리카 남부산의 영양(羚羊)》.

‡**roar** [rɔ́ːr] *vi.* **1** (사자 따위가) 으르렁거리다. **2** [動/+前+名/+副] 노호(怒號)하다, 울려 퍼지다 : The fire ~*ed* ***up*** the chimney. 불이 요란스러운 소리를 내며 굴뚝으로 타올라갔다 / A huge truck ~*ed away.* 큰 트럭이 굉음을 내며 지나갔다. **3** [動/+前+名] 고함치다, 아우성치다, 외치다 ; 왁자하게 웃다, 크게 웃다 : You needn't ~ (***at*** me). (나에게) 그렇게 큰 소리로 말하지 않아도 된다 / He ~*ed* ***with*** laughter[pain, anger]. 그는 크게 웃었다[고통으로 신음했다, 화가 나서 고함쳤다]. **4** [+副] (장소가) 울리다 (reecho) : The hall ~*ed* ***again.*** (청중의 소리로) 회당은 크게 울렸다. —— *vt.* **1** [+目/+目+副] 큰 소리로 말하다[노래하다], 고함치다, 외치다 : The audience ~*ed* its approval. 청중은 소리높여 찬성의 뜻을 표시했다 / He ~*ed* ***out*** a command. 큰 소리로 명령했다. **2** [+目+副/+目+補] …에게 고함질러 (어떤 상태가) 되게 하다 : They ~*ed* the speaker ***down.*** 그들은 연사에게 야유하여 말을 중단시켰다 / He ~*ed* himself hoarse. 그는 목이 쉬도록 외쳤다. —— *n.* **1** 으르렁거리는 소리. **2** 노호, 포효, 함성 ; 외치는 소리 ; 울려 퍼지는 소리 ; 크게 웃는 소리.

in a roar 떠들썩하게 : He set them *in a* ~. 그는 그들을 크게 웃겼다.
〚OE *rārian*〈imit. ; cf. G *röhren* (of stag) to bell〛

róar·er *n.* 으르렁대는 것, 아우성치는 것 ; 〔獸醫〕 천명증(喘鳴症)에 걸린 말 ; 뿜어 나오는 유정.

róar·ing *a.* **1** 으르렁대는, 노호[포효]하는 ; 시끄럽게 울리는 ; 떠들썩한, 술마시고 법석대는 : a ~ night 폭풍우의 밤 ; 대소동의 밤. **2** 《口》 활발한, 크게 번성한, 활기찬 : They are doing a ~ trade. 그들의 장사가 크게 번창하고 있다 / He is in ~ health. 대단히 건강하다. —— *n.* 으르렁대기 ; 포효, 울려 퍼짐 ; (말의) 천명증. —— *adv.* 포효하듯, 고함치듯, 몹시(extremely).

róaring fórties *n. pl.* [the ~] 풍랑이 심한 해역 《북위 및 남위 40-50도》.

Róaring Twénties *n.* [the ~] 《美》 광란의 '20년대《재즈와 광란의 1920년대》.

***roast** [róust] *vt.* **1** [+目/+目+補] (특히 고기를) 굽다, 그슬리다 ; (오븐·뜨거운 재에) 익히다 ; 볶다, 불에 말리다 : ~ beef 쇠고기를 굽다 / He ~*ed* the beans brown. 콩을 알맞게 볶았다. **2** 불에 쬐어 따뜻하게 하다 ; 불에 쬐어 굽다 : She was ~*ing* herself before the fire. 불을 쬐어 몸을 녹이고 있었다. **3** 《口》 몹시 조롱하다, 조소하다(ridicule), 혹평하다, 깎아 내리다.
—— *vi.* **1** 구워지다, 타다 ; 쬐어 구워지다 ; 볶아지다 ; (볕에) 그을다 : The joint never ~*s* before such a small fire. 큰 고깃점은 이런 약한 불로는 결코 구워지지 않는다 / They were ~*ing* under the sun. 일광욕을 하고 있었다. **2** [주로 진행형으로] 찌는 듯이 덥다 : I *am* simply ~*ing.* 더워서 견딜 수가 없다. —— *n.* **1** Ⓤ 불고기 ; Ⓒ 불고기용의 고기, 로스트《보통 쇠고기》. **2** 굽기, 쬐어 굽기, 볶기 : Give it a good ~. 그것을 잘 구워라. **3** 《美》 (야외의) 불고기 파티, 불고기를 만들어 먹는 피크닉. **4** 《口》 심한 조롱, 혹평.
rule the roast ☞ RULE.
—— *a.* 구운, 불에 쬔(roasted) : ~ beef 쇠고기 구이, 로스트 비프.
〚OF *rost*(*ir*) <Gmc. (《美》 *raust*(*a*) gridiron)〛

róast·er *n.* **1** 굽는[쬐는] 사람 ; 굽는 냄비. **2** 통째로 굽기에 알맞은 영계[돼지 새끼]. **3** 배소로(焙燒爐).

róast·ing *a.* 굽기에 알맞은, 로스트용의 ; 찌는 듯이 더운 ; [부사적으로] 찌는 듯이 덥게.

róasting èar *n.* 껍질을 벗기지 않고 구운[굽기에 알맞은] 옥수수 ; 《美南部·中部》 삶거나 찌기에 알맞은 옥수수.

róasting-èar wìne *n.* 《美俗》 콘 위스키.

róasting jàck *n.* 고기를 꼬챙이에 꿰어 돌리면서 굽는 장치.

rob** [rάb] *v.* (**-bb-**) *vt.* [+目/+目+*of*+名] **1** …에서 강탈[약탈]하다, 빼앗다 : The gangsters ~*bed* the bank. 그 갱들은 은행을 털었다 / A highwayman ~*bed* the traveler ***of his money. 노상 강도가 나그네로부터 돈을 강탈했다 / He was ~*bed of* his watch. 시계를 빼앗겼다.

> **rob**의 ○×
> (×) He was *robbed* his money.
> (그는 돈을 빼앗겼다.)
> (×) His money was *robbed.*
> (그의 돈이 빼앗겼다.)
> (○) He was *robbed of* his money.
> * rob는 능동태에서는 rob him of his money 「그로부터 돈을 빼앗다」이므로 그 수동태는 목적어인 him을 주어로 하고 of가 떨어지지 않도록 한다. (→ steal, deprive)
> rob와 deprive 둘 다 남한테서 「강탈하다」지만 rob는 돈, 재산, 물품, 생명 따위를 목적어로 하는데 대하여 deprive는 권리, 지위, 능력 따위를 목적어로 한다.

2 …에게서 (행복·능력 따위를) 빼앗다, 잃게 하다 : The shock ~*bed* him ***of*** his speech. 그는 쇼크를 받아 말을 하지 못했다.
—— *vi.* 강도질하다, 약탈을 일삼다(plunder) : They said they would not ~ again. 다시는 강도질을 하지 않겠다고 말했다.
〚OF *rob*(*b*)*er* <Gmc. ; cf. REAVE[1]〛

Rob *n.* 남자 이름《Robert의 애칭》.

***rób·ber** *n.* 강도, 도둑(cf. THIEF, BURGLAR) ; 약탈자.

róbber báron *n.* 〔英史〕 (중세의) 노상 강도 귀족 ; 《美》 (19세기 후반의) 벼락부자, 악덕 자본가[실업가].

rób·bery *n.* ⓊⒸ 강도, 강탈, 약탈 ; Ⓤ 〔法〕 강도죄 : commit ~ 강도질하다.

***robe** [róub] *n.* **1 a)** 길고 헐거운 겉옷. **b)** 긴 원피스의 여성복 ; 길다란 유아복 ; 《美》 =BATHROBE. **2** [흔히 *pl.*] 예복, 관복, 법복(法服). **3** [*pl.*] 《古》 옷, 의복. **4** 《詩》 옷, 덮개. **5** 《美》 (짐승 가죽 따위로 만든 여행용의) 무릎덮개. **6** = WARDROBE.
follow the robe 법률가가 되다.
—— *vt.* [+目/+目+*in*+名] …에게 예복[관복 따위]을 입히다 : The professors were ~*d* ***in*** gowns. 교수들은 몸에 가운을 걸치고 있었다.
—— *vi.* 예복[관복]을 입다.
〚OF=robe, booty<Gmc. (G *Raub* booty)〛

robe de cham·bre [ròub də ʃάːmbrə ; *F* rɔb də ʃɑ̃ːbr] *n.* (*pl.* **robes de chambre** [ròubz-]) 화장옷(dressing gown) ; 침실복.

Rob·ert [rάbərt] *n.* **1** 남자 이름《애칭 Bob, Bobby, Dob, Dobbin, Rob, Robin》. **2** 《英口》 경찰관(policeman).
〚OF<Gmc. =bright in fame (fame+bright)〛

Ro·ber·ta [rəbə́ːrtə] *n.* 여자 이름. 〚(fem.) ; ↑〛

***rob·in** [rάbən] *n.* 〔鳥〕 **1** 유럽울새, 로빈. **2** 철새지빠귀《북미산》. 〚OF (↓)〛

Robin *n.* 남자 이름《Robert의 애칭》.

Róbin Góod·fel·low [-gúdfelou] *n.* (영국 전설에 나오는) 장난꾸러기 꼬마 요정 ; Puck과 동일시됨.

Róbin Hòod [-hùd] *n.* **1** 로빈 후드《12세기경의 영국의 전설적인 의적(義賊)》. **2** 가난한 사람을 위해 행동하는 사람.

Róbin Hòod's bàrn *n.* 《美俗》 멀리 돌아서 가는 길 : go around ~ 길을 돌아서 가다 ; 간접적인 방법으로 일을 해내다.

róbin's-ègg blúe *n.* 청록색.

Rob·in·son [rάbənsən] *n.* 남자 이름.

Róbinson Crúsoe *n.* **1** 로빈슨 크루소《영국 작가 Daniel Defoe 작의 소설 주인공》. **2** 고독한 표류자 ; (자급자족으로) 혼자서 살아가는 사람.
—— *vt.* 외딴 섬에 내버려 두고 가버리다.
—— *vi.* 《美俗》 남에게 알리지도 않고 용감히 큰 일을 달성(하려고) 하다.

ro·ble [róublei] *n.* 〔植〕 California 주·Mexico 산의 각종 떡갈나무.
〚Am. Sp.<Sp.=oak〛

ro·bo [róubòu] *n.* 《美》 의원들이 보내는 상투적인 말이 많은 편지.

ro·bomb [róubɑ̀m] *n.* =ROBOT BOMB.
rob·o·rant [rábərənt] *n.* 강장제(tonic).
—— *a.* 혈기를 왕성하게 하는, 기운을 북돋우는, 몸을 보호하는.
***ro·bot** [róubət, -bɑt] *n.* 인조[기계] 인간 ; 기계적으로 움직이는 사람, 로봇 ; (사람을 대신하는) 자동장치 ; 《南아》 자동 교통 신호기.
ro·bot·ic [roubátik] *a.* 로봇을 이용하는, 로봇식의. 〖Czech *robota* forced labor ; K. Čapek의 연극 *R. U. R.* (*Rossum's Universal Robots*) (1920)에 최초로 등장〗
róbot bòmb *n.* 로봇 폭탄(=buzz bomb, flying bomb, robomb, V-one).
ròbot·ésque *a.* 로봇과 같은.
ro·bot·ics [roubátiks] *n.* 로봇 공학(工學).
róbot·ìze *vt.* (인간을) 로봇화하다 ; 자동화하다 : ~ a plant 공장을 자동화하다.
ròbot·izátion *n.*
róbot lànguage *n.* 〖컴퓨〗 로봇 언어.
ro·bot·ol·o·gy [roubətálədʒi] *n.* 로봇학(學).
ro·boto·mórphic [ròubətə-] *a.* 로봇형(型)의.
róbot pìlot *n.* 자동 조종 장치.
róbot revolùtion *n.* 로봇 혁명《산업 혁명과 비교하여 쓰는 말》.
róbot spèech *n.* 〖컴퓨〗 =SYNTHETIC SPEECH.
Robt. Robert.
ro·bur·ite [róubəràit] *n.* Ⓤ 〖化〗 로부라이트《광산용의 고성능 폭약》.
ro·bust [roubʌ́st, ⌐-] *a.* (흔히 **~·er** ; **~·est**) **1** 건장한, 늠름한. **2** 억센, 튼튼한. **3** (사상 따위가) 확고한 ; (일이) 힘드는. **4** 난폭한, 떠들썩한 ; (술이) 감칠맛 나는, 향기롭고 맛 좋은.
~·ly *adv.* **~·ness** *n.*
〖F or L=strong (*robur* oak, strength)〗
類義語 ⟹ HEALTHY.
ro·bus·tious [roubʌ́stʃəs] *a.* 《古》 건장한 ; 난폭한 ; 어기찬 ; (기후·폭풍이) 사나운, 모진.
~·ly *adv.*
roc [rák] *n.* (아라비아·페르시아 등지의 전설에 나오는) 큰 괴조(怪鳥) : a ~'s egg 믿어지지 않는 것. 〖Sp.<Arab.〗
R.O.C. 《英》 Royal Observer Corps.
roc·am·bole [rákəmbòul] *n.* 〖植〗 달래과(科)의 부추의 일종《유럽 원산》.
Roch·dale [rátʃdèil] *n.* 로치데일《잉글랜드 북서부 Greater Manchester 주(州)의 도시 ; 협동 조합 운동 발상지(1944)》.
Róchdale prìnciples *n. pl.* 로치데일 원칙《초기 협동 조합이 만들었음 ; 외상 판매하지 않고 이익은 모두 구매자에게 분배하는 일 따위》. 〖↑〗
Rochélle sàlt [rouʃél- ; rɔʃ-] *n.* 〖化〗 로셸염(鹽), 타르타르산 칼륨나트륨《완화제》.
〖*La Rochelle* 프랑스의 항구 도시〗
Róche lóbe [róuʃ-] *n.* 〖天〗 로슈 돌출《천체 상호의 인력 작용으로 생기는 가스 모양 돌출부》.
〖Edouard A. *Roche* (d. 1883) 프랑스의 수학자〗
roch·et [rátʃət] *n.* (주교·감독 등이 입는 린네르 또는 한랭사제(製)의) 성직복의 일종 ; 감독, 주교. 〖OF (dim.)<Gmc. (OE *rocc* overgarment, G *Rock* coat)〗
◇**rock**[1] [rák] *n.* **1 a)** U.C 암석, 바위, 암반(岩盤) ; 암상 ; 암벽 : a mass of ~ 암괴(岩塊) / a house built (up)on ~ 암반 위에 지은 집. **b)** 《美》 돌(stone), (특히) 조약돌. 주 던지는 도구로서의 돌을 의미할 때 이 단어를 쓰는 수가 많음. **c)** [the R~]=GIBRALTAR. **d)** 《俗》 보석, 다이아몬드. **2** [흔히 *pl.*] 암초 ; [흔히 *pl.*] 위험물, 화근 : a sunken ~ 암초 / strike on a ~ 암초에 부딪치다 / go[run] (up)on the ~*s* 좌초하다, 난파하다 / run against a ~ 좌초하다 ; 위험한 일을 당하다 / *R*~*s* ahead! 〖海〗 암초다, 위험해! **3** 견고한 기초[토대], 지주 ; 의지할 데, 방호[보호]해 주는 것 : The Lord is my ~. 〖聖〗 주는 나의 반석이시다. **4** Ⓤ **a)** 《英》 (보통 막대 모양의) 딱딱한 캔디(cf. ROCK CANDY) : almond ~ 아몬드록. **b)** 록 케이크(=~ cake)《표면이 울퉁불퉁한 딱딱한 쿠키(cookie)》. **c)** 《方》 딱딱한 치즈. **5** [보통 *pl.*] 《美俗》 돈, (특히) 달러 지폐 ; (수용소로서의) 작은 섬. **6** 《美俗》 어리석은 실수, 서투른 짓. **7** 〖魚〗 =ROCKFISH, ROCK SALMON ; 〖鳥〗 =ROCK PIGEON.
(as) firm as a rock 극히 견고한 ; (사람이) 신뢰할 수 있는.
built [***founded***] ***on the rock*** 토대가 튼튼한 ; (기초가) 견고한.
off the rocks 《口》 위험에서 벗어나.
of the old rock (보석 따위의) 진짜로 고급인.
on the rocks (1) 좌초하여, 파멸하여 ; 《口》 파산해서, 돈에 궁하여. (2) 《口》 (위스키 따위) 조그만 얼음 덩어리 위에 부은 : bourbon *on the* ~*s* 얼음을 넣은[온더록의] 버번 위스키.
the Rock of Ages 만세의 반석되신 주《영원한 구세주로서의 그리스도》.
〖OF *roque, roche*<L *rocca*< ?〗
rock**[2] *vt.* **1** [+目 / +目+前+名] 흔들어 움직이다, 흔들다(swing) ; 진동시키다(shake) ; 달래다, 진정시키다 : The house was ~*ed* by an earthquake. 그 집은 지진으로 흔들렸다 / He was ~*ing* himself ***in his chair. 그는 흔들의자에 앉아 몸을 흔들고 있었다 / He was ~*ed in* security[hope]. 위험은 없다[희망은 있다]고 안심하고 있었다 / She ~*ed* the baby ***on*** her lap. 그녀는 갓난아기를 무릎 위에 놓고 흔들었다 / ~ the boat ☞ BOAT 숙어. **2** [+目+補 / +目+前+名] 흔들어 …시키다 : She ~*ed* her child asleep[***to*** sleep]. 그녀는 (요람이나 품속의) 어린애를 조용히 흔들어 재웠다.
—— *vi.* **1** [動 / +前+名] 흔들리다, 진동하다 : The cradle ~*ed*. 요람이 흔들렸다 / The steamer was ~*ing* ***on*** the waves. 기선은 파도에 흔들리고 있었다. **2** (사람·마음이) (흥분 따위로) 동요하다, 감동하다 : The hall ~*ed* ***with*** the laughing crowd. 홀은 군중의 웃음소리로 떠들썩했다. **3** 로큰롤을 추다[부르다, 연주하다] ; 멋진 시간을 보내다〈*out*〉.
—— *n.* Ⓤ **1** 흔들림, 동요. **2** 록 《=ROCK 'N' ROLL ; 이것에서 생긴 여러 종류의 록음악》 ; 《美俗》 록팬. **3** 《英》 (십대의) 폭주족(rocker).
—— *a.* 록의 ; 《美俗》 (재즈 음악[춤] 따위가) 멋진. 〖OE *roccian* ; cf. G *rücken* to move〗
類義語 ⟹ SWING.
rock[3] *n.* (옛날) 물레의 가락, 실감는 막대(distaff) ; 그것에 감긴 솜[아마]. 〖MDu., MLG, OHG, or ON<Gmc. ; cf. G *Rocken*〗
rock·a·bil·ly [rákəbìli] *n.* Ⓤ 로커빌리《록과 컨트리의 요소를 지닌 포퓰러 뮤직》.
〖*rock* and roll+hill*billy*〗
rock·a·by(e) [rákəbài] *int., vi.* =HUSHABY.
róck·áir *n.* 록에어《비행기로 상공에서 발사하는 관측용 소형 로켓》.
róck and róll *n.* =ROCK 'N' ROLL.
róck and rýe *n.* 호밀 위스키에 얼음 사탕을 넣고 오렌지나 레몬 따위로 맛을 낸 음료.
róck·awày *n.* 《美》 (2-3 인승의) 4륜마차.

〚? *Rockaway* New Jersey 주(州)의 도시〛
róck bàllet *n.* 록 발레《록음악에 맞추어 추는》.
róck bóttom *n.* (가격 따위의) 최저, 맨 밑바닥 ; 나락(奈落) ; 깊은 내막, 진상.
róck-bóttom *a.* (가격 따위가) 최저의, 최하의.
róck·bòund *a.* 바위로 둘러싸인 ; 불굴의.
róck càke *n.* =ROCK[1] 4 b).
róck cándy *n.* 《美》 얼음사탕(sugar candy) ; 보통 막대 모양의 딱딱한 캔디(cf. ROCK[1] 4 a)) ; 《俗》 다이아몬드.
róck-clìmb·ing *n.* 암벽 등반(술), 록 클라이밍.
róck còd *n.* 〘魚〙 **1** =ROCKFISH. **2** 암석 지역에서 잡히는 작은 대구.
róck còrk *n.* 〘鑛〙 코르크 비슷한 석면의 일종.
róck·crùsh·er *n.* 암석 분쇄기 ; 《俗》(트럼프의) 매우 센 끗수 ; 《美俗》 교도소에 있는[있던] 놈, 중노동형을 받은 죄수.
róck crỳstal *n.* 〘鑛〙 (무색의) 수정(水晶).
róck dàsh *n.* 〘建〙 자갈을 박아 넣는[묻는] 끝손질《외벽 모르타르가 마르기 전에 잔돌을 파묻는 끝손질》.
róck dòve *n.* 〘鳥〙 양비둘기(rock pigeon).
róck drìll *n.* 착암기(鑿岩機).
Rocke·fel·ler [rɑ́kəfèlər] *n.* 록펠러. **John D.** ~ (1839-1937) 미국의 자본가·자선가.
Róckefeller Cénter *n.* [the ~] 록펠러 센터《New York 시 중심에 있는 상업·오락지구》.
Róckefeller Foundátion *n.* 록펠러 재단《1913년 Rockefeller가 창설》.
róck·er *n.* **1** (요람 따위를) 흔드는 사람 ; 흔들리는 것 ; (흔들의자 밑에 댄) 굽은 막대 ; =ROCKING HORSE ; =ROCKING CHAIR. **2** 〘鑛〙 선광기(選鑛器) (cradle). **3** 〘版畫〙 로커《mezzotint 제작에 쓰이는 끝에 호상(弧狀)의 날이 달린 강철제 도구》; 〘스케이트〙 날이 활등처럼 굽은 스케이트. **4** 《英》 폭주족의 젊은이들 ; 《口》 록 연주가[가수], 록팬, 록음악.
off** one's **rocker 《俗》 미쳐서(crazy).
〚ROCK[2]〛
rócker àrm *n.* 〘機〙 요동축(軸) (rockshaft)에 붙은 팔 모양의 것, 로커 암.
róck·ery *n.* =ROCK GARDEN.
〚ROCK[1]〛
‡rock·et[1] [rɑ́kət] *n.* **1 a)** 로켓. **b)** 로켓 엔진(☞ ROCKET ENGINE). **c)** 로켓 병기. **2** 화전(火箭), 봉화. **3** 《口》 질책, 몹시 꾸중함. —— *vt.* **1** …에 로켓을 발사하다, …을 로켓탄으로 공격하다. **2** 급상승시키다. **3** 《口》 심하게 질책하다[벌하다]. —— *vi.* **1** 로켓처럼 돌진하다 ; (꿩 따위가) 일직선으로 날아오르다. **2** (말·기수가) 돌진하다. **3** (물가 따위가) 급등하다 ; 벼락 출세하다.
~·er *n.* 곧추 날아오르는 사냥새.
〚F *roquette* < It. (dim.) ‹ *rocca* ROCK[3]〛
rocket[2] *n.* 〘植〙 (유럽산) 겨자과의 식물《잎은 샐러드용 ; 꽃은 관상용》.
〚F *roquette* < It. (dim.) ‹ *ruca* < L *eruca*〛
rócket àirplane *n.* 로켓기《로켓 추진식》; 로켓 병기를 장비한 군용기.
rócket astrónomy *n.* 로켓 천문학.
rócket bàse *n.* 로켓 기지.
rócket bòmb *n.* 로켓탄 ; 분사식 미사일.
rócket·dròme *n.* 로켓 발사장[기지].
rock·e·teer [rɑ̀kətíər] *n.* 로켓 사수(射手)[조종사·탑승자] ; 로켓 연구가[기사·설계가].
rócket èngine[**mòtor**] *n.* 로켓 엔진《자신의 동체(同體)에 적재한 연료와 산화제만으로 추진력을 발생시킴》.
rócket gùn *n.* 로켓포.
rócket làuncher *n.* 로켓 발사기 ; 로켓 발사 장치 ; 로켓 발사용 차량.
rócket plàne *n.* 로켓 (비행)기 ; 로켓포 탑재기.
rócket-propèlled *a.* 로켓 추진식의.
rócket propùlsion *n.* 로켓 추진(cf. JET PROPULSION).
rócket rànge *n.* 로켓 시험 발사장.
rócket·ry *n.* Ⓤ 로켓 공학, 로켓 실험[사용] ; [집합적으로] 로켓.
rócket shìp *n.* **1** 로켓 (추진) 선 ; 로켓포가 장비된 소함정. **2** 로켓 항공기《로켓 추진식으로 대기권 밖의 비행이 가능함》.
rócket slèd *n.* 로켓 썰매《로켓 엔진에 의해 단선 궤도 위를 달리는 실험용 썰매》.
rócket·sònde *n.* 로켓 존데《고공(高空) 기상을 알기 위해 발사하는 로켓》.
róck fàll *n.* 낙석(落石), 낙반 ; 떨어진[떨어지는] 바윗덩어리.
róck·fèst *n.* 《美》 로큰롤 음악 축제.
róck fèver *n.* =UNDULANT FEVER.
〚the *Rock* of Gibraltar 발견지〛
róck·fìsh *n.* 〘魚〙 바위 사이의 물고기《볼락, 쏨뱅이 따위》.
róck gàrden *n.* 록 가든, 암석 정원 ; 바위나 돌로 꾸민 정원.
róck gòat *n.* 〘動〙 아이벡스(ibex).
róck-háppy *a.* 《美海軍俗》 산호도(島)에서의 장기 체재로 정신이 이상해진.
róck·hèad *n.* 《美俗》 바보, 미치광이, 고집쟁이.
róck-hèwn *a.* 바위를 잘라 만든.
róck hòund *n.* 《口》 지질학자 ; 《口》 돌 수집가 ; 《口》 유전 탐색자.
Rock·ies [rɑ́kiz] *n. pl.* [the ~] =ROCKY MOUNTAINS.
róck·ing *a.* 흔들리는, 동요하는.
—— *n.* 흔들림, 진동, 동요.
rócking bèd *n.* 〘醫〙 (인공 호흡용) 흔들침대.
rócking chàir *n.* 흔들의자.
rócking hòrse *n.* 흔들목마.
rócking stòne *n.* 흔들바위, 불안정한 바위.
rócking tùrn *n.* 〘스케이트〙 요전(搖轉)《호선(弧線)의 바깥쪽에서 몸을 비틀어 스케이트와 같은 쪽으로 미끄러져 되돌아오기》.
róck lèather *n.* 석면의 일종.
róck·lìke *a.* 바위와 같은, 바위 모양의.
róck lóbster *n.* 〘動〙 =SPINY LOBSTER.
róck máple *n.* 〘植〙 =SUGAR MAPLE.
rock 'n' roll [rɑ́kənróul] *n.* 로큰롤《열광적으로 몸을 흔들어 추는 댄스[재즈곡]》; 《美俗》 로큰롤 팬. —— *a.* 로큰롤의. —— *vi.* 록에 맞추어 춤추다, 록을 연주하다.
róck òil *n.* 석유(petroleum).
rock·oon [rɑ́ku:n, -ˊ] *n.* 로쿤《기구로 고공(高空)에 운반되어 발사되는 소형 로켓》.
〚*rock*et+ball*oon*〛
róck òpera *n.* 록 오페라《로큰롤 음악을 씀》.
róck pìgeon *n.* =ROCK DOVE.
róck plànt *n.* 암생(岩生) 식물 ; 고산 식물.
róck-rìbbed *a.* 암석의 층을 이룬 ; 완강한, 완고한, 융통성이 없는, 준엄한.
róck·ròse *n.* 〘植〙 시스투스(cistus).
róck sálmon *n.* 《英婉》 (dogfish, pollack, wolffish 따위의) 해산 식용어의 총칭《생선 장수의 용어》.
róck sàlt *n.* 암염(mineral salt).
róck·shàft *n.* 〘機〙 요동축(搖動軸).

róck·slìng·er *n.* 《美俗》 박격포수.
róck snàke *n.* 〔動〕 각종 대형 비단뱀.
róck stéady *n.* 록 스테디《reggae의 전신》.
róck tár *n.* 석유.
róck trípe *n.* 〔植〕 석이《북극산(產) ; 대용 식품》.
róck wòol *n.* 암면《광석을 녹여서 만든 섬유 ; 단열·절연·방음용》.
róck·wòrk *n.* Ⓤ (정원의) 석가산(石假山) ; (석가산 따위의) 돌 쌓는 공사.
***rócky**[1] *a.* **1** 바위가 많은, 바위 투성이의 ; 암석으로 된 ; 장애가 많은, 곤란한. **2** 바위 같은, 태연한 ; 무정한(hard), 냉혹한 ; 완고한.
róck·i·ly *adv.* **-i·ness** *n.* 〚ROCK[1]〛
rocky[2] *a.* **1** 불안정한, 흔들리는, 부들부들 떠는 (shaky) ; 불확실한, 불안한 : His business was in a ~ condition. 그의 사업은 불안정한 상태에 있었다. **2** 《口》 비틀거리는, 현기증이 나는. 〚ROCK[2]〛
Rócky Móuntain góat *n.* 〔動〕 =MOUNTAIN GOAT.
***Rócky Móuntains** *n. pl.* [the ~] 로키 산맥《북미 서부의 대산맥 ; 최고봉 Mt. Elbert(4399 m) ; cf. GREAT DIVIDE 1》.
Rócky Móuntain shéep *n.* 〔動〕 =BIGHORN.
Rócky Móuntain spótted féver *n.* 〔醫〕 로키 산맥 홍반열(紅斑熱)《진드기의 일종이 매개하는 리케차병》.
rócky ròad *n.* 《비유》 어려움이 많은 길.
ro·co·co [rəkóukou, ròukəkóu] *n.* Ⓤ 로코코식(式)《18세기 프랑스의 건축·미술 양식》 ; Ⓒ 로코코식의[속악하고 화려한] 것. ―― *a.* 로코코식[조]의 ; (건축·가구·문체 따위) 장식이 많은, 속악(俗惡)한 ; 시대에 뒤진. 〚F〛
***rod** [rád] *n.* **1** 막대, 장대, 지팡이 ; 낚싯대 ; 마술 지팡이 : a ~ and line 낚싯줄이 달린 낚싯대 / fish with ~ and line 낚시질하다. **2** 가지, 어린 가지. **3** 회초리 ; [the ~] 매질, 엄하게 꾸짖음, 징계 : give *the* ~ 매질하다 / Spare *the* ~ and spoil the child. ☞ SPARE *vt.* 2. **4** 직표(職標), 권표(權標) ; 권위, 권력, 직권 ; 압제(tyranny). **5** 피뢰침 ; 〔機〕 연접봉(連接棒). **6** (5야드 반의) 막대자. **7** 〔聖〕 혈통, 자손. **8** 《美俗》 권총 ; 《美俗》 =HOT ROD ; 화물 열차. **9** 〔解〕 (망막내의) 간상체 ; 간균 ; 간상 염색체.
have a rod in pickle for …을 기회가 있으면 벌하려고 벼르다.
kiss the rod ☞ KISS.
make a rod for one***self*** [***for*** one***'s own back***] 재난을 자초하다, 스스로 화를 청하다.
ride the rods 《美俗》 화물열차에 무임 승차하다.
―― *vi.*, *vt.* 《美俗》 무장하다[시키다] 〈*up*〉. 〚OE *rodd* ; cf. ON *rudda* club〛
Rod *n.* 남자 이름《Rodney의 애칭》.
◇**rode**[1] *v.* RIDE의 과거형.
rode[2] [róud] *vi.* (들새가) 밤에 날다 ; (멧도요가) 번식기에 밤하늘을 날다. 〚C18< ?〛
ro·dent [róudənt] *n.* 설치(齧齒) 동물《쥐·다람쥐 따위》. ―― *a.* **1** 갉는. **2** 〔動〕 설치류의 ; 〔醫〕 (특히 궤양이) 잠식성의. 〚L *rodo* to gnaw〛
ro·den·tial [roudénʃəl] *a.* 설치류의 ; 잠식성의.
ro·dén·ti·cìde [roudéntə-] *n.* 쥐약.
ródent òperative [**òfficer**] *n.* 《英》 쥐를 잡는 인부[관리] (ratcatcher).
ro·deo [róudiòu, rədéiou] *n.* (*pl.* **-de·òs** [, rədéiouz]) **1** (수를 세거나 낙인을 찍으려고) 방목하는 소를 한데 모으기 ; 목우(牧牛)를 가두는 울타리. **2** 로데오《(1) COWBOY의 공개 말타기 경기대회. (2) 모터사이클 따위의 곡예 쇼》. 〚Sp. (*rodear* to go round ; ⇨ ROTATE)〛
Rod·er·ic(k) [rádərik] *n.* 남자 이름. 〚Gmc. =fame+rule〛
Ro·din [*F* rodɛ̃] *n.* 로댕. **Auguste** ~ (1840-1917) 프랑스의 조각가.
ród·man [-mən, -mæ̀n] *n.* **1** 〔測〕 측간수(測桿手). **2** 낚시꾼(angler). **3** 《美俗》 권총강도, 갱.
Rod·ney [rádni] *n.* 남자 이름. 〚OE=road+servant〛
Ro·dolph [róudalf], **Ro·dol·phus** [roudálfəs] *n.* =RUDOLPH.
rod·o·mon·tade [ràdəmantéid, ròu-, -tá:d] *n.*, *a.* 호언장담(의). ―― *vi.* 자만하다, 허풍떨다. 〚F<It. ; Ariosto, *Orlando Furioso* (1532)중의 허풍선이〛
roe[1] [róu] *n.* Ⓤ 어란(魚卵) (fish eggs), (연어 따위의) 곤이 (hard roe) ; 어정(魚精), 이리 (milt) 《soft roe라고도 함》 ; (새우 따위의) 알. 〚MLG, MDu. *rog*(*n*) ; cf. G *Rogen*〛
roe[2] *n.* (*pl.* ~, **~s**) 〔動〕 =ROE DEER. 〚OE *rā*(*ha*) ; cf. G *Reh*〛
róe·bùck *n.* (*pl.* ~, **~s**) 〔動〕 노루의 수컷.
róe dèer *n.* 〔動〕 (유럽·아시아산(產)의) 몸이 작고 날쌘 노루.
Roent·gen, Rönt·gen [réntgən, rʌ́nt-, -dʒən, réntʃən, rʌ́n- ; rɔ́ntgən, -tjən, rént- ; *G* rœ́ntgən] *n.* **1** 뢴트겐. **Wilhelm Conrad** ~ (1845-1923) 독일의 물리학자로 뢴트겐선(線)의 발견자. **2** [r~] 뢴트겐《방사선 세기의 단위 ; 略 R》. ―― *a.* [r~] 뢴트겐(선)의 : a *r*~ photograph 뢴트겐 사진.
róentgen·ìze *vt.* …에 뢴트겐선[X선]을 쬐다 ; X선을 통과시켜 (공기·기체를) 전기 전도성으로 만들다.
roent·gen·o- [réntgənou, rʌ́nt-, -dʒən-, -nə ; rɔ́ntgənou, rént-, -tjən-, -nə] *comb. form* 「X선의」란 뜻.
róentgeno·gràm *n.* 뢴트겐 사진.
róentgeno·gràph *n.* =ROENTGENOGRAM. ―― *vt.* …의 X선 촬영을 하다.
roent·gen·og·ra·phy [rèntgənágrəfi, rʌ́nt-, -dʒən- ; rɔ̀ntgən-, rènt-, -tjən-] *n.* Ⓤ 뢴트겐 사진술[촬영법].
roent·gen·ol·o·gy [rèntgənálədʒi, rʌ̀nt-, -dʒən- ; rɔ̀ntgən-, rènt-, -tjən-] *n.* X선학, 방사선과(科).
ròentgeno·thérapy *n.* Ⓤ 뢴트겐[X선] 요법.
róentgen ràу *n.* [흔히 R~] =X RAY.
róe·stòne *n.* Ⓤ 〔岩石〕 어란암(岩).
Rog. Roger. **ROG, R.O.G., r.o.g.** 〔商〕 receipt of goods(상품 수령증, 현금 상환).
Ro·gal·list [rougǽləst] *n.* 로갈로[행글라이더]로 활공하는 사람.
Ro·gal·lo [rougǽlou] *n.* (*pl.* **~s**) 로갈로《삼각형의 행글라이더》. 〚Francis M. *Rogallo* NASA의 기술자〛
ro·ga·tion [rougéiʃən] *n.* [*pl.*] 〔基〕 (그리스도 승천제 전 3일간의) 기도 ; 〔로法〕 (국민의 의결을 구하는) 법률초안(의 제출) ; 《廢》 탄원. 〚L (*rogo* to ask)〛
Rogátion Dàys *n. pl.* 기원절(祈願節)《그리스도 승천제 (Ascension Day)전의 3일간》.
Rogátion Sùnday *n.* 기원절 전의 일요일.
Rogátion Wèek *n.* 기원절 주간.
rog·a·to·ry [rágətɔ̀:ri ; -təri] *a.* 심문의, 조사의, 증인 심문의 권한이 있는.

rog·er[1] [rádʒər] *int.* 〔通信〕 알았다(received (and understood)) ; 《口》 좋아, 알았다(all right, O. K.).
〚ROGER〛

roger[2] *n., vt., vi.* 《英卑》 (…와) 성교(하다), 육체관계(를 갖다) ; 《俗》 꾸짖다.
〚*roger* (obs.) penis < *Roger*〛

Roger *n.* **1** 남자 이름《애칭 Hodge》. **2** = JOLLY ROGER. 〚OF<Gmc. =fame+spear〛

Ro·get [rouʒéi, ⌐-; rɔ́ʒei] *n.* 로제. **Peter Mark** ~ (1779-1869) 영국의 의사 ; *Thesaurus of English Words and Phrases* (1852)의 저자.

***rogue** [róug] *n.* **1** 악당, 건달, 불한당(rascal), 사기꾼 : play the ~ 사기를 치다. **2** 부랑자. **3** 《戲》 개구쟁이, 장난꾸러기(cf. VILLAIN). **4** (무리를 떠나 떠도는) 사나운 코끼리 ; (경마 또는 사냥에서) 게으름을 피우는 말. **5** 〔園藝〕 발육 불량한 모종. —— *vt.* 속이다 ; 《俗》 묻다(ask) ; (밭 따위)에서 불량한 싹을 솎아내다. —— *vi.* 부랑하다 ; 나쁜 일을 하다 ; 불량한 싹을 솎아내다.
—— *a.* (동물이) 버릇이 나쁘고 거친 ; 이상한 ; 결핍된 ; 하나만 이탈한.
〚C16< ?〛

rogu·ery [róugəri] *n.* Ⓤ,Ⓒ 나쁜 짓, 사기 ; Ⓤ 못된 장난 : play ~ upon …을 속이다.

rógue's bádge *n.* **1** 차는 버릇이 있는 말의 꼬리에 다는 붉은 리본. **2** 〔競馬〕 눈가리는 안대.

rógues' gállery *n.* (경찰 등의) 범인 사진대장.

rógue's márch *n.* (이전에 군인을 군대에서 추방하는데 썼던) 추방곡 : play the ~ 《비유》 (단체 따위에서) …을 야유하며 쫓아내다.

rogu·ish [róugiʃ] *a.* 건달의, 무뢰한의(rascally), 나쁜 짓을 하는(dishonest) ; 장난치는, 까부는.
~·ly *adv.* 〚ROGUE〛

roi [*F* rwa] *n.* 왕.
le roi le veut [*F* lə rwa lə vø] 재가(the King wills it)《국왕이 의안을 재가할 때 쓰던 문구》.
le roi s'avisera [*F* lə rwa savizəra] 부(不)재가(the King will consider) 《국왕이 의안을 거부할 때 쓰던 문구》.

R. O. I. return on investment(투자 수익).

roid [rɔ́id] *n.* 《美俗》 〔醫〕 스테로이드(steroid).

roil [rɔ́il] *vt.* **1** (액체를) 휘젓다, 흐리게 하다 ; 교란시키다, 혼란시키다 : ~ a spring 샘물을 흐려 놓다. **2** 짜증나게 하다, 성나게 하다. —— *vi.* 교란되다 ; 《英方》 떠들어대다, 날뛰다. —— *n.* 교란(agitation) ; 흐려진 물의 흐름.
〚C16< ? OF *ruiler* to mix mortar〛

róily *a.* 흐려진 ; 교란된 ; 성난.

rois·ter [rɔ́istər] *vi.* 뽐내다 ; 술마시며 떠들다.
~·er *n.* **~·ous** *a.* =ROISTERING.
〚*roister* (obs.) roisterer<F *rustre* ruffian ; ⇨ RUSTIC〛

róis·ter·ing *a.* 으스대는 ; 소란스러운, 술마시고 떠드는.

ROK Republic of Korea(대한 민국).

rol·a·mite [róuləmàit] *n.* 〔機〕 롤러마이트《S자형의 회전축받이의 일종》.
〚*roll*+-*amite*(< ?)〛

Ro·land [róulənd] *n.* **1** 남자 이름. **2** 롤랑《Charlemagne 대제의 조카로 그 휘하의 12용사중의 한 사람 ; ☞ OLIVER》. **3** 용장, 용사.
give a Roland for an Oliver 용호상박(龍虎相搏)하다, 막상막하다, 백중(伯仲)지세다《Roland와 Oliver가 5일간을 싸워도 승부가 나지 않았던 데서》; 앙갚음하다.
〚OF<Gmc.=fame (of) the land〛

***role, rôle** [róul] *n.* (배우의) 배역(part) ; 임무, 역할 : fill the ~ of …의 임무를 다하다 / play an important ~ in …에서 중요한 역할을 맡아하다 / ☞ TITLE ROLE.
〚F ; 'ROLL에 쓴 대사(臺詞)'의 뜻〛

róle mòdel *n.* 역할 모델.

róle-plày [ˌ ⌐⌐] *vt.* 실제로 연기하다, 행동으로 나타내다. —— *vi.* 역할을 하다.

róle-plày·ing *n.* 〔心〕 역할 연기《심리극 따위에서 맡아하는 역할 행동의 연기》.

rolf [rɔ́:lf, rɔ́:f] *vt.* …에게 롤핑(rolfing)을 하다.
~·er *n.* 롤핑 요법사.

Rolf [rálf, 英+róuf] *n.* 남자 이름.

rolf·ing [rɔ́:lfiŋ, rɔ́:f-] *n.* [흔히 R~] 롤핑《근육 깊숙이 마사지하는 물리 요법》. 〚Ida *Rolf* (d. 1979) 미국의 생화학자·물리 요법사〛

‡roll [róul] *vi.* **1** 구르다, 굴러가다 : The coin fell off my hand and ~*ed* under the table. 동전이 손에서 떨어져 테이블 밑으로 굴러갔다.
2 [+副/+前+名] (차에) 타고 가다, (탈것이) 달리다 : The cab ~*ed* ***along*** (the road). 택시가 (길을 따라) 지나갔다.
3 a) [動/+副/+前+名] 데굴데굴 구르다, 뒹굴다 ; 둥그래지다, 똘똘 말려 오므라들다 : The boy ~*ed downstairs.* 소년은 계단에서 굴러 떨어졌다 / The barrel ~*ed* ***over.*** 통이 데굴데굴 굴렀다 / He ~*ed* ***in*** the bed. 그는 침대에서 뒹굴었다. **b**) [+*in*+名] 《口》 (…속에서) 빈들빈들 지내다, 사치스럽게 살다(wallow) : He is ~*ing* ***in*** money. 그는 돈에 파묻혀 살고 있다.
4 [+副/+前+名] (어떤 방향으로) 나아가다, (세월이) 흘러가다, (눈물이) 흐르다 : A fog ~*ed* ***over*** the city. 안개가 도시 상공을 감돌았다 / Centuries ~*ed* ***on***[***by***]. 수세기가 지났다 / Tears ~*ed* ***down*** the boy's cheeks. 눈물이 소년의 뺨을 타고 흘러내렸다.
5 [動/+前+名] (배·비행기가) 옆질하다, 좌우로 흔들리다(cf. PITCH[1] *vi.* 3) ; 좌우로 흔들리며 달리다 ; 몸을 흔들다 ; 비틀거리다 : The ship ~*ed* heavily (***in*** the waves). 배가 (파도에) 심하게 흔들렸다 / He ~*s* ***in*** his walk. 그는 몸을 흔들며 걷는다.
6 [動/+副/+前+名] (파도 따위가) 너울거리다, 물결치다 ; (토지가) 기복(起伏)하다 : The country went on ~*ing* miles and miles. 그 지방은 몇 마일이나 가도록 땅이 기복을 이루고 있었다 / I saw the waves ~*ing* ***into*** the beach. 파도가 해변으로 밀려오는 것을 보았다.
7 a) (천둥이) 우르르거리다, (북이) 둥둥 울리다 : Thunder ~*ed* in the distance. 천둥소리가 멀리서 들려왔다. **b**) (말이) 거침없이 나오다 ; (새가) 떨리는 소리로 지저귀다.
8 (금속·인쇄 잉크·반죽 따위가) 늘어지다, 잘 펴지다.
9 (눈이) 희번덕거리다 ; 눈알을 부라리며 보다 : His eyes were ~*ing.* 그의 눈은 희번덕거리고 있었다.
10 둥글게 되다, 원통형으로 되다.
11 볼링을 하다 ; 주사위를 굴리다.
—— *vt.* **1** [+目/+目+副/+目+前+名] **a**) 굴리다, 굴려가다, 회전시키다 : The children were ~*ing* a snowball ***along*** the playground. 아이들은 운동장에서 눈뭉치를 굴리고 있었다 / He ~*ed* the top ***between*** his fingers. 팽이를 손가락 사이에 끼고 돌렸다. **b**) (파도·물을) 세차게 밀어 나아가게 하다 : The river is ~*ing* its waters. 강물은 도도히 흐르고 있다. **c**) 동그랗게 하다, 말

아서 만들다 ; 굴려서 뭉치다 : ~ pills 환약을 만들다 / ~ a cigarette 궐련을 만들다 / The hedgehog ~*s* itself ***into*** a ball. 고슴도치는 몸을 공처럼 둥그렇게 오므린다. **d**) 때려서[쳐서] 굴러가게 하다 ; 때려 눕히다 : ~ a person ***over*** 남을 때려 눕히다.
2 [+目/+目+前+名/+目+副] 감다 ; 말다 : He ~*ed* the flag ***round*** its staff. 그는 기를 깃대에 말았다 / He ~*ed* himself (***up***) ***in*** the rug. 그는 무릎 덮는 담요로 몸을 감쌌다.
3 [+目/+目+補/+目+副] (지면·잔디밭 따위를) 롤러로 고르다 ; (금속·천·반죽 따위를) 늘이다, 펴다 : ~ a lawn 잔디밭을 고르다 / She ~*ed* the pastry flat [~*ed* ***out*** the pastry]. 그녀는 반죽을 납작하게 폈다.
4 (눈을) 희번덕거리다 ; (주사위를) 굴리다 ; 주사위를 굴려 (숫자가) 나오게 하다 : He ~*ed* his eyes. 그는 눈을 희번덕거렸다.
5 [+目+副] (배·비행기를) 옆질하게[좌우로 흔들리게] 하다 : The waves ~*ed* the ship ***along***. 배는 파도에 좌우로 흔들리면서 나아갔다.
6 [+目+副] (연기·먼지 따위를) 말아 올리다, 일게 하다 : The chimneys were ~*ing* ***up*** smoke. 굴뚝은 (뭉게뭉게) 연기를 내뿜고 있었다.
7 [+目/+目+副] 낭낭하게 말하다 ; 드높이 노래하다 ; (북 따위를) 울리다 : The organ ~*ed* ***out*** [***forth***] its stately welcome. 오르간에서 장중한 환영곡이 울려 퍼졌다.
8 혀를 꼬부려 발음하다 : He ~*s* his r's. 그는 r 음을 혀를 꼬부려 발음한다.
9 (촬영 카메라 따위를) 돌리다, 작동시키다.
roll back 격퇴하다 ; (물가를) 통제하여 본래 수준으로 되돌리다(cf. ROLLBACK).
roll down 굴러 떨어지다, 흘러내리다.
roll in 꾸역꾸역 모여들다, 많이 들어오다 ;《美口》자다, 잠자리에 들다.
roll into one 합하여 하나로 만들다.
roll on (1) (*vi.*) 굴러가다 ; 나아가다, 운행하다 ; (세월이) 흘러가다(cf. *vi.* 4) ; (파도 따위가) 밀려오다. (2) (*vt.*) (양말 따위를) 말린 것을 펴면서 신다 : She ~*ed* her stockings *on*. 그녀는 (똘똘 말린) 양말을 펴서 신었다.
roll out (1) (*vi.*) 굴러나오다 ;《俗》(침대에서) 일어나 나오다. (2) (*vt.*) 늘이다, 펴다 : ~ *out* the red carpet ☞ RED CARPET.
roll over (*vi.*) 구르다, 뒹굴다(cf. *vi.* 3 a)) ; (*vt.*) 굴리다(cf. *vt.* 1 d)).
roll up (1) (*vi.*) 둥글게 되다 ; (연기 따위가) 뭉게뭉게 오르다 ; (재산 따위가) 모이다 ; 차로 나아가다[가다·접근하다] ; 꾸역꾸역 모여들다 ;《口》(차로) 나타나다. (2) (*vt.*) 감아[걷어] 올리다(cf. *vt.* 6) ; 둘둘 감다[말다] (cf. *vt.* 2) ; (재산 따위를) 축적하다 ;〔軍〕(적의) 측면을 공격하여 포위하다 ; (승리 따위를) 쟁취하다.
── *n.* **1 a**) 두루마리, 권축(卷軸), 축 ; 목록, 표(list) ; 출석부 ; 명단 ; 명부 ; [보통 *pl.*]《英》변호사(solicitor) 명부. **b**) (두루마리로 된 양피지 따위의) 기록, 공문서, 사본 ; [the R~s]《英》(London에 있었던) 기록 서류 보관소《원래는 the Master of the Rolls의 소관 ; 지금의 the Public Record Office의 전신》. **2** 한 권, 한 개. **3** 구르기 ; 회전 ; (배의) 좌우 요동(cf. PITCH[1] 5) ;〔空〕횡전(橫轉) ; 비틀거림 ; 넘실거림 ; 기복. **4** (북의) 연타 ; 울려퍼짐 ; (운문·산문의) 낭랑한 음조 ; (카나리아 따위의) 떠는 울음소리 : a fire ~ 화재를 알리는 연타(連打) / the ~ of thunder 천둥 소리. **5** 말아서 만든 물건 ; 궐련 ; 털실의 타래 ; 롤빵(cf. BREAD, LOAF[1]) ; 롤 케이크, 말아 구운 고기. **6**《美俗》지폐 뭉치(cf. WAD 4), 돈 (money). **7**〔機〕굴림대, 롤러, 압연기(壓延機) (roller) ; 녹로(轆轤) 기계, 말아 올리는 녹로. **8**〔建〕(기둥머리의) 소용돌이 무늬. **9** 주사위를 흔듦 ; 주사위를 던져서 나온 수의 합계.
call the roll 출석을 부르다.

〈회화〉
I'm going to *call the roll*. Kim Min-su? — Present!「출석을 부르겠습니다. 김민수」「네」

in the roll of saints 성인록(聖人錄)에 올라.
on the rolls《英》변호사 명부에 기재되어.
on the rolls of fame 명사록에 실려 ; 역사에 이름을 남겨.
strike a person ***off*** [***from***] ***the rolls***《英》(변호사(solicitor)를) 제명하다 ; (남을) 제명하다.
the roll of honor 명예 전사자 명부.
〖OF < L *rotulus* (dim.) ‹ ROTA〗
類義語 ⟹ LIST.

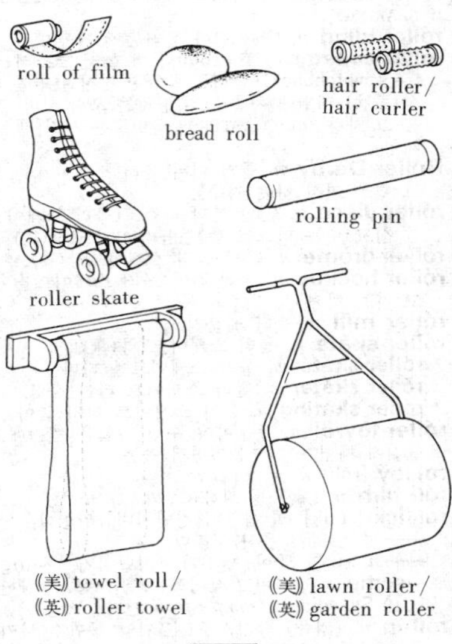

roll

Rol·land [*F* rɔlɑ̃] *n.* 롤랑. **Romain** ~ (1866-1944) 프랑스의 작가.
róll·awày *a.* (가구 따위가) 바퀴 달린, 롤러를 단 : a ~ bed 롤러를 단 이동 침대.
── *n.* Ⓒ 롤러를 단 이동 침대.
róll·bàck *n.* U,C (통제에 의한) 물가[임금] 인하 정책 ; (인원의) 삭감 ; 격퇴 ; 되돌리기《이전의 수준까지 후퇴시키는 일》.
róll bàr *n.* 롤 바《충돌·전복에 대비하여 장치한 자동차의 천장 보강용 철봉》.
róll bóok *n.* (교사용) 출석부, 교무 수첩.
róll càge *n.*〔自動車〕롤 케이지《경주용 자동차·승용차 따위의 운전자를 보호하는 금속 프레임》.
***róll càll** *n.* 점호, 출석 조사(cf. *call the* ROLL) ;

〖軍〗 점호 신호[나팔], 점호 시간 : skip (the) ~ 점호를 생략하다 / come back before ~ 점호에 늦지 않게 돌아오다.

róll-càll *vt.* …의 출석을 부르다, 출결 상황을 조사하다.

róll-cùmulus *n.* 〖氣〗 층적운, 층쌘구름.

rólled góld (plàte) *n.* 금박, 도금용 금.

rólled óats *n. pl.* 롤드 오트《껍질을 까고 찐 다음 롤러로 으깬 귀리 ; 오트밀용(用)》.

***róll·er** *n.* **1** 롤러 ; 굴림대 ; 땅 고르는 기계 ; 인주봉(印朱棒), 잉크 롤러 ; 압연기(壓延機) ; 전마기(機) ; (지문을 채취하는) 롤러 ; 《方》 국수 방망이, 밀방망이(rolling pin) ; 〖野〗 땅볼. **2** 굴리는 사람, 회전기계 조작 담당자 ; (폭풍우 후의) 큰 놀, 큰 물결, 큰 파도. **3** 두루마리 붕대(= ~ **bàndage**). **4** 〖鳥〗 롤러카나리아《집 비둘기의 일종》. **5** 《美俗》 교도관, 순경 ; 《美俗》 취한 사람을 노리는 소매치기.

類義語 ⟹ WAVE.

róller arèna *n.* 롤러 스케이트장.

róller bèaring *n.* 〖機〗 롤러 베어링(cf. BALL BEARING).

róller blìnd *n.* 《英》 감아 올리는 블라인드.

róller còaster [, 美+róuli-] *n.* 롤러 코스터(= 《英》 switchback)《군데군데 급한 경사를 만든 환상(環狀) 레일에 차를 달리게 하는 오락 설비, 또는 그 차량 ; cf. COASTER》 ; 급변하는 사건[행동, 체험].

Róller Dèrby *n.* 롤러 더비《롤러 스케이트를 신고 편을 짜서 하는 경주》.

róller dìsco *n.* 《美》 롤러 디스코《롤러 스케이트를 신고 추는 디스코 춤》 ; 롤러 디스코장(場).

róll·er·dròme *n.* 《美》 롤러 스케이트장(場).

róller hòckey *n.* 롤러 하키《롤러 스케이트를 신고 하는 하키》.

róller míll *n.* 롤러 제분기.

róller skàte *n.* 롤러 스케이트(화(靴)).

róller-skàte *vi.* 롤러 스케이트를 타다.

róller skàter *n.* 롤러 스케이트 타는 사람.

róller skàting *n.* 롤러 스케이트 타기《놀이》.

róller tòwel *n.* 두루마리 수건《양끝을 맞꿰매고 롤러에 매단 수건 ; 돌리면서 씀》.

rol·ley [ráli] *n.* =RULLEY.

róll fìlm *n.* 〖寫〗 롤 필름(cf. PLATE *n.* 4).

rol·lick [rálik] *vi.* 까불며[장난치며] 뛰놀다.
—— *vt.* 《英俗》 몹시 꾸짖다.
—— *n.* U.C 좋아 날뛰기, 장난치기. **~·ing, ~·some** *a.* 장난치고 싶어하는, 뛰노는, 명랑한. 〚C19 Sc. (dial.) ; *romp*+*frolic*인가〛

róll-ìn *n.* 〖컴퓨〗 롤인, 주(主)기억 복귀 ; 〖하키〗 롤인《사이드라인을 넘은 볼을 되돌리기》.

***róll·ing** *n.* U 굴리기, 구르기 ; 땅위를 굴리기 ; 압연 ; 눈을 희번덕거리기 ; (배 따위의) 좌우 요동(cf. PITCHING) ; (파도의) 넘실거림 ; (지면의) 완만한 기복 ; (천둥 따위의) 울리는 소리.
—— *a.* 구르는 ; 경과하는 ; 회전하는 ; (눈을) 희번덕거리는 ; 비틀거리는 ; 감아올라가는 ; 소리내며 흐르는 ; 너울거리는 ; (땅이) 기복이 진 ; (뇌성 따위가) 반향(反響)하는. **~·ly** *adv.*

rólling barráge *n.* 〖軍〗 유도 탄막(誘導彈幕) ; 이동 탄막 사격(creeping barrage).

rólling brìdge *n.* 회전 개폐식(式) 다리, 선개교(旋開橋).

rólling hìtch *n.* 〖海〗 (둥근 기둥 따위에) 밧줄 매는 방식의 한 가지.

rólling kítchen *n.* 〖軍〗 이동 취사차.

rólling mìll *n.* 압연(壓延) 공장 ; 압연기.

rólling pìn *n.* 국수 방망이, 밀방망이.

rólling prèss *n.* (천 · 종이 따위에) 광택[윤]을 내는 기계(cf. CALENDER) ; (동판(銅版) 인쇄의) 롤 인쇄기.

rólling róad blòck *n.* 《CB俗》 속도가 느린 차, 움직이는 장애물.

rólling stóck *n.* [집합적으로] 철도의 차량《기관차 · 객차 · 화차 따위의 전부》 ; (운수업자 소유의) 화물 자동차《트럭 · 견인용 트럭 따위의 전부》.

rólling stóne *n.* 구르는 돌, 떠돌이, 주소[직업 · 일]를 수시로 바꾸는 사람 : A ~ gathers no moss. (속담) 구르는 돌에는 이끼가 끼지 않는다《흔히 직업을 자주 바꾸는 사람에게는 돈이 붙지 않는다라는 뜻으로 쓰이나, 《美》 에서는 활동가는 언제나 신선하다는 뜻으로 쓰임》.

roll·mops [róulmàps] *n.* (*pl.* ~, **-mop·se** [-sə]) 롤몹스 《청어 저민 것을 야채 피클에 말아 마리네이드에 절인 것》.

róll nèck *n.* 롤 넥《옷의 깃이 감아서 젖혀지는 ; 긴 터틀넥을 이름》.

Rol·lo [rálou] *n.* 남자 이름《Rudolph의 애칭》.

róll-òff *n.* 〖볼링〗 (동점일 경우의) 결승 게임.

róll-òn *a.* (화장품 · 약품이) 볼펜식인, 회전식으로 바르는 ; =ROLL-ON / ROLL-OFF.

róll-òn / róll-òff, róll-òn-róll-òff *a.* (페리 따위가) 짐을 실은 트럭[트레일러 따위]을 그대로 싣고 내릴 수 있는.

róll-òn shíp *n.* 차량 간이 수송선.

róll·òut *n.* **1** 신형 항공기의 첫 공개[전시] ; 비행기의 착륙 후의 활주 ; 〖컴퓨〗 롤아웃, 보조 기억이기(移記). **2** 〖美蹴〗 롤아웃《쿼터백의 공격 동작의 하나》.

róll·òver *n.* **1** 회전 점프 ; 전락(轉落). **2** (자동차의) 전복(사고).

róll·pàst *n.* 중병기(重兵器) 분열행진.

Rolls-Royce [róulzrɔ́is] *n.* C 롤스로이스《영국제의 고급 자동차 ; 상표명》.

róll stóck *n.* 두루마리 끈, 두루마리 테이프 ; (플라스틱 필름의) 원단.

róll·tòp *a.* 접는 식의 뚜껑이 달린.

rólltop désk *n.* 접는 식의 뚜껑이 달린 책상.

rolltop desk

róll·ùp *n.* (18세기의) 남자용 긴 바지.
—— *a.* (블라인드 따위) 감아 올리는 식의.

róll·wày *n.* (재목을 강으로 떨어뜨리는) 미끄럼대 ; (수송을 위해 강가에 쌓아놓은) 재목 더미 ; 외부에서 지하실로 통하는 입구.

ro·ly-po·ly [róulipóuli] *n.* **1** (잼을 넣은) 꽈배기 푸딩(= ~ **pùdding**). **2** 똥똥한[땅딸막한] 사람[것]. **3** 《美》 오뚝이(tumbler).
—— *a.* 땅딸막한 : a ~ child 똥똥한 아이.
〚C19 ? (가중(加重)) ‹ *roly* ‹ *roll*〛

Rom [róum ; rɔ́m] *n.* (*pl.* ~, **~s, Ro·ma** [róumə]) 집시 남자. 〚Romany=man, husband〛

rom. 〖印〗 roman (type).

Rom. Roman ; 〖言〗 Romance ; Romania(n) ; Rome ; Romanic ; 〖聖〗 Romans.

ROM [rám] 〖컴퓨〗 read-only memory (늘기억 장치, 읽기전용 기억 장치).

Ro·ma [róumə] *n.* **1** 로마《Rome의 이탈리아어명》. **2** 여자 이름. 〚It. ROME〛

Ro·ma·ic [rouméiik] *a.* 현대 그리스(어)의.

—— *n.* Ⓤ 현대 그리스어(Modern Greek).

ro·man [*F* rɔmɑ̃] *n.* 로망《중세 프랑스의 운율체(韻律體) 소설》; 소설, 장편 소설(novel).

***Ro·man** [róumən] *a.* **1** 로마시(市)의; (고대) 로마(인)의, (현대) 로마(인)의; (고대) 로마인풍(風)[기질]의; 고대 로마의 건축 양식의. **2** (로마) 카톨릭교의. **3** 로마 숫자의; [보통 r~] 〖印〗 로마 자체(字體)의(cf. ITALIC). —— *n.* (*pl.* **~s**) **1** (현대) 로마인; (고대) 로마인. **2** (로마) 카톨릭교도, 천주교도. **3** [*pl.*] **a**) 고대 로마의 기독교도. **b**) [the ~s] 〖聖〗 로마서(the Epistle of Paul the Apostle to the Romans) 《신약성서 중의 한 편; 바울이 로마인에게 보낸 편지; 略 Rom.》. **4** Ⓤ [보통 r~] 〖印〗 로마체 활자《略 rom.; cf. ITALIC》.

the King [***Emperor***] ***of the Romans*** 신성 로마제국 황제.

〖OF<L (*Roma* Rome)〗

ro·man à clef [*F* rɔmɑ̃n a kle] *n.* (*pl.* **romans à clef** [rɔmɑ̃za kle]) 실화 소설. 〖F=novel with key〗

Róman álphabet *n.* 로마자(字), 라틴 문자.

Róman árch *n.* 반원형 아치, 로마식 아치.

Róman árchitecture *n.* 〖建〗 (고대) 로마식(式) 건축.

Róman cálendar *n.* [the ~] 로마력(曆).

Róman cándle *n.* (긴 통에서 불덩이가 발사되는) 불꽃의 일종.

Róman Cátholic *a.* (로마) 카톨릭교의; 천주교의. —— *n.* (로마) 카톨릭교도; 천주교도: the ~ Church 로마 카톨릭 교회《略 RCC》.

Róman Cathólicism *n.* (로마) 카톨릭교, 천주교; 카톨릭의 교리[의식·관습].

***ro·mance** [roumǽ(:)ns, ∸-] *n.* **1** 소설[모험]적 사건, 연애 사건(love affair). **2** 중세 기사 이야기; Ⓤ,Ⓒ 전기(傳奇) 소설, 공상 소설, 로맨스(cf. NOVEL). **3** Ⓤ 전기적 분위기[기분·세계]; 공상벽(空想癖), Ⓒ 가공적인 이야기, 꾸며낸 이야기. **4** 〖樂〗 로맨스《형식에 구애받지 않는 서정적인 소곡》. **5** Ⓤ,Ⓒ [R~] =ROMANCE LANGUAGES.

—— *a.* [R~] 로망스어(語)(계(系))의.

—— *vi.* **1** 꾸며낸 이야기를 하다; 공상 소설을 쓰다; 과장하여 말하다. **2** 공상에 빠지다. **3** 《口》 구애하다, 사랑을 호소하다. —— *vt.* **1** (사건 따위를) 가공으로 만들다. **2** (아첨·선물 따위로) 환심을 사다. **3** …에게 구애하다, …와 연애하다. 〖OF *romanz*, *-ans*<Rom. (ROMANIC); 'in Latin'에 대하여 'in the vernacular'의 뜻〗

類義語 ⟹ NOVEL.

Rómance lánguages *n.* 로망스어(語)《포르투갈어(語), 스페인어, 프랑스어, 이탈리아어, 루마니아어와 같이 라틴어에서 유래한 언어》.

Róman cemént *n.* 로만 시멘트《천연 시멘트》.

ro·mánc·er, ro·mánc·ist *n.* 로맨스[가공 소설] 작가, 전기(傳奇) 소설가, 공상가; (터무니없이) 꾸민 말을 하는 사람.

Róman Cúria *n.* [the ~] 로마 교황청(the Curia).

Róman Émpire *n.* [the ~] 로마제국《기원전 27년 Augustus가 건설; 395년 동서로 분열》.

Ro·man·esque [ròumənésk] *a.* (건축·조각·회화 따위) 로마네스크식의; 로망스어의, 프로방스(Provence)어의.

—— *n.* Ⓤ 로마네스크식[풍]《건축·회화 따위》; 로망스어. 〖F (ROMAN, *-esque*)〗

ro·man-fleuve [*F* rɔmɑ̃flœːv] *n.* (*pl.* **ro·mans-fleuves** [—]) 대하(大河) 소설, 계도(系圖) 소설《몇 대(代)에 걸친 가족 생활이나 사회 생활의 흐름을 그린 장편 소설; cf. SAGA NOVEL》. 〖F=river novel〗

Róman hóliday *n.* 로마 (사람)의 휴일《남을 희생시켜서 즐기는 오락; 고대 로마에서 노예 또는 포로에게 무기를 주고 싸움을 시킨 데서》; 소요, 소란(riot): make a ~ 남의 오락을 위해 희생이 되다. 〖Byron, *Childe Harold's Pilgrimage*, Ⅵ, 141에서〗

Ro·ma·nia [rouméiniə] *n.* =RUMANIA. **Ro·má·ni·an** *a.*, *n.*

Románian Órthodox Chúrch *n.* 루마니아 정교회(正教會).

Ro·man·ic [roumǽnik] *a.* **1** 로망스어(Romance language)의, 라틴어계(系)의. **2** (고대) 로마(인)의. —— *n.* Ⓤ 로망스어. 〖L *Romanicus*; ⇨ ROMAN〗

Róman·ish *a.* 《蔑》 카톨릭교의.

Róman·ìsm *n.* Ⓤ **1** 《蔑》 (로마) 카톨릭교. **2** 고대 로마 제도.

Róman·ist *n.* **1** 《蔑》 (로마) 카톨릭교도. **2** 로마법학자; 로마 사학자; 고대 로마 연구가, 로마학자. —— *a.* 로마 카톨릭교의; 로마법의.

Ròman·izátion *n.* **1** 고대 로마화(化). **2** (로마) 카톨릭교화. **3** [때때로 r~] 로마체로 인쇄하기[쓰기].

Róman·ìze *vt.* **1** [때때로 r~] 로마체로 쓰다[인쇄하다]. **2** (로마) 카톨릭교화(化)하다. **3** (고대) 로마화하다. —— *vi.* (로마) 카톨릭교도가 되다; (고대) 로마인풍(風)으로 되다.

Róman láw *n.* 로마법(Civil law).

róman létters *n. pl.* 〖印〗 로마체 (활자).

Róman nóse *n.* 매부리코(aquiline nose) 《콧마루가 높은 것이 특징; cf. GRECIAN NOSE》.

Róman númerals *n. pl.* 로마 숫자《Ⅰ, Ⅱ, Ⅴ, X, C 따위; cf. ARABIC NUMERALS》.

Ro·ma·no- [rouméinou, -nə] *comb. form* 「로마(Rome)의」의 뜻. 〖ROMAN〗

Róman órder *n.* [the ~] 〖建〗 (기둥의) 로마 양식, 혼합 양식(Composite order).

Ro·ma·nov, -noff [roumɑ́nəf, róumənɔ̀f] *n.* (제정 러시아의) 로마노프 왕조(1613-1917), 로마노프가(家).

Róman péace *n.* 로마의 평화《무력에 의한 평화》. 〖L *pax Romana*〗

Róman péarl *n.* (유리 구슬의) 모조 진주.

Róman róad *n.* Julius Caesar가 영국에다 만든 도로《지금도 그 흔적과 명칭이 남아 있음》.

***ro·man·tic** [roumǽntik] *a.* **1** 전기(傳奇)[공상, 모험, 연애] 소설적인, 소설에나 있을 법한; 로맨틱한. **2** 공상에 잠기는; 공상적인, 엉뚱한; 비실제적인, 실행하기 어려운. **3** 신비적인, 괴기적인; 영웅적인(heroic). **4** 가공의, 허구의. **5** [흔히 R~] 〖藝〗 낭만주의[파]의 (cf. CLASSICAL, REALISTIC). **6** 열렬한 연애의, 정사(情事)적인.

—— *n.* **1** 로맥틱한 사람; [흔히 R~] 낭만주의[파]의 작가[시인·작곡가]. **2** [*pl.*] 로맨틱한 사상[특징·요소]. **-ti·cal·ly** *adv.* 낭만[공상]적으로; 로맨틱하게.

〖F (*romant* (obs.) story, ROMANCE)〗

ro·man·ti·cism [roumǽntəsìzəm] *n.* **1** Ⓤ 공상적임, 공상적인 경향. **2** Ⓤ [때때로 R~] 로맨티시즘, 낭만주의《18세기 말엽에서 19세기 초의 문예사상; cf. CLASSICISM, REALISM》. **-cist** *n.* [때때로 R~] 낭만주의자.

ro·man·ti·cize [roumǽntəsàiz] *vt.*, *vi.* 낭만적[공상적]으로 하다[묘사하다, 말하다], 로맨틱하

게 다루다.

Romántic Móvement *n.* [the ~] (18세기 말에서 19세기 초두의) 낭만주의 운동.

róman týpe *n.* 로마체(體) 활자(cf. GOTHIC, ITALIC).

Róman vítriol *n.* =BLUE VITRIOL.

Rom·a·ny [rámәni, róu-] *n.* **1** 집시(gypsy). **2** Ⓤ 집시어. —— *a.* 집시(어)의. 〖Romany *Romani* (*Rom* gypsy)〗

Rómany rýe [-rái] *n.* 집시와 사귀는 사람, 집시어[풍속]에 정통한 사람.

ro·maunt [roumɔ́:nt, -má:nt] *n.* 《古》 전기적(傳奇的)인 이야기, 전기 시(詩); 로맨스.

Rom. Cath. Roman Catholic (Church).

***Rome** [róum] *n.* 로마《이탈리아의 수도》; (고대의) 로마시; 로마 제국, 고대 로마국(國); (로마) 카톨릭 교회: All roads lead to ~. 《속담》 모든 길은 로마로 통한다《같은 목적을 달성하는 데에도 방법은 여러 가지가 있다》/ Do in ~ as the Romans do. 《속담》 다른 고장에 가면 그 고장 사람들의 풍속을 따르라 / ~ was not built in a day. 《속담》 로마는 하루 아침에 이루어지지 않았다《큰 사업은 결코 단시일에 이룩될 수 없다》.
fiddle while Rome is burning 큰 일을 외면하고 안일에 젖다《Nero의 고사에서》.
〖OE, OF and L *Roma* Rome〗

ro·meo [róumiòu] *n.* 양 옆에 신축성 있는 천을 댄 남자용 실내화[슬리퍼].

Romeo *n.* 로미오《Shakespeare작 *Romeo and Juliet*의 주인공》; (*pl.* **~s**) 열렬한 사랑에 빠진 남자, (여성쪽에서 보아) 남자 애인(lover); 문자 r을 나타내는 통신 용어.

Róme·ward *a.* 로마로의; 로마 카톨릭교로의. —— *adv.* 로마로; 로마 카톨릭교로.

Róme·wards *adv.* =ROMEWARD.

Ro·mic [róumik] *n.* (Henry Sweet가 고안한) 로마자 발음 기호.

Rom·ish [róumiʃ] *a.* 《蔑》 카톨릭교의. **~·ly** *adv.* **~·ness** *n.*

Ro·mo·la [rәmóulә; rɔ́mәlә] *n.* 여자 이름. 〖It. (fem.); ⇨ ROMULUS〗

romp[1] [rámp, rɔ́(:)mp] *vi.* **1** [動/+副] (아이들이) 뛰어다니다, 뛰놀다, 장난치다, 까불며 놀다: The children are *~ing* ***about*** on the playground. 아이들은 운동장에서 뛰놀고 있다. **2 a)** [+副] 〖競馬〗 힘 안들이고 달리다[이기다]: The horse *~ed* ***in***[***home***]. 그 말은 낙승(樂勝)했다. **b)** 《口》 [+前+名] 쉽사리 이기다[성공하다]: Dick has *~ed* ***through*** his examinations. 딕은 시험에 쉽게 합격했다. —— *n.* **1** 말괄량이; 뛰노는 어린이. **2** 소란스러운 놀이; 뛰어놀기; 경쾌한 템포의 이야기[극, 음악 작품]; 쾌주, 낙승. 〖C18 < ? RAMP[1]〗

romp[2] *vt.* 《美俗》 …을 산산이 부수다; …와 싸우다(fight, quarrel). —— *n.* 싸움. 〖Sp. *romperse* to break〗

rómp·er *n.* 뛰어 돌아다니는 사람, 말괄량이; [*pl.*] 롬퍼스《아이들이 놀 때 입는 옷》.

rómp·ish *a.* 말괄량이의, 뛰노는. **~·ly** *adv.*

rómpy *a.* =ROMPISH.

Rom·u·lus [rámjәlәs] *n.* 〖로傳說〗 로물루스《고대 로마 건설자; Mars의 아들로 그와 쌍둥이인 REMUS와 함께 늑대에게 양육되었다고 함》.

ROM wríter [rám-] *n.* 롬 라이터《바꿔쓰기가 가능한 판독 전용 메모리(PROM)에 기억 내용을 기입하는 장치; cf. ROM, PROM》.

Ron·ald [ránәld] *n.* 남자 이름. 〖Scand.; ⇨ REGINALD〗

ron·deau [rándou, 美+-ˊ] *n.* (*pl.* **-deaux** [-z]) **1** 〖韻〗 롱도체(體)《두 개의 운으로 10행 내지 13행으로 이루어지며 시의 최초의 낱말이 후렴으로서 두 번 쓰임》. **2** 〖樂〗 =RONDO. 〖F ↓〗

ron·del [rándl, 美+randél], **ron·delle** [randél] *n.* **1** 론델체(의 시)《RONDEAU의 변형으로 보통 14행으로 구성됨》; 롱도체의 시(rondeau). **2** 윤형(輪型)[구형(球形), 원형]의 것. 〖OF; ⇨ ROUND[1]; cf. ROUNDEL〗

ron·do [rándou, 美+-ˊ] *n.* (*pl.* **~s**) 〖樂〗 론도《주제가 몇 번 반복되는 악곡 형식의 하나》. 〖It. < F RONDEAU〗

ron·dure [rándʒәr, -djuәr] *n.* 《詩》 원형, 구체(球體); (물체의) 동그스름함. 〖OF; ⇨ ROUND[1]〗

Ro·neo [róuniòu] *n.* (*pl.* **-ne·òs**) 《英》 로니오 복사기 《상표명》. —— *vt.* [r~] (**ró·ne·òs; -ne·òed; ~·ing**) 로니오 복사기로 복사하다.

Röntgen ☞ ROENTGEN.

rood [rú:d] *n.* **1** 루드《영국의 토지 면적의 단위: 1/4에이커, 약 1011.7m^2》. **2 a)** 《古》 (그리스도가 처형된) 십자가. **b)** 십자가 위의 그리스도상.
by the (***holy***) ***Rood*** (성) 십자가[하느님]에 맹세코, 분명히. 〖OE *rōd* cross, rod〗

róod bèam *n.* (중세 교회의 성체 안치소 입구 위의) 십자가 들보.

róod clòth *n.* (사순절 동안) 그리스도의 십자가상(像)을 덮어두는 천.

róod lòft *n.* (교회의) 강단 후면의 자리.

róod scrèen *n.* (교회의) 강단 후면의 칸막이.

‡roof [rú:f, 美+rúf] *n.* (*pl.* **~s** [-s, rú:vz, 美+rúvz]) **1 a)** 지붕. **b)** (특히 아치형의 높고 넓은) 천장(ceiling). **2** 지붕 모양의 것; 차의 지붕: the ~ *of* heaven 천공(天空) / the ~ *of* the mouth 구개(口蓋) (the palate). **3** 최고부, 꼭대기. **4** 《비유》 집, 가정(생활); 지붕 덮는 재료: a hospitable ~ 손님 대접이 좋은 집.
be (***left***) ***without a roof*** = ***have no roof over*** one***'s head*** 거처할 집이 없다.
raise the roof 《口》 대소란을 피우다《갈채·분노·축하 따위로》; 큰 소리로 푸념하다.
the roof of the world 세계의 지붕《중앙아시아의 파미르 고원(the Pamirs)》; (일반적으로) 매우 높은 고원.
under a person***'s roof*** 남의 집에 유숙하여, 남의 신세를 지고.
—— *vt.* [+目/+目+副/+目+*with*+名] …에 지붕을 이다; 지붕으로[처럼] 덮다; 집안에 들이다; 보호하다: The shed was *~ed* ***over with*** strips of bark. 그 오두막집의 지붕은 나무껍질 조각으로 되어 있었다.
~·age *n.* =ROOFING.
〖OE *hrōf*; cf. ON *hróf boat shed*〗

roofed [rú:ft, 美+rúft] *a.* **1** 지붕이 있는: a ~ wagon 유개(有蓋) 화차. **2** [복합어를 이루어] …지붕의: a thatch-~ house 초가집.

róof·er *n.* **1** 지붕 이는 사람. **2** 《英口》 향응에 대한 사례장(狀)[답례장].

róof gàrden *n.* 옥상 정원; (고층 건물·호텔 따위의) 옥상 식당.

róof·ing *n.* Ⓤ 지붕 이기; 지붕 공사; 지붕 이는 재료; Ⓒ 지붕. —— *a.* 지붕용의.

róof·less *a.* 지붕 없는; 집 없는.

róof·plàte *n.* 지붕 이는 널.

róof ràck *n.* 《英》 자동차 지붕 위의 짐 싣는 곳.

róof·scàping *n.* Ⓤ 옥상 정원 설계[시공].

róof·tòp *n.* 《美》 지붕, 옥상.

róof·trèe *n.* **1** ＝RIDGEPOLE. **2** 지붕(roof) ; 주거, 집(home).

rook[1] [rúk] *n.* **1** 〖鳥〗 (유럽산) 떼까마귀. **2** 사기꾼. **3** 《俗》 신참, 신병. —— *vt.* (카드놀이에서) 속이다 ; (손님으로부터) 부당한 대금을 받아내다. 〚OE *hrōc*<? imit. ; cf. G *Ruch*〛

rook[2] *n.* 〖체스〗 성장(城將) (castle)《略 R》. 〚OF<Arab.〛

róok·ery *n.* **1** 떼까마귀가 떼지어 사는 곳[숲] ; 떼까마귀의 떼. **2** 바다표범[물개·펭귄]의 번식지 ; 그 군생(群生). **3** (사람이 많이 모여 사는) 공동주택, 빈민굴. **4** 같은 부류의 사람들의 집단.

rook·ie, rook·ey [rúki] *n.* 《口》 신병, 신출내기 ; 〖野〗 신인 (선수), 루키. 〚RECRUIT〛

róok pìe *n.* 떼까마귀의 새끼 고기로 만든 파이.

róoky[1] *a.* 떼까마귀가 떼지어 사는[많은].

rooky[2] *n.* 《口》 ＝ROOKIE.

◇**room** [rú(:)m] *n.* **1** 방, 실(室)《略 rm.》. **2** [*pl.*] (침실·거실·응접실 따위) 한 벌이 갖추어져 있는 방, 하숙방, 셋방. **3** [보통 the ~] 한 방안의 사람들, 모인 사람들. **4** Ⓤ [＋*to* do] **a**) 장소, 자리 ; 빈자리 : take up ~ 자리를 잡다[차지하다] / I'm sorry there is no ~ ***for*** you in the car. 미안하지만 차에 당신이 탈 자리가 없소 / There was no ~ *for* us *to* sleep. (우리가) 누울 자리도 없었다 / no(t) ~ *to* swing a cat (in) ☞ SWING *vt.* 1. **b**) 여지, 기회, 여유 : There is plenty of ~ ***for*** doubt. 의심할 여지는 충분히 있다. **5** (광산의) 채탄장, 채굴현장.

give room 물러서다 ; 물러나서 …에게 기회를 주다〈*to*〉.

in a person***'s room*** ＝ ***in the room of*** a person 남의 대신으로.

make room 장소를 내주다, 자리를 양보하다 : I *made* ~ *for* the old man. 그 노인에게 자리를 양보했다.

〈회화〉
Do you have *room* for her in your car? — Sure, no problem. 「자네 차에 그 여자 좀 태워 줄 자리 있나」「있지, 물론」

—— *vi.* [動/＋副/＋前＋名] 유숙[하숙·기숙]하다, 방을 차지하다 : The students ~ ***together*** in the dormitory. 그 학생들은 함께 기숙사에 살고 있다 / I used to ~ ***with*** my friend in London. 런던에서 나는 친구와 함께 하숙하고 있었다.

—— *vt.* (손님을) 숙박시키다, (하숙인에게) 방을 세주다.

〚OE *rūm* ; cf. G *Raum* ; 'spacious'의 뜻〛

róom and bóard *n.* 식사를 제공하는 하숙.

róom clèrk *n.* (호텔의) 객실 담당원.

róom divìder *n.* 방의 칸막이용 가구.

roomed [rú(:)md] *a.* [복합어를 이루어] 방이 …개 있는. 주 《美》에서는 a three-~ house (방이 셋 있는 집)처럼 쓰는 것이 보통.

róom·er *n.* 《美》 셋방 든 사람 ; (특히 잠만 자는) 하숙인.

room·ette [ru(:)mét] *n.* 〖美鐵〗 침대차의 작은 독실《화장실이 설비되어 있음》.

róom·ful *n.* 방 하나 가득(한 것) ; 만장의[장내의] 사람들.

róom·ie *n.* ＝ROOMMATE.

róom·ing *n.* 방을 빌림. —— *a.* 방을 빌려들고 있는 : a ~guest 《美》 (방만 빌려들고 있는) 하숙인.

róoming hòuse *n.* 하숙집(lodging house).

róom·ing-ìn *n.* 병원에서 갓난아기를 유아실에 두지 않고 산모와 같은 방에 두기.

róom·màte *n.* 《美》 룸메이트, 한 방 사람, 동숙인, 합숙자.

róom of reconciliátion *n.* 〖카톨릭〗 고해소《신부와 고해자가 스크린을 사이에 두고 고해함》.

róom sèrvice *n.* 룸 서비스《호텔·하숙 따위에서 방으로 식사 따위를 날라 주는 일》 ; (호텔 따위의) 룸 서비스 담당자[과].

róom tèmperature *n.* (보통의) 실내 온도《20℃ 정도》.

róom-to-róom *a.* 방에서 방으로 통하는 : a ~ telephone 실내 전화.

róomy *a.* 넓은, 널찍한(spacious).
róom·i·ly *adv.* **-i·ness** *n.*

roor·back, -bach [rúərbæk] *n.* 《美》 (선거전 따위에서 정적에 대해 퍼뜨리는) 중상 모략.

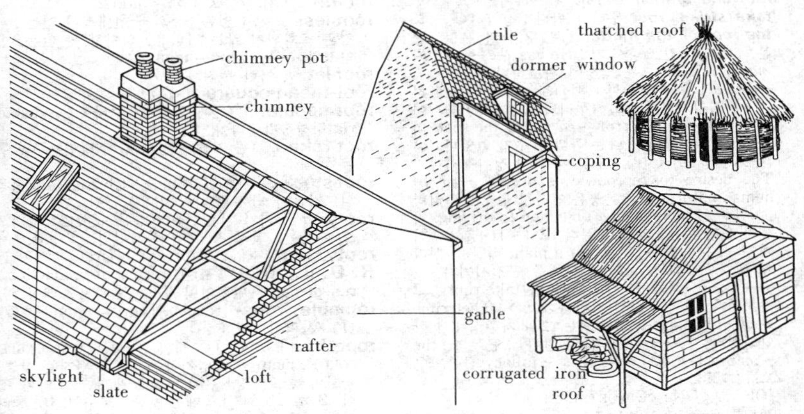

roof

〖Baron von *Roorback*; 1844년의 대통령 선거 후보자 J. K. Polk를 중상하는 기사가 기재되어 있다는 가공의 책 *Roorback's Tour through the Western and Southern States* (1836)의 저자〗

Roo·se·velt [róuzəvèlt, -vəlt] *n.* 루스벨트. **1 Theodore** ~ (1858-1919) 미국의 제26대 대통령(1901-09). **2 Franklin D.** ~ (1882-1945) Theodore의 조카, 미국의 제32대 대통령(1933-45)《略 F. D. R.》. **3 Eleanor** ~ (1884-1962) F. D. R.의 처, 저술가.
〖Du.=rose field〗

roost [rú:st] *n.* **1** (새가) 앉는 나무 막대, 홰 ; 보금자리 ; 닭장. **2** 나무[홰]에 앉은 한 떼의 새. **3** 휴식처 ; 잠자리 ; 숙소.
at roost 보금자리에 들어 ; 잠들어.
come home to roost 제자리로 되돌아오다 : Curses *come home to* ~.《속담》 누워서 침뱉기, 남을 해치려다 자기에게 화가 미침.
go to roost 보금자리에 들다 ;《口》 잠들다.
rule the roost ☞ RULE.
— *vi.* 홰에 앉다, 보금자리에 들다 ; 잠자리에 들다 ; 숙박하다. — *vt.* …에 휴식처를 제공하다.
〖OE *hrōst* ; cf. G *Rost* grid〗

***róost·er** *n.*《美》 수탉(cock) ; (닭 이외의) 새의 수컷 ;《口》 건방진 남자.

‡**root**[1] [rú:t, 美+rút] *n.* **1** 뿌리, 땅속줄기, 뿌리 붙은 식물《이식용》, 묘목 ; [*pl.*] 근채류(根菜類) ; 초목. **2 a)** (이·털·손톱 따위의) 밑뿌리, 밑동, 바닥, 근저(根底) ; 기슭. **b)** 근원 ; 근본 ; 핵심 ; 기초 : We must get at[go to] the ~ *of* the matter. 일의 진상을 규명하지 않으면 안된다. **3 a)** 시조, 조상. **b)** 〖聖〗 자손. **c)** [*pl.*] (정신적인) 고향 ; [*pl.*] (사람과 토지·습관 따위와의) 결합. **4** 〖數〗 근(根), 루트《부호 √ 》: a cubic [square] ~ 〖數〗 세제곱[제곱]근. **5** 〖言〗 어근(語根)《언어의 기체(基體)를 이루어 그 이상 분석할 수 없는 궁극 요소》; 〖文法〗=BASE[1] *n.* 6 ; =ROOT FORM. **6** 〖樂〗 밑음. **7** 〖컴퓨〗 뿌리. **8**《濠俗》 성교 ;《美俗》 마리화나 담배.
by the root(s) 뿌리째, 송두리째 : pull up a plant *by the* ~*s* 식물을 뿌리째 뽑아내다.
root and branch 완전히, 철저하게.
take [strike] root 뿌리를 박다 ; 정착하다.
the root of the matter 〖聖〗 사물의 본질, 근본, 가장 긴요한 것 : He has *the* ~ *of the matter* in him. 그는 심성이 확고하다.
— *vt.* **1** [+目/+目+前+名] **a)** 뿌리박게 하다 ; 뿌리깊게 심다. **b)** (뿌리박은 것처럼) 움직이지 못하게 하다 : Terror ~*ed* me ***to*** the spot. 너무도 공포에 질려서 나는 꼼짝할 수가 없었다. **c)** [주로 *p. p.*로] (사상·주의 따위를) 정착시키다 : The desire to reproduce is deeply ~*ed* ***in*** human nature. 생식 본능은 인간성에 깊이 뿌리박고 있다 / I have a ~*ed* objection to driving. 자동차 운전은 본능적으로 싫다. **2** [+目+副] 뿌리째 뽑다 ; 근절하다 : ~ ***up*** a plant 식물을 뿌리째 뽑다 / ~ ***out*** an evil 악폐를 근절시키다.
— *vi.* **1** (식물이) 뿌리 내리다(take root). **2** 정착하다. **3** (…에서) 기원하다〈*in*〉: The crime ~*ed in* his pride. 그 범죄는 그의 자존심에서 발단되었다. — *a.* 뿌리의[에 관한] ; 근본의 : the ~ cause 근본적인 원인 / a ~ fallacy 근본적인 오류(誤謬).
〖OE *rōt*<ON ; cf. WORT, RADIX〗
類義語 ⟹ BEGINNING.

root[2] *vi.* **1** (돼지 따위가) 코로 땅을 헤집으며 먹을 것을 찾다. **2** [+副/+前+名] (뒤지며) 찾다, 찾아내다 : He was ~*ing* ***about among*** the piles of papers[***in*** the drawer]. 서류더미를 헤집으며[서랍속을 뒤적이며] 뭔가를 찾고 있었다. **3**《美口》 빠빠지게 일하다.
— *vt.* **1** [+目+副] (돼지가) 코로 헤집어 먹을 것을 찾다 ; (물건을) 헤집어 찾다 : The pigs were ~*ing* ***up*** the garden. 돼지들이 코로 정원을 파헤치며 먹을 것을 찾고 있었다. **2**《美俗》 강탈하다〈*against, on*〉
〖C16 *wroot*<OE *wrōtan* and ON *rōta*〗

root[3] *vi., vt.*《美口》 (요란하게) 응원하다, 성원하다(cheer) ; (일반적으로) (정신적으로) 응원[지지]하다〈*for*〉.

〈회화〉
> Which team are they *rooting* for? — They're *rooting* for your team.「그들은 어느 팀을 응원하고 있니」「너희 팀이야」

— *n.* =ROOTER[2].

róot·age *n.* Ⓤ 뿌리내리기 ; (사람·습관의) 정착 ; (한 식물의 전체) 뿌리 ; 시초, 근원, 원인.

róot bèer *n.*《美》 루트 비어《초목 뿌리 따위의 즙을 원료로 하는 탄산이 든 청량 음료》.

róot-bòund *a.* 가득 뿌리를 내린 ; =POT-BOUND ; 오래 살던 곳을 떠나기 싫어하는, 뿌리 내린.

róot canàl *n.* 〖齒〗 (치)근관(根管).

róot càp *n.* 〖植〗 뿌리골무《뿌리 끝의 생장점을 싸는 부분》.

róot cròp *n.* 근채류(根菜類)[작물]《뿌리를 식용으로 하는 무·당근·감자 따위》.

róot·ed *a.* 뿌리박은 ; 정착한 ; 뿌리 깊은 ; 뿌리가 있는 ; 〖解〗 (이 따위) 뿌리박힌.
~·ly *adv.* **~·ness** *n.*

róot·er[1] *n.* 코로 땅을 파는 동물 ; (도로를) 파헤치는 토목 기계.

rooter[2] *n.*《美口》 (열광적인) 응원자.

róot-fáced *a.*《俗》 잔뜩 찌푸린 얼굴의, 오만상을 찡그린.

róot fòrm *n.* 〖文法〗 원형(cf. ROOT[1] *n.* 5, BASE[1] *n.* 6, STEM[1] *n.* 4).

róot hàir *n.* 〖植〗 뿌리털.

roo·tle [rú:tl] *vi., vt.*《英》 =ROOT[2].

róot·less *a.* 뿌리없는 ; 사회적 연대성이 없는 ; 환경과 조화되지 않는 ;《비유》 의지할 곳 없는, 불안정한. **~·ly** *adv.* **~·ness** *n.*

róot·let *n.* 어린 뿌리, 곁뿌리.

róot-méan-squáre *n.* 〖數〗 제곱 평균.

róot nòdule *n.* (콩과 식물의) 뿌리혹 : ~ bacteria 뿌리혹박테리아.

róot ràke *n.* (큰 가래 모양의 날이 달린) 뿌리 뽑는 기계.

róot·stòck *n.* 〖植〗 뿌리줄기(rhizome) ; (접목의) 접본이 되는 뿌리 ;《비유》 근원, 기원.

róoty[1] *a.* 뿌리가 많은 ; 뿌리 같은 ;《美俗》 성적으로 흥분한, 열정[욕정]에 사로잡힌, 발정한.

rooty[2] *n.*《英軍俗》 빵(bread). 〖Urdu〗

R. O. P., ROP 〖畜産〗 record of production ; run-of-paper《발행인이 지정하는 광고 스페이스》.

rop·able, rope- [róupəbəl] *a.* 묶을 수 있는 ;《濠口》 (사람이) 성난.

‡**rope** [róup] *n.* **1** Ⓤ,Ⓒ 새끼, 밧줄, 끈(cf. CABLE, CORD) : jump ~ 줄넘기하는 줄. **2** 던지는 밧줄, 올가미 줄 ; 측량삭(索) ; 〖建〗 새끼줄 모양의 장식. **3 a)** [the ~] 목매는 밧줄 ; 교수형. **b)** 줄타기의 밧줄. **4** [*pl.*] (권투장 따위의) 로프 ; 새끼줄 친 곳. **5** [the ~s] (일 따위의) 비결, 요령(knack) : know the ~*s* 요령을 알고 있다, 내부

의 사정에 밝다 / learn the ~*s* 요령을 익히다 / put a person up to the ~*s*=show a person the ~*s* 남에게 요령을 가르치다. **6** 한 꾸러미 : a ~ *of* hair 한 묶음의 머리카락. **7** 실 모양의 차지고 끈끈한 물질, 실(반죽 따위에 생기는).
be at* [*come to*] *the end of* one's *rope 백계무책(百計無策)이다, 진퇴유곡에 빠지다.
give a person (***plenty of*** [***enough***]) ***rope*** 남을 멋대로 행동하게 하다 : *Give* a fool *enough* ~ and he'll hang himself. 《속담》 어리석은 자는 제멋대로 내버려 두어 망신시킬 수 밖에 없다.
on the high ropes 득의 양양하여 ; 거만하여.
on the rope (등산가가) 서로 밧줄로 몸을 매고.
on the ropes (권투장에서 링의) 로프에 기대어 ; 《俗》 궁지에 몰려, 곤란하게 되어.
a rope of sand 빈약한 연합(聯合), 의지할 수 없는 것.
—— *vt.* **1** [+目/+目+副/+目+*to*+名] 새끼[밧줄]로 묶다 ; (등산가 등이 서로) 밧줄로 몸을 매다 : The climbers were ~*d* ***together***[~*d* ***to*** one another]. 등산가들은 서로 밧줄로 몸을 이어 매고 있었다. **2** 《美》 (말·송아지 따위를) 올가미를 던져 붙잡다(lasso). **3** [+目/+目+副] 새끼로 두르다[구획하다], 새끼줄 치다 : They had ~*d* ***off*** part of the meadow. 그 목초지의 일부는 새끼줄로 구획이 쳐져 있었다. **4** 《英》〖競馬〗 이기지 못하게 (말을) 억제하다.
—— *vi.* **1** 끈적끈적해지다, (찐득찐득한 것이) 실처럼 늘어지다 : Some candy is cooked till it ~*s*. 사탕과자 중에는 실같이 끈적끈적 늘어나도록 고아서 만드는 것이 있다. **2** 《英》〖競馬〗 말을 이기지 못하도록 억제하다 ; (경기자가 일부러 지기 위해서) 전력을 다하지 않다. **3** (등산가들이) 밧줄로 몸을 서로 이어매다〈*up*〉 ; (등산가가) 로프를 써서 올라가다[내려가다].
rope in (장소를) 새끼줄로 둘러치다 ; 《俗》 사람을 끌어들이다, (유인하여) 한패로 끌어넣다.
〚OE *rāp* ; cf. G *Reif* ring, circlet〛
rópe·dàncer *n.* 줄타기 광대.
rópe·dàncing *n.* Ⓤ 줄타기 (곡예).
rópe ládder *n.* 줄사닥다리.
rop·ery [róupəri] *n.* =ROPEWALK ; 《古》 못된 장난, 속임수.
rópe's énd *n.* (죄인을 때리기 위한) 밧줄 채찍 ; 교수용 밧줄.
rópe·wàlk *n.* 밧줄 제조 공장.
rópe·wàlk·er *n.* 줄타기 광대.
rópe·wàlk·ing *n.* Ⓤ 줄타기.
rópe·wày *n.* 로프웨이 ; (화물 운송용의) 삭도(索道) (ableway).
rópe·wòrk *n.* 밧줄 제조 공장 ; 로프 제작법 ; 로프 사용법.
rópe yàrd *n.* 밧줄 제조 공장(ropewalk).
rópe yárn *n.* 밧줄 만드는 재료 ; 《비유》 보잘것없는 것, 하찮은 일.
rop·ing [róupiŋ] *n.* **1** Ⓤ 밧줄 만들기, 새끼 꼬기. **2** 밧줄, 밧줄로 된 모든 도구.
ropy, rop·ey [róupi] *a.* 끈적끈적한, 점착성(粘着性)의 ; 밧줄 같은 ; 《英口》 (사람·행위가) 신통치 못한, 둔한 ; 품질이 나쁜, 나쁜 상태의, 빈약한. **róp·i·ly** *adv.* **róp·i·ness** *n.*
roque [róuk] *n.* Ⓤ 《美》 크로케(croquet) 비슷한 구기(球技). 〚c*roquet*〛
Roque·fort [róukfərt ; rɔ́kfɔːr] *n.* 로크포르(치즈)《양젖으로 만듦 ; 상표명》.
〚프랑스 남부의 산지(產地)〛
ro·que·laure [róukəlɔ̀ːr, rák- ; rɔ́k-] *n.* 로클로르《18세기의 무릎까지 오는 남자 외투》. 〚F ; Duc de *Roquelaure* (d. 1738) 프랑스의 marshal〛
ro·quet [roukéi ; rə́uki] *vt., vi.* 〖크로케〗 자기 공이[을] (상대편 공에) 맞다[맞히다]. —— *n.* 공을 맞히기, 공이 맞기. 〚? c*roquet*〛
ro·ral [rɔ́ːrəl], **ro·rik** [rɔ́ːrik] *a.* 이슬의, 이슬 같은(dewy). 〚L *ror- ros* dew〛
ro-ro [róurou] *a.* 〖海〗 로로식의(roll-on / roll-off).
ró-ro shìp *n.* 로로선《짐을 실은 트럭이나 트레일러를 수송함》.
ror·qual [rɔ́ːrkwəl, -wɔːl] *n.* 〖動〗 긴수염고래(finback). 〚F<Norw. (*hvalr* whale)〛
RORSAT [róursæ̀t, rɔ́ːr-] *n.* 〖軍〗 레이더 해양 정찰 위성.
〚*R*adar *O*cean *R*econnaissance *Sat*ellite〛
Ror·schach [rɔ́ːrʃɑːk] *a* 로르샤흐 검사의.
—— *n.* 《口》 로르샤흐 테스트. 〚↓〛
Rórschach tèst *n.* 〖心〗 로르샤흐 테스트《잉크 얼룩 같은 아무 뜻도 없는 무늬를 해석시켜 상대방의 성격 따위를 판단하는 검사》.
〚Hermann *Rorschach* (d. 1922) 스위스의 정신과 의사〛
ror·ty [rɔ́ːrti], **raugh·ty** [rɔ́ːti] *a.* 《俗》 유쾌한, 즐거운 : We had a ~ time. 즐거웠다. 〚C19< ?〛
ROS 〖放送〗 run of schedule time《광고주 대신 방송국측에서 시간대를 골라 CM을 방송하는 방식》.
Ro·sa [róuzə] *n.* 여자 이름. 〚It., Sp. ; ⇨ ROSE[1]〛
Ro·sa·bel [róuzəbèl] *n.* 여자 이름.
〚*Rosa*+*-bel*〛
ro·sace [rouzéis ; ⌐-] *n.* 〖建〗 장미꽃 모양의 장식[무늬] ; 장미꽃 모양의 장식 창문.
ro·sa·ceous [rouzéiʃəs] *a.* 장미과의 ; 장미꽃 모양을 한 ; 장미 빛깔의.
〚L ; ⇨ ROSE[1]〛
Ro·sa·lia [rouzéiliə], **Ro·sa·lie** [róuzəli, ráz-] *n.* 여자 이름. 〚F<L=festival of roses〛
Ros·a·lind [rázələnd, 美+róu-] *n.* **1** 여자 이름. **2** 로잘린드《(1) Shakespeare, *As You Like It*의 주인공. (2) Spenser, *The Shepheardes Calender*에서 연애의 대상으로서 알려진 여성》.
〚Sp.< ? Gmc.=horse snake ; Sp. *rosa linda* beautiful rose로 잘못된 것〛
Ros·a·line [rázəlàin] *n.* **1** 여자 이름. **2** 로잘라인《(1) Shakespeare, *Love's Labour's Lost*에 등장하는 프랑스 왕녀의 시녀 중 한 사람. (2) *Romeo and Juliet*속의 인물》. 〚↑〛
ros·an·i·line [rouzǽnələn, -liːn, -làin] *n.* 〖化〗 로자닐린《아닐린에서 얻는 붉은 물감》.
〚L *rosa* ROSE[1], *aniline*〛
ro·sar·i·an [rouzéəriən, -zǽər-] *n.* **1** 장미 재배자. **2** [R~] 〖카톨릭〗 로사리오회(Fraternity of the Rosary)의 회원.
ro·sar·i·um [rouzéəriəm, -zǽər-] *n.* (*pl.* **~s, -ia** [-iə]) 장미원(園), 장미꽃밭.
〚L ; ⇨ ROSE[1]〛
ro·sa·ry [róuzəri] *n.* **1** 〖카톨릭〗 로사리오, 묵주 ; [때때로 R~] 로사리오의 기도. **2** 장미원, 장미의 화단. 〚L (↑)〛
Ros·coe [ráskou, rɔ́(ː)s-] *n.* **1** 남자 이름. **2** 이름을 모르는 이에 대한 호칭. **3** [종종 r~] 《俗》 권총. 〚OE=roe+wood ; 원래 가족명〛
◇**rose**[1] [róuz] *n.* **1** 장미 ; 장미꽃《영국의 국화(國花)》 ; [the ~] 장미과 식물(=the ~ family) : No ~ without a thorn. 《속담》 가시없는 장미는 없다《세상에 완전한 행복은 없다》. **2** Ⓤ 장밋빛, 담홍색 ; 장미 향기 ; 장미의 향료 ; [주로 *pl.*] 발그

레한 얼굴빛 : She has quite lost her ~*s.* 그녀는 혈색이 아주 나빠졌다. **3** [the ~] 매우 뛰어난 인물 ; (특히) 매우 아름다운[정숙한] 여성, 미인, 명화(名花). **4 a)** 장미꽃 무늬 ; 장미꽃 모양의 매듭, 장미 모양의 술. **b)** 〖建〗 장미꽃 모양의 장식[창문] (rosette) : ☞ ROSE WINDOW. **c)** (물뿌리개 따위의) 살수구(撒水口). **5** 로즈형(形) 《보석깎는 방식의 하나》; 로즈형 다이아몬드《24면》(= ~ diamond). **6** [the ~] 《口》 단독(丹毒) (erysipelas). **7** (지도 따위에 그려진) 나침반의 지침면.

a bed of roses ☞ BED *n.*

gather* (*life's*) *roses 인생의 환락을 쫓다.

not all roses 편한[즐거운] 일만은 아닌 : Life is *not all* ~*s.* 인생은 결코 즐거운 일만 있는 것은 아니다.

a path strewn with roses 환락[향락]의 생활.

the Wars of the Roses 〖英史〗 장미 전쟁 (1455-85) 《붉은 장미를 휘장으로 하는 Lancaster 가(家)와 흰 장미를 휘장으로 하는 York가(家)와의 왕위 다툼》.

the rose of sharon 〖植〗 무궁화 ; 〖聖〗 샤론의 수선화《아가 2 ; 1》

the white rose of virginity [***innocence***] 백장미와 같은 순결[결백].

under the rose 비밀리에, 남몰래《옛날에는 장미가 비밀의 상징이었음》.

── *a.* 장미색의, 담홍색의 ; 장미 향기가 나는.

── *vt.* [보통 *p. p.*로] 장밋빛이 되게 하다, (운동·홍분 따위로) (얼굴을) 붉히다. **~·lìke** *a.*

〖OE *rōse* and OF *rose*<L *rosa*〗

‡**rose²** *v.* RISE의 과거형.

Rose *n.* 여자 이름《애칭 Rosetta, Rosie》. 〖L ROSE¹〗

ro·sé [rouzéi ; ⌐-] *n.* Ⓤ [종류를 말할 때 Ⓒ] 로제 (포도주) 《연한 핑크색의 포도주 ; 붉은 포도를 쓰며 발효가 시작될 때에 껍질을 제거함 ; cf. RED WINE, WHITE WINE》. 〖F=pink〗

róse acàcia *n.* 〖植〗 꽃아카시아《북미산》.

ro·se·ate [róuziət, -èit] *a.* 장미색의 ; 장미꽃으로 만든 ; 행복한, 밝은, 명랑한, 낙관적인. **~·ly** *adv.* 〖L *roseus* rosy〗

Ro·seau [rouzóu] *n.* 로조《도미니카의 수도》.

róse·bày *n.* 〖植〗 **1** 서양협죽도(夾竹桃). **2** 철쭉. **3** 분홍바늘꽃.

róse bèetle *n.* 〖昆〗 (장미·포도나무 따위에 붙는) 풍뎅이과의 일종.

róse bòwl *n.* **1** 장미 꽃꽂이용의 유리 화분. **2** [the R~ B~] 로즈 볼《Los Angeles 교외의 패서디나에 있는 스타디움 ; 또 그곳에서 1월 1일 행해지는 미식축구의 대학 패자 경기》.

***róse·bùd** *n.* **1** 장미의 봉오리. **2** 묘령의 (예쁜) 소녀 ; 《美》 처음으로 사교계에 나가는 소녀 (débutante). **3** 《俗》 항문(anus).

róse·bùsh *n.* 장미나무 ; 장미 덤불[관목].

róse còld[**fèver**] *n.* 〖醫〗 장미열《고초열(枯草熱)의 일종》.

róse-còlored *a.* **1** 장밋빛의. **2** 밝은, 쾌활한 ; 낙관적인, 유망한 : see things through ~ spectacles 사물을 낙관적으로 보다 / take a ~ view 낙관하다.

róse-colored glásses *n. pl.* 낙관적인 견해, 낙관적 시각.

róse cùt *n.* (보석의) 로즈형(形).

róse dìamond *n.* 로즈형(24면) 다이아몬드.

róse·dròp *n.* 비사증《술꾼의 붉은 코》.

Róse Gárden *n.* [the ~] 《美》 로즈 가든《백악관의 정원》.

Róse Gárden stràtegy *n.* 로즈 가든 전략《미국 대통령이 현직의 강점을 살려 재선을 노리는 선거전략》.

róse gerànium *n.* 〖植〗 양아욱.

róse hìp[**hàw**] *n.* 장미의 열매.

róse·lèaf *n.* 장미의 꽃잎 ; 장미의 잎.

a crumpled roseleaf 한창 행복할 때 생기는 귀찮은[궂은] 일.

róse-lìpped *a.* 입술이 붉은.

róse màllow *n.* 〖植〗 **1** 무궁화속(屬)의 식물. **2** 접시꽃.

rose·mary [róuzmèəri ; -məri] *n.* 〖植〗 로즈메리 《상록관목으로 충실·정조·기억의 상징》. 〖*rosmarine* (L *ros* dew, MARINE) ; 어형은 Virgin Mary와의 연상〗

róse mòss *n.* 〖植〗 채송화.

róse nóble *n.* 장미 무늬가 있는 금화《15-16세기 영국에서 통용》.

róse of Chína *n.* 〖植〗 월계화(China rose).

róse òil *n.* 장미 기름[향유].

ro·se·o·la [rouzí:ələ, ròuzióulə] *n.* Ⓤ 〖醫〗 장미진, 풍진(風疹).

roséola in·fán·tum [-infǽntəm] *n.* 〖醫〗 소아장미진, 돌발성 발진증(發疹症).

róse-pìnk *a.* 장밋빛의.

róse quártz *n.* 〖鑛〗 장미 석영.

róse-rèd [; ⌐⌐] *a.* 장밋빛의.

róse·ròot *n.* 〖植〗 바위돌꽃.

ros·ery [róuzəri] *n.* 장미원. 〖ROSE¹〗

róse-tìnt·ed *a.* =ROSE-COLORED.

róse trèe *n.* 장미나무.

Ro·set·ta [rouzétə] *n.* 여자 이름.

Rosétta stòne *n.* [the ~] 로제타석(石)《1799년 나일 강 하구의 Rosetta 부근에서 발견되어 고대 이집트 문자 해독의 단서가 된 비석》.

ro·sette [rouzét] *n.* **1** 장미 매듭[술], 장미꽃 장식 ; 〖建〗 장미꽃 모양의 장식[창문] ; =ROSE WINDOW ; 〖電〗 로제트《천장에 매다는 사기로 만든 전기줄 걸이》. **2** 〖植〗 로제트《잎·꽃잎 따위의 장미의 꽃부리 모양의 배열》; 〖植〗 로제트 병《잎이 로제트처럼 겹쳐짐》. **3** 〖醫〗 로제트《장미 모양의 세포집단》; (표범의) 장미 모양의 얼룩무늬.

ro·sét·ted *a.* 장미꽃 장식을 한《구두 따위》; 장미매듭을 한《리본 따위》.

róse wàter *n.* **1** 장미 향수. **2** (비유) 아첨 ; 미온적인 방법.

róse·wàter *a.* **1** 장미 향수 같은. **2** 부드러운 (mild), 감상적인(sentimental) ; 우아한(elegant) : ~ philosophy 감상적 철학.

róse wíndow *n.* 〖建〗 원화창(圓花窓), 장미창.

róse·wòod *n.* 〖植〗 자단(紫檀) ; Ⓤ 그 목재 ; 《美俗》 경찰봉.

Rosh Ha·sha·na(**h**), **-sho·no**(**h**) [ròuʃhəʃɑ́:nə] *n.* 유태 신년제(祭) 《유태력 1월 1일, 2일》. 〖Heb.〗

Ro·si·cru·cian [ròuzəkrú:ʃən] *n.* 장미십자회원, 연금술사《1484년 Christian Rosenkreuz가 독일에 창설했다고 하는 연금술을 부리는 비밀 결사 회원》. ── *a.* 장미 십자회원의 ; 연금술의. **~·ism** *n.* 장미십자회의 신비 사상[행사, 제도]. 〖*Rosenkreuz*를 라틴어로 옮긴 NL *rosa crucis* [*crux*]에서〗

Ro·sie [róuzi] *n.* 여자 이름.

ros·in [rázən, rɔ́(:)zn] *n.* Ⓤ 로진《송진에서 테레빈유를 증류시킨 후에 남은 찌꺼기 ; cf. RESIN》. ── *vt.* (바이올린의 활 따위에) 로진을 칠하다,

로진으로 문지르다. **rós·iny** *a.* 수지가 많은, 로진 모양의. 〖RESIN〗

Ro·si·na [rouzí:nə] *n.* 여자 이름. 〖It. (dim.) ; ⇨ ROSA〗

Ros·i·nan·te [ràzənǽnti], **Roc-** [ràs-] *n.* 로시난테《Don Quixote의 노쇠한 말의 이름》; [r~] 야윈 말, 쓸모없는 말, 폐마(廢馬) (jade). 〖Sp. *rocin* old horse〗

rósin bàg *n.* 〖野〗 (투수가 미끄러움을 막기 위해 손에 바르는) 로진 백.

rósin òil *n.* 로진유《인쇄 잉크·윤활유용 따위》.

ROSLA raising of school-leaving age.

RoSPA [ráspə] 《英》 Royal Society for the Prevention of Accidents(영국 방재 협회).

Ross [rɔ́(:)s, rás] *n.* 남자 이름. 〖Welsh= ? hill〗

Ros·set·ti [rouzéti, -séti ; rɔ-] *n.* 로제티. **1 Dante Gabriel** ~ (1828-82) 영국의 화가, 시인. **2 Christina Georgina** ~ (1830-94) 영국의 여류시인 ; D. G. Rossetti의 누이 동생.

Ros·si·ni [rousí:ni ; rɔ-] *n.* 로시니. **Gioacchino Antonio** ~ (1792-1868) 이탈리아의 작곡가.

Róss Séa *n.* [the ~] 로스해《New Zealand 남쪽의 남빙양의 일부》.

ros·tel·lum [rastéləm] *n.* (*pl.* **-tel·la** [-lə]) 〖植〗 소취(小嘴) ; 〖動〗 (촌충류의) 액취(額嘴) ; 〖昆〗 소문상기(小吻狀器). 〖ROSTRUM〗

ros·ter [rástər] *n.* 〖軍〗 근무명단[부] ; 근무표에 기재되어 있는 사람들 ; (일반적으로) 명부, 등록부. ── *vt.* 명부에 실리다. 〖Du. *rooster* gridiron, list (*roosten* to roast)〗

rostra *n.* ROSTRUM의 복수형.

ros·tral [rástrəl] *a.* **1** 〖動〗 주둥이의, 부리의 ; 주둥이[부리]가 있는. **2** 뱃부리 장식이 있는. **~·ly** *adv.*

róstral cólumn *n.* (적선(敵船)의 뱃부리를 달든가 또는 그 모양을 조각한) 해전 기념주(柱).

ros·trum [rástrəm] *n.* (*pl.* **-tra** [-trə], **~s**) **1 a)** 연단, 강단 ; 설교단 ; (오케스트라의) 지휘대. **b)** [집합적으로] 연설가[자] ; 연설. **2** [보통 rostra] 〖古로〗 뱃부리《군함의 이물》; 뱃부리 연단, 공회당(forum)의 연단《포획선의 뱃부리로 장식한 데서》. **3** 〖動·解〗 주둥이, 부리 모양의 돌기. ***take the rostrum*** 연단에 서다. 〖L=beak (*ros- rodo* to gnaw)〗

***rosy** [róuzi] *a.* **1** 장밋빛의 ; 혈색이 좋은 ; 불그레한 ; 《美俗》 취한. **2** 장미로 만든[장식한] ; 장미가 많은. **3** 《비유》 유망한, 밝은, 낙관적인 : ~ views 낙관론. **rós·i·ly** *adv.* 장미처럼 ; 장밋빛으로 ; 밝게, 낙천적으로. **rós·i·ness** *n.* 〖ROSE[1]〗

rot** [rát] *v.* (**-tt-**) *vi.* **1** [動/+副] 썩다, 부패하다 ; 썩어 떨어지다 : The log was ~*ting* ***away. 재목은 썩어가고 있었다 / These branches will soon ~ ***off.*** 이 나뭇가지는 곧 썩어 떨어질 것이다. **2** 《비유》 (도덕적으로) 부패[타락]하다, 못쓰게 되다 ; (죄수가) 쇠약해지다 : The prisoners were left to ~ in prison. 죄수들은 감옥에서 쇠약해져가는 대로 방치되었다. **3** [진행형으로] 《英俗》 농담을 하다, 빈정대다 : They are only ~*ting.* 허튼 소리만 하고 있다. ── *vt.* **1** 부패[타락]시키다, 못쓰게 하다 : Oil sometimes ~*s* the rubber. 기름이 배어 고무가 못쓰게 될 때가 있다. **2** 《英俗》 조롱하다, 놀리다(chaff).
── *n.* **1** Ⓤ 썩음, 부패 ; 부패물. **2** Ⓤ (특히 세균에 의한) 부패병, 부식병 ; 소모성 질환 ; [보통 the ~] 〖獸醫〗 양의 간충병. **3** Ⓤ 《俗》 잠꼬대, 허튼 소리(nonsense) : Don't talk ~! 허튼 소리 마라 / *R*~! 당치도 않은!, 시시하다! / What ~ that you can't come with us! 네가 같이 올 수 없다니 무슨 소리야! **4** (크리켓 따위에서) 갑작스런 잇단 실패 : A ~ set in. 실패가 잇달았다. 〖(v.) OE *rotian,* (n.) ? ON〗

ROT rule of thumb (주먹구구식 계산).

rot. rotating ; rotation.

ro·ta [róutə] *n.* 《주로 英》 근무 당번 명단(roster) ; 명부(list) ; 당번, 윤번. 〖L=wheel〗

ró·ta·mèter [róutə-, routǽmətər] *n.* 로터미터《액체의 유량(流量) 측정 계기》.

Ro·tar·i·an [routéəriən, -tǽər-] *a., n.* 로터리 클럽(Rotary Club)의 (회원). **~·ism** *n.*

ro·ta·ry [róutəri] *a.* 회전하는, 선회하는 ; 회전부에 있는 ; 윤전기의[에 의한] : a ~ fan 선풍기. ── *n.* **1** (윤전기 따위의) 회전 기계 ; 《美》 로터리《환상 교차 지점》(=《英》 roundabout). **2** [R~] =ROTARY CLUB. 〖L ; ⇨ ROTA〗

Rótary Clùb *n.* 로터리 클럽《봉사와 친선을 목적으로 하는 실업가 및 전문직업인의 국제적 단체로 1905년 Chicago에서 창설됨 ; 1922년 the Rotary International로 발전하여 세계 각지에 지부가 있음 ; 원래 각 회원이 순번(順番)으로 접대했기 때문에 이 명칭이 붙음 ; cf. SERVICE CLUB》.

rótary convérter *n.* 〖電〗 회전 변류기.

rótary drìlling *n.* 로터리 드릴링《회전 굴착기에 의한 유정(油井) 굴착》.

rótary éngine *n.* 로터리 엔진.

Rótary Internátional *n.* 국제 로터리 클럽《1905년 미국 시카고에서 창설된 실업가·지식인의 국제적 사교 단체》.

rótary plów *n.* 〖機〗 회전 경운기 ; 회전 제설기.

rótary préss *n.* 〖印〗 윤전 (인쇄)기.

rótary prìnting *n.* 〖印〗 윤전 인쇄.

rótary tíller *n.* 회전 경운기(rotary plow).

rótary-wíng[ró·tat·ing-wíng] áircraft *n.* (헬리콥터처럼) 회전 날개에 의해 양력(揚力)을 얻는 항공기.

***ro·tate** [róuteit, routéit ; ㅡㅡ] *vi.* **1 a)** 회전[순환]하다 : The seasons ~. 계절은 순환한다. **b)** 〖天〗 (천체가) 자전(自轉)하다. **2** 교대하다, 윤번으로 하다. ── *vt.* 회전[순환]시키다 ; 교대시키다 ; 〖農〗 돌려짓기하다 : They ~ crops on the poor soil. 그 메마른 땅에서 농작물을 돌려짓기하고 있다. ── [ㅡㅡ] *a.* (꽃부리 따위가) 바퀴 모양의. **ró·tat·able** [, ㅡㅡㅡ ; ㅡㅡㅡ] *a.* 〖L ; ⇨ ROTA〗
類義語 ⟹ TURN.

***ro·ta·tion** [routéiʃən] *n.* **1** Ⓤ,Ⓒ 회전, 선회 ; 〖天〗 자전(自轉) (cf. REVOLUTION). **2** Ⓤ 순환(recurrence) ; 〖農〗 돌려짓기(=~ of crops). **3** Ⓤ 교대, 윤번, 로테이션 : in[by] ~ 차례로(in turn). **4** 〖컴퓨〗 회전. **~·al** *a.*

ro·ta·tive [róuteitiv, ㅡㅡㅡ ; róutə-] *a.* 회전하는 ; 순환하는 ; 회전시키는. **~·ly** *adv.*

ró·ta·tor [, 美+routéi-] *n.* **1** 회전[선회]하는 것 ; 회전 장치 ; 〖空〗 (헬리콥터·제트 엔진의) 회전익 ; 〖理〗 회전자 ; 〖冶〗 회전로. **2** (*pl.* **~s, ro·ta·to·res** [ròutətɔ́:ri:z]) 〖解〗 회선근(回旋筋). **3** (윤번으로) 교대하는 사람.

ro·ta·to·ry [róutətɔ̀:ri, routéitəri ; róutətəri] *a.* 회전하는 ; 순환하는.

Ro·ta·va·tor [róutəvèitər] *n.* 로터베이터《회전식 가래가 달린 경운기 ; 상표명》. **ró·ta·vàte** *vt.* 로터베이터로 갈다. 〖*rota*tory+culti*vator*〗

ro·ta·vírus [ròutə-] *n.* 로터바이러스《방사상의 바이러스로 유아나 짐승의 갓 태어난 새끼에 위장염

을 일으킴). 〚*rota*+*virus*〛

ROTC, R.O.T.C. [ɑ̀:routi:sí:, rɑ́tsi] Reserve Officers' Training Corps (예비 장교 훈련단).

Rót-còrps [rɑ́t-] *n.* 《美俗》 =ROTC.

rote[1] [róut] *n.* Ⓤ 기계적인 방법[기억]; 기계적[지루한] 반복.
by rote 기계적으로; (기계적으로) 모조리 암기하여: learn (off) *by* ~ 모조리 암기하다.
── *a.* 모조리[무턱대고] 암기한; 기계적인 (mechanical). 〚ME< ?〛

rote[2] *n.* 바닷가에 부서지는 파도 소리.
〚? Scand.; cf. ON *rauta* to roar〛

ro·te·none [róutənòun] *n.* 〔化〕 로테논(사람과 가축에 독성이 적은 살충제).

rót·gùt *n.* 《俗》 질이 낮은 술[혼합주]; 《美·俗》 저질의 위스키.

ro·ti·fer [róutəfər] *n.* 〔動〕 윤충(輪蟲).
〚L ROTA, *-fer* bearing〛

ró·ti·fòrm [róutə-] *a.* 바퀴 모양의.

ro·tis·ser·ie [routísəri] *n.* 불고기집; (고기 따위를) 꼬챙이에 꿰어 굽는 전기 기구.
〚F; ⇨ ROAST〛

ro·to[1] [róutou] *n.* (*pl.* **~s**) (라틴 아메리카, 특히 칠레의) 최하층민, 빈민. 〚Am. Sp.〛

roto[2] *n.* (*pl.* **~s**) =ROTOGRAVURE.

roto- *comb. form* 「회전」의 뜻.

ro·to·chute [róutəʃù:t] *n.* 로토슈트(산체(傘體) 대신에 회전 날개가 달린 낙하산).

róto·gràph *n.* 〔寫〕 (원고 따위의) 복사 사진.

ròto·gravúre *n.* **1** Ⓤ,Ⓒ 윤전 그라비어(판). **2** 〔美新聞〕 로토그라비어 사진 페이지.

ro·tor [róutər] *n.* **1** 〔機〕 (증기 터빈의) 축차(軸車). **2** 〔電〕 회전자; 〔空〕 회전 날개. **3** 〔海〕 (풍통선(風筒船)의) 풍통, 회전 원통. 〚*rotator*〛

rótor blàde *n.* (헬리콥터 따위의) 회전 날개.

rótor·cràft *n.* =ROTARY-WING AIRCRAFT.

rótor-kìte *n.* 〔空〕 무동력 장치의 회전익기.

rótor plàne *n.* =ROTARY-WING AIRCRAFT.

rótor shìp *n.* 풍통선(風筒船)(곧게 세운 회전원통 주변에 일어나는 기압차를 추진력으로 함).

róto·scòpe *n.* 로토스코프(사진이나 영화를 바탕으로 동화(動畫)를 그려가는 방법 및 장치).

róto sèction *n.* (신문의) 윤전 그라비어 사진면.

ro·to·till [róutətìl] *vt.* 회전 경운기로 갈다.

Ro·to·till·er [róutətìlər] *n.* 로터털러(회전 경운기; 상표명).

ro·to·vate [róutəvèit] *vt.* 《英》 =ROTOTILL.

ro·to·va·tor [róutəvèitər] *n.* 《英》 회전 경운기.

***rot·ten** [rɑ́tn] *a.* **1** 썩은(spoiled); 불결한; 구린. **2** 흐물흐물한; 무른. **3** (도덕적·사회적으로) 부패한, 타락한; 태도가 나쁜, 버릇없는, 무례한. **4** (논리성이) 약한, 근거 불충분한. **5** 쓸모없는; 《俗》 아주 싫은, 불쾌한: a ~ book 쓸모없는 책 / ~ weather 궂은 날씨 / I'm feeling ~ this morning. 오늘 아침은 기분이 좋지 않다.
── *adv.* 몹시, 극도로. **~·ly** *adv.* 썩어서; 흐물흐물하게; 시시하게; 불쾌하게. **~·ness** *n.* Ⓤ 부패; 무름; 타락. 〚ON; ⇨ ROT〛

rótten bórough *n.* 〔英史〕 부패 선거구(유권자수의 격감으로 말미암아 자격을 상실하고도 국회 의원을 선출한 선거구).

rótten égg *n.* 《口》 나쁜[못된] 놈, 비열한 놈; 《兒》 느림보.

Rótten Rów *n.* 로튼 로(London의 Hyde Park의 승마 도로; 보통 the Row라고 함).

rótten·stòne *n.* 트리폴리석(石)(금속 닦는 데 쓰는 분해한 규질(硅質) 석회석).

rót·ter *n.* 《英俗》 건달, 쓸모없는 사람, 천더기.

Rot·ter·dam [rɑ́tərdæ̀(:)m] *n.* 로테르담(네덜란드 남서부의 항구 도시).

ro·tund [routʌ́nd, ⌐-] *a.* **1** 둥근; 땅딸막한, 뚱뚱한. **2** (입을) 둥글게 벌린; (목소리가) 낭랑한, 우렁찬. **3** (문체 따위가) 과장된, 화려한.
~·ly *adv.* **~·ness** *n.*
〚L *rotundus*; ⇨ ROTA〛

ro·tun·da [routʌ́ndə] *n.* 〔建〕 원형의 건물(둥근 지붕이 있는); 원형의 홀.
〚It. *rotonda* (*camera*) round (chamber) (↑)〛

ro·tun·di·ty [routʌ́ndəti] *n.* **1** Ⓤ 원형; 구형(球形). **2** Ⓤ 비만(肥滿). **3** Ⓤ (목소리가) 우렁참, 낭랑함; 낭랑한 목소리.

ro·tu·ri·er [routjúəriѐi; *F* rotyrje] *n.* 평민; 서민; 벼락 부자.

Rou·ault [ru:óu; *F* rwo] *n.* 루오. **Georges** ~ (1871-1958) 프랑스의 화가; 야수파를 거쳐 후에 현대의 대표적인 종교화가가 됨.

rouble ☞ RUBLE.

rouche ☞ RUCHE.

roué [ru:éi, ⌐-; ⌐-] *n.* 방탕아, 난봉꾼. 〚F=(one) deserving to be broken on wheel (p.p.) ‹ *rouer*〛

Rou·en [ru:ɑ́:ŋ, -ɑ́:n; ⌐-; *F* rwɑ̃] *n.* 루앙(프랑스 북부 Seine 강 연안의 상공업 도시).

rouge[1] [rú:ʒ] *n.* **1** Ⓤ (화장용) 연지, 루주. **2** Ⓤ 〔化〕 (산화제·금속 연마용의) 철단(鐵丹), 산화제2철. ── *a.* 붉은 색의. ── *vt., vi.* (얼굴에) 연지를 바르다; 얼굴을 붉히게 하다, 붉어지다.
〚F<L *rubeus* red〛

rouge[2] [rú:dʒ] *n.* 〔럭비〕 (영국 Eton교(敎)에서) 스크럼; (캐나디안 풋볼에서) 상대편의 득점이 되는 터치다운. 〚C19< ?〛

rouge et noir [rú:ʒ ei nwɑ́:r] *n.* 빨강·검정의 마름모꼴 무늬가 있는 테이블에서 카드로 하는 도박의 일종. 〚F〛

‡rough [rʌ́f] *a.* **1 a**) (감촉이) 거칠거칠한, 껄껄한 (↔*smooth*). **b**) 울퉁불퉁한, 우툴두툴한. **c**) 털이 억센, 텁수룩한; 털이 많은. **2** 세공[가공]하지 않은, 손질하지 않은; 대충 틀만 잡은; 미완성의; 솜씨가 서툰, 세련되지 않은: ~ rice 현미(玄米) / ~ skin (무두질하지 않은) 거친 가죽 / ☞ ROUGH DIAMOND. **3** 조야한, 천한; 버릇없는; 소박한. **4** 난폭한; 격렬한; 우악스러운, 거친. **5 a**) (소리가) 귀에 거슬리는, 가락이 맞지 않는. **b**) (맛이) 떫은; 덜 익은, 시큼한. **6** 날씨가 사나운, 험악한. **7** 힘이 드는 일의; 대강의, 대략적인; 거친: ~ work 막일, 육체 노동; 폭력 / a ~ estimate 어림셈 / ☞ ROUGH-AND-READY. **8** (그다지) 고급이 아닌, 변변치 않은. **9** 《口》 괴로운, 견디기 어려운: be ~ *on* a person 남에게 심하게 굴다 / have a ~ time 괴로운 일을 당하다, 어려움을 당하다 / a ~ deal ☞ DEAL[1] *n.* 2. **10** (그리스 문법에서의) h음을 동반하는, 기음(氣音)이 붙은.
give a person ***a lick with the rough side of*** one***'s tongue*** 남을 몹시 꾸짖다.
in the rough leaf 《英》 잎이 아직 어릴 적에.
rough and round 변변치 못하나 푸짐한.
rough and tough 튼튼한, 늠름한.
── *adv.* **1** 거칠게, 난폭하게; 우악스럽게. **2** 대강, 대략.
cut up rough ☞ CUT[1].
── *n.* **1** Ⓤ 울퉁불퉁한 토지; [the ~] 〔골프〕 러프(fairway 밖의 잔디를 다듬지 않은 지역). **2** 미가공(물), 자연 그대로의 것; 미완성품; (그림 따위의) 초벌그림, 스케치. **3** 학대; 쓰라린 고생.

4 《주로 英》 난폭한 사람, 불량배, 건달(ruffian) (cf. TOUGH *n.*). **5** (편자에 박는) 미끄럼 방지용 못[징]. **6** (그림 따위의) 밑그림, 스케치 ; [the ~] (가정내의) 귀찮은 일.
in the rough 미가공의 ; 미완성의 ; 난잡한[하게] ; 준비없는 ; 대강(의) ; 《美口》 난처하여 ; 평소 그대로의, 격식을 안 차리고 : a diamond *in the* ~ =a ROUGH DIAMOND.
over rough and smooth 도처[각처]에.
***the rough*(*s*) *and the smooth*(*s*)** 인생의 흥망, 부침(浮沈), 행불행.
—— *vt.* **1** [+目/+目+副] 거칠게 하다, 꺼칠꺼칠[울퉁불퉁]하게 하다 ; 교란시키다, 헝클어지게 하다 : The wind had ~*ed* (***up***) his hair. 바람에 그의 머리는 헝클어졌다. **2** (편자에) 징을 박다. **3** 난폭하게 다루다, 학대하다 ; (말을) 길들이다 (break in). **4** (보석·렌즈 따위를) 대충 갈다 ; 대충 모양을 만들다, 대충 계획을 세우다 ; …의 개요를 쓰다. —— *vi.* 거칠어지다, 난폭하게 굴다.
rough in …의 개략을 적다, 소묘(素描)하다.
rough it 불편을 참다, 원시적인 생활을 하다.
rough out …의 대체적인 계획을 세우다.
rough up (1) ☞ *vt.* 1. (2) (피아노의) 조율(調律)을 대충 맞추다.
rough a person ***up the wrong way*** 남을 성나게 하다.
~·**er** *n.* 대충 만드는 사람. ~·**ness** *n.*
〚OE *rūh* ; cf. G *rauh*〛
類義語 ***rough*** 표면이 꺼칠꺼칠[울퉁불퉁]하고 거친 느낌 : *rough* cloth (거친 천). ***harsh*** rough 의 정도가 심하고 촉감이 나쁜 : *harsh* fabric (몹시 까실까실한 직물). ***uneven*** 표면이 고르지[매끄럽지] 않은 : an *uneven* floor (고르지 못한 마루). ***rugged*** rough 하여 울퉁불퉁한 불규칙적인 돌출이 있고 통행의 방해가 되는 : a *rugged* road (울퉁불퉁한 도로).
róugh·age *n.* Ⓤ (소화가 잘 안되는) 거친 음식 또는 사료《섬유소·겨·짚·과일 껍질 따위 ; 창자의 연동(蠕動)에 자극제가 됨》.
róugh-and-réady *a.* 졸속(拙速)주의의, 임시 방편의 ; 조잡한, 날림으로 만든.
róugh-and-túmble *a.* 무모한, 마구잡이의, 뒤범벅이 된. —— *n.* 난전, 난투.
róugh bréathing *n.* 〚音聲〛 (그리스어의 어두(語頭) 모음 또는 ρ의) 기식음(氣息音)을 수반하는 발음 ; 기식음 기호(ʽ).
róugh·càst *n.* Ⓤ 대강 만들기 ; (페인트 따위의) 애벌칠, 초벌칠. —— *a.* 초벌칠한 ; 날림의.
—— *vt.* **1** (벽을) 초벌칠[애벌칠]하다. **2** (소설 따위의) 대강 줄거리를 잡다 ; (계획 따위를) 대충 세우다 ; (소설 따위의) 줄거리를 대강 세우다.
róugh cóat *n.* (페인트 따위의) 애벌칠, 초벌칠.
róugh cùt *n.* 아직 편집되지 않은 영화 필름.
róugh-cút *a.* (담배 따위) 거칠게 썬(↔*fine-cut*).
róugh díamond *n.* 연마하지 않은 다이아몬드 ; 《비유》 수양이 덜 되어 거칠지만 훌륭한 소질이 있는 사람, 「연마(硏磨)하지 않은 보석」.
róugh-drý *vt.* (세탁한 옷을) 다리지 않고 말리다. —— *a.* (다리지 않고) 빨아서 말리기만 한(cf. DRIP-DRY).
róugh·en *vt., vi.* 거칠게 하다[거칠어지다], 꺼칠꺼칠하게 하다[꺼칠어지다], 울퉁불퉁하게 하다[울퉁불퉁해지다]. ~·**er** *n.*
róugh físh *n.* (잡는 대상이 안되는) 잡어(雜魚).
róugh-fóot·ed *a.* (새가) 발에 깃털이 난.
róugh góing *n.* 고전(苦戰).
róugh grázing *n.* 《英》 자연 그대로의 목장.
róugh-grínd *vt.* (날붙이를) 애벌 갈다.
róugh-héw *vt.* 거칠게 깎다[건목치다] ; 대충 다듬다.
róugh-héwn *a.* 대충 깎은 ; 건목친 ; 조잡한, 버릇없는 ; 교양 없는.
róugh·hòuse *n.* Ⓤ 《口》 대소동, 난장판 ; 큰 싸움. —— *a.* 난폭한.
—— *vt.* 거칠게 다루다 ; 소란을 피워 방해하다.
—— *vi.* 난장판을 벌이다.
róugh·ing *n.* 〚競〛 반칙적 방해.
róugh·ish *a.* 약간 거친, (다소) 우악스러운.
róugh-lègged *a.* (새·말이) 다리에 털이 난.
***róugh·ly** *adv.* **1** 거칠게 ; 난폭하게 ; 버릇없이 ; 귀에 거슬리게. **2** 대충, 개략적으로 : ~ estimated 어림셈으로 / ~ speaking 대충[대략] 말하면.
róugh·nèck *n.* 《美俗》 버릇없는 놈, 난폭한 사람 ; 유정(油井)을 파는 인부 ; 《美》 서커스 노동자. —— *a.* 버릇없는, 천하고 상스러운.
róugh pássage *n.* 악천후의 항해 ; 《비유》 시련의 시기.
róugh·rìde *vi., vt.* (사나운 말·야생마를) 타서 길들이다 ; 거친 방법으로 억압[제압]하다.
róugh·rìder *n.* **1** 조마사(調馬師) ; 사나운 말을 잘 타는 사람. **2** [R~] (미국·스페인 전쟁 때 모집된 미국의) 의용 기병대원. 注 Rough Rider라고도 씀.
róugh·shód *a.* 편자에 징을 박은 ; 포악한, 무도한. —— *adv.* 무도하게, 악랄하게.
ride roughshod over …에게 마구 으스대다, (남이 싫어하건 말건) 제멋대로 행동하다 ; …을 짓밟다 ; …을 거칠게 다루다.
róugh shóoting *n.* 수렵지 이외에서의 총사냥.
róugh slédding *n.* 《口》 나쁜 상황, 난항.
róugh-spòken *a.* 말씨가 거친, 입정사나운.
róugh stùff *n.* 《俗》 **1** 폭력(행위), 난폭 ; 야비(한 일). **2** (스포츠 따위에서의) 반칙. **3** 외설스런 이야기[소설], 저속.
róugh-wróught *a.* 날림의, 날림으로 만든.
roul. roulette.
rou·lade [ruːlɑ́ːd] *n.* **1** 〚樂〛 (두 주(主)된 가락에 삽입된 빠른 경과음으로 된 대부분 무의미한) 장식음, 룰라드. **2** 룰라드《잘게 다진 고기를 얇팍한 고깃점에 싸서 만든 요리》. 〚F (*rouler* to roll)〛
rou·leau [ruːlóu ; ⌐-] *n.* (*pl.* **~s, -leaux** [-*z*]) 두루마리 ; 말아서 봉한 화폐 ; 장식용의 감은 리본 ; 〚醫〛 (적혈구의) 연전 상체(連錢狀體). 〚F〛
rou·lette [ruːlét] *n.* **1** Ⓤ,Ⓒ 룰렛《회전하는 원반 위에 공을 굴려서 하는 노름 및 그 도구》. **2** (종이·천에 재봉을 위한 금을 내는) 기어식 점선기. **3** (우표에 점선을 내는) 점선기. **4** 〚數〛 윤전곡선, 룰렛.
—— *vt.* …에 룰렛으로 자국을 내다 ; (우표에) 룰렛으로 점선을 내다.
〚F (dim.) < *rouelle* (dim.) < ROTA〛
Rou·ma·nia(n) [ru(ː)méiniə(n)] *n.* =RUMANIA(N).
◇**round**¹ [ráund] *a.* **1** 둥근(↔*square*) ; 원통형의 ; 〚建〛 반원형의, 아치 모양의 : a ~ shot 대포알, 포환(砲丸) / The earth is ~ like an orange. 지구는 오렌지 같은 둥근 모양을 하고 있다. **2** 토실토실 살찐(plump) ; 둥글게 한, 만곡한 : one's ~ back[shoulders] 새우등. **3** 일주하는 : a ~ tour 회유(回遊) / ☞ ROUND-TRIP. **4 a**) 완성[완결]된, 마무리 되어진 ; 완전한, 우수리 없는 ; 대략의, 대체적인 : a ~ number 우수리를 떼어낸 수 / in ~ numbers [figures] 우수리가 없는 수

로, 어림수로. **b**) 꽤 많은, 상당한 (수의). **5** 솔직한, 있는 그대로의 ; 거침없는, 노골적인 ; 용단을 내린 : be ~ *with* a person 남에게 숨기지 않다, 남에게 솔직히[노골적으로] 말하다. **6 a**) (음성이) 낭랑한 ; 울려퍼지는. **b**) 유창[유려]한. **c**) 잘 익은, 숙성한. **7** 기운찬, 활발한 ; 신속한, 쾌속의 ; 팔을 크게 휘두르는. **8** 〖音聲〗 (모음 따위) 원순(圓脣)의.

—— *n.* **1 a**) 원, 원형물, 고리(circle) ; (사다리의) 가로대(rung). **b**) Ⓤ 〖建〗 원형쇠시리 ; 〖彫〗 환조(丸彫) (cf. RELIEF[2] 1). **c**) 둘러앉은 사람들 ; (실의) 한 타래. **2** 공, 공모양[원통형]의 것 ; (소의) 넓적다리살 ; 빵의 둥근 조각《loaf를 둥글게 자른 것》. **3** (원형물·구형물 따위의) 둘레 ; 범위. **4** 돌기 ; 회전 ; 순환 ; 되풀이, 연속 : one's daily ~ (of life) 매일의 용무[생활]. **5** 한 바퀴, 일순(一巡) : go for a long ~ 멀리 산보하러 가다 / take a ~ 한바퀴 돌다, 거닐다 ; 산책하다〈*of*〉/ a ~ of calls[visits] 역방(歷訪). **6** 순환로 ; 원형로. **7** 순회, 순시 ; [때때로 *pl.*] 순회로[구역]. **8 a**) 한판의 승부, 한 시합, 1회, 단판 : a fight of ten ~*s* (권투의) 10회전 / play a ~ 한판 승부를 겨루다. **b**) (탄약의) 한 발분 ; (환성의) 한바탕 계속되기 ; 〖軍〗 일제 사격 : ~ after ~ of cheers 여러번 울리는 환성. **9** 원무(곡) ; 〖樂〗 돌림 노래. **10** 〖컴퓨〗 맺음.

***go the round*(*s*)** 순시하다, 순회하다 ; (소문 따위) 퍼지다, 돌다.

in the round 환조(丸彫)로 ; 개관적(概觀的)으로, 모든 특징을 나타내어.

make*[*go*] *one's rounds 순회하다.

make the round of …을 순회[순방]하다, 돌아다니다.

***pace*[*walk*] *the*[*one's*] *round*(*s*)** 순시[순회]하다.

—— *vt.* **1** 둥글게 하다, 공 모양[원통형]으로 하다 ; 토실토실 살찌게 하다 ; 둥글게 부풀리다 ; 〖音聲〗 (모음을) 입술을 둥글게 하고 발음하다 : ~ the lips 입술을 둥글게 하여 발음하다《[u:] [w] 따위의 경우》/ with one's ~*ed* eyes 눈을 휘둥그렇게 뜨고. **2** 돌다, 일주하다 : The car ~*ed* the corner. 차는 모퉁이를 돌았다 / The ship is now ~*ing* the cape. 배는 지금 곶을 돌고 있는 중이다. **3** [+目/+目+副] 돌리다, 방향을 바꾸게 하다 ; 소생시키다, 회복시키다 : ~ a boat ***off*** 보트를 회전시켜 방향을 바꾸다. **4** 완성하다, 마무르다〈*off*〉; …의 방향을 바꾸게 하다〈*off*〉. **5** 둘러싸다, 포위하다(surround). **6** 반올림하다.

—— *vi.* **1** 둥글게 되다 ; 공 모양[원통형]이 되다 ; 토실토실 살찌다, 둥글게 부풀다. **2** 한 바퀴 돌다 ; 순회[순시]하다. **3** 회전하다, 방향을 바꾸다 ; 뒤돌아보다.

round off (1) 둥글게[둥근 모양으로] 하다. (2) 완전하게 하다 ; (문장을) 솜씨 좋게 마무리하다[완성하다] : *R*~ *off* this passage. 이 문장을 정리하여 완성시키시오 / He ~*ed off* his career by being appointed a director. 이사로 임명되어 유종의 미를 거두었다. (3) ☞ *vt.* 3.

round out (1) 둥그스름하게 하다[되다], 둥글게 부풀다[부풀리다] : Your figure has ~*ed out.* 너의 몸매가 둥긋해졌구나. (2) =ROUND *off* (2).

round to 〖海〗 배가 이물을 바람 불어오는 쪽으로 돌려서 정박하다 ; 건강[기력]을 회복하다.

round up (가축을) 몰아 모으다 ; 몰다, 검거[체포]하다(arrest) : The police ~*ed up* the gang of criminals. 경찰은 그 범인의 일당을 검거했다.

round* (*up*)*on …에게 따지고 들다, …을 욕설하다 ; 고자질하다.

—— *adv.* **1** 돌아서, 회전하여 ; (둘레를) 빙 돌아, 순환하여. **2** 둘레에, 사방에 ; 가까이에, 부근에, 여기저기에 : go[walk] ~ 어슬렁어슬렁 돌아다니다 / loaf ~ 이리저리 배회하다 / all the country ~ 온 나라안에. **3** 한 바퀴 돌아가서, 차례차례로. **4** 멀리 돌아서, 우회(迂回)하여. **5** 둘레가 …로 : 4 feet ~ 둘레가 4피트. **6** (어떤 장소에서 다른 곳으로) 돌아서, 돌려서 : Bring my car ~. 내 차를 이쪽으로 돌려다오 / The water turns the wheel ~ *and* ~. 물이 (물레방아) 바퀴를 빙빙 돌린다. **7** (방향·생각이) 반대 방향으로, 역으로.

all* (*a*)*round 전반적으로 (봐서), 일반적으로.

all round*=*right round*=*round and round = [강조적으로] round.

all* (*the*) *year round 일년 내내 : The island has about the same weather *all the year* ~. 그 섬은 일년 내내 거의 같은 날씨가 계속된다.

ask a person ***round*** 남을 초대하다.

go a long way round 먼길로 돌아가다.

round about (1) 원을 이루어, 둘레에, 주위에 ; 사방 팔방에 ; 반대쪽에 ; 길을 멀리 돌아서[우회하여] : The pupils are mostly from the farms ~ *about.* 학생들은 대개 그 주변 농가의 아이들이다. (2) 대충…, 대략… : It will cost ~ *about* 10 dollars. 약 10달러 들 것이다.

talk round ☞ TALK.

win round 자기편으로 끌어들이다.

—— [-, ⌐] *prep.* **1** …을 돌아서 : a tour ~ the world 세계 일주 여행 / go ~ the corner 모퉁이를 돌다 / The earth moves ~ the sun. 지구는 태양의 둘레를 돈다. **2 a**) …의 둘레에, …의 사방에 : She looked ~ her[the room]. 그녀는 주위[방]를 둘러보았다. **b**) …가까이에, 주변에 : many miles ~ the town 그 도시의 수마일 사방. **3** …을 둘러싸고 ; …을 에워싸고 : A fence has been built ~ the yard. 그 앞마당 둘레에는 울타리가 처져 있었다 / The committeemen sat ~ the table. 위원들은 테이블에 둘러앉았다. **4** 《口》 …쯤, …무렵(about) : I arrived ~ noon. 나는 점심때쯤 도착했다 / He may pay somewhere ~ £500 for it. 그는 그 대금으로 500파운드 가량 지급할 것이다. **5** 《美》 (시간) 중, …하는 동안 줄곧(throughout) : He worked ~ the day. 그는 온종일 일했다.

***all round*...=*right round*...=*round and round*...** =[강조적으로] round... : argue ~ *and* ~ a subject 문제의 핵심은 언급하지 않고 외면만을 논하다. ㊟ round는 around와 흔히 구별하지 않고 사용됨 : They were seated *(a)round* the table. 그들은 테이블에 둘러앉아 있었다 / He looked *(a)round* him. 그는 그의 주위를 둘러보았다. 《英》에서는 around를 here and there (여기저기), in every direction (사방 팔방에)의 뜻으로, round를 in a circular motion (빙 돌아서)의 뜻으로 쓰는 경향이 있으나 《美》에서는 일반적으로 around를 많이 씀.

~·ness *n.* Ⓤ **1** 둥긂, 원형 ; 구형(球形). **2** 솔직, 정직. **3** 완전, 원만.

〚OF<L ; ⇨ ROTUND〛

類義語 ***round*** 「둥근」이란 뜻의 가장 의미가 큰 말로 원형·구형·원통형 따위 모든 것에 쓰임. ***circular*** (<circle) 원형의 ; 고리 모양이든 접시 모양이든 상관없고 완전한 원이 아니라도 좋음. ***annular*** (<annulus) 나무의 나이테처럼 둥근 테 모양을 한. ***spherical*** (<sphere) 지구

의(儀)처럼 전체의 표면이 중심에서 같은 거리에 있는. ***globular*** (<globe) 구(球) 모양의; 반드시 완전히 spherical이 아니라도 좋음.

round[2] *vi., vt.* 《英古》 속삭이다(whisper) : ~ a person in the ear (that...) (…이라고) 남의 귀에 대고 속삭이다.
〖OE *rūnian*〈RUNE ; *-d*는 cf. SOUND[1]〗

róund·abòut *a.* **1** 우회(迂回)하는, 돌아서 가는; (말 따위를) 에둘러서 하는; 간접의. **2** 토실토실 살찐. **3** 에워싸는. **4** 옷자락을 평평하게 자른. —— *n.* **1** 돌아서 가는 길; 완곡한 말씨. **2** 원(circle); 원형물; 원형장(場); 원진(圓陣). **3** 《英》 원형 교차점, 로터리(=《美》 rotary). **4** 《주로 英》 회전 목마(merry-go-round) : What one loses on the swings one gains on the ~*s.* ☞ SWING *n.* 5. **5** 《美》 =ROUND-TRIP.

róund árch *n.* 〖建〗 반원 아치.

róund-àrm *a.* 〖크리켓〗 수평으로 팔을 흔들며 던지는《투구》.

róund bárrow *n.* 〖考古〗 원분(圓墳).

róund brácket *n.* 〖印〗 둥근 괄호.

róund dànce *n.* 윤무(輪舞); 원무(곡).

róund·ed *a.* **1** 둥근, 곡선적인; 〖音聲〗 원순(圓脣)의 : a ~ vowel 원순 모음. **2** 완성한; 성숙한; 세련된. **3** 우수리를 잘라 버린, 대강의. **4** (목소리가) 낭랑한. **~·ness** *n.*

roun·del [ráundl] *n.* **1** 작은 원형물, 소권(小圈), 작은 원반. **2** 〖紋〗 작은 원형 문장(紋章); 작고 둥근 창문; 〖史〗 원형의 작은 방패. **3** 후렴(refrain)이 있는 짧은 시; =RONDEAU 1.
〖OF *rondel(le)* ; ⇨ ROUND[1]〗

roun·de·lay [ráundəlèi] *n.* 짧은 후렴이 있는 노래[곡]; 새의 지저귐; 원무(圓舞) (round dance).
〖F *rondelet* (dim.)〈↑; 어미는 *lay* 또는 *virelay* 따위의 영향〗

róund·er *n.* **1** 순회자; (감리 교회의) 순회 설교사. **2** 물건을 둥글게 하는 도구[사람]. **3** 〖拳〗… 회전(의 시합) : a 10 ~ 10회전. **4** [~s; 단수취급] 《英》 라운더즈《야구 비슷한 구기》. **4** 《美口》 상습범; 좋지 않은 곳을 드나드는 부랑자. **5** 《美口》 상습 취객, 「알코올 중독」.

róund·èye *n.* 《美軍俗》 서양 여자《동양 여자에 대하여》.

róund-éyed *a.* (깜짝 놀라) 눈이 휘둥그래진.

róund fíle *n.* 둥근 줄; 《戲》 휴지통.

róund gáme *n.* 조를 짜지 않고 각자 단독으로 하는 게임.

róund hánd *n.* 둥그스름하고 명료한 서체, 원형 서체《주로 제도용 글자》.

Róund·hèad *n.* 〖英史〗 원두(圓頭)당원《1642-51년의 내란에서 왕당파(Cavaliers)에 대적하여 머리를 짧게 깎았던 청교도의 별명》.

róund·hèel *n.* 《美俗》 잘 속는 사람; 남자 꾐에 잘 빠지는 여자; 《美》 이류의[약한] 권투 선수.

róund·hòuse *n.* **1** 원형 기관차 차고《중앙에 전차대(轉車臺)가 있음》. **2** 〖海〗 (옛날 범선의) 후갑판 밑의 선실. **3** 《古》 유치장. **4** 〖野〗 큰 커브; 〖拳〗 크게 휘두르는 훅. —— *a.* (펀치 따위) 크게 휘두르는.

róund·ing *n.* 〖音聲〗 원순화(圓脣化) (lip-rounding).

róund·ish *a.* 둥그스름한, 약간 둥근.

róund·let *n.* 작은 원 (모양의 것); 작은 공 (모양의 것).

róund lót *n.* 〖證〗 거래 단위《주식 100주 또는 채권 1000달러》.

róund·ly *adv.* **1** 둥글게, 원형으로. **2** 기운차게, 활발히; 신속하게. **3** 솔직히. **4** 충분히, 완전히; 가차없이. **5** 《美》 어림으로, 대강.

róund-róbin *n.* (서명자의 순서를 모르게 하기 위해) 원형으로 서명한 청원서; 〖競〗 리그전(cf. TOURNAMENT); 원탁회의; 연속.

róund-shóuldered *a.* 새우등의, 등이 굽은.

róunds·man [-mən] *n.* 《英》 외무원, 주문받으러 다니는 사람; 《美》 경사(警査); 순회 감시인, 순찰인.

róund stèak *n.* 소의 넓적다리살에서 두껍게 썬 고기(cf. ROUND[1] *n.* 2).

róund tàble *n.* **1** 둥근 테이블, 원탁(圓卓); 원탁회의; [집합적으로] 원탁회의 참가자. **2** [the R~ T~] 아서(Arthur) 왕이 기사들을 원형으로 앉게 한 대리석의 원탁, 원탁의 기사들. **3** 《口》 의논, 토론회.

róund-tàble *attrib. a.* 원탁회의의 : a ~ conference 원탁회의.

róund-the-clóck *a.* 《英》=AROUND-THE-CLOCK.

róund-the-wòrld *a.* 《英》 세계 일주의.

róund·tòp *n.* 〖海〗 장루(檣樓).

róund-tríp *n.* 회유 여행; 왕복 여행. —— *a.* 《美》 왕복 (여행)의(cf. ONE-WAY); 《英》 회유 (여행)의 : a ~ ticket 《美》 왕복 차표(=《英》 return ticket).

róund-trípper *n.* 《野俗》 홈런.

róund túrn *n.* 〖海〗 (배를 급히 멈추기 위한 밧줄의) 한 번 감기.

róund·ùp *n.* 《美·濠》 가축을 몰아 들이기; (범인의) 검거[체포]〈*of*〉; (뉴스 따위의) 총괄적 보고, 요약(summary).

róund·wòrm *n.* 선형동물; 회충.

roup[1] [rúːp, ráup] *n.* 가금(家禽)의 바이러스성 전염병; 《스코》 (목소리의) 쉼. **róupy** *a.* roup에 걸린; 목쉰. 〖C16<?〗

roup[2] [róup, rúːp] *n.* 《스코》 소란스러운 외침(clamor); 경매. —— *vt.* 경매하다. 〖ME=to shout<Scand.; cf. Icel. *raupa* to boast〗

rouse**[1] [ráuz] *vt.* **1** [+目/+目+*from*+名] …을 깨우다, 일으키다, 불러일으키다(awaken); (사냥감을) 몰아내다, 날아오르게 하다 : The sound ~*d* him ***from his reflections. 그 소리때문에 묵상에서 깨어났다 / The dog ~*d* a hare *from* the bushes. 개는 한 마리의 토끼를 덤불 속에서 몰아냈다. **2** [+目/+目+前+名] 고무[격려]하다, 분발시키다; 격분시키다; (감정을) 불러일으키다, 북돋우다 : Her curiosity was ~*d.* 그녀의 호기심이 발동했다 / The people ~*d* themselves and put up stout resistance. 사람들은 분기하여 완강히 저항했다 / The insult ~*d* him ***to*** anger. 모욕을 당하자 그는 성을 냈다. **3** 〖海〗 세게 끌어당기다[잡아당기다]〈*in, out, up*〉.
—— *vi.* 눈을 뜨다; 기운을 내다, 분기하다〈*up*〉.
—— *n.* 각성; 분기; 〖英軍〗 기상 나팔.
〖ME<?; 본래는 (매)사냥 용어〗
類義語 ⟹ STIR.

rouse[2] *n.* 《英古》 가득 채운 잔; 축배, 건배; 술 마시며 떠들기.
give a rouse 축배를 들다.
take** one's **rouse 술마시고 떠들다.
〖*to drink carouse*의 다른 분석(分析) *drink a rouse*에서인가〗

róuse·abòut *n.* 《濠》 (목양장(牧羊場) 따위의) 잡역부.

rous·er [ráuzər] *n.* 각성[환기]시키는 사람; 《口》 괄목할 만한 사람[물건]; 《俗》 깜짝 놀랄만한 말[행위]; 새빨간 거짓말; 큰 허풍; 목청이 큰 사람.

rous·ie [ráuzi] *n.* 《濠口》 =ROUSEABOUT.
róus·ing *a.* 각성하는 ; 고무하는 ; 흥분시키는 ; 활발한 ; 심한, 대단한 : a ~ sermon 마음을 일깨우는[감동적인] 설교. **~·ly** *adv.*
Rous·seau [rusóu, rú:sou ; *F* ruso] *n.* 루소. **Jean Jacques** ~ (1712-78) 스위스 태생인 프랑스의 사상가·문학자.
Rousséau·ism *n.* Ⓤ 루소주의, 자연주의, 사회계약설.
roust [ráust] *vt.* **1** 《口》 깨우다, 일으키다, (숨은 것 따위를) 나타나게 하다〈*up*〉. **2** 몰아내다, 쫓아내다〈*out*〉. **3** 《俗》 체포하다. ── *vi.* 《濠俗》 화가 나서 고함치다.
〖변형(變形) 〈 *rouse*[1]〗
róust·abòut *n.* 《美》 부두의 인부, 항만 노동자 ; 《美》 미숙련 노동자 ; =DECKHAND.
rout[1] [ráut] *n.* **1** 혼란한 군중[회합] ; 오합지중(rabble) ; 폭도 ; 〔法〕 (3인 이상의) 불온 집회. **2** 《古》 사교적 집회, 대야회(大夜會). **3** U.C 패주, 참패, 대패.
put. . . to rout …을 패주[참패]시키다.
── *vt.* 참패[패주]시키다(defeat) : The enemy was ~*ed.* 적은 패주했다.
〖OF<Rom.=broken (company) ; ⇨ ROUTE〗
rout[2] *vt.* **1** =ROOT[2]. **2** [+目+副/+目+前+名] 강제로 끌어내다, 흔들어 깨우다, 폭로하다 : I was ~*ed* ***out*** (***of*** bed) by my father. 나는 아버지에게 (잠자리에서) 강제로 끌려 나왔다.
── *vi.* =ROOT[2]. 〖ROOT[2]〗
róut càke *n.* 야회(용) 케이크.
***route** [rú:t, ráut ; rú:t, 《軍》 ráut] *n.* **1 a)** 길, 도로 ; 노선 ; 간선도로 ; 항로 : an air ~ 항공로 / the great circle ~ 대권(大圈) 항로 / take one's ~ 나아가다, 가다〈*to*〉. **b)** 《美》 (우유·신문 따위의) 배달길[구역]. **c)** 〔醫〕 (의약의) 경로. **2** (일반적으로) 접근하는 길[방법, 수단], 루트. **3** 〔軍〕 행군 명령, 출발 명령 : a column of ~ 행군 대형(隊形) / give[get] the ~ 출발 명령을 내리다[받다].
go the route 〔野〕 (투수가 한 시합에서) 완투(完投)하다 ; 끝까지 해내다.
on route =EN ROUTE.
── *vt.* (화물 따위의) 경유지를 정하다 ; 발송하다[시키다] ; …의 순서[절차]를 정하다.
〖OF *route* road<L *rupta* (*via*) broken up (way) (*rumpo* to break)〗
róute-góing perfórmance *n.* 〔野〕 완투(함).
róute·man [-mən, ráutmæ̀n] *n.* (한 구역의) 배달 책임자.
róute màrch *n.* 〔軍〕 도보 행군.
róute·màrch *vi., vt.*
rout·er[1] [rú:tər, ráu-] *n.* 장거리 경주마.
rout·er[2] [ráutər] *n.* 홈 파는 도구[기계] ; = ROUTER PLANE.
róuter plàne *n.* 홈을 파는 대패.
róute stèp *n.* 〔軍〕 장거리[도보] 행군의 보조(步調) : at ~ 장거리 행군 보조로.
***rou·tine** [ru:tí:n] *n.* **1** U.C 틀에 박힌 일, 일상의 일[과정] ; 관례 ; 순서, 기계적 조작 : daily ~ 매일같이 하는 정해진 일, 일과. **2** 《美》 (연극에서) 틀에 박힌[상투적인] 연기. **3** 〔컴퓨〕 루틴, 통로 《프로그램에 의한 컴퓨터의 일련의 작업》. **4** [형용사적으로] 일상의 ; 정해진, 틀에 박힌, 기계적인 : ~ business 일상적인 업무.
~·ly *adv.* 관례적으로, 일과로서, 일상시에.
〖F ; ⇨ ROUTE〗
rou·ti·neer [rù:təníər] *n.* 기계적 사무에만 적합한 사람, 창의성이 없는 사람.
rou·tin·ism [ru:tí:nizəm] *n.* 천편일률.
-ist *n.* =ROUTINEER.
rou·tin·ize [ru:tí:naiz] *vt.* 관례화(慣例化)[일상화]하다, 판에 박힌 일을 하도록 길들이다.
rou·tìn·i·zá·tion *n.*
ROV 〔軍〕 remotely-operated vehicle (원격(遠隔) 작업기).
rove[1] [róuv] *vi.* **1** [動/+前+名] 배회하다, 유랑하다 : The invaders ~*d* ***through*** the country. 침입자들은 온 나라 안을 돌아다녔다. **2** (애정이) 끊임없이 변하다 ; (눈을) 두리번거리다. **3** 〔낚시〕 산 미끼로 견지 낚시질하다. ── *vt.* 헤매다 : ~ the world 세계를 방랑하다 / In our holidays we ~*d* the fields and woods. 휴가 중에 우리는 산과 들을 돌아다녔다. ── *n.* 돌아다니기, 헤맴, 배회, 유랑 ; 불규칙적인 이동.
on the rove 헤매어, 유랑하여.
〖ME (archery)=to shoot at casual mark with range not determined<? *rave* (dial.) to stray<Scand.〗
類義語 ⟹ ROAM.
rove[2] *v.* REEVE[1]의 과거·과거분사.
rove[3] *n.* 거칠게 자은 실. ── *vt.* 거칠게 잣다, 물레로 굵게 자아내다. 〖C18<?〗
róve bèetle *n.* 〔昆〕 반날개과의 딱정벌레.
rov·er[1] [róuvər] *n.* **1** 돌아다니는 사람, 유랑인, 배회자. **2** 《古》 해적(=sea ~) ; 해적선 ; 노상강도(highwayman). **3** 〔弓術〕 임시 과녁 ; 멀리 있는 표적 ; 멀리 있는 표적에 쏘는 사람. **4** [R~] 《英》 청년대원, 로버 스카우트《18세 이상의 보이스카우트 ; ☞ BOYSCOUT》. **5** 《英》 (음악회 따위의) 입석 손님. **6** 〔競〕 특별한 수비 위치가 없는 선수.
at rovers 무턱대고, 막연히.
shoot at rovers 임시로 정한 먼 과녁을 겨냥하고 쏘다 ; 난사(亂射)하다.
rover[2] *n.* 조방공(粗紡工) ; 조방기(機). 〖ROVE[3]〗
rov·ing[1] [róuviŋ] *n.* 방랑 ; 멀리 있는 표적을 쏘기. ── *a.* 유랑하는 ; 돌아다니는, 이동하는 ; (눈이) 두리번 거리는 ; 산만한 : a ~ life 유랑 생활 / a ~ ambassador[correspondent, minister] 《美》 순회대사[통신원, 공사].
roving[2] *n.* Ⓤ 조방사(粗紡絲)《거칠게 자은 실》. 〖ROVE[3]〗
róving commíssion *n.* (조사원의) 자유 여행 권한 ; 《口》 여기저기 돌아다니는 일.
‡**row**[1] [róu] *n.* **1** 열, 줄 ; 늘어선 집들 : a ~ of houses 한 줄로 늘어선 집들 / a ~ of trees 가로수 / a ~ of teeth 치열(齒列). **2** (극장 따위의) 좌석줄 : in the front ~ 맨 앞줄에. **3** (양쪽에 집이 늘어선) 거리, …가(街). 注 《英》에서는 흔히 거리 이름으로 쓰임 : Rochester *R*~ 《London의 거리 이름》. **4** 〔컴퓨〕 가로(칸). **5** [the R~] = ROTTEN ROW. **6** 〔數〕 (행렬의) 행(行).
a hard [***long***] ***row to hoe*** 어려운 일.
hoe one's ***own row*** 《美》 독립하여 일을 하다, 자기 사업을 하다.
in a row 일렬로 ; 연속적으로 : Set the glasses *in a* ~. 컵을 한 줄로 가지런히 놓으시오.
in rows 여러 줄로 늘어서서, 줄지어.
── *vt.* (일렬로) 늘어놓다.
〖OE *rǣw* ; cf. G *Reihe* line〗
‡**row**[2] [róu] *vi.* **1** [動/+副/+前+名] 배[보트]를 젓다 : We ~*ed* ***out.*** 우리는 노를 저어 나아갔다 / He ~*ed* ***down*** the river. 강을 저어 내려갔다. **2** [動/+前+名] 보트 레이스에 참가하다 :

They ~*ed* ***against*** the Oxford crew. 옥스퍼드 대학 팀과 조정 경기를 했다. **3** (보트가) 저어지다, 노를 저어 달리다. —— *vt.* **1 a)** [+目/+目+副] 배를 젓다 : Let's ~ a boat. 보트를 젓자 / He ~*ed* ***off*** the boat. 그는 보트를 젓기 시작했다. **b)** (어떠한 피치로) 젓다 : We ~*ed* 30 (strokes) to the minute. 1분 동안에 30피치로 저었다. **c)** (어떤 번호의 위치에서) 노를 젓다 : He ~*s* (No.) 4 in the Cambridge crew. 그는 케임브리지 대학 팀에서 4번 노를 젓는다. **d)** 저어서 …하다 : They began ~*ing* a race. 보트 레이스를 시작했다. **2** 노를 저어 …와 경조하다. **3** [+目/+目+副/+目+前+名] 저어서 운반하다 : He ~*ed* us ***up***[***down, across***] (the river). 우리를 위해서 배를 저어 (강을) 올라가[내려가, 건네] 주었다 / He was ~*ed* ***to*** the shore. 그는 기슭까지 배를 얻어 탔다. **4** (보트가) 노를 갖추고 있다 : a boat that ~*s* 6 oars 노가 여섯 자루있는 보트.

look one way and row another 《俗》 겉으로는 어떤 것을 노리는 체하며 실은 다른 것을 노리다.

row down (1) ☞ *vi.* 1 ; *vt.* 3. (2) (보트 레이스에서) 저어서 따라잡다.

Rowed of all ! 노를 올려 !, 그만 저어 !

row in one[***the same***] ***boat*** 《비유》 같은 사업에 종사하다, 똑같은 처지에 있다〈*with*〉.

row out (1) 저어 나가다, 젓기 시작하다(cf. *vi.* 1). (2) 저어서 지치게 하다 : All the crew were ~*ed out.* 승무원들은 모두 노젓기에 지쳐 버렸다.

row over (보트 레이스에서) (…에게) 낙승(樂勝)하다(cf. WALK *over*).

—— *n.* 노젓기, 뱃놀이, 보트 젓는 거리[시간] : Won't you go for a ~ with me? 같이 보트 타러 가지 않을래.

〖OE *rōwan* ; cf. ON *róa,* L *remus* oar〗

◇**row**[3] [ráu] *n.* 《口》 **1** Ⓤ 떠들썩함, 소동 : There's too much ~. 시끄러워 죽겠다 / What's the ~? 도대체 무슨 일이냐. **2** 싸움, 말다툼, 입씨름, 논쟁, 투쟁 : make[kick up] a ~ 소동을 일으키다 ; 항의(抗議)하다〈*about*〉. **3** 야단맞음 : get into a ~ 야단맞다. **4** 《英俗》 큰소리, 소음 ; 《英俗》 입(mouth).

—— *vt.* 꾸짖다, 욕설하다(scold).

—— *vi.* [動/+*with*+名] 떠들다 ; 말다툼[싸움]하다 : Stop ~*ing* ***with*** your colleagues. 동료들과 싸우는 것은 그만두시오.

〖C18<?〗

row·an [róuən, ráu-] *n.* 〖植〗 마가목 ; 그 열매. 〖Scand.〗

rówan trèe *n.* 〖植〗 마가목.

rów·bòat [róu-] *n.* 노 젓는 보트(rowing boat).

row-de-dow [ráudidàu ; ⌐--⌐] *n.* 소란, 떠들썩함, 법석거림.

row·dy [ráudi] *a.* 난폭한, 거친, 싸우기 잘하는, 떠들썩한. —— *n.* 난폭한[잘 싸우는·떠들썩한] 사람. **rów·di·ly** *adv.* **rów·di·ness** *n.*

〖C19<?; 원래 《美俗》 =lawless backwoodsman ; *row*[3]와 관계가 있는가〗

row·dy·dow·dy [ráudidáudi] *a.* 왁자지껄한, 시끄러운 ; 야비한.

rówdy·ish *a.* =ROWDY. **~·ness** *n.*

rówdy·ìsm *n.* Ⓤ 난폭한 태도[성질], 대들 듯한 기세, 소란함.

row·el [ráuəl] *n.* (박차(拍車) 끝의) 작은 톱니바퀴. —— *vt.* (-l- | -ll-) …에 박차를 가하다 ; 괴롭히다. 〖OF<L *rotella* (dim.) 〈ROTA〗

row·en [ráuən] *n.* 《美》 여름이 끝날 때까지 갈지 않고 두는 목초용의 밭 ; [때때로 *pl.*] (목초의) 두벌베기(aftermath).

Ro·we·na [rouwí:nə] *n.* 여자 이름.

〖? Welsh *Rhonwen* white skirt ; 일설(一說)에 OE *Hrōthwyn* (fame+friend)〗

rów·er *n.* 노젓는 사람.

rów hòuse [róu-] *n.* 《美》 연립주택의 한 채.

row·ing [róuiŋ] *n.* **1** 보트 젓기, 조정(漕艇). **2** 로잉《shell에 의한 보트 레이스》.

rówing bòat *n.* 《英》 =ROWBOAT.

rówing machìne *n.* 로잉 머신《보트 젓는 법을 연습하는 기계》.

Row·land [róulənd] *n.* 남자 이름.

〖⇨ ROLAND〗

row·lock [rálək, rʌ́l-, róulὰk] *n.* 《英》 노걸이, 노받이, 크러치(crutch).

〖C18 *oarlock*<OE *ārloc* ; ⇨ OAR, LOCK[1]〗

Rów·ton hòuse [ráutn-] *n.* 《英》 개량형 저소득자용 주택.

〖Lord *Rowton* (d. 1903) 영국의 사회 개량가〗

Rox·ana [raksǽnə] *n.* 여자 이름.

rox·burghe [ráksbə̀:rou] *n.* 록스버로 장정(裝幀)《등은 무늬없는 가죽에 윗단면은 금박이고 앞단면과 아랫단면은 재단하지 않음》.

〖Third Duke of *Roxburghe*의 장서의 장정〗

Roy [rɔ́i] *n.* 남자 이름.

〖OF<Sc. Gael. =red ; F *roi* king과 혼동〗

***roy·al** [rɔ́iəl] *a.* **1** 왕의, 국왕인 ; 왕실의 ; 국왕으로부터 나온[주어진] : a ~ family[palace] 왕실[궁] / a ~ house 왕가 / of the blood ~ 왕족의 / a ~ speech 《英》 (의원에게의) 칙어(勅語) / *R*~ "we" ☞ WE 2 注. **2** 《英》 국왕의 보호를 받는 ; 왕권 밑에 있는 ; 칙허(勅許)[칙정]의, 왕립(王立)의 : a ~ charter[warrant] 칙허장(勅許狀) / a ~ edict 칙령(勅令). 注 영국에서는 「국립」이나 「나라의」라고 할때 royal이라고 하는 일이 많으나 공공기관·시설·단체의 명칭에 붙일 때 반드시 「왕립」의 뜻은 아님 : ☞ ROYAL EXCHANGE. **3** 왕다운, 왕에 어울리는 ; 기품있는, 고귀한, 위엄있는 ; 관용의, 관대한. **4** 당당한, 훌륭한(splendid) : ☞ BATTLE ROYAL. **5** 《口》 호화로운, 멋진(excellent), 최고의, 완전한 : have a ~ time 매우 유쾌하게 지내다 / in ~ spirits 원기 왕성하여. **6** 매우 중요한[높은 지위의]. **7** 대형의, 특대의. **8** 〖海〗 로열의《돛 따위가 topgallant의 위에 있는》; 〖化〗 불활성의 : ~ metals 귀금속.

—— *adv.* 《美俗》 굉장히, 최고로, 완전히.

—— *n.* **1** 《口》 왕족[왕가]의 사람. **2** =ROYAL PAPER. **3** =ROYAL STAG. **4** =ROYAL SAIL. **5** =ROYAL FLUSH. **6** =ROYAL BLUE.

〖OF *roial*<L REGAL〗

Róyal Acádemy (of Árts) *n.* [the ~] 《英》 왕립 미술원《1768년 창립 ; 略 R. A.》.

Róyal Áir Fòrce *n.* [the ~] 영국 공군《略 RAF, R. A. F.》.

Róyal and Áncient *n.* [the ~] 로열 앤드 에인션트《세계에서 가장 오래되고 최고 권위가 있는 골프 클럽 Royal and Ancient Golf Club of St. Andrews ; 1754년 결성 ; 略 R & A》.

Róyal Ánthem *n.* [the ~] 영국 국가.

róyal assént *n.* 《英》 (의회를 통과한 법안이 발효하는데 필요한) 국왕의 재가.

Róyal Bállet *n.* [the ~] 영국 로열 발레단.

róyal blúe *n.* 《英》 감청색 ; 《美俗》 환각제.

Róyal Canádian Móunted Políce *n.* [the ~] 캐나다 기마 경찰대《연방 경찰》.

róyal cólony *n.* 직할 식민지(cf. CROWN COLONY).

Róyal Cóurts of Jústice *n.* [the ~] 《영국》 왕립 재판소《London의 Strand 가(街)에 있는 고등 법원》.

róyal évil *n.* [the ~] 〖醫〗 나력 (scrofula)《경부(頸部) 림프샘의 종기; cf. KING'S EVIL》.

Róyal Exchánge *n.* [the ~] 런던 증권 거래소《London에 있으나 지금은 거래 업무를 하지 않음; 略 R.E.》.

róyal férn *n.* 〖植〗 고비.

Róyal Féstival Háll *n.* 로열 페스티벌 홀《London의 Thames 강 남쪽 기슭에 있는 콘서트 홀; 略 R.F.H.》.

róyal flúsh *n.* 〖카드놀이〗 로열 (스트레이트) 플러시《가장 끗수가 높은 같은 짝패 다섯장의 스트레이트 플러시》.

Róyal Flýing Córps *n.* [the ~] 영국 육군 항공대(隊)《현재는 Royal Air Force에 합병됨; 略 R. F. C.》.

róyal fólio *n.* 로열 2절판.

Róyal Híghness *n.* 《영국에서》 전하《왕족의 경칭; 略 R. H.; cf. HIGHNESS》.

Róyal Institútion *n.* [the ~] 영국 과학 연구소《略 R. I.》.

róyal·ìsm *n.* Ⓤ 근왕(勤王)[왕정]주의, 왕당(王黨)주의.

róyal·ist *n.* **1** 왕당파, 군주(제) 지지자; [R~] 〖英史〗 왕당원(Tory); 〖美史〗 =TORY 3; 〖프史〗 왕당원《부르봉(Bourbon) 왕조 지지자》. **2** 《美》 보수주의자, 수구파(守舊派), 완고한 사람: an economic ~ 구두쇠, 완고한 실업가.
—— *a.* =ROYALISTIC.

ròy·al·ís·tic *a.* 근왕[왕정]의, 왕당의, 근왕가[왕당파]의.

róyal jélly *n.* 로열 젤리《여왕벌이 될 유충이 먹는 영양이 풍부한 물질》.

róyal·ly *adv.* 왕으로서; 왕답게; 장엄하게; 《口》 훌륭하게, 멋지게: They welcomed us right ~. 우리를 멋지게 환영해 주었다.

Róyal Máil *n.* 영국 우정.

Róyal Marínes *n. pl.* [the ~] 영국 해병대.

róyal mást[póle] *n.* 〖海〗 로열 마스트《대형 범선의 topgallant 위에 있는 작은 돛대로 로열 세일(royal sail)을 다는 부분》.

Róyal Nával Áir Sèrvice *n.* [the ~] 영국 해군 항공대《略 R. N. A. S.》.

Róyal Návy *n.* [the ~] 영국 해군《略 R. N.》.

róyal óak *n.* [the ~] 로열 오크《영국왕 Charles 2세가 1651년 Worcester의 전투에서 패했을 때 숨어서 살아난 오크나무; cf. OAK-APPLE DAY》.

róyal octávo *n.* 로열 8절나무.

róyal pálm *n.* 〖植〗 대왕야자나무.

róyal páper *n.* 로열판《24×19인치의 필기 용지; 25×20인치의 인쇄지》.

Róyal Princéss *n.* 왕녀.

Róyal Psálmist *n.* [the ~] 〖聖〗 다윗(David)의 속칭.

róyal púrple *n.* 질푸른 자줏빛.

róyal quárto *n.* 로열 4절판.

róyal róad *n.* **1** 왕도, 지름길, 쉬운 방법: There is no ~ *to* learning. 《속담》 학문에는 왕도가 없다. **2** [R~ R~] 왕도《고대 페르시아의 도시 Susa에서 Anatolia를 통하여 에게해에 이르는 도로》.

róyal sáil *n.* 〖海〗 로열 마스트의 돛.

Róyal Scóts Régiment *n.* [the ~] 로열 스코틀랜드병(兵) 연대.

Róyal Shákespeare Cómpany *n.* [the ~] 로열 셰익스피어 극단《1960년 발족》.

Róyal Socíety *n.* [the ~] 왕립 협회《1660년에 창설된 영국 최고(最古)의 자연과학 진흥을 목적으로 하는 학회; 정식명 The Royal Society of London for the Improvement of Natural Knowledge; 略 R.S.》.

róyal stág *n.* 뿔이 열두 갈래 이상인 사슴.

róyal stándard *n.* [the ~] 왕기(王旗).

róyal·ty *n.* **1** Ⓤ 왕[여왕]임; 왕권, 왕위; 왕의 위엄; 장엄; [보통 *pl.*] 왕족; 왕의 특권; Ⓒ 왕족의 일원; 왕령(王領): a performance in the presence of ~ 어전(御前) 공연[연주]. **2** Ⓒ 특허[저작]권 사용료; (희곡) 상연료; (저서·작곡 따위의) 인세; (국왕으로부터 이양된) 관할권; 화폐 주조세; 채굴권; 광구[광산, 유전] 사용료.
〖OF; ⇨ ROYAL〗

roys·ter [rɔ́istər] *vi.* =ROISTER.

Ro·zélle rúle [rouzél-] *n.* 〖스포츠〗 로젤 규약《자유계약 선수와 프로팀이 교환하는 계약서에 포함되는 조항으로 새로 계약한 팀이 전 팀에게 보상금을 지급할 의무를 규정》.
〖A. R. *Rozelle* (1927-): 미국 National Football League의 커미셔너〗

roz·zer [rázər] *n.* 《英俗》 순경, 형사.

RP 〖經〗 repurchase agreement. **R.P.** Received Pronunciation (표준적 발음); Reformed Presbyterian; Regius Professor. **R.P.C.** Royal Pioneer Corps (영국 육군 선발 공병대). **RPG** [àːrpìːdʒíː] 〖컴퓨〗 Report Program Generator (보고서 프로그램 생성(生成) 루틴). **RPI** retail price index (소매 물가 지수). **r.p.m.** resale price maintenance(재(再)판매 가격 유지); revolutions per minute. **R.P.O.** Railway Post Office. **r.p.s.** revolutions per second. **R.P.S.** 《英》 Royal Photographic Society (왕립 사진 협회). **rpt.** report; reprint(ed). **RPV** remotely piloted vehicle(지상 유도 무인 항공기). **R.Q.** respiratory quotient. **R.R.** railroad; Right Reverend; rural route(지방 무료우편 배달 경로). **RRB** Railroad Retirement Board (철도 종업원 퇴직 위원회). **R.R.C.** Royal Red Cross (적십자 훈장).

-r·rha·gia [réidʒiə] *n. comb. form* 「이상 배출」 「유출 과다」의 뜻: matro*rrhagia*.
〖NL<Gk. (*rhēgnumi* to burst)〗

-r·rhea, -r·rhoea [ríːə] *n. comb. form* 「배출」 「방출」「유출」의 뜻: logo*rrhea*.
〖L<Gk. (*rheō* to flow)〗

-r·rhine, -rhine [ràin] *a. comb. form* 「…의 코를 가진」의 뜻: cata*rrhine*. 〖Gk. (*rhis* nose)〗

-rrhiza ⇨ -RHIZA.

rRNA ribosomal RNA. **Rs.** rupees. **R.S.** recording secretary(기록담당원); right side; Royal Scots ((옛) 영국 육군 보병 제1연대).
R.S.A. Royal Scottish Academy(왕립 스코틀랜드 미술원); Royal Society of Arts.
R.S.C. referee stop contest(심판 중지시합).
R.S.D. Royal Society of Dublin. **R.S.E.** Royal Society of Edinburgh. **R.S.M.** Royal School of Mines. **R.S.P.C.A.** 《英》 Royal Society for the Prevention of Cruelty to Animals. **R.S.S.** *Regiae Societatis Socius* 《L》(=Fellow of the Royal Society); rotating service structure (회전식 정비탑).
RSV, R.S.V. Revised Standard Version.

R. S. V. P., r.s.v.p., rsvp *Répondez s'il vous plaît* ⦅F⦆(=Please reply). **rt.** right. **R.T.** radiotelegraphy ; radiotelephony. **R/T** radiotelegraphy. **rte.** route. **RTG** 〖工〗 radioisotopic thermoelectric generator. **Rt. Hon.** Right Honorable. **RTL** Register Transistor Logic. **RTO, R.T.O.** 〖軍〗 Railway Transportation Officer.

RTOL [ɑ́:rtɔ(:)l, -toul, -tɑl] *n.* 〖空〗 아르톨기⦅단거리 이착륙기⦆. 〚*r*educed *t*akeoff and *l*anding〛

Rt. Rev(d). Right Reverend. **Rts.** 〖商〗 rights. **r-t-w** ready-to-wear. **RTW** 〖空〗 round the world (세계 일주). **Ru** 〖化〗 ruthenium.

R.U. ⦅英⦆ Rugby Union ⦅럭비 유니언 ; 15인제의 아마추어 럭비⦆.

ru·a·na [ru:ɑ́:nə] *n.* 루아나⦅콜롬비아 지방의 판초 비슷한 겉옷⦆. 〚Am. Sp.〛

Ru·an·da [ruɑ́:ndə] *n.* (*pl.* ~, ~**s**) 루안다족(族) ⦅르완다·콩고 민주 공화국에 사는 Bantu족(族)⦆ ; 루안다 어(語).

‡rub[1] [rʌb] *v.* (**-bb-**) *vt.* **1** [+目/+目+副/+目+前+名/+目+補] 문지르다, 마찰하다 ; 비비다, 문질러 닦다 ; 문질러[비벼]바르다 ; 쓰다듬다, 어루만지다 : He ~*bed* his hands *together.* 그는 양손을 비벼댔다 / He ~*bed* his eyes and yawned. 눈을 비비며 하품을 했다 / I ~*bed* my hands ***on*** the towel. 수건으로 손을 닦았다 / *R*~ your feet ***with*** the soap. = *R*~ the soap *on* your feet. 발에 비누칠을 하시오 / She ~*bed* the table top *with* wax polish[~*bed* wax polish ***over*** the table top]. 그녀는 책상 위를 왁스로 문질렀다 / The cat was ~*bing* itself[its head] ***against*** her legs. 고양이는 몸[머리]을 그녀의 다리에 비벼대고 있었다 / I ~*bed* my hands sore. 손이 까지도록 문질렀다. **2** 탑본(搨本)하다, 탁본을 뜨다. **3** 건드리다, 스치다 ; 스쳐서 껍질을 벗기다, 스쳐서 아프게 하다. **4** 초조하게 하다, 애태우다.

—— *vi.* **1** [+前+名/+副] 스치다, 마찰하다 : The wheel is ~*bing* ***against*** something. 바퀴가 무엇인가에 닿아 삐걱거리고 있다 / Ink stains don't ~ ***out.*** 잉크 얼룩은 비벼도 빠지지 않는다. **2** [+副/+前+名] 애써 나아가다, 그럭저럭 해나가다 : We ~*bed* ***along*** quite well. 우리는 그럭저럭 잘 해나갔다 / They managed to ~ *along* together. 그럭저럭 함께 사이좋게 해나갔다 / I'll try to ~ ***through*** the world. 어떻게 해서든 생계를 꾸려 나가도록 해보겠다. **3** (공(bowl)이) 잔디 위의 장애물과 부딪치다.

rub along 겨우[그럭저럭] 해나가다(cf. *vi.* 2) ; ⦅英⦆ 사이좋게 지내다.

rub down (1) 비벼 없애다, 문질러 닦다. (2) (몸을) 마찰하다, (땀이나 빗물을 닦아주기 위해 말을) 솔질해 주다(cf. RUBDOWN) : I ~ myself *down* with a rough towel every morning. 나는 매일 아침 건포(乾布) 마찰을 한다. (3) 문질러 닦다, …을 마무리하다 : She ~*bed* the chair *down* with sandpaper. 그녀는 의자를 샌드페이퍼로 문질러 닦았다.

rub elbows with... ☞ ELBOW *n.*

rub** one**'s hands 두 손을 비비다⦅만족의 표시⦆.

rub in (1) (바르는 약 따위를) 문질러 바르다, 문질러서 스며들게 하다. (2) ⦅口⦆ (교훈·남의 실패 따위를 짓궂게) 되풀이해서 말하다, 상기시키다 : The situation was embarrassing enough without having you ~ it *in.* 당신이 몇 번이고 되풀이해서 말하지 않았어도 사태가 난처하다는 것을 충분히 알고 있었다.

rub off (…에서) 문질러 지우다[지워지다], 비벼서 없애다[없어지다] ; 스쳐서 벗겨지다 : I've ~*bed* the skin *off.* 나는 피부가 스쳐서 벗겨졌다 / Chalk ~*s off* easily. 분필은 문지르면 쉽게 지워진다(cf. *vi.* 1).

rub on = RUB *along.*

rub out (1) 문질러 지우다[지워지다], 비벼서 떼어내다[떼어지다](cf. *vi.* 1) : I ~*bed out* the pencil marks. 연필자국을 지우개로 지웠다. (2) ⦅俗⦆ 살해하다, (남을) 죽이다(murder).

rub shoulders with... ☞ SHOULDER *n.*

rub** a person **the right way 남을 만족시키다, 남의 비위를 맞추다.

rub...the wrong way (고양이 따위의 털을) 거슬러 쓰다듬다 ; (남을) 화나게 하다, 약올리다 (irritate).

rub through = RUB *along* (cf. *vi.* 2).

rub up (1) 충분히 문지르다, 닦다 : Please ~ *up* these spoons. 이 숟가락을 잘 닦아 주시오. (2) …의 기억을 새롭게 하다, 복습하다(brush up) : I must ~ *up* my Greek. 그리스 어(語)를 복습해야 한다.

—— *n.* **1** 문지름, 마찰, 마사지 ; ⦅美俗⦆ 댄스 파티 : She always gives the plate a good ~. 그녀는 언제나 식기류를 잘 닦는다. **2** [the ~] 장애, 곤란 : There's *the* ~. ⦅셰익스피어⦆ 그것이 문제로다 / *the* ~*s* and worries of life 인생의 고초. **3** 빈정댐, 비꼼, 싫은 소리. **4** (구기장의) 울퉁불퉁함 ; (장애물에 의한) 공의 빗나감 : a ~ of[on] the green 〖골프〗 공이 무엇에 맞아 빗나가기⦅진행 방향이나 위치가 바뀌는 것⦆. **5** ⦅美俗⦆ (이야기의) 요점, 포인트.
〚? LG *rubben*<? ; cf. Icel. *rubba* to scrape〛

rub[2] *n.* [the ~] = RUBBER[2].

rub-a-dub [rʌ́bədʌ̀b] *n., vi.* (**-bb-**) 둥둥 (울리다)⦅북소리⦆. 〚imit.〛

ru·basse [ru:bǽs, -bɑ́:s ; -bɑ́:s] *n.* 루비색 석영. 〚F=RUBY〛

ru·ba·to [ru:bɑ́:tou] *n.* (*pl.* ~**s**) 〖樂〗 루바토(의 템포·연주법). —— *a., adv.* 루바토의[로]. 〚It.=robbed〛

‡rub·ber[1] [rʌ́bər] *n.* **1** 문지르는 사람 ; 안마(按摩)사 ; (증기탕의) 마사지사. **2** 숫돌 ; 거친 줄, 샌드페이퍼 ; 마사(磨砂). **3** 지우개 ; 흑판[석판] 지우개 ; 고무 지우개 ; 목욕 수건, 타월. 㽷 흑판 지우개, 고무 지우개의 뜻으로는 eraser가 보통. **4 a**) Ⓤ (탄성) 고무⦅caoutchouc, India rubber, natural rubber라고도 함⦆ ; Ⓒ 고리 모양의 고무줄(rubber band) ; ⦅口⦆ 풍선 ; 고무 타이어, Ⓤ (차 한대의) 전(全)타이어 ; [보통 *pl.*] ⦅주로 美⦆ (고무로 만든) 덧신(cf. GALOSH) ; [보통 *pl.*] 비옷 ; 고무 밴드 ; ⦅美俗⦆ 콘돔. **b**) [형용사적으로] 고무(제품)의 : ~ boots 고무장화 / ~ cloth 고무를 입힌 천. **5** (아이스하키의) 퍽 ; 〖野〗 홈 플레이트(home plate), 투수판(pitcher's plate). **6** 충돌 ; 장애, 곤란 ; 불운, 불행 ; (구기장의) 울퉁불퉁함. **7** = RUBBERNECKER. **8** 빈정댐. **9** ⦅美俗⦆ 전문적 살인 청부꾼. —— *vt.* …에 고무를 입히다.

—— *vi.* ⦅美俗⦆ = RUBBERNECK. 〚RUB[1]〛

rubber[2] *n.* 〖카드놀이〗 **1** 세 판의 승부 : have a ~ of bridge 브리지의 세 판 승부를 하다. **2** [the ~] 세 판 승부 중 두 판 이기기 ; 세 판 승부의 결승전(= ~ game). 㽷 생략하여 the rub라고도 함. 〚C16< ?〛

rúbber àrm *n.* 〖野〗 투수의 뛰어난 투구솜씨.

rúbber bánd *n.* 고무 밴드.
rúbber bùllet *n.* 고무탄《폭동 진압용》.
rúbber cemént *n.* 고무풀, 고무 접착제.
rúbber chéck *n.* 《口》 부도 수표.
rúbber-chìcken cìrcuit *n.* 《美·Can.》 유세중인 정치가가 하룻밤에 몇 군데고 얼굴을 내밀어야 하는 저녁 식사 모임.
rúbber dínghy *n.* 《美》 (소형) 고무 보트.
rúbber dúck *n.* 적지 잠입 공작원을 태운 고무 보트《헬리콥터 따위로 저공 투하》.
rúbber gàme *n.* (승수가 같을 때의) 결승전.
rúbber góods *n. pl.* 《婉》 고무제품《피임용구》.
rúbber héel *n.* 《美俗》 탐정.
rúbber·ìze *vt.* …에 고무를 입히다.
rúbber·nèck *vi., vt.* 《口》 (목을 길게 빼고) 유심히 보다[구경하다]; 캐묻기 좋아하다.
—— *n.* =RUBBERNECKER.
rúbber·nèck·er *n.* 《口》 (목을 길게 빼고) 빤히 쳐다보는 사람, 호기심이 많은 사람; (특히 가이드를 따라다니는) 관광객, 유람객(sightseer, tourist); [형용사적으로] 관광의: a ~ bus[wagon] 관광[유람] 버스.
rúbber plànt *n.* 고무나무, (특히) 인도고무나무《관상용; cf. GUM TREE》.
rúbber ríng *n.* (고무제의) 부낭, 구명 튜브.
rúbber shéath *n.* 콘돔.
rúbber shóe *n.* 운동화《스니커(sneaker)·테니스화(靴) 따위》.
rúbber sòck *n.* 《美俗》 겁쟁이, 나약자; (미 해군의) 신병.
rúbber stámp *n.* **1** 고무 도장. **2** 《美口》 무턱대고 도장 찍는 사람; 충분히 고려하지 않고 찬성[승인]하는 사람[관청]《따위》. **3** 진부한 표현.
rúbber-stámp *vt.* **1** …에 고무 도장을 찍다. **2** 《美口》 …에 무턱대고 도장을 찍다; (계획·제안·법안 따위에) 심사숙고하지 않고 찬성하다.
—— *a.* 《口》 쉽게 승인한[된].
rúbber trèe *n.* 고무나무, (특히) 파라고무나무.
rúb·bery *a.* 고무 같은, 탄력(성)이 있는(elastic); 질긴(tough).
rúb·bing *n.* **1** Ⓤ,Ⓒ 문지르기; 마찰; 안마, 마사지. **2** (비명(碑銘) 따위의) 탑본(搨本), 탁본.
rúbbing àlcohol *n.* 《美》 소독용 알코올.
***rub·bish** [rʌ́biʃ] *n.* Ⓤ 쓰레기, 잡동사니, 폐물; 쓸모없는 것; 하찮은 생각, 어리석은 짓; [감탄사적으로] 되지 못한 소리!, 부질없는 짓!
—— *vt.* 경멸하다; 깎아내리다; 일소하다, 파괴하다.
〚AF *rubbous* (pl.) ‹? 《美》 *robel* RUBBLE〛
rúbbish bìn *n.* 《英》 =DUSTBIN.
rúbbish·ing *a.* 《口》 하찮은(rubbishy).
rúb·bishy *a.* **1** 쓰레기의, 잡동사니의, 폐물의. **2** 하찮은, 시시한.
rub·ble [rʌ́bəl] *n.* **1** Ⓤ (돌·벽돌 따위의) 파편, 조각. **2** Ⓤ 막돌, 잡석《기초공사 따위에 쓰는 깬 돌》. —— *vt.* 잡석으로 마무리하다.
〚AF *robel* <F *robe* spoils; cf. ROBE〛
rúbble·wòrk *n.* Ⓤ 잡석 쌓기.
rúb·bly *a.* 돌[벽돌]조각이 많은; 잡석으로 된.
rúb·dòwn *n.* 전신마찰, 마사지: give a person a ~ 남을 마사지해 주다 / a brisk ~ with a rough towel 건포 마찰 / have a ~ with a wet towel 냉수 마찰하다.
rube [ru:b] *n.* 《俗》 시골뜨기; 《美俗》 풋내기, 초심자; 《俗》 바보, 얼간이.
—— *a.* 시골(사람)의.
ru·be·fa·cient [rù:bəféiʃənt] *a.* 〔醫〕 피부를 붉게 하는. —— *n.* 〔藥〕 발적제(發赤劑).
ru·be·fac·tion [rù:bəfǽkʃən] *n.* (피부의) 발적(상태).
ru·be·fy [rú:bəfài] *vt.* 붉게 하다; (피부를) 발적(發赤)시키다.
ru·bel·la [ru:bélə] *n.* 〔醫〕 풍진(風疹)(German measles). 〚L *rubellus* reddish〛
ru·bel·lite [ru:bélait] *n.* 〔寶石〕 홍전기석(紅電氣石), 루벨라이트.
Ru·bens [rú:bənz] *n.* 루벤스. **Peter Paul** ~ (1577-1640) Flanders의 화가.
ru·be·o·la [ru:bí:ələ, -bióu-] *n.* 〔醫〕 홍역(measles); 풍진(German measles).
ru·be·o·sis [rù:bióusəs] *n.* 〔醫〕 루베오시스《특히 홍채(紅彩)의 적색 변화》.
ru·bes·cent [ru:bésənt] *a.* 빨개지는.
Ru·bi·con [rú:bikàn; -kən] *n.* **1** [the ~] 루비콘 강《이탈리아 중북부의 강; B.C. 49년에 Julius Caesar가 「주사위는 던져졌다」고 말하며 건넜다는 강》. **2** 경계, 한계.
cross*[*pass*] *the Rubicon 단호한 조치를 취하다, 중대 결의를 하다.
ru·bi·cund [rú:bikʌ̀nd, -kənd] *a.* 붉은, 얼굴이 불그스레한. **rù·bi·cún·di·ty** *n.* 얼굴이 붉음; 붉음, 붉은 빛. 〚F or L (*rubeo* to be red)〛
ru·bid·i·um [ru:bídiəm] *n.* Ⓤ 〔化〕 루비듐《금속원소; 기호 Rb; 번호 37》.
rubídium-stróntium dàting *n.* 〔地質〕 루비듐 스트론튬 연대 측정(법).
rú·bied *a.* 루비색의.
ru·bi·fy [rú:bəfài] *vt.* =RUBEFY.
ru·big·i·nous [ru:bídʒənəs], **-nose** [-nòus] *a.* 적갈색의.
Rú·bik('s) Cùbe [rú:bik(s)-] *n.* 루빅 큐브《정육면체의 각 면을 각각 같은 색으로 맞추는 퍼즐; 상표명》. 〚Ernö *Rubik* (1945-) 헝가리의 건축 디자이너로 고안자〛
Ru·bin·stein [rú:bənstàin] *n.* 루빈스타인. **Art(h)ur** ~ (1887-1982) 폴란드 태생인 미국의 피아니스트.
ru·bi·ous [rú:biəs] *a.* 《詩》 붉은, 루비색의.
ru·ble, rou- [rú:bəl] *n.* 루블《러시아 연방의 화폐 단위: =100 kopecks; 기호 R, Rub》.
〚*ruble* <Russ.; *rouble* <F<Russ.〛
rúb·òut *n.* 《美俗》 말살, 살인.
ru·bre·dox·in [rù:brədɑ́ksən] *n.* 〔生化〕 루브레독신《혐기성 세균에서 볼 수 있는 전자 전달 단백질의 일종; cf. FLAVODOXIN》.
ru·bric [rú:brik] *n.* **1** 주서(朱書), 붉게 인쇄한 것, 붉은 글씨. **2** (장·절 따위의) 표제, 제목《옛날에는 주서하거나 붉게 인쇄했음》; (일반적으로) 항목, 부문(class). **3** 〔宗〕 전례(典禮) 법규《의식의 지침서, 옛날에는 붉게 쓰거나 인쇄했음》.
—— *a.* 붉은 색의, 붉게 인쇄한; 특필(特筆)할, 축제[기념]의(red-letter), 행운의; 예배 규정의.
—— *vt.* 붉은 색(色)으로 장식하다, 붉게 하다(redden).
〚OF or L (*ruber* red)〛
rú·bri·cal *a.* 전례 법규의, 예배 규정의.
ru·bri·cate [rú:brəkèit] *vt.* 주서하다, 붉게 인쇄하다; …에 붉은 글씨의 제목을[표제를] 붙이다.
-cát·ed *a.* **rù·bri·cá·tion** *n.* Ⓤ 붉은 글씨, 주서(朱書), 붉은 빛깔의 인쇄; Ⓒ 붉은 글씨의 제목; Ⓒ 주서(朱書)로 된 것.
ru·bri·cian [ru:bríʃən] *n.* 전례(典禮)에 밝은 사람.
rúb·stòne *n.* 숫돌(whetstone).
rub·urb [rʌ́bə:rb] *n.* [때때로 *pl.*] 먼 교외(郊外)

(의 시읍·마을). **rub·ur·ban·ite** [rəbə́:rbənàit] *n.* 먼 교외 거주자.

rub·ur·bia [rəbə́:rbiə] *n.* **1** 교외에 가까운 시골, 시골 근처의 교외. **2** 먼 교외 (거주자).
〖*ru*ral+sub*urbia*〗

***ru·by** [rú:bi] *n.* **1** Ⓤ,Ⓒ 홍옥(紅玉), 루비 ; (인조) 루비로 만든 것《회중시계용의 보석 따위》. **2** Ⓤ 루비색, 진홍색. **3** Ⓤ 《英》〖印〗 루비《$5\frac{1}{2}$ 포인트 활자 ; =《美》agate ; ☞ TYPE 5 ㊟》. **4** Ⓤ 붉은 포도주 ; [*pl.*] 《俗》 입술. **5** 〖鳥〗 브라질산(産)의 벌새《수컷의 가슴이 루비색》.
above rubies 아주 가치있는[귀중한].
—— *a.* 루비색의, 진홍의 : her ~ lips 그녀의 붉은 입술. —— *vt.* 진홍으로 물들이다.
〖OF *rubi*<L *rubinus* (*lapis* stone) ‹ *rubeus* red ; ⇨ RUBRIC〗

Ruby *n.* 여자 이름.

rúby gláss *n.* (구리 또는 금으로 착색한) 붉은 유리, 루비 유리.

rúby wédding *n.* 루비 혼식(婚式)《결혼 40주년 기념》.

R.U.C. Royal Ulster Constabulary (영국 얼스터 경찰대).

ruche, rouche [rú:ʃ] *n.* 루시《여성복의 깃·소맷부리 따위에 다는 장식용 주름 끈》.
—— *vt.* 주름으로 장식하다. **rúch·ing** *n.* 주름 장식(용 재료). **rúched** *a.*
〖F<L=tree bark<Celt.〗

ruck[1] [rʌ́k], **ruck·le**[1] [rʌ́kəl] *vt., vi.* 주름지게 하다, 주름(살)지다〈*up*〉. —— *n.* 주름살, 주름(crease). 〖ON *hrukka*〗

ruck[2] *n.* 다수, 다량 ; [the ~] 잡동사니 ; 어중이떠중이 ; 지스러기의 더미 ; (경마에서) 낙오한 말의 떼 ; 군중, 대중. 〖ME=stack of fuel, heap, rick<? Scand. (Norw. *ruka*)〗

ruckle[2] *n.* 목에서 담이 끓는 소리《특히 임종때 사람의》. —— *vi.* 목에서 담이 끓다.
〖Scand. ; cf. ON *hrygla*〗

ruck·sack [rʌ́ksæ̀k, rúk-] *n.* (등산용) 룩색, 배낭. 〖G (*rucken* (dial.) ‹ *rücken* back, SACK[1])〗

ruck·us [rʌ́kəs] *n.* 《口》 소동, 법석 ; 논쟁.
〖*ruc*tion+*rumpus*〗

ruc·tion [rʌ́kʃən] *n.* [때때로 *pl.*] 《口》 소란, 소동, 싸움.
〖C19<? ; 일설(一說)에 ‹? *insurrection*〗

ru·da·ceous [ru:déiʃəs] *a.* 역질(礫質)의.

rud·beck·ia [rʌdbékiə] *n.* 〖植〗 루드베키아《북미 원산의 엉거시과의 다년초》.
〖Olaus *Rudbeck* (d. 1702) 스웨덴의 식물학자〗

rudd [rʌ́d] *n.* (*pl.* **~s**, ~) 러드(=redeye)《유럽산 잉어과의 민물 고기》.
〖C16? *rud* (obs.) red<OE *rudu*〗

rud·der [rʌ́dər] *n.* **1** (배의) 키 ; (비행기의) 방향타(舵). **2** (일반적으로) 이끄는[다루는] 것 ; 《비유》 지도자, 지침. **3** 〖鳥〗 꽁지깃. 〖OE *rōther* ; cf. ROW[2], G *Ruder*〗

rúdder·fish *n.* 배를 따라가는 물고기.

rúdder·less *a.* 키[방향타]를 잃은[가 없는] ; 지도자가 없는.

rúdder·pòst *n.* 〖海〗 타주(舵柱).

rúdder·stòck *n.* 〖海〗 타간(舵幹), 러더스톡《키의 축재(軸材)》.

rud·dle [rʌ́dl] *n.* Ⓤ 대자석(代赭石), 자토(red ocher). —— *vt.* **1** (양(羊)에) 자토로 붉게 표하다. **2** =RADDLE[1].
〖? (dim.) ‹ *rud* (obs.) red ; cf. RUDD〗

rúddle·man [-mən] *n.* 대자석[석간주] 장수.

rud·dock [rʌ́dək] *n.* 〖鳥〗 유럽울새(robin).

rud·dy [rʌ́di] *a.* **1** (안색이 좋고 건강하여) 불그스름한, 혈색 좋은(cf. SALLOW[1]) ; (하늘 따위가) 붉게 물든. **2** 《英俗》 싫은, 괘씸한(bloody), [강조어] 대단한, 완전한. —— *adv.* 몹시, 매우.
—— *vt., vi.* 붉게 하다, 붉어지다.
rúd·di·ly *adv.* **rud·di·ness** *n.*
〖OE *rudig* ; ⇨ RUDD〗

rúddy dúck[**díver**] *n.* 〖鳥〗 (북미·중미산의) 청부리홍오리.

rúddy túrnstone *n.* 〖鳥〗 꼬까도요.

‡**rude** [rú:d] *a.* **1** [+*of*+名+*to* do] 버릇없는, 조야(粗野)한, 무례한(impolite) : say ~ things 무례한 말을 하다 / answer in a ~ tone 버릇없는 말투로 대답하다 / Pupils should not be ~ *to* their teachers. 학생은 선생님께 버릇없이 굴어서는 안 된다 / It is ~ to speak with your hands in your pockets. 호주머니에 손을 넣은 채로 이야기하는 것은 실례다 / Would it be ~ to inquire where you come from? 실례지만 어디 출신입니까 / It is ~ *of* me *to* have kept you waiting. 기다리게 해서 죄송합니다. **2** 미가공의, 자연 그대로의 ; 미완성의 ; 마구 만든 ; 조잡한, 졸렬한 : ~ ore 원(광)석 / a ~ wooden bench 조잡한 나무 벤치. **3** 거친, 저돌적인 ; 과격한. **4** 교양 없는 ; 미개의, 야만적인, 원시적인. **5** 거친, 울퉁불퉁한. **6** 건장한 : ~ health 건강함. **7** 시끄러운, 귀찮은 ; 귀에 거슬리는 ; (음식이) 맛없는. **8** 격심한, 돌연한(abrupt).

〈회화〉
The clerk in the store ignored me.—How *rude*!「저 가게 점원이 나를 무시했어요」「참 무례하군요」

~·ly *adv.* **~·ness** *n.*
〖OF<L *rudis* unformed, coarse〗
類義語 ***rude*** 타인의 기분을 고의로 무시하여 실례가 된 ; 오만함을 암시. ***ill-mannered*** 고의로 무례한 짓을 하는 것이 아니고 자랄 때의 환경이 나빠서 예의범절을 모르는. ***impolite*** 다만 사교상의 예절을 지키지 않는. ***uncivil*** 극히 기본적인 예의조차도 지키지 않는.

ru·der·al [rú:dərəl] *a.* 〖生態〗 황무지에서 자라는.
—— *n.* 황무지 식물.

ru·di·ment [rú:dəmənt] *n.* **1** [*pl.*] 기본, 기초(원리). **2** [*pl.*] 기초, 초보 ; [보통 *pl.*] 징조, 시작, 싹. **3** 〖生〗 퇴화[흔적]기관 ; 발육이 불완전한 기관[부분] ; (일반적으로) 흔적. 〖F or L (⇨ RUDE) ; *elementum* element에 준한 것〗

ru·di·men·tal [rù:dəméntl], **ru·di·men·ta·ry** [rù:dəméntəri] *a.* **1** 기본의 ; 초보의(elementary). **2** 미발달의, 형성기의 ; 발육이 불완전한, 흔적이 있는 : a *rudimentary* organ 흔적기관.

Ru·dolf, -dolph [rú:dɑlf] *n.* **1** 남자 이름. **2** 루돌프《Johnny Marks가 작사·작곡한 "Rudolph the Red-Nosed Reindeer"(1949)에 나오는 Santa Claus의 썰매를 끄는 「빨간코의 순록」; 원작은 Robert L. May의 소설(1939)》.
〖Gmc. =fame+wolf〗

Ru·dy [rú:di] *n.* 남자이름《Rudolph의 애칭》.

rue[1] [rú:] *vt.* 후회하다, 유감으로 여기다(regret bitterly). —— *vi.* 《古》 후회하다, 슬퍼하다, 유감으로 생각하다.
rue the day (***when***) …한 것을 후회하다 : He *~d the day when* he was born. 그는 자기가 태어난 것 자체를 슬퍼했다.
—— *n.* Ⓤ 《古》 후회, 회오(悔悟) ; 연민, 비탄.

〖OE *hrēow(an)* ; cf. G *reuen*〗

rue² *n.* Ⓤ 〔植〕 헨루다《잎은 맛이 쓰고 강한 향내가 나며 흥분제·자극제로 쓰임 ; RUE¹과 발음이 같아서 예부터 비탄·회개 따위의 상징으로 쓰임》. 〖OF<L *ruta*<Gk.〗

rúe·ful *a.* 후회하고 있는 ; 슬퍼하는(mournful) ; 불쌍한, 비참한.
the Knight of the Rueful Countenance 수심에 찬 기사《Don Quixote의 별명》.
~·ly *adv.* 후회하여, 유감스러운 듯이 ; 비탄에 잠겨, 슬픈듯이. **~·ness** *n.*

rúe-ràd·dy *n.* 어깨에 걸고 무거운 것을 끌어당기는 밧줄[가죽].

ru·fes·cent [ru:fésənt] *a.* 불그스름한(reddish).
ru·fés·cence *n.*

ruff¹ [rʌ́f] *n.* **1** (엘리자베스 시대에 유행한) 주름옷깃[칼라]. **2** (날짐승의) 목 둘레의 고리 모양의 털. **3** 〔鳥〕 목도리도요. ── *vt.* 머리털을 세워 부풀리다.
〖? *ruff* = ROUGH ; 또는 역성(逆成) ‹ *ruffle*¹〗

ruff² *n.* 〔카드놀이〕 으뜸패로 잡기, 으뜸패를 내기 : cross[double] ~ 으뜸패로 자기편의 패를 잡기. ── *vi., vt.* 〔카드놀이〕 으뜸패를 내다, 으뜸패로 잡다.
〖OF *ro(u)ffle*=It. *ronfa* (‹? *trionfo* TRUMP¹)〗

ruff³, ruffe *n.* 작은 농어류의 민물고기《유럽산》.

rúffed *a.* 주름 옷깃이 달린 ; 고리 모양의 털이 난.

rúffed gróuse *n.* 〔鳥〕 목도리들꿩《북미산》.

ruf·fi·an [rʌ́fiən] *n.* 악당, 건달, 깡패.
── *a.* 악당의, 건달의 ; 잔인한, 광포한.
~·ism *n.* Ⓤ 흉악, 잔인. **~·ly** *a.*
〖F<It. *ruffiano*〗

ruf·fle¹** [rʌ́fəl] *vt.* **1** [+目 / +目+副] 구김살지게 하다, 구기다 ; 물결을 일으키다, …에 주름살지게 하다 ; (새가) 깃털을 곤두세우다 : He stood there with his hair ~*d* by the breeze. 그는 미풍에 머리를 날리면서 그 자리에 서 있었다 / The bird ~*d* ***up its feathers. 새가 깃털을 곤두세웠다. **2** (마음을) 혼란시키다, 당황하게 하다 ; 초조하게 하다 ; 화나게 하다 : Nothing ever ~*s* his serenity. 그의 온건한 기질은 어떤 일에도 당황하는 일이 없다 / Mary was not easily ~*d*. 메리는 쉽사리 화내지 않았다. **3** …에 주름잡다, 주름단을 달다. **4** (카드를) 섞어 치다(shuffle) ; (책장을) 펄럭펄럭 넘기다.
── *vi.* **1** 《稀》 구겨지다 ; 주름살지다 ; 물결이 일다. **2** 안달하다, 성나다 ; 뽐내다, 오만하게 굴다 ; 시비를 걸다.
── *n.* **1** 주름 가장자리, 주름장식 ; 주름 모양의 것 ; (새의) 목털. **2** 물결, 잔물결. **3** 동요, 당황 ; 애타기, 화 : put a person in a ~ 남을 동요[당황]하게 하다 ; 남을 애타게[성나게] 하다. **4** 《古》 소동, 싸움. 〖ME<? ; cf. MLG *ruffelen* to crumple, ON *hrufla* to scratch〗

ruffle² *vt.* (북을) 나직하게 둥둥 울리다. ── *n.* 나직하게 둥둥 울리는 북소리.
〖C18 *ruff* to ruffle (imit.)〗

rúf·fled *a.* 주름 장식이 있는 ; 목털이 있는 ; 구겨진 ; 물결이 이는, 교란된.

rúf·fler *n.* **1** 뽐내는[거만한] 사람 ; 평안을 교란시키는 사람, 방해하는 사람 ; 《古》 (16세기에 상이군인이라 칭하며 방랑한) 거지, 부랑자. **2** (재봉틀의) 주름 잡는 장치.

rúf·fling *n.* 〔生〕 (세포의) 파상 운동.

rúf·fly *a.* 주름이 진 ; 물결이 이는.

ru·fous [rú:fəs] *a.* 적갈색의, 불그레한(reddish).
〖L *rufus* red〗

Ru·fus [rú:fəs] *n.* 남자 이름.
〖L=red(-haired)〗

***rug** [rʌ́g] *n.* **1** (바닥의) 깔개, 양탄자, 융단, (특히) 벽난로 앞에 까는 깔개(=hearth rug). 㸃 잇지 않고 한 장으로 사용하며 마루 전체를 덮지 않는 점에서 carpet과 다르다. **2** 《주로 英》 무릎 덮개(=《美》 lap robe) : a traveling ~ 여행용 무릎 덮개. **3** 《美俗》 =TOUPEE.
〖? Scand. (Norw. (dial.) *rugga* coverlet, Swed. *rugg* coarse hair) ; cf. RAG¹〗

ru·gate [rú:geit, -gət] *a.* =RUGOSE.

Rug·be·ian [rʌ́gbiən, rʌgbí(:)ən] *a., n.* 《英》 Rugby School의 (학생[졸업생]).

***Rug·by** [rʌ́gbi] *n.* **1** 럭비《England 중부에 있는 도시》. **2** =RUGBY SCHOOL ; [흔히 r~] = RUGBY FOOTBALL.

Rúgby fóotball *n.* [흔히 r~] 럭비《흔히 rugger 라고도 함 ; cf. AMERICAN FOOTBALL, ASSOCIATION FOOTBALL》.

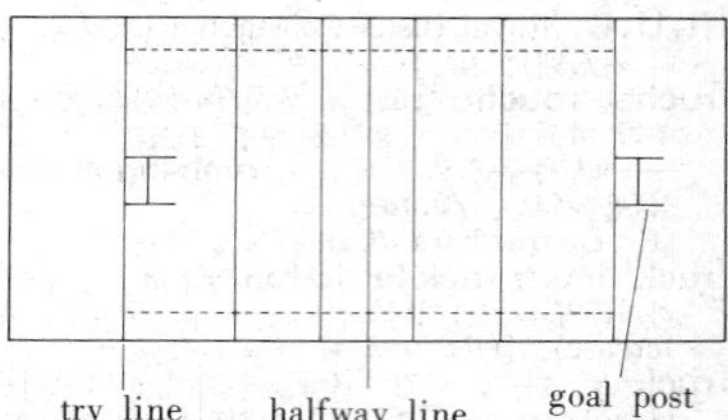

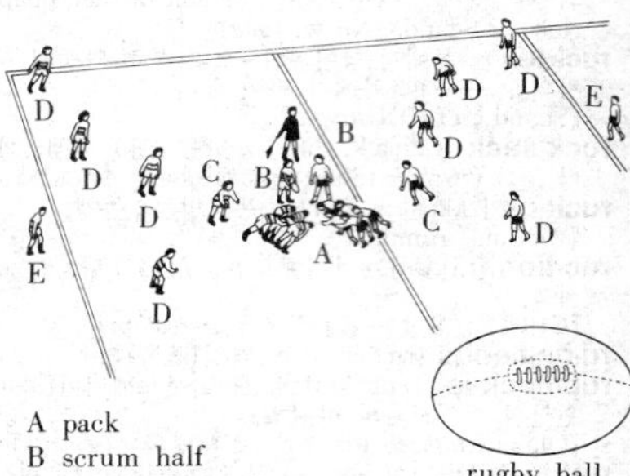

A pack
B scrum half
C fly half
D three-quarter back
E fullback

Rugby football

Rúgby Lèague *n.* [the ~] 럭비 연맹《주로 잉글랜드 북부팀의 연합》.

Rúgby Schòol *n.* 럭비 학교《Rugby 시(市)에 있는 유명한 남자 public school》.

Rúgby Ùnion *n.* [the ~] 《英》 럭비 동맹《아마추어팀의 연합》.

***rug·ged** [rʌ́gəd] *a.* **1** 울퉁불퉁한, 고저(高低)가 있는 ; 우툴두툴한. **2** 주름살진, 쭈글쭈글한 (wrinkled) ; 험상궂은, 추한 : He had ~ features. 그는 험상궂은 얼굴을 하고 있었다. **3** 세

련되지 않은 ; 조야(粗野)한 ; 난폭한(rude) : ~ kindness 가식없는 친절 / ~ honesty 솔직. **4** (교사 등이) 엄격한. **5** (날씨 따위가) 거친, 폭풍우의 ; 귀에 거슬리는(harsh). **6** 위험한, 괴로운, 곤란한. **7** 우람하고 튼튼한(robust).
〚? Scand. ; cf. RUG, Swed. *rugga* to roughen〛
類義語 ⟹ ROUGH.

rug·ger [rʌ́gər] *n.* Ⓤ 《英口》 =RUGBY FOOTBALL (cf. SOCCER).

rúg jòint *n.* 《美俗》 호화로운 나이트 클럽[레스토랑, 호텔 따위].

rúg mèrchant *n.* 《美俗》 스파이.

ru·gose [rú:gous], **ru·gous** [rú:gəs] *a.* 〖植〗 잎에 주름이 많은, 물결 모양으로 된.
~·ly *adv.*

ru·gos·i·ty [ru:gάsəti] *n.* Ⓤ 주름살투성이 ; Ⓒ 주름(wrinkle).

rúg ràt *n.* 《CB俗》 유아(幼兒).

Ruhr [rúər ; *G* rú:r] *n.* [the ~] **1** 루르 강 《Rhine 강의 지류》. **2** 루르 지방《Ruhr 강의 유역으로 석탄 광업 및 공업이 흥성함》.

‡**ru·in** [rú:ən, -in] *n.* **1** [때때로 *pl.*] 폐허, 유적, 잔해(殘骸) (remains). **2** [*pl.*] 손해, 피해. **3** Ⓤ 파멸, 멸망 ; 파산 ; 몰락, 영락 ; (여자의) 타락 : rapine and red ~ 약탈과 화재 / He is but the ~ *of* what he was[his former self]. 그는 (이전과는 달리) 아주 초라하다. **4** [단수형만으로 써서] 파멸[몰락]의 원인, 화근 : Drink will be the ~ *of* him[be his ~]. 그는 술로 파멸[망]할 것이다.
bring [***reduce***] ***. . . to ruin*** …을 몰락[영락·실패]시키다.
come [***go, run***] ***to ruin***=***fall into ruin*** 멸망하다, 황폐해지다.
lay [***lie***] ***in ruins*** 황폐시키다[해 있다].
── *vt.* 파멸[황폐]시키다 ; 몰락[영락]하게 하다, 파산시키다 ; (여자를) 타락시키다 : He will ~ his prospects if he keeps on acting like that. 만약에 그가 그와 같은 행동을 계속해 간다면 장래를 망치고 말 것이다 / The crops have been ~*ed* by the storm. 폭풍우 때문에 농작물을 망쳤다 / You will ~ yourself. 너는 자멸할 것이다.
── *vi.* 파멸하다, 망하다 ; 몰락[영락]하다 ; 《詩》 거꾸로 떨어지다.
~ed *a.* 멸망한, 파멸한 ; 타락한 ; 몰락[파산]한 ; 시든, 해를 입은. **~·er** *n.* 파멸된 사람.
〚OF *ruine*(*r*)<L (*ruo* to fall)〛
類義語 (1) (*n.*) ***ruin*** 세월이 흐르고 또는 비바람에 시달려 파괴·분해되기. ***destruction*** 화재, 폭발, 홍수 따위에 의한 대규모의 파괴.
(2) (*v.*) ⟹ SPOIL.

rúin·àte *vt.* 파괴시키다, 멸망[파멸]시키다 ; 도산(倒産)시키다. ── *a.* 도산한 ; 파멸한.

ru·in·a·tion [rù:ənéiʃən] *n.* Ⓤ 파멸 ; 파괴, 황폐 ; 몰락, 영락, 파산 ; Ⓒ 파멸[타락]의 원인, 화근.

rúin·ous *a.* 파멸을 가져오는, 파멸적인 ; 몰락시키는 ; 황폐한 ; 《口》 턱없이 비싼.
~·ly *adv.*

rul·able [rú:ləbəl] *a.* **1** 지배[통치]할 수 있는. **2** 《美》 규칙상 허용되는.

◇**rule** [rú:l] *n.* **1** [+*that* 節] 규칙, 규정, 룰 ; 〖宗〗 종규(宗規) ; 〖法〗 (법정의) 명령, 규칙, 법률 원칙 : a hard and fast ~ 융통성이 없는 규정[방식] / a standing ~ 정관 / the ~*s* of decorum 예법 / (a) ~ of thumb ☞ THUMB *n.* 숙어 / the ~ of three ☞ THREE 숙어 / It is against the ~ for an employee to whistle while on duty. 고용인이 근무중에 휘파람을 부는 것은 규정 위반이다 / There is a ~ *that* one should not handle the ball in soccer. 축구에서는 공에 손을 대면 안된다는 규칙이 있다. **2** [+前+do*ing*] 상습, 습관, 관례, 주의 : My ~ is to take a rubdown with a wet towel every morning. 매일 아침 냉수 마찰을 하는 것이 내 습관이다 / make it a ~ to do ☞ 숙어 / He makes a ~ (=point) ***of*** read*ing* an hour before breakfast. 아침 식사 전에 한 시간 동안 독서하기로 정해놓고 있다. **3** Ⓤ 지배(control), 통치(기간) : the ~ of force 무력 정치. **4** 정칙, 통칙 ; 법칙, 법식 ; 표준 ; 〖數〗 (계산·문제 해법의) 공식. **5** 자 : a carpenter's ~ 접자. **6** 〖印〗 괘(罫), 괘선.
as a general rule 원칙적으로, 대체로.
as a rule 대체적으로, 일반적으로, 보통 : *As a* ~, business is slack in summer. 대체적으로 여름에는 장사가 잘 안된다 / He is, *as a* ~, punctual. 그는 대체로 시간을 잘 지키는 편이다.
by rule 규정에 따라, 규정대로 : You cannot do everything *by* ~. 무슨 일이든 꼭 규정대로 할 수 있는 것은 아니다.
make it a rule to do …하는 것을 상례로 하다 : He *makes it a* ~ *to* take an hour's walk every day. 그는 매일 한시간씩 산책하는 습관이 있다. ㊟ 단, 형식에 치우친 표현법으로 위의 보기에서는 보통의 경우 He *takes*…. 라고 현재형 동사를 쓰는 것으로 족하다.
work to rule 《英》 (노동 조합원이) 준법 투쟁을 하다.

make it a rule to의 문장 전환
I *make it a rule to* go to bed early.
(나는 언제나 일찍 자곤 한다.)
→ *It is a rule*(① for ② of ③ with) me *to* go to bed early. (정답 ①)
* 이 글을 다시 *As a rule,* I go to bed early. 로 바꿔쓰기도 한다.

── *vt.* **1 a**) 지배[통치]하다 ; 지시[지도]하다 ; 제어하다 : How long did Queen Elizabeth I ~ England? 엘리자베스 1세는 몇 년간 영국을 통치했습니까 / The good-natured man allowed himself to be ~*d* by his wife. 그 온순한 사나이는 아내에게 쥐여지냈다. **b**) [보통 수동태로] 설득하다 ; (열정 따위가) 좌우하다 : *Be* ~*d* by me! 내가 시키는 대로 하시오 / Don't *be* ~*d* by your passions. 감정에 좌우되어서는 안된다. **2** [+*that* 節 / +目+*out of*+名] 규정[판결]하다, 재정(裁定)[결정]하다 : The court ~*d that* the evidence was admissible. 법정은 그 증언을 받아들일 수 있다고 판정했다 / They ~*d* him[the matter] ***out of*** order. 그가 규칙을 어겼다고[그 일은 위법이라고] 판정했다. **3** [+目 / +前+名] (선을) 자로 긋다 ; …에 괘선을 긋다 : ~ a line ***on*** the paper 종이에 선을 긋다.
── *vi.* **1** [動 / +*over*+名] 지배[통치]하다 : This land was once ~*d* ***over*** by a warlike king. 이 나라는 한때 호전적인 왕에 의하여 통치되었다. **2** [動 / +前+名] 재결(裁決)하다 : The court will ~ ***on*** the matter. 법정은 그 문제에 판결을 내릴 것이다. **3** [+補 / 動] 〖商〗 (시세 따위가) 보합(保合)을 이루다, (어떤 수준의 물가가) 대체로 유지되다 : Prices are *ruling* high[low]. 물가는 대체로 높다[낮다] / Higher prices ~*d* throughout Korea that year. 그 해에는 한국 전체의 물가가 높았다.

rule off (난(欄) 따위를) 선을 그어 구분하다 ; (경기자 등을) 제외하다.
rule out (규정 따위에 의해) 제외하다, 배제하다 ; 불가능하게 하다 ; 방해하다.
rule the roast[***roost***] (가정 따위에서) 주인노릇을 하다, 좌지 우지하다(be master). ㊟ roast 가 원래의 형.
〚OF<L *regula* straight edge〛
類義語 (1) (*n.*) ⟹ LAW.
(2) (*v.*) ⟹ GOVERN.

rúle ábsolute *n.* 〔法〕 절대 명령.
rúle·bòok *n.* (취업) 규칙서 ; [the ~] 규정집.
Rúle, Británnia! 브리타니아여, 통치하라《영국의 국가(國歌)》.
rúle jòint *n.* 〔木工〕 접자.
rúle·less *a.* 규칙이 없는, 법의 규제를 받지 않는, 지배받지 않는.
rúle-of-réason *a.* 합리적인, 도리에 맞는.
rúle of the róad *n.* [the ~(s)] 교통 규칙 ; 해로(海路) 규칙.
rúle of thúmb *n.* 어림셈, 주먹구구 ; 경험적으로 거의 틀림없는 방법[법칙, 지혜] : by ~ 주먹구구식으로.
***rul·er** [rúːlər] *n.* **1** 지배자, 통치자, 주권자〈*of*〉. **2** 괘선[선]을 긋는 사람[기구] ; 자, 부기방망이.

〈회화〉
Can I use your *ruler*? — Sure. Go ahead.「자 좀 써도 될까요」「그럼요. 쓰세요」

~·shìp *n.* Ⓤ,Ⓒ 통치[지배]자의 지위[직권·재임기간].
Rúles Commìttee *n.* (미국 하원의) 의사(議事) 운영 위원회.
rul·ing [rúːliŋ] *a.* **1** 지배[통치]하는 : the ~ classes 지배계급. **2** 우세[유력]한, 주된 : a ~ passion 주정(主情) / the ~ spirit 주동자 ; 수뇌. **3** (가격 따위가 시장에서) 일반적인, 시가의 : the ~ price 보통 시세, 시가. —— *n.* **1** Ⓤ 지배, 통치 ; Ⓒ 〔法〕 판결, 재정, 결정. **2** Ⓤ 괘선을 긋기, 줄긋기.
rúling élder *n.* (장로 교회파의) 장로.
rúling párty *n.* 집권당, 여당.
rúling pén *n.* (제도용의) 가막부리, 오구(烏口).
rul·ley [rʌ́li] *n.* 《英》 4륜 화물차, 트럭.
rum[1] [rʌ́m] *n.* **1** Ⓤ 럼주(酒)《당밀 또는 사탕수수로 만듦》. **2** Ⓤ 《美》 (일반적으로) 술.
〚? C17 *rumbullion* rum〛
rum[2] *a.* **1** 《俗》 기묘한, 괴상한(odd) : a ~ fellow 별난 남자 / feel ~ 기분이 나쁘다. **2** 힘에 겨운[벅찬] ; 위험한 : a ~ customer 섣불리 손댈 수 없는 상대. **3** 서투른, 졸렬한 : a ~ joke 서투른 농담. **~·ly** *adv.* 기묘하게, 괴상하게. **~·ness** *n.*
〚C16=fine, spirited<? ROM〛
Rum. Rumania(n).
Ru·ma·nia [ru(ː)méiniə] *n.* 루마니아《유럽 남동부의 국가 ; 수도 Bucharest》. ㊟ Roumania라고도 씀.
Ru·má·ni·an *n.*, *a.* 루마니아 사람(의) ; 루마니아어(의).
rum·ba, rhum·ba [rʌ́mbə, rú(ː)m-] *n.* 룸바《원래 쿠바 원주민의 춤 ; 그것을 모방한 사교춤[곡]》. —— *vi.* 룸바를 추다. 〚Am. Sp.〛
rum·ble[1] [rʌ́mbəl] *vi.* **1** 우르르 울리다 ; (뱃속에서) 꾸르륵 소리나다 : The thunder[gunfire] is *rumbling.* 뇌성[포성]이 우르르 울리고 있다. **2** [+副/+前+名] (수레 따위가) 덜거덕거리며 가다[지나다] : A cart ~*d* ***along*** (the road). 한대의 짐수레가 덜거덕거리며 (길을) 지나갔다. **3** 《美俗》 (불량배들이) 싸우다.
—— *vt.* [+目+副] 와글와글 떠들다[지껄이다] : Each of them ~*d* ***out***[***forth***] his complaint. 그들은 각자 와글와글 불평을 털어놓았다. —— *n.* **1** Ⓤ 우르르 울리는 소리, 덜거덕거리는 소리 ; 소음 ; 소문 ; 불평. **2** (마차 뒤쪽의) 하인 좌석, 짐 싣는 자리 ; 《美》 =RUMBLE SEAT. **3** 《美俗》 불량배끼리의 싸움.
〚? MDu. *rommelen* (imit.)〛
rumble[2] *vt.* 《英俗》 진상을 밝혀내다, 간파하다 ; 추측하다 ; 이해하다. 〚C19<?〛
rúm·bler *n.* 우르르[덜거덕] 소리를 내는 것 ; 전마기(轉摩機) (tumbling box).
rúmble sèat *n.* 《美》 (자동차 뒤쪽의 지붕없는) 접었다 폈다 하는 보조석.
rúmble strìp *n.* (간선도로 따위의) 울퉁불퉁[진동]구간《운전자에게 차체의 진동으로 전방의 위험을 알리기 위해 도로 위에 잔 홈을 파서 포장한 부분 ; cf. SLEEPING POLICEMAN》.
rúmble-túmble *n.* 덜거덕거리는 차 ; 덜거덕덜거덕 움직임, 심한 동요.
rúm·bling *n.*, *a.* 우르르[덜거덕] 소리(를 내는) ; [보통 *pl.*] 불평[불만]의 소리 ; [보통 *pl.*] 소문. **~·ly** *adv.*
rúm·bly *a.* 우르르[덜거덕] 소리를 내는 ; (수레 따위가) 덜거덕거리는.
rum·bus·tious [rəmbʌ́stʃəs] *a.* 《英口》 시끄러운, 떠들썩한(boisterous) ; 대소동의. **~·ly** *adv.*
〚? *robustious*〛
rum·dum [rʌ́mdʌ̀m] *a.* 《美俗》 취한 ; (술에 취해) 정신이 나간 ; 보통의, 평범한.
—— *n.* 모주꾼 ; (술에 취해) 정신이 나간 녀석 ; (기술·능력 따위가) 보통인 사람.
〚RUM[1]+G *dumm* dumb인가〛
ru·men [rúːmən] *n.* (*pl.* **-mi·na** [-nə], **~s**) (반추동물의) 제1위(胃) ; 제1위의 반추 내용물, (첫째 위에서) 되돌린 음식. 〚L=throat〛
ru·mi·nant [rúːmənənt] *a.* **1** 반추(反芻)하는, 되새기는 ; 반추 동물의. **2** 묵상하고 있는, 생각에 잠긴(meditative). —— *n.* 반추 동물.
~·ly *adv.*
ru·mi·nate [rúːmənèit] *vi.* **1** 반추하다, 되새기다. **2** [+前+名] 곰곰이 생각하다, 생각에 잠기다(meditate) : He was *ruminating* ***on***[***over***] what had happened the day before. 그는 전날에 생긴 일에 대하여 곰곰이 생각하고 있었다.
—— *vt.* 반추하다 : A cow ~*s* its food. 소는 먹은 것을 반추한다. 〚L ; ⇨ RUMEN〛
類義語 ⟹ MEDITATE.
rù·mi·ná·tion *n.* Ⓤ 반추 ; 생각에 잠김, 묵상, 숙고(熟考) (meditation).
rú·mi·nà·tive [, 英+-nətiv] *a.* 생각에 잠긴, 곰곰이 생각하는(pondering). **~·ly** *adv.*
rú·mi·nà·tor *n.* 심사 숙고하는 사람.
rum·mage [rʌ́midʒ] *vt.* **1** [+目/+目+副] 뒤적거리다, 샅샅이 뒤지다 ; (찾느라고) 뒤집어 엎다 ; (뒤져서) 찾아내다 : She ~*d* three drawers before she found her ring. 서랍을 셋이나 뒤져서 가까스로 반지를 찾았다 / I ~*d* ***up***[***out***] the pin. 겨우 핀을 찾아냈다. **2** 〔海〕 (세관원 등이) (배 안을) 검사[임검]하다. —— *vi.* [+前+名/+副] 샅샅이 뒤져서 찾다, 수색하다 : I began to ~ ***for*** the ticket ***in*** my pockets. 호주머니 속을 뒤져서 표를 찾기 시작했다 / He was *rummaging* ***about among*** the documents. 문서를 뒤적이며 뭔가를 찾고 있었다. —— *n.* **1** Ⓤ 샅샅이 찾기,

수색 ; (세관원의) 검색, 임검. **2** Ⓤ 폐물, 잡동사니. **rúm·mag·er** *n.*
〚(v.)〈(n.)=(obs.) act of packing cargo<OF *arrumage* (*arrumer* to stow cargo)〛
rúmmage sàle *n.* (창고·부두 따위의) 재고품 경매, 재고품 정리 판매, 떨이 판매, 잡동사니 시장 ; (특히) 자선 기부 경매.
rum·mer [rʌ́mər] *n.* (보통 다리가 달린) 큰 술잔.
rúm·my[1] *a.* 《英俗》 기묘한, 이상한(odd).
rúm·mi·ly *adv.* 〚RUM[2]〛
rummy[2] *n.* Ⓤ 러미《두 짝의 트럼프로 하는 놀이》. 〚C20〈? *rummy*[1]〛
rummy[3] *a.* 럼주(酒)의[같은]. ── *n.* 《美俗》 럼주를 마시는 사람. 주정뱅이, 술꾼(drunkard) ; 건달(good-for-nothing) ; 술집(주인).
〚RUM[1]〛
ru·mor | ru·mour** [rú:mər] *n.* **1** Ⓤ,Ⓒ [+*that* 節/+*of*+do*ing*] 소문, 풍문, 풍설 : start a ~ 소문을 내다 / *R*~ has *it*[There is a ~] *that* the Cabinet will be reshuffled in February next year. 내년 2월에는 내각이 개편된다는 소문이다 / There was a ~ ***of the flying disk hav*ing* been seen. 비행접시를 본 사람이 있다는 소문이 있었다. **2** 《古》 소음, 웅성거림(noise) ; 중얼댐〈*of*〉. **3** 《古》 명성, 세평(fame) ── *vt.* [+*that* 節/+目+*to* do] [보통 수동태로] 소문을 내다 : *It is* ~*ed that* he is ill. =He *is* ~*ed to be* ill. 그는 앓고 있다는 소문이다 / *It was* ~*ed that* they had broken up the committee.=They *were* ~*ed to* have broken up the committee. 위원회를 해산했다는 소문이 나돌았다.
〚OF<L *rumor* noise〛
rúmor·mònger *n.* 소문을 내는 사람.
rump [rʌ́mp] *n.* **1** 엉덩이, 둔부(臀部) ; (소의) 홍두깨살. **2** 남은 것, 남은 부스러기, 남은 부분 ; 잔당 ; [the R~] =RUMP PARLIAMENT.
〚? Scand. ; cf. Icel. *rumpr* rump, G *Rumpf* torso〛
rúm·pèt *n.* 《口》 술꾼.
rum·ple [rʌ́mpəl] *vt.* (양복·머리칼 따위를) 구기다, 헝클어뜨리다(crumple). ── *vi.* 구겨지다, 헝클어지다. ── *n.* 주름살, 구김살(crease).
〚MDu. *rompelen* (*rompe* wrinkle)〛
Rúmp Pàrliament *n.* [the ~] 〖英史〗 잔여의회《1648년 12월 Pride's Purge에 의해 장로파 의원이 추방된 뒤 Long Parliament의 잔여 의원만으로 열린 의회(1648-53 ; 1659-60)》.
rúmp stéak *n.* 홍두깨살 비프스테이크.
rum·pus [rʌ́mpəs] *n.* [단수형만으로 써서] 《口》 소음, 소란, 소동 ; 격론, 언쟁 : make[kick up] a ~ 소란[소동]을 일으키다 / have a ~ with a person 남과 언쟁하다.
〚C18<?〛
rúmpus ròom *n.* 《美》 (보통 지하에 있는) 유희실, 오락실.
rúm·rùnner *n.* 《美》 주류 밀수입자[선(船)].
rúm-rùnning *a.* 《美》 주류 밀수의.
rúm·shòp *n.* 《美口》 술집, 바.
rúm shrùb *n.* 럼주에 레몬·설탕을 탄 술.
◇**run**[1] [rʌ́n] *v.* (**ran** [rǽ(:)n] ; **run** ; **rún·ning**) *vi.* **1** [動/+副/+前+名/+*to* do] **a**) 달리다, 뛰다 ; 급히 가다, 돌진하다 : He *ran* two miles. 2마일을 달렸다 / But still the boy *ran* ***on***. 그러나 여전히 소년은 계속 달렸다 / I *ran* ***out*** *to* see the parade. 그 행렬을 보려고 밖으로 뛰어나갔다 / Somebody came ~*ning* ***toward*** us. 누군가 우리들쪽으로 달려오고 있었다 / I saw the man ~*ning* ***across*** the street. 그 남자가 길을 가로질러 달려가는 것을 보았다 / The dog *ran* ***at*** the boy. 그 개는 소년을 향해 달려들었다 / The young man *ran* ***to*** the girl's aid[*to* help the girl]. 그 젊은이는 소녀를 구하려고 달려갔다. **b**) (물고기가) 냇물을 거슬러 오르다 ; (식물이) 땅위로 뻗어가다, 만연[무성]하다 ; 〖空〗 활주하다 : The salmon have begun to ~. 연어가 강을 거슬러 올라가기 시작했다 / Vines ~ ***over*** the porch. 덩굴풀이 현관위로 뻗어 올라가고 있다.
2 [+副/+前+名] 도망[도주]하다(flee) : Seeing me, he *ran* ***off***. 나를 보자 그는 도망쳤다 / I *ran* ***for*** my life. 필사적으로 도망쳤다.
3 a) [動/+前+名/+副] 경주에 참가하다[출전하다] : I used to ~ when I was at Yale. 예일대학에 다닐 때는 곧잘 달리기에 출전했었다 / His horse *ran* ***in*** the Derby. 그의 말이 더비 (경마 대회)에 출장했다 / John *ran* second nearly all the way. 존은 거의 쭉 2위로 달렸다. **b**) 《원래 美》 [動/+前+名] 입후보하다(cf. STAND *for* (3)) : He will ~ ***for*** Parliament[*for* (the) Presidency, *for* President]. 그는 국회의원[대통령]에 입후보할 것이다.
4 [動/+前+名] (차·말·배 따위가) 달리다, 진행[항행]하다 ; (탈것의) 편이 있다, 왕래하다(ply) : The traffic ~*s* day and night. 교통편은 주야로 있다 / The ferryboats ~ every half hour. 연락선은 30분마다 다니고 있다 / This bus ~*s* ***between*** New York ***and*** Washington, D. C. 이 버스는 뉴욕과 워싱턴(D. C.) 사이를 운행한다 / ~ *before* the wind ☞ WIND[1].
5 [動/+前+名/+補] (물·피 따위가) 흐르다 ; 새다, 넘치다 ; (모래 시계의) 모래가 흘러내리다 : His nose was ~*ning*. 콧물을 흘리고 있었다 / Somebody has left the tap[the water] ~*ning*. 누군가 수도꼭지를 틀어 놓은 채로[물이 흘러나오도록 한 채로] 내버려 두었다 / Tears were ~*ning* ***down*** her cheeks. 눈물이 그녀의 뺨에 흘러내리고 있었다 / The floors *ran* ***with*** water. 마룻바닥에 물이 흘렀다 / He felt as if his blood had ~ cold. 그는 마치 피가 얼어붙는 것 같았다《소름이 끼쳤다》 / The tide *ran* strong. 조수가 세차게 밀려왔다 / The rivers from the mountains were ~*ning* full. 산에서 내려오는 냇물은 넘치도록 흐르고 있었다.
6 a) [動/+前+名] (기계 따위가) 돌아가다 ; 자유롭게[순조로이] 움직이다 : I can't make this sewing machine ~ properly. 나는 이 재봉틀을 잘 돌릴줄 모른다 / The factory has ceased ~*ning*. 공장은 작업을 중단했다 / A rope ~*s* ***in*** a pulley. 밧줄은 도르래를 타고 오르내린다. **b**) (생활 따위가) 잘 영위되다 : Our arrangements *ran* smoothly. 우리들의 계약은 순조로이 진행되었다.
7 [動/+前+名/+副] 계속하다 ; 판(版)을 거듭하다 ; (연극이) 계속 상연되다(cf. RUNNING *a.* 3) : His life has only a few years to ~. 그의 생명은 앞으로 몇 년밖에 남지 않았다 / The days *ran* ***into*** weeks. 하루하루 경과하여 이내 수 주일이 되었다 / My vacation ~*s* ***from*** the middle of July ***to*** September. 내 휴가는 7월 중순부터 9월까지입니다 / *How long* will this play ~? 이 연극은 언제까지 상연됩니까.
8 [+前+名] 퍼지다, 뻗치다, 미치다(extend) : A corridor ~*s* ***through*** the house. 복도가 온 집안에 쭉 뻗어 있다 / I saw a scar ~ ***across*** his right cheek. 그의 오른뺨에 흉터가 길게 나 있는

것을 보았다.
9 [+前+名/+副] (심상(心像)·기억 따위가) 떠오르다, 오락가락하다; (감각 따위가) 전해지다; (시선이) 갑자기 집중되다: The idea kept ~*ning* ***through*** his head. 그 생각이 그의 머리에 끊임없이 떠올랐다 / The melody was ~*ning* ***in*** her head all day. 그 가락은 온종일 그녀의 머릿속에서 떠나지 않고 있었다 / My mind keeps ~*ning* ***on*** the problem. 내 마음은 줄곧 그 문제에만 가 있다 / He felt pain ~*ning* ***up*** his arm. 그는 팔에 통증이 전해오고 있음을 느꼈다 / A cold shiver *ran* ***down*** my spine. 등골에 오싹하는 한기를 느꼈다.
10 [+*in*+名] (성격·특징이) 내재(內在)하다, …의 피가 흐르고 있다: Nomadism ~*s* ***in*** the family[*in* his blood]. 그 가족에게는[그의 피 속에는] 방랑끼가 흐르고 있다.
11 [+補] **a**) (어떤 상태로) 되다(become), 변하다: The sea *ran* high. 바다는 거칠어졌다 / Popular feelings ~ high. 여론이 들끓었다 / Prices for fish are likely to ~ high. 생선값이 오름세를 보이고 있다 / The food began to ~ short. 식량이 모자라기 시작했다 / She has ~ short of money. 그녀는 돈이 궁색해졌다 / The well has ~ dry. 샘물이 말랐다 / ~ riot ☞ RIOT 숙어 / ~ wild ☞ WILD 숙어. **b**) 평균해서[대체로] …이다: Our apples ~ large[small] this year. 금년에는 사과가 크다[작다].
12 (염색 따위가) 번지다: The color of this dress will not ~ when you wash it. 이 옷은 세탁하여도 색이 번지지 않는다.
13 [動/+副/+*as* 補] 유포하다, 전하다; (법률·계약 따위가) 통용하다, 효력을 지니다; (…라고) 쓰여 있다: The rumor[story] ~*s* that our teacher will leave school before long. 선생님께서 머지 않아 학교를 그만두신다는 소문이 있습니다 / The contract ~*s* for ten years. 그 계약은 10년간 유효하다 / The will ~*s as* follows. 유언은 다음과 같다.
14 (편물 따위가) 풀리다, (양말이) 올이 풀리다: Her stockings began to ~. 그녀의 양말은 올이 풀리기 시작했다《注 《英》에서는 양말의 경우는 LADDER가 쓰임》.
── *vt.* **1 a**) [+目/+目+副/+目+前+名] 달리게 하다; 몰다; 운전하다; (기선 따위를) 다니게 하다: Extra trains are ~ between the two places during the summer season. 여름철에만 그 두 장소 사이에 임시 열차가 운행된다 / Oil is important to ~ various machines. 여러가지 기계를 운전하는 데는 기름이 중요하다 / He *ran* the horse ***up*** and ***down***. 그는 말을 이리저리 몰고 다녔다 / I *ran* him *up* the stairs. 급히 그에게 계단을 오르게 했다. **b**) [+目+前+名/+目+補] 달려서 (어떤 상태에) 이르게 하다: You'll ~ me ***off*** my legs. 너에게 끌려다니다간 녹초가 되겠다 / He *ran* himself ***out of*** breath. 그는 너무 달려서 숨이 찼다 / He *ran* me breathless. 그가 나를 달리게 해서 숨이 가빠졌다.
2 [+目+前+名/+目+副] 차에 태워가다: I will ~ you ***to***[as *far* as] the station. 역까지 태워 드리지요.
3 [+目/+目+前+名] 쫓다, 몰다, 뒤쫓다: ~ a fox[hare] 여우[토끼]를 몰다 / ~ a scent 냄새를 따라가다 / *R*~ that report *back* ***to*** its source. 그 소문의 출처를 밝혀내라 / ~… *to* earth ☞ EARTH *n.* 숙어.
4 [+目+前+名] 경마에 출장시키다; 입후보시키다: ~ a horse ***in*** the Derby 더비(경마 대회)에 말을 출장시키다 / ~ a candidate *in* an election 선거에 후보를 내세우다.
5 [+目+副/+目+前+名] 찌르다; 꿰다; 부딪치게 하다: He *ran* the ship *ashore*[*aground*]. 배를 좌초시켰다 / Be careful not to ~ your car ***into*** the wall. 차를 담에 부딪치지 않도록 주의하시오 / She *ran* the needle *into* her left hand. 그녀는 왼손을 바늘에 찔렸다 / Don't ~ your head ***against*** a lamppost. 가로등 기둥에 머리를 부딪치지 마라 / He *ran* his hand ***through*** his hair. 손을 머리에 집어 넣고 쥐어뜯었다 / He began to ~ his fingers ***over*** the strings of the harp. 하프의 현을 손가락으로 타기 시작했다.
6 [+目/+目+前+名] 흘리다, 부어넣다; 주조(鑄造)하다: He *ran* some water ***in***(***to***) the cask. 그 통에 물을 약간 부어넣었다 / Bullets are ~ *into* a mold. 탄알은 틀에 넣어 주조된다.
7 [+目+*over*+名] 대충 훑어보다: She *ran* her eyes ***over*** the page. 그녀는 그 페이지를 대충 훑어 보았다.
8 a) 달려가서 행하다[다하다]: ~ an errand [a message] (for...) (…을 위해) 심부름[사자(使者)의 역할]을 하다 / The two boys decided to ~ a race. 두 소년은 달리기를 하기로 했다. **b**) 달려서 지나가다, 거쳐가다: ~ the streets (부랑아가) 거리를 돌아다니다 / Let things ~ their course. 일을 돼가는 대로 맡겨 두자.
9 …와 경주하다: I'll ~ you for £5 a side. 각자 5파운드씩 걸고 경주합시다.
10 경영[관리]하다; 지휘[지배]하다: ~ a business[a hat shop] 사업[모자점]을 경영하다 / ~ politics 정치에 관계하다[손을 대다] / The hotel is well ~. 그 호텔(의 경영)은 잘 되어가고 있다 / He is ~ by his wife. 그는 아내에게 쥐여산다《공처가다》.
11 무릅쓰다, …에 생명을 걸다: ~ a risk ☞ RISK *n.* 1 / You're going to ~ the chance. 여하튼 한번 해보겠다는 심사군.
12 밀수입[밀수출]하다(cf. RUMRUNNER).
13 달려서 빠져 나가다, 통과하다: ~ a blockade ☞ BLOCKADE *n.*
14 서둘러[대충] 꿰매다.
15 (셈·계산 따위를) 밀리게 하다, 쌓이게 하다.
16 《美》 [+目/+目+*in*+名] 신문[잡지]에 싣다[발표하다]; (책 따위를) 인쇄하다: Please ~ this ad ***in*** your paper for three days. 이 광고를 3일간 당신네 신문에 실어 주시오.
run about (1) 뛰어 돌아다니다; (일 때문에) 동분서주(東奔西走)하다; 싸다니다. (2) (아이들이) (…에서) 뛰어놀다: Children should not be allowed to ~ *about* the streets. 아이들을 거리에서 뛰놀게 해서는 안된다.
run across... (1) ☞ *vi.* 1 a). (2) …와 우연히 만나다(run (up) against): I *ran across* Tom in [on] the street today. 나는 오늘 거리에서 톰을 우연히 만났다.
run after... (1) …의 뒤를 쫓다, …을 추적하다: Some boys *ran after* the cyclist. 몇 명의 소년들이 그 자전거 여행자의 뒤를 쫓아 뛰어갔다. (2) 《口》 …의 꽁무니를 쫓아다니다, …에게 정신이 빠지다: Mr. Brown spends most of his time ~*ning after* his secretary. 브라운씨는 거의 언제나 비서의 꽁무니를 쫓아다니고 있다.
run against... (1) …에 충돌하다[부딪치게 하다]: He *ran against* a revolving door. 회전문에 부딪쳤다 / ☞ *vt.* 5. (2) …와 우연히 만나다(run

across). (3) …에 어긋나다, …에 불리하게 되다 : It *ran against* his interests. 그것은 그의 이해관계와 상충했다.
run along 떠나다.
run around with... 《美口》 …와 교제하다.
run at …에 대들다, 공격하다.
run at the nose [***mouth***] 콧물[침]을 흘리다.
run away 도주[탈주]하다 ; (지체없이) 떠나다.
run away from …에서 도망치다 ; (다른 경쟁자[말])보다도 훨씬 앞서다, …을 크게 떼어놓다.
run away with... (1) …을 가지고 달아나다, 훔치다(steal) ; …을 데리고 달아나다, …와 함께 도주하다(elope with) : The servant *ran away with* the pearls. 그 하인은 진주를 가지고 달아났다. (2) (말·차 따위가) …을 단[태운] 채로 달리기 시작하다 ; (감정 따위가 사람을) 몰아세우다 : The drunken man let his car ~ *away with* him. 그 술취한 사람은 차를 마구 몰았다 / Don't let your feelings ~ *away with* you. 감정에 휘말리면 안된다. (3) …을 탕진하다 : The project has ~ *away with* a lot of our money. 그 계획에는 우리들의 돈이 꽤 소비되었다. (4) …을 속단하다 : You must not ~ *away with* the idea that the examination will be easy. 시험이 쉬울거라고 속단해서는 안된다. (5) …에게 압도적인 차로 이기다 ; 우승하여 (상품 따위를) 휩쓸다 ; (연기 따위에서) 남보다 훨씬 뛰어나다.
run back (가계 따위가) 거슬러 올라가다〈*to*〉 ; 〔美蹴〕 (킥오프한 볼을 받아서) 상대팀의 골을 향해 달리다 ; (필름·테이프를) 되감다.
run behind …의 뒤를 달리다, 뒤떨어지다.
run down (*vi.*) (1) 뛰어 내려가다, 흘러 떨어지다. (2) (태엽이 풀려 시계 따위가) 멈추다, (전지 따위의 약이) 다 닳다. (3) (도시에서) 시골을 (자동차로) 찾아가다. (*vt.*) (4) (사람이나 사냥감을) 몰아넣다, 몰아대다 ; 추적하여 잡다, 찾아내다, 밝혀내다 ; 〔野〕 (주자를) 협살(挾殺)하다 : The police *ran down* the thief at last. 경찰은 마침내 그 도둑을 붙잡았다 / I managed to ~ *down* the lost manuscript. 겨우 그 분실했던 원고를 찾아낼 수 있었다. (5) 받아 쓰러뜨리다, (자동차가 사람을) 치다, (배를) 충돌하여 침몰시키다 : The careless driver *ran down* the two cyclists. 그 부주의한 운전자는 자전거에 탄 두 사람을 치어 넘어뜨렸다. (6) …의 가치를 하락시키다 ; (…의 능률을) 떨어뜨리다 ; [보통 수동태로] (사람을) 쇠약해지게 하다, (건강을) 해치다 : ~ *down* a factory 공장의 조업을 단축하다 / He appeared to be much ~ *down.* 그는 몹시 쇠약해진 것같이 보였다. (7) 《口》 헐뜯다, 비방하다 : He was constantly ~*ning down* his boss. 그는 계속해서 사장의 험담만 하고 있었다.
run for it 《口》 (위험에서) 빠져 나오다.
run foul of... ☞ FOUL *adv.*
run in (*vi.*) (1) 뛰어들다 ; 맞붙다 ; 〔럭비〕 공을 가지고 골에 들어가다. (2) 《口》 (남의 집에) 잠깐 들르다〈*to*〉: I'll just ~ *in* and see you about three o'clock. 세 시쯤 잠깐 들르겠어요. (*vt.*) (3) (새 차를) 사용하면서 조정하다, 쓰면서 길들이다 (break in). (4) 《口》 (경범죄 따위로) 체포하다, 구류하다 : The man was ~ *in* for speeding. 그 남자는 속도위반으로 구류처분을 받았다. (5) 《口》 (후보자를) 당선시키다. (6) 《美》〔印〕 (원고에) …을 삽입하다, 새로이 …을 써 넣다 ; (끊지 않고) 계속시키다(cf. RUN *on* (4)).
run into (1) …에 뛰어들다 ; …와 충돌하다[시키다] : The two cars *ran into* each other. 두대의 차가 충돌했다 / ☞ *vt.* 5. (2) …을 우연히 만나다. (3) …에 빠지다[빠지게 하다] : ~ *into* debt 빚을 지다 / ~ *into* difficulties 곤경에 빠지다 / That will ~ us *into* great expense. 그것은 많은 비용이 들 것이다. (4) …에 이르다, 달하다 (reach) ; …에 계속하다, …에 합체(合體)하다 : The book will soon ~ *into* ten editions. 그 책은 곧 10판을 찍게 될 것이다 / The total cost of the building ~*s into* thousands of pounds. 그 건물의 총공사비는 수천 파운드에 이르고 있다.
run it fine (시간·돈·수량 따위를) 최대한으로 줄이다.
run off (*vi.*) (1) 달아나다(cf. *vi.* 2) ; 유출하다 ; (얘기가) 빗나가다. (*vt.*) (2) 유출시키다 : *R*~ the water *off* when you have had your bath. 목욕이 끝난 다음에는 물을 빼시오. (3) 줄줄 읽다[쓰다]. (4) 인쇄하다 : We have ~ *off* a thousand brochures. 팸플릿[소책자]을 천 부 인쇄했다. (5) …의 결승전을 하다 : The race will be ~ *off* on Friday. 결승전은 금요일에 개최된다.
run off with (1) …을 가지고 달아나다, 훔치다 (steal) : The messenger boy *ran off with* the money. 그 사환은 돈을 가지고 달아났다. (2) …와 사랑의 도피행을 하다.
run on (1) 계속하다, 계속 달리다(cf. *vi.* 1) ; (글자가) 이어지다 ; 글씨를 잇대어 쓰다, (글씨체가) 초서(草書)가 되다. (2) (병세 따위가) 진행하다, (시간이 신속하게) 경과하다 : Time ~*s on.* 시간은 흘러간다. (3) 쉬지 않고 지껄이다 : Once she began to speak, she would ~ *on* for hours. 그녀는 일단 말을 꺼내면 몇 시간이고 계속 지껄인다. (4) 〔印〕 (*vt.*) 행[단]을 끊지 않고 잇대어 조판하다 ; (*vi.*) (문장 따위가 행·단이) 끊이지 않고 잇대어 계속되다 : The paragraph ~*s on to* the next page. 그 절은 다음 페이지까지 계속된다. (5) (이야기·생각 따위가) …에 관계하다, …에 열중하게 되다 : The boy's mind continually *ran on* space ships. 그 소년의 생각은 줄곧 우주선에 관한 것에 쏠리고 있었다.
run** one**self out 너무 달려서 지쳐버리다(cf. *vt.* 1 b)).
run out (1) 뛰어나가다(cf. *vi.* 1) ; 흘러나오다 ; (조수가) 빠지다. (2) 돌출하다 : The building ~*s out* into the street at that point. 그 빌딩은 그 부분에서 거리쪽으로 돌출되어 있다. (3) (재고품·보급 따위가) 바닥이 나다, 끝나다 ; (기한이) 만기가 되다 : My patience is ~*ning out.* 더 이상 참을 수가 없다 / The sands are ~*ning out.* ☞ SAND 3 b). (4) 〔海〕 (밧줄이[을]) 풀려나가다[풀어내다]. (5) (경주 따위를) 끝까지 하다 ; (일반적으로) 해내다, 완결하다. (6) 〔크리켓·野〕 (주자·타자를) 아웃시키다.
run out of …을 탕진하다, (물건을) 바닥내다 : We have ~ *out of* tea. 차가 다 떨어졌다.
run over (1) …을 대충 훑어보다(☞ *vt.* 7) ; …을 복습하다, 다시 연습하다 : The teacher began by ~*ning over* what we had learnt in the previous lesson. 선생님은 전 시간에 공부한 것을 대충 복습시켰다. (2) (차가) 치다 : The car *ran over* some glass. 자동차가 유리를 밟았다 / The old man was ~ *over* and immediately taken to hospital. 그 노인이 차에 치어 곧 병원으로 옮겨졌다. (3) (용기·액체가) 넘치다. (4) 잠깐 들르다 : I was told to ~ *over to* Mr. Brown's and borrow the lawn mower. 브라운씨한테 잠깐 들러서 잔디깎는 기계를 빌려오라는 분부를 받았다.
run round = RUN *over* (4).

run through (1) (…을) 급히 통과하다[빠져 나가다]; 꿰뚫다(cf. *vt.* 5); 꿰찌르다: The knight *ran* the villain *through with* his sword. 기사는 그 악한을 칼로 찔렀다. (2) …에 널리 퍼지다, 침투하다. (3) 대충 조사하다, 대강 읽다: He *ran through* the newspaper before breakfast. 조반 전에 신문을 대충 훑어보았다. (4) (재산 따위를) 낭비[허비]하다, …을 탕진하다. (5) (글씨 따위를) 줄을 그어 지우다.

run to... (1) ☞ *vi.* 1 a). (2) (수량 따위가) …에 달하다, 미치다: The cost of the expedition ~*s to* several thousand dollars. 탐험 비용은 수천 달러에 이른다 / His new novel will possibly ~ *to* great length. 그의 신작(소설)은 꽤 긴 것이 될는지도 모른다. (3) (어떤 상태·경향)에 빠지다, …이 되다; (감정에) 치우치다: ~ *to* fat ☞ FAT *a.* 1 / ~ *to* ruin ☞ RUIN *n.* 숙어 / ~ *to* seed ☞ SEED *n.* 숙어 / ~ *to* waste ☞ WASTE *n.* 숙어 / The author has somewhat ~ *to* sentiment. 저자는 약간 감상에 치우치고 있다. (4) (지출·구매)의 자력이 있다: Our funds won't ~ *to* a tour round Europe. 우리 자금으로는 유럽일주 여행을 할 수가 없다.

run...too far …을 과용하다, 지나치게 …하다.

run up (1) 뛰어 올라가다; 서둘러 도시로 가다: ~ *up to* town 서둘러 도시로 가다. (2) 빨리[급] 성장하다; 값이 오르다, 값을 올리다; (지출·부채 따위가) 늘어나다; (경매에서) (값을) 다투어 올리다, (상대편으로 하여금) 다투어 올리게 하다: He has ~ *up* bills. 그는 셈할 것이 밀려있다. (3) (기 따위) 죽죽 올리다: The national flag was ~ *up* on the staff. 국기가 깃대에 게양되었다. (4) 급조(急造)하다; 급히 꿰매다: ~ *up* a tent 서둘러 천막을 치다 / She soon *ran up* the tear in her husband's coat. 남편의 웃옷 찢어진 데를 급히 꿰맸다. (5) (숫자란을) 합계하다(add up). (6) (경주 따위에서) 2착[2등]이 되다(cf. RUNNER-UP).

run up against... =RUN *across* (2); (난관 따위)에 직면하다[봉착하다].

run upon... (1) …을 뜻밖에 만나다. (2) =RUN *on* (5): My thoughts *ran upon* some big business transaction. 나의 생각은 어떤 큰 거래건(件)으로 가득차 있었다.

run up to... (1) …에게 달려가다. (2) …에 이르다(amount to): His debts had ~ *up to* more than a hundred pounds. 그의 부채는 100파운드 이상이 되어 있었다.

—— *n.* **1 a**) 달음박질, 달리기; 경주; 짧은 여행(trip); 도주; 급히 달려가기: have a good ~ 충분히[힘껏] 달리다 / a ~ *on* the Continent 급히 다닌 대륙여행 / take a ~ *to* town 잠깐 상경하고 오다[시내까지 다녀오다]. **b**) 주정(走程), 행정, 항정(航程). **c**) 〖空〗 활주: a landing ~ 착륙 활주. **d**) Ⓤ 주력(走力), 달아날 힘: There is no more ~ left in him. 그에게는 더 이상 달릴 힘이 없다. **e**) (특히 산란기의 물고기가) 강을 거슬러 오르기, 그 물고기떼〈*of*〉. **2** 방향, 주향(走向); 추세; 기미〈*of*〉; 진행, 진전 상황: the ~ *of* a mountain range 산맥이 뻗어나간 방향 / the ~ *of* events 일의 진전 상황, 형세. **3** 흐르기[흘려 보내기], 흐르는 양; 흐름; 수로; 수관, 홈통. **4 a**) 연속, 계속(spell): a long ~ 장기 흥행, 롱런(cf. LONG RUN) / a (long) ~ *of* office (오랜) 재직기간 / a ~ *of* wet weather 우천의 계속 / a ~ *of* good luck 행운의 연속 / a good[an ill] ~ at play 승리[패배]의 연속. **b**) 유행; 대수요, 주문 쇄도, 많이 팔림〈*on*〉: have a good[great] ~ 널리 유행하다, 큰 인기를 얻다. **c**) (은행의) 지급 청구 쇄도. **d**) (기자의) 담당 구역. **5 a**) (가축·가금의) 사육장, 울(walk); 《주로 濠》 방목장: a fowl ~ 양계장. **b**) (사슴 따위의) 통로. **6** (사람·물건의) 보통의 것[종류]: the common ~ *of* men 보통[평범한] 인간. **7** 조업(시간); 작업(량). **8** 출입[사용]의 자유: have the ~ *of* a person's house 남의 집에 자유롭게 출입이 허락되다 / give a person the ~ *of* one's books 남에게 자유롭게 장서를 이용케 하다. **9** 〖樂〗 =ROULADE. **10** 〖野·크리켓 따위〗 득점, 1점; 〖美蹴〗 백이 볼을 가지고 전진하기, 런; 〖撞球 따위〗 멋진 스트로크[숏]의 연속: a three-~ homer 3점 홈런. **11** 《美》 (양말·편물의) 올이 세로로 풀리기, 전선(傳線)(=《英》 ladder) 〈*in*〉. **12** 〖컴퓨〗 런, (프로그램의) 실행.

at a run 구보로.

by the run 갑자기, 돌연히.

get the run upon... 《美》 …을 멸시하다, 놀리다, 희롱하다.

have a run for one***'s money*** 돈을 낸[수고한] 만큼의 만족을 얻다; 《美》 심한 경쟁을 하다.

have the run of one***'s teeth*** (근로·봉사의 보수로서) 무료로 식사를 할 수 있다.

in the long run 장기적으로는, 긴 안목으로 보면, 결국은: We found *in the long* ~ that the prophecy had been right. 결국 그 예언이 옳았다는 것을 알았다.

in the short run 단기적으로는, 눈앞의 일만 생각한다면; 당장에는, 우선은.

keep the run of... 《美》 …와 어깨를 나란히 하고 가다, …에게 뒤지지 않다.

on the run 뛰어서; 서둘러서, 도망쳐서; 분주하여; 바빠서.

the run of (***the***) ***mill***[***mine***] 보통 제품, 따로 추려내지 않은 견본.

with a run 갑자기: come down *with a* ~ 갑자기 넘어지다; (값이) 갑자기 내리다.

〈회화〉
Your nylons have a *run* in them. — Oh, dear! Thanks for telling me. 「네 나일론 양말에 올이 풀렸다」「이런, 알려줘서 고마워」

—— *a.* 바다에서 갓 거슬러 올라온《물고기》; 짜낸; 녹은; 주조된; 밀수입한; [합성어로] …경영의: a state-~ university 주립대학.
〚OE *rinnan*; cf. G *rinnen*; *-u-*는 p.p., past pl. 에서의 유추(類推)〛

◇run² *v.* RUN¹의 과거분사.

rún·abòut *n.* **1** 배회하는[떠돌아다니는] 사람; (뛰노는) 아이; 방랑자. **2** 소형 무개마차; 소형 모터 보트[비행기]. —— *a.* 배회하는, 헤매는.

run·a·gate [rʌ́nəgèit] *n.* 《古》 탈주[도망]자; 방랑자; 배교자(背敎者), 변절자.

rún·aròund *n.* 《美俗》 발뺌, 회피, 핑계; 속임수; 〖印〗 삽화 따위를 둘러싸고 빽빽하게 활자를 짜넣기. —— *vi., vt.* 속이다.

rún·awày *n.* **1** 도망[탈주·가출]자; 도망친 말. **2** 도망, 탈주, 사랑의 도피(eloping). **3** 낙승, 일방적인 승리[경기].
—— *attrib. a.* **1** 도망친; 다루기 힘든; 사랑의 도피를 한; 달아나면서 하는: ~ children 가출 소년 / a ~ horse 도망친 말 / ~ lovers 사랑의 도피를 한 남녀 / a ~ marriage[match] 도피 결혼 / a ~ knock[ring] 문을두드리고[벨을 누르고] 달아나기《아이들의 장난》. **2** (경주에서) 쉽게 이긴,

(승리 따위가) 결정적인 : a ~ victory 압도적인 승리. **3** (물가가) 마구 뛰어오르는 : a ~ inflation 폭등하는 인플레이션.

rúnaway stár *n.* 〔天〕 도망별《쌍성(雙星)의 한 쪽이 폭발하여 초신성(超新星)이 될 때 곧바로 날아가 버리는 다른 한쪽의 별》.

rún·bàck *n.* 〔美蹴〕 상대팀이 찬 공 또는 패스를 빼앗아 달리기 ; 〔테니스〕 코트의 베이스 라인 뒤쪽의 공간.

rún·ci·ble spóon [rʌ́nsəbəl-] *n.* 끝이 세개로 갈라진 포크의 일종.
〚Edward Lear의 조어(造語) (1889)〛

run·ci·nate [rʌ́nsənət, -nèit] *a.* 〔植〕 (민들레 잎사귀처럼) 밑으로 향한 톱니 모양의.

run·dle [rʌ́ndl] *n.* **1** (사닥다리의) 가로장(rung). **2** 굴대로 회전하는 것, 차바퀴(wheel) ; (윈치의) 회전 동체.
〚ME=circle ; ⇨ ROUNDEL〛

rún·dòwn *n.* **1** 쇠퇴, 감소, 감원. **2** 한 항목 마다의 검사[분석, 보고], 개요(의 설명). **3** 〔野〕 협살(挾殺). **4** (동력원(源)이 끊어진 기계의) 정지.

rún-dówn *a.* **1** 지칠 대로 지친, 건강을 해친. **2** 몹시 거칠어진, 황폐한. **3** (태엽이 풀려서 시계 따위가) 멈춘.

rune [rúːn] *n.* **1** [보통 *pl.*] 룬 문자《북유럽 고대 문자, 고대 게르만 인의 문자》. **2** 신비로운 기호[문자]. **3** 핀란드의 시가(詩歌), 스칸디나비아의 옛 시. **4** 《詩》 (신비적인) 시가.
〚OE *rūn*<ON=secret, magic signs〛

rún·field *n.* 〔空〕 활주로.

rún·flàt *a.*, *n.* 《英》 (타이어가) 구멍이 나도 달릴 수 있는 (타이어).

◇**rung**[1] *v.* RING[2] 의 과거 · 과거분사.

rung[2] [rʌ́ŋ] *n.* **1** (사닥다리의) 가로장 ; (의자 다리의) 가로대. **2** (바퀴의) 살(spoke). **3** (사회적인) 단계.
the lowest [***topmost***] ***rung of Fortune's ladder*** 《비유》 비운의 구렁텅이[행운의 절정].
〚OE *hrung* crossbar〛

ru·nic [rúːnik] *a.* **1** 룬 문자(rune)의. **2** (시 · 장식 따위가) 고대 북유럽식[풍]의. **3** 고대 북유럽인의. ── *n.* 룬 문자의 비문(碑文) ; Ⓤ 〔印〕(장식적인) 획이 굵은 활자의 일종.

rún-ìn *a.* 《美》 〔印〕 (원고 따위에) 삽입된, 써 넣어진 ; 〔印〕 (절 · 행 따위가) 행을 바꾸지 않고 잇대어 식자 된(run-on).
── *n.* **1** 《美》 〔印〕 =RUN-ON. **2** 《美口》 싸움, 입씨름, 논쟁(quarrel). **3** 시운전 ; 《英》 종착(終着) ; 《口》 체포.

rún·less *a.* 〔野〕 득점 없는, 무득점의.

rún·let[1] *n.* 《古》 (술 따위의) 작은 통.

runlet[2] *n.* 개울, 시내(rivulet).

rún·na·ble *a.* 사냥에 적합한《사슴》.

run·nel [rʌ́nl] *n.* 실개천 ; 작은 수로(水路), 도랑(gutter).
〚ME *rinel*<OE *rynel* ; ⇨ RUN〛

***run·ner** [rʌ́nər] *n.* **1** 달리는 사람 ; 경주자 ; 잘 달리는 말 ; 경주말 ; 도주자 ; 잔심부름꾼 ; 사자, 보발(步撥) ; 〔野〕 주자, 러너. **2** 〔英史〕 순경. **3** 밀수업자(smuggler) ; 밀수선. **4** 《美》 손님끄는 사람 ; 주문 받으러 다니는 사람, 외교원. **5** (기계의) 운전자. **6** (썰매 · 스케이트 따위의) 활주부, 날 ; (기계의) 롤러(roller) ; (맷돌의) 돌아가는 위짝 ; 우산의 고리쇠 ; (지우산의) 개폐장치 ; 〔海〕 (움직도르래의) 활주삭(索). **7** 《美》 =RUN *n.* 11. **8** 〔鳥〕 달리는 종류의 새, (특히) 뜸부기. **9** 〔植〕 (딸기 따위의) 기는 줄기 ; 다른 것에 감기는 식물 : ☞ SCARLET RUNNER. **10** 기다란 장식용 테이블 보 ; 기다란 융단.

rúnner bèan *n.* 《英》 =STRING BEAN.

rúnner's anèmia *n.* 러너 빈혈《운동 선수가 달린 뒤에 소화관 출혈을 일으키는 빈혈》.

rúnner-úp *n.* (*pl.* **rúnners-úp**, **~s**) (경기 · 경쟁의) 차점자, 2착(着)한 사람(cf. RUN *up* (6)), 2등한 팀 ; 입상자, 입선자《2위로 제한하지 않음》; 경매에서 값을 올리는 사람.

***run·ning** [rʌ́niŋ] *a.* **1** 달리는 ; 경마용의 ; 달리면서 하는 ; 몹시 서두르는, 대충의 ; (물 따위) 흐르는, 유동하는. **2** (기계 등이) 운전[가동]중인. **3** 연속적인, 계속하는 : ☞ RUNNING FIRE. **4** (글씨체가) 흘림[초서]의. **5** (종기 따위에서) 고름이 나오는. **6** 〔植〕 기어오르는(creeping). **7** 현재의, 현행의《물가 따위》.
── *adv.* [복수 명사의 뒤에 두어] 계속하여, 연속하여 : It rained five hours ~. 다섯 시간 동안 줄곧 비가 내렸다.
── *n.* **1** Ⓤ **a**) 달리기 ; 러닝, 경주 ; 〔野〕 주루(走壘). **b**) 경영, 운전. **2** Ⓤ 주력. **3** Ⓤ 유출물 ; 유출량 ; 고름이 나옴.
in [***out of***] ***the running*** 경주에 참가하여[불참하여] ; 승산이 있어[없어].
make [***take up***] ***the running*** (말이) 앞장서 달리다 ; 향도하다 ; 《비유》 솔선하다, 리드하다.

rúnning accòunt *n.* 당좌 계정(current account).

rúnning báttle *n.* **1** =RUNNING FIGHT. **2** 장기전 ; 끊임없는 싸움.

rúnning bòard *n.* (옛날 자동차 따위의) 스텝, 발판(footboard).

rúnning cómmentary *n.* (텍스트 또는 사물의 진행을) 필요에 따라 임시로 행하는 해설[비평 · 주석] ; (경기의 진행과 함께 하는) 실황 방송.

rúnning dòg *n.* 《蔑》 〔政〕 남의 앞잡이, 추종자.
〚Chin. 쩌우거우(走狗)〛

rúnning fíght *n.* 추격전, 이동전(戰).

rúnning fíre *n.* (이동하면서 하는) 연속 사격 ; (총포 · 비난 · 질문 따위의) 연발 : a ~ of questions 잇따른 질문.

rúnning gèar *n.* 〔機〕 (전차 · 자동차 따위의) 구동(驅動) 장치.

rúnning hánd *n.* 필기체, 초서체(草書體).

rúnning héad(line) *n.* 〔印〕 (책의 각 페이지 위쪽의) 난외 표제(欄外標題).

rúnning júmp *n.* 도움닫기 높이[멀리]뛰기.
(***go and***) ***take a running jump*** (***at yourself***) 《口》 [명령] 가 버려, 꺼져 버려, 뒈져 버려《분노 · 초조함 따위를 나타냄》.

rúnning knót *n.* 당기면 죄어지도록 된 매듭[올가미](slipknot).

rúnning lìght *n.* 〔海〕 항해등(燈) ; 〔空〕 야간 항행등.

rúnning màte *n.* (경마 출전 말의) 연습 상대말《경마에서 출전 말의 보조를 맞추기 위해 같이 달리게 함》; 《美》 (선거에서) 부(副) …입후보, (특히) 부통령 입후보자.

rúnning nóose *n.* 당기면 죄어지게 만든 올가미.

rúnning repáirs *n. pl.* 간단한[응급] 수리.

rúnning rhýthm *n.* 〔韻〕 약(弱)과 강을 짜맞춘 보통의 운율.

rúnning rìgging *n.* [집합적으로] 〔海〕 움직줄, 동삭(動索)《고정되지 않은 삭구(索具)》.

rúnning shóe *n.* 러닝 슈즈.
give a person his ***running shoes*** 《美俗》 남과의 관계를 끊다, 해고하다.

rúnning stárt *n.* **1** 〔競〕 (삼단뛰기 따위의) 도움닫기 스타트. **2** (사업 따위의) 처음부터의 호조건(好條件).
rúnning stìtch *n.* 〔洋裁〕 러닝 스티치《안팎에 같은 바늘 땀을 냄》.
rúnning stóry *n.* (신문·잡지 따위의) 연재물 ; 〔印〕 기사의 부분 조판 원고.
rúnning téxt *n.* 〔印〕 (조판에 시간이 걸리지 않는 신문·잡지 따위의) 본문.
rúnning títle *n.* =RUNNING HEAD.
rúnning wáter *n.* 수돗물 ; 유수(流水).
rún·ny *a.* 흐르는 경향이 있는 ; 액체 비슷한 ; 점액(粘液)을 분비하는.
rún·òff *n.* **1** (땅속으로 흡수되지 않고 흐르는) 유수(流水), 표면 유출 ; (액체의) 넘쳐 흐름. **2** (동점자의) 결승전 ; 《美》 =RUN-OFF PRIMARY. **3** (생산 도중의) 파치, 불량품.
rún-off prìmary *n.* 《美》 (주(州) 선거에서 최고 득점자 두 사람의) 결선 투표.
rún-of-míll, rún-of-the-míll *a.* 보통의, 흔해 빠진, 평범한.
rún-of-míne, rún-of-the-míne *a.* =RUN-OF-MILL ; 조광(粗鑛)의, 선별되지 않은.
rún-of-the-ríver *a.* (저수지 없이) 흐르는 물을 이용하는《발전소》.
rún-òn *a.* 〔韻〕 (행끝이 끊어지지 않고) 다음 행으로 계속되는 ; 〔印〕 행을 바꾸지 않고 잇대어 식자하는. —— *n.* 〔印〕 (문장·절·행 따위의) 잇대어 식자하기.
rún-on séntence *n.* 〔文法〕 무종지문(無終止文) 《접속사가 아닌 콤마로 둘 이상의 문장을 하나로 연결한 글 ; cf. COMMA FAULT》.
rún·pròof *a.* (잉크가) 번지지 않는 ; (양말이) 올이 풀리지 않는.
runt [rʌ́nt] *n.* **1 a)** (같은 종(種) 중의) 몸집이 작은 동물, (특히 한배 새끼중에서) 제일 작은 돼지 ; 송아지《웨일스종》. **b)** 《蔑》 꼬마. **2** [흔히 R~] 런트종(의 집 비둘기) 《원래 식용》.
〖C16<?〗
rún·thròugh *n.* 관통 ; 대충 읽기, 통독 ; (극·음악 등의) 예행 연습(rehearsal) ; 개요, 요약 ; 간단한 검토.
rún·tìme *n.* 〔컴퓨〕 실행시간《프로그램이 실행되는 시간》.
rúnty *a.* 발육부전의, 왜소한, 꼬마의.
rún·ùp *n.* [the ~] 《英》 (어떤 일에 대한) 전(前) 단계〈*to*〉, 준비 기간[활동] ; 〔競〕 도움닫기 ; (물가 따위의) 급등.
rún·wày *n.* **1** 주로(走路) ; 활주로(airstrip) ; 자동차 길. **2** 동물이 다니는 길. **3** (극장의) 무대에서 관람석으로의 통로. **4** (목재를 굴려내리는) 경사로 ; (창틀의) 홈. **5** (닭 따위의) 우리, 울.
ru·pee [ru:píː, 美+ˊ-] *n.* 루피《인도(=100paise)·파키스탄(=100 paisa)·스리랑카(=100 cents)의 화폐 단위 ; 기호 R, Re》; 1루피 은화.
〖Hind.<Skt.=wrought silver〗
Ru·pert [rúːpərt] *n.* 남자 이름.
〖⇨ ROBERT〗
ru·pi·ah [ruːpíːə] *n.* (*pl.* **~, ~s**) 루피아《인도네시아의 화폐 단위 : =100 sen ; 기호 Rp》; 1루피아 지폐.
rup·ture [rʌ́ptʃər] *n.* **1** U,C **a)** 파열, 파괴 : the ~ *of* a blood vessel 혈관의 파열. **b)** 결렬, 단절 ; 사이가 나쁨, 불화〈*between, with*〉: come *to* a ~ (교섭이) 결렬되다 ; 사이가 나빠지다. **2** 〔醫〕 헤르니아, 탈장(hernia). —— *vt.* **1** 터뜨리다, 찢다, 째다, 파열시키다 ; 단절[결렬]시키다, 사이를 갈라놓다, 이간하다 : ~ a blood vessel 혈관을 파열시키다 / ~ a connection 관계를 끊다, 인연을 끊다. **2** 〔醫〕 …에 헤르니아를 일으키다. —— *vi.* **1** 찢어지다, 파열되다. **2** 〔醫〕 헤르니아가 되다.
〖OF or L (*rupt- rumpo* to break)〗
R.U.R. Royal Ulster Rifles.
***ru·ral** [rúərəl] *a.* 시골의, 전원의, 시골풍의, 시골티가 나는(↔*urban*) ; 농업의(agricultural), 농사의, 경작의 : a ~ life 전원 생활 / We are now in ~ seclusion. 우리는 지금 외딴 곳에 있다.
~·ly *adv.* **~·ness** *n.*
〖OF or L (*rur- rus* the country)〗
類義語 ***rural*** 도회지(urban) 생활에 대하여 시골(생활)의 : *rural* life(전원 생활). ***rustic*** 도시의 세련되고 고상한 것에 대하여 시골의 거칠고 소박함을 강조 : *rustic* manner(촌스러운 태도). ***pastoral*** 원래는 양치기들의 생활을 뜻한 말로 전원의 단순 소박하고 평화로운 생활을 강조하는 시적인 연상을 내포함 : a *pastoral* picture (전원 풍경화).
rúral déan *n.* 〔英國敎〕 지방집사《archdeacon의 보조역》.
rúral frée delívery *n.* 《美》 지방 지구 무료 우편 배달《略 R.F.D.》.
rúral·ìsm *n.* U 시골풍 ; C 시골티의 말[표현] ; 전원[농촌] 생활.
rúral·ist *n.* 전원[농촌] 생활(주의)자.
ru·ral·i·ty [ruərǽləti] *n.* U 시골풍, 전원 생활 ; C 촌, 촌의 풍습, 전원 풍경.
rúral·ìze *vt.* 시골풍으로 하다, 전원화하다.
—— *vi.* 전원 생활을 하다.
rùral·izátion *n.* 전원화.
rúral róute *n.* 《美》 지방 무료 우편 배달로(路)[구역(區域)].
rur·ban [rə́ːrbən, rúər-] *a.* 전원 도시의[에 사는] ; 시외[도시 근교]에 있는[사는].
〖*r*ural+*urban*〗
ru·ri·decánal [rùərə-] *a.* RURAL DEAN의.
Ru·ri·ta·ni·an [rúərətèiniən, ˌ-ˌ-ˊ--] *a.* 로맨스와 모험의 왕국의《Anthony Hope, *The Prisoner of Zenda* 따위의 가상 왕국 Ruritania에서》.
Rus. Russia ; Russian.
ruse [rúːz] *n.* 책략, 계략(trick).
〖F (*ruser* to drive back) ; cf. RUSH[1]〗
‡**rush**[1] [rʌ́ʃ] *vi.* **1** [動/+副/+前+名] 돌진하다, 쇄도하다 ; 돌격하다, 습격하다 : The river ~*ed* ***along.*** 강이 세차게 흐르고 있었다 / Fools ~ ***in*** where angels fear to tread. 군자가 두려워 발을 들여 놓지 않는 곳에 어리석은 자는 뛰어든다 《Alexander Pope의 말》/ The boys ~*ed* ***out of*** [~*ed* ***into***] the room. 소년들은 방에서 뛰어나갔다[방으로 뛰어들어왔다] / They ~*ed* ***toward*** me. 나를 향해서 돌진해 왔다 / The Greeks ~*ed* ***at*** their enemies. 그리스인은 적을 향해 돌격했다. **2** [+前+名] 무모[경솔]하게 (행동으로) 옮기다 : ~ ***into*** extremes 극단으로 흐르다 / ~ *into* print 서둘러서 출판하다 / We should avoid ~*ing* ***to*** conclusions. 성급히 결론을 내리는 일은 피해야 한다. **3** [+前+名] 갑자기 일어나다[나타나다] : Blood ~*ed* ***to*** his face. 갑자기 그의 얼굴이 새빨개졌다 / The past life ~*ed* ***into*** my memory. 지난날의 생활이 갑자기 나의 기억에 떠올랐다. **4** 〔美蹴〕 공을 가지고 돌진하다.
—— *vt.* **1** [+目/+目+副/+目+前+名] 돌진시키다, 몰아세우다, 재촉하다, 서둘러 하다 : ~

a message 지급 전보로 알리다 / *R*~ this order, please. 지급으로 이 주문서를 발송해 주시오 / I don't want to ~ you. 당신을 재촉하고 싶지는 않습니다 / They ~*ed* the bill ***through***. 부랴부랴 의안을 통과시켰다 / More troops were ~*ed* ***to*** the front. 보다 많은 군대가 전선으로 급파되었다. **2** …에 돌격하다, 돌격하여 점거하다 ; (금광 따위를) 습격하여 점유하다 ; (장애물을) 돌파하다 : They ~*ed* the enemy. 적에게 돌격했다 / Crowds of people were ~*ing* the territory that was reputed to produce gold. 금이 난다고 소문난 지역으로 많은 사람들이 쇄도하고 있었다. **3** 《英俗》 [+目 / +目+目 / +目+*for*+名] 터무니없는 값을 요구하다 : They ~*ed* me £10 ***for*** the article. 그 물건에 대하여 10파운드나 요구했다. **4** 〖美蹴〗 공을 가지고 돌진하다. **5** 《美口》 (여자에게) 열렬히 구혼하다 ; 《美口》 (대학의 사교 클럽에) 입회 권유하기 위해 환대하다.
rush a person ***off*** his ***feet*** (남을) 재촉하다, 바쁘게 일을 시키다.

〈회화〉
I was married when I was your age. — Don't *rush* me. 「나는 네 나이 때 벌써 결혼했어」「너무 재촉하지 마세요」

—— *n.* **1** Ⓤ,Ⓒ 돌진, 맹진 ; 돌격 ; 급격한 발달. **2** 분망, 몹시 바쁨 ; 급격한 증가 : the ~ of city life 도시생활의 분망함. **3** 대수요, 주문쇄도〈*for, on*〉. **4** 쇄도 : a ~ *for* gold=a gold ~ 금광열 / a ~ *to* the gold fields 금광으로의 쇄도. **5** 〖美蹴〗 공을 가지고 돌진하기[하는 사람]. **6** 《美》 (대학 클래스 사이에서 하는 기 · 막대 따위의) 쟁탈전 ; 《美學》 만점에 가까운 점수. **7** [때때로 *pl.*] 〖映〗 (촬영 직후에 만드는) 편집용 프린트. **8** 《美口》 구애(求愛) (하기 위한 환대). **9** 마약의 쾌감 ; 황홀감.
with a rush 돌격하여 ; 단숨에 ; 별안간 : The army carried the fortress *with a* ~. 그 군대는 일거에 그 요새를 함락했다.
—— *attrib. a.* 쇄도하는, 분망한 ; 서두르는, 서둘러 만든 : a ~ order 지급 주문.
〖AF *russher*, OF *ruser* ; ⇨ RUSE〗

rush[2] *n.* **1** 등심초(燈心草), 골풀《멍석 · 바구니 따위를 만듦》. ㊟ 재료의 뜻으로는 집합적으로 Ⓤ. **2** 하찮은 것 : not care a ~ 조금도 개의치 않다 / not worth a ~ 조금도 가치 없다. —— *vt.* 골풀로 만들다 ; (바닥에) 골풀을 깔다.
〖OE *rysc(e)* ; cf. G *Rusch*〗

rúsh àct *n.* 《俗》 러시 공격 ; 《口》 (연인에의) 맹렬한 공격, 구애 작전.

rúsh bàggage *n.* 〖空〗 급송 수화물.

rúsh-béar·ing *n.* 《英》 교회 건립제《영국 북부의 행사로서 이날 골풀을 교회 마루에 뿌림》.

rúsh cándle *n.* =RUSHLIGHT 1.

rúsh hòur *n.* [때때로 the ~s] (출근 · 퇴근시의) 혼잡한 시간, 러시 아워 : The train arrived at the station *in the* ~. 열차는 러시 아워에 역에 도착했다 / The crowds *in the* ~*s* are terrible. 러시 아워의 혼잡은 지독하다.

rúsh·ing *n.* 〖美蹴〗 돌진하여 공을 가지고 나아감 ; 러닝 플레이로 나아간 거리 ; 《美口》 사교클럽 입회 권유를 위한 환대 (기간).

rúsh·líght *n.* **1** 등심초의 양초. **2** 《비유》 희미한 불빛, 미광(微光) ; 불충분한 지식 ; 실력 없는 교사, 하찮은 것.

rúshy *a.* 등심초와 같은[로 만든] ; 골풀[등심초]이 많은. 〖RUSH[2]〗

rus in ur·be [rúːs in úrbe] *n.* 도시 속의 시골《나무나 잔디가 많은 곳》.
〖L=country in the city〗

rusk [rʌ́sk] *n.* 러스크《딱딱하게 구운 일종의 비스킷》 ; (오븐으로) 누렇게 구운 빵 (cf. ZWIEBACK).
〖Sp. or Port. *rosca* twist, coil〗

Rus·kin [rʌ́skən] *n.* 러스킨. **John** ~ (1819-1900) 영국의 저술가 · 비평가 · 사상가.

Russ [rʌ́s] *a.* 《古》 러시아(사람 · 어)의. —— *n.* (*pl.* ~, **~·es**) 러시아 사람 ; Ⓤ 러시아어.

Russ. Russia ; Russian.

Rus·sell [rʌ́səl] *n.* **1** 남자 이름. **2** 러셀. **Bertrand** ~ (1872-1970) 영국의 수학자 · 철학자 · 저술가. 〖OF (dim.) ‹ *roux* red〗

Rússell réctifier *n.* (파력(波力) 발전용) 러셀 정류기(整流器)《발전기 구동용의 바닷물을 파력으로 양수하는 수력 장치》.
〖Robert *Russell* (1921-) 영국의 기사(技師)〗

rus·set [rʌ́sət] *n.* **1** Ⓤ 적갈색, 황갈색. **2** Ⓤ (옛날의) 적갈색의 수직물(手織物). **3** 빨간 사과의 일종. —— *a.* 적갈색의, 황갈색의 ; 《口》 시골풍의, 소박한. **rús·sety** *a.* 가랑잎 빛깔의, 팥 빛깔의. **~·ish** *a.*
〖OF<L *russus* red〗

***Rus·sia** [rʌ́ʃə] *n.* **1** 러시아 제국(=the Russian Empire) (1547-1917). **2** 러시아 연방(聯邦)《수도 Moscow》.

Rússia léather[cálf] *n.* 러시아 가죽《제본 따위에 사용함》.

***Rús·sian** *a.* 러시아(인 · 어)의. —— *n.* 러시아 사람 ; Ⓤ 러시아어《略 Russ.》.

Rússian béar *n.* 러시언 베어《보드카 · 크렘드카카오(crème de cacao) · 크림의 칵테일》.

Rússian blúe *n.* [때때로 R~ B~] 러시아고양이《몸통이 길쭉하고 귀가 큰 청회색 고양이》.

Rússian Chúrch *n.* [the ~] (혁명 전의) 러시아 정교회《동방 정교회의 한 파》.

Rússian dréssing *n.* 〖料〗 러시아식(式) 드레싱《칠리 소스와 잘게 썬 피클스를 넣어 만든 마요네즈 소스》.

Rússian Émpire *n.* [the ~] 러시아 제국《1917년에 멸망》.

Rússian·ìze *vt.* 러시아(인 · 어)화하다, 러시아풍으로 하다 ; 러시아의 세력 아래 두다.
Rùssian·izátion *n.* Ⓤ 러시아(인)화(化).

Rússian Órthodox Chúrch *n.* [the ~] 러시아 정교회(Russian Church).

Rússian Revolútion *n.* [the ~] 러시아 혁명《1917년 3월(음력 2월)과 동년 11월(음력 10월)의 혁명》.

Rússian roulétte *n.* **1** 러시아식 룰렛《총알이 한 개만 들어 있는 권총의 탄창을 돌리면서 자신의 관자놀이를 향해 방아쇠를 당기는 목숨을 건 승부 겨루기》. **2** 자살 행위.

Rússian sálad *n.* 러시아식 샐러드《깍둑썰기한 야채에 마요네즈를 섞은 샐러드》.

Rússian thístle[túmbleweed] *n.* 〖植〗 (유럽 원산(原産)의) 수송나물의 일종.

Rússian wólfhound *n.* (러시아산의) 이리 사냥용의 큰 사냥개.

Rus·si·fi·ca·tion [rʌ̀səfəkéiʃən] *n.* Ⓤ 러시아 (영토)화.

Rus·si·fy [rʌ́səfài] *vt.* =RUSSIANIZE.

Rus·so- [rʌ́sou, -sə, rʌ́ʃ-] *comb. form* 「러시아(사람)의」의 뜻. 〖*Russ, -o-*〗

Rússo·phìl, -phìle *a., n.* 러시아 편을 드는 (사람) ; 친러시아파(의).

Rus·soph·il·ism [rʌsɑ́fəlìzəm] *n.* Ⓤ 친(親)러시아주의.

Rússo·phòbe *n.* 러시아를 싫어하는 사람.

Rùsso·phóbia *n.* Ⓤ 러시아를 싫어함.

rust** [rʌ́st] *n.* **1** Ⓤ (금속의) 녹 : be in ~ 녹슬어 있다 / gather ~ 녹슬다. **2** Ⓤ 〖植〗 녹병균 ; 적(赤) 녹병균. **3** (정신 활동 따위의) 둔화 ; 무위, 무활동 ; 나쁜 습관. **4** 녹빛, 녹빛 도료[염료]. —— *vi.* **1** 녹슬다, 녹빛이 되다, 부식하다. **2** 〖植〗 녹병에 걸리다. **3** [動/+副] 《비유》 (사용하지 않아) 무디어지다, 쓸모없게 되다 : Don't let your talents ~. 너의 타고난 재능을 썩여서는 안 된다 / Better wear out than ~ ***out. 《속담》 녹슬게 하느니 써서 없애는 편이 낫다. —— *vt.* 녹슬게 하다, 부식시키다 ; 〖植〗 녹병에 걸리게 하다 ; 《비유》 (사용하지 않아서) 무디게 하다. 〚OE *rūst* ; cf. RED, G *Rost*〛

rúst bùcket *n.* 《美俗》 노후화된 미해군 구축함, (일반적으로) 낡은 배 ; 《濠》 녹이 몹시 슨 차.

rúst-còlored *a.* 녹빛의.

***rus·tic** [rʌ́stik] *a.* **1** 시골(풍)의, 시골 생활의(rural). **2** 촌사람 같은, 소박한, 꾸밈새 없는 ; 버릇없는, 조야한. **3** 거칠게 만든 ; 통나무로 만든 : a ~ bridge[chair] 통나무 다리[의자] / a ~ seat (정자(亭子)에 어울릴 듯한) 통나무로 만든 의자. —— *n.* 시골 사람, 농부.

rús·ti·cal *a.* **-ti·cal·ly** *adv.*

〚L (*rus* the country)〛

類義語 ⟹ RURAL.

rus·ti·cate [rʌ́stikèit] *vi.* 시골로 은퇴하다 ; 시골에서 살다. —— *vt.* **1** 시골로 보내다 ; 시골풍으로 하다. **2** 《英大學》 …에게 정학(停學)을 명하다.

rùs·ti·cá·tion *n.* Ⓤ 시골살이 ; 시골로 보내기 ; 정학 ; 〖石工〗 면을 거칠게 다듬기. **-cà·tor** *n.*

L=to live in the country〛

rus·tic·i·ty [rʌstísəti] *n.* Ⓤ 시골풍 ; 시골 생활 ; 소박, 순박 ; 야비, 조야.

rústic wòrk *n.* 통나무로 만든 정자[가구] ; 〖石工〗 면을 거칠게 다듬기.

rus·tle** [rʌ́səl] *vi.* **1** [動/+副/+前+名] 살랑[바삭, 후두두 후두두]거리다, 살랑살랑[바삭바삭, 후두두후두두] 소리내다 ; 살랑살랑 소리내며 움직이다, 옷 스치는 소리를 내며 걷다〈*along*〉: The leaves ~*d* in the night breeze. 나뭇잎이 밤바람에 흔들려 살랑거렸다 / She was *rustling* ***in silks. 비단옷 스치는 소리를 내고 있었다. **2** 《美俗》 활발하게 움직이다, 부지런히 일하다[벌다]. **3** 《美口》 가축을 훔치다. —— *vt.* **1** 살랑살랑 흔들다, 옷스치는 소리를 내다 ; 바삭바삭 소리내며 떨어뜨리다 : The wind ~*d* the leaves. 바람에 흔들려 나뭇잎이 살랑거렸다. **2** 《美口》 [+目/+目+副] 서둘러 움직이다[다루다] ; 노력해서 얻다[모으다] : We're *rustling* ***up*** the food for an unexpected guest. 갑자기 온 손님을 위해서 서둘러 음식을 장만하고 있는 중입니다. **3** 《美口》 (소·말 따위를) 훔치다.

—— *n.* Ⓤ,Ⓒ 살랑거리는 소리, 옷 스치는 소리 ; 《美口》 정력적인 활동 ; 《美口》 훔침 ; 《美俗》 부모 외출중에 타인에게 맡겨진 아이.

〚ME (imit.)〛

rús·tler *n.* **1** 잎이 살랑살랑 소리를 내는 식물 ; 《美俗》 활동[활약]가. **2** 《美口》 소도둑(cattle thief).

rúst·less *a.* 녹슬지 않은 ; 무디어지지 않은.

rús·tling *a.* **1** 살랑살랑 소리나는, 옷 스치는 소리가 나는. **2** 《美俗》 활동적인, 분투적인. —— *n.* Ⓤ,Ⓒ 살랑거리는 소리 ; 《美口》 가축을 훔치기 : the ~(*s*) of leaves 나뭇잎의 살랑거리는 소리. **~·ly** *adv.*

rúst·pròof *a.* 녹슬지 않는[않게 해둔]. —— *vt.* …에 녹슬지 않게 하다.

rúst-resìstant *a.* 녹슬지 않는, 녹에 강한, 녹을 방지하는.

***rústy**[1] *a.* **1** 녹슨 ; 녹에서 생긴. **2** 〖植〗 녹병에 걸린. **3** (사용하지 않아) 무디어진. **4** 녹빛의, 퇴색한 ; 입어 낡은, 낡아빠진. **5** 목이 쉰.

rúst·i·ly *adv.* **-i·ness** *n.*

〚OE *rūstig* ; ⇨ RUST〛

rusty[2] *a.* **1** (고기·베이컨 따위가) 썩어가는, 변질된. **2** 말을 안 듣는, 고집이 센. **3** 시무룩[부루퉁]한, 성난.

ride [***run***] ***rusty*** 완고해지다.

turn [***get***] ***rusty*** 화를 내다.

rut[1] [rʌ́t] *n.* **1** 바퀴 자국 ; 가느다랗게 패인 곳, 홈. **2** 《비유》 틀에 박힌 상투적 방식, 상례 : get [settle, sink] into a ~ 틀에 박히다 / go on in the same old ~ 십년을 하루같이 같은 일을 하다 / move in a ~ 판에 박힌 일을 하다. —— *vt.* (-tt-) [보통 *p.p.*로] …에 바퀴 자국을 내다 : a deeply ~*ted* road 깊게 바퀴자국이 난 도로.

〚? OF ; ⇨ ROUTE〛

rut[2] *n.* Ⓤ (수사슴·황소 따위의) 암내, 발정(發情) (cf. HEAT *n.* 8) ; [때때로 the ~] 발정기.

go to (***the***) ***rut*** 발정하다.

in [***at***] (***the***) ***rut*** 발정하여.

—— *vi.* (-tt-) 발정하다.

〚OF<L (*rugio* to roar)〛

ru·ta·ba·ga [rù:təbéigə] *n.* 〖植〗 황색의 큰 순무의 일종(Swedish turnip) ; 《美俗》 추녀 ; 《美俗》 1달러. 〚Swed. (*rut* root, *bagge* bag)〛

ruth [rú:θ] *n.* 《古》 동정, 연민(pity) ; 후회, 회한(悔恨), 슬픔(sorrow).

〚RUE[1]〛

Ruth *n.* **1** 여자 이름. **2** 〖聖〗 룻(Boaz와 결혼하여 David의 선조가 된 여인). **3** 〖聖〗 룻기(記) (the Book of Ruth) (구약성서 중의 한 편).

〚Heb.=?; ↑로 연상됨〛

Ru·the·nia [ru:θí:niə] *n.* 루테니아(우크라이나 공화국 서부 카르파티아 산맥의 남쪽 지방).

ru·then·ic [ru:θénik] *a.* 〖化〗 루테늄의, (특히) 비교적 높은 원자가의 루테늄을 함유한.

ru·the·ni·ous [ru:θí:niəs] *a.* 〖化〗 루테늄의, (특히) 비교적 낮은 원자가의 루테늄을 함유한.

ru·the·ni·um [ru:θí:niəm] *n.* Ⓤ 〖化〗 루테늄(백금족(族) 원소 ; 기호 Ru ; 번호 44).

〚*Ruthenia*〛

Ruth·er·ford [rʌ́ðərfərd] *n.* **1** 러더퍼드. **Ernest** ~ (1871-1937) 영국의 화학·물리학자. **2** [r~] 〖理〗 러더퍼드(방사능의 단위 ; 기호 rd.).

〚OE=(dweller near the) cattle crossing〛

Rútherford àtom *n.* 〖理〗 러더퍼드 원자(중심에 양전하(陽電荷)가 응집된 핵이 있고 그 주위에 전자가 궤도 운동을 하고 있는 원자 모형).

〚Ernest *Rutherford*〛

ruth·er·for·di·um [rʌ̀ðərfɔ́:rdiəm] *n.* 〖化〗 러더퍼듐(104번 원소 명칭의 하나 ; 기호 Rf).

〚Ernest *Rutherford*〛

rúth·ful *a.* 《古》 동정심 많은 ; 슬픈 ; 비애를 느끼게 하는. **~·ly** *adv.* **~·ness** *n.*

***rúth·less** *a.* 무자비한, 무정한(pitiless), 냉혹한, 잔혹한, 난폭한(cruel).

~·ly *adv.* 무정[냉혹]하게(도).

~·ness *n.*

ru·ti·lant [rú:tələnt] *a.* 붉게[황금색으로] 빛나는,

번쩍번쩍 빛나는.
ru·tile [rú:ti:l, -tail] *n.* 〖鑛〗 금홍석(金紅石).
Rut·land [rʌ́tlənd], **Rútland·shire** [-ʃìər, -ʃər] *n.* 러틀랜드(셔) 《잉글랜드 중부의 옛 주; 지금은 Leicestershire의 일부》.
rút·tish *a.* 발정한, 암내를 낸; 호색의. **~·ly** *adv.* **~·ness** *n.* 〖RUT[2]〗
rút·ty[1] *a.* 바퀴 자국이 많은. **rút·ti·ly** *adv.* 〖RUT[1]〗
rutty[2] *a.* =RUTTISH.
rux [rʌ́ks] *n.* 《英學俗》 분통, 화; 《俗》 소음, 소란.
R.V., RV recreational vehicle; 〖宇宙〗 reentry vehicle (재진입 비행체); Revised Version (of the Bible).
R-value [ɑ́:r-́] *n.* 《美》 R값《건축재 따위의 단열(斷熱) 성능을 나타내는 값; R값이 높을수록 단열성이 높음》. 〖*r*esistance *value*〗
RVO receiving only earth station(수신 전용 지구국). **RVR** runway visual range(활주로 시거리(視距離)). **R.V.S.V.P., RVSVP, rvsvp** *répondez vite s'il vous plaît* 《F》 (=please reply at once). **R.W., RW** radiological warfare; Right Worshipful; Right Worthy. **R/W** right-of-way.
Rwan·da [ruɑ́:ndə; ru(:)ǽn-] *n.* 르완다《아프리카 중부의 공화국; 수도 Kigali》. **Rwán·dan** *a., n.*
RWD rewind(테이프 리코더의 되감기). **r.w.d.** rear-wheel drive. **R/WM** read/write memory. **Rwy., rwy.** railway.
Rx [ɑ́:réks] *n.* (*pl.* **~'s, ~s**) 처방(prescription); 대응책, 대처법, 처치. 〖L *recipe*의 약호(略號) ℞〗
-ry [ri] *suf.* =-ERY.
Ry. Railway. **ry.** rydberg.
rýa (rùg) [rí:ə(-)] *n.* 스칸디나비아산(產)의 수직(手織) 융단. 〖*Rya* 스웨덴 남서부의 마을〗
ryd·berg [rídbə:rg] *n.* 〖理〗 리드베리《에너지의 단위: =13.606 eV; 기호 ry》. 〖Johannes R. *Rydberg* (d. 1919) 스웨덴의 물리학자〗
***rye** [rái] *n.* Ⓤ **1** 호밀《가축사료, 라이 위스키·흑빵의 원료》. **2** =RYE WHISKEY; 《美東部》 브랜드 위스키. **3** =RYE BREAD. —— *a.* 호밀로 만든. 〖OE *ryge*; cf. G *Roggen*〗
rýe bréad *n.* (호밀로 만든) 흑빵.
rýe·gràss *n.* Ⓤ 〖植〗 쥐보리속(屬)의 목초. 〖*ray-grass* (obs.) < ?〗
Rýe Hòuse Plòt *n.* 〖英史〗 라이하우스 사건《Charles 2세와 그의 아우(후에 James 2세)에 대한 암살 계획 모의(1683); 발각되어 Whig당이 탄압을 받았음》.
rýe·pèck *n.* 《英方》 끝에 쇠를 단 장대《물 속에 세워 배를 매어두는 데 씀》.
rýe whískey *n.* 라이 위스키《호밀이 주원료; 미국·캐나다 주산》.
ry·ot [ráiət] *n.* 《인도》 농부(peasant); 소작인.
R.Y.S. 《英》 Royal Yacht Squadron.
R.Z.S. 《英》 Royal Zoological Society.

S

s, S [és] *n.* (*pl.* **s's, ss, S's, Ss** [ésəz]) **1** 에스《영어 알파벳의 열아홉번째 글자》. **2** 제19번째(의 것) ; S자형(의 것) : make an *S* S자형을 이루다. **3** (학업 성적따위에서) S 평점(satisfactory).
-s ☞ -ES.
-'s [(유성음 뒤) z, (무성음 뒤) s, ([s, z, ʃ, ʒ, tʃ, dʒ] 의 뒤) əz] **1** 〖OE gen. pl. 어미〗 [명사, 때때로 대명사의 소유격을 만듦] : Tom'*s*, cat'*s*, Chambers'*s* [tʃéimbərzəz], men'*s*, *etc.* 㘴 s로 끝나는 고유명사에는 보통 -s'*s*, -s' 어느것이라도 무방 : Dickens'*s*, Dickens' [díkənzəz]. **2** 〖OE *-as* pl. 어미〗 [문자·숫자·약어 따위 복수형을 만듦] : t'*s* ; 3'*s* ; M.P.'*s*. 㘴 ['] 은 생략하는 수도 있음 : a woman(')*s* club / a women(')*s* club. **3** 《口》 [is, has, us, does, as 의 단축형] : he'*s*=he is [has] / He'*s* done it.=He has done it. / Let'*s* go.=Let us go. / What's it mean?=What does it mean? / so'*s* to be in time=so as to be in time.
S satisfactory ; Saxon ; 〖電〗 siemens ; slow ; square ; 〖化〗 sulfur. **S,S., s,s.** south ; southern. **S, S/** sol, soles ; sucre(s). **S.** Sabbath ; [*pl.* **SS.**] Saint ; Saturday ; School ; Sea ; Senate ; September ; Signor ; Socialist ; Society ; Staff ; Sunday. **s.** school ; secondary ; section ; second(s) ; see ; shilling(s) ; sign ; singular ; son ; soprano ; steel ; steamer ; stem ; stere.
$, $ dollar(s) ; escudo(s) ; peso(s) ; sol, soles ; yuan(s) : $3.00 3달러. 㘴 *solidus*의 머리글자인 S의 장식문자로 포르투갈·남미 등지의 화폐단위 기호로 쓰이며 만화 따위에서는 「돈, 큰 돈」을 뜻하는 기호로도 씀.
SA Support Assistance (지원 원조) ; Sub-Authorization(부구매 승인서). **Sa** 《廢》〖化〗 samarium. **S.A.** Salvation Army ; South Africa ; sex appeal ; South America ; South Australia ; subject to approval. **s.a.** *secundum artem* 《L》 (=according to art) ; semiannual ; *sine anno* 《L》 (=without date) ; subject to approval.
Saar [zɑ́ːr, sɑ́ːr] *n.* [the ~] 자르 (=**Saar·land** [-lænt ; *G* zɑ́ːrlant]) 《독일 서부의 철·석탄 산지 ; 프랑스와 독일 사이에 귀속문제로 다투었으나 지금은 독일의 한 주(州)》.
SAARC South Asian Association for Regional Cooperation.
Sab. Sabbath.
sab·a·dil·la [sæ̀bədílə, -díːjə] *n.* 〖植〗 사바딜라 《멕시코산 백합과 식물》. 〖Sp.〗
Sa·bae·an, -be- [səbíːən] *a.* 아라비아의 옛 왕국 시바(Sheba, Saba)의 ; 시바인[어]의. —— *n.* 시바인 ; Ⓤ 시바어.
Sab·a·oth [sǽbiɑ̀θ, -ɔ̀ːθ ; sæbéiɔθ] *n.* *pl.* 〖聖〗 만군(萬軍)(=hosts).
the Lord of Sabaoth 만군의 주, 신(神)《로마서 9 : 29, 야고보서 5 : 4》.
〖L<Gk.<Heb.=hosts〗
Sab·ba·tar·i·an [sæ̀bətέəriən, -tǽər-] *a.* 안식일 엄수(주의)의. —— *n.* **1** 안식일《토요일》을 지키는 유태교도. **2 a)** 안식일《일요일》 엄수주의의 기독교도 ; 일요일의 취업·오락 반대자. **b)** 토요일을 안식일로 하는 침례교도(Baptist). **~·ìsm** *n.* Ⓤ 안식일 엄수주의.
***Sab·bath** [sǽbəθ] *n.* **1 a)** 안식일(=∼ **dày**) 《유태교에서는 토요일, 기독교에서는 일요일, 이슬람교에서는 금요일》 : break[keep, observe] the ~ 안식일을 지키지 않다[지키다] / ☞ WITCHES' SABBATH. **b)** [형용사적으로] 안식일의. **2** [s~] 휴식(기간), 평화, 정적.
〖OE *sabat*<L and OF<Gk.<Heb.=rest〗
Sábbath-brèaker *n.* 안식일을 지키지 않는[어기는] 사람.
Sábbath dày's jóurney *n.* 안식일 노정《고대 유태교도가 안식일에 여행이 허용되었던 거리로 약 2/3마일 ; 출애굽기 16 : 29》; 《비유》 편안한 여행.
Sábbath schòol *n.* **1** (유태교도의) 안식일[토요] 학교. **2** =SUNDAY SCHOOL.
Sab·bat·i·cal [səbǽtikəl] *a.* 안식일의[같은] ; [s~] 안식[휴식]의. —— *n.* =SABBATICAL YEAR. **Sab·bát·ic** *a.* 〖L<Gk.=of SABBATH〗
sabbátical léave *n.* =SABBATICAL YEAR 2.
sabbátical yéar *n.* **1** [흔히 S~] 안식년《고대 유태인이 7년마다 땅을 안식시키기 위해 경작(耕作)을 쉰 해》. **2** 〖大學·敎會〗 (휴양·여행·연구를 위하여 7년마다 대학교수·선교사 등에게 부여되는) 1년간의 유급 휴가(sabbatical leave).
sab·ba·tize [sǽbətàiz] *vt., vi.* 안식일을 지키(기로 하)다.
S.A.B.C. South African Broadcasting Corporation.
sa·be [sǽvi] *v., n.* =SAVVY.
Sabean ☞ SABAEAN.
***sa·ber | -bre** [séibər] *n.* **1** 사베르, (특히) 기병의 군도(軍刀) (cf. BAYONET) ; 〖펜싱〗 사브르(cf. ÉPÉE, FLEURET) ; 사브르 경기. **2** [the ~] 무력, 무단정치(cf. SWORD 2). **3** [*pl.*] 기병대(cf. BAYONET*s*, RIFLE*s*) ; 기병 : 3000 ~*s* 3000 기(騎)의 기병. —— *vt.* 사베르로 베다[상처를 입히다]. 〖F<G *Säbel*<Pol. or Hung.〗
sáber-cùt *n.* 사베르[군도]에 베인 상처.
sáber ràttler *n.* 무모한 군국주의자.
sáber ràttling *n.* 병력 과시, 무력에 의한 위협.
sáber sàw *n.* 〖機〗 휴대용 전동 실톱.
sáber-tòothed [, -ðd] *a.* 송곳니가 사베르 모양의[으로 발달한].
sáber-toothed tíger[líon, cát] *n.* 〖古生〗 검치호(劍齒虎).
sáber·wìng *n.* 〖鳥〗 (날개가 굽은) 벌새《남미산》.
Sa·bi·an [séibiən] *n.* 사비아교도《Koran에서 이슬람교·유태교·기독교도와 함께 진정한 신자로 인정돼 있음》. —— *a.* 사비아교도의.
sa·bin [séibən] *n.* 〖理〗 세이빈《물질 표면에서의 흡음(吸音)량의 단위》. 〖Wallace C. W. *Sabine*

(d. 1919) 미국의 물리학자》

Sabin *n.* 세이빈. **Albert B(ruce)** ~ (1906-) 《폴란드 태생인 미국의 의사·세균학자; 폴리오 백신을 개발했음》.

Sa·bi·na [səbáinə] *n.* 여자 이름. 〖L=Sabine woman〗

Sa·bine [séibain; sǽb-] *n.* (고대 이탈리아 중부의) 사비니인; Ⓤ 사비니어. —— *a.* 사비니인[어]의. 〖L *Sabinus*〗

Sábin vàccine *n.* 세이빈 백신《소아마비 생백신》. 〖Albert B. *Sabin*〗

***sa·ble** [séibəl] *n.* **1** 〖動〗 검은담비; Ⓤ 검은담비의 털가죽; [*pl.*] 검은담비의 털가죽으로 만든 옷《따위》; Ⓒ 검은담비의 꼬리털로 만든 화필. **2** Ⓤ 〖紋·詩〗 검정색; [*pl.*] 《詩》 상복.

sable 1

—— *a.* 검은담비 털(가죽)의; 〖紋〗 검정색의; 《詩》 암흑의, 음침한; 무서운; 악마의[같은].

his sable Majesty 악마 대왕(the Devil).

〖OF<L<Slav.〗

sáble·fish *n.* 〖魚〗 빨간대구《북태평양산》.

SABMIS sea-based antiballistic missile intercept system(해저[잠수함] 요격 미사일망).

sab·ot [sǽbou, -́] *n.* (프랑스·벨기에 등지의 농부가 신는) 나막신; 나무 창의 가죽신. **~ed** *a.* 나막신을 신은. 〖F (*savate* shoe, *botte* boot)〗

sabot

sab·o·tage [sǽbətɑ̀:ʒ, 美+ -́-] *n.* 사보타주《노동쟁의 중 노동자가 기계·제품 따위를 고의로 손상시키는 일》; (비점령국측의 공작원·지하 운동가에 의한) 파괴[방해] 활동; (일반적으로) 파괴[방해] 행위.

—— *vt., vi.* 사보타주를 일으키다; 고의로 파괴[방해]하다. ㊟ 우리말에서 「태업」의 뜻으로 쓰는 것은 잘못.

〖F (*saboter* to clatter with SABOTS)〗

sab·o·teur [sæ̀bətə́:*r*, -tjúə*r*] *n.* 사보타주를 하는 사람; 파괴[방해] 활동가. 〖F〗

sa·bra [sɑ́:brə] *n.* 이스라엘 태생의[토박이] 이스라엘인. 〖Heb.〗

***sabre** ☞ SABER.

sa·bre·tache [sǽbə*r*tæ̀ʃ, séib-] *n.* (사베르가 허리에 차는) 작은 가방.

〖F<G (*Säbel* SABER, *Tasche* pocket)〗

sab·u·lous [sǽbjələs] *a.* 모래가 있는(sandy), 자갈이 많은; 〖醫〗 (오줌 따위) 침전물이 많은. **sàb·u·lós·i·ty** [-lɑs-] *n.* 〖L (*sabulum* sand)〗

sac [sæk] *n.* 〖動·植〗 낭(囊); 액낭, 기낭. 〖F or L; ⇨ SACK[1]〗

Sac *n.* (*pl.* ~, ~**s**) =SAUK.

SAC 《美》 Senate Appropriations Committee(상원 세출위원회); Seoul Area Command. **SAC, S.A.C.** Scottish Automobile Club; 《英》 Senior Aircraftman; [sæk] 《美》 Strategic Air Command.

sac·cade [sækɑ́:d] *n.* 〖動·生理〗 단속적[성] 운동《독서할 때의 안구의 순간적 운동 따위》. **sac·cád·ic** *a.* 〖F (OF *saquer* to pull)〗

sac·cate [sǽkət, -eit] *a.* 〖動·解〗 주머니 모양의, 포낭에 싸인.

sac·char- [sǽkər], **sac·cha·ri-** [-kərə], **sac·cha·ro-** [-rou, -rə] *comb. form* 「당(糖)의」「당질(糖質)의」의 뜻. 〖L (Gk. *sakkharom* sugar)〗

sac·cha·rate [sǽkərèit] *n.* Ⓤ 〖化〗 당산염(鹽).

sac·char·ic [səkǽrik] *a.* 당분[당질]의; 당에서 얻은: ~ acid 〖化〗 당산(糖酸).

sac·cha·ride [sǽkəràid, -rəd] *n.* Ⓤ 〖化〗 당류(糖類).

sac·cha·rif·er·ous [sæ̀kərífərəs] *a.* 당분이 생기는[들어있는].

sac·char·i·fy [sækǽrəfài, sə-, sǽkə-] *vt.* 당화하다. **sac·chàr·i·fi·cá·tion** *n.* Ⓤ 당화(작용).

sac·cha·rim·e·ter [sæ̀kərímətə*r*] *n.* 〖化〗 검당계(檢糖計). **sàc·cha·rím·e·try** *n.* 검당(법).

sac·cha·rin [sǽkərən] *n.* Ⓤ 〖化〗 사카린. 〖G〗

sac·cha·rine [sǽkəràin, -ri:n, -kərən] *a.* **1** 설탕의[과 같은](sugary); 당분 과다의: ~ diabetes 당뇨병. **2** 달콤한《음성·태도》, 지나치게 친절한, 감상적인. —— *n.* =SACCHARIN. **sàc·cha·rín·i·ty** [-rín-] *n.* 당질, 달콤함.

sac·cha·ri·nize [sǽkərənàiz] *vt.* …에 사카린을 치다; 《비유》 달게 하다.

sac·cha·roid [sǽkərɔ̀id] *a.* 〖地質〗 (조직이) 막대사탕 모양의《대리석 따위》. —— *n.* 당상(糖狀)조직.

sac·cha·rom·e·ter [sæ̀kərɑ́mətə*r*] *n.* 검당계.

sac·cha·rose [sǽkəròus, -z] *n.* =SUCROSE; (일반적으로) =DISACCHARIDE.

sác·ci·fòrm [sǽksə-] *a.* 낭상(囊狀)의.

sac·cu·lar [sǽkjələ*r*] *a.* 낭상(囊狀)의, 주머니 모양의.

sac·cu·late [sǽkjəlèit, -lət], **-lat·ed** [-lèitəd] *a.* 소낭(小囊)의, 소낭으로 된. **sàc·cu·lá·tion** *n.* 소낭 형성[분리]; 소낭 구조.

sac·cule [sǽkju:l] *n.* 〖解〗 (내이(內耳)의) 구형낭(球形囊); 소낭(小囊).

sac·er·do·tage [sǽsə*r*dòutidʒ, sǽk-] *n.* 《戲》 =SACERDOTALISM; 성직자 지배.

sac·er·do·tal [sæ̀sə*r*dóutl, sæ̀k-] *a.* **1** 성직의, 승려의, 사제(司祭)(제도)의. **2** (교리 따위) 승권(僧權)[성직권] 존중의. 〖OF or L (*sacerdot- sacerdos* priest)〗

sacerdótal·ìsm *n.* Ⓤ 사제제도[주의]; 사제[성직자] 기질; 성직권 존중, 《蔑》 =PRIESTCRAFT. **-ist** *n.* 사제 옹호론자.

SACEUR Supreme Allied Commander, Europe (유럽 연합군 최고 사령관; cf. SACLANT).

sác fùngus *n.* 〖植〗 자낭균(子囊菌).

sa·chem [séitʃəm, sǽ-] *n.* **1** (북미 인디언의) 추장(chief); 이로쿼이 동맹(League of the Iroquois)의 의결기관의 멤버; TAMMANY SOCIETY의 지도자. **2** 우두머리, 거물급; (정당 따위의) 지도자, 리더.

sa·chet [sæʃéi; -́] *n.* 크림·샴푸 따위를 넣는 작은 주머니; 향주머니(scent bag); Ⓤ (향주머니에 넣는) 향가루. 〖F (dim.) 〈SAC〗

***sack**[1] [sæk] *n.* **1** (즈크로 만든) 마대(麻袋), 큰 부대; 한 자루, 한 부대(의 분량); 《美》 자루, 백. **2 a)** 양복 저고리(=~ coat). **b)** 헐거운 웃옷《여자·어린이용; sacque라고도 씀》. **3** 《野俗》 누(壘)(base). **4** [the ~] 《俗》 침상, 베드; 《俗》 수면; 《俗》 골프 백. **5** [the ~] 《口》 거절, 퇴짜; [the ~] 《口》 해고, 면직.

get [***have***] ***the sack*** 《口》 해고당하다, 파면되다; 퇴짜맞다.

give the sack to a person=***give*** a person ***the sack*** 남을 해고하다.

hold the sack 《口》 혼자서 책임을 지게 되다 ; 궁지에 혼자 남다 ; 빈털터리가 되다.
—— *vt.* **1** 자루[마대]에 넣다 : ~ potatoes in the field 밭에서 감자를 자루에 담다. **2** 《口》 해고[해임]하다(dismiss) ; 《英口》 …에게 퇴짜놓다 : ~ a slow worker 일이 굼뜬 사람을 해고하다. **3** 《口》 패배시키다(defeat). **4** 획득하다 〈*up*〉. 〖OE *sacc*<L *saccus*<Gk.〗
類義語 ⟹ BAG.

sack² *vt.* (점령군이 도시를) 약탈하다 ; (도둑 등이 물품을) 강탈하다.
—— *n.* [the ~] (점령지의) 약탈, 강탈 : put a city to *the* ~ 도시를 약탈하다. 〖(v.) 〈 (n.) ; F *mettre à sac* to put to sack (It. *sacco* SACK¹)〗

sack³ *n.* Ⓤ 〔史〕 색 《옛날 스페인산의 셰리주(酒) · 카나리아 제도산의 백포도주 따위》.
〖C16 (*wyne*) *seck*<F *vin sec* dry wine〗

sáck(-) àrtist *n.* 《俗》 **1** 잠꾸러기, 게으름뱅이. **2** 성적(性的) 기교에 능한 사람.

sack·but [sǽkbʌ̀t] *n.* (중세의) 저음 나팔《trombone의 옛이름》 ; 그 연주자 ; 〔聖〕 삼각금(琴)《현악기의 일종》.
〖F (*saquer* to pull, *boute* BUTT⁴)〗

sáck·clòth *n.* Ⓤ 즈크천, 자루용의 거친 삼베 ; 상중(喪中) 또는 참회의 표시인 삼베옷.
in sackcloth and ashes 깊이 후회하여 ; 비탄에 잠겨.

sáck còat *n.* 양복 저고리.

sáck drèss *n.* =SACK¹ *n.* 2 b).

sáck·er¹ *n.* **1** 자루를 만드는[채우는] 사람. **2** 《野俗》 누수(壘手) (baseman).

sacker² *n.* 약탈자. 〖SACK²〗

sack·er·oo [sæ̀kərúː] *n.* (*pl.* **~s**) 《俗》 베드.

sáck·fùl *n.* (*pl.* **~s**, **sácks·fùl**) 한 자루 가득(한 분량), 한 자루(분) ; 다량.

sáck·ing¹ *n.* Ⓤ 자루용 천, 즈크, 올이 굵은 삼베.

sacking² *n.* Ⓤ 약탈, 강탈 ; 결정적 승리.

sáck·less *a.* 《古 · 스코》 무죄의, 결백한〈*of*〉 ; 기력[정력, 힘]이 없는 ; 해롭지 않은.
〖OE (*sacu* fault, conflict)〗

sáck ràce *n.* 색 레이스《발 또는 하반신을 자루에 넣고 껑충껑충 뛰어가는 경주》.

sáck sùit *n.* 《美》 신사복(lounge suit).

sáck tìme *n.* 《俗》 수면 시간 ; 《俗》 틈, 짬.

sácky *a.* (옷이) 헐렁한.

SACLANT Supreme Allied Commander, Atlantic(NATO 대서양군 최고 사령관).

sacque [sǽk] *n.* =SACK¹ *n.* 2 b).
〖SACK¹의 프랑스어풍의 철자〗

sacr-¹ [sǽkr, séi-], **sac·ro-¹** [sǽkrou, séik-, -rə] *comb. form* 「신성한」의 뜻.
〖L ; ⇨ SACRED〗

sacr-² [sǽkr, séi-], **sac·ro-²** [sǽkrou, séik-, -rə] *comb. form* 〔解〕 「천골(薦骨)…」의 뜻.
〖L ; ⇨ SACRUM〗

sacra *n.* SACRUM의 복수형.

sa·cral¹ [séikrəl, sǽk-] *a.* 〔解〕 천골(薦骨)(부)의. —— *n.* 천골 ; 천골 신경. 〖SACRUM〗

sacral² *a.* 성식(聖式)[성례]의 ; 신성한.
〖SACRED〗

sácral·ize *vt.* 신성하게 하다.
sàcral·izátion *n.*

sac·ra·ment [sǽkrəmənt] *n.* **1** 〔教會〕 **a**) 성례, 성식(聖式)《프로테스탄트에서는 흔히 세례(baptism)와 성찬(the Eucharist)을 가리킴》 : the two ~*s* 이대 성사《세례와 성찬》. **b**) 성사(聖事)《카톨릭에서는 세례 · 견진(堅振) · 성체 · 고해 · 병자 · 신품 · 혼인의 일곱가지》 : the last ~ 병자성사 / the seven ~*s* 일곱가지 성사. **c**) [the ~, the S~] 성찬, 성례, 성찬용 빵, 성체 (=the ~ **of the áltar**) : *the* Blessed[Holy] *S*~ 성찬의 빵, 성체 / minister *the* ~ 성찬식을 거행하다 / take [receive] *the* ~ (*to* do…) (…할 것을) 맹세하고 성찬을 받다. **2** 신비스럽고 신성한 것. **3** 상징 〈*of*〉. **4** 신성한 맹세, 선서.
go to sacrament 성찬식에 참여하다.
—— *vt.* 신성하게 하다 ; 맹세시키다.
〖OF<L=solemn oath ; ⇨ SACRED〗

sac·ra·men·tal [sæ̀krəméntl] *a.* **1** 성사[성례 · 성식]의, 성찬(식)의. **2** 선서(宣誓)상의, 신성한. **3** (교리 따위) 성사 중시(주의)의. **4** 상징적인(symbolic). **5** 《戲》 (문구 따위가) 상투적인.
—— *n.* 〔카톨릭〕 준(準)성사《성수 · 성유를 쓰거나 성호(聖號)를 긋는 일》. **~·ism** *n.* Ⓤ 성사[성찬] 중시주의. **~·ist** *n.* 성사[성찬] 중시(주의)자. **~·ly** *adv.* 성례로서, 성찬식 풍으로.

sac·ra·men·tar·i·an [sæ̀krəmentέəriən, -mən-, -tǽər-] *a.* 성찬의 ; 성찬 중시의 ; [흔히 S~] 〔史〕 성찬 형식주의(자)의.
—— *n.* =SACRAMENTALIST ; [흔히 S~] 〔史〕 성찬 형식주의자.
~·ìsm *n.* =SACRAMENTALISM.

sac·ra·men·ta·ry [sæ̀krəméntəri] *a.* =SACRAMENTAL ; =SACRAMENTARIAN.

Sac·ra·men·to [sæ̀krəméntou] *n.* 새크라멘토 《미국 California 주의 주도》.

Sácrament Súnday *n.* 성찬식을 하는 일요일.

sa·crar·i·um [sækrέəriəm, -krǽər-, sə-, sei-] *n.* (*pl.* **-ia** [-iə]) 〔古로〕 신을 모신 곳, 성단(聖壇) ; 〔教會〕 지성소 ; 성물 안치소(sacristy) ; 〔카톨릭〕 성수반(聖水盤). 〖L ; ⇨ SACRED〗

***sa·cred** [séikrəd] *a.* **1** 신성한(holy) ; 신에게 바친, (…을) 모신 ; 종교상의(↔*profane, secular*) : a ~ book 성전(聖典) / a ~ concert 종교음악회 / ~ history 성서에 기록된 역사, 성사(聖史) / ~ music 종교 음악 / a ~ number 종교상 신성한 숫자《특히 7》 / This monument is ~ *to* the memory of the Unknown Soldier. 이 기념비는 무명용사를 기리기 위한 것이다. **2** (어떤 사람 · 목적에) 전용되는, 바쳐진 : a fund ~ *to* charity 자선을 위한 기금. **3** (동물 따위가) 신의 사자인 ; 신성시되는 ; 존경해야 할, 불가침의 : ☞ SACRED COW / a ~ promise 어겨서는 안될 약속 / I hold a promise ~. 나는 약속을 중히 여긴다 / Nothing was ~ *to* them. 그들은 아무것도 존중하지 않았다 / Nothing was ~ *from* them. 그들은 무엇이든 파괴했다 / No place was ~ *from* outrage. 침해되지 않은 곳은 한 곳도 없었다.
His [***Her, Your***] ***Most Sacred Majesty*** 《古》 폐하《옛날 영국왕[여왕]의 존칭》.
〖(p.p.) 〈 *sacre* (obs.) to consecrate<OF *sacrer*<L (*sacr*- *sacer* holy)〗
類義語 ⟹ HOLY.

sácred babóon *n.* 〔動〕 개코원숭이의 일종《고대 이집트인이 숭상했음》.

sácred bambóo *n.* 〔植〕 남천촉(nandina).

Sácred Cóllege (**of Cárdinals**) *n.* [the ~] 〔카톨릭〕 추기경단《교황의 최고 자문 기관》.

sácred ców *n.* (인도의) 성우(聖牛) ; 《비유》 신성하여 비판 · 공격을 할 수 없는 사람[것], 늘 호의적으로 취급되는 사람[기관].

Sácred Héart (**of Jésus**) *n.* [the ~] 〔카톨릭〕 예수성심(聖心)의 축일.

sácred íbis *n.* 〖鳥〗 (고대 이집트에서 영조로 여겼던) 아프리카따오기《나일강 유역산으로 머리·목이 검고 허리에 검은 장식 깃털이 있음》.

sácred múshroom *n.* 〖植〗 (아메리칸 인디언이 의식에 쓰는) 환각성 버섯.

sácred órders *n. pl.* 상급 성직[성품].

Sácred Wrít *n.* [the ~] 성서.

***sac·ri·fice** [sǽkrəfàis, -fəs] *n.* **1** Ⓤ,Ⓒ 신에게 (산) 제물을 바침 ; Ⓒ 신에게 바친 (산) 제물 : kill an ox as a ~ to Jupiter 주피터 신에게 바치는 제물로서 소를 잡다 / offer a ~ 제물을 바치다. **2** Ⓤ,Ⓒ 《비유》 (속죄를 위한) 기도, 감사 ; 〖宗〗 그리스도의 헌신《십자가에 못박힘》 ; Ⓒ 성찬(식). **3** Ⓤ,Ⓒ 희생(적 행위) ; Ⓒ 희생물 : at the ~ *of* … 을 희생하여 / fall a ~ *to* …의 희생이 되다 / Parents often make ~*s for* their children[to educate their children]. 부모는 흔히 자녀들을 위해서[자녀들의 교육을 위해서] 희생한다 / She made *to* him a ~ *of* her happiness. 그를 위해서 자신의 행복을 희생했다. **4** 헐값으로 팖, 투매(投賣) ; 투매로 인한 손실 : sell *at* a (large, great) ~ (아주) 헐값으로 팔다. **5** 〖野〗 희생타.
the great*[*last, supreme*] *sacrifice 위대한[최후의, 최고의] 희생《목숨을 바치는 것》.
—— [, 美+-fàiz] *vt.* [+目 / +目+前+名] **1** 제물로 바치다 : ~ a sheep ***to*** God 신에게 양을 제물로 바치다. **2** 희생하다, 단념하다 : ~ business ***for*** pleasure 쾌락을 좇아 사업을 버리다 / ~ oneself[one's life] *for* one's country 조국을 위해 몸[목숨]을 바치다 / A mother will ~ her life *for* her children. 어머니는 자식을 위해서라면 자신의 몸을 돌보지 않는다. **3** 헐값으로 팔다, 투매(投賣)하다. **4** 〖野〗 (주자를) 희생타로 진루(進壘)시키다. —— *vi.* **1** [+前+名] 제물을 바치다 : ~ ***to*** idols 우상에게 제물을 바치다. **2** 〖野〗 희생타를 치다. 〖OF<L ; ⇨ SACRED〗

sácrifice búnt[**hít**] *n.* 〖野〗 희생 번트.

sácrifice flý *n.* 〖野〗 희생 플라이.

sac·ri·fi·cial [sæ̀krəfíʃəl] *a.* **1** 희생의, 산제물의. **2** 《稀》 희생[헌신]적인. **3** 〖商〗 투매(投賣)의, 헐값에 파는 : ~ prices 헐값.

sacrifícial ánode *n.* 〖化〗 전기 방식용(防蝕用) 양극(陽極)《수중(水中) 구조물 따위의 방식(防蝕)을 위한 양극》.

sac·ri·lege [sǽkrəlidʒ] *n.* Ⓤ 신성 모독(죄)《교회·사원 따위의 성역 침입·성물(聖物) 절취 따위》 ; 신성을 더럽히기. 〖OF<L (SACRED, *lego* to gather, steal ; cf. LEGEND)〗

sac·ri·le·gious [sæ̀krəlídʒəs, -líː-] *a.* **1** 신성을 모독하는 ; 성물을 훔치는 ; 교회[사원]를 침범하는. **2** 벌받을 ; 괘씸한. **~·ly** *adv.*

sa·cring [séikriŋ] *n.* 《古》 신성하게 하기 ; (미사의) 축성 ; (대주교·군주 등의) 취임[즉위]식, 축성식. 〖ME *sacre* ; ⇨ SACRED〗

sácring bèll *n.* 〖카톨릭〗 제령(祭鈴).

sac·rist [sǽkrəst, séi- ; séi-] *n.* =SACRISTAN.

sac·ris·tan [sǽkrəstən] *n.* 성물(聖物) 보관인 ; 《古》 성당지기, 교회 관리인(sexton).

sac·ris·ty [sǽkrəsti] *n.* (교회의) 성물 안치소. 〖F or It. or L ; ⇨ SACRED〗

sacro- [sǽkrou, séi-, -rə] ☞ SACR-[1,2].

sàcro·íliac *n., a.* 〖解〗 천장(薦腸)관절(의).

sac·ro·sanct [sǽkrousæ̀ŋkt] *a.* (사람·장소·법률 따위) 극히 신성한, 불가침의, 지성(至聖)의.
sàc·ro·sánc·ti·ty *n.*
〖L *sacrosanctus* hallowed by sacred rite ; ⇨ SACRED, SAINT〗

sac·rum [sǽkrəm, séi-] *n.* (*pl.* **-ra** [-rə], **~s**) 〖解〗 천골(薦骨) (cf. SACRAL[1]).
〖L (*os*) *sacrum* sacred (bone) (산제물로 쓰인 뼈) ; Gk. *hieron osteon*의 역(譯)〗

S.A.C.W., SACW senior aircraftwoman (상급 여자 항공병).

◇**sad** [sæ(ː)d] *a.* (**sád·der ; sád·dest**) **1** 슬픈, 슬퍼할(↔*glad*) ; 슬픈듯한, 애처러운, 처참한, 쓸쓸한 : a ~ event 슬픈 사건 / a ~ face 슬픈 듯한 얼굴 / ~ news 슬픈 소식, 비보 / a ~ song 구슬픈[우울한] 노래 / His mother's death was very ~. 그의 어머니의 죽음은 매우 슬픈 일이었다 / It is ~ for him to go away. =It is ~ that he should go away. 그가 가버린다는 것은 슬픈 일이다 / He seemed ~ *about* something. 그는 뭔가에 슬퍼하고 있는 것 같았다. **2** (색깔이) 칙칙한, 침침한. **3** 《口·戲·蔑》 언어도단의, 괘씸한, 지독한 ; 열등한 : make a ~ mistake 큰 잘못을 저지르다 / He writes ~ stuff. 형편없는 글을 쓴다. **4** 《古》 진지한 : in ~ earnest 진지하게, 진정으로. **5** 《美方·英》 (빵 따위가) 잘 부풀지 않은, 설구워진, 찐득찐득한 ; 《英方》 (토양 따위가) 질척질척한.
a sadder and a wiser man 슬픈 경험을 하며 현명해진 사람《S. T. Coleridge의 시에서》.
〖OE *sæd* sated, weary ; cf. G *satt* satiated, L *satis* enough ; '슬픈'의 뜻은 ME에서〗
類義語 ***sad*** 가장 일상적이고 의미가 넓은 구어적인 표현 ; 일시적인 가벼운 슬픔에서 깊은 슬픔까지를 포함. ***sorrowful*** 어떤 특별한 사별(死別)·실망 따위에 의한 슬픔을 나타냄 : The death of the faithful dog left him *sorrowful.* (그 충실한 개의 죽음이 그를 슬픔에 잠기게 했다). ***dejected*** 기대에 어긋난 사건이나 사정 따위로 낙심한 : He is *dejected* over losing his position. (그는 직위를 잃고 상심하고 있다). ***depressed*** 심신의 피로나 공허감으로 우울한 : The tragedy left him feeling *depressed.* (그 비극은 그를 슬프게 했다).

SADARM 〖軍〗 sense and destroy armour 《장갑차량의 감지 및 파괴 ; 미육군의 8인치포용 대전차 포탄》.

Sa·dat [sədǽt, -dáːt] *n.* 사다트. (**Mohammed**) **An·war el-~** [ǽnwɑːr el-] (1918-81) 이집트의 2대 대통령 ; Nobel 평화상 수상(1978).

sád-cólored *a.* 칙칙한.

SADD 《美》 Students Against Driving Drink 《(고교생과 그 부모들의) 음주운전 방지 학생연합 ; cf. MADD》.

sad·den [sǽdn] *vt.* 슬프게 하다, 침울하게 하다, 우울하게 하다 ; 우중충한 빛깔로 하다. —— *vi.* 슬퍼지다, 우울해지다 ; 색깔이 칙칙해지다.
~·ing·ly *adv.*

***sad·dle** [sǽdl] *n.* **1** (승마용 따위의) 안장 ; (자전거 따위의) 새들 : a horse for the ~ 승용마, 승마. **2** (양·사슴의) 등심고기. **3** 안장 모양의 물건 ; 〖機〗 새들, 축안(軸鞍) ; (전주의) 전선을 고정시킨 대(臺) ; 안부(鞍部)《두 봉우리 사이의 낮은 등성이》. **4** 동물의 등의 (안장 모양의) 반문.
in the saddle (1) 말을 타고. (2) 《비유》 권력을 잡고, 잘 통솔하여, 취직하고 있는.
lose the saddle 말에서 떨어지다.
put the saddle on the right*[*wrong*] *horse 책망할 만한[엉뚱한] 사람을 꾸짖다 ; 칭찬할 만한[엉뚱한] 사람을 칭찬하다.
take*[*get into*] *the saddle 말을 타다 ; 자리[직]에 앉다 ; 권력을 쥐다.

S

── *vt.* **1** …에 안장을 얹다 : ~ a horse 말에 안장을 얹다. **2** [+目+前+名] (남에게 부담·책임 따위를) 과하다〈*with*〉; (남에게 책임 따위를) 지우다, 뒤집어 씌우다〈*on*〉: ~ a person ***with*** a heavy task 남에게 힘든 일을 시키다 / He is ~*d* *with* many children. 많은 자식을 거느리고 있다 / ~ a burden ***on*** a person 남에게 무거운 짐을 지우다. ── *vi.* (안장을 얹은) 말에 타다 ; 말에 안장을 얹다. **~less** *a.* 안장이 없는, 안장을 얹지 않은. 〖OE *sadol* ; cf. G *Sattel*〗

sáddle·bàck *n.* 안장 모양의 것, 안장 모양의 산등성이 ; 〔建〕 =SADDLE ROOF ; 등에 안장 모양의 무늬가 있는 새·물고기류 ; 〔鳥〕 찌르레기의 일종 《뉴질랜드산》, 까마귀의 일종.
── *a.* =SADDLE-BACKED.

sáddle-bàcked *a.* 안장 모양의 ; 등이 움푹 들어간《동물 따위》; 등에 안장 모양의 무늬가 있는《새 따위》; 〔建〕 saddle roof가 있는.

sáddle·bàg *n.* 안장에 다는 주머니 ; (자전거 따위의) 새들 뒤쪽의 자질구레한 물건을 넣는 자루.

saddlebag

sáddle blànket *n.* 안장 깔개[방석]《안장 밑에 까는 두꺼운 천》.

sáddle·bòw [-bòu] *n.* 안장의 앞테.

sáddle·clòth *n.* 경주말의 안장에 번호를 붙인 천 ; = SADDLE BLANKET.

sáddle hòrse *n.* 승용마(乘用馬), 승마.

sád·dler *n.* **1** 마구(馬具)상[제조인]. **2** 《美》 승용마 ; 〔軍〕 마구고(庫).

sáddle ròof *n* 〔建〕 박공[맞배] 지붕《박공이 양쪽에 있는 안장 모양의 지붕》.

sád·dlery *n.* **1** Ⓤ 마구 한 벌, 마구류. **2** 마구 제조업[소], 마구상[점], 마구 두는 곳.

sáddle shòes *n. pl.* 새들 슈즈《발등 부분에 다른 색[재질]의 가죽을 댄 옥스퍼드형의 캐주얼 슈즈》.

saddle shoes

sáddle sòap *n.* 새들 소프《피혁 제품을 닦는 비누》.

sáddle sòre *n.* (살갗의) 안장 쓸림 상처.

sáddle·sòre *a.* (말탄 후에) 몸이 아픈[뻐근한] ; (말이) 안장에 쓸린.

sáddle stìtch *n.* 〔製本〕 **1** 가운데매기《주간지·팸플릿 따위를 실이나 철사로 (꿰)매는[잇는] 제본 방식》. **2** 새들 스티치《가죽 제품의 가장자리를 누비는 바느질》.

sáddle·trèe *n.* 안장틀 ; 〔植〕 튤립나무.

sád dóg *n.* 난봉꾼, 무뢰한.

Sad·du·cee [sǽdʒəsìː] *n.* **1** 사두개교도《부활·천사 및 영혼의 존재 따위를 신봉하지 않는 유태교도의 한 파》. **2** 《비유》 물질주의자.
Sàd·du·cé·an *a.* 사두개교도의. **~·ism** *n.* Ⓤ 사두개교. 〖OE *sad(d)ucēas* < L < Gk. < Heb. = ? descendant of Zadok〗

sa·dhu, sad·dhu [sáːduː] *n.* 《인도》 방랑하는 성인, 현인(賢人). 〖Skt.=holy man〗

sád·iron *n.* (속이 비지 않은) 인두.

sa·dism [séidizəm, sǽd-] *n.* Ⓤ 〔精神醫〕 사디즘, 가학성(加虐性) 변태 성욕(cf. MASOCHISM) ; (일반적으로) 병적인 잔혹성. **sá·dist** *n., a.* 가학성 변태 성욕자(의), 사디스트(의). **sa·dis·tic** [sədístik, sæ-, 美+sei-] *a.* 사디스트적인. 〖F〗

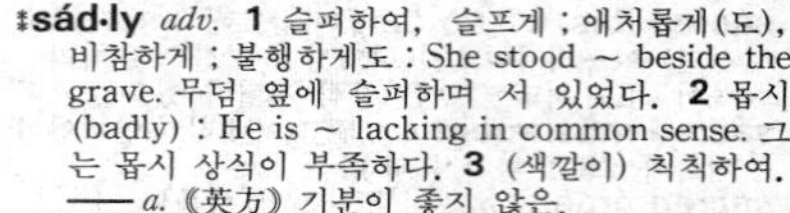

‡sád·ly *adv.* **1** 슬퍼하여, 슬프게 ; 애처롭게(도), 비참하게 ; 불행하게도 : She stood ~ beside the grave. 무덤 옆에 슬퍼하며 서 있었다. **2** 몹시 (badly) : He is ~ lacking in common sense. 그는 몹시 상식이 부족하다. **3** (색깔이) 칙칙하여.
── *a.* 《英方》 기분이 좋지 않은.

***sád·ness** *n.* Ⓤ 비애, 슬픔 ; 슬픈 일.
類義語 ⟹ SORROW.

sado-maso [séidoumǽsou, sǽd-, -zou] *a.* sadomasochism의. ── *n.* =SADOMASOCHIST.

sado·másochism [sèidou-, sæ̀d-] *n.* 가학 피학성 성욕 변태. **-ist** *n.* 가학 피학성 성욕 변태자.

sád sàck *n.* 《美口》 멍청이, 요령이 없는 사람[병사], 어수룩한 병사. 〖제2차 대전 중의 George Baker의 만화 *The Sad Sack*에서〗

sae [séi] *adv.* 《스코》 =SO[1].

SAE, S.A.E. 《美》 Society of Automotive Engineers(자동차 기술 협회).

s.a.e. stamped addressed envelope(회신용 봉투(를 동봉하기)).

SAE number [èsèiíː ∸] *n.* 〔機〕 SAE 점도(粘度) 번호《윤활유의 점도 표시》.

sa·fa·ri [səfáːri, -fǽri] *n.* (사냥·탐험 따위의) 원정 여행, 사파리 ; (동아프리카의) 수렵대(隊), 탐험대. ── *vi.* 사파리를 하다.
〖Swahili < Arab. (*safara* to travel)〗

safári bòots *n. pl.* 사파리 부츠《면(綿)개버딘제의 부츠로 보통 발부분은 샌들》.

safári jàcket *n.* 사파리 재킷《주머니 네 개와 허리벨트가 특징인 면(綿)개버딘제 재킷》.

safári pàrk *n.* 《英》 (동물을 놓아 기르는) 사파리 공원(=《美》 animal park).

safári sùit *n.* 사파리 슈트《safari jacket과 같은 천의 스커트[바지]의 맞춤》.

◇safe [séif] *a.* **1 a)** 안전한, 위험이 없는(↔ *dangerous*) : a ~ place 안전한 장소 / The world must be made ~ *for* democracy. 세계를 민주주의가 안주(安住)할 장소로 만들지 않으면 안된다《미국이 제1차 세계대전에 참전할 때(1917년 4월) Wilson 대통령이 의회에서 행한 연설의 첫머리》. **b)** 안전하게, 무사히[하여] : The birds know they are ~ *from* harm there. 새들은 그곳에 위험이 없다는 것을 알고 있다. 注 arrive, bring, come, keep 따위의 다음에 보어로 쓰임 : We all arrived ~. 모두 무사히 도착했다 / I saw her ~ home. 그녀를 집에까지 무사히 바래다 주었다. **2** 도주할 염려가 없는, (붙잡혀서) 해칠 우려가 없는 : The criminal is ~ *in* prison. 그 범인은 꼼짝없이 교도소에 갇혀 있다. **3** [+前+do*ing* / +*to* do] 틀림없는, 무난한 : It is ~ *to* say [You are ~ ***in*** believ*ing*] that …라고 말해도[믿어도] 괜찮다 / The weather is a subject quite ~ *to* talk about. 날씨는 화제로 삼기에 아주 무난한 주제다. **4** [+*to* do] …의 가능성이 있는, 분명히 …하는 ; (승리 따위가) 확실한 : a ~ catch 명포수(名捕手) / a ~ first 1등이 틀림없는 사람 / a ~ one['un] 〔競馬〕 우승이 확실한 말 / The President is ~ *to* be reelected. 대통령은 재선될 것이 확실하다. **5 a)** 위험성이 없는, 신중한, 착실한, 확실한, 믿을 만한 : a ~ person to confide in 털어놓고 얘기해도 괜찮은 사람 / from a ~ quarter 믿을 만한 소식통[출처]으로부터. **b)** 너무 신중을 기하는, 겁많은(timid). **6** 〔野〕 세이프의. **7** 《廢》 (정신·마음이) 건전한 (healthy, sound).

on the safe side 신중을 기해서 : She took her child to the doctor to be *on the* ~ *side.* 만일을

염려하여 아이를 의사에게 데리고 갔다 / It is always best to err *on the ~ side.* 《속담》 설사 잘못하더라도 신중을 기하는 것이 낫다.

safe and sound 무사히 : He returned home ~ *and sound* from the war. 전쟁에서 무사히 귀환했다.

—— *n.* (*pl.* ~**s**) **1** 금고. **2** (고기 따위를 넣는 망을 친) 찬장(=meat ~). **3** 안장에 쓸리지 않게 하는 가죽. **4** 《美俗》 =CONDOM.

~**·ness** *n.* 안정(성) ; 무사 ; 확실.

〖AF *saf*, OF *sauf* <L *salvus* uninjured, healthy ; cf. SAVE〗

類義語 ***safe*** 손해·위험·모험의 염려가 없이 안전한 : Are you *safe* on your way home? (집에 무사히 갈 수 있겠니). ***secure*** 위험 따위를 걱정할[두려워할] 필요가 없는 : A boy felt *secure* with his father. (소년은 아버지와 함께 있어 안도감을 느꼈다).

sáfe bét *n.* 틀림없이 이기는 내기 ; 확실한 것.

sáfe·blòw·ing *n.* Ⓤ (금고털이의) 금고 폭파. **-blòw·er** *n.* (폭약을 쓰는) 금고털이《사람》.

sáfe·brèak·er *n.* 금고털이《사람》.

sáfe·brèak·ing *n.* Ⓤ 금고털이《행위》.

sáfe-cónduct *n.* Ⓤ (주로 전시의) 안전 통행권 ; Ⓒ (안전을 보증하는) 여권 ; (적국 따위를 통과할 때의) 호송.

in [***with, under, upon***] (***a***) ***safe-conduct*** 안전 통행이 허가되어.

—— *vt.* …에게 여권을 주다 ; 호위[호송]하다.

〖OF *sauf-conduit*〗

sáfe·cràck·er *n.* 금고털이《사람》.

sáfe depòsit *n.* (귀중품 따위의) 안전 보관소.

sáfe-depòsit *a.* 안전하게 보관하는 : a ~ company 대여 금고 회사 / a ~ box[vault] 대여 금고[금고실]《은행 지하실 따위에 있음》.

sáfe·guàrd *vt.* [+目/+目+前+名] (권익을) 보호[옹호]하다 ; 호송하다(convoy) : ~ children ***against*** traffic accidents 어린이를 교통사고에서 보호하다. —— *n.* **1** 보호, 방위 ; (기계 따위의) 안전 장치 ; 보호 조항[규약] ; 보호[방위] 수단〈*against*〉. **2** 안전 통행권 ; 호위병. **3** 〔經〕 긴급 수입 제한.

〖AF *salve garde*, OF〗

sáfeguard clàuse *n.* 〔經〕 긴급 수입 제한 조항 《GATT의 19조(條)의 규정》.

sáfe hít *n.* 〔野〕 안타(base hit).

sáfe hóuse *n.* (스파이 등의 연락용) 은신처, 아지트.

sáfe·kèep *vt.* 보호[보관]하다.

〖역성<↓〗

sáfe·kéep·ing *n.* Ⓤ 보관(custody), 보호 : be *in ~ with* a person …에게 보관되어 있다.

sáfe·lìght *n.* 〔寫〕 안전광(光)《암실용》.

‡**sáfe·ly** *adv.* 안전하게, 무사히(in safety) : It may ~ be said that …라고 말해도 무방하다 / The parcel reached me ~. 소포는 별탈없이 나에게 도착했다 / The ship came ~ into harbor. 배는 무사히 입항했다.

saf·en [séifən] *vt.* 안전하게[해가 없게] 하다 ; 독성을 완화시키다. ~**·er** *n.* 독성 완화제.

sáfe pèriod *n.* (월경 전후의 임신 가능성이 가장 적은) (피임) 안전 기간.

sáfe séat *n.* (의회 따위에서 어떤 정당에 의해) 차지될 것이 확실한 의석.

sáfe-tìme *n.* 세이프타임《비행중인 미사일에서 핵탄두가 폭발하지 않는 시간》.

***safe·ty** [séifti] *n.* **1** Ⓤ 안전, 무사, 무난 ; 안전성 : ~ first 안전제일《위험방지의 표어》/ flee for ~ =seek ~ in flight 피난하다 / There is ~ in numbers. 《속담》 수가 많은 편이 안전하다 / The inhabitants have been removed for ~. 주민들은 안전을 위해[위험이 없도록] 다른 곳으로 옮겨졌다. **2** 안전책, 안전장치 ; 《口》 =SAFETY BICYCLE ; =SAFETY BOLT ; =SAFETY RAZOR ; 《俗》 =CONDOM. **3** 〔野〕 안타(safe hit).

at safety (총 따위에) 안전장치를 한 : a gun *at ~* 안전장치를 한 총.

in safety 무사히, 안전하게 : They wanted to live *in ~ from* their enemies. 그들은 적의 침범이 없는 안전한 장소에서 살고 싶었다.

play for safety 신중을 기하다《요행을 바라지 않음》.

with safety 위험이 따르지 않게, 무난히, 무사히 : You cannot do it *with ~*. 그런 일을 하려면 반드시 위험이 뒤따르게 마련이다.

—— *vt.* 안전하게 하다, …에 안전 장치를 하다.

〖OF<L ; ⇨ SAFE〗

sáfety bèlt *n.* 구명대(life belt) ; (자동차·비행기 따위의) 안전 벨트[띠].

sáfety bìcycle *n.* 《古》 안전 자전거《현재 보통 쓰이고 있는 것 ; cf. ORDINARY *n.* 4》.

sáfety bòlt *n.* **1** (총 따위의) 안전장치. **2** (문의) 안전 자물쇠.

sáfety càtch *n.* 〔機〕 안전 정지기《승강기 따위의 안전 정지 장치》 ; (총 따위의) 안전장치.

sáfety cùrtain *n.* (석면으로 만든 극장의) 방화막(防火幕).

sáfety-depòsit *a.* =SAFE-DEPOSIT.

sáfety devìce *n.* 안전[보안] 장치.

sáfety explòsive *n.* 안전 폭약[화약].

sáfety fàctor *n.* 〔機〕 안전율[계수].

sáfety fìlm *n.* 〔寫〕 불연성(不燃性) 필름.

sáfety fùse *n.* (폭약의) 안전 도화선(導火線) ; 〔電〕 퓨즈.

sáfety glàss *n.* 안전 유리.

sáfety hàrness *n.* (차 따위의) 안전 벨트[띠].

sáfety hàt *n.* 안전모《공사장 작업용의》.

sáfety ìsland[**ìsle**] *n.* (도로, 특히 차도내의) 안전 지대(cf. SAFETY ZONE, TRAFFIC ISLAND).

sáfety làmp *n.* 안전등《광산용》.

sáfety lòck *n.* 안전 자물쇠 ; (총의) 안전장치.

sáfety·màn *n.* 〔美蹴〕 수비측의 최후방에 위치하는 선수(safety).

sáfety màtch *n.* 안전 성냥《황린(黃燐)을 쓰지 않은 지금의 보통 성냥》.

sáfety nèt *n.* (서커스 따위의) 안전망 ; 《비유》 (안전을) 보장하는 것, 안전책.

sáfety pìn *n.* 안전핀.

sáfety plày *n.* 〔카드놀이〕 안전책《쓸데없이 트릭을 쓰려 하지 않고 확실하게 콘트랙트(contract) 달성을 노리는 플레이》.

sáfety ràzor *n.* 안전 면도기.

sáfety shòes *n. pl.* 안전화《낙하물 따위에 대한 발가락 보호용 신 ; 인화물 취급자 등이 신는 불꽃 방지 밑창이 달린 신》.

sáfety vàlve *n.* (보일러의) 안전 밸브 ; 《비유》 (감정·정력 따위의) 배출구 : act[serve] as a ~ 안전 밸브의 역할을 하다.

sit on the safety valve 억압수단을 취하다.

sáfety zòne *n.* 《美》 (도로상의) 안전 지대.

Sáfe·wày *n.* 세이프웨이《전미(全美) 최대의 슈퍼마켓 Safeway Stores Inc.의 상점》.

saf·fi·an [sǽfiən] *n.* 모로코 가죽, 사피안(= ~ **lèather**)《수맥(sumac)으로 무두질하여 선명한

S

황색 또는 적색으로 물들인 양[염소] 가죽》. 〚Russ. and Turk.＜Pers.〛

saf·flo·rite [sǽflərὰit] *n.* 〔鑛〕 사프란광(鑛), 사플로라이트.

saf·flow·er [sǽflὰuər] *n.* 〔植〕 잇꽃; 홍화(紅花)《홍색 염료》.

sáfflower òil *n.* 잇꽃 기름《잇꽃의 종자에서 채취한 식용 건성유(食用乾性油)》.

saf·fron [sǽfrən] *n.* **1** 〔植〕 사프란《가을에 피는 CROCUS》; Ⓤ 사프란 《꽃의 노란 암술머리를 건조한 것; 원래 약용, 지금은 주로 염료·향미료》. **2** Ⓤ 사프란색(=∠ **yéllow**). —— *a.* 사프란색의.
sáf·frony *a.* 사프란색의[을 띤].
〚OF＜Arab.〛

sáffron càke *n.* 사프란 케이크《사프란으로 맛을 낸 영국 Cornwall 지방의 전통적인 과자》.

sáffron fìnch *n.* 〔鳥〕 무당새의 일종《남아프리카 원산(原産)》.

Sa·fi [sǽfi; *F* safi] *n.* 사피《모로코 서부의 항구 도시(港口都市)》.

sa·fid Rud [sæfí:d rú:d] *n.* [the ～] 사피드 강《이란 북부를 거쳐 카스피 해(海)로 흘러들어감》.

saf·ing [séifiŋ] *a.* 〔宇宙〕 (로켓·미사일 따위가) 안전장치가 되어 있는; 고장 따위에 대해 안전하게 작동하는.

S. Afr. South Africa(n).

saf·ra·nine [sǽfrəni:n, -nən], **-nin** [-nən] *n.* 〚化〛 사프라닌《염료》.

SAfrD South African Dutch.

saf·rol(e) [sǽfroul] *n.* 〔化〕 사프롤《향수용(用)》.

sag [sǽ(:)g] *v.* **(-gg-)** *vi.* **1** (도로 따위가) 꺼지다, 내려앉다; (문·다리·천정 따위가) 무게로 중앙 부분이 처지다, 휘다; (볼 따위가) 늘어지다: This dress ～*s* in the back. 이 옷은 뒷섶이 늘어진다. **2** (정신이) 약해지다, 해이해지다; 〔商〕 (시세가) 떨어지다. **3** [＋*to*＋名] 〔海〕 (바람부는 대로) 표류하다(drift): ～ ***to*** leeward 바람부는 대로 떠내려가다.
—— *vt.* 처지게[늘어지게] 하다. —— *n.* 처짐, 늘어짐; (길·땅이) 꺼짐, 함몰; 〔商〕 (시세의) 하락, 점락; 〔海〕 (바람부는 대로의) 표류.
〚Scand.; cf. Swed. *sacka*, Du. *zakken* to subside〛

sa·ga [sɑ́:gə] *n.* 사거《북유럽 중세의 전설》; 무용담, 모험담, 역사 이야기; =SAGA NOVEL.
〚ON=narrative; SAW³, OE *secgan* to SAY와 같은 어원〛

sa·ga·cious [səgéiʃəs, si-] *a.* 현명한, 총명한; 기민한; (동물이 인간처럼) 영리한.
～·ly *adv.* **～·ness** *n.*
〚L *sagac- sagax*〛

sa·gaci·ty [səgǽsəti, si-] *n.* Ⓤ 현명; 기민.

sag·a·more [sǽgəmɔ̀:r] *n.* (아메리칸 인디언의) 부족장(副族長) (cf. SACHEM).

sága nòvel *n.* 대하(大河) 소설《한 가문 또는 한 사회를 전기[역사]적으로 기술한 장편소설; cf. ROMAN-FLEUVE》.

sage¹ [séidʒ] *a.* **1** 영리한, 현명한(wise); 사려깊은, 경험이 풍부한. **2** 《反語》 현인[철인]인 체하는; 점잔빼는; 《古》 근엄한. —— *n.* 현인, 철인; 《反語》 현인인 체하는 사람.
the Sage of Concord 콩코드의 철인(哲人)《Emerson의 속칭》.
the seven sages (***of Greece***) 고대 그리스의 일곱 현인.
～·ly *adv.* **～·ness** *n.*
〚OF (L *sapio* to be wise); cf. SAPIENT〛
類義語 ⟹ WISE.

sage² *n.* **1** Ⓤ 〔植〕 (약용) 샐비어; 샐비어의 잎, 세이지《약용·향미료》. **2** =SAGEBRUSH.
〚OF＜L SALVIA〛

SAGE 《美》 Semiautomatic Ground Environment《반자동식 (지상) 방공 경계 관제 조직; cf. BADGE》.

ságe·brùsh *n.* Ⓤ 〔植〕 쑥의 일종《북미 서부 불모지의 잡초》.

ságe·brùsh·er *n.* 《美俗》 서부극(西部劇), (소설의) 서부물(物).

Ságebrush Státe *n.* [the ～] Nevada 주(州)의 속칭.

ságe chèese *n.* 세이지 치즈《세이지로 맛·색깔을 낸 체더 치즈》.

ságe grèen *n.* 샐비어 잎사귀 빛깔, 황록색.

ságe gròuse *n.* 〔鳥〕 (북미 서부산) 들꿩의 일종. 注 수컷은 **ságe còck**, 암컷은 **ságe hèn**.

ságe spàrrow *n.* 〔鳥〕 멧새과(科)의 작은 새《북미 서부산(産)》.

sa·gesse [*F* saʒɛs] *n.* 사려 분별, 지혜.

ságe tèa *n.* 샐비어 잎을 달인 인후염 양치약.

sag·ger, sag·gar [sǽgər] *n.* 토갑(土匣)《고급 질그릇을 구울 때 쓰는 내화토(耐火土)로 만든 보호 용기》. —— *vt.* [-ger] 토갑에 넣어 굽다.
〚? SAFEGUARD〛

ság·gy *a.* 처진, 늘어진.

Sa·ghal·ien [sɑ̀:gɑ:ljén, səgɑ́:ljən] *n.* =SAKHALIN.

Sa·git·ta [sədʒítə; -gítə, -dʒítə] *n.* 〔天〕 화살자리(the Arrow); [s～] 〔動〕 화살벌레.
〚L=arrow〛

sag·it·tal [sǽdʒətl] *a.* 〔解〕 시상(矢狀) 봉합의; 화살의, 화살(촉) 모양의. **～·ly** *adv.*

Sag·it·tar·i·us [sæ̀dʒətéəriəs, -tǽər-] *n.* (*pl.* **-tar·ii** [-riài]) 〔天〕 궁수(弓手)자리(the Archer); 인마궁(人馬宮) (*cf. the signs of the* ZODIAC).
〚L=archer; ⇨ SAGITTA〛

sag·it·tary [sǽdʒətèri; -təri] *n.* 〔그神〕=CENTAUR. —— *a.* 《稀》 화살의[같은].

sag·it·tate [sǽdʒətèit], **sa·gít·ti·fòrm** [sədʒítə-] *a.* 〔植·動〕 화살촉 모양의.

sa·go [séigou] *n.* (*pl.* **～s**) Ⓤ 사고《남태평양산 사고야자나무의 심에서 뽑은 녹말》; Ⓒ 〔植〕 사고야자나무(=∠ **pàlm**).
〚Malay〛

ságo gràss *n.* 《濠》 〔植〕 사고풀《가축 사료용》.

ságo pàlm *n.* Ⓤ 〔植〕 사고야자나무《남양제도산(産); 나무 줄기에서 sago를 채취하는 야자나무의 총칭》.

sa·gua·ro [səgwɑ́:rou], **-hua-** [-wɑ́:-] *n.* (*pl.* **～s**) 〔植〕 선인장의 일종《거목으로 giant cactus라고도 함》. 〚Am. Sp.〛

Sag·ue·nay [sǽgənèi, ⌣⌣⌣] *n.* [the ～] 새거네이 《(1) 캐나다 Quebec 주(州) 남부 St. John호(湖)에서 발원하여 St. Lawrence강으로 흘러드는 강(江). (2) 16세기 프랑스의 항해자 Jacques Cartier가 찾아다니던 Ottawa강 상류에 있는 것으로 알려진 왕국》.

ság wàgon *n.* (자전거 레이스에서) 낙오된 자전거를 거두며 뒤따르는 자동차.

sagy [séidʒi] *a.* 세이지(sage)로 맛을 낸[들인].

Sa·hara [səhǽrə, -hérə, -hɑ́:rə; -hɑ́:rə] *n.* [the ～] 사하라 (사막)(=the Desert of ～, the ～ Desert) 《아프리카 북부》; (일반적으로) 황야, 불모의 땅.

Sa·há·ran *n.* 〔言〕 사하라 제어(諸語). —— *a.* 사하라 제어의; 사하라 사막의; 불모의.

Sa·há·ri·an [-iən], **Sa·har·ic** [səhǽrik] *a.* 사하라 사막의[같은]; 불모의.
〖Arab.=desert〗

Sa·hel [səhéil, -híːl] *n.* [the ~] 사하라 사막 주변 지대(의 사바나[초원]).
〖F<Arab. *sāhil* coast〗

sa·hib [sáːhib] *n.* (*fem.* **-hi·ba(h)** [-bə]; cf. MEMSAHIB) 《인도》 **1** 각하, 나리. **2** [S~] …님, 씨: Jones *S~* 존스씨. **3** 《口》 백인, (특히) 영국인, 신사: pukka[pucka] ~ 진정한 신사.
〖Hindi<Arab.=friend, lord〗

sa·hi·wal [sáːhəvɑ̀ːl] *n.* 〖動〗 [흔히 S~] 사히왈 《뿔이 짧고 등에 혹이 있는 인도산(産) 젖소》.
〖파키스탄의 도시 이름에서〗

Sah·ra·wi [sɑːráːwiː] *n.* (*pl.* **~, ~s**) 사라위족 《서(西)사하라의 부족》.

◇**said** [séd] *v.* SAY의 과거·과거 분사. ── *a.* [보통 the를 붙여] 〖法〗《戲》 전기(前記)의, 상술한: *the* ~ person 당해 인물, 본인.

Sai·gon [saigɑ́n] *n.* 사이공《1976년까지 남베트남의 수도; 현재는 Ho Chi Minh City》.

‡**sail** [séil] *n.* **1** 돛; [집합적으로] 배의 돛《일부 또는 전부》: bend the ~ 돛을 활대[밧줄 따위]에 매달다 / carry ~ 돛을 올리다 / fill the ~ 돛에 바람을 안게 하다 / furl a ~ 돛을 내리다[감다] / mend ~ 돛을 다시 감다 / more ~ than ballast 실속보다도 겉치레 / set ~ (for) (…을 향해) 출범(出帆)하다 / shorten ~ 돛을 줄이다. **2 a)** (*pl.* 보통 ~) 돛단배, 범선; 선박, …척(ships): *S~* ho! 〖海〗 배가 보인다! 《경보》 / thirty ~ 30척의 선박 / There wasn't a ~ in sight. 배가 한 척도 보이지 않았다. **b)** [~s, 단수취급] 〖英史〗 장범장(掌帆長); [~s, 단수취급] 《海俗》 돛제작[수리]자. **3** [보통 단수취급] 범주(帆走), 항해, 항행; Ⓤ 항정(航程): go for a ~ 범주[항해]에 나서다. **4** 돛 모양의 것; [집합적으로] (특히) 풍차의 날개, 바람받이; (잠수함의) 전망탑; 《詩》 (새의) 날개; 〖魚〗 (돛새치(sailfish) 따위의) 등지느러미; (앵무조개의) 촉수(觸手). **5** [the S~] 〖天〗 돛자리.
haul in** one's **sails 《비유》 사양하다, 삼가다.
hoist sail 돛을 올리다, 출범하다, 떠나다.
(in) full sail 돛을 모두 올리고.
in sail 돛을 올리고; 돛단배를 타고.
lower** one's **sail 돛을 내리다; 항복하다.
make sail 돛을 올리다, 출범하다; (속력을 내기 위해) 돛을 더 달다.
strike sail 급히 돛을 내리다《강풍이 일 때, 또는 경의·항복 따위의 신호》; 항복하다.
take in sail =shorten SAIL (☞ 1); 《비유》 욕망 따위를 억제하다.
take sail 승선하다.
***take the wind out of the sails of** a person [a person**'s sails**]* ☞ WIND[1] *n.*
trim the[**one**'s] sails 〖海〗 돛을 조절하다; 《비유》 임기응변의 조치를 취하다.
under sail 돛을 올리고; 항해중에.
── *vi.* **1** [動 / +前+名] (배·사람이) 범주하다; 배로 가다, 항해하다(cruise): The boys are learning to ~. 소년들은 항해술을 배우고 있다 / The ship *~ed **up**[**down**]* the Indian Ocean. 그 배는 인도양을 북상[남하]했다 / The steamer *~ed **into*** harbor. 기선이 입항했다. **2** [動 / +前+名] 출범하다, (사람이) 배로 여행을 떠나다; 배를 조종하다: The ship *~s* early in the morning. 그 배는 아침 일찍이 출범한다 / He *~ed **for*** San Francisco. 샌프란시스코를 향해 항해했다 / I ~ next week ***by**[**on**]* the United States. 다음주에 유나이티드 스테이츠호(號)로 출발한다. **3** [+前+名 / +副] (물새·물고기가) 미끄러지듯 헤엄쳐 나아가다, (새·비행기가) 하늘을 날다; (구름·달이) 흘러가다, 떠오르다; (특히 여자가) 당당하게[점잔 빼며] 걷다: The cloud *~ed **across*** the sky. 구름이 하늘을 가로질러 흘러갔다 / A large bird was *~ing* slowly ***over*** the woods. 큰 새 한 마리가 숲 위를 유유히 날고 있었다 / The moon was *~ing* high ***in*** the sky. 달이 중천에 떠 있었다 / The duchess *~ed **into*** the room. 공작부인이 당당하게 방으로 들어왔다 / The carp *~ed away.* 잉어는 미끄러지듯 헤엄쳐 가버렸다. **4** 《口》 힘차게 일을 시작하다; 《口》 공격하다, 꾸짖다. **5** 《비유》 (세관·시험을) 쉽게 통과하다.
── *vt.* **1** 《文語》 (배·사람이 바다를) 건너다, 항해하다; (새·비행기 따위가 하늘을) 날다: ~ the ocean 대양을 항해하다. **2** (배·요트를) 달리다, 조종하다; (장난감 배를) 띄우다: ~ a yacht 요트를 조종하다.
sail into[in] (1) 입항하다(cf. *vi.* 1). (2) …에 위세좋게 들어가다(cf. *vi.* 3). (3) 《口》 매도하다, 헐뜯다; 《口》 …을 공격하다, 해치우다; 힘차게 시작하다.
sail large 〖海〗 돛에 바람을 가득 안고 달리다.
sail near[close to] the wind ☞ WIND[1] *n.*
sail with a large[scant] wind 〖海〗 충분히 바람[거의 역풍]을 받고 항해하다.
sail with every (shift of) wind 《비유》 어떤 경우라도 자기에게 유리하도록 이끌다.
〖OE *seg(e)l*; cf. SAW[2], G *Segel*〗

sáil·bòard *n.* 1-2인용 소형 평저(平底)범선; 윈드서핑용 보드; [*pl.*] 《美俗》 (사람의) 발.

sáil·bòat *n.* 《美》 범선(=《英》 sailing boat).

sáil·clòth *n.* Ⓤ 돛 베, 돛 만드는 무명천, 즈크; 올이 굵은 삼베의 일종《여성복·커튼용》.

sáil·er *n.* 배; 범선(cf. STEAMER): a good[fast] ~ 속력이 빠른 배 / a heavy[bad, poor, slow] ~ 속력이 느린 배.

sáil·fish *n.* 〖魚〗 돛새치.

sáil·ing *n.* **1** Ⓤ 범주(帆走)(법), 항해(술), 항행(법): ☞ GREAT-CIRCLE SAILING / ☞ PLAIN[PLANE] SAILING / ☞ SMOOTH SAILING. **2** Ⓤ 항행력, 속력. **3** Ⓤ,Ⓒ 출범, 출항: the hours[a port] of ~ 출범[출항]시각[항구] / a list of *~s* 출범[출항]표.
── *a.* 범주의; 배의; 출항의.

sáiling bòat *n.* 《英》 =SAILBOAT.

sáiling dày *n.* (객선의) 출항(出港)일; (화물의) 출항일.

sáiling màster *n.* (《英》에서는 요트, 《美》에서는 군함의) 항해장.

sáiling òrders *n. pl.* 출항 명령(서), 항해(航海)지시(서).

sáiling shìp[vèssel] *n.* 범선, 돛단배.

sáil·less *a.* (배에) 돛이 없는; (바다에) 돛[배] 그림자 하나 안 보이는.

sáil lòft *n.* 돛 깁는 방; 제범(製帆) 공장.

sáil·màker *n.* 돛 꿰매는 선원, 〖美海軍〗 돛 꿰매는 병조장, 장범장(掌帆長).

sáil·òff *n.* 《美》 요트 경주.

‡**sail·or** [séilər] *n.* **1 a)** 뱃사람, 선원, 해원, 갑판원. **b)** (특히) 수부(水夫), 수병(seaman) (cf. OFFICER): a ~ boy 소년[견습] 수부. **2** 해군 군인. **3** [good, bad 따위의 수식어를 수반하여] 배에 한 사람: a bad[poor, wretched] ~ 뱃멀미

sailing ship

하는 사람 / a good ~ 뱃멀미를 하지 않는 사람. **4** 세일러 해트(=~ **hàt**)《운두가 낮은 여자용 밀짚모자 ; 차양이 위로 젖혀진 어린이용 밀짚모자》; =SAILOR SUIT.
a sailor before the mast 일반 수부[수병].
~ly *a.* 뱃사람다운, 선원에 적합한.
〖C17 변형(變形)‹*sailor* (*-er*[1])〗

sáilor còllar *n.* 세일러 칼라《수병의 옷깃을 모방한 여성옷의 젖힌 깃》.

sáilor·ing *n.* 선원 생활, 선원[뱃사람]의 일.

sáilor·màn [ˌ-mən] *n.* 《卑·戲》 =SAILOR.

sáilor's fríend *n.* [the ~] 《海口》 달(the moon).

sáilors' hóme *n.* 선원 숙박소[보호소, 회관].

sáilor's knòt *n.* (선원의) 밧줄 매는 법 ; (넥타이) 매는 법의 일종.

sáilor sùit *n.* 선원복, 수병복 ; (어린이용) 세일러복.

sáil·plàne *n.* 세일플레인《익면하중(翼面荷重)이 작은 글라이더》. ── *vi.* 세일플레인으로 활공하다[날다].

sáil yàrd *n.* 돛의 활대.

sain·foin [sǽnfɔin, séin-] *n.* 〔植〕 (유럽산) 콩과의 목초《사료·녹비(綠肥)용》.
〖F<L=healthy hay〗

***saint** [séint] *n.* **1 a**) 〔카톨릭〕 성인 ; (성공회(聖公會)의) 성도 ; 성자《죽은 뒤 교회에 의해 성인의 열에 든 사람》: ☞ PATRON SAINT. **b**) [보통 *pl.*] 천당에 간 사람, 사자(死者) ; 천사 : the (blessed) *S*~*s.* (신의 선택을 받아) 천당에 사는 사람들 ; 기독교도들 / the departed ~ 고인(故人), 사자(死者)《특히 장례식에 모인 사람들의 용어》. **c**) [흔히 S~] 어떤 종파의 신도의 지칭, 〔聖〕 신의 선민, 기독교도. **2** 성자, 덕망있는 사람 : It would provoke[try the patience of] a ~. 아무리 성인이라도 참지 못할 것이다. **3** 신심(信心)이 깊은 사람 ; 《反語》 성인인 체하는 사람 : ☞ SUNDAY SAINT / Young ~*s*, old devils[sinners]. 《속담》 젊었을 때의 신앙심은 믿을 수 없다. **4** 발기인, 후원자. ㊟ 인명·지명 앞에 붙여 (흔히 St.라고 약해서) St. Peter (성 베드로), St. Helena(성 헬레나) 처럼 쓰고 이때의 발음은 [sèint, seint, sənt, sn*t*] (cf. ST.) ; 본 사전에서는 성인명은 St.를 뺀 표제어속에 포함시켰음《보기 *St.* George ☞ GEORGE》.
── *vt.* **1** [주로 *p.p.*로] 성인으로 하다, 성인의 열에 넣다(cf. SAINTED). **2** …에게 성인의 이름을 주다, 성인으로서 숭배하다. **3** [~ it으로] 성인처럼 행동하다, 신앙심이 깊은 체하다. **~·like** *a.*
〖OF<L *sanctus* holy (p.p.)‹*sancio* to make sacred〗

Sàint Ágnes'(s) Éve *n.* 성 아그네스의 축일 전야《1월 20일의 밤 ; 이날 밤 소녀가 어떤 특별한 기원을 드리면 장래의 남편을 꿈에 본다고 함》.

Sàint Ándrew's cróss *n.* 성 안드레 십자가《X 자형(字形) ; 특히 푸른 바탕에 흰색은 스코틀랜드의 기장(旗章)》.

Sàint Ánthony's cróss *n.* 성 안토니우스 십자가 (tau cross)《T자형》.

Sàint Ánthony's fíre *n.* 〔醫〕 성 안토니열(熱)《맥각(麥角) 중독·단독 따위의 피부염증》.

Sáint Bernárd *n.* **1** 생베르나르《알프스산에 있는 두 고개》. **2** 세인트 버나드《큰 종류의 개 ; 원래 알프스의 St. Bernard 수도원에서 기르던 구명견(救命犬)에서 나온 말》.

St. Chrístopher and Névis *n.* 세인트크리스토퍼 네비스《서인도 제도의 St. Kitts 섬과 Nevis 섬으로 이루어진 나라 ; 수도 Basseterre》.

sáint·dom *n.* =SAINTHOOD.

sáint·ed *a.* **1** 성인의 열에 든 ; 덕망 있는. **2** 신성한. **3** 죽은, 고(故)….

Sàint Él·mo's fíre[**líght**] [-élmouz-] *n.* 성 엘모의 불《폭풍이 부는 밤에 마스트나 비행기 날개 따위에 나타나는 방전(放電)현상으로 죽음의 징조로 여김》.

St. Geórge's *n.* **1** 세인트조지스《Grenada의 수도》. **2** 성 조지 병원《London 소재》. **3** 성 조지 교회《London에 있으며 상류사회의 결혼식장으로 유명한 교회》.

St. Geórge's Chánnel *n.* [the ~] 성 조지 해협《웨일스 남서부와 아일랜드 사이》.

Sàint Geórge's cróss *n.* 성 조지 십자가《흰 바탕에 붉은 십자가로 잉글랜드의 국장(國章)》.

St. Gott·hard [-gɑ́tərd] *n.* 생고타르《서부 알프스의 고개》; (그 밑을 지나는) 생고타르 터널.

sáint·hood *n.* Ⓤ 성인임 ; 성인의 신분[지위] ; [집합적으로] 성인, 성도.

St. Jámes's (**Pálace**) *n.* 세인트제임스 궁

(宮) 《London의 왕궁》; 그 부근의 상류층 주택가; 영국 궁정.
St. Láwrence *n.* **1** [the ~] 세인트로렌스 강 《캐나다 남부에서 발원》. **2** 세인트로렌스《Bering 해 북쪽의 섬》.
St. Láwrence Séaway *n.* [the ~] 세인트로렌스 수로(水路)《5대호 연안 도시들과 대서양을 연결하는 외항선 수로계》.
St. Lou·is [sèint lú:əs] *n.* 세인트루이스《Missouri 주 동쪽의 도시》.
St. Lúb·bock's dày [-lʌ́bəks-] *n.* 《英》 법정 공휴일《1871년 공휴일에 관한 법안을 제출한 Sir John Lubbock에게서 유래함; cf. BANK HOLIDAY》.
St. Lú·cia [sèint lú:ʃə] *n.* 세인트루시아《서인도 제도 동부의 독립국; 수도 Castries》.
St. Lúke's súmmer *n.* (영국의) 청명한 가을 날씨《10월 18일 성(聖) 누가 축일 무렵의 맑은 날씨; cf. INDIAN SUMMER》.
sáint·ly *a.* 성인다운; 덕망이 높은, 거룩한.
St. Mártin's Dày *n.* 성 마르티노 축일《11월 11일; 스코틀랜드에서는 quarter days의 하나》.
St. Mártin's súmmer *n.* (영국의) 늦가을의 화창한 날씨《St. Martin's Day를 전후한 화창한 날씨; cf. INDIAN SUMMER》.
St. Míchael and St. George *n.* 성 미카엘 성 조지 훈장[훈위] 《외교관 등에게 주는 영국의 knight 훈위》.
St. Mónday *n.* 《戱》 월요일: keep ~ 일요일에 너무 놀아서[일해서] 월요일에 일하지 않다.
St. Mo·ritz [-mərits] *n.* 장크트모리츠《스위스 남동쪽의 관광지, 겨울 스포츠의 중심지》.
Saint Nicholas ☞ NICHOLAS.
St. Pan·cras [-pǽŋkrəs] *n.* 세인트팽크러스 《London 중앙 북부의 옛 자치구》.
Sàint Pátrick's Dày *n.* 성 패트릭 축일《3월 17일; ☞ PATRICK》.
saint·pau·lia [seintpɔ́:liə] *n.* 〖植〗 세인트폴리아 속(屬)의 각종 화초《바위담배과(科)》.
〚Baron W. von *Saint Paulia* (*d.* 1910) 독일의 군인으로 발견자〛
St. Péter's *n.* (로마 바티칸시의) 성 베드로 대성당(☞ ST. PETER'S CHAIR).
St. Pe·ters·burg [-pí:tərzbə̀:rg] *n.* **1** 페테르부르크《제정러시아의 수도(1703-1914)》. **2** 세인트피터즈버그《Florida 주 서쪽의 항구도시로 피한지(避寒地)》.
St. Péter's cháir *n.* 로마 교황의 의자[직].
sáint's dày *n.* 〖카톨릭〗 성인 축일.
sáint·ship *n.* Ⓤ 성인임[지위]; 덕이 높음.
Saint-Si·mon [*F* sɛ̃simɔ̃] *n.* 생시몽. **Claude Henri de Rouvroy**, Comte **de** ~ (1760-1825) 프랑스의 철학자·사회주의자.
Saint-Si·mo·ni·an [sèintsaimóuniən; snt-] *a.* 생시몽(Saint-Simon) (의 국가 사회주의)의.
── *n.* 국가 사회주의자. **~·ism, Sàint-Sí·mon·ìsm** [-sáimən-] *n.* Ⓤ 생시몽주의.
〚Comte de *Saint-Simon*〛
St. Sophía *n.* 성 소피아《Istanbul에 있는 비잔틴 건축; 원래는 6세기에 기독교 교회로 건조, 15세기에는 이슬람교 사원, 현재는 미술관》.
St. Stéphen's *n.* 영국 하원[의회]《속칭》.
〚예전의 *St. Stephen's* Chapel에 있음〛
Sàint Swíthin's[Swíthun's] Dày *n.* 성 스위딘 축일《7월 15일; 이날의 날씨가 그 후 40일간 계속된다고 함》.
St. Thómas's *n.* 성 토머스 병원《London소재》.
Sàint Válentine's Dày *n.* 성 발렌타인의 축제일《2월 14일; 이날 (특히 여성이) 연인에게 선물이나 사랑의 편지를 보내는 관습이 있음》.
St. Víncent and the Grenadínes *n. pl.* 세인트빈센트 그레나딘 (제도)《서인도 제도 남동부의 Windward 제도에 있는 독립국; 수도 Kingstown》.
St. Ví·tus('s) dánce [-váitəs-] *n.* 〖醫〗 무도병(病) (chorea). 〚소년 순교자 *St. Vitus*가 이 병에 걸렸다고 여겨짐; 또는 이 성자(聖者)에게 기원하면 낫는다고 여겨진 데서〛
saith [séθ, séiθ] *vt., vi.* 《古·聖·詩》 SAY의 3인칭·단수·직설법·현재형.
***sake** [séik] *n.* …을 위함, 목적, 동기, 이유; 이익 (interest). ㊟ (1) 지금은 보통 for the ~ of…, for…'s ~ 의 형으로 쓰임 〚ME=because of…'s guilt〛: I will help you *for the ~ of* our old friendship. 옛 우정을 생각해서 도와주겠네 / She talks *for the ~ of* talking. 그녀는 지껄이기를 좋아해서 말한다 / I didn't do it *for* my own ~. 내 자신만을 위해서 그것을 한 것은 아니다 / *For* your *~s* we would do anything. 너희들을 위해서라면 무엇이든 하겠다 / *for* both[all] our ~(s) 우리들 쌍방[모두]을 위해서 / *for* charity's ~ 자선을 위해서. (2) sake 앞의 보통 명사 어미가 [s] 음인 경우에는 보통 소유격 s를 생략함: *for* goodness' ~ ☞ 숙어 / *for* convenience' ~ 편의상 / *for* shortness' ~ 간결[간략]하게 하기 위해(=for brevity's ~).
for heaven's[Christ's, goodness', God's, mercy's, Peter's, Pete's, pity's] sake 제발, 부디, 아무쪼록《뒤에 오는 명령법을 강조함》; 그만둬, 지독하다, 어이없다《불쾌감·노여움의 표현》: *For God's ~*, do it. 제발 그렇게 해주시오 / *For goodness' ~*, stop it. 부디 그만두시오 / You are awful. ― Oh, *for Pete's ~*! 지독하군 ― 그만둬.
for old sake's sake 《古》 옛정을 생각해서.
for (*one's*) ***name's sake*** …의 체면을 생각해서, …의 명예를 위하여.
〚OE *sacu* lawsuit, guilt, contention; cf. SEEK, G *Sache* matter〛
sa·ker [séikər] *n.* 〖鳥〗 (매사냥에 쓰는) 세이커매. 〚OF<Arab.〛
Sa·kha·lin [sǽkəli:n; ⌐-⌐] *n.* 사할린.
Sa·kha·rov [sá:kərɔ̀:f, sá:xə-, -v] *n.* 사하로프. **Andrei (Dimitrievich)** ~ (1921-89) 구소련의 핵 물리학자; 반체제 운동가; 노벨 평화상 수상 (1975).
sa·ki [sǽki, sá:ki; sá:ki] *n.* 〖動〗 (남미 열대산의) 사키위키스원숭이《꼬리가 굵음》.
sal[1] [sǽl] *n.* 〖化·藥〗 소금, 염(salt). 〚L〛
sal[2] [sá:l] *n.* 〖植〗 사라수(沙羅樹)《인도산 lauan의 일종》. 〚Hindi〛
Sal[1] [sǽl] *n.* 여자 이름《Sarah의 애칭》.
Sal[2] [sǽl], **Sál·ly (Ánn)** [sǽli(-)] *n.* 《美俗》 =SALVATION ARMY; 빈민 구제 시설.
sa·laam [səlá:m] *n.* (이슬람교도의) 이마에 손을 대고 하는 절; 경례, 인사; [*pl.*] 경의(敬意), 안부의 전언[문안]: make one's ~ 이마에 손을 대고 절하다, 경례하다 / send ~*s* 경의를 표하다.
── *vt., vi.* (…에게) 이마에 손을 대고 절하다; 경례하다. **~·lìke** *a.*
〚Arab. *salām* peace〛
sal·able, sale·able [séiləbəl] *a.* **1** 팔리는, 잘 팔리는, 수요가 많은. **2** 값이 알맞은, 적당한.
sàl·abíl·i·ty *n.* 팔기 알맞음; 상품성.

sa·la·cious [səléiʃəs] *a.* (사람이) 호색적인 ; (언어·서화 따위가) 음란한, 외설적인. **sa·lac·i·ty** [səlǽsəti] *n.* Ⓤ 색을 좋아함 ; 음란, 외설.
〖L *salac- salax* ; ⇨ SALIENT〗

***sal·ad** [sǽləd] *n.* **1** Ⓤ,Ⓒ 샐러드, 생채 요리. **2** Ⓤ 샐러드용 야채 ; 생으로 먹을 수 있는 야채 ; 샐러드용 채소 ; (특히) 상추(lettuce) ; 《美俗》 = FRUIT SALAD.
〖OF<Prov. (L *sal* SALT[1])〗

sálad bàr *n.* 샐러드 바《레스토랑 안의 셀프서비스식 샐러드 카운터》.

sálad bòwl *n.* 샐러드 볼《샐러드용 접시》.

sálad crèam *n.* 크림 모양의 샐러드 드레싱.

sálad dàys *n. pl.* (경험없는) 풋내기[청년] 시절 ; 전성기, 한창때.

sálad drèssing *n.* 샐러드용(用) 드레싱(cf. FRENCH [THOUSAND ISLAND] DRESSING).

salade ☞ SALLET.

Sal·a·din [sǽlədən] *n.* 살라딘(1137?-93)《아이유브 왕조의 시조》.

sálad òil *n.* 샐러드 기름.

sal·a·man·der [sǽləmæ̀ndər] *n.* **1** 〖動〗 도롱뇽. **2 a**) 불도마뱀《불 속에 산다는 전설상의 동물》; 불의 요정(cf. SYLPH, GNOME, NYMPH). **b**) 불에 잘 견디는 사람[것], 포화(砲火)를 겁내지 않는 군인. **3** (요리용의) 번철, 철판.
〖OF<L<Gk.〗

sàl·a·mán·drine [-drən ; -drain], **sàl·a·mán·dri·an** *a.* **1** 도롱뇽의[같은]. **2** 불도마뱀의[같은] ; 불에 잘 견디는, 내화(耐火)의.

sa·la·mi [səlɑ́:mi] *n.* 살라미《향미가 강한 이탈리아 소시지》. 〖It. (L SALT[1])〗

Sal·a·mis [sǽləməs] *n.* 살라미스《그리스 남서 앞바다의 섬 ; 기원전 480년 그리스 해군이 페르시아 해군을 격파했음》.

salámi tàctics *n.* (조직에서) 달갑지 않은 분자의 제거 정책.

sál ammóniac [sǽl-] *n.* 〖化〗 염화(鹽化) 암모늄. 〖L (*sal* salt, *ammoniacus* of Ammon)〗

sal·an·gane [sǽləŋgæ̀n, -gèin] *n.* 〖鳥〗 식용 칼새《둥지는 요리용》.

sa·lar·i·at [səlέəriæ̀t, -lǽər-] *n.* [집합적으로] 봉급 생활자 계급. 〖F ; *prolétariat*에 준한 것〗

sál·a·ried *a.* (시간급이 아니라) 급료를 받는 ; 유급(有給)의 : a ~ man 봉급 생활자. ㊟ a *salary* man은 쓰이지 않음.

***sal·a·ry** [sǽləri] *n.* (공무원·회사원의) 급여, 봉급, 급료《연봉·월급·주급 따위 ; cf. WAGE》: a ~ of 20 million Won per annum 연봉 이천만원 / draw[get] one's ~ 봉급을 받다. —— *vt.* …에게 봉급을 주다, 급료를 지급하다.
〖AF<L *salarium* (soldier's) salt money (*sal* SALT[1])〗
類義語 ⟹ PAY.

***sale** [séil] *n.* **1** Ⓤ 판매, 매각, 매도(selling) ; Ⓤ,Ⓒ 매매, 거래. **2** 매기(買氣), 수요 ; [*pl.*] 판매(촉진) 활동 ; [*pl.*] 매상(고) : These articles have a ready ~. 이 상품들은 날개돋친 듯이 팔린다 / He found no ~ for the house. 그 집을 살 사람이 아무도 나서지 않았다 / ~*s* of bicycle racing (자전거 경주의) 경륜(競輪) 매상액. **3** 경매, 입찰판매(auction). **4** 재고정리 매출, 염가 매출, 특매(=clearance sale) : a summer[winter] ~ 하계[동계]의 염가 매출 / I bought this *at* a department store ~. 백화점의 염가 매출에서 이것을 샀다.

account of sales 판매 계산서.

for sale 팔려고 내놓은 : a house *for* ~ 팔집 / Not *for* ~. 비매품.

〈회화〉
Will you sell me that picture? — I'm sorry. It's not *for sale*. 「저 그림 저한테 파시겠어요」「미안합니다만 그건 팔 것이 아닙니다」

make a sale 《俗》 성공하다.

on sale (상품을) 팔려고 내놓아 ; 특가로《사다》: These are *on* ~ at any supermarket. 이것은 어느 슈퍼마켓에서나 팔고 있다.

put up for sale 경매에 부치다 : The old vase was *put up for* ~. 그 오래된 꽃병은 경매에 부쳐졌다.

sale and [***or***] ***return*** 〖商〗 재고품 인수 조건부 매매 계약(cf. *on* APPROVAL).

a sale of work 자선(慈善) 바자.
〖OE *sala*<ON ; cf. SELL〗

saleable ☞ SALABLE.

Sa·lem [séiləm] *n.* **1** 〖聖〗 성도(聖都) 예루살렘(Jerusalem). **2** 세일럼《미국 Oregon 주의 주도》. **3** 《英》 비국교도의 교회당(bethel).

sal·ep [sǽlep, səlép] *n.* Ⓤ 살렙 가루《난초과 식물의 뿌리를 말린 것 ; 식용·약용》.
〖F<Turk.<Arab.〗

sal·e·ra·tus [sæ̀ləréitəs] *n.* Ⓤ (요리용의) 탄산수소나트륨, 소다(baking soda).
〖NL *sal aeratus* aerated salt〗

sále rìng *n.* 경매자를 둘러싼 매수인들.

sále·ròom *n.* =SALESROOM.

sales [séilz] *a.* 판매의.

sáles anàlysis *n.* 〖마케팅〗 판매 분석.

sáles chèck *n.* (소매점의) 매출 전표.

sáles·clèrk *n.* 《美》 (상점의) 남자 점원.

sáles depàrtment *n.* (생산·유통부문에 대해) 판매부(문).

sáles engineèr *n.* 판매 전문 기술자.

sáles fòrecast *n.* 〖마케팅〗 판매 예측.

sáles·gìrl *n.* 여자 판매원, 여점원.

sáles·làdy *n.* =SALESWOMAN.

‡**sáles·man** [-mən] *n.* 판매원, 점원 ; (판매의) 외판원, 세일즈맨 : an insurance ~ 보험 외무사원.

sáles mànagement *n.* 판매 관리.

sáles mànager *n.* 판매 부장.

sáles·man·shìp *n.* Ⓤ 판매술[정책] ; 판매 수완 ; 《美》 외교적 수완.

sáles orientàtion *n.* 〖마케팅〗 판매 지향《제품 구입을 설득시키는 경영 이념》.

sáles·pèople *n. pl.* 《美》 판매원, 판매인, 점원(cf. SALESPERSON).

sáles·pèrson *n.* 《美》 판매원, 점원 ; 외판원.

sáles pìtch *n.* 《美》 =SALES TALK.

sáles potèntial *n.* 〖마케팅〗 (전체 시장의) 잠재 수요 점유율.

sáles promòtion *n.* 〖商〗 (광고나 세일즈 이외의 수단에 의한) 판매 촉진.

sáles resìstance *n.* 〖商〗 판매 저항(consumer resistance) 《상품의 판매를 방해하는 요소》; 《비유》 (새로운 사상 따위에 대한) 수용의 거부.

sáles·ròom *n.* 매장, (특히) 경매장.

sáles slìp *n.* 《美》 매상 전표(sales check).

sáles tàlk *n.* 《美》 상담(商談), 구매 권유 ; (일반적으로) 설득력 있는 권유.

sáles tàx *n.* 물품 판매세, 매상세《보통 판매자가 판매 가격에 가산해서 징수함 ; cf. PURCHASE TAX》.

sáles·wòman *n.* 여자 판매원, 여점원(shopgirl).

sa·li- [séilə, sǽlə] *comb. form* 「소금」의 뜻. 〖L〗

Sal·ic [sǽlik, séi-], **Sa·lique** [sǽlik, séil-, sælíːk, sei-] *a.* (프랑크족(Franks)의 한 파(派)인) 살리(Salii)족의; 살리카법의. 〖F or L〗

sal·i·cin [sǽləsən], **-cine** [-sən, -sìːn] *n.* Ⓤ 〔藥〕 살리신《버드나무의 껍질 속에 함유되어 있는 배당체(配糖體); 해열·진통제》. 〖F<L〗

Sálic láw *n.* 〔史〕 살리카법《여자의 토지 상속권·왕위 계승권을 부인》.

sal·i·cyl [sǽləsil] *n.* Ⓤ 〔化〕 살리실기(基).

sa·lic·y·late [sælísəlèit] *n.* Ⓤ 〔化〕 살리실산염(酸鹽): sodium ~ 살리실산(酸) 소다.
—— *vt.* …에 살리실산을 섞다.

sal·i·cyl·ic [sæ̀ləsílik] *a.* 〔化〕 살리실산의: ~ acid 살리실산. 〖F; ⇨ SALICIN〗

sá·li·ence, -cy *n.* **1** Ⓤ 돌출, 돌기; Ⓒ 돌기물; 〔軍〕 돌출부. **2** Ⓤ,Ⓒ 《비유》 특징; (이야기·토론 따위의) 중요점, 고비.

sa·li·ent [séiliənt] *a.* **1** 현저한, 두드러진: a ~ feature 특징. **2** 《古·詩》 튀어오르는; (물이) 분출하는; 《비유》 원기 왕성한: the ~ spirits of youth 청년의 발랄한 기상. **3** 돌각의, 튀어나온 (↔*reentrant*); 돌기한: a ~ feature (해안선·안면의) 돌출[돌기]부. **4** 〔紋〕 (사자 따위가) 뒷발을 모으고 뛰어 오를 자세의(cf. RAMPANT).
—— *n.* 돌각(突角); 〔軍·築城〕 돌출부. **~·ly** *adv.* 현저히, 돌출하여. 〖L (*salio* to leap)〗

Sa·li·en·tia [sèiliénʃiə, sæ̀l-] *n. pl.* 〔動〕 개구리목(目).

sa·li·en·ti·an [sèiliénʃiən, sæ̀l-] *a., n.* 〔動〕 개구리목(目)[무미류(無尾類)]의 (동물).

sálient póint *n.* 현저한 점[특징]; 《古》 원시, 처음, 초기.

sa·lif·er·ous [səlífərəs] *a.* 〔地質〕 염분이 있는《지층 따위》.

sal·i·fy [sǽləfài] *vt.* 〔化〕 염화(鹽化)하다; 소금을 섞다, 소금으로 화합하다.

sa·li·na [səláinə, -líː-] *n.* 염수성 소택(鹽水性沼澤); 제염소, 염전. 〖Sp.<L=saltworks〗

sa·line [séilain, 美+-liːn] *a.* [주로 술어] **1** 염분을 함유한; 소금기가 있는, 짠: a ~ lake 염수호(湖). **2** 식염성의; 염류의; 〔醫〕 염수 주사의.
——[, 英+səláin] *n.* **1** 염수호, 염류천(鹽類泉); 제염장, 염전. **2** Ⓤ 염류; 함염물(含鹽物); Ⓒ 마그네슘 하제(下劑). **3** Ⓤ 〔醫〕 염수, (임신 중절을 촉진하는) 염수 주사.
〖L (*sal* SALT¹)〗

sa·lin·i·ty [səlínəti] *n.* Ⓤ 염분, 염도(鹽度).

sa·li·nize [sǽlənàiz] *vt.* 소금으로 처리하다; …에 소금이 배게 하다. **sà·li·ni·zá·tion** *n.* 염(류)화(작용), 염처리.

sal·i·nom·e·ter [sæ̀lənɑ́mətər] *n.* 염분계(鹽分計), 검염계(檢鹽計).

Salique ☞ SALIC.

Salis·bury [sɔ́ːlzbèri, -bəri; -bəri] *n.* 솔즈베리《(1) 영국 Wiltshire 주의 도시. (2) Zimbabwe의 수도인 Harare의 옛 이름》.
(as) plain as Salisbury 극히 명료한.

Sálisbury Pláin *n.* [the ~] 솔즈베리 평원《영국 남부 Salisbury 북방의 고원지대》.

Sálisbury stéak *n.* 솔즈베리 스테이크(=HAMBURG STEAK). 〖J. H. *Salisbury* 식생활 개선을 주장한 19세기의 영국인 의사〗

Sa·lish [séiliʃ] *n.* **1** 〔言〕 살리시 어군(語群). **2** 살리시 어군의 인디언족《북미 인디언의 한 종족》.

sa·li·va [səláivə] *n.* Ⓤ 타액, 침(spittle). 〖L〗

sal·i·vary [sǽləvèri; -vəri, səlái-] *a.* 침의, 타액의; 타액을 분비하는: ~ glands 침샘.

sal·i·vate [sǽləvèit] *vt.* (수은제 따위로) …에 침이 나오게 하다. —— *vi.* 침이 나오다.

salíva tèst *n.* 타액 검사《경주마의 약물 검사》.

sàl·i·vá·tion *n.* Ⓤ 〔醫〕 침을 흘림, 타액 분비 과다; 〔病理〕 유연증(流涎症).

sál·i·và·tor *n.* 최타제(催唾劑).

Salk [sɔ́ːlk] *n.* 소크. **Jonas E(dward)** ~ (1914-) 미국의 의사·세균학자; 소크 백신 개발자.

Sálk vàccine *n.* 〔醫〕 (소아마비 예방용의) 소크 백신.

salle [sæl; sɑ́ːl; *F* sal] *n.* 대청, 홀.

salle à man·ger [*F* sal a mɑ̃ʒe] *n.* 식당.

sal·(l)et [sǽlət], **sa·lade** [səlɑ́ːd, -lǽd] *n.* (15세기의) 가벼운 투구.
〖F (L *caelo* to engrave)〗

sal(l)et

Sallie ☞ SALLY.

sal·low¹ [sǽlou] *a.* (~·er; ~·est) 누르스름한, 흙빛의, 혈색이 나쁜(cf. RUDDY).
—— *n.* Ⓤ 누르스름한 빛깔, 흙빛. —— *vt., vi.* 누르스름한 색이 되게 하다[되다]; 창백하게 하다[되다]. **~·ness** *n.* Ⓤ 혈색이 나쁨, 흙빛. 〖OE *salo* dusky; cf. OHG *salo* dark, MDu. *salu* dirty, F *sale* dirty〗

sallow² *n.* 〔植〕 버드나무속(屬)의 식물, 잎이 큰 갯버들(willow). 〖OE *salh*; cf. SALICINE〗

sál·low·ish *a.* 약간 누르스름한, 흙빛을 띤.

sal·ly [sǽli] *n.* **1** (농성군(籠城軍)·비행기 따위의) 출격, 돌격(sortie): make a ~ 출격하다. **2** 소풍; 짧은 여행. **3** (갑작스러운) 활동 개시, 돌발; (상상·감정·기지 따위의) 분출(噴出), 폭발 〈*of*〉. **4** 재담, 경구(警句); 야유, 풍자.
—— *vi.* [動/+副/+前+名] **1** 진격하다, (역습으로) 출격하다: ~ ***out*** against the besieging army 포위군을 향해 공격해 들어가다. **2** 힘차게[신나게] 출발하다: We *sallied forth* ***on*** our excursion. 신나게 소풍을 떠났다.
〖OF *saillie*<L; ⇨ SALIENT〗

Sal·ly, Sal·lie [sǽli] *n.* 여자 이름《Sarah의 애칭》: ☞ AUNT SALLY.

Sally (Ann) ☞ SAL².

Sálly Lúnn [-lʌ́n] *n.* (굽는 즉시 먹는 달고 얄팍한) 과자의 일종. 〖? *Sally Lunn* 1800년경 잉글랜드의 Bath에서 이 과자를 팔던 여자〗

Sálly Máe [-méi] *n.* 《美》 샐리 메이《학자금 대출조합(Student Loan Marketing Association)의 별명》.

sálly pòrt *n.* 〔築城〕 비상문, 출격문.

sal·ma·gun·di, -dy [sæ̀lməgʌ́ndi] *n.* Ⓤ,Ⓒ 잘게 썬 고기·멸치·달걀·후추 따위를 넣고 끓인 모듬 냄비; Ⓒ 《비유》 잡탕, 잡록(雜錄).
〖F *salmigondis*< ? 〗

sal·mi [sǽlmi] *n.* Ⓤ,Ⓒ 새고기 스튜《구운 새고기를 포도주로 찜》. 〖F *salmis*‹SALMAGUNDI〗

***salm·on** [sǽmən] *n.* (*pl.* **~s,** ~) **1** 〔魚〕 연어; Ⓤ 연어 (고기). **2** Ⓤ 연어 살빛(=~ **pínk**).
—— *a.* 연어 살빛의.
〖AF, OF<L *salmon- salmo*〗

sálmon·bèrry *n.* 새먼베리《북미 태평양 연안이 원산인 나무딸기의 일종; 그 열매》.

sálmon-còlor *n.* 연어 살빛. **-còlored** *a.*

sal·mo·nel·la [sæ̀lmənélə] *n.* (*pl.* **-nel·lae**

[-néliː, -nélai], ~s, ~) 살모넬라균《장티푸스·식중독 따위의 병원균》. 〖D. E. *Salmon* (d. 1914) 미국의 수의사, *-ella* (dim.)〗

sal·mo·nel·lo·sis [sæ̀lmənelóusəs] *n.* (*pl.* **-ses** [-siːz]) 〖醫〗 살모넬라증(症)《살모넬라균(菌)에 의한 감염증》.

sal·mo·nid [sǽlmənəd, -nìd] *a., n.* 〖魚〗 연어과(科)의 (물고기).

sálmon làdder[lèap] *n.* =FISH LADDER.

sal·mon·oid [sǽmənɔ̀id] *a., n.* 연어 비슷한 (물고기) ; 〖魚〗 연어과(科)의 (물고기) (salmonid).

sálmon péel *n.* 연어 새끼.

sálmon tròut *n.* 〖魚〗 (유럽산) 바다송어.

sal·ol [sǽlɔ(ː)l, -oul, -ɑl] *n.* Ⓤ 〖化〗 살롤《방부제 ; 원래 상표명》.

Sa·lo·me [səlóumi] *n.* **1** 여자 이름. **2** 〖聖〗 살로메《Herod 왕의 후처 Herodias의 딸로, 왕에게 청하여 John the Baptist의 목을 베게 하였음 ; 마태복음 14 : 3-11》. 〖Heb.=peace〗

sa·lon [səlɑ́n, sǽlɑn ; sǽlɔn ; *F* salɔ̃] *n.* **1** (프랑스 등지의 대 저택의) 큰 홀 ; 객실, 응접실. **2** (특히 파리 상류 사회 부인의 객실에서의) 초대회, 명사의 모임 ; 《비유》 상류 사회. **3** 미술 전시회장 ; [the S~] 살롱《매년 파리에서 열리는 현대 미술 전람회》. **4** 《美》 (양장점·미용실 따위의) …점[실] : ☞ BEAUTY SALON. 〖F ; ⇨ SALOON[1]〗

salón mùsh *n.* 《美俗》 세미 재즈, 비재즈 음악.

salón mùsic *n.* 살롱 음악《객실 따위에서 연주되는 경음악》.

sa·lon·nard [səlɑ́nərd ; *F* salɔnaːr] *n.* 살롱[명사의 모임]에 드나드는 사람.

sa·loon[1] [səlúːn] *n.* **1** (호텔 따위의) 큰 홀(hall). **2** (여객선의) 담화실, 식당(=dining ~). **3 a)** 〖英鐵〗 특별 객차(=《美》 parlor car), 사교실《따위》 : a sleeping ~ 침대차. **b)** (여객기의) 객실. **4** 《英》 세단형 자동차(=~ car). **5 a)** 《英》 오락장《따위》, …장, …소(cf. HALL) : a billiard ~ 당구장 / ☞ DANCING SALOON / a hairdresser's [shaving] ~ 이발관 / a shooting ~ 사격장. **b)** 《美》 술집, 바《지금은 보통 bar를 씀》.
〖F<It. (*sala* hall)〗

saloon[2] *int.* 《美俗》 안녕, 또 만납시다. 〖*so long*〗

salóon bàr *n.* 《英》 (술집의) 특실.

salóon càr[càrriage] *n.* 《英》 특별 객차 (saloon) ; 〖車〗 =SEDAN.

salóon dèck *n.* 일등 선객용 갑판.

salóon·ist *n.* 《美》 **1** 술집 주인(=saloonkeeper). **2** 술집의 단골 손님.

salóon·kèep·er *n.* 《美》 술집 주인.

salóon pássenger *n.* 일등 선객.

salóon pístol[rífle] *n.* 《英》 (실내) 사격장용 권총[소총].

sa·loop [səlúːp] *n.* **1** =SALEP ; =SASSAFRAS. **2** Ⓤ,Ⓒ salep [sassafras]을 타서 만든 음료《원래 런던 거리에서 류머티즘약으로 커피 대신 팔았음》. 〖SALEP〗

Sal·op [sǽləp] *n.* 샐럽《SHROPSHIRE의 옛 칭호 (1974-80) ; 그 이전에도 Shropshire의 별칭으로서 사용되었음》.

sal·o·pette [sæ̀ləpét] *n.* 샐러펫《(1) 작업복 ; 노동용 덧옷. (2) (유아용의) 가슴받이가 달린 바지》. 〖F〗

Sa·lo·pi·an [səlóupiən] *a., n.* **1** (잉글랜드의) SHROPSHIRE의 (사람). **2** SHREWSBURY 학교의 (재학생·졸업생).

sal·pa [sǽlpə], **salp** [sǽlp] *n.* (*pl.* **~s, -pae** [-piː]) 〖動〗 살파《바다의 플랑크톤으로 생활하는 원색동물(原索動物)의 일종》.

sal·pi·glos·sis [sæ̀lpəglɑ́səs] *n.* 〖植〗 살피글로시스《Chile 원산 가지과의 관상 식물》. 〖NL<Gk.=trumpet tongue〗

sal·ping- [sǽlpiŋg, (e, i의 앞에서) -pindʒ], **sal·pin·go-** [-piŋgou, -gə] *comb. form* 〖解〗 「SALPINX」의 뜻. 〖Gk. ; ⇨ SALPINX〗

sal·pin·gec·to·my [sæ̀lpəndʒéktəmi] *n.* 〖醫〗 난관(卵管)[유스타키오관(管)] 절제(술).

sal·pinx [sǽlpiŋks] *n.* (*pl.* **sal·pin·ges** [sælpíndʒiːz]) 〖解〗 난관(卵管) ; 유스타키오관(管). 〖Gk. *salpigx* trumpet〗

sal·sa [sɔ́ːlsə, sɑ́ːl-] *n.* 살사《쿠바 기원의 맘보 비슷한 춤곡》 ; 스페인[이탈리아]풍의 소스. 〖Am. Sp.=sauce〗

salse [sǽls] *n.* 〖地質〗 이화산(泥火山) (mud volcano). 〖F<It. *salsa* sauce〗

sal·si·fy [sǽlsəfi, 美+-fài] *n.* 〖植〗 서양우엉 (oyster plant)《엉거시과에 속하는 2년초》. 〖F<It. (L *saxum* rock, *frico* to rub)〗

sál sóda [sǽl-] *n.* 〖化〗 탄산나트륨(sodium carbonate), 세탁 소다(washing soda).

◇**salt** [sɔːlt, 英+sɔ́lt] *n.* **1** Ⓤ 소금, 식염(common ~, kitchen ~) : Spilling ~ is held to be unlucky. 소금을 엎지르면 재수가 없다고 한다. ㊟ 관련된 형용사 SALINE. **2** [*pl.*] **a)** 방향염(芳香鹽) (smelling salts)《탄산암모니아(sal volatile)를 주제로 한 각성제》. **b)** 황산마그네슘(Epsom salts). **3** 〖化〗 염 ; 염류. **4** 〖商〗 소금 그릇 (saltcellar). **5** Ⓤ 《비유》 생기[활기]를 불어넣는 것, 자극, 흥미 ; (독특한) 맛 ; 기지(機智), 재치 (wit) ; 상식, 속된 지식 : ☞ ATTIC SALT / a talk full of ~ 재치가 넘치는 이야기 / Traveling was the ~ of life to him. 여행하는 것이 그에게는 삶의 자극제였다. **6** [때때로 old ~] 노련한 선원[수부].

above[below] the salt 상좌[하좌]에, 상석[말석]에 (앉는)《옛날 식탁의 중앙에 큰 소금 그릇을 놓고 위쪽에 신분이 높은 손님이나 가족, 아래쪽에 신분이 낮은 손님이나 하인 등이 앉았던 습관에서》.

bread and salt ☞ BREAD *n.*

drop a pinch of salt on the tail of …을 쉽게 잡다.

eat a person***'s salt***=***eat salt with*** a person …의 손님이 되다, 남의 집에 식객이 되다.

in salt 소금을 친 ; 소금에 절인.

not made of salt 비를 맞아도 녹지 않는.

(not) worth one***'s salt*** 《口》 밥값[제구실]을 (못)하는.

take . . . with a grain of salt (…을) 가감해서 듣다.

the salt of the earth 〖聖〗 세상의 소금, (세상의 부패를 막는) 건전한 사회층, 사회의 중견, 세상의 사표(師表).

— *a.* **1** 소금기가 있는(↔*fresh*), 소금의, 소금[소금기]을 함유한, 짠(↔*sweet*). **2** 소금에 절인. **3 a)** (땅 따위가) 바닷물에 잠긴. **b)** 〖植〗 바닷물[바닷가]에 나는. **4** (눈물·비애 따위) 쓰라린, 괴로운(bitter). **5** 익살스런, 통쾌한.

— *vt.* **1** …에 소금으로 간을 맞추다 ; …에 소금을 치다 ; (가축에) 소금을 주다. **2 a)** [+目/+目+副] 소금에 절이다 : ~*ed* fish 소금에 절인 생선 / ~ (***down***) cod 대구를 소금에 절이다. **b)** …에 맛[흥미]을 돋구다. **3** [*p.p.*로] (말이나 사람을) 풍토에 젖게 하다, 단련시키다. **4** 《商俗》 …에 값을 더 얹어 부르다, (장부 따위를) 속이다 :

～ prices 값을 더 얹어 부르다. **5** 〖化〗 소금물[염용액]에 담그다(용해 촉진을 위해). **6** 《俗》 (광산·유정(油井))에 질이 좋은 광석[석유]을 넣어두다(광산이나 유정을 비싸게 팔기 위해서 ; cf. PLANT *vt.* 7).

salt away (1) 소금에 절여 저장하다. (2) 《俗》 (돈·증권 따위를) 저축하다, 간수해 두다 : Because of the depression I shall have to ～ *away* most of my shares. 불경기이므로 주식의 대부분을 그대로 간수해 두지 않으면 안되겠다.

salt down 소금에 절이다(cf. 2 a)) ; 《美口》 호되게 꾸짖다 ; 《俗》 몰래 치워두다.

〚OE *s(e)alt* ; cf. G *Salz*, L *sal*, Gk. *hals* salt, sea〛

SALT [sɔ́:lt, 英+sɔ́lt] Strategic Arms Limitation Talks (전략 무기 제한 협정).

sált and pépper *n.* 《美俗》 불순 마리화나.

sált-and-pépper *a.* =PEPPER-AND-SALT ; 《美》 흑인과 백인이 뒤섞인.

sal·tant [sǽltənt] *a.* 뛰는, 도약하는 ; 〖紋〗 뛰는 자세의.

sal·ta·rel·lo [sæ̀ltərélou] *n.* (*pl.* **～s**) 살타렐로 (빠른 스킵으로 1-2명이 추는 이탈리아·스페인의 경쾌한 춤 ; 그 곡). 〚It. ; ⇨ SALIENT〛

sal·ta·tion [sæltéiʃən] *n.* Ⓤ 도약, 약동 ; 격변, 격동, 약진 ; 〖生〗 도약[비약] 진화 ; 〖地〗 약동. 〚L *salto* (freq.) ‹ *salio* to leap ; ⇨ SALIENT〛

sal·ta·to·ri·al [sæ̀ltətɔ́:riəl] *a.* 도약하는, 도약성의 ; 〖動〗 도약의[하기 알맞은].

sal·ta·to·ry [sǽltətɔ̀:ri ; -təri] *a.* **1** 도약하는[적인]. **2** 비약하는 : the ～ theory (of evolution) 비약(진화)론.

sált·bòx *n.* (나무로 만든 부엌용의) 소금 그릇(cf. SALTCELLAR).

sáltbox hòuse *n.* 소금 그릇형의 목조 가옥(앞은 2층, 뒤는 1층이고, 지붕은 뒤쪽이 앞쪽보다 길고 낮음).

sált càke *n.* 망초(芒硝)(조제 황산나트륨).

sált·càt *n.* 소금덩어리.

sált·cèllar *n.* **1** (식탁용의) 소금그릇. **2** [보통 *pl.*] 《口》 (여자의) 목덜미(좌우)의 오목한 곳.

sált·chùck *n.* (캐나다 서부 해안의) 바다, 염수만(鹽水灣), 염수 후미.

sált dòme *n.* 〖地質〗 암염(岩鹽) 돔(지하의 암염이 돔모양으로 솟아오른 것).

sált·ed *a.* **1** 소금에 절인, 소금으로 간을 맞춘. **2** 염분이 있는. **3** (말이) 풍토에 익숙해진 ; (사람이) 노련한. **4** 《俗》(광산·유정(油井) 따위에) 속임수를 쓴(cf. SALT *vt.* 6).

sált·er *n.* **1** 제염업자 ; 소금장수 ; 제염소 직공. **2** 건물상(drysalter).

Sálter dùck *n.* 솔터 덕(수차(水車)에 의한 파력(波力) 발전장치). 〚Stephen H. *Salter* 20세기 영국의 기술자〛

sal·tern [sɔ́:ltərn] *n.* 염전 ; 제염소[장(場)]. 〚OE (*ærn* building) ; cf. BARN〛

sált·fish *n.* 《카리브》 소금에 절인 대구.

sált gràss *n.* 《美》 염습지(鹽濕地) 식물, 염생초.

sált hórse[**júnk**] *n.* 《海俗》 소금에 절여 말린 쇠고기.

sal·ti·grade [sǽltəgrèid] *a.* 〖動〗 도약하기에 알맞은 다리를 가진 ; 깡충거미과의.
—— *n.* 깡충거미.

sal·tine [sɔ:ltí:n] *n.* 짭짤한 크래커의 일종.

sált·ing *n.* 소금 사용 ; 소금에 절이기, (식품의) 염장 ; 《英》 =SALT MARSH.

sálting òut *n.* 〖化〗 염석(鹽析).

sal·tire, -tier [sɔ́:ltaiər, -tiər, sǽl-] *n.* 〖紋〗 X형 십자, 성(聖) 안드레 십자(☞ CROSS). 〚OF *sau(l)toir* stile‹L ; ⇨ SALTATION〛

sált·ish *a.* 조금 짠, 소금기가 있는.

sált láke *n.* 함수호(鹹水湖), 염호.

Sált Làke Cíty *n.* 솔트레이크시티(미국 Utah 주의 주도 ; 북서부에 Great Salt Lake가 있음 ; Mormon 교의 본산 소재지).

Sált Làke Státe *n.* [the ～] 미국 Utah 주의 속칭.

sált·less *a.* 소금기가 없는, 맛없는(insipid) ; 재미 없는, 시시한(dull).

sált lìck *n.* 동물이 소금기가 있는 흙을 핥기 위해 모이는 장소 ; 가축용 암염(목초지에 놓음).

sált màrsh *n.* 바닷물이 드나드는 늪, 염성소택지(鹽性沼澤地).

sált mìne *n.* **1** 암염갱(岩鹽坑), 암염 산지. **2** [보통 the ～s] 가혹한[지루한] 일(이 강요되는 곳), 유폐장(幽閉場).

sált pàn *n.* **1** 천연 염전(cf. SALTWORKS). **2** 소금 가마. 〚ME〛

salt·pe·ter | **-tre** [sɔ̀:ltpí:tər ; ⌐-⌐] *n.* Ⓤ 질산 칼륨 : ☞ CHILE SALTPETER / ～ rot 새 벽(壁) 따위에 생기는 흰 얼룩. 〚C16 *salpeter*‹OF‹L= salt of rock ; *-t*는 *salt*에서〛

sáltpeter pàper *n.* =TOUCH PAPER.

sált pìt *n.* 염갱(鹽坑), 염전(salt pan).

sált pórk *n.* 소금에 절인 돼지고기.

sált rhèum *n.* 《美口》 습진(eczema).

sált-rìsing bréad *n.* 《美》 소금·우유·밀가루·콘밀에 소다를 넣어 구운 빵.

sált·shàker *n.* (흔들어 사용하는) 소금 용기.

sált spòon *n.* (식탁용의 작은) 소금 숟가락.

sal·tus [sǽltəs, sɔ́:l-] *n.* (*pl.* **～·es**) (발전 도상의) 급격한 변동 ; (논리의) 비약 ; (토론 따위의) 중단. 〚L=jump ; ⇨ SALIENT〛

sált wáter *n.* 소금물, (특히) 바닷물(seawater) ; 바다(sea) ; 《戱》 눈물.

sált·wáter *a.* 바닷물[소금물]의, 해수의, 바닷물에서 나는 : a ～ fish 바닷물고기.

sált wèll *n.* 염정(鹽井).

sált·wòrks *n.* (*pl.* ～) 제염소.

sált·wòrt *n.* 〖植〗 수송나물, 퉁퉁마디.

sálty *a.* 소금기 있는, 짠 ; 바다냄새 나는 ; 노련한, 되바라진 ; 속악한, 음란한 ; (슬픔 따위가) 혹독한, 쓰라린 ; (말을) 다루기 힘든 ; 신랄한, 재치 있는. **sált·i·ly** *adv.* **-i·ness** *n.*

sa·lu·bri·ous [səlú:briəs] *a.* (기후·토지 따위가) 건강에 좋은, 상쾌한. **～·ly** *adv.* **～·ness** *n.* **sa·lu·bri·ty** [səlú:brəti] *n.* 〚L (*salus* health)〛

sa·lu·ki [səlú:ki] *n.* 살루키(중근동(中近東)·북아프리카 원산인 그레이하운드류의 사냥개). 〚Arab.=of Salūk (아라비아의 고도(古都))〛

sal·uret·ic [sæ̀ljərétik] *n.* 〖醫〗 염분 배설제.
—— *a.* 염분 배설의. **-i·cal·ly** *adv.*

Sa·lus [séiləs] *n.* 〖로神〗 살루스(건강과 번영을 관장하는 여신 ; 그리스 신화의 Hygeia에 해당).

sal·u·tary [sǽljətèri ; -təri] *a.* 유익한, 건전한 ; 건강에 좋은. 〚F or L ; ⇨ SALUTE〛

sal·u·ta·tion [sæ̀ljətéiʃən] *n.* **1** Ⓤ 인사(㈜ 지금은 보통 greeting을 씀). **2** 인사말 ; (편지 서두의) 인사 문구(Dear Mr. ... 따위). **3** 《稀》 목례, 경례(㈜ 지금은 salute가 보통).

sa·lu·ta·to·ri·an [səlù:tətɔ́:riən] *n.* 《美》 SALUTATORY를 낭독하는 우등졸업생(보통 차석의 졸업생 ; cf. VALEDICTORIAN).

sa·lu·ta·to·ry [səlú:tətɔ̀:ri ; -təri] *a.* 인사의, 환영의. —— *n.* 《美》(개회 또는 내빈에 대한) 인사

S

의 식사(式辭)《학교 졸업식에서 보통 차석 졸업생이 낭독 ; cf. VALEDICTORY》.

sa·lute** [səlúːt] *vt.* **1** …에게 인사하다(greet), 가볍게 절하다《머리를 끄덕이거나 모자를 들어올리거나함》: They ~*d* each other with a bow[by shaking hands]. 머리를 숙여[악수하며] 서로 인사했다. **2** 〖軍〗 (손·검·총·기를 올려) …에게 경례하다 ; …을 위해 예포를 쏘다 : The soldier ~*d* the officer. 병사는 장교에게 경례했다 / We used to ~ the flag every day at school. 우리는 매일 학교에서 교기에 경례하곤 했다. **3** [+目+*with*+名] 맞이하다(welcome) ; …에게 퍼붓다 : ~ a person ***with a smile 남을 미소로 맞이하다 / ~ the enemy *with* a volley 적에게 일제 사격을 퍼붓다. **4** 《비유》 (눈·귀에) 들어오다, 띄다, 들리다 ; 《詩》 (조그만 새 따위가) 지저귀며 맞이하다 : Shouts of welcome ~*d* our ears. 환영의 환호성이 우리 귀에 들려 왔다. **5** 《古》 (환영할 때 손·뺨에) 의례적인 키스를 하다. —— *vi.* 경례하다 ; 가볍게 인사하다 : The young soldier ~*d* awkwardly. 그 젊은 병사는 어색하게 경례했다. —— *n.* **1** (머리를 숙이거나 모자를 들어올리고 하는) 인사, 가벼운 인사[목례]. **2** 〖軍〗 경례, 예포 ; 《美》 폭죽 : a Royal[an Imperial] ~ of 21 guns 21발의 황예포(皇禮砲) / exchange ~*s* 예포를 교환하다 / fire[give] a ~ of 10 guns 10발의 예포를 쏘다 / return a ~ 답례하다 ; 답례의 예포를 쏘다 / take the ~ 경례를 받다. **3** 갈채, 만세. **4** 《古》 (의례적인) 키스《손·뺨에 함》; 〖펜싱〗 경기 시작 전의 경례.
come to the salute 〖軍〗 경례하다.
stand at (***the***) ***salute*** (시합 전에) 경례의 자세로 서다.
〖L (*salut-* *salus* health) ; cf. SAFE〗

sal·u·tif·er·ous [sæ̀ljətífərəs] *a.* 《古》 =SALUTARY.

Salv. Salvador.

sal·va·ble [sǽlvəbəl] *a.* 구조[구제]할 수 있는.
sàl·va·bíl·i·ty *n.* **~·ness** *n.*

Sal·va·dor [sǽlvədɔ̀ːr] *n.* **1** =EL SALVADOR. **2** 살바도르《브라질 동부의 도시 ; 별칭 **São** ~ [sãũ-, saun-]》. **Sàl·va·dór·an** *a., n.* 엘살바도르의 (사람). **Sàl·va·dór·e·an, -ian** *a., n.*

sal·vage [sǽlvidʒ] *n.* **1** Ⓤ 해난 구조, 조난 선박 화물 구조 ; (침몰선의) 인양 (작업) : a ~ company 샐비지 회사, 침몰선 인양 회사. **2** Ⓤ 해난 구조료. **3** Ⓤ 구조선박, 구조화물. **4** Ⓤ 구제 ; (화재시의) 인명 구조 ; (특히) (피보험) 재화 구출, 구출 재화 ; 구조 사례금 ; 보험금 공제액 : a ~ corps 화재시(時) 재화 구출대. **5** Ⓤ 폐물 이용, 폐품 회수 : a ~ campaign 폐품 회수 운동. —— *vt.* (난파선·화재 따위에서) 구출하다 ; (침몰선을) 인양하다 ; (환자를) 구하다 ; 《비유》 (악화된 사태로부터) 구하다, 지키다〈*from*〉; 폐물을 이용하다. 〖F<L ; ⇨ SAVE¹〗

sálvage archaeólogy *n.* 구출 고고학《매장물의 파괴 방지를 위한 긴급 발굴》.

sálvage bòat *n.* 해난 구조선, 구난선.

Sal·var·san [sǽlvərsæ̀n ; -sən] *n.* Ⓤ 〖藥〗 살바르산《매독 치료약 ; 상표명》.

sal·va·tion [sælvéiʃən] *n.* **1** Ⓤ 구제, 구조. **2** 구제물 ; 구제수단 ; 구제자 : be the ~ *of* …의 구제자가 되다 / work out one's own ~ 스스로가 구제책을 강구하다. **3** Ⓤ 〖神學〗 구원, 구세(주).
find salvation (특히 기독교로) 개종하다 ; 《戲》 형편에 따라 변절(變節)하다.
〖OF<L ; ⇨ SAVE¹ ; 신학(神學)에서는 Gk. *sōtēria*의 역(譯)〗

Salvátion Ármy *n.* [the ~] 구세군《1865년 영국인 William Booth가 조직한 국제적인 군대식 기독교 단체》.

salvátion·ism *n.* 복음 전도 ; [S~] 구세군의 교지(教旨)[주의·방식].

Salvátion·ist *n., a.* 구세군 군인, 구세군(식의) ; [때때로 s~] 복음 전도자(evangelist).

salve¹ [sæ(ː)v, sɑ́ːv ; sǽlv, sɑ́ːv] *n.* **1** Ⓤ 《詩·古》 고약, 연고 (cf. LIPSALVE). **2** 《비유》 Ⓤ,Ⓒ 위안, 위로〈*for*〉; 아첨, 감언. —— *vt.* **1** …에 고약을 바르다, 고치다. **2** 《비유》 **a**) (자존심·양심 따위를) 달래다(soothe) : She tried to ~ her conscience by confessing everything in her diary. 그녀는 일기 속에 모든 것을 고백하여 양심을 달래려고 했다. **b**) 《古》 (결점·모순 따위를) 그럴듯하게 꾸며대다, 둘러대다. **3** 《美俗》 지불하다, (뇌물로) 매수하다. 〖OE *s(e)alf(e)* ointment, *s(e)alfian* to anoint ; cf. G *Salbe*〗

salve² [sǽlv] *vt.* …의 해난(海難)을 구조하다, (배·화물을) 구출하다 ; (가재 도구를) 화재에서 건져내다(salvage). 〖역성(逆成)〈*salvage*〗

sal·ve³ [sǽlvi] *int.* 행복이 있으라. —— *n.* 살베《성모 마리아에게 바치는 찬송가》.
〖L *salve* (impv.) hail〈*salveo* to be well〗

sal·ver [sǽlvər] *n.* (금속제의) 둥근 쟁반《하인이 편지·명함·음식 따위를 담아 나르는 받침》.
〖F *salve* or Sp. *salva* assaying of food (⇨ SAVE¹) ; 독의 유무 확인용 음식을 담아 두는 데서 ; 어미는 *platter*와의 연상〗

sal·via [sǽlviə] *n.* 〖植〗 샐비어속(屬)의 각종 초목. 〖L=SAGE²〗

sal·vif·ic [sælvífik] *a.* 구원을 주는, 구원을 가져오는 : God's ~ will 신의 구원 의지.

sal·vo¹ [sǽlvou] *n.* (*pl.* **~s, ~es**) 일제 사격 ; (폭탄의) 일제 투하 ; 박수갈채 : ~*s* of applause 일제히 터지는 갈채. —— *vt., vi.* 일제사격[투하]을 하다.
〖C16 *salve*<F<It. *salva* salutation ; ⇨ SAVE¹〗

salvo² *n.* (*pl.* ~**s**) **1** 〖英法〗 보류 조항, 단서(但書)(proviso). **2** 변명, 핑계 ; 위로, 위안 ; (명예 따위의) 보전 수단. 〖L〗

sal vol·a·ti·le [sæ̀l vəlǽtəliː ; -vɔlǽtəli] *n.* 탄산암모니아(수)《각성제 ; cf. SALT *n.* 2 a)》. 〖NL〗

sal·vor [sǽlvər] *n.* 구조자 ; 구조선, 구조장치.

Sal·yut [sæljúːt] *n.* 살류트《구소련의 우주 정거장 ; cf. SOYUZ》.

Salz·burg [sɔ́ːlzbəːrg ; sǽlts- ; *G* záltsburk] *n.* 잘츠부르크《오스트리아 서부의 도시 ; 매년 열리는 모차르트 음악제로 유명》.

Sam [sǽm] *n.* 남자 이름《Samuel의 애칭》.
stand Sam 《俗》 (여러 사람의) 비용을 도맡다, (특히 술을) 한턱 내다.
upon my Sam 《英俗》 맹세코, 틀림없이.

SAM [sǽm, èsèiém] *n.* surface-to-air missile (지[함]대 공(地[艦]對空) 미사일) ; 〖컴퓨〗 sequential access method (순차적 접근 방식).

Sam. Samaritan ; 〖聖〗 Samuel. **Sam., Saml.** Samuel. **S. Am.** South America(n). **SAMA** Saudi Arabian Monetary Agency(사우디아라비아 금융청).

sa·ma·dhi [səmɑ́ːdi] *n.* 〖佛教〗 깊은 명상, 전심 ; 선정(禪定) ; 삼매(三昧). 〖Skt.〗

sa·ma·ra [sǽmərə, 美+-méər-, 美+-mǽər-] *n.* 〖植〗 (단풍·느티나무 따위의) 시과(翅果), 열매(key fruit). 〖L=elm seed〗

Sa·mar·ia [səméəriə, -mǽər-] *n.* 사마리아《고대

Palestine의 북부 지방》.

Sa·mar·i·tan [səmǽrətn, -méər-] *a.* **1** 사마리아(Samaria)의. **2** 사마리아인[어]의. —— *n.* 사마리아 사람 ; Ⓤ 사마리아어 ; [흔히 s~] =GOOD SAMARITAN.

sa·mar·i·um [səméəriəm, -mǽər-] *n.* Ⓤ〔化〕사마륨《희토류(稀土類)원소 ; 기호 Sm ; 번호 62》. 〖NL (F *samar*skite, *-ium*)〗

sa·mar·skite [səmɑ́ːrskait, sǽmərskàit] *n.* Ⓤ〔鑛〕사마스카이트《우라늄 따위를 함유한 사방정계 광물》. 〖F ; Col. von *Samarski* 19세기 러시아의 광산 기사〗

Sá·ma-Véda [sɑ́ːmə-] *n.* [the ~] 사마베다《찬가(讚歌)·제사(祭司)·주사(呪辭)를 집록한 VEDA ; 고대 인도 음악 연구에 중요》.

sam·ba [sǽmbə, 美+sɑ́ːm-] *n.* (*pl.* **~s**) 삼바《아프리카에서 기원한 경쾌한 브라질 댄스 ; 그 음악》. —— *vi.* (**~ed, ~d**) 삼바를 추다. 〖Port.〗

sam·bar, -bur, -bhar, -bhur [sǽmbər, 美+sɑ́ːm-] *n.*〔動〕삼바《인도 지방산(産)의 세 갈래 뿔을 가진 큰 사슴》. 〖Hindi〗

sam·bo[1] [sǽmbou, 美+sɑ́ːm-] *n.* (*pl.* **~s**) **1** (흑인과 MULATTO 또는 아메리카 인디언과의) (흑인) 혼혈아(cf. QUADROON, OCTOROON). **2** [S~] (남자) 흑인《별명》. 〖Sp. *zambo*〗

sambo[2] *n.* 삼보《레슬링과 유도 비슷한 구소련의 격투기》. 〖Russ. *sam*ozashchita *bez* *o*ruzhiya=self-defense without weapons〗

Sám Brówne (bèlt) *n.* 샘 브라운 벨트《장교 등이 정장할 때 사용하는 어깨에 둘러 매는 멜빵 달린 대검[권총]을 꽂는 혁대》. 〖Sir *Sam*uel J. *Browne* (d. 1901) 영국의 장군〗

Sam Browne (belt)

sambur ☞ SAMBAR.

◇**same** [séim] *a.* [3, 4 이외는 보통 the ~] **1** 같은, 동일한, 마찬가지의 : It is *the* ~ old story. 그것은 흔히 있는 이야기다 / Her name and mine are *the* ~. 그녀의 이름과 내 이름은 같다 / It is just *the* ~ with the poets. 시인들도 마찬가지다. ㊟ (1) 흔히 *as, that, who* 따위와 상관적으로 쓰임 : I have *the* ~ watch *as* you have[*as* yours]. 너의 것과 같은 시계를 가지고 있다《같은 종류》/ *the* ~ watch *that* I lost 잃어버린 그 시계《동일》. (2) 종속절에서 주어·동사가 생략되면 *as*가 쓰임 : They met in *the* ~ place *as* before. 전과 같은 장소에서 만났다. **2** (이전과) 같은, 다름없는 : The patient is much *the* ~ (*as* yesterday). 환자는 (어제와) 별로 차도가 없다. **3**《약간 古·때때로 蔑》[this, that, these, those 뒤에 와서] 예의, 그[저], …인가 하는 : *this* ~ man (다름 아닌) 이 사람. **4**《稀》단조로운, 한결같은.
—— *adv.* [the ~] 마찬가지로 ; [~ as]《口》…와 마찬가지로.
—— *pron.* **1** [보통 the ~] **a**) 동일한 것[일], 같은 모양의 일[것] : He called for *the* ~ again. 다시 한번 같은 물건을 주문했다. ㊟ the ~이 부사적으로 쓰이는 수가 있음 : think *the* ~ of[feel *the* ~ to] a person 남에 대한 생각[느낌]에 변함이 없다. **b**)《稀》동일한 사람 : To[From] *the* ~. 동일인(同一人)에게[으로부터]《편지·시의 처음에 쓰는 구절》. **2**〔지금은 法·商·俗〕=HE, SHE, THEY, IT[1], THIS, etc.《〔商〕·《俗》에서는 the를 생략할 때가 있다》: We have heard from Mr. Jones and have written to ~. 존스씨로부터 서신을 받고 그에게 답장을 썼다.
about the same=*much the* SAME.
all the same (1) 똑같은 ; 아무래도 좋은 : if it is *all the* ~ *to* you 아무래도 좋으시다면 / You can pay now or later ; it is *all the* ~ *to* me. 지금 지급하건 나중에 하건 좋습니다, 나는 어느 쪽이든 상관없습니다. (2) [부사적으로] 그래도, 역시(nevertheless) : He has defects, but I like him *all the* ~. 그는 결점이 있기는 하나 그래도 나는 그를 좋아한다.
at the same time (1) (…와) 동시에 : Can you watch television and do your homework *at the* ~ *time*? 너는 텔레비전을 보면서 동시에 숙제를 할 수가 있느냐 / *At the* ~ *time that* she was preparing her lessons, she had to look after the store. 그녀는 예습을 하면서 동시에 가게도 보아야 했다. (2) 동시에, 그렇기는 하지만(still) : She didn't like to spend any more money. *At the* ~ *time*, she wanted to go on the trip. 그 이상 돈을 쓰고 싶지 않았으나, 역시 여행만은 가고 싶었다.
come [***amount***] ***to the same thing*** (결국) 마찬가지가 되다.
I wish you the same!=(***The***) ***same to you!*** 당신도 또한《Happy New Year! 라든가 Merry Christmas!에 대한 대답》.
just the same=*all the* SAME.
much the same 거의[대체로] 같은.
one and the same 똑같은 : He didn't know that the two parts were being played by *one and the* ~ actor. 그 두 역을 한 배우가 연기하고 있다는 것을 몰랐다.
same here《口》이쪽[나]도 마찬가지다.
the very same 똑같이[같은] : She had *the very* ~ family name as her fiancé. 약혼자와 성이 똑같았다.
〖ON *samr* ; cf. OHG *sama* same, L *similis* like, OE *swā same* likewise〗
類義語 ***same*** (1) 화제에 오르고 있는 것이 아주 동일한 것인 ; 이 뜻으로는 ***selfsame, very***도 쓰인다 : That is the *same*[*selfsame, very*] hotel we once stayed at. (언젠가 우리가 투숙했던 바로 그 호텔이다). (2) 동일한 것은 아니나 종류·외관·분량 따위가 눈에 띌 정도로 다르지 않은 : I eat the *same* food every morning. (나는 매일 아침 거의 같은 음식을 먹는다). ***identical*** (1) same의 (1)의 뜻. (2) 성질·외관 따위가 세세한 데까지 모두 일치하는 : Their cars are *identical*. (그들의 차는 똑같다). ***equal*** 양·크기·가치·정도 따위에 차이가 없는 : *equal* weights[values] (동일한 무게[가치]). ***equivalent*** A와 B가 가치·의미·힘 따위에서 같은 것에 해당하는 : His silence is *equivalent* to admission. (그의 침묵은 시인하는 것이나 다름없다).

sam·el [sǽməl] *a.* (벽돌이나 타일이) 덜 구워져서 약한.

sáme·ness *n.* Ⓤ 동일성, 같음, 아주 닮음 ; 단조로움, 무변화.

S. Amer. South America(n).

samey [séimi] *a.*《英口》단조로운, 구별이 되지 않는.

Sám Híll *n.*《美俗》[의문사의 강조어로서] HELL의 완곡한 말 : What *the*[*in*] ~...? 도대체 무슨.

Sa·mi·an [séimiən] *a., n.* (에게해(海)에 있는) Samos 섬의 (사람).

Sámian wáre *n.* 사모스 도자기《로마 유적에서 많이 발굴된 적갈색 또는 흑색의 무른 도자기》.

sam·iel [sæmjél] *n.* =SIMOOM.

sa·mink [séimiŋk] *n.* 세이밍크 모피《담비 비슷한 털이 검은 밍크》. 〖*sa*ble+*mink*〗

sam·ite [sǽmait, séi-] *n.* (금실 따위를 섞어서 짠) 중세의 견직물.
〖OF<L<Gk. (*hexa-* six, *mitos* thread)〗

sam·iz·dat [sɑ̀:mizdɑ́:t] *n.* Ⓤ (특히 구소련의) 지하 출판(사·물). **-dat·chik** [-tʃik] *n.* (*pl.* **-dat·chi·ki** [-tʃiki:]) 지하 출판 활동가.
〖Russ.〗

Saml., Sam'l Samuel.

sam·let [sǽmlət] *n.* 〔魚〕 연어 새끼.

Sam·my [sǽmi] *n.* **1** 남자 이름《Samuel의 애칭》. **2** 《俗》 (제1차 세계대전에 참가한) 미국병사. **3** [때때로 s~] 《英俗》 바보, 얼간이.

Sam·ni·um [sǽmniəm] *n.* 삼니움《고대 이탈리아 중부의 나라》. **Sám·nite** [-nait] *n.* 삼니움인.

Sa·moa [səmóuə] *n.* 사모아《남태평양의 제도》.

Sa·mó·an *a.* 사모아 섬[어]의; 사모아 사람의. ── *n.* 사모아인(人); Ⓤ 사모아어(語).

Sa·mos [séimɑs] *n.* 에게 해(海)의 그리스령(領)의 섬《피타고라스의 출생지》.

SAMOS satellite antimissile observation system (미사일 정찰 위성망).

sam·o·var [sǽməvɑ̀:r, ⌐-⌐] *n.* 사모바르《러시아의 차 주전자》. 〖Russ.=self-boiler〗

Sam·o·yed, -yede [sǽməjèd, -mɔi-, ⌐-⌐] *n.* **1** (*pl.* ~, ~**s**) 사모예드족(族)《중앙 시베리아에 사는 몽고 인종(人種)의 한 부족》; 사모예드 어(語). **2** 사모예드《흰빛 내지 크림빛의 스피츠계(系)의 개》. ── *a.* 사모예드 사람[어]의.
Sàm·o·yéd·ic *n., a.* 사모예드 사람[어](의).
〖Russ.〗

samp [sǽmp] *n.* Ⓤ 《美》 거칠게 빻은 옥수수(로 끓인 죽).

sam·pan [sǽmpæn] *n.* 〔海〕 삼판《바닥이 평평한 소형 거룻배》. 〖Chin.〗

sam·phire [sǽmfaiər] *n.* 〔植〕 미나리과의 식물《잎은 초에 절여 먹음》; =GLASSWORT.
〖F (*herbe de*) *Saint Pierre* St. Peter('s herb)〗

***sam·ple** [sǽ(:)mpəl; sɑ́:m-] *n.* **1** 견본, 표본, 시제품(試製品); 《비유》 실례(illustration): That is a fair ~ of his manners. 그의 행실은 저 모양이다. **2** 〔컴퓨〕 표본, 본보기.
up to sample 견본대로[그대로의].
── *a.* 견본의: a ~ copy 서적의 견본.
── *vt.* …의 견본을 뽑다[이 되다], (견본으로 질을) 시험[판단]하다; 시식[시음]하다: We ~*d* the cake and found it very good. 그 케이크를 시식했는데 아주 맛이 좋았다.
〖AF, OF; ⇨ EXAMPLE〗
類義語 ⟹ INSTANCE.

sámple càrd *n.* 견본 카드.

sámple pòst *n.* 상품 견본 우편《상품 견본 우송의 특별 요금 우편》.

sám·pler *n.* **1** 견본 검사[담당]원; 시료 채취[견본 추출 검사] 장치[기]; 시식[시음]자. **2** (원래 초심자의) 자수 견본 작품. **3** 《美》 견본집, 선집(選集).

sámple rèel *n.* 〔廣告〕 선전 견본용의 텔레비전 광고를 여러 개 모아 수록한 필름의 한 권.

sámple ròom *n.* 견본 진열실, 광석 견본 분석실; 《美口》 술집, 바.

sám·pling *n.* Ⓤ 견본 적출(摘出)(법); 〔統〕 표본 추출(抽出); 추출[발췌] 견본; 시공[시식, 시음]품; 〔電〕 샘플링《연속 신호를 이산적인 순간값의 열로 치환하기》.

sámpling distribùtion *n.* 〔統〕 (정규 모집단(母集團)을 기초로 한) 표본 분포.

sámpling inspèction *n.* 〔商〕 표본추출검사.

Sam·son [sǽmsən] *n.* **1** 남자 이름. **2** 〔聖〕 삼손《구약 성서에 나오는 힘이 장사인 용사; 애인 DELILAH에게 속아 넘어가 적에게 사로잡힘》; (일반적으로) 힘센 장사, 힘이 센 장님.
(***as***) ***strong as Samson*** 굉장히 힘센.
〖L<Gk.<Heb.=(man) of or like the sun〗

sam·son·ite [sǽmsənàit] *n.* 강력 폭약의 일종.

Sámson('s) pòst *n.* 〔海〕 지주(支柱).

Sam·u·el [sǽmjuəl] *n.* **1** 남자 이름《애칭 Sam, Sammy》. **2 a)** 〔聖〕 사무엘《헤브라이의 예언자·재판관의 이름》. **b)** 〔聖〕 사무엘서(書) (the Book of Samuel) 《구약 성서 중의 한 편; 상·하 2편; 略 Sam.》.
〖Heb.=heard by God; name+God〗

Sam·u·el·son [sǽmjuəlsən] *n.* 사무엘슨. **Paul Anthony** ~ (1915-) 미국의 근대 경제학자; 노벨 경제학상 수상(1970).

san [sǽn] *n.* 《口》 =SANATORIUM.

San [sɑ̀:n, sɑ:n] *n.* =SAINT. 〖Sp., It.〗

Sa·n'a, Sa·naa [sɑ:nɑ́:] *n.* 사나《예멘 공화국의 수도》.

San An·to·nio [sæ̀n əntóuniòu, -æn-] *n.* 샌 안토니오《미국 Texas 주(州) 중남부의 도시; cf. ALAMO》.

san·a·tive [sǽnətiv] *a.* 병을 고치는, 치유력이 있는; (육체·정신의) 건강에 좋은.

san·a·to·ri·um [sæ̀nətɔ́:riəm] *n.* (*pl.* ~**s, -ria** [-riə]) **1** 새너토리엄, (특히 결핵 환자의) 요양소. **2** 요양지. **3** (학교 부속의) 환자용 방[건물]. 〖NL (*sano* to heal)〗

san·a·to·ry [sǽnətɔ̀:ri; -təri] *a.* =SANATIVE.

san·be·ni·to [sæ̀nbəní:tou] *n.* (*pl.* ~**s**) 〔史〕 회죄복(悔罪服)《스페인의 종교 재판소에서 회개한 이교도에게 입힌 붉은 X형 십자가가 붙은 노란옷》; 지옥복《회개하지 않는 이교도를 화형에 처할 때 입힌 화염과 악마의 무늬가 있는 검은 옷》.
〖Sp. (*San Benito* St. Benedict)〗

San·cho Pan·za [sǽntʃou pǽnzə] *n.* 산초 판자《Cervantes 작 *Don Quixote* 중의 인물로 돈키호테의 하인이며 상식이 풍부한 전형적인 속물; ☞ DON QUIXOTE》; (이상주의적 인물의) 현실적 친구. 〖Sp. *Sancho*=holy〗

sanc·ta [sǽŋ*k*tə] *n.* SANCTUM의 복수형.

sanc·ti·fi·ca·tion [sæ̀ŋ*k*təfəkéiʃən] *n.* Ⓤ 신성화, 〔宗〕 성별(聖別); 봉납; 〔神學〕 정화(淨化).

sánc·ti·fied *a.* **1** 신성화된; 성별된; 정화된. **2** 신앙이 독실한 체하는.

sánc·ti·fi·er *n.* 신성하게 하는 사람; [S~] 성령(Holy Spirit).

sanc·ti·fy [sǽŋ*k*təfài] *vt.* **1** 신성하게 하다, 성별하다, 신에게 바치다. **2** (사람의) 죄를 깨끗이 하다. **3** (종교적 입장에서) 정당화하다, 시인하다(justify); 정신적 행복을 가져오게 하다.
〖OF<L; ⇨ SAINT〗

sanc·ti·mo·ni·ous [sæ̀ŋ*k*təmóuniəs] *a.* 신성한 체하는; 신앙이 깊은 체하는. **~·ly** *adv.*

sanc·ti·mo·ny [sǽŋ*k*təmòuni] *n.* Ⓤ 성자(聖者)인 체함; 신앙심이 깊은 체함.

***sanc·tion** [sǽŋ*k*ʃən] *n.* **1** Ⓤ [+*to* do] 재가, 인가, 승인; (일반적으로) 허용, 찬성(approval), 지지: give ~ to …을 재가[승인]하다 / We need the ~ of the law *to* hunt in this place. 이 장소

에서 수련을 하는 것은 법률의 인가가 필요하다. **2** [보통 *pl.*] (보통 여러 나라 공동의 국제법 위반국에 대한) 제재; 제재 규정; 상벌: a punitive [vindicatory] ~ 형벌 / a remuneratory ~ 포상(褒賞) / take ~*s* against …에 대하여 제재수단을 쓰다. **3** Ⓤ 〖法〗 법의 강제력; 〖倫〗 제재. **4** 구속력(을 주는 것).
—— *vt.* **1** [+目/+do*ing*] 재가[인가]하다; 시인[확인]하다; 찬조하다: Her conscience did not ~ steal*ing*. 그녀는 양심의 가책으로 도둑질을 할 수 없었다. **2** (법령에) 제재 규정을 두다. 〚F<L (*sanct-* *sanctio* to make sacred, decree); ⇨ SACRED〛
類義語 ⟹ APPROVE.

sanc·ti·tude [sǽŋktətjùːd] *n.* 신성, 존엄, 고결.

***sanc·ti·ty** [sǽŋktəti] *n.* **1** Ⓤ 청정(淸淨), 고결. **2** Ⓤ 신성, 존엄(尊嚴). **3** [*pl.*] 신성한 의무[감정, 사물 따위]: the *sanctities* of the home 가정의 신성한 의무.
the odor of sanctity ☞ ODOR 2.

sanc·tu·ary [sǽŋktʃuèri; -tjuəri] *n.* **1** 신성한 곳, 성지, 지성소(至聖所), 신당, 신전, 사원. **2** 성역(聖域)《중세에 법률의 힘이 미치지 못했던 교회 따위》, 피난처; Ⓤ (교회 따위의) 죄인 비호권(庇護權), 보호. **3** 〖聖〗 예루살렘 신전. **4** 〖사냥〗 금렵구(禁獵區); 보호구역: a bird ~ 조류(鳥類) 보호구역. **5** 《비유》 (남에게 침범당하지 않는) 안식처《마음속 따위》.
take [***seek***] ***sanctuary*** 성역으로 피신하다.
violate [***break***] ***sanctuary*** 성역을 침범하다《죄인 등을 체포하기 위하여》.
〚AF, OF<L; ⇨ SAINT〛

sánctuary mòvement *n.* 《美》 불법 입국자 보호 운동《남미 제국에서 압정을 피해 미국에 불법 입국한 사람을 보호하는 운동》.

sanc·tum [sǽŋktəm] *n.* (*pl.* ~**s**, **-ta** [-tə]) **1** (유태 신전의) 지성소(至聖所). **2** (함부로 남을 들이지 않는) 사실(私室), 밀실, 서재.
〚L (neut.) ‹ *sanctus*; ⇨ SAINT〛

sánctum sanc·tó·rum [-sæŋktɔ́ːrəm] *n.* (유태 신전의) 지성소(至聖所). **2** =SANCTUM 2. 〚L〛

◇**sand** [sǽ(ː)nd] *n.* **1** Ⓤ 모래: dry ink[writing] with ~ 모래로 잉크(로 쓴 글자)를 말리다(cf. SANDBOX). **2** [*pl.*] 모래 사장, 모래 벌판, 사막, 모래땅; [때때로 *pl.*] 모래톱, 사주(砂洲): play on the ~*s* 모래밭에서 놀다. **3** [보통 *pl.*] **a**) 모래알: (as) numberless[numerous] as the ~(*s*) (on the seashore) (해변가의) 모래알처럼 무수히 많은. **b**) (모래 시계의) 모래알; 《비유》 시각; 명(命), 수명: The ~*s* are running out. 이제 시간이 얼마 남지 않았다; 마구 시간이 흘러간다 / footprints on the ~*s* of time 이 세상에 생존했던 흔적. **4** Ⓤ 《주로 美口》 용기, 원기. **5** Ⓤ 모랫빛. **6** [형용사적으로] 모래의, 모랫빛의.
built on sand 모래 위에 쌓은; 불안정한.
bury one***'s head in the sand*** (타조(ostrich)가 적에게 쫓길 때 머리만 모래 속에 감춘다고 하는 이야기에서) 현실을 회피하다[외면하다].
a rope of sand ☞ ROPE *n.*
plow [***number***] ***the sand***(***s***) 《비유》 헛수고를 하다.
put sand in the wheels [***machine***] 《비유》 방해하다, 파괴하다.
—— *vt.* [+目/+目+副] **1** 모래를 뿌리다; 모래로 덮다[묻다]; (속이기 위해서 설탕·양털 따위에) 모래를 섞다: ~ a road 도로에 모래를 뿌리다 / ~ sugar 설탕에 모래를 섞다 / The harbor is ~*ed* ***up*** by the current. 그 항구는 조류에 밀려온 모래로 얕아졌다. **2** 배를 모래톱에 좌초시키다. **3** 모래[사포(砂布)]로 닦다: The stain has to be ~*ed* ***out***. 그 얼룩은 사포로 문질러 지워야 한다. 〚OE *sand*; cf. SABULOUS, G *Sand*〛

Sand [; *F* sɑ̃ːd] *n.* 상드. **George** [ʒɔrʒ] ~ (1804-76) 프랑스의 여류작가 Baronne Dudevant 의 필명.

***san·dal** [sǽndl] *n.* **1** 샌들《옛날 그리스·로마 사람들이 신던 가죽으로 만든 신》, 짚신. **2 a**) 샌들 신. **b**) 낮은 단화, (일종의) 슬리퍼. **c**) 《美》 낮은 덧신; (샌들의) 가죽끈. —— *vt.* (**-l-**|**-ll-**) [보통 *p.p.*로] …에게 샌들을 신기다; (구두를) 가죽끈으로 묶다; (구두에) 가죽끈을 달다.
〚L<Gk. (dim.) ‹ *sandalon* wooden shoe〛

sándal·wòod *n.* 〖植〗 백단(白檀); Ⓤ 백단 재목, (특히) 자단(red sandalwood).

san·da·rac, -rach [sǽndəræ̀k] *n.* **1** 산다락《sandarac tree의 수지; 향료·니스로 씀》. **2** = SANDARAC TREE. **3** 〖鑛〗 계관석(鷄冠石).

sándarac trèe *n.* 〖植〗 (북아프리카산의) 편백과(科)의 상록수.

sánd·bàg *n.* 모래 주머니[부대], 사낭(砂囊); 〖軍〗 (진지의 응급 방어용의) 흙 부대; 모래 부대《옛날 막대기 끝에 달아 무기로 씀; 지금은 악한이 흉기로 씀》; 밸러스트(ballast)용 모래 부대; (창·문틈의 샛바람을 막기 위한) 모래 주머니; 《美海軍俗》 구명동의(救命胴衣). —— *vt.*, *vi.* (**-gg-**) 모래 부대로 막다[막히다]; 모래부대로 때려눕히다; 《美口》 무리하게 강요하다, (배후에서) 불의에 습격하다, 매복하여 기다리다; 《美俗》 (포커에서 센 카드를 가지고도 먼저 상대에게 걸게 하여) 감쪽같이 속게 하다, (권투 따위에서) 전반에 힘을 아꼈다가 후반에 급습하다; 《美俗》 (경주에서) 이기다, (차를) 달리다.
sánd·bàg·ger *n.* 《美》 모래 주머니로 사람을 때려눕히는 악한.

sánd·bànk *n.* 모래톱; 사구(砂丘).

sánd·bàr *n.* 사주(砂洲)《강 어귀나 항구의 여울》.

sánd bàth *n.* 모래 찜질, 사욕(砂浴); 〖化〗 모래중탕.

sánd bèd *n.* 모래 바닥, 모래층(層).

sánd·blàst *n.* **1** Ⓤ 모래 분사(噴射)《유리 표면을 거칠게 하거나 금속·돌·건물 따위의 표면을 닦음》; Ⓒ 모래 분사기(噴射機). **2** 사진(砂塵); Ⓤ 《비유》 황폐시킴, 송두리째 휩쓸어 버리는 강한 힘. —— *vt.* …에 모래를 뿜어대다, 모래를 뿜어 꺼칠꺼칠하게 하다[닦다]. —— *vi.* 분사기를 사용하다.

sánd-blìnd *a.* 《古》 반소경의, 눈이 침침한.

sánd·bòx *n.* **1** 모래통, 모래 상자《옛날에 잉크를 말리기 위해 모래를 담아두던 그릇 따위》; (거푸집의) 모래 거푸집. **2** (아이들이 그 안에서 노는) 모래 상자.

sánd·bòy *n.* 모래 파는 아이. 주 지금은 주로 다음 숙어로 쓰임.
(***as***) ***jolly*** [***merry, happy***] ***as a sandboy*** 매우 명랑한.

sand·burg [sǽndbəːrg; *G* zántburk] *n.* 모래성(城)《독일에서 해수욕객이 자기들의 영역을 표시하기 위해 쌓는》. 〚G=sandcastle〛

Sand·burg [sǽndbəːrg] *n.* 샌드버그. **Carl** ~ (1878-1967) 미국의 시인·전기작가.

sánd-càst *vt.* (녹인 금속을) 모래 거푸집에 부어 넣어 (주물을) 만들다.

sánd càsting *n.* 모래 거푸집으로 만든 주조(물)

(鑄造(物)).
sánd·càstle *n.* (어린이가 만드는) 모래성.
sánd clòud *n.* (사막의 열풍으로 일어나는) 모래 먼지(cf. SIMOON).
sánd cràck *n.* 〖獸醫〗 열제(裂蹄)《말의 발굽 질환》; (사람이 뜨거운 모래 위를 걸을 때) 발이 트면서 생기는 금.
sánd·cùlture *n.* 〖農〗 모래 재배, 사경법(砂耕法)《수경법에 모래를 이용하는 방법》.
sánd dòllar *n.* 〖動〗 연잎성게《북미 해안산》.
sánd drìft *n.* 유사(流砂).
sánd dùne *n.* 모래 언덕, 사구(砂丘).
sánd·ed *a.* 모래를 깐; 모래투성이의; 모래땅의; 작은 얼룩이 있는; 모래색의; 모래를 섞은.
sánd èel *n.* 〖魚〗 까나리.
sánd·er *n.* **1** 사포로 닦는 사람[장치]. **2** 샌더《모래로 닦는 기계》. **3** 모래 뿌리는 기계[트럭]; (기관차의) 모래뿌리는 장치.
San·der [sǽndər; sɑ́ːn-], **San·ders** [-dərz] *n.* 남자 이름《Alexander의 애칭》.
sand·er·ling [sǽndərliŋ] *n.* 〖鳥〗 세발가락도요.
san·de·ver [sǽndəvər] *n.* =SANDIVER.
sánd flèa *n.* 〖昆〗 모래벼룩; 갑각류의 바다벼룩.
sánd·flỳ *n.* 〖昆〗 (모기 비슷한) 흡혈성 파리류.
sánd·glàss *n.* 모래시계.
sánd-gròper *n.* 《濠》 골드러시 시대의 개척자; 《戱》 오스트레일리아 서부 사람.
san·dhi [sǽndi, sɑ́ːn-] *n.* 〖言〗 연성(連聲)《문맥에 따라 어두(語頭)[어미]의 발음이 변함: *a* [ə] dog, *an* [ən] apple》.
〖Skt.=putting together〗
sánd hìll *n.* 모래 언덕, 모래산.
sánd·hìll·er *n.* 모래 언덕 지대에 사는 사람; 《美俗》 무식하고 가난한 백인.
sánd·hòg *n.* 《美》 모래파는 인부, 지하[해저] 공사의 인부.
sánd hòpper *n.* =BEACH FLEA.
Sand·hurst [sǽndhəːrst] *n.* 샌드허스트《Berkshire에 있는 마을로 예전의 영국 육군사관학교(Royal Military Academy)의 소재지; cf. WEST POINT》: a ~ man 《英》 육군사관학교 출신자.
San Di·ego [sæ̀n diéigou] *n.* 샌디에이고《미국 California 주의 항구도시; 해군기지》.
San·di·nis·ta [sɑ̀ːndiníːstɑː], **San·di·nist** [sǽndinəst] *n.* 산디니스타《1979년 Somoza 정권을 무너뜨린 니카라과의 민족 해방 전선의 일원》.
〖Sp.＜Augusto César *Sandino* 1933년에 살해된 동국(同國)의 장군·민족 운동 지도자〗
san·di·ver [sǽndəvər] *n.* 부재(浮滓), 찌꺼기《유리를 녹일 때 뜸》.
S & L 《美》 savings and loan (association) 《저축 대출조합, 상호은행》.
sánd lànce[**làunce**] *n.* 〖魚〗 까나리(sand eel).
sánd·lòt *n.* 《美》 (도시의 어린이들이 노는) 빈터《흔히 모래땅》. —— *attrib. a.* (스포츠 따위를) 빈터에서 하는: ~ baseball (빈터에서 하는) 야구.
S and M, S & M sadist and masochist; sadism and masochism.
sánd·màn *n.* (아이들의 눈에 모래를 뿌려 졸음이 오게 한다는) 잠귀신《흔히 졸음이 오면 모래가 눈에 들어간 것처럼 눈을 비비는 데서》: The ~ is coming. 졸음이 온다.
sánd màrtin *n.* 《英》〖鳥〗 갈색제비.
sánd pàinting *n.* (Pueblo 족이나 Navaho 족의) 모래 그림《여러가지로 착색한 모래로 그리는 의식의 장식; 그 화법; 그 의식》.
sánd·pàper *n.* Ⓤ 사포(砂布). —— *vt.* 사포로 갈다. **sánd·pà·pery** *a.* 꺼칠꺼칠한.
sánd pìle *n.* 〖建〗 샌드 파일《무른 지반(地盤)의 개량을 위해 처박은 모래 기둥》.
sánd·pìper *n.* 〖鳥〗 삑삑도요속의 각종 새.
sánd·pìt *n.* 모래 파는 곳, 사갱(砂坑); 《英》 모래밭《어린이의 놀이터》.
sánd pùmp *n.* 모래 푸는 펌프.
San·dra [sǽndrə] *n.* 여자 이름《Alexandra의 애칭(愛稱)》.
San·dro [sǽndrou] *n.* 남자 이름《Alexander의 애칭》. 〖It.〗
S.& S.C. sized and supercalendered.
sánd shòe *n.* 고무창을 댄 즈크 신《모래땅을 걸을 때 신음》.
sánd sìnk *n.* 모래 처리《해면에 퍼진 기름을 화학 처리한 모래를 뿌려 가라앉혀 제거하는 방법》.
sánd·sòap *n.* Ⓤ 모래 섞인 비누.
sánd spòut *n.* (사막에서 회오리바람으로 생기는) 모래 기둥.
sánd·stòne *n.* 사암(砂岩)《주로 건축용》.
sánd·stòrm *n.* (사막의) 모래 폭풍.
sánd tàble *n.* 〖鑛山〗 샌드 테이블《비교적 거친 알갱이를 처리하는 선광기(選鑛機)의 일종》; 모래판《아이들이 모래를 만지고 노는》.
sánd tràp *n.* 〖골프〗 모래 구멍《골프 코스의 장애물의 하나》.
sánd wàve *n.* (사막·해변 따위의) 모래 파도.
‡**sand·wich** [sǽn*d*witʃ; sǽnwidʒ, -witʃ] *n.* **1** 샌드위치: a ham ~ 햄(을 넣은) 샌드위치. **2** 샌드위치 모양의 것: a ~ of good and evil 선과 악의 사이에서 망설이는 상태.
ride[***sit***] ***sandwich*** 두 사람의 사이에 끼어 타다[앉다].
—— *vt.* [+目/+目+副/+目+*between*+名] 샌드위치(모양으)로 하다; 끼워 넣다, 사이에 끼우다: I was ~*ed* (*in*) ***between*** two ladies on the crowded train. 만원열차에서 두 부인 사이에 끼어 있었다.
〖John Montagu, 4th Earl of *Sandwich* (d. 1792) 영국의 외교가; 식사 때문에 중단되는 일이 없게 도박을 계속할 수 있도록 고안된 것이라고 함〗
sándwich bàr *n.* (카운터식의) 샌드위치 전문 레스토랑.
sándwich bòard *n.* 샌드위치 맨이 메고 다니는 광고판.
sándwich bòat *n.* 《英》 BUMPING RACE에서 앞 보트를 앞지른 보트.
sándwich càke *n.* 샌드위치 케이크《사이에 잼이나 크림을 끼운 케이크》.
sándwich cóurse *n.* 《英》 샌드위치 코스《실업학교에서 실습과 이론 연구를 번갈아 하는 과목》.
Sándwich Íslands *n. pl.* [the ~] 샌드위치 제도《Hawaiian Islands의 옛이름》.
sándwich màn *n.* **1** 샌드위치 맨《앞뒤 두 폭의 광고판을 몸에 끼고 걸음》. **2** 샌드위치를 만드는[파는] 사람.
sándwich shòp *n.* 간이 식당(luncheonette).
sánd·wòrm *n.* 〖動〗 모래땅에 사는 다모충(多毛蟲)《털갯지네, 갯지네 따위》.
sánd·wòrt *n.* 모래땅의 잡초; 벼룩이자리속(屬)의 식물.
***sándy** *a.* **1** 모래의[같은], 모래모양의, 사질(砂質)의; 모래땅의; 모래투성이의. **2** 꺼칠꺼칠한, 껄끔거리는. **3** (머리털이) 모랫빛의, 연한 갈색의, 당근 색깔의. **4** (모래처럼) 불안정한, 변하기 쉬운. **sánd·i·ness** *n.* ~**·ish** *a.* 모래 섞인, 깔깔

한 ; 모랫빛을 띤, 연한 갈색의.
〚OE *sandig* ; ⇨ SAND〛
Sandy *n.* **1 a)** 남자 이름《Alexander의 애칭》. **b)** 여자 이름《Alexandra의 애칭》. **2** 스코틀랜드 사람《별명》.
sánd·yàcht *n.* 사상(砂上) 요트《바퀴 달린》.
sánd·yàcht·ing *n.* 사상[모래밭] 요트 레이스.
sánd yàchtsman *n.* 사상 요트 레이스 선수.
***sane** [séin] *a.* 제정신의(↔*insane*) ; (사상이) 건전한, 온전한, 분별 있는. **~·ly** *adv.* 바른 정신으로, 건전하게. 〚L *sanus* healthy〛
San·for·ized [sǽnfəràizd] *n.* 샌퍼라이즈드《빨아도 줄지않게 가공을 한 직물 ; 상표명》.
‡**San Fran·cis·co** [sæ̀n frənsískou ; -fræn-] *n.* 샌프란시스코《California 주의 항구 도시》.
◇**sang** *v.* SING의 과거형.
san·gar [sǽŋgər] *n.* (오목한 곳 주위를 돌 따위로 보강했을 뿐인) 방벽, 사격호(射擊壕).
san·ga·ree [sæ̀ŋgəríː] *n.* Ⓤ,Ⓒ 포도주에 물을 타고 설탕·향료를 가미한 음료. 〚Sp. SANGRÍA〛
sang de boeuf [sáːŋ də bə́ːf ; *F* sɑ̃ də bœf] *n.* 〔窯〕 짙은 붉은색《소의 선명한 핏빛깔로 중국 명대(明代) 초기의 도자기에 쓰이고 후에 청대(淸代)에서 재발견됨》. 〚F=ox's blood〛
sang·froid [sɑːŋfrwáː, sæŋ- ; *F* sɑ̃frwa] *n.* Ⓤ 태연함, 냉정, 침착. 〚F=cold blood〛
San·graal [sæŋgréil, sæŋ-], **-gre·al** [sæŋgréil, sæn-, sǽŋgriəl] *n.* =HOLY GRAIL.
〚OF *Saint Graal* Holy Grail〛
san·grail [sæŋgréil, sæŋ-] *n.* =HOLY GRAIL.
san·gría [sæŋgríːə, sæn-, 美+sɑːŋ-, 美+sɑːn-] *n.* 붉은 포도주에 주스·탄산수를 타서 냉각시켜 마시는 음료. 〚Sp.=bleeding〛
san·guif·er·ous [sæŋgwífərəs] *a.* (혈관 따위가) 혈액을 운반하는, 혈액운반[함유]의.
san·gui·fi·ca·tion [sæ̀ŋgwəfəkéiʃən] *n.* Ⓤ 〔生理〕 조혈(造血), 혈액 생성, (음식물의) 혈액화.
san·gui·nar·ia [sæ̀ŋgwənέəriə, -nǽər-] *n.* 〔植〕 **1** =BLOODROOT. **2** BLOODROOT의 뿌리《약용》.
san·gui·nary [sǽŋgwənèri ; -nəri] *a.* **1** 피비린내나는(bloody) ; 피투성이의, 살생을 좋아하는 : a ~ battle 피비린내 나는 전투. **2** 잔인한, 살벌한 : a ~ disposition[villain] 잔인한 기질[악당]. **3 a)** 《英》 [BLOODY 4의 완곡한 말] 지독한 : a ~ fool 형편없는 바보. **b)** 《英》 (말씨가) 험한, 말씨가 천한《특히 bloody와 같은 말을 곧잘 쓰는》. **4** (법률이) 함부로 사형에 처하는.
sàn·gui·nár·i·ly [; sǽŋgwənərili] *adv.* **-nàr·i·ness** [; -nərinəs] *n.* 〚L〛
san·guine [sǽŋgwən] *a.* **1** 다혈질(質)의(☞ HUMOR 4). **2 a)** 쾌활한, 자신있는, 낙천적인, 희망에 찬. **b)** [+*that* 節] 낙관적인, 확신하는 : They were ~ ***of*** victory [~ *that* they would win]. 이길 것으로 믿고 있었다. **3 a)** 혈색이 좋은(ruddy). **b)** 붉은, 핏빛깔의. **4** 《古》 피비린내 나는, 잔인한(sanguinary). ── *n.* 쾌활함, 낙천성 ; 붉은 크레용[분필] (그림) ; (짙은) 붉은색.
── *vt.* 《詩》 피로 물들이다.
~·ly *adv.* **~·ness** *n.* **san·guín·i·ty** *n.*
〚OF<L (*sanguin- sanguis* blood)〛
san·guin·e·ous [sæŋgwíniəs, sæn-] *a.* 피의 ; 붉은 핏빛의 ; 다혈질의 ; 낙천적인 ; 유혈의, 살벌한. **~·ness** *n.*
san·guin·o·lent [sæŋgwínələnt] *a.* 피의, 혈액같은, 피로 물든.
San·hed·rin [sǽnədrən, sænhéd-, -híːd-], **-rim** [-rəm] *n.* 〔유태史〕 산헤드린《고대 예루살렘의 최고 의회 ; 지방의 소의회》; (일반적으로) 평의회, 의회. 〚Heb.<Gk. *sunedrion* council (*syn-*, *hedra* seat)〛
san·i·cle [sǽnikəl] *n.* (민간(民間)의) 약초《참반디 따위》.
sa·ni·es [séiniːz] *n.* (*pl.* ~) Ⓤ 〔醫〕 (상처 따위에서 나는) 피고름. 〚L〛
san·i·fy [sǽnəfài] *vt.* 위생적으로 하다 ; …을 건강하게 만들다.
sa·ni·ous [séiniəs] *a.* 피고름의[이 나오는].
sanit. sanitary ; sanitation.
san·i·tar·i·an [sæ̀nətέəriən, -tǽər-], **san·i·ta·rist** [sǽnətərəst] *a.* (공중) 위생의.
── *n.* 위생 개선가 ; 위생학자.
san·i·tar·i·um [sæ̀nətέəriəm, -tǽər-] *n.* (*pl.* **~s, -ria** [-riə]) 《美》 =SANATORIUM 1, 2.
〚NL ; ⇨ SANE〛
***san·i·tary** [sǽnətèri ; -təri] *a.* **1** (공중) 위생의, 위생상의 : a ~ engineer 위생 공학 기사 / ~ engineering 위생공학《상하수도·냉난방 따위의 공중 위생 설비를 다룸》/ a ~ inspector 위생 설비 검사관 / ~ science 위생학. **2** 위생적인, 청결한(hygienic) : a ~ cup (종이로 만든) 위생 컵 / a ~ belt 생리대 / ~ napkins =《英》 ~ towels 생리용 냅킨. ── *n.* 공중변소.
sàn·i·tár·i·ly [; sǽnitərili] *adv.* 위생적으로 ; 위생상. 〚F (L *sanitas*‹SANE)〛
sánitary córdon *n.* =CORDON SANITAIRE.
sánitary wáre *n.* 위생 도기《변기》.
san·i·tate [sǽnətèit] *vt.* 위생적으로 하다, …에 위생 설비를 하다. 〚역성(逆成)‹↓〛
san·i·ta·tion [sæ̀nətéiʃən] *n.* Ⓤ 공중위생 ; 위생설비[시설] ; (특히) 하수도 설비.
〚*sanitary*+*-ation*〛
sanitátion enginéer *n.* 《美》 《婉》 =SANITATIONMAN.
sanitátion·man [-mən] *n.* 《美》 (쓰레기를 수거하는) 환경 미화원.
san·i·tize [sǽnətàiz] *vt.* (청소·소독 따위를 하여) 위생적으로 하다, …에 위생 설비를 하다.
-tìz·er *n.* (음식물 따위의) 소독[살균]제.
san·it·man [sǽnətmən] *n.* (*pl.* **-men** [-mən]) 《美口》 =SANITATIONMAN.
san·i·to·ri·um [sæ̀nətɔ́ːriəm] *n.* (*pl.* **~s, -ria** [-riə]) =SANATORIUM.
san·i·ty [sǽnəti] *n.* (↔*insanity*) **1** Ⓤ 제정신, 정신이 온전함 : lose one's ~ 미치다. **2** Ⓤ (정신·사상 따위의) 건전, 온건 ; (육체적인) 건강.
〚L ; ⇨ SANE〛
san·jak [sændʒǽk, ⌐⌐ ; ⌐⌐] *n.* (옛 터키 제국의) 현(縣)《vilayet의 하위 행정 구획》.
〚Turk.=flag〛
San Jo·se [sæ̀nəzéi, sæ̀n*h*ouzéi ; -hou-] *n.* 새너제이《California주 서부 San Francisco의 남남동부의 도시》.
San Jo·sé [sæ̀nəzéi, sæ̀n*h*ouzéi ; -hou-] *n.* 산호세《Costa Rica의 수도》.
Sán Josè scále *n.* 〔昆〕 새너제이깍지벌레《San Jose에서 발견된 과수·관목의 해충》.
San Juan [sæ̀n hwáːn] *n.* 산후안《(1) Puerto Rico의 수도·항구 도시. (2) 아르헨티나 서부의 도시》.
‡**sank** *v.* SINK의 과거형.
San·ka [sǽŋkə] *n.* 상카《카페인을 제거한 커피 ; 상표명》. 〚F *sans caffeine*〛
San·khya [sáːŋkjə, sǽŋ-] *n.* 산키야 학파 철학, 수론(數論) 학파《인도 6파(派)철학의 하나 ; 순수

정신과 근본 원질의 이원성(二元性)을 주창》. 〖Skt.〗
san·man [sǽnmæ̀n] *n.* 《美口》 ＝SANITATION-MAN.
San Ma·ri·no [sæ̀n mərí:nou] *n.* 산마리노《이탈리아 동부의 소공화국 ; 그 수도》.
sann·ya·si, san-, sunn·ya·see [sʌnjáːsi], **sann·ya·sin** [-sən] *n.* (*fem.* **-si·ni** [-sini]) 힌두교도의 탁발승. 〖Hindi＝abandoning<Skt.〗
sans [sǽ(ː)nz ; *F* sɑ̃] *prep.* 《古·文語》 …없이, 없어서(without). 〖OF<L *sine* ; 어형(語形)은 L *absentia* in the ABSENCE of의 영향〗
Sans. Sanskrit.
San Sal·va·dor [sæn sǽlvədɔ̀ːr] *n.* 산살바도르 《중미 엘살바도르의 수도》.
sans cé·ré·mo·nie [*F* sɑ̃ seremɔni] *adv.* 스스럼없이, 격식차리지 않고 ; 터놓고.
Sanscrit ☞ SANSKRIT.
sans·cu·lotte [sæ̀nzkjulát ; *F* sɑ̃kylɔt] *n.* **1** 상퀼로트《프랑스 혁명 당시의 과격 공화당원에 대한 별명 ; 귀족적인 퀼로트를 입지 않았던 데서 연유 ; cf. JACOBIN》. **2** 과격주의자, 급진 혁명가(cf. BOLSHEVIK).
〖F *sans-culotte* without breeches〗
sans doute [*F* sɑ̃ dut] *adv.* 틀림없이, 확실히.
sanserif ☞ SANS SERIF.
san·se·vie·ria [sæ̀nsəvíəriə] *n.* 〔植〕 범의꼬리란(蘭)《백합과의 관상 식물 ; 그 섬유는 질겨서 활줄로도 쓰임》. 〖*San Seviero* Raimondo di Sangro (d. 1771)의 공국(公國)〗
sans fa·çon [*F* sɑ̃ fasɔ̃] *adv.* 격식차리지 않고, 서슴없이.
sans gêne [*F* sɑ̃ ʒɛn] *adv.* 거리낌없이 ; 스스럼없이, 자유롭게.
San·skrit, -scrit [sǽnskrit, -skrət] *n.* Ⓤ 산스크리트, 범어(梵語)《略 Skr., Skrt., Skt.》.
── *a.* 산스크리트[범어]의. **~·ist** *n.* 산스크리트[범어] 학자. 〖Skt.＝composed, perfected〗
sans phrase(s) [*F* sɑ̃ fraːz] *adv.* 단도직입적으로, 한마디로.
sans ser·if [sǽnz sérəf], **san·ser·if** [sænsérəf] *n.* 〔印〕 산세리프《세리프(serif)가 없는 활자 ; 《美》에서는 gothic이라 부름》. ── *a.* [sanserif] 산세리프의.
sans sou·ci [*F* sɑ̃ susi] *adv.* 마음 편하게, 무사태평하게. ── *n.* [S~ S~] 산수시(궁전) 《프로이센왕 Frederick 2세의 별궁(1747)을 말함》. 〖F＝without worry〗
San·ta [sǽntə] *n.* (이탈리아·스페인·포르투갈에서) 성녀(聖女) ; 《口》 ＝SANTA CLAUS.
── *a.* [합성어로] 성(聖)… (saint, holy).
***San·ta Claus** [sǽntə klɔ̀ːz] *n.* 산타클로스《어린이를 수호하는 성인》. 〖Du.＝St. Nicholas〗
San·ta Fe [sǽntə féi] *n.* **1** 샌타페이《New Mexico 주(州) 주도》. **2** 산타페《아르헨티나 중부의 도시》.
Sánta Fé Tráil *n.* [the ~] 샌타페이 교역로(交易路) 《Santa Fe와 Missouri 주 서부를 연결하는 19세기의 교역 산업도로》.
San·ta Ger·tru·dis [sǽntə gərtrúːdəs] *n.* 샌타거트루디스《Texas주의 King 목장에서 개량해 낸 고온에 강한 육우(肉牛)》.
〖이 목장의 한 구역의 이름에서〗
San·ta Mar·ta [sǽntə máːrtə] *n.* 산타마르타 《콜롬비아 북서부의 항구 도시》.
Sánta Márta gòld *n.* 산타마르타골드《콜롬비아산의 강한 마리화나》.
San·ta Mon·i·ca [sǽntə mánikə] *n.* 샌타모니카《California 주 Los Angeles의 해변 휴양지》.
San·te·ria [sæ̀nteiríːə] *n.* [때때로 s~] 산테리아 《아프리카 기원의 쿠바 종교 ; 카톨릭적인 요소를 내포함》.
San·te·ro [sæntéirou], **-ra** [-rɑː] *n.* (*pl.* **~s**) [때때로 s~] 산테리아 성직자《쿠바에서 Santeria 의식을 담당하는 사제》.
San·ti·a·go [sæ̀ntiáːgou] *n.* 산티아고《칠레(Chile)의 수도》.
San·to Do·min·go [sǽntə dəmíŋgou] *n.* 산토도밍고《도미니카 공화국의 수도》.
san·to·nin [sǽntənən, sæntánən] *n.* Ⓤ 〔化〕 산토닌《회충약》.
San·tos [sǽntəs] *n.* 산투스《브라질 남부의 도시 ; São Paulo의 외항(外港)》.
Sa·nu·si [sənúːsi] *n.* (*pl.* ~, **~s**) 사누시교도《이슬람교의 일파로 종교적으로는 금욕주의적이지만 정치적으로는 전투적임》.
sanyasi ☞ SANNYASI.
São Pau·lo [sɑ̃ũm páulu] *n.* 상파울루《브라질 남부의 도시 ; 커피의 산지》.
São Salvador ☞ SALVADOR.
São To·mé and[e] Prín·ci·pe [sɑ̃ũm təméi ənd[e] prínsəpə] *n.* 상투메 프린시페《서아프리카 기니 만의 두 섬으로 된 공화국 ; 수도 São Tomé》.
‡**sap** [sǽp] *n.* **1** Ⓤ (식물의) 액즙, 수액(樹液). **2** (생명·건강·활력의 근원이 되는) 체액, 《俗》 위스키, 《詩》 피 ; 《비유》 원기, 생기, 활력 : the ~ of life 활력, 정력 / the ~ of youth 혈기. **3** Ⓤ ＝SAPWOOD. **4** Ⓤ,Ⓒ 〔軍〕 (적진에 대한) 접근호[대호(對壕)](를 파기) ; 《비유》 차츰 파괴하기, 서서히 침식하기. **5** 《美俗》 바보, 얼간이 ; 《美俗》 곤봉. **6** 《英學俗》 공부 벌레. **7** Ⓤ,Ⓒ 《英俗》 괴로운[귀찮은] 일 : It's too much ~ [such a ~]. 참으로 귀찮은 일이다.
── *v.* (**-pp-**) *vt.* **1 a**) …에서 수액을 짜내다. **b**) …의 백목질(白木質)을 없애다. **2** 〔軍〕 대호를 따라 (적진에) 접근하다. **3** [＋目/＋目＋副] …의 밑을 파서 파괴하다 ; 《비유》 …의 활력을 잃게 하다, (서서히) 약화시키다, 해치다 : His health was ~*ped* by the damp climate. 그의 건강은 습한 기후로 인해 약해졌다 / Science was ~*ping* old beliefs. 과학이 옛날 신앙을 무너뜨리고 있었다 / The house may be ~*ped away* by ants in a few years. 그 집은 수년내에 개미 때문에 무너질지도 모른다. **4** 《美俗》 몽둥이로 때리다. ── *vi.* **1** 대호(對壕)를 파다, 대호를 파서 적진에 접근하다. **2** 《英學俗》 [動/＋*at*＋名] 공부만 파다 : ~ ***at*** mathematics 수학만 들이파다.
sap·a·jou [sǽpədʒùː] *n.* 〔動〕 꼬리감는원숭이 (capuchin) ; 거미원숭이. 〖F<Tupi〗
sapanwood ☞ SAPPANWOOD.
sa·pe·le [sæpíːli] *n.* 〔植〕 사펠리《마호가니 비슷한 수목으로 가구재로 씀》. 〖(W. Afr.)〗
sáp gréen *n.* 털갈매나무의 열매에서 채취한 녹색 안료(顔料) ; 암록색. ── *a.* 암록색의.
sáp-hàppy *a.* 《美俗》 술취한, 얼근하게 취한.
sáp·hèad *n.* 《美俗》 바보, 얼간이.
sap·id [sǽpəd] *a.* **1** (음식이) 맛있는, 풍미 있는 (savo(u)ry). **2** (담화·문체 따위) 흥미[매력]있는(↔*insipid*).
〖L *sapidus* tasty (*sapio* to have savor)〗
sa·pid·i·ty [sæpídəti, sə-] *n.* Ⓤ 맛, 풍미 ; 맛좋음 ; 흥미, 매력.
sa·pi·ens [sǽpiənz, séi-] *a.* (화석인(化石人)에

대하여) 현(現)인류의.

sa·pi·ent [séipiənt] *a.* **1** 《文語》 현명한. **2** 아는 체하는, 똑똑한 체하는. —— *n.* 호모 사피엔스.

sá·pi·ence, -cy *n.* 《文語》 지혜(wisdom) ; 아는 체함 ; 아는 체하는 얼굴.

〚OF or L (pres. p.) ‹ *sapio* to be wise〛

sa·pi·en·tial [sèipiénʃəl, sæ̀pi-] *a.* 지혜로운, 슬기로운. 〚F or L (*sapientia* wisdom)〛

sapiéntial bóoks *n. pl.* [the ~] 지혜의 서《구약 성서 중의 Proverbs, Ecclesiastes, Canticles 및 경외 성서 중의 Wisdom, Ecclesiasticus》.

Sa·pir [səpíər, séipiər] *n.* 사피어. **Edward** ~ (1884-1939) 미국의 인류학자·언어학자 ; 북미 인디언어(語)를 연구.

Sapír-Whórf hypóthesis *n.* 사피어워프의 가설(Whorfian hypothesis).

sáp·less *a.* **1** 수액이 없는, 즙이 없는 ; 마른, 시든. **2** 활기[기력] 없는(insipid).

sáp·ling *n.* **1** 어린 나무, 묘목. **2** 《비유》 청년. **3** 그레이하운드(greyhound)종의 강아지.

sap·o·dil·la [sæ̀pədílə, -díːjə] *n.* 〖植〗 사포딜라(의 열매)《열대 아메리카산, 수액(樹液)에서 추잉검의 원료 chicle을 채취함》. 〚Sp.〛

sap·o·na·ceous [sæ̀pənéiʃəs] *a.* **1** 비누의[와 같은]. **2** 《戯》 알랑거리는, 아첨을 잘하는.

〚NL (L *sapon*- *sapo* soap)〛

sa·pon·i·fi·ca·tion [səpɑ̀nəfəkéiʃən] *n.* 〖化〗 비누화(化) ; (일반적으로) 가수 분해 : ~ value [number] 비누화값.

sa·pon·i·fy [səpɑ́nəfài] *vt., vi.* 비누화(化)하다.

sap·o·nin [sǽpənən, səpóu-] *n.* 〖化〗 사포닌《각종 식물에서 얻을 수 있는 배당체(配糖體)로 비누처럼 거품이 생김》.

sa·por [séipər, -pɔːr] *n.* U.C 맛, 풍미 ; 미각.

〚L ; ⇒ SAPID〛

sap·o·rif·ic [sæ̀pərífik] *a.* 맛을 내는, 풍미를 더하는.

sap·pán·wòod, sa·pán- [səpǽn-, sǽpən-] *n.* 〖植〗 소방목(蘇芳木)《빨강·노랑의 물감을 얻음》.

〚Du.<Malay *sapang*〛

sáp·per *n.* SAP 하는 사람 ; 공병(工兵).

Sap·phic [sǽfik] *a.* 사포(Sappho)의 ; 사포풍[시체(詩體)]의 ; (여성의) 동성애의. —— *n.* 사포풍의 시. 〚F<L<Gk.〛

***sap·phire** [sǽfaiər] *n.* 사파이어, 청옥(青玉) ; U 사파이어색, 자색을 띤 파란색 ; 9월의 탄생석.

—— *a.* 사파이어색의 ; 사파이어의[같은].

〚OF<L<Gk.=dear to the planet Saturn〛

sápphire wédding *n.* 사파이어 혼식(婚式)《결혼 45주년 기념》.

sap·phir·ine [sǽfərən, -rìːn, -ràin, səfáirən] *a.* 사파이어(색)의 ; 사파이어같은 ; 사파이어제의.

—— *n.* 사파린《담청색 또는 녹색의 광물》.

sap·phism [sǽfizəm] *n.* U [때때로 S~] 여자 동성애(lesbianism). 〚↓〛

Sap·pho [sǽfou] *n.* 사포《기원전 600년경 그리스의 Lesbos에서 태어난 여류 서정 시인 ; 동성(同性)에 대한 열렬한 연애시를 써서 유명함 ; cf. LESBIAN》.

sáp·py *a.* **1** 수액(樹液)이 많은, 액즙이 풍부한(juicy). **2** (젊고) 활기에 찬, 원기왕성한. **3** 《俗》 멍청한, 지각없는(silly). **4** 《俗》 감상적인, 연약한. —— *n.* 《美俗》 바보, 멍청이.

sapr- [sǽpr], **sap·ro-** [sǽprou, -rə] *comb. form* 「부패한」「부패물」의 뜻.

〚Gk. (*sapros* rotten)〛

sa·pre·mia | -prae- [sæpríːmiə] *n.* U 〖醫〗 부패혈증(腐敗血症).

sàpro·génic *a.* 부패를 일으키는 ; 부패로 생기는.

sa·proph·a·gous [səprɑ́fəgəs] *a.* 〖生〗 썩은 것을 영양원으로 하는, 부생(腐生)의, 부식성의.

sápro·phỳte *n.* 〖生〗 부생(腐生) 식물《균류》.

sàpro·phýtic *a.* 〖生〗 부패 유기물을 영양원(源)으로 하는, 부생(腐生)의 : ~ nutrition 부생 식물성 영양. **-i·cal·ly** *adv.*

sap·sa·go [sǽpsəgòu, sæpséi-] *n.* (*pl.* **~s**) 삽사고《스위스 원산인 녹색의 단단한 치즈 ; 클로버의 일종으로 맛을 낸 탈지유로 만듦》.

〚G *Schabziger*〛

sáp·sùck·er *n.* 〖鳥〗 수액딱따구리《북미산》; (각종의) 딱따구리.

sáp·wòod *n.* 〖植〗 U (나무 껍질 바로 밑의) 백목질(白木質), 변재(邊材).

Sar. Sardinia ; Sardinian.

S.A.R. 《美》 Sons of the American Revolution 《독립전쟁 유가족 청년단(원) ; cf. D.A.R.》; South African Republic.

sar·a·band, -bande [sǽrəbæ̀nd] *n.* 사라반드《느린 3박자의 스페인 춤》; 그 곡.

〚F<Sp. and It.〛

Sar·a·cen [sǽrəsən] *n.* 사라센인《시리아·아라비아의 사막에 사는 유목민》; (특히 십자군 시대의) 이슬람교도 ; (넓은 뜻으로) 아랍인. —— *a.* = SARACENIC.

〚OF<L<Gk.< ? Arab.=eastern〛

Sar·a·cen·ic [sæ̀rəsénik] *a.* 사라센(인)의 ; (건축 따위가) 사라센식[풍]의.

Sáracen's héad *n.* 사라센인의 머리《문장(紋章)이나 여인숙의 간판에 썼음》.

Sar·ah [séərə, sǽrə, séirə] *n.* **1** 여자 이름《애칭 Sal, Sally》. **2** 〖聖〗 사라《Abraham의 아내이며 Isaac의 어머니 ; 창세기 17 : 15-22》.

〚Heb.=princess〛

SARAH 〖空〗 Search And Rescue And Homing (수색 구난(救難) 자동 유도).

Sa·ra·je·vo [sɑ́ːrəjevòu], **Se·ra-** [sérə-] *n.* 사라예보《보스니아-헤르체고비나의 수도》.

Sa·ran [sərǽn] *n.* 사란《고온에서 가소성(可塑性)을 갖는 합성수지의 일종 ; 상표명》.

Sar·a·to·ga [sæ̀rətóugə] *n.* **1** 새러토가《New York 주 동부의 마을》. **2** (원래 미국에서 여성이 많이 쓰던) 여행용 대형 트렁크 ; 《美俗》 우편 배달 가방.

Sa·ra·wak [sərɑ́ːwɑːk, -wæk ; -wək] *n.* 사라와크《Borneo 섬 북서부에 있는 말레이시아 연방의 한 주》.

sarc- [sɑ́ːrk], **sar·co-** [sɑ́ːrkou, -kə] *comb. form* 「살(flesh)」「가로무늬근」의 뜻.

〚Gk. (*sark*- *sarx* flesh)〛

sar·casm [sɑ́ːrkæzəm] *n.* U 풍자, 비꼬는 말, 빈정대는 소리, 야유(cf. IRONY) ; C 풍자적인 말 : in ~ 비꼬아서. 〚F or L<Gk. (*sarkazō* to tear flesh, speak bitterly ‹ ↑)〛

sar·cas·tic, -ti·cal [sɑːrkǽstik(əl)] *a.* 풍자적인, 빈정대는(sneering), 비꼬는.

〈회화〉
You did a good job for an amateur. — That sounds a little *sarcastic*. 「풋내기 치고는 잘했는데」「약간 비꼬는 소리로 들리는군」

-ti·cal·ly *adv.* 비꼬아서, 풍자적으로.

〚*enthusiasm* : *enthusiastic*에 준하여 ↑에서〛

sar·celle [sɑːrsél] *n.* 〖鳥〗 쇠오리(teal). 〚OF〛

sarce·net, sars(e)- [sɑ́ːrsnət] *n.* U 얇고 부드

S

러운 견직물. ── *a.* sarcenet의[같은], 부드러운. 〖AF (dim.) ‹ *sarzin* SARACEN〗

sárco·càrp *n.* 〔植〕 과육 ; 중과피(中果皮) ; 육과(肉果).

sar·code [sɑ́:rkoud] *n.* 〔生〕 =PROTOPLASM.

sar·coid [sɑ́:rkɔid] *n.* 〔醫〕 유육종(類肉腫), 사르코이드. ── *a.* 살과 비슷한 ; 살이 많은 ; 〔醫〕 육종(肉腫) 모양의.

sar·coid·osis [sɑ̀:rkɔidóusəs] *n.* (*pl.* **-oses** [-si:z]) Ⓤ 〔醫〕 사르코이도시스, 유사 육종증(肉腫症).

sar·co·ma [sɑ:rkóumə] *n.* (*pl.* **~s, -ma·ta** [-tə]) 〔醫〕 육종(肉腫).

sar·co·ma·to·sis [sɑ:rkòumətóusəs] *n.* (*pl.* **-ses** [-si:z]) 〔醫〕 육종증(症).

sar·coph·a·gous [sɑ:rkɑ́fəgəs], **sar·co·phag·ic** [sɑ̀:rkəfǽdʒik] *a.* =CARNIVOROUS.

sar·coph·a·gus [sɑ:rkɑ́fəgəs] *n.* (*pl.* **-gi** [-gài, -dʒài, -gì:], **~·es**) (정교하게 장식한 대리석으로 만든 그리스·로마 시대의) 석관(石棺). 〖L<Gk. (*sarc-*, *-phagous*)〗

sarcophagus

sar·cous [sɑ́:rkəs] *a.* 〔動〕 살[근육]의[로 이루어진].

sard [sɑ́:rd] *n.* Ⓤ 〔鑛〕 홍옥수(紅玉髓). 〖L SARDIUS〗

sar·dine[1] [sɑ:rdí:n] *n.* 〔魚〕 정어리. ***packed like sardines*** 빽빽이 들어찬. ── *vt.* 빽빽이 들어차다. 〖OF<L (dim.) ‹ *sarda* sardine〗

sar·dine[2] [sɑ́:rdn, -dain, -di:n] *n.* =SARD.

Sar·din·ia [sɑ:rdíniə] *n.* **1** 사르디니아 (It. **Sar·de·gna** [sɑ:rdéinjə])《지중해 Corsica 섬 남쪽에 있는 이탈리아령의 섬》. **2** 사르디니아 왕국(1720-1861).

Sar·dín·i·an *a.* 사르디니아 섬(Sardinia)의 ; 사르디니아 왕국[인, 어]의. ── *n.* 사르디니아인 ; Ⓤ 사르디니아어.

sar·di·us [sɑ́:rdiəs] *n.* =SARD ; 〔聖〕 홍옥수《유태의 대제사(大祭司)가 가슴에 단 루비라고 상상되는 보석 ; 출애굽기 28 : 17》.

sar·don·ic [sɑ:rdɑ́nik] *a.* 냉소적인(scornful), 조롱하는 ; 빈정대는 : a ~ laugh[chuckle, smile] 냉소, 비웃음. **-i·cal·ly** *adv.* 냉소적으로. 〖F<L<Gk.=Sardinian〗

sar·don·i·cism [sɑ:rdɑ́nəsìzəm] *n.* 냉소적 성질, 비꼬는 투의 유머.

sard·on·yx [sɑ:rdɑ́niks, sɑ́:rdən-] *n.* Ⓤ 〔鑛〕 사도닉스, 붉은 줄무늬 마노(瑪瑙)《cameo 세공용》; 〔紋〕 진홍색. 〖L<Gk. (? *sard*+*onyx*)〗

saree ☞ SARI.

sar·gas·so [sɑ:rgǽsou] *n.* (*pl.* **~s**) 〔植〕 모자반류(類)의 해조《바닷말》. 〖Port.< ?〗

Sargásso Séa *n.* [the ~] 조해(藻海)《북대서양·남태평양의 일부》.

sarge [sɑ́:rdʒ] *n.* 《美口》 =SERGEANT.

Sar·gent [sɑ́:rdʒənt] *n.* 사전트. **John S.** ~ (1856-1925) 영국에 살았던 미국의 초상화가.

sa·ri, sa·ree [sɑ́:ri] *n.* 사리《인도 북부 여자들이 허리에서 어깨에 걸쳐 감고 남은 부분은 머리를 감싸는 긴 무명 천 ; cf. DHOTI》. 〖Hindi〗

sa·rin [sɑ́:rən, zɑ:rí:n] *n.* 사린《미군의 치사성 신경가스의 일종 ; 코드명(名) GB》. 〖G〗

sark [sɑ́:rk] *n.* 《英方》 속옷, 셔츠. 〖ON *serkr* ; cf. OE *serc* shirt〗

sarky [sɑ́:rki] *a.* 《英口》 =SARCASTIC.

sar·men·tose [sɑ:rméntous], **-tous** [-təs], **-men·ta·ceous** [sɑ̀:rmentéiʃəs] *a.* 〔植〕 덩굴줄기가 있는, 덩굴손이 있는[같은].

sa·rong [sərɔ́(:)ŋ, -rɑ́ŋ] *n.* 사롱《말레이시아 사람 등이 허리에 두르는 천》; Ⓤ 그 옷감. 〖Malay=sheath〗

sar·os [séərɑs, séi-] *n.* 〔天〕 사로스《일식·월식의 순환 주기 : 6585.32일(약 18년)》. 〖Gk.<Babylonian〗

Sa·roy·an [sərɔ́iən] *n.* 사로얀. **William** ~ (1908-81) 미국의 극작가·소설가.

sar·ra·ce·nia [sæ̀rəsí:niə, -sén-] *n.* 〔植〕 사라세니아속(屬)의 각종 식충 식물《북미 원산》. 〖Michel *Sarrazin* (d. 1734) 프랑스의 의사·박물학자〗

sar·sa [sɑ́:rsə], **sar·sa·pa·ril·la** [sɑ̀:rsəpərílə, -rélə, 美+sæ̀s-] *n.* **1** 〔植〕 사르사(파릴라)《중미 원산의 백합과 식물》. **2** Ⓤ 사르사 뿌리《강장제·음료용》. **3** 사르사 뿌리로 맛을 낸 탄산수. 〖Sp. (*zarza* bramble, *parilla* (dim.) ‹ *parra* a climbing plant)〗

SARSAT [sɑ́:rsæt] *n.* 〔宇宙〕 수색 구조용 위성 자원 추적 시스템 ; 그 장치를 탑재한 위성. 〖*s*earch *a*nd *r*escue *s*atellite-*a*ided *t*racking〗

sar·sen [sɑ́:rsən] *n.* 〔地〕 사르센석(石)《잉글랜드 중남부에서 볼 수 있는 사암(砂岩) 덩어리》. 〖? SARACEN〗

sars(e)net ☞ SARCENET.

sar·tor [sɑ́:rtər] *n.* 《文語》《戲》 재단사, 재봉사(tailor). 〖L (*sart- sarcio* to patch)〗

sar·to·ri·al [sɑ:rtɔ́:riəl, sər-] *a.* 재봉(사)의 ; 의상(재단)의 ; 〔解〕 SARTORIUS의 : the ~ art 《戲》 재봉 기술 / a ~ triumph 《戲》 잘 만든 옷. 〖↑〗

sar·to·ri·us [sɑ:rtɔ́:riəs] *n.* (*pl.* **-rii** [-riì:, -riài]) 〔解〕 봉공근(縫工筋).

Sar·tre [*F* sartr] *n.* 사르트르. **Jean-Paul** ~ (1905-80) 프랑스의 철학자·소설가·극작가.

Sarum : *Sarisburiensis* 《L》 (=of Salisbury) 《Bishop of Salisbury의 서명(署名)에 쓰임 ; cf. CANTUAR :》.

SAS Scandinavian Airlines System.

S.A.S. 《英》 Special Air Services 《(반(反)테러의) 공군 특수부대》.

Sasanian ☞ SASSANIAN.

SASE, s.a.s.e. 《美》 self-addressed stamped envelope(자기 주소를 쓰고 우표를 붙인 반신용 봉투(동봉함)).

sash[1] [sǽ(:)ʃ] *n.* **1** (여성·어린이용의) 띠, 장식띠, 허리띠 ; (장교의 정장용) 장식띠. **2** 〔軍〕 (어깨에서 내려뜨리는) 현장(懸章). **3** 머리띠, 터번. **4** 《美俗》 (마약 정맥 주사를 위한) 압박대. **~ed** *a.* **~·less** *a.* 〖Arab.=muslin〗

sash[2] *n.* (*pl.* **~, ~·es**) **1 a)** 새시《위아래로 여닫는 창문의 틀》. **b)** =SASH WINDOW. **2** (온실 따위의) 채광 유리창. **3** 《稀》 =CASEMENT. ── *vt.* …에 창틀을 달다. 〖C17 *sashes* ‹ CHASSIS ; 어미를 복수 어미로 잘못한 것〗

sa·shay [sæʃéi, sai-] *vi.* 《口》 미끄러지듯 전진하다[움직이다], 돌아다니다(go about) ; 뽐내며 걷다 ; (댄스에서) 샤세(chassé)를 하다. ── *n.* 샤세(chassé) ; 여행, 소풍. 〖변형(變形) ‹ *chassé* 〗

sásh chàin *n.* 내리닫이창에 매단 사슬.

sásh còrd[**lìne**] *n.* (내리닫이창에) 매단 줄.
sásh lìft *n.* (내리닫이창의) 손잡이.
sásh pòcket *n.* SASH WEIGHT가 위아래로 움직이는 홈[곳].
sásh pùlley *n.* (내리닫이창의) 밧줄용 도르래.
sásh tòol *n.* (유리공·도장공(塗裝工) 등의) SASH WINDOW용 솔.
sásh wèight *n.* (내리닫이창의) 끈[줄] 따위의 끝에 매단 추(錘).
sásh wìndow *n.* 위아래로 여닫는 창문.
sa·sin [séisən, sǽs-] *n.* 〖動〗 블랙 벅《인도산의 영양(羚羊)》.
Sas·katch·e·wan [səskǽtʃəwən, sæs-, -wɑ̀:n] *n.* 서스캐처원《캐나다 남서부의 주(州); 주도 Regina; 略 Sask.》.
sas·ka·toon [sæ̀skətú:n] *n.* 〖植〗 =JUNEBERRY.
Sas·quatch [sǽskwætʃ, -kwɑtʃ] *n.* 새스쿼치 (Bigfoot, Omah)《미국 북서부 산중에 산다는 팔이 길고 털이 많은 사람 비슷한 동물》.
〖Salish=wild men〗
sass [sǽ(:)s] *n.* Ⓤ 신선한 야채; 《美俗》 건방진 말; 《美方》 찐 과일. —— *vt.* (윗사람에게) 건방진 소리를 하다[태도를 취하다], 말대꾸하다(cf. SASSY). 〖역성(逆成) ‹ *sassy*〗
sas·sa·by [sǽsəbi; səséibi] *n.* 〖動〗 사사비《남아프리카산 흑갈색의 영양(羚羊)》. 〖Bantu〗
sas·sa·fras [sǽsəfræ̀s] *n.* 〖植〗 사사프라스 (나무)《북미산의 녹나무과의 식물》; Ⓤ 그 나무[뿌리] 껍질을 말린 것《강장제·향료용》.
〖Sp. or Port.< ?〗
Sas·sa·ni·an, Sa·sa- [səséiniən] *a.* (페르시아의) 사산조(朝)의. —— *n.* =SASSANID.
Sas·sa·nid [səsɑ́:nəd, -sǽn-; sǽsənid] *n.* (*pl.* **~s, -san·i·dae** [səsǽnədì:]) (페르시아의) 사산조(朝)의 사람; [*pl.*] 사산조(226-642 A.D.). —— *a.* =SASSANIAN.
Sas·se·nach [sǽsənəx, -næk] *n.* 《스코·아일》 《蔑》 **1** 잉글랜드 사람(Englishman). **2** 저지(低地) 스코틀랜드 사람(Lowlander). —— *a.* 잉글랜드 사람의. 〖Gael.<L; ⇨ SAXON〗
sassy [sǽsi] *a.* 《美口》 건방진, 뻔뻔스러운; 활발한, 생기가 넘치는; 대단히 멋진, 멋진 모습의. 〖SAUCY〗
◇**sat**[1] *v.* SIT의 과거·과거분사.
sat[2] [sǽt] *n.* [다음 숙어로]
pull sat 《美學生俗》 만족스런 성적을 얻다.
〖*sat*isfactory〗
SAT 《美》 Scholastic Aptitude Test(대학 진학 적성 검사). **Sat.** Saturday; Saturn.
S.A.T. South Australian Time(사우스 오스트레일리아 표준시).
***Sa·tan** [séitn] *n.* 사탄, 악마, 마왕(the Devil).
〖OE<L<Gk.<Heb.=enemy〗
sa·tang [sɑ:tǽŋ, sæ-, sə-] *n.* (*pl.* **~, ~s**) 타이의 통화 단위(=1/100 baht). 〖Siamese〗
sa·tan·ic, -i·cal [sətǽnik(əl), sei-] *a.* **1** [때때로 S~] 악마[마왕]의, 마귀의: the *Satanic* host 타락한 천사의 무리《Milton의 표현》. **2** 악마 같은; 극악 무도한, 흉악한.
his Satanic majesty 《戲》 마왕.
the Satanic school 악마파, 무(無)종교파 《Southey가 Byron, Shelley 등의 무종교 일파를 부른 명칭》.
-i·cal·ly *adv.* 악마처럼; 흉악하게.
Sátan·ìsm *n.* **1** Ⓤ (특히 19세기 프랑스의) 악마교, 악마 숭배. **2** Ⓤ 악마파의 특색; 악마주의, 악마 같은 행위. **-ist** *n.* 악마 숭배자.
Sa·ta·nol·o·gy [sèitənɑ́lədʒi] *n.* Ⓤ 악마[사탄] 연구.
S.A.T.B., SATB 〖樂〗 soprano, alto, tenor, bass.
satch [sǽtʃ] *n.* [때때로 S~] 《美俗》 **1** 큰 입《흔히 크고 두터운 입술을 가진 흑인의 별명》. **2** 수다쟁이, 정치가《흔히 별명으로서》. 〖*satch*el〗
satch·el [sǽtʃəl] *n.* (어깨에 메는) 학생가방; (여행용 따위의) 손가방; 《美俗》 =SATCH; 《美俗》 (재즈) 음악가, (특히) 관악기 연주가, 트럼펫 연주자; (흑인에게 식사를 팔거나 흑인 음악가를 고용하고 있는) 나이트 클럽[바, 레스토랑]에서 일하는 사람. —— *vt.* 《美俗》 결정[세공]하다.
~ed | -elled *a.* 학생 가방을 멘.
〖OF<L; ⇨ SACK[1]〗
sátchel-mòuth *n.* 《美俗》 입이 큰 녀석(satch).
sat·com [sǽtkɑm] *n.* 〖宇宙〗 통신 위성 추적 센터 (cf. EARTH STATION).
〖*sat*ellite *com*munications〗
satd. saturated.
sate[1] [séit] *vt.* [+目/+目+*with*+名] 물리게 하다, 배불리 먹이다, 만족시키다: be *~d **with*** food 포식하여 물리다 / ~ oneself *with* …에 물리다, …을 실컷 맛보다. 㐃 SATIATE 쪽이 더 일반적인 말.
〖? *sade* (dial.) to satisfy(☞ SAD); 어형(語形)은 *satiate*에 준한 것〗
sate[2] [séit, sǽt] *v.* 《古》 SIT의 과거·과거분사(cf. SAT[1]).
sa·teen [sætí:n, sə-] *n.* Ⓤ 면수자(綿繻子), 모(毛)수자(cf. SATIN).
〖SATIN; *velveteen*에 준한 것〗
sáte·less *a.* 《古》 물릴 줄 모르는〈*of*〉.
***sat·el·lite** [sǽtəlàit] *n.* **1 a)** 〖天〗 위성. **b)** 인공위성(artificial[earth] satellite): ☞ COMMUNICATIONS SATELLITE. **c)** 〖컴퓨〗 통신 위성. **2** 위성국[도시]; 《美》 근교. **3** 〖生〗 (염색체의) 부수체; 종자(從者); 추종자, 아첨자, (붙어다니며) 알랑거리는 사람; 식객(dependent). —— *a.* (인공) 위성의; 위성 같은; 위성 같은 관계에 있는, 다른 세력 밑에 있는: ~ states 위성국. —— *vt.* 위성[우주] 중계하다.
sàt·el·lít·ic [-lít-] *a.* 위성의.
〖F or L *satellit- satelles* attendant〗
sátellite bòoster *n.* 위성 가속용 로켓.
sátellite bròadcasting *n.* 위성 방송.
sátellite bùsiness *n.* 위성 비즈니스《통신 위성을 사용한 전화·텔레비전·팩시밀리·데이터 통신 따위의 정보 서비스 비즈니스》.
sátellite cìty *n.* =SATELLITE TOWN.
sátellite communìcation *n.* 〖컴퓨〗 위성 통신(通信).
sátellite dìsh *n.* 90cm-4m의 대형 포물면 안테나《위성으로부터 전파를 직접 수신함》.
satellite DNA [∸ dì:ènéi] *n.* 〖生〗 부수(附隨) DNA《핵 속에 있는 주성분과 다른 비중을 가진 DNA》.
sátellite kìller *n.* 파괴[킬러] 위성.
sátellite pùblishing *n.* 위성 발행《신문·잡지의 원판을 원격지에 전송하여 그곳에서 인쇄 출판하는 형태》.
sátellite stàtion *n.* 인공 위성[우주선] 기지; 위성 방송 기지.
sátellite tòwn *n.* (대도시 근교의) 위성 도시 (new town).
sat·el·li·za·tion [sæ̀tələzéiʃən; -lai-] *n.* 위성화, 위성국화, 종속화.

sat·el·loid [sǽtəlɔ̀id] *n.* 〖宇宙〗 저궤도 인공위성.
sat·el·loon [sǽtəlùːn] *n.* 기구 위성.
sati ☞ SUTTEE.
sa·tia·ble [séiʃiəbəl] *a.* 만족시킬 수 있는.
sa·ti·ate [séiʃièit] *vt.* [+目/+目+*with*+名] 만족시키다; 물리게 하다, 싫증나게 하다(sate): He was ~*d* ***with*** food[pleasure]. 음식에 물리어 있었다[신물이 날 정도로 쾌락에 탐닉했다]. ── [-ət, -èit] *a.* 《古·詩》 만족스런; 물린, 싫증난. **sà·ti·á·tion** *n.* Ⓤ 포만, 포식; 물림. 〖L (p.p.) ‹ *satio* to satisfy (*satis* enough); cf. SAD〗
sa·ti·e·ty [sətáiəti] *n.* Ⓤ 물림, 포만‹*of*›: to ~ 물리도록. 〖F‹L; ⇨ SATIATE〗
***sat·in** [sǽtn; -in] *n.* **1** Ⓤ 공단, 수자직(繻子織) (cf. SATEEN): figured ~ 무늬 공단. **2** Ⓤ 수자 같은 (부드럽고 매끈하며 윤이 나는) 표면. ── *a.* **1** 공단의: a ~ finish (은그릇 따위의) 수자 마무리[광내기]. **2** 공단 같은, 매끄러운, 윤이 나는. ── *vt.* (벽지 따위에) 공단 같은 윤을 내다. 〖OF‹Arab.〗
sat·in·et, -ette [sæ̀tənét] *n.* Ⓤ 모조 공단, 무명을 섞어 짠 공단. 〖F〗
sátin pàper *n.* (공단 같은) 윤이 나는 필기용 종이, 광택지《편지지용》.
sátin spár[stóne] *n.* (진주빛 광택이 나는) 섬유 석고.
sátin stìtch *n.* 새틴 스티치《공단처럼 보이게 하는 자수법》.
sátin whíte *n.* 새틴 화이트《석고와 산화알루미늄으로 된 백색 안료》.
sátin·wòod *n.* 〖植〗 마호가니류의 나무《인도산의 양질 목재》.
sat·iny [sǽtəni] *a.* 수자 같은, 비단[공단] 같은; 윤이 나는; 반들반들한, 매끄러운.
***sat·ire** [sǽtaiər] *n.* **1** Ⓤ 풍자; 풍자문[시]; Ⓤ 풍자문학: Swift's 'A Tale of a Tub' is a ~ *on* the religious denominations of his day. 스위프트의 「함지 이야기」는 당시의 교파에 대한 풍자 (작품)이다. **2** Ⓤ 빈정댐, 비꼼; Ⓒ 비웃음을 초래하는 것, 모순‹*on, upon*›. 〖F or L *satira* medley ‹ *satura* sated; cf. SAD〗 類義語 ⟹ WIT.
sa·tir·ic [sətírik] *a.* 풍자(諷刺)의: a ~ poem 풍자시(詩).
sa·tír·i·cal *a.* 비꼬는, 풍자적인, 풍자를 좋아하는, 빈정거리는. **~·ly** *adv.* 비꼬아서, 풍자적으로.
sat·i·rist [sǽtərəst] *n.* **1** 풍자시[문] 작자. **2** 풍자가, 비꼬기 좋아하는 사람.
sat·i·rize [sǽtəràiz] *vt.* 풍자시[문]로 공격하다; 빈정대다. ── *vi.* 《古》 풍자문을 쓰다.
sat·is·fac·tion** [sæ̀təsfǽkʃən] *n.* **1** [+前+do*ing*] Ⓤ 만족시킴[함]; 만족(감), 흡족, 소원 성취: express one's ~ ***at [***with***] the result 결과에 대하여 만족의 뜻을 표하다 / feel ~ *at* hav*ing* realized one's long-cherished hope 숙원이 이루어져 만족하게 여기다 / Your father will find (a secret) ~ ***in*** learn*ing* of your success. 너의 아버지가 네 성공을 알면 (마음속으로) 만족하실 것이다 / I have the ~ ***of*** be*ing* amply rewarded for my efforts. 노력에 대한 충분한 보답이 있어 만족감을 느끼고 있다 / I heard the news with great[much] ~. 그 소식을 듣고 매우 만족했다. **2** 만족을 주는 것: His election was a great ~ *to* all concerned. 그가 당선되어 관계자 일동은 매우 만족했다 / It is a ~ to know that …으로 알고 만족하다. **3** Ⓤ **a)** 〖法〗 변제 의무의 이행, 부채의 상환; 배상‹*for*›. **b)** 사죄; (명예 회복의) 결투. **c)** 〖宗〗 참회의 고행; 〖神學〗 속죄(贖罪).
demand satisfaction 배상을 요구하다; 사죄[결투]를 요구하다.
enter* (*up*) *satisfaction 〖法〗 판결 금액의 지급 완료를 법원에 등기하다.
give satisfaction 만족시키다‹*to*›; 배상하다, 사죄하다; 결투 신청에 응하다.
in satisfaction of …의 지급[배상]으로.
make satisfaction for …을 배상[변상]하다, 보상하다.
to a person***'s satisfaction***＝***to the satisfaction of*** a person …이 만족스럽게도; (…의 결과) …은 만족하여: The dress was done *to* her ~. 그녀는 그 드레스에 만족해 했다 / It is difficult to settle the matter *to the* ~ *of* all. 모두가 만족스럽게 사건을 해결하기는 어렵다. 〖OF‹L; ⇨ SATISFY〗
sàt·is·fác·to·ri·ly *adv.* 만족하게, 충분히, 납득이 가도록, 더할 나위 없이.
***sat·is·fac·to·ry** [sæ̀təsfǽktəri] *a.* **1** 만족스러운, 더할 나위가 없는, 충분한: The arrangement was ~ *to* both parties. 그 협정은 쌍방에 모두 만족스러웠다 / Do you think he is ~ *for* the task? 그가 그 일에 적임자라고 생각합니까. **2** 〖神學〗 충분히 속죄가 되는. 〖F or L; ⇨ SATISFY〗
‡sát·is·fied *a.* 만족한, 흡족한; 깨끗이 치른[지급한]; 납득한.
‡sat·is·fy [sǽtəsfài] *vt.* **1 a)** [+目/+目+前+名] (남의 뜻을) 충족시키다; (욕망을) 만족시키다; (요구에) 응하다: I *satisfied* my thirst ***with*** water. 갈증을 물로 풀었다 / He tried to ~ his master ***by*** do*ing* all that had been ordered to do. 명령받은 것을 모두 함으로써 주인을 만족시키려고 애썼다. **b)** [*p.p.*로 형용사적으로] [+*to* do] 만족하여: They were *satisfied to* get equal shares. 몫을 공평하게 나누어 받아 그들은 만족했다. **2** (의무를) 완수하다, 이행하다; (숙원을) 이루다, (소망을) 성취하다; (부채를) 변제하다: ~ a creditor [an obligation] 채권자에게[채무를] 변제하다 / ~ a claim for damages 손해 배상의 청구에 응하다. **3** [+目/+目+*of*+名/+目+*that* 節] [때때로 수동태 또는 ~ one*self* 로] (걱정·의심을) 풀다; 납득[안심·확신]시키다 (convince): I *satisfied* my*self* ***of*** his competence. ＝I *satisfied* my*self* *that* he was competent. 그에게 능력이 있다는 것을 나는 확신했다 / I *am satisfied* (*that*) he is the thief. 그가 도둑이라고 나는 확신하고 있다. **4** 〖數〗 …의 조건을 충족시키다, 만족시키다.

〈회화〉
I *am satisfied with* the results. — If you are, then so am I. 「나는 그 결과에 만족해요」「당신이 그러시다면 저도 그렇습니다」

── *vi.* **1** 만족을 주다, 충분히 만족시키다. **2** 〖神學〗 (그리스도가) 속죄하다(atone).
satisfy the examiners (대학 시험에서) 합격점에 달하다《honors가 아니고 pass를 획득함》.
sát·is·fi·able *a.* 만족[배상]할 수 있는.
sát·is·fi·er *n.*
〖OF‹L (*satis* enough, *facio* to make); cf. SAD〗
類義語 ***satisfy*** 욕망·희망·필요 따위를 충분히 충족시키다; 만족할 뿐만 아니라 적극적인 즐거움까지 느끼다. ***content*** 필요를 충족시키다; 원하는 것이 전부 손에 들어온 것은 아니나 그 이상 필요하다고는 느끼지 않음: Some people

are *satisfied* only by fine dishes, others are *contented* with modest meals. (진수 성찬이라야 만족하는 사람이 있는가 하면, 그저 조출한 식사로도 만족해 하는 사람이 있다).

sátisfy·ing *a.* 만족한, 충분한 ; 납득이 가는, 확실한. **~·ly** *adv.* 충분히 ; 납득이 가도록.

sa·tran·gi [sətrʌ́ndʒi] *n.* 《인도》 면제(綿製) 카펫. 〚Bengali〛

sa·trap [séitræp, sǽt- ; sǽtrəp] *n.* **1** (고대 페르시아 제국의) 태수, 지방 총독, 지사. **2** (속국·식민지의) 총독. **sá·tra·py** *n.* Ⓤ satrap의 통치 ; Ⓒ 그 관구.
〚OF or L, <OPers.=protector of dominion〛

sat·sang [sɑ́:tsɑ:ŋ] *n., vi.* 〔힌두教〕 설교(를 하다). 〚Skt.〛

sat·u·ra·ble [sǽtʃərəbəl] *a.* 포화(飽和)시킬 수 있는. **sàt·u·ra·bíl·i·ty** *n.*

sat·u·rant [sǽtʃərənt] *a.* 포화시키는. —— *n.* 〔化〕 포화제(飽和劑).

sat·u·rate [sǽtʃərèit] *vt.* **1** [+目/+目+*with*+名] 적시다, 흠뻑 젖게 하다 ; …에 (…을) 가득 스며들게 하다〈*with*〉; (…으로) 포화상태로 하다, 가득하게 하다 ; 〔理·化〕 포화시키다 : The path was ~*d* by the rain. 그 오솔길은 비로 인해서 질퍽질퍽했다 / ~ a sponge ***with*** water 해면에 물이 배어들게 하다 / I ~*d* myself *with* sunshine. 전신 일광욕을 했다. **2** [+目+前+名] [때때로 수동태 또는 ~ one*self* 로] (전통·편견 따위에) 배어들게 하다, (학문 따위에) 몰두시키다 : a style ~*d* ***with*** affectation 심히 허식적인 문체 / The author *is* ~*d with* Oriental music. 저자는 동양음악에 몰두해 있다 / He ~*d* him*self* ***in*** the study of Buddhism. 불교 연구에 몰두[열중]했다. **3** 〔軍〕 …에 집중폭격을 가하다.
—— [-rət, -rèit] *a.* 《文語》 =SATURATED.
〚L (*satur* full, sated) ; cf. SATIRE〛
類義語 ⟹ WET (2).

sát·u·ràt·ed *a.* 젖은, 스며든 ; 침투한 ; 포화 상태가 된, 최대한으로 채워진 ; (색이 강도·채도상) 포화도에 달한 ; 〔理·化〕 포화된 ; 〔地〕 (암석·광물이) 규토(硅土)를 최대한으로 함유한 : ~ mineral[soil] 포화 광물[흙].

sáturated cómpound *n.* 〔化〕 포화 화합물.

sáturated díving *n.* =SATURATION DIVING.

sat·u·ra·tion [sæ̀tʃəréiʃən] *n.* **1** 침투, 침윤(浸潤) ; 충만, 포화(상태). **2** (색깔의) 포화도《백색 혼합 비율에 따른 색깔의 선명도》. **3** (증기·용액·화합물·전기·자기(磁氣) 따위의) 포화, 포화 상태. **4** 집중 폭격. **5** (시장에 대한 물품의) 공급 과잉.

saturátion bòmbing *n.* =AREA BOMBING.

saturátion cùrrent *n.* 포화(飽和) 전류.

saturátion cùrve *n.* 포화 곡선.

saturátion dìvng *n.* 〔海〕 포화 잠수(潛水).

saturátion pòint *n.* 포화점 ; (일반적으로) 한도, 극한.

sát·u·rà·tor, -rat·er *n.* 스며들게 하는[포화시키는] 사람[것] ; 〔化〕 포화기[장치].

◇Sat·ur·day [sǽtərdi, -dèi] *n.* 토요일《略 S., Sat. ; ☞ SUNDAY 1 注》. —— *adv.* 《口》 토요일에. 注 용례는 ☞ MONDAY.
〚OE *sætern(es)dæg* ; L *Saturni dies* day of SATURN의 역(譯)〛

Sáturday nìght spécial *n.* 《美》 **1** (염가의) 소형 권총(junk gun) (=**Sáturday nìght pístol**) 《토요일 밤에 외출할 때 휴대한 데서》. **2** 〔財〕 (회사를 빼앗기 위해) 예고없이 행해지는 주식의 공개 매입(買入).

Sát·ur·days *adv.* 토요일마다[에는 언제나] (on Saturdays).

Sáturday-to-Mònday *a., n.* 토요일에서 월요일에 걸친 (휴가), 주말의 (휴가).

***Sat·urn** [sǽtərn] *n.* **1** 〔로神〕 농경의 신《Jupiter 이전의 황금시대의 주신 ; 〔그神〕의 Cronos에 해당》. **2** 〔天〕 토성(土星) : ~'s rings 토성의 고리. **3** (연금술의) 납. **4** 새턴《미국의 유인 위성 발사용 로켓》. 〚L *Saturnus*〛

Sat·ur·na·lia [sæ̀tərnéiliə] *n.* **1** [단수·복수 취급] 〔古로〕 농신제(農神祭)《12월 17일경의 추수감사제》. **2** [흔히 s~] (*pl.* **-li·as**, ~) 잔치[축제] 소동, 진탕 마시고 떠들기 : a *s*~ *of* crime 거리낌없이 저지르는 나쁜 짓. **-ná·li·an** *a.*
〚L ; ⇨ SATURN〛

Sa·tur·ni·an [sætə́:rniən] *a.* **1** Saturn의. **2** 번영하는 ; 행복한, 평화로운 : the ~ age 황금시대. **3** 〔天〕 토성의. —— *n.* **1** 토성인. **2** [*pl.*] 새턴 운율(= ~ **vérse**) 《초기 라틴 시체(詩體)》.

sa·tur·nic [sətə́:rnik] *a.* 〔醫〕 납중독(성)의.

sat·ur·nine [sǽtərnàin] *a.* **1** 〔占星〕 토성의 영향을 받아 탄생한 ; (기질·얼굴 따위) 무뚝뚝한, 음침한, 우울한(gloomy). **2** 납의[같은], 납중독의[에 걸린] : ~ poisoning 〔醫〕 납중독.

sáturn·ìsm *n.* Ⓤ 〔醫〕 납중독.

sat·ya·gra·ha [sʌ́tjəgrʌ̀hə, sətjɑ́:grəhə] *n.* **1** (1919년 M. Gandhi가 주창한) 무저항 불복종 운동(cf. GANDHISM). **2** (일반적으로) 무저항 불복종 운동. 〚Hindi<Skt. =insistence of truth〛

sa·tyr [sǽtər, séit-] *n.* **1** [흔히 S~] 〔그神〕 사티로스《주신(酒神) Bacchus를 섬기는 반인반수의 괴물로서 술과 여자를 몹시 좋아하는 숲의 요정 ; 〔로神〕의 faun에 해당》. **2** 호색가, 색정광 ; 색정증인 남자. **3** 〔昆〕 뱀눈나방. 〚OF or L<Gk.〛

sa·ty·ri·a·sis [sæ̀tərάiəsəs, sèi-] *n.* (*pl.* **-ses** [-sì:z]) 〔醫〕 남자 색정증(↔*nymphomania*).

sa·tyr·ic, -i·cal [sətírik(əl)] *a.* satyr의[와 같은] ; 호색의.

***sauce** [sɔ́:s] *n.* **1** Ⓤ,Ⓒ 소스 ; 《비유》 맛을 내는 것 ; 자극, 재미 : ☞ WHITE SAUCE / Hunger is the best ~. 《속담》 시장이 반찬이다 / *S*~ [What's ~] for the goose is ~ for the gander. 《속담》 갑에게 적용되는 것은 을에게도 적용된다. **2** Ⓤ 《美》 (과일의) 설탕절임 (cf. APPLESAUCE) ; 《美》 고기 요리에 곁들이는 야채 ; 《美俗》 가솔린 ; [보통 the ~] 《美俗》 화주. **3** Ⓤ 《口》 뻔뻔스러움, 건방진 말투(cheek) : What ~ ! 정말 뻔뻔스럽군 ! / (Give me) none of your ~ ! =I don't want any of your ~ ! =Don't come with any of your ~ ! 건방진 소리[실례되는 말] 하지 마라.
serve the same sauce to a person=***serve*** a person ***with the same sauce*** 《俗》 남에게 앙갚음하다.
—— *vt.* **1** …에 소스를 치다 ; …에 (소스로) 맛을 내다. **2** 《비유》 …에 흥을 돋구다. **3** 《口》 (남에게) 무례한[건방진] 말을 하다.
〚OF<L *salsus* salted ; ⇨ SALT〛

sáuce·bòat *n.* (배 모양의) 소스 그릇.

sáuce·bòx *n.* 《口》 건방진 녀석[아이], 풋내기.

sáuce·pàn [; -pən] *n.* 소스팬《긴 자루와 뚜껑이 있는 움푹한 냄비》.

***sau·cer** [sɔ́:sər] *n.* **1** 컵(cup)의 받침접시 : a cup and ~ ☞ CUP *n.* 1 / ☞ FLYING SAUCER. **2** 화분의 받침접시. **3** 쟁반 모양의 것 ; (토지의) 약간 움푹 팬 곳.

〖ME=plate containing SAUCE<OF〗
sáucer-éyed *a.* 눈이 휘둥그래진, 눈을 크게 뜬.
sáucer éyes *n. pl.* 접시처럼 휘둥그래진 눈《놀랐을 때 따위》.
sáucer·màn *n.* (비행 접시에 탄) 우주인.
sáu·cy *a.* **1** 뻔뻔스러운, 건방진, 불손한. **2 a)** 쾌활한, 기운찬. **b)** 《口》 맵시 있는, 멋진. **3** 《口》 포르노 기(氣)가 있는《영화·연극》.
sáu·ci·ly *adv.* **-ci·ness** *n.*
〖C16=savory ; ⇨ SAUCE〗
類義語 ⟹ IMPERTINENT.
Sa·u·di [sáudi, sɑːúːdi] *a., n.* =SAUDI ARABIAN.
Sa·u·dia [sáudiə, sɑːúːdiə] *n.* 사우디 항공(航空)《사우디아라비아의 국영 항공 회사(Saudi Arabian Airlines) ; 본사 Jidda ; 국제약칭 SV》.
Sáudi Arábia *n.* 사우디아라비아《중앙 아라비아의 왕국 ; 수도 Riyadh》.
Saúdi Arábian *a.* 사우디아라비아(사람)의.
—— *n.* 사우디아라비아의 주민.
Saúdi Arábian Áirlines *n.* =SAUDIA.
sau·er·bra·ten [sáuərbrɑ̀ːtn ; *G* záuərbraːtən] *n.* (쪄서) 식초에 절인 쇠고기[돼지고기]《남부 독일의 요리》.
〖G (*sauer* sour, *braten* roast meat)〗
sau·er·kraut [sáuərkràut] *n.* Ⓤ 소금에 절인 양배추《소금물에 절여 발효시키는 독일의 음식》.
〖G (*sauer* sour, *kraut* cabbage)〗
Sauk [sɔ́ːk] *n.* (*pl.* ~, ~**s**) 소크족(族)《북미 인디언의 한 종족》.
saul [sɔ́ːl] *n.* =SAL².
Saul *n.* **1** 남자 이름. **2** 〔聖〕 사울《(1) Israel의 초대왕. (2) 사도 Paul의 원래 이름》.
〖Heb.=asked for〗
Sau·mur [*F* somyːr] *n.* 소뮈르《프랑스 루아르 지방 Saumur 지구산(産) 포도주》.
sau·na [sɔ́ːnə, sáu-] *n.* 사우나《핀란드의 증기 목욕》; 사우나 (목욕)탕. 〖Finn.〗
saun·ter [sɔ́ːntər, sɑ́ːn-] *vi.* [動/+副/+前+名] (한가롭게) 산책하다 ; 《비유》 빈둥거리다: He ~*ed* ***about***[***along*** the street, ***through*** the park]. 여기저기를[거리를, 공원 안을] 한가로이 거닐었다 / Don't ~ *through* life. 일생을 그저 빈둥빈둥 보내지 마라. —— *n.* 산책, 한가로이 거닐기. 〖ME=to muse< ?〗
saur- [sɔ́ːr], **sau·ro-** [sɔ́ːrou, -rə] *comb. form* 「도마뱀」의 뜻. 〖Gk. *sauros* lizard〗
sau·rel [sɔ́ːrəl, sɔːrél] *n.* 《美》〔魚〕 전갱이(류). 〖F〗
sau·ri·an [sɔ́ːriən] *a., n.* 〔動〕 도마뱀류의 (동물) ; 도마뱀 비슷한. 〖L<Gk. ; ⇨ SAUR-〗
sau·roid [sɔ́ːrɔid] *a.* 도마뱀 같은. —— *n.* 도마뱀류의 동물.
-sau·rus [sɔ́ːrəs] *n. comb. form* 「도마뱀」의 뜻.
〖⇨ SAUR-〗
sau·ry [sɔ́ːri] *n.* 〔魚〕 주둥이가 긴 꽁치류의 물고기《대서양 산》; (일반적으로) 꽁치《태평양산》.
***sau·sage** [sɔ́ːsidʒ ; sɔ́s-] *n.* 소시지, 순대 ; 소시지 모양의 것 ; 〔空〕 계류 기구(繫留氣球) (=∠∽ **ballóon**) ; 《放送俗》 급조(急造)한 광고 방송 ; 《美蔑》 독일 사람 ; 《美俗》 뒤룩뒤룩하고 됨됨이 좋지 못한 선수(選手) ; 《美俗》 (호되게 얻어맞고) 얼굴이 부어오른 복서 ; 《美俗》 얼간이, 투미한 놈 ; [보통 (silly) old ~ 로서 ; 친근한 호칭 따위에 써서] 《英口》 이 바보야.
have not a sausage 《俗》 수중에 무일푼이다.
~**·lìke** *a.* 〖AF *saussiche*<L ; ⇨ SAUCE〗
sáusage cùrl *n.* 소시지 모양으로 컬한 머리.
sáusage dòg *n.* 《英口》 =DACHSHUND.
sáusage-fìll·er *n.* 소시지 속 넣는 기구.
sáusage fínger *n.* 끝이 굵고 뭉툭한 손가락(↔ *taper finger*).
sáusage-machìne *n.* 소시지용 고기 다지는 기계 ; 엄격하고 한결 같은 방식.
sáusage mèat *n.* 다진 고기《소시지 또는 소로 쓰기 위해 양념한 고기》.
sáusage róll *n.* 《英》 다진 고기를 파이 껍질에 싸서 구운 요리.
S. Aust. South Australia.
sau·té [soutéi ; ∠-] *n.* 〔料〕 소테《살짝 튀긴 요리》: pork ~ 포크 소테. —— *vt.* (~(**e**)**d** ; ~**·ing**) 소량의 기름에 살짝 튀기다, 소테로 하다.
—— *a.* 소테의[로 한].
〖F (p.p.) ‹ *sauter* to jump〗
sau·ternes [soutə́ːrn, -téərn] *n.* Ⓤ [흔히 S~] 소테른《프랑스 남서부 Bordeaux 부근의 Sauternes 원산의 백포도주》.
sauve qui peut [*F* sov ki pø] *n.* 궤주(潰走), 대패배. 〖F=let him save himself who can〗
***sav·age** [sǽvidʒ] *a.* **1** 야만의, 미개한. **2** 《英古·美》 (경치 따위가) 황폐한, 황량한(wild). **3** 잔인[잔혹]한(brutal) ; 사나운(ferocious) ; 조야한, 버릇없는 ; 〔紋〕 나체의 ; 《古》 야성의(untamed) ; (성미가) 까다로운. **4** 《口》 몹시 성난 : get ~ with …에 대해 몹시 화를 내다 / That made him ~. 그것 때문에 그는 몹시 화가났다. **5** 《學俗》 멋진, 최고의. —— *n.* 야만인, 미개인 ; 사나운 사람[짐승] ; 조야한[버릇없는] 사람 ; 《俗》 호되게 남의 부하로 일하는 사람, 고용인. —— *vt.* (개·말 따위가) 날뛰며 물어뜯다[짓밟다] ; (일반적으로) 엄하게 다루다, 맹렬히 비난하다. ~**·ly** *adv.* ~**·ness** *n.*
〖OF (L *silva* a wood)〗
類義語 ⟹ BARBARIAN.
sávage·ry *n.* **1** Ⓤ 야만[미개] 상태. **2** Ⓤ 흉포성, 잔인(fierceness) ; Ⓒ 만행. **3** 황량.
SAVAK, Sa·vak [sævǽk, sɑːvɑ́ːk] *n.* (혁명(1979) 전 이란의) 국가 치안 정보국, 비밀 경찰.
〖Pers. *S*āzmān-i-*A*ttalāt *V*a *A*mnīyat-i-*K*eshvar〗
sa·van·na, -nah [səvǽnə] *n.* (열대 또는 아열대 지방의) 대초원, 사바나, (특히 미국 남동부의 수목이 없는) 평원, 초원(cf. PAMPAS, PRAIRIE, STEPPE).
〖Sp. *zavana*〗
sa·vant [sǽvənt, sævɑ́ːnt, səvǽnt] *n.* (*fem.* **-vante** [—]) 학자, (특히) 유명한 과학자.
〖F (pres. p.) ‹ *savoir* to know ; ⇨ SAPIENT〗
sav·a·rin [sǽvərən] *n.* 사바랭《럼이나 버찌 시럽 따위를 넣어 만든 스펀지 케이크》.
〖A. Brillat-*Savarin* (d. 1826) 프랑스의 정치가·작가로 요리의 맛에 정통〗
sa·vate [səvǽt, -vɑ́ːt] *n.* 옛날의 프랑스식 권투《주먹과 발을 씀》. 〖F=old shoe ; cf. SABOT〗
‡**save**¹ [séiv] *vt.* **1** [+目/+目+*from*+名] **a)** (위험에서) 구출하다, 구조하다, 건지다(rescue) : ~ a person's life 남의 생명을 구하다 / He ~*d* her ***from*** drown*ing*[be*ing* drowned]. 그는 익사 직전의 그녀를 구했다. **b)** 〔神學〕 (죄에서) 구하다 ; 구제하다. **c)** (명예 따위의) 훼손을[손실을] 모면하게 하다 ; (곤경에서) 용케 헤어나다 : ~ one's honor[name] 명예를[명성을] 유지하다 / ~ (one's) face ☞ FACE *n.* 8 / ~ one's (own) skin ☞ SKIN 숙어 / ~ the situation ☞ SITUATION 2.

2 a) [＋目/＋目＋副/＋目＋*for*＋名] 비축하다, 저축하다, 남겨두다 : A penny ～*d* is a penny gained[earned]. 《속담》 티끌 모아 태산 / He is *saving* (**up**) money **for** his old age. 노후를 위해서 돈을 저축하고 있다 / She ～*d* what was left of the food *for* supper. 야식을 위해서 남은 음식을 따로 두었다 / *S*～ some candy *for* your little sister. 너의 누이동생에게 줄 사탕을 조금 남겨두어라. **b)** [＋目/＋目＋*for*＋名] (수고 따위를) 덜다 ; 소중히 다루다 : *S*～ your strength. 체력을 소모하지 않도록 하시오 / You may ～ your pains[trouble]. 헛수고[고생]하지 않는 것이 좋다 / Large print ～*s* your eyes. 커다란 활자는 눈의 피로를 덜어준다 / I'm *saving* myself **for** the game tomorrow. 내일의 시합을 위해서 쉬고 있는 중이다.
3 [＋目 / ＋do*ing* / ＋目＋目] (금전·고생 따위를) 덜다, (지출을) 줄이다 : A stitch in time ～*s* nine. 《속담》 제 때의 한 땀은 나중의 아홉 땀을 던다 / We can ～ two hours by taking the express. 급행을 타면 두 시간 절약할 수 있다 / Walking to school, I ～*d* spend*ing* money on the bus fares. 걸어서 등교하여 버스 값을 절약했다 / That will ～ me a hundred dollars. 그렇게 하면 100달러가 절약된다 / The bridge ～*d* them much time and trouble during their journey. 그 다리의 덕택으로 여행 중에 많은 시간과 수고를 덜었다. 주 수동태로는 : I *was* ～*d* the trouble to go there myself. 내가 몸소 그곳에 가야 하는 수고가 덜어졌다.
4 …의 시간에 맞추다 : to ～ the (next) post 다음 편지 편에 댈 수 있도록 / ～ the tide 밀물 때에 입항[출항]하다 ; 《비유》 적시를 놓치지 않다.
5 제외하다《현재분사로만 사용 ; cf. SAVING[1] *prep.*, SAVE[2]》.
6 〔컴퓨〕 (프로그램·데이터를) 세이브하다, 저장하다.
7 〔競〕 상대방이 득점을 못하도록 하다.
—— *vi.* **1** 구하다, 구제하다 : Christ alone has the power to ～. 그리스도만이 영혼을 구할 수 있는 능력을 갖고 있다. **2** [動/＋*for*＋名] 모으다, 저금하다 ; 절약하다[하며 살다] : It was difficult for anyone to ～ with such a heavy income tax. 그렇게 많은 소득세가 부과되어서는 누구나 저축하기란 힘든 일이었다 / One should ～ **for** a rainy day. 만일의 경우에 대비해서 저축을 해야 한다. **3** (음식이) 오래가다. **4** 〔競〕 상대방이 득점하지 못하게 하다, 골을 지키다.
(***God***) ***save me from my friends.*** 내 걱정 마라, 웬 참견이야!
God save the Queen[***King***]***!*** 여왕[국왕] 폐하 만세! 《영국 국가(國歌)》.
save a person ***from*** him***self*** 남이 그 자신의 어리석은 행동 때문에 곤란받고 있는 것을 구해주다.
save one***'s breath*** ☞ BREATH.
Save us! 어머!, 깜짝이야!
—— *n.* (축구 따위에서) 상대편의 득점을 저지하기 ; 〔카드놀이〕 (브리지에서) 커다란 손실을 막기 위한 수단 ; 〔野〕 구원 투수가 리드를 지켜내기, 세이브 ; 〔컴퓨〕 세이브, 갈무리, 저장.
sáv·able, ～·able *a.* 구할 수 있는 ; 절약[저축] 할 수 있는. 〖AF<L *salvo* ; ⇨ SAFE〗
類義語 ***save*** 「구하다」의 뜻으로 가장 범위가 넓은 일반적인 말. ***rescue*** 사람을 죽음이나 절박한 위험 따위에서 구하다 : *rescue* a drowning child (익사 직전의 아이를 구하다). ***deliver*** 구속받은 몸, 속박[압박]된 상태에서 사람을 해방시키다 : *deliver* prisoners (죄수를 석방하다). ***redeem*** 속박·죄·나쁜 상태에서 빠져 나오게 하여 자유로운 몸 또는 좋은 상태로 복귀시키다 : How can we *redeem* her from her sin? (어떻게 그녀를 죄에서 구원할 수 있을까).

***save**[2] [seiv, sèiv] *prep.* …을 제외하고, …이외는, …은 별도로 치고(except) : the last ～ (＝but) one 마지막에서 두번째 / all dead ～ him 그를 제외하고는 모두 죽어. 주 《英》에서는 《古·文語》, 《美》에서는 except 다음으로 널리 쓰임.
save and except... 《스코》 …이외는, …을 제외하고는.
save errors 〔商〕 오산은 별도로 하고.
save for... ＝EXCEPT *for*....
—— *conj.* **1** 《文語》 …인 것을 제외하고는, …이외에는〈*that*...〉 : There was not a sound ～ *that* from time to time a bird called. 때때로 새가 지저귀는 소리 외에는 아무 소리도 들리지 않았다. **2** 《古》 …이 아니면(unless).
〖OF<L (abl. sg.) 〈SAFE〗

sáve-àll *n.* **1** 절약 장치 ; (초가 다 타도록 하는) 촛대 받이, 기름 받이. **2** 〔海〕 (바람을 될 수 있는 대로 많이 받기 위한) 보조 돛. **3** 《方》 저금통 ; 《英方》 구두쇠. **4** 어린이의 덧옷(overalls), (여공 등의) 에이프런(pinafore).
sáve-as-you-éarn *n.* 《英》 급료 총액 중에서 일정액을 공제한 예금《略 S.A.Y.E., SAYE》.
sáve·ènergy *n.* 《美》 에너지 절약.
sav·e·loy [sǽvəlɔ̀i] *n.* U,C 《英》 양념한 건제(乾製) 소시지. 〖F *cervelat*<It. (*cervello* brain)〗
sav·er [séivər] *n.* **1** 구원자, 구조자, 구제자. **2** 절약가, 저축가. **3** [복합어를 이루어] …절약기[장치].
Sáv·ile Rów [sǽvəl-] *n.* 새빌 로《London의 일류 양복점이 많은 거리》.
sav·in, -ine [sǽvən] *n.* 〔植〕 사비나, 사빈《유럽·아시아산 향나무의 하나》.
〖OF<L *sabina*〗
***sav·ing**[1] [séiviŋ] *a.* **1 a)** 구원의, 구조[구제]가 되는 : by the ～ grace of God 신의 가호로. **b)** 장점[벌충]이 되는(redeeming) : the ～ grace of modesty 겸손이라는 장점. **2** 절약하는(economical), 검소한(frugal) ; (수고 따위를) 더는, 도움[힘]이 되는(laborsaving). **3** 보류[유보]의, 제외적인 : a ～ clause 유보조항, 단서(但書) (proviso). —— *n.* **1** U 구조, 구제. **2** U,C 절약, 검약 ; [*pl.*] 저금, 저축 : much[little] ～*s* 고액[소액]의 저금. **3** U 〔法〕 보류, 제외. 〖SAVE[1]〗
sav·ing[2] [sèiviŋ, ∸] *prep.* 《古》 **1** …이외는. **2** …에게 경의를 표하면서 : ～ your presence 당신 앞에서 이렇게 말씀드리는 것은 실례지만《구식의 표현》. —— *conj.* 《稀》 …임을 제외하고는(except).
〖SAVE[2] ; *touching*에 준한 것〗
-sav·ing [séiviŋ] *a. suf.* 「…을 절약하는」의 뜻 : a battery-*saving* circuit 전지를 절약하는 회로.
sávings accòunt *n.* 《美》 저축 예금 계좌 ; 《英》 deposit account보다 이율이 높은 은행 예금 계좌.
sávings and lóan associàtion *n.* 《美》 저축 대출 조합(building and loan association) 《주택 금융 기관 ; cf. BUILDING SOCIETY》.
sávings bànk *n.* 저축 은행 ; (경화용의) 저금통 : a post-office ～ ☞ POST-OFFICE.
sávings bònd *n.* 《美》 (합중국) 저축 채권.
sávings stàmp *n.* 《美》 저축 스탬프《일정 액수에 이르면 savings bond로 전환되어짐》.
***sav·ior | sav·iour** [séivjər] *n.* **1** 구조자, 구제

자, 구원자. **2** [the *or* our S~] 구세주 그리스도 (Christ). 〖OF<L; ⇨ SAVE[1]〗

Sa·voie [*F* savwa] *n.* **1** 사부아《프랑스 동부의 주(州)》. **2** 사부아《Savoy의 프랑스어명(語名)》.

sa·voir faire [sæ̀vwɑːr féər, -fǽər] *n.* 사교상의 때와 경우에 따른 적절한 언동을 습득하기, 임기응변의 기지, 재치.
〖F=to know how to do〗

sávoir ví·vre [´- víːvrə] *n.* 상류사회의 관습을 습득하기, 교양[가정 교육]이 좋음, 예절 바름, 처세술. 〖F=to know how to live〗

Sa·vo·na·ro·la [sæ̀vənəróulə, səvɑ̀ː-] *n.* 사보나롤라. **Girolamo** ~ (1452-98) 이탈리아의 도미니크회 수사로 순교한 종교 개혁가.

***sa·vor** | **sa·vour** [séivər] *n.* **1** Ⓤ,Ⓒ 맛, 풍미; 《古·詩》 향기. **2** Ⓤ,Ⓒ 《비유》 운치, 재미, 흥미, 자극; 특질; 독특한 맛. **3** [a ~] 기미, 다소, 약간: There was *a* ~ *of* insolence in his manner. 그의 태도는 어딘가 좀 거만한 데가 있었다.
—— *vi.* [+*of*+名] **1** 향기가 나다, 풍미가 있다: This sauce ~*s* ***of*** lemon. 이 소스는 레몬 향이 난다. **2** (보통 나쁜 성질의) 기미가 있다: His talk ~*ed* ***of*** self-conceit. 그의 말에는 약간 자만기가 있다.
—— *vt.* **1** …에 맛[풍미]을 내다. **2** …의 기미를 보이다. **3** 맛보다, 맛을 음미하다; 감상하다, 취미를 붙이다. **~·er** *n.* 맛을 가미하는 사람[것]. **sá·vor·ing·ly** *adv.* **~·less** *a.* 풍미 없는, 맛없는. **~·ous** *a.* 맛이 좋은[있는].
〖OF<L *sapor* (*sapio* to taste); cf. SAGE[1]〗

sa·vory[1] [séivəri] *n.* Ⓤ 〔植〕 (요리용의) 꿀풀과의 식물.
〖? OE *sætherie*<L<?〗

sa·vory[2] | **sa·voury** [séivəri] *a.* **1** 맛 좋은, 풍미 있는, 향기로운; 《비유》 즐거운. **2** [부정구문] 《文語》 (땅이) 살기에 좋은, (평판이) 좋은; (행위 따위가) 단정한. **3** 〔料〕 짭짤한, 소금기가 있는(cf. SWEET 1): a ~ omelette (야채·치즈 따위를 넣은) 짭짤한 오믈렛. —— *n.* 《英》 (보통 식전·식후의) 짭짤한 요리, (식후의) 입가심(cf. SWEET *n.* 1 b)); 《美》 향신료 식물.
sá·vor·i·ly *adv.* **-i·ness** *n.*
〖OF (p.p.) ‹*savourer* to SAVOR〗

sa·voy [səvɔ́i] *n.* 양배추의 일종.

Savoy *n.* 사보이, 사부아《프랑스 남동부의 지방; 원래 공국(公國)》.

Sa·voy·ard [səvɔ́iɑːrd, sæ̀vɔiɑ́ːrd; *F* savwajaːr] *a.* Savoy(의 주민[방언])의. —— *n.* 사부아(Savoie)의 주민[방언].

sav·vy [sǽvi] *vt., vi.* 《俗》 알다, 이해하다: *S*~? 알겠느냐 / No ~. 모른다. —— *n.* 그 방면의 지식[지혜]; 상식, 지각, 분별; 이해; 육감, 재치, 기지. —— *a.* 지혜[경험]가 있는, 정통한, 분별력이 있는, 노련한, 빈틈없는, 재빠른. 〖Negro and Pidgin E<Sp. *sabe* he knows; ⇨ SAPIENT〗

◇**saw**[1] *v.* SEE[1]의 과거형.

***saw**[2] [sɔ́ː] *n.* **1** 톱. **2** 〔動〕 톱니 모양의 부분[기관(器官)].
—— *v.* (**~ed**; **sawn** [sɔ́ːn], 《稀》 **~ed**) *vt.* [+目/+目+前+名/+目+副] **1** 톱으로 켜다; (톱을 사용하듯이) 움직이다; 톱으로 켜서 만들다; …으로 켜다: ~ wood 재목을 톱으로 켜다 / ~ the air (with one's hands) (톱질하듯이) 팔을 앞뒤로 움직이다 / ~ planks ***out of*** timber =~ timber ***into*** planks 재목을 켜서 널빤지를 만들다 / ~ a branch ***off*** 가지를 톱으로 잘라내다 / ~ a tree ***down*** 나무를 톱으로 켜서 쓰러뜨리다 / I ~*ed* the branches ***up*** to make firewood. 땔나무로 쓰기 위해서 그 가지를 톱질했다. **2** 〔製本〕 (책의 등에) 톱 자국을 내다.
—— *vi.* **1** [動/+前+名] 나무를 켜다, 톱질하다: ~ crossways[lengthways] of the grain 나뭇결을 가로[세로] 켜다 / ~ ***through*** a log 통나무를 톱으로 켜다. **2** [+副] (톱이) 들다; 톱으로 켜지다: This kind of wood ~*s easily*[*badly*]. 이 종류의 나무는 톱으로 잘 켜진다[잘 켜지지 않는다]. **3** [動/+副/+前+名] 톱질하는 것 같은 손짓을 하다: He was ~*ing away* ***at*** his fiddle. 바이올린을 (톱질하듯이) 켜고 있었다.
〖OE *sagu*; cf. G *Säge*, L *seco* to cut, *securis* axe〗

saw[3] *n.* 속담, 격언(proverb); (늘 말하는) 상투어; 《俗》 케케묵은 이야기[농담]; 《美俗》 10달러(지폐): an old ~ 옛 속담, 고어(古語) / a wise ~ 금언. 〖OE *sagu*; cf. SAY[1], SAGA, G *Sage*〗

sáw·bìll *n.* 〔鳥〕 톱니 모양의 부리를 가진 새, (특히) 비오리.

sáw·bònes *n.* (*pl.* ~, ~·**es**) 《俗》 의사, (특히) 외과 의사(surgeon).

sáw·bùck *n.* 《美》 **1** =SAWHORSE. **2** 《俗》 10달러 지폐《톱질 모탕이 로마숫자 10을 나타내는 X와 모양이 비슷한 데서》; 《俗》 10년형(刑).

sáwbuck tàble *n.* X형 다리의 테이블.

saw·der [sɔ́ːdər] *n., vt.* 《口》 아부, 아첨(을 하다): ☞ SOFT SAWDER.
〖SOLDER〗

sáw-dòctor *n.* 《英》 톱날 세우는 기구.

sáw·dùst *n.* Ⓤ 톱밥; 《美學生俗》 사탕.
let the sawdust out of... (인형 속의 톱밥을 꺼내는 것처럼) …의 결점을 들추어내다.

sáwdust pàrlor *n.* 《美俗》 대중 술집[식당].

saw·édged *a.* 톱니 모양의 날의, (칼)날의 이가 빠진.

sáwed-óff, sáwn-óff *a.* 《美》 **1** 한 끝을 (톱으로 잘라) 없앤, 짧게 한; 《口》 (소총 따위의) 총신이 짧은; (평균보다) 키가 작은: a ~ gun 총신을 짧게 자른 소총. **2** 《俗》 따돌림받는 사람의, 지탄받는[배척당하는] 사람의.

sáw·fìsh *n.* 〔魚〕 톱상어.

sáw·flỳ *n.* 〔昆〕 잎벌《총칭》.

sáw frame[**gàte**] *n.* 톱틀.

sáw gràss *n.* 〔植〕 잎 가장자리가 톱니 모양인 억새류의 식물.

sáw·hòrse *n.* 톱질 모탕.

sáw·lòg *n.* 톱질할 통나무.

sáw·mìll *n.* 제재소; 대형 제재(製材)용 톱.

sawhorse

***sawn** *v.* SAW[2]의 과거분사.

Saw·n(e)y [sɔ́ːni] *n.* **1** 《蔑》 스코틀랜드 사람. **2** [보통 s~] 《英口》 바보, 얼간이. —— *a.* [보통 s~] 《英口》 바보같은, 얼간이의.

sáw·pìt *n.* 톱질 구덩이《한 사람은 위에서 또 한 사람은 그 속으로 들어가 켜는 구덩이; cf. PIT SAW》.

sáw sèt *n.* 〔機〕 톱니를 좌우로 벌리는 도구.

sáw·tòoth *n.* 톱니, 톱니 모양의 이. —— *a.* 톱니 모양의, 들쭉날쭉한.

sáw·tòothed *a.* 톱니 (모양)의, 들쭉날쭉한.

saw·yer [sɔ́ːjər, 美+sɔ́iər] *n.* **1** 톱질하는 사람; 《美》 강바닥에 묻혀 가지만 수면을 향해 있는 나무: ☞ TOP SAWYER. **2** 〔昆〕 하늘소.

sax[1] [sǽks] *n.* 슬레이트공(工)용의 손도끼.
〖OE *seax* knife〗

sax² *n.* 《口》 색스(saxophone) ; 색스 연주자.
Sax [*F* saks] *n.* 삭스. **Antoine Joseph ~** (1814-94) 벨기에의 악기 제작자(製作者) ; 통칭 'Adolphe ~'.
Sax. Saxon ; Saxony.
sax·a·tile [sǽksətəl ; -tàil] *a.* =SAXICOLOUS.
saxe [sǽks] *n.* Ⓤ **1** =SAXE BLUE. **2** 사진용 난백지(卵白紙)[인화지].
Saxe [*F* saks] *n.* Saxony의 프랑스어명(語名).
sáxe blúe *n.* [흔히 S~] 밝은 회청(灰靑)색.
Saxe-Co·burg-Go·tha [sǽkskóubəːrggóuθə] *n.* 색스코버그고사《영국 왕가의 이름 ; Edward 7세 및 George 5세의 재위 반까지(1901-17) ; 그 후는 Windsor라 일컬음》.
sáx·hòrn [sǽks-] *n.* 〖樂〗 색스혼《피스톤이 달린 금관악기 ; cf. ALTHORN, SAXOPHONE》. 〖A. J. *Sax*〗

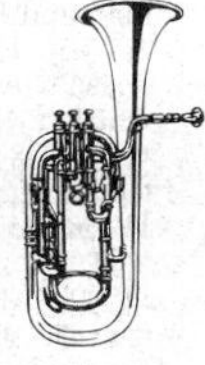
saxhorn

sax·ic·o·lous [sæksíkələs], **sax·ic·o·line** [-lən, -làin] *a.* 〖生態〗 암석 표면[사이]에서 사는[자라는], 암생(岩生)의.
sax·i·frage [sǽksəfrèidʒ, -fridʒ] *n.* 〖植〗 바위취속(屬)의 각종 식물. 〖F or L (*saxum* rock, *frango* to break)〗
saxi·tóxin [sæ̀ksə-] *n.* 〖生化〗 색시톡신《어떤 종류의 플랑크톤이 분비하는 신경독 ; 패류 따위에 의한 식중독의 원인》.
Sax·on [sǽksən] *n.* **1 a**) 색슨인 ; [the ~s] 색슨족《독일 북부의 게르만 민족으로 5-6세기에 앵글족, 주트족과 더불어 잉글랜드를 침략하고 융합하여 앵글로색슨족이 되었음》. **b**) 작센인《독일 Saxony 주 사람》. **c**) (웨일스인·스코틀랜드인에 대하여) 잉글랜드인(Englishman). **d**) 스코틀랜드 저지인(低地人). **2** Ⓤ **a**) 색슨어(語) : ☞ OLD SAXON. **b**) 앵글로색슨어 ; (저지 독일어의) 작센 방언. **c**) (영어 본래의) 게르만어계 요소. ── *a.* **1** 색슨(인[어])의 : ~ words (게르만 어계(語系)) 순수한 영어. **2** 작센인의. 〖OF<L *Saxon- Saxo* (pl.) Saxons<Gk. < Gmc. ; cf. SAX¹〗
Sáxon blúe *n.* 작센청(靑)《인디고를 황산으로 용해한 염료》. 〖*Saxony* 최초의 생산지〗
Sáxon·ìsm *n.* **1** Ⓤ 앵글로색슨 기질, 영국 혼[정신]. **2** Ⓤ 영국 국수주의, 외래어 배격주의. **3** 앵글로색슨어(법). **-ist** *n.* 앵글로색슨어 학자.
Sax·o·ny [sǽksəni] *n.* **1** 작센(*G* Sachsen)《독일의 주(州) ; 주도 Dresden》. **2** Ⓤ [s~] 색스니《메리노양에서 얻는 고급 방모사 ; 그 부드러운 방모직물》.
sax·o·phone [sǽksəfòun] *n.* 〖樂〗 색소폰《클라리넷 종류의 취구(吹口)가 하나 있는 취주 악기 ; cf. SAXHORN》.
sáx·o·phòn·ist [; sæksɔ́fə-] *n.* 색소폰 연주자.
sáx·túba [sǽks-] *n.* 〖樂〗 저음 색소폰. 〖A.J. *Sax*〗

saxophone

◇**say** [séi] *v.* (**said** [séd, 弱 səd] ; 3인칭 단수 현재 **says** [séz, 弱 səz]) *vt.* **1** [+目/+目+前+名/+*that* 節/+*wh.* 節] 말하다, 이야기하다, 진술하다 ; 표현하다, 전하다 : What did you ~? 뭐라고 말씀하셨지요 / *S*~ "Yes" instead of nodding. 고개를 끄덕이지 말고 네라고 말하시오 / There is much to be *said* on both sides. 양쪽 다 할 말이 많다 / *S*~ no more! 이제 그만, 잘 알았다 / You may well ~ so. 그렇게 말하는 것도 무리가 아니다 / Do you ~ so? 그게 정말입니까 / You don't ~ so! 설마!, 그럴까! ; 아무려니! / So you ~. 그게 정말이라는 말씀이군요《과연 그럴까》/ Who shall I ~, sir? 누구시라고 말씀드릴까요《안내인의 말》/ Easier *said* than done. 《속담》 말하기는 쉬워도 행하기는 어렵다 / The less *said* about it the better. 《속담》 말은 적을수록 좋다 / That's ~*ing* a great deal. 그것은 대단한 일이다, 그거 큰일이다[뜻밖이다] / That's what you ~. 그것은 너의 말[의견]이다《의심을 나타냄》/ *S*~ it with flowers. ☞ FLOWER *n.* 숙어 / The picture ~*s* nothing new. 이 그림은 조금도 새로운 것을 표현하고 있지 않다《새로운 맛이 없다》/ *S*~ "Thank you" ***to*** the gentleman. 그 아저씨께 고맙습니다라고 말해야지 / Do you have anything to ~ ***for*** yourself? 뭐 변명할 말이라도 있나요(cf. *have nothing to* SAY *for* one*self*) / I can't ~ much *for* it. 그것이 그렇게 좋다고는 생각지 않는다 / What do people ~ ***of*** me? 다른 사람들은 나에 대해서 뭐라고 말하고 있습니까 / She *said that* she lived alone with her mother. 그녀는 어머니와 단둘이 산다고 말했다 / I am sorry to ~ (*that*).... 유감스럽게도 …입니다 / I can't ~ (*that*) I like that picture. 어쩐지 저 그림은 마음에 들지 않는다 / I must ~ you are exaggerating. 실례의 말이지만 당신은 과장하고 있군요 / *It* is *said* (=They ~) *that* we are going to have a warmer winter this year. 이번 겨울은 따스할 것이라고들 한다 / I should ~ (*that*).... (단정적으로 말하지 않고) …라고 말해도 좋으리라, …이겠지요 / I should ~ not. 그렇지 않다고 생각한다《not은 부정 내용의 *that* 節을 대표하고 있음》/ That is, I should[《美》 would] ~, true. 그것은 아마도 사실일 것이다 / *S*~ *where* you want to go. 어디에 가고 싶은지 말해 보시오 / There is no ~*ing who* it was. 누구였는지 전혀 모르겠다. 주 (1) 직접 화법을 이끄는 어순 : He *said*, "Listen!" / "Listen!" he *said*. / "Listen!" *said* he. / "Listen!" *said* the man. (2) [+目+*to* do]의 구문에서는 수동태로만 쓰임 : He *is said to* be dead[*to* have done it]. 그가 죽었다[그것을 했다]고들 한다. (3) 「그는 (자신이) 간다고 한다」의 뜻으로 He ~*s to* go. 라고 하지 않고 He ~*s* (*that*) he will go.라고 함(cf. 5).
2 [+目/+*that* 節] (신문·게시 따위에) …라고 쓰여 있다, 나붙어 있다 : The notice ~*s*, "No school on Tuesday." 게시판에 화요일 휴교라고 붙어 있다 / The letter ~*s that* her mother is seriously ill. 그 편지에는 그녀의 모친이 위독하다고 쓰여 있다.
3 외우다, 읽다, 부르다 : ~ one's lesson(s) 배운 것을 암송하다, 숙제《따위》를 선생님 앞에서 외우다 / ~ Mass ☞ MASS 숙어 / *S*~ your prayers[grace]. 기도[식전 (또는 식후)의 감사기도]를 드리시오 / to be *said* or sung 낭송하거나 노래하다.
4 [명령법으로] **a**) [+*that* 節] (가령) …라고 한다면(cf. SUPPOSE 1 b)) : *S*~ (=Suppose, If) it were true, what then? 가령 정말이라고 한다면 어떻다는 거냐 / *Let us* ~ that such an offer is made. Would you accept it? 가령 그러한 제의가 있다고 한다면 당신은 그것을 받아들이겠습니

까. **b**) [보통 수사 또는 예시하는 문장 앞에 써서] 이를테면, 가령 ; 대체로, 대략, 약… : Look at the map of a large city, ~ (=for example), London or New York. 대도시 — 이를테면 런던이라든가, 뉴욕의 지도를 보시오 / You will have to pay some money on account, ~(=about), five dollars. 선금을 약간, 글쎄, 5달러쯤 지급해야겠지요.
5 [+*to* do] 《美口》 명하다, (…하라)고 말하다 : He *said* (*for* me) *to* tell you not to come. 그는 너는 오지 말라고 말했다.

〈회화〉
I'd better *say* good-by. — Well then, *say* hello to your sister. 「이제 가봐야겠습니다」「저, 그럼 누님께 안부 전해주세요」

── *vi.* **1** [動/+副] 말하다, 이야기하다, 지껄이다 : just as you ~ 네가 말한 대로 / *S*~ ***on***. [보통 명령적으로] 《口》 말을 계속하시오, 하고 싶은 말을 계속해 보시오. **2** 의견을 말하다, 단언하다 : I cannot ~. 잘 모르겠는 걸. **3 a**) [감탄사적으로] 《美口》 이봐, 여보세요, 저어(cf. *I* SAY (1)) : *S*~, there! 여보세요. **b**) =*I* SAY (2).

〈회화〉
Don't be so nervous about it. — That's easy for you to *say*! 「그 일에 너무 신경 쓰지 마라」「말하기는 쉽지」

as much as to say... ☞ MUCH.
as who should say... ☞ WHO.
have nothing to say for one***self*** 변명할 수 없다 ; 《口》 수줍어서 잠자코 있다, 용기가 없어서 아무 말도 못하다.
I'll say. 《口》 글쎄요, 과연.
I say (1) 《英口》 이봐, 여보세요, 저어(cf. *vi.* 3) : *I* ~, I'm going swimming. Won't you come with me? 이봐, 수영하러 가는데 너도 같이 안가겠니. (2) 아이고 (깜짝이야)!, 저런!, 이거 참! (Say !) : *I* ~! What a beauty! 야아[어머나], 참 아름답구나.
It goes without saying that... 《주로 文語》 …은 물론이다[말할 것도 없다] 《프랑스어(語)의 *Cela va sans dire*의 번역에 의한 문구》.
It says in the Bible ***that...*** 성서에 …라고 쓰여 있다. 注 보통의 문어체에서는 The Bible ~*s that*...(☞ *vt.* 2)이 확립된 표현법임.
let us say =*vt.* 4 a).
not to say …은 아니더라도, …이라고는 할 수 없더라도(cf. *to* SAY *nothing of*) : It is warm, *not to* ~ hot. 덥다고는 말할 수 없을지 모르지만 아무튼 따뜻하다.
Say ! (1) 《美口》 ☞ *vi.* 3 a). (2) 《口》 =*I* SAY (2).
say away=***say on*** (*vi.*) [보통 명령적으로] 《口》 거침 없이 말해라, 그 다음을 말해라 (cf. FIRE *away*).
say no 「아니」라고 말하다 ; 승낙하지 않다(↔ *say yes*) : He never ~*s no to* a game of chess. 체스를 하자면 결코 싫다고 하는 일이 없다.
say one***'s say*** ☞ SAY *n.*
say out 털어놓고[속속들이] 말하다.
say ... over (***again***) 되풀이해서 말하다.
says I 《俗·卑》 내가 말하기를, 내가 한 말이지만(said I) 《남과의 얘기를 다시 제삼자에게 전할 때 하는 말》.
say to one***self*** (마음 속에서) 다짐하다, 혼자서 생각하다(think) ; 혼자 중얼거리다.
Say when ! 《口》 그만이라고[됐다고] 하시오 《술 따위를 따라줄 때》.
say yes 「그렇다」고 말하다 ; 승낙하다(↔*say no*)〈*to*〉.
that is to say 즉, 바꾸어 말하면(in other words) ; 적어도(at least) : next Friday, *that is to* ~, the 13th of June 다음 금요일, 즉 6월 13일 / He has never been in business, *that is to* ~, no one knows he has. 그는 장사를 해본 적이 없다 — 적어도 그가 장사를 했다는 사실을 알고 있는 사람은 아무도 없다.
though I say it (***who***[《口》 ***as***] ***should not***) 내 입으로 말하기는 좀 우습지만.
to say nothing of …은 말할 것도 없고, …은 차치하고(cf. *not to* SAY) : She can speak German and French, *to* ~ *nothing of* English. 영어는 물론 독일어와 프랑스어도 말할 줄 안다 / He doesn't even drink beer, *to* ~ *nothing of* whisky. 위스키는 커녕 맥주조차도 마시지 않는다. 注 유사한 숙어에 not to mention[speak], let alone, apart[《美》 aside] from 따위가 있음.
What do you say to...? (1) …을 어떻게 생각합니까 : *What do you* ~ *to* his new book? 그의 새 저서를 어떻게 생각하십니까. (2) …은 어떻습니까 《권유할 때 따위》 : *What do you* ~ *to* a game of cards? 카드 놀이 한 판 하지 않겠니.
What say you to...? =*What do you* SAY *to...?* (2).
when all is said (***and done***) 결국(은), 즉 (after all).
You can say that again ! =***You*** [***You've***] ***said it !*** 《口》 네가 말한 그대로다, 정말 그렇다.

〈회화〉
We have had a lot of rain this month. — *You can say that again*! 「이달에는 비가 아주 많이 왔어요」「정말 그래요」

── *n.* **1** 하고 싶은 말, 말해야 할 것, 할 말 ; 영향력 있는 발언 ; 발언권, 발언할 차례[기회] : We have a[no, some, not much] ~ *in* the matter. 우리는 그 문제에 대해 말할 권리가 있다[없다, 다소 있다, 별로 없다] / Say your ~. 하고 싶은 말을 다 하시오 / Let me have my ~. 내게도 하고 싶은 말을 하게 해주시오 / It is now my ~. 이번에는 내가 말할 차례다. **2** [the ~] 《美》 결정권 : Who has *the* ~ *in* this matter? 이 문제의 결정권은 누구에게 있는가.
〖OE *secgan* ; cf. SAW[3], G *sagen* ; 현재의 형(形)은 OE *seg*-(2·3 ind. pres. sg.)에서〗

S.A.Y.E., SAYE save-as-you-earn.

***sáy·ing** *n.* [+*that* 節] **1** 말하기, 말, 언설 : ~*s* and doings 언행 / It was a ~ of his that.... 그는 곧잘 그렇게 말했는데 《프랑스어법》. **2** 옛말, 속담, 격언(proverb) : It's a common ~ *that* …은 흔히들 하는 말이다 / as the ~ is[goes]... 흔히 말하듯이, 속담에서도 이르듯이 / There is an old ~ *that* Egypt is the gift of the Nile. 이집트는 나일강의 선물이라는 옛말이 있다.

sáy-sò *n.* Ⓤ 《美口》 독단 ; 권위있는 성명 ; 발언권, 결정권 ; 권위, 권력.

Sb 〔化〕 *stibium* 《L》 (=antimony). **sb.** 〔文法〕 substantive. **s.b.** single-breasted.
s.b., sb 〔野〕 stolen base(s) (도루).
S.B. *Scientiae Baccalaureus* 《L》 (=Bachelor of Science) ; simultaneous broadcasting.
SBA, S.B.A. 《美》 Small Business Administration(중소 기업청).

S-band [és-́] *n.* 〔通信〕 S주파수대《1550-5200 MHz의 극초단파의 주파수대》.
SBC 〔컴퓨〕 single board computer ; small business computer. **SbE.** South by East. **SBIC** small business investment corporation.
'sblood [zblʌ́d] *int.* 《廢》 망할 자식[것]!, 제기(랄)!, 앗!, 야단났다! 〖God*'s blood*!〗
SBN Standard Book Number. **SBR** styrene-butadiene rubber《합성고무의 일종으로 천연고무의 대용품》. **SbW.** South by West.
Sc 〔化〕 scandium ; 〔氣〕 stratocumulus.
sc. scale ; scene ; science ; scientific ; scilicet ; screw ; 〔測〕 scruple ; sculpsit.
Sc. Scotch ; Scotland ; Scots ; Scottish.
s.c. 〔海上保險〕 salvage charges ; 〔商〕 sharp cash ; 〔印〕 small capitals ; 〔紙〕 supercalendered.
S.C. Sanitary Corps ; Security Council (of the United Nations)《유엔 안전 보장 이사회》; South Carolina ; Supreme Court. **SCA** shuttle carrier aircraft.
scab [skǽ(:)b] *n.* **1** (상처의) 딱지. **2** Ⓤ 옴, 개선(疥癬) (scabies) ; 〔植〕 (균류에 의한) 창가병, (감자·사과 따위의) 붉은곰팡이병 ; 〔鑄〕 벗겨진 부스러기, 부푼 것《주물 표면의 결함》. **3** 악한, 불량배. **4** 《蔑》 **a**) 노동조합 불참가자, 비조합원. **b**) 파업 파괴자(strikebreaker, =《英》 blackleg).
—— *vi.* (**-bb-**) **1** [動/+副] (상처에) 딱지가 앉다 : The wound ~*bed* ***over***. 상처에 딱지가 졌다. **2** [動/+前+名] 《美蔑》 비조합원으로서 일하다 ; 파업을 깨뜨리다 ; 〔土〕 (도로면이) 물러져 작은 구멍이 생기다 : ~ ***on*** strikers 파업하는 사람들을 배신하다 / ~ ***against*** the fellow workers 동료들의 조합에 가입하지 않다.
〖ON ; cf. SHABBY〗
scab·bard [skǽbərd] *n.* (검 따위의) 칼집 ; 《美》 총의 케이스.
throw [***fling***] ***away the scabbard*** 칼집을 버리다 ; 《비유》 단호한 태도[조치]를 취하다, 끝까지 싸우다.
—— *vt.* 칼집에 넣다.
〖AF<Gmc. (cf. OHG *skār* blade, *bergan* to protect)〗
scábbard fish *n.* 〔魚〕 갈치.
scab·bed [skǽbəd, skǽbd] *a.* 딱지가 앉은, 딱지투성이의 ; 옴이 옮은 ; 보잘것없는 ; 《廢》 비열한, 더러운.
scab·ble [skǽbəl] *vt.* (채석장에서 돌을) 건목치다, 대충 다듬다.
scáb·by *a.* **1** =SCABBED. **2** 《口》 경멸할만한, 더러운, 비열한, 인색한 ; 〔鑄〕 (표면에) 결함이 있는 ; 〔印〕 선명하지 않은. 〖SCAB〗
sca·bies [skéibìːz, -biìːz] *n.* (*pl.* ~) Ⓤ 〔醫〕 개선, 옴. 〖L=roughness〗
sca·bi·o·sa [skèibióusə, skæ̀b-, -zə] *n.* 〔植〕 솔체꽃속(屬)의 식물.
sca·bi·ous[1] [skéibiəs, skǽb-] *a.* 딱지 있는, 딱지투성이인 ; 딱지의[같은]. 〖SCABIES〗
scabious[2] *n.* 〔植〕 옴에 효험이 있다는 풀《솔체꽃·망체 따위》.
〖L *scabiosa* (*herba*)〗
scáb·lànd *n.* 기복이 심한 화산 용암 지대《태평양 해안 북서부의 지역 따위》.
scab·rous [skǽbrəs ; skéi-] *a.* **1** (동·식물의 표면이) 우툴두툴한, 꺼칠꺼칠한. **2** (문제 따위가) 까다로운, 골치아픈 ; 〔文藝〕 (장면 따위) 다루기 조심스러운, 음란한, 외설스러운 (salacious).
〖F or L (*scaber* rough)〗

scad[1], **skad** [skǽ(:)d] *n.* [때때로 *pl.*] 《美口》 많음, 다수, 다량(a lot, lots) : a ~ *of* fish 많은 물고기 / ~*s of* money 거액의 돈. 〖C19<?; SCALD[1] (cf. (dial.) =scalding quantity)에서인가〗
scad[2] *n.* 〔魚〕 전갱이. 〖C17<?〗
scaf·fold [skǽfəld, -fould] *n.* **1** (건축 공사장의) 발판, 비계. **2** [the ~] 교수[단두]대 ; 《비유》 사형 ; 〔解·發生〕 골격, 뼈대 : go to [mount] *the* ~ 사형에 처해지다 / send [bring] a person to *the* ~ 남을 사형에 처하다. **3** (야외의) 가설무대[스테이지] ; (용광로의) 시렁걸이.
—— *vt.* (건축물에) 발판[비계]을 만들다.
〖OF<Rom. ; (*ex*-[1], CATAFALQUE)〗
scáffold·ing *n.* **1** Ⓤ (건축 공사장의) 발판[비계]. **2** Ⓤ 발판 재료.
scag, skag [skǽ(:)g] *n.* Ⓤ 《美俗》 헤로인 (heroin) ; 지겨운 놈, 못생긴 여자 ; 바보.
〖C20<? ; (sl.) cigarette butt의 뜻인가〗
sca·glio·la [skæljóulə, -ljɔ́ː-] *n.* Ⓤ 인조 대리석.
〖It. (dim.) <*scaglia* SCALE[3]〗
scál·able *a.* **1** 비늘을 벗길 수 있는. **2** (저울로) 달 수 있는. **3** (산을) 오를 수 있는.
sca·lar [skéilər, -lɑːr] *n.* 〔理·數〕 스칼라, 수량 (cf. VECTOR) ; 〔컴퓨〕 스칼라.
—— *a.* 스칼라의[를 사용한] ; 단계가 있는.
〖L ; ⇨ SCALE[1]〗
sca·lári·fòrm [skəlǽrə-] *a.* 〔植·動〕 사다리꼴의. **~·ly** *adv.*
scal·a·wag | **scal·la-** [skǽləwæ̀g] *n.* **1** 밥벌레 (good-for-nothing), 무뢰한, 깡패(scamp). **2** (영양실조·노령·왜소 따위로) 쓸모없는 동물. **3** 〔史〕 남북전쟁 후 공화당에 가담한 남부의 백인《남부 민주당원이 하던 욕설》. 〖C19<?〗
scald[1] [skɔ́ːld] *vt.* **1** (끓는 물 따위에) 데게 하다 : ~ oneself 데다 / He was ~*ed* to death by the spurts of steam. 그는 분출하는 증기에 데어 죽었다. **2** (기구를) 끓는 물에 소독하다 ; (기물(器物)을) 끓는 물로 헹구다 〈*out*〉. **3** **a**) (물·우유 따위를) 끓는점 가까이까지 끓이다 ; 열처리하다, 데치다 : ~*ed* cream 우유를 끓인 후 식혀 만든 크림. **b**) (끓는 물로) 찌다, 중탕(重湯)하다.
—— *vi.* 화상입다. —— *n.* **1** (끓는 물·증기에 의한) 덴 상처(cf. BURN[1] *n.*). **2** 〔植〕 (심한 더위에 의한) 나뭇잎의 변색.
〖AF<L *excaldo* (*calidus* hot)〗
scald[2] ☞ SKALD.
scald[3] *a.* 《古》 =SCABBY. —— *n.* =SCAB.
〖*scall*+-*ed*〗
scáld·er *n.* 열탕(熱湯) 소독기, 물 끓이는 그릇.
scáld hèad *n.* 《古》 (어린이의) 두부백선(頭部白癬), 기계충.
scáld·ing *a.* 델 정도의 ; (모래사장 따위가) 타는 듯한 ; (비평 따위가) 통렬한 : ~ tears (비탄 따위의) 혈루(血淚).
‡**scale**[1] [skéil] *n.* **1** 눈금, 저울눈, 척도 ; 비례자, 축척 ; 자 ; 〔教·心〕 측정 척도 : a reduced ~ 축척(縮尺) ; 축소. **2** **a**) 비례, 비율, 정도 : a large-[small-]~ map 대[소]축척 지도. **b**) 규모, 장치 : *on* a large [gigantic, grand, vast] ~ 대규모로 / *on* a small ~ 소규모로. **3** (세)율, 세법 ; 비율을 정한 표 ; (법정의) 최저 임금 : a ~ of charges [wages] 요금[임금]률. **4** [흔히 ~ of notation] 〔數〕 기(記)(수)법, …진법(進法) : the decimal ~ 십진법. **5** 계급, 등급. **6** 〔樂〕 음계 : play [sing, run over] one's ~*s* 음계를 연주하다[노래하다, 빠르게 치다]. **7** 〔컴퓨〕 스케일, 크기조정.

drawn to scale 일정한 비율로 확대[축소]하여 그려진.

— *vt.* **1** (산 따위에) 기어오르다, (사닥다리로) 오르다 : ~ a wall with a ladder 사닥다리를 타고 벽을 오르다. **2** 축척으로 …의 지도를 그리다, 일정한 비율로 만들다 ; 비율에 따라 정하다 : ~ a map 지도를 축척하다. **3** (인물·물품 따위를) 평가하다. **4** 《美》 (입목·과실 따위의 양을) 어림하다 ; 개산(概算)하다. **5** 〖컴퓨〗 스케일하다, 크기 조정하다.

— *vi.* **1** 기어오르다. **2** (수량 따위가) 비례하다 ; 사닥다리[계단]가 되어 있다 ; 음계를 치다[노래하다].

scale down[***up***] 비율에 따라 감하다[증액하다], 어떤 비율로 축소[확대]하다 : Retail prices were ~*d up* by 5 percent. 소매 가격이 5퍼센트 인상되었다.

〖OF or L *scala* ladder (*scando* to climb)〗

***scale**² *n.* **1** 저울[천칭]의 접시 ; [흔히 ~s, 단수 취급] 저울, 체중계(: a pair of ~*s* 천칭) : *in* [*on*] the ~*s* 저울로. **2** [때때로 *pl.*] 《비유》 (운명·가치를 결정하는) 저울. **3** [the S~s] 〖天〗 천칭자리(Libra).

go to scale at. . . 체중이 …이다[…가 되다].

hold the scales even[***equally***] 공평하게 판정하다.

throw. . .into the scale …에 의해 정세를 좌우하다.

***tip the scale*(*s*)** ⑴ (평형 상태에 있던) 상황[국면]을 (한 방향으로) 결정짓다. ⑵ =*turn the* SCALE(*s*) ⑴.

***turn the scale*(*s*)** ⑴ 《口》 (…의) 무게가 나가다 : The boxer *turned the* ~(*s*) *at* 125 pounds. (달아 보니) 그 권투선수의 체중은 125파운드였다. ⑵ 국면을 일신하다 ; 결정적으로 만들다.

— *vt.* 천칭으로[저울로] 달다 ; (마음속으로) 저울질하다, 견주어보다 : ~ a load of wood 목재의 적화(積貨)량을 달다. — *vi.* [+補] 무게가 …이다 : He ~*s* 150 pounds. 그는 체중이 150파운드다.

〖ON *skâl* bowl<Gmc. ; cf. SHELL, SHALE〗

scale³ *n.* **1** 비늘 : scrape the ~*s* off a fish 생선의 비늘을 벗기다. **2** 비늘 모양의 것 ; (비늘처럼 떨어지는) 인편(鱗片) ; (갑옷의) 미늘. **3** 〖植〗 (싹·봉오리를 보호하는) 아린(芽鱗) ; 깍지, 꼬투리. **4** Ⓤ,Ⓒ (눈의) 흐림, 침침함. **5** Ⓤ,Ⓒ 〖昆〗 깍지벌레(scale insect). **6** Ⓤ (보일러의 안쪽에 생기는) 물때 ; (가열한 철의 표면에 생기는) 쇠똥 ; 치석(齒石) (tartar).

remove the scales from a person***'s eyes*** 흐린 눈을 닦다 ; 잘못을 깨닫게 하다.

The scales fell from his eyes. 〖聖〗 그의 눈에서 비늘이 벗겨졌다《잘못을 깨닫다, 각성하다 ; 사도행전 9 : 18》.

— *vt.* **1** [+目/+目+前+名/+目+副] …의 비늘을 제거하다 ; 껍질을 벗기다, 꼬투리를 까다 : ~ a fish 물고기 비늘을 벗기다 / ~ peas 완두콩의 꼬투리를 까다 / ~ tartar ***from*** the teeth 치석을 제거하다 / ~ ***off*** the bark of a tree 나무껍질을 벗기다. **2** 물때[버캐]를 벗기다《이 뜻으로는 descale이 일반적》. **3** 비늘로 덮다 ; …에 물때가 끼게 하다. — *vi.* **1** [動/+副/+*off*+名] 벗겨져 떨어지다 : The paint is *scaling* ***off*** (the house). (집의) 페인트가 벗겨지고 있다. **2** 물때가 끼다.　〖OF *escale*<Gmc. ; cf. ↑, OE *scealu* shell, husk〗

scále àrmor *n.* 작은 미늘 갑옷.

scále bèam *n.* (대저울의) 저울대, (앉은뱅이 저울의) 눈금대.

scále·bòard *n.* (그림·거울의) 뒤판.

scále bùg *n.* 〖昆〗 깍지벌레(scale).

scáled *a.* **1** 〖動〗 비늘이 있는. **2** 비늘이 벗겨진. **3** 눈금이 있는.

scále-dòwn *n.* (임금 따위의) 일정 비율의 삭감[할인].

scále-down bùying *n.* 내림시세 때의 구입.

scále económics *n.* 〖經〗 규모의 경제.

scále ìnsect *n.* 〖昆〗 깍지벌레(scale).

scále móss *n.* 〖植〗 우산이끼류.

sca·lene [skéiliːn, -ˊ] *a.* 〖數〗 부등변의 ; 〖解〗 사각근(斜角筋)의. — *n.* 부등변 삼각형 ; 사각근. 〖L<Gk. *skalēnos* uneven〗

sca·le·nus [skeilíːnəs, skə-] *n.* (*pl.* **-ni** [-nai, -niː]) 〖解〗 사각근. 〖↑〗

scále·pàn *n.* 저울의 접시.

scal·er¹ [skéilər] *n.* 생선 비늘을 벗기는 사람[도구] ; 〖齒〗 치석 제거기, 스케일러. 〖SCALE³〗

scaler² *n.* 기어오르는 사람, 성벽을 기어오르는 병사 ; 《美》 (재목의) 재적수(材積數)를 견적내는 사람 ; =SCALING CIRCUIT. 〖SCALE¹〗

scaler³ *n.* 저울질하는 사람, 계량인[계]. 〖SCALE²〗

scále-ùp *n.* (임금·건설규모 따위의) 일정비율의 증가.

scále-wìnged *a.* 〖昆〗 나비 목 의(lepidopterous), 날개비늘이 있는.

scále-wòrk *n.* 비늘 겹치기 세공(細工)《기와를 잇듯이 함》.

scal·ing [skéiliŋ] *n.* 〖理〗 스케일링《어떤 물리량이 두 변수(變數)의 비(比)를 변수로 하는 함수로 표시되는 것 ; 양성자와 고(高)에너지 전자와의 비탄성 산란(非彈性散亂) 따위에서 볼 수 있음》; 〖컴퓨〗 크기 조정.

scáling cìrcuit *n.* 〖電子〗 계수 회로, 스케일러(scaler).

scáling làdder *n.* (공성(攻城)용의) 긴 사닥다리 ; 소방용 사닥다리.

scall [skɔ́ːl] *n.* =SCURF ; 〖醫〗 결가, 두창(頭瘡). 〖ME<ON *scalli* bald head〗

scallawag ☞ SCALAWAG.

scal·lion [skǽljən] *n.* 〖植〗 부추의 일종, 골파. 〖AF<L *Ascalonia* (*caepa*) (onion) of Ascalon (팔레스타인의 지명(地名))〗

scal·lop [skáləp, skǽl-] *n.* **1** 〖貝〗 가리비 ; 가리비의 조가비(scallop shell). **2** (조가비 모양의) 운두가 낮은 냄비, 조개 냄비. **3** [*pl.*] 〖服〗 스캘럽《깃·소매의 부채꼴의 가장자리 장식》.

— *vt., vi.* **1** 조개 냄비로 굽이다[지지다]. **2** 부채꼴로 만들다 ; (자수에서) 부채꼴[스캘럽]로 장식하다 : a ~*ed* cuff 부채꼴[스캘럽]로 장식한 소맷부리. **3** 가리비를 잡다. **~·ing** *n.* 부채꼴 장식[무늬] ; 가리비잡이. 〖OF=ESCALOPE〗

scal·lo·pi·ni, -ne, sca·lop·pi·ne [skæləpíːni, skɑ̀l-, skèil-] *n.* 스칼로피니《얇게 썬 송아지 고기 따위를 기름에 튀긴 이탈리아 요리》. 〖It.〗

scállop shèll *n.* **1** 가리비의 조가비《옛날 성지 순례의 기념 휘장으로 썼음》. **2** 조가비 모양의 접시[냄비](scallop).

scal·ly·wag [skǽliwæ̀g] *n.* =SCALAWAG.

scalp [skǽlp] *n.* **1** 머릿가죽 ; 머리털이 붙은 머릿가죽《특히 아메리칸 인디언 등이 전리품으로 적의 시체에서 벗겨냄》; 전승 기념품 : take a person's ~ 사람의 머릿가죽을 벗기다. **2** 《스코》 둥근 민둥산의 꼭대기. **3** Ⓤ 《口》 (시세의 작은 변동에 따른) 작은 이윤, 박리, 매매 차익금. **4** (아래턱이 없는) 고래 머리 ; (개 따위의) 머릿가죽 ;〖紋〗머릿 가죽이 붙은 사슴뿔.
have the scalp of …을 이기다, 해내다 ; 보복하다.
out for scalps (아메리칸 인디언이) 머릿가죽 사냥에 나서서 ; 도전적으로, 싸울 기세로.
—— *vt.* **1** 머릿가죽을 벗기다 ;《美》(도로를) 고르다. **2** 혹평하다, 헐뜯다 ;《美》속이다 ; 완패시키다. **3**《口》(주식·입장권 따위를) 매매하여 차익금을 벌다. **4** (금속의 반제품)의 표면을 깎다 ; (불순물을 제거하기 위해) 체질하다.
—— *vi.*《口》주식[입장권 따위]의 매매 차익금을 벌다. **~·less** *a.* 머릿가죽이 벗겨진 ; 대머리의.
〖Scand. (ON *skálpr* sheath)〗

scal·pel [skǽlpəl] *n.* 외과[해부]용 메스.
〖F or L (dim.)‹ *scalprum* chisel, knife (*scalpo* to scratch)〗

scálp·er *n.* **1** scalp하는 사람. **2**《口》당장의 이익을 위하여 사고 파는 사람 ;《口》(입장권 따위의) 암표상. **3** (조각용) 둥근 끌.

scálp hàir *n.* 머리털.

scálp·ing *n.* 껍질을 벗기기, 스캘핑《주괴(鑄塊)의 표면을 깎는 일》; (광석 따위의) 세정(洗淨).

scálp lòck *n.* (아메리칸 인디언의 전사가 적에게 도전하기 위해) 머리에 남기는 한 줌의 머리털.

scaly [skéili] *a.* **1** 비늘이 있는 ; 비늘 모양의. **2** (비늘처럼) 벗겨져 떨어지는. **3** 물때가 낀 ;〖植〗인편이 있는 ; 깍지벌레(scale insect)가 붙은. **4**《俗》천한, 더러운, 인색한. **scál·i·ness** *n.*

scály ánteater *n.*〖動〗천산갑(pangolin).

scam, skam [skǽ(:)m] *n.*《美俗》(신용) 사기, 편취.
What's the scam?《美俗》웬일이야.
—— *vt.* (**-mm-**) 속이다, 편취하다. 〖C20 < ?〗

SCAMA〔로켓〕Station Conferencing and Monitoring Arrangement(발사장 모니터 장치).

scam·mo·ny [skǽməni] *n.*〖植〗스카모니아《메꽃과의 식물로 그 수지(樹脂)는 하제용(下劑用)》.
〖OF or L<Gk.〗

scamp[1] [skǽ(:)mp] *n.* **1** 불한당, 망나니, 건달. **2**《戲》장난[말썽]꾸러기, 개구쟁이 ;《古》노상강도. —— *vi.* (신명이 나서) 뛰어 돌아다니다. **~·ish** *a.*
〖C18=to rob on highway< ? MDu. *shampen* to decamp<OF (*ex-*[1], CAMPUS)〗

scamp[2] *vt.* (일을) 아무렇게나 하다, 날림으로 하다, 힘을 아끼다(skimp). **~·er** *n.*
〖? Scand. ; cf. SKIMP, ON *skammr* short〗

scam·per [skǽ(:)mpər] *vi.* [動/+副] (조그만 동물이) 질겁하여 도망치다[달아나다] ; (어린이나 짐승 새끼가) 뛰어 돌아다니다, 뛰어놀다 ; 급히 여행하다 ; 급히 읽다 : The mice *~ed away* when the cat came. 쥐는 고양이가 오자 질겁을 하고 도망쳤다.
—— *n.* 질주 ; 뛰어다니기 ; 급히 하는 여행 ; 급히 읽기 : take (a) ~ *through* Dickens 디킨스의 작품을 급히 읽다.

scam·pi [skǽmpi] *n.* (*pl.* ~) 큰 새우. 〖It.〗

scan [skǽ(:)n] *v.* (**-nn-**) *vt.* **1** (시의) 운율을 살피다, 음각(音脚)으로 나누다 ; 운율적으로 낭독하다. **2** 세밀하게[꼼꼼하게] 조사하다 ; 유심히[뚫어지게] 바라보다 : ~ a person's face 남의 얼굴을 유심히[뚫어지게] 쳐다보다 / They *~ned* the sky for enemy planes. 그들은 적기를 찾아 하늘을 유심히 살펴보았다. **3**〖TV〗(영상을) 주사(走査)하다 ;〖컴퓨〗훑다, 주사하다 ;〖通信〗(전파탐지기로) 주사하다 ; (인체에 방사성 물질을 넣어) 주사하다. **4** (신문 따위를) 대충 훑어보다, 대충 읽어 내리다.
—— *vi.* 운율이 맞다, 음각이 맞다 ;〖TV〗주사하다 : This line won't ~. 이 행[줄]은 운율이 맞지 않는다.
—— *n.* scan하기 ; 세밀히 조사하기 ; 시야, 시계 ;〖醫〗체내방사능 분포도 ;〖醫〗주사.
〖L *scando* to climb, scan (verse)〗

Scan(d). Scandinavia(n).

***scan·dal** [skǽ(:)ndl] *n.* **1 a**) [U.C] 치욕, 면목없음, 불명예, 수치〈*to*〉: It is a ~ that such a thing should happen. 그런 일이 생기다니 정말 수치스런 일이다[언어 도단이다]. **b**) 파렴치한 사람 ; 추문, 스캔들, 망측한 일 ; 독직[부정] 사건 : a shipbuilding ~ 조선(造船) 부정 사건. **c**) [U.C] (항간의) 소동, 반감, 물의, 분개 : cause[create, give rise to] ~ (세상의) 물의를 일으키다[빚어내다]. **2** [U] 중상, 험구, 악평 ;〖法〗증인이 사건과는 관계없이 상대방을 헐뜯기, 중상적 주장 : talk ~ 비방하다, (본인이 없는 데서) 험담하다.
to the scandal of …이 분개하게 된 것은 : *To the ~ of* his wife he came home penniless from the races. 그가 경마에서 무일푼으로 귀가하여 아내는 분개하였다.
—— *vt.*《古·方》…의 험담을 하다, 나쁜 소문을 퍼뜨리다 ;《廢》욕되게 하다(disgrace).
〖OF<L<Gk.=stumbling block, trap〗

scándal·ìze *vt.* **1** [+目/+目+前+名] 괘씸한 생각이 들게 하다, 아연케 하다(shock), 분개시키다 : He *~d* his friends ***by*** remarry*ing* shortly after his wife's death. 아내가 죽은 후 바로 재혼하여 친구들을 아연케 했다 / People were *~d* ***at*** the slovenly management of the company. 그 회사의 엉성한 경영 (방식)에 사람들은 어안이 벙벙했다. **2** 중상하다 ; 모욕하다.

scándal·mònger *n.* 남을 헐뜯고 다니는 사람, 추문을 퍼뜨리는 사람.

scándal·mònger·ing *a.* 남의 험담을 일삼는.
—— *n.* 험담하기.

scándal·ous *a.* **1** 불명예스러운(infamous) ; 괘씸한, 고약한, 아연케 하는(shocking). **2** 중상하는, 중상적인, 욕설의, 험담하는 : a ~ tongue 독설, 험담꾼. **~·ly** *adv.*

scándal shèet *n.* 추문·가십을 크게 다루는 신문[잡지], 폭로 잡지 ;《美軍俗》급료 지급 명부 ;《美俗》기업가의 접대비.

scan·dent [skǽndənt] *a.*〖動·植〗(다른 물체에) 기어오르는(climbing).

Scan·di·an [skǽndiən] *a.* 스칸디나비아 반도[어(語)]의.

scan·dic [skǽndik] *a.* scandium의.

Scan·di·na·via [skæ̀ndənéiviə] *n.* **1** 북유럽《노르웨이·스웨덴·덴마크 및 때로는 아이슬란드와 그 부근의 섬을 포함한 총칭》. **2** =SCANDINAVIAN PENINSULA.

Scàn·di·ná·vi·an *a.* **1** 스칸디나비아의. **2** 스칸디나비아인[어]의. —— *n.* 스칸디나비아인(人) ; [U] 스칸디나비아어(語).

Scandinávian Áirlines Sỳstem *n.* 스칸디나비아 항공《덴마크·노르웨이·스웨덴 3국의 공동 항공회사 ; 略 SAS》.

Scandinávian Península *n.* [the ~] 스칸디나비아 반도.

scan·di·um [skǽndiəm] *n.* [U]〖化〗스칸듐《희토류 원소 ; 기호 Sc ; 번호 21》.
〖NL<L *Scandia* Scandinavia 남부의 옛 칭호〗

scán·ner *n.* 정밀하게 조사하는 사람[것] ; 〔通信〕 주사(走査) 공중선 ; 〔컴퓨〕 스캐너, 훑개, 주사기(走査器) ; 주사장치[기구(機構)] ; =SCANNING DISK.

scán·ning *n.* 정밀 검사, 신중 음미 ; 〔TV〕 주사(走査), 스캐닝 ; =SCANSION ; 〔醫〕 스캐닝《복용한 방사성 물질의 체내에서의 동태를 관찰해 이상(異常)을 탐지함》.

scánning bèam *n.* 〔TV〕 주사(走査) 광선.

scánning dìsk *n.* 〔TV〕 주사판(板).

scánning eléctron mìcrograph *n.* 〔電子〕 주사(走査) 전자 현미경 사진.

scánning eléctron mìcroscope *n.* 〔電子〕 주사(走査) 전자 현미경《略 SEM》.

scánning lìne *n.* 〔TV〕 주사선.

scánning ràdar *n.* 주사식(走査式) 레이더.

scan·sion [skǽnʃən] *n.* **1** Ⓤ (시의) 운율분석 ; 운율에 맞춰 낭독하기. **2** Ⓤ 〔TV〕 주사. 〖L ; ⇨ SCAN〗

scan·so·ri·al [skænsɔ́:riəl] *a.* 〔動〕 (새의 발 따위) 기어오르기에 적합한.

scant [skǽ(:)nt] *a.* **1** 부족한(scanty), 얼마 안되는 ; 《美》 …채 안되는 ; (…이) 모자라는 : a ~ attendance 소수의 출석자[청중] / with ~ courtesy 버릇없이 / be ~ *of* money 돈이 모자라다[에 쪼들리다] / be ~ *of* breath 숨이 가쁘다. **2** 《方·廢》 아까워하는, 인색한. **3** 〔海〕 역풍(逆風)의(↔*large*).
—— *vt.* 줄이다 ; 《方·廢》 아까워하다, 인색하게 굴다 ; 아무렇게나 다루다 : Don't ~ the butter when you make a cake. 케이크를 만들 때는 버터를 아끼지 말아라.
—— *adv.* 《方》 겨우(scarcely) ; 《方》 아까워서. 〖ON=short〗

scant·ies [skǽntiz] *n. pl.* 《口》 (여성용의) 짧은 팬티. 〖*scant*+*panties*〗

scánt·ling *n.* **1** (서까래용의 사방 5인치 이하의) 오리목, 소각재(小角材) ; 길이 6피트 이상의 건축 석재 ; 《古》 견본 ; 모난[조갠] 소각재류(類). **2** 목재의 마구리 치수, 건축 치수 ; 〔海〕 (배의) 재료치수. **3** [a ~] 소량, 근소〈*of*〉. 〖변형(變形)<ME *scantilon* mason's gauge<OF *escantillon* pattern〗

scánt·ly *adv.* 모자라게 ; 겨우(scarcely).

***scánty** *a.* 부족한, 근소한, 빈약한, 불충분한(↔*ample*) ; 좁은 ; 드문드문한 ; 인색한 : a ~ harvest 흉작 / ~ nourishment 영양부족.
scánt·i·ly *adv.* **scánt·i·ness** *n.*
類義語 ***scanty*** 수·양 따위가 필요한 정도에 미치지 않는 : a *scanty* income (얼마되지 않는 수입). ***meager*** 원뜻은 여위고 마른 ; 뜻이 변하여 완전성·풍부성·원기 따위가 부족한 : *meager* crops (흉작). ***spare*** 충분한 분량에 달하지 않는, 반드시 궁핍을 뜻하지는 않음 : a *spare* supper (간단한 저녁식사). ***sparse*** 수·양이 넓은 범위에 분산되어 있어서 모자라는, 성긴, 드문드문한 : His hair is *sparse.* (그의 머리는 숱이 적다).

SCAP 〔軍〕 Supreme Commander (of[for] the) Allied Powers (연합군 최고 사령관).

SCAPA Society for Checking the Abuses of Public Advertising.

Sca·pa Flow [skɑ́:pə flóu, skǽpə-] *n.* 스캐퍼플로《스코틀랜드 북부 Orkney 제도내의 작은 만·군항 ; 제1차 대전때의 영국 제일의 해군기지》.

scape[1] [skéip] *n.* **1** 〔植〕 근생화경(根生花梗), 꽃줄기《수선화·앵초 따위처럼 직접 땅속에서 나오는 것》. **2** 〔昆〕 자루마디《촉각의 제일 첫째마디》 ; 〔鳥〕 우간(羽幹). **3** 〔建〕 주신(柱身). 〖L *scapus* shaft, stalk<Gk.〗

scape[2]**, 'scape** [skéip] *v., n.* 《古》 =ESCAPE.

SCAPE 〔宇宙〕 self-contained atmospheric pressure ensemble (대(大)기압 자급 시스템).

-scape [skèip] *n. comb. form* 「…경치」의 뜻 : sea*scape* ; cloud*scape.* 〖land*scape*〗

scápe·gòat *n.* 〔聖〕 속죄의 염소《옛날 유태에서 속죄일에 모든 사람들의 죄를 대신 지게 하여 황야에 버린 염소》 ; 남의 죄를 대신 지는 사람, 희생(자). —— *vt.* …에게 죄를 전가하다. 〖SCAPE[2]〗

scápe·gràce *n.* 성가신 놈, 밥벌레 ; 《戲》 장난꾸러기.

scápe whèel *n.* =ESCAPE WHEEL.

scaph- [skǽf], **scapho-** [skǽfou, -fə] *comb. form* 「배 모양(의)」의 뜻. 〖Gk. *skaphos* boat〗

scaph·oid [skǽfɔid] *a.* 〔解〕 배 모양의.
—— *n.* 주상골(舟狀骨).

s. caps. 〔印〕 small capitals.

scap·u·la [skǽpjələ] *n.* (*pl.* **-lae** [-lì:, -lài], **~s**) 〔解〕 견갑골(肩胛骨) (shoulder blade). 〖L〗

scap·u·lar [skǽpjələr] *a.* 〔解〕 견갑골의, 어깨의. —— *n.* 수사가 어깨에 걸치는 옷 ; 〔鳥〕 죽지깃(=~ **féather**) ; 〔解〕 =SCAPULA.

scápular árch *n.* 〔解〕 견갑대.

scap·u·lary [skǽpjəlèri ; -ləri] *a.* =SCAPULAR.
—— *n.* 수사가 어깨에 걸치는 옷(scapular).

***scar**[1] [skɑ́:r] *n.* **1** 흉터, (화상·종기의) 자국 ; (주물의) 흠 ; 〔植〕 엽흔(葉痕), 잎자국. **2** 《비유》 아물지 않은 상처, 마음의 고통(이 드러난 표정)〈(*up*) *on*〉 ; 흔적〈(*up*) *on*〉. —— *v.* (**-rr-**) *vt.* …에 흉터[상처]를 남기다 ; 망쳐 놓다, 흉하게 하다(disfigure) : His cheek was ~*red* by a cut. 그의 뺨에는 칼자국이 있었다. —— *vi.* [動/+副] (상처가) 자국을 남기다, 흉터가 되다 ; (자국을 남기고) 낫다, 아물다 : The cut on his face has ~*red over.* 그의 얼굴에 난 상처는 아물었다.

scar[2] *n.* 산허리에 우뚝 솟은 바위 ; 암초. 〖ON=low reef〗

scar·ab [skǽrəb] *n.* 〔昆〕 풍뎅이 ; 〔古이집트〕 스카라베《풍뎅이 모양으로 조각한 보석으로 그 바닥 평면에 기호를 새겨서 부적 및 장식품으로 썼음》. 〖*scarab*aeus〗

scar·a·bae·id [skæ̀rəbí:əd] *a., n.* 〔昆〕 풍뎅이과의 (곤충).

scar·a·bae·oid [skæ̀rəbí:ɔid] *a.* 〔昆〕 풍뎅이상과(上科)의. —— *n.* 풍뎅이과(근연(近緣))의 곤충.

scar·a·bae·us [skæ̀rəbí:əs] *n.* (*pl.* **~es, -baei** [-bí:ai]) **1** 〔昆〕 쇠똥구리. **2** 〔古이집트〕 스카라베(scarab). 〖L<Gk.〗

Scar·a·mouch, -mouche [skǽrəmàutʃ, -mù:tʃ, -mù:ʃ] *n.* 스카라무슈《옛 이탈리아 즉흥희극 (commedia dell'arte)에 등장하는 얼뜨기 어릿광대》 ; (일반적으로) 허세부리는 겁쟁이, 허풍선이 ; [s~] 건달. 〖F<It. *scaramuccia* skirmish〗

***scarce** [skéərs, skǽərs] *a.* **1** [*pred.*로 쓰여] (음식·돈·생활필수품 따위가) 부족하여, 조금밖에 없어, 결핍하여(↔*plentiful*) : Good cooks are ~. 훌륭한 요리사는 드물다 / As time goes on, coal, oil, and other resources will become ~. 시간이 흐름에 따라 석탄·석유 기타의 자원들이 부족하게 될 것이다. **2** 드문, 진귀한(rare) : a ~ book 진귀한 책.
make oneself scarce 《口》 슬그머니 나가다, 가버리다 ; 출석하지 않다, (집에) 틀어박혀 있다.

—— *adv.* 《古·文語》 =SCARCELY.
〚AF<Rom. (L *excerpo* to EXCERPT)〛
類義語 ⟹ RARE[1].

***scárce·ly** *adv.* **1** 간신히, 가까스로, 겨우(barely) : ~ twenty people 겨우 20명쯤, 20명 될까말까. **2** 거의 …없다(hardly) : I could ~ hear him. 그의 말이 거의 들리지 않았다 / At first he was so astonished that he ~ knew what to say. 그는 처음에 너무 놀랐기 때문에 무슨 말을 해야 할지 어리둥절했다. **3** 설마[아마] …않다(certainly[probably] not) : I can ~ believe such a story. 아무래도 그런 말은 믿을 수가 없다 / He can ~ have said that. 설마 그 사람이 그런 말을 했을라고. 주 문장 중의 어순은 seldom과 같음.
scarcely any 거의 없다.
scarcely ever 좀처럼 …않다 : I ~ *ever* smoke. 담배는 좀처럼 피우지 않는다.
scarcely less 거의 같게.
scarcely...when [***before***] …하자마자(cf. HARDLY...*when*[*before*]) : He had ~ begun his speech *when* the door opened. 그가 연설을 시작하자마자 문이 열렸다. 주 scarcely가 문두에 오는 경우도 있으나 이것은 문어적 표현 : *S*~ had he begun....
類義語 ⟹ HARDLY.

scárce·ment *n.* 〔建〕 벽의 발걸이, 벽단(壁段) ; 〔鑛〕 사닥다리 걸이.

***scar·ci·ty** [skέərsəti, skǽər-] *n.* **1** U,C 부족, 결핍〈*of*〉; 품귀(品貴), 희소성. **2** U 식량난, 기근. 〚OF ; ⇨ SCARCE〛

scárcity vàlue *n.* 희소 가치.

scare** [skέər, skǽər] *vt.* [+目/+目+前+名/+目+副/+目+補] …에게 겁을 주다, 질겁하게 하다, 위협하다, 놀라게 하다(frighten) ; 놀라게 하여 쫓아 버리다〈*away, off*〉: She was ~*d* ***at the strange noise. 그 이상한 소리에 겁을 집어먹었다 / She was ~*d* ***out of*** her senses[wits]. 놀란 나머지 정신이 얼떨떨해졌다 / The dog ~*d* the beggar *away*[***off***]. 그 개는 거지를 놀라게 하여 쫓아냈다 / He was ~*d* stiff ***of*** women. 그는 여자 앞에서는 몸이 굳어졌다[어쩔줄 몰랐다]. ☞ 活用. —— *vi.* 깜짝 놀라다, 기겁을 하다.
be more scared than hurt 지나치게 걱정을 하다.
scare up (숨어 있는 사냥감을) 몰아내다 ; 《비유》 밝히다 ; (돈·급히 필요한 물건을) 마련하다 ; 《美口》 (있는 재료로 식사 따위를) 마련하다.
—— *n.* (전쟁 따위의 소문으로) 소란피우기, 공포 ; 공황 ; (공연히) 겁을 내기 ; [the ~] 《美俗》 위협, 협박 : give a person a ~ 남에게 겁을 주다 / cause a (war) ~ (전쟁이 일어날지도 모른다는 정보 따위가) 공포를 조성하다.
throw a scare into a person 《美》 남을 깜짝 놀라게 하다, 질겁하게 하다.
—— *a.* 무서워하게 하는.
〚ON=to frighten (*skjarr* timid)〛
活用 scare *vt.*는 때때로 *p.p.*형으로 형용사적으로 쓰임[+*that* 節] : I'm *scared* (*that*) she may catch cold. (그녀가 감기들지 않을까 겁난다). *p.p.*의 scared는 또한 *attrib.*로도 쓰임 : a *scared* child(겁에 질린 아이).
類義語 ⟹ FRIGHTEN.

scáre búying *n.* (물품 부족을 내다보고 하는) 비축 구입.

scáre·cròw *n.* **1** 허수아비. **2** 엄포, 허세 ; 《口》 초라한[여윈] 사람.

scared [skέərd, skǽərd] *a.* 깜짝 놀란, 겁을 먹은, 겁에 질린.

scáredy-càt [skέərdi-, skǽərdi-] *n.* 《口》 남달리 겁많은 사람, 겁쟁이.

scáre·hèad *n.* 특대 표제, 큰 제목.

scáre·mònger *n.* 세상을 떠들썩하게 하는 사람, 유언비어를 퍼뜨리는 사람.

scáre tràp, scáred tràp *n.* 《美俗》 (가선공(架線工) 등의) 안전 벨트, (비행기의) 시트 벨트.

scáre·trùck *n.* 《美俗》 (주차 위반에 대한 경찰의) 견인차.

***scarf**[1] [skɑ́ːrf] *n.* (*pl.* **~s, scarves** [skɑ́ːrvz]) **1** 스카프, 목도리(muffler). **2** 넥타이, 깃 장식 ; 〔軍〕 현장(懸章), 견장. **3** 《美》 책상보, 피아노 덮개《따위》. —— *vt.* **1** …에 스카프를 하다[두르다]. **2** 덮다, 싸다(wrap), 가리다(cover).
〚? OF *escarpe* sash, sling〛

scarf[2] *vt.* **1** (목재·금속·피혁을) 접합하다, 단접(段接)하다. **2** (고래의 살과 뼈를) 바르다, …의 가죽을 벗기다. —— *n.* (*pl.* **~s**) (목재·금속·피혁의) 단접, 접합 ; 따낸 자리, 홈.
〚? OF *escarf* < ? Scand.〛

scár-fàced *a.* 얼굴에 흉터가 있는.

scárf clòud *n.* 〔植〕 (버섯의) 갓.

scárf jòint *n.* 〔建 따위〕 스카프 이음, 끼워잇기, 단접(段接), 접합.

scárf·pìn *n.* 넥타이 핀, 목도리 핀.

scárf·rìng *n.* 《英》 넥타이[목도리] 고리.

scárf·skìn *n.* 〔解〕 (특히 손톱 뿌리의) 표피.

scárf-wìse *adv.* (식대(飾帶)식으로) 어깨에서 허리로 걸쳐서, 비스듬히.

scar·i·fi·ca·tion [skèərəfəkéiʃən, skæ̀ər-] *n.* **1** U 〔醫〕 난절(亂切)법 ; 난절 흉터 ; 〔農〕 밭 고르기. **2** 혹평.

scar·i·fi·ca·tor [skέərəfəkèitər, skǽər-] *n.* **1** 〔醫〕 (외과용) 난절도(亂切刀), 난절기(亂切器). **2** 〔農〕 밭 고르는 기구.

scár·i·fì·er *n.* =SCARIFICATOR ; 〔醫〕 난절하는 사람 ; 스파이크가 달린 노면(路面) 파괴기.

scar·i·fy [skέərəfài, skǽər-] *vt.* **1** 〔醫〕 난절(亂切)하다. **2** 《文語·비유》 혹평하다, 마구 헐뜯다, 괴롭히다, 애먹이다. **3** 〔農〕 (흙을) 일구다 ; (도로의 노면을) 파쇄하다.
〚F<L<Gk.=to scratch an outline (*skariphos* stylus)〛

scar·i·ous [skέəriəs, skǽər-] *a.* 〔植〕 (포엽(苞葉) 따위가) 얇은 막 모양의, 막질(膜質)의.

scar·la·ti·na [skɑ̀ːrlətíːnə] *n.* U 〔醫〕 성홍열(猩紅熱) (scarlet fever).
〚NL<It. (dim.) 〈 *scarlatto* SCARLET〛

***scar·let** [skɑ́ːrlət] *n.* **1** U 주홍(朱紅), 진홍색. **2** U 진홍색의 양복(지) ; (관직 따위를 나타내는) 진홍색 제복, 주홍색의 대례복(cf. PINK[1] *n.* 6). **3** U 《비유》 (성(性)의 죄악을 상징하는 빛깔로서의) 진홍색(cf. SCARLET LETTER). —— *a.* **1** 주홍의, 진홍색의 : turn ~ (분노나 수치로) 새빨개지다. **2** 극악한 ; 음란한《여자》, 매춘부의. **3** 당치 않은, 언어 도단의. 〚OF *escarlate* < ? ; cf. Pers. *saqalāt* bright redcloth〛

scárlet féver *n.* 〔醫〕 성홍열(scarlatina) ; 《戲》 (여성의) 군인열(軍人熱).

scárlet hát *n.* 추기경(cardinal)의 모자[직위].

scárlet lády *n.* 행실이 나쁜[바람기 있는] 여자 (scarlet woman).

scárlet létter *n.* 주홍글씨《옛날 간통한 사람의 가슴에 달게 했던 주홍색 천으로 만든 adultery의 머리글자 A》.

scárlet pímpernel *n.* 〔植〕 별봄맞이꽃.

scárlet rásh *n.* 〔醫〕 장미진(疹).
scárlet rúnner (**bèan**) *n.* 〔植〕 붉은꽃강낭콩.
scárlet ságe *n.* =SALVIA.
scárlet tánager *n.* 〔鳥〕 붉은풍금조《북미산》.
scárlet wóman[**whóre**] *n.* 불의의[바람기 있는] 여자, 매춘부 ; 〔聖〕 주홍색의 음녀《후에 로마 카톨릭 교회에 대한 멸칭 ; 요한계시록 17》.
scarp [skɑ́:rp] *n.* 〔築城〕 (외호(外濠)의) 안쪽 둑 (cf. COUNTERSCARP) ; 급경사(면) ; 〔地〕 (단층[침식]에 의한) 단애.
—— *vt.* (사면(斜面)을) 가파르게 하다 ; …에 안쪽 둑[가파른 비탈]을 만들다. 〖It. *scarpa* slope〗
scarp·er [skɑ́:rpər] *vi.* 《英俗》 (특히 대금을 치르지 않고) 도망치다, 내빼다. —— *n.* 급히 나감.
〖? It. *scappare* to escape ; *Scapa Flow* (운속(韻俗)) to go의 영향〗
scar·ry [skɑ́:ri] *a.* 흉터가 있는.
scár tissue *n.* 〔醫〕 반흔(瘢痕)조직.
scary, scar·ey [skɛ́əri, skǽəri] *a.* **1** 《口》 잘 놀라는, 겁많은. **2** 무서운, 두려운. 〖SCARE〗
scat[1] [skǽt] *vi.* (**-tt-**) 《口》 급히 가다 ; [명령] 쉿, 저리 가, 꺼져버려(Go away!).
〖? a hiss+*cat* (고양이를 쫓아버리는 감탄사에서), or ? *scat*ter〗
scat[2] *n.* 스캣《재즈에서 가사 대신에 의미 없는 음절을 반복[삽입]하는 노래 (방식)》. —— *vi.* (**-tt-**) 스캣을 부르다. 〖imit.〗
scat[3] *n.* (짐승의) 똥. 〖SCAT-, SCATO-〗
SCAT School and College Ability Test ; supersonic commercial air transport.
scat- [skǽt], **scato-** [skǽtou, -tə] *comb. form* 「똥」의 뜻. 〖Gk. (*skat- skōr* dung)〗
scát·bàck *n.* 《美蹴俗》 스캣백《공을 가진 민첩한 공격측 백》.
scathe [skéið] *n.* [, -θ] Ⓤ 《古·方》 (손)해, 손상, 상처(harm, injury) : without ~ 피해 없이, 다치지 않고, 무사히 / guard[keep] a person from ~ 남을 위해로부터 지키다. —— *vt.* **1** 《古·方》 상처를 입히다, 해치다 ; 시들게 하다 (wither). **2** 《古》 혹평하다(cf. SCATHING).
~·ful *a.* **~·less** *pred. a.* 상처 없이, 무사히.
~·less·ly *adv.*
〖ON<Gmc. (OE *sceatha* malefactor, injury)〗
scath·ing [skéiðiŋ] *a.* **1** 해치는, 상처를 입히는. **2** (비평·조롱 따위) 냉혹한, 가차없는, 통렬한.
~·ly *adv.* 가차없이, 통렬하게.
sca·tol·o·gy [skætɑ́lədʒi, skə-] *n.* **1** (화석의) 분석학(糞石學) ; 분변학(糞便學) ; 〔醫〕 분변(에 의한) 진단. **2** 외설성, 외설문학 연구[취미].
-gist *n.* **scàt·o·lóg·i·cal, -lóg·ic** *a.*
〖Gk. (*scat-*, *-o-*, *-logy*)〗
scat·ter** [skǽtər] *vt.* **1** [+目/+目+前+名/+目+副] 흩뿌리다(sprinkle) ; 《古》 낭비하다, (재산을) 탕진하다 : ~ seeds 씨를 뿌리다 / ~ flowers ***on the road= ~ the road ***with*** flowers 길에 꽃을 뿌리다 / The ground was ~*ed with* fallen leaves. 땅에는 낙엽이 흩어져 있었다 / He is ~*ing* ***about*** his money. 그는 돈을 낭비하고 있다. **2** 쫓아버리다, 뿔뿔이 흩어지게 하다 (disperse) : An approaching car ~*ed* the people on the street. 차가 다가오자 노상에 있던 사람들이 흩어졌다 / The crowded people were ~*ed* by the police. 군중은 경찰에게 쫓겨 뿔뿔이 흩어졌다. **3** (희망·공포·의심 따위를) 흩어버리다, 사라지게 하다(dissipate). **4** 〔理〕 (빛·입자 따위를) 산란[확산, 산재]시키다 : ~ light 빛을 산란시키다. **5** 산발 안타로 막다, (상대 팀에게) 집중타를 허용치 않다. —— *vi.* 흩어지다, 뿔뿔이 되다 ; 사라지다 : The crowd ~*ed.* 군중은 뿔뿔이 흩어졌다. —— *n.* **1** Ⓤ 흩뿌리기 ; Ⓒ 흩뿌려진 것 : a ~ of applause 산발적으로 나오는 박수. **2** Ⓤ (산탄(散彈) 따위의) 흩어지는 범위 ; (빛의) 산란 ; Ⓒ 《美俗》 =SCATTERGUN. **3** 《美俗》 (무허가) 술집, 은신처, 아파트.
〖변형(變形) <? *shatter*〗
類義語 (1) ***scatter*** 흩뿌리다, 또는 여기저기로 내던지다 : The wind *scattered* the papers. (바람 때문에 종이가 여기저기 흩어졌다). ***disperse*** 모인 것[사람들]을 모조리 분산시켜 사방팔방으로 흩어지게 하다 : The rain quickly *dispersed* the crowd. (비가 오자 군중은 삽시간에 뿔뿔이 흩어졌다). ***dispel*** 마음을 어둡게 하거나 괴롭히는 것을 떨쳐 버리다 : *dispel* the fog[fear] (안개[공포]를 사라지게 하다).
(2) ⟹ SPRINKLE.
scátter àrm *n.* 《스포츠俗》 투구의 불안정.
scat·ter·a·tion [skæ̀təréiʃən] *n.* 분산, 산란 (상태) ; (인구·산업의) 지방 분산 ; (그로 인한) 지방의 도시화 ; (예산·노동력 따위의) 평균적 배분(법).
scátter·bràin *n.* 《口》 마음이 들뜬 사람, 정신이 산만한 사람.
scátter·bràined *a.* 침착하지 못한, 들뜬, 정신이 산만한.
scátter cùshion *n.* 《美》 (소파용의) 소형 쿠션.
scátter dìagram *n.* 〔統〕 산포도, 점도표.
scát·tered *a.* 산산이 흩어진, 뿔뿔이 헤어진, 산재해 있는, 드문드문 있는 ; 산만한 : ~ hamlets 산재해 있는 마을 / a thinly ~ population 드문드문 분산된 인구 / ~ instances 간혹 있는 예.
scátter·gòod *n.* 낭비가(spendthrift).
scátter·gùn *n.* 산탄총(shotgun) ; 《軍俗》 기관총[단총](machine gun[pistol]).
scátter·ing *a.* 산산이 흩어진, 산발적인 ; 산재하는, 분산된 ; 《美》 산표(散票)의 : ~ votes 산표(散票).
—— *n.* 분산하기[되기] ; 산산이 흩어진 것 ; 산포 ; 소수, 소량, 조금, 드묾〈*of*〉 ; 〔理〕 산란.
~·ly *adv.*
scáttering làyer *n.* (해양속의 플랑크톤이 형성하는) 산란층(散亂層)《음파를 반사함》.
scátter propagàtion *n.* 〔通信〕 산란전파.
scátter rùg *n.* 작은 융단.
scátter·shòt *a.* 《美》 산발된, 닥치는 대로의, 산만한 ; 무차별 사격의. —— *n.* (장전한) 산탄 ; 산탄의 비산(飛散).
scátter·sìte hòusing *n.* 《美》 (중산층 거주 지역에 저소득자용의 공영 주택을 분산시켜 세우는) 분산 주택 (계획).
scat·ty [skǽti] *a.* 《英口》 덜 떨어진, 까불거리고 산만한, 미덥지 못한. **scát·ti·ly** *adv.* **-ti·ness** *n.* 〖*scatter*brained〗
scáup dùck [skɔ́:p-] *n.* 〔鳥〕 흰죽지속의 오리, (특히) 검은머리흰죽지.
scaup·er [skɔ́:pər] *n.* =SCALPER 3.
scaur [skɑ́:r, skɔ́:r] *n.* 《스코》 =SCAR[2].
scav·enge [skǽvəndʒ, -vindʒ] *vt.* (쓰레기 따위를) 없애다 ; (이용할 수 있는 것을) 폐품 중에서 가려내다 ; (연소 가스를) 배출시키다 ; (썩은 고기 따위를) 먹다 ; (장소를) 청소하다. —— *vi.* scavenger로서 일하다[작용하다] ; 먹을 것《따위》을 찾아 뒤지다 ; 폐품을 이용하다 ; (내연 기관의 기통이) 소기되다.
〖역성(逆成) < ↓〗

scáv·en·ger *n.* **1** 《英》 거리 청소부, 쓰레기 치우는 사람 ; 넝마주이 ; 폐품 회수업자. **2** 〖生態〗 썩은 고기를 먹는 동물《특히 독수리·게·개미 따위》. **3** 청소 도구《따위》. **4** 불순물 제거제, 살균[소독]제. ── *vi.* 거리를 청소하다, 청소부 노릇을 하다.
〚ME=inspector of imports<AF *scawager* (⇨ SHOW) ; -*n*-은 cf. MESSENGER〛

Sc.B. *Scientiae Baccalaureus* 《L》(=Bachelor of Science). **SCC, S.C.C.** Sea Cadet Corps. **Sc.D.** *Scientiae Doctor* 《L》(=Doctor of Science). **SCE, S.C.E.** Scottish Certificate of Education.

sce·na [ʃéinɑː] *n.* (*pl.* **-nae** [-niː, -nai]) 〖樂〗 (가극의) 한 장면 ; 극적인 독창곡.
〚It.=scene〛

sce·nar·io [sənάːriòu, 美+-nér-, 美+-nǽr-] *n.* (*pl.* **-i·òs**) 〖劇〗 줄거리 대본 ; 〖映〗 시나리오, 영화 각본, 촬영대본(shooting script) ; 행동 계획, 계획안. 〚It.<L ; ⇨ SCENE〛

sce·nar·ist [sənάːrəst, 美+-néər-, 美+-nǽər-, 英+síːnə-] *n.* 시나리오 작가.

scen·ár·ize *vt.* 영화화하다 ; 각색(脚色)하다.

scend, send[2] [sénd] *n.* 〖海〗 파도의 추진력 ; 배의 뒷질. ── *vi.* 파도를 헤치고 나아가다 ; 파도에 얹히다.

‡**scene** [síːn] *n.* **1** 경치, 풍경, 광경. ㊟ 보통 scene은 한정된 개개의 장면을 의미하며 scenery는 (특히 자연의) 전풍경을 가리킴. **2 a)** 〖劇〗 장(場)(cf. ACT *n.* 2) ; 〖映〗 한 장면 : *in S*~ i 제1장에서. **b)** 무대면, 배경, 무대 장치, (방·산하(山河) 따위를 그린) 무대 배경 그림(cf. SCENERY 2). **c)** (극·소설·사건 따위의) 무대, 장면, 현장, 광경, 정경 ; 사건 : a street ~ 거리 풍경 / a ~ of strife 투쟁의 장면. **3** 대소동 : make a ~ (울고불고하며) 큰 소동을 벌이다. **4** 정세, 정황(situation) : the American ~ 미국적 풍경《미국의 사회정세 따위》. **5** [the ~] 《口》 (패션·음악 따위) …계(界) ; [one's ~] 《口》 흥미(의 대상), 취미 ; 《美俗》 (재즈 애호가의) 늘 모이는 장소, 모임.

〈회화〉
Were you at the *scene* of the accident? — Yes, I saw it happen. 「사고 현장에 있었습니까」「예, 그 사고가 일어나는 것을 보았어요」

a change of scene 환경의 변화 ; 전지(轉地).
behind the scenes 무대 뒤에서 ; 몰래.
make the scene (특정한 곳에) 나타나다 ; 참가하다 ; 인기를 모으다 ; 성공하다.
on the scene 현장에, 그 자리에서 ; 《英》 유행하여 : arrive (*up*) *on the* ~ 현장에 나타나다 / come *on the* ~ 무대에 나타나다 ; 《비유》 등장하다, 나타나다(appear).
quit the scene 퇴장하다 ; 죽다(die).
〚L<Gk. *skēnē* tent, stage〛
類義語 ⟹ VIEW.

scène [*F* sɛn] *n.* =SCENE.
en scène 상연되어(on the stage).

scéne dòck[bày] *n.* (극장의) 배경실, 도구실.

scéne·man [-mən] *n.* 《古》 =SCENESHIFTER.

scéne pàinter *n.* (무대의) 배경(背景)화가 ; 풍경화가.

scéne pàint·ing *n.* (무대의) 배경화(법).

***sce·nery** [síːnəri] *n.* **1** Ⓤ (한 지방의) 풍경(cf. SCENE 1 ㊟) : mountain ~ 산경(山景). **2** Ⓤ [집합적으로] (연극의) 무대 장면, 장치, 배경(cf. SCENE 2 b) ; PROPERTY 5).

scenery의 ○×
(×) There *are* a lot of beautiful *sceneries* in Korea.
(○) There *is* a lot of beautiful *scenery* in Korea.
(한국에는 아름다운 경치가 많다.)
☆ scene은 가산 명사지만 scenery는 불가산명사므로 many를 붙이거나 복수형을 쓸 수는 없다(위 (×)의 a lot of는 many의 뜻이고, (○)의 a lot of는 much의 뜻이다).

〚C18 *scenary*<It. ; ⇨ SCENARIO〛

scéne·shìft·er *n.* (연극의) 도구 담당자.

scéne-stèal·er *n.* 〖劇〗 (멋지게 연기하여) 주역보다 더 인기를 끄는 조연자.

sce·nic [síːnik, sén-] *a.* **1** 경치의, 풍경의 ; 경치 좋은 : a ~ artist[painter] 풍경화가(scene painter) / ~ beauty 경승(景勝), 아름다운 경치 / a ~ spot 경승지. **2** 무대(위)의 ; 극의, 극적인 ; (무대) 배경[장치]의. **3** (감정·표정 따위가) 연극조(調)의, 극적인. **4** (사건·얘기 따위가) 생생한, 그림 같은. ── *n.* 풍경화, 풍경사진, 풍경 영화. **scé·ni·cal·ly** *adv.*

scé·ni·cal *a.* =SCENIC.

scénic dríve *n.* 《美》 경치가 아름다운 길임을 알리는 도로 표지.

scénic ráilway *n.* (유원지 따위에서 인공적인 풍경 사이를 달리게 하는) 소형 유람 철도.

scé·no·gràph [síːnə-] *n.* 원근도(遠近圖) ; (고대 그리스의) 배경화. **~·er** *n.*

sce·nog·ra·phy [si(ː)nάgrəfi] *n.* Ⓤ 원근도법 ; (고대 그리스의) 배경화법.
sce·no·graph·ic, -i·cal [sìːnəgrǽfik(əl)] *a.* 배경화의 ; 원근도법(적)인. 〚Gk. ; ⇨ SCENE〛

***scent** [sént] *n.* **1** Ⓤ,Ⓒ 냄새(smell) ; Ⓤ 향내, 향기 ; Ⓤ 《英》 향수(perfume) : a ~ spray 향수 뿌리는 기구. **2** [단수형만으로 써서] **a)** (짐승의) 냄새 자취 ; 《비유》 단서 : a cold ~ 희미한 냄새 자취 / a hot ~ 강한 냄새 자취 / follow up the ~ 냄새 자취를 더듬어 추적하다 ; 《비유》 단서를 더듬어 추적하다 / lose the ~ 단서를 잃다. **b)** 종이 뿌리기《HARE *and hounds*에서 hare가 된 사람이 뿌리는 종잇조각》. **3** Ⓤ (사냥개의) 후각 ; Ⓒ (사람의) 직감, 육감, 직각력(nose)〈*for*〉.
off the scent=***on a wrong***[***false***] ***scent*** 단서를 잃고, 허방짚고 ; 실패할 것 같아서 : The criminal tried to throw[put] the police *off the* ~. 범인은 뒤쫓는 경찰을 따돌리려고 했다.
on the scent 냄새를 맡고, 단서를 잡아 : They were *on the* ~ *of* a new plot. 새로운 음모를 적발할 단서를 잡았다.
── *vt.* **1** 냄새로 구별하다, 냄새 자취로 찾아내다 ; 《비유》 (비밀 따위를) 냄새맡다, 알아채다, 눈치채다 ; (위험 따위를) 감지하다 : The hound ~*ed* a fox. 사냥개가 여우 냄새를 맡아냈다 / ~ gossip 남의 소문을 알아채다. **2** 냄새[향기]를 풍기다, …에 향수를 뿌리다 : ~ one's handkerchief 손수건에 향수를 뿌리다. ── *vi.* [動/+副] 냄새 자취를 더듬어 추적하다 ; (…의) 냄새가 나다 : The dog went ~*ing* ***about***. 그 개는 여기저기 냄새 자취를 좇아 뛰어다녔다.
〚OF *sentir* to perceive<L ; ⇨ SENSE〛
類義語 ⟹ SMELL.

scént bàg *n.* 향주머니(sachet) ; 〖動〗 향낭(香囊), 향샘.

scént bòttle *n.* 《英》 향수병.

scént·ed *a.* **1** 향수가 든, 향수를 바른, 향기로운. **2** [복합어를 이루어] …냄새가 나는 ; 후각이 …한 : keen-~ 후각이 예민한.

scént glànd *n.* 〘動〙 (사향고양이 따위의) 사향(麝香) 분비선, 향샘.

scént·less *a.* 향내 없는, 냄새 없는 ; (사냥에서) 냄새 자취가 없어진.

scent·om·e·ter [sentámətər] *n.* (대기오염 조사를 위한) 호기(呼氣) 분석계.

scént òrgan *n.* 〘動〙 취기관《향샘 따위》.

scepsis ☞ SKEPSIS.

scep·ter | **-tre** [séptər] *n.* (제왕의) 홀(笏) ; [the ~] 왕권, 왕위 ; 주권 : sway[wield] *the* ~ 군림[지배]하다 / lay down *the* ~ 왕위에서 물러나다. —— *vt.* …에게 홀을 하사하다 ; …에게 왕권[주권]을 주다. **scép·tered** | **-tred** *a.* 홀을 가진 ; 왕위에 오른, 왕권을 가진 ; 왕권[왕위]의. 〚OF<L<Gk. =shaft (*skēptō* to lean on)〛

sceptic ☞ SKEPTIC.

sceptical ☞ SKEPTICAL.

scepticism ☞ SKEPTICISM.

ScGael Scottish Gaelic. **sch.** scholar ; school ; schooner.

Scha·den·freu·de [ʃáːdənfrɔ̀idə] *n.* 남의 불행을 통쾌하게 여김. 〚G=damage joy〛

schap·pe [ʃáːpə, 英+ʃǽpə] *vt.* (지스러기 견사를) 발효시켜 세리신을 제거하다. —— *n.* (자수실·뜨개질실·혼방용의) 견방사(絹紡絲) (=~ **sílk**). 〚G (dial.)〛

sched·ule** [skédʒu(ː)l ; ʃédjuːl] *n.* **1** 표, 일람표, 목록 ; 《美》 시간표(timetable). **2** 예정(표), 스케줄, 계획(안), 일정 ; 〘컴퓨〙 일정 : I have a full[heavy] ~ *for* next week. 내주는 일정이 꽉 차 있다. **3** 〘法〙 (문서에 부속한) 별표, 명세서. ***(according) to schedule 예정대로. ***behind schedule*** 정각[예정]보다 늦게.

〈회화〉
Your work is a long way *behind schedule.* — We're doing the best we can. 「자네들 일이 예정보다 많이 늦어지고 있군」「최선을 다하고 있습니다」

on schedule 예정대로 ; 시간(표)대로, 정각에. —— *vt.* **1** …의 표[일람표, 목록, 명세서, 시간표]를 작성하다 ; 표에 기입하다. **2** [+目+*for*+名/+目+*to* do] (미래의 시간을) 예정하다 : The match is ~*d* ***for*** Monday[five o'clock]. 시합은 월요일[다섯시]로 예정되어 있다 / The new mayor is ~*d* *to* make a speech next Monday. 신임 시장은 내주 월요일에 연설할 예정이다. 〚OF<L=slip of paper (dim.) ‹ *scheda* leaf<Gk.〛

schéd·uled cástes *n. pl.* 《인도》 지정(指定) 카스트《4성 이외의 하층계급에 대한 untouchables (불가촉민(不可觸民))란 호칭 대신에 쓰이는 공식 호칭》.

schéduled flíght *n.* 〘空〙 (비행기의) 정기편(定期便) (cf. CHARTER FLIGHT).

schéduled térritories *n. pl.* [the ~] 〘史〙 영화(英貨)[파운드] (통용) 지역.

Schedule 1 [´ wʌ́n] *n.* 《美》 1급 지정, 별표(別表) 1《소지 및 사용이 법으로 규제되어 있는 마약 리스트》.

Schee·le [ʃéilə ; *G* ʃéːlə] *n.* 셸레. **Karl Wilhelm** ~ (1742-86) 스웨덴의 화학자 ; Joseph Priestley와는 별도로 산소를 발견.

Schéele's gréen *n.* 셸레녹(綠)《독성이 있는 황색을 띤 녹색의 안료》. 〚↑〛

schee·lite [ʃíːlait, ʃéi-] *n.* Ⓤ 〘鑛〙 회중석(灰重石). 〚K.W. *Scheele* 발견자〛

Sche·her·a·za·de [ʃəhèrəzáːdə, -híər-] *n.* 세헤라자데《「아라비안 나이트」 중의 Sultan의 아내 ; 천일 동안 밤마다 왕에게 이야기를 들려주어 목숨을 구했다고 함》.

Schel·ling [ʃéliŋ] *n.* 셸링. **Friedrich (Wilhelm Joseph von)** ~ (1775-1854) 독일의 철학자·저작가.

sche·ma [skíːmə] *n.* (*pl.* **-ma·ta** [-tə]) **1** 개요, 대략 ; 도표, 도식. **2** 〘論〙 (삼단 논법의) 격(格) ; 〘文法·修〙 비유, 형용 ; 〘哲〙 (칸트의) 선험적(先驗的) 도식 ; 〘心〙 스키마《세계를 인지하거나 외계에 작용하거나 하는 토대가 되는 내적인 프레임》. 〚Gk. *skhēmat-* *skhēma* form, figure〛

sche·mat·ic [ski(ː)mǽtik] *a.* 개요의 ; 도식의[적인]. —— *n.* 개략도, (전기 따위의) 배선약도.

sche·ma·tism [skíːmətìzəm] *n.* Ⓤ **1** (어떤 형태에 의한) 도식적 배치 ; (물건이 취하는) 특수한 형태. **2** 조직적 체계. **3** 〘哲〙 (칸트 철학의) 도식론[화].

sche·ma·tize [skíːmətàiz] *vt.* 조직적으로 배열하다 ; 도식화하다. 〚Gk.〛

scheme** [skíːm] *n.* **1** [+前+do*ing*/+*to* do] **a)** 안(案), 설계, 계획 ; 조직, 기구, 체제 : a new ~ ***for rural electrification 농촌 전화(電化)를 위한 신 계획 / Their ~ ***of*** build*ing* the road has failed. 그들의 도로 건설 계획은 실패로 끝났다. **b)** 계략, 음모 ; 비현실적인 계획 : Their ~*s* *to* evade taxes were very crafty. 그들의 탈세 조작은 대단히 교활한 것이었다. **2** 도식(圖式) (schema) ; 약도 ; 지도. **3** 개요, 대략. —— *vt.* [+目/+目+副/+*to* do] 계획하다, 안을 세우다 ; 음모하다, 꾀하다, 책동하다 : ~ (***out***) a system of depopulation 인구 감소를 계획하다 / He ~*d* *to* become president. 그는 회장이 되려고 책동했다. —— *vi.* [動/+*for*+名] 계획을 세우다 ; 음모를 꾸미다 : Some of them ~*d* ***for*** the overturn of the express. 그들 중에는 급행열차의 전복을 음모한 자들도 있었다. 〚L<Gk. SCHEMA〛

類義語 (1) (*n.*) ⟹ PLAN.
(2) (*v.*) ⟹ PLOT.

schem·er [skíːmər] *n.* 계획[입안, 고안]자 ; (특히) 음모가, 모사꾼, 책략가.

schem·ing [skíːmiŋ] *a.* 계획적인, 책동적인, 음모를 꾸미는 ; 교활한. —— *n.* Ⓤ 음모.

scher·zan·do [skeərtsǽndou, -tsáːn-] *a., adv.* 〘樂〙 해학(諧謔)적인[으로], 익살스러운[스럽게], 스케르찬도의[로]. —— *n.* (*pl.* **~s**) 스케르찬도의 악절[곡]. 〚It. (↓)〛

scher·zo [skéərtsou] *n.* (*pl.* **~s**, **-zi** [-tsiː]) 〘樂〙 스케르초《경쾌하고 해학미가 있는 3박자의 악장[악곡]》. 〚It.=jest〛

Schíck tèst [ʃík-] *n.* 〘醫〙 시크 (반응) 검사《헝가리 태생인 미국의 소아과 의사 Bé·la [béilə] Schick (1877-1967)가 발명한 디프테리아 면역 검사법》.

Schie·dam [skidǽm] *n.* (네덜란드 Schiedam산의) 진(술)의 일종.

Schíff('s) reágent [ʃíf(s)-] *n.* 〘化〙 시프 시약(試藥)《알데히드 검출용》. 〚Hugo *Schiff* (d. 1915) 독일의 화학자〛

schil·ler [ʃílər] *n.* 〘鑛〙 섬광, 광채. 〚G=iridescence〛

Schiller *n.* 실러. **Johann Christoph Friedrich von** ~ (1759-1805) 독일의 시인·극작가.
schil·ling [ʃíliŋ] *n.* 실링《오스트리아의 화폐 단위; 기호 S》; 1실링화(貨). 〖G〗
schip·per·ke [skípərki, ʃíp-] *n.* 스키퍼키《벨기에 원산(原産)의 털이 검고 꼬리가 없는 번견(番犬)·애완견; 원래 거룻배의 보초용》.
〖Flem. =little boatman; cf. SKIPPER[1]〗
schism [sízəm, skíz-] *n.* Ⓤ,Ⓒ (단체의) 분리, 분열; (특히 교회의) 분파, 분립; Ⓤ 종파 분립죄; (분립한) 종파, 교파. 〖OF<L<Gk.=cleft〗
schis·mat·ic [sizmǽtik, skiz-] *a.* 분리적인; (교회의) 종파 분립(죄)의. —— *n.* 교회(종파) 분리론자; 분리[분파]자.
schis·mát·i·cal *a.* **-i·cal·ly** *adv.*
schis·ma·tize [sízmətàiz, skíz-] *vi.* 분리에 가담하다, 분열을 꾀하다. —— *vt.* 분열시키다.
schist [ʃíst] *n.* Ⓤ 〖岩石〗 편암(片岩).
〖F<L<Gk.; ⇨ SCHISM〗
schíst·ose [-ous], **schíst·ous** [-əs] *a.* 〖岩石〗 편암의, 편암질[모양]의.
schis·tos·i·ty [ʃistásəti] *n.* 편리(片理).
schís·to·sòme [ʃístə-] *n., a.* 〖動〗 주혈 흡충(住血吸蟲)(의).
schis·to·so·mi·a·sis [ʃìstəsoumáiəsəs] *n.* (*pl.* **-ses** [-sìːz]) Ⓤ 〖醫〗 주혈 흡충증(症).
schiz [skíts, skíz] *n.* 《美 口》 =SCHIZOPHRENIA; =SCHIZOPHRENIC.
schiz- [skíz, -ts], **schizo-** [skízou, -zə, -tsou, -tsə] *comb. form* 「분열」「열개(裂開)」「정신 분열증」의 뜻. 〖L<Gk. (*skhizō* to split)〗
schizo [skítsou] *a., n.* (*pl.* **schíz·os**) 《口》 = SCHIZOPHRENIC.
schízo·càrp *n.* 〖植〗 분리과(실)(分離果(實)).
schìzo·génesis *n.* 〖生〗 분열 생식.
schiz·oid [skítsɔid] *a., n.* 정신 분열증의 (사람).
〖*schizo*phrenia+*-oid*〗
schìzo·mycéte [, -máisiːt] *n.* 〖生〗 분열균(分裂菌)(bacterium).
schìzo·mycósis *n.* 〖醫〗 분열균증, 박테리아증.
schízo·phrene [-frìːn] *n.* 정신 분열증 환자.
schìzo·phrénia *n.* Ⓤ 〖醫〗 정신 분열증; 〖心〗 분열성 성격.
schìzo·phrén·ic [-frénik] *a., n.* 정신 분열증의 (환자).
schízo·phỳte *n.* 〖植〗 분열 식물.
schìzo·phýtic *a.*
schìzo·thý·mia [-θáimiə] *n.* 〖精神醫〗 분열 기질(氣質).
schizy, schiz·zy [skítsi] *a.* 《美俗》 머리가 돈, 정신 분열증인(schizophrenic).
schlang [ʃlǽŋ] *n.* 《美俗》 남근(penis).
〖G *Schlange*〗
schle·miel, -mihl, shle·miel [ʃləmíːl] *n.* 《美口》 얼간이, 무능한[불운한] 녀석.
〖Yid.; A. von Chamisso (d. 1838) 작 Peter *Schlemihl* (1814)에서〗
schlen·ter [ʃléntər, slén-] *n.* 《濠口·N.Zeal.口》 속임수(trick); 《南아》 (다이아몬드의) 모조품.
—— *a.* 《濠口·N.Zeal.口·南아口》 속임수의, 모조품의.
schlep(p), shlep(p) [ʃlép] *v.* (**-pp-**) *vt.* 《美俗》 …을 나르다, (질질) 끌고 가다. —— *vi.* 애써서 [무거운 발걸음으로] 가다. —— *n.* **1** 무능한[얼뜬] 놈. **2** 먼 여행. 〖Yid.〗
Schles·wig [ʃléswig, slés-, -vik] *n.* 슐레스비히 《(1) 현재 슐레스비히홀슈타인 주에 해당하는 역사적 지명. (2) 슐레스비히홀슈타인 주에 있는 항구도시》.
Schléswig-Hólstein *n.* 슐레스비히홀슈타인 《독일 북부의 주(州)》.
schlock, shlock [ʃlák] *a., n.* Ⓤ 《美俗》 싸구려의[하찮은] (것[상품]). **s(c)hlócky** *a.* 〖Yid.〗
schlóck jòint[shòp, stòre] *n.* 《美俗》 싸구려 물건을 파는 상점.
schlóck·mei·ster [-màistər] *n.* 《美俗》 **1** 싸구려 물건을 파는 사람. **2** (선전을 위해) 텔레비전·라디오 현상 프로그램에 자사(自社)제품을 제공하는 사람.
schlóck ròck *n.* 《俗》 시시한 록 음악.
schloomp, schlump [ʃlʌ́mp] *n.* 《美俗》 어리석은 놈. —— *vi.* 빈둥거리고 있다. 〖Yid.〗
schloss [ʃlɔ́ːs] *n.* (독일)의 성(城), 궁전(castle).
〖G〗
schlub [ʃlʌ́b] *n.* 《美俗》 =SCHLOOMP. —— *a.* 가치없는, 잡동사니의. 〖Yid.〗
schlump ☞ SCHLOOMP.
schm-, shm- [ʃm] *comb. form* 《口》 중복어(重複語)의 제2요소의 초두(初頭)의 자음(군)(子音(群))과 치환하여, 또는 모음 앞에 붙여서 「혐오」「경멸」「무관심」 따위의 뜻을 내포한 단어를 만듦: boss-*schm*oss / Johnson-*Schm*onson / listen-*schm*isten / actor-*shm*actor. 〖Yid. *shm-* 몇개인가의 경멸어의 초두(初頭) 자음군〗
s(c)hmal(t)z [ʃmáːlts, ʃmɔ́ːlts, ʃmǽlts] *n.* **1** 《口》 몹시 감상적인 음악[문학(표현)]; Ⓤ (노래·방송극 따위의) 극단적인 감상주의. **2** 《美》 닭(고기)의 지방; 《美俗》 이발 요금.
schmál(t)zy *a.* 지나치게 감상적인.
〖Yid.; cf. G *Schmalz* melted fat〗
schmáltz hèrring *n.* (산란(産卵) 직전의) 기름이 오른 청어.
schmat·te, shmat·te, schmat·tah, schmot·te, shmot·te [ʃmʌ́tə] *n.* 《美俗》 누더기옷, 헌 의류. 〖Yid.〗
schmear, schmeer, shmear [ʃmíər] *n.* 《美俗》 사건, 일, 사항(matter); 뇌물; 중상, 욕; 불평; 완패(完敗). —— *vt.* 매수하다; 생색내다; 땅바닥에 내동댕이치다; 학대하다.
〖Yid.=to spread; cf. SMEAR〗
schmeck [ʃmék] *n.* 《俗》 헤로인(heroin).
Schmidt [ʃmít] *n.* 슈미트. **Helmut (Heinrich Waldemar)** ~ (1918-) 통일전 서독 사회민주당의 정치가; 수상(1974-82).
Schmídt cámera *n.* 〖光〗 슈미트 카메라《천체 관측·분광용》.
〖B. *Schmidt* (d. 1935) 독일의 광학 연구자〗
schmo(e), shmo(e) [ʃmóu] *n.* (*pl.* **schmoes, shmo(e)s**) 《俗》 얼간이, 바보, 괴짜.
〖Yid.〗
schmoos(e), schmooze, shmooze [ʃmúːz], **schmoo·zl(e)** [-zəl] *n., vi.* 《美俗》 수다(떨다), 잡담(하다). 〖Yid.〗
schmuck, shmuck [ʃmʌ́k] *n.* 《美俗》 얼간이, 멍청이; 《卑》 =PENIS. 〖Yid.<G=adornment〗
schnap(p)s, shnaps [ʃnǽps, ʃnáːps] *n.* Ⓤ 네덜란드 진《술》; (독일의) 독한 술.
〖G=dram of liquor; ⇨ SNAP〗
schnau·zer [ʃnáutsər, -zər; *G* ʃnáutsər] *n.* Ⓤ [때때로 S~] 슈나우저《독일종의 테리어》.
schnei·der [ʃnáidər] *vt.* (gin rummy에서) (상대의) 득점을 방해하다, 옴쭉 못하게 하다; 대승[완승]하다. —— *n.* schneider하기; 《美俗》 양복점, 양복장이. 〖G=tailor〗

schnit·zel [ʃnítsəl] *n.* (보통 송아지 고기의) 커틀릿. 〖G=cutlet (*schnitzen* to carve)〗

schnook, shnook [ʃnúk] *n.* 《美俗》 **1** 얼간이, 잘 속는 사람, 멍텅구리; 괴짜. **2** 자지(penis). 〖Yid.〗

schnor·chel, -kel, -kle [ʃnɔ́ːrkəl] *n.* =SNORKEL.

schnor·rer [ʃnɔ́ːrər] *n.* 《美俗》 거지, 식객. 〖Yid.〗

schnoz [ʃnáz] *n.* 《美俗》 코(nose). 〖Yid.〗

schnozz [ʃnáz], **schnoz·zle** [ʃnázəl], **-zo·la** [ʃnázələ] *n.* 《美俗》 (큰) 코. 〖Yid.〗

schol [skál] *n.* 《英口》 장학금(scholarship); [*pl.*] 장학금 취득 시험.

‡**schol·ar** [skálər] *n.* **1** 학자, (특히) 고전학자, 인문학자; 《口》 학식이 있는 사람: a Shakespeare ~ 셰익스피어 학자 / He is no ~. 그는 학자라고는 할 수 없다(cf. He is *not* a scholar.) / She is a good French ~. 그녀는 훌륭한 프랑스어 학자다[프랑스어를 잘 한다] / I am a poor (hand as a) ~. 제대로 읽고 쓰지도 못한다. **2 a)** 《美·英古》 학생; 제자. **b)** 배우는 사람(learner): He is an apt[a dull] ~. 그는 이해가 빠르다[느리다]. **3** 장학금 수혜자, 장학생, 급비생, 특대생. **~·less** *a.*
〖OE and OF<L; ⇨ SCHOOL¹〗
類義語 ⟹ STUDENT.

schol·arch [skálɑːrk] *n.* (옛 아테네의) 철학학교 교장; (일반적으로) 교장.

***schólar·ly** *a.* 학자다운, 학구적인, 박식한; 학문을 좋아하는; 학문적인. ── *adv.* 《古》 학자답게, 학구적으로. **-li·ness** *n.*

‡**schólar·shìp** *n.* **1** Ⓤ 학문, (특히 인문 과학·고전의) 학식, 박학. **2 a)** 장학금, 장학 자금[제도] (cf. EXHIBITION 4): receive[win] a ~ 장학금을 받다[타다] / study on a Fulbright ~ 풀브라이트 장학금으로 공부하다 / a ~ association [society] 육영회(育英會), 장학회. **b)** Ⓤ 장학금을 받을 자격.

scho·las·tic [skəlǽstik] *a.* **1** 학교의; (학교) 교육의. **2** 학자[교사]풍의; 학자인 체하는, 현학적인; 형식적인. **3** [흔히 S~] (중세의) 스콜라 철학의. ── *n.* **1** [보통 S~] 스콜라 철학자. **2** 《古》 학생; 〖카톨릭〗 예수회(Society of Jesus)의 수도생, 신학생. **3** 현학자; 《蔑》 대학 선생; (예술상의) 전통주의자.
-ti·cal·ly *adv.* 학자풍으로; 형식적으로; 스콜라 철학자풍으로.
〖L<Gk.=studious; ⇨ SCHOOL¹〗

scholástic ágent *n.* 교직 알선업자.

scho·las·ti·cism [skəlǽstəsìzəm] *n.* **1** Ⓤ [보통 S~] 스콜라 철학. **2** Ⓤ 전통 존중, 학풍 고수(固守).

scho·li·ast [skóuliæ̀st, -liəst] *n.* 고전 주해자(註解者), 주해 학자(commentator).
schò·li·ás·tic *a.* 고전 주석의.

scho·li·um [skóuliəm] *n.* (*pl.* **~s, -lia** [-liə]) **1** [보통 *pl.*] (그리스·로마의) 고전 주석. **2** (일반적으로) 주석. **3** (수학 따위의) 예증.
〖NL<Gk. *skholion* exposition; ⇨ SCHOOL¹〗

Schön·berg, Schoen- [ʃɔ́ːnbəːrg; *G* ʃø̀ːnbɛrk] *n.* 쇤베르크. **Arnold** ~ (1874-1951) 오스트리아 태생의 미국 작곡가.

◇**school¹** [skúːl] *n.* **1 a)** (일반적으로) 학교《시설·교사》: an evening[night] ~ 야간학교 / an elementary[a primary] ~ 초등학교 / a secondary ~ 중등학교 / keep a ~ (사립)학교를 경영하다 / teach in a ~ 학교에서 가르치다, 교편을 잡다(=《美》 teach school) / The ~ is opposite the church. 학교는 교회의 맞은편에 있다. **b)** Ⓤ 수업(授業); 학업, 수업(修業)《보통 관사 없이 쓰임; cf. MARKET¹ 㽣》; 강습(회); 〖美軍〗 개인[소대]별 밀집 교련(용의 규칙): after ~ 방과 후에 / at ~ 재학[취학]중; 수업중 / out of ~ 학교 밖에서; 졸업하여 / go to ~ 통학[등교]하다; 취학하다 / in ~ 교내에서[에 있어]; 《美》 재학중 / leave ~ 퇴학하다; 졸업하다 / send[put]...to ~ (아들딸을) 학교에 보내다, 취학시키다 / *S*~ begins at 8 : 45. 수업은 8시 45분에 시작한다 / *S*~ opens[will be broken up] tomorrow. 학교는 내일부터 개학한다[방학이다]. **c)** 과(科). **d)** [the ~] 전교생 (및 교사): *The* whole[entire] ~ was assembled in the auditorium. 전교 학생과 교사가 강당에 모여 있었다. **e)** 교사(校舍); 교실(classroom): the big ~ 강당 / a sixth-form ~ 《英》 제6학년 교실. **2** 교습소, 양성소, 연구소; 《비유》 도장(道場), 훈련장; 《美俗》 연방 정부의 감화원: in the hard ~ of daily life 일상생활의 고달픈 시련 속에서. **3** (학문·예술 따위의) 유파, 학파, 화풍(畫風), 학풍, 주의; 견해[행동] 따위를 같이하는 그룹, 일파: the ~ *of* Plato[Raphael] 플라톤[라파엘]파 / the Stoic ~ 스토아학파 / the laissez-faire ~ 자유 방임주의파 / of the old ~ 구식의(old-fashioned). **4 a)** 《美》 대학, 학부, 전문학부, 대학원: the Law [Medical] *S*~ 법[의]학부. **b)** [the ~s] 《美》 대학, 학계; [the S~s] (중세의) 대학, (중세 대학의) 신학교사. **5** 《옥스퍼드 大學》 **a)** 학위(시험)과목《합격하면 honours가 부여됨》: take the history ~ 역사를 전공하다. **b)** [*pl.*] 학위 시험(장): in the ~*s* 학위 시험을 치르는 중에. **6** 〖樂〗 (대위법 따위의) 교본(敎本).

〈회화〉
> *School* is over now. — Yeah, what shall we do then? 「이제야 수업이 끝났다」「그래, 이제 뭘 할까」

go to school to …에게서 가르침을 받다, 에게서 배우다.
tell tales out of school 비밀을 밖으로 누설하다, 수치를 드러내다.
── *a.* 학교(교육)의[에 관한]: a ~ library 학교 도서관 / ~ things 학용품.
── *vt.* **1** [+目/+目+*to*+名/+目+*to* do] 가르치다(teach), 훈육하다, 훈련하다(train): ~ a horse 말을 길들이다 / *S*~ yourself *to* patience [*to* control your temper]. 인내력을 기르시오[급한 성질을 자제하도록 수양하시오]. **2** 《古》 견책하다.
〖OE and OF<L *schola* school<Gk. *skholē* leisure, discussion, lecture(-place)〗

school² *n.* (물고기·고래 따위의) 떼, 무리; 군집: a ~ *of* sardines[porpoises] 정어리[돌고래] 떼 / Those fish swim either singly or *in* ~*s.* 물고기는 혼자 헤엄쳐 다니기도 하고 떼를 지어 다니기도 한다. ── *vi.* (물고기 따위가) 떼를 짓다, 떼지어 나아가다.
〖MLG, MDu.=group; cf. OE *scolu* troop〗
類義語 ⟹ GROUP.

schóol àge *n.* 학령; 의무 교육 연한.
schóol-àge *a.* 학령에 달한.

schóol·bàg *n.* (학생의) 책가방.

schóol bèll *n.* 수업 (시작[종료])종, 학교종.

schóol bòard *n.* 《美》 (학구의) 교육 위원회(cf.

the BOARD *of Education*) ; 《英》 (지방 납세자가 선출한) 학무 위원회《1920년 폐지되었고 그 기능은 county council에 인계되었음 ; cf. BOARD SCHOOL》.

schóol·bòok *n.* 교과서(textbook).
—— *a.* 교과서적인, 교과서풍의.

***schóol·bòy** *n.* **1** 남학생(cf. SCHOOLGIRL). **2** [형용사적으로] 학생의[다운] : ~ slang 학생 속어 / ~ mischief 학생다운 장난.

schóol bùs *n.* 통학 버스.

schóol·chìld *n.* 학동(學童).

schóol còlor *n.* (유니폼 따위의) 학교색.

schóol commìttee *n.* 《美》 교육 위원회.

schóol·dàme *n.* 《英》 dame school의 교장.

schóol dày *n.* 수업일 ; [*pl.*] 학교[학생] 시절.

schóol dìstrict *n.* 《美》 학구(學區).

schóol divìne *n.* (중세의) 신학 교사.

schóol dòctor *n.* (학)교의((學)校醫).

schóol edìtion *n.* 학교용 편집물, 학생판《본문이 단순화 · 요약되고 주석이 많음》.

-school·er [skú:lər] *n. comb. form* 「… 학생」의 뜻 : grade-~ 초등학생 / pre*schooler* 미취학 아동. 〚SCHOOL[1]〛

schóol fèe(s) *n.* (*pl.*) 수업료.

schóol·fèllow *n.* =SCHOOLMATE.

schóol figures *n. pl.* (피겨 스케이트의) 스쿨 피겨.

***schóol·gìrl** *n.* 여학생(cf. SCHOOLBOY).

schóol guàrd *n.* 초등학생의 등 · 하교시의 교통 정리원.

schóol·hòuse *n.* (특히 초등학교의) 교사(校舍) ; 《英》 (학교 부속의) 교원 주택.

schóol·ie *n.* 《濠俗》 학교 선생.

schóol·ing *n.* **1** Ⓤ 학교 교육 ; (통신교육의) 교실 수업. **2** Ⓤ 학비. **3** Ⓤ 훈련, 수양 ; (말의) 조련. **4** 《古》 견책.

schóol inspèctor *n.* 장학사[관].

schóol·kìd *n.* 《口》 학동, 초등학생.

schóol-lèaver *n.* 《英》 (중도) 퇴학자 ; 졸업생.

schóol-lèaving àge *n.* 《英》 졸업 연령.

schóol·man [-mən, -mæ̀n] *n.* **1** [보통 S~] (중세 대학의) 스콜라 신학[철학]자(者) ; (전통적 학문 · 형식 논리학 따위의) 학자, 선생. **2** 《美》 학교 교사.

schóol·marm [-mɑ̀:rm], **-ma'am** [-mɑ̀:m, -mæ̀m] *n.* **1** 《口》 (구식의 또는 시골의) 여교사. **2** 박식한 체하는[교사같아 보이는] 사람《남자에게도 말함》. **~·ish** *a.* 잔소리가 심하고 엄격한, 딱딱하고 까다로운.

schóol·màster *n.* 교사, 남자 교원 ; 교장(cf. SCHOOLMISTRESS) ; 지도자, 지휘관.
—— *vt., vi.* 교사로서 가르치다.
~·ly *a.* 학교 선생다운.

schóol·màte *n.* 학우, 동창생.

schóol mìss *n.* 여학생 ; 《보통 蔑》 자의식 과잉의[세상물정 모르는, 건방진] 여자아이.

schóol·mìstress *n.* 여교사 ; 여교장(cf. SCHOOLMASTER).

schóol·phòbia *n.* 학교 공포증.

schóol práyer *n.* 공립학교의 기도 시간.

schóol repòrt *n.* 《英》 성적[생활] 통지표(=《美》 report card).

schóol·ròom *n.* **1** (학교의) 교실. **2** (아이들의) 공부방, (음악 따위의) 학습실.

schóol shìp *n.* 항해 실습선.

schóol·tèach·er *n.* (초 · 중 · 고등학교의) 교사.

schóol·tèach·ing *n.* Ⓤ 수업 ; 교직(敎職).

schóol tìe *n.* =OLD SCHOOL TIE.

schóol·tìme *n.* **1** Ⓤ 수업시간 ; (가정에서의) 공부시간 ; 수련기간. **2** [흔히 *pl.*] 학생[학교] 시절 (school days).

schóol wélfare òfficer *n.* 《英》 학교 복지 봉사자《빈곤 아동의 급식 · 의류 · 통학비 따위를 돌보아 출석을 정상화시킴》.

schóol·wòrk *n.* Ⓤ 학업 ; (학교의) 숙제 : neglect one's ~ 학업을 게을리하다.

schóol·yàrd *n.* 교정, 학교 운동장.

schóol yéar *n.* =ACADEMIC YEAR.

schoo·ner [skú:nər] *n.* **1** 〖海〗 스쿠너《보통 돛대가 둘, 때로는 세 개 이상인 종범식(縱帆式) 범선》. **2** 《美》 대형 포장마차. **3** 《美 · 濠》 큰 맥주컵《보통 1 pint 들어감》.
〚C18 < ? ; 일설에 *scoon* (변형(變形)) ‹ *scun* (dial.) to SCUD〛

schóoner rìg *n.* 〖海〗 스쿠너식(式) 범장(帆裝), 세로돛 장치. **schóoner-rígged** *a.*

Scho·pen·hau·er [ʃóupənhàuər] *n.* 쇼펜하우어. **Arthur** ~ (1788-1860) 독일의 염세관을 기조로 한 철학자.

schorl [ʃɔ́:rl] *n.* Ⓤ 〖鑛〗 흑(黑)전기석《가장 일반적인 전기석》. 〚G *Schörl*〛

schot·tische [ʃátiʃ, ʃatí:ʃ] *n.* 쇼티셰《polka 비슷한 2박자의 사교춤 ; 그 곡》. —— *vi.* (**~d ; -tisch·ing**) 쇼티셰를 추다. 〚G *der schottische* (*Tanz*) the Scottish (dance)〛

Schótt·ky effèct [ʃátki-] *n.* 〖理〗 (열전자(熱電子) 방사의) 쇼트키 효과.
〚W. *Schottky* (d. 1976) 스위스 태생인 독일의 물리학자〛

Schóttky nòise *n.* =SHOT NOISE. 〚↑〛

schtick, schtik ☞ SHTICK.

Schu·bert [ʃú:bərt, -beərt] *n.* 슈베르트. **Franz** ~ (1797-1828) 오스트리아의 작곡가.

Schu·mann [ʃú:mɑ:n, -mən] *n.* 슈만. **Robert** ~ (1810-56) 독일의 작곡가.

schuss [ʃú(:)s] *n., vi.* 〖스키〗 전속력 직활강(直滑降)(을 하다). 〚G=shot〛

schúss·bòom·er *n.* 전속력 직활강자. **-bòom** *vi.*

schvar·tze, shvar·tzeh, schwar·tze [ʃvɑ́:rtsə] *n.* 《美俗》 흑인, 흑인 여자. 〚Yid.〛

schvar·tzer, schwar·tzer [ʃvɑ́:rtsər] *n.* 《美俗》 흑인 남자[노동자]. 〚Yid.〛

schwa, shwa [ʃwɑ́:] *n.* 〖音聲〗 슈와《악센트가 없는 애매한 모음 ; *a*bout의 *a* [ə], circ*u*s의 *u* [ə] 따위 ; 그 기호 [ə]》.
hooked schwa 〖音聲〗 훅트 슈와《발음 기호 [ɚ]의 명칭으로 미국식 발음의 특징 ; 본 사전의 [ər]에 해당》.
〚G < Heb.〛

Schwann [*G* ʃván] *n.* 슈반. **Theodor** ~ (1810-82) 독일의 물리학자 ; 세포설의 주창자.

Schwánn cèll [ʃwɑ́:n-] *n.* 〖動〗 슈반세포《신경 섬유초(鞘) 세포》. 〚↑〛

Schweit·zer [ʃwáitsər, swái-, ʃvái-] *n.* 슈바이처. **Albert** ~ (1875-1965) 프랑스 태생의 의사 · 철학자 · 선교사 ; 아프리카에서 의료와 전도에 헌신적으로 종사했음 ; Nobel 평화상(1952).

sci. science ; scientific.

scia- ☞ SKIA-.

sci·ag·ra·phy [saiǽgrəfi] *n.* =SKIAGRAPHY.

sci·am·a·chy [saiǽməki], **-om-** [-ɑ́m-], **ski-** [skai-] *n.* 그림자[가상적(假想敵)]와의 싸움 ; 모의전.

sci·am·e·try [saiǽmətri] *n.* **1** 《古》 일월식의 이

론, 일월식론. **2** 〖眼科〗 검영법.

sci·at·ic [saiǽtik] *a.* **1** 볼기의, 〖解〗 좌골(座骨)의. **2** 좌골 신경의; 좌골 신경통성의. 〖F<L<Gk. (*iskhion* hip)〗

sci·at·i·ca [saiǽtikə] *n.* Ⓤ 〖醫〗 좌골 신경통. 〖L (↑)〗

SCID severe combined immunodeficiency(중도(重度) 복합 면역 부전증).

‡**sci·ence** [sáiəns] *n.* **1** Ⓤ 과학; 과학 연구(법); Ⓒ 학문, …학: natural ~ 자연과학 / social ~ 사회과학 / the ~ of language 언어학(linguistics) / a man of ~ 과학자. **2** Ⓤ (특히) 자연과학; 이학(理學). **3** Ⓤ (경기·요리 따위의 체계적인 훈련에 의한) 기술, 술(術), 숙련. **4** [보통 S~] =CHRISTIAN SCIENCE. **5** 《古》 지식. 〖OF<L *scientia* knowledge (*scio* to know)〗 類義語 ⟹ KNOWLEDGE.

scíence fíction *n.* 공상 과학 소설(略 SF).

sci·en·ter [saiéntər] *adv.* 〖法〗 의도적으로, 고의로(intentiously).

sci·en·tial [saiénʃəl] *a.* 학식이 있는; 학문의, 지식의.

‡**sci·en·tif·ic** [sàiəntífik] *a.* **1** 과학의[에 관한, 에 쓰이는], (자연) 과학상의; (과학적으로) 정확(精確)한, 엄정한; 계통이 선: ~ books 자연 과학서 / a ~ discovery 과학상의 발견. **2** (경기·업무 따위에서) 과학적인, 기술이 좋은: a ~ wrestler 기술이 좋은 레슬러.
-i·cal·ly *adv.* 과학적으로.
〖F or L; ⇨ SCIENCE〗

scientífic méthod *n.* (데이터를 모아 가설을 시험하는) 과학적 연구법.

scientífic náme *n.* 〖生〗 학명(taxon)《국제 명명 규약에서 규정된》.

scientífic notátion *n.* 과학적 기수법(記數法).

scientífic philósophy *n.* 과학 철학.

scientífic revolútion *n.* 과학 혁명.

scientífic sátellite *n.* 과학 위성.

scientífic sócialism *n.* 과학적(科學的) 사회주의《Marx, Engels 등의 사회주의; cf. UTOPIAN SOCIALISM》.

sci·en·tism [sáiəntìzəm] *n.* Ⓤ 《흔히 蔑》 과학주의, 과학 만능주의; 과학자적 태도[방법]; 과학 용어.

‡**sci·en·tist** [sáiəntəst] *n.* **1** (자연) 과학자, 과학 연구자. **2** [S~] 〖크리스천 사이언스〗 **a**) (최고 치료자로서의) 그리스도. **b**) Christian Science 신봉자.

sci·en·tis·tic [sàiəntístik] *a.* 과학적 방법[태도]의, 과학 (만능)주의적인.

sci·en·tize [sáiəntàiz] *vt.* 과학적으로 처리하다.

sci·en·tol·o·gy [sàiəntάlədʒi] *n.* 사이언탈러지《미국인 L. Ron Hubbard에 의해 시작된 종교 운동; 지상(至上)의 존재를 부정하고 심리요법·자기수양 따위를 주장함》.

sci-fi, sci·fi [sáifái] *n., a.* 《口》 공상 과학 소설(의). 〖*sci*ence *fi*ction〗

scil. scilicet.

sci·li·cet [skí:likèt, sáiləsèt, síləsèt] *adv.* 즉, 다시 말하면《略 scil., sc.》. 〖L *scire licet* it is permitted to know〗

scim·i·tar, -i·ter, -e·tar, sim·i·tar [símətər] *n.* (아라비아인·터키인·페르시아인 등이 사용하는) 언월도(偃月刀). 〖It.< ?〗

scín·ti·gràm [síntə-] *n.* 〖醫〗 섬광도, 신티그램《방사성 동위 원소의 투여에 의하여 얻어지는 체내의 방사능 분포도》.

scin·tig·ra·phy [sintígrəfi] *n.* Ⓤ 〖醫〗 신티그래피, 섬광 조영[촬영](법). 〖*scinti*llation+*-graphy*〗

scin·til·la [sintílə] *n.* (*pl.* **~s, -til·lae** [-li:]) **1** 불꽃, 섬광. **2** 미량, 작은 흔적, 편린(片鱗): There's not a ~ *of* evidence. 증거라고는 티끌만큼도 없다. 〖L=spark〗

scin·til·lant [síntələnt] *a.* 불꽃을 내는, 번쩍이는. **~·ly** *adv.*

scin·til·late [síntəlèit] *vi.* 불꽃을 내다, 번쩍이다; 《비유》 (재기·기지가) 번뜩이다. ── *vt.* (불꽃·섬광을) 발하다; (재기 따위를) 번뜩이다. 〖L; ⇨ SCINTILLA〗

scín·til·làt·ing *a.* 번쩍이는; 재치가 넘치는, 재미있는; 흥미를 끄는. **~·ly** *adv.*

scin·til·la·tion [sìntəléiʃən] *n.* Ⓤ,Ⓒ 불꽃, 섬광(閃光); 번쩍임, (재기의) 번뜩임; 〖氣〗 (대기중의 광원이나 별의) 반짝임, 신틸레이션; 〖理〗 (방사선에 의한 물질의) 섬광.

scintillátion càmera *n.* 〖醫〗 신틸레이션[섬광] 카메라《몸의 방사능 분포를 조사하는 장치》.

scintillátion còunter *n.* 〖理〗 신틸레이션 계수기[카운터] (scintillometer).

scintillátion spectròmeter *n.* 〖理〗 신틸레이션 분석기.

scín·til·là·tor *n.* 번쩍이는 것, 깜박이는 별; 〖理〗 신틸레이터《방사선이 충돌하여 발광하는 물질》.

scin·til·lom·e·ter [sìntəlάmətər] *n.* 〖天〗 별의 반짝이는정도·주기를측정하는장치; =SCINTILLATION COUNTER.

scín·ti·scàn [síntə-] *n.* 〖醫〗 신티스캔《scintiscanning에 의한 그림》.

scín·ti·scànning [síntə-] *n.* 〖醫〗 신티스캐닝《신틸레이션 계수기(器)로 체내 방사성 물질의 소재를 조사하는 방법》.

sci·o·lism [sáiəlìzəm] *n.* Ⓤ 학문[지식]의 겉핥기, 설배운 지식. **-list** *n.* 설배운 학자, 사이비 학자. **sci·o·lís·tic** *a.* 설배운, 겉핥기의. 〖L *sciolus* (dim.) ‹ *scius* knowing〗

sciol·to [ʃɔ́(:)ltou] *adv.* 〖樂〗 자유롭게, 가볍게. 〖It.〗

scio·man·cy [sáiəmæ̀nsi, skí:ə-] *n.* Ⓤ 영매술.

sci·on, ci·on [sáiən] *n.* **1** (접목의) 접지(接枝), 어린가지, 움돋이. **2** (특히 귀족·명문의) 아들, 자제, 자손, 후예, 상속인. 〖F=shoot, twig< ? Gmc. (OHG *chīnan* to sprout)〗

sci·op·tic [saiάptik] *a.* 암상[암실]의[를 쓰는] 《카메라》.

Scip·io [sípiòu, skíp-] *n.* **1** [~ the Major *or* Elder ~] (대(大))스키피오《Hannibal을 격파한 로마 장군; 237-183 B.C.》. **2** [~ the Minor *or* Younger ~] (소(小))스키피오《Carthage를 멸한 로마 장군; 185 ?-129 B.C.》.

sci·re fa·ci·as [sáiəri féiʃiæ̀s, -ʃəs] *n.* 〖法〗 (집행·취소가 불가한 이유를 입증토록 요구하는) 고지(告知) 영장(의 절차). 〖L=make (him) know〗

sci·roc·co [ʃirάkou, sə-] *n.* =SIROCCO.

scir·rhoid [sírɔid, skír-] *a.* 〖醫〗 경성암양(硬性癌樣)의.

scir·rhous [sírəs, skír-] *a.* 〖醫〗 경성암의.

scir·rhus [sírəs, skír-] *n.* (*pl.* **-rhi** [-rai, -ri:], **~·es**) 〖醫〗 경성암(硬性癌). 〖L<Gk. (*skiros* hard)〗

scis·sel [sísəl, skís-] *n.* 〖冶〗 철판을 잘라낸 부스러기.

scis·sile [sísail, -səl] *a.* 잘라지기 쉬운, 찢어지기

쉬운.

scis·sion [síʃən, síʒən] *n.* Ⓤ 절단(cutting) ; 분리, 분열(division).

scis·sor [sízər] *vt.* (…을) 가위로 자르다〈*off, up, into*〉; 잘라[오려]내다〈*out*〉. ── *n.* [흔히 형용사적으로] 가위(의). 〖SCISSORS〗

scíssor·bìll *n.* **1** 〖鳥〗 가위제비갈매기. **2** 《美俗》 임금 노동자가 아닌 사람《농장[유전]주, 이자·배당금 생활자 등》, 노동자 의식이 적은 사람 ; 《美俗》 바보, 봉.

scíssor·ing *n.* **1** Ⓤ 가위로 자르기. **2** [*pl.*] (가위로) 오려낸 것.

***scis·sors** [sízərz] *n.* **1** [보통 복수취급] 가위(cf. SHEAR). ☞ 活用. **2** [보통 단수취급] **a)** 〖體操〗 (도약할 때) 양다리를 가위처럼 놀리기. **b)** 〖레슬링〗 가위조르기(=∼ **hòld**)《상대방의 머리나 몸을 양 다리로 조르기》.
〖OF＜L＝cutting instrument (*caes- caedo* to cut) ; cf. CHISEL ; *scis*-는 L *sciss- scindo* to cut 과의 연상〗
活用 a *pair of scissors* / two *pairs of scissors* / *some scissors* / Where *are my scissors*? (내 가위는 어디에 있니)와 같이 쓰임.

scíssors-and-páste *a.* 풀과 가위의[를 사용하는]《오려내어 편집하는 따위, 연구와 독창의 결여를 가리킴》.

scíssors kìck *n.* 〖泳〗 두 다리를 가위처럼 번갈아 차기.

scíssors trùss *n.* 〖建〗 (사원 건축 따위의) 가위 모양의 트러스.

scíssor·tàil, scíssor-tàiled flýcatcher *n.* 〖鳥〗 제비꼬리타이런트새.

scíssor tòoth *n.* 〖動〗 (육식(肉食) 동물의) 열육치(裂肉齒).

scis·sure [síʒər, síʃər] *n.* 《古》 세로로 째어짐, 갈라진 틈 ; 분열, 분리.

sclaff [sklǽ(ː)f ; skláːf] *vi., vt.* 〖골프〗 공을 치기 전에 (골프채로) 땅을 스치다[스치게 하다]. ── *n.* 그렇게 치는 법. 〖Sc. *sclaf* shuffle〗

SCLC, S.C.L.C. 《美》 Southern Christian Leadership Conference《남부 기독교 지도자 회의 ; Martin Luther King 목사의 지도에 의한 흑인 민권 확대운동으로 유명》.

scler- [sklíər, sklér], **scle·ro-** [sklíərou, sklérou, -rə] *comb. form* 「굳은」 「(눈의) 공막(鞏膜)」의 뜻. 〖Gk. (*sklēros* hard)〗

sclera [sklíərə, sklérə] *n.* 〖解〗 (눈의) 공막(鞏膜). **sclér·al** *a.*

scle·rec·to·my [skliəréktəmi, sklə-] *n.* 〖醫〗 공막 절제(술).

scler·e·id [sklíəriəd, sklér-] *n.* 〖植〗 후막(厚膜) 세포.

scle·ren·chy·ma [skliəréŋkəmə, sklə-] *n.* 〖植〗 후막(厚膜) 조직(cf. COLLENCHYMA).

scle·ri·a·sis [skliəráiəsəs, sklə-] *n.* Ⓤ 〖醫〗 공피증(鞏皮症).

scle·ri·tis [skliəráitəs, sklə-] *n.* Ⓤ 〖醫〗 (눈의) 공막염(鞏膜炎).

scle·roid [sklíərɔid, sklér-] *a.* 〖生〗 경질(硬質)의, 경조직(硬組織)의.

scle·ro·ma [skliəróumə, sklə-] *n.* (*pl.* **-ma·ta** [-tə]) Ⓤ 〖醫〗 경종(硬腫).

scle·rom·e·ter [skliərámətər, sklə-] *n.* Ⓤ 〖機〗 (광물용) 경도계(硬度計).

sclèro·prótein *n.* 〖生化〗 경(硬)단백질(albuminoid).

scle·rose [sklíərous, sklér-, skliəróus, sklə-, -z] *vt., vi.* 〖醫〗 경화증에 걸리(게 하)다, 경화시키다[하다].
〖역성(逆成) ＜ *sclerosis*〗

scle·rosed [sklíəroust, sklér-, skliəróu-, sklə-, -zd] *a.* 〖醫〗 경화증에 걸린, 경화한.

scle·ro·sis [skliəróusəs, sklə-] *n.* (*pl.* **-ses** [-siːz]) Ⓤ 〖醫〗 경화(증) ; 〖植〗 세포벽의 경화 : ∼ of the arteries 동맥 경화(증) (arteriosclerosis).
〖Gk. (*sklēros* hard)〗

scle·rot·ic [skliərátik, sklə-] *a.* 경화한 ; 〖植〗 세포벽 경화의 ; 〖醫〗 경화증의 ; 〖解〗 공막(鞏膜)의. ── *n.* 〖解〗 공막(sclera).

scle·ro·ti·tis [sklìərətáitəs, sklèr-] *n.* ＝SCLERITIS.

scle·rous [sklíərəs, sklér-] *a.* 〖解·醫〗 딱딱한, 경화한.

Sc. M. *Scientiae Magister* 《L》 (＝Master of Science). **S.C.M.** 《英》 State Certified Midwife ; 《英》 Student Christian Movement.

scob [skáb] *n.* [보통 *pl.*] 《英》 톱밥, 깎아낸 수염, 줄밥.

scobe [skóub] *n.* 《美黑人俗》 흑인.

scoff[1] [skáf, 美＋skɔ́ːf] *vi.* [動/＋*at*＋名] (특히 종교 기타 존경해야 할 것을) 조롱하다, 비웃다, 놀리다 : He ∼*ed* ***at*** difficulties. 그는 난관을 문제삼지 않았다. ── *vt.* …을 비웃다, 조소하다, 조롱하다. ── *n.* **1** 조롱, 비웃음〈*at*〉. **2** 웃음거리 : the ∼ of the world 세상의 웃음거리.
∼·ing·ly *adv.* 조롱하여.
〖? Scand. ; cf. Dan. *skof* jest〗
類義語 ***scoff*** 남이 존경 또는 신앙하고 있는 것에 대하여 경멸·조롱의 감정을 나타내다 : *scoff* at others' religion (남의 종교를 비웃다). ***jeer*** 공공연하게 야비한 말을 퍼붓거나 얕보고 비웃다 : The audience *jeered* at the speaker. (청중은 그 연사를 야유했다). ***sneer*** 멸시하는 듯한 조소나 말투로 무시·비난하는 기분을 슬그머니 나타내다 : "Is this a hotel?" he *sneered.* (이것도 호텔인가 하고 비웃었다).

scoff[2] *n.* 《俗》 음식물 ; 식사. ── *vt., vi.* (걸신들린 것처럼) 먹다 ; 강탈[약탈]하다.
〖Afrik, *schoff* ＜Du. *schoft* quarter of the day ; '하루 네 끼니중 하나'란 뜻〗

scóff·làw *n.* 《美口》 법률을 무시하는 사람, (특히) 상습적인 교통 법규 위반자.

‡**scold** [skóuld] *vt.* [＋目/＋目＋*for*＋名] (어린아이·고용인 등을) 꾸짖다, …에게 잔소리하다 : She ∼*ed* her son ***for*** be*ing* out late. 늦게까지 밖에 나다닌다고 아들을 꾸짖었다.

〈회화〉
I *scolded* him for his carelessness. — He deserved it. 「부주의하다고 내가 그를 나무랐어」「야단맞을만 했네요」

── *vi.* [動/＋*at*＋名] 나무라다, 잔소리하다 : My mother is always ∼*ing.* 어머니는 언제나 잔소리를 하신다 / The groom was ∼*ing* ***at*** the horse. 마부는 말을 야단치고 있었다. ── *n.* 잔소리꾼, (특히) 바가지 긁는 여자 ; 꾸지람 : a common ∼ 동네가 시끄럽게 앙알거리는 여자.
〖? ON ; ⇨ SCALD[2] ; (v.) ＜ (n.)〗
類義語 ***scold*** 특히 화가 나서 잔소리를 해가면서 큰 소리로 꾸짖다. ***reprove*** 남의 과실·부주의를 고쳐주기 위하여 친절하게 또는 상냥한 말로 충고하다. ***rebuke*** 과격하게 또는 엄하게 권위를 가지고 때로는 남의 면전에서 질책하다. ***reproach*** 상대가 수치스럽게 느끼도록 과실을

나무라다. ***upbraid*** 어떤 뚜렷한 과실이나 나쁜 행위에 대하여 엄하게 꾸짖다. ***chide*** 나쁜 점을 고쳐주려고 책망하다[꾸짖다]; 과격한 의미는 없음.

scóld·ing *a.* (특히 여자가) 잔소리가 심한, 꾸짖는. — *n.* 꾸지람, 질책, 잔소리: give[get, receive] a good ~ 심히 꾸짖다[꾸지람 듣다].

sco·lex [skóuleks] *n.* (*pl.* **sco·le·ces, -li-** [skoulí:si:z, skóuləsì:z]) 〔動〕 (촌충의) 두절.

sco·li·o·sis [skòulióusəs, skɑ̀l-; skɔ̀l-] *n.* (*pl.* **-ses** [-si:z]) Ⓤ 〔醫〕 척추 측만(증).

scol·lop [skɑ́ləp] *n., v.* =SCALLOP.

scol·o·pen·drid [skɑ̀ləpéndrəd] *n.* 〔動〕 왕지네.

scom·ber [skʌ́mbər] *n.* 〔魚〕 고등어속(屬)의 각종 물고기.

sconce[1] [skɑ́ns] *n.* **1** (벽 따위에 설비한) 쑥 나온 촛대, (촛대의) 양초받이. **2** 《口》 머리 (head); Ⓤ 《口》 지력, 지혜, 재능(brains).

sconce[2] *n.* 작은 보루, 포대(砲臺); 《古》 오두막; 차폐물. — *vt.* 《古》 …에 보루를 쌓다; 보호하다. 〖Du. *schans* brushwood〗

sconce[3] *n.* 《英》 (Oxford 대학에서 관례·예법 따위를 어긴 학생에게 대량의 맥주를 단숨에 들이켜게 하는 따위의) 벌, (벌로 맥주를 마시는) 조끼 (mug). — *vt.* (남)에게 벌을 과하다.

scone [skóun, skɑ́n] *n.* 핫케이크의 일종. 〖? Scand.; cf. MDu. *schoon* (*broot*), MLG *schon* (*brot*) fine (bread)〗

scoop** [skú:p] *n.* **1** 국자; 큰 숟가락; 주걱; (외과용의) 주걱; 대형 셔블; (준설·토목기기 따위의) 셔블부(部); 〔機〕 =AIR SCOOP; 〔劇·映〕 타원 투광 조명 유닛; 석탄 (푸는) 삽. **2** 푸기, 한 번 푸기[푼 양]; 아이스크림 푸는 기구; 움푹 팸. **3** 《口》 큰 벌이, 대 성공; 〔저널리즘〕 다른 회사를 앞지르기, 최신[극비] 정보[상보(詳報)], 특종기사(의 발표). — *vt.* **1** 푸다, 뜨다; (진흙 따위를) 쳐내다〈*up, out*〉. **2** [+目/+目+副/+目+前+名] 파내다; 파서 만들다: The children ~*ed* (out***) holes ***in*** the sand. 아이들은 모래에 구멍을 팠다. **3** 《口》 (선수쳐서) 큰 벌이를 하다; 그러모으다; 〔저널리즘〕 특종기사로 (다른 신문을) 앞지르다, 특종을 내다; 〔필드하키〕 (볼을) 떠올리다; 《口》 (가수가) 음정을 슬라이드시키다. — *vi.* 국자[셔블]로 퍼 없애다[모으다]. **~·er** *n.* 푸는[뜨는] 사람, 쳐내는 기구. 〖MDu., MLG=bucket; cf. SHAPE〗

scóop·fùl *n.* (*pl.* **~s, scóops·fùl**) 한 국자[주걱, 삽]의 양.

scóop nèck[**néckline**] *n.* (여성복의) 반달 모양으로 깊이 파인 목둘레선.

scóop nèt *n.* 족대, 반두, 사내끼.

scóop-whèel *n.* 물레바퀴.

scoot[1] [skú:t] *vi.* 뛰어가다, 뛰어 달아나다〈*off, away*〉, 급히 가다〈*along*〉. — *vt.* 뛰어가게 하다; 갑자기 움직이게 하다. — *n.* 돌진. 〖C19< ? Scand. (ON *skjōta* to shoot)〗

scoot[2] *n.* 《俗》 차, 스쿠터. — *vi.* 《口》 scooter로 가다[를 타고 놀다]. 〖*scoot*er〗

scóot·er[1] *n.* **1** 외발 스케이트《아이들이 한쪽 발을 올려놓고 다른 발로 땅을 차며 달림》. **2** 《美》 (수상·빙상을 활주하는) 범선; 모터보트. **3** 스쿠터 (motor scooter). — *vi.* scooter로 달리다.

scooter[2] *n.* =SCOTER.

***scope**[1] [skóup] *n.* **1** Ⓤ (지식·연구·활동 따위의) 범위, 영역, 시야; 〔컴퓨〕 유효 범위: beyond[within] one's ~ 자기의 능력이 미치지 않는[미치는] 곳에 / a book of this ~ 이 정도의 책 / a scheme of vast ~ 방대한 기획. **2** 전망; 여지(space), 기회, 배출구: ~ *for* one's energy 정력의 배출구 / give (free) ~ to one's imagination (자유로이) 상상[공상]하다. **3** 《稀》 목적, 의도. **4** 〔海〕 닻줄의 길이. **5** 《稀》 사정(射程). 〖It. <Gk.=mark for shooting〗

類義語 ⟹ RANGE.

scope[2] *n.* 《口》 보는[관찰하는] 기계.
— *vt.* [다음 숙어로]
scope on[***out***]... 《美俗》 …을 보다(look at).

-scope [skòup] *n. comb. form* 「…을 보는 기계(器械)」 「…경(鏡)」 「…검기(檢器)」의 뜻: tele*scope*, stetho*scope*. 〖L (Gk. *skopeō* to look at)〗

-scop·ic [skɑ́pik] *a. comb. form* 「보는」「관찰[관측]하는」「-scope의」의 뜻. 〖↑, *-ic*〗

sco·pol·a·mine [skəpɑ́ləmì:n, -mən, skòupəlǽmən] *n.* Ⓤ 〔藥〕 스코폴라민《진통제·수면제》.

sco·po·line [skóupəlì:n, -lən] *n.* 〔藥〕 스코폴린 《마취제·최면제》.

sco·po·phil·ia [skòupəfíliə] *n.* 절시증(竊視症) 《나체나 외설 사진을 보고 성적 쾌감을 느끼는 것》.

scop·to·phil·ia [skɑ̀ptəfíliə] *n.* =SCOPOPHILIA.

-s·co·py [-skəpi] *n. comb. form* 「보는 법」 「검사」「관찰」의 뜻: micro*scopy*. 〖Gk.〗

scor·bu·tic [skɔ:rbjú:tik] *a.* 〔醫〕 괴혈병(壞血病) (scurvy)의[에 걸린]. — *n.* 괴혈병 환자. 〖L *scorbutus* scurvy< ? Gmc.〗

scor·bu·tus [skɔ:rbjú:təs] *n.* =SCURVY.

***scorch** [skɔ́:rtʃ] *vt.* **1** …의 겉을 태우다, 그을리다, …을 눋게 하다; (햇볕에 피부를) 태우다, (초목을) 시들게 하다, 말라죽게 하다; 〔軍〕 초토화(焦土化)하다: The shirt is yellow because the maid ~*ed* it. 가정부가 (다리미로) 눋게 하여 셔츠가 누렇게 됐다 / The grass was ~*ed* by the sun. 풀들이 햇볕 때문에 시들어 있었다. **2** 심하게 욕하다, 악담을 퍼붓다.
— *vi.* **1** 그을다, 눋다; (열로) 시들다, 마르다; (햇볕에 타서) 색이 검게 되다; 《口》 몹시 덥다. **2** 《口》 (자동차·자전거가) 질주하다, 전속력으로[마구] 달리다; (미사일 따위가) 빨리 날다; 《野俗》 강속구를 던지다.
— *n.* **1** 탐, 눌은 자국, 눌음; 식물이 다갈색으로 됨, 말라 죽음. **2** 《口》 질주.
〖? Scand. (ON *skorpna* to shrivel up)〗

類義語 ⟹ BURN[1].

scorched [skɔ́:rtʃt] *a.* 탄, 눌은.

scórched éarth *n.* (침략군이 이용할 만한 것을 모두 태워 버리는) 초토화《상태 또는 전술》.

scórch·er *n.* **1** 몹시 뜨거운 것; 《口》 찌는듯이 더운 날. **2** 《口》 자전거[자동차]를 마구[전속력으로] 모는 사람. **3** 《俗》 세상을 깜짝놀라게 하는 사람, 매우 멋진 여자, 일품, 극상품. **4** 《口》 혹평, 신랄한 말; 통렬한 것.

scórch·ing *a.* **1** 태우는, 몹시 뜨거운: ~ heat 혹서, 작열(灼熱). **2** 맹렬한, 호된. — *adv.* 탈[눌을] 정도로: It's ~ hot. 찌는듯이[굉장히] 덥다. — *n.* Ⓤ 그을림, 태움; 《口》 (자전거 따위의) 난폭한 질주. **~·ly** *adv.*

***score** [skɔ́:r] *n.* **1** 〔競〕 득점; 득점 기록, 스코어; 〔美教·心〕 점수, 성적, 평점: keep the ~ 점수를 기록하다 / make a good ~ 많은 득점을 하다; 좋은 성적을 올리다 / win by a ~ of 4 to 2 4대 2로 이기다. **2 a**) 셈, (옛날 술집 따위에서 칠판 따위에 분필로 표시하던) 계산 메모, 차용금: run up a ~ (at a grocery store) (식품점에) 빚이 늘다 / pay a ~ 계산을 치르다 / Death pays all ~*s*. 《속담》 죽으면 모든 셈은 끝난다. **b**) 원한(grudge) : quit ~*s* with a person 남에게 원한을 풀다. **3 a**) (*pl*. ~) 20(명[개]) ; 20개 한 벌 ; 20파운드 ; 《古》 스코어 파운드《돼지·소의 중량 단위》 : three ~ and ten 〖聖〗 (인생) 70년 / four ~ and seven years ago 87년전에. **b**) [*pl*.] 다수, 많음[큼] : in ~*s* 많이 / ~*s of* times 종종 / ~*s of* years ago 수십년 전에. **4 a**) 《口》 적중, 성공, 행운(hit) : What a ~! 재수 좋다. **b**) 상대방을 꼼짝 못하게 함, 당장의 보복 ; 《俗》 (절도·도박 따위의) 성공 ; 《美俗》 살인(murder). **5** 〖樂〗 스코어, 모음 악보《합주[합창]·중주[중창] 따위에서 각 파트의 보표를 상하로 이어 한눈에 볼 수 있도록 한 악보》 ; 〖댄스〗 안무보(譜) ; (영화·극 따위의) 배경 음악 : in (full) ~ ☞ 숙어. **6** 새긴 눈, 그은 선[줄], 할퀸 자국 ; 《古》 (경기의) 출발선 ; 벤 상처 : He had deep ~*s* of pain and sorrow on his face. 얼굴에 괴로움과 슬픔의 깊은 주름이 새겨져 있었다. **7** [the ~] 《口》 (사태의) 엄연한 사실, 진실, (일의) 진상 ; 내막 ; 이유, 근거(ground) : I had no fear *on* that ~. 그 점에서는 나는 아무 걱정도 하지 않았다 / He retired *on* the ~ *of* ill health. 그는 몸이 좋지 않아 퇴직했다 / *on* more ~*s* than one 여러 가지 이유로.

〈회화〉
What's the *score* now? — It's 10-0 in our favor. 「지금 스코어가 어떻게 되었니」「10대 0으로 우리가 이기고 있어」

go off at score 원기 왕성하게 시작하다, (특히) 자신만만하게 말하기 시작하다.
in* (*full*) *score 〖樂〗 모음 악보로.
***make scores off*. . .** (토론 따위에서) …을 꼼짝 못하게 만들다.
pay off* [*settle, wipe out*] *old scores 사무친 원한을 풀다 : I had some *old* ~*s to settle* with him. 그에게 원한이 한 두가지가 아니었다.
— *vt*. **1** [+目 / +前+名] …에 눈금을 새기다, 벤 자국을 내다 ; …에 표[줄, 홈]를 만들다 : The mountain side was ~*d* ***by*** the torrents. 산허리에는 격류로 인해서 패인 자국이 있었다 / The silver plate was ~*d* ***with*** scars. 그 은식기는 흠이 나 있었다 / Mistakes are ~*d* ***in*** red ink. 오기(誤記)는 붉은 잉크로 표시되어 있다. **2** 기록하다, 계산하다, (장부 따위에) 기입하다, (득점을) 매기다 : ~ a test 시험 점수를 매기다. **3** 득점하다 ; (이익을) 올리다, (성공을) 거두다 : He ~*d* five runs for our team. 그는 우리 팀에 5점을 올려 주었다 / Then we ~*d* a goal. 그리고나서 우리는 한 점을 올렸다 / We ~*d* a century. 〖크리켓〗 우리는 100점을 땄다 / He has ~*d* a point [an advantage, a success]. 그는 한 점을 땄다 [이익을 올렸다, 성공을 거두었다]. **4** 《美》 욕하다, 꾸짖다, 깎아 내리다 ; 《美俗》 죽이다. **5** 〖樂〗 관현 악보를 만들다 ; (다른 악기를 위해) 편곡[작곡]하다〈*for*〉 ; 악보에 기입하다.
— *vi*. **1** (경기의) 득점을 기록하다, 점수를 계산[셈]하다. **2** 득점하다 ; 이익을 차지하다, 이득을 보다 ; 《俗》 성공하다 : The batsman ~*d*. 그 타자는 타점을 올렸다.
score off …보다 우세하다, …을 끽소리 못하게 하다, 논파하다.
score out (낱말을) 지워 없애다.
score up (표를 하여) 기록하다, 계산하다, 계산 장부에 기입하다 ; (외상으로) 달아두다 ; 《비유》 마음에 새겨두다 : Runs are ~*d up* as they are made. (크리켓 따위의) 득점은 그때그때 기록된다 / I will ~ *up* that remark *against* [*to*] you. 너의 그 말을 꼭 기억해 두겠다.
〖OE<ON *skor* notch, tally, twenty ; cf. SHEAR〗

scóre·bòard *n*. 득점 게시판, 스코어보드.
scóre·bòok *n*. 득점 기입장[장부], 득점표, 스코어북.
scóre·càrd *n*. 〖競〗 채점 카드, 채점표 ; (상대팀의) 선수 명단.
scóre·kèep·er *n*. 점수 기록원.
scóre·less *a*. 무득점의.
scor·er [skɔ́ːrər] *n*. **1** 점수 기록원, (경기의) 기록원 ; 기장(記帳)하는 사람. **2** 득점자.
scóre·shèet *n*. 득점 기입표[카드].
sco·ria [skɔ́ːriə] *n*. (*pl*. **-ri·ae** [-riìː, -riàì]) **1** 화산암 찌꺼기, 소석(燒石). **2** [보통 *pl*.] 스코리아, 광재. **sco·ri·a·ceous** [skɔ̀ːriéiʃəs] *a*. 화산암 찌꺼기의, 광물을 제련하고 남은 찌꺼기의.
〖L<Gk. (*skōr* excrement)〗
sco·ri·fi·ca·tion [skɔ̀ːrəfəkéiʃən] *n*. 〖冶〗 소용(燒熔) (법)《귀금속의 농축·분리법》.
sco·ri·fy [skɔ́ːrəfài] *vt*. (원광(原鑛)에 납과 붕사를 넣어) 광재로 만들다.
scor·ing [skɔ́ːriŋ] *n*. **1** Ⓤ 시합 기록[기입] ; 득점. **2** Ⓤ 관현악보 작성.
scóring posìtion *n*. 〖野〗 득점권(得點圈)《2루, 3루》.
***scorn** [skɔ́ːrn] *vt*. **1** 경멸하다, 비웃다 : Honest boys ~ sneaks and liars. 정직한 소년은 비겁한 자나 거짓말쟁이를 경멸한다. **2** [+*to* do / +do*ing*] (비열한 행동을) 치사하게 여기다, 거절하다 : The judge ~*ed to* take a bribe. 판사는 뇌물을 거들떠보지도 않았다 / He ~*s* tell*ing* [*to* tell] a lie. 그는 거짓말하는 것을 수치로 여긴다.
— *n*. **1** Ⓤ 조롱, 경멸, 비웃음 : have [feel] ~ *for* …에 경멸감을 품다 / hold a person *in* ~ 남을 경멸하다 / laugh a person *to* ~ 남을 비웃다 [냉소하다] / think [hold] it ~ to do …하는 것을 치사하게 여기다 / think ~ *of* …을 경멸하다, 업신여기다. **2** 멸시받는 사람[것], 웃음거리 : He is a ~ *to* [the ~ *of*] his neighbors. 그는 이웃의 웃음거리다. 〖OF *escarnir*<Gmc. ; cf. Du. *schern* (obs.) mockery〗
類義語 ⟹ DESPISE.
***scórn·ful** *a*. 경멸[멸시]하는〈*of*〉, 냉소적인, 조소하는 ; 깔보는(mocking). **~·ly** *adv*. 경멸하여, 깔보아. **~·ness** *n*.
Scor·pio [skɔ́ːrpiòu] *n*. 〖天〗 전갈자리(the Scorpion), (12궁(宮)의) 천갈궁(宮) (cf. *the signs of the* ZODIAC).
〖L<Gk. (*skorpios* scorpion)〗
SCORPIO submersible craft for ocean repair, positioning, inspection and observation《스코피오 ; 유삭식(有索式) 무인 잠수 작업 장치》.
scor·pi·on [skɔ́ːrpiən] *n*. **1** 〖動〗 전갈. **2** 전갈[독사] 같은 사람[것] ; 음흉한 사람. **3** [the S~] 〖天〗 전갈자리(Scorpio). **4** 투석기(投石機) (catapult) 《고대(古代)의 무기》. **5** 〖聖〗 전갈채찍《쇠갈고리[쇠사슬]가 달린 채찍으로 상상됨》. **6** (행동에의) 자극. **7** 《俗》 Gibraltar의 주민.
〖OF<L ; ⇨ SCORPIO〗
scórpion gràss *n*. 〖植〗 물망초(forget-me-not).
scot [skát] *n*. 〖英史〗 세금, 할당금, 과세(cf. SCOT-FREE) ; (일반적으로) 부채, 빚.
〖ON and OF<Gmc. ; cf. SHOT[3]〗
Scot *n*. **1** =SCOTCHMAN. **2** [*pl*.] 스코트족.

〚OE *Scottas* (pl.) < L *Scottus* Irishman〛

Scot. Scotch ; Scotch whisky ; Scotland ; Scottish.

scót and lót *n.* 〔英史〕 (각자의 지급 능력에 따라 부과했던) 시민세(市民稅) ; (모든) 부채.
pay scot and lot 완제(完濟)하다, 청산하다.

scotch[1] [skɑ́tʃ] *vt.* 으깨다, 뭉개다 ; 《文語》 (죽지 않을 정도로) …에게 상처를 입히다 ; 베다, 상처 내다 ; 억압하다, 탄압하다 ; (소문 따위를) 쉬쉬하여 수습하다.
scotch the snake, not kill it 《셰익스피어》 반쯤 죽이다, 정말로 죽인 것은 아니다.
—— *n.* 얕게 칼자국을 내기 ; 벤 상처 ; (hop-scotch에서 땅에 긋는) 선(線).
〚ME *scocchen* to gash < ?〛

scotch[2] *n.* (차의) 바퀴 굄나무, 받침 쐐기.
—— *vt.* (차바퀴 따위가 구르지 않게) 괴다, 받치다 ; 방해하다(hinder).
〚C17 < ? ; cf. *scatch* stilt < OF〛

Scotch *a.* **1** 《英》 스코틀랜드(인[어])의. ㊟ 스코틀랜드인 자신은 Scots 또는 Scottish를 씀. **2** 《口》 검소한, 인색한. —— *n.* **1** [the ~ ; 집합적으로] 스코틀랜드인(人)《국민》. **2** Ⓤ 스코틀랜드어(語) : Highland [Lowland] ~ 고지[저지] 스코틀랜드 방언. **3** [흔히 s~] 스카치 위스키 (Scotch whisky). 〚*Scottish*〛

Scótch bróth *n.* 스코치 브로스《(양)고기 · 야채에 보리를 섞은 진한 수프》.

Scótch cáp *n.* 스코치 캡《스코틀랜드 고지인의 테 없는 모자 ; glengarry 따위》.

Scótch cátch *n.* 〔樂〕 스코치 스냅《단음(短音) 다음에 장음이 이어지는 특수한 리듬》.

Scótch cóffee *n.* 《戲》 커피 대용품.

Scótch cóusin *n.* 먼 친척.

Scótch égg *n.* 스코치 에그《삶은 달걀을 다진 고기로 싸서 빵가루에 묻혀 튀긴 것》.

Scótch fír[píne] *n.* 〔植〕 유럽전[소]나무.

Scótch-Írish *n., a.* **1** 스코틀랜드에서 이주한 북부 아일랜드 사람(의) ; 스코틀랜드에서의 미국 이민(의). **2** 스코틀랜드계 아일랜드 사람(의).

Scótch·man [-mən] *n.* 《흔히 蔑》 스코틀랜드 사람(Scotsman) ; 《俗》 검소한[인색한] 사람 ; 《美俗》 골퍼(golfer).

Scótch míst *n.* 〔氣〕 (스코틀랜드 산악 지대에 흔한) 습기가 많은 안개, 농무(濃霧), 이슬비 ; 실체가 없는 것, 가공의 것.

Scótch páncake *n.* 팬케이크(griddle cake).

Scótch snáp *n.* 〔樂〕 =SCOTCH CATCH.

Scótch tápe *n.* 접착용 투명 테이프, 스카치 테이프《상표명》.

Scótch térrier *n.* 스코치 테리어《개》.

Scótch thístle *n.* 〔植〕 엉겅퀴의 일종《스코틀랜드의 상징으로 쓰였음》.

Scótch vérdict *n.* 〔法〕 (배심원의) 증거 불충분의 평결(評決)《무죄 평결과는 다름》 ; 확정적이 아닌 결정.

Scótch whísky *n.* 스카치 위스키.

Scótch·wòman *n.* 스코틀랜드의 여성.

Scótch wóodcock *n.* 스코치 우드콕《안초비 페이스트를 발라 지진 계란을 얹은 토스트》.

sco·ter [skóutər] *n.* (*pl.* **~s**, ~) 〔鳥〕 검둥오리.
〚C17 < ?〛

scót-frée *a.* 벌을 면한 ; 무사한 ; 면세(免稅)의 (cf. SCOT) : go[get off] ~ 처벌을 면하다, 무사히 벗어나다.

sco·tia [skóuʃiə, -tiə] *n.* 〔建〕 스코티아《둥근기둥 뿌리의 깊이 도려낸 쇠시리》.
〚L < Gk. (*skotos* darkness) ; ⇨ SHADE〛

Scotia *n.* 《詩》 =SCOTLAND.

Sco·tism [skóutizəm] *n.* 13세기의 Duns Scotus의 철학(↔*Thomism*).

***Scot·land** [skɑ́tlənd] *n.* 스코틀랜드《Great Britain 섬의 북쪽 반을 차지하는 지역 ; 수도 Edinburgh ; 略 Scot.》.

Scótland Yárd *n.* 런던 경찰청《원래의 소재 지명에서 유래 ; 이전하여 공식명은 New Scotland Yard》 ; (특히 그) 수사과 형사계(cf. C.I.D.) : call in ~ 런던 경찰청에 수사를 의뢰하다.

sco·to- [skɑ́tou, skóu-, -tə] *comb. form* 「암흑」의 뜻. 〚Gk. ; ⇨ SCOTIA〛

scot·o·din·i·a [skɑ̀tədíniə ; -dái-] *n.* Ⓤ 〔醫〕 (실신성(失神性)) 현기증.

scóto·gràph *n.* X선[암중] 사진.

sco·to·ma [skətóumə, skou-, skɑ-] *n.* (*pl.* **-ma·ta** [-tə], **~s**) 〔醫〕 (망막(網膜) 상의) 암점(暗點)《시야(視野)의 일부로 병적(病的)으로 시력이 결손된 부분》 ; 〔心〕 (지적인) 암부(暗部).
〚Gk. (*skotoō* to darken)〛

scót·o·phìl [skɑ́tə-], **-phìle** *a.* 〔生理〕 (생물 · 동물이) 호암성(好暗性)의.

sco·to·pho·bin [skòutəfóubən] *n.* 〔生化〕 스코토포빈《암소(暗所) 공포증에 걸리게 한 쥐의 뇌에서 추출한 펩티드로 정상적인 쥐에 주사하면 암소 공포증이 전이됨》.

sco·to·pia [skətóupiə, skou-] *n.* 〔眼科〕 암순응(暗順應). 〚*scot-*, *-opia*〛

sco·tot·ro·pism [skoutɑ́trəpìzəm ; -tɔ́t-] *n.* 향암성(向暗性).

Scots [skɑ́ts] *a.* =SCOTCH 1. —— *n.* **1** [the ~ ; 집합적으로] 스코틀랜드인. **2** Ⓤ 《스코》 스코틀랜드어[방언] : broad ~ 심한 스코틀랜드 사투리. 〚*Scottish*〛

Scóts Gáelic *n.* 스코틀랜드 고지인의 게일어.

Scóts·man [-mən] *n.* =SCOTCHMAN.

Scóts·wòman *n.* =SCOTCHWOMAN.

Scott [skɑ́t] *n.* 스콧. **1 Robert Falcon** ~ (1868-1912) 영국의 해군 군인 · 남극 탐험가 ; 1912년 극지(極地)도착 ; Captain Scott이라 불림. **2** Sir **Walter** ~ (1771-1832) 스코틀랜드 태생의 영국의 소설가 · 시인.
〚Celt.=one from Scotland or Ireland〛

scot·ti·ce [skɑ́tisi] *adv.* 스코틀랜드어[방언]로. 〚L〛

Scot·(t)i·cism [skɑ́tisìzəm] *n.* 스코틀랜드 말투, 스코틀랜드 사투리.

Scot·(t)i·cize [skɑ́tisàiz] *vi., vt.* **1** (말씨 · 습관 따위를) 스코틀랜드식으로 하다, 스코틀랜드화(化)하다. **2** 스코틀랜드어로 번역하다.

***Scot·tish** [skɑ́tiʃ] *a.* 스코틀랜드(어[인])의.
—— *n.* [the ~ ; 집합적으로] 스코틀랜드인(人) ; Ⓤ 스코틀랜드 방언《略 Sc.》. 〚SCOT〛

scoun·drel [skáundrəl] *n.* 악당, 불한당.
—— *a.* =SCOUNDRELLY.
~·dom *n.* 불량배, 깡패 사회. **~·ìsm** *n.* Ⓤ,Ⓒ 비열한 짓, 악행 ; 불한당 근성. **~·ly** *a.* 악당의, 비열한.
〚C16 < ? ; cf. *scound* (obs.) < ?〛

scour[1] [skáuər] *vt.* **1** [+目 / +目+副] 문질러 닦다, 윤내다 ; 비벼 빨다, 세탁하다 : *S*~ the knives with sandsoap. 모래 비누로 칼을 닦으시오 / She ~*ed* ***out*** the saucepan with glass fiber. 유리 섬유로 소스 냄비를 반짝반짝하게 닦았다. **2** [+目+副] (녹 · 얼룩 따위를) 벗기다, 씻어내다 ; 일소[소탕]하다, …에서 제거[추방]하다 :

He ~*ed* the grease ***off***. 기름때를 씻어냈다. **3** [+目/+目+副/+目+前+名] (수로·도관 따위를) 씻어내리다; 흘러내려 (수로 따위가) 생기게 하다: The river had ~*ed* its bed ***of*** silt. 강물이 강바닥의 흙앙금을 씻어내렸다/The stream has ~*ed* (***out***) a channel ***through*** the sand. 그 물줄기로 모래땅에 한줄기의 수로가 생겼다. **4** 관장(灌腸)하다. —— *vi.* 문질러 닦다, 씻어내다; 정련하다; 문질러 닦아 깨끗해지다, 더러운 것이 빠지다; (특히 가축이) 설사를 하다. —— *n.* 씻어냄, 갈고 닦음: give a pot a good ~ 냄비[단지]를 잘 닦다. 〚MDu., MLG<F<L=to clean off (*ex-*[1], CURE[1])〛

scour[2] *vt.* [+目/+目+副/+目+*for*+名] 바삐 찾아다니다, 찾아 헤매다; 뛰어 지나가다: They ~*ed* the country ***about for*** the lost child. 그들은 잃어버린 아이를 찾아 그 지방을 여기저기 헤맸다. —— *vi.* **1** [+前+名] 바쁘게 찾아다니다, 찾아헤매다: ~ ***over*** a hillside ***for*** firewood 땔감을 찾아서 산허리를 헤매다. **2** 질주하다〈*away, off*〉, 뛰어서 앞지르다.
〚ME (*scour* speed)<? Scand. (ON *skūr*)〛

scóur·er[1] *n.* 문질러 닦는 사람[것]; 세탁하는 사람; 세탁기. 〚SCOUR[1]〛

scourer[2] *n.* 돌아다니는 사람; 질주하는 사람; 《古》 (17-18세기에) 밤거리를 배회하던 부랑자, 밤도둑. 〚SCOUR[2]〛

scourge [skə́ːrdʒ] *n.* **1** 회초리, 채찍(whip, lash). **2** 벌, 천벌, 재앙《전란·유행병 따위》; 재해[불행]를 일으키는 것; 재난, 번뇌: the white ~ (풍토병으로서의) 폐병.
—— *vt.* **1** 매질[채찍질]하다. **2** 징계하다, 엄하게 꾸짖다; 벌주다, 괴롭히다.
〚OF=to lash<L (*ex-*[1], *corrigia* whip)〛

scóur·ing *n.* **1** [보통 *pl.*] **a**) (긁어낸) 진흙, 오물, 찌꺼기. **b**) 곡류 찌꺼기. **2** (가축의) 설사. **3** [보통 *pl.*] 사회의 낙오자, 인간 쓰레기. **4** 문질러 닦기, 비벼 떼기; 〖工〗 문질러 닦음; (빙하·유수(流水)에 의한) 연마 (작용); (양모(羊毛) 따위의) 세모(洗毛), 정련.

scóuring rùsh *n.* 〖植〗 속새.

Scous·er [skáusər], **Scous·i·an** [-siən] *n.* [흔히 s~] 《英俗》 Liverpool 시민.

***scout**[1] [skáut] *n.* **1** **a**) 〖軍〗 척후(斥候)(병), 정찰병; 정찰함[기](cf. SCOUT PLANE); (일반적으로) 내탐자; 내탐, 정찰. **b**) 스카우트《상대팀의 기술·선수 등에 관하여 정찰 보고하는 사람; 입단[입회·입학]할 유망 선수를 추천하는 사람》. **2** =BOY[GIRL] SCOUT. **3** (Oxford 대학의) 사환(cf. GYP[1], SKIP[2]). **4** 《口》 놈, 녀석(fellow): a good ~ 좋은 녀석.
on the scout 정찰중.
—— *vi.* [動/+副/+*for*+名] 척후[정찰]하다; 스카우트로서 일하다; 찾으러 가다; 보이[걸]스카우트로서 활동하다: He is out ~*ing*. 척후로 나가 있다/We ~*ed* ***about***[***round***] ***for*** firewood. 사방으로 땔감을 찾아다녔다. —— *vt.* 정찰하다; 탐색하다; 《口》 찾아다니다〈*out, up*〉.
〚OF *escoute*(*r*)<L *ausculto* to listen〛

scout[2] *vt.* (제의·의견 따위를) 퇴짜 놓다; 코웃음 치다, 뿌리치다, 멸시하다: He ~*ed* the idea of a dog with two tails. 꼬리가 둘 달린 개의 이야기 따위는 무시하고 생각해 보려고도 하지 않았다.
—— *vi.* 조소[조롱]하다.
〚Scand. (ON *skúta* to taunt)〛

scóut càr *n.* 〖美軍〗 고속 정찰차; 순찰차.

scóut·cràft *n.* 정찰 훈련[기술]; 보이[걸] 스카우트의 활동.

scóut·er *n.* 정찰자, 내정자, 스파이; 보이 스카우트 지도원《18세 이상》.

scóut·hòod *n.* Ⓤ **1** 보이[걸] 스카우트의 신분[특징, 정신]. **2** 〖美蹴〗 스카우팅《대전 상대의 정보 수집》.

scóut·ing *n.* Ⓤ 척후[정찰] 활동; 보이[걸] 스카우트 활동; =SCOUTCRAFT.

scóut·màster *n.* **1** 척후[정찰] 대장. **2** 보이[걸] 스카우트 단장. 㕥 8 scouts로 1 patrol (반(班))을, 2-4 patrols로 1 troop (대)을 이루어 그 지휘자가 scoutmaster. **3** 《美放送俗》 국장, 부장, 간부, 스폰서. **4** 《美俗》 대단한 낙천가[이상가].

scóut plàne *n.* 정찰기.

scow [skáu] *n.* **1** 대형 평저선(平底船)《흔히 거룻배·나룻배용》; 폐선(廢船). **2** 《美俗》 덩치 큰 추녀. **3** 《美俗》 대형 트럭. —— *vt.* 평저선으로 운반하다. 〚Du.=ferryboat〛

scowl [skául] *vi.* [動/+*at*+名] 얼굴을 찡그리다, 싫은 얼굴을 하다; 노려보다; (날씨 따위가) 험악해지다: The teacher ~*ed* ***at*** the noisy boy. 선생은 떠드는 소년을 노려봤다. —— *vt.* **1** [+目+副] …에게 얼굴을 찌푸려 …시키다: He ~*ed* me ***down***. 얼굴을 찌푸려 나의 말문을 막아 버렸다. **2** 찌푸린 얼굴을 하여 …을 나타내다: ~ one's disappointment 얼굴을 찌푸려 낙심한 표정을 보이다. —— *n.* 찌푸린 얼굴, 무서운 얼굴; 험악한 날씨. **~·ing·ly** *adv.*
〚? Scand.; cf. Dan. *skule* to look down〛
類義語 ⟹ FROWN.

SCP 〖生化〗 single-cell protein. **SCPO** senior chief petty officer. **SCR** silicon controlled rectifier. **S.C.R.** Senior Combination[Common] Room ((영국 대학의) 상급생 사교실).

scr. scruple.

scrab·ble [skrǽbəl] *vi.* **1** [動/+副/+前+名] 뒤져서 찾다, 더듬어 찾다: He ~*d* ***about*** in the bush ***for*** the ball. 덤불(숲)을 여기저기 뒤지며 공을 찾아 다녔다. **2** 휘갈겨쓰다(scribble). **3** (손톱으로) 할퀴다; 발버둥이 치다; 그러모으다.
—— *vt.* 그러 모으다; 휘갈겨 쓰다. —— *n.* **1** 휘갈겨 쓰기, 낙서. **2** 재빨리 빼앗기, 쟁탈(scramble). **3** Ⓤ [S~] 스크래블《글자 패를 가지고 노는 일종의 글자 맞추기 놀이; 상표명》.
〚MDu. (freq.)〈*shrabben* to SCRAPE〛

scrag [skrǽ(ː)g] *n.* **1** 말라 빠진 사람[동물]; 《英》 보잘것없는 식물. **2** 《英》 양의 목덜미 고기(=~ **ènd**); 《俗》 모가지(neck).
—— *vt.* (**-gg-**) 《口》 (죄인을) 목졸라 죽이다, …의 목을 조르다; 《口》 목덜미를 잡다; 《口》 거칠게 다루다; 《美俗》 죽이다; 《美俗》 (사람·남의 회사 따위를) 망쳐놓다; 〖冶〗 (강철 따위를) 탄성을 시험하기 위해 구부리다.
〚? *crag* (dial.) neck; cf. G *Kragen* collar〛

scrag·gly [skrǽgəli] *a.* (수염 따위가) 텁수룩한; 깔쭉깔쭉한, 우툴두툴한; 《美口》 발육이 나쁜.

scrág·gy *a.* 바싹 야윈, 앙상한; 빈약한; 울퉁불퉁한.

scram [skrǽ(ː)m] *vi.* (**-mm-**) 《口》 도망하다, (급히) 떠나다; [명령] 《口》 (썩) 꺼져라, 도망쳐라: *S~*, you aren't wanted here. 나가거라, 네가 있으면 방해된다. —— *n.* **1** 《美俗》 급히 떠나가기; 《美俗》 언제라도 떠날 수 있게 준비해 둔 것《돈, 의류 따위》. **2** 〖原子力〗 스크램《원자로의 긴급 정지》.

***scram·ble** [skrǽmbəl] *vi.* **1** [動/+前+名] 기

다, 기어오르다 : They ~*d* ***up*** the hill[~*d* ***over*** the obstacle]. 언덕[장애물]을 기어 올라갔다. **2** [+*for*+名/+*to* do] 다투다, 서로 빼앗다 ; 다투어 빼앗다 : The children ~*d* ***for*** the gum we threw to them. 아이들은 우리가 던져준 껌을 서로 잡으려고 다투었다 / The players ~*d* *to* get the football. 선수들은 서로 다투어 축구공을 뺏으려고 했다. **3** (덩굴풀 따위가) 무성하게 뻗다. **4** 서두르다 ;〖空軍〗(적기의 요격을 위해) 전투기를 긴급 발진하다. —— *vt.* **1** (서로 다투어 빼앗아 가지도록 동전 따위를) 뿌리다. **2** (버터·밀크 따위를 넣어 계란을) 휘저으며 익히다 : ~*d* eggs 풀어 익힌 달걀. **3** (급히) 그러모으다〈*up, together*〉; 뒤범벅을 만들다. **4**〖電子〗(도청방지를 위해) …의 파장을 바꾸다. **5** 서두르게 하다 ;〖空軍〗(적기의 요격을 위해) 긴급 발진시키다.

—— *n.* **1** 기어 오름. **2** 쟁탈〈*for*〉; 난잡. **3**〖空軍〗(요격을 위한) 긴급 발진, 비상 출격. **4** 급경사·울퉁불퉁한 길에서의 모터사이클 경주, 스크램블 레이스. **5**《美俗》(십대들의) 파티.

〖imit. (? *scrabble*+*ramp*) ; cf. *scamble, cramble* to scramble〗

scrám·bler *n.* scramble하는 사람[것] ;〖電子〗(도청 방지의) 주파수대(帶) 변환기.

scrámbler télephone *n.* 도청 방지 전화.

scrám·jèt *n.* 스크램제트《초음속 기류 속에서 연료를 연소시켜 추진하는 제트 엔진》; 스크램제트기.

scran [skrǽ(:)n] *n.* Ⓤ《俗》음식 ; 먹다 남은 것.

Bad scran to you[***him***]***!***《아일》이[그]놈의 자식 !

out on the scran《俗》구걸하여.

〖C18<?〗

scran·nel [skrǽnl] *a.*《古》가냘픈, 약하디 약한《소리 따위》; 여윈.

〖C17<?; cf. *skrank*(*y*)(dial.) weak〗

scran·ny [skrǽni] *a.*《英方》여윈, 마른.

***scrap**[1] [skrǽp] *n.* **1** 한 조각, 소편(小片), 파편, 동강 ;《비유》근소 ; [*pl.*] 반동강이, 먹다 남은 것, 찌꺼기 : I don't care a ~. 조금도 개의치 않는다. **2** [*pl.*] (신문 따위의) 스크랩(장) ; 발췌. **3** Ⓤ 허섭쓰레기, 폐물, 잡동사니 ; 쇠부스러기 ; [보통 *pl.*] 기름 짜낸 찌꺼기, 깻묵.

a (***mere***) ***scrap of paper*** 종잇조각 ;《비유》휴지나 다름 없는 조약(條約).

a scrap of a... (애정·경멸을 암시하여) 조그마한, 작은 : *a* ~ *of a* baby 작은 아기.

—— *a.* 소편의, 파편의 ; 찌꺼기의 ; 남은 것으로 만든.

—— *vt., vi.* (**-pp-**) 해체하다 ; 쓰레기로 버리다, 폐기하다 : She ~*ped* the worn-out sewing machine. 그녀는 낡은 재봉틀을 버렸다.

〖ON ; ⇨ SCRAPE〗

scrap[2] *n.*《口》말다툼, 분쟁, 싸움, 격투 ; (프로) 권투시합 : have a ~ *with* …와 싸움을 하다.

—— *vi.* (**-pp-**) 다투다〈*with*〉. 〖? SCRAPE〗

scráp·bòok *n.* 스크랩북, 발췌첩(帖) ; 잡기(雜記), 단편집《책》.

scráp càke *n.* 기름을 짜낸 생선 찌꺼기《가축의 사료용》.

scrape** [skréip] *vt.* **1 a**) [+目/+目+副] 문지르다 ; 깨끗이 하다 : *S*~ your muddy shoes with this old knife. 진흙투성이의 구두를 이 낡은 칼로 긁어 내시오 / They ~*d* the ship's bottom. 뱃바닥을 닦아 깨끗이 했다[문질러 부착물을 떼어냈다] / She ~*d* ***out the greasy pot. 그녀는 기름 묻은 냄비를 깨끗이 닦아냈다. **b**) [+目+副/+目+前+名] 깎다 ; 문질러 벗기다 : He ~*d* ***off*** the paint[~*d* the paint *off* the door]. 페인트를[문의 페인트를] 긁어 벗겼다. **2** [+目/+目+前+名/+目+副] 비벼대다, 스치다 ; 스쳐서 벗기다, …에 생채기를 내다 ; …에 삐걱 거리는[귀에 거슬리는] 소리를 내게 하다 ; (악기를) 켜서 울리다 : The girl ~*d* her elbow[~*d* the skin ***off*** her elbow]. 그 소녀는 넘어져서 팔꿈치[팔꿈치의 살갗]가 벗겨졌다 / Don't ~ your feet ***on*** the floor. 마루에서 발을 끌어 소리내지 마시오. **3** [+目/+目+副/+目+前+名] 파다, 도려내다 ; 파내다 : The child ~*d* (***out***) a hole[~*d* a hole ***in*** the sand]. 그 아이는 구멍을 팠다[모래에 구멍을 팠다]. **4** [+目/+目+副] (애써서·주의하여) 그러모으다 : ~ a living 근근이 살아가다 / John has ~*d* *together* enough money for his first year at college. 존은 대학 1년분의 학자금을 애써 모았다 / I ~*d* ***out*** the embers from the kitchen stove. 요리용(用) 스토브에서 잿불을 긁어냈다.

—— *vi.* **1** [+前+名] 스치다, 쓰적거리다 : She ~*d* ***along*** the fence. 울타리에 스칠듯이 걸어갔다 / The branch of the tree ~*d* ***against*** the shutters. 나뭇가지가 덧문을 쓰적거렸다. **2** (절을 하면서) 오른 발을 뒤로 빼다 ; (악기를) 켜서 울리다. **3** [動/+副] (돈·물건 따위를) 그러모아 저장하다, 가까스로 생계를 세우다 : Work and ~ as you can. 부지런히 일하여 한푼 두푼 모으시오 / The family just ~*d* ***along*** but never asked for charity. 그 가족은 겨우 먹고 사는 정도였으나 결코 남의 동정을 바라지는 않았다.

bow and scrape 오른 발을 뒤로 빼고 절을 하다 ;《비유》굽실거리다.

scrape down (1) 문질러[깎아] 떨어뜨리다. (2) 발을 굴러 (남을) 침묵시키다 : The audience ~*d* the speaker *down*. 청중은 발을 굴러 연사로 하여금 말을 못하게 했다.

scrape through 가까스로 통과하다 ; (…에) 겨우 급제하다 : He only just ~*d through* the examination in English. 그는 간신히 영어 시험에 합격했다.

scrape acquaintance [(***up***) ***an acquaintance***] ***with...*** (소개없이) …와 가까스로[겨우] 가까이하게 되다.

—— *n.* **1** 문지름, 긁음, 벗김 ; 칠함 : ☞ SCRAPE *of the pen*. **2** 깎은 자국, 문지른[긁은] 자국 ; 찰상(擦傷). **3** 문지르는 소리, 깎는 소리 ; (악기를) 켜서 울리는 소리. **4**《口》(스스로 초래한) 곤경, 궁지 : get into[out of] a ~ 궁지에 빠지다[를 벗어나다] / Keep out of ~*s*! 위험한 것에 가까이 가지 마라. **5**《口》말다툼, 충돌, 싸움.

bread and scrape ☞ BREAD.

a scrape of the pen 일필(一筆)《서명 따위 ; cf. SCRATCH *of the pen*》.

scráp·a·ble *a.*

〖ON ; cf. OE *scrapian* to scrape〗

scrápe·pènny *n.* 구두쇠(miser).

scrap·er [skréipər] *n.* **1** (구두 따위의) 흙털개(doorscraper). **2**〖機·土〗길 고르는 기계, 스크레이퍼. **3** 긁는 도구, 깎는 기구 ; 글자 지우개. **4**《蔑》서투르게 바이올린을 켜는 사람 ; 이발사 ; 구두쇠 ;《俗》=COCKED HAT.

scráp hèap *n.* 쓰레기 더미, 파쇠 더미 ; 쓰레기터, 폐기장 ;《俗》고물같은 차. —— *vt.* 쓰레기통에 버리다.

scrap·ing [skréipiŋ] *n.* **1** Ⓤ 깎음, 문지름, 할큄 ; 스치는[할퀴는] 소리. **2** [보통 *pl.*] 깎은 부스러기, 긁어모은 것 ; 먼지, 쓰레기.

the scrapings and scourings of the street 거리의 쓰레기 ;《비유》 거리의 무뢰한.
scráp ìron *n.* 파쇠, 고철 ;《俗》 싸구려 위스키.
scráp mèrchant *n.* 고철상, 폐품 회수업자.
scráp mètal *n.* 금속 부스러기, 파쇠.
scrap·nel [skrǽpnl] *n.* (쇳조각을 채워 넣은) 수제(手製) 폭탄의 전방향 폭발 파편《IRA에서 테러용으로 씀》.
〖*scrap*+sh*rapnel*〗
scráp·per *n.* scrap하는 사람[것] ;《口》 싸움[논쟁, 경쟁]을 좋아하는 사람 ; 프로 권투 선수.
scrap·ple [skrǽpəl] *n.* U.C 《美》 스크래플《다진 돼지고기와 옥수수 가루 따위를 섞어 기름에 튀긴 요리》.
scráp·py[1] *a.* **1** 찌꺼기의, 부스러기의. **2** 단편(斷片)적인 ; 짝이 맞지 않는 ; 지리 멸렬한, 산만한.
-pi·ly[1] *adv.*
scrappy[2] *a.* 강경한, 공격적인 ;《口》 싸움을 좋아하는 ; 전투적인, 투지만만한, 단호한.
-pily[2] *adv.*
scráp·yàrd *n.* 쓰레기 버리는 곳, 고철[폐품] 폐기장.
‡scratch [skrætʃ] *vt.* **1 a)** 할퀴다, 긁어 상처를 내다 ; (가려운 데 따위를) 긁다 : ~ one's head (난처하여) 머리를 긁다 / The cat ~*ed* his face. 고양이가 그의 얼굴을 할퀴었다 / Don't ~ the paint. 페인트칠에 흠집을 내지 마라 / *S*~ a Russian, and you will find a Tartar.《속담》「문명인도 한꺼풀 벗기면 야만인」/ *S*~ my back and I will ~ yours.《속담》「오는 정이 있어야 가는 정이 있다」. **b)** [+目 / +目+*on*+名] 슬슬 긁다, 문지르다 : He ~*ed* a match ***on*** the wall. 벽에다 성냥을 그어 불을 붙였다.
2 [+目 / +目+副] 긁어 파다 : ~ (***out***) a hole 긁어 구멍을 파다.
3 [+目 / +目+副 / +目+前+名] 지워 없애다 (erase out), 취소하다(cancel) ;〖競馬〗 (말을) 출전 명단에서 지우다, …의 출장을 취소하다 ;《美》 (후보자의 이름을) 말소하다, (후보자의) 지지를 거절하다 : The candidate was ~*ed*. 그 후보자의 이름은 명부에서 지워졌다 / His name was ~*ed* ***out from*** the list. 그의 이름은 명단에서 말소되었다.
4 [+目+副] (돈 따위를) 그러모으다, 열심히 모으다(scrape) : ~ ***up***[*together*] a little money 소액의 돈을 그러모으다.
5 갈겨쓰다 : ~ a few lines 두세 줄 갈겨쓰다.
── *vi.* **1** [動 / +副 / +前+名] 긁다, 할퀴다 ; 긁어 파다, (파)헤치다 : The cat ~. 고양이는 할퀸다 / The hen ~*ed* ***about in*** the hen house. 암탉들이 닭장 안의 바닥을 발톱으로 여기저기 파헤쳤다. **2 a)**《美》 (후보자)의 이름을 지우다 ;〖競馬〗 말의 출장을 취소하다. **b)** (경쟁에서) 포기하다. **3** (펜 따위가) 긁히다, 까치작거리다 ; 할퀴는[삐걱거리는] 소리를 내다 : Your pen ~*es* a little. 네 펜은 조금 긁힌다. **4** 그럭저럭 살아[꾸려]가다〈*along, through*〉. **5**〖撞球〗 벌점이 되다, 요행수로 맞다 ;〖카드놀이〗 득점하지 못하다 ; [보통 부정문으로]《俗》〖스포츠〗 득점하다.
scratch the surface of …의 겉만을 건드리다《문제의 핵심에까지 파고들지 않다》.
── *n.* **1** 할퀴, 긁음 ; 긁은[할퀸] 자국, 찰상(擦傷) : a ~ on the face 얼굴의 생채기 / with a ~ or two 한두 군데의 긁힌 상처만으로 / I escaped without a ~. 나는 긁힌 상처 하나도 없이 도망쳤다. **2** U 긁는 소리 ; 스크래치《레코드 따위의 잡음》; 휘갈겨 쓰기. **3** U (경주에서 handicap 없이 달리는 선수의) 출발선 ; C =SCRATCH MAN ; U〖拳〗 시합 개시선 ;〖野〗 =SCRATCH HIT. **4** =SCRATCH MAN(의 성적) ; 파(par), 대등(한 경기) ; 시련. **5**〖카드놀이〗 영점 ;〖撞球〗 벌점, 요행수로 맞음 ; 출장 사퇴[취소]자[말]. **6**《俗》 돈, 현금, 자금 ;《俗》 꾼돈.
a scratch of the pen 일필(一筆), 갈겨쓰기, 서명(cf. SCRAPE *of the pen*).
come (***up***) ***to*** (***the***) ***scratch*** 출발선으로 나가다 ; 과감하게 적과 맞서다.
from scratch 스타트 라인에서 ; 무(無)에서, 영(零)에서 : start *from* ~ 핸디캡 없이 달리다 ; 무에서 시작하다, 출발점에서 출발하다.
up to (***the***) ***scratch*** 출발선에 위치하여 ; [보통 부정문으로] (시작의) 준비가 되어 ; [보통 부정문으로] 좋은 상태로, 표준에 달하여 : bring a person *up to* ~ 남을 표준에 이르도록 하다, 남에게 응분의 실력을 갖추도록 하다.
── *attrib. a.* **1** 갈겨쓰기[잡기]용의 : ~ paper 메모 용지. **2** 핸디캡 없는 : a ~ race (핸디캡 없는) 대등한 경주. **3**《口》 그러모은, 있는 대로 주워모은 ; 가지가지의 : a ~ meal 있는 대로 차린 식사 / a ~ team 갑자기 사람을 모아 구성한 팀. **4**《口》 요행수의(chance).
〖ME (?*scrat*+*cratch* to scratch)〗
scrátch·bàck *n.* =BACK SCRATCHER.
scrátch·càt *n.* 심술궂은 여자[아이].
scrátch còat *n.* 초벌 바르기.
scrátch dìal *n.* (교회 따위의) 벽 따위에 새긴 해시계.
scrátch·er *n.* scratch하는 사람[도구, 기계, 공구] ;《俗》 =FORGER.
scrátch hìt *n.*〖野〗 요행으로 맞은 안타.
scrátch lìne *n.* (경주의) 출발선 ;《美》 (멀리뛰기에서) 뛰어오르는 선, 도약선 ; (창 던지기의) 투척 라인《따위》.
scrátch màn *n.* (핸디캡이 딸린 경주에서) 핸디캡을 받지 않은 경주자(↔ *limit man*).
scrátch pàd *n.*《美》 (낱장으로 떼어 쓰는) 값싼 편지지.
scrátch·pàd *n.*〖컴퓨〗 스크래치패드《고속의 작업 역용(作業域用)의 보조적 컴퓨터 메모리》.
scrátch shèet *n.*《美口》 경마 신문.
scrátch tèst *n.* **1**〖醫〗 알레르기 반응 검사 (cf. PATCH TEST). **2** 연마량(硏磨量) 검출법《연마된 부분의 분량이나 그 부분에 대한 어떤 표면의 저항률을 검출함》.
scrátch wìg *n.* (18세기경의) 반(半)가발.
scrátchy *a.* **1** (글씨 · 그림 따위가) 날림의, 갈겨쓴. **2** (펜 따위가 종이에) 긁히는, 까치작거리는. **3** (선원 · 선수 등을) 그러모은, 벼락치기로 편성한. **4** 가려운 ; 곧잘 할퀴는 (버릇이 있는).
scrátch·i·ly *adv.* **-i·ness** *n.*
scrawl [skrɔ́:l] *vi.* [動 / +前+名] 휘갈겨 쓰다, 흘려쓰다, 낙서하다 : The boy ~*ed* (all) ***over*** a sheet of paper. 소년은 종이 가득히 낙서를 했다. ── *vt.* [+目 / +目+前+名] 갈겨[흘려]쓰다 : He ~*ed* his name ***on*** the wall of the tower. 그는 탑의 벽에 자신의 이름을 갈겨썼다.
── *n.* 갈겨[흘려]쓴 편지 ; 갈겨[흘려]쓰기 : write bad ~*s* 글씨가 서투르다. **~·er** *n.*
〖?*scrawl* (obs.) to sprawl(변형(變形)) 〈CRAWL〗
scráwly *a.* 휘갈겨[갈겨]쓴 ; 겉날린.
scráwl·i·ness *n.*
scrawny [skrɔ́:ni] *a.*《口》 야윈(lean), 앙상한 (scraggy). **scráwn·i·ly** *adv.*
〖?*scranny* (dial.) ; cf. SCRANNEL〗

screak, screek [skríːk] *vi.* 《美·英方》 갑자기 새된 목소리를 내다 ; 삐걱거리다. ── *n.* 새된 목소리 ; 삐걱거리는 소리.
〚Scand. (ON *skrækja* to screech)〛

‡scream [skríːm] *vi.* [動 / +前+名] **1** 날카로운 소리를 내다, 소리치다, 고함[비명]을 지르다, (어린애가) 앙앙 울다 : The woman ~*ed* ***in*** fright [*in* sudden pain]. 부인은 깜짝 놀라[갑작스러운 고통으로] 외마디 소리를 질렀다 / She ~*ed* ***for*** help. 살려달라고 비명을 질렀다 / They ~*ed* ***with*** laughter. 깔깔 웃어댔다 / She lost her temper and ~*ed* ***at*** the servant. 그녀는 격분하여 하인에게 소리쳤다. **2** (올빼미 따위가) 날카로운 소리로 울다 ; (바람이) 씽씽 불다 ; (기적소리 따위가) 삑하고 울리다 ; 《俗》 (비행기·차가) 쌩하고 날아[지나]가다 : The air-raid siren ~*ed* ***through*** the whole town. 공습 경보 사이렌이 전 시가에 울려퍼졌다.
── *vt.* **1** [+目+副 / +*that* 節] 외마디 소리[비명]를 지르다 : ~ ***out*** a curse 고함치며 악담하다 / She ~*ed that* there was a mouse under her bed. 그녀는 침대 밑에 쥐가 있다고 외마디 소리를 질렀다. **2** [+目+補] [~ one*self* 로] 소리질러 …하게 하다 : He ~*ed* him*self* hoarse. 그는 소리쳐서 목이 쉬었다 / The old woman ~*ed* her*self* black in the face. 노파는 창백해진 얼굴로 외쳤다.
── *n.* **1** (공포·고통의) 외침, 날카로운[외마디] 소리 : give a ~ 찢어지는 소리를 내다. **2** 《口》 익살스러운 사람[사건], 재미있는 것, 웃음거리 : It's a perfect ~. 그것은 정말 웃음거리다.
〚ME < ? Gmc. (G *schreien* to cry, MDu. *schreem*)〛
類義語 ⟹ CRY.

scréam·er *n.* **1** 날카롭게 외치는 사람, 끽끽 소리치는 사람[것], 날카로운 소리를 내는 것. **2** 《口》 몹시 웃기는 이야기[노래 따위], 일품(逸品), 놀랄만한 것. **3** 《美俗》 (신문의 전단에 걸린) 큰 표제(banner) ; 《印俗》 감탄 부호 ; 〖野〗 강렬한 타구(打球).

scréamer bómb *n.* 음향 폭탄.

scréam·ing *a.* **1** 날카로운 소리로 외치는, 새된 소리를 내는 ; 깔깔 웃어대는, 빽빽 울리는, (바람 따위가) 쌩쌩 부는. **2** 포복 절도하는. **3** (빛깔이) 야한 ; (표제 따위가) 선정적인, 대단한.
── *n.* 외치는 소리, 절규.
~·ly *adv.*

scréaming mée·mie [-míːmi] *n.* 《美軍俗》 (차량 뒤쪽에서 발사하는) 음향 로켓포 ; 《美俗》 깜짝 놀랄만큼 강렬한 것 ; [the ~s] 《美口》 (과음·불안 따위에 의한) 극단적인 신경 과민, 히스테리.

scréam thèrapy *n.* 〖精神醫〗 절규 요법(primal therapy)《억압된 감정을 절규하여 푸는 심리요법》.

scréamy *a.* 절규하는, 날카롭게 외치는 ; (감정·가락 따위가) 격렬한 ; (색깔이) 야한.

scree [skríː] *n.* (산비탈·낭떠러지 밑에 모여 쌓인) 바위 부스러기, 잔돌 ; 〖地質〗 = TALUS².
〚? 역성(逆成) ‹ *screes* (pl.) < ON *scritha* landslip〛

screech¹ [skríːtʃ] *n.* 날카로운 소리, 째지는[외마디] 소리 ; 삐걱삐걱[끽끽]하는 소리 ; 《俗》 늘 시끄럽게 떠드는 여자. ── *vi.* 날카로운 소리를 내다 ; 삐걱삐걱[끽끽] 소리나다 : I heard some owls ~*ing* in the trees. 올빼미가 수목들 사이에서 날카롭게 울어대고 있는 소리가 들렸다 / The brakes of my bicycle ~. 내 자전거의 브레이크는 끽하는 소리를 낸다.
── *vt.* [+目 / +目+副] 째지는 소리로 외치다 : The girl ~*ed* ***out*** her name. 그 소녀는 째지는 소리로 자기의 이름을 댔다. **~·er** *n.* **~·ing** *a.* **~·ing·ly** *adv.* **scréechy** *a.* 째지는 소리의, (소리가) 날카로운 ; 끽끽 소리를 내는.
〚C16 *scritch* ‹ imit. ; cf. SCREAK〛

screech² *n.* 《Can. 俗》 진한 럼 ; 《美俗·Can.俗》 값싼 위스키, 독한 저급주(低級酒).
〚? SCREECH¹〛

scréech òwl *n.* 〖鳥〗 **1** 울음소리가 날카로운 각종 올빼미 ; 원숭이얼굴올빼미 ; 미국소쩍새. **2** 불길한 예언을 하는 사람.

screed [skríːd] *n.* **1** 긴 이야기, 장광설(長廣舌) ; (불평을 늘어놓은) 장황한 문구[편지]. **2** (책 속의) 긴 한 절(節) ; 《스코》 술잔치. **3** (미장이의) 회벽칠할 때 쓰는 자막대기. **4** 〖土〗 스크리드《콘크리트를 고르게 펴는 장치》 ; 《스코》 갈라진 틈, 금 ; 《英方》 (천 따위의) 자투리, 조각.
〚? SHRED〛

***screen** [skríːn] *n.* **1** 칸막이, 발, 병풍, 스크린, 막, 미닫이, 맹장지 ; 장벽 ; 가리개 ; 《美》 (창 따위의) 망, (벌레를 막는) 모기장 : a folding ~ 병풍 / ☞ FIRE SCREEN / put on a ~ of indifference 일부러 무관심한 체하다. **2** 칸막이, (특히 교회의) 본당 칸막이. **3** 스크린, 영사막, 은막(銀幕) ; (텔레비전·레이더 따위의) 화면, 스크린 ; 〖컴퓨〗 화면 ; [the ~ ; 집합적으로] 영화, 영화계. **4** 〖光〗 여광기(濾光器), 정색(整色) 스크린 ; 〖寫〗 망사 필터 ; 〖印〗 스크린, 망《사진망판을 만드는 데 쓰는 망유리》. **5** 여과체, 흙[모래·석탄]체. **6** (전기·자기(磁氣) 따위의) 차벽(遮壁). **7** 〖軍〗 견제(牽制) 부대, 전위함(前衛艦) ; 차폐물 : a smoke ~ 연막. **8** 〖氣〗 백엽상(百葉箱). **9** 심사[선택] 제도.
under screen of night 밤의 어둠을 타고.
── *vt.* **1 a**) [+目 / +目+前+名] (눈길을) 가로막다 ; …에 칸막이를 하다, 덮어 가리다(cf. SCREEN *off*) : The wall ~*s* our house ***from*** view. 우리 집은 벽으로 둘러싸여 남의 눈에 안 보인다 / She ~*ed* her face *from* the fire with a fan. 부채로 얼굴을 가려 불기운을 막고 있었다 / We must ~ this room ***against*** flies. 이 방에 방충망을 달아 파리가 들어오지 못하도록 해야 한다 / The moon was ~*ed* by clouds. 구름이 달을 가렸다. **b**) [+目 / +目+前+名] 숨기다, 비호하다 ; 보호하다 : The mother tried to ~ her guilty son. 어머니는 죄를 범한 아들을 비호해주려고 했다 / I won't ~ you ***from*** blame[suspicion]. 네가 비난[의심]받고 있는데 대하여 너를 두둔할 생각이 없다. **c**) 〖通信〗 차벽(遮壁)을 만들다, 차폐하다. **2 a**) (석탄 따위를) 체질하다, 체질하여 가르다 : ~*ed* charcoal 체로 쳐서 가려낸 탄. **b**) 《비유》 (공직 지원자 등을) 심사[선발]하다(cf. SCREEN *out*) ; (소지품·병원균 따위로 사람을) 조사하다. **3** 영사[상영]하다 ; (소설·극 따위를) 영화화[각색]하다 ; 촬영하다.
── *vi.* [+副] 상연되다[할 수 있다] ; (배우가) 영화에 알맞다 : This drama [actress] ~*s well* [*badly*]. 이 각본[여배우]은 영화에 맞는다[맞지 않는다].
screen off (방 따위의 일부를 칸막이로) 구획하다, 가로막다.
screen out (지원자 등을) 심사하여 제외하다.
~·able *a.* **~·er** *n.* **~·like** *a.*
〚OF ; cf. G *Schrank* cupboard, *Schirm* screen〛

scréen-càst *vi.* [보통 *p.p.*로] 뉴스 영화에 설명

을 붙이다.

scréen grìd *n.* 〔電子〕 스크린 그리드《전자관(電子管)의 차폐 격자(格子)》.

scréen·ing *n.* **1** Ⓤ 체질 ; (적격) 심사 : a ~ test 적격 심사 / a ~ committee 적격 심사 위원회. **2** Ⓤ 가리기 ;〔理〕(전기·자기의) 차폐 ; 영사(映寫)하기, 상영. **3** [*pl.*] 체로 친 찌꺼기, (체로 친) 석탄 부스러기. —— *attrib. a.* 심사하는.

scréen·plày *n.* 영화 각본, 시나리오(scenario) ; 영화.

scréen prìnting *n.* 스크린 인쇄(silk-screen printing).

scréen tèst *n.* 〔映〕(영화의 배역을 결정하기 위한) 스크린 테스트.

scréen·wàsh *n.* 《英》 (차의 앞유리의) 자동(自動) 와이퍼에 의한 세정(洗淨). **~·er** *n.* 《英》 자동 와이퍼.

scréen·wrìter *n.* 영화 대본[시나리오] 작가.

screeve [skríːv] *vi.* 《英俗》 (pavement artist가) 포도(鋪道)에 그림을 그리다, 거리의 화가가 되다. **scréev·er** *n.*

***screw** [skrúː] *n.* **1** 나사 (cf. SIMPLE MACHINE), 나선 ; 나사못, 나사 볼트(cf. MALE screw, FEMALE screw). **2** 나사 모양의 것, 기계의 나선부 ; 마개 뽑는 기구. **3** =SCREW PROPELLER ; =SCREW STEAMER. **4** (나선의) 한번 죄기, 한바퀴 돌리기 : give a thing a ~ 어떤 것을 한바퀴 죄다. **5** [보통 the ~] 《口》 압박, 압력(force) : put *the* ~ on...=put...under *the* ~=apply *the* ~ to …을 압박하다, 꼼짝 못하게 하다, 들볶다 ; …에게 억지로 지급하게 하다. **6** 〔撞球〕 틀어치기. **7** 《英》 (담배·소금 따위를 소량 넣어) 비틀어 봉한 봉지, 그 한 봉지(의 양) : a ~ *of* salt 한 봉지의 소금. **8** 《英口》 구두쇠(miser), 값을 깎는 사람 ; 《美俗》 (어려운 시험으로) 학생을 괴롭히는 교사, 난문 ; 《俗》 간수. **9** 《英俗》 급료, 임금. **10** 《英口》 쇠약한 말, 폐마 ; 결점[흠]이 있는 물건 ; 《俗》 괴짜, 기인, 어리석은 자. **11** 《卑》 성교, 섹스 ; 《卑》 성교 상대(의 여자). **12** 《英俗》 (흘긋) 보기, 일견.

a screw loose 나사가 풀려 있음 ; 이상한 곳, 고장 : The old man must have *a* ~ *loose* to do such a thing. 그런 짓을 하다니 그 노인 정신이 좀 돈 모양이군 / There is *a* ~ *loose* somewhere. 어딘가 고장이 나 있다.

—— *vt.* **1** [+目 / +目+前+名 / +目+副] 나사못으로 고정시키다, 나사로 죄다 : ~ a lock ***on*** a door 문의 자물쇠를 나사로 달다 / ~ ***down*** plank 판자를 나사로 고정시키다 / ~ ***up*** a handle 손잡이를 나사못으로 달다. **2** [+目 / +目+副 / +目+前+名] 비틀다, 틀다, 뒤틀다(twist) ; (얼굴을) 찡그리다 : He ~*ed* his head ***round*** to see me. 머리를 돌려 나를 보았다 / I forgot to ~ the lid ***on***[***off***] the jam jar. 잼이 든 통의 뚜껑을 틀어 닫는[잼 통의 뚜껑을 틀어 여는] 것을 잊었다 / The old man ~*ed* his face ***into*** wrinkles. 그 노인이 얼굴을 찡그리니 주름투성이가 되었다. **3** [+目 / +目+*out of*+名] 짜내다 ; 《口》 강탈하다, 착취하다 ; 억지쓰다, 압박하다 ; (가격을) 깎아내리다 : ~ water ***out of*** a wet towel 젖은 타월에서 물을 짜내다 / ~ money *out of* the poor 가난한 사람에게서 돈을 착취하다. **4** 긴장시키다, (용기를) 불러일으키다 ; 《俗》 속이다, 틈타다 ; 《美俗》 난문으로 괴롭히다. **5** 〔撞球〕 공을 틀어치다 ; 〔테니스〕 공을 깎아치다. **6** 《卑》 (특히 남자가) 성교하다.

—— *vi.* **1** 죄어지다 ; 나사가 틀리다[돌다] ; 나선(螺旋) 모양으로 돌다 ; 몸을 비틀다. **2** (당구 따위의 공이) 틀어져가다, 깎이다. **3** 인색하게 굴다, 몹시 절약하다. **4** 압박[착취]하다. **5** 《卑》 (…와) 성교하다〈*with*〉.

have one***'s head screwed on the right way*** 제정신이다 ; 머리가 좋다, 분별이 있다, 이해가 빠르다.

screw around 사소한 일에 시간을 낭비하다.

screw up ⑴ (나사못으로) 바짝 죄다(cf. *vt.* 1) ; (눈 따위) 가늘게 뜨다 : ~ *up* one's eyes [face, features] 눈을 가늘게 뜨다[얼굴을 찡그리다]. ⑵ (집세 따위를) 올리다 ; [흔히 수동태로] 《口》 (사람을) 긴장시키다 ; 정신 차리게 하다, 능률이 오르게 하다 : He finally ~*ed up* his courage and tried to drive. 드디어 용기를 내어 운전해 보려고 했다 / He wants ~*ing up*. 그를 정신 차리게 해 줄 필요가 있다. ⑶ 《俗》 큰 실수를(하여 엉망이 되게) 하다 ; (사람을) 혼내주다.

~·er *n.* screw하는 사람[기계].

〖OF *escroue* female screw＜L *scrofa* sow ; 돼지 꼬리와 비슷한 데서〗

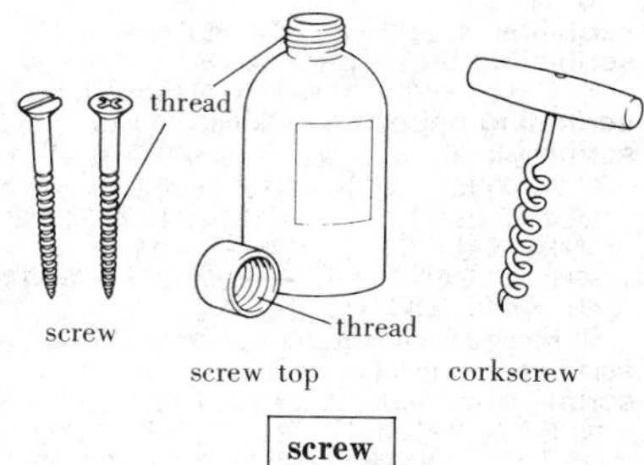

screw

scréw·bàll *n.* **1** 〔野〕 스크루볼. **2** 《美俗》 괴짜, 쓸모없는 사람. —— *a.* 《美俗》 별난, 괴짜의, 엉뚱한, 얼빠진.

scréw bòlt *n.* 〔機〕 나사 볼트.

scréw bòx *n.* 〔機〕 (나무 나사를 깎는) 나사틀 ; 나사받이.

scréw càp *n.* (병 따위의) 나사 뚜껑.

scréw convèyer *n.* 〔機〕 스크루 컨베이어.

scréw còupling *n.* 〔機〕 나사 연결기.

scréw cùtter *n.* 〔機〕 나사 깎는 도구.

scréw·drìver *n.* **1** 나사돌리개, 드라이버. **2** 《美》 스크루드라이버《보드카와 오렌지 주스를 섞은 칵테일》.

screwed [skrúːd] *a.* 나사로 죈 ; 나사 모양의 홈이 있는 ; 뒤틀린, 구부러진 ; 《俗》 엉망인 ; 《英俗》 술취한(drunk).

scréw èye *n.* 대가리가 고리 모양으로 된 나사못.

scréw gèar *n.* 〔機〕 나사 톱니바퀴.

scréw hèad *n.* 나사 대가리.

scréw hòok *n.* 나사 훅.

scréw jàck *n.* (무거운 것을 들어 올리는) 나사 잭(jackscrew) ; 치간(齒間) 교정용 나사 잭.

scréw-lóose *n.* 《俗》 이상한[머리가 돈] 놈.

scréw nùt *n.* 나사 너트.

scréw prèss *n.* 〔機〕 나사 프레스《나사 기구를 이용하여 압력을 가하는 장치》.

scréw propèller *n.* (비행기·기선의) 스크루 프로펠러, 나선 추진기.

scréw spìke *n.* 나사못.

scréw stèamer *n.* 스크루선(船), 나선 추진기가 달린 배.

scréw tàp *n.* 〖機〗 물고동《나사로 여닫는 수도꼭지 따위》; 암나사용 탭.

scréw thrèad *n.* 나사산 ; 나사의 1회전.

scréw-ùp *n.* 《美俗》 실수, 바보짓 ; 얼빠진 놈, 쓸모없는 녀석.

scréw wrènch[**spànner**] *n.* (자유 자재의) 나사 돌리개, 자재 스패너.

scréwy *a.* **1** 나선형의, 비틀린. **2** 《俗》 인색한. **3** 《口》 (약간) 머리가 돈(crazy), 우스꽝스런. **4** 《英俗》 (다소) 술에 취한.

scrib·al [skráibəl] *a.* 필사(筆寫)의, 서기의.

scrib·ble[1] [skríbəl] *vt.* 아무렇게나 쓰다, 갈겨[흘려]쓰다. —— *vi.* **1** 되는대로 글씨를 쓰다 ; (무의미한) 낙서를 하다 : No *scribbling* on the walls! 벽에 낙서 금지. **2** 시[문장]를 서툴게 짓다 ; 문필을 업으로 삼다. —— *n.* 난필, 악필 ; 악문, 졸작. 〖L *scribillo* (dim.) ‹ *scribo* ; ⇨ SCRIBE〗

scribble[2] *vt.* (양털을) 얼레빗질하다. 〖? LG ; cf. G *schrubbeln* (freq.) < LG *schrubben* to SCRUB[1]〗

scríb·bler *n.* 난필[악필]가 ; 《戲》 삼류 작가.

scríb·bling blòck[**pàd**] *n.* 《英》 (한 장씩 떼어 쓸 수 있는) 잡기장, 메모장(=《美》scratch pad).

scríbbling pàper *n.* =SCRIBBLING PAD.

scribe [skráib] *n.* **1** 필기자, 필사자(筆寫者) ; 서예가 ; 대서인, 서기 ; 《古》 서가(書家), 달필가(達筆家) ; 《戲》 저작자, 작가 ; 기자. **2** 〖유태史〗 학자《기록관 · 법률가 · 신학자를 겸함》. **3** = SCRIBER ; 《美俗》 편지. —— *vt.* (돌 · 나무 따위에) 화선기(畵線器)로 선을 긋다. 〖L *scriba* official writer (*script*- *scribo* to write)〗

scrib·er [skráibər] *n.* 화선기.

scrim [skrím] *n.* Ⓤ 스크림《올이 굵고 결이 거칠며 튼튼한 무명[삼베] ; 주로 커튼용》; 스크림 막《반투명으로 무대용》; 《美俗》 성대한 댄스 파티. 〖C18 < ?〗

scrim·mage [skrímidʒ] *n.* **1** 격투, 드잡이, 난투 ; 시비. **2** 〖럭비〗 스크럼. 㕑 scrum(mage)가 보통. —— *vi., vt.* 난투하다 ; 〖럭비〗 스크럼을 짜다(scrummage), 스크럼 속에 공을 던져넣다. 〖변형(變形) ‹ *skirmish*〗

scrimp [skrímp] *vt.* 바짝 줄이다, 절약해서 쓰다. —— *vi.* 절약하다, 인색하게 굴다. 㕑 skimp쪽이 일반적. —— *a.* 부족한, 빈약한 ; 바짝 줄인, 인색하게 구는. —— *n.* 《口》 구두쇠. 〖? Scand. (Swed. *skrympa* to shrivel up) ; cf. SHRIMP〗

scrímpy *a.* 바짝 줄인, 인색하게 구는 ; 부족하기 일쑤인, 가까스로 쓸 수 있는.

scrímp·i·ly *adv.* **-i·ness** *n.*

scrim·shank [skrímʃæ̀ŋk] *vi.* 《英軍俗》 직무[의무]를 태만히 하다, 게으름[꾀]부리다. **~·er** *n.* 〖C19 < ?〗

scrim·shaw [skrímʃɔ̀ː] *vt., vi.* (항해중 선원이 조개 · 상아 따위로) 심심풀이 수공품을 만들다. —— *n.* Ⓤ,Ⓒ 심심풀이 수공품.

scrip[1] [skríp] *n.* **1** 가(假)증권[주권], 가사채(假社債) (= ∠ **certìficate**) ; (차용) 증서 ; 대용 지폐. **2** Ⓤ [집합적으로] 가주권[가증권]류. **3** Ⓤ (점령군의) 군표(軍票). **4** (간단한) 서류, 종잇조각 ; (옛 미국에서 1달러 미만의) 지폐 ; 《美俗》 1달러 지폐, 소액 지폐. 〖*subscription receipt* : '종잇조각' 따위는 ‹ *script*〗

scrip[2] *n.* 《古》 (여행자 · 순례자의) 보따리, (허리에 찬) 전대. 〖OF *escrep(p)e* wallet ‹ SCARF[1] or ON *skreppa*〗

***script** [skrípt] *n.* **1** Ⓤ 손으로 쓴 글(handwriting) (cf. PRINT). **2** 원고 ; (연극 · 영화 · 라디오[텔레비전] 방송 따위의) 각본, 대본, 스크립트 ; (각본의) 발췌 ; 대략의 줄거리, 행동예정 : a film ~ 영화 대본. **3** Ⓤ 〖印〗 필기체 (활자) ; Ⓒ 서체, 자체(字體). **4** 《英》 답안. **5** 〖法〗 원본, 정본(正本) (↔*copy*) ; 〖法〗 유언장의 초안. **6** 《美口》 (특히 마약의) 처방전. —— *vt.* 《口》 (영화 따위의) 대본[스크립트]을 쓰다.

~·er *n.* 《口》 =SCRIPTWRITER. 〖OF < L *scriptum* thing written ; ⇨ SCRIBE〗

Script. Scriptural ; Scriptures.

scrípt gìrl *n.* 〖映〗 스크립트 걸《감독을 도와 촬영 장면의 기록 · 배우와의 연락 따위를 담당》.

scrip·to·ri·um [skriptɔ́ːriəm] *n.* (*pl.* **~s, -ria** [-riə]) 사자실(寫字室), (특히 중세의 수도원 따위의) 기록실. 〖L ; ⇨ SCRIBE〗

scrip·tur·al [skríptʃərəl] *a.* 문서의[로 한] ; [흔히 S~] 성서 (중시(重視))의, 성서의 취지에 입각한. **~·ly** *adv.* **~·ness** *n.*

scrip·ture [skríptʃər] *n.* **1** [S~] 성서(Bible). 㕑 신약성서 · 구약성서 또는 그 양자를 가리켜(Holy) S~ 또는 the S~s라고 함. **2** [흔히 S~] 성서에서의 인용문. **3** (기독교 이외의) 경전, 성전 : Buddhist *S~s* 불경(佛經). **4** [형용사적으로] 성서의[에 있는] : a ~ lesson 일과(日課)로서 읽는 성구(聖句) / a ~ text 성서의 한 절 / a ~ reader (빈민이나 글을 읽을 줄 모르는 사람을 찾아 다니면서 성서를 읽어주는) 평신도. **5** 권위있는 문서 ; (일반적으로) 문서 ; 《古》 명(銘). 〖L=writing ; ⇨ SCRIPT〗

scrípt·wrìter *n.* (연극 · 영화 · 방송 따위의) 대본 작가, 스크립트라이터.

scriv·en·er [skrívənər] *n.* **1** 필경(scribe), 서기(clerk) ; 대서인, 공증인(notary public). **2** 《廢》 대금업자. 〖OF < L ; ⇨ SCRIBE〗

scrívener's pálsy *n.* =WRITER'S CRAMP.

scrod [skrɑ́d] *n.* 《美》 대구새끼《특히 요리용으로 찢은 것》.

scrof·u·la [skrɔ́(ː)fjələ, skrɑ́f-] *n.* Ⓤ 〖醫〗 나력(瘰癧), 연주창(king's evil). 〖L (dim.) ‹ *scrofa* SOW[2] ; 암퇘지가 걸리기 쉽다고 생각되었음〗

scrof·u·lous [skrɔ́(ː)fjələs, skrɑ́f-] *a.* **1** 연주창의[에 걸린] ; (모습이) 병적인. **2** 타락한(degenerate).

scroll [skróul] *n.* **1** 두루마리, 족자, 책 ; 〖컴퓨〗 두루마리 ; 《古》 표, 명부, 목록, 일람표. **2** Ⓤ,Ⓒ (일반적으로) 소용돌이 모양의 장식 ; 〖建 · 船〗 소용돌이 (장식), 와형(渦形) ; Ⓒ (바이올린의) 소용돌이 모양의 머리 장식. **3** (서명 따위의 뒤에 쓰는) 장식체 글씨(flourish). **4** 〖紋〗 명(銘)을 써 넣은 리본. —— *vt.* [보통 *p.p.*로] 두루마리로 하다 ; 소용돌이 모양으로 장식하다, 소용돌이 무늬를 넣다. —— *vi.* 말다, 두루마리 모양으로 되다 ; 〖컴퓨〗 두루말다. 〖ME (*sc*)*rowle* ROLL〗

scróll gèar[**whèel**] *n.* 〖機〗 소용돌이 모양의 변속 기어[톱니바퀴].

scróll·hèad *n.* 〖海〗 (목조선의) 소용돌이 모양의 뱃머리 장식.

scróll sàw *n.* 구름무늬 모양으로 도려내는 톱, 곡선용 톱, 실톱.

scróll·wòrk *n.* Ⓤ 소용돌이 장식, 소용돌이[구름, 당초(唐草)] 무늬.

scrooch, scrootch [skrúːtʃ] *vt., vi.* 《口》 쭈그

리고 앉다, 웅크리다, 움츠리다, 쑤셔[밀어]넣다.

Scrooge [skrúːdʒ] *n.* 스크루지《Charles Dickens의 소설 *A Christmas Carol*의 주인공 이름에서》.

scroop [skrúːp] *n.* Ⓤ《方》삐걱거림 ; Ⓒ 삐걱거리는 소리. ── *vi.* 삐걱거리다.

scro·tum [skróutəm] *n.* (*pl.* **-ta** [-tə], **~s**) 〖解〗음낭(陰囊). 〖L〗

scrouge [skráudʒ, skrúːdʒ], **scrooge** [-rúːdʒ] *vt., vi.* 《口·方》밀어넣다, 쑤셔넣다.

scroug·er [skráudʒər, skrúː-] *n.* 《美俗》비집고 들어가는 사람 ; 월등한 것.

scrounge [skráundʒ] *vi., vt.* 《口》징발하다 ; (음식 따위를) 찾아 다니다 ; 우려내다 ; 훔치다, 눈속이다, 날치기하다. ── *n.* scrounge하기 ; 훔친 것 : be on the ~ 구걸하다.
〖*scrunge* (dial.) to steal〗

scrub**[1] [skrʌ́b] *vt.* (**-bb-**) **1** [＋目 / ＋目＋副] 북북 문지르다[씻다, 빨다] ; 깨끗이 훔치다[세탁하다] : ~ the wall 벽을 닦다 / ~ the boat with a brush 보트를 솔로 닦다 / ~ ***out a dish 접시를 문질러 닦다. **2** [＋目 / ＋目＋副 / ＋目＋前＋名] (불순물을) 제거하다 ; (가스 따위를) 세정(洗淨)하다 : ~ ***out*** acetone ***from*** acetylene 아세틸렌에서 아세톤을 뽑아내다. **3** 《口》(계획·명령 따위를) 취소하다〈*out*〉, (로켓의 발사 따위를) 중지[연기]하다. **4** 《口》(상대방의 득점을) 지워 없애다 ; 《俗》쫓아내다, 해고하다.
── *vi.* 북북 문질러 씻다 ; (외과의사가) 수술 전에 손을 깨끗이 씻다.
── *n.* 북북 문지르기[닦기], 걸레질, 씻기 ; 취소, 중지.
〖? MLG, MDu. *schrobben*〗

scrub[2] *n.* **1** Ⓤ (밀집한 교목·관목의) 덤불, 숲, 잡목림(이 무성한 토지) ; [the ~] 《濠口》인가에서 먼곳, 원격지. **2** 잡종의 가축 ; 자그마한 사람[것], 보잘것없는[인색한] 녀석. **3** 《美》2류 선수(단), [*pl.*] 2군. ── *a.* 조그마한, 위축된 ; 하찮은, 열등한 ; 잡목이 우거진 ; 《美》2군의.
〖SHRUB[1]〗

scrúb·ber[1] *n.* **1** 북북 문지르는[닦는] 사람, (특히) 갑판을 씻는 사람. **2** 솔, 수세미, 걸레. **3** 가스 세정기(洗淨器). **4** 행실이 나쁜 여자, 매춘부.
〖SCRUB[1]〗

scrubber[2] *n.* 잡종, (특히) 잡종의 거세한 소 ; 깡마른 거세한 소 ; 《濠》(특히) 수소, 황소.
〖SCRUB[2]〗

scrúb(·bing) brùsh *n.* 《美》빨랫솔, 수세미.

scrúb·by *a.* 지지러진 ; 잡목[섶나무 가지]이 무성한, 덤불이 많은 ; 하등(下等)의, 보잘것없는.

scrúb clùb *n.* 《美俗》(실패만 하는) 전혀 쓸모없는 집단《연구팀, 회사 따위》.

scrúb·lànd *n.* 작은 잡목이 우거진 땅, 관목지(灌木地), 총림지(叢林地).

scrúb nùrse *n.* 수술실 간호사.

scrúb týphus *n.* 〖醫〗양충병(恙蟲病).

scrúb-ùp *n.* 철저하게 씻기, (특히 의사·간호사가 수술전에 하는) 손씻기.

scrúb·wòman *n.* 《美》잡역부(charwoman).

scruff[1] [skrʌ́f] *n.* 목덜미(nape) ; 의복의 낙낙한 부분《코트의 깃 따위》: take[seize] a person by the ~ of the neck 남의 목덜미를 잡다.
〖변형(變形) ‹ *scuff* ＜ON *skoft* hair〗

scruff[2] *n.* 〖冶〗스크러프《주석 도금 때 생기는 부유물》; 《口》궁상맞은[칠칠치 못한] 놈. ── *vi.* 《美俗》근근이 살아가다〈*along*〉.
〖음위 전환(音位轉換) ‹ *scurf*〗

scrum [skrʌ́m], **scrum·mage** [skrʌ́midʒ] *n.* 〖럭비〗스크럼 ; 《口》밀치락달치락하기, 밀치락달치락하는 군중(crowd) : the line of ~ 스크럼선. ── *vi.* (**-mm-**) 스크럼을 짜다.
〖SCRIMMAGE〗

scrúm·càp *n.* 〖럭비〗헤드기어《머리 보호용》.

scrúm hàlf *n.* 〖럭비〗스크럼 하프《공을 스크럼 속에 넣는 하프백》.

scrump [skrʌ́mp] *vt., vi.* (특히 사과 따위를) 훔치다, 후무리다 ; (과수원)에서 훔치다.
〖cf. SCRUMPY〗

scrump·tious [skrʌ́mpʃəs] *a.* 《口》멋진, 굉장한, 훌륭한 ; 일류의 ; (음식 따위가) 맛있는.
〖C19 ‹ ? *sumptuous*〗

scrum·py [skrʌ́mpi] *n.* 《英方》신맛이 강한 사과주《잉글랜드 남서부 특산》.
〖*scrump* (dial.) small apple〗

scrunch [skrʌ́ntʃ, skrúntʃ] *v., n.* ＝CRUNCH.

scru·ple** [skrúːpəl] *n.* **1** Ⓤ,Ⓒ [＋前＋do*ing* / ＋*to* do] (일의 정사(正邪)·당부(當否)에 대한) 의심, 망설임, 주저, 양심의 가책 : a man of no ~*s* 예사로 나쁜 짓을 하는 사람 / He will do anything without ~. 어떠한 (나쁜) 짓이라도 예사로 한다 / I have ~*s* ***about play*ing* cards for money. 돈을 걸고 카드 놀이를 하는 것은 마음에 내키지 않는다 / Have you no ~(*s*) *about* spoil*ing* flowers? 꽃 꺾는 것을 아무렇지도 않게 생각하니 / He makes no ~ *to* tell a lie[no ~ ***of*** ly*ing*]. 거짓말하는 것을 예사로 여긴다, 예사로 거짓말한다. **2 a**) 약량(藥量) 단위《＝20 grains ＝1.295 g ; 略 sc.》; (고대 로마의) 중량 단위《＝1/24 oz.》. **b**) 미량(微量), 소량〈*of*〉.
── *vi.* [＋*to* do / ＋前＋do*ing*] [특히 부정구문으로] 양심의 가책을 받다 ; 망설이다, 꺼리다 : A dishonest man does *not* ~ *to* deceive others. 정직하지 못한 사람은 남을 예사로 기만한다 / He did *not* ~ ***of*** lying. 거리낌없이 거짓말했다.
〖OF or L＝cause of mental discomfort (dim.) ‹ *scrupus* rough stone〗

scru·pu·lous [skrúːpjələs] *a.* 양심적인, 견실한, 꼼꼼한, 세심한 ; 정확한, 철저한 ; 주도 면밀한 : with ~ care 세심하게 주의를 하여 / She took ~ care of the children's health. 그녀는 아이들의 건강에 세심한 주의를 쏟았다. **~·ly** *adv.* 견실하게, 꼼꼼하게, 주도 면밀하게. **~·ness** *n.*
scrù·pu·lós·i·ty [-lɑ́səti] *n.* Ⓤ 면밀[주도]성, 꼼꼼함, 빈틈 없음. 〖F or L ; ⇨ SCRUPLE〗
類義語 ⟹ UPRIGHT.

scru·ta·ble [skrúːtəbəl] *a.* 검사[연구]로 해명할 수 있는.

scru·ta·tor [skruːtéitər, ⌐--] *n.* 정밀히 조사하는 사람, 검사자. 〖L ; ⇨ SCRUTINY〗

scru·ti·neer [skrùːtəníər] *n.* 검사자, 《英》(특히) 투표 검사인.

scru·ti·nize [skrúːtənàiz] *vt.* 상세히 보다, 세밀히 조사하다, 음미하다, 캐고 들다 ; 유심히 바라보다 : The jeweler ~*d* the diamond for flaws. 그 보석상은 다이아몬드에 흠이 없는지 세밀히 검사했다. **scrú·ti·nìz·ing·ly** *adv.* 유심히, 꼼꼼히.
類義語 ***scrutinize*** 면밀·철저하게 조사하여 세부까지 관찰하다. ***inspect*** 특히 과오·결점 따위를 찾아 내려고 면밀하고 비판적인 관찰을 하다. ***examine*** 어떤 것의 성질·상태·효력 따위를 결정하려고 면밀히 조사하다. ***scan*** 신속히 표면적인 조사를 하다.

***scru·ti·ny** [skrúːtəni] *n.* **1** Ⓤ,Ⓒ 정밀한 음미, 면밀한 조사, 꼬치꼬치 따지기 ; 주의깊게 유심히 보기. **2** 감시, 《英》투표 (재)검사.

⟦L (*scrutor* to examine<*scruta* trash)⟧

scry [skrái] *vi.* 수정점(水晶占)을 치다. ── *vt.* 《古·方》 =DESCRY.

~·**er** *n.* 수정 점쟁이. ⟦de*scry*⟧

sct. scout. **sctd.** scattered.

scu·ba [skjúːbə ; skjúː-] *n.* 잠수용 수중 호흡기, 스쿠버, 애퀄렁(aqualung). ⟦*s*elf-*c*ontained *u*nderwater *b*reathing *a*pparatus⟧

scúba dìver *n.* 스쿠버 다이버. **scúba dìve** *vi.* 스쿠버 다이빙을 하다.

scúba dìving *n.* 스쿠버 다이빙(cf. SKIN DIVING).

scud[1] [skʌ́d] *vi.* (-dd-) [動/+副/+前+名] 질주하다 ; 스치며 지나가다 ; 〔弓術〕 (화살이) 표적을 높이 크게 벗어나다 ; 〔海〕 (거의 돛을 올리지 않고) 순풍을 받고 달리다 : The boat *~ded* ***along*** before the rising wind. 보트는 거세어 지는 바람을 받아 질주했다 / The clouds were *~ding* ***across*** the sky. 구름은 하늘을 가로질러 흘러가고 있었다.

── *n.* **1** 휙 달리기[날기]. **2** Ⓤ 조각 구름, 비구름 ; Ⓒ 소나기, 지나가는 비 ; 돌풍.

⟦? Scand. (Norw. *skudda* to push, thrust) ; 일설에 *scut*의 변형(變形)인가⟧

scud[2] *vt.* (-dd-) 〔皮革〕 (가죽)에서 남은 털과 더러움을 없애다, 때를 없애다. ── *n.* 제거된 털과 더러움, 때.

⟦=(obs.) dirt, refuse<?*scum*+*mud*⟧

scud[3] [skʌ́d], **scut** [skʌ́t] *n.* 《美俗》 지루하고 지치는 일, 시간이 걸리든 어떻든 상관 없는 일. ⟦C20<?⟧

Scud *n.* =SCUD MISSILE.

Scúd mìssile *n.* 스커드 미사일《러시아 연방 따위의 지대지 미사일 ; Scud-B는 300km의 요격 거리와 핵·화학탄두를 장착할 수 있음》.

scudo [skúːdou] *n.* (*pl.* **-di** [-diː]) 스쿠도《19세기까지 이탈리아의 금화[은화]》.

⟦It.=shield⟧

scuff [skʌ́f] *vi.* 발을 질질 끌며 걷다(shuffle) ; 닳아 떨어지다.

── *vt.* (구두 따위를) 닳게 하다 ; (지면·마루 따위를) 발로 문지르다 ; 《美》 발로 차다 ; (발을) 힘주어 문지르다 ; 손바닥으로 치다 : ~ one's shoes 구두를 닳게 하다.

── *n.* 질질 끌며 걷기 ; (질질 끄는 걸음이나 낡아서 생기는) 손상 ; 슬리퍼. ⟦C19 (? imit.)⟧

scuf·fle [skʌ́fəl] *vi.* **1** 맞붙어 싸우다, 격투하다, 난투하다. **2** 발을 끌며 걷다(shuffle). **3** 허둥지둥하다, 갈팡지팡하다 ; 《俗》 따분한 일에 종사하다 ; 《美俗》 그럭저럭 먹고살다.

── *n.* 난투, 격투 ; =SCUFF.

⟦? Scand. (Swed. *skuffa* to push) ; SHOVE와 같은 어원⟧

scug [skʌ́g] *n.* 《英》 (뛰어난 점이 없어) 존재가 희미한 녀석[학생].

scull [skʌ́l] *n.* **1** 스컬, (배 뒷전에 달린) 고물노. **2** 스컬《양손에 하나씩 끝을 잡고 젓는 비교적 가벼운 노》 ; 스컬(sculler) 《두 개의 스컬로 젓는 경주용의 가벼운 보트》. **3** [*pl.*] 스컬 경정(競艇) ; 스컬[노]로 젓기[젓는 시간, 거리].

── *vt.* (보트를) 스컬[노]로 젓다. ── *vi.* 스컬[노]로 젓다 ; (스케이트에서) 얼음면에서 다리를 올리지 않아 미끄러지다.

scull 1

~·**er** *n.* (두개의) 스컬로 배를 젓는 사람 ; = SCULL 2.

⟦ME<?⟧

scul·lery [skʌ́ləri] *n.* (부엌의) 설거지 하는 곳, 식기 닦는 곳(cf. SINK *n.* 1).

⟦AF (*escuele* dish<L *scutella* salver)⟧

scúllery màid *n.* (주로 설거지만 하는) 하녀, 식모.

scul·lion [skʌ́ljən] *n.* 《古》 부엌 허드렛일 하는 사람, 접시닦이.

⟦ME<?OF *escouillon* cleaning cloth<*escouve* broom⟧

sculp [skʌ́lp] *vt., vi.* 《口》 =SCULPTURE.

scul·pin [skʌ́lpən] *n.* (*pl.* **~s**, ~) 〔魚〕 둑중개 ; (북미 대서양 연안에서 나는) 쏨뱅이.

sculp·ser·unt [skʌlpsíərʌnt] *vt.* …이 이것을 조각하다. ⟦L=they sculptured (it)⟧

sculp·sit [skʌ́lpsət, skúlp-] *vt.* (아무개가) 조각함《조각가의 서명 다음에 씀 ; 略 sc.》.

⟦L=he[she] sculptured (it)⟧

sculpt [skʌ́lpt] *vt., vi.* =SCULPTURE.

⟦F ; ⇨ SCULPTURE⟧

sculp·tor [skʌ́lptər] *n.* 조각가, 조각사 ; [(the) S~] 〔天〕 조각실자리.

Scúlptor's Tóol *n.* [the ~] 〔天〕 조각도(彫刻刀)자리.

sculp·ture** [skʌ́lptʃər] *n.* **1** Ⓤ 조각(술), 조소(彫塑). **2** Ⓤ,Ⓒ 조각(작)품. **3** 〔動·植〕 무늬 ; 〔地〕 (침식 따위에 의한) 지형의 변화. ── *vt.* **1** [+目/+目+前+名] 조각하다 : ~ a statue ***out of bronze 청동을 조각하여 상을 만들다 / ~ a bust ***in*** stone 돌로 흉상(胸像)을 만들다. **2** [주로 *p.p.*로] 조각물로 장식하다 ; 조각풍(風)[입체적]으로 만들다 ; (비바람 따위 자연력이 지형을) 변화시키다, 침식시키다 : a *~d* column 조각을 한 원기둥. ── *vi.* 조각하다.

⟦L (*sculpt-* *sculpo* to carve)⟧

sculp·tur·esque [skʌ̀lptʃərésk] *a.* 조각과도 같은 ; 모양이 단정한, 돋보이는 ; 당당한.

scum [skʌ́m] *n.* **1** Ⓤ (액체 표면에) 떠있는 찌꺼기, 거품, (액체의) 더껑이〈*of*〉 ; 푸른곰팡이. **2** Ⓤ 쓰레기, 찌꺼기, 인간 쓰레기〈*of*〉 : You filthy ~! 이 밥벌레야!

── *v.* (-mm-) *vt.* 거품[더껑이]으로 덮다 ; …에서 떠있는 찌꺼기를 제거하다. ── *vi.* 거품이 뜨다, 더껑이가 생기다.

⟦MLG, MDu. ; cf. G *Schaum* foam⟧

scúm·bàg *n.* 《卑》 콘돔(condom) ; 《蔑》 쓰레기 같은 인간, 더러운 놈.

scum·ble [skʌ́mbəl] *vt.* 〔畫〕 색조(色調)를 부드럽게 하다, 바림하다. ── *n.* 색조를 부드럽게 하기, 선의 바림 ; 바림을 한 색[소재].

scúm·my *a.* **1** 찌꺼기[더껑이]가 생긴, 거품이 생긴. **2** 천한, 쓸모 없는(worthless).

scunge [skʌ́ndʒ] *vt.* 《濠俗》 빌리다, 꾸다.

── *n.* 쓸모 없는 놈 ; 빌리기만 하는 놈.

⟦C20<?⟧

scun·gy [skʌ́ndʒi] *a.* 《濠口》 더러운 ; 《濠口》 가엾은 ; 《南아俗》 어두운.

⟦C20<?⟧

scun·ner [skʌ́nər] *n.* 《스코》 증오, 혐오.

── *vi.* 《스코》 기분이 나빠지다, 싫어지다, 진절머리나다〈*at, with*〉. ── *vt.* 《스코》 욕지기[진절머리] 나게 하다.

scup [skʌ́p] *n.* (*pl.* ~, **~s**) 〔魚〕 미국 대서양 연안의 도미과의 식용어.

scup·per[1] [skʌ́pər] *n.* 〖海〗 갑판 배수구, 물빼는 구멍 ; 《美俗》 (거리에 나와 손님을 고르는) 매춘부. 〖AF (OF *escopir* to spit<imit.)〗

scupper[2] *vt.* 《英俗》 기습하여 몰살시키다, 해치우다 ; (배·선원을) 침몰시키다, 위험한 상태에 빠지다 ; (계획 따위를) 망쳐 놓다. 〖C19<?〗

scup·per·nong [skʌ́pərnɔ̀(:)ŋ, -nɑ̀ŋ] *n.* 〖植〗 머스캣 포도《황록색 ; 미국 남부산》.
〖*Scuppernong* N. Carolina 주(州)의 강[호수]〗

scurf [skə́:rf] *n.* Ⓤ 비듬(dandruff) ; 비듬같은 것[티], 더러움 ; (식물의) 꺼칠꺼칠한 표면[인편].
scúrfy *a.* 비듬투성이의 ; 비듬 같은.
〖OE<? ON and OE *sceorf* ; cf. OE *sceorfan* to gnaw, *sceorfian* to cut to shreds〗

scur·ril(e) [skə́:rəl, skʌ́r- ; skʌ́r-] *a.* 《古》 = SCURRILOUS. 〖F or L (*scurra* buffoon)〗

scur·ril·i·ty [skəríləti] *n.* **1** Ⓤ 상스러움. **2** Ⓤ,Ⓒ 입정사나움, 독설.

scur·ri·lous [skə́:rələs, skʌ́r- ; skʌ́r-] *a.* 천한, 상스러운 ; 입정사나운, 상소리 잘하는. **~·ly** *adv.* 〖SCURRILE〗

scur·ry [skə́:ri, skʌ́ri ; skʌ́ri] *vi.* [動/+副/+前+名] 당황하여 (허둥지둥) 달리다, 서두르다 ; 종종 걸음으로 급히 가다 ; (낙화·눈 따위) 난무하다 : We could hear the mice *~ing* ***about*** in the wall. 벽 속에서 쥐가 뛰어다니는 소리가 들렸다 / The shower sent the boys *~ing* like so many rabbits ***for*** shelter. 소나기가 오자 소년들은 비를 피할 장소를 찾아 (토끼처럼) 쏜살같이 달렸다. ── *vt.* 당황하게 하다 ; 난무시키다.
── *n.* **1** Ⓤ,Ⓒ (허둥거리는) 급한 걸음, 질주 ; Ⓤ 종종 걸음으로 달리기 ; Ⓒ 그 발소리 ; Ⓒ 단거리 경마[경주]. **2** Ⓤ 허둥지둥하기, 서두르기 (cf. HURRY-SCURRY). **3** (소나기·눈이) 심하게 휘몰아침<*of*>.
〖*hurry-scurry* ; *hurry*의 가중(加重)〗

scur·vy [skə́:rvi] *n.* Ⓤ 〖醫〗 괴혈병(壞血病) 《vitamin C의 결핍이 원인 ; 예전에는 신선한 야채 따위의 섭취가 부족한 선원에게 많았음》.
── *a.* 비천한, 야비한, 천박한. **-vied** *a.* 괴혈병에 걸린. **scúr·vi·ly** *adv.* 천하게. **-vi·ness** *n.* 천함. 〖SCURF ; (n.)은 아마 F *scorbut* (cf. SCORBUTIC)와의 연상〗

scúrvy gràss *n.* 〖植〗 겨자과(科)의 식물《이전에 괴혈병 약으로 사용되었음》.

scut [skʌ́t] *n.* (토끼·사슴 따위의) 짧은 꼬리 ; 《俗》 경멸할 만한[비열한] 놈 ; 《美俗》 풋내기, 애송이 ; 《美俗》 =SCUD[3]. 〖ME< ? Scand. (ON *skutr* end of a vessel) ; cf. *scut* (obs.) short(en)〗

scuta *n.* SCUTUM의 복수형.

scu·tage [skjú:tidʒ ; skjú:-] *n.* 〖史〗 (봉건 시대의) 병역 면제세. 〖L (*scutum* shield)〗

Scu·ta·ri [skú:təri, sku:tɑ́:ri] *n.* 스쿠타리. **1** 알바니아 북서부의 항구 도시《Shkodër의 이탈리아어명(語名)》. **2** 터키의 이스탄불의 일부 《Üsküdar의 이탈리아어명(語名)》.

scu·tate [skjú:teit ; skjú:-] *a.* 〖動〗 방패 모양의 비늘이 있는, 인갑(鱗甲)이 있는 ; 〖植〗 (잎이) 둥근 방패 모양의.

scutch [skʌ́tʃ] *vt.* (솜·삼 따위를) 두드려서 타다[떼내다]. ── *n.* Ⓤ 삼 지스러기 ; Ⓒ 타면기, 타마기 ; 탈곡기, 탈곡하는 사람.
~·er *n.* 타면기, 타마기.
〖OF<L EX[1]*quatio* to shake off〗

scutch·eon [skʌ́tʃən] *n.* =ESCUTCHEON.
〖ME *scochon*<AF〗

scute [skjú:t ; skjú:t] *n.* 〖動·昆〗 =SCUTUM ; 《古》 소액 경화, 표면이 닳은 동전.
〖L SCUTUM〗

scu·tel·late [skju:télət, skjú:təlèit ; skju:télət, skjú:təlèit] *a.* 〖動〗 소순판(小楯板)[인편(鱗片)]이 있는 ; 〖植〗 방패 모양의, 작은 쟁반 모양의.

scu·tel·lum [skju:téləm ; skju:-] *n.* (*pl.* **-la** [-lə]) 〖動·植〗 소순판(小楯板), (지의류의) 작은 판 ; 소인편 ; (새 발의) 각질 인편(鱗片) ; 〖植〗 배반(胚盤), 흡반.

scut·ter [skʌ́tər] *vi., vt., n.* 《口》 =SCURRY.
〖변형(變形) <? *scuttle*[2]〗

scut·tle[1] [skʌ́tl] *n.* (실내용) 석탄통(coal scuttle) ; 그것에 가득한 분량 ; 《英方》 (곡물·야채·꽃 따위를 넣는) 큰 바구니 ; 《英》 스커틀《자동차의 보닛과 차체의 칸막이》. 〖ON<L *scutella* dish〗

scuttle[2] *vi.* [動/+副] 서둘러 가다, 황급히 달리다 ; 허겁지겁 도망치다 : A tiny man *~d* ***in*** by another door. 조그만 남자가 다른 문으로 바쁘게 달려 들어갔다. ── *n.* Ⓤ,Ⓒ 급한 걸음(의 출발[퇴산(退散), 도주]).
〖cf. *scuddle* (dial.) (freq.) <SCUD[1] ; *shuttle*의 영향인가〗

scuttle[3] *n.* **1** 〖海〗 (갑판·뱃전의) 작은 창, 소형의 승강구(의 뚜껑) ; (뱃바닥의) 작은 구멍. **2** 천창(天窓). ── *vt.* (특히, 배밑 또는 뱃전에) 구멍을 뚫어 (배를) 가라앉히다 ; (풍랑에 뱃짐을 건지기 위하여) 갑판에 구멍을 뚫다 ; 폐기하다, (계획 따위를) 그만두다, 포기하다 : The captain *~d* his ship to avoid its being captured by the enemy. 선장은 적에게 나포되는 것을 피하기 위해 배를 침몰시켰다.
〖F<Sp. *escotilla* hatchway (dim.) <*escota* opening in a piece of cloth〗

scúttle·bùtt *n.* (갑판 위의) 식수통, 물 마시는 곳 ; 《口》 소문(rumor), 가십.

scu·tum [skjú:təm ; skjú:-] *n.* (*pl.* **-ta** [-tə]) **1** 〖古로〗 장방형 방패. **2** 〖解〗 갑상(甲狀) 연골 ; 슬개골(膝蓋骨) ; 〖昆〗 순판(楯板)(scute) ; 〖動〗 (거북·아르마딜로 따위의) 각린, 인갑(鱗甲). **3** [S~] 〖天〗 방패자리. 〖L=oblong shield〗

scuz·zy [skʌ́zi] *a.* 《美俗》 꾀죄죄한, 때묻은, 지겨운, 못쓰는.
〖? *disgusting* ; 일설(一說)에 *scummy*+*fuzzy*〗

Scyl·la [sílə] *n.* 스킬라《(1) 〖그神〗 큰 바위에 사는 머리 여섯, 다리가 열둘이 달린 여자 바다 괴물. (2) Charybdis가 앞에 있는 이탈리아 해안의 위험한 바위》.
between Scylla and Charybdis 《文語》 진퇴양난이 되어.

scyph- [sáif], **scy·pho-** [sáifou, -fə], **scy·phi-** [sáifə] *comb. form* 「술잔」의 뜻. 〖Gk.〗

scy·phate [sáifeit] *a.* 술잔 모양을 한.

scýphi·fòrm *a.* 〖植·動〗 배상(杯狀)의.

scythe [sáið] *n.* (긴 자루가 달린) 풀 베는 낫, 큰 낫(cf. DEATH 2). ── *vt.* 큰 낫으로 베다.
〖OE *sīthe* ; cf. G *Sense* ; *sc*-는 *scissors*와의 연상인가〗

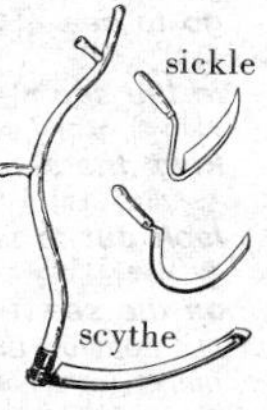

scythe

Scyth·ia [síðiə, síθ-] *n.* 스키타이《옛날 흑해의 북방에 있었던 나라》.

Scýth·i·an *a., n.* 스키타이의 ; 스키타이인[어]의 ; 스

키타이인 ; Ⓤ 스키타이어《Iranian 어파의 하나》.

S/D, S.D. 〖商〗 sight draft. **S.D.** sea-damaged ; Senior Deacon ; South Dakota ; Special Delivery. **sd.** said ; sewed ; sound. **s.d.** several dates ; *sine die* 《L》 (=without day) ; shillings & pence. **S.D., s.d.** 〖統〗 standard deviation. **S.Dak.** South Dakota.

'sdeath [zdéθ] *int.* 《古》 빌어먹을, 에잇《노여움·놀람·결심 따위를 나타내는 소리》. 〚God's *death*〛

SDI Strategic Defense Initiative (cf. Star Wars) ; selective dissemination of information. **SDIO** Strategic Defense Initiative Organization[Office]. **SDPC** 〖宇宙〗 shuttle data processing complex. **SDR(s)** special drawing right(s) ((IMF의) 특별 인출권). **SDS** 〖軍〗 Satellite Data System. **S.D.S., SDS** 《美》 Students for a Democratic Society (민주 사회 학생 연맹).

se- [sə, se] *comb. form* 「떨어져」「…없이」의 뜻 : *se*clude, *se*cure. 〚L *se, sed* apart, without〛

SE, S.E. southeast. **SE** shift eater ; systems engineering (시스템 공학). **SE, S.E., S/E** Stock Exchange. **Se** 〖化〗 selenium.

◇**sea** [síː] *n.* **1** [the ~] 바다(↔*land*), 해양, 대해, 대양 : *the* high ~*s* =*the* open ~ 공해 / *the* territorial ~*s* 영해. **2** [고유 이름에 붙여] …해《커다란 담수호·함수호》: on[in] the Yellow *S*~ 황해에서 / the Red *S*~ 홍해 / the South *S*~*s* 남태평양. **3 a)** 물결, 파도 : a broken ~ 부서진 파도 / a heavy ~ 큰 파도 / a long ~ 길게 굽이치는 파도 / a rough ~ 격랑, 거친 바다 / short ~*s* 불규칙하게 파도치는 잔물결 / ship a ~ (보트 따위가) 파도를 뒤집어쓰다. **b)** Ⓤ 조수(tide) : The ~ was in. 조수가 차 있었다, 만조였다. **4** [a ~ of..., ~s of...] 《비유》 많은, 다량의 ; 광막하기 그지 없는, 광대한 : *a* ~ *of* troubles 끝없는 걱정거리. **5** [the ~] 선원 노릇, 선원 생활. **6** 〖天〗 =MERE². **7** [형용사적으로] 해양의[과 같은], 해상의.

all at sea 어찌 할 바를 몰라.

at sea (1) (육지가 보이지 않는) 해상에서, 항해 중에 : Have you ever been *at* ~ in a dense fog? 해상에서 짙은 안개에 싸인 적이 있습니까. (2) 《口》 어찌 할 바를 몰라(cf. *all at* SEA).

be carried out to sea 바다로 떠내려가다.

beyond [***across, over***] ***the sea***(***s***) 해외로[의], 외국으로.

by sea 해로로, 뱃길로, 배편으로(↔*by land*) ; 항해 중에.

by the sea 해변에(서) : live *by the* ~ 해변에 살다.

follow the sea 선원[뱃사람]이 되다.

go (***down***) ***to the sea*** 바닷가로 가다.

go to sea 선원이 되다 ; 출범하다, (배가) 출항하다.

in the sea 바닷속에 : live *in the* ~ (물고기가) 바다에 살다 / swim *in the* ~ 바다에서 헤엄치다.

keep the sea 제해권을 확보하다 ; (배가) 항해를 계속하다 ; 육지를 떠나[난바다에] 있다.

look out to sea=***look out on the sea*** 바다를 바라보다.

on the sea (1) 바다위에, 해상에[에서] ; 배를 타고 : float *on the* ~ 바다 위에 떠 있다 / sail *on the* ~ (배가) 바다 위를 달리다, 항해하다. (2) 해변에[에서], 연안에[에서] : a house *on the* ~ 바닷가의 집 / Naples is *on the* ~. 나폴리는 바다에 접해 있다.

put (***out***[***off***]) ***to sea*** 출범하다, 출항하다 ; 육지를 떠나다.

stand to sea 난바다로 타고 나아가다.

take the sea 출범하다 ; 배에 올라타다.

the four seas (섬나라를 둘러싸고 있는) 사면이 바다 : within *the four* ~*s* 사해(四海) 안에 ; 영(英)본국 내에.

〚OE *sǣ*; cf. G *See* ; Gmc. 특유의 어(語) ; 로망스어계(語系)의 MERE² 참조〛

séa áir *n.* 바다[해변]의 공기.

séa ànchor *n.* 〖海〗 시 앵커《배의 표류를 막고 또 뱃머리를 바람부는 쪽으로 돌려두기 위해 바다에 띄우는 즈크로 만든 저항물》.

séa anèmone *n.* 〖動〗 말미잘.

séa bànk *n.* 해안 ; 방파제.

séa-bàsed *a.* 해상에 기지를 갖는 ; 해상기지 발진의 : ~ missiles 해상 기지 발진 미사일.

séa bàss [-bæ̀(ː)s] *n.* 〖魚〗 **1** 농어과의 식용어 《농어·참바리 따위》. **2** 민어과의 우는 듯한 소리를 내는 물고기.

séa bàthing *n.* 해수욕.

séa·bèach *n.* 바닷가, 해변.

séa bèar *n.* 〖動〗 =FUR SEAL ; =POLAR BEAR.

séa·bèd *n.* 해저(seafloor).

Sea·bee [síːbìː] *n.* 〖美海軍〗 해군 공병대의 일원 ; [the ~s] 공병대《비전투원인 목공·기계공·용접공 등으로 구성되며 비행장 건설 따위를 맡음》. 〚*CB*=*C*onstruction *B*attalion〛

séa bèlls *n.* (*pl.* ~) 〖植〗 갯메꽃.

séa·bìrd *n.* 바다새, 해조(海鳥)《갈매기·바다쇠오리 따위》.

séa blùbber *n.* 〖動〗 해파리(jellyfish).

séa·bòard *n.* 해안, 해안[연안] 지대, 해안선 ; [형용사적으로] 바다에 임한, 해안의.

séa bòat *n.* 외양선《연해(沿海)나 강을 오가는 배에 대해서》; 비상용 보트, 구명보트 : a good [bad] ~ 파도에 견디는[견디지 못하는] 배.

séa-bòrn *a.* 바다에서 태어난[생긴] : the ~ city Venice의 속칭 / the ~ goddess 비너스, 아프로디테.

séa·bòrne *a.* **1** 배로 운반된, 배를 타고온 ; 해상운수의(cf. AIRBORNE) : ~ articles 박래품(舶來品) / ~ coal 석탄(sea coal). **2** (배가) 떠 있는, 해상에(afloat).

séa-bòw [-bòu] *n.* (바다의 물보라로 인해 생기는) 무지개.

séa brèad *n.* =HARDTACK.

séa brèam *n.* 〖魚〗 도미과·새다리과의 식용어.

séa brèeze *n.* 해풍(海風)《주간에 바다에서 육지로 붊 ; ↔*land breeze*》.

séa càbbage *n.* =SEA KALE.

séa càlf *n.* 〖動〗 해달, 물범.

séa canàry *n.* 〖動〗 흰돌고래《공기 중에 편음(音)을 발함》. 〚울음소리에서〛

séa càptain *n.* **1** 선장 ; 함장, 해군 대령. **2** 《詩·文語》 대항해자, 대제독.

séa càt *n.* 〖動〗 물범 ; 물개.

séa chànge *n.* 눈에 띄는 변모, 완전한 모양 바꿈 ; 《古·文語》 바다의 작용으로 인한 변화, 조수로 인한 변형.

séa chèst *n.* 〖海〗 (선원의) 사물함(私物函) ; (바닷물을 끌어들이기 위해 흘수선(吃水線) 아래의 배 양쪽에 설치한) 바닷물 상자.

séa chèstnut *n.* 〖動〗 성게.

séa clòth *n.* (극장 무대의) 파도용 막《배경막》.

séa còal *n.* 가루로 된 역청탄 ; 《古》 석탄《옛날에

는 배로 나른 석탄(seaborne coal)을 목탄(charcoal)과 구별해서 말했음》.
séa·còast *n.* 바닷가, 해안, 연안.
séa còck *n.* 〖海〗 (증기 기관의) 해수(海水) 콕 ; 선저판(船底瓣) ; 〖魚〗 성대(gurnard).
séa còok *n.* 《蔑》 배의 요리사 : son of a ~ 뱃사람이 스스로를 낮추어 일컫는 말.
sea·cop·ter [síːkɑ̀ptər] *n.* 수륙양용 헬리콥터. 〚*sea*+heli*copter*〛
séa còw *n.* 〖動〗 바다소(manatee), 듀공 ; =WALRUS.
séa·cràft *n.* 원양 항해용 선박 ; 항해술.
séa cròw *n.* 〖鳥〗 **1** 물닭. **2** 검은머리물떼새. **3** 머리가 검은 각종 갈매기. **4** 가마우지.
séa cùcumber *n.* 〖動〗 해삼(cf. TREPANG).
séa·cùlture *n.* Ⓤ 해산물 재배[양식].
séa dèvil *n.* 〖魚〗 아귀 ; 쥐가오리.
séa dòg *n.* **1** 노련한 선원[선장·제독], (특히) 엘리자베스조(朝) 시대의 해적(pirate). **2** = HARBOR SEAL.
séa·dròme *n.* 〖空〗 해상 긴급[중계] 이착륙 설비, 수상 부유 공항, 시드롬.
séa dùty *n.* 〖美海軍〗 해외 임무[근무].
séa èagle *n.* 〖鳥〗 바닷물고기를 잡는 각종 수리, (특히) 흰꼬리수리.
séa-èar *n.* 〖動〗 =ABALONE.
séa èlephant *n.* 〖動〗 코끼리물범.
séa explòrer *n.* 시 익스플로러(sea scout)《보이스카우트의 해사 훈련 대원(海事訓練隊員)》.
séa·far·er [-fɛ̀ərər, -fæ̀ər-] *n.* 뱃사람, 선원(sailor) ; 바다의 나그네.
séa·fàr·ing [-fɛ̀əriŋ, -fæ̀ər-] *a.* 항해의 ; 배타는 직업의 : a ~ man 선원, 뱃사람. ── *n.* Ⓤ 항해 ; 선원 생활.
séa fight *n.* 해전(海戰).
séa fish *n.* (민물고기에 대하여) 바닷물고기.
séa·flòor *n.* 해저(海底) (seabed).
séa·flòwer *n.* 〖動〗 =SEA ANEMONE.
séa-fòam *n.* **1** 해면의 거품. **2** 〖鑛〗 해포석(meerschaum).
séa fòg *n.* (바다에서 뭍으로 오는) 바다 안개.
séa·fòod *n.* 해산물, 어개 ; 《美俗》 위스키《금주법 시대의》.
séa fòrces *n. pl.* 해상 부대(↔*land forces*).
séa·fòwl *n.* Ⓤ 해조, 바다새.
séa fòx *n.* 〖魚〗 환도상어.
séa·frònt *n.* (도시의) 해안 거리, 임해 지구, 해안의 산책로 ; (건물의) 바다에 접한 부분.
séa gàte *n.* 바다로 나가는 갑문(閘門), 해문(海門)《조수의 간만 조절용 따위》, (항행할 수 있는) 수로(水路), 시 게이트.
séa gàuge *n.* 〖海〗 흘수(吃水) ; 기압 측심기(測深器) ; 자기 해심계(自記海深計).
séa·gìrt *a.* 《詩》 (섬 따위가) 바다에 둘러싸인.
séa-gòd *n.* 바다의 신, 해신(海神) (cf. NEPTUNE, POSEIDON).
séa-gòddess *n.* 바다의 여신(女神).
séa·gò·ing *a.* 원양 항해의[에 적합한] ; (사람이) 항해를 업으로 삼는 : a ~ fisherman 원양어업자.
séa-gràant còllege *n.* 《美》 (연방정부의 지원을 받는) 해양학 연구 대학.
séa gràpe *n.* 〖植〗 모자반속(屬)의 해조(海藻) (gulfweed) ; 마황(麻黃)의 일종 ; [*pl.*] 〖動〗 오징어류(類)의 알주머니.
séa gràss *n.* 해변[바닷속]의 식물.
séa grèen *n.* 해록색(海綠色), 청록색.
séa-grèen *a.* 해록색의, 청록색의.
séa gùll *n.* 〖鳥〗 바다 갈매기, (널리) 갈매기 ; 《美俗》 (식사에 나오는 통조림한[냉장한]) 치킨 ; 《美俗》 (선원을 상대로 하는) 항구의 여자, 항구의 매춘부 ; 《美俗》 걸신들린듯 (허발지발) 먹는 녀석 ; 《N. Zeal.》 비조합원인 항만 노동자.
séa-gùll *vi.* 《美俗》 (비행기로) 여행하다[돌아다니다].
séa hèdgehog *n.* 〖動〗 성게 ; 〖魚〗 복.
séa hòg *n.* =PORPOISE.
séa hòrse *n.* **1** 〖神〗 해마(海馬)《sea-god의 수레를 끄는 마두 어미(馬頭魚尾)의 괴물》. **2** 〖魚〗 해마 ; =WALRUS.
séa ìce *n.* 해빙(海氷).
séa kàle *n.* 〖植〗 갯배추《유럽 해안산(產), 그 어린순은 식용》.
séa-kìnd·ly *a.* (배가) 거친 바다를 무난히 항해할 수 있는.
séa kìng *n.* (중세 스칸디나비아의) 해적왕(cf. VIKING) ; (선사 시대의) 크레타 섬의 왕.
***seal**[1] [síːl] *n.* **1** 인장, 문장(紋章) ; 조인(調印), 날인. **2** 봉인(封印), 봉함, 봉(封) : break the ~ 개봉하다. ㈜ 한국에서는 인주를 묻혀 찍지만 서유럽에서는 봉랍(封蠟)·납·종이에 찍은 것을 문서에 첨부하여 증표로 함. **3 a**) 봉한 것 ; 봉랍, 봉연(封鉛) ; 봉인지 ; 도장, 인인(認印), 실인(實印), 옥새(玉璽) ; [보통 the ~s] 《英》 국무장관의 관직 : ☞ GREAT SEAL / ☞ PRIVY SEAL / receive [return] the ~*s* 《英》 국무장관에 취임하다[을 사임하다]. **b**) 실《모금 운동으로서 특정의 도안물을 자선사업단체가 발행 발매함》. **4 a**) (확증·보증·확정·약속의) 표시 ; (암시적인) 징조, 상(相) : He has the ~ of death[genius] on his face. 그의 얼굴에는 죽을 상(相)[천재의 상]이 있다 / the ~ of love 사랑의 표시《키스·결혼·출산 따위》. **b**) 사람의 입을 막는 것, 비밀 엄수의 약속 ; 〖카톨릭〗 고백의 비밀(=~ **of confèssion**). **5** 이음매를 칠하여 막는 소재《퍼티·시멘트 따위》 ; (하수관의) 방취(防臭) 밸브《철[연]관을 S자형으로 구부린 것》.
put*[*set*] *one's seal to …에 날인하다 ; …을 시인[보증·인가]하다.
the Lord Keeper of the Great Seal 《英》 국새 상서.
under*[*with*] *a flying seal 봉하지 않고.
under one's hand and seal (증서 따위에) 서명 날인한.
under seal of. . . (비밀·침묵 따위를) 지키겠다고 하는 확약하에.
── *vt.* **1** (증서·조약에) 날인[조인]하다 : sign and ~ a treaty 조약에 서명 날인하다. **2** [+目/+目+副] …에 봉인하다 ; …을 봉하다 : ~ a letter 편지를 봉하다 / *S*~ (***up***) the envelope in order to make it confidential. 남이 뜯어볼 수 없도록 봉투를 단단히 봉하시오. **3** [+目/+目+副] 밀폐하다《공기·가스 따위를 통하지 않게 함》, (창틈 따위를) 봉하다, 틈새에 종이를 바르다 : ~ a jam pot 잼 병을 밀봉하다 / ~ a leaky pipe 물새는 파이프의 틈을 막다. **4** [+目/+目+副] (눈이나 입술을) 굳게 다물다 ; 〖電〗 (플러그 따위를) 꽂아 놓다 ; 봉해 버리다 : Sleep[Death] has ~*ed* her eyes. 잠[죽음]이 그녀의 눈을 감게 했다 / They tried to ~ his lips. 그의 입을 봉하려고 애썼다 / ~ ***off*** a contaminated area 오염지역을 출입금지시키다 / Ice ~*ed* ***in*** the boats. 얼음에 배들이 갇혀 버렸다. **5 a**) [+目/+目+前+名] 굳게 하다, 다지다 ; 확실히 하다 ; 증명[보증]하다 : They ~*ed* their bargain ***by*** shak-

ing hands. 악수로 계약을 확고히 하였다 / ~ a promise ***with*** a kiss 입맞춤으로 약속을 다짐하다. **b)** (운명 따위를) 정하다, 지정하다 : Her fate was ~*ed* by the sentence. 그 판결로 그녀의 운명이 결정됐다.
〖AF<L *sigillum* (dim.) ‹SIGN〗

seal² *n.* (*pl.* **~s, ~**) **1** 물범속(屬) ; 물개(fur seal) : the common[true] ~ 물범 / the eared ~ 물개과(科)의 동물《물개 · 강치 따위》/ ☞ HARBOR SEAL. **2** 물개의 가죽 ; 황색[회색]을 띤 짙은 갈색, 암갈색. ── *vi.* 물범[물개] 사냥을 하다 : go ~*ing* 물범[물개] 사냥을 가다.
〖OE *seolh*〗

Séa·làb *n.* 〔美海軍〕 해저(海底) 실험실.

séa làdder *n.* 〔海〕 뱃전의 줄사닥다리.

séa-làne *n.* (대양상의) 상용 항로, 통상 항로, 해상 교통로, 항로대.

séal·ant *n.* 밀폐[봉함]제(劑).

séa làvender *n.* 〔植〕 갯질경이.

séa làwyer *n.* 《海俗》 불평하기[따지기] 좋아하는 선원 ; 성가신 녀석 ; 〔魚〕 상어.

séal brówn *n.* 암갈색.

séal·èasy *a.* 간단히 봉할 수 있는.

séaled *a.* 도장을 찍은, 조인한 ; 봉인[밀봉 · 봉]한 : ~ orders 봉함(封緘) 명령 / a ~ book 내용을 알 수 없는 책 ; 신비, 수수께끼.

séaled-bèam *a.* 반사경 · 렌즈의 초점을 맞추어 밀봉한 전등의 : a ~ light[lamp] 실드빔등(燈)[램프]《초점을 맞춘 반사경 · 렌즈 안에 필라멘트를 밀봉하여 일체 성형(一體成形)한 전구 ; 자동차의 전조등용 따위》.

séaled páttern *n.* 《英》 (군용 장구의) 표준형, 영군식(英軍式).

séa lègs *n. pl.* 흔들리는 갑판 위를 비틀거리지 않고 걷는 능력 ; 《비유》 배에 익숙해지기.
find [***get, have***] one***'s sea legs*** (***on***) 배에 익숙해지다, (뱃멀미를 하지 않고) 갑판을 비틀거리지 않고 걷다(cf. *find* one*'s* ICE *legs*).
get one***'s sea legs off*** 육상(陸上) 보행에 익숙해지다.

séa lèopard *n.* 〔動〕 **1** 표범물범《남빙양산》. **2** 웨델물범. **3** 얼룩물범.

séal·er¹ *n.* 날인자[기] ; 검인자, 《美》 도량형 검사관 ; 애벌칠 도료.

sealer² *n.* 물범잡이하는 사람[배].

séal·ery *n.* **1** 물개[물범] 군집지[어장]. **2** Ⓤ 물개[물범] 어업.

séa lètter *n.* (전시에 세관이 주는) 중립국 선박 증명서.

séa lèvel *n.* 해면, 평균 해면.
above [***below***] ***sea level*** 해발[해면하(下)] … : 1,000 meters *above*[*below*] ~ 해발[해면하] 1,000 미터 / Fully one-fourth of Holland is *below* ~. 네덜란드의 4분의 1은 해면보다 낮다.

séal fishery *n.* 물범잡이 어장[어업].

séa·lìft *n., vt.* 해상 수송(하다).

séa lìly *n.* 〔動〕 갯나리《극피(棘皮) 동물》.

séa lìne *n.* 수평선 ; 해안선.

séal·ing *n., a.* 물개[물범] 어업(의).

séaling wàx *n.* 봉랍(封蠟).

séa lìon *n.* 〔動〕 강치, (특히) 바다사자.

séal lìmb(s) *n.* (*pl.*) 〔醫〕 해표지증(海豹肢症).

séa lòch *n.* 《스코》 후미, 협만.

Séa Lòrd *n.* 《英》 해군 본부 무관 위원《문무 양관으로 이루어진 해군 본부 위원회(the Board of Admiralty)의 해군측 위원 ; cf. CIVIL LORD》.

séal pòint *n.* 〔動〕 실포인트《짙은 갈색 반점이 있는 샴고양이의 일종》.

séal rìng *n.* 인장이 새겨진 반지.

séal ròokery *n.* 물개[물범]의 집단 번식지.

séal·skìn *n.* **1** Ⓤ 물개[물범]의 가죽. **2** 그것으로 만든 여성용 외투. **3** [*pl.*] 〔스키〕 실스킨《미끄럼 방지용》. ── *a.* 물개[물범]의 가죽으로 만든[과 비슷한].

Séa·ly·ham (**tèrrier**) [síːlihæ̀m(-), -liəm(-) ; -liəm(-)] *n.* 테리어 비슷한 작은 삽살개.
〖*Sealyham* 웨일스의 옛 Pembrokeshire의 지명〗

seam** [síːm] *n.* (천 따위의) 솔기, 이은 자리, 접합선, (배의 널빤지 따위의) 이어붙인 자리, 이음매 ; 〔服〕 안뜨기의 솔기 ; 상처 자국 ; 〔解〕 봉합(선) ; (유리의) 거푸집 자국 ; (금속을 압연할 때 따위에 생기는) 주름진 홈 ; (얼굴의) 주름 ; 〔地質〕 (두 지층간의) 경계선 ; [형용사적으로] 〔크리켓〕 (공의 꿰맨 자리를 이용한) 커브의. ── *vt.* **1** [+目 / +目+*with*+名] [보통 *p.p.*로] (얼굴 · 표면에) 상처[금]를 내다 ; 주름살지게 하다, 흔적을 남기다 : a face ~*ed* ***with saber cuts 칼자국이 난 얼굴. **2** 꿰매[이어] 붙이다, 접합하다 ; 〔服〕 안뜨기로 …에 솔기를 대다. ── *vi.* 찢어지다, 주름지다 ; 〔服〕 안뜨기로 솔기를 내다.
~·lìke *a.*
〖OE *sēam* ; cf. SEW, G *Saum*〗

séa-màid(**en**) *n.* 《詩》 인어(人魚) (mermaid) ; 바다의 요정 ; 바다의 여신(sea-goddess).

séa·man [-mən] *n.* **1** 항해하는 사람 : a good [poor] ~ 배의 조종을 잘하는[서툴게 하는] 사람. **2** 수부, 선원, 해원(海員), 뱃사람(cf. LANDSMAN) ; 수병 ; 〔美海軍〕 일병.
~·lìke, ~·ly *a.* 선원다운.

séaman appréntice *n.* 〔美海軍〕 이병.

séaman recrúit *n.* 〔美海軍〕 훈병.

séaman·shìp *n.* Ⓤ 선박 조종술.

séa·màrk *n.* **1** 항해 목표, 항로 표지(cf. LANDMARK) ; 위험표지. **2** 해안선 ; (파도가 밀어 닥치는 곳의) 파선(波線), 만조(滿潮) 수위선.

séa màt *n.* 〔動〕 이끼벌레.

séa mèw *n.* 갈매기(gull).

séa mìle *n.* ＝NAUTICAL MILE.

séam·ing (**làce**) *n.* 솔기[이음매]에 대는 레이스, 가선 레이스.

séam·less *a.* 솔기[이음매]가 없는 ; 상처없는.

séa mònster *n.* (식인) 바다의 괴물.

séa·mòunt *n.* (깊은) 바다밑의 산, 해저 화산, 해산(海山).

séam prèsser *n.* 갈고 난 뒤에 고르는 농구 ; 솔기 누르는 다리미.

seam·stress [síːmstrəs, sém- ; sém-] *n.* 침모, 여자 재봉사(sewing woman).

séa mùd *n.* 해니(海泥)《비료용》.

séa mùle *n.* 끌배《디젤 엔진으로 움직이는 상자 모양의 강철선》.

séamy *a.* 이음매[솔기]가 있는 ; 《비유》 이면의, 보기 흉한, 불쾌한, 더러운, 세련되지 않은 : the ~ side of life 인생의 이면. 〖SEAM〗

Sean·ad (**Eir·eann**) [sǽnɑːd (éərən) ; ʃǽnəð (-)] *n.* (아일랜드 공화국의) 상원(cf. DAIL EIREANN).
〖Ir.＝Senate of Ireland〗

sé·ance, se- [séiɑːns, -⌐] *n.* **1** 집회, 회의. **2** 강신술(降神術) 회.
〖F＝sitting (OF<L *sedeo* to sit)〗

séa nèttle *n.* 〔動〕 사람을 쏘는 해파리.

séa nỳmph *n.* 바다의 요정(sea fairy, Nereid).

séa òtter *n.* 〔動〕 해달.

séa òx *n.* 〔動〕 해마.

séa pàrrot *n.* 〖鳥〗 =PUFFIN.
séa pàss *n.* =SEA LETTER.
séa pày *n.* 해상 근무[전투] 수당.
séa pìe *n.* 〖海〗 절인 고기파이《선원용》; 《英》 〖鳥〗 검은머리물떼새.
séa·pìece *n.* 바다 그림[해양화].
séa pìg *n.* 〖動〗 돌고래; 듀공(dugong).
séa pìnk *n.* 〖植〗 아르메리아(thrift).
séa·plàne *n.* 수상 비행기(cf. FLYING BOAT).
séa plànt *n.* 해초.
séa·pòrt *n.* 해항; 항구 도시.
séa pòwer *n.* **1** 해군국. **2** 해군력, 제해권.
séa pùrse *n.* 〖動〗 상어·홍어류의 알주머니.
séa·quàke *n.* 해진(海震).
sear [síər] *vt.* **1** [+目/+目+*with*+名] (달군 쇠 따위로) 태우다, 그슬리다, (상처 따위를) 인두로 지지다; 시들게 하다, 마르게 하다: The boiling water ~*ed* his hand. =He ~*ed* his hand ***with*** the boiling water. 끓는 물에 손을 데었다. **2** 무감각하게 하다: a ~*ed* conscience 마비된 양심. —— *vi.* (초목이) 바짝 말라 버리다, 마르다, 시들다. —— *a.* 《文語》 시든, 메마른, 생기 없는: the ~ and yellow leaf 《비유》 노령, 노경. —— *n.* Ⓤ 시든 상태; Ⓒ 탄자국, 낙인(烙印) 자국.
〖OE *sēarian* to become SERE[1]〗
‡search [sə́:rtʃ] *vt.* **1** [+目/+目+*for*+名] 뒤지다, 수색하다; (장소·사람을) 수색하여 찾다, 물색하다; 조사하다; (상처·남의 마음 따위를) 살피다, (기억을) 더듬다, (얼굴을) 유심히 보다: ~ a house 집 안을 뒤지다, 가택 수색을 하다/~ a person's heart 남의 의중을 떠보다/The soldier ~*ed* him to see if he had a pistol. 군인은 그가 권총을 소지했나 보려고 몸수색을 했다/~ the records of the case (진상을 파악하려고) 그 사건 기록을 조사하다/(You can) ~ me! 《美口》 뭔지[어떻게 하면 좋을지] 나는 모르겠다, 그런 일을 내가 어떻게 알아/They ~*ed* the woods ***for*** the lost child. 길잃은 아이를 찾아 숲속을 뒤졌다/I ~*ed* her face *for* her true thought. 그녀의 본심을 알아내려고 얼굴을 유심히 살폈다. **2** 〖軍〗 앙각(仰角)을 바꾸며 연속적으로 (어떤 지역을) 포격하다; 《古》 (빛·바람·추위 따위가) …의 구석구석까지 스며들다: The sunlight ~*ed* the room. 햇빛이 방안 구석구석까지 들어왔다. —— *vi.* [+前+名/+副] 찾다, 구하다; 조사하다, 파고들다; 〖컴퓨〗 찾다: Birds ~ ***for*** a good place to raise their young in summer. 여름이 되면 새들은 새끼를 기르기 좋은 장소를 찾아다닌다/I ~*ed* ***through*** the telephone directory *for* his telephone number. 전화 번호부를 뒤져서 그의 전화번호를 찾아냈다/He kept on ~*ing* ***after*** truth. 진리 탐구를 계속했다/We must ~ ***into*** the matter. 그 사건을 조사해 보아야 한다/They ~*ed everywhere.* 그들은 구석구석까지 수색했다.
search out 찾아내다: ~ *out* an old friend 옛 친구를 찾아내다.
—— *n.* **1** Ⓤ,Ⓒ 수색, 탐색, 탐구, 추구: ~ *for* missing children 행방불명이 된 아이들의 수색/~ *for* wealth 재화[부]의 추구/make a ~ 수색하다 〈*for*〉. **2** Ⓤ,Ⓒ 조사, 음미〈*after, for, of*〉; 〖컴퓨〗 (데이터의) 찾기. **3** 침투력[범위], (추위 따위가) 살갗에 스며들기.
in search of... =***in the*** [***a***] ***search for*** …을 찾아, …을 구하여: He was *in* ~ *of* a companion. 그는 친구[동반자]를 찾고 있었다.
the right of search 수색권《공해상에서 교전국이 중립국의 선박에 대하여 행함》.
~·able *a.* **~·able·ness** *n.*
〖AF<L *circo* to go round; ⇨ CIRCLE〗
séarch-and-destróy *a.* (대(對)게릴라전에서) 수색 섬멸의: ~ operations[mission] 수색 섬멸 작전.
séarch·er *n.* **1** 탐구자; 수색자; 조사자; 검사자, 세관[선박] 검사관; 신체 검사관《경찰》. **2** 〖醫〗 탐침(探針)《방광 결석(結石) 따위를 찾음》.
the searcher of hearts 〖聖〗 사람의 마음을 속속들이 아는 이, 신(神).
séarch·ing *n.* Ⓤ 수색, 탐구, 추구: the ~*s* of heart 양심의 가책. —— *a.* 엄중한, 면밀한, 철저한; (눈초리·관찰 따위가) 예리한; (추위 따위가) 몸에 스며드는: a ~ cold[wind] 몸에 스며드는 추위[바람]/a ~ look 날카로운 눈초리.
~·ly *adv.* 날카롭게, 엄하게; 신랄하게.
séarch·lìght *n.* 탐조등, 조공등(照空燈), 탐해등(探海燈), 서치라이트; 탐조등의 빛: play a ~ on …을 탐조등으로 비추다.
séarch pàrty *n.* 수색대.
séarch wàrrant *n.* (가택) 수색영장.
séa rèach *n.* (바다에 가까운 하수의) 직선 수로.
séar·ing *a.* 타는, 무더운; 《口》 (성적으로) 흥분시키는.
séaring ìron *n.* 인두.
séa rìsks *n. pl.* 〖保險〗 해난.
séa ròad *n.* 해로(海路), 항로.
séa ròbber *n.* 해적(pirate); 〖鳥〗 도둑갈매기.
séa ròbin *n.* 〖魚〗 성대.
séa ròom *n.* 〖海〗 조선 여지(操船餘地)《배를 쉽게 조작할 수 있는 넉넉한 해면》; 《비유》 충분한 활동 여지.
séa ròute *n.* 항로, 해로(海路).
séa ròver *n.* 해적(pirate); 해적선.
Séars Róebuck [síərz-] *n.* 시어즈 로벅《미국의 대 통신 판매 회사; Sears 카탈로그는 세계적으로 유명; 본사 Chicago》.
séa sàlt *n.* 해염(海鹽), 천일염(天日鹽).
Sea·sat [sí:sæ̀t] *n.* 시샛《해양 표면의 자료를 수집하는 미국의 자원 탐사 위성》. 〖*sea sat*ellite〗
séa·scàpe *n.* 바다 경치; 바다 풍경화, 바다 그림 (cf. LANDSCAPE, BEACHSCAPE).
séa scòut *n.* =SEA EXPLORER.
séa sèrpent *n.* **1** (전설상의) 거대한 바다뱀: the (great) ~ 용(龍). **2** [the S~ S~] 〖天〗 바다뱀자리(Hydra).
séa·shèll *n.* 조개, 패각, 조가비.
***séa·shòre** *n.* **1** 해안, 해변(seaside): play on the ~ 바닷가에서 놀다. **2** 〖法〗 해안《만조선과 간조선과의 중간지역》; 고정해안.
séa·sìck *a.* 뱃멀미가 난, 뱃멀미의.
~·ness *n.* 뱃멀미.
***séa·sìde** *n.* **1** [보통 the ~] 《주로 英》 해안(seashore); 해안 지역, 해안국: go to *the* ~ (해수욕하러) 해변으로 가다. **2** [형용사적으로] 해변의, 바닷가의, 해안의: a ~ house 해변의 집/a ~ town 해안 도시/a ~ resort 해안 행락지[유원지].
séa slùg *n.* 〖動〗 해삼(sea cucumber); 나새류(裸鰓類), 갯민숭달팽이.
séa snàke *n.* 〖動〗 물뱀; 거대한 바다뱀(sea serpent).
séa snìpe *n.* 〖鳥〗 해변의 새, (특히) 도요새; 〖魚〗 대주둥치.
◇sea·son [sí:zən] *n.* **1** 계절, 철; [보통 *pl.*] (연

령으로) …살, 세(year) : the four ~*s* 4계절 / at all ~*s* 사철을 통하여 / a boy of 6 ~*s* 여섯살 난 남자아이. **2** [+前+do*ing* / +*to* do] 계절, 시절, 절기 ; (운동경기 따위의) 시즌 ; 한창 때, 제철 ; 유행기, 활동기 ; 사교의 계절 : the dry ~ 건기 / ☞ RAINY SEASON / the hunting ~ 수렵기 / the harvest ~ 수확기 / the baseball ~ 야구 시즌 / the London ~ 런던 사교 시즌《초여름 무렵》/ a holiday ~ 휴가 시즌《크리스마스·부활절·Whitsunday·8월 따위》/ Autumn is the best ~ ***for*** travel*ing* [*to* make a trip]. 가을은 여행하기에 가장 좋은 계절이다. **3** Ⓤ 좋은 기회, 좋은 시기 : a word (of advice) *in* ~ 시기적절한 충고. **4** 《英口》=SEASON TICKET.

for a season 《古·文語》 잠깐 동안.

in good season 때마침 ; 넉넉히 제시간에 대어, 일찌감치.

in season (과일·생선 따위가) 한물 때에, 제철인 ; (법률로 인정된) 수렵기에 ; 시기에 알맞은, 시기 적절한(cf. 3).

in season and out of season (철을 가리지 않고) 언제나, 끊임없이, 사철.

out of season 제철이 아닌, 한물 간 ; 금렵기(禁獵期)에 ; 시기를 놓쳐.

〈회화〉
This fruit is *out of season.* — Maybe that's why it's not so tasty. 「이 과일은 제철이 아니예요」「그래서 별로 맛이 없군요」

── *vt.* **1** [+目 / +目+*with*+名] …에 양념하다, 조미하다 ; 《비유》 흥미를 돋우다 : ~ a dish highly 요리에 잘 양념하다 / ~ beef ***with*** ginger 쇠고기에 생강으로 맛을 내다 / conversation ~*ed with* wit 위트로 흥미를 돋운 대화. **2** (재목을 사용하는데 알맞게) 건조시키다, 말리다 : ~ wood well in the open air 재목을 옥외에서 잘 건조시키다. **3** [+目 / +目+*to*+名] 익히다, 익숙해지게 하다 ; 연마하다 ; 단련하다 : The soldiers were not yet ~*ed* ***to*** the rigorous climate. 병사들은 아직 혹독한 기후에 견디도록 훈련되어 있지 않았다 / ~ one*self to* cold[fatigue] 추위[피로]에 적응시키다. **4** 《文語》 완화시키다, 누그러뜨리다(soften) : Let mercy ~ justice.《셰익스피어》 자비심으로 너그러운 심판을 하여 주십시오. ── *vi.* 익다, 익숙해지다 ; (재목 따위가) 건조되다, 마르다.
〚OF<L *sation- satio* sowing (*sero* to sow)〛

séason·able *a.* **1** 계절에 맞는, 제철의 ; 순조로운 : ~ weather 계절에 맞는[순조로운] 날씨. **2** 시기에 맞는, 이른 ; 기회가 좋은, 적당한(timely), (선물 따위가) 적절한. **-ably** *adv.* 시기에 알맞게, 마침 좋은 때에. **~·ness** *n.*
類義語 ⟹ TIMELY.

séason·al *a.* (어떤 특정한) 계절의[에 관한] ; 어떤 계절만의 ; 계절적인, 주기적인 : ~ changes of weather 날씨의 계절적인 변화 / ~ laborers 계절 노동자 / ~ variation(s) 계절적 변동.
~·ly *adv.* 계절적으로, 주기적으로.

séa·soned *a.* **1** 양념한, 조미(調味)한. **2** (목재 따위) 잘 말린 ; (사람·동물이) 길든, 숙련된.

séason·er *n.* 조미하는 사람 ; 양념 ; 조미료 ; 《美》 계절 고용 어부 ; 《美口》 부랑자.

séason·ing *n.* **1** Ⓤ 양념하기, (음식의) 간 ; 조절. **2** 조미료, 양념, 향신료 ; 흥취를 돋우는 것. **3** Ⓤ 길들이기 ; 단련 ; (재목 따위의) 건조.

séason·less *a.* 4계절의 구별이[변화가] 없는.

séason tícket *n.* **1** 《英》 정기 (승차)권(=《美》 commutation ticket). **2** (연주회·야구 따위의) 정기 입장권.

séa squìrt *n.* 〖動〗 우렁쉥이《원색(原索) 동물》.

séa stàr *n.* 〖動〗 불가사리(starfish).

séa swàllow *n.* 〖鳥〗 제비갈매기(tern) ; 각시바다제비.

◇**seat** [síːt] *n.* **1** 좌석《걸상·벤치 따위》, 자리 : have[take] a ~ 앉다, 착석하다 / keep one's ~ 자리에 앉은 채 있다 ; 지위를[의석을] 보유하다 (cf. 2) / He took his ~ as chairman. 의장으로서 자리에 앉았다. **2** 의석, 의원권, 의원[위원 등]의 지위, 선거구(민) ; (증권 거래소 따위의) 회원권 ; 왕좌, 왕권, 주교좌, 주교권 : lose one's[the] ~ (의원이) 의석을 잃다, 낙선하다 / a ~ on the bench 법관의 자리[지위] / a safe ~ 당선이 확실한 선거구 / take one's ~ in the House of Commons 《英》 의원 당선후 처음으로 등원하다. **3** 예약석, 지정석. **4** (걸상·벤치의) 앉는 부분 ; (기계 따위의) 대(臺), 받이 ; (몸·의복의) 엉덩이, 둔부(臀部). **5** =COUNTRYSEAT. **6 a)** 대지, 영지, 시골의 부지, 별장. **b)** 위치, 소재지, 중심지 ; 병의 근원, 병소(病巢)〈*of*〉. **7** (말·자전거 따위를) 타는 법, 앉음새 : have a good ~ on a horse 승마 자세가 좋다, 말을 잘 타다.

〈회화〉
Excuse me, is this *seat* free? — Sorry, it's occupied. 「실례지만 이 자리 비었나요」「미안합니다, 사람이 있어요」

── *vt.* **1** [+目 / +目+前+名] **a)** 착석시키다, 좌석으로 안내하다 : She ~*ed* the guests ***at*** the table. 그녀는 손님들을 테이블에 앉게 했다 / The usher ~*ed* the stranger ***in*** a vacant chair. 안내인은 그 손님을 빈 자리에 앉혔다. **b)** [수동태 또는 ~ one*self* 로] 앉다, 착석하다[하고 있다] : Please *be ~ed*, ladies and gentlemen. 여러분, 착석해 주십시오 (주 Please *sit down*…. 보다 점잖은 표현) / She *was ~ed* ***at*** her desk. 그녀는 자기의 책상에 앉아 있었다 / The boy *was ~ed* ***on*** a stump at the end of the bank. 그 소년은 제방 끝의 그루터기에 걸터 앉아 있었다 / He ~*ed* him*self* quietly ***before*** the piano. 그는 조용히 피아노 앞에 앉았다.

seat의 ○×
(×) He *seated* next to me.
(그는 내 옆에 앉았다.)
(×) He *was seating* next to me.
(그는 내 옆에 앉아 있었다.)
(○) He *seated* him*self* if next to me.
(○) He *was seated* next to me.
☆ sit은 자동사로서 「앉다」의 뜻이고 seat는 타동사로서 「앉히다」의 뜻이므로 재귀 목적어 (oneself)를 쓰든가 수동태로 쓴다.
다음 보기도 참조
(×) the man *seating* next to him
(○) the man *seated* next to him
(○) the man *sitting* next to him
(그 사람 옆에 앉아 있는 사람)

c) (후보자를) 의석에 앉히다, 당선시키다 : ~ a candidate 후보자를 당선시키다. **2** [+目 / +目+*for*+名] (건물이) …만큼의 좌석을 보유하다, 수용하다 ; …에 좌석을 마련하다 : This hall ~*s*[is ~*ed* ***for***] 2,000. 이 강당은 2,000명을 수용할 수 있다[2,000개의 좌석이 있다]. **3** [+目+前+名] [보통 ~ one*self* 또는 *p.p.*로] 자리 잡다,

《비유》 좌정해 앉다, 뿌리를 내리다, 정주하다, 살다 : ~ one*self* ***in*** a town 도시에 (생활의) 터전을 잡다 / a family long ~*ed in* Paris 파리에서 오래살아온 일가(一家). **4** [＋目＋*with*＋名] 달다, 설치하다 ; (의자에) 앉는 부분을 대다[갈다] : ~ a chair ***with*** strong cane 의자에 튼튼한 등나무 (자리)를 대다. **5** (양복바지의) 엉덩이 부분에 천을 대다[갈다]. **6** (실탄을) 총에 바로 재다. —— *vi.* 꼭 끼이다, (뚜껑 따위가) 딱 맞다 ; 의복의 엉덩이 부분이 나오다 ; 《古》 착석하다, 앉 다. 〚ON *sæti* ; cf. OE *gesete*, G *Gesäss*, OE *sittan* to SIT〛

séa tàngle *n.* 〔植〕 다시마《다시마속(屬)의 각종 해조(海藻)》.

séat bèlt *n.* (비행기 · 자동차 따위의) 좌석[안전] 벨트[띠] : fasten[unfasten] a ~ 안전띠를 매다[풀다].

séat èarth *n.* 〔地質〕 하반(下盤) 점토《석탄층의 아래층》.

séat·ed *a.* [흔히 복합어를 이루어] 좌석이 …한, 걸상이 …한, 엉덩이가 …한 ; 뿌리가 …한 : a deep-~ disease 고질병.

séat·er *n.* [흔히 복합어를 이루어] …인 좌석을 비치한 것[탈 것], (탈 것의) …인승(人乘) : a two-~ 2인승 자동차[비행기].

séa tèrm *n.* 해사(海事)[항해] 용어.

séat·ing *n.* **1** Ⓤ 착석. **2** Ⓤ 좌석의 설비 ; 수용(력) ; (극장 따위의) 좌석의 배치. **3** Ⓤ 승마 자세, 타는 법. **4** Ⓤ (의자의) 씌우개[속] 재료. —— *a.* 좌석[착석자]의 : a ~ capacity 좌석수, 수용력.

séat·màte *n.* 《美》 (학교 · 비행기 따위에서) 같이 나란히 앉은 사람.

séat mìle *n.* 좌석 마일《철도 · 버스 · 항공기의 유료여객 1명 1마일의 수송량 단위》.

SEATO, Sea·to [síːtou] Southeast Asia Treaty Organization《동남아시아 조약기구 ; 1977년 해체 ; cf. NATO, CENTO》.

séat-of-the-pánts *a.* 《口》 (항공기의) 계기에 의하지 않고 비행에 익숙해진 ; 육감과 경험에 의한, 반사적인.

séa·tràin *n.* 열차 수송선 ; (육 · 해군의) 해상 호송 수송 함대, 해상 수송선단.

séa tròut *n.* 〔魚〕 송어류(類) ; 송어 비슷한 바닷물고기.

séat rùnner *n.* 〔自動車〕 앞좌석을 앞뒤로 움직이게 하기 위해 붙인 레일.

Se·at·tle [siǽtl] *n.* 시애틀《미국 Washington 주 Puget Sound에 면해 있는 항구 도시》.

séat·wòrk *n.* 《美》 (학교에서의) 자습.

séa ùrchin *n.* 〔動〕 성게(sea chestnut).

séa·wàll *n.* (해안의) 호안(護岸), 제방, 방조제(防潮堤), 방파제. **séa-wàlled** *a.*

séa·ward *a.* 바다로 향한, 바다쪽의 ; 바다에서의. —— *adv.* 바다쪽으로, 바다를 향하여(↔ *landward*). —— *n.* 바다쪽.

séa·wards *adv.* ＝SEAWARD.

séa·wàre *n.* (특히 바닷가에 떠올라온) 해초, 해조《비료용》.

séa·wàter *n.* Ⓤ 바닷물.

séa·wày *n.* **1** Ⓤ,Ⓒ 해로(海路) ; 외해(外海). **2** Ⓤ 뱃길, 항해 : make ~ 항해하다. **3** 거친 바다, 격랑 : in a ~ 격랑에 시달려. **4** (바다로 통하는 내륙의) 수로 : ☞ ST. LAWRENCE SEAWAY.

séa·wèed *n.* Ⓤ,Ⓒ 해초, 해조(海藻) ; 《美俗》 시금치.

séa·wìfe *n.* 〔魚〕 놀래기과(科)의 바닷물고기 (wrasse).

séa wìnd *n.* ＝SEA BREEZE.

séa wòlf *n.* **1** 〔魚〕 크고 대식하는 바닷물고기《농어 따위》. **2** 해적 ; 잠수함.

séa·wòrthy *a.* (배가) 항해에 적합한[견디는] (cf. AIRWORTHY) ; 해상(작업)에 적합한.
-wòrthiness *n.* 항해에 적합함, 내항성.

séa wràck *n.* (큰 종류의) 해초, 해조 ; (특히) 바닷가에 밀려온 해초[해조] (의 덩어리).

seb- [séb, síːb], **sebi-** [sébə, síː-], **sebo-** [sébou, síː-, -bə] *comb. form* 「피지(皮脂)」의 뜻. 〚L SEBUM〛

se·ba·ceous [sibéiʃəs] *a.* 지방질의 ; 지방이 많은, 지방을 분비하는 : a ~ gland 〔解 · 動〕 피지선(皮脂腺). 〚L (↑)〛

Se·bas·tian [sibǽstʃən] *n.* **1** 남자 이름. **2** [Saint ~] 성(聖) 세바스티아누스 (d. A.D. 288?) 《로마의 기독교 순교자 ; 축일 1월 20일》. 〚Gk.＝venerable〛

SEbE southeast by east.

SEbS southeast by south.

se·bum [síːbəm] *n.* 〔生理〕 피지(皮脂). 〚L＝tallow, grease〛

sec[1] [sék] *a.* (포도주가) 맛이 쌉쌀한 ; (샴페인이) 중간 정도로 단. 〚F〛

sec[2] *n.* 《口》 일순, 순간(second).

sec[3] *n.* 《俗》 서기, 비서(secretary).

SEC, S.E.C. 《美》 Securities and Exchange Commission(증권 거래 위원회). **sec** [sék, síːk] 〔數〕 secant. **sec.** secondary ; second(s) ; secretary ; section(s) ; sector ; *secundum* 《L》 (＝according to). **Sec.** Secretary.

se·cant [síːkənt, -kænt] *a.* 〔數〕 끊는, 나누는, 교차하는 : a ~ line 할선(割線). —— *n.* 시컨트, 정할(正割), 할선《略 sec》.

sec·a·teurs [sèkətə́ːrz] *n. pl.* [때때로 단수취급 ; 보통 a pair of ~] 《英》 전정(剪定) 가위《식물용》 ; 뼈 자르는 가위《외과용》. 〚F＝cutter (L *seco* to cut)〛

sec·co [sékou] *a., adv.* 〔樂〕 짧게 단음적인[으로] ; (레시터티브가) 통주 저음만의 반주에 의한[의하여]. —— *n.* (*pl.* **~s**) Ⓤ,Ⓒ 건식(乾式) 프레스코 화법(畫法) (＝**frésco** ~). 〚It. ＝dry <L ; cf. SEC[1]〛

Sec·co·tine [sékətìːn] *n.* 세코틴《아교 대신 사용하는 접착제 ; 상표명》.

se·cede [sisíːd] *vi.* [動 / ＋*from*＋名] (정당 · 교회에서) 탈퇴[분리]하다 : ~ ***from*** a political party 정당을 탈퇴하다. 〚L *se*-(*cess*- *cedo* to go)＝to withdraw〛

se·céd·er *n.* 탈퇴자, 분리자 ; [S~] 분리교회의 신자.

se·cern [sisə́ːrn] *vt.* 구별하다, 식별하다 ; 〔生理〕 분비하다(secrete). 〚L *secerno* to separate ; ⇨ SECRET〛

secérn·ent *a.* 〔生理〕 분비 기관의, 분비(성)의. —— *n.* 분비 기관 ; 분비 촉진제.

se·ces·sion [siséʃən] *n.* Ⓤ,Ⓒ (정당 · 교회 따위에서의) 탈당, 탈퇴, 분리 ; [흔히 S~] 〔美史〕 (남부 11주의) (연방) 탈퇴, 분리 ; 은퇴.
the War of Secession 〔美史〕 남북(南北) 전쟁(the Civil War). 〚F or L ; ⇨ SECEDE〛

Secéssion Chúrch *n.* [the ~] 분리 교회《1733년 스코틀랜드 국교에서 분리한 장로교회》.

secéssion·ism *n.* Ⓤ 탈퇴[분리]론 ; [흔히 S~] 〔美史〕 (남북전쟁 당시의) 분리론 ; 〔建 · 工藝〕 시

세션 운동, 분리파《1898년 Vienna에서 일어난 예술 운동》. **-ist** *n., a.* 분리론자(의) ; [흔히 S~] 〖美史〗(남북전쟁 당시의) 탈퇴론자(의).

Séck·el (pèar) [sékəl(-)] *n.* 〖植〗 세컬배《미국의 재배자의 이름에서》.

sec. leg. *secundum legem* 《L》 (=according to law).

se·clude** [siklú:d] *vt.* [+目 / +目+*from*+名] 떼어 놓다, 차단[격리]하다 ; 은퇴[고립]시키다 : ~ oneself ***from society 사회로부터 은둔[은퇴]하다. 〚L (*clus- cludo*=*claudo* to close)〛

se·clúd·ed *a.* 격리된[시킨] ; 남의 눈에 띄지 않는 ; 은둔한 : a ~ life 은둔 생활.

se·clu·sion [siklú:ʒən] *n.* 격리 ; 틀어박힌 상태, 한거(閑居), 은퇴 ; 벽지, 인가에서 멀리 떨어진 장소 : live *in* ~ 은퇴[은둔] 생활을 하다 / a policy of ~ 쇄국 정책. **~·ist** *n.* 적극성이 없는 사람 ; 쇄국주의자. 〚L ; ⇨ SECLUDE〛

se·clu·sive [siklú:siv] *a.* 틀어박혀 있기를 좋아하는, 은둔적인. **~·ly** *adv.* **~·ness** *n.*

seco·bárbital [sèkou-] *n.* 〖藥〗 세코바르비탈《진정·최면제》.

Sec·o·nal [sékənɔ̀:l, -næ̀l] *n.* 세코널《secobarbital의 상표명》.

◇**sec·ond**[1] [sékənd] *a.* **1** 제2의, 두번째의 ; 2등의 : the ~ floor 《美》 2층, 《英》 3층 / the ~ chamber (양원제 의회의) 상원 / in the ~ place 두번째로, 다음으로 / ~ only *to* A A 다음으로 / The ~ month of the year is February. 1년의 두번째 달은 2월이다 / the ~ largest city in the world 세계 제2의 대도시. **2** 차위(次位)의 ; 다음가는, 못한 ; 연하의, 어린쪽의 : ~ *to* none 무엇[누구]에게도 못지 않은. **3** [a ~] 또 하나의 (another), 다른, 별개의 ; 부가된, 보조의, 부(副)의, 대신의 : Habit is (a) ~ nature. ☞ HABIT 1 / a ~ Daniel 다니엘 같은 명재판관. **4** 〖樂〗 부차적인, (음·음성이) 낮은 ; 〖自動車〗 (기어가) 2단의 ; 〖文法〗 2인칭의 : the ~ violin 제2 바이올린 / ~ alto 세컨드 알토.

at second hand 간접으로, 전해들어 (cf. *at* FIRST *hand*) ; 중고품으로 (secondhand).

— *adv.* 제2로, 두번째로, 다음으로.

come second 두번째가 되다[로 오다], 2위가 되다.

come in [***finish***] ***second*** (경주에서) 2착(着)이 되다.

travel second 2등차로 여행하다.

— *n.* **1** (지위·시험·경쟁 따위에서) 제2위, 2등, 2번, 2착 ; 제2호 ; 제2부 ; 제2세(世), 2대(代)째 : the ~ in command 부사령관, 차장 / be a good[poor] ~ 1등과 큰 차가 없는[있는] 2등이다. **2** [the ~] 제2 ; 제2일 : *the* ~ of April=April 2 4월 2일. **3** (열차의) 2등칸[석]. **4** 두번째 (남편[아내]). **5** (결투의) 입회자, 보조자, 조연자 (cf. PRINCIPAL *n.* 2). **6** Ⓤ (자동차의) 2단, 세컨드 (기어) (second gear) : on[in] ~ 2단으로. **7** 〖樂〗 2도(度), 2도 음정. **8** 〖野〗 2루 (second base). **9** 2급[2류]품 ; 이 등 차 ; [*pl.*] 〖商〗 2등품, (특히) 2등품의 밀가루(로 만든 빵). **10** [*pl.*] 《口》 (음식의) 두 그릇 째, (식사에서) 두번째로 나오는 요리. **11 a)** 〖拳〗 세컨드 ; 보조자, 조연자 ; 시중들기, 조력. **b)** 〖議會〗 지지[찬성](의 표명), 지지자. **12** 2분의 1.

— *vt.* **1** 후원하다, 원조하다 ; (동의·결의)에 찬성하다, 지지하다 : He ~*ed* our motion. 우리의 동의에 찬성했다. **2** (결투·권투 따위에서) (남을) 시중들다. **3** [sikánd] [+目+*for*+名] 〖英軍〗 (장교에게) 대외(隊外) 근무를 명하다, (부대 배속을 해제하고) …근무를 명하다 ; 《英》 (공무원을) 임시로 다른 부로 옮기다 : He is ~*ed* ***for*** special duties. 특별 임무를 맡고 있다.
〚OF＜L *secundus* (*sequor* to follow)〛

***second**[2] *n.* **1** 초《시간·각도의 단위 ; 기호 ″》. **2** 《口》 순간, 매우 짧은 시간 : Wait a ~. 잠깐 기다려 / a split ~ 몇 분의 1초 ; 눈 깜짝할 사이.

〈회화〉
Would you turn on the faucet for me?—Sure. Just a *second.* 「수도 꼭지 좀 틀어 주시겠어요」「그러죠. 잠깐만 기다리세요」

in a second 곧, 바로.

not for a [***one***] ***second*** [강조적으로] 전혀[조금도] …않다 (never).
〚OF＜L (*pars minuta*) *secunda* the second (small part) (↑)〛

Sécond Ádvent [**Cóming**] *n.* [the ~] (최후의 심판의 날의) 그리스도의 재림.

Sécond Ádventist *n.* 그리스도 재림론자.

***sec·ond·ary** [sékəndèri ; -dəri] *a.* **1** 제 2 위의, 제2류의 (cf. PRIMARY). **2** 다음의, 부(副)의, 종(從)된, 대리의, 종속적인, 보유(補遺)의. **3** 파생적인, 간접적인 ; (산업이) 제2차의 ; 제2색[등화색]의. **4** 중등 교육[학교]의 (cf. PRIMARY). **5** 〖電·化〗 2차(전류)의 : a ~ battery 2차 전지 / a ~ coil 2차 코일 / a ~ current 2차 전류. **6** 〖醫〗 제2기의. **7** 〖言〗 파생(적)인 ; 〖文法〗 2차 시제의 ; 과거(형)의.

of secondary importance 2차적으로 중요한 ; 별로 중요치 않은.

— *n.* **1** 제 2 차적인 것. **2** 대신하는 사람, 대리인, 보좌관. **3** 〖天〗 위성 ; 반성(伴星) ; 〖電〗 2차 코일. **4** 〖鳥〗 곁날개 (secondary feather) ; 〖昆〗 (나비 종류의) 뒷날개. **5** 〖文法〗 2차어(구), 형용사적 수식어(구) (cf. PRIMARY, TERTIARY).

séc·ond·àr·i·ly [, sèkəndérəli ; sékəndərili] *adv.* 제 2 위로, 종(속)적으로 ; 두번째로 ; 보좌[보조]로서.

sécondary áccent *n.* 〖音聲〗 제2 악센트.

sécondary céll *n.* 〖電〗 2차 전지.

sécondary cólor *n.* 이차색, 등화색(等和色)《두 원색을 같은 비율로 배합한 색》.

sécondary consúmer *n.* (초식 동물을 먹는) 2차 소비자《여우·매 따위》.

sécondary dáta *n.* 〖商〗 2차 자료《다른 목적으로 수집된 자료》.

sécondary derívative *n.* 〖文法〗 2차 파생어《(1) 자유형과 구속형으로 된 것 : 보기 teacher. (2) 파생어에 다시 구속형이 붙은 것 : 보기 manliness》.

sécondary distribútion *n.* 〖證〗 제2차 분매(分賣)《이미 발행한 증권의 대량 매각》.

sécondary educátion *n.* 중등 교육.

sécondary eléctron *n.* 〖理〗 2차 전자.

sécondary emíssion *n.* 〖理〗 (하전 입자·γ선 따위의 충돌에 의한 입자의) 2차 복사, (특히) 2차 전자 방출.

sécondary féather *n.* 〖鳥〗 곁날개.

sécondary gróup *n.* 〖社〗 2차 집단《학교·조합·정당 따위 의식적으로 조직된 집단 ; cf. PRIMARY GROUP》.

sécondary índustry *n.* 제2차 산업 (cf. PRIMARY INDUSTRY, TERTIARY INDUSTRY).

sécondary módern schòol *n.* 《英》 세컨더리 모던 스쿨《제1차 대전후 설치된 실용과목을 중시

하는 학교).
sécondary óffering *n.* = SECONDARY DISTRIBUTION.
sécondary plánet *n.* 위성.
sécondary próduct *n.* 부산물, 2차 제품.
sécondary recóvery *n.* 〖石油〗 2차 채취 《1차 채취에서 채취하지 못한 원유의 수공법(水攻法)·가스 압입법 따위에 의한 채취》.
sécondary schòol *n.* 중등 학교.
sécondary séx[séxual] characterìstic[chàracter] *n.* 〖醫〗 (제) 2 차 성징(性徵).
sécondary stórage *n.* 〖컴퓨〗 보조 기억장치.
sécondary stréss *n.* =SECONDARY ACCENT.
sécondary téchnical schòol *n.* 《英》 중등 실업 학교.
sécondary wáll *n.* 〖植〗 (세포막의) 2차막.
sécondary wáve *n.* (지 진(地 震)의) 제2파(波) (S wave).
sécondary wórd *n.* 〖言〗 제2차적 파생어.
sécond bállot *n.* 결선 투표.
sécond banána *n.* 《美俗》 (코미디쇼 따위의) 보조역(cf. TOP BANANA) ; (일반적으로) 차위자(次位者) ; 비굴한 놈.
sécond báse *n.* 〖野〗 2루 ; 2루수의 수비위치.
sécond báseman *n.* 〖野〗 2루수.
sécond bést *n.* 차선(次善)책, 두번째로 좋은 사람[것].
sécond-bést *a.* 차선의, 제 2 위의, 두번째로 좋은 : one's ~ suit 두번째로 좋은 옷. ── *adv.* 2위로 : come off ~ 2위가 되다, 지다.
sécond bírth *n.* 재생.
sécond chíldhood *n.* 노쇠, 노망.
sécond cláss *n.* (제) 2급 ; 이류 ; (탈 것의) 2등 (cf. FIRST CLASS, CABIN CLASS, TOURIST CLASS) ; 〖郵〗 제2종《(1) 《美·Can.》 신문·정기 간행물. (2) 《英》 보통 우편》.
sécond-cláss *a.* 2등[급·류]의, 불충분한 ; 제 2 종의 : ~ matter 《美》 제 2 종 우편물《정기 간행물》 / a ~ passenger[ticket] 《英》 2등객[표]. ── *adv.* 2등으로 ; 제 2 종으로 : travel[go] ~ 2등차로 여행하다.
sécond cóusin *n.* 6촌, 재종(형제[자매]).
sécond déath *n.* 〖神學〗 제2의 죽음, 영원한 죽음《사후의 재판으로 기독교도가 아닌 자는 지옥으로 떨어짐》.
sécond-degrée *a.* (특히 죄상(罪狀)·화상(火傷)이) 제2급[도]의 : ~ murder 〖美法〗 제2급 모살(謀殺) / a ~ burn 〖醫〗 2도 화상.
sécond dístance *n.* 《英》 〖畫〗 =MIDDLE DISTANCE.
sécond divísion *n.* 《英》 하급 공무원 ; 〖野〗 B 클래스《미국 프로야구 양대 리그의 하위의 각각 다섯 팀》; 《英》〖蹴〗 제2부.
se·conde [sikánd] *n.* 〖펜싱〗 제2의 자세(cf. GUARD *n.* 3). 〖F=SECOND[1]〗
sécond·er *n.* 후원자, (특히 동의의) 재청자(cf. PROPOSER).
sécond estáte *n.* [때때로 S~ E~] 제2 신분 《중세 유럽 3신분 중의 귀족》.
sécond fíddle *n.* (오케스트라·현악 사중주단의) 제 2 바이올린 (연주자) ; 종속적인 역할[기능]을 하는 사람 ; 《俗》 둘째로 좋은 것.
sécond géar *n.* (자동차의) 2단 기어.
sécond-generátion *a.* 2대째의, 2세의, 제2기의 ; 〖컴퓨〗 제2 세대의《고체 소자 반도체를 사용하는 컴퓨터를 지칭하여》.
sécond generátion compúter *n.* [the ~] 제2세대 컴퓨터(cf. FIFTH GENERATION COMPUTER).
sécond grówth *n.* (원시림 파괴 후의) 2차림(次林), 재생림.
sécond-guéss *vt.* 《美口》 뒤늦은 생각[결과론]으로 비판[수정]하다 ; 예언하다, (남의 의도를) 미리 알아 차리다. **~·er** *n.*
sécond hànd[1] *n.* (시계의) 초침.
sécond hánd[2] *n.* 조수, 조력자.
***sécond·hánd** *a.* 중고(中古)의, 고물의(used) ; 중고품을 팔고 사는 ; 간접의, 전해[얻어]들은 : a ~ bookstore 헌책방 / ~ information 얻어 들은 정보. ── *adv.* 중고품으로 ; 전해 듣고, 간접으로 (at second hand).
sécondhand smóke *n.* 비흡연자가 마시는 남의 담배 연기.
sécond lády *n.* [the ~, 때때로 the S~ L~] 《美》 세컨드 레이디《부통령 부인 등 ; cf. FIRST LADY》.
sécond lánguage *n.* (한 나라의) 제2공용어 ; (모국어(母國語)에 다음 가는) 제2의 언어, (학교에서) 제1외국어.
sécond lieuténant *n.* 〖軍〗 소위.
sécond·ly *adv.* 제2로, 다음으로.
sécond màrk *n.* (각도·시간의) 초를 나타내는 부호(″ ; cf. MINUTE MARK).
sécond máster *n.* 《英》 부교장, 교감.
sécond máte *n.* 〖海〗 2등 항해사(士).
sécond mórtgage *n.* 제2 (순위) 저당.
sécond náture *n.* 제2의 천성.
se·con·do [sikándou, -kóun-, se-] *n.* (*pl.* **-di** [-di:]) 〖樂〗 (콘서트, 특히 피아노 이중주의) 저음부 (연주자). 〖It.=SECOND[1]〗
sécond opínion *n.* 다른 의사의 의견[진단].
sécond-pàir báck *n.* 《英》 3층의 뒷방.
sécond-pàir frónt *n.* 《英》 3층의 앞쪽 방.
sécond pápers *n. pl.* 《美口》 제2차 서류《1952년 이전의 미국 시민권 획득을 위한 최종 신청서 ; cf. FIRST PAPERS》.
sécond pérson *n.* [the ~] 〖文法〗 제2인칭(형)《you》.
sécond-ráte *a.* 2류의 ; 2등의 ; 우수하지 않은, …만 못한(inferior), 평범한.
sécond-ráter *n.* 2류의[하찮은] 사람[것].
sécond réading *n.* 〖政〗 (의회의) 제2독회.
sécond rún *n.* 〖映〗 (개봉 다음의) 제2차 흥행, 재개봉. **sécond-rún** *a.*
sécond sélf *n.* [one's ~] 막역한 벗, 친구.
sécond séx *n.* [the ~] 제2의 성(性), [집합적으로] 여성.
sécond síght *n.* 투시력, 통찰력, 천리안. **sécond-síght·ed** *a.*
sécond sóurce *n.* (컴퓨터의 하드웨어 따위의) 2차 공급자《타사가 개발한 제품과 동일 또는 호환성 있는 제품의 공급 회사》.
sécond-sóurce *vt.* …의 2차 공급자가 되다.
sécond-stóry *a.* 《美》 2층의.
sécond-stóry màn *n.* 《美口》 2층 창으로 침입한 밤도둑(cat burglar).
sécond-stríke *a.* 〖軍〗 제2격(擊)의, 반격용의 《핵무기 ; cf. FIRST-STRIKE》.
sécond-stríng *a.* 대리의 ; 2류의, 2선급의, 후보[2군]의《선수 등》; 《英》 차선(次善)의《방책·계획 따위》.
sécond-stríng·er *n.* 《口》 2군[후보] 선수《등》; 시시한 것[사람] ; 제2의 안(案), 대안, 차선책.
sécond thóught(s) *n.* (*pl.*) 재고(再考) : on

～ 다시 생각해 보니 / *Second thoughts* are best. 《속담》다시 생각함으로써 최상의 안(案)이 나온다.

sécond tóoth *n.* 영구치(齒) (cf. MILK TOOTH).

sécond wínd *n.* 제 2 호흡《심한 운동 따위로 숨이 찬 뒤 다시 정상으로 돌아간 호흡》; 새로운 정력[원기] : get one's ～ (정상으로) 회복하다.

Sécond Wórld *n.* [the ～] 제2세계《(1) 제1세계를 제외한 선진 공업 국가들. (2) 정치 경제 블록으로서의 사회주의 국가들》.

***se·cre·cy** [síːkrəsi] *n.* 비밀, 내밀 ; 비밀 엄수 ; 비밀주의 ; 은둔 : *in* ～ 비밀로, 남몰래(secretly) / Guard the ～ of the plan. 계획의 비밀을 지켜라. 〖ME *secretie* (*secre* or SECRET)〗

‡se·cret [síːkrət] *a.* **1** 비밀의, 은밀한, 기밀의 ; 〔美政府·軍〕 극비의 ; 몰래하는 ; 비밀을 지키는, 입이 무거운 ; 신비적인, (보통 사람이) 이해할 수 없는 : keep something ～ (*from* a person) (남에게) 어떤 일을 비밀로 해두다 / a ～ code[sign] 암호. **2** (장소 따위) 숨은, 남의 눈에 띄지 않는, 외진, 으슥한. ── *n.* **1** 비밀, 은밀한 일 ; 기밀 : an open ～ 공공연한 비밀 / make a[no] ～ of something 어떤 일을 비밀로 하다[하지 않다] / keep a[the] ～ 비밀을 지키다 / keep something a ～ 어떤 일을 비밀로 해두다. **2** [때때로 *pl.*] (자연계의) 불가사의, 신비. **3** 비결, 비전(祕傳), 심오한 비법 : The ～ *of* success is to work hard. 성공의 비결은 열심히 일하는 것이다. **4** 해결의 열쇠, 참뜻. **5** [*pl.*] 음부(陰部).

in secret 비밀리에, 몰래.

in the secret 비밀을 탐지하고[알고 있는].

let a person ***into a*** [***the***] ***secret*** 남에게 비밀을 털어놓다.

〖OF＜L *secret- secerno* to separate (*se-*, *cerno* to sift)〗

[類義語] ***secret*** 「비밀의」를 뜻하는 일반적인 말. ***covert*** 변장이나 씌우개로 감추어진. ***clandestine*** 불법·부도덕 또는 금지된 일이 비밀리에 행하여진. ***stealthy*** 남의 주의를 끌지 않으려고 살그머니 (흔히 속이려고) 행동하는. ***furtive*** stealthy의 뜻에 덧붙여 교활·조심성의 뜻을 포함하여 간악한 의도를 암시함. ***surreptitious*** 양심의 가책을 받을 만한 일을 남몰래 하는《격식을 차린 말》. ***underhand*** 사기·거짓을 목적으로 은밀히 하는(↔*open, obvious*).

sécret accóunt *n.* 비밀 계좌.

sécret ágent *n.* (정부 소속의) 밀정, 간첩, 첩보원, 스파이.

sec·re·taire [sèkritéər, -tǽər] *n.* ＝ESCRITOIRE.

sec·re·tar·i·al [sèkrətéəriəl, -tǽər-] *a.* **1** 서기의, 비서(관)의 : ～ work 비서의 직무. **2** 장관[차관]의.

sec·re·tar·i·at(e) [sèkrətéəriət, -tǽər-] *n.* secretary의 직 ; 사무국 ; 비서과, 문서과 ; [the S～] (유엔)사무국.

〖F＜L (↓)〗

‡sec·re·tary [sékrətèri ; -tri] *n.* **1** 서기 ; (개인(個人)의) 비서《흔히 여성》; 서기관, 비서관 ; 사무관 ; (회(會)의) 간사 : an honorary ～ 《英》 명예[무급] 서기 / ☞ FIRST SECRETARY. **2** 장관 : the Home *S*～ 《英》 내무장관 / the *S*～ of the Interior 《美》 내무장관 / the *S*～ of Agriculture [Defense] 《美》 농무[국방]장관. [주] 《英》에서는 신설한 부(部)의 장관에는 minister가 일반적임. **3** 《英》 차관(under secretary) ; 《濠》 (공익 사업단의) 총재 : a parliamentary[permanent] ～ 정무[사무]차관. **4** (서랍·접는 덮개·선반 따위가 달린) 글 쓰는 책상[대] (escritoire). **5** 서기체 (＝～ hànd) ; 〖印〗 초서체 활자(script).

the Secretary of State 《美》 국무장관 ; 《美》 (주(州) 정부의) 주무장관, 문서국장 ; 《英》 국무장관.

～·shìp *n.* 서기관[비서관·장관 따위]의 직[임무]. 〖L ; ⇨ SECRET〗

sécretary bìrd *n.* 〔鳥〕 뱀잡이독수리《아프리카산 독수리의 일종》.

sécretary-géneral *n.* (*pl.* **sécretaries-géneral**) 사무총장, 사무국장.

sécret bállot *n.* 비밀 투표.

se·crete[1] [sikríːt, síːkrət] *vt.* 비밀로 하다, 숨기다 ; 착복하다 : ～ oneself 모습을 감추다.

〖*secret* (obs.) ‹SECRET〗

se·crete[2] [sikríːt] *vt.* 〔生理〕 분비하다.

〖↑ or 역성(逆成) ‹*secretion*〗

se·cre·tin [sikríːtn] *n.* Ⓤ 〔生化〕 세크레틴《위장 호르몬의 하나》.

〖*secretion*＋*-in*〗

sécret ínk *n.* 은현(隱現) 잉크(invisible ink, sympathetic ink)《불에 쬐면 잉크가 나타남》.

se·cre·tion [sikríːʃən] *n.* **1** Ⓤ 〔生理〕 분비 (작용) (cf. EXCRETION) ; Ⓒ 분비물[액]. **2** Ⓤ 은닉(隱匿). 〖F or L *secretion- secretio* separation ; ⇨ SECRET〗

se·cre·tive [síːkrətiv, sikríː-] *a.* **1** 숨기는, 비밀주의의, 잠자코 있는. **2** [sikríːtiv] ＝SECRETORY.

～·ly *adv.*

‡sécret·ly *adv.* 비밀히, 몰래.

se·cre·tor [sikríːtər] *n.* 분비형(分泌型)의 개체[사람], Se 형(型)의 사람《ABO식 혈액형의 형(型)물질이 타액·정액·위액·소변 따위에서도 분비되는 사람 ; ↔*nonsecretor*》.

se·cre·to·ry [sikríːtəri] *a.* 분비(성)의 ; 분비와 관계가 있는 ; 분비를 촉진하는. ── *n.* 분비기관, 분비선《따위》.

sécret políce *n.* 비밀 경찰.

sécret sérvice *n.* **1** (정부의) 기밀 조사부, 첩보부[기관]. **2** [S～ S～] 《美》 재무부 (비밀) 검찰국《대통령의 경호, 위조 지폐 적발 따위를 담당》; 《英》 내무부 (비밀) 검찰국. **3** 첩보 활동.

sécret-sérvice *a.*

sécret sérvice mòney *n.* 《英》 기밀비.

sécret socíety *n.* 비밀 결사.

sect [sékt] *n.* 분파, 종파, (특히 영국 국교에서의) 분리파 교회 ; 학파 ; 당(파), 파벌, 반주류(파). 〖OF or L (*secut- sequor* to follow)〗

-sect [sèkt, sékt] *v. comb. form* 「자르다」의 뜻 : bi*sect*, inter*sect*. ── *a. comb. form* 「잘린」「분할된」의 뜻.

〖L ; ⇨ SECTION〗

sect. section.

sec·tar·i·an [sektéəriən, -tǽər-] *a.* [보통 경멸적으로] 분파의, 종파[학파]의, 당파심이 강한 ; 편협한, 도량이 좁은 : ～ politics 파벌 정치.

── *n.* 분리파 교회 신자, 종파심이 강한 사람 ; 당파심이 강한 사람 ; 학파에 속한 사람.

～·ìsm *n.* 종파심 ; 파벌심, 학벌, 섹트주의.

〖*sectary*, *-an*〗

sec·ta·ry [séktəri] *n.* 어떤 종파에 속한 사람 ; [흔히 S～] 분리파 교회 신도, 비(非)국교도 ; 〔英史〕 (내란 시대의) 독립파·장로파 따위의 신도.

sec·tile [séktail, -təl] *a.* 칼로 매끈하게 잘리는 ; 〔鑛〕 자를 수 있는 ; 〔植〕 (잎이) 잘게 패인.

sec·tíl·i·ty [-tíl-] *n.* 〖L (↓)〗

***sec·tion** [sékʃən] *n.* **1** Ⓤ 자르기(cutting) ; Ⓤ,Ⓒ (외과·해부의) 절개, 절단, (검경용의) 박편. **2**

절제(切除) 부분, 절편, 단편(斷片). **3 a)** 구분, 구획, 부분 ; (신문의) 난(欄), …부(部) : the first[second] ~ of the New York Times 뉴욕 타임스지(紙)의 제1[2]부. **b)** 접합 부분, (조립용의) 부품 ; (오렌지·귤 따위의) 속껍질 : built in ~*s* 조립식의(cf. SECTIONAL) / a ~ of the machine 기계의 부품. **c)** 《美》(침대차의 상단 또는 하단의) 단(段). **4** (도시 따위의) 한 구역, 지구, 지방 : residential ~*s* 주택지구. **5 a)** (철도·도로의) 보선구(保線區) : a ~ crew[gang] 《美》 보선구 작업반 / a ~ hand[man] 《美》 보선공[인부]. **b)** 《美》 같은 노선을 동시에 운행하는 두 대(이상)의 버스[기차, 비행기] 중 한 대. **6** (문서·문장의) 절, 단락, 항(項)《section mark로 표시함》; 〖製本〗 (번호를 매긴) 접장 ; 〖樂〗 악절《독립적이 아닌 악구》. **7 a)** 《美》 작은 학급[그룹] ; 〖英軍〗 분대(☞ ARMY 1), 〖美軍〗 소대, 반(半)소대 ; 〖軍〗 참모부. **b)** (관청의) 과 ; (단체의) 파, 당, 파벌, (회의 따위의) 부회(部會) ; (오케스트라의) 섹션, 동종 악기부. **8** 〖生〗 아속(亞屬). **9** 단면(도), (내부 구조의) 절단면 ; 〖數〗 입체의 절단면 ; 원뿔 곡선 ; 〖地〗 주상도(柱狀圖), 섹션. ── *vt.* 구분[구획]하다 ; (검사·조사하기 위해) 세분하다 ; 〖醫〗 절개하다 ; 절단하다 ; (검경용으로 조직이나 암석을) 박편으로 자르다 ; 단락[절]으로 나누다[나누어 배열하다] ; …의 단면도를 그리다 ; …의 부분품을 도시하다 : ~ a history class by ability ratings 역사반을 능력별로 나누다 / ~ a rock for examination 암석을 검사하기 위해서 잘게 부수다. ── *vi.* 부분으로 나누어지다[절단되다].
〖F or L *sect- seco* to cut〗
類義語 ⟹ PART.

séction·al *a.* 구분의, 부문의, 구획의[되어 있는] ; 구간의 ; 부분의 ; 부분적인, 지방적인 ; 국지적인 ; 조립식의 ; 단면(도)의 : ~ repair of a tire 타이어의 부분적인 수리 / ~ interests 지엽적인[지역 편중적인] 이해 / a ~ sofa 조립식 소파 / the ~ plan of a building 건물의 단면도.
── *n.* 《美》 짜맞추는[조립식] 가구[소파].
~·ly *adv.* 부분적으로 ; 지방적으로 ; 구분하여 ; 단면적으로 ; 조립식으로.

séction·al·ìsm *n.* 지방[부분] 편중, 지방중심[주의] ; 지방적 편견 ; 파벌주의 ; 섹트주의[근성].

séction·al·ìze *vt.* 부분으로 나누다 ; 구분하다 ; 지역별로 하다 ; 섹트주의화하다.

Séction Éight[8] [-éit] *n.* 《美》 (부적격자로서의) 제대 ; 제대병 ; 《美俗》 (제대 이유가 된) 정신 장애, 신경증 ; 《美俗》 신경증 환자, 정신 이상자. 〖1922-44년 실시된 육군 제(諸)규칙 615-360, 제8항에서〗

séction màrk *n.* 〖印〗 절(節)표(§).

séction pàper *n.* 《英》 모눈종이, 제도 용지(=《美》 graph paper).

sec·tor [séktər, 美+-tɔːr] *n.* **1** 〖數〗 부채꼴 ; 함수(函數)자 ; 〖機〗 부채꼴 톱니바퀴 ; 〖軍〗 선형(扇形) 전투 지구. **2** 부문, 분야(branch), 방면, 영역, 지구, 구역 : a ~ *of* economy 경제의 한 분야 / the industrial ~ 산업 부문. **3** 〖通信〗 섹터《레이더의 유효 범위》. **4** 〖컴퓨〗 섹터, (저장) 테조각.
── *vt.* 부채꼴로 분할하다 ; …에 부채꼴 톱니바퀴를 설치하다. **~·al** *a.*
〖L=cutter ; ⇨ SECTION〗

sec·to·ri·al [sektɔ́ːriəl] *a.* sector의, 선형의 ; 〖植〗 (접목 따위에서) 유착부에 한쪽 조직이 다른 쪽 조직면의 중심부에 이르는, 구분상의 ; 〖動〗 (이빨이) 물어뜯기에 적합한. ── *n.* 송곳니.

séctor scàn *n.* 〖通信〗 (레이더의) 부채꼴 주사(走査).

sec·u·lar [sékjələr] *a.* **1 a)** 속인의, 세속의(worldly) ; 현세의, 이 세상의(↔*spiritual*), 비종교적인(↔*religious, sacred, pious, ecclesiastical*) : ~ affairs 속된 일 / ~ education (종교 교육에 대하여) 보통 교육 / ~ music (종교 음악에 대하여) 세속 음악. **b)** 〖카톨릭〗 수도원 밖의(↔*regular*) : the ~ clergy 교구에서 사는 성직자. **2** 몇 천년이나 계속되는(cf. PERIODICAL, CYCLIC) ; (명성 따위가) 영속하는, 불후의, (싸움 따위) 다년간 계속되는 : the ~ bird 불사조(phoenix). **3** 〖古로〗 1대[세기]에 한 번의, 100년마다의.
── *n.* **1** 〖카톨릭〗 수도회에 속하지 않는 성직자, 교구 사제 ; (종교인에 대한) 세속인. **2** 《美》 (흑인의) 속가(俗歌)(↔*spiritual*). **~·ly** *adv.* 세속적으로, 현세적으로 ; 세속화하여.
〖L=of an age (*seaculum* generation, age)〗

sécular chánge *n.* 장기에 걸친 변화.

sécular gámes *n. pl.* 〖古로〗 백년제《100-120년마다 3일간 밤낮으로 행한 축제》.

sécular hùmanism *n.* 세속적 인간주의《비종교 교육을 비난하여 쓰는 말》.

sécular·ìsm *n.* Ⓤ 세속주의(↔*clericalism*), 비종교주의 ; 비종교적 도덕론 ; 교육 종교 분리주의. **-ist** *n., a.* 교육 종교 분리론[주의]자(의).

sec·u·lar·i·ty [sèkjəlǽrəti] *n.* Ⓤ 속된 마음(worldliness) ; Ⓤ 세속의 일 ; Ⓤ =SECULARISM.

sécular·ìze *vt.* (세)속화하다, 속된 일에 제공하다, 일반화하다 ; 〖카톨릭〗 (수도원 사제를) 수도원 밖[교구 재위] 사제로 삼다 ; …에서 종교[교의]를 제거하다 ; 〖英史〗 종교 재판소에서 (죄인을) 일반 재판소로 옮기다 : ~ education 교육을 종교에서 분리하다 / a ~*d* Sunday 교회에 가지 않고 다른 일을 하는 일요일《일요일에 운동회를 하는 따위》. **sècular·izátion** *n.* 속화(俗化) ; 환속(還俗) ; 교육의 종교로부터의 분리.

se·cund [sikʌ́nd, síːkʌnd, sék-] *a.* 〖植·動〗 한쪽으로 편향한, 한쪽만의, 한쪽에만 생긴. **~·ly** *adv.*
〖L=following ; ⇨ SECOND[1]〗

se·cun·do [səkʌ́ndou] *adv., a.* 제2로[의].
〖L ; ⇨ SECOND[1]〗

se·cun·dum [sekúndum, səkʌ́ndəm] *prep.* …에 의하여, …에 따라. 〖L ; ⇨ SECOND[1]〗

se·cun·dum ar·tem [sekùndəm áːrtem] 규칙에 따라서, 그 방면의 방식에 따라서.
〖L=according to the art〗

secundum le·gem [səkʌ̀ndəm líːdʒəm] *adv.* 법에 따라, 법률적으로. 〖L=according to law〗

secundum na·tu·ram [sekùndum nɑːtúːrɑːm] 자연에 따라서, 자연히.
〖L=according to nature〗

se·cun·dus [səkʌ́ndəs] *a.* 《英》 두번째의《동성(同姓)의 남학생 중 ; cf. PRIMUS》.

***se·cure** [sikjúər] *a.* **1** 안전한 ; 난공불락의《요새 따위》, 확고한 : This building would be ~ in an earthquake. 이 건물은 지진이 일어나도 안전할 것이다 / You are ~ *from*[*against*] danger here. 여기라면 위험의 걱정은 없다. **2** 도망갈 우려가 없는 ; 엄중히 보관[감금]한 ; 〖海〗 계선된, 정박한 : keep a prisoner ~ 죄인을 엄중히 감금해 두다. **3** 보증된 ; 확보한, 안심되는, 걱정없는, 신뢰할 수 있는 ; (…을) 확신하는[하고 있는] : His success is ~. 그의 성공은 확실하다 / We were ~ *of* victory. 승리를 확신하고 있었다 / a ~ belief 흔들리지 않는 신조. **4** 견고한, 튼튼한,

단속을 잘한 : a ~ foothold 튼튼한 발판 / Is the door ~? 문단속은 잘 되었느냐.

—— *vt.* **1** [+目/+目+前+名] 안전하게 하다, 지키다, 굳히다 : ~ arms 〖軍〗 (비에 젖지 않도록) 총기의 주요부를 껴안다, 〖구령〗 팔에 총 / The Hebrews rubbed all newborn babies with salt to ~ their well-being. 헤브라이 사람들은 새로 탄생한 갓난아기들을 모두 소금으로 문질러서 애들의 건강과 행복을 수호했다 / Did you ~ the doors and windows ***against*** [***from***] the storm? 폭풍(우)에 대비해서 문이나 창문을 단단히 잠갔습니까. **2** [+目/+目+*against*+名] 확실하게 하다 ; 보증하다 ; …에 담보를 넣다 ; …에 보험을 들다 ; 보장하다 ; 유언으로 물려주다, 유증하다 : ~ a payment 지급 보증을 하다 / ~ oneself ***against*** accidents 상해 보험에 들다. **3** 움직이지 않게 하다 ; (창문 따위를) 단단히 잠그다 ; …에 걸쇠를 걸다 ; (죄수 등을) 감금하다 ; 〖海〗 계선[정박]하다 ; 〖海軍〗 비번으로 하다, 휴지시키다 : ~ windows[locks] 창문[자물쇠]을 꼭 잠그다. **4** [+目/+目+*for*+名/+目+目] 확보하다, (지위·상품을) 획득하다, 손에 넣다 : *S*~ your seats early. 일찌감치 좌석을 확보해 놓으시오 / Can you ~ us four first-class tickets[~ four first-class tickets ***for*** us]? 우리에게 1등표 넉장을 마련해 줄 수 있습니까. 注 수동태에서는 : Four first-class tickets have *been ~d for* us. 우리를 위해서 1등표 넉장을 마련해 놓았다.

—— *vi.* 안전하다[해지다] ; 〖海〗 일을 중지하다, 비번이 되다, (배가) 정박하다.

se·cúr·able *a.* 구할 수 있는, 획득[입수]할 수 있는 ; 안전하게 할 수 있는. **se·cúr·ance** *n.* **secúre·ly** *adv.* 확실히, 확신하고, 확고히 ; 《古》 안심하고. **se·cúr·er** *n.*

〖L=carefree (*se-* without, *cura* care)〗

類義語 (1) (*a.*) ⟹ SAFE.
(2) (*v.*) ⟹ GET.

***se·cur·i·ty** [sikjúərəti] *n.* **1** Ⓤ 안전, 무사 : in ~ 무사히. **2** Ⓤ 안심, 든든함 ; 방심, 부주의 : *S*~ is the greatest enemy. 《속담》 방심은 최대의 적. **3** Ⓤ,Ⓒ 안전확보, 방호, 보호, 보장, 보전, 보안 ; 방호물, 〖軍〗 방호조치 ; (간첩활동·범죄·공격·도망 따위에 대한) 방호[방위] 수단, 보안조치, 경비 조직[부문] : a ~ *against* burglars 도둑에 대한 방위 (수단) / give ~ *against* …에 대하여 보호하다 / ☞ SOCIAL SECURITY. **4** Ⓤ 보증 〈*against, from*〉 ; 담보〈*for*〉 ; Ⓒ 담보물 ; 보증금 ; 보증인〈*for*〉. **5** [*pl.*] 유가증권.

go security 신원을 보증하다〈*for*〉.

〖OF or L ; ⇨ SECURE〗

secúrity ànalyst *n.* 증권 분석가.

secúrity assístance *n.* 《美》 안전 보장 원조 《미국 정부의 안전 보장을 위한 대외 원조》.

secúrity blànket *n.* 《美》 (안도감을 갖기 위해 아이가 갖고 다니는) 담요[타월, 베개] ; (일반적으로) 안전을 보장하는[마음이 안정되는] 것[사람], 부적.

〖Charles Schulz의 만화 *Peanuts* 속의 Linus 아기의 담요에서〗

secúrity chèck *n.* 〖空〗 (하이재킹 방지를 위한) 보안 검사.

secúrity clèarance *n.* 비밀정보의 사용허가 ; (국가 기밀 따위를 맡길 수 있다는) 인물 증명.

Secúrity Còuncil *n.* [the ~] (유엔의) 안전 보장이사회《略 S.C.》.

Secúrity Fòrce *n.* UN군(軍)《정식명은 United Nations Peacemaking Force》.

secúrity guàrd *n.* (현금 수송 따위의) 경호원, (빌딩 따위의) 경비원.

secúrity ìndustry *n.* 경비 산업, 안전 산업.

secúrity ìnterest *n.* 〖法〗 선취(先取) 특권.

secúrity màn[**òfficer**] *n.* 경비원, 경호원.

secúrity pàct[**trèaty**] *n.* 안전 보장 조약.

secúrity políce *n.* 비밀 경찰 ; =AIR POLICE ; 호위대.

secúrity rìsk *n.* 위험 인물《국가의 안전을 위태롭게 할 위험이 있는 사람》.

secy., sec'y. secretary. **sed.** sediment ; sedimentation.

se·dan [sidǽn] *n.* **1** 《美》 세단형 자동차《운전사석을 칸막이 하지 않은 보통 상자형 자동차 ; =《英》 saloon》. **2** (17-18세기에 사용하던) 의자 가마(=∽ **chàir**). 〖? It.＜L *sella* saddle (*sedeo* to sit)〗

sedan 2

se·date[1] [sidéit] *a.* **1** 고요한, 침착한(↔*excitable*) ; 진지한. **2** (빛깔 따위가) 수수한.

~·ly *adv.* **~·ness** *n.*

〖L *sedat- sedo* to settle, calm‹*sedeo* to sit〗

sedate[2] *vt.* …에게 진정제를 먹게 하다.

〖역성(逆成)‹*sedat*ive〗

se·da·tion [sidéiʃən] *n.* 〖醫〗 (진정제에 의한) 진정 (작용).

sed·a·tive [sédətiv] *a.* 진정(鎭靜)시키는, 진정 작용이 있는. —— *n.* 〖醫〗 진정제.

se de·fen·den·do [séi dèifendéndou] *adv., a.* 〖法〗 자위를 위하여[위한] (in self-defense). 〖L〗

sed·en·tar·i·ly [sèdəntérəli, sédəntèr- ; sédntəri-] *adv.* 들어 앉아서 ; 정주(定住)하여 ; 활발치 못하게.

sed·en·ta·ry [sédəntèri ; -təri] *a.* **1** 앉아 있는 ; 늘 앉기를 좋아하는 ; 앉아서 일하는 ; 좌업(坐業)에서 생기는 : ~ work 앉아서 하는 일. **2** 정주(성)의 ; 〖動〗 정착하고 있는, 고착된, (새 따위가) 이주하지 않는(↔*migratory*). —— *n.* 앉아 있는 사람 ; 앉아서 일하는 사람.

séd·en·tàr·i·ness *n.*

〖F or L ; ⇨ SEDATE[1]〗

se·der [séidər] *n.* (*pl.* **se·da·rim** [sədɑ́:rəm], **~s**) [흔히 S~] 〖유태敎〗 유월절(逾越節) 밤 축제. 〖Heb. *sēdher* order〗

se·de·runt [sidíərənt, -dér-] *n.* 회의, 회합, 집회 ; 성직자 회의 ; 《스코》 포도주를 마시면서 하는 회의 ; 오랫동안 앉아 있기 ; 회의 출석자.

〖L=there sat…(*sedeo* to sit)〗

sedge [sédʒ] *n.* Ⓤ 〖植〗 사초속(屬)의 식물.

sédgy *a.* 사초가 무성한 ; 사초의[같은].

〖OE *secg* ; cf. SAW[2] ; 잎이 들쭉날쭉한 데서〗

se·di·le [sedáili] *n.* (*pl.* **se·dil·ia** [sedí(:)liə, -dái-]) 사제석(司祭席)《교회제단의 남쪽에 있음》.

〖L=seat〗

sed·i·ment [sédəmənt] *n.* 침전물, 앙금 ; 〖地質〗 퇴적물. ——[-mènt] *vi., vt.* 침전되다[시키다].

sèd·i·mén·tal [-mén-] *a.*

〖F or L (*sedeo* to sit)〗

sed·i·men·ta·ry [sèdəméntəri] *a.* 침전물의 ; 침전 작용에 의한. **sed·i·men·tar·i·ly** [sèdəmentérəli, ˌ--ˈ--- ; sèdiméntərili] *adv.*

sediméntary róck *n.* 〖地質〗 퇴적암(堆積岩).

sed·i·men·ta·tion [sèdəmentéiʃən, -mən-] *n.* Ⓤ

〖地質〗 퇴적(작용) ; 침전, 침강 : a ~ test 혈침(血沈) 검사.

se·di·tion [sidíʃən] *n.* Ⓤ 치안 방해, 선동, 폭동 교사(教唆) ; 《古》 반란, 폭동.
〖OF or L (*sed*- SE-, *it*- *eo* to go)〗

sedítion·àry [; -əri] *a.* =SEDITIOUS.
—— *n.* 치안 방해자, 폭동 교사자 ; 폭동의 동기[유인].

se·di·tious [sidíʃəs] *a.* 치안 방해의, 선동적인 ; 치안 방해[선동]죄의.
~·ly *adv.* 선동적으로.

se·duce [sidjú:s] *vt.* [+目/+目+前+名/+目+副] **1** 부추기다, 꾀다, 유혹하다, 타락시키다 ; (여자를) 감쪽같이 속이다 : Employers tried to ~ union leaders with money or advancement. 사용자측은 조합간부를 금품이나 승진으로 유혹하려고 했다 / ~ a pure maiden 순진한 처녀를 유혹하다 / His doctrines have ~*d* a great many people ***into*** error. 그의 학설은 많은 사람들에게 오류를 범하게 했다 / He was ~*d* ***from*** his duty. 유혹에 빠져 의무를 게을리했다. **2** (좋은 뜻에서) 매혹시키다, 마음을 끌다 : The beauty of the evening ~*d* me *abroad.* 석양의 아름다움에 마음이 끌려 밖으로 나갔다.
se·dúc·er *n.* 유혹하는 사람[것], (특히) 난봉꾼.
~·able, se·dúc·ible *a.* 유혹에 빠지기 쉬운, 남자에게 잘 속아 넘어가는.
〖L (*se*- apart, *duct*- *duco* to lead)〗
類義語 ⟹ LURE.

sedúce·ment *n.* =SEDUCTION ; 사람을 유혹하는[부추기는] 것, 매력.

se·duc·tion [sidʌ́kʃən] *n.* **1** Ⓤ,Ⓒ 유혹, 부추김 ; 〖法〗 (부녀자) 유괴. **2** [보통 *pl.*] 매혹, 매력.
〖F or L ; ⇨ SEDUCE〗

se·duc·tive [sidʌ́ktiv] *a.* 유혹[매혹]적인, 매력 있는, 사람의 눈을 끄는. **~·ly** *adv.* 유혹적으로.
~·ness *n.* 유혹, 매력.

se·duc·tress [sidʌ́ktrəs] *n.* 유혹하는 여자.

se·du·li·ty [sidjú:ləti] *n.* Ⓤ 근면.

sed·u·lous [sédʒələs] *a.* 근면한, 부지런한, 열심히 일하는, 꾸준히 공부하는 ; 지칠 줄 모르는, 용의주도한.
play the sedulous ape 남의 문체를 모방하다, 모방하여 터득하다〈*to*〉.
〖L *sedulus* zealous〗

se·dum [sí:dəm] *n.* Ⓤ 꿩의비름속(屬)의 식물.
〖NL<L=houseleek〗

◇**see**[1] [si:] *v.* (**saw** [sɔ:] ; **seen** [si:n]) *vt.* **1** [+目/+目+原形/+目+do*ing*/+目+過分/+*wh.* 節/+*wh.*+*to* do] 보이다, 보다 ; (꿈·공상 속에서) 보다. 注 보기 위한 노력이 소요될 때는 흔히 can을 수반한다 ; 진행형에는 쓰이지 않음 : *Can* you ~ the dog over there? 저기 개가 보이니 / I ~ some people in the garden. 정원에 몇 사람이 보인다 / *S*~ p. 38. 38페이지를 보라 / I *saw* him enter the room. 그가 방으로 들어가는 것을 보았다. 注 수동태에서는 to부정사가 따름 : He was ~*n to* enter the room. / I can ~ some little fishes swim*ming* about in the still water. 잔잔한 물 속에서 작은 고기들이 헤엄쳐 다니는 것이 보인다(注 [+目+原形]에서는 원형 부정사가 일괄적인 동작을 나타내는 데 대하여 [+目+do*ing*]에서 현재분사는 계속중인 동작을 나타내어 보다 더 기술적(記述的)이다) / She was ~*n* walk*ing* along the street with a gentleman. 그녀가 한 신사와 거리를 걷고 있는 것이 보였다 / Have you ever ~*n* a man murder*ed*? 살해당한 사람을 본 적이 있습니까 / I have often ~*n* a bribery overlook*ed*. 나는 뇌물을 주고받는 것이 묵인되는 것을 여러번 보았다 / *S*~ *how* I operate[*how to* operate] this machine. 어떻게 이 기계를 조작하는지[이 기계를 조작하는 방법을] 잘 보시오. **2** [+目/+*that* 節/《文語》+目+*to* do/+*wh.* 節/+*wh.*+*to* do] 알다, 깨닫다, 납득하다, 이해하다(understand) : He didn't ~ her foolishness.=He didn't ~ *that* she was foolish. =《文語》 He didn't ~ her *to be* foolish. 그녀가 어리석은 것을 몰랐다 / I ~ you. 《美》 무슨 말인지 알겠다 / I ~ *what* you mean. 네가 말하는 뜻을 알겠다 / I don't ~ *how to* avert it. 어떻게 하면 그것을 피할 수 있는지 모르겠다. **3** 경험하다, 겪다 : things ~*n* (실제로) 관찰한 사물 / He has ~*n* a lot of life[world]. 세상 경험을 많이 했다 / She has ~*n* better days. 그녀에게는 한때 좋은 시절이 있었다《지금은 몰락했다》 / I have ~*n* the time when there were neither radios nor televisions. 라디오도 텔레비전도 없었던 시대를 겪어왔다 / He will never ~ 50 again. 그는 이미 50 고개를 넘었다. **4** 구경[관광]하다 ; 조사하다, 살펴보다 : ~ the sights 명승지를 구경하다 / Have you ever ~*n* Rome? 너는 로마를 구경한 적이 있니 / I want to ~ the house before I take it. 그 집을 계약하기 전에 살펴보고 싶습니다. **5 a**) 만나다, 면회[회견]하다, 대면하다 : I am very glad to ~ you. 뵙게 되어 반갑습니다. 注 첫대면의 경우에는 일반적으로 MEET를 씀 : I am very glad to *meet* you. 처음 뵙겠습니다. **b**) …를 만나러 가다, 방문하다, 문안드리다 ; (의사에게) 진찰을 받다 : You'd better ~ a doctor at once. 곧 의사의 진찰을 받는 것이 좋겠다. 注 이 뜻으로는 진행형에도 쓰임 : I'm ~*ing* my client today. 오늘은 소송 의뢰인을 만나기로 되어 있다. **6** [+*that* 節/+*wh.* 節/+目+過分] (…하도록) 조심하다, 돌보다, 조처하다, 확인하다(cf. *vi.* 4) : *S*~ *that* he does it properly. 잊지 말고 그에게 그것을 꼭 하도록 하시오 / *S*~ *that* the window is shut. 창문을 반드시 닫아 놓으시오 / Won't you go and ~ *if*[*whether*] the milkman has been yet? 우유 배달부가 왔었는지 가봐 주겠니 / ~ a thing do*ne* 어떤 일을 감독하여 시키다 / ~ justice do*ne* 일에 공평을 기하다 ; 보복하다. **7** [+目+副/+目+前+名] (사람을) 전송하다, (목적지까지) 데려다[바래다] 주다 : Let me ~ you *home*[***to*** the bus]. 집[버스 타는데]까지 바래다 주겠다 / I have been to the station to ~ my friend ***off.*** 나는 친구를 전송하러 역에 갔다 오는 길입니다 / ~ the old year ***out*** and the new year ***in*** 묵은해를 보내고 새해를 맞이하다. **8** [+*that* 節] (신문 따위로) 보다, 알게 되다 : I *saw that* the riot had been suppressed. 폭동이 진압된 것을 알았다. **9** [+目/+do*ing*/+目+do*ing*/+*wh.* 節/+目+副] 상상하다 ; 생각해[조사해·실행해] 보다 ; 생각이 미치다, (가만히) 보고 있다, 참다 : as I ~ it 내가 아는 바로는 / I don't ~ be*ing* made use of. 남에게 이용당하고 가만히 있지는 않는다 / I can't ~ him behav*ing* like that. 그가 그렇게 하고 있는 것을 가만히 보고 있을 수는 없다 / I'll ~ *what* I can do. 내가 할 수 있는 일을 생각해 보겠다 / I ~ things *differently* now. 이젠 사물을 보는 눈이 달라졌다.
—— *vi.* **1** [動/+前+名] 보다, 눈이[눈에] 보이

다. ㊟ 흔히 can을 수반한다 ; 진행형에는 쓸 수 없음 : Owls *can* ~ in the dark. 올빼미는 어둠 속에서도 볼 수 있다 / I *can*'t ~ to read. 눈이 어두워서[잘 보이지 않아] 읽을 수 없다 / You *can* ~ through the window. 창너머로 볼 수 있다. **2** 알다, 깨닫다, 터득하다(understand) : Do you ~? 알겠습니까 / I ~. 알았다, 그렇군 / You ~. 어때요, 아시겠죠 ; 아시다시피 (…이니까) (cf. you know ☞ KNOW 숙어) / We shall ~. 곧 알게 되겠지 / You shall ~. 곧 알게 될거야. **3** [動 / +*into*+名] 조사[확인]하다 : Somebody knocked at the door. I'll go and ~. 문 두드리는 소리가 났다. 누군지 나가봐야지 / I'll ~ ***into*** the matter myself. 내가 직접 가서 그것을 조사할 작정이다. **4** [+*to*+名] 주의하다, 돌보다, 처리하다 : Help Kate (to) wash up while I ~ ***to*** the bedding. 내가 침구를 정돈할 테니 케이트가 설거지하는 것을 도우시오 / I'll ~ *to* that. 그것은 내가 처리하겠다[맡겠다] / Please ~ *to* it that the door is locked. 문은 반드시 자물쇠로 잠가 놓으시오(㊟ 《口》에서는 to it을 생략하는 것이 일반적 ; cf. *vt.* 6).

(I'll) be seeing you! 《口》 =SEE *you* !

see about (결단 전에) …을 고려[검토]하다, 조치하다, …에 유의하다 ; …을 조사하다 : I'll ~ *about* (mail*ing*) it. (우송하는 일은) 어떻게 해보지요.

see after …을 돌보다(look after가 일반적).

see a person ***blowed*** [***damned, hanged***] ***first*** (***before***) 질색이다, 몹시 싫다 : I'll *see* him *damned first before* I lend him any money. 그따위 녀석에게 누가 돈을 빌려 준담.

see fit [***good***] ***to*** do …하는 것이 좋겠다고 생각하다, …하려고 결심하다 : We must wait until they ~ *fit to* help us. 그들이 우리를 도와주고 싶은 생각이 들 때까지 기다려야 한다. ㊟ 형식 목적어인 it을 see 뒤에 쓰지 않는 것이 일반적.

See here! 여보시오!, 이봐!, 여보(Look here!).

seeing that... ☞ SEEING *conj.*

see into …을 조사하다(cf. *vi.* 3) ; 간파하다.

see much [***nothing, something***] ***of*** …를 자주 만나다[전혀 만나지 않다, 더러 만나다].

see no further than one***'s nose*** ☞ NOSE *n.*

see a person ***off*** 남을 전송하다(cf. *vt.* 7) ; 호되게 꾸짖다 ; 쫓아버리다, 격퇴하다.

see one***'s way to*** do(*ing*) 그럭저럭 해나가다 : He didn't ~ his *way to* consol*ing* her. 아무래도 그녀를 위로해 주고 싶은 마음이 들지 않았다.

see out (1) (남을) 현관까지 전송하다(cf. *vt.* 7). (2) (일을) 끝까지 지켜보다 ; 완성하다, 해내다, 완수하다(see through).

see over [***round***] (집 따위를) 돌아보다, 시찰하다, 검사하다.

see the back of... ☞ BACK *n.*

see things ☞ THING.

see through (1) …을 꿰뚫어 보다(cf. *vi.* 1), 간파하다 : ~ *through* a person 인물[남의 마음속]을 꿰뚫어 보다 / ~ *through* a brick wall ☞ WALL *n.* 숙어. (2) (일을) 완수하다(see out). (3) (남을) 도와서 (고난을) 타개하게 하다 : I'll ~ you *through* (the difficulty). (그 난관을 타개하도록) 줄곧 너의 힘이 되어 주겠다.

see to... ☞ *vi.* 4.

See you! 《口》 =SEE *you later* !

See you later! 《口》 그럼 또 만나자!, 안녕!

—— *n.* 《美俗》 방문, 시찰.

〚OE *sēon* ; cf. G *sehen*〛

類義語 ***see*** 「보다」의 뜻으로 일상적이고 뜻이 넓은 말. ***behold*** see보다 뜻이 강하며 잠시 노려보다 ; 강한 인상을 받고 있음을 암시함 : She *beheld* her friend with envy. (그녀는 샘이 나서 친구를 응시했다). ***look*** 사람 또는 물건에 시선을 던지다 : *Look* at the picture. (저 그림을 보아라). ***watch*** 사람 또는 물건의 동작·상태·변화 따위를 잠깐동안 눈여겨 관찰하다 : *watch* a sick person (병든 사람을 지켜 보다). ***espy, descry*** 모두 애써서 보는 것이지만 *espy*는 조그만 것, 일부가 숨겨져 있는 것을 찾아내다, *descry*는 어떤 것을 먼곳으로부터 또는 어둠·안개 따위 속에서 분간하다 : He *espied* a snake under the grass. (그는 풀밭의 뱀을 보았다) / *descry* a distant tower(멀리 탑이 보이다). ***view*** 조사·검사 따위를 위해 눈앞에 있는 것을 주의해서 보다 : The police *viewed* the broken car. (경찰관은 그 부서진 차를 주의해서 보았다).

see² *n.* 〖카톨릭〗 주교[대주교·교황]의 관구[자리·직] : the Holy[Papal] *S*~ 교황의 직 ; 교황청(=**the ~ of Róme**).

〚AF *se*(*d*) <L *sedes* seat〛

sée·able *a.* 볼 수 있는 ; 알 수 있는.

Sée·beck effèct [síːbek-, zéi-] *n.* 〖理〗 제베크 효과, 열전 효과(thermoelectric effect).

〚T. *Seebeck* (d. 1831) 독일의 물리학자〛

‡**seed** [síːd] *n.* (*pl.* **~s**, ~) **1** U,C 씨, 열매, 종자 : a bag of radish ~ 무씨 한 봉지 / Sow [Plant] the ~ in late spring. 늦은 봄에 씨앗을 뿌리시오 / Place the ~*s* two inches apart. 그 씨를 2인치 간격으로 뿌리시오. **2 a**) [단수형만으로 써서] 〖聖〗 자손 ; 출생 : the ~ of Abraham 아브라함의 자손(Hebrews). **b**) U 정액(精液) ; 어백(魚白), 이리, 조개알. **c**) 씨가 되는 것 ; 알뿌리 ; 종자 굴(seed oyster). **3 a**) [보통 *pl.*] 《비유》 (분쟁의) 씨, (악의) 근원 : sow the ~*s* of discontent 불평의 씨를 뿌리다. **b**) (씨처럼) 작은 알 ; (유리제품의) 기포. **c**) 〖化〗 (결정의) 핵 ; 〖理·醫〗 시드(방사선원(源)을 넣는 원통형의 소형 용기). **d**) 《美俗》 마리화나 담배. **4** 《口》 시드 선수(cf. *vt.* 3).

go [***run***] ***to seed*** 씨[열매]가 생기다 ; 《비유》 한창때가 지나다, 쇠퇴하다.

in seed (꽃이 지고) 씨가 생겨.

raise up seed 〖聖〗 (아버지가) 자식을 얻다.

sow the good seed 좋은 씨를 뿌리다 ; 《비유》 복음을 전하다.

—— *vi.* **1** 열매를 맺다 ; 씨가 생기다 ; 씨를 떨어뜨리다. **2** 씨를 뿌리다. —— *vt.* **1** [+目 / +目+*with*+名] (땅에) 씨를 뿌리다(sow) : They ~*ed* their fields ***with*** wheat. 밭에 밀의 씨를 뿌렸다. **2** (과일에서) 씨를 빼내다 : ~ grapes 포도 씨를 빼내다. **3** 〖競〗 시드하다(우수한 선수·팀끼리 처음부터 맞서지 않도록 대진표를 짜는 것) : ~ the draw (우수한 선수가 이겨서 남도록) 강약으로 나누어 추첨하다. **4** (드라이 아이스 따위의 약품을) 구름 사이에 살포하다(인공 강우를 위해서). **5** (생장·발전)의 인자를 공급하다 ; (병균을) 접종하다.

〚OE *sǣd* ; cf. SOW¹, G *Saat*〛

séed bànk *n.* 종자 은행(멸종 위험이 있는 식물[품종]의 종자를 보존함).

séed·bèd *n.* **1** 모판, 못자리. **2** 《비유》 양성소, (죄악 따위의) 온상<*of*>.

séed·càke *n.* 시드 케이크《특히 caraway의 씨가 든 냄새가 좋은 과자》; =OIL CAKE.
séed càpsule *n.* 〖植〗 (백합·붓꽃 따위의 씨를 싸고 있는) 씨방벽, 삭(蒴).
séed·càse *n.* 〖植〗 =SEED CAPSULE; 과피(果皮) (pericarp).
séed còat *n.* 〖植〗 씨껍질(testa).
séed còrn *n.* 종자용 옥수수.
séed·ed *a.* 씨가 뿌려진; 씨가 있는, (과일 따위) 핵이 있는; [복합어를 이루어] …한 종자가 있는; 성숙된; 씨를 빼낸, 씨없는; 〖織〗 반점이 있는; 기포가 있는《유리》; 시드된, 강력한, 일류의《선수·팀》.
séed·er *n.* 씨뿌리는 사람[기계]; 씨받는 기계; 《英》 알밴 물고기(seed fish); (인공 강우의) 모립(母粒) 살포 장치.
séed fìsh *n.* 알밴 물고기.
séed·ing *n.* Ⓤ 파종; 인공 강우 모립(母粒) 살포.
séeding machìne *n.* 파종기(播種機).
séed lèaf[lòbe] *n.* 〖植〗 떡잎, 자엽(子葉) (cotyledon).
séed·less *a.* 〖植〗 무핵의, (포도 따위) 씨가 없는: the ~ orange=NAVEL ORANGE / ~ raisin 씨를 뺀 건포도.
séed·ling *n.* 실생(實生); 묘목《3피트 이하》.
seedman ☞ SEEDSMAN.
séed mòney *n.* (새 사업의) 착수(자)금, 밑천.
séed òyster *n.* 〖貝〗 (양식용의) 종자 굴.
séed pèarl *n.* 작은 진주알《1/4 grain 이하》.
séed plànt *n.* 〖植〗 종자 식물.
séed-plòt *n.* =SEEDBED.
séed potàto *n.* 씨감자.
séed(s)·man [-mən] *n.* 씨뿌리는 사람; 씨앗 장수, 종묘상.
séed·tìme *n.* Ⓤ 파종기《늦은 봄 또는 초여름》; 《비유》 진전[준비] 시기, 초창기.
séed vèssel *n.* 〖植〗 과피(果皮) (pericarp).
séed wòol *n.* 씨를 빼지 않은 목화《종자용》.
séedy *a.* **1** 씨가 많은; 씨가 있는; 결실을 맺은. **2** 초라한, 볼품 없는(shabby), 치사한; 평판이 좋지 않은: ~ clothes 초라한 옷 / a ~ tramp 초라한 부랑자. **3** 《口》 기분이 언짢은(unwell), 몸의 상태가 좋지 않은: feel[look] ~ 기분이 나쁘다[나빠 보이다]. **séed·i·ly** *adv.* **-i·ness** *n.*
***sée·ing** *n.* **1** Ⓤ,Ⓒ 보기; 시각, 시력; Ⓤ 통찰(력): *S*~ is believing. 《속담》 백문이 불여 일견 / He has recorded his ~*s* and doings in Europe. 그는 유럽에서 보거나 한 일을 기록했다. **2** 〖天〗 시상《지구 대기의 상태에 의한 별의 망원경상(像)의 질(質)》. ― *a.* 눈이 보이는, 시각[통찰력]이 있는; [명사적으로; the ~] 눈뜬 사람들. ― *conj.* [현재분사로서의 seeing이 that과 함께] …인 점에서 보면, …인 점에 비추어(since); …인 셈치고는(considering): The salary was not a bad one, ~ *that* he was still young. 그가 아직도 젊다는 점에서 보면 그 급료는 나쁜 편이 아니었다.
séeing éye *n.* 매직 아이《광전도(光傳導) 셀을 사용한 감광(感光) 장치》.
Séeing Éye *n.* 맹인을 안내하는 개의 훈련소《미국 New Jersey주(州)에 있음; 정식명 Seeing Eye, Inc.》.
Séeing Éye dòg *n.* (특히 Seeing Eye에서 훈련받은) 맹인 인도견(引導犬) (guide dog).
‡**seek** [síːk] *v.* (**sought** [sɔ́ːt]) *vt.* **1** [+目 / +目+前+名 / +目+副] 찾다, 구하다(look for); 탐구하다, 조사하다; (명성·부 따위를) 얻으려고 하다: ~ fortune 한 재산 모으려 하다 / ~ fame [employment] 명성[일자리]을 얻으려고 하다 / We are ~*ing* a new home. 새 집을 찾고 있다 / His forefinger *sought* the trigger. 집게손가락으로 방아쇠를 더듬어 찾았다 / He *sought* safety ***in*** the cave. 안전하게 동굴을 찾아 들어갔다 / These rockets are designed to ~ ***out*** and destroy enemy bombers. 이들 로켓은 적의 폭격기를 찾아내어 폭파하도록 만들어져 있다 / They *sought* the house ***through***. 그들은 집안을 샅샅이 뒤졌다. **2** (충고 따위를) 구하다, (설명을) 요구하다: ~ a person's advice 남의 충고를 구하다 / ~ a quarrel 싸움을 걸다 / ~ a person's life 남의 목숨을 노리다. **3** [+*to* do] (…하려고) 힘쓰다: I *sought to* persuade him in vain. 그를 설득하려고 했으나 헛일이었다. **4** …로 (자주) 가다〈*to*〉; 《古》 두루 살피다: Being tired, she *sought* her bed. 피곤해서 잠자리에 들었다.
― *vi.* **1** [動 / +前+名] 수색[탐색]하다; 요구하다, 탐내다: He is ~*ing* ***after*** wealth and power and position. 재산과 권력과 지위를 탐내고 있다 / His pictures are much *sought after*. 그의 그림은 인기가 대단하다 / She was ~*ing* ***for*** the lost dog. 잃어버린 개를 찾고 있었다. **2** 《古》 자주 가다〈*to*〉.
be not far to seek 가까운 데 있다; 명백하다.
be yet to seek 아직 없다, 결핍되어 있다.
― *n.* (열·소리·광선·방사선 따위의) 목표물 탐색; 〖컴퓨〗 자리찾기《자기 디스크 장치에서 읽기·쓰기를 위해 헤드를 이동시킴》.
~·er *n.* 수색[탐구, 추구(追求), 구도(求道)]자; (미사일의) 목표물 탐색 장치, 그 장치를 한 미사일. 〖OE *sēcan*; cf. BESEECH, G *suchen*〗
séek·ing *a.* [복합어를 이루어] …을 구하는[찾는]: heat-~ missile 열추적 미사일.
séek tìme *n.* 〖컴퓨〗 자리찾기 시간《지시된 트랙(track)에 디스크의 헤드 위치를 고정하는 데 필요한 시간》.
seel [síːl] *vt.* **1** (훈련시키기 위해 매의 눈꺼풀을) 실로 꿰매다. **2** 《古》 (눈을) 감다; 《古》 소경이 되게 하다; 《古》 속이다. 〖변형(變形) <ME *silen*<OF *siller* (L *cillium* eyelid)〗
◇**seem** [síːm] *vi.* **1** [+*to* do] …(인 것)처럼 보이다[생각되다], …인 것 같다: I ~ *to* see him still. 그의 모습이 아직도 눈에 선하다 / He ~*s to* be ill. (=It ~*s* that he is ill.) 그는 아픈 것 같다 / He ~*s to* have been ill. (=It ~*s* that he was[has been] ill. ☞ 3) 그는 아팠던 것 같다.

> **seem의 문장 전환**
> 다음 네 가지 시제 관계에 주의할 것.
> It *seems* that he *is* ill.
> He *seems* to *be* ill.
> (그는 앓고 있는 것 같다.)
> It *seems* that he *was*[*has been*] ill.
> He *seems* to *have been* ill.
> (그는 앓고 있었던 것 같다.)
> It *seemed* that he *was* ill.
> He *seemed* to *be* ill.
> (그는 앓고 있는 것 같았다.)
> It *seemed* that he *had been* ill.
> He *seemed* to *have been* ill.
> (그는 앓고 있었던 것 같았다.)

2 [+補 / +*to*+名] …로 보이다(look); 겉으로 보기는 …이다; …인 것 같다: He ~*s* young. 젊은 것 같다 / I ~ unable to do it. 그것을 할 수 없

을 것 같다 / It ~*s* likely to snow. 눈이 내릴 것 같 다(It looks like snow.) / It ~*s* so. =So it ~*s.* 그런 것 같다 / The tower ~*s* very small from the distance. 그 탑은 멀리서는 매우 작게 보인다 / The valley ~*ed* very deep ***to*** me. 내게는 그 골짜기가 꽤 깊은 것처럼 보였다. **3** [It을 주어로 하여] [+*that* 節 / +*to*+名] …처럼 생각되다 : *It* ~*s* (*that*) you were lying. 네가 거짓말을 했던 것처럼 생각된다 / *It* would ~ *that* something is wrong with the radio set. 라디오가 어딘가 고장난 것 같다《주 It ~*s* that.... 보다도 완곡한 표현법》/ *It* ~*s* ***to*** me *that* you are not really interested in the question. 나에겐 당신이 그 문제에 진정으로 관심을 기울이지 않는 것처럼 생각되오. 주 *that* 節 대신에 *as if* 節을 수반하는 경우가 있음 : *It* ~*ed as if* she would recover. 그녀는 회복될 것처럼 생각되었다.

〈회화〉
He *seems* angry. — We'd better be careful. 「그 사람 화가 난 것 같아요」「우리 조심하는 게 좋겠어요」

cannot [***can't***] ***seem to*** do 《口》 …할 수 없을 것 같다[같은 생각이 든다] : He *cannot* [*can't*] ~ *to* understand what I mean. 내가 말하는 뜻을 이해하지 못하는 것 같다. 주 이 표현은《美》에서는 구어 또는 형식에 치우치지 않는 글이나 말에서는 일반적으로 사용되나,《英》에서는 그다지 쓰이지 않으며 He *does not* [*doesn't*] ~ *able* to understand what I mean. 과 같이 말하는 것이 일반적임.
〖ON=to honor (*sæmr* fitting)〗
類義語 ⟹ APPEAR.

séem·er *n.* 겉치레하는 사람, 가식가.

séem·ing *a.* 겉으로의, 외관상[표면상]의 ; 허울만의, 그럴듯한 : ~ friendship 겉만의 우정. —— *n.* U 겉보기, 외관(appearance) : to all ~ 어느모로 보나.
~**·ly** *adv.* 겉으로는, 표면[외관]상은.

séem·ly *a.* 알맞은, 적당한 ; 매력적인 ; (사회 통념상) 점잖은, 고상한. —— *adv.* 매력적으로 ; 고상하게 ;《古》어울리게.
séem·li·ness *n.* 적당 ; 점잖음.
類義語 ⟹ FITTING.

◇**seen** [síːn] *v.* SEE[1]의 과거분사. —— *a.* 눈에 보이는 ;《古》 정통하고 있는 : be well ~ in music 《古》음악에 정통하다.

seep[1] [síːp] *vi.* 스며나오다[들다], 방울져 떨어지다, 새다 ; 서서히 확산되다 ; (사고 방식 따위가) 침투하다. —— *n.* (물·기름 따위가) 스며나오는 곳 ; 작은 샘 ; =SEEPAGE.
séepy *a.* 물[기름]이 스며나오는《땅》.
〖? *sipe* (dial.) <OE *sipian* to soak〗

seep[2] *n.* 《美》 수륙 양용 지프. 〖*sea*+*jeep*〗

séep·age *n.* 스며나오기, 스며들기, 침투 ; 서서히 새어 흐르기, 누수 ; (토양 따위를) 투과한 액체의 양.

se·er[1] *n.* **1** [síːər] 보는 사람. **2** [síər] 천리안《사람》; 선견자, 예언자.

seer[2] [síər] *n.* (*pl.* ~, ~**s**) 시어(ser)《인도의 무게 단위로 약 2파운드 ; 액량의 단위로 약 1*l*》. 〖Hindi〗

seer[3] [síər], **séer·fish** *n.*〖魚〗(인도 근해의) 고등어 비슷한 물고기. 〖Port. *serra* saw[2]〗

seer·suck·er [síərsʌ̀kər] *n.* U 얇은 삼베 또는 면포의 일종《인도에서 나며 청색과 백색의 줄무늬가 있음》. 〖Pers.=milk and sugar〗

see·saw [síːsɔ̀ː] *n.* U 시소, 널뛰기 ; C 시소판 ; U,C 《비유》 상하[전후]운동, 동요, 변동 ; 쫓고 쫓기는 접전, 시소 게임 ; =CROSSRUFF : play at ~ 시소 놀이를 하다. —— *a.* 시소 같은, 상하로 움직이는 ; (톱질하는 것처럼) 앞뒤로 움직이는 ;《비유》 동요[변동]하는, 일진일퇴의 : a ~ game [match] 쫓고 쫓기는 접전 / ~ motion 번갈아하는 상하[전후]의 동요. —— *adv.* 앞뒤로 움직여, 오르내리고, 동요하여 : go ~ 동요하다, 오르내리다, 교체하다. —— *vi.* 시소를 타다 ; 앞뒤[상하]로 번갈아 움직이다 ; 변동하다 ; (정책 따위가) 동요하다. —— *vt.* 상하[앞뒤]로 움직이다 ; 동요시키다. 〖가중(加重) <SAW[2]〗

seethe [síːð] *v.* (~**d**,《古》**sod** [sɑ́d] ; ~**d**,《廢》**sod·den** [sɑ́dn]) *vi.* [動 / +*with*+名] 끓다, 비등하다(boil) ; (물결 따위가) 용솟음치다, 소용돌이치다 ;《비유》 (특히) 들끓다, 소연(騷然)해지다 : The crowd were *seething* ***with*** excitement. 군중은 흥분으로 들끓고 있었다 / The plaza was *seething with* demonstrators. 광장은 시위 군중으로 들끓고 있었다. —— *vt.* 액체에 적시다, 담그다 ;《古》삶다. —— *n.* 비등, 분출 ; 소동.
〖OE *sēothan* ; cf. G *sieden*〗
類義語 ⟹ BOIL.

séeth·ing *a.* 끓어 오르는, 비등하는 ; 들끓는 ; 끊임없이 변동하는, 동요[동란]의 ; 심한, 혹독한.

sée-thròugh *a.* (물건 따위가) 비쳐 보이는 ; (옷감·직물 따위가) 비치는.
—— *n.* 투명 ; 비치는 옷[드레스].

sée-thròugh lóok *n.* 시스루 룩《프랑스의 상 롤랑이 1968년 발표한 비쳐 보이는 양복 패션》.

seg [ség], **seg·gie** [ségi] *n.*《美俗》(인종) 차별주의자[찬성자](segregationist).

se·gar [sigɑ́ːr] *n.* =CIGAR.

***seg·ment** [ségmənt] *n.* **1** 구분, 부분, 단면 ; 분절(分節). **2**〖數〗(직선의) 선분, (원의) 호(弧). **3** (기계 따위의) 부채꼴[활꼴] 부분 ;〖言〗(단)음, 분절 ;〖生〗체절(體節) ;〖植〗(귤의) 주머니 ;〖컴퓨〗간살.
——[ségment, segmént ; -́] *vi.*, *vt.* 분열하다[시키다] ; 분절로 나눠지다[나누다].
seg·men·tary [ségməntèri ; -təri] *a.* = SEGMENTAL.
〖L (*seco* to cut) ; cf. SECTION〗
類義語 ⟹ PART.

seg·men·tal [segméntl] *a.* 구분의, 부분의, 분절의 ; 호의, 활꼴의 ;〖言〗(단)음의, 분절의 ;〖生〗체절의. ~**·ìze** *vt.* 분할[구획]하다 ; 분열시키다 ; 분절[체절]로 나누다.
seg·mèn·tal·i·zá·tion *n.*

segméntal phóneme *n.*〖言〗분절 음소《악센트·인토네이션 따위의 초(超)분절 음소에 대하여 모음·자음 따위의 음소》.

seg·men·ta·tion [sègməntéiʃən] *n.* U 분할, 구분 ;〖生〗난할, 분할 ;〖生〗분절 (운동[구조]) ;〖컴퓨〗간살짓기.

ségment gèar *n.*〖機〗세그먼트[부채꼴] 기어[톱니바퀴].

se·gno [séinjou, sén-] *n.* (*pl.* ~**s**, **-gni** [-njiː])〖樂〗기호(sign), (특히) 세뇨《되풀이의 처음과 끝의 표시 ; 기호 𝄋》.
〖It. =SIGN〗

sé·go (**líly**) [síːgou(-)] *n.* (*pl.* **ségo lílies**, **-gos**)〖植〗백합의 일종《꽃이 아름답고 알뿌리는 식용》. 〖Paiute〗

seg·re·gate [ségrigèit] *vt.* **1** [+目 / +目+*from*+名] (사람·단체를) 분리하다(separate),

격리하다(isolate) : ~ the sexes[colors] 남녀[인종]를 분리하다 / ~ patients with epidemic diseases 전염병 환자를 격리하다 / ~ sick children ***from*** the rest of the group 병든 아이들을 집단 속의 다른 아이들로부터 격리하다. **2** (어떤 인종·사회층)에 대하여 차별 대우를 하다 ; (지역·국가)에 차별 정책을 실시하다(cf. DESEGREGATE, INTEGRATE) : ~ Negroes 흑인을 차별 대우하다. —— *vi.* 분리되다, 격리되다 ; 인종 차별을 하다 ; 〖遺〗 (표현형·대등 형질·대립 유전자가) 분리하다 ; 〖冶〗 편석(偏析)하다.
—— [-gət, -gèit] *a.* 분리한, 격리된, 고립된.
—— [-gət, -gèit] *n.* 분리[차별]된 사람[것, 집단].
ség·re·ga·ble *a.* **ség·re·gà·tor** *n.* 분리[격리]하는 사람 ; 분리기(器).
〖L (*se-*, *greg- grex* flock)〗

ség·re·gàt·ed *a.* 분리한, 격리된 ; 인종 차별을 하는 ; (차별에 의한) 특정 인종 전용의, 인종별의.

seg·re·ga·tion [sègrigéiʃən] *n.* **1** Ⓤ 분리, 격리. **2** 분리된 것 ; 〖結晶〗 분정(작용). **3** Ⓤ 인종 차별(대우) (cf. DESEGREGATION, INTEGRATION) ; 인종 차별을 규정한 법률. **4** 〖冶〗 (용융 금속의 응고할 때의) 편석(偏析) ; 〖地質〗 (퇴적 후의) 분결(分結) ; 〖遺〗 분리. **~·al** *a.* **~·ist** *n.* 격리론자 ; 인종 차별주의자.

seg·re·ga·tive [ségrigèitiv] *a.* 격리적인, 분리되기 쉬운 ; 비사교적인 ; 인종 차별적인.

se·gue [séigwei, ség-] *n.* 〖樂〗 끊지 말고 다음 악장으로 옮겨 가라는 지시 ; 앞 악장과 같은 스타일로 연주하라는 지시. —— *vi.* 끊지 않고 연주하다 ; 사이를 두지 않고 이행(移行)하다.
〖It.=follows ; cf. SUE〗

sei·del [sáidl, zái-] *n.* (맥주용의) 조끼.
〖G<L *situla* bucket〗

Séid·litz pòwders [sédləts-] *n. pl.* 세들리츠산(散) 《체코의 Seidlitz 마을의 광천과 비슷한 비등성 완하제(沸騰性緩下劑)》.

sei·gneur [seinjə́ːr, se-, síːnjər], **sei·gn(i)or** [seinjɔ́ːr, ⌐-, se-, síːnjər] *n.* [흔히 S~] (중세 프랑스의) 봉건 군주, 영주 ; 《존칭》 …님, …선생 《Sir 또는 Mr.에 해당하는 경어》 ; (캐나다의) 지주 : grand ~ [gráːn-] 귀족.
sei·gn(i)o·ri·al [seinjɔ́ːriəl, si-] *a.* 영주의.
〖OF<L SENIOR〗

sei·gnior·age, -gnor-, -gneur- [séinjəridʒ, síː-] *n.* Ⓤ 군주의 특권 ; 화폐 주조세 ; 화폐 주조 이차(利差)금[액] ; Ⓒ 광산 채굴료, 특허권 사용료, 인세(印稅).

sei·gn(i)ory [séinjəri, síː-] *n.* **1** Ⓤ 영주[군주]의 권력 ; 주권. **2** 〖史〗 (영주의) 영지. **3** (중세 이탈리아 도시 국가의) 시회(市會) ; 귀족.

Seil [záil] *n.* 등산용 밧줄, 자일. 〖G〗

seine [séin] *n.* 후릿그물.
—— *vt., vi.* (…에) 후릿그물을 치다, 후릿그물로 (고기를) 잡다. 〖OE and OF <L *sagena*<Gk.〗

seine

Seine [; *F* sɛn] *n.* [the ~] 센 강《프랑스 북부를 흘러 Paris 복판을 지나 영국 해협으로 흘러 들어감》.

sein·er [séinər] *n.* 후릿그물 어부[어선].

seise ☞ SEIZE.

sei·sin, -zin [síːzən] *n.* 〖法〗 (토지·동산의) (특별) 점유(권), 점유 행위 ; 점유물권.
〖OF (*saisir* to seize)〗

seism [sáizəm] *n.* 지진(earthquake).

seism- [sáizm], **seis·mo-** [sáizmou, -mə, sáis-] *comb. form* 「지진」「진동」의 뜻.
〖Gk. (↓)〗

seis·mic, -mi·cal [sáizmik(əl), sáis-] *a.* 지진(地震)[인공 지진]의, 지진이 일어나기 쉬운 ; 지진성의 : a ~ area 진역(震域) / the ~ center [focus] 진원(震源) (cf. EPICENTER).
seis·mic·i·ty [saizmísəti, sais-] *n.* 지진 활동도. 〖Gk. *seismos* shock, earthquake (*seiō* to shake)〗

séismic inténsity *n.* 진도.

séismic próspecting *n.* 인공 지진에 의한 지질 조사, 지진 탐사.

séismic wáve *n.* 지진파.

seis·mism [sáizmizəm, sáis-] *n.* Ⓤ 지진 현상, 지진 활동.

séismo·gràm *n.* 진동 기록, 진동도(震動圖).

séismo·gràph *n.* 지진계, 진동계(震動計).

seis·mo·graph·ic, -i·cal [sàizməgrǽfik(əl), sàis-] *a.* 지진계[지진(계)학]의, 진동계의.

seis·mog·ra·phy [saizmágrəfi, sais-] *n.* Ⓤ 지진 관측(술), 지진계 사용법 ; =SEISMOLOGY.
-pher *n.* 지진학자.

seis·mol·o·gy [saizmálədʒi, sais-] *n.* Ⓤ 지진학(地震學) (cf. EARTHQUAKE). **-gist** *n.* 지진학자.
sèis·mo·lóg·i·cal, -lóg·ic *a.* 지진학의 : a ~ laboratory 지진 연구소.

seis·mom·e·ter [saizmámətər, sais-] *n.* 지진계(計).

séismo·scòpe *n.* 간이(簡易) 지진계.

seize** [síːz] *vt.* **1** [+目 / +目+前+名] (갑자기) 잡다, 움켜 쥐다, 붙잡다 ; (기회 따위를) 포착하다 : In terror the child ~*d* his father's arm. 아이는 무서워서 아버지의 팔을 붙잡았다 / The policeman ~*d* the criminal ***by the neck. 경찰관은 그 범인의 목덜미를 잡았다 / ~ an opportunity 기회를 놓치지 않고 잡다.
2 (뜻을) 파악하다, 알아듣다, 납득하다 : ~ an idea 의도를 파악하다.
3 강탈하다, 빼앗다 : ~ a fortress 요새를 탈취하다 / ~ the throne[scepter] 왕위를 빼앗다.
4 [+目 / +目+*with*+名] [때때로 수동태로] (병이 사람을) 갑자기 엄습하다 ; (생각 따위가 사람)에게 문득 떠오르다 : Heart attack ~*d* him. 갑자기 심장마비로 쓰러졌다 / He was ~*d* ***with*** a fever. 갑자기 열병에 걸렸다.
5 (금제품·문서 따위를) 압류하다, 압수[몰수]하다.
6 [+目 / +目+*to*+名 / +目+副] 〖海〗 동여매다(fasten) : ~ one rope ***to*** another 한 밧줄을 다른 밧줄에 동여매다 / ~ two ropes *together* 두 줄의 밧줄을 함께 동여매다 / ~ a person ***up*** (매질하기 위해서) 사람을 활대《따위》에 잡아 매다.
7 [+目+*of*+名] [**seise** [síːz]로도 쓰며 *p.p.*로] 〖法〗 …의 소유로 하다 : be[stand] *seised* ***of*** …을 점유하고 있다 ; 《비유》 …을 잘 알고 있다.
—— *vi.* **1** [+*on*+名] 잡다, 붙잡다 ; (갑자기·격렬하게) 엄습하다 : ~ (***up***)***on*** an opportunity[a pretext] 기회[구실]를 잡다 / ~ (*up*) *on* a suggestion 제안에 덥석 응하다. **2** [動 / +副] (기계가) 과열[과압]로 멈추다 ; 《英口》 (일이) 벽에 부딪치다 : The engine has ~*d* (***up***). 엔진이 멈추었다.
séiz·able *a.* 잡을 수 있는 ; 압류할 수 있는.

séiz·er *n.* 잡는 사람[것] ; =SEIZOR.
〖OF *saisir* to put in possession of<L<Gmc.〗
類義語 ⟹ TAKE.

séized *a.* …을 소유[점유]한〈*of*〉; (과열·가압(加壓) 따위로 기계가) 멈춘 : a ~ engine 정지한 엔진.

séize-ùp *n.* (기계의) 고장, 정지 ; 《英口》 막다름, 벽에 부딪침.

seizin ☞ SEISIN.

seiz·ing [síːziŋ] *n.* U.C 포착, 체포 ; 점유 ; 압수, 압류 ; 〖海〗 동여매기, 동여매는 밧줄.

sei·zor [síːzər, -zɔːr] *n.* 〖法〗 소유[점유]자 ; 압류인.

sei·zure [síːʒər] *n.* **1** U 붙잡기, 쥐기. **2** U.C 압류, 압수, 몰수. **3** U.C 강탈 ; 점령 ; 점유. **4** 발작, (특히) 졸도(stroke) : a heart ~ 심장 발작.

se·j(e)ant [síːdʒənt] *a.* 〖紋〗 앞발을 세우고 앉은 《사자 따위》.
〖OF *seant*〈*seoir* to sit<L *sedeo* to sit〗

Sejm [séim] *n.* 폴란드 국회. 〖Pol.=assembly〗

sel. select(ed) ; selection(s).

se·la·chi·an [səléikiən] *n.* 〖魚〗 연골어. —— *a.* 연골어류의. 〖Gk. *selachos*〗

se·lah [síːlə, sélə] *n.* 셀라《구약성서 시편에 자주 나오는 뜻이 분명치 않은 히브리어 ; 악곡의 지시로서 휴지·양음의 뜻으로 여겨짐》. 〖Heb.〗

se·lam·lik [silάːmlik] *n.* (터키 사람 집의) 남자 전용실. 〖Turk.〗

‡**sel·dom** [séldəm] *adv.* (때때로 **~·er** ; **~·est**) 드물게, 좀처럼 …않다(rarely) (↔*often*) : I ~ see him. 그와는 좀처럼 만나지 않는다 / I have ~ seen him. 그와는 만난 적이 별로 없다 / She attends our meeting very ~. 거의 우리들 모임에는 참석하지 않는다 / It is ~ that such things happen at the same time. 그와 같은 일은 좀처럼 동시에 일어나지 않는다 / *S~* seen, soon forgotten. 《속담》 자주 만나지 않으면 잊혀지기 쉽다.
not seldom 종종, 흔히(often) (☞ NOT 2 c)) : It *not* ~ happens that.... 흔히 있는 일이다.
seldom, if ever 설사 …할지라도 아주 드물게 (rarely if ever) : He ~, *if ever*, goes out. 외출하는 일은 아주 드물다.
seldom or never 좀처럼 …하지 않다(rarely or never) : He ~ *or never* reads a book. 좀처럼 책을 읽지 않는다.
—— *a.* 드문.
〖OE *seldan* ; cf. G *selten*〗

se·lect** [səlékt] *vt.* **1** [+目 / +目+前+名 / +目+副 / +目+*to* do] 고르다 ; 선택[선발]하다 ; 발췌하다 : *S~* the book you want. 원하는 책을 고르시오 / She *~ed* a birthday present ***for her husband. 남편의 생일 선물을 골랐다 / He was *~ed for* the Presidency. 대통령으로 선출되었다 / She was *~ed* ***out*** (***of*** a great number of candidates). 그녀는 (많은 후보자 가운데서) 선발되었다 / I was *~ed to* make a speech. 나는 연설을 하도록 선발되었다. **2** 〖通信·컴퓨〗 선택하다. —— *vi.* 선택하다, 고르다 : ~ *by* vote 투표로 뽑다. —— *a.* **1** 고른 ; 발췌한 ; 추려[가려]낸, 정선(精選)한, 극상(極上)의 : a ~ crew 선발된 선원들. **2** (회 따위) 입회 조건이 까다로운 (exclusive) ; 상류 사회의 : a ~ association 입회 조건이 까다로운 협회[학회] / ~ society [circles] 상류 사회.
—— *n.* [흔히 *pl.*] 극상품, 정선품.
〖L (*se-*, *lect- ligo*=*lego* to gather)〗
類義語 ⟹ CHOOSE.

seléct commíttee *n.* 〖英議會〗 (하원의) 특별(조사) 위원회.

seléct·ed *a.* 선택된, (특히) 고급의, 정선된, 질이 좋은.

se·lect·ee [səlektíː] *n.* 《美》 (선발 징병제에 의해 입대시키는) 응소병(cf. SELECTIVE SERVICE).

***se·lec·tion** [səlékʃən] *n.* **1** U 선택, 선발, 정선 ; 〖生〗 선택, 도태(淘汰) : artificial[social] ~ 인위적[사회적] 선택. **2** 발췌, 정선물, 엄선된 것, 정수 ; 선택의 대상[범위] : *S~s* from Lamb 램 선집(選集) / The store has a good ~ of furniture. 그 가구점은 좋은 가구를 갖추고 있다. **3** (경마 따위에서) 이길 것으로 예상되는 말[사람], 우승 후보자 ; 《濠》 (법적인) 자유선택 제도에 의해 얻은 토지. **4** U 〖通信·컴퓨〗 선택.
類義語 ⟹ CHOICE.

se·lec·tive [səléktiv] *a.* **1** 선택적인 ; 정선(精選)한, 발췌한, 선택의, 〖生〗 도태의. **2** 〖通信〗 선택식의《특정 주파수의 신호파를 혼신(混信) 없이 다룸》. **~·ly** *adv.* 선택적으로, 발췌하여.

seléctive atténtion *n.* 〖心〗 선택적 주의《특정한 것에만 주의함》.

seléctive emplóyment tàx *n.* 《英》 선택 고용세《생산에 직접 관여하지 않는 종업원수에 바탕을 둔 제3차 산업 인구를 줄이기 위한 사업세 ; 略 SET ; 1966년에 시작됐다가 1973년 VAT로 대체됨》.

seléctive sérvice *n.* 의무 병역 (제도) ; [S~ S~] =SELECTIVE SERVICE SYSTEM.

Seléctive Sèrvice Sỳstem *n.* 《美》 선발 징병제《1940년 발족, 1947년 폐지, 1948년에 부활됨 ; 略 SSS》.

se·lec·tiv·i·ty [səlektívəti, sìː-] *n.* **1** U 선택력, 정선 ; 도태. **2** U (수신기 따위의) 선택 감도(感度), 선택도[성], 분리도.

seléct·man [-mən, (New England에서는) silèk*t*mǽn, -ˊˋ] *n.* (New England 여러 주의) 도시 행정 위원.

se·léc·tor *n.* **1** 선택자, 정선자 ; 《英》 (경기팀의) 선수 선택자. **2** 선별기(選別機) ; 〖機·通信·컴퓨〗 선택장치 ; 《濠》 소농(小農).

seléctor lèver *n.* (클러치가 없는 차의) 변속 레버, 체인지 레버.

se·len-[1] [səlíːn, sélən], **se·le·no-** [səlíːnou, sélə-, -nə] *comb. form* 「달」「초승달 모양의」의 뜻. 〖Gk. SELENE〗

se·len-[2] [səlíːn, sélən], **se·le·ni-** [səlíːnə, sélə-], **se·le·no-** [səlíːnou, sélə-, -nə] *comb. form* 〖化〗 「셀렌(selenium)」의 뜻.
〖Swed. ; ⇨ SELENIUM〗

sel·e·nate [sélənèit] *n.* U 〖化〗 셀렌산염(酸鹽).
〖Swed.〗

Se·le·ne [səlíːni] *n.* 〖그神〗 셀레네《달의 여신 ; 로마 신화의 Luna에 해당》. 〖Gk. *selēnē* moon〗

se·le·nic [səlíːnik, -lén-] *a.* 〖化〗 셀렌의, (특히) 6가의 셀렌을 함유한.
〖Swed.〗

se·le·ni·ous [səlíːniəs] *a.* 〖化〗 아(亞)셀렌의, (특히) 4가 또는 2가의 셀렌을 함유한.

sel·e·nite [sélənàit, səlíːnait] *n.* **1** U 〖化〗 아셀렌산염 ; 〖鑛〗 투명 석고. **2** [S~] 《英》 달의 주민. 〖L<Gk.〗

se·le·ni·um [səlíːniəm] *n.* U 〖化〗 셀렌, 셀레늄 《비금속 원소 ; 기호 Se ; 번호 34》.
〖NL ; ⇨ SELENE〗

selénium cèll *n.* 〖理〗 셀렌 광전지.

selénium rèctifier *n.* 〖電〗 셀렌 정류기.

seleno- [səlí:nou, sélə-, -nə] ☞ SELEN-[1, 2].
selèno·céntric *a.* 달 중심의, 달을 중심으로 본.
sel·e·nod·e·sy [sèlənádəsi] *n.* Ⓤ 월면(月面)측량학. **-sist** *n.*
seléno·gràph *n.* 월면도(月面圖).
sel·e·nog·ra·phy [sèlənágrəfi] *n.* 월리학(月理學) ; 월면(지리)학.
-pher, -phist *n.* 월리학자.
sel·e·nol·o·gy [sèlənálədʒi, sì:-] *n.* 〖天〗 월학(月學), 월리학, 월질학(月質學). **-gist** *n.*
***self** [sélf] *pron.* 《商·俗·戲》 본인, 나[당신·그] 자신《따위》 : a check drawn[payable] to ~ 서명인 지급의 수표 / a ticket admitting ~ and friend 본인과 친구가 입장할 수 있는 표.
—— *n.* (*pl.* **selves** [sélvz]) **1 a**) Ⓤ 자기, 자신 ; 〖哲〗 자아 ; 그 자신 : for his own ~ 그 자신을 위해서 / my humble ~ 소생(小生)《겸손의 말》 / one's own ~ 자기 자신 / be conscious of ~ 자기를 의식하고 있다 / the study of (the) ~ 자아의 탐구. **b**) 성격의 일면 : one's better ~ 좋은 성질, 양심 / one's weaker ~ 약한 일면 / one's various *selves* 성격의 다양한 면. **2** Ⓤ 사리, 사욕, 사심(私心), 이기심 : He puts ~ first. 그는 자기 본위다 / One ought to put public service before ~. 자신의 이익보다 공공의 봉사를 먼저 생각해야 한다 / We should rise above ~. 자신[사욕]을 초월하지 않으면 안된다. **3** 그 자신, 본질, 진수(眞髓) : Caesar's ~ 《詩》 시저 자신(Caesar himself) / beauty's ~ 《詩》 미(美) 그 자체(beauty itself). **4** (*pl.* **~s**) 자가 수정에 의한 개체(↔*crossbreed*) ; 단색[자연색]의 꽃[동물].
—— *a.* **1** 동일 재료의 ; 무지(無地)의 ; (색 따위) 한결 같은, 단색의(self-colored) ; (활·화살이) 한 나무로 된 ; (술 따위) 섞이지 않은, 순수한 : ~ black 검정 일색. **2** 《廢》 자신의 ; 《廢》 동일의. —— *vt.* =INBREED ; 자가 수분(自家受粉)시키다. —— *vi.* 자가 수분하다.
〚OE ; cf. G *Selbst*〛
self- [sélf, ∸] *comb. form* [재귀적 의미의 복합어를 만듦] 「자기…」 「자신을」 「스스로」 「자신만으로」 「자신에 대하여」 ; 「자동적인」 ; 「자연의」 ; 「한결같은」 「단색[무지(無地)]의」 「순수한」의 뜻.
㊟ (1) 이 복합어는 대부분 하이픈으로 잇는다. (2) 제 2 요소의 말은 본래의 악센트를 유지한다. 〚↑〛
sèlf-abándoned *a.* 자포자기의 ; 방종한.
sèlf-abándon·ment *n.* Ⓤ 자포자기 ; 방종.
sèlf-abáse·ment *n.* Ⓤ 겸손(modesty) ; 비하(卑下), 자기를 낮춤.
sèlf-abhórrence *n.* Ⓤ 자기 혐오[증오].
sèlf-abnegátion *n.* Ⓤ 자기 희생, 헌신 ; 자제 ; 자기 부정.
sèlf-absórbed *a.* 자기 일[생각, 이익]에 열중한, 자기 도취의.
sèlf-absórption *n.* Ⓤ 자기 전념[도취], 열중 ; 〖理〗 자기 흡수.
sèlf-abúse *n.* 자기 비난 ; 신체의 혹사, 자기 재능의 남용 ; 자위 ; 자학 ; 《古》 자기 기만.
sèlf-accusátion *n.* Ⓤ 자책, 자책감.
sélf-áct·ing *a.* 자동(식)의.
sélf-áction *n.* 자주적 행동[활동], 독자적 행동 ; 자동.
sélf-áctivating *a.* (폭발 장치 따위가) 자동 시동식인 : a ~ explosive device 자동 폭발 장치.
sèlf-actívity *n.* =SELF-ACTION.
sélf-áctor *n.* 자동 기계, (특히) 자동 뮬 방적기.
sélf-áctual·ìze *vi.* 〖心〗 자기 실현을 하다, 자기의 잠재 능력을[욕구, 자질 따위를] 최고로 현실화하다. **sèlf-àctual·izátion** *n.* 자기 실현.
sèlf-addréssed *a.* 자기 (이름) 앞으로 쓴, 반신용의 : a ~ stamped envelope 자기 앞 반신용(返信用) 봉투《略 SASE, s.a.s.e.》.
sèlf-adhéring *a.* 자기 접착성의, 살짝 누르면 접착하는.
sèlf-adhésive *a., n.* 자기(自己) (경화) 접착성의 (접착제).
sèlf-adjúst·ing *a.* 자동 조정(식)의.
sèlf-adjúst·ment *n.* 자동 조정 ; 순응.
sèlf-advánce·ment *n.* 스스로 앞으로 나가기 ; 자력[자기] 승진 ; 사리(私利) 추구.
sèlf-afféct·ed *a.* 자만하는.
sèlf-affirmátion *n.* Ⓤ 〖心〗 자아 확인.
sèlf-aggrándize·ment *n.* 자아(自我)의 확대, (적극적인) 자기의 권력[재산]의 확대[강화].
sèlf-análysis *n.* 자기 분석.
sèlf-annihilátion *n.* 자살 ; 자기 희생, 헌신.
sélf-ántigen *n.* 〖免疫〗 자기 항원(抗原).
sèlf-appláud·ing *a.* 자기 예찬의, 자화 자찬의.
sèlf-appláuse *n.* 자기를 시인하는 표명[감정], 자화자찬.
sèlf-appóint·ed *a.* 혼자 정한, 자천(自薦)의, 자칭(自稱)의.
sèlf-approbátion, sèlf-appreciátion, -appróval *n.* 자화 자찬, 독선, 자기 만족.
sèlf-assért·ing *a.* 자기 (권리)를 주장하는 ; 자신에 찬 ; 주제넘게 나서는, 오만한. **~·ly** *adv.*
sèlf-assértion *n.* Ⓤ 자기 주장 ; 주제넘게 나섬, 과시.
sèlf-assértive *a.* 자기를 주장하는, 주제넘은. **~·ly** *adv.* **~·ness** *n.*
sèlf-assúmed *a.* 전단(專斷)의, 독단의.
sèlf-assúmption *n.* =SELF-CONCEIT.
sèlf-assúrance *n.* Ⓤ 자신(自信) ; 자부심.
sèlf-assúred *a.* 자신 있는 ; 자기 만족의.
~·ly *adv.* **~·ness** *n.*
sèlf-awáre *a.* 자기를 인식하고 있는, 자기를 아는 ; 자의식 과잉의.
sèlf-awáre·ness *n.* Ⓤ 자기 인식 ; 자아(自我)에 눈뜸.
sèlf-begótten *a.* 스스로 생겨난, 자생의.
sélf-bínd·er *n.* 자동으로 묶는 기계 ; (책의) 자동 장정기(裝幀機).
sélf-búrn·ing *n.* Ⓤ 분신 자살.
sélf-céntered *a.* 자기 중심[본위]의, 이기적인 ; 자주적인, 자기 충족적인 ; 《古》 고정된, 불변의.
~·ly *adv.* **~·ness** *n.*
類義語 ⟹ WILLFUL.
sélf-clósing *a.* 〖機〗 자동 폐쇄(식)의.
sèlf-colléct·ed *a.* 침착한, 냉정한.
sélf-cólored *a.* (꽃·동물이) 단색의 ; (직물 따위가) 자연색의.
sèlf-commánd *n.* Ⓤ 자제, 극기(克己) ; 침착.
sèlf-commúnion *n.* 자기 반성[성찰(省察)], 자성(自省), 내성(內省).
sèlf-complácent *a.* 자기 만족[도취]의, 독선적인. **~·ly** *adv.* **sèlf-complácency, -cence** *n.* 자기 만족, 자기 도취.
sèlf-compósed *a.* 냉정한, 침착한.
sèlf-com·pós·ed·ly [-ədli] *adv.*
sèlf-concéit *n.* Ⓤ 자부심, 허영심.
~·ed *a.* 자부심이 강한.
sélf-cóncept, -concéption *n.* =SELF-IMAGE.
sélf-concérn *n.* 자기 (이익)에 대하여 이기적[병적]으로 마음을 쓰기. **~ed** *a.*
sèlf-condemnátion *n.* 자기 비난, 자책.

sèlf-condémned *a.* 자책(自責)의, 양심의 가책을 받는.
sèlf-conféssed *a.* 자인하는, 공연(公然)한.
sélf-cónfidence *n.* 자신(自信) ; 자신 과잉, 자기 과신. **sélf-cónfident** *a.* 자신 있는 ; 자기를 과신하는.
sèlf-congratulátion *n.* 자축(自祝), 자기만족.
***sélf-cónscious** *a.* 자의식이 강한 ; 남 앞에 나서기를 꺼리는, 수줍어하는 ;〖哲·心〗자의식의. **~·ly** *adv.* **~·ness** *n.* 자의식, 자각 ; 수줍음.
sèlf-consecrátion *n.* 헌신 ; 자기 정화.
sélf-cónsequence *n.* Ⓤ 젠체함, 뽐냄, 거만.
sèlf-consíst·ency *n.* Ⓤ 자기 모순이 없는 성질[상태], 시종 일관(성), 논리 정연.
sèlf-consíst·ent *a.* 조리가 서는[닿는], 자기 모순이 없는.
sélf-cónstituted *a.* 스스로 정한, 자기 설정의, 자임(自任)의.
sèlf-consúming *a.* 스스로 소모되는, 자멸하는.
sèlf-contáined *a.* **1** 말수가 적은, 마음을 터놓지 않는 ; (사람이) 자제하는, 침착한. **2** 자체로서 완비된《기계·설비 따위》;《英》(아파트 따위가) 독립식의《부엌·욕실·출입구가 따로 갖춰짐》. **3** 자기 충족의, 독립한.
sèlf-contémpt *n.* Ⓤ 자기 경멸, 비하(卑下).
sèlf-contént *n.* Ⓤ 자기 만족.
sèlf-contént·ed *a.* 자기 만족의, 독선적인. **~·ly** *adv.*
sèlf-contént·ment *n.* =SELF-SATISFACTION.
sèlf-contradíction *n.* Ⓤ 자가 당착, 자기 모순 ; 자기 모순된 진술[명제].
sèlf-contradíctory *a.* 자기 모순의, 자가 당착의 : a ~ statement 자기 모순된 진술.
***sèlf-contról** *n.* Ⓤ 자제(심), 극기. **-tróllled** *a.*
sèlf-corréct·ing *a.* 스스로 바르게 하는 ; (기계 따위가) 자동 수정(식)의.
sélf-críticism *n.* Ⓤ 자기 비판.
sélf-cúlture *n.* Ⓤ 자기 수양[단련].
sélf-déal·ing *n.* Ⓤ 사적 금융 거래, 자기 거래, (특히) 회사[재단] 돈의 사적 이용.
sèlf-deceít *n.* =SELF-DECEPTION.
sèlf-decéived *a.* 자기 기만에 빠진 ; 착각한.
sèlf-decéiving *a.* 자기 기만의.
sèlf-decéption *n.* Ⓤ 자기 기만.
sèlf-decéptive *a.* =SELF-DECEIVING.
sèlf-deféat·ing *a.* 자기의 목적을 파괴하는, 자멸적인.
sèlf-defénse | sèlf-defénce *n.* Ⓤ 자위, 자기 방어, 호신 ;〖法〗정당 방위의 권리[주장].
in self-defense 자위 수단으로서, 자기 방어를 위해.
the* (*noble*) *art of self-defense 자기 방어술, 호신술《권투·태권도 따위》.
sèlf-defénsive *a.* 자위(自衛)의.
sèlf-delúded *a.* =SELF-DECEIVED.
sèlf-delúsion *n.* =SELF-DECEPTION.
sèlf-deníal *n.* Ⓤ 극기, 금욕(禁慾), 무사(無私), 몰아 ; 자기 부정.
sèlf-dený·ing *a.* 극기의, 무사(無私)의, 금욕적인 ; 자기 부정의. **~·ly** *adv.*
sèlf-depéndence, -depéndency *n.* Ⓤ 자기 신뢰[의존], 자립.
sélf-déprecating, -déprecatory *a.* 스스로를 경시하는, 비하하는.
sèlf-depreciátion *n.* 자기 경시, 비하.
sèlf-destrúct *vi.*《美》자멸[자살]하다 ; 소산(消散)[증발]하다. ── *a.* 자연 붕괴[소산]시키는. 〖역성(逆成)＜↓〗
sèlf-destrúction *n.* Ⓤ 자멸, 자괴, (특히) 자살 ; 자폭(自爆).
sèlf-destrúctive *a.* 자멸적인, 자멸형의, 자살적인. **~·ly** *adv.* **~·ness** *n.*
sèlf-determinátion *n.* Ⓤ 자발적 결정 (능력), 자결(自決)(권) ; 민족 자결(권).
sèlf-detérmined *a.* 스스로 결정한.
sèlf-detérmining *a.* 자기 결정의, 자결의.
sèlf-devélop·ment *n.* Ⓤ 자기 발전[개발], 자기 능력 개발.
sèlf-devótion *n.* Ⓤ 헌신, 자기 희생.
sèlf-diréct·ed *a.* 스스로 방향을 결정하는, 자발적인.
sélf-díscipline *n.* Ⓤ 자기 훈련[수양] ; 자제.
sèlf-discóvery *n.* Ⓤ 자기 발견.
sèlf-displáy *n.* Ⓤ 자기 과시, 자기 선전.
sèlf-dis·trúst *n.* Ⓤ 자기 불신, 자신을 잃음, 기가 죽음. **~·ful** *a.*
sélf-dóubt *n.* Ⓤ 신념[자신] 상실.
sélf-dríve *a.*《英》렌터카의.
sélf-éducated *a.* 독학의 ; 고학의.
sèlf-educátion *n.* 독학 ; 고학.
sèlf-effáce·ment *n.* Ⓤ (물러앉아서) 표면에 나서지 않음, 삼가는 태도.
sèlf-effácing *a.* 주제넘지 않는, 나서기를 꺼리는, 자기를 내세우지 않는.
sèlf-eléct(·ed) *a.* 자선(自選)의, 자임(自任)의.
sèlf-emplóyed *a.* 자가 영업[근무]의, 자영(自營)(업)의, 자유업의.
sèlf-estéem *n.* Ⓤ 자존(심), 자부심, 자만(심).
sélf-évidence *n.* 그것 자체가 보이는 증거 ; 자명(한 일[상태]).
sélf-évident *a.* 자명한.
sèlf-examinátion *n.* Ⓤ 자성, 반성, 자기 분석.
sèlf-excíted *a.*〖電〗발전기 자체에 의한, 자려(自勵)(식)의.
sélf-éxecuting *a.*〖法〗(법률·조약 따위가) 다른 법령과 무관하게 즉시 시행되는, 자동 발효의.
sélf-éxiled *a.* (스스로의 의지[결정]로) 자기 추방한.
sèlf-exístence *n.* 독립 자존, 자존.
sèlf-exístent *a.* 자존(自存)하는, 독립적 존재의.
sèlf-expláin·ing *a.* =SELF-EXPLANATORY.
sèlf-explánatory *a.* 자명한, 설명이 필요 없는.
sèlf-expréssion *n.* Ⓤ (예술·문학 따위에서) 자기[개성] 표현.
sèlf-extínguish·ing *a.* 자기 소화성의《불 속에서는 타고 꺼내면 저절로 꺼지는 성질》.
sélf-fánning *a.* (카드·파일 따위가) 자동 인출식(引出式)인.
sélf-féed *vt.*〖畜〗(동물에게) 사료를 자동으로 공급하다《한번에 많이 주어 원할 때 원하는 만큼 먹게 함 ; cf. HAND-FEED》. **~·ing** *a.*
sélf-féed·er *n.* 자동[자유선택] 급사기(給飼機) ; 연료[재료] 자동공급식 화로[기계].
sélf-fértile *a.*〖生〗자가 수정(自家受精)하는(↔ *self-sterile*). **sélf-fertílity** *n.* 자가 수정성.
sèlf-fertilizátion *n.* Ⓤ〖生〗자가 수정.
sélf-fílling *a.* 자동 주입식의.
sélf-fócus·ing *a.* (텔레비전이) 자동 초점식의.
sèlf-forgét·ful *a.* 자기를 잊은, 헌신적인, 무사무욕의. **~·ly** *adv.* **~·ness** *n.*
sélf-forgétting *a.* =SELF-FORGETFUL.
sélf-fulfíll·ing *a.* 자기 달성을 하고 있는 ; 자기 달성적인 ; 예언[예정]대로 성취되는《예언》.

sèlf-fulfíll·ment *n.* 자기 달성.
sélf-génerating *a.* 자기 생식의, 자연 발생의.
sélf-góverned *a.* 자치의 ; 자제의, 극기의.
sélf-góvern·ing *a.* 자치의 : the ~ colony 자치 식민지 / a ~ dominion 자치령.
sélf-góvern·ment *n.* Ⓤ 자치 ; 자주 관리 ; 자제, 극기.
sélf-hárd·en·ing *a.* 〖冶〗 자경성(自硬性)의 : ~ steel 자경강(鋼).
sélf-háte, sélf-hátred *n.* 자기[동포] 혐오.
sélf-hèal *n.* 병에 효험이 있는 식물, 약초, (특히) 꿀풀.
sélf-hélp *n.* Ⓤ 자립, 자조(自助) : *S*~ is the best help. 《속담》 자조는 최상의 도움이다.
sélf-hood, sélf·hood *n.* 자아 ; 개성, 성격, 인격 ; 자기 본위, 이기심.
sèlf-humiliátion *n.* Ⓤ 겸손, 비하, 자기를 낮춤.
sèlf-hypnósis, sélf-hýpnotism *n.* Ⓤ 자기 최면.
sèlf-idéntity *n.* Ⓤ (사물 그 자체와의) 동일성 ; 주체와 객체의 일치, 자기 동일성.
sélf-ímage *n.* 자기(의 역할[자질, 가치 따위])에 대한 이미지, 자아상(自我像).
sèlf-immolátion *n.* Ⓤ (적극적인) 자기 희생.
sèlf-impórtant *a.* 젠체하는, 자부심이 강한.
sèlf-impórtance *n.* 자존, 젠체함, 자부심.
sèlf-impósed *a.* 스스로 과(課)한, 자기가 좋아서 하는.
sèlf-impróve·ment *n.* Ⓤ 자기 개선[수양].
-impróv·ing *a.*
sèlf-in·criminátion *n.* (특히 증거를 주어) 자기를 유죄로 이끌기. **sèlf-in·críminating** *a.* 스스로를 죄인으로 만드는, 자기 혐의를 자초하는.
sèlf-indúced *a.* 자기 도입의 ; 〖電〗 자기 유도의.
sèlf-indúction *n.* Ⓤ 〖電〗 자기 유도.
sèlf-indúlgence *n.* Ⓤ 방종, 제멋대로 굶.
sèlf-indúlgent *a.* 방종한, 제멋대로 구는.
~·ly *adv.*
sèlf-inflíct·ed *a.* 스스로 과한, 자초(自招)한.
sélf-ínterest *n.* Ⓤ 자기의 이익[권익] ; 사리(추구), 사욕.
sélf-ínterest·ed *a.* 자기 본위의, 이기적인.
sèlf-invíted *a.* 초대받지 않고 찾아간, 불청객의.
***sélf·ish** *a.* **1** 이기적인, 이기주의의, 자기 본위의 : It is ~ of you to say so. 그런 말을 한다는 것은 너의 이기주의다. **2** 〖倫〗 자애적인 : the ~ theory of morals 자애설(自愛說), 이기설.
~·ly *adv.* 자기 본위로, 이기적으로. **~·ness** *n.*
selfish DNA [ㅅ dìːèneí] *n.* 〖遺〗 이기적 DNA 《다른 부위로 전이함으로써 자기 복제(copy)를 증가시킴》.
sélfish géne *n.* 〖遺〗 이기적 유전자《염색체 안에서 자기 복제(copy)를 증가시킴》.
sélf-justificátion *n.* Ⓤ 자기 정당화[변호] ; 〖印〗 (행끝을 가지런히 맞추기 위한 활자 간격의) 자동 조정.
sélf-jústify·ing *a.* 자기 정당화의 ; 〖印〗 (식자기(植字機)가 행끝을 가지런히 맞추기 위해 자간을) 자기 조정하는, 자동 조정의.
sélf-knówledge *n.* Ⓤ 자각, 자기 인식.
sélf·less *a.* 사심[이기심]이 없는, 무욕[무사]의 (unselfish) ; 헌신적인. **~·ly** *adv.* **~·ness** *n.*
sélf-líquidating *a.* 〖商〗 (상품 따위가) 구입처에 지급하기 전에 현금이 되는, 곧 팔리는 ; (사업 따위가 차입금의 교묘한 운용으로) 차입금을 변제할 수 있는, 자기 회수[변제]적인.
sélf-lóad·ing *a.* (총 따위가) 자동 장전의, 반자동식의.
sélf-lóck·ing *a.* 자동으로 열쇠가 잠기는.
sélf-lóve *n.* Ⓤ 자애 ; 이기심, 이기주의 ; 자만심, 허영 ; 나르시시즘.
sélf-máde *a.* 자력으로 만든 ; 자력으로 출세한, 독립독행의 : a ~ man 자수 성가한 사람.
sélf-máil·er *n.* 봉투에 넣지 않고 우송할 수 있는 우편물[인쇄물].
sélf-máil·ing *a.* 봉투에 넣지 않고 우송할 수 있는《인쇄물》.
sélf-mástery *n.* Ⓤ 극기, 자제(自制).
sélf-móck·ing *a.* 자조적(自嘲的)인.
sèlf-mortificátion *n.* 자진해서 고행함.
sélf-mótion *n.* 자동, 자연 운동, 자발 운동.
sélf-móving *a.* 자동의.
sélf-múrder *n.* Ⓤ 자해, 자살.
~·er *n.* 자살자.
sélf-nóise *n.* 〖海〗 자생(自生) 잡음《배 자체의 잡음》 ; 〖通信〗 자기(自己) 잡음《송수신기 자체가 원인인 잡음》.
sèlf-opínion *n.* 자부심, 과대한 자기 평가.
sèlf-opínionated *a.* 자부심이 강한, 고집이 센, 완고한. **~·ness** *n.*
sèlf-opínioned *a.* =SELF-OPINIONATED.
sèlf-ordáined *a.* 스스로 제정한, 자기 면허의.
sélf-páy *n.* 자기 부담.
sèlf-perpétuating *a.* (지위·직무에) 언제까지나 머무는[머물 수 있는] ; 무제한으로 계속할 수 있는. **sèlf-perpetuátion** *n.*
sélf-píty *n.* Ⓤ 자기 연민.
sélf-póllinate *vi., vt.* 〖植〗 자가[자화] 수분하다[시키다].
sèlf-pollinátion *n.* Ⓤ 〖植〗 자가[자화] 수분.
sélf-pórtrait *n.* 자화상 ; 자각상(自刻像).
sèlf-posséssed *a.* 침착한, 냉정한.
sèlf-posséssion *n.* Ⓤ 침착, 냉정.
sélf-práise *n.* Ⓤ 자찬, 자화 자찬.
sèlf-preservátion *n.* Ⓤ 자기 보존(본능), 본능적 자위.
sèlf-pronóuncing *a.* (별개로 음성 표기를 하지 않고) 철자에다 악센트 부호나 발음 구별 부호를 직접 붙여서 발음을 표시하는.
sèlf-propélled *a.* 자동 추진의 ; 자주식(自走式)의 : a ~ gun 자주포(砲).
sèlf-propélling *a.* =SELF-PROPELLED.
sèlf-protéction *n.* 자기 방위, 자위(自衞) (self-defense).
sélf-públished *a.* (책이) 자비(自費) 출판의.
sélf-públish·ing *n.* 자비 출판.
sélf-quéstion *n.* 자기에 대한 질문[의문], 자문(自問).
sélf-quéstion·ing *n.* Ⓤ 자기 행동[동기, 신조 따위]에 대한 고찰[성찰], 자문, 반성.
sélf-ráising *a.* 《英》 =SELF-RISING.
sèlf-realizátion *n.* Ⓤ 자기 실현[완성].
sèlf-recognítion *n.* 자기[자아] 인식 ; 〖生化〗 자기 인식《개체의 면역계통이 자기의 화학물질·세포·조직과 외계로부터의 침입물과를 식별하게 되는 과정》.
sèlf-recórd·ing *a.* 자동 기록(식)의.
sèlf-regárd *n.* Ⓤ 자애, 이기 ; 자존(심).
sèlf-regárd·ing *a.* 이기적인, 이기주의의.
sélf-régister·ing *a.* =SELF-RECORDING.
sélf-régulate *vi.* 자기를 규제하다, 자중하다.
sélf-régulating *a.* 자기를 규제하는 ; 자기 조절의 ; 자동 제어의.
sèlf-relíance *n.* Ⓤ 자기 신뢰, 독립 독행, 자립,

자신(自身).
sèlf-relíant *a.* 자기를 믿는, 독립 독행의. **~·ly** *adv.*
sèlf-renunciátion *n.* Ⓤ 자기 포기[희생], 헌신 ; 무사(無私), 무욕.
sélf-réplicating *a.* (세포 따위가) 자기 재생(自己再生)[증식]하는, 자동적으로 재생하는.
sèlf-replicátion *n.* 자기 재생[증식].
sèlf-représsion *n.* Ⓤ 자기 억제[억압].
sèlf-repróach *n.* Ⓤ 자책, 자기 비난 ; 죄의식. **~·ful** *a.*
sèlf-repróach·ing *a.* 자기를 책하는, 자책의.
sèlf-rè·prodúcing *a.* =SELF-REPLICATING.
sèlf-respéct *n.* Ⓤ 자존(심), 자중(自重).
sèlf-respéct·ful *a.* =SELF-RESPECTING.
sèlf-respéct·ing *a.* 자존심이 있는, 자중하는.
sèlf-restráint *n.* Ⓤ 자제(自制), 극기(克己).
sèlf-revéal·ing *a.* (편지 따위가) 필자의 인품·사상·감정 따위를 자연스럽게 반영하고 있는, 자기를 나타내고 있는.
sèlf-revelátion *n.* (인품·사상·감정 따위의) 자연스런 자기 현시[표출].
sélf-réverence *n.* Ⓤ 강한 자존심.
sélf-ríghteous *a.* 독선적인. **~·ly** *adv.* **~·ness** *n.*
sélf-ríght·ing *a.* (요트 따위가) 자동적으로 복원(復元)되는, 전복될 염려가 없는 : a ~ boat 자동 복원 보트.
sélf-rísing *a.* 《美》 (효모를 넣을 필요가 없는) 베이킹 파우더가 든(=《英》 self-raising).
sélf-rúle *n.* 자치(self-government).
sélf-sácrifice *n.* Ⓤ 자기 희생, 헌신.
sélf-sácrificing *a.* 자기를 희생하는, 헌신적인.
sélf·sàme *a.* [same의 강조형] 《文語》 꼭 같은, 동일한. **~·ness** *n.*
[類義語] ⟹ SAME.
sèlf-satisfáction *n.* Ⓤ 자기 만족, 자부.
sèlf-sátisfied *a.* 자기 만족의.
sèlf-sátisfy·ing *a.* 자기 만족을 주는.
sélf-séal·ing *a.* 구멍이 나도 자동적으로 메워지는, 자동 방루(防漏)식의《타이어 따위》.
sélf-séek·er *n.* 이기주의자, 자기 본위인 사람.
sélf-séek·ing *n.* Ⓤ 이기주의, 자기 본위. ── *a.* 이기적인, 사리사욕을 추구하는, 자기 본위의. **~·ness** *n.*
sélf-sérvice *a.* (식당·매점 따위의) 셀프서비스의, 자급식(自給式)의. ── *n.* 셀프서비스 ; 《口》 셀프서비스점.
sélf-sérving *a.* (사람이) 자기 잇속만 차리는, 이기적인.
sélf-sláughter *n.* Ⓤ 자살, 자멸.
sélf-sów [-sóu] *vi.* (씨가 자연히 떨어지거나 바람에 날리거나 하여) 자연히 뿌려지다.
sélf-sówn *a.* 저절로 생긴[난], 자생(自生)의.
sélf-stárt·er *n.* 자동 시동 장치(가 달린 자동차 따위) ; 《美口》 자발적인 사람.
sélf-stéer·ing *a.* 자동 조타의《보트 따위》.
sélf-stérile *a.* 〖生〗 자가 불임(不稔)(성)의(↔ *self-fertile*). **sélf-sterílity** *n.* 자가 불임성.
sélf-stìck *a.* 이면에 접착제가 붙어 있는.
sèlf-stimulátion *n.* (자기 활동·행동의 결과로 생기는) 자기 자극.
sélf-stúdy *n.* (통신 교육 따위에 의한) 독학 ; 자기 관찰.
sélf-stýled *a.* 자칭[자임(自任)]하는 : a ~ leader [champion] 자칭 지도자[챔피언].
sèlf-suffíciency *n.* Ⓤ 자급자족 ; 자부, 자만.
sèlf-suffícient, sèlf-suffícing *a.* 자급(자족)할 수 있는, 경제적으로 독립한, 그것 자체로 완전한 ; 자부심이 강한, 오만한. **~·ly** *adv.*
sèlf-suggéstion *n.* Ⓤ 자기 암시.
sèlf-suppórt *n.* Ⓤ 자영, 자활 ; 자급.
sèlf-suppórt·ed *a.* 자립한, 자활[자영]의.
sèlf-suppórt·ing *a.* 자립의, 자활의[하고 있는], 자영의 ; 스스로의 중량을 떠받치는 : a ~ wall 자내벽(自耐壁).
sèlf-surrénder *n.* Ⓤ 자기 포기, 인종(忍從) ; 망아(忘我), 몰두.
sèlf-sustáined *a.* 자립한, 남의 원조를 필요로 하지 않는.
sèlf-sustáin·ing *a.* 자립의, 자활의, 자급의 ; (시동 후에) 자동적으로 계속하는.
sélf-táught *a.* 독학의, 독습[자습]의.
sélf-tímer *n.* 〖寫〗 자동 셔터, 셀프 타이머.
sélf-tórment *n.* 스스로를 괴롭히기, 고행. **sèlf-tormént·ing** *a.*
sélf-tórture *n.* Ⓤ 난행(難行), 고행 ; 자학.
sélf-trúst *n.* =SELF-CONFIDENCE.
sèlf-understánd·ing *n.* 자각, 자기 인식.
sélf-wíll *n.* Ⓤ 억지, 제멋대로임, 방자함, 완고. 〖OE〗
sélf-wílled *a.* 제멋대로인, 방자한.
sélf-wínd·ing [-wáind-] *a.* (시계가) 태엽이 자동으로 감기는.
Sé·li·na [siláinə] *n.* 여자 이름.
Sel·juk [seldʒúːk, ⸗-] *n.* (11-13세기에 아시아 중·서부를 통치한) 셀주크 왕조(의 사람). ── *a.* 셀주크 왕조 (사람)의.
◇**sell** [sél] *v.* (**sold** [sóuld]) *vt.* **1** [+目/+目+前+名/+目+目] 팔다(↔*buy*), 매도[매각]하다 : ~ books 책을 팔다 / ~ a person a pup ☞ PUP 숙어 / He *sold* his house ***for*** $50,000. 집을 50,000달러에 팔았다 / He *sold* the watch ***at*** a good price[£10]. 그 시계를 괜찮은 값[10파운드]에 팔았다 / ~ things ***by*** auction 물건을 경매로 팔다 / Negroes used to be *sold* ***into*** slavery. 옛날에 흑인들은 노예로 팔렸었다 / He *sold* his property ***to*** a Frenchman. 그는 사유재산을 프랑스인에게 팔았다 / *S*~ me this horse. 이 말을 나에게 파시오. [주] 수동태에서는 : His property *was sold to* a Frenchman. / 《美》 I *have been sold* this car.
2 장사하다, 판매하다 : Do you ~ sugar? 설탕 있습니까[설탕을 팝니까] / This store ~*s* sweets. 이 가게는 과자를 판다.
3 (…의) 매상을 돕다 : Comics ~ newspapers. 만화 때문에 신문이 잘 팔린다 / His name on the cover ~*s* the book. 표지에 그의 이름이 있어서 그 책이 잘 팔린다.
4 [+目/+目+前+名] 《비유》 (나라·친구 등을) 팔다, 배반하다 ; (명예·정조를) 팔다, 희생하다 : ~ one's honor[chastity] 명예[정조]를 팔다 / ~ a game[match] 뇌물을 받고 시합에 져주다 / ~ the pass ☞ PASS *n.* 숙어 / The traitor *sold* his country ***for*** money. 그 반역자는 돈 때문에 조국을 팔았다.
5 [+目/+目+*to*+名] 《口》 팔려고 내놓다 ; 《口》 (사람에게 생각 따위를) 선전하다, 추천하다 : ~ an idea ***to*** the public 사상을 세상에 선전하다.
6 [+目+*on*+名] **a**) 《口》 (남에게 사물의 가치를) 설득하다, 설복하다(persuade), 납득시키다(convince) : ~ one's children ***on*** reading 아이들에게 독서의 재미를 알게 하다. **b**) 좋다고 믿다,

열중하다 : He is *sold* ***on*** the belief of democracy. 민주주의가 좋다고 믿고 있다.
7 [보통 수동태로]《口》속이다, 감쪽같이 속여 넘기다.
—— *vi.* **1** 팔다, 장사하다 : Merchants buy and ~. 상인은 매매를 한다. **2** [動/+副/+前+名] (얼마에) 팔리다, 잘 팔리다 ; 매상이 …이다 : The pictures he paints won't ~. 그가 그리는 그림은 팔리지 않는다 / This dictionary ~*s well.* 이 사전은 잘 팔린다 / The goods ~ ***at*** ten cents a piece. 그 상품은 개당 10센트에 팔린다 / This painting will ~ ***for*** 10,000 dollars. 이 그림은 1만 달러에 팔릴 것이다. **3**《口》(생각 따위가) 받아들여지다, 찬동을 얻다 : Do you think the idea will ~? 그러한 사고방식이 일반인에게 받아들여질 것이라고 생각하니.
be sold on …에 열중하다 ;《口》(무조건으로) …의 가치를 인정하다, 받아들이다.
be sold out of …이 매진[품절]되다 : We *are sold out of* new models. 신형(新型)은 품절됐습니다.
made to sell (품질 따위에는 관계없이) 단지 팔 물건으로서 만들어진, 팔려고만 하는.
sell off (*vt.*) (상품 따위를) 싸게 팔아치우다, 매각하다 ; (*vi.*) 값이 내리다.
sell one***self*** (1)《口》자기 선전을 하다, 자기 추천을 하다. (2) 돈 때문에 몸을 팔다, 정조를 팔다, 파렴치한 행동을 하다.
sell one***'s life dear***[***dearly***] 개죽음을 당하지 않다, 적에게 큰 손해를 입히고 죽다.
sell out (*vt.*) (1) 다 팔아버리다, 매각하다 : The first edition is *sold out.* 초판은 품절이다. (2) [흔히 수동태로] (물건을) 모두 팔아버리다 ; [흔히 수동태로] …에게 (물품·표 따위를) 매진케 하다. (3) (채무자)의 소유물을 팔아치우다. (4)《口》(사람·주의를) 팔다, 배반하다. (*vi.*) (5) 전상품을 팔아버리다, 폐점하다, 사업에서 손을 떼다. (6) (상점이 물건을) 모두 팔아치우다 ; (물건이) 다 팔리다 ; 배반하다. (7)〖英史〗군직(軍職)을 팔고 퇴역하다.

〈회화〉

Did you get tickets for the concert? — I couldn't. They were *sold out.*「음악회 입장권 구했니」「못 구했어. 매진됐더라구」

sell over 매도하다 ; 전매(轉賣)하다.
sell short ☞ SHORT *adv.*
sell up《英》(파산자 등의 소유물·상점 따위를) 매각하다, (채무자)에게 변제하기 위해서 전재산을 팔아버리다, 사업을 팔아 넘기다 : She was forced to ~ *up* all her jewels. 부득이 보석을 모조리 팔아버렸다.
—— *n.* 판매(법) ;《口》잘 팔리는 물건, 인기상품 ;《英口》실망, 질림 ;《口》사기(cheat) (cf. *vt.* 7) : a victim of a ~ 사기당한 사람.
〖OE *sellan* to give, lend ; cf. SALE〗
類義語 ***sell*** 「팔다」란 뜻의 가장 일반적인 말. ***barter, trade*** 금전을 매개치 않고 물품 또는 노동을 교환하다 : *barter*[*trade*] food for clothes (식품과 의류를 교환하다). ***vend*** 조그만 물건을 행상이나 자동 판매기로 팔다 : a *vending* machine(자동 판매기).

séll·er *n.* **1** 파는 사람, 판매인(↔*buyer*) : ☞ BOOKSELLER. **2** 팔리는 것 : a good[bad] ~ 잘 팔리는[팔리지 않는] 것 / ☞ BEST-SELLER.

séllers' màrket *n.* 매주(賣主)[판매자] 시장《상품 부족 때문에 판매자에게 유리한 시장》.

séller's òption *n.* 매주(賣主)[판매자측] 선택《일정기간 중에 판매인이 상품의 인도일을 임의로 정해도 좋다는 계약 ; 略 s.o., S.O.》.

séll·ing *a.* **1** 판매하는[의]. **2** 판매에 종사하는. **3** 인기 있는, (잘) 팔리는 ; 수요가 많은 : the ~ price 파는 값 / a ~ agent 판매 대리점[인] / the fastest-~ item 가장 잘 팔리는 상품. —— *n.* Ⓤ 판매, 매각 : ~ on consignment basis 위탁 판매 / ~ on credit 외상 판매.

sélling clìmax *n.* 대량의 거래액에 따라 주가가 단기간에 급락함.

sélling pòint *n.* 판매시의 강조점.

sélling ràce[**plàte**] *n.* 매각 경마《경주 후에 이긴 말을 경매함》.

séll-òff *n.* (주가의) 거래액의 증가에 따른 급락.

séll òrder *n.*〖證〗(주가 하락을 예상한) 매도 주문(↔*buy order*).

Séll·o·tàpe [sélou-] *n.* 셀로테이프《상표명》.
—— *vt.* 셀로테이프로 붙이다.

séll·òut *n.* **1** 매도, 매각 ; 매진 ;《口》(흥행물 따위의) 초만원 : a ~ audience 만원인 청중. **2**《美口》배반(행위), 내통, 밀고 ; 배반자.

Sel·ma [sélmə] *n.* 여자 이름. 〖Swed.〗

Sélt·zer (**wàter**) [séltsər(-)] *n.* 셀처 탄산수《독일에서 나는 광천(鑛泉)수》; [때때로 s~] (널리) 탄산수.

sel·vage, sel·vedge [sélvidʒ] *n.* **1** (피륙의) 식서, 변폭(邊幅). **2** 가장자리. **~d** *a.*
〖ME (⇨ SELF, EDGE) ; Du. *selfegghe*에 준한 것〗

sel·va·gee [sèlvədʒíː] *n.*〖海〗속환삭(束環索).

***selves** *n.* SELF의 복수형.

Sem. Seminary ; Semitic. **SEM** scanning electron microscope. **sem.** semicolon.

se·man·teme [simǽntiːm] *n.*〖言〗의의소(意義素) (cf. MORPHEME).

se·man·tic [simǽntik] *a.* 어의(語義)에 관한, 의미론(상)의.
〖F<Gk.=significant (*sēmainō* to mean)〗

semántic análysis *n.*〖心〗의미 분석.

se·man·ti·cist [simǽntəsəst] *n.* 의미론[어의론] 학자.

se·mán·tics *n.* Ⓤ〖言〗의미론, 어의론 ;〖論〗의의학(意義學) ; 일반 의미론 ; 기호론 ; (기호론의 한 분야로서의) 의미론 ; 기호의 의미(관계), (특히) 언외의 뜻 ; (광고·선전 따위에서의) 언외의 뜻이나 애매함의 이용, 의미의 왜곡 ;〖컴퓨〗의미론. **se·man·ti·cian** [sìmæntíʃən] *n.*

sema·phore [séməfɔ̀ːr] *n.* (철도의) 가로대식 신호기 ; (군대의) 수기(手旗) 신호. —— *vt.* 신호(기)로 알리다. 〖F (Gk. *sēma* sign+*-phore*)〗

sèma·phór·ic, -i·cal [-fɔ́(ː)rik(əl), -fár-] *a.* 신호(기)의.

se·ma·si·ol·o·gy [simèisiálədʒi, -zi-] *n.* Ⓤ = SEMANTICS.

se·mat·ic [simǽtik] *a.*〖生〗(유독(有毒)·악취 동물의 체색(體色)이) 다른 동물에 대하여 경계가 되는 : a ~ color 경계색.
〖Gk. *sēmat- sēma* sign〗

sem·blance [sémbləns] *n.* 유사(likeness), 비슷함 ; 아주 닮은 사람[것] ; 환영, 유령 ; 소량 ; 외형, 외관, 형태, 모습, 허울, 꾸밈, 겉보기 : put on a ~ *of* penitence 회개한 것처럼 꾸미다 / under the ~ *of* …을 가장하여.
in semblance 외관은.
〖OF (*sembler* to seem<L *simulo* to SIMULATE)〗
類義語 ⟹ APPEARANCE.

se·mé(**e**) [sémei, səméi] *n., a.*〖紋〗흩어진 무늬

(의). 〖F (*semer* to sow) ; ⇨ SEMEN〗

se·mei·og·ra·phy [sìːmaiágrəfi, sèm-, -mi-] *n.* 〔醫〕 증후 기재(症候記載), 증후학.

se·mei·ol·o·gy [sìːmaiáləd3i, sèm-, -mi-] *n.* = SEMIOLOGY.

se·mei·ot·ic [sìːmaiátik, sèm-, -mi-] *a.* 〔醫〕 증후[증상](症候[症狀])의.

sè·mei·ót·ics *n.* 〔醫〕 증후학(症候學).

sem·eme [sémiːm] *n.* 〔言〕 의의소(意義素). 〖*semantic*+*-eme*〗

se·men [síːmən ; -men] *n.* (*pl.* **sem·i·na** [sémənə], **~s**) Ⓤ 정액 ; 〔植〕 종자. 〖L *semin- semen* seed〗

se·mes·ter [səméstər] *n.* 반년간, 6개월간 ; (2학기 제도에서) 반학년, 1학기《미국의 대학에서는 15-18주간, 독일에서는 휴가를 포함하여 6개월간 ; cf. TERM 2 b), QUARTER 1 c)》. 〖G<L *semestris* six-monthly (*sex* six, *mensis* month)〗

semi [sémi, 美+sémai] *n.* 《口》 **1** =SEMIFINAL. **2** 《美·濠》 =SEMITRAILER. **3** 《英》 두 가구 연립 주택(semidetached house). **4** 《해커俗》 =SEMICOLON.

semi- [sémi, 美+sémai] *pref.* **1** 「반(쪽)…」의 뜻. **2** 「약간…」「다소…」의 뜻. **3** 「2회」의 뜻(cf. BI-[1] ; HEMI-, DEMI-). 注 이 접두사는 고유명사 또는 i-로 시작되는 말 이외에는 일반적으로 하이픈이 필요없음. 〖F or L ; cf. Gk. HEMI-〗

sèmi·ánnual *a.* 반년마다의, 연(年) 2회의 ; (식물 따위가) 반년생의, 반년 계속의. **~·ly** *adv.* 반년마다.

sèmi·árid *a.* (기후가) 반건조한, 비가 매우 적은 《지대·기후》; 〔動·植〕 반 건지성의.

sèmi·áutomated *a.* 반자동화된, 반자동의.

sèmi·automátic *a.* (기계·소총이) 반자동식의. —— *n.* 반자동 소총. **-automátical·ly** *adv.*

sèmi·áxis *n.* 〔數〕 (쌍곡선 따위의) 반축(半軸).

sèmi·barbárian *a.* 반야만의, 미개화의. —— *n.* 반야만인, 미개화인.

sèmi·bárbarism *n.* Ⓤ 반야만 (상태).

sèmi·báse·ment *n.* 반(半)지하실.

sémi·brève *n.* 《英》 〔樂〕 온음표.

sèmi·centénnial, sèmi·céntenary *a.* 50년마다의 ; 50주년의. —— *n.* 50년제[기념일].

sèmi·chórus *n.* 소(小)합창《합창대의 일부가 하는》; 소합창곡 ; 소합창대.

sémi·cìrcle *n.* 반원, 반원형(의 것).

sèmi·círcular *a.* 반원(형)의 : the ~ canal 〔解〕 반고리관(管).

sèmi·cívilized *a.* 반개화된, 반문명의.

sèmi·clássic *n.* (음악 따위의) 준(準)고전적인 작품, 세미클래식의 곡(曲).

sèmi·clássical *a.* (음악이) 준고전적인, 준고전파의, 세미클래식의 ; 2류의 ; 〔理〕 반(半)고전적인《고전 역학(古典力學)과 양자 역학(量子力學)의 중간적인 수법을 말함》.

***sémi·còlon** *n.* 세미콜론《period보다는 약하고 comma보다는 강한 구두점》.

sèmi·cómatose *a.* 〔醫〕 반혼수 상태의.

sèmi·condúctor *n.* 〔理〕 반도체(半導體) ; 반도체를 이용한 장치《트랜지스터나 IC 따위》.

sèmi·cónscious *a.* 의식[정신]이 반쯤 있는, 의식이 완전하지 않은.

sèmi·consérvative *a.* 〔遺〕 (DNA 따위의 복제되는 방법이) 반(半)보존적인. **~·ly** *adv.*

sèmi·dáily *adv.* 하루에 두번.

sèmi·dèmi·sémi·quàver *n.* 《英》 〔樂〕 64분 음표(=《美》 sixty-forth note).

sèmi·detáched *a.* 반쯤[일부분] 떨어진 ; (집 따위가) 한쪽의 칸막이 벽이 옆집과 이어진 : a ~ house 두 채를 이어 지은 집.

sèmi·devéloped *a.* 반쯤 발달한, 발육 부전의.

sèmi·diámeter *n.* Ⓤ,Ⓒ (천체 따위의) 반지름 (radius)〈*of*〉.

sèmi·diúrnal *a.* 하루의 절반의, 한나절[12시간] 마다의 ; 1일 2회의.

sèmi·divíne *a.* 거의 신성한, 반신(半神)인.

sèmi·documéntary *n., a.* 반기록 영화(의) 《documentary를 극적 수법으로 재현한 것》.

sémi·dòme *n.* 〔建〕 반원형 돔.

sèmi·dóminant *a.* 〔遺〕 불완전 우성(優性)의.

sèmi·fárm·ing *n.* 방치(放置) 사육[농업].

sèmi·fínal *n., a.* (경기의) 준결승(의). **~·ist** *n.* 준결승 출전 선수.

sèmi·fínished *a.* 거의 완성한 ; 반제품의 : a ~ product 반제품.

sèmi·flúid *n., a.* 반유동체(의).

sèmi·léthal *n.* 〔遺〕 반치사(성) 돌연변이, 반치사(성) 유전. —— *a.* 반치사(성)의.

sèmi·líquid *n., a.* 반유동체(의).

sèmi·líterate *a., n.* 읽기·쓰기를 간신히 하는 (사람) ; 읽을 줄은 알아도 쓸 줄은 모르는 (사람), 제대로 읽고 쓸 줄 모르는 (사람), 지식[이해]이 어설픈 (사람), 반문맹(인).

sèmi·lúnar *a.* 반달[초승달] 모양의. 〖NL〗

sèmi·manufáctures *n. pl.* 반(半)제품《철강·신문 인쇄용지 따위》.

sèmi·mónth·ly *adv., a.* 보름마다(의), 월 2회에[의]. —— *n.* 월 2회 간행물(cf. BIMONTHLY).

sem·i·nal [sémənl, síː-] *a.* **1** 정액의 ; 〔植〕 종자의 : a ~ leaf 떡잎. **2 a)** 발생의, 생식의. **b)** 종자 같은 (발달 가능성이 있는), 근본의 ; 미발달의 ; 장래성이 있는, 독창성이 풍부한 : in a ~ state 배자(胚子)[씨눈] 상태의 ; 미발달 (상태)의. **c)** 생산적인. 〖OF or L ; ⇨ SEMEN〗

séminal dúct *n.* 〔解〕 정관(精管).

sem·i·nar [sémənàːr] *n.* **1 a)** (대학의) 세미나《소수의 인원으로 지도 교수 아래서 개개인의 연구 결과를 발표하여 토론하는 연습 ; 그 참가 학생》. **b)** 연구실. **2** (흔히) 대학의 연구과, 대학원 과정. **3** 《美》 전문가 회의. 〖G ; ⇨ SEMINARY〗

sem·i·nar·i·an [sèmənéəriən, -nǽər-], **sem·i·nar·ist** [sémənərəst] *n.* 세미나의 연구생 ; seminary의 교사 ; (이전의 외국의 신학교 출신의) 카톨릭 신학생.

sem·i·nary [sémənèri ; -nəri] *n.* **1 a)** (원래 특히 high school 이상의) 학교 ; 《古》 (특히 여자의) 사립전문학교(cf. ACADEMY 1). **b)** 《英》 (특히 Jesuit파의) 카톨릭 신학교 ; 《美》 (각 파의) 신학교. **2** (죄악 따위의) 온상(溫床)〈*of*〉. **3** = SEMINAR 1 a). —— *a.* =SEMINAL. 〖L=seed-plot ; ⇨ SEMEN〗

sem·i·nate [sémənèit] *vt.* =INSEMINATE.

sem·i·na·tion [sèmənéiʃən] *n.* 씨뿌리기, 파종(播種) ; 보급, 선전 ; 수정.

sem·i·nif·er·ous [sèmənífərəs] *a.* 〔植〕 종자가 생기는 ; 〔解〕 정액(精液)을 만드는 ; 수정의.

Sem·i·nole [sémənòul] *n.* (*pl.* ~, **~s**) 세미놀족(族)《북미 인디언의 한 종족》; 세미놀어(語). 〖Creek=wild<Am. Sp.〗

sèmi·offícial *a.* 반관적(半官的)인, 반(半)공식의 : a ~ statement 반공식의 성명. **~·ly** *adv.*

se·mi·ol·o·gy [sìːmiáləd3i, sèm-, sìːmai-] *n.* 기

호학(記號學); 기호언어; 〖醫〗 증후학(症候學).
se·mi·o·sis [siːmióusəs, sèm-, siːmai-] *n.* 〖言·論〗 기호 현상《사물이 유기체에 대하여 기호로서 작용하는 과정》.
〚NL<Gk.=observation of signs〛
se·mi·ot·ic [siːmiátik, sèm-, siːmai-] *a.* **1** 〖論〗 기호의; 기호론의. **2** 〖醫〗 증후(症候)의.
—— *n.* =SEMIOTICS. 〚Gk. (*sēmeion* sign)〛
sè·mi·ót·ics *n.* **1** Ⓤ 〖論〗 기호론. **2** Ⓤ 〖醫〗 증후학(症候學).
sèmi·párasite *n.* 〖生〗 반기생(半寄生).
sèmi·pérmanent *a.* 일부 영구적인; 반(半)영구적인.
sèmi·pérmeable *a.* 반투성(半透性)의.
sèmi·póst·al *n.* 《美》 기부금이 포함된 우표.
—— *a.* 기부금이 포함된 우표의.
sèmi·précious *a.* (광석이) 반(半)[준] 보석인: ~ stones 준(準)보석《amethyst, garnet, turquoise 따위》.
sèmi·prívate *a.* 반사용(半私用)의; (병실·환자 등이) 반개실(半個室)의《공동병실과 개실(個室)의 중간으로 보통 다른 1-3인의 환자가 있는 것을 말함》, 준특별 진료의. **-prívacy** *n.*
sémi·prò *a.* 《口》 =SEMIPROFESSIONAL.
—— *n.* (*pl.* **~s**) =SEMIPROFESSIONAL.
sèmi·proféssion·al *a.* 반직업적인, 세미프로의; 준전문적인. —— *n.* 반직업적인[세미프로의] 사람[선수, 스포츠].
sèmi·públic *a.* 반공공(半公共)의; 반관반민의; 반공개적인.
sémi·quàver *n.* 《英》 〖樂〗 16분 음표(=《美》 sixteenth note).
sèmi·retíre·ment *n.* 비(非)상근 (근무).
sèmi·rígid *a.* 반강체(半剛體)의; 〖空〗 반경식(半硬式)의《비행선》.
sèmi·séaled *a.* (봉투가) 반만 봉해진.
sèmi·skílled *a.* (직공이) 반숙련의.
sèmi·sólid *n., a.* 반고체(의).
sèmi·swéet *a.* 조금[약간] 달게 한, 너무 달지 않은《과자》.
Sem·ite [sémait; síː-] *n.* 〖聖〗 셈족의 사람《Hebrew, Aramaean, Phoenician, Arab, Assyrian 등》; (특히) 유태인(Jew).
〚L<Gk. *Sēm* Shem〛
Se·mit·ic [səmítik] *a.* 셈족(族)의, 셈족 계통의, 셈어계(語系)의(cf. HAMITIC); (특히) 유태인의: the ~ language 셈어(족)[어파]. —— *n.* 셈어파.
Sem·i·tism [sémətìzəm] *n.* Ⓤ 셈족 기질; 친유태 정책; (특히) 유태풍(風)[인 기질]; Ⓒ 셈 어풍.
Sem·i·tist [sémətəst] *n.* (셈족의 언어·문화·역사 따위를 연구하는) 셈 학자; [s~] 유태인에게 호의를 갖는 사람.
Sém·i·to-Hamític [sémətou-] *n., a.* 셈·햄어족(의)《Afro-Asiatic의 옛 이름》.
sémi·tòne *n.* 〖樂〗 반음(半音)(halftone).
sèmi·tónic *a.*
sémi·tràil·er *n.* 세미트레일러《트랙터와 트레일러로 분리할 수 있게 되어 있는 대형 화물[승합] 자동차》.
sèmi·transpárent *a.* 반투명의.
sèmi·trópic(al) *a.* 아열대의.
sèmi·trópics *n. pl.* =SUBTROPICS.
sèmi·vocálic, -vócal *a.* 〖音聲〗 반모음의.
sémi·vòwel *n.* 〖音聲〗 **1** 반모음《영어의 y, w의 음 [j, w], 미음(美音)의 [r]음 따위》. **2** 반모음자(字)《y, w》.
sèmi·wéek·ly *adv., a.* 주(週) 2회로[의] (cf. BIWEEKLY). —— *n.* 주 2회의 간행물.
sèmi·yéar·ly *a.* 반년마다의, 연 2회의. —— *adv.* 반년마다, 연 2회. —— *n.* 연 2회 (정기 간행물).
sem·o·li·na [sèməlíːnə], **sem·o·la** [séməla] *n.* Ⓤ 밀가루의 무거리(middlings) 《마카로니·푸딩용》. 〚It. (dim.)‹*semola* bran<L *simila* finest wheat flour〛
sem·per [sémpər] *adv.* 항상, 언제나. 〚L〛
sem·per fi·de·lis [sèmpər fədéiləs, -díː-] 항상 충실한《미해병대의 표어》.
〚L=always faithful〛
sem·per pa·ra·tus [sémpər pəréitəs, -ráː-] 항상 준비되어 있는《미연안 경비대의 표어》.
〚L=always prepared〛
sem·pi·ter·nal [sèmpətə́ːrnl] *a.* 《文語》 영원의 (eternal). 〚OF<L; ⇨ SEMPER, ETERNAL〛
sem·pli·ce [sémplitʃèi; -tʃi] *a., adv.* 〖樂〗 단순한[히], 순수한[히]; 단음(單音)의.
〚It.=simple〛
sem·pre [sémprei; -pri] *adv.* 〖樂〗 항상, 계속해서: ~ forte 항상 세게. 〚It.; ⇨ SEMPER〛
semp·stress [sémpstrəs] *n.* =SEAMSTRESS.
SEN, S.E.N. 《英》 State Enrolled Nurse.
Sen., sen. senate; senator; senior.
sen·a·ry [síːnəri, sén-] *a.* 6의.
***sen·ate** [sénət] *n.* **1** [S~] (미국·오스트레일리아 등지의) 상원(↔ *the House of Representatives*). **2** (일반적으로) 의회. **3** (Cambridge 대학 따위) 평의원회, 이사회; =SENATE HOUSE. **4** (고대 그리스·로마의) 원로원; (중세 자유도시의) 행정부. 〚OF<L *senatus* (*senex* oldman)〛
Sénate Appropriátions Commìttee *n.* 《美》 상원 세출 위원회.
sénate hòuse *n.* 상원 의사당; (Cambridge 대학 따위) 평의원 회관, 이사회관.
***sen·a·tor** [sénətər] *n.* **1** 《美》 상원 의원(cf. CONGRESSMAN, REPRESENTATIVE); 정치가: *S*~ Smith 상원 의원 스미스《전·현직 의원 모두에게 씀》. **2** (대학의) 평의원, 이사. **3** (고대 그리스·로마의) 원로원 의원.
~·shìp *n.* senator의 직[임기].
〚OF<L; ⇨ SENATE〛
sen·a·to·ri·al [sènətɔ́ːriəl] *a.* **1** 상원[원로원] (의원)의; 상원[원로원] 의원다운. **2** (대학) 평의원회의. **~·ly** *adv.* 상원[원로원] 의원답게; 위엄있게(solemnly).
senatórial cóurtesy *n.* 《美》 상원 의례《대통령이 임명한 사람에 대한 비준을 해당 출신구역 의원의 동의가 있어야만 통과시키는 상원의 관례》.
senatórial dìstrict *n.* 《美》 상원의원 선출구.
se·na·tus [sənéitəs, se-] *n.* (*pl.* ~) 〖古로〗 원로원; 《스코》 (대학의) 평의원회, 이사회.
〚L SENATE〛
◇**send**[1] [sénd] *v.* (**sent** [sént]) *vt.* **1** [+目/+目+*to*+名/+目+目/+目+副] 보내다, 부치다: ~ a letter[parcel] by post 우편으로 편지[소포]를 보내다 / ~ a telegram 전보를 치다 / He *sent* a congratulatory message. 그는 축전을 보냈다 / I *sent* letters ***to*** all my friends. 모든 친구에게 편지를 보냈다 / He *sent* me a letter of appreciation. 나에게 감사의 편지를 보내 왔다 / I will ~ him *home*[*back*] in my car. 그를 내차로 집에까지 데려다 주겠다. ㈜ 수동태로는: Letters *were sent to* all my friends.
2 [+目/+目+*to*+名/+目+目/+目+副/+目+*to* do] 가게 하다, 파견하다, (사람을)

보내다 : ~ a son **to** school 아들을 학교에 보내다 / ~ a child *to* bed 아이를 재우다 / I *sent* him *to* the information desk. 그를 안내소에 보냈다 / *S*~ him a messenger. 그에게 심부름꾼을 보내시오 / ~ an ambassador *abroad* 대사를 해외에 파견하다 / I *sent* her *to* fetch some sugar from the kitchen. 부엌에서 설탕을 좀 가져오라고 그녀를 보냈다.
3 [+目 / +目+副] (술·접시 따위를) 돌리다, (차례로) 건네주다 : ~ the wine **round** 포도주를 돌리다 / *S*~ your plates **up** for a second helping. 더 드릴테니 접시를 주세요.
4 [+目 / +目+副 / +目+前+名] (화살·공 따위를) 쏘다, 튀기다, 던지다 : ~ an arrow 화살을 쏘다 / The sun ~*s* **out** light and heat. 태양은 빛과 열을 낸다 / ~ a rocket **to** another planet 로켓을 다른 행성에 발사하다 / Mt. Vesuvius is ~*ing* smoke **into** the air. 베수비오 화산은 연기를 하늘로 뿜어내고 있다 / ~ a bullet **through** a person's head 사람의 머리를 탄알로 관통시키다.
5 [+目+do*ing* / +目+補] (무리하게) 가게 하다, 쫓아내다 ; 몰아세워 …하게 하다 : They *sent* the enemy fly*ing*. 적을 패주시켰다 / The long life in prison *sent* him mad. 오랜 교도소 생활로 그는 머리가 이상해졌다.
6 [+目+目 / +*that* 節 / +目+補] (신이 사람에게) 허락하다, 주다 : May God ~ us rain! 비를 내려주시옵소서 / God ~ you better health! 더욱 건강하시옵기를 / Heaven ~ *that* my son comes back safely. 내 아들이 무사히 돌아오도록 신의 가호가 있기를 / *S*~ her[him] victorious! 신이여, 그녀《여왕》[그《왕》]로 하여금 승리자가 되게 하시옵소서《영국 국가 중의 한 구절》.
7 《口》 (청중을) 열광[흥분]시키다 : His trumpet never fails to ~ his listeners. 그의 트럼펫은 언제나 청중을 열광시킨다.
8 〖電〗 송전하다, (신호·전파를) 보내다 ; 〖컴퓨〗 보내다.
── *vi.* **1** [動 / +前+名 / +*to* do] 심부름꾼[사람]을 보내다 ; 소식을 전하다, 편지를 보내다 : If you want me, please ~. 내게 볼일이 있으시면 사람을 보내주시오 / They *sent* **to** me *to* come. 그들은 나에게 와달라고 사람을 보냈다 / We *sent to* invite her to supper. 그녀를 저녁식사에 초대하기 위해서 사람을 보냈다. **2** 〖海〗 (배가) 파도에 밀려 나아가다 : The ship ~*s* violently. 배가 파도를 타고 힘차게 떠나간다. **3** 〖電〗 신호를 보내다.
send** a person **about** his **business ☞ BUSINESS.
send away (1) 내쫓다, 해고하다 ; 멀리 보내다 : ~ *away* a servant 하인을 해고하다 / I was *sent away* in disgrace. 나는 미움을 받고[꾸지람을 듣고] 내쫓겼다. (2) 먼데서 가져오게 하다, (우편으로) 주문하다(cf. SEND *for* (2)) : ~ *away for* groceries 식료 잡화류를 가져오게 하다.
send down (1) 하강[하락]시키다 : ~ prices *down* 물가를 내리다. (2) (식사하러) 식당으로 가게 하다〈*to*〉; 《英大學》 …에게 정학을 명하다, 제적하다 ; 투옥하다, …에게 유죄 판결을 내리다 ; 〖크리켓〗 던지다.
send. . .flying (불꽃·파편 따위를) 날려 흩뜨리다, (새 따위를) 날아오르게 하다 ; (적을) 패주시키다, (상대편을) 나가 떨어지게 세차게 때리다 : The report of the rifles *sent* the birds *flying* round the place. 총소리에 놀라 새들은 사방으로 흩어져 날아갔다 / ☞ *vt.* 5.
send for. . . (1) …을 부르러[가지러] (사람을) 보내다 ; …에게 오도록 부탁하다, …을 부르다 (summon) : We must ~ *for* help. 도움을 청하러 사람을 보내야만 한다 / The doctor has been *sent for*. 의사를 부르러 사람을 보냈습니다 / I was *sent for* him. 나에게 그를 불러오게 했다. (2) (물건을) 주문하다, …을 가져오게 하다(cf. SEND *away* (2)) : I'll ~ *for* the book. 나는 그 책을 주문하겠다.
send forth 발송하다, 보내다 ; (잎을) 내다, (목소리를) 내다, (증기·향기 따위를) 풍기다[내뿜다] ; 발행하다.
send in 내밀다, (사표 따위) 제출하다 ; (명함 따위를) 접수처에 내다 ; (그림 따위를) 출품하다 ; (계산서를) 써내다 ; 식탁에 내다 ; 〖競〗 (선수를) 출장시키다 ; 〖크리켓〗 (타자를) 내다 : ~ *in* one's card 명함을 (접수처에) 내다 / He has *sent in* two oil paintings for the exhibition. 유화 두 점을 전시회에 출품했다.
send off 전송하다 ; 쫓아내다, 해고하다 ; (편지 따위를) 발송하다 : go to a station to ~ a person *off* 남을 배웅하러 역에 가다 / We have *sent off* all the letters. 편지를 모두 발송했습니다.
send on (화물·편지 따위를) 회송(回送)하다, 미리 보내다, (사람을) 먼저 보내다 ; (극·경기 따위에) (사람을) 출연[출장]시키다.
send out 발송하다, (초대장·주문품 따위를) 내다 ; 파견하다 ; (나무가 싹 따위를) 내다 ; (빛·향기 따위를) 발산하다 ; (신호를) 발신하다 : ~ *out* invitations 초대장을 보내다 / Every night at the same hour the boys *sent out* their calls from their radio sets. 매일밤 같은 시각에 소년들은 무전으로 교신했다 / In spring the trees begin to ~ *out* new leaves. 봄에는 나무들이 새싹을 내기 시작한다.
send over (*vt.*) 방송하다.
send** a person **packing ☞ PACK.
send round 돌리다(cf. *vt.* 3), 회람하다 ; 회송하다 ; 파견하다.
send to. . . ☞ *vi.* 1.
send up (1) 올리다, 상승시키다 ; (로켓 따위를) 발사하다 ; 폭파하다 : ~ prices *up* 물가를 올리다. (2) (서류를) 제출하다 ; (공 따위를) 보내다 ; (음식물을) 식탁에 내다(cf. *vt.* 3) ; (명함 따위를) 내놓다. (3) 《英口》 (흉내내어) 조롱하다.
〚OE *sendan* ; cf. G *senden*〛

send² ☞ SCEND.
〚↑ or *descend*〛

Sén·dai vírus [séndai-] *n.* 센다이 바이러스《사람과 쥐 따위의 이종세포(異種細胞)를 융합시키는 paramyxovirus》.

sénd·er *n.* 보낸 사람, 발송인, 출하주(出荷主), 발신인 ; 〖電〗 송신[송화]기(transmitter) (↔ *receiver*) ; 《口》 몹시 흥분시키는[즐겁게 하는] 것 ; 《美재즈俗》 스윙의 명수[애호가], [solid ~ 형으로] 멋진 사람 : If undelivered, please return to ~. 배달 불능인 때에는 반송하여 주십시오《봉투 따위의 위에 씀》.

sénd-òff *n.* **1 a**) 《口》 (역 따위에서의) 전송, 송별 ; (사업 따위의) 개업 축하 ; (경주자 등을) 출발시키는 일, 스타트 : give a person a good ~ 남을 성대하게 전송하다. **b**) (서적·연극 따위에 대한) 호의적 비평. **2** (상품의) 발송.

sénd-ùp *n.* 《英口》 조롱하여 흉내내기, 익살맞은 흉내.

Sen·e·ca [sénikə] *n.* 세네카. **Lucius Annaeus** ~ (4 B.C.? –A.D. 65) 로마의 철학자·정치가·비

극 작가.

sen·e·ga [sénigə] *n.* 〔植〕 세네가《원지과, 북미산》; 세네가 뿌리《거담제》.

Sen·e·gal [sènigɔ́:l] *n.* **1** 세네갈《아프리카 서부의 공화국; 수도 Dakar》. **2** [the ~] 세네갈 강.

Sen·e·ga·lese [sènəgəlí:z, -s] *a.* 세네갈(인)의. ── *n.* 세네갈인; Ⓤ 세네갈어.

Sen·e·gam·bia [sènəgǽmbiə] *n.* 세네감비아《(1) Senegal 강과 Gambia 강 사이의 지역. (2) 세네갈과 감비아로 결성된 국가 연합》.

se·nes·cence [sinésəns] *n.* Ⓤ 노령, 노년기; 노화, 노쇠. **se·nés·cent** *a.* 〖L (*senex* old)〗

sen·e·schal [sénəʃəl] *n.* (중세 귀족의) 집사(執事); 《英》 (대성당의) 직원, 판사. 〖OF＜L＜Gmc.＝old servant; cf. MARSHAL〗

se·nhor [sinjɔ́:*r*] *n.* (*pl.* **~s**, (Port.) **se·nho·res** [sinjɔ́:ris]) …씨, …님; 《경칭》 나리; 포르투갈[브라질] 신사. 〖Port.＜L SENIOR〗

se·nho·ra [sinjɔ́:rə] *n.* …부인, 마나님, 귀부인《포르투갈[브라질]의 기혼여성에 대한 경칭》. 〖Port.〗

se·nho·ri·ta [sì:njərí:tə] *n.* …양(孃), 영애, 아가씨《포르투갈[브라질]의 미혼 여성에 대한 경칭》. 〖Port.〗

se·nile [sí:nail] *a.* 노쇠한, 노년의, 나이 많은; 고령의(cf. ANILE); 〔地〕 침식 주기의 끝에 가까운, 노년기의: ~ weakness 노쇠. ── *n.* 노인, 노쇠한 사람. 〖F or L; ⇨ SENATE〗

sénile deméntia *n.* 〔醫〕 노인성 치매(癡呆).

sénile psychósis *n.* 〔醫〕 노인성 정신병.

se·nil·i·ty [siníləti] *n.* Ⓤ 노쇠; 노령.

‡**sen·ior** [sí:njə*r*] *a.* (↔*junior*) **1** 연상의(cf. MAJOR): Thomas Jones(,) *Sr.* 손위의 토머스 존스 / She is five years ~ *to* me. 그녀는 나보다 다섯살 연상이다. ㈜ 보통 Sr., sr., Sen., sen. 따위로 줄여서 씀. **2** 선임의, 고참의, 선배의, 상급의; 상층의, 고급의: a ~ man 고참자, 상급생 / ~ classes 상급 / a ~ counsel 수석 변호사. **3** 《美》 (대학 따위의) 최고 학년의, 최상급의. **4** (…)이전의, (…)에 앞장선; 본가(本家)[종가]의. ── *n.* **1 a**) 연장자, 고로(古老), 장로. **b**) 선임자, 고참자, 선배, 상급자; 상관, 수석. **2** 《英》 (대학의) 상급생; 《美》 (대학 따위의) 최상급생 (cf. FRESHMAN, SOPHOMORE, JUNIOR); 성적으로 성숙한 동물. 〖L (compar.) ‹ *senex* old; cf. SENATE〗

sénior chíef pétty òfficer *n.* 〔美海軍〕 상사; 〔美연안경비대〕 상급상등 상사.

sénior cítizen *n.* 《婉》 고령자, 노인, (특히 양로[퇴직] 연금으로 생활하는) 고령 시민《보통 여자 60세, 남자 65세 이상》. **sénior cítizenship** *n.* 고령, 노령; 고령자의 신분.

sénior cóllege *n.* 《美》 (bachelor 칭호를 주는) 4년제 칼리지.

se·ni·o·res pri·o·res [seniɔ́:reis priɔ́:reis] 나이 순으로. 〖L＝elder first; ⇨ SENIOR, PRIOR[1]〗

sénior hígh (schòol) *n.* 《美》 상급 고등 학교 (cf. JUNIOR HIGH SCHOOL). ㈜ 우리나라 고등 학교는 대체로 이에 해당됨.

se·nior·i·ty [sinjɔ́(:)rəti, -njár-] *n.* **1** Ⓤ 연상. **2** Ⓤ 선배, 선임, 고참; 선임 순위.

senióríty rúle *n.* 《美》 (의회 위원회에서의) 시니어리티 룰, 고참제.

sénior máster sérgeant *n.* 〔美空軍〕 상사.

sénior offícial *n.* 정부 고관, 정부 고위층. ㈜ 미국에서는 대체로 차관보 이상을 가리킴.

sénior pártner *n.* (합명회사·조합 따위의) 장(長), 사장.

sénior sérvice *n.* [the ~] 《英》 해군《육군·공군에 대하여》.

sénior více président *n.* (회사의) 상무; (때때로) 전무《略 SVP》.

sen·na [sénə] *n.* 〔植〕 센나《석결명류(類)》; Ⓤ 〔藥〕 센나《건조한 센나잎·열매; 완하제》. 〖L＜Arab.〗

sen·net [sénət] *n.* 〔劇〕 나팔 신호《엘리자베스조 연극에서 배우의 등장·퇴장 때의 무대 신호》. 〖? 변형(變形) ‹ *signet*〗

sen·night, se'n·night [sénait] *n.* 《古》 1주일간 (week) (cf. FORTNIGHT). 〖ME＜OE *seofon nihta* seven nights〗

sen·nit, sen·net [sénət] *n.* 〔海〕 꼰 밧줄; 엮은 밀짚[볏짚 따위].

se·nor, -ñor [seinjɔ́:*r*, si-; se-] *n.* **1** 《호칭》 당신, 선생, 나으리《영어의 sir에 해당; cf. DON[1] 1》; [S~] 《경칭》 …님, …군, …선생《영어의 Mr.에 해당; 略 Sr.》. **2** (스페인의) 신사, 남자. 〖Sp.＜L SENIOR〗

se·no·ra, -ño- [seinjɔ́:rə, si-; se-] *n.* **1** 《호칭》 마님, 당신, 부인《영어의 madam에 해당》; [S~] 《경칭》 …님[씨], …부인《영어의 Mrs.에 해당; 略 Sra.》. **2** (스페인의) 기혼 여성. 〖Sp.〗

se·no·ri·ta, -ño- [sèinjərí:tə, sì:-; sèn-] *n.* **1** 《호칭》 영양(令孃), 아가씨, …양; [S~] 《경칭》 …씨, …양《영어의 Miss에 해당; 略 Srta.》. **2** (스페인의) 미혼 여성. 〖Sp.〗

Se·nou(s)·si [sinú:si] *n.* ＝SANUSI.

Senr. Senior.

sen·sate [sénseit] *a.* 오감[감각]으로 아는; 감각 있는; 감각 중심의, 유물적인. **~·ly** *adv.* 〖L; ⇨ SENSE〗

***sen·sa·tion** [senséiʃən] *n.* **1 a**) Ⓤ 감각, 지각. **b**) 감정; 기분, 느낌(feeling), …감(感); 감각[자극]을 일으키는 것: a ~ of fear 공포감 / At this speed we do not feel the slightest ~ of motion. 이 속도로는 움직이고 있다는 느낌이 전혀 들지 않는다. **2 a**) Ⓤ (청중 등의) 감동, 흥분. **b**) 대평판, 대소동, 센세이션; 평이 대단한 것[사람], 대사건《따위》: create[cause, make] a ~ 센세이션을 불러일으키다, 대단한 평판거리가 되다. 〖L *sensatus* endowed with SENSE〗
類義語 ⟹ SENSE.

sensátion·al *a.* **1** 선풍적[선정적]인, 세상을 놀라게 하는 (것 같은), 떠들썩하게 하는; 인기를 끄는, 물의를 일으키는, 선정 문학의: a ~ crime 세상을 놀라게 하는 범죄 / a ~ novel 선정적인 소설. **2** 굉장한, 눈부신, 경이적인(striking). **3** 감각(상)의, 지각(知覺)의; 〔哲〕 감각론의.

sensátion·al·ìsm *n.* **1** Ⓤ 〔哲〕 감각론; 〔倫〕 감정론; 〔論〕 관능주의; (특히 예술·문학·정치상의) 선정(煽情)주의; 선정적인 일. **2** Ⓤ 인기만을 노리기.

sensátion·al·ist *n.* 〔哲〕 감각론자; 인기만 노리는 사람, 소란피우는 사람, 선정주의자. **sen·sà·tion·al·ís·tic** *a.*

sensátion·al·ìze *vt.* 센세이셔널하게 하다[표현하다].

sensátion·ìsm *n.* Ⓤ 〔心〕 감각론; 〔哲〕 ＝ SENSATIONALISM. **-ist** *n.* **sen·sà·tion·ís·tic** *a.*

◇**sense** [séns] *n.* **1** 감각, 지각; 오감(五感)의 하나, [the (five) ~s] 오감(五感); 감각 기관: a [the] sixth ~ 제6감, 직감(intuition). **2** [＋*that* 節] 느낌, …감: a ~ *of* hunger

[pain] 공복감[아픈 느낌] / a ~ *of* uneasiness 불안감 / She had a ~ *that* the baby was in danger. 갓난아기가 위험하다고 느꼈다.

3 [단수형만으로 써서] 의식, 육감, 감각 능력 ; 관념, (직감적인) 이해, (…의) 관념, …을 푸는 마음 : the moral ~ 도덕 관념 / a ~ *of* beauty 미적 센스 / a ~ *of* humor 유머 감각 / a ~ *of* time 시간 관념 / my ~ *of* responsibility 나의 책임감 / I haven't much ~ *of* direction. 나는 그다지 방향 감각이 없다 / He has no ~ *of* economy. 그는 경제 관념이 없다.

4 [one's ~s] 제정신, 의식, 본성 : *in* one's (right) ~*s* 제정신으로 / *out of* one's ~*s* 제정신을 잃고 ; 미쳐서 / bring a person to his ~*s* 남을 제정신이 들게 하다 ; 망상에서 깨어나게 하다 / lose one's ~*s* 기절하다 ; 미치다 / recover one's ~*s* 제정신을 되찾다, 정신차리다 / take leave of one's ~*s* ☞ LEAVE[2] 숙어.

5 Ⓤ [+*to* do / +前+do*ing*] 사려(思慮), 판단력, 분별, 상식, 센스 ; 도리, 합리성 : a man of ~ 분별 있는 사람, 지각 있는 사람 / ☞ COMMON SENSE / ☞ GOOD SENSE / ~ and sensibility 이지와 감정 / Her speech lacks ~. 그녀의 말에는 상식이 없다 / She had the ~ *to* see that he had designs in doing so. 그가 그렇게 하는 데에는 속셈이 있다는 것을 간파할 만한 분별이 있었다 / Didn't you *have* ~ enough *to* offer your seat to the old lady? 그 노부인에게 자리를 양보할 생각이 들지 않았습니까 / He has more ~ than *to* do so. 그는 지각이 있으므로 그러한 짓은 하지 않는다 / What is the ~ ***of*** consol*ing* him? 그를 위로해서 무슨 소용이 있는가 / There is no ~ ***in*** do*ing* that. 그런 일을 해봤자 무의미한 일이다.

6 [+*that* 節] 의미, 의의(meaning) : *in* all ~*s* 어떤 점에 있어서도 / *in* every ~ 어떤 의미로도 / *in* some ~ 어떤 의미[점]에서는 / *in* the true ~ of the word 그 말이 지닌 참된 뜻에서(의) / the verb "mean" in the ~ *of* "intend" intend(작정하다)라는 뜻으로서의 동사 mean / The English language is *in* no ~ native to England. 영어는 결코 영국 고유의 것이 아니다 / This word is used *in* two ~*s.* 이 단어는 두 가지 의미로 쓰인다 / These features are stable *in* the ~ *that* they are to be found in all human beings always and everywhere. 이러한 특징은 언제 어디서나 모든 인간에게서 발견할 수 있다는 점에서 쉽사리 변하는 것이 아니다.

7 Ⓤ (전체의) 의견, 다수의 의향, 여론 : take the ~ of the committee[the public] 위원회[대중]의 의향[의견]을 묻다.

in a sense 어떤 점[의미]에서, 어느 정도까지 : What he says is true *in a* ~. 그가 말하는 것은 어느 정도 사실이다.

make sense (문장 따위가) 뜻이 통하다, 뜻을 파악할 수 있다 ; (일이) 도리에 맞다, 의의 있다 ; (사람이) 의미를 이해하다 : *make* ~ *out of* nonsense 억지로 의미를 해석하다 / This passage doesn't *make* ~. 이 구절은 뜻이 통하지 않는다 / Our staying here any longer doesn't *make* ~. 이 이상 여기에 있는 것은 무의미하다 / Can you *make* ~ *of* what this novelist writes? 이 소설가가 쓰고 있는 것을 이해하겠느냐.

stand to sense that... 《口》 =*stand to* REASON that....

talk sense 이치에 닿는 말을 하다.

there is a sense in which... 《文語》 어떤 점[뜻]에서는 …이다 : *There is a* ~ *in which* this applies to all cases. 어떤 의미로는 이것은 모든 경우에 해당된다.

think sense 건전하게 생각하다.

— *vt.* [+目 / +*that* 節] 느끼다(perceive), 육감으로 알다, …을 눈치채다, 알아채다(become aware of) ; 《美口》 알다, 깨닫다(understand) ; (방사능을) 자동으로 탐지하다 ; 〖컴퓨·電子〗 (외부로부터의 정보를) 검지하다 : ~ danger 위험을 알아채다 / I ~*d* the hidden beauty of the poem. 그 시의 숨은[함축된] 아름다움을 깨달았다 / I cannot ~ your meaning. 네가 말하는 뜻을 잘 모르겠다 / He ~*d that* he was an unwelcome guest. 그는 자기가 환영받지 못하는 손님이라는 것을 눈치챘다.

〖L *sensus* a power of perceiving, thought (*sens-sentio* to feel)〗

類義語 (1) ***sense*** 감각 ; 외부의 영향이나 자극에 대응하는 능력 ; 신체의 반응보다 오히려 정신적인 의식을 뜻함 : He had a *sense* of happiness. (그는 행복을 느꼈다). ***sensation*** 눈이나 신경 따위의 몸의 기관이 자극을 받는 육체적인 감각 : *sensation* of heat (열의 감각). ***sensibility*** 특히 감정적으로 어떠한 것을 느끼는[알아차리는] 능력 : He has no *sensibility* to pain. (그는 고통에 대한 감각이 없다).
(2) ⟹ MEANING.

sénse-dàtum *n.* (*pl.* **-dàta**) 〖心〗 감각재(感覺材), 감각 자료.

sénse·ful *a.* 적정한, 사려분별 있는.

***sénse·less** *a.* **1** 무감각한, 의식을 잃은, 인사불성의 : fall ~ 졸도하다 / knock a person ~ 사람을 때려 기절하게 하다 ; 《비유》 사람의 간담을 서늘케 하다. **2** 몰상식한, 무분별한, 어리석은, 지각[양식] 없는 ; 무의미한(meaningless).
~·ly *adv.* **~·ness** *n.*

sénse óbject *n.* 〖文法〗 의미상의 목적어.

sénse òrgan *n.* 감각 기관, 수용기.

sénse percèption *n.* 감각에 의한 인식(력).

sénse súbject *n.* 〖文法〗 의미상의 주어.

sen·si·bil·i·ty [sènsəbíləti] *n.* **1** Ⓤ (신경 따위의) 감각력, 감각 : The skin has lost its ~. 피부의 감각이 없어졌다. **2** Ⓤ 민감, 신경과민, 예민 ; 감수성, 감성. **3** [때때로 *pl.*] 섬세한 감정[감각] : sense and ~ ☞ SENSE *n.* 5 / a woman of *sensibilities* 감정이 섬세한 여자. **4** [*pl.*] 다감(多感), 다정 다감, 감수성. **5** (측량기 따위의) 감도(感度).
類義語 ⟹ SENSE.

***sen·si·ble** [sénsəbəl] *a.* **1 a)** [+*of* +名+*to* do] 분별 있는, 지각 있는, 사려있는, 현명한 : a ~ man 지각 있는 사람 / It was ~ *of* you *to* accept that proposal. 네가 그 제안을 받아들인 것은 현명한 처사였다 / That is very ~ *of* him. 그는 제법 분별 있는 사람이다. **b)** (말 따위가) 재치있는, 상식이 있는, 실제적인. **2** 의식한 ; 알아챈, 잘 알고 있는 : He was ~ *of* a voice calling him from afar. 먼데서 자기를 부르는 소리를 알아차렸다 / I am fully ~ *of* my own shortcomings. 내 자신의 결점을 충분히 알고 있다. **3** (변화 따위가) 두드러진, 상당한(appreciable). **4** 감각의 ; 느껴지는, 지각할 수 있는 ; 몸으로 직접 느끼는(cf. INTELLIGIBLE). **5** 느끼기 쉬운(sensitive)〈*to*〉, …을 느끼는. — *n.* 지각할 수 있는 것. 〖OF or L ; ⇨ SENSE〗
類義語 ⟹ RATIONAL.

sénsible héat *n.* 〖理〗 현열(顯熱).

sénsible horízon *n.* 〖天·空〗 지상(地上) 지평.
sén·si·bly *adv.* 두드러지게, 꽤 ; 현명하게, 분별있게, 재치있게 : grow ~ colder 상당히 추워지다 / speak ~ 분별있게 말하다.
séns·ing devìce[ìnstrument] [sénsiŋ-] *n.* 검출 장치《대상이 발하는 신호에 반응하는 것 : 안테나 따위》.
***sen·si·tive** [sénsətiv] *a.* **1** 감각의, 감각이 있는 ; 느끼기 쉬운, 민감한 ; 과민한, 상하기 쉬운 ; (지적·미적) 감각[감수성]이 예민한 : a ~ ear 민감[예민]한 귀 / He is very ~ *to* heat[cold]. 그는 몹시 더위[추위]를 탄다. **2** 걱정(을 많이) 하는, 신경질의, 신경과민의, 화내는. **3** 〖商〗 (시세 따위가) 변동하기 쉬운, 불안정한, 민감한 ; 〖機〗 감도가 강한, 예민한 ; 〖寫〗 감광성(感光性)의 : a ~ film [plate] 감광 필름[판]. **4** (화제·문제·품목 따위) 미묘한, 문제의, 요주의의 ; (국가의 안전보장에 관계하여 극비의 정보 따위를 취급하므로) 고도의 신중성을 요하는, 절대적인 충성을 필요로 하는《지위·문서》. —— *n.* 최면술《따위》에 걸리기 쉬운 사람 ; 영매(靈媒) ; 민감한 사람. **~·ly** *adv.* 민감하게. **~·ness** *n.* 민감성 ; 과민[감수]성.
〖ME=sensory<OF or L ; ⇨ SENSE〗
類義語 ***sensitive*** 그 사람의 성격 또는 육체적·감정적인 조건에 의하여 외계의 행동·힘·영향 따위에 감동[반응]하기 쉬운 : *Sensitive* people are quickly moved by something delightful or sad. (민감한 사람은 뭔가 기쁜 일이나 슬픈 일에 금방 동요된다). ***susceptible*** 어떤 영향에 대해 거역하지 못하거나 쉽사리 좌우되는 성격[성질]을 가진 : *Susceptible* people are easily agitated. (다감한 사람들은 쉽게 흥분한다).
sénsitive páper *n.* 〖寫〗 감광지, 인화지.
sénsitive plànt *n.* 〖植〗 함수초 ; (일반적으로) 건드리면 움직이는 식물, 감각식물 ; 민감한 사람.
sen·si·tiv·i·ty [sènsətívəti] *n.* Ⓤ 감도(感度), 감성, 민감도, 자극 감응[반응]성 ; 〖寫〗 감광도 ; 〖心〗 감수성 ; 〖電子〗 감도 ; 〖컴퓨〗 민감도.
sen·si·ti·za·tion [sènsətəzéiʃən ; -tai-] *n.* Ⓤ 느끼기 쉽게[민감하게] 함 ; 〖寫〗 증감(增感).
sen·si·tize [sénsətàiz] *vt.* **1** sensitive하게 하다, 민감하게 하다 ; 〖寫〗 …에 감광성을 주다. **2** 〖免疫〗 (사람을) 항원(抗原)에 민감[과민]하게 하다. —— *vi.* 감광성을 얻다 ; 항원에 민감[과민]해지다. **-tìz·er** *n.* 감광약[제] ; 증감제.
sen·si·tom·e·ter [sènsətámətər] *n.* 〖寫〗 감광도계(感光度計).
sen·sor [sénsər, -sɔːr] *n.* 감지기(感知器), 센서, 감지 장치 ; 〖컴퓨〗 센서, 감지기.
〖? *sensory* or L ; ⇨ SENSE〗
sen·so·ri·al [sensɔ́ːriəl] *a.* =SENSORY.
sen·so·ri·um [sensɔ́ːriəm] *n.* (*pl.* **-ria** [-riə], **~s**) 감각 중추, 지각 기관 ; 의식, 지각, 감각 ; 두뇌, 정신, 마음.
sen·so·ry [sénsəri] *a.* 감각(상)의, 지각의 : a ~ nerve 지각 신경 / a ~ organ 감각 기관.
—— *n.* 감각 기관.
sen·su·al [sénʃuəl ; -sjuəl] *a.* **1** 육체감각의, 관능적인, 육욕의 ; 육감적인 ; 관능주의의, 호색(好色)의(lewd). **2** 속된, 신앙심이 없는 ; 《稀》 감각의 ; 〖哲〗 감각론적인. **~·ly** *adv.* 〖L ; ⇨ SENSE〗
sénsual·ìsm *n.* **1** Ⓤ 관능주의 ; 육욕[주색]에 빠짐. **2** Ⓤ 〖哲〗 감각론. **3** Ⓤ 〖美術〗 육감[관능]주의.
sénsual·ist *n.* 《美》 관능주의자, 호색가 ; 〖哲〗 감각론자 ; 〖美術〗 육감주의자.
sen·su·al·i·ty [sènʃuǽləti ; -sju-] *n.* Ⓤ 관능[육욕]성, 관능[육욕]에 탐닉하기, 호색(↔*spirituality*).
sénsual·ìze *vt.* 관능[육욕]에 빠지게 하다 ; 타락시키다.
sen·su·ous [sénʃuəs ; -sju-] *a.* **1** 감각의 ; 감각에 호소하는, 감각적인. **2** 날카로운 느낌의, 미감(美感)에 호소하는, 심미적인 ; 민감한. **~·ly** *adv.* 감각[심미]적으로. **~·ness** *n.* 〖SENSE〗
類義語 ***sensuous*** 기분 좋은 것이 눈·귀·촉감 따위를 강하게 자극하는, 관능의 쾌락에 민감한 《sensual처럼 나쁜 뜻은 없음》. ***sensual*** 음란한 육체적 감각을 만족시키는. ***voluptuous*** sensual[sensuous]한 욕망을 자극하는, 그러한 욕망에 몸을 맡기는. ***luxurious*** 육체적 위안·만족을 주는 것에 빠지는. ***epicurean*** 사치스럽고 감각적인 즐거움, 특히 식도락(食道樂)에 빠지는.
Sen·sur·round [sénsəràund] *n.* 센서라운드《귀에는 들리지 않지만 몸으로 진동을 느끼게 하는 음향 효과의 방법 ; 상표명》. 〖*sense*+*surround*〗
◇**sent** *v.* SEND[1]의 과거·과거분사.
‡**sen·tence** [séntəns] *n.* **1** 〖文法〗 글, 문장 ; 〖論·數〗 명제 ; 〖樂〗 악절(樂節), 악구 : a ~ word 문장에 해당하는 한 단어《*Come* !, *Sure* !, *Yes* ! 따위》. **2** Ⓤ,Ⓒ 〖法〗 (형사상의) 선고, 판결, 처형 : be under ~ of …의 선고를 받다, …의 형에 처해지다 / pass[pronounce] ~ (of death) upon a person 사람에게 (사)형을 언도하다 / serve one's ~ 복역하다 / reduce a ~ to …으로 감형하다. **3** (성서에서의) 짧은 인용, 《古》 금언, 격언 ; 의견. **4** 〖生化〗 센텐스《하나의 단백질 아미노산 배열을 결정하는 유전자속의 코돈의 배열》.
—— *vt.* [+目 / +目+*to*+名] 선고하다, 판결하다 ; 형에 처하다 ; 쫓아보내다, 박해하다 : The man was ~*d* ***to*** a fine [*to* death] for the crime. 그 남자는 그 죄로 벌금형[사형]을 선고받았다. 〖OF<L *sententia* feeling, opinion (*sentio* to feel) ; ⇨ SENSE〗
séntence ádverb *n.* 〖文法〗 문장 부사.
séntence-mòdifying ádverb *n.* 〖文法〗 문장 수식 부사.
séntence páttern *n.* 〖文法〗 문형.
séntence strèss *n.* 〖音聲〗 문장 악센트.
sen·ten·tial [senténʃəl] *a.* 〖文法〗 문장의, 문장의 형태를 이룬 ; 판결의 ; 결단의.
senténtial fúnction *n.* 〖論〗 명제(命題) 함수.
sen·ten·tious [senténʃəs] *a.* (표현이) 금언(金言)적인, 간결한 ; (문장이) 금언적인 표현이 많은 ; (사람이) 금언적 표현을 좋아하는, 거드름 피우는. **~·ly** *adv.* **~·ness** *n.* 〖L〗
sen·ti [sénti] *n.* (*pl.* ~) 센티《탄자니아의 통화단위》. 〖Swahili<E *cent*〗
sen·tience, sen·tien·cy [sénʃəns(i), -tiən-] *n.* Ⓤ (원시적인) 감각, 지각(력) ; 감성 ; 직관(성).
sén·tient *a.* **1** (원시적인) 감각[지각]력이 있는. **2** 민감한(sensitive) ; 의식하고 있는(conscious) 〈*of*〉. —— *n.* 《稀》 감각[지각]력이 있는 사람[것] ; 《古》 마음. **~·ly** *adv.*
〖L (pres. p.) 〈 *sentio* to feel〗
***sen·ti·ment** [séntəmənt] *n.* **1** Ⓤ,Ⓒ (고상한) 감정, 정서, 정조(情操) ; Ⓤ (예술품에 나타난) 정취, 세련된 감정 : a girl full of ~ 정서가 풍부한 소녀. **2** (감정적인) 생각, 기분 : He has friendly[hostile] ~*s toward* me. 그는 나에게 호의[적의]를 품고 있다. **3** Ⓤ 감정으로 흐르는 경향, 눈물을 잘 흘림, 인정이 많음, 다정다감, 감상(感傷)

(cf. SENTIMENTAL) : a man of ~ 감정적인 사람 / There is no place for ~ in competition. 경쟁에 감상은 금물이다. **4 a**) 기운, (감정적인) 의향 ; [때때로 *pl.*] 의견, 감상, 감개 : Those are [《戱》 Them's] my ~*s.* 그것이 나의 소감이다. **b**) (축배를 들 때 말하는) 소감, 감회, 간단한 인사말 : I call upon Mr. Jones for a song or a ~. 존스씨에게 노래나 혹은 인사말을 부탁합니다. **5** (말 자체에 대한 그 속에 있는) 의미, 생각, 기분. 〚OF＜L (↑)〛

類義語 ⟹ FEELING.

sen·ti·men·tal [sèntəméntl] *a.* **1** 감정적인 ; 느끼기 쉬운, 감상적인, 인정 많은, 눈물을 잘 흘리는, 감동 잘하는, 다정다감한 ; 정에 호소하는 ; 푸념이 많은 : strike a ~ note (연설 따위에서) 감상적인 어조가 되다 / I want to buy the old house for ~ reasons. 그 고옥(古屋)을 감상적인 이유로 《어떤 추억으로 인해서》 사고 싶다. **2** 《古》 정취를 아는, 풍아한. **~·ly** *adv.*

類義語 ***sentimental*** 감수성이 지나치게 예민한 《때로는 과장된·부자연스런·터무니없는 감정을 암시》. ***romantic*** 비현실적이고 이상적인. ***mawkish*** 메스꺼울 정도로 감상적인. ***maudlin*** 터무니없이 눈물을 잘 흘리는[여성적인] 감상을 나타내는. ***gushy*** 감정 또는 열정을 지나칠 만큼 나타내는《구어적인 말》.

sentiméntal·ìsm *n.* Ⓤ 감정[정조·정서]주의, 감상주의, 다정다감, 감격성, 감상벽, 눈물을 잘 흘림 ; 푸념(하기). **-ist** *n.* 감상적인 사람, 다정다감한 사람, 눈물을 잘 흘리는 사람 ; 푸념을 잘하는 사람.

sen·ti·men·tal·i·ty [sèntəmentǽləti] *n.* Ⓤ 감정[감상]적임, 감상벽(感傷癖) ; 감상적인 생각[의견, 행동 따위].

sentiméntal·ìze *vt.* 감정적으로 하다, 감상적으로 보다[표현하다] : The actor ~*d* his part. 그 배우는 자신의 역을 감정적으로 연기했다.
── *vi.* 감상에 빠지다, 감상적이 되다, 눈물을 잘 흘리게 되다.

sentiméntal válue *n.* (개인적인 추억 따위 때문에 나타나는) 감정 가치.

sen·ti·mo [séntəmòu] *n.* (*pl.* **~s**) 센티모 (centavo)《필리핀의 통화 단위 : =1/100 peso》. 〚Philipino＜Sp. *cēntimo*〛

sen·ti·nel [séntənl] *n.* **1** 《文語》 보초, 파수병 ; 망보는 사람. ㊟ 군대에서는 SENTRY를 씀. **2** 〚컴퓨〛 (특정한 정보 블록의 처음이나 끝, 또는 자기 테이프 따위의 끝을 나타내는) 표시.
stand sentinel 보초를 서다, 망보다〈*over*〉.
── *vt.* (**-l-** | **-ll-**) 보초서다, 망보다 ; …에 보초를 세우다 : The trees ~*ed* the meadows. 나무들이 목장을 망보는 것처럼 서 있었다.
〚F＜It. (*sentina* vigilance)〛

sen·try [séntri] *n.* 〚軍〛 보초, 초병, 위병 ; 망보는 사람.
be on [***keep***] ***sentry*** 보초를 서다.
go on [***come off***] ***sentry*** 보초 근무에 들어가다[보초 근무를 마치다].
〚? *centrinel* (obs.) sentinel or *sentry* (obs.) sanctuary, watchtower〛

séntry bòx *n.* 초소(哨所), 보초막, 파수막.

séntry dùty *n.* 보초 근무.

séntry gò *n.* 보초 근무 ; 위병 교대 신호 : be on [do] ~ 보초 근무를 하다.

séntry ràdar *n.* 감시(監視) 레이더.

sen·za [séntsə, -tsɑː] *prep.* 〚樂〛 센차, …없이 (without) : ~ tempo 박자[속도]에 구애되지 않고. 〚It.〛

Sep. September ; Septuagint.

se·pal [sépəl, síː-] *n.* 〚植〛 꽃받침(cf. CALYX). 〚F, NL (*sepa-* covering, pet*al*um) ; 일설(一說)에 *sep*arate+pet*al*인가〛

-sep·al·ous [sépələs] *a. comb. form* 「…의 꽃받침이 있는」의 뜻. 〚*sepal*+*-ous*〛

sep·a·ra·ble [sépərəbəl] *a.* 구별할 수 있는, 분리할 수 있는, 뗄 수 있는〈*from*〉. **sèp·a·ra·bíl·i·ty** *n.* Ⓤ 분리[구별]할 수 있음, 가분성(可分性), 분리성. **-bly** *adv.*

‡**sep·a·rate** [sépərèit] *vt.* **1** [+目 / +目+*from*+名] 갈라놓다, 떼어놓다, 절단하다 ; 분리하다, 분류하다(divide) ; 선별하다, 추출하다 : ~ milk 우유를 탈지(脫脂)하다 / ~ a bough ***from*** a trunk 줄기에서 큰 가지를 잘라 내다 / ~ gold *from* sand 금을 모래에서 분리하여 채취하다. **2** (친구 등과) 이별하게 하다, 사이를 나쁘게 하다 : The two old friends were ~*d* for a time by spiteful gossip. 두 옛친구는 중상으로 한때 의가 상했다. **3** [+目 / +目+前+名] 나누다, 구분하다 ; (경계를 지어) 분할하다, 격리하다 ; 해체[분해]하다 ; 분산시키다 : Great Britain is ~*d* ***from*** the Continent by the English Channel. 영국 본토는 영국 해협에 의해 대륙과 분리되어 있다 / The tract of land had been ~*d* ***into*** small plots. 그 토지는 소구획으로 분할되어 있었다. **4** [+目 / +目+*from*+名] 식별하다 ; 분리하여 생각하다 : ~ two arguments 두 논점을 구별해서 생각하다 / ~ a butterfly ***from*** a moth 나비를 나방과 구별하다. **5** 제대시키다(discharge) ; 《美》 해고하다.
── *vi.* **1** [動 / +前+名] 나눠지다, 갈라지다 ; 헤어지다, 떨어지다, 관계를 끊다, 이산(離散)하다 ; (부부가) 별거하다 ; 의견 차이가 생기다 : The man and wife will ~ sooner or later. 그 부부는 조만간 헤어질 것이다 / The Uralian languages ~*d* ***into*** three branches. 우랄어(語)는 세 갈래로 갈라졌다. **2** [+*from*+名] 분리하다, 이탈[유리]하다, 독립하다 : ~ ***from*** a church 교회에서 분리하다 / He has ~*d from* the party. 그는 탈당했다.
── [sépərət] *a.* **1** 갈라진, 끊어진, 떨어진, 분산된, 흩어진 : ~ volumes 분책(分册) / He lives ~ *from* his wife. 그는 처와 별거하고 있다. **2** 따로따로의, 다른, 별도의, 단독의, 독립[격리]된 : a ~ peace 단독 강화(講和). **3** [때로 S~] (모체의 조직에서) 분리된《교회 따위》. **4** 실체가 없는, 영적인.
── [sépərət] *n.* (학술 잡지에서의) 발췌 인쇄물 (offprint) ; [*pl.*] 〚服〛 세퍼레이츠《blouse와 skirt 따위를 적당히 짝지어 입을 수 있게 되어 있는 여성·여아복》.
~·ly [,美+-pərtli] *adv.* 갈라져 ; 따로따로, 단독으로〈*from*〉. **~·ness** *n.*
〚L *se*-(*parat- paro* to prepare)〛

類義語 ***separate*** 이제까지 통일 또는 결합되어 있는 것을 분리하다 : *separate* parts of a machine (기계의 각 부분을 분해하다). ***divide*** 절단·분열·분배 따위에 의하여 부분·단편 또는 몇개의 군(群)으로 나누다 : *divide* the cake into equal shares (케이크를 똑같은 몫으로 나누다). ***part*** 밀접하게 결합되어 있거나 관련성이 있는 사람들이나 물건들을 구분하다 : till death *parts* us (죽음이 우리를 갈라놓을 때까지). ***sever*** 전체에서 부분으로 절단하다 ; 힘껏 무리하게 잡아 떼는 느낌을 줌 : *sever* a branch from a tree (나무에서 가지를 잘라내다).

séparate-but-équal prìnciple *n.* 《美》 (인종) 분리 평등 정책《흑인과 백인을 분리하지만 교육·시설·직업 따위에서는 차별이 없다는》.

sép·a·rat·ed mílk *n.* 탈지유.

séparate estáte *n.* 〖法〗 아내의 특유 재산.

séparate máintenance *n.* 〖法〗 (별거중인 아내에게 남편이 주는) 별거 수당 (cf. ALIMONY).

séparate schóol *n.* 《Can.》 (지방 교육위원회의 감독하에 있는) 분리파 교회학교.

sep·a·ra·tion** [sèpəréiʃən] *n.* **1** Ⓤ,Ⓒ 분리, 별거, 독립, 이탈〈*from*〉; Ⓤ 분류; 선별: after five years of ~ ***from his wife 아내와 별거한 지 5년 후에 / ~ of the (three) powers 삼권분립. **2** Ⓤ 〖法〗 (부부) 별거: ☞ JUDICIAL SEPARATION. **3** 이직, 퇴직, 퇴역; 〖植〗 분구(分球); 〖空〗 = BURBLE; 〖로켓〗 (연소가 끝난 단계의) 분리 (시기). **4** 분리점, 분할[경계]선; 칸을 막은 것, 칸막이; 간극, 갈라진 틈; 〖地〗 (단층 따위) 격리 거리: ~ between the two towns 두 도시의 경계선.

separátion allówance *n.* 별거[가족] 수당《특히 정부가 출정 군인의 아내에게 지급함》.

separátion anxìety *n.* 〖心〗 심리 불안《어린애가 양육자로부터 분리될 때의 심리 상태》.

separátion cènter *n.* 〖美軍〗 소집 해제 본부.

separátion·ist *n.* =SEPARATIST.

sep·a·rat·ism [sépərətìzəm, -pərèitizəm] *n.* Ⓤ (정치·종교상의) 분리주의(↔*unionism*).

sép·a·rat·ist [, -pərèit-] *n.* [때때로 S~] 분리주의자; 이탈[탈퇴]자; [S~] 〖英史〗 (국교회로부터의) 분리파. —— *a.* [때때로 S~] 분리주의자의; 분리주의자적인; 분리주의를 주창하는.

sèp·a·ra·tís·tic [-rə-] *a.*

sep·a·ra·tive [sépərèitiv, sépərə-] *a.* 분리성의; 독립적인.

sép·a·rà·tor *n.* 분리하는 사람; 선광기(選鑛器); 분리기, (우유의) 크림 분리기; 선별기; 격리판(板); 〖컴퓨〗 (정보 단위의 개시·종료를 나타내는) 분리 부호; 분리대.

sepd. separated. **sepg.** separating.

Se·phar·di [səfá:rdi:] *n.* (*pl.* **-dim** [-dəm, -fa:rdí:m], ~) 스페인·포르투갈계의 유태인.

Se·phár·dic *a.* 〚Heb.=Spaniard〛

se·pia [sí:piə] *n.* **1** Ⓤ 오징어(cuttlefish)의 먹물; 세피아《오징어 먹물에서 채취하는 갈색의 그림물감》; 세피아색. **2** 세피아색의 그림[사진]. —— *a.* 세피아(색·그림)의. 〚L<Gk.=cuttlefish〛

se·pi·o·lite [sí:piəlàit] *n.* 〖鑛〗 =MEERSCHAUM.

se·poy [sí:pɔi] *n.* (원래 영국 인도군의) 인도 인병(人兵). 〚Urdu and Pers. *sipāhī* soldier〛

Sépoy Mútiny[**Rebéllion**] *n.* [the ~] 세포이의 항쟁 (INDIAN MUTINY).

seps [séps] *n.* 〖動〗 뱀처럼 기는 도마뱀의 일종.

sep·sis [sépsəs] *n.* (*pl.* **-ses** [-si:z]) Ⓤ 〖醫〗 부패(작용), 부패증, 패혈증(敗血症). 〚NL<Gk.; ⇨ SEPTIC〛

sept [sépt] *n.* (고대 아일랜드·스코틀랜드의) 씨족; (일반적으로 조상이 같은) 종족. 〚? 변형(變形) 〈 *sect*〛

sept-[1] [sépt], **sep·ti-** [séptə] *comb. form* 「7…」의 뜻. 〚L (*septem* seven)〛

sept-[2] [sépt], **sep·to-** [-tou, -tə], **sep·ti-** [-tə] *comb. form* 「분할」「격벽[격막]」의 뜻. 〚L〛

***Sept.** September; Septuagint.

septa *n.* SEPTUM의 복수형.

sep·tal [séptl] *a.* 격벽[격막, 중격(中隔)]의.

sep·tan [séptən] *a.* 7일마다 일어나는: ~ fever 〖醫〗 7일열 (cf. TERTIAN).

sept·an·gle [séptæ̀ŋgəl] *n.* 7각형.

sept·an·gu·lar [septǽŋgjələr] *a.* 7각(형)의.

sep·tate [sépteit] *a.* 격벽[격막]이 있는.

◇**Sep·tem·ber** [septémbər] *n.* 9월《고대 로마력에서는 7월; 略 Sep., Sept.》. ㈜ 로마의 구력에서는 1년이 3월부터 시작되었음; September, October, November, December의 어원의 뜻과 현재의 실제 순서가 두달씩 어긋나는 것은 이 때문이다. 〚L (*septum* seven)〛

Septémber Mássacre *n.* [the ~] 9월 학살 《프랑스 혁명 때인 1792년 9월 2일-6일 Paris에서 행해진 Royalist에 대한 학살》.

Sep·tem·brist [septémbrəst] *n.* **1** 〖프史〗 9월 학살에 참가한 혁명파(派). **2** BLACK SEPTEMBER의 멤버.

sep·tem·par·tite [sèptəmpá:rtait] *a.* 〖植〗 기부(基部) 가까이까지 7개로 갈라진, 칠심렬(七深裂)의《잎》.

sep·te·nary [séptənèri; séptinəri] *a.* 7의, 7로 된; 7년간 계속되는; 7년째의. —— *n.* 7; 일곱 개 한 벌; 7년간. 〚L (*septeni* seven each)〛

sep·ten·ni·al [septéniəl] *a.* 7년마다의; 7년간 계속되는. **~·ly** *adv.* 〚L (↓)〛

sep·ten·ni·um [septéniəm] *n.* 7년간, 7년기(期). 〚L (*annus* year)〛

sep·ten·tri·on [septéntriàn, -triən] *n.* 《古》 북쪽 지방; 북(北); [the S~s] 〖天〗 북두칠성. 〚L=seven plowing oxen〛

sep·ten·tri·o·nal [septéntriənl] *a.* 《古》 북쪽의, 북으로부터의.

sep·tet(**te**) [septét] *n.* **1** 〖樂〗 7중주[중창], 7부 합주[합창]곡. ☞ SOLO ㈜. **2** 《비유》 7인[개] 조. 〚G (L *septem* seven)〛

septi- [séptə] ☞ SEPT-[1, 2].

sep·tic [séptik] *a.* 부패성의; 패혈성(敗血性)의: ~ fever 부패열 / ~ poisoning 패혈증. 〚L<Gk. (*sēpō* to rot)〛

sep·ti·ce·mia, -cae- [sèptəsí:miə] *n.* Ⓤ 〖醫〗 패혈증. **-mic** *a.* 패혈증의. 〚NL (Gk. *haima* blood)〛

séptic sóre thróat *n.* 〖醫〗 패혈성(敗血性) 인두염(咽頭炎).

séptic tànk *n.* (세균을 이용한) (하수 처리) 부패조, 정화조(淨化槽).

sèpti·láteral *a.* 7변[면]의.

sep·til·lion [septíljən] *n., a.* 셉틸리언(의)《미국에서는 10^{24}, 영국·독일·프랑스에서는 10^{42}》. 〚F (*sept-*[1], *-illion*)〛

sep·ti·mal [séptəməl] *a.* 7의.

sep·time [sépti:m] *n.* 〖펜싱〗 제7의 자세《여덟 가지 자세 중에서; cf. GUARD *n.* 3》.

sep·tin·ge·na·ry [sèptindʒí:nəri] *n.* 7백년제 (cf. CENTENARY).

sep·tu·a·ge·nar·i·an [sèptjuədʒənéəriən] *a., n.* 70대의 (사람). 〚L; ⇨ SEPTUAGINT〛

sep·tu·ag·e·nary [sèptʃuǽdʒənèri; -ədʒí:nəri] *a., n.* 70대[세]의 (사람).

Sep·tu·a·ges·i·ma [sèptjuədʒésəmə, -dʒéizə-] *n.* 〖宗〗 7순절《4순절(Lent) 전 제3 일요일; Easter 전 70일째의 뜻이나 실은 63일째》; [s~] 70일. 〚L=seventieth (day)〛

Sep·tu·a·gint [séptjuədʒìnt, -dʒənt] *n.* 70인(人)역(譯)(성서)《그리스어역 구약성서; 이집트 왕 Ptolemy 2세 (기원전 3세기)의 명에 따라 알렉산드리아에서 70[72]명의 유태인이 70[72]일간에 걸쳐 번역을 완료하였다고 전해짐; 略 Sep(t).,

LXX). 〚L=seventy〛

sep·tum [séptəm] *n.* (*pl.* **-ta** [-tə]) 격벽(隔壁) ; 〔解·動〕 중격(中隔), 격막(隔膜) ; 〔植〕 포편(胞片). 〚L (*saept- saepio* to enclose)〛

sep·tu·ple [séptjupəl, septjú:- ; séptjupl] *n., a.* 7배[겹](의) ; 7의. —— *vt., vi.* 일곱 배[겹]로 하다[되다]. 〚L (*sept-*¹)〛

sep·tup·let [septʌ́plət, -tjú:- ; septjú:-, séptju-] *n.* 일곱아이의 한사람 ; 7개[7인]조.

sep·ul·cher | **-chre** [sépəlkər] *n.* **1** 무덤 《특히 바위를 뚫거나 돌·벽돌로 만든 것》 ; 지하 매장소 : ☞ WHITED SEPULCHER. **2** 《비유》 (희망 따위의) 무덤. **3** [the (Holy) S~] 성묘《예수의 무덤》. —— *vt.* 무덤에 안치하다, 매장하다.
〚OF<L (*sepult- sepelio* to bury)〛

se·pul·chral [səpʌ́lkrəl] *a.* 무덤의 ; 매장에 관한, 무덤 같은 ; (음성이) 음침한(dismal).

sep·ul·ture [sépəltʃər, -tʃùər] *n.* **1** Ⓤ 매장(burial). **2** 《古》 매장소, 무덤(sepulcher).
〚OF<L ; ⇨ SEPULCHER〛

seq., seqq. sequentes ; sequentia.

se·qua·cious [sikwéiʃəs] *a.* 남을 따르기 좋아하는 ; 굴종[맹종]적인, 비굴한, 추종적인 ; 논리에 맞는.

se·quel [sí:kwəl] *n.* **1** (소설 따위의) 계속, 속편, 후편〈*to*〉. **2** 결과, 결말, 귀추, 귀착점〈*of, to*〉.
in the sequel 그 뒤에 가서, 결국.
〚OF<L (*sequor* to follow)〛

se·que·la [sikwí:lə, -kwélə] *n.* (*pl.* **-lae** [-li:]) [보통 *pl.*] 〔醫〕 후유증 ; 결과. 〚NL (↑)〛

***se·quence** [sí:kwəns] *n.* **1** Ⓤ 연속, 속발(續發) ; Ⓒ (인과적인) 연쇄 ; 법칙에 따른 순서[진행] : a ~ *of* rich harvests 연이은 풍작. **2** Ⓤ 순서, 차례 : in regular ~ 순서대로, 정연히. **3** 이치, 조리(條理). **4** Ⓤ 귀결, 결과, 결론. **5** 〔카드 놀이〕 연속물, (시 따위의) 연작 ; 연속되는 같은 짝의 패《하트의 K, Q, J, 10, 9 따위》 ; 〔樂〕 반복 진행 ; 〔映〕 (연속된) 일련의 화면, 한 장면(scene). **6** Ⓤ 〔文法〕 =SEQUENCE OF TENSES ; 〔數〕 (수)열 ; 〔컴퓨〕 순차. —— *vt.* 차례로 나열하다, 정리[배열]하다.
in sequence 차례로.
〚L ; ⇨ SEQUEL〛
類義語 ⟹ SERIES.

séquence of ténses *n.* 〔文法〕 시제의 일치.

se·quenc·er [sí:kwənsər] *n.* (정보 배열·로켓 발사시 따위의) 순서 결정[조정] (전자) 장치, 시퀀서.

sé·quent *a.* 다음에 오는, 차례로 계속되는 ; 결과[결론]로서 따르는, 잇따라 일어나는〈*to, on*〉.
—— *n.* 결과, 결론.
〚OF or L ; ⇨ SEQUEL〛

se·quen·tes [sikwénti:z], **se·quen·tia** [sikwénʃiə] *n. pl.* 이하(the following). 〚L〛

se·quen·tial [sikwénʃəl] *a.* 연속되는, 일련의 ; 잇따라 일어나는, 잇따른, 결과로서 생기는, 후유증으로 생기는〈*to*〉 ; (부작용 제거를 위해) 특정순서로 순차 복용하는《경구 피임약》 ; 〔統〕 순차적인《추출》. —— *n.* [보통 *pl.*] 순차 경구 피임약 ; 〔컴퓨〕 순차. **~·ly** *adv.*
〚*consequential*의 유추로 *sequence*에서〛

sequéntial accéss *n.* 〔컴퓨〕 순차 접근.

sequéntial númbering sỳstem *n.* 일련 번호 방식《참고 문헌, 표기법의 하나》.

se·ques·ter [sikwéstər] *vt.* **1** [+目/+目+*from*+名] 격리하다 ; 은퇴시키다 ; [~ one*self* 로] 은퇴하다(seclude) : ~ one*self* ***from*** the world 세상에서 은퇴하다, 은둔(隱遁)하다. **2** 〔法〕 (재산 따위를) 몰수하다, 일시 압류하다 ; 〔國際法〕 (적의 재산을) 접수[압수]하다.
—— *n.* =SEQUESTRUM ; 《廢》 격리.
se·qués·tra·ble *a.* 가압류할 수 있는, 몰수할 수 있는. 〚OF<L=to commit for safe keeping (*sequester* trustee)〛

se·qués·tered *a.* 은퇴한, 물러난(retired) ; 외딴(isolated) ; 몰수당한, 일시 압류당한 : a ~ life 은퇴 생활 / a ~ retreat 은신처.

se·ques·trate [sikwéstreit, sí:kwəstrèit, sék-] *vt.* **1** 〔法〕 가압류하다, 몰수하다, 파산시키다 ; (파산자의 재산을) 강제 관리시키다. **2** 《古》 격리시키다, 은퇴시키다. **3** 〔醫〕 …에 부골을 형성하다. 〚L ; ⇨ SEQUESTER〛

se·ques·tra·tion [sì:kwəstréiʃən, sèk-] *n.* Ⓤ 격리 ; 은퇴 ; 〔法〕 가(假)압류 (영장), 몰수 ; 〔醫〕 부골 형성 ; 〔化〕 금속 이온 봉쇄.

se·ques·trum [sikwéstrəm] *n.* (*pl.* **~s, -tra** [-trə]) 〔醫〕 부골(腐骨)《건전한 뼈에서 떨어져 잔존하는 것》. 〚NL〛

se·quin [sí:kwən] *n.* **1** 〔史〕 고대 베니스의 금화. **2** 시퀸《여성복의 장식 따위에 사용하는 작은 금속 조각》.
〚F<It. *zecchino* a gold coin<Arab. =a die〛

se·quoia [sikwɔ́iə] *n.* 〔植〕 아메리카삼(杉)나무, 세쿼이아《미국 캘리포니아 주(州)에서 나는 거대한 나무 ; cf. BIG TREE, REDWOOD》.
〚George G. *Sequoya* (d. 1843) 아메리칸 인디언의 Cherokee 어(語) 학자〛

Sequóia Nátional Párk *n.* 세쿼이아 국립 공원《미국 California 주(州) 중동부에 있으며 거대한 세쿼이아숲으로 유명》.

ser [síər] *n.* =SEER².

ser- [síər, sér] ☞ SERO-.

ser. serial ; series ; sermon ; service.

sera *n.* SERUM의 복수형.

se·rac, sé- [səræ̃k, sei- ; séræk] *n.* [보통 *pl.*] 세락《빙하가 비탈을 내려올 때 빙하의 균열과 균열이 교차하여 생기는 빙탑(氷塔)》.
〚F=white cheese (L *serum* whey)〛

se·ra·glio [səræ̃ljou, -rɑ́:- ; serɑ́:liòu] *n.* (*pl.* **~s**) 이슬람교국의 왕궁 ; 〔史〕 [S~] 터키의 옛 왕궁의 이름(=the Old S~) ; 처첩(妻妾)의 방(harem) ; 그 속에 사는 처와 첩. 〚It. (↓)〛

se·rai [sərái, -rɑ́:i ; serái] *n.* 《이란·인도》 여관, 여인숙, 대상(隊商) 숙소 ; (터키의) 왕궁.
〚Turk. <Pers.=palace, inn〛

se·rang [səræ̃ŋ] *n.* (남아프리카의 말라위인(人)의) 수부장(水夫長) ; 선장.

se·ra·pe, sa- [sərɑ́:pi, -ræ̃pi], **za-** [zə-] *n.* (멕시코인의) 화려한 어깨걸이[무릎덮개].
〚Am. Sp.〛

ser·aph [sérəf] *n.* (*pl.* **~s, ser·a·phim** [-fim, -fìm]) 〔神學〕 치품(熾品) 천사《세 쌍의 날개를 가진 9천사 중의 최고위의 천사 ; cf. HIERARCHY 2 㨗》. 〚역성(逆成) ‹*seraph*im〛

se·raph·ic [siræ̃fik] *a.* (최고위) 천사의[와 같은] ; 거룩한 ; (미소 따위가) 청순한, 고상한.

seraphim *n.* SERAPH의 복수형.
〚Gk. <Heb. ; cf. CHERUB〛

Serb [sə́:rb], **Sér·bi·an** *a.* 세르비아(Serbia)의 ; 세르비아인(人)[어(語)]의. —— *n.* 세르비아인 ; Ⓤ 세르비아어. 〚Serbo-Croat *Srb*〛

Ser·bia [sə́:rbiə] *n.* 세르비아《유고슬라비아의 일부, 원래 발칸의 왕국》.

Ser·bo- [sə́:rbou, -bə] *comb. form* 「세르비아」의

뜻.
Sérbo-Cróat *a., n.* =SERBO-CROATIAN.
Sérbo-Croátian *a.* Serbia와 Croatia어(계 주민)의. —— *n.* Ⓤ 세르보크로아티아어《유고슬라비아에서 쓰이는 슬라브 계통의 언어》; 세르보크로아티아어를 모어(母語)로 하는 사람.
Ser·bó·ni·an bóg [sərbóuniən-] *n.* 세르보니스의 늪《군대 전체를 삼켜버렸다고 하는 고대 이집트의 큰 늪》; 《비유》 곤경, 궁지.
sere[1] [síər] *a.* 《詩》 시든, 말라빠진; 《古》 닳아 떨어진. 〖OE *sēar*; ⇨ SEAR[1]〗
sere[2] *n.* 〖生態〗 천이 계열(遷移系列). 〖역성(逆成) ‹ *series*〗
se·rein [səréən, -réin] *n.* 여우비, 천읍(天泣)《열대지방의 갠 하늘에서 내리는 이슬비》. 〖F (L *serum* evening); cf. SOIREE〗
Se·re·na [sərí:nə] *n.* 여자 이름(cf. SERENO). 〖L (fem.); ⇨ SERENE〗
ser·e·nade [sèrənéid] *n.* 밤에 연인[여성]이 살고 있는 집 밖에서 노래를 부르기[연주하는 곡]; 〖樂〗 세레나데, 소야곡(小夜曲), 밤의 멜로디《저녁의 정서에 어울리는 조용한 서정적인 악곡; cf. AUBADE, NOCTURNE》. —— *vt., vi.* 소야곡을 노래하다[연주하다]. 〖F<It. (↓)〗
ser·e·na·ta [sèrəná:tə] *n.* 〖樂〗 세레나타《(1) 18세기의 세속(世俗) 칸타타(cantata). (2) 모음곡(曲)과 교향곡의 중간적인 기악곡. (3) 세레나데(serenade)》. 〖It.=evening song; ⇨ SERENE〗
ser·en·dip·i·ty [sèrəndípəti] *n.* 뜻밖의 발견(을 하는 능력); 운 좋게 발견한 것. **-díp·i·tous** *a.* 뜻밖의 발견을 하는 능력의. **-tous·ly** *adv.* 〖동화 *The Three Princes of Serendip*의 주인공에게 이 능력이 있었음; Horace Walpole의 조어(造語) (1754)〗
serendípity bèrry *n.* 〖植〗「이상한 액과(液果)」《신 것을 달게 하는 아프리카산 과일》.
ser·en·dip·per [sèrəndípər] *n.* 뜻밖에 행운을 발견하는 사람. 〖*serendipity*, *-er*[1]〗
***se·rene** [sərí:n] *a.* **1** 맑게 갠, 화창한, 청명한; (하늘에) 구름 한점 없는; (바다 따위가) 잔잔한, 고요한(calm). **2** (사람이) 온화한, 차분한; 조용한, 평화로운: a ~ temper[look] 온화한 성질[얼굴 생김]. **3** [S~] 존귀한, 고귀한(cf. SERENITY 3): His[Her] *S~* Highness 전하《略 H. S. H.》/ Your *S~* Highness 전하《이상 모두 유럽 대륙에서의 왕후[왕비]에 대한 경칭》.
all serene 《英俗》 평온 무사, 이상[위험] 없음, 좋음(all right).
—— *n.* 《詩·古》 청명한 하늘; 평온한 바다[호수]. —— *vt.* 《詩》 (바다·하늘·얼굴 따위를) 평온하게 하다. **~·ly** *adv.* **~·ness** *n.*
〖L *serenus* clear, fair, calm〗
類義語 ⟹ CALM.
se·ren·i·ty [sərénəti] *n.* **1** Ⓤ 청명함, 화창함, 고요함. **2** Ⓤ 평온, 평정(平靜), 침착; [the Sea of S~] (달의) 고요의 바다. **3** [S~] (유럽 대륙에서) 전하: Your[His, *etc.*] *S~*= Your[His, *etc.*] SERENE Highness.
〖F<L; ⇨ SERENE〗
Se·re·no [sərí:nou], **-nus** [-nəs] *n.* 남자 이름(cf. SERENA). 〖L; ⇨ SERENE〗
serf [sə́:rf] *n.* 농노(農奴)《봉건 시대의 농민의 최하위 계급으로 토지에 부속되어 토지와 더불어 매매가 이루어졌음》; 《비유》 노예(와 같은 사람).
~·age, ~·dom, ~·hood *n.* Ⓤ 농노의 신분; 농노 제도. 〖OF<L *servus* slave〗
Serg., serg. sergeant.
serge [sə́:rdʒ] *n.* Ⓤ 능라사, 서지《옷감의 일종》: a blue ~ suit 짙푸른색 서지 복. —— *vt.* (카펫의 가장자리 따위를) V형으로 감치다.
〖OF<L; ⇨ SILK〗
***ser·geant** [sá:rdʒənt] *n.* **1** 하사관, 병장《略 Serg., Sergt., Sgt.》. 주 《美》에서는 first sergeant[master ~] 상사, sergeant first class 중사, staff sergeant 하사, sergeant 병장의 4계급이 있음. **2** 경사《《英》 inspector와 constable의 중간; 《美》 lieutenant의 아래 patrolman의 위》. **3** =SERJEANT 1. **4** =SERGEANT-AT-ARMS. **5** 《廢》 (판결·명령 따위의) 집행인. **~·shìp, sér·gean·cy** *n.* Ⓤ sergeant의 직위[임기].
〖F<L *servient- serviens* servant; ⇨ SERVE〗
sérgeant(-)at(-)árms *n.* (*pl.* **sérgeants(-)at(-)árms**) (영국 왕실·의회·법정·사교 클럽 따위의) 수위관.
sérgeant-at-láw *n.* (*pl.* **sérgeants-at-láw**) =SERJEANT-AT-LAW.
sérgeant májor *n.* (*pl.* **sérgeants májor, ~s**) 〖美陸軍·海兵隊〗 특무상사.
Sergt., sergt. sergeant.
***se·ri·al** [síəriəl] *a.* **1** 연속적인; 계속되는, 연속[일련]의: publish in ~ form 연속물로 출판하다. **2** (소설 따위) 연속물의, 연속 출판의, (간행물이) 정기(定期)적인. **3** 〖컴퓨〗 (데이터의 전송(傳送)·연산(演算)이) 직렬(直列)의, 시리얼의 (cf. PARALLEL). **4** 〖樂〗 12음 조직의. —— *n.* (소설·영화·라디오·텔레비전 따위의) 연속물[극·프로그램]; (연재물 따위의) 1회분; 정기 간행물; 〖컴퓨〗 직렬.
~·ly *adv.* 연속적으로, 연속물로서.
〖*series*+*-al*〗
sérial-áccess mèmory *n.* 〖컴퓨〗 직렬 접근 기억(記憶).
sérial·ism *n.* 〖樂〗 뮤직시리얼(의 이론[실천]) 《특히 12음 조직, 12음 기법[작곡법]》.
sérial·ist *n.* **1** 연속극[연재물] 작가. **2** 〖樂〗 뮤직시리얼의 작곡가, 12음작가.
se·ri·al·i·ty [sìəriǽləti] *n.* 연속(성), 순차적임.
sérial·ìze *vt.* 차례로 나열하다; 연속물로 연재[출판, 방송]하다. **sèrial·izátion** *n.*
sérial kíller *n.* 연속 살인마[자].
sérial márriage *n.* 〖社〗 축차혼(逐次婚)《일정 기간에 결혼을 차례차례로 하는 형식》.
sérial monógamy *n.* 〖社〗 축차단혼(逐次單婚)《축차혼에서의 일부 일처혼(婚)》.
sérial nùmber *n.* 일련[제작] 번호, 시리얼 넘버; 〖軍〗 인식 번호, 군번; 〖컴퓨〗 일련 번호.
sérial prìnter *n.* 한 자씩 순차적으로 인자(印字)하는 인자기(cf. LINE PRINTER).
sérial ríghts *n.* 〖出版〗 연재권(連載權).
se·ri·ate [síəriət, -èit] *a.* 연속하는, 연속적인.
—— [síərièit] *vt.* 연속시키다, 연속적으로 배열하다. **~·ly** *adv.* **sè·ri·á·tion** *n.*
se·ri·a·tim [sìəriǽtəm, -éi-, sèr-] *adv., a.* 차례로(의), 순차적으로[적인], 계속해서[하는].
〖L SERIES; *literatim* 따위에 준한 것〗
se·ri·ceous [səríʃəs] *a.* 명주(실) 같은; 명주 같은 광택이 있는; 〖植〗 명주실 같은 솜털이 있는.
ser·i·cin [sérəsən] *n.* 〖化〗 세리신《고치에서 갓뽑은 실에 묻은 젤라틴》.
ser·i·cite [sérəsàit] *n.* 〖鑛〗 견운모(絹雲母).
sèr·i·cít·ic [-sít-] *a.*
séri·cúlture [sérə-] *n.* Ⓤ 양잠(업).
sèri·cúlturist *n.* **-cúltural** *a.*
‡**se·ries** [síəri(:)z] *n.* (*pl.* ~) **1** 일련(一連), 연

속, 계열 : a ~ *of* victories[misfortunes] 연전 연승[잇달은 불행] / A car comes into being through a ~ *of* complex operations. 자동차는 일련의 복잡한 공정에 의해 제작된다. ☞ 活用. **2** 연속물, 연속 출판물, 총서(叢書), 시리즈, 제…집(集) : the first ~ (간행물의) 제1집. **3** 〖化〗 열(列) ; 〖電〗 직렬(直列)(연결) ; 〖數〗 급수 ; 〖地質〗 통(統)《system(계)의 하위 지층 단위》 ; 〖動〗 열《막연히 속(屬)과 종(種) 사이 따위에 두는 편의적 분류 계급》 : an arithmetical[a geometrical] ~ 〖數〗 등차[등비] 급수.

in series 계열을 이루어, 연속해서 ; 총서로서 ; 〖電〗 직렬로.

—— *a.* 〖電〗 직렬(식)의.

〖L=row, chain (*sero* to join, connect)〗

活用 series는 단수 · 복수 동형(同形). a *series* of 는 다음에 복수명사가 와도 단수취급하는 것이 일반적 : A *series* of slight earthquakes often *precedes* a big one. (대지진이 일어나기 전에 경진(輕震)이 잇달아 일어나는 수가 많다).

類義語 ***series*** 몇개의 서로 비슷하며 상호 관련이 있는 것이 시간적으로 또는 공간적으로 연속된 것 : a *series* of games (일련의 경기). ***sequence*** 이론적인 관련성이나 숫자에서의 서열과 같이 피차간의 관계가 한층 더 밀접함을 나타냄 : the *sequence* of mysterious murders (수수께끼 같은 연쇄 살인 사건). ***succession*** 단순한 사건이나 사물의 연속, 피차간에 반드시 관련이 있다고는 볼 수 없음 : a *succession* of accidents (사고의 연속). ***chain*** 원인 결과의 관계나 다른 논리적인 관련성을 뚜렷하게 볼 수 있는 series : a *chain* of thoughts (일련의 사고).

séries génerator *n.* 직권(直捲) 발전기.

séries-párallel *a.* 〖電〗 직병렬(直竝列)의.

séries wìnd·ing [-wàind-] *n.* 〖電〗 직권(법) (↔*shunt winding*). **séries-wòund** [-wàund] *a.* 〖電〗 직렬(直列)로 감은, 직권의.

ser·if, ser·iph, cer·iph [sérəf] *n.* 〖印〗 세리프 《H, I 따위의 활자에서 볼 수 있는 상하의 가는 선 ; cf. SANS SERIF》.

〖? Du. *schreef* stroke, line〗

séri·gràph [sérə-] *n.* 세리그래프《실크 스크린 날염의 채색화》 ; [S~] 세리그래프《생사(生絲) 검사기의 상표명》. **se·rig·ra·pher** [səríɡrəfər] *n.* 세리그래프 날염자. **se·ríg·ra·phy** *n.* Ⓤ 세리그래피, 실크 스크린 날염법 ; (특히 실크 스크린에 의한) 채색화 인쇄법.

ser·in [sérən, 美+sərǽŋ] *n.* 〖鳥〗 카나리아(의 원종(原種)). 〖F〗

ser·ine [séri:n, síər-, -rən] *n.* 〖生化〗 세린.

sé·rio·cómedy [síəriou-] *n.* 세리오코미디《진지한 요소를 다분히 함유한 희극》.

se·rio·cómic, -cómical [sìəriou-] *a.* 진지하면서도 익살스러운, 짐짓 진지한 체해서 사실은 우스운. **-cómical·ly** *adv.*

〖*serious*+*-o-*+*comic*(*al*)〗

‡se·ri·ous [síəriəs] *a.* **1** 진지한 ; 진담의, 진정한, 정색한, 농담이 아닌 : a ~ talk 진지한 얘기 / a ~ look 진지[심각]한 표정 / take...for ~ …을 진담으로 받아들이다, 곧이듣다 / He was ~ about the matter. 그 일에 대해서 진지하였다. **2** 방심할 수 없는, 용이하지 않은 ; 중대한 ; 위독한, 위험한 : a ~ mistake 중대한 오류 / a ~ illness 중병 / The relation between the two countries became ~. 양국간의 관계는 심각해졌다. **3** (문학 · 음악 따위가) 딱딱한, 따분한 ; 일심불란한 ; 《古》 경건한, 종교[도덕 따위]에 관한.

> 〈회화〉
> You look *serious*. — I failed my exam. 「너 심각해 보이는구나」 「시험에 떨어졌어」

~·ness *n.* 진지함 ; 중대함, 심각함 : in all ~*ness* 진지하게, 진정으로.

〖OF or L ; cf. OE *swǣr* gloomy〗

類義語 ⟹ GRAVE².

‡sérious·ly *adv.* 진지하게 ; 진정으로, 농담이 아니라 ; 중하게, 심하게 : take a thing ~ 일을 진지하게 생각하다, 곧이곧대로 받아들이다 / now ~ =~ speaking 농담은 그만두고.

sérious-mínd·ed *a.* 진지한, 신중한. **~·ness** *n.*

seriph ☞ SERIF.

ser·jeant [sá:rdʒənt] *n.* **1** 《英》 법정 변호사 (barrister), (특히) =SERJEANT-AT-LAW. **2** =SERGEANT 1, 2.

sérjeant(-)at(-)árms *n.* =SERGEANT(-)AT(-)ARMS.

sérjeant-at-láw *n.* (*pl.* **sérjeants-at-láw**) 〖英法〗 상급 법원 변호사《보통의 BARRISTER 보다 상위 ; 1880년 폐지됨》.

***ser·mon** [sá:rmən] *n.* 설교 ; 교훈 ; 훈계, 잔소리, 장광설 : after ~ 교회 예배가 끝나고 / a lay ~ (성직자 아닌) 속인의 설교 / preach a ~ 설교하다.

sermons in stones 《셰익스피어》 돌 (따위 대자연)이 주는 교훈.

the Sermon on the Mount 〖聖〗 (그리스도의) 산상 수훈(山上垂訓)《마태복음 5, 6, 7장》.

〖OF<L=speech, talk〗

ser·mon·et(te) [sə̀:rmənét] *n.* 짧은 설교.

ser·mon·ic, -i·cal [sərmánik(əl)] *a.* 설교의.

sérmon·ìze *vi., vt.* (…에게) 설교하다 ; 설법하다 ; 잔소리하다. **-ìz·er** *n.* 설교자.

se·ro- [síərou, sér-, -rə], **ser-** [síər, sér] *comb. form* 「장액(漿液)」 「혈청(血淸)」의 뜻.

〖L ; ⇨ SERUM〗

se·rol·o·gy [siərálədʒi, sə-] *n.* Ⓤ 혈청학(血淸學) ; Ⓒ 혈청 (반응) 검사. **se·ro·log·ic, -i·cal** [sìərəládʒik(əl)] *a.* 혈청학의. **-i·cal·ly** *adv.*

se·ro·sa [siəróusə, -zə, sə-] *n.* (*pl.* **~s, -sae** [-si:, -zi:]) 〖解 · 動〗 장(액)막(漿(液)膜)(chorion). **-sal** *a.*

se·ros·i·ty [siərásəti] *n.* Ⓤ 물 같음, 장액성(漿液性) ; 〖生理〗 장액(漿液).

sèro·thérapy *n.* Ⓤ 〖醫〗 혈청 요법(serum therapy).

ser·o·tine [sérətàin, -tən, -tì:n] *a.* 〖植〗 만성(晩成)의, 철늦게 피는.

〖L=coming late (*sero* late) ; ⇨ SEREIN〗

se·rot·i·nous [siərátənəs, sə-, sèrətáinəs] *a.* 〖植〗 늦여름의 ; 〖植〗 철늦게 피는.

ser·o·to·nin [sèrətóunən, sìər-] *n.* 〖生化〗 세로토닌《포유 동물의 혈청 · 혈소판 · 뇌 따위에 함유되어 혈관 수축 작용을 하는 호르몬의 일종》.

〖*sero-*+*tonic*+*-in*〗

séro·tỳpe *n.* 〖醫〗 (미생물의 항원성(抗原性)에 의한) 혈청형, 항원형. —— *vt.* …의 혈청[항원]형을 결정하다.

se·rous [síərəs] *a.* 〖生理〗 장액(漿液)(성)의, 혈청의 ; 희박한, 물 같은. 〖F or L ; ⇨ SERUM〗

sérous flúid *n.* 〖生理〗 장액(漿液).

sérous mémbrane *n.* 〖動 · 解〗 장막(漿膜).

Ser·pens [sá:rpənz] *n.* 〖天〗 뱀자리.

***ser·pent** [sə́ːrpənt] *n.* **1** 뱀 《특히 크고 독이 있는 종류 ; cf. SNAKE》 ; 《古》 독이 있는 생물. **2** 뱀 같은 사람, 음흉한 사람 ; [the (old) S~] 〖聖〗 악마(Satan) ; [the (old) ~] 악인, 유혹자. **3** [the S~] 〖天〗 뱀자리. **4** 〖樂〗 (옛날 나무로 만든) 뱀 모양의 취주 악기. 〚OF<L (pres. p.) ‹ *serpent- serpo* to creep〛

serpent 4

ser·pen·tar·i·um [sə̀ːrpəntéəriəm, -tǽər-] *n.* (*pl.* **~s, -tar·ia** [-iə]) 《美》 뱀 사육장.

Sérpent Béarer *n.* [the ~] 〖天〗 뱀주인자리.

sérpent-chàrm·er *n.* (피리를 불며) 뱀을 부리는 사람.

sérpent gràss *n.* 〖植〗 씨범꼬리.

ser·pen·tine [sə́ːrpəntàin, -tìːn] *a.* 뱀 모양의 ; 뱀 같은 ; 꾸불꾸불한 ; 《비유》 음흉한, 교활한, 남을 모함하는. ── *n.* **1** 뱀 모양의 것, 꾸불꾸불한 것 ; 종이 테이프 ; 뱀처럼 꿈틀거리는 불꽃. **2** Ⓤ 〖鑛〗 사문석(蛇紋石). **3** 옛날 대포의 일종. **4** 〖스케이트〗 S자 곡선. **5** [the S~] 서펜타인 못 《런던의 Hyde Park에 있는 S자형의 인공 연못》. ── *vi.* 꾸불꾸불 구부러지다, 굽이치다 ; 비틀거리며 걷다. 〚OF<L ; ⇨ SERPENT〛

ser·pen·ti·nite [sə́ːrpəntìːnait, -tài-] *n.* 〖岩石〗 사문암(蛇紋岩).

sérpent lìzard *n.* ＝SEPS.

sérpent's-tòngue *n.* ＝ADDER'S-TONGUE.

ser·pig·i·nous [sə(ː)rpídʒənəs] *a.* 〖醫〗 (피부병 따위의) 사행성(蛇行性)[상(狀)]의.

ser·rate [sérət, -eit, 美+səréit] *a.* 〖解·動〗 톱니 모양의, 톱니가 있는 ; 〖植〗 잎의 가장자리가 들쭉날쭉한, 톱니 모양의 ; 가장자리가 깔쭉깔쭉한 《경화》. ── [səréit, séreit ; seréit] *vt.* …의 가장자리를 깔쭉깔쭉하게 하다. **ser·rat·ed** [séreitəd ; -⌐-] *a.* **ser·ra·tion** [seréiʃən] *n.* Ⓤ 톱니 모양 ; 톱니 (모양의 돌기). 〚L〛

ser·ried [sérid] *a.* 밀집한, 빽빽한, 꽉 찬 ; 톱니 모양의. **~·ly** *adv.* 〚SERRY〛

ser·ru·late [sérjələt, -lèit], **-lat·ed** [-lèitəd] *a.* 작은 톱니 모양의. **sèr·ru·lá·tion** *n.*

ser·ry [séri] *vi., vt.* 《古》 밀집하다[시키다], 꽉 차다[채우다]. 〚F *serré* (p.p.) ‹ *serrer* to close〛

se·rum [síərəm] *n.* (*pl.* **~s, -ra** [-rə]) 장액(漿液) ; 유장(whey), 림프액(lymph) ; 혈청(cf. VACCINE) ; 항독소 ; (수액 성분속의) 수분 장액 ; 《俗》 알코올, 술 : a ~ injection 혈청 주사. **~·al** *a.* 〚L＝whey〛

sérum hepatìtis *n.* 〖醫〗 혈청 간염《급성 바이러스 감염증의 하나》.

sérum thèrapy *n.* 〖醫〗 혈청 요법.

serv. servant ; service.

ser·val [sə́ːrvəl, səːrvǽl] *n.* 〖動〗 서발《살쾡이의 일종 ; 아프리카산》. 〚F<Port.〛

‡**ser·vant** [sə́ːrvənt] *n.* **1** 하인, 종, 고용인(cf. MASTER) : a female ~ 하녀 / an outdoor ~ 바깥일을 보는 하인, 정원사《등》 / make atomic energy a ~ *of* peace 원자력을 평화적 목적에 이용하다. **2** 부하, 종복 ; 봉사자, (그리스도·예술·주의 따위에) 충실한 사람. **3** 공무원 : His [Her] Majesty's ~*s* ＝the king's[queen's] ~*s* 관리 / a civil ~ 문관 / a public ~ 공무원, 관공리. **4** 《英》 (철도 회사 따위의) 종업원, 사원. **5** 노예(slave).

***the servant of the servants* (*of God*)** [(the) ~] 가장 천한 종《servus servorum Dei의 역(譯)으로 로마 교황의 자칭》.

Your* (*most*) *obedient servant 《英》 경구(敬具)《공문서에 쓰이는 자칭으로 끝맺는 문구》.

what did your last servant die of ? 《口·戲》 그런 일쯤은 자신이 하지.

~·hòod *n.* **~·less** *a.* **~·lìke** *a.* 〚OF (pres. p.) ‹ *servir* to SERVE〛

sérvant gìrl[màid] *n.* 하녀.

‡**serve** [səːrv] *vt.* **1** …을 섬기다, …을 위해 일하다 : ~ a master 주인을 섬기다 / ~ two masters 두 주인을 섬기다 ; 상반된 두 가지 주의를 신봉하다 / ~ God[the devil] 신[악마]을 섬기다 ; 훌륭한[사악한] 행동을 하다 / ~ mankind 인류에게 봉사하다 / He ~*d* his country as a diplomat for thirty-three years. 그는 외교관으로 33년간 조국을 위해 일했다.
2 (연한·임기 따위를) 근무[복무]하다 : ~ one's term 임기를 근무하다 ; 복역을 마치다 / ~ a sentence (죄수가) 복역하다 / ~ one's apprenticeship to a carpenter 목수의 도제살이를 하다.
3 …에게 시중들다, (가게에서 손님의) 주문을 받다, (남의) 분부를 받들다 : ~ a customer in a store 점포에서 손님을 접대[응대(應對)]하다.
4 [＋目＋*with*＋名] …에게 공급하다 : The company ~*s* our town ***with*** gas. 그 회사는 우리 도시에 가스를 공급해 주고 있다.
5 [＋目 / ＋目＋前＋名 / ＋目＋目] (음식을) 차려 내다, 대접하다 : The maid ~*d* the first course. 하녀가 첫번째 요리를 내왔다 / Fish is often ~*d* with white sauce. 생선은 흔히 화이트소스를 쳐서 상에 내놓는다 / Dinner is ~*d*. 저녁 준비가 됐습니다(Dinner is ready.) / She ~*d* beer and wine ***to*** them [~*d* them ***with*** beer and wine]. 그녀는 그들에게 맥주와 포도주를 대접했다 / She ~*d* us a very good dinner. 그녀는 우리에게 훌륭한 저녁 식사를 베풀었다 / Each man was ~*d* half a pint of brandy. 각자 브랜디 반 파인트씩을 대접받았다.
6 …에게 도움이 되다, …의 소용에 닿다 ; (목적에) 알맞다 ; …의 요구를 충족시키다 : ~ a person's turn[need] 남에게 도움이 되다 / This won't ~ our purpose. 이것은 우리들의 목적에는 적합하지 않다 / May I ~ you in any way? 뭔가 도와 드릴 일이 있을까요 / One pound ~*s* him for a week. 그는 한 주일에 1파운드면 족하다 / My memory ~*s* me well. 나의 기억은 확실하다 / This railway ~*s* a great district. 이 철도는 넓은 지역의 사람들에게 이용되고 있다.
7 [＋目＋副 / ＋目＋目] 다루다, 대우하다, 보답하다 : *S*~ you *right* ! ☞ 숙어 / She ~*d* me *ill.* 그녀는 나를 애먹였다 / He ~*d* me a dirty trick. 그는 나에게 치사한 속임수를 썼다.
8 [＋目 / ＋目＋前＋名] 〖法〗 (영장 따위를) 송달하다, 집행하다 : ~ a person ***with*** a summons＝~ a summons ***on*** a person 남에게 소환장을 송달하다.
9 (테니스 따위에서) 서브를 넣다(cf. RECEIVE *vt.* 9) : ~ a ball 공을 서브하다.
10 (대포 따위를) 조작하다, 쏘다.
11 〖海〗 (로프·버팀줄 따위를) 보강하다.
── *vi.* **1** [動 / ＋*as* 補 / ＋前＋名] 섬기다, 봉사하다 ; 근무하다 : Robert ~*s* ***as*** a clerk ***in*** a bank. 로버트는 은행에서 행원으로 근무하고 있다 / He ~*d* three years *in* the navy. 3년간 해군에 복무했다 / He ~*s* ***on*** a jury. 그는 배심원

(陪審員)중 한 사람이다 / His grandfather ~*d* ***under*** Lincoln. 그의 할아버지는 링컨 밑에서 일하셨다. **2** [動 / +前+名] 식사 시중을 들다 ; (가게에서) 손님의 주문을 받다 : ~ ***at*** table 식사 시중을 들다 / ~ ***behind*** a counter 점원으로 일하다. **3** [+前+名 / +*as* 補 / +*to* do] 도움이 되다, 소용에 닿다 : This tool ~*s* ***for*** many purposes. 이 도구는 여러가지 용도로 쓰인다 / Many of the stars have ~*d as* guides for mariners. 별 중에는 선원들의 길잡이 역할을 해 온 것이 많다 / It ~*s to* show her honesty. 그것은 그녀의 성실성을 잘 나타내고 있다. **4** (날씨 · 바람 따위가) 알맞다, 계제가 좋다 : When the tide ~*s*,.... 적당한[형편이 좋을] 때에… / as memory ~*s* 생각나는 대로 / as occasion ~*s* 기회있는 대로. **5** [+副] (테니스 따위에서) 서브하다(cf. RECEIVE) : He ~*d well*[*badly, poorly*]. 그는 서브를 잘[잘못] 넣었다.

It serves[《口》 ***Serve***] ***you***[***him,*** *etc.*] ***right !*** 꼴좋다, 고소하다(cf. *vt.* 7).

serve a person***'s turn*** ☞ TURN *n.*

serve one***'s time*** 임기를 마치다(cf. *vt.* 2) ; = SERVE *time.*

serve out (음식 따위를) 돌리다 ; (남에게) 복수하다.

serve round (음식 따위를) 차례차례로 돌리다.

serve time (죄수가) 복역하다(cf. *vt.* 2).

serve up (요리를 어떤 상태로) 차려 내다 ; (지난 이야기 · 수단을) 다시 문제 삼다.

when the opportunity serves 적당한 때에, 형편이 좋은 때에.

── *n.* U,C (테니스 따위에서) 서브(의 방식) ; 서브할 차례(service).

〚OF *servir*<L *servio* (*servus* slave)〛

serv·er [sə́:rvər] *n.* **1** 섬기는 사람, 근무하는 사람, 식사 시중드는 사람. **2** 〔카톨릭〕 (미사에서 사제를 돕는) 복사(服事). **3** (테니스 따위에서) 서브하는 사람(cf. RECEIVER, STRIKER) ; 〔法〕 집달리. **4** 접시, 쟁반(tray).

serv·ery [sə́:rvəri] *n.* 찬방(饌房), 식기실 ; 부엌[요리하는 곳]과 식당 사이의 음식을 내는 곳.

Ser·via [sə́:rviə] *n.* =SERBIA.

Ser·vi·an [sə́:rviən] *a., n.* =SERBIAN.

‡**ser·vice**[1] [sə́:rvəs] *n.* **1** [흔히 *pl.*] 봉사, 진력, 조력 ; 공로, 훈공 : distinguished ~*s* 수훈(殊勳) / employment ~*s* 직업 알선 / social ~ 사회봉사 / You did me ~*s*. 신세 많이 졌습니다 / You need the ~*s* of a doctor. 의사의 진찰을 받을 필요가 있다.

2 U,C (우편 · 전신 · 전화 따위의) 공공사업, 시설 ; (기차 · 기선 따위의) 편(便), 운전 : the telephone ~ 전화 사업 / postal ~ 우편업무 / the public ~*s* 공공사업 / There is a good ~ of trains[a good train ~]. 기차편이 좋다.

3 U (가스 · 수도의) 배급, 공급 ; 배수, 부설 ; [*pl.*] 부대 설비 : water ~ 배수.

4 a) U (공적인) 근무, 복무 : ☞ CIVIL SERVICE / the police ~ 경찰 근무 / be *in* (the) government ~ 관청에 근무하고 있다, 공무원이다 / ~ regulation 복무 규정. **b)** (정부 따위의) 행정 ; (관청 따위의) 부문(department), 국, 청 ; (병원의) 과(科) ; [집합적으로] 근무하는 사람들, (부국의) 직원. **c)** U,C (육 · 해 · 공군의) 군복무, 병역 ; 〔軍〕 (대포 따위의) 조작 : military ~ 병역 / the armed ~*s* 육해공군 / be *in* ~ 군에 복무 중이다.

5 U 근무, 봉직 ; 고용살이 : domestic ~ 식모[머슴]살이 / take a person *into* one's ~ 남을 고용하다 / go *into* the ~ of …에게 고용되다 / She went *into*[went out to] ~. 그녀는 일터에 나갔다 / She was *in* my ~ till she died. 그녀는 죽을 때까지 내 시중을 들었다.

6 U **a)** 유용, 도움 ; 편의, 은혜 : be *of* (great) ~ *to* …에 (매우) 도움이 되다 / Can I be *of* (any) ~ *to* you? 뭐 도와드릴 일은 없습니까《주 점원이 흔히 「어서 오십시오」의 뜻으로 손님에게 말함》. **b)** [보통 *pl.*] 〔經〕 용역, 서비스 ; 사무 ; 《古》 안부 인사, 경의(respect) : Give my[My] ~ to him [her, *etc.*]. 그분[그녀]에게 안부를 전해 주시오.

7 U (자동차 · 전기기구 따위의) 서비스 ; (정기) 점검[수리] : repair ~ (판매품에 대한) 수리 서비스.

8 U,C 신을 섬김 ; [흔히 *pl.*] 예배(식) ; (일반적으로) 식(式) ; 전례 음악, 전례 성가 : a marriage ~ 결혼식 / a burial ~ 장례식 / attend morning ~ 아침 예배를 보다.

9 U (호텔 따위의) 손님 접대, 서비스, 봉사 ; =SERVICE CHARGE : The restaurant gives good ~. 저 식당은 서비스가 좋다 / Is ~ charged in the bill? 계산서에는 서비스 요금이 포함되어 있습니까.

10 (식기 · 찻잔 따위) 한벌, 한 세트(set) : a tea ~ 찻잔 한 세트 / a ~ of plate 식기 한벌.

11 U 〔法〕 (영장 · 기타 소송 서류의) 송달.

12 U,C (테니스 따위에서) 서브하기, 서브할 차례[공] : deliver[return] a ~ 서브를 넣다[받아치다] / receive[take] a ~ 서브를 받다 / keep one's ~ 서브를 정확히 넣다 / lose one's ~ 서브를 실패하다 / His ~ is strong. 그의 서브는 강하다 / Whose ~ is it? 누가[어느 편이] 서브할 차례니 / *S*~ alternates with each game. 서브(를 넣는 것)은 게임마다 번갈아 한다.

13 〔海〕 로프 보강 재료.

at one***'s service*** 자유로이, 마음대로 : place... *at* a person's ~ 남에게 …을 마음대로 사용케 하다, 마련해주다 / I am *at* your ~. 분부만 하십시오 / I am John Smith *at* your ~. 저는 존 스미스라고 합니다 (잘 부탁합니다).

in[***on***] ***active service*** 재직중인 ; 현역중.

in service 고용되어, 봉사하여 ; (기구 · 탈것 · 다리 · 도로 따위가) 사용되어, 운전되어 ; 군에 복무하여.

On His[***Her***] ***Majesty's Service*** 《英》 공용(公用)《공문서 따위의 무료 송달 표시(인(印)) ; 略 O. H. M. S.》.

see service 전쟁터에 나가다, 실전(實戰) 경험을 하다 ; [완료형으로] (옷 따위가) 오래 입어 낡다, 오래 소용되다 : My overcoat *has seen* five years' ~. 내 외투는 벌써 5년 입은 것이다.

take service with[***in***] …에 근무하다.

── *a.* **1** 군의 ; 군용의. **2** 고용인용의, 업무용의 : a ~ stairway 고용인[점원]용 계단. **3** 서비스업의 ; 서비스의 : the ~ department 서비스 부문. **4** 보통 사용하는, 덕용의 : a ~ brake 보통 브레이크[제동기]《emergency brake(비상 브레이크)에 대한》. **5** 유지 · 수리를 하는.

── *vt., vi.* **1** (공급 · 시설 · 수리 따위를) 봉사적으로 해주다. **2** (기계류를) 수리하다, 손질하다 : ~ a car 자동차 수리를 하다. **3** (가스 · 수도 따위를) 공급하다. **4** 편리하게 하다 ; 편익이 있다. **5** (수컷이) 암컷과 교미하다. **6** 《英》 조력[정보]을 제공하다. **7** (부채의) 이자를 갚다.

sér·vi·cer *n.*

〚OF or L *servitium* (*servus* slave)〛
service² *n.* 〔植〕 =SERVICE TREE.
sérvice·able *a.* **1** 사용할 수 있는, 쓸모 있는, 요긴한, 편리한〈*to*〉; 튼튼한, 오래 가는(durable), 실용적인. **2** 《古》 친절한, 남을 잘 돕는.
-ably *adv.* 쓸모가 있도록, 실용적으로.
sèrvice·abílity *n.* **~·ness** *n.*
sérvice àce *n.* 〔테니스〕 서비스 에이스(ace).
sérvice àrea *n.* (라디오·텔레비전의) 방송 구역; (수도의) 급수 구역; (전력의) 공급 구역; (주유소·식당·화장실 따위가 있는) 서비스 에어리어.
sérvice bòok *n.* 〔敎會〕 기도서(祈禱書).
sérvice càble *n.* 옥내[구내] 케이블.
sérvice càp *n.* (군인의) 정식 군모.
sérvice cèiling *n.* 〔空〕 실용 상승 한도.
sérvice chàrge *n.* (호텔 따위의) 서비스 요금.
sérvice clùb *n.* 봉사[복지] 단체《로터리 클럽(Rotary Club)·키와니스 클럽(Kiwanis)·라이온스 클럽(☞ LION 6) 따위》; 〔軍〕 (하사관·사병의) 오락 시설, 서비스 클럽.
sérvice còurt *n.* 〔테니스〕 서비스 코트《서브 넣는 장소》.
sérvice dèpot *n.* =SERVICE STATION.
sérvice drèss *n.* 〔英軍〕 (군인의) 제복, 군복.
sérvice èlevator *n.* 《美》 업무[종업원]용 엘리베이터(=《英》 service lift).
sérvice enginèer *n.* 수리 기사, 수리공.
sérvice èntrance *n.* 업무[종업원]용 출입구.
sérvice flàt *n.* 《英》 청소·세탁·식사 따위를 해 주는 아파트.
sérvice hàtch *n.* (주방에서 식당으로) 음식을 내보내는 창구.
sérvice ìndustry *n.* 서비스 (산)업.
sérvice lìfe *n.* (경제적인) 사용 기간.
sérvice lìft *n.* =GOODS LIFT.
sérvice lìne *n.* 〔테니스〕 서비스 라인.
sérvice màin *n.* (가스·수도의) 본관(本管) (cf. SERVICE PIPE).
sérvice·màn [, -mən] *n.* **1** 〔軍〕 (현역의) 군인: an ex-~ 재향 군인. **2** (전화·가스·라디오 따위의) 수리공. **3** 주유소 종업원.
sérvice màrk *n.* 서비스 마크《수송·보험·세탁 따위의 서비스 제공 단체가 그 독자적인 서비스의 상징으로서 사용하는 표장[문구 따위]으로 등록하면 법적으로 보호를 받음; cf. TRADEMARK》.
sérvice mèdal *n.* 〔軍〕 무공 훈장.
sérvice mèter *n.* (전화의) 통화 도수계.
sérvice mòdule *n.* 〔宇宙〕 기계선, 서비스 모듈《우주선의 소모품 적재·추진력 발생 장치 부분; 略 SM》.
sérvice òfficer *n.* 공무원, 관공리.
sérvice pìpe *n.* (가스·수도의) 급수[배수]관 (cf. SERVICE MAIN).
sérvice plàza *n.* (고속 도로변의) 서비스 에어리어《식당·주유소 따위가 있는》.
sérvice rìfle *n.* 군용 소총.
sérvice ròad *n.* 부속도로《고속도로와 평행으로 만든 연락용 도로》.
sérvice stàtion *n.* **1** (자동차의) 주유소(gas station)《가솔린·석유·물 따위를 보급》. **2** 서비스 스테이션《기계·전기 기구 따위의 수리·정비 따위를 하는 곳》.
sérvice strìpe *n.* 〔美軍〕 (군복의 왼쪽 소매에 다는) 연공장(年功章).
sérvice tràde *n.* 서비스 무역.
sérvice trèe *n.* 〔植〕 (유럽산) 마가목류(類)의 나무[열매].
sérvice ùniform *n.* 〔美軍〕 평상복, 군복.
sérvice wìre *n.* (전등의) 인입선, 옥내선.
sér·vic·ing *n.* 수리; 정비.
ser·vi·ette [sə̀ːrviét] *n.* 《英·Can.》 냅킨.
〚OF (*servir* to SERVE); cf. OUBLIETTE〛
ser·vile [sə́ːrvail, -vəl] *a.* 노예의; (노동 따위) 노예적인; 노예 근성의, 비굴한(mean), 굴종적(屈從的)인; 맹목적인, 독창성이 없는《문장·그림 따위》; [후치] …에 순종한, 복종하는〈*to*〉; 《古》 구속당한, 부자유스런. **~·ly** *adv.* 노예처럼, 굴종적으로. **~·ness** *n.* 〚L; ⇨ SERVE〛
sérvile létter *n.* 보조 모음자《그 자체는 발음되지 않고 선행 모음이 장음임을 나타내는 문자: hate의 e 따위》.
sérvile wórks *n. pl.* 〔카톨릭〕 일요일·축제일에는 금지되어 있는 육체 노동.
ser·vil·i·ty [səːrvíləti] *n.* **1** Ⓤ 노예 상태; 노예 근성; 상놈 근성. **2** Ⓤ 비굴, 굴종, 추종.
serv·ing [sə́ːrviŋ] *n.* 음식을 차림, 식사 시중, 접대; (음식의) 한 그릇; (전선·케이블 따위의) 피복재(被覆材).
sérving·man [-mən] *n.* 《古》 하인, 머슴.
ser·vi·tor [sə́ːrvətər, -tɔ̀ːr] *n.* **1** 《古·詩》 종복, 종자(從者). **2** 〔史〕 (Oxford 대학에서의) 급비생(給費生), 근로 장학생. **~·shìp** *n.* servitor의 지위[직무].
ser·vi·tude [sə́ːrvətjùːd] *n.* **1** Ⓤ 노예 상태[신세], 예속(隸屬). **2** Ⓤ 고역, 노역(勞役): penal ~ 중형(重刑)《3년 이상》. **3** 〔法〕 용역권《지역권(地域權)과 채취권》.
〚OF<L (*servus* slave)〛
ser·vo [sə́ːrvou] 《口》 *a.* 서보 기구의[에 의한], 서보 제어의.
—— *n.* (*pl.* **~s**) **1** =SERVOMECHANISM. **2** =SERVOMOTOR. —— *vt.* =SERVO CONTROL.
ser·vo- [sə́ːrvou, -və] *comb. form* 「노예」 「종복」; 「자동 제어의」의 뜻. 〚F<L *servus* slave〛
sérvo contròl *n.* 서보 기구(機構)에 의한 제어; 〔空〕 서보 조종 장치《조종에 필요한 힘을 보강하는 장치》. —— *vt.* 서보 기구로 제어하다.
sérvo·mèchanism *n.* 서보 기구(機構)《제어의 대상이 되는 장치의 기계적인 위치·속도·자세 따위를 설정값과 비교하여 추종시키는 자동 귀환 제어 기구》.
sérvo·mòtor *n.* 서보모터《서보 기구에서 증폭한 편차 신호를 구동력으로 하는 위치·속도 따위의 수정용 동력원》.
sérvo sỳstem *n.* 서보계(系), 자동 제어 시스템(servomechanism).
sérvo·tàb *n.* 〔空〕 서보태브(servo control).
-ses *n. suf.* -SIS의 복수형.
SES socioeconomic status(사회 경제적 지위).
ses·a·me [sésəmi] *n.* 〔植〕 참깨; 참깨 씨; =OPEN SESAME: ~ oil 참기름.
〚L<Gk.<Sem.〛
ses·a·moid [sésəmɔ̀id] *a.* 〔解〕 참깨씨 모양의; 종자(연)골(種子(軟)骨)의. —— *n.* 종자(연)골.
ses·qui- [séskwi, -kwə] *comb. form* 「일배 반」 「〔化〕 원소의 화합 비율이 3대 2의」의 뜻. 〚L〛
sèsqui·centénnial, -centénary [, 美+-⌐-⌐-] *n., a.* 150년제(祭)(의).
sess. session.
ses·sile [sésail, -səl] *a.* 〔動·植〕 고착(固着)의, 착생한; 〔植〕 자루가 없는: a ~ leaf 자루 없는 잎. **ses·sil·i·ty** [sesíləti] *n.*
〚L (*sess- sedeo* to sit)〛

séssile òak *n.* 〖植〗 =DURMAST.

***ses·sion** [séʃən] *n.* **1 a)** Ⓤ (의회·회의의) 개회중, (법원의) 개정중(開廷中); (거래소의) 입회(立會): *in* ~ 개회[개정·회의]중에[의] / *in* full ~ 총회에서 / go *into* ~ 개회하다. **b)** 회의, 회합(meeting). **2** 개정 기간, 회기: a long ~ 긴 회기(會期). **3** 《英》 학년; 《美·스코》 학기; Ⓤ,Ⓒ 수업시간: the morning ~ 오전 수업 / a summer ~ 《美·스코》 =SUMMER SCHOOL. **4** [*pl.*] 《英》 법원; (주기적인) 치안판사 재판소; 법원의 정기회의: petty ~*s* 약식 재판 (법정) / ☞ QUARTER SESSIONS. **5** 《美口》 (어떤 활동의) 기간, (특히) 괴로운 시기; 《俗》 =JAM SESSION, (댄스) 파티; 《俗》 (마약에 의한) 환각상태의 지속 기간. **6** 〖컴퓨〗 작업 시간《단말에서 컴퓨터 사용시 사용 시작부터 종료까지의 시간》; 세션《데이터 전송을 위한 논리적 패스》.
the court of sessions 《美》 주(州) 형사 기록 재판소.
~·al *a.* **1** 개회(중)의, 회기(중)의: ~*al* orders [rules] 회기중의 의사 규정. **2** 재판소[법원]의. 〖OF or L (*sess- sedeo* to sit)〗

séssion màn *n.* 세션 맨《다른 연주자의 보좌역으로서 리코딩 따위에 개별 참가함》.

ses·terce [séstə(ː)rs] *n.* 세스테르티우스《옛 로마의 화폐 단위; =1/4 denarius》; =SESTERTIUM. 〖L〗

ses·ter·ti·um [sestə́ːrʃiəm; -tiəm] *n.* (*pl.* **-tia** [-ʃiə; -tiə]) 세스테르티움《고대 로마의 화폐 단위; =1000 sesterces》.

ses·tet [sestét, ⌐-] *n.* 〖樂〗 =SEXTET; 〖詩學〗 6행 연구(六行聯句)《SONNET의 마지막 6행》, 6행의 시(詩), 6행연. 〖It. (*sesto* sixth<L SEXTUS)〗

ses·ti·na [sestíːnə] *n.* 〖詩學〗 6행 6연체《6행의 절 6절과 마지막 3행의 대구로 이루어짐》. 〖It. (↑)〗

◇set [sét] *v.* (~; **sét·ting**) *vt.* **1** [+目+前+名 / +目+副] 두다, 놓다, (자리잡아) 앉히다; 세우다《주 PUT 보다도 문어적》: A vase was ~ ***on*** the desk. 꽃병이 책상 위에 놓여져 있었다 / A flagpole was ~ ***in*** concrete. 깃대가 콘크리트 위에 세워졌다 / The truck stopped to ~ ***down*** the load. 그 트럭은 짐을 내리기 위해 멈췄다.
2 [+目 / +目+前+名] (사람을) 배치하다, (직위 따위에) 앉히다: ~ a watch 감시병을 배치하다 / ~ spies ***on*** a person 남에게 스파이를 붙여 놓다.
3 [+目+前+名] 가지고 가다, 접근시키다; (도장 따위를) 찍다, (서명 따위를) 하다; 《古》 적어두다, 기록하다: ~ a chair ***beside*** a table 테이블 옆에 의자를 갖다 놓다 / He ~ his lips ***to*** the glass[~ the glass *to* his lips]. 그는 유리(컵)에 입을 갖다 댔다 / ~ one's hand[name] *to* a document 서류에 서명하다 / ~ the ax(e) *to* …을 베어 쓰러뜨리다; 《비유》 파괴하다 / ~ fire *to* …에 불을 붙이다.
4 [+目+補 / +目+前+名 / +目+do*ing*] (어떤 상태로) 만들다, 되게 하다: ~ a person right 남의 잘못을 바로잡다 / They ~ the slaves free. 노예를 해방시켰다 / The prisoners were ~ free. 포로들은 석방되었다 / Can anyone ~ this question ***at*** rest? 이 문제를 해결할 사람이 있을까 / ~ one's room ***in*** order 방을 정돈하다 [치우다] / ~ a house ***on*** fire 집에 불을 지르다 / That ~ me think*ing*. 그것 때문에 생각에 잠기게 되었다 / They ~ the engine go*ing*. 엔진에 시동을 걸었다 / Her appearance ~ the people ***to*** star*ing* at her. 그녀의 용모에 사람들의 눈이 휘둥그래졌다.
5 [+目 / +目+目 / +目+前+名] (일·문제 따위를) 부과하다, 명하다, 내다, 할당하다; (모범을) 보이다; (부동의 자세로 사냥개가 사냥감)의 위치를 가리키다: ~ a paper[an examination paper] 시험을 치르다 / ~ questions in an examination 시험 문제를 내다 / ~ a good example 좋은 모범을 보이다 / He ~ me a difficult task. =He ~ a difficult task ***for*** me. 그는 나에게 어려운 일을 시켰다. 주 수동태로는: A good example should *be* ~ (***to***) them. / They should *be* ~ a good example. 좋은 본을 보여 주어야 한다.
6 [+目+*to* do] **a)** (남에게) …시키다: I ~ my children *to* rake the fallen leaves. 아이들에게 낙엽을 갈퀴로 긁어 모으게 했다 / *S*~ a thief *to* catch a thief. 《속담》 도둑을 잡는 데는 도둑을 이용하라. **b)** [~ one*self* 로] (…하려고) 애쓰다: She ~ her*self* *to* finish her homework. 그녀는 숙제를 끝마치려고 애썼다.
7 [+目 / +目+前+名 / +目+副] (기계·기구 따위를) 조정하다, 조절하다, 정리[정돈]하다; 준비[마련]하다, 차리다; 〖劇〗 (장면·무대를) 장치[세트]하다; (이야기)의 배경을 설정하다; 〖印〗 (활자로) 짜다, 조판하다: ~ a saw 톱날을 세우다[가지런히 하다] / ~ a table 식탁을 차리다, 상을 보다 / ~ the scene ***for*** a drama 연극의 무대 장치를 하다 / ~ sail (*for*...) ☞ SAIL *n.* 1 / She ~ the alarm (clock) *for* 7 o'clock. 자명종 시계를 일곱시에 맞추어 놓았다 / I always ~ my watch ***by*** the clock of the station. 언제나 내 시계를 역의 시계에 맞춘다 / ~ camera lens ***to*** infinity 카메라의 렌즈를 무한대에 맞추다 / ~ (***up***) type 활자로 짜다《조판》 / The copy is already ~ *up* in pages. 원고는 이미 페이지로 조판되어 있다.
8 [+目+前+名] 끼우다, (보석 따위를) 박아넣다: ~ a diamond ***in*** gold 금에 다이아몬드를 박아넣다 / a necklace ~ ***with*** pearls 진주를 박아 넣은 목걸이.
9 심다, 이식하다: ~ seeds 씨를 뿌리다.
10 [+目 / +目+前+名] (닭에게) 알을 품게 하다: ~ a hen (***on*** eggs) = ~ eggs (***under*** a hen) 암탉에게 알을 품게 하다.
11 [+目+前+名] (얼굴·진로 따위를 …으로) 향하다, 향하게 하다; (눈길·마음 따위를) 쏟다: ~ one's face ***toward*** home 얼굴을 집쪽으로 돌리다 / He ~ his heart[hopes] ***on*** becom*ing* a composer. 그는 꼭 작곡가가 되려고 마음먹었다 / The premier ~ his mind ***against*** all the appeals. 수상은 모든 호소에 귀를 기울이려 하지 않았다.
12 [+目+前+名] (값을) 매기다: ~ a price ***on*** an article 상품 가격을 정하다 / ~ the value of a horse ***at*** $1500 말값을 1500달러로 매기다.
13 [+目 / +目+前+名] 굳히다, 견고하게 하다: His mind and character are completely ~. 그는 정신이나 인격이 완전히 형성되어 있다 / ~ milk ***for*** cheese 우유를 굳혀 치즈를 만들다.
14 [+目+*to*+名] 〖樂〗 (가사에) 곡을 붙이다; 편곡하다: ~ a psalm ***to*** music 찬송가에 곡을 붙이다 / ~ other words *to* a prevailing folksong 유행하는 포크 송에 다른 가사를 붙이다.
15 (과수의) 열매를 맺게 하다.
16 [+目 / +目+*for*+名] (장소·일시 따위를) 정하다, 지정하다, (한계를) 설정하다(fix); (규칙을) 정하다; (기록을) 수립하다; (유행을) 초래

하다 ; (평가를) 하다 : ~ a place[time] ***for*** a meeting 회합 장소[시간]를 정하다.
17 (여자의 머리를) 세트하다(cf. *n.* 17) : have one's hair ~ 머리를 세트하다.
18 《컴퓨》 (어떤 비트(bit))에 값 1을 넣다.
── *vi.* **1** (해·달이) 지다, 가라앉다 ; (세력이) 기울다 : The sun[moon] has ~. 해[달]가 졌다. **2** 결실하다 : The pears have ~ well this year. 금년에는 배가 잘 열렸다. **3** (액체 따위가) 응고하다 ; (얼굴 표정이) 굳어지다 ; (사냥개가) 부동의 자세로 사냥감이 있는 곳을 가리키다(cf. SETTER) ; (암탉이) 알을 품다 ; 《俗》 (댄스에서) 춤 상대와 마주 서게 되다 : The dog ~*s* well. 그 개는 사냥감이 있는 곳을 잘 가리킨다. **4** [動/+副/+前+名] (물줄기·바람 따위가 어떤 방향으로) 향하다, 불다, 흐르다 ; (감정·의견이) 기울어지다 ; (금속이) 구부러지다 : The current ~*s* ***in toward*** the shore[~*s* ***to*** the south, ~*s* ***through*** the channel]. 조류는 해변쪽을 향하여[남쪽으로, 해협을 통하여] 흘러든다. **5** [+前+名] 종사하다, 착수하다 : ~ ***about***... ☞ SET *about* (1) / He ~ ***to*** work to learn the new art of printing. 새로운 인쇄술을 배우는 일에 착수했다. **6** [+副] (옷이 몸에) 맞다(㊟ 이 뜻으로는 SIT이 일반적) : That dress ~*s well*[*badly*]. 그 옷은 몸에 잘 맞는다[맞지 않는다]. **7** 《方》 =SIT.

set about... (1) [+目/+do*ing*] 착수하다, (…하기) 시작하다 : ~ *about* a job 일을 시작하다 / We ~ *about* repair*ing* our hut. 오두막의 수리를 시작했다. (2) (소문을) 퍼뜨리다 : Who has ~ this gossip *about*? 누가 이런 험담을 퍼뜨렸느냐. (3) 《口》 …을 공격하다(attack) : The two men ~ *about* each other in fine style. 두 사나이는 피차 멋지게 공격하기 시작했다.

set against... (1) (*vt.*) (물건을) …에 비교하다, …에 걸맞게 하다 ; …에 대항시키다 ; …에 대하여 내기를 하다 ; …와 사이가 나빠지게 하다 : ~ gains *against* losses 이익과 손실을 대조하다 / the war that ~*s* brother *against* brother 형제끼리 싸우게 하는 전쟁. (2) (*vi.*) …에 반대 경향을 보이다 : Public opinion is ~*ting against* the proposal. 여론은 그 제안에 반대하고 있다.

set apart (1) 따로 떼어 놓다(reserve) 〈*for*〉 : She ~*s apart* some of her salary *for* her wedding. 그녀는 봉급 중의 얼마를 자기 결혼식을 위해 떼어 놓는다. (2) 갈라 놓다(separate) ; 구별짓다 ; 두드러지게 하다(distinguish).

set aside 옆에 두다[놓다](put aside) ; (장래를 위해) 따로 떼어놓다 ; 무시하다, 거절하다 ; (판결을) 파기하다, 무효로 하다 ; 제쳐놓다, 제외하다 : The financial problem was ~ *aside.* 경제적인 문제는 제외되었다 / ~ a protest *aside* 항의를 묵살하다.

set at …을 공격하다, 습격하다(attack) ; (개를) …에게 덤벼들게 하다.

set back (1) (시계 바늘을) 되돌리다 : He ~ *back* his watch five minutes. 그는 자기의 시계 바늘을 5분 뒤로 돌렸다. (2) 뒤로 누이다, 젖히다 : The hound ~ *back* its ears. 사냥개는 귀를 뒤로 젖혔다. (3) (길 따위에서) 떨어진 곳에 두다 : The building is fairly ~ *back* from the street. 그 빌딩은 거리에서 꽤 (안으로) 들어가 있다. (4) 방해하다, 늦추다 ; 좌절시키다 ; 퇴보시키다 : The harvest was ~ *back* by bad weather. 날씨가 나빠서 수확이 늦어졌다. (5) 《口》 [+目+目] (사람에게) 비용이 (어느 정도) 들다(cost) : The ball ~ him *back* a hundred dollars. 그는 그 무도회에 100달러 들었다.

set before... (사람) 앞에 내놓다[늘어놓다] ; (음식을 차려서) …에 내다 ; (사실을) …에게 제시하다.

set by 떼어놓다, 비축하다 ; 중히 여기다.

set down 《㊟ PUT down이 보통 쓰는 구》 (1) 아래에 놓다, 내려놓다, 앉히다 ; 《英》 (승객 등을) 내려놓다 : ☞ *vt.* 1 / I'll ~ you *down* at the corner. 모퉁이에서 내려드리겠습니다. (2) 적어 두다, 인쇄하다. (3) [+目+*as* 補] 규정하다, (원칙을) 세우다, 〖法〗 (재판 일 따위를) 지정하다 ; 간주(看做)하다(regard) : We ~ him *down as* a professional boxer. 그를 프로 권투 선수로 여겼다. (4) (원인 따위를) …의 탓으로 돌리다 ; 비난하다, 꾸짖다 : You must ~ *down* your failure *to* your own idleness. 너의 실패는 너의 태만 탓이라고 생각해야만 한다. (5) 《美》 착륙하다, (비행기를) 착륙시키다. (6) 해치우다, 《野俗》 (타자를) 삼진시키다 ; …의 면목을 잃게 하다.

set forth 《文語》 (1) (*vt.*) 내보이다, 진열하다 ; 말하다, 밝히다 ; 발행[발표]하다 ; 꾸미다 : The theory has been ~ *forth* in his recent book. 그 이론은 그의 최근의 저서에 발표되어 있다. (2) (*vi.*) 출발하다, 여행을 떠나다(㊟ ~ out이 일반적으로 쓰임).

set forward (1) 더 앞에 내놓다. (2) 제언하다 ; 성명하다, 진술하다. (3) 발표하다, 공표하다 ; 제출하다. (4) 촉진하다, 돕다. (5) 출발하다. (6) (회합 따위의) 시일을 당기다 ; (시계 바늘 따위를) 더 가게 하다.

set free 석방하다.

set going 운전시키다, (일을) 진척시키다.

set great[***much***] ***store by*** ☞ STORE *n.*

set in (1) 일어나다, (바람직하지 않은 일·계절 따위가) 시작되다, (밤이) 되다 ; 유행되다 ; 정해지다, 굳어지다 : Cold weather has ~ *in.* 날씨는 추워지기 시작하였다. (2) (조수 따위가) 밀려오다 ; (바람이) 뭍쪽으로 불다 ; (배를) 해안쪽으로 향하다.

〈회화〉
The rainy season has *set in.* — I hope it will be over in a few weeks. 「장마철이 시작되었어요」「2, 3주 있다가 끝났으면 좋겠어요」

set no[***little***] ***store by*** ☞ STORE *n.*

set off (*vt.*) (1) 돋보이게 하다, …의 장식이 되다 ; 강조하다, 드러나게 하다 ; 칭찬하다(praise) : The pink curtain ~ *off* the green room. 분홍색 커튼으로 인해 그 초록색 방이 돋보였다. (2) 〖銀行〗 상쇄(相殺)하다, 벌충하다 : ~ *off* money *against* lack of intellect 지성이 부족한 것을 돈으로 벌충하다. (3) 구획하다, 구분하다 : Sentences are ~ *off* by full stops. 문장은 마침표로 구분된다. (4) 폭발시키다, (불꽃을) 쏘아 올리다, 발사하다 ; (일을) 일으키다, 유발하다 : ~ *off* a rocket 로켓을 발사하다. (5) [+目+do*ing*] 왁자지껄하게 웃기다 ; (남)에게 …시키다 ; (이야기 따위를) 시작하다 ; 출발시키다 : That ~ us *off* laugh*ing*. 그것으로 인해 우리는 왁자지껄 웃어댔다. (*vi.*) (6) 출발하다 : ~ *off* on a[one's] journey[trip] 여행을 출발하다. (7) 폭발하다 ; 파생하다 ; 상쇄 청구하다.

set on [on은 *adv.*] (1) 부추기다, 선동하다 ; 추적시키다 : ~ *on* a dog 개를 부추기다 / ~ a person *on* to attack another …을 부추겨서 남을 공격하게 하다. [on은 *prep.*] (2) …을 부추기어 덤벼들게 하다 ; …을 공격하다 : He ~ his dog *on* me. 그는 자기의 개를 부추겨서 나에게 덤벼들게 했다. (3) …에 (마음을) 쏟다 : ~ one's affections *on* …에게 애착을 느끼다, 생각을 기울이다 / ☞ *vt.* 11. (4) (일 따위에) 사용하다, 고용하다 ; 나아가다.

set* one*'s face*[one*self*] *against …에 단연코 반대하다.

set out (*vt.*) (1) 말하다, (자세하게) 설명하다 : ~ *out* one's ideas 자신의 생각을 말하다. (2) 돋보이게 하다, 강조하다 ; 구분짓다 ; 제한하다 ; 꾸미다, 진열하다 ; (음식을) 내다, 차리다 : ~ *out* books on the stall 책을 진열대에 진열하다. (3) 계획하다, 설계하다 ;〖土〗(위치를) 측정하다 ; (나무 따위를) 간격을 두고 심다 ;〖印〗활자 사이를 떼고 식자(植字)하다. (*vi.*) (4) [+*to* do] (일에) 착수하다, 시작하다 : He ~ *out to* educate the public. 그는 대중 교육에 착수했다. (5) 여행을 떠나다, 출발하다 : We ~ *out on* the return journey. 우리는 귀로에 올랐다. (6) (조수가) 빠지다.

set over 양도하다, 넘겨 주다 ; (사람을) 감독시키다.

set to (1) [to는 *prep.*] (어떤 방향)으로 향하다 (cf. *vi.* 4) ; (스퀘어 댄스에서) (상대편과) 마주보다 : ~ *to* one's partner 상대와 마주보다. (2) [to는 *adv.*] 본격적으로 하기 시작하다 ; 싸움[시비·논쟁]을 시작하다 ; 먹기 시작하다 : As soon as the food was served, all the hungry men ~ *to.* 음식이 나오자마자 굶주린 사나이들은 먹어대기 시작했다.

set up (*vt.*) (1) 세우다, 고정시키다 ; 짓다 ; 조립하다(cf. KNOCK *down*) : ~ *up* a pole[flag] 기둥[기]을 세우다 / ~ *up* a sign 간판을 세우다 / ~ *up* a building 건물을 짓다 / ~ *up* a tent 천막을 치다. (2) (남에게 사업 따위를) 시작하게 하다 ; (남에게 자금 따위를) 공급하다 : ~ *up* one's son-in-law *in* business 사위에게 장사를 시키다 / He ~ himself *up as* a composer. 그는 작곡가로서 출세했다(cf. (7), (14)) / I was ~ *up with* a lot of money and a library of good books. 많은 돈과 일련의 양서를 지급받았다. (3) 설립하다, 시작하다 : ~ *up* a school 학교를 설립하다 / ~ *up* house ☞ HOUSE[1] 숙어 / ~ *up* shop ☞ SHOP *n.* 숙어. (4) 야기시키다, 생기게 하다(cause) : ~ *up* inflammation 염증(炎症)을 일으키게 하다. (5) 큰소리로 말하기 시작하다 ; 주장[제기]하다 : ~ *up* a shout 고함치다 / ~ *up* a protest 항의를 제기하다 / The monkeys ~ *up* a great commotion. 원숭이들은 요란하게 소리를 지르며 소란을 피우기 시작했다. (6) (병후에) 원기를 회복하게 하다 : A few weeks' stay at the seaside will ~ her *up.* 해변에서 몇 주 머물면 그녀는 원기를 회복할 것이다. (7) [+目+*as* 補] [~one*self* 로] 가장(假裝)하다, …인 체하다(cf. 2) : He ~*s* him*self up as* a great scholar. 그는 대학자인 체한다. (8) 훈련하다, 단련하다(drill), (몸을) 튼튼하게 하다 : ~ *up* soldiers 군인을 훈련시키다. (9) (높은 지위로) 올리다, …에게 권력을 잡게 하다. (10)〖印〗조판하다, 활자로 짜다(cf. *vt.* 7). (11)《美俗》(상대)의 전의(戰意)를 상실케 하다. (12)《美口》(손님 앞에 술 따위를) 내놓다, (술·음식을) 한턱 내다. (13)《濠口》(사람을) 비난받을 처지에 빠뜨리다. (*vi.*) (14) 개업[개점]하다 (= ~ oneself up ; cf. (2)) : She ~ *up as* a beautician. 그녀는 미용사로서 개업했다.

set up for... 《口》…라고 주장[공언]하다, …인 체하다 : He ~ *up for* an authority. 그는 권위자인 체하였다.

set upon... = SET *on* (2).

—— *a.* [*vt.*로서의 set의 *p.p.*에서] **1** 고정된, (눈초리 따위) 움직이지 않는 ; 단호한, 단단히 결심한 ; 제멋대로의, 고집센 : ~ eyes 차분한 눈 / deep ~ eyes 쑥 들어간 눈 / a ~ stare 노려 봄 / with ~ teeth 이를 악물고 ; 굳게 결심하고. **2** (연설 따위가) 틀에 박힌, 규정의, 정식의 ; (기도 따위가 미리) 정해진, 지정된, 격식대로의 : in ~ terms 상투적인 문구로, 딱 잘라서 / at the ~ time 규정된 시간에 / ~ books for examinations 시험 지정서. **3** 준비가 된(ready) : get ~ 준비를 갖추다 / all ~《口》준비가 다 되어 / Ready, ~, go! 제자리에, 준비, 출발!

〈회화〉

I'll take the *set* menu, please. — Me too. 「난 정식(定食)으로 주세요」「나도요」

—— *n.* **1 a**) (도구·찻잔 따위의) 한 벌[세트], 짝 ;〖郵〗세트 : a ~ of dishes 접시 한 세트 / a ~ *of* lectures 일련의 강의 / a complete ~ *of* Dickens 디킨스 전집. **b**)〖라디오〗수신기,〖TV〗수상기. **2** 자세, 모습, 태도 ; 풍채, 체격 : the ~ *of* a person's shoulders 어깨 모양 / the ~ *of* the hills 언덕의 모습. **3** [단수형으로 써서] (조류나 바람의) 흐름, 방향 ; (여론의) 경향, 추세. **4** 경사, 비틀리기, 휨, 구부러짐. **5**〖印〗활자의 폭 ; 꺾꽂이 나무, 어린 나무, 묘목. **6** Ⓤ [단수형으로 써서]《詩》(해·달이) 짐 : at ~ of sun 일몰에(at sunset). **7** (테니스 따위) 세트. **8** (사냥개가 사냥감을 발견하고) 멈춰 서기. **9** (습관·취미를 같이하는) 일단, 패거리, (특수) 사회, 당, 파 : the best ~ 상류 사회 / the smart ~ 유행의 첨단을 걷는다고 자처하는 사람들. **10** 한 번 까는 알, 둥지 속의 알. **11**〖댄스〗(square dance 의) 한 쌍[짝]의 무곡. **12** [단수형으로 써서] 옷맵시, 매무새, 입음새 : the ~ *of* a coat 코트의 입음새. **13** [단수형으로 써서] 응고, 응결 : hard ~ (시멘트의) 응결. **14** 톱날 ; 톱날 세우는 연장. **15** (벽의) 마무리칠. **16**〖劇〗무대장치, 무대 배경의 그림《산하(山河) 따위》;〖映〗세트《만든 배경》: be *on* the ~ (배우 등이) 세트에 들어가 있다. **17** (여자 머리의) 세트(cf. *vt.* 17). **18**〖數〗집합 ;〖컴퓨〗설정, 집합.

make a dead set at …을 맹공격하다 ; …에 대하여 필사적으로 노력하다 ; (여자가) 열렬히 구애하다.

〖OE *settan*＜Gmc. (caus.) 〈SIT (cf. G *setzen*) ; (n.)은 OF *sette*＜L *secta* SECT와 (v.)의 영향〗

Set *n.* 세트《형인 Osiris를 죽인 악(惡)과 밤의 신(神)으로 모습은 짐승 머리에 뾰족한 코 ; 그리스의 Typhon에 해당》.

se·ta [síːtə] *n.* (*pl.* **-tae** [-tiː])〖動·植〗강모(剛毛), 가시. 〖L *saeta* bristle〗

se·ta·ceous [sitéiʃəs] *a.*〖動·植〗강모 모양의, 강모 같은 ; 강모가 난. **~·ly** *adv.*

sét-asìde *n.*〖軍〗(식량 따위의) 사용중지, 보류 ; 사용 중지[보류]량.

sét báck *n.*〖美蹴〗세트 백《쿼터백 뒤에 위치하는 공격측 백》.

sét·bàck *n.* **1 a**) (진보 따위의) 방해, 역전, 역행, 퇴보 ; 패배(defeat), 실패(failure) : He had a ~ *in* his business. 그는 사업에 실패했다. **b**) 역류(逆流), 역수(逆水). **2**〖建〗건축선 후퇴《햇빛과 바람이 잘 통하게 하기 위해서 고층 건물의 상층을 층층으로 물려 쌓기》.

sét chìsel *n.* (못·징 따위의) 대가리를 자르는

정[끌].

sét·dòwn *n.* 코를 납작하게 만들기, 꼼짝 못하게 하기, 매도(罵倒) : give a person a ~ 남을 꼼짝 못하게 하다.

sét gùn *n.* 용수철 총《방아쇠에 줄을 매놓아 그것을 건드리는 동물이나 사람을 쏘게 된 총》.

Seth[1] [séθ] *n.* 남자 이름 ;〖聖〗셋《Adam의 셋째 아들》. 〚Heb.=substitute〛

Seth[2] [sét] *n.* =SET.

SETI search for extraterrestrial intelligence(지구외(外) 문명 탐사 계획).

se·ti- [síːtə] *comb. form* 「강모(剛毛)」의 뜻. 〚L ; ⇨ SETA〛

séti·fòrm *a.* 〖生〗강모 모양의(setaceous).

se·tig·er·ous [sətídʒərəs] *a.* 강모(剛毛)[가시]를 가진[가 나는].

sét-ìn *a.* 따로 마름질해 붙인 : a ~ sleeve 따로 마름질해 붙인 소매. —— *n.* 개시, 시작 ; (계절 따위가) 찾아옴 ; 삽입한 것, 끼운 것.

sét·lìne *n.* (물고기를 잡는) 주낙(=trawl (line)) ; =TROTLINE.

sét·òff *n.* **1** (여행의) 출발. **2** (대차의) 상쇄(相殺) 공제〈*against, to*〉;〖法〗상쇄 청구. **3** 돋보이게 하는 것, 치장, 장식. **4** 〖印〗=OFFSET. **5** 〖建〗벽단(壁段) (offset).

se·ton [síːtn] *n.* 〖醫〗관선법(串線法) ; 관선.

se·tose [síːtous] *a.* 〖生〗가시[강모]가 많은(bristly). 〚L ; ⇨ SETA〛

sét·òut *n.* **1** (식기 따위의) 한 벌 ; 상 차리기, 차려놓은 음식 ; 파티, 오락. **2** 배열, 설계 ; 과시 ; 준비 ; 몸차림, 채비. **3** Ⓤ 개시, 출발 : *at* the first ~ 시초에, 우선, 최초로. **4** 《口》한패, 조(組), 동아리.

sét phráse *n.* 숙어, 성구(成句) ; 상투어.

sét pìece *n.* **1** (문예 따위의) 기성 형식(에 의한 구성) ; 고심한 예술[문학] 작품. **2** 〖劇〗(무대 배경의) 독립된 스테이지 세트. **3** 특수 조작된 꽃불. **4** (치밀한) 군사[외교] 전략.

sét pòint *n.* 〖테니스〗세트 포인트《그 세트의 승리를 결정하는 마지막 한 점》;〖機〗(자동 제어의) 설정값, 목표값.

sét scène *n.* 〖劇〗무대 장치 ;〖映〗촬영용 장치.

sét·scrèw *n.* (톱니 바퀴·나사 따위를 굴대에 죄어 달기 위한) 멈춤 나사.

sét squàre *n.* (제도용) 삼각자.

sett [sét] *n.* 포석(鋪石) ; (금속 가공용의) 정.

set·tee [setíː] *n.* (등받이가 있는) 긴 의자 ; 소형[중형]의 소파. 〚C18 변형(變形) ‹? *settle*[2]〛

sét·ter *n.* SET하는 사람[것] ; 상감자(象嵌者) ; 식자공 ; 작곡자 ; 교사자(教唆者), 선동자 ; 세터《사냥감을 가리키는 사냥개 ; cf. POINTER, SET *vi.* 3》; [*pl.*] 여성(women).

sét thèory *n.* 〖數〗집합론.

***sét·ting** *n.* **1** Ⓤ 장치, 설치 ; (선로의) 부설. **2** Ⓤ 〖印〗식자. **3** Ⓤ (해·달의) 짐 : the ~ of the sun 일몰. **4** Ⓤ (톱니 따위의) 날 세우기. **5** Ⓤ (시멘트 따위의) 응고, 경화(硬化), 응결 ; Ⓤ,Ⓒ (머리의) 세트. **6** Ⓤ (보석 따위의) 박아넣기, 상감(象嵌) (inlaying) ; Ⓒ 거미발 ;〖教〗(특정 과목에의) 능력별 그룹 편성. **7** Ⓤ,Ⓒ 〖樂〗작곡, 곡조 붙이기. **8** (벽의) 마무리칠. **9** Ⓤ,Ⓒ 사냥감을 가리키기. **10** (바람 따위의) 방향 ; Ⓤ,Ⓒ (조수 따위의) 밀려듦. **11** (시·소설 따위의) 무대, (시대) 배경(background) ;《비유》주위, (사람의) 생활 환경(environment) ;〖劇·映〗도구 설비, 무대 장치, 배경. **12** (식기 따위의) 한 벌 ;《俗》한 배에 깐 알 ; (기계·기구의) 조절(방식[눈금]) ;〖園藝〗정식(定植).

sétting àgent *n.* 〖窯〗유착제.

sétting bòard *n.* 곤충의 표본대.

sétting còat *n.* (벽 따위의) 덧칠, 마무리칠.

sétting hèn *n.* 둥지에 들어앉은 암탉.

sétting lòtion *n.* 머리 세트용 화장수.

sétting nèedle *n.* (곤충 표본용) 고정 핀.

sétting pòint *n.* 〖理〗(졸(sol)이 겔(gel)화하는) 응고점.

sétting rùle *n.* 〖印〗식자용 자.

sétting stìck *n.* 〖印〗스틱, 식자가(植字架) (composing stick).

sétting tìme *n.* (시멘트의) 응고시간 ; (수지(樹脂)의) 경화 시간.

sétting-úp *a.* 조립용의 ; 체력 단련용의.

sétting-úp èxercises *n. pl.* =CALISTHENICS.

‡**set·tle**[1] [sétl] *vt.* **1** [+目 / +目+前+名] (움직이지 않게) 놓다, 고정시키다 ; 안정시키다, 빽빽하게 채우다 : He ~*d* himself ***in*** the armchair. 그는 안락 의자에 턱 앉았다.

2 [+目 / +目+前+名] 식민(植民)하다, 이주시키다 ; (주거에) 자리잡게 하다, 정주시키다 ; (직업에) 종사시키다, (일신을) 안정시키다 : The Pilgrim Fathers ~*d* Plymouth. 필그림 파더스는 플리머스에 정착하였다 / ~ a daughter by marriage 딸을 시집 보내(어 안정시키)다 / ~ Australia ***with*** English people 오스트레일리아에 영국 사람들을 이주시키다 / ~ one's child ***in*** law 자식을 법률가[변호사]로 만들다 / They have ~*d* themselves *in* their new house. 그들은 새로운 집에 자리잡았다.

3 진정시키다, 안정시키다 ; (먼지 따위를) 가라앉히다 ; (액체를) 맑게 하다 ; (찌꺼기를) 가라앉히다 : The medicine ~*d* her nerves. 약으로 그녀의 신경이 진정되었다 / A rainfall will ~ the dust of the road. 한차례 비가 오면 거리의 먼지가 가라앉을 것이다.

4 [+目 / +*to* do / +*wh.* +*to* do] 결정하다 ; (날짜 따위를) 정하다 ; (문제·쟁의·분쟁 따위를) 해결하다, 처리하다 : ~ a dispute 분쟁을 해결하다 / The question[problem] is not ~*d* yet. 그 문제는 아직도 처리되지 않고 있다 / ~ a day for the meeting 회합의 날짜를 정하다 / They ~*d to* reject the proposal. 제안을 거부하기로 결정했다 / Have you ~*d what to* say? 할 말을 정했습니까.

5 [+目 / +目+副 / +目+*with*+名] (계산을) 마치다, 치르다, 청산하다 : ~ (***up***) a bill 계산을 치르다 / I have a debt to ~ ***with*** him. 그에게 지급해야 할 빚이 있다 / ~ an account with... ☞ ACCOUNT 숙어.

6 [+目+*on*+名] 〖法〗(권리를) 양도하다, (유산 따위를) 물려주다 : ~ one's property ***on*** one's niece 질녀에게 재산을 물려주다.

7 《口》고분고분하게 만들다, 침묵시키다, 찍소리 못하게 하다 : The rebuke ~*d* him. 야단을 쳤더니 그는 조용해졌다.

—— *vi.* **1** [動 / +副 / +前+名 / +*to* do] 차분히 자리잡다, 마음을 잡다, 일신을 안정시키다 : ~ ***down to*** a new life 새 생활에 익숙해져 안정되다 / She ~*d down to* study. 그녀는 차분하게 공부에 전념했다. **2** [動 / +前+名] 정주하다 : The Germans ~*d* ***in*** Pennsylvania. 독일 사람들은 펜실베이니아에 정주했다. **3** [動 / +副] 굳어지다, (날씨 따위가) 안정되다. **4** [+(*up*) *on*+名] 결정하다(decide) : ~ ***upon*** a plan 안을 결정하다 / Have you ~*d on* a date for leaving? 출

발 날짜를 정했습니까. **5** [動/+*with*+名] 빚을 갚다, 청산하다 : I have ~*d* (***up***) ***with*** my creditors. 채권자들에게 빚을 갚았다. **6** [動/+前+名] 내리다, (새 따위가) 앉다 : A robin came and ~*d* ***on*** a twig. 울새가 한 마리 와서 작은 가지에 앉았다 / A cold ~*s* ***in*** my head. 감기가 낫지 않아 머리가 아프다. **7** [動/+前+名] (먼지가) 가라앉다 ; (액체가) 맑아지다 ; (찌꺼기가) 가라앉다 : The wine[coffee] will soon ~. 포도주[커피]는 곧 맑아집니다 / The dust has ~*d* ***on*** the furniture. 가구에는 먼지가 쌓여 있다. **8** [動/+副] (토대 따위가) 내려앉다 ; (배가) 가라앉기 시작하다.

settle a person***'s business*** 남을 해치우다, 처치하다.

settle down (1) 안정되다, (흥분 따위가) 가라앉다 ; 정주하다 ; 자리잡다 ; 일에 마음을 쏟다, (차분히) 착수하다(cf. *vi.* 1) : All his daughters have married and ~*d down.* 그의 딸들은 모두 결혼하여 안정되어 있다. (2) 내려 앉다 ; 기울다 ; (찌꺼기가) 가라앉다, 물에 앙금이 앉다, 침전하다, (액체가) 맑아지다.

settle in (새 집으로) 이사하여 자리잡다[안정시키다].

settle into shape ☞ SHAPE *n.*

settle one***'s affairs*** 일을 처리하다 ; (특히 유언장을 작성하거나 하여) 신변의 뒷처리를 해두다.

settle with …에게 진 빚을 갚다(cf. *vi.* 5) ; …와 화해하다, 결판짓다 ; …을 처리하다.

〚OE *setlan* (↓)〛

類義語 ⟹ DECIDE.

settle² *n.* 등받이가 높은 목제의 긴 의자《좌석 밑 부분이 상자로 되어 있는 것이 많음》. 〚OE *setl* place for sitting ; cf. G *Sessel*, OE *sittan* to SIT〛

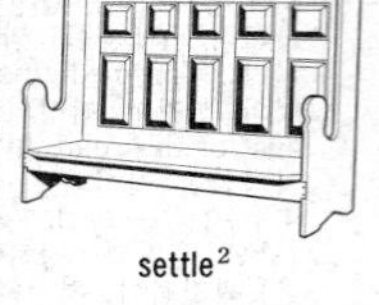
settle²

sét·tled *a.* **1** 고정된, 확립된 ; 확고한 ; (슬픔 따위가) 뿌리 깊은 : a ~ habit 굳어버린 습관. **2** 자리 잡힌, 안정된 ; 착실한, 차분한 ; (날씨가) 쾌청한 : ~ weather 계속되는 맑은 날씨. **3** 계산[청산]이 끝난 : a ~ account 청산된 계산.
~·ly *adv.* **~·ness** *n.*

***séttle·ment** *n.* **1** Ⓤ (주거를 정하여) 안정시킴, 정주(定住) ; (결혼하여) 자리잡음 ; 일정한 직업을 가짐. **2** Ⓤ 식민, 이민 ; Ⓒ 식민지, 거류지, 조계(租界) ; 신 개척지 ; 부락. **3** Ⓤ,Ⓒ 〖社〗 인보(隣保)사업 ; Ⓒ 인보관(隣保館). **4** Ⓤ,Ⓒ 해결, 결정 ; 화해 : come to[reach] a ~ 결말이 나다, 화해하다, 타협이 되다. **5** Ⓤ,Ⓒ 청산, 결산. **6** Ⓤ,Ⓒ (재산) 수여(授與) ; 〖法〗 계승적 부동산 설정《남편이 아내를 위해서 함》 ; Ⓒ 증여 재산. **7** (액체가) 맑아지기(clarification) ; 침전 ; 내려앉기.

the Act of Settlement 〖英史〗 왕위 계승법《1701년에 공포, 왕위에 오르는 자는 Hanover가(家)의 Princess Sophia 및 그 자손에 제한하기로 했음》.

séttlement dày *n.* (거래소에서) 결산일, 결제일, 수도일(受渡日).

séttlement hòuse *n.* 인보관(隣保館).

séttlement wòrker *n.* 인보 사업가.

***sét·tler** *n.* **1** (초기의) 식민자, 이민, 이주자 ; 개척자. **2** 《俗》 결말을 내는 것, 결정적인 타격[의논·사건], 최후의 일격. **3** 침전기(沈澱器)[통]. **4** 〖法〗 =SETTLOR.

sét·tling *n.* **1** 고정, 붙박아 안정시킴. **2** 맑아짐 ; 침전 ; [*pl.*] 침전물, 찌꺼기, 앙금. **3** 결정 ; 해결 ; 청산, 결산. **4** 식민, 이주. **5** (바닥 따위의) 내려앉음.

séttling dày *n.* 《美》 청산일, (특히 2주 마다의) 주식 거래 청산일[결산일].

séttling rèservoir *n.* 침전지(沈澱池).

séttling tànk *n.* 침전 탱크.

set·tlor [sétlər, -lɔːr] *n.* 〖法〗 재산 양도자 ; (계승적 부동산 처분이나 신탁의) 설정자.

sét-tò *n.* (*pl.* **~s**) 《口》 (특히 주먹으로) 치고 받기, 권투 시합 ; 격론(激論).

sét-ùp *a.* 체격이 좋은 ; 《俗》 기운찬.

sét·ùp *n.* **1 a**) 조직의 편제, 구성 ; 조직 ; (기계의) 기구(機構) ; (집의) 방 배치 ; (정치·사회적인) 관행, 관습 ; 제조건(諸條件), 상황. **b**) 《美》 동작, 자세, 태도. **c**) 무대 장치의 최종적 설정 ; 〖映〗 (카메라·마이크·배우 등의) 배치, 위치 ; 〖컴퓨〗 준비 ; [the ~] 한 장면(scene)의 필름의 길이(footage) ; 〖TV〗 세트업《소거귀선(消去歸線) 레벨에서 본 기준 흑(黑)레벨과 기준 백(白)레벨 사이의 비율》. **d**) 관측 기기 설치(장)소. **2** (실험 장치 따위의) 장비 ; 식탁용 식기구 한 벌 ; [보통 *pl.*] 《口》 (자기가 좋아하는 술을 만드는 데 필요한) 탄산수·얼음·컵 따위의 일습(一襲) ; (실내의) 가구, 집기. **3 a**) 계획, 기획 ; 《美口》 간단히 승부가 나도록 꾸민 경기 시합, 미리 짜고 하는 시합, 쉽게 할 수 있도록 꾸며놓은 일[목표]. **b**) (이길 가망이 없는 시합에 나가는) 선수, 복서 ; 간단히 속는 사람, 얼간이. **c**) 〖撞球〗 득점하기 쉽게 나란히 있는 공의 위치 ; 〖테니스〗 상대방에게 충분히 결정타가 되는 찬스볼 ; 〖배구〗 팀의 멤버가 스파이크 하기 쉽도록 네트 위에 높게 올린 볼 ; 그 공을 스파이크하는 선수.

Seu·rat [*F* sœra] *n.* 쇠라. **Georges ~** (1859-91) 신인상주의를 창시한 프랑스 화가 ; 점묘 화법으로 유명.

◇sev·en [sévən] *a.* 일곱의, 일곱 개의, 일곱 사람의 ; [*pred.*로 써서] 일곱살인 : ~ (dollars) and fifty (cents) 7달러 50센트. 注 신비적인 수로서 완전 또는 다수의 뜻을 나타내는 수가 있음.

the City of the Seven Hills 일곱 언덕의 도시《Rome의 속칭》.

the seven chief [***cardinal, principal***] ***virtues*** ☞ VIRTUE.

the seven deadly sins 일곱 가지의 큰 죄《오만·탐욕·사음(邪淫)·분노·탐식·질투·태만》.

the Seven Hills (***of Rome***) 로마의 일곱 언덕《고대 로마의 일곱 군데의 언덕 ; 그것을 중심으로 고대 로마시가 건설됨》.

the Seven Wonders of the World (고대의) 세계 7대 불가사의《Egypt의 피라미드(Pyramids), Alexandria의 등대(Pharos), Babylon의 공중 정원(Hanging Gardens), Ephesus의 Artemis 신전, Olympia의 Zeus 신상(神像), Halicarnassus의 영묘(靈廟)(Mausoleum), Rhodes의 거상(巨像)(Colossus)》.

—— *pron.* [복수취급] 일곱, 7개, 7명.

—— *n.* **1** 7, 일곱, 일곱 개, 일곱 사람 ; Ⓤ 7시, 7세, 7달러[파운드, 센트, 펜스 따위] ; 7번째의 것[사람]. **2** 7의 기호《7, vii, VII》. **3** 일곱 개[사람] 한 벌[조]인 것. **4** (카드놀이 따위의) 7 ; (사이즈의) 7번, [*pl.*] 《英》 7인제의 럭비 시합.

〚OE *seofon* ; cf. SEPT-, G *sieben*〛

séven·fòld *a., adv.* 7배의[로] ; 일곱 겹[절(折)]의[로] ; 7부로 이루어진.
~·ed *a.* 7부(部)로 된.

séven-lèague bóots *n. pl.* [the ~] (동화 *Hop-o'-my-Thumb*에 나오는) 한 걸음에 7리그《약 21마일》를 갈 수 있다는 장화.

Séven Sàges *n. pl.* [the ~] (고대 그리스의) 일곱 현인《Solon, Chilon, Pittacus, Bias, Periander(또는 Epimenides), Cleobulus, Thales》.

séven séas *n. pl.* [the ~; 때때로 the S~ S~] 7대양《남북 태평양·남북 대서양·인도양·남북 빙양(氷洋)》; 세계의 바다.

Séven Sísters *n. pl.* **1** [the ~]〖天〗플레이아데스 성단(the Pleiades). **2** 7대 석유 회사《Exxon, Mobil Oil, Texaco, Standard Oil of California, Gulf Oil, British Petroleum, Royal Dutch Shell》.

Séven Stárs *n. pl.* =SEVEN SISTERS 1.

◇**sev·en·teen** [sévəntíːn] *a.* 17의, 열 일곱개의, 열 일곱 사람의; [*pred.*로 써서] 17세인. —— *pron.* [복수취급] 17, 17개, 17인. —— *n.* 17, 17개, 17인; 17의 기호《17, xvii, XVII》: sweet ~ 이팔청춘, 묘령.
〖OE *seofontīene* (SEVEN, *-teen*)〗

‡**sev·en·teenth** [sévəntíːnθ, ⌐-⌐] *a.* 제17(번째)의; 17분의 1의. —— *n.* **1** [the ~] 제17; (매월의) 17일. **2** 17분의 1.

séventéen-yèar lócust *n.*〖昆〗17년매미《미국산; 17년 만에 성충이 됨》.

◇**sev·enth** [sévənθ] *a.* **1** 제7(번째)의. **2** 7분의 1의: a ~ part 7분의 1. —— *n.* **1** [the ~] 제7; (달의) 7일. **2** 7분의 1. **3**〖樂〗7도, 7도 음정(音程). **~·ly** *adv.* 제7로, 일곱 번째로.

Séventh dày *n.* [the ~] 주의 제7일《유태교 및 퀘이커 교회에서는 토요일이 안식일》.

séventh-dày *a.* 주(週)의 제7일인 토요일의; [보통 S~-D~] 토요일을 안식일로 하는.

Séventh-Day Ádventist *n.* [the ~s] 제7일 안식일 재림파(의 신도).

Séventh Fléet *n.*〖美海軍〗미국 제7함대.

séventh héaven *n.* [the ~] 제7천국《신과 천사가 사는 최상천(最上天)》; 최고의 행복.
in the seventh heaven 그지없는 환희[행복] 속에; 미칠 듯이 기뻐하여[황홀하여].
the seventh heaven of delight 기쁨의 절정[극치].

***sev·en·ti·eth** [sévəntiəθ] *a.* 제70(번째)의; 70분의 1의. —— *n.* [the ~] 제70; 70분의 1.

◇**sev·en·ty** [sévənti] *a.* 70의, 70개의, 70명의; [*pred.*로 써서] 70세인.
seventy times seven〖聖〗일곱번의 70배까지, 몇번이고.
—— *pron.* [복수취급] 70, 70개, 70명.
—— *n.* **1** 70, 70개, 70명. **2** 70의 기호《70, lxx, LXX》. **3** [the seventies] (특히 19세기의) 70년대; [one's seventies] (연령의) 70대.
〖OE *seofontig* (SEVEN, *-ty*[1])〗

séventy-éight, 78 *n.*《口》78회전 레코드판.

séventy-fíve *n.* 75;〖軍〗75밀리포《특히 제1차 대전 때 쓴 프랑스군·미군의 75밀리 야포》.
—— *a.* 75의.

séven-úp *n.* 2-4명이 하는 카드놀이의 일종(all fours).

Séven-Úp, 7-Up *n.* 세븐업《청량 음료수의 일종; 상표명》.

séven-yèar ítch *n.*《口》〖醫〗옴;《보통 戱》(결혼 7년째의) 바람기, 권태기.

sev·er [sévər] *vt.* **1** [+目/+目+*from*+名] 절단하다, 끊다; 잘라내다: ~ a string 끈을 자르다 / ~ a bough ***from*** a tree 나무에서 큰 가지를 잘라내다. **2** [+目/+目+*from*+名] 단절하다, (관계 따위를) 끊다, (…의 사이를) 갈라놓다, 불화하게 하다: ~ one's connections with a person 남과의 관계를 끊다 / ~ husband and wife 부부 사이를 갈라놓다 / ~ oneself ***from*** the Church 교회와 인연을 끊다. **3** [+目/+目+前+名] 분리하다, 나누다(divide);〖法〗(공유·심리를) 분리하다: The Channel ~*s* England ***from*** France. 영국 해협은 영국을 프랑스로부터 갈라 놓고 있다 / The world was ~*ed* ***into*** two blocks. 세계는 두 진영[블록]으로 갈라져 있었다.
—— *vi.* 절단되다, 단절하다; 사이를 갈라놓다, 둘로 갈라지다, 떨어지다, 나뉘다.
〖AF<L *separo* to SEPARATE〗
類義語 ⟹ SEPARATE.

séver·able *a.* 절단할 수 있는;〖法〗(계약 따위가) 분리할 수 있는, 가분(可分)의.
sèver·abílity *n.*

◇**sev·er·al** [sévərəl] *a.* **1** (하나, 둘이 아니고) 여럿의, 수명[개(個)·차례]의. 注 a few 보다는 많고 many보다는 적다는 느낌을 나타냄. **2** 여러가지의; 따로따로의, 각각의, 각자의(individual): The students went their ~ ways. 학생들은 제각기 다른 방향으로 갔다 / Each has his ~ ideal. 사람은 각기 자신의 이상을 지니고 있다 / *S*~ men, ~ minds.《속담》각인각색. **3**〖法〗단독의, 개별적인(↔*joint*).
—— *pron.* [복수취급] 몇 개, 몇 사람, 몇 마리: ~ *of* them[the men] 그들[그 사람들] 중의 몇 사람. **~·ly** *adv.* 따로따로, 각자.
〖AF<L (*separ* distinct); ⇨ SEPARATE〗

séveral·fòld *a., adv.* 몇 겹의[으로], 몇 배[곱]의[로].

séveral·ty *n.* 개별성[상태], 독자성; Ⓤ 각자, 개별;〖法〗단독 보유지[재산]: estate *in* ~ 단독 보유 물권.

sev·er·ance [sévərəns] *n.* Ⓤ 단절, 분리, 격리; 절단, 분할;〖法〗분리; 손을 끊음, 해직.

séverance pày *n.* 퇴직[해직] 수당.

séverance tàx *n.*《美》주외(州外) 소비세《다른 주에서 소비되는 석유·가스·광물 따위의 채굴자에게 과하는 주세(州稅)》.

***se·vere** [sivíər] *a.* (**se·vér·er; -est**) **1** 심한, 맹렬한; 가혹한, 통렬(痛烈)한: a ~ winter (추위가) 심한 겨울 / ~ heat 혹서 / a ~ pain 심한 고통 / a ~ illness 중병 / a ~ punishment 엄벌 / a ~ critic 혹평가. **2** 엄한, 엄격한; 엄정한, 엄밀한; 용서 없는, 피도 눈물도 없는; 통렬한: a ~ examination 엄정한 검사 / a ~ writer 한 어구도 소홀히 하지 않는 저술가 / He is rather ~ *with* his children. 그는 아이들에게 꽤 엄격하다 / Don't be too ~ *on* others' errors. 다른 사람의 잘못에 대해 너무 엄격해서는 안된다. **3** (복장·건축물·문체 따위가) 간소한, 수수한, 꾸밈없는, 간결한, 짜임새 있는.
〖F or L *severus*〗
類義語 ***severe*** 사람이나 그 언행 또는 법률·규약·형벌 따위가 엄하고 타협할 줄을 모르는; 부드러움·관용·인정 따위가 없는 것을 나타냄: a *severe* teacher (엄격한 교사). ***stern*** 태도·표정 따위가 엄격하고 인정 사정 없는: a *stern* trainer (준엄한 훈련 교관). ***austere*** 엄한 감독·예의범절·제한·자제(自制)를 의미하며 따사로운 감정이나 꾸밈새가 없는: *austere* parents (엄격한 부모).

sevére·ly *adv.* 맹렬히, 격렬히; 심하게; 엄격히, 호되게; 간소히: Discipline was ~ enforced. 훈

련은 엄하게 실시되었다.
leave*[*let*]...*severely alone (싫기 때문에) …을 고의로 피하다, 경원하다.

se·ver·i·ty [səvérəti] *n.* **1** Ⓤ 격렬, 가혹(harshness); 엄격, 엄정(accuracy); 고통, 괴로움; (풍자 따위가) 신랄함; 간소, 수수함, 소박함. **2** [*pl.*] 가혹한 처사[경험].

Sev·ern [sévərn] *n.* [the ~] 세번 강《영국 웨일스 중부에서 Bristol Channel로 흘러 들어감》.

Sev·in [sévən] *n.* 세빈《카르밤산계(酸系)의 살충제; 상표명》.

Sè·vres [sévrə, sévr; séivr; *F* sɛːvr] *n.* **1** 세브르《프랑스 Seine 강가의 도시》. **2** Ⓤ 세브르 도자기(=∼ **wàre**)《고급 도자기》.

sew** [sóu] *v.* (~**ed**; **sewn** [sóun], ~**ed**) *vt.* [+目/+目+副/+目+前+名] 꿰매다, 깁다; 꿰매어 붙이다[달다]; 넣어 꿰매다; 꿰매어 잇다; 꿰매어 만들다; 〖製本〗 (책을) 철하다: ~ garments 옷을 꿰매다 / ~ a buttonhole 단춧구멍을 사뜨다 / ~ pieces of cloth *together* 천 조각을 꿰매어 잇다 / ~ a button ***on (a coat) (웃옷에) 단추를 달다 / ~ money ***in***[***into, to***] one's belt 허리띠에 돈을 넣고 꿰매다.
—— *vi.* 바느질하다, 재봉틀로 박다.
sew up (1) 꿰매어 잇다, 꿰매 붙이다; 안에 넣고 꿰매다: ~ *up* a wound 상처를 꿰매다 / ~ *up* money *in* a bag 돈을 자루에 넣고 꿰매다. (2) 《英口》 (사람을) 지치게 하다; [특히 수동태로] (곤드레만드레) 취하게 하다. (3) 《美》 지배권을 쥐다, 독점하다; 《口》 (배우 등과) 독점 계약하다, (…의 지지[협력]를) 확보하다. (4) [보통 수동태로] 《口》 (거래·계약 따위를) 잘 마무리 짓다, …로 잘 귀결[결말]짓다.
~·**able** *a.* ∼·**abílity** *n.*
〖OE *si*(*o*)*wan*; cf. L *suo* to sew〗

sew·age [súːidʒ] *n.* Ⓤ 하수 오물, 시궁창물.
—— *vt.* …에 하수 거름을 주다; …에 하수구를 만들다.

séwage dispòsal *n.* 하수 처리.

séwage ejèctor *n.* 하수 배출 장치.

séwage fàrm *n.* 하수 관개 이용 농장.

séwage wòrks *n.* (*pl.* ~) 하수 처리장[시설].

se·wan [síːwən] *n.* =WAMPUM.

sew·er[1] [sóuər] *n.* 꿰매는 사람[기계], 재봉사, 재봉틀. 〖SEW〗

sew·er[2] [sú(ː)ər; sjúːər] *n.* **1** 하수(도), 하수 본관, 하수구. **2** 〖解·動〗 배설구.
—— *vt.* …에 하수도 설비를 하다. —— *vi.* 하수도 설비를 하다, 하수를 깨끗이 하다.
〖AF *sever*(*e*) <Rom. (L *ex-*[1], *aqua* water)〗

sewer[3] *n.* 〖史〗 (중세 유럽의) 급사장, 식탁을 맡아보는 하인의 우두머리. 〖(두음 소실) <AF *asseour* <L AS*sideo* to sit by〗

sew·er·age [sú(ː)əridʒ; sjúərid3] *n.* **1** Ⓤ 하수도 설비[공사]; 하수처리; 하수(오물) (sewage). **2** 하수도.

séwer gàs *n.* 하수에서 발생하는 가스《메탄 가스·이산화탄소를 함유함》.

séwer ràt *n.* 〖動〗 시궁쥐.

séw·ing *n.* Ⓤ 재봉, 바느질; [집합적으로] 바느질감.

séwing cìrcle *n.* 자선 재봉회《여성들이 정기적으로 모여서 개최함》.

séwing còtton *n.* 바느질용 무명실.

séwing machìne *n.* **1** 재봉틀: a hand[an electric] ~ 손[전기] 재봉틀. **2** 제본용 재봉틀.

***sewn** *v.* SEW의 과거 분사.

***sex** [séks] *n.* **1 a**) Ⓤ 성(性), 성별; 성적 요소: a member of the same[opposite] ~ 동[이]성인 사람 / without distinction of race, age or ~ 인종이나 남녀 노소의 구별 없이. **b**) [형용사적으로] 성(性)의, 성적인: ~ education 성교육 / the ~ instinct 성적본능. **2** [집합적으로] 남[여]성: the equality of the ~*es* 남녀 평등 / a school for both ~*es* 남녀 공학인 학교 / the male[rough, sterner, stronger] ~ 남성 / the female[fair, gentle, softer, weaker] ~ 여성. **3** 성욕; 《口》 성교, 섹스; 여성 성기: have ~ with... 《口》 …와 성교하다. —— *vt.* (병아리 따위의) 성별을 감별하다. 〖OF or L; cf. L *seco* to divide〗

sex- [séks], **sexi-** [séksə] *comb. form* 「여섯」 「6」의 뜻. 〖L〗

sex·a·ge·nar·i·an [sèksədʒənéəriən, seksæ̀dʒə-, -nǽər-] *a., n.* 60세[대]의 (사람).
〖L (*sexaginta* sixty)〗

sex·ag·e·nary [səksǽdʒənèri; -nəri] *a.* 60(세)의, 60대의. —— *n.* =SEXAGENARIAN.

Sex·a·ges·i·ma [sèksədʒésəmə, -dʒéizə-] *n.* 〖宗〗 사순절 전의 제2 일요일(=∼ **Súnday**).
〖L=sixtieth (day)〗

sex·a·ges·i·mal [sèksədʒésəməl] *a.* 60의, 60씩 세는; 60분(分)[진법]의. —— *n.* 60분수.
~·**ly** *adv.* 〖↑〗

séx·àngle *n.* 〖數〗 6각형.

sèx·ángular *a.* 6각(형)의.

séx appèal *n.* 성적 매력; (일반적으로) 매력.

séx attràctant *n.* 〖動〗 성유인 물질.

séx-blínd *a.* 성별에 차별두지[영향 받지] 않는.
〖cf. COLOR-BLIND〗

séx bòmb *n.* 《俗》 =SEXPOT.

séx cèll *n.* 〖生〗 성세포(gamete).

sèx·centénary *a.* 600의; 600년의; 600년제(祭)의. —— *n.* 600년제.

séx chànge *n.* (수술에 의한) 성전환.

séx chròmatin *n.* 성염색질(染色質).

séx chròmosome *n.* 〖生〗 성염색체.

séx clìnic *n.* 성(문제) 상담실[진료소].

sex·cur·sion [sekskə́ːrʒən, -ʃən] *n.* (남자의) 섹스를 목표로 한 여행. 〖*sex*+ex*cursion*〗

séx determinàtion *n.* (수태(受胎)할 때의) 성의 결정.

sex·dígitate *a.* 여섯 손가락의.

sexed [sékst] *a.* 암수감별한; 성별이 있는; 성욕[성적 매력]이 있는.

sex·en·ni·al [seksénial] *a.* 6년 계속하는, 6년 마다의, 6년마다 한 번의. —— *n.* 6년제(祭).
~·**ly** *adv.*

séx·fòil *n.* **1** 〖建〗 육엽(六葉) 장식. **2** 〖植〗 육엽 식물[꽃].

séx glànd *n.* 〖動〗 생식선 (gonad).

séx hòrmone *n.* 〖生化〗 성호르몬.

séx hỳgiene *n.* 성(性)위생학《성교의 빈도·방법 따위를 연구》.

sexfoil 1

sexi- [séksə] ☞ SEX-.

sèxi·décimal *a.* 16진법의 (hexadecimal).

sex·il·lion [seksíljən] *n.* =SEXTILLION.

séx-inclùsive *a.* 성(性)포괄적인《말 따위》.

séx·ism *n.* (보통 여성에 대한) 성차별(주의); 성차별을 조장하는 것. **-ist** *a., n.*

sèxi·válent *a.* 〖化〗 6가(價)의.

séx jòb *n.* 《俗》 쉽게 낚을 수 있는 여자 ; 성적 매력이 있는 사람[여자].
séx kìtten *n.* 《口·戲》 매우 성적 매력이 있는 젊은 여자.
séx·less *a.* **1** 성별이 없는, 무성의. **2** 성적 감정이 없는, 성적으로 냉담한, 성적 매력이 없는. **~·ly** *adv.* **~·ness** *n.*
séx lìfe *n.* 성생활.
séx-lìmit·ed *a.* 〔生〕 한성(限性)의《유전형질·염색체》.
séx-lìnk·age *n.* Ⓤ 〔生〕 반성(伴性) (유전).
séx-lìnked *a.* 〔生〕 반성의, (성질이) 성염색체 속의 유전자에 의해 결정되는.
séx mània *n.* 색광증(色狂症).
séx òbject *n.* 성적 대상(이 되는 사람).
sex·ol·o·gy [seksɑ́lədʒi] *n.* Ⓤ 성과학(性科學), 성학(性學). **-gist** *n.* **sex·o·log·i·cal** [sèksəlɑ́dʒikəl] *a.*
sèx·pártite *a.* 여섯으로 나뉜[갈라진] ; 〔植〕 (잎이) 육심렬(六深裂)의.
sex·pert [sékspəːrt] *n.* 《俗》 성문제 전문가. 〖*sex*+ex*pert*〗
sex·ploi·ta·tion [sèksplɔitéiʃən] *n.* Ⓤ 성을 이용하는 일 ; 성(性)영화 제작 ; 성적(性的) 착취. 〖*sex*+ex*ploitation*〗
sex·ploit·er [séksplɔ̀itər] *n.* 《口》 성을 내세운 영화, 포르노 영화.
séx·pòt *n.* 《口》 성적 매력이 넘치는 여자.
séx ràtio *n.* 성비(性比)《여성 100에 대한 남성의 인구 비율》.
séx revolútion *n.* 성(性)혁명.
séx ròle *n.* 성의 역할《한쪽 성에 적합하고 다른 성에 부적합한 활동》.
séx shòp *n.* 포르노 숍, 성인의 장난감 가게《포르노 잡지·음란 사진·최음제·성구(性具) 따위를 파는 가게》.
séx sỳmbol *n.* 성적 매력으로 유명한 사람.
sext [sékst] *n.* [흔히 S~] 〔基〕 제6시[정오]에 올리는 의식, 육시과(六時課) ; 〔樂〕 6도 음정. 〖L *sexta* (*hora* hour)〗
sex·tain [sékstein] *n.* 〔詩學〕 6행 연(行聯) ; =SESTINA.
sex·tan [sékstən] *a.* 육일열(六日熱)의 ; 엿새(째)마다 일어나는《실제로는 닷새째》. ── *n.* 〔醫〕 육일열.
Sex·tans [sékstənz] *n.* 〔天〕 육분의(六分儀)자리 (the Sextant).
sex·tant [sékstənt] *n.* 육분의(六分儀) ; 원(圓)의 1/6 ; [the S~] 〔天〕 =SEXTANS. 〖L *sextant- sextans* sixth part〗
séx tèst *n.* =FEMININITY TEST.
sex·tet, -tette [sekstét] *n.* 〔樂〕 6중창(단), 6중주(단) ; 여섯 개 한 벌, 6인조. 〖변형(變形) <SESTET ; L *sex* six의 영향〗
séx thèrapy *n.* (성불능·불감증 따위를 치료하는) 성치료, 섹스 요법.
sex·til·lion [sekstíljən] *n.*, *a* 《美》 1000의 7제곱(의)《1에 0이 21개 붙은 수》; 《英·獨·프》 100만의 6제곱(의)《1에 0이 36개 붙은 수》.
sex·to [sékstou] *n.* (*pl.* **~s**) =SIXMO.
sex·to·dec·i·mo [sèkstoudésəmòu, -tə-] *n.* (*pl.* **~s**) =SIXTEENMO.
sex·ton [sékstən] *n.* 교회지기《종을 치거나 무덤을 파거나 함》. 〖OF *segerstein*<L SACRISTAN〗
sex·tu·ple [sekstjúːpəl, -tʌ́p-, sékstjəpəl ; sékstjupl] *a.* 6배[곱]의 ; 6부분으로 된, 6겹의 ; 〔樂〕 6박자의. ── *n.* 6배[곱](의 것). ── *vt.*, *vi.* 6배하다[가 되다] ; 6겹으로 하다[이 되다] (cf. QUADRUPLE). 〖L (*sex* six)〗
sex·tup·let [sekstʌ́plət, -tjúː-, sékstju- ; ékstju-] *n.* 여섯 쌍둥이 ; 여섯 개 한 벌[조]. 〖↑ ; *triplet* 따위와의 유추(類推)〗
sex·tus [sékstəs] *a.* 《英》 여섯 번째의《이름이 같은 아동을 구별하기 위해 붙임》. 〖L=sixth〗
séx·typ·ing [-tàipiŋ] *n.* 성적(性的) 분업 할당[분업화].
***sex·u·al** [sékʃuəl ; -sjuəl] *a.* 남녀[암수]의, 성(性)의 ; 성적인 ; 〔生〕 유성(有性)의, 생식의 : ~ appetite 성욕 / ~ disease 성병 / ~ organs 성기, 생식기 / ~ reproduction 〔生〕 유성 생식 / ~ selection 〔生〕 자웅선택[도태(淘汰)]《Darwin 설(說)의》/ ~ system[method] 〔生〕 자웅 분류법. **~·ly** *adv.* 남녀[암수]의 구별에 따라, 성적으로. 〖L ; ⇨ SEX〗
séxual assáult *n.* 성폭력, 강간(rape).
séxual haràssment *n.* (특히 여성을) 성적으로 괴롭히기 ; 강간.
séxual íntercourse *n.* 성교(coitus).
sex·u·al·i·ty [sèkʃuǽləti ; -sju-] *n.* Ⓤ 남녀[암수]의 구별, 성별, 유성 ; 성적임 ; (특히 지나친) 성행위[성욕], 성충동 ; 성의 인식[강조].
séxual·ìze *vt.* …에 남녀[암수]의 구별을 짓다, …에 성적 특색을 부여하다 ; …에 성감을 주다.
séxually transmítted disèase *n.* 성적 전염병, 성병《略 STD》.
séxual moléster *n.* 치한(癡漢).
séxual pólitics *n.* 성의 정치학《남녀 양성간의 질서·지배 관계》.
séxual relátions *n. pl.* 성교, 교접(coitus).
séxy *a.* 성적 매력이 있는, 요염한, 섹시한 ; (널리) 매력적인, 남의 눈을 끄는 ; 《軍俗》 고성능의《신형기》. **séx·i·ly** *adv.* 섹시하게. **séx·i·ness** *n.*
Sey·chelles [seiʃélz] *n. pl.* [the ~] 세이셸《인도양 서부에 있는 공화국》.
Séy·fert gàlaxy [síːfərt-, sái-] *n.* 〔天〕 세이퍼트 은하《은하계외 성운의 일종으로 중심핵이 응집되어 강한 휘선(輝線)을 발함》. 〖Carl K. *Seyfert* (d. 1960) 미국의 천문학자〗
Sey·mour [síːmɔːr] *n.* 남자 이름. 〖OF *St. Maur*〗
sez [séz] *v.* [발음 철자] says. ***Sez you***[***he***] ***!*** 《口》 그럴까요, 설마《불신·비꼼의 소리》.
SF, S.F., sf science fiction. **SF, sf** 〔野〕 sacrifice fly. **S.F.** sinking fund ; Sinn Fein. **sf, sf.** 〔樂〕 sforzando. **S.F.A.** Scottish Football Association(스코틀랜드 축구 협회). **Sfc, SFC, S.F.C.** Sergeant First Class.
sfer·ics [sfíəriks, sfér-] *n.* [단수취급] 공전(空電) (atmospherics) ; [단수·복수취급] 〔氣〕 전자적 공전[태풍] 관측(장치).
sfor·zan·do [sfɔːrtsɑ́ːndou, -tsǽn-], **sfor·za·to** [-tsɑ́ːtou] *a.*, *adv.* 〔樂〕 스포르찬도의[로], 강음의[으로] ; 특히 센[세게], 힘을 준[주어]. ── *n.* (*pl.* **~s**, **-di** [-diː]) 스포르찬도(의 음표[화음]). 〖It. (gerund. and p.p.) <*sforzare* to use force〗
S.F.R.C. 《美》 Senate Foreign Relations Committee.
sfu·ma·to [sfuːmɑ́ːtou] *n.* (*pl.* **~s**) 〔美術〕 스푸마토《물건과 물건의 경계선을 바림하여 그리기》. 〖It. (*fumare* to smoke)〗
SFX 〔映·TV〕 special effects. **sfz, sfz.** 〔樂〕 sforzando. **sg.** singular. **S.G.** senior grade ; solicitor general ; surgeon general. **s.g.**

specific gravity. **sgd.** signed. **s.g.d.g.** *sans garantie du gouvernement* 《F》 (=without government guarantee).

sgraf·fi·to [skræfí:tou, zg-, -rɑ:-] *n.* (*pl.* **-fi·ti** [-fí:ti:]) 도료·플라스터·이장(泥漿) 따위의 표면을 긁어내어 바탕의 색채가 대조적으로 드러나게 하는 장식 기법; 그 기법에 의한 도자기. 〚It.〛

Sgt. Sergeant.

sh [ʃ:] *int.* 쉬《조용히 하라는 소리》.

sh. share(s); sheep; sheet; show. **sh, Sh** shilling(s). **S.H.** School House. **SHA** 〔海〕 sidereal hour angle (항성시각(恒星時角)).

shab·by [ʃǽbi] *a.* **1** 초라한, 남루한 차림의: a ~ old man 남루한 차림의 노인. **2** 남루한《옷》, 입어서 낡은, 낡아빠진, 해진; 보잘것없는, 조잡한: a ~ raincoat 낡아빠진 비옷. **3** (거리·주거 따위) 누추한, 지저분한: a ~ boarding house 누추한 하숙집. **4** 천한, 야비한, 비열한; 인색한.
sháb·bi·ly *adv.* **-bi·ness** *n.*
〚*shab* (obs.) SCAB〛

shábby-gentéel *a.* 영락하고도 체면을 차리려고 하는, 허세 부리는. **-gentílity** *n.*

shab·rack [ʃǽbræk] *n.* (경기병(輕騎兵)의) 안장 덮개, 안장 깔개. 〚G and F〛

shack [ʃǽk] *n.* 통나무집, 판잣집; 《口》 낡아빠진 집; (오두막집 같은) 방; 《美俗》 (화차의) 제동수(制動手); 《美俗》 방랑자의 회합 장소. ── *vi.* 《美》 살다, 머무르다〈*in*〉.
shack up 《口》 동거[밀통]하다; 불의의 관계를 갖다〈*with*〉; 《俗》 살다, 머무르다, 틀어박히다〈*in*〉.
〚? Mex. *jacal* wooden hut; ? 역성(逆成) ‹ *shackly* (dial.) rickety〛

shack·le [ʃǽkəl] *n.* **1** [보통 *pl.*] **a**) 차꼬, 수갑, 족쇄(足鎖). **b**) 《비유》 속박, 구속, 굴레: break through the ~*s* of convention 인습의 속박을 타파하다. **2** (맹꽁이 자물쇠의) 걸쇠; 고리쇠, (철도의) 계쇄(繫鎖); 〔紋〕 연환(連環). ── *vt.* [+目/+目+前+名] **1** …에게 수갑[쇠고랑]을 채우다, 족쇄를 채우다; 쇠사슬로 묶다〈*to*〉. **2** 《비유》 (…의 자유를) 속박하다, 구속하다; 방해하다: They are ~*d* ***with***[***by***] inherited conventions. 그들은 조상 대대로의 인습에 얽매여 있다.
〚OE *sc*(*e*)*acul* fetter; cf. LG *shäkel* link, coupling, ON *skökull* wagon pole〛

sháck ràt *n.* 《美》 (여자와) 동거하고 있는 병사.

shad [ʃǽ(:)d] *n.* (*pl.* ~, **~s**) 〔魚〕 알로사《청어류의 식용어; 유럽·북미의 중요 식용어》.
〚OE *sceadd* < ?〛

shád·bèrry [ˌ-bəri] *n.* 〔植〕 채진목(의 열매).

shád·blòw, -bùsh *n.* 채진목.

shad·dock [ʃǽdək] *n.* 〔植〕 왕귤나무(의 열매).
〚Cap. *Shaddock* 17세기의 영국의 선장〛

‡**shade** [ʃéid] *n.* **1** Ⓤ 그늘, 응달, 그늘진 곳(cf. SHADOW): There is not much ~ there. 거기에는 그다지 응달이 없다 / in *the* ~ ☞ 숙어 / The tree makes a pleasant ~. 그 나무는 시원한 그늘을 짓는다. **2** [*pl.*] 땅거미, 어스름, 어둠; (표정의) 어두워짐, 슬픈[불쾌한] 표정: the ~*s* of night 밤의 장막. **3** [흔히 *pl.*] 《古》 구석진[으슥한] 곳, 사람 눈에 띄지 않는 장소; [*pl.*] 《英》 포도주 저장실; [the ~] 황천, 저승. **4 a**) Ⓤ 〔畫〕 그늘, 음영(陰影) (↔*light*[1]); 〔컴퓨〕 그늘, 음영; Ⓒ 명암(明暗)[농담(濃淡)]의 정도, 색조(色調): light and ~ ☞ LIGHT[1] 숙어 / The leaves had all the ~*s* of colors from vivid green to reddish brown. 나뭇잎들은 산뜻한 녹색에서부터 불그스름한 갈색에 이르기까지 갖가지 색조(色調)로 물들어 있었다. **b**) 여러 가지 색조로 된 것; 《비유》 (여러 가지의) 종류: all ~*s* of opinion 갖가지 의견. **5** 빛을 가리는[약하게 하는] 것; 차양, 햇빛 가리개, 블라인드(blind); 양산(parasol); (램프 따위의) 갓, (눈을 가리는데 쓰는) 차광기(遮光器) (eyeshade); [*pl.*] 《口》 =SUNGLASSES; 《美俗》 장물 취득인. **6** 《古》 그림자(shadow); 《文語》 망령; [the ~s] 영혼; 〔그神·로神〕 황천 나라의 주민. **7** [a ~] 극히 소량, 기미(氣味): *a* ~ *of* disapproval 반대의 기미 / There was *a* ~ *of* humor in his voice. 그의 목소리에는 약간 익살기가 섞여 있었다 / There is not *a* ~ *of* doubt. 조금도 의심스러운 기미가 없다 / The coffee is *a* ~ too bitter. 커피는 좀[약간] 쓰다. **8** (의미의) 근소한 차이, (말·문장의) 미묘한 차이, 뉘앙스: delicate ~*s* of meaning 의미의 미묘한 차이. **9** 《美俗》 흑인.
in the shade 응달[나무 그늘]에[에서] (cf. *in the* SUN); 《비유》 광채를 잃고, 눈에 띄지 않고: *in the* ~ of obscurity 사람 눈을 피하여; 세상에서 잊혀져.
put[***throw***]***...into the shade*** …을 눈에 띄지 않게 하다, 무색하게 하다.
the shadow of a shade 더없이 허망한 것, 허깨비, 환영.
── *vt.* **1** 그늘지게 하다, 어둡게 하다, 가리다: The trees ~ the house nicely. 수목들이 그 집을 시원하게 그늘지운다 / A sullen look ~*d* his face. 샐쭉한 기색이 그의 얼굴을 어둡게 했다. **2** [+目/+目+前+名] …에서 햇빛을 피하다: She ~*d* her face ***with*** her hand. 손으로 얼굴을 가렸다. **3** …의 열을 가로막다, 가리다; (전구·램프 따위에) 갓을 달다, 차양[차일]을 달다. **4** 〔畫〕 …에 음영(陰影)을 주다, 명암[농담]을 나타내다, (동양화 따위에서) 색을 바림하다; (의견·방법 따위를) 차츰 변화시키다; …의 가락을 조절하다[늦추다]. **5** [+目/+目+*for*+名] (가격 따위를) 약간 내리다: He ~*d* the price ***for*** me. 나에게 값을 조금 깎아 주었다. ── *vi.* [+副/+前+名] (색채·의견·방법·의미 따위가) 차츰 변화하다: red *shading* ***off into*** vermillion 점점 주홍색으로 옮어지는 적색 / The colors of the light ~*d* ***from*** blue *into* purple. 그 빛의 색은 파랑에서 자주색으로 차츰 변했다.
shád·er *a.* **~·less** *a.* 그늘이 없는.
〚OE *sc*(*e*)*adu*; cf. SHADOW, G *Schatten*〛
類義語 ⟹ COLOR.

sháde plànt *n.* 녹음수(綠陰樹); 음지 식물.

sháde trèe *n.* 그늘을 짓는 나무, 햇빛을 가리는 나무《느릅나무·단풍나무·플라타너스 따위》.

shad·ing [ʃéidiŋ] *n.* **1** Ⓤ 그늘짐, 차광, 차양. **2** Ⓤ 〔畫〕 묘영(描影)[명암]법, 농담; Ⓒ (색깔·성질 따위의) 근소한[점차적인] 변화[차이]; 〔TV〕 셰이딩《화면에 나타나는 명암의 얼룩; 그것을 보정하기》.

‡**shad·ow** [ʃǽdou] *n.* **1 a**) (뚜렷한) 물체의 그림자, 투영(投影), 그림자(cf. SHADE); 인영(人影): a man's ~ on the wall 벽에 비친 사람의 그림자 / The pillar cast a long ~ on the ground. 기둥은 땅위에 긴 그림자를 드리우고 있었다 / The girl was afraid of her own ~. 그 소녀는 자신의 그림자조차 무서워했다《몹시 겁쟁이였다》 / He follows her about like a ~. 그는 그림자처럼 그녀를 따라다닌다 / May your ~ never grow [be] less! 오래오래 건강하소서. **b**) Ⓤ (희미한)

그림자, 그늘(shade) ; [*pl.*] 어둠(shades) : The garden is *in* deep ~. 정원은 짙게 그늘져 있다 / They sat *in*[*under*] the ~ of a tree. 그들은 나무 그늘 속에 앉아 있었다 / The ~*s* of night are falling. 밤의 어둠이 다가오고 있다. **c**) 어두운 부분 ; (그림의) 암영, (명암의) 어두움 : She had ~*s* under[(a)round] her eyes. 눈 밑[언저리]이 거무스레했다《수면 부족이나 영양 부족으로》.

2 a) (수면·거울 따위에 비친) 영상(影像), 그림자 : one's ~ in the mirror 거울에 비친 자신의 모습. **b**) (어떤 것의) 그림자 같은 것, 희미한 옛 모습[자취], 이름뿐인 것 : She is worn to a ~. 그녀는 앙상하게 여위었다 / They had only the ~ of freedom. 그들이 소유한 자유란 명목뿐이었다. **c**) 유령, 망령, 환상, 환영(幻影), 실질[실체]이 없는 것 : run after a ~ 그림자[환영]를 뒤쫓다 / catch at ~*s* 그림자를 잡으려고 하다, 헛수고를 하다 / Catch[Grasp] not at the ~ and lose the substance. 《속담》 그림자를 잡으려다 알맹이를 놓치지 마라.

3 [a ~] 희미한 흔적 ; 기미, 극히 소량 : There was not *a* ~ *of* doubt about it. 그것에는 티끌만큼도 의심할 여지가 없었다.

4 《비유》 어두운 그림자, 흐림 ; 영향 ; 근심[불행](의 원인[때]) : the ~ of death 죽음의 그림자, 사상(死相) / the valley of the ~ of death ☞ VALLEY 숙어 / *under* the ~ of misfortune 어두운 불행 속에 갇혀 / The event cast a ~ on our friendship. 그 사건으로 인해서 우리들의 우정에 금이 갔다.

5 [때때로 *pl.*] 전조, 징조 : ~*s of* war 전쟁의 전조.

6 (그림자처럼) 붙어다니는 사람, 항상 졸졸 따라다니는 사람, 식객(食客) ; 《口》 탐정, 미행자.

7 [the ~] 남의 눈에 띄지 않음(obscurity) : He was content to live *in the* ~. 그는 다른 사람의 눈에 띄지 않는 생활에 만족하였다.

8 Ⓤ 〔聖〕 (신의) 비호(庇護), 보호(shelter) : *in* [*under*] the ~ of the Almighty 전능하신 신의 가호 아래.

── *a.* **1** 어둠의, 그림자의 ; 일단 유사시[만일의 경우]에 활동하는[실체를 나타내는] : ☞ SHADOW CABINET. **2** 불명료한 무늬의 ; 어두운 부분이 있는 디자인의.

── *vt.* **1 a**) 그늘지게 하다, 그늘로 덮다, 어둡게 하다 ; 우울하게 하다 : The mountain is ~*ed* by a cloud. 그 산은 구름으로 그늘져 있다. **b**) (빛·열을) 가리다 ; 《古》 비호[보호]하다. **2** [+目 / +目+副] 어렴풋이 나타내다, …의 전형[보기]이 되다 ; 전조(前兆)가 되다 : These pages ~ *forth* my theory. 이들 페이지에는 나의 이론이 대강 나타나 있다. **3** …에 (몰래) 따라다니다, 쫓아다니다, (탐정 등이) 미행하다 : A detective ~*ed* the suspect. 형사가 용의자를 미행했다.

── *vi.* (명암·색채 따위가) 서서히 변화하다 〈*into*〉 ; (얼굴이) 그늘지다, 어두워지다〈*into*〉.

〖OE *scead*(*u*)*we* (gen., dat.) ‹ *sceadu* SHADE〗

shádow bànd *n.* 〔天〕 (일식의 직전·직후에 보이는) 그림자띠.

shádow bòx *n.* 섀도 박스《미술품·보석 따위를 보호·전시하기 위해 앞면에 유리를 끼운 케이스》.

shádow·bòx *vi.* **1** 섀도복싱으로 연습하다. **2** 직접적[결정적]인 행동을 피하다.

shádow·bòxing *n.* 섀도복싱《상대를 가상으로 설정하고 혼자서 함》.

shádow cábinet *n.* 《英》 재야[야당] 내각 《집권할 때를 예상하고 만든 야당의 각료 후보 진용》.

shádow dànce *n.* 섀도 댄스《스크린에 투영된 무용수의 그림자를 보여주는 댄스》.

shádow fàctory *n.* 유사시에 군수 산업으로 전환하는 공장.

shádow·gràph *n.* **1** 그림자 그림(의 인형놀이). **2** 뢴트겐 사진 ; 〔寫〕 실루엣[역광선] 사진.

shádow·ing *n.* Ⓤ 그림자(를 지음), 명암, 농담 ; 조짐, 전조 ; 미행.

shádow·lànd *n.* 영계(靈界) ; 무의식의 영역 ; 애매 모호.

shádow·less *a.* 그림자 없는.

shádow màsk *n.* 〔TV〕 섀도 마스크《컬러 텔레비전 수상관에 설치된 전자 빔 차폐판》.

shádow plày[**shòw, pàntomime**] *n.* 그림자 놀이[극].

shádow tèst *n.* 〔醫〕 (안구의) 검영법(檢影法) (retinoscopy).

shádow thèater *n.* =SHADOW PLAY.

shád·owy *a.* **1** 그림자가 많은, 어두운 ; 그늘진 ; 그림자 속의 : ~ woods (그늘이 많은) 어두운 숲. **2** 그림자 같은, 어슴푸레한, 아련한 : a ~ outline of the window curtain 창문 커튼에 비치는 아련한 그림자. **3** 공허한 ; 덧없는(transitory). **4** 환영(幻影)의, 유령 같은 ; 두려운, 무시무시한. **5** 흔적을 나타내는, 어렴풋이 나타내는.

shád·ow·i·ly *adv.* **-i·ness** *n.*

***shady** [ʃéidi] *a.* **1** 그늘이 많은, 그늘진(↔ *sunny*) ; 그늘 속에 있는, 응달의 : a ~ path 그늘진 오솔길. **2** 그늘을 짓는, 그늘이 되는 : ~ trees 그늘을 짓는 수목들. **3** 비밀의 ; 《口》 환히 드러낼 수 없는, 떳떳하지 못한, 수상쩍은, 불법의 : a ~ transaction 암거래 / keep ~ 《美俗》 남의 눈을 피하다.

on the shady side of …살의 고개를 넘어(cf. SUNNY).

SHAEF, Shaef [ʃéif] Supreme Headquarters Allied Expeditionary Forces(연합국 파견군 총사령부).

Sha·fi'i [ʃǽfiì:, ʃɑ́:-] *n.* 〔이슬람教〕 샤피이파(派) 《Sunna파의 4학파의 하나로 법원(法源)에 관하여 엄격한 방법을 지킴》.

***shaft** [ʃǽ(:)ft ; ʃɑ́:ft] *n.* **1** 화살대 ; 창의 자루 ; 《古·文語》 화살(arrow), 창 ; 찌르는 것, 나는 도구(missile) ; 《비유》 혹평, 풍자, 매정하고 무자비한 대우, 냉대 : ~*s* of wit 《비유》 (사람의 폐부를 찌르는) 날카로운 재치[풍자]. **2** 번개, 한 줄기의 광선(ray) : a ~ of light[lightning] 한 줄기의 광선[번갯불]. **3** 자루, 손잡이 ; [*pl.*] (수레의) 채, 끌채. **4** 〔植〕 줄기 ; 대, 수간(樹幹) (trunk) ; 촛대의 자루 ; 십자가의 지주(支柱) ; 〔鳥〕 깃대, 우간(羽幹) ; 〔解〕 골간(骨幹)《긴 뼈의 중간 부분》. **5** 〔機〕 축, 굴대, 샤프트 : a ~ bearing 축 베어링. **6** 〔建〕 **a**) 기둥몸, 주신(柱身), 작은 기둥. **b**) 굴뚝의 지붕 위로 나온 부분. **c**) 《美》 기념주[탑], 첨탑 ; 깃대 ; 《美俗》 음경 ; [*pl.*] 《俗》 매력적인 여자의 다리. **7** 〔鑛〕 수갱(竪坑) ; 환기[가열]용 도관 ; 〔建〕 (승강기 따위의) 통로《수직 공간》.

get the shaft 《美俗》 혼나다 ; 속다.

give a person ***the shaft*** 《美俗》 (…을) 혼나게 하다 ; 남을 속이다.

── *vt.* …에 축을 달다 ; 자루[장대]로 밀다[찌르다] ; 《美俗》 속이다, 야바위치다, 부당하게 대우하다 ; 《卑》 (여자와) 섹스를 하다.

〖OE *sceaft* ; cf. SCEPTER, G *Schaft*〗

sháft hòrse *n.* 채에 맨 짐수레 끄는 말.

sháft·ing *n.* 축의 수 ; 〔機〕 축계(軸系), 축재(軸

材)《벨트·축(軸) 따위》;〖建〗(중세의) 작은 기둥을 합쳐서 만든 기둥 구조.

sháft skìrt *n.* 〖服〗 샤프트 스커트《앞[뒷]자락이 뾰족하고 긴 헴라인(hemline) 스커트》.

shag[1] [ʃæ(:)g] *n.* **1** Ⓤ 거친 털, 조모(粗毛), 텁수룩한 털. **2** Ⓤ (직물의) 보풀; 보풀이 일게 짠 천; 혼란한[엉클어진] 것. **3** Ⓤ 독한 살담배.
—— *a.* =SHAGGY. —— *v.* (**-gg-**) *vt.* 더부룩하게 하다, 보풀 일게 하다; 거칠게 하다, 껄끄럽게 하다. —— *vi.* 더부룩하게 늘어지다.
〖OE *sceacga*; cf. SHAW, ON *skegg* beard〗

shag[2] *n.* 《美》 번갈아 한 발로 뛰는 댄스. —— *vi.* (**-gg-**) shag를 추다; 움직여 돌아다니다, 튀듯이 나아가다. 〖? *shag* (dial.) to lope〗

shag[3] *v.* (**-gg-**) *vt.* …의 뒤를 쫓다; 쫓아가서 데리고 오다;〖野〗(플라이를) 쫓아가 잡다《수비 연습에서》;《美俗》 지치게 하다, 녹초가 되게 하다 ⟨*out*⟩;《卑》 성교하다. —— *vi.* 《口》 공잡기를 하다;《美俗》 (서둘러) 떠나다, 도망치다;《卑》 자위 행위를 하다(masturbate).
—— *n.* 《俗》 데이트 상대, 동행인;《卑》 도색 그룹, 난교(亂交);《卑》 성교(의 상대).
—— *adv.* 연인[친구]과 함께《파티에 가다》.
—— *a.* 멋진, 굉장한.
shág·ger *n.* shag하기; 미행 경찰관.
〖C18< ?〗

shag·a·nap·pi [ʃǽgənæ̀pi] *n.* 생가죽 끈[레이스].

shág·bàrk *n.* Ⓒ 〖植〗 hickory의 일종; 그 열매; Ⓤ 그 목재.

shagged [ʃǽ(:)gd] *a.* =SHAGGY;《英俗》 녹초가 된 ⟨*out*⟩.

shág·gy *a.* **1** 털이 많은, 털이 텁수룩한; 털이 거칠게 난. **2** 덤불[관목]투성이의; 가지가 얼기설기 난. **3** 헝클어진, 불명료한.
shág·gi·ly *adv.* **-gi·ness** *n.*

shággy càp *n.* =SHAGGYMANE.

shággy-dóg (stòry) *n.* 말하는 사람은 흥겹지만 듣는 쪽은 지루한 이야기; 엉뚱하고 우스꽝스러운 이야기; 말하는 동물이 나오는 익살스런 이야기.

shággy·màne *n.* 〖植〗 먹물버섯(=∼ **mùsh-room**)《식용》.

sha·green [ʃægríːn, ʃə-] *n.* Ⓤ 섀그린 가죽《말·나귀·낙타 따위의 가죽으로 만든 것, 표면이 도톨도톨함》; (연마용) 상어 가죽. —— *a.* 섀그린 가죽(제)의.
〖변형(變形) ‹CHAGRIN=rough skin〗

shah [ʃɑ́ː, ʃɔ́ː] *n.* [때때로 S∼] 이란 국왕《존칭》.
〖Pers.=king〗

Shak. Shakespeare.

shák·able *a.* 진동할 수 있는, 흔들 수 있는; 동요시킬[휘두를] 수 있는.

‡**shake** [ʃéik] *v.* (**shook** [ʃúk]; **shak·en** [ʃéikən]) *vt.* **1** [+目/+目+副/+目+前+名] 흔들다, 뒤흔들다, 흔들어 움직이다; 세게 흔들다, 휘두르다; 흔들어 …하게 하다; (손을) 꽉 잡다《인사 따위로》: The explosion *shook* the house. 그 폭발로 집이 흔들렸다 / To be *shaken* before taken. 흔들어 복용할 것《약병의 주의서》/ *S*∼ the snow ***off*** (your coat). (외투의) 눈을 털어라 / She *shook* the dust ***out of*** her dress. 그녀는 옷에서 먼지를 털어냈다 / ∼ apples (***down***) ***from*** a tree 나무를 흔들어 사과를 떨어뜨리다 / He *shook* me ***by*** the arm. 그는 내 팔을 잡아 흔들었다 / ∼ a person *by* the hand ☞ 숙어 / ∼ one's stick ***in*** a person's face[***at*** a person] 남의 얼굴을 향해 지팡이를 휘두르다《위협하기 위해서》. **2 a**) 동요시키다; 혼란케 하다, 당황케 하다(upset): They were *shaken* by the report. 그 보고로 기겁을 했다. **b**) (신념 따위를) 흔들리게 하다, 약하게 하다, 상하게 하다, 손상(損傷)시키다; 용기를 꺾다: His courage was not *shaken* by anything. 그의 용기는 어떤 것에도 꺾이지 않았다. **c**) 감동[분기]시키다. **3** 〖樂〗(목소리·악기 소리를) 떨리게 하다, 떨리는 소리로 노래하다. **4** 《俗》 (불법 소지품을 단속하기 위해) (사람·장소 따위를) 철저 수색하다, 가택 수색하다. **5** 《俗》 뿌리치다, 떨쳐버리다, 모면하다, 쫓아버리다, (남을) 따돌리다: Can you ∼ your friends? I want to talk to you alone. 네 친구들을 보내주겠니, 너하고만 얘기하고 싶어.
—— *vi.* **1** [動/+副] 흔들리다, 진동하다; (과일·곡식·모래 따위가) 후두두 떨어지다: The earth *shook.* 땅이 진동했다 / Sand ∼*s* ***off*** easily. 모래는 쉽게 털어진다. **2** [動/+前+名] 부들부들 떨다, 흔들리다: He *shook* in every limb. 그는 온몸을 부들부들 떨었다 / His courage began to ∼. 그의 용기는 흔들리기 시작했다 / She was *shaking* ***with*** cold[fear]. 그녀는 추위[공포]로 덜덜 떨고 있었다. **3** 〖樂〗 목소리를 떨다(trill), 떠는 소리로 노래하다[연주하다]. **4** 《口》 악수하다⟨*with*⟩. **5** 《俗》 선정적으로 허리를 흔들다;《美俗》 춤추다. **6** 《美俗》 공갈해서 금품을 빼앗다, 공갈하다.

more than one ***can shake a stick at*** 《美》 셀 수 없을 만큼 (많은).

shake a person ***by the hand***=***shake hands with*** a person 남과 악수하다, 손을 잡다: A gentleman takes off his gloves when he ∼*s hands with* a lady. 신사는 숙녀와 악수할 때 장갑을 벗는다.

shake down (*vt.*) ⑴ (열매 따위를 나무에서) 흔들어 떨어뜨리다; 흔들어 채우다[고르게 하다]; (여분의 것을) 통합 정리하여 줄이다;《美口》 (배·비행기 따위의) 시운전을 하다;《美口》 철저하게 조사하다; …의 전반적인 움직임을 조정하다;《美俗》 (남)에게서 돈을 우려내다[등치다]. (*vi.*) ⑵ 임시 숙소[침대]에서 자다; 새로운 환경[일]에 익숙해지다, 안정되다; (기계가) 움직임이 좋아지다: The new members are *shaking down* well. 신입 회원들은 서로 낯이 익어가고 있다.

shake off ⑴ (먼지 따위를) 털어내다(cf. *vt.* 1); 흔들려 떨어지다(cf. *vi.* 1); 뿌리치다: I *shook off* his hand. 나는 그의 손을 뿌리쳤다. ⑵ (질병·나쁜 버릇을) 고치다: ∼ *off* one's headache 두통을 없애다. ⑶ (미행자를) 따돌리다, 쫓아버리다. ⑷ 《美俗》 (남을) 등쳐 먹다, 우려먹다, (협박하여) 금품을 갈취하다; (요구·제안 따위를) 거절하다. ⑸ 《美俗》 (사람의 몸이나 혹은 장소를) 샅샅이 뒤지다[조사하다].

shake one***'s finger at*** …을 향해 손가락질하다《협박·경고·질책 따위에서》.

shake one***'s head*** ⟨*at, over*⟩ (…에 대해) 고개를 가로젓다《승낙[찬성]하지 않음·비난·실망 따위의 표시로서》; (…에 대해) 고개를 끄덕이다《승낙, 동의, 찬성 따위의 표시로서》.

shake one***self free*** (***from. . .***) (…에서) 몸을 뿌리쳐 떼다.

shake one***self together*** 기운을 내다[차리다].

shake out ⑴ (돛·기 따위를) 흔들어 펴다. ⑵ (담요·옷 따위를) 흔들어 말리다; (먼지 따위를) 흔들어 털다(cf. *vt.* 1); (속을) 흔들어 비우다; (성냥 따위를) 흔들어 끄다.

shake up ⑴ 흔들어 뒤섞다: ∼ *up* a bottle of

developer 현상액의 병을 흔들어 뒤섞다. (2) (베개 따위를) 흔들어 고르게 하다 : ~ *up* a pillow 베개 모양을 바로잡다. (3) 대개혁[조직 교체]하다 ; 들볶다, 불안하게 하다 ; 격려하다, 각성시키다 ; (비행기 따위가) 흔들려 …을 불쾌하게 하다 ; 동요시키다, 오싹하게 하다.

—— *n.* **1** 흔들기, 한번 흔들기, 진동(振動) ; 주사위를 흔들어 던지기 ; [the ~] 《俗》 (친구 등과) 인연을 끊음 : with a ~ of a head 머리를 가로 저어(‘No’라고 하는 몸짓) / give a pole a ~ 기둥을 흔들다. **2** 진동(震動), 동요 ; (마차 따위의) 흔들림, 요동 ; 《口》 지진(earthquake) ; 충격. **3 a**) 부들부들 떨기 : a ~ in the voice 목소리의 떨림 / He was all of a ~. 그는 부들부들 떨고 있었다. **b**) [the ~s] 《美口》 떨림, 오한(chill). **4** 〖樂〗 떤음, 트릴(trill). **5** 《口》 순간(moment) ; 〖核物理〗 10^{-8}초 : in two ~*s* (of a duck's [lamb's] tail) = in half a ~ = in a brace [couple] of ~*s* = in the ~ of a lamb's tail 즉각. **6** 《美》 밀크 셰이크(= milk ~). **7** 지붕 덮는 판자, 지붕널 ; (나무의) 갈라진 틈, (목재의) 금 ; (암석・지층의) 균열. **8** 《口》 취급, 처리 : give a person a fair[favorable] ~ 남에 대하여 공평한[호의적인] 거래[조치]를 하다. **9** 《俗》 손님이 소액의 돈을 서로 내는 파티, = RENT PARTY. **10** 《美俗》 공갈 ; 《美俗》 우려낸 돈, 뇌물 : put a person on the ~ 남을 공갈하다, 공갈해서 금품을 빼앗다.

be no great shakes 《口》 대단한 것[일]이 아니다, 대수롭지 않다, 평범하다.
give [***get***] ***the shake*** 해고(解雇)하다[되다].
〚OE *sce*(*a*)*can* ; cf. ON *skaka*〛

類義語 ***shake*** 「떨다」라는 뜻으로 가장 흔하게 쓰는 말. ***tremble*** 공포나 피로・추위 따위로 몸이 무의식적으로 떨리며 쉽사리 가라앉지 않다 : She was *trembling* with fear. (그녀는 무서워 덜덜 떨고 있었다). ***quake*** 아주 놀라서[흥분하여] 몹시 떨다 : *quake* with excitement(흥분하여 덜덜 떨다). ***quiver*** 팽팽한 현(絃)을 튕겼을 때처럼 바르르 진동하다 : Her lips *quivered* with emotion. (감정이 북받쳐 그녀의 입술은 파르르 떨렸다). ***shiver*** 추위나 공포로 인해서 순간적으로 몸이 오싹하게 떨리다 : *shiver* with cold(추위에 떨다). ***shudder*** 공포나 경련으로 갑자기 쥐가 난 것처럼 몸을 움찔하다 : She *shuddered* at the sight of a snake. (그녀는 뱀을 보자 몸을 움찔했다).

sháke·dòwn *n.* **1** (특히 마루에다 만든) 임시 잠자리. **2** 뒤흔들기, 흔들어 떨어뜨리기 ; 《美口》 철저한 수색, 신체검사. **3** 《美俗》 (사람을) 등쳐 먹음, (금품을) 우려냄 ; 소란스런 댄스. **4** (함선・항공기 따위의 성능을 시험하고 승무원을 훈련시키기 위한) 시운전 ; 조정 ; 정비(기간).
—— *a.* 시운전의, 성능 시험의 : a ~ cruise [flight] (함선[항공기]의) 성능 시험 운전.

sháke-hànd gríp *n.* 〖卓球〗 탁구채를 악수하듯이 쥐는 법(cf. PENHOLDER GRIP).

sháke-hànds *n.* [단수취급] 악수(handshake).

‡**shaken** *v.* SHAKE의 과거분사.

sháke-òut *n.* Ⓤ 〖經〗 침정(沈靜) 《경기가 후퇴하여 인플레이션이 점차 정상 상태로 복귀함》 ; (주식시세 따위의) 폭락 ; (인원 정리를 포함한) 합리화, 재조직 ; 개편, 쇄신.

shak·er [ʃéikər] *n.* **1** 흔드는 사람[것] ; 진탕기(震盪器), 교반기(攪拌器), (칵테일 혼합용의) 셰이커 ; (향신료・소금 따위의) 흔들어 뿌리는 용기 ; 선동자. **2** [the S~] 셰이커 신자(信者), 진교도(震敎徒) 《18세기 중엽 영국에서 일어난 기독교의 일파 ; 예배중에 몸을 흔들며 춤을 추는데서》.
~·ìsm *n.* Ⓤ 셰이커교(의 교리).

Shake·speare [ʃéikspiər] *n.* 셰익스피어. **William** ~ (1564-1616) 영국의 극작가・시인.

Shake·spear·ean, -ian [ʃeikspíəriən] *a.* 셰익스피어(풍)의. —— *n.* 셰익스피어 학자[연구가・전문가].

Shake·spear·eana [ʃèikspiəriάːnə, 美 + -ǽnə, -éinə] *n. pl.* 셰익스피어 문학[문헌].

Shakespéarean sónnet *n.* 셰익스피어풍의 14행시(Elizabethan[English] sonnet).

sháke-ùp *n.* **1** (섞거나 모양을 고치기 위하여) 흔들어 움직이기 ; (불쾌한) 진동, 쇼크. **2** 《口》 (조직 따위의) 대정리, 대개혁, 대폭적인 쇄신, 개조 ; 다시 단련하기. **3** 급히 만든[임시 변통으로 지은] 건물. **4** 〖理〗 셰이크업《광전리・오제(Auger) 과정・베타 붕괴 따위에 계속하여 전자가 빈 속박 상태로 여기되기》 ; 《美俗》 셰이크업 《두 종류 이상의 위스키 따위를 흔들어 섞어 만든 음료》.

shak·ing [ʃéikiŋ] *n.* 동요 ; 진동(震動) ; 흔듦 ; 몸을 떪 ; 〖醫〗 진전(震顫), 학질(ague) ; [*pl.*] 〖海〗 밧줄 지스러기, 돛의 잘라 낸 지스러기 : the ~ of trees 나무의 흔들림. —— *a.* (부들부들) 떠는.

shako [ʃǽkou, ʃéi-, ʃάː-] *n.* (*pl.* **shák·os, shák·oes**) 샤코《원통형의 깃털 장식이 달린 보병용의 군모》. 〚F < Hung. *csákó* (*süveg*) peacked (cap) ; cf. G *Zacken* peak〛

Shaks. Shakespeare.

Shak·ti, Sak- [ʃʌ́kti, ʃάːk-, sάːk-] *n.* 〖힌두敎〗 샤크티, 성력(性力)《여성의 생식력[생식기]》. 〚Skt.〛

Shak·tism [ʃʌ́ktizəm, ʃάːk-, sάːk-] *n.* Ⓤ 〖힌두敎〗 Shakti 숭배. ㊟ Saktism으로도 씀.

shaky [ʃéiki] *a.* **1** 흔들리는, 떨리는, 요동하는, 덜커덕거리는. **2** (몸이) 부들부들 떨리는, 비틀거리는, 휘청거리는 ; (목소리가) 떨리는 ; 신경질적인 ; 불안정한 ; 금이 간《목재》 : be ~ *on* one's legs 다리가 휘청거리다. **3 a**) 불확실한 ; (지위 따위가) 불안정한, (신용 따위가) 위태로운. **b**) 믿을 수 없는, 기대할 수 없는, 의심스러운. **c**) (주의 따위에) 동요하는 ; 의지가 나약한. **4** 병약한, 허약한 : I feel a bit ~ still. 나는 아직도 건강상태는 정상이 아닌 것 같다. **shák·i·ly** *adv.* **shák·i·ness** *n.* 동요, 진동 ; 불안정.

shale [ʃéil] *n.* Ⓤ 〖地質〗 혈암(頁岩), 이판암(泥板岩). 〚G ; cf. SCALE²〛

shále clày *n.* 〖地質〗 혈암 점토(頁岩粘土).

shále òil *n.* 혈암유(油).

◇**shall** [ʃəl, ʃæl, ʃǽl]

(1) shall의 원뜻 : shall은 must 비슷하게 「본인의 뜻에 상관없이 어떤 다른 힘에 의해서 행위를 강압당하고 있다」는 뜻이다. 예를 들어 *Shall* I [we]…? (…할까요?)나 *Shall* he…? (그에게 …시킬까요?)에서 「다른 힘」은 질문에 대답하는 사람의 의지다. You [He] *shall*…. (네게[그에게] …시키겠다)에서 「다른 힘」이란 말하는 이의 의지다. 또 법률조문의 shall(= must), 예언의 shall, 그리고 「말하는 이의 결의」를 나타내는 I [We] *Shall*…에서 「다른 힘」이란 각각 법조문 그 자체, 운명, 약속[의무] 따위로 생각할 수 있다. 또한 「본인의 의지에 상관없다」는 뜻에서 「단순미래」의 전통적인 표현인 I [We] *shall*…, *Shall* you…?, He says that he

shall...따위로도 발전한 것이다.
(2) 오늘날의 일상어에서의 용법 : Shall을 사용하는 것은 주로 1인칭으로 (1)의 맨 앞에서 설명한 「…할까요 ?」의 뜻으로서의 *Shall* I [we]...?와 단순미래의 I [We] *shall*...(주로 《英》)에 한정되어 있다.
(3) 미래표현에는 본래 의지를 나타냈던 will이 발달하여, 단순미래에서 마저도, 인칭어법 따위로 전에는 shall을 쓰던 곳에도 will을 쓰는 일이 특히 《美》에서 많아졌다.

—— *auxil. v.* (현재형 I[we, you, he, they] **shall**, 부정 **shall not** 또는 **shan't** [ʃǽ(:)nt ; ʃɑ́:nt], 《古》 thou **shalt** [ʃəlt, ʃælt, ʃǽlt] ; 과거형 I[we, you, he, they] **should** [ʃəd, ʃùd, ʃúd], 부정 **should not** 또는 **shouldn't** [ʃúdnt], 《古》 thou **shouldst** [ʃədst, ʃùdst, ʃúdst], **should·est** [-əst]).
1 a) [단순미래] …일 것이다 ; [예정을 포함하여] …하기로 되어 있다. 주 ***I*** [***We***] ***shall. . ., Shall I*** [***you***]***. . . ?***라고 1인칭 평서문(平敍文) 및 1, 2인칭 의문문에 쓰임. 《美口》에서는 단순미래라도 ***I*** [***We***] ***will, Will I*** [***we, you***]***?***를 쓴다 ; ☞ WILL[1] 1 : I hope I ~ succeed this time. 이번에는 성공할 것이다 / I ~ be twenty years old next month. 다음달에는 스무살이 된다 / I ~ be very happy to see you. 만나뵐 수 있다면 얼마나 기쁠까요《기꺼이 만나뵙겠습니다》/ *S*~ we get there before dark if we leave here now? 지금 이곳을 떠나면 해가 지기 전에 거기에 도착할까요 / *S*~ you be at home tomorrow afternoon? 내일 오후에 댁에 계십니까. **b**) [인칭에 관계없이 종속절 중에서] 《文語》 : (1) if it ~ be fine tomorrow 내일 날씨가 좋으면. (2) [may, might 대신으로서] : in order that we[you, she] ~ [=may] be able to go 갈 수 있도록.
2 [의지 미래] **a**) [***You*** [***He***] ***shall. . .***로 2, 3인칭 평서문에 써서 말하는 이의 의지를 나타냄] : You ~ have my answer tomorrow. (=I will give you....) 내일 회답을 드리지요 / You ~ not go fishing with me tomorrow. 너를 내일 낚시질하는 데는 데리고 가지 않겠다 / He ~ have his share. 그에게는 그의 몫을 주겠다. **b**) [***Shall I*** [***he***]***. . . ?***로 1, 3인칭 의문문에 써서 상대의 의지를 묻는다] 주 이 용법에서는 《美口》에서도 보통 Shall I[we]...?를 씀(cf. 1 주) : *S*~ I show you some photographs? — Yes, do, please. 사진을 좀 보여 드릴까요 — 예, 부탁합니다 / What ~ I do next? 다음에는 무엇을 하면 좋을까요 / *S*~ the boy go first? 그 소년을 먼저 보낼까요 / [권유] *S*~ we go out for a walk? 산책하러 가실까요 / Let's go to see a movie, ~ we? 영화구경 가십시다, 어때요. **c**) [1인칭을 주어로 하여 강한 결의, 고집을 나타내며 강하게 발음됨] 어떻게 하든 …할 작정이다 : I ~ [ʃǽl] go, come what may. 무슨 일이 있어도 나는 기필코 가겠다 / I ~ never[never ~] forget your kindness. 은혜는 절대로 잊지 않겠소 《I never ~ forget.... 이 한층 강조적》/ You must do this. — *Shan't*! 이것은 해야만 한다 — 싫어 !
3 《文語》 [***You shall. . .*** 이라고 2인칭에 써서 명령, (부정형으로) 금지를 나타냄] …해야한다 ; [~ not] …해서는 안된다(cf. SHALT) : Thou *shalt* (=You shall) love thy(=your) neighbor as thyself(=yourself). 〔聖〕 이웃을 네 몸과 같이 사랑하라《마태복음 19 : 19》/ Thou *shalt* not kill. 〔聖〕 살인하지 말라《마태복음 19 : 18》.
4 《文語》 **a**) [각 인칭에 써서 예언을 나타냄] …하게 되리라 : East is East and West is West, and never the twain ~ meet. 동은 동, 서는 서, 그들은 영영 만나지 못하리로다《R. Kipling의 시한 구절》. **b**) [규칙·법률 문언 중에서] …하라, …하는 것으로 하다 : The Tenant ~ return the keys to the Landlord. 차지인은 집주인에게 열쇠를 돌려줄 것.
5 《古·文語》 [때나 조건의 종속절 중에서 예정·가망성·가정을 나타냄 ; cf. IF *conj.* 1] : If you ~ look, you will find it to be so. 주의해서 보면 그렇다는 것을 알 수 있을 것이다. 주 현재는 본동사의 현재형이나 may, should를 쓰며 《美》에서는 가정법 현재형을 씀.
6 [간접 화법에서] **a**) [원칙적으로 직접 화법의 shall, should를 그대로 이어 받아] : He thinks himself that he ~ recover. 그는 자신의 원기가 회복될 것으로 생각하고 있다(<"I *shall* recover.") / I said I *should* be at home next week. 내주에는 집에 있을 예정이라고 나는 말했다(<"I *shall* be at home....") / You said that I *should* have your answer the next day. 당신은 그 다음날 회답해 주시겠다고 말했습니다. (<"You *shall* have my answer tomorrow.") **b**) [단순 미래의 "you[he] will"이 1인칭이 되는 경우에는 때때로 *I* [*we*] *shall* [*should*]로 변한다] : Does the doctor say *I* ~ recover? 의사는 내가 병이 나을 것이라고 말하고 있습니까(<"He *will* recover.") / [위의 과거] Did the doctor say *I should* recover? 의사는 내 병이 낫는다고 말했습니까. 주 이 경우에도 《美》에서는 will[would]을 쓰는 것이 일반적 : Does[Did] the doctor say I *will* [*would*] recover?
〖OE *sceal*<Gmc. 《美》 *skal*-, 《美》 *skul*- to owe (G *sollen*, OS, ON, Goth. *skal*) ; 과거 현재 동사〗

shal·loon [ʃælú:n] *n.* 설룬 직물《옷 안감 또는 여성복용》. 〖*Châlons*-sur-Marne 프랑스 북동의 원산지〗

shal·lop [ʃǽləp] *n.* (노·돛으로 움직이는 지붕이 없는) 작은 조각배 ; (얕은 여울용의) 조그만 배, 가벼운 배 ; 쌍돛대의 돛배.
〖F *chaloupe*<Du. *sloep* SLOOP〗

shal·lot [ʃəlɑ́t] *n.* 〖植〗 실파류 ; =GREEN ONION ; 작은 양파.
〖C17 *eschalot*<F ; ⇨ SCALLION〗

***shal·low** [ʃǽlou] *a.* (**~·er** ; **~·est**) **1** 얕은 (↔ *deep*), 깊이가 없는 : a ~ stream[dish] 얕은 개울[접시]. **2** 천박한, 피상적인 : a ~ man [mind] 천박한 사람[마음]. —— *n.* [때때로 *pl.*] 얕은 여울, 모래톱(shoal) : wade through the ~*s* 얕은 여울을 걸어서 건너다. —— *vi., vt.* 얕아지다[얕게 하다]. 〖ME ; cf. SHOAL[1]〗
類義語 ⟹ SUPERFICIAL.

shállow-bráined, -héad·ed, -mínd·ed, -páted *a.* 머리 나쁜, 천박한, 어리석은.

shállow-héart·ed *a.* 박정한.

sha·lom [ʃɑ:lóum, ʃə-] *int.* 샬롬, 안녕하세요, 안녕《유태인의 인사》. 〖Heb.=peace〗

shalt [ʃəlt, ʃælt, ʃǽlt] *auxil. v.* 《古》 SHALL의 주어가 2인칭 단수 thou인 때의 직설법 현재형 : Thou ~ (=You shall) not steal. 〔聖〕 도둑질 하지 말라《출애굽기 20 : 15》.

shal·war [ʃɑ́:lwɑ:r] *n.* (파키스탄 따위 남아시아 제국(諸國)의) 헐렁한 여성용 바지. 〖Urdu〗

shaly [ʃéili] *a.* 혈암(頁岩)(질)의, 이판암(泥板岩)의. 〖SHALE〗

sham [ʃǽ(:)m] *n.* **1** 가짜 ; 허풍선이, 사기꾼, 꾀병쟁이. **2** Ⓤ [또는 a ~] 겉꾸밈, 위선, 기만, 협잡(pretense) : His illness was *a* mere ~. 그의 병은 꾀병에 불과했다 / What she said was all ~. 그녀가 말한 것은 모조리 거짓이었다. **3** (장식용의) 침대 덮개 ; =PILLOW SHAM. —— *a.* 속임수의, 가짜[협잡]의, 위선의 ; 모조의 : a ~ fight 모의전 / ~ diligence 근면한 체하기 / a ~ pearl [diamond] 모조 진주[다이아몬드].
—— *v.* (**-mm-**) *vt.* …인 체하다, 거짓 꾸미다, 시늉을 하다 : ~ madness 미친 척하다 / ~ sleep 자는 척하다. —— *vi.* [動/+補] 짐짓 꾸미다, 가장하다, …인 체하다 : He is only ~*ming.* 그는 그저 가장하고 있을 뿐이다 / He ~*med* ill. 그는 아픈 체했다.
〚SHAME의 북부 방언에서인가〛

sha·mal, shi- [ʃəmɑ́:l] *n.* 〖氣〗 샤말《걸프만 주변의 북서풍》. 〚Arab.〛

sha·man [ʃǽmən, ʃɑ́:-, ʃéi-] *n.* 샤먼교의 도사 ; 방술사(方術師), 마술사, 무당.
〚G and Russ.＜Tungusian〛

sha·man·ic [ʃəmǽnik] *a.* shaman의.

shá̈man·ìsm *n.* 샤머니즘《「무당」을 통하여 신령이 조령(祖靈)과 교령(交靈)하는 원시종교의 한 형태》. **-ist** *n.*

sham·a·teur [ʃǽmətʃùər, -tər] *n.* 《俗》 사이비 아마추어 선수, 세미 프로 선수《아마추어이면서 돈을 버는 선수》. **~·ìsm** *n.* 〚*sham*＋amateur〛

sham·ba [ʃǽmbə] *n.* (동아프리카의) (대(大)) 농원. 〚Swahili〛

sham·ble [ʃǽmbəl] *vi.* 휘청휘청 걷다. —— *n.* 휘청거림, 휘청거리는 걸음걸이.
〚? *shamble* (dial. a.) ungainly ; *shamble legs*와 *shambles* '고기써는 대(臺)'의 연상인가〛

shám·bles *n. pl.* [때때로 단수취급] **1** 도살장(slaughterhouse) ; [때로 shamble] 《英》 고기써는 대, 고기 판매대, 푸주. **2** 《비유》 유혈 장면, 수라장 ; 《俗》 어지러이 흩어진 모양, 혼란의 도가니 : The holidaymakers left the place a ~. 행락객들은 그 장소를 마구 어질러 놓고 갔다.
〚(pl.) ‹*shamble* stall ＜ OE *sc(e)amul* ; cf. L (dim.) ‹*scamnum* bench〛

shám·bling *a.* 꾸물거리는, 질질 끄는.

sham·bol·ic [ʃæmbɑ́lik] *a.* 《英口》 난잡한, 극도로 난잡한. 〚*sham*bles＋sym*bolic*〛

‡shame [ʃéim] *n.* **1** Ⓤ 부끄러운 생각, 부끄러움, 수치심 : *in* ~ 부끄러워서 / flush *with* ~ 부끄러워 얼굴을 붉히다 / I cannot do that *for* (very) ~. (정말로) 부끄러워서 그런 일은 못하겠다 / He is past ~. 그는 염치가 없다 / He is lost to all ~. 그는 전혀 부끄러움을 모른다. **2 a)** Ⓤ 치욕, 수치, 망신(disgrace) : bring ~ on one's family 가문을 더럽히다 / bring ~ on oneself 망신당하다, 창피를 자초하다 / His foolish actions brought her to ~. 그의 어리석은 행동으로 그녀가 망신당했다. **b)** [a ~] 불명예스러운 일, 망신거리 : His misconduct was *a* ~ *to* his friends. 그의 비행은 친구들의 망신거리였다. **3** [a ~] 심한[지독한] 일, 괴로운 일 : It is *a* ~ to treat you like that. 너를 그처럼 대우한다는 건 너무 심하다. **4** Ⓤ (여자의) 좋지 못한 품행 : a life of ~ 추업(醜業).
(Fie) for shame! = ***Shame (on you)!*** 부끄럽지도 않니, 이게 무슨 꼴이냐!
think [feel] shame to do …하는 것을 창피하게 여기다.
to the shame of …에게 창피하게도.
What a shame! (1) 너무 지독하다!, 괘씸하다! (2) 정말 불쌍하다[유감스럽다]!

〈회화〉
It's a *shame* that you have to leave. — Thank you for a wonderful dinner. 「가봐야 한다니 섭섭하군요」「식사 맛있게 잘 먹었습니다」

—— *vt.* **1** 창피주다, …의 면목[체면]을 잃게 하다 ; 모욕하다 : ~ one's family 가문을 더럽히다. **2** [＋目＋前＋名] [주로 수동태로] 창피를 주어 …하게 하다 : He *was* ~*d* ***into*** work*ing* [***out of*** his bad habits]. 그는 부끄러워서 일하게 되었다[나쁜 버릇을 버렸다]. —— *vi.* [부정구문] 《古》 부끄러워하다〈*to* do〉.
〚OE *sc(e)amu* ; cf. G *Scham*〛
類義語 ⟹ DISGRACE.

sháme cùlture *n.* 〖社〗 수치의 문화.

sháme·fàced *a.* 수줍은, 부끄러워하는, 내성적인 ; 얌전한. **-fàc·ed·ly** [-ədli, -st-] *adv.* 수줍어하여, 부끄러워하여 ; 내성적으로 ; 수줍게.
〚↓＜OE *sc(e)amfæst* (SHAME, FAST[1] (a.)) ; 16세기에 *-faced*라고 오해〛

shame·fast [ʃéimfæ̀st] *a.* 《古》 =SHAMEFACED.

***shá̈me·ful** *a.* **1** 수치스러운, 부끄러운 : ~ conduct 수치스러운 행동 / a ~ secret (남에게 말할 수 없는) 수치스러운 비밀. **2** 괘씸한, 고약한. **3** 추잡한, 음란한, 외설적인. **~·ly** *adv.* 수치스럽게도, 부끄럽게도. **~·ness** *n.*

sháme·less *a.* 수치를 모르는, 파렴치한, 뻔뻔스러운 ; 외설적인 : a ~ deception[liar] 파렴치한 사기 행위[거짓말쟁이]. **~·ly** *adv.* 수치를 모르고, 뻔뻔스럽게 ; 추잡하게, 음란하게.

sham·mer [ʃǽmər] *n.* 꾀병 부리는 사람, 거짓말하는 사람, 협잡꾼.

sham·my, sham·oy [ʃǽmi] *n.* =CHAMOIS 2.

sham·poo [ʃæmpú:] *n.* (*pl.* **~s**) **1** Ⓤ,Ⓒ 머리를 감음, 세발 : a ~ and set 세발과 세트 / give a person a ~ 남의 머리를 감아 주다. **2** 세발용 가루, 샴푸 : a dry ~ 건조한 샴푸《알코올성의 세발액》. **3** 《俗·戲》 샴페인. —— *vt.* (머리를) (샴푸로) 감다 ; 《古》 마사지하다(massage).
〚Hindi (impv.) ‹*chhāmpnā* to press〛

sham·rock [ʃǽmrɑk] *n.* 〖植〗 토끼풀, 클로버《Ireland의 국화(國花)》; 《美俗》 아일랜드계 사람 ; 스타우트와 위스키의 혼합음료.
〚Ir.＝trefoil (dim.) ‹*seamar* clover〛

sha·mus [ʃɑ́:məs, ʃéi-] *n.* 《美俗》 경찰 ; 사립 탐정 ; (경찰의) 앞잡이 ; 수위, 파수꾼 ; 밀고자.
〚Yid.〛

Shan·dong [ʃɑ́:ndúŋ], **-tung** [ʃǽntʌ́ŋ] *n.* 산둥(山東)《중국 북동부의 성(省)》.

shan·dry·dan [ʃǽndridæ̀n] *n.* 덜터리 마차, 덜커덕거리는 낡은 마차 ; 아일랜드의 두 바퀴 마차.

shan·dy [ʃǽndi] *n.* 섄디《light ale과 레모네이드의 혼합음료》; =SHANDYGAFF. 〚C19＜?〛

shándy·gaff [-gæ̀f] *n.* 섄디개프《beer, ginger beer, ginger ale의 혼합음료》.

shang·hai [ʃæŋhái, ´–] *vt.* 《海俗》 (선원으로 만들기 위해) 마약 또는 술로 의식을 잃게 한 다음 배로 끌어들이다, 유괴[납치]하다 ; 《俗》 속여서[강제로] 싫은 일을 시키다.
〚*Shanghai* 상하이(上海)〛

Shang·hai [ʃæŋhái] *n.* 상하이, 상해(上海)《중국의 항구도시》.

Shan·gri-la, Shan·gri-La [ʃæ̀ŋgrilɑ́:, ´–´] *n.* **1** 섕그릴라《J. Hilton의 소설 *Lost Horizon* 중의 가공적인 이상향에서》; 지상 낙원 ; 어딘가 말 못

할 곳; 멀리 떨어진 은신처. **2** (미국 공군의) 비밀 기지.

shank [ʃæŋk] *n.* **1** 정강이(shin), 정강이 뼈(=∠ **bòne**); (사람의) 다리(leg); 《英》 (양말의) 목 부분; (소·양 따위의) 정강이 살; 《俗》 매춘부. **2** 〖建〗 기둥의 몸; (공구의) 손잡이, 자루; (닻·못·열쇠·낚시바늘·숟가락 따위의) 몸, (구두 밑창의) 땅에 닿지 않는 부분; 〖植〗 잎꼭지; (활자의) 몸체; 단추 뒤쪽에 불쑥 나온 부분; 단추를 옷에 고정시키고 있는 실; (손잡이·핸들의) 가로대. **3** 《美口》 끝(부분), 남은 부분<*of*>.

in the shank of the evening 《美口》 저녁때에, 황혼이 깃들 무렵에.

ride (***on***) [***go on***] ***shank's*** [***shanks'***] ***mare*** [***pony***] (타지 않고) 걸어가다, 걷다.

—— *vi.* 〖植〗 (꽃·잎·과일 따위가) 꼭지가 썩어서 떨어지다; 《스코·方》 도보 여행하다. —— *vi.* 〖골프〗 (공을) 힐(heel)로 쳐서 몹시 빗나가다, 생크하다. 〚OE *sceanca*; cf. G *Schenkel* thigh, *Schinken* ham〛

‡**shan't** [ʃæ(:)nt; ʃɑ́:nt] shall not의 단축형: (I) ~! 《俗》 싫어《고집할 때 하는 말; cf. SHALL 2 c)》/ Now we ~ be long. 이제 됐어.

Shan·tou [ʃɑ́:ntóu], **Swa·tow** [swɑ́:táu] *n.* 산터우(汕頭)《중국 광둥성 동부의 남중국해에 면한 상공업 도시》.

shan·tung [ʃæntʌ́ŋ, ∠-] *n.* 산둥 명주《멧누에실로 짠 명주》. 〚↓〛

Shantung ☞ SHANDONG.

shan·ty[1] [ʃæ(:)nti] *n.* =CHANTEY.

shanty[2] *n.* 판잣집, 임시 오두막(hut); 《美俗》 얻어 맞아 멍든 눈두덩. 〚C19< ? Can. F *chantier* shed〛

shánty·tòwn *n.* 판자촌, 판잣집 지구, 빈민가; 판잣집이 많은 도시; 그 주민《빈민과 노인》.

shap·able, shape- [ʃéipəbəl] *a.* 형성할 수 있는, 형체를 이룰 수 있는.

◇**shape** [ʃéip] *n.* **1** U,C 모양, 형상, 형체: That cloud has a strange ~. 저 구름은 기묘한 모양을 하고 있다 / The ~ of Italy is like a boot. 이탈리아는 장화와 같은 모양을 하고 있다 / What ~ is it? 그것은 어떤 모양을 하고 있느냐 / On the hillside was a rock *in* the ~ of a human face. 산허리에는 사람 얼굴 모양을 한 바위가 있었다 / The ball is round *in* ~. 공은 모양이 둥글다 / *In* ~ he resembled a barrel. 그의 몸집은 통과 비슷했다. **2** U,C 차림, 모습, 외모; (여성의) (멋진) 몸매, 자태: an angel *in* human ~ 인간의 모습을 한 천사 / an enemy *in* the ~ of a friend 친구로 가장한 적. **3** (어렴풋한·기괴한) 물건의 형체, 요괴(妖怪), 유령: Strange ~*s* could be seen in the fog. 안개속에 기묘한 형체가 보였다. **4** 형태, 종류(sort): dangers of every ~ 온갖 종류의 위험. **5** U,C 틀잡힘[잡힌 형태]; U 구체화, 실현. **6** U 《口》 상태, 컨디션, 형편: He is *in* good[poor] ~. 그는 건강 상태가 좋다[나쁘다] / His business is *in* bad ~. 그의 장사는 신통치 않다. **7** 모형, 틀; (모자 따위의) 골; 〖料〗 (젤리·한천 따위의) 틀에 넣어 만든 것; 〖建·金型〗 형강(形鋼), 형재(形材), 셰이프강(鋼).

find a shape (***in...***) (…으로) 실현[구체화]하다.

get (***...***) ***into shape*** …의 틀을 잡다; 형태를 이루다, 모양이 잡히다.

give shape to... 틀이 잡히게 하다.

in the shape of …모양[모습]을 한(cf. 1, 2); …의 형태로[의], …로서의: a princess *in the* ~ *of* a beast 짐승 모습을 한 공주 / a reward *in the* ~ *of* $200 200달러의 사례금.

lick...into shape ☞ LICK *v.*

not in any shape or form 어떠한 형태로든지 …않다, 결코 …않다.

out of shape 형태가 갖추어지지 않은, 모양이 이지러진; 건강이 좋지 않은.

put...into shape …을 구체화하다, (생각 따위를) 정리하다: He is trying to *put* his thoughts *into* ~. 그는 그의 생각을 정리하려고 하고 있다.

settle into shape 틀이 정해지다; 정리되다, 윤곽이 잡히다: The matter is beginning to *settle into* ~. 그 문제는 윤곽이 잡히기 시작하고 있다.

take shape 형체가 이루어지다, 모양이 잡히다 (get into shape); 구체화하다, 실현되다: My convictions *took* ~ *in* action. 나의 확신은 행동으로 나타났다.

take the shape of …의 형태로 나타나다[를 취하다]: The wolf *took the* ~ *of* an old woman. 늑대는 노파의 모습으로 나타났다.

throw...into shape …에 틀을 만들다, …을 정리하다.

—— *vt.* **1** [+目/+目+前+名] 형태를 이루다(form), 만들다: ~ an urn on the wheel 녹로(轆轤)로 항아리를 만들다 / The earth is ~*d* like an orange. 지구는 오렌지 같은 모양을 하고 있다 / ~ clay ***into*** a cup 진흙으로 컵을 만들다. **2** [+目/+目+*into*+名] 구체화하다, 구상하다, 고안하다; 말로 나타내다, 표명하다: ~ a question 질문을 입 밖에 내어 말하다 / ~ one's ideas ***into*** a book 생각을 정리하여 책으로 엮다. **3** [+目+*to*+名] (옷을) (몸에) 맞추다, 적합하게 하다: The dress is ~*d* ***to*** her figure. 그 옷은 그녀의 몸에 꼭 맞는다. **4** (진로·방침·행동을) 정하다: ~ one's future 장래의 방침을 정하다 / ~ one's course in life 인생의 진로를 정하다.

—— *vi.* [+副] 형체를 갖추다, 이루어지다, 구체화하다; 발전[발달]하다, (사건이) 진전되다; 생기다, 일어나다: Her ideas were *shaping* pretty *well.* 그녀의 아이디어는 꽤 잘 정리되어 가고 있었다 / It ~*s well.* 잘 되어간다.

shape up (*vi.*) 형체를 이루다, 구체화되다; 발전하다; 어떤 경향을 나타내다; (항만 노동자가) 그날의 일을 맡기 위해 정렬하다.

〚OE (n.) *gesceap* creation; (v.) *sceppan* to create; v.는 ME기(期) p.p.에서 역성(逆成); cf. G *schaffen* to make〛

類義語 (1) (*n.*) ⟹ FORM. (2) (*v.*) ⟹ MAKE.

SHAPE, Shape [ʃéip] Supreme Headquarters Allied Powers in Europe (유럽 연합군 최고 사령부(1950)).

shaped [ʃéipt] *a.* **1** [흔히 복합어를 이루어] …의 모양을 한: shell-~ insects 조가비 모양의 곤충 / a squared-~ design 네모난 디자인. **2** (가구가) 표면이 판판하지 않은, 무늬가 있는. **3** 형에 맞추어 만든.

shâped chárge *n.* 〖軍〗 성형(成形)폭탄, 원추탄《솔방울처럼 우툴두툴함》.

shápe·less *a.* **1** 무형(無形)의, 일정한 형태가 없는. **2** 못생긴, 볼품없는, 엉성한. **~·ly** *adv.*

shápe·ly *a.* 모양이 좋은, (특히 여성이) 맵시 있는; 균형잡힌. **-li·ness** *n.* 모양[맵시] 좋음.

shápe mèmory *n.* 형상(形狀)기억《어떤 합금이 일정한 온도에서의 형태를 기억하여 그 온도가 되면 본래의 형상대로 되돌아가는 현상》.

shap·er [ʃéipər] *n.* **1** 모양을[형태를] 만드는 사람. **2** 〖機〗 형삭반(形削盤), 셰이퍼.

shápe-ùp *n.* 《美》 하역(荷役) 인부[항만 노동자]를 정렬시켜 놓고 선발하는 방법.

sha·rav [ʃɑːrɑ́ːv] *n.* 〖氣〗 샤라브(중동에서 4-5월에 부는 뜨겁고 건조한 동풍). 〚Arab.〛

shard [ʃɑ́ːrd] *n.* **1** 《古》 사금파리, 도자기의 파편(potsherd). ㊟ 지금은 주로 화분 구멍을 막는 사금파리의 뜻으로 쓰임. **2** 〖昆〗 시초(翅鞘); (달걀·달팽이의) 껍데기; 비늘. 〚OE *sceard* < Gmc.=notched (G *Scharte*); ⇨ SHEAR〛

‡**share**[1] [ʃéər, ʃǽər] *n.* **1 a**) 몫, 배당분, 일부분: a fair ~ 정당한[당연한] 몫 / ☞ LION'S SHARE / This is my ~ *of* it[them]. 이것은 나의 몫이다 / He has some ~ *of* his father's genius. 그는 아버지의 천재적인 머리를 어느 정도 이어받고 있다 / He had his ~ *of* luck. 그도 남못지 않게 운이 좋았다 / She has a large ~ *of* pride. 대단히 자존심이 강하다 / Each had[was given] a ~ *in*[*of*] the profits. 각자 이익의 배당[일부]을 받았다. **b**) 내는 몫, 할당액, 부담: Please let me take a ~ *in* the fund. 나도 그 출자에 분담시켜 주십시오 / Your ~ *of* the expenses is five dollars. 네가 내야 할 몫은 5달러다 / Let everyone take[bear] his ~ *of* the responsibility. 누구든지 모두 각자의 책임을 지도록 하자 / The task falls to your ~. 그 일은 네가 분담해야 한다. **c**) Ⓤ [또는 a ~] [+前+do*ing*] 역할(role); 참가, 진력, 공헌: He took no ~ ***in*** the plot. 음모에 가담하지 않았다 / I have no ~ *in* the matter. 그 일에는 관계가 없다 / He had *a* large ~ *in* build*ing* up the company. 그 회사를 세우는데 크게 이바지했다. **2 a**) (회사·공유물 따위에 대한) 출자(한 몫); (회사의) 주, 주식; (재산·자본 따위의) 분담 소유, 공유; 주권(=~ certificate): He has a ~ *in* a business firm. 그는 어떤 회사에 출자하고 있다 / I have some ~*s in* the steel company. 제강 회사의 주식을 약간 가지고 있다 / He has sold out his ~ *of* the business. 그 사업의 증권을 팔아 버렸다. **b**) [*pl.*] 《주로 英》 주식(자본)(=《美》 stock). **3** 시장 점유율.

(***go***) ***share and share alike*** 평등하게 (하다), 절반씩 똑같이 (나누다).

go shares 고루 나누다, 공동으로 하다, 참여[분담]하다: *go* ~*s with* a person *in* an enterprise 남과 공동으로 사업을 하다.

on shares (종업원이 출자자와) 이해를 같이 하여, 공동 책임으로.

— *vt.* **1** [+目/+目+*with*+名] (…와) 공유하다, 함께하다, …에 한패거리가 되다, (비용 따위를) 분담하다, (성질·결점 따위를) 나누어 가지다; 공동으로[함께] 사용하다: He does not ~ their opinions. 그는 그들의 의견에 동조하지 않는다 / She ~*d* the room ***with*** her sister. 그녀는 그 방을 언니와 함께 썼다. **2** [+目+前+名/+目+副] (음식 따위를) 나누다, 분할하다; 분배하다: He ~*d* his food ***with*** the poor man. 그는 가난한 사람에게 자신의 음식을 나누어 주었다 / Let's ~ the profits ***between*** us. 이익은 우리 둘이 나누기로 하자 / The money was ~*d* ***out among*** the three children. 그 돈은 세 아이들에게 분배되었다. **3** …에 대하여 (남과) 이야기하다, 전하다. **4** 〖컴퓨〗 공유하다, 나눠 (함께) 쓰다. — *vi.* [+前+名] 분배를 받다, 분담하다, 공동으로 하다; 함께 하다, 참가하다: He ~*d* ***in*** the expense ***with*** me. 그는 나와 비용을 분담했다 / He ~*d in* my sorrows as well as *in* my joys. 그는 기쁜 일뿐만 아니라 슬픈 일도 나와 함께 나누었다.

〚OE *scearu* division; cf. SHEAR, G *Schar* troop〛

類義語 ***share*** 어떤 일·이해·고락 따위를 공동으로 나누어 갖다: They *shared* the profits between them. (그들은 이익을 저희들끼리 나누었다). ***participate*** 어떤 행동·계획 따위에 타인과 함께 참가하다: *participate* in the talk (이야기에 끼다). ***partake*** 식사·즐거움·책임 따위의 자기 몫을 차지하다[분담을 떠맡다]: *partake* in joy with each other (서로 기쁨을 나누다).

share[2] *n.* 쟁기의 보습, 쟁기의 날. 〚OE *scear*; ↑〛

sháre·bròker *n.* 《英》 주식 중매인(=《美》 stockbroker).

sháre certìficate *n.* 《英》 주권(=《美》 stock certificate).

sháre·cròp *vi., vt.* 《美》 분익(分益) 계약으로 경작하다.

sháre·cròpper *n.* 《美》 (특히 미국 남부의) 분익(分益) 소작인(지대(地代) 대신으로 수확물의 일부를 지주에게 바치는 소작인).

shared fíle *n.* 〖컴퓨〗 공용 파일.

shared hóusing *n.* 양로[노인] 공동 주거.

shared párenting *n.* 《美》 =JOINT CUSTODY.

sháre·hòld·er *n.* 출자자, (특히) 주주(株主)(stockholder).

sháre ìndex *n.* 주가 지수.

sháre lìst *n.* 《英》 주식 시세표(=《美》 stock list).

sháre-òut *n.* (공제 조합 따위의) 배급(물), 분배.

sháre prèmium *n.* 《英》 자본 잉여금(=《美》 capital surplus).

sháre·pùsh·er *n.* 《英口》 불량주를 억지로 떠맡기는 외판원.

shar·er [ʃéərər, ʃǽər-] *n.* 함께 하는 사람, 공유자; 참가자〈*in, of*〉; 분배자, 배급자(divider).

sháre wàrrant *n.* 《英》 전액 납입 주권.

sha·ri'a, sha·ria, she- [ʃəríːə] *n.* 이슬람 (율)법, 성법(聖法), 샤리아(인간의 올바른 삶을 구체적으로 규정한 것). 〚Arab.〛

shark[1] [ʃɑ́ːrk] *n.* 〖魚〗 상어. 〚C16 < ?〛

***shark**[2] *n.* **1** 고리대금업자, 악착스런 지주[집주인]; 욕심쟁이; 사기꾼. **2** 《美俗》 명수, 권위자, 수재(학생)〈*in*〉, (일의) 중개업자.
— *vi.* 사기치다, 부정한 짓을 하다: He ~*s* for a living. 그는 사기쳐서 살아가고 있다. — *vt.* **1** 사취[착취]하다〈*up*〉. **2** 게걸스럽게 먹다[마시다]. **~·er** *n.* 《廢》 사기꾼.
〚C18 ? <G *Schurke* scoundrel〛

shárk bèll *n.* 《濠》 (해수욕장에서) 상어 출현을 알리는 경보.

shárk nèt *n.* 《濠》 상어 포획망(網); 상어 침입 방지망.

shárk patròl *n.* 《濠》 (해수욕장 상공에서의) 상어 경계 순찰.

shárk·pròof *a.* 상어 방지의(그물·약제).

shárk·skìn *n.* **1** Ⓤ 상어 가죽. **2** Ⓤ 샤크스킨(겉모양을 상어가죽처럼 짠 양털·무명·피륙 따위).

shárk sùcker *n.* 〖魚〗 빨판상어(remora).

Shar·on [ʃǽrən, ʃéərən] *n.* **1** 여자 이름. **2** 샤론(고대 Palestine 지중해 연안의 기름진 평야).
the rose of Sharon 〖聖〗 샤론의 수선화(아가 2:1); 〖植〗 고추나물; 〖植〗 무궁화나무.
〚Heb.=? plain (n.)〛

‡**sharp** [ʃɑ́ːrp] *a.* **1 a**) 날카로운, 예리한(↔*blunt, dull*): a ~ knife[edge] 예리한 나이프[날]. **b**)

뾰족한, 모난(pointed) : a ~ nose 뾰족한 코 / ~ features 예리한 얼굴 생김새. **c**) 험준한 (steep) ; (비탈 따위가) 가파른 ; (길 따위) 급 커브의 : a ~ turn in the road 도로의 급커브.
2 명확[뚜렷]한, 선명한(distinct) : a ~ outline 뚜렷한 윤곽 / a ~ contrast 명확한 대조 / a ~ impression 선명한 인상 / The tower stands ~ against the clear sky. 그 탑은 맑은 하늘에 뚜렷이 솟아있다.
3 (추위 따위가) 피부를 찌르는 듯한, 살을 에이는 듯한 ; (아픔 따위가) 심한 ; (식욕이) 왕성한 : a ~ pain 심한 진통.
4 a) (소리가) 날카로운, 새된 : a ~ cry 새된 외침. **b**) 〖樂〗 가락이 높은, 반음(半音) 높은, 샤프(sharp)의, 반음 올림표가 붙은《기호 ♯ ; cf. FLAT[1] *a.* 8》: B ~ 〖樂〗 올림 나장조(長調).
5 (맛·냄새 따위가) 자극이 센 ; 쓴 ; 매운 ; 신 : a ~ taste 얼얼한 맛 / a ~ smell (코를 찌르는) 강한 냄새.
6 a) 예민한, 민감한 ; (눈·코·귀의) 감각이 예민한 : have a ~ eye[ear, nose] for …에 눈[귀·코]이 예민하다. **b**) (감시 따위가) 빈틈 없는 ; 재치 있는, 영리한, 꾀가 있는 : keep a ~ watch for …을 엄중히 감시하다 / ~ wits 날카로운 재치 / The boy is ~ ***at*** arithmetic. 그 소년은 산수를 잘 한다.
7 (행동 따위가) 활발한, 민첩한, 신속한 ; (시합 따위가) 맹렬한, 격렬한 : take a ~ walk 빠른 걸음으로 산책하다 / a ~ contest 치열한 경쟁, 격전 / a short and ~ life 굵고 짧은 인생.
8 교활한, 약삭빠른, 능글맞은 : a ~ gambler 교활한 노름꾼 / Jack is too ~ for me. 잭은 너무 교활해서 나는 도저히 당해낼 수가 없다.
9 (말·성미 따위가) 거친, 신랄한(biting), 가혹한(bitter) : a ~ answer 가시 돋친 대답 / ~ words 과격한 언사 / I had a ~ scolding. 나는 호되게 꾸지람을 들었다.
10 《口》 (아주) 멋진 (옷차림의), (몹시) 깔끔한 복장의, (매우) 화려한.
── *n.* **1** 날카로운 것 ; 끝이 예리한 것 ; 바느질 바늘 ; 〖樂〗 샤프《반음 높은 음》, 올림표《음조를 반음 올리는 부호 ♯ ; cf. FLAT[1] *n.* 5》. **2** 《口》 사기꾼 ; 《美口》 (자칭) 전문가, 명수(expert). **3** [*pl.*] 《英》 2급품의 거친 밀가루(middling).
sharps and flats 〖樂〗 (피아노·오르간의) 검은 건반 ; 임시표.
── *adv.* **1** 날카롭게 ; 찌르는 듯이 ; 방심 않고, 빈틈 없이. **2** 꼭, 정각에(punctually) : at three o'clock ~ 3시 정각에. **3** 갑자기(abruptly) ; 빠르게, 서둘러 : turn ~ left 갑자기 왼쪽으로 방향을 돌리다. **4** 〖樂〗 반음(半音)올려서 ; 〖樂〗 음정이 높게 벗어나.
look sharp 《口》 (…에) 정신차리다, 주의하다 〈*for*〉 ; 서두르다.
Sharp is*[*Sharp's*] *the word ! 빨리 빨리 !
── *vt.* **1** 〖樂〗 반음 올리다. **2** 《古》 사취하다, 속이다. ── *vi.* **1** 〖樂〗 반음 올려서 노래하다[연주하다] ; 〖樂〗 (바른 음정보다도) 높게 노래하다[연주하다]. **2** 《古》 속이다, 사기치다, 협잡하다.
~·ness *n.*
〖OE *sc(e)arp* ; cf. G *scharf*〗
類義語 ***sharp, keen*** 양자 모두 예리하게 베어지는, 꿰뚫는의 뜻이 변하여 비유적으로도 쓰이지만, *sharp*는 사물을 날카롭게 간파하는 힘, 현명·물샐 틈 없는 것·이익을 취하는 신속성, 때로는 교활하거나 남을 상심시키는 독설 따위를 암시함 : He has a *sharp* tongue. (그는 독설가다). *keen*은 기민성·판단력·사고력의 신속성 따위를 암시 : He has a *keen* intellect. (그는 예리한 사고력을 지니고 있다). ***acute*** 끝이 뾰족한의 뜻이 변하여 사물을 명확히 간파하는 힘이나 찌르는 듯한 예리함을 나타냄 : an *acute* observer (예리한 관찰가).

shárp-cút *a.* 예리하게 잘린 ; 뚜렷한, 윤곽이 선명한(clear-cut) ; 신랄한.

shárp-éared *a.* 귀가 뾰족한 ; 귀가 밝은.

shárp-édged *a.* 날이 날카로운 ; (칼이) 잘 드는, 예리한 ; (말 따위가) 신랄한.

***sharp·en** [ʃáːrpən] *vt.* **1** 예리하게 하다, (칼을) 갈다 ; 뾰족하게 하다, 깎다 : ~ the pencils 연필을 깎다 / ~ a razor 면도칼을 갈다 / This knife needs ~*ing.* 이 나이프는 갈아야겠다. **2** (식욕·진통 따위를) 강하게[심하게] 하다 ; 예민[영리]하게 하다, 빈틈없이 하다 ; 신랄하게 하다 : Exercise ~*s* your appetite. 운동은 식욕을 증진시킨다. **3** 〖樂〗 반음올리다. ── *vi.* 날카로워지다, 예리해지다 ; 갈아지다, 깎아지다 ; 격렬해지다 ; 영리해지다, 민감해지다. **~·er** *n.* 가는[깎는] 사람[것] : a knife ~*er* 칼 가는 기구《숫돌 따위》/ ☞ PENCIL SHARPENER.

shárp·er *n.* 사기꾼 ; 직업적인 도박꾼.

shárp-éyed *a.* 눈이 날카로운 ; 눈치빠른 ; 민감한, 관찰력이 뛰어난.

shárp-frèeze *vt.* (식품 저장을 위해서) 급속냉동시키다.

sharp·ie, sharpy [ʃáːrpi] *n.* **1** 《美》 삼각돛을 단 평저선(平底船)《옛 어선》. **2** =SHARPER ; 《口》 매우 신중한[빈틈없는] 사람 ; 아주 멋진 옷차림을 한 사람.

shárp·ish *a., adv.* 《口》 다소 날카로운[롭게], 좀 높은[높게] ; 《英口》 약간 빨리, 서둘러서.

‡shárp·ly *adv.* 날카롭게 ; 갑자기 ; 심하게 ; 세게, 모질게, 호되게 ; 무뚝뚝하게 ; 뚜렷이 ; 빈틈없이 : The path turns ~ to the left. 그 오솔길은 갑자기 왼쪽으로 꺾어진다.

shárp-nósed *a.* **1** 코가 뾰족한 ; (비행기의) 기수(機首)가 뾰족한. **2** 냄새를 잘 맡는, 후각이 예민한.

shárp-póint·ed *a.* 끝이 뾰족한.

shárp-sèt *a.* 몹시 시장한, 굶주린 ; 열망[갈망]하는 ; 예각이 되게 장치한.

shárp·shòot·er *n.* 사격의 명수 ; 저격병 ; 〖美軍〗 일등 사수 ; 〖競〗 슛·겨냥이 정확한 선수 ; 악랄한 실업가.

shárp·shòot·ing *n.* 정확한 사격 ; (언론 따위에 의한) 표적이 확실한[급소를 찌르는] 공격.

shárp-síght·ed *a.* 눈매가 날카로운 ; 눈치빠른, 빈틈없는.

shárp-tóngued *a.* 바른 말 잘하는, 말이 신랄한, 독설을 내뱉는.

shárp-wítted *a.* 기지가 예민한, 빈틈 없는, 약삭빠른(acute).

sharpy ☞ SHARPIE.

Shás·ta dáisy [ʃǽstə-] *n.* 〖植〗 샤스타 데이지 《데이지와 해변국화와의 교배종》.

Shas·tra [ʃáːstrə] *n.* 〖힌두敎〗 경전(經典), 성전(聖典). 〖Skt.=instruction〗

***shat·ter** [ʃǽtər] *vt.* **1** 산산조각을 내다, 분쇄하다, 파괴하다 : The explosion ~*ed* the house. 폭발로 집이 산산이 부서졌다. **2** 약하게 하다, 손상시키다, 못쓰게 하다, (희망 따위를) 좌절시키다 ; (노력의 결과 따위를) 망치다 ; [보통 수동태로] 《口》 …의 감정을 강렬히 뒤흔들다, 압도하다 : ~*ed* health 나빠진 건강 / ~*ed* hopes 무너

진 희망 / The noise of riveting is ~*ing* our nerves. 못박는 소리로 신경이 끊어져 나가는 것 같다. —— *vi.* 산산조각이 되다, 박살나다.
—— *n.* [*pl.*] 파편 ; 파손 ; 엉망이 된 상태 : break into ~*s* 분쇄하다 / in ~*s* 산산조각이 되어, 박살이 나서. 〚ME ; cf. SCATTER〛
類義語 ⟹ BREAK.

shátter còne *n.* 〖地質〗 (정점에서 방사상으로 줄이 있는) 충격[분쇄] 원뿔(암(岩))《분화나 운석 낙하의 충격에 의한》.

shátter·pròof *a.* 잘게 바스러지지 않는《유리 따위》; 비산(飛散)방지(설계)의.

‡**shave** [ʃéiv] *v.* (~**d** ; ~**d**, **shav·en** [ʃéivən]) *vt.* **1** [+目/+目+副] 면도하다, 수염을 깎다 : Do you ~ yourself every day? 당신은 매일 면도하십니까 / He ~*d* ***off*** his moustache. 그는 (콧)수염을 밀어버렸다. **2** 얇게 깎다, 대패질하다 〈*off*〉; 깎아내다 ; (잔디 따위를) 깎아 손질하다. **3** 스치다, 스치듯이 지나가다(scrape) ; 겨우 깨뜨리다[이기다] ; (가격 따위를) (조금) 할인하다, 내리다, (형기 따위를) 감하다 ;《美》(어음을) 고리로 할인하여 사다, 높은 이율로 할인하다 ; 사취하다 : The car ~*d* the corner. 그 자동차는 모퉁이를 스칠듯이 지나갔다. —— *vi.* 수염을 깎다, 면도하다 ; 고생하여 지나가다[나아가다] : He ~*s* twice a day. 그는 하루에 두 번 면도한다.
—— *n.* **1** 면도 : have a ~ 면도하다《자기 손으로 혹은 남을 시켜》. **2** 얇은 조각, 대팻밥. **3**《美口》(어음 따위의) 고리(高利) 할인. **4** 스칠 듯이 지나가기 ; 간신히 모면함, 위기일발 : have a close[narrow, near] ~ (of it) 간신히 위기를 모면하다, 구사일생으로 살아나다. **5** 면도[표면을 깎는] 도구. **6**《英》속임수, 트릭 ; 장난.
a clean shave 깨끗이 수염을 깎기 (cf. CLEAN-SHAVEN) ;《英》협잡, 사기.
〚OE *sc(e)afan* ; cf. G *schaben*〛

shaved [ʃéivd] *a.*《俗》(자동차가) 불필요한 부품·액세서리를 떼낸.

sháve·ling *n.*《蔑》까까중, 중 ; [보통 little ~] 젊은이, 애송이.

***shav·en** [ʃéivən] *v.* SHAVE의 과거분사. —— *a.* 면도한, 머리를 깎은 ; (잔디 따위를) 깎아 손질한 : a ~ chin 수염을 깎은 턱 / a lawn close ~ 짧게 깎인 잔디.

shav·er [ʃéivər] *n.* **1** 면도하는[깎는] 사람 ; 이발사. **2** 면도[깎는] 도구 ; 전기 면도기. **3**《美》고리대금업자 ; 고리로 어음을 할인하는 사람 ;《古》사기꾼. **4** [보통 young ~]《口》젊은이, 애송이.

sháve·tàil *n.* (군대용의) 조련받지 않은 노새 ; 미숙자, 풋내기 ;《美軍俗》신임 육군 소위.

Sha·vi·an [ʃéiviən] *a.* 영국의 문호 G.B. Shaw의, 쇼식(式)의. —— *n.* 쇼 연구가[숭배자].
〚*Shavius* Shaw의 라틴어형(語形)〛

shav·ing [ʃéiviŋ] *n.* **1** Ⓤ 면도 ; 깎기. **2** [*pl.*] 깎아낸 부스러기, 대팻밥.

sháving brùsh *n.* 면도용 솔.

sháving crèam *n.* 면도용 크림.

sháving hòrse *n.* 나무를 깎을 때 걸터앉는 받침대.

sháving sòap *n.* 면도용 비누.

shaw [ʃɔ́:] *n.*《古·詩·方》잡목 숲, 우거진 숲 ; 덤불(thicket). 〚OE *sceaga* ; cf. SHAG〛

Shaw *n.* 쇼. **George Bernard** ~ (1856-1950) 아일랜드 태생의 영국 극작가·비평가《略 G.B.S.》.

***shawl** [ʃɔ́:l] *n.* 숄, 어깨걸이 ;《英軍俗》큰 외투.
—— *vt.* …에 숄을 걸치다, 어깨걸이로 싸다.
〚Urdu<Pers.〛

sháwl còllar *n.* 〖服〗 숄 칼라《숄 모양으로 목에서 늘어진 깃》.

sháwl-dànce *n.* 댄스의 일종《숄을 펄럭이며 추는 춤》.

sháwl pàttern *n.* 숄 무늬《동양의 숄에서 본뜬 화려한 의장(意匠)》; 화려한 무늬[의장].

shawm [ʃɔ́:m] *n.* (중세의) 목관악기의 일종《oboe의 전신》. 〚OF<L *calamus* stalk, reed〛

Shaw·nee [ʃɔ:ní:] *n.* (*pl.* ~, ~**s**) 쇼니족(族)《Algonquin 족의 하나》; Ⓤ 쇼니어(語).
〚*Shawnese* (obs.)〛

shay [ʃéi] *n.*《古·戲》=CHAISE.

sha·zam [ʃəzǽ(:)m] *int.* 셔잼《물체가 사라지게 하거나 나타나게 할 때 외는 주문》.
〚만화의 주인공인 Captain Marvel의 주문 ; *S*olomon, *H*ercules, *A*tlas, *Z*eus, *A*chilles, and *M*ercury〛

◇**she** [ʃi(:), ʃi:] *pron.* (*pl.* **they**) [인칭 대명사 3인칭 단수 여성 주격] 그녀는[가]. ㊟ 3인칭 여성대명사로 선박·달·열차·국가·도시 기타 여성으로 가정한 대상물에도 쓰인다.
—— [ʃí:] *n.* (*pl.* ~**s**) **1 a)** 여자 : Is the baby a he or a ~? 아기는 사내아이입니까, 계집아이입니까. **b)**《蔑》계집, 년. **2** 암컷(female) (cf. HE). **3** [흔히 하이픈을 붙여 형용사적으로] 암컷의(female) (cf. HE) : a ~-cat 암코양이 ;《비유》심술궂은 여자 / a ~-goat 암염소.
〚OE *sēo*, *sīo* (fem. demon. pron.) + *hēo* she), *hēo*의 특별한 음(音)변화설, *sēo*의 전용설, 이상의 과정이 ON 영향설 따위〛

s/he [ʃí:hì:] *pron.* 그(녀)는, 그(녀)가《he or she, she or he ; nonsexist로 쓰는 글자》.

sheaf [ʃí:f] *n.* (*pl.* **sheaves** [ʃí:vz]) (곡식 따위의) 단, 한 묶음[다발] : a ~ *of* barley 보리 한 단 / a ~ *of* letters[papers] 한 다발의 편지[서류] / a ~ *of* arrows 한 전동(箭筒)의 화살《보통 24개》. —— *vt.* 묶다 ; 다발짓다, 다발로[묶음으로] 하다. 〚OE *scēaf* (SHOVE) ; cf. G *Schaub*, ON *skauf* fox's brush〛

shear [ʃíər] *n.* **1** [*pl.*] 큰 가위, 원예용 가위, 전단기(剪斷機) : a pair of ~*s* 큰 가위 한 자루(cf. SCISSORS). **2** 〖機〗 전단(력), 전단 응력(應力), 전단 변형 ; 엇갈림. **3** (양의) 털 깎는 횟수 ; (양의) 나이 : a sheep of one ~[two ~*s*] 한[두]살짜리 양. —— *v.* (~**ed**,《古·濠·스코》**shore** [ʃɔ́:r] ; ~**ed**, **shorn** [ʃɔ́:rn]) *vt.* **1** (짧게) 깎다, 베다, 자르다 : ~ a sheep 양털을 깎다 / ~ cloth 피륙의 보풀을 떼어내다. **2** [+目+前+名] [*p.p.*로] …에서 탈취하다, 박탈하다 : He was *shorn* ***of*** his money. 그는 돈을 강탈당했다. **3** 〖機〗 (전단 응력으로) 변형(變形)시키다〈*off*〉. **4**《詩》검[도끼]으로 자르다 ; 〖機〗 전단하다. **5**《스코》(곡물을) 낫으로 수확하다. —— *vi.* **1** 가위질 하다. **2** 양털을 깎다. **3**《스코》(낫으로) 거둬들이다 ; 〖鑛〗 탄층을 세로로 자르다 ; 〖機〗 전단되다 ; 전단 변형되다.
shear off a person***'s plume*** 남의 콧대를 꺾어 놓다.
〚OE *sceran*<Gmc.=to cut, shear (G *scheren*) ; ⇨ SHARE〛

shéar·er *n.* 베는[깎는] 사람 ; 양털 깎는 사람 ; 전단기.

shéar hùlk *n.* 두발 기중기선(起重機船).

shéar·ing *n.* Ⓤ 양의 털깎기 ; 깎아낸 것[양털 따위] ; 〖機〗 전단(剪斷), 전단 변형.

shéaring strèss *n.* 〖機〗 전단 응력(剪斷應力) (=shear stress).

shéar lègs *n.* (*pl.* ~) 두발 크레인[기중기].
shéar·ling *n.* 털을 한 번 깎은 양.
shéar pìn *n.* 〔機〕 시어 핀《과대한 힘이 작용하면 부러지는 기계의 중요한 부분에 삽입하는 핀》.
shéar stèel *n.* 〔冶〕 칼날 만드는 강철.
shéar strèss *n.* =SHEARING STRESS.
shéar·wàter *n.* 〔鳥〕 슴새.
sheat·fish [ʃíːtfìʃ] *n.* 〔魚〕 메기의 일종《중부 유럽산》. 〖*sheat*＜↓〗
sheath [ʃíːθ] *n.* (*pl.* **~s** [ʃíːðz, ʃíːθs]) **1** 칼집 : a ~ knife 칼집 있는 칼(case knife) (cf. CLASP KNIFE). **2** (도구의) 덮개, 피복, 칼집 모양의 케이스. **3** 〔植〕 엽초(葉鞘) ; 〔植〕 불염포(佛焰苞) ; 〔昆〕 시초(翅鞘) ; 시스《몸에 꼭 달라붙는 벨트없는 여성복》. **4** 〔電〕 (케이블의) 외장(外裝), (도파관(導波管)의) 금속 외장, (전극 부근의) 공간 전하층 ; (페니스의) 포피 ; 콘돔.
—— *vt.* =SHEATHE. 〖OE *scēath* ; SHED[1]과 같은 어원(語源)인가 ; cf. G *Scheide*〗
sheathe [ʃíːð] *vt.* **1** 칼집에 넣다 : ~ the sword 칼을 칼집에 넣다 ; 《비유》 화해하다. **2** [＋目＋*with*＋名] (보호하기 위해) 씌우다, 싸다 : ~ box ***with*** copper 상자에 동판을 씌우다. **3** 덮개[칼집 모양의 케이스]에 넣다 ; (고양이 따위가 발톱을) 움츠리다 ; (칼 따위를) 고기에 푹 찌르다. 〖ME ; ⇨ SHEATH〗
sheath·ing [ʃíːðiŋ] *n.* U,C 칼집에 넣기 ; 씌우개, 덮개, 싸개 ; 〔工〕 (배 밑바닥·지붕의) 피복 동판(板) ; (케이블의) 외장(外裝) ; 〔建〕 (바깥벽·지붕기와 밑에 까는) 피복 재료.
sheave[1] [ʃíːv] *vt.* (곡식 따위를) 다발로 묶다, 모으다. 〖SHEAF〗
sheave[2] [ʃív, ʃíːv ; ʃíːv] *n.* 활차(滑車) 바퀴, 도르래 ; [집합적으로] 활차. 〖OE 《美》 *scīfe*＜Gmc.= disk, wheel (G *Scheibe* disk)〗
sheaves *n.* SHEAF, SHEAVE[2]의 복수형.
She·ba [ʃíːbə] *n.* **1** 시바《금·보석·향료를 팔아서 번영한 아라비아 남서부의 옛 왕국》. **2** 《美口》 매력있는 미녀.
the Queen of Sheba 〔聖〕 스바의 여왕《많은 보물을 가지고 솔로몬 왕에게 가르침을 청함 ; 열왕기상(上) 10 : 1-13》.
she·bang [ʃibǽŋ] *n.* 《美口》 당면한 일, 용건, 사건 ; 판잣집 ; 소란 : the whole ~ 전체, 모조리, 일체. 〖C19＜? ; 변형(變形)‹*shebeen* 인가〗
she·been [ʃəbíːn] *n.* 《아일》 무허가 선술집(=《美》 speakeasy) ; (일반적으로) 싸구려[지저분한] 선술집. 〖Ir. (*séibe* mugful)〗
shed**[1] [ʃéd] *v.* (**shed** ; **-dd-**) *vt.* **1** 흘리다, 쏟다 ; (잎·껍질·깃털 따위를) 떨어뜨리다, 갈다, 벗다, 탈피하다 ; (천 따위가) 물이 스며들지 않다 ; 《方》 분리[격리]하다 ; …에 북길을 내다 : ~ tears 눈물을 흘리다, 울다 / Trees ~ their leaves in autumn. 가을에는 나뭇잎이 떨어진다 / Does the snake ~ its skin? 뱀은 허물을 벗느냐 / This cloth ~*s* water. 이 천은 물이 스며들지 않는다. **2** (옷을) 벗다, 벗어 버리다. **3** 《비유》 포기하다, (습관 따위)에서 벗어나다 ; 《口》 …와 이혼[결별]하다. **4** [＋目/＋目＋前＋名/＋目＋副] (빛·열·향기 따위를) 발산하다, 내뿜다 ; (행복·평화 따위를) 미치게 하다, 주다 : The sun ~*s* its light ***on us. 태양은 우리에게 빛을 발산한다 / The woman ~*s* peace ***around***. 그 여자는 주위에 평화로운 기분을 감돌게 한다.
—— *vi.* 탈모(脫毛)[탈피]하다 ; (잎·씨 따위가) 떨어지다 ; 껍질을 벗다 ; 흩어지다 ; 북길이 나다.
shed** one's **blood 피를 흘리다 ; 사람을 죽이다 : ~ one's *blood* for one's country 조국을 위해서 목숨을 바치다.
shed** others' **blood 남의 피를 흘리게 하다, (많은) 사람을 죽이다 : ~ the enemy's *blood* 많은 적을 살육하다.
—— *n.* **1** (뱀 따위의) 벗은 허물 ; =WATERSHED ; 북길 《날실을 상하로 나누어 만든 씨줄의 삽입구》 ; 〔理〕 셰드《원자핵 반응의 단면적의 단위 : 10^{-48}cm^2》. **2** 《廢》 구별(distinction, difference).
〖OE *sc(e)adan* ; cf. SEATH, G *scheiden*〗
***shed**[2] *n.* **1** 오두막, 곁채, 가축 우리. **2** 광, 창고, 차고, 격납고(格納庫) ; (세관의) 화물 창고 : a tool ~ 연장광 / a train ~ 기차 차고. —— *vt.* (**-dd-**) shed에 넣다. 〖변형(變形)‹*shade*〗
‡**she'd** [ʃid, ʃíːd] she had[would]의 단축형.
SHED 〔宇宙〕 solar heat exchanger drive (태양열 교환 추진).
shéd·der *n.* (피·눈물 따위를) 흘리는 사람, 쏟아지는 것 ; 〔動〕 탈각기(期)의 게[새우].
shéd·ding[1] *n.* **1** U 흘리기, 발산. **2** [보통 *pl.*] 벗은 허물[껍데기]. **3** U 나누기 ; 분계(分界).
shedding[2] *n.* 광, 곳간 ; 차고.
shé-dévil *n.* 악마같은 여자, 악녀, 독부 ; 심술궂은 여자.
shéd hànd *n.* 《濠》 양털 깎기 일꾼[조수].
shéd·lìke *a.* 광 같은, 곳간식(式)의.
sheen [ʃíːn] *n.* U 번쩍임, 광채 ; 광택, 윤기 ; 눈부시게 화려한 의상 ; 광택이 있는 직물. —— *vi.* 《方》 번쩍이다, 빛나다(shine), 반짝반짝 빛나다(glisten). —— *a.* 《古》 빛나는, 눈부시게 화려한 ; 아름다운. 〖OE *scēne* ; cf. SHOW, G *schön* ; 어의(語義)는 *shine* (n.)의 영향〗
sheeny[1] [ʃíːni] *a.* 빛나는, 윤이 나는. 〖↑〗
sheeny[2], **shee·ney**, **shee·nie** [ʃíːni] *n.* 《俗·蔑》 유태인(Jew). 〖C19＜?〗
‡**sheep** [ʃíːp] *n.* (*pl.* ~) **1** 양, 면양 : a flock of ~ 양떼. 주 수컷은 ram, 암컷은 ewe, 새끼는 lamb, 양고기는 mutton. **2** U 양가죽. **3** [집합적으로] 신자, 교구민(cf. SHEPHERD 2). **4** 겁쟁이, 마음이 약한 사람 ; 어리석은 사람.
follow like sheep 맹종하다.
separate the sheep and [***from***] ***the goats*** 〔聖〕 선한 것과 악한 것을 구별하다《마태복음 25 : 32》.
sheep that have no shepherd 오합지중.
the sheep and the goats 선인과 악인.
〖OE *scēap* ; cf. G *Schaf*〗
shéep·bèrry [, -bəri] *n.* 〔植〕 (북미산) 가막살나무속(屬)의 관목 ; 그 열매.
shéep·còte, **-còt** *n.* 《英俗》 양우리, 양사(羊舍) (sheepfold).
shéep-dìp *n.* 세양액(洗羊液)《기생충 구제(驅除)용》 ; 세양조(洗羊槽) ; 《美俗》 싸구려 술. —— *vt.* 《美俗》 (군인을) 민간인으로 위장시키다《간첩 활동을 위하여》.
shéep dòg *n.* 양 지키는 개《collie 따위》.
shéep fàrmer *n.* 《英》 목양업자.
shéep·fòld *n.* 양우리, 양사(羊舍).
shéep·hèrd·er *n.* 《美》 =SHEPHERD 1.
shéep·hòok *n.* =SHEPHERD'S CROOK.
shéep·ish *a.* 양같은 ; 몹시 수줍은, 마음 약한, 겁이 많은 ; 어리석은. **~·ly** *adv.*
shéep kèd *n.* 〔昆〕 날개 없는 흡혈성 파리《양에 기생함》.
shéep lòuse *n.* 양의 이 ; =SHEEP KED.

shéep·man [-mən] *n.* **1** 《古》 =SHEPHERD. **2** 《美》 목양업자.
shéep-pèn *n.* 《英》 =SHEEPFOLD.
shéep rùn *n.* (특히 오스트레일리아의) 넓은 목양장(牧羊場).
shéep's èyes *n. pl.* 《口》 곁눈질, 추파.
cast [***make***] ***sheep's eyes at*...** 《口》 …에(게) 추파를 던지다[곁눈질하다].
shéep·shànk *n.* 양의 정강이(shank) ; (양의 정강이처럼) 바싹 마른[앙상한·연약한] 것 ; 〖海〗 시프생크《일시적으로 밧줄을 짧게 쓰기 위한 결삭(結索)》.
shéeps·hèad *n.* **1** 요리한 양머리. **2** 멍텅구리(fool). **3** 미국 대서양[멕시코만] 연해산의 도미과의 식용어.
shéep·shèar·ing *n.* Ⓤ 양털깎기 ; Ⓒ 양털 깎는 시기[축제].
shéep·skìn *n.* **1** Ⓤ 양가죽, 무두질한 양가죽. **2** 양털 가죽의 외투 ; 양가죽의 모자[깔개·무릎 덮개]. **3** Ⓤ 양피지(羊皮紙) ; Ⓒ 양피지의 서류 ; 《美口·戲》 졸업증서(diploma).
shéep('s) sòrrel *n.* 〖植〗 수영《참소리쟁이속의 다년초》.
shéep tìck *n.* 〖昆〗 =SHEEP KED.
shéep·wàlk *n.* 《英》 목양장.
shéep wàsh *n.* 세양장(洗羊場) ; 《英》 세양액(洗羊液) (sheep-dip).
***sheer**[1] [ʃiər] *attrib. a.* **1** (직물이) 비치는, 매우 얇은 : ~ stockings[tights] 비치는 스타킹[타이츠] / a ~ silk veil 매우 얇은 명주 베일. **2** 잡것이 섞이지 않은 ; 물 타지 않은, 순수한, 진짜의. **3** 깎아지른 듯한, 험준한(steep). **4** 완전한, 순전한, 단순한 : ~ folly 몹시 어리석은 짓 / a ~ waste of time 순전한 시간의 낭비 / by ~ luck 완전히 행운으로. —— *adv.* **1** 아주, 완전히 : The horse vaulted ~ over a ditch. 말은 도랑을 완벽하게 뛰어넘었다 / The trees were torn ~ out by the roots. 그 나무들은 뿌리째 뽑혀 버렸다. **2** 수직으로, 똑바로, 곧장 : The rock rises ~ from the water. 바위가 수면에서 수직으로 솟아 있다 / The ball fell a hundred meters ~. 공은 똑바로 100미터 아래로 떨어졌다.
—— *n.* Ⓤ 투명한[비치는] 직물 ; Ⓒ 그 옷.
〖ME *schere* <? *shire* (dial.) pure, clear < OE *scīr* ; cf. SHINE, G *schier*〗
sheer[2] *vi.* 〖海〗 침로에서 벗어나다, 방향을 바꾸다 〈*off, away*〉. —— *vt.* (배·차)의 진행 방향을 바꾸다 : ~ one's way 방향을 바꾸면서[누비듯이] 나아가다.
sheer off [***away***] (충돌 따위를 피하기 위해) 침로에서 벗어나다 ; (싫은 사람·일·화제 따위를) 피하다〈*from*〉.
—— *n.* 〖海〗 현호(舷弧)《측면에서 본 갑판의 호도(弧度)》 ; 닻 하나로 정박했을 때의 배의 위치 ; 만곡 진행, 침로에서 벗어나기.
〖? MLG *scheren* to SHEAR〗
shéer·lègs *n.* (*pl.* ~) =SHEAR LEGS.
shéer plàn *n.* 〖船〗 측면선도(線圖) (cf. BODY PLAN, HALF-BREADTH PLAN).
‡**sheet**[1] [ʃi:t] *n.* **1** 홑이불, 요 위에 까는 천, 시트《침대에는 위·아래 두 장이 쓰임》 : She covered the ~*s* with a blanket. 시트 위에 담요를 씌웠다. **2** 판자, 얇은 널빤지, 얇은 금속판《plate 보다 얇음》 ; (쿠키 따위를 굽는) 금속판, 플레이트 : a ~ *of* glass[iron] 판 유리[철판] 한 장(cf. SHEET GLASS[IRON]). **3** (종이) 한 장, (서적의) 한 장 : two ~*s of* paper 종이 두 장. **4 a)** [보통 *pl.*] 매엽지(枚葉紙) ; 인쇄물 ; (설계) 도면 : a fly ~ 전단(傳單) / a news ~ 한 장으로 된 신문. **b)** 《口》 신문, 정기 간행물《따위》 ; 《美俗》 경마 뉴스 ; 《美俗》 (범죄자의) 기록 ; 식물 표본지 : a penny ~ 1페니 짜리 신문. **c)** (우표의) 시트《한 장의 종이에 인쇄한 여러장의 우표》. **5** (물·눈·얼음·불·빛깔 따위의) 퍼진 면(expanse) : a ~ *of*... 일대의…, 온통 …의 벌판[바다] / ~*s of* rain 억수같이 쏟아지는 비, 호우. **6** 《詩》 돛(sail). **7** (불교 의식·장례에서의) 수의(壽衣) 《삼베·무명·종이 따위로 만들어 경문 따위를 씀》. **8** (참회자가 입는) 흰 옷 : put on [stand in] a white ~ 참회하다, 회개하다. **9** 〖地〗 암상(岩床) ; 기반암 ; 〖數〗 엽(葉).
(***as***) ***white as a sheet*** (얼굴이) 아주 창백한, 핏기가 없는.
a blank sheet 백지 ; 백지 같은 마음[사람]《선이나 악에 물들기 쉬운》.
a clean sheet 전과(前科)가 없는[품행이 좋은·선량한] 인물.
get between the sheets 잠자리에 들다, 잠을 자다.
in sheets ⑴ (비가) 억수같이, (안개 따위가) 자욱하게 : The rain fell *in* ~*s*. 비가 억수같이 쏟아졌다. ⑵ (인쇄한 채) 제본되지 않은, 낱장인.
—— *a.* 얇은 판(구조)의.
—— *vt.* (잠자리에) 시트를 깔다, …에 시트[덮개]를 씌우다 ; 수의(壽衣)로 싸다.
—— *vi.* 온통 퍼지다, 억수같이 내리다.
〖OE *scēte, scīete* ; cf. SHOOT〗
sheet[2] *n.* 〖海〗 범각삭(帆脚索)《돛의 아랫귀를 펴서 묶는 밧줄》 ; [*pl.*] (보트의 이물·고물의) 빈자리, 공간.
have a sheet [***three sheets, both sheets***] ***in the wind*** (***'s eye***) 《口》 거나하게[곤드레만드레] 취하다.
—— *vt.* [다음 숙어로]
sheet home (돛을) 범각삭으로 끌어당겨 활짝 펴다 ; 《美》 …에 대한 책임을 지우다, (필요성 따위를) 통감시키다.
〖OE *scēata* ; ↑〗
shéet ànchor *n.* **1** 〖海〗 비상용의 큰 닻, 부묘(副錨)《중부 갑판의 바깥쪽에 달아놓음》. **2** 《비유》 최후의 기대[수단], 마지막으로 의지할 만한 것《사람·것》.
shéet bènd *n.* 〖海〗 두 가닥의 밧줄을 잇는 매듭 방식《becket bend, mesh knot, netting knot, weaver's knot 따위》.
shéet eròsion *n.* (빗물에 의한 토양 표면의) 표층(表層) 침식.
shéet glàss *n.* 얇은 판유리(cf. PLATE GLASS).
shéet·ing *n.* **1** Ⓤ 시트 감, 시트. **2** Ⓤ 판금(板金)으로 만들기, 판금으로 펴기 ; (표면 보호용의) 안에 댄 피복(재) ; 판금. **3** 흙막이 널.
shéet ìron *n.* 얇은 철판.
shéet lìghtning *n.* 〖理〗 막전(幕電)《번개가 구름에 반사되어 환하게 밝아지는 현상》.
shéet mètal *n.* 판금, 얇은 금속판.
shéet mùsic *n.* 낱장에 인쇄된 악보《철하지 않은》 : There was some ~ on the piano. 피아노 위에 악보가 몇장 있었다.
shéet pìle *n.* 시트 파일, 널말뚝.
Shéet·ròck *n.* 시트록《석고판(板) ; 건축재 ; 상표명》.
Shef·field [ʃéfi:ld] *n.* 셰필드《영국 Yorkshire 주의 공업도시 ; 철강업의 중심지》.
Shéffield pláte *n.* 은도금한 동판.

〖18세기 Sheffield에서 만들기 시작했음〗

shé-góat *n.* 암염소(nanny goat) (cf. SHE *n.* 3; ↔*he-goat*).

sheik(h) [ʃíːk, ʃéik] *n.* **1** (이슬람교국, 특히 아라비아의) 족장, 가장, 촌장; 교주, 왕족. **2** [보통 sheik [ʃíːk]] 《口》 미남자; 오입쟁이, 여자를 호리는 사내. ── *vt.* [sheik] 《美俗》 괴롭히다, 조롱하다. **~·dom** *n.* SHEIK의 관할 영토. 〖Arab.=old man〗

Shei·la [ʃíːlə] *n.* 《아일》 여자 이름《Cecilia의 아일랜드식 이름》; [s~] 《濠俗》 젊은 여성, 소녀.

shekarry ☞ SHIKAREE.

shek·el [ʃékəl] *n.* **1** 셰켈《(1) 옛 유태의 무게·은화의 단위. (2) 이스라엘의 통화 단위; 기호 IS》. **2** 《口》 경화(硬貨); [*pl.*] 《口》 금전(money), 부(富); 《美俗》 1달러 지폐. 〖Heb. *šēkal* weight〗

She·ki·nah [ʃikíːnə, -kái-; ʃekái-] *n.* 〔유태教〕 (신좌(神座)에 나타난) 여호와의 모습; 하느님의 시현(示現). 〖Heb. (*shākhan* to dwell)〗

shel·drake [ʃéldrèik] *n.* 〔鳥〕 혹부리오리; 비오리. 〖? *sheld* (dial.) pied, DRAKE¹〗

***shelf** [ʃélf] *n.* (*pl.* **shelves** [ʃélvz]) **1** [*pl.*] 선반, 시렁. **2** 선반의 물건[수용량]; 대륙붕; (절벽의) 바위 시렁; 암초, 모래톱, 여울, 사주(砂洲); 〔鑛〕 평층(平層); 〔地〕 붕상(棚狀) 지층《충적토 밑의 상암(床岩)》: the continental ~ 대륙붕《대륙 연안의 얕은 바다》. **3** 활을 잡은 손의 위쪽《화살이 위에 놓임》.

on the shelf 선반에 얹혀 (있는), 사용되지 않고, 버림 받아; 해고 되어; (여자가) 혼기를 놓쳐, 팔리지 않아 남아 있는.

── *vt.* 《俗》 중지하다, 선반 위에 얹다.

〖LG; cf. OE *scylfe* partition, *scylf* crag〗

shélf·fùl *n.* 선반 하나 가득한 양(量).

shélf ìce *n.* 빙붕(氷棚)《빙상(氷床) (ice sheet)의 일부가 해상에 선반 모양으로 떠오른 것》.

shélf lìfe *n.* (재료·상품 따위의) 저장 수명, 저장 기간.

shélf màrk *n.* (도서관의) 서가(書架) 기호.

‡shell [ʃél] *n.* **1 a**) (동식물의) 단단한 외피, 외각(外殼); 껍데기, 조가비, 깍지, 갑(甲), 비늘, 시초(翅鞘); 조개(mollusk): ☞ SHELLFISH, SEASHELL, NUTSHELL / cast the ~ 껍질이 떨어지다, 허물 벗다. **b**) Ⓤ (조개[별갑] 세공의 재료로서의) 조개 껍질, 별갑; 연체 동물, (특히) 조개, 갑각류: buttons made of ~ 조개 단추 / ☞ TORTOISESHELL. **c**) 껍질 비슷한 것, 조가비 모양의 그릇[접시] 《따위》, 맥주용 잔; (속을 채우기 전의) 파이의 외피. **2** (미완성[불탄] 건물의) 뼈대; 〔建〕 셸《곡률 반경에 비해서 두께가 매우 얇은 곡면판》; 〔機〕 외판, 동체; 반원형[동형]의 건조물[체육관, 경기장]; 선체(船體): After the fire the house was a mere ~. 화재가 난 뒤 그 집은 뼈대만 남았다. **3** 셸형(型) 보트《스컬(scull) 비슷한 경주용의 가벼운 배》. **4** 《비유》 **a**) (계획 따위의) 윤곽, 개요, 대강(outline). **b**) (감정을 나타내지 않기 위한) 외관, 외형, 겉보기(appearance). **5** 포탄, 유산탄(榴散彈), 파열탄(cf. BALL¹ 4, BULLET); 《美》 약협(藥莢)(cartridge); (공중에서 파열하는) 불꽃탄. **6** 〔解〕 외이(外耳). **7** 《詩》 칠현금(七絃琴) (lyre); (칼의) 날밑. **8** 셸《헐렁하고 소매와 칼라가 없는 니트 블라우스[스웨터]》; =SHELL JACKET. **9** 〔冶〕 거푸집의 외벽, 셸; 〔理〕 (전자의) 껍질, 거의 동등한 에너지의 전자군; 《英》 (퍼블릭 스쿨의) 중간 학년《보통 4학년과 5학년 사이》. **10** =SHELL COMPANY. **11** 〔컴퓨〕 셸, 조가비.

come out of one'***s shell*** 마음을 터놓다.

in the shell 껍질이 붙은 채로, (알이) 부화되지 않고 있는; 《비유》 덜 발달한 단계인, 미숙한.

retire into one'***s shell*** 자기의 세계 속에 틀어박히다, 마음을 터놓지 않다, 도무지 말이 없다.

── *vt.* **1** 껍질에서 끄집어 내다, …의 껍질[깍지]을 벗기다; 《美》 (옥수수 열매를) 따내다: ~ peas 콩깍지를 까다. **2** 껍데기로 싸다, 껍질을 씌우다. **3** 《美俗》 (할 수 없이) 지급하다. **4** 포격[폭격]하다; (투수 등)에게 집중포격을 퍼붓다: ~ a town 도시를 포격[폭격]하다. ── *vi.* **1** 껍질[깍지]이 벗겨지다: These nuts ~ easily. 이 열매는 껍질이 잘 벗겨진다. **2** (금속 따위가) 벗겨지다〈*off*〉. **3** 조가비를 모으다. **4** 《美俗》 할 수 없이 지급하다.

(***as***) ***easy as shelling peas*** 《口》 아주 쉬운.

shell out (*vt., vi.*) 《口》 (필요한 만큼의) (돈을) 전부 지급하다[내놓다].

〖OE *sc*(*i*)*ell*; ⇨ SCALE¹〗

‡she'll [ʃil, ʃíːl] she will[shall]의 단축형.

shel·lac, 《美》 **-lack** [ʃəlǽk, ʃélæk] *n.* Ⓤ 셸락 《LAC을 정제하여 얇게 판상(板狀)으로 굳힌 것으로 니스 따위의 원료》; 셸락 니스; SP 레코드. ── *vt.* (**-lácked; láck·ing**) **1** …에 셸락을 칠하다. **2** 《美口》 철저하게 쳐부수다, 호되게 때리다. **-láck·er** *n.* **-láck·ing** *n.* 《美口》 구타, 폭행(beating); 대패, 완패.

〖*shell*+*lac*¹; F *laque en écailles* lac in thin plates의 역(譯)〗

shéll·bàck *n.* 늙은[노련한] 뱃사람; 《口》 배로 적도를 횡단한 사람.

shéll·bàrk *n.* =SHAGBARK.

shéll bèan *n.* 꼬투리를 까서 알맹이만을 요리에 쓰는 콩《강낭콩·잠두 따위; cf. STRING BEAN》.

shéll còmpany[**corporàtion**] *n.* 주식의 공개 매입 대상이 되는 약소 회사.

shéll cóncrete *n.* 〔建〕 셸 콘크리트《돔 모양의 지붕·대건축에 쓰이는 조가비 모양으로 만든 얇은 강화 콘크리트》.

shéll constrùction *n.* 〔建〕 셸 구조《철근 콘크리트로 된 매우 얇은 곡면 구조》.

shelled [ʃéld] *a.* **1** 껍질을 깐: ~ nuts 껍질을 깐 견과. **2** [복합어를 이루어] …한 껍질을 가진: a hard-~ crab 껍데기가 딱딱한 게.

shéll ègg *n.* 껍데기가 있는 채로의 보통 달걀《건조·분말로 하지 않은》.

shéll·er *n.* 껍질[깍지] 벗기는[까는] 사람; 탈곡기; 조개 수집가.

Shel·ley [ʃéli] *n.* 셸리. **Percy Bysshe** [bíʃ] ~ (1792-1822) 영국의 서정시인.

shéll·fìre *n.* 〔軍〕 포화(砲火).

***shéll·fish** *n.* 조개《굴 따위》, 갑각류《게·새우 따위의 총칭》; 〔魚〕 거북복.

shéll fòlder *n.* 여행 팸플릿, 소책자(brochure).

shéll gàme *n.* 《美》 셸 게임《호두 모양의 잔을 놓고 하는 협잡 도박의 일종》; 협잡, 사기.

shéll gáme plàn *n.* 〔軍〕 (미사일 따위의) 이동 격납방식.

shéll hèap[**mòund**] *n.* 패총(貝塚).

shéll hòuse[**hòme**] *n.* 외각(外殼)[골격] 주택《내장(內裝)은 구입자가 하는》.

shéll·ing *n.* Ⓤ **1** 포격(砲擊). **2** 깍지[꼬투리·껍데기 따위]를 벗기기.

shéll jàcket *n.* 셸(재킷)《열대 지방용의 남자의 약식 예복》; =MESS JACKET.

shéll·less *a.* 껍질[갑(甲)·조가비·꼬투리·비늘] 이 없는.

shéll-lìme *n.* Ⓤ 조가비[굴껍데기] 재.
shéll mòney *n.* 조가비 화폐.
shéll·pròof *a.* 포격에 견디는, 방탄(성)의.
shéll shòck *n.* 〖醫〗 포탄 충격《가까이에서 파열된 폭탄으로 인해서 생기는 기억력·시각 따위의 상실증》, 전투 신경증.
shéll-shòcked *a.* 〖醫〗 포탄 충격을 받은 ; 전쟁 노이로제의 ; 겁많은.
shéll strùcture *n.* 〔理〕 (원자·원자핵(核)의) 셸 구조.
shéll·wòrk *n.* [집합적으로] 조가비[자개] 세공.
shélly *a.* 조개껍데기가 많은[로 덮인] ; 조가비[조개껍데기] 같은.
‡**shel·ter** [ʃéltər] *n.* **1** 피난처 ; 은신처, 비를 피하는 대피소, 바람막이 ; (피난) 오두막 ; 〖軍〗 방공[대피]호(=air-raid ~) ; (버스 정거장 따위의) 기다리는 곳 : a bus ~ 버스 대합실. **2** (비바람을 막는) 거처, 주거, 집 ; 보호, 비호, 옹호, 피난 : food, clothing and ~ 의식주 / find[take] ~ from a storm 폭풍우로부터 대피하다[를 피하다] / get under ~ 대피하다 / She flew to me for ~. 나에게로 피신하러 달려왔다 / She sought ~ at my house. 그녀는 내 집으로 피난왔다.
—— *vt.* [+目/+目+*from*+名] **1** 보호[비호]하다 ; 감추다, 은닉하다 : ~ an escaped convict 탈옥수를 은닉하다 / The wall ~*s* the house ***from*** the north wind. 그 담은 집을 북풍으로부터 보호해 주고 있다. **2** 숙박시키다(lodge) : ~ a person for the night 남을 하룻밤 숙박시키다. **3** [+目] (무역·산업 따위를) (국제 경쟁에서) 보호하다. —— *vi.* [動/+前+名] 피난하다, 숨다 ; 햇볕[바람·비 따위]을 피하다 : ~ ***in*** a cave 동굴에서 비를 피하다 / The policeman had no box in which to ~ ***from*** the shower. 경찰관은 소나기를 피할 대기소도 없었다.
sheltered trades 보호 무역.
shelter one***self under*** [***behind, beneath***]... (부모·상관 등의) 비호에 의지하다, 권세를 믿고 뻐기다, 책임을 전가하다.
~·er *n.* 피난자 ; 보호자 ; 원호자. **~·less** *a.* 숨을 곳 없는, 피난할 곳 없는 ; 보호[의지]할 데 없는, 집 없는.
〖? *sheltron* (obs.) phalanx<OE *scieldtruma* (*scield* SHIELD+*truma* troop)〗
shélter·bèlt *n.* (농작물 보호의) 방풍림 ; (토양 보전용의) 보안림.
shélter hàlf *n.* 2인용 텐트 ; SHELTER TENT의 반쪽분[1인분].
shélter tènt *n.* 《美》 (방수천 따위로 만든) 피난용 작은 천막.
shélter trènch *n.* 〔軍〕 산병호(散兵壕), 방공호(防空壕).
shel·ty, -tie [ʃélti] *n.* =SHETLAND PONY.
shelve[1] [ʃélv] *vt.* **1** 선반에 얹다[놓다]. **2** 《비유》 (의안 따위를) 보류해두다, 묵살하다, 유회(流會)[무기 연기]하다 : ~ a bill 법안을 보류하다 / ~ a plan 계획을 중지하다. **3** 해고시키다, 퇴직시키다(dismiss). **4** …에 선반을 달다 : ~ a cupboard 찬장에 선반을 달다. 〖*shelves* (pl.) ‹SHELF〗
shelve[2] *vi.* [動/+副/+前+名] 완만하게 경사를 이루다, 비탈지다 : The ground ~*s* ***down to*** the beach. 그 땅은 해변으로 완만하게 경사져 있다. 〖? 역성(逆成) ‹*shelvy*〗
***shelves** *n.* SHELF의 복수형.
shelv·ing[1] [ʃélviŋ] *n.* SHELVE[1]하기 ; 선반 재료 ; [집합적으로] 선반(shelves).
shelving[2] *n.* Ⓒ 완만한 경사 ; 그 각도 ; Ⓤ 완만한 비탈을 이룸. —— *a.* 완만한 비탈의, 경사가 완만한. 〖SHELVE[2]〗
Shem [ʃém] *n.* 〔聖〕 셈《Noah의 장남으로 셈 족의 시조 ; 창세기 5 : 32 ; 10 : 1, 21》. 〖Heb.=name〗
Shem·ite [ʃémait] *n.* =SEMITE.
She·mit·ic [ʃəmítik], **Shem·it·ish** [ʃémaitiʃ] *a.* =SEMITIC.
she·moz·zle [ʃəmázəl] *n.* 《英俗》 불행, 곤란한 일 ; 분규, 싸움, 소동. 〖Yid〗
she·nan·i·gan [ʃənǽnigən] *n.* Ⓤ,Ⓒ 《口》 속임수, 허위(deceit) ; [때때로 *pl.*] 무분별한[속임수의] 행위, 허튼소리(nonsense). 〖C19<?〗
She·ol [ʃíːoul, ʃióul] *n.* (헤브라이 사람의) 저승, 황천(cf. HADES) ; [때때로 s~] 지옥. 〖Heb.〗
‡**shep·herd** [ʃépərd] *n.* **1** 양치는 사람, 목동. **2** 《비유》 목사(cf. SHEEP 3) ; 지도자, 보호자, [the S~] 그리스도 ; 《濠》 (광구를 보유하고도 채굴하지 않는) 광산업자.
—— *vt.* **1** (양을) 기르다 ; 지키다, 돌보다. **2** [+目/+目+前+名] 《口》 잘 감시하다 ; 미행하다 ; (군중 등을) 인도하다, 이끌다 ; 《濠》 (광산업자가 채굴하지 않고) (광구를) 보유하다 ; 〔濠式풋볼〕 태클을 피하기 위해 적의 진로를 막다 : The teacher ~*ed* the children ***through*** the museum. 선생님은 박물관 곳곳으로 아이들을 인솔했다.
〖OE *scēaphierde* ; ⇨ SHEEP, HERD[2]〗
shépherd dòg *n.* =SHEEP DOG.
Shépherd kíng *n.* 「목양자의 왕(王)」《고대 이집트의 Hyksos 왕조의 왕 ; 「히카우카스트」(이(異) 민족의 지배자)에 대한 오해로 인한 호칭》.
shépherd's cálendar *n.* 목양자의 책력《일기예보 따위가 적혀 있으며 흔히 믿을 수 없는 정보의 출처 따위에 인용됨》.
shépherd('s) chéck[**pláid**] *n.* 흑백의 바둑판 무늬 모직물《원래 목양자용》; 그 무늬.
shépherd's cróok *n.* 목양자의 지팡이《양을 끌어당기기 위해 끝이 굽어 있음》.
shépherd's píe *n.* 셰퍼드 파이《다진 고기를 으깬 감자로 싸서 구운 파이》.
shépherd's pípe *n.* 목양자의 피리.
shépherd's púrse *n.* 〔植〕 냉이.
shé-píne *n.* 〔植〕 (오스트레일리아산) 나한송과(科) 죽백나무의 일종.
Sher·a·ton [ʃérətən] *a., n.* (경쾌하고 우아한) 셰러턴식(式)의 (가구).
〖T. *Sheraton* (d. 1806) 영국의 가구 제작자〗
sher·bet [ʃə́ːrbət], **-bert** [-bərt] *n.* **1** Ⓤ 셔벗《과즙에 우유·달걀 흰자위·젤라틴을 섞어 냉동한 아이스크림 비슷한 음료 ; cf. WATER ICE》. **2** Ⓤ 《英》 셔벗수(水)《과즙에 물을 타서 설탕·주석산을 넣은 (청량 음료)》; 《濠俗》 맥주.
〖Turk. and Pers.<Arab.=drink ; cf. SHRUB[2], SYRUP〗
sherd [ʃə́ːrd] *n.* (유적의) 토기 조각 ; =SHARD.
〖pot*sherd*〗
she·reef, she·rif [ʃeríːf] *n.* 이슬람교도의 지도자 ; [보통 Grand shereef] 메카(Mecca)의 장관, 성지 수호자. 〖Arab.〗
Sher·i·dan [ʃérədən] *n.* 셰리던. **Richard Brinsley** ~ (1751-1816) 아일랜드 태생인 영국의 극작가·정치가.
***sher·iff** [ʃérəf] *n.* 《英》 주(州) 장관《county 또는 shire의 행정장관으로 지금은 high ~ 라 부르며 임기 1년의 명예직 ; cf. BAILIFF》; 《美》 군(郡) 보안관《군민이 선출하는 최고 공무원 ; 보통 사법권과 경찰권이 있음 ; cf. MARSHAL》; 《스코》 주(州) 판사. **shériff·al·ty, ~·dom, ~·hòod, ~·shìp**

n. Ⓤ sheriff의 직[임기·직권].
〖OE *scīr-gerēfa* ; ⇨ SHIRE, REEVE²〗

sher·lock [ʃə́ːrlɑk, ʃíər-] *n.* [때때로 S~] 명탐정, 명추리자《Conan Doyle의 추리 소설의 주인공 Sherlock Holmes에서》.
〖OE=fair-haired〗

Sher·pa [ʃéərpə, ʃə́ːr-] *n.* (*pl.* ~, ~**s**) 셰르파《티베트의 한 종족 ; 산을 잘 탐》; [s~]《英俗》짐꾼(porter).
〖(Nepal and Tibet)〗

sher·ry [ʃéri] *n.* Ⓤ 셰리《스페인 남단 Jerez 지방 원산의 알코올도를 강화한 백포도주 ; 담황색을 비롯하여 짙은 호박(琥珀)색까지 있음》.
〖Jerez의 고형(古形) *Xeres*에서 유래한 *sherris*를 복수형으로 오인한 데서〗

shérry cóbbler *n.* 셰리 코블러《셰리주(酒)에 레몬과 설탕을 치고 얼음을 넣은 것》.

shérry-glàss *n.* 셰리주 술잔《테이블 스푼 4숟가락 분량》.

sher·wa·ni [ʃèərwɑ́ːni] *n.* 인도에서 남성이 입는 목닫이가 긴 웃옷. 〖Hindi〗

Sher·wood [ʃə́ːrwùd] *n.* 셔우드.
Robert Emmet ~ (1896-1955) 미국의 극작가.

Shérwood Fórest *n.* 셔우드의 숲《영국 중부 Nottinghamshire 주에 있던 왕실림(王室林) ; 의적 Robin Hood의 근거지》.

‡**she's** [ʃiz, ʃiːz] she is[has]의 단축형.

Shet·land [ʃétlənd] *n.* **1** 셰틀랜드《스코틀랜드의 북부에 있는 제도로 1975년 주(州)로 됨》. **2** Ⓒ = SHETLAND PONY.

Shétland póny *n.* 셰틀랜드 제도 원산의 강건한 조랑말.

Shétland wóol *n.* 셰틀랜드산(産)의 아주 가는 양털[털실].

shew [ʃóu] *v.* (**shewed** [ʃóud] ; **shewn** [ʃóun], **shewed**)《古·聖》=SHOW.

shéw·brèad, shów- *n.* (고대 유태교의) 신전(神殿)에 올리던 12개의 빵. 〖G *Schaubrot*〗

S.H.F., SHF, s.h.f. superhigh frequency (초고주파).

shh [ʃ(ː)] *int.* 조용히!, 쉿! 〖imit.〗

Shi'a, Shia, Shi·ah [ʃíːə] *n.* =SHI'ITE.
〖Arab.〗

shib·bo·leth [ʃíbəlèθ, -ləθ] *n.* **1 a)**〔聖〕시험하는 말《'sh'를 발음하지 못하던 에브라임 사람(Ephraimites)을 길르앗 사람(Gileadites)과 구별하는데 쓰였음》. **b)** (일반적으로) 암호(password). **2** (특정 계급 따위의) 독특한 관습[주의·복장·말투] ; (정당 따위의) 표어(slogan). **3** 진부한[구식의] 문구[생각].
〖Heb.=ear of corn(사사기 12 : 6), or stream〗

shi·cer [ʃáisər] *n.* 《濠俗》산출이 없는 광산[금광] ; 헛된 요구 ; 사기꾼.
〖G *Scheisser* one that defecates〗

shick·er, shik·ker [ʃíkər] *n.* 《俗》술고래(drunkard) ;《濠》술, 알코올.
on the shicker 《俗》몹시 술에 취하여 ;《俗》술고래로.
—— *a.* [때때로 ~ed] 술취한. 〖Yid.〗

***shield** [ʃiːld] *n.* **1** 방패(cf. BUCKLER). **2** 보호물, 방어물 ; 보장 ; 보호자, 옹호자. **3** 방패틀《굴·광산의 갱도를 팔 때 갱부를 보호하는 틀》; (기계 따위의) 외장(外裝) ; (대포의) 방순(防盾). **4** (의복의) 겨드랑이에 대는 땀받이 ; (쟁기의) 흙받이. **5**《美》(경찰 등의) 방패꼴의 기장(記章)[트로피] ; [the S~]〔天〕방패자리 ;〔紋〕방패꼴(무늬 바탕)(escutcheon) ;〔植〕나자기(器). **6**〔動·植〕방패꼴의 보호물《거북 따위의 등딱지》. **7**〔地〕순상지(楯狀地). **8**〔電〕차폐, 실드 ;〔理〕방사선의 차폐물. **9** [형용사적으로] (…의) 방패가 되는 ; 저널리스트가 정보 입수원을 비밀로 할 수 있는《입법·법률》.
both sides of the shield 방패의 양면 ; 사물의 표리.
the other side of the shield 방패의 이면 ; 사물의 이면, 문제의 다른 일면.
—— *vt.* [+目/+目+前+名] 보호하다, 비호하다, 은닉하다, 가리다, 막다 ; 숨기다 : ~ one's eyes ***against*** dust 먼지로부터 눈을 보호하다 / ~ a girl ***from*** harm 소녀를 위해(危害)에서 보호하다. —— *vi.* 방패가 되다, 보호하다.
〖OE *sc(i)eld* ; cf. SCALE¹, G *Schild* ; Gmc.에서 'board'의 뜻인가〗
類義語 ⟹ DEFEND.

shíeld bèarer *n.* 방패지기《옛 knight의 종자》.

shíeld-hànd *n.* 왼손《방패를 잡는 손》.

shíeld·ing *n.* 차폐 ;〔理〕차폐물, 실드 ;〔冶〕실딩《전기 도금할 때에 전해액 중에 비전해성 물질을 넣기》.

shíeld láw *n.* 《美》수비권법(守祕權法)《저널리스트가 취재원(源)을 밝히지 않을 권리, 또 원고·증인이 사사(私事)에 관한 정보를 제공하지 않을 권리를 보증하는 법률》.

shíeld·less *a.* 방패 없는 ; 무방비의, 보호없는.
~·**ly** *adv.* ~·**ness** *n.*

shíeld volcàno *n.*〔地〕순상(楯狀)화산.

shiel·ing, sheal- [ʃíːliŋ] *n.* 《英方》(양치기·등산인·어부 등의) 임시 오두막 ; (산악 지대의) 여름 방목장.
〖Sc. *shiel* pasture〗

shier ☞ SHYER¹.

shift** [ʃift] *vt.* **1** [+目/+目+前+名/+目+副] 옮기다, 돌리다 ; (장소·방향 따위를) 바꾸다 ; 변경하다, (장면 따위를) 전환[변환]하다 ;〔言〕(모음 따위를) 조직적으로 음성 변화시키다 ; (책임·죄 따위를) 전가시키다 ; 덮어씌우다 : ~ the scene [the course] 장면[침로]을 바꾸다 / ~ one's ground 입장을 바꾸다 ; (토론중에) 관점을 바꾸다, 문제를 다른 면에서 거론하다 / I ~*ed* the heavy bundle ***from one hand ***to*** the other. 무거운 보따리를 한쪽 손에서 다른쪽 손으로 바꿔 들었다 / She tried to ~ the blame (***on***) *to* me. 그녀는 나에게 책임을 전가시키려고 하였다 / We ~*ed* the bookcase ***around***. 책장을 (다른 곳으로) 옮겼다. **2** (자동차 따위의) 기어(gear)를 바꾸다 ; (타자기의) 시프트 키를 누르다 : ~ gears ☞ GEAR *n.* 숙어. **3** 제거하다, 없애다 ; (적 등을) 처치하다 ;《婉》죽이다 ; (말이 탄 사람을) 흔들어 떨어뜨리다 : ~ the dirt 오염을 제거하다.
—— *vi.* **1** [動/+前+名/+副] 옮겨지다, 변경하다, 이전하다 ; 위치가 바뀌다, (무대 따위가) 바뀌다, (바람의) 방향이 바뀌다 ;《美》(자동차의) 기어를 바꿔넣다 ; (타이프라이터 따위의) 시프트 키를 누르다 ;〔言〕조직적 음성 변화를 받아들이다 : The load ~*ed*. (배의 동요로) 짐이 이리저리 흔들렸다 / He ~*ed* ***from*** place ***to*** place. 여기저기로 이사다녔다 / The wind ~*ed* (***round***) *to* the south. 바람의 방향이 남쪽으로 바뀌었다 / She ~*ed* ***about*** to escape the danger. 그녀는 위험을 피하기 위해서 여기저기로 거처를 옮겼다. **2** 그럭저럭 꾸려나가다, 그럭저럭 입에 풀칠이나 하다 : You must ~ for yourself. 당신은 자력으로 꾸려나가야 합니다. **3**《古》속이다, 발뺌하다 ; 떠나가다 ;《俗》날렵하게 움직이다.

shift off (의무를) 미루다, (책임을) 회피하다, 뒤집어 씌우다〈*on*〉.

—— *n.* **1 a)** (풍향 따위의) 변화, 변동 ; (장면의) 변경, 전환 ; 변천(vicissitude) ; (타이프라이터의) 바의 시프트 ; =《美》 GEARSHIFT ; 순환 ; 대용〈*for*〉 ; 〖言〗 음(音)의 추이(推移)(cf. GRIMM'S LAW). **b)** 시프트 드레스《헐렁한 드레스》. **2** 교체 ; 순환 ; (근무의) 교대(제) ; 교대근무시간 ; [집합적으로] 교대 근무자, 교대조 : ☞ DAY SHIFT, NIGHT SHIFT / an eight-hour ~ 여덟 시간 교대 / work in three ~*s* 삼 교대로 일하다. **3** 수단, 방법 ; 방편, 이럭저럭 둘러 맞춤, 궁여지책, 속임수, 계략(artifice) : for a ~ 미봉책으로 / be put[reduced] to ~*s* 궁여지책을 쓰다 / resort to dubious ~*s* 애매한 수법을 쓰다. **4** 어긋남 ; 〖鑛〗 광맥의 단층(fault) ; 〖地〗 시프트《단층의 변위 거리》 ; 〖理〗 (전파·빛·음파 따위의) 주파수의 엇갈림, 편이. **5** 이동시키기 ; 〖樂〗 (현악기·트롬본 연주에서) 왼손가락의 이동 ; 〖美蹴〗 시프트《플레이 직전에 2인 이상의 공격 선수가 위치를 바꾸기》 ; 〖野〗 시프트《수비 위치의 이동》 ; (브리지에서) 시프트《상대가 건 것과 다른 짝패에 걸기》. **6** (작물의) 돌려짓기. **7** 《英古·美》 = CHEMISE. **8** 〖컴퓨〗 시프트, 밀기《데이터를 좌·우로 이동시킴》.

***live by shift*(*s*)** 그럭저럭 살림을 꾸려나가다.

make* (*a*) *shift 변통하다, 그럭저럭 해나가다 : He had to *make* ~ *with* a small income. 그는 적은 수입으로 그럭저럭 꾸려나가야만 했다 / We can *make* ~ *without* the money. 돈 없이도 어떻게 해 나갈 수 있다.

〖OE *sciftan* to arrange, divide ; cf. G *schichten*〗

類義語 ⟹ MOVE.

shíft·er *n.* 옮기는 사람[것] ; 이동장치 ; 《濠》 자재 스패너 ; 속이는 사람, 부정직한 사람 ; 《俗》 장물아비.

shíft·ing *a.* **1** 이동하는 ; 바뀌는, (바람·방향 따위가) 바뀌기 쉬운 : ~ sand (사막 따위의) 유사(流砂). **2** 농간 부리는, 속임수의.

—— *n.* **1** U,C 속임수, 발뺌, 술책, 농간. **2** U,C 이동, 변천(moving) ; 교체, 경질(更迭), 변화(changing).

shífting cultivátion *n.* (열대 아프리카 등지의) 이동 경작[농경], 화전 농경.

shíft kèy *n.* (타자기 따위의) 시프트 키 ; 〖컴퓨〗 윗(글)쇠.

shíft·less *a.* 속수무책의 ; 패기없는, 일이 없는, 기개없는, 무능한 ; 게으른.

~·ly *adv.* **~·ness** *n.*

shíftless generátion *n.* 〖心〗 무기력 세대, 호기심이 없는 세대.

shíft wòrking *n.* 교대제.

shífty *a.* 농간 부리기 좋아하는, 수단 좋은, 속임수를 잘 쓰는 ; 잘 도망가는《권투 선수 등》 ; 믿을 수 없는, 엉터리 같은, 부정직한 ; (눈초리 따위가) 수상쩍은, 훔쳐보는.

Shi'·ism, Shi·ism [ʃíːizəm] *n.* 〖이슬람教〗 시아파의 교의(教義).

Shi'·ite, Shi·ite [ʃíːait] *n.* SHIAH파《이슬람교의 한 파》의 신도.

shi·kar [ʃikáːr] *n.* 《인도》 사냥, 수렵.

—— *vt., vi.* (**-rr-**) 사냥하다.

〖Hindi<Pers.〗

shi·ka·ri, shi·ka·ree [ʃikáːri, -kǽri] *n.* 《인도》 사냥꾼 ; 사냥 안내인.

〖Hindi<Pers.〗

shik·sa, -se, -seh [ʃíksə] *n.* 《蔑》 (유태인이 아닌) 소녀, 여자, (정통파 유태인이 볼때) 비유태적 유태인 여자.

〖Yid.〗

shill[1] [ʃíl], **shil·la·ber** [ʃíləbər] *n., vi.* 《美俗》 (거리의 상인·도박사 등과 짜는) 야바위꾼[야바위를 치다]〈*for*〉 ; (클럽 따위에서 사람 수 확보를 위해) 고용된 건달(노릇을 하다) ; 거리의 장사(를 하다). 〖C20<?〗

shill[2] *n.* 《美俗》 경찰봉.

〖*shill*elagh〗

shillaber ☞ SHILL[1].

shil·le·la(g)h, shil·la·la(h) [ʃəléili] *n.* 《아일》 (참나무 따위로 만든) 곤봉.

〖*Shillelagh* 아일랜드 Wicklow 주(州)의 oak로 유명한 도시〗

***shil·ling** [ʃíliŋ] *n.* **1** 실링《1971년까지 사용된 영국의 통화 단위 ; 1파운드의 1/20 ; 略 s.》 : 3 *s.* 3실링. **2** 실링《케냐, 우간다, 소말리아, 탄자니아의 화폐 단위 ; 略 Sh.》. **3** 1실링의 경화 ; 식민지 시대의 아메리카 경화.

cut a person ***off with*[*without*] *a shilling*** …와 의절하다.

take the King's*[*Queen's*] *shilling 《英》 군인이 되다.

〖OE *scilling* ; cf. G *Schilling*〗

shílling màrk *n.* 실링의 기호《/ : shillings와 pence 사이에 긋는 사선(斜線) ; 2/6은 two shillings and sixpence, two and six라고 읽음》.

shílling shòcker *n.* 선정적인 값싼[저속한] 소설(cf. PENNY DREADFUL, DIME NOVEL).

shílling's·wòrth *n.* 1실링으로 살 수 있는 물건[분량] ; 1실링의 가치.

shil·ly-shal·ly [ʃíliʃæ̀li] *n.* 《口》 U 우유부단, 망설임, 주저(hesitation). —— *a., adv.* 머뭇거리는[머뭇거려서]. —— *vi.* 망설이다, 주저하다, 머뭇거리다(hesitate).

〖*Shill I, Shall I* ; *Shall I* ?의 가중〗

shily ☞ SHY[1].

shim [ʃím] *n.* 〖機〗 틈 메우는 나뭇조각[쇳조각], 쐐기. —— *vt.* (**-mm-**) …에 끼움쇠[쐐기]를 박다. 〖C18<?〗

shim·mer [ʃímər] *vi.* 아른아른[희미하게] 빛나다 ; 흔들거리다 : Moonlight ~*s* on the pond. 달빛이 연못에 아른거린다. —— *vt.* 아른아른 빛나게 하다. —— *n.* U [또는 a ~] 어른거리는 빛, 어렴풋한 빛, 미광(微光) ; 흔들거림 ; 〖氣〗 아지랑이 : the ~ of the morning sun 아른아른 빛나는 아침 햇빛 / The jewel has *a* beautiful ~. 보석은 아름다운 광채를 발한다.

~·ing·ly *adv.*

〖OE *scymrian* ; cf. SHINE, G *schimmern*〗

shím·mery *a.* 희미하게 빛나는.

shim·my [ʃími] *n.* 《美》 **1** 시미《제 1차 세계 대전 후에 유행한 상반신을 떨면서 추는 선정적인 재즈 댄스 ; 그 재즈 음악》 : shake a ~ 시미를 추다. **2** (특히 자동차 앞바퀴의) 심한[이상] 진동. **3** 《口·方》 =CHEMISE. —— *vi.* **1** 시미를 추다. **2** 진동하다(vibrate).

〖*shimmies*=*chemise*를 복수형이라고 오인한 것〗

shin [ʃín] *n.* 정강이《무릎에서 발목까지의 앞부분 ; cf. CALF[2]》 ; =SHINBONE ; 소의 정강이살.

—— *v.* (**-nn-**) *vi.* **1** [+*up*+名] 기어 오르다 : Bob ~*ned* ***up*** the tree. 보브는 나무에 기어 올랐다. **2** 걸어가다, 걷다, 걸어다니다. —— *vt.* 기어오르다 ; (손과 발을 이용하여) (나무 따위를) 내려가다〈*down*〉 ; 정강이를 차다[차서 상처를 입히다], …에 정강이를 부딪다.

shin it[*off*] 《美》 떠나다, 헤어지다.
〖OE *sinu* ; cf. G *Schienbein*〗

shín·bòne *n.* 〔解〕 정강이 뼈, 경골(脛骨) (tibia).

shin·dig [ʃíndìg] *n.* 《口》 **1** (떠들썩하고 성대한) 파티, 연회, 무도회. **2** =SHINDY.
〖? 변형(變形) ‹ *shinty*〗

shin·dy [ʃíndi] *n.* 《口》 소동, 법석댐 ; 말다툼 ; =SHINDIG.
kick up a shindy ☞ KICK¹ *up.*
〖↑〗

◇**shine** [ʃáin] *v.* (**shone** [ʃóun ; ʃɔ́n] ; cf. *vt.* 2) *vi.* **1** [動/+副/+前+名] 빛나다, 반짝이다, 비치다 : The sun ~*s* bright(ly). 태양은 밝게 빛난다 / The sun *shone* ***out***. (구름 따위에 가려져 있던) 태양이 비치기 시작했다 / The moon *shone* brightly ***in through*** the window. 달빛이 교교하게 창문으로 비쳐 들어왔다 / Her face *shone* ***with*** joy. 그녀의 얼굴은 기쁨으로 빛났다. **2** [+前+名/+*as* 補] 《비유》 빛을 발하다, 이채를 띠다, 눈에 두드러지다 ; 뛰어나다(excel) : Tom ~*s* ***at*** golf. 톰은 골프를 뛰어나게 잘한다 / She ~*s at*[《美》 ***in***] foreign languages. 외국어 성적이 뛰어나게 좋다 / He doesn't ~ *as* a teacher. 교사로서는 뛰어나지 못하다. —— *vt.* **1** 비추다, …의 빛을 비추다. **2** (~**d**) (구두·놋쇠 따위를) 닦다(polish).
shine up to a person 《美俗》 (남·이성)에게 잘 보이려고 애쓰다, 남의 비위를 맞추다.
—— *n.* **1** Ⓤ 일광, (햇)볕, 맑음 : rain or ~ ☞ RAIN 숙어. **2** Ⓤ 빛, 광채(brightness). **3** 광택, (구두의) 윤, 광 ; (구두를) 닦음 : put a (good) ~ on one's shoes 구두를 (번쩍번쩍하게) 닦다. **4 a)** [a ~] 소동(row) : make[kick up] *a* ~ 소동을 일으키다(cf. KICK¹ *up* a shindy). **b)** [*pl.*] 《美口》 장난, 희롱. **5** 《口》 기호(liking), 애착 : take a ~ to[for] …이 좋아지다. **6** 《口》 밀조 위스키. **7** 《美》 《蔑》 흑인(Negro).
take the shine off[*out of*] …을 무색케 하다.
〖OE *scīnan* ; cf. G *scheinen*〗
類義語 ⟹ POLISH.

shin·er [ʃáinər] *n.* **1** 빛나는 사람[것], 이채를 띤 사람. **2** 《英俗》 금화, 은화, (특히) 1파운드 금화(sovereign) ; [*pl.*] 돈, 금전(money). **3** 《美》 여러 종류의 은빛 민물고기《흔히 낚시의 미끼》 ; 은빛 바닷물고기《청어·농어 따위》 ; 《口》 (얻어맞아) 멍든 눈 ; [*pl.*] 〔紙〕 반짝이는 반점.

shin·gle¹ [ʃíŋgəl] *n.* **1** 지붕널, 개판 ; 판자 지붕. **2** 《美口》 (의원·변호사 사무실 따위의) 작은 간판 : hang out one's ~ 간판을 내걸다, (의사·변호사가) 개업하다. **3** (여자 뒷머리를) 치켜 깎기 (cf. BINGLE¹). —— *vt.* **1** 지붕을 널빤지로 이다. **2** (머리를) 치켜 깎다 ; 서로 겹치도록 배치하다.
〖L *scindula*〗

shingle² *n.* [단수·복수취급] (강가·해변의) 조약돌, 자갈《gravel보다 큼》 ; [*pl.*] 자갈이 많은 해변[장소].
〖C16 < ? ; cf. Norw. *single* pebbles〗

shin·gles [ʃíŋgəlz] *n. pl.* [보통 단수취급] 〔醫〕 대상포진(帶狀疱疹).
〖L *cingulum* belt (*cingo* to gird)〗

shín·gly¹ *a.* 조약돌이 많은, 자갈투성이의 : a ~ beach 자갈이 많은 해변가.

shingly² *a.* 널빤지로 이은 ; 지붕널 모양의.

shín guàrd *n.* 〔競〕 (축구 선수 등의) 정강이받이 (cf. LEG GUARD).

shin·ing [ʃáiniŋ] *a.* 빛나는, 반짝이는, 번쩍이는 (bright) ; 눈에 띄는, 탁월한 : a ~ example 두드러진[훌륭한] 예[본보기] / a ~ light 반짝반짝 빛나는 불빛 ; 《비유》 세상의 모범, 귀감.
improve the shining hour 시간을 활용하다.
~·ly *adv.*
類義語 ⟹ BRIGHT.

shin·kin [ʃíŋkən] *n.* 《南Wales》 하잘것없는 사람.
〖Welsh (*Jenkin* 네덜란드계(系)의 성(姓))〗

shin·ny¹, **-ney** [ʃíni] *n.* Ⓤ 시니《스코틀랜드 또는 영국 북부에서 하는 하키를 간단하게 한 놀이》 ; Ⓒ 시니용의 타구봉[클럽]. —— *vi.* 시니를 하다 ; (시니에서) 공을 치다.
〖? SHIN ; 잘못하여 정강이를 친 데서인가〗

shinny² *vi.* 《美口》 (손발을 사용하여) 기어오르다 (shin) ‹*up*›.

shín·plàster *n.* **1** 정강이[다리]에 붙이는 고약. **2** 《美·濠》 남발(하여 하락한) 지폐, (1862-78년에 발행한) 소액 지폐.

***shiny** [ʃáini] *a.* 빛나는 ; 해가 비치는, 갠, 맑은 ; 닦은, 광택이 나는, 반짝반짝하는 ; (의복이) 닳아서[손때가 묻어서] 번들거리는, 보풀이 닳아 없어진 : ~ new cars[shoes] 반짝반짝하는 새차[구두]. —— *n.* 《美俗》 술.
shín·i·ly *adv.* **-i·ness** *n.*

◇**ship** [ʃíp] *n.* [보통 여성취급] **1** (큰) 배, 함(艦) (cf. BOAT, VESSEL) : a ~'s carpenter 배의 전속 목수 / a ~'s doctor 선의(船醫) / build a ~ 배를 건조(建造)하다 / launch a ~ 배를 진수시키다 / the ~'s journal=LOGBOOK / We went out *on*[*in*] a ~. 우리는 배를 타고 떠났다. **2** 〔海〕 돛대가 셋 이상 있는 범선. **3** 《英俗》 경조용 보트. **4** (배의) 승무원(ship's company). **5** 배 모양의 그릇·기구·장식《따위》. **6** 비행기, 비행선 ; 우주선(spacecraft) ; 《口》 탈것.
About ship! ☞ ABOUT *vt.*
burn one***'s ships*** ☞ BURN¹.
by ship 배로, 선편으로, 수로(水路)로.
on board (***a***) ***ship*** 배안에[으로], 배 위에서, 승선하여.
Spoil the ship for a ha'p'orth of tar. 《속담》 기와 한 장 아끼다가 대들보 썩인다.
take ship 배로 가다 : *take* ~ at New York for Europe 유럽을 가려고 뉴욕에서 배를 타다.
when one***'s ship comes home***[***in***] 돈이 생기면, 부자가 되면.
—— *v.* (**-pp-**) *vt.* **1 a)** [+目/+目+前+名/+目+副] 배에 싣다, 배로 보내다[나르다] ; 《英商·美》 (기차·트럭 따위로) 보내다, 수송하다 : ~ goods by rail 상품을 철도편으로 보내다 / ~ the cargo ***for*** New York 화물을 뉴욕으로 가는 배에 싣다 / ~ soldiers ***out to*** the Far East 극동으로 군인을 수송하다. **b)** 《口》 쫓아버리다, 없애다. **2** (파도를) 뒤집어쓰다 : ~ water[a sea] (배·보트가) 파도를 뒤집어쓰다. **3** (선원 등을) 고용하다, 승선시키다 : ~ a new crew for a maiden voyage across the Pacific 태평양 횡단의 처녀항해를 위해 새 선원을 고용하다. **4** (돛대·노 따위를 일정한 위치에) 꽂다, 달다, 끼우다 : ~ oars 노를 노 고리에 끼우다. —— *vi.* **1** [動/+前+名] 배를 타다, 승선하다 ; 배로 가다[여행하다] : ~ ***from*** Pusan 부산에서 승선하다. **2** [+*as* 補] 선원[수병]이 되다, 승무원이 되다 : He ~*ped as* boatswain on the merchant vessel. 그 상선의 갑판장이 되었다. **3** [+副] (상하기 쉬운 식료품이) 수송에 견디다 : These articles of food ~ *well*[*badly*]. 이 식품들은 수송 중에 잘 상하지 않는다[잘 상한다].

ship off 출하(出荷)하다 ;《口》내보내다, 쫓아내다 : ~ *off* offenders *to* the frontier 범죄자를 변경으로 쫓아내다.
ship out (배로) 출국하다, 외국에 보내다 ; 선원이 되어 항해에 나가다 ;《口》사직하다, 해고되다.
ship over 미국 해군에 (재)입대하다.
〖OE *scip* ; cf. G *Schiff*〗
-ship [-ʃip, -ʃìp] *n. suf.* **1** [형용사에 붙여 추상명사를 만듦] : hard*ship*. **2** [명사에 붙여 상태·신분·직위·재직기간·기량·수완 따위를 나타냄] : friend*ship*, horseman*ship*.
〖OE *-scipe* ; cf. G *-schaft*〗
shíp bìscuit *n.* =HARDTACK.
shíp·bòard *n.* Ⓤ 배 ; 뱃전. ㊟ 다음 숙어로 쓰임.
on shipboard 선[함]상에[에서] (on board ship) : go *on* ~ 승선하다.
—— *a.* 선상(에서)의.
shíp brèad *n.* =SHIP BISCUIT.
shíp-brèak·er *n.* 선박 해체업자.
shíp bròker *n.* 선박 중개인.
shíp·buìld·er *n.* 조선(造船) 기사 ; 조선업자 ; 조선회사.
shíp·buìld·ing *n.* Ⓤ 조선(업) ; 조선술.
—— *a.* 조선의, 조선술의.
shíp·bùrial *n.* 〖考古〗 선관장(船棺葬)《시체를 배에 담아 땅 속에 매장함》.
shíp canàl *n.* 대형 선박이 통과할 수 있는 운하.
shíp càrpenter *n.* 선장(船匠), 조선공.
shíp chàndler *n.* 선박 잡화상, 선구상(船具商), 선박용품상.
shíp chàndlery *n.* 선구업(船具業) ; 선구품(船具品), 선박용 잡화.
shíp fèver *n.* 티푸스(typhus).
shíp·fìtter *n.* (선박 부재의) 설비공 ;〖美海軍〗의 장수(艤裝手).
shíp lètter *n.* 배편으로 탁송한 편지 ; 배에 탄 사람 앞으로 보낸 편지.
shíp·lòad *n.* 배 한 척분의 적화량.
shíp·man [-mən] *n.* 《古·詩》 선장, 선원.
shíp·màster *n.* 선장.
shíp·màte *n.* (같은 배의) 동료 선원.
shíp·ment *n.* Ⓤ 선적(船積) ; 수송, 발송 ; Ⓒ 선적 화물, 선적량 ; 적화(積貨) ; 적화 위탁 화물, 수송 화물.
shíp mòney *n.* 〖英史〗 선박세《1634년 Charles 1세가 부활 ; 1640년에 폐지》.
shíp·òwn·er *n.* 선주, 선박 소유자.
shíp·pa·ble *a.* (모양·상태 따위가) 선적[해운]에 적합한[알맞은].
shíp·per *n.* 배에 짐 싣는 사람, 선적 회사 ; 화주(貨主), 짐 보내는 사람.
shíp·ping *n.* **1** Ⓤ [집합적으로] 선박 ; 선박 톤수. **2** Ⓤ 선적(船積) ; 짐을 실어 보내기, 적화, 출화(出貨). **3** Ⓤ 해상 운송(업), 해운업. **4** [*pl.*] 선박주(株).
shípping àgent *n.* 선화 취급점, 선박회사 대리점, 선박 여행업자, 선적대리인.
shípping àrticles *n. pl.* 선원 고용 계약(서).
shípping bìll *n.* 《英》 화물 송장(貨物送狀), 선적 송장, 선화증권(船貨證券).
shípping clèrk *n.* 선적 사무원, 운송 대리점원 ; (회사 따위의) 발송담당원.
shípping màster *n.* 《英》 (고용계약 따위에 입회하는) 선원 감독관.
shípping òffice *n.* 해운업 사무소 ; 운송점.
shípping ròom *n.* (상점·공장 따위의) 발송실.
shípping tòn *n.* 적재 톤.
shíp·plàne *n.* 함재기(艦載機).
shíp-rígged *a.* 〖海〗 가로 돛을 단, 횡범식의(cf. SHIP *n.* 2).
shíp's àrticles *n. pl.* =SHIPPING ARTICLES.
shíp's bìscuit *n.* =SHIP BISCUIT.
shíp's bóat *n.* 구명[상륙]용 보트.
shíp's cómpany *n.* 〖海〗 전(全)승무원.
shíp's córporal *n.* 〖英海軍〗 위병 병장.
shíp·shàpe *pred. a., adv.* 정돈된[되어], 정연한[하게], 조촐한[하게], 단정한[하게].
shíp's húsband *n.* 선박 관리인.
shíp's pápers *n. pl.* 〖海〗 선박 서류《선박 국적증명·선원 명부·항해 일지·적화 목록·선화 증권 따위의 필요 서류》.
shíp's sérvice *n.* 해군용 매점[PX].
shíp's stóres *n. pl.* 선박용품.
shíp's tíme *n.* 〖海〗 선박시(時)《선박이 사용하는 지방시》.
shipt. shipment.
shíp·wày *n.* 조선대(造船臺) ; 대형 선박이 통과할 수 있는 큰 운하(ship canal).
shíp·wòrm *n.* 〖動〗 배좀벌레조개《바다에서 나는 쌍각류 조개의 일종, 새끼조개는 목조 선박 따위에 부착하여 큰 해를 끼침》.
***shíp·wrèck** *n.* **1** Ⓤ,Ⓒ 난선(難船), 난파 ; 난파선 : escape ~ 난파를 모면하다 / suffer ~ 난파하다. **2** 난파선의 잔해. **3** 파멸, 파괴 ; 실패.
make shipwreck of …을 파괴하다, 때려 부수다, 멸망시키다.
—— *vt., vi.* **1** 난파시키다[되다] : The little boat was ~*ed.* 그 작은 배는 난파당했다. **2** (사람·희망 따위를) 파멸시키다[되다], 파괴하다(destroy) : ~ a person's career 남의 경력을 헛되게 하다 / ~*ed* hope 좌절된 희망.
shíp·wrìght *n.* 선장(船匠), 조선공.
shíp·yàrd *n.* 조선소(cf. DOCKYARD).
shir [ʃə́ːr] *n., vt.* 《美》 =SHIRR.
shire [ʃáiər ; (단어 끝에서는) -ʃìər, -ʃìər, ʃər] *n.* **1 a)** 《영국 지명(地名) 이외에서는 古》 주(州)(county). ㊟ 영국 주명에는 Devon(*shire*)처럼 -shire를 생략할 수 있는 것, Essex, Kent처럼 -shire가 붙지 않는 것도 있음 ; 또 Yorkshire에서는 지방명(地方名)에도 씀. **b)** [the S~s] 《英》 -shire가 붙은 잉글랜드 중부의 제주(諸州) 일대, 특히 여우 사냥으로 유명한 Leicester*shire*, Northampton(*shire*) 및 이전의 Rutland*shire* 및 Lincoln*shire*의 일부. **c)** 《濠》 독자적인 의회를 가진 지방. **d)** [the S~] 샤이어《평화롭고 즐거운 hobbit의 나라》. **2** [흔히 S~] =SHIRE HORSE.
〖OE *scīr* office< ? ; cf. OHG *scīra* care, official charge〗
shíre hòrse *n.* 잉글랜드 중부 지방산(産)인 크고 힘센 짐말·농경말.
shíre tòwn *n.* 《美》 군청 소재지(county seat) ; (순회 법원이나 배심이 딸린 법원 따위) 상급 법원이 개정되는 도시.
shirk [ʃə́ːrk] *vt.* [+目 / +do*ing*] (책임을) 회피하다(avoid), 피하다, 기피하다(try to escape) ; 꾀부리다, 게을리하다 : ~ one's work 일을 태만히 하다 / Bill ~*ed going* to school that day. 그날 빌은 꾀부리고 학교에 가지 않았다. —— *vi.* 책임을 회피하다 ; 꾀부리다, 게을리하다 : He is always ~*ing.* 그는 언제나 게으름만 피우고 있다.
—— *n.* =SHIRKER.
〖*shirk* (obs.) sponger< ? G *Schurke* scoundrel〗
shírk·er *n.* 회피자, 기피자 ; 게으름뱅이.

shirr [ʃə́:r] *n.* =SHIRRING.
— *vt.* **1** 〔裁縫〕 …에 셔링[장식 주름]을 달다[잡다]. **2** (달걀을) 버터를 바른 얄팍한 접시에 깨뜨려 담아 익히다.
〖C19< ?〗

shírr·ing *n.* 〔裁縫〕 셔링, (2단 이상으로 주름(gathers)을 단) 폭이 좁은 장식 주름.

◇**shirt** [ʃə́:rt] *n.* (남자용의) 셔츠 ; (여성용의) 셔츠 블라우스 ; 언더셔츠 ; =NIGHTSHIRT : ☞ BOILED SHIRT / Near is my ~, but nearer is my skin. 《속담》 제 몸보다 소중한 것은 없다.
get one***'s shirt off*** 《口》 불끈 하다.
have not a shirt to one***'s back*** 셔츠도 입지 않다《몹시 가난하다》.
in one***'s shirt sleeves*** 웃옷을 벗고, 셔츠 바람으로(cf. SHIRT-SLEEVE).
keep one***'s shirt on*** 《口》 (성내지 않고) 침착하다[냉정하다].
lose one***'s shirt*** 《口》 무일푼이 되다.
put one***'s shirt*** (***up***)***on. . .*** 《口》 (경마 따위에) 돈을 몽땅 걸다 ; 확신하다.
stripped to the shirt 셔츠 바람으로《일하다》 ; 입은 옷을 홀딱 빼앗겨.
— *a.* 《美學生俗》 훌륭한.
~less *a.* 셔츠를 입지 않은.
〖OE *scyrte* ; cf. SHORT, SKIRT〗

shírt·bànd *n.* 셔츠 깃《칼라를 다는 부분》.

shírt·ed *a.* 셔츠를 입은.

shírt·frònt *n.* 셔츠의 가슴 부분, (특히) 떼었다 붙였다 할 수 있는 셔츠의 가슴받이(dicky).

shírt·ing *n.* U.C 셔츠감.

shírt jàcket *n.* 〔服〕 셔츠 재킷《셔츠풍의 경장(輕裝)용 재킷》.

shírt·màker *n.* 셔츠 제조자 ; 《美》 남자 셔츠와 비슷하게 만든 여성용 블라우스[드레스].

shírt-slèeve, -slèeves, -slèeved *a.* **1** 상의를 입지 않은, 셔츠 차림의. **2** 솔직한, 단도직입적인(direct), 탁 털어놓는 ; 비공식의(informal), 약식의. **3** 세련되지 않은(unpolished), 속된(plebeian) ; 실제적인 ; 서민적인 : ~ philosophy 통속 철학.
〖cf. in one's SHIRT sleeves〗

shírt-sleeve-diplómacy *n.* 〔政〕 (관례에 구애받지 않는) 비공식적인 외교.

shírt·tàil *n.* 셔츠 자락 ; 신문기사 끝에 덧붙이는 기사 ; 사소한[하찮은] 것. — *a.* 약식의, 비공식적인《회의 따위》.

shírt·wàist *n.* (셔츠식의 장식 없는) 여성용 블라우스(blouse).

shirty [ʃə́:rti] *a.* 《英口》 시무룩한, 성난 ; 《美學生俗》 훌륭한.

shish ke·bab [ʃí(:)ʃ kəbɑ̀b ; -bæ̀b], **-ka·bob** [-kəbɑ̀b] *n.* 〔料〕 시시커밥《양고기·쇠고기 따위를 잘게 썰어 포도주·기름·조미료로 양념하여 야채와 함께 꼬챙이에 꿰어 구운 요리》.
〖Turk. (*şiş* skewer+KEBAB)〗

shirtwaist

shit [ʃít] *vi., vt.* (**shít·ted, shit, shat** [ʃǽt] ; **shít·ting**) 《卑》 **1** 똥누다. **2** 속이다 ; 호통치다 ; 경찰에 밀고하다. — *n.* **1** U 똥(dung) ; [*pl.*] 설사 ; 똥을 누기 ; 빌어먹을 놈, 바보 자식, 지겨운 놈 ; 허풍, 터무니 없는 거짓말, 속임, 농담, 마약《헤로인, 마리화나 따위》. **2** [감탄사적으로] 제기랄!, 빌어먹을!《Bull ~ !라고도 함》.
not give a shit 《卑》 전혀 개의치 않다.
not worth a shit 《卑》 전혀 가치가 없다.
〖OE 《美》 *scitan* to defecate, 《美》 *scite* dung ; cf. ON *skīta* to defecate〗

shít·bòx *n.* 《卑》 화장실.

shít·hèad *n.* 《卑》 빌어먹을 놈, 지겨운 놈 ; 《英》 마리화나 상용자.

shít·hòuse *n.* 《卑》 변소(lavatory) ; [감탄사적으로] =SHIT.

shít·kìck·er *n.* 《卑》 (둔한) 시골뜨기 ; 《美》 컨트리 연주가(演奏家)[팬] ; 《美》 서부극 ; [*pl.*] (작업용의) 투박한 구두.

shít·less *a.* 《卑》 똥도 못쌀 정도의, 지독한 : scared ~ 몹시 놀라서.

shít lìst *n.* 《美卑》 왠지 싫은 패거리의 리스트.

shiv [ʃív] *n.* 《俗》 나이프, (특히) 잭 나이프 ; 날붙이, 면도칼.
— *vt.* (-**vv**-) 칼로 찔러 상처를 내다, 찌르다.
〖Romany *chiv* blade〗

Shi·va [ʃí(:)və] *n.* =SIVA.

shiv·a·ree [ʃìvərí:, ⌐-⌐] *n.* 《美》 야단법석 세레나데《신혼 부부에 대한 장난으로서 냄비·주전자 따위를 두드림》 ; (일반적으로) 축제 소동.
— *vt.* (신혼부부)를 위해 야단법석 세레나데를 연주하다. 〖F *charivari*〗

shiv·er**[1] [ʃívər] *vi.* [動/+前+名] **1** (추위[공포]로) 떨다, 부들부들 떨다, 전율하다 : He is ~*ing* ***with fear. 그는 무서워서 벌벌 떨고 있다. **2** 〔海〕 (돛이) 펄럭이다, (배가) 돛이 펄럭거릴 정도로 바람부는 방향으로 향해지다. — *vt.* 떨게 하다, 〔海〕 (돛을) 바람에 펄럭이게 하다.
— *n.* **1** 몸의 떨림. **2** [the ~s] 한기, 오한, 전율 : It gives me *the* ~*s* to think of it. 나는 그 일을 생각하면 소름이 끼친다.
〖ME *chivere* <? *chavele* to chatter (cf. JOWL) + -*er*[3]〗
類義語 ⟹ SHAKE.

shiver[2] *n.* [보통 *pl.*] 산산조각, 파편 : *in* ~*s* 산산조각으로 / break[be smashed] *into* ~*s* 산산이 부서지다. — *vt., vi.* 산산조각으로 부수다[부서지다](shatter).
Shiver my timbers ! 《口》 빌어먹을 ! 《뱃사람의 욕설》.
〖ME *shifre* ; G *Schiefer* splinter〗

shív·er·ing *n.* U 떨림, 전율. — *a.* 떨리는, 떨리게 하는 : a ~ fit 오한(惡寒).
~·ly *adv.* 떨며, 덜덜, 벌벌, 와들와들.

shiv·ery[1] [ʃívəri] *a.* 떨리는 ; 잘 떠는 ; 오슬오슬한, 오한이 나는 ; 추운.

shivery[2] *a.* 깨지기[부서지기] 쉬운.

shlemiel, shlep(**p**)**, shlock** ☞ SCHLEMIEL, SCHLEP(P), SCHLOCK.

shm- ☞ SCHM-.

shmaltz, shmatte, shmear, shmo(**e**) ☞ SCHMALTZ, SCHMATTE, SCHMEAR, SCHMO(E).

shnaps ☞ SCHNAP(P)S.

shoal[1] [ʃóul] *n.* 여울 ; 모래톱, 사주(砂洲) ; [보통 *pl.*] 숨은 위험[장애], 함정(pitfall). — *a.* 얕은 ; (배의 흘수가) 얕은.
— *vi.* 얕아지다, 여울지다 ; 여울에 돌입하다.
— *vt.* 얕게 하다 ; (배가 물)이 얕은 곳으로 들어가다 ; (배를) 여울에 들어가게 하다.
shóaly *a.* 얕은 곳[여울]이 많은 ; 숨은 위험[장애]이 많은, 함정이 많은.
〖OE *scealdl* ; cf. SHALLOW〗

shoal[2] *n.* **1** 떼, 무리(crowd), (특히) 물고기 떼(school) (cf. FLOCK[1]) : a ~ of salmon 연어 떼.

2 다수, 다량 : ~*s* of people 많은 사람들.
in shoals (물고기가) 떼를 지어 ; 많이, 잔뜩 : At Christmas he gets cards *in ~s.* 크리스마스에 그는 카드를 산더미처럼 받는다.
── *vi.* (특히 물고기가) 떼를 짓다.
⟦Du. ; cf. SCHOOL²⟧

shoat¹, shote [ʃóut] *n.* 젖을 갓뗀 돼지 새끼《1년 이내의》. ⟦ME ; cf. Flem. *schote*⟧

shoat² *n.* 양과 염소의 교배종.
⟦*sheep*+*goat*⟧

‡**shock¹** [ʃák] *n.* **1** 격돌, 충격 ; 격동, 진동 ; 지진 (earthquake shock) : the ~ of explosion 폭발의 충격 / We felt several ~*s* of earthquake. 몇 차례의 지진을 느꼈다. **2** 움찔하기, 충격, 분개, 놀람 ; Ⓤ (마음의) 동요, (정신적) 타격, 쇼크 ; 충격을 주는 것, 충격적 사건[뉴스] : The news came upon me with a ~. 그 소식을 듣고 충격을 받았다 / Her death was a great ~ to me. 그녀의 죽음은 나에게 큰 충격이었다. **3** Ⓤ 〖醫〗 쇼크(증), 전기 쇼크(cf. SHELL SHOCK) : die of ~ 쇼크로 죽다. **4** (감전의) 전격(電擊) : get an electric ~ 감전되다. **5** 마비, 졸도(stroke) ; (불균등한 가열 따위에 의한 금속 조각의) 큰 내부 응력 ; [*pl.*] 《口》 =SHOCK ABSORBER. ── *vt.* **1 a**) …에게 충격을 주다, 깜짝 놀라게 하다, 오싹 소름끼치게 하다 ; 싫증나게 하다, 진절머리나게 하다, 분개시키다 : That child's behavior ~*s* me. 저 아이의 행동은 나를 질리게 한다. **b**) [*p.p.*로 형용사적으로] [+*to* do / +*that* 節] : Everyone is ~*ed* ***at***[*by*] the news. 그 소식을 듣고 모두가 충격을 받았다 / I was very much ~*ed to* hear of the accident. 그 사고 소식을 듣고 소름이 오싹 끼쳤다 / She was ~*ed that* her son should have seen the sight. 그녀는 자기 아들이 그 광경을 목격했으리라고 생각하니 몸이 오싹했다. **2** (전기가) 짜릿하게 하다, 감전시키다. **3** 〖醫〗 …에게 쇼크를 일으키다 ; (금속)에 큰 내부 응력을 낳게 하다.
── *vi.* 쇼크를 받다 ; 《古·詩》 격돌하다.
⟦OF *choc* (*choquer* < ? Gmc.)⟧
[類義語] ***shock*** 예기치 못한 불가항력적인 사건으로 인해 상대편 마음에 심한 타격을 주다 : We were *shocked* by his sudden death. (그의 갑작스런 죽음으로 인해 충격을 받았다). ***startle*** 놀람이나 공포로 말미암아 사람을 펄쩍 뛰게 할 만큼의 shock를 주다 : The people were *startled* by the news of a war. (그 전쟁 뉴스로 사람들은 깜짝 놀랐다). ***paralyze*** 일시적으로 신체·감각이 마비될 만큼의 shock를 주다 : She was *paralyzed* with terror. (그녀는 공포에 사로잡혀 꼼짝 못하게 되었다). ***stun*** 순간적으로 머리가 흐려지거나 현기증이 날 만큼의 강한 충격을 주다 : The inhabitants were *stunned* by the disaster. (천재(天災)로 인해 주민들은 얼이 빠졌다).

shock² *n.* (보통 12단으로 된) 낟가리 ; 《美》 옥수수의 다발. ── *vt., vi.* 낟가리로 하다 ; 《美》 (옥수수를) 다발로 묶다.
⟦MDu., MLG ; cf. MHG *schoc* heap⟧

shock³ *n.* 헝클어진 머리, 난발(亂髮) ; (털이) 복슬복슬한 개(shock dog). ── *a.* 흐트러진, 난발의. ⟦C 19 <? *shock²* ; cf. *shock*(*dog*) (obs.) < *shough* shaggy-haired poodle⟧

shóck absòrber *n.* (기계·자동차 따위의) 완충기[장치].

shóck àction *n.* 〖軍〗 급습, 충동 작전[행동].

shóck còrd *n.* 〖空〗 완충 고무줄《소형 비행기의 착륙시 또는 글라이더의 발진시에 씀》.

shóck dòg *n.* =SHOCK³.

shóck·er¹ *n.* 《口》 오싹하게 하는 사람[것] ; 선정적인 소설[잡지], 공포[스릴]영화[극] ; 지겨운 녀석[사람], 할 수 없는 놈 ; =SHOCK ABSORBER.

shocker² *n.* 짚[옥수수]을 묶는 사람[기계].

shóck frònt *n.* 〖理〗 충격파의 전면 ; 〖天〗 (태양풍(太陽風)이 행성자기장(行星磁氣場)과 만나서 만드는 호상(弧狀)의) 충격파면(面).

shóck-hèad(·ed) *a.* 머리가 헝클어진, 난발의.

shóck·ing *a.* **1** 몸이 오싹할[질겁할] 정도의 ; 괘씸한, 못마땅한 : ~ behavior 발칙한 행동. **2** 《口》 가당치 않은 (정도의), 심한, 지독한(very bad) ; 대단한 ; 산뜻한, 강렬한《색 따위》 : a ~ dinner 형편없는 식사 / his ~ spelling 그의 오류투성이인 철자. ── *adv.* 《口》 심하게, 몹시(very) : ~ poor[bad] 형편없이 가난한[나쁜].
~·ly *adv.* 소름이 끼칠[기겁할] 만큼, 무시무시하게 ; 《口》 형편없이, 혹독하게.

shóck·pròof *vt.* (시계 따위를) 충격에 견디게 하다. ── *a.* 내진성(耐震性)의 ; 전격 방지의, 절연한 ; 《英》 쇼크를 받지않는.

shóck-róck *n.* 쇼크록《색다른 연주·복장·장치 따위로 청중에게 쇼크를 주는 록뮤직》.

shóck stàll *n.* 〖空〗 충격파 실속(衝擊波失速).

shóck tàctics *n.* [단수·복수취급] (특히 기병(騎兵)의) 급습 전술 ; 《비유》 (일반적으로) 급격한 행동[동작].

shóck thèrapy[**trèatment**] *n.* 〖醫〗 충격[쇼크] 요법.

shóck tròops *n. pl.* 〖軍〗 기습대, 돌격대.

shóck tùbe *n.* 충격파관(管)《실험실에서 충격파를 만드는 장치》.

shóck wàve *n.* 〖理〗 충격파 ; 폭풍 ; 《비유》 (폭동 따위에 의한) 일대 여파(一大餘波) : send ~*s* through …에 충격을 주다.

shod [ʃád] *v.* SHOE의 과거·과거분사. ── *a.* 바퀴 멈추개[겉포장, 타이어 따위]를 갖춘.

shodden *v.* SHOE의 과거분사.

shod·dy [ʃádi] *n.* **1** Ⓤ 재생한 털실(cf. MUNGO). **2** Ⓤ.Ⓒ 재생 모직물. **3** Ⓤ 싸구려 물건, 모조품. ── *a.* **1** 재생 양모[모직물]의. **2** 질이 나쁜, 가짜의, 겉만 번지르르한 ; 값싼, 보잘것없는, 하등(下等)의. ⟦C19 < ?⟧

◇**shoe** [ʃúː] *n.* **1** 구두 ; 단화(cf. BOOT¹) : a pair of ~*s* 구두 한 켤레 / have one's ~*s* on 구두를 신고 있다 / put on[take off] one's ~*s* 신을 신다[벗다]. 㽅 《美》에서 「단화」는 특히 low shoes라고 함. **2** 편자(horseshoe) : cast[throw] a ~ (말의) 편자가 빠지다. **3** 구두 모양의 것 ; (차바퀴의) 제동자(制動子)(drag) ; (썰매 활주부의) 미끄럼쇠 ; (지팡이 따위의) 마구리 쇠, 물미(ferrule) ; (자동차의) 타이어 겉싸개. **4** 〖寫〗 (카메라의) 부속 장치를 부착시키는 부분, 슈. **5** [*pl.*] (경제적·사회적인) 지위 ; 견지(見地), 입장 ; 고경(苦境). **6** 《美俗》 사복의 경찰관《gumshoe에서》 ; 위조 패스포트.
another pair of shoes 전혀 다른 일, 별문제.
be in a person***'s shoes*** 남의 입장이 되다, (남을) 대신하다.
die in one***'s shoes***=***die with*** one***'s shoes on*** ☞ DIE¹.
fill a person***'s shoes*** 남을 대신하다.
(***know***) ***where the shoe pinches*** ☞ PINCH *v.*
put the shoe on the right foot 나무라야 할 사람을 나무라다, 칭찬해야 할 사람을 칭찬하다.

shake in** one**'s shoes 부들부들 떨다, 덜덜 떨며 무서워하다.
stand in a person***'s shoes*** = *be in* a person's SHOEs.
step into a person***'s shoes*** 남의 후임이 되다.
The shoe is on the other foot. 형세가 역전되어 있다.
wait for a dead man's [***dead men's***] ***shoes*** 남의 유산을 노리다.
—— *vt.* (**shod** [ʃád] ; **shod, shod·den** [ʃádn]) **1** …에게 구두를 신기다 ; (특히 말굽에) 편자를 박다. **2** [+目/+目+*with*+名] …에 쇠테를 끼우다, …끝에 쇠붙이를 붙이다.
〖OE *scōh* ; cf. G *Schuh*〗

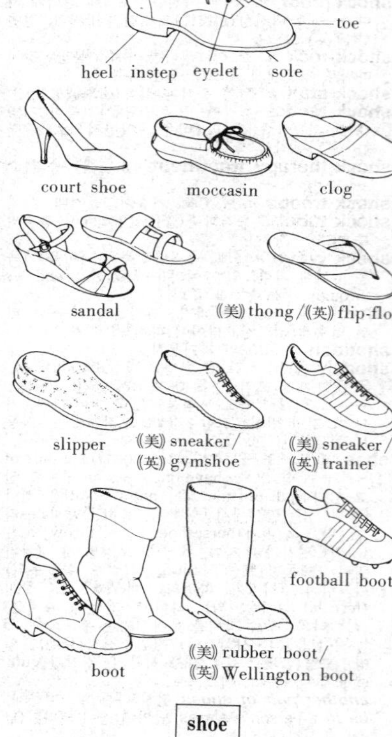

shoe

shóe·blàck *n.* (거리의) 구두닦이(bootblack) 《사람》.
shóe·bòx *n.* (두꺼운 종이의) 구두 상자 ; 《口》 구두 상자 모양의 것, (특히) 빌딩.
shóe·brúsh *n.* 구둣솔.
shóe bùckle *n.* 구두 죄는 쇠붙이.
shóe·hòrn *n.* 구둣주걱. —— *vt.* 좁은 곳에 밀어 [채워] 넣다.
shóe·làce *n.* 구두끈(shoestring).
shóe lèather *n.* 구두용 가죽 ; [집합적으로] 구두 : save ~ 걷지 않을려고 하다, (버스를 타는 따위) 될 수 있는 대로 걷지 않다 / as honest[good] a man as ever trod ~ 누구 못지 않게 정직한[좋은] 사람.
shóe·lìft *n.* =SHOEHORN.
shóe·màker *n.* 구두장이, 구두 수선하는[만드는] 사람.
shóe·màking *n.* Ⓤ 구두 만들기[고치기].
shóe pòlish *n.* 구두약 ; 《美俗》 구두약《급어서 도취상태에 빠지는 마약》.
sho·er [ʃúːər] *n.* 제철공.
shóe·shìne *n.* 구두닦기 ; 닦은 구두의 광택.
shóeshine bòy *n.* 《美》 구두닦는 소년.
shóe·strìng *n.* **1** =SHOELACE. **2** 《口》 소액의 자본 : 《美俗》 (싸구려의 붉은) 와인.
on a shoestring 《口》 적은 자본으로 : He started his business *on a* ~. 그는 적은 자본으로 장사를 시작했다.
—— *a.* 《口》 아슬아슬한, 힘겨운 ; 《口》 적은 자금으로 시작한 ; 《美》 (구두끈 처럼) 가늘고 긴 : a ~ majority 간신히 얻은 과반수.
shóestring càtch *n.* 〔野〕 땅을 스칠 듯한 공을 간신히 잡기.
shóestring potàtoes *n. pl.* 《美》 가늘고 길게 썰어서 튀긴 포테이토.
shóestring tàckle *n.* 〔美蹴〕 《俗》 슈스트링 태클《볼을 가지고 달리고 있는 사람의 발목 부근에 하는 태클》.
shóe trèe *n.* 구둣골《구두 모양을 유지하기 위하여 안에 넣는 것》.
◇**shone** *v.* SHINE의 과거·과거분사.
shoo [ʃúː] *int.* 쉬이!, 쉬!《새 따위를 쫓는 소리》. —— *vi.* 쉬하고 소리치다. —— *vt.* [+目/+目+副] 쉬하고 쫓다 : ~ a bird *away*[***off***] 쉬하고 새를 쫓다. 〖imit.〗
shóo·flỳ *n.* **1** 《美》 (말·백조 따위의) 짐승을 본뜬 어린이용 흔들의자. **2** 파리를 쫓아버린다고 하는 나무《남빛천대싸리 따위》. **3** 당밀·흑설탕들이 파이.
shóo-ìn *n.* 《美口》 (낙승이 예측되는) 후보자[경기자] ; 《俗》 미리 짜고 하는 엉터리 시합에서 이긴 약한 말.
‡**shook**[1] [ʃúk] *v.* SHAKE의 과거형. —— *a.* 《美俗》 =SHOOK-UP.
shook[2] *n.* (통 따위를 만드는) 널조각의 한 벌 ; 《美》 곡식 단. —— *vt.* 단을 짓다, 묶다. 〖C18<?〗
shóok-úp *a.* 《美俗》 [때때로 (all) shook up] 동요된, 마음 산란한 ; 기력을 잃은 ; 흥분한, 들뜬 : a ~ generation 동요된 세대.
‡**shoot**[1] [ʃúːt] *v.* (**shot** [ʃát]) *vt.* **1** [+目/+目+副/+目+前+名/+目+補] (총을) 쏘다, (화살을) 쏘다, 발사하다 ; (공깃돌을) 튀기다 ; 사격하다 ; (사냥감을) 쏘아 맞히다 ; 총살하다 ; …에서 사냥하다(cf. HUNT *vt.* 1) : ~ a gun 총을 쏘다 / ~ an arrow[a bow] 화살[활]을 쏘다 / ~ one's bolt ☞ BOLT *n.* 숙어 / ~ a bird 새를 쏘다 / ~ a covert 사냥터에서 사냥하다 / He *shot* himself. 총[권총]으로 자살했다 / The soldier was *shot* for a spy. 그 병사는 간첩죄로 총살당했다 / We have *shot away* all our ammunition. 탄알을 모조리 쏘아 바닥이 났다 / He had his leg *shot* ***off***. 그는 총에 맞아 한쪽 다리가 떨어져 나갔다 / The

airplane was *shot* ***down*** in flames. 그 비행기는 화염에 싸여 격추되었다 / The man was *shot* ***through*** the head[heart]. 그 남자는 총알에 머리[심장]가 관통되었다.

2 a) [+目/+目+副/+目+前+名/+目+目] 내팽개치다, 내던지다; (태양이 광선을) 방사하다; (시선을) 던지다; (질문 따위를) 연발하다; (손발 따위를) 내밀다: The snail *shot* its horns ***out***. 달팽이가 촉각을 내밀었다 / ~ *out* the lip ☞ LIP *n.* 숙어 / The sun ~*s* its beams ***through*** the clouds. 햇빛이 구름 사이로 비친다 / A big box was *shot* ***out of*** carriage. 큰 상자가 마차에서 내동댕이쳐졌다 / He *shot* one question after another ***at*** me. 나에게 연달아 질문을 퍼부었다 / He *shot* an angry glance *at* us. 성난 눈초리로 힐끗 우리를 쳐다보았다 / She *shot* me another indignant look. 나에게 다시 한번 분노의 표정을 지었다. **b**) 《野俗》 (볼을) 힘껏 치다; (기회를) 팽개치다; 《口》 다 써버리다, 낭비하다.

3 [+目/+目+副] (싹을) 내다: The trees are ~*ing* ***out*** buds. 나무에서 싹이 트고 있다.

4 a) (보트가) 세차게 달리다, (파도를) 타고 넘다; (신호를) 무시하고 내달리다: ~ the rapids 급류를 재빨리 지나가다 / The boat *shot* the bridge. 보트는 다리 밑을 쏜살같이 지나갔다 / ~ Niagara ☞ NIAGARA 숙어. **b**) 고속으로 달리게[움직이게] 하다; 서둘러 보내다[발송하다].

5 (사진을) 찍다(photograph); 〔映〕 촬영하다(film).

6 〔球技〕 (골 앞에서 공을) 차다[던지다], 슛하다, (득점을) 올리다; 〔撞球〕 (공을) 포켓을 향하여 치다.

7 (한꺼번에) 쏟다, 비우다: ~ rubbish 쓰레기를 버리다.

8 [보통 *p.p.*로] 보는 각도에 따라 빛깔이 달라지도록 짜다(cf. SHOT² *a.* 1).

9 〔海〕 (천체의) 고도를 재다: ~ the sun 육분의(六分儀)로 정오에 태양의 고도를 재다.

10 (주사위를) 던지다(throw); 돈을 걸다: ~ dice 주사위를 던지다.

11 《俗》 (마약을) 정맥에 주사하다.

12 (빗장을) 지르다; 《俗》 (식탁에서 요리를) 돌리다, 건네주다.

— *vi.* **1** [動/+*at*+名] 사격하다, 쏘다, 발사하다; (탄알 따위가) 튀어나가다; 총사냥을 하다: He ~*s well.* 그는 사격을 잘한다 / He neither fishes nor ~*s*. 그는 낚시질도 사냥도 하지 않는다 / His revolver did not ~ very straight. 그의 권총은 똑바로 발사되지 않았다《제대로 명중되지 않았다》 / *S*~ ***at*** that target. 저 표적을 겨누어 쏘아라. **2** [動/+副/+前+名] 쏜살같이 튀어나가다, 날쌔게 움직이다; 번쩍 빛나다; 용솟음치다, 분출하다: The fountain *shot* ***up***. 분수가 뿜어 나왔다 / Then Tom began to ~ *ahead.* (경주에서) 그때 톰은 (상대방을) 훨씬 앞지르기 시작했다 / A cape ~*s out* ***into*** the sea. 곶(串)이 바다에 돌출되어 있다 / A cat *shot* ***past*** us. 고양이가 우리 옆을 쏜살같이 지나갔다. **3** [動/+副] 싹을 내밀다; (급속히) 자라나다; 쑥 나오다: The new leaves have *shot* ***forth***. 새 잎이 돋았다 / Our corns are ~*ing* ***up***. 우리 집의 옥수수가 쑥쑥 자라고 있다 / The snail's horns *shot* ***out***. 달팽이의 촉각이 나왔다. **4** [動/+前+名] 욱신거리다: I have ~*ing* pains in my injured arm. 다친 팔이 욱신거린다 / The pain *shot* ***through*** my nerves. 신경 전체가 쑤시듯이 아팠다. **5** 사진을 찍다; 〔映〕 촬영하다. **6** 〔球技〕 골을 향하여 공을 차다[던지다], 슛하다. **7** [명령법으로] 《口》 말을 꺼내다, (특히) (말할 것이 있으면) 얼른 말해(Speak out!).

I'll be shot (=damned) ***if*** …이면 목숨이라도 내놓겠다, 절대로 그렇지 않다《강한 부정·부인》: *I'll be shot if* it is true. 만약에 그것이 사실이라면 내 목을 잘라라.

shoot a line ☞ LINE¹ *n.*

shoot away 사격을 계속하다, 연방 쏘다; (탄알을) 다 쏘아버리다(cf. *vt.* 1).

shoot off one***'s***[***at the***] ***mouth*** 《口》 마구 지껄이다; 《口》 멋대로 과장하다.

shoot the moon ☞ MOON.

shoot the works 《美俗》 철저하게 하다; 크게 분발하다.

shoot up (1) (*vt.*) 저격하다; 《口》 (시가를) 총을 쏘며 돌아다니다, 총을 난사하여 (시가를) 위협하다; 《俗》 (마약 따위를) 정맥에 직접 주사하다, (…에) 마약을 주사하다; 《美俗》 버리다. (2) (*vi.*) 힘차게 일어서다(cf. *vi.* 2); (식물이) 뻗어나가다(cf. *vi.* 3); (아이가) 급성장하다[빨리 자라다]; 우뚝 솟다; (물가가) 급등하다: Dick *shot up* last year. 딕은 작년에 많이 컸다 / The tower ~*s up* in the middle of the city. 그 탑은 시의 중앙에 우뚝 솟아 있다 / Prices are ~*ing up*. 물가가 급등하고 있다.

— *n.* **1** 사격, 발포; 《美》 (로켓 따위의, 특히 실험적인) 발사. **2** 사격대회, 《英》 유렵회(遊獵會); 사냥터; 수렵권; 《廢》 사정거리. **3** 어린 가지, 새싹; 지맥(支脈), 분맥: a bamboo ~ 죽순. **4** 급류, 여울; 분수; 사수로(射水路); 활주로, 활강사면(滑降斜面). **5** 낙하로(落下路)(chute). **6** 사진 촬영; (광선의) 선.

the whole (***bang***) ***shoot*** 《俗》 이것저것 다, 일체(everything).

〖OE *scēotan*; cf. SHEET, SHOT¹, SHUT, G *schiessen*〗

shoot² *int.* 《美口》 체, 빌어먹을, 이런, 저런, 아이쿠《불쾌·놀람 따위》.

〖SHIT의 완곡한 말〗

shoot-'em-up [ʃúːtəmʌ̀p] *n.* 《美口》 〔映〕 총격이나 유혈 장면이 많은 영화[서부극], 액션물; =SHOOT-OUT.

shóot·er *n.* **1** 사수(射手), 포수(砲手); 사냥꾼. **2** 연발총: ☞ SIX-SHOOTER. **3** 〔크리켓〕 땅을 스쳐가는 공; 〔球技〕 슛을 잘하는 사람. **4** 〔天〕 유성(流星).

‡**shóot·ing** *n.* **1** Ⓤ 사격, 저격, 사격 표적; 총사냥. 주 《英》에서는 HUNTING과 구별. **2** 사냥터. **3** U,C 쿡쿡 쑤시는 아픔. **4** Ⓤ 〔寫〕 촬영(cf. SHOT¹ 8); (식물의) 급속한 생장.

shóoting bòx[**lòdge**] *n.* 《英》 (수렵기에 사용하는) 수렵용 별장.

shóoting gàllery *n.* 실내 사격 연습장, 사격장; 《美俗》 마약 주사를 맞으러 가는 장소; 《美俗》 마약 주사 맞는 모임.

shóoting ìron *n.* 《俗》 총기, (특히) 권총.

shóoting màtch *n.* 사격 대회; [the (whole) ~] 《口》 전부, 모두.

shóoting rànge *n.* 소총 사격장.

shóoting scrìpt *n.* 〔映·TV〕 촬영대본, 슈팅 스크립트.

shóoting stár *n.* 유성(流星)(falling star).

shóoting stìck *n.* (위쪽을 벌리면 의자로도 되는) 사냥용 지팡이.

shóoting wár *n.* (무기에 의한) 전쟁(cf. COLD WAR, HOT WAR, *war of* NERVES).

shóot-òut *n.* 《口》 (결판을 짓는) 총격전 ; 《美口》 총에 의한 결투 ; 《美》〖蹴〗 승부차기.

shóot-ùp *n.* 《俗》 마약 정맥 주사 ; 《口》 총격(전).

◇**shop** [ʃɑp] *n.* **1 a)** 《英》 상점, 소매점(=《美》 store) : a flower ~ 꽃가게 / a grocer's ~ 식료품점(=《美》 grocery store) / ☞ TEA SHOP / buy things *at* a ~ 가게에서 물건을 사다 / *S*~! (가게에 들어서면서) 아무도 안계십니까. **b)** 전문점 ; (큰 상점의) 각 전문 부문 : a gift[hat] ~ 선물[모자] 전문점. **2 a)** 일터, 작업장 : a carpenter's ~ 목공소 / a barber's ~ 이발소(=《美》 barber~). **b)** 공작소, 공장(workshop) (cf. FACTORY, MILL[1]) : an engineering ~ 기계 공장 / a repair ~ 수리 공장. **c)** 《美》 (초등학교·중학교의) 공작실 ; Ⓤ 공작 : do well in ~ 공작 성적이 좋다. **d)** 《口》 직장, 근무처(office) ; [the S~] 《英俗》 육군 사관 학교 ; [the S~] 런던 증권 거래소 : ☞ CLOSED[OPEN, UNION] SHOP. **3** Ⓤ (전문적인) 장사[직업] 이야기 : talk ~ 《口》 (때·장소를 가리지 않고) 자기 장사[직업] 이야기만 하다 / Cut the ~ ! 직업[장사]에 대한 이야기는 그만두시오 !

all over the shop 《英口》 여기저기, 도처에 ; 난잡하게, 어질러 놓아 : He looked for it *all over the* ~. 그 일대를 샅샅이 뒤졌다 / Everything was *all over the* ~. 모든 것이 난잡하게 어질러져 있었다.

close a shop =*shut up* SHOP (1).

come to the right shop 《口》 안성맞춤인[아주 적합한] 사람에게 부탁하러 가다.

come[***go***] ***to the wrong shop*** 《口》 엉뚱한 사람에게 청하러 가다, 잘못[오산]하다.

keep a shop 가게를 내고 있다, 가게를 보다.

keep shop 가게를 지키다.

set up shop 가게를 내다, 개업하다.

shut up shop (1) (밤에) 가게 문을 닫다, 폐점하다 ; 가게 일을 끝내다, 장사를 그만두다, 폐업하다. (2) 일《따위》을 그만두다.

sink the shop 전문적인 이야기를 하지 않다, 장사를 숨기다.

smell of the shop 자기 가게 상품을 팔려고 하다, 장사 일에 열중해 있다 ; 전문가인 체하다.

—— *v.* (**-pp-**) *vi.* **1** 물건을 사다, 쇼핑하러 가다 : go[be out] ~*ping* 물건 사러 가다[나가고 없다] / She usually ~*s* at the big supermarket. 그녀는 항상 큰 슈퍼마켓에서 물건을 산다. **2** 《美》 상품[점포]을 보고 다니다〈*around*〉(cf. WINDOW-SHOP). —— *vt.* **1** 《英俗》 밀고하다, 찌르다 ; 《英俗》 교도소에 넣다(imprison). **2** 《美俗》 해직하다. **3** 《美口》 (가게)에서 사다.

〚OF *eschoppe* booth<MLG, OHG=porch ; cf. OE *sceoppa* stall〛

shóp assìstant *n.* 《英》 점원(=《美》 salesclerk).

shóp automàtion *n.* 제조 현장의 자동화.

shóp·bòy *n.* 《英》 점원.

shóp chàirman *n.* =SHOP STEWARD.

shóp commìttee *n.* (노동조합의) 직장위원회.

shóp dràwing *n.* (기계의) 공작도, 제작도 ; (건축 공사 따위의) 시공도.

shóp·fitter *n.* 점포 설계자[장식업자].

shóp flòor *n.* 《英》 **1** (회사·공장 따위의) 작업 현장. **2** [the ~ ; 집합적으로] (공장) 노동자, 노동자측.

shóp-frònt *n.* 《英》 (쇼윈도가 있는) 가게의 앞쪽, 가게 정면(=《美》 storefront).

shóp·gìrl *n.* 여자 판매원, 여점원.

shóp hòurs *n. pl.* (상점의) 영업 시간.

*__shóp·kèep·er__ *n.* 가게 주인, 소매 상인(=《美》 storekeeper) (cf. MERCHANT 1) ; (일반적으로) 상인.

a nation of shopkeepers 상업 국민, 영국 사람《Adam Smith의 말》 ; 상인의 나라《Napoleon 1세가 경멸적으로 England is *a nation of* ~*s*. 라고 했다고 전해짐》.

shóp·kèep·ing *n.* 소매업.

shóp·lìft *vt., vi.* (…을) 들치기하다.

~·ing *n.* Ⓤ 들치기《짓》.

〚역성(逆成) < ↓〛

shóp·lìft·er *n.* 들치기꾼, 가게 좀도둑.

shóp·man [-mən] *n.* **1** 《英》 점원, 판매원, 점원 우두머리 ; 《英》 가게 주인, 소매 상인(shopkeeper). **2** 《美》 직공, 공원, 수리공.

shóp mànagement *n.* 공장 관리.

shoppe [ʃɑp] *n.* 전문점, (큰 상점의) 전문 부문 《간판 따위에 쓰이는 고풍의[꾸민] 글씨》.

shóp·per *n.* 물건사는 사람, 손님 ; 물건을 사주는 대리인 ; 《美》 (상점의) 경쟁상품조사 담당 ; 《英俗》 밀고자 ; 《美》 광고 신문, 선전전단 : Christmas ~ 크리스마스용품을 사는 손님.

*__shóp·ping__ *n.* Ⓤ **1** 물건사기, 쇼핑 ; [집합적으로] 구입한 물건 : I've some ~ to do. 살 것이 좀 있다 / The wise do their Christmas ~ in October. 현명한 사람은 10월에 크리스마스 쇼핑을 한다. **2** 분해수리(overhauling).

shópping bàg *n.* 《美》 쇼핑 백[장바구니](=《英》 carrier bag).

shópping-bàg làdy *n.* 《美》 쇼핑백 레이디《전 재산을 쇼핑백에 넣고 대도시의 거리나 공원을 배회하는 부랑인인 (중년) 여성》.

shópping càrt *n.* (슈퍼마켓 따위에서 끄는) 쇼핑용 손수레.

shópping cènter *n.* (교외의) 상점가, 쇼핑 센터 《여러 개의 상점이 한 곳에 모여 주차장 따위가 갖추어져 있음》.

shópping lìst *n.* 구입 품목 리스트, 쇼핑 리스트 ; 관련 품목 리스트.

shópping màll *n.* 《美·Can.·濠》 (보행자만이 들어갈 수 있는) 상점가, 쇼핑 센터 안의 한 구역 (mall).

shópping plàza *n.* 《美·Can.》 =SHOPPING CENTER.

shópping prècinct *n.* 《英》 (주차장을 갖춘) 보행자 전용 상점가.

shóp·py *a.* **1** 소매업의 ; 상인의, 장사꾼다운, 좀스럽고 빈틈없는. **2** 가게가 많은. **3** 직업상의, 장사 관계의, 전문의.

shóp-sòiled *a.* 《英》 =SHOPWORN.

shóp stèward *n.* (노동 조합의) 직장 대표.

shóp strèet *n.* 상점가, 번화가.

shóp·tàlk *n.* **1** Ⓤ 직업 용어 ; 동료끼리의 이야기. **2** Ⓤ (직장 밖에서 하는) 일에 관한 이야기(cf. *talk* SHOP).

shóp·wàlk·er *n.* 《英》 (판)매장 감독(=《美》 floorwalker).

shóp·wìndow *n.* 상점의 진열창.

put all one's ***goods***[***have everything***] ***in the shopwindow*** 있는 상품을 모조리 진열하다 ; 깊이가 없다, 천박하다.

shóp·wòman *n.* 여점원.

shóp·wòrn *a.* (상품이) 팔리지 않고 남아있는 ; 진부한 ; 낡은, 오래된.

sho·ran [ʃɔ́:ræn] *n.* 쇼랜《항공기에서 보낸 두 가지 radar신호를 지상국에서 받고 다시 송신함으로써 신호가 항공기와 지상국 사이를 왕복하는 시간으로 항공기의 위치를 알아내는 장치 ; cf. LORAN》. 〚*short-range navigation*〛

‡**shore**[1] [ʃɔːr] *n.* **1** (바다·호수·강의) 기슭, 물가 ; 〖法〗 해안《만조선과 간조선 사이의 땅》; 해안지대 : the ~ of the sea 해안. **2** [보통 *pl.*] 토지, 나라 ; 육지, 내륙(land).
in shore 〖海〗 해안 가까이에, 얕은 곳에.
off shore 해안에서 떨어져, 난바다에.
on shore 육지에, 상륙하여(ashore) (cf. *on the* WATER, *on* BOARD) : go[come] *on* ~ 상륙하다 / put...*on* ~ …을 양륙하다, 상륙시키다.
—— *vt.* 양륙하다, 상륙시키다.
〚MLG, MDu. ; ⇨ SHEAR〛
類義語 ***shore*** 바다·호수·하천 따위의 물가를 나타내는 가장 일반적인 말. ***coast*** 해안에만 쓰인다. ***beach*** 파도에 씻긴 백사장 또는 자갈이 많은 평지의 해변. ***strand*** shore 또는 beach에 대한 시어(詩語).

shore[2] *n.* (선체·건물·담·수목 따위의) 지주(支柱), 버팀대. —— *vt.* [+目+副 / +目+*with*+名] 지주로 버티다, 떠받치다(prop) ; 《비유》 (통화·가격 따위를) 강화하다 : ~ ***up*** a shaky building ***with*** timbers 위태로운 건물에다 각목을 대다. 〚MDu., MLG = prop <?〛

shore[2]

shore[3] *v.* 《古·濠》 SHEAR의 과거형.
shóre-bàsed *a.* (비행기가) 육상에 기지를 둔, 육상 기지의.
shóre dìnner *n.* 《美》 해산물 요리.
shóre lèave *n.* (선원·수병 등의) 상륙 허가, (상륙허가에 의한) 육상 체류 시간.
shóre·less *a.* 해안이 없는 ; 《詩》 끝없는.
shóre·lìne *n.* 해안선.
shóre pàrty *n.* 〖軍〗 상륙 전초 부대.
shóre patròl *n.* 〖美海軍〗 해군 헌병(대) 《해안을 감시함 ; 略 SP》; (기항중인) 수병 감시 담당 하사관.
shóre·ward *adv.* 해안[육지]쪽으로. —— *a.* 해안[육지]쪽으로의. —— *n.* 해안 쪽을 향한 방향.
shor·ing [ʃɔ́ːriŋ] *n.* 지주(支柱)로 떠받치기, 지보공(支保工) ; [집합적으로] 지주.
shorn [ʃɔ́ːrn] *v.* SHEAR의 과거분사. —— *a.* (낫 따위로) 잘라[깎아]낸 : God tempers the wind to the ~ lamb. 《속담》 신은 털을 갓 깎은 어린 양에게는 찬바람을 보내시지 않는다, 약자에게는 시련도 가볍게 주신다.

◇**short** [ʃɔːrt] *a.* **1 a**) 짧은(↔*long*) : a ~ line [tail] 짧은 선[꼬리] / ~ hair 짧은 머리, 단발 / a ~ skirt 짧은 스커트. **b**) (거리·시간이) 짧은, 가까운 : at a ~ distance 근거리에, 가까이에 / a ~ way off 조금 떨어져, 근처에 / a ~ time ago 조금[잠시] 전에 / a ~ life 짧은 생애, 단명 / a ~ trip 짧은 여행 / He has a ~ memory. 그는 건망증이 있다. **c**) 키가 작은, 낮은(↔*tall*) : a ~ man 키가 작은 남자. **d**) (어음 따위가) 단기(短期)의. **e**) 간결한 ; 간단한 ; 단축한 : "Phone" is ~ *for* "telephone." phone은 telephone의 생략형이다. **2** (표준에) 미달인, 불충분한, 부족한 : ~ measure 치수 미달 / a ~ hour 한 시간도 채 못됨 / in ~ supply (필수품 공급이) 부족하여 / ~ *of* breath 숨이 차서 / be ~ *of*... ☞ 숙어. **3** (견문이) 좁은, 얕은 ; (지혜가) 모자라는. **4** 성마른 ; 인정머리 없는, 무뚝뚝한, 신경질적인 : The policeman was very ~ *with* him. 경찰관은 그에게 몹시 무뚝뚝했다 / a ~ temper 성급함, 성마름. **5** (점토 따위) 부스러지기 쉬운, 무른(friable) ; (과자 따위가) 바삭바삭한(crisp, crumbly) : This cake eats ~. 이 과자는 바삭바삭하여 먹기에 좋다. **6** (술 따위에) 물을 타지 않은, 원액 그대로의, 독한(strong) ; 작은 잔에 따른, 소량의 : Let's have something ~. 독한 술을 한잔 하자. **7** 〖音聲〗 단음의 ; 〖韻〗 약음의 : ~ vowels 단모음. **8** 〖商〗 공매(空賣)의 ; 현품 부족의. **9** 〖크리켓〗 위켓(wicket)에 이르지 못하는.
be short of... (cf. *adv.* SHORT *of*) (1) …이 부족하다 : They *were* ~ *of* money[food]. 돈[식량]이 부족했다 / We *are* ~ *of* hands. 일손이 모자란다. (2) …에 미치지 못하다 : It *was* still five minutes ~ *of* the hour. 시간은 아직도 5분이 남아 있었다.
in short order ☞ SHORT ORDER.
in the short run ☞ RUN[1] *n.*
make short work of …을 재빨리 해치우다.
nothing[***little***] ***short of...*** 거의[완전히] …인 : His conduct was *nothing* ~ *of* madness. 그의 행동은 미친 짓이나 다름이 없었다 / His success was *little* ~ *of* miraculous[a miracle]. 그의 성공은 거의 기적적이었다.
to be short 간단히 말하자면, 요컨대(in short).
—— *adv.* **1** 짧게, 짤막하게, 간단히. **2** 불충분하게, 부족해서. **3** 갑자기 : stop ~ 갑자기 서다[멈추다] / bring[pull] up ~ 갑자기 멈추다[세우다] / break ~ off 뚝 부러지다. **4** 무뚝뚝하게, 인정머리 없게. **5** 무르게. **6** 〖商〗 공매(空賣)로 : sell ~ ☞ 숙어.
be taken[***caught***] ***short*** 불의에 당하다 ; 《口·婉》 갑자기 뒤가 마렵다 ; 필요한 때에 부족하다.
break short (갑자기) 중단하다 : *break* ~ a conversation 갑자기[뚝] 대화를 그치다.
come[***fall***] ***short*** (***of...***) (1) (…에) 미달하다 : The arrow *fell* ~ *of* the mark. 화살은 과녁에 미치지 못하였다. (2) (…에) 부족하다 : The result *fell* ~ *of* our expectations. 그 결과는 우리들의 기대에 어긋났다.
cut short 갑자기 멈추다, 갑자기 끝내다 ; 바싹 줄이다, 단축하다 ; (남의 말을) 가로막다 : to *cut* a long story ~ 간추려서 말하자면 / *Cut* it ~! 《口》 간단히 말하시오.
go short (***of...***) …없이 해나가다, 부자유를 참다 : She *went* ~ (*of* spending money) in order to help her brother through school. 그녀는 남동생을 학교를 졸업시키기 위해서 용돈도 없이 참고 지냈다.
run short (***of...***) (…이[에]) 부족하다, (…이) 떨어지다 : Our stock *ran* ~. 재고품이 떨어졌다 / The gasoline is *running* ~. 휘발유가 떨어져간다 / We have *run* ~ *of* tea. 차가 떨어졌다.
sell short (1) (*vi.*) 〖商〗 현품없이 거래하다. (2) (*vt.*) 《비유》 경시하다, 얕보다 ; 《비유》 비난하다 ; 《비유》 배반하다.
short of …이 부족하여 ; …에 미치지 않아 ; …을 제외하고(except) (cf. *a. be* SHORT *of*) : *S*~ *of* theft, I will do anything I can for you. 도둑질만 빼고 당신을 위해서라면 무슨 일이든 하겠어요.
take a person ***up short*** 남의 말을 가로막다, 남의 얘기에 참견하다.
—— *n.* **1** 짤막함, 간결, [the ~] 요점, 개요, 적요. **2** 〖音聲〗 단모음, 단음절, 〖韻〗 약음(절). **3**

부족, 결손 ; [*pl.*] 부족분[액, 량] ; [the ~s] 《俗》 자금난 ; [*pl.*] 〔印〕 부족[추가] 부수. **4** 〔電〕 =SHORT CIRCUIT. **5** 〔商〕 **a**) 공매(空賣). **b**) 투기업자. **6 a**) 〔野〕 유격수(shortstop) ; 유격수의 수비 범위(short field). **b**) 《美俗》 차, 스포츠카. **7** [*pl.*] 반바지, 쇼트 팬츠. **8** 짧은 것 ; 〔映〕 단편(=short subject) ; (신문·잡지의) 짧은 기사. **9** Ⓤ 《口》 (위스키 따위의) 한 잔 ; (물 타지 않은) 순수한 화주(火酒), 위스키. **10** [*pl.*] 단기 채권. **11** [*pl.*] 쓰레기, 폐물, 우수리 ; [*pl.*] 소액의 돈, 소지품 ; [*pl.*] 중등품.

for short 생략하여, 줄여서 : Her cousin, Margaret, is called "Maggie" *for* ~. 그녀의 사촌인 마거릿은 줄여서 매기라고 불린다.

in short 간단히 말해서, 요컨대 : *In* ~, it was a failure. 요컨대 그것은 실패였다.

the long and the short of it ☞ LONG[1] *n.*

—— *vt.*, *vi.* **1** (주식 따위를) 공매하다 ; 충분히 주지 않다 ; 《口》 돈이 충분하지 않다. **2** 《口》 = SHORT-CIRCUIT. **3** 《美》 =SHORT-CHANGE.

〖OE *sceort* ; cf. SHIRT, SKIRT, OHG *scurz*, L *curtus* short〗

[類義語] ***short*** 시간적으로나 공간적으로나 「짧다」는 뜻 ; 시간적인 의미로는 도중의 중단을 뜻하며 불완전·미완성을 암시하는 수가 있다 : a *short* trip[story] (짧은 여행[이야기]). ***brief*** 대개 시간적으로 짧다는 뜻으로 쓰며 때때로 재빨리 끝나다, 장황하지 않고 간결하다는 것을 암시한다 : a *brief* interval[essay] (잠깐의 짬[간결한 논문]).

shórt accòunt *n.* 〔證〕 (시세 하락을 예측한) 공매계정(空賣計定)[총액].

***shórt·age** *n.* Ⓤ,Ⓒ 부족, 바닥남, 결핍 ; Ⓒ 부족액 ; 《美》 결점, 결함 : a ~ *of* rain[food, rice] 비[식량, 쌀]의 부족.

shórt árm *n.* 권총, 피스톨 ; 《美俗》=SHORT ARM INSPECTION.

shórt árm inspèction *n.* 《美俗》 (군대에서의) 남근[성병] 검사.

shórt bíll *n.* 〔商〕 단기 어음.

shórt·brèad *n.* Ⓤ 쇼트브레드《버터를 많이 넣은 두꺼운 비스킷의 일종 ; cf. SHORTENING》.

shórt·càke *n.* **1** Ⓤ,Ⓒ 《美》 쇼트케이크《버터·설탕·밀가루 따위로 카스텔라를 만들어 그 겹친 사이나 위에 크림 또는 과일 따위를 얹은 것 ; cf. SHORTENING》. **2** 《英》 =SHORTBREAD.

shórt chànge *n.* 부족한 거스름돈.

get short change 무시당하다, 별로 주목받지 못하다.

give. . .short change 《口》 …을 무시하다, …에 주의를 기울이지 않다.

shórt-chánge *vt.* …에게 거스름돈을 덜 주다 ; 속이다(cheat).

shórt-chànge ártist *n.* 거스름돈 사기꾼《흔히 가설 흥행장·서커스의 흥행사》.

shórt círcuit *n.* 〔電〕 단락(短絡), 누전.

shòrt-círcuit *vt.* 〔電〕 단락[누전]시키다 ; 《비유》 피해 지나가다, 피하다 ; 방해하다. —— *vi.* 〔電〕 단락되다, 누전되다, 쇼트하다.

short-círcuit reàction *n.* 〔心〕 단락(短絡) 반응 《충동적으로 일으키는 원시적 반응》.

shórt·clòthes *n. pl.* 《英》 아동복《베이비복 다음에 입음》 ; 《美》 (18-19세기의) 반바지.

shórt·còat *vt.* (갓난아기에게) 처음으로 아동복을 입히다.

shórt·còming *n.* 결점, 단점(fault) ; 부족.

shórt cómmons *n. pl.* [단수취급] 《英》 식량의 (공급) 부족 ; 불충분한 식사.

shórt còvering *n.* 〔商〕 (공매(空賣)한 증권[상품]의) 환매(還買).

shórt·cùt *n.* 지름길, 가장 가까운 길 : take a ~ 지름길로 가다. —— *a.* 지름길의. —— *vt.*, *vi.* 지름길[빠른 방법]을 취하다.

shórt dáte *n.* 〔商〕 (어음 따위) 단기 지급[상환] 기일.

shórt-dáted *a.* (어음 따위) 단기의 ; 《英》 (금테 증권이 상환 기한이) 5년 미만인.

shórt-dáy *a.* 〔植〕 단일성(短日性)의.

shórt drínk *n.* (특히 식전(食前)에 마시는) 칵테일《따위》.

***short·en** [ʃɔ́ːrtn] *vt.* **1** 짧게 하다, 줄이다(make shorter) ; 짧아 보이게 하다 ; (시간·여행 따위를 이야기 따위로) 단축하다 : ~ a story 이야기를 줄이다 / ~ trousers 바지를 줄이다 / The new highway ~*s* the trip. 새 고속 도로 덕분에 여행 시간이 단축된다. **2** 적게 하다, 덜다(lessen), 삭감하다 ; 생략하다(abbreviate) : ~ a prisoner's sentence 죄수의 형을 경감하다. **3** 빼앗다. **4** 무르게 하다 ; (버터 따위를 섞어서 과자 따위의) 맛을 부드럽게 하다, 바삭바삭하게 하다(cf. SHORTENING). **5** 〔海〕 (돛을) 줄이다, 감아 올리다. **6** (손에 쥔 칼 따위를) 끌어당기다 ; (배트 따위를) 짧게 쥐다 : ~ one's arm 팔을 끌어당기다. **7** (아기에게 베이비복을 벗기고) 아동복을 입히다 (cf. SHORTCLOTHES).

—— *vi.* 짧아지다, 줄다 ; 감소[축소]되다 : The days are rapidly ~*ing.* 하루가 다르게 해가 짧아지고 있다.

shorten oars 노를 약간 끌어넣다《장애물을 피하기 위해서》.

shorten the arm[***hand***] ***of*** 《文語》 …의 힘을 제한하다.

[類義語] ***shorten*** 길이, 정류·기간 따위를 단축하다 : *shorten* a bar[stick, stay] (막대기[지팡이, 체류 기간]를 짧게 하다). ***curtail*** 부득이한 사정으로 인하여 예정보다 단축하다 : The meeting was *curtailed* because of the accident. (그 회합은 사고로 인해서 단축되었다). ***abridge*** 일부를 생략하거나 압축하거나 하여 전체의 크기를 작게 하다 ; 요긴한 점은 그대로 남아있는 것을 암시 : *abridge* a dictionary (사전을 요약하다). ***abbreviate*** 보통 머리글자나 일부의 문자를 사용하여 단어나 구를 약(略)하여 쓰다 : "Doctor" is often *abbreviated* to "Dr." (Doctor는 흔히 Dr.라고 약한다).

shórten·ing *n.* **1** Ⓤ 단축 ; 〔言〕 생략(법) ; Ⓒ 생략어. **2** Ⓤ,Ⓒ 쇼트닝《과자 따위를 부드럽게 하는 버터·라드 따위》.

shórt éyes *n.* [단수취급] 《美俗》 어린아이에게 성적인 장난을 하는 사람.

shórt·fàll *n.* 부족하기 ; 부족분[량], 부족액 (deficit).

shórt fíeld *n.* 〔野〕 유격수의 수비 범위.

shórt fùse *n.* 성마름, 성급함 : have a ~ 《美》 발끈 화내다.

shórt gòwn *n.* =NIGHTGOWN.

shórt·hànd *n.* Ⓤ 속기법 ; 속기(cf. LONGHAND). —— *a.* 속기(법)의.

shórt·hánd·ed *a.* 일손이 모자라는.
~**·ness** *n.*

shórt hèad *n.* 《英》 〔競馬〕 아주 짧은 거리, 말머리 하나의 간격.

Shórt·hòrn *n.* 〔畜〕 뿔이 짧은 소, 더럼(Durham) 종의 소.

shórt húndredweight *n.* 쇼트 헌드러드웨이트 《중량의 단위 : =100 lb》.

shortie ☞ SHORTY.

shórt ìnterest *n.* 〖證〗 공매(空賣) 총액.

shórt·ish *a.* 짤막한 ; 좀 간단한.

shórt-lífe *a.* 《英》 단명의 ; 일시적인.

shórt lìst *n.* 《英》 (최종 전형을 위한) 선발 후보자 명단.

shórt-lìst *vt.* 《英》 선발 후보자 명단에 넣다.

shórt-líved [-láivd, -lívd] *a.* 단명한 ; 일시적인, 단기의《계획 따위》.

***shórt·ly** *adv.* **1** 얼마 안 가서, 곧(soon) : ~ before[after] eight 8시 조금 전에[지나서] / He will arrive ~. 곧 도착할 것이다 / She is ~ to see me. 그녀는 근간에 나와 만나기로 되어 있다. **2** 간단히, 짧게 : to put it ~ 간단히 말하자면, 요컨대. **3** 무뚝뚝하게, 퉁명스럽게.

shórt màrk *n.* 〖音聲〗 단음부호(breve)(⌣).

***shórt·ness** *n.* Ⓤ 짧음 ; 가까움 ; 키가 작음 ; 부족함 ; 무뚝뚝함 ; 무름 : ~ of breath 숨참.

shórt órder *n.* 《美》 (식당에서의) 즉석 요리(의 주문), 일품 요리(의 주문).

in short order 곧, 즉시, 즉석에서.

shórt-òrder *a.* 《美》 즉석 요리 (전문)의 ; 즉각 처리한.

shórt périod cómet *n.* 〖天〗 단주기(短周期) 혜성.

shórt posìtion *n.* 공매(空賣)하는 사람의 입장 ; 공매 총액(short interest).

shórt-ránge *a.* 사정(射程)거리가 짧은 ; 단거리의 ; 단기의.

shórt ráte *n.* 〖廣告〗 쇼트 레이트《광고주가 광고량을 채우지 않았을 경우에 청구되는 계약 요금보다 비싼 요금》.

shórt róbe *n.* [the ~] 짧은 옷《군복》; [the ~] 군인들.

shórt rún *n.* 비교적 짧은 동안.

shórt-rún *a.* 단기(短期)의, 단기적인.

shórt sále *n.* 《美》〖商〗 단기(短期) 예측 매각, 공매(空賣).

shórt séller *n.* 《美》 공매인(空賣人).

shórt-shéet *vt., vi.* (남을 난처하게 만들기 위해) 한 장의 시트를 둘로 접어 (침대에) 깔다 ;《俗》 못된 장난을 치다, (남을) 잘 이용하다.

shórt-shòrt *n.* =SHORT SHORT STORY.

shórt shórt stòry *n.* 초단편 소설, 쇼트쇼트《보통 단편 소설보다 훨씬 짧고 큰 효과를 노림》.

shórt shríft *n.* (사형집행 직전에 사형수에게 주는) 참회와 속죄를 위한 짧은 시간 ; (그다지 너그럽지 못한) 최후의 짧은 유예 ; 가차없이 다룸 : give[get] ~ 척척 해치우다, 가차없이 다루다[다루어지다].

shórt síght *n.* 안목(眼目)이 짧음, 근시(myopia) ; 좁은 소견, 얕은 생각.

shórt-síght·ed *a.* 근시의(nearsighted) ; 선견지명이 없는, 근시안적인(↔*farsighted*).

~·ly *adv.* **~·ness** *n.*

shórt-sléeved *a.* (옷이) 반소매인.

shórt snórt *n.* 《美俗》 (술을) 단숨에 들이켜기.

shórt-spóken *a.* 퉁명스러운, 인정머리 없는.

shórt-stáffed *a.* 직원[스태프] 부족의.

shórt·stòp *n.* 〖野〗 유격수(의 수비 위치) ;〖化〗 (중합 반응의) 정지제 ;《美俗》 (식탁에서) 요리를 다른 사람에게 돌리기 전에 더는 사람.

— *vt.* (중합 반응을) 정지시키다 ; 다른 사람에게 돌리기 전에 (요리를) 덜다.

shórt stóry *n.* 단편 소설.

shórt sùbject *n.* 《美》〖映〗 단편 영화《기록·교육 영화가 많음》.

shórt-témpered *a.* 성급한, 성 잘내는.

shórt-térm *a.* 단기의(↔*long-term*).

shórt tíme *n.* 조업(操業) 단축.

shórt tón *n.* 쇼트 톤《=2000파운드 ; ☞ TON[1] 1 b)》.

shórt-wáist·ed *a.* 허리선이 높은 ; (의복 따위의) 허리가 짧은.

shórt·wáve *n.* 〖通信〗 단파《200[100]m 이하의 파장 ; cf. MEDIUM WAVE》; 단파 라디오[송신기].

— *vt., vi.* 단파로 발신하다.

shórt wéight *n.* 중량 부족.

shórt-wéight *vt., vi.* (…의) 무게[중량]를 속여 팔다.

shórt-wínd·ed [-wínd-] *a.* **1** 숨이 찬, 숨가쁜. **2** (문장 따위가) 짧은, 간결한(brief) ; 단편적인.

shórty, shórt·ie *n.* 《口》 짧은[작은] 것 ;《蔑》 키가 작은 사람 ; 짧은 옷《따위》.

‡**shot**[1] [ʃát] *n.* **1** 발포, 발사 ; 총성, 포성 : The ~ echoed through the hills. 총성이 온 산에 메아리쳤다. **2 a)** 탄환(bullet) ; 탄알. **b)** 포탄, 포환(砲丸)(cannonball) ; (경기용의) 포환(cf. SHOT PUT) : put the ~ 포환 던지기를 하다. **c)** (*pl.* ~) 산탄(散彈) ; (1회분의) 발파약 : several ~ 수발의 산탄. **3** Ⓤ 사정(射程), 착탄거리 : out of[within] ~ 사정거리 밖[안]에. **4 a)** 겨냥, 저격 : a flying ~ 날고 있는 새[움직이고 있는 물체]의 조준 사격 / ☞ POTSHOT / make[take] a ~ *at* a bird 새를 겨누어서 쏘다. **b)** 《口》 시도(attempt) ; 짐작[억측](guess) ; 가망, 기회, 찬스 ; 내기 : have a ~ *at* …을 시도하다, …을 시험해 보다 / make a ~ *at* …을 억측하다, …을 시도하다 / make a bad[good] ~ 짐작이 어긋나다[들어맞다] / As a ~, I should say she's about forty. 내 짐작으로는 그녀는 40세 정도다. **c)** 빈정대기 : It is a ~ *at* you. 그것은 너를 넌지시 빈정거리는 말이다. **d)** 《美俗》 나쁜 버릇, 취미. **5** 〖球技〗 차기, 던지기, 치기 ; 슛, 샷 : a good ~ 잘 치기《따위》/ Good ~! 잘 쳤다!, 좋은 공이다! **6** 사수 : He's a good[poor] ~. 사격에 능하다[서투르다]. **7** 《口》 (모르핀 따위의) 주사(injection) ; 일회의 주사량 ;《美俗》 사정, 성교 ;《口》 (알코올 음료의) 한 모금 ; 소량 : have a polio ~ 소아마비 주사를 맞다. **8** 〖映·寫〗 촬영(cf. SHOOTING), 숏 ; 사진 ; 촬영 거리 : ☞ CLOSE SHOT / ☞ LONG SHOT / take a ~ *of* a person 남의 사진을 찍다.

have not a shot in the locker 수중에 한푼도 없다.

like a shot (총알처럼) 빠르게 ; 당장에(at once) : He went off *like a* ~. 그는 총알처럼 달려갔다.

not by a long shot 조금도 …아닌.

— *vt.* (**-tt-**) **1** …에 장탄(裝彈)하다. **2** …에 추를 달다, 추를 달아 가라앉히다. **3** 《美》 시도[기도]하다, 해보다. 〚OE *sc*(*e*)*ot*, *gesc*(*e*)*ot* (⇨ SHOOT[1]) ; cf. G *Schoss*〛

shot[2] *v.* SHOOT[1]의 과거·과거분사. — *a.* **1** 비단벌레의 날개빛 같은(iridescent), 보는 각도에 따라 빛깔이 달라지게 짠(cf. SHOOT[1] *vt.* 8) : ~ silk 비단벌레 날개빛같은 비단 / crimson ~ *with* yellow 노란색으로 변해 보이는 짙은 홍색. **2** 《俗》 술취한 ;《口》 피로한, 너덜너덜해진, 다 써버린 : half ~ 얼근히 취해서.

shot through with …이 스며든, 가득 찬(full of) : The man was ~ *through with* love [hatred]. 그 남자의 마음은 애정[증오]으로 가득 차 있었다.

shot³ *n.* 《俗》 (술집 따위의) 계산(서) : pay one's ~ 계산을 치르다.

stand shot (***to*** . . .) (…의) 계산을 떠맡다, (…을) 한턱 내다.

-shot *suf.* **1** 「…이 미치는 범위」의 뜻 : within ear*shot* [a rifle*shot*] 들리는 범위[사정 거리] 안에. **2** 「(피가) 모인」의 뜻 : blood*shot*.

shote ☞ SHOAT.

shót effèct *n.* 〖理〗 (진공관의 열전자 방사의) 산탄(散彈) 효과.

shót-fìrer *n.* 〖鑛〗 (발파의) 점화 담당자.

shót glàss *n.* 작은 유리잔《양주용》.

shót·gùn *n.* 산탄총, 엽총, 새총 ; 《美俗》 매콤한 소스 ; 《美俗》 결혼 중매인 ; 《CB俗》 (경찰의) 자동차 속도 측정장치.

ride shotgun 《美西部》 (역마차 따위를) 무장 경호하다 ; 호위로서 동승하다 ; 《俗》 동행자로서 차[트럭]에 타다.

— *a.* 산탄총의 ; 강제적인 ; 닥치는 대로의, 되어가는 대로의 ; 《美》 긴, 상자 모양의.

— *vt.* shotgun으로 쏘다 ; 강제[강박]하다.

shótgun márriage[**wédding**] *n.* 《口》 여자의 임신으로 인한 강제 결혼《여자의 부모가 남자에게 엽총을 들이대고 결혼을 강요한 데서 유래》 ; 《口》 불가피한 타협 : The coalition government was a ~. 그 연립정부는 불가피한 타협의 소산이었다.

shótgun mìcrophone *n.* 숏건 마이크로폰《미약한 음성용 마이크로폰》.

shót hòle *n.* 발파[장약]용 구멍 ; 〖植〗 (잎의) 천공병(穿孔病).

shót nòise *n.* 〖理〗 산탄 잡음《전자관 안에서의》.

shót·pròof *a.* 화살 · 총알로 뚫을 수 없는, 방탄의.

shót pùt *n.* [the ~] 〖競〗 포환 던지기.

shót-pùtter *n.* 포환 던지기 선수.

shot·ten [ʃátn] *a.* 산란후의《청어 따위》 ; 《古》 쓸모없는 ; 《廢》 탈구한 : a ~ herring 기진한[기운 없는] 사람.

shót tòwer *n.* (녹은 납을 물에 떨어뜨려서 만드는) 탄환 주조탑(鑄造塔).

◇**should** [ʃəd, ʃùd, ʃúd]

> (1) should는 원래 shall의 과거형이지만 현재는 거의 가정법 전용의 조동사가 되어 버렸다. 따라서 현재형 shall에 대응하는 경우는 극히 한정되어 있다.
> (2) 특히 《美》에서는 should가 shall의 과거라기보다는 오히려 must나 ought와 마찬가지로 완전히 독립된 별개의 조동사로 쓰인다.
> (3) 조건절에 쓰는 경우도 can과 같이 조동사의 현재형에 가까운 의미를 가지며, 귀결절의 조동사로 반드시 과거형《would 따위》을 필요로 하지 않는다.

— *auxil. v.* SHALL의 과거형(cf. WILL¹, WOULD). **1** [각 인칭에 써서] **a**) [의무 · 당연] …하여야 하다, …하는 것이 당연하다, …하면 되다 (cf. MUST¹, OUGHT¹) : You ~ be punctual. 너는 시간을 엄수해야 한다 / What ~ I do in such a case? 그런 경우에는 어떻게 해야 하니 / You ~ have seen the film. 네가 그 영화를 관람했어야 했는데《보았으면 좋았는데》 / You ~ not have done that. 너는 그런 짓을 하지 않았어야 하는 건데. **b**) [유감 · 놀람 · 당연성 따위를 나타내는 주절에 계속되는 명사절에 쓰여] : It is a pity that he ~ miss such a golden opportunity. 그가 그런 절호의 기회를 놓치다니 안타까운 일이다 / It is not necessary that I ~ go there. 내가 그곳에 갈 필요는 없다 / It is strange[surprising] that you ~ not know it. 네가 그것을 모르다니 이상한 일이다[놀랍다] / I wonder such a man as he ~ commit an error. 그와 같은 남자가 잘못을 저지르다니 알다가도 모를 일이다 / It is natural that he ~ have refused our request. 그가 우리의 요구를 거절한 것은 당연하다. **c**) [명령 · 결정 · 발의 · 의향 따위를 나타내는 주절에 계속되는 명사절에 쓰여] : It was proposed that we ~ do it at once. 우리가 곧 그것을 해야 한다는 제안이 나왔다 / I insist that he ~ stay where he is. 그가 현재의 장소에 머무를 것을 나는 주장한다. 㞳 《美》에서는 흔히 should를 쓰지 않고 원형동사를 씀. **d**) [why, who 따위와 함께 쓰여 놀람 · 알 수 없는 일 따위를 나타냄] : *Why* ~ he go for you? 왜 그가 네 대신 가야 하느냐 / There is no reason *why* philosophers ~ not be men of letters. 철학자가 문학자가 되어서 안된다는 이유는 없다.

> 〈회화〉
> Will you attend the meeting? — No, why *should* I? 「너 모임에 참석할 거니」 「아니, 내가 왜 참석해야 해」

e) [조건절에 쓰여 강한 가정을 나타냄 ; ☞ BE *auxil. v.* 5] : If it ~ rain, he would[will] not come. 만일 비가 오면 그는 오지 않을 것이다《㞳 귀결절에 would가 아니고 will을 쓰는 것은 말하는 이가 가정한 내용에 가능성이 비교적 많다고 느끼고 있는 경우》 / *S*~ he[If he ~] be given another chance, he would do his best. 만일 그에게 한번 더 기회가 주어진다면 그는 최선을 다할 것이다. **f**) [양보절에 쓰여] 만일 …라고 하더라도, 비록 …일지라도 : Even if he ~ deceive me, I would still love him. 비록 그가 나를 기만하더라도 나는 끝까지 그를 사랑할거야 / If I ~ fail, I would try again. 만일에 실패한다고 하더라도 다시 해보겠다. **g**) [있을 듯한 미래나 기대] 아마 …일 것이다(cf. OUGHT¹ 2) : They ~ come by three o'clock, I think. 아마 세시까지는 올 것으로 생각한다. **h**) 《文語》 [lest에 계속되는 절에서] : He studied hard *lest* he ~ fail in the examination. 그는 시험에 실패하지 않도록 열심히 공부했다. 㞳 《美》에서는 보통 should를 쓰지 않고 가정법 현재형을 씀 : He tried his best lest he *be* a failure. 그는 실패자가 되지 않도록 최선을 다했다.

2 [시제(時制)의 일치에 따라 SHALL에 준해서 종속절 안에 쓰임] : I knew that I ~ soon get quite well. 내가 쉬이 병이 나으리라는 것을 알고 있었다(cf. SHALL 1) / She decided that her daughter ~ marry Tom. 그녀는 딸을 톰과 결혼시키기로 결심했다(cf. SHALL 2 a)).

3 [간접화법에서 : should, would는 원칙적으로 직접화법의 shall, should, will, would를 그대로 이어 받음] **a**) [단순미래] : He said that he ~ get there before dark. 그는 어두워지기 전에 그곳에 도착할 것이라고 말했다(He said, "I *shall* get there before dark."). **b**) [의지미래] : I asked if I ~ bring him a chair. 나는 그에게 의자를 가져올까요 하고 물었다(I said, "*Shall* I bring you a chair?") / I asked him if[whether] the man ~ come. 그 남자를 오게 할까요 하고 그에게 물었다(I said to him, "*Shall* the man come?"). 㞳 (1) 단순미래의 you will, he will이

1인칭이 될 때에는 I shall[*should*]로 된다 : Did the doctor say I ~ recover soon? 의사는 제가 얼마 안가서 회복되리라고 말했습니까(Did the doctor say, "He *will* recover soon?"). (2)《美》에서는 위와 같은 단순미래의 should는 보통 would로 대용한다.

4 [조건문의 귀결절에서 : should의 인칭에 따른 차이는 shall에 준함] **a**) [단순미래] : If you were to quarrel with him, I ~ feel very sorry. 만일 네가 그와 다투기라도 한다면 나는 대단히 섭섭하게 생각할 것이다 / If it had not been for your advice, I ~ have failed in the business. 만일 너의 충고가 없었더라면 나는 사업에 실패했을 것이다. **b**) [의지미래] : If it were possible, he ~ have the answer today. 만약 가능하다면 그에게 오늘 회답을 할텐데.

5 [조건절의 내용을 암암리에 포함시킨 완곡한 표현법] (나로서는) …인데요 : He is over thirty, I ~ think. 그는 서른 살이 넘었을 거라고 생각됩니다 / It is not very hard, I ~ say. 그것이 그다지 어렵지는 않을 것입니다.

I should like to …하고 싶다 : *I* ~ *like to* go with you. 당신과 동행했으면 합니다. 㘡 정중한 소원을 나타냄 ; 《美》에서는 이 should 대신에 would를 쓰는 경우가 많다 ; I should[would] like to는 《口》에서는 흔히 I'd like to로 생략된다 ; 상대방의 희망을 물을 때는 *Would* you like to...? 를 쓴다.

‡**shoul·der** [ʃóuldər] *n.* **1** 어깨 ; 어깨뼈 : put out one's ~ 어깨뼈[관절]를 삐게 하다. **2** [*pl.*] 윗등, 어깻죽지 ; [*pl.*] (책임을 지는) 양어깨 : lay the blame on the right ~*s* 당연히 꾸짖어야 할 사람을 꾸짖다 / shift the responsibility on to other ~*s* 남에게 책임을 전가하다 / take...on one's own ~*s* …의 책임을 지다. **3** 어깨에 해당하는 부분, (의복·병·현악기 따위의) 어깨 ; 어깨 모양의 것, 산마루 ; (활자의) 어깨. **4** 어깨살《식용 짐승의 앞다리가 달린 어깨 언저리》: a ~ of mutton 양의 어깨고기. **5** (도로의) 갓길 ; 벼랑길의 가장자리《길 양쪽의 흙이 무른 부분 ; cf. SOFT SHOULDER》. **6** 〖軍〗 어깨총 자세 : come to the ~ 어깨총을 하다. **7** 〖築城〗 견각(肩角)《bastion의 전면과 측면이 이루는 각》. **8 a**) 《서핑 俗》 밀어닥치는 파도의 잔잔한 부분. **b**) [형용사적으로] 피크(peak) 전후의.

cry on** a person's **shoulder 남에게 위로[동정]를 구하다 ; 걱정[슬픔 따위]을 남에게 털어놓다.

give*[*show*] *the cold shoulder to*... = *turn a cold shoulder on …에게 쌀쌀한[냉정한] 태도를 보이다 ; …을 멀리하다, 피하다.

have broad shoulders 어깨가 넓다 ; 무거운 짐[세금·책임]을 감당하다.

***head and shoulders above*...** ☞ HEAD.

an old head on young shoulders ☞ HEAD.

put*[*set*] one'*s shoulder to the wheel 노력하다, 진력하다.

***rub shoulders with*...** (명사·유명한 사람과) 접촉[교제]하다.

shoulder to shoulder 어깨를 나란히 하여 ; 밀집하여 ; 협력하여.

(***straight***) ***from the shoulder*** 정면에서, 직접으로 ; 거침없이, 솔직히 : The boxer hit *straight from the* ~. 권투 선수는 스트레이트로 쳤다 / I told them *straight from the* ~ that …라고 나는 그들에게 거침없이 잘라 말했다.

── *vt.* **1 a**) 짊어지다, 어깨에 메다, 결머지다 : *S*~ arms! 〖구령〗 어깨총! **b**) 《비유》 (일·책임 따위를) 떠맡다, 양어깨에 걸머지다 : ~ responsibilities 책임을 지다 / ~ business 일을 맡다. **2** [+目+前+名 / +目+副] 어깨로 밀다, 어깨로 밀어 헤치며 나아가다 : ~ one's way ***through*** a crowd 어깨로 군중을 밀어 헤치며 나아가다 / ~ a person ***out of*** the way 남을 어깨로 밀어제치다 / be ~*ed aside* 어깨에 떼밀리다. 〖OE *sculdor* ; cf. G *Schulter*〗

shóulder bàg *n.* 어깨에 메는 핸드백.

shóulder bèlt *n.* **1** 〖軍〗 멜빵, 견대(肩帶). **2** (자동차 좌석의) 안전띠(shoulder harness).

shóulder blàde[**bòne**] *n.* 〖解〗 어깨뼈, 견갑골(肩甲骨).

shóulder bòard *n.* (군복의) 견장 ; =SHOULDER MARK.

shóulder bràce *n.* 새우등 교정기(矯正器).

shóul·dered *a.* [복합어를 이루어] 어깨가 …한 : round-~ 새우등의.

shóulder flàsh *n.* 〖軍〗 (연대(聯隊)·임무를 나타내는) 직무 견장.

shóulder hàrness *n.* **1** 《美》 =SHOULDER BELT 2. **2** (어린 아이나 갓난아기를 업는) 멜빵.

shóulder hòlster *n.* 권총 장착(裝着)용 견대(肩帶), 어깨걸이 권총집.

shóulder knòt *n.* (17-18세기의 리본·레이스 따위의) 어깨 장식 ; 〖軍〗 정복 견장(肩章).

shóulder lòop *n.* 《美》 계급 견장(대)《육군·공군·해병대 장교의》.

shóulder màrk *n.* 〖美海軍〗 (장교의) 계급 견장(肩章).

shóulder pàtch *n.* 〖軍〗 수장(袖章).

shóulder-pégged *a.* (말의) 어깨가 딱딱한.

shóulder·pìece *n.* 어깨받이 ; (갑옷의) 어깻죽지 미늘.

shóulder stràp *n.* (바지·스커트 따위의) 어깨끈, 멜빵 ; =SHOULDER LOOP[MARK].

‡**should·n't** [ʃúdnt] SHOULD not의 단축형.

shouldst [ʃədst, ʃùdst, ʃúdst], **should·est** [-dəst] *auxil. v.* 《古》 SHOULD의 제 2인칭 단수형 : thou ~=you should.

shouse [ʃáus] *n.* 《濠俗》 변소. ── *a.* 침울한, 풀이 죽은.

◇**shout** [ʃáut] *vi.* **1** [動 / +前+名 / +*to* do] 외치다, 큰소리로 부르다, 고함치다 ; 몹시 떠들어대다 : You must not ~ ***at*** him. 그에게 호통쳐서는 안된다 / He ~*ed* ***for*** a waiter. 그는 큰소리로 웨이터를 불렀다 / He ~*ed for*[***to***] her *to* stop. 그녀에게 정지하라고 외쳤다 / They ~*ed* ***with***[*for*] joy. 그들은 환성을 올렸다 / He ~*ed to* ward off the danger. 그는 위험을 피하기 위해서 고함을 쳤다. **2** 《美俗》 찬송가 따위를 감정을 넣어 부르다.

── *vt.* **1** [+目 / +目+副 / +*that* 節] …라고 외치다, …을 큰소리로 말하다 : "Get out of the room!" he ~*ed.* 「방에서 나가」라고 그는 큰소리로 말했다 / They ~*ed* their thanks. 큰소리로 고맙다고 말했다 / He ~*ed* (***out***) his orders. 큰소리로 명령했다 / I ~*ed that* all were safe. 모두 무사하다고 나는 외쳤다. **2** [+目+副 / +目+補] …에게 외쳐서 (어떤 상태로) 되게 하다 ; 《濠口》 …에게 한턱 내다 : The mob ~*ed* him ***down***. 군중은 고래고래 소리를 질러 그를 침묵케 했다 / I ~*ed* myself hoarse. 나는 목이 쉬도록 외쳤다.

All is over but*[*bar*] *the shouting. 승부는 결정적이다.

within shouting distance 큰소리로 부르면 들리는 곳에.

—— *n.* **1** 외침(call, cry) ; 큰소리 ; 환성, 환호[갈채]의 함성 : give[raise, set up] a ~ 한바탕 소리치다, 고함치다 / give a ~ of triumph 승리의 함성을 지르다 / with a ~ 외치면서. **2** 《英口·濠口》 한턱 낼 차례(treat) : It is my ~. 내가 한턱 낼 차례다. **3** 《美俗》 감정을 넣어 부르는 찬송가, 재즈 가수가 부르는 느린 블루스 ; 전도 집회 ; 교회 행사에 따르는 격식차리지 않는 댄스 파티. **~·ing·ly** *adv.*

〖ME ; SHOOT[1]과 같은 어원(語源)인가 ; cf. ON *skúta* to SCOUT[2]〗

類義語 ⟹ CRY.

shóut·er *n.* 외치는[큰소리로 이야기하는] 사람 ; 열렬한 지지자.

shove** [ʃʌv] *vt.* [+目 / +目+副 / +目+前+名] **1** (난폭하게) 밀다, 떼밀다(push) ; 밀어제치다[붙이다] : ~ a person *aside* 남을 (옆으로) 밀어붙이다 / The boys ~*d* the smaller children ***out of the way and took over the swing. 소년들은 나이 어린 아이들을 몰아내고 그네를 차지했다 / Helen ~*d* the book ***across*** the desk to him. 헬렌은 책상 위로 책을 밀어 그에게 건네주었다. **2** 《口》 놓다(put), 처넣다 ; (옷을) 입다 : ~ one's clothes ***on*** 허둥지둥 옷을 입다 / ~ something ***down*** *on* paper 종이에 뭔가 휘갈겨 쓰다 / He ~*d* it ***in*** the drawer. 그것을 서랍 속에 쑤셔 넣었다. **3** 《俗》 (지식 따위를) 반복하여 주입시키다 ; 《美俗》 죽이다, 살해하다.

—— *vi.* 밀다, 떼밀다, 밀고 나아가다〈*along, past, through*〉 ; 《英俗》 떠나다(depart).

shove off (1) (기슭에서 삿대로) 배를 밀어내다, 저어가다. (2) 《口》 떠나다, 출발하다, [명령] 나가 없어져라.

—— *n.* 밀기, 밀어제치기 ; [the ~] 《英俗》 쫓아내기, 액막이 부적을 넣어두는 상자 : He gave me a ~. 그는 나를 확 밀었다[밀쳤다].

〖OE *scūfan* ; cf. SHOVEL, G *schieben*〗

類義語 ⟹ PUSH.

shòve-hálfpenny, -há'penny *n.* 《英》 = SHOVELBOARD.

***shov·el** [ʃʌ́vəl] *n.* **1** 삽 ; 가래 ; 《美俗》 스푼. **2** =SHOVELFUL. **3** =SHOVEL HAT.

—— *vt.* (**-l-** | **-ll-**) [+目 / +目+副 / +目+前+名] **1** 삽으로 뜨다 ; (길 따위를) 삽질하여 만들다 : ~ ***up*** coal 석탄을 부삽으로 뜨다 / ~ the snow *away* ***from*** the steps 계단의 눈을 삽질하여 치우다 / They are ~(*l*)*ing* a path ***through*** the snow. 삽질하여 눈 속에 길을 만들고 있다. **2** 《비유》 마구 퍼넣다 : The beggar quickly ~*ed* the loaf ***into*** his mouth. 거지는 재빨리 그 빵을 입에 처넣었다.

〖OE *scofl* (⇨ SHOVE) ; cf. G *Schaufel*〗

shóvel·bòard *n.* **1** Ⓤ 원반 밀어넣기 《놀이》 (shuffleboard). **2** 구슬[동전] 굴리기 ; Ⓒ 구슬굴리기용의 구슬[대(臺)].

shóvel·er | **shóv·el·ler** *n.* **1** 삽질하는 사람 ; 삽질하는 도구[기계]. **2** 《美俗》 과장하는 버릇이 있는 사람. **3** 〖鳥〗 넓적부리(오리).

shóvel·fùl *n.* (*pl.* **~s, shóvels·fùl**) 한 삽 가득한 양〈*of*〉.

shóvel hàt *n.* (영국 국교회 목사들이 쓰는 검고 챙이 넓은) 셔블 모자.

◊**show** [ʃóu] *v.* (**~ed** [ʃóud] ; **shown** [ʃóun], 《稀》 **~ed**) *vt.* **1** [+目 / +目+目 / +目+*to*+名] 보이다, 나타내다 ; (머리·얼굴 따위를) 드러내다, 내놓다 : *S*~ your tickets, please. 차표를 보여주십시오 / Let me ~ you. 보여드리지요, (그것은) 이렇게 하시면 됩니다 / That dress ~*s* your underwear. 저 드레스로는 속옷이 보인다 / The color does not ~ the dirt. 그 빛깔은 더러움을 타지 않는다 / *S*~ me some hats. 모자를 좀 보여주세요 / He ~*ed* his photos ***to*** me[~*ed* me his photos]. 그는 나에게 자신의 사진을 보여주었다. 注 수동태로는 : I *was* ~*n* his photos. / His photos were ~*n to* me.

2 진열하다 ; 출품하다 ; (영화 따위를) 상영하다, 공연하다 : He got a prize for the dog he ~*ed.* 그는 출품한 개로 상을 탔다 / What do you think of the films ~*n* at that cinema? 저 영화관에서 상영된 영화를 어떻게 생각하십니까.

3 [+目 / +目+目 / +目+前+名] 나타내다, (호의 따위를) 보이다, 베풀다, (친절을) 다하다 : He ~*ed* me a good deal of friendliness[~*ed* a good deal of friendliness ***to*** me]. 그는 나에게 대단히 친절하게 대해 주었다 / He did not ~ any mercy ***on*** me. 그는 나에게 인정 사정없이 대했다.

4 [+目 / +目+目] 지시하다, 표시하다 ; (길·장소 따위를) 가리켜주다 : The thermometer ~*s* ten below zero. 온도계는 영하 10도를 가리키고 있다 / I'll ~ you the way to the station. 역으로 가는 길을 알려 드리겠소.

5 [+目+前+名 / +目+副] 안내하다, 배웅하다 (conduct) : He ~*ed* me ***into*** his room. 나를 그의 방으로 안내했다 / The lady was ~*n into* the drawing room. 부인은 응접실로 안내되었다 / ~ a guest ***to*** the door 손님을 문까지 전송하다 / My friend ~*ed* me ***over*** the town. 내 친구는 나에게 시가를 두루 안내해 주었다 / Jim will ~ you (***a***)***round*** the school. 짐이 학교를 안내할 겁니다 / ~ a person ***out*** 남을 배웅하다.

〈회화〉

Mr. Jones is here to see you. — Please *show* him in. 「존스 씨가 찾아 오셨어요」「이리 좀 안내해 주세요」

6 [+目 / +*that* 節 / +目+補 / +目+*to* do / +*wh.* 節 / +目+*wh.* 節 / +目+*wh.*+*to* do / +目+目] 증명하다(prove) ; 설명하다, 가르치다, 밝히다 : He ~*ed* the man's innocence[~*ed that* the man was innocent, ~*ed* the man *to be* innocent]. 그 남자가 결백하다는 것을 증명했다 / He ~*ed* himself a clever man. 스스로 현명한 사람임을 증명했다 / That ~*s how* happy she is. 그것으로 그녀가 얼마나 행복한가를 알 수 있다 / I'll ~ you *how* foolish it is. 그것이 얼마나 어리석은 일인가를 알려 드리지요 / She ~*ed* me *how to* make a knot. 그녀는 나에게 매듭짓는 법을 가르쳐 주었다 / ~ a person a thing or two ☞ *a* THING *or two* / Please ~ me the way. (어떻게 하면 좋을지) 그 방법을 가르쳐 주십시오(cf. 4).

7 〖法〗 신청하다(plead) ; (사실로서) 제시하다 : ~ cause 이유를 내세우다.

—— *vi.* **1** [動 / +前+名 / +補] 보이다, 알려지다 ; 두드러지다 ; 폭로하다 ; 《口》 얼굴을 보이다, 나타나다 : Your slip is ~*ing.* 당신의 속옷이 보이는군요 / The hole in his stocking ~*s* ***above*** his shoe. 양말 구멍이 구두 위로 드러나 보인다 / Her embarrassment ~*ed* ***in*** her face. 그녀의 얼굴에 당황한 기색이 역력했다 / The flower ~*s* white from here. 그 꽃은 여기서는 하얗게 보인다. **2 a**) 《美》 (경마·개의 경주에서) 3등이 되

다, 상위에 들다(cf. PLACE *vi.*). **b**) 《口》 (상품을) 진열하다 ; 〖劇〗 흥행하다, 무대에 오르다.
have nothing to show for it 아무런 성과도 보이지 않다.
show off (역량·학문 따위를) 과시하다, 자랑해 보이다 ; 돋보이게 하다, 잘 보이다 ; 여봐란 듯이 행동하다 : This dress will certainly ~ *off* your figure. 이 옷은 분명코 당신의 모습을 돋보이게 할 것입니다 / Mothers will always ~ *off* their children. 어머니들은 언제나 자기 자식을 자랑하려고 하신다 / The man is always ~*ing off* his talent. 그 남자는 언제나 자신의 재능을 자랑만 하고 있다.
show one***self*** 출석[참석]하다 ; 출현하다 : Did you ~ your*self* at his birthday party? 당신은 그의 생일 파티에 참석했습니까 / The moon has ~*n* it*self* above the hill. 달이 언덕 위에 떴다.
show one***'s face***[***head,*** 《戱》 ***nose***] 얼굴을 드러내다, (남 앞에) 나타나다.
show one***'s hand***[***cards***] 〖카드놀이〗 가진 패를 보이다 ; 《비유》 생각[목적]을 털어놓다.
show a person ***the door*** (문을 가리키며) 남에게 나가라고 말하다, 남을 쫓아내다.
show up (*vt.*) (1) 폭로하다, …을 무안하게 하다 : ~ *up* an impostor 협잡꾼이라는 것을 폭로하다. (*vi.*) (2) (대조적으로) 눈에 띄다, 두드러지다 : Her hair ~*ed up* against the sky. 하늘을 배경으로 하여 그녀의 머리가 돋보였다 / The white cliff ~*ed up* with surprising clearness. 그 하얀 벼랑은 놀랍도록 선명하게 보였다. (3) 《口》 (회합 따위에) 나오다, 나타나다(turn up) ; 《口》 …보다 낫다 : We invited him to the party, but he did not ~ *up*. 그를 회합에 초대했으나 나오지 않았다.
—— *n.* **1** Ⓤ 보임, 보여줌. **2** 전람회, 전시회(exhibition) ; 《口》 가관, 장관(sight) ; 《口》 (텔레비전·라디오의) 프로그램 ; 《口》 구경거리, 흥행, 연극, 쇼, 영화 ; 《비유》 망신, 웃음거리 : a dog ~ 개의 품평회 / a picture ~ 회화 전시회 / a wonderful ~ of flowers in the garden 정원의 굉장한 꽃풍경 / be the whole ~ 독무대를 차지하다 / ☞ DUMB SHOW / the Lord Mayor's ~ ☞ LORD MAYOR / ☞ SHOW BUSINESS. **3** Ⓤ 시늉, 가장 ; 《古》 외모, 외관, 모양 : with some ~ of reason 그럴싸한 점도 있게, 그럴듯하게 / make a good[poor] ~ (사람·보석 따위가) 좋아[나빠] 보이다 / He hid his treachery by a ~ of friendship. 우정을 가장하여 배신 행위를 감췄다. **4** Ⓤ 뽐내기, 과시, 성장(盛裝), 허식(display) : He's fond of ~. 그는 허식을 좋아한다 / for ~ ☞ 숙어. **5** 《口》 사물, 사건, 사업, 기획 : The party was a dull ~. 그 파티는 시시했다. **6** 흔적, 징후, (특히 광물이 있다는) 표시(sign)〈*of*〉. **7** [a ~] 《口》 기회, (실력을 보이거나 변명할) 좋은 기회 : give a person *a* (fair) ~ 남에게 (좋은) 기회를 주다. **8** Ⓤ 《美》 (경마 따위에서의) 3등[상위(上位)] (cf. PLACE *n.* 10).
by (***a***) ***show of hands*** (찬부의) 거수로.
for show 자랑으로, 보라는 듯이 : She did it *for* ~. 그녀는 이목을 끌려고 그것을 했다.
give the (***whole***) ***show away*** 구경거리를 몽땅 폭로하다 ; 무심코[고의로] 내막을 발설하다 ; 본색[마각]을 드러내다, 실언하다 ; 배신하다(betray).
in show 외관[외모]상.
make a show of …을 과시하다.
make a show of one***self*** 창피당하다, 웃음거리가 되다.
on show 진열되어 : goods *on* ~ 진열품.
put up a good show 《口》 훌륭히 해치우다.
run the show 좌지우지하다, 우두머리 노릇을 하다, 운영[경영]하다.
steal[***walk off with***] ***the show*** 《口》 (주역보다 조역이) 인기를 끌다 ; 크게 히트하다.
〖OE *scēawian* ; cf. SHEEN, G *schauen*〗
類義語 ***show*** 남에게 무엇을 보이다라는 뜻의 가장 일반적인 말 : He *showed* us his precious collection of stamps. (우리에게 진귀한 우표집을 보여주었다). ***display*** 물건 그 자체의 힘·아름다움·성질 따위를 확실히 알 수 있도록 펼쳐서[진열하여] 보여주다 : Costumes are *displayed* in the big window. (의상이 큰 진열창에 진열되어 있다). ***exhibit*** 공중의 눈을 끌기 위하여 뚜렷이[대규모로] display하다 : Many pictures were *exhibited* in the gallery. (많은 그림이 화랑에 전시되어 있었다). ***expose*** 숨어 있던[숨겨두었던] 것을 남의 눈에 띄게 하다 : He *exposed* the plot to the police. (그는 경찰에 그 음모를 폭로했다).

shów bìll *n.* 광고 전단, 포스터.

shów bìz [-bìz] *n.* 《口》 =SHOW BUSINESS.

shów·bòat *n.* (원래 미국에서 Mississippi 강 따위를 순회 공연한) 연예선(演藝船), 쇼보트 ; 《美俗》 두드러진 행동으로 사람들의 주의를 끌려고 하는 사람, 남의 눈에 띄고 싶어하는 사람.
—— *vt., vi.* 《美俗》 과시하다.

showbread ☞ SHEWBREAD.

shów bùsiness *n.* (연극·영화·텔레비전 따위의) 연예업, 흥행업.

shów càrd *n.* 광고 전단 ; 상품 견본을 붙인 카드.

shów·càse *n.* (유리) 진열장, 쇼케이스 ; 공개[진열] 장소[수단] ; 《美俗》 ((보도) 관계자에게 선전하기 위한) 특별 공개[공연] ; 〖劇〗 초대손님 중심의 관객.
—— *vt.* 쇼케이스로 장식[진열]하다 ; 《美》 두드러지게 나타내다.

shów còpy *n.* (특별 시사회 따위의 중요한 장소에서 상영되는) 영화 필름.

showd [ʃáud] *n., vt.* 《스코》 (아기를 달래기 위해) 흔들기[흔들다].

shów·dòwn *n.* **1** 〖카드놀이〗 가진 패를 전부 내보이기. **2** (계획 따위의) 발표, 공개, 폭로 ; (결말을 짓는) 막판, 결정적 대결 : when it comes to a ~ 막판에 이르면, 일단 유사시에는.

‡**show·er**[1] [ʃáuər] *n.* **1** 소나기 ; 갑자기 내리는 눈[진눈깨비·우박 따위]. **2** (탄알·편지 따위가) 빗발치듯 함, 많음〈*of*〉. **3** 《美》 =SHOWER PARTY : get up a bridal[stork] ~ 곧 신부[어머니]가 될 사람에게 축하 선물 증정 파티를 열다. **4 a**) 샤워(shower bath) : They have a ~ in the morning. 아침에 샤워를 한다. **b**) 〖理〗 (우주선 따위의) 샤워. **5** 《英口·蔑》 불유쾌한[너절한] 사람들.

〈회화〉
Why are you all wet? — I was caught in a *shower* on my way home. 「왜 그렇게 흠뻑 젖었니」「집에 오는 길에 소나기를 만났어요」

—— *vt.* **1** 소나기로 적시다 ; …에 물을 뿌리다. **2** [＋目＋前＋名] (탄알 따위를) 빗발치듯 퍼붓다 ; (선물 따위를) 듬뿍 주다, (애정을) 쏟다 : The factory chimneys ~*ed* the district ***with*** soot. 공장 굴뚝이 그 지역에 매연을 내뿜었다 / We ~*ed* applause (***up***)***on*** the man. =We ~*ed*

the man *with* applause. 그 사람에게 박수 갈채를 보냈다 / Praises were ~*ed upon* her from all sides. 곳곳에서 그녀에 대한 칭찬이 자자했다.
—— *vi.* **1** 소나기가 오다. **2** [+副 / +*on*+名] 빗발치듯 퍼붓다, 흠뻑 쏟아지다 : Congratulations ~*ed* (***down***) (***up***) ***on*** the newlyweds. 신혼부부에게 축하 인사가 답지했다. **3** 샤워를 하다 ; 《美俗》 말에게 채찍질을 하다.
〖OE *scūr* ; cf. G *Schauer* storm〗

show·er² [ʃóuər] *n.* 보여주는 사람, 나타내는 것. 〖SHOW〗

shówer bàth *n.* 관수욕, 샤워(shower) ; 샤워기, 샤워실 ; 흠뻑 젖음.

shówer pàrty *n.* (특정한) 선물을 하기 위한 파티, 신부 피로연《신부에게 선물을 함》.

shów·ery *a.* 소나기의[가 잦은] ; 소나기 같은.

shów·fòlk *n. pl.* 연예인들, 흥행업자.

shów·gìrl *n.* (쇼 따위의 화려하게 차려 입은) 코러스 걸(chorus girl) ; 연기보다 용모로 한몫 보는 여배우.

shów·ing *n.* **1** 보이기, 나타내기, 표시 ; 전시(회), 전람(회) ; (영화·연극의) 상영, 상연 : the first ~ (영화의) 개봉. **2** 외관, 모양, 상황 ; 됨됨이, 성적 ; 제기, 주장, 제시 : make a good [poor] ~ 모양이 좋다[나쁘다], 성적이 우수하다[열등하다].
on [***by***] one***'s own showing*** 자기[본인]가 하는 말에 의하면[의하여].

shów jùmping *n.* 〖馬〗 장애물 뛰어넘기《경기》.

shów·man [-mən] *n.* (신파극·서커스 따위의) 흥행사 ; 연출을 잘하는 사람. **~·shìp** *n.* 흥행술 ; 흥행 수완 ; 뛰어난 연출력.

shów-me [-mi:] *a.* 《美口》 증거에 구애되는, 의심이 많은.

Shów Mè Stàte *n.* [the ~] MISSOURI 주(州)의 속칭.

◇shown *v.* SHOW의 과거분사.

shów-òff *n.* Ⓤ 자랑스럽게 내보이기, 과시 ; Ⓒ 《口》 자만하는 사람, 자랑꾼.
~·ish *a.*

shów·pìece *n.* 전시품 ; 우수한 견본, 견본이 되는 걸작〈*of*〉.

shów·plàce *n.* 명소《공개 건축물·정원 따위》 ; (일반적으로 아름다움·호화로움 따위로) 유명한 곳[건물 따위].

shów·ròom *n.* 진열실, 전시실, 쇼룸.

shów·shòp *n.* 전시 판매점 ; 《美俗》 극장.

shów·stòpper *n.* 열렬한 갈채를 받는 명연기(자)[명대사, 노래 따위].

Shów Súnday *n.* (Oxford 대학의) 기념제 전의 일요일.

shów-thròugh *n.* (종이가 얇거나 반투명이어서) 인쇄한 것이 뒤로 비쳐 보임.

shów trìal *n.* 여론 조작을 위한 재판.

shów·ùp *n.* 드러내 보이기 ; 《美》 (용의자 등의) 대질을 위한 정렬.

shów wìndow *n.* 쇼 윈도, (가게의) 상품 진열창 ; 《비유》 견본.

shówy *a.* 눈에 띄는, 보기 좋은 ; 화려한, 야한 (gaudy) ; 허세를 부리는 : This dress is too ~ for you. 이 옷은 너에게는 너무 화려하다.
shów·i·ly *adv.* **-i·ness** *n.*
類義語 ⟹ GAUDY.

SHP, shp, s.hp., s.h.p. shaft horsepower.

shpt. shipment. **shr.** share(s).

***shrank** *v.* SHRINK의 과거형.

shrap·nel [ʃrǽpnl] *n.* (*pl.* ~) Ⓤ 유산탄(榴散彈) (파편) ; 폭탄[총탄]의 파편. 〖H. *Shrapnel* (d. 1842) 영국의 포병대 장교로 발명자〗

shred [ʃréd] *n.* **1** 한 조각, 단편, 파편, 지스러기 (fragment) : in ~*s* 갈기갈기 찢어져. **2** 근소, 조금 : There is not a ~ *of* evidence for his guilt. 그가 유죄라는 증거는 하나도 없다.
tear. . .into [***in, to***] ***shreds*** …을 갈기갈기 찢다, 토막내다, (의론 따위를) 완전히 논박하다 : The giant *tore* the chain *into* ~*s.* 거인은 쇠사슬을 토막토막 끊었다.
—— *v.* (**-dd-**, 《약간 古》 **shred**) *vt.* 갈기갈기 찢다, 조각조각 끊다, 토막내다.
—— *vi.* (천이) 찢어지다.
〖OE 《美》 *scrēad* piece cut off (*scrēadian*) ; cf. SHROUD〗

shrédded whéat *n.* 슈레디드 휘트《탄 밀을 재료로 비스킷 모양으로 구운 것 ; 아침 식사용》.

shréd·der *n.* 거친 강판 ; 슈레더《비밀 서류 따위를 잘게 절단하여 처분하는 장치》.

shrew [ʃrú:] *n.* **1** 잔소리가 심한 여자, 바가지긁는 여자, 사나운 여자. **2** =SHREWMOUSE.
—— *vt.* 《廢》 욕을 퍼붓다.
〖OE *scrēawa* shrewmouse ; cf. OHG *scrawaz* dwarf, MHG=devil〗

***shrewd** [ʃrú:d] *a.* **1** 예리한, 예민한 ; 영리한, 통찰력이 있는 ; 빈틈없는, 약삭빠른(clever) : make a ~ guess (as to...) (…에 대해) 예리한 추측을 하다. **2** 《古》 심술궂은, 짓궂은 : do a person a ~ turn 남에게 짓궂은 짓을 하다. **3** (구타 따위) 통렬한 ; 《古》 (추위·고통 따위가) 격심한, 모진(keen).
~·ly *adv.* 예민하게 ; 빈틈없게. **~·ness** *n.* Ⓤ 예민 ; 영리 ; 빈틈없음.
〖SHREW=evil person or thing+-*ed* ; 또는 (p.p.) ‹*shrew* (obs.) to curse (↑)〗
類義語 ⟹ CLEVER.

shréwd·ie *n.* 《口》 빈틈없는 사람, 만만찮은 놈.

shréw·ish *a.* 바가지긁는《여자》, 입정사나운 ; 심술궂은(malicious).

shréw·mòuse *n.* 〖動〗 뒤쥐.

Shrews·bury [ʃrú:zbèri, -bəri ; ʃróuzbəri, ʃrú:z-] *n.* 잉글랜드 Shropshire의 주도(州都).

shriek** [ʃrí:k] *vi.* 날카로운 소리를 지르다, 비명을 지르다 : ~ with laughter 깔깔 웃다 / ~ for help 살려달라고 비명을 지르다. —— *vt.* [+目 / +目+副 / +目+前+名] 날카로운[새된] 소리로 말하다 : ~ ***out a warning 새된 소리로 경고를 하다 / She ~*ed* curses ***at*** me. 그녀는 나에게 새된 소리로 악담을 했다.
—— *n.* 비명, 새된[날카로운] 소리, 드높이 외치는 소리(scream) : ~*s* of laughter 큰 웃음 소리 / give [utter] a ~ 비명을 지르다.
~·ing·ly *adv.* **shríeky** *a.*
〖imit. ; cf. ON *skrækja* to SCREECH, SCREAK〗
類義語 ⟹ CRY.

shriev·al [ʃrí:vəl] *a.* SHERIFF의[에 관한].

shríeval·ty *n.* Ⓤ 《英》 SHERIFF의 직[임기, 관할구역].

shrift [ʃríft] *n.* Ⓤ 《古》 (사제에게 고해하는) 참회 ; 임종의 참회 ; (참회에 의한) 속죄, 사죄 : ☞ SHORT SHRIFT.
〖OE *scrift* (*scrīfan* to SHRIVE)〗

shrike [ʃráik] *n.* 〖鳥〗 때까치(butcherbird).
〖? OE *scrīc* thrush (imit.) ; cf. SHRIEK〗

***shrill** [ʃríl] *a.* 날카로운, 새된, 귀가 째지는 듯한 ; 감정을 드러낸 ; (빛 따위) 강렬한 ; 심한, 신랄한 《말 따위》.

—— *adv.* 새된 소리로.
—— *vi.* 날카로운 소리를 내다, 날카롭게 울리다 : The loudspeaker ~*ed* with the noise. 확성기가 귀가 째지는 듯한 잡음을 냈다.
—— *vt.* [+目 / +目+副] 째지는 소리로 말하다[노래하다] : ~ (***out***) the orders 날카로운 소리로 명령을 내리다.
—— *n.* 새된 소리, 날카로운 소리.
〚ME< ? ; cf. OE *scralletan*, G *schrill*, LG *schrell* sharp in tone or taste〛

shríl·ly *adv.* 귀가 째지는 듯한 소리로, 새되게.

shrimp [ʃrímp] *n.* (*pl.* **~, ~s**) **1** 〖動〗 자주새우 ; 작은 새우(cf. PRAWN, LOBSTER). **2** 《口·蔑》 꼬마, 난쟁이 ; 하찮은 사람. —— *vi.* 작은 새우를 잡다 : go ~*ing* 작은 새우를 잡으러 가다.
〚ME ; cf. SCRIMP, MLG *shrempen* to wrinkle, MHG *shrimpfen* to contract〛

shrímp·bòat *n.* 작은 새우잡이용(用) 배 ; 〖空〗 항공 관제관이 비행 상태를 추적하기 위해 레이더 화면 위의 기영(機影) 옆에 붙여 놓는 작은 플라스틱 조각.

shrímp pínk *n.* 진한 핑크색.

***shrine** [ʃráin] *n.* **1** (성인의 유골·유물 따위를 넣은) 성골(聖骨)[성물(聖物)]함. **2** (성인의 유골·유물을 모신 교회당 내의) 성당 ; 묘(廟), 사당. **3** 《비유》 전당, 성지, 영지(靈地) : a ~ of art[learning] 예술[학문]의 전당.
—— *vt.* 《詩》 =ENSHRINE.
〚OE *scrīn*<L *scrinium* bookcase〛

shrink** [ʃríŋk] *v.* (**shrank** [ʃrǽŋk], **shrunk** [ʃrʌ́ŋk] ; **shrunk, shrunk·en** [ʃrʌ́ŋkən]) *vi.* **1** (천 따위가) 오그라들다, 줄어들다 : This cloth does not ~ in hot water. 이 천은 뜨거운 물에서도 줄어들지 않는다. **2** [+副 / +前+名] 위축하다, 움츠리다, 겁내다 ; 움찔하다, 피하다 : ~ (up***) ***with*** cold 추위로 움츠리다 / She ~*s* ***from*** meet*ing* people. 사람 만나는 것을 꺼린다 / The boy *shrank* (*back*) *from* the dog. 소년은 개를 피해 뒷걸음질쳤다. **3** 줄다, 적어지다(dwindle).
—— *vt.* (천을) 오그라들게 하다 ; 줄어들게 하다 ; (천 따위에) 방축(防縮) 가공을 하다 ; 작게 하다, 줄이다 : The maid *shrank* the cloth in very hot water. 하녀는 옷감을 뜨거운 물에 넣어 오그라뜨렸다. —— *n.* **1** 망설임, 위축 ; 수축, 오그라들기. **2** 슈링크《긴 소매의 블라우스[스웨터] 위에 입을 수 있는 짧고 꼭 끼는 스웨터》. **3** 《俗》 정신과 의사.
~·able *a.* 오그라들기 쉬운 ; 수축할 수 있는. **~·er** *n.* 꽁무니를 빼는 사람 ; 수축기[제] ; 《俗》 정신과 의사. **~·ing·ly** *adv.* 뒷걸음질 쳐서, 움츠리며, 겁먹고.
〚OE *scrincan* ; cf. Swed. *skrynka* to wrinkle〛

shrínk·age *n.* 오그라듦, 수축(량), 축소(량), 감소(량) ; 감가(량) ; 가축의 총중량과 얻은 고기의 중량의 차.

shrínk·ing víolet *n.* 수줍음을 타는[내성적인] 사람.

shrínk-pròof, -resìst·ant *a.* (빨아도) 줄어들지 않는, (천 따위) 방축(防縮)(가공)의.

shrínk-wràp *vt.* …에 수축 포장을 하다《플라스틱 필름을 가열하여 상품의 모양에 꼭 맞게 수축시키는 포장법》.
—— *n.* 수축 포장의 필름.

shrive [ʃráiv] *v.* (**~d, shrove** [ʃróuv] ; **shriv·en** [ʃrívən], **~d**) *vt.* (남)의 고해를 듣다 ; (신부가) …의 고해[고백, 참회]를 듣고 죄를 용서하다, 속죄의 고행(苦行)을 시키다 ; 참회[고해]하여 사죄를 구하다. —— *vi.* 고해하다[하러 가다] ; (신부가) 고해를 듣다, 사죄하다.
〚OE *scrīfan* to impose as penance<L *scribo* to write〛

shriv·el [ʃrívəl] *v.* (**-l-** | **-ll-**) *vt.* [+目 / +目+副] 주름지게 하다, 시들게 하다, 쭈그러들게 하다, 오그라들게 하다, 비틀다 : His face is ~*ed.* 그의 얼굴에 주름살이 졌다 / The hot sun ~*ed* ***up*** the leaves. 뜨거운 햇볕 때문에 나뭇잎이 시들었다.
—— *vi.* [動 / +副] 주름지다, 쭈그러들다, 시들다, 오그라지다 ; 비틀리다 : The skin ~*s* with age. 나이가 들면 피부에 주름이 생긴다 / A leaf ~*s* ***up*** in the hot sun. 나뭇잎은 뜨거운 햇볕을 받으면 시든다.
〚? ON ; cf. Swed. (dial.) *skryvla* to wrinkle〛
類義語 ⟹ WITHER.

shriven *v.* SHRIVE의 과거분사.

shroff [ʃrɔ́(:)f, ʃrɑ́f] *n.* 《인도》 환전업자(換錢業者) ; (특히 중국의) 화폐 감정인.
—— *vt., vi.* (화폐를) 감정하다.
〚Hindi<Arab.〛

Shrop·shire [ʃrɑ́pʃiər, -ʃər] *n.* **1** 슈롭셔《영국 중서부의 주(州) ; 주도 Shrewsbury》. **2** Ⓒ 슈롭셔종(種)의 양《식육·양모용》.

shroud [ʃráud] *n.* **1** 수의(壽衣), 시체를 싸는 천. **2** 싸는 것, 가리개, 막, 장막. **3** [*pl.*] 〖海〗 돛대 꼭대기에서 양 뱃전에 매는 밧줄 ; 낙하산의 갓과 멜빵을 잇는 끈. **4** 〖機〗 (물레방아·터빈의) 측판(側板). **5** 〖로켓〗 우주선 발사 때의 고열로부터 보호하는 섬유 유리. **6** [흔히 *pl.*] 《古》 지하 예배당. **7** 《廢》 피난처, 보호.
wrapped in a shrouds of mystery 신비의 장막에 싸여.
—— *vt.* **1** …에게 수의를 입히다. **2** [+目 / +目+*in*+名] 덮어 가리다, 씌우다, 싸다 ; 위장하다 ; 《廢》 (사람 등을) 숨기다 : The airport was ~*ed* ***in*** a heavy mist. 공항은 짙은 안개로 싸여 있었다. —— *vi.* 《古》 피난하다, 피하다.
〚OE *scrūd* garment ; cf. SHRED〛

shróud lìne *n.* 낙하산 장구를 매다는 끈.

shrove *v.* SHRIVE의 과거형.

Shróve Súnday[Mónday, Túesday] *n.* 재의 수요일(Ash Wednesday)의 바로 전의 일[월, 화]요일.

***shrub**[1] [ʃrʌ́b] *n.* 관목《흔히 bush ; cf. TREE 1, PLANT 1 b)》.
〚OE *scrubb, scrybb* shrubbery ; cf. SCRUB[2]〛

shrub[2] *n.* 시럽《과즙에 설탕·럼주를 섞은 음료》.
〚Arab.=beverage〛

shrúb·bery *n.* [집합적으로] 관목림, 관목 ; (정원에) 식수한 관목들.

shrúb·by *a.* 관목이 많은[무성한] ; 관목(모양·성질)의.

***shrug** [ʃrʌ́g] *v.* (**-gg-**) *vt.* (양 손바닥을 내보이며) 어깨를 으쓱하다《불쾌·절망·놀람·의심·냉소 따위의 표정》 : He just ~*ged* his shoulders. 그는 (잠자코) 어깨를 으쓱했다.
—— *vi.* 어깨를 으쓱하다.
shrug off (모욕·의견 따위를) 무시해버리다 ; 뿌리쳐 버리다.
—— *n.* 어깨를 으쓱하기 ; 소매가 짧고 낙낙한 여성용 웃옷[스웨터] : with a ~ (of the shoulders) 어깨를 으쓱하며.
〚ME=to shiver, shrug< ?〛

***shrunk** *v.* SHRINK의 과거·과거분사.

***shrunk·en** [ʃrʌ́ŋkən] *v.* SHRINK의 과거분사.
—— *a.* (천 따위가) 줄어든 ; 쭈글쭈글한 ; 주름

진 : His face has a ~ look. 그의 얼굴은 쭈글쭈글해 보인다.

sht. sheet.

shtetl, shtet·el [ʃtétl, ʃtéi-] *n.* (*pl.* **shtet·lach** [-lɑk], **shtetls**) (예전의 동유럽, 러시아 등지에서 볼 수 있었던) 작은 유태인촌[마을].
〖Yid.<MHG (dim.)‹*stat* place, town〗

shtg(.) shortage.

shtick, schti(c)k [ʃtík] *n.* 《美俗》 (희극 따위의) 상투적인 익살스런 장면[동작] ; 남의 눈을 끌기 위한 것 ; 특징, 특수한 재능.
〖Yid.=piece〗

shtup [ʃtʌ́p] *n.* 《美卑》 성교 ; 헤픈 여자.
—— *vt.* (여자와) 성교하다. 〖Yid.〗

shuck [ʃʌ́k] *n.* (옥수수·콩·굴·땅콩 따위의) 껍질, 껍데기(shell), 꼬투리(pod) ; [*pl.*] 《美口》 하찮은[무가치한] 것 ; 《美俗》 가짜, 허풍(쟁이) ; 《美俗》 전과자.
—— *vt., vi.* …의 껍질[껍데기·꼬투리]을 벗기다[까다] ; 《美口》 (옷 따위를) 벗기다, 벗다, 벗어버리다 ; (악습 따위를) 버리다 ; 《美俗》 놀리다, 괴롭히다, 속이다, 사기치다.
〖C17<?〗

shucks [ʃʌ́ks] *int.* 《美口》 저런!, 이크!, 쳇! 《불쾌·실망·안타까움 따위의 소리》.

shud·der** [ʃʌ́dər] *vi.* [動/+前+名/+*to* do] (공포·추위 따위로) 떨다, 오싹하다, 전율하다 ; (싫어서) 몸서리치다 : ~ ***with cold 추워서 떨다 / He ~*ed* ***at*** the thought of it. 그는 그것을 생각하고 몸서리쳤다 / I ~*ed to* think what might happen. 무슨 일이 생길 것인가 생각하니 벌벌 떨렸다. —— *n.* (몸을) 떪, 전율 ; [the ~s] 《口》 오싹하는 기분, 몸서리 : It gives me *the ~s.* 그것은 나를 오싹하게 한다.
〖MDu. and MLG ; cf. OE *scūdan* to tremble, G *schaudern*〗
類義語 ⟹ SHAKE.

shúd·der·ing *a.* 떠는 ; 몸서리치는 ; 오싹하는, 소름끼치는. **~·ly** *adv.* 벌벌 떨며, 몸서리치며, 오싹할 정도로.

shuf·fle [ʃʌ́fəl] *vt.* **1** 발을 끌며 짧게 내딛다 ; 발을 끌며 짧은 스텝으로 춤을 추다 : ~ one's feet 발을 질질 끌며 걷다 / ~ a saraband 발을 끌며 사라반드를 추다. **2** [+目+副] (옷·구두 따위를) 아무렇게나 몸에 걸치다〈*on*〉, 아무렇게나 벗다〈*off*〉; 여기저기 움직이다 ; (조직 따위를) 다시 짜다 ; 아무렇게나 밀치다, 급히 옮기다 : ~ one's dress ***on***[***off***] 옷을 아무렇게나 걸쳐 입다[벗다]. **3** [+目/+目+副] 섞다, 뒤섞다 ; (카드를) 섞다 (cf. CUT[1] *vt.* 8 a)) : ~ the cards ☞ 숙어 / He ~*d* a stack of cards *together* in the box. 상자에 카드 패를 마구 뒤섞어 넣었다. **4** 그럴듯하게 꾸며대다, 얼버무리다, 속이다.
—— *vi.* **1** [動/+副/+前+名] 발을 끌며[느릿느릿] 걷다 ; 발을 끌며 짧은 스텝으로 춤을 추다 : ~ ***along*** (a street) (거리를) 발을 질질 끌며 걸어가다 / He put on his slippers and ~*d* ***to*** the door. 슬리퍼를 신고 발을 질질 끌며 문으로 갔다. **2** (옷을) 아무렇게나 입다[벗다] ; 얼버무리다, 핑계대다 ; 속이다 : He ~*d* when asked about it. 그것에 관해 질문을 받았을 때 그는 얼버무렸다. **3** [+前+名] (일·곤란·책임 따위를) 겨우겨우 벗어나다 : He ~*d* ***through*** his work[~*d* ***out of*** the responsibility]. 그는 용케 일을 해냈다[책임을 면했다]. **4** 카드를 섞다. **5** 《美俗》 (도로에서) (젊은이가) 싸움을 하다.
shuffle off 버리다, 제외하다(cf. *vt.* 2) ; (책임 따위를) 전가하다 : ~ *off* responsibility (*up*) *on* [*on to*] others 책임을 남에게 전가하다.
shuffle the cards 카드를 섞어 치다 ; 《비유》 역할[정책]을 바꾸다.
—— *n.* **1** 발을 끌며 걷기 ; 〖댄스〗 발을 끌며 빨리 내딛는 동작(의 춤) : the double ~ 발을 교대로 두 번씩 빨리 끄는 스텝. **2** 얼버무림, 둘러대기, 발뺌. **3** 혼합, (특히) 카드를 섞어 치기 ; 카드를 칠 차례[권리] ; 이리저리 움직이기 ; (조직 따위의) 다시 짜기, 재편성 : a ~ of the Cabinet 내각의 경질(更迭) / I gave the cards a (good) ~. 나는 카드를 잘 섞어 쳤다.
〖LG=to walk clumsily ; cf. SHOVE, -LE〗

shúffle·bòard *n.* 셔플 보드, 원반 밀어넣기《긴 막대로 원반을 치는 놀이 ; 그 점수판》.
〖변형(變形)‹*shove board* (obs.)〗

shúf·fler *n.* SHUFFLE하는 사람 ; 《美俗》 실업자, 떠돌이 일꾼, 사기 도박꾼 ; 〖鳥〗 검은머리흰죽지 (scaup duck).

shuf·ty, -ti [ʃúfti, ʃʌ́f-] *n.* 《英俗》 보기, 한 번 봄 : have[take] a ~ (*at*...) (…을) 훌끗 보다.

***shun** [ʃʌ́n] *vt.* (-nn-) 피하다, 멀리하다, 가까이하지 않다 : ~ temptation 유혹을 물리치다.
〖OE *scunian*<?〗
類義語 ⟹ ESCAPE.

'shun [ʃʌ́n] *int.* 《英》 〖구령〗 차려!
〖atten*tion*〗

shún·less *a.* 《詩》 피할 길 없는.

shún·ner *n.* 피하는 사람[것].

shún·pìke *a.* 《美》 유료 고속 도로를 이용하지 않는. —— *n.* 고속 도로를 피하기 위해 이용하는 뒷길. —— *vi.* 고속 도로를 피하여 뒷길을 자동차로 가다. **-pìker** *n.* **-pìking** *n.*

shunt [ʃʌ́nt] *vt.* **1** [+目/+目+副/+目+前+名] 옆으로[딴 데로] 돌리다 ; (의견·화제·행동 따위를) 바꾸다 ; (책임·일 따위를) 남에게 돌리다 ; (문제의) 토의를 회피하다, (계획 따위를) 연기하다, 묵살하다 ; (남에게) 일을 시키지 않고 방치하다, 따돌리다 : ~ a discussion 토의를 회피하다 / ~ a scheme 계획을 보류하다 / He was ~*ed aside.* 그는 따돌림을 당했다 / She ~*ed* the conversation ***on to*** more interesting subjects. 그녀는 대화를 더욱 재미나는 화제로 돌렸다. **2** 〖醫〗 (혈액을) 외과적으로 한쪽의 혈관에서 다른 쪽으로 흐르게 하다 ; 〖電〗 (…에) 분로(分路)를 만들다[사용하다], 스위치하다 ; 《俗》 (자동차 경주에서 차를) 충돌[격돌]시키다. **3** [+目/+目+副/+目+前+名] (열차·차량을) 전철(轉轍)하다 : ~ a train (***on***) ***to*** a branch line 열차를 지선으로 옮기다.
—— *vi.* 옆으로 벗어나다 ; (열차 따위가) 전철되다(switch) ; 왕복[전진 후퇴]하다 ; 〖電〗 분로하다 : a ~*ing* yard 조차장(操車場).
—— *n.* 옆으로 돌림 ; 《英》 전철기(轉轍機)(switch) ; 〖電〗 분로(分路)(cf. BYPASS) ; 〖醫〗 단락(短絡), 문합(吻合), 션트 ; 《俗》 (자동차 경주 중의) 충돌 사고.
〖ME *shunten* to flinch‹? SHUN〗

shúnt dýnamo *n.* 분권(分捲) 직류 발전기.

shúnt·er *n.* SHUNT하는 사람 ; 《美》 전철 작업원 ; 《美》 전철용 기관차.

shúnt-wòund [-wàund] *a.* 〖電〗 (발전기가) 분권(分捲)인 (↔*series-wound*).

shush [ʃʌ́ʃ] *int.* 쉬!, 입 다물어! —— *vi.* (집게손가락을 입에 대고) 쉬하다 ; 쥐죽은 듯해지다, 조용해지다. —— *vt.* 쉬하여 가라앉히다[제지하다] ; 조용하게 하다. —— *n.* 쉬하는 신호.

~·er *n.* 〚imit.〛

◇**shut** [ʃʌ́t] *v.* (~ ; **shút·ting**) *vt.* **1** [+目/+目+前+名] 닫다, 잠그다, 폐쇄하다(close) (↔ *open*) ; …에 뚜껑을 닫다, 막다 ; 들여보내지 않다, 문을 열어주지 않다 : ~ a door[window, drawer] 문[창문, 서랍]을 닫다 / ~ one's mouth 입을 다물다 / ~ the stable door when the steed is stolen ☞ STABLE² *n.* 1 a) / ~ one's heart [mind] ***to*** …을 받아들이지 않다, 승낙하지 않다 / He ~ his ears *to* all the entreaties. 그는 모든 청탁을 받아들이지 않았다 / The examiner ~ his eyes *to* the fact. 심사원은 그 사실에 눈을 감았다 / We ~ the door ***against***[***on***] him. 우리는 그에게 문을 열어주지 않았다 / He ~ the door ***in*** my face. 나의 면전에서 문을 닫아버렸다. **2** [+目+前+名/+目+副] 가두다, 둘러싸다 ; 가로막다 : ~ a bird ***into*** a cage 새를 새장에 가두다 / They ~ the man ***in*** the cell. 그 남자를 독방에 가두었다 / The ground is ~ *in* by a wire fence. 그 땅은 철조망으로 둘러싸여 있다 / These trees ~ ***out*** the view. 이 나무들이 전망을 가로막고 있다. **3** (책·손·칼 따위를) 접다, 덮다《주이 뜻으로는 CLOSE¹가 일반적》: ~ one's teeth 이를 악물다. **4** [+目+前+名] (손가락·옷자락 따위를) 끼게 하다 : He ~ his fingers ***in*** the door. 그의 손가락이 문에 끼었다. **5** (공장 따위의) 일을 그만두다, 폐점[휴업]하다〈*up*〉.

—— *vi.* **1** (문 따위가) 닫히다, 잠기다 ; 막히다 : The door would not ~. 이 문은 잘 닫히지 않는다. **2** (가게·공장 따위가) 폐쇄하다 ; 폐점하다〈*down, up*〉.

shut down (1) (내리닫이 창문 따위를) 닫다, (창이) 닫히다 ; (공장·가게를) 폐쇄하다 ; (공장이) 폐쇄되다 : ~ *down* the window 내리닫이 창을 닫다 / ~ *down* a mine 광산을 폐쇄하다 / The factory has ~ *down.* 그 공장은 조업을 중단했다. (2) (밤의 장막·안개 따위가) 내리다, 자욱이 끼다. (3) 《口》 못하게 하다, 제지[금지]하다, 방해하다〈*on*〉.

shut off (가스·수도·라디오 따위를) 잠그다, 끄다, 제외하다, 가리다, 차단하다, 격리하다 : ~ *off* a road *from* traffic 도로의 교통을 차단하다 / The village was ~ *off from* the world by mountains. 그 마을은 산에 의해 외계로부터 격리되어 있었다.

shut out (1) (쫓아내고) 들이지 않다 ; 보이지 않게 하다(cf. *vt.* 2). (2) 〚競〛 참패[영패]시키다.

shut the door (up)on. . . (제의·의안 따위를) 물리치다, 거부하다.

shut to [to는 *adv.*] 뚜껑을 덮다, 닫다 ; (문이) 닫히다 : ~ the door *to* 문을 닫다 / The door ~ *to.* 문이 닫혔다.

shut up (1) (집을) 잠그다 ; (가게를) 닫다 ; (가게를) 폐점하다 ; 문단속을 하다 : ~ *up* shop ☞ SHOP *n.* 숙어 / The store was ~ *up* at nine. 그 가게는 9시에 문을 닫았다. (2) (상자 따위에) 뚜껑을 덮다 ; 감금하다(cf. *vt.* 2) ; 넣어 두다, 밀폐하다 ; [~ oneself로] (…에) 틀어박히다〈*in*〉: She ~ *up* her opal ring *in* her jewel box. 그녀는 그녀의 오팔 반지를 보석 상자에 넣어 두었다 / He ~ *himself up in* his room and began to write the novel. 그는 그의 방에 틀어박혀 소설을 쓰기 시작했다. (3) 《口》 침묵시키다 ; 입 다물다 : *S~ up!* 닥쳐!

—— *a.* 닫힌(↔*open*) ; 〚音聲〛 폐쇄음의《[p, b, t, k] 따위》; (음절이) 자음으로 끝나는, 폐음절의 (closed).

shut of 《俗·方》 …을 면하여 ; …와 인연이 끊긴, 관계가 없는.

—— *n.* 폐쇄, 폐쇄 시각, 끝남 ; 〚音聲〛 폐쇄음 ; 용접선《용접한 곳에 생긴 이음매》.

〚OE *scyttan* (⇨ SHOOT) ; cf. MDu. *schutten* to obstruct〛

[類義語] ⟹ CLOSE¹.

shút·dòwn *n.* 일시 휴업[폐점(閉店)], 폐쇄 ; 조업(操業) 정지 ; 활동[기능] 정지 ; 운전 정지 ; 〚컴퓨〛 중단.

shute ☞ CHUTE.

shút-èye *n.* Ⓤ 《口》 잠(sleep), 선잠 ; 무의식, 인사 불성, 만취.

shút-ìn *a.* 《美》 (병 따위로) 집안·병원에 틀어박힌, 전혀 입을 열지 않는 ; 자폐적(自閉的)인.

—— *n.* 몸져누운 환자.

shút·òff *n.* (수도 따위의) 꼭지 ; (못 흐르게) 막는 것 ; 마개 ; 멈춤, 차단, 마감.

shút·òut *n.* (문을 잠그고) 들이지 않음 ; 공장 폐쇄(lockout) ; 〚野〛 완봉 (시합).

***shút·ter** *n.* **1** 닫는 사람[것] ; 덧문, 셔터, 문, 겉창, 뚜껑 : put up the ~*s* 덧문[겉창]을 닫다, (밤이 되어 또는 영구적으로) 가게문을 닫다 / take down the ~*s* 덧문[겉창]을 열다. **2** 〚寫〛 셔터 ; (오르간의) 개폐기 ; [*pl.*] 《俗》 눈꺼풀(eyelids).

—— *vt.* **1** …에 덧문을 달다 ; (사진기에) 셔터를 달다. **2** 덧문[겉창]을 닫다.

shútter·bùg *n.* 《美俗》 사진광(狂), 아마추어 카메라맨.

shut·tle [ʃʌ́tl] *n.* **1** (베틀의) 북 ; (재봉틀의) 북실통 ; (레이스용의) 방추형 편구(編具). **2 a)** 왕복 운동하는 장치 ; 왕복 운전, 정기 왕복편[수송] ; Ⓒ 정기 왕복로. **b)** 왕복 열차[버스], 근거리 왕복 열차[버스], (항공기의) 연속 왕복기 ; 우주 왕복선. **3** =DIPLOMATIC SHUTTLE ; =SHUTTLECOCK. —— *a.* (수송 수단이) 왕복의 : a ~ bus [train, plane] 정기 왕복 버스[열차, 비행기] / a ~ flight (비행기의) 정기 왕복편. —— *vt.* [+目/+目+前+名] (북처럼) 좌우로 움직이게 하다 ; 왕복시키다 : be ~*d* ***from*** one side ***to*** another 한 쪽에서 다른 쪽으로 움직이다. —— *vi.* (북처럼) 좌우로 움직이다 ; 왕복하다.

〚OE *scytel* dart ; ⇨ SHOOT〛

shúttle ármature *n.* 〚電〛 이동 전기자(移動電機子).

shúttle bómbing *n.* 연속 왕복 폭격.

shúttle·còck *n.* **1** (배드민턴 따위) 깃털 공 ; 깃털 공치기 놀이(cf. BATTLEDORE). **2** 왕복하는 것 ; 줏대 없는 사람. —— *vt.* 서로 받아쳐 넘기다, 주고 받다. —— *vi.* 왕복하다.

shúttle diplómacy *n.* 왕복 외교《분쟁중인 두 나라 사이를 특사가 오가며 해결하는》.

shúttle sèrvice *n.* (근거리) 왕복 운행.

shúttle vèctor *n.* 〚生〛 셔틀 벡터《세균·효모 사이를 왕복하여 유전자를 운반하는 벡터》.

shúttle·wise *adv.* 왔다갔다, 여기저기.

shút·tling úpbringing *n.* 〚心〛 왕복 육아《이혼 또는 별거한 부모가 교대로 행하는 육아》.

s. h. v. *sub hoc verbo, sub hoc voce* 《L》 (= under this word).

‡**shy**¹ [ʃái] *a.* (**shý·er, shí·er ; -est**) **1** [+前+do*ing*] 수줍은, 부끄럼을 잘 타는, 암띤 ; 조심성 많은(wary) ; 조심하여 …하지 않는 : a ~ look [smile] 수줍어하는 표정[미소] / He is not ~ ***with***[***of***] women. 그는 여자 앞에서 수줍어하지 않는다 / Don't be ~ *of* tell*ing* me. 망설이지 말고 나에게 말해주게. **2** (새·짐승·물고기 따위

가) 잘 놀라는, 겁이 많은 ; 번식력이 약한 ; 의심스러운. **3** 《口》 부족한, 모자라는〈*of*, *on*〉: We are ~ *of* funds. 우리는 자금이 모자란다. **4** (태도 따위) 머뭇머뭇하는, 흠칫흠칫하는.
fight shy of …을 싫어하다, 피하다, 꺼리다 (avoid) : He *fights* ~ *of* the cops. 그는 순경을 꺼린다.
—— *vi.* [動 / +*at*+名] (말이 소음 따위에 놀라) 갑자기 물러나다, 뒷걸음질치다 ; 무서워하다, 꽁무니 빼다 : The horse *shied* ***at*** the car. 말은 자동차에 겁을 먹고 뒷걸음질쳤다. —— *vt.* 피하다.
—— *n.* (말이) 갑자기 물러남, 뒷걸음질침, 옆으로 비키기. **shý·er, shí·er** *n.* 겁많은 사람[말], 잘 놀라는 말. **shý·ly, shí·ly** *adv.* 부끄러워서, 수줍어하여 ; 겁을 내어. **~·ness** *n.* 수줍음, 스스러움 ; 소심, 겁.
〖OE *sceoh* ; cf. G *scheu*〗
類義語 ***shy*** 천성적으로 마음이 약하거나 경험 부족으로 남의 눈에 띄는 것을 꺼리는. ***bashful*** 수줍어서 낯선 사람 앞에서 어색한 언동이나 당황한 짓을 하는. ***diffident*** 자신의 재능 · 의견 · 능력 따위에 대해서 자신이 없고 생각하는 바를 주장할 용기가 없는. ***modest*** 재능 · 학식 따위가 있으면서도 소극적이며 겸손한. ***demure*** 흔히 뽐내어[고의로] modest한 체하는.

shy[2] *v.* (**shíed**) *vt.* [+目 / +目+前+名] (돌 따위를) 재빠르게 던지다(throw) ; 내던지다, (함부로) 던지다 : ~ stones ***at*** a bottle 병에다 돌을 냅다 던지다. —— *vi.* (물건을) 재빠르게 내던지다.
—— *n.* **1** 재빠르게 던지기 ; 표적 쓰러뜨리기. **2** 《口》 시도 ; 겨냥. **3** 《口》 조롱, 야유(gibe).
have [***take***] ***a shy at...*** 《口》 …에 휙 던지다, …을 시도하다, …을 (손에 넣으려고) 노리다, …을 야유하다.
〖C18<?〗

-shy *comb. form* 「수줍어하는」「무서워하는」「싫어하는」의 뜻 : gun-~ 총을 겁내는 / work-~ 일하기 싫어하는.

Shy·lock [ʃáilɑk] *n.* **1** 샤일록《Shakespeare 작 "The Merchant of Venice" 중의 유태인 고리 대금업자》. **2** [때때로 s~] 무자비한 고리 대금업자 ; [때때로 s~] 비열한 놈. —— *vi.* [s~] 고리 대금을 하다.

shy·poo [ʃaipúː] *n.* 《濠》 싸구려 술(을 파는 술집).
—— *a.* 싸구려 술의[술을 파는].

shy·ster [ʃáistər] *n.* 《美口》 엉터리 변호사[전문가 등] ; (널리) 못된 꾀가 많은 인물. 〖? *Scheuster* 1840년경의 New York의 협잡 변호사〗

Shý Tówn *n.* 《CB俗》 미국의 Chicago 시.

si [síː] *n.* 〔樂〕 =TI.
〖F<It.〗

sí [síː] *adv.* 예(yes).
〖Sp.〗

Si 〔化〕 silicon. **SI** *Système International* (*d'Unités*) 《F》 (=International System of Units 국제 단위) (☞ SI UNIT). **S.I., SI** 〔醫〕 seriously ill ; (Order of the) Star of India ; Sandwich Islands ; Staten Island. **SIA** 《美》 Semiconductor Industry Association(반도체 공업 협회). **S.I.A.** Securities Industry Association. **SIAD** Society of Industrial Artists and Designers.

si·al [sáiæl] *n.* 〔地〕 시알《대륙 지각 상반부를 구성하는 규소와 알루미늄이 많은 물질》. **si·ál·ic** *a.*
〖*si*licon+*al*uminum〗

si·al- [saiǽl], **si·alo-** [saiǽlou] *comb. form* 「타액」의 뜻.
〖Gk. *sialon* saliva〗

si·a·log·ra·phy [sàiəlɑ́grəfi] *n.* 〔醫〕 타액선 조영(唾液腺造影)《뢴트겐 촬영을 위한》.

si·a·loid [sáiəlɔ̀id] *a.* 침[타액] 모양의.

Si·am [saiǽm, ⌐-] *n.* 시암《Thailand의 옛 이름》.

si·a·mang [síːəmæ̀ŋ, siǽməŋ ; sáiəmæ̀ŋ] *n.* 〔動〕 주머니긴팔원숭이.
〖Malay〗

Si·a·mese [sàiəmíːz, -s] *a.* 시암의 ; 시암어[인]의 ; 흡사한. —— *n.* (*pl.* ~) 시암인 ; Ⓤ 시암어 ; =SIAMESE CAT ; [s~] =SIAMESE CONNECTION. 〖SIAM〗

Síamese cát *n.* 시암고양이.

síamese connéction *n.* 송수구(送水口)《Y자형의 소방대용(用) 급수구(給水口)》.
〖*Siamese twins*〗

Síamese fíghting físh *n.* 〔魚〕 타이버들붕어 《타이산인 버들붕어의 일종》.

Síamese twíns *n. pl.* **1** [the ~] 시암 쌍둥이. **2** (일반적으로) 몸이 붙은 쌍둥이 ; 《비유》 밀접한 관계에 있는 한쌍의 것. 〖*Siam*에서 몸이 붙어서 태어난 Chang과 Eng(1811-74)에서〗

sib, sibb [síb] *a.* 혈연 관계가 있는, 혈족의〈*to*〉; 《稀》 관련이 밀접한. —— *n.* **1** [집합적으로] 친척(kindred). **2** 혈연자, 친척(relative) ; 형제자매(의 관계에 있는 동식물). **3** 〔人類〕 씨족《부계 씨족과 모계 씨족 쌍방을 포함함》.
〖OE *sib*(*b*) akin ; cf. G *Sippe*〗

SIB 《英》 Special Investigation Branch(육군 헌병대 특별 수사대). **Sib.** Siberia(n).

Si·be·ria [saibíəriə] *n.* **1** 시베리아. **2** 지겨운 근무지[일]. **Si·bé·ri·an** *a., n.* 시베리아의, 시베리아인(의).

sib·i·lant [síbələnt] *a.* 쉬쉬 소리나는(hissing) ; 〔音聲〕 치찰음의. —— *n.* 〔音聲〕 치찰음《[s, z, ʃ, ʒ] 따위》. **síb·i·lance, -lan·cy** *n.* Ⓤ 〔音聲〕 치찰음(齒擦音), 치찰음성(性).
〖L (pres.p.) ‹ *sibilo* to hiss〗

sib·i·late [síbəlèit] *vt.* 〔音聲〕 치찰음화하여 발음하다. —— *vi.* 쉬쉬 소리내다.
sìb·i·lá·tion *n.* Ⓤ 치찰음화(化).
〖L (↑)〗

síb·ling *n., a.* [보통 *pl.*] (양친[편친]이 같은) 형제(의) ; 의형제(의) ; 〔人類〕 씨족(sib)의 일원 ; 〔生〕 자매 세포. 〖SIB〗

sib·yl, syb·il [síbəl] *n.* **1** [S~] 여자 이름. **2** [때때로 S~] (고대에 예언 능력이 있다고 여겨진) 무당, 무녀 ; 여자 점쟁이, 여자 예언자 ; 마녀 ; 마귀 할멈. 〖OF or L<Gk.〗

sib·yl·line [síbəlìːn, -làin, 英+sibílain] *a.* [때때로 S~] SIBYL의 ; 신탁(神託)적인, 예언적인 : the *S*~ Books 고대 로마의 예언집.

sic[1] [sík, síːk] *adv.* 원문대로《의문스러운 또는 그릇된 원문을 그대로 인용했을 때 인용 어구 뒤에 (*sic*) 또는 [*sic*]라고 약기함》.
〖L=so, thus〗

sic[2], **sick** [sík] *vt.* (**sícced, sícked ; síccing, síck·ing**) 공격하다(attack) ; (개 따위를) 부추겨 덤비게 하다.
〖(dial.) ‹SEEK〗

Sic. Sicilian ; Sicily. **S.I.C.** specific inductive capacity.

sic·ca·tive [síkətiv] *a.* 건조력이 있는, 건조를 촉진하는. —— *n.* 건조제(drier)《특히 기름 · 페인트 따위의》.

sice[1], **syce** [sáis] *n.* (주사위 눈의) 6.
〖OF *sis*<L *sex* six〗

sice[2] ☞ SYCE[1].
Sicilia ☞ SICILY.
Si·cil·ian [səsíljən] *a.* 시칠리아 섬[왕국, 인(人), 방언]의. —— *n.* 시칠리아인 ; (이탈리아어로) 시칠리아 방언.
si·cil·i·a·no [səsìliá:nou] *n.* (*pl.* **~s**) 시칠리아 춤[무곡].
Sic·i·ly [sísəli] *n.* 시칠리아, 시실리(It., anc. **Si·ci·lia** [sitʃí:ljɑ: ; *anc.* səsíljə]) 《이탈리아 남쪽에 있는 지중해 최대의 섬》.
◇**sick**[1] [sík] *a.* **1** 병난, 병에 걸린, 건강 상태가 나쁜, 환자(용)의 : a ~ man 병자 / He was ~ *with*[《古》 *of*] a fever. 그는 열병에 걸려 있었다. 주 *pred. a.*로서는 《美》에서 보통이며 (ill은 약간 딱딱한 표현), 《英》에서는 성서 또는 숙어에 한정되며 일반적으로 ill을 씀. 다음의 [ ]속은 《英》의 용법 : He is *sick*[ill]. / feel *sick*[ill] / fall[get] *sick*[ill]. **2** 《英》 메스꺼운, 구역나는(=《美》 ill) ; (입덧으로) 기분이 나쁜 : feel[turn, get] ~ 메스껍다 / make a person ~ 남을 구역나게 하다 / be ~ at[to] one's stomach 《美》 (속이) 메스껍다 / be ~ *from* a ship 뱃멀미가 나서 토하다 / I'm going to be ~. 토할 것 같다. **3** [+*of*+do*ing*] 《口》 (…에) 싫증이 나는, 물린(tired), 싫어진, 진절머리가 나는(disgusted) : I'm ~ ***of*** writ*ing* letters. 편지 쓰는 것은 진절머리가 난다 / He is ~ *of* this hot weather. 그는 이 더운 날씨에 진저리를 내고 있다 / I was ~ to death *of* it. 그것에 정나미가 떨어졌다 / I am ~ and tired (*of* it). (그것에는) 지긋지긋하다. **4** 그리워하는(longing), 동경하는 : They were ~ *for* home. 그들은 고향[집]을 그리워하고 있었다. **5** [+前+do*ing*] 화가 나는 ; 실망하는 ; 《口》 당황하는, 두려워하는 : It makes me ~ to think of it. 그것을 생각하면 구역난다 / He was ~ ***with*** me ***for*** be*ing* late. 그는 내가 늦은데 대해 화를 내고 있었다 / He was very ~ ***at*** fail*ing* in the examination. 시험에 실패하여 몹시 기분이 상해 있었다. **6** (얼굴 따위가) 창백한 ; 《口》 병적인《기질》 ; (그림·농담 따위가) 소름끼치려 하는, 기분 나쁜, 가해 기호적인, 잔혹한 취미의. **7** (주철(鑄鐵)이) 무른. **8** (포도주가) 맛이 변한. **9** 월경 중[기간]의. **10** 기울기 시작한《회사 따위》 ; (회사 따위가) 경영 악화의 ; (배가) 수리를 요하는. **11** (마음이) 흐트러진, 비뚤어진 ; 타락한. **12** 《美俗》 마약이 떨어져 괴로운.
go[***report***] ***sick*** 병으로 결근하다, 병가를 얻다.
sick and sorry 병들고 비참한.
sick at heart 《文語》 번민하여, 비관해서.
the Sick Man of Europe[***of the East***] 유럽[동방]의 환자《19-20세기의 터키》.
—— *n.* 환자(들) ; 《英口》 구토 ; 《美俗》 마약이 떨어져 괴로움, 금단 상태.
—— *vt., vi.* 《英口》 게우다, 토하다⟨*up*⟩.
〖OE *sēoc* ; cf. G *siech*〗
sick[2] ☞ SIC[2].
síck bày[**bèrth**] *n.* (특히 배안의) 병실, 진료[의무]실.
síck·bèd *n.* 병상(病床).
sick bènefit *n.* (국민 보험의) 질병 수당.
síck càll *n.* 〔美軍〕 진료 소집(의 신호[시간]).
sick·en [síkən] *vi.* **1** [動 / +*for*+名] 몸이 불편하다[나빠지다], 병들려 하다 : ~ ***for*** mumps 유행성 이하선염(耳下腺炎)[항아리손님] 증세를 나타내다 / The child is ~*ing for* the measles. 그 아이는 홍역에 걸리려는 것 같다. **2** [+*at*+名 / +*to* do] 구역나다 : ~ ***at*** the sight of blood 피를 보고 속이 메스꺼워지다 / I ~*ed to* see what he had done. 그의 행동을 보고 속이 메스꺼워졌다. **3** [+*of*+名 / +*of*+do*ing*] 싫어지다, 물리다 : He soon ~*ed* ***of*** his new house. 그는 곧 새 집이 싫어졌다 / He ~*ed of* go*ing* to school. 학교에 가는 것이 싫어졌다. —— *vt.* …에 구역나게 하다, 싫증나게 하다, 진절머리나게 하다 : The cheese ~*ed* him. 그는 치즈 때문에 속이 메스꺼워졌다.
sícken·er *n.* 병에 걸리게[구역나게] 하는 것 ; 싫증나게[넌더리나게] 하는 것.
sícken·ing *a.* 병이 나게 하는, 구역나게 하는 ; 메스꺼운, 진절머리나는 : ~ smells 메스꺼운 냄새. **~·ly** *adv.* 역겹게, 넌더리나도록.
sick·er[1] [síkər] *n.* 《美軍俗》 입원 환자.
sicker[2] *a.* 《스코》 안전한 ; 신뢰할 수 있는. —— *adv.* 안전하게 ; 확실하게. **~·ly** *adv.* 〖OE *sicor* < Gmc. < L SECURE〗
síck flàg *n.* 검역기(旗), 전염병기.
síck héadache *n.* 〔醫〕 구토성 두통 ; 편두통(偏頭痛) (migraine).
síck hórse *n.* 《CB俗》 기계의 상태가 나쁜 트랙터, (특히) 마력 부족의 트랙터.
síck·ie, síck·ee *n.* 《美俗》 병자, (특히) 정신병 환자, 도착자 ; 《濠口》 병가(病暇).
síck·ish *a.* 토할 듯한 ; 구역날 듯한, 메스꺼운 ; 《古》 병날 것 같은.
sick·le [síkəl] *n.* **1** 낫, 작은 낫(cf. SCYTHE) ; 싸움닭 다리에 붙이는) 며느리발톱. **2** [the S~] 〔天〕 =LEO 2. —— *a.* 낫 모양의 : the ~ moon 초승달. —— *vt.* 낫질하다 ; 〔醫〕 (적혈구를) 겸상(鎌狀)으로 하다. —— *vi.* 〔醫〕 (적혈구가) 겸상이 되다. 〖OE *sicol* < L *secula* (*seco* to cut)〗
síck lèave *n.* 병가(病暇) (일수) : be *on* ~ 병가 중이다.
síckle cèll *n.* 〔醫〕 겸상(鎌狀) (적) 혈구《이상 적혈구》. **síckle-cèll** *a.*
síckle-cell anèmia[**disèase**] *n.* 〔醫〕 겸상(鎌狀) 적혈구 빈혈《흑인의 유전병》.
síckle-cell tràit *n.* 〔醫〕 겸상적혈구 징후《빈혈 증세가 없음》.
sickl·emia [sìkəlí:miə] *n.* =SICKLE-CELL TRAIT.
síck lìst *n.* (군대·기선 따위의) 환자 명부 : be on the ~ 병으로 결근 중이다, 건강이 좋지않다.
síck·ly *a.* **1** 병든, 병약한, 병이 잘 나는 : a ~ woman 병약한 여자. **2** 병이 만연하는, 환자가 많은 ; (기후 따위가) 건강에 나쁜. **3** 정나미 떨어지는, 싫증나는, 지겨운 ; (악취 따위가) 구역나는, 넌더리나는, (음식물이) 짙은, 농후한. **4** 병자 같은 ; 병적인 ; 창백한 ; 원기[생기]없는 ; 훌쩍거리는 : His face has a ~ color. 그의 얼굴은 병색이 완연하다. **5** (맥주 따위가) 김빠진, 맛없는 ; (빛·빛깔 따위가) 약한, 희미한. —— *adv.* 병적으로. —— *vt.* 《古》 병이 되게[병적으로] 하다, 창백하게 하다⟨*over*⟩.
síck·li·ness *n.* Ⓤ **1** 병약, 허약. **2** 욕지기. **3** 바랜[엷은] 빛.
síck-màking *a.* 《口》 =SICKENING.
***síck·ness** *n.* **1** Ⓤ 건강하지 않음 ; Ⓤ,Ⓒ 병 : a severe[slight] ~ 중병[가벼운 병] / be absent on account of ~ 병으로 쉬고[결근하고] 있다 / There has been a lot of ~ this summer. 이번 여름에는 많은 환자가 생겼다. **2** Ⓤ 구역질, 메스꺼움 ; 구토 ; 위의 상태가 좋지 않음.
síckness bènefit *n.* 《英》 (국민 보험의) 질병 수당(疾病手當).
sick·nick [síknik] *n.* 정서 불안정자.

síck nùrse *n.* 병실[간병] 간호사.
sicko [síkou] *n.* (*pl.* **síck·os**) 《美俗》 =SICKIE.
síck paràde *n.* 〔英軍〕 진료 소집(=《美》 sick call).
síck pày *n.* 병가 수당.
síck·ròom *n.* 병실.
sic trans·it glo·ria mun·di [siːk trɑ́ːnsət glɔ́ːriɑː múndiː] 이 세상의 영화는 이와 같이 사라져 간다. 〖L=thus passes away the glory of the world〗
Sid·dhar·tha [sidɑ́ːrtə, -θə] *n.* 싯다르타《석가의 어릴 때 이름》. 〖Skt.〗
sid·dhi [sídiː] *n.* 〔佛教〕 실지(悉地)《성취·완성의 뜻》; 불가사의한 힘. 〖Skt.〗
◇**side** [sáid] *n.* **1 a**) 편, 쪽; 측면, 면; 옆, 곁; (적·자기편의) 편, 당, 파; (시합의) 조(組), 팀: change ~*s* 탈당하다/He sat *on* his father's right ~. 아버지의 오른쪽에 앉았다/He was always *on* the ~ of the weak. 그는 언제나 약한 사람을 편들었다/There is much to be said *on* both ~*s*. 어느 편에나 할 말이 많다/I'll run you for £5 a ~. 각각 5파운드씩 걸고 경주하자. **b**) 《비유》 (문제 따위의) 방면, (관찰의) 면, 관점. **c**) (좌우·남북 따위의) 쪽, 방향, 방면. **2** (삼각형 따위의) 변, (입체의) 면. **3 a**) 옆구리, 허구리; 갈빗대; (돼지 따위의) 옆구리살; (식육용 가축의) 한 쪽 반마리분, 이분체, 반쪽; (짐승류의) 반마리분의 가축. **b**) 산허리, 경사면(傾斜面) (cf. TOP[1] 1 a), FOOT 3): *on* the ~ of a hill 산허리에. **c**) 끝, 가, 변두리: *by* the ~ of the road 길가에. **4** (혈통의) 계통, …쪽; (학과목의) 계(통), 부문: *on* the paternal[maternal] ~ 아버지[어머니]쪽에[의]. **5** (종이·피륙 따위의) 한쪽 면, 페이지(분의 기록); (레코드의) 한쪽 면(에 녹음되어 있는 곡); 《口》 (텔레비전의) 채널. **6** 〔海〕 뱃전, 현측. **7** Ⓤ 《英俗》 젠체하기, 오만, 거드름: have lots of ~ 거드름 피우다. **8** 〔紋〕 세로(줄) 무늬. **9** Ⓤ 《英》 〔撞球〕 비틀어치기(=《美》 English). **10** [보통 *pl.*] 〔劇〕 배역에 따른 대사의 발췌; 대사.
burst one***'s sides with laughing***[***laughter***] ☞ BURST.
by the side of... =***by*** one***'s***[its] ***side*** …의 곁에, …의 가까이에(cf. 3 c)); …에 비하여.
from all sides[***every side***] 각 방면에서; 《비유》 여러모로, 샅샅이.
from side to side 좌우로; 양옆으로: The cart rattled by, swinging *from* ~ *to* ~. 짐수레는 덜커덕덜커덕 좌우로 흔들리면서 나아갔다.
hold[***shake, split***] one***'s sides with***[***for***] ***laughter***[***laughing***] 포복 절도하다.
No side! 〔럭비〕 시합 끝!
on all sides 사방에, 도처에.
on one side 한쪽에, 곁에.
on the right[***wrong***] ***side of...*** (사람이) 아직 …살이 되지 않아[…살을 넘어서]: He is *on the right* ~ *of* sixty. 그는 아직 60세가 안 됐다.
on the side 본제와 떨어져[다르게], 덤으로, 더; 《英》 부업으로; 《美》 곁들이는 요리로.
on the...side 조금 …한 기미가 보여(cf. *on the* SAFE *side*): Prices of commodities are *on the* high ~. 일용품의 값이 오를 기미가 보인다.
on the small side 적은[작은] 쪽에.
place[***put***]***...on one side*** …을 옆에 두다, 치우다; 《비유》 (사람을) 따돌리다, 무시하다.
put on side 《英口》 젠체하다(cf. 7); 〔撞球〕 비틀어치다(cf. 9).
side by side 나란히, 병행하여; 결탁하여, 협력하여〈*with*〉: The two boys stood ~ *by* ~. 두 소년은 나란히 서 있었다.
split one***'s sides*** 웃음보를 터뜨리다, 포복 절도하다(cf. SIDESPLITTING).
stand by a person***'s side*** 남을 편들다.
take sides[***a side***] 편들다, 가담하다〈*with*〉.
the right side up 표면을 위로 하여.
to one side 옆으로: She stepped *to one* ~. 그녀는 옆으로 비켰다.
—— *a.* **1** 곁의, 옆의; 측면의, 옆으로부터의: a ~ glance 곁눈질/a ~ road 옆길, 샛길. **2** 종속적인, 지엽적인, 부수적인, 덧붙인, 추가의; 부업의: a ~ job 부업.
—— *vi.* [+前+名] **1** (…의) 옆에 서다[대다], 편들다, 찬성하다: He always ~*s* ***with***[***against***] the strongest party. 그는 언제나 가장 강한 쪽을 편든다[의 반대쪽을 편든다]. **2** 《英俗》 뽐내다. —— *vt.* **1** …에 옆[측면]을 대다; …에 인접하다; …에 동조[지지]하다. **2** 《美口》 밀어젖히다; 치우다.
〖OE *sīde*; cf. OE *sīd* wide, G *Seite*〗
síde·àrm *a., adv.* 〔野〕 옆으로 던지는[던져]: a ~ pitch 옆으로 던지기.
síde àrms *n. pl.* 허리[벨트]에 차는 무기《칼·권총·총검 따위》; 《美軍俗》 (식탁의) 소금과 후추, 크림과 설탕.
síde·bànd *n.* 〔通信〕 측파대(側波帶).
síde·bàr *n.* 주요 뉴스에 보충하여 그것을 측면에서 해설하는 짧은 뉴스.
síde-bàr *a.* 부차적인, 덧붙인 것의, 보조적인, 파트타임의.
síde bèt *n.* (카드놀이 따위에서) 편을 갈라 하는 내기; (노름에서) 남이 건 것에 얹어 걸기.
síde·bòard *n.* (식당 따위의 벽쪽에 두는) 찬장, 식기대, 사이드보드(cf. SIDE TABLE); 건물 측면의 판자; [*pl.*] 《俗》 =SIDE-WHISKERS; [*pl.*] 〔하키〕 사이드 보드《링크 둘레의 나무 펜스》.
síde·bòne *n.* 〔料〕 (새의) 허리뼈; [때때로 ~s; 단수취급] 〔獸醫〕 제연골화골증(蹄軟骨化骨症).
síde·bùrns *n. pl.* 《美》 **1** (보통 짧은) 구레나룻 (cf. BURNSIDES). **2** 귀밑털.
síde-by-síde *a.* 나란히 (서) 있는.
síde·càr *n.* **1** (모터사이클의) 사이드카. **2** = JAUNTING CAR. **3** 사이드카《브랜디에 레몬주스·리큐어를 섞은 칵테일》.
síde chàin *n.* 〔化〕 곁사슬.
síde chàir *n.* (식당 따위에 놓는) 팔걸이 없는 작은 의자.
síde chàpel *n.* (교회당의) 부속 예배당.
sid·ed [sáidəd] *a.* 측(側)[면, 변]이 있는; 〔船〕 폭…의 늑재(肋材)를 사용한: ☞ MANY-SIDED/☞ ONE-SIDED. **~·ness** *n.*
síde dìsh *n.* (주요리에) 곁들여서 내는 요리; 그 접시.
síde dòor *n.* 옆으로 들어가는 입구; 《비유》 간접적 접근법; 《CB俗》 추월 차선.
síde-dòor púllman *n.* 《美俗》 사이드도어 풀먼《유개화차(有蓋貨車)》.
síde·drèss *n.* 〔農〕 측방 시비(側方施肥).
síde-drèss *vt.* …의 가까이에 거름을 주다.
síde drùm *n.* =SNARE DRUM.
síde effèct *n.* (약물 따위의) 부작용.
síde fàce *n.* 옆 얼굴; 측면.
síde·fòot *vt., vi.* 〔蹴〕 발 옆쪽으로 차다.
síde-glànce *n.* 곁눈(질), 스쳐보기; 간접적[부수적] 언급.

síde·hànd *n.* 《CB俗》 69채널의 선택이 가능한 값비싼 CB라디오.
síde·hèad(·ing) *n.* 〖印〗 (인쇄물 난 밖의) 작은 표제.
síde·hìll *n.* 《美·Can.》 산허리(hillside); [형용사적으로] 산허리(용)의.
síde hòrse *n.* (체조에서) 안마(鞍馬).
síde ìssue *n.* 지엽적[파생적]인 문제.
síde·kìck *n.* 《美口》 친구, 짝패, 동료.
síde làmp *n.* 《英》 (자동차의) 사이드 램프.
síde·lìght *n.* **1** Ⓤ 측면광, 옆에서 비추는 조명; 옆창, 곁창; 측광; 〖海〗 (배에서 야간에 켜는) 현등(舷燈)《우현에 초록색, 좌현에 붉은색》; (탈것의 양끝에 붙여 야간, 차체의 폭을 나타내는) 측등, 차폭등. **2** 간접적인 설명, 부수적인 정보: let in[throw] a ~ (up)on …을 간접적으로 설명하다, 우연히 …을 밝혀내다.
síde·lìne *n.* **1** (철도·파이프라인 따위의) 측선, 부선; 〖球技〗 측선(側線), 사이드라인; [*pl.*] 사이드라인의 바깥쪽(의 대기선수의 대기장소). **2** (짐승의 같은 쪽 앞뒷발에 채우는) 족쇄. **3** [*pl.*] (일반적으로) 주변부; [*pl.*] 방관자로서의 견해. **4** 부업(적 취급상품): as a ~ 부업으로.
── *vt.* 《美》 (부상·병 따위가 선수를) 출장[참가] 못하게 하다, …을 퇴장시키다; 《美》 …의 참가를 방해하다.
síde·lìner *n.* 방관자.
side·ling, sid·ling [sáidliŋ] *adv.* 비껴, 비스듬히. ── *a.* 옆으로 기운; 경사가 있는. 〖*-ling*²〗
síde·lòng *a.* 옆의, 비스듬한, 곁의; 한쪽으로 기운; 간접적인, 우회하는: cast a ~ glance upon [at] …을 곁눈질로 보다. ── *adv.* 곁으로, 옆으로, 비스듬히. 〖↑〗
síde-lòok·ing *a.* 측방(側方)[측면] 감시(용)의 《레이더·소나(sonar) 따위》.
síde·màn [, -mən] *n.* (특히 재즈·스윙의) 악사, 반주자.
síde mèat *n.* 《美中南部》 돼지 옆구리 고기, (특히) 베이컨, 소금절인 돼지고기.
síde mìrror *n.* =SIDEVIEW MIRROR.
síde·nòte *n.* 〖印〗 (페이지 좌우에 작은 활자로 짠) 방주(傍注).
síde òrder *n.* 《美》 (코스 이외 요리의) 추가주문.
síde·òut *n.* 사이드아웃《배구·배드민턴에서 서브측이 득점을 얻지 못해 서브권을 잃기》.
síde·pìece *n.* [the ~] (물건의) 측면부, (측면에) 덧붙인 것.
sid·er-¹ [sídər], **sid·ero-** [sídərou, -rə] *comb. form* 「쇠」「철」의 뜻. 〖Gk. *sidēros* iron〗
sid·er-² [sídər], **sid·ero-** [sídərou, -rə] *comb. form* 「별(star)」의 뜻. 〖L *sider- sidus* star〗
-sid·er [sáidər] *comb. form* 「…의 옆에 사는 사람」의 뜻: a west-~. 〖SIDE〗
síde reàction *n.* (화학적인) 부반응; =SIDE EFFECT.
si·de·re·al [saidíəriəl, sə-] *a.* 별(자리)의; 항성(恒星)의[에 관한]; 항성 관측에 의한: a ~ clock 항성 시계 / a ~ day 항성일《23시간 56분 4.09초》/ a ~ revolution 항성 주기 / a ~ year 항성년《365일 6시간 9분 9.54초》. 〖L (*sider- sidus* star)〗
sid·er·ite [sídəràit; sái-] *n.* Ⓤ 〖鑛〗 능철광(菱鐵鑛); 철운석(鐵隕石).
sidero- [sídərou, -rə] ☞ SIDER-¹˒ ².
síde ròd *n.* 〖鐵〗 (기관차의 동력 전달의) 연결봉.
sid·er·o·sis [sìdəróusəs; sài-] *n.* Ⓤ 〖病理〗 철침착증(鐵沈着症), 철증(鐵症)《철분 흡입에 기인하는 폐질환》.
sídero·stàt [, sái-] *n.* 〖天〗 시데로스타트《천체의 빛을 항상 일정 방향으로 이끄는 반사경의 일종》.
síde·sàddle *n.* 여성용 안장, (양발을 나란히 한쪽으로 늘어뜨리고 걸터앉는) 곁안장.
── *adv.* (말의) 곁안장에 걸터앉아.

sidesaddle

síde-scàn *a.* =SIDE-LOOKING.
síde scène *n.* (무대의) 보조 세트.
síde·sèat *n.* (버스 따위의) 옆좌석.
síde·shòw *n.* **1** 여흥, 곁들인 구경거리. **2** 지엽적인 문제, 부수적인 개최[소사건].
síde·slìp *n.* **1** (자동차·비행기 따위가) 옆으로 미끄러짐. **2** 《英》 곁가지; 사생아.
── *vi., vt.* 옆으로 미끄러지(게 하)다.
sídes·man [-mən] *n.* 〖英國敎〗 교구 위원보(敎區委員補); 교회 간사.
síde·splìtting *a.* 우스워 견딜 수 없는, 포복 절도할. **~·ly** *adv.*
síde stèp *n.* **1** 옆으로 (한 걸음) 비켜 서기. **2** (마차 따위의) 옆 디딤판.
síde·stèp *vt.* **1** (특히 미식축구에서) 한 걸음 옆으로 피하다. **2** (책임 따위를) 회피하다(avoid): ~ a question[difficulty] 질문[난관]을 회피하다.
── *vi.* 한 걸음 옆으로 비켜 서다.
síde stìtching *n.* 〖製本〗 (두꺼운 잡지 따위의) 접지된 인쇄물의 등쪽을 철사로 엮는 방식(cf. SADDLE STITCH).
síde-stràddle hòp *n.* 거수 도약 운동(jumping jack).
síde·strèam smòke *n.* 담배 끝에서 나는 연기.
síde strèet *n.* (main street로 들어가는) 옆길, 옆 가로(街路)(cf. CROSS STREET).
síde·stròke *n.* 〖泳〗 횡영(橫泳), 사이드스트로크; 부수적인 행위.
síde·swìpe *n.* 지나가다가 비스듬히 옆면에서 치기[충돌하기]; 간접적인 (심한) 비난[비판].
── *vt.* 지나가다가 비스듬히 옆면에서 치다[비난하다].
síde tàble *n.* (식당 따위의 벽쪽이나 메인 테이블 옆에 놓는) 곁[사이드] 테이블(cf. SIDEBOARD).
síde tòol *n.* 〖機〗 외날 바이트.
síde·tràck *n.* 《美》 (철도의) 측선(側線), 대피선; 조연자적 지위; 전환, 기분전환.
── *vt.* **1** (열차를) 측선[대피선]에 넣다. **2** 《비유》 딴데로 돌리다, 보류해 두다; 《美俗》 체포하다: ~ a person by questions on other subjects 다른 화제에 관한 질문으로 남을 주제에서 벗어나게 하다 / ~ a scheme 계획을 묵살하다.
síde·trìp *n.* (여행 일정에서 가외의) 일시 방문.
síde-vàlve èngine *n.* 〖機〗 측판식(側瓣式) 엔진[기관].
síde vìew *n.* 측경(側景), 측면도; 측면관(觀), 옆모습.
síde·vìew mìrror *n.* (자동차의) 사이드뷰 미러; 옆얼굴을 보기 위한 거울.
***síde·wàlk** *n.* 《美》 (포장된) 인도, 보도(=《英》 pavement, footpath) (cf. ROADWAY).
hit the sidewalk 《美俗》 건다, 걸어다니다, 일을 찾아다니다; 《美俗》 스트라이크에 돌입하다.
sídewalk àrtist *n.* 거리의 화가《보도상에다 분필로 그림이나 얼굴 따위를 그리는》.

sídewalk bìke *n.* (보조 뒷바퀴가 달린) 어린이용 자전거.
sídewalk superinténdent *n.* 《美口》 도로상의 현장 감독《건축 현장 따위의 구경꾼》.
síde·wàll *n.* 측벽(側壁); (타이어의) 사이드월.
síde·ward *a.* 측면의, 옆의, 비스듬한(sideways). ── *adv.* 옆으로, 비스듬히.
síde·wards *adv.* =SIDEWARD.
síde·wày *n.* 옆길, 샛길(↔*main road*); 인도, 보도. ── *adv., a.* =SIDEWAYS.
síde·wàys *adv.* 옆으로 향하여; 옆[측면]에서; 한쪽으로 기울어; 비스듬히; 경멸적인 시선으로; 호색적인 곁눈질로: look ~ (at a person) (사람을) 곁눈질하다.
── *a.* 옆의, 옆을 향한, 비스듬한; 우회하는, 회피적인: a ~ glance 곁눈질.
síde·whèel *n.* (배의) 외륜.
síde-whèel *a.* (기선이) 외륜식(外輪式)인.
síde-whèel·er *n.* 외륜식 기선; 왼손잡이 (투수); 《美俗》 (경마의) 페이스 메이커.
síde-whìskers *n. pl.* 구레나룻.
síde wìnd *n.* 옆바람; 간접적인 공격[수단, 방법]: learn by a ~ 간접으로 듣다.
síde·wìnd·er [-wàind-] *n.* 《美口》 옆으로부터의 주먹 강타, 〖拳〗 사이드와인더; 《美俗》 곧바로 발끈해서 폭력을 휘두르는 놈, 호위꾼, 보디가드; 《美俗》 남을 배반하려는 놈; 〖動〗 방울뱀의 일종; [S~] 〖美軍〗 (적외열(赤外熱) 탐지 유도식) 공대공(空對空) 미사일.
síde·wìse *adv., a.* =SIDEWAYS.
sid·ing [sáidiŋ] *n.* **1** 〖鐵〗 측선, 대피선(sidetrack). **2** Ⓤ 《美》〖建〗 (FRAME HOUSE 외벽의) 벽널, 판자벽. **3** Ⓤ 편들기, 지지(partisanship).
si·dle [sáidl] *vi.* [+副/+前+名] 옆걸음질치다; (가만가만) 다가가다[걷다]: The little girl shyly ~*d* ***off*** the place. 조그만 소녀는 그 장소를 수줍은 듯이 물러났다 / He ~*d* ***through*** the crowd. 군중 속을 옆걸음질로 나아갔다. ── *vt.* 옆걸음질치게 하다. ── *n.* 옆걸음질; 가만가만 다가가기. 〖역성(逆成) ‹ *sideling*〗
sidling ☞ SIDELING.
Sid·ney [sídni] *n.* **1** 남자[여자] 이름. **2** 시드니. Sir **Philip** ~ (1554-86) 영국의 군인·문인. 〖ST. DENIS〗
Si·don [sáidn] *n.* 시돈《고대 페니키아의 해항 도시; 현재 Lebanon의 Saida》.
Si·do·ni·an [saidóuniən] *a., n.* Sidon의; Sidon인(의).
SIDS sudden infant death syndrome.
siè·cle [sjékl] *n.* 세기(世紀); 시대. 〖F〗
siege [sí:dʒ] *n.* Ⓤ,Ⓒ **1** 포위 공격, 공성(攻城); 공성 기간: a regular ~ 정공법(正攻法) / ~ warfare 포위 공격전 / push[press] the ~ 맹렬히 포위 공격하다 / stand a long ~ 오랜 포위 공격을 견디어내다 / undergo a ~ 포위 공격당하다. **2** 불굴의 노력; 끈질기게 지속되는 병[불행]; 《美》 (병고·역경 따위의) 오랜 기간. **3** 《廢》 고위 인물의 좌석, 옥좌; 〖鳥〗 백로떼, 백로가 먹이를 기다리는 곳.
lay siege to …을 포위 공격하다; 집요하게 설득하다: *lay* ~ *to* a lady's heart 여자를 끈덕지게 유혹하다.
raise the siege of... (포위군이) …의 포위 공격을 중지하다, (원군이) …의 포위를 풀다.
── *vt.* 둘러[에워]싸다, 포위하다. **~·able** *a.* 〖OF *sege* seat〗
síege·wòrks *n. pl.* 공성 보루(堡壘).
Sieg·fried [sí:gfri:d, síg-; *G* zí:kfri:t] *n.* 지그프리트《큰 용을 퇴치한 영웅; NIBELUNGENLIED 전편의 주인공》. 〖Gmc.=victory+peace〗
Síegfried Lìne *n.* [the ~] 지그프리트선(線)《프랑스의 MAGINOT LINE에 대항하여 독일이 구축한 요새선(1940년)》.
sie·mens [sí:mənz, zí:-] *n.* 〖電〗 지멘스《전기 전도율의 단위; 略 S》.
Síemens AG *n.* 독일의 세계적인 종합 전기제품 제조회사명.
si·en·na [siénə] *n.* Ⓤ 시에나토(土)《산화철·점토·모래 따위가 혼합된 황토종의 안료(顔料)》; 적갈색, 시에나색(色): burnt ~ ☞ BURNT / raw ~ 생(生)시에나토《황색 안료》.
si·er·ra [siérə] *n.* **1** (봉우리가 뾰족뾰족 솟아난) 산맥, 산줄기; 산악 지방. **2** 〖魚〗 삼치(mackerel)의 일종. 〖Sp.<L *serra* saw〗
Siérra Clùb *n.* 시에라 클럽《미국의 자연 환경 보호 단체》.
Siérra Le·óne [-lióuni] *n.* 시에라리온《아프리카 서부 대서양 연안의 나라; 영연방 회원국; 수도 Freetown》.
Siérra Má·dre [-má:drei] *n.* [the ~] 시에라마드레《멕시코를 횡단하는 산맥》.
Siérra Nevàda *n.* [the ~] 시에라네바다《(1) 미국 California 주(州) 동부의 산맥. (2) 스페인 남부의 작은 산맥》.
si·es·ta [siéstə] *n.* (스페인·중남미·열대 지방의) 낮잠. 〖Sp.<L *sexta* (*hora*) sixth (hour)〗
sieve [sív] *n.* **1** (쳇불이 고운) 체. **2** 《비유》 입이 가벼운 사람, 비밀을 못 지키는 사람; 《美俗》 노후선, 유지하는데 돈이 드는 집[자동차 따위], 수비[방어]가 나쁜 선수[팀].
(***as***) ***leaky as a sieve*** 입이 아주 싼, 무엇이든 누설하는.
draw water with a sieve=***pour water into a sieve*** 헛수고하다.
have a head[***memory***] ***like a sieve*** 기억력이 없다, 무엇이든지 잊어버리다.
── *vt., vi.* 체질하다, 체로 치다, 체로 거르다. 〖OE *sife*; cf. G *Sieb*〗
sif·fleur [siflə́:r] *n.* 휘파람 부는 사람; 휘파람 비슷한 소리를 내는 각종 동물. 〖F〗
sift [síft] *vt.* **1** [+目/+目+*from*+名/+目+副] 체로 치다, 체질하다, 거르다: ~ sand 모래를 체로 거르다 / ~ (***out***) pebbles ***from*** sand 모래에서 체질하여 자갈을 걸러내다. **2** [+目/+目+前+名/+目+副] (모래·가루 따위를) 뿌리다: ~ flour ***over***[***on to***] a slice of meat 얇게 썬은 고기에 밀가루를 뿌리다. **3** 엄밀히 조사하다; 정선하다, 선별하다: ~ the facts 사실을 감별(鑑別)하다. ── *vi.* [+前+名/+副] 체를 통해 떨어지다; (체를 통과하는 것처럼 눈 따위가) 날아들다, 새어들다: Light ~*ed* ***through*** a chink in the wall. 빛이 벽 틈사이로 새어들었다 / The last leaf ~*ed* ***down.*** 마지막 잎이 사뿐히 떨어졌다.
~·er *n.* 체질하는 사람; 정사인(精査人); 체(sieve); (후추·설탕 따위를) 뿌리는 기구. 〖OE *siftan*; ⇨ SIEVE〗
síft·ing *n.* **1** 체로 고름; 감별, 정사. **2** [*pl.*] 체질된 것; [*pl.*] 체질한 찌꺼기.
sig. signal; signature; signor(s).
SIG special interest group. **Sig.** 〖處方〗 *signa* 《L》(=write, mark, label); 〖醫〗 signature; 〖處方〗 *signetur* 《L》 (=let it be written); Signor(s).

‡**sigh** [sái] *vi.* **1** [動/+前+名] 한숨 쉬다, 탄식하다 : ~ ***with*** fatigue 피로해서 한숨 쉬다 / ~ ***for*** grief 슬퍼 탄식하다 / ~ ***over*** one's unhappy fate 불운을 한탄하다. **2** (바람이) 산들거리다 : The wind ~*s* in the branches. 바람이 나뭇가지에서 산들거린다. **3** [+*for*+名] 사모하다, 그리워하다(long) : She ~*ed* ***for*** her lost youth. 그녀는 잃어버린 청춘을 그리워했다.
— *vt.* [+目/+目+副] 한숨지며[탄식하며] 말하다 : ~ ***out*** a grief 한숨지며 슬퍼하다.
— *n.* 한숨, 탄식(소리) ; (바람이) 산들거리는 소리 : (with) a ~ of grief[relief] 슬픔[안도]의 한숨(을 쉬며) / draw[fetch, heave] a ~ 한숨짓다, 한숨 돌리다 / the Bridge of *S*~*s* ☞ BRIDGE 숙어. **~·er** *n.* **~·ing·ly** *adv.* 탄식하여 ; 한숨지으며. **~·less** *a.* **~·lìke** *a.* 〖ME (역성(逆成)) ‹ *sihte* (past) ‹ *sihen* < OE *sīcan* < ?〗

◇**sight** [sáit] *n.* **1** Ⓤ 시력, 시각 : long[far] ~ 원시(遠視) ; 《비유》 선견 / near ~ 근시, 《비유》 단견(短見) / have good[bad] ~ 눈이 밝다[나쁘다] / lose one's ~ 실명하다. **2** Ⓤ [또는 a ~] 보기, 보이기, 일람, 일견 ; 열람 ; 볼 기회.

> **sight**를 사용한 문장 전환
> His blood boiled to *see* so much injustice.
> → The *sight* of so much injustice made his blood boil.
> (그렇게 많은 부정을 보고 피가 끓었다.)

3 Ⓤ 견해, 견지, 관점(point of view), 판단(judgment) : In my (own) ~, the boy did very well. 나의 견해로는 그 소년은 썩 잘 했습니다. **4** Ⓤ 시계(視界), 시역(視域). **5** 광경, 풍경, 경치 : The flowers in the garden were a wonderful ~[a ~ to see]. 정원의 꽃들은 굉장한 광경이었다. **6** [the ~s] 명승지, 관광지 : see[do] *the* ~*s* of Seoul 서울 구경을 하다. **7** [a ~] 《口》 구경거리, 웃음거리, 꼴 : *a* ~ for sore eyes ☞ 숙어 / *a* perfect ~ 진짜 구경거리[웃음거리], 꼴불견 / What *a* ~ you are! 이게 무슨 꼴이람! **8** [a ~] 《口》 다수, 많음 : *a* ~ *of* money 큰 돈 / *a* (long) ~ ☞ 숙어. **9** 겨냥, 조준(照準) ; (총 따위의) 가늠쇠, 가늠자 : take a careful ~ 잘 겨누다 / adjust the ~(*s*) 조준을 하다.
a bill at sight 일람[요구]불 어음 : *a bill at* 60 days' ~ 일람 후 60일불 어음 / *a bill* (payable) *at* long[short] ~ 일람 후 장[단]기 어음.
a (***long***) ***sight*** 《口》 훨씬 ; [부정구문] 거의[아마] …않다 ; [부정구문] 결코[도저히] …않다 : He is *a* ~ too clever for you. 그가 너무 영리해서 여간해서 너는 그를 따라가지 못한다 / *not*...by *a long* ~ 도저히 …않다.
a sight for sore eyes 눈요깃거리, 보기에 즐거운 것, 귀한 손님[물건].
at first sight 첫눈에 ; 얼핏 보기에는 : *At first* ~ the problem seems easy. 얼핏 보기에는 그 문제가 쉬울 것같이 생각된다.
at sight 보자마자, 처음 막 보고서, 즉시 : She can play and sing *at* ~. 그녀는 악보를 처음 보고 곧 연주나 노래를 할 수 있다 / shoot *at* ~ (목표물을) 보는 즉시 발사하다.
at (***the***) ***sight of*** …을 보고 : *At* ~ *of* the teacher the boys ran away. 선생님의 모습을 보자 소년들은 달아나버렸다 / The lady fainted *at the* ~ *of* blood pouring from his wound. 그의 상처에서 피가 흐르는 것을 보고 부인은 졸도했다.
catch[***gain, get***] ***sight of*** …을 찾아내다 ; 언뜻 보다.
come in sight 보이다, 시야에 들어오다 : We *came in* ~ *of* land. 육지가 보이는 곳에 왔다.
find[***gain***] ***favor in*** a person***'s sight*** 남의 호감을 사게 되다.
in sight 보여, (…이) 보이는 곳에서‹*of*› : The land is still *in* ~. 육지가 아직도 보인다.
in a person***'s sight*** 남의 눈앞[면전]에서.
know a person ***by sight*** …와 안면이 있다(cf. know...by NAME).
lose sight of …을 시야에서 놓치다, …을 잊다.
make a sight of one***self*** 남이 보고 웃을[이상한] 짓을 하다.
on sight = *at* SIGHT.
out of sight 보이지 않는[볼 수 없는] 곳에 ; 멀리, 떨어져 ; 《口》 비교가 안될 정도로, 믿을 수 없는, 터무니 없는 ; 《口》 굉장히 비싼, 대단히 큰 ; 《俗》 손이 미치지 않는, 실현불가능한, 공상 세계의 ; 《口》 훌륭한, 멋진, 발군의, 황홀해진 : They were still *out of* ~ *of* land. 아직도 육지가 보이지 않는 곳에 있었다 / The dog was looking after its master till he went *out of* ~. 개는 주인의 모습이 보이지 않게 될 때까지 바라보고 있었다 / *Out of* ~, out of mind. 《속담》 보지 않으면 마음도 멀어진다 / *Out of* my ~! 꺼져!
put. . .out of sight …을 감추다 ; 무시하다 ; 먹어 치우다[마셔 버리다].
sight unseen 〖商〗 현물을 보지 않고.
take a sight 겨누다(cf. *n.* 9) ; (천체 따위를) 관측하다‹*at*›.
within sight 보이는 곳에(서) ; 가까이에, 손이 닿는 곳에 : My hope is *within* ~. 희망이 보인다[서광이 비친다].
— *a.* 처음 보는 ; 보고 곧 하는[이해하는], 즉석의 ; 〖商〗 (어음 따위가) 일람불의.
— *vt.* **1** (다가가서) 보다, 찾아내다 : At last they ~*ed* land. 마침내 그들은 육지를 찾아냈다. **2** (천체 따위를) 관측하다 : ~ a star 별을 관측하다. **3** 겨누다 ; (총·사분의(四分儀) 따위에) 가늠쇠[조준기]를 달다, 조준 장치를 조정하다.
— *vi.* 겨냥하다, 조준하다 ; (일정한 방향을) 꼼짝 않고 주시하다.
〖OE (*ge*)*sihth* (⇨ SEE[1]) ; cf. G *Gesicht*〗

síght dràft[《英》 **bìll**] *n.* 일람불 환어음.
síght·ed *a.* 눈이 보이는 ; [복합어를 이루어] 시력이 …한.
síght gàg *n.* 〖劇·映〗 익살스러운 동작.
síght·hòle *n.* (관측기 따위의) 들여다보는 구멍.
síght·ing *n.* 관찰하기 ; 조준 맞추기 ; (UFO나 항공기 따위의) 관찰[목격]례(例) : ~ shot 시사탄(試射彈), 점검탄.
síght·less *a.* 눈이 안 보이는, 눈 먼(blind) ; 눈에 보이지 않는(invisible). **~·ly** *adv.* **~·ness** *n.*
síght·ly *a.* **1** 보기 좋은, 예쁜, 잘 생긴. **2** 《美》 경치[전망] 좋은. — *adv.* 보기좋게 ; 매력적으로 ; 《美》 경치좋게. **-li·ness** *n.*
síght-rèad [-rì:d] *vt., vi.* (외국어를) 예습하지 않고 읽다 ; (음악을) 연습하지 않고[악보를 처음 보고] 연주하다[노래하다].
síght rèad·er *n.* 악보를 보고 즉석에서 연주[노래]하는 사람. **~·ing** *n.* Ⓤ 시주(視奏), 시창(視唱)《악보(樂譜)를 보고 노래하기》 ; 즉독즉해(卽讀卽解).
síght·sèe *vi.* [주로 다음 구로] 관광[유람]하다 : go ~*ing* 관광하러 가다.
síght-sèe·ing *n.* Ⓤ 관광, 유람. — *a.* 관광[유람]의 : a ~ bus 관광 버스.

síght·sèer *n.* 관광객, 유람객(tourist).

síght·wòrthy *a.* 볼만한 (가치가 있는).

sig·il [sídʒəl, sígəl] *n.* **1** 인발, 인형(印形), 도장, 막도장(seal, signet). **2** (점성술·마술 따위에서) 신비적인 표[말, 장치 따위]. 〚L *sigillum*〛

sigill. *sigillum* 《L》(=signet, seal).

sig·int, SIGINT [sígint] *n.* (통신 방수(傍受) 따위에 의한) 비밀 정보 수집(cf. HUMINT). 〚*sig*nal *int*elligence〛

sig·ma [sígmə] *n.* 시그마 《그리스어 알파벳의 제 18번째 글자 ; Σ, σ, ς ; 영어의 S, s에 해당》; 〔數〕 Σ 기호 ; 〔生化〕 =SIGMA FACTOR ; 〔動〕 (해면의) 시그마체(體) ; 〔理〕 시그마 입자(=~ **pàrticle**). 〚L<Gk.〛

sígma fàctor *n.* 〔生化〕 시그마 인자《RNA 고리의 합성을 자극하는 단백질》.

sig·mate [sígmeit] *vt.* 어미에 s자를 붙이다.
—— [-mət, -meit] *a.* S[Σ]자형의.
sig·má·tion *n.*

sig·ma·tism [sígmətìzəm] *n.* 〔音聲〕 치찰음의 부정확한 발음.

sig·moid [sígmɔid] *a.* S[C]자형의 ; 〔解〕 S자 결장(結腸)의.
—— *n.* 〔解〕 S자형 만곡부, S자 결장.

sígmoid flèxure[còlon] *n.* 〔動〕 (새나 거북의 목 따위의) S자 모양의 만곡(彎曲) ; 〔解〕 S자(字) 결장(結腸).

sig·móido·scòpe [sigmɔ́idə-] *n.* 〔醫〕 S자 결장경(結腸鏡).

◇sign [sáin] *n.* **1** 표, 표지, 기호 ; (수학·음악 따위의) 부호, 기호 ; 〔컴퓨〕 기호 : the negative[minus] ~ 음[마이너스]의 부호《—》/ the positive[plus] ~ 양[플러스]의 부호《+》. **2** 신호 ; 변말, 암호 ; 표시, 게시 : ☞ ROAD[TRAFFIC] SIGN / a safety ~ 안전 운행의 표시 / a ~ and countersign 암호 응답《「산」하면 「강」하는 따위》. **3** 손짓, 몸짓(gesture) : make the ~ of the cross 손으로 십자를 긋다. **4** 간판(signboard) : at the ~ of the Kyŏngbokkung 《古》 경복궁이라는 간판이 붙은 가게에서. **5 a)** [+*of*+do*ing* / +*that* 節] 모양 ; 기색 ; 징후, 조짐 ; 〔醫〕 (병의) 징후, 증세(symptom) : the ~*s* of the times 〔聖〕 시조(時兆), 동향, 시세 / The robin is a ~ ***of*** spring. 울새는 봄의 징조다 / Yawning is a ~ *of* sleepiness[a ~ *that* one is sleepy]. 하품을 하는 것은 졸립다는 징조다 / The impetus shows no ~ *of* reach*ing* any limits. 그 기세는 그칠 것 같지 않다. **b)** [보통 부정구문] 자국, 흔적, 형적(形跡)(trace) : There is *no* ~ *of* habitation. 사람이 살고 있는 흔적이 없다 / He looked at me with *no* ~ *of* anger. 그는 조금도 성난 기색없이 나를 봤다. **6** 〔聖〕 (신의(神意)의) 표시, 계시, 기적 : pray for a ~ 계시를 내려주시기를 빌다 / seek a ~ 기적을 바라다 / ~*s* and wonders 기적. **7** 〔天〕 궁(宮)(= ~ of the zodiac)《황도(黃道) 12 구분의 하나》.

***as a sign of...*[*that...*]=*in sign of...*[*that...*]** …의[…라는] 표시로서.

make no sign (기절하여) 꼼짝도 않다 ; (이의가 없어) 아무 신호도 하지 않다.

—— *vt.* **1** [+目 / +目+前+名] …에 서명하다, 기명 날인하다 ; (이름을) 사인하다 ; 서명하여 승인[보증]하다 : ~ a letter 편지에 서명하다 / ~ a treaty 조약에 조인하다 / ~ one's name ***to*** a check 수표에 서명하다 / The pottery had been ~*ed* ***with*** his name. 그 도자기에는 그의 이름이 새겨져 있었다. **2** [+目+副 / +目+前+名] 서명하여 처분하다[양도하다], (증서를 써서) 팔아넘기다[치우다] : He ~*ed* ***away***[***over***] his rights in the invention. 발명의 권리를 양도하였다 / He ~*ed over* the property ***to*** his brother. 재산을 동생에게 양도했다. **3** [+目 / +目+副] 서명시키고 고용하다 : ~ a new player 새 선수를 서명시키고 고용하다 / The team ~*ed* ***on*** ten more players yesterday. 그 팀은 어제 10명의 선수를 더 계약하여 고용했다. **4** 십자를 긋고 축복하다. **5** [+目+*to* do / +*that* 節 / +目] 손짓[몸짓]으로 알리다, 신호하다, 눈짓하다 : The doorkeeper ~*ed* the tramps *to* get out of the hotel. 그 문지기는 부랑자들에게 호텔에서 나가라고 눈짓했다(cf. *vi.* 2) / He ~*ed that* he was ready to start. 그는 출발 준비가 되었다고 신호했다 / He ~*ed* assent. 그는 동의한다고 몸짓으로 알렸다. **6** (전조로서) 나타내다.

—— *vi.* **1** 서명하다, 기명 날인하다 ; 계약하다 ; 고용을 승낙하다 : refuse to ~ 서명을 거부하다 / They ~*ed* for three years. 그들은 3년간의 계약으로 고용되었다. **2** [+前+名 / +*to* do] 손짓[신호]하다, 눈짓하다 : He ~*ed* ***to*** me *to* open the window. 나에게 창문을 열라고 신호했다 / The patrolman ~*ed* ***for*** them *to* halt there. 그 순찰 경찰관은 그들에게 정지하라고 신호했다(cf. *vt.* 5).

signed, sealed, and delivered 〔法〕 서명 날인 후 (상대방에게) 교부필 ; 《戲》 모든 절차를 끝내고.

sign off (1) 서명하여 양도[포기]하다(cf. *vt.* 2). (2) 〔放送〕 (음악 따위로) 방송의 종료를 알리다(↔ *sign on*), 방송[방영]을 끝내다. (3) 《美俗》 이야기를 중지하고 침묵하다 ; 일[활동]을 그만두다 ; 모임에서 탈퇴하다 ; 서명하여 편지를 끝내다.

sign on (1) (노무자 등을) 서명시킨 후 고용하다 (cf. *vt.* 3) ; (고용인이) 서명 후에 고용되다, 서명 계약하다 ; 출근부에 서명하다 : The workman ~*ed on as* a member of the group[*for* a new factory]. 그 노동자는 그 단체[새 공장]의 일원으로서 서명했다 / He ~*ed on at* the factory. 그 공장에 고용되었다. (2) 〔放送〕 (음악 따위로) 방송 시작을 알리다(↔*sign off*).

sign out (*vi.*) 서명하고 출발[외출]하다. (*vt.*) (이름을 쓰고) …의 외출[대출]을 인정[기록]하다 ; 사인하고 맡기다.

sign up (1) =SIGN *on* (1) ; …의 구입을 계약하다 〈*for*〉 ; (남에게) …의 구입을 계약하게 하다. (2) 입대하다(enlist) ; 《口》 (정당·운동 따위에) 가담하다, 참가하다.

〚OF<L *signum* mark, token〛

類義語 ***sign*** 어떤 사실을 나타내거나 의미를 전하는 기호, 표시 ; 가장 뜻이 넓은 말 : a *sign* of good will (선의의 표시). ***mark*** 어떤 물건 위에 한 표시, 또는 본질적으로 그 특색이 되는 것 : the *mark* of a wound on his face (그의 얼굴에 난 상처 자국). ***token*** 어떤 성질·감정·가치 따위의 표시로서 주어진[유용한] 것 : Black is a *token* of mourning. (검정색은 조의의 표시다). ***symptom*** 병이나 혼란 따위의 존재가 밖으로 인식되는 표시 : a *symptom* of typhoid fever (장티푸스 증상).

‡sig·nal [sígnl] *n.* **1** 신호, 부호, 암호 ; 신호기, 송신[신호]의 수단《기·신호등 따위》; 〔通信〕 신호(파), 시그널 ; 〔컴퓨〕 신호 : a ~ of distress=a distress ~ 조난[난파] 신호 / a ~ of danger 위험 신호 / a traffic ~ 교통 신호 / a ~ between battery mates 〔野〕 배터리[투수와 포수] 사이의

신호 / at a given ~ 신호가 들어오면 (곧) / give the ~ for departure 출발 신호를 하다. **2** 계기, 도화선, 동기〈*for*〉. **3** 표시, 전조, 징후. **4** 〔카드놀이〕 자기편에게 알리는 암호가 되는 수.
the Royal Corps of Signals 〔英陸軍〕 영국 통신 부대《신호·전신·기구 따위의 임무를 맡음》.
—— *attrib. a.* **1** 신호(용)의 : a ~ book 〔軍〕 암호표 / a ~ fire 봉화 / a ~ flag[lamp] 신호기[등] / ~ strength 〔通信〕 수신력, 신호 강도. **2** 현저한, 주목할 만한 ; 우수한 : a ~ success [exploit] 눈부신 성공[공적], 대성공 / a man of ~ virtues 덕망 높은 인사.
—— *v.* (**-l-** | **-ll-**) *vt.* [+目 / +目+*to* do / +目+*to*+名 / +*that* 節 / +目+*that* 節] 신호하다, 신호를 보내다 ; 신호로 통신하다[알리다] ; 표시하다 ; …의 전조가 되다 : ~ a message 신호로 통신하다 / The school bell ~*ed* the end of the lesson. 학교 종이 수업 시간이 끝났음을 알렸다 / He ~*ed* the driver *to* stop. 운전자에게 정지하도록 신호했다 / The captain ~*ed* (***to***) the lifeboat *that* the ship was now out of danger. 선장은 이젠 배가 위험을 벗어났다고 구조선에 신호를 보냈다. —— *vi.* [動 / +*to*+名] 신호하다, 신호로 알리다 : They ~*ed* ***to*** the pilot. 그들은 수로(水路) 안내인에게 신호했다.
〖OF<L ; ⇨ SIGN〗

sígnal bòx *n.* 《英》 (철도의) 신호소(cf. SIGNAL TOWER).
Sígnal Còrps *n.* 〔美陸軍〕 통신대(略 S.C.).
sígnal·er | **síg·nal·ler** *n.* 신호수[기(機)] ; 〔軍〕 통신대원.
sígnal gùn *n.* (난파선 따위의) 신호포 ; 호포.
sígnal·ìze *vt.* **1** [+目 / +目+*by*+名] 유명하게 만들다 ; 돋보이게 하다, 이채를 띠게 하다 : ~ the product ***by*** a distinctive name 제품에 색다른 이름을 붙여 돋보이게 하다 / He ~*s* himself *by* his wit. 그는 자기의 재치를 남에게 과시한다. **2** 지적하다. **3** …에게 신호하다, …와 교신(交信)하다. **4** 신호로 알리다.
síg·nal·(l)ing *n.* Ⓤ 신호법 ; 신호 표시.
sígnal·ly *adv.* 두드러지게, 뛰어나게 ; 신호에 따라서.
sígnal·man [-mən, -mæ̀n] *n.* 〔軍〕 통신[신호]대원[병] ; (철도 따위의) 신호수.
sígnal·ment *n.* (경찰용의) 지명수배 광고, 인상서. 〖F *signalement*〗
sígnal sèrvice *n.* (특히 군용의) 통신 기관.
sígnal-to-nóise ràtio *n.* 〔電〕 신호 대(對) 잡음비(比), SN비(比).
sígnal tòwer *n.* 《美》 (철도의) 신호탑(cf. SIGNAL BOX).
sig·na·ry [sígnəri] *n.* (문자·음(音)의) 기호표.
sig·na·to·ry [sígnətɔ̀ːri ; -təri] *a.* 서명한, 참가해서 조인한 : the ~ powers *to* a treaty 조약 가맹국. —— *n.* 서명인, 조인자 ; 가맹국, 조약국〈*to*〉.
〖L=of sealing ; ⇨ SIGN〗
***sig·na·ture** [sígnətʃər] *n.* **1** 서명(하기), 사인. **2** 〔樂〕 (음조·박자의) 기호 : a key ~ 조표(調標) / a time ~ 박자표. **3** 프로그램[출연자] 고유의 주제 음악(= ~ tune). **4** 〔印〕 (인쇄지의) 접장 꼭지, 접지 번호를 매긴 전지 ; 암호 번호. **5** 〔藥〕 (약의 용기에다 적은) 용법 주의 《略 S., Sig.》. **6** 《古》 특징, 특성.
〖L ; ⇨ SIGN〗
sígnature màrk *n.* 〔印〕 접장 꼭지 표시.
sígnature pìece *n.* 《美俗》 가장 뛰어난 장기, 정평 있는 것.
sígnature tùne *n.* 《英》〔放送〕 (프로그램의) 테마 음악(theme song).
sígn bìt *n.* 〔컴퓨〕 부호(符號) 비트.
sígn·bòard *n.* 간판, 게시판, 광고판.
sígn·er *n.* 서명자 ; [S~] 〔美史〕 독립선언서 서명자 ; sign language 사용자.
sig·net [sígnət] *n.* 도장, 인장 ; (반지 따위에 새긴) 인인(認印) ; [the (privy) ~] 옥새.
a Writer to the Signet 〔스코法〕 법정외(法廷外) 변호사.
—— *vt.* …에 도장을 찍다.
〖OF or L (dim.) <SIGN〗
sígnet rìng *n.* 인인(認印)[인감]을 새긴 반지.
***sig·nif·i·cance** [signífəkəns] *n.* **1** Ⓤ 중요함 ; 중요성(importance) : a person[matter] *of* little [no]~ 그다지[전혀] 중요치 않은 인물[것]. **2** Ⓤ 의미, 의의, 취지. **3** Ⓤ 뜻있음, 의미심장함(expressiveness) ; (통계상의) 유의(성) : a look [word] of great ~ 매우 의미심장한 표정[말].
類義語 ⟹ IMPORTANCE, MEANING.
signíficance lèvel *n.* 〔統〕 (가설 검정에서의) 유의 수준(有意水準), 위험률《제1종의 과오를 범하는 확률》.
***sig·níf·i·cant** *a.* **1** 중요한(↔*insignificant*) : a ~ date 중요한 날《기념일 따위》. **2** 의미있는, 뜻깊은, 의미심장한 ; 의미가 있어 보이는, 암시적인 : a ~ nod 의미심장한 수긍(首肯). **3** (…을) 뜻하는, 나타내는 : Smiles are ~ *of* pleasure. 미소는 기쁨의 표현이다. **4** 〔言〕 의미의 구별을 나타내는, 시차적(示差的)인 ; (통계적으로) 유의의, 상당한 (수의). **5** 《英俗》 매력적인, 초(超)모던한《미술 비평용어》. —— *n.* 《古》 의미 있는 것, 기호. **~·ly** *adv.* 의미심장하게.
〖L (pres.p.) <SIGNIFY〗
類義語 ⟹ EXPRESSIVE.
signíficant fígures[**dígits**] *n. pl.* 〔數〕 유효 숫자《0을 제외한 1에서 9까지》.
sig·ni·fi·ca·tion [sìgnəfəkéiʃən] *n.* **1** Ⓤ 의미 ; Ⓒ (낱말의) 뜻, 어의. **2** Ⓤ,Ⓒ 표시, 표의(表意) ; (정식) 통지 ; 《方》 중요성.
類義語 ⟹ MEANING.
sig·nif·i·ca·tive [signífəkèitiv ; -kə-] *a.* 표시하는〈*of*〉 ; 의미심장한, 의의있는, 뜻깊은.
~·ly *adv.* **~·ness** *n.*
***sig·ni·fy** [sígnəfài] *vt.* **1** [+目 / +*that* 節] 의미하다, 뜻하다 : What does this word ~ ? 이 말은 무슨 뜻입니까 / What does it ~ ? 그게 무엇이 대수롭단 말이냐 / Wrinkles on his face *signified* that he had lived a miserable life. 그의 얼굴의 주름살은 그가 비참한 생활을 해왔다는 것을 말해 주고 있었다. **2** [+目 / +*that* 節] 나타내다, 알리다, 표명하다 : ~ one's approval[satisfaction] 찬성[만족]을 표명하다 / She *signified* her consent by nodding.=With a nod she *signified that* she consented. 그녀는 고개를 끄덕여 동의의 뜻을 나타냈다. **3** …의 전조가 되다, 징조가 되다 : A red sunset *signifies* fine weather. 저녁놀은 맑은 날씨의 징조다.
—— *vi.* [動 / +副] [특히 부정구문에서] 중대하다(matter), 크게 영향[연관]이 있다 : That does *not* ~. 그것은 아무 것도 아니다 / It *signifies little.*=It does*n't* ~ *much.* 대수로운 일이 아니다. 〖OF<L ; ⇨ SIGN〗
sígnify·ing, -in' *n.* 《美俗》 설전(舌戰), 서로 악담하기 시합《도시의 흑인 청년들 사이에서》.
sígn-ìn *n.* 서명 운동.
si·gnior [síːnjɔːr, si(ː)njɔ́ːr] *n.* =SIGNOR.

sígn lànguage *n.* (이국인 등의 사이에서 사용하는) 손짓[몸짓] 언어 ; 수화(手話) ; Ⓤ 수화법 (finger language).

sígn mánual *n.* (*pl.* **sígns mánual**) (특히 국왕의) 친서(親署) ; 독특한 서명 ; 특징.

sígn-òff *n.* Ⓤ.Ⓒ **1** 〖放送〗 방송 종료(의 신호). **2** 《美俗》 안녕(farewell).

sígn of the zódiac *n.* 〖天〗 궁(宮)(cf. ZODIAC).

sígn-òn *n.* **1** 〖放送〗 방송 시작(의 신호). **2** 입대, 응소.

si·gnor [síːnjɔːr, si(ː)njɔ́ːr] *n.* (*pl.* **~s, si·gno·ri** [sinjɔ́ːriː]) **1** 각하, …군, …씨, …님, 선생《영어의 Sir, Mr.에 해당》. **2** (특히 이탈리아의) 귀족, 신사. 〚It.<L SENIOR〛

si·gno·ra [si(ː)njɔ́ːrə] *n.* (*pl.* **~s, si·gno·re** [-rei]) …부인, 여사《영어의 Madam, Mrs.에 해당》. 〚It. (fem.) ; ↑〛

si·gno·re [si(ː)njɔ́ːrei] *n.* (*pl.* **-ri** [-riː]) =SIGNOR 《호칭으로서 사람 이름 앞에 붙일 때에는 Signor 형을 씀》. 〚It. ; ↑〛

si·gno·ri·na [sìːnjɔːríːnə] *n.* (*pl.* **~s, -ne** [-nei]) (이탈리아의) 양(孃)《영어의 Miss에 해당》. 〚It. (dim.) ‹SIGNORA〛

si·gno·ri·no [sìːnjɔːríːnou] *n.* (*pl.* **~s, -ni** [-niː]) (이탈리아의) 도련님《영어의 Master에 해당》. 〚It. (dim.) ‹SIGNORE〛

si·gno·ry [síːnjəri] *n.* =SEIGNIORY.

sígn-òut *n.* 《口》 외출[퇴출]시의 서명.

sígn pàinter[**wrìter**] *n.* 간판 쓰는 사람, 간판장이.

sígn·pòst *n.* 간판[광고] 기둥 ; (십자로 따위의) 푯말, 도표(guidepost) ; 《비유》 명확한 길잡이.
—— *vt.* (도로)에 푯말을 세우다 ; …에 방향을 지시[표시]하다‹*for*›.
~·ed *a.* 도로 표지가 있는.

sígn-ùp *n.* 서명에 의한 등록 ; (단체 따위에의) 가입(加入).

Sig·urd [síguərd, -gərd] *n.* 〖北유럽神〗 시구르드 《독일의 Siegfried에 해당하는 영웅》. 〚ON *Sigurthr*〛

Sikh [siːk] *n.* 시크교도《북방 인도의 종파》.
—— *a.* 시크교(도)의. **~·ism** *n.* Ⓤ 시크교. 〚Hindi=disciple<Skt.〛

Sik·kim [síkəm, sikíːm] *n.* 시킴《네팔과 부탄 사이에 있는 인도의 한 주 ; 주도 Gangtok》.

si·lage [sáilidʒ] *n.* 〖畜〗 사일리지, 엔실리지 (ensilage)《사일로(silo)에 넣어 보장(保藏)된 저장 생목초》. —— *vt.* =ENSILE. 〚en*silage*〛

‡**si·lence** [sáiləns] *n.* **1 a)** Ⓤ 침묵, 무언 ; 소리내지 않음, 정숙 : a man of ~ 과묵한 사람 / a breathless ~ 숨을 죽인 침묵 / break [keep] ~ 침묵을 깨뜨리다[지키다] / put [reduce] a person to ~ 남을 입 다물게 하다 / When he had finished the story, there was a (short) ~. 그가 그 얘기를 끝내자 (잠시) 침묵이 흘렀다 / *S*~ gives consent. 침묵은 승낙의 뜻 / Speech is silvern[silver], ~ is golden[gold]. 《속담》 웅변은 은이고 침묵은 금이다. **b)** Ⓤ 묵도(默禱). **2** Ⓤ 고요함, 정적(↔*sound*) : the ~ of the night 밤의 고요함. **3** Ⓤ.Ⓒ 무소식, 소식 불통 : after ten years of ~ 10년간 소식이 없다가. **4** Ⓤ 침묵을 지킴, 비밀 엄수 : buy a person's ~ 남에게 돈을 주어 입막음하다. **5** Ⓤ 묵살, 망각 : pass into ~ 잊혀지다.
in silence 잠자코, 말없이, 조용히 : They listened *in* (dead) ~. 그들은 (죽은 듯이) 조용히 경청했다 / He looked at me a moment *in* ~. 그는 말없이 잠깐 나를 쳐다봤다.
—— *int.* 조용히 !, 닥쳐 !, 쉬 ! (be silent) : *S*~, please. 조용히 하십시오.
—— *vt.* 침묵시키다, 조용하게 하다 ; (의혹·공포 따위를) 완화시키다, 진정시키다 ; 〖軍〗 (적의 포격을) 반격에 나서서 침묵시키다 : ~ a barking dog 짖는 개를 못짖게 하다 / ~ criticism 비난을 못하게 말문을 막아버리다 / ~ the enemy's batteries 적의 포화를 진압시키다.
sí·lenc·er *n.* **1** 침묵시키는 사람[것] ; 상대를 억누르는 의론. **2** 《英》 (발동기의) 소음기(消音器) ; (총포 따위의) 소음 장치.
〚OF<L ; ⇨ SILENT〛

‡**si·lent** [sáilənt] *a.* **1** 침묵을 지키는, 과묵한 : Everybody was ~. 모두가 침묵을 지키고 있었다. **2** (역사 따위의) 기록이 없는, 묵살된‹*on*›. **3** 무소식의, 소식이 두절된‹*on, of, about*› ; 활동하지 않는, 쉬고 있는《화산》 ; 알리지 않는, 공표하지 않는. **4** 소리를 내지 않는, 무성(無聲)의 ; 잠잠한, 고요한 : a ~ film[picture] 무성 영화. **5** 〖音聲〗 발음되지 않는, 묵음(默音)의《fate, doubt, knife의 *e, b, k* 따위 ; 음성학의 용어로서는 MUTE를 씀》. **6** 무증상의《징후 따위》.
give the silent treatment ☞ TREATMENT.
—— *n.* [*pl.*] 무성 영화.
〚L (pres. p.) ‹*sileo* to be silent〛
類義語 ***silent*** 일시적으로 잠자코 있는. ***taciturn*** 원래 말이 없는《품위 있는 말》. ***reserved*** 말수가 적고 삼가는. ***reticent*** 보통 일시적으로 자기의 감정을 표명하려고 하지 않는《격식차린 말》. ***secretive*** 털어놓고 말해도 좋을 것을 공연히 숨기려고 하는.

sílent bútler *n.* 《美》 식당용 쓰레기통《작은 프라이팬 같은 뚜껑 달린 쓰레기통으로 식탁의 빵 부스러기나 재떨이의 재 따위를 담음》.

silent butler

sílent díscharge *n.* 〖電〗 무음 방전(放電).

‡**sílent·ly** *adv.* 잠자코 ; 조용히 ; 말없이.

sílent majórity *n.* [흔히 S~ M~] 말없는 대중(의 소리) ; 일반 국민, 대중.
sílent majoritárian *n.* 말없는 대중 일원.

sílent pártner *n.* 《美》 출자만 하고 업무에 관여치 않는 사원(=《英》 sleeping partner) ; 익명(匿名) 사원.

sílent sérvice *n.* [the ~] 해군 ; [the ~] 잠수함대(隊).

sílent sóldier *n.* 《軍俗》 지뢰, 위장 폭탄.

sílent spríng *n.* 침묵의 봄《공해·살충제 따위에 의한 자연 파괴로 생겨난 봄의 파멸을 말함》.

sílent sỳstem *n.* (교도소내에서의) 침묵 제도 《죄수에게 침묵을 의무화하는 제도》.

sílent vóte *n.* 부동표(浮動票).

Si·le·nus [sailíːnəs] *n.* 〖그神〗 실레노스《주신(酒神) Dionysus의 양부(養父)》. 〚L<Gk.= ? inflated with wine〛

Si·le·sia [sailíːʃiə, -ʒiə, sə-] *n.* **1** 실레지아《유럽 중부의 지방》. **2** [s~] Ⓤ 실레지아 직물《커튼·여성복 안감용》.
Si·lé·sian *a., n.* 실레지아의 (사람).

si·lex [sáileks] *n.* **1** Ⓤ 실리카(silica)나 분말 트리폴리 따위의 규산(硅酸) 함유물《충전제(充塡

劑)·치과용》. **2** [S~] 사일렉스《내열 유리로 만든 진공식 커피 끓이는 기구 ; 상표명》.
〖L *silic- silex* flint〗

sil·hou·ette [sìlu(:)ét] *n.* **1** 실루엣《보통 흑색의 반면 영상(半面影像)》, 옆얼굴, 그림자 그림 ; 검은윤곽 ; 그림자(shadow). **2** 윤곽, 대강의 형태, 아우트라인 ; (유행하는 여성옷 따위의) 윤곽선, 실루엣(contour). **3** 〔댄스〕 실루엣《댄스의 순간 동작에서 뚜렷이 보이는 몸의 윤곽》. **4** 〔印〕 실루엣 판(版).
in silhouette 실루엣으로[을 이루어], 그림자 그림으로 ; 윤곽만으로.
—— *vt.* [+目 / +目+前+名] [보통 수동태로] 실루엣으로 그리다, …의 그림자를 비추다 ; …의 윤곽만을 나타내다 : The line of the dune *was* ~*d* ***against*** the sky. 모래언덕의 윤곽이 하늘을 배경으로 검게 나타나 있었다.
〖Étienne de *Silhouette* (d. 1767) 프랑스의 작가·정치가 ; 재무장관으로 단명했던데서 인가〗

sil·ic- [síl∂k], **sil·i·co-** [síl∂kou, -k∂] *comb. form* 「부싯돌(flint)」 「실리카(silica)」 「규소(硅素)(silicon)」의 뜻. 〖L(↓)〗

sil·i·ca [sílik∂] *n.* Ⓤ 〔化〕 실리카, 무수규산(無水硅酸). 〖*alumina* 따위에 준하여 SILEX에서〗

sílica brìck *n.* 실리카 벽돌.

sílica cemént *n.* 실리카 시멘트.

sílica gèl *n.* 〔化〕 실리카 겔《방습제》.

sil·i·cal·cite [síl∂kælsait ; -li-] *n.* Ⓤ 모래와 석회로 된 발포성(發泡性) 콘크리트.

sil·i·cate [sílik∂t, -l∂kèit] *n.* Ⓤ,Ⓒ 〔化〕 규산염 : ~ of soda 규산 나트륨.

si·li·ceous, si·li·cious [s∂líʃ∂s] *a.* 규산의 ; 규토(질)의.

sil·i·ci- [síl∂s∂] *comb. form* 〔化〕 「실리카(silica)」의 뜻.

si·lic·ic [s∂lísik] *a.* 〔化〕 규소를 함유하는, 규토[규산]의 : ~ acid 규산.

sil·i·cide [sílisàid, -s∂d] *n.* 〔化〕 규소 화합물, 규화물(硅化物).

si·lic·i·fy [s∂lís∂fài] *vt.*, *vi.* 규산화(化)하다[되다], 규화하다.

sil·i·cle [sílik∂l] *n.* 〔植〕 단각과(短角果).
〖L (dim.) ; ⇨ SILIQUE〗

silico- [síl∂kou, -k∂] ☞ SILIC-.

sil·i·con [sílik∂n, -l∂kàn] *n.* Ⓤ 〔化〕 규소《비금속 원소 ; 기호 Si ; 번호 14》.
〖*carbon, boron* 따위에 준해서 SILICA에서〗

sílicon cárbide *n.* 〔化〕 탄화(炭化) 규소.

sílicon chíps *n. pl.* 〔電子〕 실리콘 칩.

sílicon-contròlled réctifier *n.* 〔電子〕 실리콘 제어 정류기(制御整流器)《略 SCR》.

sílicon dióxide *n.* 〔化〕 이산화 규소(silica).

sil·i·cone [síl∂kòun] *n.* Ⓤ 실리콘, 규소수지(硅素樹脂)《내열성·내수성 전기 절연성에 뛰어난 합성수지》. 〖*silicon*+*-one*〗

sílicon nítride *n.* 질화 규소.

sílicon sỳndrome *n.* 실리콘 증후군《연구에만 몰두하는 과학자인 남편으로 인해 부부간에 틈이 벌어지게 되는 증상》.

Sílicon Válley *n.* 실리콘 밸리《고도의 반도체 소자업체가 밀집해 있는 미국 샌프란시스코만 남쪽의 광대한 분지의 속칭》.

sil·i·co·sis [sìl∂kóus∂s] *n.* (*pl.* **-ses** [-si:z]) Ⓤ 〔醫〕 규폐증(硅肺症). **sìl·i·cót·ic** [-kát-] *a.*, *n.* 규폐증의 (환자).
〖*silica*+*-osis*〗

si·lique [s∂lí:k, sílik] *n.* 〔植〕 장각과(長角果).
〖F＜L *siliqua* pod, husk〗

sil·i·quose [síl∂kwòus], **-quous** [-kw∂s] *a.* 〔植〕 장각과가 있는 ; 장각과 모양의.

***silk** [sílk] *n.* **1 a**) Ⓤ 명주실, 생사(生絲), 잠사(蠶絲) ; 비단, 견직물 : artificial ~ 인견(人絹)(rayon) / raw ~ 생사. **b**) [*pl.*] 비단으로 된 것, 비단 옷 : be dressed in ~*s* and satins 사치스런 옷치장을 하다 / *S*~*s* and satins put out the fire in the kitchen. 《속담》 옷치레가 지나치면 밥을 굶는다. **2** Ⓤ 비단 법복(cf. STUFF *n.* 2 b)) ; 《英口》 왕실 변호사(King's[Queen's] Counsel) ; 《美空軍俗》 낙하산 ; 《俗》 스카프, 머플러. **3** Ⓤ (보석 따위에서 볼 수 있는) 명주실 같은 광택 ; 명주실 같은 것. **4** Ⓤ 옥수수 수염(corn silk) ; 《美黑人俗》 백인. **5** [형용사적으로] 비단의[같은], 비단으로 만든 ; 생사(生絲)의 : a ~ hat 비단 모자 / a ~ gown 비단 법복《영국에서 왕실 변호사의 제복 ; cf. *take* SILK ; STUFF GOWN》 / ~ conditioning 생사 검사.
hit the silk 《美空軍俗》 낙하산으로 (비행기에서) 탈출하다.
take (***the***) ***silk*** 《英》 (silk gown을 착용하는) 왕실[칙선] 변호사가 되다.
—— *vi.* (니스가) 비단 같은 광택을 내다 ; 《美》 (옥수수가) 개화하다(blossom).
—— *vt.* …에게 비단을 입히다.
〖OE *sioloc*＜L *sericus*＜Gk. *Seres* an oriental people〗

sílk bròad *n.* 《美黑人俗》 백인 여자.

sílk còtton *n.* ＝KAPOK.

silk·en [sílk∂n] *attrib. a.* ㊟ 지금은 SILK가 일반적으로 쓰임. **1** 비단[명주]의[으로 만든]. **2** 명주실[비단실] 같은 ; 광택이 나는 ; 윤나는. **3** 부드러운. **4** 비단[명주] 옷을 입은. **5** 《稀》 고상한, 사치스런 ; 온화한.

sílken cúrtain *n.* 비단 커튼《대할 때는 부드럽지만 까다로운 영국의 외사(外事) 검열》.

sílk gùm[**glùe**] *n.* ＝SERICIN.

Sílk Róad *n.* [the ~] 〔史〕 실크 로드《중국에서 인도·아프가니스탄·그리스를 거쳐 로마에 이르는 동서 교역·문화 교류의 길》.

sílk scrèen *n.* 실크 스크린《날염용(捺染用) 공판(孔版)》 ; ＝SILK-SCREEN PROCESS ; 실크 스크린 인쇄물.

sílk-scrèen *a.* 실크스크린 날염법의[으로 만든, 을 사용한]. —— *vt.* 실크스크린 날염법으로 만들다[복제(複製)하다].

sílk-screen prínting *n.* 〔印〕 실크 스크린 인쇄(screen printing).

sílk-screen pròcess *n.* 실크 스크린 날염법《명주 스크린에 물감풀을 발라 염색하는 방법》.

sílk stócking *n.* 비단 양말(을 신은 사람) ; 사치스런 사람, 귀족적인[부유한] 사람 ; 〔美史〕 연방당(Federalist party) 당원.

sílk-stócking *a.* 비단 양말을 신은 ; 사치스런, 상류의, 귀족적인, 부유한 ; 〔美史〕 연방당의.

sílk·wèed *n.* 〔植〕 유액(乳液)이 나는 풀, (특히) 고들빼기.

sílk·wòrm *n.* 〔昆〕 누에.

sílky *a.* **1** 비단의[같은], 매끈매끈한《피부》, 광택이 있는. **2** (술 따위가) 감칠맛이 나는. **3** 나긋나긋한 ; 상냥한 ; 말솜씨가 좋은 ; 〔植〕 (잎 따위) 명주실 같은 털이 밀생한. —— *n.* 〔鳥〕 오골계(烏骨鷄)《아시아 원산》.
sílk·i·ly *adv.* **-i·ness** *n.*

sill [síl] *n.* **1** 창턱, 창 받침대(windowsill) ; 문지방(threshold). **2** 〔鑛〕 갱도(坑道)의 바닥 ; 탄층

상(炭層床) ; 암상(岩床), 암층.
〖OE *syll*(*e*) ; cf. G *Schwelle*〗

sillabub, sillibub ☞ SYLLABUB.

sil·ler [sílər] *n.* Ⓤ 《스코》 은 ; 돈.

Sil·le·ry [síləri] *n.* Ⓤ 샴페인의 일종《프랑스산》.

‡sil·ly [síli] *a.* **1** [+*to* do / +*of*+名+*to* do] 어리석은, 바보 같은, 철부지의, 지각없는 : a ~ ass 《흔히 戱》 천치 같은 사람 / Don't be so ~. 그런 바보 같은 소리 마라 / You were very ~ *to* trust him. 그 사람을 믿다니 너는 꽤 어리석었다 / It's ~ ***of*** you *to* trust him. 그 사람의 말을 신용하다니 너는 바보다. **2** 《古》 연약한 ; 백치의 ; 망령난, 노망한 : He is getting quite ~ in his old age. 늙으니까 아주 망령을 부린다. **3** 《口》 (얻어맞고) 기절한. **4** 《古》 순진한(innocent), 소박한(plain), 신분이 낮은.
—— *n.* 《口》 바보《특히 어린애에게 말함》 : You are a ~. 바보구나, 바보 같은 짓이야.
—— *adv.* =SILLILY.
síl·li·ly *adv.* 어리석게, 바보같이. **-li·ness** *n.* 어리석음 ; 바보 같음 ; 어리석은 짓.
〖ME *sely* happy<OE 《美》 *sælig* ; 'foolish'의 뜻은 15세기의 'pitiable'에서 ; cf. G *selig*〗
類義語 ***silly*** 정신상의 결함은 없으나 상식에 벗어난[엉뚱한] 짓을 하는. ***foolish*** 바보 천치 같은 ; 지능이 모자라서 확고한 판단력이 없는. ***stupid*** 타고날 때부터 지혜가 부족하여 정상적인 이해력이 없는. ***dull*** 선천적으로 또는 과로나 질병으로 머리의 기능이 우둔한.

sílly bìlly *n.* 《口》 우스운 사람, 바보.

sílly sèason *n.* [the ~] 《英》 (신문기사의) 하한기(夏閑期)《중요 뉴스가 적은 8, 9월경》.

si·lo [sáilou] *n.* (*pl.* **~s**) **1** 사일로《곡식·목초 따위를 저장하기 위한 탑모양의 건축물 ; cf. ENSILAGE》 ; (지하의) 저장굴. **2** 〔軍〕 (언제든지 발사할 수 있도록 준비된) 유도탄 지하 격납고, 사일로. —— *vt.* (목초 따위를) 사일로에 저장하다.
〖Sp.<L<Gk. *siros* pit for corn〗

sílo búster *n.* 《美軍俗》 (보복 공격을 방지하기 위한) 사일로 공격 핵미사일.

silt [sílt] *n.* Ⓤ 침니(沈泥)《모래보다 곱고 진흙보다 거친 침적토(沈積土)》.
—— *vt., vi.* (침니로) 막다, 막히다〈*up*〉.
sílty *a.* 침니의, 침니 비슷한 ; 침니로 꽉 막힌.
〖ME<? Scand. ; cf. Dan., Norw. *sylt* SALT marsh〗

Sil·u·res [síljərìːz] *n. pl.* (고대 웨일스 남동부의) 실루리아 사람《기원전 48년 로마인의 침입·정복에 강력히 저항했음》. 〖L〗

Si·lu·ri·an [silúriən, sai- ; sailjúə-] *a.* 실루리아 사람(Silures)의 ; 〔地質〕 실루리아기(紀)의, 실루리아계(系)의. —— *n.* [the ~] 〔地質〕 실루리아기[계].

sil·va [sílvə] *n.* (특정 지역의) 수림, 수목, 교목림 ; (*pl.* **~s, -vae** [-viː]) 삼림수론(森林樹論), 수림지(樹林誌). 〖L=wood, forest〗

silvan ☞ SYLVAN.

Sil·va·nus [silvéinəs] *n.* **1** 남자 이름. **2** 〔로神〕 실바누스《숲의 신, 농목(農牧)의 신 ; 〔그神〕의 Pan에 해당》.
〖L=of the forest (SILVA)〗

◇sil·ver [sílvər] *n.* **1** Ⓤ 〔化〕 은《금속원소 ; 기호 Ag ; 번호 47》 : These spoons are made of ~. 이 스푼들은 은으로 만들었다. **2** Ⓤ 은제품, 은그릇 ; 은식기류(silver plate). **3** Ⓤ 은화 ; 화폐, 금전, 부. **4** Ⓤ 은의 광택, 은색, 은백색 ; 은색의 것 [금속] ; 〔寫〕 브롬화은, (특히) 질산은. —— *a.* **1** 은의, 은으로 만든, 은…. **2** 〔化〕 은과 화합한. **3** 은 같은 ; 은백색의 ; 은빛으로 빛나는(cf. SILVERY) : ☞ SILVER STREAK. **4** (음색·음성이) 맑은, (말이) 유창한 : He has a ~ tongue. 그는 말솜씨가 능란하다(cf. SILVER-TONGUED). **5** (금을 제1위로 보고) 제2위의(cf. SILVERN). **6** 〔經〕 은 본위의. **7** 25주년의(cf. GOLDEN) : ☞ SILVER WEDDING. —— *vt.* **1** …에 은을 입히다, 은도금하다, 은을 바르다, (거울에) 주석과 수은의 합금을 입히다 ; 〔寫〕 질산은(窒酸銀)을 입히다 : ~ copper articles 놋그릇을 은도금하다. **2** 은빛으로 하다, 백발이 되게 하다 : Age has ~*ed* his hair. 나이가 들어 그의 머리는 백발이 되었다.
—— *vi.* 은백색이 되다, 은빛으로 빛나다 ; (머리가) 은빛으로 변하다.
〖OE *seolfor*<Gmc. (G *Silber*)<?〗

sílver áge *n.* [the ~] 〔그神〕 (황금시대 다음의) 백은시대《비유적으로도 쓰임 ; cf. GOLDEN AGE, BRONZE AGE, IRON AGE》 ; [the ~] 은(銀)의 시대《(1) Augustus 황제의 죽음(A.D. 14)에서 Hadrian 황제의 죽음(138)까지의 라틴문학 융성 시대. (2) Anne여왕 재위 중(1702-14)의 영문학 융성 시대》.

sílver anniversáry *n.* 25주년 기념일[축하].

sílver báth *n.* 〔寫〕 감광액, 질산은 용액.

sílver béll, sílver-bèll trèe *n.* 〔植〕 (북미산) 때죽나무류의 관목《방울 모양의 흰 꽃이 핌》.

sílver·bèrry *n.* 〔植〕 (북미산) 은잎보리수나무.

sílver bírch *n.* 〔植〕 =PAPER BIRCH.

sílver brómide *n.* 〔化〕 브롬화은.

sílver certíficate *n.* 〔經〕 은증권(銀證券)《이전에 미국 정부가 발행했던 은태환(銀兌換) 지폐》.

sílver chlóride *n.* 〔化〕 염화은(鹽化銀).

sílver córd *n.* 탯줄 ; 모자간의 유대.

sílver dóctor *n.* 〔낚시〕 제물낚시의 일종《연어·송어용》.

sílver·fìsh *n.* 〔魚〕 은백색 물고기《은빛 금붕어》 ; 〔昆〕 좀벌레(bookworm).

sílver fòil *n.* 은박(銀箔) (cf. SILVER LEAF).

sílver fóx *n.* 〔動〕 은빛털여우(의 모피).

sílver gílt *n.* (장식용) 은박(銀箔) ; 금도금한 은(그릇).

sílver gráy *n.* 은백색.
sílver-gráy *a.* 은백색의.

sílver-háired *a.* 은발의.

sílver·ing *n.* Ⓤ,Ⓒ 은입히기, 은도금(한 것) ; 〔動〕 은화(銀化)《연어·뱀장어 따위의 체색의 변화》 ; 은빛의 광택.

sílver íodide *n.* 〔化〕 요오드화은.

sílver júbilee *n.* 25주년 축전(祝典).

sílver kéy *n.* [the ~] 뇌물.

sílver Látin *n.* silver age의 라틴어.

sílver·lèaf *n.* 은백색의 잎이 있는 각종 식물 ; 〔植〕 은피병(銀皮病)《잎이 은백색이 되는 관목·교목의 병》.

sílver léaf *n.* 은박《silver foil보다 얇음》.

sílver·lìne *vt.* …에서 희망을 발견하다, (비관적인 상황에 대하여) 낙관적인 희망을 표명하다.

sílver líning *n.* (구름의) 밝은 가장자리 ; (불행 가운데서의) 밝은 희망, (앞날의) 광명.
〖《속담》 Every CLOUD has a ~.에서〗

sílver·ly *adv.* 은빛으로 빛나서, 아름다운 목소리[음색(音色)]로.

sílver-móunt·ed *a.* 은으로 받친 ; 은 장식한.

sil·vern [sílvərn] *a.* 《古·文語》 =SILVERY ; 은제(銀製)의 : Speech is ~ but silence is golden. ☞ SILENCE 1 a).

sílver nítrate *n.* 〖化〗 질산은.
sílver páper *n.* 은박종이 ; 은빛 박엽지(薄葉紙), 알루미늄박(箔), 주석박.
sílver pláte *n.* (식탁 또는 장식용의) 은식기류 ; 은도금품.
sílver-pláte *vt.* 은도금하다.
sílver-plát·ed *a.* 은을 입힌, 은도금한.
sílver·pòint *n.* 은필(銀筆)《앞끝에 용접은(鎔接銀)이 있는 금속 붓》; 은필 소묘(법).
sílver prínt *n.* 질산은 사진, 실버 프린트.
sílver sánd *n.* 백사(白砂)《조경용의 고운 모래》.
sílver scréen *n.* [the ~] 은막, 스크린 ; [the ~] 영화계[산업].
sílver·sìde *n.* 《英》 (소의) 넓적다리 위쪽의 (맛있는) 부분.
sílver·smìth *n.* 은세공인.
sílver stàndard *n.* [the ~] 은본위제.
Sílver Stár (Mèdal) *n.* 〖美陸軍〗 은성 훈장《전투에 공훈이 있는 사람에게 수여》.
Sílver Státe *n.* [the ~] Nevada 주의 속칭.
sílver stréak *n.* [the ~] 《英口》 영국 해협(海峽) (English Channel).
sílver·tàil *n.* 〖昆〗 좀벌레 (silverfish) ; 《濠口》 돈 많은 실력자, 명사, 유력자.
sílver thàw *n.* 비얼음(glaze).
sílver-tóngued *a.* 《文語》 능변의, 웅변적인, 설득력이 있는(cf. SILVER *a.* 4).
sílver·wàre *n.* Ⓤ 은그릇, (특히) 식탁용 은그릇 (silver plate) (cf. PLATE 10 a)).
sílver wédding *n.* 은혼식《결혼 25주년 기념식 ; cf. GOLDEN[DIAMOND] WEDDING》.
sílver·wèed *n.* 〖植〗 장미과 양지꽃속의 식물.
sílver wíng *n.* 《美俗》 50센트 은화, 실버윙.
〚날개를 펼친 흰머리독수리가 새겨져 있음〛
sílver·wòrk *n.* 은세공 ; 은세공(장식)품.
síl·very *a.* 은의, 은 같은 ; 은백색의(cf. SILVER *a.*) ; 은방울 소리 같은, 맑은(clear) ; 은을 함유한[입힌] : ~ moonbeams 은백색의 달빛.
sil·vi·cal [sílvikəl] *a.* 삼림[임업]의.
sil·vi·chémical [silvə-] *n.* 나무에서 추출되는 화학 물질의 총칭.
síl·vi·cùlture, sýl- [sílvə-] *n.* 육림법(法), 식림법 ; 임학(林學). **sìl·vi·cúltural** *a.* 삼림 조성의, 식림의. **sìl·vi·cúlturist** *n.* 식림법 연구가 ; 임학자.
sim [sím] *n.* 《口》 =SIMULATION ; =SIMULATOR.
Sim·e·on [símiən] *n.* **1** 남자 이름. **2** 〖聖〗 시므온《Jacob의 아들》.
〚Heb.=hearing ; Gk.=snub-nosed〛
Síméon Sty·lí·tes [-stəláiti:z, -stai-] *n.* [Saint ~] 성(聖)시므온《기둥 위에서 살았다는 Syria의 고행자(390?-459)》.
sim·i·an [símiən] *n., a.* 〖動〗 유인원(類人猿)(의) ; 원숭이 (같은).
〚L *simia* ape (? *simus* flat-nosed)〛
‡sim·i·lar [símələr] *a.* **1** 유사한, 비슷한 ; 동류[동종]의 : Your opinion is ~ *to* mine. 너의 의견은 나의 의견과 비슷하다. **2** 〖數〗 닮은 ; 〖樂〗 평행하게 나아가는. —— *n.* 《古》 유사[상사]물.
~·ly *adv.* 유사[비슷]하여 ; 마찬가지로.
〚F or L (*similis* like)〛
***sim·i·lar·i·ty** [sìməlǽrəti] *n.* Ⓤ 유사, 상사, 비슷하기 ; Ⓒ 유사[상사]점 : points of ~ 유사점 / *similarities* and differences 유사점과 차이점 / There are some *similarities* between the two poets. 두 시인은 서로 닮은 데가 있다.
類義語 ⟹ LIKENESS.
sim·i·le [síməli, -lì:] *n.* 〖修〗 직유(直喩)《보기 (*as*) brave *as* a lion ; cf. METAPHOR》.
〚L (neut.) ‹ *similis* like〛
si·mil·i·tude [səmílətjù:d] *n.* **1** Ⓤ 유사, 상사, 비슷함‹*between*› ; 외모, 외형, 자태 ; Ⓒ 유사품, 닮은 것[사람]. **2** 《古·聖》 비유담(談) : talk [speak] in ~*s* 비유하여 말하다.
〚OF or L ; ⇨ SIMILAR〛
sim·i·lize [síməlàiz] *vi.* 직유(直喩)를 사용하다.
—— *vt.* 직유로 설명하다.
simitar ☞ SCIMITAR.
sim·mer [símər] *vi.* **1** (뭉근한 불에) 부글부글 끓다[끓어오르다]. **2** [+*with*+名] 막 끓으려고[폭발하려고] 하다 : He ~*ed* ***with*** annoyance [rage]. 짜증[분노]을 꾹 참고 있었다.
—— *vt.* 서서히 끓이다, 뭉근한 불에 끓이다 : ~ the meat until tender 고기가 연해질 때까지 뭉근한 불에 삶다.
simmer down 천천히 식다, 끓어 졸아지다 ; 잠잠해지다, 흥분이 가라앉다.
—— *n.* 천천히 삶아지는[끓어오르는] 상태 ; 억누르고 있는 분노[웃음]가 막 폭발하려고 하는 상태 : at a[on the] ~ 부글부글 끓기 시작하여, 막 끓어오르려고[폭발하려고].
〚변형(變形) ‹ *simper* (? imit.)〛
類義語 ⟹ BOIL[1].
sím·nel (càke) [símnl(-)] *n.* 《英》 건포도를 넣은 과자《크리스마스 따위에 만듦》.
〚*simnel* : F<L or Gk.=fine flour〛
si·mo·le·on [səmóuliən] *n.* 《美俗》 1달러(지폐).
〚C19<? ; *napoleon*에 준한 *simon*(<?)의 변형(變形)인가〛
Si·mon [sáimən] *n.* **1** 남자 이름. **2** 〖聖〗 시몬 (Simon Peter)《그리스도 12사도 중의 한 사람 ; 베드로라고도 함》. 〚⇨ SIMEON〛
si·mo·ni·ac [simóuniæ̀k, sai-] *n.* 성직(聖職) 매매자.
si·mo·ni·a·cal [sàimənáiəkəl, 美+sìm-] *a.* 성직(聖職) 매매의. **~·ly** *adv.* 성직 매매에 의하여.
si·mo·nist [sáimənəst, sím-] *n.* =SIMONIAC.
Símon Le·grée [-ləgrí:] *n.* 사이먼 러그리《Mrs. Stowe작 *Uncle Tom's Cabin*에서의 노예 매매업자》; 냉혹하고 무자비한 주인[두목].
Símon Péter *n.* 〖聖〗 베드로.
Símon Púre [sáimən-] *n.* 진짜.
〚영국의 여배우·극작가 Susanna Centlivre작의 희극 *A Bold Stroke for a Wife* (1718) 중의 인물 *Simon Pure*에서〛
símon-púre *a.* 진짜의 ; 《口》 결백한 ; 정통[순수]한 체하는. 〚↑〛
Símon sáys *n.* 사이먼 세즈《리더가 'Simon says'라는 말과 함께 여러가지 명령을 하고 모두가 명령대로 동작을 하는 제스처 게임》.
si·mo·ny [sáiməni, 美+sím-] *n.* Ⓤ 성직 매매(죄) ; 성물(聖物) 매매에 의한 이득.
〚OF<L ; 사마리아의 마술사 *Simon* Magus가 성령(聖靈)을 주는 힘을 사서 차지하려고 한 고사(故事) (사도행전 8 : 18)에서〛
si·moom [səmú:m, sai-], **-moon** [-mú:n] *n.* (아라비아 사막 등지의) 모래 폭풍.
〚Arab. (*samma* to poison)〛
simp [símp] *n.* 《美俗》 =SIMPLETON.
sim·pa·ti·co [simpá:tikòu, -pǽt-] *a.* 같은 성질[정신]의, 마음이 서로 맞는 ; 매력이 있는, 호감을 사는. 〚It. ; ⇨ SYMPATHY〛
sim·per [símpər] *vi.* 선웃음[억지 웃음]을 웃다, 바보처럼[멍청하게] 웃다. —— *vt.* 바보처럼 웃으며 말하다. ── *n.* (바보 같은) 억지 웃음.
~·ing·ly *adv.* 선웃음치며.
〚C16<?; cf. Dan., Norw. *semper, simper,* G *zimp(f)er* elegant, delicate, affected〛

◇**sim·ple** [símpəl] *a.* (**-pler**; **-plest**) **1** 간단한, 단순한, 용이한 : a ~ matter 간단한 일 / a ~ way of life 단순한 생활 양식 / This book is written in ~ German. 이 책은 쉬운 독일어로 쓰여 있다. **2** 단일의, 단체의, 분해할 수 없는(↔ *compound*). **3** 순전한, 완전한 ; 순수한, 섞인 것이 없는 ; 흔한 : ~ madness 완전한 광기(狂氣) / the truth pure and ~ 순전한[완전한] 진실. **4** 수수한 ; (식사 따위가) 조촐한 ; 간소한, 허식이 없는 : a ~ meal 조촐한 식사 / the ~ life 간소한 생활. **5** 순진한, 천진난만한《성질 따위》; 소박한, 착실한, 성의있는 : (as) ~ as a child 어린애처럼 순진한 / with a ~ heart 순진하게, 오로지 / She has a ~ manner. 그녀의 태도는 꾸밈이 없다. **6** 《文語》 (바탕·신분 따위가) 천한 ; 평민 출신의 : ~ people 천민 출신의 사람들. **7** [+*to* do] 속기 쉬운, 숙맥의, 사람 좋은 ; 경험[지식]이 부족한, 무지한, 어리석은 : a ~ soul 호인(好人) / He was ~ enough *to* believe that. 그것을 믿을 만큼 숙맥이었다. **8** [각종 전문어에 붙여] 단(일)(單(一))…(↔*compound, complex*) : a ~ substance 〔化〕 홑원소 물질《1원소로 이루어진 물질》/ a ~ fraction 〔數〕 단분수 / ~ time 〔樂〕 홑[홑]박자. **9** 〔植〕 갈라지지 않은 ; 〔動〕 단일 부분으로 이루어진 ; 〔文法〕 단순어[시제]의 ; 단문의 ; 〔法〕 절대적인, 무제한의.
── *n.* **1** 단일물, 단순물 ; 홑원소 물질. **2** 《古》 약초 ; 약초로 만든 약. **3** 《古》 바보(simpleton), 무지한 사람 ; [the ~s] 《英方》 어리석음. **4** 신분이 낮은 사람, 평민. 〚OF<L *simplus*〛
類義語 ⟹ EASY.

símple equátion *n.* 〔數〕 일차 방정식.
símple éye *n.* 〔動〕 (절지동물, 특히 곤충(昆蟲)의) 홑눈.
símple frácture *n.* 〔醫〕 단순 골절.
símple frúit *n.* 〔植〕 홑열매.
símple harmónic mótion *n.* 〔理〕 단진동.
símple·héart·ed *a.* 순진한, 천진난만한, 고지식한(frank) ; 성실한.
símple ínterest *n.* 단리(單利)(↔ *compound interest*).
símple léaf *n.* 〔植〕 홑잎, 단엽(單葉).
símple machíne *n.* 단순 기계《lever, wedge, pulley, wheel and axle, inclined plane, screw의 6종(種)》.
símple mícroscope *n.* 〔光〕 (단 렌즈) 확대경(擴大鏡).
símple·mínd·ed *a.* **1** =SIMPLE-HEARTED. **2** 단순한, 속기 쉬운, 어리석은. **3** 정신 박약의, 저능한. **~·ly** *adv.* **~·ness** *n.*
símple mótion *n.* 단순 운동《직선 운동·원운동·나선 운동》.
símple séntence *n.* 〔文法〕 단문《I go to bed at ten. 처럼 종속절이 없고 하나의 주어와 술어만으로 이루어진 문장》.
Símple Símon *n.* **1** 얼간이 사이먼《영국의 전승(傳承)동요의 주인공》; 얼간이. **2** 《美俗》 돌, 다이아몬드.
símple súgar *n.* 단당(單糖).
símple ténse *n.* 〔文法〕 단순 시제《조동사를 수반하지 않음》.
sim·ple·ton [símpəltən] *n.* 바보, 얼간이.
sim·plex [símpleks] *a.* 단순한, 단일의(↔*complex*) ; 〔通信〕 단신(單信) 방식의(cf. DUPLEX) : ~ telegraphy 단신법(單信法). ── *n.* (*pl.* **~·es, -pli·ces** [-pləsìːz], **sim·pli·cia** [simplíʃiə]) 〔文法〕 단일어 ; (*pl.* **~·es**) 〔通信〕 단신법 ; 〔數〕 단체(單體) ; 〔컴퓨〕 일방.
〚L=single ; ⇨ SIMPLE〛

***sim·plic·i·ty** [simplísəti] *n.* **1** Ⓤ 간단, 평이 ; 단일, 단순 : It's ~ itself. 《口》 아주 간단하다. **2** Ⓤ 순진, 천진난만 ; 소박, 고지식, 성실함 : a life of ~ 순박한 생활. **3** Ⓤ 우직(愚直), 무지. **4** Ⓤ 간소 ; 허식이 없음, 수수함, 담백(淡白).
〚OF ; ⇨ SIMPLEX〛

sím·pli·fìed *a.* 간소화한.
***sim·pli·fy** [símpləfài] *vt.* 간단[평이]하게 하다 ; 단일[단순]하게 하다. **sìm·pli·fi·cá·tion** *n.* 평이화, 간소화 ; 단일화.
〚F<L ; ⇨ SIMPLE〛

sim·plism [símplizəm] *n.* Ⓤ 극도의 단순화, 과장된 간소화《지나치게 단순화하여 어느 한 면만을 강조하고 복잡한 다른 면은 무시하는 방법·태도·입장》.
sim·plís·tic *a.* 극도로 단순화한.
-ti·cal·ly *adv.*
Sim·plon [símplɑn] *n.* [the ~] 심플론 고개《스위스와 이탈리아 사이에 있는 Alps를 넘는 길》; 심플론 터널《세계에서 두번째로 긴 철도 터널 : 19.82 km》.

‡**sim·ply** [símpli] *adv.* **1** 간단[간편]하게, 평이하게 ; 단순하게 : The machine is ~ constructed. 그 기계는 간단한 구조로 되어 있다. **2** 허식없이, 수수하게 : They were all ~ dressed. 그들은 모두 수수한 복장을 하고 있었다. **3** 티없이, 순진하게. **4** 고지식하게. **5** [흔히 ~ and solely] 단지, 다만 (…일 뿐으로) ; [강조적으로] 전혀, 오직, 정말로, 매우(very) : She is ~ beautiful. 그녀는 정말 아름답다 / It ~ can't be done. 도저히 할 수 없다.

sim·u·la·crum [sìmjəléikrəm, -lǽk-] *n.* (*pl.* **-cra** [-krə], **~s**) **1** 모습, 상(像)(image). **2** 그림자, 환영. **3** 가짜, 모조품〈*of*〉.
〚L ; ⇨ SIMULATE〛

sim·u·lant [símjələnt] *a.* 〔生〕 의태(擬態)의 ; (…을) 흉내낸, (…처럼) 보이는〈*of*〉. ── *n.* 흉내내는 사람, 비슷한 것, 가짜.
sim·u·late [símjəlèit] *vt.* 흉내내다 ; 가장하다, 분장하다, …인 체하다 ; 〔生〕 의태(擬態)하다(mimic) ; …의 모의 실험[조종]을 하다 ; (단어가) 어떤 낱말과 비슷한 어형(語形)을 취하다 : ~ affection[innocence] 애정[무죄]을 가장하다 / Some moths ~ dead leaves. 나방 중에는 마른 잎 같은 모습을 한 것이 있다.
── [-lət, -lèit] *a.* 《古》 =SIMULATED.
〚L ; ⇨ SIMILAR〛

sím·u·làt·ed *a.* 꾸며낸, 가장한, 짐짓 …인 체하는 ; 흉내낸, 모조의, 가짜의, 의태의 : ~ pearls 모조 진주 / ~ illness 꾀병.
sìm·u·lá·tion *n.* **1** Ⓤ 흉내내기, 가장 ; 〔生〕 의태 ; 가짜. **2** 모의 실험 ; 〔精神醫〕 꾀병 ; 〔컴퓨〕 현상 실험.
sím·u·là·tive *a.* 흉내내는, 가장하는, 속이는.
sím·u·là·tor *n.* **1** 흉내내는 사람[것]. **2** (훈련이나 실험용의) 모의 조종[실험] 장치, (우주 비행사의) 지상 훈련용 모조 우주선.
si·mul·cast [sáiməlkæ̀(ː)st, sím- ; síməlkɑ̀ːst] *n., vt.* (텔레비전과 라디오 또는 AM과 FM의) 동시 방송(으로 방송하다).
〚*simul*taneous broad*cast*〛

***si·mul·ta·ne·ous** [sàiməltéiniəs, -njəs, sìm-; sìməl-] *a.* 동시에 일어나는, 동시에 존재하는 ⟨*with*⟩: ~ broadcasting 라디오·텔레비전 또는 AM과 FM의 동시 방송(cf. SIMULCAST) / ~ interpretation 동시 통역. **si·mul·ta·ne·i·ty** [sàiməltəníːəti, sìm-; sìm-] *n.* 동시에 일어나기, 동시성.
〚L (*simul* at the same time); L *instantaneus* 따위와의 유추인가〛
類義語 ⟹ CONTEMPORARY.

simultáneous equátions *n. pl.* 〖數〗 연립 방정식.

simultáneous·ly *adv.* 동시에; 일제히: *S*~, we must consider the historical aspect. 동시에 역사적인 면도 고려할 필요가 있다.
simultaneously with …와 동시에.

***sin**[1] [sín] *n.* **1** U,C (종교상·도덕상의) 죄(cf. CRIME, VICE), 죄악: commit a ~ 죄를 짓다 / ☞ ORIGINAL SIN / the seven deadly ~*s* ☞ DEADLY 1 / ~*s* of omission[commission] 태만[위반]죄 / the ~ *against* the Holy Ghost 〖聖〗 성령을 거역하는 죄. **2** 과실, 위반⟨*against*⟩. **3** 어리석은 일, 바보 같은 짓: It's a ~ to waste so much money. 그렇게 돈을 많이 낭비하는 것은 어리석은 짓이다.
(as) ugly as sin 《口》 말할 수 없이 추한; 비열하기 짝이 없는.
for one***'s sins*** 《보통 戲》 무슨 죄로.
like sin 《俗》 정색하고, 심하게(cf. *like* MAD).
live in sin 《婉·戲》 (남녀가) 불의(不義)의 생활을 하다, 《口》 동거하다.
visit a sin 벌주다⟨*upon*⟩.
—— *v.* (-nn-) *vi.* [動/+前+名] (종교상·도덕상 흔히 의식적으로) 죄를 짓다, 죄악을 저지르다; (예의 범절·풍습 따위에) 어긋나다: ~ ***against*** propriety 예의 범절에 어긋나다 / ~ ***in*** good company ☞ COMPANY *n.* 숙어.
—— *vt.* (나쁜 죄를) 범하다.
be more sinned against than sinning 《셰익스피어》 죄를 지었다기보다는 오히려 자신이 피해자다; 저지른 죄 이상으로 비난받다.
sin in company with …와 같은 죄를 짓다.
sin one***'s mercies*** 신의 은총[행운]에 감사하지 않다.
〚OE *syn(n)*; cf. G *Sünde*〛
類義語 ⟹ CRIME.

sin[2] *prep., adv.* 《스코》 = SINCE.

sin[3] *n.* 〖數〗 = SINE[1].

Si·nai [sáinai, -niài] *n.* **1** [Mount ~] 시나이 산 《아라비아의 산; 모세가 하느님으로부터 십계명을 받은 곳》. **2** [the ~ Peninsula] (아라비아의) 시나이 반도.

Si·na·it·ic [sàiniítik], **Si·na·ic** [sənéiik] *a.* 시나이 산[반도]의.

Sin·an·thro·pus [sənǽnθrəpəs, sai-, sìnænθróu-] *n.* 〖人類〗 베이징(인) (Peking man).
〚NL (L *Sinae* (pl.) the Chinese+Gk. *anthrōpos* man)〛

sin·a·pism [sínəpìzəm] *n.* = MUSTARD PLASTER.
〚L (Gk. *sinapi* mustard)〛

Sin·ar·quism, -chism [sínɑːrkwìzəm] *n.* 멕시코 국수주의(운동) 《1937년에 멕시코에 전체주의 국가를 세우려던 운동》.

Sin·ar·quis·ta [sìnɑːrkíːstə], **Sin·ar·chist** [sínɑːrkəst] *n.* 멕시코 국수당원.
〚Mex. Sp.=without anarchist〛

Sin·bad [sínbæd] *n.* = SINDBAD.

◇since [sins]

> (1) 기본 뜻: 「그 뒤에」「…하므로, …때문에」
> (2) 종속접속사로서의 since는 「…이후」의 뜻일 때와 「…때문에」의 뜻일 때에 구문이 같기 때문에 말 뜻은 문맥에 따라서 구별해야 한다: *since* he was born ① 「그가 태어난 뒤로」, ② 「그가 태어났기 때문에」

—— *conj.* **1** [시점·기간] …이래, …이후, …때부터; 《廢》 …하는 때(when): We have both changed ~ we parted. 우리는 헤어진 이래 피차 변했다 / It is two years[Two years have passed] ~ I left school. 학교를 졸업한지 2년 됩니다. ☞ 活用 (1).

> **It is ~ since....의 문장 전환**
> It is ten years since he died.
> (그가 죽은지 10년이 된다.)
> → Ten years have passed since he died.
> (그가 죽고 10년이 지났다.)
> → He has been dead for ten years.
> (직역: 그는 10년간 죽어 있다.)
> → He died ten years ago.
> (그는 10년 전에 죽었다.)

2 [이유] …인 까닭에, …이기 때문에, …이므로: *S*~ there's no more time, come let us kiss and part. 이젠 시간이 없으니 키스하고 작별하자 / Let's try to do our best, ~ we can expect no help from others. 남에게 도움을 기대할 수 없으니 우리 스스로 최선을 다하자. ☞ 活用 (2).
—— *prep.* …이래, …이후, …부터: ~ then 그 후, 그때부터 줄곧 / I have not seen him ~ Monday. 월요일 이후에 그를 보지 못했다.
—— [síns] *adv.* ☞ 活用 (3). **1** 그후, 이래: I have not seen him ~. (그때부터) 죽 그를 보지 못했다. **2** (지금부터·그때부터, 몇년) 전에: I saw her two years ~ (=ago). 나는 2년 전에 그녀를 만났다 / long ~ 오래 전에 / not long ~ 최근에.
ever since 그후 계속해서《since의 강조형》: She arrived last Sunday and has been here *ever* ~. 그녀는 지난 일요일 도착한 이후 줄곧 여기에 머물고 있다.
〚ME *sithence*<OE *siththon* (《美》 *sīth thon* after that)〛
活用 (1) It *is*[*has been*] two years *since* I left school.과 같이 It...since....의 구문에서 주절(主節)의 동사에는 흔히 현재형 is가 쓰이지만 현재완료형 has been이 쓰이기도 한다.
(2) *conj.* 2의 용법에서 since가 이끄는 절은 주절의 앞이나 뒤 어느쪽에나 올 수 있다. ☞ AS 活用 (3) i), BECAUSE 活用 (1), FOR 活用 (2).
(3) *adv.* 1의 용법에서는 완료형과 함께, 2의 용법에서는 보통 과거형과 함께 쓰인다.

***sin·cere** [sinsíər] *a.* **1 a)** 진실한, 성실한, 정직[착실]한; 거짓없는, 표리없는: It is my ~ hope that …라는 것이 나의 진실한 희망이다 / He is ~ *in* his promises. 그는 약속을 잘 지킨다 / a ~ friend 성실한 친구. **b)** 《美俗》 느낌이 좋은, 호감이 가는. **2** 《古》 순수한, 섞이지 않은《포도주 따위》. **3** 《廢》 건강한.
〚L *sincerus* clean, pure〛
類義語 ***sincere*** 거짓·속임수·허식 따위가 없고 진실한 마음에서의: a *sincere* desire to help (돕고자 하는 진실한 마음). ***unaffected*** 꾸민

행동이 없고 소박하며[순진하며] 자연스런 : an *unaffected* smile (꾸밈없는 자연스런 미소). ***unfeigned*** 어떤 행위가 모방이나 일부러 꾸민 것이 아니고 자발적 또는 자연적으로 이루어진 : *unfeigned* worship (스스로 우러나온 존경). ***heartfelt*** 정다운 말이나 행위 따위가 성실하고 진심이 나타난 : *heartfelt* sympathy (진심에서 우러나는 동정). ***hearty*** heartfelt에 덧붙여 넘치는 친절성을 나타내는 : *hearty* welcome (마음에서 우러나는 환영).

sincére·ly** *adv.* 진심[진정]으로, 성실하게 : I ~ hope (that) you'll pass the examination. 나는 네가 시험에 합격하기를 진심으로 기원한다. ***Yours sincerely＝***Sincerely*** (***yours***) 경구(敬具)《편지의 끝맺음말 ; cf. YOURS 4》.

***sin·cer·i·ty** [sinsérəti, -síər-] *n.* Ⓤ 성실, 정직, 성의 ; 표리가 없음 : a man of ~ 성실한[성의 있는] 사람.
類義語 ⟹ HONESTY.

sin·ci·put [sínsəpʌ̀t] *n.* (*pl.* **~s, sin·cip·i·ta** [sinsípətə]) 〖解〗 전두부(前頭部) ; 두정부(頭頂部). 〖L (*semi-*, CAPUT)〗

Sin·clair [sinkléər ; síŋkleə] *n.* 남자 이름.

Sind [sínd] *n.* 신드《파키스탄 남부 Indus 강 하류 지역》.

Sind·bad [sín*d*bæd] *n.* 신(드)바드《아라비안 나이트에 나오는 인물 ; 불가사의한 항해를 일곱 번 하는 뱃사람》; 선원, 뱃사람.

Sin·dhi [síndi] *n.* (*pl.* ~, **~s**) 신드족《Sind 지방에 사는 주로 이슬람교도》; 신드어《인도 유럽어족 Indic 어파의 하나》. 〖Arab.〗

sin·don [síndən] *n.* 《古》 리넨 ; 《古》 넨으로 만든 커버 ; (그리스도의) 성의. 〖L<Gk.〗

sin·do·nol·o·gy [sìndənɑ́lədʒi] *n.* 〖基〗 성의(聖衣) 연구.

sine[1] [sáin] *n.* 〖數〗 사인《略 sin》. 〖L SINUS＝curve, fold of toga ; Arab. *jayb* bosom, sine의 라틴역(譯)〗

si·ne[2] [sáini] *prep.* …없이(without). 〖L〗

si·ne cu·ra [sáini kjúərə] *adv., a.* 담당 직무가 없이[없는]. 〖L＝without office〗

si·ne·cure [sáinikjùər, síni-] *n.* 한직(閑職) ; (특히) 명목뿐인 목사직 : hardly a[not a, no] ~ 꽤 힘드는 일. **-cùr·ist** *n.* 한직에 있는 사람. 〖L *sine cura* without care (↑)〗

síne cùrve [sáin-] *n.* 〖數〗 사인곡선(曲線).

si·ne die [sáini dáii:, -dái, sínei dí:ei] *adv., a.* 무기한으로[의]《略 s. d.》: adjourn ~ 무기한으로 정회(停會)하다. 〖L＝without day〗

si·ne no·mi·ne [sáini nɑ́mənèi] *adv., a.* 이름(의 기재) 없이[없는]《略 s.n.》. 〖L＝without name〗

si·ne qua non [sìni kwɑ: nɑ́n, -nóun, sáini kwei nɑ́n] *n.* 꼭 필요한 것, 필수 조건. ── *a.* 절대로 필요한. 〖L＝without which not〗

sin·ew [sínju:] *n.* **1** 〖解〗 힘줄. **2** [*pl.*] 근육, 근골(筋骨) ; [흔히 *pl.*] 활력, 원기 ; [보통 *pl.*] 믿고 의지하는 것, 경제적[물질적]인 뒷받침 ; 《廢》 신경(神經) : thews and ~*s* 체력.
the sinews of war 군자금 ; (일반적으로) (운용) 자금.
── *vt.* 《詩》 건(腱)으로 잇다 ; 힘을 북돋우다, 지지하다.
〖OE *sin*(*e*)*we* etc. (obl.) ‹ *sinu*, *seonu* ; cf. G *Sehne*〗

síne wàve *n.* 〖理〗 사인파(波).

sin·ewy [sínjui] *a.* **1** 건질(腱質)의, 질긴, 억센 ; 근골이 건장한, 장대한. **2** (문체가) 짜임새 있는, 박력 있는. **-i·ness** *n.*

sin·fo·nia [sìnfəní:ə] *n.* (*pl.* **-nie** [-ní:ei]) ＝SYMPHONY. 〖It.〗

sinfonía concertánte *n.* 〖樂〗 협주 교향곡. 〖It.〗

sin·fo·niet·ta [sìnfənjétə, -fou-] *n.* 소규모의 심포니 ; 소(小)교향악단《특히 현악기로만 구성된 오케스트라》. 〖It. (dim.) ‹SINFONIA〗

sín·ful *a.* **1** 죄가 있는, 죄많은. **2** 죄받을, 죄스러운. **~·ly** *adv.* 죄를 많이 져서 ; 죄스럽게.

◇**sing** [síŋ] *v.* (**sang** [sǽŋ], 《稀》 **sung** [sʌ́ŋ]; **sung**) 주 《美》에서는 회화체에 지금도 sung을 쓰는 수가 있음. *vi.* **1** [動/+前+名] 노래하다 : She ~*s* well. 그녀는 노래를 잘 부른다 / You are not ~*ing* in tune[are ~*ing* out of tune]. 너의 노래는 가락이 맞지 않는다 / He *sang* ***to*** the organ. 그는 오르간에 맞추어 노래 불렀다 / Come and ~ *to* us. 우리에게 노래 한곡 불러다오. **2** (새가) 울다, 지저귀다 ; (벌이) 윙윙거리다 : The birds were ~*ing* in the trees. 새들이 숲속에서 지저귀고 있었다. **3** (사물이) 노래하듯[쉬쉬] 소리내다 : My ears ~. 내 귀가 운다 / The kettle was ~*ing* on the fire. 주전자가 불 위에서 부글부글 끓고 있었다. **4** [動/+前+名] 시[노래]를 짓다 ; 읊다 ; 시인(詩人)이다 ; 구가(謳歌)[예찬·찬미]하다 : It was in blank verse that she *sang*. 그녀가 읊은 것은 무운시(無韻詩)였다/Homer *sang* ***of*** Troy. 호머는 트로이 전쟁을 시로 읊었다. **5** [+副] (가사가) 노래할 수 있다, 노래가 되다 : This song ~*s well* in French. 이 노래는 프랑스어로 부르기 좋다. **6** 《俗》 밀고하다.
── *vt.* **1** [+目/+目+目/+目+前+名] 노래하다, 읊다 ; 노래하듯 말하다, 낭송하다 : ~ a German song 독일 노래를 부르다 / The song has been *sung* to death. 이 노래는 (너무 불러서) 지겨워졌다 / He almost seemed to ~ his lines from the play. 그는 (연극) 대사를 거의 노래부르는 것같이 가락을 붙여 읊었다 / The priest ~*s* Mass. 그 신부는 미사곡을 부른다 / Please ~ us a song[~ a song ***for*** us]. 우리에게 노래 한곡 불러 주시오. **2** (새가) 노래하다, 지저귀다. **3** 구가[찬미]하다 ; 노래 불러 축하하다 : ~ a person's praises 사람을 칭찬하다. **4** [+目+副] 노래 불러 환송[환영]하다 : ~ the old year ***out*** and the new year ***in*** 노래 불러 묵은 해를 보내고 새해를 맞이하다. **5** [+目+前+名] 노래 불러 …하게 하다 : She *sang* her child ***to*** sleep. 그녀는 노래를 불러 아이를 재웠다.
make a person***'s head sing*** 남의 머리를 쾅 때리다.
sing another song[***tune***] 가락[논조·태도 따위]을 바꾸다 ; (특히) 겸손해지다, 풀이 죽다.
sing for one***'s supper*** 음식 대접의 보답으로 노래를 부르다 ; 응분의 보답을 하다.
sing out 《口》 (1) 고함치다, 외치다 : ~ *out* a command 큰소리로 명령하다 / The drowning man *sang out for* help. 물에 빠진 남자는 살려달라고 외쳤다. (2) 《俗》 노래 부르다.
sing small 《口》 (호언장담한 뒤) 겸연쩍어 얌전히 행동하다, 풀이 죽다.
sing the same song 같은 소리[짓]를 되풀이하다.
sing up 더욱 소리를 높여 노래하다 : *S~ up*, so that we all can hear you. 모두가 당신 노래를 들을 수 있게 더 소리를 높여서 노래하시오.
── *n.* 노래 부르기, 노래 ; 《美》 합창회 ; (탄환 따위의) 핑핑 소리, (물건이) 내는 소리.

～·able *a.* 〖OE *singan* ; cf. SONG, G *singen*〗
sing. single ; singular.
síng-alòng *n.* 《口》 함께 노래부르기 위한 모임 (songfest).
Sin·ga·pore [síŋgəpɔ̀ːr ; ⌐-⌐] *n.* 싱가포르《말레이반도 남단의 섬으로 1965년 말레이시아에서 독립한 영연방 내의 공화국 ; 그 수도》.
singe [sindʒ] *v.* (**～d** ; **～·ing**) *vt.* **1** 표면을 태우다, 그스르다 : The iron was so hot that I ～*d* the shirt. 다리미가 너무 뜨거워서 셔츠를 태웠다. **2** (새·돼지 따위의) 털을 그스르다 ; (천의) 보풀을 태우다 : ～ a person's hair 머리끝을 지지다 / ～ the poultry 새의 털을 그스르다. —— *vi.* 그을다, 눋다, 겉이 타다.
***singe** one's **feathers**[**wings**]* 손을 데다 ; 실수하다 ; 명성을 훼손시키다.
—— *n.* 그을음, 눌음 ; 그 자국.
〖OE *sencgan* ; cf. G *sengen*〗
類義語 ⟹ BURN.
‡**sing·er**[1] [síŋər] *n.* **1** 노래하는 사람, 가수, 성악가. **2** 〔鳥〕 우는 새. **3** 시인, 가인. 〖SING〗
sing·er[2] [síndʒər] *n.* 태우는 사람[것], 털을 그스르는 사람[것], 머리 지지는 기구. 〖SINGE〗
síng·er-sóng·wrìter *n.* 싱어송라이터《가수 겸 작곡가》.
Sin·gha·lese [sìŋgəlíːz, -s ; sìŋhə-] *a.*, *n.* = SINHALESE.
síng-ìn *n.* 《美》 (청중도 노래하는) 합창 모임.
síng·ing *n.* **1** Ⓤ 노래 부르기, 노래, 노랫소리, 성악, 독창 : ～ lessons 노래[성악] 연습[수업]. **2** Ⓤ 지저귐 ; 울림, 윙윙[쉬쉬·잘잘]거리는 소리. **3** 귀울음(cf. SING *vi.* 3) : have a ～ in one's ears 귀가 울다. **4** 〔通信〕 명음(鳴音). —— *a.* 노래하는, 지저귀는 : a ～ bird 울새(songbird) / a ～ girl 여자 가수, 가희 / a ～ voice 노랫소리.
síng·ing-màn *n.* 《古》 직업 가수.
sínging màster *n.* 노래[음악] 선생 ; (교회의) 성가대 지휘자.
singing schòol *n.* 음악 학교[교습소].
◇**sin·gle** [síŋgəl] *a.* **1** 단 하나의, 단 한 개의(cf. DOUBLE, TRIPLE) : They parted without a ～ word spoken. 그들은 한마디 말도 없이 헤어졌다. **2** 혼자의, 고독한 ; 독신의(↔ *married*) : ～ blessedness 《戱》 독신 (상태) / ～ life 독신 생활 / remain ～ 독신으로 지내다. **3** 1인용의, 1인분의 ; 개개의, 개별의 ; 독채의. **4** 한겹의 ; 단일한 ; 〔植〕 (꽃 따위가) 홑잎의(↔*double*) ; 〔簿〕 단식의. **5** 단식시합의, 1대 1의. **6** 《英》 (차표가) 편도(片道)의(=《美》 one-way) (cf. RETURN 11) ; 독자의 ; 진귀한. **7** 획일적인, 공통의《규준·목적 따위》 ; 일치된, 단결한. **8** 진정한, 성심성의의.
with a single eye[***heart, mind***] 성실하게, 오로지, 외곬으로.
—— *n.* **1** 단일, 한 개 ; 한 사람. **2** [*pl.*] 독신자 ; 1인용의 방[선실, 침대, 식탁, 관람석] ; [～s ; 단수취급] 〔테니스〕 싱글스, 단식 시합 (cf. DOUBLES) ; 〔골프〕 싱글《두 사람이 하는 시합 (twosome) ; cf. FOURSOME》. **3** 〔野〕 단타(單打) (one-base hit) ; 〔크리켓〕 점타(點打) ; 〔카드놀이〕 (5점 승부에서) 5대 4의 승리. **4** 《英》 편도 차표. **5** [*pl.*] 외올의 명주실. **6** [보통 *pl.*] 《口》 1달러 지폐 ; (레코드의) 싱글 판 ; 《美俗》 (파트너 없이 하는) 단독 영업자, 독불장군, 혼자 하는 연기 ; 그 연예인 ; 솔로 공연, 독연.
—— *adv.* 혼자서.
—— *vt.* [＋目＋副 / ＋目＋*for*＋名 / ＋目＋*as* 補] 골라내다, 선발하다 : The head of the section ～*d* Mr. Jones ***out for*** promotion. 부장은 존스 씨를 승진 후보로 뽑았다 / Why did you ～ him *out as* your successor? 왜 너는 그를 후계자로 뽑았느냐.
—— *vi.* 〔野〕 단타를 때리다.
〖OF＜L *singulus* ; SIMPLE과 같은 어원〗
類義語 ⟹ ONLY.
síngle-áct·ing *a.* 〔機〕 한쪽 방향으로만 움직이는, 단동식의, 단작용의.
síngle-áction *a.* =SINGLE-ACTING ; (총기가) 단발식의.
síngle-ánswer mèthod *n.* 찬반 질문법.
síngle-bárrel *n.* 단신총(單身銃).
síngle-blínd tèst *n.* 〔醫〕 단순 맹검법(盲檢法)《약이나 치료법의 내용을 피험자에게 알리지 않고 행하는 실험 방법》.
single bónd *n.* 〔化〕 단일 결합.
síngle-bréast·ed *a.* 외줄 단추의, 싱글의《웃옷 ; cf. DOUBLE-BREASTED》.
síngle-cèll prótein *n.* 〔生化〕 단세포 단백질《석유의 미생물·효모 발효에 의해 생산된 단백질 ; 略 SCP》.
síngle-chìp *a.* 〔電子〕 단일(單一) 칩의.
single cómbat *n.* 1대 1의 싸움, 결투.
síngle-cópy sàles *n. pl.* (잡지 따위의) 낱권 판매《예약 구독에 반대되는 개념 ; 특히 newsstand에서의 판매》.
single créam *n.* 《英》 싱글 크림《약 18%의 낮은 유지(乳脂)를 함유한 커피용 크림 따위》.
single cróss *n.* 〔遺〕 단교잡(單交雜)《육종(育種)을 위한 교잡의 한 형식 ; 동종간의 제1대 잡종(雜種)》.
síngle-déck·er *n.* 단층선[함] ; 《英》 2층 없는 전차[버스]. —— *a.* 1층만의《관람석·버스 따위》.
síngle-enténdre *n.* 꼭 들어맞는 말, 결정적인 한 마디.
single éntry *n.* 〔簿〕 단식 부기[기장법(法)] (cf. DOUBLE ENTRY).
single éye *n.* 〔宗〕 (사물을 올바로 보는) 바른 눈 (↔*evil eye*).
síngle-éyed *a.* **1** 홑눈의, 단안의. **2** 한눈 팔지 않는, 외곬의. **3** 성실한, 헌신적인.
single fíle *n.*, *adv.* 일렬 종대(로).
síngle-fíre *a.* (탄약통 따위가) 단발(單發)의.
síngle-fòot *n.* (*pl.* **～s**) 〔馬〕 가벼운 구보.
—— *vi.* 가벼운 구보로 나아가다.
síngle-hánd·ed *a.*, *adv.* **1** 한 손의[으로]. **2** 단독의[으로] ; 혼자 힘의[으로]. **～·ly** *adv.*
síngle-hánd·er *n.* 단독 항해를 하는 사람.
síngle-héart·ed *a.* 순진한, 진심의, 성의 있는, 성실한(sincere).
～·ly *adv.* **～·ness** *n.*
síngle-jàck *n.* 《美俗》 외발[외팔, 외눈]의 거지.
síngle-lèns réflex *n.* 일안(一眼) 리플렉스 카메라《略 SLR》.
síngle-líne *a.* 일방 통행의.
síngle-lóad·er *n.* 단발총(cf. MAGAZINE GUN [RIFLE]).
síngle-mínd·ed *a.* =SINGLE-HEARTED ; 목적이 단 하나의, 공통 목적을 가진, 일치 단결한.
～·ly *adv.* **～·ness** *n.*
single móther *n.* 미혼모, 모자 가정의 모친.
síngle-nàme pàper *n.* 〔銀行〕 단명(單名)[자기앞] 어음.
síngle·ness *n.* **1** 단일, 단독 ; 독신. **2** 성의, 전심(專心).

singleness of heart 일편단심, 성실, 진심. ***singleness of purpose*** 한가지 목적에만 골똘함, 일심불란(一心不亂).

síngle-o [-òu] *a.* 《美俗》 독신의, 홀몸의.

síngle párent *n.* 자식을 기르는 홀로 된 어버이.

síngle párent fàmily *n.* 편친(片親) 가정.

síngle-phàse *a.* 〖電〗 단상(單相)의 : a ~ current[motor] 단상 전류[전동기].

síngle-pìece *a.* 일체 성형(成形)의 : a ~ window frame and integral hinge 하나로 성형된 창틀과 경첩.

síngle-ràil tráck cìrcuit *n.* 〖鐵〗 단(單)레일 궤도 회로, 단궤조(單軌條) 회로.

síngles bàr *n.* =DATING BAR.

síngle-séat·er *n.* 단좌(單座) 비행기[자동차].

síngle-sèrvice *a.* (음식 따위가) 1인분(分)의, 1회분의.

síngle-sèx *a.* (남·여) 한쪽의 성(性)을 위한《교육·훈련 따위》.

síngle-shót *a.* (총이) 단발 수동(手動) 장전의, 단발식의 ; (자동화기가) 반자동의 ; 〖컴퓨〗 단일 숏의 : ~ probability 단일 사탄(射彈) 명중 공산(公算).

síngle sídeband *n.* 〖通信〗 단측파대(單側波帶)《略 SSB》; [형용사적으로] 단측파대의, SSB의 : ~ transmission[reception] 단측파대 전송(傳送)[수신].

síngle-spáce *vt., vi.* (행간(行間)을 띄지 않고) 타자치다[인쇄하다] (cf. DOUBLE-SPACE).

síngle stándard *n.* **1** (금·은 따위의) 단본위제. **2** 남녀 공통의[평등한] (성)도덕률.

síngle stém *n.* 〖스키〗 반제동(半制動).

síngle-stép *vt.* 〖컴퓨〗 (프로그램의) 개별 단계마다 개별 명령을 주다.

síngle·stìck *n.* (한 손으로 잡는) 목검, 봉시합 ; 짧은 목검.

síngle·stìck·er *n.* 《口》 외돛대의 배, (특히) 슬루프(sloop).

sin·glet [síŋglət] *n.* 《英》 (언더) 셔츠, 운동복 ; 《濠》 조끼 ; 〖理·化〗 단일항(單一項) (상태). 〚*single*+-*et* ; *doublet*에 준한 것〛

síngle tàx *n.* 《美》 단일세《한 종류의 재화에만 과세하는 제도 ; 특히 지조(地租)》.

síngle tícket *n.* 《英》 편도표(片道票) (=《美》 one-way ticket) (cf. RETURN TICKET).

sin·gle·ton [síŋgəltən] *n.* 뿔뿔이 흩어져 있는 단독 개체 ; 단생아(單生兒) ; 〖카드놀이〗 한 장 패《짝을 이루는 패의 한장》; 〖數〗 단집합(單集合).

síngle-tòngue *vt.* 〖樂〗 (취주 악기로 빠른 템포의 악절을) 단절법(單切法)으로 연주하다.

síngle-tráck *a.* 〖鐵〗 단선의 ; 한쪽 방향으로 밖에 나아가지[행동하지] 못하는 ; 《口》 융통성이 없는, 편협한.

síngle·trèe *n.* =WHIPPLETREE.

sín·gly *adv.* 하나씩, 하나하나, 따로따로(separately) ; 단독으로, 홀로(individually) ; 혼자 힘으로 ; 성실히 : Misfortunes never come ~. 《속담》 화불단행(禍不單行).

Sing Sing [síŋsìŋ] *n.* 싱싱 교도소《New York 주 Ossining에 있는 주립 교도소》.

síng·sòng *n.* (노래·이야기 소리의) 단조로움, 억양이 없는 말투 ; 단조로운 가락 ; 엉터리 시·노래 ; 《英》 즉석 노래 대회, (아마추어) 합창회. —— *a.* 단조로운, 활기[억양]가 없는 ; 시시한, 평범한. —— *vt., vi.* 단조롭게 노래[이야기]하다.

***sin·gu·lar** [síŋgjələr] *a.* **1** 드문, 진귀한, 신비로운, 이상야릇한 ; 비범한 ; 색다른, 기이한 : a story of ~ interest 아주 기이한 이야기 / the ~ nature of a crime 범죄의 특이성. **2** 둘도 없는 ; 〖數〗 (행렬이) 특이한. **3** 단 하나[한 사람]의, 단일의, 단독의 ; 〖文法〗 단수의(cf. DUAL, PLURAL) ; 〖論〗 단칭(單稱)의. **4** 〖法〗 각자의, 개별적인. —— *n.* 〖文法〗 단수(형) ; 단수형의 낱말 : a noun in the ~ 단수형의 명사.

~·ly *adv.* **~·ness** *n.* =SINGULARITY.

〚OF<L ; ⇨ SINGLE〛

sin·gu·lar·i·ty [sìŋgjəlǽrəti] *n.* **1** Ⓤ 특이[희귀]함 ; 괴짜, 기벽(奇癖) ; Ⓒ 특(이)성. **2** Ⓤ 단독, 단일 ; 〖文法〗 단수(성) ; 〖數〗 특이점.

síngular·ìze *vt.* 단수화하다, 단수형으로 하다 ; 개별화하다, 두드러지게 하다.

sin·gul·tus [siŋgʌ́ltəs] *n.* 〖醫〗 딸꾹질. 〚L〛

Sin·ha·lese [sìnhəlíːz, -s] *n.* (*pl.* ~) 신할리즈족(族)《스리랑카의 주요 민족》; 신할리즈어(語)《인도 유럽 어족(語族) 인도 어파(語派)의 하나》. —— *a.* 신할리즈족[어]의.

〚Skt. *Siṁhala* Ceylon〛

***sin·is·ter** [sínəstər] *a.* **1** 악의 있는, 사악한 ; 인상(人相)이 나쁜 : a ~ design 나쁜 계략. **2** (전조 따위가) 불길한, 흉한(inauspicious) ; 재난의 ; 비참한 ; 《古》 불행한 : The event was ~ *to* their enterprize. 그 사건은 그들의 계획에 불길한 것이었다. **3** 《古》 왼쪽의 ; 〖紋〗 (방패 무늬의) 왼쪽의(↔*dexter*). **~·ly** *adv.*

〚OF or L=left〛

sin·is·tr- [sínəstr, sənístr], **sin·is·tro-** [-trou, -trə] *comb. form* 「왼쪽의」「왼손잡이의」「왼쪽으로 감긴」의 뜻. 〚L (↑)〛

sin·is·tral [sínəstrəl, sənís-] *a.* 왼쪽의(↔*dextral*) ; 왼손(잡이)의(left-handed) ; (넙치 따위) 몸의 왼쪽이 위로 향한 ; 〖貝〗 왼쪽으로 감긴. —— *n.* 왼손잡이인 사람.

sin·is·trous [sínəstrəs, sənís-] *a.* 불길한, 불행한 ; =SINISTRAL.

‡**sink** [síŋk] *v.* (**sank** [sǽŋk], 《美·英古》 **sunk** [sʌ́ŋk]; **sunk**, **sunk·en** [sʌ́ŋkən]) 㴀 SUNKEN은 지금은 보통 형용사로만 쓰임. *vi.* **1** [動/+前+名] (무거운 것이) 가라앉다, 침몰하다(↔*float*) ; (해·달 따위가) 지다 ; 안 보이게 되다 : The ship *sank.* 배가 가라앉았다 / This newly invented concrete block does not ~ ***in*** water. 이 새로 발명한 콘크리트 블록은 물에 가라앉지 않는다 / The sun was slowly ~*ing in* the west. 해가 서서히 서쪽으로 지고 있었다.

2 [動/+副] (눈이) 우묵해지다, 쑥 들어가다 ; (볼이) 홀쭉해지다 : Her eyes[cheeks] have *sunk* (***in***). 그녀는 눈이 쑥 들어갔다[볼이 홀쭉해졌다].

3 [動/+前+名] (지반·건물 따위가) 기울다 ; 함몰하다[내려앉다] : The house has *sunk* about ten centimeters. 그 집은 약 10센티미터 내려앉았다 / The land ~*s* a little ***to***[***toward***] the lake. 그 땅은 호수쪽으로 약간 경사져 있다.

4 [動/+副] (물이) 빠지다, 줄다 ; (바람이나 불길이) 약해지다, 자다 : The flood is ~*ing.* 홍수가 빠지기 시작하고 있다 / The north wind has *sunk* ***down***. 북풍이 가라앉았다.

5 [動/+前+名] (수·평가 따위가) 줄어들다, 떨어지다 ; (소리가) 낮아지다 : Figures of unemployment have *sunk* since last year. 실업자수(數)가 작년 이래 줄어들고 있다 / The shares *sank* ***into***[***to***] nothing. 주가(株價)가 폭락하여 가치가 없게 되었다 / His voice *sank to* a whisper. 그의 목소리는 낮아져서 속삭이는 소리가 되

었다 / He *sank* ***in*** the opinion of his girl friends. 그는 여자친구들 사이에서 인기가 떨어졌다.
6 [動/+前+名] 쇠약해지다, 체력이 약해지다 : The patient was ~*ing* fast. 환자는 급속히 쇠약해지고[임종이 가까워지고] 있었다 / He *sank* ***into*** a faint. 그는 기절했다 / ~ *into* feebleness 쇠진해지다, 기력이 없어지다 / He *sank* ***from*** exhaustion[***under*** a burden]. 피로 때문에[무거운 짐에 견디다 못해] 지쳐버렸다.
7 [動/+副/+前+名] (고개 따위를) 숙이다, (눈을) 내리깔다 ; 머리를 수그리다 ; 풀이 죽다 : His spirits *sank.* 그는 풀이 죽었다 / My heart *sank* (within me) at the news. 그 소식을 듣고 나는 풀이 죽었다[낙심했다] / His head *sank forward* ***on*** his breast. 그는 (기가 죽어) 고개를 푹 숙였다.
8 [+*into*+名] (잠 · 망각 따위에) 빠지다 : The old man soon *sank* ***into*** a light sleep. 노인은 곧 선잠에 빠졌다.
9 [+*into*+名] (빈곤 · 악덕 · 비행 따위에) 빠져들다, 영락하다, 타락하다 : ~ ***into*** poverty 궁핍해지다.
10 [+前+名/+副] 쓰러지다 ; 주저앉다 : He *sank* ***to*** his knees. 그는 (픽 쓰러져) 무릎을 꿇었다 / She *sank back* ***into*** a chair. 그녀는 의자에 주저 앉았다.
11 [+前+名/+副] 스며들다 ; (교훈 따위가) 마음에 새겨지다 : Water ~*s* ***through*** sand. 물은 모래에 스며든다 / The water slowly *sank* ***into*** the ground. 물은 천천히 땅으로 스며들었다 / The danger *sank into* our minds. 그 위험을 우리는 명심했다(cf. SINK *in*) / This dye ~*s* ***in*** well. 이 염료는 물이 잘 든다.
—— *vt.* **1** 가라앉히다, 침몰시키다, 격침하다 : The captain *sank* the ship. 선장은 배를 침몰시켰다.
2 [+目/+目+前+名] (소리 · 곡조 따위를) 낮추다(lower), (힘 · 가격 따위를) 내리다, 줄이다 : She *sank* her voice ***to*** a whisper. 목소리를 낮추어 속삭이는 소리로 말했다.
3 (물을) 줄이다, 빠지게 하다 : The dry spell *sank* the river. 가뭄이 계속되어 강물이 줄었다.
4 (우물 따위를) 파다, 파내려가다 ; 새기다, 조각하다 : ~ a well 우물을 파다 / ~ a die 거푸집을 새기다[파다].
5 [+目/+目+前+名] (말뚝 따위를) 처박다, 파묻다 : ~ a pile (ten meters deep) ***into*** the ground 말뚝을 땅속에 (10미터 깊이까지) 박다.
6 [+目/+目+前+名] 내려뜨리다, 드리우다, 수그리다 : He *sank* his head ***on*** his chest. 그는 맥없이 머리를 내려뜨렸다[고개를 숙였다].
7 약하게 만들다 ; 멸망시키다, 파멸시키다.
8 [+目/+目+前+名] (특히 이득이 없는 사업에 자본을) 투자하다 ; (자본을) 고정시키다 : He has *sunk* a lot of money ***in*** the unfortunate undertaking. 그는 많은 돈을 그 재운이 없는 사업에 투자했다.
9 (성명 · 장사 따위를) 숨기고 말하지 않다 ; 불문에 부치다, 무시하다(ignore), 생략하다(omit) : ~ evidence 증거를 감추다 / ~ one's identity 신원[정체]을 밝히지 않다 / ~ oneself[one's own interests] 자기자신[자신의 이익]을 버리고 남의 이익을 위하다 / We *sank* our differences. 우리는 의견의 차이를 도외시했다.
10 (육지 따위)가 보이지 않는 곳까지 멀어지다 : ~ the land 육지가 수평선 밑으로 사라져 보이지 않을 때까지 먼 바다로 나가다.
11 〖印〗 행을 내려서 짜다.
12 《英俗》 (맥주 따위를) 마시다(drink).
sink in (1) ☞ *vi.* 2. (2) ☞ *vi.* 11 ; (뉴스 · 생각 따위가) 충분히 이해되다.
sink one***'s teeth into. . .*** ☞ TOOTH *n.*
sink or swim 흥하든 망하든, 성공이냐 실패냐.
—— *n.* **1** (부엌의) 개수대(cf. SCULLERY), 싱크 ; 《美》 세면대 ; 수채통 ; 하수구 ; 오수가 고이는 곳, 물이 괴는 낮은 땅 ; 〖地質〗 함수호가 된 요지(凹地) ; 움푹 팬 땅, 포노르(sinkhole) ; 〖機〗 움푹 패인 곳 ; 〖理〗 (열 · 유체 따위의) 흡입구[장치] ; ＝HEAT SINK. **2** 쓰레기통, (악덕 따위의) 소굴 : a ~ *of* iniquity 부정[악]의 소굴. **3** 〖劇〗 배경을 오르내리게 하는 무대의 홈.
〚OE *sincan* ; cf. G *sinken*〛
sínk·able *a.* 가라앉힐 수 있는 ; 침몰(沈沒)할 우려가 있는.
sínk·age *n.* 침하(도)(沈下(度)) ; 움푹 팬 곳 ; 〖印〗 행(行)내리기 ; ＝SHRINKAGE.
sínk·er *n.* **1** 가라앉는[가라앉히는] 것[사람] ; 우물 파는 사람 ; 조각하는 사람. **2** (낚싯줄 · 그물 · 부유물 따위의) 추(錘) ; 《美俗》 도넛. **3** 〖野〗 싱커《공에 회전을 주지 않는 드롭》.
sínk·hòle *n.* (수채 따위의) 구멍 ; 〖地質〗 (석회암 지대의) 움푹 패인 땅 ; 《美》 수채통, 하수구.
sínk·ing *n.* U,C 가라앉음, 함몰 ; 쇠약(감), 기운이 없음, 의기소침. —— *a.* 가라앉는 ; 내려앉는 ; 쇠약해지는 : a ~ feeling (공포 · 공복 따위로) 맥이 풀리는 듯한 느낌, 허탈감.
sínking fùnd *n.* 감채(減債) 기금, 부채(負債) 상각 적립금.
sínking spèed *n.* (비행기 · 새 따위의 활공시의) 강하 속도.
sínking spèll *n.* (주가 따위의) 일시적 하락 ; (건강 따위의) 악화.
sínk tìdy *n.* 싱크대의 삼각 코너《따위》.
sínk ùnit *n.* ＝KITCHEN UNIT.
sín·less *a.* 죄없는, 결백한.
***sín·ner** *n.* **1** (종교 · 도덕상의) 죄인, 죄지은 사람 ; 신앙이 없는 사람. **2** [가벼운 뜻으로] 장난꾸러기 : a young ~ 《戲》 애송이.
Sinn Fein [ʃín féin] *n.* 아일랜드 독립당[독립당원]. **Sínn Féin·er** *n.* 아일랜드 독립당원.
〚Ir.＝we ourselves〛
si·no- [sáinou, -nə, sín-], **si·nu-** [sáinju, -njə] *comb. form* 「동(洞)」「동정맥(洞靜脈)」의 뜻.
〚L ; ⇨ SINUS〛
Sino- [sáinou, -nə, sín-] *comb. form* 「중국…(Chinese-)」의 뜻(cf. CHINO-) : *Sino*phobe 중국을 싫어하는 (사람) / *Sino*phile 중국을 좋아하는 (사람).
〚Gk. *Sinai* the Chinese〛
sín òffering *n.* 속죄로 바치는 제물[공양물].
Sìno-Japanése *a.* 중국 · 일본간의, 중일(中日)의 : the ~ war 청일(清日) 전쟁(1894-95).
Sìno-Koréan *a.* 한중의, 한국과 중국에 관한.
si·no·logue [sáinəlɔ̀(:)g, -lɑ̀g, sín-] *n.* [때때로 S~] 중국학을 연구하는 학자.
si·nol·o·gy [sainɑ́lədʒi, sə-] *n.* U [때때로 S~] 중국학《중국의 언어 · 역사 · 제도 · 풍습을 연구함》. **-gist** *n.* 중국학 학자.
Sìno·phóbia *n.* 중국 혐오[공포증].
Sìno-Tibétan *n., a.* 중국 · 티베트어족(語族)(의)《티베트 · 미얀마 · 중국 · 타이 등지의 여러 언어를 포함》.
SINS 〖海〗 Ship's Inertial Navigation System (선박 관성 항해 장치).

sin·se·mil·la [sìnsəmíljə] *n.* 씨없는 마리화나. 〚Mex. Sp.=without seed〛

sín sùbsidy *n.* 죄악 보조《부부인 경우보다 미혼인 두 사람쪽이 적게 부과되는 소득세》.

sín tàx *n.* 《美口》「죄악」세(稅)《술·담배·도박 따위의 세》.

sin·ter [síntər] *n.* Ⓤ (온천의) 탕화(湯花), 버캐 ;〔冶〕소결물(燒結物) ; =CINDER.
—— *vt., vi.* 소결(燒結)하다 : ~*ing* furnace 소결로(爐). 〚G ; cf. CINDER〛

sin·u·ate [sínjuət, -èit] *a.* 꾸불꾸불한(winding) ;〔植〕잎 가장자리가 물결 모양으로 된.
—— [-èit] *vi.* 구불구불 구부러지다 ; (뱀 따위가) 꿈틀꿈틀 기다〈*along*〉. **sín·u·àt·ed** *a.* **sìn·u·á·tion** *n.* 꾸불꾸불함 ; 물결 모양.
〚L *sinuat- sinuo* to bend ; cf. SINUS〛

sin·u·os·i·ty [sìnjuásəti] *n.* Ⓤ 꾸불꾸불함, 만곡(彎曲) ; Ⓒ [흔히 *pl.*] 만곡부, (특히 강·길의) 굽이(curve) ; 복잡, 얽힘(intricacy).

sin·u·ous [sínjuəs] *a.* 꾸불꾸불한, 물결 모양의 ; 나긋나긋한(lithe) ; 복잡한, 얽힌 ; 에두르는, 부정직한, 사악한 ;〔植〕=SINUATE.
〚F or L (↓)〛

si·nus [sáinəs] *n.* 〔解·動〕공동(空洞), 강(cavity), 정맥동(靜脈洞), 부비강(副鼻腔) ;〔醫〕누(瘻)(fistula) ;〔植〕(잎 따위의) 열편(裂片) 사이의 움푹 팬 곳 ; 만곡(彎曲) ; 움푹 팬 곳 ; 후미, 만(灣).
〚L=recess, curve〛

si·nus·itis [sàinjəsáitəs] *n.* Ⓤ〔醫〕정맥동염(靜脈洞炎) ; 부비강염(副鼻腔炎).
〚↑, *-itis*〛

si·nu·soid [sáinjəsɔ̀id] *n.* 〔數〕사인 곡선(sine curve) ;〔解〕유동(類洞), 동양(洞樣) 혈관.
sì·nu·sói·dal *a.* sinusoid의.

Sion [sáiən] ☞ ZION.

-sion [ʒən, ʃən] *suf.* -TION처럼 동작을[상태를] 나타내는 추상 명사를 만듦.

Siou·an [sú:ən] *n.* 〔言〕(북미 인디언의) 수어족(語族) ; (*pl.* ~, **~s**) 수족(族)《수어족에 속하는 언어를 사용하는 종족》.
—— *a.* 수어족[수족]의.

Sioux [sú:] *n.* (*pl.* ~[-*z*]) =DAKOTA ; =SIOUAN.
—— *a.* 수족(族)의, (특히) 다코타족(族)의.
〚F<N. Am. Ind.〛

Síoux Státe *n.* [the ~] 미국 North Dakota 주의 속칭.

sip** [síp] *vt., vi.* (**-pp-**) (술 따위를) 홀짝홀짝 마시다, 조금씩[음미하며] 마시다, 빨다 ; (지식을) 흡수하다 : He ~*ped* (up***) his coffee. 그는 커피를 조금씩 마셨다.
—— *n.* 홀짝홀짝 마심, (음료수의) 한 모금, 한번 핥음 : take a ~ 홀짝홀짝 마시다.
〚? SUP² ; cf. LG *sippen*〛

SIPC [sípik] 《美》Securities Investor Protection Corporation(증권 투자가 보호기관).

si·phon, sy- [sáifən] *n.* **1** 사이펀, 흡입관(吸入管). **2** 사이펀 병(=∠ **bòttle**), 탄산수병. **3** 〔動〕수관(水管), 흡관.
—— *vt.* **1** [+目/+目+*from*+名] 사이펀으로 빨다[옮기다], 흡입관으로 빼내다 : ~ gasoline ***from*** a tank 탱크에서 휘발유를 사이펀으로 빼내다. **2** [+目+副] 흡수하다, 짜내다.
—— *vi.* 사이펀을 통과하다, 사이펀에서 흘러나오다. **~·al** *a.*
〚F or L<Gk.=pipe〛

si·phon- [sáifən], **si·pho·no-** [sáifənou, -nə, saifánə] *comb. form*「관(管)」「사이펀」의 뜻.
〚↑〛

síphono·phòre [, saifánə-] *n.* 〔動〕관해파리.

síp·per *n.* 홀짝홀짝 마시는 사람, 빨아 마시는 사람 ; 술꾼 ; 《美》종이 빨대(straw).

sip·pet [sípət] *n.* **1** 빵조각, (수프에 넣거나 썬 고기와 곁들여 먹는) 구운[튀긴] 빵조각(cf. CROUTON). **2** 작은[부스러진] 조각(fragment).
〚(dim.)〈SOP〛

SIPRI Stockholm International Peace Research Institute((스웨덴의 국립) 스톡홀름 국제 평화 연구소).

◇**sir** [sə́:r, sər] *n.* **1 a**) 님, 선생, 귀하, 나리《손윗사람 또는 영국의 하원에서 의장에 대한 경칭》: Good morning, ~. 안녕히 주무셨습니까. **b**) [주의·충고 따위를 할 때] 여봐!, 여보게!, 여보시오! : Will you be quiet, ~! 여봐, 조용히 해! **c**) 《美口》[성별에 관계없이 긍정·부정을 강조할 때] (cf. SIRREE) : Yes, ~. 그렇고 말고요 / No, ~. 아니, 천만에요. **d**) [S~] 귀하《편지의 서두》; [S~s] 제위, 귀중《회사 앞으로 보내는 상용(商用) 서한문에 씀 ; 지금은 보통 영국에서는 Dear Sirs, 미국에서는 Gentlemen을 씀 ; cf. (Dear) MADAM》. **2** [sər] [S~] 경《영국에서는 준남작 또는 나이트작(爵)의 사람에게 이름과 병용함 ; ☞ BARONET, KNIGHT》: *S*~ Isaac (Newton) / *S*~ J.(=John) Moore / General *S*~ Reginald Pinney. **3 a**) 《古》[직업·지위 따위를 표시하는 명사에 붙이는 남자의 경칭] : *S*~ knight 기사님 / ~ priest 목사님, 신부님. **b**) [흔히 S~ ; 직업 따위를 나타내는 명사에 붙이는 경칭]《反語·戲》: ~ critic 비평가 선생. **c**) [S~ ; 고대의 위인에 대한 경칭] : *S*~ Pandarus of Troy 트로이의 판다로스님. **4** 귀인, 높은 지위의 사람. —— [sə́:r] *vt.* (**-rr-**, **sir'd**) sir라고 부르다. 〚SIRE〛

sir·car, -kar [sə́:rkɑ:r ; -kə] *n.* 《인도》**1** 정부, 정청(政廳)(government). **2** 나리. **3** 집사 ; 회계원. 〚Urdu〛

sir·dar [sə́:rdɑ:r, sərdɑ́:r] *n.* (인도·파키스탄의) 군사령관, 고관 ; (이집트군의 영국인) 군사령관.
〚Hindi<Pers.=head-possessor〛

sire [sáiər] *n.* **1** 《古·호칭》폐하. **2** 《詩》아버지, 조상 ; 창시자 ; 《廢》고위의 사람. **3** 〔畜〕(네발 짐승, 특히 가축의) 아비(cf. DAM²) ;〔畜〕종마(種馬). —— *vt.* (특히 종마가 새끼를) 낳다(beget) ; 창시하다 ; (책을) 저술하다.
〚OF<L SENIOR〛

***si·ren** [sáiərən] *n.* **1** [흔히 S~]〔그神〕사이렌《Sicily 섬 가까이에 살며 아름다운 노랫소리로 근방을 지나가는 뱃사람을 유혹하여 난파시켰다고 하는 반인반조(半人半鳥)의 바다 요정》. **2** 목소리가 아름다운 여자 가수 ; 매혹적인 미인, 요부(妖婦), 마녀. **3** 사이렌, 고동, 경적. —— *a.* 사이렌의 ; 매혹적인.
〚OF<L<Gk. *Seirēn*〛

si·re·ni·an [saiərí:niən] *a., n.* 해우(海牛)류의 (동물). 〚↑〛

síren sòng *n.* 유혹[기만]의 말[호소].

síren sùit *n.* 《英》사이렌슈트《방공복(防空服) ; 몸에 꼭 맞는 작업복 ; 그와 비슷한 유아복》.

Sir·i·an [síriən] *a.* 〔天〕Sirius[천랑성(天狼星)]의 ; 시리우스 비슷한.

si·ri·a·sis [səráiəsəs] *n.* (*pl.* **-ses** [-sì:z]) Ⓤ〔醫〕일사병 ; (의료를 위한) 일광욕.

Sir·i·us [síriəs] *n.* 〔天〕시리우스, 천랑성(天狼星)(the Dog Star)《항성 중에서 가장 밝음》.

〖L<Gk.=glowing<?〗

sirkar ☞ SIRCAR.

sir·loin [sə́ːrlɔ̀in] *n.* U,C (특히) 소의 허리 고기의 윗부분, 설로인(cf. TENDERLOIN) : a ~ steak 설로인 스테이크(용(用)). 〖F (*sur-*², LOIN)〗

si·roc·co [sərάkou] *n.* (*pl.* **~s**) 시로코《사하라 사막에서 지중해 연안으로 부는 열풍》; (일반적으로) 강열풍. 〖F<It.<Arab.=east wind〗

sir·ra(h) [sírə] *n.* 《古》 이봐!, 이놈! 〖SIR〗

sir·(r)ee [sə(ː)ríː] *n.* [때때로 S~; yes 또는 no를 강조하여] 《美口》=SIR : Yes, ~. 그렇고 말고요. 〖SIR〗

sirup ☞ SYRUP.

sis [sís] *n.* 《口》 =SISTER; 《호칭》 아가씨; 계집애 같은 사내 아이.

-sis [səs] *n. suf.* (*pl.* **-ses** [-̀siːz, -sìːz]) 「과정」 「활동」의 뜻. 〖L<Gk.〗

SIS Scientific Intelligence Survey(과학 정보 조사단); Satellite Interceptor System(위성 요격 시스템). **S.I.S.** 《美》 Secret Intelligence Service.

si·sal [sáisəl, sís-, -zəl] *n.* U 사이잘《각종 로프·브러시용 삼》; 〔植〕 사이잘《멕시코 Yucatán 반도 원산의 용설란의 일종》. 〖*Sisal* Yucatán 반도에 있는 그 적출항(積出港)〗

sis-boom-bah [sísbùːmbάː] *int.* 후레이후레이. —— *n.* 《美俗》 보는 스포츠, (특히) 아메리칸 풋볼. 〖응원하는 소리에서〗

sis·kin [sískən] *n.* 〔鳥〕 검은방울새. 〖Du.〗

Sis·ley [sízli, sís-; *F* sislɛ] *n.* 시슬레. **Alfred** ~ (1839-99) 영국 태생의 프랑스 인상파 화가.

sis·si·fied [sísifàid] *a.* 《口》 =SISSY.

sis·soo [sísuː] *n.* (*pl.* **~s**) U,C 〔植〕 (인도산) 시수나무; 그 목재《겁고 단단하여 조선(造船)·침목(枕木)용》. 〖Hindi〗

sis·sy [sísi] *n.* **1** =SISTER; 소녀. **2** 계집애 같은 소년[남자], 패기 없는 남자, 뱅충맞이. **3** 《美俗》 동성애자, 호모. —— *a.* 여자 같은, 나약한, 무기력한. 〖SIS+-*y*⁴〗

sissy bàr *n.* 모터사이클의 등받이《안장 뒤의 역(逆) U자꼴 쇠장식》.

◇**sis·ter** [sístər] *n.* **1** 자매(↔*brother*); 누이, 누이동생; 언니; 의자매; 시누이, 올케, 형수《등》: be like ~*s* 매우 친밀하다. **2** 누이 같은 사람, 여자 친구; 동포 자매. **3 a)** 동급 여학생, 동지[같은 교파]의 여자; 여자 회원. **b)** [흔히 S~] 〔카톨릭〕 수녀, 시스터; [the S~s] 수녀회, 동정회(童貞會). **4** 《英》 (병원의) 간호사, (특히) 수간호사. **5** 미혼 여성, (젊은) 여자; 《美口·호칭·戲·蔑》 아주머니, 아가씨; 《美黑人俗》 흑인 여자[동성애자]. **6** 《비유》 같은 종류의 것, 자매함[선, 나라, 도시 따위]. **7** 약자(weak sister).
—— *a.* 자매와 같은 관계에 있는, 자매…: ~ arts 자매 예술 / ~ cities 자매 도시 / a ~ language 자매어(姉妹語) / ~ ships 자매선.
the Fatal [***three***] ***Sisters***=***the Sisters three*** 〔그神〕 운명의 세 여신.
the Little Sisters of the Poor 빈민 구호 수녀회《프랑스의 카톨릭 여자 수도회》.
the Sisters of Charity 자선회《환자의 간호를 목적으로 하는 프랑스의 카톨릭 수녀회》.
the Sisters of Mercy 자선과 교육을 목적으로 아일랜드에 창립된 수녀회.
—— *vt.* 〔海〕 나무를 덧대어 보강하다.
〖ON *systir*; cf. OE *sweoster*, G *Schwester*〗

sístег àct *n.* 《美俗》 (기호·기질이 비슷한 두 사람의) 동성애 관계, 호모인 남자와 여자의 성적 관계(性的關係).

síster-gérman *n.* (*pl.* **sísters-**) 친(親)자매(cf. GERMAN).

síster·hòod *n.* **1** U 자매임, 자매관계, 자매의 도리[의리]. **2** 여성 단체; (특히 카톨릭의) 여자 수도회, 수녀회. **3** [the ~] 여성해방 운동가들; 여성해방 운동가들의 동지 관계[공동체].

síster hòok *n.* 〔海〕 쌍갈고리《가위 모양으로 짜맞춘 이중 갈고리》.

síster-in-làw *n.* (*pl.* **sísters-**) 의자매, 시누이, 처형, 형수, 제수, 올케《등》.

síster·ly *a.* 자매의, 자매와 같은; 사이좋은, 친한. —— *adv.* 자매처럼[로서].
-li·ness *n.*

síster·shìp *n.* =SISTERHOOD.

sister hook

síster-úterine *n.* (*pl.* **sísters-**) (씨 다른) 한 어머니의 자매.

Sis·tine [sísti(ː)n, -tain, sistíːn, -táin] *a.* 로마 교황 Sixtus의; (특히) Sixtus 4세(재위 1471-84) [Sixtus 5세(재위 1585-90)]의.
the Sistine Chapel 시스티나 성당《Vatican 궁전에 있는 로마 교황의 성당》.
the Sistine Madonna 산시스토의 성모《독일의 Dresden 박물관에 있는 Raphael 작의 성모상》.

sis·trum [sístrəm] *n.* (*pl.* **-tra** [-trə], **~s**) 시스트럼《고대 이집트의 Isis 제(祭)에 쓰인 악기》. 〖L〗

Sis·y·phe·an [sìsəfíːən], **Si·syph·i·an** [sisífiən] *a.* 〔그神〕 Sisyphus 왕의; 《비유》 끝 없는.

Sis·y·phus [sísəfəs] *n.* 〔그神〕 시시포스《코린트의 사악한 왕으로 사후 지옥에 떨어져 큰 돌을 산 위로 밀어 올리는 일을 하게 되었는데 그 돌을 밀어 올리면 도로 굴러 떨어져 이를 한없이 되풀이하는 벌을 받았다고 함》.

◇**sit** [sít] *v.* (**sat** [sǽt]; **sat**; **sít·ting**) *vi.* **1** [動/+前+名/+副/+do*ing*] 앉다, 앉아 있다; 걸터 앉다, 착석하다 : ~ ***at*** table 식탁에 앉다 / ~ ***on***[***in***] a chair 의자에 앉다 / Please ~ ***down***. 앉으시오 / She *sat* read*ing* in the sitting room. 그녀는 거실에 앉아 책을 읽고 있었다.
2 [動/+前+名] (개 따위가) 쭈그리고 앉다, 웅크리고 앉다; (새가) 앉다 : The dog was ~*ting* ***on*** his hind legs. 그 개는 뒷다리를 쭈그리고 앉아 있었다 / A bird was ~*ting* ***in*** a tree. 새가 나무에 앉아 있었다.
3 (새가) 둥지에 들다, 알을 품다 : The hens don't ~ this year. 닭들이 금년에는 알을 품지 않는다.
4 [+前+名] (위원회·의회 따위의) 일원이다 : ~ ***on*** a jury[committee] 배심원[위원]이다 / ~ *on* the bench ☞ BENCH 숙어 / ~ ***in*** Parliament[Congress] 국회의원이다 / ~ ***for*** a constituency (의회에서) 선거구를 대표하다.
5 (의회·법원이) 개회[개정]하다, 의사를 진행하다 : The court will ~ next week. 법정은 내주에 개정한다.
6 [+前+名] **a)** 《英》 (시험 따위를) 치르다 : ~ ***for*** an examination 시험을 치르다. **b)** 초상화를 그리게 하다, 사진을 찍게 하다 : ~ ***to*** an artist [a photographer] 초상화를 그리게[사진을 찍게] 하다 / ~ ***for*** one's portrait 초상화를 그리게 하다 / ~ *for* a painter 화가의 모델이 되다.
7 [+副/+前+名] (의복·지위 따위가) 어울리다, 알맞다, 조화되다 : That dress[hat] ~*s* *well* ***on*** her. 저 드레스[모자]는 그녀에게 잘 어울린다 / The jacket ~*s* *badly* *on* your shoulders.

그 재킷은 어깨 부분이 잘 맞지 않는다.

8 [+補/+*on*+名] (손해 따위가) 부담이 되다, 짐이 되다 ; (먹은 것이) 얹히다 : Care *sat* heavy ***on*** his brow. 근심의 흔적이 이마에 깊게 새겨져 있었다 / This food ~*s* heavy *on* the stomach. 이 음식은 위에 부담이 간다 / His principles *sat* loosely *on* him. 그는 원칙에 그다지 구애받지 않았다.

9 [+前+名] 위치하다 ; (분위기 · 느낌이) 있다, 감돌다 ; (바람이 …에서) 불다 ; 그대로 있다, 꼼짝도 하지 않다 ; 《古》 살다 : The wind ~*s* ***in*** the east. 바람은 동쪽에서 분다[동풍이다] / He *sat* ***at*** home all day. 그는 하루 종일 (아무것도 하지 않고) 집에 있었다 / The spoons were left ~*ting* ***on*** the table. 스푼은 식탁 위에 그대로 놓여 있었다.

10 [+前+名] 간호하다, 돌보다, 베이비 시터를 하다 : ~ ***with*** a child[sick person] 아이[환자]를 돌보다[시중들다] / ~ ***for*** the parents 부모를 대신해 아이를 돌보다.

— *vt.* **1** [+目+副/+目+前+名] 앉히다 : *S*~ yourself[《古》 you] *down.* 앉으시오(Be seated.) / He *sat* the child ***at*** a table. 아이를 식탁 앞에 앉혔다. **2** (말을) 타다, 익숙하게 타다, 길들이다 : He ~*s* a[his] horse badly. 그는 승마가 서투르다 / She *sat* her horse well[gracefully]. 그녀는 능숙하게[멋지게] 말을 탔다. **3** 《英》 시험을 치르게 하다. **4** (알을) 품다.

sit at** a person**'s feet ☞ FOOT *n.*

sit back (의자에) 깊숙이 앉다 ; 앉아서 기다리다 ; (한참 일한 후에) 편히 쉬다 ; (건물이) 떨어져 있다.

sit by 무관심한[소극적인] 태도를 취하다 ; 방관하고 있다.

sit down before 〔軍〕 …앞에 진을 치다, …을 포위하다.

sit down hard on. . . 《美》 …에 완강하게 반대하다.

sit down to. . . (식탁 · 식사)의 자리에 앉다 ; (일을) 본격적으로 시작하다.

sit down under. . . (경멸 · 대우 따위를) 순순히 받아들이다.

sit down with …을 참다, 단념하다.

sit in (1) (시합 · 회의 따위)에 참가하다 ; 연좌 시위를 하다. (2) 《英口》 (남의) 아이를 돌보다(cf. SITTER-IN).

sit in on. . . (음악회 · 토론회 · 클래스 따위)를 참관하다, 견학하다, …에 출석하다.

sit loose to (의무 · 책임 따위에 대해) 무관심[무심]한 태도를 취하다.

sit on. . . (1) (위원회 따위)의 일원이 되다(cf. *vi.* 4). (2) =SIT *upon.*

sit on** one**'s hands (좀처럼) 박수를 치지 않다, 찬의(贊意)[열의]를 보이지 않다 ; 수수방관하다 ; 적절한 대책을 강구하지 않다.

sit out (1) (*vi.*) 집 밖(의 양지쪽)에 나가서 앉다 ; 댄스에 참여하지 않다. (2) (*vt.*) (댄스에서) 축에 끼지 않다 ; (연극 · 음악회 따위를) 끝까지 보다[듣다], …이 끝날 때까지 있다 ; (다른 방문객보다) 오래 앉아 있다 : He decided to ~ the lecture *out* though it was so uninteresting. 강연이 그다지 재미는 없었지만 끝까지 들으려고 작정했다 / I would like to ~ *out* this dance. 이 댄스에는 (끼지 않고) 다만 보고만 있고 싶다.

sit under. . . (목사)의 설교를 듣다 ; (교수)의 강의를 청강하다 ; (남)의 밑에서 연구하다[가르치다, 봉사하다] ; 〔카드놀이〕 …의 오른쪽에 있어 불리하다.

sit up (1) 일어나 앉다 ; 똑바로 앉다 ; (개가) 뒷발로 서다 : ~ *up* straight 반듯이 고쳐 앉다 / ~ *up* in bed (환자 등이) 침대에서 일어나 앉다. (2) 잠자지 않고 일어나 있다 : ~ *up* late[all night] 밤늦게까지 자지 않고 있다[철야하다] / ~ *up* at work 밤일하다 / ~ *up for* a person 자지 않고 사람을 기다리다 / ~ *up with* a patient 자지 않고 환자를 간호하다 / ~ *up with* a dead body 죽은 사람 옆에서 밤샘하다. (3) 《口》 강한 관심을 보이다, 깜짝 놀라다, 정신차리다 ; 기운을 내다 : make a person ~ *up* 사람을 깜짝 놀라게 하다 ; (무기력한) 사람을 고무시키다, 사람에게 활력을 불어넣다.

sit up and take notice (1) (환자가) 원기를 회복해가다[차도를 보이다](cf. *take* NOTICE). (2) 갑자기 관심을 나타내다, 갑자기 흥미를 가지다.

sit upon. . . (1) (배심원 등이) …을 심리[조사]하다. (2) 《口》 (나쁜 소식 따위)를 덮어두다, …을 깔아 뭉개다(suppress). (3) 《口》 잔소리하다 ; 《口》 …을 못살게 굴다, …을 억누르다 : He needs ~*ting upon.* 그 녀석은 혼을 내주어야 한다. (4) 《口》 …의 결정[에의 대응]을 늦추다.

— *n.* 앉기, 착석, 기다리기, 앉아 (기다리고) 있는 시간 ; (옷의) 잘 어울림, 입음새.

〖OE *sittan* ; cf. SET, SEAT, G *sitzen*〗

si·tar, sit·tar [sitɑ́ːr] *n.* 시타르《목이 긴 인도의 발현 악기》. 〖Hindi〗

sit·com [sítkɑm] *n.* 《口》 =SITUATION COMEDY.

sít-dòwn *n.* (항의 시위 따위의 한 형태로서의) 연좌 시위[항의](=~ **demonstrátion**) ; 연좌 파업(=~ **stríke**) ; 집회, 미팅 ; 앉아서 하는 식사.
— *a.* (식사가) 앉아서 먹는 ; (춤을) 앉아서 추는. **~·er** *n.* 연좌 시위[파업]자.

site** [sáit] *n.* 부지, 용지 ; 위치 ; 유적 ; (사건 따위의) 현장 : the ~ *for* a new school 신축 교사 부지 / a ~ plan (집단 주택의) 단지계획 / the ~ of an old fort 옛 성채의 유적. — *vt.* [+目/+目+前+名] …의 위치를 차지하다, 자리잡게 하다 ; (대포 따위를) 설치하다 : They decided to ~ the new school ***in this town. 새 학교를 이 도시에 세우기로 결정했다.
〖AF or L *situs* local position〗

sith [síθ, siθ], **sith·ence** [síðəns], **sith·ens** [-ənz] *adv., conj., prep.* 《古》 =SINCE.
〖OE *sithth*〗

sít-ìn *n.* **1** (인종 차별 따위에 대한) 연좌 항의. **2** =SIT-DOWN.

sit·ing [sáitiŋ] *n.* 〔建〕 부지(敷地) ; 부지 구획, 부지 계획.

Sit·ka [sítkə] *n.* 싯카《Alaska 주(州) 남동부의 Alexander 열도의 섬에 있는 도시》.

Sítka sprúce *n.* 〔植〕 알래스카가문비나무 ; 그 목재(木材).

si·to- [sáitou, -tə] *comb. form* 「곡물」 「음식」의 뜻. 〖Gk. *sitos* food〗

si·tol·o·gy [saitɑ́lədʒi] *n.* Ⓤ 영양학, 식품학.

sìto·mánia *n.* 〔醫〕 병적 기아, 폭식증.

sìto·phóbia *n.* 〔醫〕 음식 공포증.

sít·ter *n.* **1** 착석자 ; 초상화를 그리게[사진을 찍게] 하기 위해 앉아 있는 사람, 모델. **2** =BABY-SITTER ; (환자 등의) 간호인. **3** 알을 품은 새 ; 앉아 있는 새. **4** 《口》 명중시키기 쉬운 과녁 ; 편한 일. **5** 《俗》 엉덩이.

sítter-ín *n.* (*pl.* **sítters-ín**) 《英》 =BABY-SITTER.

sít·ting *n.* **1** Ⓤ 착석, 자리에 앉음. **2** 사생(寫生)[사진]의 모델이 되기 : give six ~*s* to the artist

화가의 모델을 여섯 번 하다. **3** (교회 따위의) 일정한 좌석. **4** 한 번의 일, 단숨 : read a story at a[one] ~ 소설책을 한 번[단숨]에 읽어버리다. **5** 개회, 개정(開廷) ; 개회[개정] 기간(cf. TERM *n.* 2 b)) ; (의회의) 개회기(開會期) (session) : during a long ~ 긴 회기중에. **6** [U.C] 알 품기 ; [C] 포란기(抱卵期) ; 한 번에 품는 알의 수, 한 배의 새끼. **7** 식사 시간[장소].
—— *a.* 앉은 ; 재직[현직]의 ; 알을 품는 동안의 : the ~ members (총선거 때의) 현직 의원.

sítting dúck *n.* 《口》 손쉬운 목표, 「봉」.

sítting héight *n.* 앉은키.

◇**sítting ròom** *n.* **1** 거실, 거처방(living room). **2** 객실, 사랑방. **3** 앉을 수 있는 장소[여지].

sítting ténant *n.* 현재 차용 중인 입주자, 현(現) 차가인, 현 차지인.

sit·u·ate [sítʃuèit] *vt.* **1** [보통 수동태로] (어떤 장소에) 놓다, …의 위치를 정하다. **2** (어떤 입장·조건에) 놓이게 하다. ——[-ət, -èit] *a.* 《古》 〖法〗 =SITUATED.
〚L *situo* to position ; ⇨ SITE〛

sít·u·àt·ed *a.* **1** 위치하고 있는(located), 있는 ; 부지가 …한 : The school is ~ *on* the top of the hill. 학교는 언덕 꼭대기에 있다 / a favorably ~ city 유리한 위치를 차지한[입지 조건이 좋은] 도시. **2** …의 입장[상태]에 있는 ; (재정적으로) …의 경우에 있는 : He was awkwardly ~. 그는 난처한 처지에 있었다.

‡sit·u·a·tion [sìtʃuéiʃən] *n.* **1** 위치, 장소 ; 부지, 용지. **2** 상황, 처지, 상태 ; 형세, 시국, 사태 : save the ~ 사태를 수습하다. **3** (특히 하인 등의) 근무처 ; 일자리 ; (사회적) 지위 : He is in [out of] a ~. 그는 직장이 있다[실직 상태다] / *S~s* vacant. 사람 구함, 구인(求人)《광고문》/ *S~s* wanted. 직업 구함, 구직(求職)《광고문》. **4** (연극·따위의) 아슬아슬한 장면[대목] ; 난국, 난문 ; 관계. **5** 〖心〗 사태《어떤 순간에 개체에 영향을 주는 내외의 자극 전체》; 《古》 건강 상태.
[類義語] ⟹ POSITION, STATE.

situátion·al *a.* 장면[환경·정황]의[에 의한, 에 따르른, 에 어울리는] ; 상황 윤리의.

situátion cómedy *n.* 상황 희극《등장인물과 장면 설정은 같으나 매번 에피소드가 바뀌는 연속 방송 코미디》.

situátion éthics *n.* 상황 윤리.

situátion róom *n.* 〖軍〗 (사령부의) 전황 보고실, 긴급 지령실.

situátion·wìse *adv.* 정세로는, 정황으로는.

sít-ùp, sít·ùp *n.* 윗몸 일으키기.

sít-upòn *n.* 《口·婉》 엉덩이(buttocks).

si·tus [sáitəs] *n.* (*pl.* ~) 〖法〗 위치(situation), 장소 ; (특히 신체·식물 따위 기관의) 정상 위치, 원 위치.
〚L=SITE〛

sítus pìcketing *n.* 《美》 =COMMON SITUS PICKETING.

sítz bàth [síts-, zíts-] *n.* (치료 목적의) 좌욕(坐浴) (hip bath), 그 욕조.
〚G *Sitzbad* sitting bath〛

sitz·fleisch [sítsflèiʃ, zíts-] *n.* 《美俗》 인내.
〚G=sitting flesh, buttocks〛

sitz·krieg [sítskrì:g, zíts-] *n.* (제2차 세계대전 초기 따위의) 교착전(膠着戰).
〚G=sitting war〛

sitz·mark [sítsmɑ̀:*r*k, zíts-] *n.* 〖스키〗 활주중 넘어져서 눈 위에 남긴 자국.
〚G *Sitzmarke* sitting mark〛

SI unit [èsái ⌐] *n.* 국제 단위《국제 단위계 (Système International d'Unités)의 단위 ; 미터·킬로그램·초·암페어 따위》.

Si·va [sí(:)və, ʃí(:)-] *n.* 〖힌두敎〗 시바《3대 신(神)의 하나로 파괴를 주관하는 신(神) ; cf. BRAHM, VISHNU》. 〚Skt.〛

Si·wash [sáiwɔ(:)ʃ, -wɑʃ] *n.* **1** [흔히 old ~] 《美口》 (작은) 지방 대학(들). **2** [흔히 s~] 《美北西部俗·蔑》 인디언어 ; 인디언 같은 녀석 ; [s~] 난폭한 사나이, (사회의) 낙오자.
—— *v.* [s~] 《美北西部》 *vi.* 노숙(露宿)하다.
—— *vt.* 《俗》 블랙리스트에 올리다, (남)에게 술을 사는 것을 금지하다.

◇**six** [síks] *a.* 6의, 여섯 개의, 여섯 사람의 ; [*pred.* 로 써서] 6살로 : ~ men 남자 6명.
—— *pron.* [복수 취급] 여섯, 여섯 개, 여섯 사람.
six to one 6 대 1 ; 《비유》 큰 차이.
It is six of one and half a dozen of the other. 비슷비슷하다, 오십보 백보다.
—— *n.* **1** 6, 여섯, 여섯 개, 여섯 사람 ; 6달러[파운드, 센트《따위》] ; [U] 6시 ; 6살. **2** 6의 기호《6, vi, VI》. **3** (카드·주사위 따위의) 6 : the ~ of hearts 하트의 6. **4** (구두·장갑 따위의 사이즈의) 6번, [*pl.*] 6번 사이즈의 것. **5** [the S~] 〖樂〗 6인조 ; 6기통 엔진[자동차].
(***all***) ***at sixes and sevens*** 《口》 (완전히) 혼란하여 ; (의견이) 일치되지 않아.
six and eight (***pence***) 변호사에 대한 보통의 사례《원래 6shillings 8pence였으므로》.
〚OE *siex* ; cf. G *sechs*〛

Síx-Dáy Wàr *n.* [the ~] 6일 전쟁, 제3차 중동전쟁《1967년 6월 5-10일》.

síx·er *n.* (영국·캐나다의 Boy[Girl] Scout 단원의) 6인 대장 ; 〖크리켓〗 6점타(打) ; 《英》 6펜스 ; 《美俗》 6개월의 형.

síx·fòld *a., adv.* 6개[부]로 된, 여섯 겹의[으로], 6배의[로].

síx-fóot·er *n.* 신장[길이]이 6피트인 사람[것].

síx-gùn *n.* 《美口》 =SIX-SHOOTER.

six·mo [síksmòu] *n.* (*pl.* **~s**) 6절판(의 책[종이, 페이지]).

Síx Nátions *n. pl.* [the ~] (북미 인디언의) 6부족 연합《Five Nations에 1722년 Tuscarora족이 참가》.

síx-pàck *n.* (병·깡통 따위의 여섯 개들이) 종이상자 ; 그 내용물.

síx·pence [-pəns] *n.* (영국의) 6펜스 백동화《1971년 2월부터 폐지》; [U] 6펜스의 값, 6펜스분.
I don't care (***a***) ***sixpence about it.*** =***It doesn't matter sixpence.*** 조금도 상관 없다.

síx·pen·ny [-pəni, 美+-pèni] *a.* 6펜스의 ; 싸구려의, 보잘것없는 : a ~ thriller 6펜스의 선정(煽情) 소설[극·영화] ; 하찮은 스릴 소설. —— *n.* 6펜스로 살 수 있는 것[탈 수 있는 거리].

síx-shóot·er *n.* 《美口》 6연발 권총.

sixte [síkst] *n.* 〖펜싱〗 제6자세(cf. GUARD *n.* 3).

◇**six·teen** [síkstí:n] *a.* 16의, 16개의, 16명의 ; [*pred.*로 써서] 16살로. —— *pron.* [복수 취급] 16, 16개, 16명. —— *n.* 16, 16개, 16명 ; 16의 기호《16, xvi, XVI》; 16살 ; 16번째(의 것) ; (사이즈의) 16번. 〚OE *siextiene* (SIX, *-teen*)〛

six·teen·mo [sìkstí:nmòu] *n.* (*pl.* **~s**) 16절판(의 책[종이·페이지]) (sextodecimo)《보통은 7×5인치 크기 ; 16mo, 16°라고도 씀》.

‡six·teenth [síkstí:nθ] *a.* 제16(번째)의 ; 16분의 1의. —— *n.* **1** [the ~] 제16(번째) ; (달의) 16일. **2** 16분의 1 ; =SIXTEENTH NOTE.

sixtéenth nòte *n.* 《美》〔樂〕 16분 음표.
sixtéenth rèst *n.* 〔樂〕 16분 쉼표.
◇**sixth** [síksθ] *a.* **1** 제6(번째)의. **2** 6분의 1의. —— *n.* **1** [the ~] 제6(번째) ; (달의) 6일. **2** 6분의 1. **3** 〔樂〕 6도, 6도 음정. **4** 《英》 =SIXTH FORM. —— *adv.* 6번째로. **~·ly** *adv.*
síxth cǒlumn *n.* 〔軍〕 제6부대, 제6열《fifth column을 도움》.
Síxth dáy *n.* 금요일《퀘이커 교도의 용어》.
síxth fórm *n.* 《英》 제6학년《16살 이상의 학생으로 된 그래머[퍼블릭] 스쿨의 최상급 학년》.
síx-thrée-thrée *a.* (교육 제도가) 6·3·3제의.
síxth sénse *n.* 제6감, 직감 : A[The] ~ told me that. 육감으로 그것을 알았다.
***six·ti·eth** [síkstiəθ] *a.* 제60(번째)의 ; 60분의 1의. —— *n.* [the ~] 제60(번째) ; 60분의 1.
Six·tine [síksti(ː)n, -tain] *a.* =SISTINE.
Six·tus [síkstəs] *n.* 식스투스《로마 교황 5명의 이름》: (1) ~ **IV** (1414-84)《재위(在位) 1471-84 ; ☞ SISTINE Chapel》. (2) ~ **V** (1520-90)《재위(在位) 1585-90》.
◇**six·ty** [síksti] *a.* 60의, 60개의, 60명의 ; [*pred.*로 써서] 60살로. —— *pron.* [복수 취급] 60, 60개, 60명. —— *n.* **1** 60, 60개, 60명. **2** 60의 기호《60, lx, LX》; 60살 ; 60달러[파운드, 센트《따위》]. **3** [the sixties] (세기의) 60년대 ; [one's sixties] (연령의) 60대. 〖OE *siextig* (SIX, -*ty*¹)〗
síxty·fòld *a., adv.* 60배의[로].
síxty-fòur-dóllar quéstion *n.* [the ~] 중대한[까다로운] 문제.
〖1940년대의 미국의 라디오 퀴즈 프로그램에서 최고 상금 $64를 건 최후의 난문(難問)에서〗
sìxty-fóur·mo [-mòu] *n.* (*pl.* **~s**) 64절판(折判)(의 책) ; 64절지(折紙).
síxty-fóurth nòte *n.* 《美》〔樂〕 64분 음표.
síxty-fóur-thòusand-dóllar quéstion *n.* [the ~] =SIXTY-FOUR-DOLLAR QUESTION.
〖1950년대의 미국의 동명(同名)의 텔레비전 퀴즈 프로그램의 최후의 난문(難問)에서〗
síxty-fóurth rèst *n.* 〔樂〕 64분 쉼표.
siz·able [sáizəbəl], **síze·able** *a.* 상당한 크기의, 꽤 큰 ; 알맞은. **-ably** *adv.* **~·ness** *n.*
siz·ar, -er [sáizər] *n.* 특대장학생《이전에 Cambridge 대학이나 Dublin 대학의 Trinity College에 있었던 다른 학생에게 봉사할 의무가 있는 장학생》.
◇**size**¹ [sáiz] *n.* **1** Ⓤ 크기 ; 몸 크기 ; 신장 ; 치수 ; (본의) 대소 ; Ⓒ (모자·장갑·구두 따위의) 사이즈, 호수, 문수, (종이 따위의) 판(判) : be *of* a (=the same) ~ 같은 크기다 / They are *of* all ~*s.* 그것들은 크기가 가지각색이다 / It is *of* some ~. 그것은 꽤 크다 / Almost all the bees in the hive are the same ~. 그 벌집의 벌들은 거의 모두 같은 크기다 / It is (half, twice) the ~ of an egg. 그것은 달걀 (절반의, 배의) 크기다 / take the ~ of … 의 치수를 재다 / What ~ shoes do you take[wear]? 신발 사이즈는 얼마나 되십니까.

> **size**의 문장 전환
> This is twice the *size* of that.
> → This is twice as *large* as that.
> (이것은 크기가 저것의 두배다.)

2 정도, 양(量), 범위 ; 상당한 크기[규모] ; (사람의) 기량(器量), 역량, 수완 : a man of a considerable ~ 기량이 큰 사람. **3** [the ~] 《口》 진상, 실상 : That's about *the* ~ of it. 진상은 대충 그 정도다. **4** 《廢》 정량, 정액 ; (Cambridge 대학 식당에서 주는 음식물의) 배급정량. **5** [보통 *pl.*] 《英方》 순회재판.
—— *vt.* **1** [+目+前+名] 어떤 크기[치수]로 만들다 : cars ~*d* ***to*** the human frame 인간의 체격에 맞추어 제작된 자동차. **2** [+目/+目+前+名] 치수로 분류하다, 크기에 따라 구분하다 : ~ the stones ***into*** five classes 돌을 크기에 따라 다섯 종류로 나누다. —— *vi.* 《케임브리지大學》 정량의 음식물을 주문하다.
size up (1) …의 치수를 재다 ; 어떤 크기[정도]에 이르다. (2) 《口》 (인물 따위를) 평가하다, (정세 따위를) 판단하다 ; 요구에 응하다 ; 조건을 충족시키다.
—— *a.* [복합어를 이루어] …한 사이즈의, 사이즈가 …인.
〖ASSIZE〗
size² *n.* **1** Ⓤ 사이즈, 아교물 ; 반수《백반을 녹인 물에 아교를 섞어서 만듦 ; 종이에 잉크·물이 번지지 않게 하는 약품》, 직물용의 풀《주로 녹말》, 박(箔) 밑칠 니스. **2** Ⓤ (진흙의) 점성(粘性).
—— *vt.* …에 사이즈[반수]를 칠하다.
〖ME ‹? SIZE¹〗
sized [sáizd] *a.* 크기에 따라 늘어놓은 ; 표준 크기의 ; 같은 크기의 ; [sàizd] [보통 복합어를 이루어] …한 사이즈의, 사이즈가 …인 : small-~ 소형의 / large-~ 대형의 / ☞ KING-SIZED / ☞ LIFE-SIZED.
siz·er¹ [sáizər] *n.* 크기를 가지런히 맞추는 사람 ; 정립기(整粒器), 치수 측정기 ; 《英口》 엄청나게 큰 것.
sizer² ☞ SIZAR.
síze stìck *n.* (발 길이를 재는) 구둣방의 자.
síze-ùp *n.* 《美口》 평가, 판단 ; 인물평 ; 사태의 진단 ; 감정.
siz·ing¹ [sáiziŋ] *n.* **1** Ⓤ 크기[키]대로 나누기 ; (진주의) 정립(整粒). **2** Ⓤ 솎아 내기《재배물의》. **3** Ⓒ 《케임브리지大學》 배급정량.
〖SIZE¹〗
sizing² *n.* Ⓤ size²를 칠하기, 풀을 먹이기 ; (잉크·물 따위가) 번지는 것을 막는 재료.
sizy [sáizi] *a.* 《古》 끈적끈적한, 점착성의.
siz·zle [sízəl] *vi.* 《口》 (튀김이나 고기 구울 때) 지글지글 소리나다 ; 《口》 몹시 덥다 ; 《口》 화가 나서 속이 부글부글 끓다 ‹*over*›.
—— *vt.* 지글지글 태우다.
—— *n.* 지글지글(하는 소리). 〖imit.〗
síz·zling *a.* 지글지글 끓는 ; 몹시 더운[뜨거운] ; 격분하고 있는.
sizzling hot 몹시 더운[뜨거운].
S.J. Society of Jesus.
sjam·bok [ʃæmbák, -bʌ́k ; ʃǽmbɔk] *n., vt.* 코뿔소[하마] 가죽 채찍(으로 때리다).
〖Afrik.＜Malay＜Urdu〗
SJC, S.J.C. 《美》 Supreme Judicial Court(최고 재판소).
ska [skáː] *n.* 스카《자메이카 기원의 포퓰러 음악 ; 초기의 reggae》. 〖Jamaican E‹imit.〗
skag ☞ SCAG.
skald, scald [skɔ́ːld, 美+skáːld] *n.* 고대 북유럽의 음송(吟誦) 시인. 〖ON＜?〗
skat [skǽt, skáːt] *n.* Ⓤ 세 사람이 32장의 패로 하는 카드 놀이의 일종.
‡**skate**¹ [skéit] *n.* [보통 (a pair of) ~s] 스케이트화 ; 스케이트화의 날 ; 롤러 스케이트 ; (스케이트의) 한 번 지치기.

── *vi.* 스케이트로 지치다, 스케이트 타다 ; 미끄러지듯 (빨리) 달리다 : ~ on a lake 호수에서 스케이트를 타다.
skate over [***on***] ***thin ice*** 까다로운 문제를 다루다, 매우 위험한 짓을 하다.
〖Du. *schaats*<OF *eschasse* stilt〗

skate[2] *n.* (*pl.* ~, ~**s**) 〔魚〕 홍어(thornback).
〖ON *skata*〗

skate[3] *n.* 《美俗》 멸시할 만한 사람 ; 말라빠진 늙은 말 ; 사람, 녀석, 놈 : a good ~ 호감을 주는 사람, 호인 / a cheap ~ 별 볼일 없는 놈.
〖C20<? ; cf. *skite* (Sc., north. Eng.) to defecate〗

skáte·bòard *n.* 스케이트보드《롤러스케이트 위에 길이 60cm 정도의 널을 댄 것 ; 그 위에 타고 지침》. ── *vi.* 스케이트보드를 타다[로 지치다].
~·**er** *n.* ~·**ing** *n.*

skáte·pàrk *n.* 스케이트보딩장(場).

skat·er [skéitər] *n.* 스케이트를 타는 사람, 스케이터.

skat·ing [skéitiŋ] *n.* Ⓤ 얼음지치기, 스케이팅 : go ~ 스케이트 타러 가다.

skáting rìnk *n.* 롤러 스케이트장 ; 실내 스케이트장, 스케이팅 링크.

skat·ole [skǽtoul, skéi-], **ska·tol** [-ɔ(:)l, -oul] *n.* Ⓤ 〔生化〕 스카톨《흰 결정질(結晶質) 수용성 고체 ; 배설물의 냄새가 남 ; 미량(微量)은 향료에 사용됨》.
〖Gk. *skat- skōr* excrement+-*ol*(*e*)〗

skean, skene [skí:ən] *n.* (아일랜드·스코틀랜드의) 양날 단검. 〖Gael. *sgian* knife〗

sked [skéd] *n., vt.* (-**dd**-) 《口》 =SCHEDULE.

ske·dad·dle [skədǽdl] *vi.* 《口》 도주하다, 황급히[당황하여] 도망치다. ── *n.* Ⓤ,Ⓒ 도주.
〖C19<?〗

skee [skí:] *n., vi.* =SKI.

skee·sicks, -zicks [skí:ziks] *n.* 《美俗》 불량배, 건달 ; 《戱》 장난꾸러기. 〖*Skeezix* 만화 *Gasoline Alley* (c. 1850-c. 1910) 속의 인물〗

skéet (**shòoting**) [skí:t(-)] *n.* 스키트 사격 《trapshooting의 일종 ; 사수는 보통 8군데의 사격 위치에서 쏨》. **skéet·er** *n.* 〖ON *skjōta* to SHOOT ; cf. *skeet* (dial.) to scatter, SCOOT[1]〗

skein [skéin] *n.* (실의) 타래(cf. HANK) ; 타래 모양의 것 ; (날고 있는) 새떼(flight) ; 《비유》 뒤엉킴, 혼란. ── *vt.* (실을) 타래로 감다.
〖OF *escaigne*<?〗

skel·e·tal [skélətl] *a.* 골격의 ; 해골의[같은] ; 《비유》 대충의.

***skel·e·ton** [skélətn] *n.* **1** 골격 ; (특히) 해골 ; 뼈만 앙상한 사람 : a mere[living, walking] ~ 피골이 상접(相接)한 사람 / be reduced to a ~ 뼈만 앙상하게 남다, 바짝 마르다. **2** (가옥 따위의) 뼈대, 타다 남은 잔해. **3** 골자, 윤곽, 개략. **4** (잎의) 조직, 줄기.
a skeleton in the closet [《英》 ***cupboard***] = FAMILY SKELETON.
── *a.* 해골의 ; 개략의 ; (인원이) 기간 요원뿐인 : a ~ staff [crew] 최소한도의 인원, 기간 요원[승무원] / a ~ company[regiment] 기간 요원만의 중대[연대] ; (전사 따위로) 인원이 격감한 중대[연대].
a skeleton at the feast [***banquet***] 흥을 깨뜨리는 사람[것].
〖L<Gk. (neut.) ‹ *skeletos* dried-up (*skellō* to dry up)〗

skéleton constrùction *n.* 〔建〕 (고층 건축의) 골격[가구식(架構式)] 구조.

skéleton drìll *n.* 〔軍〕 가상 연습[훈련].

skéleton·ìze *vt.* 해골로 만들다, …의 살을 발라내다 ; …의 개략[개요]을 적다 ; …의 수를 크게 삭감하다.

skéleton kèy *n.* 여러 자물쇠에 맞는 열쇠.

skéleton sèt *n.* 〔劇〕 골격 세트《상연중 바뀌지 않는 기본적인 무대 장치》.

skel·lum [skéləm] *n.* 《古·方·스코》 악당, 무뢰한, 불량배.
〖Du. *schelm* ; cf. G *Schelm*〗

skelp [skélp] *vt.* 《北英》 때리다, (엉덩이를) 치다 (spank) ; 때려서 내쫓다 ; 재빨리[원기있게] 처리하다. ── *vi.* 원기있게[급히] 걷다. ── *n.* 철썩 한 번 때리기, 손바닥으로 때리기.
〖ME *skelpen* (? imit.)〗

skene ☞ SKEAN.

skep·sis | scep- [sképsəs] *n.* 회의 ; 회의 철학 ; 회의적 견해.

skep·tic | scep- [sképtik] *n.* 회의론자, 의심 많은 사람, 회의주의자 ; [S~] 〔哲〕 회의학파의 사람. ── *a.* =SKEPTICAL.
〖F or L<Gk. (*skeptomai* to observe)〗

skép·ti·cal | scép- *a.* 의심많은, 회의(론)적인 ; 신용하지 않는 ; [S~] 〔哲〕 회의학파의 : be ~ *about*[*of*] …을 의심하다.
~·**ly** *adv.* 회의적으로.

skep·ti·cism | scep- [sképtəsìzəm] *n.* Ⓤ 회의 ; 회의론, 회의주의 ; [S~] 〔哲〕 (회의학파의) 회의론.

sketch** [skétʃ] *n.* **1** 스케치, 사생(화), 초벌그림, 소묘(素描) ; 겨냥도(圖), 약도 : make a ~ (of...) (…을) 스케치[사생]하다, 약도를 그리다. **2** 초고, 초안. **3** 줄거리, 개요, 개략 ; (인물 따위의) 소묘, 점묘(點描). **4** 소품(小品), 사생문(寫生文), 단편 ; (시사 풍자적인) 촌극(寸劇). **5** 〔樂〕 스케치《보통 짧은 피아노용 소곡》. **6** 《口》 해학적인 사람[일, 것]. ── *vt.* **1** 사생하다 ; …의 약도를 그리다. **2** [+目+副] 간략하게 설명하다, 개략을 말하다 : ~ ***out[***in***] the plan for a new bridge 신축할 다리에 대한 대략의 계획을 세우다.
── *vi.* 사생하다 ; 약도를 그리다 ; 촌극을 하다 : go out to ~ =go ~*ing* 사생하러 가다.
~·**able** *a.* ~·**er** *n.*
〖Du. *schets* or G *Skizze*, <Gk. *skhedios* extempore〗

skétch blòck *n.* 사생첩《떼어내어 쓸 수 있는 도화지첩》.

skétch·bòok *n.* 사생첩, 스케치북 ; 소품집, 수필집(隨筆集).

skétch màp *n.* 간략한 지도, 약도.

skétch·pàd *n.* =SKETCHBOOK.

skétchy *a.* **1** 스케치[약도·사생화]의[와 같은], 소묘의. **2** 개략만의 ; 대충의, 표면적인 ; 불충분한, 불완전한 : a ~ meal 간단한 식사.
skétch·i·ly *adv.* 스케치풍으로 ; 개략으로, 대충. -**i·ness** *n.*

skew [skjú:] *a.* 비스듬한, 비뚤어진, 굽은(slanting) ; 오용(誤用)의, 억지 쓰는 ; 〔數·統〕 비대칭(非對稱)의 (unsymmetrical).
── *n.* 비뚤어짐, 비스듬함, 굽음, 휨 ; 〔建〕 디딤돌, 비스듬히 깬 돌, 담의 비스듬한 지붕.
on the skew 비스듬하게, 굽어서.
── *vt.* 비틀다, 구부리다 ; 휘게 하다 ; 왜곡하다.
── *vi.* 비스듬히 나아가다, 빗나가다, 휘다 ; 곁눈질로 보다.
〖OF ; ⇨ ESCHEW〗

skéw·bàck *n.* 〖建〗 (아치 양끝을 받치는) 홍예받침돌, 기공석(起拱石).

skéw·bàld *a., n.* 흰색과 갈색으로 얼룩진 (말) (cf. PIEBALD).

skéw distribútion *n.* 〖統〗 비대칭 분포.

skewback

skew·er [skjú:ər ; skjúə] *n.* 꼬챙이, 꼬치구이 ; 《戲》 검(劍), 칼. —— *vt.* 꼬챙이에 꿰다 : ~ roast 구이 고기를 꼬챙이에 꿰다. 〖C17 변형(變形) ‹ *skiver* (dial.) < ?〗

skéw-èyed *a.* 사팔뜨기의.

skéw lìnes *n. pl.* 〖數〗 동일 평면 내에 없는[꼬인 위치의] 직선(군(群)).

skéw·ness *n.* 뒤틀림, 왜곡 ; 〖統〗 비대칭도(度), 왜곡도(歪曲度).

skéw·whìff *a., adv.* 《英》 = ASKEW.

‡**ski** [skí:] *n.* (*pl.* ~, ~**s**) 스키. —— *vi.* (**skíed, skí'd ; skí·ing**) 스키로 활주하다[를 타다]. —— *vt.* 스키로 가다[넘다]. 〖Norw.<ON *skíth* billet, snowshoe〗

skia- [skáiə], **scia-** [sáiə] *comb. form* 「그림자」의 뜻. 〖Gk.〗

skía·gràm *n.* (X선 따위의) 투시도 ; = RADIOGRAPH[1].

skía·gràph *n.* X선 사진. —— *vt.* X선 사진을 찍다.

ski·ag·ra·phy [skaiǽgrəfi] *n.* X선 투시술.

ski·am·e·try [skiǽmətri] *n.* = SCIAMACHY.

skía·scòpe *n.* 〖醫〗 (눈의 굴절을 판정하는 데 쓰는) 검영기(檢影器).

ski·as·co·py [skaiǽskəpi] *n.* = RETINOSCOPY ; = FLUOROSCOPY.

skí·bòat *n.* 뗏목식 보트 ; 설상[빙상]썰매의 일종.

skí·bòb *n.* 스키봅《짧은 스키를 신고 앉아서 미끄럼타는 썰매》.

skí bòot *n.* 스키화.

skí bùm *n.* 《美俗》 스키광(狂)《특히 스키장 근처에 직장을 구하면서 전전하는 사람》.

skí bùnny *n.* 《美俗》 (남성과 사귀기 위해 스키장에 오는) 여성 스키어.

skid [skíd] *n.* **1** (차·바퀴 따위의) 미끄러짐, 옆으로 미끄러지기 ; (차·바퀴의) 미끄럼 멈추개. **2** (무거운 물체를 미끄러지게 하는) 활재(滑材), 침목(枕木). **3** [*pl.*] 〖海〗 방현재(防舷材) ; 지주. **4** 〖空〗 (착륙용) 활주부, 썰매.

on the skids 《美俗》 해고될 듯하여, 실패할 것 같아 ; 내리막길에서(on the wane).

—— *v.* (**-dd-**) *vi.* (미끄럼막이나 브레이크를 건 바퀴가) 미끄러지다 ; 옆으로 미끄러지다(*sideslip*) ; 〖空〗 (선회시에) 바깥으로 미끄러지다 ; (매상 따위) 급락하다 : The car ~*ded* on the wet road. 자동차가 젖은 길에서 미끄러졌다.

—— *vt.* **1** 활재 위에 놓다. **2** …에 미끄럼막이를 달다 ; (차를) 옆으로 미끄러지게 하다 : ~ the wheel for descent 비탈[내리막]길에 대비하여 바퀴에 미끄럼막이를 달다.

〖C17< ? Scand. ; cf. SKI〗

skíd chàin *n.* = TIRE CHAIN.

skíd·ding *n.* (자동차의) 옆으로 미끄러짐 ; 〖機〗 미끄럼.

skid·doo [skidú:] *vi.* 《美口》 떠나가다, 가버리다 (go away).

skíd·dy *a.* 미끄러지기 쉬운《표면·도로》.

skíd fìn *n.* 〖空〗 주익(主翼) 위의 수직판(板).

skíd lìd *n.* 《口》 (모터사이클용) 안전 헬멧.

ski·doo [skidú:] *n.* 《美》 설상(雪上) 스쿠터(= 《英》 ski-scooter)《상표명》.

skíd pàd *n.* 스키드 시험[연습]용(用)으로 미끄러지기 쉽게 한 장소(skidpan) ; (차의) 바퀴 굄돌[굄목].

skíd·pàn *n.* = SKID PAD.

skíd·pròof *a.* 미끄러지지 않는, 미끄럼을 방지한.

skíd róad *n.* 《美》 통나무를 미끄러뜨려서 끌어내는 길 ; 《美西部》 (벌채꾼들이 잘 모이는) 도시의 번화가 ; [때때로 S~ R~] = SKID ROW.

skíd rów [-róu] *n.* 《美》 날품팔이 등이 묵는 간이여관이 많은 지역. 〖↑〗

skíd·wày *n.* (굴림대·활재(滑材)를 깐) 화물 운반로(路) ; 미끄럼판《통나무를 나르기 위한》.

skí·er *n.* 스키 타는 사람, 스키어.

skiff [skíf] *n.* (노로 젓는) 작은 보트. 〖F *esquif* <It. ; cf. SHIP〗

skiff

skif·fle [skífəl] *n.* 스키플《(1) 1920년대 미국에서 유행한 재즈의 한 스타일. (2) 1950년대 영국에서 유행한 기타와 수제(手製) 악기를 쓴 민요조(調) 재즈》; 《美俗》 = RENT PARTY. 〖C20< ? imit.〗

skí flỳing *n.* 스키 플라잉《폼은 무시하고 거리만을 겨루는 스키 점프》.

skig [skíg] *n.* 《美俗》 팔기 힘든 상품에 대한 수수료[구전], 팔기 힘든 상품을 취급하는 판매원.

skí héil [-háil] *n.* 시하일《스키어의 인사》. 〖G *Schi Heil*〗

skí·ing *n.* Ⓤ 스키타기, 스키술(術)[경기] : go ~ 스키 타러 가다.

ski·jor·ing [skí:dʒɔ̀:riŋ, ⌐⌐-] *n.* (말 따위로 끌게 하는) 스키놀이. 〖Norw.=ski driving〗

skí jùmp *n.* 스키 점프 ; 스키 점프장. —— *vi.* 스키 점프를 하다.

***skilful** ☞ SKILLFUL.

skí lìft *n.* 스키장의 리프트(cf. CHAIR LIFT).

‡**skill**[1] [skíl] *n.* Ⓤ 노련, 숙련, 교묘 ; 좋은 솜씨 ; Ⓒ (특수) 기술, 기능 : The teacher managed her pupils *with* wonderful ~. 선생님은 학생들을 아주 노련하게 다루셨다 / He has great ~ *in* handwork. 그는 공작 솜씨가 대단하다 / It takes ~ to drive a car. 차를 운전하는 데는 숙련을 요한다 / the four ~*s* of hearing, speaking, reading and writing 듣기, 말하기, 읽기, 쓰기의 네 기능. 〖ON=difference, distinction ; cf. ↓〗

類義語 ⟹ ART[1].

skill[2] *vi.* [비인칭 ; 부정 또는 의문문에서] 《古》 문제되다, 소용되다 : It ~*s* not. 소용되지 않다.

—— *vt.* 《英方》 이해하다. 〖ON *skila* to give reason for, *skilja* to distinguish〗

skilled** [skíld] *a.* **1** [+前+do*ing*] 숙련된(↔ *unskilled*) : ~ hands 숙련공 / He is ~ ***in music [*in* keep*ing* accounts]. 음악[회계]에 능숙하다. 注 skilled는 과거의 경력·수련에 따르는 상태를 말하며, skillful은 현재의 능력에 중점을 둠. **2** 숙련[솜씨·특수 기술]이 필요한.

skílled lábor *n.* 숙련노동 ; [집합적으로] 숙련공(熟練工).

skílled wórkman *n.* 숙련공.

skil·let [skílət] *n.* **1** 《美》 프라이팬(frying pan).

skillet 2

2 《英》 (보통 손잡이가 길고 다리가 짧은) 스튜 냄비. 〚? OF (dim.) ‹ *escuele* platter〛

skill·ful**, **skil·ful** [skílfəl] *a.* **1** [+前+do*ing*] 능란한, 숙련된 (cf. SKILLED 주) : a ~ surgeon 숙련된 외과의사 / ~ ***at dancing[billiards] 댄스[당구] 솜씨가 좋은 / ~ ***with*** one's fingers 손재주가 좋은 / She has become ~ ***in*** mak*ing* fine embroideries. 그녀는 아름다운 수를 놓는 솜씨가 늘었다. **2** 능숙하게 만들어진 : a ~ piece of bricklaying 아주 잘 쌓아올린 벽돌. **~·ly** *adv.* **~·ness** *n.*

skil·ly [skíli] *n.* 《英》 묽은 죽, 수프《보통 고기로 맛들인 오트밀의 죽》. 〚*skilligalee* < ?〛

skim** [skím] *v.* (**-mm-**) *vt.* **1** [+目/+目+副/+目+前+名] (…의 윗부분을) 떠내다, 더껑이[뜬 찌끼]를 걷어내다 : ~ ***off the grease (***from*** soup) (수프에서) 지방분을 걷어내다 / ~ the cream *from*[*off*] milk 밀크에서 크림을 떠내다. **2** (수면 따위를) 스치듯 날아가다, 미끄러져 가다 : A swallow went ~*ming* the lake. 제비가 호수의 수면을 스치듯이 날아갔다 / The skaters were ~*ming* the ice. 스케이터들은 얼음 위를 활주하고 있었다. **3** [+目/+目+前+名] 스치듯 날려 보내다 : He ~*med* a flat stone ***over*** the water. 납작한 돌로 물수제비떴다. **4** 얇은 표피[살얼음]로 덮다 : Ice ~*med* the lake. 호수에 살얼음이 얼었다. **5** (책을) 대충 읽다 ; (책을) 건성으로 읽다 : It took him two hours to ~ the book. 그가 그 책을 대충 읽는 데는 두 시간이 걸렸다. —— *vi.* **1** [動/+副] 더껑이가 생기다, 찌끼가 덮이다 : During the cold night the puddles ~*med* ***over***. 추운 밤 사이에 웅덩이에 살얼음이 덮였다. **2** [+副/+前+名] 스쳐가다, 미끄러지듯 나아가다 : A swallow ~*med* ***by***[***along*** the ground]. 제비 한 마리가 스치듯[지면에 닿을 듯이] 날아갔다 / The pebble ~*med* ***over*** the water. 돌멩이가 물 위를 스치며 나아갔다. **3** [+前+名] 대충 훑어보다, 여기저기[건성으로] 읽다 : I ~*med* ***through***[***over***] the novel. 그 소설을 대충 훑어봤다. **4** 회반죽을 발라 마무리하다. —— *n.* **1** 더껑이[뜬 찌끼]를 걷어내기. **2** 스쳐감. **3** (걷어낸) 더껑이 ; Ⓤ =SKIM MILK ; Ⓒ 얇은 층〈*of*〉. —— *a.* skim하는 데 쓰는 ; skim한 ; skim milk로 만든 ; 회반죽(마무리)의. 〚역성(逆成) ‹ *skimmer* ; 일설에, ME *skimmen* (‹ ? *scum*)〛

skim·ble-skam·ble, **-scam·ble** [skímbəl-skǽmbəl] *a.*, *n.* 지리멸렬한[종잡을 수 없는, 시시한] (이야기). 〚*scamble* (dial.) to struggle의 가중(加重)〛

skím·bòard *n.* 스킴보드《물가 따위에서 사용하는 파도타는 원반형 널》.

skím·mer *n.* **1** 더껑이를 걷어내는 도구[사람], 그물국자 ; 거르는 기구. **2** 대충 훑어 읽는 사람. **3** 〔鳥〕 제비갈매기류(類). 〚OF ; cf. SCUM〛

skím[**skímmed**] **mílk** *n.* 탈지유(脫脂乳), 스킴 밀크(cf. WHOLE MILK).

skím·ming *n.* Ⓤ 더껑이[뜬 찌끼]를 걷어냄 ; [보통 *pl.*] 걷어낸 크림 ; [*pl.*] 〔冶〕 =DROSS.

skí·mobìle *n.* =SNOWMOBILE.

skí mountainèering *n.* 스키등산, 산(山)스키.

skimp [skímp] *vt.* (음식·돈 따위를) 찔끔찔끔[감질나게] 주다 ; 절약하다 ; (일을) 날림으로 하다 : ~ a person *for*[*in*] food 남에게 음식을 인색하게 주다[할당량밖에 주지 않다] / ~ the material in making a dress 옷을 만드는데 재료를 절약하다. —— *vi.* 절약하다, 검약하다(cf. SCRIMP) : They had to ~ to send their sons to college. 자식들을 대학에 보내기 위해 절약해야만 했다. —— *a.* 쩨쩨한, 인색한. 〚C19 < ? ; cf. SCRIMP, *skimp* (C18) scanty〛

skímpy *a.* **1** 인색한 ; 궁핍한, 빈약한(scanty). **2** (의복 따위가) 꼭끼는, 작은. **skímp·i·ly** *adv.*

◇**skin** [skín] *n.* **1** Ⓤ,Ⓒ (인체의) 피부(cf. BONE, FLESH) : a fair ~ 흰[고운] 피부 / the true [inner] ~ 〖解〗 진피(眞皮) / the outer ~ 〖解〗 외피 / next to the ~ 살갗 위에 바로 ; 한시도 몸에서 떼지 않고 / be wet[drenched] to the ~ 흠뻑 젖다. **2** Ⓤ,Ⓒ 가죽, 피혁 ; Ⓒ (깔개 따위로 쓰는) 짐승 가죽 ; 가죽 제품, (술 따위를 넣는) 가죽 부대. **3** Ⓤ,Ⓒ (씨앗 따위의) 겉껍질 ; (과일의) 껍질. **4** 《美俗》 구두쇠 ; 사기꾼. **5** (선체·기체 따위의) 외판(外板), 외장.

be no skin off one***'s back*** 《美俗》 전혀 영향이 없다, 관계없다.

be skin and bone 바싹 말라 있다.

by[***with***] ***the skin of*** one***'s teeth*** 가까스로, 구사일생으로.

change one***'s skin*** 근성을 고치다.

get under a person***'s skin*** 《口·원래 美》 남을 성나게[안달나게] 하다 ; 남의 마음을 사로잡다 ; 남에게 흥미를 느끼게 하다.

have a thick[***thin***] ***skin*** 둔감[민감]하다.

in a person***'s skin*** 남의 입장[처지]이 되어.

jump[***fly***] ***out of*** one***'s skin*** (기쁨·놀람 따위로) 펄쩍 뛰다.

risk one***'s skin*** 목숨을 걸다.

save one***'s*** (***own***) ***skin*** 무사히 피하다.

under the skin 한 꺼풀 벗기면, 내심(內心)은.

with[***in***] ***a whole skin*** 무사히(safe and sound).

—— *a.* 살갗의, 피부의 ; 《美俗》 나체의, 누드를 다루는, 포르노의 : a ~ magazine 포르노 잡지.

—— *v.* (**-nn-**) *vt.* **1** (짐승·과일 따위의) 가죽[껍질]을 벗기다(flay) : ~ a rabbit 토끼의 가죽을 벗기다 / ~ a flint ☞ FLINT 숙어. **2** (피부가) 까지다, …에 찰상(擦傷)을 입히다 ; 피막(같은 것)으로 덮다 : ~ one's knee 무릎이 까지다. **3** 《口》 [+目/+目+*of*+名] …에게서 강탈하다, 사취하다(swindle) : The highwayman ~*ned* the traveler ***of*** all his money. 노상강도는 나그네 돈을 모조리 강탈했다. **4** 《美俗》 =SKIN-POP.

—— *vi.* **1** [+副] 가죽[껍질]으로 덮이다 : My wound has ~*ned* ***over***. 상처에 새살이 났다. **2** 《美俗》 빠져 나가다, 슬그머니 나가다 ; 가까스로 통과하다[합격하다]. **3** 《美俗》 =SKIN-POP.

keep one***'s eyes skinned*** 《口》 눈을 부릅뜨고 지켜보다, 방심하지 않다.

skin. . .alive (1) …의 생가죽을 벗기다. (2) 《美俗》 괴롭히다 ; 야단치다 ; …에 크게 이기다.

〚OE *scin*(*n*) < ON *skinn* ; cf. OHG *scinden* to flay〛

類義語 ***skin*** 사람·동물의 겉가죽 ; 과일이나 야채의 얇고 질긴 껍질에도 쓰임. ***hide*** 말·소·코끼리 따위와 같은 커다란 동물의 거친 가죽. ***pelt*** 담비·여우·양 따위의 짧은 털이 난 동물의 아직 무두질하지 않은 가죽. ***rind*** 수박 같은 과실이나 치즈·베이컨 따위의 단단하고 두꺼운 껍질. ***peel*** 과일의 벗긴 껍질. ***bark*** 수목의 견

고(堅固)한 외피.
skín-bòund *a.* 피부가 빳빳하게 굳은 ; 〔醫〕 경피증(硬皮症)에 걸린, 피부가 경화한, 경피의.
skín càncer *n.* 피부암.
skín-déep *a.* 가죽[껍질]뿐인 ; 《비유》 깊이 없는, 피상적인 : Beauty is but ~. 《속담》 미모는 가죽한 꺼풀일 뿐이다.
— *adv.* 피상적으로, 표면적으로.
skín disèase *n.* 피부병.
skín dìving *n.* 스킨 다이빙《스쿠버(scuba)나 「오리발」(flippers)을 달고 하는 잠수법》.
skín-dìve *vi.* 스킨 다이빙하다. **skín dìver** *n.* 스킨 다이빙을 하는 사람.
skín effèct *n.* 〔電〕 표피 효과.
skín flìck *n.* 《俗》 포르노 영화.
skín·flìnt *n.* 지독한 구두쇠(cf. *skin a* FLINT).
skín fòod *n.* 스킨 크림《피부의 영양 크림 따위》.
skín frìction *n.* 〔理〕 (액체와 고체간의) 표면 마찰(摩擦).
skín·fùl *n.* 육체 ; 가죽 부대 하나 가득한 양 ; 다량 ; 《口》 (음식 · 술 따위를) 배불리 잔뜩 먹은[마신] 양 : have a ~ 과음하다.
skín gàme *n.* 《口》 협잡(도박), 사기, 야바위.
skín gràft *n.* 〔外科〕 피부 이식용의 피부 조각.
skín gràfting *n.* 〔外科〕 피부 이식(술), 식피술(植皮術).
skín·hèad *n.* 《俗》 해군 신병 ; 대머리《사람》 ; 《英》 스킨 헤드(족(族))《장발족에 대하여 1970년 대초 머리를 빡빡 깎은 젊은이 ; 집단으로 폭력을 휘두름》.
skín hòuse *n.* 《美俗》 스트립 극장, 포르노 영화관(映畫館).
skink[1] [skíŋk] *n.* 〔動〕 도마뱀《도마뱀과(科)의 파충류의 총칭》. 〖F *scinc* or L<Gk.〗
skink[2] *vt.* 《方》 (마실 것을) 따르다.
〖MDu. *schenken* ; cf. OE *scencan* to pour out〗
skín·less *a.* 가죽이 벗겨진, 가죽이 없는 ; (소시지 따위가) 껍질이 없는 ; 민감한, 과민한.
skinned [skínd] *a.* **1** 《美俗》 속은, (도박 · 사업의 실패로) 빈털터리가 된. **2** [복합어를 이루어] 가죽[피부]이 …인 ; 드러낸 ; (경기장이) 잔디가 없는.
skín·ner *n.* **1** 모피 상인 ; 가죽 벗기는 사람. **2** 《口》 사기꾼.
Skinner *n.* 스키너. **B**(**urrhus**) **F**(**rederic**) ~ (1904-) 미국의 행동주의 심리학자.
Skin·ner·ian [skiníəriən] *a., n.* 스키너 이론의 (지지자).
skín·nery *n.* 피혁[모피] 공장[제조소].
skín·ny *a.* 가죽 모양의, 피질(皮質)의 ; 말라빠진 ; 인색한 ; 열등한, 부적절한. — *n.* 《美俗》 (내부의 또는 확실한) 정보, 사실.
skín·ni·ness *n.* 〖SKIN〗
skínny-dìp *vi., n.* 《口》 알몸으로 헤엄치다[헤엄치기]. **-dìp·per** *n.* **-dìp·ping** *n.*
skín-pòp *vt., vi.* 《俗》 (마약을) 피하 주사하다. **-pòp·per** *n.*
skín sèarch *n.* 《俗》 옷을 벗겨 불법 소지품[마약주사 자국]을 조사하기, 피부 수사.
skín-sèarch *vt.*
skint [skínt] *a.* 《英俗》 무일푼의, 빈털터리의.
〖*skinned* (p.p.) ‹ SKIN〗
skín tèst *n.* (알레르기성을 살피는) 피부 검사.
skín·tìght *a.* 몸에 꼭 맞는.
skín vìsion *n.* =EYELESS SIGHT.
skip**[1] [skíp] *v.* (**-pp-**) *vi.* **1** [動/+副/+前+名] (양 새끼 · 염소 새끼 · 어린애 등이) 뛰어다니다, 뛰놀다 : The kids were ~*ping* (about***) ***in*** the park. 아이들이 공원을 뛰어다니고 있었다 / I ~*ped about* the room in an ecstasy. 정신없이 방안에서 뛰놀았다 / He ~*ped* ***over*** the fence. 그는 울타리를 뛰어넘었다. **2** (아이들이) 줄넘기를 하다. **3** [動/+副/+前+名] 《口》 당황하여 떠나다, 도망치다 ; 서둘러 여행하다, 급히 가다 ; 갑자기 옮기다, 급전(急轉)하다 : I'm going to ~ ***over***[***across***] ***to*** America for a week. 훌쩍 한 주일 미국에 다녀오겠다 / The speaker ~*ped* ***from*** one subject *to* another. 연사는 연달아 주제를 바꾸었다. **4** [動/+前+名] (책을) 대충 읽다, 띄엄띄엄 읽다 : read without ~*ping* 꼼꼼히 읽다 / ~ ***over*** certain items 어떤 항목을 건너뛰어 읽다 / You may ~ ***through*** a book, reading only those passages here and there which concern you. 너에게 관계있는 부분만을 여기저기 읽으면서 책을 띄엄띄엄 봐도 된다. **5** 《美》 〔教〕 월반(越班)하여 진급(進級)하다. — *vt.* **1** …을 뛰어넘다 ; 줄넘기를 하다 : The children are ~*ping* rope. 아이들이 줄넘기를 하고 있다. **2** [+目/+目+前+名] 물수제비뜨다 : ~ stones ***on*** the lake 호수에서 물수제비뜨다. **3** 건너뛰다, 빠뜨리다, 생략하다 ; (수업 따위를) 빼먹다 ; 못보고 넘기다 : ~ the difficult parts of a book 책의 어려운 대목을 건너뛰어 읽다. **4** 《口》 (장소)에서 허둥지둥 떠나다, …에서 도망치다 : ~ the country 국외로 도망치다. — *n.* **1** 가볍게 뛰어넘기, 도약(跳躍) : hop, ~, and jump ☞ HOP[1] *n.* 숙어. **2** 건너뛰기, 거르기, 생략 ; 건너뛰어 읽은 부분 ; 《英》 〔樂〕 도약 진행 ; 〔컴퓨〕 넘김.
skíp·pa·ble *a.*
〖ME< ? Scand. ; cf. ON *skopa* to take a run〗
類義語 ***skip*** 번갈아 한 발로 가볍게 재빨리 뛰다 ; 무생물인 경우에는 표면에서 가볍게 되튀다. ***bound*** skip보다 크고 힘차게 뛰다, 또는 탄력성이 있는 물체가 튀다. ***hop*** 짧은 한 번의[1회씩 계속되는] 도약을 말함.
skip[2] *n.* 《英》 (Dublin 대학의) 사환(cf. GYP[1], SCOUT[1]). 〖? *skip- kennel* (obs.) lackey ; ⇨ SKIP[1], KENNEL[2]〗
skip[3] *n.* (광산의) 광차(鑛車) ; (광산 · 채석장의) 인원 · 자재 운반용 광주리.
skip[4] *n.* curling[lawn bowling] 팀의 주장 ; 육군대위 ; =SKIPPER[1] ; 《美俗》 (버스 · 택시의) 기사 ; 《美俗》 (분서(分署)의) 서장.
— *vt.* (**-pp-**) (…팀)의 주장을 맡아보다 ; = SKIPPER[1].
〖*skip*per[1]〗
skí pànts *n. pl.* (발목 부분이 꼭 끼는[홀쭉한]) 스키용 바지.
skíp bòmb *vt., vi.* 〔空軍〕 저공 폭격하다.
skíp bòmbing *n.* 저공 비행 (선박) 폭격법.
skíp dìstance *n.* 〔通信〕 (단파 송신이 가능한) 도약(跳躍) 거리.
skíp·jàck *n.* 물 속에서 뛰어오르는 물고기《날치 따위》 ; 〔昆〕 방아벌레 ; 생각이 얕은[잘난 체하는] 젊은이.
skí-plàne *n.* 〔空〕 설상기(雪上機).
skí pòle *n.* 《美》 =SKI STICK.
skíp·per[1] *n.* (작은 상선 · 어선의) 선장 ; (일반적으로) 선장, 기장(機長) ; (운동 팀의) 주장 ; 《美》 매니저 ; 《英俗》 보스.
— *vt.* …의 선장[주장, 코치]을 맡다.
〖MDu. *schipper* ; ⇨ SHIP〗
skipper[2] *n.* 뛰는 사람 ; 튀는 것 ; 건너뛰며 읽는 사람 ; 생각이 없는 젊은이. 〖SKIP[1]〗

skípper's dáughters *n. pl.* 흰 물결을 일으키는 높은 파도.
skíp·ping·ly *adv.* 깡충깡충 뛰면서 ; 빠뜨리고 ; 띄엄띄엄.
skípping ròpe *n.* 줄넘기 줄(jump rope).
skíp tràcer *n.* 《口》 행방불명인 채무 불이행자 수색원, 빚 회수인. **skíp-tràcing** *n.*
skíp zòne *n.* 〖通信〗 도약대(帶), 불감(不感)지대(cf. SKIP DISTANCE).
skirl [skə́:rl, skíərl] *vi., vt.* 백파이프(bagpipe)를[로] 불다 ; (백파이프처럼) 삐이삐이 소리나다[내다], 날카로운[째지는] 소리를 내다(shriek). —— *n.* 백파이프 소리 ; 날카로운[째지는] 소리. 〚? Scand.<imit.〛
skir·mish [skə́:rmiʃ] *n.* 사소한 충돌[접전](cf. PITCHED BATTLE) ; 사소한 논쟁. —— *vi.* [動/+*with*+名] 작은 충돌[접전]을 하다 : The candidate ~*ed* ***with*** his opponents. 그 후보는 자신을 반대하는 사람들과 충돌[논쟁]했다. **~·er** *n.* 사소한 충돌을 하는 사람 ; 〖軍〗 척후병. 〚OF<Gmc. ; cf. G *schirmen* to defend〛
skirr [skə́:r, skíər] *vi., vt.* 급히 가다, 날아[뛰어, 허둥지둥]가다. —— *n.* 삐걱거리는[쌩쌩 도는] 소리. 〚imit.〛
‡**skirt** [skə́:rt] *n.* **1 a**) (옷)자락 ; (특히) 스커트 ; [*pl.*] (옛날식의 불룩한) 치마 : the ~ of a man's coat 남자용 웃옷의 자락《허리에서 밑부분》/ ☞ DIVIDED SKIRT. **b**) (여자의) 속치마. **2** (물건의) 끝, 가, 가장자리 ; [*pl.*] 주변, 교외, 변두리(outskirts)〈*of*〉. **3** (기계·차량 따위의) 철판 덮개. —— *vt.* **1** 두르다, 에워싸다 ; 경계를 접하다 : The garden was ~*ed* by a lofty iron railing. 그 정원은 높은 철책으로 둘러싸여 있었다 / The path ~*s* the wood. 그 길은 숲을 에워싸고 있다. **2** …의 가를 지나다 ; (곤란·논쟁 따위를) 피하다, 회피하다 : We ~*ed* the forest. 우리는 숲을 빙 돌아서 갔다. **3** …에 자락을 달다, 자락으로 덮다 : the machines ~*ed* and fendered 스커트와 펜더가 달린 기계. —— *vi.* [+*along*+名] 접경에 있다 ; 가장자리를 따라가다 : The ship ~*ed* ***along*** the coast. 배는 해안을 따라 항행했다.
~·er *n.* **~·less** *a.* **~·lìke** *a.*
〚ON *skyrta* SHIRT, KIRTLE〛
skírt dànce *n.* 스커트 댄스《19세기에 유행한 긴 옷자락을 우아하게 잡으면서 추는 춤》.
skírt·ed *a.* [보통 복합어를 이루어] …한 스커트의 : a short-[long-]~ 짧은[긴] 스커트.
skírt·ing *n.* **1** U,C 스커트 감. **2** 〖建〗 (벽 아래의) 굽도리널(=《美》 baseboard, =《英》 skirting board).
skírting bòard *n.* 《英》 굽도리널(skirting).
skí rùn *n.* (스키를 타는) 슬로프, 활주로.
skí-scòot·er *n.* 《英》 =SKIDOO.
skí stìck *n.* 스키 스틱(=《美》 ski pole).
skí sùit *n.* 스키복.
skit[1] [skít] *n.* (가벼운) 풍자[농담], 희문(戲文) ; 촌극 : produce a ~ *on* "Hamlet" 햄릿의 촌극을 연출하다. 〚C16=frivolous female<ME=dirt<? ON (SHOOT)〛
skit[2] *n.* 다수의 것, 떼 ; [*pl.*] 다수.
〚C20<? ; cf. SCAD〛
skite [skáit] *n.* 《濠口》 자만(하는 사람). —— *vi.* 자만하다. 〚(dial.)=to defecate<ON〛
skí tòuring *n.* 크로스컨트리 스키, 투어 스키《눈이 내린 자연 코스를 자유로이 활주함》.
skí tòw *n.* 스키 토《스키 리프트(ski lift)의 일종으로 밧줄에 매달려 미끄러져 올라가는 장치》.
skit·ter [skítər] *vi.* **1** 경쾌하게[날쌔게] 나아가다[달리다, 미끄러지다] ; (새 따위가) 수면을 스치듯이 날다. **2** 견지낚시질하다.
—— *vt.* skitter하게 하다.
〚? (freq.)<*skite* (dial.) to move quickly〛
skít·tery *a.* =SKITTISH.
skit·tish [skítiʃ] *a.* **1** (말 따위가) 잘 놀라는, 겁이 많은 ; (사람이) 내성적인 ; 신중한. **2** (특히 여자가) 말괄량이의 ; 명랑한 ; 바람기 있는 ; 변덕스러운. **~·ly** *adv.* **~·ness** *n.* 〚SKIT[1]〛
skit·tle [skítl] *n.* 스키틀즈용의 핀 ; U [~s, 단수 취급] 스키틀즈《목제의 원반이나 공을 던져서 9개의 핀을 쓰러뜨리는 영국의 놀이 ; cf. NINEPINS, TENPINS》.

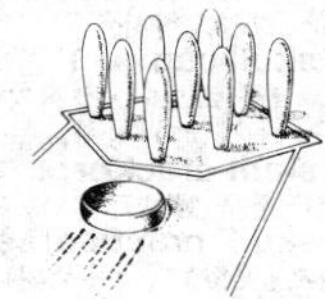
skittles

beer and skittles 유흥, 향락 : Life is not all *beer and ~s.* ☞ BEER.
Skittles! 《英口》 어리석은 소리 하지 마라!, 시시하구나!
—— *vt.* [+目+副] 〖크리켓〗 연달아 아웃시키다 : ~ ***out*** batsmen 타자를 연달아 아웃시키다.
〚C17<? ; cf. Dan. *skyttel* shuttle〛
skíttle àlley[gròund] *n.* 《英》 스키틀즈 구장.
skíttle bàll *n.* 《英》 스키틀즈용의 목제 원반[공].
skive[1] [skáiv] *vt.* (가죽 따위를) 깎다, 쨌다 ; (보석을) 갈다.
〚ON *skifa* ; cf. ME *schīve* to slice〛
skive[2] *vt., vi.* 《英俗》 일을 게을리하다, (의무를) 저버리다.
skive off 몰래 떠나다.
—— *n.* 책임 회피, 태만 ; 게으름피울 기회 ; 쉬운 일. 〚C20<?〛
skiv·vy[1]**, skiv·vie, skiv·ey** [skívi] *n.* 《美俗》 **1** (남자용) 팬츠 ; [*pl.*] (팬츠와 T셔츠로 된) 내의, 속셔츠(=~ **shirt**). **2** [*pl.*] 비치 샌들.
〚C20<?〛
skiv·vy[2] [skívi] *n.* 《英口·蔑》 하녀, 식모.
——*vi.* 하녀로 일하다. 〚C20<?〛
skivy [skáivi] *a.* 《英俗》 정직하지 못한, 교활한.
skí·wèar *n.* U 스키복, 스키웨어.
sklonk [sklɔ́(:)ŋk, sklɑ́ŋk] *n.* 《美學俗》 따분한[촌스런] 남자.
skoal [skóul] *int., n.* (축배를 들어) 건강을 빕니다 ; 축배. ——*vi.* 축배를 들다.
〚Dan. *skaal* bowl〛
skol·ly, -lie [skáli] *n.* 《南아》 (백인 이외의) 갱, 악당, 무뢰한.
skoo·kum [skú:kəm] *a.* 《美北西部·Can.》 큰, 힘센, 강력한 ; 일류의, 멋진. 〚Chinook〛
Skt., Skr., Skrt. Sanskrit.
skua [skjú:ə] *n.* 〖鳥〗 도둑갈매기. 〚ON *skúfr*〛
skul·dug·gery, 《美》 **skull-, scul(l)-** [skʌldʌ́gəri, ⌐-⌐--] *n.* U,C 《美口》 야바위, 음모, 부정. 〚C18 *sculduddery*<Sc.=unchastity<?〛
skulk, sculk [skʌ́lk] *vi.* **1** [動/+副/+前+名] 살금살금 걷다 ; 소곤소곤하다 ; 살금살금 숨다 : ~ ***up*** and ***down*** 요리조리 살금살금 걸어가다 / ~ ***behind*** the door 문 뒤쪽에 숨다. **2** 《英》 일[의무]을 게을리하다, 책임을 회피하다. —— *n.* 소곤소곤하는 사람[하기].
~·er *n.* 몰래 도망쳐 숨는 사람 ; (일·위험을 기피하는) 태만한 사람. 〚Scand. ; cf. Norw. *skulka*

to lurk, Dan. *skulke* to shirk〛
類義語 ⟹ LURK.

***skull** [skʌ́l] *n.* 머리, 두뇌 ; 두개골, 해골 : have a thick ~ 머리가 둔하다. —— *vt.* 《俗》 …의 머리를 세게 치다.
〚ME *scolle*< ? Scand. ; cf. Swed. *skulle* skull〛

skúll and cróssbones *n.* (*pl.* **skúlls and cróssbones**) 해골 밑에 대퇴골(大腿骨)을 ×자로 놓은 그림《죽음의 상징 ; 해적기(旗) ; 독약병의 표시》.

skúll-bùst·er *n.* 《美學俗》 어려운 과목[수업], 난문(難問) ; 《俗》 폭력을 휘두르는 놈 ; 《美黑人俗》 경찰, 형사.

skúll·càp *n.* **1** 사발을 엎은 모양의 챙없는 모자《주로 노인·성직자용》. **2** 〖解〗 두개골의 상부, 두정부.

skullcap 1

skúll cràcker *n.* 건물 철거용 철구(鐵球).

skúll pràctice[**sèssion**] *n.* 《美俗》 (운동부의) 기술 연수회, 작전 회의 ; 상담회, 의견[정보] 교환회.

skunk [skʌ́ŋk] *n.* (*pl.* **~s, ~**) **1** 〖動〗 스컹크 ; 스컹크 비슷한 동물 ; Ⓤ 스컹크의 모피. **2** 《口》 밉살맞은 놈. **3** 《美俗》 영패시킴.
—— *vt.* 《美俗》 영패[완패]시키다 : be[get] ~*ed* 영패하다, 완패하다.
〚Algonquian〛

skúnk càbbage *n.* 〖植〗 앉은부채.

skurf·ing [skə́:rfiŋ] *n.* ＝SKATEBOARDING.
〚*sk*at*ing*+*surfing*〛

skut·te·rud·ite [skʌ́tərʌ̀dait] *n.* 〖鑛〗 방(方)코발트광《코발트·니켈의 원광》.
〚*Skutterud* 노르웨이 남부의 도시로 발견지〛

◇**sky** [skái] *n.* **1 a)** [the ~] 하늘, 창공 : There were no clouds in *the* ~. 하늘에는 구름 한점 없었다 / *The* ~ is the limit. ☞ LIMIT 1. ㊟ 《文語·詩》에서는 종종 the skies로 해서 쓰임 : the stars in *the skies* 온 하늘의 별. **b)** (어떤 상태의) 하늘 ; 하늘 모양, 날씨 : a clear, blue ~ 맑고 푸른 하늘 / a starry ~ 별이 빛나는 하늘 / a stormy ~ 한바탕 폭풍이 휘몰아칠 듯한 하늘. ㊟ 《文語·詩》에서는 종종 복수형으로 쓰임 : leaden *skies* 잿빛 하늘. **2** [때때로 *pl.*] 기후, 풍토(climate) : a foreign ~ 타향(의 하늘) / under the sunny *skies* of southern France 남프랑스의 화창한 하늘 밑에서. **3** [the ~, the skies] 천국(heaven) : be raised to *the skies* 승천하다, 죽다 / He is in *the* ~ [*skies*]. 그는 천국에 있다[저승으로 갔다]. **4** 《美俗》 (제복을 입은) 경찰관, 교도관.
drop from the skies 갑자기 나타나다.
out of a clear (***blue***) ***sky*** 느닷없이, 불현듯.
praise[***extol, laud***] a person ***to the skies***[***sky***] 남을 추켜 세우다.
under the open sky 야외에서, 옥외에서.
—— *vt.* (**skied** [skáid]) **1** 〖크리켓〗 (공을) 높이 쳐올리다. **2** (그림 따위를) 맨 꼭대기[천장 가까이]에 진열하다.
〚ME *ski*(*es*) cloud(s) <ON *ský* ; cf. OE *scēo* cloud ; OE 기(期)에는 HEAVEN을 썼음〛

ský blúe *n.* 하늘색(azure). **ský-blúe** *a.* 하늘색의, 하늘빛의.

ský·bòrne *a.* ＝AIRBORNE.

ský·càp *n.* 공항[항공회사 터미널]의 수화물 운반인[포터].

ský-clàd *a.* 나체[알몸]의, 벌거벗은《마녀》.

ský·còach *n.* 여객기의 가장 낮은 등급.

ský·dìve *vi.* 스카이다이빙하다.
-dìver *n.* 스카이다이버.

ský·dìving *n.* Ⓤ 스카이다이빙《낙하산에 의한 곡예(曲藝) 낙하 경기》.

Skye [skái] *n.* **1** 스카이《스코틀랜드 북서부에 있는 섬》. **2** ＝SKYE TERRIER.

ský·er *n.* 〖크리켓〗 높이 쳐올리기.

Skýe térrier *n.* 스카이 테리어《털이 길고 다리가 짧은 테리어 개》.

sky·ey, ski- [skáii] *a.* **1** 하늘색의. **2** 하늘의, 하늘같은. **3** 몹시 높은.

ský flàt *n.* 고층 아파트.

ský-hígh *a., adv.* 하늘처럼 높은[높게] ; 엄청히 ; 산산조각으로.
blow sky-high 논파(論破)하다 ; 완전히 파괴시켜 버리다.

ský·hòok *n.* 《口》 ＝SKYHOOK BALLOON ; 스카이훅《항공기에서 투하하는 물자의 강하 속도를 줄이는 도르래 모양의 장치》.

skýhook ballòon *n.* 과학 관측용 고고도(高高度) 기구.

ský·ish *a.* ＝SKYEY.

ský·jàck *vt., vi.* (비행기를) 공중 납치하다.
~·er *n.* 비행기 공중 납치범.
~·ing *n.* 비행기 공중 납치.

Ský·làb *n.* 스카이래브《미국의 유인 우주 실험 스테이션(1973-79)》. 〚*sky*+*lab*oratory〛

ský·làrk *n.* **1** 〖鳥〗 종달새(lark). **2** 《口》 법석댐, 대소란 ; 악의 없는 장난. —— *vi.* 《口》 뛰놀다, 법석대다, 수선피우다(lark) ; 장난으로 배의 삭구를 올렸다 내렸다 하다. —— *vt.* …에게 장난치다.

ský·less *a.* 하늘이 안 보이는 ; 흐린.

ský·lìght *n.* **1** 천공광(天空光), 스카이라이트《하늘의 산광(散光)·반사광》 ; 야광. **2** 천창(天窓), (지붕·천장의) 채광창.

ský·lìne *n.* **1** 지평선. **2** (산맥·고층 건물 따위의) 하늘을 배경으로 하는 윤곽(선) (outline), 스카이라인 : on the ~ 스카이라인 위로.

ský·lòunge *n.* 스카이라운지《시내와 공항을 연결하는 탈 것 ; 터미널에서 승객을 태우고 헬리콥터로 공항까지 운반함》.

ský·man [-mən] *n.* 《口》 비행가 ; 《俗》 낙하산 부대원.

ský màrker *n.* 〖軍〗 낙하산이 달린 조명탄.

ský màrshal *n.* (비행기 납치 방지를 임무로 하는 미국 연방정부의 사복(私服)) 항공 경찰관.

ský pìlot *n.* **1** 《俗》 (특히 군대의) 목사(clergyman). **2** 《美俗》 비행가(aviator).

ský·ròcket *n.* 유성(流星) 꽃불, 봉화. —— *vi., vt.* 갑자기 상승[출세]하다[시키다] ; 《口》 갑자기 증대하다, (물가가) 급등하다.

ský·sàil [, -səl] *n.* 〖海〗 제3 마스트의 윗돛《royal sail 바로 위의 가로돛》.

ský·scàpe *n.* 하늘 경치(의 그림).

***ský·scràper** *n.* **1** (하늘을 찌를 듯한) 초고층 빌딩, 고층 건축, 마천루. **2** 〖海〗 삼각형의 제3 마스트의 윗돛(skysail).

ský sìgn *n.* (전광) 옥상[공중] 광고.

ský sùrfer *n.* ＝HANG GLIDER.

Ský·swèep·er *n.* 스카이스위퍼《레이더·컴퓨터를 갖춘 자동 대공포(對空砲) ; 상표명》.

sky·tel [skaitél] *n.* 전세기·자가용 비행기를 위한 작은 호텔.

ský tràin *n.* 공중 열차(air train)《하나 이상의 글

라이더와 그것을 예항하고 있는 비행기》.
ský·tròops *n. pl.* =PARATROOPS.
ský trùck *n.* 《口》 화물 수송기.
ský·wàlk *n.* (공중에 가설한) 두 빌딩 사이의 연락 통로.
ský·ward *adv., a.* 하늘로(의), 하늘 쪽으로(의), 위쪽으로(의).
ský·wards *adv.* =SKYWARD.
ský wàve *n.* 〖通信〗 공간파(空間波).
ský·wày *n.* 항공로(airway) ; 《美》 (도시내의) 고가(高架) 중심도로.
ský·wrìte *vi.* skywriting하다. ── *vt.* 공중에 글씨 또는 무늬를 그리다, 공중 광고로 알리다.
ský·wrìter *n.* skywriting하는 사람[비행기].
ský·wrìting *n.* Ⓤ (비행기가 하늘에서 그리는) 공중 글씨[무늬·광고].
S.L. salvage loss ; sea level ; serjeant-at-law ; solicitor at law ; south latitude. **sl.** slightly ; slow. **s.l.** 〖書誌〗 *sine loco* 《L》 (=without place) (장소 기재 없음).
slab[1] [slǽ(:)b] *n.* **1** (재목의) 죽데기널판, 평판. **2** (돌·나무·금속 따위의 네모진 폭이 넓은) 두꺼운 판 ; 석판(石板) : a ~ of concrete 콘크리트판(板) / a marble ~ 대리석판. **3** (빵·과자 따위의) 넓고 두툼한 조각 : a ~ of bread 두툼한 빵 조각. **4** 《美俗》 (야구의) 투수판, 홈 플레이트. **5** 《英俗》 수술대, 시체 안치대 ; 〖印〗 잉크 개는 판 ; 《美俗》 도회지, 도시 ; 《美俗》 묘비. ── *vt.* (**-bb-**) (목재를) 평판으로 켜다[만들다] ; 두꺼운 널빤지로 만들다 ; 두꺼운 판으로 덮다[떠받치다].
〖ME< ?〗
slab[2] *a.* **1** 《古》 끈적거리는, 점착성의. **2** 나약하고 감상적인, 과장 표현이 많은.
〖? Scand. ; cf. Dan. *slab* (obs.) slippery〗
slab·ber [slǽbər] *v., n.* =SLOBBER.
sláb-sìded *a.* 《美俗》 측면이 평평한 ; 가늘고 긴.
sláb·stòne *n.* 판석(板石).
***slack**[1] [slǽk] *a.* **1** 느슨한(loose) (↔*tight*), (고삐 따위가) 죄어 있지 않은. **2** 원기없는, 나른한 : I feel ~ this morning. 오늘 아침은 몸이 나른하다. **3** 되는 대로의, 부주의한, 태만한(careless) ; 해이해진, 자주성이 없는 ; 느린 : He is ~ *in* his duties. 그는 근무에 태만하다 / She sometimes gets ~ *at* her work. 그녀는 때때로 일을 건성으로 한다. **4** 완만한, 괸 ; (날씨 따위가) 우중충한 : ☞ SLACK WATER. **5** 활발치 못한, (시장 따위가) 불경기인, 한산한 : ~ time (승용차·식당 따위가) 붐비지 않는 시간. **6** (빵 따위가) 설구워진[완전히 마르지 않은]. **7** 소화(消和)한 : ~ lime 소석회. **8** 〖音聲〗 이완음(弛緩音)의, 개구음의(open, wide) (cf. TENSE[1]) : ~ vowels 이완 모음.
keep a slack hand [***rein***] 고삐를 늦추어 놓다, 관대히 다루다.
── *adv.* **1** 느리게 ; 느슨하게 ; 미적지근하게 ; 겉날림으로, 갱충맞게, 태만하게. **2** 부진하게, 활발치 못하게 ; 불충분하게.
── *n.* **1** 느슨함, 느즈러짐. **2** [the ~] (밧줄·띠·돛 따위가) 느즈러진 부분 : pull[take] in *the* ~ of a rope 느슨한 밧줄을 죄다. **3** (장사 따위의) 불경기. **4 a)** 게조(憩潮)(때), 괸. **b)** 바람이 잠, 물결이 잔잔해짐. **5** 한가로이 쉼, 잠깐 쉼, 숨을 돌림 : have a good ~ 푹 쉬다. **6** [*pl.*] 슬랙스《남녀의 스포티한 바지》.
── *vt.* **1** [+目/+目+副] (의무를) 게을리하다, 꾀부리다 ; (밧줄 따위를) 늦추다, 약하게 하다, 줄이다, 완화하다〈*away, off*〉 : ~ one's vigilance 경계를 태만히 하다 / ~ ***off*** [*away*] a rope 밧줄을 늦추다 / ~ ***up*** one's effort 노력을 게을리하다. **2** 〖化〗 (석회를) 소화(消和)하다(slake).
── *vi.* **1** 느슨해지다. **2** 《口》 [動/+副] 태만하다 ; 겉날림으로 하다, 되는 대로 하다 : Rob suddenly ~*ed* ***off*** when he entered the sixth form. 로브는 6학년이 되었을 때 갑자기 태만해졌다. **3** [動/+副] 느려지다, 약해지다, 활발치 못하게 되다 ; (석회가) 소화되다 : The wind ~*ed.* 바람이 약해졌다 / Our enthusiasm ~*ed* ***off.*** 우리들의 열정이 식어버렸다.
slack up (정지하기 전에) 속력이 느려지다, 속력을 늦추다.
~·ly *adv.* **~·ness** *n.*
〖OE *slæc* ; cf. Du. *slak*〗
slack[2] *n.* Ⓤ 분탄. 〖ME< ? MDu.〗
sláck-báked *a.* 설구워진 ; 미숙한 ; 불완전하게 만든.
sláck·en *vt.* **1** 늦추다 ; 완화하다 : ~ a rope 밧줄을 늦추다. **2** (힘·속도 따위를) 줄이다, 약하게 하다 ; 활발치 못하게 하다 : ~ speed at a crossroads 교차로에서 속도를 늦추다 / Don't ~ your grip. 느슨하게 잡지 마라. **3** (일을) 게을리하다, 소홀히 하다 : ~ one's work 일을 게을리하다. ── *vi.* [動/+副/+前+名] (밧줄 따위가) 느즈러지다 ; (속도가) 느려지다 ; (장사 따위가) 활기가 없어지다 ; (질풍·전투가) 약해지다 : *S*~ *away*[*off*]! 밧줄을 늦추어라 / Don't ~ ***in*** your efforts. 노력을 늦춰서는 안된다.
sláck·er *n.* 게으름뱅이, 일을 되는 대로 하는 사람 ; 책임 회피자 ; 병역 기피자.
sláck sùit *n.* 슬랙스와 재킷으로[스포츠 셔츠로] 된 한 벌《남성용은 평상복 ; 여성용은 pants suit라고도 함》.
sláck wáter *n.* 〖海〗 정지하고 있는 조수, 게조(憩潮)(때) ; (강물 따위의) 굄.
slag [slǽ(:)g] *n.* Ⓤ (광석의) 용재(鎔滓), 광재(鑛滓), 슬래그 ; 화산암(火山岩) 찌끼 ; 《英俗·蔑》 칠칠치 못한[음란한] 여자, 창녀. ── *vt., vi.* (**-gg-**) 슬래그로 하다[가 되다].
slág·gy *a.* 슬래그(모양)의.
〖MLG〈? *slagen* to strike, SLAY〗
slág cemènt *n.* 슬래그[고로(高爐)] 시멘트.
slág·hèap *n.* 《주로 英》 광재 더미.
on the slagheap 이젠 아무 쓸모 없게 되어서.
slág wóol *n.* 광재면(鑛滓綿) (mineral wool).
slain *v.* SLAY의 과거분사.
slake [sléik] *vt.* **1** (고갈·굶주림·욕망 따위를) 채우다, 풀다, 만족시키다, (분노 따위를) 누그러뜨리다 ; 식히다 ; (불을) 끄다 : ~ one's anger 분노를 누그러뜨리다. **2** (석회를) 소화(消和)하다 : ~*d* lime 소석회(消石灰) (↔*quicklime*).
── *vi.* (석회가) 소화되다 ; (불이) 꺼지다 ; 《古》 느즈러지다, 활발치 못하게 되다.
〖OE *slacian* ; ⇨ SLACK[1]〗
sla·lom [slɑ́:ləm, 英+sléi-] *n.* 〖스키〗 슬랄롬《(1) 스키 회전 활강(滑降). (2) 지그재그 코스를 달리는 자동차 경주. (3) 격류에서 행하는 카누 경기》.
── *vi.* 슬랄롬으로 활강하다[달리다, 노젓다].
〖Norw.=sloping track〗
slam**[1] [slǽ(:)m] *v.* (**-mm-**) *vt.* **1** [+目/+目+副/+目+過分/+目+前+名] (문을) 쾅[탕] 닫다 : I ~*med* the window ***down[shut]. 나는 창문을 탁 내렸다[쾅 닫았다] / He ~*med* the door ***to***[***in*** my face]. 그는 쾅하고[내 면전에서] 문을 닫았다. **2** [+目/+目+副/+目+前+名] (물건

을) 털썩 내려 놓다, 내던지다 : He ~*med* his books (***down***) ***on*** the desk. 책상 위에 책을 탁 내려 놓았다 / He ~*med* the box ***into*** the drawer. 상자를 서랍 속에 탁 처넣었다. **3** [+目/+目+前+名] 세게 치다[때리다, 밟다] ; 《口》 …에 전승[낙승]하다. **4** 《美口》 혹평하다, 깎아내리다. ── *vi.* [動/+副] (문이) 쾅 닫히다 ; 시끄럽게 움직이다[일하다] : The door ~*med* (***to***) in the wind. 바람에 문이 쾅하고 닫혀졌다.
── *n.* **1** 난폭하게 닫기[치기, 부딪치기] ; [감탄사적으로] 쾅, 탁, 탕 ; 《美俗》 경례 : with a ~ 탕[쾅]하고 ; 거칠게. **2** 《美口》 혹평 ; 《野俗》 히트 ; 《美俗》 위스키 따위 한잔.
── *adv.* 쾅하고, 탁하고, 탕하고.
〖C17< ? Scand. ; cf. ON *slam*(*b*)*ra*〗

slam² *vt.* (**-mm-**) 〖카드놀이〗 …에게 전승(全勝)하다. ── *n.* 전승 ; ruff 비슷한 옛날 게임.
〖C17< ?〗

slam³ *n.* [보통 the ~] 《美俗》 교도소.

slám-báng *a.* 《口》 통탕거리는 ; 덜렁대는, 앞뒤 생각없는 ; 철저한. ── *adv.* 통탕거리며, 거칠게 ; 《美》 무모하게 (recklessly) ; 철저하게, 마구.
── *vt.* 공격하다.

slám dùnk *n.* 〖籠〗 =DUNK SHOT.

slám·mer *n.* [보통 the ~] 《美俗》 감방 ; 문, 출입구. 〖SLAM¹〗

s.l.a.n., SLAN *sine loco, anno,* (*vel*) *nomine* 《L》 (=without place, year, or name).

slan·der [slǽ(:)ndər ; slɑ́:n-] *n.* U,C 중상, 비방, 험담 ; 〖法〗 구두 비훼《명예 훼손의 일종 ; cf. LIBEL》 ; 허위 선전. ── *vt.* 중상하다, …의 명예를 훼손하다 ; 허위선전을 하다. ── *vi.* 중상하다, 비난하다. **~·er** *n.* 중상자.
〖OF *esclandre* ; ⇨ SCANDAL〗

slánder·ous *a.* 중상적인, 헐뜯는, 입이 건 : a ~ tongue 독설. **~·ly** *adv.* **~·ness** *n.*

***slang¹** [slæŋ] *n.* **1** U 속어, 슬랭《아주 스스럼없는 장면에서는 쓰이지만 정통어법으로 인정되지 않는 말·구·뜻》 ; 비어, 꺼리는[피하는] 말 : "Pot" is ~ for "marijuana." pot은 marijuana의 속어다. **2** U (특정 사회의) 통용어, 용어 ; (도둑 등의) 은어, 암호, 암호말 : college[students'] ~ 학생 속어 / doctors' ~ 의사 용어. **3** [형용사적으로] 속어의 : a ~ word 속어 / ~ expressions 속어적 표현.
── *vi.* 속어를 쓰다. ── *vt.* (남을) 험담하다, 욕하다 (abuse). 〖C18< ?〗

slang² *v.* 《古·方》 SLING의 과거형.

slan·guage [slǽŋgwidʒ] *n.* 《美》 속어적인 말씨[문장]. 〖*slang*+lang*uage*〗

slángy *a.* 속어 비슷한, 속어의 ; 속어를 쓰는.

slank *v.* 《古》 SLINK¹의 과거형.

slant** [slǽ(:)nt ; slɑ́:nt] *n.* **1 a**) 경사, 비탈, 사면(斜面). **b**) 〖印〗 사선(diagonal). **2** (마음의) 경향, 편견(偏見). **3** (특수한·개인적인) 관점, 견해(angle) 〈*on*〉. **4** 《口》 곁눈(질), 힐끗 봄(glance) ; 〖美蹴〗 공을 가진 선수가 스크리미지 라인으로 비스듬히 달리는 플레이 : take a ~ ***at a person 남을 힐끗 보다. **5** 《方》 빈정댐. **6** 《美俗·蔑》 아시아[동양]인.
on the [***a***] ***slant*** 경사져서, 비스듬히 (aslant).
── *vt.* **1** 비스듬하게 하다, 경사지게 하다, 기대게 하다 : ~ a line 선을 비스듬히 긋다. **2** [+目/+目+*for*+名] (기사 따위를) 특정한 독자에게 맞도록 하다, 왜곡하다 : a magazine ~*ed* ***for*** farm readers 농촌의 독자를 위해 편집한 잡지.
── *vi.* [動/+前+名] 비스듬해지다, 경사지다, 비탈지다, 기울다 ; 경향이 있다 ; 비스듬히 가다 ; 구부러지다 : Most handwriting ~*s* ***to*** the right. 대개의 필적은 오른쪽으로 기울어진다.
── *a.* 비스듬한, 경사진(slanting) : a ~ line 사선. **~·ly** *adv.*
〖(n.) < (v.) Scand. (Swed. *slinta* to slide) ; (a.) ME *aslonte, o-slante*=ASLANT (adv.)〗

slánt-èyed *a.* 눈꼬리가 치켜 올라간 ; 《蔑》 극동 출신인 (cf. ALMOND-EYED).

slan·tin·dic·u·lar, -ten- [slæ(:)ntəndíkjələr ; slɑ:n-] *a.* 《戱》 약간 경사진.

slánt·ing *a.* 경사진, 기울어진, 비스듬한 : the ~ rays (of the sun) 석양 빛, 사양(斜陽).

slánt·wìse, -wàys *adv., a.* 비스듬히[한], 기울게, 기운.

***slap** [slæp] *n.* 찰싹 때림, 손바닥[납작한 것]으로 한대 침, 따귀를 때림 ; (기계 따위의) 삐걱거림[거리는 소리] ; 모욕, 비난, 거절.
a slap in [***across***] ***the face*** [***eye***] 얼굴[눈]을 한대 침 ; 《비유》 퇴짜 놓음, 거절, 모욕, 비난.
a slap on the wrist 《美口》 잔소리, 가벼운[미온적인] 질책.
── *vt.* (**-pp-**) **1** [+目/+目+前+名] 찰싹 때리다 : ~ a person's face= ~ a person ***in*** [***on***] the face 따귀를 찰싹 때리다 / He ~*ped* me *on* the back. (다정한 인사의 표시로) 그는 나의 등을 탁 쳤다. **2** [+目+副/+目+前+名] (물건을) 털썩[탁] 놓다 ; 세게 내던지다 ; 모욕[비난]하다 ; 《口》 (소환장·금지령 따위를) 강요하다, 집행하다, 태연히 요구하다, (벌금 따위를) 징수하다 ; 《口》 (페인트·버터 따위를 …에) 듬뿍[아무렇게나] 처 바르다 : He ~*ped* the album ***down on*** the desk. 앨범을 책상 위에 탁 놓았다 / He ~*ped* a hat *on.* 모자를 척 썼다.
slap down 풀썩 내던지다 ; 《口》 (사람·반대·동의 따위를) 강압하다, 딱 잘라 거절하다, 몹시 꾸짖다.
── *adv.* 탁, 찰싹 ; 날쌔게 ; 느닷없이, 불쑥 ; 정통으로, 정면으로, 정확히 : run ~ into …와 정면 충돌하다 / pay ~ down 청산하다.
〖LG (imit.)〗
類義語 ⟹ STRIKE.

sláp-báng *adv.* 쿵쾅거리고, 시끄럽게, 어수선하게, 마구 ; 느닷없이 ; 갑자기 ; 《口》 정면으로 : ~ in the middle 한복판에. ── *a.* =SLAPDASH.

sláp·dásh *adv., a.* 덮어놓고, 무모하게[한], 무턱대고 ; 과격하게[한]. ── *n.* U 앞뒤를 생각지 않는 분별 없는 행동, (뒷처리를 하지 않고) 내팽개침. ── *vt.* =ROUGHCAST.

sláp·hàppy *a.* 《口》 (권투 선수가) 얻어맞고 비틀거리는(groggy) ; 판단력을 잃은 ; 분별없는 ; 미친 듯한, 어이없는, 경박한 ; 낙천적인, 무심한, 되는 대로의.

sláp·jàck *n.* 《美》 =GRIDDLE CAKE.

sláp·ping *a.* 《俗》 **1** 굉장히 빠른. **2** (사람·말이) 덩치 큰. **3** 멋진, 훌륭한.

sláp shòt *n.* 〖아이스하키〗 슬랩 숏《스틱을 짧게 휘둘러 퍽을 강하게 침》.

sláp·stìck *n.* (익살극·팬터마임용의) 끝이 갈라진 막대 ; 공연히 부산을 떨며 웃기려드는 희극.
── *a.* 공연히 부산떨며 웃기려드는, 야단법석떠는 : a ~ comedy[motion picture] 수선을 떨며 웃기려드는 저속한 희극[영화].

sláp-ùp *a.* 《英口》 (특히 식사가) 일류의, 멋진, 고급의, 월등한.

slash [slæ(:)ʃ] *vt.* **1** [+目/+目+前+名] 깊이 베다, 내리쳐 자르다 : ~ a canvas 캔버스를 베어

버리다 / Don't ~ the bark ***off*** the tree with your knife. 칼로 나무 껍질을 벗기지 말아라. **2** [보통 *p.p.*로] 안감[속옷]이 보이도록 갸름하게 터놓다 : a ~*ed* sleeve 소맷부리를 잘라 터놓은 소매. **3** (사람·동물을) 매질하다 ; (채찍을) 휙 울리다 ; 〖軍〗 녹채(鹿砦)를 만들기 위해 (수목을) 베어 넘기다 : ~ a person with a whip 남을 회초리로 때리다. **4** (값을) 대폭적으로 깎아내리다, (예산 따위를) (대폭) 삭감하다 : ~ prices[taxes, salaries] 값[세금, 봉급]을 깎아내리다, 삭감하다. **5** 혹평하다, 헐뜯다 : ~ the government's policy 정부의 시책을 혹평하다. **6** (서적 내용을) 삭제하다, …을 대폭적으로 개정하다. —— *vi.* [動/+*at*+名] 사정없이 난도질하다[매질하다], 마음대로 베어 쓰러뜨리다 ; 마구 채찍질하다 ; (비 따위가) 세차게 내리다 ; 매진하다〈*through*〉; 혹평하다 : He ~*ed* ***at*** the tree with an ax. 도끼로 나무를 찍어 쓰러뜨렸다.

—— *n.* **1** 일격, 한번의 채찍. **2** 내리침[벰] ; 깊은 상처. **3** (안감[속옷]이 보이도록 한 의복의) 터놓은 자리(slashing) ; 《美》 (잔가지·나뭇조각 따위가 흩어져 있는) 숲속의 빈터 ; 흩어져 있는 잔가지[나뭇조각] ; 〖軍〗 녹채(鹿砦). **4** 절하(切下), 삭감. **5** 사선《and / or 따위에 쓰임》. **6** 《英俗》 방뇨. **~·er** *n.* slash하는 사람[물건] ; 《美學俗》 공부벌레.

〖ME< ? OF 《美》 *escla(s)chier* to break in pieces〗

slásh·ing *a.* 맹렬한, 가차없는 ; 용서 없는 ; 《口》 산뜻한 ; 《口》 훌륭한, 큰, 대단한. —— *n.* 베인 상처 ; 재단 ; =SLASH.

slat[1] [slǽt] *n.* **1** 오리목, 미늘창살, 잘게 켠 널빤지, 얇고 긴 널. **2** 판석(板石) ; (지붕을 이는) 슬레이트 조각 ; 《美俗》 스키 ; [*pl.*] 《俗》 엉덩이 ; [*pl.*] 《俗》 갈비뼈 ; 《美俗》 강마른 여자 ; 〖空〗 슬랫《양력을 높이기 위해 주익 앞가장자리에 단 작은 날개》. —— *a.* 잘게 켠 널빤지로 된. —— *vt.* (**-tt-**) …에 slat을 달다, slat으로 만들다 ; …의 slat을 철하다.

〖OF *esclat* splinter (*esclater* to split)〗

slat[2] *vi., vt.* (**-tt-**) 세게 치다[때리다] ; 기세 좋게 던지다. —— *n.* 세게 치기[때리기] ; 기세 좋게 던지기. 〖? Scand. ; cf. ON *sletta* to slap, throw〗

S. lat., S. Lat. south latitude.

***slate**[1] [sléit] *n.* **1 a)** Ⓤ 점판암(粘板岩) ; (지붕을 이는 점판암의) 슬레이트 ; Ⓒ (한 장의) 슬레이트 ; Ⓒ 석판(石板) (cf. SLATE PENCIL) ; Ⓤ 슬레이트색《암청색을 띤 회색》. **b)** [형용사적으로] 석판질의, 석판의[과 같은] ; 석판색의. **2** 《美》 (지명) 후보자 명부 ; 《美》 (시합 따위의) 예정표.

clean the slate 의무를 면하다[포기하다].

wipe the slate 《美》 과거를 청산하다, 이제까지의 인연을 끊다.

—— *vt.* **1** (지붕을) 슬레이트로 이다 : The roof was ~*d* instead of thatched. 지붕은 이엉대신 슬레이트로 덮여 있었다. **2** [주로 수동태로] **a)** [+目/+目+*for*+名] 후보자 명부에 등록하다, 후보로 내세우다, 선출하다 : He *is* ~*d* ***for*** the office. 그가 그 직위의 후보로 천거되어 있다 / White ~*d for* Presidency 화이트 씨 대통령에 입후보《신문 표제에서》. **b)** [+目/+目+*for*+名/+目+*to* do] 《美》 예정하다(schedule) : The election has *been* ~*d* ***for*** October. 선거는 10월로 예정되어 있다 / The delegation *is* ~*d to* arrive next week. 대표단은 내주에 도착할 예정이다.

〖OF *esclate* (fem.) 〈 *esclat* (⇨ SLAT[1])〗

slate[2] *vt.* 세게 치다[때리다] ; 《英口》 (특히 신문 서평(書評)·극평(劇評)란에서) 혹평하다 ; 엄벌하다. 〖? SLAT[2]〗

sláte blàck *n.* 약간 자주색을 띤 흑색.

sláte clùb *n.* 《英口》 (크리스마스 따위를 위해 회원이 소액씩 적립하는) 공제회(共濟會), 저축 모임, 친목회.

sláte-còlored *a.* 슬레이트색(色)의, 거무스름한 회색의.

sláte pèncil *n.* 석필(石筆).

slat·er[1] [sléitər] *n.* 슬레이트공(工) ; (짐승의 생가죽) 살을 발라내는 도구[기계] ; 〖動〗 쥐며느리 ; 바다에 사는 등각류. 〖SLATE[1]〗

slater[2] *n.* 《英口》 혹평하는 사람. 〖SLATE[2]〗

slat·ing [sléitiŋ] *n.* 슬레이트로 덮기 ; (지붕 재료로서의) 슬레이트 ; 《英口》 심한 비평.

slat·tern [slǽtərn] *n.* 칠칠치 못한 여자 ; 치신머리 사나운 여자, 매춘부. —— *adv.* =SLATTERNLY. 〖C17< ? ; cf. *slattering* slovenly (woman etc.) 〈 *slatter* to spill, slop, waste (freq.) 〈 *slat* to strike< ? Scand. (cf. ON *sletta* to slap)〗

sláttern·ly *a., adv.* 칠칠치 못한[못하게], 치신머리 없는[없게], 행실 나쁜[나쁘게]. **-li·ness** *n.*

slát·ting *n.* **1** [집합적으로] 잘게 켠 널빤지, 미늘창살. **2** 잘게 켠 널빤지의 원목.

slaty [sléiti] *a.* 슬레이트의, 석판 모양의 ; 슬레이트색의.

***slaugh·ter** [slɔ́ːtər] *n.* **1** Ⓤ 도살(屠殺). **2** Ⓤ 학살, 살육 ; 대량 살인 ; 《口》 완패, 괴멸. —— *vt.* 도살[학살]하다(butcher) ; 대량으로 죽이다 ; 《口》 완패시키다 : ~ animals for food 식용으로 동물을 도살하다 / the number of people ~*ed* annually by cars 자동차에 의한 연간 사망자수. **~·er** *n.* 도살자 ; 살육자.

〖ON ; ⇨ SLAY〗

sláughter·hòuse *n.* 도살장, 도축장 ; 《비유》 수라장.

sláughter·màn *n.* 도살자, 도축자.

sláughter·ous *a.* 도살의 ; 살생(殺生)하는, 잔인한 ; 파괴적인. **~·ly** *adv.*

Slav [slάːv, slǽv] *n.* 슬라브 사람 ; [the ~s] 슬라브 민족《Russians, Czechs, Poles 등》; 슬라브어. —— *a.* =SLAVIC. 〖L *Sclavus, Slavus* 민족명〗

Slav. Slavic ; Slavonic.

‡slave [sléiv] *n.* **1** 노예. **2** 노예처럼[악착같이] 일하는 사람 : ☞ WHITE SLAVE. **3 a)** 다른 사람에 예속[의존]하는 사람 ; 《비유》 (…에) 열중하는 사람 : a ~ *of* [*to*] drink=a ~ *to* the bottle 술의 노예 / ~*s* of fashion 유행의 노예. **b)** 주의(主義) 따위에 헌신하는 사람 : a ~ *to* duty 의무를 위해 헌신적으로 일하는 사람. **4** 〖昆〗 =SLAVE ANT. **5** 〖機〗 종속 장치 ; 하찮은 일.

—— *vi.* **1** [動/+副/+前+名] 노예처럼[뼈빠지게] 일하다 : I have ~*d away* ***at*** the translation for years. 최근 수년간 나는 번역 일로 고역을 치러왔다. **2** 노예 매매를 하다.

—— *vt.* 《古》 노예처럼 일하게 하다, 혹사시키다 ; 〖機〗 종속 장치를 작동시키다.

—— *a.* 노예의 ; 노예적인 ; 노예제의 ; 원격 조작의 : a ~ station 종속.

〖OF *esclave*<L *Sclavus* SLAV (captive)〗

sláve ànt *n.* 〖昆〗 노예 개미.

sláve bàngle *n.* (금·은·유리로 만든 여성용) 팔찌.

sláve-bòrn *a.* 노예의 신분으로 태어난.

sláve bràcelet *n.* 발목에 끼는 장식 고리.

Sláve Còast *n.* [the ~] 노예 해안《아프리카 서부의 Guinea 만 북쪽 해안 ; 16-19세기의 노예매매 중심지》.

sláve drìver *n.* 노예 감독자 ;《비유·口》 부하를 혹사시키는 상사, 학생에게 엄한 교사 ;《口》 무서운 마누라.

sláve-gròwn *a.* 노예를 부려서 만든《상품》.

sláve·hòld·er *n.* 노예 소유자.

sláve·hòld·ing *n.* Ⓤ 노예 소유.
—— *a.* 노예 소유의.

sláve hùnter *n.* (노예로 팔려고) 흑인을 사로 잡는 사람, 노예 사냥꾼.

sláve hùnting *n.* 노예 사냥.

sláve lábor *n.* 노예 노동 ; 강제[저임금] 노동 ; [집합적으로] 강제 노동자.

sláve màrket *n.* 노예 시장《옛날 노예를 매매했던 시장》;《美俗》 직업 소개소(의 부근).

slav·er[1] [sléivər] *n.* 노예 매매자 ; 노예 소유자[상인] ; 노예선(船). 〚SLAVE〛

slav·er[2] [slǽvər, 美+sléi-, 美+slɑ́ː-] *n.* **1** Ⓤ 군침. **2** Ⓤ (비굴한) 아부[아첨]. —— *vi.* [動/+前+名] 군침을 흘리다 ;《비유》 몹시 탐내다 ; 아첨하다 : The dog is ~*ing* ***over*** his food. 개가 먹을 것을 보고 군침을 흘리고 있다. —— *vt.*《古》 침으로 더럽히다 ; …에게 아첨하다. **~·er** *n.* 군침을 흘리는 사람 ; 알랑거리는 말을 하는 사람.
〚LDu. ; cf. SLOBBER〛

***slav·ery**[1] [sléivəri] *n.* **1** Ⓤ 노예 신세, 노예의 신분. **2** Ⓤ 노예 제도, 노예 소유. **3** Ⓤ 예속(隷屬), 굴종(↔*liberty*). **4** Ⓤ (색욕·식욕 따위의) 노예, 심취 : ~ *to* cigars 담배의 노예. **5** Ⓤ 천한[힘든] 일, 고역(drudgery). 〚SLAVE〛

slav·ery[2] [slǽvəri, 美+sléi-] *a.*《古》 =SLOBBERY.

sláve shìp *n.* 노예 (무역)선.

Sláve Stàte *n.* **1** 〖美史〗 (남북 전쟁 때까지 노예 제도가 인정되어 있던 남부의) 노예주(州)《전부 15주 ; cf. FREE STATE》. **2** [s~ s~] 전체주의적 통치하에 있는 나라.

sláve tràde *n.* 〖史〗 (특히 남북 전쟁 전 미국에서의) 노예 매매.

sláve tràffic *n.* 노예 매매 : white ~ 여자를 매춘부로 파는 일.

slav·ey [sléivi, 英+slǽvi] *n.*《英口》 (하숙집 따위에서) 허드렛일하는 하녀.

Slav·ic [slɑ́ːvik, slǽv-] *a.* 슬라브인[민족]의 ; 슬라브어(語)의.
—— *n.* Ⓤ 슬라브어.

Slav·i·cist [slɑ́ːvəsəst, slǽv-], **Sláv·ist** *n.* 슬라브어[문화, 문학] 전문[연구]가.

slav·ish [sléiviʃ] *a.* 노예의 ; 노예 같은 ; 노예 근성의, 천한, 비굴한 ; 독창성이 없는, 맹목적으로 흉내낸[모방한] ; 힘드는, 괴로운 ;《古》 비열한 ;《古》 포학한, 압도적인.
~·ly *adv.* **~·ness** *n.*

Sláv·ism *n.* Ⓤ 슬라브인 기질[특성] ; Ⓒ 슬라브어풍.

Sla·vo- [slɑ́ːvou, slǽv-, -və] *comb. form*「슬라브(Slav)」의 뜻.

slav·oc·ra·cy [sleivɑ́krəsi] *n.* 〖美史〗 (남북 전쟁 이전의) 노예 소유자[노예 제도 지지자(者)]의 지배[단체].

Sla·vo·nia [sləvóuniə] *n.* 슬라보니아《크로아티아 북부의 한 지방》.

Sla·vó·ni·an *a.* Slavonia의 ; 슬라보니아 주민의 ; =SLAVIC. —— *n.* Slavonia 주민 ; 슬라브인 ; =SLAVIC.

Sla·von·ic [sləvɑ́nik] *a., n.* =SLAVIC.

Slávo·phìle, -phìl *n., a.* 슬라브인 숭배[심취](의), 친 슬라브파(의).

Slávo·phòbe *n., a.* 슬라브인을 혐오하는 (사람).

slaw [slɔ́ː] *n.*《美》 =COLESLAW.

***slay**[1] [sléi] *vt.* (**slew** [slúː] ; **slain** [sléin]) 살해하다 ; 근절하다, 눌러 죽이다 ;《口》 몹시 놀라게 하다, (재미로) 압도하다, (여성을) 참가시키다 ;《廢》 치다, 때리다 : He was *slain* by his enemy. 그는 적에게 살해되었다. 주 《英》에서는 KILL[1]에 대한《文語·戲》,《美》에서는 주로 신문용어.
—— *vi.* 살해하다. **~·er** *n.* 살해자.
〚OE *slēan* to strike ; cf. G *schlagen* ; '죽이다'의 뜻으로는 OE, early ME기(期)의 기본어로 *kill*은 ME에서〛
類義語 ⟹ KILL[1].

slay[2] ☞ SLEY.

SLBM submarine-launched ballistic missile.

SLCM submarine[sea]-launched cruise missile.

sld. sailed ; sealed ; sold.

sleave [slíːv] *n.* Ⓤ 얽힌 것 ; 실의 얽힘 ; 고치의 보풀, 풀솜. —— *vt.* 얽힌 것을 풀다. —— *vi.* 풀려서 가는 실이 되다.
〚OE -*slǽfan* to cut〛

sléave sìlk *n.*《廢》 =FLOSS SILK.

sleaze [slíːz] *n.*《口》 저속함, 추잡함.
〚역성(逆成) ‹ *sleazy*〛

slea·zo [slíːzou] *a.*《口》 =SLEAZY.

slea·zy, slee·zy [slíːzi, sléi-] *a.* (직물이) 얄팍한, 흐르르한(flimsy) ;《口》 단정치 못한, 행실이 나쁜 ; (집 따위가) 초라한 ; (내용이) 저속한, 하찮은. 〚C17 < ?〛

***sled** [sléd] *n.* **1 a)**《美》 (어린이용의) 소형 썰매(=《英》 sledge). **b)**《주로 美》 =SLEDGE[1] 2. **c)**《英》 (농장에서 쓰는) 썰매 비슷한 운반 도구. **d)**《古》 =SLEIGH. **2**《美》 목화 따는 기계(=**cótton** ~)《미국의 목화 재배 지대에서 사용함》.
—— *v.* (-dd-) *vi.* 썰매로 가다[를 타다], 썰매 타기를 하다. —— *vt.* 썰매로 나르다 ; (목화를) 목화 따는 기계로 따다. 〚MLG *sledde* ; cf. SLEDGE[1]〛

sléd·der *n.* 썰매로 나르는 사람, 썰매 타는 사람 ; 썰매 끄는 말[동물].

sléd·ding *n.* **1** Ⓤ 썰매로 나르기 ; 썰매 타기. **2** Ⓤ 썰매가 달릴 수 있는 눈[길]의 상태 ; (작업 따위의) 진행 상태 ; (목화 따는 기계에 의한) 목화 따기 : The work was hard ~. 그 작업은 쉽사리 진척되지 않았다.

sléd[slédge] dòg *n.* 썰매 끄는 개.

sledge[1] [slédʒ] *n.* **1**《英》 (사람이 타는) 썰매(☞ SLEIGH). **2**《美》 짐 싣는 썰매(sled).
—— *vi.* 썰매로 가다[를 타다] : go *sledging* 썰매 타러 가다. —— *vt.* 썰매로 나르다.
〚MDu. *sleedse* ; SLED와 같은 어원〛

sledge[2] *n., v.* =SLEDGEHAMMER.
〚OE *slecg* ; ⇨ SLAY[1]〛

slédge·hàmmer *n., vt., vi.* (양손으로 사용하는 대장간의) 큰 메[망치](로 치다).
—— *a.* 강력한 ; 용서 없는 ; 있는 힘을 다한 : a ~ blow (치명적인) 큰 타격.

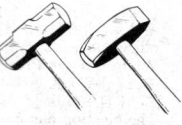

sledgehammer

sleek [slíːk] *a.* **1** (모발 따위가) 반들반들한, 윤이 나는 : (as) ~ as a cat 고양이처럼 털이 반들반들한 ; 매우 호감이 가는. **2** 영양이 좋은 ;

잘 손질된 ; (옷차림 따위가) 단정한, 말쑥한, 세련된 ; 유복하게 보이는. **3** 구변좋은, 아첨을 잘하는(slick). —— *vt.* 반들반들하게 하다, 광택을 내다 ; 매만지다 ; 은폐하다, 속이다 : ~ a cat's fur 고양이의 털을 매만져 윤을 내다. —— *vi.* 옷차림을 단정히 하다, 멋부리다 ; 미끄러지다.
~·ly *adv.* **~·ness** *n.* 〖변형(變形) 〈SLICK〗

sléeky *a.* 매끈매끈한, 반들반들한 ;《스코》교활한 성격의, 사람을 속이는.

◇**sleep** [slíːp] *v.* (**slept** [slépt]) *vi.* **1** 잠자다(cf. SLUMBER) ;〖植〗(식물이) 밤에 꽃잎을 오므리다, 수면하다 : We ~ at night. 우리는 밤에 잔다 / Did you ~ well last night? 어젯밤에 잘 주무셨습니까 / I *slept* no more than three hours last night. 어젯밤에는 세 시간밖에 자지 못했다. **2** [+前+名] 자다, 묵다 : I *slept* ***in*** his house last night. 어젯밤에는 그의 집에서 잤다. **3** 활동하지 않다, 조용히 있다 ; 멍하니 있다, 잠잠해지다 ; 무감각해지다 : The sword ~*s* in the sheath. 검은 칼집에 꽂혀 있다 / His hatred never *slept.* 그의 증오심은 조금도 가라앉지 않았다. **4** [+前+名] 죽어 (매장되어) 있다, 영면하다 : Two of them still ~ ***in*** an old graveyard. 그들 중 두 사람은 지금도 옛 묘지에 묻혀 있다. **5** (팽이가) 자다《너무 잘 돌아서 정지되어 있는 것처럼 보임》. **6** (이성과) 동침하다〈*with*〉.
—— *vt.* **1** [동족(同族) 목적어를 수반하여] 잠자다 : He *slept* a sound sleep that night. 그날 밤 그는 잠을 푹 잤다. **2** …만큼 숙박시킬 수 있다 : Our house can ~ ten persons. 우리집에는 열 사람은 숙박시킬 수 있다. **3** [+目+副 / +目+補] 잠으로 지내다[고치다, 없애다] ; [~ one*self* 로] 잠자서 (어떤 상태에) 이르게 하다 : I *slept* ***off*** my headache. 잠을 자서 두통을 없앴다 / I *slept* the night ***away*** [***through***]. 나는 잠으로 그날 밤을 지냈다[밤새 잠만 잤다] / He *slept himself* sober. 그는 잠을 자서 술이 깼다.
sleep* (*a*)*round the clock = SLEEP *the clock* (*a*)*round.*
sleep in (피고용인이 주인집에) 입주하다(cf. SLEEP *out*) ; [주로 *p.p.*로] 잠자리에 들다 : His bed was not *slept in* last night. 어젯밤 그의 침대에서는 아무도 자지 않았다.
sleep like a top [***log***] 푹 자다, 충분히 자다.
sleep one***'s last sleep*** 죽다, 영면하다(cf. *vt.* 1) : Paul is ~*ing* his *last sleep* beneath the earth. 지금 폴은 지하에 잠들어 있다.
sleep on.... [흔히 it을 수반하여]《口》…의 판단을 하룻밤 연기하다 ; (문제 따위를) 하룻밤 자며 생각하다.
sleep out 외박하다 ;《口》야외에서 자다, 노숙하다, 텐트에서 자다 ; (피고용인이 주인집에서 침식하지 않고) 통근하다(cf. SLEEP *in*).
sleep over …을 못보고 넘기다 ;《口》외박하다 ; = SLEEP on...
sleep the clock (***a***)***round*** 12시간 동안 줄곧 자다(cf. *vt.* 3).
sleep the sleep of the just《戱》푹 자다(cf. *vt.* 1).
—— *n.* **1** Ⓤ 수면, 잠 ; 졸음 ; [a ~] 수면기간 : go[drop off] to ~ 잠들다 / get to ~ 잠들다 / He tried to get *a* ~. 그는 한잠 자려고 했다 / *a* short[*an* eight-hour] ~ 짧은[8시간의] 수면 / read oneself to ~ 책을 읽다가 잠들다 / talk in one's ~ 잠꼬대하다. **2** Ⓤ 정지, 비활동, 휴지(休止)(상태), 혼수(상태), 마비. **3** Ⓤ 영면, 죽음 : one's last[long] ~ 최후의[긴] 잠(death). **4** Ⓤ (식물의) 수면 ; (동물의) 동면. **5** (하룻)밤 ; 하루의 여정 ;《美俗》1년의 형기. **6**《口》눈곱.
lay...to sleep ☞ LAY[1] *v.*
put [***send***] ***...to sleep*** …을 재우다, 잠들게 하다 ; …을 마취시키다 ;《口》…을 죽이다.
〖OE (v.) *slēpan, slǣpan,* (n.) *slēp, slǣp* ; cf. G *schlafen, Schlaf*〗

sléep apnèa *n.* 〖醫〗수면 무호흡《호흡기 계통의 신체적 장애 · 신경성 변조 따위로 인함 ; 때로 죽기도 함》.

sléep·còat *n.* 무릎 길이의 남자 잠옷《파자마 상의와 비슷함》.

sléep·er *n.* **1 a**) 자는 사람 ; 잠꾸러기 : a good [bad] ~ 잠을 잘 자는[잘 못자는] 사람 / a light [heavy] ~ 잠이 얕은[깊은] 사람, 잠귀 밝은[어두운] 사람. **b**) 잠자고 있는[눈에 띄지 않는] 것. **2** 가로 들보, (건축용으로) 땅 위에 눕혀 놓은 목재, 멍에 ;《英》(철도의) 침목(=《美》tie). **3**《美》**a**) [보통 *pl.*] (유아용의) 잠옷, 파자마《갓난 아기용의 발이 나오지 않게 된 강보》. **b**) = BUNTING[1] 2. **4**《美口》뜻밖에 적중[히트]한 것, 의외로 싸게 산 물건, (경마에서) 예상 밖에 우승을 차지한 말. **5** (볼링에서) 슬리퍼《스페어할 때 다른 핀에 가리어 보이지 않는 핀》. **6** 잠들게 하는 것[사람] ; 침대차(sleeping car) ; 침대차의 침대[좌석, 객실]. **7**《美俗》야경 ;《口》수면약, 진정제 ;《美學俗》지루한 수업[강의].

sléeper àgent *n.* 슬리퍼 에이전트《긴급 사태 발생에 대비하고 있는 정보 활동 요원》.

sléep-ìn *a., n.* 집단 철야 농성 ; 근무처에서 숙식하는 (사람) ; (가정부 · 간호사 등) 입주하여 일하는 (사람) (↔*sleep-out*).
—— *vi.* 입주하여 일하다.

sléep·ing *a.* 잠자고 있는 ; 휴지(休止)하고 있는 ; 마비된. —— *n.* Ⓤ 수면 ; 휴지.

sléeping bàg *n.* (등산용의) 침낭.

Sléeping Béauty *n.* [the ~] 잠자는 공주《마법에 걸려 100년 동안 성 안에서 자다가 왕자가 입맞추어 깨어난 아름다운 공주》.

sléeping càr [《英》 **càrriage**] *n.* 침대차(車) (sleeper).

sléeping dóg *n.* 잠자고 있는 개 ; [보통 *pl.*] 불쾌한 사실[추억] : Let ~*s* lie.《속담》긁어 부스럼 만들지 마라 / wake a ~ 일을 시끄럽게 만들다.

sléeping dràught *n.* 수면제《물약》.

sléeping pártner *n.*《英》= SILENT PARTNER.

sléeping pìll [**tàblet**] *n.* 수면제《barbital 따위의 정제나 캡슐》.

sléeping polícemàn *n.*《英》스피드 방지대(帶)《주택가 따위의 속도 제한을 위한 도로상의 돌출 부분 ; cf. SPEED BUMP》.

sléeping pòrch *n.* 외기(外氣)를 쐬면서 잘 수 있게 만든 방[베란다]《창문이 큼》.

sléeping sìckness *n.* 〖醫〗**1** Ⓤ (열대 아프리카의) 수면병. **2** Ⓤ 기면성(嗜眠性) 뇌염.

sléeping sùit *n.* 어린이용 잠옷《상하 분리되지 않은 것》.

sléep-lèarn·ing *n.* 수면 학습.

sléep·less *a.* **1** 잠못이루는, 불면증의. **2** 쉬지 않는, 가만히 있지 않는 ; 방심하지 않는(alert) : ~ care 부단한 주의.
~·ly *adv.* **~·ness** *n.* 잠못이룸.

sléep mòvement *n.* 〖植〗(잎 따위의) 수면[주야(晝夜)] 운동.

sléep-òut *a., n.* (가정부 · 간호사 등) 입주하지 않고 일하는 (사람) (↔*sleep-in*).

sléep-tèach·ing *n.* = SLEEP-LEARNING.

sléep·wàlk·er *n.* =SOMNAMBULIST.
sléep·wàlk·ing *n., a.* 몽유병(의).
sléep·wèar *n.* [집합적으로] 잠옷류.
***sléepy** *a.* **1** 졸리는, 졸리는 듯한, 졸음이 오는 ; 잠에 취한. **2** 졸고 있는 듯한, 활기없는, 멍한. **3** 조용한(quiet), 움직임이 없는 : a ~ hollow 적막한 골짜기. **4** (과일 따위가) 썩기 시작한.
sléepy·hèad *n.* 잠보, 잠꾸러기《특히 어린이》.
sléepy sìckness *n.* =SLEEPING SICKNESS.
sleet [slíːt] *n.* Ⓤ 진눈깨비 ;《美》비얼음 ;《美》도로의 얇은 얼음막. —— *vi.* [it을 주어로 하여] 진눈깨비가 내리다, 진눈깨비처럼 내리다 : *It* was *~ing.* 진눈깨비가 내리고 있었다.
〖? OE《美》*slēte,*《美》*sliete* ; cf. MLG *slōten* (pl.) hail〗
sléety *a.* 진눈깨비의, 진눈깨비와 같은, 진눈깨비가 내리는.
***sleeve** [slíːv] *n.* **1** (의복의) 소매, 소맷 자락 : roll[turn] up one's (shirt) *~s* (싸움이나 일을 하려고) 소맷 자락을 걷어 올리다 / Every man has a fool in his ~.《속담》약점이 없는 사람은 없다. **2** (레코드의) 재킷(jacket, slipcase). **3** 〖機〗 슬리브관(管), 투관(套管), 수관(袖管).
hang on a person***'s sleeves*** 남에게 의지하다, 남이 시키는 대로 하다.
have a plan[***a card, something***] ***up*** one***'s sleeve*** 유사시의 계획[묘책·비방]을 준비해 두고 있다, 몰래 비상 수단을 마련해 놓고 있다.
laugh[***smile***] ***in***[***up***] one***'s sleeve*** ☞ LAUGH, SMILE.
wear one***'s heart*** (***up***)***on*** one***'s sleeve*** ☞ HEART.
—— *vt.* (옷에) 소매를[소맷자락을] 달다 ;〖機〗…에 슬리브를 달다, 슬리브를 연결하다.
〖OE *slēfe, slīefe, slӯf* ; cf. Du. *sloof* apron〗
sléeve·bòard *n.* 소매 다림질판.
sléeve bùtton *n.* 커프스 단추, 소매 단추.
sleeved [slíːvd] *a.* 소매가 있는 ; [복합어를 이루어] …소매의 : half-[long-, short-]~ 반[긴, 짧은] 소매의.
sléeve fìsh *n.* 〖動〗 오징어(squid).
sléeve·less *a.* 소매가 없는, 소매 없는 옷의 ; 무익한 ;《英》하찮은.
sléeve·let *n.* (팔꿈치에서 손목까지의) 소매 커버, 토시.
sléeve lìnk *n.* 커프스 단추.
sléeve-nòte *n.*《英》레코드 재킷에 인쇄된 해설.
sléeve nùt *n.* 〖機〗 (바싹 죄는) 슬리브 너트《관(管) 따위의 결합용》.
sléeve tàrget *n.* 〖軍〗 (비행 중인 비행기에 단 공중전·대공 사격 연습용의) 기 드림 표적.
sléeve vàlve *n.* 〖機〗 슬리브 밸브《내연 기관의 원통형 흡기·배기 밸브》.
sleezy ☞ SLEAZY.
***sleigh** [sléi] *n.* 썰매《말이 끄는 승용[화물] 또는 겨울 스포츠용 ;《美》에서는 가장 보통 쓰이는 말 ; cf. SLED, SLEDGE[1]》 : drive[travel] in a ~ 썰매로 드라이브하다[여행하다]. —— *vi.* 썰매를 타다[로 가다] : go *~ing* 썰매 타러 가다. —— *vt.* 썰매로 나르다. 〖Du. *slee* ; ⇒ SLEDGE[1]〗
sléigh bèll *n.* 썰매의 방울.
sléigh·ing *n.* Ⓤ **1** 썰매 타기, 썰매로 여행하기 ; 썰매를 사용하기. **2** 썰매가 달리는 상태 ; 썰매를 타기에 알맞은 눈의 상태.
sléigh·rìde *n.*《美俗》남과 부(富)[권력, 성공]를 서로 나누어 갖는 일[기회], 인생의 좋은 시기 ; (남에게) 이용당하기 ; (1회분의) 코카인(cf. SNOW[1]) : be taken for a ~ 남에게 속다.
—— *vi.* 코카인을 복용하다[맞다].
sleight [sláit] *n.* 능숙한 솜씨, 수련 ; 교묘 ; 교활 ; 술책. ㊟ 다음 숙어로 쓰이는 이외는《古》.
sleight of hand 날랜 손재주 ; 요술, 마술 ; 교묘한 속임수, 교활함.
〖ON ; ⇒ SLY〗
sléight-of-móuth *n.*《口》교묘한 말로 속임.
***slen·der** [sléndər] *a.* **1** 가늘고 긴, 갸름한, 호리호리한, 날씬한 : a ~ post 가늘고 긴 기둥 / a ~ girl 날씬한 소녀. **2** 미덥지 못한, (희망 따위가) 희박한 ; (수입·식사 따위의) 얼마 안되는, 빈약한, 소액의. **~·ly** *adv.* **~·ness** *n.*
〖ME＜?〗
類義語 ⟹ THIN.
slénder·ìze *vt., vi.* 가늘고 길게 하다[되다] ; 가늘게[가냘프게] 보이게 하다.
◇**slept** *v.* SLEEP의 과거·과거분사.
sleuth [slúːθ] *n.* **1**《古》(냄새) 자취, 흔적. **2** = SLEUTHHOUND 1. **3**《口·원래 美》탐정(detective), 형사(刑事). —— *vt., vi.*《口》…의 흔적을 뒤쫓다, 추적하다. 〖↓〗
sléuth·hòund *n.* **1** 경찰견(犬). **2**《口》탐정.
〖ON *slōth* track, trail (cf. SLOT[2]) + *hound*〗
slew[1] [slúː] *v., n.* =SLUE[1].
slew[2] *v.* SLAY[1]의 과거형.
slew[3] *n.* 습지, 얕은 늪(cf. SLOUGH[1] 2, SLUE[2]).
slew[4] *n.*《美口》많음, 수두룩함(lot)〈*of*〉.
〖Ir. *sluagh*〗
slewed [slúːd] *a.*《俗》술취한. 〖SLEW[1]〗
sléw·fòot *n.*《美俗》형사, 탐정 ; 멍청[무익]한 놈[선수].
sley, slay [sléi] *n.* (베틀의) 바디. 〖OE *slege*〗
slice** [sláis] *n.* **1** 얇게 썬 조각(의 한 개) ; 1매 ; 얇은 조각 : a ~ *of* bread 빵 한 조각. **2** 일부분, 몫 : a ~ *of* life 인생의 한 단면. **3** 얇은 날《식칼》; (식탁용의) 생선 자르는 칼(fish slice). **4** 〖스포츠〗 우곡구, 슬라이스《오른쪽에서 왼쪽으로 비스듬히 깎아치는 공 ; ↔*hook*》. —— *vt.* **1** [+目/+目+副/+目+前+名] 얇게 베다[썰다] ; 베어내다, 분할하다 ; 깎아[긁어]내다 : ~ (up***) a loaf of bread 빵을 얇게 베어 나누다 / ~ ***off*** a piece of meat 고기를 한 점 베어내다 / ~ a melon ***in*** two 참외를 둘로 나누다. **2** [+目/+目+前+名] (하늘·물 따위를 가르듯이) 헤치고 나아가다 ; (노로 물을) 헤쳐 젓다 ;〖스포츠〗(골프채·라켓 따위로 오른쪽에서 왼쪽으로 공을) 깎아치다 : The ship *~d* (her way ***through***) the waves. 배는 파도를 가르듯이 헤쳐 나아갔다.
—— *vi.* 공을 슬라이스시켜 치다 ; (공이) 슬라이스되어 날다 ; (…을) 깎다.
〖OF (n.) *esclice,* (v.) *esclicier* to splinter＜Gmc. ; cf. SLIT〗
slíce bàr *n.* 부지깽이.
slíce-of-lífe *a.* 생활의 한 단면을 정확히 묘사한, 인생의 실제 모습을 엿보게 하는.
slic·er [sláisər] *n.* 얇게 베는 사람 ; 얇게 써는 기계, 슬라이서《빵 따위를 얇게 써는 도구》;〖電〗(과대·과소 신호를 끊는) 진폭(振幅) 게이트.
slick [slík] *a.* **1** 매끄러운, 미끌미끌한 ; (도로 따위) 주르르 미끄러지는. **2** 빈틈없는 ; 교활한. **3** 구변 좋은, (태도 따위가) 사근사근한. **4**《俗》(식사 따위가) 일류의(first-rate) ; 멋부린 ;《口》멋진. **5** (중고차 따위) 신품과 다름없는.
—— *n.* 매끄러운[미끄러지기 쉬운] 부분 ; 기름을 흘린(것처럼) 매끄러운 수면 ; 그 유층 부분 ; 매끄러운 표면을 만드는 도구, 날이 넓은 끌 ;《美口》

(내용은 시시하지만 고급 광택지로 만든) 잡지(= ~ màgazine) (cf. PULP 3).
—— *adv.* **1** 매끄럽게 ; 솜씨있게. **2** 정확히, 똑바로, 직접적으로, 정면으로 : run ~ into …와 정면 충돌하다.
—— *vt.* 매끄럽게 하다 ; 깨끗하게 하다, 말끔하게 하다, 단정하게 하다, 다듬다(tidy) 〈*up*〉: ~ the skid with grease 활재(滑材)를 기름으로 매끈매끈하게 하다.
~·ly *adv.* 교묘하게, 솜씨있게. **~·ness** *n.*
〚? OE《美》*slice*, -*slician* to polish ; cf. SLEEK〛

slíck chíck *n.*《美俗》멋진 여성.

slíck-èar *n.* 귀표(earmark) 없는 가축.

slícked-ùp [slíkt-] *a.*《俗》깨끗이 처리된, 말쑥하게 한.

slick·ens [slíkənz] *n. pl.* 유적 침니층(流積沈泥層), 유적 실트(silt)층 ;〔冶〕(쇄광기(碎鑛機)에서 나는) 광석 가루.

slick·en·side [slíkənsàid] *n.* [보통 *pl.*]〔地質〕활면(滑面)《단층에 의한 마찰로 매끄럽게 된 암석의 면》. 〚*slicken* (dial.) smooth〛

slíck·er *n.* **1**《美》길고 헐거운 레인 코트[비옷]. **2**《美口》사기꾼, 교활한 사람 ; 세련된[세정에 밝은] 도시 사람(city slicker). —— *vt.*《美俗》빼돌리다, 속이다.

slick·um [slíkəm] *n.*《美俗》머릿기름, 포마드.

***slid** *v.* SLIDE의 과거·과거분사.

slide** [sláid] *v.* (**slid** [slíd] ; **slid**,《古》**slid·den** [slídn]) *vi.* **1** [動/+前+名/+副] 미끄러지다(slip), 미끄러져 가다 ; (피스톤 따위가) 미끄러져 움직이다 ; 흐르다 ; 활주하다 ;〔野〕슬라이딩하다 : Let's go *sliding* ***on the ice. 얼음 지치러 가자 / We *slid* ***down*** the slope. 비탈길을 미끄러져 내려왔다 / The runner *slid* ***into*** second base. 주자는 2루에 슬라이딩해서 들어갔다 / The bureau drawers ~ ***in*** and ***out*** easily. 그 장롱 서랍은 빼고 닫기가 수월하다. **2** [+副/+前+名] 미끄러지듯[어느덧] 지나가다 ; 살금살금 걷다 ;《口》떠나가다 : let things ~ 일을 되어 가는 대로 놔두다 / The years *slid past*[*away*]. 어느덧 세월이 흘렀다 / Time *slid* ***by***. 시간이 흘렀다 / He *slid* ***over*** a delicate subject. 미묘한 문제를 슬쩍[어물쩍] 넘겼다[처리했다] / The thief *slid* ***behind*** the curtain[***into*** the room]. 도둑이 살짝 커튼 뒤에 숨었다[방으로 숨어 들었다]. **3** [+前+名]〔樂〕(어떤 음에서 다른 음으로) 매끄럽게 넘어가다 ; (서서히) 옮기다, (죄·나쁜 버릇 따위에) 빠지다 ; 인기[신용]를 잃다 : ~ ***into*** [***to***] bad habits 나쁜 버릇에 빠져들다.
—— *vt.* **1** [+目/+目+副/+目+前+名] 미끄러지게 하다, 활주시키다 : *S*~ the left ski *forward* and then the right. 우선 왼쪽의 스키를 앞으로 미끄러지게 하고 그 다음 오른쪽 것을 나가게 하시오 / They *slid* the boat ***into*** the river. 그들은 보트를 강물에 미끄러뜨려 넣었다. **2** [+目+副/+目+前+名] 살그머니 넣다, 슬슬 움직이다, 슬쩍 넣다(slip) : He *slid* his hand (*back*) ***into*** his pocket. 손을 (다시금) 호주머니에 슬쩍 넣었다 / He *slid* a coin *into* the waitress' hand. 동전을 여종업원의 손에 슬쩍 쥐어 주었다.
—— *n.* **1** 미끄러짐, 한번 미끄러짐, 미끄럼 타기, 활주 ;〔理〕미끄럼 ;〔野〕슬라이딩 ;〔樂〕=PORTAMENTO, 2음 이상의 장식음 ; (트롬본 따위의) U자형관. **2** 미끄러운 길[판, 비탈길] ; 활주대 ; (어린이 놀이터의) 미끄럼틀 ; (물건을 미끄러뜨려 보내는) 활주 운반 장치(chute) ;〔機〕미끄럼 면[홈] ;《美俗》바지 주머니 ; [*pl.*] 구두. **3**〔機〕슬라이드 밸브(slide valve) ; (환등용) 슬라이드(lantern slide) ; (현미경의) 슬라이드《sample 놓는 유리판》. **4**〔地質〕산사태(landslide) ; 무너져 내린 흙더미[바위] ; 단층, 습곡 단층. **5** 눈사태(snowslide).
〚OE *slīdan* ; cf. SLITHER〛
類義語 ***slide*** 매끄러운 표면을 가볍게 미끄러지다 : *slide* on ice (얼음을 지치다). ***slip*** 물건의 표면에 마찰이나 장애물이 없이 저절로[자연히] 미끄러지다 ; 사고 따위를 암시하는 수가 있다 : *slip* on the ice and fall (얼음 위에서 미끄러져 넘어지다). ***glide*** 매끄럽게 조용히 표면을 미끄러지다, 또는 흐르는 듯한 동작을 하다 : The dancer *glided* over the floor. (댄서는 마루 위에서 미끄러지듯 춤추었다).

slíde bàr *n.*〔機〕(증기 기관의) 미끄럼 막대.

slíde fàstener *n.*《美》지퍼(zipper).

slíde·film *n.* =FILMSTRIP.

slid·er [sláidər] *n.* 미끄러지는 것[사람] ;〔機〕슬라이더, 활동부(滑動部) ;〔野〕슬라이더《내[외]각으로 흐르는 공》.

slíde ràil *n.* 가동(可動)레일 ; 천차대(遷車臺).

slíde rùle *n.* 계산자.

slíde vàlve *n.*〔機〕슬라이드 밸브.

slíde·wày *n.* 미끄럼길, 활주로, 활사면(滑斜面).

slid·ing [sláidiŋ] *n.* Ⓤ 미끄러짐, 활주 ; 이동 ;〔野〕슬라이딩. —— *a.* 미끄러지는, 활동(滑動)하는 ; 이동하는 ; 변화하는 ; 불확실한, 부정(不定)의 : ☞ SLIDING SCALE.

slíding dóor *n.* 미닫이 문.

slíding kéel *n.* =CENTERBOARD.

slíding róof *n.* (자동차 따위의) 여닫는 지붕.

slíding rúle *n.*《古》=SLIDE RULE.

slíding scále *n.* **1**〔經〕슬라이딩 스케일, 슬라이드 제(制), 신축법, 순응률(順應率)《임금·물가·세금 따위가 경제상태에 따라 오르내리는 율 ; cf. ESCALATOR CLAUSE》. **2** =SLIDE RULE.

slíding séat *n.* (경주용 보트의) 활좌(滑座)《앞뒤로 미끄러져 움직이게 된 좌석》.

slíding tíme *n.*《美》=FLEXTIME.

slíding wàys *n. pl.*〔船〕(진수대(進水臺)의) 미끄럼대.

sligh [slái] *vt.*《美俗》(텐트 따위를) 철거하다.

‡**slight** [sláit] *a.* **1** 약간의, 사소한, 대수롭지 않은 : make ~ of …을 경시하다 / There is not the ~*est* doubt about it. 그것에 대해서는 조금도 의심할 바가 없다. **2** 경미한 : a ~ wound 가벼운 상처. **3** 가느다란, 홀쭉한, 호리호리한. **4** 연약한, 박약한(flimsy).
not. . . in the slightest 조금도 …않다(not at all).
—— *vt.* 얕보다, 무시하다 ; 모욕하다 ; (일 따위를) 등한히 하다 : They ~*ed* Mary by not inviting her. 메리를 초대하지 않고 무시해 버렸다.
—— *n.* 경시, 경멸, 얕봄, 무시 ; 무례 ; 냉담 : put a ~ (*up*) *on* a person 남을 얕보다[모욕하다] / suffer ~*s* 멸시당하다.
~·ish *a.* **~·ness** *n.*
〚ON=level, smooth ; cf. MDu. *slicht*〛
類義語 ⟹ NEGLECT.

slíght·ing *a.* 얕보는 ; 경멸[모욕]적인 ; 무시하는 듯한(contemptuous).
~·ly *adv.* 경시하여, 경멸하여.

***slíght·ly** *adv.* **1** 약간, 조금 ; 가볍게 : It is ~ better. 약간 좋다 / be ~ wounded 경상을 입다. **2** 가늘게, 가냘프게, 호리호리하게 : He is very ~ built. 그는 몹시 (몸이) 약하다.

sli·ly [sláili] *adv.* ＝SLYLY.

slim** [slím] *a.* (**slím·mer**; **slím·mest**) **1** 가느다란, 호리호리한, 가냘픈. **2** (주장 따위가) 하찮은, 천박한. **3** (구실 따위가) 불충분한, 빈약한; (가망성이) 희박한. **4** 교활한, 간사한. ── *v.* (**-mm-**) *vi.* [動/+副] 가늘어지다; (감식·운동 따위로) 체중을 줄이다: ~*ming* exercises 체중을 줄이기 위한 운동 / She ought to try and ~ ***down. 체중을 줄이도록 해야 한다. ── *vt.* 가늘게 하다. ── *n.* 《美俗》 (마리화나에 대하여) 궐련. **~·ly** *adv.* 호리호리하게, 가냘프게; 약하디 약하게; 불충분하게; 교활하게. **~·ness** *n.*
〚Du. or LG=slanting; cf. G *schlimm* bad, ill〛
類義語 ⟹ THIN.

slime [sláim] *n.* **1** Ⓤ 끈적끈적[찐득찐득, 미끈미끈]한 것, 점착물, 진흙; [흔히 *pl.*] 암석의 가루; (달팽이·물고기 따위의) 점액(粘液), 미끈미끈한 액체; (상한 햄 따위에 생기는) 끈끈한 것. **2** 역겨운 것, 악취가 나는 것; 《美俗》 악의 세계, 암흑가, 인간 쓰레기들; 《口》 비열한 근성, 간살을 부리는 사람, 중상(기사); 《俗》 추잡한 말[행위]. ── *vt.* (진흙 따위로) 덮다, 바르다; (특히) (뱀이 삼키려는 먹이를) 점액으로 뒤덮다. ── *vi.* 진흙투성이가 되다; 진흙이 붙다, 찐득찐득해지다; 《英俗》 매끄럽게 빠져 나가다〈*through, away, past*〉. 〚OE *slīm*; cf. G *Schleim*, L *limus* mud, Gk. *limnē* marsh〛

slíme mòld *n.* 점균류(粘菌類), 변형균류.

slíme pìt *n.* 역청갱(瀝青坑), 역청 채굴장.

slím-jím [ˌ⌐ˊ] *a., n.* 《美口》 홀쭉한 (사람·것).

slím·lìne *a.* 날씬한 디자인의; (형광관(管)이) 가느다란.

slím·ming *n.* Ⓤ 《英》 슬리밍《건강관리를 위한 식이요법이나 운동》.

slím·mish *a.* 좀 호리호리한, 홀쭉한; 연약한.

slim·nas·tics [slìmnǽstiks] *n.* 감량[미용] 체조.
〚*slim*+gym*nastics*〛

slim·sy, slimp·sy [slímzi, slímpsi] *a.* 《美口》 가는; 연약한; 극히 조금의; 얄팍한.
〚*sl*im+fl*imsy*〛

slimy [sláimi] *a.* **1** 끈적끈적한, 점액성의; 점착(粘着)하는; 진흙 투성이의, 진흙을 바른. **2** 알랑거리는, 굽실거리는, 역겨운.

sling[1] [slíŋ] *n.* **1** 무릿매《돌멩이 따위를 멀리 던지는 놀이》; 투석기(投石器)《옛날 무기》; (투석기로) 돌을 쏘기; 팔매질; 일격. **2** 어깨에 거는 붕대, 삼각건. **3** 달아올리는 기구. **4** 〔海〕 매어다는 밧줄[쇠사슬] (=⌐ **chàin**). **5** 멜빵; 슬링《뒤꿈치 쪽이 밴드로 되어 있는 슬리퍼식 여성화》. **6** 《濠口》 팁, 뇌물. ── *v.* (**slung** [slʌ́ŋ]) *vt.* **1** [+目/+目+*at*+名] 투석기로 쏘다, 내던지다, (옷을) 걸다; 《英俗》 (던져) 버리다, 그만 두다; 《英俗》 두다: ~ stones ***at*** a dog 개에게 돌을 던지다 / ~ mud *at*... ☞ MUD 숙어. **2** [+目/+目+副/+目+前+名] (칼을) 차다, (멜빵으로) 걸머지다; (밧줄 따위로) 매달아 올리다; 삼각건으로 어깨에 걸메다: ~ (***up***) a heavy box 무거운 상자를 달아 올리다 / ~ a sword ***from*** one's belt 혁대에 칼을 차다 / ~ a gun ***over*** one's shoulder 총을 어깨에 메다 / ~ a man ***out of*** the room 사람을 방에서 내쫓다. ── *vi.* 투석기로 던지다; 《濠口》 (팁·뇌물로서) 번 수입의 일부를 주다.
sling ink 《口》 (싸구려 작가가) 갈겨쓰다; 기자 노릇을 하다.
〚ON or LDu.; cf. OE *slingan* to creep〛

sling[2] *n.* Ⓤ,Ⓒ 슬링《gin 따위에 설탕·탄산수·향료 따위를 섞은 음료》.
〚C18<?〛

slíng·bàck *n.* 슬링백, 슬링밴드《뒤꿈치 쪽이 벨트로 되어 있는 신발; 그 벨트》.

slíng càrt *n.* 〔軍〕 (대포·재목 따위를) 매달아 운반하는 차.

slíng chàir *n.* 슬링 체어《나무 또는 쇠로 된 뼈대에 캔버스 따위를 댄 의자》.

slíng·er[1] *n.* 던지는 사람; (옛날의) 투석전사; 《美俗》 웨이터, 웨이트리스; 《美俗》 수다쟁이, 허풍쟁이.
〚SLING[1] *vt.* 1〛

slinger[2] *n.* 하역 감독; 〔機〕 슬링거《베어링의 축에 따라 흐르는 기름을 원심력으로 튀겨 버리는 장치》. 〚SLING[1] *vt.* 2〛

slínger rìng *n.* 〔空〕 (프로펠러의 중심부에 장치되어 부동액을 내뿜는) 결빙(結氷) 방지 링.

slíng·shòt *n.* 《美》 투석기(投石器) (sling), (고무줄) 새총.

slink[1] [slíŋk] *vi.* (**slunk** [slʌ́ŋk], 《古》 **slank** [slǽŋk]; **slunk**) 살금살금 걷다[달아나다], 가만히 걷다; 《口》 (여자가) 간들간들 걷다〈*off, away, about, by*〉. **slínk·ing·ly** *adv.* 몰래, 가만히, 살며시.
〚OE *slincan* to crawl〛
類義語 ⟹ LURK.

slink[2] *vt., vi.* (**~ed, slunk** [slʌ́ŋk]) (짐승, 특히 송아지를) 조산[유산]하다. ── *a.* (송아지 따위) 달을 채우지 못한; 말라빠진. ── *n.* (송아지 따위의) 달이 못차서 나온 새끼; Ⓤ 그 가죽[고기].
〚? SLINK[1]〛

slínky *a.* **1** 몰래하는, 은밀한(stealthy). **2** 《口》 (동작·자태 따위가) 나긋나긋하고 우아한, 날씬한, 섹시한, (여성옷 따위가) 몸에 꼭 맞는.

‡slip[1] [slíp] *v.* (**-pp-**) *vi.* **1** [動/+前+名] 미끄러지다, 미끄러져 떨어지다, 미끄러져 들어가다: The snow sometimes ~*s*, forming snowslides [avalanches]. 눈은 때로 미끄러 떨어져서 눈사태가 된다 / The book ~*ped* ***off*** my knees. 책이 내 무릎에서 미끄러져 떨어졌다 / Some stones ~*ped* ***down*** the face of a cliff. 돌멩이가 벼랑 위를 미끄러져 떨어졌다.
2 [動/+前+名] 미끄러져 넘어지다, 헛디디다, 걸려 넘어지다; 깜박 실수하다: Be careful not to ~ ***on*** the icy sidewalk. 얼어붙은 길에서 미끄러져 넘어지지 않도록 조심하시오 / I ~*ped on* a banana peel[skin]. 바나나 껍질에 미끄러졌다 / He often ~*s* ***in*** his grammar. 그는 때때로 문법상 틀린 말을 쓴다.
3 [動/+前+名] (스르르) 벗겨지다, 빠지다; 느슨해지다, 헐거워지다; (척추 연골이) 어긋나다; 탈구하다; 《비유》 (말이) 무의식 중에 새나오다, 빗나가다; (기억에서) 사라지다: His name had ~*ped* ***from*** my mind[memory]. 그의 이름이 내 기억에서 사라졌다 / The secret ~*ped from* his lips. 그 비밀이 무의식 중에 그의 입에서 새나왔다.
4 [動/+副/+前+名] 살그머니 들어가다[나오다], 몰래 들어가다[나오다]; 슬쩍 지나쳐 버리다: A mistake has ~*ped* ***in***[***into*** the text]. 오류가 하나 섞여 들어[본문 중에 섞여 들어] 있다 / She ~*ped away*[***from*** the doorway] and followed him. 그녀는 몰래[문으로 살짝] 빠져 나가서 그의 뒤를 따랐다 / Mother just ~*ed* ***across to*** the baker's. 어머니는 맞은편 빵집으로 슬그머니 건너 가셨다.
5 [動/+副/+前+名] 미끄러지듯이[주르르] 달

리다 ; (시간이) 어느덧 지나다 : let an opportunity ~ 기회를 놓치다 / Time[The hours] ~*ped* ***by***. 어느덧 시간이 흘렀다 / The ship ~*ped* ***through*** the waves. 배는 파도를 헤치고 미끄러지듯이 달렸다.
6 [+前+名] 서둘러 입다[벗다]〈*into, out of*〉, 걸치다 : ~ ***into*** bed 침대에 쑥 들어가다 / ~ *into*[***out of***] a dress 서둘러 옷을 입다[벗다] (cf. *vt.* 1).
7 (자동차·비행기 따위가) 옆으로 미끄러지다 (sideslip) ; (클러치가) (닳아서) 미끄러지다.
8 수준[상태]에서 떨어지다, (업적 따위) 저하하다, (경기·시장이) 하락하다 ; (체력·지능이) 쇠해지다.
—— *vt.* **1** [+目+副/+目+前+名] 미끄러뜨리다 ; 스르르 끼우다, 서둘러 입다, 급히 벗다 ; (반지 따위를) 살짝 끼우다[빼다] ; 살짝 넣다[꺼내다] : He ~*ped* a coat ***on***[***off***]. 상의를 급히 입었다[벗었다] (cf. *vi.* 6) / She ~*ped* a ring ***onto*** [~*ped* a ring ***from***] her finger. 그녀는 반지를 손가락에 쑥 꼈다[손가락에서 쑥 뺐다] / He ~*ped* a letter ***into*** her bag. 그녀의 가방에 살짝 편지를 집어 넣었다 / I ~*ped* the key *into* the lock. 열쇠를 자물쇠에 쑥 끼웠다 / He ~*ped* his arm ***round*** her waist. 슬쩍 그녀의 허리를 껴안았다. **2** [+目/+目+前+名] 놓아주다 ; 떼어놓다, 내주다 ; (개 따위를) 풀어 놓다 ;〖海〗(닻줄을) 풀다 : The ship ~*ped* anchor. 배가 닻을 내렸다 / He ~*ped* the hound ***from*** the leash. 사냥개를 가죽끈에서 풀어 놓았다. **3** (감시 따위를) 빠져 나가다, 따돌리다 ; (개가 목걸이를) 풀어 헤치다, 벗기다, (이음매를) 풀다 ; (어깨 따위를) 탈구하다, …의 관절을 삐다 ; (클러치를) 미끄러지게 하다 ; (기억에서) 사라지다, (주의에서) 벗어나다 : The horse has ~*ped* his bridle. 말이 재갈을 벗겼다 / Your name has ~*ped* my mind [memory]. 당신의 성함을 잊었습니다. **4** (송아지 따위를) 조산하다 : The cow ~*ped* its calf. 암소가 새끼를 조산했다. **5** (뜨개질 코를) 빠뜨리다 : ~ a stitch 코를 하나 빠뜨리다.
let slip ⑴ 놓아주다, (남을) 놓치다 : *let* ~ the dogs of war《詩》전단(戰端)을 열다 / Don't *let* the chance ~ if you can help it. 가급적 그 기회를 놓치지 마라. ⑵ 무심코 입밖에 내다, 실언하다 : He *let* the name ~ *out* before he thought. 무심코 그 이름을 입밖에 냈다.
slip along《俗》급히 가다, 부지런히 걷다.
slip into... ⑴ …을 쑥 걸쳐 입다[신다] (cf. *vi.* 6). ⑵《俗》…을 후려 갈기다 ; …을 배불리 먹다.
slip over (길을) 서둘러 나아가다 ; …을 무심코 못보고 넘기다, 적당히 끝내다.
slip a person ***over on...***《美口》…으로 남을 속이다.
slip through a person***'s fingers*** (남이 모르고 있는 사이에) 도망치다, 잡히지 않다 ; 목숨을 건지지 못하다.
slip up 헛디디다, 미끄러져 넘어지다 ; 재난을 만나다 ;《口》틀리다, 실수하다〈*in*〉.
—— *n.* **1** 미끄러짐 ; (차바퀴의) 공전 ; (자동차·비행기 따위의) 옆으로 미끄러짐 (sideslip). **2** 미끄러져 넘어짐, 헛디딤, 걸려 넘어짐, 과실, 실수 (mistake) ; 실언, 틀리게 씀 ; (갑작스런) 재난, 사고 : a ~ of the pen[the tongue] 잘못 씀[말함] / a ~ of the press〖印〗오식 / There's many a ~ 'twixt[between] the cup and the lip.《속담》컵을 입에 댈 때까지의 짧은 사이에도 실수는 얼마든지 있게 마련이다《다 끝내기 전까지 방심해서는 안된다》. **3 a**) 쉽게 입고 벗을 수 있는 것 ; 슬립《여자용 속옷의 일종》. **b**) [*pl.*]《주로 英》수영복《남자용》. **c**) 베갯잇 (pillow slip). **d**) (뺐다 끼웠다 하기 쉬운) 개 사슬줄. **4** [보통 *pl.*]〖船〗조선대, 선가(船架) (=~ **dòck**) ; (선가의) 사로(斜路). **5**〖地質〗활동(滑動), 단층. **6** [~s, 단수·복수취급]〖크리켓〗슬립《위켓에서 몇 야드 뒤의 (타자편에서 보아) 좌측의 위치》, 슬립에 서는 외야수 : in the ~*s* 외야수가 되어. **7** [*pl.*]〖劇〗무대의 옆 출입구《등장 전에 배우가 대기하는 장소》. **8** 달아남, (동행자 등을) 따돌림. **9** (가격 따위의) 하락, 저하.
give a person ***the slip*** 남을 따돌리고[속이고] 달아나다.
—— *a.* 미끄러지게 하는 ; 뗄 수 있는 ; 잡아당기면 풀어지는.
〚? MLG *slippen* ; cf. SLIPPERY, G *schleifen*〛
類義語 (1) (*v.*) ⟹ SLIDE.
(2) (*n.*) ⟹ ERROR.

slip[2] *n.* **1** 조각, (토지·재목·종이 따위) 길쭉한 한 조각 ; 종잇조각, 전표, 메모 용지, 표, 입장권《보통 직사각형》;〖印〗임시 조판의 교정쇄(校正刷) ;《美》(교회 따위의) 긴의자, 좁은 좌석 ; (단면이 쐐기 모양인) 작은 숫돌 ;〖工〗슬립《두께 측정용의 작은 강판 조각》: a long narrow ~ *of* paper 길고 가느다란 종잇조각 (한 장). **2**〖園藝〗꺾꽂이순, 가지접. **3** 자손 ; (한 집안의) 젊은이 ; (호리호리한) 소년.
a (***mere***) ***slip of a boy***[***girl***] 호리호리한[키만 껑충한] 사내애[계집애].
—— *vt.* (**-pp-**)〖園藝〗(나무 따위)에서 꺾꽂이순을 따다, 그루를 나누어 이식하다 ; (일부분을) 떼내다.
〚MLG, MDu.=cut, strip, slit〛

slip[3] *n.* Ⓤ 도자기 제조에 쓰이는 점토 고체입자의 현탁액(懸濁液).
〚OE *slipa, slyppe* slime ; cf. SLOP[1], COWSLIP〛

slíp càrriage[**còach**] *n.*〖英鐵〗도중분리 차량《열차가 통과역에서 떼어 놓고 가는 객차》.

slíp·càse *n.* **1** (책을 간수하기 위한) 종이 상자, 책 케이스. **2** =SLEEVE 2.

slíp·còver *n.* **1**《美》(긴의자 따위의) 커버, 덮개. **2** =SLIPCASE 1. —— *vt.* (의자 따위)에 덮개를 씌우다.

slíp·hòrn *n.*《口》=TROMBONE.

slíp jòint *n.* (망원경 따위의) 끼웠다 뽑았다 할 수 있는[활동(滑動)] 접합(부).

slíp·knòt *n.* 풀매듭.

slíp nòose *n.* 올가미.

slíp-òn *a., n.* 손쉽게 입고 벗을 수 있는 (옷·스웨터 따위).

slíp·òver *a., n.* 머리로부터 뒤집어 쓰듯 입는 (스웨터 따위), =PULLOVER.

slip·page [slípidʒ] *n.* Ⓤ 미끄러지기 ; (목표와의) 빗나간 차(差) ; (송전 중의 전력의) 손실(량) ; (실제 산출량과의) 차 ; 생산상의 지체량(遲滯量).

slípped dísk *n.*〖醫〗추간(椎間) 연골 헤르니아, 「디스크」.

***slip·per** [slípər] *n.* **1** 덧신, 슬리퍼 : a pair of ~*s* 덧신 한 켤레. **2** (차바퀴의) 제동 장치.
—— *vt.* 슬리퍼로 때리다 ; (발에) 슬리퍼를 걸치다. —— *vi.* 슬리퍼를 신고 걷다 ;《美俗》개심하다, 말을 듣다.
~·ing *n.* 슬리퍼로 때리기. **~·less** *a.* 〚SLIP[1]〛

slip·per-slop·per [slípərslɑ̀pər] *a.* 감상적인.
〚*sloppy*의 가중(加重)인가〛

slípper sòck *n.* 슬리퍼 속스《바닥에 가죽을 댄

방한용 양말》.

*__slip·pery__ [slípəri] *a.* **1** (길 따위가) 미끄러지기 쉬운, 미끈미끈한, 미끄러운. **2** 잡을 데 없는, 미끄러워 붙잡기 힘든 ; 달아날 것 같은 ; 건방진 ; 믿을 수 없는 ; 간사한(tricky) : a ~ customer 믿을 수 없는 사람 / (as) ~ as an eel ☞ EEL 숙어. **3** 불안정한.

〈회화〉

Be careful. The floor is *slippery*. — Wow ! It sure is !「조심해. 마룻바닥이 미끄러워」「아이고, 정말이네」

slíp·per·i·ly *adv.* **-i·ness** *n.* 〖SLIPPER〗

slíppery élm *n.* 〔植〕 느릅나무의 일종《북미산》; 그 나무 껍질《진통제를 만듦》.

slíp pròof *n.* 〔印〕 =GALLEY PROOF.

slíp·py *a.* **1** 《口》 =SLIPPERY. **2** 《英口》 약삭빠른, 날랜, 빈틈없는.

look* [*be*] *slippy 《英口》 잽싸게 해치우다.

slíp-resíst·ant *a.* 미끄럼방지의, 방활(防滑)의 : the ~ surface 미끄럼방지 처리를 한 표면.

slíp rìng *n.* 〔電子〕 집전(集電) 고리.

slíp ròad *n.* 우회하는 작은 길(cf. BYPASS 1) ; 《英》 (고속도로의) 진입로.

slíp shèet *n.* (더러움 방지를 위해서 갓 인쇄한 인쇄지 사이에 끼우는) 간지(間紙).

slíp-shèet *vt., vi.* 《美》 (…의) 사이에 간지를 삽입하다.

slíp·shòd *a.* **1** 뒤축이 닳은 신을 신은 ; 발을 질질 끌며 걷는. **2** 단정치 못한, 되는대로 하는 : a ~ style 짜임새 없는 문체 / a ~ piece of work 조잡한 세공품.

slíp·slòp *n.* **1** Ⓤ 묽은[밍밍한] 술 ; Ⓤ,Ⓒ 싱거운 음식. **2** Ⓤ,Ⓒ 감상적인 이야기[글] ; 수다. **3** Ⓤ 말의 오용(malapropism).

slíp-slòp *a.* 밍밍한, 약한, 싱거운《술 따위》; 너절한 ; 소루한, 엉성한 ; 감상적인. —— *vi.* 너절한 글을 쓰다 ; 터덜터덜 걷다.

slíp·sòle *n.* (구두의) 얇은 안창 ; (높이 조절·보온을 위해 안창 밑에 넣는) 두꺼운 가죽.

slíp·stìck *n.* 《美俗》 =SLIDE RULE.

slíp stìtch *n.* 공그르기.

slíp·strèam *n.* 〔空〕 프로펠러의 후류(後流)《프로펠러에 의해 뒤로 밀리는 공기의 흐름》; 슬립스트림《레이싱카 따위의 바로 뒤의, 저압으로 공기 저항이 적은 영역》; 여파, 영향. —— *vi.* slipstream 속을 운전하다.

slíp·ùp *n.* 《口》 오류, 잘못(error) ; 못보고 빠뜨림, 간과 ; 재난(mishap). 〖SLIP[1] *up*〗

slíp·wày *n.* [보통 *pl.*] 조선대(臺), 선가(船架).

slit [slít] *v.* (~ ; **slít·ting**) *vt.* **1** [+目/+目+前+名] (세로로) 길게 자르다[가르다·찢다] : ~ cloth ***into*** strips 천을 가느다란 조각으로 자르다. **2** [+目/+目+補] 찢어 발기다 : He ~ the bag open. 그 자루를 찢어 발겼다. —— *vi.* [動/+前+名] 길쭉하게 잘리다, 세로로 째지다. —— *n.* **1** 길게 벤 상처, 길게 베어진 자국. **2** 갈라진 틈, 틈새 ; (스커트 따위의) 길게 튼 곳, 슬릿 ; (자동판매기·공중 전화기 따위의) 동전 투입구 ; 《卑》 여성의 성기. —— *a.* 가늘고 긴 ; 길게 벤 상처가 있는 ; 슬릿이 있는.

〖ME *slitte* ; cf. OE, OS *slītan* to slice, G *Schlitz*〗

slít-èyed *a.* 째진 눈의, 눈이 가늘게 째진.

slith·er [slíðər] *vi.* 《口》 [動/+前+名] 주르르 미끄러지다 ; 미끄러져 가다[내려가다] ; 미끄러지듯이 나아가다[걷다] : The box ~*ed* ***down*** the hill. 상자는 언덕을 주르르 미끄러져 내려갔다.

—— *vt.* 주르르 미끄러지게 하다 ; (머리를) 치다.

—— *n.* 주르르 미끄러짐, 활행(滑行), 활주 ; 깬 조약돌, 쇄석 ; (물이) 미끄러져 흐르는[떨어지는] 소리. 〖변형(變形) ‹*slidder* (freq.) ‹SLIDE〗

slíth·ery *a.* 미끈미끈한, 반들반들한 ; 미끄러질 듯한《걸음걸이》.

slít pòcket *n.* 슬릿 포켓.

slít skìrt *n.* 슬릿 스커트《앞 또는 뒤에 트인 곳이 있는》.

slít trènch *n.* =FOXHOLE.

sliv·er [slívər] *vt.* **1** 세로로 길게 자르다[째다], 가늘고 길게 자르다. **2** (물고기의) 몸 한쪽을 도려내다. —— *vi.* 째지다, 갈라지다. —— *n.* **1** 쪼개진 조각, (나무·재목 따위의) 가느다란 조각. **2** 작은 물고기의 한쪽 조각《낚싯밥》.

〖ME ; cf. *slive* (dial.) to cleave (OE《美》*slīfan*)〗

sliv·o·vitz, -witz, -vic [slí(:)vəvìts, -wìts] *n.* 슬리보비츠《헝가리·발칸 제국의 서양자두로 만든 브랜디》.

slob [sláb] *n.* 《口》 꾀죄죄한 사람, 촌스러운 사람 ; 《아일》 (물가의) 진흙(땅).

〖Ir. *slab* mud‹SLAB[2]〗

slob·ber [slábər] *vi.* 침을 흘리다, 연거푸 키스하다 ; 우는 소리하다. —— *vt.* 침으로 더럽히다[적시다] ; 못쓰게 만들다 : Baby has ~*ed* his bib. 갓난아기가 턱받이를 침으로 적셔버렸다.

slobber over a person (키스를 퍼부어) 남을 한껏 애무해 주다 ; 겸연쩍을 정도로 남을 칭찬하다 또는 그리워하다.

—— *n.* Ⓤ 군침 ; 우는 소리, 실없는 소리 ; 연달은 키스. 〖Du.<imit.〗

slób·bery *a.* **1** 침을 흘리는, 침으로 젖은[더럽힌] ; 우는 소리를 하는. **2** 진흙투성이의, 질퍽질퍽한. **3** 꾀죄죄한.

slób ìce *n.* (해상의) 유빙괴(流氷塊).

sloe [slóu] *n.* 〔植〕 자두류(의 열매).

〖OE *slā*(*h*) ; cf. G *Schlehe*〗

slóe-éyed *a.* 검은 눈의 ; 눈꼬리가 치올라간.

slóe gín *n.* 자두술.

slóe-wòrm *n.* 《英》 =SLOWWORM.

slog [slág] *v.* (**-gg-**) *vt.* (특히 권투나 크리켓에서) 강타하다 : ~ a ball 공을 세게 치다. —— *vi.* **1** [+*at*+名] (특히 권투나 크리켓에서) 강하게 때리다 : ~ ***at*** a ball 공을 세게 치다. **2** [動/+前+名/+副] 쉬지 않고 일하다 ; 무거운 걸음걸이로 걷다 : He ~*ged* (*away*) ***at*** his business. 그는 일에 전력을 다했다 / The man ~*ged* ***along*** [***on***]. 그 남자는 무거운 발걸음으로 걸어갔다.

—— *n.* 강행군 ; 오래 노력하는 일, 고투(의 시간) ; (크리켓에서의) 강타.

〖C19<? ; cf. SLUG[2]〗

*__slo·gan__ [slóugən] *n.* **1** (처세·상업·단체 따위의) 표어, 슬로건, 모토. **2** (원래는 스코틀랜드 고지 사람의) 함성.

〖C16 *slogorn*<Gael. *sluagh-ghairm* army cry〗

slógan·ìze *vt.* 슬로건 형식으로 말하다, 표어화하다 ; 슬로건으로 영향을 끼치다[설득하다].

slóg·ger *n.* (권투·크리켓 따위의) 강타자 ; 근면가, 열심히 공부하는 사람.

sloid, slojd [slɔ́id] *n.* =SLOYD.

sloop [slú:p] *n.* 〔海〕 슬루프형 범선《돛대가 하나인 범선》; 슬루프형 군함(=∠ **of wár**)《상갑판에만 포를 갖춘 소형 군함》. 〖Du. *sloep*<?〗

slóop-rìgged *a.* 슬루프식 범장(帆裝)의.

sloot ☞ SLUIT.

slop[1] [sláp] *v.* (**-pp-**) *vt.* **1** [+目/+目+前+名] 엎지르다 ; 진흙[음식물]을 엎질러 더럽히다 ; …

에 흙탕물을 튀기다 ; (음식물을) 던적스럽게 담다 ; 게걸스럽게 먹다, 벌떡벌떡 마시다 ; (돼지 따위)에 먹다 남은 찌끼를 먹게 하다 : The car ~*ped* him as it went through puddles. 자동차가 웅덩이 위를 지나가면서 그에게 흙탕물을 튀겼다 / The baby ~*ped* milk ***on*** the floor. 갓난아기가 마루에 우유를 엎질렀다. **2** [+目+前+名] 질퍽하게 하다 : ~ the table ***with*** ink = ~ ink ***over*** the table 테이블을 잉크로 더럽히다.

—— *vi.* **1** [動/+副/+前+名] 엎질러지다, 넘쳐 흐르다, 액체를 흩뿌리다 : The soup ~*ped* (***over***). 수프가 엎질러졌다 / The coffee has ~*ped* (*over*) ***into*** the saucer. 커피가 받침 접시[쟁반]에 흘렀다. **2** [+副/+前+名] 진창길을 걷다 : The boy ~*ped* ***about in*** the mud. 그 소년은 진창 속을 걸어다녔다 / The soldiers ~*ped* ***along*** the muddy roads. 병사들은 진창길을 걸어 갔다 / I had to ~ ***through*** the rain. 나는 비를 맞으면서 철벅철벅 걸어가야만 했다.

slop over (1) ☞ *vt.* 2, *vi.* 1. (2) 《口》 지나치게 감상적이다 ; 너무 열중하다.

—— *n.* **1** 엎지른 물 ; [보통 *pl.*] 더러운 물, (음식 찌끼 따위가 들어 있는 부엌의) 개숫물, (돼지의 사료로서의) 돼지죽(swill), (침실 세면대의) 더러운 물(cf. SLOP PAIL) ; [*pl.*] 〖酒造〗 증류 폐액, 《美俗》 맥주 ; 〖石油〗 정제 배출유. **2** [보통 *pl.*] (멀건) 음식물, 반유동식 ; 《口》 맛없는 요리[음식]. **3** Ⓤ 흙탕물, (특히) 진창(mire). **4** 《美俗》 싼 술집, 삼류 식당. **5** 《口》 값싼 감상 ; 《俗》 칠칠치 못한 남자, 야무지지 못한 놈.

〚C18＝slush＜? OE 《美》 *sloppe* ; cf. COWSLIP〛

slop[2] *n.* 《英俗》 순경.

〚*ecilop* ; *police*의 역철자(逆綴字)〛

slop[3] *n.* 헐렁한 웃옷 ; [*pl.*] 값싼 기성복 ; [*pl.*] 수병복, 수병[선원]의 침구[담배 따위].

〚ME＜? MDu. ; cf. OE *oferslop* surplice〛

slóp bàsin[《英》 **bòwl**] *n.* 남은 차를 쏟는 그릇 《남은 홍차나 커피를 비우기 위한 그릇》.

slóp chèst *n.* 《海俗》 (항해중의 선원에게 파는) 선원복·담배·부츠《따위》, 선내 매점 ; 《古》 그 판매품을 넣은 상자.

‡**slope** [slóup] *vt.* 경사지게 하다, …을 물매지게 하다 : ~ the roof 지붕을 물매지게 하다.

—— *vi.* **1** [動/+副/+前+名] 경사지다, 기울다, 비탈지다 : The bank gently ~*s* (***down***) ***to*** the water's edge. 그 둑은 물가 쪽으로 완만하게 경사져 있다 / His handwriting ~*s forward* [*backward*]. 그가 쓰는 글씨는 오른쪽으로[왼쪽으로] 기운다. **2** [+副] 가다, 오다, 걷다 ; 《美俗》 탈옥하다 : ~ ***off*** 도망치다, 뺑소니치다.

Slope arms [***swords***] ***!*** 〖軍〗 어깨총[칼] !

slope the standard 〖軍〗 군기를 비스듬히 기울이다《경례의 표시》.

—— *n.* **1** 비탈, 경사면 ; 스키장 ; [흔히 *pl.*] 경사지, 구릉지대, 절벽 ; (대양쪽으로 경사진) 대륙 내의 지역, 사면. **2** Ⓤ.Ⓒ 경사(도), 물매. **3** 〖數〗 기울기, 접선의 기울기 ; 〖印〗 글자체의 경사 ; 〖軍〗 어깨총의 자세. **4** 경기후퇴.

—— *a.* 《詩》 경사진, 기운.

〚a*slope*〛

slóp·ing *a.* 경사진, 비탈진, 비스듬한. **~·ly** *adv.* 경사져서, 비스듬히.

slo-pitch [slóupítʃ, ⌐⌐] *n.* 슬로피치《슬로볼만 던지는 소프트볼의 일종》.

〚*slow pitch*〛

slóp jàr *n.* (부엌의) 개수통 ; 침실용 변기.

slóp pàil *n.* (부엌·침실 따위의) 오물통, 개수통 [양동이] (cf. SLOP[1] *n.* 1).

slóp·py *a.* **1** (음식물이) 묽은, 맛없는. **2** (도로 따위가) 물웅덩이가 많은, 질퍽질퍽한, 흙탕물을 튀기는 ; (날씨가) 구질구질한, 비가 잦은. **3** 《口》 단정치 못한, 되는대로의. **4** 《口》 감상적인, 나약한, 넋두리 하는.

〚SLOP[1]〛

slóppy jóe *n.* 《口》 낙낙한 스웨터《여성용》 ; 《美》 슬로피 조《둥근 빵에 얹어 먹는 토마토 소스 따위로 맛을 낸 저민 고기》.

slóp·sèll·er *n.* 기성복 상인.

slóp·shòp *n.* 싸구려 기성복 상점.

slóp sìnk *n.* (병원 따위의) 수채《구정물을 버리거나 자루걸레를 빪》.

slóp·wòrk *n.* 싸구려 기성복(제조) ; 날림일, 아무렇게나 하는 일.

slóp·wòrk·er *n.*

slosh [slɑ́ʃ] *n.* **1** 진창(속의 행진). **2** 《口》 밍밍한 음료 ; 물이 부딪는 소리 ; 소량의 액체. **3** 《英俗》 펀치, 강타. —— *vt.* [+目/+目+前+名] **1** (흙탕물을) 튀기다 ; 흙탕으로[물로] 더럽히다. **2** 《英俗》 치다(hit) : He ~*ed* me ***on*** the chin. 나의 턱을 세게 쳤다. —— *vi.* **1** [+副/+前+名] 진창[물]속을 뛰어다니다 : ~ ***about in*** the puddle 물웅덩이 위로 철퍽철퍽 뛰어다니다 / His stomach ~*ed* ***with*** countless cups of tea. 그의 뱃속은 수없이 마신 차로 출렁거렸다. **2** 《美》 정처없이 돌아다니다.

〚변형(變形) ＜*slush* ; *-o-*는 *slop*[1]의 영향〛

sloshed [slɑ́ʃt] *a.* 《口》 술취한(drunk).

slot[1] [slɑ́t] *n.* **1** 〖機〗 홈, 조그맣고 가느다란 구멍 ; (자동 판매기·공중 전화기 따위의) 동전 투입구(slit) ; ＝SLOT MACHINE ; 좁은 통로[공간] ; 〖컴퓨〗 꽂이 틈. **2** (무대의) 마룻바닥의 구멍 뚜껑 ; 《口》 (조직안에서의) 지위, 위치 ; (경마에서의 골 도착) 순위 ; 〖美蹴〗 슬롯《공격측의 엔드와 태클사이》. —— *vt.* (**-tt-**) …에 홈을 파다 ; 구멍을 내다 ; 안에 넣다, 투입하다⟨*in*⟩, 《口》 (예정외의 것을) 비집고 들어가게 하다 ; 《口》 (조직 따위에) 배속하다 : ~ the wall for guns 벽에 총안을 내다.

〚OF *esclot* hollow of breast＜?〛

slot[2] *n.* 발자국, (특히 사슴의) 냄새 자취(track).

—— *vt.* (**-tt-**) …의 뒤를 밟다.

〚OF *esclot* hoofprint of horse＜? ON *sloth* trail ; cf. SLEUTH〛

slót·bàck *n.* 〖美蹴〗 슬롯백《slot 바로 뒤쪽의 하프백》.

slót càr *n.* 《美》 슬롯 카《원격 조종으로 홈이 패인 코스를 달리는 게임용 장난감 레이싱 카》.

sloth [slɔ́:θ, slóuθ ; sláuθ] *n.* **1** Ⓤ 나태, 태만, 게으름(laziness) ; 《稀》 늦음, 뒤짐. **2** 〖動〗 나무늘보《중남미산》.

〚SLOW, *-th*[2]〛

sloth 2

slóth bèar *n.* 〖動〗 늘보곰《일종의 검은 곰 ; 인도·스리랑카산》.

slóth·ful *a.* 나태한, 게으름 피우는 ; 굼뜬. **~·ly** *adv.* 게으르게, 태만하게. **~·ness** *n.*

slót machìne *n.* 자동 판매기(vending machine) ; 자동 도박기 ; 《美》 슬롯 머신(＝《英》 fruit machine) (cf. JACKPOT) ; 자동 저울.

slót màn *n.* (신문사 따위의) 기사[원고] 정리[편집] 부장(copy editor).
slót ràcing *n.* 《美》 슬롯 카의 레이스.
slouch [sláutʃ] *n.* **1** 앞으로 수그림, 수그리고 걸음[앉음, 섬], 고개를 떨굼, 내려다 봄 ; 거북스런 태도[걸음걸이]. **2** =SLOUCH HAT. **3** 볼품없는 사람 ; 《口》 게으름뱅이 ; 서투른 장인(匠人), 무능한 사람 : He is no ~ *at* the job. 그는 그 일에는 꽤 숙달되어 있다[솜씨가 대단하다] / This show is no ~. 이 쇼는 볼만하다[잘 되어있다]. —— *vt.* **1** (모자 한 쪽의 챙을) 처지게 하다(↔*cock*), (모자를) 푹 눌러 쓰다 : He ~*ed* his hat *over* the eyes. 그는 모자를 푹 눌러 썼다. **2** [+目/+目+副] (어깨 따위를) 앞으로 구부리다 : He ~*ed* his shoulders ***down***. 어깨를 앞으로 수그렸다.
—— *vi.* **1** 축 늘어지다 ; 숙이다, 몸을 웅크리다 : a hat with a brim that ~*es* 챙이 처진 모자. **2** [動/+副] 꼴사납게 걷다[앉다, 서다] : The exhausted man ~*ed* ***along***[***about***]. 피로에 지친 사나이는 축 늘어져 걸어갔다[돌아다녔다]. 〖C16< ?〗
slóuch hát *n.* 챙이 처진[을 자유로이 구부릴 수 있는] 중절 모자.
slóuchy *a.* 앞으로 수그린 ; 단정치 못한, 게으른.
slough[1] [sláu] *n.* **1** 진창, 진흙 구덩이 ; 진창길. **2** [美+slú:] 《美·Can.》 저습지, 수렁, 늪, 진구렁 ; (태평양 해안의) 후미(slew, slue). **3** 《비유》 빠져 나올 수 없는 궁지, 절망, 실망, (타락의) 구렁텅이. **4** 《美俗》 체포, 형사.
—— *vt.* 수렁에 빠뜨리다 ; 《美俗》 …에 자물쇠를 채우다, 가두다, 체포하다〈*up*〉.
—— *vi.* 수렁 속을 걷다.
〖OE *slōh, slō*(*g*) < ?〗
slough[2], **sluff** [slʌ́f] *n.* **1** (뱀 따위의) 허물, 탈피 ; 《비유》 버린 습관[편견]. **2** 〖醫〗 썩은 살, 딱지(scab) ; 〖카드놀이〗 버린 패.
—— *vi.* [動/+副] 탈피(脫皮)하다, 허물을 벗다〈*off*, *away*〉; 썩은 살이 생기다 ; 서서히 무너지다[떨어지다] ; 〖카드놀이〗 패를 버리다〈*off*〉; 《美俗》 도망치다. —— *vt.* **1** 벗겨내다, 허물을 벗다 : The snake ~*ed* its skin. 뱀이 허물을 벗었다. **2** [+目/+目+副] (편견·못된 버릇 따위를) 버리다 : He managed to ~ (***off***) his drinking habit. 그는 가까스로 음주벽을 버렸다. **3** 〖카드놀이〗 (필요 없는 패를) 버리다 ; 《美俗》 (가게·텐트 따위를) 걷어치우다, 중지하다, (군중 등을) 쫓아 버리다.
slough off 〖籠〗 (다른 플레이에 가담하기 위해) 가드를 그만두다.
slough over …을 경시하다, 업신여기다 ; …을 얼버무리다, 발뺌하다.
〖ME< ? ; cf. MLG *slu*(*we*) husk, G *Schlauch*〗
Slóugh of Déspond *n.* [the ~] 절망의 늪(John Bunyan작 *Pilgrim's Progress*에서) ; [the s~ of d~] 절망의 구렁텅이, 타락.
sloughy[1] [sláui, slú:i] *a.* 진창의, 진구렁 같은 ; 흙탕 구덩이가 많은. 〖SLOUGH[1]〗
sloughy[2] [slʌ́fi] *a.* **1** 허물 같은, 딱지의. **2** 탈락하는, 허물 벗는. 〖SLOUGH[2]〗
Slo·vak [slóuvæk, -vɑk, -́-] *n.* Slovakia인 ; Ⓤ 슬로바키아어(語). —— *a.* 슬로바키아인[어]의. 〖Slovak〗
Slo·va·kia [slouvɑ́:kiə, -vǽk-] *n.* 슬로바키아 (체코슬로바키아에서 분리 독립한 나라 ; 수도 Bratislava). **Slo·vá·ki·an** *a.*, *n.* =SLOVAK.
slov·en [slʌ́vən] *n.* 옷차림이 단정치 못한 사람, 나태한 사람 ; 부주의한 사람.
—— *a.* =SLOVENLY.
〖ME< ? Flem. *sloef* dirty or Du. *slot* careless〗
Slo·vene [slóuvi:n, -́-] *n.* 슬로베니아인 ; Ⓤ 슬로베니아어. —— *a.* 슬로베니아의 ; 슬로베니아인[어]의. 〖G *Slowene*〗
Slo·ve·nia [slouví:niə] *n.* 슬로베니아(구유고슬라비아에서 분리 독립한 나라 ; 수도 Ljubljana).
Slo·vé·ni·an *n.*, *a.* =SLOVENE.
slóven·ly *a.* 옷차림이 단정치 못한 ; 게으른, 부주의한, 되는 대로의.
—— *adv.* 칠칠치 못하게 ; 소홀히. **-li·ness** *n.*
◇**slow** [slóu] *a.* **1** [시간] **a**) 느린, 더딘, 느릿느릿한(↔*fast, quick, swift*) : a ~ ball 〖野·크리켓 따위〗 (속도가) 느린 공, 슬로 볼 / a ~ runner 느린 주자 / a ~ train 완행[보통] 열차(↔*a fast train*) / in ~ motion 느릿느릿한 동작으로 ; (영화의 화면 따위가 고속도 촬영에 의한) 슬로 모션으로(cf. SLOW-MOTION) / goods of ~ sale 더디 팔리는 상품 / *S*~ and[but] sure[steady] wins the race. 《속담》 더디더라도 착실한 것이 결국 승리한다, 「느릿느릿 걸어도 황소걸음」. **b**) [+*to* do/+*in*+do*ing*] (cf. 2) 시간이 걸리는 ; (여행 따위) 서두르지 않는 : He was ~ *to* come. 그는 좀처럼 오지 않았다 / She has been ~ ***in*** admit*ting* her mistake. 그녀는 좀처럼 자신의 잘못을 인정하려 하지 않았다. **c**) (당구대 따위의 표면이) 완만한 ; (필름 따위의) 감광도(感光度)가 낮은, (렌즈가) 구경이 작은 ; (독약 따위가) 약기운이 더디게 도는 ; (화승(火繩) 따위가) 인화가 더딘. **d**) (시계 따위가) 늦는 ; [+*in*+do*ing*] (사람이) 시간에 늦는 : Your watch is (seven minutes) ~. 너의 시계는 (7분이) 늦다 / He is ~ ***in*** arriv*ing*. 그는 도착이 늦어지고 있다.
2 [성질] [+*to* do/+*in*+do*ing*] (cf. 1 b)) **a**) 굼뜬, 둔한, 우둔한(↔*quick*) ; 서투른 : a ~ pupil 우둔한 학생 / He is ~ ***at*** accounts. 그는 계산이 느리다 / be ~ ***in*** one's movements 동작이 둔하다 / be ~ *in* one's speech=be ~ ***of*** speech[tongue] 입이 무겁다 / be ~ *of* understanding 이해가 더디다 / He is ~ *to* learn[*in* learn*ing* his lessons]. 그는 배우는게 더디다[공부를 잘 못한다]. **b**) 쉽사리 (성내거나) 하지 않는 ; 느긋한, 뒷걸음질치는 : Your father is ~ ***to*** anger[*to* take offense]. 너의 아버지는 좀처럼 화를 내시지 않는다(주 anger는 명사) / He is ~ *to* act[*to* take action, ***in*** action]. 그는 느긋하게 행동을 취한다. **c**) 보수적인, 시대에 뒤진.
3 [상태] **a**) 활기 없는 ; (난로 따위가) 화력이 약한. **b**) 불경기의, 부진한. **c**) (재미가 없어서) 시간이 더디 가는, 지루한 : The game was very ~. 시합은 되게 재미가 없었다 / We passed a ~ evening. 지루한 하룻밤을 보냈다.
—— *adv.* **1** 더디게, 느리게, 천천히 : I told the driver to go ~*er*. 나는 운전사에게 좀더 천천히 가라고 말했다. ☞ 活用. **2** [현재분사와 복합어를 이루어] =SLOWLY : ~-burning 더디게 타는 ; 내화성(耐火性)의 / ☞ SLOW-MOVING.
go slow 천천히 가다[하다] ; 태업(怠業)하다 ; 허둥대지 않다 ; 경계하다.
—— *vt.* [+目+副] 더디게 하다, 늦게 하다 ; (자동차 따위의) 속력을 떨어뜨리다[늦추다], 감속하다 : The policeman suddenly ~*ed* his walk. 경찰관은 갑자기 걸음을 늦추었다 / The train ~*ed* ***down***[***up***] its speed. 열차는 속력을 늦추었다 / *S*~ *down* your car. 자동차의 속도를 늦추시오.
—— *vi.* [+副] 속도가 떨어지다, 느려지다 ; 속도를 늦추다 : The driver ~*ed* ***down***[***up***] at the

roundabout. 운전자는 로터리에서 속력을 늦추었다. **~·ish** *a.* **~·ness** *n.*
〖OE *slāw* sluggish ; cf. OHG *slēo* dull〗
活用 slow *adv.* 1에 대해서는 다음의 점에 주의. i) slow는 slowly 보다도 뜻이 강하며 주로 동사의 뜻보다도 부사의 뜻에 중점을 두는 경우에 쓰이며 구어적이다 ; 감탄문에서 how 다음에 오는 경우 이외에는 항상 동사 뒤에 오게 된다 : How *slow* he walks! (무슨 걸음이 그리 느릴까) / Drive *slow.* (천천히 운전하시오) 《서행》. ii) 특히 《口》에서는 비교급·최상급으로 more [most] slowly 보다도 slower, slowest를 즐겨 씀 : Please go *slower.* (좀더 천천히 가시오). ☞ QUICK 活用.
類義語 ***slow*** 「빠르지 않은, 서둘지 않는」의 뜻으로 가장 흔히 쓰이는 말. ***leisurely*** 시간이 충분하므로 천천히[차분히] 하는[서둘지 않는] : I like a *leisurely* trip. (나는 한가로운 여행을 좋아한다). ***deliberate*** 계획이나 행동이 신중하며 자제심이 있는, 언행이 주의 깊고 침착한 : a *deliberate* manner (신중한 태도).

slów-bèat gúy *n.* 《美俗》 꼴보기 싫은 놈.
slów búrn *n.* [때때로 do a ~의 형태로] 점점 치밀어오르는 분노, 서서히 더해지는 노여움[경멸의 기분].
slów còach *n.* (동작이) 굼뜬 사람, 얼간이(=《美》 slowpoke) ; 시대에 뒤진 사람.
slów·dòwn *n.* 감속(減速) ; 경기 감퇴 ; 《美》 태업(怠業), 슬로다운.
slów drág *n.* 《美學生俗》 격식을 차린[따분한] 댄스 파티.
slów fìre *n.* (시간제한을 하지 않는) 정밀 사격, 완사(緩射).
slów-fóot·ed *a.* 걸음이 느린, 굼뜬, 천천히 진전하는.
slów hándclap *n.* 《美》 일제히 천천히 간격을 두고 치는 박수《불쾌·초조 따위의 표명》.
slów inféction *n.* 〖醫〗 슬로 바이러스 감염.
◇**slów·ly** *adv.* 느리게, 더디게, 천천히(cf. SLOW *adv.*) : drive ~ 천천히 운전하다 / Please speak a little more ~. 좀더 천천히 얘기해 주십시오.
活用 ☞ SLOW.
slów mátch *n.* (폭발용) 도화선.
slów-mótion *a.* 느린 ; 고속도 촬영의 : a ~ picture 슬로모션 영화.
slów-móving *a.* 서서히 움직이는, 동작이 느린 ; (상품 따위) 더디게 팔리는, 변동이 적은《주식 따위》.
slów néutron *n.* 〖理〗 저속(低速) 중성자.
slów·pòke *n.* **1** [S~] 난방용 소형 원자로. **2** 《美口》 굼뜬 사람, 굼벵이, 게으름뱅이.
slów púncture *n.* 서서히 공기가 빠지는 구멍.
slów reáctor *n.* 저속 중성자 원자로.
slów tíme *n.* 〖軍〗 (장례 행진 따위의) 완보(緩步)《보통 1분간 65보》; 《口》 표준시《일광 절약 시간에 대하여》.
slów vírus *n.* 슬로 바이러스《체내에 장시간 존재하는 만성병 바이러스》.
slów-wítted *a.* 이해가 더딘, 머리가 둔한.
slów·wòrm *n.* 〖動〗 발없는 도마뱀. 〖OE *slā-wyrm* ; *slā* < ? (cf. Norw. *slo* slowworm)〗
sloyd [slɔ́id] *n.* (스웨덴에서 시작된) 목공 기술[공작] 교육(법).
S.L.P. Socialist Labo(u)r Party. **s.l.p.** *sine legitima prole* 《L》 (=without lawful issue).
SLR single-lens reflex.
slub [slʌ́b] *n.* 슬러브《초벌 꼰 실》, 조방사(粗紡絲), 시방사(始紡絲). —— *vt.* (**-bb-**) (양털·솜을) 초벌 꼬다, 시방하다. —— *a.* 불균형의.
〖C18< ?〗
slub·ber¹ [slʌ́bər] *vt.* 엉성하게[날림으로] 하다 〈*over*〉; 《英方》 더럽히다.
〖? Du. (obs.) *slubberen*〗
slubber² *n.* 시방기(始紡機). 〖SLUB〗
sludge [slʌ́dʒ] *n.* Ⓤ (무른) 진흙, 흙탕, 진창 (mire), 눈녹은 진창, 질퍽질퍽한 눈(slush) ; (하수 따위의) 침전물(沈澱物), 오물, 질척질척한 찌끼, 슬러지.
〖? 변형(變形) < *slush*〗
slúdgy *a.* 진창의, 질척거리는.
slue¹ [slúː] *vt.* [+目+副/+目+*to*+名] 돌리다 ; 비틀다 : ~ the boat ***round*** [***to*** left] 보트를 한 바퀴 돌리다[왼쪽으로 돌리다]. —— *vi.* 돌다, 비틀리다〈*round*〉. —— *n.* 회전, 비틀림. 〖C18< ?〗
slue² *n.* 진창, 수렁(slough).
slue³ *n.* =SLEW⁴.
sluff ☞ SLOUGH².
slug¹ [slʌ́g] *n.* **1** 〖動〗 민달팽이. **2** 《美口》 느릿느릿한 사람[동물, 차]《따위》. —— *vi., vt.* (**-gg-**) **1** 게으름피우다, 꾸물거리다 ; 잠자고 있다 : ~ in bed 늦잠자고 있다. **2** 《英》 (마당 따위에 있는) 민달팽이를 잡다[모으다].
〖ME *slugg(e)* sluggard< ? Scand.〗
slug² *v.* (**-gg-**) *vt.* 《美》 주먹으로 때리다 ; 《美》 배트로 강타하다 ; 《濠口》 터무니없는 값을 부르다. —— *vi.* 《美》 강타력이 있다 ; 《美》 (눈속 따위를) 곤란을 무릅쓰고 나아가다.
slug it out 《美》 끝까지 싸우다.
—— *n.* 《美》 강타 ; 《濠口》 터무니없는 값 : put the ~ on a person 남을 후려갈기다, 혹평하다.
〖C19< ? ; cf. SLOG〗
slug³ *n.* **1** 무거운 무쇳덩어리, 슬러그 ; (구식총의) 총알 ; (공기총 따위의) 산탄(散彈). **2** 〖印〗 슬러그《(1) 6포인트 이상의 두꺼운[대형] 인테르. (2) 식자공이 실수를 막기 위해 일시적으로 넣는 선. (3) 라이노타이프 따위의 활자의 행》; 《美》 (자동판매기용의) 대용 경화, 코인, 《美俗》 1달러 ; 50달러 금화 ; 〖理〗 슬러그《질량의 단위 ; =32.2pounds》; 〖저널리즘〗 표제《내용을 나타내는 짧은 타이틀》. **3** 《俗》 (위스키 따위의) 한 잔 (draught). —— *vt.* (**-gg-**) …에 총알을 재다 ; 〖印〗…에 슬러그를 넣다 ; 〖印〗 (교정쇄)의 행두어(行頭語)[행말어(行末語)]를 체크하다 ; 〖저널리즘〗 (기사)에 표제를 붙이다. 〖? SLUG¹〗
slúg·abèd *n.* 늦잠꾸러기 ; 게으름쟁이.
slug·fest [slʌ́gfèst] *n.* 《美口》 (치열하게 서로 되받아 치는) 복싱 시합, (야구의) 타격전(打擊戰), 난타전.
slug·gard [slʌ́gərd] *n.* 나태한 사람, 빈둥거리는 사람, 게으름쟁이. —— *a.* 나태[태만]한, 게으른. **~·ness** *n.* 〖SLUG¹ to be slothful+*-ard*〗
slúg·ger *n.* 《美口》 주먹이 센 권투 선수《보통 방어는 서투른 선수》, (야구의) 강타자 ; 《美俗》 귀까지 난 턱수염. 〖SLUG²〗
slúg·ging àverage *n.* 〖野〗 장타율(長打率)《누타수(壘打數)를 타수로 나눈 것》.
slúg·gish *a.* **1** 느린, (냇물의 흐름 따위가) 완만한. **2** (기능이) 둔한, 활발치 못한 ; 부진한, 정체된《경기 따위》. **3** 게으름피우는, 나태한. **~·ly** *adv.* **~·ness** *n.* 〖SLUG¹〗
slúggish schizophrénia *n.* 나태 분열증《구소련에서 흔히 정치범에게 붙였던 레테르》.
slúg-òut *n.* 쓰러지느냐 쓰러뜨리느냐의 싸움, 끝장을 보는 승부.

sluice [slúːs] *n.* **1** 수문(水門) ; 봇둑 ; 방수로, 홈통 ; 봇물 구멍 ; 봇물 ; 수문에서 흘러나오는 물, 분류(奔流). **2** 《비유》 배출구 ; 근원. **3** 〔鑛〕 세광(洗鑛)용 홈통, 사금(砂金)의 채취통. **4** (통나무 따위의) 운반용 수로. **5** 《口》 (흐르는 물에) 점벙점벙 씻기, 헹구기. —— *vt.* **1** 수문을 열어 …에 물을 흘려보내다[방수하다]. **2** [+目+前+名] 배수로[홈통]로 (물을) 끌다 : ~ water ***into*** [***from, out of***] a pond 연못에서 배수로를 통해서 물을 끌다. **3** 점벙점벙 씻다, 물을 끼얹어 씻다 ; 〔鑛〕 …에서 사금을 채취하다, 세광용 홈통으로 씻다 : ~ (***down***) a pavement with a hose 호스로 보도를 씻다. **4** (통나무 따위를) 수로로 떠내려보내다[운송하다]. —— *vi.* [+副/+前+名] (물이) 수문에서 (세차게) 흘러나오다 ; (흐르는 물에) (점벙점벙) 씻다 : Water ~*d* ***out*** [***down*** the channel]. 물이 수문에서 흘러나왔다[수로를 세차게 흘렀다].
〖OF *escluse*<L ; ⇨ EXCLUDE〗

slúice gàte *n.* 수문.

slúice vàlve *n.* 수문(水門) 밸브, 제수(制水) 밸브《아래위로 여닫는 수문의 문짝》.

slúice·wày *n.* 수문이 있는 수로(水路) ; 인공 수로 ; 〔鑛〕 세광용 홈통.

slúicy *a.* 왈칵 쏟아져 내리는, 내뿜는, 분출하는.

sluit, sloot [slúːt] *n.* 《南아》 (호우로 생긴) 협곡, 도랑. 〖Afrik. *sluit*<Du. *sloot* ditch〗

slum[1] [slʌ́m] *n.* [흔히 *pl.*] **1** 불량 주택[시가] 지구, 빈민가[굴], 슬럼가(街) ; 《口》 어수선한 거리[장소, 주거] : the ~*s* of New York 뉴욕의 슬럼가. **2** 《美俗》 고기 스튜, 양식, 맛이 없는 음식, (경품 따위로 주는) 싸구려 물건.
—— *vi.* (**-mm-**) (구제·호기심으로) 빈민굴을 찾아가다 ; (풍기가) 좋지 않은 장소[그룹]에 출입하다 : They went ~*ming* (out of curiosity). (호기심으로) 빈민가를 찾아갔다.
—— *a.* 《美俗》 싸구려의, 조악한.
〖C19<? ; 원래 은어〗

slum[2] *n.* =SLIME ; 윤활유 사용중에 생기는 찌꺼기. 〖? G *Schlamm* slime, mud〗

slum·ber [slʌ́mbər] *vi.* 《文語》 (cf. SLEEP) (편안히) 자다 ; 선잠 자다, 꾸벅꾸벅 졸다 ; (화산 따위가) 활동을 멈추다 : The girl ~*ed* peacefully. 그 소녀는 편안히[새근새근] 자고 있었다 / His talents had ~*ed* until this time. 《비유》 그의 재능은 이때까지 잠자고 있었다. —— *vt.* [+目+副] 잠자면서 (시간·생애 따위를) 보내다, (일생을) 허송세월하다〈*away, out, through*〉 ; 잠자서 (걱정 따위를) 잊다〈*away*〉 : He ~*ed away* the best years for productive work. 창작에 가장 적합한 세월을 보람없이 보냈다. —— *n.* U,C [때때로 *pl.*] 《文語》 잠, (특히) 선잠, 졸기, 얕은 잠 ; 《비유》 혼수[무기력] 상태, 침체 : fall into a ~ 깊이[푹] 잠들다. **~·er** *n.* 《文語》 자는 사람 ; 잠꾸러기 ; 안일하게 사는 사람.
〖ME (freq.) <*slūmen* to doze<? (n.) *slūme* (OE *slūma*) ; *-b-*는 cf. NUMBER〗

slúmber·lànd *n.* 꿈나라《아이들에게 이야기로 들려주는》.

slúmber·ous, slum·brous [slʌ́mbərəs] *a.* 《文語》 **1** 졸음이 오는 ; 졸리는(sleepy), 꾸벅꾸벅 조는. **2** 자고 있는 듯한, 고요한 ; 나태한, 활동하지 않는. **~·ly** *adv.*

slúmber pàrty *n.* 《英》 =PAJAMA PARTY.

slúmber wèar *n.* 잠옷.

slúm clèarance *n.* 슬럼가 철거 (정책).

slúm·dwèll·er *n.* 슬럼가 주민.

slum·gul·lion [slʌmgʌ́ljən, ⌐⌐-] *n.* 《美》 묽은[싱거운] 음료 ; 고기 스튜 ; 고래 기름의 찌끼 ; (세광용 홈통에 괴는) 붉은 빛이 도는 침전물 ; 《俗》 하찮은[쩨쩨한] 녀석.

slúm·ism *n.* 슬럼화(化).

slúm·lòrd *n.* 《美》 슬럼가(街)의 악덕 집주인. **~·ship** *n.*

slúm·mer *n.* 빈민굴 방문자, 슬럼가(街)의 교화[자선] 사업가 ; 슬럼가에 사는 사람, 빈민.

slúm·ming *n.* 《美俗》 (부자들의) 슬럼가 탐방.

slúm·my *a.* 빈민굴의[이 많은].

slump [slʌ́mp] *vi.* **1** (물가 따위가) 폭락하다 ; 악화되다 ; 의기 소침하다 : Sales ~*ed* badly in certain territories. 어떤 지역에서는 매상이 뚝 떨어졌다. **2** [動/+前+名/+副] (눈이나 얼음을 밟아 그 속에) 빠지다 ; 쿵 떨어지다〈*down*〉 ; 폭 가라앉다 ; 갑자기[힘없이] 넘어지다 ; 녹초가 되어 고개를 푹 숙이다, 몸이 구부정하게 되다 : The ice cracked and he ~*ed* ***into*** the cleft. 얼음이 깨져서 그는 그 틈새로 빠졌다 / The girl's feet ~*ed* ***through*** the ice. 소녀의 발이 얼음이 깨진 틈으로 빠졌다 / He ~*ed* (***down***) ***to*** the floor in a faint. 정신을 잃고 바닥에 힘없이 쓰러졌다 / Utterly wearied, I ~*ed into* the chair. 피로에 지쳐 의자에 털썩 주저앉았다. —— *n.* **1** 푹 떨어짐 ; (물가 따위의) 폭락, 저락, 시세 폭락(cf. BOOM[1]) ; 〔經〕 =DEPRESSION, [the S~] =GREAT DEPRESSION. **2** 인기 폭락[저락] ; (활동·원기의) 슬럼프, 부조(不調), 부진. **3** 구부정한 자세[걸음걸이]. **4** 사태(沙汰). **5** 〔土〕 슬럼프《slump test에 의한 검사 값》.
〖C18=to sink in bog<imit.〗

slump·fla·tion [slʌmpfléiʃən] *n.* 〔經〕 슬럼프플레이션《불경기하의 인플레이션》.
〖*slump*+in*flation*〗

slúmp tèst *n.* 《英》 〔土〕 슬럼프 시험《미경화 콘크리트의 품질을 조사하기 위한 간편한 시험》.

slung *v.* SLING[1]의 과거·과거분사.

slúng·shòt *n.* 슬렁숏《밧줄·가죽끈 끝에 무거운 금속·돌 따위를 매단 무기》.

slunk *v.* SLINK[1,2]의 과거·과거분사.

slur [slə́ːr] *v.* (**-rr-**) *vt.* **1** 분명치 않게 빨리 말하다, (두 음절을) 연달아 한음절로 발음하다. **2** (글씨를) 하나로 잇대어 쓰다. **3** 〔樂〕 (음표를) 잇대어 연주하다[노래하다] ; (음표에) 이음줄을 긋다. **4** 중상하다, 헐뜯다. **5** [+目+副] (사실·과실 따위를 두둔하는 것처럼) 얼버무리다, 모른 체하다 ; (직무 따위를) 소홀히하다 : He ~*red* ***over*** the details to carry his point. 주장을 관철하기 위하여 세부를 얼버무렸다. —— *vi.* **1** (분명치 않게) 말하다, 잇대어 발음하다[쓰다]. **2** 〔樂〕 잇대어 노래하다[연주하다] ; 이음줄을 긋다. **3** 질질 끌며 나아가다. —— *n.* **1** 분명치 않게 잇대어 발음하기 ; 쓰기[인쇄, 발음, 노래]의 불명료한 부분. **2** 〔樂〕 이음줄, 슬러. **3** 중상, 비난, 모욕 ; 불명예, 오명.
put [***cast, throw***] ***a slur upon*** . . . =《美》 ***cast*** [***throw***] ***slurs at*** …에게 치욕을 주다, 오명을 씌우다.
〖C17<? ; cf. MLG *slūren* to drag〗

slurb [slə́ːrb] *n.* 《美》 교외의 빈민촌.
〖*sl*um+sub*urb*〗

slurp [slə́ːrp] *vi., vt.* 《口》 소리내며 마시다[먹다]. —— *n.* 훌쩍훌쩍 마시는 소리 ; [감탄사적으로] 할짝할짝, 훌짝훌짝.
〖Du. *slurpen* to lap, sip〗

slur·ry [slə́ːri, slʌ́ri ; slʌ́ri] *n.* 슬러리《진흙·시멘

트 따위에 물을 섞어 만든 현탁액(懸濁液)).
—— *vt.* 슬러리로 만들다.
〖ME ; cf. *slur* (dial.) thin mud〗

slúrry transportátion *n.* 슬러리 수송《석탄이나 광석 가루를 물에 혼합시켜 파이프로 운송함》.

slur·vian [slə́:rviən] *n.* [보통 S~] 발음이 분명치 않은 말.

slush [slʌ́ʃ] *n.* **1** Ⓤ 녹기 시작한 눈[얼음] ; 흙탕, 진창 ; 시멘트 모르타르 ;〖海〗(조리중에 폐물로 나오는) 지방(脂肪) ; 녹슬지 않게 바르는 기름, 백연석회혼제(白鉛石灰混劑), 슬러시《녹슬지 않게 바르는 약》; 액상(液狀)의 제지(製紙) 펄프. **2** 《美俗》 저민고기의 요리 ; =SLUSH FUND. **3** 《口》 값싼 감상(感傷), 실없는 소리, 삼류 연애 소설[영화]. —— *vt.* …에 방청제(防錆劑)를 바르다 ; …에 회반죽을[시멘트를] 채워 넣다〈*in, up*〉; (갑판 따위를) 물로 씻다. —— *vi.* 진창을 나아가다[나아가는 듯한 소리를 내다]〈*along*〉; 물을 끼얹어 점벙점벙 씻다.
〖C17 < ? Scand. ; cf. Dan. *slus* sleet〗

slúsh fùnd *n.* 《美》 매수 자금, 부정 자금 ; (배·군함의 승무원·샐러리맨 등의) 사사로이 몰래 모은 돈.

slúsh pùmp *n.* 《美俗》 =TROMBONE.

slúshy *a.* **1** 눈이 녹은, 진창의, 질척질척한. **2** 《口》 보잘것없는, 시시한, 하찮은, 실없이 감상적인. —— *n.* 《濠俗》 (양털 목장의) 솜씨가 좋지 않은 부엌의 심부름꾼 ; 《俗》 배의 요리사.

slut [slʌ́t] *n.* **1** 단정치 못한 여자(slattern) ; 행실이 나쁜 여자, 매춘부. **2** 말괄량이(hussy) ; 《古·戱》 소녀 ; 《古》 암캐 ; 《方》 기름을 먹인 넝마조각《양초 대용》.
〖ME < ? ; cf. SLATTERN, Du. *slodder*〗

slút·tish *a.* **1** 방탕한, 단정치 못한. **2** 행실이 나쁜. **3** 더러운(dirty).

***sly** [slái] *a.* (**~·er, slí·er ; ~·est, slí·est**) **1** 교활한, 엉큼한, 음흉한(cunning) ; 비밀의, 몰래 하는 : a ~ look 교활한 표정 / a ~ smile 능청맞은 웃음 / ~ questions 음흉한 질문 / a ~ dog 교활한 놈 / (as) ~ as a fox 매우 교활한 / A ~ fox tried to steal the meat from the dog. 교활한 여우는 개에게서 고기를 훔치려고 했다. **2** (못된[짓궂은]) 장난기가 있는, 익살맞은, 풍자적인 : a ~ wink 장난기 어린 윙크.
(up) on the sly 은밀히, 몰래(stealthily).
~·ly *adv.* 교활하게, 음흉하게, 몰래 ; 장난기로.
~·ness *n.* 〖ON *slægr* able to strike, cunning (*slá* to strike) ; cf. SLEIGHT, SLAY〗
類義語 ***sly*** 속임수나 음흉한[은밀한] 행동에 의해 목적을 달성코자 하는, 간교한, 교활한 : a *sly* bargain (교활한 흥정). ***cunning*** 머리 쓰는 것이 교활하고 영리해서 남을 기만하거나 계략에 빠뜨리거나 하는 : a *cunning* plot (간교한 음모). ***crafty*** 책략을 잘 꾸미는, 교활한 ; cunning보다 더욱 교활·모략·비밀의 뜻이 강함 : a *crafty* politician (간교한 정치가). ***tricky*** 책략을 꾸미는 것을 좋아해서 신뢰할 수 없는 : a *tricky* diplomat (술수에 능한 외교관). ***foxy*** 오랜 경험에 의해 음흉하고 교활하게 된 : a *foxy* boss (엉큼한 두목).

slý·bòots *n.* [단수취급] 《口》 장난꾸러기, 개구쟁이《특히 어린이나 애완동물에 대해 말함》; 간교한 놈《「미워하지 않는」 뜻을 포함함》.

slype [sláip] *n.* 〖建〗 복도《영국의 대성당의 두 건물을 잇는 좁은 복도》.
〖? Flem. *slijpe* place for slipping in or out〗

sm. small. **s.m., S.M.** 〖樂〗 mano sinistra.

Sm 〖化〗 samarium. **SM** service module《기계선 ; 사령선(CM), 달 착륙선(LM)과 함께 아폴로 우주선을 구성함》. **S.M.** *Scientiae Magister* 《L》 (=Master of Science) ; Sergeant Major ; Soldier's Medal ; stage manager. **S-M, s-m, S/M, SM** sadomasochism ; sadomasochist ; sadomasochistic.

smack[1] [smǽk] *n.* **1** 맛 ; 풍미, 향미, 향기, 독특한 맛 : a ~ *of* the cask in wine 포도주가 밴 술통의 냄새. **2** 기미, 낌새, …한 티[투], …같은 점 ; 극소량, 조금 : There is[He has] a ~ *of* recklessness in his character. 그의 성격에는 조금 무모한 데가 있다 / add a ~ *of* pepper to a dish 요리에 후추를 조금 치다. —— *vi.* [+*of*+名] …한 맛[향기]이 나다 ; 기미[낌새]가 있다 : His opinions ~*ed* ***of*** Communism. 그의 의견에는 공산주의의 냄새가 풍겼다 / His politeness ~*s of* condescension. 그의 친절에는 자못 생색을 내는 듯한 기미가 있다.
〖OE *smæc* ; cf. G *Geschmack* taste〗

smack[2] *vt.* **1** (입술을 움직여) 입맛을 다시다, 혀를 차다 : He ~*ed* his lips over the soup. 수프에 입맛을 다셨다. **2** [+目 / +目+前+名] …에게 (쪽) 소리나게 키스하다 : He ~*ed* his cousin ***on*** the cheek. 그는 사촌의 뺨에 쪽 소리나게 키스했다. **3** 찰싹 때리다 ; (회초리를) 휙휙 소리내다 : Dad ~*ed* me for talking back. 아버지께서는 말대꾸한다고 나를 때렸다.
smack down 《美俗》 …의 교만한 콧대를 꺾다, …에게 뜨끔한 맛을 보이다 ; 《美俗》 끌어내리다, 실각시키다.
—— *n.* **1** 입맛 다시기, 혀차기 ; 쪽 소리나는 키스. **2** (회초리 따위의) 휙휙하는 소리 ; 손바닥으로 때리기 ; 《美俗》 1달러 : give a person a ~ on the shoulder 남의 어깨를 툭 치다.
a smack in the eye[***face***] 눈[얼굴]을 탁 때림 ; 《비유》 어안이 벙벙해지는 것, 핀잔, 호통, 거절 : get *a ~ in the eye* 얼떨떨해지다, 거절당하다, 퇴짜맞다.
have a smack at... 《口》 …을 한번[시험삼아] 해보다.
—— *adv.* 《口》 찰싹 ; 느닷없이 ; 정통으로(slap), 정면으로(directly), 똑바로 : run ~ into …와 정면충돌하다 / He fell ~ on the floor[on his face]. 마루에 정면으로 쾅 쓰러졌다[엎어졌다].
〖MDu. (imit.)〗

smack[3] *n.* 《美》 (활어조(活魚槽)를 갖춘) 소형 어선(=~ **bòat**) ; 《英》 sloop 비슷한 연안 무역 또는 어업용의 소형 범선. 〖Du. < ?〗

smack[4] *n.* 《美俗》 헤로인.
〖SMACK[1]〗

smáck-dáb *adv.* 《美口》 빈틈없이, 정확하게 ; 정면으로.

smáck·er *n.* **1** smack하는 사람[것] ; 《口》 쪽 소리나는 키스 ; 《俗》 입. **2** 찰싹 때리는 일격. **3** 일품(逸品), 멋진 것(stunner). **4** 《俗》 1달러, 1파운드. 〖SMACK[2]〗

smack·er·oo [smækərú:] *n.* (*pl.* **~s**) 《俗》 찰싹 때리기, 해치우기 ; 《俗》 충돌, 강타 ; 《俗》 1달러, 1파운드.

smáck·hèad *n.* 《美俗》 헤로인 상용자.

smáck·ing *n.* **1** 입맛 다시기, 혀차기. **2** (어린이 등을) 엄하게 꾸짖음. —— *a.* 입맛을 다시는 ; (키스 따위) 크게(쪽) 소리를 내는 ; 활기 있는, 상쾌한, (바람이) 거센 ; 《英俗》 보통보다 큰[좋은].

smácks·man *n.* smack[3]의 선주[선원].

smácky *a.* [다음 숙어로]

play smacky lips [***mouth***] 《美俗》 키스[애무]하다.

SMaj Sergeant Major.

◇**small** [smɔ́:l] *a.* **1 a**) 작은, 소형의(↔*big, large*; cf. LITTLE) : a ~ town 작은 도시 / a ~ pony 망아지 / a ~ letter 소문자《보기 a, *a*, b, *b* ; ↔ *capital letter*》/ a ~ (bottle of) soda 소다수의 작은 병 / a ~ whiskey 보통 양의 절반인 위스키 / It's a ~ world. 세상은 좁다, 세계는 작다. **b**) (집 따위가) 좁은; 가는, 여윈; 젊은, 어린. **c**) 적은, 근소한, 적은 인원의(↔*large*) : a ~ number 소수 / a ~ sum 소액 / no ~ sum of money 적지 않은 돈. **2 a**) (실수 따위가) 하찮은, 사소한. **b**) 도량이 좁은, 인색한, 비열한 : a man with a ~ mind 도량이 좁은 사람. **c**) 지위가 낮은, 힘이 없는, 평범한. **d**) 소규모의 : ☞ SMALLHOLDER / ☞ SMALLHOLDING / on a ~ scale 소규모로[의]. **e**) 주눅이 든, 수줍어 하는; 겸손한; 얌전한. **3** (소리가) 낮은, 작은; (술 따위가) 약한, 묽은. **4** (시간이) 짧은. **5** 얼마 안되는, 거의 없는 (not much of) : She left him, and ~ blame to her. 그녀는 그에게서 떠나갔지만 그게 그녀의 탓은 아니다 / It is ~ wonder that …은 놀랄 만한 일이 아니다.

〈회화〉
This room is rather *small*.—Then, would you like a look at another room?「이 방은 좀 작군요」「그럼, 다른 방을 보시겠습니까」

feel small 풀이 죽다, 녹초가 되다, 부끄럽게 여기다.
in a small way 조촐하게(modestly); 소규모로; 얌전하게 : live *in a ~ way* 조촐하게 살다 / start business *in a ~ way* 소규모로 사업을 시작하다.
look small 주눅들다, 수줍어하다.
—— *adv.* (소리를) 작게, 약하게; 검소[알뜰]하게; 소규모로.
sing small ☞ SING.
—— *n.* **1** [the ~] 작은 것, 신분이 낮은 사람들; [the ~] 작은[세밀한] 부분, (특히) 허리의 잘록한 부분(waist) : pains in *the ~ of* the back 잔허리의 아픔. **2** [*pl.*] 소형 제품; [*pl.*] =SMALL-CLOTHES. **3** [*pl.*] 《英大學》 =RESPONSIONS(cf. GREAT *n.* 2; LITTLE GO).
a small and early 일찌감치 끝마치는 조촐한 초저녁 파티.
by small and small 조금씩, 서서히.
great and small ☞ GREAT.
in small = ***in the small*** 소규모로(in little).
〖OE *smæl*; cf. G *schmal*〗

[類義語] ***small*** 보통의 양·크기·가치·중요성 보다 작은[적은]; 항상 상대적인 비교를 나타냄 : a *small* car[child, income] (소형 자동차[어린 아이, 적은 수입]). ***little*** small처럼 다른 것과 비교해서 작은[적은] 것을 나타내지 않고 그것만을 대상으로 하여 작은[적은]; 귀여움·가련함 또는 하찮음·쓸데없음 따위 말하는 사람의 상대방에 대한 감정을 나타내는 수가 많음 : a *little* girl (어린 소녀) / The matter is of *little* importance. (그 문제는 별로 중요하지 않다). ***diminutive*** 극단적으로 작은 : a *diminutive* woman (몹시 작은 여자). ***minute, tiny*** 《口》 몹시 작아서[적어서] 잘 조사해[관찰해]보지 않으면 알아낼 수 없는 : a *minute*[*tiny*] difference (극미한[근소한] 차이). ***miniature*** 본·형(型)·그림 따위가 극히 소형의 : a *miniature* camera (극소형의 카메라).

smáll ád *n.* 《英》 =CLASSIFIED AD.
small·age [smɔ́:lidʒ] *n.* 〖植〗 야생의 셀러리.
smáll árms *n. pl.* 〖軍〗 휴대 무기, 소화기《특히 소총·권총》.
smáll béer *n.* **1** Ⓤ 《古》 독하지 않은[순한] 맥주. **2** [집합적으로] 《口》 대수롭지 않은 것[일, 사람] : He thinks no ~ of himself. 그는 꽤 자부심이 강하다. **smáll-béer** *a.* 《口》 하찮은.
smáll-bòre *a.* 소구경의, 22구경의《총》; 편협한《견해》.
smáll bréad *n.* 《美俗》 얼마 안되는 돈, 푼돈.
smáll cálorie *n.* 〖理〗 (열량의 단위로서의) 소(小)칼로리.
smáll cápital *n.* 소형 대문자(=**smáll cáp**)《略 s.c., sm. c., sm. cap.》.
smáll cárd *n.* 〖카드놀이〗 숫자가 작은 패.
smáll chánge *n.* 잔돈; 《비유》 하찮은 것[일, 사람·대화].
smáll círcle *n.* 〖數〗 소원(小圓)《구(球)를 그 중심을 지나가지 않는 평면으로 잘랐을 때에 생기는 원(圓)》.
smáll-cláims[**smáll-débts**] **còurt** *n.* 〖法〗 소액(少額) 재판소.
smáll·clòthes *n. pl.* **1** (18세기에 유행한) 꼭 끼는 반바지(knee breeches). **2** 자질구레한 옷가지《속옷·손수건·아동복 따위》.
smáll cráft *n.* (소형) 보트.
smállest róom *n.* [the ~] 《口》 변소.
smáll fruít *n.* 《美》 씨없는 작은 과실(나무)《딸기 따위》.
smáll frỳ *n.* [집합적으로] **1** Ⓤ 어린 물고기, 잡어(雜魚). **2** Ⓤ 《蔑》 풋내기, 잡것, 송사리, 하찮은 것들, 대수롭지 않은 것, 소인배들; 《戱》 어린 애들.
smáll-frỳ *a.* 잡어의, 이류의, 중요하지 않은; 어린이(용)의, 어린애같은.
smáll gáme *n.* 〖사냥〗 작은 사냥감《토끼·비둘기 따위; cf. BIG GAME》; 《俗》 약간 작은 목표.
smáll gòods *n. pl.* 작은 상품; 《濠》 가공육(加工肉)식품《소시지 따위》.
smáll gróss *n.* 10다스.
smáll gròups *n. pl.* 소집단.
smáll·hòld·er *n.* 《英》 소자작농.
smáll·hòlding *n.* 《英》 소자작 농지.
smáll hóurs *n. pl.* [the ~] 깊은 밤, 한밤중, 심야《자정에서 3시경까지; cf. LONG HOURS》 : in *the* ~ 깊은 밤에, 한밤중에.
smáll intéstine *n.* 〖解〗 작은 창자, 소장.
smáll·ish *a.* 자그마한, 약간 작은.
smáll líttle *n.* 《南아》 작은《little 앞에 small을 흔히 씀》.
smáll-mínd·ed *a.* 도량이 좁은, 비열한, 인색한 (mean). **~·ly** *adv.* **~·ness** *n.*
smáll·ness *n.* Ⓤ 극소; 미소; 왜소(矮小); 빈약; 옹졸함.
smáll píca *n.* 스몰 파이카《11포인트 활자; ☞ TYPE [주]》.
smáll potátoes *n.* [단수·복수취급] 《口》 대수롭지 않은[인색한] 놈[일]; 푼돈.
***smáll·pòx** *n.* Ⓤ 〖醫〗 천연두, 마마.
smáll prínt *n.* =FINE PRINT.
smáll-scále *a.* 소규모의; 소비율의; 축소 비율이 낮은, 소(小)축척의《지도》.
smáll-scàle integrátion *n.* 〖電子〗 소규모 집적(화(化))《略 SSI》.
smáll scrèen *n.* [the ~] 《口》 텔레비전.

smáll·swòrd *n.* 끝이 뾰족한 찌르는 검(劍)《특히 17-18세기 결투·펜싱에서 찌르기에만 썼음》.

smáll tàlk *n.* 세상 이야기, 잡담, 수다.

smáll tíme *n.* 《美俗》 삼류 보드빌(vaudeville) 극장《1일 3회 이상의 공연을 함》.

smáll-tíme *a.* 《口》 하찮은, 자질구레한, 초라한, 삼류의, 풋내기의(third-rate) (cf. BIG-TIME).

smáll-tówn *a.* 소도시의, 지방 도시의; 소박한; 촌스러운, 시골티가 나는.
~·er *n.*

smáll·wàre *n.* [보통 *pl.*] 《英》 잡화, 일용품(=《美》 notions).

smalt [smɔ́:lt] *n.* **1** 화감청(花紺靑), 스몰트. **2** 화감청색, 등자색.
〚OF＜OIt.＜Gmc.; ⇨ SMELT²〛

sma·rag·dite [smərǽgdait, smǽrəgdàit] *n.* 녹섬석(綠閃石).

smarm [smɑ́:rm] *vt.* 《口》 뒤바르다, 매만지다 〈*down*〉; …에게 아첨하다. ―― *vi.* 알랑거리다, 아첨하다〈*over, up to*〉. ―― *n.* 값싼 감상; 알랑거림; 악랄함, 악착같음.
〚C19 (dial.)＜?〛

smármy *a.* =SLEEK; 《口》 지나치게 아첨하는, 간살부리는, 비위에 거슬리는(fulsome).

smart** [smɑ́:rt] *vi.* **1** [動/+前+名] **a**) (쿡쿡) 쑤시다, 욱신거리다, 따끔따끔하다: The cut ~*s.* 베인 상처가 쑤신다/My eyes ~ ***with smoke. 연기로 눈이 따갑다/The smoke made his eyes ~. 연기가 그의 눈에 스며들어 따가웠다. **b**) 괴로워하다, 번민하다, 상심하다, 양심의 가책을 받다; 분개하다: ~ ***under*** the prickings of one's own conscience 양심의 가책에 고민하다/~ *under* an injustice 부당한 처사에 분개하다/~ ***from*** an insult 모욕당하여 분개하다/He *was* ~*ing* ***with*** vexation. 그는 몹시 분개하고[화가 나] 있었다. **2** [+前+名] 벌을 받다: I will make you ~[You shall ~] ***for*** this. 이런 짓을 한 이상에는 따끔한 맛을 보여주겠다[그대로는 두지 않겠다]. ―― *vt.* 쑤시게 하다, 욱신욱신 아프게 하다.
―― *n.* 아픔, 쿡쿡 쑤시기; 고통; 고뇌, 상심; 비통; 분개; 아니꼬운 남자[놈], 젠체하는 사람; [보통 *pl.*] 《美俗》 재치, 빈틈없음, 명민함, 머리(brains).
―― *a.* **1** 날카로운; 강한; (비판 따위가) 호된, 준엄한; (통증 따위가) 찌르는 듯한, 욱신욱신 쑤시는, 격렬한. **2** (걸음걸이가) 활발한, 힘찬. **3** 재치 있는, 빈틈없는, 영리한, 임기 응변의, (어린애 등이) 조숙한(precocious). **4** 건방진, 약은. **5** 잽싼, 능숙한, 훌륭한: make a ~ job of it 솜씨 있게 해치우다. **6** (옷차림 따위) 단정한, 말쑥한, 스마트한, 세련된, 유행의. **7** 방심할 수 없는, 간교한. **8** 《俗》 상당한(fairly large). **9** (기기·무기 따위가) 컴퓨터화한, 고성능의.
―― *adv.* =SMARTLY.
〚OE (a.) *smeart,* (v.) *smeortan*; cf. G *schmerzen, Schmerz*〛
類義語 ⟹ INTELLIGENT.

smárt àlec(k) [**àlick**] *n.* [때때로 s~ A~] 《口》 꽤 자부심이 강한 사람; 영리한 체하는 사람, 잘난 체하는 사람(clever dick).

smárt bòmb *n.* 《美軍俗》 스마트 폭탄《비행기 따위에서 레이저 광선으로 유도함》.

smárt bùilding *n.* 스마트 빌딩《엘리베이터·냉난방 장치·조명·방화 장치 따위를 모두 컴퓨터로 자동화한 빌딩》.

smárt càrd *n.* 스마트 카드《종래의 magnetic stripe대신 마이크로프로세서나 메모리 따위의 반도체 칩을 내장한 카드》.

smárt·en *vt.* [+目/+目+副] **1** 말쑥하게[멋들어지게] 하다; 때벗게[세련되게] 하다, 멋부리다, 말쑥하게 차려 입다: ~ ***up*** one's house[clothes] 집[옷]을 말쑥하게 하다. **2** (걸음걸이 따위를) 빠르게 하다, 힘차게 내딛다〈*up*〉. **3** 가르치다, 단련하다〈*up*〉.
―― *vi.* 말쑥해지다, 세련되다[때를 벗다], 멋들어지게 되다; 활발해지다〈*up*〉.

smart·ie [smɑ́:rti] *n.* 《口》 =SMARTY.

smárt·ly *adv.* **1** 강하게; 호되게, 몹시. **2** 잽싸게; 영리하게, 빈틈없이. **3** 말쑥하게.

smárt machìne *n.* 스마트 머신《미소 전자회로 기술에 의해 소형이면서도 월등한 기능을 갖춘 정교한 기계》.

smárt mòney *n.* 《美》〖法〗 징벌적 손해 배상액; 〖英軍〗 부상 수당; 병역 면제금; [ㅡㅡ, ㅡㅡ] 《美口》 전문적 도박꾼이 건 돈, 투기꾼의 투자금; 투기꾼.

smárt·ness *n.* 멋, 세련되고 운치 있음; 기민; 빈틈없음; 욱신거림; 맹렬.

smárt phòne *n.* 고도 자동기능 전화《각종 자동기능을 갖춘 전화》.

smárt sèt *n.* [단수·복수취급] 최상류 계층.

smárt tèrminal *n.* 〖컴퓨〗 스마트 단말기《대형 host computer와 접속할 때 독자적으로 계산함으로써 host의 부담을 덜어주는 단말기》.

smárt·wèed *n.* 〖植〗 마디풀《잎의 즙이 피부를 뜨끔뜨끔하게 한다고 함》; (쐐기풀 따위) 닿으면 피부가 따가운 풀.

smárty *n.* 《口》 =SMART ALEC(K).
―― *a.* 아는 체하는, 자만의.

smárty-pànts, -bòots *n.* [단수취급] 《美俗·蔑》 =*SMART ALEC(K).*

smash** [smǽ(:)ʃ] *vt.* **1** [+目/+目+前+名/+目+副/+目+補] 때려 부수다, 깨다, 분쇄하다〈*up*〉: ~ (up***) a window 창을 깨다/~ a plate (***in***)***to*** pieces 접시를 박살내다/The detective ~*ed* ***in*** the door. 탐정[형사]은 밖에서 문을 부수고 뛰어 들어갔다/The children ~*ed* ***down*** the fence. 아이들이 울타리를 때려 부수었다/He ~*ed* the door open. 문을 부수어 열었다. **2** [+目/+目+前+名] 강타하다, 후려갈기다; 충돌시키다, 내던지다: He ~*ed* the man ***with*** his fist. 그는 그 남자를 주먹으로 후려갈겼다/He ~*ed* a stone ***through*** the window. 돌을 던져 유리창을 깨뜨렸다/They ~*ed* themselves ***against*** the wall. 그들은 벽에 몸을 부딪쳤다. **3** 격파하다; 대패시키다; 파산시키다; (칼·주먹 따위를) 세게 내리치다: ~ the enemy 적을 대패시키다/~ the record 기록을 크게 깨뜨리다/~ a theory 이론을 타파하다. **4** 〖테니스 따위〗 스매시하다《공을 위에서부터 세게 내리치다》; 〖製本〗 (철한 등을) 고르다.
―― *vi.* **1** [動/+副/+前+名] 부서지다, 깨지다, 산산조각이 나다: The glass ~*ed* ***into*** pieces. 컵은 산산조각으로 깨졌다. **2** [+前+名] 격돌하다, 돌진하다〈*against, through, together*〉: The car ~*ed* ***into*** a wall. 자동차가 벽을 들이받았다. **3** (회사 따위가) 파산[도산]하다. **4** 〖테니스 따위〗 스매시하다.
―― *n.* **1** 파쇄(破碎), 분쇄; 부서지는 소리: The dishes fell with a ~. 접시가 쨍그랑 하고 떨어졌다. **2** (열차 따위의) 대충돌; 심하게 무너짐, 심한 도괴(倒壞); 추락: a ~ of two cars 두 대의 차의 충돌 사고. **3** 실패, 파산, 도산; 파멸

(ruin) : the ~ of a great business 대기업의 도산. **4** 강타 ; 〖테니스 따위〗 스매시 ; (옷 따위의) 찢어짐. **5** 《口》 히트, 대성공. **6** 스매시《브랜디 따위에 박하·설탕·물·얼음을 탄 음료》.
come [***go***] (***all***) ***to smash*** 박살나다 ; 납작해지다 ; 파산하다 ; 크게 실패하다.
— *adv.* 찰싹 ; 정면으로 : The firm went ~. 회사는 파산했다 / The two cars ran[went] ~ into each other. 두 대의 차는 정면 충돌했다.
— *a.* 《口》 대단한, 굉장한(smashing) ; 대성공[히트]의.
〖C18 < ? imit. ; 일설(一說)에, *sma*ck² + *mash*〗
類義語 ⟹ BREAK.

smásh-and-gráb *a.*, *n.* 《英口》 가게의 진열창 유리를 깨고 값비싼 진열품을 눈깜짝할 사이에 탈취하는 (강도).

smásh·bàll *n.* 스매시볼《두 사람 이상이 직접 라켓으로 서로 스매시하는 코트나 네트가 없는 테니스 비슷한 게임》.

smashed [smǽ(:)ʃt] *a.* 《俗》 술취한(drunk), 몹시 취한 ; 마약 기운이 지나친.

smásh·er *n.* **1** 분쇄자, 파쇄자, 분쇄기 ; 〖製本〗 (등을) 고르는 기계. **2** 큰 타격, 통격(痛擊), 도괴, 추락. **3** 결정적인 토론[응답] ; 위조 지폐 사용자. **4** 《英口》 멋진[근사한] 사람[것], 깜짝 놀랄 만한 미인 ; 〖테니스 따위〗 스매시가 자신있는 선수.

smásh hít *n.* 《口》 히트, 대성공.

smásh·ing *a.* 분쇄하는 ; (타격 따위가) 맹렬한 ; 《英口》 (승리 따위) 굉장한, 대성공의 : give a person a ~ blow 남에게 맹렬한 일격을 가하다 / have a ~ time 굉장히 유쾌한 시간을 보내다 / That's ~ ! 그것 참 근사하다 ! — *n.* smash하기, 스매싱 ; 《美俗》 키스, 네킹.

smásh·ùp *n.* **1** 분쇄 ; 대충돌, 전복, 추락. **2** 실패, 파산 ; 재난, 파멸, 붕괴.

smat·ter [smǽtər] *vi.*, *vt.* (학문을) 겉만 핥다 〈*in*, *at*〉 ; 어설픈 지식으로 지껄이다.
— *n.* 수박 겉핥기, 아는 체함.
~er *n.* 반거들충이.
〖ME=to talk ignorantly, prate < ?〗

smátter·ing *n.* [보통 a ~] 겉핥기, 어설프게 앎 ; 소량, 조금 : have *a* ~ *of* …을 겉핥기로[조금] 알다.
— *a.* (수박) 겉핥기의, 어설피 알고 있는.

SMATV satellite master antenna television《통신 위성을 통하여 분배하는 텔레비전 프로그램을 업자가 공동주택·호텔 따위 한 건물마다 포물면 안테나로 수신하여 건물내에 있는 각 방에 재분배하는 방식》.

smaze [sméiz] *n.* Ⓤ (대기 중의) 연하(煙霞)《연기와 안개에 먼지 따위가 섞인 것 ; cf. SMOG》.
〖C20 (*sm*oke + *h*aze)〗

sm. c., sm. cap. small capital.

smear** [smíər] *vt.* **1** [+目 / +目+前+名] (기름 따위를) (뒤)바르다 ; 더럽히다 : The baby ~*ed* the wall ***with jam. 아기는 벽을 잼으로 더럽혔다 / ~ butter ***on*** bread = ~ bread *with* butter 빵에 버터를 바르다. **2** (남의 명성을) 더럽히다, 중상하다, 손상시키다 : ~ a person's (good) reputation 남의 명성을 손상시키다. **3** 문질러서 알아보지 못하게 하다, 선명치 못하게 하다 : ~ the address on a letter 편지의 주소를 문질러 읽을 수 없게 하다. **4** 《美俗》 철저하게 해치우다, 압도하다, 완패(完敗)시키다(smash) ; 〖拳〗 녹아웃시키다 ; 《美俗》 살해하다, 죽이다 ; 매수하다, …에 환심사려고 하다, …에 구전(口錢)을 내다. — *vi.* (기름·덜 마른 잉크 따위가) 더러워지다, 선명하지 않게 되다 : Wet paint ~*s* easily. 갓 칠한 페인트는 쉬이 더러워진다.
— *n.* **1** 끈적끈적한[유성의] 물질 ; (유성의) 더러움, 얼룩 ; 〖電子〗 스미어《텔레비전 영상의 얼룩》 ; 뒤바른 것[물질] ; (도기의) 유약 ; 현미경의 검경판에 바른 소량의 물질, 도말 표본. **2** 《口》 명예 훼손, 중상.
〖OE *smierwan* ; cf. G *schmieren*, *Schmer*〗

sméar campàign *n.* (신문 기사 따위에 의한) 조직적 중상[공격] ; 인신 공격.

sméar-shèet *n.* 《口》 (추문 따위를 주로 싣는) 저속한 신문[잡지].

sméar tèst *n.* 〖醫〗 도말(塗抹) 표본 시험(Pap test).

sméar wòrd *n.* 남을 중상하는 말, 비방.

sméary *a.* **1** 더러워진 ; 얼룩투성이의. **2** 끈끈하게 달라붙는, 끈적거리는(sticky) ; 기름이 밴(greasy). **sméar·i·ness** *n.*

smec·tic [sméktik] *a.* 〖結晶〗 스멕틱 상태의《액정(液晶)의 가늘고 긴 분자가 장축(長軸)에 평행하여 조밀하게 배열된 분자층을 이루면서 장축 방향으로 적층(積層)한 상태를 말함》. 〖L=cleansing〗

smeg·ma [smégmə] *n.* 〖生理〗 피지(皮脂), (특히) 치구(恥垢).

‡**smell** [smél] *v.* (~**ed** [-d], **smelt** [smélt] ; 《英》에서는 ~ed는 드묾) *vi.* **1 a)** [+補 / +*of*+名] 냄새를 풍기다, (좋은·나쁜) 냄새가 나다 : This flower ~*s* sweet. 이 꽃은 좋은 냄새가 난다 / It ~*s* like violets. 제비꽃같은 향기가 난다 / His breath ~*s* (strongly) ***of*** tobacco. 그의 입김에서는 (몹시) 담배 냄새가 난다. ☞ 活用 (1). **b)** [+*of*+名] (…의) 냄새가 나다, 낌새[기미]가 있다 : The plan ~*ed* ***of*** trickery. 그 계획은 어딘지 협잡의 낌새가 있었다. **2** (특히) 악취가 풍기다, 몹시 구리다 : The meat began to ~. 고기에서 썩은 냄새가 나기 시작했다 / His breath ~*s*. 그의 입김에서 악취가 풍긴다. ☞ 活用 (1). **3** [+*at*+名] 냄새를 맡다[맡아보다] : The dog ~*ed* ***at*** his shoes. 개는 그의 구두 냄새를 맡았다. ☞ 活用 (2). 주 《美》 및 《英方》에서는 이 의미로 전치사에 of를 쓴다 : He ~*ed of* the cork. 그는 코르크의 냄새를 맡아봤다. **4** 냄새를 알다, 후각(嗅覺)이 있다 : Not all animals can ~. 모든 동물이 냄새를 맡을 수 있는 것은 아니다.
— *vt.* ☞ 活用 (2). **1** [+目 / +目+do*ing*] 냄새로 알아차리다 : Can a camel ~ water a mile off ? 낙타는 1마일이나 떨어진 곳에서 냄새로 물이 있는 곳을 알아 낼 수 있을까 / I ~ something burn*ing*. 뭔가 타는 냄새가 난다. **2** [+目+副 / +目] (개가) 냄새를 맡아내다 ; 《비유》 (사람이) 탐지해내다, (음모 따위를) 눈치채다 : Our dog ~*ed* ***out*** the thief. 우리 개가 냄새로 도둑을 찾아냈다 / I ~*ed* some trouble. 뭔가 성가신 일이 생길 것 같은 예감이 들었다. **3** 냄새맡다 : She picked up a flower and ~*ed* it. 그녀는 꽃을 집어들어 향기를 맡았다.
smell a rat ☞ RAT *n.*
smell around [***about***] (개가) 냄새맡으며 돌아다니다 ; (사람이) 탐색(探索)하다.
smell of the lamp ☞ LAMP *n.*
smell powder ☞ POWDER *n.*
smell up 《美》 …에 악취를 풍기다.
— *n.* **1** Ⓤ 후각 ; Ⓤ,Ⓒ 냄새, 향기 ; 악취, 구린내 ; 기미[낌새], 독특한 느낌, 분위기 ; 자취, 표시. **2** (한번) 냄새맡기 : She took a ~ at the flower. 그녀는 꽃향기를 맡아보았다.

〖ME *smel(le)* < ? OE ; cf. MDu. *smölen* to scorch〗

活用 (1) smell은 *vi.* 1 a)에서는 불완전 자동사로서 뒤에 보어로 형용사를 수반함 : The fish *smells disgusting.* (그 물고기에서 고약한 냄새가 난다). 이와 반대로 *vi.* 2에서는 완전 자동사로서 부사에 의해서 수식되는 수가 있다 : The rotten fish *smells disgustingly.* (그 상한 생선은 몹시 악취가 난다). ☞ TASTE 活用.

(2) smell은 *vi.* 1, 2 및 *vt.* 1에서는 진행형으로 쓸 수 없으나 *vi.* 3과 *vt.* 2, 3에서는 진행형으로 쓰이는 수도 있다 : A little girl *was smelling* (at) a strange flower. (한 소녀가 이상한 꽃의 향기를 맡고 있었다).

類義語 ***smell*** 「냄새」; 가장 일반적인 말. ***odor*** 냄새가 강하여 분명히 맡을 수 있는 냄새 : *odors* of drugs (약품 냄새). ***scent*** 희미한 냄새, 은은한 향기 ; 흔히 예민한 후각이 아니면 분간하지 못하는 것 : the *scent* of hay (건초 냄새). ***perfume*** 꽤 강하고 기분 좋은 냄새 : the rich *perfume* of roses (장미의 진한 향기). ***fragrance*** 향긋하고 신선한 냄새 : the *fragrance* of fresh green leaves (신선한 초록색 잎의 냄새). ***aroma*** 근처에 풍기어 코를 찌르는 듯한 기분좋은 냄새 : the *aroma* of good cigars (시가의 향긋한 냄새).

sméll·er *n.* 냄새맡는 사람[것] ; 냄새로 식별하는 사람 ; 촉모(觸毛), (특히) 고양이 수염 ; 《俗·戲》 코(nose) ; 후각(嗅覺) ; 《俗》 (콧등에의) 일격, 강타.

smell·ie [sméli] *n.* 냄새가 나는 획기적인 새 방식의 영화(cf. TALKIE).

smélling bòttle *n.* (옛날의) 냄새맡는 병《정신들게 하는 smelling salts가 들어있는 작은 병》.

smélling sàlts *n.* [단수·복수취급] 정신들게 하는 약《탄산암모늄이 주제(主劑) ; 두통·뇌빈혈에 썼음》.

sméll-less *a.* 냄새없는, 무취의.

Sméll-O-Vísion *n.* 스멜로비전《냄새가 나는 영화 ; 상표명》.

smélly *a.* 냄새가 나는 ; 악취나는.

‡**smelt**[1] *v.* SMELL의 과거·과거분사.

smelt[2] [smélt] *vt.* (광석을 용해하여) 제련(製鍊)하다 ; (금속을) 용해하다(melt) : ~ copper 구리를 제련하다 / a ~*ing* furnace 용광로.

—— *vi.* 용해하다.

~·er *n.* 제련업자, 제련공 ; 제련소 ; 용해로.

〖MDu., MLG ; cf. MELT, G *schmelzen*〗

smelt[3] *n.* (*pl.* **~s**, ~) 〔魚〕 바다빙어과(科)의 식용어.

〖OE < ? ; cf. SMOLT, Norw. *smelta* whiting〗

Sme·ta·na [smétənə] *n.* 스메타나. **Bedrich** ~ (1824-84) 구체코슬로바키아의 작곡가.

smew [smjúː] *n.* 〔鳥〕 흰비오리. 〖C17 < ?〗

SMF system management focility (시스템 관리 기능).

smid·gen, -geon, -gin [smídʒən], **smidge** [smídʒ] *n.* 《美口》 극히 적은 양, 극미량〈*of*〉.

〖? 변형(變形) < *smitch* (dial.) soiling mark〗

smi·lax [smáilæks] *n.* 〔植〕 **1** 밀나물속의 각종 관목[초본]《청미래덩굴과》. **2** 아스파라거스《남아프리카 원산》. 〖L < Gk. = bindweed〗

◇**smile** [smáil] *vi.* **1** [動 / + *at* + 名 / + *to* do] 미소짓다, 방긋[생긋] 웃다 ; 방실거리다(↔*frown* ; cf. LAUGH) : She never ~*s.* 그녀는 절대로 웃지 않는다 / He was *smiling* ***at*** his misfortune. 불행을 당하고도 밝은 표정을 하고 있었다 / He ~*d to* see the children's frolics. 아이들이 장난치는 것을 보고 빙그레 웃었다. **2** (날이) 맑게[쾌청하게] 개다. **3** [+ *on* + 名] (운·기회가) 트이다, 열리다 : Fortune ~*d* (***up***) ***on*** him at last. 드디어 운명의 여신이 그에게 미소를 보냈다《그에게도 운이 트였다》. **4** 시인하다, (…에) 찬성의 뜻을 나타내다. —— *vt.* **1** [동족 목적어를 수반하여] (…한) 웃음을 짓다 : He ~*d* a cynical smile. 냉소적인 웃음을 지었다. **2** 미소로 나타내다 : He ~*d* his consent[thanks]. 그는 미소로 승낙[감사]의 뜻을 나타냈다. **3** [+ 目 + 副 / + 目 + 前 + 名] 미소지어 …시키다 : She ~*d* him ***into*** good humor. 미소를 보내어 그의 기분을 누그러뜨렸다.

come up smiling 《口》 굴하지 않고 일어서다, 새로운 곤란에 힘차게 맞서다.

I should smile ! 《美口》 과연 그렇군.

smile in [***up***] ***one's sleeve*** 뒤에서 비웃다.

—— *n.* **1** 미소, 생긋 웃기(cf. LAUGH, LAUGHTER) ; 희색(喜色), 웃는 얼굴 : She had a kind [faint] ~ on her face. 그녀는 얼굴에 따뜻한[희미한] 미소를 띄고 있었다 / He looked at me with a ~ on his lips. 그는 입가에 미소를 지으며 나를 보았다 / with a ~ 생긋이 미소짓고 / He was all ~*s.* 그는 희색이 만면하였다. **2** 냉소, 조소. **3** 은혜, 혜택 ; [*pl.*] 호의.

〖ME < ? Scand.(Norw. *smila,* Dan. *smile*) ; SMIRK와 같은 어원〗

類義語 ⟹ LAUGH.

smíle·less *a.* 웃지 않는, 웃는 얼굴을 보이지 않는 ; 진지한 체하는, 점잔빼는, 시치미 떼는.

smil·ing [smáiliŋ] *a.* 미소짓는, 미소를 보내는, 생긋 웃는 ; (날이) 맑게 갠.

~·ly *adv.* 생긋거리며.

SMIPC Small Industry Promotion Corporation (중소기업 진흥 공단).

smirch [sməːrtʃ] *vt.* (명성 따위를) 더럽히다, 손상시키다. —— *n.* 더러움, 오점〈*on*〉.

〖ME < ?〗

smirk [sməːrk] *vi.* 억지 웃음을 짓다, 선[헛]웃음을 짓다. —— *n.* 억지 웃음. 〖OE *sme(a)rcian* < *smerian* to laugh at ; cf. SMILE〗

smite [smáit] *v.* (**smote** [smóut] ; **smit·ten** [smítn], **smote**, 《古》 **smit** [smít]) *vt.* **1** 《文語·戲》 때리다, 강타하다(strike) ; 때려 눕히다, 박살내다, 죽이다, 멸망[패배]시키다(defeat) : The blacksmith *smote* the anvil. 대장장이가 모루를 두들겼다. **2** [+ 目 / + 目 + *with* + 名] (병 따위가) 엄습하다 ; (양심에) 가책을 느끼다 ; [보통 수동태로] 매혹하다, 넋을 잃게 하다 : His conscience *smote* him. 그는 양심의 가책을 느꼈다 / She was *smitten* ***with*** fear[remorse]. 그녀는 강하게 공포[양심의 가책]를 느꼈다 / He was *smitten with*[***by***] the charming girl. 그 매력적인 여자에게 홀딱 빠졌다 / They are *smitten with* each other. 그들은 서로 반해 있다. —— *vi.* [動 / + 前 + 名] 《古·文語·戲》 강타하다〈*at*〉 ; 맞부딪치다 : The report of a gun *smote* (***up***) ***on*** their ears. 한발의 총성이 그들의 귀에 울렸다.

—— *n.* 《口》 **1** 강타, 때리기, 타격. **2** 시도(試圖), 기도 : have a ~ *at* it 한번 해보다. 〖OE *smītan* to smear ; cf. G *schmeissen* to throw〗

類義語 ⟹ STRIKE.

smith [smíθ] *n.* 금속 세공인, (특히) 대장장이 (blacksmith). 注 보통 복합어를 이루어 쓰임 : ☞ GOLDSMITH, SILVERSMITH, TINSMITH, WHITESMITH. —— *vt.* 단련하여 만들다(forge).

〖OE < ? ; cf. G *Schmied*〗

Smith *n.* 스미스. **1 Adam** ~ (1723-90) 스코틀랜드 태생의 영국 경제학자. **2** Captain **John** ~ (1580?-1631) 영국의 탐험가; 미국 Virginia 식민지 개척자. **3 Joseph** ~ (1805-44) 미국의 종교가; 모르몬교회의 창시자.

smith·er·eens [smìðəríːnz], **smith·ers** [smíðərz] *n. pl.* 《口》 산산조각, 작은 파편: smash a cup *to*[*into*] ~ 컵을 산산조각내다. 〖C19 *smithers* (dial.) <?; cf. Ir. Gael. (dim.) ‹ *smiodar* fragment〗

smith·ery [smíθəri] *n.* 대장일, 금속세공; 《英》 대장장이; 대장간.

Smíth·field *n.* 스미스필드《런던시의 한 지구; 육류 시장으로 유명》.

Smith·son [smíθsən] *n.* 스미스슨. **James** ~ (1765-1829) 영국의 화학자, 광물학자.

Smith·só·ni·an Institútion [smiθsóuniən-] *n.* [the ~] 스미스소니언 협회《과학 지식의 보급 향상을 꾀하기 위해 1846년 Washington, D. C.에 설립된 학술협회[박물관]》. 〖↑〗

smith·son·ite [smíθsənàit] *n.* 〖鑛〗 능아연광; 이극광(異極鑛). 〖*J. Smithson*〗

smithy [smíði, -θi] *n.* 대장장이(의 작업장); 대장간; 대장간의 풀무(forge).

smit·ten [smítn] *v.* SMITE의 과거분사. ── *a.* 세게 매맞은; 괴로워하고 있는; 《口·戲》 홀딱 반한, 미친.

SMM solar maximum mission(태양 관측위성). **S.M.M.** *Sancta Mater Maria* 《L》 (=Holy Mother Mary). **S.M.O.** Senior Medical Officer.

smock [smák] *n.* **1** (어린애·여성·화가 등의 덧입는) 겉옷, 작업복, 스목. **2** =SMOCK FROCK. **3** 《古》 여자용 속옷, (특히) 슈미즈. ── *vt.* …에게 smock을 입히다; …에 smocking을 하다. 〖OE *smoc*; cf. OE *smūgan* to creep, ON *smjúga* to put on a garment〗

smock 1

smóck fròck *n.* (smocking이 있는 유럽 농부의) 작업복.

smóck·ing *n.* Ⓤ 스모킹《벌집이나 거북 등껍질 모양의 주름 장식; 그 자수법》.

smog [smág, smɔ́(ː)g] *n.* Ⓤ,Ⓒ 스모그(cf. SMAZE). ── *vt.* (-gg-) 스모그로 덮다[에워싸다]. **smóg·gy** *a.* 〖C20 (*smoke*+*fog*)〗 類義語 ⟹ MIST.

smóg·bòund *a.* 스모그로 덮인.

smóg-frèe *a.* 스모그가 없는.

smóg·òut *n.* 스모그로 덮인 상태, 자욱한 스모그.

smók·able [smóukəbəl], **smóke-** *a.* 흡연에 알맞은.

‡**smoke** [smóuk] *n.* **1** Ⓤ 연기: (There is) no ~ without fire. 《속담》 아니 땐 굴뚝에 연기 날까. **2** Ⓤ 연기 비슷한 것; 안개, 물보라(spray); 김, 증기. **3 a**) 실체가 없는 것, 텅빔(emptiness); 몽롱한 상태[상황]; 《野俗》 굉장한 스피드, 강속구를 던지기: The plan has ended in ~. 그 계획은 연기처럼 사라졌다. **b**) 《美俗》 거짓말, 허풍, 아부. **c**) 《美俗》 싸구려 위스키[와인], 메틸알코올(과 물을 탄 음료). **4** [동사에서 변하여] **a**) (담배·마리화나의) 한 모금: have[take] a ~ 한 대 피우다. **b**) 《口》 여송연(cigar), 궐련(cigarette). ***like smoke*** = ***like a smoke on fire*** 《俗》 척척, 쉽게.

── *vi.* **1** 연기를 내다[뿜다]: The volcano is *smoking*. 화산이 연기를 뿜고 있다. **2** 내다, 그을다, (잘 타지 않고) 연기가 나다: The stove ~*s* badly. 그 난로는 몹시 연기가 난다. **3 a**) 담배 피우다, 《俗》 마리화나를 피우다: I never ~. 나는 담배를 피우지 않는다 / He ~*s* like a chimney. 그는 지독하게 담배를 피운다. **b**) (파이프 따위로) 피울 수 있다: This pipe ~*s* well. 이 파이프는 피우기 좋다 / New pipes ~ hot. 새 파이프는 피우면 뜨거워진다. **4** (연기처럼) 퍼지다, 오르다; 김이 나다, 증발하다; 땀이 줄줄 흐르다.

〈회화〉
May I *smoke* in here? — Yes, certainly. 「여기서 담배 좀 피워도 될까요」「그럼요」

── *vt.* **1** 연기 피우다, 내게 하다, 그을게 하다, 연기로 검게 하다: The lamp has ~*d* the wall. 등잔이 벽을 검게 그을려 놓았다. **2** 훈제(燻製)하다: ~ salmon 연어를 훈제하다. **3** [+目/+目+副/+目+前+名] 연기로 소독하다; (해충을) 그을려 죽이다; (식물을) 그을려 벌레를 없애다: The plants in the greenhouse were being ~*d*. 온실의 식물들이 연기로 소독되고 있는 중이었다 / ~ ***out*** bees ***from*** a hollow 연기를 피워 벌을 구멍에서 몰아내다 / ~ mosquitoes ***out of*** the room 연기를 피워 방에서 모기를 몰아내다. **4 a**) (담배·아편 따위를) 피우다: ~ a cigarette[pipe] 궐련[파이프 담배]을 피우다. **b**) [+目+補] [~ one*self* 로] 담배를 피워 …하게 하다: You will ~ your*self* sick[silly]. 너는 담배를 너무 피워 속이 메스꺼워질[머리가 멍해질] 것이다. ***smoke out*** 연기를 피워 (굴 따위에서) 몰아내다 (cf. *vt.* 3), (은신처에서 범죄자를) 내쫓다〈*of*〉; 《美》 (계략 따위를) 알아차리다, 낌새채다; 폭로하다. 〖OE (v.) *smocian* (*smēocan* to emit smoke) ‹ (n.) *smoca*〗

smóke abàtement *n.* (도시의) 굴뚝연기 규제.

smóke bàll *n.* 발연통, 발연탄, 연막탄; 〖植〗 말불버섯; 〖軍〗 연막탄(煙幕彈); 〖野〗 강속구.

smóke bèll *n.* (램프 따위의) 그을음받이.

smóke bòmb *n.* 발연탄《공격 목표 명시·풍향 관측·연막 따위에 사용》.

smóke consùmer *n.* 완전 연소 장치.

smóke detèctor *n.* 연기 탐지기(探知機)《화재경보기의 하나》.

smóke-drìed *a.* 훈제(燻製)한.

smóke-drỳ *vt.* (고기 따위를) 훈제(燻製)로 하다. ── *vi.* 훈제로 되다.

smóke èater *n.* 《俗》 소방수, 소방대원(fire fighter), 용접공.

smóke-filled róom *n.* (호텔 따위에서 소수가 벌이는) 정치 교섭[정책 결정]할 때 쓰이는 방.

smóke hèlmet *n.* 소방용 가스 마스크.

smóke·hòuse *n.* 훈제소[실].

smóke-ìn *n.* 스모크인《흡연[마리화나 흡입] 집회; 사회적 승인을 요구하여 행함》.

smóke·jàck *n.* 꼬치 구이 돌리는 장치《부엌 굴뚝의 상승 기류를 이용하여 아래에 있는 꼬치 구이를 돌리는 장치》.

smóke jùmper *n.* 《美》 삼림 소방 대원《지상에서의 접근이 곤란한 화재 현장에 낙하산으로 강하(降下)함》.

smóke·less *a.* 연기가 나지 않는, 연기 없는: ~ coal[powder] 무연탄[무연 화약].

smókeless zòne *n.* (도시 내의) 무연(無煙) 연료만 쓸 수 있는 지역.

smóke·òh, -ò *n.* (*pl.* ~**s**) 《濠口·N. Zeal.口》 담배 피는 휴식 시간(break) ; =SMOKING CONCERT.
smóke·òut *n.* =COOKOUT ; (영구 금연의 한 단계로서의) 1일 금연.
smóke pollùtion *n.* 연기 오염[공해].
smóke·pròof *a.* 연기가 들어오지 않는 ; 방연(防煙)의《도어 따위》.
smok·er [smóukər] *n.* **1** 흡연가 : a heavy ~ 대단한 애연가, 골초. **2** =SMOKING CAR, (건물의) 담배 피는 곳 ; (청중도 연주에 가담하는) 소탈한 연주회. **3** =SMOKING CONCERT ; 남자들만의 소탈한 모임. **4** 훈제업자 ; 증기 기관차.
smóke rìng *n.* (담배의) 연기 고리.
smóke ròcket *n.* 스모크 로켓《파이프 따위의 새는 것을 발견하기 위해서 발연시키는 장치》.
smóke ròom *n.* 《英》 =SMOKING ROOM.
smóker's héart *n.* [the ~] 과도한 흡연으로 인한 심장병.
smóker's thróat *n.* [the ~] 흡연가 인후(吸煙家咽喉)《과도한 흡연에서 생기는 인후병》.
smóke scrèen *n.* 〖軍〗 연막 ; (의도·활동을 숨기기 위한) 위장.
smóke·shàde *n.* 스모크셰이드《대기 중의 입자상(狀) 오염 물질 ; 그 계량 단위》.
smóke shèll *n.* 발연 포탄(發煙砲彈).
smóke·stàck *n.* (기선·기관차·건물 따위의) 굴뚝.
smóke stòne *n.* 연수정(煙水晶) (cairngorm).
smóke trèe *n.* **1** 옻나무과(科)의 관목 코티누스 《꽃이나 과실이 부옇게 흐려 보이는 장식용의 관목》. **2** 달레아《북미 남서부산 ; 콩과의 관목》.
smóke tùnnel *n.* 〖空〗 연풍동(煙風洞)《연기를 이용해서 기류의 움직임을 조사하는 풍동》.
smóke wàgon *n.* (증기시대의) 기차.
smokey ☞ SMOKY.
Smok·ey, Smoky [smóuki] *n.* 《CB俗》 (고속도로 순찰) 경찰관, 순찰차.
a Smokey beaver 《CB俗》 여자 경찰관.
a Smokey on rubber 《CB俗》 이동[순찰]중인 경찰차.
smok·ing [smóukiŋ] *n.* **1** Ⓤ 연기가 남, 연기를 냄. **2** Ⓤ 발연(發煙) ; 발한(發汗). **3** Ⓤ 흡연 : No ~ (within these walls). (구내) 금연.
—— *a.* **1** 연기의. **2** 흡연(용)의. **3** 피를 연기처럼 뿜는 ; 김[땀]이 나는 : a ~ horse 땀흘리고 있는 말. —— *adv.* 김이 날 정도로 : ~ hot food 따끈따끈한 음식. ~**·ly** *adv.*
smóking càr[《英》 **càrriage**] *n.* (기차의) 흡연차(smoker).
smóking compàrtment *n.* (기차 안의) 흡연실《그 칸막이 안에서만 담배를 피울 수 있음》.
smóking còncert *n.* 《英》 흡연이 자유로운 음악회 ; (클럽 따위의) 남자들만의 흘가분한 모임.
smóking gún[**pístol**] *n.* (논의의 여지 없는) 명백한[결정적] 증거《특히 범죄의》.
smóking jàcket *n.* 스모킹 재킷《집에서 쉴 때 입는 상의》.
smóking mìxture *n.* 파이프용의 혼합 담배.
smóking ròom *n.* 흡연실.
smóking-ròom *a.* 흡연실(에서)의[용의], 천한, 야비한, 추잡한 : ~ talk 흡연실에서의 이야기, (특히 남자끼리의) 음담.
smóking stànd *n.* (받침대가 있는) 재떨이.
smo·ko [smóukou] *n.* (*pl.* ~**s**) =SMOKE-OH.
smoky, smok·ey [smóuki] *a.* **1** 연기가 나는, 연기를 내는 ; 검은 연기를 뿜는. **2** 검댕투성이의, 연기가 자욱한. **3** 연기 같은 (색깔의), 그을은, 흐린. **4** (색 따위) 칙칙한 ; (취미 따위) 소박한.
smók·i·ly *adv.* **-i·ness** *n.*
Smóky Móuntains *n. pl.* [the ~] =GREAT SMOKY MOUNTAINS.
smóky quártz *n.* 연수정(煙水晶).
smol·der | smoul- [smóuldər] *vt.* 그을려서 검게 하다. —— *vi.* **1** 연기가 나다, 그을다 ; (불이 잘 타지 않고) 연기만 내다〈*out*〉 : Fire was ~*ing* in the fireplace. 불이 벽난로에서 연기만 내고 있었다. **2** [動 / +*with*+名] (불만 따위가) 마음속에 쌓이다[곪다] ; (기분이) 울적하다 ; (눈 따위에) 울적한 기분이 나타나다 : ~*ing* discontent 마음속에 쌓인 불만 / eyes ~*ing* ***with*** anger (치미는) 분노로 불타는 눈. —— *n.* Ⓤ 그을음, 연기가 남 ; (감정의) 울적. 〖ME< ? ; cf. LG *smöln*, MDu. *smölen* to scorch〗
Smol·lett [smάlət] *n.* 스몰레트.
Tobias George ~ (1721-71) 스코틀랜드 태생인 영국의 작가.
smolt [smóult] *n.* 〖魚〗 2년생 연어.
SMON [smάn] *n.* 스몬병, 아급성(亞急性) 척추 시신경증(=~ **disèase**).
〖*s*ubacute *m*yelo-*o*ptico-*n*europathy〗
smooch[1] [smúːtʃ] *n., vi.* 《口》 키스(하다) ; 애무(하다) ; [감탄사적으로] 쪽《가볍게 키스하는 소리》 ; 《英》 애무하듯 천천히 춤추다[춤추는 댄스곡]. 〖*smouch* (dial.) to kiss loudly (imit.)〗
smooch[2] *vt.* 《美》 더럽히다(smudge, smear) ; 《美俗》 약간의 돈을 꾸다, 실례하다. —— *n.* 오점, 얼룩 ; 검댕, 먼지.
〖? 변형(變形) ‹ *smutch*〗
***smooth** [smúːð] *a.* **1 a**) 매끄러운, 매끈매끈한, 반질반질한(↔*rough*). **b**) 평탄한. **c**) (수면이) 잔잔한 ; 고요한 ; 평온한, 안정된. **d**) (가장자리가) 울퉁불퉁하지 않은, 들쭉날쭉하지 않은 ; 〖數〗 (곡선·함수가) 매끄러운. **2 a**) 원활히 움직이는, 삐걱거리지 않는 ; 원만한, 유연한. **b**) (일이) 순조로운, 잘 되어가는 : make things ~ 장애를 제거하여 일을 쉽게 하다. **3** 유창한 ; 술술 나오는 ; (음악이) 가락이 좋은 ; 기분좋은. **4** (남의) 비위를 잘 맞추는, 호감을 사는, 서글서글한, 붙임성이 좋은 : ~ things 인사 치레로 하는 말. **5** (몸에) 털[수염]이 없는 ; 〖動·植〗 매끈매끈한, 무모(無毛)의 ; 〖테니스〗 (라켓이) 스무드한 쪽의 ; 〖理〗 (표면이) 마찰이 없는. **6** (음료가) 입에 당기는, 부드러운 ; 〖音聲〗 기식음이 아닌. **7** (모발이) 반들반들한, 윤나는 ; 손질 잘한. **8** (물질 따위가) 골고루 잘 이겨진[섞인]. **9** 《口》 움직임이 경쾌한《댄서》, 세련된 ; 《美俗》 매력적인, 근사한, 멋진.
in smooth water(***s***) 장애[곤란]를 뛰어넘어 ; 평온하게, 순조롭게, 원활히.
reach[***get to***] ***smooth water*** 고요한 바다로 나가다, 난관을 타개하다.
—— *vt.* **1** [+目 / +目+副] 반들반들하게 하다, 판판하게 하다, 울퉁불퉁한 것을 없애다, (땅을) 고르다 ; (천을) 다리다, 주름을 펴다 ; (머리를) 빗질하여 곱게 매만지다 : They ~*ed* the rough ground with bulldozers. 울퉁불퉁한 땅을 불도저로 평탄하게 했다 / *S*~ this dress with an iron. 이 옷을 다리미로 다려주시오 / ~ (***down***) one's hair 머리를 매만지다 / ~ ***out*** a rumpled bed sheet 구겨진 욧잇의 주름을 펴다. **2** [+目 / +目+副] 용이하게 하다, …의 장애물을 제거하다 : ~ the way 진로의 장애물을 제거하다 / ~ difficulties *away* 곤란을 제거하다. **3** 유창[원활]하게 하다 ; 《古》 윤을 내다, 손질하다, 세련되게

하다 : ~ one's manners 예의범절을 기품있게 하다. **4** [+目/+目+副] (싸움·노여움 따위를) 가라앉히다, 달래다 : ~ ***down*** quarrels 싸움을 진정시키다.
—— *vi.* **1** [+副] 반드럽게 되다, 판판해지다, 평온해지다〈*down*〉. **2** [+副] (관계·사이가) 원만해지다, 가라앉다, 진정되다, 안정되다, 수습되다, 원활하게 되어가다 : His anger ~*ed* ***down***. 그의 분노는 가라앉았다 / Affairs are ~*ing* ***down***. 사태는 수습되어가고 있다.
smooth over (1) 잘 보이다, (결점·과실 따위를) 둘러대다, 감싸다 : ~ *over* faults 결점을 감싸주다. (2) (사태·불화 따위) 진정시키다, 원만하게 수습하다 ; (장애물을) 없애다, 제거하다 (smooth away).
—— *n.* **1** 반반하게 함 ; 고르게 함 ; 매만짐 : give a ~ to the hair 머리를 매만지다. **2** 평면, 평지 ; 《美》 초원, 초지. **3** [the ~] 사물의 순조로운 일면 ; 〖테니스·스쿼시〗 스무드《라켓의 장식 거트가 매끄러운 면》: the rough(s) and *the* ~(s) ☞ ROUGH *n.* 숙어 / take the rough with *the* ~ 인생의 고락[부침]을 태연히 받다[감당하다], 괴로워도 넋두리하지 않다. —— *adv.* = SMOOTHLY. 〚OE *smōth* (*smēthe* 가 보통의 형) < ? ; (v.)는 ME *smēthen*에 (a.)가 바뀐 것〛 類義語 ⟹ LEVEL.

smóoth·bòre *n.* 활강총(滑腔銃), 활강포(砲).
—— *a.* (총강이나 포강이) 선조(旋條)가 없는, 활강(滑降)의.

smóoth bréathing *n.* 〖音聲〗 (그리스어 어두 모음의) 기식음(氣息音)을 수반치 않는 발음 ; 그것을 나타내는 부호《(')》.

smóoth·en *vt., vi.* 매끄럽게 하다, 매끄러워지다.

smóoth·er *n.* smooth하게 하는[만드는] 사람[기구, 장치].

smóoth-fáced *a.* **1** 표면이 반반한 ; (얼굴에) 수염이 없는, 수염을 말끔히 깎은, 매끈매끈한 얼굴의. **2** 붙임성이 좋은 ; (겉으로) 싹싹한 ; 가면을 쓴, 위선적인.

smóoth hòund *n.* 〖魚〗 유럽산(産)의 별상어의 일종.

smooth·ie [smúːði] *n.* 《美俗》 = SMOOTHY.

smóoth·ing ìron *n.* 다리미, 인두 ; 스무더《아스팔트 포장용 압연 기구》.

smóoth(ing) plàne *n.* 〖木工〗 마무리 대패.

smóoth·ly *adv.* 반들반들하게 ; 술술, 척척, 원활하게 ; 유창하게, 구변 좋게 ; 유순하게.

smóoth múscle *n.* 〖解〗 민무늬근.

smóoth·ness *n.* Ⓤ 매끄러움 ; 평탄 ; 쉬움 ; 유창 ; 구변 좋음 ; 싹싹함 ; (음료가) 감칠맛이 있음.

smóoth-sháven *a.* 말쑥하게 면도한.

smóoth-spóken *a.* 말이 유창한 ; 구변이 좋은.

smóoth-tóngued *a.* 구변 좋은, 겉치레로 비위를 맞추는.

smóothy *n.* 《口》 점잖은 사람 ; (특히) 여자의 환심을 사려는 남자 ; 구변 좋은 사람 ; 《美俗》 (고급 광택지로 된) (대중) 잡지(slick).

smor·gas·bord, smör·gås- [smɔ́ːrgəsbɔ̀ːrd] *n.* **1** 스모가스보드《서서 먹는 스칸디나비아의 요리로 오르되브르·고기·생선 요리·치즈·샐러드 따위를 내놓음》. **2** 《비유》 잡동사니, 잡다함. 〚Swed. (*smör* butter, *gås* goose, lump of butter, *bord* table)〛

smote *v.* SMITE의 과거·과거분사.

smoth·er [smʌ́ðər] *vt.* **1** 숨막히게[숨차게] 하다 ; 질식(사)시키다(suffocate) ; 《美》 간단하게 이기다[정복하다] : be ~*ed* by thick smoke 짙은 연기로 숨이 막히다. **2** [+目/+目+*with*+名] (불을) 덮어끄다, (불을) 묻다 ; (등불을) 덮다, 가리다 : He ~*ed* the fire ***with*** sand. 모래를 끼얹어 불을 껐다. **3** [+目/+目+副] (하품을) 삼키다, (말·감정을) 억누르다, 참다(suppress) ; (죄악을) 은폐하다, 흐지부지 덮어버리다 ; …의 성장[자유]을 방해하다 : ~ (***up***) a crime 범죄를 묵살해 버리다. **4** [+目/+目+*with*+名] (연기·안개 따위가) 휩싸다 ; 두껍게 덮다〈*up*〉: The town is ~*ed* ***in*** fog. 도시는 안개에 싸여 있었다 / The country house was ~*ed* ***with*** roses. 시골 집은 온통 장미로 뒤덮여 있었다. **5** [+目/+目+*with*+名] 〖料〗 찌다, 쪄서 삶다 ; 마구 칠하다, 더덕더덕 바르다 : a ~*ed* steak 찜구이한 스테이크 / ~ a salad ***with*** dressing 샐러드에 드레싱을 듬뿍 치다. **6** [+目+*with*+名] (키스·선물·친절 따위로) 숨도 못쉬게 하다, 압도하다 : She ~*ed* the child ***with*** kisses. 그 아이에게 숨도 못쉴 정도로 마구 입맞췄다. —— *vi.* 숨이 막히다, 질식하다, 질식해서 죽다 ; 억눌리다, 은폐되다 : You will ~ if you stay in this smoke. 너는 이 연기속에 있으면 질식할 것이다. —— *n.* **1** 연기가 나는 것 ; 연기나는 재[불] ; 연기가 남 ; [a ~] 짙은 연기, 짙은 안개, 짙은 먼지. **2** 산란, 혼란, 큰 소동. 〚ME *smorther* < *smoren* < OE *smorian* to suffocate〛

smoth·ery [smʌ́ðəri] *a.* 질식시키는, 숨찬 ; 연기[먼지]가 많은.

smoulder ☞ SMOLDER.

s.m.p. *sine mascula prole* 《L》 (=without male issue). **SMS** 〖로켓〗 shuttle mission simulator 《우주 왕복선의 cockpit의 실물 크기의 모형 ; 조종사 훈련용》; stationary[synchronous] meteorological satellite(정지[동기형] 기상 위성). **SMSA** 《美》 Standard Metropolitan Statistical Area《미국에서의 도시역(域)의 공식명》. **SMSgt** senior master sergeant. **SMTAS** 〖宇宙〗 shuttle model test and analysis system(셔틀 모델 시험 해석 시스템).

smudge [smʌdʒ] *n.* **1** 더러움, 얼룩, 오점, 얼룩무늬 반점 ; (멀리 있는 물체 따위) 윤곽이 뚜렷하지 않은 모양. **2** 《美》 모닥불, 모깃불(=~ **fire**) ; 숨이 막힐듯한 연기. —— *vt.* **1** …을 얼룩지게 하다《비유적으로도 쓰임》, (문질러서) 더럽히다 ; 불명료하게 하다, 바림하다, 얼버무리다 : His sooty hand ~*d* the paper. 그의 검댕 묻은 손이 종이를 더럽혔다. **2** 모깃불을 놓다, 모닥불을 피워 (과수원 따위에) 서리가 끼는 것을 막다.
—— *vi.* 더러워지다, 선명하지 않게 되다, 번지다 ; 연기가 나다, 그을다 : This ink doesn't ~ easily. 이 잉크는 쉽사리 번지지 않는다.
〚ME< ?〛

smudgy [smʌ́dʒi] *a.* 더러워진, 얼룩진 ; 그을은 ; 선명하지 못한 ; 연기가 나는, 연기를 내는 ; 《方》 (날씨가) 숨막히는, 무더운, 찌는.
smúdg·i·ly *adv.* 더러워져. **-i·ness** *n.* Ⓤ 더러움, 얼룩짐 ; 선명하지 못함.

smug [smʌg] *a.* (**smúg·ger ; smúg·gest**) 독선적이고 마음이 좁은, 별스레 새치름한, 몹시 젠체하는 ; 아담한 ; 꼼꼼한 ; 《古》 깔끔한.
—— *n.* 《英大學俗》 공부만을 파는 학생, 사귀기 어려운 놈, 젠체하는 놈.
~·ly *adv.* **~·ness** *n.*
〚C16=neat< LG *smuk* pretty〛

smug·gle [smʌ́gəl] *vt.* [+目/+目+副/+目+前+名] **1** 밀수입[밀수출]하다, 밀수하다 ; 밀입국[밀출국]시키다 : ~ ***in***[***out***] heroin 헤로인을

밀수입[밀수출]하다 / He tried to ~ diamonds ***into*** Korea[***through*** the customs]. 다이아몬드를 한국에[세관의 감시를 피해] 밀수입하려고 했다. **2** 몰래 들여가다[반출하다] ; 은닉하다 : The man ~*d* a revolver ***into*** the prison. 그 사나이는 몰래 권총을 교도소 안으로 가지고 들어왔다.
—— *vi.* 밀수입[밀수출]하다 ; 밀항하다.

smúg·gler *n.* 밀수선 ; 밀수업자. **smúg·gling** *a.* 〖LG ; cf. OE *smūgen* to creep〗

smut [smʌ́t] *n.* **1** (검댕 · 석탄 · 연기 따위의) 한 조각[줄기], 덩어리. **2** 더러움, 얼룩〈*on*〉. **3** Ⓤ 음탕한 이야기[그림], 외설 문학 ; 음란함(obscenity). **4** Ⓤ (보리 따위의) 깜부기병.
—— *v.* (**-tt-**) *vt.* **1** 검댕[연기 따위]으로 더럽히다, 검게 하다 : The smoke ~*ted* the white curtain. 그 연기로 흰 커튼이 더러워졌다. **2** (보리를) 깜부기병에 걸리게 하다. —— *vi.* **1** 더러워지다, 검어지다. **2** 깜부기[검은 이삭]가 생기다.
〖C16 < ? ; cf. SMUDGE, OE *smitt*(*ian*) to smear〗

smutch [smʌ́tʃ] *n., vt., vi.* =SMUDGE.

smút·ty *a.* **1** 검어진, 검댕투성이의 ; 더러워진. **2** 외설적인[음탕한] ; 상스러운. **3** 깜부기병에 걸린. **smút·ti·ly** *adv.* **-ti·ness** *n.*

SMV slow-moving vehicle. **SN** service number (군번) ; serial number. **S/N** 〖商〗 shipping note. **Sn** 〖化〗 *stannum* 《L》 (=tin). **s.n.** *secundum naturam* 《L》 (=according to nature) ; *sine nomine* 《L》 (=without name) ; *sub nomine* 《L》 (=under the name).

***snack** [snǽk] *n.* **1** (보통 식사 시간 이외의) 가벼운 식사, 간식, 스낵 ; 한 입. **2** 《稀》 배당, 몫 : *S*~*s*! 똑같이 나눠라.
***go snack*(*s*)** 똑같이 나누다.
—— *vi.* 《美》 가벼운 식사를 하다.
〖ME=snap, bite < MDu.〗

snáck bàr[《英》 **còunter**] *n.* (카운터식의) 간이 식당, 스낵 바.

snáck tàble *n.* 한 사람 몫의 음식물을 실어 나를 수 있는 테이블.

snaf·fle[1] [snǽfəl] *n.* (말에 물리는) 작은 재갈 ; 재갈이 물리는 부분.
ride a person ***in***[***on, with***] ***the snaffle*** 남을 부드럽게 다루다, 온건하게 제어하다.
—— *vt.* (말에) 작은 재갈을 물리다, 작은 재갈로 제어하다 ; 《비유》 제어하다(restrain).
〖C16 < ? LDu. ; cf. MLG, MDu. *snavel* beak, mouth〗

snaffle[2] *vt.* 《英口》 슬쩍 훔치다(steal) ; 홱 낚아채다. 〖↑〗

sna·fu [snæfúː, ⌐-] *a.* 《美俗》 혼란한, 손댈 수 없는 ; 틀린 ; 못 쓰게 된. —— *n.* Ⓤ 혼란 (상태) ; (명백한) 잘못 ; 어리석음 ; 쓸데없이 복잡하게 얽힌 것. —— *vt.* 혼란에 빠뜨리다 ; 실수를 저지르다, 엉망으로 만들다.
〖*s*ituation *n*ormal *a*ll *f*ucked-*u*p〗

snag [snǽ(ː)g] *n.* **1** (가지치기한 뒤나 부러진 나머지의) 날카롭게 튀어나온 큰 가지[그루터기] ; (물속에서 튀어 나와 배의 진행을 방해하는) 쓰러진 나무, 잠긴 나무, 암초. **2** 뜻밖의 장애[고장, 결점] : strike[hit, come up against] a ~ 암초[뜻밖의 장애]에 부딪치다. **3** 튀어나온 것[부분] ; 옹이, 마디 ; 사슴뿔의 작은 가지. **4** 덧니, 뻐드렁니, 부러진 이의 뿌리 ; (양말 · 옷의) 걸려서 찢어진 데, 찢어진 구멍.
—— *v.* (**-gg-**) *vt.* **1** (배를) 쓰러진 나무[암초]에 걸리게 하다 : The ship was ~*ged* near the bank. 그 배는 해안 근처에서 좌초됐다. **2** 방해하다(hinder) : Commerce was ~*ged* by the lack of foreign exchange. 외환 부족으로 거래가 정체됐다. **3** (물)에서 잠긴 나무를 치우다 ; 잠긴 나무[나뭇가지, 철사]로 인해 파손하다 ; 난폭하게 잘라버리다[베어 쓰러뜨리다] ; 《美》 재빨리 붙잡다, 홱 잡다. —— *vi.* 《美》 (물속의) 쓰러진 나무에 걸리다[부딪치다] ; 장애가 되다 ; 걸리다, 휘감기다, 얽히다.
〖C16 < ? Scand. ; cf. Norw. (dial.) *snag*(*e*) spike〗

snag·ged [snǽgəd] *a.* (물속에) 잠긴 나무가 많은 ; 잠긴 나무로 막힌 ; 잠긴 나무의 해를 입은 ; 옹이투성이인 ; 울퉁불퉁한, 들쭉날쭉한.

snág·gle·tòoth [snǽgəl-] *n.* 고르지 못한 이, 덧니, 뻐드렁니.

snággle·tòothed [-tùːθt] *a.* 고르지 못한 이[덧니, 뻐드렁니]의.

snág·gy *a.* **1** (물속에) 쓰러져 잠긴 나무가 많은. **2** 옹이투성이의 ; 날카롭게 튀어나온.

snail [snéil] *n.* **1** 〖動〗 달팽이, (널리) 고둥《물속의 것도 말함》 : an edible ~ 식용 달팽이. **2** 느림보. **3** 〖機〗 소용돌이 모양의 캠(cam), 와형륜(渦形輪) (=~ **whèel**)《시계의 타종수를 정하는 조그만 바퀴》.
(***as***) ***slow as a snail*** =***at a snail's pace***[***gallop***] 아주 느릿느릿하게.
—— *vi.* 느릿느릿 나아가다[움직이다].
〖OE *snæg*(*e*)*l* ; cf. OS, OHG *snegil*〗

snáil·ery *n.* 식용 달팽이 양식장.

snáil fèver *n.* =SCHISTOSOMIASIS.

snáil-pàced, snáil-slòw *a.* 달팽이처럼 느린, 게으른.

***snake** [snéik] *n.* **1** 뱀 (cf. SERPENT) ; 《비유》 뱀 같은 사람, 음흉[냉혹, 교활]한 사람 ; 《美學俗》 난봉꾼 ; 《美學俗》 착실한 학생. **2** 스네이크《구부러진 도관(導管)의 막힌 것을 뚫는 막대》 ; 〖建〗 리드선(線)《전선을 연결시켜 전선관으로 통하게 하는 철사》 ; 〖軍〗 스네이크《지뢰 파괴용의 폭약이 들어있는 긴 파이프》. **3** [보통 the ~] 공동 변동 환시세제, 스네이크.
cherish[***warm, nourish***] ***a snake in*** one***'s bosom*** 은혜를 베푼 사람에게 봉변을 당하다.
raise[***wake***] ***snakes*** 소란을 피우다.
scotch the snake ☞ SCOTCH[1].
see snakes =《美口》 ***have snakes in*** one***'s boots*** 알코올 중독에 걸려 있다.
a snake in the grass 눈에 보이지 않는 위험 ; 숨어있는 적.
—— *vi.* (뱀처럼) 꿈틀거리다, 기다, 구불거리며 움직이다, 꾸불꾸불하다 ; 《美俗》 조용히[아무 말하지 않고] 떠나다. —— *vt.* 《美口》 [+目 / +目+副] 꾸불꾸불 나아가다 ; 《美》 (힘껏) 당기다, (체인이나 로프로) (통나무 따위를) 질질 끌다 ; 《美》 묶다, 감다 ; 스네이크로 (도관)의 막힌 것을 제거하다 : ~ ***out*** a tooth 이를 잡아빼다.
〖OE *snaca* ; cf. MLG *snake*, ON *snákr*, OHG *snahhan* to crawl〗

snáke·bìrd *n.* 〖鳥〗 뱀가마우지《목이 뱀처럼 긺》.

snáke·bìt, snáke·bìtten *a.* 독사에게 물린.

snáke·bìte *n.* 뱀에 물린 상처.

snáke chàrmer *n.* 뱀을 부리는 사람.

snáke dànce *n.* 뱀춤《아메리칸 인디언의 종교 의식의 일부》 ; (우승 축하나 시위의) 사행(蛇行) 행렬[행진], 지그재그 행진.

snáke-dànce *vi.* 뱀춤을 추다.

snáke fènce *n.* 《美》 갈지자형의 울타리.

snáke·hèad, snáke's hèad *n.* =TURTLE-

HEAD.

snáke jùice *n.* 《方》 독한 술, 질 나쁜 위스키.

snáke òil *n.* medicine show에서 파는 가짜 (만병통치)약 ; 허튼 소리, 허풍.

snáke pìt *n.* **1** (뱀을 기르는) 뱀구덩이. **2** (환자를 다루기 힘든) 정신병원 ; 건잡을 수 없을 정도의 혼란[난잡]한 상태.

snáke·ròot *n.* 뱀에게 물린 데에 효험이 있다고 하는 각종 풀(뿌리).

snákes and ládders *n.* [단수취급] 뱀과 사다리《주사위를 던져 말을 나아가게 하는 주사위 놀이의 일종》.

snake's head ☞ SNAKEHEAD.

snáke·skìn *n.* 뱀 껍질 ; Ⓤ (가공·세공용의) 뱀가죽.

snáke·stòne *n.* 《方》 암몬조개 ; 뱀에게 물린 데에 효험이 있다는 돌.

snáke·wèed *n.* 〖植〗 뱀을 연상케하는 식물《범꼬리 따위》.

snáke·wòod *n.* 〖植〗 **1** 마전(馬錢)《인도 원산》. **2** (열대아메리카 원산인) 뽕나무과(科)의 나무.

snaky, snak·ey [snéiki] *a.* 뱀의 ; 뱀 모양의 ; 뱀이 많은 ; 뱀이 휘감긴《지팡이 따위》 ; (강 따위가) 꾸불꾸불한 ; 음흉한, 교활한, 냉혹한.

snap** [snǽp] *v.* (**-pp-**) *vt.* **1** [＋目 / ＋目＋副 / ＋目＋補] 짤깍[탁] 소리를 내다, 툭[탁] 치다, 쾅 닫다, 왈칵 열다 : ~ a whip 회초리로 휙휙 소리를 내다 / ~ the rubber band 고무줄을 퉁겨 소리가 나게 하다 / ~ one*'s fingers* ☞ 숙어 / *S~ **down the lid of the box. 그 상자 뚜껑을 탁 닫으십시오 / He *~ped* the watch open. 그는 그 시계 뚜껑을 찰칵하고 열었다. **2** [＋目 / ＋目＋副 / ＋目＋前＋名] 딱 꺾다[부러뜨리다], 툭 끊다 : ~ a stick 막대기를 딱 부러뜨리다 / ~ ***off*** a twig 가지를 뚝 꺾어내다 / ~ a piece of thread ***in*** two 실을 툭 끊다. **3** [＋目 / ＋目＋副] 씹다, 물어뜯다 ; (깨)물다, 덥석 물다 : The shark *~ped* the man's leg ***off***. 상어가 그 남자의 다리를 물어뜯었다 / The dog *~ped* ***up*** the piece of meat. 개가 고깃조각을 덥석 물었다. **4** [＋目＋副] 잡아채다, 낚아채다, 그러모으다 ; …에 뛰어들다, 앞다투어 잡다[달려들다], (남보다 먼저) (남을) 고용하다, …와 결혼하다 ; 성급하게 결정[판단]하다 : ~ ***up*** an offer 제의에 곧바로 응하다 / The cheapest goods were soon *~ped up*. 가장 싼 물건이 얼마 안가서 다 팔렸다. **5** 날카롭게[엄하게] 말하다, 딱딱거리다〈*out*〉 ; 급히 가로막다, …에게 무뚝뚝하게 말대꾸하다 : "Quiet !" *~ped* the teacher. 조용해라고 선생님은 엄한 어조로 말씀하셨다. **6** 민첩하게 움직이다[던지다] ; 재빠르게 쏘다[발포하다] ; (사진을) 찰칵 찍다, …의 스냅 사진을 찍다 : He *~ped* the scene. 그는 그 장면을 재빨리 찍었다. **7** 〖美蹴〗 (볼을) 스냅하다.

── *vi.* **1** [動 / ＋副＋前＋名] 찰칵[탁] 소리가 나다, 탁 울리다 ; (권총 따위가) 찰칵하고 소리가 나다, 불발(不發)로 끝나다 : The wood *~ped* as it burnt. 그 나무는 타면서 탁탁 소리를 냈다 / The driver's whip *~ped* ***down on*** the horse's back. 마부의 채찍이 말 등에서 찰싹하고 소리를 내었다. **2** [動 / ＋副 / ＋補] 툭 끊어지다, 딱 부러지다 ; (신경 따위) 쇠약해지다 : He heard a string ~ in his violin. 그는 바이올린의 현이 툭 끊어지는 소리를 들었다 / His nerves *~ped*. 그의 신경은 (긴장에 못이겨) 이상해져 버렸다 / Something *~ped* in his head. 그의 머리속에서 뭔가 툭 끊어졌다《드디어 자제심을 잃고 말았다》 / The mast *~ped* ***off***. 돛대가 뚝 부러졌다 / The stick *~ped* short. 막대기가 딱 부러졌다. **3** [動 / ＋前＋名 / ＋副] 짤깍 잠기다, 탁[탕] 닫혀지다 : The bolt *~ped* ***into***[***to***] its place. 빗장이 짤깍 잠겼다 / The door *~ped to*[shut]. 문이 쾅 닫혔다. **4** [動 / ＋*at*＋名] 기민하게[핵] 움직이다 ; (눈을) 깜빡이다 ; 물다, 물어뜯다 ; 덤벼들다, 쾌히 승낙하다 : That dog *~s* ***at*** people's hands. 저 개는 사람의 손을 문다 / He *~ped at* our offer. 우리들의 제의에 쾌히 응했다. **5** [動 / ＋*at*＋名] 딱딱거리다 ; 《美俗》 조소하다, 깔보다 : ~ and snarl 입정사납게 욕을 퍼붓다 / She always *~s* ***at*** him. 그녀는 언제나 그에게 딱딱거린다. **6** 스냅 사진을 찍다 ; 〖사냥〗 겨누지 않고 재빨리 쏘다. **7** (분노 따위로) (눈이) 번뜩이다, 빛나다.

snap (***in***)***to it*** 《口》 의욕적으로 시작하다, 본격적으로 착수하다, 서두르다.

snap one***'s fingers*** 손가락을 튀겨 딱 소리를 내다 : ~ one*'s fingers at* a person[*in* a person's face] …을 향해서[의 얼굴에 대고] 손가락을 딱 튀기다 ; 남을 경멸하다.

snap off a person***'s head***[***nose***]＝***snap*** a person***'s head***[***nose***] ***off*** 남을 초장에 꺾다 ; 남의 말을 난폭하게 가로막다, (하찮은 일로) …에게 딱딱거리다.

snap out of it 《口》 (태도·버릇 따위) 일신하다 ; 곧 침착을 되찾다 ; 곧 회복하다.

snap a person ***up*** 남에게 딱딱거리다, 말참견을 하다.

── *n.* **1 a**) 물기, 물어뜯기 : The dog took[made] a ~ *at* the meat. 개는 고기를 물어뜯었다. **b**) 물어 뜯은 것, 낚아채어 얻은 것 ; 《古》 이익의 배당. **2** 뚝[찰칵·재깍] 하는 소리 ; 뚝 부러지기, 뚝 끊어짐, 탁 깨짐 ; 쾅 닫히는[왈칵 여는] 소리 : He shut the book with a ~. 책을 탁 덮었다. **3 a**) 황급한 식사, 스낵, (노동자의) 도시락. **b**) 〖野〗 급히 던지기, 스냅 ; 〖美蹴〗 스냅《스크리미지 라인의 센터가 볼을 가랑이 사이로 뒤쪽에 있는 백에게 손으로 전하든지 패스하여 다운을 개시하는 방법》. **4** 잔소리, 꾸지람, 날카로운 말투, 가시돋친 반박. **5** 잠그는 쇠, 죔쇠, (혁대 따위의) 고리, 버클, 스냅(snap fastener). **6** [복합어를 이루어] 와삭와삭하는 쿠키(cookie), (특히) ＝ GINGERSNAP. **7** 《口》 정력, 원기, 활기 ; 팔팔함 ; 민첩한 행위 : a style without much ~ 그다지 박력이 없는 문체. **8** (날씨의) 급격한 변화, 격변 ; (특히) 갑작스러운 추위, 한파 : a cold ~ 갑작스러운 한파. **9** ＝SNAPSHOT. **10** Ⓤ 《英》 스냅《카드놀이의 일종》. **11** 《口》 힘 안드는 일 ; 쉬운 시험[수업] ; 《美俗》 다루기 쉬운 녀석, 점수가 후한 교사 : a soft ~ 《美口》 쉬운 일.

in a snap 즉시, 당장.

not care a snap 조금도 상관치[개의치] 않는.

not worth a snap 아무런 가치도 없는.

── *attrib. a.* **1** (자물쇠·죔쇠 따위의) 용수철 장치의. **2** 갑작스러운, 불시의, 순간의, 즉석의. **3** 《美口》 편한, 손쉬운, 수월한 : a ~ course 《美學俗》 학점 따기가 쉬운 학과.

── *adv.* 툭, 딱, 찰칵.

── *int.* 《英》 〖카드놀이〗 스냅 !《스냅에서 같은 순위의 카드가 나왔을 때 내는 소리》 ; 이거다, 야, 앗, 이봐《뜻하지 않게 똑같은 것과 마주쳤을 때 내는 소리》.

〚MDu. or MLG *snappen* to seize ; 일부 imit.〛

SNAP systems for nuclear auxiliary power(보조 원자력 시스템, 스냅).

snáp·bàck *n.* 〖美蹴〗 스냅백《센터가 재빨리 손으

로 공을 되돌려 보냄》; 급속한 반발[회복].
snáp bèan *n.* 《美》 꼬투리째 먹는 각종 콩과 식물《강낭콩·완두 따위》.
snáp bòlt *n.* 자동 빗장.
snáp-dòwn *n.* 〖軍〗 스냅다운《공대공 전투에서 아래쪽을 나는 목표물을 향해 공대공 미사일을 내리 쏨》.
snáp·dràgon *n.* **1** 〖植〗 금어초(金魚草). **2** Ⓤ 건포도 집기《브랜디가 타고 있는 접시에서 건포도를 집어내는 크리스마스의 놀이》.
snáp fàstener *n.* 〖洋裁〗 스냅, 똑딱단추.
snáp hòok *n.* =SPRING HOOK.
snáp lìnk *n.* 스냅 링크《용수철 스냅이 달린 쇠사슬의 고리》.
snáp lòck *n.* 용수철 자물쇠.
snáp·per *n.* **1** 스냅, 똑딱단추; 딱 소리나는 것; 《美》 딱총의 한 가지; [*pl.*] 《美俗》 이빨; 딱딱거리는 사람. **2** 〖動〗 =SNAPPING TURTLE; 〖魚〗 물퉁돔《멕시코만산(産)》. 〖SNAP〗
snápper-úp *n.* (*pl.* **snáppers-úp**) (특가품 따위에) 몰려드는 사람.
snáp·ping bèetle[**bùg**] *n.* =CLICK BEETLE.
snápping tùrtle[**tèrrapin**] *n.* 〖動〗 **1** 켈리드라 거북《북미에 널리 분포하는 민물에 사는 거북으로 성질이 사나워 마구 물어뜯음》. **2** (북미산의) 악어거북.
snáp·pish *a.* **1** 물어뜯는. **2** 딱딱거리는, 퉁명스러운, 성을 잘내는. **~·ly** *adv.* **~·ness** *n.*
snáp·py *a.* **1** 팔팔한, 기운찬, 원기 좋은, 재빠른; 《口》 단정한, 스마트한, 멋진. **2** =SNAPPISH. **3** (추위가) 살을 에는 듯한. **4** (불 따위가) 딱딱 소리내는. **5** (치즈 따위가) 푸석푸석한; (차 따위가) 향기가 짙은. **6** 〖寫〗 (음화(陰畫) 또는 양화(陽畫)가) 대조가 뚜렷한; 즉석의, 갑작스런.
make it snappy 《口》 (이야기·행동 따위를) 빠르게[척척] 하다; 서두르다(hurry).
—— *adv.* 팔팔하게, 멋지게, 스마트하게.
snáp ròll *n.* 〖空〗 급횡전(急橫轉) (flick roll).
snáp·shòot *vt.* 스냅(사진)을 찍다, …을 속사(速寫)[스냅]하다(take a snapshot of). **~·er** *n.* 스냅을 찍는 사람.
snáp·shòt *n.* 스냅사진, 속사(速寫); 틈으로 살짝 엿봄; 단편, 편린: take a ~ *of* …을 속사하다, …의 스냅사진을 찍다.
—— *vt.* (**-tt-**) =SNAPSHOOT.
snáp shòt *n.* 속사(速射), 즉석 사격; 한초(限秒) 사격.
***snare**[1] [snέər, snǽər] *n.* **1** 올가미, 덫. **2** 《비유》 함정, 유혹, 실패[차질]의 원인: lay a ~ for …에 올가미를 치다, …을 함정에 빠뜨리려고 하다. **3** 〖醫〗 계제《종양 따위의 절제용 도구》.
—— *vt., vi.* **1** 올가미로 잡다, 올가미에 걸리게 하다[빠뜨리다], 올가미를 치다: ~ a rabbit in a trap 올가미로 토끼를 사로잡다. **2** 《비유》 빠뜨리다, 유혹하다, 꾀어들이다.
〖OE *sneare* <ON *snare*; cf. G *Schnur*〗
類義語 (1) (*n.*) ⟹ TRAP[1].
(2) (*v.*) ⟹ CATCH.
snare[2] *n.* (작은북의) 향현(響絃), 향선(響線); [*pl.*] 한벌의 작은북.
〖? Du. *snaar* string(↑); cf. OE *snēr*〗
snáre (drùm) *n.* 작은북《군악대용의 작은북으로 하면의 가죽에 향현(snares)을 댐》.
Snark [snά:rk] *n.* 〖美軍〗 미국 공군의 대륙간 탄도탄.
snarl**[1] [snά:rl] *vi.* **1** [動/+前+名] 으르렁거리다, 물려고 으르렁거리다: That dog usually ~*s* ***at strangers. 저 개는 평소에 낯선 사람만 보면 으르렁거린다. **2** [動/+前+名] (사람이) 딱딱거리다, 호통치다: Don't ~ ***at*** me like that. 그런 식으로 나에게 딱딱거리지 마라. —— *vt.* [+目+副] 큰소리치다, 호통치다: He ~*ed* ***out*** his answer. 그는 호통치듯이 대답했다. —— *n.* 으르렁거리는 소리(growl), 으르렁거림; 서로 으르렁거림; 꾸짖음, 말다툼: answer with a ~ 호통치듯 대답하다.
〖(freq.) ‹ *snar* (obs.); cf. G *schnarren* to rattle〗
snarl[2] *n.* (머리털 따위의) 엉킴, 헝클어짐(tangle); 《비유》 혼란, 분규: a traffic ~ 교통 마비.
—— *vt.* 엉클어뜨리다, 헝클리게 하다(tangle); 혼란시키다(confuse); 얽히게 하다: Her hair is ~*ed.* 그녀의 머리가 헝클어졌다/~ a once simple problem 원래는 간단했던 문제를 복잡하게 만들어 놓다. —— *vi.* 헝클어지다, 얽히다; 혼란해지다. 〖ME (*snare*+*-le*)〗
snarl[3] *n.* (나무의) 옹이. —— *vt.* snarling iron으로 (금속 세공)에 도드라지게 무늬를 내다. 〖↑〗
snárl·ing ìron *n.* (안쪽에서 두드려 바깥쪽으로 도드라지게 하는) 정.
snárl-ùp *n.* 《口》 (교통 따위의) 혼란, 혼잡.
snárly[1] *a.* 자주 으르렁거리는; 딱딱거리는.
snarly[2] *a.* 뒤얽힌; 혼란한.
snatch** [snǽtʃ] *vt.* **1** [+目/+目+副/+目+前+名] 잡아채다, 채가다, 거머 잡다, 강탈하다; 《美俗》 체포하다, 검거하다, (어린아이 등을) 유괴하다, 홱 낚아채다; 〖力道〗 스내치로 들다: The man ~*ed* ***up a club and struck at me. 그 사나이는 곤봉을 움켜잡고 나를 후려쳤다/*S*~*ing* ***off*** his hat, he bowed to her. 그는 얼른 모자를 벗고 그녀에게 인사했다/He ~*ed* the knife (*away*) ***from*** the burglar[***out of*** the burglar's hand]. 도둑에게서[도둑의 손에서] 칼을 가로챘다. **2** [+目/+目+前+名] 서둘러 잡다[먹다]; 뜻밖에 손에 넣다, 간신히[운좋게] 손에 넣다: ~ a few hours of sleep 틈을 내어 두 세 시간 자다/The young man ~*ed* a kiss ***from*** the girl. 그 젊은이는 별안간 소녀에게 키스했다. **3** [+目+副/+目+前+名] (이 세상에서) 갑자기 데려가다, 사라지게 하다, 죽이다: He was ~*ed* *away*[~*ed* ***from*** us] by sudden death. 그는 갑작스럽게 죽었다. **4** [+目+前+名] 가까스로 (…으로부터) 구출하다: The child was ~*ed* ***from*** the danger. 그 아이는 가까스로 위험으로부터 구출되었다. —— *vi.* [+*at*+名] 낚아채려 하다, 덤벼들다: The policeman ~*ed* ***at*** the gangster's revolver. 경찰관은 그 악한의 권총을 낚아채려고 했다/I ~*ed at* the chance to travel. 나는 여행할 수 있는 기회를 놓칠세라 얼른 잡았다.
—— *n.* **1** 잡아채기, 날치기, 강탈; 달려들기: make a ~ (*at*...) (…을) 잡아채려고 하다, 붙잡으려 들다. **2** 파편; 단편, 근소, 한 조각; 한마디: short ~*es of* song 마디마디 끊기는 노래. **3** 황급한 식사; 한입(의 음식물). **4** [보통 *pl.*] 한바탕 일하기, 잠깐의 휴식: work *in*[*by*] ~*es* (생각난 듯이) 간간이 일하다/a ~ *of* sleep 한숨 자기. **5** 《美俗》 어린이 유괴; 《美俗》 체포; 〖力道〗 스내치, 인상(引上)《단숨에 연속 동작으로 머리 위까지 들어올리기》. 〖ME< ?; cf. SNACK〗
類義語 ⟹ TAKE.
snátch·er *n.* 치기배; 묘 도굴꾼, 시체 도둑; 유괴범; (도살장의) 내장 척출(剔出)원; 《美俗》 경찰.
snátch-for-páy *n.* 영리를 위한 유괴.
snátch squàd *n.* 《英》 (폭동을 진압하기 위한 폭

동 주모자의) 특별 체포반.
snátchy *a.* 이따금의, 때때로의, 단속적인, 불규칙한. **snátch·i·ly** *adv.*
snath [snǽθ, snéθ], **snathe** [snéið, -θ] *n.* 큰 낫(scythe)의 긴 자루.
snaz·zy [snǽzi] *a.* 《口》 (형태·용모 따위가) 멋진, 확 남의 이목을 끄는, 훌륭한, 매력적인; 화려한 무늬[디자인]의; 기분 좋은, 패셔너블한; 쾌적한; 《美俗》 야한, 취미가 저속한.
〖C20 < ?〗
SNC 《美》 Satellite News Channel《통신 위성을 이용한 24시간 텔레비전 뉴스 서비스》.
SNCC [sník] 《美》 Student National[《원래》 Nonviolent] Coordinating Committee(학생 전미(全美)[비폭력] 조정 위원회).
sneak [sníːk] *vi.* **1** [+前+名/+副] 살금살금 들어오다[나가다]; 서성거리다: ~ ***into***[***out of***] a room 슬그머니 방에 들어오다[방에서 나가다] / Somebody was ~*ing* ***behind*** the door. 누군가 문 뒤에 숨어 있었다 / He was ~*ing* ***about*** the house watching for a chance to steal the car. 자동차를 훔칠 기회를 엿보면서 집 근처를 서성거리고 있었다 / I saw him ~ *away* ***from*** us. 그가 우리에게서 슬그머니 빠져나가는 것을 보았다. **2** [+*out of*+名] 약삭빠르게 굴다, 슬쩍 피하다; 아첨하다: ~ ***out of*** danger[responsibility] 위험[책임]을 교묘히 피하다. **3** 《英學俗》 선생님에게 고자질하다.
—— *vt.* 몰래 들어가다[훔치다]; 《口》 슬쩍 훔치다(steal); 실례하다; 〖美蹴〗 (골 라인을 넘어서) 쿼터백 스니크로 득점하다; 《美俗》 sneak preview를 보게 하다.
—— *n.* **1** 살그머니 하기[하는 사람]; 비겁한 사람; =SNEAK THIEF; 《英學俗》 고자질하는 학생; 《俗》 밀고자. **2** 〖크리켓〗 땅볼; [*pl.*] 《美口》 =SNEAKERS; 〖美蹴〗 =QUARTERBACK SNEAK; 《美口》 =SNEAK PREVIEW.
—— *a.* 몰래하는, 비밀의; 불의의.
〖C16 < ?; cf. OE *snican* to creep〗
類義語 ⟹ LURK.
snéak attàck *n.* 〖軍〗 (선전 포고 또는 교전 상태 전의) 기습.
snéak·er *n.* **1** 살금살금하는 사람, 비열한 사람. **2** [*pl.*] 《美》 스니커《고무창을 댄 운동화》.
snéak·ing *a.* **1** 살금살금 걷는, 몰래 하는; 비열한, 천한; 무기력한. **2** (친절·존경 따위가) 은밀한[비밀의], 말못할.
snéak préview *n.* 《美口》 (관객의 반응을 알기 위해 제목을 알리지 않는) 영화 시사회(試寫會).
snéak-ràid *n.* 기습 폭격《야음 또는 적의 방비가 허술한 틈을 타서 함》.
snéak thìef *n.* 빈집을 노리는 도둑, 좀도둑.
snéaky *a.* 몰래하는, 비열한, 떳떳하지 못한데가 있는 듯한, 음험한.
snéak·i·ly *adv.* **-i·ness** *n.*
sneer** [sníər] *vi.* [動/+*at*+名] 조소하다, 냉소하다, 코웃음치다, 비웃다: Those people ~ ***at religion. 저 사람들은 종교를 비웃고 있다.
—— *vt.* **1** 코웃음치며 말하다, 경멸하다. **2** [+目+副/+目+前+名] 냉소하여 …하게 하다: ~ a person's reputation ***away*** 남의 명성을 일소(一笑)에 부치다 / ~ a person ***down*** 남을 냉소하다, 남을 냉소해서 입을 다물게 하다 / ~ a person ***into*** insignificance 남을 비웃어 무시해 버리다. —— *n.* 냉소, 경멸⟨*at*⟩.
〖C16 < ? LDu.〗
類義語 ⟹ SCOFF.

snéer·ing·ly *adv.* 냉소[조소]하여.
***sneeze** [sníːz] *n.* 재채기; 《美俗》 유괴, 체포.
—— *vi.* 재채기를 하다; 《美俗》 유괴[체포]하다.
sneeze at... 《口》 …을 경시하다, 업신여기다: *not* to be ~*d at* 《口》 얕볼 수 없다.
〖ME *snese* (변형(變形)) ⟨? *fnese* < OE 《美》 *fnēosan*〗
snéez·er *n.* 재채기하는 사람; 《美俗》 교도소.
snéez·ing gàs *n.* 재채기 가스.
snell [snél] *n.* 〖낚시〗 목줄《봉과 바늘 사이의 실》.
—— *vt.* (낚시를) 목줄에 달다. 〖C19 < ?〗
SNF short-range nuclear forces(단거리 핵전력).
SNG satellite news gathering《통신 위성을 이용한 텔레비전 중계 방송》; substitute[synthetic] natural gas(대체[합성] 천연 가스).
snib [sníb] *n.* 《스코》 걸쇠, 빗장(bolt).
—— *vt.* (**-bb-**) …에 걸쇠[빗장]를 지르다.
〖C19 < ?〗
snick[1] [sník] *vt.* **1** 푹 베다, 칼자국을 내다, 새김눈을 내다; 가위질하다: A razor ~*ed* my little finger. 면도칼에 새끼손가락을 베었다. **2** 강타하다; 〖크리켓〗 공을 깎아치다. —— *n.* **1** 작은 칼자국; 푹 벤 자리, 새김눈; (끈 따위의) 매듭. **2** 강타; 〖크리켓〗 공을 깎아치기. 〖*snick*ersnee〗
snick[2] *vi., vt.* 찰깍 소리나다[내다](click); 발포하다. —— *n.* 찰깍하는 소리. 〖imit.〗
snick·er [eníkər] *vi.* 《美》 킬킬 웃다, 숨을 죽여 웃다(giggle). —— *vt.* 킬킬 웃게하다[웃으면서 말하다]. —— *n.* 킬킬 웃기, 몰래 웃기(giggle).
〖imit.〗
snick·er·snee [seníkərsniː] *n.* 《戲》 단도, 비수.
〖C17 *stick or snee* < Du. (*steken* to thrust, *snij*(*d*)*en* to cut)〗
snide [snáid] *a.* 《俗》 가짜의, 속임수의; 교활한, 비열한, 악의에 찬, 남의 감정을 상하게 하는, 거만한: make ~ comments 듣기 거북한 소리를 하다 / ~ remarks 험담, 중상. —— *n.* snide한 짓[사람], 신용할 수 없는 사람; 가짜돈, 가짜 보석.
〖C19 < ?〗
Sni·der [snáidər] *n.* 스나이더식 후장총(後裝銃)《1860-70년대에 영국군이 사용함》.
〖Jacob *Snider* (d. 1866) 미국의 발명가〗
sniff** [sníf] *vi.* **1** [動/+*at*+名] 킁킁거리며 냄새 맡다, 냄새 맡아보다: The dog ~*ed* ***at the meal. 개는 그 음식의 냄새를 맡아보았다. **2** 코로 들이쉬다, 콧물을 훌쩍거리다. **3** [+*at*+名] 코방귀 뀌다: You must not ~ ***at*** that offer. 그 제의를 일소에 부쳐서는 안된다. —— *vt.* **1** [+目/+目+副] …의 냄새를 맡다, 코로 들이쉬다: She ~*ed* the fish. 물고기의 냄새를 맡아보았다 / This medicine is to be ~*ed* (***up***). 이 약은 코로 냄새만 들이마실 것. **2** 눈치채다, …을 알아차리다, …에 혐의를 두다: ~ (***out***) a danger[plot] 위험[음모]을 알아차리다. **3** 코방귀 뀌며 말하다.
—— *n.* **1** 킁킁거리며 냄새 맡기; 한번 들이쉬기: get a ~ of …을 킁킁거리며 냄새 맡다 / give a ~ 킁킁거리다. **2** 코방귀 뀌기, 경멸.
〖imit.; cf. SNIVEL〗
snìff·er *n.* 마약을 흡입하는 사람; 《俗》 코; 《卑》 시너[도료, 구두약 따위]의 냄새를 맡는 사람; 《美俗》 손수건.
snif·fle [snífəl] *vi.* 코를 킁킁거리다(snuffle); 코를 훌쩍이며 울다. —— *n.* 코를 킁킁거리기[거리는 소리]; [the ~s] 훌쩍이며 울기; [the ~s] 코감기(the snuffles). 〖imit.; cf. SNIVEL〗
sníffy *a.* 《口》 **1** 코웃음치는, 코방귀 뀌는; 교만한. **2** 《英》 구린, 악취나는.

snif·ter [sníftər] *n.* 스니프터《아가리가 좁은 술잔》; 《口》 (술의) 한 모금, 한 잔; 《美俗》 코카인 상용자.
〖*snift* (dial.) sniff < ? Scand.〗

snig·ger [snígər] *vi., n.* =SNICKER.

snig·gle [snígəl] *vi.* 구멍낚시질하다. —— *vt.* 구멍낚시질로 (뱀장어를) 낚다. —— *n.* 구멍낚시질용의 바늘. 〖ME *snig* small eel〗

snip [sníp] *v.* (**-pp-**) *vt.* [+目/+目+副/+目+前+名] 싹독 자르다, 가위로 베다, 자르다; (구멍을) 오리다: ~ ***off*** the ends 끝을 가위로 잘라내다 / ~ a hole ***in*** a sheet of paper 가위로 종이를 잘라 구멍을 내다. —— *vi.* 싹독 자르다〈*at*〉.
—— *n.* **1** 싹독 자르기[자르는 소리], 가위질; 자투리. **2** 한 조각, 조금, 작은 조각, 단편; (말 따위의 얼굴의) 흰 얼룩. **3** 《英口》 재단사, 재봉사. **4** 《口》 좀팽이, (특히) 건방진 놈. **5** [~s; 단수·복수 취급] (양철 따위의 금속을 자르는) 가위. **6** 《俗》 성공할 가망이 확실한 것, 간단한 일; 《英口》 싸게 산 물건, 염가품.
〖LG and Du. (imit.)〗

snipe [snáip] *n.* (*pl.* **~, ~s**) **1** 〔鳥〕 (물떼새·도요새류의) 부리가 가는 새, (특히) 꺄도요; 《美俗》 가공의 동물. **2** 〔海〕 스나이프《경주용 작은 범선》. **3** (잠복지에서의) 저격; 멸시할 만한 사람, 비열한 놈; 《美俗》 보선공; 《美海軍俗》 기관실원, 항공모함의 비행기의 보수 용원(保守用員); 《美俗》 (길에 버린) 피다 남은 담배꽁초. —— *vi.* **1** 도요새 사냥을 하다. **2** [動/+*at*+名] (잠복지에서) 적을 저격하다: He was ordered to ~ ***at*** anyone moving about the camp. 병영의 주위를 서성거리는 자는 누구든지 쏘라는 명령을 받고 있었다. **3** 익명으로 비난하다; 《美俗》 훔치다.
—— *vt.* 저격하다: ~ the enemy 적을 저격하다.
〖ME < ? Scand.; cf. OHG *snepfa*〗

snip·er [snáipər] *n.* 도요새 사냥을 하는 사람; 저격병; 《美俗》 빈집털이, 소매치기.

sníper·scòpe *n.* 〔軍〕 (라이플총·카빈총에 부착한 적외선 응용의) 야간 저격용 안경; (참호에서 사용하는) 라이플총용 저격 전망경.

snip·pet [snípət] *n.* **1** 가위로 자른 조각, 자투리. **2** 단편, 조금; (특히 문장 따위의) 부분적인 인용, 발췌(拔萃): ~*s of* information[knowledge] 단편적인 보도[지식]. **3** 《美口》 하찮은 인물. 〖SNIP〗

sníp·pety *a.* 극히 작은; 단편(斷片)으로 된; 매우 쌀쌀맞은.

sníp·py *a.* **1** 단편적인; 그러모은. **2** 《口》 무뚝뚝한, 퉁명스러운, 화를 잘내는(snappish), 건방진; 도도하게 구는(haughty).

sníp-snàp *n.* (가위질 따위의) 싹독싹독하는 소리; 임기응변의 대답. —— *adv.* 싹독싹독하고; 임기 응변으로.

snit [snít] *n.* 흥분, 초조: get oneself into a ~ 초조해지다 / be in a ~ 초조해 하고 있다 / send a person into a ~ 남을 초조하게 하다. 〖C20 < ?〗

snitch[1] [snítʃ] *vt.* 《俗》 낚아채다(snatch), 몰래 훔치다, 후무리다(pilfer). —— *n.* 절도.
〖C18 < ?; cf. SNATCH〗

snitch[2] *vi.* 《俗》 고자질[밀고]하다〈*on*〉.
—— *n.* 통보자, 밀고자; 《英戲》 코. 〖↑〗

sniv·el [snívəl] *v.* (**-l-** | **-ll-**) *vi.* **1** 코를 흘리다; 코를 훌쩍거리다. **2** 눈물을 흘리다, 코멘 소리를 내다, 훌쩍훌쩍 울다. **3** 우는 소리로 뉘우치는[슬픈] 체하다. —— *vt.* 훌쩍거리며 말하다. —— *n.* **1** Ⓤ 콧물; [the ~s] 가벼운 코감기. **2** Ⓤ 우는 소리, 코멘 소리; 청승맞은 태도, 애처로운 말씨.

snív·el·(l)er *n.* **snív·el(·l)y** *a.*
〖OE 《美》 *snyflan* (*snofl* mucus); cf. SNUFFLE〗

SNM special nuclear material(특정 핵물질).

S.N.O. Senior Naval Officer.

***snob** [snάb] *n.* **1** 신사인 체하는 속물, 지위[재산 따위]의 숭배자, 윗사람에게 아첨하고 아랫사람에게 거만한 사람. **2** (자신이 애호하는 학술·취미 따위를 최고인 양) 자만하는 사람, 젠체하는 사람. **3** 《古》 (지위도 돈도 없는) 서민, 평민; 《古》 구두장이, 신기료 장수.
〖C19=flatterer 〈 C18=cobbler < ?〗

snób·bery *n.* Ⓤ 신사인 체함, 속물 근성, 윗사람에게 아첨하고 아랫사람에게 거만함, 귀족 숭배.

snób·bish *a.* 속물의, 신사인 체하는, 속물적인; (학술·취미 따위를) 자만하는.
~·ly *adv.* **~·ness** *n.* =SNOBBERY.

snób·bism *n.* =SNOBBERY.

snób·by *a.* =SNOBBISH.

snob·oc·ra·cy [snαbάkrəsi] *n.* Ⓤ 속물 계급.

SNOBOL [snóubɔ(:)l] *n.* 〔컴퓨〕 스노볼《문자열(文字列)을 취급하기 위해 만들어진 프로그램 언어》. 〖*String Oriented Symbolic Language*〗

snób zòning *n.* 《美》 스노브선(線) 긋기《저소득층의 부동산 취득을 막기 위해 교외지 따위에 부지의 최저 면적을 정하는 것 따위》.

Sno-Cat [snóukæ̀t] *n.* 스노캣《캐터필러(caterpillar)가 달린 설상차(雪上車); 썰매 견인용; 상표명》.

snoek [snú:k] *n.* 《南아》 〔魚〕 움직임이 활발한 각종 바닷물고기. 〖Afrik. < Du.=pike〗

sno·fa·ri [snoufά:ri] *n.* 스노파리《극지 등지의 빙원·설원 탐험》. 〖*sno*w+sa*fari*〗

snog [snάg] *vi.* (**-gg-**) 《英口》 키스나 포옹을 하다. —— *n.* 네킹. 〖C20 < ?〗

snol·ly·gos·ter [snάligὰstər] *n.* 《美俗》 지조 없는 사람, (특히) 악덕 정치꾼[변호사].
〖변형(變形) 〈 *snallygaster* 닭과 어린아이를 덮치는 괴물〗

snood [snú:d] *n.* **1** (아래로 늘어뜨린 뒷머리를 동이는) 자루모양의 헤어 네트; 그물로 된 모자. **2** (옛날 스코틀랜드에서 처녀의 표시로 사용한) 머리띠. **3** 〔낚시〕 목줄(snell). —— *vt.* (머리를) 리본으로 머리띠처럼 동여매다; 〔낚시〕 …에 목줄을 달다.
〖OE *snōd* < ?; cf. OIr. *snáth* thread〗

snood 2

snook[1] [snú(:)k] *n.* 《英口》 엄지손가락을 코끝에 대고 다른 네 손가락을 펴 보이기《경멸의 동작》.
cock [***cut, make***] ***a*** [one's] ***snook*** [***snooks***] ***at*** [***to***]... 《口》 …에게 경멸하는 몸짓을 하다, …을 깔보다.
Snooks! 시시하게!
〖C19 < ?〗

snook[2] *n.* (*pl.* **~, ~s**) 〔魚〕 스누크《열대 아메리카 주산(主産)의 낚시용·식용어》, (널리) 농어류의 물고기. 〖Du. SNOEK〗

snook·er [snúkər; snú:-] *n.* =SNOOKER POOL.
—— *vt.* snooker에서 (상대방을) 열세(劣勢)로 만들다; [보통 수동태로] 《口》 훼방을 놓다, 방해하다; [수동태로] 《美俗》 속이다, 사기치다.
〖C19 < ?〗

snóoker póol *n.* 스누커《자기의 흰 공 한개로 21개의 공을 쳐서 포켓에 집어 넣는 당구》.

snoop [snú:p] *vi.* [動/+副/+前+名] 《口》 기웃거리며[엿보며] 다니다 : ~ ***around*** 기웃거리며 찾아다니다 / ~ ***into*** what goes on in the home 가정에서 무슨 일이 일어났는가를 염탐하다. ── *vt.* 탐색하다. ── *n.* =SNOOPER.
〖Du. *snoepen* to eat on the sly〗

snóop·er *n.* 《口》 기웃거리며 다니는 남자, 샅샅이 살피는 사람, 염탐꾼, 참견하기 좋아하는 사람.

snóoper·scòpe *n.* 〔美軍〕 (적외선 응용의) 암시 안경(暗視眼鏡).

snóopy *a.* 《口》 꼬치꼬치 따지기[참견하기] 좋아하는. ── *n.* [S~] 스누피《미국의 만화가 슐츠(1922-)의 만화 *Peanuts*에 나오는 개》.

snoot [snú:t] *n.* 《俗》 =SNOUT ; 경멸적인 얼굴 표정, 찡그린 얼굴 ; =SNOOK[1] ; 거만한 사람.
── *vt.* 업신여기다.

snóoty *a.* 《口》 무뚝뚝한, 건방진, 남을 업신여기는, 오만한 ; 신사인 체하는, 자만하는 ; 고급인, 일류의. **snóot·i·ly** *adv.* **-i·ness** *n.* 〖C20< ?〗

snooze [snú:z] *vi.* 《口》 (특히 낮에) 졸다(nap).
── *vt.* [+目+副] (시간을) 빈둥빈둥 보내다 : ~ one's life *away* 빈들빈들 일생을 허송세월하다. ── *n.* 선잠, 졸기, 낮잠 : have a ~ 선잠자다. 〖C18< ?〗

***snore** [snɔ́:*r*] *vi.* 코를 골다. ── *vt.* [+目+副/+目+前+名/+目+補] 코를 골며 (시간을) 보내다 ; [~ one*self* 로] 코고는 동안에 (…이) 되다 : I ~*d* the night *away*. 그날 밤 코를 골며 잤다 / He ~*d* him*self* awake. 그는 자기 자신의 코고는 소리에 잠을 깼다. ── *n.* 코골기.
〖ME< ? imit. ; cf. SNORT〗

snor·kel [snɔ́:*r*kəl] *n.* 스노클《(1) 두 개의 관을 써서 장시간 잠항(潛航)을 가능케 하는 잠수함의 환기 장치 ; 잠수자용의 호흡관. (2) 소방차에 장치된 양동이 모양의 좌석이 붙은 소화용 수압 기중기》.
── *vi.* 스노클로 잠수하다.
〖G *Schnorchel* air-intake〗

snort [snɔ́:*r*t] *vi.* **1** (말이) 콧김을 내뿜다, 콧바람을 내다. **2** [動/+前+名] (경멸·놀람·불만 따위로) 코방귀 뀌다 ; 경멸하듯이 서슴지 않고[시끄럽게] 웃다 ; 《美俗》 마약을 냄새맡다[코로 들이마시다] : ~ ***at*** a person 남을 멸시하여 코방귀 뀌다. **3** (증기 기관이) 증기를 내뿜다. ── *vt.* [+目/+目+前+名/+目+副] 당당한 기세로 말하다 ; 코웃음쳐서 (경멸·도전 따위를) 나타내다 ; 《美俗》 (마약 따위를) 코로 들이마시다[냄새맡다] : "Indeed!" he ~*ed*. 그렇고 말고! 라고 그는 코웃음치며 말했다 / They ~*ed* defiance ***at*** us. 그들은 우리에게 씩씩거리며 반항했다 / He ~*ed* ***out*** a reply. 씨근거리며 대답했다. ── *n.* **1** 코를 씨근거림, 거센 콧김, 당당한 기세 ; 코방귀. **2** 《英》 =SNORKEL. **3** 《美俗》 소량, 짧은 거리 ; 《口》 (보통 물을 타지 않은 술을) 쭉 들이켜기 ; 《美俗》 마약(을 들이마심).
〖ME< ? imit. ; cf. SNORE〗

snórt·er *n.* **1** 콧김이 거친 사람[동물] ; (특히) 콧김을 내뿜는 말[돼지]. **2** 《俗》 질풍, 강풍 ; 《美俗》 쭉 들이켜기 ; 《俗》 마약을 코로 들이마시는[냄새맡는] 사람. **3** 《英口》 굉장한 것[재주, 사람], 거대한[곤란한, 위험한] 것 ; 《英俗》 어리석은 사람, 허황된 것 ; (크리켓의) 속구(速球).

snórty *a.* 콧김이 센 ; 남을 업신여기는 ; 성이 난.

snot [snɑ́t] *n.* 《俗》 콧물, 코딱지 ; 건방진 놈, 비열한 놈 ; 건방진 말투.
〖OE *gesnot* ; cf. SNOUT〗

snót-ràg *n.* 《卑》 손수건, 콧수건.

snót·ty *a.* **1 a**) 《俗》 콧물을 흘리는 ; 콧김이 거친. **b**) 《俗》 멸시하는, 몰인정한. **2** 《口》 지저분한(dirty), 건방진, 불쾌한, 역겨운 ; 《英口》 신경질적인, 성마른.

snout [snáut] *n.* **1** (돼지 따위의) 코, 주둥이 ; 〔昆〕 (특히 snout beetle의) 주둥이. **2** 《口·蔑》 큰 코, 못생긴 코. **3** (수관(水管) 따위의) 꼭지(spout) ; 뱃머리. **4** 빙하의 말단, (벼랑의) 튀어나온 끝 ; 《英俗》 담배(꽁초) ; 《英俗》 밀고자.
── *vt.* …에 꼭지를 달다. ── *vi.* 코로 파다.
〖MDu., MLG *snut*(*e*) ; cf. G *Schnauze*〗

snóut bèetle *n.* 〔昆〕 바구미과(科)의 곤충.

◇**snow**[1] [snóu] *n.* **1 a**) Ⓤ 눈 ; [보통 Ⓤ] 강설 : heavy ~ 심한 눈, 대설(大雪) / roads deep in ~ 눈에 깊이 파묻힌 길 / We have had little ~ this year. 올해는 눈이 거의 오지 않았다 / play in the ~ 눈 속에서 놀다 / It will be long before the ~*s* melt. 눈이 녹으려면 아직도 멀었다. **b**) [*pl.*] 《文語》 강설, 적설, 만년설 (지대). **2** Ⓤ 《詩》 설백(雪白) ; [*pl.*] 《詩》 백발 : the ~*s* of seventy years 칠순 노인의 백발. **3** Ⓤ 눈 비슷한 것 ; 《俗》 분말 코카인, 헤로인 ; 《美俗》 그럴 듯한 이야기, 감언. **4** Ⓤ 〔TV〕 (화면의) 흰 반점《전파가 약해서 생김》.
(as) welcome as snow in harvest 환영받지 못하는, 달갑지 않은.
(as) white as snow 눈처럼 흰, 몹시 흰.
── *vi.* **1** [it을 주어로 하여] 눈이 내리다 : *It* was ~*ing* heavily. 눈이 몹시 내리고 있었다. **2** [+副] 눈처럼 쇄도하다, 쏟아져 들어오다 ; 눈처럼 희어지다 ; 《美俗》 (반복하여) 말하다 : Congratulations came ~*ing* ***in***. 축사가 쇄도했다.
── *vt.* **1** [+目+副/+目+前+名] 눈으로 덮다[싸다, 가두다] : The cars were ~*ed* ***under*** by drifts. 자동차는 바람으로 인해 눈에 파묻혀 있었다 / They were ~*ed* ***up in*** the valley. 그들은 골짜기에서 눈에 갇혔다. **2** 눈처럼 펄펄 내리게 하다[쏟아지게 하다] ; 눈처럼 하얗게 하다. **3** 《美俗》 그럴듯하게 속이다.
be snowed under (1) 눈에 파묻히다(cf. *vt.* 1). (2) 《口》 압도되다 ; 《美口》 (선거 따위에서) 수적으로 압도당하다 : I was ~*ed under with* correspondence. 나는 쇄도하는 편지에 파묻힐 지경이 되었다.
〖OE *snāw* ; cf. G *Schnee*〗

snow[2] *n.* 작은 돛배의 일종.
〖Du. *sna*(*a*)*uw* or LG *snau*< ?〗

snów·bàll *n.* **1** 눈뭉치, 눈덩이. **2** 《戲》 백발의 흑인. **3** 스노볼《시럽으로 맛을 낸 둥근 얼음과자》 ; 《英》 스노볼《속에 사과가 든 쌀로 만든 푸딩》. **4** 《英》 눈덩이식 기부금 모집 《기부자가 다른 사람을 권유하고 그 사람이 또 다른 사람을 권유함》. **5** 〔植〕 가막살나무속의 각종 관목, (특히) 수국. **6** 《美俗》 =SNOWBIRD. **7** 《美俗》 코카인 분말. ── *vt.* …에게 눈덩이를 던지다 ; 눈덩이처럼 커지게 하다. ── *vi.* **1** 눈뭉치를 던지다 ; 눈싸움하다. **2** (눈덩이처럼) 점점 커지다.

snówball chànce *n.* 《美俗》 거의 가망이 없는 희망.

snów·bànk *n.* 바람에 불려 쌓인 눈더미.

snów·bèlt *n.* 대설(大雪) 지대 ; [S~] 태평양에서 대서양에 이르는 미국의 북부지역.

snów·bèrry [, -bəri] *n.* 〔植〕 스노베리《인동과의 작은 관목 ; 북미산(産)》.

snów·bìrd *n.* 〔鳥〕 흰되새, 흰멧새, 들지빠귀 ; 《美俗》 코카인[헤로인] 상용자 ; 《美俗》 피한객, 피한 노무자.

snów-blìnd, -blìnd·ed *a.* 설맹(雪盲)의.

snów blìndness *n.* 설맹, 설안염(雪眼炎).
snów·blìnk *n.* 스노블링크《설원(雪原)의 반사에 의해 지평선 근처의 허공이 밝게 보이는 현상》.
snów·bòard *n.* 스노보드《snurfing용 보드》.
snów·bóund *a.* 눈에 갇힌[묻힌], 눈 때문에 오도가도 못하는.
snów·brèak *n.* **1** 방설림(防雪林). **2** 눈석임(thaw). **3** (나무가) 눈으로 부러짐.
snów-bròth *n.* (질퍽이는) 녹은 눈.
snów bùnny *n.* 《美俗》 =SKI BUNNY.
snów bùnting *n.* 〔鳥〕 흰멧새.
snów-càp *n.* 산꼭대기[나무의 우듬지]의 눈, 설관(雪冠) ; 〔鳥〕 대가리가 흰 벌새. **-càpped** *a.* 꼭대기가 눈으로 덮인.
snów-clàd *a.* 《文語》 덮인, 눈으로 치장한.
snów còver *n.* 적설(積雪) ; 적설량 ; 적설 지역.
snów dàmage *n.* 설해.
snów dèvil *n.* 《Can.》 기둥 모양으로 휘말려 올라가는 눈, 눈회오리.
Snow·don [snóudn] *n.* 스노든《웨일스·잉글랜드의 최고봉(1085m)》.
snów·drìft *n.* 바람에 휘날려 쌓인 눈 ; 〔植〕 양구슬갓냉이.
snów·dròp *n.* 〔植〕 눈꽃풀 ; 아네모네.

snowdrop

snów·fàll *n.* [U,C] 강설, 강설량.
snów fènce *n.* (선로 따위의) 방설책(防雪柵).
snów·field *n.* 설원, (산악 지방·남북극의) 만년설원.
snów·flàke *n.* **1** 눈송이. **2** 〔鳥〕 =SNOW BUNTING. **3** 〔植〕 수선화과(科)의 식물.
snów gàuge *n.* (눈의 깊이를 재는) 설량계(雪量計).
snów gòggles *n. pl.* 눈[스키] 안경.
snów gòose *n.* 〔鳥〕 흰기러기.
snów·gràss *n.* 〔植〕 (호주 남동부의) 포아풀과(科) 겨이삭속(屬)의 식물.
snów gròuse *n.* 〔鳥〕 들꿩.
snow ìce *n.* 설빙(雪氷)《빙하 따위에 있는 눈이 압착되어 생긴 얼음, 또는 반쯤 녹은 눈이 응고해서 생긴 불투명한 얼음 ; cf. WATER ICE》.
snow jòb *n.* 《美俗》 입발린 소리, 감언 ; 전문가인 체하기.
〖*snow*[1] to deceive, to charm glibly〗
snow lèopard *n.* 〔動〕 흰표범《중앙 아시아의 산악 지대에 삶》.
snow lìne *n.* 설선(雪線)《만년설이 있는 최저 경계선》 ; 강설선(降雪線).
snów·màker *n.* 인공설(雪) 제조기.
snów·màn [, -mæ̀n] *n.* **1** 눈사람 ; 눈 연구가. **2** =ABOMINABLE SNOWMAN.
snów·mobìle *n.* 《美》 설상차, 스노모빌.
── *vi.* 설상차로 나아가다.
〖*snow*+auto*mobile*〗
snów-on-the-móuntain *n.* 〔植〕 설악초(雪嶽草)《북미 원산으로 화단에 재배함》.
snów·pàck *n.* 설괴빙원(雪塊氷原)《여름에 조금씩 녹는 얼음으로 굳은 고원》.
snów pèllets *n. pl.* 싸라기눈.
snów·plòw | **-plòugh** *n.* (눈치는) 넉가래, 제설기, 제설차 ; 〔스키〕 전제동(全制動), 더블 스템(double stem). ── *vi.* 〔스키〕 전제동을 걸다.
snów·scàpe *n.* 설경(雪景).
snów·shèd *n.* 〔鐵〕 눈사태 방지설비.
snów·shòe *n.* 눈신《테니스 라켓 같은 모양을 한 것이 많으며 신발 밑에 대어 사용함》, 동철(冬鐵) ; 《美》 탐정, 사복 형사.
── *vi.* 눈신을 신고 걷다. **-shò·er** *n.*

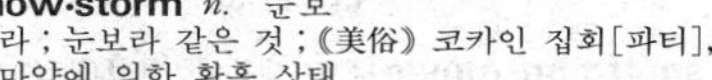
snowshoes

snów shòvel *n.* 나무로 만든 눈치는 넉가래.
snów·slìde, snów-slìp *n.* 눈사태.
snów·stòrm *n.* 눈보라 ; 눈보라 같은 것 ; 《美俗》 코카인 집회[파티], 마약에 의한 황홀 상태.
snów·sùit *n.* 스노슈트《천이나 헝겊 따위로 안을 댄 방한용 눈옷》.
snów tìre *n.* 스노 타이어《눈이나 얼음 위를 주행할 때 사용하는 자동차 타이어》.
snów-whíte *a.* 눈처럼 흰, 순백의.
Snów Whíte *n.* 백설 공주《동화의 주인공》.
***snówy** *a.* **1** 눈이 많은, 눈이 내리는. **2** 눈이 쌓인, 눈으로 덮인 ; 눈으로 된 ; 눈같은. **3** 눈처럼 흰, 순백의 ; 깨끗한, 청정한(pure).
snówy ówl *n.* 〔鳥〕 흰올빼미.
Snr. Senior.
snub [snʌ́b] *vt.* (**-bb-**) **1** (…에게) 타박[핀잔]을 주다, …의 콧대를 꺾다, 상대하지 않다, 냉대하다 ; (신청 따위를) 퇴짜놓다. **2** (배·말 따위를) 갑자기 세우다 ; 〔海〕 (풀던 밧줄을) 갑자기 멈추다, (움직임 따위를) 억제하다 ; 《美方》 묶다, 고정하다 ; 《美》 (담배) 끝을 짓눌러 불을 끄다 〈*out*〉. ── *attrib. a.* 들창코의, (코가) 위로 치켜진 ; 무뚝뚝한 ; 갑자기 멈추기 위한 : a ~ nose 들창코. ── *n.* **1** 타박, 퇴짜 ; 냉대, 푸대접. **2** (풀던 밧줄·말 따위를) 갑자기 멈추기[멈추는 장치] ; (배의) 완충기 ; 들창코.
〖ON *snubba* to chide〗
snúb·ber *n.* **1** 퇴짜 놓는 사람 ; 야단치는 사람. **2** (배·밧줄 따위를) 갑자기 멈추는 장치, 스너버. **3** 《美》 (자동차의) 완충기.
snúb·bing pòst *n.* 〔海〕 계선주(繫船柱) 《배의 항진 관성(慣性)을 저지하기 위해 밧줄을 거는 부두에 세워진 말뚝》.
snúb·by *a.* 들창코의 ; 짧고 굵은, 모착한《손가락》 ; 무뚝뚝한, 윽박지르는.
snúb-nòsed *a.* 들창코의 ; 총신이 짧은 ; 앞끝이 뾰족하지 않은.
snuff[1] [snʌ́f] *vi.* **1** 코담배를 맡다. **2** [動/+*at*+名] 코로 들이쉬다, (개나 말 따위가) 코를 킁킁거리다, 냄새 맡다 : ~ ***at*** a flower 꽃향기를 맡다. ── *vt.* [+目/+目+副] **1** (바닷바람·담배 따위를) 코로 들이쉬다 : ~ (***up***) sea breezes 바닷바람을 들이마시다. **2** 킁킁 냄새 맡다, 냄새를 맡아서 찾아내다 : The dog ~*ed* ***up*** the scent of a deer. 개가 사슴의 냄새를 맡아냈다.
── *n.* **1** [U] 코담배 : take a pinch of ~ 코담배를 한 모금 피우다. **2** [U] 코를 킁킁거리며 숨쉬기. **3** 코로 흡입하는 약용 분말 ; 냄새, 향기. [주] *vi.* 2, *vt.*, *n.* 2의 뜻으로 지금은 sniff가 일반적임.
give a person ***snuff*** 남을 냉대하다.
up to snuff (1) 《口》 (몸의) 상태가 좋은 ; 표준에 달해, 양호해. (2) 《英口》 빈틈없는, 신중한.
〖Du. *snuf* (*tabak* tobacco) <MDu. *snuffen* to snuffle〗
snuff[2] *n.* 양초[램프]의 심지가 타서 검어진 부분 ; 가치가 없는 것, 하찮은 것. ── *vt.* **1** (양초 따위의) 심지를 자르다. **2** [+目+副] (촛불을) 끄다; 《口》 소멸시키다, 없애버리다(kill); 《口》 탄압하다: Our hopes have been nearly *~ed* ***out***. 우리들의 희망은 거의 사라지고 말았다. ── *vi.* **1** 꺼지다〈*out*〉. **2** 《口》 [+副] 죽다(die): He *~ed* ***out*** yesterday. 그는 어제 죽었다. ── *a.* 《俗》 살인을 실연하는《변태적 성행위》.
〖ME< ?〗

snúff·bòx *n.* 코담뱃갑.

snúff-còlored *a.* 코담배 빛깔의, 황갈색의.

snúff·er *n.* **1** 코담배를 맡는 사람; 코를 킁킁거리는 사람[동물]. **2** 양초 심지를 자르는 사람; 촛불 끄는 도구. **3** [보통 (a pair of) ~s] (양초의) 심지 자르는 가위.

snúff fìlm[**mòvie**] *n.* 살인이 실연(實演)되는 도색[포르노] 영화.

snuf·fle [snʌ́fəl] *vi.* 코를 킁킁거리다, 코가 막히다; 콧물을 훌쩍거리다; 흐느껴 울다; 코멘 소리로 지껄이다, 코멘 소리를 내다〈*out*〉; 《古》 (청교도 등이 티를 내어) 콧소리로 말하다《경건한 체함》; 코로 들이쉬다, 냄새맡다.
── *vt.* [+目/+目+副] 코로 들이쉬다; 킁킁 냄새 맡다, 냄새맡아 알아내다, 콧소리로 노래하다[말하다]: ~ (***out***) a song 콧소리로 노래를 부르다. ── *n.* **1** 코를 킁킁거리기; 코가 멤; [the ~s] 코감기, 비(鼻) 카타르(the sniffles). **2** 콧소리, 애처로운 목소리: speak in a ~ 콧소리로 얘기하다.
〖LG and Du. *snuffelen*; ⇨ SNUFF[1], SNIVEL〗

snúff stìck *n.* 《美中部》 코담배를 이나 잇몸에 대기 위한 이쑤시개.

snúffy *a.* **1** 코담배 빛깔의; 코담배를 상용하는; 코담배로 더러워진[냄새나는]; 지저분한. **2** 성이 난; 건방진, 거만한. **snúff·i·ness** *n.*

snug [snʌ́g] *a.* (**snúg·ger**; **snúg·gest**) **1** 아늑한(cozy); (좌석 따위가) 기분좋은, 안락한, 기분좋게 따뜻한: a ~ seat by the fire 난로 옆의 따뜻한 자리. **2** 아담한, 깔끔한; (의복이) 꼭 맞는. **3** (수입·식사 따위가) 넉넉한. **4** 숨은, 보이지 않는, 비밀의: lie ~ 숨어 있다. **5** (선박 따위가) 잘 정비되어 있는(trim); 항해에 적절한.
(***as***) ***snug as a bug in a rug*** 아주 편안하게, 포근하게.
── *n.* 《英·아일》 (선술집의) 아담하고 깨끗한 독실, (여관의) 바; 《美俗》 (숨기기에 편리한) 소형 피스톨.
── *adv.* [주로 복합어를 이루어] 기분좋게(snugly): a ~-fitting coat 꼭 맞는 상의.
── *v.* (**-gg-**) *vt.* 단정히 하다, 기분좋게 하다; (폭풍에 대비하여) (밧줄·돛대 따위를) 깔끔하게 치다. ── *vi.* 기분좋게 되다; 잠자리에 들다.
~·ly *adv.* 기분 좋게; 조출하게. **~·ness** *n.*
〖C16=〖海〗 prepared for storms< ? LDu. *snögge* smart〗
類義語 ⟹ COMFORTABLE.

snúg·gery, -ge·rie *n.* 《英》 **1** 있기에 편한 장소[방]. **2** 술집의 아담하고 깨끗한 독실(獨室).

snug·gies [snʌ́giz] *n. pl.* 뜨개질한 보온용의 여자 속옷.

snug·gle [snʌ́gəl] *vi.* [+副/+前+名] 다가서다, 바싹 달라붙다; 기분좋게[편안하게] 드러눕다: ~ ***down*** in bed 기분좋게 자리에 드러눕다 / a village *snuggling down* in the valley 골짜기에 아늑하게 자리잡은 마을 / The little boy *~d* ***up to*** his mother[*~d* ***into*** his mother's arms]. 그 어린 소년은 어머니에게 달라 붙었다[달라붙듯 어머니 품에 안겼다].
── *vt.* [+目+前+名] (어린애 등을) 끌어안다, 껴안다: The mother *~d* the baby ***to*** her arms. 어머니는 갓난아기를 두팔로 껴안았다.
── *n.* 다가섬.
〖SNUG〗

snurf·ing [snə́ːrfiŋ] *n.* 스노 서핑, 스너핑《특수한 보드를 타고 눈 위를 달리는 스포츠》.
〖*snow*+*surfing*〗

sny [snái] *n.* 《美·Can.》 (하천의) 수로(水路), 지류(支流). 〖Can. F<F *chenal* CHANNEL〗

◇**so**[1] [sóu]

> (1) 기본 뜻: 「그와 같이, 그렇게」
> (2) so는 say, think, hope, expect, believe, suppose, guess, fear, I'm afraid, do 따위 뒤에서 긍정의 절의 대용이 되는 경우가 있다: I think [I don't think] *so.* 그렇다고[그렇지 않다고] 생각한다 / I hope *so*. 나는 그랬으면 한다.
> (3) so는 that, as 따위와 결합하여 종속상관접속사를 만들고, *so so, so* and *so, so* many, *so* much 따위 사용빈도가 높은 숙어를 만든다.

── *adv.* **1** [양태·방법] 그렇게, 그와[이와] 같이, 그처럼, 그대로: He[It] is better *so*. 그[그것]는 그대로가 좋다.
2 [정도] **a**) 그 정도, 그만큼, 그렇게: He did not live *so* long. 그렇게 오래 살지는 못했다 / I have never seen *so* beautiful a sunset(=SUCH a beautiful sunset). 여태까지 이렇게 아름다운 일몰을 본 적이 없다 / He couldn't speak, he got *so* excited. 그는 아무말도 못했다, 그만큼 그는 흥분했었다(注 He got *so* excited *that* he could not speak. (☞ 7 d) (2))에 대한 구어적인 표현법》. **b**) [주로 여성어법] 매우, 참, 아주, 정말(very) (cf. TOO *adv.* 2 b)): It is *so* sweet of you! 당신은 정말 친절해요! / (I am) *so* sorry! 죄송합니다, 정말 미안합니다 / Thank you *so* much. 대단히 감사합니다.
3 [보어로서] **a**) 그 상태로, 그러하게: Is that *so*? 그렇습니까, 그래요《설마》/ Not *so*. 그렇지는 않아 / How *so*? 어째서 그런가 / if *so* 만일 그렇다면 / Everybody calls Tom a genius, but he does not like to be *so* called. 누구나 톰을 천재라고 부르지만 톰은 그렇게 불려지는 것을 싫어한다. **b**) [형용사 대용]: He is poor—as much *so* (as) or more *so* than I. 그는 가난하다 — 나만큼 아니면 나보다도 더 가난하다《두개의 *so*는 poor의 대용》/ He is poor—so much *so* that he can hardly get enough to live. 그는 가난하다 — 심지어 거의 끼니를 잇지 못할 만큼 《앞의 so는 7 d) (2)의 용법의 것》.
4 [변칙 정동사와 함께] **a**) [선행의 진술에 대한 동의·확인을 나타내어] 바로, 과연, 실제로: You said it was good, and *so* it is[íz]. 네가 그것이 좋다고 하더니 과연 그렇다 / My birthday? Why, *so* it is[íz]. 내 생일이라고? 참 그렇군 / You look very tired. —*So* I *am* [ǽm]. 꽤 피로한 모양이군요 — 정말 지쳤어요 / They work hard. —*So* they do[dúː]. 그들은 열심히 공부하는군 — 정말 그래. **b**) [주어가 다른 긍정의 진술을 덧붙여] …도 또한: My father was a Tory, and *so am* I[ái]. 아버지도 보수당원이었는데 나도 그렇다 / The door is shut, and *so are* the windows. 문도 닫혀 있고 창문도 닫혀 있다 / Bill can speak French, and *so can* his brother. 빌도 프랑스어를 할 줄 알고 그의 동생도 할 줄 안다.

주 **a**)와 **b**)의 어순 및 강세(強勢)의 차이에 주의.

> **so**의 문장 전환
> I can swim. — *So* can I.
> → I can swim. — I can swim, *too*.
> (나는 헤엄칠 수 있어 — 나도야.)
> ☆ 부정문을 받아서 「…도 그렇다」고 할 때에는 neither 또는 nor를 쓴다. 또, 긍정의 too에 대한 부정은 either를 쓴다.

c) [주로 어린아이의 용법 ; 선행의 비난·부정의 진술을 부정하여] 물론, 정말 : I didn't do it. — You did *so*! 난 그것을 하지 않았어 — 아니, 네가 안했다구!《너는 틀림없이 그것을 했다는 말》.
5 [대명사적으로] **a**) [동사 say, tell, think, hope, expect, suppose, believe, fear, hear 따위의 목적어로서] 그렇게 : I think *so*. 그렇다고 생각한다 / I suppose *so*. = *So* I suppose. 아마 그렇다고 생각해 / I told you *so*. 내가 그렇게 말하지 않았던가 / Do you say *so*? = You don't say *so*? 설마, 그럴리가《놀람》. ☞ 活用 (1). **b**) [대동사 do(☞ DO[1] *pro-verb* 1)의 목적어로서] 그렇게 : He was asked to leave the seat, but he refused to *do so*. 그 자리를 떠나달라고 부탁했으나 그는 그렇게 해주지 않았다. 주 do so가 쓰이는 것은 앞에 나온 동사가 능동태인 경우에 한함 : The flowers in the park must not be gathered. Anyone found *gathering them* will be prosecuted. (공원에서 꽃을 꺾어서는 안된다, 꺾는 사람은 누구든지 고발된다.)에서 gathering them 대신에 doing so를 쓸 수는 없다. **c**) [or의 뒤에] …정도, …쯤 : a day *or so* 하루쯤.
6 [접속사적으로] **a**) 그러므로, 따라서, 때문에, 그래서 : The dog was hungry(,) (and) *so* we fed it. 개가 굶주리고 있었으므로 먹이를 주었다. **b**) [문장 첫 머리에 써서] 그러면, 드디어, 그래서 : *So* you are here again. 그래서 또 여기 왔군 / *So* there you are! 그럼 그쯤 해두자! / *So* that's that. 그럼 그것은 그렇고《이야기나 토론을 일단 마무리할 때의 표현》.
7 [상관사(相關詞)로서] **a**) [as...so...로] …와 마찬가지로… : Just *as* the lion is the king of beasts, *so* the eagle is the king of birds. 사자가 백수의 왕인 것처럼 독수리는 모든 새의 왕이다. **b**) [(not) so...as...로] …와 같이, …만큼, …와 같은 정도로 : People here do *not* shake hands *so* much *as* you do in Europe. 이곳 사람들은 유럽사람 만큼 악수를 하지 않는다 / I am *not so* tall *as* he is. 나는 그 사람만큼 키가 크지 않다. 주 not as...as 라고도 함(☞ AS[1] 活用 (2)). **c**) [so...as to do로 ; cf. *so* AS *to*] (1) [정도] …할 만큼 : Nobody can be *so* stupid *as to* believe it. 어느 누구도 그것을 믿을 만큼 어리석지는 않다. (2) [결과] 매우 …하므로 …하다 : He was *so* angry *as to* be unable to speak (= *so* angry *that* he could not speak). 그는 너무 화가나서 아무 말도 하지 못했다(cf. d) (2)). (3) [목적] …하도록 : Come *so* early *as to* be in plenty of time. 시간이 넉넉하도록 일찍 오시오. **d**) [so...that...로] (1) [양태·정도] …하게, …만큼 : It *so* happened *that* he was not at home. 공교롭게도 그는 집에 없었다. (2) [보통 sə] [결과] 매우 …하기 때문에 : Those ponds and streams are *so* small *that* they cannot be shown in your maps. 그 연못이나 시내는 너무 작아서 지도에는 나와 있지 않다. ☞ 活用 (2). (3) [목적] …하도록 : He *so* handled the matter *that* he won over his opponents. 반대자들을 포섭하도록 사건을 처리했다 / He hurried to the station *so that* he might catch the last train. 막차를 탈 수 있도록 서둘러 역으로 갔다. 주 위의 보기에 대해서는 ☞ SO[1] *that* (1), 活用 (2). **e**) [so...but (that)...로] = so...*that*...not(cf. d) (2)) : He is not *so* deaf *but* he can hear a cannon. 대포 소리를 들을 수 없을 만큼 귀머거리는 아니다.
—— [sou, sə] *conj.* [so that의 *that*을 생략하여] **1** 《口》 …하기 위하여 : Turn it from time to time *so* it may be cooked alike on both sides. 양쪽이 고르게 익도록 가끔 뒤집으시오(cf. so *that* (1)). ☞ 活用 (2). **2** 《古》 …하기만 하면 (if) (cf. SO *that* (3)) : *So* it is done, it matters not how. 되기만 한다면 방법은 아무래도 좋다.
—— [sóu] *int.* **1** 그래, 저런, 좋아(well), 그걸로 됐어(that will do) : A little more to the right, *so*! 좀더 오른 쪽으로, 됐어! **2** 그대로 있으시오, 조용히 해라, 멈춰라, (마소에) 워워!
and so 마찬가지로, 또한(cf. *adv.* 4 b)) ; 따라서, 그러므로(cf. *adv.* 6 a)) ; 《英에서는 古》 그 다음에.
and so forth [***on***] ☞ AND.
even so ☞ EVEN[1].
ever so ☞ EVER.
every so often ☞ EVERY.
in so far as ☞ INSOFAR.
just so ☞ JUST[1].
not so much (. . . ***as***) …만큼 …않다 : He has *not so much* money *as* I have. 그는 나만큼 돈을 가지고 있지 않다.
not so much (. . .) ***as. . .*** (1) …조차 못하다[없다] : He can*not so much as* (= even) write his own name. 그는 자기 이름조차 쓰지 못한다. (2) …이라기보다는 오히려 : The question is *not so much* what it is *as* how it looks. 문제는 본질에 있다기 보다는 그 외관에 있다.

> **not so much ~ as . . .**의 문장 전환
> He is *not so much* a teacher *as* a scholar.
> → He is a scholar *rather than* a teacher.
> (그는 선생이라기 보다는 오히려 학자다.)
> ☆ not so much A as B와 B rather than A로서 A와 B의 어순이 반대로 되는데 주의.

or so ☞ *adv.* 5 c).
quite so ☞ QUITE 1 a).
so and in no other way = ***so and so only*** 방법은 단지 하나로 그밖에 다른 수는 없다.
so and so ☞ SO-AND-SO.
so as to do …하도록, …하기 위해(cf. SO...as to do ☞ *adv.* 7 c)).
so be it = ***be it so*** 그렇다면 그것으로 됐다《체념·승낙》; 그렇게 되게 해주시기를(amen).
so called 소위, 이른바(cf. SO-CALLED).
so far ☞ FAR.
so far as ☞ FAR.
so far from do***ing*** …하기는커녕 (도리어)(cf. FAR *from*).
So help me (***God***)***!*** ☞ HELP.
So long! ☞ SO LONG.
so long as ☞ LONG[1].
so many …와 같은 수(의), 그만큼(의) ; 몇 …의(cf. *so* MANY) : They worked like *so many* ants. 그들은 마치 개미떼처럼 일했다 / If you are told to read *so many* books in a week, you should do just as you are told. 한 주일에 몇 권

의 책을 읽겠다고 말했으면 그대로 해야 한다.
so much (1) (…와) 같은 양(의); 그만큼(의); 얼마: It is only *so much* rubbish. 그것은 잡동사니일 뿐이다 / at *so much* a week[a head] 일주일에[일인당] 얼마로 / *so much* brandy and *so much* water 브랜디 얼마에 물 얼마. (2) [비교급을 수반하여] 그만큼 더, (그러면) 그럴수록 더욱더[점점더]; 오히려: *so much* the better 오히려 좋다 / *without* saying *so much as* good-bye 안녕이란 말조차 하지 않고.
so much for... (1) …은 거기까지: *So much for* today. 오늘은 여기까지 / *So much for* him, now about.... 그 사람은 그렇다치고, 다음은 …. (2) 《蔑》…은 그런 정도: *So much for* his learning! 《蔑》그의 학문이란 그저 그런 정도야! / *So much for* meddling! 공연한 참견을 하니까 그렇게 되는거야!
so much more 더욱더.
so much so ☞ *adv.* 3 b).
so so 좋지도 않고 나쁘지도 않아, 그저 그래(cf. SO-SO).
so that (cf. SO...that ☞ *adv.* 7 d)) (1) [목적] …하기 위하여, …할 수 있도록(in order that): Switch the light on *so that* we can see what it is. 무엇인지 볼 수 있도록 불을 켜시오. 注 이 용법의 so that 다음에 오는 절에서의 조동사는 may [might], can[could] 때로는 will[would]이 쓰인다. ☞ 活用 (2). (2) [결과] 그래서, 그러기 때문에: The roof had fallen in, *so that* the cottage was not inhabitable. 지붕이 내려앉아서 그 오두막에는 사람이 살 수 없었다. (3) [조건] 《古》만약 …이라면(if) (cf. *conj.* 2).
so then 그래서, 그렇다면, 그렇다치고.
so to say[***speak***] 말하자면, 결국, 마치.
So what? ☞ WHAT¹ *pron.*
〖OE *swā* etc.; cf. G *so*, Du. *zoo*〗
活用 (1) so는 *adv.* 5 a)의 용법에서는 흔히 목적어로서의 *that*절을 대표한다; 이 용법의 so에 대응하는 부정형은 not(cf. NOT 5): The war will soon end. —I hope *so* (=*that* it will) [I'm afraid *not* (=that it won't)]. (전쟁은 곧 끝날 것이다 — 그럴 것 같다[같지 않다]).
(2) *adv.* 7 d) (2), (3)의 용법인 경우, 《美口》에서는 that이 종종 생략됨: They were *so* close to me (*that*) I heard every word they spoke. (그들은 바로 내 옆에 있었으므로 그들의 얘기가 다 들렸다) / He stayed there a day longer *so* (*that*) he could avoid the holiday traffic congestion. (그는 휴일의 교통 혼잡을 피하려고 하루를 더 그곳에 묵었다). 후자의 보기와 같은 경우에 that을 생략하면 so는 *conj.*이 된다(cf. *conj.* 1).

so² [sóu] *n.* 〔樂〕 제5음, 사음(音), G음(sol).

SO, S.O. Signal Officer; Special Order; Staff Officer; standing order; Stationery Office; suboffice; symphony orchestra. **S.O., s.o.** seller's option. **So.** 〔樂〕 Sonata; south, 《美》 South; southern. **s.o.** shipping order(선적 지시서); 〔野〕 strikeout(s); substance of.

soak** [sóuk] *vt.* **1** [+目/+目+前+名] (물에) 잠그다, 담그다: *S*~ the dirty clothes ***in water. 때묻은 옷을 물에 담그시오 / The jacket was ~*ed* ***with*** blood. 재킷엔 피가 배어 있었다. **2** [+目/+目+副/+目+前+名] (흠뻑) 적시다: He was ~*ed* ***through***[***to*** the skin]. 그는 흠뻑 젖었다. **3** [+目+副] (액체를) 빨아들이다; (지식을) 흡수하다(absorb), 이해하다: Sponges readily ~ ***up*** water. 해면은 물을 잘 빨아들인다 / ~ *up* information 정보[지식]를 흡수하다. **4** [~ one*self* 로] (…에) 전념[몰두]하다; 《口》 진탕 마시다〈*in*〉. **5** 《美俗》 엄벌에 처하다, 몹시 때리다. **6** 《俗》 …에 터무니 없는 값을 부르다, 중세를 과하다, …으로부터 우려내다; 《俗》 저당잡히다: ~ the rich 부자에게 중세를 부과하다. **7** 〔冶〕 균열(均熱)하다. —— *vi.* **1** [動/+前+名] 젖다, 잠기다: She let the clothes ~ ***in*** soapy water for half an hour. 옷가지를 30분 동안 비눗물에 담가 두었다. **2** [+前+名] 배어 나오다, 스며들다: Blood from the wound has ~*ed* ***through*** the bandages. 상처에서 나온 피가 붕대에 배어 들었다 / The rain has ~*ed* ***into*** the ground. 비가 땅으로 스며들었다. **3** 《口》 술을 진탕 마시다.
—— *n.* **1** 적심, 담금; 스며듦, 침투(浸透): Give the clothes a good ~. 옷을 물에 충분히 담가 두어라. **2** 침액(浸液). **3** 《口》 큰 비, 억수. **4** 진탕 마심, 주연; 《口》 술고래(hard drinker). **5** U 《俗》 저당잡히기(pawn).
put...in soak 저당잡히다.
〖OE *socian*; SUCK와 같은 어원〗
類義語 ⟹ WET (2).

sóak·age *n.* U 담그기, 적시기, 잠기기; 스며들기, 침투(량), 삼출(량).

soaked [sóukt] *a.* 흠뻑 젖은; 배어든; 《美俗》 만취한.

sóak·er *n.* 적시는[담그는] 사람[것]; 억수, 호우; 술고래; [*pl.*] 털실로 된 아기 기저귀 커버.

sóak·ing *a.* 흠뻑 젖은, 스며드는: a ~ downpour 억수, 호우. —— *adv.* 젖을 정도로: get ~ wet 흠뻑 젖다.

sóak·ing·ly *adv.* 서서히, 조금씩(gradually); 흠뻑 젖어(drenchingly).

só-and-sò *pron.* (*pl.* ~**s**, ~**'s**) **1** 아무개, 누구누구; 무엇무엇: Mr. *S*~ 모씨(某氏) / say ~ 운운(云云)하다 / dine at ~'s 누구누구집에서 식사하다. **2** 《口·婉》 나쁜 놈, 밉살맞은 놈, 싫은[지겨운] 놈(bastard): He really is a ~. 정말 지겨운 놈이다.

***soap** [sóup] *n.* **1** U 비누: a cake[bar, cube, tablet] of ~ 비누 한 장 / toilet[washing] ~ 화장[세탁]비누 / hard ~ 경질(硬質) 비누, 나트륨 비누 / ☞ SOFT SOAP. **2** U 〔化〕 지방산의 알칼리 금속염. **3** U 《美俗》 돈(money), (특히) 뇌물; 《俗》 아첨(soft soap); =SOAP OPERA.
no soap 《美俗》 안됨, 싫음(not agreed); 실패(failure); 모름.
wash one***'s hands in invisible soap*** 두 손을 비벼 대다《아첨·당황의 몸짓》.
—— *vt.* **1** [+目/+目+副] 비누로 문지르다[씻다], …에 비누를 칠하다: ~ one's hands 손을 비누로 씻다 / He ~*ed* himself ***down***. 그는 몸에 비누칠하고 문질렀다. **2** 《口》 …에게 알랑거리다(flatter); 《美俗》 매수하다〈*up*〉.
〖OE *sāpe*; cf. G *Seife*〗

sóap·bèrry [, -bəri] *n.* 〔植〕 무환자나무; 그 열매《비누의 대용》.

sóap-bòil·er *n.* 비누 제조업자.

sóap·bòx *n.* 비누 포장상자; 즉석에서 만든[임시적인] 가두 연단: Where's your ~? 제법 웅변가티를 내고 있네.
on[***off***] one***'s soapbox*** 자기의 의견을 주장하다[하지 않다].
—— *vi.* 《美》 가두 연설을 하다〈*for, at*〉. —— *a.* 비누 상자 모양의; 가두 연설의: a ~ orator 가

두 연설자 / ~ oratory 가두 연설.
~·er *n.* 가두 연설자.
sóap bùbble *n.* 비눗방울 ; 《비유》 즐겁기는 하지만 덧없는 일 ; 실속없는 것 : blow ~*s* 비눗방울을 불다.
sóap dìsh *n.* (욕실 따위의) 비누 놓는 곳.
sóap·er *n.* **1** 비누 제조자 ; 비누 장수. **2** =SOAP OPERA.
sóap·ery *n.* 비누 공장.
sóap flàkes[**chìps**] *n. pl.* 얇게 깎은 세탁용 비누 조각.
sóap·grèase *n.* 《方》 돈(money).
sóap·less *a.* 비누가 없는 ; 빨지 않은, 더러워진 : ~ soap 유지 또는 지방산을 쓰지 않은 합성세제(洗劑) (cf. DETERGENT).
sóap nùt *n.* soapberry의 열매.
sóap òpera *n.* (주부를 대상으로 낮에 방송되는) 연속 방송 멜로드라마.
〚원래 비누 회사가 흔히 스폰서가 된 데서〛
sóap pòwder *n.* 가루 비누, 분말 세제.
sóap·stòne *n.* 비눗돌《비누 비슷한 부드러운 돌》.
sóap·sùds *n. pl.* 거품이 인 비눗물, 비누 거품.
sóap wòrks *n.* (*pl.* ~) 비누 공장.
sóap·wòrt *n.* 〖植〗 거품장구채《즙은 비누의 대용 ; 나도개미자리과(科)》.
sóapy *a.* **1** 비누(질)의, 비누 같은 ; 매끈매끈한 : ~ water 비눗물. **2** 비누투성이의. **3** 《俗》 붙임성이 있는, 엉너리치는, 알랑거리는 ; soap opera 같은. **sóap·i·ly** *adv.* **-i·ness** *n.*
soar** [sɔ́ːr] *vi.* **1** [動 / +前+名 / +副] 높이 오르다, 날아 오르다 ; 하늘을 날다 ; 비상하다 : The eagle ~*ed* ***into the sky. 독수리는 하늘로 날아올랐다 / The jet plane ~*ed away into* the distance. 제트기는 먼 곳으로 날아갔다. **2** 〖空〗 엔진을 끄고 비행하다(cf. GLIDE) ; 활공(滑空)[활상(滑翔)]하다 : The glider was ~*ing* above the valley. 글라이더는 골짜기 상공을 활공하고 있었다. **3** [動 / +前+名] 《비유》 (희망·원기 따위가) 솟구치다, 치솟다 : a ~*ing* ambition 원대한 포부, 웅지 / The actress has ~*ed* ***to*** stage stardom. 그 여배우는 일류 무대 배우의 자리에 올랐다. **4** (탑·산 따위가) 솟다 ; (온도 따위) 급상승하다, (물가가) 폭등하다 : Prices[Rents] have ~*ed.* 물가[집세]가 폭등했다. —— *vt.* 《詩》 비상하여 …에 이르다. —— *n.* **1** 솟아[날아]오름. **2** 비상(飛翔)의 범위[한도, 고도].
~·er *n.* **~·ing·ly** *adv.*
〚OF *essorer* < L (*ex*-[1], AURA)〛
類義語 ⟹ FLY[1].
sóar·ing *n.* 활상(滑翔), 소아링《글라이더 따위로 상승 기류를 이용하여 하늘을 나는 것》. —— *a.* 급상승하는, 마구 치솟는.
sob** [sɑ́b] *v.* (-**bb**-) *vi.* **1** 흐느끼다, 훌쩍거리며 울다. **2** (바람이) 술렁대다, (물결이) 쏴쏴 소리 내다 ; (기관이) 쉭쉭 소리를 내다 : The cold wind was ~*bing* outdoors. 문 밖에서는 찬 바람이 윙윙거리고 있었다. **3** 숨을 헐떡이다. —— *vt.* **1** [+目+副 / +目] 흐느끼며 말하다, 목멘 소리로 말하다 : She ~*bed* ***out an account of her sad life. 그녀는 자기의 슬픈 신세를 흐느끼며 말했다 / He ~*bed* his acceptance. 울면서 승낙한다는 뜻을 나타냈다. **2** [+目+副 / +目+前+名] 흐느껴 울면서 (어떤 상태에) 이르게 하다 : The girl ~*bed* her heart ***out***. 그 소녀는 체면이고 뭐고 아랑곳없이 흐느껴 울었다 / The poor boy ~*bed* himself ***to*** sleep. 가엾게도 소년은 울면서 잠들었다.
—— *n.* 흐느낌, 흐느껴 울기 ; 목메이는 듯한 소리, 쏴쏴하는 소리. —— *a.* 《美》 눈물을 자아내는 (식의), 감상적인 : ~ stuff 감상적인 읽을거리[영화] / ~ stories 감상적인 이야기 / ☞ SOB SISTER. **sób·ber** *n.*
〚ME (? imit.) ; cf. Du. *sabben* to suck〛
類義語 ⟹ WEEP.
S.O.B., SOB, s.o.b. [èsòubíː] *n.* 《美俗》 염병할 놈, 개새끼(son of a bitch).
sób·bing·ly *adv.* (목메어) 울면서.
***so·ber** [sóubər] *a.* (~·**er** ; ~·**est**) **1 a**) 술 취하지 않은, 술 마시지 않은(↔*drunken*) : become ~ 취기(醉氣)가 깨다. **b**) (음식을) 절제하고 있는, (사람 등이) 평소에 술을 안 마시는. **2** (비평 따위가) 온건한 ; 침착한, 진지한 ; 과장[편견]이 없는, 있는 그대로의 ; 냉정한. **3** (색깔·옷이) 수수한, 안정감이 있는.
appeal from Philip drunk to Philip sober 재고를 요청하다《앞서의 의견·판단은 분별이 없었다는 뜻》.
(***as***) ***sober as a judge*** (***on Friday***) 아주 진지한, 근엄한.
—— *vt.* **1** [+目 / +目+副] …의 취기를 깨게 하다 : The alarming news ~*ed* all of them. 놀라운 뉴스로 그들은 모두 술이 깨었다 / We had to ~ him ***up*** before taking him home. 그를 집에 데려 가기 전에 술을 깨게 하지 않으면 안되었다. **2** 마음을 가다듬게 하다, 진지해지게 하다, 반성하게 하다. —— *vi.* **1** [+副] 술이 깨다 : The drunken man soon ~*ed* ***up***. 그 술취한 사람은 이내 술이 깼다. **2** 침착해지다, 진지해지다, 반성하다 : The excited people ~*ed* ***down***. 흥분한 사람들은 잠잠해졌다.
~·ly *adv.* 술취하지 않고, 진지[침착]하게 ; 냉정히. **~·ness** *n.* 제정신 ; 진지함 : What ~*ness* conceals, drunkenness reveals. 《속담》 취중 진담(醉中眞談).
〚OF < L *sobrius*〛
類義語 ⟹ GRAVE[2].
sóber·ing *a.* 사람을 진지하게 하는, 술취하지 않게 하는 : ~ update 정신을 차리게 하는 최신 보고서.
sóber-mínd·ed *a.* 침착한, 냉정한 ; 분별있는.
sóber·sìded *a.* 진지한, 근엄한.
sóber·sìdes *n.* [단수·복수 취급] 진지한 사람, 근엄한 사람.
so·bri·e·ty [soubráiəti, sə-] *n.* Ⓤ 취하지 않음, 절주, 금주 ; 절제 ; 제정신 ; 착실, 침착, 온건 : ~ test (호흡 분석에 의한) 음주 측정(법).
〚OF or L ; ⇨ SOBER〛
sobríety chéckpoint *n.* 음주 운전 검문소《통칭 drunk driver traps》.
so·bri·quet [sóubrikèi, ⌐-⌐], **sou-** [súːbrikèi, ⌐-⌐] *n.* 별명(nickname) ; 가명.
〚F=tap under chin〛
sób sìster *n.* 《美口》 (비화(悲話)·미담(美談) 따위의) 감상적 기사 전문의 (여)기자 ; (흔히 비실제적인) 사람이 좋은 감상(적 자선)가 ; 불행한 여인 역을 맡아하는 여배우. **sób-sìster** *a.* 관객의 눈물을 자아내는.
sób stòry *n.* 《美口》 눈물을 자아내는 얘기, 처량한 신상 얘기 ; 듣는 사람의 동정을 사려는 변명.
sób stùff *n.* 《美口》 감상적인 글[작품 따위], 눈물을 자아내는 연극[영화 따위].
SOC social overhead capital(사회 간접 자본) ; 《美》 Space Operations Center(유인 우주 스테이션). **soc., Soc.** Socialist ; society ; sociology.

***só-cálled** *a.* 이른바, 소위《보통 불신·경멸의 뜻을 포함 ; cf. WHAT² *is called*》: ~ high society 소위 상류사회 / Their ~ liberal views were merely an echo of the conservative attitude. 그들의 이른바 자유주의적 견해라는 것도 보수적 태도의 반향에 지나지 않았다. ㊟ 명사 뒤에 올 때는 하이픈을 넣지 않고 두 단어로 쓰임 : Their justice, *so called*, smacked of partiality. 그들의 소위 공정이라는 것에도 편파적인 면이 있었다.

***soc·cer** [sákər] *n.* 축구(association football) (cf. RUGGER). 〖*assoc*iation + *-er*〗

Sóccer Tríbe *n.* 사커족(族)《영국의 열광적인 프로 축구팀 팬》.

so·cia·bil·i·ty [sòuʃəbíləti] *n.* Ⓤ 사교성 ; 교제를 좋아함 ; 붙임성 있음, 사교에 능함 ; [때때로 *pl.*] 사교적 행사.

so·cia·ble [sóuʃəbəl] *a.* **1 a**) 사교적인, 교제를 좋아하는. **b**) 사교에 능한, 붙임성이 있는, 사근사근한. **2** (모임 따위) 친목의.
—— *n.* (좌석이 마주 보게 된) 일종의 사륜 마차 ; 이인승 삼륜 자전거, 이인승 비행기 ; 이인용 S자형 의자 ; 《美》 간담[친목]회.
-bly *adv.* 허물없이, 사교적으로. **~·ness** *n.*
〖F or L ; ⇨ SOCIUS〗

‡**so·cial** [sóuʃəl] *a.* **1** 사회의, 사회적인, 사회에 관한 ; 사회 봉사[사업]의 : the ~ code 사회 도의, 사회 예절 / ~ justice 사회 정의 / ~ medicine 사회 의학 / ~ morality 사회 도덕 / ~ politics [problems] 사회 정책[문제] / ~ statistics 사회 통계학. **2** 인간과 인간 사이의 ; (회합 따위가) 사교적인, 친목의 ; 사교에 능한, 허물 없는 (sociable) ; 사교계의, 상류 사회의 ; 의례적인, 형식적인(formal) : the ~ register 《美》 사교계 명사록. **3** 사회 생활을 영위하는 ; 〖動〗 군거(群居)하는(↔*solitary*) ; 〖植〗 군생하는, 총생(叢生)의(↔*solitary*). **4** 〖그·로史〗 동맹국[도시]사이의 《전쟁 따위》. **5** 사회주의의. —— *n.* 간담회, 친목회(sociable). **~·ly** *adv.* 사회적으로, 사교상 ; 친하게, 허물없이.
〖F or L *socialis* allied ; ⇨ SOCIABLE〗

sócial accóunting *n.* 〖經〗 사회 회계《GNP·국민 소득 따위의 국민 경제의 분석·계산 체계》.

sócial áction *n.* (단체에 의한 특정 개혁을 위한) 사회 활동 ; 〖社〗 사회적 행위.

sócial anthropólogy *n.* 문화 인류학(cultural anthropology) ; 사회 인류학《주로 문자가 없는 사회의 사회 구조를 연구》.

sócial assístance *n.* (정부의) 사회 복지.

Sócial Chárter *n.* 사회 헌장《통합 EC의 노동·사회법》.

sócial cláss *n.* 사회 계급[계층].

sócial clímber *n.* 입신 출세를 노리는 사람.

sócial cóntract[**cómpact**] *n.* 사회 계약《17-18세기의 사상가들이 주창한 사회·국가를 성립시키는 개인 상호간의 계약》; [the S~ C~] 사회 계약《1974년 영국 정부와 노동 조합 사이에 체결된 물가·임금에 관한 비공식 협정》: *The S~ Contract* 사회계약론《J.J. Rousseau, *Du contrat social* (1762)의 영역명(英譯名)》.

sócial contról *n.* 〖社〗 사회 통제《사회 생활에 일정한 형식을 유지하기 위해서 시행되는 유형 무형의 통제》.

Sócial Crédit *n.* 〖經〗 사회적 신용설(信用說).

sócial dáncing *n.* 사교 댄스(ballroom dancing).

sócial Dárwinism *n.* 사회 진화론《사회도 생물의 진화와 같이 사회 집단 간의 투쟁과 경쟁에 의해서 진보한다고 하는 설》.

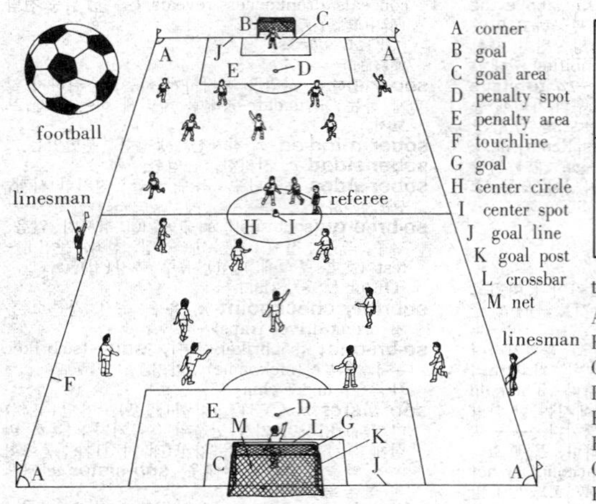

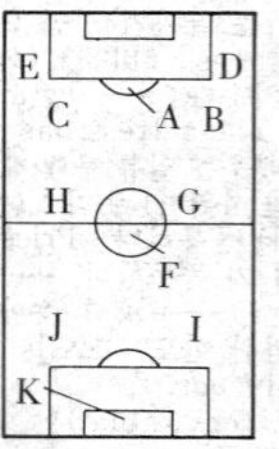

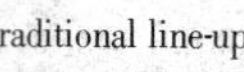
traditional line-up

A center forward
B inside right
C inside left
D right winger
E left winger
F center half
G right half
H left half
I right back
J left back
K goalkeeper

modern line-up

A strikers
B midfield men
C defenders

soccer

sócial demócracy *n.* 사회 민주주의.
sócial démocrat *n.* (자본주의 사회에서 사회주의 사회로의 민주적 수단에 의한 평화적 점진적 이행을 신봉하는) 사회 민주주의자 ; [S~ D~] 사회 민주당원.
sócial devélopment *n.* =SOCIAL EVOLUTION.
sócial differentiátion *n.* 〖社〗 사회 분화.
sócial diséase *n.* 사회병(病) ; 성병(venereal disease).
sócial disorganizátion *n.* 〖社〗 사회해체.
sócial dúmping *n.* 소셜 덤핑《저임금으로 생산한 제품을 해외에 덤핑하는 일》.
sócial dynámics *n.* 사회 역학.
sócial enginéering *n.* 사회 공학. **sócial enginéer** *n.*
sócial envíronment *n.* 〖社〗 사회 환경《인간의 행동 양식을 규제하는 문화·사회·경제 따위의 제조건 ; 자연 환경에 대한》.
sócial évil *n.* 사회악 ; [the ~] 《古》 매춘.
sócial evolútion *n.* 〖社〗 사회 진화.
sócial héritage *n.* 〖社〗 사회적 유산.
sócial hýgiene *n.* 성위생(학), 사회 위생(학).
sócial índicator *n.* 사회 지표.
sócial insúrance *n.* 사회 보험.
sócial interáction *n.* 〖社〗 사회적 상호작용《특히 문화 활동의》.
***sócial·ism** *n.* Ⓤ 사회주의 ; [흔히 S~] 사회주의 운동 : state ~ 국가 사회주의.
sócial isolátion *n.* 〖社〗 사회적 고립.
***sócial·ist** *n.* 사회주의자 ; [S~] 〖美史〗 사회당원 ; [S~] 《英》 노동당원. —— *a.* 사회주의의 ; 사회주의적인 ; [S~] 사회당의.
sócialist féminist *n.* 사회주의 페미니스트.
so·cial·is·tic [sòuʃəlístik] *a.* 사회주의(자)의, 사회주의적인. **-ti·cal·ly** *adv.* 〚*social*ism, *-istic*〛
Sócialist Internátional *n.* [the ~] 사회주의 인터내셔널《1951년 설립 ; 본부는 런던》.
Sócialist párty *n.* 사회당.
sócialist réalism *n.* 사회주의 리얼리즘.
sócial·ite *n.* (사교계의) 명사[숙녀].
so·ci·al·i·ty [sòuʃiǽləti] *n.* Ⓤ 교제를 좋아함 ; 사교성, 사교 본능, 군거성 ; 사회 생활 ; 사교 ; [보통 *pl.*] 사교 행사.
sócial·ize *vt.* **1** 사교적으로 하다 ; 사회적 요구에 합치시키다, 사회화하다 : We should ~ science in such a way as to make it more widely available for public use. 과학을 공공의 이익에 보다 널리 이용될 수 있도록 일반화해야 한다. **2** 사회주의화하다 ; 《美》 정부[집단]의 보유[통제, 관리]하에 두다, 국유화하다. **3** 〖敎〗 (학습을) 그룹 활동으로 하다 ; (학습을) 학생과 교사의 합동 작업으로 하다 ; 〖心〗 …에게 사회 생활에의 순응교육을 시키다, 사회화하다. —— *vi.* 사교적으로 활동하다 ; 교제하다〈*with*〉.
sòcial·izátion *n.* Ⓤ 사회(주의)화.
sócialized médicine *n.* 《美》 의료 사회화 제도《공영·국고 보조 따위》.
sócial-mínd·ed *a.* 사회(의 복지)에 관심이 있는.
sócial órder *n.* (인간 관계의) 사회 조직.
sócial órganism *n.* [the ~] 〖社〗 사회 유기체《사회를 생물 유기체와 유사한 것으로 간주하고 이름을 붙인 것》.
sócial organizátion *n.* 〖社〗 사회 조직.
sócial pathólogy *n.* 사회 병리(학).
sócial psychólogy *n.* 사회 심리학. **sócial psychólogist** *n.*
sócial sáfety nèt *n.* 최저한의 생활을 보장하는 사회복지 계획.
sócial scíence *n.* 사회 과학《경제학·사회학·정치학 따위의 총칭 ; 그 일부문》; 사회학.
sócial sécretary *n.* 사교상의 약속이나 통신 따위를 처리하는 개인 고용 비서.
sócial secúrity *n.* 사회 보장 (제도) 《실업 보험·사회 의료·양로 연금 따위》: [흔히 S~] 《美》 사회 보장 제도.
sócial seléction *n.* 〖社〗 사회 도태(淘汰).
sócial sérvice *n.* (교회·병원·자선 단체 따위의 조직적인) 사회복지 사업, 소셜 서비스 ; [*pl.*] 《英》 정부의 사회복지 사업. **sócial-sérvice** *a.*
sócial stúdies *n. pl.* (초등학교·중학교의) 사회 과목.
sócial tóurism *n.* (정부·회사·노동 조합에 의한) 비용 일부[전액] 부담의 여행 ; 그런 것을 취급하는 여행업.
sócial wélfare *n.* 사회 복지 ; =SOCIAL WORK.
sócial wòrk *n.* 사회(복지 관련)사업, 소셜 워크《전문적 입장에서 시행하는 빈곤자·비행자 등에 대한 원조·대책·조사 따위》. **sócial wòrker** *n.* 사회 사업가《사회 복지 사업에 종사하는 지식과 기술을 가진 전문가》.
so·ci·e·tal [səsáiətl] *a.* 사회의, 사회에 관한, 사회적인(social).
‡so·ci·e·ty [səsáiəti] *n.* **1** Ⓤ 사회(cf. INDIVIDUAL) ; Ⓒ (특정한) 사회, 공동체(community) : Ants have a well-organized ~. 개미는 잘 조직된 사회를 이루고 있다. **2 a**) Ⓤ 사교계 ; 상류 사회 : move in ~ 사교계에 출입하다. **b**) [형용사적으로] 사교계의 ; 사교계적인 ; 사교계를 취급하는 : a ~ column 〖新聞〗 사교계란 / a ~ man [lady, woman] 사교계의 사람[여성]. **3** Ⓤ 사귐, 접촉, 교제, 사교 ; (남과의) 동석, 남의 앞 ; 동료, 친구 : in ~ 남의 앞에서 / seek[avoid] the ~ of …와의 교제를 바라다[피하다]. **4** 회, 협회, 학회, 조합, 단체 : a literary ~ 문학회 / ☞ ROYAL SOCIETY / the *S*~ for the Propagation of the Gospel 복음 전도 협회《略 S.P.G.》/ the *S*~ of Friends ☞ FRIEND 숙어 / the *S*~ of Jesus ☞ JESUS 숙어. 〚F<L ; ⇨ SOCIUS〛
Socíety Íslands *n. pl.* [the ~] 소시에테 제도《남태평양에 있는 프랑스령 ; cf. TAHITI》.
socíety vèrse *n.* =VERS DE SOCIÉTÉ.
socíety-wíde *a.* 사회 전반의, 전사회적인. —— *adv.* 사회 전반에.
so·cio- [sóusiou, -siə] *comb. form* 「사회의(social)」「사회학의(sociological)」의 뜻. 〚L SOCIUS〛
sòcio·biólogy *n.* Ⓤ 사회 생물학.
sòcio·cúltural *a.* 사회 문화적인.
sòcio·ecólogy *n.* 사회 생태학.
sòcio·económic *a.* 사회 경제의[적인].
sócio·gràm *n.* 〖社〗 소시오그램《인간 관계를 계량 사회학적으로 보여주는 도식·도표》.
sociol. sociological ; sociologist ; sociology.
sócio·lèct *n.* 〖言〗 사회 방언.
sòcio·linguístic *a.* 언어의 사회적인 면에 관한 ; 사회 언어학의. **-línguist** *n.*
sòcio·linguístics *n.* 〖言〗 사회 언어학.
so·cio·log·ic, -i·cal [sòusiəládʒik(əl)] *a.* 사회학의, 사회학적인 ; 사회의, 사회 문제[조직]의.
so·ci·ol·o·gy [sòusiálədʒi] *n.* Ⓤ 사회학 ; 군집 생태학. **-gist** *n.* 사회학자. 〚F〛
so·ci·om·e·try [sòusiámətri] *n.* 〖社〗 계량 사회학《사회 관계의 측정·진단·변혁의 기법》.

sócio·pàth *n.* 〔精神醫〕 사회병질자(社會病質者)《인격 이상 때문에 사회적으로 바람직하지 못한 행동을 보임》, 반(反)사회인. **sòcio·páthic** *a.* **so·ci·op·a·thy** [sòusiápəθi] *n.*
sòcio·polítical *a.* 사회 정치적인.
sòcio·psychológical *a.* 사회 심리학적인.
sòcio·relígious *a.* 사회 종교적인.
sòcio·technológical *a.* 사회 공학적인《사회적 요소와 과학 기술(의 조화)에 관한》.
so·ci·us [sóuʃiəs] *n.* (*pl.* **-cii** [-ʃiài]) =ASSOCIATE, FELLOW, COLLEAGUE.
〚L=comrade, companion〛
‡**sock**[1] [sák] *n.* (*pl.* **~s,** 《美》 **sox** [sáks]) **1** [보통 *pl.*] 짧은 양말(cf. STOCKINGS) : a pair of ~*s* 양말 한 켤레. **2** (구두의) 안창. **3** (옛날 그리스 및 로마에서 희극배우가 신던) 가벼운 구두 ; [the ~] 희극(cf. BUSKIN). **4** 《美俗》 돈주머니, 돈궤, 금고, 돈을 숨겨두는 장소《은행 계좌 따위》; 몰래 모은 돈. **5** (말의) 다리 밑부분의 털색이 상부와 다른 부분. **6** 〔氣〕 =WIND SOCK.
in one*'s* socks 신을 벗고.
knock a person***'s socks off*** 깜짝 놀라게 하다, 압도하다.
Pull up your socks ! =***Pull your socks up !*** 《英口》 힘내라, 정신 바짝 차려라.
Put a sock in [***into***] ***it !*** 《英口·戲》 잠자코 있어라!
── *vt.* …에게 양말을 신기다 ; 《美俗》 (장사 따위가) 수익을 가져오다.
sock away 《美俗》 (돈을) 모으다.
sock in [보통 수동태로] 《美俗》 (악천후로 공항·활주로를) 폐쇄하다, (비행기)의 이착륙이 불가능하게 되다.
~·less *a.*
〚OE *socc*<L *soccus* slipper<Gk.〛
sock[2] *vt.* [+目/+目+前+名] 《俗》 치다 ; …에 충격을 주다 : He ~*ed* his opponent ***on*** the jaw. 그는 상대방의 턱을 (주먹으로) 쳤다.
── *vi.* 세게 때리다. ── *n.* (주먹에 의한) 일격, 강타 ; 《美》 강타력 ; 《美》 충격 ; 《美》 대성공(한 작품·흥행), 성공적인 연극[연기, 배우] ; 〔野〕 히트 ; 《美俗》 (어리석은) 놈, 얼간이 : give a person ~*s* 남을 치다. ── *adv.* 강렬하게, 정통으로 : The man hit him ~ in the eye. 그 남자는 그의 눈을 정통으로 쳤다. ── *a.* 크게 히트한, 성공적인.
〚C18<? Scand.〛
sock[3] *n.* Ⓤ 《Eton 學俗》 음식, 과자, 간식.
〚?〛
sock·dol·a·ger, -o·ger [sɑkdálidʒər] *n.* 《美俗》 지나치게 큰[무거운] 것 ; 결정적 논의[회답] ; 마지막 일격, 결정타.
〚? 변형(變形) ‹ *doxology*〛
sock·er[1] [sákər] *n.* 《英》 =SOCCER.
socker[2] *n.* 《俗》 강타자.
***sock·et** [sákət] *n.* 꽂는[끼우는] 구멍, 베어링 ; (전구를 끼우는) 소켓, 《英》 콘센트 ; (촛대의) 초꽂이 ; 〔解〕 와(窩), 강(腔) ; 〔골프〕 클럽의 힐 : the ~ of the eye 안와.
── *vt.* 소켓에 끼우다 ; …에 소켓을 달다 ; 〔골프〕 클럽의 힐로 치다.
〚AF (dim.) <OF *soc* plowshare< ? Celt.〛
sócket òutlet *n.* 〔電〕 (벽의) 콘센트.
sócket wrènch *n.* 《美》〔機〕 박스 스패너, 소켓 렌치.
socko [sákou] *a.* 《美俗》 훌륭한, 굉장한, 압도적인 ; 대성공의. ── *n.* (*pl.* **sóck·os**) 대히트, 대성공 ; 〔拳〕 강타. ── *vi.* 〔拳〕 (턱 따위를) 강타하다 ; 대성공을 거두다.
socks [sáks] *n.* 《CB俗》 직선형 증폭기.
sóck suspènders *n. pl.* 《英》 양말 대님(=《美》 garters).
so·cle [sóukəl, sák-] *n.* 〔建〕 (기둥·벽·꽃병 따위의) 받침, 대석(臺石), 주춧돌, 굅돌, 굅목.
Soc·ra·tes [sákrətìːz] *n.* 소크라테스(470?-399 B.C.)《고대 아테네의 철학자》.
So·crat·ic [səkrǽtik ; sɔk-] *a.* 소크라테스(철학)의, 문답식 진리탐구의 : ~ irony 소크라테스적(的) 반어[아이러니]《논쟁 상대에게 가르침을 청하는 척하며 그 오류를 폭로함》/ the ~ method 소크라테스식 문답 교수법. ── *n.* 소크라테스 학도. 〚L<Gk. (↑)〛
sod[1] [sád] *n.* Ⓤ 잔디, 뗏장(turf) ; 잔디밭.
the old sod 《英口》 모국(母國).
under the sod 땅에 묻혀, 매장되어.
── *vt.* (**-dd-**) …에 잔디를 깔다, 뗏장으로 덮다.
〚MDu., MLG< ? 〛
sod[2] *v.* 《古》 SEETHE의 과거형.
sod[3] *n.* 《英俗》 남색가(男色家), 호모 ; 놈(chap) ; 지겨운 놈.
not give [***care***] ***a sod*** 《英俗》 전혀 상관없다.
── *vt.* (**-dd-**) =DAMN.
Sod it ! 《英俗》 젠장, 제기랄, 체.
Sod off. 나가, 꺼져.
〚*sod*omite〛
***so·da** [sóudə] *n.* **1** Ⓤ 소다 ; 탄산나트륨 ; 탄산수소나트륨, 중탄산소다(baking soda) ; 수산화나트륨(caustic soda). **2** Ⓤ,Ⓒ 《美》 소다수(soda water) : (a) brandy and ~ 브랜디 소다《브랜디에 소다수를 타서 순하게 한 것》/ ☞ ICE-CREAM SODA. 〚It.< ? L *sodanum* glasswort(두통약) ‹ *soda* headache<Arab.〛
sóda àsh *n.* 〔化〕 소다회(灰)《공업용(用) 탄산나트륨》.
sóda brèad *n.* 소다 빵《이스트를 쓰지 않고 탄산수소나트륨과 타르타르산칼륨으로 부풀린 빵》.
sóda cràcker *n.* 소다 크래커《담백한 맛이 나는 살짝 구운 비스킷》.
sóda fòuntain *n.* 《美》 소다수 용기 ; 《美》 소다수 판매장《아이스크림이나 각종 청량 음료·가벼운 식사 따위도 나옴》.
sóda jèrk(**er**) *n.* 《美俗》 soda fountain의 카운터 담당자.
sóda lìme *n.* 소다 석회.
so·dal·i·ty [soudǽləti] *n.* **1** 조합, 협회 ; 〔카톨릭〕 형제회(兄弟會), 신심회(信心會), (특히) 마리아 신심회《신앙 및 자선을 위한 신자들의 단체》. **2** Ⓤ 우정, 우애.
〚L=comradeship〛
sóda pòp *n.* 《美》 소다수《청량 음료 ; 과일의 맛을 냄》.
so·dar [sóudɑːr] *n.* 음파 기상 탐지기(音波氣象探知機). 〚*so*und *d*etecting *a*nd *r*anging〛
sóda wàter *n.* 소다[탄산]수 ; =SODA POP ; 탄산수소나트륨의 희석액《건위제》.
sod·bust [sádbʌ̀st] *vi.* 《Can.·美西部》 농사를 짓다. **~·er** *n.* 《美西部》 농부(farmer).
sod·den[1] [sádn] *a.* **1** (물에) 잠긴, 흠뻑 젖은 : His clothes were ~ *with* rain. 그의 옷은 비에 흠뻑 젖어 있었다. **2** 술에 취해 있는 ; (알코올 중독으로) 멍청해진, 무표정한 ; 우둔한. **3** (빵 따위) 설 구워진, 부푼 ; 부어오른. ── *vt.* 물에 적시다, 물에 담그다, 흠뻑 젖게 하다〈*with*〉; 술에 빠지게 하다 ; 멍청하게 하다, 천치로 만들다.

—— *vi.* 물에 젖다, 물이 배다 ; 물러지다, (물속에 잠겨) 붇다. 〚↓〛

sodden² *v.* 《古》 SEETHE의 과거분사.

sód·ding¹ *a.* 《英俗》 지겨운 ; 지독한, 꺼림칙한. 〚SOD³〛

sodding² *n.* 뗏장입히기.

sód·dy *a.* 잔디밭의, 잔디로 덮인. —— *n.* 《美》 뗏집《뗏장을 쌓아 지은 집》. 〚SOD¹〛

so·dio- [sóudiou, -diə] *comb. form* 「나트륨」의 뜻. 〚↓〛

so·di·um [sóudiəm] *n.* Ⓤ 〔化〕 나트륨, 소듐《금속원소 ; 기호 Na ; 번호 11》. 〚NL (*soda*+*-ium*)〛

sódium bicárbonate *n.* 〔化〕 탄산수소나트륨.

sódium cárbonate *n.* 〔化〕 탄산나트륨, 소다회(灰)(soda ash) ; 결정(結晶)[탄산]소다.

sódium chlóride *n.* 〔化〕 염화나트륨, 식염.

sódium cýanide *n.* 〔化〕 시안화(化)나트륨.

sódium flúoride *n.* 〔化〕 플루오르화나트륨.

sódium hydróxide *n.* 〔化〕 수산화(化)나트륨 (caustic soda).

sódium hyposúlfite *n.* 〔化〕 하이포아(亞)황산나트륨《티오황산나트륨》.

sódium ìmaging *n.* 〔醫〕 나트륨 화상(畫像)(법) 《뇌졸중이 일어났을 때 뇌졸중 부위 · 심장 · 신장 따위의 장애를 조사하는 화상 (진단법)》.

sódium íodide *n.* 〔化〕 요오드화나트륨《사진 · 동물 사료 · 호흡기 및 신경성 질환의 치료용》.

sódium nítrate *n.* 〔化〕 질산나트륨.

sódium óxide *n.* 〔化〕 산화나트륨《탈수제》.

Sódium Péntothal *n.* 〔藥〕 펜토탈나트륨《티오펜탈의 나트륨염의 상표명》.

sódium sílicate *n.* 〔化〕 규산나트륨.

sódium thiosúlfate *n.* 〔化〕 티오황산나트륨 《속칭 hypo, (sodium) hyposulfite》.

sódium-vàpor làmp *n.* 〔電〕 나트륨 등(燈)《등황색 빛을 발함 ; 주로 도로 조명용》.

Sod·om [sádəm] *n.* **1** 〔聖〕 소돔《사해(死海) 남안에 있었던 고대 도시 ; 죄악 때문에 신에게 멸망되었다고 함 ; 창세기 18 : 20, 19 : 24-25》. **2** (일반적으로) 죄악[타락]의 장소.
the apple of Sodom ☞ APPLE.

Sódom·ìte *n.* **1** 소돔 사람. **2** [s~] 《稀》 남색가(男色家), 수간자(獸姦者), 이상(異常) 성행위자. 〚F<L<Gk. ; ⇨ SODOM〛

sod·om·ize [sádəmàiz] *vt.* 비역하다.

sod·omy [sádəmi] *n.* 소도미《동성간의 성행위 · 수간(獸姦) · 이성간의 이상 성행위》. 〚OF<L *sodomia* ; ⇨ SODOM〛

sód's làw *n.* 《英戲》 어찌할 수 없다는 법칙《그것은 그것으로 부득이하다》.

sód wídow *n.* 《美方》 미망인, 과부(cf. GRASS WIDOW).

so·ev·er [souévər] *adv.* **1** [양보의 표현을 강조하여] 비록[아무리] …일지라도 : how wide ~(= how ~ wide) the difference may be 아무리 차이가 크더라도. **2** [부정어를 강조하여] 조금도, 전혀(at all) : The boy had *no* home ~. 그 소년은 전혀 집이라고는 없었다. ㊟ 주로 who, what, when, where, how, all, any 따위와 함께 쓰임. 이때 이 단어들과 soever 사이에 다른 단어를 끼워 넣을 때가 있음《보기 : in *any* way *soever* 어떤 방법으로든》. 〚*so*¹+*ever*〛

-soever *suf.* 《文語》 [의문 대명사 · 의문부사에 연결하여] 비록 …일지라도 《-ever의 강조형》 : who*soever*, what*soever*, etc.

SOF sound on film(음성 녹음되어 있는 선전용 텔레비전 필름) ; 〔軍〕 Special Operation Force (특수 작전 부대).

***so·fa** [sóufə] *n.* 소파《등받이 · 팔걸이가 있는 긴 안락 의자》. 〚F, <Arab.=long bench〛

sófa bèd *n.* 소파(식) 침대, 침대 겸용 소파《높은 등받이를 뒤로 젖히면 침대가 됨》.

sófa lízard *n.* 《美學俗》 인색하여 집안에만 틀어박혀 있는 놈 ; 데이트 비용이 아까워 걸프렌드 집에서 죽치는 남자, 농탕치는 놈.

so·far [sóufɑːr] *n.* 소파《조난한 항공기나 선박의 위치를 알아내기 위한 수중 측음 장치》. 〚*so*und *f*ixing *a*nd *r*anging〛

sof·fit [sáfət] *n.* 〔建〕 (하수도 따위의) 하단(下端), 밑면, (특히 아치의) 안둘레. 〚F or It. ; ⇨ SUFFIX〛

So·fia [sóufiə, sɔ́ː-] *n.* 소피아 《불가리아의 수도》.

So·fi(sm) [sóufi(zəm)] *n.* =SUFI(SM).

S. of S(ol). 〔聖〕 Song of Solomon.

◇**soft** [sɔ́(ː)ft, sáft] *a.* **1** 부드러운, 유연한(↔*hard, tough*) ; 무른, (근육 따위) 탄력이 없는 : Which would you like better, a ~ mattress or a hard one? 매트리스는 부드러운 것과 딱딱한 것 중 어느 것을 좋아하느냐. **2** 감촉이 부드러운 ; 보들보들한 ; 매끈매끈한(smooth) ; (금속이 아닌) 종이의(cf. SOFT MONEY) ; 〔製本〕 얇은[종이] 표지의 : (as) ~ as velvet 벨벳처럼 보드라운[보드랍게] / ~ raiment 부드러운 것《의복》. **3** 상대하기 쉬운, 만만한 ; 부동적인 ; 힘없는, 연약한 ; 〔軍〕 적의 공격에 대하여 무방비인. **4** 조용한, 낮은 ; 멜로디가 아름다운 ; (충격이) 가벼운 ; 연착륙의 ; 《古》 서두르지 않는, 느슨한, 완만한 : ~ music 조용한 음악 / ~ news 가벼운[정치에 무관한] 뉴스. **5** (일 따위가) 쉬운, 쉽게 돈을 벌 수 있는 : a ~ job 《俗》 수월한 돈벌이. **6** (계절 따위가) 온화한, 따스한(mild) ; 쾌적한, 상쾌한, 기분좋은 ; 《英》 (날씨 따위) 구중중한, 비가 오는, 눈이 녹는 : a ~ day 비오는 날 / ~ weather 우천. **7 a)** 〔化〕 연성(軟性)의, 단물의(↔*hard*) ; 〔化〕 분극되기 쉬운 ; (세제가) 생물 분해성의 ; (금속 따위가) 연질의, 쉽게 조형이 되는 ; 〔冶〕 (땜납이) 서서히 녹는 : ~ metal 연질 금속 / ~ water 연수. **b)** (음식이) 입에 순한, 소화가 잘되는 ; 알코올 성분이 없는. **8 a)** (빛깔 · 색채 따위가) 차분한, 점잖은, 수수한. **b)** (윤곽 · 선 따위가) 거칠지 않은 ; 부드러운, 흐릿한 ; 〔寫〕 (필름 · 인화 따위가) 연조(軟調)의(↔*contrasty*) ; 〔理〕 (X선이) 투과력이 약한. **9** 〔音聲〕 연음(軟音)의《c, g가 [s], [dʒ]로 발음되는 ; cf. HARD 9》 ; 유성음의 《k에 대한 g 따위》 ; (프랑스어의 자음이) 연구개화된. **10 a)** (성품 따위가) 상냥한, 온순한, 유화(柔和)한(gentle), 자비로운, 인정에 약한 ; (눈이) 맑은 ; (남에게) 반한, 사랑하는 : a ~ heart 상냥한[여린] 마음 / the ~*er* sex 여성/ He appealed to the ~*er* side of his master's character. 주인의 자비심에 호소했다 / *S*~ and fair goes far. 《속담》 부드러운 것이 능히 굳센 것을 누르는 법 / Bill is ~ *on*[*about*] Kate. 빌은 케이트에게 반해 있다[를 사랑하고 있다]. **b)** (판결 따위가) 엄하지 않은, 관대한. **c)** (말이) 달콤한, 감상적인 ; 구변 좋은(smooth) : ~ glances 추파(秋波) / A ~ answer turneth away wrath. 〔聖〕 유순한 대답은 분노를 쉬게 한다《잠언 15 : 1》, 웃는 낯에 침 못뱉는다. **11** (성격 따위가) 나약한, 여성적인(effeminate) ; 소극적인 ; 겸손한 ; 만사태평한, 안일한. **12** 《口》 어수룩한, 얼띤 : He is a bit ~ (in the head). 그는 머리가 좀 모자란다 / Bob's gone ~. 보브는 머리가 이상해졌다. **13** (돈이) 장기 저리의 ;〖商〗(시세 따위) 약세의, 하락세의(↔*hard*). **14** 《口》 **a**) (마약이) 약한, 습관성이 적은. **b**) (포르노 따위) 외설도가 약한. **c**) (정보·증거·데이터 따위가) 정확도가 낮은, 주관적인, 추론적인(cf. SOFT SCIENCE). **15** (학문이) 소프트한《사실이나 숫자 따위를 다루기 보다 사상을 다루는 것을 말함》.

have a soft place in** one's **heart for a person …를 사랑하다, …에게는 약하다.

— *n.* 부드러운 것[부분] ; 유약한 사람 ; 바보 ;《美俗》쉽게 번 돈, 부정한 돈 ; [the ~] 돈.

— *adv.* 조용히, 부드럽게, 상냥하게, 온건하게.

— *int.* 《古》 조용해 !, 쉿 ! ; 서둘지 마라 !, 멈춰라 !

~·ness *n.* 유연(성) ; 상냥함 ; 관대.

〖OE *sōfte* agreeable < *sēfte* ; cf. G *sanft*〗

類義語 ***soft*** 거칠거나 난폭하거나 과격하지 않으며 감촉이 부드러운 : *soft* ground(부드러운 지면) / a *soft* touch(부드러운 감촉). ***mild*** 예상한 것처럼 거칠거나 심하거나 모질지 않은 : a *mild* climate[criticism](온화한 기후[관대한 비평]). ***gentle*** mild와 같은 뜻이나 보다 더 마음을 달래주려는 부드러움이 내포된 : a *gentle* voice[disposition] (부드러운 목소리[성질]).

sóft·bàck *n.*, *a.* 페이퍼백(의) (paperback).

sóft·bàll *n.* Ⓤ 《美》 소프트볼《야구 비슷한 구기》; Ⓒ 소프트볼용 공.

sóft-bóiled *a.* (계란 따위) 반숙의(cf. HARD-BOILED) ; 《反語》 (문체가) 건전하고 도덕적인 ; 《反語》 감상적인, 눈물 많은.

sóft·bòund *n.* =SOFTCOVER, PAPERBACK.

sóft chấncre *n.* 〖醫〗 연성 하감(軟性下疳).

sóft cóal *n.* 연질탄, 역청탄(瀝青炭) (bituminous coal).

sóft cópy *n.* 〖컴퓨〗 화면 출력《컴퓨터의 기억장치에 보존되어 있는지 화면에 불러 낼 수 있는 정보 ; ↔*hard copy*》.

sóft córe *n.* soft-core한 포르노.

sóft-córe *a.* (영화 따위에서) (성묘사 따위가) 암시적인, 덜 노골적인(↔*hard-core*) ; 온순한, 부드러운. — *n.* =SOFT CORE.

sóft córn *n.* **1** 옥수수의 변종. **2** 발가락 사이의 못[티눈].

sóft·còver *a.*, *n.* 페이퍼백(의).

sóft cúrrency *n.* 〖經〗 연화《달러로 자유롭게 바꿀 수 없는 통화 ; ↔*hard currency*》.

sóft detérgent *n.* 연성 세제(軟性洗劑)《생물 분해성 세제 ; cf. HARD DETERGENT》.

sóft dóck *n.* 〖宇宙〗 연합체(軟合體), 소프트 도킹《복수(複數)의 우주선이 기계적인 결합이 아닌 나일론선(線) 따위에 의한 선체의 도킹》.

sóft drínk *n.* 비알코올성 음료, 청량 음료《root beer, ginger ale 따위》.

sóft drúg *n.* 《口》 중독성이 없는 환각제[마약]《마리화나·메스칼린 따위 ; ↔*hard drug*》.

***soft·en** [sɔ́(:)fən, sɑ́f-] *vt.* **1** 부드럽게 하다 ; 단물로 만들다 ;〖化〗 연질(軟質)[연성]로 하다 : ~ leather 가죽을 부드럽게 하다 / ~ water 물을 단물로 하다. **2** (마음을) 누이다, 온화하게 하다 : ~ one's heart 마음을 누그러뜨리다. **3** 연약하게 하다, 여성적으로 하다 : troops *~ed* by luxurious living 사치스러운 생활로 약화된 군대. **4** (소리·음성을) 낮추다, 누그러뜨리다, 부드럽게 하다 : He *~ed* his voice. 그는 목소리를 낮추었다. **5** (색깔을) 연하게 하다 ; 수수하게 하다, 점잖게 하다 : Those blinds had *~ed* the light. 차양들 때문에 빛이 누그러졌다.

— *vi.* **1** 부드러워지다 : Wax *~s* in heat. 밀랍은 가열하면 누글누글해진다. **2** [動/+前+名] (마음이) 약해지다, 누그러지다 ; 융화되다 : Her heart *~ed*. 그녀의 마음은 누그러졌다 / He *~ed* ***into*** tears. 마음이 뭉클해져 눈물을 흘렸다.

soften up (연속 폭격 따위로) (적의) 저항력을 약화시키다 ; (설득·선전 따위로) (남의) 기분을 누그러뜨리다, 마음이 움직이게 하다.

sóften·er *n.* **1** 부드럽게 하는 사람[것] ; 누그러뜨리는 사람[것]. **2** 센물을 단물로 바꾸는 연수제[장치] (water softener) ; (직물을 유연하게 하는) 연화제.

sóft énergy *n.* 소프트 에너지《태양열·풍력 따위를 이용하여 얻어지는 것》.

sóften·ing *n.* 부드럽게 하기, 부드러워지기 ; 연화(軟化) ; 연수법(軟水法).

softening of the brain 〖醫〗 뇌(腦)연화(증) ; 《口》 노망, 우둔 ; 《廢》 전(全) 마비성 치매.

sóft fíber *n.* 연질 섬유《아마·대마·황마·저마 따위의 섬유》.

sóft fócus *n.* 〖寫〗 연초점(軟焦點), 연조(軟調). **sóft-fócus** *a.*

sóft fúrnishings *n. pl.* 《英》 실내 장식용의 커튼·매트·의자 커버《따위》.

sóft gòods *n. pl.* 비내구재, (특히) 섬유 제품 ; 《英》 (모)직물과 의류(=《美》 dry goods).

sóft háil *n.* =GRAUPEL.

sóft hát *n.* 《美》 중절 모자(felt hat).

sóft·hèad *n.* 바보, 멍청이 ; 하찮은 감상가.

sóft·héad·ed *a.* 《口》 어수룩한, 멍청한. **~·ly** *adv.* **~·ness** *n.*

sóft·héart·ed *a.* 마음이 순한, 인정많은, 자애로운, 동정심이 많은 ; 관대한, 미온적인.

softie ☞ SOFTY.

sóft·ish *a.* 조금[비교적] 부드러운.

sóft-lànd *vi.*, *vt.* (우주선이 천체에) 연착륙(軟着陸)하다[시키다]. **~·er** *n.* 연착륙 우주선(船).

sóft lànding *n.* (천체에의) 연착륙(軟着陸) ; 《美》 불경기나 높은 실업률을 초래하지 않고 경제 성장률을 낮추기.

sóft lég(s) *n.* 《美黑人俗》 여자, 소녀.

sóft léns *n.* 소프트[콘택트] 렌즈.

sóft lìne *n.* 온건 노선. **sóft-lìne** *a.*

sóft-líner *n.* 온건파(의 사람).

sóft lóan *n.* 〖經〗 장기 저리 대출, 소프트 론《조건이 유리한 차관》.

‡sóft·ly *adv.* **1** 부드럽게 ; 조용히, 살며시. **2** 상냥하게. **3** 너그럽게, 관대히, 부드럽게.

sóft móney *n.* 지폐, 어음(↔ *hard money*) ; (인플레이션으로) 구매력[가치]이 떨어진 통화.

sóft nóthings *n. pl.* (남녀간의) 잠자리에서 하는 이야기, 달콤한 사랑의 속삭임 ; 겉치레말.

sóft pálate *n.* 연구개(軟口蓋) (↔*hard palate*).

sóft pàth *n.* 소프트 패스《태양열·풍력 따위 자연 에너지를 이용하려는 방침》.

sóft pèdal *n.* (피아노·하프의) 약음 페달 ; 효과를 약화시키는[덮어 가리는] 것.

sòft-pédal *vi.* (피아노·오르간 따위에) 약음 페달을 사용하다. — *vt.* **1** (피아노 따위의) 음을 약하게 하다. **2** 《口》 (어조·가락 따위를) 부드럽게 하다(tone down).

sóft pórn *n.* 소프트코어한 포르노.

sóft ròck *n.* 〖樂〗 소프트 록.

sóft róe *n.* (물고기의) 이리.

sóft sáw·der [-sɔ́ːdər] *n.* 아첨, 치레, 알랑거림 (flattery). **sóft-sáwder** *vt.*

sóft scíence *n.* 소프트 사이언스《정치학·경제학·사회학·심리학 따위의 사회과학·행동과학의 학문; cf. HARD SCIENCE》.

sóft scúlpture *n.* 소프트 조각《천·플라스틱·기포 고무 따위를 소재로 한 조각》.

sóft séll *n.* [때때로 the ~] 《美口》 조용한 설득에 의한 광고·판매 방법(cf. HARD SELL).

sóft-shèll *a.* **1** 〖動〗 (특히 탈피한 지 얼마 안 되어) 딱지가 연한. **2** (주의·사상이) 중도적인, 온건한. —— *n.* (탈피 직후의) 등딱지가 연한 (식용의) 게; 중도[온건, 자유]주의자.

sóft shóulder *n.* 도로가의 포장되지 않은 부분, 갓길(cf. SHOULDER 5).

sóft snáp *n.* 《美》 수월한 일, 거저먹기.

sóft sóap *n.* 연성 비누; 《비유》 아첨(flattery).

sóft-sóap *vt.* 연성비누로 씻다; 《口》 아첨하여 구슬리다, …에게 알랑거리다(flatter). —— *vi.* 연성 비누를 쓰다; 《口》 붙임성있게 행동하다.

sóft sólder *n.* **1** 연질(軟質) 땜납. **2** 《俗》 아첨, 빌붙음.

sóft-spóken *a.* (말투가) 상냥한, 부드러운; 설득조의.

sóft spòt *n.* 취약점, 약점; 기호, 편애; 감수성이 예민함.
〖cf. have a soft SPOT for…〗

sóft stéel *n.* 연강(軟鋼).

sóft súgar *n.* 정제 설탕, 분말당.

sóft tàck *n.* 보통의 빵(cf. HARD TACK).

sóft tárget *n.* 〖軍〗 연목표(軟目標)《방호 수단이 없어 쉽게 파괴할 수 있는 목표; 대공 병기가 없는 레이더 기지, 장갑 방어가 없는 트럭 따위; cf. HARD TARGET》.

sóft technólogy *n.* 소프트 테크놀러지《태양열·풍력(風力)·지열(地熱) 따위 자연 에너지 이용의 과학 기술》.

sóft thìng *n.* 수월한 일, 수입 좋은 일.

sóft tíssues *n. pl.* 〖生〗 (뼈·연골이 아닌) 유연조직(柔軟組織).

sóft-tòp *n.* 덮개를 접어 갤 수 있는 승용차[모터보트](cf. HARDTOP).

sóft tóuch *n.* 《口》 설득하기 쉬운 사람; 곧잘 속아 넘어가는 사람; 이용하기 좋은 사람; 아주 쉬운 일, 누워서 떡먹기; 간단히 손에 넣은 돈, 부정하게 얻은 돈.

sóft ùnderbelly *n.* 공격받기 쉬운 지점[지역]; 급소, 약점.

sóft·wàre *n.* 무른모, 소프트 웨어《컴퓨터·어학 연습실·우주 로켓 따위의 설계·장치·프로그래밍 따위에 관한 시스템·서비스·자료의 총칭, 특히 (제품화된) 프로그램; cf. HARDWARE》.

sóftware enginéering *n.* 소프트웨어 공학.

sóftware pàckage *n.* 〖컴퓨〗 무른모[소프트웨어] 꾸러미《많은 기업들이 공통으로 이용할 수 있도록 제작된 프로그램》.

sóftware pùblishing *n.* 소프트웨어 출판《주로 퍼스널 컴퓨터용의 소프트웨어 및 컴퓨터 이용의 해설서의 출판》.

sóft whéat *n.* 연질(軟質) 소맥《녹말이 많고 글루텐이 적음》.

sóft wìne *n.* 소프트 와인(light wine)《보통 와인보다 알코올분, 당분, 칼로리를 낮춘 와인》.

sóft-wítted *a.* ＝SOFTHEADED.

sóft·wòod *n.* Ⓤ 연목, 연재(軟材)《pine, fir 따위; cf. HARDWOOD》; Ⓒ 침엽수(針葉樹).
—— *a.* 연목의.

sófty, sóft·ie *n.* 《口》 몹시 감상적인 사람; 속기 쉬운 사람; 바보, 멍청이; 연약한 사람.

sog [sɑ́g, 美＋sɔ́ːg] *vi., vt.* 흠뻑 젖다[적시다]; 좀 축축해지다[하게 하다].

sog·gy [sɑ́gi, sɔ́(ː)gi] *a.* 흠뻑 젖은(soaked), 물에 잠긴; 습기가 있는, 찌무룩한《날씨 따위》; (빵 따위) 설구운; 《口》 무기력한, 늘어진, 맥빠진.
sóg·gi·ly *adv.* **-gi·ness** *n.*
〖*sog* (dial.) marsh〗

soh [sóu] *int.* 《古》 어, 어머나!《불쾌한 놀람을 나타냄》; 워워!《날뛰는 말을 진정시키는 소리》.
〖C19 (? imit.)〗

so-ho [souhóu] *int.* **1** 저기!《사냥감을 발견했을 때의 외침》. **2** 워워!《말을 진정시키는 소리》. **3** 체, 제기랄!《돌연한 사태에 화내는 소리》.
〖imit.〗

So·ho [sóuhou] *n.* 소호《London의 Oxford Street의 남쪽에 있으며 이탈리아 사람 등 외국인 경영의 싸구려 요리점이 많은 지구》.

So·Ho [sóuhou] *n.* 소호《New York 시 Manhattan 남부의 지구; 패션·(전위)예술 따위의 중심지》. 〖*So*uth of *Ho*uston Street, 및 〈SOHO〗

soi-di·sant [swɑ̀ːdiːzɑ́ːŋ; *F* swadizɑ̃] *a.* 《蔑》 자칭의; 가짜의; 소위(so-called).
〖F (*soi* oneself, *disant* saying)〗

soi·gné(e) [swɑːnjéi; ⁻⁻] *a.* (여자의 화장 따위가) 공들인, 매무새가 단정한.
〖F (p.p.) 〈*soigner* to take care of〗

‡soil[1] [sɔ́il] *n.* **1** Ⓤ 흙, 토양, 토질, 겉흙, 표토; 수수함: rich[poor] ~ 기름진[메마른] 땅 / a son of the ~ ☞ SON 5. **2** Ⓤ (해악 따위의) 온상〈*for* crime〉, 생육지. **3** Ⓤ 토지, 나라: one's native[parent] ~ 모국, 고향. **4** [the ~] 농업(생활), 농사, 경작: belong to *the* ~ 농사 짓고 있다.
〖AF＜? L *solium* seat, *solum* ground〗

***soil**[2] *n.* **1** Ⓤ 오손; 타락; 오물; 폐물, 쓰레기; 오점; 얼룩. **2** Ⓤ 똥(거름). —— *vt.* [＋目/＋目＋*with*＋名] 더럽히다, 얼룩지게 하다, 오손하다; (가문 따위를) 손상하다; 타락시키다; …에 거름을 주다: The walls have been ~*ed* by the children's dirty hands. 벽은 아이들의 지저분한 손으로 더러워졌다 / I would not ~ my hands *with* it. 《비유》 그런 일에 관여하여 손[몸]을 더럽히고 싶지 않다. —— *vi.* 더러워지다, 얼룩지다; 타락하다: White shirts ~ easily. 흰 셔츠는 금방 더러워진다.
〖OF *soill(i)er* (*soil* pigsty＜L (dim.) 〈*sus* pig)〗

soil[3] *vt.* (가축을 살찌게 하기 위해) 꼴[풀]을 베어 먹이다. 〖? SOIL[2]〗

sóil bànk *n.* 《美》 〖農〗 토양 은행《잉여작물의 재배를 하지 않고 땅의 생산력 향상에 노력한 사람에게 정부가 주는 보상금 제도; 1956년 제정》.

sóil·bòrne *a.* 토양에 의해 전달되는, 토양 전파성의: ~ fungi 토양균류(類).

sóil-cemént *n.* 흙 시멘트《흙에 시멘트를 섞어 적당히 습기를 주어 굳힌 것》.

sóil condìtioner *n.* 토질 개량제(劑).

sóil conservàtion *n.* 〖農〗 토양 보존, 토지 보존 사업.

sóil deplétion *n.* 토양의 소모[열화(劣化)].

sóil fertìlity *n.* 토양 비옥도(肥沃度).

sóil·less *a.* 토양을 이용하지 않는: ~ agriculture 수경(水耕) 농업.

sóil màp *n.* (한 지역의) 토양도.

sóil mechànics *n.* 토질 역학.

sóil pìpe *n.* (변소 따위의) 지하 배수관.

sóil pollútion *n.* 토양 오염.
sóil scìence *n.* 토양학(pedology).
sóil sùrvey *n.* 토질 조사.
soi·ree, soi·rée [swɑːréi; ˊ-] *n.* (음악이나 담화의) 야회, …의 밤; (연극의) 야간 흥행(cf. MATINEE): a musical ~ 음악의 밤.
〚F (*soir* evening)〛
so·journ [sóudʒəːrn(, *vi.* -ˊ); sɔ́dʒəːn, sʌ́dʒ-] *vi.* 《文語》 (일시적으로) 머무르다, 살다, 체재[기류]하다〈*in, at* a place; *with, among* men〉: The explorers *~ed* in the town for a while. 탐험가들은 잠시 그 마을에 머물렀다. —— *n.* 《文語》 머무름, (일시적) 체재, 거류. **~·er** *n.*
〚OF<Rom. (L *sub-, diurnum* day)〛
soke [sóuk] *n.* 〖英史〗 재판권; 재판 관할구.
〚AL *soca*<OE *sōcn* inquiry, jurisdiction; cf. OE *sēcan* to seek〛
sol[1] [sál, sóul] *n.* 〖樂〗 솔《장음계의 다섯째 음》.
〚L *solve*〛
sol[2] [sɔ́(ː)l, sóul, sál] *n.* (*pl.* **~s, so·les** [sóuleis]) 솔《페루의 화폐 단위》; 솔은화[지폐].
〚Am. Sp.; ⇨ SOL〛
sol[3] [sɔ́(ː)l, sóul, sál] *n.* Ⓤ 〖化〗 졸, 교질(膠質) [콜로이드] 용액. 〚*sol*ution〛
sol[4] [sál] *n.* 《美俗》 독방 감금.
〚*sol*itary confinement〛
Sol [sál] *n.* 〖로神〗 태양신; 《戱》 해, 태양.
〚L *sol* sun; cf. SOLAR〛
Sol. Solicitor; Solomon. **sol.** solicitor; soluble; solution.
so·la[1] [sóulə] *n.* 〖植〗 자귀풀류《인도산(産) 콩과(科)의 관목성 초본(草本)》; 그 고갱이《topee를 만드는 데 쓰임》. 〚Urdu〛
sola[2] *a.* SOLUS의 여성형.
sol·ace [sáləs] *n.* Ⓤ,Ⓒ **1** 위안, 위로, 위자(慰藉): find[take] ~ in …을 위안으로 삼다. **2** 위안이 되는 것, 즐거움, 오락, 기분 전환(cf. COMFORT). —— *vt.* [+目/+目+前+名] 위안[위로]하다; …에게 위안을 주다; 안락[편안]하게 하다; (고통·슬픔 따위를) 덜어 주다: ~ the heart 마음을 위로하다. —— *vi.* 위안이 되다.
solace one***self with*** …으로 자위하다.
~·ment *n.* **sól·ac·er** *n.*
〚OF<L *solatium* (*solor* to console[1])〛
so·lán·der (càse[bòx]) [soulǽndər(-), sə-] *n.* (책·서류·식물표본 따위를 넣는) 책 모양의 상자[케이스]. 〚Daniel C. *Solander* (d. 1782) 스웨덴의 식물학자〛
só·lan (góose) [sóulən(-)] *n.* 〖鳥〗 펠리칸류(類)의 바다새.
〚? ON *súla* gannet, *and-* *önd* duck〛
so·la·num [souléinəm, -láː-, -lǽn-] *n.* 〖植〗 가지속(屬)의 각종 식물.
〚L=nightshade〛
***so·lar** [sóulər] *a.* **1** 태양의, 태양에 관한(cf. LUNAR): a ~ myth 태양신화 / ~ spots 태양 흑점. **2** 태양에서 나오는[일어나는]. **3** 태양 광선[열]을 이용한[의 작용에 의한]: ~ heating 태양열 난방. **4** 〖占星〗 태양의 운행에 따라 정해지는; 태양의 영향을 받는: a ~ calendar 태양력.
—— *n.* 일광욕실; 솔라《중세시대의 대저택이나 성의 위층에 있는 가족용 방》; 태양 에너지(solar power).
〚L; ⇨ SOL〛
sólar ápex *n.* 〖天〗 태양 향점(向點).
sólar árt *n.* 태양 광선을 초점에 모아 그 열로 나무판을 태워 만든 낙화(烙畫)의 일종.
sólar báttery *n.* 태양 전지《한 개 이상의 solar cell로 됨》.
sólar bréeder *n.* 〖電子〗 태양 전지(電池) 증식 공장《1982년 미국의 Solalex사(社)가 완성》.
sólar céll *n.* 태양(광) 전지《한 개》.
Sólar Chállenger *n.* 솔라 챌린저호《미국의 태양 에너지 비행기의 이름》.
sólar colléctor *n.* 태양열 수집[집열]기.
sólar cónstant *n.* 태양 상수(常數)《도중 감쇠가 없는 경우의 지표에서의 태양 복사 에너지의 양》.
sólar cýcle *n.* 〖天〗 태양 순환기《28년》; 태양 활동주기《약11년》.
sólar dáy *n.* 〖天〗 태양일; 〖法〗 주간(晝間).
sólar eclípse *n.* 일식(日蝕).
sólar énergy *n.* 태양 에너지.
sólar fárm *n.* 사막 같이 광대한 토지를 이용하여 태양 에너지를 전기 에너지로 공급하는 시설.
sólar fláre *n.* 〖天〗 태양면 폭발, 태양 플레어.
sólar fúrnace *n.* 태양로(爐)《태양열을 이용》.
sólar hòuse *n.* 태양열 주택, 솔라 하우스.
sólar índex *n.* 태양열 지수《하루 일광량을 0-100까지 숫자로 표시; 태양열 온수기 따위에 이용》.
sólar·ìsm *n.* Ⓤ (신화·전설 해석상의) 태양 중심설. **-ist** *n.*
so·lar·i·um [souléəriəm, -lǽər-] *n.* (*pl.* **-ia** [-riə], **~s**) (병원 따위의) 일광욕실; 해시계.
〚L=sundial, sunning place; ⇨ SOLAR〛
sòlar·izátion *n.* solarize하기; 감광(感光); 〖寫〗 솔라리제이션《노광(露光) 과도에 의한 반전(反轉) 현상》.
sólar·ìze *vt., vi.* 햇볕에 쬐다[노출하다]; 〖寫〗 (…에) 솔라리제이션을 일으키다.
Sólar Máx *n.* 《美》 =SOLAR MAXIMUM MISSION.
Sólar Máximum Mìssion *n.* 〖宇宙〗 솔라 맥시멈 미션《미국의 태양 활동 관측(觀測) 위성; 略 S.M.M.》. ㈜ 애칭은 Solar Max.
sólar mónth *n.* 태양월(太陽月)《30일 10시간 29분 3.8초》.
Sólar Óne *n.* 미국의 태양열 발전 프로젝트《세계 최대의 태양열 발전소로 일컬어짐》.
sólar pánel *n.* (우주선 따위의) 태양 전지판.
sólar párallax *n.* 〖天〗 태양 시차(視差)《태양에서 지구의 적도 반경을 본 각도》.
sólar pléxus *n.* 〖解〗 태양 신경총(叢)《위(胃) 뒤쪽의 신경 마디의 중심》; 《口》 명치.
sólar pónd *n.* 태양(열) 온수지(溫水池)《태양열 발전용의 해수(海水) 집열지(池)》.
sólar pówer *n.* 태양 에너지: a ~ plant 태양열 발전소.
sólar-pòwered *a.* 태양전지가 달린: a ~ calculator 태양전지 계산기.
sólar-powered pláne *n.* 태양열 비행기《날개에 태양 전지를 싣고 동력으로 함》.
sólar pówer sàtellite *n.* 태양 발전 위성.
sólar próminences *n. pl.* 〖天〗 (태양의) 홍염(紅焰), 프로미넌스.
sólar radiátion *n.* 태양복사(輻射), 일사(日射).
sólar rádio emìssion *n.* 태양 전파 방사.
sólar (rádio) nóise *n.* 태양 전파 잡음.
sólar sáil *n.* 〖宇宙〗 솔라 세일《인공 위성의 자세 안정이나 추진용에 태양 광선의 압력을 이용하기 위한 돛》.
sólar sáiler *n.* 우주 범선(帆船)《태양풍의 압력을 받아 움직이는 돛을 단 탐사기(機)》.
sólar sált *n.* 천일염(天日鹽).
sólar-shíeld *a.* 태양열 차단의.

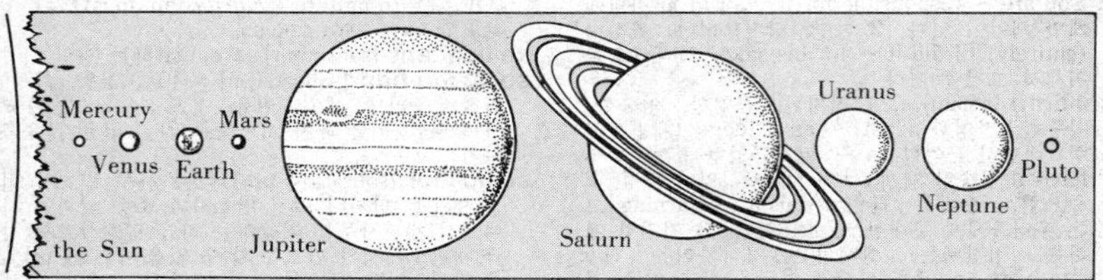

solar system

sólar stíll *n.* 태양 증류기(器)《태양 광선으로 바닷물이나 오염된 물을 식수로 바꿈》.
sólar sỳstem *n.* [the ~] 〖天〗 태양계.
Sólar Sỳstem Explorátion Commìttee *n.* 《美》 태양계 탐사 위원회《NASA의 위촉을 받아 주로 무인 탐사기로 금성·화성·소(小)행성의 관측 계획을 제언(提言)함》.
sólar wínd *n.* 〖天·理〗 태양풍(風), 태양 미립자류(流).
sólar yéar *n.* 〖天〗 태양년(tropical year)《365일 5시간 48분 46초》.
sol·ate [sáleit, sɔ́(:)l-] *vi.* 〖化〗 졸화(化)하다. **sol·á·tion** *n.*
so·la·ti·um [souléiʃiəm] *n.* (*pl.* **-tia** [-ʃiə]) 배상금; 위문금, 위자료. 〚L; ⇨ SOLACE〛
◇**sold** *v.* SELL의 과거·과거분사.
sol·der [sádər, sɔ́:d-, sɔ́l-] *n.* **1** Ⓤ 땜납, 백랍. **2** 《비유》 접합물, 꺾쇠, 하나로 묶는 것, 유대(bond). —— *vt.* 납으로 때우다; 수선하다; 《비유》 굳게 결합하다. —— *vi.* 납땜하다[으로 붙다]. **~·able** *a.* **~·er** *n.*
〚OF<L (*solido* to fasten; ⇨ SOLID)〛
sólder·ing ìron *n.* 납땜 인두.
‡**sol·dier** [sóuldʒər] *n.* **1** 육군 군인, 군인, 무사: ~*s* and sailors 육·해군인 / go[enlist] for a ~ 병역을 지원하다, 군인이 되다 / play at ~*s* 병정놀이를 하다 / ☞ OLD SOLDIER. **2** 병사(↔*officer*); 하사관. **3** (유능한) 장교, 장군, 지휘관. **4** 《海俗》 요령있게 게으름 피우는 선원. **5** (주의(主義)의) 투사, 활동가⟨*of*⟩; 《美俗》 = BUTTON MAN; 《美俗》 팁을 잘 주는 손님: a ~ in the cause of peace 평화를 위해 싸우는 투사. **6** 〖昆〗 =SOLDIER ANT. **7** 《俗》 훈제(燻製) 청어; 〖建〗 세워쌓기《벽돌의 긴 쪽 측면을 수직이 되게 쌓기》. **8** 《美俗》 빈 술[맥주]병.
come*[*play*] *the old soldier over …에 대하여 노련한 체하며 지휘하다; …을 속이다.
***a soldier of Christ*[*the Cross*]** 기독교를 열심히 전도하는 사람.
a soldier of fortune ☞ FORTUNE.
—— *vi.* **1** 군인[병사]으로서 근무하다, 군에 복무하다. ㊟ 때때로 ~ing의 형태로 쓰임: go ~*ing* 군인[병사]이 되다. **2** 《口》 뒷전에서 게으름 피우다, 바쁜 체하다; 꾀(병)부리다(malinger): The workers are ~*ing* on the job. 노동자들은 바쁜 체하면서 게으름피우고 있다.
〚OF (*sou*(*l*)*de* (soldier's) pay<L SOLIDUS)〛
sóldier ànt *n.* 〖昆〗 병정개미.
sóldier còurse *n.* 〖建〗 세워쌓기열(列)《긴 쪽 측면을 수직으로 쌓는 벽돌쌓기의 횡렬(橫列)》.
sóldier cràb *n.* 〖動〗 소라게.
sóldier·ing *n.* Ⓤ 군인 생활[행위]; 군인의 임무, 병역; 《口》 게으름피우기, 꾀병부리기.
sóldier·lìke *a.* =SOLDIERLY.
sóldier·ly *a.* **1** 군인의, 군인다운, 무사 기질의; 용맹스러운. **2** 규율 있는, 늠름한. —— *adv.* 군인답게, 용감하게.
sóldier·shìp *n.* 군인의 신분[지위, 자질]; 군인정신; 군사과학.
sóldiers' hòme *n.* 복원 군인 보호 구제 시설.
Sóldier's Mèdal *n.* 〖美軍〗 군인 훈장《전투 이외의 일에서 영웅적 행위를 한 자에게 수여함》.
sóldier's wínd *n.* 〖海〗 (어느쪽으로도 나아갈 수 있는) 옆 바람, 측풍(側風).
〚육군인 사람도 조종할 수 있는 바람이란 뜻에서〛
sól·diery *n.* [집합적으로] (특히 못된) 군인, 군대; 군인의 직(職); 군사 교련[과학]: an undisciplined ~ 규율이 없는 군대.
***sole**[1] [sóul] *a.* **1** 단 하나의(single), 혼자만의, 유일한; 단독의, 독점적인, 총…: the ~ agent 총대리인 / the ~ survivor 유일한 생존자. **2** 〖法〗 미혼의, 독신의(cf. FEME SOLE); 《古》 고독한.
〚OF<L SOLUS〛
類義語 ⟹ ONLY.
sole[2] *n.* **1** 발바닥; (말의) 굽바닥. **2** (일반적으로) 기부(基部); (구두 따위의) 바닥, 밑창; 선실 바닥; (썰매의) 밑바닥 면; 난로 바닥, (오븐·다리미의) 밑부분; 대패의 밑바닥; 쟁기의 하부; 〖建·機〗 저판(底板); (스키의) 밑바닥, (골프채의) 밑부분: a rubber ~ (구두의) 고무창.
—— *vt.* (구두 따위의) 밑창을 대다; 〖골프〗 (골프채)의 밑부분을 땅에 대고 칠 자세를 취하다.
〚OE 《美》 *sole*<L *solea* sandal〛
sole[3] *n.* 〖魚〗 혀가자미, 혀넙치, (특히) 솔; (널리) 넙치, 가자미.
〚OF<Prov.<L (↑); 모양이 비슷한 데서〛
sol·e·cism [sáləsìzəm, sóu-] *n.* **1** 문법[어법] 위반; 파격. **2** 잘못 말함; 버릇없음; 부적당, 잘못, 모순. **-cist** *n.* 문법 위반자; 버릇없는 사람.
〚F or L<Gk. (*soloikos* speaking incorrectly); Attic 방언(方言)의 오용(誤用)으로 유명한 고대 Cilicia의 도시 *Soloi*에서 연유함〛
sol·e·cis·tic, -ti·cal [sɑ̀ləsístik(əl), sòu-] *a.* 문법 위반의, 파격의; 버릇없는, 온당치 않은. **-ti·cal·ly** *adv.*
sóle cústody *n.* 〖法〗 단독 보호《이혼 후 한쪽 부모[미국에서는 보통 어머니]가 아이를 보호함》.
soled [sóuld] *a.* [복합어를 이루어] …의 바닥의, 구두창이 …인.
sóle lèather *n.* (구두창용의) 질기고 두꺼운 가죽, 가죽창.
sóle·ly *adv.* **1** 혼자(alone), 단독으로(singly):

You are ~ responsible for it. 오직 너 한 사람에게만 책임이 있다. **2** 다만, 단지(only), 완전히(entirely) : I did it ~ for his sake. 오직 그를 위해서 그것을 했다.

***sol·emn** [sάləm] *a.* **1** 진지한, 근엄한, 엄숙한, 장중한, 장엄한 : (as) ~ as a judge (재판관처럼) 대단히 근엄한 / a ~ face 근엄한 표정 / a ~ festival 엄숙한 제례 / a ~ sight 장엄한 광경. **2** 중요한, 중대한 : He gave us a ~ warning. 그는 우리들에게 중대한 경고를 했다. **3** 진지한 체하는, 점잔빼는, 젠체하는 ; 격식차리는 : You look very ~. 매우 심각한 얼굴을 하고 있군. **4** 종교상의, 신성한, 종교상의 격식을 차린 ; 칙칙한, 음침한. **5** 〖法〗 정식의 : a ~ oath 정식 선서. **~·ly** *adv.* **~·ness** *n.*
〚OF<L *solemnis* customary, celebrated at fixed date〛
類義語 ⟹ GRAVE².

so·lem·ni·fy [səlémnəfài] *vt.* …을 엄숙[장엄]하게 하다.

so·lem·ni·ty [səlémnəti] *n.* **1** Ⓤ 엄숙, 장엄, 장중(莊重), 신성함. **2** Ⓤ 심각한[엄숙한] 체함, 젠체함, 근엄, 장중한 말[의식]. **3** Ⓤ 〖法〗 (법령·계약 따위를 유효하게 하는) 정규의 수속, 정식. **4** Ⓤ [때때로 *pl.*] 의식, 제전.

sol·em·nize [sάləmnàiz] *vt.* (식, 특히 결혼식을) 올리다, 식을 올려 축하하다 ; 장엄[엄숙]하게 하다, 진지하게 하다 : ~ a marriage (교회에서) 정식 결혼식을 올리다. —— *vi.* 엄숙하게 말하다[행동하다], 진지해지다. **sòl·em·ni·zá·tion** *n.* Ⓤ 장엄화(化) ; 의식을 거행함.

sólemn máss *n.* [때때로 S~ M~] 〖카톨릭〗 장엄미사.

so·len [sóulən] *n.* 〖貝〗 맛조개.
〚Gk. *sōlēn* tube〛

so·le·noid [sóulənɔ̀id] *n.* 〖電〗 코일통, 솔레노이드, 원통형 코일. 〚F ; ⇨ SOLEN〛

sóle·plàte *n.* 〖建〗 (사잇기둥의) 바닥판, 상판(床板) ; 〖機〗 바닥판, 밑판 ; 다리미의 밑바닥.

soles *n.* SOL²의 복수형.

sol-fa [sὰlfά:, sòul-, ⌐⌐] *n.* Ⓤ 〖樂〗 음계의 도레미파《do, re, mi, fa, sol, la, ti》 ; 계명 창법[연습] ; =TONIC SOL-FA : sing ~ 도레미파를 노래하다. —— *vi., vt.* (~**ed**) 도레미파를[계명으로] 부르다. 〚*sol*¹+*fa*〛

sol·fège [sɑlféʒ] *n.* 〖樂〗 솔페주《선율·음계를 계명으로 노래하기 ; 또는 도레미파를 쓴 시창법(視唱法)》 ; 음악의 기초이론 교육. 〚F<It. (↓)〛

sol·feg·gio [sɑlfédʒiou] *n.* (*pl.* **-feg·gi** [-fédʒi:], **~s**) =SOLFÈGE. 〚It. ; ⇨ SOL-FA〛

Sol. Gen. Solicitor General.

***soli** *n.* 〖樂〗 SOLO의 복수형.

so·li-¹ [sóulə, sάlə] *comb. form* 「단일의」「유일한(solitary)」의 뜻. 〚L SOLUS〛

so·li-² [sóulə] *comb. form* 「태양」의 뜻. 〚L SOL〛

so·lic·it** [səlísət] *vt.* **1** [+目 / +目+前+名] 청하다, 간청하다, 졸라대다 ; 권유하다 ; (주의·주장 따위를) 열심히 설명하다 : ~ advice [trade] 충고[거래]를 청하다 / We ~ you ***for your custom. 애호해 주시기 바랍니다《상용문》/ He ~*ed* aid ***from*** the minister. 그는 장관의 원조를 간청했다. **2** (뇌물을 주어) 나쁜 일에 유혹하다 ; (매춘부가 손님을) 유혹하다, 끌다.
—— *vi.* **1** [動 / +前+名] 간청하다 ; 권유하다 : They are ~*ing* ***for*** contributions. 그들은 기부를 권유하고 있다. **2** (매춘부가) 손님을 유혹하다. **3** solicitor로서 일하다.
〚OF<L=to agitate (*sollicitus* anxious)〛
類義語 ⟹ BEG, ASK (2).

so·lic·i·tant [səlísətənt] *n.* solicit하는 사람.

so·lic·i·ta·tion [səlìsətéiʃən] *n.* Ⓤ,Ⓒ 청원, 간청, 귀찮게 졸라댐, 애원 ; 권유 ; 유도 ; 유혹 ; 〖法〗 교사(敎唆) ; 뇌물 유치 ; (매춘부의) 손님끌기[유혹하기].

so·lic·i·tor [səlísətər] *n.* **1** 《英》 사무 변호사《법률 고문을 맡거나 법정 변호사와 소송 의뢰인 사이에서 재판사무를 취급하는 하급 변호사로서 상급 재판소에서의 변호는 할 수 없음》 ; 《美》 (시·읍 따위의) 법무관. **2** 간청자, 청하는 사람, 조르는 사람 ; 《美》〖商〗 권유인, 주문 받는 사람 ; 선거 운동원 《등》.
類義語 ⟹ LAWYER.

solícitor géneral *n.* (*pl.* **solícitors géneral**) [S~ G~] 《美》 법무[사법]차관 ; (주(州)의) 법무부장 ; 《英》 법무차관《略 S.G.》 (cf. ATTORNEY GENERAL).

so·lic·i·tous [səlísətəs] *a.* **1** 염려하는, 걱정하는 (anxious) : They were ~ ***for*** their son's welfare. 아들의 행복을 바라고 있었다 / He is ~ ***about*** the future. 장래를 걱정하고 있다. **2** [+*to* do] 열렬한(eager), 열렬히 …하고 싶어하는, 간절히 바라는 : They were ~ ***to*** please. 남의 마음에 들려고 애쓰고 있었다 / I am ~ ***of*** his help. 그의 원조를 간절히 바란다.
~·ly *adv.* **~·ness** *n.* 〚L ; ⇨ SOLICIT〛

so·lic·i·tude [səlísətjù:d] *n.* **1** Ⓤ 애태움, 걱정, 근심, 우려〈*about*〉. **2** Ⓤ 갈망, 애씀, 열심〈*for*〉. **3** [*pl.*] 걱정거리. 〚OF<L ; ⇨ SOLICIT〛

***sol·id** [sάləd] *a.* **1** 고체의, 고형체의(cf. FLUID, GASEOUS, LIQUID) : ~ food 고형 음식. **2** 딱딱한 ; 충실한, 속이 찬 ; 실속있는 : a ~ meal 실속있는 식사. **3** 속까지 같은 물질의, 순수한, 도금(鍍金)한 것이 아닌. **4** 실팍한, 튼튼한 ; [흔히 good ~] 강력한, 철저한 : a *good* ~ blow 강력한 일격. **5** (학문 따위) 기초가 확고한 ; 견실한 ; 신뢰할 수 있는, 근실한 ; 확실한, 현명한. **6** 결속한, 만장[거국] 일치의〈*with*〉 ; 《美口》 동료와 잘 어울리는, 친밀한 : go[be] ~ for[in favor of] …에 찬성하여 일치단결하다[하고 있다]. **7** (색깔이) 농담이 없는, 한결같은, 고른. **8** 전체의 (whole) : one ~ hour 꼬박 한 시간. **9** 〖數〗 입체의, 세제곱의(cubic). **10** 〖印〗 활자를 빽빽이 짠, 행간을 띄지 않은. **11** (복합어가) 하이픈[스페이스] 없이 한 단어로 쓰여진 : a ~ compound 하이픈 없이 한 단어로 쓰는 복합어《보기 anything, barbershop, *etc.*》. **12** 《美口》 항상[변함없이] 지지하는, 정기적으로 출석하는. **13** 《美俗》 (음악·리듬이) 훌륭한, 굉장한. —— *n.* **1** 고체, 고형체(cf. FLUID, GAS, LIQUID) ; [*pl.*] 고형 음식. **2** 〖數〗 입체 ; 얼룩이 없는 색 ; 하이픈 없는 복합어 ; 《美俗》 믿을 수 있는 친구.
—— *adv.* 일치하여 ; 《口》 가득, 완전히 : vote ~ (만장) 일치로 투표하다. **~·ly** *adv.* **~·ness** *n.*
〚OF or L *solidus* firm〛
類義語 ⟹ FIRM.

sólid ángle *n.* 〖數〗 입체각.

sol·i·da·rism [sάlədərìzəm] *n.* (「한 사람은 만인을 위해, 만인은 한 사람을 위해」라고 하는) 연대주의(連帶主義) ; =SOLIDARITY. **-rist** *n.*

sol·i·dar·i·ty [sὰlədǽrəti] *n.* **1** Ⓤ 결속, 일치, 단결, 공동 일치 ; (이해·감정·목적 따위의) 공유, 연대. **2** Ⓤ 〖法〗 연대 책임. **3** [S~] 연대《1980년 9월에 결성된 폴란드의 자유 노동조합의 전국 조직》. 〚F ; ⇨ SOLID〛

類義語 ⟹ UNITY.

sol·i·dary [sɑ́lədèri ; -dəri] *a.* 공동의, 일치의 ; 연대(책임)의.

sólid fúel *n.* (로켓의) 고체 연료(solid propellant) ; (석유·가스에 대하여) 석탄 따위의 고체 연료.

sólid-fúeled *a.* 고체 연료에 의한 : a ~ rocket 고체 연료 로켓.

sólid geólogy *n.* 고체 지리학.

sólid geómetry *n.* 입체 기하학, 공간 기하학.

so·lid·i·fy [səlídəfài] *vt.* 응고[응결·결정]시키다, 굳히다 ; 단결[결속]시키다 : ~ concrete 콘크리트를 굳히다 / the factors that *solidified* public opinion 여론을 일치시킨 요인. —— *vi.* 응고하다, 굳어지다 : Jelly *solidifies* as it gets cold. 젤리는 식으면서 굳어진다.

the solidifying point 〖理〗 응고점.

so·lìd·i·fi·cá·tion *n.* 단결 ; 응고.

so·lid·i·ty [səlídəti] *n.* **1** Ⓤ 딱딱함, 고체성, 고형성(cf. FLUIDITY). **2** Ⓤ 실질적인 것 ; 속이 참, 실속있음. **3** Ⓤ 견고 ; 신뢰할 수 있음 ; 견실. **4** Ⓤ 입체성.
〖F ; ⇨ SOLID〗

sólid mòtor *n.* 고체 연료 추진 모터.

sólid of revolútion *n.* 〖數〗 회전체 ; 〖機〗 회전 입체(立體).

sólid propéllant *n.* (인공 위성의) 고체 추진제(劑) ; =SOLID FUEL.

sólid ròcket *n.* 고체 연료 로켓.

sólid rócket bòoster *n.* 〖宇宙〗 고체 연료 로켓 부스터《略 SRB》.

sólid solútion *n.* 〖理〗 고용체(固溶體).

Sólid Sóuth *n.* [the ~] 《美》 전통적으로 민주당 지지 기반이 다져진 남부(의 여러 주).

sólid-státe *a.* 〖電子〗 (라디오·스테레오 장치 따위) 솔리드스테이트의《전자관 대신에 반도체 소자를 사용한》 ; 〖理〗 고체 물리의 : a ~ amplifier 반도체 증폭기 / ~ science 물성(物性)과학.

sólid-státe electrónics *n.* 고체 전자 공학.

sólid-státe máser *n.* 〖電子〗 고체 메이저.

sólid-státe phýsics *n.* 고체 물리학.

sólid-státe technólogy *n.* 〖電子〗 고체 기술《반도체 소자나 집적 회로의 제법에 관한 기술》.

sol·i·dus [sɑ́lədəs] *n.* (*pl.* **-di** [-dài, -dì:]) **1** 솔리두스《Constantine 대제가 제정한 로마 금화 ; 후세의 bezant》. **2** 두 글자를 나누는 사선《/ ; 이것은 s의 변형》. **a)** =SHILLING MARK. **b)** 날짜나 분수를 나타내는 사선《1/6은 《英》 6월 1일, 《美》 1월 6일 ; 또는 6분의 1》.
〖L *solidus* (*nummus*) gold coin ; ⇨ SOLID〗

sólid wáste *n.* 고형(固形) 폐기물《빈 깡통, 유리병, 플라스틱 용기, 신문, 잡지 따위와 큰 것은 폐차·폐전자 제품 따위》.

sol·i·fid·i·an [sɑ̀ləfídiən] *a.* 〖神學〗 유신론(자)의. —— *n.* 유신론자.

so·li·fluc·tion | **-flux·ion** [sòuləflʌ́kʃən, sɑ̀l-] *n.* 〖地質〗 토양류(流), 유토(流土), 솔리플럭션《동토(凍土) 지대에서 표토가 사면(斜面)을 천천히 이동하는 현상》.

so·lil·o·quist [səlíləkwəst] *n.* 혼잣말하는 사람 ; 독백자.

so·lil·o·quize [səlíləkwàiz] *vi., vt.* 혼잣말하다 ; 〖劇〗 독백하다.

so·lil·o·quy [səlíləkwi] *n.* Ⓤ,Ⓒ 혼잣말(하기) ; Ⓒ (연극 따위의) 독백.
〖L (*soli-*, *loquor* to speak)〗

sól·ìon *n.* 〖電子〗 솔리온《용액 속의 이온의 이동을 이용한 검출·증폭 전자 장치》.

sol·i·ped [sɑ́ləpèd] *n., a.* 〖動〗 (말 따위) 단제(單蹄) 동물(의).

sol·ip·sism [sɑ́ləpsìzəm, sóul-] *n.* Ⓤ 〖哲〗 유아론(唯我論), 독재론(獨在論). **-sist** *n.* 유아론자.
〖*soli-*+*ipse* self+*-ism*〗

sol·i·taire [sɑ́lətèər, -tæ̀ər, ⌐-⌐] *n.* **1** 외알박이 보석, (보통은 다이아몬드의) 외알 ; 보석을 한 알만 박은 귀고리[커프스 단추 따위]. **2** 혼자서 하는 여러가지 게임 ; 《美》 혼자서 하는 카드 놀이(patience) ; 《美俗》 자살. **3** 《古》 은자, 속세를 떠난 사람. 〖F<L (↓)〗

***sol·i·tary** [sɑ́lətèri ; -təri] *a.* **1** 혼자의, 외톨이의 ; 고독한 ; 단독의 : a ~ cell 독방 / a ~ walk 혼자하는 산책. **2** 외로운(lonely), 쓸쓸한. **3** 인적이 드문, 외딴 ; (집·마을 따위가) 고립된 : a ~ house 외딴 집. **4** 유일한, 단일의(sole) : a ~ instance[exception] 유일한 예[예외]. **5** 〖解·醫〗 분리된, 고립(성)의《기관·조직·종양 따위》 ; 〖動·植〗 군거[군생]하지 않는, 단생의(↔ *social*). —— *n.* 혼자 사는 사람 ; 은자(隱者) ; 《口》 =SOLITARY CONFINEMENT.

sòl·i·tár·i·ly [; sɔ́litəri-] *adv.* 홀로, 외로이(in solitude). **sól·i·tàr·i·ness** [; -təri-] *n.*
〖L (*solitas* aloneness<SOLUS)〗

類義語 ⟹ ALONE, ONLY.

sólitary confínement[**imprísonment**] *n.* 독방 감금.

sólitary wáve *n.* 〖海洋〗 고립파(孤立波)《단 하나의 물마루가 모양을 바꾸지 않고 멀리까지 진행하는 파도》.

sol·i·ton [sɑ́lətɑ̀n] *n.* [보통 *pl.*] 〖理〗 솔리톤《입자(粒子)처럼 움직이는 고립파(波)》.
〖*solit*ary+*-on*²〗

***sol·i·tude** [sɑ́lətjù:d] *n.* **1** Ⓤ 독거(獨居), 고독 ; 외로움 : *in* ~ 홀로, 외롭게. **2** 적막한 장소, 황야, 벽지.
〖OF or L ; ⇨ SOLUS〗

sol·ler·et [sɑ̀lərét, ⌐-⌐] *n.* 쇠구두《중세의 갑옷의 일부》.

sol·lick·er [sɑ́likər] *n.* 《濠俗》 터무니없이 큰 것.

sol·mi·za·tion [sɑ̀lməzéiʃən] *n.* Ⓤ 〖樂〗 계명창법(階名唱法) (sol-fa).

soln. solution.

***so·lo** [sóulou] *n.* (*pl.* **~s**, **-li** [-li:]) **1** 〖樂〗 독창(곡), 독주(곡), 솔로 : a piano ~ 피아노 독주. ㊟ 이중창[주]부터 9중창[주]까지는 다음과 같음 : (2) DUET, (3) TRIO, (4) QUARTET, (5) QUINTET, (6) SESTET *or* SEXTET, (7) SEPTET, (8) OCTET, (9) NONET. **2** 단독 연기 ; 단독 무용 ; 단독 비행. **3** Ⓤ 〖카드놀이〗 솔로《한 사람이 두 사람 이상을 상대로 하는 휘스트(whist)》.
—— *a.* 독창[독주]의 ; 독연(獨演)의 ; 단독의.
—— *adv.* 단독으로, 혼자서(alone) : fly ~ 단독 비행을 하다. —— *vi.* 혼자서 하다[생활하다] ; 단독 비행[행동]하다. —— *vt.* (비행기를) 혼자서 몰다. **~·ist** *n.* 독주[독창]자. 〖It.<L SOLUS〗

Solo *n.* [the ~] 솔로 강《인도네시아의 Java 섬 중부를 흐르는 강》.

Sólo màn *n.* 〖人類〗 솔로인(人)《Solo강 부근에서 발견된 화석 인류》.

Sol·o·mon [sɑ́ləmən] *n.* **1** 남자 이름 ; 솔로몬《고대 헤브라이 왕국의 현명한 왕》. **2** [흔히 s ~] 대현인(大賢人).

(***as***) ***wise as Solomon*** 매우 현명한.
〖Gk.<Heb.〗

Sólomon Íslands *n. pl.* [the ~] 솔로몬 제도

《(1) 남태평양 New Guinea 섬의 동쪽에 위치한 섬들. (2) 동(同)제도 북부의 부카, 부건빌 두 섬을 제외한 섬들로 이루어진 나라; 수도 Honiara; 1978년 영연방내의 독립국이 됨》.

Sólomon's séal *n.* **1** 솔로몬의 봉인(封印)《짙고 옅은 두개의 삼각형을 엇걸어 맞춘 육성형(六星形); 중세시대에 열병에 대한 부적으로 사용되었음》. **2** 〖植〗 둥굴레속(屬)의 각종 초본《백합과(科)》.

sólo mótor cỳcle *n.* 단차(單車)《사이드카가 없는 모터 사이클》.

So·lon [sóulən, -lɑn] *n.* **1** 솔론(638?-? 559 B.C.)《아테네의 입법가로서 그리스 칠현인중 한사람》. **2** Ⓒ [흔히 s~] 현인, 철인, 명입법자; [흔히 s~] 《美口》 하원 의원.

***sò lóng** *int.* 《口》 안녕(good-bye).

sol·stice [sɑ́lstəs, 美+sóul-, 美+sɔ́:l-] *n.* 〖天〗 (태양의) 지(至)《태양이 적도로부터 북 또는 남으로 가장 멀어졌을 때》, 지점(至點); 《비유》 최고점, 극점(limit); 전환점: ☞ SUMMER SOLSTICE / ☞ WINTER SOLSTICE.
〖OF<L (*sol* sun, *stit- stito* to make stand)〗

sol·sti·tial [sɑlstíʃəl, 美+soul-, 美+sɔ:l-] *a.* 〖天〗 지(至)의, (특히) 하지의; 지(至) 때에 일어나는[나타나는]. 〖L (↑)〗

sol·u·bil·i·ty [sɑ̀ljəbíləti] *n.* Ⓤ 녹음, 용해성, 가용성(可溶性), 용해도; (문제·의문 따위를) 해석[해결]할 수 있음.

sol·u·ble [sɑ́ljəbəl] *a.* **1** (물 따위에) 녹는, 용해되는, 가용성의; 녹기 쉬운: ~ glass 물유리 / Salt and sugar are ~ *in* water. 소금과 설탕은 물에 녹는다. **2** 해결할 수 있는, 해명할 수 있는. —— *n.* 녹는 것. 〖OF<L; ⇨ SOLVE〗

sóluble RNA [⌐ ɑ̀:rènéi] *n.* 〖生化〗 가용성 RNA《세포질 속을 자유로이 이동하는 RNA; 아미노산을 운반하는 transfer RNA가 가장 중요한 것임》.

sóluble stárch *n.* 가용성 녹말.

so·lus [sóuləs] *pred. a.* (*fem.* **-la** [-lə]) 혼자서(alone) 《주로 각본의 연기 지시 용어로》: Enter the king ~. 왕 혼자 등장 / I found myself ~. 《戲》 나는 오직 혼자였다. 〖L=alone〗

sol·ute [sɑ́lju:t] *n.* Ⓤ 〖化〗 용질(溶質). —— *a.* 용해된; 〖植〗 유리된(separate).

***so·lu·tion** [səlú:ʃən] *n.* **1 a)** Ⓤ 녹임, 용해(상태): Many chemical substances are held in ~ *in* water. 화학 물질에는 물속에 용해되어 있는 것이 많다. **b)** Ⓤ,Ⓒ 용액, 용제; 고무액《고무 타이어 수리용》; 〖醫〗 액제, 물약. **2** Ⓤ 분해, 해체, 분리; 붕괴. **3** Ⓤ (문제 따위의) 해석, 설명, 해결; Ⓒ 해법(解法), 해식(解式); 해답, (특히 방정식의) 풀이: attempt a ~ *of* a problem[riddle] 문제[수수께끼]를 풀어보다 / Is there any ~ *to* the grievance? 불평에 대한 어떤 해결 방법이 있습니까. **4** Ⓤ (채무 따위의 상각(償却)에 의한) 해제; 〖醫〗 (병의) 소산, 고비.

〈회화〉
Did you find a *solution* yet? — Not yet. 「해결책을 찾았나요」「아직 못 찾았어요」

~·ist *n.* (신문 따위의) 수수께끼 해답 전문가.
〖OF<L; ⇨ SOLVE〗

solútion sèt *n.* 〖數·論〗 해집합; =TRUTH SET.

solv·able [sɑ́lvəbəl, 美+sɔ́:l-] *a.* 풀 수 있는; 해답[해결]할 수 있는; 분해할 수 있는, 녹는.
sòlv·abíl·i·ty *n.* 해결 가능성.

solv·ate [sɑ́lveit, 美+sɔ́:l-] *n.* 〖化〗 용매화물(溶媒和物), 용매 화합물. —— *vt., vi.* 용매화하다.
sol·vá·tion *n.* 용매화.

Sól·vay prócess [sɑ́lvei-] *n.* 〖化〗 솔베이법(法), 암모니아 소다법.
〖Ernest *Solvay* (d. 1922) 벨기에의 화학자〗

‡**solve** [sɑlv, 美+sɔ:lv] *vt., vi.* 풀다, 해석하다; 설명하다; 해답하다; 해결하다, 결말을 짓다; 용해(溶解)하다(melt); 《古》 (매듭 따위를) 풀다: Have you ~*d* all the problems in the examination? 시험 문제를 전부 풀었습니까 / Nobody has ever ~*d* the mystery. 그 누구도 그 신비를 해명하지 못했다.
〖ME=to loosen<L *solut- solvo* to release〗

sol·vent [sɑ́lvənt, 美+sɔ́:l-] *a.* **1** 〖法〗 지급 능력이 있는(↔*insolvent*). **2** 용해력이 있는, 녹이는 〈*of*〉. **3** (신앙·전통 따위를) 약화시키는, 인심을 진정시키는. —— *n.* 용제, 용매(溶媒) 〈*for, of*〉; 해결책, 해답, 설명; (신앙 따위를) 점차로 약화시키는 것〈*of*〉. **sól·ven·cy** *n.* 지급 능력, 자력; 용해력, 용해성.
〖L (pres. p.) < SOLVE〗

sólvent-bàsed *a.* 용제성의: ~ paint 용제성 페인트.

sol·vol·y·sis [sɑlvɑ́ləsəs, 美+sɔ:l-] *n.* Ⓤ 〖化〗 가용매 분해, 용매화 분해.

Sol·zhe·ni·tsyn [sɔ̀(:)lʒəní:tsin, sòul-, sɑ̀l-] *n.* 솔제니친. **Aleksandr Isayevich** ~ (1918-) 구소련 출생의 작가; 1970년 노벨 문학상 수상; 1974년 국외 추방을 당함; 1990년 국적 회복(cf. GULAG ARCHIPELAGO).

Som. Somerset(shire).

so·ma [sóumə] *n.* (*pl.* **-ma·ta** [-tə], **~s**) 〖生〗 체(體)《생물체의 생식 세포를 제외한 전(全) 조직·기관》; (정신에 대하여) 신체.
〖Gk. *sōmat- sōma* body〗

-so·ma [sóumə] *n. comb. form* (*pl.* **-so·ma·ta** [-tə], **~s**) 「체(體)(soma)」의 뜻. 〖Gk.〗

So·ma·li [soumɑ́:li, sə-] *n.* **1 a)** (*pl.* ~, **~s**) 소말리족(族)《동아프리카의 한 종족; 흑인·아라비아 사람 그밖의 혼혈》. **b)** Ⓤ 소말리어(語). **2** 〖動〗 소말리고양이《비단 모양의 긴털과 깃털 모양의 꼬리를 가짐》.

So·ma·lia [soumɑ́:liə, sə-, -ljə] *n.* 소말리아《아프리카 동부의 공화국; 수도 Mogadishu》.

Somáli·lànd *n.* 소말릴란드《동아프리카의 지역; 소말리아, 지부티, 에티오피아 동부 오가덴 지구를 포함함》.

so·mat- [soumǽt, sóumət], **so·mato-** [soumǽtə, sóumətə] *comb. form* 「신체」「몸」의 뜻. ㈜ 모음 앞에서는 somat-. 〖Gk.〗

somata *n.* SOMA의 복수형.

so·mat·ic [soumǽtik, sə-] *a.* (정신에 대해) 신체(상)의, 육체의(physical); 〖解·動〗 체강[체벽]의(parietal); 〖生〗 체(soma)의.
〖Gk.; ⇨ SOMA〗

somátic céll *n.* 〖生〗 체세포《생식세포 이외》.

somátic déath *n.* 〖醫〗 신체사(身體死).

somàto·génic [, sòumətə-] *a.* 〖生·心〗 체세포에서 생기는, 체세포 원성(原性)의, 체인성(體因性)의.

so·ma·tol·o·gy [sòumətɑ́lədʒi] *n.* 〖人類〗 형질; (원래) 체질학, 체형학.

so·ma·tom·e·try [sòumətɑ́mətri] *n.* 인체[생체] 계측.

somáto·plàsm [, sóumətə-] *n.* 〖生〗 체세포 원형질; (생식질(生殖質)과 구별하여) 체질.

somàto·sénsory [, sòumətə-] *a.* 체성(體性) 감

각의.

somàto·thérapy [ˌ, sòumətə-] *n.* 〖醫〗 (심리적 문제에 관한) 신체 치료.

somàto·tónic [ˌ, sòumətə-] *a.* 〖心〗 신체형의《근골이 발달한 사람에게 많은 활동적인 기질》.

somàto·tróphic hórmone [ˌ, sòumətə-] *n.* 〖生化〗 생장 호르몬(growth hormone).

somàto·tró·pin [-tróupən, sòumətə-], **-phin** [-fən] *n.* 〖生化〗 생장 호르몬.

somáto·tỳpe [ˌ, sóumətə-] *n.* 〖心〗 체형(體型) (cf. ENDOMORPH, MESOMORPH, ECTOMORPH).

***som·ber, som·bre** [sɑ́mbər] *a.* **1** 어둠침침한, 검은, 거무스름한(dark) ; 흐린 : a ~ sky 어둠침침한 하늘. **2** 칙칙한, 수수한. **3** 음침한, 우울한 : a ~ expression on his face 그의 얼굴에 나타난 침울한 표정. **~·ly** *adv.* 거무스름하게 ; 수수하게 ; 음침하게. **~·ness** *n.*
〚F＜Rom. (*sub-*, UMBRA)〛

som·bre·ro [sɑmbréərou, səm-] *n.* (*pl.* **~s**) 솜브레로《미국 남서부・멕시코 등지에서 쓰는 챙 넓은 felt 모자 ; cf. TEN-GALLON HAT》.
〚Sp. *sombrero* (*de sol*) shade from the sun(↑)〛

som·brous [sɑ́mbrəs] *a.*《古・文語》＝SOMBER.

◇**some**

(1) some은 단수 가산명사일 때 붙이는 부정관사 a에 상당하는 듯한 용법으로서 뜻이 약하여 우리말로 해석하지 않아도 될 때가 있다.
(2) some은 긍정문에 쓰며 부정・의문・조건문에서는 any를 쓰는 것이 원칙이다. 단 권유나 의뢰 또는 말하는 사람이 기대하는 대로의 결과를 예상하는 기분으로 하는 발언에서는 some을 쓴다 : Can we have *some* milk? (우유를 더 마셔도 될까요?) / Didn't you publish *some* poetry last year? (당신은 작년에 시집을 내셨나요) / Won't you have *some* cookies? (쿠키 좀 드시겠어요.)

── *a.* [부정・의문・조건의 ANY에 대응하는 긍정] **1** [sʌ̀m] [단수 보통명사 앞에 붙여서] 어떤, 무슨, 누군가의, 어딘가의, 언젠가의 : ~ one (*or other*) 누군가 / in ~ way (*or other*) 어떻게 해서든, 이럭저럭하여 / for ~ reason 어떤 이유로, 무슨 까닭인지 / He went to ~ place in the United States. 그는 미국의 어딘가에 갔다. ☞ 活用 (1).
2 [səm] [Ⓤ 또는 복수형 보통명사에 붙여서] 얼마인가의, 다소의, 조금의 : I want ~ books [money]. 책[돈]을 좀 가지고 싶다 / Will you have ~ more coffee? 커피를 좀 더 드시지 않겠습니까.
3 [sʌ̀m, sʌ́m] [복수형 앞에 붙여서 some, others, the rest와 대조적으로 쓰임] 사람[것]에 따라서는 …(도 있다), 그중에는…(cf. *pron.* 2) : *S*~ people do not like that sort of thing. 그러한 일을 싫어하는 사람도 있다 / *S*~ comets come back every few years, and *others* are gone for nearly a hundred years before they return. 혜성(彗星) 중에는 수년마다 나타나는 것도 있지만 또 백년이나 지나서 다시 나타나는 것도 있다.
4 [sʌ́m] [문장 악센트를 붙여 강조하여]《口》**a**) 상당한, 제법인 ; 대단한, 굉장한 : I stayed there for ~ days[time]. 여러 날[꽤 오래] 거기 머물렀다 / It was ~ party. 매우 성대한 파티였다(cf. *something* LIKE[1] (2)) / She is ~ scholar. 그녀는 대단한 학자다 / I call that ~ poem. 그것은 굉장한 시라고 생각한다. **b**) [보통 some+명사를 문두에 놓아서]《反語》그다지[완전히] …하지 않다 : *S*~ help that is! 대단한 도움이로군《그까짓것 도움도 아니다》/ *S*~ friend you are! 너는 굉장한 친구로구나《친구라고도 할 수 없다》.
5 [sʌ̀m] **a**) [수사 앞에 붙여서] 약, …정도의 (about) : ~ hundred books 약 100권(의 책) (cf. some HUNDREDs of books「수백 권」). **b**)《古》[거리・시간 따위의 단수명사에 붙여서] : ~ mile[hour] or so 1마일[시간] 정도.
some one [sʌ́m wʌ́n] 어느 하나(의), 누구인가 한 사람(의) ; [sʌ́m wʌ̀n] ＝SOMEONE (*pron.*).
some other time 언제고 또.
some day 앞으로 (언젠가), 후일(cf. one day ☞ ONE *a.* 2) : The boy will be a scientist ~ *day.* 그 소년은 이 다음에 과학자가 될 것이다. ☞ SOMEDAY 活用.
some say 약간의 발언권.
some time (1) 잠시[잠깐]동안. (2) 언젠가는, 훗날(＝~ time or other). ☞ SOMETIME 活用.
some time or other 언젠가, 언제고, 조만간.
── *pron.* 주 의의・용법 따위는 형용사의 경우에 준함. **1** [sʌ̀m] 약간의 수[양], 다소, 얼마간, 조금, 일부(cf. *a.* 2) : I want ~ (*of* them[*of* it]). 나는 (그것들이[그것이]) 좀 필요하다.
2 [sʌ̀m, sʌ́m] [때때로 others와 대조적으로 써서] 어떤 사람들, 어떤 것 ; 사람[것]에 따라서는 …하는 사람[것](도 있다) (cf. *a.* 3) : *S*~ say it is true, ~ not. 정말이라는 사람도 있고 그렇지 않다는 사람도 있다 / *S*~ are good, and ~ are bad, and *others* are indifferent. 좋은 것도 있고 나쁜 것도 있으며 또 그 중간 것도 있다.
and then some《美口》그 위에[게다가] 듬뿍 (and plenty more than that).
── *adv.* **1** [sʌ́m, sʌ̀m]《口》다소, 조금은 (somewhat) : The sea had gone down ~ during the night. 바다는 밤 사이에 다소 잔잔해졌다 / I slept ~ last night. 지난밤에는 좀 잤다. ☞ 活用 (2). **2** [sʌ́m]《美口》꽤, 상당히, 크게 ;《美口》빠르게 : He seemed annoyed ~. 그는 몹시 당황한 것 같았다 / Do you like it? — *S*~! 그것을 좋아하니 — 아주(cf. RATHER 4).
〚OE *sum* ; cf. OS, OHG *sum*, ON *sumr*, Goth. *sums*〛
活用 (1) *a.* 1의 뜻에서는 some은 낯선 사람 또는 사물에 대하여 쓰인다 : *Some* girl phoned you just now. (방금 어떤 여자 아이가 너에게 전화를 걸어왔다). ☞ CERTAIN 活用.
(2) *adv.* 1의 용법에서 some을 표준적으로 가령 I watch television *some.* (나는 텔레비전을 좀 보는 편입니다)를 I watch television *sometimes.*로 하는 것 같이 다른 적당한 표현으로 바꿀 수 있다.

-some[1] [səm] *a. suf.* **1**「…에 알맞는, …이 생기는, …을 초래하는, …시키는」의 뜻. **a**) [명사에 붙여] : hand*some.* **b**) [형용사에 붙여] : blithe*some.* **2**「…하기 쉬운, …의 경향이 있는, …하는」의 뜻 : tire*some.* 〚OE *-sum* ; cf. ↑〛

-some[2] *n. suf.* [수사(數詞)에 붙여서]「…사람으로[개(個)로] 이루어지는 군(群)[조(組)]」의 뜻 : two*some.*
〚ME *sum* (pron.) one, some〛

-some[3] [sòum] *n. comb. form*「체(體) (soma)」「염색체」의 뜻 : chromo*some.* 〚Gk.〛

◇**some·body** [sʌ́mbɑ̀di, -bʌ̀di, -bdi] *pron.* [긍정문에서] 어떤 사람, 누군가 : There is ~ at the door. 현관에 누군가 와 있다 / General *S*~ (＝Something) 모(某) 장군. ── *n.* 아무개라는 훌

륭한 사람, 대단한 사람, 상당한 인물(cf. ANYBODY, NOBODY) : He thinks he's (a) ~. 그는 자신이 잘난 사람인 줄 안다.

活用 (1) *pron.*의 somebody는 someone보다도 약간 완곡한 표현법.

(2) somebody, someone은 보통 단수 취급 : *Somebody* [*Someone*] *seems* to have called on me in my absence. I wonder who *he* was. (내가 없는 동안에 누군가 찾아왔던 모양인데, 대체 누구일까). 그러나 특히 완곡한 《口》에서는 they[them, their, *etc.*]로 받는 수가 있다 : *Somebody* [*Someone*] came into the drive-in, ordered *their* meal, ate it, and then hastily departed with a friend of *theirs.* (어떤 사람이 드라이브인 식당에 들어와서 식사를 주문하여 먹고 나서 급히 한 친구와 떠났다).

(3) someone은 한정된 속에서의 「어떤 사람」의 뜻으로 *someone* of you와 같이 말할 수 있으나 somebody는 그렇게는 쓰지 않는다.

***sóme·dày** *adv.* 언젠가, 훗날.

活用 someday는 some day[time] or other, some other day와 같은 뜻이며 미래에 대해서만 쓰임. 과거에 대해서는 보통 the other day나 one day를 쓴다. 두 단어로 된 some day는 명사구로도 쓰이며 대체적으로 보다 한정된 특정한 날을 말할 때에 쓰이고 때로 someday로 대체할 수 없을 때도 있음 : *Someday* [*Some day* (*or other*)] a beginning must be made. (언젠가는 시작하지 않으면 안된다) / Come *some day* soon. (가까운 시일 내[근일 중]에 오십시오) / Choose *some day* that is not so busy. (그다지 바쁘지 않은 날을 택하시오). 위의 보기 중에서 끝의 두 보기에서는 someday를 쓰지 않음. ☞ SOMETIME 活用 (1).

sóme·dèal *adv.* 《古》 어느 정도.

***sóme·hòw** *adv.* **1** 어떻게 해서든지 ; 여하튼, 어쨌든, 그럭저럭 : I must get it finished ~ (*or other*). 어떻게 해서든지 그것을 끝내버려야 한다. **2** 웬일인지, 어쩐지 : *S*~ I don't like him. 어쩐지 그가 싫다 / It got broken ~ *or other.* 웬일인지 그것이 부서졌다. 주 때때로 뒤에 or other가 따름.

◇**some·one** [sʌ́mwʌ̀n, -wən] *pron.* =SOMEBODY. 活用 ☞ SOMEBODY.

sóme·plàce *adv.* 《美口》 =SOMEWHERE.

***som·er·sault** [sʌ́mərsɔ̀:lt] *n.* **1** 재주넘기, 공중제비 : turn a ~ 재주넘다. **2** 《비유》 (의견·태도 따위의) 반전, 180도 전환.
—— *vi.* 재주넘다, 공중제비하다.
〖OF (*sobre* above, *saut* jump)〗

som·er·set [sʌ́mərsèt] *n., vi.* =SOMERSAULT.
—— *vt.* 던져서 뒤집다 ; …에게 공중제비[재주넘기]를 시키다. 〖C16 ‹ ↑〗

Som·er·set [sʌ́mərsèt, -sət] *n.* **1** 서머싯《잉글랜드 남서부의 주 ; 주도 Taunton》. **2** [s~] 《英》 (한쪽 다리 없는 사람을 위한) 서머싯 안장《이것을 사용한 장군 Lord F. H. Somerset에 연유함》. 〖OE=dweller at Somerton〗

Sómerset Hòuse *n.* 서머싯 하우스《호적등기소·유언 검인 등기소·내국세 수입국 따위의 관서가 있는 London의 건물》.

Sómerset·shire [-ʃiər, -ʃər] *n.* =SOMERSET.

◇**some·thing** [sʌ́mθiŋ] *pron.* **1** 어떤 것, 어떤 일, 무엇인가(☞ 活用) : I want ~ to eat[drink]. 뭔가 먹고[마시고] 싶다 / Here is ~ for you. 이것을 (약소하지만) 너에게 주마 / There is ~ (=some truth) in it. 그것에는 일리가 있다 / He is [has] ~ in the Customs. 세관에서 무슨 일인가 맡고 있다 / have ~ to do with ☞ *have* ... *to* DO[1] *with* / He is a lawyer *or* ~. 그는 변호사인가 뭔가이다 / There is ~ in the envelope. 봉투에 무엇인가가 쓰여 있다. 주 다음 보기에서는 형용사적 : the four ~ train 4시 몇분인가의 기차. **2** 얼마간, 조금, 다소, 약간 : There is ~ *of* uncertainty in it. 그것에는 다소 불확실한 점이 있다 / He is ~ *of* a musician. 그는 다소 알려진 음악가다 / He knows ~ about cars. 그는 차에 관해 다소 알고 있다.

make something of... (1) …을 이용하다. (2) …을 중요시하다. (3) 《美口》 …을 문제로 삼다.

see something of a person 남과 가끔 만나다[접촉하다].

—— *adv.* **1** 약간, 얼마, 다소, 조금 : look ~ like... 다소 …와 비슷하다. **2** 《口》 대부분, 꽤, 매우, 몹시, 대단히.

something like ☞ LIKE[1] *a.*

—— *n.* **1** 중요한 것[사람] : He believes he is ~ (=somebody). 그는 자신을 중요한 인물인 줄 알고 있다. **2** [부정관사를 붙여] 어떤 것 : an indefinable ~ 무어라 형언키 어려운 것. **3** 《婉》 =DEVIL ; =DAMN(ED) : What the ~ (=devil) are you doing here? 도대체 여기서 무엇을 하고 있느냐 / [형용사적으로] You ~ villain! 이 천하에 몹쓸 놈아! / [임시 동사로서] I'll see you ~*ed* (=damned) first! 무슨 수작이냐 이 망할놈! 〖OE *sum thing* ; ⇨ SOME, THING〗

活用 (1) *pron.*의 something은 보통 긍정문에 쓰이지만 형식은 의문문일지라도 말하는 사람의 마음속에서 긍정의 기분이 강할 때는 anything보다도 something이 쓰임 : Did you hear *something*? 뭔가 들렸습니까《뭔가 들렸지요》. 또 조건절, 특히 if가 이끄는 절 속에서도 흔히 something이 쓰임 : If *something* happens to you, I will come to help you at once. (만일 너에게 무슨 일이 생기면 내가 곧 도우러 가겠다)《cf. If *anything* happens to you, ... (무슨 일이라도 생기는 날에는…)》.

(2) *pron.*의 something을 수식하는 형용사는 뒤에 옴 : There is *something funny* about it. (그것에는 무언가 우스운 점이 있다). ☞ ANYTHING 活用 (1), EVERYTHING 주, NOTHING 活用 (2).

some·thingth [sʌ́mθiŋθ] *a.* 몇 번째인가의 : in his seventy-~ year 일흔 몇 살인가에.

***sóme·tìme** *adv.* **1** 언젠가, 근일에, 근간에 : ~ or other 언젠가, 조만간. **2** 한때, 이전에, 일찍이 : He was ~ mayor of Chicago. 한때는 시카고 시장이었다. —— *attrib. a.* **1** 전의, 이전의 (former, onetime) : a ~ professor 전(前)교수. **2** 《美口·英古》 이따금의, 때때로 일어나는, 가끔 일어나는 : His wit is a ~ thing. 이따금 그의 재치가 번득인다.

活用 (1) *adv.*의 sometime은 미래 또는 과거의 부정(不定)의 때를 나타내며 some time or other의 뜻. 특히 《英》에서는 some time 같이 두 단어로 쓰는 수가 많으나 일반적으로 두 단어로 쓰는 것은 보다 더 구체적인 특정의 때를 염두에 두고 있는 경우임 : He will come *sometime* [*some time*], I am sure. (그는 반드시 언젠가는 오리라고 확신한다). ☞ SOMEDAY 活用.

(2) some time은 또한 「잠시 동안」(for some time)의 뜻도 되며 이 때에는 sometime이라고 붙여 쓰지 않는다 : He stayed here *some* time. (그는 이곳에 잠시 머물렀다). 이 경우 some에

악센트를 두면 「꽤 오랫동안」의 뜻이 된다.
(3) *attrib. a.*로서의 sometime은 항상 한 단어로 만 쓴다.

◇**sóme·tìmes** [ˌ, səmtáimz] *adv.* **1** 때때로, 때로는, 이따금, 간혹 : *S*~ I feel like quitting my job. 때로 일을 그만두고 싶은 생각이 든다 / I walk to school ~. 간혹 걸어서 학교에 간다. **2** 《廢》 예전에. ── *a.* 《古》 전의. 〖*-es*〗

sóme·wày, -wàys *adv.* 어떻게 해서든지(in some way) ; 조금 떨어진 곳에.

***sóme·whàt** [ˌ, 美+-*h*wət] *adv.* 약간, 얼마간, 다소, 조금 : It's ~ different. 그것은 다소 다르다 / He looked ~ annoyed. 조금 난처한 듯한 표정이었다. ── *n.* 조금, 다소, 약간(something) : He is ~ *of* an artist. 그는 예술가다운 데가 있다.

sóme·whèn *adv.* 언젠가, 머지않아, 조만간.

‡**sóme·whère** *adv.* 어딘가에, 어디론가 ; 언젠가 ; 대충, 거의 : ~ about here 어딘가 이 근처에 / ~ about fifty 대충 50쯤.
get somewhere ☞ GET[1].
I'll see you somewhere (=in hell) ***first !*** 망할 자식, 빌어먹을 놈《등》.
── *n.* 어떤 장소, 모처(某處).

sóme·whères *adv.* 《方·口》 =SOMEWHERE.

sóme·whìle(s) *adv.* 《古》 **1** 때때로. **2** 잠시. **3** 언젠가, 조만간. **4** 이전에, 일찍이. 〖*-es*〗

sóme·whìther *adv.* 《古》 어디론가.

sóme·wìse *adv.* 《古》 =SOMEWAY.

-so·mic [sóumik] *a. comb. form* 〔生〕 「…염색체의[를 가진]」의 뜻 : tri*somic*. 〖*-some*[3]+*-ic*〗

som·ite [sóumait] *n.* 〔動〕 체절(體節) (metamere). **so·mi·tal** [sóumitl] *a.*

som·ma [sámə] *n.* 〔地質〕 (분화구 주위에 생기는) 외륜산(外輪山). 〖It.=summit〗

som·me·lier [sʌ̀məljéi, ˌ-ˌ ; *F* sɔməlje] *n.* (*pl.* ~s [-*z* ; *F* —]) (레스토랑 따위의) 포도주 담당.

som·nam·bul- [samnǽmbjəl] *comb. form* 「몽유(병)」「몽유병 환자」의 뜻.
〖NL ; cf. SOMNAMBULISM〗

som·nam·bu·late [samnǽmbjəlèit] *vi.* (몽유병자가) 잠결에 걸어다니다. **som·nám·bu·lant** *a.* 잠결에 걸어다니는 ; 몽유병의.
som·nàm·bu·lá·tion *n.* 몽유.
som·nám·bu·là·tor *n.* 몽유병자.
〖L *somnus* sleep+*ambulo* to walk〗

som·nam·bu·lism [samnǽmbjəlìzəm] *n.* Ⓤ 몽중보행(夢中步行), 몽유병(sleepwalking). **-list** *n.* 몽유병자.

som·nàm·bu·lís·tic *a.* 몽유병의 ; 잠결에 걸어다니는.

som·ni- [sámnə] *comb. form* 「잠」의 뜻. 〖L〗

sòmni·fácient *a.* 최면성의(hypnotic).
── *n.* 최면제.

som·nif·er·ous [samnífərəs] *a.* 최면(催眠)의 ; 졸리게 하는. **~·ly** *adv.*

som·nif·ic [samnífik] *a.* =SOMNIFEROUS.

som·nil·o·quence [samníləkwəns] *n.* Ⓤ 잠꼬대하는 버릇.

som·nil·o·quy [samníləkwi] *n.* 잠꼬대(하는 버릇). **-quist** *n.* 잠꼬대하는 사람.

som·nip·a·thy [samnípəθi] *n.* 〔醫〕 수면 질환.

som·no·lent [sámnələnt] *a.* **1** 졸린. **2** 졸음이 오게 하는, 최면의. **-lence, -cy** *n.* Ⓤ 졸림, 졸음 ; 비몽 사몽. **~·ly** *adv.*
〖OF or L (*somnus* sleep)〗

Som·nus [sámnəs] *n.* 〔로神〕 솜누스《잠의 신 ; cf. HYPNOS, MORPHEUS》. 〖L (↑)〗

Soms. Somerset(shire).

◇**son** [sʌ́n] *n.* **1** 아들, 사내 자식(↔*daughter*) ; 의붓아들, 양자 : one's ~ and heir 대를 이을 아들, 장남. **2** (남자) 자손 : the ~*s of* Abraham 유태인. **3** …나라 사람, 주민〈*of*〉. **4** 자제(子弟), 당원, 계승자. **5** 《비유》 (…의) 아들, (…에) 종사하는 사람 : a ~ *of* the Muses 시인 / a ~ *of* the soil 농부, 촌사람 / a ~ *of* toil 노동자. **6** 《호칭》 젊은이, 친구 : my ~ 여보게 젊은이 / old ~ 이 사람아. **7** [the S~] 하느님의 아들.
every mother's son 누구나 다.
a son of a bitch ☞ BITCH.
the Son of God=***the Son*** (***of Man***) 하느님의 아들《성서 중에서 그리스도를 가리킴》, 예수, 구세주.
the sons of men 인간(mankind).
〖OE *sunu* ; cf. G *Sohn*〗

son- [sán], **soni-** [sánə], **sono-** [sánou, -nə] *comb. form* 「음(音)」의 뜻. 〖L *sonus*〗

so·nance, -cy [sóunəns(i)] *n.* Ⓤ 울림 ; 〔音聲〕 유성(有聲).

só·nant *a.* 소리의, 음성의 ; 울리는, 소리가 나는 ; 〔音聲〕 유성의, 울림소리의 ; (자음이) 음절 주음적인(syllable). ── *n.* 〔音聲〕 유성음, 울림소리《[b, v, z] 따위 ; ↔ *surd*》; 음절 주음(音節主音). 〖L (pres. p.)〈*sono* to sound〗

so·nar [sóunaːr] *n.* Ⓤ 소나, 수중 음파 탐지기《음파의 반사에 의한 수중 장애물이나 해저 상황 탐지 장치[법]》; =SONIC DEPTH FINDER. 〖*so*und *na*vigation (and) *r*anging ; *radar*에 준한 것〗

sónar·man [-mən, -mæ̀n] *n.* 〔海軍〕 수측원(水測員).

so·na·ta [sənáːtə] *n.* 〔樂〕 소나타, 주명곡.
〖It. (fem. p.p.)=sounded〗

sonáta fòrm *n.* 〔樂〕 소나타 형식.

son·a·ti·na [sànətíːnə] *n.* (*pl.* ~**s**, **-ne** [-nei]) 〔樂〕 소나티나. 〖It. (dim.)〈SONATA〗

son·dage [sandáːʒ] *n.* 〔考古〕 층위(層位) 조사를 위한 깊은 시굴(試掘) 도랑.
〖F=sounding (*sonder* to sound)〗

sonde [sánd] *n.* 존데《(1) 고층 기상관측 따위에 쓰이는 기구·로켓 따위 ; cf. RADIOSONDE. (2) 체내 검사용 소식자》. 〖F=sounding line〗

sone [sóun] *n.* 손《감각상의 소리 크기의 단위》.

son et lu·mi·ère [*F* sɔ̃ e lymjɛːr] *n.* 송 에 뤼미에르《사적(史蹟) 따위에서 밤에 조명과 음향 효과를 이용하여 설명을 하면서 그 유래를 이야기하는 모임》. 〖F=sound and light〗

◇**song** [sɔ́(ː)ŋ, sáŋ] *n.* **1** 노래, 가요 ; 가곡 ; 노래책 : ☞ POPULAR SONG / a marching ~ 진군가, 행진곡 / sing a ~ 노래를 부르다. **2** Ⓤ 노래부르기, 창가, 성악(singing) ; (새 따위의) 우는[지저귀는] 소리 : the gift of ~ 노래부르는 재능 / break[burst forth] into ~ 노래하기 시작하다 / be in full ~ 목청껏 울다[지저귀다] / No ~, no supper. 《속담》 노래를 불러야 저녁을 준다《공짜는 없다》. **3** (특히 노래하기에 알맞은) 단시(短詩), 발라드(ballad), 단가(短歌) ; Ⓤ 시가(詩歌), 시문(poetry) ; 《美俗》 고백 : famous in ~ 시가(詩歌)로 이름난. **4** 태도, 성벽 ; 큰 소동.
for a song=***for an old***[***a mere***] ***song*** 싸구려로, 아주 헐값으로 : buy a used car *for a* ~ 중고차를 아주 헐값으로 사다 / go *for a* ~ 아주 헐값으로 팔다.
nothing to make a song (***and dance***) ***about*** 하찮은[쓸모없는] 일.
not worth an old song 아무 가치 없는.

a song and dance (연예장의) 노래와 춤 ; 《口》 (재미는 있지만) 진위가 의심스러운 이야기 ; 조리에 맞지 않는 설명 ; 허튼 소리.
〖OE *sang* (⇨ SING) ; cf. G *Sang*〗

Song [súŋ] *n.* 송(宋)나라.

sóng·bìrd *n.* 우는 새, 명금(鳴禽) ; 여가수, 가희(歌姬) ; 《俗》 정보제공자, 자백자, 밀고자.

sóng·bòok *n.* 가요집, 노래책.

sóng cỳcle *n.* 〖樂〗 연작(連作) 가곡.

sóng·fèst *n.* 합창회, 모두 함께 부르는 노래 모임 《(1) 자연 발생적으로 모두 함께 노래부르게 되는 것. (2) 객석과 무대가 함께 노래부르는 것》.

sóng fòrm *n.* 가곡[리트] 형식.

sóng·ful *a.* 노래의 ; 가락이 아름다운.

sóng·less *a.* 노래 없는, 노래하지 않는 ; (새 따위) 지저귀지 않는.

Song of Sol. 〖聖〗 Song of Solomon.

Sóng of Sólomon *n.* [The ~] 〖聖〗 아가(= the **Sóng of Sóngs**) 《구약 성서의 한 편 ; 극적이고도 서정적인 사랑의 시(詩)로 이루어지며 전통적으로는 Solomon의 작이라고 여겨짐 ; 두에 성서에서는 Canticle of Canticles》.

sóng-plùgging *n.* (레코드나 라디오에 의한) 가곡 선전.

sóng·smìth *n.* 가곡 작곡가[자].

sóng spàrrow *n.* 〖鳥〗 북미 서부의 참새류의 명금(鳴禽) ; 인기 가수 ; 《美》 (특히 대중가요가 실린) 노래책.

sóng·ster *n.* 가수 ; 시인 ; 명금(鳴禽) ; 《美》 (특히 팝송의) 가요집.

sóng·stress [-strəs] *n.* 가희, 여가수 ; 여류 시인 ; 명금의 암컷.

sóng thrùsh *n.* 〖鳥〗 노래지빠귀《유럽산》.

sóng·wrìter *n.* (가요곡의) 작사[작곡]가, 작사 작곡가.

soni- ☞ SON-.

son·ic [sánik] *a.* 소리의, 음파(音波)의 ; 음속(音速)의[과 같은](cf. HYPERSONIC, SUBSONIC, SUPERSONIC, TRANSONIC) ; 소리를 내는 : at ~ speed 음속으로. 〖L *sonus* sound〗

sónic altímeter *n.* 음파 고도계.

son·i·cate [sánəkèit] *vt.* (세포·바이러스 따위)에 초음파를 쐬어 분해하다, (초)음파처리하다.
són·i·cà·tor *n.*
sòn·i·cá·tion *n.* Ⓤ 초음파에 의한 분해[처리].

sónic bárrier *n.* =SOUND BARRIER.

sónic bóom[《英》 **báng**] *n.* 소닉 붐《항공기가 음속을 넘을 때 나는 폭발음》.

sónic dépth finder *n.* 음파 측심기(測深器).

sónic guíde *n.* 소닉 가이드《맹인이 안경에 붙여 바로 앞에 있는 물체를 감지하기 위한 초음파를 발신·수신하는 장치》.

sónic míne *n.* =ACOUSTIC MINE.

són·ics *n.* 음향 효과 ; 음향학.

sónic spéed *n.* 음속.

so·nif·er·ous [sənífərəs, sou-] *a.* 소리를 내는[전하는].

són-in-làw *n.* (*pl.* **sóns-in-làw**) 사위, 양자.

Són·nen·feldt dòctrine [sánənfèlt-] *n.* 소넨펠트 독트린《1975년 미국의 국무부 고문 Helmut Sonnenfeldt가 주창한 정책》.

son·net [sánət] *n.* **1** 14행시, 소네트《보통 10음절 약강격 14행의 시》. **2** 단시(短詩).
── *v.* (**-t(t)-**) *vi.* 소네트를 짓다. ── *vt.* …에 관하여[을 기리어] 소네트를 짓다.
〖F or It. *sonetto* (dim.) 〈SOUND[1]〗

son·ne·teer [sànətíər] *n.* 소네트 시인 ; 엉터리 시인. ── *vi., vt.* 소네트를 짓다 ; …에 관하여[을 기리어] 소네트를 짓다.

sónnet sèquence *n.* (흔히 일관된 테마에 관한) 일련의 소네트, 소네트집.

son·ny [sáni] *n.* 《口》 얘야, 아가야《친밀한 호칭》 ; 애송이, 풋내기《경멸적인 호칭》. 〖SON〗

sono- [sánou, -nə] ☞ SON-.

sóno·bùoy *n.* 음파 탐지 부표《잠수함 탐지용》.

sóno·chèmistry *n.* 초음파[음향] 화학.

sóno·gràm *n.* =SONOGRAPH.

sóno·gràph *n.* 소노그래프《음향·진동을 음성 기호로 바꿈》.

so·nog·ra·phy [sənágrəfi] *n.* 음파 홀로그래피.

so·nom·e·ter [sənámətər] *n.* 소노미터《현(絃)의 진동수를 재는 기계》 ; 〖醫〗 청력계(聽力計).

sòno·radiógraphy *n.* 음파 홀로그래피를 이용한 3차원 X선 사진술《의료 진단·비파괴 검사용》.

so·no·rant [sənɔ́:rənt ; sánə-, sóu-] *n.* 〖音聲〗 공명음(共鳴音)《폐쇄음·마찰음과 모음과의 중간음 ; [m, n, ŋ, l] 따위》.

so·no·rif·ic [sòunərífik] *a.* 음향을 내는.

so·nor·i·ty [sənɔ́(:)rəti, -nár-] *n.* Ⓤ 울려 퍼지기 ; 〖音聲〗 (소리의) 들림, 울림 ; 낭낭한 이야기[어조].

so·no·rous [sənɔ́:rəs, sánə-] *a.* (잘 울리게) 소리를 내는, 울려 퍼지는, 울리는, 낭랑한 ; (문체·연설 따위) 어조[격조]가 높은, 당당한, 과장된.
~·ly *adv.* 〖L (*sonor* sound)〗

són·ship *n.* Ⓤ 자식임 ; 자식의 신분.

son·sy, -sie [sánsi] 《스코·아일》 *a.* 행운을 가져오는 ; (여성이) 토실토실하고 귀여운 (buxom) ; (여성이) 쾌활한, 명랑하고 기분 좋은.
〖Sc. *sons* health＜Ir. Gael. *sonas* good fortune〗

soo·ey [sú:i] *int.* 돼지를 불러 모을 때 내는 소리.

soo·jee [sú:dʒi] *n.* Ⓤ 인도산 고급 밀가루. 〖Hindi〗

◇soon [sú:n] *adv.* **1** 머지않아, 얼마 안가서, 곧, 이내, 일간 : He will ~ be here. 곧 여기에 올 것이다 / She left home ~ after five. 다섯시 좀 지나서 집을 떠났다. **2** 빨리, 일찌감치 ; 신속히, 간단히, 수월하게 : (The) least said, (the) *~est* mended. ☞ MEND *vi.* 2 / *S~* got[gotten], ~ gone[spent]. 《속담》 쉽게 얻은 것은 쉽게 없어진다, 「부정한 돈은 오래 못간다」/ The *~er*, the better. 《속담》 빠를수록 좋다.

as soon as …하자마자(☞ TILL[1] 活用 (2)) : Tell me *as* ~ *as* you have finished. 끝나는 대로 알려 주시오.

as soon. . . (***as. . .***) (…하기보다) 오히려[차라리] : He could *as* ~ write an epic *as* drive a car. 자동차 운전을 할 수 있는 정도라면 서사시를 지을 수 있겠다《운전을 하다니 어림도 없다》/ I would go there *as* ~ *as* not. 어느쪽인가 하면 거기에 가고 싶다.

as soon as possible[***may be,*** one ***can***] 되도록 빨리, 한시바삐 : Return me this book *as* ~ *as* you *can*. 이 책을 되도록 빨리 돌려 주시오.

〈회화〉
Come home *as soon as* you *can*. — I will. 「되도록 빨리 집에 오너라」「네」

at the soonest 아무리 빨라도.

no sooner. . . than …하자마자 : He had *no ~er* [*No ~er* had he] arrived *than* he fell ill. 그는 도착하자마자 병이 났다 / *No ~er* said *than* done. 말이 떨어지자마자 실행되었다[했다] ; 전광석화(電光石化)처럼 빨리 해치웠다.

> **no sooner...than의 ○×**
> (×) *No sooner* he *had* seen me *before* he left the room.
> (나를 보자마자 그는 방에서 나가 버렸다.)
> (○) *No sooner had* he seen me *than* he left the room.
> (○) *Hardly*[*Scarcely*] *had* he seen me *when* [*before*] he left the room.

so soon as …만큼 빠르게 (…않다) ; …할 때는 언제나, …하기만 하면. ㊟ 주로 부정어 뒤에서나 이유 및 조건의 관념이 내포되어 있을 때에 쓰임 (cf. *as* SOON *as*) : We did*n't* arrive *so* (=as) ~ *as* we expected. 생각했던 것 만큼 빨리 도착하지는 못했다 / *So* ~ *as* there is any talk of money, he cools down. 돈 이야기가 나오기만 하면 그는 시들해진다.

> **as soon as의 문장 전환**
> *As soon as* he saw her, he ran away.
> (그녀의 모습을 보자마자 그는 달아나 버렸다.)
> → *Hardly*[*Scarcely*] had he seen her *when* [*before*] he ran away.
> → *No sooner* had he seen her *than* he ran away.
> → *The moment*[*The instant, The minute*] he saw her, he ran away.
> → *Immediately* he saw her, he ran away.
> → *On seeing* her, he ran away.

sooner or later 언젠가는, 조만간 : *S~er or later* things will all come right again. 조만간 사태는 원상태로 회복될 것이다.
would [***had***] ***sooner...than*** =***would as soon...as...*** (…하기보다는) 차라리 …하고 싶다 : I *would ~er* die *than* do it. 그것을 할 바에는 차라리 죽는 편이 낫겠다 / I *would* just *as* ~ stay at home (*as* go). (가는 것보다는) 차라리 집에 있고 싶다.
〚OE *sōna* ; cf. OS, OHG *sān* immediately〛

sóon·er *n.* 《美》 선구 이주자 《초기 서부의 미개척지에 정식 허가를 얻기 전에 현지로 가 선취권을 얻은 사람》 ; [S~] OKLAHOMA 주민의 별명 ; 남을 앞질러 부정한 이익을 취하는 사람.

Sóoner Státe *n.* [the ~] OKLAHOMA주의 속칭.

sóon·ish *adv.* 상당히 일찌감치.

soot [sút, 美+sú:t, 美+sʌ́t] *n.* Ⓤ 검댕, 매연.
—— *vt.* 검댕[매연]투성이로 되게 하다.
〚OE *sōt*<Gmc. =that which settles ; cf. SIT〛

soot·er·kin [sútərkən] *n.* (네덜란드 여성이 분만 후에 나온다고 믿었던) 후산(後産) ; 《비유》 불완전한 것, 실패로 끝나는 계획, (특히) 조잡한[날림] 저작 ; 《古》 네덜란드 사람(Dutchman).
〚C17 ; *soot*에서 인가 ; cf. *sooterkin* (obs.) sweetheart〛

sooth [sú:θ] *n.* Ⓤ 《古·詩》 진실, 사실 ; 《廢》 감언, 아부.
for sooth =FORSOOTH.
in (***good***[***very***]) ***sooth*** 실제로, 진정으로.
sooth to say 사실을 말하자면, 실제로는.
—— *a.* 진실[사실]의 ; 유연한 ; 감미로운.
~·ly *adv.* 진실[사실]로.
〚OE *sōth* true ; cf. OHG *sand*〛

***soothe** [sú:ð] *vt., vi.* **1** 달래다, 위로하다 ; 어르다 : He tried to ~ the crying child. 우는 아이를 달래려고 했다. **2** (신경·감정을) 진정시키다, (고통 따위를) 누그러뜨리다 ; (허영심을) 만족시키다 : I did everything to ~ her nerves[anger]. 온갖 수단을 다해 그녀의 신경[분노]을 진정시키려고 했다. **sóoth·er** *n.* **1** 달래는 사람 ; 아첨꾼. **2** (젖먹이의) 고무 젖꼭지.
〚OE *sōthian* to verify (↑)〛
類義語 ⟹ COMFORT.

sooth·ing [sú:ðiŋ] *a.* 달래는, 위로하는, 누그러뜨리는, 진정하는. **~·ly** *adv.*

sóoth·sày *vi.* 예고[예언]하다.

sóoth·sày·er *n.* 점쟁이 ; 예언자.

sóoth·sày·ing *n.* Ⓤ 점, 예언, 예측.

sóot·less *a.* 그을음이 없는 ; 그을음이 나지 않는.

sooty [súti, 美+sú:-, 美+sʌ́ti] *a.* **1** 검댕의, 검댕 같은 ; 그을은, 검댕투성이의, 검댕으로 더러워진. **2** 거무튀튀한, 검댕빛의.
sóot·i·ly *adv.* 검댕투성이로, 검댕투성이가 되어. **-i·ness** *n.* Ⓤ 검댕투성이.

sop [sάp] *n.* **1** (우유·수프·포도주 따위에 적셔 먹는) 빵조각. **2** 환심을 사기 위한 선물, 미끼, 뇌물 ; 양보. **3** 흠뻑 젖은 것[사람] ; 《俗》 술고래 ; 《俗》 술. **4** 《俗》 바보, 얼뜨기, 겁쟁이.
give [***throw***] ***a sop to Cerberus*** 《文語》 뇌물로 입을 막다[매수하다].
—— *v.* (**-pp-**) *vt.* **1** [+目 / +目+前+名 / +目+副] (빵 조각 따위를 우유에) 적시다 ; 흠뻑 젖게 하다 : He *~ped* the bread ***in*** soup. 빵을 수프에 적셨다 / I was *~ped* ***through***[***to*** the skin]. 흠뻑 젖었다. **2** [+目+副] 빨아들이다, 빨아들여 없애다 : She *~ped* ***up*** the spilt milk with a cloth. 엎지른 우유를 걸레로 닦아냈다. **3** 매수하다, 뇌물을 쓰다. —— *vi.* **1** 젖다, 스며들다, 스며 퍼지다 ; 흠뻑 젖다. **2** 《俗》 (맥주 따위를) 마시다. 〚OE *sopp* ‹? *sūpan* to SUP[2] ; cf. SOUP, OHG *sopfa* bread and milk〛

SOP, S.O.P. 〖軍〗 standing[《俗用》 standard] operating procedure(관리 운영 규정) ; Study Organization Plan《IBM사(社)가 개발한 조직 연구·문서 작성 방식》. **sop.** 〖樂〗 soprano.

soper ☞ SOPOR[2].

soph [sάf] *n.* 《美口》 2학년생(sophomore).
—— *a.* 《美俗》 미숙[유치]한.

soph. sophister ; sophomore.

So·phia [soufáiə, 美+sóufiə] *n.* 여자 이름《애칭 Sophie, Sophy》. 〚Gk.=wisdom〛

So·phie, So·phy [sóufi] *n.* 여자 이름《Sophia의 애칭》.

soph·ism [sάfizəm] *n.* **1** Ⓤ 고대 그리스의 궤변학파 철학. **2** Ⓤ,Ⓒ 궤변, 억지소리.

soph·ist [sάfəst] *n.* [S~] 소피스트《고대 그리스의 철학·수사(修辭)·변론술 따위의 교사》 ; 궤변가 ; [때때로 S~] 학자, 철학자, 사상가.
〚L<Gk.=expert (*sophos* wise)〛

soph·is·ter [sάfəstər] *n.* **1** (Cambridge 대학의) 2, 3학년생《略 soph.》 : a junior[senior] ~ 2[3] 학년생. **2** 궤변가.

so·phis·tic [səfístik, 美+sɑ-] *a.* **1** (이론 따위가) 궤변의, 억지쓰는. **2** (사람이) 궤변을 부리는, 억지를 늘어놓는. —— *n.* 〖哲〗 (고대 그리스의) 궤변법 ; 궤변, 억지.

so·phís·ti·cal *a.* =SOPHISTIC. **~·ly** *adv.*

so·phis·ti·cate [səfístəkèit] *vt.* **1** (사람의) 순진성을 잃게 하다, 세파에 물들게 하다, 되바라지게 하다 ; (취미를) 세련되게 하다. **2** (기계를) 복잡하게 하다, 정교하게 하다 : ~ the mechanism of a watch 시계의 작동장치를 정교하게 하다. **3** (술·담배에) 잡것을 섞어 질을 나쁘게 하다 ; (원문을) 함부로 고치다, 멋대로 바꾸다. **4** 《古》 (사람을) 궤변으로 속이다 ; 현혹시키다.
—— *vi.* 《古》 궤변을 부리다, 억지로 둘러대다.
——[-tikət, -təkèit] *n.* 세상 물정에 밝은 사람, 닳고 닳은 사람.
——[-tikət, -təkèit] *a.* =SOPHISTICATED.
〖L=to tamper with ; ⇨ SOPHIST〗

***so·phís·ti·càt·ed** *a.* **1** (사람 등이) 세상 물정에 밝은, 닳고 닳은, 순진하지 않은 ; 냉소적인, 비판적인. **2** 세련된, 깔끔한 ; 고상한, 교양 있는 ; (문체 따위가) 기교적인, 정교한 ; (잡지 따위) 지성인들에게 알맞은 ; 복잡한. **3** 불순한, 혼합물이 섞인 ; 속임수의, 억지로 둘러댄. **~·ly** *adv.*

so·phis·ti·ca·tion [səfìstəkéiʃən] *n.* **1** Ⓤ 궤변을 부리기 ; 억지 소리 ; 둘러 맞추기. **2** Ⓤ 불순물 혼합. **3** Ⓤ 세파에 물들기. **4** Ⓤ (고도의) 지식, 소양, 세련 ; 복잡, 정교(하게 함) : people with modern scientific ~ 근대적 과학지식을 지닌 사람들.

soph·is·try [sáfəstri] *n.* Ⓤ (고대 그리스의) 궤변법 ; Ⓤ,Ⓒ 궤변, 억지이론, 견강부회(牽強附會).

Soph·o·cles [sáfəklìːz] *n.* 소포클레스(496?-?406 B.C.) 《고대 그리스의 비극 시인》.

soph·o·more [sáfəmɔ̀ːr] *n., a.* 《美》 4년제 대학[고교]의 2학년생(의) (cf. FRESHMAN, JUNIOR, SENIOR) ; (어떤 분야·프로 스포츠 따위에서 2년생(의) ; 《俗》 미숙한, 아직 충분하지 않은.
〖*sophom* (obs.) 변형(變形) ‹ *sophism*〗

soph·o·mor·ic, -i·cal [sàfəmɔ́(ː)rik(əl), -már-] *a.* 《美》 2학년생의 ; 아는 체하지만 미숙한 ; 건방진. **-i·cal·ly** *adv.*

Sophy ☞ SOPHIE.

-so·phy [-́səfi] *n. comb. form* 「지식 체계」「학(學)」의 뜻 : anthropo*sophy*, theo*sophy*.
〖OF‹L‹Gk.〗

so·por[1] [sóupər, -pɔːr] *n.* 〖醫〗 혼면(昏眠), 깊은 잠. 〖L=deep sleep〗

so·por[2], **so·per** [sóupər] *n.* 《美俗》 잠자는 약.
〖*Sopor* : Methaqualone의 상표명 (↑) ; 일설(一說)에 ‹ *sopor*ific〗

sop·o·rif·er·ous [sàpəríf ərəs, sòu-] *a.* 혼면성(昏眠性)의, 최면의.

sop·o·rif·ic [sàpərífik, sòu-] *a.* 잠들게 하는, 최면의 ; 졸리는. —— *n.* 최면제, 마취제.
-i·cal·ly *adv.* 〖L SOPOR[1]〗

sóp·ping *a.* 흠뻑 젖은 : ~ clothes 흠뻑 젖은 옷.
—— *adv.* 흠뻑 : ~ wet 흠뻑 젖어.

sóp·py *a.* **1** 흠뻑 젖은, 축축한. **2** (날씨가) 비가 내리는, 우천의. **3** 《口》 훌쩍거리는, 몹시 감상적인 ; (여자에게) 무른‹*on*›.

so·pra·no [səprǽnou, -práː- ; -práː-] *n.* (*pl.* **~s**) 〖樂〗 Ⓤ 소프라노, 최고음부《여성·소년의 최고음역》 ; Ⓒ 소프라노 가수 ; 소프라노 악기 : sing in ~ 소프라노로 노래하다. ☞ BASS[1] *n.* ㊟.
—— *a.* 소프라노의.
〖It. (*sopra* above‹L SUPRA)〗

SOR 〖理〗 synchrotron orbital radiation(싱크로트론 복사).

sorb [sɔ́ːrb] *vt.* 흡착하다, 흡수하다.
〖역성(逆成) ‹ *absorb*, *adsorb*〗

sor·bate [sɔ́ːrbeit, -bət] *n.* 흡수된 것.

sor·be·fa·cient [sɔ̀ːrbəféiʃənt] *a.* 〖醫〗 흡수 촉진성의. —— *n.* 흡수 촉진약.

sor·bent [sɔ́ːrbənt] *n.* 흡수[흡착]제.

sor·bet [sɔ́ːrbət] *n.* 셔벗(sherbet).
〖F‹It.‹Turk.‹Arab.=drink〗

sórb·ic ácid [sɔ́ːrbik-] *n.* 소르브산《방부제》.

sor·bi·tol [sɔ́ːrbətɔ̀(ː)l, -tòul, -tàl] *n.* 〖化〗 소르비톨《마가목 열매 따위의 과즙에 함유되어 있음 ; 설탕 대용품으로 당뇨병 환자용》.

Sor·bonne [sɔːrbán, -bʌ́n] *n.* [the ~] 소르본 대학《전(前) 파리 대학의 신학부 ; 지금은 파리 대학의 일부로서 문학부와 이학부가 있음》.
〖신학자 Robert de *Sorbon* (d. 1274)이 설립한 신학 대학〗

sor·bose [sɔ́ːrbous] *n.* 〖生化〗 소르보오스《비타민 C의 합성에 쓰이는 단당(單糖)》.

sor·cer·er [sɔ́ːrsərər] *n.* (*fem.* **sor·cer·ess** [-sərəs]) 마법사, 마술사, 요술쟁이(wizard).
〖OF *sorcier* ; ⇨ SORT〗

sor·cery [sɔ́ːrsəri] *n.* Ⓤ 마법, 마술, 요술.
sór·cer·ous *a.* 마법의 ; 마법을 쓰는.

***sor·did** [sɔ́ːrdəd] *a.* **1** (환경 따위) 지저분한, 더러운, 불결한, 초라한 : a ~ house 누추한 집. **2** (동기·행위·인물 따위가) 추잡한, 치사한, 비열한, 욕심 사나운. **3** (새·물고기 따위) 칙칙한[흙] 빛깔의. **~·ly** *adv.* **~·ness** *n.*
〖F or L (*sordeo* to be dirty)〗

sor·di·no [sɔːrdíːnou] *n.* (*pl.* **-ni** [-niː]) 〖樂〗 약음기(弱音器) (mute) ; (피아노의) 지음기(止音器). 〖It. (*sordo* silent)〗

sore** [sɔ́ːr] *a.* **1** 살짝 스쳐도 아픈, 피부가 까진, 헌, 진무른, 염증을 일으킨. **2** 비탄에 잠긴, 슬픈 (sad) : with a ~ heart 비탄에 잠겨, 슬픈 마음으로. **3** [+前+do*ing*] 민감한, 성마른 ; 《口》 성내는 ; 안달하는 : He felt ~ ***about the defeat [*about* not be*ing* invited]. 패배한 것[초대받지 못한 것]을 분하게 여겼다 / He is ~ ***at*** miss*ing* the game. 경기를 보지 못해 분하게 여긴다. **4** 견딜 수 없는, 쓰라린. **5** 《古·詩》 심한, 맹렬한 : in ~ need 몹시 궁핍하여.
(***as***) ***cross as a bear*** (***with a sore head***) 기분이 언짢아, 바싹 약이 올라, 몹시 초조하여.
a sight for sore eyes ☞ SIGHT *n.*
—— *n.* **1** 닿으면 아픈 데 ; 피부가 까진 데, 헌 부위 ; 상처, 진무른 데, 종기. **2** 《비유》 옛상처, 언짢은 문제[추억], 깊은 원한.
—— *adv.* 《古·詩》 몹시, 격렬하게, 심히.
~·ness *n.* 아픔 ; 분개 ; 원한, 악의 ; 불화.
〖OE *sār* ; cf. G *sehr* very (much)〗

sóre·hèad *n.* 《美口》 성마른 사람, 화난[뚱한] 사람, 불평가. —— *a.* 화난, 성마른.

sóre·ly *adv.* 아파서 ; 심하게, 모질게 : We are ~ in need of support. 우리는 절실히 지원을 필요로 하고 있다.

sóre spót[**póint**] *n.* 아픈 데, 약점, 감정을 상하게 하는 점[문제].

sóre thróat *n.* 인후염(咽喉炎), 편도선염(炎).

sorgho ☞ SORGO.

sor·ghum [sɔ́ːrgəm] *n.* 〖植〗 (특히) 곡식용 수수, 사탕수수 ; Ⓤ 《美》 사탕수수로 만든 시럽 ; 몹시 감상적인 것. 〖NL (It. SORGO)〗

sor·go, -gho [sɔ́ːrgou] *n.* (*pl.* **~s**) 〖植〗 사탕수수 ; 소르고《아프리카 원주민의 술》. 〖It.〗

sori *n.* SORUS의 복수형.

sor·i·cine [sɔ́(ː)rəsàin, sár-] *a.* 〖動〗 땃쥐의 [같은]. —— *n.* 땃쥐(shrew). 〖L〗

so·ri·tes [səráitiːz, sɔː- ; sɔ-] *n.* (*pl.* ~) 〖論〗 연쇄추리, 연쇄식 논법, 삼단 논법.

So·rop·ti·mist [səráptəməst ; sɔː-] *n.* 국제 직업 여성회 회원.

so·ro·ral [sərɔ́ːrəl] *a.* 자매의[와 같은] : ~ polygyny 자매형(型) 일부 다처. **~·ly** *adv.*

so·ror·i·cide [sərɔ́(ː)rəsàid, -rár-] *n.* 언니[여동

생] 살해 ; 그 범인.

so·ror·i·ty [sərɔ́(:)rəti, -rár-] *n.* (교회 따위의) 여성회[클럽] ; 《美》 (대학의) 여학생 클럽, 친목회, 우애회(cf. FRATERNITY 2 c)) : a ~ house (대학의) 여학생 클럽 회관.
〖L (*soror* sister) ; *fraternity*에 준한 것〗

so·ro·sis[1] [səróusəs] *n.* (*pl.* **-ses** [-si:z]) 《英》 〔植〕 육질 집합과(肉質集合果) 《오디·파인애플 따위》. 〖NL<Gk. *sōros* heap〗

sorosis[2] *n.* 《美》 여성 (사교) 클럽. 〖*Sorosis* 1869년 설립한 여성 단체 ; cf. L *soror* sister〗

sorp·tion [sɔ́:rpʃən] *n.* 〔理·化〕 수착(收着).
sórp·tive *a.*
〖역성(逆成) ‹ *absorption, adsorption*〗

sor·ra [sɔ́(:)rə, sárə] *n., vi.* 《스코·아일》 =SORROW.

sor·rel[1] [sɔ́(:)rəl, sár-] *a.* 밤색의.
—— *n.* Ⓤ 밤색 ; Ⓒ 밤색털의 말.
〖OF (*sor* yellowish<Frank. 《美》 *saur* dry)〗

sorrel[2] *n.* 〔植〕 신맛이 나는 각종 식물《수영·괭이밥 따위》. 〖OF<Gmc. ; ⇨ SOUR〗

‡**sor·row** [sárou, 美+sɔ́:-] *n.* **1** Ⓤ 슬픔, 비애, 비통, 비탄(grief) ; 애도 : feel ~ *for* one's misfortunes 자신의 불행을 슬퍼하다 / *In* ~ and in joy, he thought of his mother. 슬플 때나 기쁠 때나 어머니를 생각했다. **2** Ⓤ 후회, 애석, 유감 : She expressed her ~ *for* my sufferings. 나의 재난에 대해서 유감의 뜻을 표했다 / I learned *to* my ~ that I had come too late. 와서 보니 유감스럽게도 너무 늦었다. **3** Ⓤ 서운함, 석별(惜別)의 정. **4** Ⓤ,Ⓒ [때때로 *pl.*] 불행, 불운 ; 고통, 고난 : He has had many ~*s.* 많은 고난을 겪었다. **5** [흔히 the ~, 부사적으로] 《스코·아일》 결코 …않다 (not, never) : ~ a bit 조금도 …않다.
the Man of Sorrows 〔聖〕 그리스도.
—— *vi.* [動 / +前+名] 슬퍼하다 ; 불쌍히 여기다 ; 애도하다 : ~ ***at*** [*for,* ***over***] a misfortune 불행을 슬퍼하다 / ~ *for* a person 남을 불쌍히 여기다 / ~ ***after*** [*for*] a lost person 죽은 사람을 애도하다.
〖OE *sorh, sorg* ; cf. G *Sorge* ; 어원상은 *sorry*와 관계없음〗
類義語 ***sorrow*** 이별이나 실망·손실 따위로 오랫동안 계속되는 깊은 정신적 고통 : She felt *sorrow* for his failure. (그녀는 그의 실패를 가슴아파했다). ***grief*** 어떤 특별한 재난·불행 따위에 의한 비교적 짧은 기간의 심한 고통 : the mother's *grief* over her son's death (아들의 죽음에 대한 어머니의 슬픔). ***sadness*** 실망[절망]한 기분을 나타내는 가장 일반적인 말. ***woe*** 《文語》 위로할 수 없는 극심한 고통[고뇌].

***sórrow·ful** *a.* **1** 슬퍼하는, 비탄에 잠긴 ; 애도하는. **2** 슬픈듯한, 수심 띤. **3** 슬프게 하는, 슬픈(sad), 비참한, 참담한(distressing) : a ~ sight 참혹한 광경. **4** 뉘우치는, 애석해하는, 아쉬워하는. **~·ly** *adv.*
類義語 ⟹ SAD.

sórrow-strìcken *a.* 비탄[슬픔]에 잠긴.

◇**sor·ry** [sári, 美+sɔ́:ri] *a.* [1, 2, 3은 *pred.*로 써서] **1** [+*to* do / +*that* 節] 불쌍하여, 가엾어서 : I am[feel] ~ ***for*** her. 그녀가 불쌍하다 / I am deeply ~ ***for*** his death. 그가 죽은 것은 참으로 안됐다 / I am ~ *to* hear it. 그것은 참 딱한 얘기입니다 / We are ~ (*that*) you are sick. 편찮으시다니 안됐습니다. **2** [+*to* do / +*that* 節] 미안하게 생각하여, 후회하여 : I am so ~. 정말 미안합니다 / You will be ~ ***for*** it later. 나중에 그것을 후회할 것이다 / I'm ~ *to* have kept you waiting. 기다리게 해서 미안합니다 / I am ~ (*that*) I have not written to you for a long time. 오랫 동안 편지를 드리지 못해 죄송합니다. **3** [+*to* do / +*that* 節] 섭섭하여, 유감스러워 ; 애석하여 : I am ~ ***about*** it. 그것이 유감스럽다 / I am ~ *to* say (that) I cannot come to the party. 유감스럽게도 그 파티에 참석할 수 없습니다 / I am ~ (*that*) you cannot stay longer. 더 이상 계시지 못한다니 섭섭합니다 / Can you come with me?—*S*~ (=I'm ~), but I can't. 나와 함께 갈 수 있니 —미안하지만 안되겠다. **4** [*attrib.*로 써서] 《文語》 한심한, 시시한, 보잘것없는, 비참한, 측은한(pitiful) : a ~ excuse 구차한 변명 / in ~ clothes 초라한 옷을 입고 / in a ~ plight 비참한 처지에 빠져, 비참한 상태로. **5** [S~?] 《英口》 방금 무엇이라고 말씀하셨습니까 (I beg your pardon.).

〈회화〉
I'm *sorry* to trouble you. — Never mind. 「귀찮게 해 드려서 죄송합니다」「별 말씀을」

sór·ri·ly *adv.* 슬프게 ; 가엾게[딱하게] 여겨 ; 하찮게 ; 서투르게. **sór·ri·ness** *n.* 슬픔, 비애 ; 유감, 딱함 ; 하찮음 ; 서투름.
〖OE *sārig* (⇨ SORE) ; cf. OS, OHG *sērag*〗

‡**sort** [sɔ:rt] *n.* **1** 종류(kind), 분류 ; 질, 품질 (quality) ; [수식어를 동반하여] (…한) 종류의 것[사람] : all ~*s* and conditions *of* men 온갖 종류[계층]의 사람들 / That's the ~ of thing I want. 그와 같은 것을 바란다 / What ~ *of* (a) book do you want? 어떤 종류의 책을 원하느냐 / Problems of this ~ are.... =《口》 These ~ of problems are.... 이런 종류의[이와 같은] 문제는 …이다 / He is a good[bad] ~ (*of* a fellow). 《口》 그는 좋은[나쁜] 놈이다. 注 ~ *of* 뒤의 a(n)의 용법에 대해서는 ☞ KIND[2] *n.* 1 a) 注 / He is not my ~. 그런 녀석은 싫다. **2** 《古》 방법, 방식, 양식, 모양, 정도. **3** 〔印〕 소트《(1) 어떤 모양의 활자 한 벌(font) 중의 한 자(字). (2) 보통의 한 벌에 없는 활자 : 기호 따위》. **4** 〔컴퓨〕 차례짓기, 정렬.
after[***in***] ***a sort*** 일종의 ; 얼마간, 다소.
all of a sort 비슷비슷한.
a sort of... 일종의…, …와 같은 것 : *a* ~ *of* politician 정치가라고 할 만한 사람(cf. *of a* SORT).
in some sort 어느 정도까지.
of a sort (1) 같은 종류의. (2) 엉터리의, 그런 대로 …이라고 할 만한 : a poet *of a* ~ 엉터리[삼류] 시인(cf. *a* SORT *of*).
of sorts (목록 따위) 정리되어 있지 않은 ; =*of* a SORT.
out of sorts (1) 기분이 언짢은[나쁜], 맥이 풀린 ; 몹시 성이 나서. (2) 〔印〕 활자가 고루 갖추어지지 않은.
sort of [부사적으로] 《口》 다소, 어느 정도, 말하자면(kind of) : He was ~ *of* angry. 그는 좀 화가 나 있었다 / It ~ *of* tilted. 다소 기울어져 있었다. 注 잘못 발음되어 종종 *sort o', sort a', sorta, sorter*로 쓰며 주로 형용사, 때로는 동사에 수반됨(cf. KIND[2] *of*).
—— *vt.* [+目 / +目+副] 분류하다 ; 가려내다, 골라내다 ; (우체국에서 우편물을) 구분하다 : *S*~ these cards according to their colors. 이 카드들을 색깔별로 분류하십시오 / She ~*ed* ***out*** her summer clothes. 여름옷을 골라냈다. —— *vi.* [+

with+名/+副] (같은 부류의 사람과) 교제하다 〈*with*〉; 《古》 조화되다, 어울리다: Such conduct ~*s ill*[*well*] ***with*** his position. 그런 행위는 그의 지위에 어울리지 않는다[어울린다].
〖OF<L *sort- sors* lot, condition〗
類義語 ⟹ KIND[2].

sorta [sɔ́:rtə] *adv.* 《俗》 =SORT *of*.

sórt·er[1] *n.* 분류하는[가려내는] 사람[기계], 선별기(機); (우체국의) 우편물 분류 담당자; 〔컴퓨〕 분류기(機).

sort·er[2] [, sɔ́:rtə] *adv.* 《俗》 = SORT *of*.

sor·tie [sɔ́:rti, sɔ:rtí:] *n.* **1** 〔軍〕 (포위당한 진지에서의) 돌격, 출격; (군용기의) 출격: make a ~ 출격하다, 공격하며 나아가다. **2** 돌격대. **3** (낯선 곳으로의) 짧은 여행. ── *vi.* 돌격[출격]하다. 〖F (p.p.) 〈*sortir* to go out〗

sórtie làb[**càn, mòdule**] *n.* 우주 실험실, 스페이스 래브(space lab).

sor·ti·lege [sɔ́:rtəlidʒ, -lèdʒ] *n.* U 제비로 점치기; 마법, 마술.

sórt·ing yàrd *n.* 〔鐵〕 조차장(=《美》 switch-yard).

sor·ti·tion [sɔ:rtíʃən] *n.* U 제비, 추첨, 추첨에 의한 결정.

sórt-òut *n.* 《英》 정리, 정돈.

so·rus [sɔ́:rəs] *n.* (*pl.* **-ri** [-rai]) 〔植〕 (양치류의) 포자낭군(胞子囊群).

-sory *suf.* [명사·형용사어미] (cf. -ORY): acces*sory*, promis*sory*.

SOS [èsòués] *n.* 조난[구난(救難)] 신호; (무전용) 위급[긴급]호출; 《口》 위기신호, 구원 요청. 〖위급한 때에 가장 타전하기 쉬운 모스 부호의 편성 ···———···; *S*ave *O*ur *S*ouls[*S*hips] 따위의 약자라고 하는 것은 통속 어원(語源)〗

so's [sóuz] 《俗》 so that.

só-sò [, ⌐⌐] *a.* 《口》 대수롭지 않은, 좋지도 나쁘지도 않은, 그저 그만한(middling): How is your father?—Only ~. 아버지께서는 별일 없으신가—그저 그만하십니다.
── *adv.* 그럭저럭, 그저 그만하게(tolerably).

sost. sostenuto.

sos·te·nu·to [sàstənú:tou, sòu-] *adv., a.* 〔樂〕 소스테누토로[의], 음을 끌어서[끄는], 음을 늘려서 무겁게. ── *n.* (*pl.* **~s, -ti** [-ti:]) 소스테누토의 악절[악장]. 〖It. (p.p.) 〈*sostenere* to SUSTAIN〗

SOSUS 〔軍〕 sound surveillance system 《음향 감시 시스템, 잠수함 탐지 장치》.

sot [sát] *n.* 주정뱅이(drunkard); 《古》 얼간이, 바보. ── *v.* (**-tt-**) *vt.* (시간·재산 따위를) 술로 탕진하다〈*to*〉; 《古》 업신여기다. ── *vi.* 늘 술에 취해 있다, 몹시 취하다. 〖ME=fool<OE *sott* and OF *sot* foolish<L<?〗

So·thic [sóuθik, sáθ-] *a.* 천랑성(Sirius)의. 〖SOTHIS〗

So·this [sóuθəs] *n.* =SIRIUS. 〖Gk.〗

sót·tish *a.* 어리석은; 주정뱅이[주정꾼]의.
~·ly *adv.* **~·ness** *n.*

sot·to vo·ce [sátou vóutʃi] *adv., a.* 저음(低音)으로[의]; 방백(傍白)으로[의]; 〔樂〕 소리를 부드럽게 하여 조용하게[한], 소토 보체로[의]. 〖It.=under voice〗

sót-wèed *n.* 《口》 담배.

sou [sú:] *n.* (*pl.* **~s**) 수《프랑스의 옛 동전》; 적은 돈, 하찮은 것: I haven't a ~. 한 푼도 없다. 〖F<L; ⇨ SOLID〗

sou. south; southern.

sou·brette [su:brét] *n.* (희극에 나오는) 시녀《천박하고 색정적이며 요염하고 흔히 정사(情事)의 음모에 가담함》; 시녀역의 여배우; (일반적으로) 바람둥이 여자, 말괄량이(cf. INGÉNUE).
〖F<Prov.=coy (L *supero* to be above)〗

soubriquet ☞ SOBRIQUET.

sou·chong [sú:ʃɔ́(:)ŋ, -tʃɔ́(:)ŋ, -ʃáŋ, -tʃáŋ] *n.* 샤오중(小種)《제일 어린 싹에서 따는 큰 잎의 고급 홍차; 특히 중국산의 것》. 〖Chin.〗

Soudan [*F* sudɑ̃] *n.* =SUDAN.

Soudanese ☞ SUDANESE.

souf·fle [sú:fəl] *n.* U 〔醫〕 (청진(聽診)할 때 들리는 각 기관(器官)의) 잡음.

souf·flé [sú:flei, -⌐] *n.* 수플레《(1) 거품낸 달걀 흰자위에 노른자위·생선·치즈 따위를 넣어 구운 요리》. (2) 거품낸 흰자위에 과즙·초콜릿·바닐라 따위를 넣은 디저트》. ── *a.* 수플레의; 부풀은; (도자기 따위) 표면이 도톨도톨한.
── *vt.* 요리하여 부풀리다, 수플레(풍)으로 하다. 〖F=blown〗

sough [sáu, sʌ́f] *vi.* 바람이 쌩쌩 불다, 윙윙거리다; (나뭇잎이) 살랑거리다. ── *n.* U 바람 부는 소리, 쌩쌩, 윙윙, 살랑거림. **~·ful·ly** [sáufəli, sʌ́fəli] *adv.* **~·less** *a.*
〖OE *swōgan* to resound〗

‡**sought** *v.* SEEK의 과거·과거분사.

sóught-àfter *a.* 필요로 하고 있는, 수요가 많은.

souk, suq [sú:k] *n.* (북아프리카·중동의) 야외 시장. 〖Arab.〗

‡**soul** [sóul] *n.* **1 a)** U,C 영혼, 혼(↔*body*, *flesh*): the abode of the departed ~*s* 육체를 떠난 영혼의 안식처, 천국. **b)** U,C 정신, 마음: He has a ~ above material pleasures. 그는 물질적 쾌락을 초월한 정신의 소유자다. **c)** U 기백, 열정, 생기, 감정: He has[His pictures have] no ~. 그에게는[그가 그리는 그림에는] (예술적) 기백[생명감]이 없다. **2 a)** 수뇌, 중심인물, 지도자: the (life and) ~ *of* the party 회합의 중심인물[인기인]. **b)** (사물의) 정수, 핵심, 생명: Brevity is the ~ *of* wit. 《셰익스피어》 간결은 재치의 생명이다. **3** (정신의 구현으로서의) 인물; (어떤 덕의) 권화(權化), 화신, 전형, 귀감: an honest ~ 정직한 사람/He is the ~ *of* honesty. 그는 정직의 화신이다. **4** 죽은 사람의 혼[영]; 망령. **5** 사람, 인명, (…한) 인간: Not a ~ was to be seen. 사람이라고는 그림자 하나 안 보였다/Don't tell a ~. 아무에게도 말하지 마라/The jetliner fell apart while flying with 130 ~*s* on board. 그 제트 여객기는 130명을 태운 채 공중 분해되었다. 注 때때로 애정·연민을 나타내어 person의 뜻으로 쓰임: Be a good ~ and do it. 아이 착해라 그렇게 해요/She's lost her son, poor ~! 가엾게도 그녀는 아들을 잃었다. **6** 《口》 미국의 흑인이 전하는 강렬한 느낌, 솔《특히 연주가의 정열·기백 따위》, =NEGRITUDE, SOUL MUSIC, SOUL FOOD, SOUL BROTHER[SISTER].

cannot call one***'s soul*** one***'s own*** 완전히 남에게 지배되다, 오직 남이 시키는 대로 하다.

commend one***'s soul to God*** (임종하는 사람이) 영혼을 신에게 의탁하다, 사후의 명복을 빌다.

for the soul of one=***to save*** one***'s soul*** 아무리해도, 도무지《생각나지 않는다 따위》.

in one***'s soul of souls*** 마음속으로는.

the flow of soul (화기애애하게) 즐거움을 나누기, 격의 없는 교제.

(*up*)*on*[*'pon, by*] one***'s soul*** 맹세코, 확실히.

with one***'s heart and soul*** 온정신을 쏟아서.

── *a.* 《口》 미국 흑인의, 흑인 문화의; 흑인을

위한, 흑인 관리의 ; 흑인을 차별하지 않는, 흑인 환영의.
〖OE *sāwol, sāw(e)l* ; cf. G *Seele*〗

sóul bròther *n.* 《美》 (흑인의 동료로서의) 흑인 남성, 동포(cf. SOUL SISTER).

Sóul Cíty *n.* 《美黑人俗》 =HARLEM.

sóul-destròy·ing *a.* 매우 단조로운.

souled [sóuld] *a.* 정신을 가진, [복합어를 이루어] 정신[마음]이 …한 : high-~ 고결한 / mean-~ 마음이 비열한.

sóul fòod *n.* 미국 남부 흑인의 전통적인 음식《돼지의 내장[다리]·고구마·옥수수빵 따위》; 《美黑人俗》 진실로 만족스러운 것.

sóul·ful *a.* 《口》 극단적으로 감정적인 ; 정성어린, 활기에 찬, 정열적인. **~·ly** *adv.* **~·ness** *n.*

sóul kìss *n.* 격렬한 입맞춤(=deep kiss).

sóul·less *a.* 영혼이 없는 ; 정성들이지 않은 ; 무정한 ; 비열한. **~·ly** *adv.* **~·ness** *n.*

sóul màte *n.* 심우(心友), 강한 친근감을 느끼는 이성(異性) ; 애인, 정부(情婦).

sóul mùsic *n.* 〖樂〗 솔 뮤직《리듬 앤드 블루스와 현대적인 흑인 영가인 gospel song이 섞인 미국의 흑인 음악》.

sóul ròck *n.* 〖樂〗 솔 록《솔 뮤직의 영향(影響)을 받은 록》.

sóul-sèarch·ing *n.* (진리·진상 따위에 관한) 탐구[규명], 자기 분석.

sóul sìster *n.* 《美》 (흑인의 동료로서의) 흑인 여성(cf. SOUL BROTHER).

◇**sound**[1] [sáund] *n.* **1** Ⓤ 음(音), 음향, 울림(cf. NOISE) (↔*silence*) ; Ⓒ 소리 ; 〖音聲〗 음, 음성, 어음(語音)(=speech sound) : *S*~ travels in waves. 소리는 음파의 형태로 전달된다 / a dull ~ 둔한 소리 / ☞ VOWEL SOUND / Not a ~ was heard. 아무 소리도 들리지 않았다. **2** 가락, 음조 ; [때때로 *pl.*] 사운드《특정한 개인·그룹·지역에 특유한 음악 스타일》; (목소리·말의) 인상, 느낌, 의미 : a joyful[mournful] ~ 기쁜[슬픈] 듯한 목소리 / catch the ~ of …의 뜻을 대충 알다 / This sentence has a queer ~. 이 문장은 이상하게 들린다 / I don't like the ~ of it. 그 가락이 마음에 들지 않는다. **3** Ⓤ 소음, 소동, 시끄러운 소리(noise) : It has much ~ but no[little] sense. 소음만 많고 의미가 전혀[거의] 없다, 공연한 법석이다. **4** 들리는 범위.
within sound of …이 들리는 곳에.
— *vi.* **1 a)** 소리가 나다, 울리다, 울려 퍼지다 ; (나팔·벨 따위가) 소집의 신호를 하다 : The bell ~*ed.* 종이 울렸다 / Some of the keys on that piano won't ~. 저 피아노의 몇몇 건반은 소리가 나지 않는 것이 있다. **b)** 소리로 전달되다, 전해지다, 널리 퍼지다, 공포되다. **2** [+補 / +*to*+名] (…와 같은) 소리가 나다 ; …처럼 들리다, 보이다, 생각되다(seem) : "Rough" and "ruff" ~ the same. rough와 ruff는 같은 발음이다 / That excuse ~*s* queer. 그 변명은 이상하다 / Her explanation ~*s* all right. 그녀의 설명은 그럴싸하게 들린다 / strange as it may ~ 이상하게 들릴지 모르나 / It ~*ed* like thunder. 우레와 같은 소리였다 / I suppose the story ~*s* absurd ***to*** you. 그 이야기는 너에게 이상하게 들릴 것이다 / It ~*ed* (*to* me) as if the roof was falling in. (내게는) 지붕이 내려앉는 것 같은 소리가 들렸다. **3** 〖法〗 (소송 따위) …한 취지를 갖다 <*in*>.
— *vt.* **1** (트럼펫 따위를) 울리다, 불다 ; (문자를) 발음하다 : ~ a trumpet 트럼펫을 불다 / Don't ~ the 'h' in 'honest.' honest의 h를 발음해서는 안된다. **2** (종 따위로) 알리다, 신호하다, (경보 따위를) 발하다 ; (평판 따위를) 퍼뜨리다 : ~ the alarm 경보를 울리다 / ~ the retreat 퇴각

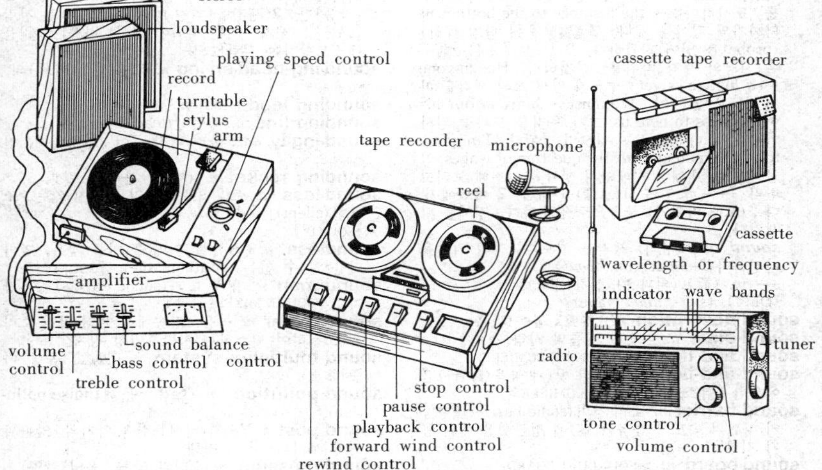

sound reproduction equipment

신호를 하다 / He ~*ed* her praises far and wide. 그는 그녀를 어디서나 칭찬하고 다녔다. **3** (벽·레일·차바퀴 따위를) 망치로 두드려서 검사하다 ; 〖醫〗 타진[청진]하다.
—— *a.* (텔레비전에 대하여) 라디오(방송)의.
〖OF *son*<L *sonus* ; -*d*는 15세기 이래의 첨자(添字)〗
類義語 ***sound*** 귀에 들리는 소리 ; 일반적인 말. ***noise*** 소리가 지나치게 크거나 격렬하여 귀에 불쾌하게 들리는 소음 : the *noise* of vehicles (차량의 소음). ***tone*** 진동수가 일정하여 기분이 좋은[음악적인] 음 : the *tone* of violin(바이올린의 음색).

***sound²** *a.* **1** (육체적으로) 건전한, 건강한, 정상의 : A ~ mind in a ~ body. 《속담》 건전한 신체에 건전한 정신. **2** 상하지[썩지] 않은 ; 완전한, 흠 없는. **3** (건물 따위가) 견고한, 안전한. **4** (정신적으로) 건전한, 온건한, 확고한, 올바른, 정직한, 신뢰할 수 있는. **5** (재정상태 따위가) 견실한, 안전한, 자산(資産)[지급능력]이 있는. **6** 실질적인, 영속성이 없는 ; (수면이) 충분한 ; 완전한 ; (타격 따위가) 호된, 충분한, 강한. **7** (행위 따위가) 견실한, 성실한. **8** 논리적으로 바른 ; (교리·신학자 등) 정통의 ; 〖法〗 유효한.
(***as***) ***sound as a bell*** [***top***] 아주 건강하여[푹 잠들어].
—— *adv.* 깊이, 충분하게, 푹 : sleep ~ 푹 자다 / ~ asleep 깊이 잠들어. **~·ly** *adv.* 건전하게 ; 확실[안전]하게, 온건하게 ; 푹 ; 세게.
〖OE *gesund* ; cf. G *gesund*〗
類義語 ⟹ HEALTHY.

sound³ *n.* **1** 해협, 좁은 해협(strait). **2** 작은 만(灣), 하구, 후미 : ☞ PUGET SOUND. **3** (물고기의) 부레.
〖OE *sund* swimming, strait ; cf. SWIM〗

sound⁴ *vt.* **1** (깊이를) 재다, (측연(測鉛)·측간(測桿)으로) …의 바닥을 탐색하다 ; (대기·우주를) 조사하다 : ~ the distance to the bottom 바닥까지의 깊이를 재다. **2** 〖醫〗 …에 탐침(探針)(probe)을 넣어 진찰하다. **3** [＋目 / ＋目＋前＋名] (남의 생각 따위를) 타진하다 : Has anyone ~*ed* his views yet? 누군가 벌써 그의 생각을 타진해 보았는가 / We must ~ him ***about*** his willingness to help us. 그가 우리를 도와줄 의사가 있는지 타진해 보지 않으면 안된다 / I'm going to ~ the manager ***on*** the question of wages. 임금 문제에 대해서 지배인의 생각을 타진해 보려고 한다. —— *vi.* **1** 수심(水深)을 재다. **2** 바닥에 닿다 ; (고래 따위가) 물속으로 잠수하다 ; 정세를 탐색하다.
sound out (남의) 생각을 떠보다, …의 의향을 타진하다(feel out)〈*on, about*〉.
—— *n.* 〖醫〗 (외과용) 탐침(探針).
〖OF<L (*sub-*, *unda* wave)〗

sóund absòrption *n.* 〖音聲〗 흡음(吸音).
sóund-alìke *n.* 비슷한 이름의 사람[것].
sóund and líght *n.* ＝SON ET LUMIÈRE.
sóund-and-líght *a.* 소리와 빛(과 녹음(錄音))을 이용한 《디스코》; SON ET LUMIÈRE의.
sóund bàrrier *n.* 소리 장벽(sonic barrier)《항공기 따위의 속도가 음속(音速)에 접근했을 때의 공기 저항》.
sóund·bòard *n.* ＝SOUNDING BOARD.
sóund bòx *n.* (악기의) 음향실, 공명실 ; (축음기(蓄音機)의) 사운드 박스《pickup 운모판(雲母板)의 부분》.
sóund bròadcasting *n.* (텔레비전과 구별하여) 라디오 방송.
sóund càmera *n.* 〖映〗 동시 녹음용 촬영기.
sóund chànge *n.* 〖言〗 음변화, 음운 변화.
sóund-condìtion *vt.* 음향을 조절하다, 음향효과를 좋게 하다.
sóund effècts *n. pl.* 〖放送·劇〗 음향 효과《방송·연극에서 비바람·문이 삐걱거리는 소리 따위의 인위적인 것》.
sóund engineèr *n.* 음향 기사.
sóund·er¹ *n.* **1** 소리내는[울리는] 것[사람]. **2** 〖電〗 전음 발신기, 음향기. 〖SOUND¹〗
sounder² *n.* 측심기[사](測深機[師]) ; 〖醫〗 탐침. 〖SOUND⁴〗
soun·der³ [sáundər] *n.* 《古》 멧돼지 떼.
〖OF<Gmc. ; cf. OE *sunor* herd of swine〗
sóund fìeld *n.* 〖理〗 음장(音場).
sóund fìlm *n.* 발성 영화(cf. FILM 5 a)) ; ＝TALKING PICTURE.
sóund·hèad *n.* 사운드헤드《영사기의 발성부》.
sóund hòle *n.* 〖樂〗 (현악기의) 공명 상자 구멍, (바이올린속(屬) 악기의) *f*자공(字孔).
sóund·ing¹ *a.* **1** 소리나는 ; 울려 퍼지는, 음이 높은. **2** 어마어마하게 들리는 ; 허풍떠는, 호언장담하는 : a ~ title 어마어마한 직함 / ~ oratory 과장된 연설. —— *n.* 《美俗》 ＝SIGNIFYING.
〖SOUND¹〗
sounding² *n.* **1** Ⓤ [흔히 *pl.*] 수심 측량 ; 수심. **2** [*pl.*] 측연(測鉛)이 닿는 범위의 바다, 깊이 600 피트 미만의 바다 ; 측연에 의한 탐측 결과 ; (여러 고도에서의) 기상 관측, 우주 탐측 : in[on] ~*s* (배가) 측연이 닿는 곳에 / off[out of] ~*s* (배가) 측연이 닿지 않는 곳에. **3** [흔히 *pl.*] (여론 따위의 신중한) 조사 : take ~*s* 서서히 사태를 알아보다. 〖SOUND⁴〗
sóunding ballòon *n.* 〖氣〗 탐측 기구.
sóunding bòard *n.* **1** (악기의) 공명판 ; (무대 위나 스피커 뒤쪽 따위에 설치하는) 반향판 ; 흡음[방음]판. **2** 생각을[의견 따위를] 선전하는 사람[그룹] ; (생각·의견 따위에 대한) 반응[반향]을 테스트당하는 사람[그룹], 상담역, 고문.
sóund·ing-déad·en·ing *a.* 소음성(消音性)의, 소음용의.
sóunding lèad [-lèd] *n.* 측연.
sóunding lìne *n.* 측연선(lead line).
sóund·ing·ly *adv.* 울려 퍼질 듯이 ; 당당하게, 인상적으로.
sóunding ròcket *n.* (기상) 관측용 로켓.
sóund·less¹ *a.* 소리 없는, 소리를 내지 않는, 조용한(silent). **~·ly** *adv.*
〖SOUND¹〗
soundless² *a.* 《詩》 잴 수 없을 만큼 깊은, 밑바닥을 알 수 없는(unfathomable). 〖SOUND⁴〗
sóund màn *n.* 음향효과(sound effects) 담당자 ; ＝SOUND MIXER《사람》.
sóund mìxer *n.* 녹음·방송에서 여러 가지 소리를 조정하여 믹스하는 사람 ; 믹싱 장치.
sóund-múltiplex sỳstem *n.* 〖放送〗 음성 다중(多重) 방식.
sóund pollùtion *n.* 소음 공해(noise pollution).
sóund pòst *n.* 〖樂〗 (바이올린속 악기의 앞판과 뒤판 사이의) 버팀 막대.
sóund prèssure *n.* 소리의 압력, 음압(音壓).
sóund·próof *a.* 소리가 통하지 않는, 방음의.
—— *vt.* …에 방음 장치를 하다.
sóundproof brá *n.* 《美俗》 심을 넣은 브래지어.
sóund rànging *n.* 음향 거리 측정.

sóund recòrding *n.* 녹음.
sóund·scàpe *n.* (음악 따위의) 소리의 퍼짐 ; 음경(音景), 소리의 풍경.
sóund scùlpture *n.* 소리가 나는 조각《좋은 소리가 나는 금속 막대 따위를 씀》.
sóund shèet *n.* 《俗》 보통의 음반보다 얇은 비닐·플라스틱제(製)의 레코드《광고·판매용》.
sóund shìft *n.* 〖言〗 음운 추이, 음변화.
sóund spèctrograph *n.* 〖理〗 음향 분석장치.
sóund spèctrum *n.* 〖理〗 음향 스펙트럼《소리의 진폭·강도를 주파수의 함수로 나타낸 것》.
sóund·stàge *n.* 사운드 필름을 제작하는 방음 스튜디오.
sóund tràck *n.* (영화 필름 가장자리의) 녹음대(帶), 사운드 트랙.
sóund trùck *n.* 《美》 확성기를 설치한 트럭, 선전차(=《英》 loudspeaker van).
sóund wàve *n.* 〖理〗 음파(音波).
‡**soup**[1] [sú:p] *n.* **1** Ⓤ [종류를 말할 때는 Ⓒ] 수프, 고깃국물 ; 걸쭉한 것, 혼합(용)액(cf. PRIMORDIAL SOUP) ; 폐액 ; 《口》 농무, 두꺼운 구름 ; 《美俗》 (특히 금고 파괴용) 니트로글리세린(nitroglycerin), 다이너마이트 ; 《口》 (사진의) 현상액 : chicken[pea, tomato] ~ 닭고기[완두, 토마토] 수프 / eat ~ 수프를 먹다. **2** 《俗》 (경주마에게 마시게 하는) 흥분제 ; 《俗》 (비행기나 자동차의) 강화 연료 ; 《俗》 스피드 ; 《俗》 마력 ; 《서핑俗》 수프《파도가 부서져서 해안을 향해 빠르게 움직이는 파도 거품》.
in the soup 《俗》 곤경[난관]에 빠져(in a fix).
〚F *soupe* sop, broth <L ; cf. SOP, SUP[1]〛
soup[2] *vt.* **1** [+目+副] 《俗》 (엔진 따위를 개조하여) 마력[속도·성능]을 높이다 : He bought an old car and ~*ed* it ***up***. 그는 낡은 자동차를 사서 마력을 높였다. **2** 《비유》 (이야기 따위를) 한층 자극적으로[매력적으로] 하다 ; 흥분시키다〈*up*〉.
〚↑〛
sóup and físh *n.* 《口》 남자 야회(夜會) 예복.
sóup·bòne *n.* 수프용의 뼈《소의 사골 따위》; 《野俗》 (투수가) 주로 쓰는 팔, 오른팔.
soup·çon [sú:psɑn ; *F* supsɔ̃] *n.* 조금, 소량〈*of*〉; 기미, 기색〈*of*〉.
〚F ; ⇨ SUSPICION〛
sóuped-úp *a.* 《俗》 고성능으로 한 ; 자극적[극적]으로 한, 매력을 더한 ; 흥분한.
sóup hòuse *n.* 《美俗》 싸구려 식당.
sóup jòb *n.* 《美俗》 빠른 차[비행기].
sóup jòckey *n.* 《美俗》 웨이터, 웨이트리스.
sóup kìtchen *n.* (빈곤자를 위한) 급식 시설《주로 수프(와 빵)을 냄》; 〖軍〗 이동 요리차.
sóup plàte *n.* 수프 접시.
sóup·spòon *n.* 수프용 숟가락.
sóupy *a.* 수프[고깃국물] 같은, 걸쭉한 ; 《美俗》 지나치게 감상적인, 훌쩍거리는, 매우 이상주의적인 ; (날씨가) 안개가 짙은, 잔뜩 흐린, 구중중한.
***sour** [sáuər] *a.* **1** 신, 시큼한 ; (우유 따위) 시큼해진 ; 쉰내가 나는, 구린 : ☞ SOUR GRAPES. **2 a**) 심술궂은, 성미가 비뚤어진. **b**) 부루퉁한, 성미가 꾀까다로운 ; 불쾌한 : look ~ 언짢은 얼굴을 하다〈*on*〉. **c**) (날씨 따위) 음산한, 흐리고 추운. **3** (토지가) 산성(酸性)인, 냉습한 ; (가솔린 따위가) 유황(화합물)로 불순한[더러워진]. **4 a**) 표준이하의, 소용없는, 좋지않은 ; 《口》 나쁜, 어설픈, 부더한, 불법[위법]의. **b**) 《口》 〖樂〗 (몹시) 가락이 맞지 않는, 음정이 틀린.
be sour on... 《美》 …에 적의를 품다, …을 싫어하고 있다.
go[***turn***] ***sour*** 맛이 없어지다 ; 흥미를 잃다, 시시해지다.
—— *n.* 시큼한 맛, 신맛 ; 신 것 ; 《美》 사워《위스키 따위에 레몬[라임] 주스를 섞은 칵테일》; 싫은 것, 대단히 불쾌한 일.
take the sweet with the sour 인생을 무사태평하게 생각하다.
—— *adv.* =SOURLY.
—— *vt.* **1** 시게 하다 : Hot weather will ~ the milk. 날씨가 더워 우유가 상하겠다. **2** 까다롭게 하다 ; 불쾌하게 하다 ; 썩게 하다, 소용없게 하다 : He has been ~*ed* by his son's mistake. 아들의 실수에 성미가 뒤틀어졌다.
—— *vi.* 시어지다 ; 꾀까다로워지다 ; 불쾌해지다 ; (토양이) 산성이 되다. **~·ish** *a.* 약간 신. **~·ly** *adv.* 시큼하게 ; 찌무룩하게, 불쾌하게, 음침하게. **~·ness** *n.* 시큼함 ; 찌무룩함, 꾀까다로움, 심술궂음, 음침함.
〚OE *sūr* ; cf. G *sauer*〛
類義語 ***sour*** 맛 또는 냄새가 불쾌하게 시큼시큼한, 흔히 발효 또는 부패하고 있는 것을 뜻함 : *sour* milk(시큼한 우유). ***acid*** 그 물질 본래의 성질상 신 : A lemon is an *acid* fruit. (레몬은 신 과일이다). ***tart*** 약간 짜릿한 신맛으로 때때로 미각에 쾌감을 주는 것을 나타냄 : a *tart* apple(새큼한 사과).
sóur bàll *n.* 신맛이 나는 딱딱하고 둥근 사탕 ; 《美俗》 불평가(=grumbler).
‡**source** [sɔ́:rs] *n.* **1** 원천(spring), 수원지, 공급원. **2** 근원, 근본 ; 출처, 정보원, 자료 ; 기반, 근거 ; 관계당국, 정보원 : a news ~ 뉴스의 출처 / a reliable ~ 믿을 만한 출처 / historical ~*s* 사료(史料) / the ~ *of* revenue [wealth] 재원[부원(富源)]. **3** (상환·배당금 따위의) 지급인. **4** 기원, 원인 ; 기점, 시작 ; 창시자, 원형 ; 〖컴퓨〗 바탕, 원천. —— *vt.* (인용)의 출처를 명기하다.
〚OF (p.p.) 〈*sourdre* to SURGE〛
類義語 ⟹ BEGINNING.
sóurce bòok *n.* 원전(原典), 사료집(史料集).
sóurce còde *n.* 〖컴퓨〗 바탕[원천] 부호.
sóurce fóllower *n.* 〖電子〗 소스폴로어《전기장 효과 트랜지스터의 전력 증폭 회로》.
sóurce lànguage *n.* 〖言〗 기점(起點) 언어《번역의 원문 언어》; 〖컴퓨〗 바탕 언어《자연 언어에 가깝고 그대로는 컴퓨터를 작동시킬 수 없음》.
sóurce matèrial *n.* (조사·연구의) 원자료《일기·수기·기록 따위》.
sóurce prògram *n.* 〖컴퓨〗 바탕 풀그림[프로그램]《바탕 언어로 쓰여진 프로그램》.
sóur crèam *n.* (크림에 젖산을 섞어 발효시킨) 사워 크림《요리용》.
sóur crúde *n.* 황분이 많은 원유, 사워 원유.
sour·dine [suərdí:n] *n.* **1** 〖樂〗 약음기(mute). **2** 소형 바이올린 ; 옛 오보에.
sóur·dòugh *n.* 《美》 **1** Ⓤ 효모, 이스트. **2** (알래스카[캐나다]에서 겨울을 보낸) 고참 탐광자(探鑛者)[개척자], 노련한 사람.
sóur grápes *n. pl.* 지기 싫어서 허세부리기.
〚이솝 이야기에서〛
sóur gùm *n.* 〖植〗 닛사나무《미국산(産)》.
sóur másh *n.* 《美》 사워 매시《위스키 따위의 증류에 쓰는 젖산 발효 촉진용의 산성 맥아즙》.
sóur·pùss *n.* 《口》 불쾌해 하고 있는 사람, 음침한[비뚤어진] 성격의 사람, 보기 싫은 놈.
sóur sált *n.* 산미염(酸味鹽), 결정 시트르산(citric acid).
sóur·sòp *n.* 〖植〗 가시반여지《열대 아메리카 원산

(原產)》; 그 열매.

sou·sa·phone [sú:zəfòun, -sə-] *n.* 수자폰《tuba류의 관악기》.

sousaphone

souse[1] [sáus] *n.* **1** Ⓤ (절이는 데 쓰는) 간물, 간국. **2** Ⓤ (돼지의 머리·다리·귀, 청어 따위를) 소금에 절인 것. **3** 흠뻑 젖음; 물에 담금. **4** 《美俗》 대주가(大酒家). ── *vt.* **1** 소금에 절이다(pickle): ~*d* herrings 소금에 절인 청어. **2** [+目/+目+前+名] (물 따위에) 담그다, 흠뻑 적시다; (물 따위를) 끼얹다: ~ a thing ***in*** water 물건을 물에 담그다/~ water ***over*** a thing 물건에 물을 끼얹다. **3** [*p.p.*로] 《俗》 술에 취하게 하다: get ~*d* 몹시 취하다. ── *vi.* 소금에 절여지다; 물에 담그다, 흠뻑 젖다; (물 따위가) 튀다; 《俗》 술에 취하다.
〖OF=pickle<Gmc.; ⇨ SALT〗

souse[2] 《古·方》 *vt., vi., n.* (매사냥 따위) 급습[(…에) 급강하]하다[하기], (사냥감이) 날아 오르기. ── *adv.* 첨벙; 곤두박질로.
〖SOURCE=(obs.) rising of hawk etc.〗

sóuse pòt *n.* 《俗》 주정뱅이, 술고래.

sou·tache [su:tǽʃ] *n.* 수태시《오늬 모양 무늬의 가는 장식끈》. 〖F<Hung.〗

sou·tane [su:tǽn, -tá:n] *n.* 〖카톨릭〗 수탄(cassock)《성직자의 평상시 옷》.
〖F<It. (*sotto* under<L *subtus*)〗

sou·te·neur [sù:tənə́:r; *F* sutnœ:r] *n.* 매춘굴의 포주(pimp).

sou·ter·rain [sú:tərèin] *n.* 〖考古〗 지하실[지하도].

◇**south** [sáuθ] *n.* **1** Ⓤ [보통 the ~] 남(南), 남방; 남부《略 s., S, S.; ↔*north*; ☞ NORTH 1 주》. **2** [the S~] (잉글랜드의) 남부; [the ~] 남부 지방; [the S~] 《美》 남부에 있는 여러 주(州)《Mason-Dixon line 및 Ohio 강 남쪽 지방》. **3** [the S~] (지구의) 남극 지방; [the S~] (자석의) 남극. **4** 《詩》 남풍(南風).
in the south of …의 남부에.
on the south of …의 남쪽[남단]에.
south by east 남미동(南微東)《略 SbE.》.
south by west 남미서(南微西)《略 SbW.》.
to the south of …의 남쪽(방향)에.
── *a.* **1** 남쪽의, 남쪽에 있는; 남향의: a ~ window 남쪽으로 난 창문. **2** [S~] 남부의; 남부 주민의. **3** (바람이) 남쪽에서 불어오는: a ~ wind 남풍.
── *adv.* 남쪽[남방]에[으로]: The ship is sailing ~. 배는 남쪽으로 항해하고 있다.
south by east[***west***] 남미동[서]으로(cf. *n.*).
south of …의 남쪽에.
──[, -ð] *vi.* **1** 남진하다; 남쪽으로 방향 전환하다. **2** 〖天〗 (달 따위가) 남중(南中)하다, 자오선(子午線)을 통과하다.
〖OE *sūth*; cf. G *Süd*; SUN과 관계있음〗

Sòuth África *n.* [the Republic of ~] 남아프리카 공화국《수도 Pretoria》.

Sòuth Áfrican *a.* 아프리카 남부의, 남아프리카 공화국의. ── *n.* 남아프리카 공화국의 주민, (특히) 남아프리카 공화국 태생의 백인.

Sòuth Áfrican Dútch *n.* =AFRIKAANS《略 SAfrD》; 보어사람(the Boers).

Sóuth América *n.* 남미(南美), 남아메리카.

South·amp·ton [sauθhǽmptən] *n.* 사우샘프턴《영국 남해안의 항구 도시》.

Sóuth Austrália *n.* 사우스오스트레일리아《오스트레일리아 중남부의 주(州); 주도 Adelaide》.

sóuth·bòund *a.* 남쪽으로 가는[향한] (bound for south).

Sóuth Carolína *n.* 사우스캐롤라이나《미국 남동부의 주(州); 주도 Columbia; 略 S.C.》.
Sóuth Carolínian *a., n.* 사우스캐롤라이나의 (사람).

Sóuth Chína Séa *n.* [the ~] 남중국해.

Sóuth Dakóta *n.* 사우스다코타《미국 중북부의 주; 略 S. Dak.》. **Sóuth Dakótan** *a., n.* 사우스다코타의 (사람).

Sóuth·dòwn *n., a.* 사우스다운종(種)의 양(의) 《뿔이 없음; 고기는 맛이 좋음》. 〖↓〗

Sóuth Dówns *n. pl.* [the ~] 사우스다운스《영국 남동부에서 동서로 뻗은 낮은 초지성(草地性) 구릉 지대》.

*__sòuth·éast__ [, 《海》 sàuí:st] *n.* Ⓤ [the ~] 남동 《略 S.E.》; [the S~] 남동 지방; 《詩》 남동풍.
southeast by east 남동미동(南東微東) 《略 SEbE》.
southeast by south 남동미남(南東微南) 《略 SEbS》.
── *a.* **1** 남동쪽의[에 있는·에 면한]; 남동부의. **2** (바람이) 남동쪽에서의[에서 불어오는].
── *adv.* 남동쪽으로[을 향하여].

Sóutheast Ásia *n.* 동남아시아.
Sóutheast Ásian *a., n.* 동남아시아의 (사람).

Sóutheast Ásia Tréaty Organizàtion *n.* [the ~] 동남아시아 조약 기구《略 SEATO》.

sòuth·éast·er [, 《海》 sàuí:stər] *n.* 남동풍, 남동의 강풍[폭풍].

sòuth·éast·er·ly *a., adv., n.* 남동의[으로]; 남동에서(의); 남동풍.

sòuth·éast·ern *a.* 남동(쪽)의, 남동에 있는; 남동으로의; 남동으로부터의; [흔히 S~] 남동부 지방의.

sòuth·éast·ward *n.* [the ~] 남동쪽(의 지점[지역]). ── *a.* 남동으로의; 남동에 있는. ── *adv.* 남동(쪽)으로. **~·ly** *adv., a.* =SOUTHEASTWARD.

sòuth·éast·wards *adv.* =SOUTHEASTWARD.

south·er [sáuðər] *n.* 남풍, 강한 남풍.

south·er·ly [sʌ́ðərli] *a.* 남(으로)의, (바람이) 남쪽으로부터의, 남에서 부는. ── *adv.* 남으로; (바람이) 남쪽으로부터. ── *n.* 남풍.

‡**south·ern** [sʌ́ðərn] *a.* **1** 남(쪽)의, 남쪽에 있는; 남쪽에 면한; (바람이) 남쪽에서 부는(southerly). **2** [S~] 《美》 **a)** 남부 여러 주(州)(에서)의: the *S*~ States 남부 여러 주(州). **b)** 남부(지방) 방언의. ── *n.* [S~]=SOUTHERNER; Ⓤ [S~] 《美》 남부 방언(=**S~ díalect**).

Sóuthern Álps *n. pl.* [the ~] 남 알프스《뉴질랜드 남섬의 산맥》.

Sóuthern Cróss *n.* [the ~] 남십자성(Crux).

Sóuthern Énglish *n.* 남부 영어《특히 남부 영국의 교양인이 쓰는 영어》; 미국 남부 방언.

sóuthern·er *n.* 남부지방 사람; [S~] 남부 (여러 주의) 사람.

Sóuthern Físh *n.* [the ~] 〖天〗 남쪽물고기자리.

Sóuthern fríed chícken *n.* 닭고기에 빵가루를 묻히고 튀긴 것《미국 남부에 흔한 요리》.

Sóuthern Hémisphere *n.* [the ~] 남반구.

sóuthern·ìsm *n.* (미국의) 남부 어법[사투리]; 남부(사람)의 특성[기질].

sóuthern líghts *n. pl.* [the ~] 남극광(南極光) (aurora australis) (cf. NORTHERN LIGHTS).

sóuthern·mòst *a.* 가장 남쪽의, 극남(極南)의,

최남단의.
sóuthern péa *n.* 〖植〗 동부.
Sóuthern Rhodésia *n.* 남로디지아《1923-65년의 Zimbabwe의 명칭》.
Sóuthern strátegy *n.* [the ~] 〖美政〗 남부 전략《선거에서 남부의 백인표를 모으면 전국을 장악할 수 있다는 사고방식》.
sóuthern·wòod *n.* 〖植〗 (남유럽산) 쑥의 일종《맥주의 고미제(苦味劑)》.
Sou·they [sáuði, sʌ́ði] *n.* 사우디. **Robert** ~ (1774-1843) 영국의 계관시인.
Sóuth Frígid Zòne *n.* [the ~] 남한대.
south·ing [sáuðiŋ, -θiŋ] *n.* **1** Ⓤ 〖海〗 남항 행정(南航行程), 남거(南距) ; 〖天〗 남중(南中). **2** Ⓤ 남항, 남진(南進).
Sóuth Ísland *n.* 남섬《뉴질랜드 남쪽의 섬》.
sóuth·lànd [ˊ, -lənd] *n.* [흔히 S~] 남쪽 나라, 남부 지방.
sóuth·mòst [ˊ, 英+-məst] *a.* =SOUTHERNMOST.
sóuth·pàw *a., n.* 왼손잡이의 (선수), (야구의) 좌완 투수.
〖일설에 남부 출신의 좌완 투수가 많았으므로〗
***sóuth póle** *n.* [the ~, 흔히 the S~ P~] (지구의) 남극(南極) ; (하늘의) 남극 ; (자석의) 남극.
south·ron [sʌ́ðrən] *n.* 《美》 남부 여러 주(州) 사람, 남부인 ; [흔히 S~] 《스코》 남부 지방 사람, 스코틀랜드인. —— *a.* [흔히 S~] 《스코》 잉글랜드(인)의.
Sóuth Sèa Íslands *n. pl.* [the ~] 남양 제도.
Sóuth Sèa Ísland·er *n.* 남양 제도인(人).
Sóuth Séas *n. pl.* [the ~] 남태평양, 남양.
sóuth-sòuth·éast [ˊ, 《海》 sáusàu-] *n.* [the ~] 남남동(南南東) 《略 SSE, S.S.E.》. —— *a., adv.* 남남동의[에 · 으로 · 에서].
sóuth-sòuth·wést [ˊ, 《海》 sáusàu-] *n.* [the ~] 남남서 《略 S.S.W.》. —— *a., adv.* 남남서의[에 · 로 · 에서].
***sóuth·ward** [ˊ, 《海》 sʌ́ðərd] *n.* [the ~] 남쪽(의 지점[지역]) : to[from] *the* ~ 남방으로[에서]. —— *a.* 남쪽으로의, 남쪽에 있는. —— *adv.* 남쪽에[으로].
***sóuth·wards** *adv.* =SOUTHWARD.
***sòuth·wést** [ˊ, 《海》 sàuwést] *n.* **1** [the ~] 남서(부) 《略 SW, S.W.》. **2** [the S~] 《美》 남서 지방《New Mexico, Arizona 및 남캘리포니아》. **3** 《詩》 남서풍.
southwest by south 남서미남(南西微南) 《略 SWbS》.
southwest by west 남서미서(南西微西) 《略 SWbW》.
—— *a.* **1** 남서쪽으로의[에 있는 · 에 면한] ; 남서부의. **2** (바람이) 남서쪽에서의[부는].
—— *adv.* 남서쪽으로 (향하여).
sòuth·wést·er [ˊ, 《海》 sàuwéstər] *n.* **1** 남서풍, 남서의 폭풍[강풍]. **2** =SOU'WESTER 2.
~·ly *adv., a.* 남서쪽으로(의) ; 남서쪽에서(의).
sòuth·wést·ern *a.* 남서(쪽)의 ; 남서로부터의[로의] ; [흔히 S~] 남서부 지방의.
sòuth·wést·ward *n.* Ⓤ [the ~] 남서(쪽). —— *a.* 남서쪽에의 ; 남서쪽에 있는. —— *adv.* 남서(쪽)에[으로].
~·ly *adv., a.* =SOUTHWESTWARD.
sòuth·wést·wards *adv.* =SOUTHWESTWARD.
Sóuth Yórkshire *n.* 사우스요크셔《잉글랜드 북부의 metropolitan county》.
***sou·ve·nir** [sù:vəníər, ˊ-ˋ] *n.* 유물[품], 기념, 기념품, 선물(keepsake) ⟨*of*⟩ ; a ~ shop 선물 가게, 기념품점. 〖F<L *sub*-(*venio* to come) =to occur to the mind〗
souvenír shèet *n.* 기념우표 시트.
sou'west·er [sauwéstər] *n.* **1** = SOUTHWESTER 1. **2** (폭풍우 때 선원이 쓰는) 방수모.

sou'wester

sov. sovereign.
sov·er·eign [sávərən, sʌ́v-, -vərn] *n.* **1** 주권자, 원수, 군주, 국왕(monarch). **2** 독립국. **3** (영국의) 1파운드 금화《略 sov.》. —— *a.* **1** 주권을 가진, 군주(君主)인 : ~ authority 주권 / a ~ prince 군주, 원수. **2** 독립의, 자주의 : a ~ state 독립국. **3** 최상[최고]의(supreme) ; 탁월한 ; (약이) 특효 있는 : a ~ remedy 묘약, 영약(靈藥) / the ~ good 〖倫〗 지상선. **~·ly** *adv.*
〖OF *soverain*⟨SUPER ; -*g*-는 *reign*과의 유추〗
sóvereign·ty *n.* Ⓤ 주권, 통치권 ; Ⓒ 독립, 독립국 ; 군주의 지위[신분].
sov·prene [sávpri:n ; sɔ́v-] *n.* Ⓤ 합성 고무.
sov·ran [sávrən ; sʌ́v-] *n., a.* 《詩》 =SOVEREIGN.
sow**[1] [sóu] *v.* (**~ed ; sown** [sóun], **~ed**) *vt.* [+目 / +目+*with*+名] (씨를) 뿌리다, 심다 ; …에 씨를 뿌리다 : ~ wheat 밀을 심다 / ~ the seeds of hatred 《비유》 증오(憎惡)의 씨를 뿌리다 / ~ a field ***with wheat 밭에 밀을 심다.
—— *vi.* 《때때로 비유》 씨를 뿌리다 : As a man ~*s*, so he shall reap. 《속담》 자기가 뿌린 씨는 자기가 거두게 마련, 인과응보.
〖OE *sāwan* ; cf. G *säen*〗
sow[2] [sáu] *n.* **1** 암돼지(cf. BOAR, HOG) : You cannot make a silk purse out of a ~*'s* ear. 《속담》 콩 심은 데 콩 나고 팥 심은 데 팥 난다. **2** 〖冶〗 대형주철. **3** 〖動〗 =SOW BUG.
(***as***) ***drunk as a sow*** 곤드레만드레 취하여.
have[***take, get***] ***the wrong sow by the ear*** 엉뚱한 사람[것]을 붙잡다 ; 엉뚱한 사람을 책망하다 ; 그릇된 견해를 갖다.
〖OE *sugu* ; cf. G *Sau*, L *sus* pig, swine, hog〗
so·war [sou*wá:r*, -wɔ́:r] *n.* (이전의 인도에서의 영국 군대의) 인도인 기병. 〖Urdu<Pers.〗
sów·bàck [sáu-] *n.* 길게 뻗은 낮은 언덕.
sów·bèlly [sáu-] *n.* 《美口》 소금에 절인 돼지고기[베이컨].
sów·brèad [sáu-] *n.* 〖植〗 시클라멘.
sów bùg [sáu-] *n.* 〖動〗 쥐며느리.
sow·er [sóuər] *n.* 씨 뿌리는 사람[기계] ; 유포자, 제창자.
So·we·to [səwí:tou] *n.* 소웨토《남아프리카 공화국 Johannesburg 남서부의 흑인 거주 지역》.
〖*So*uth *We*stern *To*wnships〗
***sown** *v.* SOW[1]의 과거분사. —— *a.* (보석 따위를) 박아넣은 ; 수놓은⟨*with*⟩.
sów thìstle [sáu-] *n.* 〖植〗 방가지똥.
sox [sáks] *n.* SOCK[1]의 복수형.
soy [sɔ́i], **soya** [sɔ́iə] *n.* Ⓤ 간장(=ˊ **sàuce**) ; Ⓒ 〖植〗 콩(soybean). 〖Jap.〗
sóy·bèan, sóya bèan *n.* 〖植〗 콩.
sóybean[**sóya**] **mìlk** *n.* 두유(豆乳).
sóybean[**sóya-bèan**] **òil** *n.* 콩기름.
sóy·mìlk *n.* 두유(豆乳).
So·yuz [sɔ́:juz, sə:jú:z] *n.* 소유스《구소련의 우주선 ; 우주 정거장 조립을 목적으로 함》.

so·zin [sóuzən] *n.* 〖生化〗 동물체 속에 있는 항병성(抗病性) 단백질.

soz·zle [sázəl] *vt.* 점벙점벙 씻다[헹구다]; 《口》 술취하게 하다. ── *vi.* 빈둥거리다. 〚imit.〛

sóz·zled *a.* 《口》 곤드레만드레[억병으로] 취한 (very drunk).

SP [éspí:] *n.* 에스피 판《1분간 78회전의 레코드; cf. EP, LP》. 〚*S*tandard *P*laying (record)〛

SP, S.P., s.p. self-propelled; shore patrol(man); shore police; Socialist party; submarine patrol. **SP, sp.** specialist. **Sp.** Spain; Spaniard; Spanish. **sp.** special; species; specific; specimen; spelling; spirit.

spa [spá:, spɔ́:] *n.* 광천(鑛泉), 온천; 광천장, 탕치장(湯治場); 《美》 온천장의 호텔; 체육 설비[사우나]를 갖춘 시설, 헬스 센터.

◇**space** [spéis] *n.* **1** Ⓤ 공간; (대기권 밖의) 우주; 〖理〗 절대 공간: vanish into ~ 허공으로 사라지다. **2** Ⓤ,Ⓒ 간격, 거리; 장소, 여지; Ⓒ 구역; Ⓤ 여백, 지면, 스페이스: take up ~ 자리를 잡다 / open ~*s* 빈 터 / blank ~ 여백 / sell ~ for a paper 신문의 광고란을 팔다. **3** Ⓤ 〖放送〗 (스폰서에게 파는) 시간; 〖空〗 (비행기의) 좌석. **4 a)** [a ~, the ~] (시간의) 사이, 기간: for *a* ~ *of* four years 4년간. **b)** [a ~] 《古》 잠시 동안: for *a* ~ 잠깐 동안. **5** 〖印〗 행간(行間), 공목(空木), 인테르. **6** Ⓤ 〖樂〗 보선(譜線)의 사이, 선간(線間); 〖컴퓨〗 사이. ── *vt.* [+目/+目+副] …(사이)에 (일정한) 간격[거리]을 두다; 〖印〗 자간[행간]을 띄우다, …에 공목[인테르]을 끼우다: The officer ~*d* his men in a line. 장교는 부하들을 사이를 띄워서 일렬로 정렬시켰다 / *S*~ ***out*** the type more. 활자의 행간[자간]을 좀 더 띄우시오 / They allowed me to ~ *out* the payments over three years. 나에게 3년간의 분할지급을 허락해 주었다. ── *vi.* 간격을 두다; 〖印〗 자간[행간]을 띄우다.
〚OF *espace*<L *spatium* area, interval〛

spáce àge *n.* [때때로 S~ A~] 우주 시대.

spáce áge stòck *n.* 〖經〗 우주 시대 주(株) 《우주 개발 계획에 참여하는 회사의 주식》.

spáce-áir vèhicle *n.* 우주 대기 겸용선(宇宙大氣兼用船).

spáce bàndit *n.* 《俗》 =PRESS AGENT.

spáce bàr[kèy] *n.* 타이프라이터[컴퓨터]의 자간을 띄우는 가로 키.

spáce biòlogy *n.* 우주 생물학《(1) 우주에 존재하는[할지도 모르는] 생물의 연구. (2) 인간을 포함한 생물이 우주에서 받는 영향의 연구》.

spáce bòmb *n.* 궤도 폭탄(cf. FOBS).

spáce·bòrne *a.* 우주로 운반되는, 우주 경유의; 우주 중계의《텔레비전》.

spáce-bòund *a.* 우주로 향하는.

spáce bùs *n.* 우주 왕복 연락선.

spáce càdet *n.* 《口》 멍한 사람, 좀 모자라는 사람, 머리가 돈 사람.

spáce càpsule *n.* 우주 캡슐《우주선의 기밀실》.

spáce càrrier *n.* 우주 차량.

spáce chàrge *n.* 〖理〗 공간 전하(電荷).

spáce chèmistry *n.* 우주화학.

spáce còlony *n.* 우주섬《인류를 이주시키기 위한 대형 인공위성》.

***spáce·cràft** *n.* 우주선(spaceship): ~ engineering 우주선 공학.

spáced(-óut) [spéist(-)] *a.* 《俗》 마약에 취해 멍한, 마약을 써서 멍청해진; 현실 감각을 잃은; [spaced-out] 몹시 이상한.

spáce enginéering *n.* 우주 공학.

spáce exploràtion *n.* 우주 탐사.
㊟ 미국의 우주 탐사 계획: ***Explorer*** 우주선(宇宙線)·감마방사선·방사능대 따위의 외기권을 연구하기 위한 무인 위성 계획. ***Mercury*** 준(準) 궤도·궤도 선회비행을 위한 1인승 우주선 계획. ***Gemini*** 우주에서의 장기 체류·랑데부·도킹·우주산책을 시험한 2인승 우주선 계획. ***Surveyor*** 달의 근접 촬영·계기(計器)의 연착(軟着)을 시험한 무인 달 탐사 계획. ***Apollo*** 3인승 우주선에 의한 인간의 달 착륙 계획. ***Mariner*** 금성·화성 탐사 계획.

spáce·fàring *n., a.* 우주 여행(의).

spáce fiction *n.* (공상) 우주 소설.

spáce flìght *n.* 우주 비행; 우주 여행.

spáce fòods *n.* 우주식(食).

spáce gèar *n.* 우주 장치《로켓·인공위성·우주선 따위의 총칭》.

spáce gùn *n.* 우주총《우주 비행사의 우주 유영(游泳)용 분사식 추진 장치》.

spáce hèater *n.* (가지고 다닐 수도 있는) 실내 난방기.

spáce hèating *n.* 난방.

spáce jùnk *n.* (우주선 따위에서 배출되는) 우주 쓰레기.

spáce làb *n.* 우주 실험실.

spáce làttice *n.* 〖結晶〗 공간 격자(空間格子) 《공간 안에 규칙적으로 배열된 점계(點系)가 형성하는 그물눈 모양의 격자》.

spáce làw *n.* 우주법《우주의 개발·이용·관리에 대한 국제법》.

spáce·less *a.* **1** 《文語》 무한한, 끝없는. **2** 자리를 차지하지 않는.

spáce lìnkup *n.* 도킹.

spáce·màn [, -mən] *n.* 우주 비행사[여행가], 우주선 승무원; 우주개발 관계자[연구가]; 우주인.

spáce màrk *n.* 〖印〗 스페이스 기호《#; #(sharp)와 다름》.

spáce mèdicine *n.* 우주 의학.

spáce òpera *n.* 우주 여행이나 우주인과 지구인과의 싸움을 소재로 한 SF 소설[영화].

spáce óptics *n.* 우주 광학.

spáce òutfit *n.* =SPACE SUIT.

spáce·plàne *n.* 우주 비행기《착륙·재돌입 따위를 위한 로켓 엔진을 갖춤》.

spáce plàtform *n.* =SPACE STATION.

spáce·pòrt *n.* 우주 공항, 우주선 기지《우주선의 테스트·발사용의 시설》.

spáce pròbe *n.* 우주 탐사기.

spac·er [spéisər] *n.* (인쇄기 따위의) 간격을 띄우는 장치[사람]; 〖電〗 역전류기(逆電流器); =SPACE BAR.

spáce ròbot *n.* 우주 로봇.

spáce ròcket *n.* 우주선 발사 로켓.

spáce-sàving *a.* 공간을 절약하는, 소형의.
── *n.* 공간 절약.

spáce·scàpe *n.* Ⓤ 우주 풍경.

spáce scìence *n.* 우주 과학.

‡**spáce·shìp** *n.* 우주선.

Spáceship Èarth *n.* 우주선 지구호(號) 《지구를 자원이 유한(有限)한 우주선에 비유한 말》.

Spáce Shòes *n. pl.* 스페이스 슈즈《발 모양에 꼭 맞는 특별 주문화; 상표명》.

spáce shùttle *n.* 우주 왕복[연락]선《우주 정거장과 지구를 왕복하는 우주선》.

spáce·sìck *a.* 우주 멀미의.

spáce sìckness *n.* 우주 멀미, 우주병《장기간의

우주 비행에서 일어나는 불쾌한 증상》.
spáce spectróscopy *n.* 우주 분광학(分光學).
spáce stàtion *n.* 우주 정거장(space platform).

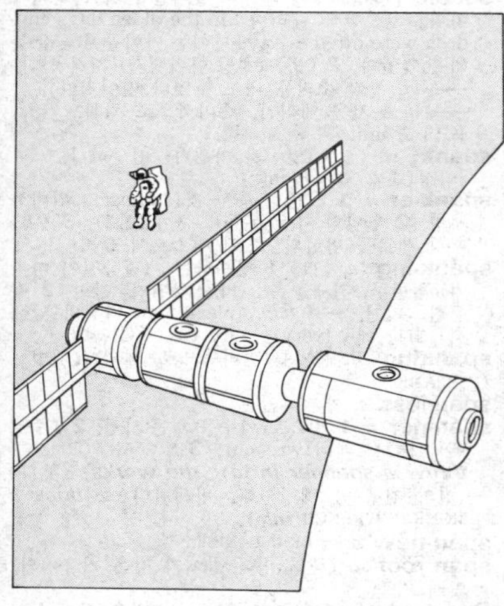

space station

spáce sùit *n.* 우주복 ; =G SUIT.
spáce technòlogy *n.* 우주 공학[기술].
spáce télescope *n.* (우주 궤도에 띄우는) 우주[외계] 망원경.
spáce thùnder *n.* 우주 천둥《지구 자기장(磁氣場)의 호(弧)를 따라 우주를 향해 발생함》.
spáce-tíme *n.* 시공(時空)《상대성 원리의 4차원 시공간》: ~ continuum 시공 연속체《4차원》.
spáce tràvel *n.* 우주 여행.
spáce tràveler *n.* 우주 여행자.
spáce tùg *n.* 우주 터그《우주선과 우주 정거장간의 연락·운반용 로켓》.
spáce vèhicle *n.* =SPACECRAFT.
spáce velòcity *n.* 우주 속도, 지구 탈출 속도.
spáce wàlk *n.*, *vi.* 우주 유영(을 하다).
spáce·ward *adv.* 우주를 향하여.
spáce wàrp *n.* 공간 왜곡(歪曲)《공상 과학 소설에서 공간의 가상적인 초공간적 왜곡 또는 왜곡 공간으로의 벌어진 틈 ; 그것에 의해 별 사이의 여행이 가능하다고 함》.
spáce wèapon *n.* 우주 무기.
spáce·wòman *n.* 여자 우주 비행사.
spáce·wòrthy *a.* 우주 항행에 견디는.
spáce wrìter *n.* 활자화(活字化)한 지면의 면적[행수]에 따라 원고료를 받는 사람.
spacial ☞ SPATIAL.
spac·ing [spéisiŋ] *n.* Ⓤ 간격을 두기 ; 〖印〗 자간이나 행간을 띄우는 정도 ; 행간, 자간(字間) ; Ⓒ 공간, 간격 ; 〖電〗 선간(線間) 거리.
spa·cious [spéiʃəs] *a.* **1** 넓은(roomy). **2** (지식 따위가) 광범위한, 풍부한 ; (견해가) 고매한.
~·ly *adv.* **~·ness** *n.* 〚OF<L ; ⇨ SPACE〛
spacy, spac·ey [spéisi] *a.* (**spác·i·er** ; **-est**) 《俗》 =SPACED(-OUT) ; 기묘한, 이상야릇한.
SPADATS 《美》 space detection and tracking system(우주 경계 조직).
***spade**[1] [spéid] *n.* **1** 가래, 삽. **2** (고래 절개(切開)용) 끌 ; 포차(砲車)의 후미.
call a spade a spade 사실대로 말하다, 직언(直言)하다(speak plainly).
—— *vt.* [+目/+目+副] 가래로 파다 : ~ a garden 정원을 파다 / ~ ***up*** a hole 구멍을 파다.
〚OE *spadu, spada* ; cf. G *Spaten*〛
spade[2] *n.* 〖카드놀이〗 스페이드 ; [~s, 단수·복수 취급] 스페이드 한 벌.
spáde·fùl *n.* 한 삽(의 분량).
spáde·wòrk *n.* Ⓤ 가래[삽]질 ; 《비유》 (힘이 드는) 예비 공작, 기초 준비.
spad·ger [spǽdʒər] *n.* 《英俗》 참새 ; 몸집이 작은 소년, 꼬마. 〚? 변형(變形)<*sparrow*〛
spa·dix [spéidiks] *n.* (*pl.* **spa·di·ces** [speidáisi:z, spéidəsi:z]) 〖植〗 육수(肉穗) 꽃차례.
spa·ghet·ti [spəgéti] *n.* Ⓤ 스파게티《구멍이 뚫리지 않은 마카로니 ; cf. MACARONI, VERMICELLI》. 〚It. (dim.)<*spago* string〛
spághetti bàngbang *n.* 《美俗》 총질하는 암흑가 영화, 마피아 영화.
spaghétti wèstern *n.* [때때로 S~ W~] 마카로니 웨스턴《이탈리아인이 만든 서부 영화》.
spa·hi, spa·hee [spá:hi:] *n.* (14세기의) 비정규(非正規) 터키 기병 ; (프랑스 군대의) 알제리 원주민 기병. 〚OF<Turk.〛
‡**Spain** [spéin] *n.* 에스파냐, 스페인《수도 Madrid ; cf. SPANISH, SPANIARD》: build a castle in ~ ☞ CASTLE 숙어.
spall [spɔ́:l] *vt., vi.* (광석 따위를) 부수다, 부서지다. —— *n.* (광석 따위의) 부스러기, 깨진 조각.
spall·ation [spɔ:léiʃən] *n.* 〖理〗 (원자핵의) 파쇄(破碎)(cf. FISSION, FUSION).
spal·peen [spælpí:n, ⌐-, spɔ:lpí:n] *n.* 《아일》 밥벌레, 식충이 ; 건달, 부랑자 ; 《아일》 젊은이.
Spam [spǽ(:)m] *n.* (미국제) 돼지고기 통조림《상표명》. 〚*sp*iced h*am*〛
Sp. Am. Spanish America(n).
***span**[1] [spǽ(:)n] *n.* **1** 엄지손가락과 새끼손가락을 편 길이《보통 9인치》. **2** 기간, 잠깐 동안 ; 범위 : the ~ of life 사람의 일생. **3** 지름, 직경 ; 전체 길이. **4** 〖空〗 날개 길이, 날개 폭 ; 〖建〗 경간(徑間), 스팬《홍예·아치·교량 따위의 지주와 지주 사이의 거리》. **5** 〖컴퓨〗 범위. —— *v.* (**-nn-**) *vt.* **1** 손가락[뼘]으로 재다 : He ~*ned* his wrist. 그는 손목을 잡아 (굵기를 재어) 보았다. **2** …에 다리를 놓다(bridge), …의 양 기슭을 잇다 ; (강 따위에) 걸리다 : A small bridge ~*s* the stream. 그 개울에는 작은 다리가 놓여 있다. **3** (…동안) 계속되다, (기억·상상 따위가) …에 미치다, 뻗치다, (빈 곳을) 메우다 : His active career ~*ned* the two decades. 그는 20년간에 걸쳐 활동하였다. —— *vi.* (자벌레처럼) 폈다 오므렸다하며 나아가다[기어가다].
〚OE *span(n)* or OF *espan* ; cf. G *Spanne*〛
span[2] *n.* 〖海〗 건너맨 밧줄《양끝을 매고 가운데를 V자 모양으로 늘어뜨린 것》; 《美》 한 멍에에 매인 소[말·나귀]. —— *vt.* (**-nn-**) 밧줄로 매다. 〚LG and Du. (*spannen* to unite=OE *spannan*)〛
span[3] *v.* 《古》 SPIN의 과거형.
Span. Spaniard ; Spanish.
span·dex [spǽndeks] *n.* 스판덱스《폴리우레탄계(系) 합성 섬유 ; 수영복 따위에 씀》. 〚*expand*의 철자를 바꾼 것〛

span·drel, -dril [spǽndrəl] *n.* 〔建〕 삼각 소간, 스팬드럴 《두 아치 사이의 삼각형 모양의 공간》. 〖? AF (*e*)*spaund*(*e*)*re* to EXPAND〗

span·dy [spǽndi] *a.* 《美口》 훌륭한, 굉장한, 멋있는. —— *adv.* 아주, 완전히.
〖? 변형(變形) ‹ *spander*-new (dial.) = span-new〗

spang[1] [spǽŋ] *adv.* 《美口》 불시에(abruptly) ; 완전히 ; 정확히 ; 정면으로(squarely) ; 꼭(exactly). 〖C20<?〗

spang[2] *n.* 《美口 · 스코》 되튀어옴 ; 갑작스럽고 격렬한 움직임. —— *vi.* 튀어서 되돌아오다. —— *vt.* 내던지다. 〖C16<?〗

span·gle [spǽŋgəl] *n.* **1** 번쩍이는 쇠붙이, 스팽글 《번쩍이는 금 · 은 · 주석박(箔)으로 무대 의상 따위에 붙임》. **2** 반짝거리는 것《별 · 서리 · 운모 따위》 ; 장식용 금속 조각. —— *vt.* [+目+*with*+名] [주로 *p.p.*로] …에 반짝이는 것으로 장식하다 ; 번쩍거리는 것을 박아 넣다 : The sky was ~*d* ***with*** stars. 하늘에는 별들이 반짝이고 있었다 / grass ~*d with* dewdrops 이슬방울로 반짝이는 풀밭. —— *vi.* 쇠장식[반짝반짝 빛나는 것]에서 빛나다, 반짝반짝 빛나다.

Span·glish [spǽŋgliʃ] *n., a.* Ⓤ 스페인어와 영어의 혼용된 언어(의). 〖*Span*ish+Eng*lish*〗

***Span·iard** [spǽnjərd] *n.* 스페인인(人) (cf. the SPANISH). 〖OF (*Espaigne* Spain)〗

span·iel [spǽnjəl] *n.* [S~] 스패니얼 《털이 길고 귀가 늘어진 개》 ; 《비유》 아첨하는 사람 : tame ~ 길들인 스패니얼 ; 《비유》 남이 시키는 대로 하는 사람, 아첨꾼. 〖OF=Spanish〗

***Span·ish** [spǽniʃ] *a.* 스페인(인(人))의 ; 스페인어[풍]의 ; 스페인 문학의. —— *n.* Ⓤ 스페인어 ; [the ~] [집합적으로] 스페인인 (cf. SPANIARD). 〖ME (*Spain, -ish*)〗

Spánish América *n.* (브라질 · 가이아나 · 수리남 · 프랑스령 기아나 · 벨리즈를 제외한) 중남미 《옛 스페인령으로 스페인 어(語)를 씀 ; cf. LATIN AMERICA》 ; (미국 내의) 스페인계(系) 지역.

Spánish-Américan *a.* **1** 중남미(주민)의. **2** 스페인과 미국(사이)의. **3** (미국 내의) 스페인계(系) 거주 지역의.

Spánish-Américan Wár *n.* [the ~] 〔史〕 아메리카 스페인 전쟁(1898).

Spánish Armáda *n.* [the ~] =INVINCIBLE ARMADA.

Spánish bayonét[dágger] *n.* 〔植〕 유카난초 《백합과(科) 다년생 초본》.

Spánish bláck *n.* 스페인 블랙 《검정색 그림 물감[재료]》.

Spánish brówn *n.* 스페인 브라운《적갈색 그림 물감[재료]》.

Spánish cédar *n.* 〔植〕 (열대 아메리카산의) 스페인쭉나무 ; 그 재목《엽궐련의 상자로 쓰임》.

Spánish Cívil Wár *n.* [the ~] 스페인 내란 (1936-39) (☞ FRANCO).

Spánish flý *n.* 〔昆〕 청가뢰류(類) ; 〔藥〕 = CANTHARIS ; 《俗》 최음제.

Spánish influénza *n.* 유행성[스페인] 감기.

Spánish Inquisítion *n.* [the ~] 〔카톨릭〕 (1478-1834년의) 스페인에서 이단자에 대한 종교 재판(소).

Spánish Máin *n.* [the ~] **1** 〔史〕 남미의 북해안 《특히 파나마 해협에서 베네수엘라의 오리노코 강 하구까지의 지역》. **2** 카리브 해(海)《옛날 해적이 자주 출몰했음》.

Spánish móss *n.* 〔植〕 나도송라.

Spánish ómelet *n.* 스페인식 오믈렛《잘게 썬 피망 · 양파 · 토마토로 만든 소스를 친》.

Spánish ónion *n.* 〔植〕 스페인양파《크고 연함》.

spank[1] [spǽŋk] *vt.* **1** …의 볼기를 손바닥[슬리퍼 따위]으로 찰싹 때리다 : In the olden days children were often ~*ed.* 옛날에는 아이들이 곧잘 볼기를 맞았다. **2** 《俗》 (게임 따위에서) 지게 하다. —— *vi.* 찰싹 소리를 내고 부딪다[떨어지다]. —— *n.* 볼기를 때리기, 손바닥으로 치기. 〖C18<? imit.〗

spank[2] *vi.* 《口》 (말 · 차 따위가) 질주하다. 〖역성(逆成) ‹ *spank*ing[1]〗

spánk·er *n.* **1** 《口》 훌륭한 것(stunner), 위대한 사람. **2** 활발한 사람[동물], 준마(駿馬). **3** 〔海〕 후장 세로돛《범선의 맨 뒤 마스트에 닮》.

spánk·ing[1] *a.* 《口》 **1** 질주하는 ; (걸음걸이 따위가) 활발한, 위세좋은 ; (바람 따위가) 강한. **2** 훌륭한, 멋진. —— *adv.* [clean, new 따위의 앞에서] 《口》 매우(very). **~·ly** *adv.* 〖C17<?〗

spanking[2] *n.* 볼기를(손바닥으로) 때리기《체벌》. 〖SPANK[1]〗

spán·less *a.* 잴 수 없는.

spán·ner *n.* **1** 뼘으로 치수를 재는 사람. **2** 《주로 英》 〔機〕 스패너(wrench). **3** =SPANWORM.
throw a spanner in(***to***) ***the works*** 《英口》 (일의 진행을) 훼방놓다, 방해하다(cf. *throw a* MONKEY WRENCH *into*).

spán-néw *a.* =BRAND-NEW.

spán ròof *n.* 〔建〕 (양쪽 물매가 같은 기울기의) 맞배 지붕.

Span·sule [spǽnsəl, -sjuːl] *n.* 스팬슐《입자가 일정한 간격으로 녹게 된 캡슐 약제 ; 상표명》. 〖*span*+cap*sule*〗

spán·wòrm *n.* 〔昆〕 자벌레(measuring worm).

spar[1] [spɑ́ːr] *n.* 〔海〕 (돛대 · 활대 따위의) 둥근 재목 ; 〔空〕 날개보, 익형(翼桁). —— *vt.* (**-rr-**) (배에) 둥근 재목[익형]을 대다. 〖ON *sperra* or OF *esparre*〗

spar[2] *vi.* (**-rr-**) [動 / +*at*+名] **1** 〔拳〕 스파링하다 ; 치고 덤비다〈*at*〉. **2** 《俗》 말다툼하다 : They are always ~*ring* ***at*** each other. 그들은 언제나 말다툼을 한다. **3** (싸움닭이) 며느리발톱으로 서로 할퀴다.
spar for time 시간을 벌다[시간적인 여유를 가지려고 하다](play for time).
—— *n.* 〔拳〕 스파링 ; 권투 시합 ; 말다툼 ; 투계(鬪鷄). 〖OE *sperran* to thrust<? ; cf. SPUR, ON *sperrask* kick out〗

spar[3] *n.* Ⓤ 〔鑛〕 방해석(方解石), 형석(螢石). 〖MLG ; cf. OE *spærstān* gypsum〗

Spar, SPAR [spɑ́ːr] *n.* 《美》 미국 연안 경비대 여성 예비대원.
〖연안 경비대의 모토 Semper *Par*atus에서〗

spar·a·ble [spǽrəbəl] *n.* 구두 바닥 또는 뒤축에 대는 대가리 없는 작은 못.

spár bùoy *n.* 〔海〕 원주 부표(圓柱浮標).

spár dèck *n.* 〔海〕 경갑판(輕甲板).

***spare** [spéər, spǽər] *vt.* **1** [+目 / +目+目] **a)** 용서하다 ; (특히) 목숨을 살려주다 : I may meet you again if I am ~*d.* (신의 가호로) 목숨이 붙어 있으면 다시 만나뵐 날이 있겠지요 / She didn't ~ herself. 그녀는 몸을 아끼지 않고 노력했다 / Please ~ (me) my life. 부디 목숨만은 살려주시오. **b)** (남에게 …을) 시키지 않다, (남에게 …을) 모면케 하다 : *S*~ my blushes. 나를 낯부끄럽게 하지 말아주시오《그렇게 비행기 태우지 말아요》/ He tried to ~ his friend trouble. 친구에게 폐를

끼치지 않으려고 애썼다. ㈜ 수동태에서는 I *was ~d* the trouble. (나는 그 수고를 하지 않아도 되었다) 보다도 The trouble *was ~d* (*to*) me. 가 보통. **2** 아끼고 쓰지 않다, 절약하다 : He *~s* no pains[expense]. 그는 결코 수고[비용]를 아끼지 않는다 / *S~* the butter, or we shall run short. 버터를 절약하지 않으면 부족하게 될 것이다 / *S~* the rod and spoil the child. 《속담》 매를 아끼면 자식을 망친다, 「귀여운 자식은 매로 키워라」. **3** [+目 / +目+目 / +目+*for*+名] …없이 지내다, 할애하다, (남에게 물건을) 나눠 주다 : I have no time to ~. 내게는 짬이 없다 / We can't ~ the time to finish it. 그것을 완성할 시간이 없다 / I can ~ you for tomorrow. 내일은 너의 도움 없이도 할 수 있다 / Can't you ~ me one of those pencils[~ one of those pencils ***for*** me]? 저 연필 중 하나를 나에게 주겠니 / Can you ~ me a few minutes? 2,3분만 짬을 내주시겠습니까. ㈜ 단, a few minutes 앞에 for가 생략된 것으로 본다면 이 문장은 「2,3분간 자리를 떠도[실례해도] 괜찮을까요」의 뜻이 됨.

—— *vi.* 용서하다 ; 《稀》 검약하다.

enough and to spare ☞ ENOUGH *pron.*

—— *n.* **1** 절약물, 저축한 것 ; [*pl.*] 예비 부품, 여분. **2** (볼링에서) 스페어《공을 두 번 굴려 10개 핀을 모두 쓰러뜨리기 ; 그 득점(cf. STRIKE *n.* 5 b), SPLIT *n.* 7》.

—— *a.* **1** 여분의, 따로 남겨둔, 할애할 수 있는, 예비의 : a ~ man 후보 선수 / ~ parts 예비 부품 / a ~ room 《英》 예비의[손님용] 침실, 《美》 객실 / ~ time 여가. **2** 모자라는, 빈약한 ; 절약하는, 아끼는. **3** 야윈, 가냘픈. **~·able** *a.* 〖OE (v.) *sparian*, (n.) *spær* ; cf. G *sparen*〗

類義語 ⟹ SCANTY.

spáre·ly *adv.* 인색하게 ; 모자라게 ; 여위어.

spáre·ness *n.* 모자람 ; 빈약, 여윔.

spáre-pàrt súrgery *n.* 《口》 (죽은 사람의 기관의) 이식수술, 인공 장기 이식수술.

spár·er *n.* SPARE하는 사람[것] ; 파괴를 완화시키는 것.

spáre·rìb *n.* [보통 *pl.*] 스페어리브《살을 거의 발라낸 돼지갈비》.

spáre tíre *n.* 스페어 타이어 ; 《口·戱》 허리의 군살 ; 《俗》 (게임 따위에서) 남은 한 사람 ; 《俗》 귀찮은 사람 ; 《俗》 시골뜨기.

sparge [spάːrdʒ] *vt., vi.* 흩뿌리다, 살포하다. —— *n.* 흩뿌리기, 살포.

spar·ing [spέəriŋ, spǽər-] *a.* 아끼는 ; 검소한, 절약하는〈*of*〉; 관대한 ; 인색한.

be sparing of* one*self 수고[몸]를 아끼다.

~·ly *adv.* **~·ness** *n.*

類義語 ⟹ THRIFTY.

***spark**[1] [spάːrk] *n.* **1** 불꽃, 불티 ; 섬광(閃光), (보석 따위의) 광채 ; (방전(放電) 때의) 전기 불꽃, 스파크 : strike a ~ (from a flint) (부싯돌로) 불꽃을 튀기다. **2** 생기, 활기[생명] (를 더하는 것) ; 《비유》 (재치 따위의) 번득임 : the vital ~ 생기, 활기 / strike *~s* out of a person 남의 재치 따위를 발휘시키다. **3** [a ~] [보통 부정구문으로] 흔적, 약간, 조금 : She has*n't a ~ of* sincerity in her. 그녀는 성실성이 털끝만큼도 없다 / I have*n't a ~ of* interest in the plan. 그 계획에는 전혀 흥미가 없다. **4** [~s, 단수취급] 《口》 (배·비행기의) 무전 기사. **5** 〔電〕 전기 불꽃, 스파크. **6** 멋쟁이 사내 ; 미남.

as the sparks fly upward 〔聖〕 자연의 이치에 따라, 필연적으로 ; 틀림없이.

—— *vi.* 불꽃이 튀다 ; 섬광을 발하다 ; 〔電〕 스파크되다. —— *vt.* 《비유》 …의 도화선이 되다 〈*off*〉; 《美》 자극하다, (친구·동료를) 고무하다, 분발케 하다(stimulate) 〈*to* do〉; 불꽃으로 발화시키다. **~·lìke**[1] *a.* 〖OE *spærca, spearca*<?〗

spark[2] *n.* 기운차고 쾌활한 남자, 멋진 젊은이 ; 애인《남자》; 구혼자 ; 미인, 재녀(才女). —— *vi., vt.* 《口》 구애[구혼]하다(woo) ; 《俗》 애무하다.

spark it 《口》 구애하다.

~·lìke[2] *a.* 〖? SPARK[1]〗

spárk arrèster *n.* (증기기관차의) 불똥막이 ; 〔電〕 스파크 방지 장치.

spárk chàmber *n.* 〔理〕 방전함(放電函)《하전(荷電)입자의 흔적을 관찰하는 장치》.

spárk còil *n.* 〔電〕 불꽃[점화(點火)] 코일.

spárk dischárge *n.* 〔電〕 불꽃 방전.

spárk·er[1] *n.* 불꽃을 내는 것 ; 절연 검사기 ; 작은 불꽃 ; 《英》 (배의) 무선 기사 ; 점화기.

sparker[2] *n.* 연인, 애인《남자》. 〖SPARK[2]〗

spárk gàp *n.* 〔電〕 불꽃 간극《방전(放電)의 최대 간격》; 그 장치.

spárk·ing plùg *n.* 《英》 =SPARK PLUG.

spárk·ish *a.* 멋진 ; 미남인 체하는 ; 우쭐대는.

***spar·kle** [spάːrkəl] *n.* **1** 불꽃, 섬광(閃光). **2** 광채, 광택〈*of*〉. **3** Ⓤ [또는 a ~] 생기. **4** Ⓤ 재치, 재능. **5** (포도주 따위의) 거품 일기. —— *vi.* **1** 불꽃을 튀기다, 번득이다, 번쩍이다, (재치가) 넘치다 : The fireworks *~d.* 불꽃이 번쩍 빛났다 / The pearl *~d* in the moonlight. 진주가 달빛에 반짝였다 / Her eyes *~d* with joy. 그녀의 눈은 기쁨으로 빛났다. **2** (포도주 따위가) 거품이 일다. —— *vt.* 번쩍이게 하다 ; (불꽃 따위를) 튀기다 ; 불꽃으로 비추다 : The sun *~d* the wet grass. 햇빛을 받고 젖은 풀이 반짝거렸다. 〖(freq.) < *spark*[1]〗

類義語 ⟹ FLASH.

spár·kler *n.* **1** 빛나는 것[사람], 미인, 재사(才士) ; 불꽃 ; 보석, 다이아몬드. **2** [주로 *pl.*] 《口》 빛나는 눈. **3** 거품 이는 것 ; 발포(發泡) (포도)주.

spárk·less *a.* 불꽃이 나지 않는, 스파크가 일지 않는. **~·ly** *adv.*

spárk·let *n.* 작은 불꽃 ; (의상 장식용의) 반짝이는 조그마한 것《유리알 따위》.

spár·kling *a.* **1** 불꽃을 튀기는, 스파크가 이는, 번쩍이는 ; (별 따위) 빛나는 ; 《비유》 찬란한, (재치 따위가) 번득이는(brilliant). **2** (포도주가) 거품이 이는(↔*still*). **~·ly** *adv.*

spárkling wáter *n.* 소다수.

spárkling wíne *n.* 발포성 포도주《알코올 성분 12%》.

spárk plùg *n.* 《美》 (내연기관의) 점화 플러그 ; 《비유》 (단체·일의) 지도자, 중심인물〈*of*〉.

spárk·plùg *vt.* 《美口》 (일 따위를) 촉진하다, …의 주역[지도적 역할]을 담당하다.

spárk transmìtter *n.* 불꽃식 송신기.

spárky *a.* 활발한, 발랄한, 생생한. —— *n.* 《CB 俗》 전기 기사. **spárk·i·ly** *adv.*

spár·ring *n.* 〔拳〕 스파링 ; 동료끼리의 논쟁.

spárring pàrtner *n.* 〔拳〕 스파링 파트너 ; (우호적인) 논쟁 상대.

***spar·row** [spǽrou] *n.* **1** 〔鳥〕 참새 : a house ~ (보통) 참새. **2** [S~] 스패로《미해군의 공대공 미사일》. 〖OE *spearwa* ; cf. OHG *sparo*〗

spárrow·gràss *n.* 《口》 =ASPARAGUS.

spárrow hàwk *n.* 〔鳥〕 미국황조롱이 ; 새매.

spár·ry *a.* SPAR[3] (모양)의.

sparse [spάːrs] *a.* **1** (인구 따위가) 희박한, 드문

드문한(↔*dense*) : a ~ beard 성긴 턱수염. **2** 〖動·植〗 산재하는, 드문드문 나 있는. **~·ly** *adv.* 드문드문, 성기게. **~·ness** *n.*
〖L *spars*- *spargo* to scatter ; cf. SPARGE〗
類義語 ⟹ SCANTY.

spar·si·ty [spɑ́ːrsəti] *n.* Ⓤ 성김, 희박 ; 빈약.

Spar·ta [spɑ́ːrtə] *n.* 스파르타《고대 그리스의 도시 국가 ; 스파르타식 군사 훈련·교육으로 유명》.

Spar·ta·cist [spɑ́ːrtəsəst] *n.* 스파르타쿠스 단원, 과격파, 공산당원.

Spar·ta·cus [spɑ́ːrtəkəs] *n.* 스파르타쿠스(?-71 B.C.) 《트라키아 출신의 노예 검투사(劍鬪士) ; 로마에 대하여 노예 반란을 일으킴》.

Spártacus Párty[**Léague**] *n.* 스파르타쿠스단(團)《제1차 대전 말에 공산주의자인 리프크네히트가 Spartacus란 별명으로 독일에서 일으킨 과격파 공산주의의 비합법적인 조직》.

Spár·tan *a.* (고대) 스파르타(식)의, 무용(武勇)의, 용맹한 ; 검소하고 강직한 ; 간소한. —— *n.* 스파르타 사람 ; 용감하고 엄격한 사람.

Spártan·ìsm *n.* Ⓤ 스파르타주의[식].

spar·te·ine [spɑ́ːrtiìːn, -tiən] *n.* Ⓤ 〖化〗 스파르테인《전에는 강심제》.

spasm [spǽzəm] *n.* 〖醫〗 경련, 쥐 ; (일반적으로) 발작 ; 《口》 한 차례(spell) : have a ~ *of* industry[temper] 이따금 생각난 듯이 부지런 떨다[발작적으로 화를 내다].
〖OF or L<Gk. (*spaō* to pull)〗

spas·mod·ic, -i·cal [spæzmɑ́dik(əl)] *a.* 〖醫〗 경련(성)의 ; (일반적으로) 발작적인, 하다 말다 하는. **-i·cal·ly** *adv.* 〖NL<Gk. ; ↑〗

spas·mo·lyt·ic [spæ̀zməlítik] *a., n.* 진경(鎭痙)(성(性))의 ; 진경제(劑). **-i·cal·ly** *adv.*

spas·tic [spǽstik] *a.* 〖醫〗 경련의(=spasmodic) ; (일반적으로) 발작적인 ; 《俗》 아둔한, 무능한, 바보의. —— *n.* 경련성 마비 환자.
〖L<Gk.=pulling ; ⇨ SPASM〗

spástic parálysis *n.* 〖醫〗 경련성 마비.

spat[1] [spǽt] *n.* **1** 《美》 사소한 싸움[승강이], 말다툼 ; 손바닥으로 때리기. **2** 굵은 빗방울 소리 ; (물·흙탕물 따위의) 튀김, 튄 물.
—— *v.* (**-tt-**) *vi.* **1** 《口》 사소한 싸움을 하다[승강이를 벌이다]. **2** 손바닥으로 때리다.
—— *vt.* …을 손바닥으로 때리다.
〖C19<? imit.〗

***spat**[2] *v.* SPIT[1]의 과거·과거분사.

spat[3] *n.* [보통 *pl.*] (발목 조금 위까지 올라오는 단화용의) 짧은 각반. 〖*spat*terdash ; cf. SPATTER〗

spat[4] *n.* 조개 알 ; (특히) 굴 알(spawn) ; Ⓤ [집합적으로] 새끼 굴. —— *vt., vi.* (**-tt-**) (굴이) 알을 낳다. 〖AF<? ; cf. SPIT[1]〗

spatch·cock [spǽtʃkɑ̀k] *n.* 잡아서 바로 구운 새 요리. —— *vt.* (새를) 즉석 요리하다 ; 《英口》 (문구를) 부랴부랴 써 넣다, (기사 따위를) 삽입하다 (insert)〈*in, into*〉.
〖C18 ? 변형(變形) 〈*spitchcock*〗

spate [spéit] *n.* **1** Ⓤ 《英》 홍수(flood) ; 호우 ; 다수, 다량〈*of*〉 : in ~ (강물이) 범람하여. **2** 《비유》 (말 따위가) 쏟아져 나옴 ; (감정의) 폭발〈*of*〉. 〖ME<?〗

spathe [spéið] *n.* 〖植〗 불염포(佛焰苞).
〖L<Gk.=broad blade, stem〗

spath·ic [spǽθik] *a.* 〖鑛〗 엽편상(葉片狀)의, 스파(spar) 모양의. 〖*spath* spar<G〗

spáthic íron (**òre**) *n.* 능철광(菱鐵鑛).

spa·tial, -cial [spéiʃəl] *a.* 공간의, 공간적인 ; 장소의 ; 우주의. **~·ly** *adv.* 〖L ; ⇨ SPACE〗

spa·ti·al·i·ty [spèiʃiǽləti] *n.* 공간성, 넓이.

spa·tio- [spéiʃiou, -ʃiə] *comb. form* 「공간」의 뜻. 〖L〗

spa·ti·og·ra·phy [spèiʃiɑ́grəfi] *n.* Ⓤ 우주 지리학 ; 우주도(圖).

spàtio·percéptual *a.* 공간 지각[인지]의.

spàtio·témporal *a.* 〖哲〗 시간과 공간(상)의, 시공(時空)의[에 관한] (cf. SPACE-TIME).

spat·ter [spǽtər] *vt.* **1** [+目 / +目+前+名] (물·흙탕물 따위를) 튀기다, 끼얹다, 튀겨서 더럽히다 ; (탄환 따위를) …에 퍼붓다 : The car ~*ed* mud ***on***[***over***] us. =The car ~*ed* us ***with*** mud. 자동차가 우리에게 흙탕물을 튀겼다. **2** [+目+*with*+名] (욕설·중상 따위를) …에게 퍼붓다 : ~ a person ***with*** slander 남을 중상하다. —— *vi.* [+副 / +前+名] 튀다, 흩어지다 : The raindrops were ~*ing* ***down on*** the doorsteps. 빗방울이 문 계단 위에 튀고 있었다.
—— *n.* **1** 튀김, 튀긴 것〈*of*〉. **2** 멀리서 들리는 총소리, 빗소리, 후두두하는 소리〈*of*〉 ; 가랑비.
〖imit. ; cf. Du. *spatten* to burst, spout〗

spátter·dàsh *n.* [보통 *pl.*] 무릎 아래까지 오는 진흙받이 각반《승마용》.

spatterdash

spátter·dòck *n.* 〖植〗 개연꽃의 일종.

spátter glàss *n.* =END-OF-DAY GLASS.

spat·u·la [spǽtʃələ] *n.* (고약·석고·그림 물감 따위를 펴는) 주걱 ; 〖醫〗 압설자(壓舌子).
〖L (dim.) 〈SPATHE〗

spát·u·lar *a.* 주걱의 ; 압설자의.

spat·u·late [spǽtʃələt, -lèit] *a.* 〖動·植〗 주걱 모양의.

spav·in(**e**) [spǽvən] *n.* Ⓤ 〖獸醫〗 (말의) 비절내종(飛節內腫). 〖OF〗

spáv·ined *a.* 비절내종에 걸린 ; 절뚝거리는, 불구의 ; 낡아빠진.

spawn [spɔ́ːn] *n.* **1** Ⓤ (물고기·개구리·조개·새우 따위의) 알, (알에서) 갓 부화한 새끼. **2** 《보통 蔑》 (우글우글한) 새끼들. **3** Ⓤ 〖植〗 균사(菌絲). **4** 원인, 소산, 결과. —— *vt.* **1** (물고기·개구리 따위가 알을) 낳다. **2** 《蔑》 (사람이 자식을) 많이 낳다. **3** …에 균사를 배양하다. **4** …을 일으키다, 생기게 하다. —— *vi.* (물고기·개구리 따위가) 알을 낳다, 산란하다.
〖AF *espaundre* to shed roe ; ⇨ EXPAND〗

spáwn·ing *n.* (물고기 따위의) 산란 ; (어란의) 채란(採卵).

spay [spéi] *vt.* (암컷의) 난소를 잘라내다. 〖AF= to cut with a sword (ÉPÉE) ; cf. SPATHE〗

SPC, S.P.C. Society for the Prevention of Crime ; South Pacific Commission(남태평양 위원회).

S.P.C.A. Society for the Prevention of Cruelty to Animals《현재는 R.S.P.C.A.》.

S.P.C.C. Society for the Prevention of Cruelty to Children《현재는 N.S.P.C.C.》.

S.P.C.K. Society for Promoting Christian Knowledge(기독교 지식 보급 협회).

SPD, spd steamer pays dues.

S.P.E. 《英》 Society for Pure English(영어 순화 협회).

◇**speak** [spíːk] *v.* (**spoke** [spóuk] ; **spoken** [spóukən]) *vi.* **1** 말하다, 이야기하다, 지껄이다 : A cat cannot ~. 고양이는 말을 못한다 / Do you mind ~*ing* more slowly? 좀 더 천천히 말씀해 주시겠습니까. **2** [動/+前+名] 이야기를 하다, 담화하다 : (This is) William ~*ing*. (전화에서) (저는) 윌리엄입니다 / strictly[roughly, generally, honestly, legally] ~*ing* 엄격히[대충, 일반적으로, 정직하게, 법적으로] 말하면 / I'll ~ ***to*** her ***about*** the matter. 그 일에 대해 그녀에게 말하겠다《주 ~ *with* her는 드묾》/ Is this the book you *spoke* ***of*** (=mentioned) the other day? 이것이 일전에 이야기한 그 책입니까 / Language is often *spoken of as* a living organism. 언어는 흔히 살아있는 유기체라고 일컬어진다. **3** 연설하다 : The lecturer *spoke for* about an hour. 연사는 약 한시간 연설했다 / She does not like to ~ in public. 대중 앞에서 연설하는 것을 싫어한다. **4** 사실[의견·사상 따위]을 전하다, 나타내다 : Actions ~ louder than words. 말보다도 행동이 더 확실하게 뜻을 전달한다 / This portrait ~*s*. 이 초상화는 살아 있는 것 같다. **5** [動/+前+名] (악기·바람·대포 따위가) 소리를 내다, 울리다 ; (개 따위) 짖다 ; 소리치다 : The cannon *spoke*. 대포(소리)가 울렸다 / The dog *spoke* ***for*** candy. 개가 캔디를 달라고 짖었다.

〈회화〉

Could I *speak* to John, please? — Speaking. 「존 좀 바꿔 주세요」「전데요」

—— *vt*. **1** (언어를) 쓰다, 말하다, 낭독하다 : Mr. Jones ~*s* three languages. 존스씨는 3개 국어를 말한다 / What language is *spoken* in Canada? 캐나다에서는 무슨 언어가 통용됩니까. **2** 말하다, 이야기하다, 전하다 : ~ the truth 진실을 말하다 / *S*~ your mind. 터놓고 얘기하시오. **3**《古》[+目/+目+補] 나타내다, 보이다, 증명하다 : His conduct ~*s* a small mind. 그의 행위로 비추어 보아 그는 옹졸한 사람임을 알 수 있다 / Report ~*s* him anything but a hypocrite. 평판에 의하면 그는 결코 위선자가 아니라는 것을 알 수 있다. **4**〖海〗…와 (해상에서) 통신하다 : ~ a passing ship 지나가는 배와 교신하다.

not to speak of …은 말할 것도 없이, …은 물론(to say nothing of) : She knows French and Spanish, *not to* ~ *of* English. 영어는 물론 불어와 스페인어를 말할 줄 안다.

so to speak ☞ SO[1].

speak against …에 반대하다.

speak at …에 빗대어 말하다.

speak a person ***fair*** ☞ FAIR *adv*. 3.

speak for …을 대변[대표]하다, 변호하다 ; 증명하다 ; …을 주문하다, 신청하다, 요구하다.

speak for itself 자명(自明)하다.

speak for one***self*** 스스로 증명하다 ; 자기를 위해서 변명하다, 자신의 일에 대해서만 말하다 ; 자신의 생각[의견]을 말하다 : The facts ~ *for* them*selves*. 사실은 자명하다 / ~*ing for* my*self* 나 자신에 관하여 말한다면.

speaking of …에 관해 말하면, …의 이야기가 나왔으니 말이지만, …으로 말하자면 : *S*~*ing of* summer camps, they are a waste of time. 여름 캠프 말인데 그것은 시간 낭비야.

speak out[***up***] 감히 말하다, 거리낌없이 말하다, 큰 소리로 이야기하다.

speak to. . . ⑴ …에게 말을 걸다, …와 말하다 (cf. *vi*. 2) ; …에 언급[충고]하다. ⑵ …을 확증하다 ; 비난하다 : I can ~ *to* his hav*ing* been there. 그가 거기에 있었다는 것을 확증할 수 있다 / Now we must ~ *to* the subject. 자, 그럼 본론을 이야기해야 하겠다.

speak volumes (***for***. . .) ☞ VOLUME.

speak well for …의 유효한 증명이 되다, …을 위해 좋다.

speak well[***ill***] ***of*** …을 칭찬하다[헐뜯다].

to speak of [부정구문으로] 말할 가치가 있는, 중요한 : That's nothing *to* ~ *of*. 대수롭지 않은 일이다[사소한 일이다] / She has no voice *to* ~ *of*. 그녀의 목소리는 이렇다할 만한 것이 못된다.

—— *n*.《俗》잡담하는 곳, 작은 응접실.

〚OE *sprecan*, *specan* ; cf. G *sprechen* ; 16세기경 p.p.의 유추에서 과거형 *spake*는 *spoke*로〛

類義語 ***speak, talk*** 모두 같은 뜻으로 쓰이는 수가 많은데 *speak*는 흔히 많은 청중을 향하여 형식에 치우친 연설[강연]을 할 때에 쓰이며 *talk*는 마음 속을 털어놓는 개인적인 대화에 쓰이는 수가 있음. ***converse*** 두 사람 이상이 의견이나 정보를 서로 교환하기 위해서 대화를 나누다. ***discourse*** 어떤 문제에 대해서 상세히 또는 광범위하게 서로 얘기를 나누다 ; 다소 형식에 치우친 낱말.

spéak·able *a*. 말해도 좋은 ; 말하기에 적합한. **~·ness** *n*.

spéak·èasy *n*.《美俗》(특히 금주법 시대의) 주류 밀매점, 무허가 술집.

***spéak·er** *n*. **1** 말[이야기]하는 사람 ; 이야기꾼. **2** 연설자, 변사 ; (특히) 웅변가. **3** [보통 the S~] (의회의) 의장 : Mr. *S*~!《호칭》의장! / *the S*~ of the House《美》=《英》*the S*~ of Parliament 하원 의장 / catch *the S*~'s eye〖議會〗발언권을 얻다. **4** =LOUDSPEAKER. **5** 연설교본. **~·shìp** *n*. Ⓤ 의장의 직[임기].

spéak·er·phòne *n*.〖電話〗스피커폰《마이크로폰과 스피커가 하나로 된 송수화기》.

***spéak·ing** *a*. **1** 말하는, 이야기의. **2** 말을 하는 것 같은 ; (보기 따위) 실증적인 ; 표정이 풍부한, 사람을 감동시키는, 생생한 : have a ~ knowledge of English 말할 수 있을 정도로 영어를 알고 있다 / ~ acquaintance 만나면 그저 대화나 나눌 정도로 지내는 사이 / a ~ likeness (초상화 따위) 실물과 꼭 닮은 작품 / the ~ voice 말소리.

be not on speaking terms with a person 남과 만나도 대화를 나눌 정도의 사이는 아니다 ; 남과 사이가 틀어지다.

—— *n*. Ⓤ 이야기하기 ; 담화, 연설 ; [*pl*.] 구전(口傳) 문학 ; 정치적 집회 : at the[this] present ~《美》현재로서는.

spéaking clóck *n*.《英》전화 시간 안내.

spéaking trùmpet *n*. 확성기.

spéaking tùbe *n*. (방과 방, 빌딩과 빌딩 사이의) 통화관(通話管), 전성관(傳聲管).

***spear** [spíər] *n*. **1 a**) 창, 투창(投槍) ; (물고기 잡는) 작살 ;《俗》포크. **b**)《詩》창잡이, 창병(槍兵). **2** (식물의) 싹, 어린 가지(sprout), 어린 뿌리. —— *a*. 아버지의(paternal) ; 남자의(male). —— *vt*. 창으로 찌르다 ; (연어 따위를) 작살로 찌르다[잡다] ;《口》(공을) 손을 뻗쳐 원핸드 캐치하다 ;《美俗》구걸하다, (공짜로) 얻다 : He learned how to ~ salmon. 연어를 작살로 잡는 법을 배웠다. —— *vi*.〖植〗싹트다 ; 창처럼 꽂히다 ; 돌진하다 ;〖아이스하키·美蹴〗스피어링하다. **~·er** *n*.

spéar càrrier *n*. 부차적 인물, 말단, 부하 ; (동아리의) 앞장을 서는 자, 지도자, 기수.

spéar·fish *n*.〖魚〗청새치의 일종. —— *vi*. 작살(gig)로 물고기를 잡다.

spéar gùn *n*. 작살(발사)총, 수중총.

spéar·hèad *n.* 창끝 ; 《비유》 (특히) 선봉(先鋒), 선두, 공격의 최전선, 맨 앞의 창을 든 사람〈*of*〉. —— *vt.* …의 선두에 서다 ; …의 선봉을 맡다.

spéar·ing *n.* 스피어링《(1) 〔아이스하키〕 스틱 끝으로 상대를 찌르기 ; 반칙. (2) 〔美蹴〕 헬멧으로 상대에게 박치기하기》.

spéar·man [-mən] *n.* 창병 ; 창잡이 ; 창을 쓰는 사람.

spéar·mìnt [ˌ -mənt] *n.* Ⓤ 〔植〕 양박하, (유럽 원산의) 보통 박하.

spéar sìde *n.* [the ~] 부계(父系), 남계, 아버지쪽(cf. DISTAFF SIDE, SPINDLE SIDE) : on the ~ 《古》 아버지쪽의, 남계의.

spec[1] [spék] *n.* Ⓤ,Ⓒ 《口》 투기(사업) : on ~ 투기로, 요행수를 바라고. —— *a.* 《濠》 =SPECULATIVE. —— *vi.* 《學俗》 시험에 나올 것이라 추측하고 암기하다. 〖*spec*ulation〗

spec[2] *n.* 연예(show), 오락. 〖*spec*tacle(s)〗

spec[3] *vt.* (**specced, ~'d** [spékt]) 《口》 …의 명세서를 쓰다. 〖SPECS[2]〗

SPEC South Pacific Bureau for Economic Cooperation (남태평양 경제 협력 기구). **spec.** special ; specialist ; specifical(ly) ; specification ; speculation.

spéc bòok *n.* 스펙 북《미술 감독이나 광고 따위의 문안 작성 지망자가 자기의 실력을 보이기 위해 견본으로 만든 광고나 문안 작품을 한권에 정리한 것》. 〖*spec*은 *spec*imen에서〗

‡**spe·cial** [spéʃəl] *a.* **1** 특별한, 특수한(↔*general*) ; 각별한, 별개의 : a ~ agency 특별 대리점 / a ~ case 특별한 경우, 특례 / ☞ SPECIAL PLEADING. **2** 독특한, 고유의 ; 전용의. **3** 전문[전수 · 전공]의(specialized) (↔*general*) : a ~ hospital 전문 병원. **4** 특별용의 ; 임시의 : a ~ train 특별[임시] 열차. **5** 어느 특정의. **6** 특이한, 예외적인. —— *n.* 특별한 사람[것] ; 임시적인 사람[것] ; 특파원, 특사 ; 특별[임시] 열차[버스] ; 특전(特電) ; 호외, 임시 증간(增刊) ; 〔映〕 특작(特作), 특가품 ; 《美》 선과생(選科生) ; 〔TV〕 특별프로그램 ; 특별할인품 ; 특별요리. **~·ness** *n.* 〖OF ESPECIAL or L ; ⇨ SPECIES〗

類義語 ***special, especial*** 같은 종류의 다른 것과는 구별된 특별한 성질 · 특징 · 용도 따위를 가진 ; 다른 것보다 특별히 「뛰어난」의 뜻일 때에는 *especial*의 쪽을 더 많이 사용함 : a *special* purpose(특별한 목적) / a problem of *especial* interest to me (나에게 각별한 이해 관계가 있는 문제). ***specific, particular*** 다른 것보다 특별히 주의를 끌기 위해서 골라낸 ; *specific*은 특수한 예로서 설명하기 위해 인용됨을 나타내며 *particular*는 같은 종류의 다른 것과 뚜렷하게 다른 개성을 지니고 있는 것을 나타냄 : He cited *specific* instances.(그는 특수한 예를 들었다) / in this *particular* event (이런 특수한 경우에).

spécial accóunt *n.* 특별 회계.

spécial áct *n.* 특별법.

spécial ágent *n.* (FBI의) 특별 수사관.

Spécial Áir Sèrvice *n.* 《英》 공군 특수 부대 (☞ SAS).

spécial áreas *n., pl.* 《英》 특별 (피폐(疲弊)) 지역 《1934년 제정》 ; (지금의) 특별 개발 지구.

spécial asséssment *n.* 《美》 (공공 사업의 이익을 받는 시설 · 재산에 대한) 특별 과세.

Spécial Bránch *n.* 《英》 (런던 경찰청의) 공안부(公安部).

spécial cháracter *n.* 〔컴퓨〕 특수 문자.

spécial cónstable *n.* 《英》 특별[임시] 경찰관 《비상시에 치안 판사가 임명하는 일반인》.

spécial delívery *n.* 《美》 속달 우편(물) (= 《英》 express delivery) ; 속달 취급인(印) ; 〔英郵〕 (정시 외의) 특별 배달.

spécial dráwing rìghts *n. pl.* (국제 통화 기금의) 특별 인출권《略 SDR(s)》.

spécial económic zòne *n.* [the ~] (중국의) 경제 특구.

spécial edítion *n.* 〔新聞〕 (마감 후의 뉴스를 넣은) 특별판 ; 《英》 (최종판 직전의) 특별 석간.

spécial efféćts *n. pl.* 〔映 · TV〕 특수 효과 ; 특수 촬영, 트릭 촬영.

Spécial Fórces *n. pl.* 〔美軍〕 특수(근무) 부대.

spécial hándling *n.* 《美》 (우편물의) 특수 취급 《특별 요금을 지급함》.

spécial ínterest *n.* 특별 이익 단체《경제의 특수한 부문에 특별한 이익을 갖는 사람[단체, 법인]》.

spécial·ìsm *n.* Ⓤ,Ⓒ 전문, 전공 (분야).

***spécial·ist** *n.* **1** 전문가 ; 전문의(醫) (cf. GENERAL PRACTITIONER) : an eye ~ 안과 의사 / a ~ *in* plastic surgery 성형(成形) 외과의. **2** [형용사적으로] 전문가의, 전문적인.

spè·cial·ís·tic *a.* 전문화된 경향이 있는 ; SPECIALIST의.

spécialist sýstem *n.* 전문직 제도.

***spe·ci·al·i·ty** [spèʃiǽləti] *n.* (cf. SPECIALTY) **1** 특색, 특성 ; [*pl.*] 상세(詳細), 명세. **2** 전문, 본직, 전공 ; 장기, 특기 : make a ~ of …을 전문으로 하다. **3** 명산물, 명물 ; 특제품.

spècial·izátion *n.* Ⓤ 특수[전문]화 ; 한정(限定) ; 〔生〕 분화(한 기관(器官)[조직]).

spécial·ìze** *vt.* **1** 특수화하다 ; (연구 따위를) 전문화하다. **2** (의미 · 진술 따위를) 한정하다. **3** …을 상설(詳說)하다. **4 a)** 〔生〕 (기관 따위를) 분화시키다. **b)** (특수한 목적 따위에) …을 적응시키다, 특수화시키다. —— *vi.* **1** [+*in*+名 / 動] 전공하다, 특기로 삼다(major) : What did you ~ ***in at college? 당신은 대학에서 무엇을 전공했습니까. **2** 전문화하다, 특수화하다. **3** 자세히 설명하다 : First give a general outline, then ~. 우선 개요를 말한 다음 상세히 설명해 주시오. **4** 〔生〕 분화하다.

spé·cial·ìzed *a.* 전문의 ; 〔生〕 분화한.

spécial júry *n.* 〔法〕 특별 배심《(1) =BLUE-RIBBON JURY. (2) 《美》 =STRUCK JURY ; cf. COMMON JURY》.

spécial lícence *n.* 《英》 예외적 특권을 인정하는 허가증, (특히 Canterbury 대주교에 의한) 결혼 특별 허가증.

***spécial·ly** *adv.* 특히, 특별히 ; 일부러 ; 임시로 : She made this cake ~ for me. 그녀는 이 케이크를 나를 위해 만들었다 / He came here ~ to see me. 그는 나를 만나러 일부러 여기 왔다.
類義語 ⟹ ESPECIALLY.

spécial órder *n.* 〔軍〕 개별[특별] 명령, 특명 ; (보초 등의) 특별 수칙.

spécial pléader *n.* 특별 변호인.

spécial pléading *n.* 〔法〕 특별 반증(反證) 변론 《상대방의 진술을 직접 부정하는 대신에 새 사실을 주장하여 행함》 ; 《口》 자기에게 유리한 일만을 진술하는[일방적인] 진술[의론].

spécial prívilege *n.* 〔法〕 (법에 의한) 특권, 특전 : ~ of high rank 높은 지위의 특권.

spécial quéstion *n.* 〔文法〕 특수 의문(문)《의문사를 사용해서 yes나 no로 대답할 수 없는 의

문 ; cf. GENERAL QUESTION》.

spécial schóol *n.* (장애자를 위한) 특수 학교.

spécial situátion *n.* 〖證〗 특수 상황《회사 합병 따위의 예외적 사유로 주가의 대폭 등귀가 예상되는 상황》: ~ investment 특수 투자.

spécial sórt *n.* 〖印〗 특수 활자.

spécial stáff *n.* 〖軍〗 전문[특별] 참모 장교(cf. GENERAL STAFF).

spécial stúdent *n.* 《美大學》 특별 청강생.

spécial théory of relatívity *n.* 〖理〗 특수 상대성 이론.

spe·cial·ty [spéʃəlti] *n.* **1** 전문, 전공, 본업 : His ~ is history. 그의 전공은 역사다. **2** 특제품, 특별품 ; 명산물, 명물. **3** 신형(新型) (new article). **4** 특질, 특별 사항. 주 《英》에서는 일반적으로 SPECIALITY가 보통. ── *a.* 〖劇〗 특수 연기의 ; 특별한 : a ~ act 특별 연기 / the ~ number 특별 프로그램[연출] / a ~ store[《英》 shop] (특선품(特選品)을 파는) 전문점.

〈회화〉
What's your *specialty*? — My *specialty* is Korean history. 「전공이 뭡니까」「제 전공은 한국사입니다」

spécialty gòods *n. pl.* 〖마케팅〗 전문품《브랜드의 이미지가 구매에 큰 영향을 주는 특수한 성질을 갖는 소비재》.

spe·ci·a·tion [spìːʃiéiʃən, 美+-si-] *n.* Ⓤ 〖生〗 종(種) 형성[분화(分化)]. **~·al** *a.*

spe·cie [spíːʃiː, 美+-siː] *n.* Ⓤ 정금(正金), 정화(正貨) (↔*paper money*) : a ~ bank 정금 은행 / ~ payment 정화 지급 / ~ shipment 정화 현송(現送).

in specie 종류로서는, 본질적으로는 ; 〖法〗 같은 형(形)으로, 규정된 대로 ; 정화로, 정금으로(in actual coin).

〚*in specie*<L=in kind ; ⇨ SPECIES〛

***spe·cies** [spíːʃiːz, 美+-siːz] *n.* (*pl.* ~) **1 a)** 〖生〗 (분류상의) 종(種) (cf. CLASSIFICATION) : birds *of* many ~ 여러 종의 새 / the (human) ~=our ~ 인류. **b)** 종류, 성질 : I felt a ~ *of* shame. 일종의 수치감을 느꼈다. **2** 〖法〗 형식, 체재. **3** 〖論〗 종(種), 부(部) (cf. GENUS). **4** 〖카톨릭〗 미사용의 빵과 포도주.

The Origin of Species 「종(種)의 기원」《Darwin의 저서》.

── *a.* (원예상이 아니라 생물학상의) 종(種)에 속하는.

〚L=appearance, kind, beauty (*specio* to look)〛

spécies·ìsm *n.* (동물에 대해) 종(種)(에 의한) 차별《애완용과 실험용에 대한 태도의 차이 따위》.

specif. specific ; specifically.

***spe·cif·ic** [spisífik] *a.* **1** 특정한, 특별한 목적[의미]을 가진 ; (진술 따위가) 명확한, 상세한 ; 특유한, 독특한(↔*general*, *generic*) : a style ~ *to* the school of painters 그 화파 특유의 화풍. **2** 〖醫〗 (약이) 특효가 있는 ; 특수한 : a ~ medicine 특효약 / a ~ remedy 특수 요법. **3** 〖生〗 종의, 종에 관한. **4** 〖商〗 (과세가) 종량(從量)의.

── *n.* 특별[특정]한 것 ; 특성 ; 특질 ; 〖醫〗 특효약〈*for*, *against*〉 ; [보통 *pl.*] 명세, 세부 ; [*pl.*] 명세서. **~·ness** *n.* 〚L ; ⇨ SPECIES〛

類義語 ⟹ SPECIAL.

***spe·cíf·i·cal·ly** *adv.* 종(種)적으로 보아, 본질적으로 ; 특별히, 일부러 ; 명확히 ; 독특하게.

spec·i·fi·ca·tion [spèsəfəkéiʃən] *n.* **1** Ⓤ 상술 ; 열거 ; 명세(사항) ; [*pl.*] 명세서, 설계서, 내역서(內譯書) ; 〖컴퓨〗 명세. **2** 〖法〗 (특허 출원 때의) 특허 설명서. **3** 명확화, 특정화.

specífic cáuse *n.* (어떤 병의) 특이한 원인.

specífic cháracter *n.* 〖生〗 (종의 구별이 되는) 특이성, 특징.

specífic dúty *n.* 〖商〗 종량세(從量稅).

specífic grávity *n.* 〖理〗 비중《略 sp. gr.》.

specífic héat *n.* 〖理〗 비열(比熱)《略 s.h.》.

specífic ímpulse *n.* (로켓 추진의) 비추력(比推力).

spec·i·fic·i·ty [spèsəfísəti] *n.* Ⓤ,Ⓒ SPECIFIC함 ; 특이성 ; 한정성 : ~ of enzyme 효소의 특이성.

specífic náme *n.* 〖生〗 종명(種名).

specífic perfórmance *n.* 〖法〗 특정 이행.

specífic resístance *n.* 〖理〗 비(比)[고유] 저항, 저항률.

spec·i·fy [spésəfài] *vt.* **1** 일일이 열거하다, 상세히 말하다[적다] : He *specified* the reasons for the failure. 그는 실패의 이유를 상세히 지적했다 / Did they ~ any particular time for you to call? 그들은 당신에게 방문 시간을 분명히 지정해 주었습니까. **2** (명세서·설계서)에 기입하다 ; 조건으로 지정하다. ── *vi.* 명기(明記)하다.

spéc·i·fì·able *a.* 〚OF or L ; ⇨ SPECIFIC〛

***spec·i·men** [spésəmən] *n.* **1** 견본, 적례(適例) : a ~ page 견본쇄(見本刷). **2** 보기, 실례. **3** 〖生·醫〗 표본 : stuffed ~*s* 박제(剝製) / ~*s* in spirits 알코올에 담근 표본. **4** 《俗》 괴짜 : What a ~! 참 괴짜로군 ! 〚L ; ⇨ SPECIES〛

類義語 ⟹ INSTANCE.

spe·ci·ol·o·gy [spìːʃiálədʒi] *n.* Ⓤ 종족학.

spe·ci·os·i·ty [spìːʃiásəti] *n.* Ⓤ,Ⓒ 겉만 번드르르함 ; 그럴듯함 ; 그럴듯한 것[사람].

spe·cious [spíːʃəs] *a.* 허울 좋은 ; 그럴듯한 ; 가면을 쓴. **~·ly** *adv.* **~·ness** *n.*

〚ME=beautiful<L ; ⇨ SPECIES〛

***speck**[1] [spék] *n.* **1** 작은 얼룩[흠], 작은 반점(斑點) ; (과일의) 작은 흠집. **2** 작은 알맹이[조각], 소량 ; 점 : a ~ *of* dust 한점의 먼지 / Our earth is only a ~ in the universe. 지구는 우주의 한 점에 지나지 않는다.

not a speck 《美》 전혀 …아니다.

── *vt.* [주로 *p.p.*로] …에 얼룩[오점·흠·점]을 찍다[만들다] : ~*ed* apples 흠이 난 사과.

~·ed·ness [-əd-] *n.* **~·less** *a.*

〚OE *specca* ; cf. SPECKLE〛

speck[2] *n.* (물개·고래 따위의) 지방.

〚Du. *spek* and G *Speck* ; cf. OE *spec*, *spic* bacon〛

speck·le [spékəl] *n.* 작은 반점, 얼룩. ── *vt.* [주로 *p.p.*로] …에 작은 반점을 찍다, 얼룩지게 하다, 얼룩덜룩하게 하다. **spéck·led** *a.* 얼룩덜룩한, 반점이 있는 : a ~*d* hen 얼룩무늬가 있는 암탉. 〚MDu. *spekkel* ; cf. SPECK[1]〛

spéckled tróut *n.* 〖魚〗 =BROOK TROUT, =SEA TROUT.

specs[1] [spéks] *n. pl.* 《口》 안경. 〚*spec*tacles〛

specs[2] *n. pl.* 《口》 명세서, 시방서(示方書).

〚*spec*ifications〛

***spec·ta·cle** [spéktikəl] *n.* **1** 광경, 구경거리 ; 미관, 장관, 볼 만한 것(sight) ; 보기만 해도 불쌍한[싫은] 것, 애처로운 광경. **2** [*pl.* ; 때때로 a pair of ~s] 안경(glasses) : He took off[put on] his ~*s*. 그는 안경을 벗었다[끼었다].

make a spectacle of one***self*** 남의 웃음거리가 될 짓[옷차림]을 하다, 창피한 꼴을 보이다.

〚OF<L (*spect-* *specio* to look)〛

spéc·ta·cled *a.* 안경을 쓴 ; 〖動〗 안경 모양의 얼

륙이 있는.
spéctacled béar *n.* 〖動〗 안경곰《남미산(産)》.
spec·tac·u·lar [spektǽkjələr] *a.* 구경거리가 될 만한 ; 장관(壯觀)인 ; 눈부신, 화려한, 극적인 (dramatic). —— *n.* (장시간의) 호화판 텔레비전 쇼, 초대작(超大作) ; 특대 광고.
~·ly *adv.* 눈부시게 ; 극적으로.
〖*oracle* ; *oracular* 따위의 유추로 *spectacle*에서〗
spec·tac·u·lar·i·ty [spektæ̀kjəlǽrəti] *n.* U,C 장관(壯觀).
spec·tate [spékteit] *vi.* 방관하다, 구경하다.
***spec·ta·tor** [spektéitər, ´--] *n.* (*fem.* **-tress** [-trəs], **-trix** [-triks]) 구경꾼, 관객 ; 방관자, 목격자, 관찰자. 〖F or L ; ⇒ SPECTACLE〗
spec·ta·to·ri·al [spèktətɔ́:riəl] *a.* 구경꾼의, 방관자의.
spec·ta·tor·itis [spektèitəráitəs] *n.* 관전[방관] 자증(症)《자신은 운동하지 않고 관전만 함》.
spéctator spórt *n.* 관객 동원력이 있는 스포츠.
spec·ter | **-tre** [spéktər] *n.* **1** 유령, 귀신, 망령 (ghost), 요괴(妖怪), 허깨비(phantom). **2** 무서운[무시무시한] 것, 공포의 원인.
a specter of the Brocken =BROCKEN SPECTER.
〖F or L SPECTRUM〗
類義語 ⟹ GHOST.
spec·ti·no·mýcin [spèktənə-] *n.* 〖藥〗 스펙티노마이신《임질 항균약》.
***spectra** *n.* SPECTRUM의 복수형.
spec·tral [spéktrəl] *a.* **1** 허깨비의 ; 기괴한, 무시무시한, 무서운 ; 공허한. **2** 스펙트럼의 : (a) ~ analysis=SPECTRUM analysis / ~ colors 분광색(分光色)《무지개 색》. **~·ly** *adv.* 유령처럼 ; 무시무시하게 ; 스펙트럼으로. **~·ness** *n.*
spec·tral·i·ty [spektrǽləti] *n.* U 유령임, 환영(幻影).
spéctral líne *n.* 〖理〗 스펙트럼선(線).
spéctral overcrówding *n.* 〖通信〗 전파 할당 주파수의 과밀사용 상태.
spéctral séries *n.* 〖理〗 스펙트럼 계열.
spéctral týpe *n.* 〖天〗 (별의) 스펙트럼형(型).
spectre ☞ SPECTER.
spec·tro- [spéktrou, -trə] *comb. form* 「스펙트럼(의)」「분광기(分光器)가 달린」의 뜻.
〖L ; ⇒ SPECTRUM〗
spèctro·bolómeter *n.* 〖理〗 스펙트로볼로미터《스펙트럼 중의 복사(輻射) 에너지 분포를 측정하는 기구》.
spèctro·chémistry *n.* U 〖理〗 분광(分光) 화학.
spéctro·gràm *n.* 분광[스펙트럼] 사진.
spéctro·gràph *n.* 분광[스펙트럼] 사진기 ; = SOUND SPECTROGRAPH.
spèctro·hélio·gràm *n.* 단광(單光) 태양 사진.
spèctro·hélio·gràph *n.* 단광 태양 사진기.
spèctro·hélio·scòpe *n.* 단광 태양 망원경.
spec·tro·log·i·cal [spèktrəlɑ́dʒikəl] *a.* 스펙트럼 분석학의.
spec·trol·o·gy [spektrɑ́lədʒi] *n.* 스펙트럼 분석학 ; 유령학, 요괴학.
spec·trom·e·ter [spektrɑ́mətər] *n.* 분광계.
spèctro·photómeter *n.* 분광 광도계(分光光度計)[측광기].
spéctro·scòpe *n.* 분광기.
spectro·scop·ic, -i·cal [spèktrəskɑ́pik(əl)] *a.* 분광기의 ; 분광기에 의한.
spectroscópic análysis *n.* 분광 분석, 스펙트럼 분석.
spectroscópic bínary *n.* 〖天〗 분광 쌍성(分光雙星).
spec·tros·co·py [spektrɑ́skəpi] *n.* U 분광학(分光學) ; 분광기의 사용(술).
***spec·trum** [spéktrəm] *n.* (*pl.* **-tra** [-trə], **~s**) **1** 〖光〗 스펙트럼 : (a) ~ analysis 분광[스펙트럼] 분석. **2** (눈의) 잔상(殘像). **3** (변동 있는 것의) 연속체 ; 범위(range)〈*of*〉.
〖L=image, apparition ; ⇒ SPECTACLE〗
specula *n.* SPECULUM의 복수형.
spec·u·lar [spékjələr] *a.* **1** (연마한 금속 따위) 거울 같은, 반사하는. **2** 〖醫〗 검경(檢鏡)의.
spec·u·late** [spékjəlèit] *vi.* [動 / +前+名] **1** 사색[숙고]하다(meditate) ; 사색적으로 말하다 ; 추측하다 : He began to ~ ***about time and space [***on*** the origin of the universe]. 시간과 공간에 대해서[우주의 기원에 대해서] 사색하기 시작했다 / She often ~*d* ***as to*** what sort of man she would marry. 그녀는 어떤 사람과 결혼하게 될 것인가를 이따금 생각해 보았다. **2** 투기를 하다, 시세를 예측하고 매매하다 : ~ ***in*** shares[stocks] 증권에 손을 대다 / ~ ***on*** a rise[fall] 상승[하락]을 예상하고 투기하다.
〖L *speculor* to spy out, observe (*specula* watch-tower〈*specio* to look)〗
類義語 ⟹ THINK.
***spec·u·la·tion** [spèkjəléiʃən] *n.* **1** U,C 사색, 심사 숙고, 고찰 ; 추측, 억측(conjecture) ; U 공론, 공리(空理). **2** U,C 투기, 사행〈*in*〉 (cf. SPEC[1]) : buy land as a ~ 투기로 토지를 사다 / make some good[bad] ~*s* 이로운[손해되는] 투기를 하다 / on ~ 투기로, 요행을 노리고. **3** U 스페큘레이션《카드놀이의 일종》.
spec·u·la·tive [spékjələtiv, -lèi-] *a.* **1** 사색적인, 순이론적인, 추론적인. **2** 투기적인, 요행을 바라는 ; 불확실한, 위험한 : ~ importation (앞을) 내다보고 하는 수입. **3** 호기심이 어린 ; 전망 좋은, 전망하기에 유리한.
~·ly *adv.* **~·ness** *n.*
spéculative philósophy *n.* 사변(思辨) 철학.
spéc·u·là·tor *n.* **1** 사색가, 이론가 ; 공론가. **2** 증권업자, 투기꾼〈*in*〉; (입장권 따위의) 암표 상인 ; 〖商〗 투기계(投機界).
spec·u·lum [spékjələm] *n.* (*pl.* **-la** [-lə], **~s**) **1** 〖醫〗 (입・코・자궁 따위의) 검경(檢鏡) : an eye ~ 검안경. **2** 금속 거울, 반사경. **3** 〖鳥〗 (오리 따위의) 날개깃의 알록달록한 색점.
‡**sped** *v.* SPEED의 과거・과거분사.
‡**speech** [spi:tʃ] *n.* **1** U (일반적으로) 언어, 말 : freedom[liberty] of ~ 언론의 자유. **2** U **a**) 이야기, 담화 : have ~ of a person …와 이야기하다. **b**) 담화 능력. **c**) 화술(話術), 말투 : be slow of ~ 말이 느리다, 말재간이 없다. **d**) 〖樂〗 (악기의) 음색, 음향. **3** 연설〈*on*〉, …사(辭) : a farewell ~ 고별사 / make[deliver] a ~ 연설을 하다 / the Queen's[King's] ~=a ~ from the throne 〖英議會〗 개[폐]원식의 칙어(勅語). **4** U 〖文法〗 화법(話法) (narration) : direct[indirect] ~ 직접[간접] 화법 / ☞ REPRESENTED SPEECH.
a figure of speech ☞ FIGURE.
a part of speech 〖文法〗 품사.
〖OE *sprǣc*, late OE *spēc* ; cf. SPEAK, G *Sprache*〗
類義語 ***speech*** 청중에 대해서 하는 강연・연설・이야기 ; 시간, 성격, 사전 준비 여부와 관계없음 : after dinner *speech* (정찬 후의 연설).
address 미리 면밀하게 준비된 공식의 speech ; 말하는 사람 또는 이야기 내용이 중요하다는 것

을 암시 : President's *address* to Congress (대통령의 의회에 대한 연설). ***oration*** 어떤 특별한 경우에 하는 웅변, 미문조(美文調)의 연설 ; 때로는 단순한 호언장담으로 내용이 허황함을 암시 : political *orations* at the ceremony (의식석상에서의 정치적 연설). ***lecture*** 청중에게 지식 전달을 목적으로 하는 강연 : a *lecture* to a college class (대학생반에 대한 강연). ***talk*** 회화조로 격식을 차리지 않은 speech 또는 lecture.

spéech clìnic *n.* 언어 장애 교정소.

spéech commùnity *n.* 〖言〗 (특정한 언어·방언이 쓰이는) 언어 공동체.

spéech corrèction *n.* 언어 교정(矯正), 말버릇 고치기.

spéech dày *n.* 《英》 (학교의) 종업식날《상품 수여·내빈 연설 따위가 있음》.

spéech dèfect[disòrder] *n.* 언어 장애.

speech·ifi·ca·tion [spìːtʃəfəkéiʃən] *n.* 연설 ; 훈사(訓辭).

spéech·ifi·er *n.* 《蔑》 연사, 연설쟁이.

speech·ify [spíːtʃəfài] *vi.* 《戱·蔑》 연설하다, 열변을 토하다, 장광설을 늘어놓다.

spéech ìsland *n.* 〖言〗 언어의 섬《보다 큰 다른 언어 공동체에 둘러싸여 있는 소수집단의 언어 공동체 ; 미국의 Pennsylvania Dutch 따위》.

spéech·less *a.* **1** 말을 못하는. **2** 말을 하지 않는, (격분 따위로) 말을 못하는[못할 만큼의], 형언할 수 없는. **~·ly** *adv.* **~·ness** *n.*
類義語 ⟹ DUMB.

spéech·màker *n.* 연설자, 강연자.
-màking *n.*

spéech òrgan *n.* 발음 기관.

spéech·rèad·ing *n.* 독순술(讀脣術)《청각 장애자 등이 상대방의 입술 모양으로 뜻을 해득함》.

spéech sòund *n.* 〖音聲〗 언어음《보통의 소리·기침·재채기 따위와 구별해서》 ; 단음《모음과 자음으로 분류됨》.

spéech sỳnthesis *n.* 〖電子〗 음성 합성.

spéech thèrapy *n.* 언어 장애 교정(술).

spéech wrìter *n.* 연설 초고 작성자《특히 정치가를 위해 쓰는 사람》.

‡**speed** [spíːd] *n.* **1** Ⓤ 속력, 빠름 : a horse of ~ 빠른 말 / Safety is more important than ~. 속력보다 안전이 중요하다 / with all ~ 황급히 / More haste, less ~. 《속담》 급할수록 천천히. **2** U,C 속도 : (*at*) full ~ 전속력으로 / *at* half [(an) ordinary] ~ 보통 속도로 / *at* a high ~ 고속으로 / travel *at* a ~ of 30 miles an hour 시속 30 마일로 진행하다. **3** U,C (자동차의) 변속(變速)장치 : shift to low ~ 저속으로 바꾸다. **4** Ⓤ 《古》 성공, 번영, 행운 : God send[give] you good ~. 《古》 부디 성공을 빕니다. **5** 〖寫〗 셔터 스피드, 노광(露光)속도, 감도(感度) ; (렌즈의) 집광 능력. **6** 《俗》 중추신경 자극제, 각성제 (특히) 필로폰.
— *v.* (**sped** [spéd], **~·ed**) *vi.* **1** [動 / +副 / +前+名] 서두르다 ; 질주하다 ; (**~·ed**) (자동차로) 위반속도를 내다 : The car *sped* ***along*** [***down***] the streets. 자동차는 거리를 질주해 갔다. **2** (**~·ed**) [+副] 속도를 높이다 : The steamer soon *~ed* ***up***. 기선은 얼마 안 가서 속도를 높였다. **3** (**~·ed**) (자동차가) 속도 위반을 하다 : He was arrested for *~ing*. 그는 속도 위반으로 체포되었다. **4** 《古》 (사람이) 성공하다 ; (일이) 잘 진행되다 : How have you *sped*? 어떻게 잘 되어 갑니까 ; 어떻게 지냈습니까.
— *vt.* **1** [+目 / +目+副] 서두르게 하다, …을 진척시키다, 촉진하다, 능률을 올리다 : ~ a horse 말을 빨리 몰다 / He *sped* his pen to complete his novel. 소설을 완성하기 위해 서둘러 그는 글을 써갔다. **2** (**~·ed**) [+目+副] (기관 따위의) 속도를 빠르게 하다 : ~ ***up*** an engine 엔진의 회전을 빠르게 하다 / Everything is getting *~ed up*. 모든 것이 더욱 빨리 움직이고 있다. **3** 《古》 성공시키다, 번영시키다 : God ~ you! 성공을 빈다. 〖OE (n.) *spēd* success < Gmc. 《美》 *spōan* to prosper〗
類義語 ⟹ HASTE.

spéed·bàll[1] *n.* Ⓤ 스피드볼《축구 비슷한 구기》 ; 〖野〗 빠른 볼.

speedball[2] *n.* 《俗》 스피드볼《코카인에 헤로인, 모르핀, 암페타민을 섞은 마약 (주사)》.

spéed·bòat *n.* 쾌속정, 고속 모터보트.

spéed bùmp *n.* (주택 지구나 학교 주변의) 과속 방지턱《감속시키기 위한 것》.

spéed còp *n.* 《俗·원래 美》 (자동차의) 속도위반 단속 경찰관.

spéed cóunter *n.* 〖機〗 (엔진의) 회전 계수기.

spéed dèmon *n.* 《口》 스피드광(speedster).

spéed·er *n.* 함부로 속력을 내는 운전자 ; 〖機〗 속도 조절 장치.

spéed frèak *n.* 《俗》 암페타민이나 메타페타민 따위의 상습 남용자, 필로폰 중독자.

spéed gùn *n.* 속도 측정기.

spéed ìndicator *n.* = SPEEDOMETER.

spéed·ing *a.* 고속으로 움직이고 있는. — *n.* 고속 진행, (자동차 운전의) 속도 위반.

spéed lìmit *n.* 제한 속도, 최고 허용 속도.

spéed mèrchant *n.* **1** 《英口》 (자동차의) 스피드광(狂). **2** 《美俗》 발빠르고 민첩한 사람[운동선수].

speedo [spíːdou] *n.* (*pl.* **spéed·os**) 《口》 = SPEEDOMETER.

speed·om·e·ter [spidάmətər] *n.* (자동차 따위의) 속도계 ; 주행 기록계.

spéed-rèad·ing *n.* 속독(速讀).
spéed-rèad *vt.*

spéed shòp *n.* 스피드 숍《hot rodder용 특제 자동차 부품 판매점》.

spéed skàting *n.* 스피드 스케이트 경기.

spéed sprày̆er *n.* 고속 분무기.

spéed·ster *n.* 빠른 속력으로 달리는 선수[탈것, 말] ; 고속 자동차 ; 속도 위반자.

spéed tràp *n.* 속도 위반 특별 단속 구간 ; 속도 위반 적발 장치.

spéed·ùp *n.* U,C (기계 따위의) 능률 촉진 ; 속력 증가 ; 가속 ; 노동 강화.

spéed·wàlk *n.* (에스컬레이터식의) 움직이는 보도(步道).

spéed·wày *n.* 자동차·모터사이클 경주로[장] ; 《美》 고속 도로(cf. EXPRESSWAY).

spéed·wèll *n.* 〖植〗 현삼과 꼬리풀의 일종.

spéedy *a.* **1** 신속한, 재빠른. **2** 조속한, 즉시의 : a ~ answer 즉답(卽答). — *n.* 《美俗》 배달인 ; 《美俗》 속달 우편물.
spéed·i·ly *adv.* **spéed·i·ness** *n.*
類義語 ⟹ RAPID.

speiss [spáis] *n.* 〖冶〗 비피(砒鈹)《어떤 금속 광석을 정련할 때 생기는 비소(砒素) 화합물》. 〖G *Speise* food〗

spe·lae·an, -le- [spilíːən] *a.* 동굴의[같은] ; 동굴에 사는.

spe·le·ol·o·gy, -lae- [spìːliάlədʒi] *n.* Ⓤ 동굴학 ; 동굴 탐험. **-gist** *n.* 동굴학자 ; 동굴 탐험가

(spelunker). 〖F<L<Gk. (*spēlaion* cave)〗

◇**spell**[1] [spél] *v.* (**~ed** [spéld, spélt], **spelt** [spélt]) *vt.* **1** (낱말을) 철자하다, 철자를 말하다[쓰다] : How do you ~ the word? 그 단어는 철자를 어떻게 씁니까. **2** …라는 철자가 …이 된다, …라고 읽다 : O-n-e ~*s* 'one.' o.n.e라는 철자는 원(one)이라는 글자가 된다. **3** (결과를) 초래하다, …로 이끌다, 의미하다, …라는 결과가 되다 : Failure ~*s* death. 실패하면 죽는다.
—— *vi.* **1** 철자하다, 바르게 쓰다 : Learn to ~ (correctly). 철자를 바르게 쓰도록 공부하시오. **2** 《詩》 연구하다, 고찰하다.
spell backward 거꾸로 철자하다 ; 곡해하다.
spell out 한 자 한 자 간신히 읽다 ; 한 자 한 자 철자하다 ; (생략하지 않고) 전부 쓰다 ; 《美》 똑똑히 설명하다.
〖OF *espe*(*l*)*er*, 《美》 *espeldre*<Frank.=to discourse (↓)〗

*__spell__[2] *n.* 주문(呪文), 마법 ; 마력, 매력 : break the ~ 주문을 풀다 ; 미몽(迷夢)에서 깨다 / cast a ~ on[over]...=put a ~ on...=cast[lay, put]...under a ~ …에게 마법[마술]을 걸다, 호리다 / under a ~ 주문에 얽매여, 홀려.
—— *vt.* 주문으로 얽어매다(charm) ; 매혹하다.
〖OE *spel*(*l*) ; cf. OHG *spel* tale, talk〗

*__spell__[3] *n.* **1** 한차례의 일, 한바탕 계속되는 모양 ; 순번, 교대 : by ~*s* 번갈아 / have[take] a ~ *at* …을 교대하다 / give a person a ~ …와 일을 교대하여 주다. **2** 잠시 동안 ; 한동안(short period) ; 《濠》 휴식 기간, 잠깐 쉼 : Wait a ~. 잠깐 기다리시오 / (for) a ~ 잠시 / a ~ *of* fine [hot] weather 한동안 계속되는 맑은[더운] 날씨. **3** 《口》 (병 따위의 일시적인) 발작, 발병 : a ~ of coughing=a coughing ~ 한 차례의 심한 기침.
spell and[***for***] ***spell*** 교대로 ; 끊임없이.
—— *vt.* [+目 / +目+前+名] 《美口》 (…와) 교대하다, 교대하여 일하다 ; 《濠》 (말 따위에) 휴식 시간을 주다, 잠깐 쉬게 하다 : Then Tom ~*ed* me ***at*** row*ing* the boat. 그때 톰이 나와 교대하여 보트를 저었다. —— *vi.* 교대로 일하다 ; 《濠》 휴식하다. 〖(n.)<(v.) *spele* (dial.) to substitute<OE *spelian*<?〗

spéll·bìnd *vt.* 주문을 걸다 ; 매료하다.

spéll·bìnd·er *n.* 《口》 웅변가, (특히) 청중을 매혹시키는 정치 연설가.

spéll·bòund *a.* 주문에 걸린, 마술에 걸린 ; 매혹된, 황홀해진.

spéll·dòwn *n.* 철자 시합《전원이 일어서서 시합을 시작하여 철자를 틀린 사람이 차례로 앉게 되면 마지막까지 서 있는 사람이 이김》.

spéll·er *n.* **1** 철자하는 사람 : a good ~ 철자를 틀리지 않는 사람. **2** 《美》 =SPELLING BOOK.

*__spéll·ing__ *n.* Ⓤ 철자하기 ; Ⓤ,Ⓒ 철자법, 정서법 ; 철자 : We use English[American] ~(*s*). 우리는 영국[미국]식 철자를 사용한다.

spélling bèe[**màtch**] *n.* 철자 시합.

spélling bòok *n.* 철자 교본.

spélling pronunciàtion *n.* 철자 발음 《boatswain [bóusən]을 철자대로 [bóutswèin]으로 발음하는 따위》.

spélling refòrm *n.* 철자 개혁《영어의 낱말을 발음에 가깝게 고치려는 시도》.

◇**spelt**[1] *v.* SPELL[1]의 과거·과거분사.

spelt[2] [spélt], **speltz** [spélts] *n.* 〔植〕 스펠트밀 《현재는 가축 사료용》. 〖OE<OS ; cf. G *Spelt*〗

spel·ter [spéltər] *n.* Ⓤ 아연(亞鉛)(봉(棒)).

spe·lunk·er [spilʌ́ŋkər, spíːlʌŋkər] *n.* 동굴 답사 연구가. 〖L *spelunca* cave+-*er*[1]〗

spence, spense [spéns] *n.* 《古·方》 식료품 저장실, 찬장 ; 《스코》 (흔히 부엌에 가까운) 방.

spen·cer[1] [spénsər] *n.* **1** (19세기 초기의) 짧은 외투[웃옷]. **2** (여성용) 짧은 재킷.
〖George John, 2nd Earl *Spencer* (d. 1834) 영국의 정치가〗

spencer[2] *n.* 〔船〕 앞돛대에 치는 세로돛.
〖? K. *Spencer* 19세기의 인물〗

Spencer *n.* 스펜서. **Herbert** ~ (1820-1903) 영국의 진화론적 철학자.
〖OF=dispenser (of provisions)〗

Spen·ce·ri·an [spensíəriən] *a.* Spencer (철학)의, 진화론적인. —— *n.* 스펜서파(派)의 철학자.
~·ism *n.* =SPENCERISM.

Spéncer·ìsm *n.* Ⓤ 스펜서 철학, 종합 철학《진화론적 철학으로 모든 것을 자연에 맡기라는 주장》.

◇**spend** [spénd] *v.* (**spent** [spént]) *vt.* **1** [+目 / +目+前+名] (돈을) 쓰다, 들이다, 소비하다(cf. EXPEND) : She ~*s* ten dollars a day. 그녀는 하루에 돈을 10달러 쓴다 / Ill gotten[got], ill *spent.* 《속담》 부정하게 번 돈은 오래 못간다 / He ~*s* a lot of money ***on*** books. 많은 돈을 책을 사는 데 쓴다. **2** 다 써버리다, 소모하다 : ~ all one's energies 정력을 다 소모하다. **3** [+目 / +目+前+名 / +目+do*ing*] (시간을) 들이다 ; (시간을) 보내다 : How did you ~ the vacation? 휴가를 어떻게 보냈습니까 / He *spent* a day at the beach. 바닷가에서 하루를 보냈다 / He wanted to ~ his life ***with*** music. 음악을 하면서 일생을 보내고 싶었다 / He ~*s* very little time ***on*** himself. 자신의 일에는 거의 시간을 들이지 않는다 / She ~*s* too much time ***in*** dress*ing* herself. 몸치장에 너무 시간을 들인다 / He *spent* much of his spare time roam*ing* about the streets. 한가한 시간의 대부분을 거리를 배회하며 보냈다. **4** [보통 *p.p.* 또는 ~ one*self* 로] 다 써 없애다, 지치게 하다(exhaust), 약해지다 : The storm soon *spent* it*self* [its force]. 폭풍은 곧 잠잠해졌다 / The night is far *spent.* 《古》 밤이 깊었다. **5** 〔海〕 (돛대를) 잃다. —— *vi.* **1** 돈을 쓰다[들이다] ; 낭비하다. **2** (물고기가) 알을 낳다, 이리를 방출하다.
spend and be spent 〔聖〕 재물을 허비하고 몸까지 망치다.
spend one***'s breath***[***words***] =WASTE one's *breath*[*words*].
—— *n.* [*pl.*] 《英北西部》 (아이의) 용돈.
~·able *a.* 쓸[소비할] 수 있는 : ~*able* income 실수입. **~·er** *n.* 소비하는 사람, 낭비가.
〖OE *spendan*<L ; ⇨ EXPEND ; ME기(期) DISPENSE도 영향〗
類義語 ***spend*** 돈이나 물건을 소비한다는 뜻의 가장 일반적인 말 : She *spent* the money for her dress. (그녀는 옷을 사는 데 돈을 썼다).
expend spend 보다 형식에 치우친 말로서 상당한 금액[양]의 돈 또는 물건 따위를 소비하다 ; 그 결과 자금[자원]이 줄어드는 것을 암시할 때가 있음 : He *expends* more than he earns. (그는 수입 이상으로 돈을 쓴다).

spénd-àll *n.* 낭비가(spendthrift).

spénd·ing *n.* Ⓤ,Ⓒ 지출 ; 소비.

spénding mòney *n.* 용돈(pocket money).

spénd·thrìft *a., n.* 돈을 헤프게 쓰는 (사람) ; (주색·노름으로) 재산을 탕진하는 (사람) (prodigal).

spénd-ùp *n.* 《口》 내키는 대로 돈을 쓰는 때[일].

Spen·gler [spéŋglər, ʃpéŋ-] *n.* 슈펭글러. **Oswald** ~ (1880-1936) 독일의 철학자·역사가.
Spens. Spenser.
Spen·ser [spénsər] *n.* 스펜서. **Edmund** ~ (1552?-99) 영국의 시인.
Spen·se·ri·an [spensíəriən] *a.* 스펜서(류)의 : the ~ stanza 〔韻〕 스펜서련(聯)《Spenser가 *The Faerie Queene* (1590-96)에 쓴 시형》.
—— *n.* 스펜서련(聯)(의 시).
◇**spent** [spént] *v.* SPEND의 과거·과거분사.
—— *a.* **1** 지쳐 버린, 약해진 ; (탄알 따위) 다 써 버린. **2** (물고기가) 산란한.
sperm[1] [spə́ːrm] *n.* (*pl.* ~, ~**s**) Ⓤ 〔生理〕 정액(semen) ; 정충, 정자(cf. GERM 1).
〚L<Gk. *spermat- sperma* seed (*speirō* to sow)〛
sperm[2] *n.* =SPERM WHALE ; Ⓤ =SPERMACETI ; =SPERM OIL. 〚↑〛
sperm- [spə́ːrm], **sper·mo-** [spə́ːrmou, -mə], **sper·ma-** [-mə], **sper·mi-** [-mə] *comb. form* 「종자」「정자(精子)」「정액(精液)」의 뜻. 〚Gk. (↑)〛
sper·ma·ceti [spə̀ːrməséti, -síːti] *n.* Ⓤ 경뇌(鯨腦), 경랍(鯨蠟)《향유고래의 머리에서 채취》.
〚L *sperma ceti* whale sperm〛
sper·ma·ry [spə́ːrməri] *n.* 〔動〕 정낭, 정소(精巢), 고환 ;〔植〕 웅기(雄器), 조정기(造精器).
sper·mat- [spəːrmǽt, spə́ːrmət], **sper·mato-** [-tou, -tə] *comb. form* 「종자」「정자」의 뜻.
〚Gk. ; ⇨ SPERM〛
sper·mat·ic [spəːrmǽtik] *a.* 정액의 ; 정낭의, 고환의 ; 생식의.
spermátic córd[**funículus**] *n.* 〔解·動〕 정색(精索), 정사(精絲).
spermátic flúid *n.* 〔生理〕 정액.
spermátic sác *n.* 〔解·動〕 정낭(精囊).
sper·ma·tid [spə́ːrmətəd] *n.* 〔動〕 정자 세포.
spermáto·blàst [, spə́ːrmətə-] *n.* 정자를 만드는 세포, 정세포.
spermáto·cỳte [, spə́ːrmətə-] *n.* 〔生〕 정모(精母)세포.
spermáto·phòre [, spə́ːrmətə-] *n.* 〔動〕 정협(精莢), 정포(精包).
spermáto·phỳte [, spə́ːrmətə-] *n.* 〔植〕 종자식물(種子植物).
sper·ma·tor·rhea, -rhoea [spə̀ːrmətəríːə, spəːrmæ̀t-] *n.* Ⓤ 〔醫〕 유정(遺精).
sper·ma·to·zo·id [spə̀ːrmətəzóuəd, spəːrmæ̀tə-] *n.* 〔植〕 정자(精子).
sper·ma·to·zo·on [spə̀ːrmətəzóuɑn, -ən, spəːrmæ̀tə-] *n.* (*pl.* **-zoa** [-zóuə]) 〔動〕 정충, 정자 ; =SPERMATOZOID. —— *a.* 정자[정충]의.
spérm bànk *n.* 정자 은행(精子銀行)《인공 수정용 정자 저장 기관》.
spérm cèll *n.* 〔動〕 정자(精子).
spermi- [spə́ːrmə] ☞ SPERM-.
sper·mic [spə́ːrmik] *a.* =SPERMATIC.
spérmi·cìde *n.* (피임용) 살정자제(殺精子劑).
spérm nùcleus *n.* 〔生〕 정핵, 웅핵(雄核).
spérm òil *n.* 〔化〕 고래 기름, 향유고래 기름.
spérmo·phìle *n.* 〔動〕 구멍을 파는 다람쥐, (특히 북미의) 땃다람쥐.
sper·mous [spə́ːrməs] *a.* 정자의[같은].
spérm whàle *n.* 〔動〕 향유고래(cachalot).
-sper·my [spə̀ːrmi] *n. comb. form* 〔生〕「…의 수정(受精)상태」의 뜻 : poly*spermy* 다정자(多精子) 수정 / di*spermy* 2개 웅성 배우자. 〚Gk.〛
spew [spjúː] *vt.* 토하다, 게우다(vomit) ; 뿜어내다(eject). —— *vi.* **1** (음식물을) 게우다. **2** (연속 사격으로) 총구[포구]가 휘다. —— *n.* 토한 것, 게운 것 ; 비어져 나온[스며 나온] 것.
〚OE *spīwan* ; cf. G *speien*〛
S.P.G. Society for the Propagation of the Gospel. **sp. gr.** specific gravity.
sphac·e·late [sfǽsəlèit] *vt., vi.* 〔醫〕 괴저[탈저(脫疽)]에 걸리(게 하)다.
sphaer- ☞ SPHER-.
sphag·nous [sfǽgnəs] *a.* 물이끼의[가 많은].
sphag·num [sfǽgnəm] *n.* 〔植〕 물이끼.
〚NL<Gk. *sphagnos* a moss〛
sphal·er·ite [sfǽlərait, sféil-] *n.* 〔鑛〕 섬(閃)아연광.
sphen- [sfíːn], **sphe·no-** [sfíːnou, -nə] *comb. form* 「쐐기」「접형골(蝶形骨)」의 뜻.
〚Gk. (*sphēn* wedge)〛
sphe·nic [sfíːnik] *a.* 쐐기 모양의.
sphéno·gràm *n.* 설형 문자(楔形文字).
sphe·noid [sfíːnɔid] *a.* 〔解〕 접형골의 ; 쐐기 모양[형]의. —— *n.* 〔解〕 접형골(蝶形骨).
spher- [sfíər], **sphaer-** [sfíər], **shpe·ro-**, **sphae·ro-** [sfíərou, sférou, -rə] *comb. form* 「구(球)(sphere)」의 뜻.
〚Gk. (*sphaira* ball) ; ⇨ SPHERE〛
spher·al [sfíərəl] *a.* 구(球)(sphere)의, 구 모양의 ; 완벽한, 상칭(相稱)의, 균형이 잡힌.
***sphere** [sfíər] *n.* **1** 구(球) ; 구형, 구체, 구면(cf. CIRCLE). **2** 천체(天體) : the music[harmony] of the ~*s* 천체의 음악《천체의 운행에서 생긴다고 Pythagoras가 상상》. **3** 지구의(儀), 천체의(天體儀). **4** 범위, 활동 범위, 세력 범위〈*of*〉; 영역, 권(圈) ; 본분, 본령(本領)〈*of*〉: remain in one's (proper) ~ 본분을 지키다. **5** 지위, 신분, 계급. **6** 《詩》 하늘, 창공.
—— *vt.* (천)구(球) 안에 놓다 ; 구상(球狀)으로 하다 ; 둘러싸다. 〚OF<L<Gk. *sphaira* ball〛
spher·ic [sférik, sfíərik] *a.* 구(체)(球(體))의 ; 구 모양의 ; 구면의.
sphér·i·cal *a.* **1** 구형의, 구상(球狀)의, 둥근 ; 천체의. **2** 구(球)의, 구면(球面)의 : a ~ polygon [lune] 구면 다각형[반월형] / a ~ triangle 구면 삼각형 / ~ trigonometry 구면 삼각법.
類義語 ⟹ ROUND.
sphérical aberrátion *n.* 〔光〕 (렌즈·반사경의) 구면 수차(收差).
sphérical ángle *n.* 〔數〕 구면각(角).
sphérical astrónomy *n.* 구면(球面) 천문학.
sphérical geómetry *n.* 구면 기하학.
sphérical léns *n.* 구면 렌즈.
sphérical sáiling *n.* 〔海〕 구면 항법.
sphe·ric·i·ty [sfirísəti] *n.* Ⓤ 구형(球形), 구면(球面) ; 구형도(度).
sphér·ics *n.* 구면 기하학(spherical geometry) ; 구면 삼각법.
spher·oid [sfíərɔid, sféər-] *n.* 〔數〕 회전 타원체[면]. —— *a.* =SPHEROIDAL.
sphe·roi·dal [sfiərɔ́idl] *a.* 회전 타원면(상)의.
sphe·rom·e·ter [sfiərámətər] *n.* 구면계(計).
sphéro·plàst *n.* 〔菌〕 스페로플라스트《세포벽을 거의 다 제거한 균세포》.
spher·u·lar [sférjələr, sfíər-] *a.* 소구(小球) (모양)의, 소구체의.
spher·ule [sféərjuːl, sfíər-] *n.* 소구(小球)(체).
spher·u·lite [sférjəlàit, sfíər-] *n.* 구정(球晶).
sphery [sfíəri] *a.* 《詩》 천구의 ; 구상의 ; 천체의[같은] ; 천구의 음악의[같은] ; 별 같은.

sphinc·ter [sfíŋktər] *n.* 〔解〕 괄약근(括約筋). 〖L<Gk. (*sphiggō* to bind tight)〗

***sphinx** [sfíŋks] *n.* (*pl.* **~·es, sphin·ges** [sfíndʒiːz]) **1** [the S~] 〔그神〕 스핑크스《머리는 여자, 몸뚱이는 사자 모양의 날개 달린 괴물로 통행인들에게 수수께끼를 내서 풀지 못한 사람을 모조리 죽였다고 함》. **2** 스핑크스의 상(像)《특히 이집트의 Giza 부근의 거상(巨像)》. **3** 수수께끼의 인물, 불가사의한 인물. **4** 〔昆〕 =SPHINX MOTH. 〖L<Gk. (? *sphiggō* to draw tight)〗

sphínx mòth *n.* 〔昆〕 박각시나방.

sphra·gis·tic [sfrədʒístik] *a.* 인장(학)(印章(學))의, 인장에 관한. 〖F<Gk. (*sphragis* seal)〗

sphra·gís·tics *n.* 인장학(學).

sp. ht., sp ht specific heat.

sphyg·mic [sfígmik] *a.* 〔生理·醫〕 맥박의.

sphyg·mo- [sfígmou, -mə] *comb. form* 「맥박(pulse)」의 뜻. 〖Gk. (*sphugmos* pulse)〗

sphýgmo·gràm *n.* 〔醫〕 맥파(脈波) 곡선(도).

sphýgmo·gràph *n.* 〔醫〕 맥파(脈波) 묘사기, 맥박 기록기.

sphyg·mog·ra·phy [sfigmágrəfi] *n.* 〔醫〕 맥파(脈波) 기록법. **sphỳg·mo·gráph·ic** *a.*

sphỳgmo·manómeter *n.* 혈압계, 맥압계.

sphyg·mom·e·ter [sfigmámətər] *n.* 〔生理〕 맥박계. **sphỳg·mo·mét·ric** *a.*

sphyg·mus [sfígməs] *n.* 〔生理〕 맥박(pulse).

SPI 〔宇宙〕 surface position indicator(지표면 위치 지시계).

spic [spík] *n.* 《美俗·蔑》 스페인계 미국인.

spi·ca [spáikə] *n.* (*pl.* **-cae** [-kiː, -siː], **~s**) 〔植〕 수상(穗狀) 꽃차례; 〔醫〕 스파이커 붕대; [S~] 〔天〕 스피카《처녀자리(Virgo)의 일등성》. 〖L=SPIKE, ear of grain〗

spi·cate [spáikeit], **-cat·ed** [-keitəd] *a.* 〔植〕 이삭이 있는; 수상(穗狀)(꽃차례)의.

spic·ca·to [spikáːtou] *a., adv.* 〔樂〕 스피카토의[로]《현악기를 연주할 때 활을 튀기며 연주하는 악보의 표시》.
—— *n.* (*pl.* **~s**) 스피카토 주법(奏法).
〖It. (p.p.)=detached〗

***spice** [spáis] *n.* **1** ⓤⓒ 양념; [집합적으로] 향료, 양념류. **2** ⓤ [또는 a ~] 《비유》 …한 기미, …인 듯한 점; 취미, 정취: give[lend] ~ to a story 이야기에 흥취[묘미]를 돋구다 / He had *a ~ of* malice in his words[character]. 그의 말[성질] 속에는 악의가 풍긴다. **3** 《口》 (영화·잡지 따위의) 아슬아슬한[외설스러운] 내용.
—— *vt.* …에 향료를 넣다; 《비유》 …에 흥취를 더하다, …에 재미를 돋구다.
〖OF *espice*<L SPECIES〗

spíce·bèrry [ˌ, -bəri] *n.* 〔植〕 **1** 진달래과의 관목《북미산(産)》; 그 열매. **2** =SPICEBUSH.

spíce bòx *n.* 양념통.

spíce·bùsh *n.* 〔植〕 **1** 녹나무과의 관목《북미 원산》. **2** 납매과의 미국 납매《북미 원산》.

Spíce Íslands *n. pl.* [the ~] 향료 제도(諸島)《Moluccas의 옛 이름》.

spic·ery [spáisəri] *n.* ⓤ [집합적으로] 양념류.

spíce·wòod *n.* =SPICEBUSH.

spic(k)-and-span [spíkənspǽn] *a.* 아주 깔끔한, (옷을) 새로 맞춘; 말쑥한, 참신한. —— *adv.* 깔끔히, 말쑥하게. 〖C16 *spick and span new*; ME *span new* 의 강조<ON=new as a chip (*spánn* chip, *nýr* new)〗

spic·u·la [spíkjələ] *n.* (*pl.* **-lae** [-lìː, -lài]) = SPICULE.

spic·u·late [spíkjəlèit, -lət] *a.* 바늘 모양의, 뾰족한, 침골(針骨)이 있는.

spic·ule [spíkjuːl] *n.* 침상체(針狀體); 〔植〕 작은 이삭; 〔動〕 (해면 따위의) 침골(針骨), 골편(骨片); 〔天〕 스피큘《태양의 채구(彩球)에서 코로나에 뾰족하게 돌출하는 수명이 짧은 홍염(紅炎)》. 〖L (dim.) ‹SPICA〗

spic·u·lum [spíkjələm] *n.* (*pl.* **-la** [-lə]) 〔動〕 침상체[부](針狀體[部]); (선충류(線蟲類)의) 교미침[기관].

spicy [spáisi] *a.* **1** 양념을 넣은; 향기로운. **2** (맛이) 짜릿한, 흥취 있는; 팔팔한, 발랄한. **3** 아슬아슬한: ~ conversation 음담. **4** 《口》 평판이 나쁜. **spíc·i·ly** *adv.* **spíc·i·ness** *n.* 〖SPICE〗

‡**spi·der** [spáidər] *n.* **1** 〔動〕 거미. **2** 《美》 프라이팬《원래 불위에 올려 놓는 발이 거미와 비슷한 데서》; 삼각대(三脚臺) (tripod), 삼발이(trivet). 〖OE *spīthra*; ⇨ SPIN〗

spíder cràb *n.* 〔動〕 거미게.

spíder hòle *n.* 《美軍俗》 (저격병의) 잠복호.

spíder lìnes *n. pl.* 〔光〕 십자선(十字線) (cross hairs).

spíder·màn *n.* 빌딩 건축 현장의 높은 곳에서 일하는 작업원; =STEEPLEJACK.

spíder mònkey *n.* 〔動〕 거미원숭이.

spíder('s) wèb *n.* 거미줄[집].

spíder·wòrt *n.* 〔植〕 자주달개비.

spi·dery [spáidəri] *a.* 거미발 같은; 가늘고 긴; 거미집 같은; 거미가 많은.

spider monkey

spie·gel·ei·sen [spíː-gəlàizən], **spíegel (ìron)** *n.* 경철(鏡鐵)《망간이 많이 든 선철(銑鐵)》.
〖G (*Spiegel* mirror, *Eisen* iron)〗

spiel [spíːl] *n.* ⓤ 《美俗》 과장된 이야기; ⓒ 연설, 손님을 끄는 선전 연설, (요술쟁이의) 주문; 《美》 (라디오 따위의) 선전 문구. —— *vt., vi.* 과장되게 지껄이다, 손님끄는 말을 하다; 교묘한 말로 꾀다[속이다]; 음악을 연주하다. 〖G=play, game〗

spíel·er *n.* 《美俗》 웅변가, 강연자, 선전문구를 늘어놓는 사람, 손님끄는 사람; (라디오·텔레비전의) 상업 광고 아나운서; 《濠》 사기꾼; 《英俗》 도박소굴.

spi·er [spáiər] *n.* 정찰[감시]하는 사람; 스파이(spy).

spiff [spíf] *vt.* 《口》 말쑥하게 하다, 멋부리다 ‹*up*›. ***spiffed out*** 《口》 한껏 멋을 낸, 모양을 낸. 〖C19<?〗

spiff·ing [spífiŋ] *a.* 《俗》 =SPIFFY.

spiffy [spífi] *a.* 《俗》 말쑥한, 단정한, 세련된.

spif·li·cate, spif·fli- [spífləkèit] *vt.* 《俗·戲》 폭력으로[난폭하게] 해치우다; 때리다. 〖C18<?〗

spig·ot [spígət] *n.* (통·수도 따위의) 마개(=《英》 tap); 《美》 (액체를 따르는) 주둥이, 물꼭지. 〖ME<? Prov. *espigou*(*n*)<L (dim.)‹ *spicum* SPICA〗

***spike**[1] [spáik] *n.* **1** 큰 못; 철책《뾰족한 끝을 위나 밖으로 향하게 담 따위에 박음》. **2 a**) 구두창에 박는 못, 스파이크. **b**) [*pl.*] 스파이크 슈즈. **3** (철도 선로용의) 큰 못. **4** 〔砲〕 화문전(火門栓). **5** 〔排球〕 스파이크《네트 위로 토스(toss)한 공을 강하게 내려치는 공격법》.

── *vt.* **1** 큰 못으로 박다[꿰뚫다·상처를 내다]. **2** (구두 따위에) 스파이크를 박다 ; …에 철책을 두르다 : ∼*d* shoes 스파이크를 박은 신발. **3** (포를 사용하지 못하게) 포문을 막다. **4** (계획 따위를) 좌절시키다, 방해하다 : ∼ the rumor 소문을 근절하다. **5** (야구 따위에서) 스파이크 슈즈로 상처를 입히다. **6** 〖排球〗 (공을) 스파이크하다(cf. *n.* 5). **7** 《美俗》 (음료에) 술을 타다.
spike a person**'*s guns*** 《비유》 남의 계획을 좌절시키다.
〚ME<? MLG, MDu. *spiker* ; cf. SPOKE[1]〛

spike[2] *n.* (밀 따위의) 이삭 ; 〖植〗 수상(穗狀)꽃차례. 〚ME=ear of corn<L SPICA〛

spíke héel *n.* 스파이크 힐(stiletto heel)《여자 구두의 높고 끝이 뾰족한 뒷굽》.

spíke·let *n.* 작은 이삭.

spike·nard [spáiknɑːrd, -nərd] *n.* **1 a)** 〖植〗 감송(甘松). **b)** Ⓤ 감송향(香)《감송의 뿌리에서 채취하며 고대인이 귀중하게 여겼던 향유 ; cf. NARD》. **2** 〖植〗 (미국산) 두릅나무과의 다년초.

spiky [spáiki] *a.* **1** 못 같은, 끝이 뾰족한 ; 못투성이의. **2** 《英口》 성마른, 성 잘 내는 ; (영국 고교회파(高敎會派) 따위) 완고한.

spile[1] [spáil] *n.* (집의 토대 따위에 박는) 말뚝(pile) ; 나무 마개(spigot) ; =SPILEHOLE ; 《美》 삽관(揷管)《사탕단풍나무의 줄기에 꽂아 즙을 통으로 흘러내리게 하는 관》. ── *vt.* (통에) 구멍을 내다 ; 말뚝을 박다, 말뚝을 박아 받치다 ; (구멍을) 마개로 막다. 〚MDu.=wooden peg〛

spile[2] *vt., vi.* =SPOIL《spoil의 시각 사투리(eye dialect)》.

spíle·hòle *n.* (통 따위의) 통기 구멍(vent).

spilikin ☞ SPILLIKIN.

spil·ing [spáiliŋ] *n.* 말뚝 ; 갱도 천장의 암석 낙하 방지용 두꺼운 판자.

spill**[1] [spíl] *v.* (∼**ed** [spíld, spílt], **spilt** [spílt]) 《미국에서 spilt는 한정 형용사 용법》 *vt.* **1** (액체·가루 따위를) 엎지르다, (피 따위를) 흘리다 ; (돛에서) 바람을 새게 하다 : Don't ∼ the ink. 잉크를 엎지르지 마라 / It is no use crying over *spilt* milk. 《속담》 엎지른 물을 한탄한들 무슨 소용이 있으랴 / ∼ the blood of a person 남을 죽이다 / ∼ a sail 돛에서 바람을 새게 하다. **2** [+目/+目+前+名] 《口》 (말안장·차에서) 내동댕이치다, 내던지다, 떨어뜨리다 : The motorcycle skidded and the driver was *spilt* ***into the dust. 모터사이클이 미끄러져 운전자는 흙먼지 속에 내동댕이쳐졌다. **3** 《美口》 (비밀을) 누설하다 ; 고자질하다, 말을 퍼뜨리다. ── *vi.* [動/+前+名] 넘쳐흐르다 : Don't shake the table, or the coffee will ∼ (***on*** it). 테이블을 흔들지 마라, 커피가 엎질러지니까 / Water ∼*ed* ***from*** the pail. 물이 물통에서 넘쳐흘렀다.
spill money 《俗》 (노름 따위로) 돈을 잃다.
spill the beans 《美俗》 비밀을 누설하다.
── *n.* **1** 넘치기 ; (폐액(廢液) 따위의) 유출 ; 흘러 넘친 것[양]. **2** 한바탕 쏟아지는 비, 억수 ; 나가 떨어짐. 〚OE *spillan* to kill<? ; cf. OE *spildan* to destroy〛

spill[2] *n.* **1** 얇은 조각, 쪼개진 조각(splinter). **2** 불쏘시개, 점화용(點火用) 심지.
〚ME ; cf. SPILE[1]〛

spíll·age *n.* 흘러 넘치기 ; 흘러 넘친 것[양].

spíll·bàck *n.* (교차로, 진입로의) 차량의 혼잡.

spil·li·kin, spil·i- [spílikən] *n.* (JACKSTRAWS에 사용하는) 나뭇조각, 뼛조각《따위》 ; [∼s ; 단수 취급] =JACKSTRAWS《놀이》.

spíll·òver *n.* 넘쳐흐름 ; 과잉 인구 ; 《美》 과잉, 풍부 ; 〖經〗 일출(溢出) 효과《공공 지출에 의한 간접적인 영향》.

spíll·pìpe *n.* 쇄관(鎖管).

spíll·pròof *a.* (그릇 따위가 밀폐식으로) 속에 든 것이 엎질러지지 않는.

spíll·wày *n.* (저수지 따위의) 배수로, 배수구.

***spilt** *v.* SPILL[1]의 과거·과거분사.

spilth [spílθ] *n.* 흘림 ; 흘린 것, 엎질러진 것 ; 쓰레기, 폐물 ; 나머지.

spin** [spín] *v.* (**spun** [spʌ́n], 《古》 **span** [spǽ(ː)n] ; **spun ; spín·ning**) *vt.* **1** [+目/+目+前+名] (실을) 잣다 : ∼ cotton[flax, wool] ***into threads 솜[아마·양털]을 자아 실을 만들다 / ∼ threads ***out of*** cotton 솜으로 실을 잣다. **2** (거미 따위) 줄을 치다, (누에 따위) 실을 내다 ; (유리 따위를) 잣듯이 길게 뽑아내다 : A spider ∼*s* a web. 거미가 집을 짓는다 / Silkworms ∼ cocoons. 누에는 고치를 만든다. **3** [+目/+目+前+名] (장황하게) 이야기하다(tell) : ∼ yarns ***about*** adventures at sea 항해중의 모험담을 늘어놓다. **4** (선반 따위로) 회전시켜 만들다 ; (팽이 따위를) 돌리다 ; 맴돌리다 : The boy was ∼*ning* his top. 소년은 팽이를 돌리고 있었다 / ∼ a coin 동전을 던져 돌리다. **5** 《英俗》 낙제시키다. ── *vi.* **1** (실을) 잣다 ; (거미·누에가) 실을 뽑아내다, 거미줄[고치]을 치다. **2** [動/+副/+前+名] (팽이 따위가) 돌다 ; 질주하다 ; (차바퀴가) 헛돌다 : The wheels began ∼*ning* ***round***. 차바퀴가 빙빙 돌기 시작했다 / The car *spun* ***along*** at full speed. 차는 전속력으로 달렸다 / The blow sent him ∼*ning*. 그 일격(一擊)으로 그는 비틀거렸다. **3** 현기증이 나다 : My head ∼*s*. 현기증이 난다. **4** 〖空〗 맴돌며 강하하다.
spin out (이야기·토론·상담 따위를) 질질 끌다 ; (시간을) 빈둥빈둥 보내다, (금전 따위를) 오래가게 하다.
── *n.* **1** Ⓤ,Ⓒ 회전 : give the ball (a) ∼=put ∼ on the ball (야구·골프 따위에서) 공을 회전시키다. **2** 질주, (자전거·배·마차 따위가) 한바탕 달리기(cf. FLIP[1] *n.*) : have[go for] a ∼ in a car 차로 드라이브를 하다[가다]. **3** 현기증, 혼란 ; 〖空〗 나선식 강하 : a flat ∼ 수평 나선 비행. **4** (가격 따위의) 급락.
get into a flat spin 《비유》 혼란에 빠지다.
〚OE *spinnan* ; cf. G *spinnen*〛
類義語 ⟹ TURN.

spin- [spáin], **spi·ni-** [spáinə], **spi·no-** [spáinou, -nə] *comb. form* 「척추」 「척수」의 뜻.
〚L (SPINE)〛

spi·na bi·fi·da [spáinə báifədə, -bíf-] *n.* 〖醫〗 척추피열(披裂). 〚L=cleft spine〛

spi·na·ceous [spinéiʃəs] *a.* 시금치(spinach)의[같은].

spin·ach [spínitʃ, -dʒ ; -idʒ, -tʃ], **-age** [-idʒ] *n.* Ⓤ 〖植〗 시금치 ; 《美口》 필요없는 것, 군더더기 ; 《美俗》 너절하게 자란 것《수염·잔디 따위》.
〚? MDu.<OF,<Pers. ; 그 뾰족한 종자의 모양에서 L *spina* SPINE에 동화(同化)인가〛

spi·nal [spáinl] *a.* 〖解〗 등뼈의, 척추(脊椎)의, 척수의 ; 바늘의, 가시의, 가시 모양 돌기의 : the ∼ column 척추 / the ∼ cord 척수.
── *n.* 척추 마취 ; 척추마취약.

spín càsting *n.* 제물낚시(로 하는 던질낚시)질.
spín-càst *vi.*

spin·dle [spíndl] *n.* **1** 물레가락, (방적기의) 방추(紡錘) ; 실 척도의 단위. **2** 축, 굴대 : a live

[dead] ~ 도는[돌지 않는] 축. **3** 〖建〗 = NEWEL ; 《美》 탁상용 서류꽂이 (spindle file).
── *vi.* 가늘고 길게 되다. ── *vt.* 가늘고 길게 하다, 방추형으로 하다 ; 《美》 서류꽂이에 꽂다.
〖OE *spinel* ‹ SPIN ; *-d-*는 (M)Du.의 어형에서 ; cf. G *Spindel*〗
spíndle file *n.* (송곳 모양의) 서류꽂이.
spíndle-lègged *a.* 가늘고 긴 다리의.
spíndle·lègs *n. pl.* **1** 가늘고 긴 다리. **2** [단수 취급] 다리가 가늘고 긴 사람.
spíndle òil *n.* 스핀들유(油).
spíndle-shànked *a.* = SPINDLE-LEGGED.
spíndle·shànks *n. pl.* = SPINDLELEGS.
spíndle sìde *n.* [the ~] 어머니쪽, 여계(女系) [모계] (cf. DISTAFF SIDE, SPEAR SIDE) : on *the* ~ 모계의, 여계의.
spíndle trèe *n.* 〖植〗 화살나무.
spín·dling *a., n.* 호리호리한 (사람 · 것).
spín·dly *a.* 방추(紡錘) 모양의 ; 가늘고 긴.
spín·dòwn *n.* 〖天〗 스핀다운《천체의 자전 속도의 감소》 ; 〖理〗 스핀다운《소립자의 스핀으로 spinup 과 역(逆)의 축(軸) 벡터를 갖는 것》.
spín dríer[**drýer**] *n.* (원심 분리식) 탈수기.
spín·drìft *n.* Ⓤ 물보라, 물안개. 〖Sc. 변형(變形) ‹ *spoondrift* (*spoon* (obs.) to scud)〗
spín-drỳ *vt.* (세탁물을) 원심 탈수하다.
***spine** [spáin] *n.* **1** 척추, 척추골. **2** 가시, 바늘, 가시 모양의 돌기. **3** 〖製本〗 (책의) 등[앞쪽]. **4** 용기, 기골, 기력.
〖OF *espine* < L *spina* thorn, backbone〗
spíne-bàsh·er *n.* 《濠俗》 게으름뱅이, 건달 (loafer). **-bàsh·ing** *n.*
spi·nel, -nelle [spənél] *n.* Ⓤ 〖鑛〗 첨정석(尖晶石). 〖F〗
spíne·less *a.* **1** 척추가 없는, 등뼈가 없는 ; 등뼈가 약한. **2** 줏대 없는, 무기력한, 결단력이 없는 (irresolute). **3** 가시가 없는.
spinél rùby *n.* 홍(紅)첨정석.
spi·nes·cent [spainésənt] *a.* 〖植 · 動〗 가시 모양의[가 있는] ; (털 따위가) 빳빳한.
spíne-shàtter·ing *a.* 골수에 사무치는.
spin·et [spínət, spinét] *n.* (옛날의) 소형 하프시코드(harpsichord) ; 작은 수형(竪形) 피아노 ; 전자오르간. 〖F < It. (dim.) ‹ *spina* SPINE ; 현(絃)을 튀기는 데서 ; 일설에 Venice의 악기 발명자 G. *Spinetti*에서〗
spíne-tìngling *a.* 두근거리는, 스릴 넘치는.
spín-flìp *n.* 〖理〗 스핀플립《원자핵 입자의 스핀 방향이 역전하는 현상》.
spín-flip láser *n.* 〖理〗 스핀플립 레이저《전자가 스핀플립을 할 때 방출되는 빛을 발진(發振)시키는 반도체 레이저》.
spini- [spáinə] ☞ SPIN-.
spi·nif·er·ous [spainífərəs] *a.* 가시가 있는, 가시가 많은.
spíni·fòrm *a.* 가시 모양의.
spin·na·ker [spínikər, 《海》 spǽŋkər] *n.* 〖海〗 스피니커《경주용 요트가 순풍을 받고 달릴 때 펴는 큰 삼각 돛》 : a ~ boom 스피니커의 받침 기둥. 〖*Sphix* 이를 최초로 사용한 배의 이름 ; 어미는 *spanker*에 준한 것인가〗
spín·ner *n.* **1** 실 잣는 사람, 방적공, 방적업자. **2** 방적기[방직기]. **3** 〖動〗 = SPINNERET. **4** = NIGHTJAR.
spin·ner·et, -ette [spìnərét, ⌐-⌐] *n.* 〖動〗 (거미 · 누에 따위의 실이 나오는) 방적 돌기.
spín·nery *n.* 방적 공장.
spin·ney [spíni] *n.* (*pl.* **~s**) 《英》 잡목림, 덤불 (copse). 〖OF < L *spinetum* ; ⇨ SPINE〗
spín·ning *n.* Ⓤ 방적, 방적업. ── *a.* 방적(용)의, 방적(업)의.
spínning fràme *n.* 정방기(精紡機).
spínning jènny *n.* 다축(多軸) 방적기《초기에 사용되었던 방적기》.
spínning machìne *n.* 방적기.
spínning mìll *n.* 방적 공장.
spínning sólid úpper stàge *n.* 〖로켓〗 스핀형 고체 상단 로켓《궤도상의 우주선에서 발사하여 더 높은 궤도로 위성을 운반하는 스핀이 주어진 고체 연료 로켓》.
spínning whèel *n.* 물레.
spín-òff *n.* **1** 《美》 (회사 조직의 재편성에서) 모(母)회사가 주주(株主)에게 자회사의 주를 배분하기 (=《英》 hive-off). **2** (산업 · 기술 개발 따위의) 부산물, 파생물, 파급 효과, 부작용. **3** 〖TV〗 속편(續編) 시리즈 프로그램. **4** 《俗》 노이로제. **5** [*pl.*] 〖宇宙〗 로켓 또는 유도 미사일을 우주 공간에서 분리하기.
spin·or [spínər, -ɔːr] *n.* 〖數 · 理〗 스피너 《2[4]차원 공간에서 복소수를 성분으로 하는 벡터 ; 스핀의 상태 기록에 쓰임》.
spi·nose [spáinous, ⌐⌐] *a.* 가시가 있는[많은]. **~·ly** *adv.*
spi·nos·i·ty [spainásəti] *n.* Ⓤ 가시가 있는[많은] 것 ; 가시 모양의 부분 ; 곤란한 것 ; 가시돋친 말.
spi·nous [spáinəs] *a.* 가시의[가 많은] ; 가시 모양의, 뾰족한 ; 가시돋친《평 · 유머》 ; 곤란한.
spín·òut *n.* (자동차가 고속으로 커브를 돌 때) 도로에서 밖으로 튀어 나가기.
Spi·no·za [spinóuzə] *n.* 스피노자.
Ba·ruch [bərúːk] [**Benedict**] ~ (1632-77) 네덜란드의 철학자.
spín stabilizàtion *n.* 〖空〗 스핀 안정화(化)《로켓 따위를 회전시켜 방향 안정성을 부여하기》.
spin·ster [spínstər] *n.* **1** 실 잣는 여자. **2** 미혼 여성(cf. BACHELOR) ; (혼기가 지난) 독신여자.
~·hòod *n.* Ⓤ 독신, 미혼《여성》.
〖ME = woman who SPINS〗
spin·thári·scòpe [spinθǽrə-] *n.* 〖理〗 스핀사리스코프《방사선원(源)으로부터의 알파선에 의한 형광판의 번쩍임을 관찰하는 확대경》.
〖Gk. *spintharis* spark〗
spi·nule [spáinjuːl] *n.* 〖動 · 植〗 작은 가시.
spin·u·lose [spáinjəlòus, spín-], **spi·nu·lous** [spáinjələs] *a.* 작은 가시로 덮인[모양의].
spín·ùp *n.* 〖天〗 스핀업《항성 · 행성 따위의 자전각(角) 속도의 증대》 ; 〖理〗 스핀업《소립자의 스핀으로 spindown과 역(逆)의 축(軸) 벡터를 갖는 것》.
spín wàve *n.* 〖理〗 스핀파(波)《자성체 속을 전파하는 정렬한 스핀의 흐트러짐》.
spiny [spáini] *a.* **1** 가시가 있는, 가시투성이의. **2** (문제 따위가) 어려운, 곤란한, 성가신.
spíny ánteater *n.* 〖動〗 가시두더지(echidna).
spíny-hèad·ed wórm *n.* 〖動〗 구두충(鉤頭蟲) 《기생충의 일종》.
spíny lóbster *n.* 〖動〗 닭새우.
spíny rát *n.* 〖動〗 **1** 에키미스《중남미산(産)》. **2** 가시포켓쥐.
spir- [spáiər], **spi·ri-** [spáiərə], **spi·ro-** [spáiərou, -rə] *comb. form* 「소용돌이」 「나선」의 뜻. 〖L (SPIRE[2])〗
spi·ra·cle [spáiərikəl, spíri-] *n.* 〖動〗 (곤충 따위의) 숨구멍, 기공(氣孔), 기문(氣門) ; (고래 따위의) 분수공(噴水孔).

spi·raea [spairíːə] *n.* ＝SPIREA.
spi·ral[1] [spáiərəl] *a.* **1** 나선형의 ; 나선 장치의 : a ~ balance 나선형 저울 / a ~ staircase 나선형 계단 / a ~ nebula 〖天〗 나선 성운(螺旋星雲). **2** 〖數〗 나선의. ── *n.* **1** 〖數〗 나선. **2** 나선형의 물건 ; 나선 용수철 ; 고둥. **3** 〖空〗 나선 비행, 나선 강하(降下). **4** 〖經〗 (악순환에 따른) 나선상 진행 과정 : an inflationary ~ 악성 인플레이션. ── *v.* (**-l-** | **-ll-**) *vi.* **1** [動 / ＋副] 나선형이 되다, 소용돌이 모양으로 나아가다, (연기·증기가) 소용돌이 모양으로 솟아 오르다. **2** 〖空〗 나선 강하하다. ── *vt.* 나선형으로 하다, 소용돌이 모양으로 나아가게 하다. **~·ly** *adv.* 나선 모양으로. 〚F or L ; ⇨ SPIRE[2]〛
spiral[2] *a.* 첨탑(spire)의[같은] ; 높이 뾰족한.
spíral bínding *n.* (책·노트의) 나선철(綴).
spíral-bóund *a.* (책·노트가) 나선꼴로 철해진.
spi·rant [spáiərənt] *n., a.* 〖音聲〗 마찰음《[f, v, θ, ð] 때로는 [w, j]》(의). 〚L *spiro* to breathe〛
***spire**[1] [spáiər] *n.* **1** 첨탑(尖塔), 탑의 뾰족한 꼭대기. **2** 원뿔형의 것. **3** 가는 줄기[잎·싹]. **4** (행복 따위의) 절정(summit). ── *vi.* 돌출하다, 쑥 내밀다, 치솟다 ; 싹트다. ── *vt.* …에 첨탑을 달다 ; 싹트게 하다, 자라게 하다. **~d**[1] *a.* 첨탑이 있는. 〚OE *spīr* spike, blade ; cf. G *Spier*〛
spire[2] *n.* 나선(의 한 둘레), 소용돌이(꼴) ; 〖動〗 나탑(螺塔)《고둥의 상부》. ── *vi.* 나선 (모양)이 되다. **~d**[2] *a.* 나선 모양의.
〚F＜L *spira*＜Gk. *speira* coil〛
spi·rea, -raea [spairíːə] *n.* 〖植〗 조팝나무속(屬)의 각종 관목. 〚NL＜Gk. (↑)〛
spi·reme [spáiəriːm] *n.* 〖生〗 핵사(核絲)《세포 분열 전기의 핵에 나타나는 실 모양의 것》.
spi·ril·lum [spaiərílәm] *n.* (*pl.* **-la** [-lə]) 〖菌〗 나선균(螺旋菌). 〚L (dim.) ‹SPIRE[2]〛
‡spir·it [spírət] *n.* **1** Ⓤ 정신, 영혼(soul), 마음(↔ *body, flesh, matter*) : *in* ~ 마음 속으로 / *in* (the) ~ 기분으로는 / the poor *in* ~ 〖聖〗 마음이 가난한 자《마태복음 5 : 3》. **2 a)** Ⓤ 영, 신령 ; [the (Holy) S~] 신(神) ; 성령. **b)** (인체와 떨어진) 혼령, 망령, 유령 ; 악마 ; 요정(sprite, elf). **3** (어떤 특징을 가진) 사람, 인물, 활동가, 정력가 : a noble[generous] ~ 고결한[관대한] 사람 / leading ~*s* 지도자들. **4** Ⓤ 원기, 열심, 용기 ; 기백, 의기 : people of ~ 활동가 ; 섣사리 굴복하지 않는 사람들 / with some ~ 좀 분발하여. **5** [*pl.*] 기분, 심정, 기염(氣焰) : (*in*) high [great] ~*s* 아주 좋은 기분으로 / *in* low[poor] ~*s* ＝*out of* ~*s* ＝depressed *in* ~*s* 의기 소침하여 / Keep up your ~*s*! 기운 차려! **6** Ⓤ 기질 ; (시대 따위의) 정신, 사조 : meek *in* ~ 마음씨가 고운 / the ~ *of* the age[times] 시대 정신. **7** [단수형만으로 써서] 심적 태도, 의도 : say *in* a kind ~ 친절한 마음에서 말하다 / take ... *in* a wrong ~ …을 나쁘게 해석하다, 성내다 / *in* the ~ of chivalry[the drama] 기사도 정신을 발휘하여[신파(新派)조로] / *from* a ~ of contradiction 트집을 잡으려고. **8** Ⓤ (법 따위의) 정신, 진의 : You should obey the ~, not the letter, of the law. 법률의 조문이 아니라 그 정신을 따라야 한다. **9 a)** Ⓤ 공업용 주정(酒精), 알코올 (alcohol). **b)** Ⓤ [흔히 *pl.*] 화주(火酒), 독한 술 《whiskey, brandy, gin, rum, vodka 따위》: The waitress got me a glass of ~(*s*) and water. 여급(女給)이 내게 물탄 술 한잔을 갖다 주었다. **c)** Ⓤ [또는 *pl.*] 〖化〗 주정제, 익스트랙트(extract), 에센스(essence) : ~(*s*) of salt 염산 / ~(*s*) of wine 순(純) 알코올. **10** 생명의 액《옛날에 몸에 충만해 있다고 생각되어졌음》; (연금술에서) 비소·염화암모늄·수은·황 중의 하나. ── *a.* 정신의 ; 심령술의 ; 알코올의.
── *vt.* [＋目＋副] **1** 납치하다, 유괴하다, 감쪽같이 채가다 : The child was ~*ed* ***off*** [***away***] from the house. 그 아이는 집에서 유괴되었다. **2** 힘을 내게 하다, 고무하다.
spirit up a person 남을 격려하다.
〚AF (*e*)*spirit*＜L *spiritus* breath, spirit ; ⇨ SPIRANT〛
spírit blúe *n.* 아닐린청(青)《염료》.
spírit dúplicator *n.* 스피릿 복사기《화상 전사(畫像轉寫)에 알코올을 씀》.
spírit·ed *a.* **1** 기운찬, 생기 있는, 혈기왕성한, 용기 있는 ; 맹렬한 : a ~ horse 팔팔한 말. **2** [복합어를 이루어] …의 정신이 있는, 원기[기분]가 …한 : high-~ 원기 왕성한 / low-~ 의기 소침한. **~·ly** *adv.* **~·ness** *n.*
spírit gùm *n.* (가짜 수염 따위를 달 때 쓰는) 고무풀의 일종.
spírit·ing *n.* 《文語》 정신 활동[작용].
spírit·ìsm *n.* ＝SPIRITUALISM.
spírit làmp *n.* 알코올 램프.
spírit·less *a.* 기운이 없는, 풀죽은 ; 마음이 내키지 않는, 열의가 없는 ; 생명이 없는 ; 정신이 없는. **~·ly** *adv.* **~·ness** *n.*
spírit lèvel *n.* 알코올 수준기(水準器).
spir·i·to·so [spìrətóusou] *a., adv.* 〖樂〗 기운찬[차게] ; 활발한[하게]. 〚It. ; ⇨ SPIRIT〛
spírit ràpper *n.* 강신술사(降神術師).
spírit ràpping *n.* 강신술(降神術)에서 망령이 테이블 따위를 툭툭 두드리기, 초혼술(招魂術).
***spir·i·tu·al** [spíritʃuəl] *a.* **1** 정신(상)의, 정신적인(↔*physical, material*) ; 영적인 ; 숭고한, 고상한 : ~ life 정신 생활. **2** 성령의, 신의 ; 신성한 ; 종교상의(↔*secular*) ; 교회의 : the ~ peers＝the lords ~ (☞ LORD SPIRITUAL). ── *n.* **1** [*pl.*] 교회 관계의 일. **2** [때때로 Negro ~] 《美》 (흑인의) 영가, 찬송가 (↔*secular*). **3** 정신[종교]적인 일[것]. **4** [S~] 프란체스코회(會)의 엄격주의 ; [the ~] 정신계. **~·ly** *adv.* **~·ness** *n.* 〚OF＜L ; ⇨ SPIRIT〛
spíritual·ìsm *n.* Ⓤ 강신술, 교령술(交靈術) ; 정신주의 ; 〖哲〗 유심론, 관념론(↔*materialism*) ; [S~] 심령주의 운동.
spíritual·ist *n.* [때때로 S~] 강신술사(降神術士), 무녀, 무당 ; 정신주의자.
spir·i·tu·al·i·ty [spìritʃuǽləti] *n.* Ⓤ 영성(靈性), 영적임(↔*materiality, sensuality*) ; [집합적으로] 영적권위 ; 성직자 ; [보통 *pl.*] 교회·성직자 수입(收入)[재산].
spirìtual·izátion *n.* Ⓤ 영화(靈化), 정화(淨化).
spíritual·ìze *vt.* **1** 정신적[영적]으로 하다 ; 고상하게 하다 ; 영화[정화]하다. **2** 정신적인 의미로 해석하다(cf. LITERALIZE).
spir·i·tu·el [spìritʃuél] *a.* (*fem.* **-elle** [—]) (특히 여자의 태도·용모 따위가) 고상한, 세련된, 우아한(graceful) ; 재치있는. 〚F SPIRITUAL〛
spir·i·tu·ous [spíritʃuəs] *a.* **1** 다량의 알코올을 함유한. **2** 증류(蒸溜)한(distilled).
〚L *spiritus* SPIRIT＋*-ous*, or F〛
spi·ro-[1] [spáiərou, -rə] *comb. form* 「호흡」의 뜻. 〚L *spiro* to breathe〛
spiro-[2] [spáiərou, -rə] ☞ SPIR-.
spi·ro·chete, -chaete [spáiərəkiːt] *n.* 〖菌〗 스피로헤타《나선형 미생물 ; 재귀열(再歸熱)·매독

따위의 병원체》.

spíro·gràph *n.* 호흡 운동 기록기(器).

spi·ro·gy·ra [spàiərədʒáiərə] *n.* 〖植〗 해감[수면(水綿)]《녹조류(綠藻類)》.

spi·rom·e·ter [spaiərámətər] *n.* 폐활량계(肺活量計).

spíro·plàsma *n.* 〖生〗 스피로플라스마《나선형으로 세포벽이 없는 미생물》.

spirt ☞ SPURT.

spiry[1] [spáiəri] *a.* 가늘고 뾰족한; 첨탑이 많은; 첨탑 모양의. 〖SPIRE[1]〗

spiry[2] *a.* 《詩》 나선 모양의. 〖SPIRE[2]〗

spit**[1] [spít] *v.* (**spat** [spǽt], **spit**; **spít·ting**) *vt.* **1** [+目/+目+副] (침·음식·피·포화(砲火) 따위를) 내뱉다; 내뿜다: The gun *spat* fire. 총이 불을 뿜었다 / The man bit off the end of a cigar and *spat* it ***out. 그 남자는 여송연의 끝을 물어 떼어 뱉었다. **2** [+目/+目+副/+目+前+名] (욕설·폭언 따위를) 퍼붓다, 내뱉다: He *spat* (***out***) curses ***at*** me. 그는 나에게 욕설을 퍼부었다. ── *vi.* **1** [動/+前+名] 침을 뱉다[내뱉다]: ~ ***at***[(***up***)***on***] a person 남에게 침을 뱉다; 《비유》 남을 경멸[모욕]하다 / He *spat* ***in*** the man's face. 그 사람의 얼굴에 침을 뱉었다. **2** (성난 고양이 따위가) 으르렁거리다〈*at*〉. **3** [動/+*with*+名] (비·눈이) 후두두[폴폴] 내리다: It's ~*ting* (***with*** rain). 비가 후두두 내리고 있다. **4** (양초의 심지 따위가) 지글지글 타다; (엔진 따위가) 덜거덕거리다.

spit it out 《口》 내뱉듯이 말하다, 숨김없이 말하다, 자백하다; [명령] 자백하라!, 더 큰 소리로 말하라[노래하라].

── *n.* **1** Ⓤ 침(spittle). **2** 침 뱉기, 침 뱉는 소리. **3** (성난 고양이 따위의) 으르렁거림. **4** (거품벌레의 침 같은) 거품; 〖昆〗 거품벌레. **5** 조금씩 뿌리는 비[눈]. **6** 《口》 아주 닮은 것(likeness): She was the very[the dead] ~ *of* her mother. 그녀는 어머니를 꼭 닮았다 / the ~ and image *of* …와 꼭 닮기.

spit and polish (병사·수병의) 몸치장하는 일; 한껏 멋부린 복장.

〖OE *spittan*<imit.; cf. SPEW, G *spützen*〗

spit[2] *n.* **1** 고기 굽는 데 쓰는 꼬챙이, 쇠꼬챙이. **2** 곶, 사취(砂嘴)《좁고 길게 바다로 뻗은 모래톱》.

spit[2] 1

── *v.* (**-tt-**) *vt.* 쇠꼬챙이에 꿰다; 막대에 꿰다《청어를 말릴 때》; (칼 따위로) 꿰찌르다(pierce). ── *vi.* 쇠꼬챙이에 꿰다, 쇠꼬챙이에 꿰어 굽다. 〖OE *spitu*; cf. G *Spiess*〗

spit[3] *n.* 《英》 (가래의) 날만큼의 깊이, 한 삽. 〖MDu. and MLG; cf. OE *spittan* to dig with spade〗

spít·bàll *n.* 종이를 씹어 뭉친 것; 〖野〗 스피트볼《공에 침을 발라 커브시켜 던지는 볼; 반칙》.

── *vi., vt.* 〖野〗 스피트볼을 던지다; 《俗》 (문득 생각이 떠오른 것을) 마구 지껄이다[지껄여 대다]. **~·er** *n.*

spitch·cock [spítʃkɑ̀k] *n.* Ⓤ 배를 갈라 구운 뱀장어. ── *vt.* 뱀장어를 배를 갈라 굽다. 〖C16<?〗

spít cùrl *n.* 《美》 (이마·관자놀이 따위에) 납작하게 붙인 곱슬[애교]머리.

〖때로 침으로 쓰다듬어 붙이는 데서〗

‡spite [spáit] *n.* **1** Ⓤ 악의, 심술: do something from[out of] ~ 악의로 하다, 앙갚음으로 하다. **2** [a ~] 원한, 유감, 앙심(grudge): have *a* ~ *against* …에게 원한을 품다.

in spite of =《稀》 ***spite of*** …에도 불구하고, …을 아랑곳없이; 《古》 …을 무시하고: *In* ~ *of* all our efforts, the enterprise ended in failure. 우리의 온갖 노력에도 불구하고 일은 실패로 끝났다.

> **in spite of**의 문장 전환
>
> *In spite of* his firm resistance, he was forced to give in. (그의 단호한 저항에도 불구하고 어쩔수 없이 굴복당하고 말았다.)
>
> → *Though* he resisted firmly, he was forced to give in.

in spite of one***self*** 자신도 모르게, 무심코.

── *vt.* …에게 심술부리다, 괴롭히다, 곤경에 빠뜨리다; …에게 앙갚음을 하다: to ~ us 우리를 괴롭히기 위해서, (우리에 대한) 앙심으로.

〖OF *despit* DESPITE〗

類義語 ⟹ MALICE.

spíte·ful *a.* 심술궂은, 홧김의, 앙심을 품은. **~·ly** *adv.* 심술[짓]궂게. **~·ness** *n.*

spít·fire *n.* **1** 성마른 사람, 화를 잘내는 사람, 앙알거리는 여자. **2** (화산·대포 따위의) 불을 뿜는 것; 불 뿜는 오뚝이《화약 장치를 한 장난감》; 성난 고양이; 잘 무는 개.

spít shìne *n., vt.* (구두 따위를 침을 칠해) 반짝반짝하게 닦은 상태[닦다].

spít·ter[1] *n.* 침을 뱉는 사람; 〖野〗 =SPITBALL. 〖SPIT[1]〗

spitter[2] *n.* 겨우 뿔이 나기 시작한 사슴 새끼. 〖SPIT[2]〗

spít·ting dìstance *n.* 짧은[손이 닿는] 거리.

spítting ímage *n.* [흔히 the ~] 《口》 꼭 닮음(SPIT[1] and image) 〈*of*〉.

spit·tle [spítl] *n.* Ⓤ (특히 뱉은) 침; 〖昆〗 (거품벌레가 뿜은) 거품. 〖ME *spattle*<OE *spātl*<*spǣtan* to spit; 어형은 SPIT[1]의 영향〗

spit·toon [spitú:n, spə-] *n.* 타구(唾具).

spitz [spíts] *n.* 스피츠《몸집이 작고 입이 뾰족한 포메라니아종(種)의 개》.

〖G=pointed; cf. SPIT[2]〗

spit·zen·burg, -berg [spítsənbə̀:rg] *n.* 〖園藝〗 스피첸버그《미국 사과의 한 품종》.

〖Am. Du.〗

spiv [spív] *n.* 《英口》 (일정한 직업이 없이 암거래 따위로 살아가는) 건달. 〖C20<?; ? 역성(逆成)<*spiving* (dial.) smart, 또는 ? *spiff* (dial.) (n.) flashy dresser, (a.) smartly dressed〗

spív·(v)ery *n.* 《英俗》 건달 생활, 기생적 생활.

splanch·nic [splǽŋknik] *a.* 내장의.

splanch·no- [splǽŋknou, -nə] *comb. form* 「내장」의 뜻. 〖Gk. (*splagkhna* entrails)〗

splanch·nol·o·gy [splæŋknálədʒi] *n.* Ⓤ 내장학(內臟學).

splash** [splǽ(:)ʃ] *vt.* **1** [+目/+目+副/+目+前+名] (물·흙탕물 따위를) 튀기다; (사람에게) 끼얹다, 끼얹어 더럽히다; 물을 튀기다: The boys ~*ed* the oars as they rowed. 소년들은 노로 물을 튀기면서 저어 갔다 / ~ water ***about 물을 사방에 튀기다 / I ~*ed* ink ***on*** (***to***) the page [~*ed* the page ***with*** ink]. 그 페이지에 잉크를 튀겼다 / The car ~*ed* me *with* mud. 자동차가 나에게 흙탕물을 튀겼다 / The children played ~*ing* water ***over*** one another. 아이들은 서로 물을 튀기면서 놀았다. **2** …에 얼룩 무늬를 만들

다. **3** 《美口》 격추하다 ; 《英口》 (돈 따위를) 뿌리다 ; (신문 따위가) 화려하게 다루다. —— *vi.* **1** (물 따위가) 튀기다, (사람이) 물을 끼얹다 : This tap ~*es.* 이 수도꼭지에서 물이 튄다 / The baby was ~*ing* in the tub. 아기가 물통 속에서 텀벙텀벙 물을 튀기고 있었다. **2** [+前+名 / +副] 텀벙 떨어지다 ; 텀벙텀벙 소리를 내며 나아가다 : The stone ~*ed* ***into*** the water. 돌이 물속에 텀벙 떨어졌다 / The waves were ~*ing* ***on*** the beach. 파도가 철썩거리며 해변으로 밀리고 있었다 / We ~*ed* ***across*** the brook. 개울을 텀벙텀벙 건넜다 / A number of fish are ~*ing* ***about*** in the river. 많은 물고기가 강물에서 뛰놀고 있다.

splash one***'s money about*** 《俗》 (남에게 인상 깊게 하기 위해) 돈을 마구 쓰다.

splash one***'s way*** (물속을) 텀벙텀벙 소리내며 나아가다.

—— *n.* **1** 튀김, 끼얹음. **2** 튀기는 소리 ; [감탄사적으로] 텀벙텀벙 : with a ~ 텀벙하고. **3** 튄 물, (잉크 따위의) 얼룩〈*of*〉, 반점. **4** 《英口》 (위스키 따위에 타는) 소량의 소다수 : a Scotch and ~ 소다수를 탄 스카치 위스키. **5** (신문·잡지 따위의) 화려한 기사.

make [***cut***] ***a splash*** 텀벙 소리내다 ; 《비유·口》 크게 소문이 나다, 깜짝 놀라게 하다, (특히) 돈 있는 것을 호기있게 과시하다.

—— *adv.* 텀벙하고.

〖변형(變形) 〈*plash*[1]〗

spláshbàck *n.* 개수대[가스레인지 따위]의 물튀김막이 판[벽].

splásh·bòard *n.* (차의) 흙받기 ; 〔海〕 (배의) 방파판(防波板), 물보라막이.

splásh·dòwn *n.* (우주선 따위의) 착수(着水) ; 착수 장소[시각].

splásh·er *n.* 물을 튀기는 사람[것] ; 흙받기 (splashboard).

splásh guàrd *n.* =SPLASHBOARD.

splásh héadline *n.* 《英》 〔新聞〕 큰 제목.

splásh lubricàtion *n.* 〔機〕 비산 주유.

spláshy *a.* **1** (물이) 튀는, 철벅거리는 ; 흙탕물 튀는, 진창의. **2** 흙탕물[얼룩]투성이의. **3** 《口》 겉치레하는 ; 평판이 자자한, 떠들썩한 ; 화려한 (showy).

splat[1] [splǽt] *n.* 얇은 널판《특히 의자의 등받이 가운데 넣는 세로 널판》. 〖*splat* to SPLIT up〗

splat[2] *n.* 철썩[텀벙]하는 소리. 〖imit.〗

splat·ter [splǽtər] *vi., vt.* **1** 철벅거리다. **2** 조잘조잘 지껄이다. —— *n.* 튀김(splash) ; 〔通信〕 스플래터《신호의 잡음 장해·혼신》. 〖imit.〗

splátter·dàsh *n.* 야단법석, 떠들썩한 소리 (noise) ; [*pl.*] =SPATTERDASH*es.*

splay [spléi] *vt.* **1** 〔建〕 물매 내다, (문설주·창틀 따위를) 안쪽보다 바깥쪽을 넓게 하다 : a ~*ed* window 바깥쪽으로 벌어진 창. **2** (통 따위를) 나팔꽃처럼 위쪽이 벌어지게 만들다. —— *vi.* 밖으로 비스듬히 벌어지다. —— *a.* **1** 퍼진, 밖으로 벌어진. **2** 볼품없는, 모양이 흉한. —— *n.* 〔建〕 물매 내기 ; 〔築城〕 나팔꽃처럼 생긴 포문(砲門). 〖*display*〗

spláy·fòot *n.* 편평족(扁平足), (특히) 팔자걸음의 편평족. —— *a.* 편평족의 ; 꼴이 흉한.

spláy·fòot·ed *a.*

spleen [splíːn] *n.* **1** 〔解〕 지라, 비장(脾臟). **2** Ⓤ 기분이 언짢음, 울화, 심술, 원한, 앙심 (grudge) : in a fit of the ~ 홧김에 / He vented his ~ on me. 나에게 울분을 터뜨렸다[화풀이를 했다]. **3** Ⓤ 우울 ; 의기 소침.

〖OF *esplen*<L<Gk. *splēn*〗

spléen·ful *a.* 불쾌한, 성마른, 심술궂은. **~·ly** *adv.*

spléen·ish *a.* =SPLEENFUL.

spléen·wòrt *n.* 〔植〕 **1** 파초일엽《이전에 우울병 치료약》. **2** 참새발고사리.

splen- [splíːn, splén], **sple·no-** [splíːnou, splén-, -nə] *comb. form* 「지라[비장(脾臟)]」의 뜻. 〖Gk. ; ⇨ SPLEEN〗

splen·dent [spléndənt] *a.* 번쩍이는, 휘황한 ; 화려한 ; 걸출한.

***splen·did** [spléndəd] *a.* **1** 찬란한 ; 화려한, 웅장한 ; 눈부신 : a ~ scene 화려한 광경. **2** 장한, 훌륭한, 명예로운 : ~ isolation ☞ ISOLATION. **3** 《口》 멋진, 근사한(excellent) : Fir cones make ~ fuel. 전나무 열매는 훌륭한 연료가 된다.

~·ly *adv.* **~·ness** *n.*

〖F or L (*splendeo* to shine)〗

類義語 ***splendid*** 문자 그대로 또는 비유적으로 눈부시게 강한 인상을 주는 : a *splendid* sunset (찬란한 일몰). ***gorgeous*** 그 자체의 빛과 색깔의 다양한 변화로써 휘황할 정도로 호화롭고 아름다운 : a *gorgeous* display of fashionable dresses (최신 의상의 화려한 전시). ***glorious*** 찬란히 빛나서 굉장한, 또는 칭송할만하게 다른 것보다 뛰어난 : a *glorious* victory (영광된 승리). ***sublime*** 남에게 찬양·경외(敬畏)의 정을 일으키게 할 정도로 고상하고[웅장하고] 아름다운 : *sublime* scenery (웅장한 풍경). ***superb*** 아름다움·훌륭함·웅대함 따위에서 다른 것을 압도하는 : a *superb* performance of an orchestra (오케스트라 연주의 극치).

splen·dif·er·ous [splendífərəs] *a.* 《口》 =SPLENDID ; 겉치레의 ; 허식의. **~·ly** *adv.* **~·ness** *n.* 〖*splendor* + *-ferous*〗

***splen·dor** | **-dour** [spléndər] *n.* **1** Ⓤ 빛남, 광휘(光輝), 광채(brilliance) : in ~ (태양이) 찬란하게 ; 화려하게. **2** Ⓤ 훌륭함, 장함, 장려(壯麗), 당당함. **3** Ⓤ (명성 따위가) 두드러짐, 탁월. **4** 빛을 보이는[발하는] 것.

〖AF or L ; ⇨ SPLENDID〗

splen·dor·ous [spléndərəs], **-drous** [-drəs] *a.* 빛나는, 찬란한, 장려한.

sple·nec·to·my [splinéktəmi] *n.* Ⓤ,Ⓒ 〔醫〕 비장(脾臟) 절제(술).

sple·net·ic [splinétik] *a.* **1** 비장(脾臟)의, 지라의. **2** 기분이 언짢은, 까다로운, 성마른, 심술궂은. —— *n.* **1** 비장병 환자. **2** (성미가) 까다로운 사람, 성마른 사람. **3** 비장병 약.

-i·cal·ly *adv.* 〖L ; ⇨ SPLEEN〗

sple·ni·al [splíːniəl] *a.* 〔解〕 판상근(板狀筋)의.

splen·ic, -i·cal [splénik(əl), splíːn-] *a.* 〔解·醫〕 지라의, 비장의. 〖F or L<Gk. ; ⇨ SPLEEN〗

splénic féver *n.* 〔醫〕 비탈저(脾脫疽).

sple·ni·tis [splináitəs] *n.* Ⓤ 〔醫〕 비염(脾炎).

sple·ni·us [splíːniəs] *n.* (*pl.* **-nii** [-niài]) 〔解〕 판상근(板狀筋)《머리를 뒤로 젖히는 근육》.

splib [splíb] *n.* 《美黑人俗》 (특히 남자) 흑인. 〖C20<?〗

splice [spláis] *vt.* **1** (밧줄의 두 끝을) 풀어 꼬아 잇다, 잇대다 ; (재목 따위를) 잇다, 겹쳐 잇다. **2** 《俗》 결혼시키다 : get ~*d* 결혼하다.

splice the main brace ☞ MAIN BRACE.

—— *n.* **1** 조직, 접착, 잇기, 이어 맞추기. **2** (재목·레일 따위의) 잇기, 첨접(添接), 겹쳐 잇기. **3** 이은 것, 접목(接木). **4** Ⓤ 《俗》 결혼, 결연.

〚? MDu. *splissen* < ? ; cf. SPLIT〛

splic·er [spláisər] *n.* 이어 맞추는 사람[기계] ; 스플라이서《필름·테이프 따위를 연결하는 도구》.

spliff [splíf] *n.* 《美俗》 마리화나 담배.

spline [spláin] *n.* (금속·나무의) 가늘고 긴 박판(薄板), 얇게 벗긴 판자 ; 운형(雲形)자, 곡선자 ; 〔機〕 (회전축의) 키(key), 키 홈, 스플라인.
— *vt.* …에 키 (홈)을 내다.
〚C18 < ? ; cf. SPLINTER〛

splint [splínt] *n.* **1** 〔醫〕 부목(副木). **2** 파편, 조각, 토막. **3** (성냥 따위의) 개비. **4** (갑옷의) 미늘. **5** ＝SPLINT BONE. — *vt.* …에 부목을 대다.
〚MDu. or MLG＝metal plate or pin ; cf. SPLINTER〛

splínt bòne *n.* 〔解〕 부목골(副木骨), 비골.

splin·ter [splíntər] *n.* **1** 조각, 부서진 조각, 동강, 지저깨비. **2** (나무·대나무 따위의) 가시 : I have a ~ in my finger. 나는 손가락에 가시가 박혔다. **3** (포탄의) 파편.
— *vt.* 찢다, 쪼개다 ; 산산조각이 나게 하다 ; 분열시키다.
— *vi.* 찢어지다, 쪼개지다⟨*off*⟩ ; 산산조각이 나다 ; 분열되다, 의견이 갈리다.
— *a.* 분리[분열]된 ; 도당(徒黨)[당파]의, 분파의(factional) : a ~ group[party] 〔政〕 분리파 / ~ politics 분파 정치.
〚MDu. ; cf. SPLINT〛
類義語 ⟹ BREAK.

splínter bàr *n.* (마차 따위의) 스프링을 받치는 가로장 ; 《英》 ＝WHIPPLETREE.

splínter dèck *n.* 파편 방어 강갑판(鋼甲板).

splínter·less *a.* 잘 깨지지[부서지지] 않는 ; 깨져도 사방으로 흩어지지 않는《유리 따위》.

splínter·pròof *a.* (포탄 따위의) 파편을 막는.
— *n.* (포탄 따위의) 파편 방어 장치.

splín·tery *a.* 찢어지기[쪼개지기] 쉬운 ; 찢어진 조각의[같은], (광석 따위) 깔쭉깔쭉한.

split** [splít] *v.* (**split** ; **splít·ting**) *vt.* **1** [＋目 / ＋目＋前＋名 / ＋目＋補] 찢다, 쪼개다, 세로로 찢다 : ~ a piece of wood ***into three layers 나뭇조각을 셋으로 쪼개다 / ~ a piece ***from*** a block 덩어리에서 한 조각을 쪼개내다. **2** [＋目 / ＋目＋*into*＋名 / ＋目＋副] 분열[분리]시키다 ; 이간하다 : ~ an infinitive 〔文法〕 부정사(不定詞)를 분리시키다《to와 동사 원형과의 사이에 부사를 삽입함 ; cf. SPLIT INFINITIVE》 / The proposal ~ our class ***in*** two. 그 제안으로 우리 반은 둘로 갈라졌다 / The party was ~ ***up***. 당은 분열되었다. **3** [＋目 / ＋目＋前＋名 / ＋目＋副] 나누다, 분할[분배]하다, 같이하다(share) : ~ one's vote [《美》 ticket] (연기식(連記式) 투표에서 상반된 당파의 후보자에게) 분할 투표하다 / ~ the difference (부르는 값의) 차이의 중간을 취하다, 서로 절충하다 / The two[three] girls ~ the cost of the lunch ***between***[***among***] them. 그 두[세] 소녀는 점심값을 분담했다. **4** [＋目 / ＋目＋副 / ＋目＋*into*＋名] 〔理〕 (분자·원자 따위를) 분열시키다 ; (화합물을) 분해하다, 분해하여 제거하다⟨*off*, *away*⟩ : ~ the atom 원자를 분열시키다 / ~ (***up***) a compound ***into*** its elements 화합물을 원소로 분리시키다.
— *vi.* **1** [動 / ＋前＋名] (세로로) 갈라지다, 찢어지다, 쪼개지다 : This wood ~*s* easily. 이 목재는 쉽게 쪼개진다 / The ship suddenly ~ ***in*** two[***on*** a rock]. 배가 갑자기 둘로[암초에 걸려] 쪼개졌다. **2** [진행형으로] (머리가) 쪼개질 듯이 아프다(cf. SPLITTING) : My head *is* ~*ting*. 머리가 쪼개질 듯이 아프다. **3** [動 / ＋前＋名 / ＋副] (정당 따위가) 분열하다 ; 사이가 나빠지다 : Our class has ~ (***up***) ***into*** five groups. 우리 반은 다섯 집단으로 갈라졌다 / I ~ ***with*** my partners. 나는 동료들과 사이가 틀어졌다 / The House ~ ***on*** the vote. 국회는 투표로 분열되었다. **4** 포복 절도하다. **5** [動 / ＋前＋名] 《英俗》 (공범자를) 밀고하다 : ~ ***on*** a person 남을 고자질하다.
split hairs ☞ HAIR.
split** one's **sides ☞ SIDE *n.*
— *a.* **1** (특히 세로로 또는 결을 따라) 쪼개진, 갈라진 ; 분리된, 분열된 ; 분할(투표)의 : a ~ gear 분할 톱니바퀴 / a ~ vote 분할 투표 / a ~ mind 정신 분열증. **2** (생선 따위를) 배를 갈라서 만든[말린·소금에 절인]. **3** 《美》 〔證〕 분할의.
— *n.* **1** 찢(어지)기, 쪼개(지)기, 갈라지기. **2** 깨진[갈라진] 금, 틈. **3** 분열, 내분, 불화 : a ~ *in* the party 정당의 분열. **4** 파편, 조각, 가시, 동강 ; 얄팍한[잘게 쪼갠] 널빤지 ; (바구니 만드는) 쪼갠 버들가지 ; 두 장으로 벗긴 껍질, 박피(薄皮). **5** 《口》 (소다수·술 따위의) 작은 병, 반잔 ; 《美俗》 배당량, 몫. **6** [때때로 the ~s, 단수취급] 일직선으로 두 다리를 벌리고 땅에 앉는 곡예. **7** 〔볼링〕 스플릿《첫 투구에서 핀이 스페어 하기에는 어려운 간격으로 놓여 있는 것 ; cf. SPARE *n.* 2, STRIKE *n.* 5 b)》. **8 a)** 스플릿《얇게 썬 바나나 따위에 아이스크림을 얹고 그 위에 시럽을 치거나 호두, 밤 따위를 얹은 것》. **b)** 《英》 옆으로 가른 롤빵[단 빵] 《잼·크림을 넣어 먹음》.
run like split 《美》 전속력으로 달리다.
〚MDu. *splitten* ; cf. G *spleissen*〛
類義語 ⟹ BREAK.

splìt béaver *n.* 《卑》 ＝SPREAD BEAVER.

splìt clóth *n.* 묶는 끝이 여러 가닥으로 된 붕대《머리·안면용》.

splìt decísion *n.* 〔拳〕 심판 전원 일치에 이르지 못한 판정.

splìt énd *n.* 〔美蹴〕 스플릿 엔드《포메이션에서 몇 야드 밖으로 넓게 퍼져 있는 공격측의 엔드》 ; 머리카락 끝의 갈라지기 시작한 부분.

splìt infínitive *n.* 〔文法〕 분리 부정사《'to'-infinitive의 사이에 부사(구)가 삽입된 형태 : He wants to *never* work, but to *always* play. 일은 죽어라 안하려고 하면서 항상 놀려고만 한다》.

splìt-lével *a.* 〔建〕 (주택·방이) 반층씩 높이가 다른. — [⌐⌐] *n.* 반층씩 높이가 다른 주택《중간 2층이 있음》.

splìt páge *n.* 신문의 제2부의 제1페이지, 2부 제1면.

splìt péa *n.* 꼬투리를 까서 말린 완두콩《수프용》.

splìt personálity *n.* 〔心〕 분리성 성격, 이중[다중] 인격 ; 《口》 정신 분열증(schizophrenia).

splìt púlley *n.* 〔機〕 분할 풀리, 분할 벨트 바퀴(split wheel).

splìt scréen (**techníque**) *n.* 〔映·TV〕 분할 스크린(법)《둘 이상의 화상을 동시에 늘어 놓기》.

splìt sécond *n.* 1초의 몇 분의 1의 시간, 순간.

splìt-sécond *a.* 비할 데 없이 정확한 ; 순간적인.

splìt shíft *n.* 분할 근무, 분할 시프트《휴식[식사] 시간을 길게 잡고 일정 노동 시간을 둘 이상으로 분할하는 취로제(就勞制)》.

splìt shót[**stróke**] *n.* 〔크로케〕 흩뜨려 치기《서로 접해 있는 상접한 두 개의 공을 각각 딴 방향으로 갈라지게 치기》.

splíts·ville *n.* Ⓤ 《美俗》 별거.

splít·ter *n.* 쪼개는[가르는] 사람[도구] ; 분열파의 사람; =HAIRSPLITTER; (생물 분류상의) 세분파(細分派)의 학자(↔*lumper*);《美俗》가출자.

splít tícket *n.* 〖美政〗 분할 투표《두 당 이상의 후보자를 연기(連記)한 표》.

splít·ting *a.* 쪼개지는 (듯한); 나는 듯한, 신속한;《口》우스워 견딜 수 없는(sidesplitting) : a ~ headache 머리가 쪼개지는 듯한 두통.
—— *n.* [보통 *pl.*] 파편, 쇄편, 부서진 조각; 〖精神分析〗 분열.

splít·tism *n.* 분열주의.

splít-ùp *n.* 분할, 분열, 해체, 분해; 분파, 분당; [*pl.*] 주식(株式) 분할.

splít wéek *n.* 《劇俗》(전반과 후반을) 두 극장에 겹치기로 출연하는 주(週).

splít whéel *n.* =SPLIT PULLEY.

splodge [splɑ́dʒ] *n., vt.* =SPLOTCH.

splosh [splɑ́ʃ] *n.* **1** 《口》쏟는[끼얹는] 물(소리) (splash). **2** Ⓤ 《俗》돈(money). —— *adv.* 《口》첨벙하고: go ~ (물속 따위에) 첨벙하고 빠지다.
—— *vt., vi.* 《口》=SPLASH.
〚imit.〛

splotch [splɑ́tʃ] *n.* 오점, 반점(斑點), 얼룩.
—— *vt., vi.* …을 얼룩지게 하다.
splótchy *a.* 얼룩진, 더럽혀진.
〚*spot*+*plotch* (obs.) BLOTCH인가〛

splurge [splə́ːrdʒ] *n.* 《美口》자기 자랑, 자기 선전, 과시. —— *vi., vt.* 크게 자랑하다, 과시하다; 돈 자랑하며 마구 쓰다.
〚C19 (? imit.)〛

splut·ter [splʌ́tər] *n., v.* =SPUTTER.
〚변형(變形)<*sputter*; *splash*와의 연상(聯想)〛

Spode [spóud] *n.* [때때로 s~] 스포드 도자기(=~ **chìna**)《영국의 도예가 J. Spode 및 그가 창설한 회사에서 만든(1770-1847) 도자기》.

spod·u·mene [spɑ́dʒəmìːn] *n.* Ⓤ 〖鑛〗 유휘석(石), 리시아 휘석.
〚? F *spodumène*<G〛

spoil** [spɔ́il] *v.* (**~ed** [spɔ́ild; spɔ́ilt, spɔ́ild], **spoilt** [spɔ́ilt] 《英》에서는 spoilt가 보통) *vt.* **1** 해치다, 손상하다, 망치다, 썩게 하다: The heavy rain *~ed* the crops. 큰 비가 농작물을 망쳐 버렸다/The picnic was *~ed* by the nasty weather. 고약한 날씨 때문에 피크닉을 망쳐 버렸다/He *~ed* several pieces of paper before writing the letter. 편지를 (다) 쓰기 전에 종이를 몇 장이나 버렸다/Too many cooks ~ the broth. ☞ COOK *n.* **2** (흥미 따위를) 감소시키다: You'll ~ your appetite if you eat sweets before dinner. 식사 전에 과자를 먹으면 밥맛이 떨어질 것이다. **3** (사람·사물을) 망치다(ruin), (특히) 버릇없게 기르다: Spare the rod and ~ the child. ☞ SPARE *vt.* 2. **4** 애써서 비위를 맞추다, 응석받아 주다: Some wives ~ their husbands. 남편의 비위만 맞추려는 아내가 더러 있다. **5** (**~ed**) 《古·文語》[+目/+目+*of*+名] (…에게서) 약탈하다, 강탈하다, 빼앗다: ~ goods 물건을 강탈하다/~ a person ***of his money 남에게서 돈을 강탈하다. —— *vi.* **1** 상하게 되다, 망가지다, 나빠지다; (특히) 썩다: Fruit *~s* if kept too long. 과일은 너무 오래 두면 상한다. **2** [+*for*+名] [진행형으로] (…을 하고 싶어) 못 견디다, 안절부절 못하다, 갈망하다: That dog *is ~ing* ***for*** a fight. 저 개는 싸움을 하고 싶어 야단이다. **3** 《古》약탈하다.
spoil the Egyptians 〖聖〗 용서없이 적의 물건을 빼앗다《출애굽기 3:22》.
—— *n.* **1 a)** Ⓤ [또는 *pl.*] 노획품, 약탈품, 전리품(戰利品). **b)** Ⓤ 《古》약탈, 포획. **2** [*pl.*] 이권《선거에 이긴 정당이 임명할 수 있는 관직 따위》: the ~*s of* office 감투. **3** (약탈 따위의) 목적물. **4** [*pl.*] (노력 따위의) 성과〈*of*〉; (수집가의) 수집물, 횡재물. **5** Ⓤ 발굴[준설 따위]에서 파낸 흙《따위》. **6** 《古》약탈(행위).
〚OF (n.) *espoille*, (v.) *espoillier*<L (*spolium* spoil, plunder); 또는<*despoil*〛
類義語 ***spoil*** 가치·효력·아름다움 따위를 망쳐 버리다: The stain *spoiled* her dress. (얼룩이 그녀의 옷을 망쳤다). ***ruin*** 사람이나 물건에 파괴적인 수단으로 돌이킬 수 없는 손해를 주다: He *ruined* his eyes by reading in a poor light. (그는 희미한 불빛에서 독서하여 눈을 버렸다). ***destroy*** 산산조각으로 완전히 파괴 또는 사멸시키다: The war *destroyed* our city. (전쟁은 우리 시(市)를 파괴했다).

spóil·age *n.* 약탈; 결딴냄; 못쓰게 된 것; 〖印〗 잘못 인쇄한 것.

spóil·er *n.* 망쳐버리는 사람;《美》(유력한 두 후보 중 한 후보의 당선을 방해할 목적으로 하는) 제3당의 후보자; 응석받이로 기르는 사람;《古·文語》약탈자; 스포일러《(1) 〖空〗 양력(揚力)을 줄여 항력(抗力)을 증가하는 주익(主翼) 윗면의 판(板). (2) 〖自動車〗 스핀아웃 방지용으로 양력을 줄이기 위한 공력적(空力的) 부가물》.

spóiler pàrty *n.* 《美》방해 정당《2대 정당의 한쪽을 선거에서 방해하기 위하여 결성된 제3당》.

spóil gròund *n.* 〖海〗 준설 토사(土砂)를 버리는 지정 해역.

spóils·man [-mən] *n.* 《美》엽관(獵官) 운동자, 이권을 노리는 사람.

spóil·spòrt *a., n.* 남의 흥을 깨뜨리는 (사람).

spóils sỳstem *n.* 《美》엽관 제도《정권을 잡은 정당이 정실(情實)로 관직의 임면(任免)을 결정하는 관행》.

***spoilt** *v.* SPOIL의 과거·과거분사. —— *a.* 응석을 받아주어 버릇이 나빠진: a ~ child 버릇 없는 아이/a ~ child of fortune 방자한 아이.

◇**spoke**[1] *v.* SPEAK의 과거형;《古》SPEAK의 과거분사. 〚cf. SPAKE〛

spoke[2] [spóuk] *n.* **1** (차바퀴의) 살, 스포크. **2** 〖海〗 타륜(舵輪)의 손잡이. **3** 바퀴의 멈춤대 (drag). **4** (사닥다리의) 가로장, 디딤대(rung).
put a spoke in a person***'s wheel*** 남(의 계획)을 훼방 놓다.
—— *vt.* (바퀴에) 살을 대다, 바퀴 멈춤대를 달다.
〚OE *spāca*; cf. SPIKE[1]〛

◇**spo·ken** [spóukən] *v.* SPEAK의 과거분사.
—— *a.* **1** 구두(口頭)의, 말로 하는, 입밖에 낸; 구어의(↔*written*): ~ language 음성 언어, 구어. **2** [복합어를 이루어] 말솜씨가 …한: fair-~ 구변이 좋은.

spóke·shàve *n.* 남경(南京) 대패《날의 양쪽에 두 개의 자루가 있고 요철면을 깎음; 원래 바퀴살을 깎았음》.

***spokes·man** [spóuksmən] *n.* 대변자, 대표자; 연설가. 〚SPOKE[1]; *craftsman* 따위에 따른 것〛

spókes·wòman *n.* SPOKESMAN의 여성형.

spóke·wìse *adv.* 복사상(狀)으로, 방사(放射)상으로.

spo·lia [spóuliə] *n. pl.* 약탈품(spoils).

spo·li·ate [spóulièit] *vt., vi.* 약탈하다.

spo·li·a·tion [spòuliéiʃən] *n.* Ⓤ (특히 교전국의 중립국 선박에 대한) 약탈, 강탈; 〖法〗 (제3자에 의한) 문서의 변조.
〚L; ⇨ SPOIL〛

spon·da·ic, -i·cal [spandéiik(əl)] *a.* 〔韻〕 강강격(強強格)의, (고전 시학(詩學)에서의) 장장격(長長格)의.

spon·dee [spándi:] *n.* 〔韻〕 강강격(⁀⁀), 장장격(--). 〖OF or L *spondeus*<Gk.〗

spon·du·licks, -lix [spandjú:liks] *n. pl.* 《俗》 돈(money), 자금(funds) ; 《古》 소액 통화.

spon·dyl- [spándəl], **spon·dy·lo-** [spándəlou, -lə] *comb. form* 「척추골」「소용돌이」의 뜻. 〖Gk.〗

spon·dy·li·tis [spàndəláitəs] *n.* Ⓤ 〔醫〕 척수염(脊髓炎).

***sponge, spunge** [spʌ́ndʒ] *n.* **1** 해면(海綿) 동물. **2** Ⓤ,Ⓒ 스펀지, 해면(해면 동물의 섬유 조직) ; 해면 같은 것, 흡수물 ; 효모로 부풀린 날빵 ; =SPONGE CAKE ; 〔醫〕 외과용 멸균 가제. **3** 《口》 식객(食客) (sponger) ; 《口》 술고래.

have a sponge down 해면으로 몸을 씻다(cf. SPONGE BATH).

pass the sponge over... 《古》 …을 잊어버리다, 깨끗이 잊다.

throw [***chuck, toss***] ***up*** [***in***] ***the sponge*** 〔拳〕 졌다는 표시로 스펀지를 내던지다 ; 《비유》 패배(敗北)를 인정하다, 항복하다.

— *vt.* **1** [+目/+目+副] 해면으로 닦다[씻다] : ~ ***down***[***out***] a stain 얼룩을 해면으로 씻어내다[지워 없애다]. **2** [+目+副] (해면으로) 빨아들이다 : ~ ***up*** spilled ink 엎질러진 잉크를 해면으로 빨아내다. **3** 《口》 빌붙어 얻어먹다, 우려먹다 : ~ a dinner 음식을 얻어먹다. — *vi.* **1** 해면을 채집하다. **2** (액체를) 흡수하다. **3** 《口》 [+前+名] (남에게) 의지하다, 기식(寄食)하다, 등쳐 먹다, 빌붙어 살다 : ~ (***up***) ***on*** one's friends 친구에게 의지하다[식객이 되다] / He tried to ~ ***on*** his uncle ***for*** a living. 그는 아저씨에게 빌붙어 살아가려고 했다.

~·lìke *a.* **spóng·ing·ly** *adv.*

〖OE and OF<L *spongia*<Gk.〗

spónge bàg *n.* 《英》 (방수(防水)의) 세면도구 주머니, 화장품 주머니.

spónge bàth *n.* (욕조에 들어가지 않고 해면으로 몸을 씻는) 간단한 목욕.

spónge bìscuit[**càke**] *n.* 스펀지 케이크《카스텔라의 일종》.

spónge clòth *n.* =RATINÉ.

spónge cùcumber[**gòurd**] *n.* =DISHCLOTH GOURD.

spónge-dòwn *n.* =SPONGE BATH.

spónge fìnger *n.* 《英》 =LADYFINGER.

spónge ìron *n.* 〔冶〕 해면철.

spóng·er *n.* **1** 해면으로 닦는 사람[것]. **2** 식객, 빌붙어 사는 사람〈*on*〉.

spónge rúbber *n.* 스펀지 고무《가공 고무, 방석용 ; cf. FOAM RUBBER》.

spónging hòuse *n.* 〔英史〕 채무자 구치소.

spon·gy [spʌ́ndʒi] *a.* 해면 모양의, 해면질의 ; 작은 구멍이 많은 ; 푹신푹신한 ; 흡수성의 ; 다공성이며 경질인《금속·뼈 따위》; 《비유》 (태도·신념 등이) 모호한, 줏대가 없는.

spóng·i·ly *adv.* **-gi·ness** *n.*

spon·sion [spánʃən] *n.* 보증 ; 〔國際法〕 (권한이 없는 기관에 의해 이루어진 국제적) 보증, 협약. 〖L ; ⇨ SPONSOR〗

spon·son [spánsən] *n.* 〔船〕 뱃전 밖으로 내민 것 ; 밖으로 내민 포문(砲門) ; 수상 비행기의 선체의 양 옆에 있는 부낭.

〖C19<? *expansion*〗

***spon·sor** [spánsər] *n.* **1** 보증인(人) (surety) 〈*of, for*〉. **2** 〔宗〕 대부(代父), 대모, 대부모(代父母) (godparent) ; (진수식의) 명명자 : stand ~ *to* someone 어떤 사람의 대부[대모]가 되다. **3** 발기인, 후원자, (선거 입후보자의) 후원회. **4** 《美》 (상업 방송의) 광고주, 스폰서〈*to*〉 : a ~ program 스폰서 제공의 방송물, 상업 방송 프로그램.

— *vt.* 발기하다 ; 후원하다 ; (라디오·텔레비전의 상업 방송) 제공자[광고주]가 되다, 스폰서가 되다 : ~*ed* by …의 후원으로, …이 스폰서가 되어 / ~ a television program 텔레비전 프로그램의 스폰서가 되다.

~·shìp *n.* Ⓤ 대부[보증인·스폰서]임 ; 발기, 후원. 〖L=guarantor, surety (*spons- spondeo* to pledge)〗

spon·so·ri·al [spansɔ́:riəl] *a.* SPONSOR의.

spon·ta·ne·i·ty [spàntəní:əti, -néiə-] *n.* Ⓤ,Ⓒ 자발(성) ; 자발 행동[활동] ; 무의식 ; 자연스러움 ; (특히 식물의) 자생(自生).

***spon·ta·ne·ous** [spantéiniəs] *a.* **1** 자발적인, 임의의 ; 무의식적인, 자동성의 : ~ generation 〔生〕 자연 발생설. **2** 자연적인 : ~ combustion [ignition] 자연 발화[연소]. **3** (문체 따위가) 자연스러운, 유려(流麗)한, 꾸밈없는(natural). **4** (식물·과실이) 야생의, 자생의, 천연의.

~·ly *adv.* 자발적으로 ; 자연스럽게. **~·ness** *n.* 〖L (*sponte* of one's own accord)〗

類義語 ***spontaneous*** 자발적인 ; 어떤 일이 극히 자연스럽게 이루어지고 외부로부터의 강제나 자극이 없이 생긴 것처럼 보이는 : a *spontaneous* offer (자발적인 제공). ***impulsive*** 자발적인 [이성적인] 의미보다는 오히려 외부의 자극 또는 갑작스런 감정으로 좌우되는 : an *impulsive* resistance (충동적인 반항). ***instinctive*** 외부로부터의 자극에 대해 본능적으로 즉시 행해진 ; 고의로[심사숙고 끝에] 행한 것이 아닌 : have an *instinctive* dislike to a snake (뱀을 본능적으로 싫어하다). ***involuntary*** 반사 운동처럼 사고나 의지에 관계없이 부지불식간에 행해진 : an *involuntary* movement of fear (공포로 인한 무의식적인 동작). ***automatic*** 주어진 자극에 대해 기계 장치처럼 자동적인 반응을 나타내는 : an *automatic* response (자동적인 반응).

spontáneous emíssion *n.* 〔理〕 자연[자발] 방출《들뜬 물질로부터의 외부 자극에 의하지 않는 전자기파(電磁氣波)의 방출》.

spontáneous físsion *n.* 자발 핵분열.

spon·toon [spantú:n] *n.* 단창(短槍) 《17-18세기에 영국 보병의 하급 장교가 사용함》 ; (경찰관의) 경찰봉(truncheon). 〖F〗

spoof [spú:f] *n.* Ⓤ,Ⓒ 《口》 놀림, 조롱 ; (농담으로) 속이기, 속여 넘김(trick), 야바위(hoax).

— *a.* 꾸며 놓은, 야바위의, 속임수의(faked).

— *vt., vi.* 놀리다, 조롱하다 ; 속이다, (장난으로) 속여 넘기다(joke). **~·er** *n.* **~y** *a.*

〖영국의 코미디언 A. Roberts (d. 1933)의 조어(造語)〗

spook [spú:k] *n.* 《口》 유령(ghost), 도깨비 ; 《口》 괴짜, 기인 ; 《俗》 스파이, 비밀 공작원, 밀정 ; 정신과의사. — *vt.* 《口》 유령처럼 나타나다 ; 떨리게 하다, 위협을 주다. — *vi.* 《口》 놀라 달아나다 ; 무서워서 떨다.

~·ery *n.* **~·ish** *a.* =SPOOKY.

〖Du.<MLG=ghost ; cf. G *Spuk*〗

spóoky *a.* 《口》 **1** 유령 같은, 유령이 나올 듯한 ; 무시무시한 : a ~ house 유령이 나오는 집. **2** (동

물 따위가) 잘 놀라는, 겁많은.
spóok·i·ly *adv.* **-i·ness** *n.*

spool [spú:l] *n.* 실패, 실감개(bobbin) ; (테이프·필름 따위의) 릴, 스풀. ── *vt., vi.* 실패에 감(기)다 ; 되감다. 〖OF *espole* or MLG *spōle*, MDu. *spoele*<? ; cf. G *Spule*〗

SPOOL 〔컴퓨〕 simultaneous peripheral operation on-line (복수 프로그램 동시 처리).

‡spoon [spú:n] *n.* **1** 숟가락 ; 한 숟갈 가득한 양 ; 《美俗》 헤로인 2 그램 : eat ice cream with a ~ 숟가락으로 아이스크림을 먹다. **2** 숟가락 모양의 것 ; 〔海〕 숟가락 모양의 노 ; 〔골프〕 스푼《WOOD의 3번》. **3** 〔낚시〕 =SPOON BAIT. **4** (어뢰관의 머리에서 돌출한) 스푼《수평으로 유도하기 위한 것》, 《俗》 바보(simpleton) ; 여자에게 무른 남자, 여색을 밝히는 남자.
be born with a silver [***gold***] ***spoon in*** one***'s mouth*** 부귀한 집에서 태어나다.
make a spoon or spoil a horn 《원래 스코》 흥하든 망하든 한번 해보다《옛날 스코틀랜드에서는 소나 양의 뿔로 숟가락을 만들었던 데서》.
── *vt.* **1** [+目/+目+副] 숟가락으로 뜨다[푸다] : ~ ***up*** one's soup 수프를 숟가락으로 뜨다 / ~ ***out*** peas 완두콩을 숟가락으로 떠서 (다른 접시에 나누어) 내놓다. **2** 〔크리켓〕 (공을) 가볍게 쳐올리다. ── *vi.* **1** 제물낚시로 낚다. **2** 《口》 (남녀가) 애무하다, 희롱하다〈*with*〉.
〖OE *spōn* chip of wood ; cf. G *Span*〗

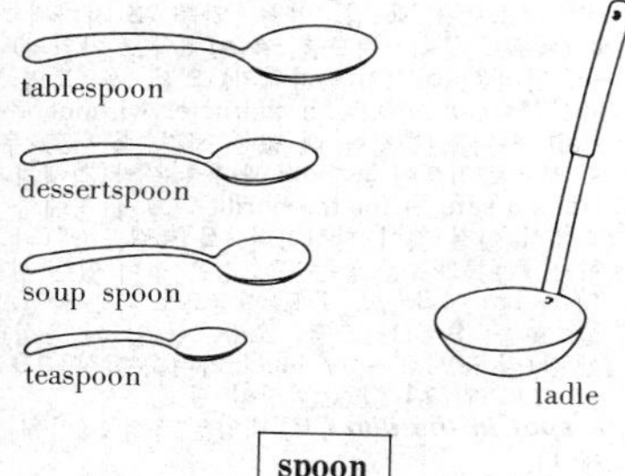

spoon

spóon bàit *n.* 제물낚시《물 속에서 회전시켜 물고기를 꾀는 낚싯줄에 매단 쇠붙이》.

spóon·bìll, -bèak *n.* 〔鳥〕 노랑부리저어새.

spóon brèad *n.* 《美》 우유·달걀이 든 빵.

spóon·drìft *n.* =SPINDRIFT.

spoon·er·ism [spú:nərìzəm] *n.* 〔音聲〕 두음전환(頭音轉換)《received a *cr*ushing *bl*ow를 received a *bl*ushing *cr*ow라고 하는 따위》.
〖Rev. William A. *Spooner* (d. 1930) ; 이런 식으로 잘못 말한 Oxford대학 New College의 학교 기숙사 사감〗

spóon-fèd *a.* **1** (어린이·환자 등) 숟가락으로 떠먹이는 ; 과보호의. **2** 《비유》 (산업 따위가) 보호를 받는.

spóon-fèed [ˌ⌐⌐] *vt.* 숟가락으로 떠먹이다 ; (학생에게) 곱씹어 가르쳐주다 ; (산업을) 지나치게 보호하다 ; 버릇없이 기르다(coddle) ; (정보를) 일방적으로 제공하다.

spóon·fùl *n.* (*pl.* **~s, spóons·fùl**) 숟가락 하나 가득(한 분량) ; 소량 : a ~ *of* sugar 설탕 한 숟가락 / by ~*s* 한숟가락씩, 조금씩.

spóon mèat [**fòod**] *n.* (반)유동식《어린이·환자용》.

spóon-nèt *n.* 사내끼.

spoony, spoon·ey [spú:ni] *a.* (**spóon·i·er ; -i·est**) 《口》 여자[자식]에게 무른〈(*up*) *on*〉 ; 바보 같은, 얼간이의. ── *n.* 여자에게 무른 남자 ; 얼뜨기(simpleton).

spoor [spúər, spɔ́:r] *n.* (짐승의) 발자국, 냄새 자취(trail, scent).
── *vt., vi.* (…의) 뒤를 밟다, 추적하다.
〖Afrik. <MDu. ; cf. OE *spor*, G *Spur*〗

spor- [spɔ́:r], **spo·ri-** [spɔ́:rə], **spo·ro-** [spɔ́:rou, -rə] *comb. form* 「종자」「포자」의 뜻.
〖Gk. (*spore* SPORE)〗

spo·rad·ic, -i·cal [spərǽdik(əl), spɔ:-] *a.* 때때로 일어나는, 산발적인 ; 고립된 ; (식물의 종류 따위가) 산재하는, 드문드문 있는 ; 〔醫〕 산발성(散發性)의. **-i·cal·ly** *adv.* 여기저기 ; 때때로 ; 드문드문 ; 뿔뿔이 ; 〔醫〕 산발적으로.
〖L<Gk. (*sporad-* *sporas* dispersed)〗

sporádic chólera *n.* 〔醫〕 산발성(散發性) 콜레라(cholera morbus).

spo·ran·gi·um [spərǽndʒiəm, spɔ:-] *n.* (*pl.* **-gia** [-dʒiə]) 〔生〕 포자낭(胞子囊).
〖NL (SPORE, Gk. *aggeion* vessel)〗

spore [spɔ́:r] *n.* 〔生〕 (균류·식물의) 포자, 홀씨, 아포(芽胞) ; 배종(胚種) (germ), 종자(seed), 인자(因子). ── *vi.* 포자가 있다[나다] ; 포자에 의해 번식하다. ── *vt.* 포자에 의해 나다[번식시키다]. 〖NL<Gk. *spora* sowing, seed (*speirō* to sow)〗

spori- [spɔ́:rə] ☞ SPOR-.

spork [spɔ́:rk] *n.* 끝이 갈라진 스푼, 포크 겸용 스푼. 〖*sp*oon+f*ork*〗

sporo- [spɔ́:rou, -rə] ☞ SPOR-.

spo·ro·go·ni·um [spɔ̀:rəgóuniəm] *n.* (*pl.* **-nia** [-niə]) 〔植〕 이끼류의 포자체.

spo·rog·o·ny [spərágəni] *n.* Ⓤ 〔生〕 (포자충의) 전파(傳播) 생식. **spo·ro·gon·ic** [spɔ̀:rəgánik], **spo·róg·o·nous** *a.*

spóro·phòre *n.* 〔植〕 담포자체(擔胞子體)《포자를 달고 있는 영양체》.

spóro·phỳl(l) *n.* 〔植〕 포자엽(胞子葉), 아포엽(芽胞葉).

spóro·phỳte *n.* 〔植〕 포자체(胞子體), 조포체(造胞體).

-spor·ous [-spɔ́:rəs, ⌐spərəs] *a. comb. form* 「…한 포자를 가지는」의 뜻 : homo*sporous.*
〖L ; ⇨ SPORE〗

spo·ro·zo·ite [spɔ̀:rəzóuait] *n.* 〔動〕 (포자충(胞子蟲)의) 종충(種蟲).

spor·ran [spɔ́(:)rən, spár-] *n.* 스포란 《스코틀랜드 고지인(高地人)이 장식용으로 짧은 스커트(kilt) 앞에 참》.
〖Sc. Gael. <L ; ⇨ PURSE〗

◇sport [spɔ́:rt] *n.* **1** Ⓤ,Ⓒ (오락 따위를 위한) 운동, 경기, 스포츠《사냥·낚시·경마·보트·요트·수영·테니스·골프·육상 경기·권투·레슬링·볼링 따위》 : athletic ~*s* 육상 경기 / be fond of ~(*s*) 스포츠를 좋아하다. **2** [*pl.*] (학교 따위의) 운동회, 경기회 : The school ~*s* were put off. 학교의 운동회는 연기되었다. **3** Ⓤ 위안, 기분전환, 오락, 심심풀이, 재미(fun) : spoil the ~ 흥을 깨뜨리다(cf. SPOILSPORT) / What ~ ! 정말 재미있다 ! **4** Ⓤ 농담, 장난 ; 놀림, 골려줌, 희롱 ; Ⓤ [the ~] 가지고 노는 것(plaything) ; 웃음거리, 조롱거리 : *the* ~ *of* Fortune 운명에 희롱

당하는 사람 / *the* ~ *of* nature 자연의 희롱《기형(奇形)·변종(變種) 따위》/ a ~ *of* terms[wit, words] 익살, 재담 / in[for] ~ 농담으로, 장난으로. **5** 《口》 **a**) 운동가 ; 사냥꾼 : Be a ~! 스포츠맨답게[정정 당당하게] 하라! **b**) [보통 old ~ ; 풍자적으로] 싹싹한[서글서글한] 사람, 재미있는 녀석, 여보게《호칭》. **c**) 《美》 노름꾼, 도박꾼 ; 《美俗》 멋시꾼, 야하게 겉치레하는 사람. **6** (동식물의) 돌연변이(突然變異).

have good sport (사냥에서) 많이 잡다.
make sport of …을 얕보다, …을 조롱하다.

〈회화〉
What kind of *sports* are you fond of? — All kinds.「어떤 스포츠를 좋아하십니까」「다 좋아합니다」

—— *attrib. a.* 《美》 =SPORTS.
—— *vi.* **1** [+*with*+名] (어린이·동물이) 장난치다, 까불다, 뛰놀다 ; 《廢》 희롱하다, 농락하다 : The kitten is ~*ing* ***with*** a ball. 고양이 새끼가 공을 가지고 놀고 있다. **2** 〖生〗 돌연변이를 일으키다. —— *vt.* **1** 《口》 자랑해 보이다, 뽐내다, 과시하다, 여봐란듯이 입다[걸치다, 쓰다] ; 낭비하다 : ~ a new hat 새 모자를 쓰고 뽐내다 / He ~*ed* his moustache. 그는 코밑 수염을 만지작거리며 빼겼다. **2** 〖生〗 …에 돌연변이를 일으키게 하다. 〚di*sport*〛
類義語 ⟹ PLAY.

sport. sporting.
spórt còat *n.* 《美》 스포츠 코트(=《英》 sports coat) 《스포티하게 입을 수 있는 웃옷》.
spórt·er *n.* 스포츠맨 ; 스포츠(로서의 사냥)용의 기구[엽총, 사냥개].
spórt fìsh *n.* 스포츠의 대상이 되는 큰 물고기《낚시꾼이 낚시 대상으로 삼음 ; cf. GAME FISH》.
spórt·ful *a.* 장난하며 노는, 재미있는 듯한, 흥겨워하는, 희롱거리는. **~·ly** *adv.* **~·ness** *n.*
spórt·ing *a.* **1** 운동(용)의, 스포츠의. **2** 운동[사냥]을 좋아하는 ; (행동 따위가) 운동가다운, 스포츠맨다운, 정정당당한. **3 a**) 도박적인 ; 내기를 좋아하는, 투기적인. **b**) 《口》 모험이 따르는, 모험적인 : a ~ chance 성패(成敗)의 고비, 모험, 투기. **4** 〖生〗 돌연변이를 하는.
—— *n.* Ⓤ 스포츠 ; 사냥 : a ~ editor 《美》 = SPORTS EDITOR / ~ goods 운동 용구 / a ~ gun 엽총 / the ~ world 스포츠계(界). **~·ly** *adv.*
spórting blóod *n.* 모험심.
spórting gírl[lády, wóman] *n.* 《口》 매춘부(prostitude).
spórting hòuse *n.* 《美》 매춘굴 ; 《古》 도박장.
spor·tive [spɔ́ːrtiv] *a.* 장난을 좋아하는 ; 웃기는 ; 까부는, 농담의 ; 〖生〗 변종의, 변종을 형성하기 쉬운 ; 《古》 호색의, 외설스런. **~·ly** *adv.*
sports [spɔ́ːrts] *a.* 스포츠(용)의, 스포츠에 알맞은 : a ~ commentator 스포츠 실황 해설자 / a ~ counter 스포츠용품 매장 / a ~ festival 스포츠 제전 / ~ shoes 운동화.
spórts càr *n.* 경주용 자동차, 스포츠 카.
spórts·càst *n.* 스포츠 방송[뉴스]. **~·er** *n.* 스포츠 방송 아나운서[해설자].
spórts còat *n.* 《英》 =SPORT COAT.
spórts dày *n.* (학교 따위의) 운동회 날.
spórts·dom *n.* 스포츠계(界).
spórts èditor *n.* (신문사의) 스포츠난 편집 부장(=《美》 sporting editor).
spórt shìrt *n.* =SPORTS SHIRT.
spórts jàcket *n.* 스포츠 재킷.
***spórts·man** [-mən] *n.* **1** 운동가, 스포츠맨《사냥·낚시질·야외 운동 따위를 하는 사람》; 사냥꾼, 낚시꾼 ; 스포츠 애호가. **2** 스포츠맨 정신을 가진 사람, 정정 당당하게 하는 사람. **3** 《古》 투전꾼, 경마사(競馬師), 도박꾼. **~·lìke, ~·ly** *a.* 운동가다운 ; 정정당당한. **~·li·ness** *n.*
spórtsman·shìp *n.* Ⓤ 스포츠맨 정신[기질], 스포츠맨십 ; 정정당당함 ; 운동의 기량.
spórts mèdicine *n.* 스포츠 의학.
spórts pàge *n.* (신문의) 스포츠난.
spórts shìrt *n.* 스포츠 셔츠.
spórts·wèar *n.* Ⓤ 운동복.
spórts·wòman *n.* 여자 운동가[경기자].
spórts·wrìter *n.* 스포츠 기자.
spórts·wrìting *n.* 스포츠 기사를 쓰는 일.
spórty *a.* 《口》 운동가다운 ; (복장 따위) 화려한, 야한, 눈에 띄는(showy) ; (사람이) 까부는, 경박한. **spórt·i·ly** *adv.* **-i·ness** *n.*
spor·u·late [spɔ́(ː)rjəlèit, spɑ́r-] *vi.* 〖生〗 (소)포자((小)胞子)를 형성하다. —— *vt.* 포자로 변태(變態)시키다. **spòr·u·lá·tion** *n.* 포자 형성. **spór·u·là·tive** *a.*
spor·ule [spɔ́(ː)rjuːl, spɑ́r-] *n.* 〖生〗 (소)포자(胞子) **spór·u·lar** [-rjələr] *a.*
-spo·ry [spɔ̀ːri, spəri] *n. comb. form* 「…한 포자를 가진 상태」의 뜻 : hetero*spory*. 〚-*sporous*, -*y*[4]〛
‡spot [spɑ́t] *n.* **1** 지점, 장소, 곳, 현장 ; 《口》 행락지, 관광지, 환락가 ; 《口》 지위(position), 직(職) ; 《口》 (난처한) 입장 ; 《美俗》 나이트 클럽, 바, 레스토랑. **2** 점, 반점, 얼룩. **3** 사마귀 ; 발진(發疹), 종기, 여드름. **4 a**) (잉크 따위의) 얼룩, 더러움. **b**) (인격 따위의) 오점, 흠, 오명, 오욕(汚辱)〈*on, upon*〉: a character without ~ or stain 하나도 흠잡을 데 없는 성격. **5** 《俗》 우승할 것으로 점찍어 놓기, 점 찍어 놓은 말[경쟁자] : He is a safe ~ for the hurdles. 그가 장애물 경주에서 이길 것이 확실하다. **6** 트럼프 패(의 도형). **7** 〖撞球〗 공 놓는 곳 ; 검은 점이 있는 흰 공(=~ ball). **8** [*pl.*] 〖商〗 현금으로 파는 물건, 현물, 현품. **9** 《口》 조금, 소량, 한 입(의 음식) ; 한 잔(의 술) : a ~ *of* lunch 가벼운 점심. **10** = SPOTLIGHT. **11** 〖放送〗 삽입 광고.

a spot in the sun 〖天〗 태양의 흑점 ; 《비유》 옥에 티.
a tender spot 《비유》 약점, 급소 : touch *the tender* ~ 급소를 찌르다, 적중하다.
be on the spot 현장에 있다, 준비가 되어 있다 ; (경기 따위에서) 몸의 컨디션이 좋다.
hit the high spots 《口》 중요한 점만 다루다[언급하다] ; (낭비·연회 따위가) 최고조에 이르다, 지나치다.
hit the spot 《美》 (음식 따위가) 만족시키다, 더할 나위 없다 : Iced tea *hits the* ~ on this hot day. 이렇게 더운 날씨에는 냉차가 제일이다.
in a (***bad***) ***spot*** 《美俗》 난처해져(in trouble).
in spots 《美》 군데군데 ; 때때로 ; 어느 정도까지 ; 어떤 점에서는.
put a person ***on the spot*** 《美俗》 남을 암살하기로 정하다.
touch the spot = *hit the* SPOT.
(***up***)***on the spot*** 즉석에서, 현장에서 ; 《口》 빈틈없는 ; 〖商〗 현물로[의], 현금으로[의].

〈회화〉
Let's put up our tent on this *spot.* — It looks all right.「이 자리에 텐트를 치자」「괜찮을 것 같군」

── *v.* (-tt-) *vt.* **1** [+目/+目+*with*+名] 얼룩지게 하다, 더럽히다 ; …에 점을 찍다 : She ~*ted* her dress ***with*** ink. 그녀는 드레스를 잉크로 얼룩지게 했다. **2** 《비유》 (명예 따위를) 더럽히다, 손상시키다. **3** 《口》 [+目/+目+*as* 補] 발견하다, 간파(看破)하다, 알아내다 ; …을 점찍다, 알아맞히다 : ~ the winner in a race 경마에서 우승할 듯한 말을 알아맞히다 / "How to ~ the winners" 「우승할 말들을 알아맞히는 법」 / I ~*ted* my friend at once among the crowd. 군중 속에서 친구를 바로 찾아냈다 / I ~*ted* him at once *as* an American. 그가 미국인이라는 것을 곧 알아냈다. **4** (특히 비행기에서 적진을) 찾아내다. **5** 배치하다 ; 〖撞球〗 (공을) 특정한 위치에 놓다 : Lookouts are ~*ted* along the coast. 망루[초소]가 해안을 따라 곳곳에 설치되어 있다. **6** 스포트라이트를 비추다.

── *vi.* **1** 얼룩지다, 오점이 생기다, 더러워지다 : This silk ~*s* easily. 이 명주는 더러움을 잘 탄다. **2** 《口》 [動/+*with*+名] 빗방울이 뚝뚝 떨어지다 : It is beginning to ~. =It is ~*ting* ***with*** rain. 비가 뚝뚝 떨어지기 시작하고 있다. **3** (경기의) 보조원 노릇을 하다 ; 탄착 관측을 하다.

── *attrib. a.* **1** 〖商〗 즉석의 ; 현금 지급의, 현물의 : ~ delivery 현장 인도 / a ~ transaction 현금 거래 / ~ wheat[cotton] 밀[무명]의 현물. **2** 〖通信〗 현지의 : ~ broadcasting 현지 방송. **3** 〖라디오 · TV〗 (광고 · 문구 따위) 프로그램 사이에 삽입되는 : ~ announcement 삽입 광고 방송. **4** 임의로[닥치는 대로] 이루어진.

── *adv.* 《英口》 꼭, 정확히.

spot on 《英口》 아주 정확한, 정곡을 찔러.

〖ME=moral blemish<Gmc. ; cf. MDu. *spotte* stain, speck〗

spót bàll *n.* 〖撞球〗 공 놓는 점에 있는 공 ; 검은 점이 있는 흰공.

spót càsh *n.* 〖商〗 맞돈 (지급).

spót chèck *n.* 《美》 발췌 검사, 추출 검사.

spót-chèck *vt.* …을 무작위 (추출) 검사하다.

spót ecònomy *n.* 현물(現物) 경제《futures economy(선물 경제)에 대한 관련 용어》.

spót exchànge *n.* 현물환.

spót kìck *n.* 《口》 〖蹴〗 =PENALTY KICK.

spót·less *a.* 얼룩이 없는, 더럽혀지지 않은, 무구(無垢)의 ; 때묻지 않은, 티없는 ; 흠이 없는, 결백한. **~·ly** *adv.* **~·ness** *n.*

spót·lìght *n.* **1 a)** (무대위의 한 인물 · 한 곳을 비추는) 집중(集中) 조명 (장치), 스포트라이트(cf. FLOODLIGHT), 각광(脚光). **b)** 《비유》 (세상 사람의) 주시(注視), 주목(cf. LIMELIGHT), 관심 : He wanted to be in[to hold] the ~. 그는 세상의 이목을 끌고 싶어 했다. **2** 조사등(照射燈)《자동차의 앞 · 옆쪽을 비춤》.

── *vt.* 스포트라이트로 비추다, …에 스포트라이트를 돌리다 ; 돋보이게 하다 ; …에 주의를 돌리게 하다.

spót màrket *n.* 〖經〗 현물 시장, 현금 거래 시장.

spót néws *n.* 지급[임시] 뉴스, 뜻밖의 뉴스.

spót-ón *a., adv.* 《英口》 꼭[딱] 들어맞는[맞게], 정확한[히].

spót prìce *n.* 현물 가격, 스폿 가격.

spót stàrter *n.* 〖野〗 임시 선발 투수.

spót·ted *a.* **1** 얼룩진, 더럽혀진. **2** 반점이 있는, 얼룩덜룩한 ; 표지를 한《나무 · 산이나 들의 길 · 경계선 따위》 : ~ fever 반점열(斑點熱)《뇌척수막염 · 발진티푸스 · 로키산열(山熱) 따위》. **3** (명예 따위가) 손상된. **~·ly** *adv.* **~·ness** *n.*

spótted díck *n.* 《英》 건포도가 들어 있는 수엣(suet) 푸딩.

spótted dóg *n.* 짙은 반점이 있는 개 ; 《英》 = SPOTTED DICK ; [흔히 S~ D~] =DALMATIAN.

spótted hyéna *n.* 〖動〗 얼룩하이에나《아프리카산(產) 하이에나》.

spót·ter *n.* 얼룩지게 하는 것[사람] ; 《美》 (점포 · 은행 따위에서 종업원의) 감독자 ; 〖軍〗 탄착(彈着) 관측병 ; 〖鐵〗 (차량에 설치된) 검로기(檢路器) ; 〖볼링〗 핀세터(pinsetter) ; 〖美蹴〗 코치조수 ; 중계 방송 아나운서 조수 ; 〖空軍〗 정찰기, 관측기구 ; 정찰병 ; (드라이 클리닝으로) 얼룩을 빼는 사람.

spót tèst *n.* 《美》 =SPOT CHECK.

spót·ty *a.* 반점이 많은, 얼룩진, 얼룩덜룩한 ; 얼룩투성이의 ; 부스럼[여드름 · 헐은 데]이 있는 ; 불규칙한, 한결같지 않은, 고르지 못한.

spót·ti·ly *adv.* **-ti·ness** *n.*

spót-wèld *vt.* 스폿 용접하다. ── *n.* 스폿 용접에 의한 접합부.

spót wèlding *n.* 스폿 용접.

spous·al [spáuzəl, -səl] *n.* Ⓤ 결혼 ; [흔히 *pl.*] 《稀》 결혼식(nuptials). ── *a.* 《稀》 결혼의(matrimonial). **~·ly** *adv.*

〖OF ESPOUSAL〗

spouse [spáus, -z] *n.* 배우자 ; [*pl.*] 부부.

── [spáuz, -s] *vt.* 《古》 결혼하다[시키다].

~·hood *n.* **~·less** *a.* 〖OF<L *sponsa* (fem.), *sponsus* (masc.) ; ⇨ SPONSOR〗

spout [spáut] *vt.* **1** [+目/+目+副] 내뿜다, 뿜어내다 ; 분출하다(eject) : The whale ~*s* water. 고래는 물을 내뿜는다 / The chimney ~*ed* ***out*** smoke. 굴뚝이 연기를 내뿜었다. **2** …에 꼭지[주둥이]를 달다. **3** 《口》 도도하게[거침없이] 말하다, (시 따위를) 낭독하다 : ~ Latin verses 라틴어의 시를 낭독하다. **4** 《俗》 저당잡히다(pawn).

── *vi.* **1** [動/+副/+前+名] 분출하다, 솟아나오다 ; (고래가) 바닷물을 내뿜다 : The fountain ~*ed* high. 분수가 높이 분출했다 / Some blood ~*ed* ***from*** the wound. 상처에서 피가 솟아나왔다. **2** 《口》 거침없이 얘기하다, 낭송하다.

── *n.* **1** (주전자 따위의) 주둥이 ; 물꼭지 ; 빗물받이, 홈통 ; 관(管). **2** (고래의) 분수공(噴水孔). **3** 분수, 분류(噴流) ; 솟아 나옴. **4** 용솟음, 물기둥.

up the spout 《俗》 저당잡혀 ; (사람이) 영락하여, 꼼짝못하게 되어, 곤궁에 빠져 ; 《俗》 임신하여 : go *up the* ~ 꼼짝 못하게 되다 / put one's jewels *up the* ~ 보석을 저당잡히다.

~·less *a.* **~·like** *a.*

〖ME< ? MDu. *spoiten*<ON *spýta* SPIT[1]〗

spp. species. **S.P.Q.R.** *Senatus Populusque Romanus* 《L》 (=the Senate and the People of Rome) ; small profits and quick returns.

SPR., S.P.R. Society for Psychical Research (심리 연구 협회). **Spr.** sapper.

sprad·dle [sprǽdl] *vt., vi.* (두 다리를) 벌리다. 〖Scand. ; cf. Norw. *spradla* to thrash about〗

sprag [sprǽ(:)g] *n.* (탄갱의) 버팀목, 지주 ; (수레의) 바퀴 멈추개. 〖C19< ? Scand. ; cf. Swed. (dial.) *spragg* branch〗

sprain [spréin] *vt.* (발목 · 손목 따위를) 삐다(wrench) : ~ one's finger 손가락을 삐다.

── *n.* 삠, 염좌(捻挫), 접질림. 〖C17< ?〗

‡**sprang** *v.* SPRING의 과거형.

sprat [sprǽt] *n.* **1** 〖魚〗 청어류(類)의 작은 물고기. **2** 《戲》 어린이, 야윈 사람 ; 하찮은 사람.

throw [***fling away***] ***a sprat to catch a herring*** [***mackerel, whale***] 새우로 도미를 잡다, 적은 밑천으로 큰 이익을 얻다.
—— *vi.* (**-tt-**) sprat을 잡다.
sprát·ter *n.* **sprát·ting** *n.*
〖C16 *sprot*<OE<?; cf. G *Sprott*〗

sprát dày *n.* 《英》 London 시장(市長) 취임식날 (Lord Mayor's Day) 《11월 9일; 이날부터 청어철이 시작됨》.

sprat·tle [sprǽtl] *n.* 《스코》 고투(苦鬪), 싸움.

sprawl [sprɔ́:l] *vi.* **1** [動/+前+名] 팔다리를 쭉 뻗다, 손발을 뻗고 앉다, (큰 대(大)자로) 드러눕다: He was ~*ing* ***on*** the sofa. 그는 소파에 팔다리를 쭉 뻗고 앉아[누워] 있었다 / A child ~*s* ***across*** the mother's knees. 어린아이가 어머니 무릎에 드러누워 있다. **2** 배를 깔고 엎드리다, 엎드려 기어가다: go ~*ing* 배를 깔고 엎드려 기어가다 / send a person ~*ing* 남을 때려눕히다. **3** [動/+前+名] (육지·건물·덩굴·필적 따위가) 모양없이 퍼지다[뻗다], (도시 따위가) 불규칙하게 뻗어가다, 꼬불꼬불 뻗다: His handwriting ~*ed* ***across*** the page. 그의 필적이 페이지 가득히 휘갈겨져 쓰여 있었다 / The city ~*s* ***to*** the west, north and south. 그 도시는 서·북·남쪽으로 모양없이[불규칙하게] 뻗어 있다. —— *vt.* (손발을) 쭉 뻗다, 쭉 드러눕다. —— *n.* **1** 큰 대(大)자로 드러눕기; 배를 깔고 엎드림; 발버둥치기. **2** 불규칙적으로 퍼짐[뻗침], (도시 따위의) 무계획적인 팽창 현상; (도시 등의) 스프롤 현상: in a (long) ~ 큰대자로 《눕다》.
~·er *n.* **spráwly** *a.* (불규칙하게) 퍼진.
〖OE *spreawlian*; cf. NFris. *spraweli*, Dan. *sprelle* to kick about〗

***spray**[1] [spréi] *n.* **1** Ⓤ 물보라, 물안개, 비말(飛沫); Ⓒ (한번 뿜어내는) 스프레이, 향수[페인트·소독액·살충제 따위]의 분무(噴霧) (jet). **2** 분무기, 향수 뿌리개, 흡입기(吸入器).
—— *vt.* [+目/+目+*with*+名] …에 물보라를 날리다; …에 분무하다, 소독액[살충제]을 뿌리다: We must ~ our trees ***with*** poison to kill the insects. 나무에 살충제를 뿌려 벌레를 없애야 한다 / They ~*ed* the enemy *with* bullets. 적에게 탄알을 퍼부었다.
—— *vi.* 물안개를 내뿜다, 분무(噴霧)하다.
〖C17 *spry*; cf. MHG *spræjen* to sprinkle〗

spray[2] *n.* **1** 작은 가지, 잔가지《특히 끝이 갈라져 꽃이나 잎이 달려있는 것; cf. BOUGH, BRANCH, TWIG[1]》. **2** (보석 따위의) 가지 모양의 장식[무늬], 꽃무늬. 〖OE 《美》 *spræg*<?〗

spráy càn *n.* 에어로졸[분무기] 통.

spráy·er *n.* **1** 물보라를 일으키는 사람[것]. **2** 분무기, 흡입기; 분유기(噴油器).

spráy gùn *n.* (페인트·살충제 따위의) 분무기 《총과 비슷함》.

spráy hìtter *n.* 〖野〗 스프레이 히터《어떤 방향으로도 쳐낼 수 있는 타자》.

spráy nòzzle[**hèad**] *n.* 분무기 노즐.

spráy-pàint *vt.* 분무 도장(塗裝)하다.

spráy plàne *n.* 농약 살포기(機) (crop duster).

◇**spread** [spréd] *v.* (**spread**) *vt.* **1** [+目/+目+副/+目+前+名] 펴다; (가지 따위를) 내뻗다, 뻗치다, 내밀다; (접은 것을) 펼치다(open) ⟨*out*⟩: ~ a map 지도를 펴다 / ~ one's arms 양팔을 뻗다 / ~ the end of a rivet with a hammer 망치로 쳐서 대갈못의 끝을 납작하게 하다 / ~ ***out*** a carpet 양탄자를 깔다 / She ~ a cloth ***on*** the table[~ the table ***with*** a cloth]. 테이블에 테이블클로스를 깔았다. **2** [+目/+目+前+名] 더덕더덕 칠하다, 바르다: ~ paint 페인트를 칠하다 / ~ butter ***on*** bread 빵에 버터를 바르다 / ~ a slice (of bread) ***with*** jam 빵 조각에 잼을 바르다. **3** [+目/+目+前+名] 흩뿌리다, 살포하다; (병·불평 따위를) 퍼뜨리다, 만연시키다; (보도·소문을) 유포시키다; 공개하다(publish): ~ hay to dry 건초를 말리기 위해 펼치다 / Disease is ~ by flies. 질병은 파리로 인하여 퍼진다 / Somebody has ~ the news. 누군가 그 소식을 퍼뜨렸다 / The farmer ~ manure ***over*** the field. 그 농부는 밭에 비료를 뿌렸다. **4** [+目/+目+*with*+名] (식탁에) 음식 따위를 차리다, 내놓다: ~ the table (***with*** dishes) 식탁에 음식을 차리다, 식사 준비를 하다. **5** [+目/+目+副/+目+前+名] (…의 시간을) 연장하다, …을 연기하다, 미루다, 질질 끌다, 지연시키다: ~ a series of lectures ***over*** three months 3개월에 걸쳐 연속 강연을 하다 / The installments may be ~ ***out for*** twelve months. 분할 불입금은 12개월로 연장할 수도 있다.
—— *vi.* [動/+副/+前+名] **1** 펼쳐지다, 늘어나다, 미치다(expand)⟨*to*⟩; 전개하다; (시간적으로) 걸치다: The field ~ ***out before*** us. 벌판이 우리 눈앞에 펼쳐져 있었다 / The ink ~ ***over*** the desk. (엎질러진) 잉크가 책상 위에 온통 퍼졌다. **2** 퍼지다, 유포되다, 보급하다; 전염하다, 전해지다, 만연하다: The news ~ fast. 그 뉴스는 재빨리 퍼져나갔다 / The sickness ~ rapidly. 질병은 급속히 만연되었다 / The report of his heroic deed ~ ***throughout*** the country. 그의 영웅적 행위에 대한 소식이 온 나라에 퍼졌다.
spread one***self*** (1) 퍼지다, 발전하다, 확장하다. (2) 《口》 호감을 주려고 애쓰다; 허세부리다, 큰마음 먹고 인심쓰다; 꾸며서 장황하게 이야기하다[쓰다]⟨*on* a subject⟩, 허풍떨다(brag).
spread one***self thin*** 《美》 무리하게 한꺼번에 많은 일을 하려고 하다, 지나칠 정도로 동시에 이것저것 손을 대다.
—— *n.* **1** 넓이, 폭(extent). **2** 퍼짐, 전파, 유포(流布), 보급; 만연: the ~ *of* education[disease] 교육의 보급[질병의 만연]. **3** 전개; 퍼짐; 전성(展性): She is developing a middle-age ~. 《口》 그녀는 중년의 비대증(肥大症)에 걸려 있다. **4** 《口》 식탁에 차린 요리, 연회: What a ~! 굉장한 성찬이군. **5** 빵에 바르는 것《잼·버터 따위》. **6** 까는 것《시트 따위》. **7** 《美》 〖商〗 (원가와 판매가격의) 차이, 격차(gap). **8** (신문·잡지의) 2단[페이지]에 걸치는 특집 기사, 광고. **9** 《口》 자랑해 보이기, 허풍.
—— *a.* [*p.p.*로] 퍼져 있는, 퍼진, 평면의; 〖音聲〗 평순(平脣)의; (보석이) 박석(薄石)의.
〖OE *sprǣdan*; cf. SPROUT, G *spreiten*〗

spréad béaver *n.* 《卑》 만개(滿開) (split beaver) 《포르노 사진 따위에서 벌려 보이는 여성의 음부》, (걸터 앉은 여성의) 들여다보이는 그 곳.

spréad cíty *n.* 《美》 무질서하게 개발·확대된 도시, 스프롤(sprawl)화(化)한 도시.

spréad éagle *n.* **1** 〖紋〗 다리를 벌리고 날개를 편 독수리《미국의 문장(紋章)》. **2** 자기 자랑하는 사람. **3** 〖스케이트〗 스프레드 이글《양 발꿈치를 대고 발끝을 일직선상에 180도로 펴고 미끄러지는 형》. **4** 등을 갈라서 구운 새.

spréad-èagle *a.* **1** 다리를 벌리고 날개를 편 독수리와 같은. **2** 《口》 과장적인; 오만한. —— *vi.* 〖스케이트〗 스프레드 이글형으로 타다; 《俗》 손발을 벌리고 서다[나아가다]. —— *vt.* (손발 따위를) 펴다; 사지를 벌려 묶다《태형(笞刑)에 처하기 위함》: He fell ~*d* to the ground. 그는 큰 대자로 땅에 넘어졌다.

spréad énd *n.* =SPLIT END.

spréad·er *n.* 펼치는[펼쳐지는] 것; 전파자[기]; (섬유를 고르게 펴는) 연전기(延展機); (안테나의) 세움대; 〖海〗 지삭(支索)을 팽팽하게 당기는 가로대; 전착제(展着劑), 유화제(乳化劑), 침윤제(浸潤劑).

spréad formàtion *n.* 〖美蹴〗 스프레드 포메이션《엔드는 태클의 3-5야드 바깥쪽, 테일백은 라인의 7-8야드 후방, 그밖에 세 사람의 백은 라인에 가까운 측면을 노리는 위치》.

spréad·hèad *n.* (신문의) 큰 표제.

spréad-òver *n.* 작업 시간 융통제.

spreathed [sprí:ðd] *a.* 《英南西部·南웨일스》 (살갗이) 튼, 아픈, 알알한(chapped).

spree [sprí:] *n.* 흥청거림; 법석댐, 탐닉, 주연: be on the ~ 흥겹게 마시고 놀다 / go on[have] a ~ 진탕 마시다. —— *vi.* 흥겹게 떠들어대다. 〚C19 < ?; cf. Sc. *spreath* plundered cattle〛

sprig [spríg] *n.* **1** (잎이나 꽃이 달린) 잔가지(twig), 어린 가지(shoot): a ~ *of* lilac 라일락의 잔가지. **2** (직물·도자기·벽지 따위의) 잔가지 무늬. **3** 자식, 자손, (…의) 출생 〈*of*〉; 《口·戱》 후계자; 《蔑》 젊은 녀석(young man). **4** 대가리 없는 작은 못.

—— *vt.* (**-gg-**) 잔가지로 장식하다, …에 잔가지 무늬를 넣다; (대가리 없는 작은) 못을 박다: ~*ged* muslin 잔가지 무늬의 모슬린.

〚LG *sprick*; cf. SPRAG, SPRAY[2]〛

spríg·gy *a.* 잔가지가 많은, 어린 가지를 많이 친; 잔가지 같은.

spright [spráit] *n.* 《古》 =SPRITE.

spríght·ly *a.* 활발한, 힘찬, 위세 당당한; 명랑한(gay). —— *adv.* 활발하게; 명랑하게.

spríght·li·ness *n.*

〚변형(變形) 〈*sprite*, -*ly*[1]〉〛

◇**spring** [spríŋ] *v.* (**sprang** [sprǽŋ], **sprung** [sprʌ́ŋ]; **sprung**) *vi.* **1** [+前+名/+副] 뛰다, 튀다, 뛰어오르다(jump): I *sprang* ***to*** my feet. 나는 벌떡 일어섰다《분노·놀람 따위의 표현》/ The dog *sprang* ***at*** his leg[***upon*** him]. 개가 그의 다리를 향해[그에게] 달려들었다 / He *sprang* ***out of*** bed. 그는 침대에서 벌떡 일어났다 / The soldier *sprang* ***to*** attention. 그 병사는 벌떡 일어나서 차려 자세를 취했다 / We all *sprang* ***up from*** our seats. 우리는 모두 좌석에서 벌떡 일어섰다.

2 [動/+副/+補] 튀기다, 되튀다, 갑자기 …하다: A trap ~*s*. 덫은 튀기는 장치로 되어 있다 / The boy let the twig ~ *back*. 소년은 잔가지를 되튕기게 했다 / The lid *sprang* ***to***. 뚜껑이 탁 닫혔다 / The doors *sprang* open. 문이 확 열렸다.

3 [+前+名] 갑자기[단번에] …하다: ~ ***into*** fame 일약 유명해지다 / He *sprang into* a sudden and furious hate. 그는 갑자기 격렬한 증오심이 일어났다.

4 [+副/+*from*+名] **a**) (피·눈물 따위가) 갑자기 흘러 나오다; 솟아나다: Water suddenly *sprang* ***up***. 물이 갑자기 솟아났다 / The tears *sprang* ***from*** her eyes. 그녀의 눈에서 눈물이 흘러내렸다. **b**) (불·불꽃이) 튀어 오르다, 타오르다.

5 [+副/+*from*+名] 싹트다, 나다; [보통 ~ up] 일어나다, (상태·감정 따위가) 생기다, 나타나다; [보통 ~ up] (마음에) 떠오르다: The rice is beginning to ~ ***up***. 벼가 패기 시작하고 있다 / Hot, dry winds *sprang up* suddenly. 덥고 건조한 바람이 갑자기 일었다 / A doubt *sprang up* in his mind. 갑자기 그의 마음에 의심이 떠올랐다 / Every plant ~*s* ***from*** its seed. 식물은 모두 씨에서 싹이 나온다 / The river ~*s from* the side of the mountain. 그 강은 산허리에서 발원하고 있다 / Where have you *sprung from*? 너는 갑자기 어디에서 나타났느냐.

6 [+前+名] (사람이 …의) 출신이다: The young man was *sprung* ***from***[***of***] a royal stock. 그 젊은이는 왕가 출신이었다《[주] was는 발생을 나타내는 자동사의 과거분사를 수반하여 결과의 상태를 나타내고 있다》.

7 (재목·판자 따위가) 휘다, 뒤틀리다, 갈라지다(split): A board of the siding had *sprung*. 벽판자 하나가 휘어 있었다.

—— *vt.* **1** (사냥할 새 따위를 숨은 곳에서) 날아오르게 하다, 튀어 나가게 하다: ~ a pheasant 꿩을 날게 하다. **2** [+目/+目+*on*+名] 갑자기 꺼내다[말문을 열다]: ~ a surprise ***on*** a person 갑자기 사람을 놀라게 하다. **3 a**) (스프링 장치로) 튀게 하다, (덫 따위를) 퉁기다: ~ a trap 덫을 용수철로 퉁기게 하다. **b**) [주로 *p.p.*로] …에 용수철[스프링]을 달다. **4** (지뢰 따위를) 폭발시키다. **5** (재목 따위를) 휘게 하다, 굽히다, 쪼개다: ~ a tennis racket 테니스 라켓에 금이 가게 하다.

spring a leak (배에) 물구멍이 생기다, 물이 새기 시작하다.

spring a mine on... ☞ MINE[2] *n.*

—— *n.* **1** 뜀, 뛰어오름, 도약, 비약. **2** 용수철, 태엽, 스프링. **3** [U] 튐, 반동; 탄성(彈性), 탄력; (마음의) 원기, 활력. **4** 동기, 원동력. **5** 발생, 발상. **6 a**) [U] 봄《통속적으로 3, 4, 5월; 천문학에서는 춘분에서 하지까지》: in (the) ~ 봄에(는) / in the ~ of 1998 1998년 봄에. **b**) [때때로 *pl.*] 사리(의 시기) (spring tide). **c**) 《비유》 청춘, 성장기; 초기. **7 a**) 샘, 수원(水源), 원천: a hot ~ 온천. **b**) 본원, 근원. **8 a**) (목재 따위의) 휨, 뒤틀림. **b**) 틈새, 갈라진 틈. **9** 〖海〗 새는 곳(leak). **10** 〖建〗 아치 지점(支點). **11** [형용사적으로] 용수철이 있는; 봄의, (모자 따위) 봄철용의; 원천의, 원천에서 나오는: the ~ semester 봄 학기.

〚OE *springan*; cf. G *springen*; '봄'의 뜻(OE는 *lencten* lenten, ME는 *somer* summer)은 16세기부터〛

[類義語] ⟹ RISE.

spring·al(d) [spríŋəl(d)] *n.* 《古》 젊은이. 〚ME〛

spríng bálance *n.* 용수철 저울.

spríng béam *n.* 스프링보, 대들보, 이음보《가운데 기둥이 없는 것》.

spríng béauty *n.* 〖植〗 쇠비름과(科) 클레이토니아속(屬)의 식물.

spríng béd *n.* 용수철[스프링 달린] 침대.

spríng·bòard *n.* **1** 〖競〗 스프링보드《수영·체조의 도약판》. **2** 《비유》 출발점; 비약(飛躍)을 위한 거점[발판]〈*to*〉.

spring·bok [spríŋbɑ̀k], **spríng·bùck** *n.* (*pl.* ~**s**, ~) 〖動〗 스프링복《남아프리카산의 가젤(gazelle)》; [S~s] 남아프리카 사람들, (특히) 남아프리카 럭비[크리켓] 팀《따위》.

〚Afrik. < Du. (SPRING + *bok* buck[1])〛

spríng bòlt *n.* 용수철 달린 빗장.

spríng cárriage *n.* 용수철 달린 마차.
spríng cárt *n.* 용수철 달린 짐수레[짐마차].
spríng chícken *n.* 햇병아리, 영계 ;《俗》 풋내기, 숫처녀.
spríng-cléan *vt.* …의 춘계 대청소를 하다.
— *n.*《英》 =SPRING-CLEANING.
spríng-cléan·ing *n.* Ⓤ 춘계 대청소.
springe [sprínd3] *n.* (새 따위를 잡는) 덫, 올가미. — *vt.* 덫에 걸리게 하다, 덫으로 잡다.
— *vi.* 덫을 놓다[설치하다].
〖ME<OE《美》 *sprencg*〗
spring·er [spríŋər] *n.* **1** 뛰는[튀는] 사람[것]. **2** 스프링어 스패니얼《사냥감을 찾는 데[날아오르게 하는 데] 쓰는 수렵용 개》. **3**〖建〗(아치의) 기공석(起拱石). **4**〖動〗=SPRINGBOK ;〖動〗 흰줄박이돌고래(grampus).
spríng féver *n.* 초봄의 우울증.
Spring·field [spríŋfi:ld] *n.* **1** 스프링필드《(1) Illinois 주의 주도. (2) Massachusetts 주 남서부의 도시. (3) Missouri 주 남서부의 도시》. **2** 스프링필드 총.
spríng gùn *n.* 용수철 총《방아쇠에 철사 따위가 연결 되어 있어서 사람이나 동물이 건드리면 발사됨》.
spríng·hàlt *n.* =STRINGHALT.
spríng·hèad *n.* 수원(水源), 원천〈*of*〉.
spríng hòok *n.* 여미는 곳을 스프링으로 채우는 훅, 호크 ;〖낚시〗 고기가 물면 스프링이 튀어서 걸리게 된 갈고리.
spríng·hòuse *n.*《美》(샘·개울 위에 걸쳐 지은) 육류(肉類) 저장소, 낙농장.
spríng·ing *n.* **1** SPRING하는 동작[운동]. **2** 용수철, (특히 탈것의) 완충 스프링 ; 스프링 장치. **3**〖建〗=SPRING *n.* 10.
spríng·ing bów [-bóu] *n.*〖樂〗(현악기의) 스피카토(spiccato) 주법(奏法).
spríng·less *a.* 용수철이 없는 ; 기백이 없는 ; 활력이 없는 : a ~ bed 용수철 없는 침대.
spríng·let *n.* 작은 샘.
spríng·lìke *a.* 봄 같은 ; 스프링[용수철] 같은.
spríng lòck *n.* =SNAP LOCK.
spríng máttress *n.* 용수철이 든 매트리스.
spríng ónion *n.*〖植〗 파.
spríng róll *n.* 잘게 썬 소를 얇게 구운 밀전병으로 싸서 기름에 튀긴 중국 요리(egg roll).
spríng scàle *n.*《美》 용수철 저울.
spríng·tàil *n.*〖昆〗 톡토기.
spríng tíde *n.* **1** 사리《초승달·보름달이 뜰 때에 일어남 ; ↔*neap tide*》. **2**《비유》 분류(奔流), 급류, 만조(滿潮)〈*of*〉.
spríng·tìme, -tìde *n.* Ⓤ 봄, 춘계 ; 청춘(青春) ; 초기〈*of*〉.
spríng tráining *n.* (프로 야구 팀의) 춘계 훈련.
spríng·wàter *n.* Ⓤ 솟아 나오는 물, 샘물(cf. RAINWATER).
spríng-wínter màrriage *n.* 젊은 여자와 나이 많은 남자와의 결혼.
spríngy *a.* **1** 탄력[탄성]있는(elastic) ; 용수철 같은 ; 경쾌한, 발걸음이 가벼운. **2** 샘이 많은 ; 습기 찬. **spríng·i·ly** *adv.* **-i·ness** *n.*
sprin·kle** [spríŋkəl] *vt.* [+目/+目+前+名] 뿌리다 ; 끼얹다, 흩뿌리다 ; 산재(散在)시키다 : ~ water ***on the street= ~ the street ***with*** water 길에 물을 뿌리다 / churches ~*d* ***over*** the city 도시에 산재해 있는 교회.
— *vi.* [it을 주어로 하여] 비·눈이 부슬부슬 내리다 ; 가랑비가 내리다 : *It* began to ~. 비가 부슬부슬 내리기 시작했다.
— *n.* **1** 소량, 조금 : a ~ *of* rain 부슬비. **2** 가랑비[싸라기 따위] ; 흩뿌려진 것 : a brief ~ 잠깐 내리는 가랑비[싸라기].
〖ME< ? MDu. *sprenkelen*〗
類義語 ***sprinkle*** 물·가루를 뿌리다 : *sprinkle* water over the garden (정원에 물을 뿌리다). ***scatter*** 물건을 사방으로 어수선하게 흩뿌리다 : The wind *scattered* the fallen leaves on the street. (바람에 날려 낙엽이 길위에 흩어져 있었다). ***strew*** 물건의 표면을 덮기 위해 가지런히 또는 무질서하게 scatter하다 : to *strew* a floor with sawdust (마루에 톱밥을 뿌리려고).
sprín·kler *n.* (물 따위를) 뿌리는 사람[것] ; 물뿌리개 ; 살수차(撒水車) ; 살수 장치.
sprínkler sỳstem *n.* (천장 따위에 장치한) 자동 소화 장치 ; (탄갱 따위의) 방진용(防塵用) 살수 장치 ; (잔디·골프장 따위의) 살수 장치.
sprín·kling *n.* **1** (비·눈 따위가) 부슬부슬 내리기 : a ~ *of* rain 부슬비, 가랑비. **2** (손님 등의) 드문드문한 내방, 가끔 오기 ; 조금, 소량 : a ~ *of* visitors 가끔씩 찾아오는 손님들 / They haven't a ~ *of* sympathy. 그들은 손톱만큼의 동정심도 없다.
sprínkling càn *n.* 물뿌리개, 조로(watering pot).
sprint [sprínt] *n.* 단거리 경주, 스프린트 ; (경주 마지막의) 전력 질주 ; (일시적인) 전력투구.
— *vt., vi.* (단거리 경주에서) 전속력으로 달리다. **~·er** *n.* 단거리 주자, 스프린터.
〖Scand.< ?〗
sprínt càr *n.* 스프린트 카《주로 단거리의 dirt track용의 중형의 레이싱 카》.
sprit [sprít] *n.*〖海〗 사형(斜桁)《돛을 펼치는 데 쓰는 둥근 활대 ; 제 1 사장(斜檣) ; cf. BOWSPRIT》. 〖OE *sprēot* pole ; cf. SPROUT〗
sprite [spráit] *n.* 요정, 작은 요정(妖精), 요괴(goblin). 〖ME *sprit*< OF *esprit* SPIRIT〗
sprít·sàil [ˌ,《海》 -səl] *n.*〖海〗 사형범(斜桁帆)《원래 BOWSPRIT 밑의 활대에 친 가로돛》.

spritsail
sprit

sprit

spritz [spríts, ʃpríts] *n.* 분출, 즉흥(의 재미있는 말솜씨). — *vt., vi.* 분출시키다[하다].
〖? G *Spritze* squirt, injection〗
sprítz·er *n.*《美俗》 신용(信用) 사기꾼.
sprock·et [sprɑ́kət] *n.* **1** 사슬 톱니 바퀴. **2** = SPROCKET WHEEL. 〖C16< ?〗
sprócket whèel *n.*〖寫〗 스프로킷《사진기의 필름을 감는 톱니바퀴(perforation)》; (자전거 따위의) 사슬 톱니바퀴.
sprog [sprɔ́(:)g, sprɑ́g] *n.*《英俗》 애송이 ; (공군의) 신병 ; 신입생.
sprout [spráut] *n.* **1** 싹, 눈, 움(shoot), 발아. **2** [*pl.*]《口》 싹눈양배추(Brussels sprouts). **3** 자손 ;《口》 젊은이.
put...through a course of sprouts《美 口》 …을 맹훈련시키다, 혼내다.
— *vi.* [動/+副] 싹트다 ; 돋아나다, 발생하다 : Buds ~ in spring. 봄에 싹이 튼다 / New leaves have ~*ed* ***up***. 새잎이 돋아났다.
— *vt.* **1** 싹트게 하다, 싹이 돋아나게 하다 : The

rain has ~*ed* the wheat. 비가 와서 밀의 싹이 나왔다. **2** 《美口》 (감자 따위의) 싹을 따다. **3** 돋아나게 하다, (…을) 내밀다, (수염을) 기르다: The deer is ~*ing* a horn. 사슴의 뿔이 돋아나고 있다 / He has ~*ed* a moustache. 그는 콧수염을 길렀다 / The rooftops of the city are ~*ing* antennas. 도시의 건물들 옥상에 안테나가 솟아있다. 〚OE 《美》 *sprūtan*; cf. G *spriessen*〛

spróut·ling *n.* 어린 (새)싹.

spruce[1] [sprúːs] *a.* 말쑥한, 산뜻한, 맵시 있는; 멋진, 깔끔한. ── *vt.* [+目+副] [때때로 ~*oneself* 로] 말쑥하게 하다, 맵시 있게 하다: ~ *oneself* ***up*** for dinner 만찬을 위해서 말쑥하게 치장하다. ── *vi.* 말쑥해지다〈*up*〉.
~·ly *adv.* 말쑥하게, 맵시 있게. **~·ness** *n.*
〚? SPRUCE²〛

spruce[2] *n.* 〔植〕 가문비나무속(屬)의 상록 교목, 전나무; Ⓤ 그 재목.
〚*Pruce* (obs.) Prussia; cf. PRUSSIAN〛

sprúce bèer *n.* 가문비나무술《가문비나무의 가지나 잎을 넣은 당밀을 발효시켜 만듦》.

sprúce gùm *n.* 스프루스 검《전나무·가문비나무에서 채취하는 추잉 검의 재료》.

sprue[1] [sprúː] *n.* (주조에서) 녹인 금속을 거푸집[주형(鑄型)]에 흘러들게 하는 주입구.
〚C19 < ?〛

sprue[2] *n.* 〔醫〕 스프루《열대병의 일종; 설사·구강염(口腔炎) 따위를 병발함》.
〚Du. *spruw* THRUSH²; cf. Flem. *spruwen* to sprinkle〛

spruik [sprúːk] *vi.* 《濠俗》 열변을 토하다, 장광설을 늘어놓다; 팔(아먹)다. **~·er** *n.* 《濠俗》 쇼맨(showman); 웅변가, 선동가, 세일즈맨.
〚C20 < ?〛

spruit [sprúːt, spréit] *n.* (아프리카 남부의) 우기 때만 물이 흐르는 작은 지류(支流). 〚Afrik.〛

‡**sprung** [sprʌ́ŋ] *v.* SPRING의 과거·과거분사.
── *a.* 《口》 (술이) 거나한; 용수철이 부서진, 탄력을 잃은; 스프링 장치의.

sprúng rhỳthm *n.* 〔韻〕 스프렁 리듬《하나의 강세가 넷까지의 약한 음절을 지배하며 주로 두운(頭韻)·중간운(中間韻) 및 어구를 반복해서 리듬을 갖추는 운율법》.

spry [sprái] *a.* (**~·er, spri·er; -est, spri·est**) 활발한, 기운찬, 민첩한. **~·ly** *adv.* **~·ness** *n.*
〚C18 (dial. and U.S.) < ?; cf. Swed. (dial.) *spragg* SPRIG〛

SPS 〔宇宙〕 Service Propulsion System《service module의 주(主)로켓 시스템》. **s.p.s.** *sine prole superstite* 《L》 (=without surviving issue) (살아남은 자손 없이). **spt.** seaport; spirit; support.

spud [spʌ́d] *n.* **1** (제초(除草)용의) 작은 가래; (나무 따위의) 박피용 작은 칼. **2** 《口》 감자. **3** 굵직하고 짧은 것; 《俗》 돈(money). ── *vt., vi.* (**-dd-**) 작은 가래로 파다〈*up, out*〉; (유전(油田) 따위를) 본격적인 보링을 시작하다, 개갱(開坑)하다. 〚ME=short knife < ?〛

spúd bàsher *n.* 《英(軍)俗》 감자껍질을 벗기는 기구.

spúd·der *n.* (나무껍질 벗기는데 쓰는) 끌 모양의 도구; 《口》 개갱(開坑) 작업원, 굴착 장치.

spud·dle [spʌ́dl] *vt., vi.* 《英》 조금 파다, 파헤치다(dig about).

spud·dy [spʌ́di] *a.* 땅딸막한(pudgy).

spudge [spʌ́dʒ] *vi.* 《美俗》 활동적으로 돌아다니다, 정력적으로 일하다.

spue [spjúː] *v., n.* =SPEW.

spume [spjúːm] *n.* Ⓤ 《文語》 거품(foam).
── *vi.* 거품이 일다. ── *vt.* 부글부글 내뿜다.
〚OF or L *spuma*〛

spu·mes·cent [spjuːmésənt] *a.* 거품 모양의; 거품이 이는(foaming). **-cence** *n.*

spu·mo·ni [spəmóuni, spuː-], **-ne** [-ni, -nei] *n.* 스푸모네《각기 다른 맛·향기가 층층이 있는 (프루트[너트]) 아이스크림》.
〚It. (aug.) < *spuma* < L SPUME〛

spu·mous [spjúːməs], **spúmy** *a.* 거품의; 거품투성이의, 발포성(發泡性)의.

***spun** [spʌ́n] *v.* SPIN의 과거·과거분사.
── *a.* (실을) 자은; 잡아늘인〈*out*〉; 《英俗》 지친(tired out): ~ gold[silver] 금[은]실 / ~ yarn 방적사(紡績絲); 〔海〕 꼰 밧줄.

spún·bònd·ed *a.* 스펀본디드의《화학 섬유를 방사(紡絲)하면서 만들어진 부직포(不織布)에 대하여 말함》.

spún-dýed *a.* (합성 섬유가) 스펀 염색의《방사하기 전에[방사할 때] 염색함》.

spunge ☞ SPONGE.

spún glàss *n.* =FIBERGLASS.

spunk [spʌ́ŋk] *n.* Ⓤ (점화용) 부싯깃(punk); 《口》 용기, 기력, 원기: get one's ~ up 기운을 내다, 분발하다. ── *vi.* 《스코》 (이야기 따위가) 공개되다, 누설되다, 알려지다〈*out*〉; 《方》 화내다; 《美》 분발하다. ── *vt.* 《美》 (용기 따위를) 불러 일으키다〈*up*〉. 〚C16=spark < ?; cf. Sc. Gael. *spong* tinder, sponge〛

spunk·ie [spʌ́ŋki] *n.* 《스코》 **1** 도깨비불. **2** 혈기 왕성한 사람, 용감한 사람; 성마른 사람.

spúnky *a.* 혈기 왕성한, 기운찬.

spún ráyon *n.* 방적 인견, 스펀 레이온.

spún sílk *n.* 견방사(의 직물).

spún stríng *n.* 〔樂〕 가는 철사로 감은 현(絃).

spún súgar *n.* 《美》 솜사탕(=《英》 candy floss).

***spur** [spə́ːr] *n.* **1** 박차(拍車). **2** 《비유》 자극, 격려, 고무; 동기. **3** 박차 모양의 돌기물; 〔動〕 가시, 침; (암석·산 따위의) 돌출부; 〔海〕 잠갑(潛岬); (닭 따위의) 며느리발톱, (싸움닭의 며느리발톱에 다는) 쇠발톱, (곤충 따위의) 침; (등산화의) 징, 아이젠; (철도의) 지선(支線).
need the spur (말(horse)이) 느리다; (사람이) 해이해져) 긴장하게 할 필요가 있다.
put[***set***] ***spurs to*** …에 박차를 가하다; …을 격려하다.
(***up***)***on the spur of the moment*** 얼떨결에, 앞뒤 생각 없이; 순간적으로, 갑자기.
win one***'s spurs*** 〔史〕 (공훈을 세워) 훈작(勳爵)을 받다; 《비유》 공을 세우다, 명성을 떨치다.
with whip and spur = ***with spur and yard*** 황급히, 서둘러서, 즉시(at once).
── *v.* (**-rr-**) *vt.* **1** [+目/+目+副] (말에) 박차를 가하다: ~ a horse (***on***) 말에 박차를 가하여 몰다. **2** [+目+*to* do/+目+前+名/+目+副] 《비유》 격려하다, 자극하다, 휘몰다: Desire ~*red* Tom *to* fight. 욕망에 이끌려 톰은 싸웠다 / ~ a person ***on to***[***up to***] an effort 남을 격려하여 더욱 분발시키다. **3** [보통 *p.p.*로] …에 박차[쇠발톱]를 달다.
── *vi.* [+前+名/+副] (말에) 박차를 가해 나아가게 하다, 서둘러 타고 가다, 서두르다: The knight ~*red* ***on***[*forward*] ***to*** the castle. 기사는 말을 몰고 급히 성으로 달려갔다.
spur a willing horse 혈기왕성한 말에 박차를

가하다 ; 《비유》 집요하게 굴다, 공연히 서두르다. 〖OE *spora, spura* ; cf. SPURN, G *Sporn*〗 [類義語] ⟹ MOTIVE.

spurge [spə́:rdʒ] *n.* 〔植〕 등대풀《수액(樹液)은 하제(下劑)》. 〖OF *espurge*<L ; ⇨ EXPURGATE〗

spúr gèar *n.* 〔機〕 평(平)톱니바퀴.

spúr gèaring *n.* 〔機〕 평톱니바퀴 장치.

spur gear

spu·ri·ous [spjúəriəs] *a.* **1** 가짜의, 위조의(↔*genuine*) ; 그럴듯한, 겉치레의. **2** 사생아의, 잡종의. **3** 〔生〕 사이비(似而非)의, 의사(擬似)의. **~·ly** *adv.* 부정하게 ; 가짜로. 〖L *spurius* false〗

spurn [spə́:rn] *vt.* 걷어차다 ; 차버리듯 쫓아내다 ; 박차다, 퇴짜놓다 : ~ a beggar 거지를 내쫓다 / ~ a person's offer 남의 제안을 일축하다 / ~ a bribe 뇌물을 물리치다. —— *vi.* [+*at*+[名]] 물리치다, 상대하지 않다 : ~ ***at*** a restraint 구속을 무시하다. —— *n.* 걷어차기 ; 박차기, 퇴짜 놓기. 〖OE *spurnan* ; cf. SPUR〗

spurred [spə́:rd] *a.* 박차를 단《구두 따위》; 며느리발톱이 있는 ; 쇠발톱을 단.

spur·ri·er [spə́:riər ; spʌ́r-] *n.* 박차 제조인.

spur·ry, -rey [spə́:ri, spʌ́ri ; spʌ́ri] *n.* 〔植〕 나도개미자리과(科)의 식물. 〖Du.〗

spurt, spirt [spə́:rt] *vi.* **1** [動 / +[副] / +[前]+[名]] 내뿜다, 뿜어나오다 : Blood ~*ed* (***out***) ***from*** the wound. 상처에서 피가 뿜어나왔다. **2** 싹트다, 자라다. **3** 단시간에 전속력을 내어 달리다, 속력을 내다 : The runners ~*ed* in the last lap. 주자(走者)들은 마지막 한 바퀴에 들어서자 전력을 다해 달렸다. —— *vt.* 뿜어내다, 분출(噴出)시키다〈*with*〉. —— *n.* **1** 내뿜음, 분출 ; (감정 따위의) 격발(激發)〈*of*〉. **2** (가격의) 급등 (기간). **3** 역주(力走), 역영(力泳), 한바탕의 분발 ; 순간 : make a ~ 역주하다 / put on a ~ 《口》 서두르다, (막판에) 속력을 내다. 〖C16<?〗

spúr tràck *n.* 〔鐵〕 지선(支線) (branch).

spúr whèel *n.* 〔機〕 평(平)톱니바퀴.

sput [spú(:)t, spʌ́t] *n.* 《俗》 =SPUTNIK.

sput·nik [spú(:)tnik, spʌ́t-] *n.* [때때로 S~] 스푸트니크《구소련의 인공 위성으로 제1호는 1957년 10월 4일에 발사》; (일반적으로) 인공 위성. 〖Russ.=traveling companion〗

sput·ter [spʌ́tər] *vi.* [動 / +[副]] 투덜투덜 대다, 퉤퉤하다 ; 침을 튀기다 ; 입속의 음식을 튀기다 ; 잽싸게 지껄이다 ; (프라이 팬 따위에서) 지글지글 끓다 : The meat is ~*ing* in the frying pan. 고기가 프라이 팬에서 지글지글 소리내고 있다 / The two candles ~*ed* ***out.*** 두 자루의 촛불이 지글지글 소리내며 타다가 꺼졌다. —— *vt.* (침이나 입속의 음식을) 튀기다 ; 재빨리 지껄이다. —— *n.* [U,C] 투덜투덜 대기 ; 빨리 말함. 〖Du. (imit.)〗

spu·tum [spjú:təm] *n.* (*pl.* **-ta** [-tə], **~s**) [U,C] 침, 타액 ; 〔醫〕 담, 가래 (expectoration). 〖L *sput- spuo* to spit, SPEW〗

spy** [spái] *n.* 스파이, 군사 탐정, 간첩 ; 첩자, 탐정 : be a ~ on …을 정찰하다. —— *vt.* **1** [+目 / +目+[副]] 염탐하다, 몰래 조사하다, 탐정하다 : ~ ***out a secret 비밀을 캐내다. **2** [+目 / +目+do*ing*] 알아채다(observe), 찾아내다 : He is quick at ~*ing* the faults of others. 그는 남의 결점을 찾아내는 데는 빠르다 / He *spied* a stranger enter*ing* the yard. 어떤 낯선 사람이 마당에 들어오는 것을 알아챘다. —— *vi.* [+[前]+[名]] 몰래 조사하다, 스파이 짓을 하다 ; 망보다 : ~ (***up***) ***on*** the enemy's movements 적의 동정을 살피다 / ~ ***into*** a secret 몰래 비밀을 염탐하다. 〖OF *espier* to ESPY<Gmc.〗

spý·glàss *n.* 작은 망원경, 쌍안경.

spý·hòle *n.* 엿보는 구멍.

spý plàne *n.* 스파이기(機).

spý sàtellite *n.* 정찰[스파이] 위성.

spý shìp *n.* 간첩선.

Sq. Squadron. **sq.** *sequens* 《L》 (=the following (one)) ; sequence ; square. **SQ** 〔國際航空略稱〕 Singapore Airlines ; survival quotient (장수 지수(指數)). **Sqd(n). Ldr.** Squadron Leader. **sq. ft.** square foot[feet]. **sq. in.** square inch(es). **sq. mi.** square mile(s). **sqn.** squadron. **sqq.** *sequentes* or *sequentia* 《L》 (= (and) the following (ones)).

squab [skwɑ́b] *a.* **1** 땅딸막한(squat). **2** (새가) 갓 부화된 ; 아직 털이 나지 않은. —— *n.* **1** (특히 아직 털이 나지 않은) 새끼, 비둘기 새끼. **2** 땅딸막한 사람 ; 푹신한 쿠션, 소파(sofa) ; 《美俗》 젊은 여성. —— *adv.* 쿵, 털썩(plump). 〖C17<? ; cf. *quab* (obs.) shapeless thing, Swed. *sqvabba* (dial.) fat woman〗

squab·ble [skwɑ́bəl] *n.* 사소한 싸움, 말다툼. —— *vi.* [動 / +[前]+[名]] 사소한 일로 싸움[말다툼]을 하다, 언쟁하다 ; 〔印〕 (짠 활자가) 뒤죽박죽이 되다 : John often ~*s* ***with*** his brother ***about*** trivials. 존은 사소한 일로 곧잘 동생과 말다툼한다 / They ~*d* ***among*** themselves. 그들은 하찮은 일로 저희들끼리 다투었다. —— *vt.* (짠 활자를) 뒤죽박죽이 되게 하다. 〖? imit. ; cf. Swed. *sqvabbel* (dial.) a dispute〗

squáb·by *a.* 땅딸막한(squat).

squáb pìe *n.* 비둘기 고기 파이 ; 양파·사과가 든 양고기 파이.

squad [skwɑ́d] *n.* **1** 〔美軍〕 분대(分隊) (☞ ARMY 1) ; 〔英軍〕 반(班) : ~ drill 분대 교련. **2** 적은 병력, (경찰) 분대(分隊), 단(團) ; 《美》 (운동선수의) 팀 : a ~ *of* children 일단의 아이들 / an awkward ~ 신병반 ; 미숙한 무리들 / ☞ FLYING SQUAD. —— *vt.* 분대로 편성[편입]하다 ; 분대에 배속시키다. 〖F *escouade* (변형(變形)) ‹ *escadre*<It. SQUARE〗

Squad. 〔軍〕 Squadron.

squád càr *n.* (본서와의 연락용 무선 설비가 있는) 경찰 순찰차(=《美》 cruise[prowl] car).

squad·die, -dy [skwɑ́di] *n.* 《口》 반원(班員) 《squad의 일원》; 《英俗》 신병, 사병, 졸병.

squád lèader *n.* 분대장.

squad·rol [skwɑ́droul] *n.* (경찰의) 구급차 겸용의 순찰차 ; 《俗》 경찰관(의 일대(一隊)).

squad·ron [skwɑ́drən] *n.* **1** 〔陸軍〕 기병대대 (cf. BATTALION). **2** 〔海軍〕 (소)함대, 전대(戰隊) 《함대(fleet)의 일부》. **3** 〔美空軍〕 비행(대)대 《2개 이상의 소대(flights)로 이뤄짐 ; cf. WING 6》. **4** 단체, 조(group). —— *vt.* squadron에 편성하다. 〖It. ; ⇨ SQUAD〗

squádron lèader *n.* 《英》 공군 소령.

squád ròom *n.* 〔軍〕 분대 막사[침실] ; (경찰서의) 경찰관 집합실.

squail [skwéil] *n.* 《英》 [~s ; 단수취급] 스퀘일즈 《원반놀이의 일종》; (스퀘일즈용(用)의) 작은 원반. —— *vi., vt.* 《方》 (납 따위를 채운) 스틱을 던

지다[으로 두드리다]〈*at*〉.

squal·id [skwɑ́ləd, 美+skwɔ́ː-] *a.* **1** 누추한, 지저분한, 더러운. **2** 《비유》 불결한, 비열한, 천박한. **~·ly** *adv.* **~·ness** *n.*
〖L (*squaleo* to be rough or dirty)〗

squa·lid·i·ty [skwɑlídəti, 美+skwɔː-] *n.* Ⓤ 더러움, 비열함, 지저분함.

squall[1] [skwɔ́ːl] *n.* **1** 질풍(疾風), 돌풍(突風), 스콜《단시간의 국부적인 돌풍 ; 흔히 비·눈·우박 따위를 동반함》: a black ~ 검은 스콜 / a white ~ 흰 스콜《맑은 날씨에 일어남》. **2** 《비유·口》 돌발적인 소동(trouble), 싸움, 위험 : Look out for ~*s.* 위험[소동]을 경계하라. —— *vi.* [it을 주어로 하여] 질풍처럼 불다. **~·ish** *a.*
〖C17 < ? Scand. (Swed. and Norw. *skval* rushing water)〗

squall[2] *vi.* 비명[고함]을 지르다. —— *vt.* 고함지르며 말하다〈*out*〉. —— *n.* 비명, 외마디 소리, 고함(scream). **~·er** *n.* 〖*bawl*과의 유추로 *squeal*에서 인가 ; cf. ON *skval* useless chatter〗

squálly *a.* 질풍의, 폭풍이 일듯한 ; 《口》 험악한.

squa·loid [skwéilɔid] *a.* 상어(shark)의 ; 상어 비슷한.

squal·or [skwɑ́lər, 美+skwɔ́ː-, 美+skwéi-] *n.* Ⓤ 누추함, 지저분함(filth) ; 천박함, 비열(卑劣).
〖L = foulness ; ⇨ SQUALID〗

squam- [skwéim, skwɑ́ːm], **squa·mo-** [skwéimou, skwɑ́ː-, -mə] *comb. form* 「비늘(scale, squama)」의 뜻. 〖L (↓)〗

squa·ma [skwéimə, skwɑ́ː-] *n.* (*pl.* **-mae** [skwéimiː, skwɑ́ːmai]) 〖動〗 비늘, 비늘 모양의 것 ; 〖植〗 인편(鱗片). 〖L〗

squa·mate [skwéimeit, skwɑ́ː-] *a.* 비늘이 있는.

squa·mose [skwéimous, skwɑ́ː-, skwəmóus] *a.* = SQUAMOUS.

squa·mous [skwéiməs, skwɑ́ː-] *a.* 비늘로 덮인 ; 비늘이 있는 ; 비늘 모양의. **~·ly** *adv.*

squámous céll *n.* 〖醫〗 편평상피(上皮)세포.

squan·der [skwɑ́ndər] *vt.* (돈·시간을) 낭비[허비]하다 ; 흩어지게 하다 : It's so much money ~*ed.* 그것은 헛되이 쓰는 돈이다 / ~ money *in* gambling 노름에 돈을 낭비하다. —— *vi.* 유랑하다, 방황하다 ; 낭비하다 ; 여기저기 흩어지다.
—— *n.* 낭비, 산재(散財). **~·er** *n.* 낭비가.
〖C16 < ?〗

squànder·mánia *n.* Ⓤ 낭비광(狂).

◇**square** [skwéər, skwǽər] *n.* **1** 정사각형(cf. OBLONG), 네모진 것[면]. **2** (서양 장기판 따위의) 눈. **3** (네모진) 광장(cf. CIRCUS) : Madison *S*~ 매디슨 스퀘어《New York시에 있음》/ The Nelson Monument stands *in* Trafalgar *S*~. 넬슨의 기념비는 (런던의) 트라팔가르 광장에 있다. **4 a**) 가구(街區) 《도시에서 건물이 거리로 둘러싸인 네모난 구획》. **b**) 가구(街區)의 한 구획 길이, 가(街) (cf. BLOCK *n.* 5 c)) : The house is two ~*s* down. 그 집은 2구획 더 아래쪽에 있다. **c**) 《英》 스퀘어《도시에서 작은 공원의 주위에 (고급) 주택 따위가 네모지게 늘어선 구역》: live *in* a ~ 스퀘어에 살다 / She lived at No. 56 Russell *S*~. (런던의) 러셀 스퀘어 56번지에 살고 있었다. **5** 〖軍〗 방진(方陣). **6** 100제곱 피트, 스퀘어《마루·지붕·타일 따위를 재는 넓이 단위》. **7** 곱자, 직각자 : a T[an L] ~ 티[엘]자. **8** 〖數〗 제곱. **9** 《美》 (신문 광고란 따위의) 한 구획. **10** 《美俗》 권투장, 링(ring). **11** 《口》 시대에 뒤진 사람, 구식[고지식한] 사람, 케케묵은 사람, 속기 쉬운 사람.

by the square 정밀하게(exactly).

on the square 꼼꼼하게 ; 정직하게 ; 공정하게 ; 동등하게, 동격으로〈*with*〉; 직각을 이루어, 정연하게.

out of square 직각이 아닌 ; 부조화로 ; 난잡한 ; 부정한[하게] ; 부정확한[하게].

—— *a.* **1** 정사각형의, 직사각형의(↔*round*). **2** 직각을 이루는, 직각의〈*with, to*〉. **3** 동등한, 비등비등한(even) ; 반듯한, 수평의, 평행의〈*with*〉. **4** 정돈된, 가지런한 : get things ~ 정돈[정리]하다. **5** 공명 정대한, 정직한 ; 절대적인 : ☞ SQUARE DEAL. **6** 대차(貸借) 없는, 셈이 끝난 : get one's accounts ~ *with* a person …와 대차관계를 청산하다. **7** (어깨 따위) 떡벌어진, 건장한. **8** 《口》 실속있는, 알찬, 충분한 : ☞ SQUARE MEAL. **9** (거절 따위) 절대적인, 분명한, 단호한. **10** 〖數〗 제곱의 : a ~ yard[mile] 1제곱 야드[마일]. **11** 《口》 케케묵은, 시대에 뒤떨어진, 구식의. **12** 〖海〗 가로의, (활대가) 용골과 직각을 이루는.

all square (골프 따위에서) 서로 비등한 ; 모든 준비가 갖추어진.

call it square 비등함[호각임]을 인정하다.

get square with …와 비등[동등]하게 되다, …와 대차(貸借) 관계를 청산하다, 《비유》 …에게 보복하다.

—— *vt.* **1** 정사각형으로 하다 : ~ glass to fit a window frame 창틀에 맞게 유리를 정사각형으로 하다. **2** (재목 따위를) 네모꼴[직각]로 하다 ; 네모나게 칸막이하다〈*off*〉. **3** (어깨·팔꿈치를) 펴다. **4** 〖數〗 제곱하다, …의 넓이를 구하다 : Four ~*d* is sixteen. 4의 제곱은 16이다. **5** [+目/+目+副/+目+*with*+名] 청산[결제]하다 ; 보복하다 : ~ (***up***) the bill[one's debt] 계산[부채]을 치르다 / I will ~ accounts ***with*** you. 너에게 빚을 갚겠다 ; 《비유》 앙갚음하겠다. **6** [+目+前+名] 적합[적응]시키다, 일치시키다 : I tried to ~ my opinions ***with***[***to***] the general tendencies. 나의 의견을 전체의 경향에 일치시키려고 했다. **7** 〖海〗 (활대를) 용골과 직각이 되게 하다. **8** 《口》 [+目/+目+前+名] 매수하다, …에게 뇌물을 주다 : ~ the police 경찰을 매수하다 / He has been ~*d to* hold his tongue. 그는 매수되어 입을 열지 않았다. —— *vi.* **1** [+*with*+名] 일치하다, 조화하다, 적합하다 : His deeds did not ~ ***with*** his words. 그의 행동은 말과 일치하지 않았다. **2** [+副] 결제하다 : Have we ~*d* ***up*** yet? 우리는 이제 청산이 끝난 셈인가. **3** [+副/+前+名] (권투에서) 시합 자세를 취하다, 시합할 자세를 취하고 전진하다 ; (골프에서) 동점이 되다 ; 《비유》 (곤란·문제 따위에) 단호히 맞서다 : He ~*d* ***up to*** his opponent[the difficulty]. 그는 권투할 자세를 취하고 상대방에게 다가갔다[단호히 난관과 맞섰다].

square an account with... ☞ ACCOUNT.

square away (1) 〖海〗 순풍을 받고 달리다. (2) 《美口》 갖추다, 준비하다.

square off (1) ☞ *vt.* 2. (2) 《口》 싸울 자세를 취하다, 수세(守勢)[공세(攻勢)]를 취하다.

square one***'s elbows***[***shoulders***] 팔꿈치를 펴다[어깨를 펴고 턱 버티다]《싸움의 자세·뻐기는 태도 따위》.

square one***self*** 《口》 (과거의 과실 따위를) 책임지다 ; 청산하다 ; 앙갚음하다.

square the circle (일정한) 원과 같은 넓이의 네모꼴을 구하다, 원의 넓이를 정확히 측정하다《기하학적으로는 불가능》; 《비유》 불가능한 일을 꾀

하다.
—— *adv.* **1** 네모나게 ; 직각으로 ; 정면으로, 똑바로. **2** 공평하게, 정정당당하게. **~·like** *a.* **~·ness** *n.* 네모짐 ; 정직, 성실 ; 공정 거래. 〖OF *esquare* (L *ex*-[1], *quadra* square)〗

squáre báck *n.* 〖製本〗 모등.

squáre·bàsh *vi.* 《英軍俗》 군사 교련을 하다[에 참가하다]. **~·ing** *n.*

squáre bódy *n.* 〖海〗 선체(船體) 평행부.

squáre brácket *n.* 〖印〗 꺾쇠 괄호[묶음]《[ ]》.

squáre bróad *n.* 《美俗》 (매춘부 등이 아닌) 여염집 여자.

squáre-buílt *a.* 어깨가 떡 벌어진, 건장한.

squáre cáp *n.* 대학모, 사각 모자.

squáre dànce *n.* 스퀘어 댄스《두 사람씩 짝이 되어 네 쌍이 사각형을 이루며 춤을 춤》.

squáred círcle *n.* 《口》 링(boxing ring).

squáre déal *n.* 공정한 거래[처리] ; 《口》 공평한 처사[취급] : give a person a ~ 《口》 사람을 공평하게 대우하다.

squáre·dom *n.* 《俗》 고지식한[촌스런] 상태[패거리].

squáred páper *n.* 방안지, 모눈종이.

squáre-èyes *n.* 《英俗》 텔레비전 앞에서 떠나지 않는 사람.

squáre·fàce *n.* 《英俗》 싸구려 독한 술.

squáre fóot *n.* 제곱 피트.

squáre·hèad *n.* 《美俗》 멍청이, 바보 ; 《蔑》 네덜란드·독일·스칸디나비아 사람[이민].

squáre ín *n.* 〖美蹴〗 스퀘어 인《패스의 일종》.

squáre ínch *n.* 제곱 인치.

squáre knòt *n.* 옭매듭.

squáre-làw detéctor *n.* 〖電子〗 제곱 검파기.

squáre lèg *n.* 〖크리켓〗 **1** 타자의 바로 뒤의 수비 위치. **2** 그 위치를 지키는 야수.

squáre·ly *adv.* **1** 네모로 ; 직각으로. **2** 정면으로, 정통으로. **3** 공평하게, 공명 정대하게 ; 정정당당히 ; 정직하게. **4** 까놓고, 단호히.

squáre mátrix *n.* 〖數〗 정사각행렬(正四角行列) ; 〖컴퓨〗 정방행렬.

squáre méal *n.* (양적으로도 내용적으로도) 충실한[알찬] 식사.

squáre méasure *n.* 〖數〗 제곱곱《넓이의 단위》.

squáre méter *n.* 제곱 미터.

squáre númber *n.* 〖數〗 제곱수.

squáre óne *n.* 출발점, 처음, 시작 : from ~ 처음부터.

back at*[*to*] *the square one (조사·실험 따위) 처음으로 되돌아가서.

squáre óut *n.* 〖美蹴〗 스퀘어 아웃《패스(pass)의 일종》.

squáre pég *n.* 《美俗》 (환경·일 따위에) 맞지 않는 사람[것], 부적응자.

squáre-rígged *a.* 〖海〗 가로돛을 단(cf. FORE-AND-AFT).

squáre-rígger *n.* 〖海〗 가로돛을 단 배.

squáre róot *n.* 〖數〗 제곱근.

squáre sàil *n.* 〖海〗 가로돛.

squáre shóoter *n.* 《美口》 정직[공정]한 사람.

squáre-shóuldered *a.* 어깨가 떡 벌어진.

squáres·vìlle *n.* 《俗》 구식[인습적인] 사회.
—— *a.* 시대에 뒤진, 구식의, 완고한.

squáre-tóed *a.* (구두가) 끝이 네모진 ; 《비유》 (사람이) 구식인, 까다로운, 고지식한.

squáre-tòes *n.* [단수취급] 구식 사람, 격식에 까다로운 사람 ; 결백한 사람.

squáre wáve *n.* 〖電〗 방형파(方形波).

squar·ish [skwέəriʃ, skwǽər-] *a.* 네모진.

squar·son [skwɑ́ːrsən] *n.* 《英·戲》 지주 겸 목사. 〖*squ*ire+p*arson*〗

squash**[1] [skwɑ́ʃ, 美+skwɔ́ːʃ] *vt.* **1** [+目/+目+補] 으깨다(crush) ; 오그라뜨리다, 짓이기다, 짓찧다, 짓뭉개다 : ~ a fly 파리를 때려잡다 / Somebody has ~*ed* my hat flat. 누군가 내 모자를 납작하게 우그러뜨렸다. **2** [+目/+目+*into*+名] 밀어넣다, 쑤셔넣다 : ~ many people ***into a bus 버스에 많은 사람을 밀어넣어 태우다. **3** 《口》 (폭동 따위를) 진압하다 ; 윽박지르다 : He was ~*ed* by his wife. 그의 아내는 그를 윽박질렀다.
—— *vi.* **1** 으깨지다, 으스러지다 : These fruits ~ easily. 이 과일들은 잘 으스러진다 / The cream puffs fell ~*ing* to the ground. 슈 크림이 땅에 부서져 떨어졌다. **2** [+前+名] 비집고 들어가다, 서로 밀치락거리다 ; 철벅철벅 소리내며 나아가다 : The people ~*ed* ***through*** the gate. 사람들은 입구를 서로 밀치락거리며 통과했다 / I heard them ~ *through* the mud. 그들이 흙탕물 속을 철벅거리며 나아가는 소리가 들렸다. —— *n.* **1** 으깨진 것, 흐물흐물해진 덩어리. **2** 철썩, 털썩《무겁고 부드러운 것이 떨어지는 소리》 : with a ~ 철썩하고, 털썩하고. **3** 붐빔 ; 군중(crowd) : There was a dreadful ~ at the door. 문 근처에는 사람들이 엄청나게 붐비었다. **4** Ⓤ 《英》 스쿼시《과즙에 보통 소다수를 넣은 음료》 : lemon ~ 레몬 스쿼시. **5** Ⓤ =SQUASH RACQUETS ; =SQUASH TENNIS. —— *adv.* 철썩하고, 철벅하고. 〖OF *esquasser* (*ex*-[1], QUASH)〗

squash[2] *n.* (*pl.* **~·es**, ~) 《美》 〖植〗 호박류 ; 《美俗》 얼굴, 낯짝. 〖(*i*)*squoutersquash*(obs.) < Narraganset (*asq* uncooked)〗

squásh bùg *n.* 〖昆〗 가시허리노린재의 일종《호박 따위의 해충》.

squásh hát *n.* (접게 된) 테 넓은 소프트 모자.

squásh ràcquets[**ràckets**] *n.* [단수취급] 스쿼시《사면이 벽으로 둘러싸인 코트에서 자루가 긴 라켓과 고무공을 사용해서 하는 구기》.

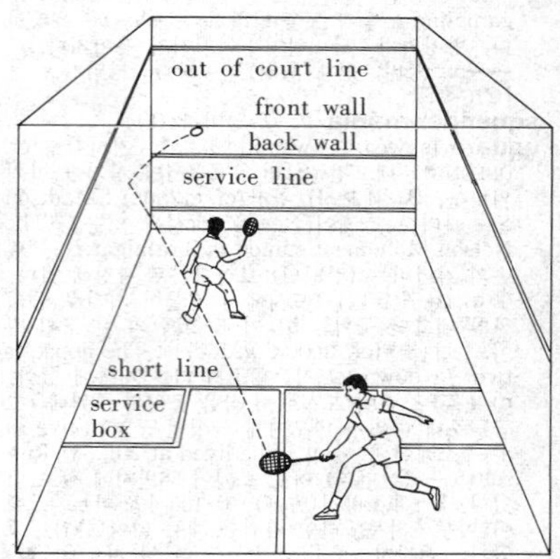

squash racquets

squásh tènnis *n.* SQUASH RACQUETS 비슷한 구기《두 사람이 함》.

squáshy *a.* 으깨지기 쉬운 ; (토지 따위) 질퍽질퍽한 ; (과일 · 야채 따위) 여물어 모양이 찌그러진. **squásh·i·ly** *adv.* **-i·ness** *n.*

squat** [skwát] *v.* (**squát·ted**, ~) *vi.* **1** [動/+副] 웅크리다, 쭈그리고 앉다(crouch) ; 주저앉다 : The old woman ~*ted* ***down by the fire. 할머니는 불가에 쭈그리고 앉았다. **2** (동물이) 땅에 엎드리다, 웅크려서 몸을 감추다. **3** 《口》 앉다(sit) 〈*down, on*〉. **4** 〔法〕 남의 땅이나 국유지에 무단으로 거주[정주]하다 ; 《美 · 濠》 (소유권 획득을 위해 법률에 따라서) 공유지에 정착하다.
—— *vt.* [+目/+目+副] [때때로 one*self*로] 쭈그려 앉히다 ; …에 무단으로 정주하다 : She ~*ted* her*self* ***down***. 그녀는 웅크리고 앉았다.
—— *a.* 웅크리고 앉은 ; 땅딸막한. —— *n.* 웅크리고 앉음 ; 웅크린 자세.
〖OF *esquatir* to flatten (*ex*-[1], *quatir* to press down, crouch) ; cf. COGENT〗

squát·ter *n.* **1** 웅크리고 앉은 사람[동물]. **2** (공유지 · 미개지 · 건물의) 무단 거주자, 불법 거주자[점거자] ; 《美 · 濠》(소유권 획득을 위해 법률에 따라서) 토지에 정주하는 사람. **3** 《濠》 목장 차용인 ; 목양(牧羊)업자 ; 가축 소유자.

squátter's ríght *n.* 공유지 정주[점유]권.

squat·toc·ra·cy [skwatákrəsi] *n.* [the ~] 《濠》 (사회적 · 정치적 그룹으로서의) 정주자(squatters).

squát·ty *a.* 웅크린, 땅딸막한.

squaw [skwɔ́ː] *n.* 북미 인디언 여자[처](cf. BRAVE *n.* ; PAPOOSE) ; 《美俗》 여자, 처 ; 연약한 남자. 〖Narraganset=woman〗

squáw·fìsh *n.* 〔魚〕 **1** 잉어과(科)의 식용 민물고기《북미 서해안산》. **2** 망상어의 일종《북미 태평양 연안산》.

squawk [skwɔ́ːk] *vi., vt.* **1** (갈매기 따위가) 끼루룩 울다. **2** 《俗》 시끄럽게 불평하다〈*about*〉; 《美俗》 고자질하다, 찌르다 ; 《美俗》 자백하다 ; 《軍俗》 (일을) 점검하다. —— *n.* 끼루룩 우는 소리 ; 《俗》 시끄러운 불평 ; 〔鳥〕 푸른백로. 〖imit.〗

squáwk bòx *n.* 《口》 (인터폰 따위의) 스피커.

squáw màn *n.* 북미 인디언 여자(squaw)와 결혼한 백인.

squáw wìnter *n.* 《美》 INDIAN SUMMER 전(前)의 겨울 같은 날씨.

squeak** [skwíːk] *vi.* **1** (쥐 따위가) 찍찍[끽끽] 울다 ; (갓난애 등이) 응애응애 울다 ; 삐걱거리다. **2** 《俗》 밀고하다, 고자질하다. **3** 가까스로 위기를 극복하다. —— *vt.* [+目/+目+副] 새된 소리로 말하다 : ~ ***out a few words 새된 소리로 두세 마디 말하다.
—— *n.* **1** 쥐 우는 소리, 끽끽[찍찍] 우는 소리 ; 삐걱거리는 소리 ; 응애응애 우는 소리 ; 《美俗》 밀고. **2** 《口》 가까스로 모면한 위기, 위기 일발 : a narrow[close, near] ~ 위기 일발, 아슬아슬한 고비 / He had a ~ of it. 그는 간신히 벗어났다. **3** 《口》 (최후의) 기회(chance). **4** 《美俗》 조수. **~·ing·ly** *adv.*
〖imit. ; cf. SQUEAL, SHRIEK〗

squéak·er *n.* **1** 삐걱거리는 것. **2** 새 새끼 ; 비둘기 새끼. **3** 《英俗》 밀고자, 배신자. **4** 《口》 대접전(끝에 이긴 경기), 간신히 이긴 선거.

squéaky *a.* 찍찍[끽끽] 우는 ; 응애응애하고 우는 ; 삐걱삐걱하는 ; 《美》 참으로 깨끗한, 번쩍거리는(very clean). **-i·ness** *n.*

squeal [skwíːl] *vi.* **1** (어린이 · 돼지 따위가) 꽥꽥 울다, 꽥꽥거리다 ; 비명을 지르다. **2** 《俗》 밀고하다(inform). **3** 《俗》 불평하다(complain) ; 항의하다(protest). —— *vt.* 꽥꽥거리는 소리로 말하다, 우는 소리[푸념]를 하다 ; 《俗》 (비밀을) 폭로하다.
make a person ***squeal*** 《俗》 남을 등치다, 협박하여 빼앗다.
—— *n.* **1** (어린이 · 돼지 따위의) 비명, 꽥꽥[끽끽]우는 소리《squeak 보다 높은 소리》, 환성 ; 《俗》 불평, 항의, 밀고. **2** 《俗》 햄, 돼지고기. **~·er** *n.* 불평꾼 ; 끽끽 우는 새 ; 《俗》 밀고자, 고자쟁이. 〖imit.〗

squéaler's márk *n.* 《美俗》 (밀고의 보복 따위로 입은) 얼굴의 상처 자국.

squea·mish [skwíːmiʃ] *a.* **1** 성미가 까다로운, 신경질적인 ; 수줍어하는, 내성적인. **2** 토하기 잘하는, 곧잘 메스꺼워지는. **~·ly** *adv.* 성미 까다롭게 ; 메스꺼워서. **~·ness** *n.*
〖*squeamous* (dial.) <AF *escoymos* < ?〗

squee·gee [skwíːdʒiː, -ˊ] *n.* **1** 고무걸레[비]《갑판 · 마루 · 창 따위의 물기를 닦는 도구》. **2** 〔寫〕 고무롤러《건판막(乾板膜) 또는 인화막에 눌러 물기를 훔치는 도구》. **3** 《美俗》 얼간이, 등신.
—— *vt.* 고무걸레로 닦다, 롤러로 훔치다.
〖*squeege* (강형(強形)) 〈SQUEEZE〗

squèez·abílity *n.* 짜낼 수 있음 ; 공갈에 넘어갈 수 있음.

squeez·able [skwíːzəbəl] *a.* **1** 짜낼 수 있는. **2** 갈취할 수 있는 ; 압력에 굴복하는, 설득[위압] 당하는 ; 무기력한. **3** 껴안고 싶은 심정의. **~·ness** *n.*

squeeze** [skwíːz] *vt.* **1** [+目/+目+副/+目+前+名/+目+補] 압착(壓搾)하다, 짜내다 ; 짓누르다 ; (손 따위를 기계(機械)에) 끼다 : ~ one's fingers 손가락을 끼다 / ~ the water ***out 물을 짜내다 / ~ the juice ***from***[***out of***] an orange 오렌지의 즙(汁)을 짜내다 / ~ paste ***into*** a ball 반죽을 뭉쳐서 경단을 만들다 / ~ a lemon (dry) 레몬을 (바싹) 짜내다 / ☞ SQUEEZED ORANGE / ~ to death 압살(壓殺)하다. **2** 꽉 쥐다[죄다] ; 꼭 껴안다(hug) ; (방아쇠를 힘껏) 당기다 : ~ a person's hand 남의 손을 꽉 쥐다 / She ~*d* her child. 자기의 어린애를 꼭 껴안았다. **3** [+目/+目+副/+目+前+名] 압박하다, 강요하다, …에서 착취하다, 우려내다, 갈취하다, 억지로 내놓도록 하다 : The people were ~*d* by heavy taxes. 국민들은 과중한 세금으로 고생했다 / The dictator ~*d* money ***from***[***out of***] the people. 독재자는 백성들로부터 돈을 착취했다 / They ~*d* a confession *from* him. 그에게 자백을 강요했다. **4** [+目/+目+前+名] 눌러[쑤셔]넣다 ; …으로 비집고 들어가다 : He could not ~ another thing ***into*** his suitcase. 이제 더 이상 그의 여행가방에 아무것도 쑤셔넣을 수 없었다 / I managed to ~ myself *into* the crowded theater. 만원이 된 극장에 가까스로 비집고 들어갔다 / He ~*d* his way ***through*** the crowd. 군중을 헤치고 앞으로 나아갔다. **5** (석판 인쇄물 따위를) 찍어내다, …의 형(型)을 만들다 ; 〔野〕 (주자를) 스퀴즈 플레이로 생환시키다 ; (득점을) 스퀴즈로 올리다〈*in*〉; (의회 따위에서) 득표차를 간신히 획득하다.
—— *vi.* **1** 압착되다, 짜지다 : Sponges ~ easily. 스펀지는 쉽게 짜진다. **2** [+前+名/+副] 헤치고 나아가다, 억지로 들어가다 ; 밀치고 들어가다, 비집고 들어가다 : I ~*d* ***through*** the narrow opening. 비좁은 틈새를 억지로 헤치고 나아갔다 /

He tried to ~ ***in.*** 비집고 들어가려고 했다.
squeeze off 방아쇠를 당겨 (탄환을 한 방) 쏘다 ; 발포하다.
squeeze out 계략을 써서 파산[폐업]시키다.
squeeze through[***by***] 《口》 간신히 승리[성공]하다.
squeeze up (승객 등을) 밀어넣다 ; (승객 등이) 밀려들다.
—— *n.* **1** 압착(壓搾) ; 짜냄 ; 굳은 악수 ; 꼭 껴안기. **2** 서로 밀어내기, 혼잡, 빽빽이 참. **3** (석판 인쇄 따위의) 압사(壓寫), 본뜨기, (비명(碑銘) 따위의) 탐본(搨本). **4** 규제, 압박 ; (경제상의) 긴축 ; 착취 ; 강요 ; 부정 수수료, 수회(收賄) ; Ⓤ 갈취당하는 금품, 뇌물. **5** 《口》 진퇴 유곡, 곤경. **6** 〖野〗 =SQUEEZE PLAY.
at[***upon***] ***a squeeze*** 위급한 때를 당하여.
in a tight squeeze 곤경에 처하여.
put the squeeze on …에 압력을 가하다, 강제하다.
〖*squise* (강형(強形)) ‹ *queise* (obs.) < ?〗

squéeze bòttle *n.* (플라스틱제(製)의) 눌러 짜내는 병 모양의 그릇.

squéeze·bòx *n.* 《口》 =CONCERTINA, ACCORDION.

squéezed órange *n.* 《비유》 이용 가치가 없어진 사람[것], 짜낸 찌꺼기.

squéeze plày *n.* 〖野〗 스퀴즈 플레이 ; 〖카드놀이〗(bridge에서) 으뜸패로 상대방의 소중한 패를 내놓게 하기.

squeez·er [skwíːzər] *n.* 죄는[압착하는] 사람, 착취자 ; (특히 과일즙을) 짜내는 기구 ; 압착기 ; 탈수기 ; 《俗》 텁을 안주는 사람, 노랭이 ; [*pl.*] 왼쪽 윗 구석에 점수가 기입된 포커용 카드.

squeg [skwég] *vi.* (**-gg-**) 〖電子〗 (과도한 귀환 때문에 회로가) 불규칙하게 발진(發振)하다.

squég·ger *n.* 〖電〗 단속(斷續) 발진기(發振器).

squelch [skwéltʃ] *vt.* [動/+副] 눌러 찌그러뜨리다, 진압하다 ; 윽박지르다, 말문을 막다 ; (제안·계획 따위를) 묵살해 버리다. —— *vi.* [動/+前+名] 찌부러지다 ; 질벅질벅[철벅철벅] 소리내다 ; 철벅철벅 소리내며 걷다. —— *n.* **1** 질벅[철벅]거리는 소리, 철벅철벅 걷는 소리. **2** 억압 ; 《口》 남을 끽소리 못하게 하는 말, 심한 타격. **3** 〖電子〗 스퀠치 회로(=∠ **cìrcuit**). **~·er** *n.* 《口》 상대를 침묵시키는 대답, 호된 역습 ; 찌부러뜨리는 것[사람]. **squélchy** *a.*
〖imit. ; ? *sq*uash+*quelch* to squelch〗

squff [skʌ́f] *vi.* 《美俗》 배불리 먹다.

squib [skwíb] *n.* **1** 폭죽(爆竹). **2** 도화 폭관(導火爆管), (마지막으로) 펑하고 울리는 작은 꽃불. **3** 풍자적인 이야기, 풍자문(文) ; 짧은 뉴스 ; 짧은 광고. **4** 《濠俗》 겁쟁이. —— *v.* (**-bb-**) *vi.* 《古》 풍자문(文)을 쓰다 ; 《濠俗》 벌벌 떨다. —— *vt.* 풍자하다, 빗대어 말하다 ; 《美俗》 좀 과장해서 말하다, 거짓말하다.
〖C16< ? ; imit. 인가〗

squíb kìck *n.* =ONSIDE KICK.

squid[1] [skwíd] *n.* (*pl.* **~, ~s**) 〖動〗 오징어《특히 꼴뚜기 따위와 비슷한 오징어 ; cf. CUTTLEFISH》 ; 미끼용 오징어 ; 오징어 모양으로 만든 가짜 미끼 ; 〖軍〗 대잠 폭뢰(對潛爆雷) 발사 장치. —— *vi.* (**-dd-**) 오징어를 낚다 ; 오징어 미끼로 낚다 ; 오징어 미끼를 던져서 끌다[흘려 보내다] ; (낙하산이) 풍압으로 가늘고 긴 오징어 모양이 되다. 〖C17< ?〗

squid[2] *n.* 〖理〗 초전도(超傳導) 양자 간섭계.
〖*s*uperconducting *qu*antum *i*nterference *d*evice〗

squidgy [skwídʒi] *a.* 《英口》 질척질척한.

squiff [skwíf] *vi.* 《俗》 무턱대고[너무] 먹다.

squiffed [skwíft] *a.* =SQUIFFY.

squif·fer [skwífər] *n.* 《英俗》 아코디언.

squif·fy [skwífi] *a.* 《俗》 (술이) 거나한, 얼근히 취한(drunk). 〖C19< ?〗

squig·gle [skwígəl] *vi.* 비틀리다, 꿈틀거리다, 몸부림치다 ; 갈겨쓰다. —— *vt.* 비틀다 ; 갈겨쓰다 ; …에 구불구불한 곡선을 만들어내다. —— *n.* 구부러진 선 ; 휘갈겨 써서 읽기 어려운 글자, 갈겨쓰기. **squíg·gly** *a.* 〖imit.〗

squil·gee, squill- [skwíldʒiː, skwíːdʒiː, -∠], **squil·la·gee** [skwílədʒìː] *n., vt.* =SQUEEGEE.

squill [skwíl] *n.* 〖植〗 해총(海葱) ; 해총의 알뿌리《이뇨제》 ; 〖動〗 갯가재. 〖↓〗

squil·la [skwílə] *n.* (*pl.* **~, ~s, -lae** [-liː, -lai]) 〖動〗 갯가재. 〖L<Gk.〗

squil·lion [skwíljən] *n.* 셀 수 없을 만큼 많은 수.

squinch[1] [skwíntʃ] *n.* 〖建〗 든모홍예, 스퀸치《탑 따위를 떠받치기 위해 사각형의 귀퉁이에 설치하는 아치 따위》.

squinch[1]

squinch[2] *vt., vi.* (눈을) 가늘게 뜨다, (눈썹을) 찌푸리다 ; 압착(壓搾)하다 ; 몸을 움츠리다 ; 꽁무니를 빼다 ; 쩔쩔매다.
〖*squint*+*pinch*〗

squint [skwínt] *a.* **1** 사팔눈의, 사시(斜視)인. **2** 곁눈질하는 ; 눈을 가늘게 뜨고 보는. —— *n.* **1** 〖醫〗 사시 : have a bad[fearful] ~ 지독한 사시다. **2** 곁눈질, 흘겨보기. **3** 《口》 흘낏 보기, 일별(一瞥) : Let me have a ~ *at* it. 그것을 잠깐 보여주시오. **4** 경향‹*to, toward*›. —— *vi.* **1** 사시다, 사팔뜨기다. **2** [+前+名] 흘겨보다, 틈새로 들여다보다 ; 눈을 반쯤 감고 보다 : ~ ***at*** the sun 눈을 가늘게 뜨고 해를 보다 / ~ ***through*** a hole 구멍으로 들여다보다. **3** [+*toward*+名] (어떤 방향·사고방식으로) 기울다 ; 빗나가다 : His opinion ~*s* ***toward*** socialism. 그의 의견은 사회주의로 기울어지고 있다. —— *vt.* 곁눈질하다, (눈을) 반쯤 감고 보다, 가늘게 뜨다.
~·er *n.* 사팔뜨기[눈].
〖*asquint* ; cf. Du. *schuinte* slant〗

squínt-èyed *a.* 사시인 ; 《비유》 심술궂은 ; 편견을 가진.

squire [skwáiər] *n.* **1** 《英》《비유》 (지방의) 지주, 시골 유지 ; [the ~] (그 토지의) 대지주. **2** 〖史〗 기사의 종자(從者), 시골 신사(esquire). **3** 《古》 여성을 수행하는 남자, 여자에게 친절한 사내(gallant), 멋쟁이(beau). **4** 《美》 치안판사 ; 법관, 재판관 ; 변호사. —— *vt., vi.* (여성을) 수행하다(escort). 〖OF *esquier* ESQUIRE〗

squir(e)·arch [skwáiərɑːrk] *n.* 지주 계급의 사람. **~·al** *a.*

squír(e)·ar·chy *n.* [the ~] 지주 계급, 지주의 무리 ; Ⓤ 지주 정치.

squíre·dom *n.* SQUIRE 신분[위신, 영지] ; 지주 계급.

squi·reen [skwàiəríːn] *n.* 《아일》 소(小)지주.

squíre·ling, -let *n.* 소지주, 젊은 지주.

squirm [skwə́ːrm] *vi.* (벌레 따위가) 꿈틀거리다, 옴질거리다 ; (사람이) 허덕거리다, 몸부림치다 ; 우물쭈물하다, 어색해하다 : ~ with pain 고통으로 몸부림치다. —— *n.* 몸부림 ; 괴로워서 뒹굴기 ; 우물쭈물하기. **squírmy** *a.*
〖C17 (imit.) ; *worm*과의 연상(聯想)인가〗

***squir·rel** [skwə́:rəl, skwʌ́r-; skwír-] *n.* (*pl.* **~s**, ~) **1** 〔動〕 다람쥐 ; Ⓤ 다람쥐의 털가죽. **2** 하찮은 것을 대단히 소중히 간수하는 사람 ; 《美俗》 심리학자, 정신과 의사《nuts(머리)를 진찰하는 데서》; 《美俗》 사소한 일에 불끈 화를 내는 운전자 ; 《美俗》 미치광이. ── *vt.* (돈·물건을) 모으다 〈*away*〉; 《美俗》 (열차) 지붕에 올라가다. ── *vi.* (특히 불끈 화가 나서) 마구 좌우로 움직이다.
〖AF＜L (dim.)〈*sciurus*＜Gk. (*ski* shade, *oura* tail)〗

squírrel càge *n.* 다람쥐장《쳇바퀴를 설치한 다람쥐나 생쥐를 넣는 장》; 다람쥐장형(型)의 선풍기 ; 《口》 (다람쥐 쳇바퀴 돌듯) 헛된 되풀이, 끝이 없는 일.

squírrel(·l)y *a.* 기묘한, 상궤(常軌)를 벗어난, 미친 (짓의).

squírrel rìfle[**gùn**] *n.* 22구경의 라이플.

squirt [skwə́:rt] *vt.* [＋目/＋目＋前＋名] 뿜어나오게 하다, 솟아나게 하다〈*out*〉; 주사(注射)하다〈*at*〉; …에 물을 뿌리다, 물보라[물방울]을 날리다[튀기다] : ~ soda water ***into*** a glass 소다수가 컵 속에서 뿜어나오게 하다 / ~ water ***through*** a tube 튜브를 통해서 물을 뿌리다.
── *vi.* [動/＋前＋名] 분출하다, 솟아나다 ; 퍼붓다 : Water ~*ed* ***from*** the hose. 호스에서 물이 뿜어나왔다 / The hose ~*ed* all ***over*** him. 호스로 그의 온몸에 물을 끼얹었다.
── *n.* **1** 분출, 솟아남, 분수. **2** 주사기 ; 물총(=~ **gùn**) ; 소화기(消火器) ; 《美俗》 =SODA JERK ; 《美俗》 제트기. **3** 《口》 건방진 벼락 부자, 같잖은 녀석, 독선적인 사람 ; 《口》 꼬마 ; 《俗》 구두쇠 ; 《美俗》 25센트.
〖imit. ; cf. LG *swirtjen* to squirt〗

squish [skwíʃ] *vt.* 철벙철벙하고 진창[물속]에 넣다[에서 꺼내다] ; 《口》 찌부러뜨리다, 으깨다.
── *vi.* 철벙철벙하고 소리를 내다.
── *n.* 철벙철벙하는 소리 ; 《口》 으깸, 으깬 것 ; Ⓤ 《口》 =MARMALADE.
〖? SQUASH〗

squíshy *a.* 질척질척한 ; 《俗》 감상적인, 센티멘털한. **squísh·i·ness** *n.*

squit [skwít] *n.* 《英俗》 **1** 쓸모가 없는 사람. **2** 어리석은 일, 난센스, 허튼 소리.
〖? *skit* (obs.) skittish person ; cf. SQUIRT〗

squit·ters [skwítərz] *n. pl.* 《英俗》 설사.

squiz [skwíz] *n.* (*pl.* **~·zes**) 《濠俗》 흘끗 봄.

sq. yd. square yard(s).

Sr 〔化〕 strontium. **sr** steradian(s).

Sr. Senior ; Señor ; Sir ; Sister.

S.R. seaman recruit ; Senate resolution. **S-R** stimulus-response. **Sra.** Señora. **SRAM** short-range attack missile. **SRBM** short-range ballistic missile. **S.R.C.** 《英》 Science Research Council《1965년 설립》.

S-R connection [èsɑ́:r ┴] *n.* 〔心〕 자극-반응 결합(stimulus-response connection).

Sres. Senores. **S. Res.** Senate resolution.

sri, shri [ʃríː, sríː] *n.* 스리《힌두의 신·지존자(至尊者)·성전(聖典)에 붙이는 경칭》; …님, …선생《Mr., Sir에 해당》. 〖Hind.=majesty, holiness〗

S.R.I. *Sacrum Romanum Imperium* 《L》 (=Holy Roman Empire).

Sri Lan·ka [sri: lɑ́:ŋkə] *n.* 스리랑카《인도의 남동쪽에 있는 Ceylon섬으로 이루어진 나라 ; 수도 Colombo》.

S.R.N. 《英》 State Registered Nurse(국가 공인 간호사). **S.R.O.** standing room only(입석뿐임) ; 《英》 Statutory Rules and Orders (제정법상의 준칙 및 수속 규칙) ; single-room occupancy (1실 거주) : ~ hotel. **Srta.** Señorita. **SS** 고감도 필름의 약호(cf. S, SSS). **ss, ss., s.s.** 〔野〕 shortstop. **SS.** Saints. ; Schutzstaffel (나치 친위대). **ss.** *scilicet* 《L》 (=namely) ; sections ; supersonic. **S.S.** screw steamer ; steamship ; Secretary of State ; Silver Star(은성 훈장) ; *sensu stricto* 《L》 (=in the strict sense) ; Straits Settlements ; Sunday School. **SSA** Social Security Administration. **S.S.A.F.A.** [sǽfə] 《英》 Soldiers', Sailors' and Airmen's Families Association (육해공 군인 가족협회). **SSB** single sideband (transmission).

SSBN [èsèsbi:én] *n.* 〔海軍〕 탄도 미사일 탑재 원자력 잠수함.
〖*SS* (=submarine)＋*b*allistic＋*n*uclear〗

S.S.C. 《스코》 Solicitor to the Supreme Court (최고법원 사무 변호사).

SS.D. *Sanctissimus Dominus* 《L》 (=Most Holy Lord) (교황의 존칭). **SSDDS** self-service discount department store. **SSDS** self-service discount store. **SSE, S.S.E.** south-southeast(남남동). **S.S.R.C.** Social Science Research Council ((영국) 사회 과학 연구 회의). **SSI** small-scale integration(소규모 집적(화)).

S sleep [és ┴] *n.* 〔生理〕 S수면(=synchronized sleep).

SSM surface-to-surface missile.

SSN [èsèsén] *n.* 〔海軍〕 원자력 잠수함.
〖*SS* (=submarine)＋*n*uclear〗

SSS 《美》 Selective Service System ; 〔골프〕 standard scratch score ; 초고감도 필름의 약호 (cf. S, SS). **SST** supersonic transport.

SSUS spinning solid upper stage. **S.S.W.** south-southwest(남남서).

◇St., st. [sèint, sənt ; sən*t*, sn*t*] *n.* (*pl.* **Sts., SS.**) (☞ SAINT) 성(聖)…, 세인트…. ⑴ [성인·대(大)천사·사도(使徒) 이름 따위에 붙여] : *St.* Paul, *St.* Michael. ⑵ [교회·학교 이름 따위에 붙여] : *St.* Peter's. ⑶ [교회에서 따온 마을 이름·인명에 붙여] : *St.* Andrews. ⑷ [saint 이외의 것에 붙여 교회 이름] : *St.* Saviour's.

St. Saturday ; statute ; Strait ; Street. **st.** stanza ; state ; statute(s) ; stem ; *stet* 《L》 (=let it stand) ; stitch ; street ; 《英》 stone《중량 단위》; strophe.

s.t. short ton.

-st[1] [st] ☞ -EST[2].

-st[2] [st] 숫자 1뒤에 붙여 서수를 나타냄 : *1st*, 51*st*.

sta. station ; stationary. **Sta.** Santa ; Station.

stab** [stǽ(:)b] *v.* (**-bb-**) *vt.* **1** [＋目/＋目＋前＋名] **a)** 찌르다, 꿰뚫다, 찔러[꿰뚫어] 죽이다 : ~ a person ***with a dagger=~ a dagger ***into*** a person 남을 단도로 찌르다 / ~ a person ***in*** the arm 남의 팔을 찌르다 / The man ~*bed* him ***to*** the heart. 사나이는 그의 심장을 (푹) 찔렀다 / ~ a person *to* death 사람을 찔러 죽이다. **b)** 《비유》 (감정·명성·양심 따위를) 몹시 손상시키다 : Remorse ~*bed* her. 그녀는 양심의 가책을 받았다 / He was ~*bed* ***to*** the heart by his son's misconduct. 그는 아들의 비행(非行)에 가슴을 에는 듯한 고통을 느꼈다. **2** (석공(石工)이) 벽돌벽의 표면을 거칠거칠하게 하다《회반죽이 잘 붙도록

하기 위해서). 3 〔製本〕 (철사[실]로 철하기 위해서) …에 구멍을 뚫다. ── *vi.* **1** [動/+*at*+名] 찌르다, 찌르며 덤비다 ; 상처내다 : The rogue ~*bed* ***at*** him. 괴한이 그를 찌르며 덤벼들었다. **2** 찌르는 듯이 아프다.

stab a person ***in the back*** 남의 등을 찌르다 ; 《비유》 남을 비겁하게 중상하다.

── *n.* **1** 찌르기 ; 찔린 상처, 자상(刺傷). **2** 찌르는 듯한 아픔, 쿡쿡 쑤시는 통증. **3** 《口》 기도, 시도(attempt) : have[make, take] a ~ *at* …을 시도하다[해보다].

a stab in the back 《비유》 중상, 배신.

〚ME<?〛

Sta·bat Ma·ter [stɑ́:bæt mɑ́:tər] *n.* 〔宗〕 스타바트 마테르《성모 마리아의 성가》 ; 그 곡. 〚L=Stood the Mother〛

stáb·ber *n.* 찌르는 사람[것] ; 자객(刺客).

stáb·bing *a.* (아픔 따위) 찌르는 것 같은 ; (언사 따위가) 신랄한 : a ~ pain 찌르는 듯한 아픔.

stáb cùlture *n.* 〔菌〕 천자(穿刺) 배양.

Sta·bex [stéibeks] *n.* 수출 수입(收入) 안정 보상 제도, 스테이벡스《개발 도상국에 대하여 EEC가 보상함》. 〚*stab*ilize+*ex*ports〛

sta·bile [stéibail, -bil] *a.* **1** 안정된, 정지된, 확고한. **2** 〔醫〕 환부에 전극을 고정시킨.

── [stéibi:l ; -bail] *n.* 〔美術〕 스태빌《금속판·철사·나무 따위로 만드는 정지된 추상 조각[구축물] ; cf. MOBILE》. 〚F STABLE[1]〛

sta·bil·i·ty [stəbíləti] *n.* **1** Ⓤ 안정, 확고 ; 〔理·化·工·電〕 안정성(安定性), 안정도(安定度) ; (특히 선박) 복원력(復原力), 복원성 : emotional ~ 〔心〕 정동(情動)[정서] 안정(성). **2** Ⓤ 착실함, 견인 불발(堅忍不拔), 불변(성), 영속(성) ; 〔카톨릭〕 정주(定住)의 서원, 주거 확정의 서원.

stà·bi·li·zá·tion *n.* Ⓤ 안정(시킴), 안정화(化) ; 고정.

sta·bi·lize [stéibəlàiz, 英+stǽb-] *vt., vi.* 고정시키다[되다] ; 안정시키다[하다] ; (항공기 따위에) 안정 장치를 하다 : ~ prices[one's life] 물가[생활]를 안정시키다.

stá·bi·lìz·er *n.* 안정시키는 사람[것] ; (선박·항공기의) 안정 장치 ; 〔空〕 (수직[수평]) 안정판, (특히) =GYROSCOPE ; =GYROSTABILIZER ; (화약 따위의) 안정제《자연 분해를 방지》.

***sta·ble**[1] [stéibəl] *a.* (**-bler ; -blest**) **1** 확고한, 아주 침착한 ; 안정된 : emotionally ~ 정동(情動)[정서]적으로 안정된. **2** 〔機〕 안정성이 있는, 복원력(復原力)있는, 복원율이 높은 ; 〔化〕 (화합물·약제 따위가 화학적으로) 안정된 ; 〔理〕 비방사성의, 안정된《원자핵·소립자》. **3** 착실한, 견실한 ; 영속[지속]성이 있는 ; 결심이 굳은.

stá·bly *adv.* **~·ness** *n.*

〚AF=OF *estable*<L (*sto* to stand)〛

***sta·ble**[2] *n.* **1 a)** 마구간, (때로는) 외양간 ; 《俗》 지저분한 방[건물] : (It is too late to) shut the ~ door when the steed is stolen. 《속담》 소 잃고 외양간 고치기, 행차 후에 나팔, 「도둑을 보고서야 새끼를 꼬다」. **b)** 〔競馬〕 마구간 ; (어느 마구간에 속하는) 경주마, …소유의 말. **2** [*pl.*] 〔軍〕 마구간의 손질 ; 말의 사육. **3** 마부. **4** 《俗》 같은 관리자 밑에서 일하는 사람들《신문 기자·권투 선수·기수(騎手)들》. **5** 《口》 훈련소《학교·단체 따위》 ── *vt.* 마구간에 넣다. ── *vi.* 마구간에서 살다[묵다]. 〚OF *estable*<L (↑)〛

stáble·bòy, -làd *n.* 소년 마부 ; =STABLEMAN.

stáble càll *n.* 〔軍〕 말 손질의 신호《나팔 소리》.

stáble compànion *n.* 같은 체육관[클럽] (권투) 선수.

stáble equilíbrium *n.* 〔理〕 안정 평형[균형].

stáble·man [-mən, -mæ̀n] *n.* (*pl.* **-men** [-mən, -mèn]) 마부(groom).

stáble·màte *n.* 한 마구간[마주]의 말 ; 《비유》 클럽 동료(stable companion) ; (자본·목적·관심 따위를) 함께 하는 사람[그룹], (특히) 같은 학교 사람.

stáble pùsh *n.* 《俗》 내부 정보.

sta·bler [stéiblər] *n.* 마구간지기.

sta·bling [stéibliŋ] *n.* **1** Ⓤ 마구간에 넣기. **2** Ⓤ 마구간의 설비 ; [집합적으로] 마구간(stables).

stab·lish [stǽbliʃ] *vt.* 《古》 =ESTABLISH.

~·ment *n.*

stac(c). staccato.

stac·ca·to [stəkɑ́:tou] *a.* 〔樂〕 스타카토의, 끊음표의, 단주(斷奏)의, 단음적인《略 stacc. ; ↔ *legato*》 : a ~ mark 스타카토 기호. ── *adv.* 스타카토로, 끊음표로, 똑똑 끊어서. ── *n.* (*pl.* **~s, -ti** [-ti:]) 스타카토, 단음, 끊음표.

〚It. (p.p.) ‹*staccare*=*distaccare* to DETACH〛

***stack** [stæk] *n.* **1** 볏가리, 건초[밀짚]의 더미. **2** 퇴적(堆積), 쌓아올린 더미 : a ~ *of* wood 장작더미. **3** 《口》 많음, 다량 : ~*s of* work 산더미 같은 일. **4** 가리《숯·장작을 재는 단위, 108제곱 피트》. **5** 〔軍〕 걸어총. **6** [*pl.*] (도서관의) 서가(書架) (bookshelves), 서고 : Those books are *in* the ~*s*. 그 책들은 서고에 있습니다. **7 a)** (옥상에) 죽 늘어선 많은 굴뚝. **b)** (기차·기선 따위의 단 하나의) 굴뚝(smokestack) : a factory ~ 공장의 굴뚝. **8** 〔컴퓨〕 동전통, 스택《일시적인 기억용의 기억 장치[영역]》. **9** (파식(波食)에 의해) 외따로 선 바위, 스택. **10** 고도차를 유지하며 공항 위를 선회하며 착륙 차례를 기다리는 한 떼의 비행기.

a stack of arms 〔軍〕 걸어총(pile).

blow one***'s stack*** 《口》 발끈 화내다.

── *vt.* **1** [+目/+目+副/+目+前+名] 볏가리로 하다 ; 쌓아올리다 : ~ hay[firewood] 건초[장작]를 쌓아올리다 / The dishes were ~*ed* ***up on*** the table. 접시들이 식탁에 수북이 쌓여 있었다 / There were several paintings ~*ed* ***against*** the walls. 여러 점의 그림이 벽에 기대어 쌓여 있었다. **2** (총을) 걸어 세우다(pile) : *S*~ arms! 〔구령〕 걸어총! **3** 《美》 〔카드놀이〕 (패를) 부정하게 섞어쳐서 겹쳐 놓다, 몰래 미리 준비해 두다. **4** (비행장에 착륙하려고 하는 비행기에 서로 다른 고도로) 선회하도록 지시하다〈*up*〉.

── *vi.* 겹쳐 쌓이다 ; 열을[떼를] 이루다〈*up*〉.

have the cards stacked against one 불리한 입장이 되다(cf. *vt.* 3).

〚ON *stakkr* haystack ; cf. STAKE〛

stacked [stækt] *a.* 《口》 (여성이) 육체파인.

stácked héel, stáck hèel *n.* 스택 힐《색깔이 서로 다른 가죽 따위를 층층이 겹쳐 만든 뒤축》.

stáck·ing *n.* 〔空〕 선회 대기《착륙 대기 중인 여러 대의 비행기가 고도차를 두고 하는 선회》.

stácking chàir *n.* 스태킹 체어《겹쳐 쌓게 된 간편한 의자 ; 플라스틱을 틀에 넣어 만든 것으로 수직으로 겹쳐 쌓아 둘 수 있음》.

stáck ròom *n.* (도서관의) 서고.

stáck·ùp *n.* 〔空〕 =STACKING ; 《俗》 자동차 사고.

stac·te [stǽkti] *n.* 몰약(沒藥) ; 소합향(蘇合香) 《고대 유태인의 신성한 향료 ; 출애굽기 30 : 34》. 〚L<Gk. (*stazō* to drip)〛

stac·tom·e·ter [stæktɑ́mətər] *n.* 적량계(計).

sta·dia[1] [stéidiə] *n.* 〔測〕 스타디아 표척(標尺) ;

시거의(視距儀). —— *a.* 스타디아 측량의.
〚C19? STADIA²〛

stadia² *n.* STADIUM의 복수형.

sta·di·om·e·ter [stèidiámətər] *n.* 스타디오미터 《곡선·파선 따위의 길이를 재는 도구》; 낡은 형의 TACHYMETER.

***sta·di·um** [stéidiəm] *n.* (*pl.* **~s, sta·dia** [-diə]) **1** (육상 경기의) 경기장, 야구장, 스타디움. **2** 〔古그〕 **a)** 도보 경주장. **b)** 길이의 단위《약 185 m; 원래 올림피아 경기장의 길이》. **3** 〔醫〕 (병의) 단계, 제 …기(期)(stage); 〔動〕 (성장, 특히 곤충의 탈피의) …기(期), 령(齡).
〚L<Gk. *stadion* racecourse〛

stád(t)·hòld·er [stǽt-] *n.* 〔史〕 (네덜란드의) 주지사(州知事), 총독. 〚Du. *stadhouder* deputy〛

***staff¹** [stǽ(:)f; stáːf] *n.* **1** (*pl.* **~s**) 〔軍〕 참모, 막료, (사령관을 보좌하는) 장교단; 간부, 스태프 (cf. LINE): ☞ GENERAL STAFF / chief of ~ 육[공]군 참모총장. **2** (지도자에 대한) 보좌관 그룹; staff의 일원, 직원, 부원, 국원(局員): the teaching ~ 교수진 / be on the ~ 직원[부원]이다. **3** (*pl.* **~s, staves** [stéivz, 美+stǽ(:)vz]) (철도의) 통행표(通行票), 태블릿(tablet); (외과의) 유도 소식자(誘導消息子); 〔樂〕 보표(譜表); 《古》 (무기 또는 지탱하는 것으로서의) 지팡이, 막대기, 장대, 깃대; 권표(權標), 지휘봉; (창 따위의) 자루. **4** (측량용) 준척(準尺), 측량 장대; 《비유》 의지, 지탱하는 것: Bread is the ~ *of* life. 《속담》 빵은 생명의 양식이다. —— *vt.* …에 직원[부원·참모 등]을 배치하다: ~ a new school 새 학교에 교직원을 배치하다 / The office is not sufficiently ~*ed.* 사무실에 직원이 충분치 않다. —— *a.* **1** 참모의; (간부) 직원의. **2** 상근(常勤)의; (의사·변호사·회계사 등이) 회사 직속의, 봉급을 받는(cf. SELF-EMPLOYED).
〚OE *stæf*; cf. G *Stab*〛

staff² *n.* 삼 부스러기 따위를 섞은 석고《임시 건조물의 건축 재료》. 〚C19<?; cf. G *Stoff* stuff〛

stáff cóllege *n.* 〔英軍〕 참모 대학《수료하면 이름에 psc(=*P*assed *S*taff *C*ollege)라고 기입됨》.

stáff·er, stáff·màn *n.* STAFF¹의 한 사람; 《口》 직원, 부원, (특히) 신문 기자[편집인]; [-man] 측량 장대를 드는 사람.

stáff notàtion *n.* 〔樂〕 기보법(記譜法)(cf. TONIC SOL-FA).

stáff òfficer *n.* 참모 장교; 〔美海軍〕 비(非)군사 업무 장교《군의관·군목 등》.

Staf·ford·shire [stǽfərdʃìər, -ʃər] *n.* 스태퍼드셔《영국 잉글랜드 중서부의 주; 주도 Stafford; 略 Staffs.》.

stáff organizàtion *n.* 〔經營〕 스태프 조직《라인 부문을 보좌·촉진하는 부문》.

Staffs. [stǽfs] Staffordshire.

stáff sérgeant *n.* 〔美陸軍·海兵隊〕 하사(下士) (cf. SERGEANT).

stag [stǽ(:)g] *n.* **1** 수사슴《특히 5살 이상의; cf. HIND²》. **2** 수컷; 수탉; 거세(去勢)한 황소[수퇘지]. **3** 〔英證〕 단기 매매 차액을 벌 목적으로 신주(新株)를 사들이는 사람. **4** 《口》 (파티 따위에) 여성을 동반하지 않고 참석하는 남성; 《俗》 독신 남성, 홀아비; 《口》 =STAG PARTY. **5** 《美黑人俗》 =DETECTIVE; 《英俗》 밀고자.
—— *a.* 남성만의, 여성을 동반하지 않는《파티 따위》; 남성을 위한, 포르노의; 《口》 이성 동반자[에스코트]가 없는.
—— *adv.* 《口》 여성을 동반하지 않고: go ~ 《美口》 여성을 동반하지 않고 가다.
—— *v.* (**-gg-**) *vi.* 〔英證〕 매매 차액을 노려 신주에 응모하다; 《英》 밀고하다, 배반하다; 《口》 (남자가) 여성 동반자 없이 참석하다. —— *vt.* 《英》 밀정을 하다, 망보다; 〔英證〕 stag로서 (주식을) 사다; 《廢·俗》 찾아내다; 《英》 잘라서 짧게 하다; 《美俗》 바짓가랑이를 잘라내다《수영 팬츠로 만듦》.
〚OE 《美》 *stagga*; cf. *docga* dog, *frogga* frog, Icel. *steggr* male fox, tomcat〛

stág bèetle *n.* 〔昆〕 사슴벌레.

‡**stage** [stéidʒ] *n.* **1** (극장의) 무대, 스테이지; 연단: appear on the ~ 무대에 등장하다. **2** [the ~] 연극, 극; 배우 직업; 연극계; 극(劇)문학 (the drama); 활동 무대, 활동 범위〈*of*〉; (전쟁·살인 따위의) 무대, 장소〈*of*〉: leave *the* ~ 무대를 떠나다, 배우를 그만두다. **3** (발달 따위의) 시기, 정도, 단계; (건물의) 층(story); 〔地〕 계(階)《통(統)의 하위》; 〔醫〕 (병의) 제(第) …기(期); (강(江)의) 수위: *in* the first[last] ~ *of* …의 제1[최종] 단계에서. **4** (여행 도중의) 역참(驛站), 여인숙; 여정; 역[승합] 마차, 버스; 《英》 동일 요금 구간(fare stage): travel *by* long[short, easy] ~*s* 급하게[한가하게, 편하게] 여행을 하다. **5** =STAGECOACH. **6** 발판, 비계(scaffold). **7** 부두, 선창, 잔교(棧橋). **8** (로켓 공학에서의) 단(段). **9** (현미경의) 재물대(載物臺); 〔鑛〕 광차대(鑛車臺).

go on*[*come on, take to*] *the stage 배우가 되다.

hold the stage (극이) 계속 상연되다; 주목의 대상이 되다, 그 자리의 주역[중심]이 되다.

quit*[*retire from*] *the stage 《비유》 무대를 떠나다, (직장·정계 따위에서) 은퇴하다; 죽다.

set the stage for …의 무대장치를 하다; 《비유》 …의 사전 준비를 하다.

tread the stage ☞ TREAD.

〈회화〉
Do you think our team will win? — It's too early to tell at this *stage.* 「우리 팀이 이길 것 같습니까」 「지금 단계에서 말하기는 너무 이릅니다」

—— *vt.* **1** 상연하다; 각색하다: We are going to ~ "Macbeth" next month. 우리는 다음달에 「맥베스」를 상연할 예정이다. **2** 훌륭하게 실현시키다: ~ a comeback 화려하게 복귀하다. **3** 《美》 (일을) 꾸미다, 계획하다: The angry people ~*d* a riot. 분노에 찬 민중들은 폭동을 일으키려고 했다. —— *vi.* **1** [+副] 상연할 수 있다, 연극이 되다: That scene will not ~ *well*[will ~ *badly*]. 그 장면은 상연하기가 어려울 것이다. **2** 역마차로 여행하다.
〚OF *estage* dwelling<Rom. (L *sto* to stand)〛

stáge bòx *n.* 무대옆 특별 관람석.

stáge·còach *n.* (예전의) 역마차, 승합 마차(cf. MAIL COACH).

stáge·còach·man [-mən] *n.* 역마차[승합마차]의 마부.

stáge·cràft *n.* Ⓤ 극작술(劇作術), 각색[연출·연기 따위]의 기법[경험].

stáge dirèction *n.* 연출 기술, 극본(劇本)에서 배우의 동작을 지시한 부분.

stáge dirèctor *n.* 《美》 연출가; 《英》 무대감독 (producer) (=《美》 director).

stáge dóor *n.* (극장의) 뒷문; 무대 출입구.

stáge-dòor Jóhnny *n.* 《口》 여배우를[코러스 걸을] 사귀려고 극장에 자주 가는 남자.

stáge effèct *n.* 무대효과 ; (관객에게 영합하는) 저속한 연출[연기].
stáge fèver *n.* 연극열, 배우 지망열.
stáge frìght *n.* (특히 처음 서는 무대 따위에서의) 두려움, 무대 공포증.
stáge·hànd *n.* (장치·조명 따위) 무대 담당자.
stáge léft *n.* (관객을 향해서) 무대 좌측.
stáge-mànage *vt.* …의 연출을 하다 ; 배후에서 조정[지시]하다. ── *vi.* 무대감독으로 일하다.
stáge mánager *n.* 무대감독.
stáge nàme *n.* (배우의) 무대명, 예명(藝名).
stag·er [stéidʒər] *n.* [보통 an old ~] 노련한 사람, 경험자.
stáge rìght *n.* [*pl.*] (연극의) 흥행권, 상영권 ; [⌐⌐] (관객을 향해서) 무대 오른쪽.
── *adv.* 무대 오른쪽으로[에서].
stáge sèt *n.* 무대 장치(set).
stáge sètting *n.* 무대 장치를 하기 ; =STAGE SET.
stáge·strùck *a.* 배우가 되려고 열망하는, 무대 생활을 동경하는.
stáge whìsper *n.* 〖劇〗 (관객에게 들릴 정도로 지껄이는) 큰 소리의 방백(傍白) ; 《비유》 (당사자보다 제삼자에게) 들으라는 듯이 하는 혼잣말.
stáge·wìse *a.* 연극적으로 적절한[효과적인].
── *adv.* 연극적인 관점에서 ; 무대 위에 서는.
stagey ☞ STAGY.
stág fílm *n.* 《英》 남성 취향의 영화, (특히) 포르노 영화(=《美》 stag movie).
stag·fla·tion [stæ̀gfléiʃən] *n.* 〖經〗 스태그플레이션《경기 침체하의 인플레이션》.
〚*stag*nation+in*flation*〛
stag·ger** [stǽgər] *vi.* **1** [動/+副/+前+名] 비틀거리다, (술취해) 갈지자로 걷다 : ~ *about* [*around*] 비틀거리며 걸어다니다 / The drunkard ~*ed* ***along [***across*** the road, ***to*** his feet]. 그 주정꾼은 비틀거리며 걸어 갔다[도로를 횡단했다, 휘청거리며 일어섰다]. **2** [動/+前+名] 망설이다, 마음이 흔들리다, 주저하다, 동요하다 : He ~*ed* ***at*** the news. 그 뉴스를 듣고 마음이 흔들렸다. ── *vt.* **1** (사람을) 비틀거리게 하다, 흔들리게 하다 : The kick ~*ed* him. 발에 채여서 비틀거렸다. **2** (결심 따위를) 흔들리게 하다, 동요시키다 ; …의 자신을 잃게 하다 : The news ~*ed* his resolution. 그 뉴스는 그의 결심을 동요시켰다. **3** 깜짝 놀라게 하다, 어리둥절하게 하다 : She was ~*ed* by the news of her husband's death. 남편이 죽었다는 말을 듣고 깜짝 놀랐다. **4** (바퀴살 따위를) 서로 엇갈리게 하다. **5** (휴가·근무·출근 시간을) 서로 겹치지 않도록 조금씩 다르게 하다 : ~ office hours 회사의 출근시간을 다르게 하다, 출근에 시차제(時差制)를 두다. ── *n.* **1** 비틀거림, 비트적거림, 갈지자 걸음 ; 흔들거림. **2** [the ~s] (특히 말·양의) 운도병(暈倒病) ; (사람의) 현기증(giddiness). **3** 〖機〗 (바퀴살·비행기 날개 따위에서의) 파상(波狀) 장치, 서로 엇갈리게 하는 장치. ── *a.* 지그재그[물결 모양]의, 갈지자형(배열)의 ; 부분적으로 비켜 놓은, 시차적(時差的)인 ; 번갈아 하는.
〚변형(變形) ‹ME *stacker*<ON (freq.) ‹*staka* to push, stagger〛
類義語 ***stagger*** 몸의 균형을 잃고 일정한 진로를 찾지 못하여 비틀거리다 : *stagger* with intoxication (술에 취하여 비틀거리다). ***reel*** 다리가 꼬여서 금방 넘어질 듯이 휘청거리며 걷다 : *reel* along with hunger (배가 고파서 휘청거리며 걷다). ***totter*** 몸이 약한 노인이나 어린이 등이 위태롭게 터벅터벅[아장아장] 걷다.
stág·gered bóard *n.* 임기별 임원회《선거 시기를 달리하는 임원으로 구성된 경영진 ; 회사 경영의 독점 방지를 위함》.
stággered òffice hóurs *n.* 시차제 출근.
stágger·er *n.* **1** 비틀거리는 사람. **2** 깜짝 놀라게 하는 것 ; 대사건, 어려운 문제.
stágger·ing *a.* 비틀거리는 ; 갈지자 걸음의 ; 망설이는 ; 압도적인, 어마어마한, 경이적인.
~·ly *adv.* 비틀거리며 ; 망설이고 ; 깜짝 놀라서.
stág·hòrn *n.* **1** 사슴뿔《세공용》. **2** 〖植〗 석송(石松). **3** 아크로포라《산호의 일종》.
stág·hòund *n.* 스태그하운드《사슴 사냥용 개》.
stag·ing [stéidʒiŋ] *n.* **1** Ⓤ 각색(脚色), 연출, 상연. **2** Ⓤ 역마차업[여행]. **3** Ⓤ,Ⓒ 발판, 비계(scaffolding). **4** 〖軍〗 수송(집합). **5** 〖로켓〗 스테이징《일단 분리된 후 다음 점화까지의 일련의 작업》. 〚STAGE〛
stáging àrea *n.* 〖軍〗 부대 집결지《새로운 작전·임무에 앞서 체제를 정비하기 위한》.
stáging pòst *n.* 〖空〗 =STAGING AREA ; 준비 단계 ; 〖空〗 정기 기항지.
Sta·gi·ra [stədʒáirə], **-ros** [-rəs] *n.* 스타기라《고대 Macedonia의 도시 ; Aristotle의 출생지》.
Stag·i·rite [stǽdʒəràit] *n.* Stagira의 주민 ; [the ~] 아리스토텔레스(Aristotle)의 속칭.
stág lìne *n.* 《美口》 (댄스 파티에) 여성을 동반하지 않고 와서 한 구석에 몰려 있는 남자들.
stág móvie *n.* 《美》 남성 취향의 영화, (특히) 포르노 영화(=《英》 stag film).
stag·nant [stǽgnənt] *a.* **1** 흐르지 않는, 더러워진, 물이 괴어 있는 ; 정체된. **2** 《비유》 활발치 못한, 불경기의(dull). **-nan·cy, -nance** *n.* Ⓤ 정체 ; 침체 ; 불경기, 불황. **~·ly** *adv.*
〚L (*stagnum* pond)〛
stag·nate [stǽgneit, -⌐] *vi.* (액체가) 흐르지 않다, (물이) 고이다 ; (생활·마음·일·사람 따위가) 침체[정체]하다. ── *vt.* 고이게 하다, 침체시키다. **stag·ná·tion** *n.* Ⓤ (물이) 굄, 침체, 정체 ; 부진, 불경기.
stág pàrty *n.* 《口》 남자만의 회합[파티](↔*hen party*).
stagy, 《美》 **stag·ey** [stéidʒi] *a.* (**stág·i·er ; -est**) **1** 무대의. **2** 연극조(調)의, 허풍떠는, 과장된, 일부러 꾸민(bombastic).
stág·i·ly *adv.* **-i·ness** *n.*
staid [stéid] *v.* 《古》 STAY[1]의 과거·과거 분사.
── *a.* 침착한 ; 진지한, 건실한, 착실한, 근엄한 ; 《稀》 고정된, 불변의. **~·ly** *adv.* **~·ness** *n.*
stain** [stéin] *n.* **1** 얼룩, 때<*on, upon*> ; 녹. **2** 《비유》 오점, 흠 : a ~ *on* one's reputation 명성의 오점. **3** Ⓤ 착색 ; 염료, 착색제 ; (현미경 검사용의) 염료. ── *vt.* **1** [+目/+目+*with*+名] 더럽히다(soil), 얼룩지게 하다 ; 흠이 나게 하다, 오손(汚損)하다 : You have ~*ed* your apron ***with gravy, haven't you? 너의 앞치마에 고깃국물이 얼룩졌군 / I saw his fingers ~*ed* ***with*** red ink. 그의 손가락이 붉은 잉크로 더럽혀진 것을 보았다. **2** 《비유》 (명성·인격을) 더럽히다, 손상시키다 : His character is ~*ed* by vice. 그의 품성은 악에 물들어 있다 / a guilt-~*ed* reputation 죄로 손상된 명성. **3** [+目/+目+補] (유리·재목·도배지 따위에) 착색하다, (표본 따위를) 착색제로 물들이다 : ☞ STAINED GLASS / The wood was ~*ed* yellow. 그 나무는 노랗게 물들어 있었다. ── *vi.* 더러워지다, 얼룩지다 ; 녹슬다 : White cloth ~*s* easily. 하얀 천은 쉽게 더러움을

탄다. ~·er *n.* 염색[착색]공 ; 착색제.
〚ME *distain*<OF (*dis-*, TINGE)〛

stàin·abílity *n.* 염색성《세포가 특정 색소로 염색되는 성질》.

stáined gláss *n.* (착)색 유리, 스테인드 글라스. **stáined-gláss** *a.*

stáin·less *a.* **1** 더럽혀지지 않은, 얼룩이 없는 ; 녹슬지 않는, 스테인리스의. **2** 흠집이 없는 ; 깨끗한, 결백한. —— *n.* [집합적으로] 스테인리스제(製) 식기류.

stáinless stéel *n.* 스테인리스 스틸[강(鋼)].

‡**stair** [stέər, stǽər] *n.* **1** (계단의) 한 단(段) : a flight[pair] of ~*s* 한 줄로 연속된 계단 / He lives up two[three] pairs of ~*s.* 그는 3[4]층에 살고 있다. **2** [보통 *pl.*] 계단, 사닥다리 계단.
below stairs (1) 지하실에서 ; (특히 지하실의) 하인방에서. (2) 아래층에서.
down stairs 아래층에서[으로].
up stairs 위층에서[으로].
〚OE *stǣger* ; Gmc.에서 'to climb'의 뜻〛

stáir càrpet *n.* 계단에 까는 융단.

***stáir·càse** *n.* 계단, 사닥다리 계단 : a corkscrew ~ 나선(螺旋) 계단.

stáir·hèad *n.* 계단 꼭대기.

stáir ròd *n.* 계단의 융단 누르개《주로 쇠막대기》.

stáir·wày *n.* 계단, 층계 (staircase).

stáir·wèll *n.* 〖建〗 계단을 포함하는 수직의 공간 《벽이 없는 건축양식》.

staith [stéiθ], **staithe** [stéið] *n.* 《英》 석탄 하역 부두.

***stake** [stéik] *n.* **1** 말뚝 ; 막대기. **2** 화형주(火刑柱) ; [the ~] 화형, 분형(焚刑) : suffer[be burnt] at *the* ~ 화형에 처해지다. **3 a**) 내기 (wager) : play for high ~*s* 큰 도박판을 벌이다. **b**) [*pl.*] (경마 따위의) 내기에 건 돈, 상금 ; 《美口》 =GRUBSTAKE ; 내기 경마, 스테이크스. **4** 《비유》 이해 관계 (interest), (개인적) 관여 : have a ~ *in* a company 회사에 이해 관계를 가지다 / a girl with little ~ in the future 장래의 일에 관하여 거의 관심이 없는 여자 아이.
at stake 성패가 걸려 ; 위태롭게 되어 ; 문제가 된 : My honor is *at* ~. 나의 명예에 관계되는 문제다.
pull up stakes 《美口》 주소[직업]를 바꾸다, 떠나다.
—— *vt.* **1** 말뚝에 매다 ; 말뚝으로 떠받치다 : He ~*d* the newly planted tree. 그는 갓 심은 나무를 말뚝으로 받쳤다. **2** [+目+副] 말뚝으로 둘러 싸다, 말뚝을 박아 구획하다, 경계를 짓다 : ~ ***off*** the boundary 말뚝을 박아 경계를 정하다. **3** [+目/+目+前+名] (돈·명예·생명 따위를) 걸다 : He ~*d* his life ***on*** the job. 그는 그 일에 생명을 걸었다.
stake (***out***) ***a***[***one's***] ***claim to***[***on***] …에 대한 권리를 주장하다[명확히 하다], …을 자기 것이라고 하다.
〚OE *staca* pin<WGmc.=to pierce ; STICK¹과 같은 어원 ; '내기'의 뜻은 16세기부터 (<?)〛

stáke bòat *n.* 〖競漕〗 (출발선(線)·결승선에 있는) 고정 보트 ; 다른 배를 계류하기 위해 닻으로 고정된 배.

stáke·hòld·er *n.* (노름에서) 판돈을 보관하는 제삼자.

stáke hòrse *n.* stake race에 정기적으로 출장하는 말.

stáke·òut *n.* 《口》 (경찰 등의) 감시[잠복] (구역), 감시 장소.

stáke[**stákes**] **ràce** *n.* 내기 경마《출장 등록료 총액을 3등한 말에까지 배분함》.

Sta·kha·nov·ism [stəkáːnəvìzəm] *n.* Ⓤ 스타하노프 운동《공장 따위에서 작업 능률을 올린 노동자에게 상금을 주어 생산 증가를 꾀하는 방법》.
〚Aleksei *Stakhanov* (d. 1977) 노르마의 14.5배가 되는 일을 한 구소련의 탄갱 노동자〛

Sta·kha·nov·ite [stəkáːnəvàit] *a.* 스타하노프 제도[법]의. —— *n.* 스타하노프 제도에서 우수한 성적을 올린 노동자.

sta·lác·ti·fòrm [stəlǽktə-] *a.* 종유석 모양의.

sta·lac·tite [stəlǽktait, stǽləktàit] *n.* 〖鑛〗 종유석. **sta·lac·tic** [stəlǽktik] *a.* =STALACTITIC.
〚NL<Gk. *stalaktos* dripping (*stalassō* to drip)〛

stal·ac·tit·ic, -i·cal [stæ̀ləktítik(əl), stəlæk-] *a.* 종유석의[같은] ; 종유석으로 덮인.
-i·cal·ly *adv.*

Sta·lag [stǽləg ; *G* ʃtáːlaːk] *n.* (제 2 차 세계 대전 때의 독일의) 포로 수용소《특히 사병을 수용》.
〚G *Stamm*l*ager* (*Stamm* base, *Lager* camp)〛

sta·lag·mite [stəlǽgmait, stǽləgmàit] *n.* 석순(石筍). 〚NL<Gk. ; cf. STALACTITE〛

stàl·ag·mít·ic, -i·cal [-mít-] *a.* 석순의 ; 석순 모양의.

stal·ag·mom·e·ter [stæ̀ləgmɑ́mətər] *n.* 〖理·化〗 적수계 (滴數計)《표면 장력 측정용》.
stàl·ag·móm·e·try *n.* 적수계 측정.

***stale**¹ [stéil] *a.* **1** (음식 따위가) 신선하지 않은, 상한(↔*fresh*) ; (술 따위가) 김빠진 ; (고기나 달걀 따위가) 썩어가는 ; (빵 따위가) 오래된, 딱딱해진 : *S*~ bread is best for toast. 토스트용으로는 약간 굳은 빵이 제일 좋다. **2** (공기가) 탁한, 곰팡내 나는(musty). **3** 신선미가 없는, 진부한 (trite). **4** (과로 따위로) 생기가 없는 ; (경기자가) 지나치게 연습하여 피로해진. **5** 〖法〗 (권리를 행사하지 않아서) 효력을 상실한.
—— *vt., vi.* 맛이 없어지게 하다[없어지다], 김빠지게 하다[빠지다]. **~·ness** *n.*
〚AF and OF (*estaler* to come to a stand) ; cf. STALL¹〛

stale² *n.* (마소 따위의) 오줌. —— *vi.* 《古·方》 (마소가) 오줌 누다.
〚? OF *estaler* to adopt position ; cf. ↑〛

stále·màte *n.* **1** Ⓤ,Ⓒ 〖체스〗 수가 막힘《쌍방이 다 둘만한 수가 없는 상태 ; cf. MATE²》. **2** Ⓤ,Ⓒ 막다른 골목, 궁지 ; 교착 상태. —— *vt.* **1** 〖체스〗 수가 막히게 하다. **2** 《비유》 막다르게 하다 ; 옴쭉 못하게 하다, 궁지에 몰아넣다. 〚*stale* (obs.) stalemate (OF ; ⇨ STALE¹) + MATE²〛

Sta·lin [stáːlən, stǽl-, -liːn] *n.* 스탈린. **Joseph V.** ~ (1879-1953) 구소련의 정치가·공산당 서기장(1922-53)·수상(1941-53). **~·ìsm** *n.* 스탈린주의. **~·ist** *n., a.* 스탈린주의자(의). **~·ìte** *n., a.* 스탈린 지지자(의). **~·ìze** *vt.* 스탈린(주의)화하다. **~·òid** *n., a.* 스탈린주의자(의).

***stalk**¹ [stɔ́ːk] *n.* **1** 〖植〗 줄기, 대 ; 잎자루, 꽃자루. **2** 가느다란 버팀대 ; 〖動〗 경상부(莖狀部), 육경(肉莖) ; 〖建〗 줄기 모양의 장식 ; (술잔의) 높은 굽 ; (공장의) 높은 굴뚝 ; (새의) 우축(羽軸).
stálky *a.* 줄기가 많은 ; 줄기 같은, 가늘고 긴, 호리호리한. 〚(dim.) ‹ *stale* (obs.) rung of ladder, long handle<OE *stalu*〛

***stalk**² *vi.* **1** (사냥감 따위에) 몰래 접근하다 : Deer are hunted chiefly by ~*ing.* 사슴은 대개 몰래 다가가서 잡는다. **2** [動/+副/+前+名] 천천히 활보하다, 성큼성큼 걷다, (유령처럼) 느릿느릿 걷다 ; (질병 따위가) 퍼지다, 창궐하다 : He ~*ed*

out (***of*** the room). 그는 성큼성큼 걸어 (방에서) 나갔다 / The plague ~*ed* ***through***[*up* and *down*] the land. 역병이 온 나라에 퍼졌다.
── *vt.* **1** (적·사냥감 따위에) 몰래 접근하다; 살며시 …의 뒤를 밟다: The hunter ~*ed* the bear. 사냥꾼은 곰에게 몰래 접근했다. **2** [+目/+目+*for*+名] (질병 따위가 어느 지방에) 만연하다; (어느 지역을) 다니며 물색하다: Terror ~*ed* the streets. 공포감이 거리에 감돌았다 / He ~*ed* the wood ***for*** deer. 그는 사슴을 찾아 숲속을 헤매었다.
── *n.* **1** 사냥감에 몰래 다가서기, 슬그머니 뒤를 밟기. **2** 손을 크게 저으며[당당히] 걷기.
~·er *n.* 사냥감 《따위》에 몰래 접근하는 사람.
〚OE 《美》 *stealcian*<Gmc. (freq.) 〈《美》 *stal-*, 《美》 *stel-* to STEAL〛

stálk·ing-hòrse *n.* **1** 위장 말《사냥꾼이 짐승에게 접근할 때 뒤에 숨기 위한 말[말 모양의 물건]》. **2** 《비유》 위장, 구실(pretext). **3** 〔美政〕 앞잡이[허수아비] 입후보자《다른 후보자의 은폐나 상대편의 분열을 위한》.

***stall**[1] [stɔ́:l] *n.* **1** 마구간, 외양간; 마구간[외양간]의 한 칸, 마방(馬房)《한 마리씩 넣는》; 《俗》 지저분한 방. **2** 매점, 이동식 가두 판매점, 노점, 《美俗》 가게, 사무실, 일터(stand); 상품 진열대; =BOOKSTALL. **3** 《英》 (극장의) 1층 정면의 1등석(의 관객) (cf. ORCHESTRA 3). **4** 성직자석, (교회의) 성가대석; (교회의) 좌석(pew); (도서관 서고 안의) 개인 열람석. **5** (주차용·샤워용 따위의) 한 구획; 《주로 英》 〔鑛〕 채탄장(採炭場), 채굴 현장; 〔冶〕 배소실(焙燒室). **6** 〔空〕 엔진 정지; 실속(失速)《비행기가 추락할 정도로 속도를 잃기》. **7** 골무(=fingerstall). ── *vt.* **1** (살찌게 하기 위해) 마구간[외양간]에 넣다[넣어 두다]: a ~*ed* ox 외양간에 넣어둔 황소. **2** (마구간·외양간에) 칸막이를 하다. **3** (말·마차를) 진창[눈] 속에 처박히게 하다, 꼼짝달싹 못하게 하다: The horses were ~*ed* in a slough. 말이 흙탕속에 빠져버렸다. **4** (중량 초과나 연료 부족으로) 엔진을 멈추게 하다; (비행기를) 실속(失速)시키다: The engine was ~*ed* by an overload. 실은 짐이 너무 많아서 엔진이 멈춰버렸다. ── *vi.* **1** 마구간[외양간]에 살다. **2** (말·마차가) 진창[눈] 속에 갇히다, 꼼짝달싹 못하다. **3** (비행기가) 실속하여 불안정하게 되다; (중량 초과나 연료 부족으로) 엔진이 움직이지 않게 되다, 엔진이 멈추다.
~·age *n.* Ⓤ 〔英法〕 (시(市)따위 에서의) 매점 설치권(료).
〚OE *steall*; cf. STAND, G *Stall*, OF *estal*〛

stall[2] *n.* **1** 《口》 구실, 속임수; 《俗》 시간 벌기(전술); 《俗》 조작된 알리바이. **2** 소매치기의 바람잡이; (범죄·도피 등의) 조력자, 파수꾼.
── *vt.* 《俗》 [+目/+目+副] 교묘하게 속여서 지연시키다, 발뺌하다(evade); 말리다, 만류하다: He could no longer ~ ***off*** his creditors. 그는 더 이상 채권자를 속여 지급을 지연시킬 수 없었다.
── *vi.* 《원래 美》 [動/+*for*+名] 확실한 대답을 피하다, 속이다; 《口》 교묘하게 시간을 벌다; 《美口》 (상대편을 속이기 위해) 힘을 아끼면서 경기하다; 《俗》 소매치기의 바람잡이[한패] 노릇을 하다: ~ ***for*** time (핑계를 대어) 시간을 벌다.
〚C16=decoy<AF *estal(e)*; ↑와 같은 어원인가〛

stáll bàr *n.* (체조용의) 늑목(肋木).
stáll-fèd *a.* 마구간[외양간]에서 살찌게 먹인.
stáll-fèed *vt.* 외양간에 가두어 살찌게 하다.
stáll·hòld·er *n.* (시장의) 좌판 장수, 노점상.
stal·lion [stǽljən] *n.* 종마(種馬), 수말, 씨말.
〚OF *estalon*<Gmc.; ⇨ STALL[1]〛
stal·wart [stɔ́:lwərt] *a., n.* **1** 건장한 (사람), 튼튼한 (사람), 강건한 (사람). **2** 매우 충실한[용감한] (사람), 애당심이 강한 (사람), 의지가 굳은 (사 람). 〚Sc. (obs.) *stalworth*<OE *stælwierthe* place worthy〛
sta·men [stéimən; -men] *n.* (*pl.* **~s, stam·i·na** [stǽmənə]) 〔植〕 수술, 웅예(雄蕊) (cf. PISTIL, ANTHER). 〚L *stamin- stamen* warp thread〛
sta·min- [stéimən, stǽm-], **sta·mi·ni-** [stéimənə, stǽm-] *comb. form* 「수술(stamen)」의 뜻. 〚L〛
stam·i·na[1] [stǽmənə] *n.* Ⓤ 원기, 정력, 끈기, 스태미나. 〚L (pl.) 〈STAMEN=warp, threads spun by the Fates〛
stamina[2] *n.* STAMEN의 복수형.
stam·i·nal[1] [stǽmənl] *a.* STAMINA[1]의.
stam·i·nal[2] [stǽmənl, stéi-] *a.* 〔植〕 수술의.
stam·i·nate [stǽmənət, -nèit, stéi-] *a.* 〔植〕 수술(만)이 있는(↔*pistillate*).

stam·mer** [stǽmər] *vi.* 말을 더듬다; 더듬거리면서 말하다(stutter). ── *vt.* [+目/+目+副] 더듬거리며 말하다, 우물우물 말하다〈*out*〉: He ~*ed* ***out a few words. 그는 우물거리면서 몇 마디 말했다. ── *n.* 말더듬기, 눌언(訥言).
~·er *n.* 말더듬이. **~·ing·ly** *adv.*
〚OE *stamerian*; cf. G *stammern*〛
類義語 ***stammer*** 당황·공포·흥분 따위 때문에 우물거리거나 허둥대며 말하다; 억지로 뭔가 지껄이려는 비상한 노력을 나타냄. ***stutter*** 특히 습관적인 말더듬에 쓰임.

‡stamp [stǽ(:)mp] *vt.* **1** [+目/+目+副/+目+補] (발을) 구르다; 짓밟다, 짓이기다; 밟아서 …으로 하다: ~ one's foot in anger 화가 나서 발을 동동 구르다 / ~ the ground 발을 동동 구르다 / ~ the floor 마룻바닥을 구르다 / He ~*ed* ***out*** the cigarette. 그는 담뱃불을 밟아 껐다 / The rebellion was ~*ed out* by the police. 폭동은 경찰에 의해서 진압되었다 / He ~*ed* the grass flat. 풀을 납작하게 짓밟았다. **2** [+目/+目+前+名] 낙인(烙印)[나무 도장·고무 인장]을 찍다, …에 도장을 누르다; (물품 따위에) 각인(刻印)하다, 무늬를 내다: ~ one's name ***on*** an envelope=~ an envelope ***with*** one's name 봉투에 이름이 새겨진 인장을 찍다 / I had my initials ~*ed* ***into*** the leather. 가죽에 내 이름의 첫글자를 각인했다. **3** (봉투·서류에) 우표[인지]를 붙이다: ~ a letter 편지에 우표를 붙이다. **4** [+目+*as* 補] …의 본성을 드러내다, (…임을) 밝히다: His manners ~ him *as* a gentleman. 그의 태도로 보아 그가 신사임을 알 수 있다. **5** [+目+前+名] 명심하게 하다: The incident was ~*ed* ***in*** my memory. 그 사건은 내 기억에 사무쳐 잊혀지지 않았다. **6** [+目/+目+副] 형(型)에 맞추어 자르다, 절단기로 끊다: ~ ***out*** rings from metal sheets 금속판에서 고리형(型)을 찍어내다. **7** (광석을) 분쇄하다. ── *vi.* [+副/+前+名] 발을 동동 구르다; 발을 쿵쿵거리며 걷다; 밟아 뭉개다, 짓밟다: He ~*ed downstairs*[***about*** the classroom]. 그는 발을 쿵쿵거리며 2층에서 내려왔다[교실을 돌아다녔다] / ~ ***on*** a twig 나뭇가지를 발로 짓밟다.
── *n.* **1** 우표, 인지, (각종의) 증지(證紙): He has collected a lot of foreign ~*s.* 그는 많은 외국 우표를 모았다. **2** 발을 동동 구름, (씨름꾼이)

한 발씩 높이 들어 땅을 밟음. **3** 타출기(打出機), 압단기(壓斷機) ;〘鑛〙 쇄광기(碎鑛機). **4** 타인기(打印器), 스탬프, 소인 ; 인장, 각인, 낙인 ; 공인(公印), 증인(證印) ; 흔적. **5** 특질, 특징, 표(mark)〈*of*〉. **6** [단수형만으로 써서] 종류, 형 : *of* the same ~ 같은 종류의. 〖? OE《美》*stampian* (cf. G *stampfen*) ; STEP과 같은 어원인가 ; (n.) ‹ (v.) and OF *estampe*<Gmc.〗

Stámp Àct *n.* [the ~]〘史〙(특히 1765년 영국이 식민지였던 아메리카에 부과한) 인지조례(印紙條例).

stámp àlbum *n.* 우표첩[앨범].

stámp collècting *n.* 우표 수집.

stámp collèctor *n.* 우표 수집가(philatelist).

stámp dùty[**tàx**] *n.* 인지세.

stam·pede [stæmpíːd] *n.* (짐승·가축 떼 따위가) 놀라서 우르르 도망치기 ; 앞다투어 달아나기, (군대의) 대패주(大敗走) ;《美》(금광 따위로의) 쇄도(殺到)〈*to*〉;〘美政〙 후보자 지지를 위한 선거민 대표의 쇄도 ;《美西部·Can.》(로데오(rodeo)·박람회 따위의) 화려한 모임, 축제 ; 로데오. —— *vi.* 우르르 도망치다, 앞다투어 달아나다 ;《美》 밀어닥치다, 쇄도하다. —— *vt.* 우르르 도망치게 하다 : Thunderstorms often ~ cattle. 뇌우(雷雨)가 치면 가축들은 우르르 도망친다. 〖Sp. =crash, uproar<Rom.<Gmc.〗

stámp·er *n.* 도장[낙인]을 찍는 사람 ;《美》(우체국의) 소인(消印) 찍는 사람, 자동 압인기(押印機) ; (광석 도쇄기(搗碎機)의) 공이(pestle) ; (무늬 따위의) 날염공.

stámp·ing gròund *n.*《美口》(사람·동물이) 잘 모이는 곳, 늘 다니는[익숙해진] 장소, 집합 장소.

stámp machìne *n.* 우표 자동 판매기.

stámp[**stámping**] **mìll** *n.*〘鑛〙 쇄광기(碎鑛機), 도광기(搗鑛機), 스탬프 밀.

stámp nòte *n.* 관세 지급필 증서《하역(荷役) 허가증이 됨》.

stámp òffice *n.*《英》 인지국(印紙局).

stance [stǽ(ː)ns, 英+stáːns] *n.* **1** (등산에서의 바위타기의) 발디딤, 스탠스 ;〘스포츠〙(골퍼·타자의) 발의 자세, 스탠스 ; (서 있는) 자세 ; (육체적·정신적인) 자세 : the batting ~ 타구(打球)의 자세. **2**《스코》(건물의) 위치. 〖F<It. STANZA〗 類義語 ⟹ POSTURE.

stanch[1] [stɔ́ːntʃ, stǽ(ː)tʃ ; stáːntʃ] *vt.* **1** (피·눈물 따위를) 멎게 하다 ; (상처를) 지혈하다 ; (경향 따위)에 쐐기를 박다 ; (새는 곳을) 막다 : ~ a cut 벤 상처의 출혈을 막다. **2**《古》(고통을) 가라앉히다, 누그러뜨리다. —— *vi.* (피·눈물 따위가) 멎다 : ~ out《俗》 내디디다, 시작하다. —— *n.* (배가 얕은 여울을 지나갈 수 있게) 수위를 높이는 수문. 〖OF *estanchier*<Rom. (《美》*stancus* dried up< ?)〗

stanch[2] *a.* =STAUNCH[2].

stan·chion [stǽ(ː)ntʃən ; stáːnʃən] *n.* 기둥, 지주, 칸막이 기둥. —— *vt.* (가축을) 칸막이 기둥에 매다 ; (외양간에) 칸막이 기둥을 대다 ; 기둥으로 받치다. 〖AF ; cf. STANZA〗

◇**stand** [stǽ(ː)nd] *v.* (**stood** [stúd]) *vi.* **1** [動/+前+名/+補/+過分+do*ing*] 서다, (어떤 자세로) 서 있다 : You need not ~ if you are tired. 피로하시면 서 있지 않아도 좋습니다 / The train was so crowded that I had to ~ all the way to London. 기차가 몹시 붐벼 런던까지 줄곧 서 있어야 했다 / *S*~ straight. 똑바로 서라 / *S*~ still while I am portraying you. 초상화를 그릴동안 가만히 서 있으시오 / The chair will not ~ ***on*** three legs. 의자는 세개의 다리로는 서 있지 못할 것이다 / He tried to ~ *on* his own feet. 그는 자기 발로 서려고 했다 ; 자립하려 했다 / My hair *stood on* end. 머리털이 (공포에 질려) 곤두섰다 / The tree *stood* firm *on* the ground. 나무가 땅에 뿌리 깊이 박혀 있었다 / I *stood* astonish*ed* at the sight. 그 광경에 아연 실색한 채 서 있었다 / There she *stood* wait*ing* for her husband. 그녀는 거기서 남편을 기다리며 서 있었다.
2 [動/+副] 일어서다, 기립하다 : Everyone *stood* when the band started to play the national anthem. 악대가 국가를 연주하기 시작하자 모두들 일어섰다 / Please ~ ***up***. 기립하여 주십시오(↔ *Please sit down*).
3 [動/+副/+補] 원래대로 있다, 지속[지탱]하다, 유효하다 : The rule ~*s*. 그 규칙은 지금도 유효하다 / Let that word ~. 그 단어는 그대로 놔두시오 / Are you going to sell the house as it ~*s*? 너는 집을 현상태 그대로 팔 작정이냐 / This house will ~ at least a hundred years. 이 집은 최소한 100년은 갈 것이다 / This contract will ~ good for another year. 이 계약은 아직도 1년간 더 유효하다.
4 a) [+補/+過分/+副/+前+名] (어떤 상태로) 있다 : The door *stood* open. 문이 열려 있었다 / He ~*s* ready for anything. 그는 무슨 일이든 할 각오가 되어 있다 / I ~ your friend. 나는 네편이다 / I ~ correct*ed*. 정정한 대로다, 틀림없이 나의 잘못이다 / He *stood* convict*ed* of treason. 그는 반역죄의 선고를 받았다 / He ~*s first* in our class. 그는 우리 반에서 일등이다 / He ~*s well* ***with*** his boss. 그는 고용주의 환심을 사고 있다 / These films ~ high ***in*** public favor. 이들 영화는 항간에 평이 좋다 / They ~ *in* need of help. 그들은 원조를 필요로 하고 있다 / I *stood* to him *in* a peculiar relation. 나는 그와 특별한 관계에 있었다 / The thermometer ~*s* ***at*** 38℃. 온도계는 섭씨 38도를 가리키고 있다. **b**) [+補] (높이가) …이다, (가격이) …이다 : He ~*s* six feet two. 그의 키는 6피트 2인치다 / Food *stood* higher than ever. 식료품이 전보다 (값이) 더 비싸졌다.
5 [+前+名/+副] 위치하다, …에 있다 : The church ~*s* ***on*** a hill. 교회가 언덕 위에 자리잡고 있다 / A tall pine tree once *stood here*. 커다란 소나무가 한때 여기에 있었다 / The building ~*s* ***at*** 34th Street and 5th Avenue. 그 건물은 34번가(街)와 5번가(街)의 교차점에 있다.
6 [動/+前+名] (물이) 괴다, (땀이) 배어 있다 ; 멈추다, 정체하다 ; (짐을 싣거나 사람을 기다리기 위해) 일시 정차하다 : "*S*~!" cried the sentry. 멈춰! 하고 보초가 외쳤다 / The tears *stood* ***in*** her eyes. 눈물이 그녀의 눈에 고였다 / The train was ~*ing* ***at*** the station. 열차는 역에 정차하고 있었다.
7 [+副/+前+名]〘海〙(어떤) 침로(針路)를 잡다 ; (어느 방향으로) 나아가다 : ~ ***out to*** sea [***on*** the course] (배가) 앞바다로 곧장 항진(航進)하다[침로를 바꾸지 않고 나아가다] / ~ in towards[for] the shore 해안을 향해 나아가다.
8 (사냥개가) 사냥감의 위치를 가리키다(point).
9 (종마(種馬)가) 씨받이로 사용되다.
10〘크리켓〙 심판을 맡아보다.
—— *vt.* **1** [+目+前+名] 세우다, 서게 하다, …에 얹다 : ~ a ladder ***against*** the fence 사닥다리를 담에 기대어 세우다 / ~ a bottle ***on*** the

bar 병을 술파는 대(臺)에 내놓다 / The teacher *stood* the naughty boy ***in*** the corner. 교사는 그 장난꾸러기 소년을 (교실) 한 구석에 세웠다.

2 [+目/+do*ing*] 견디다, 인내하다, 참다 : I can't ~ this any longer. 더 이상 이것은 참을 수 없다 / She can't ~ cold[fatigue]. 추위[노역(勞役)]에는 잘 견디지를 못한다 / He could not ~ be*ing* bored by people. 그는 사람들한테 따분해지는 것을 참지 못했다 / This cloth will not ~ washing. 이 천은 물세탁하지 못한다.

3 고집하다, …에 머무르다 ; (공격 따위에) 맞서다, …에 저항하다 : ~ one's ground 자신의 입장을 고집하다 / The soldiers still *stood* the assault[fire]. 병사들은 여전히 공격에 저항했다[포화에 대항했다].

4 (검사·재판 따위를) 받다 : It failed to ~ the test. 그것은 검사에 불합격되었다 / ~ one's trial 재판을 받다.

5 《口》 [+目/+目+目] …의 대금을 치르다, 한턱 내다 : Uncle is going to ~ treat. 아저씨가 한턱 내실 것이다 / I will ~ you a drink. 너에게 한잔 사겠다. 注 수동태에서는 : They *were* often *stood* drinks in the canteen. 그들은 종종 매점에서 술을 대접받았다.

6 [+目+*in*+名] …에 (얼마가) 들다 : This coat *stood* me ***in*** $90. 이 외투를 사는데 90달러가 들었다.

as matters*[*affairs, things*] *stand =***as it stands*** 현상태로는 ; 이대로(는) (cf. *vi.* 3).

as the case stands 이런 까닭으로.

***stand about*[*around*]** (아무 일도 않고) 우두커니 서 있다.

***stand a chance*[*show*]** 기회가 있다, 유망하다 : ~ *a* good[fair] *chance* (성공 따위에) 가망이 상당히 있다 / ~ *a* poor *chance* 가망이 적다.

stand alone 고립하다[되어 있다] ; 비길 데 없다 : He *stood alone* among his colleagues. 동료 중에서 그에게 비길만한 자는 없었다.

Stand and deliver ! 있는 돈 다 내놔《강도가 협박하는 말》.

stand aside 옆으로 비켜서다 ; 가만히 있다 ; 방관하다 ; (후보로서) 끼지 않다, 물러서다 : He *stood aside* to let me pass. 옆으로 비켜서서 나를 지나가게 했다 / Bill never ~*s aside* when there is something that wants doing. 빌은 뭔가 하고자 하는 일이 있을 때는 가만히 있지 않는다.

stand away 떨어져 있다, 접근하지 않다.

stand back 물러나 있다 ; 쑥 들어가 있다 : His house *stood back from* the road. 그의 집은 도로에서 쑥 들어간 데에 있다.

stand between =COME[1] *between* : Nothing ~*s between* you and success. 너의 성공을 방해하는 것은 아무 것도 없다.

stand by (1) 곁에 있다, 방관하다(cf. BYSTANDER) ; 대기[준비]하다 ; 〖放送〗 다음 방송을 기다리다 ; 구조하기 위해 가까이 대기하다 ; 〖海·空〗 채비하다《엔진을 멈추게 하기 위해서 ; cf. STANDBY》 : I can't ~ *by* and see them ill-treated. 나는 그들이 학대받고 있는 것을 잠자코 보고만 있을 수 없다 / Everybody, ~ *by* ! 전원 대기 ! (2) 원조[가담]하다 : He always *stood by* his friends in difficult times. 그는 언제나 친구가 곤경에 처해 있을 때 도와주었다. (3) (약속 따위를) 지키다. (4) 〖英法〗 (국왕이 배심원에게) 이의(異議)를 신청하다.

stand down (법정의) 증인석에서 내려오다 ; (다른 후보에게 양보하고) 물러나다 ; 《英》 (병사가) 비번이 되다, …의 경비 태세를 풀다, 해체하다, (널리) (노동자를) 일시 귀휴(歸休)시키다 (lay off).

Stand easy ! ☞ EASY *adv.*

stand for. . . (1) …을 나타내다, 상징하다 ; 대리[대표]하다, …의 대신이 되다 : MS. ~*s for* Manuscript. MS.는 Manuscript (원고)의 약자다. (2) (주의·계급 따위) 때문에 공공연히 싸우다, …와 한패가 되다, …을 지지하다. (3) 《英》 …후보로 나서다(cf. RUN[1] *vi.* 3 b)) : Mr. Smith has *stood for* Parliament. 스미스씨가 국회 의원에 입후보했다. (4) 〖海〗 …으로 향하다. (5) 《口》 …을 참다, …에 따르다, 순종하다 : I can't ~ *for* any such rude behavior. 그런 무례한 짓은 참을 수 없다.

stand in 대역[대리]을 맡다<*for*>(cf. STAND-IN) ; (내기 따위)에 끼다 ; 《古》 (얼마가) 들다 : She once *stood in for* the prima donna. 그녀는 한때 프리마돈나의 대역을 맡아했다.

stand a person ***in good stead*** ☞ STEAD.

stand in with. . . (1) …와 결탁하다, …에 가담하다 ; …의 몫을 차지하다, …와 함께 돈을 내다. (2) 《口》 …와 사이가 좋다, 친하게 지내다.

stand off (1) 멀리 떨어져 있다 ; 멀리 떼어 놓다 : *S~ off !* (위험하니까) 떨어져 있어라, 비키시오. (2) 경원하다(cf. STANDOFFISH) ; 동의하지 않다. (3) 《美》 (빚쟁이 등을) 피하다 ; (지급 따위를) 교묘하게 늦추다. (4) 《英》 (종업원을) 일시 해고하다. (5) 〖海〗 육지에서 멀어져 나아가다. (6) (적을) 물리치다.

stand off and on 〖海〗 (어떤 점을 목표삼아) 육지에 접근하거나 떨어지거나 하며 나아가다.

stand on. . . (1) …위에 서다(cf. *vi.* 1) ; …에 기초를 두다, …에 의거하다(depend on) ; (의식 따위를) 굳게 지키다, 엄격하다 ; …을 주장[고집]하다 : ~ *on* ceremony ☞ CEREMONY. (2) [on은 *adv.*] 〖海〗 일정한 항로를 취하다.

stand on one***'s head*[*hands*]** 거꾸로 서다 ; (언어·행동이) 남다르다, 이채를 띠다.

stand on one***'s own* (*two*) *feet*[*legs*]** ☞ FOOT.

stand or fall 생사를 같이하다, 단결하다, (…을) 사수하다 ; 전부 …에 걸려[달려] 있다.

stand out 돌출하다, 튀어나오다 ; 두드러지다, 돋보이다<*from*> ; (남이 굴복하더라도) 끝까지 버티다<*against*> ; 개입하지 않다 : ~ *out* of war 전쟁에 개입하지 않다.

stand out a mile ☞ STICK[2] out a mile.

stand out to sea ☞ *vi.* 7.

stand over (1) …을 감독하다, …을 주의해서 보아주다. (2) 연기(延期)되다 : The debate will ~ *over* until next Monday. 토의는 내주 월요일까지 연기될 것이다. (3) 《濠口》 협박하다.

stand the course ☞ COURSE *n.*

stand to. . . (1) (약속·조건 따위를) 지키다 ; (진술 따위가) 진실임을 고집하다, …을 주장하다 : ~ *to* one's colors ☞ COLOR *n.* 숙어 / ~ *to* one's guns ☞ GUN *n.* 숙어. (2) 계속하다 : ~ *to* rowing 계속 젓다. (3) [to는 *adv.*] 《英軍》 (특히 한밤중·이른 새벽에) 적의 공격에 대비하여 대기하다.

stand to reason that. . . ☞ REASON *n.*

***stand to win*[*lose*]** 승리[패배]할 형세에 놓여 있다 ; (유리한 것을) 획득[상실]할 것 같다.

stand up (1) 일어서다. (2) 지탱하다, 견디다, 지속하다 ; 유효하다, (의논 따위가) 설득력이 있다. (3) 반항하다<*against*>.

stand a person ***up*** (1) 서게 하다. (2)《口》(약속 시간에 나타나지 않아) …을 기다리게 하다, 바람맞히다. (3) 남을 얕잡아 보다.
stand up for …을 옹호[변호]하다;《美》(신랑의) 들러리를 서다: ~ *up for* one's own rights 자기 자신의 권리를 옹호하다.
stand upon …을 주장[고집]하다.
stand up to …에 용감하게 대항하다; (물질이) …에 견디어 지속하다, …에 견디다; (문서·의논 따위가), …후에도 통용되다: This car will ~ *up to* all kinds of strain. 이 차는 아무리 함부로 사용해도 끄떡없다.
stand up with (신랑·신부의) 들러리를 서다.
stand with …에 찬성하다, …을 주장하다.
where one ***stands***[know, learn, find out 따위에 이어져서] 자신의 입장.
── *n.* **1** 일어섬, 서 있음, 기립(의 자세);《俗》발기; 정지, 막다름;〔海〕정조(停潮): be *at* a ~ 막다르다 / bring[put]...*to* a ~ …을 정지시키다; …을 막다르게 하다 / Business has come *to* a ~. 사업이 막다른 상황에 놓여 있다. **2** 저항, 반항. **3** 입장, 근거; 주장. **4** 위치, 장소. **5** 대(臺), 작은 탁자; …걸이, …받침, …꽂이: ☞ WASHSTAND / ☞ MUSIC STAND. **6** 포장가게, 노점, 스탠드, (역·길가 따위의) (신문·잡지) 매점: a newspaper ~ 신문 판매대 / ☞ NEWSSTAND. **7** (택시의) 주차장, (합승 마차의) 손님 대기소(=《英》rank). **8** [*pl.*] (경기장 따위의 계단식) 스탠드, (일반) 관람석; 관객; 야외 음악당; 연단. **9**《美》밭 작물, (특히 벼와 같은) 농작물, 수확; 입목(立木), (일정한 면적에 대한) 입목의 수효[밀도]. **10**《美》(법정의) 증인석(=《英》witness-box). **11** (순회 중인 흥행 단체의) 숙박지, 흥행지. **12** 장사에 알맞은 장소,《美》영업소[지];《南아》건축 예정지. **13**《美》점수, 성적. **14** 한 벌통의 꿀벌 떼(hive);《古》(무기 따위의) 한 벌, 일습.
hit the stands《美俗》발매되다.
make a stand 멈춰 서다; =*take* one's STAND (2); 저항하다〈*against, for*〉.
take a (***firm***) ***stand*** 분명한 입장을 취하다, 단호한 태도를 취하다, 견해를 명확히 하다〈*on, over, for, against*〉.
take one***'s stand*** (1) 어떤 상태[입장]에 서다. (2) 자기의 입장[권리]을 주장하다〈(*up*) *on*〉.
take the stand《美》증인석에 서다; (…을) 보증하다〈*on*〉.
〖OE *standan*; (n.) ‹ (v.); '견디다'의 뜻은 17세기 '맞서다'의 뜻에서; cf. OS, Goth. *standan*, G *stehen*〗
類義語 ⟹ BEAR[1].

stánd-alóne *a.*〔컴퓨〕(다른 장치가 필요 없이) 자체만으로 작동하는, 독립형의《주변 장치》.

‡stan·dard [stǽndərd] *n.* **1** U.C [흔히 *pl.*] 표준, 기준, 규격; 규범, 모범: the ~ of living[life] 생활 수준 / the Labor *S*~*s* Law 근로 기준법 / below ~ 표준 이하로서 / up to (the) ~ 표준에 이르러, 합격하여. **2** (의류 따위의) 표준 사이즈; (도량형의) 원기(原基), 원기(原器);〔材木〕스탠더드《목재의 부피단위:《美》에서는 165세제곱피트(=4.67m³),《英》에서는 16 2/3세제곱피트(=0.472m³)》. **3** 본위(本位)《화폐 제도의 가치 기준》; (경화(硬貨)의) 법정 성분; (금·은의) 규정 순도: ☞ GOLD[SILVER, SINGLE] STANDARD. **4**《英》(초등 학교의) 학년, 반(class)(=《美》grade)(cf. FORM *n.* 9 b)). **5** 등잔[촛]대; 주각(柱脚); 술잔의 굽; 굽 높은 큰 잔. **6** 수직 받침, 지주(支柱), 전주(電柱)《따위》. **7** 기(旗); 군기, (특히) 기병 연대기; 기장;〔紋〕(국왕·왕족 등의) 좁고 긴 기: ☞ ROYAL STANDARD / join the ~ of...《비유》…의 깃발 아래로 모여들다 / march under the ~ of...《비유》…의 군(軍)에 가담하다 / They raised the ~ *of* revolt[free trade].《비유》그들은 반기[자유 무역의 깃발]를 들었다. **8**〔園藝〕(관목을 잇는) 대목(臺木), 접본(接本); (곧은) 자연목, 서 있는 나무. **9**《美》스탠더드 넘버《표준 연주 곡목》. **10**〔컴퓨〕스탠더드, 표준. **11** [형용사적으로] **a)** 표준의, 모범적인: ☞ STANDARD TIME. **b)** 공인의; (작가 등이) 일류인, 권위있는; (언어·어법·발음 등이) 용인되는, 표준의. **c)** (타이프라이터가) 스탠더드형(型)의, 표준형인《포터블과는 달리 크고 무거우며 견고하게 만들어져 있음》. **d)**〔園藝〕입목(立木)으로 만든; 자연목의: a ~ rose 입목성(立木性)의 장미(rose tree).
〖AF *estaundart* (⇨ EXTEND); 의미상 *stand*의 영향 있음〗
類義語 ***standard***「표준」; 종류가 같은 것의 무게·양·가치 따위를 비교할 때의 일정한 규칙·척도·형(型) 따위: *standards* of purity for metal (금속의 순도(純度) 표준). ***criterion*** 어떤 물질이 적당한가 또는 우수한가 정확한가 따위를 판정하기 위한 테스트 또는 기준: Wealth is not a *criterion* of a man's worth. (재산은 인간의 가치 기준이 될 수 없다).

stándard-bèar·er *n.*〔軍〕기수(旗手);《비유》주창자(主唱者), 창도자(唱導者), 수령, 당수; (당 선출의) 간판 후보: the ~ *of* progress in the world 세계 발전의 주창자.
stándard bréad *n.*《英》표준빵《혼합 밀가루로 만든 빵》.
stándard·brèd *n.* [때때로 S~]《美》스탠더드브레드종(種)의 말《북미산; 주로 마차 경주용》.
stándard-brèd *a.*《美》표준성능에 맞게 사육된, (특히) 스탠더드브레드종(의 말)의.
stándard céll *n.*〔理〕표준 전지《전압 교정용》.
stándard cóst *n.*〔會計〕표준 원가(cf. ACTUAL COST).
stándard deviátion *n.*〔統〕표준 편차.
Stándard Énglish *n.* 표준 영어.
stándard gáuge *n.*〔鐵〕표준 궤간《영국·미국에서는 1.435 m; 이것보다 넓은 것은 broad gauge, 좁은 것은 narrow gauge》; 표준 궤간의 철도[기관차, 화차];〔機〕표준 게이지.
stándard·ìze *vt.* **1** 표준에 맞추다; 표준[규격]화하다: ~*d* goods[articles, products] 규격품 / ~*d* production 규격화 생산. **2**〔化〕표준에 의거하여 시험하다. **stàndard·izátion** *n.* U 표준[규격]화.
stándard làmp *n.*《英》플로어 스탠드《바닥에 놓는 전기 스탠드》.
stándard léngth *n.*〔魚〕(물고기의) 표준 몸길이《주둥이 끝에서 꼬리지느러미 끝까지》.
stándard móney *n.* 본위 화폐.
stándard pláy *n.* SP판.
stándard stár *n.*〔天〕기준성(星)《별의 위치 따위를 정하는 데 쓰임》.
stándard tìme *n.* **1** 표준시(slow time)《한 나라·한 지방에서 공공연히 채택되고 있는 시간; cf. LOCAL TIME》. **2**〔經營〕표준 (작업) 시간.
stánd·bỳ *n.* **1** 의지할 수 있는[힘이 되는] 것[사람]; 원조자, 지지자, 한 편; 비상시용 물자, 예비(豫備), 비축. **2** 대리, 대역; 대기(待機)하는 사람; (공항에서) 남의 예약 취소를 기다리고 있는 사람 ; 대기 상태. **3** 〖海〗 준비[대기]의 신호[명령] ; 대기[구급(救急)]선. **4** 〖通信〗 대기신호《수신 조정을 그대로 해놓고 통신을 기다림》. **5** (예정된 방송 프로그램이 취소 될 때의) 예비 프로그램.

on standby 대기하여 ; 예약 취소를 기다리는.

— *a.* 긴급시 곧 쓸 수 있는, 대역의 ; 예비의, (예약 취소로) 빈 좌석이 나기를 기다리는 : ~ credit 〖經〗 대기(待機) 차관.

— *adv.* 빈 좌석이 나길 기다리어.

stándby pàssenger *n.* 빈 좌석이 나길 기다리다가 타는 승객.

stándby (pówer) sỳstem *n.* 예비 발전[배전] 장치.

stánd·dòwn *n.* 증인석에서 내려오기 ; (다른 후보에게 양보하고) 물러나기 ; 〖軍〗 (일시) 전투 중지 ; (일시적) 휴직 ; (일시적) 활동 중지.

stand·ee [stændíː] *n.* 《口》 (극장·버스 따위의) 입석 손님 ; 입석 승객용의 버스[열차].

stánd·er-bý *n.* (*pl.* **stánd·ers-bý**) 방관자, 구경꾼(bystander), 마침 그 자리에 있는 사람.

stánd·fàst *n.* 바른[확고한, 안정된] 위치.

stánd-ìn *n.* **1** 《口》 우선적인[유리한] 입장. **2** (영화 배우·탤런트의) 대역, 대신할[바꿔칠] 사람, 스탠드인 ; (일반적으로) 대리자, 대용물(代用物).

***stánd·ing** *a.* **1** 서 있는, 선 채로의 ; (농작물 따위) 아직 베어들이지 않은 ; 서 있는 나무의 ; 선 자세로 행하는 : a ~ tree 서 있는 나무 / a ~ vote 기립에 의한 투표[재결]. **2** 상비(常備)의, (위원회 따위) 상설(常設)의, 상임의 : the ~ army 상비군. **3** 영구적인 ; 지속[영속]적인 ; (빛깔·윤이) 퇴색하지[변하지] 않은 ; 여느때의, 변하지 않은 : a ~ dish 일정한[늘 나오는] 요리 / a ~ joke 상투적인 농담[장난]. **4** 멈춘, 움직이지 않는 ; (물 따위가) 괸 ; (기구 따위가) 고정된. **5** 〖印〗 (활자 따위) 조판한. **6** 관습적[법적]으로 확립된 ; 현행의, 현재에도 유효한.

all standing 〖海〗 돛을 내릴 틈도 없이, 허를 찔려 ; 만반의 준비를 갖추어.

— *n.* **1** Ⓤ 서 있음, 기립 ; 서 있는 장소[위치]. **2** Ⓤ,Ⓒ **a)** 입장 ; 신분, 지위(status) ; 명성, 명망 : people of high[good] ~ =people of ~ 신분이 높은 사람들, 명망이 있는 사람들. **b)** 경력, (경력에 따른) 자격. **3** Ⓤ (계속, 존속, 지속) 기간(duration) : a custom of long ~ 오랜[긴 세월의] 습관. **4** [*pl.*] 〖競〗 (팀·선수의) 순위[랭킹]표(ranking).

in standing (규칙을 지키고 회비를 납부하는) 착실한 : a member *in* good ~ 정규회원.

of old standing 예로부터의, 오래된.

stánding committee *n.* 상임 위원회.

stánding cróp *n.* 〖農〗 논밭에 자라고 있는 농작물 ; 〖生〗 (어느 시점에서 특정 공간의) 생물의 총체, 현존량.

stánding lóng jùmp *n.* 제자리멀리뛰기.

stánding órder *n.* 〖軍〗 내무[복무] 규정 ; 은행에 대한 정기적 지급 명령, 자동 대체, 정기[계속] 구독 신청[계약] ; [the ~s] 〖議會〗 의사 규칙.

stánding ovátion *n.* 일제히 기립해서 치는 박수[갈채].

stánding róom *n.* (전동차 따위의) 설만한 여지 ; (극장의) 입석(관람) : ~ only ☞ S.R.O.

stánding rúles *n. pl.* 잠정 규칙 ; 정관(定款).

stánding stárt *n.* 〖陸上競〗 스탠딩 스타트《(1) 도움닫기 없이 하는 스타트 ; ↔*flying start.* (2) 선 자세에서의 스타트 ; ↔*crouch start*》.

stánding wáve *n.* 〖理〗 정상파(定常波).

stand·ish [stǽndiʃ] *n.* 《古》 잉크 스탠드.

stánd·òff *a.* [주로 *attrib.*로 써서] 떨어져[고립되어] 있는 ; 서먹서먹한 ; (전선 따위의) 표면에서 떨어진 것을 떠받치는《애자(碍子)》. — *n.* **1** 《美口》 (시합의) 무승부, 비김(draw). **2** Ⓤ 《美口》 떨어져 있음 ; 서먹서먹함, 냉담 ; 사양 ; 《美》 평형력, 상쇄 효과. **3** 〖電〗 격리 애자.

stándoff hàlf *n.* 〖럭비〗 스탠드오프 하프《스크럼 뒤에서 스크럼 하프로부터 패스를 받는 하프백》.

stánd·óff·ish *a.* 서먹서먹한, 쌀쌀한, 불친절한. **~·ly** *adv.* **~·ness** *n.* Ⓤ 서먹서먹함, 오만함.

stánd òil *n.* (아마인유를 가열한) 농화유(濃化油)《페인트·인쇄 잉크용》.

stánd·òut *a., n.* 두드러진[뛰어난] (사람·것) ; 중의(衆意)를 따르지 않는 (사람).

stánd·òver *n.* 《濠口》 협박, (돈 따위의) 강요, 우려냄 ; 뽑냄.

stánd·pàt *a.* 《美口》 자기 주장을 고집하는 ; 현상유지를 주장하는 ; 보수적인.

— *n.* =STANDPATTER.

stánd·pàt·ter *n.* 《美口》 현상 유지파, 비개혁파의 사람.

stánd·pìpe *n.* 배수탑(配水塔), 저수[급수]탑, 수조(水槽).

‡**stánd·pòint** *n.* 견해, 관점, 논점, 관찰방식(point of view) : judge a matter *from* a moral ~ 어떤 문제를 도덕적 관점에서 판단하다.

〖cf. G *Standpunkt*〗

***stánd·stìll** *n.* **1** Ⓤ,Ⓒ 정지, 휴지, 멈춤, 막힘. **2** 막다름 : be *at* a ~ 막혀 있다 / The business was brought *to* a ~. 사업은 침체 상태에 빠졌다 / The train came *to* a ~. 그 열차는 오도가도 못하게 되었다.

〈회화〉

> The car broke down and came to a *standstill* in the middle of the expressway. — What did you do? 「차가 고장나서 고속도로 한 복판에서 서 버렸어요」「그래서 어떻게 했어요」

— *a.* 그대로 둔 ; 현상유지의 : a ~ agreement 현상유지 협정.

stánd-tò *n.* 〖英軍〗 대기 : be on ~ 대기하고 있다 (cf. STAND *to*).

stánd-ùp *attrib. a.* **1** (옷깃 따위) 서 있는, 곧은, 꼿꼿한(↔*turndown*). **2** (식사 따위를) 선 채로 하는, (바 따위에서) 스탠드식의. **3** (싸움이) 정정당당한. **4** (희극 배우가) 독백하는, 단독 연기 중인.

stánd-úp·per *n.* 현장 리포터에 의한 (텔레비전의) 뉴스 보도[인터뷰].

Stan·ford [stǽnfərd] *n.* 스탠퍼드 대학《캘리포니아 주 ; 창립 1885년》.

Stánford-Bi·nét (tèst) [-binéi(-)], **Stánford revìsion** *n.* 〖心〗 스탠퍼드 비네식 지능 검사법.

〖*Stanford* University ; ⇨ BINET-SIMON TEST〗

stán·hope [stǽnəp, stǽnhoup] *n.* 포장 없는 2륜[4륜] 경마차《1인승》.

〖Fitzroy *Stanhope* (d. 1864) 영국의 성직자 ; 최초의 마차는 그를 위해 만들어졌음〗

stank[1] *v.* STINK의 과거형.

stank[2] [stæŋk] *n.* 《英》 작은 댐, (강의) 둑 ; 《北英》 =POND, POOL[1] ; 《英方》 하수구(下水溝).

— *vt.* (진흙으로 둑 따위의) 누수를 막다.

〖OF *estanc* ; cf. STANCH[1]〗

Stan·ley [stǽnli] *n.* 스탠리. Sir **Henry Morton**

~ (1841-1904) 영국의 아프리카 탐험가 ; [Mount ~] 스탠리 산《아프리카 중동부의 산》.

stann- [stǽn], **stan·ni-** [stǽnə], **stan·no-** [stǽnou, -nə] *comb. form* 「주석의[을 함유한]」의 뜻. 〖L STANNUM〗

stan·na·ry [stǽnəri] *n.* **1** 주석 광산 ; [the Stannaries] 〖史〗 (영국의 Cornwall 및 Devon의) 주석 광산 지대. **2** 《英》 주석 광구[광산], 주석 제련소.

stan·nate [stǽneit] *n.* Ⓤ 〖化〗 주석산염(鹽).

stan·nic [stǽnik] *a.* 〖化〗 제이 주석의 ; 주석의 : ~ acid 주석산 / ~ salt 제이 주석염.

stan·nif·er·ous [stæníf*ə*rəs] *a.* 주석(tin)을 함유하고 있는.

stan·nous [stǽnəs] *a.* 〖化〗 제일 주석의 ; 주석의, 주석을 함유한.

stan·num [stǽnəm] *n.* 〖化〗 주석(tin)《금속 원소 ; 기호 Sn ; 번호 50》. 〖L〗

stan·za [stǽnzə] *n.* 〖韻〗 절(節), 연(聯) 《보통 4행 이상으로 운(韻)이 있는 시구 ; 略 st.》; 〖拳〗 라운드 ; 〖野〗 이닝 ; 〖美蹴〗 쿼터.
stan·za·ic [stænzéiik] *a.*
〖It. =standing place, room, stanza＜Rom.= abode (L *sto* to stand)〗

sta·pes [stéipi:z] *n.* (*pl.* ~, **sta·pe·des** [stəpí:di:z, stéipədì:z]) 〖解〗 등골(鐙骨).
〖L= stirrup〗

staph [stǽf] *n.* (*pl.* ~) 《口》 =STAPHYLOCOCCUS.

staph·yl- [stǽfəl], **staph·y·lo-** [stǽfəlou, -lə] *comb. form* 「포도 송이, 포도상 구균, 목젖(uvula)」의 뜻. 〖Gk. *staphulē* bunch of grapes〗

stàphylo·cóccus *n.* (*pl.* **-cócci**) 〖菌〗 포도상 구균. **-cóc·cal** *a.* 포도상 구균의[에 관한]. **-cóc·cic** [-kɑ́ksik] *a.* 포도상 구균에 의한.
〖NL (*-coccus*)〗

***sta·ple**[1] [stéip*ə*l] *n.* **1** 주요 산물, 중요 상품 : the ~*s of* Korea 한국의 주요 산물. **2** 주요소, 주성분〈*of*〉. **3** 중심부분[항목, 제목, 테마]. **4** Ⓤ 섬유《면·삼·양털의 품질을 말할 경우의》; = STAPLE FIBER. **5** Ⓤ 원료, (섬유 제품의) 재료〈*for*〉; 필수식료품. **6** 주요산물 집산지, 주요 시장. —— *attrib. a.* 주요한, 중요한 ; 대량생산의, 널리 거래[소비]되는 : ~ food 주식.
—— *vt.* (양털 따위를 품질에 따라) 분류하다.
〖OF *estaple* market＜MLG, MDu. *stapel* ; ↓〗

staple[2] *n.* **1** (U자 모양의) 꺾쇠, 스테이플. **2** (제본용의) 철(綴)쇠, 스테이플, 철침. —— *vt.* 꺾쇠[철쇠]로 박다[고정시키다] ; 스테이플로 철하다.
〖OE *stapol* post, pillar〗

stáple fíber *n.* 단섬유, 스테이플 파이버.

stáple·pùncture *n.* 〖醫〗 스테이플 천자(穿刺) 《외이(外耳)에 침을 꽂아서 식욕을 돋우거나 약물 장애를 줄임》.

stá·pler[1] *n.* 주산물 상인 ; 양털 선별인(sorter) ; 양모상(商).

stapler[2] *n.* 책자를 철하는 기구, 스테이플러.

◇**star** [stɑ́:*r*] *n.* **1** 별 ; 〖天〗 항성(恒星) (fixed star) (cf. PLANET[1]) ; 《口》 (일반적으로) 천체 : The ~*s* are out tonight. 오늘밤에는 별이 떠 있다. **2** 별모양의 것 ; 성장(星章) ; 별 모양의 훈장. **3** 〖印〗 별표(asterisk)《*》. **4 a**) 스타, 인기 배우 ; 주연 배우, 명배우 : ☞ FILM STAR / a football ~ 축구계의 혜성(彗星). **b**) [형용사적으로] 스타의, 인기[주연] 배우의 ; 일류의 : a ~ turn 인기를 끄는 프로그램. **5** 〖占星〗 운성(運星) ; [때때로 *pl.*] 운수, 운명 : be born under a lucky[an unlucky] ~ 행운[불운]의 별아래 태어나다, 행운[불운]을 타고나다 / thank[bless] one's (lucky) ~*s* 행운에 감사하다 / trust one's ~ 자신의 행운[성공]를 믿다.
see stars 《口》 (머리를 세게 부딪쳐서) 눈에서 불이 나다, 눈앞이 캄캄해지다.
the Star of Bethlehem 베들레헴의 별《그리스도의 강림 때 나타났음》.
the Stars and Bars 〖美史〗 남부 연맹기.
the Stars and Stripes 성조기《미국의 국기》.
—— *v.* (**-rr-**) *vt.* **1** [＋目/＋目＋*with*＋名] [보통 *p.p.*로] …에 별을 달다, 별 무늬를 박아넣다 : The garden was ~*red* ***with*** daisies. 정원에는 데이지《이탈리아의 국화(國花)》가 별처럼 피어 있었다. **2** (이름 따위)에 별표(*)를 붙이다. **3** (주연) 배우로 하다 : The movie ~*s* a famous actress. 그 영화에는 유명한 여배우가 주연을 맡고 있다.
—— *vi.* [動/＋前＋名] 별처럼 빛나다, 배우가 되다, 주연하다 : He ~*red* ***in*** the new play. 그는 신작극(新作劇)에서 주연으로 나왔다.
〖OE *steorra* ; cf. ASTER, G *Stern*〗

star·board [stɑ́:*r*bərd, 英＋-bɔ̀:d] *n.* Ⓤ 〖海〗 우현(右舷)《선수(船首) 방향의 우측 ; ↔*port* ; cf. LARBOARD》: alter course to ~ 우현으로 항로를 바꾸다 / on the ~ bow 이물[뱃머리]의 우현에.
—— *a.* 우현의 ; 〖海〗 우현에서 바람을 받는 ; 《美俗》 (투수 등) 우완의. —— *vt., vi.* (키를) 우현으로 돌리다 : ~ the helm 키를 오른쪽으로 돌리다 / *S*~! 〖구령〗 우현으로 ! (=《美》 Right !) (cf. PORT[3])《옛날에는 좌현으로 !》.
〖OE=rudder board (⇨ STEER[1], BOARD) ; 키잡이용의 노가 우현에 있었으므로〗

***starch** [stɑ́:*r*tʃ] *n.* **1** Ⓤ 전분, 녹말 ; 풀. **2** Ⓤ 《비유》 거북스러움, 고지식함, 격식에 치우침. **3** Ⓤ 《美俗》 용기. **4** [*pl.*] 녹말 식품. —— *vt.* **1** (천 따위에) 풀을 먹이다 : ~ the sheets 시트에 풀을 먹이다. **2** 《비유》 거북스럽게 하다, (표정이) 굳어지게 하다. —— *a.* 거북스러운.
〖OE 《美》 *stercan* to stiffen ; (a.)＜(n.)＜(v.) ; cf. STARK, G *stärken*〗

Stár Chàmber *n.* **1** [the ~] 〖英史〗 성실청(星室廳)《1641년 폐지된 형사 법원 ; 독단·불공평으로 유명》. **2** [때때로 s~ c~] 불공평한 법원[위원회 따위].

stár chàrt *n.* 〖天〗 성도(星圖).

stárch blòcker *n.* 〖藥〗 전분 소화 효소 저해제(沮害劑)《아밀라아제의 효소작용을 저해하여 체중 증가를 방지하는 알약》.

stárched *a.* 풀을 먹인 ; 위엄을 부리는《거동·표정 따위》: a ~ manner 거북살스러운 태도.

stárch-redùced *a.* 녹말을 줄인《빵》.

stárchy *a.* **1** 녹말질의 ; 녹말 같은 ; 풀의, 풀 같은. **2** 풀을 먹인 (것 같은) ; 빳빳한 ; 《口》 격식을 차리는, 거북스러운.
stárch·i·ly *adv.* **-i·ness** *n.*

stár clòud *n.* 〖天〗 성운(星雲).

stár clùster *n.* 〖天〗 성단(星團).

stár-cròssed *a.* 《文語》 불행한, 박복한, 복없는 : ~ lovers 불행한 연인들.

stár·dom *n.* Ⓤ 주역[스타]의 지위[신분], 스타덤 ; [집합적으로] 스타들.

stár drìft *n.* 〖天〗 성류(星流) 운동(star stream) 《항성의 외관상의 완만한 이동》.

stár·dùst *n.* **1** Ⓤ 〖天〗 소성단(小星團) ; 우주진(宇宙塵). **2** Ⓤ 《口》 (티없는·황홀한) 매력 ; 꿈꾸는 기분, 황홀.

‡**stare** [stéə*r*, stǽə*r*] *vi.* **1** [動/＋前＋名/＋副] (사람이) 응시하다, 노려보다 ; (눈을) 동그랗게

[크게] 뜨고 보다 : The sight made me ~. 그 광경에 눈이 휘둥그래졌다[나는 어안이 벙벙했다] / with *staring* eyes 눈을 크게 뜨고 / Don't ~ ***at*** me like that. 그렇게 노려 보지 마라 / She was *staring* ***on*** the people around in wonder. 그녀는 이상하다는 듯이 주위 사람들의 얼굴을 두리번거리며 쳐다보고 있었다 / He was *staring* ***into*** the distance. 그는 먼데를 응시하고 있었다 / They ~*d* ***in*** bewilderment[***with*** surprise]. 어안이 벙벙해서[놀라서] 눈을 동그랗게 떴다. **2** (빛깔 따위가) 눈에 띄다(cf. STARING).

—— *vt.* [+目/+副/+目+前+名] 노려보다, 말똥말똥 보다, 응시하다, 빤히 쳐다보다, 응시하여 …하게 하다 : The teacher ~*d* him ***down***[***out of*** countenance]. 선생님이 그의 얼굴을 빤히 쳐다보자 그는 무안해졌다 / He ~*d* me ***in*** the face. 그는 나의 얼굴을 노려보았다.

stare** a person **in the face (1) ☞ *vt.* (2) (사물이) 사람의 눈앞에 나타나다[다가오다] ; (사실이) 사람들에게 명백해지다 : Ruin[Death] ~*d* them *in the face.* 파멸[죽음]이 그들의 눈앞에 다가왔다.

—— *n.* 노려보기, 빤히 쳐다보기, 응시.

〖OE *starian*<Gmc. 《美》 *star-* to be rigid (G *starren*)〗

類義語 ⟹ LOOK.

stár·fìsh *n.* 〖動〗 불가사리.

stár·flòwer *n.* 〖植〗 별 모양의 꽃이 피는 초본(草本)《앵초과의 기생꽃 따위》.

stár·gàze *vi.* 별을 바라보다 ; 공상에 잠기다.

stár·gàzer *n.* **1** 별을 바라보는 사람 ; 《때때로 戱》 점성가(占星家) ; 천문학자. **2** 몽상가(夢想家).

stár·gàzing *n.* 《때때로 戱》 천문학 ; 방심 상태.

***star·ing** [stέəriŋ, stǽər-] *a.* 노려보는 ; (빛깔·무늬 따위가) 현란한 ; (머리털 따위가) 곤두선.

—— *adv.* 전혀, 아주 : stark ~ mad 《口》 완전히 머리가 돈. **~·ly** *adv.* 노려보고 ; 눈에 띄어, 두드러지게.

stark [stɑ́:rk] *a.* **1** (특히 시체가) 굳어버린, 빳빳해진 : ~ and stiff 경직(硬直)된[하여]. **2** 진짜의, 순전한, 완전한 : ~ madness 완전한 광기(狂氣). **3** (윤곽 따위가) 뚜렷한, 두드러진 ; (경치 따위가) 황량한, 적막한 ; 텅빈《방 따위》. **4** (묘사 따위) 자연 그대로의, 적나라한. **5** (훈련 따위) 엄격한. **6** 《古·詩》 강한, 굳센, 단호한.

—— *adv.* 전연, 완전히, 아주 : ~ mad 완전히 미쳐서 / ~ naked 완전 나체로.

~·ly *adv.* **~·ness** *n.*

〖OE *stearc* ; cf. G *stark* strong〗

Stark [stɑ́:rk ; *G* ʃtark] *n.* 슈타르크. **Johannes** ~ (1874-1957) 독일의 물리학자 ; Nobel 물리학상(1919).

Stárk effèct *n.* 〖理〗 슈타르크 효과《광원이 전장(電場)에 있으면 스펙트럼선이 분기함》. 〖↑〗

Star·ker [stɑ́:rkər] *n.* 스타커. **János** ~ (1924-) 헝가리 태생인 미국의 첼리스트.

stark·ers [stɑ́:rkərz] *a.* 《英俗》 발가벗은 ; 완전히 미친.

stárk-náked *a.* 발가벗은, 알몸뚱이의.

〖*start-naked* (*start* tail) ; cf. red*start* ; *stark* (adv.)에 동화(同化)〗

stár·less *a.* 별(빛)이 없는.

stár·let *n.* 작은 별 ; 《美口》 장래가 유망한 여배우, 젊은[신인] 여배우.

stár·lìght *n.* Ⓤ 별빛. —— *a.* 별빛의, 별빛 밝은 (밤의) : a ~ night 별빛 밝은 밤.

stár·lìke *a.* 별 같은, 반짝거리는.

star·ling[1] [stɑ́:rliŋ] *n.* 〖鳥〗 찌르레기.

〖OE *stærlinc* (*stær* starling, *-ling*[1])〗

starling[2] *n.* 〖土〗 (교각(橋脚)의) 물막이 말뚝.

stár·lìt *a.* =STARLIGHT.

stár màp *n.* 〖天〗 성도(星圖).

starred [stɑ́:rd] *a.* **1** 별을 아로새긴. **2** 별표가 있는 ; 성장(星章)을 단. **3** 스타가 된, 주연의. **4** (…의) 운명에 놓여 있는 : ☞ ILL-STARRED.

stár ròute *n.* 《美》 민간 위탁 우편물 운반 루트. 〖공보(公報)에 *를 찍은 데서〗

stár·ry *a.* **1** (하늘 따위) 별이 많은, 별을 아로새긴, 별빛 밝은 : a ~ night 별빛 밝은 밤. **2** (눈이) 별처럼 빛나는, 반짝반짝 빛나는. **3** 별 모양의. **stár·ri·ly** *adv.*

stárry-éyed *a.* 별처럼 눈이 빛나는 ; 《口》 공상적인, 비현실적인.

stár sápphire *n.* 〖寶石〗 스타 사파이어, 성채청옥(星彩靑玉).

stár shèll *n.* 조명탄, 예광탄(曳光彈).

stár shòwer *n.* 〖天〗 유성우(流星雨).

stár-spàngled *a.* 별을 수놓은[아로새긴, 온통 박아 넣은].

Stár-Spangled Bánner *n.* [the ~] 성조기(星條旗)《미국 국기》 ; 미국 국가《1814년에 영국 노래의 멜로디에 Francis Scott Key (1780-1843)가 작사하여 만든 것 ; 1931년에 정식 국가로 됨》.

stár strèam *n.* =STAR DRIFT.

stár-stùdded *a.* 별빛이 찬란한 ; 인기배우들이 많이 출연[등장]한 : a ~ Hollywood movie 기라성 같은 배우들이 출연한 할리우드 영화.

stár sỳstem *n.* [the ~] 스타 시스템《관객 동원을 위해 인기 스타를 출연시키는 흥행 형태》.

◇**start** [stɑ́:rt] *vi.* **1** [動/+前+名/+副] 출발하다 (leave) : Let's ~ at five. 5시에 출발합시다 / He ~*ed* ***for*** London yesterday. 어제 런던을 향하여 출발했다 / He is going to ~ ***from*** Inch'ŏn. 인천에서 출발할 예정이다 / He ~*ed* ***on*** a journey. 여행을 떠났다 / He stopped, turned round, and ~*ed back.* 그는 발을 멈추고 뒤돌아다본 후 되돌아왔다. **2** [動/+前+名] 시작하다, 일어나다, 생기다 ; (사업 따위에) 손을 대다 : How did the war ~? 왜 전쟁이 일어났는가(㊟ 이 의미에서는 BEGIN 쪽이 일반적) / The writer has ~*ed* ***on*** a new work. 그 작가는 새 작품에 착수했다 / He ~*ed* ***in*** business. 그는 장사를 시작하였다. **3** [動/+副/+前+名] (놀라서) 펄쩍 뛰다, 움찔하다, (눈이) 튀어 나오다 ; (눈물·피 따위가) 뿜어 나오다, 갑자기 나오다 : He ~*ed aside*[*back*]. 그는 옆으로[뒤로] 비켜섰다 / I ~*ed* ***up from*** my chair. (깜짝 놀라) 의자에서 펄쩍 뛰었다 / His eyes seemed to ~ ***out*** *from* their sockets. 그의 눈동자는 튀어나올 것 같았다 / I saw tears ~*ing* ***to***[*from*] her eyes. 갑자기 눈물이 그녀의 눈에 고이는[눈에서 흘러나오는] 것을 보았다 / She ~*ed* ***at*** the strange sound. 그녀는 그 이상한 소리에 깜짝 놀랐다. **4** (기계가) 움직이다, 시동하다, 작동하다, 운동을 시작하다 : The engine ~*ed* at last. 드디어 엔진이 걸렸다. **5** (선재(船材)·못 따위가) 휘다, 느슨해지다, (꿰맨 실이) 풀리다 : The timbers have ~*ed.* 재목이 휘었다. **6** (경기·시합 따위에서) 스타팅 멤버로 출전하다.

〈회화〉
What time does your class *start*? — At 8 : 30.
「수업은 몇 시에 시작하니」「8시 30분에요」

—— *vt.* **1** [+目/+do*ing*/+*to* do] 시작하다, 착

수하다(begin) : ~ a conversation 대화를 시작하다 / She ~*ed* cry*ing*[*to* cry]. 그녀는 울기 시작했다 / Has it ~*ed* rain*ing* yet? 비가 벌써 내리기 시작했습니까. **2** (여행 따위를) 떠나다 : He ~*ed* his journey from London. 여정의 시발점은 런던이었다. **3** [+目/+目+前+名] (남을) 여행 보내다 ; (남에게 장사 따위를) 시작하게 하다 : ~ person ***in*** life 남을 인생 행로에 내보내다 / He ~*ed* his son *in* business. 아들에게 장사를 시작하게 했다. **4** [+目+do*ing*] …에게 시키다, (…하는) 원인이 되다 : That ~*ed* him think*ing*. 그 때문에 그는 생각하기 시작하였다 / The heavy smoke ~*ed* me cough*ing*. 매운 연기로 나는 콜록거렸다. **5** [+目/+目+副] (사업 따위를) 시작하다, 일으키다 ; (기계 따위를) 시동(始動)하다 : He ~*ed* a newspaper. 신문사업을 시작했다 / I could not ~ (***up***) the engine. 엔진의 시동을 걸 수 없었다. **6** (사냥감 따위를) 날아가도록 하다, 몰아내다 : ~ a hare 토끼를 몰아내다. **7** (경주에서 주자(走者)에게) 출발신호를 하다, 스타트시키다 ; 선발(先發)시키다 ; 주창하다. **8** (선재(船材)·못 따위를) 느슨하게 하다, 휘게 하다, 빠지게 하다 ; (실밥이) 풀리게 하다, (제맨 자리가) 터지게 하다 : This damp may ~ the timbers. 이 습기로 재목이 휘어질는지도 모른다.

start against …와 대항하여 입후보하다.

start from scratch ☞ *from* SCRATCH.

start in 《口》 [+*to* do] 시작하다 : He ~*ed in to* write novels. 그는 소설을 쓰기 시작했다.

start off 여행을 시작하다 ; (남)에게 (공부·이야기 따위를) 시작하게 하다〈*on*〉; (힘차게) 떠나다, 움직이기 시작하다 : The runner ~*ed off* at full speed. 주자(走者)는 전속력으로 달리기 시작했다.

start out (1) =START *off.* (2) 《口》 [+*to* do] 착수하다 ; 손을 대다, 개시하다 : He ~*ed out to* write a book. 그는 책을 쓰기 시작했다.

start up (*vi.*) 놀라서 벌떡 일어서다(cf. *vi.* 3) ; 갑자기 나타나다, 갑자기 활동하기 시작하다 ; 마음에 떠오르다 ; (*vt.*) (자동차 따위를) 시동(始動)걸다(cf. *vt.* 5).

to start with (1) 우선, 첫째로(to begin with) : *To* ~ *with,* I think I must explain the aim of this meeting. 무엇보다도 먼저 이 회합의 목적을 설명하지 않으면 안 된다고 생각한다. (2) 처음에(는) : They had only five members *to* ~ *with.* 처음에는 그들에게 회원이 다섯 사람밖에 없었다.

── *n.* **1** 펄쩍 뛰기, 홱 물러섬 ; 움찔함, 깜짝 놀람 : get a ~ 움찔하다 / give a person a ~ 남을 움찔하게 하다. **2 a**) (여행 따위의) 출발 : You had better make an early ~. 일찍 출발하는 편이 좋다. **b**) (경주의) 출발, 스타트 ; 출발신호. **3** 출발점. **4** [단수형만으로 써서] **a**) (경주에서) 출발, 선발(先發)(권) (cf. HANDICAP 1, HEAD START). **b**) 유리, 편익(便益), 기선(機先) : get the ~ *of...* 기선을 제압하다, 선수를 쓰다. **5** (경주·시합 따위에) 참가 ; (특히) 스타팅 멤버로서 출전하기. **6** (사업의) 착수, 개시 : make a ~ 시작하다, 착수하다〈*at*〉/ give a person a ~ in life 사람을 세상에 내보내다, 장사《따위》를 시키다 / He got a good[poor] ~ in life. 그에겐 인생의 첫출발이 좋았다[나빴다].

at*[*from*] *the start 처음에는[부터].

by fits and starts ☞ FIT².

from start to finish 시종일관, 철두철미.

〖OE 《美》 *stiertan,* 《美》 *styrtan,* etc. to jump up ; cf. G *stürzen* to overthrow ; 현재의 어형(語形)은 Kent 방언(方言)에서, 또한 '출발하다'의 뜻은 18세기부터〗

類義語 ⟹ BEGIN.

START [stɑ́ːrt] Strategic Arms Reduction Talks(전략 무기 감축 회담).

stárt·er *n.* **1** 개시시키는 사람[것] ; 경주 참가자 ; 출전하는 말. **2** (경주 따위의) 출발 신호원(員) ; (기차 따위의) 발차담당자. **3** 〖機〗 (내연기관의) 시동 장치. **4** 원인, 유인(誘因). **5** (식사의) 제1 코스. **6** (유제품(乳製品)의) 발효용 배양균 ; (화학 반응의) 유발제 ; 〖農〗 뿌리내림 비료. **7** 〖野〗 선발 투수 ; 최초의 사람[것]. **8** 〖電子〗 시동기 ; (형광등의) 스타터.

as*[*for*] *a starter 《口》 개시로, 첫출발로.

stárt·ing *n.* 출발, 개시.

stárting blòck *n.* (경주의) 출발대(臺), (수영장(pool)의) 출발대.

stárting gàte *n.* (경마의) 출발문.

stárting grìd *n.* (스타팅) 그리드《자동차 경주 코스의 출발할 자동차가 늘어설 자리의 표시》.

stárting pìstol *n.* 출발 신호용 권총.

stárting pìtcher *n.* 〖野〗 선발(先發) 투수.

stárting pòint *n.* 출발점, 기점(起點), 원점.

stárting pòst *n.* (경마 따위의) 출발점.

stárting prìce *n.* (경마·그레이하운드 경주에서) 출발 직전에 거는 최종 판돈의 비율.

stárting stàlls *n. pl.* 〖英競馬〗 발마기(發馬機), 출발문(starting gate).

star·tle** [stɑ́ːrtl] *vt.* [+目/+目+前+名] (놀람·공포·쇼크로) 펄쩍 뛰게 하다, 깜짝 놀라게 하다 ; 자극하다, (자극)하여 …하게 하다 : I was ~*d* by the news of his death. 그의 사망 소식을 듣고 깜짝 놀랐다 / He was ~*d* ***at the sound. 그 소리에 깜짝 놀랐다 / The noises ~*d* me ***out of*** my sleep. 그 소음에 나는 깜짝 놀라 눈을 떴다. ── *vi.* 벌떡 일어나다, 뛰어오르다, 깜짝 놀라다. ── *n.* Ⓤ 놀람 ; Ⓒ 놀라게 하는 것.

~·ment *n.*

〖OE (freq.) 〈START〗

類義語 ⟹ SHOCK.

stár·tler *n.* 놀라는[놀라게 하는] 사람[것] ; 놀랄 만한 사실[진술].

stár·tling *a.* 기겁하게 하는, 놀랄만한(surprising) : ~ news 놀랄만한 뉴스.

~·ly *adv.* 놀랄 정도로. **~·ness** *n.*

stárt-ùp *n.* 조업[행동] 개시, 첫 운전, 시동 ; 《古》 벼락 부자. ── *a.* 조업[생산] 개시의[를 위한] ; 이제 막 활동을 시작한, 신진의.

***star·va·tion** [stɑːrvéiʃən] *n.* Ⓤ 굶주림 ; 아사(餓死) ; 궁핍 : ~ cure[policy] 단식 요법[군량(軍糧) 봉쇄 공격] / die of ~ 굶어 죽다 / ~ wages 기아(飢餓) 임금《먹고 살 수 없을 만큼 박한 임금》.

‡**starve** [stɑ́ːrv] *vi.* **1** [動/+前+名] 굶어 죽다 ; 굶주리다, 배고프다 : The poor dog ~*d* ***to*** death. 불쌍하게도 그 개는 굶어 죽었다. **2** 《口》 시장기를 느끼다 : I'm simply *starving.* 나는 아주 배고프다. **3** [+前+名] 갈망하다 : They are *starving* ***for*** affection[news, knowledge]. 애정[뉴스, 지식]에 굶주리고 있다. **4** 《古·方》 얼어 죽다, 추위에 얼다. ── *vt.* **1** [+目/+目+前+名] 허기지게 하다 ; 굶주리게 하여 …로 하다 ; 군량(軍糧) 봉쇄 공격을 하다 : He was ~*d* ***to*** death. 그는 아사했다 / Those orphans have been ~*d* ***of*** affection. 저 고아들은 애정에 굶주려 왔다 / The garrison was ~*d* ***into*** surrender(*ing*) [~*d* ***out***]. 수비대는 보급 봉쇄를

당하여 항복했다. **2** (감정 따위를) 쇠약하게 하다 ; …의 부족[결핍]을 느끼게 하다〈*of*〉. **3** [흔히 수동태로] (사람·물건)으로 부터 (필요한 것을) 빼앗다〈*of*〉, …을 갈망하게 하다.
〖OE *steorfan* to die<Gmc.=? to be rigid (G *sterben* to die) ; '아사'의 뜻은 16세기에서〗

stárve·ling *n.* (굶주려서) 말라빠진[영양부족의] 사람[동물]. —— *a.* 굶주린 ; 여윈, 빈약한 ; 불충분한.

Stár Wàrs *n. pl.* 《美》 별들의 전쟁《적의 핵미사일이 미국 상공에 이르기 전에 격추시키려는 전술 ; cf. STRATEGIC DEFENSE INITIATIVE》.

stash[1] [stǽ(:)ʃ] *vt.* 《美俗》 (돈·귀중품 따위를) 치워[간직해]두다 ; 은닉하다, 감추다, 은행에 예입하다〈*away*〉. —— *n.* 《美口》 은닉 장소 ; 《美口》 숨긴[은닉한] 것, 《美俗》 자기가 쓸 마약.
〖C18<?〗

stash[2] *n.* 《美俗》 콧수염(mustache).

sta·sis [stéisəs, stǽs-] *n.* (*pl.* **-ses** [-si:z]) Ⓤ,Ⓒ 〖醫〗 혈행정지 ; 울혈(鬱血) ; 《비유》 정체, 침체 ; (세력 따위의) 균형[평형] 상태, 정지.
〖NL<Gk. (*sta-* to STAND)〗

-sta·sis [stéisəs, stǽs-, ˊstəsəs] *n. comb. form* (*pl.* **-sta·ses** [stéisi:z, stǽs-, stəsì:z]) 「정지」 「안정상태」의 뜻 : hemo*stasis.* 〖↑〗

stat [stǽt] *int.* 《病院俗》 즉시, 빨리.
〖L *statim* immediately〗

stat- [stǽt] *comb. form* 〖電〗 「cgs 정전(靜電) 단위계의」의 뜻 : *stat*coulomb.
〖electro*stat*ic〗

-stat [stæ̀t] *n. comb. form* 「안정장치」 「반사장치」 「발육 저지제(沮止劑)」의 뜻 : gyro*stat.*
〖Gk. *statos*〗

stat. statics ; 〖處方〗 *statim* 《L》 (=immediately) ; stationary ; statistics ; statuary ; statue ; statute(s).

◇**state** [stéit] *n.* **1** [단수형만으로 써서] **a**) 상태, 모양, 형세, 사정 : a ~ *of* affairs 정세, 사태 / a ~ *of* war 전쟁 상태 / We found the hut *in* a dirty ~. 가서 보니 그 오두막은 불결했다 / the married[single] ~ 결혼[독신] 상태. **b**) 《口》 흥분 상태 : She is *in* quite a ~. 그녀는 아주 흥분해 있다 / What a ~ you are *in*! 그 꼴이 뭔가! / I urged them not to get *into* a ~. 그들을 격려하여 흥분하지 않도록[침착하도록] 하였다. **2** 계급, 신분, 지위 ; (특히) 고위(高位). **3 a**) Ⓤ 위엄, 당당한 모습, 점잔빼 ; 의식, 공식 ; 훌륭함, 장엄 : *in* ~ 정식으로, 당당하게, 성장(盛裝)하여 / *in* great ~ 위엄있는 자세로, 위풍당당히 / live [travel] *in* ~ 사치스러운 생활[여행]을 하다 / keep (one's) ~ 점잔 빼다 / a visit *of* ~ 공식방문. **b**) [형용사적으로] 의식용의, 공식의, 훌륭한 : ~ apartments (궁전 따위의) 의전실(儀典室), 큰 홀 ; 화려한 방 / the ~ coach 의식용 마차 / a ~ call 《口》 공식방문. **4 a**) [보통 S~] 국가, 나라 ; 국토 : ☞ WELFARE STATE. **b**) Ⓤ (때때로 church에 대하여) 정부 : Church and *S*~ 교회와 국가, 정교. **c**) [형용사적으로] [보통 S~] 국가의, 국사에 관한 : a *S*~ forest 국유림. **5 a**) 주(州) ; [보통 S~] (미국 및 호주 따위의 어느 정도 자치권을 가진) 주(cf. TERRITORY 4) : ☞ SLAVE STATE / There are fifty *S*~*s* in the U.S.A. 미국에는 50개 주가 있다. **b**) [the S~s] 미국《흔히 미국인이 국외에서 사용》. **c**) [형용사적으로] [보통 S~] 《美》 주의(cf. FEDERAL 2). **6** 〖印〗 (식자·정판(整版)상에서의) 인쇄의 종류(cf. IMPRESSION, ISSUE) : the first ~ of the first edition 초판의 제1쇄(刷). **7** 국사, 국무, 국정 ; Ⓤ [the S~] 《美口》 국무부(the Department of State). **8** 〖英軍〗 군사[현황] 보고서 ; 《古》 계산서, 회계 보고서. **9** 〖컴퓨〗 상태.
lie in state (장례하기 전에 국왕 등의 유해가) 정장(正裝) 안치되다.
reasons of State ☞ REASON *n.*
the state of the art 도달수준 ; 정세, 상황, 사태, 현상.
the State of the Union Message (미국 대통령의) 연두교서.
—— *vt.* **1** [+目/+*that* 節/+*wh.* 節/+目+*to* do] 말하다, 진술하다, 주장하다 : ~ one's views 자신의 견해를 말하다 / as ~*d* above 상술(上述)한 바와 같이 / He ~*d that* he had done his best in that matter. 그 일에 최선을 다했다고 진술했다 / It is always a good plan to clearly ~ *how* long the party will last. 항상 회합이 몇 시간 걸리는 가를 명백히 말해두는 것은 좋은 방안이다 / Tradition ~*s* him *to* have been a priest. 전해 내려오는 말에 의하면 그는 성직자였다는 것이다. **2** [보통 *p.p.*] (날짜·가격 따위를) 정하다 (cf. STATED). **3** 〖數〗 부호로[로그식으로] 나타내다 ; 〖樂〗 제시하다.
〖ESTATE and L STATUS〗
類義語 ***state*** 어느 시기에 어떤 사람[것]이 존재하고 있을 때의 상태, 사정, 환경 따위 ; 가장 일반적이고 광범위한 뜻의 말 : the *state* of our country today (우리 나라의 현상황). ***condition*** 어떤 구체적인 원인 또는 환경에 의하여 생긴 것으로 생각되는 state : The *condition* made flying impossible. (그 상황으로 말미암아 비행하지 못했다). ***situation*** 대체적으로 state나 condition과 같은 뜻이나 여러 가지 상황과 그것에 둘러싸인 사람과의 상호관계를 중시 : We are in difficult *situations.* (우리는 곤경에 빠져 있다). ***status*** 본인의 연령·성별·지능·학력·직업 따위의 여러 가지 요소에 의해서 결정되는 그 사람의 상태·신분·지위 ; 원래는 〖法〗 : his *status* as a lawyer (법률가로서의 그의 (사회적인) 신분).

státe áid *n.* 《美》 주(州)정부의 보조(금) ; 국고보조(금).

Státe[Státe's] attórney *n.* 《美》 주(지방) 검사(檢事).

státe bánk *n.* 《美》 주립 은행 ; 국립 은행.

Státe bírd *n.* 《美》 주조(州鳥)《주(州)의 상징으로 선정된 새》.

státe cápitalism *n.* 국가 자본주의.

státe chámber *n.* 의전실(儀典室).

státe·cràft *n.* Ⓤ 치국책(治國策), 정치 ; 정치적 수완.

stat·ed [stéitəd] *a.* 정해진, 정기(定期)적인 ; 공인[공식]의 ; 명백히 규정된 : Meetings are held at ~ times[intervals]. 회의는 정각에[정기적으로] 열린다.
~·ly *adv.* 정기적으로.

Státe Depàrtment *n.* [the ~] 《美》 국무부(the Department of State).

Státe Enrólled Núrse *n.* 《英》 국가 등록 간호사《State Registered Nurse보다 아래의 자격 ; 略 SEN》.

Státe flówer *n.* 《美》 주화(州花)《주(州)의 상징으로 선정된 꽃》.

státe·hood *n.* Ⓤ (독립) 국가임, 국가의 지위 ; 《주로 美》 주(州)의 지위.

státe·hòuse *n.* 《美》 주의회 의사당.

státe·less *a.* 나라[국적]가 없는[를 잃은]; 《英》 위엄이 없는.

***státe·ly** *a.* 위엄있는, 당당한; 장엄한, 품위있는; 건방진: in a ~ manner 당당한 태도로.
— *adv.* 《稀》 당당히; 장중히.
-li·ness *n.* 장중(莊重), 위엄.
類義語 ⟹ GRAND.

stately hóme *n.* 《英》 (일반인에게도 공개된) 대저택(大邸宅).

státe médicine *n.* 의료의 국가관리.

***státe·ment** *n.* **1** U.C [+*that* 節] 말하기, 지론(持論); 진술, 성명; 신고, 공술; C 성명서: make a ~ 진술하다, 성명을 내다 / Qualify your ~ *that* dogs are loyal by adding "usually." 개는 충실하다는 말에 「보통」을 덧붙여서 고치시오. **2** 〖商〗 계산서, 대차표, 일람표. **3** 〖컴퓨〗 문, 문장, 명령문. **4** 〖文法〗 진술문, 서술문.

Stát·en Ìsland [stǽtn-] *n.* 스태튼 아일랜드《미국 New York 만 내의 섬; 그 섬을 포함하는 New York 시의 한 구(區)》.

státe-ó [-óu] *n.* (*pl.* **~s**) 《美俗》 주 교도소의 죄수복.

státe-of-the-árt *a.* (기기가) 최신식인, 최신[최첨단] 기술을 이용한; 최고급의, 최신 기술의.

státe-òwned *a.* 국유의.

státe páper *n.* 정부(관계) 문서, 공문서.

státe políce *n.* 《美》 주립 경찰.

státe pówer *n.* 공권력.

státe príson *n.* 국사범 교도소(state's prison); 《美》 주 교도소《중범죄인을 수용》.

státe prísoner *n.* 국사범.

sta·ter [stéitər, stɑːtéər] *n.* 스타테르《고대 그리스의 금화[은화, 금은 합금화]》.

Státe Régistered Núrse *n.* 《英》 국가 공인 간호사《略 S.R.N.》.

státe relígion *n.* 국교(國敎).

státe·ròom *n.* **1** (배·열차의) 전용실, 특등실. **2** (궁중 따위의) 알현실, 대접견실.

státe-rùn *a.* 국영의.

státe schóol *n.* 《英》 공립(公立) 학교《의무 교육은 무상》.

státe's évidence *n.* [때때로 S~] 《美》 공범 증언. 注 영국에선 King's[Queen's] evidence.

Státes Géneral *n.* [the ~] (16-18세기) 네덜란드 의회; 〖프史〗 삼부회(Estates General).

státe·sìde *a., adv.* 《美口》 (국외에서 보아) 미국(본토)의[에, 로].
— *n.* [흔히 S~] 미국 본토.

***státes·man** [-mən] *n.* 정치가; 《英方》 소지주.
~lìke *a.* **~ly** *a.* 정치적 수완이 있는, 정치가다운. **~shìp** *n.* U 정치적 수완.
類義語 ***statesman*** 국가 따위의 공(公)적인 문제를 다루는 건전한 판단력과 식견을 가진 정치가; 매우 좋은 뜻으로 쓰임. ***politician*** 국민이나 국가의 이익을 위해서 일하는 정치가; 《美》에서는 자기 자신이나 당의 이익만을 생각해서 권모술수를 쓰는 사람들을 비난·경멸하는 뜻에도 쓰임.

státe sócialism *n.* 국가 사회주의.

státes·pèrson *n.* 정치가《statesman, stateswoman을 피한 표현》.

státe's príson *n.* =STATE PRISON.

státes' ríght·er *n.* [흔히 S~] 《美口》 주권론자《미합중국 헌법을 엄밀히 해석하여 주(州)의 문제에 대한 연방정부의 간섭에 반대함》.

státes'[státe] ríghts *n.pl.* [흔히 S~ R~] 《美》 주(州)의 권리《합중국 헌법에서 중앙 정부로의 위임을 규정하지 않고, 또 각 주(州)에 금지하지 않는 권리》; 주권(州權) 확대론.

státes·wòman *n.* 여류 정치가.

státe tríal *n.* 국사범 심문[재판].

státe tróoper *n.* 《美》 주(州) 경찰관.

státe univérsity *n.* 《美》 주립 대학.

státe·wíde *a., adv.* 《美》 주(州) 전체의[에 걸쳐, 적으로].

stat·ic [stǽtik] *a.* **1** 정적인. **2** 정지(靜止) 상태의(↔*dynamic, kinetic*); 변화[움직임, 진전 따위]가 (거의) 없는. **3** 〖理〗 정지의; 〖電〗 공전(空電)[정전기(靜電氣)]의: ☞ STATIC ELECTRICITY / ~ pressure 정압(靜壓). **4** 〖컴퓨〗 정적(靜的)인 《refresh하지 않아도 기억내용이 유지되는》. **5** 〖經〗 정(학)적(靜(學)的)인.
— *n.* U 〖電〗 공전(空電), (수신기의) 잡음; 《美口》 격렬한 반대, 시끄러운 비평, 떠들썩한 의론; 〖컴퓨〗 정적. **-i·cal** *a.* **-i·cal·ly** *adv.*
〖NL<Gk. (*statos* standing)〗

-sta·tic [stǽtik] *a. suf.* -STASIS에 대응하는 형용사를 만듦.

státically detérminate bèam *n.* 〖建〗 정정(靜定)보.

státically detérminate strùcture *n.* 〖建〗 정정(靜定) 구조물.

státic electrícity *n.* 〖電〗 정전기.

státic líne *n.* 〖空〗 자동삭(索)《낙하산을 싼 주머니와 비행기를 잇는 유연한 줄; 자동적으로 낙하산이 펴지게 됨》.

stát·ics *n.* U 〖理〗 정역학(靜力學)(↔*dynamics, kinetics*); 〖經〗 정학(靜學).

státic tésting *n.* (로켓·미사일·엔진 따위의) 정지(靜止) 시험, 지상(地上) 시험.

◇**sta·tion** [stéiʃən] *n.* **1** 위치, 장소; 담당한 곳, 부서: take up one's ~ 부서를 맡다. **2** 서(署), 본서, 본부, 국, 소(所): a broadcasting ~ 방송국 / a fire ~ 소방서 / a police ~ 경찰서 / a power ~ 발전소. **3** 주둔지; (특히 인도에서) 위수지(衛戍地) 주민. **4** 역(驛), 정거장(=《美》 depot); (대합실이나 매표소가 있는 버스 따위의) 발착장, 정류장; 숙박소: I went to meet him at the ~. 나는 그를 마중하러 역에 갔다. **5** 〖海〗 근거지, 요항(要港). **6** U.C 신분, 지위; 고위; (성적 평가·능력 평가 따위에서의) 지위: people of ~ 지체가 높은 사람. **7** 관측소, 연구소; 〖測〗 측점(測點). **8** 《濠》 (건물·토지를 포함한) 목장, 농장. **9** 〖宗〗 금육재(禁肉齋), 단식, 정진(精進)《그리스 정교에서는 수요일·금요일에, 카톨릭에서는 금요일에 행함》. **10** 〖카톨릭〗 십자가의 길《그리스도의 고난을 나타내는 14처의 상(像) 앞에서 차례로 기도를 올림》. **11** 〖컴퓨〗 국. **12** (동물 따위의) 서식지; 산지(産地). — *vt.* [+目/+目+前+名] [때때로 ~ one*self* 로] 부서를 맡게 하다, 배치하다, 주재시키다, 두다: ~ a guard ***at*** the gate 문에 경비원을 두다 / The soldiers are now ~*ed at* the border. 그 병사들은 현재 국경에 배치되어 있다 / She ~*ed* her*self* ***behind*** a ginkgo. 그녀는 은행나무 뒤에 숨어 있었다.
〖ME=standing<OF<L (*stat- sto* to stand)〗

státion àgent *n.* 《美》 (작은 역의) 역장.

státion·àry [; -əri] *a.* **1** 움직이지 않는, 정지한, 멈추어 있는. **2** 고정시킨. **3** 정주(定住)한, 주둔한, 상비의: ~ troops 주둔군. **4** 변화없는, 눌러앉은, 정체한, 정착한, 고정된, 증감[변동]없는《인구 따위》, 불변의《온도 따위》. **5** 〖天〗 (행성(行星)이) 얼른 보아 경도(經度)에 변화가 없는.

—— *n.* 움직이지 않는 사람[것] ; [*pl.*] 주둔군.
státionary áir *n.* (폐 안의) 잔류 공기.
státionary bíke[bícycle] *n.* 페달 밟기 운동구《바퀴 없는 자전거 모양으로 바닥에 고정시킨 실내 운동 기구》.
státionary éngine[enginéer] *n.* (건물내의) 고정(固定) 기관[고정 기관 담당 기사].
státionary frónt *n.* 〖氣〗 정체 전선.
státionary sátellite *n.* 정지(靜止) 위성.
státionary státe *n.* 〖理〗 정상(定常) 상태.
státionary wáve[vibrátion] *n.* 〖理〗 정상파(定常波) (standing wave).
státion brèak *n.* 〖放送〗 스테이션브레이크《방송국명을 알리기 위해 보통 프로그램과 프로그램 사이에 알리는 짧은 시간》; 그때 하는 방송[광고].
sta·tio·ner [stéiʃənər] *n.* 문방구상(인) ; 《古》 서적상, 출판업자. 〖ME=bookseller ; PEDDLER에 대하여 shopkeeper의 뜻〗
Státioners' Còmpany *n.* [the ~] 《英》 서적출판업 조합《1556년 London에 설립된 서적상·인쇄업자·제본업자·문방구상 등으로 이루어진 동업자 조합》.
Státioners' Háll *n.* 《英》 (London의) 서적 출판업 조합 사무소《1911년까지 출판서적은 일체 이곳에 신고를 했음》: Entered at ~ 판권등록필.
*__sta·tio·nery__ [stéiʃənèri ; -nəri] *n.* Ⓤ 문방구, 지필묵류 ; (특히) 편지지 : write on hotel ~ 호텔 편지지에 (편지를) 쓰다.
〖STATIONER〗
Státionery Óffice *n.* 《英》 (London에 있는 정부의 문구(文具)·출판물·홍보 따위를 다루는) 정부 간행물 출판국《정식명 Her[His] Majesty's Stationery Office ; 略 H.M.S.O.》.
státion hòspital *n.* 〖軍〗 위수(衛戍) 병원.
státion hòuse *n.* 《美》=POLICE STATION ; =FIRE STATION ; (시골의) 역(railroad station).
státion ìndicator *n.* 《英》 열차 시간 게시판.
státion kèeping *n.* (함대 따위에서 각 함의) 순항 적정 위치 유지.
státion·màster *n.* 철도역장.
státion pòinter *n.* 〖測〗 삼각(三脚) 각도기.
státion pòle[ròd, stàff] *n.* 〖測〗 폴, 표주(標柱), 표척(標尺).
státion sèrgeant *n.* 《英》 (경찰서의) 경사.
státion-to-státion *a., adv.* (장거리 전화에서) 국대국(局對局) [번호] 통화의[로] (cf. PERSON-TO-PERSON) : call a person ~ 국대국[번호] 통화로 …에게 전화하다.
státion wàgon *n.* 왜건형(型) 자동차《운전석 뒤에 접었다 폈다 하는 좌석이 있으며 그 뒤에 뒷문으로 소형 여행 가방 따위를 넣는 공간이 있는 대형 자동차 ; beach[ranch] wagon이라고도 함》.
stat·ism [stéitizəm] *n.* Ⓤ 국가 주권주의, 국가 통제(주의).
stat·ist[1] [stéitəst] *n., a.* 국가 통제[주권]주의자(의). 〖STATE〗
stat·ist[2] [stǽtəst] *n.* =STATISTICIAN.
sta·tis·tic [stətístik] *n.* 통계값, 통계량.
—— *a.* 《稀》 =STATISTICAL.
〖G ; cf. STATE〗
sta·tís·ti·cal *a.* 통계의[적인], 통계상의.
-ti·cal·ly *adv.*
statístical mechánics *n.* 〖理〗 통계 역학.
statístical phýsics *n.* 〖理〗 통계 물리학.
stat·is·ti·cian [stæ̀təstíʃən] *n.* 통계학자, 통계가.
*__sta·tís·tics__ *n.* **1** [복수취급] 통계, 통계표 : *S*~ show that the population of this city has doubled in ten years. 통계에 의하면 이 시의 인구는 10년 동안에 2배로 늘어났다. **2** [단수취급] 통계학 : *S*~ is taught in most colleges. 통계학은 대개의 대학에서 가르치고 있다.
〖G *Statistik* study of political facts and figures ; cf. STATE〗
stato- [stǽtou, stǽtə] *comb. form.* 「휴지(休止)」 「평형」의 뜻.
〖Gk. (*statos* standing)〗
sta·tor [stéitər] *n.* 〖電〗 (발전기 따위의) 고정자(固定子) (↔*rotor*).
státo·scòpe *n.* 미(微)기압계 ; 〖空〗 승강계(計).
stat·u·ary [stǽtʃuèri ; -əri] *n.* **1** Ⓤ [집합적으로] 조상(彫像), 소상(塑像) ; 조각(sculpture). **2** Ⓤ 조소술(彫塑術). **3** 조각가. —— *a.* 조소의 : ~ art 조소술.
*__stat·ue__ [stǽtʃuː] *n.* 초상, 조상, 소상.
the Statue of Liberty ☞ LIBERTY.
stát·ued *a.* 조상으로 장식한 ; 조각한.
〖OF<L (*stat- sto* to stand)〗
stat·u·esque [stæ̀tʃuésk] *a.* 조상(彫像) 같은, 움직이지 않는 ; 위엄있는 ; 윤곽이 고른, 우아한.
〖*statue*+*-esque* ; *picturesque*에 준한 것〗
stat·u·ette [stæ̀tʃuét] *n.* 작은 조상(彫像).
*__stat·ure__ [stǽtʃər] *n.* **1** Ⓤ (특히 사람의) 키, 신장(height) : a man short of ~=a man of short ~ 키가 작은 남자. **2** Ⓤ 《비유》 (정신적인) 성장(도), 재간, (높은) 수준, 고매함, 재능 : a writer of ~ 재능있는 작가.
〖L ; ⇨ STATUE〗
類義語 ⟹ HEIGHT.
*__sta·tus__ [stéitəs, 美+stǽt-] *n.* **1** Ⓤ 지위 ; 신망 ; 자격 ; 〖法〗 신분 ; 현황, 현상(現狀) : seek ~ 사회적 지위의 향상을 꾀하다, 사회적으로 인정받으려고 힘쓰다. **2** 〖컴퓨〗 (입출력 장치의 동작) 상태, 스테이터스.
〖L=standing ; ⇨ STATUE〗
類義語 ⟹ STATE.
státus offènder *n.* 《美》 우범 소년《법원 감독하에 있는 소년》.
státus quó [-kwóu] *n.* [the ~] 그대로의 상태, 현상(現狀). 〖L=state in which〗
státus quò án·te [-ǽnti] *n.* [the ~] 이전의 상태, 구태(舊態).
〖L=state in which before〗
stá·tus-quó·ite [-kwóuàit] *n.* 현상 유지론자, 체제 지지자.
státus sèeker *n.* 《俗》 출세주의자, 엽관(獵官)운동자.
státus sỳmbol *n.* 지위[신분]의 상징《사회적 지위를 과시하는 소유물이나 습관》.
stát·ut·able *a.* 성문율(成文律)의, 법령의 ; 법령에 의한[기초를 둔] ; (위반, 죄 따위) 제정법에 저촉되는. **-ably** *adv.* 법령에 기초를 두고, 법률상.
~·ness *n.*
stat·ute [stǽtʃuːt, -tʃət] *n.* **1** 성문율 ; 법령, 법규(law) 《略 st.》 : the private[public] ~ 사[공]법 / ~*s* at large 법령집. **2** 규칙, 정관〈*of*〉. **3** 신의 법칙. **4** 〖國際法〗 (조약 따위의) 부속문서 ; 국제기관 설립문서.
〖OF<L *statut- statuo* to set up ; ⇨ STATUS〗
類義語 ⟹ LAW.
státute bòok *n.* [보통 *pl.*] 법령집(集).
státute làw *n.* =STATUTORY LAW.
státute mìle *n.* 법정 마일(☞ MILE 1 a)) 《5280 피트 ; 1609.3m》.
stat·u·to·ry [stǽtʃətɔ̀ːri ; -təri] *a.* 법정의, 법령의

[에 의한] : a ~ tariff 국정 세율(稅率).
statútory láw *n.* 성문[제정]법(cf. CASE LAW, UNWRITTEN LAW).
statútory offénse[críme] *n.* 〖法〗 제정법상의 범죄, (특히) 제정법상의 강간.
statútory rápe *n.* 〖美法〗 제정법상의 강간《승낙 연령(age of consent) 미만인 여자와의 성교》, 미성년자에 대한 강간.
staunch[1] [stɔ́:ntʃ, 美+stɑ́:ntʃ] *vt., vi., n.* = STANCH[1].
staunch[2] *a.* **1** (사람·주장 따위가) 신조에 철두철미한, 완고한, 충실한. **2** (건물 따위가) 견고한, 튼튼한. **3** 방수의(waterproof), 침수되지 않는 ; 항해에 견디는. **~·ly** *adv.* **~·ness** *n.*
〚OF *estanche*＜Rom.〛
stáu·ro·scòpe [stɔ́:rə-] *n.* 십자경(十字鏡)《결정체에 대한 편광(偏光) 방위를 측정》.
stave** [stéiv] *n.* **1** 통(桶)널 ; (바퀴의) 살 ; (사닥다리의) 단 ; 막대기, 빗장, 장대 ; (의자 다리의) 가로대(rung). **2** 〖樂〗 보표(譜表). **3** 시의 한 절, 연(聯), 시구 ; 두운(頭韻). —— *v.* (**~d,** 《특히 海》 **stove** [stóuv]) *vt.* **1** …에 통널을 대다. **2** [+目+副] (통·배 따위를) 부수다, …에 구멍을 뚫다 ; (상자·모자 따위를) 찌그러뜨리다 : The side of the boat had been *~d* ***in. 보트의 측면에 구멍이 나 있었다. **3** (납 따위를) 눌러 굳히다. —— *vi.* (배 따위에) 구멍이 뚫리다 ; 심하게 부딪치다, 부서지다 〈*in*〉 ; 돌진하다.
stave off (위험·파괴·폭로 따위를) 사전에 막다, 늦추다, 피하다.
〚STAFF ; *staves* (pl.)의 영향〛
stáv·er *n.* 《美》 활동[정력]가.
stáve rhỳme *n.* 〖韻〗 두운(頭韻), 두성(頭聲).
staves *n.* STAFF[1], STAVE의 복수형.
staves·acre [stéivzèikər] *n.* 〖植〗 제비고깔의 일종《유라시아산(産)》 ; 그 종자《살충제·토제(吐劑)용》.
stáv·ing *a.* 《美》 강력한 ; 굉장한.
◇**stay**[1] [stéi] *v.* (**~ed,** 《古》 **staid** [stéid]) *vi.* **1** [動/+副/+前+名/+*to* do] 머무르다, 가만히 있다 : I am busy ; I can't ~. 나는 바빠서 머물러 있을 수 없다 / *S~ here* till I return[send for you]. 내가 돌아올 때까지[사람을 보낼 때까지] 여기에 있어다오 / I *~ed* ***at*** home[***in*** bed] all day. 나는 하루종일 집에[자리에 누워] 있었다 / He *~ed to* see which team would win. 그는 어느 팀이 이기는지 보려고 남아 있었다. **2** [+副/+前+名] 체재하다, 손님이 되다 : *There* he *~ed overnight*. 거기서 그는 일박했다 / They invited me to ~ the night. 나에게 그날밤 묵고 가라고 권유하였다《㈜ the night는 부사구》 / A young man was *~ing* ***at*** the hotel[***in*** the city]. 한 젊은이가 그 호텔에 숙박하고[그 도시에 머무르고] 있었다 / I am *~ing* ***with*** my uncle. 나는 삼촌집에 머물고 있다 / Won't you ~ ***to***[***for***] lunch? 천천히 점심이라도 들고 가시지 않겠습니까(cf. *vt.* 4). **3** [+補] (어떤 상태에) 머무르다, …인 채로 있다(remain) : if the weather *~s* fine 만일 날씨가 계속 좋다면 / *S~* young! 언제까지나 젊게! **4** [특히 명령법으로] 정지하다, 기다리다 : *S~*! You've forgotten one thing. 좀 기다려요! 당신이 한가지 잊은 것이 있어요. **5** 견디다, 배겨내다, 지속하다 : He does not seem (to be) able to ~ to the end of a race. 그는 경주의 마지막까지 견디어 낼 힘은 없을 것 같다.
—— *vt.* **1** 멈추게 하다, 머무르게 하다, 정지시키다. **2** 《文語》 멈추게 하다, 막아내다 : ~ one's hand (치려고 하는) 손을 막다 / ~ one's steps 멈춰 서다 / ~ the spread of a disease 병의 창궐을 막아내다. **3** (일시적으로 욕망을) 충족시키다, (굶주림을 일시) 때우다 : She offered me a glass of water to ~ my thirst. 나에게 물을 한잔 주어 갈증을 풀게 했다. **4** 연기하다, 유예하다 : I'll ~ judgment till I hear the other side. 다른 편의 말을 들을 때까지 나는 판결을 미루기로 하겠다. **5** …까지 있다 : Won't you ~ supper? 저녁식사 때까지 천천히 쉬지 않겠습니까. ㈜ 지금은 전치사 for 또는 to를 쓰는 것이 일반적(☞ *vi.* 2).
come to stay (1) 머물[묵을] 예정으로 오다. (2) 《口》 (날씨·습관 따위가) 오래 계속되다 : The fine weather seems to have *come to ~*. 앞으로 이대로 좋은 날씨가 계속될 것 같다.
stay away 부재(不在) 중이다, 결석하다 : Tom has *~ed away from* school for a week. 톰은 학교를 일주일간 결석하고 있다.
stay in 집에 있다, 외출하지 않다 ; (학교 따위에 벌로) 남아 있다 : The fever made me ~ *in* for two days. 열이 나서 이틀간 외출을 못했다 / Tom was made to ~ *in*. 톰은 (방과 후) 남아 있게 되었다.
stay out 밖에 있다, 집에 들어가지 않다 : Kate made her parents very anxious by *~ing out* until midnight. 케이트는 한밤중까지 안 들어와서 부모님께 몹시 걱정을 끼쳐드렸다.
stay put 《口·원래 美》 본래 있던 곳에 머무르다, 그대로 있다 : The title[His fame] *~ed put*. 그 제목은 바뀌지 않았다[그의 명성은 확고 부동했다].
stay the course (경주에서) 코스를 끝까지 달리다[주파하다] ; 《비유》 (투쟁 따위에서) 최후까지 버티다.
stay up 밤새우다, 자지 않고 있다 : ~ *up* till late[all night] 밤 늦게까지 자지 않다[철야하다].
—— *n.* **1** 머무름 ; 체재(기간) : make a long ~ 오래 머무르다. **2** Ⓤ,Ⓒ 〖法〗 연기, 유예, 중지. **3** 《文語》 억제, 방해(restraint) 〈*upon*〉. **4** Ⓤ 《口》 지구[내구]력, 끈기(staying power).
〚AF＜L (*sto* to stand)〛
類義語 ***stay*** 어느 일정한 장소에 계속 머무르다 ; 가장 일반적인 낱말 : Let's *stay* here till he appears. (그가 나타날 때까지 이곳에 머무르자). ***remain*** 어떤 상태가 변하지 않고 그대로 있다거나 다른 사람은 떠나도 본인만은 남아 있음을 암시 : Nobody but he *remained* at home. (그를 빼놓고는 아무도 집에 남아 있지 않았다). ***wait*** 사람이나 어떤 일을 기다리다 : *Wait* for me at the station. (역에서 나를 기다려라). ***abide*** 《약간 古》 어떤 일정한 장소나 주거 따위에 장시간[오랜 기간] 머무르다 : My grandmother came for a visit and has been *abiding* here since. (할머니께서는 다니러오셨다가 지금껏 여기서 그대로 눌러 계신다). ***tarry*** 출발 또는 예정시간이 지나도 남아 있다 : He *tarried* in the hotel another day. (그는 그 호텔에 하루 더 남아 있었다).
stay[2] *n.* 〖海〗 지삭(支索), 스테이 가이(guy) ; (일반적으로) 줄, 로프(rope).
be in stay (배가) 바람 불어오는 쪽으로 돌다, 바람을 비스듬히 받으며 지그재그형으로 나아가다 ; 바람 불어오는 쪽으로 향하여 돛이 펄럭거리다 : be quick *in ~s* (배가) 재빠르게 돌다.
miss[lose] stay (배가) 돌지 못하다.
—— *vt.* 지삭으로 버티다 ; (마스트를) 기울게 하다, (마스트)의 각도를 바꾸다 ; (배를) 바람 불어

오는 쪽으로 돌게 하다. ── *vi.* 불어오는 쪽으로 돌다, 바람을 비스듬히 받으며 지그재그형으로 나아가다.
〖OE *stæg* ; cf. G *Stag*〗

stay³ *n.* **1** 지주(支柱)(prop) ; 〖工〗 떠받치는 것, 스테이《보일러 따위의 내벽면의 받침》; 〖電〗 버팀줄 ; (칼라·코르셋·의류 따위의) 스테이《플라스틱판·금속판 따위로 만든 심지》; [*pl.* ; 흔히 a pair of ~s] 《英》 코르셋(corset). **2** 《비유》 떠받치는 것, 의지, 지팡이나 기둥같이 의지하는 것 : He is the ~ of my old age. 그는 내 노후의 지팡이같이 의지되는 사람이다. ── *vt.* 《文語》 지주로 떠받치다〈*up*〉; 안정시키다 ; (대(臺) 따위에) 붙박다, 떠받치다〈*on, in*〉; (정신적으로) 지원하다, 격려하다.
〖OF and OE ; ↑〗

stáy-at-hòme *a., n.* 집에만 틀어박혀 있는 (사람) ; 외출을 싫어하는 (사람) ; 거주지를 떠나지 않는(사람) ; [보통 *pl.*] 《政俗》 (선거의) 기권자.

stáy-at-hóme employèe *n.* 재택(在宅) 근무자 : Managers are often uncomfortable about overseeing ~*s*, and workers also have misgivings. 관리직은 재택 근무자의 감독 문제로 머리를 썩이는 일이 많고 사원은 사원대로 불안을 느끼고 있다.

stáy bàr[**ròd**] *n.* (건물·기계의) 받침대.

stáy-dòwn strìke *n.* (탄광의) 갱내(坑內) 연좌 파업《밖에 있는 갱부가 일하지 못하게 방해함 ; cf. SIT-DOWN STRIKE》.

stáy·er¹ *n.* **1** 체류자, 머무르는 사람. **2** 끈기가 있는 사람[동물] ; 〖競馬〗 장거리말. **3** 억제하는 사람[것]. 〖STAY¹〗

stayer² *n.* 지지자, 옹호자(supporter). 〖STAY³〗

stáying pòwer *n.* 지구력, 내구력[성].

stáy-ìn (**strìke**) *n.* 연좌(連坐) 파업.

stáy·làce *n.* 코르셋의 끈.

stáy·less *a.* 코르셋을 입지 않은.

stáy·màker *n.* 코르셋 제조자.

stáy·òver *n.* 체류, 체재.

stáy·sàil [, 《海》 -səl] *n.* 〖海〗 마스트 전방의 지삭(支索)에 단 긴 삼각돛.

S.T.B. *Sacrae Theologiae Baccalaureus* 《L》 (= Bachelor of Sacred Theology ; 신학학사).

stbd. starboard. **STC** Senior Training Corps 《英》 (고급 장교 양성단).

S.T.C. Samuel Taylor Coleridge ; short-title catalogue((도서의) 간략 표제 목록).

STD, S.T.D. 《英》 subscriber trunk dialling (다이얼 직통 장거리 전화) ; sexually transmitted disease.

S.T.D. *Sacrae Theologiae Doctor* 《L》 (=Doctor of Sacred Theology ; 신학박사).

std. standard.

STDN space tracking and data network(우주 추적 데이터 통신망).

stead [stéd] *n.* 《文語》 **1** Ⓤ 대신(place), 대리. **2** Ⓤ 도움, 이익, 쓸모.
in a person***'s stead*** 남 대신에[으로].
in stead of =INSTEAD *of.*
in the stead of …의 대신에.
stand a person ***in good***[***little***] ***stead*** 남에게 매우 도움이 되다[거의 쓸모 없다] : My experience *stood* me *in good* ~. 나의 경험은 크게 도움이 되었다.
── *vt.* 《古》 …의 도움[이익]이 되다.
〖OE *stede* place ; STAND와 같은 어원 ; cf. G *Statt*〗

stead·fast [stédfæ̀(:)st, -fəst ; -fəst, -fɑ̀:st] *a.* 확고부동한, 단호한, 흔들리지 않는, 불변의, 요지부동의(firm) : ~ friendship 변치 않는 우정 / He was ~ *to* his principles. 확고하게 자신의 주의를 관철시켰다. **~·ly** *adv.* **~·ness** *n.*
〖OE (↑, FAST²)〗
[類義語] ***steadfast*** 원래는 일정한 장소에 고정되어 있는의 뜻이나 비유적으로는 신념·결심을 바꾸지 않는[이 흔들리지 않는] : *steadfast* in one's faith[belief] (신념이 확고한). ***steady*** 규칙적이고 진지한 것을 끈기있게 해나가는 : a *steady* student (끈기 있는 학생).

Stéadfastness and Confrontátion Frònt *n.* 아랍 강경 대결 전선《이스라엘에 대한》.

***stéad·i·ly** *adv.* 견실[착실]하게, 확고부동하게 ; 자꾸 : He went on working ~. 착실하게 일을 계속해 나갔다 / Her health is getting ~ worse. 그녀의 건강은 점차 악화되어 가고 있다.

stéad·ing [stédn, stí:dn, -iŋ] *n.* 《英》 농장(farmstead), 농장의 부속 건물 ; 농가.

***steady** [stédi] *a.* **1** 확고한, 흔들리지 않는, 안정된(stable) : Though over eighty, he is still very ~ on his legs. 80세를 넘었으나 여전히 다리가 튼튼하다 / Hold this ladder ~. 흔들리지 않도록 이 사다리를 꼭 붙잡아라 / a ~ hand 떨리지 않는 손 ; 《비유》 단호한 지도[명령]. **2** 불변의, 한결같은, 꾸준한 : a ~ wind (바람부는 방향이 일정한) 고른 바람 / a ~ boy 정해진 남자 친구. **3** 견실[착실]한, 진지한 : a ~ worker 견실한 일꾼, 착실히 공부하는 사람 / Slow but ~ wins the race. ☞ SLOW *a.* 1 a). **4** 침착한 ; 절제 있는 ; 규율 바른. **5** 〖海〗 침로가 변치 않는 : Keep her ~ ! 〖海〗 배(의 진로)를 그대로 ! / *S*~ ! 〖海〗 좋아, 지금 이대로《「뱃머리를 그대로 유지하라 !」는 것을 뜻함》.
go steady 《美口》 한 여성[남성]하고만 교제하다, 서로 사랑하는 사이가[연인이] 되다〈*with*〉 (↔ *play the field*).
play steady 침착하게 하다, 덤비지 않다.
Steady (***on***) ***!*** (1) 《口》 침착해 ! ; 서두르지 마라 ! ; 조심해 ! (2) [S~ on !] (노젓기) 그만 !
── *adv.* 확실히 ; 견실하게 ; 자리잡아 ; 〖海〗 일정 방향으로.
── *n.* **1** 대(臺), 받침. **2** 《美口》 정해진 연인.
── *vt.* 확고하게 하다, 견고하게 하다 ; 안정시키다 : ~ a table leg 책상 다리를 고정시키다.
── *vi.* 견고해지다, 침착해지다 ; 안정되다 : Prices are likely to ~. 물가는 안정될 것 같다.
steady down 마음을[이] 가라앉히다[앉다], 착실하게 하다[해지다].
stéad·i·ness *n.* 착실 ; 불변, 한결같음.
〖STEAD〗
[類義語] (1) ***steady*** 운동·활동·방향 따위가 변함없는[규칙적인] ; 변동, 비틀거림, 한쪽으로 치우치는 일 따위가 없는 : *steady* motion(안정된 동작). ***even*** 불규칙적이 아니고 고른 : *even* pulses(고른 맥박). ***uniform*** 일정한 기준에 맞으며 균일한 : a *uniform* rate (일정한 비율). ***regular*** even 또는 uniform한 결과로서 질서가 있고 규칙적인 : *regular* intervals (규칙적인 간격[사이]).
(2) ⟹ STEADFAST.

stéady-gò·ing *a.* 견실한, 착착 진행하는 ; (말 따위) 보행 속도가 고른.

stéady mótion *n.* 정상(定常) 운동《액체의 속도가 일정한》.

stéady státe *n.* 〖理〗 정상 상태.

stéady-stàte *a.* 〖理〗 정상 상태의, 비교적 안정된 ; 〖天〗 정상 우주론의.
stéady státe thèory[cosmòlogy] *n.* [the ~] 〖天〗 정상 우주론《우주는 팽창과 더불어 물질을 생성(生成)하며 밀도 따위가 시간이 지나도 크게 변하지 않는다는 설 ; cf. BIG BANG THEORY》.
***steak** [stéik] *n.* Ⓤ,Ⓒ (굽거나 프라이용으로 쇠고기·생선 따위를) 두툼하게 베낸 살점 ; (특히) 비프스테이크(beefsteak) : ☞ HAMBURG STEAK.

〈회화〉
How would you like your *steak*? — Medium, please. 「스테이크는 어떻게 해 드릴까요」「중간 정도로 익혀 주세요」

〖ON *steik* ; cf. STICK[1], ON *steikja* to roast on spit〗
stéak·hòuse *n.* 스테이크하우스《주로 비프스테이크를 전문으로 하는 식당》.
stéak knìfe *n.* 스테이크용 칼《흔히 고기 요리를 먹을 때 사용하는 칼날이 톱처럼 생긴 식탁용 나이프》.
‡**steal** [stíːl] *v.* (**stole** [stóul] ; **sto·len** [stóulən]) *vt.* **1** [+目/+目+前+名] 훔치다(cf. FILCH) : A pickpocket *stole* my watch. 소매치기가 내 시계를 훔쳐갔다 / She had her purse *stolen.* 그녀는 지갑을 도둑맞았다 / A thief *stole* the money ***from*** the safe. 도둑이 금고에서 돈을 훔쳤다.

steal의 ○×
(×) He *was stolen* his money.
(그는 돈을 도둑 맞았다.)
(○) He *had* his money *stolen.*
(○) His money *was stolen.*

2 [+目/+目+前+名] 몰래 가로채다 ; 교묘히 손에 넣다 : ~ a person's heart 감쪽같이 남의 사랑을 가로채다 / ~ a kiss ***from*** a girl 소녀가 모르는 사이에 슬쩍 키스하다 / ~ a glance ***at*** a person 남을 엿보다. **3** 〖野〗 도루(盜壘)하다 : ~ a base 도루하다 / ~ second[third] 2[3]루로 도루하다. —— *vi.* **1** 도둑질하다, 절도를 하다 : Thou shalt not ~. 〖聖〗 도둑질하지 말지니라《출애굽기 20 : 15》. **2** [+副/+前+名] 몰래 가다, 슬그머니 들어가다 ; 몰래 빠져나오다 ; 모르는 사이에 지나가다[생기다] ; (잠 따위가) 어느새 엄습하다〈*in, upon, over*〉 : The years *stole* ***by.*** 어느새 세월이 흘렀다 / I tried to ~ ***in.*** 슬쩍 들어가려고 했다 / He *stole* ***upon*** the gentleman. 그 신사에게 가만히 다가갔다 / ~ ***into*** a room 방에 몰래 들어가다 / ~ ***out of*** a house 슬그머니 집에서 빠져나오다 / A mist *stole* ***over*** the valley. 어느새 안개가 골짜기 일대를 덮어버렸다 / A tear *stole* ***down*** the girl's cheek. 눈물이 어느새 소녀의 볼에 흘러내렸다 / A sense of happiness *stole* ***over[upon]*** him. 그는 어느 사이에 행복감에 젖었다. **3** 〖野〗 도루하다.
steal a march (up)on... ☞ MARCH *n.*
steal the show ☞ SHOW *n.*
—— *n.* Ⓤ 《美口》 훔침, 절도 ; Ⓒ 훔친 물건, 장물, 표절물 ; 횡재 ; 〖野〗 도루, 스틸 ; 추잡한 (정치적) 거래.
〖OE *stelan* ; cf. G *stehlen*〗
stéal·age *n.* Ⓤ 절도, 도둑질 ; 도난 피해.
stéal·er *n.* 훔치는 사람, 도둑(놈) : a base ~ 〖野〗 도루자.
stéal·ing *n.* Ⓤ (몰래) 훔치기 ; [주로 *pl.*] 《美》 장물, 훔친 물건(stolen goods). —— *a.* (몰래) 훔치는 ; 몰래 하는.
~·ly *adv.*
stealth [stélθ] *n.* Ⓤ 몰래[슬그머니] 하기, 은밀, 비밀.
by stealth (남)몰래, 슬그머니.
〖ME (STEAL, -*th*[2])〗
stéalth àircraft *n.* 〖空〗 스텔스 항공기《레이더에 잘 포착되지 않게 만든 항공기》.
stéalthy *a.* 남의 눈을 피하는, 남의 눈을 꺼리는, 비밀의(secret).
stéalth·i·ly *adv.* 몰래, 비밀리에. **-i·ness** *n.*
‡**steam** [stíːm] *n.* **1** Ⓤ 수증기, 증기, 스팀 : His house is heated by ~. 그의 집은 스팀으로 난방되고 있다. **2** Ⓤ 김, 연무, 안개 ; 증발[발산] 수증기. **3** Ⓤ 《口》 힘, 원기, 기운, 활력.
at full steam (배 따위) 전속력으로.
blow[let] off steam 여분의 증기를 빼다 ; 《口》 울분을 풀다, 긴장을 풀다.
by steam 기선으로(cf. *by* WATER).
get up steam 증기가 나게 하다 ; 《口》 정력을 쏟다, 분기하다.
put on[work off] steam 《口》 기운을 내다, 분발하다.
under steam 증기의 힘으로[의], 진행중이어서[인] ; 기운을 내서.
—— *a.* 증기의[에 의한, 용의, 로 움직이는] ; 《英口·戱》 시대물의, 구식의.
—— *vt.* [+目/+目+補] 증발하다, 증기를 내다 ; 증기에 쐬어 연하게 하다 : ~ potatoes 감자를 찌다 / ~ the skin with hot towels 더운 수건으로 피부를 찜질하다 / He ~*ed* open the envelope. 봉투에 김을 쐬어 개봉했다. —— *vi.* **1** [動/+副] 김이 나다 ; (말 따위가) 땀을 흘리다 : The kettle was ~*ing* (*away*). 주전자에서 김이 나고 있었다. **2** [動/+副/+前+名] 증기로 움직이다 : The vessel ~*ed* ***off.*** 기선은 출항했다 / The train ~*ed* ***up to*** the platform. 기차는 승강장(昇降場)으로 전진해 왔다. **3** 《口》 굉장한 스피드로 달리다, 일을 진척시키다, 마구 진행하다 〈*ahead, away*〉. **4** 《口》 성내다, 으르대다, 땅땅거리다(show anger).
〖OE *stēam* ; cf. Du. *stoom* steam〗
stéam bàth *n.* 증기 목욕탕, 한증막.
stéam bèer *n.* 스팀 비어《미국 서부에서 제조되는 고(高)비등성 맥주》.
stéam·bòat *n.* (주로 하천용의) 기선, 증기선.
stéam bòiler *n.* 증기 보일러.
stéam bòx[chèst] *n.* (증기 기관의) 증기실.
stéam bràke *n.* 증기 브레이크.
stéam càbinet *n.* (증기탕의) 증기 목욕실.
stéam còal *n.* 보일러용 석탄.
stéam còlor *n.* (색이 바래지 않게 하는) 증기 염색(染色).
stéam cỳlinder *n.* 증기 실린더, 증기통.
stéamed-ùp *a.* 《口》 화낸, 몹시 흥분한 : a ~ condition 몹시 흥분한 상태.
stéam èngine *n.* 증기 기관 : like a ~ 아주 힘차게.
***stéam·er** *n.* **1** 기선(cf. SAILER) ; 증기기관 ; 증기 소방 펌프 : go by ~ 기선으로 가다. **2** 찌는 도구, 찜통, 시루 ; 찌는 사람. —— *vi.* 기선으로 여행하다.
stéamer bàsket *n.* 선박 여행자에게 주는 작별의 선물 바구니《과일·과자·브랜디 따위를 채워 넣음》.
stéamer chàir *n.* =DECK CHAIR.
stéamer rùg *n.* 《美》 갑판 의자용 무릎 덮개.

stéamer trùnk *n.* (배의 침대 밑에 넣을 수 있게 만든) 납작하고 폭이 넓은 트렁크.
stéam fìddle *n.* 《美俗》 (서커스단의) 증기 오르간(calliope).
stéam·fitter *n.* 스팀 파이프 설치[수리]공.
stéam fitting *n.* 스팀 파이프 설치[수리] 공사.
stéam gàuge *n.* 증기 압력계.
stéam hàmmer *n.* 증기 해머[망치].
stéam héat *n.* 증기열[열량].
stéam héating *n.* 스팀 난방 (장치).
stéam·ing *a., adv.* 김을 푹푹 내뿜는[내뿜을 만큼] : ~ (hot) tea 김이 나는 (뜨거운) 차.
—— *n.* Ⓤ 김내기, 김쐬기 ; (증)기선을 이용한 여행(거리) : a distance of one hour's ~ 기선으로 한 시간 걸리는 곳.
stéam ìron *n.* 증기 다리미.
stéam jàcket *n.* (실린더 둘레의) 증기 재킷.
stéam làunch *n.* 기정(汽艇), 작은 증기선.
stéam locomòtive *n.* 증기 기관차.
stéam nàvvy *n.* 《英》 (토목 공사용) 증기 삽.
stéam òrgan[**piàno**] *n.* 증기 오르간.
stéam pìpe *n.* 스팀 파이프.
stéam pòint *n.* (물의) 끓는점.
stéam pòrt *n.* 기문(汽門), 증기구.
stéam pòwer *n.* 증기력, 증기 동력.
stéam préssure *n.* 기압(汽壓), 증기 압력.
stéam pùmp *n.* 증기 양수 펌프.
stéam rádio *n.* 《英口》 라디오(방송)《텔레비전과 구별하여 구식인 데서》.
stéam·ròll·er *n.* **1** 증기 롤러《도로 공사용》. **2** 《비유》 강압적인 수단, 압력(을 넣는 사람).
—— *vt.* **1** 증기 롤러로 고르게 하다[짓이기다]. **2** 《비유》 (반대 따위를) 강압적으로 억누르다, 압도하다(overwhelm) ; (다수당이 의안 따위를) 강제로 통과시키다, 강제로 체결하다〈*through*〉.
—— *vi.* 무턱대고 강행하다[나아가다].
—— *a.* steamroller를 연상케하는[하는 듯한] ; 강압적인.
stéam ròom *n.* =STEAM CABINET.
stéam·shìp *n.* 기선, 상선《略 S.S.》.
stéam shòvel *n.* (토목 공사용) 증기 삽.
stéam tàble *n.* 《美》 스팀 테이블《스팀을 이용해 요리를 그릇째 보온하는 금속제의 대》.
stéam·tìght *a.* 증기가 새지 않는.
stéam tràin *n.* 증기 기관차.
stéam tùg *n.* (소형의) 증기 끌배.
stéam tùrbine *n.* 증기 터빈.
stéam whìstle *n.* 기적(汽笛).
stéamy *a.* **1** 증기의 ; 김이 자욱한[오르는]. **2** 안개 짙은, 습기찬 ; 고온 다습한 ; 《口》 =EROTIC.
—— *n.* 《美俗》 성애(性愛) 영화.
ste·ap·sin [stiǽpsən] *n.* Ⓤ 〖生化〗 스테압신《이자에서 분비되는 지방 분해 효소》.
ste·ar- [stíər, stíːər], **ste·a·ro-** [-ərou, -rə] *comb. form* 「스테아르산(酸)」의 뜻.
〖⇨ STEARIN〗
ste·a·rate [stíərèit, stíːə-] *n.* Ⓤ 〖化〗 스테아르산염(酸鹽)《양초 제조용》.
ste·ar·ic [stiǽrik, stíər-] *a.* 〖化〗 스테아르산의 [에서 얻은] : ~ acid 스테아르산.
ste·a·rin [stíərən, stíːə-], **-rine** [-rən, -rìːn] *n.* Ⓤ 〖化〗 스테아린 ; 경지(硬脂) 스테아르산《양초 제조용》. 〖F (Gk. *steat- stear* tallow)〗
ste·at- [stíːət], **ste·a·to-** [stíːətou, -tə] *comb. form* 「지방(脂肪)」의 뜻. 〖Gk.(↓)〗
ste·a·tite [stíːətàit] *n.* 〖鑛〗 동석(凍石)《soapstone의 일종》. **stè·a·tít·ic** [-tít-] *a.* 〖F (Gk. *steat- stear* tallow)〗
ste·a·tol·y·sis [stìːətάləsəs] *n.* 〖生理〗 (소화 과정에서의) 지방융해 ; 〖化〗 지방분해.
ste·a·to·sis [stìːətóusəs] *n.* (*pl.* **-ses** [-siːz]) 〖醫〗 지방증(症).
sted·fast [stédfæ̀(ː)st, -fɑ̀st ; -fəst, -fɑ̀ːst] *a.* = STEADFAST.
steed [stíːd] *n.* 《古·文語》 (특히 승마용의) 말 ; 군마. 〖OE *stēda* stallion ; cf. STUD[2]〗
***steel** [stíːl] *n.* **1** Ⓤ 강철, 강(鋼), 스틸 : hard [soft] ~ 경[연]강(硬[軟]鋼) / with a grip of ~ 꽉 쥐고 / a heart of ~ 냉혹한 마음. **2** [단수형만으로 써서] 검, 칼 : a cold ~ 도검, 총검《따위》 / an enemy worthy of one's ~ 호적수(好敵手). **3** 부시, 화도(火刀). **4** 강철 숫돌《연필을 뾰족하게 하거나 칼을 갊》. **5** (코르셋 따위의) 강철제의 버팀테. **6** 철강산업 ; [때때로 *pl.*] 〖證〗 철강회사의 주(식) ; (강철 같이) 단단함, 엄함.
—— *a.* 강철의, 강철로 만든[비슷한] ; 굳은 ; 무감각한, 냉혹한 ; 《美黑人俗》 백인의 : a ~ pen 철펜 / a ~ bar 강철봉. —— *vt.* **1** …에 강철을 씌우다, 강철로 날을 만들다 : ~ a razor 면도칼에 강철 날을 달다. **2** [+目 / +目+前+名] 무감각하게 하다, 냉혹[완고]하게 하다, (마음을) 굳게 먹다(harden) : I ~*ed* my heart[~*ed* myself] ***against*** their sufferings. 나는 마음을 모질게 먹고 그들의 고통에 아랑곳하지 않았다. **3** 《美俗》 찌르다.
〖OE *stȳle* ; cf. STAY[2], G *Stahl*〗
stéel bánd *n.* 〖樂〗 스틸 밴드《원래 Trinidad섬 주민이 시작한 것으로 드럼통 따위를 타악기로 한 서(西)인도 제도의 밴드》.
stéel blúe *n.* 강철빛.
stéel-clád *a.* 갑옷으로 무장한 ; 장갑(裝甲)의.
stéel-còllar wórker *n.* 산업용 로봇.
stéel èlbow *n.* 사람을 밀치고 나아가는 힘.
stéel engràving *n.* 강판(鋼版) 조각(술) ; 강판 인화(印畫).
stéel gráy *n.* 푸른빛이 도는 금속성 회색.
stéel guitár *n.* 〖樂〗 스틸 기타.
stéel·hèad *n.* 〖魚〗 무지개송어.
steel·ie [stíːli] *n.* 강철 구슬.
stéel·màker *n.* 제강업자.
stéel·màking *n.* 제강(製鋼).
stéelmaking pròcess *n.* 제강법.
stéel mìll *n.* 제강소.
stéel plàte *n.* 판금.
stéel tràp *n.* 강철제의 덫.
have a mind like a steel trap 매사에 이해가 빠르다.
stéel-tràp *a.* 날카로운, 기민한 ; 강력한.
stéel wóol *n.* 강철솜, 스틸 울《금속 연마용》.
stéel·wòrk *n.* Ⓤ 강철 제품 ; 강철 구조(부) ; [*pl.*] [단수취급] 제강소 ; Ⓤ 강철[골조] 작업.
stéel·wòrk·er *n.* 제강소 직공, 철강 노동자.
stéely *a.* **1** 강철의 ; 굳은. **2** (강철처럼) 견고한, (색 따위) 강철을 연상케하는 ; 무정한, 용서 없는 ; 완고한 ; 엄격한. —— *n.* =STEELIE.
stéel·i·ness *n.*
stéel·yàrd [, stíljərd] *n.* 대저울.
steen·bok [stíːnbὰk, stéin-], **stein·bo(c)k** [stáinbὰk, stéin-], **-buck** [-bʌ̀k] *n.* 〖動〗 스타인복《아프리카산의 작은 영양(羚羊) (antelope)의 일종》. 〖Afrik.=stone buck[1]〗
***steep**[1] [stíːp] *a.* **1** 험한 ; 가파른, 경사가 급한 : The mountain path was very ~. 그 산길은 매우 급경사다 / a ~ hill 험한 언덕. **2** 《口》 (가격 · 이

야기 따위가) 터무니없는, 심한, 과장된, 무모한. —— *n.* 《文語》 가파른 비탈길, 절벽. **~·ly** *adv.* 가파르게, 험준하게. **~·ness** *n.* Ⓤ 험준함 ; 도가 지나침.
〖OE *stēap* high, steep, deep ; cf. STOOP[1]〗
類義語 ***steep*** 비탈이나 경사면이 매우 가파르기 때문에 오르내리기 곤란한. ***abrupt*** steep 보다 더 가파른. ***precipitous*** 절벽이 가파르고 험한, 곤두박질치며 떨어짐을 암시 ; steep은 위쪽으로 향한 운동을, precipitous는 아래쪽을 향한 운동을 암시. ***sheer*** (거의) 수직으로 깎아지른 듯한(↔*level, gradual, accessible*).

steep[2] *vt.* **1** [+目/+目+*in*+名] 액체에 적시다, 축이다 ; 담그다(soak) ; (흠뻑) 젖게 하다 : ~ clothes in water 옷을 물에 적시다 / ~ tea ***in*** boiling water 차를 끓는 물에 넣다 / ~ vegetables *in* vinegar 야채를 식초에 담그다. **2** [+目+*in*+名] [보통 *p.p.*로] **a)** 《비유》 깊이 스며들게 하다 ; 몰두케 하다, 열중케 하다(absorb) : ~*ed* ***in*** (=filled with) crime 죄악에 물든 / He was ~*ed in* mathematics. 그는 수학에 몰두하고 있었다. **b)** (안개 따위가) 자욱하게 끼다, 뒤덮다 : ruins ~*ed* ***in*** gloom 땅거미에 뒤덮인 폐허. —— *vi.* 잠기다, 침수되다.
—— *n.* **1** Ⓤ 적시기, 축이기, 담그기 ; 스며들기 : in ~ (물 따위에) 축이어, 담그어서, 적시어. **2** 담그는 액체, (씨를) 적시는 액체.
~·er *n.* 담그는 통[사람].
〖OE 《美》 *stīepan*, 《美》 *stēpan* ; cf. STOUP〗
類義語 ⟹ WET (2).

stéep·en *vt., vi.* 가파르게 하다[되다] ; 급경사지게 하다[되다].

stéep·ish *a.* 물매가 좀 가파른, 약간 험한 ; 좀 부당한, 좀 지나친.

***stee·ple** [stíːpəl] *n.* (교회 따위의) 뾰족한 탑, 첨탑(尖塔). **stée·pled** *a.* 뾰족탑이 있는, 뾰족탑 모양의.
〖OE *stēpel* ; ⇨ STEEP[1]〗

stéeple·bùsh *n.* 조팝나무류의 관목(hardhack).

stéeple·chàse *n.* 야외 장애물 경마(cf. HURDLE RACE) ; 장애물 경주. —— *vi.* 장애물 경주에 출전하다《따위》.
〖골에 steeple을 세웠음〗

stéeple·chàser *n.* 야외 장애물 경마에 출전하는 기수[말].

stéeple-crówned *n.* (모자 따위) 꼭대기가 높고 뾰족한, 원뿔 모양의.

stéeple·jàck *n.* 뾰족탑·높은 굴뚝 따위의 직공[수리공].

stéeple·tòp *n.* 뾰족탑의 꼭대기.

stéepy *a.* 《古·詩》 가파른, 험준한.

1 spire
2 steeple
steeple

steer**[1] [stíər] *vt.* **1** [+目/+目+副/+目+前+名] 키를 잡다 ; 조종하다 : ~ a boat[an automobile, an airplane] 배[자동차, 비행기]를 조종하다 / ~ the ship *north* 배의 키를 북쪽으로 돌리다 / ~ the boat ***for[***toward***] the island 배를 섬으로 돌리다. **2** [+目/+目+前+名] 《文語》 (진로·방향을) 향하게 하다 : ~ a steady course 착착 나아가다 / ~ one's way ***to*** …을 향하여 나아가다 / You should ~ your way in the voyage of life. 여러분은 인생항로의 험한 파도를 헤쳐 나아가지 않으면 안됩니다. **3** 지도하다, 지배하다 ; 《俗》 (손님을) 끌다. —— *vi.* **1** [動/+前+名] 키를 조종하다 : The pilot ~*ed* ***for*** Bangkok. 수로(水路) 안내인은 방콕을 향해 키를 잡았다. **2** [動/+前+名] (어떤 방향으로) 향하다, 나아가다 ; 처신하다 : ~ ***between*** two extremities 양 극단의 중간을 취하다 / Where are you ~*ing* ***for***? 《口》 어디로 가는 길입니까 ; 무엇이 목표입니까. **3** [+副] 키를 잘 다루다, 조종되다 : The car ~*s well* [*easily, badly*]. 그 자동차는 조종이 잘 된다[하기 쉽다, 하기 힘들다]. **4** 《俗》 손님을 여관이나 술집으로 끌어들이다, 야바위치다.
steer clear of …을 피하다, …에 관계치 않다.
—— *n.* 《美口》 조언(助言), 지시, 충고 ; 《俗》 (도박 따위의) 정보.
〖OE *stieran* ; cf. STARBOARD, STERN[2], G *steuern* to steer ; Gmc. 'rudder'의 뜻〗

steer[2] *n.* 수송아지 ; (특히) 거세한 식용 송아지.
〖OE *stēor* ; cf. G *Stier*〗

stéer·able *a.* (기구 따위가) 키가 잘듣는, 조종할 수 있는.

stéer·age *n.* **1** 〔海〕 키의 성능, 조종술 ; 《稀》 조타(操舵), 조종. **2** 선미(船尾), 고물(stern) ; 3등 선실, 하급 선객《지금은 보통 tourist[third] class 라고 함》 ; 〔海〕 (군함의) 하급 사관실. —— *adv.* 삼등실로 : go[travel] ~ 삼등실로 가다.
〖STEER[1]〗

stéerage pàssenger *n.* 〔海〕 3등선객.

stéerage·wày *n.* Ⓤ 〔海〕 타효 속력《키로 조정하는데 필요한 최저 진항 속도》.

stéer·er *n.* Ⓤ 키잡이 ; 《俗》 (사기·도박 따위의) 손님을 끌어들이는 사람.

stéer·ing *n.* Ⓤ 조타(操舵), 조종 ; 스티어링 ; = STEERING GEAR ; 《美》 (손님의) 부당 유도《부동산 업자가 흑인에게 백인지구의 물건을 알리지 않는 일》.

stéering commìttee *n.* 《美》 (의회[의원, 의사]) 운영 위원회.

stéering èngine *n.* 조타 기관.

stéering gèar *n.* 조타(操舵) 장치, 조타기 ; (자동차 따위의) 스티어링 기어.

stéering whèel *n.* (배의) 조타륜(操舵輪) ; (자동차의) 핸들.

stéers·man [-mən] *n.* 키잡이, 조타수(操舵手) (helmsman) ; (기계의) 운전자.

steeve[1] [stíːv] *n.* 〔海〕 올려본각《제1 기움 돛대와 수평면과의 각도》. —— *vt., vi.* 비스듬히 하다[되다], 기울(게 하)다, 올려본각을 내다[이루다].
〖C17< ?〗

steeve[2] *n., vt.* 기중(起重) 돛대(로 짐을 싣다).
〖? Sp. *estibar* or Port. *estivar* to pack tightly〗

steg- [stég], **stego-** [stégou, -gə] *comb. form* 「덮개(cover)」의 뜻. 〖Gk. (*stegos* roof)〗

stego·don [stégədàn], **-dont** [-dànt] *n.* 〔古生〕 스테고돈《플라이오세(世)·홍적세에 동아시아·아프리카에 분포한 대형 화석 코끼리》.

stego·my·ia [stègəmáiə] *n.* 〔昆〕 이집트모기의 옛 이름《황열병(黃熱病)을 옮김》.

stégo·sàur *n.* 〔古生〕 검룡(劍龍)《검룡아목의 공룡의 총칭》.

stègo·sáurus *n.* 〔古生〕 스테고사우루스속(屬)의 검룡(劍龍) 《DINOSAUR의 일종》.

stein [stáin] *n.* (오지그릇으로 만든) 맥주 컵《약 1 pint 들이》 ; stein 한잔 분의 양 ; (일반적으로) 조끼(jug). 〖G=stone〗

Stein·beck [stáinbek] *n.* 스타인벡. **John (Ernst)** ~ (1902-68) 미국의 소설가 ; 노벨 문학상 수상(1962).

steinbo(c)k ☞ STEENBOK.

Stein·way [stáinwèi] *n.* 스타인웨이《미국

Steinway & Sons Co. 제(製)의 그랜드 피아노 ; 상표명》.
ste·la [stíːlə], **ste·le**[1] [stíːl, stíːli] *n.* (*pl.* **-lae** [-liː], **-les**) 〔考古〕 기념 돌기둥, 석비 ; 〔古그·古로〕 스텔레《묘비로서의 석판》 ; 〔建〕 현판. 〖L *stela*, Gk. *stēlē* standing block〗
stele[2] *n.* 〔植〕 중심주(中心柱). 〖Gk. STELE[1]〗
Stel·la [stélə] *n.* 여자 이름.
stel·lar [stélər] *a.* **1** 별의 ; 별이 많은(starry) : a ~ night 별빛 밝은 밤. **2** 별과 같은, 별모양의. **3** 눈부시게 아름다운, 인기있는 ; 주요한, 주역(主役)의, 일류의, 우수한.
stel·lar·a·tor [stélərèitər] *n.* 〔理〕 스텔러레이터《핵융합 반응 연구용 실험장치》.
stéllar evolútion *n.* 〔天〕 항성 진화.
stéllar wínd *n.* 별바람, 항성풍(恒星風)《항성에서 나오는 대전류자(帶電流子)의 흐름》.
stel·late [stélət, -eit], **-lat·ed** [-eitəd] *a.* 별 모양의, 별 같은 ; 방사상(狀)의 ; 〔植〕 (잎이) 윤생(輪生)의.
stel·len·bosch [stélənbɑ̀ʃ] *vt.* 《英軍俗》 (장교를) 좌천시키다(relegate) ; 격하시키다. 〖남아프리카 공화국 Cape주(州)의 도시 *Stellenbosch* 기지가 종종 이용된 데서〗
Stél·ler's séa còw [stélərz-] *n.* 〔動〕 스텔러 바다소《듀공과(科) ; Bering해산 ; 18세기 절멸》.
stél·li·fòrm [stélə-] *a.* 별 모양의 ; 방사상의.
stel·li·fy [stéləfài] *vt.* 별로 바꾸다 ; 스타로 만들다 ; …에게 하늘의 영광을 주다, 칭찬하다.
Stel·lite [stélait] *n.* 스텔라이트《코발트·크롬·탄소·텅스텐·몰리브덴의 합금 ; 날끝·의료기구 따위에 쓰임 ; 상표명》.
stel·lu·lar [stéljələr], **-late** [stéljələt] *a.* 작은 별 모양의, 작은 방사상의 ; 별 무늬의.
stem**[1] [stém] *n.* **1** (초목의) 줄기, 대, 축 : cut a lily with a ~ 백합 줄기를 떼어 내다. **2** 잎자루, 잎줄기 ; 꽃꼭지, 꽃자루 ; 열매꼭지. **3** 줄기[대] 부분, 줄기[대]와 닮은 것 ; (포도주 잔의) 굽 ; 〔印〕 (활자의) 굵은 세로선(線), 내리획 ; (시계의) 용두 ; (도구의) 자루 ; (담뱃대의) 설대, 대 ; (온도계의) 유리관 ; (새의) 깃대, 우간(羽幹). **4** 〔文法〕 어간《낱말의 어형변화에 대한 기본형 ; cf. BASE[1] *n.* 6》. **5** 〔樂〕 꼬리《음표의 수직선》. **6** (특히 성서에서) 종족, 계통, 혈통, 분파. **7** 《美俗》 (도시의) 넓은 거리. **8** [*pl.*] 《俗》 (사람의 이쁜) 다리, 정강이. —— *v.* (**-mm-**) *vt.* (특히 담배의) 줄기를 떼어내다, (조화에) 줄기를 붙이다 ; 《美俗》 (노상에서) 매달려 구걸하다. —— *vi.* [+*from*+名] 생기다, 일어나다, 유래하다 : The new regulation ~*s* ***from their petition. 새로운 규약은 그들의 탄원[청원]에 의하여 생긴 것이다. **~·less** *a.* 줄기 없는. 〖OE *stemn, stefn* ; STAND와 같은 어원 ; cf. G *Stamm*〗
stem[2] *v.* (**-mm-**) *vt.* (물 따위를) 막다 ; 《스코》 (출혈을) 멎게 하다 ; (구멍 따위를) 틀어막다 ; (반대 따위를) 저지하다 : ~ the tide of …을 저지하다. —— *vi.* 자제하다 ; 멎다 ; 〔스키〕 제동[회전]하다. —— *n.* 막기, 제지하기 ; 〔스키〕 제동(制動), 스템《한 쪽 또는 양쪽의 스키 뒤끝을 벌려서 속도를 제어하기》. 〖ON<Gmc. (《美》 *stam-* to check ; G *stemmen* to prop) ; cf STAMMER〗
stem[3] *n.* 선수(船首), 이물(↔ *stern*) ; 〔海〕 선수재(材).
from stem to stern 선수(船首)에서 선미(船尾)까지, 배 전체에 ; 모두, 완전히, 샅샅이.
—— *vt.* (**-mm-**) (바람·강물 따위를) 거슬러 나아가다 ; …에 역행하다, 저항하다 : The ship ~*med* the swift current. 배는 급류를 거슬러 나아갔다. 〖STEM[1]〗
STEM [stém] scanning transmission electron microscope(주사(走査) 투과 전자 현미경).
stém cèll *n.* 〔解·理〕 줄기 세포.
stém·hèad *n.* 선수, 이물.
stem·ma [stémə] *n.* (*pl.* **-ma·ta** [-mətə], **~s**) 가계(家系) ; 계도(系圖) ; 〔昆〕 홑눈 ; 촉각 기부(觸角基部). 〖L<Gk.=wreath〗
stémmed *a.* 줄기를 떼어낸 ; [복합어를 이루어] …한 줄기가 있는 : short-~ 짧은 줄기의.
stém·mer *n.* 담배[포도]《따위》의 줄기를 따내는 사람[기구]. 〖STEM[1]〗
stem·mery [stéməri] *n.* 담배 줄기를 제거하는 공장[곳].
stém·my *a.* 줄기가 많은[섞인], 줄기뿐인.
stem·ple, -pel [stémpəl] *n.* 〔鑛山〕 수갱(竪坑)의 발판 재목.
stém rùst *n.* 〔植〕 (보리·밀의) 줄기 녹병(균).
stém tùrn *n.* 〔스키〕 제동(制動) 회전.
stém·wàre *n.* 긴 굽이 달린 술잔《칵테일 글라스 따위》.
stém-wínd·er [-wáind-] *n.* 용두(龍頭)로 태엽을 감는 시계 ; 《古》 일류의 사람[것] ; 명연설.
stém-wìnd·ing *a.* (시계가) 용두로 태엽을 감는 ; 《美》 아주 좋은, 튼튼한, 일류의 ; 《美口》 (연설 따위가) 감동적인.
Sten [stén] *n.* =STEN GUN.
sten- [stén], **steno-** [sténou, sténə] *comb. form* 「작은」 「좁은」 「얇은」의 뜻(↔ *eury-*). 〖Gk. (*stenos* narrow)〗
stench [sténtʃ] *n.* 고약한 냄새, 악취. 〖OE *stenc* odor (good or bad) ; ⇨ STINK〗
sténch·ful *a.* 악취로 가득 찬.
sténch tràp *n.* (하수관 따위의) 방취판(防臭瓣).
sten·cil [sténsəl] *n.* **1** (글자·무늬 따위를 뜨는) 원판, 형판(型板), 등사 원지, 스텐실 : cut a ~ (등사용 철필로) 원지를 긁다. **2** (스텐실로 뜬) 글자·무늬. —— *vt.* (**-l-** | **-ll-**) 형판(型板)으로 (형을) 찍다 ; (원지를 써서) 등사하다. **-cil·(l)er** *n.* 형판공. 〖OF=to sparkle, to cover with stars<L ; ⇨ SCINTILLA〗
sténcil·ìze *vt.* 스텐실로 인쇄하다, …의 스텐실을 만들다.
sténcil páper *n.* 등사 원지.
Sten·dhal [stendɑ́ːl, stæn- ; *F* stɛ̃dal] *n.* 스탕달 (1783-1842) 프랑스의 소설가 ; Marie H. Beyle의 필명.
Stén gùn *n.* (영국의) 스텐 경기관총, 스텐(건). 〖Major Sheppard(영국의 육군 사관)+Mr. *T*urpin(영국의 문관)+*-en*(*Bren gun*에 준한 어미) ; 고안자〗
steno [sténou] *n.* (*pl.* **stén·os**) 《美口》 **1** = STENOGRAPHER. **2** =STENOGRAPHY.
steno·chro·my [sténəkròumi, 英+stinɔ́krəmi] *n.* Ⓤ 스테노크로미, 다색(多色) 인쇄법.
ste·nog [stənɑ́g] *n.* 《口》 =STENOGRAPHER.
sténo·gràph *n.* 속기용 타이프라이터 ; 속기 문자 ; 속기물. —— *vt.* 속기하다, 속기 (문자)로 쓰다. 〖역성(逆成) < ↓〗
ste·nog·ra·pher [stənɑ́grəfər], **-phist** *n.* 《美》 속기사 ; 속기 타이피스트.
ste·nóg·ra·phy *n.* Ⓤ 속기, 속기법.
steno·graph·ic, -i·cal [stènəgrǽfik(əl)] *a.* 속기(술)의.
ste·no·ky [stənóuki] *n.* 〔生態〕 협환경성(狹環境

性)《좁은 범위의 환경 조건에서 밖에 생식할 수 없는 성질》.

ste·nosed [stənóust, -zd] *a.* 〖醫〗 협착에 걸린.

ste·no·sis [stənóusəs] *n.* (*pl.* **-ses** [-si:z]) Ⓤ 〖醫〗 협착(증). **ste·not·ic** [stənátik] *a.*

sténo·tỳpe *n.* 속기용 타이프라이터 ; 속기용 문자. —— *vt.* 스테노타이프로 기록하다.

sténo·tỳpy [ˌ, stənátəpi] *n.* Ⓤ 스테노타이프 속기(법) 《보통의 알파벳을 사용하는 일종의 속기술》.

Sten·tor [sténtɔːr, -tər] *n.* 〖그神〗 스텐토르 《Homer의 *Iliad*에 나오는 큰 목소리를 가진 전령(傳令) ; 50명에 필적하는 성량(聲量)을 가졌다고 함》 ; Ⓒ [보통 s~] 목소리가 큰 사람 ; [s~] 〖動〗 나팔벌레.

sten·to·ri·an [stentɔ́ːriən] *a.* 목소리가 큰. 〚↑〛

stén·tor·phòne [sténtər-] *n.* (파이프 오르간의) 8피트의 FLUE STOP의 일종 ; 강력 확성기.

◇**step** [stép] *n.* **1** 걸음, 도보(徒步) : He took [made] a ~ forward. 그는 한 걸음[일보] 전진했다 / miss one's ~ = take[make] a false ~ 발을 잘못 딛다 / put one's best ~ forward 될 수 있는 한 서둘러 가다 / retrace one's ~*s* 되돌아오다 / turn one's ~*s* toward[to] …쪽으로 발길을 돌리다 / take a wrong ~ 정도(正道)를 벗어나다 / Mind the ~(*s*). 발밑을 조심하시오.

2 한 걸음 ; 보폭《약 1 야드》; 한번 달리기, 짧은 거리 : It is only a ~ to the store. 가게까지 불과 한 걸음이다.

3 발자국 소리 : *S*~*s* were heard approaching. 발자국 소리가 다가오는 것이 들렸다.

4 발자국 : tread in the ~*s* of …뒤를 따라가다 ; 《비유》 …을 모범으로 삼다.

5 Ⓤ,Ⓒ 걸음걸이, 보조(步調) ; (댄스의) 스텝 : keep ~ (*with*...) (…와) 보조를 맞추다 / break ~ 보조를 흩뜨리다 / Change ~! 〖구령〗 발 바꿔! / I walked with long[rapid] ~*s*. 성큼성큼[빠른 걸음으로] 걸어갔다.

6 디딤판, 계단 ; (출입구의) 오르는 단 ; 사닥다리의 단(段), (열차 따위의) 승강 계단, 스텝 ; 발판 ; [*pl.*] 계단식 사닥다리(=a pair of ~s) : He ran down the ~*s*. 계단을 뛰어 내려왔다 / Each flight of stairs has 20 ~*s*. 각 층계에는 스무 개의 계단이 있다 / sit on the top[bottom] ~ 맨 위[아래]의 디딤판에 앉아 있다.

7 [+*to* do] 수단, 조치, 처치, 방법 : We must take ~*s to* avoid the repetition of this offense. 이런 범죄가 두번 다시 되풀이되지 않도록 수단을 강구하지 않으면 안된다 / What's the next ~? 다음의 조치는 ; 다음엔 무엇을 할 것이냐.

8 (어떤 과정의) 단계, 진보, 전진, 진척 : They made a great ~ forward in their negotiations. 그들은 협상에서 많은 진전을 보았다.

9 승진, 승급 ; 급, 계급, 정도 : give a person a ~ 〖軍〗 남을 진급시키다 / get one's ~*s* (특히 군대에서) 진급[승진]하다.

10 〖樂〗 음정 : a half[whole] ~ 반[온]음정.

11 〖機〗 베어링 ; 〖木工〗 쾌방, 중방구멍 ; 〖海〗 장좌(檣座)《돛대를 세우는 자리》.

12 〖로켓〗 단(段) (stage) ; 〖컴퓨〗 스텝《단일한 계산기 명령[조작]》.

in step 보조를 맞추어 ; 《비유》 협조[일치]하여, 조화되어〈*with*〉: march *in* ~ 보조를 맞춰 행진하다.

out of step 보조를 흩뜨려〈*with*〉; 시대에 뒤떨어진 ; 조화되지 않고 : fall *out of* ~ 보조[조화]를 흩뜨리다.

rise a step in a person***'s opinion*** [***estimation***] 남에게 한층 존경받다[높이 평가되다].

step by step 한걸음 한걸음 ; 착실하게.

step for step 같은 보조로, 보조를 맞추어.

tread in a person***'s steps*** ☞ TREAD *v.*

watch[***mind***] one***'s step*** 발밑을 조심하다(cf. 1) ; 《口》 (교섭 따위에서) 신중히 행동하다, 조심성이 많다.

—— *v.* (**-pp-**) *vi.* **1** [+副 / +前+名] (특수한) 걸음걸이를 하다 ; 밟다, 딛다 ; (가까운 거리를) 걷다 ; 나아가다, 가다 : ~ long[short] 성큼성큼[종종걸음으로] 걷다 / He ~*ped forward*[*back, inside*]. 그는 앞으로 나아갔다[뒤로 물러섰다, 안으로 들어갔다] / Please ~ this way. 이쪽으로 오십시오 / A man standing next to me ~*ped* ***on*** my foot. 내 곁에 서있던 사람이 내 발을 밟았다 / He ~*ped* ***on*** the brake. 그는 브레이크를 밟았다 / They ~*ped* ***across*** the pool of water. 그들은 물웅덩이를 건넜다 / He ~*ped* ***on to*** the sidewalk from the bus. 그는 버스에서 인도(人道)로 내려섰다 / ~ ***through*** a dance 스텝을 밟으며 춤을 추다. **2** 《口》 서두르다. —— *vt.* **1** [+目 / +目+前+名] 밟다, 발을 들여놓다 : ~ foot ***in*** a place 《美》 어떤 장소에 (처음으로) 발을 들여놓다. **2** [+目 / +目+副] 보측(步測)하다 : He ~*ped* (***off***[***out***]) the length of the house. 집의 길이를 보측했다. **3** (댄스의) 스텝을 밟다. **4** 〖機〗 베어링에 끼우다. **5** 〖海〗 (마스트를) 고정시키다, 세우다〈*up*〉.

step aside 비켜서다, 피하다 ; 남에게 맡기다[양보하다] ; 탈선하다.

step down 차에서 내리다 ; 은퇴[사직]하다 ; (전압을) 낮추다 ; (서서히) 스피드를 떨어뜨리다 ; 감소하다.

step high (말이) 발을 높이 들며 걷다.

step in (1) 들르다, 들어가다 ; [명령] 들어오게! (2) 《비유》 간섭하다, 개입하다 ; 참가하다.

step it 《口》 춤추다(dance) ; 걸어서 가다.

step on it 《俗 · 원래 美》 =STEP *on the gas.*

step on the gas 《口 · 원래 美》 ☞ GAS² *n.*

step out (1) (일 도중에) 잠깐 자리를 뜨다 ; 집을 나오다, 외출하다. (2) 발걸음을 크게 떼다 ; (좀더) 서두르다 : Let's ~ *out.* (좀더) 서두르자. (3) 《美口》 놀러 나가다, 유쾌하게 놀다. (4) ☞ *vt.* 2. (5) (사업 따위에서) 물러나다, 사퇴하다.

Step lively! 《美口》 서둘러라(Hurry up!).

step up (1) 접근하다, 다가가다 ; …에게 구애[구혼]하다〈*to*〉. (2) (속력 · 생산 따위를) 올리다, 촉진하다, (전압을) 높이다 : Production must be ~*ped up.* 증산을 꾀하지 않으면 안된다. (3) ☞ *vt.* 5. (4) 승진하다[시키다].

〚OE (n.) *stæpe, stepe,* (v.) *stæppan, steppan* ; cf. G *stapfen, Stapfe* footprint〛

step- [stép] *comb. form* 「의붓…」 「이복…」 「계(繼)…」 「의(義)…」의 뜻. 〚OE *stēop-* orphaned ; cf. OHG *stiufen* to bereave〛

stép·bròther *n.* 이복[배다른] 형제《아버지 또는 어머니가 다른 형제간 ; cf. HALF BROTHER》.

stép-by-stép [-bə-, -bai-] *a.* 한걸음 한걸음의, 단계[점진]적인, 서서히 나아가는.

stép·chìld *n.* 의붓자식 ; 《비유》 따돌림받는 사람.

stép·dàme *n.* 《古》 =STEPMOTHER.

stép dànce *n.* 스텝 댄스《특수한 스텝에 중점을 두는 댄스 ; tap dance 따위》.

stép·dàughter *n.* 의붓딸.

stép-dòwn *a.* 단계적으로 감소하는 ; 전압을 낮추는(↔*step-up*) : a ~ transformer 강압(降壓) 변압기. —— *n.* 감소.

stép·fàther *n.* 의붓아버지, 계부(繼父).
stép fàult *n.* 〖地質〗 계단 단층.
stép fùnction *n.* 〖數〗 계단함수.
Steph·a·na [stéfənə], **-nie** [-ni] *n.* 여자 이름. 〚(fem.) ; ⇨ STEPHEN〛
steph·a·no·tis [stèfənóutəs] *n.* 〖植〗 박주가리과(科)의 덩굴식물《향기 짙은 온실 재배 식물》. 〚NL<Gk.=fit for a wreath (*stephanos* crown, wreath)〛
Ste·phen [stíːvən] *n.* 남자 이름《애칭 Steve》. 〚Gk. (↑)〛
Ste·phen·son [stíːvənsən] *n.* 스티븐슨. **George** ~ (1781-1848) 영국의 기사 ; 증기 기관차의 발명자.
stép-ìn *a.* (옷·스키화 따위가) 발을 집어 넣어 입게[신게] 된. —— *n.* 발을 집어 넣어 착용하는 옷[구두].
Step·in·fetch·it [stépənfétʃit] *n.* 《美》 비굴한 흑인 하인. 〚미국의 흑인 보드빌 연예인 *Stepin Fetchit*의 이름에서〛
stép·làdder *n.* 발판 사닥다리.
***stép·mòther** *n.* 의붓어머니, 계모. ~**·ly** *a.* 의붓어머니의[같은], 무정한.
step·ney [stépni] *n.* 《英》 (옛날 자동차의) 예비 바퀴.
stép-òff *n.* 헛디딤, 추락(현장).
stép·pàrent *n.* 의붓어버이, 계부[계모].
***steppe** [stép] *n.* 스텝《나무가 없는 대초원》; [the S~(s)] (특히 시베리아·아시아 남서부 등지의) 대초원 (지대)(cf. PAMPAS, PRAIRIE, SAVANNA(H)). 〚Russ.〛
stepped [stépt] *a.* 계단이 있는, 계단 모양의.
stépped-úp *a.* 증가된, 증대[증강]된.
stép·per *n.* 걸음걸이가 …한 사람[말], (특히) 앞발을 높이 들고 나아가는 말 ; 《口》 댄서 ; 《美學生俗》 사교를 좋아하는 사람 : a good ~ 멋진 걸음걸이의 말.
stép·ping-óff plàce *n.* 밖으로 향하는 교통의 기점(起點) ; 미지의 땅으로의 출발지.
stépping-stòne *n.* **1** 디딤돌, 징검돌, 발판. **2** 《비유》 (출세·영달 따위의) 수단, 방법〈*to*〉.
stépping swìtch *n.* 〖電〗 스테핑 계전기.
stép ròcket *n.* 다단식(多段式) 로켓.
stép·sìster *n.* 이복 누이[동생], 배다른 자매, 이복 자매(cf. HALF SISTER).
stép·sòn *n.* 의붓아들[자식].
stép tùrn *n.* 〖스키〗 스텝 턴《한쪽 스키를 나아가고자 하는 방향으로 내딛고 체중을 옮기면서 다른 쪽 스키를 평행으로 가지런히 하는 턴 방법》.
stép-ùp *n.* 증대, 증가. —— *a.* 단계적으로 증가하는 ; 전압을 높이는(↔*step-down*) : a ~ transformer 승압(昇壓) 변압기.
stép·wày *n.* (하나로 연속된) 계단, 계단으로 된 통로.
stép·wìse *adv.* 한 걸음[한 계단]씩 ; 서서히. —— *a.* 한 걸음[한 계단]씩의 ; 계단식의.
-ster [stər] *n. comb. form* 「하는 사람」「만드는 사람」「다루는 사람」「…인(人)」「…에 관계있는 사람」의 뜻 : rhyme*ster*, young*ster*, gang*ster*, road*ster*, team*ster*. 〚OE *-estre* etc. ; 본래 *-er*[1]에 대한 여성형〛
ster. stereotype ; sterling.
ste·ra·di·an [stəréidiən] *n.* Ⓤ 〖數〗 스테라디안《입체각의 크기의 단위 ; 略 sr》.
stere [stíər, stéər] *n.* 세제곱 미터, 스티어《땔나무의 부피 단위 : =1m³》. 〚F (Gk. *stereos* solid)〛
stere- [stéri, stíəri], **ster·eo-** [stériou, stíər-, -riə] *comb. form* 「굳은」「고체의」의 뜻 ; 「3차원[공간]의」「입체의」「실[입]체경(實[立]體鏡)의」「입체 화학의」의 뜻. 〚Gk. (↑)〛
***ster·eo** [stériou, stíər-] *n.* (*pl.* **stér·e·os**) **1** 스테레오판(版), 연판(鉛版)(stereotype). **2** =STEREOSCOPE. **3** Ⓤ 입체음[스테레오] 재생 ; Ⓒ 스테레오 장치, 스테레오 : a record *in* ~ 스테레오 레코드. —— *a.* =STEREOSCOPIC ; =STEREOPHONIC ; =STEREOTYPED. —— *vt.* =STEREOTYPE. 〚略〛
stéreo càmera *n.* 입체 사진 촬영용 카메라.
stèreo·chémistry *n.* Ⓤ 입체 화학.
stéreo·gràm *n.* **1** (물체의 입체감을 주는) 실체 도표, 실체화(畫). **2** =STEREOGRAPH ; 《英》 스테레오 장치.
stéreo·gràph *n.* 실체화(實體畫), 입체화, (특히 입체경(stereoscope)에 쓰는) 입체 사진. —— *vt.* …의 stereograph를 만들다.
stereográphic projéction *n.* 〖地圖〗 평사(平射) 도법.
ster·e·og·ra·phy [stèriágrəfi, stìər-] *n.* Ⓤ 입체[실체] 화법 ; 입체 사진술. **stèr·e·o·gráph·ic** *a.* 입체[실체] 화법의 ; 입체 사진의.
stèreo·ísomer *n.* 〖化〗 입체 이성질체(異性質體). **-isoméric** *a.* 입체 이성질의. **-isómerism** *n.* 입체 이성질 현상.
ste·re·ol·o·gy [stèriálədʒi, stìər-] *n.* 입체 해석학. **stè·reo·lóg·i·cal** *a.* **-i·cal·ly** *adv.*
ster·e·om·e·try [stèriámətri, stìər-] *n.* Ⓤ 부피 측정, 구적법(求積法)(cf. PLANIMETRY).
stèreo·mícro·scòpe *n.* 입체 현미경.
stéreo·phòne *n.* 스테레오폰《스테레오용(用) 헤드폰》.
stèreo·phónic *a.* 〖理〗 입체 음향 (효과)의, 스테레오의(cf. MONAURAL, BINAURAL) : a ~ broadcast 입체[스테레오] 방송.
stèreo·phónics *n.* 입체 음향학.
ster·e·oph·o·ny [stèriáfəni, stìər-] *n.* Ⓤ 〖理〗 입체 음향 (효과).
stèreo·photógraphy *n.* Ⓤ 입체 사진술.
stère·ópsis *n.* 〖生理〗 입체시《거리를 아는 이안시(二眼視)》.
stère·óp·ti·con [-áptikən, -təkàn] *n.* (용암(溶暗) 장치가 있는) 실체[입체] 환등기(幻燈機).
stéreo·scòpe *n.* 입체경(鏡), 실체경. **stèr·eo·scóp·ic, -i·cal** [-skáp-] *a.*
ster·e·os·co·py [stèriáskəpi, stìər-] *n.* Ⓤ 입체[실체]경 연구[학] ; 입체경 제조법[사용법].
stèreo·specífic *a.* 〖化〗 입체 특이성의. **-ical·ly** *adv.*
stéreo·tàpe *n.* 스테레오 테이프.
stèreo·táx·ic [-tǽksik] *a.* 〖醫〗 정위(定位)의 ; 〖生〗 주촉성(走觸性)의, 접촉 주성(走性)의. **-i·cal·ly** *adv.* 〚↓〛
stèreo·táxis *n.* 〖生理〗 정위법(定位法)《뇌의 연구·수술에서 침이나 가는 전극을 써서 3차원적으로 정확한 위치를 정하는 기술》; 〖生〗 주촉성(走觸性), 접촉 주성(走性)《물체와의 접촉에 의한 자극으로 그 물체 쪽으로 접근하거나 그 물체에서 떨어지려고 하는 성질》.
stéreo·tỳpe *n.* **1** 스테레오(판), 스테레오타입, 연판 ; Ⓤ 스테레오판(版) 인쇄(법). **2** 《비유》 틀에 박힌 문구, 상투적인 수단, 고정 관념 ; 〖社〗 틀에 박힌 방식 ; 〖醫〗 =STEREOTYPY. —— *vt.* **1** 연판으로 하다, 연판으로 인쇄하다. **2** 고정시키다, 정형화하다, 틀에 박다.

stéreo·tỳped *a.* 스테레오판[연판]의 ; 연판에 뜬, 연판으로 인쇄한 ; 《비유》 상투적인, 진부한, 틀에 박힌.

ster·eo·typy [stériətàipi, stíər-] *n.* Ⓤ 스테레오 인쇄(법), 연판 제조법 ; 〖醫〗 상동증(常同症) 《무의미한 말이나 동작을 반복·지속하는 증상》.

stéreo·vìsion *n.* 입체시(立體視).

ster·ic, -i·cal [stérik(əl), stíər-] *a.* 〖化〗 (분자중의) 원자의 공간적[입체적] 배치에 관한, 입체의.

ster·il·ant [stérələnt] *n.* 멸균[살균]제, 소독약, (특히) 제초제 ; 멸균기.

***ster·ile** [stérəl ; -ail] *a.* **1** 불임(不妊)의. **2** 불모의, 메마른(↔*fertile*) ; 흉작의 : ~ land 불모의 땅. **3** 살균한 ; 안전[기밀] 유지 조치를 취한. **4** 무효의, 무익한, 성과 없는〈*of*〉: ~ discussion 쓸데없는 의논. **5** 내용이 빈약한 ; 무취미한 ; (사상·창작력이) 빈곤한, 독창성이 없는. **6** 〖植〗 중성(中性)의, 열매를 맺지 않는, 불임(不稔)의. 〖F or L=unfruitful〗

類義語 ***sterile*** 사람·동물이 아기[새끼]를 낳지 못하는, 식물이 열매를 맺지 못하는《barren 보다 딱딱한 말》. ***infertile*** =sterile《자주 쓰이지는 않음》. ***barren*** 특히 아기를 낳지 못하는 여자나 열매를 맺지 못하는 식물 또는 식물이 자라지 못하는 토양에 대해서 씀. ***unfruitful*** = barren(↔*fertile, producing*).

ste·ril·i·ty [stəríləti ; ste-] *n.* Ⓤ 불임(증) ; 생식[번식] 불능(증) ; (토지의) 불모(↔*fertility*) ; 《비유》 무효, 효과가 없음 ; 내용의 빈약 ; (사상의) 빈곤 ; 무취미 ; 〖植〗 중성(中性), 불임성(不稔性) ; 무균(상태).

ster·il·ize [stérəlàiz] *vt.* **1** 살균[소독]하다 : The water had to be ~*d* by boiling so that we might make it fit to drink. 그 물을 식수로 만들기 위해서 끓여서 소독해야만 했다. **2** 불임케 하다, 단종(斷種)하다. **3** (토지를) 메마르게 하다, 불모지(不毛地)로 만들다 ; (내용·사상 따위를) 빈약하게 하다 ; 무효가 되게 하다. **4** …에 대하여 안전[기밀] 유지 조치를 취하다. **stèr·il·izá·tion** *n.* 불임화, 불모화, 단종(斷種)(법), 피임(법) ; 살균 소독.

stér·il·ìzed *a.* (공항에서 하이잭 방지를 위한) 금속 탐지 검사를 받은 사람 이외 탑승 금지의.

stér·il·ìz·er *n.* sterilize하는 것 ; 소독자 ; (특히) 살균 장치.

ster·ling [stə́:rliŋ] *n.* **1** Ⓤ 영화(英貨) (English money) 《은화의 법정 순분도(純分度) (fineness)는 1920년 이전에는 0.925, 이후에는 0.500》: payable in ~ 영화로 지급해야 할. **2** Ⓤ 법정 순도의 은(=∼ **sílver**)《은의 순도는 0.925》; 법정 순도의 은제품. ── *a.* **1** (금·은이) 법정 순도를 함유하는 ; 영화의, 영화에 의한《stg.로 약해서 형식적으로 보통 금액의 뒤에 부기 ; 보기 £500 *stg.*》: five pounds ~ 영화 5파운드 / the ~ area [bloc] 영화[파운드] (통용) 지역(cf. DOLLAR AREA). **2** 진정한, 훌륭한, 확실한 : a ~ fellow 틀림없는 친구 / ~ worth 진가(眞價). 〖? OE《美》 *steorling* coin with a star (*steorra*) ; 초기 Norman penny의 의장(意匠)에서〗

stérling bálance *n.* 〖經〗 파운드 잔고(殘高).

***stern**[1] [stə́:rn] *a.* **1** 엄격한, 엄한, 단호한 : He is ~ *in* his discipline[*to* his pupils]. 그는 가르침이[학생들에게] 엄하다 / the ~*er* sex 남성. **2** 피할 도리가 없는, 가차없는 : ~ necessity 불가피한 필요성. **3** 황량한, 험준한. **4** (표정 따위가) 엄숙한. **~·ly** *adv.* **~·ness** *n.* Ⓤ 엄격성, 엄함, 냉혹함 ; 엄숙성. 〖OE *styrne* ; cf. STARE ; WGmc.에서 'to be rigid'의 뜻〗

類義語 ⟹ SEVERE.

***stern**[2] *n.* **1** 〖海〗 선미(船尾), 고물(↔*bow, stem*) : down by the ~ 고물이 물 속에 내려앉아. **2** (일반적으로) 뒷부분 ; 엉덩이, (특히 여우 사냥개의) 꼬리 ; 〖紋〗 이리의 꼬리. **3** [the S~] 〖天〗 고물자리.
Stern all ! = ***Stern hard !*** 〖海〗 뒤로 !
stern foremost =STERNFOREMOST.
stern on 고물을 돌려서.
〖ME=rudder < ? ON *stjórn* steering (*styra* to STEER[1])〗

stern- [stə́:rn], **ster·no-** [stə́:rnou, -nə] *comb. form* 「흉골(胸骨) (sternum)」의 뜻. 〖Gk.〗

sterna *n.* STERNUM의 복수형.

ster·nal [stə́:rnl] *a.* 〖解〗 흉골(胸骨)의 ; 흉골부에 있는.

stérn chàse *n.* 〖海軍〗 함미(艦尾) 추격.

stérn chàser *n.* 〖海軍〗 (추격함을 쏘기 위한) 함미포(砲).

stérn fàst *n.* 고물에 매는 밧줄.

stèrn·fóre·mòst [ˌ英+-məst] *adv.* 고물을 앞으로 하고, 후진하여 ; 꼴사납게, 서투르게, 고생하여 ; 겨우.

stérn·mòst [ˌ英+-məst] *a.* 〖海〗 고물에 가장 가까운 ; 《비유》 최후의, 맨 뒤의, 꽁무니의.

Ster·no [stə́:rnou] *n.* 스터노《깡통에 든 고형 알코올 연료 ; 상표명》.

sterno- [stə́:rnou, -nə] ☞ STERN-.

stérn·pòst *n.* 〖船〗 선미재(船尾材).

stérn shèets *n. pl.* 〖海〗 선미 마루널《보트 따위의 후미에 좌석이 있는 부분》, 고물의 자리.

ster·num [stə́:rnəm] *n.* (*pl.* **~s, -na** [-nə]) 〖解〗 흉골(胸骨) ; 〖動〗 (곤충·갑각류의) 흉판, 복판. 〖NL < Gk. *sternon* chest〗

ster·nu·ta·tion [stə̀:rnjətéiʃən] *n.* Ⓤ 재채기.

ster·nu·ta·tor [stə́:rnjətèitər] *n.* 재채기 나게 하는 약.

ster·nu·ta·to·ry [stə:rnjú:tətɔ̀:ri ; -təri] *a., n.* 재채기 나게 하는 (약).

stérn·ward, -wards *adv., a.* 고물로[의], 후미에[의].

stérn·wày *n.* Ⓤ (배의) 후진(後進), 후퇴 : have ~ on (배가) 후진하다.

stérn-whèel·er *n.* 〖海〗 선미 외륜 기선.

ster·oid [stérɔid, stíər-] *n.* Ⓤ 〖生化〗 스테로이드《스테린·빌산·성호르몬 따위 지방 용해성 화합물의 총칭》. ── *a.* 스테로이드(성)의.
ste·rói·dal *a.* 〖*sterol* (Gk. *stereos* stiff)+-*oid*〗

ste·roido·génesis [stərɔ̀idə-, stiər-, ster-] *n.* 〖生化〗 스테로이드 합성.

ster·ol [stérɔ(:)l, -oul, -rɑl, stíər-] *n.* Ⓤ 〖生化〗 스테린, 스테롤.

ster·tor [stə́:rtər] *n.* 〖醫〗 (혼수상태에 빠진 사람 등의) 코고는 소리. 〖L *sterto* to snore〗

ster·to·rous [stə́:rtərəs] *a.* 크게 코를 고는, 코고는 소리의. **~·ly** *adv.*

stet [stét] *v.* (**-tt-**) *vi.* 〖校正〗 살려라 !, 생(生)《인쇄 교정·원고 따위에서 일단 지운 대목을 다시 되살릴 때의 지시 ; 난(欄) 밖에 stet라 쓰고 보통 그 대목 밑에 점선을 침 ; cf. DELE》.
── *vt.* (지운 부분에) 생(生)이라고 쓰다, 살리다. 〖L=let it stand (*sto*)〗

steth- [stéθ, 美+-ð], **stetho-** [stéθou, -θə, 美+stéðou, 美+-ðə] *comb. form* 「가슴(chest)」의 뜻. 〖F < Gk. (*stēthos* breast)〗

ste·thom·e·ter [steθɑ́mətər] *n.* (흉벽이나 복부의) 호흡 운동 측정기.

stétho·scòpe *n.* 〖醫〗 청진기. ── *vt.* (환자를) 청진기로 진찰하다, …을 청진하다.
ste·thos·co·py [steθáskəpi] *n.* 청진(법). 〖F〗
stetho·scop·ic, -i·cal [stèθəskápik(əl)] *a.* 청진(기)의 ; 청진(기)에 의한, 청진법의.
Stet·son [stétsən] *n.* 스텟슨《테가 넓은 펠트 모자, 카우보이의 모자 ; 상표명》; 행상인 ; 이동 노동자. 〖J. B. *Stetson* (d. 1906) 미국의 모자 제조업자〗
Steve [stí:v] *n.* 남자 이름《Stephen, Steven의 애칭(愛稱)》.
ste·ve·dore [stí:vədɔ̀:r] *n.* 항만 노동자, 부두 하역 인부[회사]. ── *vt., vi.* 하역 인부로 작업을 하다, (짐을) 싣다[부리다].
〖Sp. *estivador* (*estivar* to stow a cargo)〗
Ste·ven [stí:vən] *n.* 남자 이름.
Stéven·gràph, Stévens- *n.* 스티븐그래프《비단에 짜넣은 다채로운 그림》. 〖Thomas *Stevens* (d. 1888) 영국의 직공(織工)〗
Ste·ven·son [stí:vənsən] *n.* 스티븐슨.
Robert Louis ~ (1850-94) 스코틀랜드 태생인 영국의 소설가 · 시인.
***stew**[1] [stjú:] *vt.* **1** 뭉근한 불로 끓이다, 스튜 요리로 하다, 찌다 : The tea is ~*ed.* 차가 너무 달여[진해]졌다 / ~*ing* pears 스튜 요리에 쓰는 배《생으로 먹기에 적합지 않은》. **2** 《口》 애타게 하다, 속타게 하다, 마음 졸이게 하다〈*up*〉.
── *vi.* **1** 뭉근한 불에 끓다[쪄지다] ; 더워서 땀투성이가 되다. **2** 《口》 애타다, 조바심하다〈*over*〉. **3** 《俗》 기를 쓰고 공부하다.
stew in one***'s own juice*** [***grease***] 자업자득(自業自得)으로 고통받다 : Let him ~ *in* his *own juice.* (도와 주지 말고) 멋대로 하게 내버려 둬라.
── *n.* **1** Ⓤ,Ⓒ 스튜(요리) : (a) mutton ~ 양고기 스튜(요리) / (an) Irish ~ 양고기 · 감자 · 양파로 만드는 요리. **2** 《口》 속을 태움, 조바심, 걱정, 당혹 : in a (regular) ~ 조바심하여, 안달이 나서 / He was in[got into] a ~. 그는 초조해하고 있었다[초조해졌다]. **3** 《古》 한증. **4** 《俗》 주정꾼 ; 법석. **5** [보통 *pl.*] 《古》 매춘굴, 매춘 지역 ; 슬럼가, 빈민가.
〖OF *estuver* <Rom. (? *ex-*[1], 《美》 *tufus* <Gk. *tuphos* smoke, steam)〗
類義語 ⟹ BOIL.
stew[2] *n.* **1** 《英》 물고기 기르는 가두리, 양어장 (fishpond). **2** 굴 양식장.
〖F *estui* (*estoier* to confine) ; cf. STUDY〗
stew[3] *n.* 《俗》 =STEWARD(ESS).
stew·ard [stjú(:)ərd] *n.* **1** (큰 집에서 여러 고용인을 지휘 · 감독하고 집안일 일체를 관리하는) 집사, 가령(家令) ; 재산 관리인. **2** (조합 · 단체 따위의) 회계. **3** (클럽 · 대학 따위의) 식사 담당자. **4** (여객기 · 객선 따위의) 승무원, 선실 담당자, 스튜어드 ; (배의) 주방장. **5** (전시회 · 무도회 · 경마 따위의) 접대역, 간사(幹事). **6** 〖美海軍〗 장교 숙소[식당] 담당 하사관.
── *vt., vi.* (…의) steward를 맡다.
~·shìp *n.* Ⓤ steward의 직(職) ; 관리, 경영, 처리 ; 《비유》 (한 개인으로서의 사회적 · 종교적인) 책무.
〖OE *stīweard* (*stig* ? house, hall, *weard* WARD)〗
***stéward·ess** *n.* (여객기 · 기선 · 열차 따위의) 여자 안내원, 스튜어디스.
~·shìp *n.* 스튜어디스의 직(職).
Stew·art [stjú(:)ərt] *n.* 남자 이름.
stéw·bùild·er *n.* 《美俗》 요리사.
stéw·bùm *n.* 《俗》 주정뱅이 ; 부랑자.
stéwed *a.* 뭉근한 불로 끓인 ; 스튜로 한 ; 《英》 (차가) 너무 달여진 ; 《口》 마음졸인, 초조한 ; 《俗》 술취한.
stewed to the gills 《美俗》 곤드레만드레 취하여.
stéw·pàn *n.* 스튜 냄비[팬].
stéw·pòt *n.* (두 개의 손잡이가 있는 우묵한) 스튜 냄비.
St. Ex(ch). Stock Exchange. **stg.** sterling. **stge.** storage. **Sth.** South.
sthe·nia [sθənáiə, 美+sθí:niə] *n.* Ⓤ 〖醫〗 활력 왕성, 강장(強壯), 항진(亢進).
〖Gk. *sthenos* force〗
sthen·ic [sθénik] *a.* 늠름한, 활력이 왕성한 ; 〖醫〗 (심장 · 동맥 따위) 병적으로 활발한, 항진성(亢進性)의.
Sthptn. Southampton.
stib- [stíb], **stibi-** [stíbə] *comb. form* 「안티몬」의 뜻.
stib·i·al [stíbiəl] *a.* 〖化〗 안티몬의, 안티몬 같은.
stib·i·um [stíbiəm] *n.* Ⓤ 〖化〗 =ANTIMONY ; 〖鑛〗 휘안광(輝安鑛). 〖L<Gk.<Egypt.〗
stich [stík] *n.* (시(詩)의) 행(行) (verse, line).
〖Gk. *stikhos*〗
stich·ic [stíkik] *a.* 행의, 행 단위의 ; 동일 운율로 이루어진. **-i·cal·ly** *adv.*
-sti·chous [ˊ-stikəs] *a. comb. form* 〖動 · 植〗 「…한 열(列)이 있는」의 뜻.
〖L<Gk. ; ⇨ STICH〗
‡**stick**[1] [stík] *n.* **1** 나무토막, 막대기 ; 나뭇가지 ; 곤봉, 회초리 : Gathering ~*s,* we made a fire. 우리는 나뭇가지를 모아 모닥불을 피웠다. **2** 단장(短杖), 지팡이 : The old gentleman was walking with a ~. 그 노신사는 지팡이를 짚고 걸어가고 있었다. **3** [the ~] 매질, 《비유》 엄벌 : give a person *the* ~ 사람을 엄하게 꾸짖다[징계하다]. **4** (초콜릿 · 양초의) 한 자루〈*of*〉; 《口》 한 점의 가구. **5** 〖樂〗 지휘봉 ; 〖印〗 식자가(植字架), 스틱. **6** (하키의) 스틱, (당구의) 큐, (골프의) 골프채[클럽], (야구의) 배트, (경주의) 배턴《따위》. **7** 자루, 채, 곤봉 : a fiddle ~ 바이올린의 활 / a broom ~ 빗자루. **8** 《口》 아둔패기, 바보 ; 찌꺼기. **9** 《戱》 〖海〗 돛대 ; 원재(圓材) (spar). **10** 〖空〗 =CONTROL STICK ; (자동차의) 기어용 레버. **11** [the ~s] 《美口》 삼림지 ; 미개한 오지(奧地) ; (도시에서 먼) 시골, 벽지. **12** = STICK INSECT. **13** 《口》 등신, 밥통, 바보 ; 《美俗》 순경, 야경꾼, 수위. **14** 〖軍〗 일렬 연속 투하 폭탄 ; 미사일의 연속 발사. **15** 《美口》 마리화나 담배.
(***as***) ***cross as two sticks*** ☞ CROSS.
at the stick's end 거리를 두고, 멀리.
beat a person ***all to sticks*** 《美口》 남을 참패시키다, 톡톡히 혼내주다.
cut one***'s stick*** 《俗》 도망치다.
get [***have***] (***hold of***) ***the wrong end of the stick*** 오해하다, (정세) 판단을 그르치다.
go to sticks and staves 산산이 흩어지다, 와해하다.
in a cleft stick ☞ CLEFT *a.*
play a good stick 바이올린을 잘 켜다 ; 훌륭히 맡은 일을 완수하다.
── *vt.* (식물을) 막대로 받치다 ; (활자를) 식자가에 짜다 ; (재목을) 쌓아 올리다.
〖OE *sticca* <WGmc. (《美》 *stik-,* 《美》 *stek-* to pierce ; cf. G *stecken*)〗

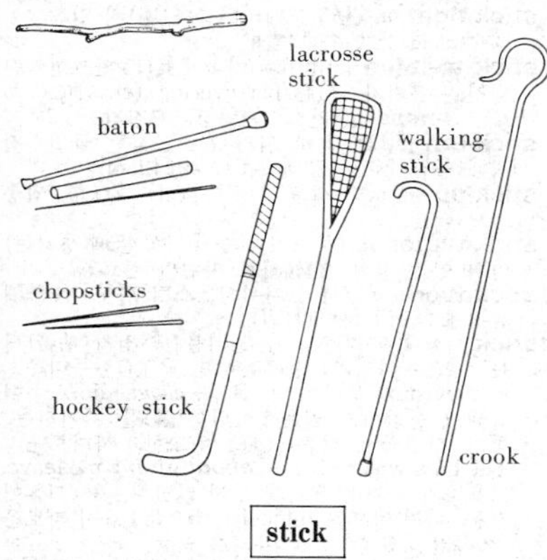

stick

stick**² *v.* (**stuck** [stʌ́k]) *vt.* **1** [+目/+目+前+名] 찌르다; 찔러 넣다, 꿰뚫다; 찔러 죽이다: ~ pigs (말 위에서 창으로) 멧돼지를 찔러 죽이다《놀이》/ He *stuck* a spade ***into the ground. 삽[가래]을 땅에 푹 찔렀다 / He *stuck* an apple ***on*** his fork. 포크로 사과를 찍었다 / This cloth is too thick to ~ a pin ***through.*** 이 천은 너무 두꺼워 핀을 꽂을 수 없다. **2**《口》[+目/+目+前+名/+目+副] 꽂아 넣다, 끼우다, 꽂다; 놓다, 두다(put), 고정시키다, 내밀다: ~ a flower ***in*** a buttonhole 단춧구멍에 꽃을 꽂다 / ~ a pistol *in* one's belt 혁대에 권총을 차다 / ~ candles *in* a birthday cake 생일 케이크에 양초를 꽂다 / I *stuck* my hands *in* my trouser pockets. 바지 호주머니에 손을 찔러 넣었다 / It is dangerous to ~ your hand ***out of*** the window. 창문밖으로 손을 내미는 것은 위험하다 / Just ~ it ***down*** there. 잠깐 그것을 거기에 내려 놓으시오. **3** [+目/+目+前+名/+目+副] 붙이다〈*on*〉; (아교 따위로) 맞붙이다, 고착시키다; 수선하다: *S*~ no bills.《英》벽보 금지 / ~ a stamp ***on*** a letter 편지 (봉투)에 우표를 붙이다. **4** [+目/+目+前+名] [보통 수동태로] 움직이지 못하게 하다, 옴쭉 못하게 하다: My zipper *was*[*got*] *stuck* half way up. 내 지퍼가 도중에서 걸려 꼼짝 안했다 / The car *was stuck* ***in*** the mud. 자동차는 진창에 빠져 꼼짝 못했다(cf. *vi.* 4). **5**《口》당혹하게 하다, 망설이게 하다, 난처하게 하다(puzzle). **6**《俗》[+目/+目+前+名] 속이다, 야바위치다(cheat): ~ a person ***for*** money 남을 속여서 돈을 뜯어내려고 하다. **7**《口》(곤란·권태 따위를) 참다: I can't ~ that fellow. 저 녀석한테는 참을 수가 없다.

—— *vi.* **1** [+*in*+名] 꽂히다: The arrow *stuck* ***in*** the tree. 화살이 나무에 꽂혔다. **2** [動/+前+名/+副] 달라붙다, 점착(粘着)하다, 들러붙다, 떨어지지 않다: The mud has *stuck* ***to*** my shoes. 진흙이 구두에 들러붙었다 / a fact that ~*s* ***in*** the mind 마음속에 사무쳐 잊을 수 없는 일 / Several pages have *stuck together.* 몇 페이지가 붙어 있다 / Whatever may happen, we must ~ *together.* 어떤 일이 일어나더라도 우리는 뭉쳐야 한다. **3** [+前+名] 고집하다, 충실하다; 머무르다, 지속하다(remain): ~ ***to***[***by***] one's agreement[friends, country] 자신의 약속[친구, 조국]에 충실하다 / Our discussion *stuck to* one topic. 우리의 토론은 한 논제에만 국한되었다 / He *stuck to* his job until it was completed. 일을 완전히 끝마칠 때까지 계속하였다 / You will surely succeed if you ~ ***at*** your work. 일을 꾸준히 하면 반드시 성공한다. **4** [動/+*in*+名] 멈춰서 움직이지 않다; 빠져들다: The gears have *stuck.* 톱니바퀴[기어]가 움직이지 않게 됐다 / The car has *stuck* ***in*** the mud. 자동차가 진창 속에 빠졌다(cf. *vt.* 4) / I let the key ~ *in* the lock. 열쇠를 자물쇠에 꽂아 놓았다. **5** [+副/+*out of*+名] 빳빳이 서다: His hair ~*s* ***up.*** 그의 머리카락은 빳빳이 선다 / His arms *stuck* ***out of*** his coat sleeves. 그의 양팔은 양복 저고리 소매에서 쑥 나와 있었다. **6** [+*at*+名] 당혹하다, 난처해지다, (암송 따위가) 막히다; 주저하다, 주춤거리다, 단념하다: The spy *stuck at* betray*ing* his friends. 스파이는 동료를 배신할 것인가 망설였다.

stick around《美俗》곁에서 기다리다.

stick at nothing (1) 어떤 일에도 주저하지 않다. (2) 침착하다.

stick down (1)《口》내려 놓다(cf. *vt.* 2); 적어두다. (2) 붙이다: He *stuck down* (the flap of) the envelope. 봉투(의 뚜껑)을 붙여 봉했다.

Stick'em up!《俗》손 들어! (cf. STICK *up* !).

stick in (1) ☞ *vi.* 1, 2, 4; 외출하지 않다: He *stuck in* the house. 그는 집안에 틀어 박혔다. (2) 책 따위에 삽입하다[끼워넣다]; ☞ *vt.* 2, 4: ~ *in* photographs 사진을 책《따위》에 끼워넣다.

stick in one***'s throat*** ☞ THROAT.

stick it on《俗》터무니없는 값을 붙이다; 과장해서 말하다.

stick it (***out***)《口》참다; 끝까지 버티다.

stick on (1) 붙이다: ~ *on* a stamp 우표를 붙이다. (2) (떨어지지 않게) 말 등에 착 달라붙다: I'm afraid I can't ~ *on* the horse. (떨어지지 않고) 말 등에 타고 있지 못할 것 같다.

stick one***'s chin***[***neck***] ***out***《口》자진해서 난관에 직면하다, 위험 앞에 몸을 내맡기다.

stick out (1) 튀어 나오다; 내밀다: How his stomach ~*s out*! 그는 배가 꽤 나왔군 / The rude boy *stuck* his tongue *out* at the visitor. 버릇없는 소년은 손님에게 혀를 내밀었다. (2)《美》눈에 띄다, 두드러지다. (3)《口》최후까지[끝까지] 견디어 내다[저항하다].

stick out a mile《口》일목요연하다; 몹시 두드러지다, 주제넘다.

stick out for... (임금 인상 따위를) 끝내 고집[요구]하다; …을 하고 싶어하다.

stick to it 분발하다, 끝까지 관철하다.

stick up (1) 튀어나와 있다, 곧추서다(cf. *vi.* 5); 놓다, (막대기·기둥 따위를) 세우다, (얼굴을) 쳐들다: The girl *stuck* her head *up* and laughed. 소녀는 머리[얼굴]를 쳐들고 웃었다 / ☞ STICK'*em up*! (2)《俗》(은행 따위를) 흉기로 위협하여 강도질을 하다.

stick up for...《口》(특히 부재자)를 지지[변호]하다.

stick up to...《口》…에 저항하다, …에 굽히지 않다;《英方》(여자를) 꾀다.

—— *n.* 한번 찌르기; 점착력[성], 점착 상태; 끈적끈적한 것; 막힘; 일시적 정지, 지연, 장애.

⟦OE *stician*＜Gmc. (↑); cf. G *stechen* to pierce⟧

類義語 ***stick*** 어떤 것을 풀 따위로 다른 것에 붙이거나 어떤 생각 따위가 머리에서 떠나지 않다; 가장 보편적으로 쓰는 말: *stick* a label to a package(짐 꾸러미에 꼬리표를 붙이다) / *stick* to a problem(한가지 문제에 집착하다). **adhere** 꽉 들러붙다[붙이다] ; 사람의 경우에는 어떤 주의・지도자 등을 자발적으로 따르다 : *adhere* something to a can(깡통에 무엇을 꽉 붙이다) / *adhere* to the party line(당 노선에 따르다). **cohere** 몹시 조밀하게 붙어서 하나의 덩어리가 되다 : Concrete made itself *cohere*. (콘크리트는 저절로 응결되었다). **cling** 팔・수염・덩굴 따위로 감겨 얽히다 : a vine *clinging* to a pole(기둥에 휘감긴 덩굴).

stìck·abílity *n.* 참을성, 인내력.

stíck·bàll *n.* 찜뿌《좁은 공간이나 길에서 막대기나 주먹으로 공을 치는 야구 비슷한 놀이》.

stíck·er *n.* **1** 찌르는 사람[도구・연장]. **2 a**) 붙이는 사람[물건] ; 광고[전단] 붙이는 사람(billsticker). **b**) 《원래 美》(뒷면에 풀칠이 되어 있는) 상표[라벨(label)], 스티커 ; 주차 위반표, 딱지. **3** 주저하는 사람. **4** 고집[집착]하는 사람, 끈덕진[버티는] 사람〈*to*〉; 밑질긴 손님 ;〖크리켓〗끈질긴[신중을 기하는] 타자. **5** (도살장의) 돼지 백정. **6** 여간해서 팔리지 않는 상품. **7** 《美》 밤송이, 가시. **8** 《口》 애먹이는 사람[것], 난제, 어려운 문제 (제출자) ; 수수께끼(puzzle).

stícker prìce *n.* (자동차 따위의) 제조사 희망 소비자 가격, 생산자 표시 가격.

stíck fìgure[dràwing] *n.* 봉선화(棒線畫)《사람・동물의 포즈를 선으로 나타내는 그림》.

stíck·hàndler *n.* 라크로스[하키] 선수.

stíck·ing *n.* **1** 끈적거림, 들러붙음. **2** 개탕 대패로 깎기.

stícking plàce *n.* **1** 발판, 자리잡는 장소 ; 나사가 걸리는 곳. **2** (도살할 때의) 동물 목의 급소.
screw** one's **courage to the sticking place 《셰익스피어》 단행할 결심을 하다, 용기를 내다.

stícking plàster *n.* 반창고.

stícking pòint *n.* 문제가 되는 조항, 걸리는 점 ; =STICKING PLACE.

stíck ìnsect *n.* 〖昆〗대벌레(walking stick).

stíck-in-the-mùd *a.* 《口》 고루한, 인습적인 ; 얼뜬, 굼뜬. ── *n.* 고루한 사람, 벽창호, 굼벵이.
Mr.* [*Mrs.*] *Stick-in-the-mud 《俗》 모씨(某氏)[부인] (What's-His-[Her-] Name) 《이름이 생각나지 않을 때의 대용어》.

stíck·jàw *n.* 《英俗》 입안에 들러붙어 씹기 거북한 캔디《껌・푸딩 따위》.

stíck làc *n.* 〖化〗스틱 랙《깍지벌레의 분비물로 Shellac 따위의 원료》.

stíck·le [stíkəl] *vi.* **1** 완강하게 주장하다, (하찮은 일을) 억척스레 우기다〈*for*〉. **2** 망설이다〈*at*〉. ── *n.* 《方・口》 요란하게 떠들어 대기, 안달복달하기, 당황. 〖C16=to be umpire<ME (freq.) ‹ *stight*<OE *stiht* (*i*) *an* to set in order〗

stíckle·bàck *n.* 〖魚〗큰가시고기.
〖OE=thorn-back〗

stíck·ler *n.* 잔소리꾼 ; (의식 따위에) 까다로운[깐깐한] 사람〈*for*〉; 《口》 어려운 문제, 난제.

stíck·màn [, -mən] *n.* **1** 도박[크랩스 따위]의 시중꾼, =CROUPIER. **2** STICK[1]을 사용하는 경기의 선수. **3** 드럼 연주자(drummer).

stíck-òn *a.* 스티커식(式)의《뒷면에 풀칠이 되어 있는》.

stíck·òut *n.* 《口》 뛰어난 사람 ; 《俗》 우승 후보 말.

stíck·pìn *n.* 《美》 넥타이 핀, 장식핀.

stíck·sèed *n.* 〖植〗들지치《열매・씨의 가시로 옷에 들러붙음》.

stíck shìft *n.* 《美》 (자동차의 수동) 변속 레버.

stíck·tìght *n.* 〖植〗도깨비바늘속(屬)의 일종 ; =STICKSEED ; 그 수과(瘦果).

stick-to-it·ive [stìktú:ətiv] *a.* 《美口》 완고한 ; 끈덕진, 끈기가 있는(persevering) (cf. STICK[2] *to it*). **~·ness** *n.* 완고 ; 끈덕짐, 끈질김.

stick·um [stíkəm] *n.* 《口》 끈적끈적한 물질 ; 접착제[풀]. 〖*stick*[2]+-*um* (?‹ *'em* them)〗

stíck·ùp *n., a.* **1** 세운 깃[칼라](의). **2** 《俗》 권총 강도(의).

stíck·wàter *n.* (물고기를 증기 가공할 때 생기는) 악취 있는 점성 폐액《사료 따위의 원료》.

stíck·wòrk *n.* (하키 따위의) 스틱 다루기 ; 북채 놀림새 ;〖野〗타력(打力).

sticky** *a.* **1** 끈적끈적한, 들러붙는, 점착(粘着)하는 ; (도로 따위가) 질퍽질퍽한. **2** 《口》 무더운 : a ~ evening 무더운 밤. **3** [+*about*+do*ing*] 여간해서 움직이지 않는 ; 이의(異議)를 제기하는, 척척 진행되지 않는 ; 《口》 완고한, 까다로운 : The boss was rather ~ ***about giv*ing* me leave. 고용주가 좀처럼 휴가를 주지 않았다. **4** 《口》 어려운, 하기 힘드는(difficult). **5** 《俗》 몹시 괴로운[쓰라린]. **6** 《口》 잘 팔리지 않는.
the sticky end of the stick 《俗》 가장 불리한 거래[역할], 부당한 취급을 받는 처지.
stíck·i·ly *adv.* **-i·ness** *n.* 〖STICK[2]〗

stícky·bèak *vt.* 《濠口・N. Zeal. 口》 꼬치꼬치 캐다, 참견하다. ── *n.* 캐기[참견하기] 좋아하는 사람.

sticky bómb [chárge, grenáde] *n.* 〖軍〗점착성 폭약, 점착 폭탄.

sticky énds *n. pl.* 〖生化〗(두 줄 사슬 핵산 분자의) 접착 말단.

sticky-fíngered *a.* 《美俗》 손버릇이 나쁜, 도벽이 있는 ; 구두쇠의.

sticky fíngers *n. pl.* 《美俗》 손버릇이 나쁨, 도벽 ;〖美蹴〗패스 가로채기를 잘하기.

sticky tàpe *n.* 《口》 접착 테이프.

sticky wícket *n.* **1** 〖크리켓〗스티키 위켓《비온 뒤 공이 잘 튀지 않는 경기장으로 타자에게 불리》. **2** 《英口》 난처한 입장 : be on[have, bat on] a ~ 《英口》 곤경에 처해 있다.

***stiff** [stíf] *a.* **1** 딱딱한, 굳은, 빳빳한(↔*limp*) : a ~ collar 빳빳한 칼라 / a ~ chair 딱딱한 의자. **2 a**) 빡빡한, 딴딴한, 잘 움직이지 않는. **b**) (목・어깨 따위가) 뻐근한, 결리는, (구부리면) 진통이 오는 : I have a ~ shoulder[~ shoulders]. 어깨가 결린다. **3 a**) 무리한, 부자연스런 ; 어색한 : He made a ~ bow. 그는 어색하게 인사를 했다. **b**) 강경한, 굽히지 않는, (비・바람 따위가) 맹렬한 : a ~ opposition 맹렬한 반대. **4** 되게 갠, 걸쭉한 : ~ dough 된 반죽. **5** (바람・냇물 따위) 거센. **6** (밧줄 따위) 팽팽한. **7** 난삽한(hard), 괴로운 ; 힘드는, 힘에 겨운 : a ~ examination 어려운 시험 / The book is ~ read*ing*. 그 책은 읽기 어렵다. **8** (술 따위) 독한. **9** 〖商〗물가가 오름세의. **10** 《口》 고가인, 엄청난, 터무니없는, 심한 : a ~ price 터무니없는 가격 / It's a bit ~. 그것은 좀 지나치다.
***keep a stiff face*[*lip*]** 시치미떼다 ; 동하지 않다 ; 점잔빼다.
keep*[*carry, have*] *a stiff upper lip (곤경에 처하여) 용감하게 버티다, 요지부동하다.
── *adv.* 《口》 터무니없이, 몹시 : I was bored [scared] ~. 나는 몹시 지루했다[겁났다].
── *n.* **1** 《俗》 유통 지폐, 위조 지폐, 위조 어음 ; 비밀 정보. **2 a**) 시체 ; 술주정꾼, 취객 ; 놈, 녀석 ; 부랑자, (육체) 노동자, 떠돌아다니는 노무

자. **b**) 너무 딱딱한 남자, 융통성이 없는 남자, 서투른 사람, 쓸모없는 사람, 구제할 수 없는 놈; 이길 가망이 없는 경주마, 소용없는 것[선수, 팀], 히트하지 않은 것[레코드]; 《美》 팁에 인색하게 구는[팁을 내지 않는] 사람. —— *vt.* 《美俗》 …에 팁을 내지 않고 가다, (레스토랑 따위)에 지급하지 않고 도망치다; 때려 눕히다.

~·ish *a.* 좀 딱딱한[어려운]. **~·ly** *adv.* 딱딱하게; 완고하게. **~·ness** *n.* 딱딱함; 강성(剛性), 강도(強度). 〖OE *stif*; cf. G *steif*〗

類義語 (1) ***stiff*** 조직이 견고하여 구부러지거나 늘어나거나 하지 않는; 비유적으로는 까다롭고 형식에 치우치는: a *stiff* stick[manner] (꼿꼿한 지팡이[태도]). ***rigid*** 매우 stiff하여 억지로 구부리면 꺾어지는; 비유적으로는 엄격[엄중]한: a *rigid* piece of metal (단단한 금속 조각) / a *rigid* teacher (엄격한 선생). ***inflexible*** 구부릴 수 없는: an *inflexible* rod[will] (휘지[굽히지] 않는 장대[의지]).
(2) ⟹ FIRM.

stíff-àrm *vt., vi., n.* ＝STRAIGHT-ARM.

stíff cárd *n.* 《美俗》 정식 초대장.

stiff·en** [stífən] *vt.* **1** [＋目/＋目＋前＋名] 단단하게 하다, 굳어지게 하다, 경직(硬直)시키다; 견고하게 하다: ~ drapery ***with starch 직물을 풀을 먹여서 빳빳하게 하다. **2** (풀 따위를) 되게 반죽하다, 질척하게 하다: ~ paste 풀을 되게 반죽하다. **3** 완고하게 하다, (태도 따위를) 딱딱하게[어색하게] 하다: He ~*ed* his attitude. 태도를 딱딱하게 했다. **4** 〖電〗 …의 감응을 늘리다; 〖土〗 보강시키다; 〖軍〗 (군대를) 보강하다.
—— *vi.* **1** 굳어지다, 빳빳해지다; (풀 따위가) 되게 되다[진해지다]: Mud ~*s* as it dries. 진흙은 마르면 딱딱해진다. **2** (바람·강물 따위가) 거세지다. **3** 고집이 세지다, 완고해지다; 거북해지다, 서먹서먹해지다. **4** 〖商〗 등귀(騰貴)하다, (값이) 오름세가 되다, (시장 경기가) 강세를 보이다.

~·ing *n.* 빳빳하게 하는 재료《옷의 심 따위》.

stíffen·er *n.* **1** 단단하게 하는 사람[것]; 딱딱해지게 하는 사람[것]. **2** 〖土〗 보강재; (옷깃·책 표지의) 심. **3** 자극제, 강장제(tonic); (용기·결심 따위를) 굳히는 것; 《俗》 음료에 타는 위스키. **4** 《拳俗》 녹아웃 펀치; 《競俗》 결정적인 수.

stíff-héart·ed *a.* 《英》 완고한, 고집센; 딱딱한.

stíff néck *n.* **1** (류머티즘 따위로) 구부리면 아픈 목. **2** 완고한[독선적인] 사람; 완고.
with stiff neck 완고하게.

stíff-nécked *a.* 목이 빳빳해진; 《비유》 오만하고 고집센, 완고한, 옹고집의; 융통성이 없는.

***sti·fle**[1] [stáifəl] *vt.* **1** 숨을 막다, 질식시키다; 숨가쁘게 하다: Some of the firemen were ~*d* by the smoke. 몇몇 소방관(消防官)들은 연기에 질식했다. **2** (불 따위를) 끄다; (반란 따위를) 진압하다, 억누르다: ~ a revolt 반란을 진압하다 / ~ a scandal 추문을 얼버무려 덮어버리다. **3** (숨·목소리를) 죽이다, (웃음·하품 따위를) 참다: He looked as if he was going to ~ his laughter [~ a yawn]. 그는 웃음이 터져나오는 것을 참으려는[하품을 참으려는] 것처럼 보였다. —— *vi.* 숨이 가쁘다, 숨차다; 질식하다; 그을다, 연기가 나다. 〖? ME *stuff(l)e*＜OF *estouffer*＜Rom.〗

stifle[2] *n.* 무릎 관절, (말의) 뒷무릎 관절; Ⓤ 무릎 관절병. 〖ME＜?〗

sti·fling [stáifliŋ] *a.* (공기 따위가) 숨막힐 듯한, 답답한; (예의 범절 따위가) 딱딱한, 거북한: ~ heat 숨막힐 듯한 더위.

stig·ma [stígmə] *n.* (*pl.* **~s, -ma·ta** [stígmətə, stigmɑ́:tə, -mǽtə]) **1** 오명, 치욕. **2** 《古》 (노예·죄인에게 찍은) 낙인(烙印). **3 a**) 〖植〗 암술머리. **b**) 〖解·動〗 반점; 〖動〗 기공(氣孔), 숨구멍. **c**) 〖醫〗 홍반(紅斑), 출혈반; 〖醫〗 징후. **4** [stigmata] 〖카톨릭〗 성흔(聖痕)《St. Francis of Assisi 등의 성인 몸에 나타났다고 하는 십자가에 못박힌 그리스도의 상처와 동일한 흔적》. 〖L＜Gk. *stigmat- stigma* brand; STICK[1]과 같은 어원〗

stig·mas·ter·ol [stigmǽstərɔ̀(:)l, -ròul, -rɑ̀l] *n.* 〖生化〗 스티그마스테롤《스테로이드 호르몬 합성의 원료》.

stig·mat·ic [stigmǽtik] *a.* **1** 불명예스러운; 추악한; 낙인이 찍힌. **2** 기공[기문]의. **3** 홍반이 있는. **4** 〖光〗 무비점수차(無非點收差)의. **5** 성흔이 있는. —— *n.* 성흔이 있는 사람.

stig·ma·tism [stígmətìzəm] *n.* Ⓤ **1** 〖醫〗 홍반(紅斑)이 있는 상태. **2** 〖光〗 무비점수차(無非點收差) (↔*astigmatism*). **3** 〖醫〗 정시(正視). **4** 〖카톨릭〗 성흔발현(聖痕發現).

stig·ma·tize [stígmətàiz] *vt.* **1** [＋目＋*as* 補] …에게 오명을 씌우다, 헐뜯다: They ~*d* him *as* a traitor. 그에게 배반자[반역자]라는 오명을 씌웠다. **2** 《古》 낙인을 찍다. **3** 홍반(紅斑)[성흔(聖痕)]이 생기게 하다. **stìg·ma·ti·zá·tion** *n.*

stil·bes·trol, -boes- [stilbéstrɔ(:)l, -troul, -trɑl, 英＋stilbí:strəl] *n.* 〖生化〗 스틸베스트롤《(1) 합성 발정(合成發情) 호르몬 물질. (2) ＝DIETHYLSTILBESTROL》.

stile[1] [stáil] *n.* 울타리에 낸 발판《담·벽·울타리를 사람만 넘을 수 있고 가축은 못넘게 만들었음》; 회전식 문(＝turnstile).
〖OE *stigel* (*stigan* to climb); cf. G *steigen*〗

stile[2] *n.* 〖建〗 문설주, 문선, (문의) 세로 어리.
〖? Du. *stijl* pillar, doorpost〗

sti·let·to [stəlétou] *n.* (*pl.* **~s, ~es**) **1** 단도, 단검. **2** (자수·재봉용의) 구멍 내는 바늘[송곳]. **3** 《주로 英》 ＝STILETTO HEEL. —— *vt.* 《古》 단검으로 찌르다[죽이다].
〖It. (dim.) ‹ *stilo* dagger; ⇨ STYLUS〗

stilétto hèel *n.* 《주로 英》 ＝SPIKE HEEL.

◇**still**[1] [stil] *a.* **1** 조용한(quiet); 고요한, 소리가 나지 않는, 묵묵한: The night was very ~. 밤은 참으로 고요했다 / The audience was ~. 청중은 조용했다 / *S*~ waters run deep. 《속담》 잔잔한 물이 깊다《말없는 사람일수록 생각이 깊다》. **2** 정지한: keep ~ 가만히 있다 / sit ~ 묵묵히 앉아 있다 / stand ~ 잠자코 서 있다; 활동하지 않다, 정체되다 / There he stood ~. 조용히 거기에 서 있었다(cf. STILL[2] *adv.* 1). **3** (목소리가) 낮은, 상냥스런(soft); 평온한, 평화로운: a [the] ~ small voice 〖聖〗 세미(細微)한 소리《하느님·양심의 소리; 열왕기상 19: 12》. **4** (포도주가) 거품이 일지 않는(↔*sparkling*), (주스에) 탄산가스가 들어 있지 않은; 〖映·寫〗 스틸(사진)의.
(as) still as death [***the grave, a stone***] 매우 조용한.
as still as still 쥐죽은 듯이.
—— *n.* **1** 《詩》 고요, 정적, 침묵: in the ~ of the night 밤의 정적 속에. **2** 〖映〗 (영화에 대하여) 보통 사진, 스틸《선전용으로 영화의 한 장면을 사진으로 찍은 것》. **3** 정물화(靜物畫).
—— *vt.* 고요하게 하다, (마음을) 가라앉히다; (우는 애를) 달래다; 누그러뜨리다; (욕구·양심 따위를) 만족시키다; (소리 따위를) 멈추게 하다, 침묵케 하다.
—— *vi.* 조용해지다, (바람 따위가) 잔잔해지다.

類義語 ***still*** 소리나 움직임이 없어 조용한; 일반

적인 말. ***quiet*** 흥분 · 소란 · 동요 따위가 없는. ***noiseless*** 소리 없는, 고요한. ***silent*** 침묵하고 있는 상태 또는 다변이 아님을 나타내는 말.

still² *adv.* **1** 아직, 여전히, 지금도, 전과 똑같이 : He is ~ angry. 아직도 성내고 있다 / They ~ do not know the truth. 아직도 진상을 모른다 / He ~ stood there. 여전히 거기에 서 있었다(cf. STILL¹ *a.* 2 ; ☞ YET 活用 (3)). **2** 그럼에도 불구하고, 그래도 (역시), 아직 : Though he did his very best, he ~ failed. 그는 최선을 다했지만 실패했다 / He has his faults, ~ I love him. 그는 결점이 있지만 그래도 나는 그를 사랑한다. 注 두번째 보기와 같이 종종 접속사적으로 쓰임 ; 이때에는 but, however 보다도 뜻이 강함 ; ☞ YET 活用 (4). **3** [비교급을 강조하여] 아직도 (더욱), 보다 더, 그 위에(cf. YET 7) : That's ~ better [better ~]. 그것이 더욱더 좋다 / Tom is old but John is ~ older[older ~]. 톰도 나이가 들었지만 존은 그보다 더 나이가 들었다 / ~ later 더욱 후에 와서. **4** 《古·詩》 항상, 끊임없이.

still less [부정을 받아] 하물며, 더욱이나(much less) : If you don't know, ~ *less* do I. 네가 모른다면 나는 더 더욱 알 수가 없지.

still more 더욱더 ; [긍정을 받아] 더욱이나, 하물며(much more).

still³ *n.* 증류기(蒸溜器) ; =DISTILLERY ; 《俗》 열교환기(heat exchanger). ── *vt., vi.* =DISTILL, 《方》 (위스키 · 진 따위를) 밀조하다. 〚*still* (obs.) to DISTILL〛

stil·lage [stílidʒ] *n.* (통 따위를 얹는) 낮은 받침대. 〚C16< ? Du. *stellagie* scaffold〛

stíll alàrm *n.* 《美》 (보통의 경보 장치가 없고 전화 따위에 의한) 화재 경보.

stíll bànk *n.* (동물의 형상을 한) 저금통.

stíll·bìrth [ˊ-ˋ] *n.* U,C 사산(死産) ; C 사산아.

stíll·bòrn *a.* 사산의 ; 《비유》 성공하지 못한, 처음부터 실패작인. ── *n.* (*pl.* **~, ~s**) 사산아.

stíll càmera *n.* 스틸 카메라《무비 카메라에 대한 보통 카메라》.

stíll hùnt *n.* 《美》 (사냥감 · 적 등에게) 몰래 접근하기 ; 《口》 (정치적인) 이면[비밀] 공작 ; 몰래 추적하기.

stíll-hùnt *vt., vi.* (짐승 따위에) 몰래 다가가다 ; 《口》 비밀 공작을 하다.

stil·li·cide [stíləsàid] *n.* 〔法〕 적하권(滴下權)《지붕의 빗물이 남의 토지에 흘러내릴 수 있는 권리》. 〚L (*stilla* drop, *cado* to fall)〛

stil·lion [stíljən] *n.* 《美俗》 엄청나게 큰 수(數).

stíll lìfe *n.* (*pl.* **~s**) 정물(靜物) ; 정물화(畫).

stíll-lífe *a.* 정물(화)의.

stíll·man [-mən] *n.* 증류소 경영자(者) ; 증류주 제조자 ; 증류 장치 기사.

***stíll·ness** *n.* U 고요 ; 평정(平靜), 침묵 ; C 소리가 나지 않는 장소, 조용한 환경.

stíll pícture *n.* 〔映 · 寫〕 스틸 사진.

stíll·ròom *n.* 《英》 **1** (옛날의) 증류실. **2** (대저택의) 주류 · 식료품 저장실.

Stíll·son wrènch [stílsən-] *n.* (파이프 턱을 조절하는 L자형) 렌치, 파이프렌치《상표명》. 〚고안자의 이름에서〛

stilly¹ [stíli] *a.* (**stíll·i·er** ; **-i·est**) 《詩》 고요한. 〚*vasty* 따위에 준하여 *still*¹에서〛

stil·ly² [stílli] *adv.* 《古·文語》 조용히, 평온하게, 침착하게. 〚OE (STILL¹, *-ly*¹)〛

stilt [stílt] *n.* **1** 대말, 죽마(竹馬) : walk on ~*s* 죽마를 타고 걷다. **2** (*pl.* **~, ~s**) 〔鳥〕 장다리물떼새. **3** (건조물의) 지주, (수상 가옥 따위의) 각주(脚柱).

on stilts 죽마[대말]에 타서 ; 《비유》 호언장담하여, 과장해서, 뻐기며.

── *vt.* 지주로 들어 올리다.

〚ME and LG *stilte* ; cf. STOUT〛

stílt·ed *a.* **1** 죽마[대말]를 탄. **2** 과장된, 뽐내는, 허풍떠는 ; 거북스러운(stiff). **3** 〔建〕 기둥으로 높이 받쳐 올린 : a ~ arch 〔建〕 상심(上心) 홍예. **~·ly** *adv.* **~·ness** *n.*

Stíl·ton (chéese) [stíltn(-)] *n.* 스틸턴 치즈《맛이 진한 영국제 고급 치즈》.

stim·u·lant [stímjələnt] *a.* **1** 자극성의, 격려하는. **2** 〔醫〕 흥분시키는. ── *n.* **1** 흥분제 ; 자극성(性) 음료《커피 따위》 ; 《口》 술. **2** 《古》 자극하는 것, 격려.

stim·u·late** [stímjəlèit] *vt.* **1** 자극[흥분]시키다 : Coffee ~*s* the heart. 커피는 심장을 자극한다. **2** [+目 / +目+前+名 / +目+*to* do] 기운을 돋우다, 격려[고무]하다 ; 자극하여 …시키다 ; 술[마약]로 흥분시키다 : ~ the public interest in poetry 일반 대중에게 시에 대한 관심을 불러일으키다 / Success will ~ a man ***to further efforts. 성공이라는 것은 사람을 격려하여 한층 더 노력하게 한다 / The praise ~*d* him *to* study harder. 칭찬에 고무되어 그는 더욱더 열심히 공부했다. ── *vi.* 자극[격려]이 되다 ; 술을 마시다. **stìm·u·lá·tion** *n.* 자극, 흥분, 고무, 격려 ; 술(을 마시기). **stím·u·là·tive** [; -lə-] *a.* 자극적인, 흥분시키는, 고무하는. ── *n.* 자극물. **-là·tor, -làt·er** *n.* 자극하는 사람[것]. 〚L ; ⇨ STIMULUS〛

類義語 ⟹ ANIMATE.

stím·u·làt·ing *a.* 자극적인, 격려하는, 흥분시키는, 활기를 띠게 하는.

***stim·u·lus** [stímjələs] *n.* (*pl.* **-li** [-lài, -lìː]) **1** U,C 자극, 격려, 고무 ; C 자극물 : under the ~ of …에 자극되어. **2** 흥분제. **3** 〔生理 · 心〕 자극(cf. RESPONSE 2) ; 〔植〕 가시털 ; 〔昆〕 침(針). 〚L=goad, spur, incentive〛

stimy ☞ STYMIE.

sting** [stíŋ] *v.* (**stung** [stʌ́ŋ]) *vt.* **1** [+目 / +目+前+名] 바늘로 찌르다 : A bee *stung* her cheek. =A bee *stung* her ***on the cheek. 벌이 그녀의 뺨을 쏘았다. **2** 얼얼하게[따끔따끔하게] 하다 : Smoke began to ~ his eyes. 연기로 그의 눈은 따끔거리기 시작했다. **3** 고민하게 하다, 괴롭히다 : I was *stung* by the insult. 모욕을 당한 것 때문에 괴로웠다 / His conscience *stung* him. 그는 양심의 가책을 받았다. **4** (혀 따위를) 톡 쏘게 하다 : The fragrance of coffee *stung* my nostrils. 향긋한 커피 냄새가 코를 자극했다. **5** [+目+前+名] 자극하다, 몰아세워 …시키다 : Their words *stung* me ***to***[***into***] action. 그들의 말에 자극을 받아 나는 행동을 개시했다 / Her ridicule *stung* him *into* mak*ing* an angry reply. 그녀에게 조롱당하자 그는 화를 내어 답변했다. **6** [+目 / +目+*for*+名] 《俗》 [보통 수동태로] 속이다, …로부터 편취(騙取)하다, …에게 비싼 값으로 바가지씌우다 : He got *stung* ***for*** $ 100. 그는 속아서 100달러를 빼앗겼다.

── *vi.* **1** 찌르다, 찌르는 힘이 있다 ; 가시[침]가 있다 : Not all bees ~. 벌이라고 다 쏘지는 않는다. **2** 괴롭히다, 화나게 하다 : An insult ~*s.* 모욕은 사람의 마음을 괴롭힌다. **3** 얼얼한 맛[향기]이 있다 : Ginger ~*s.* 생강은 톡 쏘는 맛이 있다. **4** 따끔따끔하다[아프다] : The blow made his hand ~. 얻어맞아 그의 손은 따끔따끔 아팠다.

—— *n.* **1** 찌르기 ; 자상(刺傷). **2** [U,C] 자통(刺痛) ; 찌르는 듯한 아픔 ; 격통(激痛) ; 신랄함, 비꼼 ; 자극, 시원함 : This air [His pitching] has no ~ in it. 이 공기는 상쾌하지[그의 투구(投球)는 날카롭지] 않다. **3** 〖動〗 침, 독아(毒牙), 독침. **4** 〖植〗 가시털, 가시. **5** 《俗》 교묘하게 꾸민 신용(信用) 사기, 함정 수사 ; 《俗》 강도.
have a sting in the tail (이야기·편지 따위의) 뒷맛이 씁쓸하다.
〖OE *stingan* ; cf. ON *stinga* to sting〗
sting·a·ree [stíŋərìː, ⌐-⌐] *n.* =STINGRAY.
stíng·er *n.* 찌르는 것 ; (특히) 쏘는 동물[식물] ; 〖動〗 침 ; 〖植〗 가시털 ; 《口》 싫증 ; 빈정댐, 비꼼 ; 통격(痛擊) ; [S~] 〖軍〗 스팅어 미사일《휴대형 지대공 미사일》.
stíng(·ing) hàir *n.* 〖植〗 가시털(sting, stinger).
stínging nèttle *n.* 〖植〗 쐐기풀.
stin·go [stíŋgou] *n.* (*pl.* **~s**) 《英·俗》 독한 맥주 ; 《비유》 열심, 기력, 원기.
stíng operàtion *n.* (FBI 따위의) 함정 수사.
stíng·rày *n.* 〖魚〗 노랑가오리《꼬리에 맹독의 가시가 있음》.
stin·gy[1] [stíŋi] *a.* 쏘는 ; 날카로운 ; 가시가 있는. 〖STING〗
stingy[2] [stíndʒi] *a.* **1** 인색한, 구두쇠[노랑이]의, 쩨쩨한(↔*generous*) : Don't be so ~ *with* the butter. 버터를 가지고 그렇게 쩨쩨하게 굴지 마라. **2** 적은, 부족한, 근소한 : a ~ income 얼마 안되는 수입. **stín·gi·ly** *adv.* 인색하게. **-gi·ness** *n.* 인색, 단작스러움.
〖? *stinge* (dial.) to sting〗
[類義語] ***stingy*** 자기가 소유하고 있는 것을 내놓기 싫어하는《비열한 근성을 암시 ; 일상용어》. ***close*** 자기가 모은 것을 단단히 움켜쥐고 있는. ***niggardly*** 너무 인색하여 조금도 쓰지[주지] 않는《stingy 보다 뜻이 약함》. ***parsimonious*** 지나치게[때로는 niggardly할 만큼] 절약하는《격식을 차린 말》. ***miserly*** 보통 상당한 재산이 있는 사람이 꼴사나울 정도로 탐욕스럽고 인색한. ***penurious*** 너무 인색하게 굴어서 궁색해 보이는《격식을 차린 말》 (↔*bountiful*, *generous*).
stink [stíŋk] *n.* **1** 악취, 고약한[구린] 냄새 (stench). **2** [~s, 단수취급] 《英俗》 화학, (학습 과목으로서의) 자연과학. **3** (부정 따위에 대한) 소동, 논쟁, 물의 ; 스캔들.
raise [***make***] ***a stink*** 《美俗》 (소문 따위에 의해) 소동을 일으키다.
—— *v.* (**stank** [stǽŋk], **stunk** [stʌ́ŋk] ; **stunk**) *vi.* **1** [動 / +*of*+名] 악취를 풍기다 : This fish ~*s*. 이 물고기에서 고약한 냄새가 난다 / He ~*s* ***of*** wine. 그에게서 술 냄새가 난다 / He ~*s of* money. 《俗》 그는 돈을 주체 못할 정도로 가지고 있다. **2** 평이 나쁘다. —— *vt.* **1** [+目+副] 악취를 풍겨 내쫓다 ; 연기를 내어 몰아내다 : ~ ***out*** a fox 동굴에 연기를 피워 넣어 여우를 몰아내다. **2** 《俗》 …의 냄새를 맡다.
stink in the nostrils of a person ☞ NOSTRIL.
〖OE *stincan* ; cf. STENCH, G *stinken*〗
stink·ard [stíŋkərd] *n.* 악취를 풍기는 사람[동물] ; 역겨운 놈 ; 〖動〗 =TELEDU.
stínk·bàll *n.* 악취탄 ; 악취가 나는 사람[것].
stínk bòmb *n.* 악취탄《폭발하면 악취를 풍김》.
stínk·bùg *n.* 악취를 풍기는 벌레《방귀벌레 따위》.
stínk·er *n.* **1** 악취를 풍기는 사람[동물]. **2** 《俗》 싫은[불쾌한] 놈 ; (특히) 기분 나쁜 편지[비평]. **3** 어려운 문제. **4** 악취를 풍기는 장치.
stink·er·oo, stink·a·roo [stìŋkərúː] *a.*, *n.* (*pl.* **~s**) 《俗》 시시한[몹시 진력나는] (흥행물) ; 싫은[지겨운] (것).
stínk·ing *a.* 악취를 풍기는, 구린 ; [후치] 《俗》 곤드레만드레 취한 ; 역겨운, 불쾌한 : cry ~ fish ☞ FISH[1] *n.* —— *adv.* 《俗》 불쾌할 정도로, 지독하게 ; 엄청나게.
stínking smút *n.* 〖植〗 (밀의) 깜부기병.
stinko [stíŋkou] *a.* [후치] 술취한(drunk) ; 고약한 ; 냄새나는 ; 시시한 ; 싫은, 불쾌한. —— *n.* (*pl.* **stínk·os**) 싫은 놈.
stínk·pòt *n.* 악취 풍기는 것을 넣은 단지, 변기(便器) ; 악취탄《옛날 해전에서 사용했음》 ; 《俗》 역겨운 놈.
stínk·stòne *n.* 취석(臭石)《깨거나 비비면 석유 냄새가 나는 각종 유기물 함유석》.
stínk tràp *n.* 방취판(防臭瓣) (stench trap).
stínk·wèed *n.* 악취 나는 풀, (특히) 말냉이·카모밀라 따위.
stint[1] [stínt] *vt.* [+目 / +目+前+名] (돈·식료품 따위를) 줄여 쓰다 ; (돈·물건 따위를) 내주기 아까워하다 : Don't ~ the sugar. 설탕을 너무 아끼지 마라 / He ~*s* himself ***in*** [***of***] sleep. 그는 수면 시간을 줄였다. —— *vi.* 검소하게 살다, 검약하다 ; (…을) 인색하게 굴다 ; 《古》 그만두다.
—— *n.* **1** [U] 아까워하기, 제한, 절약 : without [with no] ~ 무제한으로, 아낌없이. **2** 《稀》 정량, 정액〈*of*〉. **3** 한정 ; 할당받은 일, 임무.
〖OE *styntan* to blunt, dull ; cf. STUNT[1]〗
stint[2] *n.* (*pl.* **~s**, **~**) 〖鳥〗 작은 도요새《좀도요 따위》. 〖ME〗
stip. stipend ; stipulation.
stipe [stáip] *n.* 〖植〗 줄기 ; (버섯의) 자루 ; (양치류의) 잎자루 ; 〖動〗 =STIPES.
sti·pel [stáipəl, staipél] *n.* 〖植〗 작은 턱잎.
sti·pend [stáipend, -pənd] *n.* **1** 고정급, (특히 목사·교사 등의) 봉급(cf. FEE, PAY, SALARY, WAGES). **2** (장학금 따위의) 급비, 수당 ; 연금.
〖OF or L (*stips* wages, *pendo* to pay)〗
sti·pen·di·ary [staipéndièri ; -diəri] *a.* 봉급을 받는, 유급의. —— *n.* 유급자 ; 장학생 ; 《英》 유급 치안 판사[목사].
sti·pes [stáipiːz] *n.* (*pl.* **stip·i·tes** [stípətìːz]) **1** 〖昆〗 자루마디. **2** 〖動〗 눈자루. **3** 〖植〗 =STIPE.
〖L=tree trunk〗
stip·ple [stípəl] *n.* [U,C] 점각(點刻) (법), 점묘(點描) (법), 점채(點彩) (법) ; 점각[점채]화 ; 점각 따위의 효과. —— *vt.*, *vi.* 점각[점채]하다 ; …에 반점을 붙이다. **stíp·pling** *n.*
〖Du. (freq.) ‹ *stippen* to prick (*stip* point)〗
stip·u·lar [stípjələr], **-lary** [-lèri ; -ləri] *a.* 〖植〗 턱잎의, 턱잎 모양의[이 있는] ; 턱잎에 나는, 턱잎에 생기는.
stip·u·late[1] [stípjəlèit] *vt.* [+目 / +*that* 節] (계약서[자]·조항 따위가) 규정하다, 명기하다 : The material is not of the ~*d* quality. 그 재료는 명기된 대로의 품질이 아니다 / I ~ *that* the tenant is responsible for all repairs. 일체의 수리는 차용자의 부담으로 할 것을 약정해 놓겠습니다 / It was ~*d* (in writing) *that* the delivery should be effected this month. 이달중에 인도해 주기로 (계약서에) 명기되어 있었다.
—— *vi.* [+*for*+名] 약정의 조건으로서 요구하다 : The contract ~*s* ***for*** the use of the best materials [*for* the best materials *to* be used]. 계약에는 최고의 재료를 쓰도록 명시되어 있다. **-là·tor** *n.* 계약[약정]자. 〖L *stipulor*〗

stip·u·late[2] [stípjələt], **-lat·ed** [-lèitəd] *a.* 〖植〗 턱잎이 있는.

stip·u·la·tion [stìpjəléiʃən] *n.* Ⓤ,Ⓒ 약정, 계약; 규정, 명문화(明文化); Ⓒ 계약 조항[조건].
on*[*under*] *the stipulation that …라는 조건으로(on condition that...).

*__stir__[1] [stəːr] *v.* (**-rr-**) *vt.* **1** 움직이다(move): The breeze was ~*ring* the leaves. 산들 바람에 나뭇잎이 살랑거리고 있었다. **2** [+目/+目+副/+目+前+名] 휘젓다, 뒤섞다: ~ one's coffee 커피를 젓다 / ~ the fire (부지깽이로) 불을 헤쳐 일으키다 / The child was ~*ring up* the mud at the bottom of the pond. 그 아이는 못바닥의 진창을 휘젓고 있었다 / She ~*red* sugar ***into*** her tea. 홍차에 설탕을 넣어 저었다. **3** [+目/+目+副/+目+前+名/+目+*to* do] 분발[감동]케 하다; 선동하다; (기억 따위를) 불러 일으키다: ~ one's imagination 상상을 불러일으키다 / ~ a person's blood 사람의 피를 끓게 하다 / *S*~ yourself! 기운을 내시오, 움직이시오[일하시오] / Bill ~*red* (***up***) the other boys ***to***[*to* do] mischief. 빌은 다른 소년들을 선동하여 장난을 치게 했다 / The leading countries of Europe were ~*red to* do him honor. 유럽의 주요 국가들은 모두 감격하여 그의 영광을 축복하려 했다.
── *vi.* **1** 움직이다; 움직이기 시작하다, 몸을 움직이다: Something ~*red* in the water. 물속에서 무언가 움직였다 / Don't ~, or I'll shoot. 움직이지 마라, 그렇지 않으면 쏜다. **2** 일어나 있다; 활동하고 있다: He is not ~*ring* yet. 그는 아직 일어나지 않고 있다. **3** (감정이) 동하다, 생기다.
not stir a finger to help ☞ FINGER *n.*
not stir an eyelid 전혀 동하지 않다.
stir one***'s stumps*** ☞ STUMP *n.*
stir up 잘 뒤섞다(cf. *vt.* 2); (투쟁·불만·호기심 따위를) 북돋우다, 불러일으키다; (사람을) 분발시키다, …을 선동하다(cf. *vt.* 3): You want ~*ring up.* 너는 기합을 받을 필요가 있어《형편없이 게으른 놈이다》.
── *n.* **1** 움직임, 산들거림; 휘젓기, 뒤섞기: Not a ~ is heard. 바스락 소리도 없다. **2** Ⓤ 활동, 활약. **3** Ⓤ 소란, 말썽; Ⓤ,Ⓒ 대소동, 혼란(commotion); 《古》 떠들어댐: The crowd was *in* a ~. 군중은 소란을 피우고 있었다. **4** 평판(sensation): make a ~ 크게 평판이 나다. **5** Ⓤ,Ⓒ 감동, 자극. **~·less** *a.* 움직이지 않는, 조용한. 〖OE *styrian*; cf. G *stören*〗
類義語 ***stir*** 자극하거나 성나게 해서 상대편이 어떤 행동을 취하도록 하다: The news *stirred* them to revolt. (뉴스에 자극되어 그들은 폭동을 일으켰다). ***arouse, rouse*** 양자 모두 잠자고 있는 듯한 상태에서 눈을 뜨게 하는 뜻이지만 *rouse*는 그 밖에 더욱 활발한[과격한] 행동을 하게 하는 것을 나타낸다: She was *aroused* by the alarm. (그녀는 자명종 소리를 듣고 눈을 떴다) / The shot *roused* the watchman. (총소리에 경비원은 잠에서 깨었다). ***awaken, waken*** 잠에서 깨어 눈을 뜨게 하다; 잠재적인 능력·감정 따위를 일깨우다: It (*a*)*wakened* her maternal love. (그것이 그녀의 모성애적인 사랑을 일깨웠다).

stir[2] *n.* 《俗》 교도소: He is *in* ~. 그는 수감중이다. 〖C19< ?; cf. OE *stēor* discipline, restraint〗

stír·abòut *n.* 《英》 (아일랜드 기원의) 오트밀[빻은 옥수수]죽, 옥수수 가루죽; 법석; 활동가, 바쁘게 쏘다니는 사람. ── *a.* 활동적인(active); 떠들썩한, 혼잡한.

stír cràzy *a.* 《美俗》 오랜 옥살이로 머리가 돈.

stír-frý *vt., n.* (중국 요리 따위에서) 프라이팬을 흔들면서 센 불로 재빨리 볶다[볶은 요리].

stirk [stəːrk] *n.* 《英》 한 살된 수소[암소]; 《스코》 얼간이. 〖OE *stirc* ? (dim.) ‹ *stēor* STEER[2]〗

stír·pi·cùlture [stəːrpə-] *n.* 우량종 양식[육성].

stirps [stəːrps, stíərps] *n.* (*pl.* **stir·pes** [stəːrpiːz, stíərpèis]) 〖法〗 혈통, 가계(家系); 선조; 〖生〗 품종, 종족, 유전 단위. 〖L=stock〗

stír·rer *n.* 활동가; 휘젓는 사람; 섞는 기계[장치]; 선동자.

stir·ring [stəːriŋ] *a.* **1** 감동시키는; 장쾌(壯快)한; 고무적인; 큰 평판이 나는: a ~ speech 감동적인 연설. **2** 활발한, 활약하는, 바쁜(busy). **3** 붐비는, 번화한: ~ times 시끄러운 세상.

stírring bár *n.* 〖化〗 섞는 막대 자석.

stir·rup [stəːrəp, stír-, stʌ́r-; stír-] *n.* **1** (승마용) 등자(鐙子), 등자쇠; 〖解〗 (귀의) 등자뼈: ~ bone 등자뼈. **2** 〖海〗 등삭(鐙索).
〖OE *stigrāp* climbing rope (*stīgan* to climb); cf. G *Stegreif*〗

stírrup cùp *n.* (말을 타고 길을 떠나는 사람에게 권한) 작별의 잔; (일반적으로) 이별의 잔.

stírrup lèather[**stràp**] *n.* (등자를 매다는) 등자 가죽[끈].

stírrup pùmp *n.* (소화용(消火用)) 수동 펌프.

stír wìse *a.* 《美俗》 (교도소 생활 덕분에) 잘 알고 있는, 오래되어 숙련된 솜씨가 있는.

*__stitch__ [stítʃ] *n.* **1** 한 바늘, 한 뜸, 한 코: A ~ in time saves nine. 《속담》 제때의 한 바늘이 훗날[나중]에 아홉 바늘을 꿰매는 수고를 덜어준다, 「제때의 한 바늘이 훗날의 열 바늘」. **2 a**) 한 바늘[한 코]의 실, 솔기: drop a ~ (편물에서) 한 코를 빠뜨리다. **b**) 〖醫〗 (상처를 꿰매는) 한 바늘: put three ~*es* in a person's forehead (부상당한) 사람의 이마를 세 바늘 꿰매다 / take out ~*es* 실을 빼다, 실밥을 빼다. **3** 뜨는[감치는] 법, 꿰매는[엮는] 법. **4** 〖製本〗 철(綴). **5** 천, 헝겊, 자투리. **6** 《口》 조금: He hasn't done a ~ *of* work. 그는 전혀 일을 하지 않았다. **7** [단수형만으로 써서] (옆구리의) 격통(激痛), 통증, 쑤심: have a ~ in one's side 옆구리가 아프다.
be in stitches 우스워 죽을 지경이다.
have not a stitch on 실오라기 하나 몸에 걸치지 않다, 완전히 벌거벗다.
── *vt.* [+目/+目+副] 꿰매다(sew); 감치다: ~ (***up***) a rip (실밥이 풀린[꿰맨 자리가 터진] 데를) 꿰매다. ── *vi.* 꿰매다.
〖OE *stice*; ⇨ STICK[2]; cf. G *Stich* sting, stitch〗

stítch·ery *n.* 자수법, 뜨개질법, 바느질; 자수[뜨개질] 장식품.

stítch·wòrk *n.* 자수, 바느질.

stítch·wòrt *n.* 별꽃.

stithy [stíði, 美+stíθi] *n.* =ANVIL; 《古·方》 =SMITHY. ── *vt.* 《古·詩》 =FORGE.

stiv·er, stui- [stáivər], **stee·ver** [stíː-] *n.* 스타이버《네덜란드의 화폐 단위: =1/20 gulden》; 적은 돈; 조금; 근소; 하찮은 것: not worth a ~ 한푼의 값어치도 없는. 〖Du. *stuiver*〗

stk. stock. **Stn.** Station.

stoa [stóuə] *n.* (*pl.* **sto·ae** [stóuiː, stóuai], **~s**) 〖古그〗 보랑(步廊), 주랑(柱廊)《산책·집회용》; [the S~] 스토아 철학(the Porch). 〖Gk.〗

stoat[1] [stóut] *n.* 〖動〗 (특히 여름철의) 담비. 〖ME< ?〗

stoat[2] *vt.* (솔기가 안 보이게) 꿰매다, 감치다. 〖C19< ?〗

sto·chas·tic [stəkǽstik] *a.* 추계학(推計學)[추측 통계학]적인, 확률론적인 ; 《稀》 추측의 : a ~ function 확률 함수 / a ~ variable 확률[우연] 변수. **-ti·cal·ly** *adv.* 〖Gk. (*stokhos* aim)〗

*__stock__ [stɑ́k] *n.* **1 a**) 저장, 비축 : lay in a ~ of flour 밀가루를 사들이다. **b**) (지식 따위의) 축적 : He has a good ~ *of* information. 그는 풍부한 정보를 가지고 있다[대단한 소식통이다]. **c**) Ⓤ,Ⓒ 구매품, 재고품, 저장품 : have[keep]...*in* ~ … 의 재고품이 있다, …을 저장하고 있다 / The article is *in* ~. 그 물품은 입하되어 있다. **d**) 〖劇〗 상연 목록, 레퍼토리 ; 레퍼토리 극단(stock company) (에 의한 상연). **2** Ⓤ 가축(cattle) ; 사육용 동물 ; (농장·목장 따위의) 전자산 : fat ~ 식육용 가축 / ☞ LIVESTOCK. **3 a**) Ⓤ,Ⓒ 공채증서, 국고채권 ; [the ~s ; 집합적으로] 《英》 공채, 국채 : have money in *the* ~*s* 돈을 국채로 가지고 있다 / a ~*s* and share broker 공채 주식 중매인. **b**) 《美》 주식, 증권, 주(=《英》 share) : ordinary[《美》 common] ~ 보통주. **4** Ⓤ **a**) [때때로 a ~] 혈통, 가계(家系), 가문 ; 인종, 민족 ; 〖法〗 선조 : *of* Irish[farming] ~ 아일랜드계(系)[농가 출신]의 / He comes of (*a*) good ~. 그는 좋은 가문 출신이다. **b**) 〖生〗 군체(群體), 군락, 군생. **c**) 〖言〗 어계(語系). **d**) 《비유》 (사람의) 평가, 평판, 신용 ; 지위. **5** 대목(臺木), (총의) 개머리판, (대패의) 몸, (모루의) 받침대, (쟁기의) 자루, 대, 바닥. **6** Ⓤ 원료〈*for*〉; 제지원료(=paper ~) ; 수프 거리, 삶아낸 국물. **7** (이전에 특히 군복에 사용한 일종의 가죽으로 만든) 폭넓은 깃 장식 ; 여성용의 선 깃. **8** …거리, …감 : a laughing ~ 웃음거리. **9** 대, 줄기, 그루터기 ; 통나무, 나뭇조각. **10** (접목의) 접본(接本), 대본(臺本). **11** 〖植〗 스톡《겨자과》. **12** [*pl.*] 조선대(造船臺). **13** [*pl.*] 〖史〗 (죄인의 다리를 끼워 일반에게 공개했던) 차꼬, 수갑, 족쇄 : sit in the ~*s* 차꼬를 채운 채 공개되다. **14** [형용사적으로] **a**) 소유하고 있는, 재고(관리)의. **b**) 표준의 ; 흔한, 보통의 : a ~ phrase 흔해빠진 문구 / one's ~ jokes[example] 상투적인 농담[보기] / ~ sizes in shoes 표준 사이즈의 구두. **c**) 가축 사육의. **d**) 《英》 공채[국채]의 ; 《美》 주(식)의. **e**) 레퍼토리(극단)의.

on the stocks (배를) 건조 중인 ; 기획 중인 : I have a book *on the* ~*s.* 계획[집필] 중인 책이 한권 있다.

stocks and stones 우상(偶像) ; 비정[무정]한 인간, 목석.

take stock 재고 조사를 하다.

take stock in... (1) 《美》 (회사)의 주식을 사다. (2) 《口·원래 美》 …에 관심을 갖다 ; …을 중히 여기다, 신용하다 : He doesn't *take* much ~ *in* literature. 문학에는 그다지 흥미가 없다.

take stock of... 《비유》 …을 평가[음미]하다 ; 《口》 (남을) 신기한 듯이 보다, …을 뚫어지게[눈여겨] 바라보다.

〈회화〉
I'm sorry, that item is out of *stock.* — When will you get it in again? 「죄송합니다만 그 물건은 품절인데요」「언제 또 들어옵니까」

—— *vt.* **1** [+目+*with*+名] (점포에) 사들이다, …에 비축[저축]하다 ; 《비유》 (기억에) 남겨 두다 : They ~*ed* their shop ***with*** winter goods. 그들은 가게에 겨울 용품을 사들였다 / Henry has a memory well ~*ed with* various kinds of information. 헨리는 여러 가지 정보를 잘 기억하고 있다. **2** (상품을) 점포에 놓다 ; 비축하다, 저장하다 : That bookstore ~*s* many new books. 저 서점은 신간서적을 많이 갖추어 놓고 있다 / Wine is ~*ed* all the year round. 포도주는 일년 내내 저장되어 있다. **3** [+目 / +目+*with*+名] …에 (씨를) 뿌리다, (가축 따위를) 공급하다 : ~ a farm 농장에 가축을 넣다 / ~ land ***with*** clover 땅에 토끼풀 씨를 뿌리다 / This river is ~*ed with* lots of fish. 이 강에는 고기가 많이 있다. **4** …에 자루[받침나무·개머리판 따위]를 달다 : ~ a rifle 소총에 개머리판을 달다. **5** 〖史〗 차꼬를 채워 망신을 주다. —— *vi.* **1** [+副 / +*for*+名] 구입하다, 사들이다 : We must ~ ***up for*** the winter. 가게에 겨울용 물건을 준비해야겠다. **2** 〖植〗 흡지(suckers)가 나다. —— *adv.* [복합어를 이루어] 완전한 : *stock*-still.
〖OE *stoc*(*c*) stump, stake ; cf. G *Stock* stick, cane〗

stóck accòunt *n.* 《英》 〖簿〗 재고품 계정.

stock·ade [stɑkéid] *n.* **1** (단단한 재목을 조밀하게 세워 늘어놓은) 방책(防柵), 울짱. **2** (가축이나 포로 등을 수용하기 위한) 방책의 울. **3** 말뚝의 방파제. —— *vt.* 말뚝[울타리]을 둘러치다.
〖F *estocade* <Sp. ; STAKE와 같은 어원〗

stóck àgent *n.* 《濠》 가축 매매업자 ; 목축 용품 상인.

stock·a·teer [stɑ̀kətíːər] *n.* 《俗》 (보통 강매하다시피 하는) 협잡꾼 증권 브로커.

stóck bòok *n.* 《英》 재고품[현품] 대장 ; (말·개 따위의) 혈통부.

stóck·brèed·er *n.* 《英》 목축[축산]업자.
-brèed·ing *n.*

stóck·bròker *n.* 주식 중매인, 증권업자(cf. STOCKJOBBER).

stóck bròker bèlt *n.* 《英口》 (도시, 특히 런던 교외의) 고급 주택지.

stóck·bròking, -bròker·age *n.* 주식 중개(업).

stóck càr *n.* (특별 주문차에 대하여) 일반 시판 자동차 ; 스톡카《시판하고 있는 승용차의 엔진 따위를 개조한 경주용 차》.

stóck·càr *n.* 〖美鐵〗 가축(운반)차(=《英》 cattle truck).

stóck certìficate *n.* 《美》 증권, 주권(株券) ; 《英》 공채 증서.

stóck còmpany *n.* 《美》 **1** 주식회사. **2** 레퍼토리식(式) 전속 극단(repertory company).

stóck cùbe *n.* 고형(固形) 수프 원료.

stóck dìvidend *n.* 주식 배당.

stóck dòve *n.* 비둘기의 일종《유럽산(産) 야생 비둘기》.

stóck exchànge *n.* 증권 거래소 ; 거래소의 거래액[가(價)] ; [the S~ E~] 《英》 (특히) 런던의 증권 거래소 : He is on the ~. 그는 증권 거래소 직원이다.

stóck fàrm *n.* 목축장.
stóck fàrming *n.* 목축업, 축산.

stóck fàrmer *n.* 목축업자.

stóck·fish *n.* (소금에 절이지 않은) 건어, 건대구.

stóck·hòld·er *n.* 《美》 주주(=《英》 shareholder) ; 《英》 공채[국채] 소유자 ; 《濠》 (대규모의) 목축업자.
a stockholder of record 〖證〗 등록 주주.

Stock·holm [stɑ́khoulm ; -həum] *n.* 스톡홀름 《스웨덴의 수도》.

Stóckholm sýndrome *n.* 스톡홀름 증후군(症候群)《인질이 범인에게 자진해서 협력하고 이를 정당화하려 하는 심리적 증후군》.

〖1973년 Stockholm에서의 은행강도 사건에서〗

Stóckholm tár[**pítch**] *n.* 스톡홀름 타르《수지제 타르 ; 조선용》.

stóck hòrse *n.* 《美·濠》(소떼를 지키는) 목축말, 목동의 말.

stóck hùt *n.* 《濠·N. Zeal.》 목부(牧夫)[목축업자]의 오두막.

stock·i·net(**te**) [stὰkənét] *n.* Ⓤ 《英》(기계로 짠) 메리야스천《유아복·양말·속옷 따위를 만듦》. 〖*stocking*+*net*〗

***stock·ing** [stάkiŋ] *n.* **1** [보통 *pl.*] 긴 양말, 스타킹《보통 무릎 위까지 올라오는 긴 것 ; cf. SOCK[1]》: a pair of ~*s* 양말 한 켤레 / He stands six feet in his ~*s*[~ feet]. 신발을 벗고 6피트다. **2** (말 따위의 털 색깔이 다른 부분과 다른) 다리털. **~ed** *a.* 양말을 신은. 〖*stock* (dial.) stocking〗

stócking càp *n.* 꼭대기에 술이 달린 겨울 스포츠용 털모자.

stócking fìller *n.* 《英》(양말에 넣는) 크리스마스 선물.

stócking fràme[**lòom, machìne**] *n.* 양말[메리야스] 짜는 기계.

stócking màsk *n.* (강도가 사용하는) 나일론 스타킹 복면.

stóck-in-tráde *n.* Ⓤ 재고품 ; 장사 도구[밑천] ; 《비유》 필요 수단, 상투 수단.

stóck·ish *a.* 어리석은, 둔한 ; 튼튼한. **~·ly** *adv.*

stóck·ist *n.* 《英》(특정 상품의) 보유자, (대량) 매입업자.

stóck·jòbber *n.* [때때로 경멸적으로] 《英》 증권 브로커, 주식 투기꾼 ; 《美》 주식 중매인. **-jòbbing** *n.*

stóck·kèep·er *n.* 가축 사육자 ; 재고품 관리자 ; 목부(牧夫).

stóck·less *a.* (닻 따위) stock이 달려 있지 않은.

stóck lìst *n.* 증권 시세표, 주식 상장표.

stóck·man [-mən, -mæ̀n] *n.* 《주로 濠》 목축업자 ; 목부(herdsman) ; 《英》 재고품 담당자, 재고품[창고]관리원.

stóck màrket *n.* **1** 증권 시장[거래소] ; 주식 매매 ; 《美》 주가, 주식 상장. **2** 가축 시장.

stóck òption *n.* (증자주(增資株)에 대한 회사 임원 등의) 주식 매입 선택권.

stóck pìgeon *n.* =STOCK DOVE.

stóck·pìle *n.* (비상용 또는 부족을 예견한), 비축[축적](량), 비축 원자재〈*of*〉; 원폭 저장. —— *vt., vi.* 재료를 비축하다.

stóck plànt *n.* 〖園藝〗 모주(母株).

stóck·pòt *n.* 수프 냄비.

stóck·pròof *a.* 가축이 빠져 나갈 수 없는《전기 울타리 따위》.

stóck ràising *n.* 목축[가축] 육성(업).

stóck·rìder *n.* 《濠》 말탄 목동.

stóck·ròom *n.* (물자·상품 따위의) 저장실 ; 《美》(호텔 따위의) 상품 전시장.

stóck-ròute *n.* 《濠》(남의 소유지 내의) 목축 이동 통행권.

stóck splìt *n.* 주식 분할《주주(株主)를 상대로 신주를 발행함 ; 액면은 감소》.

stóck-stíll *a.* 전혀 움직이지 않는, 꼼짝않는.

stóck·tàking *n.* Ⓤ 재고 조사(=《美》 inventory) ; (사업 따위의) 실적 평가 ; 현상 파악.

stóck tìcker *n.* 주식 시세 표시기.

stóck·whìp *n., vt.* 《英·濠》 말탄 목동용 채찍(으로 가축을 몰아 모으다).

stócky *a.* 땅딸막한, 단단한(sturdy) ; 〖植〗 튼튼한 줄기의. **stóck·i·ly** *adv.* **stóck·i·ness** *n.*

stóck·yàrd *n.* (도살장 따위에 보내기 위한 임시) 가축 수용소[우리].

stodge [stάdʒ] *n.* **1** Ⓤ 기름진 음식, 실속있는 음식. **2** 읽기[이해하기] 어려운 것, 재미없는 작품, 아둔한 사람. —— *vt., vi.* 게걸스럽게 먹다[마시다] ; 《口》 터덜터덜 걷다. 〖imit. ; (n.) < (v.) ; *stuff*와 *podge*의 혼성인가〗

stódgy *a.* **1** 소화가 잘 안되는, 트릿한(heavy). **2** (글·문체 따위) 지루하게 늘어놓은, 장황한 ; 흥미가 없는, 권태로운(dull) ; 구식인, 격식을 차리는. **3** 《口》(사람 등이) 땅딸막한. **4** (부대에) 가득 꽉 채운. **5** (복장이) 초라한, 멋없는. **stódg·i·ly** *adv.* **-i·ness** *n.*

stoep [stú:p] *n.* 《南아》(보통 지붕이 있는) 현관, 포치(porch). 〖Du.〗

sto·gie, sto·gy, sto·gey [stóugi] *n.* 《美》 **1** 길고 조잡하게 만든 잎담배. **2** 질긴 싸구려 구두. 〖C19 *stoga* ; Pennsylvania 주(州)의 도시 *Conestoga*에서〗

Sto·ic [stóuik] *a.* **1** 스토아 철학[학파]의. **2** [s~] =STOICAL 1. —— *n.* **1** 스토아 철학자. **2** [s~] (스토아류의) 극기[금욕]주의자. 〖L<Gk. (*stoa* portico) ; Zeno가 Athens의 *Stoa Poikilē* Painted Porch에서 가르친 데서〗

stó·i·cal *a.* **1** 극기(克己)의, 금욕적인 ; 냉정한(impassive). **2** =STOIC 1. **~·ly** *adv.* **~·ness** *n.*

stoi·chi·ol·o·gy, 《英》 **-chei-** [stɔ̀ikiάlədʒi] *n.* 요소학(要素學), (특히) 세포 조직[생리]학.

stoi·chio·met·ric, 《英》 **-cheio-**, **-ri·cal** [stɔ̀ikiəmétrik(əl)] *a.* 화학량론(化學量論)의 ; 화학식대로의《화합물》: ~ coefficient 화학량론 계수. **-ri·cal·ly** *adv.*

stoi·chi·om·e·try, 《英》 **-chei-** [stɔ̀ikiάmətri] *n.* 화학량론.

Sto·i·cism [stóuəsìzəm] *n.* **1** 스토아 철학(주의). **2** Ⓤ [s~] 극기, 금욕 ; 냉정, 태연.

stoke[1] [stóuk] *vt.* [+目 / +目+副] (기관차, 난로 따위에) 불을 때다, …에 불을 지피다 ; 《비유》(증오 따위를) 불러일으키다 : ~ (***up***) the furnace 화덕에 불을 지피다. —— *vi.* [動 / +副] **1** 화부 노릇을 하다, 불을 때다 : He ~*s* (***up***) twice a day. 하루에 두번 불을 지핀다. **2** 《口》 음식을 배불리 먹다, 급히 먹다. 〖역성(逆成) < *stoker*〗

stoked [stóukt] *a.* **1** 《俗》 열광하는. **2** 《美俗》 활기 있는, 재미나는(lively). **3** 술취한. **4** (좋은 일이 있어) 어쩔 줄 모르는.

stóke·hòld *n.* (기선의) 기관실, 화부실 ; (배의) 보일러 실.

stóke·hòle *n.* (노(爐)·보일러의) 아궁이 ; =STOKEHOLD.

stok·er [stóukər] *n.* **1** (특히 기관차·기선의) 화부, 기관원. **2** (자동) 석탄 공급기. 〖Du.<MDu. *stoken* to push ; STICK[2]와 같은 어원〗

stokes, stoke[2] *n.* 〖理〗 스토크(스)《운동 점성률(運動粘性率)의 cgs 단위》. 〖Sir George G. *Stokes* (d. 1903) 영국의 물리학자〗

sto·ke·sia [stoukí:ʒiə, stóuksiə] *n.* 〖植〗 스토케시아속의 각종 초본《북미 원산 ; 엉거시과》. 〖Jonathan *Stokes* (d. 1831) 영국의 식물학자〗

STOL [stóul, stɔ́:l ; stɔ́l] *n.* 〖空〗 스톨《단거리 이착륙(기)》: a ~ plane 단거리 이착륙기. 〖*s*hort *t*akeoff and *l*anding〗

‡**stole**[1] *v.* STEAL의 과거형.

stole[2] [stóul] *n.* **1** (여성용) 길고 헐거운 겉옷. **2** 〖카톨릭〗 스톨《성직자가 어깨에 걸쳐 무릎 밑까지 늘어뜨린 띠모양의 천》; 《俗》 성직자복. **3** 〖古로〗 여성용 외투. 〚OE *stol*(*e*)<L *stola*<Gk.=equipment, clothing〛

‡sto·len [stóulən] *v.* STEAL의 과거분사. ── *a.* **1** 훔친, 도둑 맞은 : ~ goods 훔친 물건 / a ~ base 〖野〗 도루(盜壘). **2** 은밀한, 몰래 행해진 : a ~ marriage 은밀한 결혼, 도둑 결혼.

stol·id [stáləd] *a.* 어떤 감정[흥미]도 나타내지 않는, 멍청한, 무신경의, 무감동한, 둔감한(dull); 완강한(stubborn). **~·ly** *adv.* 멍하니; 완강하게. **~·ness** *n.* Ⓤ 둔감, 무신경. **sto·lid·i·ty** [stəlídəti ; stɔ-] *n.* 〚F or L=dull, stupid〛

stol·len [stóulən, ʃtóu-, stɔ́ː-, ʃtɔ́ː-, stʌ́l-] *n.* (*pl.* **~, ~s**) 호도와 과일이 든 달콤한 빵. 〚G=wooden post; 모양이 유사한 데서인가〛

sto·lon [stóulən, -lɑn] *n.* 〖植〗 기는가지[줄기]; (거미줄곰팡이 따위의) 분생자(分生子)를 연결하는 균사; 〖動〗 눈줄기, 주근(走根). 〚L〛

STÓL·pòrt *n.* 스톨용 공항.

stom- [stóum], **sto·mo-** [stóumou, -mə] *comb. form* 「입」「작은 구멍」의 뜻. 〚Gk. (↓)〛

sto·ma [stóumə] *n.* (*pl.* **-ma·ta** [stóumətə, stámə-, stoumáː-], **~s**) 〖解·動〗 (혈관·벽 따위의) 작은 구멍, 기문(氣門); 〖植〗 기공(氣孔). 〚Gk. *stomat- stoma* mouth〛

‡stom·ach [stʌ́mək, -ik] *n.* **1** 위(胃) : be sick at[to] one's ~ 《美》 (속이) 울렁거리다, 메스껍다 / lie (heavy) on one's ~ (음식이) 체하다, 얹히다 / An army marches on its ~. 《비유》 군대는 배가 고파서는 행진할 수 없다, 배가 고프면 싸울 수 없다《Napoleon이 말했다고 전해짐》. **2** 복부, 배, 아랫배 : He lay at full length upon his ~. 그는 길게 배를 깔고 엎드려 있었다. **3** Ⓤ,Ⓒ **a**) 식욕(appetite). **b**) [보통 부정구문으로] 욕망, 기호, 기분(inclination) : I have *no* ~ *for* a fight. 싸울 생각이 없다[기분이 아니다].

on a full*[*an empty*] *stomach 배부를[공복인] 때에 : It's bad to smoke *on an empty* ~. 공복에 담배를 피우는 건 좋지 않다 / You had better not swim *on a full* ~. 배가 부를 때에는 수영을 하지 않는 것이 좋다.

turn** a person's **stomach (남)의 기분을 역겹게 하다.

── *vt.* **1** 먹다, 집어 삼키다, 뱃속에 넣다; …을 소화하다, 새기다. **2** [보통 부정구문으로] (모욕 따위를) 참다(put up with) : Who can ~ such insults? 누가 그런 모욕을 참을 수 있겠는가. 〚OF<L<Gk.=gullet (↑)〛

stómach·àche *n.* Ⓤ,Ⓒ 위통(胃痛), 복통 : have a ~ 위가 아프다 / suffer from ~ 복통으로 고통받다.

stómach crámps *n. pl.* [단수취급] 위경련.

stom·ach·er [stʌ́məkər, -ik-] *n.* 〖史〗 (여성용의) 장식용 가슴옷《15-17세기에 유행하였으며 보석·자수 따위의 장식이 붙어 있음》.

stomacher

stómach·fùl *n.* 배[위]하나 가득한 분량; 한껏 참음, 그 한도.

sto·mach·ic [stəmǽkik] *a.* 위(胃)의; 위에 좋은. ── *n.* 건위제. **sto·mách·i·cal** *a.* **-i·cal·ly** *adv.*

stómach pùmp *n.* 〖醫〗 위 세척기, 위 펌프.

stómach ròbber *n.* 《美俗》 벌채[벌목] 현장의 조리사.

stómach stàggers *n.* 〖獸醫〗 (말의) 위경련.

stómach swèetbread *n.* 송아지의 이자.

stómach tòoth *n.* 《口》 (유아의) 아래 송곳니.

stómach tùbe *n.* 〖醫〗 위관(胃管)《경관(經管) 영양용》.

stómach ùpset *n.* 복통.

stómach wòrm *n.* 〖動〗 (사람·동물 따위에 기생하는) 모양선충(毛樣線蟲), (특히) 염전위충(捻轉胃蟲).

stóm·achy *a.* 올챙이배의; 원기 왕성한; 《英方》 성 잘내는.

sto·mat- [stóumət, stám-], **sto·ma·to-** [stóumətou, stám-, stoumǽtou, -tə] *comb. form* 「입」「작은 구멍」의 뜻. 〚Gk. (*stomat*- STOMA)〛

stom·a·tal [stóumətl, stám-] *a.* STOMA의[를 이루는].

sto·mate [stóumeit] *a.* 작은 구멍[엽공·기공]이 있는. ── *n.* =STOMA.

sto·ma·ti·tis [stòumətáitəs, stàm-] *n.* (*pl.* **-tit·i·des** [-títədìːz], **~·es**) 〖醫〗 구내염(口內炎), 구염. 〚STOMA, *-itis*〛

sto·ma·tol·o·gy [stòumətálədʒi, stàm-] *n.* 〖醫〗 구강병학(口腔病學).

stómato·scòpe [ˌ stoumǽtə-] *n.* 〖醫〗 구강경(口腔鏡).

stom·a·tous [stámətəs] *a.* 작은 구멍[기공(氣孔)]이 있는.

-stome [stòum] *n. comb. form* 「입(mouth)」의 뜻 : cyclo*stome*. 〚Gk.; ⇨ STOMA〛

-s·to·mous [ˊstəməs] *a. comb. form* 「…한[…개의] 입(mouth)이 있는」의 뜻 : mono*stomous*. 〚NL<Gk.〛

stomp [stámp] *n.* 발을 세게 구르는 재즈 춤(곡); 《口》 발구르기(stamp). ── *vt., vi.* 《口》 짓밟다; 육중하게 걷다; 스톰프춤을 추다. 〚(U. S. dial.) STAMP〛

stómp·ers *n. pl.* 《재즈俗》 구두.

-s·to·my [ˊstəmi] *n. comb. form* 〖醫〗 「개구술(開口術)」의 뜻 : entero*stomy*, ileo*stomy*. 〚Gk.; ⇨ STOMA〛

◇stone [stóun] *n.* **1** 돌, 돌맹이. ㊟ ROCK¹의 작은 파편으로 그 작은 것을 pebble, gravel이라고 함 : *S*~*s* will cry out. 〖聖〗 돌이 외치리라, 나쁜 짓을 하면 반드시 발각된다. **2** Ⓤ 석재(石材), 바위 : The fence is made of ~. 그 벽은 석조다. **3** 맷돌; 숫돌; 묘비(墓碑), 기념비, 비석; 〖印〗 석판[정판]석. **4** (컬링(curling) 놀이용) 원석(圓石) (curling stone). **5** 우박, 싸락눈(hailstone). **6** 보석, 옥(玉), 다이아몬드. **7** Ⓤ,Ⓒ 〖醫〗 결석(結石)(병) (calculus). **8** 〖植〗 (과실의) 핵, 씨, 배(胚) (cf. STONE FRUIT). **9** [보통 *pl.*] 《卑》 고환(testicles). **10** (*pl.* ~) 《英》 스톤. ㊟ 중량단위; 1 스톤은 보통 14 파운드로 특히 체중을 나타내는데 쓰인다; 육류는 8, 치즈는 16, 건초는 22, 양털은 24파운드; st. 라 약한다 : a man of 12 *st.* 체중 12스톤인 남자.

a heart of stone 무정[냉혹]한 사람.

(*as*) *cold*[*hard*] *as* (*a*) *stone* 돌처럼 차가운[단단한·무정한].

break stones (도로 따위에 까는) 돌을 부수다; 《비유》 가장 천한 일을 하다.

cast the first stone 〖聖〗 맨 먼저 비난하다.

***cast*[*throw*] *stones*[*a stone*]** …에게 돌을 던지다; 비난하다〈*at*〉.

give a stone and a beating to... 《원래 競馬·俗》…에게 손쉽게 이기다.
give a person ***a stone for bread*** 〖聖〗 빵을 구하는 자에게 돌을 주다, 돕는 체하면서 남을 우롱하다.
leave no stone unturned ☞ LEAVE[1].
mark (***a day***) ***with a white stone*** ☞ WHITE.
—— *attrib. a.* **1** 돌의, 석재의, 석조의, 돌로 만든 : a ~ building 석조 건물 / a ~ jar 자기제의 단지. **2** 완전한, 철저한 ; 《美黑人俗》 훌륭한, 매력적인. **3** [때때로 S~] 석기(石器) 시대의 : *S~* culture 석기 문화.
—— *adv.* 완전히, 아주.
—— *vt.* **1** …에 돌을 던지다 ; 돌로 쳐죽이는 형벌에 처하다 : ~ a person to death 사람을 돌로 쳐서 죽이다. **2** (과일의) 씨를 발라내다 : ~*d* dates 씨를 뺀 대추야자. **3** …에 돌을 놓다[깔다], 돌로 굳히다.
〚OE *stān* ; cf. G *Stein*〛
stone- [stóun] *comb. form* 「완전히」「아주」의 뜻. 〚↑〛
Stóne Àge *n.* [the ~] 〖考古〗 석기 시대 (cf. ICE AGE, BRONZE AGE, IRON AGE).
stóne àx[àxe] *n.* (석공용의) 돌을 자르는 도끼 ; 〖考古〗 돌로 만든 도끼.
stóne-blínd *a.* 아주 눈이 먼 ; 《美俗》 만취하여. 〚ME〛
stóne·bòat *n.* 《美》 돌덩이[무거운 물건] 운반용 바닥이 평평한 썰매.
stóne·brèak·er *n.* (도로의 표면을 마무리하기 위해) 돌을 부수는 사람 ; 쇄석기(碎石機).
stóne-bróke *a.* 《俗》 빈털터리의, 파산한, 몰락한 ; 텅 빈.
stóne brùise *n.* 돌을 밟아 생긴 상처.
stóne·càst *n.* =STONE'S THROW.
stóne·càt *n.* 〖魚〗 메기의 일종《미국산》.
stóne·chàt *n.* 〖鳥〗 검은딱새.
stóne chína *n.* 경질 백색 도기(陶器).
stóne cìrcle *n.* 〖考古〗 환상 열석(環狀列石), 스톤 서클.
stóne còal *n.* 무연탄(anthracite).
stóne-cóld *a.* (돌처럼) 차가운, 죽은. —— *adv.* 완전하게.
stóne·cròp *n.* 〖植〗 꿩의비름.
stóne crùsher *n.* 쇄석기(碎石機).
stóne·cùtter *n.* 석공 ; 돌자르는 기계.
stoned [stóund] *a.* 씨를 제거한 ; 《俗》 술취한 ; 《俗》 마약으로 황홀해진.
stoned out of mind 정신없이 취하여 ; 마약 기운이 돌아.
stóne-déad *a.* 완전히 죽은.
stóne-déaf *a.* 아주 귀먹은.
stóne fènce *n.* 《美》 돌담 ; 《美俗》 위스키와 사과주 따위의 혼합주.
stóne·flỳ *n.* 〖昆〗 강도래《낚시 미끼용》.
stóne frùit *n.* 〖植〗 핵과(核果) (drupe) 《매실·복숭아 따위》.
Stone·henge [stóunhèndʒ ; ⌐⌐] *n.* 〖考古〗 스톤헨지《잉글랜드 Wiltshire의 Salisbury 평원에 있는 거대한 돌기둥들 ; 석기시대 후기의 것이라 함》.
stóne-hòrse *n.* 《古·方》 종마(種馬) (stallion).
stóne·less *a.* 돌[보석]이 없는 ; (과실이) 씨[핵]가 없는.
stóne·man [-mən] *n.* 석수 ; 정판공 ; (이정표로서의) 돌무더기(cairn).
stóne màrten *n.* 〖動〗 (유럽·아시아산) 목·가슴이 흰 담비 ; Ⓤ 그 모피.
stóne·màson *n.* 석공, 석수, 채석공. **~·ry** *n.* Ⓤ 석공술 ; 석조 건축.
stóne pìne *n.* 〖植〗 (지중해 연안 원산) 소나무의 일종《꼭대기가 우산 모양》.
stóne pìt *n.* 채석장(quarry), 쇄석장.
stóne plòver *n.* 바닷가에 사는 각종 새.
stóne sàw *n.* 돌 (자르는) 톱.
stóne-sòber *a.* 전혀 취기 없는[취하지 않은].
stóne's thrów[cást] *n.* 돌을 던지면 닿을 만한 거리《약 50-150 야드》, 근거리 : at a ~ 가까운 거리에 / within a ~ *of*[*from*] …의 바로 가까이에, …의 지척에.
stóne wáll *n.* 《美北部》 돌담 ; 돌벽, (특히) 막돌을 쌓아 올리기만한 담 ; (정치적인) 큰 장애, 넘기 어려운 벽.
stóne·wáll [, ⌐⌐] *a.* 돌담의 ; 견고한 ; 완고한.
—— *vt., vi.* 〖크리켓〗 신중히 공을 치다 ; 《英》 (의사(議事) 진행을) 방해하다 (=《美》 filibuster) ; 《美口》 (심리·조사를) 방해하다 ; 말로 발뺌하다 ; 꼬리를 잡히지 않도록 행동하다. **~·er** *n.* **~·ing** *n.* Ⓤ 〖크리켓〗 신중하게 공을 치기 ; 《英》 의사 방해 ; (사임을) 완강히 거절함.
stóne·wàre *n.* Ⓤ 돌그릇, 석기 ; 사기 그릇(cf. EARTHENWARE). —— *a.* 석기의.
stóne·wòrk *n.* Ⓤ 석조(건축)물, 돌[보석] 세공 ; [*pl.*] 석재(石材) 공장 : a piece of ~ 돌 세공품.
stóne·wòrt *n.* 〖植〗 차축조[쇠뜨기말]《담수산의 녹조류》.
stonk [stáŋk] *n., vt.* 맹폭격[집중포격](하다).
stonk·er [stáŋkər] *vt.* 《濠俗》 후려갈기다, 혼내주다 ; 좌절시키다(baffle) ; …의 의표를 찌르다 (foil). **~ed** *a.* 《濠俗》 때려 눕혀진, 한대 먹은 ; 기진맥진한.
〚C20 < ?〛
***stony, ston·ey** [stóuni] *a.* (**stón·i·er ; -i·est**) **1** 돌의, 돌이 많은 : a ~ road 돌이 많은 길. **2** (과일이) 씨가 많은. **3** 돌처럼 단단한. **4** 냉혹한, 잔인한, 비정한 ; 완고한. **5** 부동의(motionless) ; 무표정한. **6** (공포·슬픔 따위가) 얼어붙게 하는, 망연자실하게 하는.
stón·i·ly *adv.* **-i·ness** *n.*
stóny-bróke *a.* 《英俗》 =STONE-BROKE.
stóny-héart·ed *a.* 냉혹한.
◇stood *v.* STAND의 과거·과거분사.
stooge [stú:dʒ] *n.* **1** 《美口》 광대의 놀림을 받는 상대역. **2** 《美口》 이름뿐인 두목, 꼭두각시, 앞잡이 ; =STOOL PIGEON 2. **3** 《英俗》 비행 연습생.
—— *vi.* **1** 《美口》 조연역을 하다〈*for*〉 ; …의 추종자[꼭두각시] 노릇을 하다. **2** 《英俗》 비행기로 선회하다, 정처없이 돌아다니다〈*around, about*〉.
〚C20 < ? ; 원래 《美》〛
stook [stú(:)k] *n.* 낟가리(shock)《보통 12단》.
—— *vt., vi.* 가리로 쌓다.
***stool** [stú:l] *n.* **1** 등받이가 없는 의자, 스툴 : a bar ~ 바의 걸터 앉는 나무의자. **2** 발판 ; 무릎 기대는 대. **3** 변기, 변소(toilet) ; [때때로 *pl.*] 변보기 ; Ⓤ 대변. **4** 후림새의 홰 ; 《美》 후림새, 앞잡이. **5** 그루터기, (움이 돋는) 등걸, 뿌리 ; 밑둥[등걸]에서 돋는 움. **6** 《美》 창 문지방. **7** 권좌, 권위. **8** 《美》 사복(경찰).
fall (***to the ground***) ***between two stools*** 양다리 걸치다가 모두 실패하다.
go to stool 용변보다, 변소에 가다.
—— *vi.* **1** 싹이 나다. **2** 《古》 배변하다, 변소에 가다. **3** 《美俗》 스파이[밀고자] 노릇을 하다.

—— *vt.* (들새 따위를) 미끼로 유인하다.
〖OE *stōl*; cf. G *Stuhl*〗

stóol·bàll *n.* Ⓤ 크리켓 비슷한 옛날 구기(球技)《16세기경 주로 여자들이 했던 게임; 지금도 Sussex에 남아 있음》.

stóol·ie, -ey *n.* 《美俗》 =STOOL PIGEON.

stóol pìgeon *n.* **1** 후림새[미끼]로 쓰는 비둘기; 《비유》 끄나풀, 변절자, 바람잡이(decoy). **2** 《美口》 (경찰의) 스파이, 밀고자.

stoop**[1] [stúːp] *vi.* **1** [動 / +副 / +副+前+名 / +*to* do] 구부리다, 웅크리다; 몸을 앞으로 구부리다, (특히) 새우등이다: That man ~*s* from age. 그 남자는 나이가 들어 허리가 굽어 있다 / He ~*ed* ***down and picked up a pencil. 몸을 구부려 연필을 주워 올렸다 / He ~*ed* ***over*** a desk. 책상에 엎드렸다 / He ~*ed to* pick a flower. 꽃을 꺾으려고 몸을 구부렸다. **2** [+前+名 / +*to* do] 자기를 낮추어[수치를 무릅쓰고] …하다; 《古》 굴복[굴종]하다: ~ ***to*** meanness 부끄러워 해야 할 야비한 짓을 감히 하다 / He would ~ *to* anything. 그는 어떤 굴욕도 참아내는 사나이다 / He ~*ed to* do the base thing. 비열한 행위도 불사하였다 / ~ *to* conquer ☞ CONQUER. **3** 《古·詩》 [動 / +前+名] 달려들다: A big eagle ~*ed* ***at***[(***up***)***on***] a prey. 큰 독수리가 먹이에게 달려들었다. —— *vt.* (머리·목·어깨·배를) 웅크리다, 구부리다: ~ oneself [one's head] 몸을 웅크리다. —— *n.* **1** [단수형으로 써서] 앞으로 굽은 사람, 곱사등이, 꼽추: Age begets a ~. 나이를 먹으면 등이 굽는다 / Try not to walk with a ~. 몸을 구부리고 걷지 않도록 하라. **2** 굴복; 자기를 낮춤. **3** 《古》 (매·독수리 따위의) 습격, 급습. **~·er** *n.* stoop하는 사람; 《俗》 (버려진 적중권(的中券)을 찾는) 마권(馬券)주이. **~·ing·ly** *adv.* 구부리고.
〖OE *stūpian*; STEEP[1]과 같은 어원〗

stoop[2] *n.* 《美·Can.》 현관 입구의 계단; 현관 툇마루, 작은 포치(porch).
〖Du. STOEP; cf. STEP〗

stoop[3] ☞ STOUP.

stóop cròp *n.* 몸을 구부리고 가꾸거나 수확하여야 하는 농작물《야채 따위》.

stóop làbor *n.* 몸을 구부리고 일하는 노동(자).

◇**stop** [stáp] *v.* (**-pp-**) *vt.* **1** (움직이고 있는 것을) 멈추게 하다; 서게 하다: ~ a car[a train, a horse, an engine] 자동차[열차, 말, 엔진]를 멈추게 하다 / ~ a person's breath 남의 숨통을 끊다 / ~ a blow with one's head 《戲》 머리에 일격을 얻어맞다 / *S*~ thief! 도둑이야! 《추적자가 지르는 소리》 / He was running so fast that he could not ~ himself. 그는 너무 빨리 달리고 있었으므로 정지할 수 없었다.
2 [+目 / +do*ing*] 그만두다, 중지하다(↔*continue*): He ~*ped* work. 그는 일을 중지하였다 / I ~*ped* drink*ing*. 금주하였다(☞ 活用) / It has never ~*ped* rain*ing* all day. 하루종일 그치지 않고 비가 계속 내리고 있다.
3 중단하다, 정지하다: ~ supplies 공급을 중단하다 / ~ a person's wages 급료 지급을 정지하다 / ~ a check 은행에 수표의 지급을 정지시키다 / Some of the banks ~*ped* payment. 은행 중에는 지급을 정지한 곳도 있었다.
4 [+目 / +do*ing* / +目+*from*+名 / +目+do*ing*] 방해하다(prevent), 억제하다(restrain): ~ a quarrel 싸움을 말리다 / Nothing will ~ his go*ing*[~ him ***from*** go*ing*, ~ him go*ing*]. 어떤 일이 있더라도 그는 갈 것이다 / She could not ~ herself *from* cry*ing* aloud. 그녀는 무의식중에 큰 소리로 울부짖었다.
5 [+目 / +目+副] (구멍 따위를) 메우다, 막다, 메워넣다, (나오는 것을) 멎게 하다: ~ a bottle 병에 마개를 하다 / ~ a leak in a pipe 파이프의 물이 새는 것을 막다 / He ~*ped* his ears. 귀를 틀어 막았다 / I must have my tooth ~*ped*. 이를 치료하여 (구멍을) 메우지 않으면 안된다 / ~ (***up***) a hole 구멍을 막다.
6 〖樂〗 음을 바꾸기 위하여 (바이올린의 현이나 플루트의 구멍 따위를) 손가락으로 누르다[막다].
7 〖펜싱〗 공격을 받아 막다.
8 〖카드놀이〗 (브리지에서) …에 스톱을 걸다.
9 〖拳〗 녹아웃시키다.
10 《英》 …에 구두점을 찍다(punctuate).
11 〖海〗 (밧줄로) 동여매다.
12 〖證〗 역지정가(逆指定價) 주문을 하다.
—— *vi.* **1** [動 / +前+名 / +*to* do] (움직이고 있는 것이) 서다, 정지하다; (하고 있는 일을) 중지하다; 쉬다: The sound made him ~ short [dead]. 그 소리를 듣고 그는 딱 멈추어 섰다 / This train does not ~ ***at*** each station. 이 열차는 역마다 정차하지 않는다 / We ~*ped to* talk. 이야기를 하기 위하여 멈추었다(☞ 活用) / We seldom ~ *to* think how different these two worlds are. 이 두 세계가 어떻게 다른가를 생각해 보는 일은 거의 없다.
2 그치다, 중지하다: The snow has ~*ped* (=It has ~*ped* snowing). 눈이 멎었다 / The music ~*ped* suddenly. 갑자기 음악이 멎었다.
3 《口》 [+前+名 / +副] 숙박하다, 머무르다(stay): ~ ***at*** a hotel 호텔에 투숙하다 / I am ~*ping* ***with*** my uncle. 나는 아저씨댁에서 신세를 지고 있다.
stop a bullet[***shell***] 《軍俗》 탄환에 맞아 죽다[부상당하다].
stop by =***stop in*** 《美》 방문하다.
stop down 〖寫〗 (렌즈를) 죄다.
stop a person***'s mouth*** 남을 침묵시키다, 입막음하다.
stop off (1) 《美口》 =STOP *over* (1). (2) (거푸집 따위의 일부에) 모래[흙 따위]를 채우다.
stop one 《俗》 =STOP *a bullet*.
stop out (1) 차단하다. (2) (사진판 따위의 일부를) 가리다; 밖에 나가 있다; 대학을 휴학하다. (3) 〖證〗 역지정가 주문에 따라 유가증권을 팔다.
stop over 《美》 (1) 《口》 도중 하차하다(stop off): ~ *over at* Baltimore 볼티모어에서 도중 하차하다. (2) (여행지에서) 잠시 머물다.
stop the way 길[통로]을 막다; 일의 진행을 방해하다.
stop to look at a fence ☞ FENCE *n.*
stop up (구멍 따위를) 막다(cf. *vt.* 5); (밤에) 일어나 있다(stay up).
—— *n.* **1** 중지, 휴지; 정지, 끝; 정차, 착륙: The train goes through without a ~. 열차는 도중에 정차하지 않고 직행한다. **2** 정거장, 정류장, 착륙장: a bus ~ 버스 정류장 / I am going to get off at the next ~. 다음 정류장에서 내립니다. **3** 마개, 틀어막음. **4** 방해(물), 장애(물), 방지. **5** 〖樂〗 손가락으로 현(絃)을 눌러 음을 바꾸기; (오르간) 스톱; 《주로 英》 기러기발. **6** 《英》 말투, 어조, 음조. **7** 《주로 英》 구두점, (특히) 마침표: come to a full ~ (문장이) 끝나다. **8** 〖建〗 문소란; (서랍 따위의) 소란. **9** 〖海〗 지삭(止索), 괄삭(括索). **10** 〖光·寫〗 조리개. **11** 〖音聲〗 폐쇄음《[p, b, t, d, k, g]; cf. PLOSIVE,

CONTINUANT》. **12** 〖펜싱〗 받아 막아내기. **13** 〖機〗 조정 장치, 멈춤쇠, 쐐기 못. **14** 〖컴퓨〗 멈춤. **15** 〖證〗 =STOP ORDER.
at a stop 정지 중인, 나아가지 않는.
bring [***come***] ***to a stop*** 멈추게 하다, 멈추다.
put [***give***] ***a stop to*** …을 멈추게 하다, 중지시키다, 종료시키다 : We must *put a* ~ *to* this situation(=bring this situation to a ~). 이 사태를 중지시키지 않으면 안된다.
without a stop 끊임없이 ; ☞ 1.
—— *a.* 정지의, 정지를 가리키는.
~·less *a.* **stóp·pa·ble** *a.*
〖OE -*stoppian* (cf. G *stopfen*, Du. *stoppen*) <L *stuppo* to stop with a tow (⇨STUFF)〗
[活用] stop do*ing* (*vt.* 2)과 stop *to* do (*vi.* 1)와의 차이에 주의 : I *stopped* smok*ing*. (금연하였다) / I *stopped* to smoke. (담배를 피우기 위하여 멈췄다[하던 일을 중지하였다], (하던 일을 중지하고) 담배를 피웠다).
[類義語] ***stop*** 동작·운동·전진하는 것을 멈추다 ; 가장 일반적인 말 : The clock has *stopped*. (시계가 멈추었다). ***cease*** 어떤 상태나 운동이 영구히 끝나다 ; stop 보다 격식을 차린 말 : We all hope that the war will *cease*. (우리는 모두 전쟁이 끝나기를 바란다). ***pause*** 일시 중지[휴지]하다, 재차 운동[행진]을 개시하는 것을 암시하다 : He *paused* to take a snap of scene. (그는 그 장면을 찍으려고 잠시 멈추었다).

stòp-and-gó [-ən-] *a.* (혼잡한 교통 때문에) 자주 멈췄다 가는, 가다가 쉬곤 하는, (교통) 신호 규제의 : ~ traffic 교통 정체.
stóp bàth *n.* 〖寫〗 (현상) 정지욕(停止浴) [액].
stóp·còck *n.* 콕(cock) 마개[꼭지].
stóp-cỳlinder prèss *n.* 〖印〗 정지 원통 인쇄기.
stóp drìll *n.* 스톱이 붙어 있는 드릴《일정 한도 이상 들어가지 않게 된》.
stope [stóup] *n.*, *vi.*, *vt.* (계단식) 채굴[채광]장(에서 채광하다).
〖? LG *stope* ; cf. STEP〗
stóp èlement *n.* 〖컴퓨〗 정지 요소《비동기식 직렬 전송에서 문자의 끝에 놓이는 요소》.
stop·er [stóupər] *n.* 착암기, 스토퍼《본래 채광장을 파는 데 사용되었음》.
stóp·gàp *n.* **1** 구멍 메우개. **2** 메우는 물건, 임시 변통. —— *attrib. a.* 임시변통의, 미봉책의.
stóp-gò *a.*, *n.* 《英》 (진보·활동 따위) 단속적인 ; 스톱고 정책(의)《경제의 긴축과 완화가 번갈아 행해짐》.
stóp-go sìgn *n.* 《英口》 교통 신호.
stóp knòb *n.* (오르간 따위의) 스톱 핸들.
stóp·lìght *n.* (교통의) 정지신호 ; (자동차 후미의) 정지등, 브레이크 라이트《브레이크를 밟음과 동시에 켜지는 빨간 표지등(燈)》.
stóp-òff *n.* 《口》 =STOPOVER.
stóp òrder *n.* 〖證〗 역지정가 주문(逆指定價注文) ; 지급 정지 지시.
stóp·òut *n.* 《美大學》 일시 휴학생《딴 일을 하기 위해 단기간 동안 학업을 중단하는》.
stóp·òver *n.* 《美》 도중 하차(표).
stop·page [stápidʒ] *n.* **1** [U,C] 멈춤, 정지, 중단, 끊김. **2** [U,C] (쟁의 중의) 휴업, 동맹 파업. **3** [U,C] 지급 정지, 공제 지급.
stóp páyment *n.* 〖商〗 (특정한 수표의) 지급 정지 지시.
stóp·per *n.* **1** 막는 사람, 방해자[물], (기계 따위의) 정지 장치. **2** (병·통 따위의) 마개(plug). **3** 〖海〗 지삭(止索). **4** 스토퍼《파이프에 담배를 담는 도구》. **5** 〖野〗 구원 투수. **6** 사람의 주의[관심]를 끄는 것[사람].
put a stopper on …을 멈추게 하다, …에 마개를 하다 ; 《비유》 (사람을) 꼼짝[아무 소리] 못하게 하다.
—— *vt.* **1** …에 마개를 하다[달다]. **2** 〖海〗 지삭(止索)을 매다[으로 누르다]. **~·less** *a.*
stóp·ping *n.* **1** [U] 멈추기, 정지, 중지 : without ~ 멈추지 않고, 쉬지 않고. **2** [U] 막기, 메우기, 충전(充塡), (특히 이의) 충전물. **3** [U] 《주로 英》 마침표를 찍기(punctuation). **4** [U] 〖樂〗 스토핑《손가락으로 현(絃)을 누르기》. **5** 〖鑛〗 차단벽, 판자 놀이《가스[공기]의 흐름·화염 따위를 차단하는 막이》.
stópping tràin *n.* 《英》 완행 열차.
stóp plàte *n.* 바퀴의 굴대받이.
stop·ple [stápəl] *n.* 마개 ; 《美》 귀마개. —— *vt.* …에 마개를 하다.
stóp prèss *n.* 《英》 〖新聞〗 윤전기를 멈추고 삽입한 최신[정정]기사, 마감 후의 중대 뉴스.
stóp-prèss *a.* 《英》 윤전기를 멈추는 ; 최신의.
stóp sìgn *n.* 《美》 (도로의) 일시 정지 표지.
stóp-stárt *a.* (자동차 따위의 진행이) 느릿느릿한.
stóp strèet *n.* (우선 도로(through street)에 진입하기 전에) 일단 정지해야 하는 도로.
stopt [stápt] *v.* 《古》 STOP의 과거·과거분사.
stóp tìme *n.* 〖재즈〗 스톱 타임《비트가 일시 정지하는 악절》.
stóp vàlve *n.* (유체의) 스톱 밸브.
stóp vòlley *n.* 〖테니스〗 날아오는 공을 네트에서 바로 때려 치기.
stóp·wàtch *n.* (경기용) 스톱워치.
stor. storage.
stor·able [stɔ́:rəbəl] *a.* 저장할 수 있는. —— *n.* [*pl.*] 저장할 수 있는 것.
***stor·age** [stɔ́:ridʒ] *n.* **1** [U] **a**) 저장, 보관 : in cold ~ 냉장되어 / information ~ 정보 저장[축적] (cf. RETRIEVAL 2). **b**) 창고보관 : put one's furs in ~ 모피류를 창고에 보관하다. **c**) 창고의 수용능력 ; 보관료. **2** 저장소, 창고. **3** [U] 〖電〗 축전. **4** [U,C] 〖컴퓨〗 기억 장치 ; 기억 (저장).
〖STORE〗
stórage bàttery *n.* 축전지.
stórage capàcity *n.* 〖컴퓨〗 기억 용량.
stórage cèll *n.* 〖電〗 축전지 ; 〖컴퓨〗 기억 소자.
stórage devìce *n.* 《英》 〖컴퓨〗 기억 장치 (memory).
stórage hèater *n.* 축열(蓄熱) 히터.
stórage rìng *n.* 〖理〗 스토리지 링《고에너지의 하전입자를 장시간 저장하는 초고진공(超高眞空) 용기가 있는 싱크로트론》.
stórage tànk *n.* 저장 탱크.
stórage tràck *n.* 역 구내의 배차 대기용 선로.
stórage ùnit *n.* 〖컴퓨〗 기억 장치.
sto·rax [stɔ́:ræks] *n.* [U] 소합향(蘇合香) ; 〖植〗 때죽나무. 〖L (변형(變形) <STYRAX〗
storch [stɔ́:rtʃ] *n.* 《美俗》 보통 사람[남자] (Joe Storch) ; 봉, 이용하기 쉬운 사람(mark).
◇**store** [stɔ́:r] *n.* **1** 《美》 **a**) 상점, 소매점 : a candy ~ 과자 가게(=《英》 sweetshop) / a general ~ 잡화점 / buy things *at* a ~ 상점에서 물건을 사다. **b**) [형용사적으로] 기성품인, 대량 생산품의 : a ~ bed 기성침대 / ~ clothes 기성복 / a ~ tooth 의치. **2** [*pl.*] (의·식 따위) 필수품의 비축, 준비 ; [때때로 *pl.*] (식료 따위) 저축, 저장, 비축 : have ~*s* [a great ~] *of* wine 포도주를 대량으로 저장하고 있다 / lay in a ~ *of* fuel 연

료를 사들이다 / lay in ~*s* for the winter 월동 준비에 필요한 물품을 사들이다. **3** [때때로 *pl.*] (지식 따위의) 축적, 온축(蘊蓄), 다량(cf. STOREHOUSE) : a ~ *of*[~*s of*] apples 대량의 사과. **4** [*pl.*] 용품, 비품 : ship's ~*s* 선박용품 / marine ~*s* (고선구점(古船具店)에서 파는) 고선구(古船具). **5** [*pl.*, 때때로 S~s] 《英》 백화점(=《美》 department ~) : I get most things at the ~*s.* 대부분의 물건들을 백화점에서 삽니다. **6** 창고(warehouse). **7** 《주로 英》 =MEMORY 7 b). **8** [때때로 *pl.*] 《英》 살찌우기 위해 사들인 여윈 소. **9** 〔컴퓨〕 기억 장치.

in store 비축하여, 준비하여(↔*out of store*) : Nobody knows what the future may hold *in* ~. 장래 어떤 일이 일어날지 아무도 모른다 / There was a big surprise *in* ~. 실로 뜻밖의 일이 기다리고 있었다 / lay up...*in* ~ …을 소중하게 간직해 두다.

in store for …에 닥쳐오려 하고 있는 : I have a surprise *in* ~ *for* you. 자네를 놀라게 할 일이 있다네.

keep a store 《美》 점포를 가지고 있다.

keep store 《英》 가게를 보다.

lay store by[(***up***)***on***]. . . =*set* STORE *by* [(*up*)*on*]….

out of store 준비[마련]하지 않고(↔*in store*).

set store by[(***up***)***on***] …을 중요시하다, 소중히 하다 : *set* great[much] ~ *by* …을 몹시 존중하다 / *set* no[little] ~ *by* …을 조금도[별로] 중요시하지 않다, …을 경시하다.

── *vt.* **1** [+目/+目+副/+目+前+名] 비축하다 : ~ ***up*** fuel ***for*** the winter 겨울에 대비하여 연료를 비축하다. **2** [+目+前+名] 공급하다, 준비하다 : ~ the mind ***with*** knowledge 지식을 쌓다. **3** (가구 따위를) 창고에 보관하다. **4** 넣다, 넣을 여지가 있다(hold) ; 〔電〕 축전하다 ; 〔컴퓨〕 기억장치에 넣다[넣어두다]. ── *vi.* 저장[비축]해두다.

〚OF *estorer*<L *instauro* to renew ; cf. RESTORE〛

stóre-and-fórward sỳstem *n.* 〔通信〕 수신한 메시지를 일시 축적했다가 필요에 따라 송출하는 통신 방식.

stóre-bóught *a.* 가게에서 산[살 수 있는], 만들어 파는, 기성품의(cf. HOMEMADE).

stóre càttle *n.* 《英》 살찌워 팔기 위해 사육하는 마른 소.

stóre·frònt *n.* (길에 면한) 점포(건물)의 정면 ; 거리에 면한 건물[방 따위].

── *a.* 점포 정면에 설치된.

stóre·hòuse *n.* 창고 ; 《비유》 (지식 따위의) 보고(寶庫)〈*of*〉.

stóre·kèep·er *n.* **1** 《美》 상점 주인, 소매 상인(shopkeeper) ; (일반적으로) 상인. **2** 창고 관리인 ; 〔美海軍〕 (군함 보급기지의) 보급계.

stóre·ròom *n.* 저장실, 광.

stóre·shìp *n.* 군수 물자 수송선.

stóre·wìde *a.* 《美》 점포 전체의 : a ~ sale 전(全) 점포 대매출.

***storey** ☞ STORY[2].

stó·ried[1] *a.* …층의 : a two-[three-]~ house 2층[3층]집(=《美》 a two-[three-]story house).

storied[2] *a.* 이야기[역사·전설 따위]로 유명한 ; 역사적 주제를 다룬 회화[조각]로 장식한.

sto·ri·ette, -ry- [stɔ̀ːriét] *n.* 단편 소설, 짧은 이야기.

sto·ri·ol·o·gy [stɔ̀ːriálədʒi] *n.* 민화[전설] 연구.

stork [stɔ́ːrk] *n.* 〔鳥〕 황새《둥지를 튼 집에는 행운이 온다는 속신이 있으며, 아이들은 갓난아기를 황새가 갖다주는 것이라고 배움》 : The ~ came (to our house) last night. 지난 밤에 갓난아기가 태어났다.

a visit from the stork 아기가 태어나기.

〚OE *storc* ; STARK와 관계있음(그 경직된 느낌의 다리와 모습에서인가) ; cf. G *Storch*〛

stórks·bìll *n.* 〔植〕 양아욱 ; 화란쥐손이풀.

‡**storm** [stɔ́ːrm] *n.* **1** 폭풍(우) : A terrible ~ caught the party on their way back. 일행은 돌아오는 길에 무서운 폭풍우를 만났다 / After a ~ (comes) a calm. 《속담》 고생 끝에 낙이 온다. **2** 호우(豪雨), 큰 눈보라. **3** 〔海·氣〕 폭풍(cf. CYCLONE, HURRICANE, TYPHOON). **4** (탄환·갈채·꾸짖음·격정 따위가) 빗발 치듯함 : a ~ *of* hand clapping 우레와 같은 박수. **5** 〔軍〕 강습(強襲), 습격. **6** 소동, 파란.

a storm in a teacup 집안싸움, 사소한 파란, 헛소동(cf. TEMPEST 숙어).

take. . .by storm 〔軍〕 강습하여 …을 탈취하다 ; 《비유》 …을 심취케 하다.

up a storm 《口》 극도로, 넘칠만큼 많이.

── *vi.* **1** (날씨가) 험악해지다 : It ~*ed.* 《美》 폭풍우가 일었다. **2** [動/+*at*+名] 마구 꾸짖다 : ~ ***at*** a person 남을 마구 꾸짖다. **3** [+副/+前+名] 날뛰다 ; 난폭하게 …하다 : ~ ***out***[***out of*** a room] (성나서·난폭하게) 뛰어 나가다[방에서 뛰어 나가다] / ~ *upward* (비행기 따위가) (힘차게) 날아오르다 / The mob ~*ed* ***through*** the streets. 폭도들이 거리를 휩쓸며 다녔다.

── *vt.* **1** 습격하다, 강습하다 : The enemy ~*ed* the castle. 적이 그 성을 습격하였다. **2** [+目+前+名] 난폭하게 밀려들다 : The soldiers ~*ed* their way ***into*** the fortress. 병사들은 요새로 물밀듯이 쳐들어갔다.

〚OE<Gmc. (《美》 *stur-* to STIR[1]) ; cf. G *Sturm*〛

類義語 ⟹ WIND[1].

stórm and stréss *n.* [the ~] 동요, 동란 ; [혼히 the S~ and S~] =STURM UND DRANG.

stórm-bèaten *a.* 폭풍우에 휩쓸린.

stórm-bèlt *n.* 폭풍우대(帶).

stórm bòat *n.* (상륙 작전용) 돌격정(艇).

stórm·bòund *a.* 폭풍우에 오도가도 못하는, (배가 항구에) 폭풍우로 발이 묶여 있는.

stórm cèllar[**càve**] *n.* =CYCLONE CELLAR.

stórm cènter *n.* **1** 폭풍의 중심부, 태풍의 눈. **2** 소동의 중심 인물[문제], 논의의 핵심.

stórm clòud *n.* 폭풍을 몰고 오는 구름 ; [*pl.*] 동란의 전조.

stórm·còck *n.* 〔鳥〕 (유럽산) 겨우살이지빠귀.

stórm còllar *n.* 스톰 칼라《웃옷의 높은 깃》.

stórm còne *n.* 《英》 (원뿔 모양의) 폭풍우 경보 표지.

stórm dòor *n.* (눈보라·찬 바람을 막는) 덧문.

stórm drùm *n.* 폭풍(우) 경보 원통 표식.

stórm·er *n.* 난폭한 사람 ; 습격자, 돌격 대원.

stórm·ing pàrty *n.* 〔軍〕 습격대, 공격 부대.

stórm làntern[**làmp**] *n.* 《英》 (휴대용) 방풍(防風) 랜턴.

stórm pétrel *n.* =STORMY PETREL 1.

stórm·pròof *a.* 폭풍우에 견디는.

stórm sàsh *n.* =STORM WINDOW.

stórm sìgnal *n.* 폭풍 신호.

stórm sùrge *n.* 폭풍 해일, 고조(高潮).

stórm-tòssed *a.* **1** 폭풍에 휘둘린. **2** 마음이 크게 동요하는.

stórm tròoper *n.* (나치스의) 돌격대원.
stórm tròops *n. pl.* (나치스의) 돌격대.
stórm wàrning *n.* 폭풍우 경보 ; 동란[분쟁·골칫거리]의 전조.
stórm wìnd *n.* 폭풍우 전의 바람 ; 폭풍.
stórm wìndow *n.* (폭풍·추위를 막는) 겹창, 덧문 ; 지붕에 낸 창.
***stórmy** *a.* **1** 폭풍우의(↔*calm*) ; 폭풍우로 해상이 거칠어진, 폭풍우를 수반하는, 폭풍우가 일 듯한 : It was a ~ night. 폭풍우치는 밤이었다. **2** 폭풍우 같은, 미쳐 날뛰는 ; 소란스러운, 동요하는 ; (정열 따위가) 격렬한, 논쟁적인 : a ~ life 파란 만장한 생애 / a ~ debate 격론.
stórm·i·ly *adv.* **-i·ness** *n.*
stórmy pétrel *n.* **1** 〔鳥〕 바다제비《폭풍우를 예보한다고 전하여짐》. **2** 《비유》 나타나면 불길한 일이 생길 것 같은 사람, 말썽의 중심인물, 분쟁을 좋아하는 사람.
Stor·t(h)ing [stɔ́:rtiŋ] *n.* 노르웨이의 국회. 〖Norw.〗
◇**sto·ry**[1] [stɔ́:ri] *n.* **1** 이야기(tale) ; (특히) 옛날 이야기(fairy tale) : I'll tell you a ~. 이야기를 하나 해 주지. **2 a**) 역사, 연혁, 전기〈*of*〉. **b**) 신상 이야기, 내력 ; 일화(anecdote) : a woman with a ~ 까닭[곡절]이 있는 여인. **3 a**) 소설 ; (특히) 단편소설 : detective *stories* 탐정 소설. **b**) 이야기, 소문, 전말(account) : a very different ~ 전혀 다른 이야기[사건] / the (same) old ~ 흔히 있는 이야기[사건] / The ~ goes that …라는 이야기다, …라고 전해진다 / It is another ~ now. 《비유》 이제는 사정이 일변하였다. **c**) U.C 전설(legend) : famous in ~ 전설로 유명한. **4** U.C (소설·시·극 따위의) 줄거리, 구상(構想), 스토리 : a novel with little ~ 줄거리다운 줄거리가 없는 소설. **5** 《幼兒·口》 지어낸 이야기, 거짓말 ; 거짓말쟁이(cf. STORYTELLER 3) : Oh, you ~ ! 요 거짓말쟁이. **6** 〔新聞〕 기사 ; 기삿거리.
tell** one'**s**[**its**] **own story 신상 이야기를 하다 ; 그것만으로 명백하다, 자명(自明)하다.
to make**[**cut**] **a long story short**=**to make short of a long story 요약해서 말하면.
―― *vt.* 이야기[역사적 그림]로 꾸미다 ; 《古》 이야기하다.
―― *vi.* 이야기를 하다 ; 거짓말을 하다.
〖AF *estorie* (OF *estoire*)<L ; ⇨ HISTORY〗
類義語 ***story*** 가장 넓은 의미의 이야기로 사람들을 즐겁게 하거나 지식을 주기 위하여 쓰여졌거나 이야기되는 사실적인 또는 가공의 이야기. ***narrative*** story보다 격식을 차린 이야기로 실화를 의미하는 경우가 많음. ***tale*** 다소간 시적(詩的)인 말로 가공적인 또는 전설적인 한담(閑談). ***anecdote*** 유명한 사람에 관한 짧고 재미있는 이야기.
***sto·ry**[2], 《英》 **sto·rey** [stɔ́:ri] *n.* (*pl.* **stó·ries,** 《英》 **stó·reys**) 층계, 계단(cf. FLOOR) ; 같은 층의 방 : a house of one ~ 단층집 / in the second ~ 2층에 ; 《英》 3층에 / ☞ UPPER STORY.
〖AL *historia* HISTORY ; 중세의 그림 장식 창(窓)에서인가〗
stóry àrt *n.* 스토리 아트《언어적 요소와 시각적 요소를 이용하는 예술 형태》.
stóry·bòard *n.* (텔레비전이나 영화의) 주요 장면의 전환을 그린 일련의 그림을 나란히 붙인 판.
stóry·bòok *n.* (주로 아동용) 이야기책, 동화책.
―― *a.* 이야기 책의[같은].
stóry lìne *n.* 〔文藝〕 줄거리(plot).
stóry·tèll·er *n.* **1** 말재주가 있는 사람 ; 만담가, 야담가. **2** =STORYWRITER. **3** 《兒》 거짓말쟁이(fibber, liar).
stóry·tèll·ing *n.* U 이야기하기 ; 거짓말하기.
―― *a.* 이야기를 하는, 이야기를 쓰는 ; 《口》 거짓말을 하는.
stóry·wrìter *n.* (단편) 소설가, 이야기 작가.
stoup, stoop [stú:p] *n.* **1** 〔카톨릭〕 (성당 입구의) 성수반(聖水盤). **2** 《古》 큰 컵, 잔 ; 한잔 가득한 양.
〖ON *staup* ; STEEP[2]와 같은 어원〗

stoup 1

stoush [stáuʃ] *n.* 《濠口》 치고받기, 싸움 ; 포격.
the big stoush 제1차 대전.
―― *vt.* …와 치고받고 싸우다 ; (일)과 씨름하다.
***stout** [stáut] *a.* **1** (배·단장 따위가) 튼튼한 : a ~ ship 튼튼한 배. **2** 끄떡도 않는, 용감한 ; (적·지지자 따위) 완강한 : a ~ heart 용기. **3** 뚱뚱한(fat) : She is now too ~ for her old clothes. 그녀는 지금 너무 뚱뚱해서 오래된 옷이 맞지 않는다. **4** (술 따위) 독한 ; (비·바람이) 강한. ―― *n.* U 스타우트《독한 흑맥주 ; cf. ALE, PORTER[1] 2》 ; 뚱뚱보 ; 비만형의 의복. **~·ish** *a.* 좀 뚱뚱한. **~·ly** *adv.* 용감하게, 완강히. **~·ness** *n.*
〖AF=bold, proud<WGmc. ; cf. STILT〗
類義語 ⟹ STRONG.
stóut·en *vt., vi.* 튼튼하게 하다[해지다] ; 정신차리게 하다[차리다].
stóut-héart·ed *a.* 용감한, 대담한, 담력있는 ; 완고한, 단호한, 고집센.
~·ly *adv.* **~·ness** *n.*
***stove**[1] [stóuv] *n.* **1** 난로. **2** 요리용 레인지(=cooking ~). **3** 건조실 ; 《英》 〔園藝〕 온실.
―― *vt.* (식물을) 온실에서 (속성) 재배하다 ; 난로에 불을 지피다 ; 스토브에 열을 가하다.
〖ME=sweating room<MDu., MLG *stove* ; cf. STEW[1], G *Stube* (heated) room〗
stove[2] *v.* STAVE의 과거·과거분사.
stóve còal *n.* 스토브용 (무연)탄.
stóve enàmel *n.* 내화(耐火) 에나멜.
stóve léague *n.* 《美俗》 (시즌이 지난 후 야구 팬들의) 시즌 회고담 ; 시즌 지난 후에 행해지는 트레이드·입단 따위의 구단의 움직임.
stóve·pìpe *n.* 난로의 연통 ; 《美口》 실크모자(=∠ **hát**).
sto·ver [stóuvər] *n.* U 여물, 짚 ; 《美》 옥수수 줄기와 잎《가축 사료》.
STOVL 〔軍〕 short take-off and vertical landing(단거리 이륙 수직 착륙).
stow [stóu] *vt.* **1** [+目/+目+前+名/+目+副] (물건을 그릇에) 집어[챙겨] 넣다, 쌓다 : ~ cargo ***in*** a ship's hold=~ a ship's hold ***with*** cargo 선창(船倉)에 화물을 실어 넣다 / He ~*ed* clothes ***into*** a suitcase. 옷을 가방에 챙겨 넣었다 / He ~*ed* those papers *away in* the drawer. 그는 서류를 서랍에 집어 넣었다. **2** [보통 명령법으로] 《俗》 (소동·얼빠진 이야기 따위를) 중지하다(stop) : *S*~ it! 그만둬!, 닥쳐!
stow away 챙기다, 치우다 ; 밀항하다.
〖*bestow* to place〗
stów·age *n.* **1** 실어[쌓아] 넣기, 짐싣기 ; U 짐 쌓는 법. **2** 적재[수용] 능력 ; 쌓은 짐, 적하(積荷). **3** U 적하료. **4** 수용 능력.
stów·awày *n.* (배·비행기 따위의) 밀항자 ; 숨

는 장소.

Stowe [stóu] *n.* 스토. **Harriet (Elizabeth) Beecher** ~ (1811-96) 미국의 여류작가 ; *Uncle Tom's Cabin*(1852).

STP standard temperature and pressure ; Scientifically Treated Petroleum 《휘발유 첨가제 ; 상표명》; Serenity, Tranquillity, and Peace 《환각제의 일종》. **stp.** stamped.

STR, S.T.R. submarine thermal reactor. **str.** steamer ; strait ; street ; stretch stringed ; 〖樂〗 string(s) ; stroke oar.

stra·bís·mal, -bís·mic *a.* 사팔뜨기의, 사시(斜視)의 ; 《비유》 (판단 따위) 사시적인 ; 불완전한.

stra·bis·mus [strəbízməs] *n.* Ⓤ 〖醫〗 사팔눈, 사시(斜視). 〖NL<Gk. (*strabos* squinting)〗

stra·bot·o·my [strəbátəmi] *n.* Ⓤ 〖醫〗 사시 절개술(術), 사팔눈 수술.

STRAC 《美》 Strategic Army Corps(육군 전략 기동 군단).

Strad [stræd] *n.* 《口》 =STRADIVARIUS.

strad·dle [strædl] *vi.* **1** 두 다리를 벌리다[로 버티다], 다리를 벌리고 서다[걷다, 앉다]. **2** 《口》 눈치를 보다, 기회를 엿보다 ; 찬부를 분명히 하지 않다. **3** 〖證〗 양건(兩建) 거래를 하다.
—— *vt.* **1** …에 두 다리를 걸치다, 타다 ; (두 다리를) 벌리고 서다 : ~ a horse 말을 타다 / The boy sat *straddling* the fence. 소년은 담 위에 걸터 앉아 있었다. **2** 《비유》 (대립 의견)에 대한 거취를 분명히 하지 않다 ; 〖카드놀이〗 (걸기를) 갑절로 하다. **3** 〖英海軍〗 협차(夾叉) 사격하다《사정거리를 측정하기 위하여 목표물의 앞뒤에 시사(試射)하다》.
—— *n.* **1** 두 다리로 버티기, 걸터 앉기[타기] ; 두 다리를 벌린 간격. **2** 〖證〗 양건거래. **3** 《口》 기회주의, 태도 불명의 태도. **strád·dler** *n.*
〖변형(變形) ‹ *striddle* (역성(逆成)) ‹ *striddlings* astride ; ⇨ STRIDE〗

Strad·i·var·i·us [strӕdəvéəriəs, -vǽər-, -vá:-], **Strad·i·va·ri** [-vá:ri, 美+-véri, 美+-vǽri] *n.* 스트라디바리(우스)《이탈리아인(人) 스트라디바리우스(Stradivarius(1644?-1737)) 또는 그 일가가 제작한 바이올린 따위의 현악기》.

strafe [stréif, strá:f] *vt.* (비행기로) 지상[기총] 소사하다, 맹포격[폭격]하다 ; 《俗》 벌하다, 몹시 꾸짖다. —— *n.* Ⓤ,Ⓒ 맹포격[폭격], 기총소사 ; 손해 ; 《俗》 처벌. **stráf·er** *n.*
〖G *Gott strafe* (=God punish) *England* ; 제1차 세계 대전 때의 독일의 표어〗

strag·gle [strǽgəl] *vi.* [動 / +副 / +前+名] **1** 뿔뿔이 흩어지다 ; 불규칙하게 늘어서다[나아가다], 드문드문 있다 : The town ~*d* ***out into*** the country. 마을은 교외로 무질서하게 뻗어 있었다 / Boys and girls were *straggling* ***along*** the country lane. 사내아이와 계집애들이 시골길을 뿔뿔이 흩어져 걷고 있었다. **2** 낙오하다, 일행에서 뒤떨어지다, 전열(戰列)에서 탈락하다 ; (복장 따위가) 단정치 못하다 ; (머리가) 헝클어지다 : Her hair ~*d* ***over*** her collar. 그녀의 머리칼은 깃 위에 헝클어져 있었다. **3** 산재(散在)하다 : The houses ~ ***along*** the road. 집들이 도로변에 산재해 있다. —— *vt.* 산재[점재]시키다. —— *n.* 뿔뿔이 흩어진 그룹[것].
〖? 변형(變形) ‹ 《美》 *strackle* (freq.) ‹ *strake* (dial.) to go ; cf. STRETCH〗

strág·gler *n.* **1** 배회자, 부랑자 ; 낙오자, 대열에서 처진 사람 ; 패잔병 ; 귀함(艦)지각자. **2** 불규칙하게 뻗어나간 가지. **3** 미조(迷鳥)《폭풍우 따위로 엉뚱한 지방에 날아든 철새》.

strág·gling *a.* 낙오한 ; 일행에서 떨어진 ; (행렬 따위) 흩어져 행진하는 ; (마을·가옥 따위) 산재(散在)한(scattered) ; (머리칼이) 헝클어진 ; (가지 따위) 뻗어나간. **~·ly** *adv.* 낙오하여 ; 흩어져서 ; 뻗어서.

strág·gly *a.* =STRAGGLING.

◇**straight** [stréit] *a.* **1** 똑바른, 일직선의 : Draw a ~ line. 직선을 그어라. **2** 직립의, 수직인. **3** (머리칼 따위) 곱슬곱슬하지 않은. **4** (다른 물건과) 일직선을 이루는, 평행하는 : a ~ angle 평각(平角)(180° ; cf. RIGHT angle). **5** 정돈된. **6** (목적을 향하여) 한 길로 매진하는 ; (이야기 따위) 직접적인, 솔직한. **7** 정직한, 공명정대한 ; 정숙한 : keep ~ 정도(正道)에서 벗어나지 않다, 언제나 정직하다, (여자가) 정조(貞操)를 지키다. **8 a)** 《口》 확실한, 신뢰할 수 있는 : a ~ tip (경마·투기 따위의) 확실한 소식통으로부터의 정보[예상]. **b)** 《美》 철저한 : a ~ Republican 골수 공화당원 / vote the ~ ticket ☞ TICKET 4 a). **9** 청산을 한. **10** (행렬 따위) 연속된, 끊임없는 : a ~ set 〖테니스〗 스트레이트 세트《각 게임을 한 편이 연승(連勝)한 세트》. **11** 〖카드놀이〗 패 다섯장이 연이은. **12** 《美》 순수한, 물타지 않은(neat) ; 수정[변경]없는 ; 편곡하지 않은.

〈회화〉
Whiskey, please.— *Straight* or on the rocks?
「위스키 주세요」「스트레이트로 드릴까요, 얼음을 넣어 드릴까요」

keep one***'s face straight*** 웃음을 참다.
make straight 똑바르게 하다 ; 정돈하다.
put things straight 정돈하다.
—— *adv.* **1** 곧바로, 일직선으로 : keep ~ on 똑바로 나아가다[계속하다] / shoot ~ 명중시키다. **2** 곧추서서, 수직으로. **3** 직접적으로, 숨김없이, 솔직하게. **4** 계속하여, 끊임없이. **5** 원작대로 ; 윤색하지 않고서 ; (신문기사가) 객관적으로.
ride straight 장애물을 넘어 말을 달리다.
run straight 똑바로 달리다 ; 《비유》 그릇된 일을 하지 않다.
straight away=STRAIGHT *off* (1).
straight from the shoulder ☞ SHOULDER.
straight off 《口》 (1) 곧, 바로(at once). (2) 솔직하게, 주저하지 않고.
straight out=STRAIGHT *off* (2).
straight up [질문 또는 대답할 때] 정말로.
—— *n.* [the ~] **1** 똑바름, 일직선 : on *the* ~ 똑바로 ; 《俗》 정직하게 / be out of *the* ~ 휘어 있다. **2** 곧바른 부분, (경기장 따위의) 결승점 가까이의 직선 코스. **3** 〖카드놀이〗 다섯장 연속. **4** 《美》 진리, 진상.
—— *vt.* 《스코》 =STRAIGHTEN.
~·ly *adv.* **~·ness** *n.* 〖(p.p.) ‹ STRETCH〗

straight A [ˊ éi] *a.* 《美》 (학업성적이) 전과목 A 학점인 : a ~ student 전과목 A학점인 학생.

stráight-ahéad *a.* 꾸밈이 없는 (연주의) ; 속임이 없는, 정통의, 곧은 ; 외곬인.

stráight-àrm *vt., vi., n.* 〖美蹴〗 팔을 똑바로 뻗어 (상대를) 밀어내다[냄].

stráight árrow *n.* 《美俗》 곧은[정직한] 사람. **stráight-árrow** *a.* 고지식한.

stráight·awày *a.* 《美》 (경주로 따위) 일직선의. —— *n.* 《美》 직선 주로, 직선 코스. —— *adv.* 《英》 =STRAIGHTWAY.

stráight bállot *n.* 《美》 동시에 시행되는 각종 선거에서 같은 정당 후보에게 투표함.

stráight·brèd *n.*, *a.* 순종(의).

stráight chàir *n.* 스트레이트 체어《등받이가 높고 수직이며 딱딱한 의자》.

stráight-cút *a.* (담배의) 잎을 세로로 썬.

stráight dráma *n.* =LEGITIMATE DRAMA.

stráight·èdge *n.* 곧은자.

stráight·en *vt.* [+目/+目+副] **1** 똑바르게 하다 : Exercise helped to ~ the injured arm. 체조는 다친 팔을 똑바로 하는데 도움이 되었다 / He ~*ed* himself ***out*** on the couch. 긴 의자에 누워서 몸을 쭉 폈다. **2** 정돈[정리]하다 ; 해결하다, 청산하다 : ~ ***up*** one's room 방을 정돈하다 / ~ ***out*** one's accounts 계산[청산]하다. —— *vi.* 바르게 되다 ; 자세를 고치다〈*out*〉. **~·er** *n.*

stráight éye *n.* 굽은 것을 찾아내는 능력.

stráight fáce *n.* 무표정한 얼굴 : a comedian with *a* ~ 정색을 하는 코미디언.

stráight-fáced *a.* 무표정한 얼굴을 한.

stráight fíght *n.* 전력을 다하는 싸움 ; 《英》 (선거에서 두 후보의) 맞대결.

stráight flúsh *n.* 〖카드놀이〗 (포커에서) 같은 종류의 패 다섯장 연속(cf. FLUSH[4]).

stràight·fórward *a.* **1** 똑바른 ; 정직한, 솔직한. **2** (일 따위) 복잡하지 않은, 간단한. —— *adv.* 똑바로 ; 솔직하게. **~·ly** *adv.* **~·ness** *n.*

stràight·fórwards *adv.* =STRAIGHTFORWARD.

stráight-from-the-shóulder *a.* 솔직한, 단도직입적인.

stráight góods *n. pl.* 《俗》 에누리없는 진실.

stráight-gráined *a.* 나뭇결이 세로난.

straightjacket ☞ STRAITJACKET.

stráight-jèt *a.* 〖空〗 (프로펠러 없이) 순 제트 분사식의.

stráight jòint *n.* 〖建〗 통줄눈, 한줄 이음.

stráight-lég *a.* 히프 밑에서 바지 단까지의 통의 폭이 같은《진 바지》.

stráight lífe insùrance *n.* 종신 생명 보험 (ordinary life insurance).

stráight-líne *a.* **1** 〖機〗 직선의, 직선으로 벌여 놓은 ; 직선 운동을 하는 : ~ motion 직선 운동(기구). **2** 〖會計〗 (매기(每期) 동일액을 상각(償却)하는) 정액[직선] 방식의 : ~ depreciation (감가상각의) 정액법.

stráight màn *n.* 희극 배우의 조연역(役).

stráight màtter *n.* 〖印〗 보통 조판 ; (광고를 제외한) 본문 원고.

stráight-óut *a.* 《美口》 완전한, 철저한 ; 솔직한.

stráight pláy *n.* (음악 따위가 없는) 대화극.

stráight rázor *n.* 서양 면도칼《칼집에 날을 접어 넣을 수 있는》.

stráight-rún gásoline *n.* 직류(直溜) 가솔린.

stráight shóoter *n.* 정직한[공정한] 사람.

stráight tícket *n.* 〖美政〗 전표(全票) 획득 투표 용지《전부 같은 정당의 후보자에게 투표한 연기(連記) 투표 ; cf. SPLIT TICKET》.

stráight tìme *n.* (주간(週間)) 규정 노동시간(에 대한 임금) (cf. OVERTIME).

stráight·wày [ˊ, 美+ˋˊ] *adv.* 《美·英古》 곧, 바로(at once) ; 일직선으로. —— *a.* (일)직선의.

stráight wín *n.* 〖競〗 연승.

strain**[1] [stréin] *vt.* **1** 팽팽하게 하다, 잡아당기다, 죄다 : ~ a rope to the breaking point 줄을 끊어질 정도로 잡아당기다 / The strings want ~*ing.* 끈을 죄어야겠다《느슨해져 있다》. **2** 긴장시키다, 혹사하다 ; (눈을) 크게 뜨다, (귀를) 기울이다, (목청을) 짜내다 : ~ one's eyes 눈을 크게 뜨다 / ~ one's voice 쥐어 짜듯 소리지르다 / ~ one's ears 귀를 기울이다, 엿듣다 / I ~*ed* every nerve to get there in time. 제 시간에 그곳에 닿으려고 전력을 다했다. **3** 너무 써서 약화[손상]시키다 : He has ~*ed* his eyes by reading too much. 독서를 너무하여 눈이 피로했다 / ~ oneself 무리하다. **4** (관절 따위를) 삐다, 접질리다 ; 구부러뜨리다, 비뚤어지게하다 : I slipped and ~*ed* my ankle. 미끄러져서 발목을 삐었다. **5** [+目/+目+前+名] (법·의미·사실을) 왜곡하다, 곡해하다, 억지로 갖다 붙이다 ; (권력 따위를) 남용하다 : ~ the law 법을 왜곡하여 해석하다 / He ~*ed* the truth in giving his account. 사실을 왜곡하여 설명하였다 / He ~*ed* the rule ***to his own advantage. 규칙을 자신에게 유리하게 왜곡하여 해석하였다. **6** [*p.p.*로] 《廢》 억지로 강요하다, 억지로 만들어 내다 : The quality of mercy *is* not ~*ed.* 《셰익스피어》 자비는 강요될 성질의 것이 아니다 / ☞ STRAINED 2. **7** [+目/+目+前+名] 《文語》 끌어 안다, 꼭 껴안다(hug) : ~ a child ***to*** one's bosom[heart] 어린애를 가슴에 끌어 안다. **8** [+目/+目+副/+目+前+名] 거르다 ; 걸러서 제거하다 : ~ the soup 수프를 거르다 / ~ ***out*** coffee grounds 커피 찌꺼기를 걸러 내다 / ~ (***off*** the water ***from***) the vegetables 야채의 물기를 빼다.

—— *vi.* **1** [+*at*+名] 잡아당기다 ; 긴장하다 : ~ ***at*** a rope 밧줄을 잡아당기다 / The horse ~*ed* *at* its collar. 말은 어깨띠를 힘껏 끌었다. **2** [動/+前+名] 열심히 노력하다, 몹시 애쓰다 : The swimmer ~*ed* to reach the shore. 헤엄치는 사람은 해안에 닿으려고 온 힘을 다하였다 / The crew ~*ed* ***at*** the oars. 선원들은 열심히 노를 저었다 / In his work there is no ~*ing* ***after*** effects. 그의 작품에는 무리하게 효과를 노린 점을 찾아볼 수 없다 / The porter was ~*ing* ***under*** his load. 짐꾼은 혼신의 힘을 다하여 짐을 지고 있었다. **3** [動/+前+名] 걸러지다, 스며들다 : Water ~*s* ***through*** sandy soil. 물은 모래땅에 스며든다. **4** 뒤틀리다 ; 접질리다, 삐다.

strain a point 월권 행위를 하다 ; 파격적인 양보를 하다 ; 멋대로 해석하다.

strain at a gnat ☞ GNAT.

—— *n.* **1** U,C 당김, 긴장, 수고 ; (무리한) 부담 : without ~ 무리를 하지 않고 / The expense was a ~ *on* his resources. 그 비용은 그의 자력(資力)으로는 부담스러운 것이었다. **2** U,C 〖理〗 변형, 응력 변형(應力變形). **3** U 피로, 과로 : nerve ~ 신경과로. **4** (근육의) 접질림, 삠. **5** 크게 애씀, 분투 ; 유창한 변설.

at full strain=***on the strain*** 긴장하여.

under the strain 긴장[과로]하여.

~·able *a.* **~·less** *a.*

〚OF *estreindre*<L *stringo* to draw tight〛

strain[2] *n.* **1** 종족, 혈통 ; 가계(家系), 조상 : of good ~ 혈통이 좋은. **2** U,C 경향, 특징, 기미 ; 소질, 기질 : There was a ~ *of* melancholy in his character. 그의 성격에는 어딘지 우울한 데가 있었다. **3** 문체, 어조, 말투 : He wrote *in* an angry ~. 화난 투로 글을 썼다. **4** [때때로 *pl.*] 《詩·文語》 가곡(歌曲), 선율 ; 시가(詩歌), 노래 : ~*s* *of* mirth 즐거운[밝은] 선율.

〚ME=progeny<OE *strēon* begetting〛

strained [stréind] *a.* **1** 팽팽한, 절박한 ; (시국 따위) 긴장된 : ~ relations (국제간 따위의) 긴박한

관계[정세], (개인간의) 긴장된 사이. **2** 억지의, 부자연스러운, 일부러 꾸민 : a ~ laugh 억지 웃음.

stráin·er *n.* **1** 잡아당기는 사람[물건] ; 긴장한[무리하는] 사람. **2** 거르는 사람 ; 여과기, 체. **3** 신장기(伸張器), 단단히 죄는 기구.

stráin gàuge *n.* 〔機〕 스트레인 게이지, = EXTENSOMETER.

stráin hàrdening *n.* 〔冶〕 변형 경화(硬化)《재결정(再結晶) 온도 이하에서 소성(塑性) 변형시켜 금속의 경도와 강도(強度)를 높힘》.

***strait** [stréit] *n.* **1 a**) 해협. ㊟ 지명 앞에서는 때때로 *pl.* : the *S*~(*s*) of Dover 도버 해협 / the Bering *S*~ 베링 해협. **b**) [the S~s] (원래는) Gibraltar 해협 ; (현재는) Malacca 해협. **2** [때때로 *pl.*] 궁핍, 곤경, 난국, 곤란 : be in great ~*s* 매우 고생하다, 곤경에 처하다. —— *a.* 《古》 좁은, 제한된, 옹색한 ; 곤란한, 절박한 ; 〔聖〕 엄중[엄격]한 : the ~ gate 〔聖〕 좁은 문.
~·ly *adv.* **~·ness** *n.* 〚OF *estreit* tight, narrow (place) < L ; ⇨ STRICT〛
類義語 ⟹ EMERGENCY.

stráit·en *vt.* **1** [+目 / +目+*for*+名] [보통 *p.p.* 로] (재정적으로) 괴롭히다, 난처하게 하다 : in ~*ed* circumstances 궁핍하여 / They *were* ~*ed* ***for*** money[time]. 그들은 돈[시간]이 부족하여 곤란을 받았다. **2** 《古》 제한하다 ; 좁히다.

stráit·jàcket, stráight- *n.* (광포한 정신병자 · 죄수 등에게 입히는) 구속복(拘束服) ; 《비유》 엄중한 속박[단속].
—— *vt.* (미친 사람 등에게) 구속복을 입히다 ; 《비유》 …을 구속[속박]하다.

stráit·láced, stráight- *a.* 엄격한, 딱딱한. **~·ly** *adv.* **~·ness** *n.*

Stráits Séttlements *n. pl.* [the ~] (동남 아시아의 옛 영국령) 해협 식민지(1826-1946)《당시의 수도 Singapore》.

straitjacket

stráit-wáistcoat *n.* 《주로 英》 = STRAITJACKET.

strake [stréik] *n.* 〔船〕 뱃전[배밑]판. 〚ME < ? ; cf. OE *streccan* to STRETCH〛

stra·min·e·ous [strəmíniəs] *a.* 담황색의 ; 《古》 짚의, 짚 같은, 하찮은. **~·ly** *adv.*

stra·mo·ni·um [strəmóuniəm] *n.* 〔植〕 서양흰독말풀 ; Ⓤ 그 말린 잎《약용》.
〚? Tartar *turman* medicine for horses〛

strand[1] [strǽ(:)nd] *vt.* **1** (배를) 좌초시키다. **2** [*p.p.*로] (자금 · 수단 따위가 부족하여) 궁지에 몰리다, 꼼짝 못하게 되다 : They *were* ~*ed* in a strange city. 미지의 도시에 처져[남겨져] 버렸다. —— *vi.* 좌초하다. —— *n.* 《詩》 바닷가, 물가, 해안 ; 타향 땅. 〚OE ; cf. ON *strönd*, G *Strand*〛
類義語 ⟹ SHORE[1].

strand[2] *n.* (밧줄의) 외가닥, 꼰 실[밧줄] ; (머리의) 타래 ; (동 · 식물의) 섬유 ; 《비유》 요소, 소질 〈*of*〉. —— *vt.* 가닥을 끊다 ; 꼬다. **~·er** *n.* 새끼 꼬는 기계. 〚ME < ?〛

Strand *n.* [the ~] (London의) 스트랜드 가(街) 《옛 Thames강변에 있었음 ; cf. STRAND[1] *n.*》.

◇**strange** [stréindʒ] *a.* **1** 묘한, 이상한, 별난 ; 불가사의한, 예상외의 : a ~ accident 불가사의한 사고 / It feels ~. 어쩐지 이상한 느낌이 든다, 눈치가 이상하다. **2** 미지의, 보도 듣도 못한 : The language was quite ~ *to* him. 그 언어는 그에게는 전혀 생소한 것이었다. **3 a**) [*pred.*로 써서] 생소한, 낯선, 미숙한 : I am quite ~ here[*to* this place]. 이곳은 처음입니다 / She is still ~ *to* the job. 그녀는 아직 그 일에는 익숙하지 않다. **b**) 불안한, 소외된. **4** 《古》 외국의, 이국(異國)의 (foreign). **5** 〔理〕 스트레인지의.
feel strange (1) (몸이) 좀 이상하다, 머리가 어질어질하다 ; 생소하다. (2) ☞ 1.
make oneself strange 모르는 사람인 체하다, 모르는[의아스러운 · 놀란] 체하다.
strange to say[***tell***] 이상한 이야기지만.
—— *adv.* [보통 복합어를 이루어] 《口》 = STRANGELY : act ~ 이상한 행동을 하다 / ~-clad 이상한 풍채의.
〚OF *estrange* < L *extraneus* EXTRANEOUS〛
類義語 ***strange*** 흔한 것이 아니고 새롭고 생소하여 친근미가 없는《가장 일반적인 말》: a *strange* voice[person] (낯선 목소리[사람]). ***peculiar*** 사람을 당황케 하거나 또는 다른 독특한 성질을 가졌기 때문에 기묘한 : a *peculiar* smell (야릇한 냄새). ***odd*** 보통의 또는 관례적인 것과 달라서 묘한 : *odd* behavior (묘한 행동). ***queer*** odd에 첨가하여 독특한, 이상한, 또는 의심스러운 의미를 강조한다 : a *queer* idea (기괴한 아이디어). ***quaint*** 장식 · 건축 · 복장 따위가 예스러운 성질을 띠어 이색적인 ; 좋은 의미 : a *quaint* costume (고풍의 이색적인 복장). ***curious*** 《口》 strange 해서 사람의 주의나 호기심을 끄는 : a *curious* spectacle (진기한 광경).

stránge ágent *n.* 《美俗》 별난 사람[것].

Stránge·lòve *n.* [때때로 Dr. ~] 전면 핵전쟁 추진론자. 〚Dr. *Strangelove* 영화(1964)속의 미치광이 핵전략가〛

***stránge·ly** *adv.* 기묘하게, 이상하게 ; 생소하게 ; 흉금을 터놓지 않고 : He behaved ~. 그는 이상하게 행동했다 / *S*~ enough, crickets do not fly. 이상하게도 귀뚜라미는 날지 않는다. ㊟ 때때로 복합어를 만듦.

stránge·ness *n.* Ⓤ 기묘, 불가사의 ; 미지 ; 미숙 ; 흉금을 터놓지 않음 ; 〔理〕 스트레인지네스《소립자 상태를 규정하는 입자 고유의 양자수》.

stránge párticle *n.* 〔理〕 스트레인지 입자(粒子)《0 이외의 strangeness 양자수를 갖는 입자》.

stránge quárk *n.* 〔理〕 스트레인지 쿼크《strangeness —1, 전하 —1/3을 갖는 쿼크》.

‡**stran·ger** [stréindʒər] *n.* **1** 모르는[낯선] 사람, 타인, 외부사람 : He is a ~ *to* me. 나는 그를 모릅니다 / an utter ~ 전혀 모르는 사람 / the little ~ 갓난아기 / You are quite a ~. 《口》 정말 오랫만입니다 / I spy[see] ~*s*. 〔英下院〕 방청 금지를 요구합니다《비밀 회의를 요구할 때의 말》. **2** 손님 ; 외국인(foreigner) ; 생소한 사람〈*to*〉. **3** 문외한, 무경험자〈*to*〉 ; 미숙한 사람, 처음 보는 사람〈*to*〉. **4** 〔法〕 제삼자〈*to*〉. **5** 《美俗》 여보세요 (sir)《낯선 사람을 부르는 말》.
make a[***no***] ***stranger of*** …을 냉랭하게[친절히] 대하다.
—— *a.* STRANGER의.
—— *vt.* 《廢》 소원하게 하다, 불화하게 하다.
〚OF *estrangier* < L ; ⇨ STRANGE〛
類義語 ⟹ FOREIGNER.

stránge wóman *n.* [the ~] 〔聖〕 매춘부.

stran·gle [strǽŋgəl] *vt.* 교살하다, 질식시키다 (choke) ; (칼라 따위가) 너무 꼭 끼다 ; (의안 따위를) 묵살하다(suppress), (발전 · 활동 따위를) 억제[억압]하다, (하품 따위를) 참다(stifle) : ~ evil at its birth 악을 미연에 방지하다 / ~ free speech 자유로운 발언을 억누르다 / He ~*d* a

yawn[a sigh]. 하품[한숨]을 참았다.
—— *vi.* 질식하다 ; 질식하여 죽다.
strán·gler *n.* **-gling·ly** *adv.*
〖OF *estrangler* < L *strangulo* < Gk. (*straggalē* halter)〗

strángle·hòld *n.* (레슬링 따위) 목조르기 ; 《비유》 (발전 따위를) 저해하는 것, 속박, 장애 ; 완전한 지배.

stran·gles [strǽŋgəlz] *n. pl.* [보통 단수취급] 〔醫〕 선역(腺疫)《말의 전염병》.

stran·gu·late [strǽŋgjəlèit] *vt.* **1** 〔醫〕 …의 혈행을 눌러 멎게 하다, …을 괄약(括約)하다. **2** 《稀》 교살하다, 질식시키다(strangle).
〖L ; ⇨ STRANGLE〗

stran·gu·la·tion [stræ̀ŋgjəléiʃən] *n.* Ⓤ 교살 ; 발전[성장, 활동]의 저지 ; 〔醫〕 감돈(嵌頓), 괄약(括約), 협착(狹窄), 염전(捻轉).

stran·gu·ry [strǽŋgjəri, -gjuəri] *n.* 〔醫〕 배뇨 곤란, 요임력(尿淋瀝).

strap** [strǽp] *n.* **1** 가죽끈, 혁대 ; [the ~] 매질, 징벌. **2** (전차 따위의) 손잡이 가죽끈 : hold on to a ~ 손잡이를 잡다. **3** 혁지(革砥) (razor strap). **4** 견장(肩章). **5** 〔機〕 띠쇠, 띠고리. **6** 《美俗》 100달러 짜리 지폐 뭉치. **7** 《美俗》 (공부는 하지 않고) 운동만 열심히 하는 학생. —— *vt.* (**-pp-**) [+目 / +目+副] **1** 가죽끈으로 묶다 : ~ ***up a trunk 트렁크를 끈으로 묶다 / ~ ***on*** a wristwatch 시계를 차다. **2** 〔醫〕 반창고를 붙이다⟨*up*⟩. **3** 가죽끈으로 때리다. **4** …을 혁지에 갈다. **5** 《口》 곤궁하게 하다. **~·lìke** *a.*
〖STROP〗

stráp·hàng *vi.* (~ed) 《口》 (차의) 손잡이에 매달리다, (전차·버스 따위로) 통근하다.
~·er *n.* **~·ing** *n.* 가죽 손잡이를 잡고 서기.

stráp·less *a.* (드레스 따위가) 어깨끈이 없는.

stráp-òil *n.* 《英俗》 매질, 채찍질.

stráp-òn *a.* 〔宇宙〕 (부가 추진을 위한) 선체[외부] 설치용의, 우주선에 설치하도록 설계된.
—— *n.* 부착식 보조 로켓 엔진.

strap·pa·do [strəpéidou, -pɑ́ː-] *n.* (*pl.* ~**s**) 죄인의 손을 뒤로 묶어 매달았다가 떨어뜨리는 형벌 ; 그 형틀. —— *vt.* …을 매다는 형에 처하다, 매다는 형벌로 괴롭히다. 〖F < It.〗

stràpped *a.* 가죽끈을 붙들어 맨 ; 《美口》 무일푼의, 돈이 궁한.

stráp·per *n.* **1** 가죽끈으로 매는 사람[물건]. **2** 《口》 키가 크고 건장한 사람.

stráp·ping *n.* **1** 가죽끈 재료 ; 가죽끈(류). **2** 〔醫〕 반창고. **3** Ⓤ,Ⓒ 채찍질, 매질. —— *a.* 《口》 기골이 장대한 ; 큰.

strass [strǽs] *n.* Ⓤ (모조 보석 제조용의) 납유리 (paste¹). 〖G ; J. *Strasser* 18세기 독일의 보석상으로 고안자〗

strata *n.* STRATUM의 복수형.

strat·a·gem [strǽtədʒəm, -dʒèm] *n.* Ⓤ,Ⓒ (적군을 기만하기 위한) 전략, 군략(軍略) ; (일반적으로) 계략, 책략, 술책.
stràt·a·gém·i·cal *a.*
〖F < L < Gk. (*stratos* army, *agō* to lead)〗

stra·tal [stréitl, strǽtl] *a.* 〔地質〕 지층의, 층(stratum)의.

stra·te·gic, -gi·cal [strətíːdʒik(əl)] *a.* 전략(상)의 ; 전략상 중요[필요]한 ; 적의 군사·경제적 요충지를 노린《폭격 따위》 : a ~ bomber 전략 폭격기 / ~ bombing 전략 폭격 / ~ materials 전략 물자. **-gi·cal·ly** *adv.* 전략상, 전략적으로.

Stratégic Áir Commànd *n.* 미국 전략 공군 사령부《略 SAC》.

Stratégic Árms Limitátion Tàlks *n. pl.* 전략 무기 제한 협정《略 SALT》.

Stratégic Árms Redúction Tàlks *n. pl.* 전략 무기 감축 협정《略 START》.

Stratégic Defénse Inìtiative *n.* 〔軍〕 전략 방위 구상《지상 또는 위성에서 레이저 광선이나 입자빔을 발사하여 비행 중인 탄도 미사일을 파괴하는 계획 ; 略 SDI ; cf. STAR WARS》.

stratégic núclear fórce *n.* 〔軍〕 전략 핵전력 《대규모 파괴력을 지닌 장거리 핵무기의 총칭》.

stratégic núclear wèapon *n.* 〔軍〕 전략 핵무기《주로 ICBM, SLBM, 전략 폭격기》.

stratégic plánning *n.* 〔마케팅〕 전략적 계획 책정(策定).

stra·té·gics *n. pl.* 전략, 병법(strategy).

stratégic tríad *n.* 〔美軍〕 핵전략의 세 기둥《육군의 대륙간 탄도 미사일(ICBM), 해군의 잠수함 발사 탄도 미사일(SLBM), 공군의 전략 폭격기 (strategic bomber)》.

stratégic withdráwal *n.* 〔軍〕 전략적 후퇴.

strat·e·gist [strǽtədʒəst] *n.* 전략가, 전술가 ; 책략가.

strat·e·gize [strǽtədʒàiz] *vi.* 전략[작전]을 세우다 ; 주의깊게 계획하다.

strat·e·gy [strǽtədʒi] *n.* **1 a**) Ⓤ 병법(strategics). **b**) Ⓤ,Ⓒ 전략. ㊟ strategy는 전체적 작전 계획 ; tactics는 개별적 전투의 용병 : *S~* wins wars ; *tactics* wins battles. 전략은 전쟁을 이기게 하고, 전술은 전투를 이기게 한다. **2** Ⓤ,Ⓒ 계략, 책략 ; Ⓒ (신중한) 계획, 방책⟨*of*⟩.
〖F < Gk. = generalship ; ⇨ STRATAGEM〗

Strat·ford [strǽtfərd] *n.* 스트래트퍼드《(1) Connecticut 주(州) 남서부 Bridgeport 교외의 도시. (2) 캐나다 Ontario 주(州) 남동부의 도시 ; 셰익스피어 극장이 있음》.

Strátford-on-Ávon, -upon- *n.* 스트래트퍼드 온에이번《잉글랜드 중부의 도시 ; Shakespeare의 탄생지》.

strath [strǽθ] *n.* 《스코》 넓은 골짜기.
〖Gael.〗

strath·spey [stræ̀θspéi] *n.* Ⓤ,Ⓒ 스코틀랜드의 쾌활한 춤 ; 그 무곡. 〖*Strath Spey* 스코틀랜드 고지의 *Spey*강의 골짜기〗

strati- [strǽtə] *comb. form* 「층(層), 지층(stratum)」의 뜻.

strat·i·fi·ca·tion [stræ̀təfəkéiʃən] *n.* **1** Ⓤ 〔地質〕 성층(成層), 지층(地層) (formation of strata). **2** Ⓤ (사회 따위의) 계층화, 계급화. **3** 〔統〕 층별(화). **~·al** *a.*

stráti·fòrm *a.* 층상의, 층을 이루는 ; 〔地質〕 성층(성)의 ; 〔氣〕 구름이 층상의.

strat·i·fy [strǽtəfài] *vt.* **1** …에 층을 이루게 하다 : *stratified* rock 성층암, 수성(水成)암. **2** (사회 따위를) 계층화하다, 계급으로 나누다. **3** (종자를) 땅의 층 사이에 보존하다. —— *vi.* 층이 되다 ; (사회 따위) 계층화되다, 계급으로 나뉘다.
〖F ; ⇨ STRATUM〗

stra·tig·ra·phy [strətígrəfi] *n.* Ⓤ 층위(層位) ; 〔地〕 층위[지층·층서]학 ; 〔考古〕 단층(斷層).
-pher, -phist *n.* 층위학자. **strati·graph·ic, -i·cal** [stræ̀təgrǽfik(əl)] *a.* 층위학(상)의.
-i·cal·ly *adv.*

strato- [strǽtou, stréi-, 英+strɑ́ː-, -tə] *comb. form* 「층운(層雲)」「성층권」 따위의 뜻.
〖STRATUS〗

stràto·círrus *n.* 고층운[높층구름]과 동층의 권층

운(卷層雲)[털층구름].
stra·toc·ra·cy [strətákrəsi] *n.* 군정(軍政) ; 군벌 정치.
Stráto·crùiser [strǽtou-] *n.* 성층권 비행용의 Boeing 사제(社製)의 민간 항공기의 상표명.
stràto·cúmulus *n.* 층적운(層積雲), 층쌘구름 《略 Sc》.
stráto·pàuse *n.* 〖氣〗 성층권 계면(界面).
strato·sphere [strǽtəsfìər] *n.* **1** 〖氣〗 성층권 《대류권(對流圈) (troposphere) 위의 대기층으로 isothermal region이라고도 함》 : a ~ plane 성층권용 비행기. **2** (물가 따위의) 상한(上限) ; (계급·등급 따위의) 최상층. **3** 고도로 추상적[실험적]인 영역. 〚F ; *atmosphere*에 준한 것〛
strato·spher·ic, -i·cal [stræ̀təsférik(əl), -sfíər-] *a.* 성층권의 : ~ flying 성층권 비행.
stráto·vìsion *n.* 〖通信〗 성층권 텔레비전 방송.
stra·tum [strɑ́:təm, stréit-, strǽtəm] *n.* (*pl.* **-ta** [-tə], ~**s**) **1** 〖地質〗 지층 ; 단층 ; (고고학상의) 유적이 있는 층. **2** 〖社〗 계층, 계급 : the *strata* of society 사회 계층.
〚L=something spread or laid down (p.p.) < *sterno* to strew〛
stra·tus [stréitəs, strǽt-] *n.* (*pl.* **-ti** [-tai]) 〖氣〗 층운(層雲), 층구름.
〚L (↑)〛
Strauss [stráus ; *G* ʃtráus] *n.* 슈트라우스. **Johann** ~ (1825-99) 오스트리아의 작곡가 ; 「왈츠의 왕」.
‡straw [strɔ́:] *n.* **1** Ⓤ 짚, 밀짚 ; Ⓒ 지푸라기 : in the ~ 아직 탈곡하지 않은[않아서] / A ~ shows which way the wind blows. 《속담》 지푸라기 하나로도 바람의 방향을 알 수 있다, 조그만 일로도 대세를 알 수 있다 / (It is) the last ~ (that) breaks the camel's back. 《속담》 잔뜩 짐진 낙타는 그 위에 지푸라기 하나만 얹혀도 쓰러진다《비록 작은 일일지라도 한도를 넘으면 돌이킬 수 없는 결과가 된다 ; cf. LAST STRAW》. **2** 짚으로 만든 것 ; 스트로 ; Ⓤ 밀짚모자(cf. STRAW HAT) : a man in white ~ 흰 밀짚모자를 쓴 사람. **3** 하찮은 것 ; 조금 ; (한도를 넘은) 약간의 것.
a man of straw (1) 짚으로 만든 인형, 허수아비(scarecrow) ; 하찮은 인간 ; 배후[보스]의 앞잡이. (2) (의논 따위를 위하여 예를 드는) 가공 인물, (의논의 대상으로 세우는) 박약한 가설.
a straw in the wind 풍향[세론(世論)의 동향]을 나타내는 것.
do not care a straw[***two straws, three straws***] 조금도 개의치 않다.
draw straws 제비를 뽑다.
make bricks without straw ☞ BRICK.
not worth a straw 일고의 가치도 없다.
throw straws against the wind 불가능한 일을 기도하다.
── *a.* **1** 짚의, 짚으로 만든 ; 밀짚 색깔의, 담황색의. **2** 《美》 가치없는 ; 《美》 가짜의.
〚OE *strēaw* ; STREW와 같은 어원 ; cf. G *Stroh*〛
***stráw·bèrry** [, -bəri] *n.* **1** 양딸기. **2** Ⓤ 딸기색 : crushed ~ 흐린 진홍색.
〚OE *strēa*(*w*)*berige* (STRAW, BERRY)〛
stráwberry blónde *n.* 붉은 기가 도는 금발(의 여성).
stráwberry lĕaves *n. pl.* 딸기잎 ; [the ~] 《英》 공·후·백작의 지위[신분] 《보관(寶冠)(coronet)의 둘레에 딸기잎 장식이 있음 ; 주로 공작에 대하여 말함》.
stráwberry màrk *n.* 〖醫〗 딸기 모양의 혈관종(血管腫), 피부의 붉은 반점.
stráw·bòard *n.* Ⓤ 마분지.
stráw bòss *n.* 《美口》 조장 ; 자신도 일하면서 동료를 감독하는 노동자 ; 실권 없는 상관.
stráw càt *n.* 《美俗》 수확기의 뜨내기 노동자.
stráw còlor *n.* 밀짚 빛깔, 담황색.
stráw-còlored *a.* 밀짚 색깔[담황색]의.
stráw hàt *n.* 밀짚 모자.
stráw·hàt *n., a.* 《美》 지방 순회의 하계 극장(=~ **thèater**) (의).
stráw màn *n.* =*a man of* STRAW.
stráw pláit *n.* 납작하게 엮은 밀짚 끈.
stráw vòte[**pòll**] *n.* 《美》 (투표전에 하는) 비공식 여론 조사(cf. a STRAW in the wind).
stráw wédding *n.* 스트로 웨딩《결혼 2주년 기념식[일]》.
stráwy *a.* 짚의, 짚같은, 짚으로 만든 ; 하찮은 ; 초가의.
stray** [stréi] *vi.* [動 / +前+名 / +副] 길을 잃다 ; 일행에서 처지다 ; 탈선하다 ; (주제를) 벗어나다 ; 타락하다 ; (주의력 따위가) 산만해지다 ; 《비유》 정도(正道)를 벗어나다 ; 《詩》 헤매다 : a child that has ~*ed* ***into the woods 숲속을 헤매는 아이 / Our dog has ~*ed* ***off*** somewhere. 우리 개가 길을 잃고 어디론가 가버렸다. ── *attrib. a.* [비교급·최상급으로는 쓰지 않음] **1** 길 잃은, 헤매는 ; 〖通信〗 회로에서 벗어난, 표유(漂遊)하는 : a ~ sheep 〖聖〗 길 잃은 양. **2** 흩어진 ; 가끔의, 불쑥 나타나는 : A ~ customer or two came in. 간혹 한 두 손님이 찾아왔다 / a ~ bullet 유탄.
── *n.* **1** 길잃은 사람[가축]. **2** 미아(迷兒) ; 방랑인. **3** [*pl.*] 상속인이 없어서 국가에 귀속되는 유산. **4** [*pl.*] 〖通信〗 공전(空電) (static).
waifs and strays ☞ WAIF.
〚AF *strey* ; ⇨ ASTRAY〛
類義語 ⟹ ROAM.
***streak** [strí:k] *n.* **1** 줄, 줄무늬, 선 ; 광선, 번갯불 : ~*s* of fat and lean= ~*s* of lean and fat (베이컨 따위의) 줄무늬진 비계와 살코기 / ~*s* of lightning 번갯불 / ☞ SILVER STREAK. **2** 《비유》 경향, 기미(trace) : There was a ~ *of* humor in his character. 그의 성격엔 익살스러운 데가 있었다. **3** 《口》 (단)기간(spell), 연속(series) : We had a ~ *of* good[bad] luck. 행운[불운]이 계속되었다. **4** 광맥, 층 ; 〖鑛〗 조흔(條痕). **5** 《俗》 스트리킹.
like a streak (***of lightning***) 전광석화처럼 ; 전속력으로.
── *vt.* [+目 / +目+*with*+名] [보통 *p.p.*로] 줄을 긋다, 줄무늬를 내다 : The water was ~*ed* ***with*** the sunset colors. 물은 석양빛을 받아 줄무늬를 이루고 있었다. ── *vi.* **1** 줄[줄무늬]이 지다. **2** [+副] 질주하다, 급히 가다 : When I opened the door, the cat ~*ed* ***off***. 문을 열자 고양이가 휙 뛰쳐나갔다. **3** 스트리킹하다.
~·**er** *n.* 스트리킹을 하는 사람.
〚OE *strica* pen stroke ; cf. G *Strich*〛
stréak càmera *n.* 스트리크 카메라《고속 현상 촬영용》.
streaked [strí:kt] *a.* 줄진, 줄무늬가 진 ; 《美口》 불안한 ; (병·걱정 따위로) 괴로워하는, 건강을 해친.
stréak·ing *n.* Ⓤ 스트리킹《벌거벗고 대중 앞을 달리기 ; 약품 따위로 모발을 부분적으로 탈색시켜 줄무늬로 만들기》.
stréaky *a.* **1** 줄진, 줄무늬가 진 : ~ bacon 비계와 살코기가 줄무늬진 베이컨. **2** 한결같지 않은

(uneven) ; 변덕스러운 ; 즉흥적인 ; 성급한.
stréak·i·ly *adv.* **-i·ness** *n.*

‡stream [stríːm] *n.* **1** 시내, 개울 : A small ~ runs in front of our garden. 우리집 마당 앞에는 작은 시냇물이 흐른다. **2** 유출 ; 분류(奔流) ; 해류 ; 기류 ; 광선. **3** 흐름 ; 형세, 조류 ; 경향 : the ~ of time 세월의 흐름 / the ~ of times 시세(時勢), 풍조 / with[against] the ~ 흐름[시세]에 따라[역행하여]. **4** 연속되는 것, 끊임없이 이어지는 것 ; 쇄도 : a ~ of cars 자동차의 물결. **5** 《英》 능력별 클래스. **6** (사건 따위의) 연속 ; 〖컴퓨〗 스트림《데이터의 흐름》.
***in a stream*[*streams*]** 속속, 계속하여.
in the stream 흐름 한 가운데에 있는 ; 《비유》 세상 일에 밝은.
—— *vi.* [動 / +前+名] **1** 흐르다, 흘러나오다 : a ~*ing* umbrella 빗방울이 떨어지는 우산 / I saw sweat ~*ing* ***down*** his face. 땀이 그의 얼굴에 흘러 내리고 있는 것을 보았다 / Her eyes were ~*ing* ***with*** tears. 그녀의 눈에서는 눈물이 흘러내리고 있었다. **2** 끊임없이 이어지다 ; 쇄도하다 ; 속속 가다[오다] : People ~*ed* ***out of*** the theater. 사람들이 극장에서 물밀듯 나오고 있었다. **3** (기 따위가) 펄럭이다 ; 나부끼다 ; (빛 따위가) 흘러 들어오다 : A flag[Her hair] ~*ed* in the wind. 깃발[그녀의 머리]이 바람에 휘날렸다 / The moonshine ~*ed* ***into*** the room. 달빛이 방에 흘러들었다. —— *vt.* 흘리다, 흘러나오게 하다 ; 유출시키다 ; …을 흐름으로 뒤덮다 ; 《英》 (학생 등을) 능력별로 클래스를 나누다 : wounds ~*ing* blood 피가 흐르는 상처.
〖OE *strēam* ; cf. G *Strom* ; IE에서 'to flow'의 뜻〗
類義語 (1) (*n.*) ***stream*** 개울이나 샘에서 솟는 물처럼 끊임없이 흐르는 흐름. ***current*** 어떤 방향으로 향하는 강한 또는 빠른 흐름 ; 특히 강·바다 또는 대기 중에서의 세찬 흐름에 쓰임.
(2) (*v.*) ⟹ FLOW.

stréam·bèd *n.* 하상(河床), 강바닥.
stréam·er *n.* **1** 흐르는 것 ; 기(旗)드림 ; 펄럭이는 장식, 장식 리본. **2** (기선이 떠날 때 쓰는) 테이프. **3** (북극광 따위의) 사광(射光), 유광(流光) ; (일식 때 보이는) 태양의 corona의 광채 ; 〖電〗 방전광(放電光). **4** (보통 신문 제1면의) 톱 전단(全段)에 걸친 큰 표제(banner).
stréam·ing *n.* 흐름 ; 〖教〗 (영국 등지에서의) 능력별 클래스 편성(=《美》 tracking) ; 〖生〗 = CYCLOSIS.
stréam·let *n.* 작은 시내, 실개천(brook).
stréam·lìne [ˊ-ˋ] *n.* 유선 ; 유선형 ; [형용사적으로] 유선형의. —— *vt.* 유선형으로 만들다 ; 현대풍으로 하다 ; 《비유》 능률화하다 ; 합리화[간소화]하다.
stréam·lìned [ˊ-ˋ] *a.* 유선형의 ; 최신식의 ; 능률화된 ; 간소화한, 합리화된.
stréam·lìner *n.* 유선형 열차[버스].
stréam of cónsciousness *n.* [the ~] 〖心·文藝〗 의식의 흐름 ; 내적 독백(獨白)(interior monologue).
strèam-of-cónsciousness *a.* 〖心·文藝〗 의식의 흐름[내적 독백]의 : a ~ novel[technique] 「의식의 흐름」의 소설[기법]《인물의 잠재 의식의 흐름에 의하여 사건이나 인물을 이야기하는 형식의 소설》.
stréam·sìde *n.* 강가.
stréam wàlker *n.* 하천 감시자.
stréam·wày *n.* (하천의) 유상(流床) ; (하천 흐름의) 주류.
stréamy *a.* 흐름[수류]이 많은 ; 시내처럼 흐르는 ; 나부끼는 ; 빛을 발하는.
stréam·i·ness *n.*

◊street [stríːt] *n.* **1 a**) 거리, 가로 : a high[《美》 main] ~ 큰길[통로] / the village ~ (외길인) 시골길 / I met her *in*[*on*] the ~. 거리에서 그녀를 만났다《*on*을 쓰는 것은 주로 《美》》. **b**) …가(街), …거리. 㮣 보통 St.라 쓰며 고유명사보다는 약하게 발음된다. **c**) 도로, 차도. **2 a**) [the ~] 큰길, 통로 ; (상업 따위의) 중심 지구. **b**) [the S~] 《英口》 = FLEET STREET ; [the S~] 《美口》 = WALL STREET. **3** 《古》 가도(街道). **4** [형용사적으로] 가로[통로]의 ; (복장이) 잘 어울리는.
a woman of the streets 매춘부.
in the street (1) ☞ 1. (2) 〖證〗 시간 후에 거래되는.
live*[*go*] *on the streets 매춘부 생활을 하다[매춘부가 되다].
live in the street 외출을 자주 하다.
***not in the same street with*[*as*]...** 《口》 …과는 비교가 되지 않는.
the man in*[《美》 *on*] *the street 보통 사람 ; 미숙자 ; 여론의 대표자, 여론.
walk the streets 매춘하다.
—— *adv.* [~s] 《英》 훨씬, 매우.
〖OE *strǣt* < L *strata* (*via*) paved (way) (⇨ STRATUM) ; cf. G *Strasse*〗

stréet acàdemy *n.* 《美》 고등학교를 중퇴한 학생들에게 교육을 계속하기 위하여 빈민가 따위에 설치한 학교.
stréet Àrab[**àrab**] [ˊ-èi-] *n.* 무숙자, 부랑아.
stréet bànd *n.* 가두 악대(=《美》 German band).
stréet bròker *n.* 〖證〗 장외(場外) 거래인.
***stréet·càr** *n.* 《美》 시가(市街)[노면] 전차(=《英》 tram(car)).
stréet Chrìstian *n.* 《美》 방랑[가두(街頭)] 크리스천(Jesus Movement 참가자).
stréet clèaner *n.* 거리 청소부, 환경 미화원.
stréet crìme unít *n.* = ANTICRIME UNIT.
stréet crỳ *n.* [*pl.*] 행상인이 외치는 소리.
stréet dòor *n.* (거리에 접해 있는 주택의) 앞문, 정문(cf. FRONT DOOR).
stréet fùrniture *n.* 도로 시설물《지붕 있는 버스 정류장·휴지통·가로등 따위》 ; 《美俗》 (아직 쓸 수 있는) 노상에 폐기된 가구.
stréet·gèist *n.* 시정(市井)정신《번화가에서 몸에 밴 근성이나 감각》.
stréet gìrl *n.* 매춘부.
stréet-lèngth *a.* 스커트가 외출복으로 입기에 알맞은 길이의.
stréet lìfe *n.* 거리의 생활《대도시의 빈민가 등지에 많은 사람이 모여 사는 생활》.
stréet·lìght, -làmp *n.* 가로등.
stréet nàme *n.* 〖證〗 증권업자 명의《투자가 대신에 업자 명의로 보유하고 있는 증권》.
stréet òrderly *n.* 《英》 거리 청소부.
stréet pèople *n. pl.* 거리[주택 밀집지·빈민가]의 주민 ; 주소가 일정치 않은 패거리.
stréet prìce *n.* (마약 따위의) 소매 가격.
stréet rádical *n.* 가두(街頭) 운동가《시위 따위에 의한 직접적 반체제 운동가》.
stréet ràilway *n.* 《美》 시가 전차[버스](회사)(=《英》 tramway).
stréet·scàpe *n.* 거리의 풍경 ; 가두 사진.

stréet-smárt *a.* 《美俗》 =STREETWISE.
stréet-smàrts *n. pl.* 《美俗》 거리에서 살아가기 위한 지혜, 그 고장에 대한 지식 : have ~ 그 고장 사정에 밝다.
stréet swèeper *n.* 거리 청소부[청소기].
stréet tàx *n.* 자릿세《불량배·폭력단 등이 거리에서 등치는 돈》.
stréet thèater *n.* =GUERRILLA THEATER.
stréet tìme *n.* 《俗》 바깥 세상에 있을 수 있는 동안《집행[판결] 유예 기간》.
stréet ùrchin *n.* =STREET ARAB.
stréet vàlue *n.* 시가(市價) ; 암시세 ; =STREET PRICE.
stréet·wàlk·er *n.* 매춘부, 가창(街娼).
stréet·wàlk·ing *n.* 매춘(생활).
stréet·ward *adv., a.* 거리쪽으로[의].
stréet·wíse *a.* 거리의 주민《빈민·부랑자 등》의 사정에 밝은, 세상 물정에 밝은.
stréet·wòrk·er *n.* 《美·Can.》 가두 선도원(街頭善導員)《비행 소년이나 고민거리가 있는 소년을 선도하는 사회 봉사자》.
‡**strength** [stréŋkθ] *n.* **1** Ⓤ [+*to* do] 힘 ; 체력 : a man *of* great ~ 장사 / I don't have the ~ [haven't ~ enough] *to* lift this box. 나는 이 상자를 들어올릴 힘이 없다. **2** Ⓤ (정신적인) 힘 ; 지력, 능력, 도의심 ; 위력. **3** 강점, 장점 ; 힘이 되는 것, 의지(support) : Honesty is his ~. 정직한 점이 그의 강점이다 / God is our ~. 하느님은 우리의 힘이다. **4** Ⓤ 저항력, 난공불락. **5** Ⓤ 정원, 병력, 인원(수) ; 우세, 다수 : effective ~ 정원 / What is your ~? 자네편 인원수는 몇인가. **6** Ⓤ 완강, 내구력. **7** Ⓤ 강도 ; 농도, 농담(濃淡) : the ~ *of* grasp 악력(握力) / the ~ *of* a solution 용액의 농도. **8** Ⓤ 효과 ; (의논 따위의) 설득력, 신복력.
at full strength 전원 빠짐없이.
below [***up to***] ***strength*** 정원에 미달된[달한].
in full [***great***] ***strength*** 전원[다수]이 모두.
measure one'***s strength with*** …와[과] 힘을 견주어 보다, …와[과] 싸우다, …와[과] 맞붙다.
on the strength 〖英軍〗 병적에 편입되어 ; 단체[협회]에 소속되어.
on the strength of …을 힘으로, …을 믿고 : I did it *on the* ~ *of* your promise. 너의 약속을 믿고 그렇게 한 것이다.
〚OE *strengthu* (⇨ STRONG) ; cf. OHG *strengida*〛
類義語 ***strength*** 다른 것에 영향을 주는[작용을 미치는] 힘 또는 무엇인가 이겨내거나 저항하는 힘 : the *strength* to lift a heavy thing (무거운 것을 들어 올리는 힘). ***power*** 어떤 일을 할 수 있는 육체적·정신적인 힘 : He has *power* to do the job. (그는 그 일을 감당할 힘이 있다). ***force*** 실제로 사용[행사]된 power ; 특히 행동을 일으키거나 상대방을 압도하는 힘, 때때로 폭력·완력에도 쓰인다 : the *force* of explosion (폭발력). ***might*** 거대한 또는 압도적인 힘 : the *might* of our army (우리 육군의 막강한 힘). ***energy*** 어떤 일을 행하거나 다른 것에 영향을 미칠 수 있는 잠재적인 power : his spiritual *energy* (그의 정신력).
***stréngth·en** *vt.* 강하게 하다, 튼튼하게 하다 ; 증강하다(↔*weaken*) : ~ one's body 몸을 튼튼히 하다 / ~ a defensive position 방어 진지를 강화 하다. —— *vi.* 강해지다 ; 튼튼해지다, 증강되다.
stréngth·less *a.* 힘이 없는. **~·ness** *n.*
stren·u·ous [strénjuəs] *a.* 분투하는 ; 불요불굴의 ; 격렬한 ; 곤란한 ; 힘드는 : a ~ life 분투적인 생활 / make ~ efforts 분투하다, 무척 애쓰다. **~·ly** *adv.* **~·ness** *n.* **stren·u·o·si·ty** [strènjuάsəti] *n.*
〚L *strenuus* brisk〛
類義語 ⟹ ACTIVE.
strep [strép] *n.* 《口》 =STREPTOCOCCUS.
Streph·on [stréfɑn ; -ən] *n.* 스트레폰《Sir Philip Sidney의 *Arcadia*에 나오는 연인을 잃고 슬퍼하는 양치기》 ; 사랑에 번민하는 남자.
Strephon and Chloe 사랑하는 남녀.
strepo·gen·in [strèpədʒénən] *n.* 〖生化〗 스트레포게닌《세균·생쥐의 생장을 촉진하는 펩티드》.
strept- [strépt], **strep·to-** [stréptou, -tə] *comb. form* 「꼰(twisted)」 「연쇄구균」의 뜻.
〚Gk. *streptos* twisted (*strephō* to turn)〛
strép thròat *n.* 《口》 =SEPTIC SORE THROAT.
strèpto·cóccus *n.* (*pl.* **-cócci**) 연쇄구균(連鎖球菌). **-cóc·cic** [-kάksik], **-cóc·cal** [-kάkəl] *a.*
strèpto·kínase *n.* 〖生化〗 스트렙토키나아제《연쇄구균에서 채취한 섬유소 분해 효소》.
strèpto·mýcin *n.* Ⓤ 〖藥〗 스트렙토마이신《항생물질의 일종으로 결핵 따위에 대한 특효약》.
strèpto·thrí·cin, -thrý·sin [-θráisən, -θrís-] *n.* Ⓤ 〖藥〗 스트렙토트리신《항생 물질의 일종》.
strèpto·va·rí·cin [-vəráisən] *n.* Ⓤ 〖藥〗 스트렙토바리신《결핵치료용 항생물질》.
strèpto·zo·tóc·in [-zoutάkən] *n.* Ⓤ 〖生化〗 스트렙토조토신《항종양성(抗腫瘍性)·당뇨병 유발성(誘發性)이 있는 광역 스펙트럼의 항생물질》.
***stress** [strés] *n.* **1** Ⓤ 압박, 강제 : under ~ of weather [poverty] 날씨가 궂어서[가난에 쪼들려]. **2** Ⓤ 노력, 분투, 긴급 ; 긴장 : in times of ~ 비상시에 ; (상거래의 상황이) 분망한 때에. **3** Ⓤ,Ⓒ 〖音聲〗 강세, 어세(語勢), 역점, 악센트(accent) (cf. INTONATION, PITCH[1] *n.* 3) : ~ accent (영어 따위의) 강한 악센트(cf. TONIC accent) / The degree of force with which a syllable is pronounced is called its ~. 음절이 발음되는 힘의 정도를 강세라 한다 / Where do you place the ~*es* in this sentence? 이 문장은 어디에 강세를 둡니까. **4** Ⓤ,Ⓒ 역설, 강조, 힘, 무게, 중점 : lay [put, place] ~ on …을 역설[강조]하다. **5** Ⓤ,Ⓒ 〖理〗 중압, 압력 ; 〖機〗 응력(應力). **6** Ⓤ,Ⓒ 〖醫〗 스트레스《정신·육체의 과도한 긴장 ; cf. STRESS DISEASE》. —— *vt.* **1** [+目 / +目+*as* 補] 강조하다, 역설하다 : He ~*ed* the importance of health. 건강의 중요성을 강조하였다 / St. Paul ~*es* charity *as* the greatest of virtues. 성 바울은 사랑을 최상의 미덕으로 강조하고 있다. **2** …에 강세[악센트]를 두다(accent) : a ~*ed* syllable 강세가 있는 음절. **3** 〖機〗 …에 압력[응력]을 가하다. **4** 긴장시키다.
〚di*stress* or OF *estresse* narrowness, oppression ; ⇨ STRICT〛
-stress [strəs] *n. comb. form* -STER의 여성형 : seam*stress*, song*stress*.
〚*-str* -STER+*-ess*〛
stréss disèase *n.* 〖醫〗 스트레스 병《스트레스에 의하여 일어나는 장애 ; cf. STRESS *n.* 6》.
stréss·ful *a.* 긴장[스트레스]이 많은 ; 강세[악센트]가 없는. **~·ly** *adv.*
stréss mànagement *n.* 스트레스 대책 : take a ~ course 스트레스 예방 또는 그 치료를 위한 처치를 받다.
stréss màrk *n.* 〖音聲〗 강세 부호[기호], 악센트(부호).

stress·or [strésər, -ɔːr] *n.* 스트레스 요인《스트레스를 일으키는 자극》.

stréss-stráin cùrve *n.* 응력도-변형도 곡선, 응력 변형 곡선.

stréss tèst[**tèsting**] *n.* 〔醫〕 스트레스 테스트《스트레스 상태에서의 심장 기능 테스트》.

‡**stretch** [strétʃ] *vt.* **1 a**) [＋目 / ＋目＋前＋名 / ＋目＋補] 잡아늘이다, 잡아당기다 : ~ one's trousers (주름을 펴기 위하여) 바지를 잡아당기다 / I ~*ed* the pair of gloves to make them fit. 장갑을 손에 꼭 끼도록 잡아당겼다 / This sweater wants ~*ing.* 이 스웨터는 잡아늘이지 않으면 안된다 / They ~*ed* a wire ***across*** the room. 그들은 그 방을 가로질러 전깃줄을 쳤다 / He ~*ed* the rope tight. 줄을 팽팽하게 잡아당겼다. **b**) [＋目 / ＋目＋副 / ＋目＋前＋名] (손발 따위를) 펴다, 뻗다, 내밀다 ; (신경 따위를) 과로시키다, 극도로 긴장시키다 : He ~*ed* his arms and yawned. 양팔을 죽 펴고 하품을 하였다 / The man got up and ~*ed* himself[his legs]. 그 남자는 일어나서 기지개를 켰다[다리를 뻗었다] / The boy ~*ed* himself ***out*** on the lawn. 소년은 잔디밭 위에 벌렁 드러누웠다 / They were ~*ed out* on the sands. 모래 위에 큰 대자로 드러누워 있었다 / I ~*ed out* my hand ***for*** the book. 책을 집으려고 손을 뻗었다. **c**) [＋目 / ＋目＋前＋名 / ＋目＋副] 뻗게 하다, 때려눕히다 : A blow behind the ear ~*ed* him (***out***) ***on*** the floor. 귀 뒤에 일격을 맞고 그는 마루 위에 나가 떨어졌다. **2 a**) 억지로[멋대로] 해석을 하다 ; 지나치게 이용하다 ; 남용[악용]하다 ; 과장하다 : ~ a point 억지이론을 펴다, 사실을 다소 왜곡하다 / ~ the law 법률을 왜곡 해석하다, 법률에 융통성을 주다 / ~ the truth 진실[진상]을 왜곡하다. **b**) [수동태로] 전력을 다하다 : He *was* fully ~*ed.* 전력을 다하였다. **3** 《俗》 교살하다(hang).
—— *vi.* **1** 뻗다, 늘어나다, 신축성이 있다 : Rubber ~*es.* 고무는 늘어난다. **2** [＋前＋名 / ＋副] 퍼지다, (선의 길이가) …이다, (토지가) …에 펴져 있다 ; (시간이) 계속되다 : The forest ~*ed* ***for*** miles. 숲이 몇 마일이나 계속되고 있었다 / The desert land ~*es* eastward ***across*** Arabia ***into*** Central Asia. 사막 지대는 동쪽으로 아라비아를 횡단하여 중앙아시아까지 뻗쳐 있다 / His memory ~*es* ***down from*** those days. 그의 추억은 그때부터 시작하여 오늘날까지 이르고 있다. **3** 기지개를 켜다. **4** 전력을 다하다 ; 거짓말하다 ; 과장하다. **5** 《俗》 교수형에 처해지다.
stretch out (1) (*vt.*) ☞ 1 b), c). (2) (*vi.*) 손을 뻗치다[닿게 하다] ; 성큼성큼 걷기 시작하다.
—— *n.* **1** 뻗기, 펴기 ; 확장 ; 신축성. **2** 긴장 ; 무리하게 쓰기. **3** 범위, 한도 ; 극도 ; 퍼짐 : a wide ~ *of* grass 널리 펼쳐진 초원 / for a long ~ *of* time 장시간에 걸쳐서. **4** 과장 ; 남용. **5** 단숨, 한숨, 한번, 한차례의 일[노력·시간] : at a ~ 단숨에. **6** 《俗》 징역, 금고 ; (특히) 1년 징역. **7** 〔海〕 일범주(一帆走) 거리. **8** 《美》〔競〕 직선 코스, [the ~] (특히 마지막의) 직선 코스(homestretch) (cf. BACKSTRETCH) ; (야구·선거 따위) 최후의 순간[분발].
bring. . .to the stretch …을 긴장시키다.
on the (***full***) ***stretch*** 긴장하여 : put[set] a person *on the* ~ 남에게 전력을 쏟게 하다.
—— *a.* 신축성이 있는.
〚OE *streccan* ; cf. STRAIGHT, G *strecken*〛

strétch·er *n.* **1** 뻗는[펴는, 펼치는] 사람 ; 신장구(伸張具), 장갑을 늘이는 기구, 구두[모자]의 골. **2** 들것(litter) : on a ~ 들것에 실려. **3** 캔버스[화포(畫布)]틀. **4** (보트의) 발판. **5** 《口》 허풍, 과장 ; 거짓말.

strétch·er-bèar·er *n.* 들것 드는 사람.

strétcher pàrty *n.* 들것 구조대.

strétch màrks *n. pl.* (경산부(經産婦)) 임신선.

strétch-òut *n.* 《美》 (임금 인상을 수반하지 않는) 노동 강화 ; 연기(postponement).

strétch rèflex *n.* 〔生理〕 (근육의) 신장(伸張)[신전(伸展)]반사.

strétch rùnner *n.* 〔競馬〕 홈스트레치에서 강한 말, 막판에 강한 말.

strétchy *a.* 뻗는, 탄력있는 ; 뻗으려고 하는, 기지개를 켜고 싶은.

strew [strúː] *vt.* (**~ed** ; **strewn** [strúːn], **~ed**) [＋目 / ＋目＋前＋名] (모래·꽃 따위를) …에 뿌리다, 흩뿌리다 ; 끼얹다 ; (표면을) 온통 덮다 : Autumn leaves ~*ed* the lawn. 낙엽이 잔디를 온통 덮었다 / He ~*ed* rushes ***on*** the floor. 마루에 골풀을 뿌렸다 / Flowers are ~*n* ***over*** the path. = The path is ~*n* ***with*** flowers. 오솔길은 온통 꽃으로 덮여 있다.
〚OE *stre(o)wian* ; cf. G *streuen*〛
類義語 ⟹ SPRINKLE.

'strewth ☞ 'STRUTH.

stria [stráiə] *n.* (*pl.* **stri·ae** [-iː]) **1** 〔生·地質〕 (평행으로 되어 있는) 가는 선, 줄, (빙하에 의한 암면의 가는) 홈. **2** 〔鑛〕 줄무늬. **3** 〔建〕 선조(線條)《원기둥의 세로 홈》. **4** (근육의) 힘줄.
〚L = furrow, channel〛

stri·ate [stráieit] *vt.* …에 줄[선, 홈]을 넣다.
—— [stráiət, -eit] *a.* = STRIATED.

strí·at·ed *a.* 평행으로 뻗은 줄[홈]이 있는 : ~ muscle 가로무늬근(cf. SMOOTH MUSCLE).

stri·a·tion [straiéiʃən] *n.* **1** Ⓤ 줄[홈]을 내기[넣기] ; 줄 모양, 줄무늬. **2** 가는 홈통. **3** 선조. **4** 〔電子工〕 광조(光條).

strib [stríb] *n.* 《美俗》 간수, 교도관.

strick [strík] *n.* 빗질한 아마[삼]의 다발 ; (빗질한 층(層)에서 빼낸) 견섬유속(絹纖維束).

strick·en [stríkən] *v.* 《古》 STRIKE의 과거분사.
—— *a.* **1** [*attrib.*] 《文語》 (총알 따위에) 맞은, 상처난 : a ~ deer 부상당한 사슴. **2** 습격당한, 타격을 받은, (병에) 걸린, 고통받는 : ☞ PANIC-STRICKEN / ~ ***with*** fever 열병에 걸린.
stricken in years 《古》 노년의, 나이든.

strícken fíeld *n.* 《文語》 결전장, 전쟁터.

strick·le [stríkəl] *n.* **1** 평미레《곡물을 되질할 때 곡물을 됫박과 같은 높이로 밀어내는 막대》. **2** (막대 모양의) 숫돌《낫 따위를 갊》. **3** 거푸집용 고르개. —— *vt.* …을 평미레로 밀다.

‡**strict** [stríkt] *a.* **1** [＋前＋do*ing*] 엄격한, 꼼꼼한(↔*loose*) : Miss Kate is ~ ***with*** her pupils. 케이트 선생님은 학생들에게 엄격하다 / He is ~ ***in*** observ*ing* the Sabbath. 그는 착실하게 안식일을 지킨다. **2** 엄밀한, 정밀한 : in the ~ sense 엄밀한 의미로는, 엄밀히 말해서. **3** 완전한(absolute). **4** 《古》 긴장된, 팽팽한. **~·ness** *n.*
〚L *strict- stringo* to draw tight〛
類義語 ***strict*** 어떤 기준·규칙·조건 따위에 완전히 일치하는 (것을 요구하는) : the *strict* interpretation of a rule(규칙의 엄격한 해석). ***rigid*** 변경시키려는 외부로부터의 작용에 강력하게 반발하는 또는 융통성이 없는 : *rigid* laws (융통성이 없는 법률). ***rigorous*** 남에게 곤란·불가능한 일을 강요하는 따위의 비타협적인 엄격성을 지닌 : *rigorous* training (엄격한 훈련).

stringent 제한·속박을 가할 정도로 엄격한 : *stringent* measures of oppression (억압이란 가혹한 조치).

stric·tion [stríkʃən] *n.* Ⓤ 죄기, 긴장, 압축.

***stríct·ly** *adv.* 엄격히 ; 엄밀히 ; 단호히 ; 완전히 ; 확실히 : Parking is ~ prohibited here. 여기에 주차하는 것은 엄격히 금지되어 있다.
strictly speaking = ***speaking strictly*** 엄밀하게 말하면.

stric·ture [stríktʃər] *n.* **1** [보통 *pl.*] 비난, 혹평, 탄핵 : pass ~*s on* …을 비난[탄핵]하다. **2** 〖醫〗 협착(狹窄) (constriction). **3** 구속(물), 제한.
〚L ; ⇨ STRICT〛

stride** [stráid] *v.* (**strode** [stróud] ; 《英稀》 **strid·den** [strídn], **strid** [stríd]) *vi.* **1** [+副 / +前+名] 성큼성큼 걷다(cf. TROT) : He *strode away*[*strode* ***along the street]. 그는 성큼성큼 걸어서 사라졌다[거리를 걸었다]. **2** [+前+名] 건너뛰다 : The boy *strode* ***over***[***across***] the brook. 소년은 개울을 건너뛰었다.
—— *vt.* (도랑 따위를) 건너뛰다 ; 활보하다 ; 《稀》 걸터앉다(bestride). —— *n.* **1** 큰걸음, 활보. **2** 한걸음(의 폭), 보폭 : lengthen[shorten] one's ~ 속도를 내다[늦추다]. **3** [보통 *pl.*] 진보, 발달, 전진(advance).
get into** one's **stride 《口·비유》 일[운동]이 본궤도에 오르다.
hit** one's **stride 《美》 본궤도에 오르다.
make great[***rapid***] ***strides*** 장족(長足)의 진보를 하다.
take. . .in (one's) ***stride*** 쉽게 장애물을 뛰어넘다 ; 쉽게 (곤란 따위를) 헤쳐 나가다, …을 쉽게 해내다.
〚OE *strīdan* ; cf. MLG *strīden* to straddle, G *streiten* to fight〛
類義語 ⟹ WALK.

stri·dent [stráidənt] *a.* 귀에 거슬리는, 삐걱거리는 ; (색채 따위) 야한.
~·ly *adv.* **strí·den·cy**, **-dence** *n.*
〚L *strido* to creak〛

stri·dor [stráidər, -dɔːr] *n.* 〖醫〗 천명(喘鳴) ; 《文語》 삐걱거리는 소리.

strid·u·late [strídʒəlèit] *vi.* (매미·귀뚜라미가) 울다(shrill, chirr).
〚F<L ; ⇨ STRIDENT〛

***strife** [stráif] *n.* 싸움, 불화, 적대, 분쟁, 투쟁 ; 경쟁(contest) ; 쟁의(strike) ; 《古》 노력.
at strife (***with. . .***) …과 사이가 나빠.
〚OF *estrif* <? STRIVE〛

strig·il [strídʒəl] *n.* (고대 그리스·로마의 목욕탕의) 때미는 기구 ; 〖建〗 (특히 고대 로마의) S자형 홈새김 장식.
〚L (*stringo* to graze)〛

‡strike [stráik] *v.* (**struck** [strʌ́k] ; **struck**, 《古》 **strick·en** [stríkən]) *vt.* **1** [+目 / +目+前+名 / +目+目 / +目+補] 치다, 때리다(hit) ; (일격을) 가하다 : He got very angry and *struck* his son ***on*** the ear. 그는 몹시 화가 나서 아들의 귀싸대기를 때렸다 / He *struck* the table ***with*** his fist[*struck* his fist *on* the table]. 주먹으로 테이블을 쳤다 / The discus bounded up and *struck* the boy a cruel blow *on* his forehead. 원반(圓盤)이 튀어서 무자비하게도 소년의 이마에 부딪쳤다 / He was *struck* a blow. 그는 일격을 당하였다.
2 [+目+前+名] 찌르다(thrust) : ~ a dagger ***into*** a person's heart = ~ a person ***to*** the heart ***with*** a dagger 심장을 단도로 찌르다.
3 [+目 / +目+前+名] 부딪치다[부딪치게 하다] ; 충돌하다[시키다] ; (벼락·폭풍우 따위가) 엄습하다 : The ship *struck* the rocks. 배가 암초(暗礁)에 부딪쳤다 / The lightning *struck* the pine tree. 벼락이 소나무 위에 떨어졌다 / Be careful not to ~ your head ***against*** the lintel. 상인방에 머리를 부딪치지 않도록 주의하시오.
4 (지하자원을) 발견하다 ; (길 따위에) 우연히 맞닥뜨리다, 이르다(come upon) : ~ oil ☞ OIL *n.* 숙어 / ~ the track 길로 나오다.
5 두들겨 만들어 내다, 주조하다(coin) ; (부싯돌로 불을) 켜다, (성냥을) 켜다 : *S*~ a light, please. 불 좀 켜주십시오 / The man *struck* a match and lit his cigar. 그 남자는 성냥을 켜서 담배에 불을 붙였다.
6 (시계가) 시각을 쳐서 알리다 : The clock[It] has *struck* three. 시계가 세 시를 쳤다.
7 [+目 / +目+前+名 / +目+補] (병·고난 따위가) 덮치다, 괴롭히다, 압도하다 ; (공포심 따위가) 엄습하다 : Her look of dismay and disappointment *struck* him. 그녀가 당황하고 실망하는 모습을 보고 그는 마음이 아팠다 / The people were *struck* ***with*** terror. 사람들은 두려움에 떨고 있었다 / The tidal waves *struck* terror ***into*** every heart. 그 큰 해일은 모든 사람을 공포의 도가니로 몰아넣었다 / He *struck* me blind. 그에게 세게 얻어맞아 나는 눈이 잘 안보였다 / He was *struck* dumb. 그는 뜻밖의 일에 아연해졌다 / be *struck* all of a heap ☞ HEAP *n.* 숙어.
8 a) [+目 / +目+*as* 補] (남에게) 인상을 주다(impress) ; 감복(感服)시키다 : The disciples were *struck* by the determination of their master. 사도(使徒)들은 스승의 결심에 감명을 받았다 / The idea *struck* him *as* a silly one[*as* silly]. 그 생각은 그에게 어리석게 여겨졌다. **b**) (생각이) 마음에 떠오르다(occur to) : A bright idea has just *struck* me. 내게 멋진 생각이 떠올랐다 / It *struck* him that he had missed his way. 그는 길을 잃어버렸다는 생각이 퍼뜩 들었다.
9 a) (무대 장치·텐트 따위를) 걷다 ; 철거하다 ; (기·돛 따위를) 내리다 : ~ tents 텐트를 걷다 / ~ camp 캠프를 철거하다 / ~ one's flag (항복의 표시로) 기를 내리다. **b**) (공장 따위)에서 파업을 하다 ; 파업을 하여 (조업을) 일시 중단하다. **c**) (기록 따위를) 지우다, 삭제하다.
10 (됫박의 곡물)을 평미레(strickle)로 밀다 ; 결제하다, 계산하다 : ~ an average 평균을 내다 / ~ a balance ☞ BALANCE 숙어.
11 (상거래 따위를) 결정하다, 확정짓다 : ~ an agreement[a bargain, a truce] 협정[계약·휴전협정]을 체결하다.
12 갑자기 …하기 시작하다 ; (어떤 태도를) 취하다 : ~ an attitude ☞ ATTITUDE 1.
13 (물고기를) 낚아채다 ; (고래에) 작살을 찍어박다.
14 (뿌리를) 박다, 내리다 : The plant has not *struck* root yet. 그 식물은 아직 뿌리를 내리지 못하고 있다.
15 (악기를) 타다, 연주하다.
16 (선을) 긋다.
—— *vi.* **1** [動 / +前+名] 치다, 때리다 ; 공격하다 : *S*~ while the iron is hot. 《속담》 쇠는 달구어졌을 때 쳐라(좋은 기회를 놓치지 마라) / The enemy *struck* at dawn. 적은 새벽녘에 공격해 왔다 / He *struck* ***at*** me, but did not hit me. 그는 나를 쳤으나 맞히지 못했다 / You should ~ *at*

the root of the evil. 악은 뿌리째 뽑아야 한다.
2 [動/+前+名] 부딪치다, 들이받다, 충돌하다, 좌초하다 : The ship *struck* ***on*** a rock. 배는 암초에 부딪쳤다 / The ball *struck* ***against*** the wall. 공이 벽에 부딪쳤다.
3 a) (성냥 따위가) 발화하다 : Damp matches won't ~. 축축한 성냥은 여간해서 불이 붙지 않는다. **b**) [+*on*+名] 비추다 : The light *struck* (***up***) ***on*** them. 빛이 그들을 비추었다.
4 a) [+前+名/+副] 향하다, (나아)가다 : ~ east 동쪽으로 가다 / ~ ***to*** the right 길을 오른쪽으로 가다 / ~ ***into*** the woods 숲으로 들어가다 / After walking along the road a few miles they *struck* ***out across*** the meadow. 그들은 길을 따라 수 마일 걷다가 목초지를 가로질러 갔다. **b**) [+前+名/+補] 통과하다, 꿰뚫다, 스며들다 ; 스며들 듯 느껴지다 : The sunlight *struck* ***through*** the clouds. 햇빛이 구름을 뚫고 비추고 있었다 / The room *struck* warm as I came in. 그 방에 들어서니 훈훈한 기운이 감돌았다.
5 (식물이) 뿌리를 내리다 ; (굴 따위가) 고착하다, 착 달라붙다 : The roots of this plant ~ deep. 이 식물은 뿌리를 깊이 내리고 있다.
6 기(旗)를 내리다, 기를 내려 항복하다[경의를 표하다].
7 (시계·종이) 때를 알리다 ; 《비유》 (때가) 오다 : The hour has *struck* for reform. 개혁의 시기가 도래하였다.
8 a) [動/+前+名] 파업하다 : The coal miners *struck* ***for*** higher pay[***against*** the bad working conditions]. 광부들은 임금인상을 요구하여[불리한 노동조건에 항의하여] 파업을 하였다. **b**) 노력하다 ; 싸우다.
9 (물고기가) 미끼를 물다(bite) : The fish have *struck* well this morning. 오늘 아침은 낚시가 잘 된다.
10 심금을 울리다, 감동시키다.
11 갑자기[우연히] 생각나다, 생각해내다〈*on, upon*〉.
strike a blow for[***against***]. . . ☞ BLOW[2].
strike a note ☞ NOTE *n.*
strike aside 창끝을 받아넘기다, 피하다.
strike down 때려눕히다 ; 죽이다 ; (병이) 엄습하다 ; (태양이) 내리쬐다 ; (생선을) 통에 재다.
strike home …에게 치명상을 입히다 ; …의 급소를 찌르다 ; 감명케 하다.
strike in (1) 갑자기 끼어들다, 말참견하다 ; 방해하다 : Then George *struck in with* a question. 그때 조지가 갑자기 질문하였다. (2) (병 따위가) 내공(內攻)하다.
strike into. . . (1) 갑자기 …에 들어가다(cf. *vi.* 4 a)) ; 갑자기 …하기 시작하다 : ~ *into* a gallop 갑자기 달리기 시작하다. (2) …을 박아 넣다, 찌르다(cf. *vt.* 2).
strike it rich 좋은 광맥[유전]을 찾아내다 ; 《비유》 생각지 않았던 큰 성공을 거두다.
Strike me dead if. . . . 《俗》 만약 …라면 내 목을 쳐라, 그런 일은 결코 없다.
strike off (1) 잘라내다, (목 따위를) 쳐서 떨어뜨리다 ; …을 삭제하다, 제거하다(=~ out) : ~ *off* a person's head 사람의 목을 베다 / You had better ~ his name *off* the list. 그의 이름을 명단에서 빼는게 좋겠다. (2) 인쇄하다(print) : They have *struck off* 20,000 copies of the dictionary. 사전을 2만부 인쇄하였다. (3) (길을) 옆으로 벗어나다, 이탈하다.
strike on. . . =STRIKE *upon*. . . .
strike out (1) 〖拳〗 어깨에서 팔을 뻗어 치다 ; 마구 주먹을 휘두르다 ; 〖泳〗 손발을 휘저어 헤엄치다 : ~ *out for* the shore 손발을 휘저어 해안을 향하여 헤엄쳐 나아가다 / He *struck out at* his assailant. 적을 향하여 쳐들어갔다. (2) 〖野〗 삼진(三振)시키다[되다]. (3) (학설을) 발견하다 ; (계획을) 안출하다 : ~ *out* a plan 계획을 생각해 내다 / ~ *out* a line for oneself 새로운 안을 고안하다, 새로운 계기를 마련하다. (4) 삭제하다(cross out) : He *struck out* the last three names in the list. 명단에서 마지막 세 사람의 이름을 지웠다. (5) (길에서) 벗어나다.
strike through (1) 말소하다 : ~ a word *through* 한 단어를 지우다. (2) (…을) 꿰뚫다, 스며들다 (cf. *vi.* 4 b)).
strike up (1) (적의 칼 따위를) 쳐서 튕기다. (2) (상거래 따위를) 체결하다 ; (곡을) 노래하기[연주하기] 시작하다 : ~ *up* a friendship (*with* a person) (남과) 교우 관계를 맺다 / The band suddenly *struck up* (the tune). 악대는 갑자기 (곡을) 연주하기 시작하였다. (3) 양각(陽刻)으로 새기다(emboss).
strike (***up***) ***on. . .*** (1) ☞ *vi.* 2, 3 b). (2) (계획 따위를) 생각해 내다 : He *struck* (*up*) *on* the right solution. 적절한 해결방법을 생각해 냈다.
── *n.* **1** 치기, 타격, 구타 ; 공격. **2** 사냥감을 급습하기. **3** 시계치는 소리. **4** 〖地質〗 주향(走向). **5 a**) 〖野〗 스트라이크(↔*ball*) : three ~*s* 삼진(三振). **b**) 〖볼링〗 스트라이크《한번에 핀을 모두 쓰러뜨리기 ; 그 득점 ; cf. SPARE *n.* 2, SPLIT *n.* 7》. **6** U.C 동맹파업, 스트라이크(cf. LOCKOUT) : a general ~ 총파업 / go[be] (out) on ~ [《美》 a ~] 파업하다[파업중이다] / ☞ WILDCAT STRIKE. **7** (물고기가) 미끼를 물기. **8** (유전·금광 따위의) 발견 ; 《口》 갑작스런 대성공 ; 큰벌이 : a lucky ~ 크게 히트치기. **9** 강탈, 공갈. **10** =STRICKLE. **11** 공습.
have two strikes against one 《美口》 불리한 입장이다.
〚OE *strican* to go, stroke ; cf. G *streichen*〛
類義語 ***strike, hit*** 「치다」라는 뜻의 일반적인 말 ; hit쪽이 더 구어적. ***punch*** 주먹으로 치다 : *punch* a person on the jaw(턱을 주먹으로 치다). ***slap*** 손바닥으로 찰싹 때리다 : *slap* a person in the face(뺨을 찰싹 때리다). ***smite*** 《文語》 칠 때의 힘을 강조함 : *smite* a person dead(사람을 강타하여 죽이다). ***knock*** 주먹 따위의 단단한 것으로 치다 ; 또는 계속적으로 치다 : *knock* at the door(문을 두드리다).

stríke·bòund *a.* 파업으로 발이 묶인, 파업으로 휴업 중인.
stríke·brèak·er *n.* 파업 파괴자(scab, =《英》 blackleg).
stríke·brèak·ing *n.* U 파업 파괴 행위.
Stríke Commánd *n.* 〖英軍〗 영국 본토부대.
stríke fàult *n.* 〖地質〗 주향 단층(走向斷層).
stríke fòrce *n.* 〖軍〗 타격 부대.
stríke fùnd *n.* 파업 기금.
stríke·less *a.* strike가 없는[를 면한].
stríke méasure *n.* 평미레로 밀어 고르게 한 두량(斗量).
stríke-òff *n.* 〖印〗 교정쇄(刷), 시험쇄(刷) ; 〖建〗 마감 손질용 흙손[자].
stríke·òut *n.* 〖野〗 삼진 ; 《美口》 실패.
stríke·òver *n.* U.C 타이프라이터의 오자를 지우지 않고 그 위에 겹쳐 치기.
stríke pày[**bènefit**] *n.* (파업 기간중 노동조합

에서 지급되는) 파업 수당.
strik·er [stráikər] *n.* **1** 치는 사람. **2** 동맹 파업자. **3** 작살질하는 사람 ; 작살. **4** (총의) 공이치기. **5** 치는 시계 ; (괘종 시계의) 추. **6** 《英》 (테니스의) 리시버(receiver).
stríke tòne *n.* 종칠 때 처음에 나는 소리.
stríke zòne *n.* 〔野〕 스트라이크 존.
***strik·ing** [stráikiŋ] *a.* **1** 눈에 띄는, 현저한 ; 인상적인 : a ~ resemblance 현저한 유사점. **2** 치는 ; 공격하는 ; 시보를 치는 : a ~ clock 시간을 쳐서 알리는 시계 / a ~ force (즉시 출격 가능한) 타격 부대. **3** 파업중인. **~·ly** *adv.* 현저하게, 눈에 띄게.
類義語 ⟹ NOTICEABLE.
stríking dìstance *n.* 타력(打力)이 미치는 범위[거리].
within striking distance 바로 가까이에.
stríking prìce *n.* (옵션 계약(契約)이 가능한) 계약 가격.
Strine [stráin] *n.* 오스트레일리아 영어.
〚Alastair Morrison이 *Australian*의 발음을 비꼰 것〛
‡**string** [stríŋ] *n.* **1 a)** Ⓤ 끈, 실(cf. CORD) : a piece[ball] of ~ 실 한 가닥[뭉치]. **b)** (모자·앞치마 따위의) 매는 끈, 리본 ; (인형을 조종하는) 끈. **c)** 〔컴퓨〕 문자열. **2** 끈에 꿴 것, 염주처럼 꿴 것, 한 연속 ; 연쇄(連鎖) : a ~ *of* pearls 한 줄로 꿰어진 진주 / a ~ *of* onions 양파 한 줄. **3 a)** (차·사람 등의) 일렬, 한떼 : a ~ *of* cars 일렬로 늘어선 자동차. **b)** (거짓말 따위의) 연속, 연발. **c)** 〔新聞〕 기고의 양에 따라 보수를 받는 통신원의 원고를 오려 철해 놓은 것. **4** [집합적으로] (특정한 마구간[주인]의 모든) 경주마 ; (소·말의) 한 무리, 한떼. **5** (활의) 시위. **6** (악기의) 현, 줄 ; [the ~s] (오케스트라의) 현악기, 현악기부(의 연주자들) (cf. BRASS, REED*s*) : touch *the* ~*s* 탄주(彈奏)하다. **7** 섬유, (완두 따위의) 힘줄 ; 〔植〕 덩굴손 ; 《古》 힘줄, 신경. **8** 《비유》 **a)** [*pl.*] 《口》 부대 조건, 「단서」 : with no ~*s* (attached) = without ~*s* (원조금 따위) 조건부가 아닌. **b)** 방편, 수단. **9** 〔撞球〕 경기 순서를 정하기 위해 공을 치기 ; 득점 ; 득점 계산기. **10** 〔建〕 = BRIDGEBOARD ; = STRINGCOURSE.
a second string to** one**'s bow 제2의 방책[대비책] ; 다른 수단.
by the string rather than the bow 단도 직입적으로.
harp on one*[*the same*] *string 같은 일[것]을 계속 반복하다.
have*[*keep*]** a person ***on a string = 《美》 ***have a string on*** a person 남을 조정하다.
have two strings to** one**'s bow 제2의 수단[대안]을 강구하다.
pull every string 전력을 다하다.
pull* (*the*) *strings 뒤에서 조정하다 ; 막후인물이다.
the first*[*second*] *string 첫째[둘째]로 신뢰하는 사람[물건] ; 제1[2]안.
touch a string in a person**'*s heart*** 《비유》 남의 심금을 울리다, 남을 감동시키다.
── *v.* (**strung** [strʌ́ŋ]) *vt.* **1** 실을 꿰다 : ~ beads 염주알을 실에 꿰다. **2** [+目 / +目+副 / +目+前+名] 실로 꿰어 달아매다 ; 일렬로 배열하다 : Lamps were *strung* ***up across*** the street. 전등이 길을 가로질러 죽 매달려 있었다. **3** (활·라켓의) 줄을 팽팽히 하다 ; (악기에) 현을 매다 ; (현을 당겨) 음조를 맞추다 : I'll have my tennis racket *strung.* 테니스 라켓의 줄을 팽팽히 매야겠다. **4** [+目 / +目+副 / +目+前+名 / +目+*to* do] [보통 *p.p.* 또는 ~ one*self*로] (사람·신경 따위를) 긴장시키다, 흥분시키다 : a highly *strung*[a high-*strung*] person 대단히 긴장하기 쉬운[신경질적인] 사람 / The wrestler was *strung* ***up.*** 레슬링 선수는 몹시 긴장하고 있었다 / He *strung* him*self* ***up to*** a high pitch of expectancy. 그는 큰 기대를 걸었기 때문에 극도로 긴장하였다. **5** (콩 따위)의 힘줄[섬유]을 제거하다 : ~ beans 완두의 힘줄을 제거하다. **6** 《美口》 속이다(fool)〈*along*〉. ── *vi.* **1** (사냥개 따위가) 나란히 나아가다 ; 줄줄이 이어지다 ; 일렬로 움직이다. **2** (아교 따위가) 실처럼 늘어나다. **3** 〔撞球〕 공을 쳐서 순서를 정하다.
string a person ***along*** 《口》 (거짓 약속 따위로) 남을 잡아두다 ; 《口》 남을 속이다.
string along with... 《口》 …을 믿고 따르다 ; 협조하다.
string out 한줄로 세우다 ; 산개(散開)하다 ; 넓히다, 늘리다 : The scouts were *strung out* along the road. 척후병은 도로를 따라 간격을 두고 길게 배치되었다.
string up (1) ☞ *vt.* 2, 4. (2) 높은 곳에 매달다 ; 《口》 교수형에 처하다.
〚OE *streng* ; cf. STRONG, STRAIN[1], G *Strang*〛
stríng bàg *n.* (끈으로) 거칠게 엮은 망태기.
stríng bànd *n.* 현악대(絃樂隊).
stríng bàss [-bèis] *n.* 콘트라베이스.
stríng bèan *n.* 《美》 꼬투리째 먹는 콩《깍지강낭콩·깍지완두 따위》 ; 그 꼬투리 ; 《口》 마르고 후리후리한 사람.
stríng bikìni *n.* 스트링 (비키니)《극단적으로 짧은 비키니》.
stríng·bòard *n.* 〔建〕 계단의 옆판.
stríng correspòndent *n.* 〔新聞〕 비상근 통신원, 특파원, 통신원.
stríng·còurse *n.* 〔建〕 돌림띠.
stríng devèlopment *n.* 대상(帶狀) 건축[발전]《시내에서 교외로 무질서하게 늘어선 간선도로변의 주택 건축》.
stringed [stríŋd] *a.* (…의) 현이 있는 ; 현악기의 : a ~ instrument 현악기.
strin·gen·cy [stríndʒənsi] *n.* Ⓤ (규칙 따위의) 엄중 ; (상황(商況) 따위의) 절박, 금융 핍박(逼迫) ; (학설 따위의) 설득력, 박력(cogency).
strin·gen·do [strindʒéndou] *a., adv.* 〔樂〕 점점 빠른[빠르게]. 〚It.〛
strin·gent [stríndʒənt] *a.* **1** 엄중한. **2** 〔經〕 (금융 따위) 돈이 안 도는, 절박한, 금융 핍박의 (tight). **3** (학설 따위) 설득력이 있는, 유력한. **~·ly** *adv.* **~·ness** *n.*
〚L ; ⇨ STRICT〛
類義語 ⟹ STRICT.
stríng·er *n.* **1** 〔建〕 세로보 ; 계단의 옆판 ; 《美》 〔鐵〕 세로 침목(sleeper). **2** (현악기의) 현공(絃工). **3** 〔新聞〕 비상근 통신원, (일반적으로) 통신원, 특파원.
stríng·hàlt *n.* 〔獸醫〕 (말의) 파행증(跛行症) (springhalt).
stríng·ing *n.* (라켓의) 거트.
stríng·lìne *n.* 〔建〕 (벽돌 쌓기 따위에서 수평을 나타내도록) 치는 실줄.
stríng órchestra *n.* 현악 합주단.
stríng-pùll·ing *n.* 《口》 배후 조종, 이면 공작.
stríng-pùll·er *n.* 흑막, 배후 조종자.
stríng quartét *n.* 현악 4중주단[곡].

stríng tìe *n.* 스트링 타이《짧고 가는 끈 모양의 (나비) 넥타이》.
stríng-whàng·er *n.* 《재즈俗》 기타 주자.
stríngy *a.* **1** 실[끈]의; 힘줄의; 섬유질의, (고기 따위) 힘줄 투성이의. **2** (액체가) 실오리처럼 늘어나는, 끈적거리는. **3** (사람이) 근골이 튼튼한, 늠름한. **4** 현악기 소리같은.
strip**[1] [stríp] *v.* (**-pp-** ; **stript** [strípt]) *vt.* **1** [+目/+目+副/+目+前+名/+目+補] (껍질·옷 따위를) 벗기다, …에서 빼앗다(rob); 제거하다, 비우게 하다 : ~ ***off the skin of a banana 바나나 껍질을 벗기다 / ~ the bark *off* [***from***] a tree 나무의 껍질을 벗기다 / The wind ~*ped* the trees ***of*** all their leaves. 바람이 불어 나뭇잎이 모두 떨어졌다 / The robbers ~*ped* him ***to*** the skin. 강도들은 그를 홀랑 털어갔다 / The traveler was ~*ped* naked. 여행자는 (강도를 만나) 몽땅 털렸다. **2** 우유를 짜내다; 〖化〗 (증류하여) 휘발분을 없애다; 탈색하다. **3** 〖機〗 (나사의) 날을 닳게 하다. **4 a**) (배의) 의장(艤裝)을 풀다; 부품을 떼어내다, 분해하다; (차 따위를) 해체하다 : ~ ***down*** an engine 기관의 부품을 떼어내다《분해 수리 따위를 위하여》. **b**) 무장 해제하다; 컨테이너를 풀다. **5** (담뱃잎에서) 중륵맥(中肋脈)을 제거하다. ── *vi.* **1** 옷을 벗다(undress); 벌거벗다. **2** (나사의) 날이 닳다. **3** (나무·과일 따위의) 껍질이 벗겨지다. **4** (담뱃잎의) 중륵맥 제거 작업을 하다. ── *n.* 스트립(striptease).
〚OE《美》 *strȳpan, -strīepan* to despoil; cf. G *streifen*〛
***strip**[2] *n.* **1** (천·판자 따위의) 가늘고 긴 조각, 작은 조각; 길고 좁은 토지 : a ~ *of* paper 한 조각의 종이 / a ~ *of* grass 한 구획의 좁고 긴 풀밭 / in ~*s* 가늘고 길게 조각조각이 되어. **2** = AIRSTRIP; [the S~] 《美俗》 환락가. **3 a**) 석 장 (이상) 붙은 우표. **b**) =COMIC STRIP.
── *vt.* (**-pp-**) 가늘고 긴 모양으로 자르다[만들다]; (사진 제판에서) 음화 따위를 붙이다.
〚MLG *strippe* strap, thong; cf. STRIPE〛
stríp àrtist *n.* 스트리퍼(stripteaser).
stríp cartòon *n.* =COMIC STRIP.
stríp cèll *n.* 《美俗》 (교도소의) 빈 방.
stríp chàrt *n.* 스트립 차트《긴 띠 모양의 용지를 사용하는 장기간 기록도(圖)[장치]》.
stríp cìty *n.* 《美》 (두 도시를 잇는) 노선형(路線型) 시가지, 대상(帶狀) 도시.
***stripe** [stráip] *n.* **1** 줄무늬, 줄; 줄무늬의 직물; 줄무늬 디자인; (특히 줄무늬의) 죄수복 : a dress with blue and white 청색과 흰색의 줄무늬 드레스. **2** [보통 *pl.*] 〖軍〗 수장(袖章). **3** [보통 *pl.*] 《古》 채찍자국(stroke); [보통 *pl.*] 《古》 채찍질 (flogging). **4** [~s; 단수취급] 《口》 호랑이 (tiger). **5** 《美》 (종교·정치론의) 특색, (인물 등의) 형(型), 종류.
get** one's **stripes 〖軍〗 승진하다.
lose** one's **stripes 〖軍〗 강등되다.

stringed instrument

wear the stripes 《美》 교도소에 들어가다, 복역중이다.
—— *vt.* 줄무늬로 장식하다 ; …에 흠을 내다.
〖? 역성(逆成)<*striped*, or MDu., MLG *stripe*<?〗
striped [stráipt] *a.* 줄무늬가[줄이] 있는.
stríped-pànts *a.* 의례적인 ; 외교단의 ; 외교적인 : ~ diplomacy 판에 박힌 외교.
strip·er [stráipər] *n.* 줄무늬를 내는 사람[것] ; 《軍俗》 계급[복무 연수]을 나타내는 수장(袖章)을 단 군인 : a five-~ 5년병 / a one-~ 《美海軍俗》 해군 소위.
strípe smùt *n.* 〖植〗 깜부기병.
stríp·fìlm *n.* =FILMSTRIP.
strip·ing [stráipiŋ] *n.* 줄무늬를 내기 ; 줄무늬 모양, 줄무늬의 디자인.
stríp·lìght *n.* 여러 개의 전구를 띠처럼 배열한 무대 조명용 라이트 ; 막대꼴 형광등.
stríp lìghting *n.* 막대꼴 형광등에 의한 조명.
stríp·ling *n.* 애송이, 젊은이. 〖STRIP²〗
stríp mìne *n.* 《美》 노천광(鑛).
stríp mìner *n.* 노천 채광부.
stríp-pàckaging *n.* 스트립 포장《약 따위가 두 장의 금박 또는 플라스틱 필름 사이에 1회분씩 나눠진 포장 형태》.
strípped-dówn *a.* 불필요한 장비를 모두 없앤 《자동차》.
stríp·per *n.* **1** 벗기는 사람 ; 탈취자 ; 벌거벗은 사람 ; 《口》 스트리퍼(stripteaser). **2** 벗기는 기구[도구], 박피기(剝皮器), 제모용 빗 ; (담배의) 중륵맥을 제거하는 사람. **3** 젖이 마른 소 ; 생산량이 줄어든 유정(油井).
stríp pòker *n.* 진 사람이 옷을 하나씩 벗는 포커.
stríp sèarch *n.* 《俗》 =SKIN SEARCH.
stríp-sèarch *vt.*
stript *v.* STRIP¹의 과거·과거분사.
stríp·tèase *n.* 스트립(쇼) (=**stríp shòw**).
—— *vi.* 스트립쇼를 하다.
stríp·tèaser *n.* 스트리퍼《나체로 춤추는 여자》.
stripy [stráipi] *a.* 줄무늬 있는.
strive** [stráiv] *vi.* (**strove** [stróuv] ; **striv·en** [strívən]) **1** [動 / +前+名 / +*to* do] 노력하다, 힘쓰다 : We ~ ***for what we want. 원하는 것을 얻기 위하여 노력한다 / I *strove* ***after*** honor. 명예를 얻으려고 노력하였다 / He *strove to* overcome my bad habits. 나쁜 버릇을 고치려고 노력하였다. **2** [動 / +前+名] 싸우다, 항쟁하다, 분투하다(struggle) : I *strove* ***with*** none. 누구와도 싸우지 않았다 / The citizens *strove* ***against*** the oppression. 시민들은 압제에 저항하여 싸웠다.
〖OF *estriver* ; cf. STRIFE〗
類義語 ⟹ TRY.
***striven** *v.* STRIVE의 과거분사.
strobe [stróub] *n.* 《口》 =STROBOSCOPE ; 〖寫〗 스트로보. —— *a.* =STROBOSCOPIC.
stróbe lìght *n.* 〖寫〗 (스트로보의) 플래시 라이트 (flashlight).
strob·ile [stróubail, -bəl, strábəl] *n.* 〖植〗 구과(毬果) (cone) ; 구화(毬花), 원뿔체(體).
〖F or L<Gk. (*strephō* to twist)〗
stró·bo·scòpe [stróubə-] *n.* **1** 스트로보스코프 《물체의 고속회전[진동] 상태를 관찰하는 장치》. **2** 〖寫〗 스트로보《방전(放電)에 의한 섬광(閃光) 촬영장치》. 〖Gk. *strobos* whirling+-*scope*〗
stro·bo·scop·ic [stròubəskápik] *a.* 스트로보(스코프)의.
stroboscópic lámp *n.* 〖寫〗 스트로보.
stro·bo·tron [stróubətràn] *n.* 〖電〗 스트로보 방전관(放電管).
***strode** *v.* STRIDE의 과거형.
***stroke**¹ [stróuk] *n.* **1** 타격(blow), 일격 : a ~ *of* the lash 한차례의 채찍 / a ~ *of* lightning 낙뢰(落雷) / Little ~*s* fell great oaks. 《속담》 티끌 모아 태산. **2** (보트 따위의) 한번 젓기, 젓는 법 ; 정조(수) (整調(手)) (cf. STROKE OAR 2) ; (새의) 날개치기, (손이나 기구의) 한번 놀리기 ; (크리켓 따위의) 치는 법, 타격 : row a fast ~ 급피치로 젓다. **3** (수영의) 손발 놀리기, 수영법, 스트로크(cf. BACKSTROKE, BREASTSTROKE). **4** 한번 쓰기, 필법(筆法), 운필(運筆) ; 한번 베기, 한번 새기기 ; (문학작품의) 필치 : with a ~ *of* the pen 일필휘지(一筆揮之)로 ; 잠시 서명하기만 하면 / the finishing ~ ☞ FINISHING *a.* **5** 한획(劃), 자획. **6 a)** (시계·종 따위의) 치는 소리 : on the ~ of twelve 12시를 치니. **b)** (심장의) 고동, 맥박(throb). **7** 병에 걸리기, (특히) 뇌일혈 : have a ~ 뇌일혈을 일으키다. **8** 한바탕 일하기 ; 분투, 노력 ; 수단 ; 수완 ; 성공, 위업 ; (행운 따위의) 도래 : a ~ *of* genius 천재적 솜씨[생각, 재치] / a ~ *of* luck 생각지 않았던 행운. **9** 〖工〗 (피스톤의) 전후 왕복운동, 공정(工程). **10** 〖컴퓨〗 자획.
a stroke above 《비유》 (…보다) 한 수 위.
at a [***one***] ***stroke*** 일격으로 ; 일격에.
keep stroke 박자를 맞추어 젓다.
—— *vt.* **1** (t자(字) 따위에) 짧은 선을 긋다 ; (써 놓은 어구 따위에) 줄을 그어 지우다〈*out*〉. **2** (보트의) 피치를 정하다, 정조수(整調手) 노릇을 하다 : Dick ~*d* the Cambridge crew. 딕은 케임브리지 대학의 정조수 노릇을 하였다. **3** 치다 ; 〖球技〗 (공을) 겨냥하여 치다. —— *vi.* 공을 치다 ; (보트의) 정조수를 하다.
〖OE 《美》 *strāc* (⇨ STRIKE) ; cf. G *Streich* (↓)〗
類義語 ⟹ BLOW².
stroke² *vt.* 쓰다듬다, 어루만지다, 문지르다 : The boy ~*d* his dog. 소년은 개를 어루만졌다.
stroke a person ***down*** 남을 달래다.
stroke a person[a person***'s hair***] ***the wrong way*** 남을 화나게 하다.
—— *n.* 한번 쓰다듬기, 어루만지기, 문지르기.
〖OE *strācian* ; cf. G *streichen*〗
stróke hòuse *n.* 《美俗》 포르노 극장.
stróke òar *n.* **1** (보트의) 정조수가 젓는 노. **2** 정조(整調) (수(手)). 注 지금은 STROKE가 보통.
stróke plày *n.* 〖골프〗 타수 경기(medal play).
strókes·man [-mən] *n.* (보트의) 정조수.
stroll** [stróul] *vi.* **1** [動 / +副 / +前+名] 한가롭게 (이리저리) 거닐다, 산책하다 : I ~*ed* ***about through the town. 시내를 한가롭게 돌아다녔다. **2** 유랑하다, 순회공연하다. —— *vt.* 《美》 (거리 따위를) 떠돌아다니다. —— *n.* 어슬렁어슬렁 걷기, 산책 : go for[have, take] a ~ 산책하다.
〖? G *strollen, strolchen* (*Strolch* vagabond<?)〗
stróll·er *n.* **1** 어슬렁어슬렁 걷는 사람, 산책하는 사람. **2** 방랑자(vagrant). **3** 순회 흥행자《연예인》. **4** 《美》 (접을 수 있는) 유모차(乳母車).
stro·ma [stróumə] *n.* (*pl.* **-ma·ta** [-tə]) **1** 〖解〗 스트로마《적혈구 따위의 무색의 세포막》 ; 〖解〗 기질(基質), 간질(間質). **2** 〖植〗 자좌(子座) ; 〖植〗 엽록체. 〖NL<L<Gk. =coverlet〗
stro·mato·lite [stroumǽtəlàit] *n.* 스트로마톨라이트《녹조류(綠藻類)의 활동에 의해 생기는 박편상(薄片狀)의 석회암》.
◇**strong** [strɔ́(:)ŋ, stráŋ] *a.* (~**·er** [-gər] ; ~**·est** [-gəst]) **1** 강한, 힘이 있는 ; 근육이 우람한(↔

weak) ; [+*to* do] 튼튼한, 견고한, 건전한 : Are you feeling quite ~ again? 원기를 완전히 회복하셨습니까 / He was ~ *to* suffer the hardships. 그에게는 곤경을 견뎌낼 힘이 있었다 / She is not yet ~ *enough to* go to school. 아직 몸이 회복되지 않아서 학교에는 못간다 / the ~*er* sex 남성. **2** (상상·기억·신념 따위가) 강한. **3** (천 따위가) 질긴, 견고한, 든든한. **4 a**) (바람 따위가) 강한, 세찬. **b**) (냄새·빛·소리 따위가) 강렬한 ; 악취가 나는. **c**) (약 따위가) 효과가 큰. **d**) 강도(強度)의 ; (차 따위가) 진한, (주류가) 독한, 알코올 성분을 많이 함유한. **5** (의논·증거 따위) 유력한. **6** 확신하는, 자신이 있는 ; 득의의, 능숙한(↔*weak*) : one's ~ point 장점 / He is ~ *in* judgment[*in* arithmetic]. 판단이 확실하다[산술에 능하다] / He is ~ *on* American literature. 미국 문학에 정통하다. **7** (작품 따위) 대담한, 힘찬 ; 강경한 ; 격렬한 : ~ measures 강경한 방책 / a ~ situation (극·이야기 따위의) 감동시키는 장면 / He is ~ *against* compromise. 전혀 타협을 하지 않으려 하고 있다. **8** (음식이) 딱딱한, 소화하기 어려운. **9 a**) 다수의, 우세한 : a ~ army 우세한 군대 / a ~ candidate (다수의 지지자를 가진) 유력한 후보. **b**) 인원[병력]이 …인, …의 병력인 : an army 200,000 ~ 병력 20만의 군대. **10** 〖商〗 강세(強勢)인. **11** 〖文法〗 강변화의, 불규칙 변화의 ; 〖音聲〗 강세(強勢)가 있는(cf. WEAK 8) : ~ verbs 불규칙 동사《*sing, sang, sung* 따위》.

(as) strong as a horse 지극히 완강한, 격무에 견뎌내는.

by a[the] strong hand =*with a*[*the*] STRONG *hand.*

have a strong head (사람이) 술에 강하다, 술에 취하지 않다.

with a[the] strong hand 우격다짐으로, 무리하게.

── *adv.* 《口》 강하게, 힘세게, 맹렬히, 터무니없이 : He is going ~. 그는 원기 왕성하다 ; (경기·활동 따위를 그만두지 않고) 끗끗이 하고 있다 / That is coming[going] it rather[a bit] ~. 그건 좀 지나치다《터무니없는 요구 따위》.

〚OE ; cf. STRING, G *streng* strict〛

[類義語] ***strong*** 행동·저항·파괴하는 힘 따위가 강한 ; 가장 일반적인 말. ***stout*** 긴장·압력·피로 따위를 이겨내는 힘이 강한 : a *stout* body (강인한 몸). ***sturdy*** 튼튼하게 되어 있어 느슨하게 하거나 약화시키기 어려운 : *sturdy* legs (튼튼한 다리). ***tough*** 견고하여 외부로부터의 파괴를 충분히 막아낼 수 있는 : *tough* leather (질기고 튼튼한 가죽).

stróng àrm *n.* 힘, 고압 수단, 폭력 ; (남의 밑에서) 폭력을 쓰는 남자, 폭한 : the ~ of the law 강권(強權), 경찰 및 법의 힘.

stróng-àrm *a.* 《口》 힘센 ; 힘을 다하는.

── *vt.* 《美》 …에 폭력을 쓰다.

stróng·bòx *n.* 금고, 돈궤.

stróng bréeze *n.* 〖海·氣〗 된바람, 강풍.

[類義語] ⟹ WIND[1].

stróng drínk *n.* 주류(酒類), 증류주.

stróng fórce *n.* 〖理〗 =STRONG INTERACTION.

stróng gále *n.* 〖海·氣〗 큰센바람, 일진 강풍.

[類義語] ⟹ WIND[1].

stróng-héad·ed *a.* 완강한(headstrong) ; 머리가 좋은.

***stróng·hòld** *n.* **1** 성채, 요새(要塞) ; 근거지, 거점 지역. **2** 《비유》 (어떤 사상 따위의) 중심지, 본거지〈*of*〉.

stróng interáction *n.* 〖理〗 (소립자간의) 강한 상호작용(strong force).

stróng·ish *a.* 튼튼해 보이는, 제법 강한.

stróng lànguage *n.* 심한[난폭한] 말 ; 《婉》 독설, 악담, 저주.

stróng·ly *adv.* **1** 튼튼하게. **2** 강(경)하게 : He ~ supported the plan. 그는 그 계획을 강력히 지지했다. **3** 맹렬히, 열심히.

stróng màn *n.* **1** 힘이 강한[건장한] 사람, (서커스 따위의) 힘 자랑하는 사나이. **2** 유력자, 실력자 ; 독재자.

stróng méat *n.* 질긴 고기 ; 공포심·분노·반발 따위를 불러 일으키는 것, 소름끼치는 것 ; 〖聖〗 까다로운 교리(敎理).

stróng-mínd·ed *a.* 마음이 긴장되어 있는 ; 과단성 있는 ; (여성이) 남성적인, 괄괄한.

stróng·pòint *n.* 〖軍〗 방위 거점.

stróng ròom *n.* 금고실, 귀중품실.

stróng síde *n.* 〖美蹴〗 스트롱 사이드《공격 포메이션의 한 방법으로 선수가 많은 사이드》.

stróng súit *n.* 〖카드놀이〗 높은 끗수 짝패 ; 《비유》 장점, 장기(長技)(long suit).

stróng-wílled *a.* 의지가 강한 ; 완고한.

stron·ti·um [strántiəm, -ʃiəm] *n.* Ⓤ 〖化〗 스트론튬《금속 원소 ; 기호 Sr, 번호 38》 : ~ 90 스트론튬 90《스트론튬 방사성 동위원소의 하나》.

〚*strontia*+*-ium*〛

strop [stráp] *n.* **1** (면도의) 가죽숫돌, 혁지(革砥)(razor strap). **2** 〖海〗 (도르래의) 띠줄.

── *vt.* (**-pp-**) 혁지에 갈다.

〚MDu., MLG ; cf. OE *strop* oar thong〛

stro·phe [stróufi(:)] *n.* 스트로페《고대 그리스 합창 무용단의 좌측으로의 회전 ; 또는 그때 부르는 합창 ; cf. ANTISTROPHE》 ; (자유시의) 연(聯), 절(節)(stanza).

〚Gk. =turning〛

strop·py [strápi] *a.* 《英口》 반항적인 ; 불평하는, 투덜거리는 ; 보기 흉한.

〚C20<? ; *obstropolous*에서 인가〛

***strove** *v.* STRIVE의 과거형.

strow [stróu] *vt.* (**~ed ; strown** [stróun], **~ed**) 《古》 =STREW.

‡**struck** [strʌ́k] *v.* STRIKE의 과거·과거분사.

── *a.* 파업중인 : a ~ factory 파업중인 공장.

strúck júry *n.* 〖美法〗 특별 배심(special jury) 《쌍방의 변호사가 특별협정에 따라 48명의 배심원 중에서 선정하는 12명》.

***struc·tur·al** [strʌ́ktʃərəl] *a.* **1** 구조상의, 조직의 《아름다움 따위》 ; 구조를 연구하는 ; 〖生〗 생체구조의, 형태(상)의 ; 〖化〗 화학구조의 ; 경제 구조(상)의. **2** 건축(용)의 ; 지질구조의.

~·ly *adv.* 구조상, 조직상, 조직적으로.

Strúctural Adjústment Prógrams *n. pl.* 구조 조정 프로그램[안].

strúctural fórmula *n.* 〖化〗 구조식.

strúctural géne *n.* 〖生〗 구조 유전자(cf. REGULATOR GENE).

strúctural íron *n.* 건축용 철재.

strúctural·ìsm *n.* 기능보다 구조에 중점을 두는 설, 구조주의《언어학 (따위)》 ; =STRUCTURAL LINGUISTICS ; =STRUCTURAL PSYCHOLOGY.

-ist *n., a.* 구조(주의) 언어학자(의).

strúctural linguístics *n.* 구조 언어학.

strúctural psychólogy *n.* 구성 심리학.

strúctural recéssion *n.* 〖經〗 구조적 불황.

strúctural refórm *n.* 구조 개혁.

strúctural unemplóyment *n.* (경제 구조의 변화로 인한) 구조적 실업.

*__struc·ture__ [strʌ́ktʃər] *n.* **1** 건물, 건조물 ; 건축 양식 : That new building is a very imposing ~. 저 새 빌딩은 매우 인상적인 건물이다. **2** [U,C] 구조, 기구, 조직, 체계, 조립 〈*of*〉: the ~ of the human body 인체 구조. —— *vt.* 구축[조직]하다 ; 조직화하다(systematize).
〖OF or L (*struct- struo* to build)〗
[類義語] ⟹ BUILDING.

strúctured prógramming *n.* 〖컴퓨〗 구조풀그리기, 프로그램짜기《모든 프로그램을 순차처리 · 판단분기(分岐) · 반복의 세 요소로 짜서 기술함》.

strúcture-preséving hypòthesis *n.* 〖言〗 구조 보유의 가설.

struc·tur·ism [strʌ́ktʃərìzəm] *n.* 〖美術〗 구조주의《기본적인 기하학적 형태[구조]를 중시하는 미술》. **-ist** *n.*

struc·tur·ize [strʌ́ktʃəràiz] *vt.* …을 조직화[구조화]하다.

stru·del [strú:dl] *n.* 슈트루델《보통 과일 · 치즈 따위를 종이처럼 얇은 밀가루 반죽에 말아서 구운 디저트용 과자》. 〖G〗

‡__strug·gle__ [strʌ́gəl] *vi.* **1** [動 / +前+名 / + *to* do] 몸부림치다, 버둥거리다 ; 싸우다, 고투(苦鬪)하다 ; 애쓰다, 고심(苦心)하다 : The pony ~*d* and kicked. 조랑말은 버둥거리며 발길질하였다 / He ~*d* ***to*** his feet. 몸부림치며 일어서려 하였다 / They had to ~ ***for*** their lives ***against*** weather and wild animals. 살기 위하여 악천후와 야수를 상대로 싸우지 않으면 안되었다 / The rabbit ~*d to* escape from the snare. 토끼는 올가미에서 벗어나려고 버둥거렸다. **2** [+副 / +前+名] 애써 밀어젖히고 나아가다 : He succeeded in *struggling* ***out through*** the snow. 눈속에서 겨우 빠져나올 수 있었다. —— *vt.* 고투하여 완수하다[처리하다] ; (길을) 애써서 나아가다.
—— *n.* **1** 몸부림, 발버둥. **2** 노력, 고투(苦鬪) : the ~ *for* existence 생존경쟁. **3** 전투, 투쟁 ; 난투 : a class ~ 계급투쟁 / a ~ *with* disease 투병(鬪病). **strúg·gler** *n.*
〖ME *strugle, strogel* (freq.) < ? ; imit.인가〗
[類義語] ⟹ FIGHT.

strúg·gling *a.* 노력하는, 분투[고투]하는, (특히) 생활고와 싸우는. **~·ly** *adv.*

strum [strʌ́m] *vt., vi.* (**-mm-**) [+目 / +目+*on*+名 / 動 / +*on*+名] (현악기를) 서툴게 켜다 : ~ (***on***) a guitar[the piano] 기타[피아노]를 서툴게 치다 / ~ a tune *on* a banjo 벤조를 서툴게 퉁기며 곡을 연주하다.
—— *n.* [단수형만으로 써서] 서툴게 켜기[켜는 소리]. 〖imit. ; cf. THRUM²〗

stru·ma [strú:mə] *n.* (*pl.* **-mae** [-mi:, -mai], **~s**) 〖醫〗 연주창, 갑상선종(甲狀腺腫) ; 〖植〗 혹 모양의 돌기. 〖L〗

strum·pet [strʌ́mpət] *n.* 《古 · 文語》 매춘부(婦) (prostitute). 〖ME < ? 〗

‡__strung__ [strʌ́ŋ] *v.* STRING의 과거 · 과거분사.
—— *a.* (피아노 따위) 특별한 줄을 친.
highly strung 《英口》 =HIGH-STRUNG.
strung out 《俗》 마약 중독의 ; 《俗》 마약이 떨어져 괴로워하는 ; 《俗》 신경과민으로 ; 《黑人俗》 (사랑에) 빠져.
strung up 《口》 몹시 긴장한[하여], 신경질적인.

strut [strʌ́t] *v.* (**-tt-**) *vi.* [動 / +副 / +前+名] 점잔빼며[몸을 뒤로 젖히고, 거만하게] 걷다 ; (공작 · 칠면조 따위가) 꽁지를 세우고 걷다 : The turkey is ~*ting* ***about*** (the barnyard). 칠면조가 꽁지를 세우고 (앞뜰을) 돌아다니고 있다 / The actor ~*ted* (***a***)***round*** the stage. 그 배우는 거들먹거리며 무대위를 빙빙 돌아다녔다. —— *vt.* (옷 따위를) 자랑해 보이다, 과시하다. —— *n.* [단수형만으로 써서] 뽐내는[거만한] 걸음걸이, 과시, 자만. 〖ME=to bulge, swell, strive<OE *strūtian* ? to be rigid〗

'struth, 'strewth [strú:θ] *int.* 《口》 어이쿠, 어머나, 이크, 맙소사《놀라는 소리》.
〖God's *truth*〗

strút·ting *a.* 뽐내며 걷는, 점잔빼는.

strych·nic [stríknik] *a.* 스트리키니네의[에서 얻어지는].

strych·nine [stríkni:n, -nən, -nain] *n.* [U] 〖化〗 스트리키니네, 스트리키닌《중추 신경 흥분제》.
〖F<L<Gk. *strukhnos* nightshade〗

Sts. Saints. **STS** 〖宇宙〗 Space Transportation System(우주 수송 시스템). **S.T.S.** Scottish Text Society.

Stu·art [stjú(:)ərt] *n.* **1** 남자 이름. **2** 스튜어트 왕가의 사람《영국 옛 왕가의 사람》.
the Stuarts=***the House of Stuart*** 스튜어트 왕가《1603-1714 ; James I, Charles I & II, James II, Mary, Anne》.
〖⇨ STEWART〗

stub [stʌ́b] *n.* **1** (나무의) 그루터기 ; (쓰러진 나무의) 뿌리, 잘라 내고 남은 부분 ; (이(tooth) 따위의) 뿌리. **2** (연필 · 담배 따위의) 쓰다 남은 토막, 꽁초〈*of*〉. **3** 《美》 (수표책 따위의) 부본《한쪽 떼어 주고 남은 부분》, (입장권 따위의) 반액 할인권.
—— *vt.* (**-bb-**) **1** (그루터기 · 뿌리를) 뽑다〈*up*〉 ; (토지에서) 그루터기를 제거하다〈*up*〉 ; 짧게 하다. **2** (엽궐련 따위의) 끝을 비벼 불을 끄다〈*out*〉. **3** (발끝을) (뿌리 · 돌 따위 딱딱한 것에) 채다.
〖OE *stub*(*b*)〗

stub·bed [stʌ́bəd, stʌ́bd] *a.* 그루터기로 만든 ; 그루터기 같은, 짧고 굵은 ; 그루터기 투성이의.
~·ness *n.*

stub·ble [stʌ́bəl] *n.* **1** [보통 *pl.*] (보리의) 그루터기 ; [집합적으로] 그루터기만 남은 밭. **2** [U] 그루터기 모양의 물건 ; 짧고 억센 수염《따위》 : three days' ~ on one's chin 사흘간 깎지 않은 짧고 억센 턱수염.
〖AF<L *stupula*=*stipula* straw〗

stúb·bly *a.* 그루터기 투성이의 ; 그루터기 같은 ; 짧고 억센《수염 따위》.

*__stub·born__ [stʌ́bərn] *a.* **1** 완고한, 고집센 : (as) ~ as a mule ☞ MULE¹ 숙어. **2** 완강한, 불굴의. **3** 다루기 어려운, 어찌할 도리가 없는, 말을 안듣는. **4** (돌 · 목재 따위가) 단단한, (금속 따위가) 녹기 어려운. **~·ly** *adv.* 완고하게 ; 완강히.
~·ness *n.* 〖ME< ?〗
[類義語] ***stubborn*** 목적 · 방침 · 사고방식 따위가 본질적으로 확고하여 변화 따위에 강하게 저항하는 ; 완강한. ***obstinate*** 설득 · 의논 따위에 응하지 않고 끈질기게 자신의 목적 · 방침 · 사고방식을 고집하는. ***dogged*** 어떤 목적을 끝까지 추구하려는 결심을 품은 ; 때때로 불쾌할 정도로 완고한. ***pertinacious*** 타인에게 폐가 될 정도의 집요함을 가지고 자신의 목적을 완고하게 추구하는.

stúb·by *a.* **1** 그루터기 같은. **2** 짧고 굵은, (모습 따위) 땅딸막한 ; (머리털이) 짧고 빳빳한, (수염 따위) 짧고 억센. **3** 그루터기 투성이의.

stúb nàil *n.* 굵고 짧은 못 ; 편자의 헌 못.

stuc·co [stʌ́kou] *n.* (*pl.* **~es, ~s**) Ⓤ 치장용 벽토. —— *vt.* (**~es, ~s ; ~ed ; ~·ing**) …에 치장용 벽토를 바르다.
⟦It. <Gmc. (OE *stocc* stock)⟧

stúcco·wòrk *n.* 치장용 벽토 세공.

***stuck**[1] *v.* STICK[2]의 과거·과거분사.

stuck[2] [ʃtúk] *n.* [다음 숙어로]
in*[*out of*] *stuck 《口》 곤경에 빠져[을 벗어나].
⟦Yid.⟧

stúck-úp *a.* 《口》 거만한, 건방진, 젠체하는, 자만하는.

stud[1] [stʌ́d] *n.* **1** 대갈못, 장식용 못. **2** 장식용 단추(=《美》 collar button). **3** 샛기둥. **4** (시계의) 스터드《유사의 바깥 끝을 고정시키는 부품》.
—— *vt.* (**-dd-**) **1** [+目/+目+*with*+名] …에 장식 단추를 달다, 장식용 못을 박다 ; …에 아로새기다, 온통 박아 넣다 : The sword hilt was ~*ded* ***with*** jewels. 그 칼자루에는 보석이 박혀 있었다. **2 a**) [+目+*with*+名/+目+前+名] [*p.p.*로 쓰여서] (산란한 무늬로) …에 점재(點在)케 하다 ; …에 박아 넣다 : The sky was ~*ded* ***with*** twinkling stars. 하늘에는 별들이 총총히 빛나고 있었다 / The lawn is ~*ded with* daisies. 잔디밭에는 데이지가 여기저기 피어 있다 / …에 점재케 하다 : There were some jewels ~*ded* ***on*** the bracelet. 팔찌에는 군데군데 보석이 박혀 있었다. **b**) …에 점재하다 ; …에 산재하다 : Little islands ~ the bay. 작은 섬들이 만(灣) 안에 점재해 있다. **3** …에 샛기둥을 세우다.
⟦OE *studu* post ; cf. G *stützen* to prop⟧

stud[2] *n.* (사냥·경마·번식·승마용으로 기르는) 말떼 ; 종마(種馬) ; 《俗》 호색한.
⟦OE *stōd* (⇨ STAND) ; cf. G *Stute* mare⟧

stud. student.

stúd·bòok *n.* (말·개의) 혈통 대장(臺帳).

stúd·ding *n.* 〖建〗 샛기둥 ; Ⓤ 샛기둥 재목.

stúdding sàil [, 《海》 stʌ́nsəl] *n.* 〖海〗 보조돛 (stunsail).
⟦C16< ? ; cf. MDu., MLG *stōtinge* a thrusting⟧

◇**stu·dent** [stjúːdənt] *n.* **1** 학생 : a medical ~ 의과 대학생 / girl[women] ~*s* 여학생 / He is a ~ *at* Harvard. 그는 하버드 대학의 학생이다. **2 a**) 연구가 : a ~ *of* linguistics[bird life] 언어[조류생태] 연구가. **b**) 연구를 좋아하는 사람, 학문연구가. **3** (대학·연구소 따위의) 연구생 ; [흔히 S~] 《英》 (Oxford 대학 칼리지의 하나인 Christ Church 따위의) 장학생.
⟦L ; ⇨ STUDY⟧
[類義語] ***student*** 주로 영국에서는 대학생, 미국에서는 중학교 이상의 학생 ; 또는 어떤 특수한 문제를 연구하고 있는 사람. ***pupil*** 학교에서 또는 개인적으로 교사의 지도·감독을 받고 있는 아이 ; 미국에서는 보통 초등학교 학생을, 영국에서는 대학생 이하의 학생을 말함. ***scholar*** 박학다식한 사람 또는 특별한 학문에 관하여 깊은 지식이 있는 사람 ; 또는 대학에서 장학금을 받고 공부하고 있는 사람.

stúdent bòdy *n.* (주로 대학 따위의) 총학생수, 전(全)학생.

stúdent cóuncil *n.* 《美》 학생(자치 위원)회.

stúdent góvernment *n.* 학생 자치(회).

stúdent intérpreter *n.* (영사관의) 수습 통역관, (외무부의) 외국어 연수생.

stúdent làmp *n.* (높이를 조절할 수 있는) 독서용 램프.

stúdent núrse *n.* (간호 학교·병원의) 간호 실습생.

stúdent pówer *n.* 학생 자치회에 의한 대학[학교] 관리.

stúdent·shìp *n.* Ⓤ 학생임, 학생 신분 ; 《英》 대학 장학금.

stúdent téacher *n.* 교육 실습생, 교생《대학생 ; cf. PUPIL TEACHER》.
stúdent téaching *n.* 교육 실습.

stúdent[stúdents'] ùnion *n.* 학우회 ; (대학 구내의) 학생 회관.

stúd fàrm *n.* 종마(種馬) 사육장.

stúd·hòrse *n.* 종마(種馬) (stallion).

stud·ied [stʌ́did] *a.* 고의의, 부자연스런 ; 신중한, 계획적인, 정통한 : a ~ smile 억지웃음.
[類義語] ⟹ ELABORATE.

***stu·dio** [stjúːdiòu] *n.* (*pl.* **-di·òs**) **1** (예술가의) 작업장, 화실, 아틀리에, 조각실 ; (댄스·음악 따위의) 연습실. **2** 사진관, 촬영실 ; [보통 *pl.*] 영화 촬영소, 스튜디오. **3** (레코드) 녹음실 ; (텔레비전·라디오의) 방송실 : ~ recording 스튜디오 녹음. ⟦It. =study<L STUDY⟧

stúdio apàrtment *n.* 작은 주방·욕실이 딸린 방이 하나뿐인 작은 아파트, 일실형(一室型) 주거.

stúdio àudience *n.* [집합적으로] (라디오·텔레비전의) 프로그램 참가자[방청객].

stúdio còuch *n.* 침대 겸용 소파.

stu·di·ous [stjúːdiəs] *a.* **1** 학문에 정진하는 ; 학문의, 학문적인 : a ~ boy 공부하기를 좋아하는 소년. **2** [+*to* do] 애쓰는, 대단히 …하고 싶어하는 ; 열심인, 노력하는 : He is always ~ ***of*** his business. 언제나 일에 열심이다 / That shopman is ~ *to* please his customers. 저 점원은 손님의 비위를 맞추려고 애쓰고 있다. **3** 신중한, 정성들인 ; 《稀》 고의의.
~·ly *adv.* 노력하여, 열심히. **~·ness** *n.*
⟦L ; ⇨ STUDY⟧

stúd màre *n.* 번식용 암말.

stúd póker *n.* 〖카드놀이〗 스터드 포커《처음 한 장은 엎어 도르고 나머지 넉 장은 한 장씩 펴서 도를 때마다 돈을 걺》.

◇**study** [stʌ́di] *n.* **1 a**) Ⓤ 공부, 면학(勉學), 학문 : He likes ~ better than sport(s). 그는 운동보다 공부를 좋아한다. **b**) [때때로 one's ~ 또는 studies] (종사하고 있는) 연구, 학업 (cf. 3) : He is devoted to his ~[*studies*]. 연구에 여념이 없다 / Attend to your *studies.* 학업에 전념하시오. **2** 연구 ; 검토, 검사 : the ~ *of* birds[history] 조류[역사] 연구 / a ~ *of* the plan 계획의 검토. **3** 학과, 과목(subject) (cf. 1 b)) : humane *studies* ☞ HUMANE 2. **4** 연구(논문), 논고 : He is going to publish a ~ *of* Oriental art. 동양 미술에 대한 연구 논문을 출판하려 하고 있다 / The book is titled "*Studies in* English Grammar." 그 책은 영문법 연구라는 표제가 붙어 있다 / He is engaged in *studies on* some linguistic subjects. 그는 언어학상의 문제에 관한 연구를 하고 있다. **5** [a ~] 연구[주목]할 가치가 있는 것 〈*in*〉. **6** 《文語》 (끊임없는) 노력, 애씀 ; 노력[배려]의 대상 : My whole ~ shall be to please him. 그를 기쁘게 하는 일에 힘쓸 것이다. **7** (화가 등의) 스케치, 습작, 시작(試作) ; 〖樂〗 연습곡, 에튀드(étude). **8** 서재, 연구실. **9** 〖劇〗 대사를 외는 사람[배우] : a slow[quick] ~ 대사를 더디[빨리] 외는 배우.
in a brown study ☞ BROWN STUDY.
make a study of …을 연구하다 ; …을 터득하려고 애쓰다 : He is *making a* special ~ *of* English. 그는 영어를 전공하고 있다.

on study 조사해 보니, 연구 결과.
under study (계획 따위) 검토[연구]중.

〈회화〉
Where's dad? — He's in his *study*.「아빠 어디 계세요」「서재에 계신다」

— *vt.* **1** 연구하다 ; 조사하다 ; 배우다, 공부하다(cf. LEARN) ; (대사 따위를) 외우다, 암기하다 : ~ English literature [medicine] 영문학[의학]을 연구하다. **2** 살피다, 조사하다 ; 열심히 생각하다, 생각해 내다 : We *studied* the map to find the shortest road home. 집으로 가는 지름길을 찾으려고 지도를 살펴보았다 / The prisoner *studied* ways to escape. 죄수는 탈주할 방법을 여러 가지로 생각해 보았다. **3** [+*to* do] (끊임없이) 노력하다, (…하려고) 애쓰다 : He always *studied to* avoid disagreeable topics. 언제나 불쾌한 화제를 피하려고 애썼다. **4** (다른 사람의 희망·감정·이익 따위를) 고려하다, …에 심혈을 기울이다 : She always *studies* the wishes of her parents. 언제나 양친의 희망을 생각하고 있다. — *vi.* [動 / +前+名 / +*to* do] **1** 연구하다, 공부하다, 배우다 ; 조사하다 : ~ ***for*** the bar [church, ministry] 변호사[목사]가 되기 위하여 공부하다 / He was ~*ing to* be a biochemist. 생화학자가 되려고 공부하고 있었다. **2** 《美》 노력하다, …하려고 애쓰다. **3** 명상하다.
study out 고안하다 ; 명백하게 하다, 풀다.
study up on... 《美口》 …을 충분히[상세히] 조사하다[검토하다].
〖OF *estudie(r)* (L *studium* diligence, *studeo* to be diligent)〗
類義語 ⟹ CONSIDER, LEARN.

stúdy gròup *n.* (정기적으로 모여서 하는) 연구회(研究會).

stúdy hàll *n.* (학교의 커다란) 자습실 ; Ⓤ (보통 교사가 참석하는) 자습 시간.

***stuff** [stʌ́f] *n.* **1 a)** U,C 재료, 원료, 자료(material) : food ~*s* 식료품. **b)** Ⓤ 요소 ; 소질, 재능 : This conduct shows what ~ you are made of. 이 행위로 자네의 인물됨이 판명되네. **2** Ⓤ **a)** 직물, 나사(羅紗). **b)** 《古》 (silk, cotton 따위에 대하여) 모직물 ; 《英》 (보통 법정 변호사(barrister)의) 나사(羅紗) 법복(cf. SILK *n.* 2) : ☞ STUFF GOWN. **3** Ⓤ **a)** (막연한) 것, 물건, 일 : nasty ~ 싫은 물건 / poor ~ 졸작(拙作). **b)** 음식물 ; 약 ; 《俗》 마약 : garden[green] ~ 야채류 / doctor's ~ ☞ DOCTOR 1. **c)** 《口》 소지품. **d)** [보통 the ~, 때때로 the hard ~] 《口》 금전, 현금. **4 a)** 폐물 ; 쓰레기 ; 잡동사니 : Can you call this ~ wine? 이런 (맛없는) 것을 포도주라 할 수 있니. **b)** 하찮은 것, 실없는 소리, 시시한 일《이야기·작품 따위》 : *S*~ (and nonsense)! 천만에!, 바보 같은 소리! / What ~! 뭐야, 시시하게! **5 a)** 《口》 (예술·문학의) 작품, 연주, 상연. **b)** (코미디언의) 장기 ; 《野俗》 제구력 ; (발사된) 총알, 포탄.
do** one**'s stuff 《口》 (기대한 대로의) 솜씨를 보이다, 장기를 나타내 보이다 ; 자랑거리를 보여주다 ; 자신의 일을 척척 하다.
know** one**'s stuff 《口》 만사에 빈틈없다.
That's the stuff (***to give 'em***). 《口》 (놈에게는) 그렇게 하는 것이 제일 좋다.
— *vt.* **1** [+目 / +目+前+名] 채우다, 채워 넣다 ; (이불 따위에) 솜[털·짚]을 넣다 ; 틀어 넣다 ; …에 음식을 우겨 넣다 : ~ a cushion 쿠션에 속을 넣다 / ☞ STUFFED SHIRT / She ~*ed* the bag ***with*** old clothes[~*ed* old clothes ***into*** the bag]. 가방에 헌옷을 잔뜩 쑤셔 넣었다 / ~ oneself (*with* food) 음식을 마구 우겨 넣다, 과식하다. **2** [+目 / +目+*with*+名] (요리용 새 따위에) 소를 넣다 : a ~*ed* turkey (요리 전에 조미한) 소를 넣은 칠면조 / The duck is ~*ed* ***with*** sage and onions. 그 오리에는 샐비어잎과 양파가 들어 있다. **3** (새·짐승 따위를) 박제(剝製)로 하다 : a ~*ed* owl 박제한 부엉이. **4** [+目+副 / +目+*with*+名] (구멍·귀 따위를) 틀어막다 : Your nose seems to be ~*ed* (***up***). 코가 막힌 것 같군 / He ~*ed* (*up*) his ears ***with*** cotton wool. 그는 귀를 탈지면으로 막았다. **5** [+目 / +目+前+名] 속이다(hoax) : Don't ~ me ***with*** such silly ideas. 그런 얼빠진 생각으로 나를 속이려 하지 마라. **6** 《美》 투표함(ballot box)에 부정 투표를 하다. — *vi.* 게걸스레 먹다.
〖OF (n.) ‹ (v.) *estoffer* to equip, furnish‹Gk. *stuphō* to pull together ; cf. OHG *stopfen* to cram full〗

stúffed shírt *n.* 《口》 젠체하는 사람 ; 유력자, 명사 ; 부자.

stúff gòwn *n.* 《英》 (보통 barrister의) 나사(羅紗) 가운 ; 하급 변호사(cf. SILK GOWN).

stúff·ing *n.* Ⓤ 채워 넣기 ; (이불 따위에 넣는) 깃털, 솜, 짚 ; (신문 따위의) 여백을 메우는 기사 ; U,C (요리용 새 따위에 넣는) 소.
knock the stuffing out of a person 남의 거만한 콧대를 꺾다 ; (병 따위가) 사람을 완전히 약화시키다.

stúffing and strípping *n.* 〖海運〗 컨테이너 짐의 하역(荷役).

stúffing bòx *n.* 〖機〗 패킹 상자.

stúff·less *a.* 내용[실속]이 없는.

stúff shòt *n.* 〖籠〗 =DUNK SHOT.

stúffy *a.* **1** (방 따위가) 통풍이 안되는, 숨이 막히는 ; 무더운 ; 케케묵은. **2** 《口》 하찮은 일에 정색을 잘하는, 긴장하여 굳어진 ; (사람이) 딱딱한, 구식의. **3** 뾰로통한, 성낸(sulky).

stug·gy [stʌ́gi] *a.* 《方》 땅딸막한, 탄탄하게 생긴(stocky).

Stu·ka [stú:kə ; *G* ʃtú:ka] *n.* 슈투카《제2차 세계대전에 사용된 독일의 급강하 폭격기》.
〖G *Sturzkampfflugzeug*〗

stul·ti·fy [stʌ́ltəfài] *vt.* **1** 바보스럽게 보이게 하다 : ~ oneself 자신의 어리석음을 폭로하다, 치부(恥部)를 보이다. **2** (뒤에 모순된 행위를 하여) 망쳐버리다, 무의미하게 하다, 무효로 하다.
〖L (*stultus* foolish)〗

stum [stʌ́m] *n.* Ⓤ 발효 안된 포도즙.
— *vt.* (**-mm-**) (포도즙)의 발효를 막다.
〖Du. *stom* dumb〗

stum·ble** [stʌ́mbəl] *vi.* **1** [動 / +副 / +前+名] 넘어지다 ; 비틀거리다 : The boy ~*d* and fell. 소년은 비틀거리며 넘어졌다 / The old woman ~*d* ***along. 노파는 넘어질 듯하면서 비틀비틀 걸어갔다 / He ~*d* ***over*** a stone. 돌에 채었다. **2** [動 / +前+名] 말을 더듬다, 실언[실수]하다 ; 바보짓을 하다 : ~ ***over*** one's words 더듬더듬 이야기하다 / ~ ***through*** a speech[recitation] 더듬거리며 강연[암송, 연설]을 끝내다. **3** [+前+名] 우연히 만나다[발견하다] : I ~*d* (***up***)***on*** the error that I had made before. 나는 우연히 전에 범한 잘못을 발견했다 / He ~*d* ***across*** a clue. 우연히 실마리를 찾아내었다. — *vt.* 넘어지게 하다 ; 곤혹스럽게 만들다. — *n.* **1** (돌부리 따위에) 채기, 비틀거림. **2** 실책, 과실. 〖ME stomble, stumble<? Scand. (Norw. *stumla*) ; -*b*-는 14세기 차입 때의 첨자(添字)로 *stammer*와 같은 어원〗

stúmble·bùm *n.* 《俗》 서투른 권투선수 ; 상대가 안되는 놈 ; 《美》 낙오자, 거지.

stúm·bling *a.* **1** (발이 걸려) 비틀거리는. **2** 주저하는, 망설이는. **3** 더듬거리는. ── *n.* 비틀거림 ; 주저, 망설임 ; 말더듬기. **~·ly** *adv.* 비틀비틀 ; 더듬거리며 ; 망설이며.

stúmbling blòck *n.* 장애물.

stu·mer [stjú:mər] *n.* 《英俗》 위조 수표, 위조 지폐, 가짜 돈. 〖C19<?〗

***stump** [stʌ́mp] *n.* **1 a)** (나무의) 그루터기. **b)** 《古》 (연단 대용의) 나무 그루터기(cf. STUMP ORATOR, STUMP SPEECH). **2** (식물·야채 따위의 잎을 따낸) 밑동줄기, 축(軸) ; (부러진) 이 뿌리 ; (손·발의) 절단하고 남은 부분, (담배 따위의) 꽁초 ; (연필의) 토막 ; [*pl.*] 짧게 깎은 털. **3 a)** [*pl.*] 《口·戲》 다리(legs). **b)** 의족. **4** (크리켓의) 기둥(wicket) : pitch[draw] ~*s* 크리켓을 시작하다[끝내다]. **5** 〖美術〗 찰필(擦筆). **6** 땅딸보. **7** (의족을 단듯한) 무거운 발걸음[발소리]. **8** 《美口》 도전(challenge).

on the stump 《口》 선거 운동을 하여.

stir one***'s stumps*** 《口》 손발을 움직이다 ; (더욱) 빨리 걷다 ; 일하기 시작하다, 서두르다.

take*[*go on*] *the stump 유세하며 다니다.

up a stump 《美口》 답변에 궁하여, 어찌 할 바를 몰라, 당혹하여.

── *vt.* **1** (나무를 베어) 그루터기로 하다, 자르다 ; 《美》 (땅에서) 그루터기를 파내다. **2** 《口》 (질문 따위로 남을) 괴롭히다, 애먹이다 : This riddle ~*s* everybody. 이 수수께끼에 모두가 애를 먹었다. **3** 유세하다[하며 돌다] : ~ the country [a constituency, a state] 국내[선거구, 주(州)내]를 유세하다. **4** 《美口》 마음먹고 해보다, …에 도전하다(challenge). **5** 〖크리켓〗 기둥을 넘어뜨려 아웃시키다. **6** 〖美術〗 찰필(擦筆)로 바림하다[흐리게 하다]. ── *vi.* **1** [+副] 터벅터벅[쿵쿵] 걷다 : The wearied traveler ~*ed* ***along.*** 피로에 지친 여행자는 터벅터벅 걸어갔다. **2** 유세하다 : a ~*ing* tour 유세 여행.

stump up 《英口》 (돈을) 지급하다, 넘겨주다 : You must ~ *up* £80 *for* your son's debts. 아드님이 빌린 돈 80 파운드를 지급해 주십시오.

〖ME<MDu. *stomp*, OHG *stumpf* ; cf. STAMP〗

stúmp·age *n.* Ⓤ 《美》 (시장 가치가 있는) 입목(立木) ; 입목가격 ; 입목 벌채권.

stúmp·er *n.* **1** 그루터기를 없애는 사람. **2** 당황하게 하는 것, (특히) 어려운 질문, 난제. **3** 《口》 =WICKETKEEPER. **4** =STUMP SPEAKER.

stúmp òrator *n.* 가두 정치 연설가.

stúmp òratory *n.* 가두 연설에 적합한 웅변(술(術))(cf. STUMP).

stúmp spèaker *n.* 가두 연설가.

stúmp spèech *n.* 가두 연설.

stúmp wórk *n.* 스텀프 워크《자수의 일종》.

stúmpy *a.* **1** 그루터기 투성이의. **2** 똥똥한, 굵고 짧은.

***stun** [stʌ́n] *vt.* (**-nn-**) **1** 때려서 기절[실신]시키다 : The fall ~*ned* him. 그는 넘어져 기절했다. **2** 어리둥절케 하다, …의 간담을 서늘하게 하다 : We were completely ~*ned* by the disaster. 우리들은 그 재해(災害)를 보고 망연자실하였다. **3** (음향이) 귀를 멍하게 하다. ── *n.* 충격 ; 실신, 기절 ; 멍한 상태.

〖OF *estoner* to ASTONISH〗

類義語 ⟹ SHOCK.

Stun·dism [stúndizəm, ʃtún- ; stú:n-] *n.* Ⓤ 〖史〗 슈툰다교(敎)《1860년경 남러시아 농민 사이에 일어난 반정교의 한 파》. **-dist** *n.*

***stung** [stʌ́ŋ] *v.* STING의 과거·과거분사. ── *a.* 《俗》 속임수에 넘어간 ; 《濠俗》 술취한(drunk).

stún gàs *n.* 착란 가스《일시적인 착란이나 방향 감각의 마비를 일으킴 ; 폭동 진압용》.

stún grenàde *n.* (강렬한 섬광과 폭음으로 감각을 마비시키는) 섬광 수류탄.

stún gùn *n.* 스턴총《⑴ 폭동 진압용 ; 모래·산탄 따위가 든 주머니를 발사함. ⑵ 와이어가 달린 화살이 나가 표적에 전기 쇼크를 주는 총》.

stunk *v.* STINK의 과거·과거분사.

stún·ner *n.* **1** 기절시키는 사람[물건·일격]. **2** 《口》 굉장한 것, 멋진 미인, 명인 ; 불의의 사건.

stún·ning *a.* **1** 기절시키는 ; 멍하게 하는. **2** 《口》 매우 훌륭한, 굉장히 아름다운.

stun·sail, stun·s'l [stʌ́nsəl] *n.* =STUDDING SAIL.

stunt[1] [stʌ́nt] *vt.* (식물·지능 따위의) 발육[성장·생장]을 방해하다 : ~*ed* trees 왜소한 나무. ── *n.* 발육저지.

〖*stunt* (obs.) foolish, short ; cf. STUMP〗

stunt[2] *n.* **1** 묘기, 곡예(feat) ; 곡예 비행. **2** 이목을 끄는 행동, 선전(행위). **3** 연구, 취향 ; 속임수(trick) ; 일(business) : That's a good ~. 그건(세상을 놀라게 할) 묘안이다. ── *vi.* 곡예를 하다 ; 곡예 비행하다. ── *vt.* (비행기)에서 아슬아슬한 재주를 부리다.

〖C19 (미(美)학생어)<? ; *stump* challenge에서 인가〗

stúnt màn *n.* 〖映〗 스턴트 맨《위험한 장면 따위에서 배우 대신에 대역을 하는 사람》.

stúnt wòman[**gìrl**] *n. fem.*

stu·pa [stú:pə] *n.* 〖佛敎〗 사리탑, 불탑. 〖Skt.〗

stupe[1] [stjú:p] *n.* 〖醫〗 찜질. ── *vt.* …에 찜질하다 ; (환부를) 더운 찜질하다.

〖L *stupa* tow<Gk.〗

stupe[2] *n.* 《俗》 바보, 얼간이. 〖*stup*id〗

stu·pe·fa·cient [stjù:pəféiʃənt] *a.* 〖醫〗 마취시키는 ; 무감각하게 하는. ── *n.* 마취제.

stu·pe·fac·tion [stjù:pəfǽkʃən] *n.* Ⓤ 마취(상태) ; 멍해지기, 대경실색.

stu·pe·fy [stjú:pəfài] *vt.* [+目 / +目+前+名] 마비시키다 ; 무감각하게 하다, 멍하게 하다 ; 대경실색케 하다(astound) : We were *stupefied* ***by*** the calamity. 재난(災難)으로 망연자실하였다 / He was *stupefied* ***with*** drink[grief]. 술에 취하여[슬픔으로] 머리가 멍하였다.

〖F<L (*stupeo* to be amazed)〗

stu·pen·dous [stju:péndəs] *a.* 깜짝 놀랄 만한 ; 굉장한 ; 거대한. **~·ly** *adv.*

〖L (gerund.) ‹ *stupeo* (↑)〗

‡**stu·pid** [stjú:pəd] *a.* (**~·er ; ~·est**) [+*of*+名+*to* do] 어리석은, 얼빠진 ; 바보스러운, 재미 없는 ; 무감각한, 마비된 : How ~ you are! 얼간이로군 / It was ~ ***of*** her *to* believe that. 그것을 믿다니 그녀도 얼간이었다. ── *n.* 《口》 바보, 얼간이. **~·ly** *adv.* 어리석게도. **~·ness** *n.*

〖F or L ; ⇨ STUPEFY〗

活用 비교를 나타낼 때에는 *more* stupid, *most* stupid와 stupid*er*, stupid*est*의 두 형태가 있는데 비교급으로는 *more* stupid쪽이, 최상급으로는 때때로 주관적인 색채를 띠는 stupid*est*가 쓰임 : This mistake is still *more stupid.* (이러한 잘못이 더욱 더 어리석다) / This is the

stupidest [*most stupid*] mistake. (이것은 가장 어리석은 잘못이다).
類義語 ⟹ SILLY.

***stu·pid·i·ty** [stju:pídəti] *n.* Ⓤ 어리석음, 우둔 ; [보통 *pl.*] 우행(愚行), 바보스러운 언동.

stu·por [stjú:pər] *n.* Ⓤ,Ⓒ 무감각 ; 마비, 혼수, 인사불성 ; 멍하게[깜짝 놀라게] 하는 일, 황홀. 〖L ; ⇨ STUPEFY〗

stúpor·ous *a.* 〔醫〕 혼수의 ; 인사불성의.

***stur·dy**[1] [stə́:rdi] *a.* (신체가) 우람스러운, 억센, 건장한(robust) ; (저항 따위) 완강한, (용기 따위) 불굴의 ; (물건이) 튼튼한 ; 《비유》 건전한, 견실한. **stúr·di·ly** *adv.* **-di·ness** *n.*
〖ME=reckless, violent<OF (p.p.) 〈*estourdir* to stun, daze (L *ex-*[1], *turdus* thrush)〗
類義語 ⟹ STRONG.

sturdy[2] *n.* Ⓤ (양의) 어지럼병(gid).
〖F *esturdi* (↑)〗

stúrdy béggar *n.* 《古》 신체가 건강한데도 일하지 않는 거지.

stur·geon [stə́:rdʒən] *n.* 〔魚〕 철갑상어(cf. CAVIAR). 〖AF<Gmc.〗

Sturm und Drang [*G* ʃtúrm unt dráŋ] *n.* [the ~] 질풍 노도《18세기 후반에 독일에서 일어난 과격한 낭만주의적 문학 운동 ; 이성적인 형식주의에 반항하여 개성의 해방과 주관의 자유를 주장하였음 ; Goethe, Schiller, Herder 등이 중심 인물》.
〖G=storm and stress〗

sturt [stə́:rt] *n.* 《스코》 말다툼.

stut·ter [stʌ́tər] *vi.* 말을 더듬다 ; (기관총 따위) 연속음을 내다.
—— *vt.* 더듬거리며 말하다〈*out*〉.
—— *n.* 말더듬기(버릇) ; 〔通信〕 (팩시밀리신호의) 스터터. **~·er** *n.* 말더듬이.
〖(freq.) 〈*stut* (dial.) <Gmc. =to knock〗
類義語 ⟹ STAMMER.

STV subscription television (공중파 이용 유료 텔레비전).

sty[1], **stye**[1] [stái] *n.* (*pl.* **stíes, stýes**) 돼지우리《지금은 보통 pigsty로 쓰임 ; =《美》 hogpen, piggery》 ; 지저분한 집 ; 매춘굴. —— *v.* (**stíed** ; **~·ing**) *vt.* 돼지우리(같은 곳)에 넣다. —— *vi.* 지저분한 집에 머물다[살다].
〖OE *stī*=? *stig* hall ; cf. STEWARD〗

sty[2], **stye**[2] *n.* (*pl.* **stíes, stýes**) 〔醫〕 다래끼 : have a ~ in one's eye 눈에 다래끼가 나다.
〖*styany* (dial.) = *styan eye* (OE *stīgend* sty, riser 〈*stīgan* to rise+EYE)〗

Styg·i·an [stídʒiən] *a.* **1** 삼도천(三途川) (Styx)의 ; 지옥(Hades)의. **2** 《文語》 음울한, 깜깜한 : ~ gloom 칠흑 같은 어둠.
〖L<Gk. ; ⇨ STYX〗

styl-[1] [stáil], **sty·lo-**[1] [stáilou, -lə] *comb. form* 「기둥」 「관」의 뜻.
〖L (Gk. *stulos* pillar, column)〗

styl-[2] [stáil], **sty·li-** [stáilə], **sty·lo-**[2] [stáilou, -lə] *comb. form* 「첨필(尖筆) (모양의 돌기)」의 뜻. 〖L ; ⇨ STYLUS〗

sty·lar [stáilər, -la:r] *a.* 첨필(尖筆) 모양의(styliform) ; 펜[연필] 모양의.

-sty·lar [stáilər, -la:r] *a. comb. form* 「…한 기둥이 있는」의 뜻 : amphi*stylar*.
〖Gk. *stulos* pillar+*-ar*〗

‡**style**[1] [stáil] *n.* **1 a**) (문예상의 사람·파·시대 따위의) 독특한 양식, 체, 방식 ; (일반적으로) 하는 식〈*of*〉 : *in* the ~ of Wagner 바그너 식으로 / the Norman ~ 노르만 양식《영국 건축의 한 양식》. **b**) 유파(流派). **2** Ⓤ,Ⓒ **a**) 문체 : the ~ and the matter of a book 책의 문체와 내용. **b**) 말투, 사상의 표현법 : *in* a plain[heavy] ~ 평이한[딱딱한] 표현법으로. **c**) 〔印〕 인쇄 양식, 스타일. **3** Ⓤ,Ⓒ **a**) (복장 따위의) 스타일, 유행(형) : the latest ~ *in* shoes 구두의 최신 유행형 / *out of* ~ 유행에 뒤져서. **b**) Ⓤ 고상, 품위, 품격 : He has no ~. 그는 품위가 없다 / do things *in* ~ 호기(豪氣)있게 하다 / dress *in* good ~ 우아한 복장을 하다 / live *in* great[grand] ~ =live *in* ~ 호화로운 생활을 하다 / with ~ 기품있게. **4** 풍채, 모습, 태도 ; 생김새, 꼴, 형(型) ; 종류, 유형(類型) : They have been made in all sizes and ~*s*. 그것은 여러 가지 형태와 크기로 만들어졌다 / What ~ *of* house do you require? 어떤 형태의 집을 원하십니까. **5** 칭호, 직함, 상호(商號), 이름 : *under* the ~ of …의 칭호로. **6 a**) 첨필(尖筆), 철필(鐵筆) ; 《詩》 붓, 펜, 연필 ; (해시계의) 바늘. **b**) 〔動〕 바늘 모양 구조 ; 〔植〕 암술대, 화주. **7** (옛날에 쓰인) 조각용 칼, 도필(刀筆). **8** 역법(曆法) : ☞ OLD[NEW] STYLE. **9** 〔컴퓨〕 모양새.
—— *vt.* **1** [+目+補] …의 칭호로 부르다 ; 부르다 ; 칭하다 : He ~*d* himself Baron. 남작이라 자칭하였다 / Jesus Christ is ~*d* the Savior. 예수 그리스도는 구세주라 불린다. **2 a**) (원고 따위를) 일정한 양식에 맞추다, 정비하다. **b**) (의복 따위를) 유행에 맞추어 만들다, (…형으로) 디자인하다〈*for*〉 : She had her hair ~*d* at the beauty shop. 그녀는 미장원에서 머리를 하였다.
—— *vi.* 철필[조각도]로 장식을 하다, 장식품을 만들다.
〖OF<L *stilus* STYLUS〗
類義語 ⟹ FASHION.

style[2] *n.* 《古》 =STILE.

-style [stàil] *n. comb. form* 「…의 기둥[기둥 모양]의 건조물」의 뜻.
—— *a. comb. form* 「…의 기둥[기둥 모양]이 있는」의 뜻. 〖L<Gk. *stulos* pillar〗

stýle·bòok *n.* 《美》 스타일북《복장의 새로운 형을 도시(圖示)한 책》 ; 인쇄 편람《활자·약자·구두점 따위 인쇄상의 규칙을 쓴 책》.

styl·er [stáilər] *n.* 디자이너.

sty·let [stáilət, stailét] *n.* 단검(stiletto) ; 〔醫〕 탐침, 가는 철사.

styli- ☞ STYL-[2].

sty·li·form [stáiləfɔ̀:rm] *a.* 〔動〕 첨필(尖筆)[바늘] 모양의.

styl·ing [stáiliŋ] *n.* 양식, 스타일 ; (논문·문장 따위를) 어떤 양식에 맞추기 ; (자동차 따위에) 어떤 스타일을 부여하기.

styl·ish [stáiliʃ] *a.* 현대식의, 유행의, 멋진.

styl·ist [stáiləst] *n.* **1** 문장가, 명문가(名文家). **2** 스타일리스트《실내장식·복장 따위의 디자이너》 ; 어떤 양식의 창시자.

sty·lis·tic, -ti·cal [stailístik(əl)] *a.* 문체[양식]의. **-ti·cal·ly** *adv.* 문체[양식]상.

sty·lís·tics *n.* [단수·복수취급] 문체론.

sty·lite [stáilait] *n.* 〔基〕 (중세의) 주상(柱上) 행자《높은 기둥 위에서 고행하였음》.
〖Gk. (*stulos* pillar)〗

styl·ize [stáilaiz] *vt.* (표현·수법을) 어떤 양식에 일치시키다, 양식화하다, 틀에 박히다.

sty·lo [stáilou] *n.* (*pl.* **~s**) 《口》 =STYLOGRAPH.

stylo- [stáilou, -lə] ☞ STYL-[1, 2].

sty·lo·bate [stáiləbèit] *n.* 〔建〕 스타일로베이트《고전 건축 양식에서 열주(列柱)가 놓여지는 기단

(基壇)). 〖L<Gk. (*styl*-[1], *bainō* to walk)〗
stýlo·gràph *n.* 첨필형 만년필. **sty·log·ra·phy** [stailágrəfi] *n.* 첨필서법[화법].
stỳ·lo·gráph·ic *a.* 첨필(서법)의.
sty·loid [stáilɔid] *a.* 〖解〗 첨필(尖筆) 모양의, 막대 모양의, 줄기 모양의 : a ~ process 경상(莖狀)돌기.
stỳlo·statístics *n.* 〖言〗 문체 통계학, 계량(計量) 문체론.
-sty·lous [stáiləs] *a. comb. form* 「…의 암술대가 있는」의 뜻 : mono*stylous.* 〖*style, -ous*〗
sty·lus [stáiləs] *n.* (*pl.* **-li** [-lai], **~·es**) 첨필, 철필 ; (축음기의) 바늘 ; (해시계의) 바늘.
〖L *stilus* STYLE[1]〗
sty·mie, sty·my, sti·my [stáimi] *n.* 〖골프〗 타자의 공과 홀 사이에 상대방의 공이 있는 상태 ; 그 상대방의 공, 방해구 ; 《비유》 곤란한 상태.
—— *vt.* (**-mied ; -my·ing**) 〖골프〗 …에 대하여 방해구를 두다 ; 《비유》 곤란한 상태에 몰아넣다, 방해하다, 좌절시키다. 〖C19<?〗
styp·sis [stípsəs] *n.* 〖醫〗 수렴[지혈(止血)]제에 의한 조치.
styp·tic [stíptik] *a.* 수렴성의 ; 지혈(止血)의.
—— *n.* 수렴제, 지혈제.
〖L<Gk. (*stuphō* to contract)〗
styp·tic·i·ty [stiptísəti] *n.* 수렴성.
stýptic péncil *n.* 립스틱 모양의 지혈제(止血劑) 《면도 상처에 바름》.
sty·rax [stáiəræks] *n.* 〖植〗 때죽나무속의 각종 관목(灌木).
sty·rene [stáiəri:n] *n.* Ⓤ 〖化〗 스티렌《합성수지 · 고무원료》.
stýrene-butadíene rùbber *n.* 부타디엔스티렌 고무《대표적 합성 고무 ; 略 SBR》.
stýrene rèsin *n.* 스티렌 수지(樹脂).
Stý·ro·fòam [stáiərə-] *n.* Ⓤ 스티로폼《발포(發泡) 폴리스티렌 ; 상표명》.
Styx [stíks] *n.* [the ~] 〖그神〗 삼도천(三途川) (cf. CHARON).
(*as*) ***black as the Styx*** 캄캄한.
cross the Styx 죽다.
S.U. 〖理〗 strontium unit.
su·able [sú:əbəl ; sjú:-] *a.* 고소할 수 있는.
sua·sion [swéiʒən] *n.* Ⓤ 권고, 설득(persuasion) : moral ~ 도의적[양심에 호소하는] 권고.
〖OF or L (*suas- suadeo* to urge)〗
sua·sive [swéisiv] *a.* 설득하는, 말을 잘 하는.
suave [swá:v] *a.* **1** 기분좋은, 쾌적한 ; (태도 따위) 은근한, 부드러운. **2** (포도주 · 약 따위) 먹기 좋은. **~·ly** *adv.*
〖F or L *suavis* agreeable ; SWEET와 같은 어원〗
sua·vi·ter in mo·do, for·ti·ter in re [swá:wətèr in mó:dou fɔ́:rtətèr in réi] 태도는 부드럽게, 행동은 의연하게.
〖L=gently in manner, strongly in deed〗
suav·i·ty [swá:vəti, swǽv-] *n.* Ⓤ 기분좋음, 쾌적함 ; 유화(柔和) ; 은근함 ; 정중함 ; 입에 당김 ; [*pl.*] 공손한 대답, 예의.
sub[1] [sʌ́b] *n.* 《口》 **1** 보충원 ; 〖野〗 후보 선수. **2** 속관(屬官) ; 《英》 중위, (해군) 소위. **3** = SUBMARINE. **4** 기부 ; 예약. **5** =SUBEDITOR. **6** =SUBSCRIPTION. **7** 《美俗》 지능이 모자라는 사람, 저능(低能) ; 《英》 (급료 따위의) 선불 ; [*pl.*] 《美俗》 발(feet). **8** 〖寫〗 =SUBSTRATUM.
—— *a.* 하위의, 부차적인 ; 표준[수준] 이하의 ; 속관의 ; 잠수함의.
—— *v.* (**-bb-**) *vi.* 《口》 대역을 하다, 대신하다 〈*for*〉 ; 《英》 (급료 따위를) 선불을 받다, 가불을 받다. —— *vt.* 《英》 (급료 따위를) 선불하다, 가불받다 ; 〖寫〗 (필름 따위)에 젤라틴으로 애벌칠[밑칠]을 하다 ; =SUBEDIT. 〖略〗
sub[2] *prep.* …의 밑에[밑의]. 〖L〗
sub. subaltern ; subject ; submarine ; subscription ; substitute ; suburb(an) ; subway.
sub- [sʌ̀b, 후속(後續) 요소의 제1음절에 제1강세가 있을 때에는 sʌ́b의 발음도 있음] *pref.* 「아래」「하위」「부(副)」「차위(次位)」「조금」「반(半)」의 뜻 (↔ *super-*). 㽷 c 앞에서는 suc- ; f 앞에서는 suf- ; g 앞에서는 sug- ; m 앞에서는 때로 sum- ; p 앞에서는 sup- ; r 앞에서는 sur- ; c, p, t 로 시작되는 라틴어 및 그 파생어 앞에서는 sus-가 된다.
〖L (↑)〗
sùb·ácid *a.* 약간 신 ; 《비유》 조금 예리한(slightly sharp), 약간 신랄한《비판 따위》.
sùb·acídity *n.* 〖醫〗 (위)산감소(증).
sùb·acúte *a.* 약간 날카로운《각도 따위》 ; 아급성(亞急性)의《병 따위》.
sùb·áerial *a.* 지면의, 지표의. **~·ly** *adv.*
sùb·ágency *n.* 부(副)대리(점) ; 보조기관.
sùb·ágent *n.* 부(副)대리인.
su·ba(h)·dar [sù:bədá:r] *n.* 〖史〗 (인도인 용병의) 중대장 ; (무굴 제국의) 지방 총독, 지사.
〖Urdu<Pers.〗
sùb·álpine *a.* (알프스) 산기슭의 ; 아고산대(亞高山帶)의.
sub·al·tern [səbɔ́:ltərn ; sʌ́bltən] *n.* **1** 〖英陸軍〗 중[소]위. **2** 〖論〗 특칭 명제. —— *a.* **1** 다음가는, 부(副)의, 부하의 ; 중[소]위의. **2** 〖論〗 (전제(前提)에 관한) 특칭의. 〖L〗
sub·álternate *a.* 하위의, 차위(次位)의, 부(副)의. —— *n.* 〖論〗 특칭 명제.
sùb·antárctic *a., n.* 남극권에 접한, 아(亞)남극의 (지대).
sùb·áqua *a.* 수중의, 잠수의 ; 수중 스포츠의.
sùb·aquátic *a.* 〖動 · 植〗 반수생(半水生)의 ; = SUBAQUEOUS.
sùb·áqueous *a.* 물속에 있는, 수중(용)의, 물속에서 일어나는.
sùb·árctic *a., n.* 아북극(亞北極)의 (지대), 북극에 가까운.
sùb·árid *a.* 반 건조(지대)의.
sùb·assémbly *n.* (기계 · 전자 기기 따위의) 소(小) 조립 부품《큰 조립품의 부품》.
sùb·ástral *a.* 별 아래의, 지상의(terrestrial).
sùb·astríngent *a.* 약(弱)수렴성의.
sùb·atmosphéric *a.* 대기(大氣)속보다 낮은《온도 따위》.
sùb·átom *n.* 〖理〗 원자(原子) 구성 요소《양성자(proton), 전자(electron) 따위》.
sùb·atómic *a.* 〖理〗 원자내에서 생기는 ; 원자보다 작은 (입자의).
sùb·áudible *a.* (주파수 따위가) 가청(可聽)(값) 이하의.
sub·au·di·tion [sʌ̀bɔ:díʃən] *n.* **1** Ⓤ 말의 숨은 뜻을 깨닫기. **2** 말[글]뒤에 숨은 뜻 ; 보충된 의미.
sùb·áverage *a.* 표준에 이르지 않은.
súb·bàse *n.* 〖建〗 (원주 토대의) 기부(基部) (cf. SURBASE) ; 〖土〗 (도로의) 보조 기층(基層), (하층) 노반(路盤).
súb·bàse·ment *n.* 〖建〗 지하 2층《지하실의 밑》 ; 지계(地階).
súb·bàss, -bàse [-bèis] *n.* 〖樂〗 (오르간의) 최저음의 스톱.
súb·brànch *n.* 작은 가지 ; (지점 아래의) 출장소,

분점.
sùb·cábinet *a.* (미국 정부의) 각료 레벨 다음가는, 대통령의 (비공식) 고문단의 : ~ appointments 차관급 인사(人事).
sùb·cárrier *n.* 〖通信〗 부반송파(副搬送波).
sùb·cátegory *n.* 하위 범주[구분].
sùb·celéstial *a.* 하늘 밑의, 지상의 ; 현세의, 세속의. —— *n.* 지상의 생물.
súb·cèllar *n.* 지하 2층《지하실의 밑층》.
sùb·cénter *n.* (상업 중심지 밖의) 부(副)상업지구, 부도심.
sùb·céntral *a.* 중심 밑의 ; 중심에 가까운.
~·ly *adv.*
súb·chàser *n.* =SUBMARINE CHASER.
súb·clàss *n.* class의 하위 분류 ; 〖生〗 아강(亞綱) ; 〖數〗 =SUBSET.
—— *vt.* 하위[아강]로 분류하다.
sùb·classificátion *n.* 하위 분류[구분].
sùb·clássify *vt.* 하위 분류[구분]하다.
sub·cla·vi·an [sʌbkléiviən] *a.* 〖解〗 쇄골(clavicle) 밑의 ; 쇄골 하동맥[정맥 따위]의.
—— *n.* 쇄골 하부, 쇄골 하동맥[정맥 따위].
sùb·clímax *n.* 〖生態〗 아극상(亞極相), 아(亞)안정기.
sùb·clínical *a.* 〖醫〗 아임상적인, 무증상의, 잠재성의 : a ~ infection 무증상 감염. **~·ly** *adv.*
sùb·collégiate *a.* 대학 수준에 이르지 못한 학생을 위한.
sùb·commíssion·er *n.* 분과 위원회 회원 ; 부위원(副委員).
súb·commìttee *n.* 분과 위원회, 소(小)위원회.
sùb·commúnity *n.* (대도시권에서 볼 수 있는) 작은 사회.
súb·cómpact *n.* COMPACT²보다 소형의 자동차.
—— [⌐-⌐] *a.* COMPACT²보다 소형의.
sùb·cónscious *a., n.* Ⓤ 잠재 의식(의), 어렴풋이 의식하고 있는[있음].
~·ly *adv.* **~·ness** *n.* 잠재 의식.
súb·cóntinent *n.* 아(亞)대륙《인도·그린란드 따위》. **sùb·continéntal** *a.*
sùb·cóntract [ˌ⌐-⌐] *n.* 하청(계약).
—— [⌐-⌐] *vt., vi.* 하청(계약)하다.
sùb·cóntractor *n.* 하청인, 하청업자.
sùb·contraríety *n.* 〖論〗 소상반(小相反).
sùb·cóntrary *a.* 〖論〗 소(小)반대의. —— *n.* 〖論〗 소반대 명제.
sùb·córtical *a.* 〖解〗 피질(皮質) 하의. **~·ly** *adv.*
súb·cùlture *n.* Ⓤ,Ⓒ **1** 〖菌〗 2차 배양, 조직 배양의 이식(移植). **2** 소(小)문화(권), 하위 문화 ; (히피 등의) 신문화, 반(反)문화, 이(異)문화 (집단). —— [-⌐] *vt.* 〖菌〗 (세균을) 별도의 새 배양기(培養基)에서 배양하다, 2차 배양하다.
sùb·cutáneous *a.* 피하(皮下)의 ; 피하에 사는《기생충》: a ~ injection 피하 주사.
~·ly *adv.* **~·ness** *n.*
sùb·cútis *n.* 〖解〗 피하 조직.
sùb·déacon *n.* 〖敎會〗 부[보조]사제, 부집사.
~·àte *n.* =SUBDIACONATE.
súb·dèan [; ⌐⌐] *n.* 〖英國敎〗 부감독보(副監督補), 부주교보.
súb·dèb *n.* 《美口》 =SUBDEBUTANTE.
sùb·débutante *n.* 《美》 조금 있으면 사교계에 나갈 여자 ; 15-16세의 아가씨.
sùb·decánal *a.* 〖敎會〗 부감독[부주교]보(subdean)의.
sùb·dépot *n.* 〖軍〗 보급소 지소.
sùb·dérmal *a.* =SUBCUTANEOUS.
subdérmal ìmplant *n.* 〖醫〗 피하(皮下)이식.
sùb·diáconate *n.* 〖敎會〗 SUBDEACON의 직[지위, 집단].
sùb·díscipline *n.* 학문 분야의 하위 구분.
sùb·divíde *vt.* 다시 나누다, 잘게 나누다, 세분하다 ; 《美》 (토지를) 분필(分筆)하다. —— *vi.* 다시 나뉘다, 세분되다. **-divídable** *a.* 다시 나눌 수 있는, 세분할 수 있는. 〚L (*sub-*)〛
súb·divìsion *n.* Ⓤ 재분(再分)(화), 세분 ; 《美》 (토지의) 분필(分筆), 구획[대지]분할 ; Ⓒ 일부분, 일구분 ; 《美》 분양 토지.
sùb·divísible *a.* 다시 나눌 수 있는.
sùb·dóminant *n., a.* 〖樂〗 버금딸림음(의)《음계의 제4음》.
sub·duct [səbdʌ́kt] *vt.* 제거하다, 줄이다 ; 감하다, 빼다(subtract).
〚L *sub-*(*duct- duco* to draw)〛
sub·dúc·tion *n.* Ⓤ 제거 ; 차감.
***sub·due** [səbdjú:] *vt.* **1** 정복하다, 복종[진압]시키다. **2** (분노 따위를) 억제하다 ; (염증 따위를) 가라앉히다, 완화하다, 경감하다 : ~ a desire to laugh 웃음을 꾹 참다. **3** (잡초 따위를) 뿌리 뽑다, 없애다. **4** (목소리 따위를) 낮추다, 나직하게 하다 ; (빛깔 따위를) 차분하게[부드럽게] 하다. **5** (토지를) 개간하다.
sub·dú·able *a.* **sub·dú·al** *n.*
〚OF=to deceive, seduce<L *subduco* to conquer〛
類義語 ⟹ CONQUER.
sub·dúed *a.* 정복당한, 복종하게 된 ; 억제된 ; 부드러워진, 낮아진, 차분해진, 조용한 : a ~ color [tone] 차분한 색깔[가락] / ~ light 부드러운 빛.
~·ly *adv.*
sùb·dúral *a.* 〖解〗 경뇌막(硬腦膜) 아래의.
sùb·édit *vt.* (신문·잡지 따위의) 부주필 일을 하다, …의 편집을 돕다 ; 《英》 (원고를) 정리하다. 〚역성(逆成) < ↓〛
sùb·éditor *n.* 부주필, 편집 차장 ; 편집 조수 ; 《英》 원고 정리부원, 편집부원.
sùb·emplóy·ment *n.* 〖經〗 불완전[저소득] 고용 ; 반실업.
sùb·éntry *n.* 하위 기재(記載), 부차적 기입.
sùb·équal *a.* 거의 같은.
sùb·equatórial *a.* 아(亞)적도대(특유)의.
su·be·re·ous [subíəriəs ; sju:-], **su·ber·ic** [subérik ; sju:-] *a.* 코르크(질)의, 코르크 모양의. 〚L *suber* cork〛
su·ber·in [sú:bərən ; sjú:bə-] *n.* 〖植〗 코르크질.
súber·ìze *vt.* 〖植〗 코르크질로 화(化)하다.
-ìzed *a.* **sùber·izátion** *n.* 코르크화(化).
súb·fàmily *n.* 〖生〗 아과(亞科) ; 〖言〗 어파(語派)《어족의 하위 구분》.
súb·field *n.* 〖數〗 부분체 ; (학문 따위의) 하위분야 ; 〖컴퓨〗 부구역란.
sub fi·nem [sʌb fáinəm, sub fí:nem] *adv.* (장(章) 따위의) 끝쪽에서《略 s.f.》.
〚L=toward the end〛
súb·flòor *n.* 밑에 깐 마룻바닥, 애벌 마루.
súb·fréezing *a.* 어는점 이하의.
sub·fusc [sʌ́bfʌsk, -⌐] *a.* 거무스름해진, 칙칙한 ; 음울한 ; 암갈색의. —— *n.* 검은빛의 옷.
〚L (*fuscus* dark brown)〛
sub·fus·cous [sʌbfʌ́skəs] *a.* 침침한, 칙칙한.
sùb·génus *n.* 〖生〗 아속(亞屬).
súb·gòvernment *n.* 제2의 정부《정부에 대하여 큰 영향력을 갖는 비공식 모임 따위》.
súb·gràde *n.* 〖土〗 지반, (도로의) 노상(路床).

—— *a.* 노상의.
súb·gròup *n.* (집단을 분할한) 소집단, 하위(下位) 집단 ;〖數〗부분군(群).
súb·hèad *n.* 소제목[표제] ; 부제 ;《美》부교장, 교감.
súb·hèad·ing *n.* 소제목[표제] ; 부제.
sùb·húman *a.* (동물 등이) 인간에 가까운, 유인(類人)의 ; 인간 이하의.
—— *n.* 인간 이하의 사람.
sùb·índex *n.* 부(副)색인《주요 분류의 하위 구분》;〖數〗부지수(副指數).
sub·in·feu·date [sʌ̀binfjú:deit] *vt., vi.*〖封建法〗…에게 영지[보유권]를 다시 나누어 주다, 전봉(轉封)하다.
sùb·ínterval *n.* (장기간 중의) 하위 구분의 기간 ;〖數〗부분 구간 ;〖樂〗부분음정.
sùb·írrigate *vt.* (파이프 따위로) …의 지하 관개(灌漑)를 하다. **sùb·irrigátion** *n.*
subj. subject ; subjective(ly) ; subjunctive.
sub·ja·cent [sʌbdʒéisənt] *a.* 밑에 있는, 하위(下位)의 ; 토대를 이루는. **~·ly** *adv.*
◇**sub·ject**[1] [sʌ́bdʒikt] *n.* **1 a)** 주제, 문제, 제목, 연제(演題), 화제(畫題). **b)** 테마, 악제(樂題), 주제 : change the ~ 화제를 바꾸다. **2** 신하, 신민(臣民)(↔*king*) : a British ~ 영국 국민. **3** (교수해야 할) 학과, (시험의) 과목. **4**〖文法〗주부(主部), 주어(cf. PREDICATE) : a compound ~ 복합주어《두 개 이상의 명사(상당어구)로 이루어짐》/ a formal[grammatical] ~ 형식[문법적] 주어 / a real[logical] ~ 진[논리적] 주어. **5**〖論〗주사(主辭)(↔*predicate*). **6**〖哲〗주관, 자아(↔*object*) ; 실체, 물(物) 자체. **7** 주인(主因), 기인(起因). **8** 어떤 소질을 가진 사람, 환자 ; 본인 : a hysterical ~ 히스테리 환자. **9 a)** 해부용 시체. **b)** 피실험자, 피험자, 실험 재료, (최면술 따위의) 피시술자.
—— *a.* **1** 복종하는, 종속하는, …의 지배하에 있는, 속국의 : a ~ province 속령 / You are ~ *to* the laws of your country. 누구나 국법을 지켜야 한다. **2** [*pred.* 로 써서] 받는, 받기 쉬운, 입는, (…에) 빠지기[걸리기] 쉬운 : The prices are ~ *to* change. 가격은 변경되는 수가 있다 / He is ~ *to* colds[attacks of fever]. 그는 감기[열병]에 걸리기 쉽다. **3** [*pred.* 로 써서] (승인 따위를) 받아야 할, 단 …을 필요로 하는 : The plan is ~ *to* your approval. 그 계획은 당신의 찬성을 필요로 합니다.
—— *adv.* (…을 얻을 것을) 조건으로 하여, (…을) 가정하여, (…에) 복종하여 : *S*~ *to* your consent, I will try again. 승낙하여 주신다면 다시 한 번 해보겠습니다.
〚OF<L SUB*ject*- -*icio* (*jacio* to throw)〛
類義語 (1) ***subject*** 토론·연구·저작·예술 따위에서 그 주안점을 이루는 것 ; 가장 일반적인 말 : the *subject* for discussion (의제(議題)). ***theme*** 문학[예술] 작품의 기초적인 모티브를 이루는 subject ; subject보다 의미가 좁고 형식적인 말 : a drama with a social *theme* (사회를 주제로 한 드라마). ***topic*** 어떤 그룹에 속한 사람들에게 공통된 화제 : Music is their favorite *topic* of conversation. (음악은 그들이 즐겨 이야기하는 화제다).
(2) ⟹ CITIZEN.
sub·ject[2] [səbdʒékt] *vt.* [+目+*to*+名] **1** 복종[종속]시키다 : King Alfred ~*ed* all England ***to*** his rule. 앨프레드 왕은 영국 전체를 그의 지배하에 두었다. **2** 받게 하다, (남이 곤경을) 당하게 하다, 드러내다(expose) : ~ oneself ***to*** insult 모욕을 당하다 / ~ the metal *to* intense heat 그 금속을 높은 열로 가열하다 / be ~*ed to* ridicule 냉소당하다. 〚↑〛
súbject càtalog *n.* (도서관의) 주제별 목록, 건명(件名) 목록.
súbject hèading *n.* (카탈로그·색인 따위의) 건명 표목(件名標目).
sub·jec·ti·fy [səbdʒéktəfài] *vi.* 주관적으로 하다 ; 주관적으로 해석하다.
sub·jec·tion [səbdʒékʃən] *n.* 정복 ; 복종〈*to*〉; 좌우됨, 종속〈*to*〉.
sub·jec·tive [səbdʒéktiv] *a.* **1** 주관의, 주관적인(↔*objective*), 개인적인 ;〖哲〗주관적인 ;〖心〗내성적인 ; 본질적인 : a ~ test 주관 테스트. **2**〖文法〗주어의, 주격의(nominative) : the ~ genitive 주격 속격《예를들면 the doctor's arrival의 *doctor's* ; cf. OBJECTIVE genitive》.
—— *n.*〖文法〗주격. **~·ly** *adv.* 주관적으로.
subjéctive cáse *n.*〖文法〗주격.
subjéctive cómplement *n.*〖文法〗주격 보어《예를들면 He lies dead.의 *dead*》.
sub·jéc·tiv·ìsm *n.* Ⓤ 주관주의, 주관론 ; 주관적 논법(↔*objectivism*). **-ist** *n.* 주관론자.
sub·jèc·tiv·ís·tic *a.* 주관론적인.
sub·jec·tiv·i·ty [sʌ̀bdʒektívəti] *n.* Ⓤ **1** 주관적인 것, 주관성(↔*objectivity*). **2** =SUBJECTIVISM.
súbject màtter *n.* **1** (저작 따위의 형식·문체에 대하여) 내용 ; 주제, 제목(theme). **2** 소재, 재료(substance).
súbject-óbject *n.*〖哲〗주관적 객관《지식의 주체임과 동시에 그 객체인 「자아(ego)」를 가리키는 Fichte의 용어》.
sub·join [sʌbdʒɔ́in] *vt.* [+目 / +目+*to*+名] 추가[증보]하다(append), 부연하다 : ~ a postscript ***to*** a letter 편지에 추신(追伸)을 첨가하다. 〚F<L *sub*-(*junct*- *jungo* to join)〛
sub·join·der [sʌbdʒɔ́indər] *n.* 추가물[문서 따위] ; 부언, 부기.
súb·jòint *n.*〖解〗부관절(副關節).
sub ju·di·ce [sub jú:dikèi, sʌb dʒú:disi:] *adv.*〖法〗심리중, 미결로.
〚L=under a judge〛
sub·ju·gate [sʌ́bdʒəgèit] *vt.* 정복하다, 복종시키다, 예속시키다. **sùb·ju·gá·tion** *n.* 정복 ; 복종, 예속. **súb·ju·gà·tor** *n.* 정복자.
〚L=to bring under the yoke (*jugum*)〛
sub·junc·tion [səbdʒʌ́ŋkʃən] *n.* 추가[증보, 첨가](물).
sub·junc·tive [səbdʒʌ́ŋktiv] *n., a.*〖文法〗가정법(의), 서상(敍想)법(의) (cf. MOOD[2] 2).
~·ly *adv.*
〚F or L (⇨ SUBJOIN) ; Gk. *hupotaktikos*의 역〛
subjúnctive móod *n.*〖文法〗가정법《예를들면 God save the queen ! 의 *save*》.
subjúnctive pást *n.*〖文法〗가정법 과거.
subjúnctive pást pérfect *n.*〖文法〗가정법 과거완료.
subjúnctive présent *n.*〖文法〗가정법 현재.
súb·kìngdom *n.*〖生〗아계(亞界).
súb·lànguage *n.* (어떤 그룹·사회에서만 통용되는) 특수 언어.
sub·late [sʌ́bleit] *vt.*〖論〗부인[부정]하다(cf. POSIT) ; (헤겔 철학에서) 지양(止揚)하다.
sub·la·tion [sʌbléiʃən] *n.*
súb·lèase [ˌ ⌐⌐] *n.* 전대(轉貸) ; 전차(轉借).
——[-⌐, ⌐⌐] *vt.* 전대[전차]하다, 다시 빌려 주다

[빌리다].

sùb·lessée *n.* 전차인(轉借人).

sub·léssor [ˌ ╶╌́] *n.* 전대인(轉貸人).

sùb·lét [ˌ ╶́] *vt., vi.* 전대[전차]하다 ; (도급의) 일부를 다른 사람에게 위임하다. ── [╴́, ╶́] *n.* 전대 ; 전차 ; 전대용의 집 ; 전차한 집.

sùb·léthal *a.* 거의 치사량에 가까운.

sùb·librárian *n.* 사서보, 도서관 부관장.

sùb·lieuténant *n.* 《英》 해군 중위 : a second ~ 해군 소위.

sub·li·mate [sʌ́bləmèit, -mət] *a.* **1** 승화(昇華)된. **2** 《비유》 고상하게 된, 이상화(理想化)한, 기품 있는. ── *n.* 〖化〗 승화물 ; 염화제이수은.
── [sʌ́bləmèit] *vt., vi.* **1** 〖理·化·精神分析〗 승화시키다[하다]. **2** 《비유》 고상하게 하다[되다], 순화하다.

sùb·li·má·tion *n.* Ⓤ **1** 〖化〗 승화. **2** 순화, 이상화 ; 〖心〗 승화.

***sub·lime** [səbláim] *a.* (**sub·lím·er** ; **-lím·est**) **1** 장엄[숭고·웅대]한 : ~ scenery 장엄한 풍경 / ~ beauty 숭고한 미. **2** 최고의, 탁월한, 발군(拔群)의. **3** 《口》 (비꼬는 투로) 엄청난, 지독한. **4** 《詩》 거만[오만]한 ; 득의만면한.
── *vt., vi.* **1** 〖理·化〗 승화시키다[하다]. **2** 고상하게 하다[되다], 정화하다[되다].
── *n.* [the ~] 숭고한 것, 장엄미 ; [the ~] 절정, 극도, 극치〈*of*〉.
~·ly *adv.* 장엄하게도 ; 《口》 초연하게, 심하게.
sub·lím·er *n.* 승화자(者)[기(器)].
〖L *sublimis* uplifted, high〗
類義語 ⟹ SPLENDID.

Sublíme Pórte *n.* [the ~] 오스만 제국 정부 (☞ PORTE).

sùb·líminal *a.* 〖心〗 의식에 떠오르지 않는 ; 잠재의식의. ── *n.* =SUBLIMINAL SELF.

sublíminal ádvertising *n.* 서브리미널 광고(廣告)《잠재 의식에의 작용을 노리는 텔레비전 따위의 광고》.

sublíminal percéption *n.* 〖心〗 잠재 지각.

sublíminal sélf *n.* [the ~] 〖心〗 잠재 자아.

súb·lìmit *n.* (최대한도 이하의) 2차 한도, 부차(副次) 제한.

sub·lim·i·ty [səblíməti] *n.* **1** Ⓤ 장엄, 웅대, 고상 ; 절정, 극치. **2** Ⓤ [때때로 *pl.*] 장엄한 것, 숭고한 사람[것].

súb·lìne *n.* 한 종족 내의 같은 계통(系統) 번식에 의한 계통.

sùb·língual *a.* 〖解〗 혀밑의 : the ~ gland [artery] 혀밑샘[동맥].
── *n.* 혀밑샘[동맥 따위].

sùb·líterate *a.* (읽고 쓰는데) 충분한 소양(素養)이 없는.

sùb·líttoral *a.* 〖生態〗 연안에 가까운 수중에 있는, 저조선(低潮線)과 대륙붕 사이의, 아연안대(亞沿岸帶)의, 아조간대(亞潮間帶)의. ── *n.* 아조간[연안]대.

Sub-Lt. Sublieutenant.

sùb·lúnar *a.* =SUBLUNARY.

sub·lu·nary [sʌblúːnəri, 美+sʌ́blunèri] *a.* 달밑의 ; 지구(상)의(↔*superlunary*) ; 현세의.

sùb·machíne gùn *n.* 소형 경기관총.

súb·màn *n.* (야만·우매함 따위) 인간적 기능이 열등한 사람(cf. SUPERMAN).

sùb·mandíbular *a.* 〖解〗 =SUBMAXILLARY.
── *n.* 〖解〗 턱밑샘(=~ **glánd**).

sùb·márgin·al *a.* 가장자리에 가까운 ; 한계 이하의 ; 경작이 한계에 달한.

***sub·ma·rine** [sʌ́bmərìːn, ╴╶́] *a.* 해저(海底)의, 해저에서 나는[생활하는], 바닷속의 ; 바닷속에서 쓰는 : a ~ boat 잠수함 / a ~ cable[volcano] 해저 전선[화산] / a ~ tunnel 해저 터널.
── *n.* **1** 해저 동[식]물 ; 〖서핑〗 서퍼의 몸에 비해 너무 작은 서프보드. **2** 잠수함《略 sub.》. **3** 《美俗》 서브머린(샌드위치) (=~ **sàndwich**)《긴 롤빵에 냉육(冷肉)·치즈·야채를 끼워 넣은 샌드위치》.
── *vt.* 잠수함으로 공격[격침]하다. ── *vi.* 〖美蹴〗 (수비측의 라인맨이) 공격측의 라인맨의 블록 밑을 재빨리 빠져 나가다.

súbmarine-bàsed *a.* (미사일 따위) 잠수함에서 발사되는, 잠수함에 탑재된.

súbmarine chàser *n.* 구잠정(驅潛艇)《잠수함 추격용》.

súbmarine-láunched *a.* 잠수함에서 발사하는 : ~ cruise missile 잠수함 발사순항 미사일.

súbmarine pèn *n.* 잠수함 대피소.

sub·ma·ri·ner [səbmǽrənər, sʌ́bmərìːnər, ╴╶́╴] *n.* 잠수함 승무원 ; 〖野〗 언더스로 투수.

súbmarine wàtching *n.* 《美學俗》 =NECKING.

súb·màster *n.* 부교장, 교장 대리, 교감.

sùb·máxillary *n., a.* 〖解〗 아래턱(의), 하악골(의) ; 턱밑샘(의) : the ~ gland 턱밑샘.

sub·merge** [səbmə́ːrdʒ] *vt.* **1** 물속에 넣다, 가라앉히다 ; 침몰시키다 ; 침수시키다 : The land was ~*d* by the flood. 그 토지는 홍수로 침수되었다. **2** [+目/+目+前+名] [주로 *p.p.*로] 덮어 감추다 : The man, ~*d* ***in his overcoat, listened to the conversation. 그 사나이는 오버코트로 몸을 푹 감싸고 이야기를 들었다. ── *vi.* (잠수함 따위가) 잠수[잠항]하다(↔*surface*) ; 침몰하다.

sub·mérged *a.* **1** 수몰[침수]된, 수중(에서)의 : ~ speed 잠항 속도. **2** 최저 생활을 하는, 극빈의 : the ~ tenth 최하층 계급.

sub·mér·gence *n.* Ⓤ 잠수(潛水) ; 침수 ; 침몰.

sub·mér·gi·ble *a., n.* =SUBMERSIBLE.

sub·merse [səbmə́ːrs] *vt.* =SUBMERGE.

sub·mérsed *a.* 물속에 가라앉은, 침수의 ; 〖植〗 침수생(沈水生)의.

sub·mérs·ible *a.* 물속에 가라앉힐 수 있는 ; 잠항할 수 있는. ── *n.* 잠수함, (특히 과학 측정용의) 잠수정.

sub·mér·sion [-ʃən, -ʒən] *n.* =SUBMERGENCE.

sùb·metállic *a.* 아(亞)금속의.

sùb·mícron *a.* 1미크론 이하의, 초미세한.

sùb·microscópic *a.* 초현미경적인 ; 극미소물체의. **-ical·ly** *adv.*

sùb·mílli·mèter *a.* 1밀리미터 이하[미만]의《파장 따위》.

sùb·míniature *a.* (카메라·전기 부품 따위) 초소형의. ── *n.* 초소형 카메라(=~ **cámera**).

sùb·míniaturize *vt.* (전자 장치를) 초소형화하다 (microminiaturize).

sub·mis·sion [səbmíʃən] *n.* **1** Ⓤ 복종, 항복 : *in* ~ *to* the will of God 신의 뜻에 복종하여. **2** Ⓤ 순종〈*to*〉 ; 유순 ; 유화 : They bowed to the king with all due ~. 그들은 왕에게 공손히 절하였다. **3** Ⓤ,Ⓒ 〖法〗 중재 부탁(서). **4** 기탁, 의뢰. **5** Ⓤ,Ⓒ (의견의) 개진(開陳), 구신(具申), 제안 : My ~ is that.... 내 생각에는… / In my ~ ... 사견(私見)으로는 ….
〖OF or L ; ⇨ SUBMIT〗

sub·mis·sive [səbmísiv] *a.* 복종하는, 유순한, 순진한. **~·ly** *adv.* **~·ness** *n.*
〖*remissive* 따위에 준한 것〗

submíssive déath *n.* 굴복사, 절망사, 각오사 《막다른 불리한 상황에서 사람이나 동물이 택하게 되는 죽음》.

sub·mit** [səbmít] *v.* (**-tt-**) *vt.* **1** [＋目＋*to*＋名] [～ one*self* 로] 복종시키다, 따르게 하다 : We must ～ our*selves* ***to God's will. 우리는 하느님의 뜻에 복종하지 않으면 안된다. **2** [＋目/＋目＋*to*＋名] 제출[제시]하다 ; 기탁하다, 부탁하다 : The motion was ～*ted* ***to*** the city council. 그 제안은 시의회에 제출되었다. **3** [＋*that* 節] (실례지만) …가 아닌가 생각한다고 말하다, 의견으로서 이야기하다(suggest) : I ～ *that* a material fact has been passed over. 중대한 사실이 간과(看過)되었다고 말하고 싶다 / A different measure, I ～, might be adopted. 다른 수단을 강구하면 어떨까 생각한다.
— *vi.* [＋*to*＋名/＋*to* do] 복종하다, 항복하다, 감내(堪耐)하다, (남의 의견 따위에) 따르다 : He was too proud to ～ ***to*** such treatment. 그는 자존심이 강해서 그와 같은 취급을 감수할 수가 없었다 / I did not ～ *to* hav*ing* my freedom suppressed. 자유를 억압당하고 잠자코 있지는 않았다 / She ～*ted to* be guided by him willingly enough. 그녀는 자진해서 그의 인도를 받으려고 하였다.
〖L sub-(*miss- mitto* to send)＝to lower〗
類義語 ⟹ YIELD.

sub mo·do [sʌ̀b móudou] *adv.* 일정한 조건[제한]하에.
〖L＝under a qualification〗

sùb·móntane *a.* 산기슭에 있는, 산 밑의.

sùb·múltiple *n., a.* 〖數〗 약수(約數)(의).

sùb·narcótic *a.* 경(輕)마취성의 ; (마취약의 양이) 완전 마취에는 불충분한.

sùb·nórmal *a.* 보통[정상] 이하의, 이상(異常)의, 기형의 ; 저능의. — *n.* 저능아.

sùb·núclear *a.* 〖理〗 원자핵 속의 ; 원자핵보다 작은, 소립자(素粒子)의.

sùb·núcleon *n.* 〖理〗 (가설상의) 핵자 구성소.

sùb·oceánic *a.* 대양 밑의, 해저의.

sùb·óptimize *vi.* 서브시스템을 최대한으로 이용하다.

sùb·órbit·al *a.* 〖解〗 눈구멍 밑의 ; 완전한 궤도에 오르지 못한 : a ～ flight (인공위성 따위의) 궤도에 오르지 못한 비행.

súb·òrder *n.* 〖生〗 아목(亞目).

***sub·or·di·nate** [səbɔ́ːrdənət] *a.* **1** 아래의, 다음가는, 열등한 ; 종속하는 ; 부하의, 속관(屬官)의 : In the army colonels are ～ *to* major generals. 군대에서 대령은 소장 아래다. **2** 〖文法〗 종속의〈*to*〉. — *n.* **1** 종속자, 부하. **2** 〖文法〗 종속절, 종속어[구].
— [-nèit] *vt.* [＋目/＋目＋前＋名] 밑에 두다 ; 종속[복종]시키다 ; (…보다도) 경시하다 : a *subordinating* clause[conjunction]＝a SUBORDINATE CLAUSE[CONJUNCTION] / He ～*s* work ***to*** pleasure. 일을 오락보다도 가볍게 생각하고 있다.
～·ly *adv.* 〖L ; ⇨ ORDAIN〗

subórdinate cláuse *n.* 〖文法〗 종속절《복문 중에서 주절에 종속적인 관계에 있는 절 ; 보기 I'll go *if it is sunny.*》.

subórdinate conjúnction *n.* 〖文法〗 종속접속사《as, if, that 따위》.

sub·or·di·na·tion [səbɔ̀ːrdənéiʃən] *n.* Ⓤ 밑에 두는 것 ; 종속, 하위 ; 《稀》 복종, 순종 ; 〖文法〗 종속 관계.
in subordination to …에 종속되어.

subordinátion·ìsm *n.* 〖神學〗 성자(聖子) 종속설, (삼위일체의) 제1위 우월설. **-ist** *n.*

sub·or·di·na·tive [səbɔ́ːrdənèitiv ; -nə-] *a.* **1** 종속적인, 종속 관계를 나타내는 ; 하위[차위]의. **2** 〖文法〗 ＝SUBORDINATE 2 (↔*coordinative*).

sub·ór·di·nà·tor *n.* 종속시키는 것[사람] ; ＝SUBORDINATE CONJUNCTION.

sub·orn [səbɔ́ːrn ; sʌ-] *vt.* 〖法〗 (뇌물 따위를 주고) 허위 맹세[위증(僞證)]시키다 ; 매수하다.
〖L *sub-*(*orno* to equip)＝to incite secretly〗

sub·or·na·tion [sʌ̀bɔːrnéiʃən] *n.* Ⓤ 〖法〗 허위 맹세[위증]시키기 ; 매수 : ～ of perjury 허위 맹세[위증] 교사죄.

sùb·óxide *n.* Ⓤ,Ⓒ 〖化〗 아(亞)산화물.

sùb·pár *a., adv.* 표준 이하의[로].

subpar. subparagraph.

súb·phỳlum *n.* 〖生〗 아문(亞門).

súb·plòt *n.* (각본·소설의) 부차적 줄거리.

sub·poe·na, -pe- [səbpíːnə] *n.* 〖法〗 소환장, 벌칙부 소환 영장〈*to*〉. — *vt.* (**～ed, ～'d**) 소환하다, …에게 소환장을 발부하다.
〖L＝under penalty〗

sùb·pólar *a.* 극지(極地)에 가까운, 아(亞)극(지대)의.

sùb·populátion *n.* 〖統〗 부분 모집단(母集團) ; 〖生態〗 부차(副次)집단.

sùb·pótency *n.* 〖生〗 유전형질(遺傳形質) 전달 능력의 감소.

sùb·pótent *a.* 보통의 효력보다 약한.

sùb·préfect *n.* PREFECT의 대리.

sùb·príncipal *n.* 부장관, 부교장, 부사장, 부회장, 장관[교장, 사장, 회장] 대리 ; 〖木工〗 보조 서까래[버팀목] ; 〖樂〗 서브프린시펄 스톱《오르간의 저음을 내는 개구(開口) 스톱의 하나》.

sùb·príor *n.* 수도원 부원장.

súb·pròblem *n.* (포괄적 문제에 포함된) 하위(下位)의 문제.

sùb·proféssion·al *a., n.* 준전문직의 (사람).

sùb·prógram *n.* 〖컴퓨〗 아래풀그림[프로그램] 《프로그램 중에서 독립하여 번역할 수 있는 부분》.

súb·règion *n.* (region 내의) 소구역, 소지역 ; 〖生物地理〗 아구(亞區). **sùb·région·al** *a.*

sub·rep·tion [səbrépʃən] *n.* 〖教會法〗 (교황청에의) 허위 진술 ; (목적 달성을 위한) 사실의 은닉, 허위 주장(에 의한 추론).
sub·rep·ti·tious [sʌ̀breptíʃəs] *a.*

sub·ro·gate [sʌ́brougèit] *vt.* (남에게) 대신시키다 ; 〖法〗 대위(代位)시키다, 대위변제(代位辨濟)시키다.

sub·ro·ga·tion [sʌ̀brougéiʃən] *n.* 〖法〗 대위(代位), 대위 변제 ; (일반적으로) 대리.

sub ro·sa [sʌ̀b róuzə] *adv.* 비밀히, 내밀히, 은밀히(secretly).
〖L＝under the rose〗

sùb·routíne *n.* 〖컴퓨〗 아랫경로《특정 또는 다수의 프로그램 중에서 반복 사용할 수 있는 독립된 명령군(群)》.

subs. subscription ; substitute.

súb-Sahάran *a.* 사하라 사막 이남의.

súb·sàmple *n.* 〖統〗 부표본(副標本).
— *vt.* 〖統〗 …의 부표본을 만들다.

sùb·sátellite *n.* 인공위성에서 발사된 소형 위성 ; 위성국(衛星國) 내의 위성국.

sub·scribe** [səbskráib] *vt.* [＋目/＋目＋*to*＋名] **1** (기부 따위를) (기명(記名)) 승낙하다, 기부하다 ; 응모[신청·예약]하다 : He ～*d* $10,000 ***to the earthquake relief fund. 지진 구조 기금에 1만

달러 기부했다 / The sum needed was ~*d* several times over. 모금액이 소요액의 몇 배에 달했다. **2** …에 찬성하다 ; (증서 따위에) 서명하다 : ~ (one's name ***to***) a petition 탄원서에 서명하다. —— *vi.* **1** [動/+前+名] 기부 명부에 기명(記名)하다, 기부(를 약속)하다 ; 신청하다, 응모하다 : Mr. Smith ~*s* liberally ***to*** charities. 스미스씨는 자선 사업에는 아낌없이 기부를 한다 / I ~*d* ***for*** 1,000 shares in the new company. 새로운 회사의 주를 1,000주 신청했다. **2** [+前+名] 예약(구독)하다 : ~ ***to*** a magazine 잡지를 예약 구독하다 / I have ~*d* ***for*** the encyclopedia. 백과사전의 구입을 신청해 놓았다. **3** [+*to*+名] 동의하다, 찬성하다(agree) : I cannot ~ ***to*** that opinion. 그 의견에는 찬성할 수 없다. **4** [+*to*+名] 서명하다 : King John ~*d* ***to*** Magna Charta in 1215. 존왕은 1215년에 대헌장에 서명했다.

〈회화〉
What newspaper do you take? — We *subscribe to* the Times. 「어떤 신문을 보십니까」 「우리는 타임스를 구독합니다」

〖L ; ⇨ SCRIBE〗

sub·scríb·er *n.* **1** 기부자〈*to*〉. **2** (신문·잡지의) 구독자〈*to*〉; (주식·서적 따위의) 신청자, 응모자, 예약자〈*for*〉. **3** 전화 가입자(telephone subscriber). **4** 기명자, 서명자.

subscríber trúnk dìalling *n.* 《英》 다이얼 직통 장거리 전화(=《美》 direct distance dialing) (略 STD).

sub·script [sʌ́bskript] *a.* (문자·기호가) 밑에 쓰여진, 밑에 붙이는(inferior). —— *n.* 밑에 붙는 문자[숫자·기호]《보기 H_2SO_4의 2,4 따위 ; ↔ *superscript*》.

***sub·scrip·tion** [səbskrípʃən] *n.* **1** U,C 예약[기부] 신청, 응모 ; 예약 구독 ; 예약 출판 ; 《美》 권유 판매 : by ~ 예약으로. **2** 예약(대)금〈*to*〉; 기부금 ; 《英》 (클럽 따위의) 회비 : raise a ~ 《美》 기부금을 모으다. **3** U 서명, 서명 승낙, 동의, 찬성. 〖L ; ⇨ SUBSCRIBE〗

subscríption àgency *n.* 〔出版〕 예약 구독 판매 대리점.

subscríption bòok *n.* 예약[응모]자 명부 ; 예약 출판서.

subscríption còncert *n.* 《美》 예약제 연주[음악]회.

subscríption edìtion *n.* 예약(한정)판.

subscríption lìbrary *n.* 회원제 대출 도서관.

subscríption sèat *n.* 예약석.

subscríption télevision *n.* 회원제 유료 텔레비전방송.

súb·sèa *a.* =SUBMARINE ; =UNDERSEA.

subsec. subsection.

súb·sèction *n.* 일부, 작은 부분 ; 세분, 세별, 관(款) ; 분과(分課), 계(係).

sub·se·quence[1] [sʌ́bsikwəns] *n.* U 잇따라 일어나는 일[사건], 연속, 결과.
〖SUBSEQUENT〗

súb·sèquence[2] *n.* 〔數〕 부분수열(部分數列).

***súb·se·quent** *a.*, *n.* 뒤의 (사람[것]), 그 후의 ; 다음의 (일), 계속하여 일어나는, 이차의, 따라서[함께] 일어나는〈*to, upon*〉.
〖OF or L (*sequor* to follow)〗

súbsequent·ly *adv.* 그 후(에), 계속하여〈*to*〉.

sub·serve [səbsə́:rv] *vt.* 보조하다, 촉진하다, (목적 따위에) 도움이 되다.
〖L (*sub-*, SERVE)〗

sub·ser·vi·ence, -cy [səbsə́:rviəns(i)] *n.* **1** U 도움이 되기, 공헌. **2** U 아첨, 비굴.

sub·sér·vi·ent *a.* **1** 보조[종속]적인 ; 도움이 되는, 공헌하는〈*to*〉. **2** 비굴한, 아첨하는.
~·ly *adv.*

súb·sèt *n.* 〔數〕 부분 집합.

sub·side** [səbsáid] *vi.* **1** (홍수 따위가) 빠지다 ; (토지가) 꺼지다, (건물이) 내려앉다, (배가) 침몰하다 ; (늘어뜨려진 것 따위가) 떨어지다 : The floods have not ~*d* yet. 홍수진 물이 아직 줄어들지 않았다. **2** (폭풍·열정 따위가) 가라앉다, 잔잔해지다 : The typhoon began to ~. 태풍이 가라앉기 시작했다. **3** [動/+*into*+名] 《戲》 (사람이) 앉다 : He ~*d* ***into his armchair. 그는 안락의자에 털썩 주저앉았다.
〖L *sub-* (*sido* to settle)〗

sub·si·dence [səbsáidəns, sʌ́bsə-] *n.* U,C 진정, 감퇴 ; 강하, 함몰 ; 침하(沈下), 침전.

***sub·sid·i·ary** [səbsídièri, -sídəri ; -diəri] *a.* **1** 보조적인, 보조의 ; 종속적인, 보충하는, 부업의, 제2의 : ~ money 보조 화폐. **2** 조성금(助成金)의[에 의한]. **3** (다른 나라의) 용병(傭兵)이 된. **4** (과반수의 주를 가진) 모(母)회사의 지배를 받는 : a ~ company 자(子)회사. —— *n.* **1** 보조자[물] ; 자회사 ; [*pl.*] 〔印〕 부속[부가]물. **2** 〔樂〕 부주제, 종속 악상(樂想).
〖L ; ⇨ SUBSIDY〗

subsídiary còin *n.* 보조 화폐《특히 은화》.

subsídiary rìghts *n. pl.* 〔出版〕 부차권(副次權)《원(原)저작물의 출판권 이외의 권리》.

sub·si·dize [sʌ́bsədàiz, -zə-] *vt.* **1** (정부가) …에 조성[보조·장려]금을 지급하다 : ~*d* industries 조성 산업. **2** 보수금을 주고 …의 원조를 받다 ; 매수하다(bribe).

sub·si·dy [sʌ́bsədi, -zə-] *n.* **1** (국가의) 장려금, 조성금, 보조금 : food *subsidies* 식량 보조금 / housing *subsidies* 주택 보조금. **2** (국가간의 군사적 원조 또는 중립에 대한) 보수금. **3** 〔英史〕 (국왕에 대한 의회의) 특별 보조금, (그것을 위해서 징수한) 임시[특별]세.
〖OF<L *subsidium* help〗

súbsidy pùblishing *n.* (연구서 따위의) 보조금에 의한 출판.

sub si·len·tio [sʌ̀b səléntʃiòu, -sai-, -ti-] *adv.* 말없이, 몰래. 〖L=under or in silence〗

sub·sist [səbsíst] *vi.* **1** [動/+前+名] 생존하다(exist), 먹고 살다, 살아나가다 : The poor family ~*ed* ***on*** charity. 그 가난한 가족은 자선에 의지하여 생활했다 / They had to ~ ***by*** begging. 구걸하면서 연명해 나가지 않으면 안되었다. **2** 존재[존속]하다 ; 내재하다 : A club cannot ~ without members. 클럽은 회원이 없으면 존속할 수 없다. —— *vt.* 《古》 …에게 양식을 공급하다, 급양(給養)하다(feed).
〖L *sub-* (*sisto* to set, stand) =to stand firm〗

subsíst·ence *n.* U 생활, 생존, 존속 ; 생계의 길, 최저한의 생활 양식 ; 존재, 실존 ; 내재 ; 〔哲〕 자존.

subsístence allòwance[mòney] *n.* 특별 수당, (출장) 수당 ; 취직 준비금 ; (군대의) 식비 수당.

subsístence cròp *n.* 자급용(自給用) 작물.

subsístence fàrming[àgriculture] *n.* 자경 자급 농업.

subsístence lèvel *n.* 최저 생활 수준.

subsístence wàge *n.* 최저 생활 임금.

subsíst·ent *a.* 존재하는, 실재의 ; 고유의(inher-

ent) 〈*in*〉. —— *n.* 실재하는 것 ; 〖哲〗 (추상 개념으로서의) 존재물.
súb·sòil *n.* 하층토(下層土), 심토(心土)《표토와 기암(基岩) 사이의 지층》. —— *vt.* …의 심토를 파 일구어 경작하다.
sùb·sólar *a.* 태양 직하(直下)의, (특히) 양(兩)회귀선 사이의.
subsólar póint *n.* (지구상의) 태양 직하점.
sùb·sónic *a.* 〖理〗 아(亞)음속의, 음속 이하의(cf. SONIC) (↔*supersonic*) : ～ speed 아음속. —— *n.* 아음속(항공)기.
súb·spàce *n.* 〖數〗 부분 공간.
sùb spécialty *n.* 하위 전문 분야.
sub spe·cie [sʌ̀b spíːʃiiː] *adv.* …의 형태하에. 〚L=under the aspect of〛
sub spe·cie ae·ter·ni·ta·tis [sub spékièi aitèrnətáːtəs, sʌb spíːʃiː iːtə̀ːrnətéitəs] *adv.* 영원한 모습 하에. 〚L *aeternitas* eternity〛
súb·spècies *n.* 〖生〗 아종(亞種), 변종(變種).
subst. substantive(ly) ; substitute.
***sub·stance** [sʌ́bstəns] *n.* **1** Ⓤ,Ⓒ 물질(material), 물건 : Soils consist of various chemical ～*s.* 흙은 여러 가지 화학적 물질로 이루어져 있다 / a solid ～ 고체. **2** Ⓤ 〖哲〗 실체, 본체, 본질 ; 〖宗〗 신성(神性). **3** [the ～] 요지(要旨), 대의(大意) (purport) : *the* ～ of his lecture 그의 강연의 요지. **4** Ⓤ 실질, 내용, 알맹이, 실속 ; 고체(固體)[실재]성 ; (직물 따위의) 바탕 : This cloth lacks ～. 이 옷감은 엷다. **5** Ⓤ 자산, 재산(property) : a man of ～ 자산가. **6** [the ～] 거의 대부분, 태반〈*of*〉.
in substance 실질적으로는 ; 사실상 ; 대체로 : I agree with you *in* ～. 대체로 너와 동감이다.
〚OF<L *sub-*(*stantia* essence〈*sto* to stand)〛
類義語 ⟹ MATTER.
substance P [´ píː] *n.* 〖生化〗 P물질《통각(痛覺)을 일으킨다고 여겨지고 있는 화학 물질》.
sùb·stándard *a.* 표준 이하의, (식료품·약품 따위의 성분이 법정) 기준 이하의.
***sub·stan·tial** [səbstǽnʃəl] *a.* **1** 실질의, 실체의 ; 실재하는, 정말의 ; 상당한 : He gets ～ pay. 그는 상당한 급료를 받고 있다 / make ～ progress 상당히 진보하다. **2** 실질적인 ; (식사 따위) 실속[내용]이 있는 ; 견고한, 튼튼한 ; (학자 등) 실력이 있는, 믿음직한 : The bridge didn't look very ～. 다리는 그다지 튼튼해 보이지 않는다. **3** (공헌 따위) 중요한, 가치가 있는 ; 엄청난. **4** 본질적인, 실질적인, 사실상의. **5** 자산이 있는, 유복한 ; (금전상의) 신용이 있는. **6** 〖哲〗 실체의 ; 본질의. —— *n.* [보통 *pl.*] 본질적인 것, 실재물, 중요한 가치가 있는 것.
～·ìsm *n.* 〖哲〗 실체론. **～·ist** *n.* 실체론자.
〚OF or L ; ⇨ SUBSTANCE〛
sub·stan·ti·al·i·ty [səbstæ̀nʃiǽləti] *n.* 실재성, 실질적임 ; 본체, 실질 ; 견고.
substántial·ìze *vt.* 실체로 하다, 실체화하다 ; 실재하게 하다, 실재화하다 ; 실현하다, 실지로 나타내다.
substántial·ly *adv.* 대체로, 요점으로 ; 실질상 ; 충분히 ; 확실하게.
sub·stan·ti·ate [səbstǽnʃièit] *vt.* 실체화하다 ; 실증하다(prove) ; 구체화하다 : ～ a claim 요구를 구체적으로 나타내다.
sub·stàn·ti·á·tion *n.* 실증, 입증 ; 실체화 ; 증거.
sub·stan·ti·val [sʌ̀bstəntáivəl] *a.* 〖文法〗 실(명)사(實(名)詞)의, 명사 구실을 하는.
sub·stan·tive [sʌ́bstəntiv] *n.* 〖文法〗 실(명)사, 명사(상당어구)《略 s., sb., subst.》.
—— [ˌ 美+səbstǽntiv] *a.* 〖文法〗 명사로 사용된, 존재를 나타내는, 실(명)사의 ; 독립의, 자립의 ; 실재를 가리키는, 실재적인 ; 본질적인 ; 현실의 ; 〖法〗 실체의, 명문화된 ; 〖染〗 (염료가) 매염제를 필요로 하지 않는, 직접적인(↔*adjective*) ; [; səstǽntiv] 〖軍〗 (직함이) 영속하는 ; 강고한 ; 상당히 다량의 : a noun ～ 실(명)사《명사의 옛칭호로 noun adjective와 구별함》 / a ～ clause 명사절(節) / a ～ verb 존재 동사《be 동사》 / a ～ motion 주요 동의(動議). **～·ly** *adv.* 독립적으로 ; 실질적으로, 사실상(substantially) ; 〖文法〗 실(명)사로서. 〚OF or L ; ⇨ SUBSTANCE〛
súbstantive láw *n.* 〖法〗 실체법.
súbstantive ránk [; -´--] *n.* 〖軍〗 정식 위계(位階).
súbstantive ríght [ˌ -´--] *n.* 〖法〗 실체적 권리《생명·자유·재산·명예 따위의 권리》.
súb·stàtion *n.* 〖電〗 변전소 ; (파이프 수송 따위의) 중간 가압 기지, 서브스테이션 ; 지서, 분국(分局), 출장소, 파출소.
sub·stit·u·ent [sʌbstítʃuənt] *n.* 〖化〗 (원자·원자단(團)의) 치환분(置換分). —— *a.* 치환분으로 작용하는.
sub·sti·tute** [sʌ́bstətjùːt] *vt.* [+目+前+名] 바꾸다, 대체하다, 대용하다, 대리시키다 ; 〖化〗 치환하다 : ～ margarine ***for butter 버터 대신에 마가린을 대용하다 / New computers are being ～*d for* the old. 구형 컴퓨터를 신형으로 바꾸고 있는 중이다. 주 cf. The old computers are being REPLACE*d* by new ones. —— *vi.* [+*for*+名] 역할을 대신하다, 대리하다 ; 〖化〗 치환하다 : Mr. Brown has ～*d* ***for*** me as principal. 브라운씨가 교장으로서 나를 대리했다. —— *n.* **1 a)** 대리인, 보결(자) ; 보결 선수 ; (극의) 대역(代役) (cf. UNDERSTUDY *n.*) ; 대신 역할을 하는 사람. **b)** 대용(식)품 : ～*s for* rubber 고무의 대용품. **2** 〖文法〗 대용어《대명사나 He wrote better than I did.의 *did* (=wrote)》. **3** 〖컴퓨〗 바꾸기.
—— *a.* 대리[대용, 대체]의, 대신의.
〚L (p.p.)〈*sub-*(*stituo*=*statuo* to set up)=to put in place of〛
sub·sti·tu·tion [sʌ̀bstətjúːʃən] *n.* **1** Ⓤ,Ⓒ 대리, 대용, 교환〈*for*〉 ; 〖宗〗 그리스도의 대속(代贖) ; 〖商〗 (부정한) 바꿔치기. **2** Ⓤ,Ⓒ 〖化〗 치환(置換) ; 〖數〗 대입(代入) ; 〖文法〗 낱말의 대용.
～·al, ～·àry [; -əri] *a.* **～·al·ly** *adv.*
substitútion cìpher *n.* 환자식(換字式) 암호(법)《계통적으로 문자를 치환하는 방식》.
sub·sti·tu·tive [sʌ́bstətjùːtiv] *a.* 대용[대리]이 되는, 대체할 수 있는 ; 〖化〗 치환의.
sub·strate [sʌ́bstreit] *n.* **1** =SUBSTRATUM. **2** 〖生化〗 기질(基質)《효소의 작용을 받는 물질》 ; 〖化〗 기체(基體) ; 〖生·菌〗 배양기(基). **3** 〖電子〗 회로 기판(基板) ; 접착 기면(基面), 지지층. 〚*substrat*um, *-ate*[3]〛
sùb·stráto·sphère *n.* 아(亞)성층권《대류권(對流圈)의 최상층부 ; cf. TROPOSPHERE》.
sub·stra·tum [sʌ́bstrèitəm, -stræ̀t-, ´´-] *n.* (*pl.* **-stra·ta** [-tə]) **1** 하층(下層) (lower stratum) ; 토대, 근저(根柢), 근본(foundation) 〈*of*〉. **2** Ⓤ 〖農〗 하층토(subsoil).
〚NL (*substratus* strewn beneath)〛
sub·struc·tion [sʌbstrʌ́kʃən] *n.* =SUBSTRUCTURE.
súb·strùcture [ˌ ´´] *n.* 기초 공사 ; 토대, 기초 (foundation) (cf. SUPERSTRUCTURE).

sub·sume [sʌbsúːm ; -sjúːm] *vt.* [＋目/＋目＋*under*＋名] (규칙·범주 따위에) 포섭[포함]시키다(include) : ~ an instance ***under*** a rule 사례(事例)를 규칙에 포함시키다.
〖L (*sumpt- sumo* to take)〗

sub·sump·tion [sʌbsʌ́mpʃən] *n.* Ⓤ 〔論〕 포섭, 포함 ; (삼단 논법의) 소(小)전제 ; (일반적으로) 포함, 포용.

sùb·súrface *a., n.* 지표 밑의 (바위 따위), 수면 밑의.

súb·sỳstem *n.* Ⓤ 하위[하부]조직 ; (로켓·미사일의) 컴포넌트 시스템.

sùb·tángent *n.* 〔數〕 (X축 위) 접선영(接線影).

súb·téen, sùb·téen-áger *n.* 《口》 준(準) 틴에이저《12세 정도까지의 청춘기 전의 어린이, 특히 여자》.

sùb·témperate *a.* 아(亞)온대의.

sùb·ténant *n.* (가옥·토지의) 전차인(轉借人).
-ténancy *n.* 전차(轉借).

sub·tend [səbténd] *vt.* **1** …의 범위[한계]를 정하다 ; 〔數〕 (현(弦)·삼각형의 변이 호(弧)·각(角)에) 대(對)하다 : The chord AC ~*s* the arc ABC. 현 AC는 호 ABC에 대(對)한다. **2** 〔植〕 잎겨드랑이에 끼다.
〖L ; ⇨ TEND[1]〗

sub·tense [səbténs] *n.* 〔數〕 현(弦), 대변(對邊).

sub·ter·fuge [sʌ́btərfjùːdʒ] *n.* **1** 도망갈 구실, 핑계. **2** Ⓤ,Ⓒ 속임수.
〖F or L (*subter* beneath, *fugio* to flee)〗

sùb·términal *a.* 끝 가까이(에서)의.

sub·ter·nátural [sʌ̀btər-] *a.* 아주 자연스럽다고는 할 수 없는, 좀 부자연스러운.

sub·ter·ra·ne·an [sʌ̀btəréiniən] *a.* 지하(부)의 (underground) ; 숨은(hidden), 비밀의 : a ~ cave 지하 동굴. —— *n.* 지하에 사는 사람, 지하에서 일하는 사람 ; 지하 동굴, 지하실.
〖L (*terra* land)〗

sub·ter·ra·ne·ous [sʌ̀btəréiniəs] *a.* ＝SUBTERRANEAN.

sub·ter·rene [sʌ̀btəríːn] *n.* 〔土〕 (암반을 녹이면서 굴착하는) 용융 드릴.

súb·tèxt *n.* 서브텍스트《문학 작품의 텍스트 배후의 의미》; 언외(言外)의 의미.

sub·tile [sʌ́tl, 美＋sʌ́btl] *a.* (때때로 **súb·til·er ; -til·est**) 《古》 ＝SUBTLE.
~·ly *adv.* **~·ness** *n.*

sub·til·i·sin [sʌbtíləsən] *n.* 〔生化〕 서브틸리신《진정(眞正) 세균의 일종에서 얻어지는 세포외 단백질 분해 효소》.

sub·til·i·ty [sʌbtíləti] *n.* ＝SUBTLETY.

sub·til·ize [sʌ́təlàiz, 美＋sʌ́btə-] *vt.* **1** 엷게 하다, 묽게 하다, 희석시키다. **2** 정묘하게 하다, 미묘하게 하다(refine) ; (감각 따위를) 예민하게 하다(make acute). —— *vi.* 세밀하게 구별짓다.

sub·til·ty [sʌ́təlti, 美＋sʌ́b-] *n.* 《古》 ＝SUBTLETY.

súb·tìtle *n.* **1** 작은 표제(어), 부(표)제(副(表)題), 서브 타이틀. **2** [보통 *pl.*] (영화의) 해설 자막. —— *vt.* …에 부제를 달다 ; (영화 필름에) 자막을 넣다.

***sub·tle** [sʌ́tl] *a.* (**súb·tler ; -tlest**) **1** (지각·감각 따위) 민감한, 세밀한 ; (계획 따위) 교묘한 : ~ observation 세밀한 관찰력 / a ~ bit of work 정묘한 작품. **2** 파악하기 어려운, 형언하기 어려운 ; (매력 따위) 미묘한, 불가사의한 ; 난해한 : There is a ~ distinction between the two. 그 둘 사이에는 미묘한 차이가 있다 / ~ pleasure 불가사의한[형언하기 어려운] 쾌감. **3** 교활한, 음험한 ; 마음을 놓을 수 없는. **4** (용액 따위) 묽은 ; (기체 따위가) 엷게 퍼지는.
sub·tly, ~·ly [sʌ́tli] *adv.*
〖OF＜L *subtilis* finely woven〗

súbtle bódy *n.* 신비체(神祕體)《육체에 겹쳐서 오감으로는 식별할 수 없는 초감각적 세계에 존재하는 몸(body)의 총칭 ; 넓은 뜻으로는 신이나 지상아(至上我), 좁은 뜻으로는 astral body, mental body 따위를 뜻함》.

súbtle·ty *n.* **1** Ⓤ 예민, 민감. **2** 세밀한 구별짓기. **3** Ⓤ 교활, 음험. **4** Ⓤ 교묘, 정묘. **5** Ⓤ 미묘, 불가사의 ; 난해. **6** Ⓤ 희박.
〖OF (SUBTLE)〗

sùb·tónic *n.* 〔樂〕 이끎음《음계의 제7음》.

sub·to·pia [səbtóupiə] *n.* 《英·蔑》 서브토피아《무질서하게 뻗어 도시의 면모를 손상시키는 근교 지대》. 〖*sub*urb＋u*topia*〗

sùb·tópic *n.* (논제(論題)의 일부를 이루는) 부차적인 논제.

sùb·tórrid *a.* ＝SUBTROPICAL.

sùb·tótal *n.* 소계(小計). —— [ˊˋ] *vt., vi.* (…의) 소계를 내다. —— *a.* 완전에 가까운, 거의 전면[전체]적인.

sub·tract** [səbtrǽkt] *vt.* [＋目/＋目＋前＋名] 감하다, 빼다, 공제하다(deduct) (↔*add*) : You have 3 after ~*ing* 2 ***from 5. 5에서 2를 빼면 3이 남는다. —— *vi.* 뺄셈을 하다.
~·er *n.* subtract하는 사람 ; 〔컴퓨〕 뺄셈기.
〖L ; ⇨ TRACT[1]〗

sub·trac·tion [səbtrǽkʃən] *n.* **1** Ⓤ,Ⓒ 빼기, 삭감, 공제. **2** Ⓤ,Ⓒ 〔數〕 뺄셈(↔*addition*).

subtráction sìgn *n.* 뺄셈 기호.

sub·trac·tive [səbtrǽktiv] *a.* 감하는, 빼는 ; 〔數〕 빼기[마이너스] 기호가 있는.

sub·tra·hend [sʌ́btrəhènd] *n.* 〔數〕 감수(減數) (↔*minuend*).

sùb·tréasury *n.* (국고(國庫)의) 분고(分庫) ; 〔美史〕 재무부 분국(分局).

súb·trìbe *n.* 〔動·植〕 아족(亞族).

sùb·trópic *a.* ＝SUBTROPICAL.

sùb·trópical *a.* 아열대의 ; 아열대성의 : a ~ plant 아열대 식물.

sùb·trópics *n. pl.* 아열대 지방.

súb·tỳpe *n.* 아류형(亞類型) ; 특수형.

su·bu·late [súːbjələt, -lèit, sʌ́b-] *a.* 〔動·植〕 침상(針狀)의 : a ~ leaf 침상엽, 침엽.

súb·ùnit *n.* 〔生化〕 서브유닛《생체 입자[고분자]를 성립시키는 기본 단위》.

***sub·urb** [sʌ́bəːrb] *n.* (도시의) 근교, 교외 ; [the ~s] (도시의) 근교[교외] 주택 지구 ; 주변부 : *in the ~s* of Seoul 서울 근교에 / They live together in their home *in* a ~ of Chicago. 그들은 시카고 교외(의 어떤 장소)에 있는 집에서 같이 살고 있다.
〖OF or L (*urbs* city)〗

sub·ur·ban [səbə́ːrbən] *a.* 도시 주변의, 시외[교외]의 ; 변두리다운 ; 편협한, 세련되지 않은.
—— *n.* ＝SUBURBANITE.

subúrban·ìte *n.* 교외 거주자.

sub·ur·ban·i·ty [sʌ̀bəːrbǽnəti] *n.* 교외[도시 근교]의 특징[성격, 분위기].

subúrban·ìze *vt.* (전원지대 따위를) 교외(주택)화하다.

sub·ur·bia [səbə́ːrbiə] *n.* Ⓤ **1** [집합적으로] 교외(주민). **2** [S~] 《英·蔑》 (특히) 런던의 교외 거주자. 〖*suburb*＋*-ia*[1]〗

sub·ur·bi·car·i·an [səbə̀ːrbəkέəriən, -kǽər-] *a.* 도시[로마시] 근교의 ; 근교 주택지구의 ; 〖카톨릭〗 로마 근교의 7개 관구(管區)의.
sùb·varíety *n.* 〖生〗 아변종(亞變種).
sub·ven·tion [səbvénʃən] *n.* (정부 따위로부터의) 보조금, 조성금. 〖OF＜L *sub-* (*vent- venio* to come)＝to assist〗
sub ver·bo [sub wérbou, sʌb və́ːrbou] …이라는 단어 밑에, …이라는 단어를 보라《略 s.v.》. 〖L＝under the word〗
sub·ver·sion [səbvə́ːrʃən, -ʒən] *n.* Ⓤ 파괴, 전복. 〖OF or L ; ⇨ SUBVERT〗
sub·ver·sive [səbvə́ːrsiv] *a.* 파괴하는, 타도하는, 붕괴시키는〈*of*〉: ～ activities 파괴 활동.
—— *n.* 파괴 활동분자. **～·ly** *adv.*
sub·vert [səbvə́ːrt] *vt.* (국가·권위 따위를 서서히 비합법적으로) 파괴하다, 넘어뜨리다(destroy) ; (신념·충성 따위를) 점차적으로 잃게 하다[해치다], 부패시키다(undermine) : Democracy is often ～*ed* by dictators. 민주주의는 때때로 독재자에 의해서 붕괴된다.
〖OF or L (*vers- verto* to turn)〗
sùb·víral *a.* (단백질 따위) 바이러스의 일부를 이루는 구조(체)의[에 의한].
sùb·vítreous *a.* 완전히 유리질[모양]은 아닌 ; 반투명의.
sub vo·ce [sub wóuke, sʌb vóusi] ＝SUB VERBO. 〖L〗
‡**súb·wày** *n.* **1** 《美》 지하철(＝《英》 underground, tube) : take the ～ 지하철을 타다 / read a magazine *on* the ～ 지하철에서 잡지를 보다 / go *by* ～ 지하철로 가다. **2** 《英》 지하도(＝《美》 underpass)《특히 가로 횡단용》; [*pl.*] 《美俗》 발(feet).
sùb-zéro *a.* (화씨) 영하의 ; 영하 기온용의.
suc- [sək, sʌk] ☞ SUB-.
suc·cade [səkéid] *n.* 설탕에 절인 과일.
suc·ce·da·ne·ous [sʌ̀ksədéiniəs] *a.* 대용물의 ; 대용의.
suc·ce·da·ne·um [sʌ̀ksədéiniəm] *n.* (*pl.* **～s, -nea** [-niə]) **1** 대용물. **2** 〖醫〗 대용약 ; 〖齒〗 금 대용의 아말감.
‡**suc·ceed** [səksíːd] *vi.* [動/＋前＋名] **1** 성공하다, (계획 따위가) 잘되어 가다 ; 입신[출세]하다, 번창하다 : The experiment ～*ed* beyond all expectations. 실험은 예상외로 잘되었다 / He ～*ed* ***in*** discovery. 그는 발견에 성공했다 / The first man to ～ *in* swim*ming* across the English Channel was Captain Webb. 영국 해협을 최초로 헤엄쳐 건너는 데 성공한 사람은 웨브 선장이었다. 注 *succeeded in* do*ing*은 때때로 현재의 상상의 뜻을 포함하기 쉬운 could do를 대신하여 쓰임(cf. CAN[1]) : They ～*ed in* reach*ing* the top of the mountain. 산꼭대기에 도달할 수 있었다(cf. They *could* reach the top of the mountain.).

> **succeed**의 ○×
> (×) He *succeeded to* obtain it.
> (그는 그것을 입수하는 데 성공했다.)
> (○) He *succeeded in* obtain*ing* it.
> ＊「…할 수가 없다」는 fail *to do*고 「무난히 …할 수가 있다」는 succeed *in* do*ing*이다. 「어떻게 해서든 …할 수가 있다」는 manage *to do*인 것도 구별해야 한다.

2 결과를 얻다 : ～ badly 나쁜 결과로 끝나다. **3** 계속되다, 잇따라 일어나다. **4** [動/＋*to*＋名/＋*as* 補] 후임이 되다, 뒤를 잇다, 계승[상속]하다 : He ～*ed* ***to*** his uncle's title and estates. 삼촌의 작위(爵位)와 재산을 상속받았다 / On Kennedy's death, Johnson ～*ed as* President. 케네디 사후 존슨이 대통령 자리를 물려받았다.
—— *vt.* **1** …에 계속하다, …뒤에 오다(follow) (↔*precede*) : Autumn ～*s* summer. 가을은 여름 뒤에 온다. **2** [＋目/＋目＋*as* 補] …의 자리를 계승하다, 상속하다, 뒤를 잇다 : Queen Mary was ～*ed* by Elizabeth I. 메리 여왕 뒤를 이어 엘리자베스 1세가 즉위했다 / Elizabeth Ⅱ ～*ed* George Ⅵ *as* sovereign of England. 엘리자베스 2세가 영국의 군주로서 조지 6세의 뒤를 이었다.
〖OF or L *success- succedo* to come after〗
類義語 (1) ***succeed*** 사업·직업 따위에서 좋은 결과를 얻다 또는 목적을 이루다 : He *succeeded* as a merchant. (그는 장사꾼으로 성공했다). ***prosper*** 계속하여 또는 더욱 더 잘되어 나가다[번창하다] : The firm *prospered* under his leadership. (그 회사는 그의 영도하에 더욱 번창했다). ***flourish*** 발달·세력 따위의 최고조에 있는 상태를 강하게 암시한다 : Culture *flourished* at that time. (그때가 문화의 전성기였다). ***thrive*** 유리한 상황이나 좋은 환경 조건 아래서 잘 성장[발달]하다 : Industry *thrived* in the north of America. (미국 북부에서 공업이 발달했다).
(2) ⟹ FOLLOW.
succéed·ing *a.* 연이어 일어나는, 계속되는, 다음의(following). **～·ly** *adv.*
suc·cen·tor [səkséntər] *n.* (교회의) 성가대 부지도자《precentor의 대리》; 성가대의 저음 선창자.
suc·cès de scan·dale [*F* syksɛ də skɑ̃dal] *n.* (보통 나쁜 뜻으로) 문제작 ; (가혹한) 악평, 악명.
suc·cès d'es·time [*F* syksɛ dɛstim] *n.* (배우·작가에 대한) 의례적인 찬사.
suc·cès fou [*F* syksɛ fu] *n.* 엄청난 대성공, 대히트. 〖F＝mad success〗
‡**suc·cess** [səksés] *n.* **1** Ⓤ 성공 ; 행운, 잘되기 (↔*failure*) ; 출세 : meet with ～ 성공하다, 잘되다 / drink ～ to …의 성공을 축하하여 건배하다 / I made inquiries without (much) ～. 여러 모로 문의해 보았으나 (그다지) 성과는 없었다 / Nothing succeeds like ～. 《속담》 한가지 일이 잘되면 만사가 잘된다. **2** [때때로 보어로서] 성공한 것, 성공자, (모임 따위의) 성공 ; (연극 따위의) 대성공[히트] : a military ～ 전승(戰勝) / He was a ～ as an actor. 배우로서 성공했다 / The evening was a ～. 그날밤[야회(夜會)]은 성공이었다 / make a ～ of …을 잘 해내다 / score a ～ 성공을 거두다. **3** Ⓤ 《稀》 결과, 성과《注 지금은 보통 다음 구와 같이 쓰임》: good ～ 썩 잘됨, 성공 / ill ～ 잘못됨, 성공하지 못함.
〖L ; ⇨ SUCCEED〗
‡**succéss·ful** *a.* **1 a**) [＋*in*＋do*ing* / ＋*in*＋名] 성공한, 결과가 좋은, 잘된 ; (시험에) 합격한 : a ～ experiment 성공한[잘된] 실험 / ～ candidates 합격자 ; 당선자 / He is ～ ***in*** everything. 어떤 일을 하더라도 잘된다 / She was ～ *in* find*ing* a new position. 그녀는 다행히 새로운 일자리를 찾을 수 있었다. **b**) (흥행 따위) 성공한 ; 운좋은 ; (모임 따위) 성대한. **2** 입신[출세]한 ; 번영하고 있는 : a ～ banker 성공한[행세깨나 하는] 은행가 / a ～ business 번창하고 있는 사업.
～·ly *adv.* 성공적으로 ; 훌륭하게 ; 운좋게(도).
succéssful bìd *n.* 낙찰(落札).
***suc·ces·sion** [səkséʃən] *n.* **1 a**) Ⓤ,Ⓒ 연속. **b**)

연속물 : a ~ *of* fine days[*of* victories] 계속되는 맑은 날씨[연승(連勝)]. **2** Ⓤ 계승, 상속 : the ~ *to* the throne 왕위 계승 / the law of ~ 상속법 / the Apostolic *S*~ 〔카톨릭·英國敎〕 사도 전승(使徒傳承). **3** Ⓤ 계승[상속]권 ; 왕위 계승권 ; 상속 순위(에 있는 사람들) ; 자손(posterity). **4** 계통, 〔生〕 계열 ; 〔生態〕 천이(遷移).
by succession 세습에 의해서.
in succession 연속하여[된], 계속하여[된].
in succession to …을 계승[상속]하여.
the War of the Spanish Succession ☞ WAR.
〖OF or L ; ⇨ SUCCEED〗
類義語 ⟹ SERIES.

succéssion·al *a.* 연달은, 연속적인 ; 상속 순위의. **~·ly** *adv.*

succéssion dúty *n.* 《英》 상속세 (=《美》 inheritance tax).

succéssion státe *n.* 후계 국가.

succéssion tàx *n.* 상속세.

***suc·ces·sive** [səksésiv] *a.* 연속하는, 계속적인 ; 상속[승계]의 : It rained three ~ days. 3일간 계속하여 비가 내렸다.

succéssive·ly *adv.* 잇달아서, 연속적으로.

***suc·cés·sor** *n.* 후임자, 계승자, 후계자, 상속자 (cf. PREDECESSOR) : the ~ *to* the throne 왕위 계승자.

succéss stòry *n.* 성공담.

suc·cinct [səksíŋkt] *a.* **1** 간결한, 간단 명료한 (concise) ; 압축한. **2** 《古》 몸에 딱 맞는 ; 《古》 걷어 올린(tucked up).
~·ly *adv.* 간결하게. **~·ness** *n.* 간결.
〖L *suc*-(*cinct*- *cingo* to gird) =to tuck up〗

suc·cin·ic [səksínik] *a.* 호박(琥珀) (산)의.
〖F (L *succinum* amber)〗

succínic ácid *n.* 〔化〕 호박산《주로 도료·염료·향수 제조용》.

suc·cor | **suc·cour** [sʌ́kər] *n.* 《文語》 **1** Ⓤ (일단 유사시의) 구조, 원조. **2** 구조[원조]자.
—— *vt.* 원조하다, 구하다(aid).
〖OF<L (*curro* to run) =to run up〗

suc·cor·rance [sʌ́kərəns] *n.* 의존 ; 양육 의존. **-rant** *a.*

suc·co·ry [sʌ́kəri] *n.* 〔植〕 =CHICORY.

suc·cose [sʌ́kous] *a.* 즙이 많은, 다즙(多汁)의 (juicy).

suc·cu·ba [sʌ́kjəbə] *n.* (*pl.* **-bae** [-bìː]) =SUCCUBUS.

suc·cu·bus [sʌ́kjəbəs] *n.* (*pl.* **-bi** [-bài]) (수면 중인 남자와 성교한다는) 마녀(cf. INCUBUS, NIGHTMARE) ; 악령.
〖L (*suc*-, *cubo* to lie)〗

suc·cu·lence, -cy [sʌ́kjələns(i)] *n.* Ⓤ 다즙(多汁), 다액(多液) ; 흥미 진진함.

súc·cu·lent *a.* **1** 즙이 많은, 물기가 많은, 액이 많은(juicy) ; 〔植〕 다즙의, 다육의. **2** 흥미 진진한.
—— *n.* (선인장 따위의) 다육 식물.
〖L (*succus* juice)〗

suc·cumb [səkʌ́m] *vi.* [+*to*+名] 굴복하다, 압도하다, 지다(give way) ; 쓰러지다(die) : ~ ***to*** temptation 유혹에 넘어가다 / ~ *to* cancer 암으로 쓰러지다 / Some of the passengers ~*ed to* their injuries. 승객 중에는 부상으로 죽은 사람도 있었다.
〖OF or L (*cumbo* to lie)〗

suc·cur·sal [səkə́ːrsəl] *a., n.* 종속적인, 부속의 (교회[은행 따위]).

suc·cuss [səkʌ́s] *vt.* 마구[심하게] 흔들다 ; 〔古醫〕 (환자를) 흔들어 흉부의 공동(空洞)을 살피다, 진탕청진(震盪聽診)하다.
〖L SUC*cuss*- -*cutio* to shake from below〗

◇such [sʌ́tʃ, sətʃ] *a.* ☞ 活用 (1). **1 a**) 이러한, 그러한, 저러한 ; 유사한 : ~ *a* man 그러한 사람, 이같은 사람, 이러이러한 사람 / ~ men 그런[이런] 사람들 / all ~ men 그런[이런] 사람은 모두 / many ~ houses 그러한 많은 집들 / *any*[*some*] ~ man[thing] 누군지 그런 사람[뭔가 그런 것] / no ~ thing ☞ 숙어 / He is not well off, only he seems ~. 그는 유복하지는 않다, 단지 그렇게 보일 뿐이다《이 such는 앞의 형용사구 well off의 대용 ; cf. *pron.* 1》 / *S*~ master, ~ servant. 《속담》 그 주인에 그 머슴, 엇비슷한 주종(主從)《注 Such father, such son. 따위 유사한 구를 만듦》. ☞ 活用 (2). **b**) [상관사(詞)로서] [such(...) as로] …와 같은(cf. AS[1] *rel. pron.* 1) : *S*~ poets *as* Milton (is) are rare. =Poets ~ *as*(=like) Milton are rare. 밀턴과 같은 시인은 드물다 / No machine can work without fuel ~ *as* coal and oil. 어떠한 기계라도 석탄이나 석유와 같은 연료 없이는 작동할 수 없다《注 위의 예와 같이 as가 이끄는 clause의 be 동사는 흔히 생략됨》 / I hate ~ delays *as* (=*those* delays *which*) make one impatient. 남을 안달나게 질질 끄는 것은 딱 질색이다 / I am not ~ a fool(=*so* foolish) *as to* believe that. 그것을 믿을 만큼 어리석지는 않다. **c**) [상관사로서] [such(...) that....으로] 매우 …하기 때문에(cf. SO[1] *adv.* 7 d)) : She had ~ a fright *that* she fainted. 놀란 나머지 졸도했다 / Tom showed ~ little interest in his lessons *that* he almost failed. 톰은 학교 공부에는 열의가 거의 없어서 낙제할 것 같은 성적이었다. 注 (1) 특히 《美口》에서는 흔히 that을 생략시킴 : The audience made ~ noises I could hardly hear what the speaker said. 청중의 떠드는 소리가 시끄러워 연설자의 이야기는 거의 들리지 않았다. (2) 같은 용법의 such는 대명사적으로도 쓰임 ; ☞ *pron.* 1. **2 a**) [형용사를 수반하여] 그만큼[이만큼] …하기까지, 저렇게, 이와 같이 ; 《口》 매우, 대단히, 아주 : You can't master English in ~ a short time. 그렇게 단기간에 영어를 다 익힐 수는 없다 / We had ~ a pleasant time. 아주 즐거웠다 / I preferred to walk. It was ~ a lovely day. 오히려 걷고 싶다고 생각했네, 참으로 날씨가 좋았었거든(cf. It was ~ a lovely day *that* I preferred to walk. ☞ 1 c)). **b**) [형용사 없이 곧 명사를 수반하여] 저렇게 좋은[멋있는] ; 《口》 대단한, 굉장한, 터무니없는, 엄청난 : We had ~ sport! 아주 즐거웠다 / He is ~ a coward. 대단한 겁쟁이다 / Did you ever see ~ weather? 이렇게 좋은[사나운] 날씨가 이제까지 있었니. **3** [법률·상업문 따위에 쓰여] 앞서 말한, 전술한, 상기(上記)의(the aforesaid) : Whoever shall make ~ return.... 전기(前記)의 신고를 하는 자는….
no such thing 그런 일은 (…) 않다[없다] : She did *no* ~ *thing.* 그런 일 따윈 하지 않았다 / It's *no* ~ *thing.* 그런 일이 아니야 / *No* ~ *thing*! (그런 일은) 터무니없다!
such and such 이러저러한, 여차여차한 : ~ *and* ~ a street 이러저러한 거리(cf. SUCH-AND-SUCH) / the payment of ~ *and* ~ sums to ~ *and* ~ persons 이러저러한 사람에게 이러저러한 금액의 지급.
such a[《古》 ***an***] ***one*** 《文語》 이와 같은 사람

[것]; 《古》 뭐라는 분.
such as it is 보잘것없는 것이지만, 변변치 않은 것이지만 : You may use my car, ~ *as it is.* 좋은 차는 아닙니다만 제 차를 이용하십시오.
such other [***another***] 이러한 다른 (것) : I hope never to have ~ *another* experience. 이런 경험은 두번 다시 하고 싶지 않다.
There is such a thing as …라(고 하)는 일도 있기는 있지, …한 일도 있으니까《때때로 협박하는 뜻을 풍김》 : But *there is ~ a thing as* misreading. 그러나 잘못 읽는 수도 있기는 있으니까.
── *pron.* **1** [단수·복수취급] 이러한 일[것·사람], 그런 일[것·사람], 이와 같은 것, …인 사람; (…하는) 것 같은 것[사람] : *S~* is life[the world]! 인생[세상]이란 그런 것이다 / *S~* were the results. 결과는 이와 같은 것이었다 / *S~* was not my intention. 그러한 것이 내 의도는 아니었다 / Take from the blankets ~ *as*(=those which) you need. 이 모포들 중에서 쓸 만큼 가지시오 / all ~ *as*(=those who) have had similar experiences 같은 경험을 겪은 일이 있는 모든 사람들. **2** 《俗》〔商〕 위에서 말한 사물, 그것, 이것, 저것(들) : We note your remarks, and in reply to ~ (=your remarks)… 당신의 말씀은 잘 들었으며, 그 답변으로서….
and [***or***] ***such*** 따위(etc.) : tools, machines, *and* ~ 공구·기계 등등.
another such 다른 그러한 물건[사람], 그와 같은 사람[물건].
as such 그것으로서, 그 나름대로; 그 자체, 그것만으로서는 : He was a foreigner and was treated *as* ~ (=as a foreigner). 외국인이었으므로 외국인 대우를 받았다 / History *as* ~ (=in itself) is too often neglected. 역사는 단순히 그것 자체로서는 경시(輕視)되기 쉽다.
such being the case 이런[그런] 사정이므로, 그런 까닭으로.
〚OE *swilc, swylc* so like; cf. G *solch*〛
[活用] (1) *a.* 로서의 such는 3의 경우를 제외하고는 i) 단수형의 가산명사(可算名詞)를 한정하는 경우에는 보통 부정관사 앞에 놓이며 다른 형용사와 함께 쓰일 때는 그 형용사는 such a(n)과 명사 사이에 놓인다 : I have never seen *such a* (*beautiful*) *sight.* (나는 이런 (아름다운) 경치를 본 적이 없다). ii) 단 any, some, no, many, few 따위와 함께 쓰일 때 such는 그 뒤에 놓이며 뒤에 오는 명사가 단수일 때에도 부정관사는 쓰이지 않음(☞ A² [活用] (2)) : Have you ever heard *any such rumor*? (당신은 그런 소문을 들은 적이 있습니까) / There are *many such* persons in the world. (세상에는 그와 같은 사람들이 많다).
(2) 'such+a(n)+형용사+명사'와 'so+형용사+a(n)+명사'는 거의 같은 뜻으로 사용되는데 전자쪽이 보다 더 구어적임 : *such a* long sermon=*so* long *a* sermon. 단, 명사가 복수일 경우는 *such* long sermons와 같이 such가 쓰이며 보통 *so* long sermons는 쓰이지 않음.

súch-and-sùch *n.* 《美俗》 무뢰한(無賴漢), 불량배(rascal).

súch·lìke *a., pron.* 《口》 그와 같은 (사람), 이런 종류의 (것) : ...and ~ 기타 그런 것, 등등.

suck** [sʌ́k] *vt.* **1** [+目/+目+副/+目+前+名/+目+補] 빨다, (날 계란 따위를) 마시다, 홀짝거리다, (엿 따위를) 핥아먹다; 들이마시다(absorb) : She ~*ed* the lemonade through a straw. 레모네이드를 빨대로 빨아마셨다 / Let the baby ~ your breast. 갓난아기에게 젖을 빨리시오 / A sponge ~*s* ***in water. 스펀지는 물을 빨아들인다 / She ~*ed* the juice ***from*** the orange. 오렌지에서 즙을 빨아마셨다 / Plants ~ ***up*** moisture *from* the earth. 식물은 땅속에서 수분을 흡수한다 / The girl ~*ed* the orange dry. 소녀는 오렌지 즙이 다 없어질 때까지 빨았다. **2** 핥다, 빨아들이다 : That little boy still ~*s* his thumb. 저 사내 아이는 아직도 엄지 손가락을 빤다. **3** [+目+前+名/+目+副] (소용돌이 따위에) 말려들게 하다, 빨려들어가다 : The boat was ~*ed* ***into*** the whirlpool. 보트는 소용돌이 속으로 빨려들어갔다 / The big waves ~*ed* ***down*** the canoe. 큰 파도가 카누를 삼켜 버렸다. **4** [+目/+目+副/+目+前+名] 《비유》 (지식을) 흡수하다; (이익을) 얻다, 착취하다; …에게서 지식[재산 (따위)]을 흡수하다 : ~ a person's brains 남에게서 지식을 흡수하다, 남의 생각을 멋대로 이용하다 / ~ ***in*** knowledge 지식을 흡수하다 / ~ advantage ***out of*** one's experiences 체험에서 이익을 얻다.
── *vi.* **1** [+前+名/+副] 들이마시다, 빨다, 홀짝이다; 젖을 빨다[먹다] : The old gentleman began ~*ing* ***at*** a cigar. 노신사는 엽궐련을 피우기 시작하였다 / The baby is ~*ing away at* a feeding bottle. 갓난아기는 젖병의 우유를 열심히 빨고 있다. **2** (펌프가) 흡입음(吸入音)을 내다, (소리만 낼 뿐) 물을 빨아올리지 못하다.
suck in 빨아들이다, 흡수하다(cf. *vt.* 1, 4); (소용돌이 따위가) 말아들이다; 《俗》 속이다(deceive).
suck up 빨아올리다(cf. *vt.* 1); 빨아들이다, 흡수하다(absorb) : Blotting paper ~*s up* ink. 압지는 잉크를 빨아들인다.
suck up to... 《口》 …을 감언으로 속이려고 하다, …에게 아첨하다.
── *n.* **1** [U.C] 젖을 빨기; 빨아들임, 흡인(吸引); (소용돌이의) 말아들임 : a child *at* ~ 젖먹는 아기, 젖먹이. **2** 한 번 빨기[홀짝이기·핥기], 한 모금, 한 잔 : have a ~ *of* liquor 술을 한 잔 하다 / have[take] a ~ at …을 한 번 빨다[홀짝거리다], (엿 따위를) 핥다[빨다]. **3** 《英俗》 실망, 실패 : What a ~ !=*S~s*! 무슨 꼴이냐, 저 꼬락서니 좀 봐! **4** 《俗》 사기.
give suck to... 《古》 …에게 젖을 먹이다(nurse, suckle).
〚OE *sūcan*; cf. L *sugo*〛

súcked órange *n.* (이렇다할 것이 남아 있지 않은) 짜고 남은 찌꺼기.

súck·er *n.* **1** 빠는 사람[것], 흡수하는 사람; 젖먹이; 돼지[고래]의 젖먹이 새끼. **2** 《口》 풋내기; 잘 속는 사람, 호인, 바보. **3** 〔動〕 빨판; 〔魚〕 서커《잉어과와 비슷한 북미의 담수어》; 빨판이 있는 어류《빨판상어 따위》. **4** 〔植〕 흡지(吸枝). **5** 〔機〕 흡입관(吸入管). **6** 《口》 =LOLLIPOP. **7** (장난감의) 빨개. ── *vt.* (옥수수·담배 따위의) 흡지(吸枝)를 쳐버리다. ── *vi.* 흡지가 나다.

súcker bàit *n.* 《美俗》 남을 속이기[봉으로 삼기] 위한 미끼.

súck·er·fish *n.* 〔魚〕 서커(sucker); 빨판상어(remora).

súcker lìst *n.* 《美俗》 단골손님의 명단, 봉이 될 만한 인물의 명단.

súcker plày *n.* 《俗》 바보스러운 움직임; 《스포츠俗》 속임수[트릭] 플레이.

Súcker Státe *n.* [the ~] 미국 Illinois 주(州)

의 속칭.

súck·ìn *n.* 《英》 속아 넘어감, 사기당함.

súck·ing *a.* 빨아들이는; 젖내나는, 아직 젖떨어지지 않은; 《비유》 미숙한, 풋내기의: a ~ child 젖먹이 / a ~ pig 젖먹이 돼지 새끼《특히 통돼지 구이용》.

suck·le [sʌ́kəl] *vt.* …에게 젖을 먹이다; 키우다. —— *vi.* 젖을 먹다. 〖? 역성(逆成) < *suckling*〗

súck·ler *n.* =SUCKLING; 포유동물.

súck·ling *n.* 유아(乳兒); 젖먹이 짐승, 어린 짐승; 풋내기: babes and ~*s* ☞ BABE 숙어. —— *a.* 아주 어린; 아직 젖을 떼지 않은. 〖*suck*+-*ling*[1]〗

súck·ùp *n.* 《俗》 아첨꾼, 알랑쇠(toady).

sucr- [sú:kr; sjú:-], **su·cro-** [sú:krou, -krə; sjú:-] *comb. form* 「당(糖)」의 뜻. 〖OF *sucre* sugar; ⇨ SUCROSE〗

su·cre [sú:krei] *n.* 수크레《에콰도르의 화폐 단위: =100 centavos; 기호 S/》.

su·crose [sú:krous, -z; sjú:-] *n.* Ⓤ 〔化〕 설탕, 수크로오스. 〖F *sucre* sugar〗

suc·tion [sʌ́kʃən] *n.* **1** Ⓤ 빨기, 빨아올리기, 빨아들이기; 흡인력. **2** Ⓤ 흡인 통풍(吸引通風). **3** 흡입관(吸入管), 흡수관(=∠ **pìpe**). 〖L (*suct- sugo* to suck)〗

súction mèthod *n.* 〔醫〕 =VACUUM ASPIRATION.

súction pùmp *n.* 빨아올리는 펌프.

suc·to·ri·al [sʌktɔ́:riəl] *a.* 흡입하는; 빨기에 적합한; 〔動〕 빨아먹고 사는, 빨판이 있는.

Su·dan [su:dǽn, -dá:n] *n.* **1** [the ~] 수단《아프리카 북동부의 공화국; 수도 Khartoum》. **2** 〔植〕 =SUDAN GRASS.

Su·da·nese, Sou- [sù:dəní:z, -s] *a.* 수단(인[어])의. —— *n.* (*pl.* ~) 수단인(人).

Sudán gràss *n.* 〔植〕 수단그래스《수단 지방 원산의 수수류; 건초·목초용》.

su·dar·i·um [su:déəriəm, -dǽər-; sju-] *n.* (*pl.* **-ia** [-riə]) **1** 베로니카의 손수건《성녀 Veronica가 형장으로 끌려가는 예수의 얼굴을 닦아 주었더니 그 얼굴 모습이 손수건에 남았다고 함》; 예수의 얼굴을 그린 손수건[천]. **2** (땀 닦는) 손수건. 〖L; ⇨ SUDOR〗

su·da·to·ri·um [sù:dətɔ́:riəm; sjù:-] *n.* (*pl.* **-ria** [-riə]) 한증막, 증기탕. 〖L; ⇨ SUDOR〗

su·da·to·ry [sú:dətɔ̀:ri; sjú:dətəri] *a.* 땀나게 하는, 땀나는; 한증의. —— *n.* 발한제(發汗劑); =SUDATORIUM.

sudd [sʌd] *n.* WHITE NILE의 부유초괴(浮遊草塊)《배의 항행을 방해함》. 〖Arab. =obstruction〗

***sud·den** [sʌ́dn] *a.* 돌연한, 급한, 갑작스러운; 《稀》 성급한; 《古》 즉제(卽製)의, 즉석의: ☞ SUDDEN DEATH / We felt a ~ shock. 우리는 갑자기 충격을 받았다 / He was ~ *in* his movements. 그의 동작은 갑작스러운 것이었다.
—— *n.* [다음 숙어로]
all of a sudden 불의에, 갑자기, 느닷없이.
—— *adv.* 《詩》 =SUDDENLY. **~·ness** *n.*
〖AF<L *subitaneus* (*subitus* sudden)〗
類義語 ***sudden*** 어떤 일이 돌연 예기치 않을 때에 일어난: a *sudden* change of weather (날씨의 돌변). ***precipitate*** sudden에 덧붙여 경솔하고 깊이 생각하지 않는: a *precipitate* decision (경솔한 결정). ***abrupt*** 아무런 예고[경고]없이 갑자기 행해지는: an *abrupt* dismissal (돌연한 면직). ***impetuous*** 아주 충동적이고 열심이기는 하나 인내력이 없는: an *impetuous* suitor (성급한 구혼자).

súdden déath *n.* **1** Ⓤ,Ⓒ 급사(急死): die a ~ 급사하다. **2** Ⓤ 《口》 동전 던지기(toss)의 단판내기; Ⓒ (동점 세트에서) 결승의 1회 승부.

súdden ínfant déath sỳndrome *n.* 〔醫〕 유아 급사 증후군《略 SIDS》.

‡**súdden·ly** *adv.* 돌연히, 갑자기, 불의에: *S*~ he felt something pulling at the end of his fish line. 갑자기 그는 낚싯줄 끝을 무언가가 잡아당기고 있음을 느꼈다.

su·dor [sú:dɔ:r; sjú:-] *n.* 땀; 발한(發汗). 〖L〗

su·do·rif·er·ous [sù:dərífərəs; sjù:-] *a.* 땀을 분비하는, 발한하는《선(腺)에 대한 말》.

su·do·rif·ic [sù:dərífik; sjù:-] *a.* 땀을 나게 하는, 발한시키는. —— *n.* 발한제(發汗劑). 〖NL; ⇨ SUDOR〗

su·do·rip·a·rous [sù:dərípərəs; sjù:-] *a.* 땀이 나는, 발한하는.

Su·dra [sú:drə; sjú:-] *n.* 수드라《인도 4성(姓)의 하나인 최하급의 계급》. 〖Hindi〗

suds [sʌdz] *n.* [단수·복수취급] 비눗물; 비누거품(lather); 비눗물에 한번 씻음; 《美俗》 맥주(거품).
in the suds 《口》 난처하여, 곤란하여.
—— *vi.* 거품이 일다.
—— *vt.* 《美》 비눗물로 씻다.
〖C16=fen waters etc.<? MDu., MLG *sudde*, *sudse* marsh, boy; cf. SEETHE〗

suds·er [sʌ́dzər] *n.* 거품이 이는 것; 《美俗》 =SOAP OPERA.

sudsy [sʌ́dzi] *a.* 비눗물의, 거품이 인, 거품투성이의; 거품 같은; 《美俗》 주간 멜로 드라마(soap opera)적인.

sue [sú:; sjú:] *vt.* **1** [+目/+目+*for*+名] 고소(告訴)하다, 소송(訴訟)을 제기하다(cf. SUIT *n.* 4): He ~*d* the railroad because his trunk had been damaged. 트렁크가 파손되었기 때문에 그는 철도회사 측을 고소했다 / I ~*d* them ***for*** libel. 나는 그들을 명예 훼손으로 고소했다. **2 a)** [+目+*for*+名] …에게 간청하다(beg): They ~*d* us ***for*** peace. 우리들에게 화목하기를 간청했다. **b)** [+目+副] (법정에) 청원하여 손에 넣다: ~ ***out*** a pardon[writ] 청원하여 사면[영장]을 얻다. **3** 《古》 …에게 구혼하다.
—— *vi.* [+*for*+名] **1** 소송을 일으키다, 고소하다: ~ ***for*** damages 손해 배상 청구를 위해 고소를 하다 / ~ *for* a divorce 이혼 소송을 제기하다. **2** 간청하다, 청원하다: ~ ***for*** peace 강화(講和)를 구하다. **3** 《古》 구혼하다.
〖AF *suer*<Rom. (L *sequor* to follow)〗
類義語 ⟹ APPEAL.

Sue *n.* 여자 이름《Susan, Susanna(h)의 애칭》.

suede, suède [swéid] *n.* 스웨이드(가죽)《안쪽에 보풀이 있는 부드럽게 무두질한 양새끼·송아지 따위의 가죽》; 스웨이드 가죽과 비슷한 천(=∠ **clòth**). —— *vt., vi.* 스웨이드 가공하다.
suéd·ed *a.* 스웨이드 가죽과 비슷한.
〖F (*gants de*) *Suède* (gloves of) Sweden〗

suéde·hèad *n.* 《英》 스웨이드헤드《머리털이 조금 긴 SKINHEAD》.

sue·dette [sweidét] *n.* 인조[모조] 스웨이드, 스웨이드 클로스.

su·et [sú:ət; sjú:-] *n.* Ⓤ 소[양]의 지방(脂肪)《콩팥·허리 둘레의 단단한 지방》. **sú·ety** *a.* 지방의[같은], 지방이 많은. 〖AF<L *sebum* tallow〗

Su·ez [su:éz, ∠-; sú(:)iz] *n.* 수에즈《이집트 북동부

의 항구 도시 ; 수에즈 운하 남단》.

the Gulf of Suez 수에즈 만(灣)《홍해 북서단》.

the Isthmus of Suez 수에즈 지협(地峽)《아프리카와 아시아를 연결》.

Súez Canál *n.* [the ~] 수에즈 운하《지중해와 홍해를 연결 ; 1869년 완성 ; cf. LESSEPS, PORT SAID》.

suf- [səf, sʌf] ☞ SUB-.

suf., suff. sufficient ; suffix. **Suff.** Suffolk.

‡**suf·fer** [sʌ́fər] *vt.* **1** [+目/+目+前+名] (고통·불쾌한 일을) 경험하다(experience), 입다, 겪다, 받다(undergo) : Jesus Christ ~*ed* death upon the cross. 예수 그리스도는 십자가 위에서 돌아가셨다 / The farmers ~*ed* considerable losses ***from*** the bad crops. 농부들은 흉작으로 상당한 피해를 입었다. **2** [+目+*to* do]《古·文語》 허용하다(permit), (잠자코) …하게 하다(allow) : If I ~ you *to* be present, you must remain silent. 당신이 출석하는 것은 허용하나 발언해서는 안됩니다 / *S*~ yourself *to* be bound. 순순히 묶여라. **3** [흔히 부정어와 함께]《文語》참다, 견디다, 용서하다(tolerate) : I can*not* ~ such insults. 이와 같은 모욕은 참을 수 없다.

—— *vi.* [動/+前+名] 고통을 받다[겪다], 괴로워하다 ; 병들다, 재난을 만나다 ; 상처입다, 손해를 보다 : Learn to ~ and to wait. 고난을 겪으며 시기를 기다릴 줄도 알아라 / His trade ~*ed* greatly during the war. 그가 하는 장사는 전시중에 심한 타격을 받았다 / His reputation will ~. 그의 명성이 손상될 것이다 / My mother is ~*ing* ***from*** rheumatism. 어머니는 류머티즘을 앓고 계신다 / He was then ~*ing from* extreme poverty. 그 무렵 그는 몹시 가난에 시달리고 있었다 / You will ~ some day ***for*** your impudence. 건방지게 굴면 언젠가 벌을 받을 것이다. ☞ 活用.

suffer fools gladly 어리석은 자들을 기쁘게 용납하다《고린도후서 11 : 19》.

〖OF＜Rom. (L SUF*fero* to bear up)〗

活用 suffer *vi.*는 「병을 앓다」「…때문에 고통을 겪다」 따위의 뜻으로는 보통 with가 아니고 from을 동반한다. 또 감기나 두통과 같은 일시적인 병에 걸려 있다는 뜻에서는 진행형으로 쓰임 : I *am suffering from* a bad headache. (두통이 몹시 심하다)《cf. I *suffer from* frequent headaches. =I often *suffer from* a headache. (자주 두통이 있다)》. 단 「불안 따위 때문에 번민하다」의 뜻으로는 with도 쓸 수 있음 : They *suffered with* anxiety[agony]. (그들은 몹시 걱정했다[고민했다]).

類義語 ⟹ BEAR[1].

súffer·able *a.* 참을 수 있는, 견딜 수 있는, 허용할 수 있는. **-ably** *adv.* **~·ness** *n.*

súffer·ance *n.* **1** Ⓤ 묵인, 관용, 허용(toleration). **2** Ⓤ《古·文語》 인내(력)(endurance) : It is beyond ~. 여간해서 참을 수 없다.

on*[*by, through*] *sufferance 묵인하여, 눈감아주어, 관대히 봐주어, 덕분으로.

súffer·er *n.* 괴로워하는 사람, 수난자, 재난을 만난 사람, 환자.

***súffer·ing** *n.* Ⓤ 괴로움, 고생 ; 수난, 피해 ; [때때로 *pl.*] 재해, 재난, 고통.

類義語 ⟹ DISTRESS.

***suf·fice** [səfáis] *vt.* 만족시키다, …에 충분하다(be enough for) : Two meals a day ~ an old man. 노인에게는 하루 두끼로 족하다.

—— *vi.* [動/+*for*+名] 충분하다, 족하다 : Will $100 ~ ***for*** you[your needs]? 100달러로 충분하십니까.

Suffice it to say that …이라고 말하면 충분하다, (지금은) …라고만 말해두겠다《suffice는 가정법 현재형》.

〖OF＜L SUF*ficio* to put under〗

suf·fi·cien·cy [səfíʃənsi] *n.* Ⓤ 충분함, 넉넉함, 충족(充足), 충분한 상태 ; [a ~] 충분한 양[자력], 많음, 다량(enough) : *a* ~ *of* food[fuel] 충분한 식료품[연료].

suf·fí·cient** *a.* **1** [+前+名/ +*to* do] 충분한, 넉넉한 : The pension is not ~ ***for living expenses. 연금은 생활비로 모자란다 / This is ~ *to* show that his argument is out of place. 이것만으로도 충분히 그의 논지(論旨)가 빗나가고 있다는 것이 증명된다 / *S*~ unto the day is the evil thereof. 〔聖〕 한 날 괴로움은 그날에 족하니라《마태복음 6 : 34》. **2**《古》할 (만큼의) 능력이 있는, 자격이 있는, 자력이 있는.

Not sufficient! 〔銀行〕 자금 부족《지급 거절의 수표 따위에 써 넣음 ; 略 n.s., N.S.》.

—— *n.* Ⓤ 충분, 충분한 양(enough) : Have you had ~ (*of* it)? 양껏 드셨나요.

~·ly *adv.* 충분히, 실컷.

〖OF or L (pres. p.) ‹SUFFICE〗

類義語 ***sufficient*** 어떤 요구·목적에 완전히 일치하는 : *sufficient* money for a week's trip (일주일 여행하기에 충분한 돈). ***enough*** 어떤 욕구를 충족시키기에 충분한 ; 대체적으로 sufficient와 같은 뜻이나 그것보다도 일상적인 낱말 : *enough* time to play (놀기에 충분한 시간). ***adequate*** 어떤 특별한 (때로는 최저의) 필요를 충족시키기에 충분한 : To be healthy one must have an *adequate* diet. (건강을 유지하려면 적당한 식사를 해야 한다).

suffícient condítion *n.* 〔論·哲〕 충분조건(cf. NECESSARY CONDITION).

suf·fix [sʌ́fiks] *n.* 〔文法〕 접미사《-er, -less, -able 따위》.

—— *v.* [ˌ, səfíks] *vt.* 접미사로서 붙이다 ; (일반적으로) 끝에 붙이다. —— *vi.* 접미사가 붙다 ; 접미사를 붙이다. 〖L (*fix*- *figo* to fasten)〗

suf·fo·cate [sʌ́fəkèit] *vt.* …의 숨을 막다, 질식시키다(smother) ; 숨을 못쉬게 하다, …의 소리가 안나오게 하다, (소리 따위를) 못내게 하다 : She was ~*d* by the smoke. 연기 때문에 숨이 막혔다. —— *vi.* [動/+前+名] 질식하다, 숨이 막히다[끊어지다] : The child was *suffocating* when we rescued him. 그 아이는 우리가 구출했을 때는 숨이 끊어져가고 있었다 / I was *suffocating* ***with*** anger. 분노가 치밀어 숨이 막힐 것 같았다.

súf·fo·càt·ing·ly *adv.* 숨막힐 듯이.

sùf·fo·cá·tion *n.* 질식.

súf·fo·cà·tive *a.* 숨막히는, 호흡을 곤란케 하는.

〖L SUF*foco* (*fauces* throat)〗

Suf·folk [sʌ́fək] *n.* **1** 서퍽《잉글랜드 동부의 북해에 면한 주(州)》. **2** [때때로 s~] 서퍽종(種)(= ~ **pùnch**)《다리가 짧고 튼튼한 말로 마차 또는 경작용(用)》.

suf·fo·sion [səfóuʒən] *n.* 〔地質〕 지하 침윤《지하에서 암석 속으로 물이 스며들기》.

suf·fra·gan [sʌ́frəgən] *a.* 부감독[부주교]의 : a ~ bishop=a bishop ~ 부감독, 감독보(補) / a ~ see 부감독의 관할구. —— *n.* 부감독, 감독보.

suf·frage [sʌ́fridʒ] *n.* **1** 투표(vote) ; [*pl.*] (투표로 나타내는) 찬성, 동의. **2** Ⓤ 선거권, 참정권, 선거 : ☞ MANHOOD SUFFRAGE / popular ~ 보통 선거권. **3** [보통 *pl.*] (기도서 중의) 남을 위

한 짧은 기도(cf. LITANY).
〖OF or L *suffragium* vote, political support〗
suf·frag·ette [sʌ̀fridʒét] *n.* 여성 참정권론을 주장하는 여성(cf. WOMAN-SUFFRAGIST).
suf·frag·ist [sʌ́fridʒəst] *n.* 참정권 확장론자, (특히) 여성 참정권론자 : a universal[woman] ~ 보통 선거권[여성 참정권]론자.
suf·fu·mi·gate [səfjúːməgèit] *vt.* 밑에서부터 그을리다 ; 밑에서 …로 증기[연기, 향연(香煙) 따위]를 보내다.
suf·fuse [səfjúːz] *vt.* [+目/+目+前+名] [때때로 *p.p.*로] (빛·색깔·눈물 따위로) 뒤덮다, 가득 채우다(cover) : the sky ~*d* ***with*** crimson 진홍색으로 물든 하늘 / eyes ~*d with* tears 눈물이 글썽한 눈.
〖L=to pour beneath ; ⇨ FOUND²〗
suf·fu·sion [səfjúːʒən] *n.* Ⓤ 뒤덮기, 넘칠 듯 가득함 ; (얼굴 따위가) 확 빨개지기, 홍조(紅潮).
Su·fi [súːfi] *n.* 수피《이슬람교의 신비주의자》.
— *a.* 수피교(도)의.
Su·fism [súːfizəm] *n.* 수피교(敎).
Su·fic [súːfik] *a.* 〖Arab.〗
sug- [səg, sʌg] ☞ SUB-.
◇**sug·ar** [ʃúgər] *n.* **1 a**) Ⓤ 설탕 : a lump of ~ (각)설탕 한 개 / block[cut, lump] ~ 각설탕. **b**) (각)설탕 한 개[술] : How many ~*s* in your tea? 홍차에 설탕은 몇 개 넣습니까. **2** Ⓤ〖化〗당(糖)《포도당·과당 따위》: ~ of milk 젖당 / ~ of lead 아세트산납. **3** Ⓤ (환약 따위에 씌우는) 당의(糖衣). **4** Ⓤ《비유》아첨, 알랑거림, 감언(flattery). **5**《호칭》자네, 당신(darling, honey). **6** [감탄사적으로]《口》체, 제기랄. **7**《美俗》뇌물, 돈(money). **8**〖醫〗당뇨병(sugar diabetes).
not made of sugar 물에 젖어도 상관 없다.
— *vt.* **1** …에 설탕을 넣다, 설탕으로 달게 하다 ; …에 설탕을 입히다[뿌리다] ; 나방을 잡기 위해 (나무)에 설탕을 바르다. **2** 유쾌한[감미로운] 것으로 보이게 하다 ; (거짓으로) 꾸며대다〈*up*〉. **3** [수동태로]《俗》저주하다 : Liars *be* ~*ed*! 거짓말쟁이는 저주 받아라. **4**《口》매수하다.
— *vi.* **1** 설탕이 되다. **2**《美》단풍 설탕을 만들다.
sugar off (*vi.*)《美》(단풍설탕을 만들 때) 당의 결정이 되도록 바짝 졸이다.
〖OF<It.<L<Arab. ; cf. G *Zucker*〗
súgar bèet *n.*〖植〗첨채(甛菜), 사탕무(cf. BEET SUGAR).
súgar bòwl[《英》**bàsin**] *n.* (식탁용(用)) 설탕 그릇.
Súgar Bòwl *n.* [the ~] 슈거볼《(1) Louisiana 주 New Orleans에 있는 미식축구 경기장. (2) 그곳에서 매년 1월 1일에 열리는 초청 대학 팀의 미식축구 경기》.
súgar bùsh *n.*《美·Can.》사탕단풍 재배원.
súgar cándy *n.*《英》얼음 사탕 ; 감미로운 사람 ; 유쾌한 것.
súgar·càne *n.*〖植〗사탕수수.
súgar·còat *vt.* (환약 따위에) 당의(糖衣)를 입히다 ;《비유》겉모양을 좋게 하다.
súgar·còat·ing *n.* Ⓤ 당의 ; 구미에 당기게 하기.
súgar còrn *n.* =SWEET CORN.
súgar-cùred *a.* (햄·베이컨이) 설탕·소금·질산염 따위의 절임으로 저장 처리된.
súgar dàddy *n.*《口》젊은 여자에게 열심히 선물 따위를 하는 돈 많은 중년 남자.
súgar diabètes *n.* 당뇨병(diabetes mellitus).
súg·ared *a.* 설탕으로 달게 한, 설탕을 넣은 ;《비유》감미로운, 달콤한.
súgar gùm *n.*〖植〗유칼리나무의 일종《오스트레일리아산》.
súgar·hèad *n.*《美俗》밀조 위스키, 밀주.
Súgar Hìll *n.* [때때로 s~ h~]《美俗》슈거힐《(1) 흑인의 사창가. (2) 뉴욕시의 Harlem이 내려다 보이는 부유층 거주 지구》.
súgar·hòuse *n.* 제당소(製糖所).
súgar·less *a.* 설탕이 들어 있지 않은 ; (식품에 설탕 대신에) 인공 감미료를 넣은.
súgar·lòaf *n.* **1** (옛날 가정용의) 막대 사탕. **2** 원뿔꼴의 모자 ; 원뿔꼴의 산.
súgar-lòaf *a.* 막대 사탕 모양의 ; 원뿔꼴의 : a ~ hat (옛날에 사용한) 원뿔꼴의 모자.
súgar màple *n.*〖植〗사탕단풍《북미 주산》.
súgar mìll *n.* 제당 공장 ; 사탕수수 압착기.
súgar òrchard *n.*《美東部》=SUGAR BUSH.
súgar pìne *n.*〖植〗오엽송의 일종《미국 북서부산(産)》.
súgar·plùm *n.* 당과(糖菓)의 일종, 봉봉(bonbon), 캔디 ; 감언 ; 뇌물.
súgar refiner *n.* 제당업자.
súgar refinery *n.* 제당 공장, 제당소.
súgar repòrt *n.*《美軍俗》애인으로부터의 편지《여성이 남성에게 보냄》.
Súgar Státe *n.* [the ~] Louisiana 주의 속칭.
súgar-tìt, -tèat *n.* 설탕 젖꼭지《설탕을 젖꼭지 모양으로 천에 싼 갓난아기용 장난감》.
súgar tòngs *n. pl.* (식탁용) 각설탕 집게.
súg·ary *a.* **1** 설탕의[과 같은], 설탕으로 만들어진 ; 단 ; (시·음악 따위) 달콤하고 감상적인, 감미로운 ; 입상(粒狀) 조직을 가진. **2**《비유》아첨하는, 알랑거리는.
‡**sug·gest** [səgdʒést ; sədʒést] *vt.* **1** [+目/+目+前+名/+*that* 節/+do*ing* / +*wh.* 節/ +*wh.*+*to* do] 암시하다, 시사하다, 넌지시 비추다(hint) ; 제의[제창·제안]하다, 건의하다(propose) : I ~*ed* George ***for*** president, and they all agreed. 조지를 회장으로 하자고 제의했더니 모두들 그것에 찬성했다 / He ~*ed* a new procedure ***to*** the committee. 그는 새로운 절차를 위원회에 제안했다 / I ~*ed* (*to* him) *that* the sum (should) be paid immediately. 금액을 곧 지급하는 것이 어떠냐고 (그에게) 넌지시 말했다《주 should를 생략하는 것은 주로《美》》/ Mary ~*ed* go*ing* to the theater. 메리는 연극을 보러 가겠다는 말을 꺼냈다 / Can you ~ *how* we can get[*how to* get] there in time? 어떻게 하면 시간 안에 그곳에 도착할 수 있을지 당신에게 좋은 생각이 없습니까 / The counsel said, "I ~ *that* you are hiding something." 당신은 무언가 숨기고 있다고 생각하는데 어떻소라고 변호인이 말했다.

suggest를 사용한 문장 전환

직접 화법에서 Let's ~를 사용한 문장은 간접 화법이 되면 전달 동사로 suggest를 쓴다.
He said (to me), "*Let's* start at once."
(그는 (나에게)「곧 출발하자」고 말했다.)
→ He *suggested* (to me) *that* we (should) start at once.

suggest의 ○×

(×) I *suggested* her *to* take some medicine.
I *suggested* her *that* she *would* take some medicine.
(나는 그녀에게 뭔가 약을 먹어 보는 것이 어떻겠느냐고 말했다.)

(◯) I *suggested* (*to* her) *that* she (*should*) take some medicine.
☆ suggest는 간접 목적어를 취하지 않으므로 전치사 to를 쓴다. 또 that 절 안의 동사는 가정법 현재나 조동사 should를 쓴다.

2 생각나게 하다, 연상시키다 ; …의 동기를 주다, 촉발하다 ; (최면술로) 암시하다, …에게 암시를 주다 : The music ~*s* a still, moonlit night. 그 음악을 들으면 고요한 달밤이 머리에 떠오른다. ***suggest itself*** (***to***...) (생각이) (…의) 마음[염두]에 떠오르다 : A solution ~*ed itself to* me. 해결책이 떠올랐다. 〚L *sug*-(*gest*- *gero* to bring) =to put under, furnish〛

類義語 ***suggest*** 상대방의 마음속에 있는 것을 상기시키다 ; 의식적으로 제안해서 하는 수도 있고 또 무의식중에 연상시키는 수도 있다 : I *suggested* that he (should) leave the room. (방에서 그가 나가줬으면 하고 넌지시 비쳤다) / The smell *suggests* a rose. (그 향기는 장미를 연상케 한다). ***hint*** 상대방에게 약간 또는 간접적으로 암시를 주어 자신의 기분이나 목적을 이해하도록 하다 : The son *hinted* that he would buy a car. (아들은 차를 한 대 사고 싶다는 뜻을 비쳤다). ***imply*** 어떤 생각·사상·의미 따위를 분명하게 표현하지 않고 상대방에게 추리하도록 하다 : Her smile *implied* a consent. (그녀의 미소는 찬성한다는 뜻이었다). ***intimate*** hint 보다도 더욱 소극적인 방식으로 이해시키다 : He *intimated* that the plan might be impossible. (그는 그 계획이 불가능할 것이라고 암시했다). ***insinuate*** 불쾌한 일이나 툭 터놓고 말할 수 없는 것을 눈치껏 hint하다 : Are you *insinuating* me against his reputation? (그의 명성을 해치는 말을 나에게 넌지시 하는 것이냐).

sug·gèst·ibíl·i·ty *n.* Ⓤ 암시할 수 있음, 피(被)암시성 ; 암시 감응성.

suggést·ible *a.* 암시[제의]할 수 있는 ; (최면술 따위의) 암시에 걸리기 쉬운.

sug·ges·tio fal·si [səgdʒéstʃiòu fɔ́:lsai ; sədʒés-ti-] *n.* 허위의 암시[진술]. 〚L〛

***sug·ges·tion** [səgdʒéstʃən ; sədʒés-] *n.* **1 a**) Ⓤ 암시, 시사, 넌지시 알리기 ; 제안하기 : an article full of ~ 시사적인 논문 / The party was given *at* my ~. 그 모임은 내가 제의하여 개최되었다. **b**) [+*that* 節] 제의, 제안 : make [offer] a ~ 제안하다 / He made the ~ *that* the prisoners (should) be set free. 죄수를 석방하도록 제안했다(㊟ should를 생략하는 것은 주로《美》). **2** 생각하기, 연상 ; 동기, 유인. **3** Ⓤ (열정(劣情) 따위의) 유발. **4** Ⓤ (최면술의) 암시 ; Ⓒ 암시되어진 사물. **5** 투, 모양, 기미(trace, soupçon) : blue with a ~ *of* green 녹색을 띤 청색 / There is no ~ *of* a foreign accent in his speech. 그의 말에는 외국 말투같이 어색한 데는 조금도 없다.

suggéstion(s)-bòx *n.* 투서함.

sug·ges·tive [səgdʒéstiv ; sədʒés-] *a.* **1** 암시적인, 시사(示唆)적인. **2** 생각나게 하는 ; 생각이 떠오르게 하는, 암시하는 : The melody is ~ *of* the rolling of waves. 그 선율은 파도의 굽이침을 암시한다. **3** (최면술적인) 암시의. **4** (열정(劣情)을) 유발시키는 듯한, 도발적인. **~·ly** *adv.* 암시[시사·도발]적으로. **~·ness** *n.*

類義語 ⟹ EXPRESSIVE.

sug·gest·ol·o·gy [sʌ̀gdʒestɑ́lədʒi ; sʌ̀dʒ-] *n.* (교육·심리 요법에서의) 암시학.

sug·ges·to·pae·dia [səgdʒèstəpí:diə ; sədʒès-] *n.* 암시학 적용[응용](법).

su·i·ci·dal [sù:əsáidl ; sjù:i-] *a.* **1** 자살의, 자살적인. **2** (행동·정책 따위) 자멸적인. **~·ly** *adv.*

***su·i·cide** [sú:əsàid ; sjú:i-] *n.* **1** Ⓤ,Ⓒ 자살 : commit ~ 자살하다 / two ~*s* yesterday 어제 자살 2건. **2** Ⓤ 《비유》 자살적 행위, 자멸 : economic[political] ~ 경제적[정치적] 파멸 / ☞ RACE SUICIDE. **3** 자살자. ── *vi.* 자살하다. ── *vt.* (자신을) 죽이다〈one*self*〉. 〚NL (L *sui* of oneself, *caedo* to kill)〛

súicide càrgo[lòad] *n.* 《CB俗》 위험한 화물《폭발물·극약 따위》.

súicide pàct *n.* 정사[동반 자살]할 약속.

súicide pìlot *n.* 특공대 비행사.

súicide sèat *n.* 《口》 (자동차의) 조수석.

súicide squàd *n.* 특공대, 결사대 ; 〔美蹴〕 = KICKING TEAM.

súicide squèeze *n.* 〔野〕 스퀴즈 플레이《희생번트로 3루 주자를 생환시킴》.

su·i·ci·do·génic [sù:əsàidə- ; sjù:i-] *a.* 자살 유발성의.

su·i·cid·ol·o·gy [sù:əsaidɑ́lədʒi ; sjù:i-] *n.* Ⓤ 자살학, 자살 연구. **-gist** *n.*

sui ge·ne·ris [sù:ai dʒénərəs, sù:i-] *a.* 그 종류만의, 독특한, 특이한(peculiar, unique). ㊟ 명사 뒤에 놓이거나 또는 *pred.*로 쓰임 : a word ~ 독특한 말. 〚L〛

sùi júr·is [-dʒúərəs] *a.* 〔法〕 법률상의 능력을 충분히 지닌 ; 성년에 달한, 제구실하는. 〚L〛

°**suit** [sú:t ; sjú:t] *n.* **1** 남자 양복의 한벌《coat, vest, trousers》 ; 여성복 한벌, 슈트《coat, skirt, 때로는 blouse》 ; [수식어를 수반하여] …옷[복] ; [the ~] 《美俗》 군복 : ☞ DRESS SUIT / in one's birthday ~ ☞ BIRTHDAY SUIT. **2** (갑옷·마구 따위의) 한벌〈*of*〉. **3** 〔카드놀이〕 한패, 한벌《hearts, diamonds, clubs, spades로 각 13장》, 같은 짝을 가진 패 : a long[short] ~ 짝을 맞춘 패 4장 이상[이하] / a strong[long] ~ 센 끗수의 패 ; 《비유》 장점. **4** 소송(lawsuit) (cf. SUE *vt.* 1, *vi.* 1) : a criminal ~ 형사소송 / bring [institute] a ~ against a firm 회사를 (상대로) 고소하다. **5** Ⓤ,Ⓒ 청원, 탄원 ; Ⓤ《文語》 구혼(求婚)(wooing) : have a ~ to a person 남에게 청원이 있다 / make ~ 간청하다 / press[push] one's ~ 자꾸 탄원하다. **6** 《美》 =SUITE.

follow suit 〔카드놀이〕 최초에 내놓은 패와 같은 짝의 패를 내놓다 ; 《비유》 남의 흉내를 내다, 선례(先例)를 따르다.

── *vt.* **1** …에게 안성맞춤이다, 지장이 없다 ; …의 마음에 들다, 만족시키다(satisfy) ; (기후·음식 따위가) …의 몸·건강에 알맞다, 적합하다 : Would ten o'clock ~ you? 10시에는 형편이 어떻습니까 / It does not ~ all tastes. 모든 사람에게 다 맞는다고는 할 수 없다 / The climate here ~*s* me[my health] very well. 여기의 기후는 나에게[내 건강에] 적합하다.

suit를 이용한 문장 전환
Come on Monday if it is convenient for you.
→ Come on Monday if it *suits* you.
(괜찮으시다면 월요일에 와주십시오.)
☆ 위 문장에서 ...if *you* are convenient라고 하지 않도록.

2 (복장 따위가) …에게 어울리다 : Her blue hat ~*s* her fair skin. 푸른 모자가 그녀의 흰 살결에 어울린다 / It doesn't ~ her to wear a miniskirt. 미니스커트를 입는 것은 그녀에겐 어울리지 않는다. **3 a**) [+目+*to*+名] 적응시키다, 적합하게 하다, 어울리게 하다 ; 합치시키다 : ~ the punishment ***to*** the crime 죄에 상응한 벌을 주다 / ~ the action *to* the word 말한 대로 행동하다, (특히 협박을) 한 말대로 곧 실행하다 / He tried to ~ his speech *to* his audience. 강연을 청중의 수준에 맞게 하려고 노력했다. **b**) [*p.p.*로 형용사적으로 써서] [+前+do*ing*/+*to* do] 적합한, 어울리는 : His speech was ~*ed* ***to*** the occasion. 그의 강연은 그 경우에 적합한 것이었다 / Dick and his wife seem well ~*ed to* each other. 딕과 그의 부인은 서로 잘 어울리는 것 같다 / That man is particularly ~*ed* ***for***[*to*] this job[*for* teach*ing*, *to* be a teacher]. 저 사람은 이 일에는[교사로서는] 안성맞춤이다. —— *vi.* 어울리다, 적합하다〈*with, to*〉; 형편[처지·계제]이 좋다, 지장이 없다 ; 특별옷[팀 유니폼]을 입다〈*up*〉: Which date ~*s* best? 어느 날이 제일 좋겠습니까.

Suit yourself. 좋을 대로 하시오《싫으면 그만 두시오》.

〖ME=act of following, set of things<AF *suite*<Rom. ; ⇨ SUE〗

súit·able** *a.* [+前+do*ing*] 적당한, 어울리는, …용의, …에 알맞는 : a place ~ ***for residence 주택지용 장소 / This present is ~ *for* a little girl of ten. 이 선물은 10세의 여자아이에게 어울린다 / These poems are ~ *for* learn*ing* by heart. 이 시는 암송하기에 적당하다.

sùit·abílity *n.* 적합, 적당 ; 적부 ; 어울림.

類義語 ⟹ FIT[1].

***súit·càse** *n.* 슈트케이스, 여행용 가방《옷 한벌을 넣을 수 있을 정도의 크기 ; 보통 트렁크라고 부르기도 함 ; cf. TRUNK 2 a)》.

súitcase fàrmer *n.* 《美》 1년의 태반은 딴 곳에 사는 건조지의 농업 종사자.

suite [swíːt] *n.* **1** 일행, 수행원, 따라다니는 사람 : in the ~ of …에 수행하여. **2 a**) 짝, 조(組), 한 벌, 연속된 것의 하나〈*of*〉. **b**) (특히) 잇달아 붙은 방, 한데 붙어 있는 방《호텔의 침실·거실·욕실이 한데 갖추어진 것을 일컬음》. **c**) [, 美+súːt] 한 조[벌]의 가구 : a dining-room ~ 식당 세트 한벌《식탁·의자·찬장 따위》. **3** 〖樂〗 모음곡(曲)《원래는 하나로 이어서 연주되어야 하는 댄스곡》. 〖F ; ⇨ SUIT〗

súit·ed *a.* 적당한, 적절한, 적합한, 모순 없는.

suit·ing [súːtiŋ ; sjúː-] *n.* U,C (양)복지.

suit·or [súːtər ; sjúː-] *n.* **1** 기소자(起訴者), 원고(plaintiff). **2** (남성) 구혼자(wooer).

Su·kar·no, Soe- [suːkáːrnou] *n.* 수카르노. **Achmed** ~ (1901-70) 인도네시아의 정치가·대통령(1945-67).

sul·cate [sʌ́lkeit], **-cat·ed** [-keitəd] *a.* (줄기 따위가) 홈이 있는 ; (발굽 따위가) 갈라진. 〖L (↓)〗

sul·cus [sʌ́lkəs] *n.* (*pl.* **-ci** [-sai]) 홈(groove), 세로 홈 ; 〖解〗 (특히 대뇌의) 뇌구(腦溝). 〖L ; cf. OE *sulh* plow〗

sulf- [sʌ́lf], **sul·fo-** [sʌ́lfou, -fə], **sulph-** [sʌ́lf], **sul·pho-** [sʌ́lfou, -fə] *comb. form* 「황(黃)」 「황산(黃酸)」「술폰산(酸)」의 뜻. 〖L SULFUR〗

sul·fa, -pha [sʌ́lfə] *a.* 〖藥〗 술파닐아미드(sulfanilamide)에 관련된 ; 술파약(藥)의. —— *n.* 술파제(sulfa drug)《sulfanilamide의 단축형 ; 술파닐아미드계의 합성약으로 세균성 질환에 특효가 있음》.

sul·fa-, -pha- [sʌ́lfə] *comb. form* 「술파닐아미드를 함유한」「술파닐릴기(基)를 함유한」의 뜻. 〖↑〗

sùlfa·díazine *n.* U 〖藥〗 술파다이아진.

súlfa drùg *n.* 〖藥〗 술파제.

sùlfa·guánidine *n.* U 〖藥〗 술파구아니딘《장(腸) 질환의 치료·예방약》.

sul·fám·ic ácid [sʌlfǽmik-] *n.* 〖化〗 술팜산(酸)《금속 표면의 세척·유기 합성에 쓰임》.

sul·fa·nil·amide [sʌ̀lfəníləmàid, -məd] *n.* U 〖藥〗 술파닐아미드《패혈증·임질 따위의 특효약》.

sul·fa·níl·ic ácid [sʌ̀lfənílik-] *n.* 〖化〗 술파닐산(酸)《염료 제조의 중간체》.

sulfa·pýridine [sʌ̀lfə-] *n.* U 〖藥〗 술파피리딘《항(抗)피부염제》.

sul·fate, -phate [sʌ́lfeit] *n.* 〖化〗 황산염 : calcium ~ 황산칼슘, 석고. —— *vt.* 황산(염)으로 처리하다 ; 〖電〗 (건전지의 연판(鉛版)에) 황산염 화합물을 침적시키다. —— *vi.* 황산화하다.

sul·fá·tion *n.* 황산화. 〖F<L ; ⇨ SULFUR〗

sùlfa·thíazole *n.* U 〖藥〗 술파티아졸《원래 폐렴 및 화농성 질환의 특효약》.

sul·fide, -phide [sʌ́lfaid] *n.* 〖化〗 황화물 : ~ of copper 황화구리 / ~ of iron 황철광(黃鐵鑛).

sul·fite, -phite [sʌ́lfait] *n.* 〖化〗 아황산염. 〖F (변형(變形)) 〈*fulfate*〗

sul·fon-, sul·phon- [sʌ́lfoun] *comb. form* 「슬폰기(基)의[를 함유한]」「술포닐」의 뜻. 〖*sulfonic*〗

sul·fo·nal [sʌ́lfənæ̀l] *n.* =SULFONMETHANE.

sul·fon·amide [sʌlfánəmàid, -məd, -fóu-, sʌ̀lfənǽməd] *n.* 〖化·藥〗 술폰아미드《항균 작용이 있음》.

sul·fo·nate, -pho- [sʌ́lfənèit] *n.* 〖化〗 술폰산염. —— *vt.* …을 술폰화하다.

sul·fone [sʌ́lfoun] *n.* 〖化〗 술폰《두개의 탄수소고리를 술포닐기(基)로 결합시킨 화합물의 총칭》. 〖G (SUFUR, *-one*)〗

sul·fon·ic [sʌlfánik, -fóu-] *a.* 〖化〗 술폰기(基)의[를 함유한, 에서 유도된].

sulfónic ácid *n.* 〖化〗 술폰산.

sùlfon·méthane *n.* U 〖藥〗 술폰메탄《최면·진정제용》.

sul·fo·nyl [sʌ́lfənìl] *n.* 〖化〗 술포닐《유기화합물 중에서 2가(價)의 이산화황기(二酸化黃基)》.

sul·fur, -phur [sʌ́lfər] *n.* **1** U 〖化〗 유황《비금속 원소 ; 기호 S ; 번호 16》; 유황색 : roll[stick] ~ 막대황(黃). **2** [보통 sulphur] 〖昆〗 노랑나비과의 나비.

flowers of sulfur 유황화(華).

—— *a.* 유황의 ; 유황을 함유한 ; 유황색의.

—— *vt.* 유황으로 그슬리다[처리하다, 훈증하다].

〖ME=brimstone<AF<L〗

sul·fu·rate, -phu- [sʌ́lfjərèit] *vt.* 유황과 화합시키다, 유황을 함유시키다, 황화시키다 ; 유황으로 훈증하다[그슬리다, 표백하다].

sùl·fu·rá·tion, -phu- *n.* 유황과의 화합, 황화(黃化) ; 유황 훈증 ; 유황 표백.

súl·fu·rà·tor *n.* 황훈증[표백]기(器) ; 황분무기.

súlfur dióxide *n.* 〖化〗 이산화황, 아황산가스, 아황산 무수물.

sul·fu·re·ous, -phu- [sʌlfjúəriəs] *a.* 황의[과 같은] ; 황을 함유한 ; 황색의.

sul·fu·ret [sʌ́lfjərèt] *n.* 〖化〗 =SULFIDE. —— *vt.* (**-t**(**t**)-) 황과 섞다, 황화(黃化)하다.

sul·fu·ric, -phu- [sʌlfjúərik] *a.* 〖化〗 황의 ; (특히) 6가의 황을 함유한.

sulfúric ácid *n.* 〖化〗 황산.

sul·fu·rize, -phu- [sʌ́lfjəràiz] *vt.* ＝SULFURATE.

sul·fu·rous, -phu- [sʌ́lfjərəs, 美＋sʌlfjúr-] *a.* **1** 〖化〗 황의[과 같은] ; (특히) 4가의 황을 함유한 (cf. SULFURIC). **2** 황색의. **3** 천둥의 ; 화약 연기의[가 자욱한] ; 지옥불의[과 같은] ; (비난 따위가) 통렬한, 독기 서린, 모독적인.
~·ly *adv.* **~·ness** *n.*

súlfurous ácid *n.* 〖化〗 아황산《유기 합성용, 표백제》.

súlfur sprìng *n.* (유)황천(泉).

súlfur trióxide *n.* 〖化〗 삼산화황.

súl·fury *a.* 황의[같은], 황질의.

sulk [sʌ́lk] *n.* [보통 *pl.*] 실쭉하기, 부루퉁함 : be in the ~*s* 실쭉하다, 부루퉁하다.
—— *vi.* 실쭉하다, 부루퉁해지다.
〚C18 ? 역성(逆成) ＜ ↓ ; (n.) ＜ (v.)〛

súlky *a.* **1** 실쭉한, 부루퉁한, 불쾌한. **2** (날씨 따위) 음산한(gloomy). —— *n.* 말 한필이 끄는 1인승 2륜마차. **súlk·i·ly** *adv.* 심술나서, 골나서, 부루퉁해서. **-i·ness** *n.* 실쭉하기 ; 찌푸린 얼굴, 부루퉁한 상.
〚? *sulke* (obs.) hard to dispose of〛
類義語 ⟹ SULLEN.

sul·lage [sʌ́lidʒ] *n.* Ⓤ 폐물, 쓰레기, (하수도) 오물, 쇠부스러기.

***sul·len** [sʌ́lən] *a.* **1** 실쭉한, 부루퉁한, 불쾌한 (↔ *genial*) ; 화나서 말을 않는. **2** (날씨 따위) 음산한(gloomy), 음울한. **3** 육중한 ; 완만한. —— *n.* [the ~s] 찌푸린 얼굴, 부루퉁함 ; 음울함.
~·ly *adv.* **~·ness** *n.*
〚ME＝solitary, single＜AF (*sol* SOLE[1])〛
類義語 ***sullen*** 부루퉁하여 말을 안하는 ; 화나거나 불쾌함을 암시. ***glum*** 의기소침하거나 우울해서 부루퉁한. ***sulky*** 어린애같이 sullen한 ; 토라지는 것, 불평불만 따위를 나타냄.

Súl·li·van Prínciples [sʌ́ləvən-] *n. pl.* [the ~] 설리번 원칙《남아프리카 공화국에서 미국 기업은 고용시에 인종 차별을 하지 않는다는 원칙》.
〚Leon H. *Sullivan* (1923-) 미국의 침례교회의 성직자〛

sul·ly [sʌ́li] *vt.* (명성·품성·공적 따위를) 더럽히다(stain), …에게 욕을 보이다, 상처내다.
—— *vi.* 《廢》 더러워지다, 얼룩지다.
—— *n.* 《古》 오점, 오염, 오염되기.
〚C16＜? F *souiller* ; ⇨ SOIL[2]〛

sulph-, sulpho- ☞ SULF-.

sul·tan [sʌ́ltən] *n.* **1** 술탄, 이슬람교국 군주 ; [the S~] 터키 황제《1922년 이전의》 ; 전제 군주. **2** 〖鳥〗 술탄박새 ; 터키종 흰닭. **3** 〖植〗 스위트술탄《수레국화속(屬)의 꽃》.
〚F or L＜Arab.＝power, ruler〛

sul·tana [sʌltǽ:nə, -tǽnə] *n.* **1** 이슬람교국 왕비[왕녀, 왕의 자매, 황태후]. **2** (술탄의) 후궁. **3** 《주로 英》 씨 없는 포도의 일종《그 건포도》. **4** 목걸이의 일종. 〚It. (fem.) ＜ ↑〛

sul·tan·ate [sʌ́ltənèit, -nət] *n.* Ⓒ sultan의 영지 ; Ⓤ sultan의 지위[통치].

súltan·ess *n.* ＝SULTANA 1.

***sul·try** [sʌ́ltri] *a.* **1** 찌는 듯한, 무더운, 후덥지근한. **2** 《주로 詩》 타는 듯이 뜨거운. **3** 《비유》 (기질·말 따위) 난폭한 ; 흥분한(hectic) ; 기분 나쁜, 무시무시한(lurid) ; 몹시 불쾌한 ; (이야기 따위) 음탕한(hot) ; 관능적인. **súl·tri·ly** *adv.* **-tri·ness** *n.* 찌는 듯한 더위, 무더위.
〚*sulter* (obs.) to SWELTER〛

‡**sum** [sʌ́m] *n.* **1** 합계, 총액, 총수 : ☞ SUM TOTAL / the whole ~ 총수. **2** 개요, 대의, 대요 : the ~ and substance 요점〈*of*〉. **3** 금액 : a good[large, round] ~ 꽤 많은 돈, 목돈 / a large[small] ~ *of* ... 다[소]액의…. **4** 〖數〗 합집합(union) ; 산수 문제 ; [*pl.*] (학교의) 산수, 계산 ; 《古》 절정 : a boy good[bad] at ~*s* 계산을 잘하는[못하는] 아이 / do a ~ 계산하다.
in sum 요약해서 말하면, 요컨대.
—— *v.* (**-mm-**) *vt.* [＋目＋副] **1** 총계[합계]하다 : She ~*med* ***up*** bills at the grocery store. 식품점에서 산 물건의 가격을 합계하였다. **2** …의 개요를 설명하다, 요약하다 : The judge ~*med* ***up*** the whole to the jury. 판사는 사건의 전체 개요를 배심원에게 설명하였다. **3** …의 대세를 판단하다, 즉시 판단[평가]하다 : I ~*med* her ***up*** in a minute. 재빨리 그녀의 인품을 간파하였다.
—— *vi.* **1** [＋副] 개설(概說)하다, (판사가 원고·피고의 말을 들은 후) 사건의 개요를 설명하다 : The judge ~*med* ***up***. 판사는 증언을 약설하였다. **2** [＋副/＋前＋名] 합계 …이 되다 : It ~*s* ***up to*** $1,000. 그것은 합계 1,000달러다 / The expense ~*med* ***into***[***in***] the thousands. 비용은 합계 수천 달러에 이르렀다.
to sum up 요약하면.
類義語 ***sum*** 개개의 수를 합해서 얻은 총액 : The *sum* of thirty and fifty-five is eighty-five. (30과 55를 합하면 85가 된다). ***amount*** 관계되는 모든 금액과 기타를 합한 결과 : He paid the full *amount* of the expenses. (관련된 모든 비용을 지급하였다). ***total*** 합계된 액의 전체 ; 때때로 큰 sum 또는 amount에 대하여 씀 : The contribution reached a *total* of $2,000. (기부금은 2,000달러에 이르렀다).

sum- [səm, sʌm] ☞ SUB-.

SUM surface-to-underwater missile.

su·mac, -mach [ʃú:mæk, sú:-] *n.* **1** 〖植〗 검양옻나무, 옻나무류의 수목. **2** Ⓤ 그 말린 잎 또는 가루《무두질용 및 염료용》.
〚OF＜Arab.〛

Su·ma·tra [sumá:trə] *n.* 수마트라 섬《인도네시아의 섬》 ; [흔히 s~] Malacca 해협의 돌풍.

Su·má·tran *a., n.* 수마트라의 (사람).

Su·mer [sú:mə*r*] *n.* 수메르《고대 바빌로니아의 남부 지방 ; 세계 최고(最古)의 문명이 발생함 ; cf. AKKAD》.

Su·me·ri·an [su:míəriən, -méər-] *a.* 수메르 사람[어]의. —— *n.* 수메르 사람 ; Ⓤ 수메르어.

sum·ma cum lau·de [súmə kum láudə, sʌ́mə kʌm lɔ́:di, súmɑ:-] *adv., a.* 최우등으로[의]《졸업증서 따위에 기재하는 어구》.
〚L＝with highest praise〛

sum·mar·i·ly [səmérəli, sʌ-; sʌ́məri-] *adv.* 약식으로, 즉결로 ; 즉석에서.

sum·ma·rize [sʌ́məràiz] *vt., vi.* 요약하다, …의 요점[골자]을 말하다. **sùm·ma·ri·zá·tion** *n.*

***sum·ma·ry** [sʌ́məri] *n.* 일람, 적요(서) ; 개요.
—— *a.* **1** 요약한 ; 간략한(brief). **2** 약식의 ; 〖法〗 즉결의(↔*plenary*) : ~ jurisdiction 즉결 심판권 / ~ justice 즉결 심판.

súmmary cóurt *n.* 즉결 재판소.

súmmary cóurt-martial *n.* 《美》 (장교 1명에 의한) 약식 군법회의.

súmmary offénse *n.* 〖法〗 약식 기소 범죄, 경범죄(輕犯罪).

sum·mat [sʌ́mət] *adv.* 《口·方》 =SOMEWHAT.
sum·ma·tion [sʌméiʃən, sə-] *n.* **1** Ⓤ 합계하는 것 ; Ⓒ 합계 ; Ⓤ 〖數〗 합(合) ; 덧셈. **2** 요약 ; 〖醫〗 (자극의) 가중 ; 〖法〗 (변호인이 사건의 요점을 설명하는) 최종 변론.
◇**sum·mer**¹ [sʌ́mər] *n.* **1** Ⓤ,Ⓒ 여름, 여름철《일반적으로는 6, 7, 8월 ; 천문학적으로는 하지에서 추분까지》 : *in* (the) ~ 여름에(는) / *in* the ~ of 1999 1999년 여름에 / regions of everlasting ~ 상하(常夏)의 지대. **2** Ⓤ 《비유》 청춘, 한창때 : the ~ of (one's) life 장년기. **3** [*pl.*] 《詩》 나이, 연령 : a youth of twenty ~*s* 20세의 청년.
—— *a.* 여름의, 여름철의, 여름철에 알맞은 : a ~ resort 피서지 / the ~ holidays [vacation] 여름 휴가. —— *vi.* [+前+名] 여름을 지내다, 피서하다 : They ~ ***at*** the seashore [***in*** Switzerland]. 해변[스위스]에서 여름을 지낸다. —— *vt.* (가축을) 여름철에 방목하다. 〚OE *sumor* summer, warmer half of the year (↔*winter*) ; ME 에서는 때로 '봄'의 뜻 ; cf. G *Sommer*〛
summer² *n.* 〖建〗 대들보 ; 상인방 ; 주춧돌. 〚AF, OF=packhorse, beam<L (Gk. *sagma* packsaddle)〛
súmmer hóuse *n.* 《美》 여름 별장.
súmmer·hòuse *n.* (정원의) 정자.
súmmer lìghtning *n.* =HEAT LIGHTNING.
súmmer·ly *a.* 여름의[같은].
súmmer pèrson[**pèople**] *n.* 《美》 피서객, 하기 휴가족.
súmmer púdding *n.* 《英》 서머 푸딩《삶은 과일 따위를 속에 넣은 카스텔라》.
sum·mer·sault [sʌ́mərsɔ̀ːlt], **sum·mer·set** [-sèt] *n.*, *vi.* =SOMERSAULT.
súmmer sáusage *n.* 건조[훈제] 소시지《냉장할 필요 없는》.
súmmer schòol *n.* 여름 강습회, 여름 학교.
súmmer sólstice *n.* [the ~] 하지《6월 21일 또는 22일 ; ↔*winter solstice*》.
súmmer squásh *n.* 호박의 일종.
súmmer théater *n.* (행락지·교외 따위의) 하계 간이 극장.
súmmer tìme *n.* 《英》 서머 타임, 일광 절약 시간(daylight saving time) 《여름에 시계를 1시간 빠르게 함》 : double ~ 《英》 이중 일광 절약 시간 《표준 시간보다 2시간 빠르게 함》.
súmmer·tìme, -tìde *n.* Ⓤ 여름(철), 하계.
súmmer-wéight *a.* (옷·구두 따위가) 여름용의, 가벼운.
súm·mery *a.* 여름의[같은], 여름철에 알맞은.
súmming-úp *n.* (*pl.* **súmmings-úp**) 약술(略述), 요약 ; (특히 판사가 배심원에 대해서 하는) 사건 요약[적요].
***sum·mit** [sʌ́mət] *n.* **1** 꼭대기, 정상 ; 절정, 극점, 극치. **2** 〖數〗 모서리, 정점. **3** 수뇌급. **4** 수뇌[정상] 회담 : a meeting at the ~ 수뇌[정상] 회담. —— *a.* 수뇌급의 : a ~ conference[meeting]=~ talks 수뇌[정상] 회담. —— *vi.* 정상 회담에 참가하다, 정상 회담을 하다.
〚OF (*som* top<L *summus* highest, *-et*)〛
類義語 ⟹ TOP¹.
sum·mit·eer [sʌ̀mətíər] *n.* 《口》 수뇌회담 참가자[국].
súmmit lèvel *n.* 최고 클래스 ; (도로·철도 따위의) 최고지점.
at summit level 《口》 수뇌급(회담)에서(의).
súmmit·ry *n.* (외교 문제에 있어서) 수뇌회담(에 의존하기[의 운영]).
sum·mon** [sʌ́mən] *vt.* **1** [+目/+目+前+名/+目+*to* do] 소환하다, 호출하다(call) ; …에게 (법원에) 출두를 명하다 : The shareholders were ~*ed* ***to the general meeting. 주주들은 총회에 소집되었다 / They were ~*ed* ***into*** his presence. 그들은 그 사람 앞으로 호출되었다 / They ~*ed* the debtor (*to* appear in court). 채무자에게 (법정에) 출두하도록 명하였다. **2** (의회 따위를) 소집하다(convoke) : The council of state has been ~*ed*. 주의회가 소집되었다. **3** [+目+*to* do] …에 (항복을) 권유하다, 요구하다 (call upon) : ~ a fort[town] *to* surrender 요새[도시]에 항복하도록 권고하다. **4** [+目/+目+副] (용기 따위를) 불러일으키다 : He could not ~ (***up***) his courage to tell them about it. 용기를 내어 그것을 그들에게 이야기할 수가 없었다.
~·er *n.* 소환자 ; 〖史〗 법정의 소환 담당자.
〚OF<L *summoneo* (*sub-*, *moneo* to warn, advise)〛
類義語 ⟹ CALL.
súm·mons *n.* (*pl.* **~·es**) **1** 소환, 호출 ; 권고, 명령. **2** (의회 따위에의) 소집, 소집장. **3** 〖法〗 (법원에의) 출두 명령, 소환(장) : serve a ~ on a person 남에게 소환장을 발급하다.
—— *vt.* …에게 소환장을 보내다, 법정에 소환하다, 호출하다.
〚OF *somonse* (*semondre* to warn‹↑)〛
sum·mum bo·num [súməm bóunəm, súː-, sʌ́m-] *n.* 최고선(最高善).
〚L=highest good〛
sump [sʌ́mp] *n.* (자동차·기관 따위의) 기름통, 오수(汚水)통 ; 〖鑛山〗 (깊은) 물웅덩이, (갱저(坑底)의) 물통.
〚ME=marsh<MDu., MLG or G ; cf. SWAMP〛
súmp pùmp *n.* (웅덩이[기름통]의 물[기름]을 퍼올리는) 배출 펌프.
sump·ter [sʌ́mptər] *n.* 《古》 짐말, 짐 나르는 짐승(pack animal) : a ~ horse 복마(卜馬).
sump·tion [sʌ́mpʃən] *n.* 가정(假定), 억측 ; 〖論〗 대전제(大前提).
sump·tu·ary [sʌ́mptʃuèri ; -əri] *a.* 사치를 규제하는 ; (종교적·도덕적인) 윤리 규제의 : ~ laws 사치금지법. 〚L (*sumptus* cost‹*sumpt-* *sumo* to take ; cf. CONSUME)〛
sump·tu·ous [sʌ́mptʃuəs] *a.* **1** 값비싼. **2** 호화로운, 장려(壯麗)한. **3** 사치스런, 호사스런.
~·ly *adv.* 호화롭게 ; 사치스럽게. **~·ness** *n.*
〚OF<L ; ⇨ SUMPTUARY〛
súm tótal *n.* 총계 ; [the ~] 전체, 총괄적 결과 ; 요지(要旨).
súm-ùp *n.* Ⓤ 《口》 요약, 종합.
◇**sun** [sʌ́n] *n.* **1** [the ~] 태양, 해 : ☞ MIDNIGHT SUN / ☞ MOCK SUN / *The* ~ rises[sets]. 해가 뜬다[진다] : Let not *the* ~ go down upon your wrath. 〖聖〗 해가 지도록 분을 품지 말라 《언제까지나 노여워하지 마라》. **2** [the ~] 햇빛, 햇볕(sunshine) : bathe in *the* ~ 일광욕을 하다(cf. *take the* SUN) / have *the* ~ in one's eyes 햇빛이 눈에 비치다 / let in[shut out] *the* ~ 햇빛을 들게 하다[막다]. **3** (위성을 갖는) 항성(恒星)(cf. PLANET¹). **4** 《詩》 해(year) ; 날(day) ; 《古》 해돋이 ; 일몰. **5** 《文語》 영광, 광휘 ; 전성 ; 권세 : His ~ is set. 전성기는 지났다.
against the sun 오른쪽에서 왼쪽으로, 좌회전하여(↔*with the sun*).
from sun to sun 《古》 해가 떠서 질 때까지, 하루 종일.

hail* [*adore*] *the rising sun 신흥세력에 아첨[추종]하다.
hold a candle to the sun ☞ CANDLE.
in the sun 양지쪽에(cf. 2; *in the* SHADE); 걱정[고생]없이; 대중의 주목거리가 되어.
a* [*one's*] *place in the sun 좋은 조건.
rise with the sun 아침 일찍 일어나다.
see the sun 태어나다; 살고 있다.
shoot the sun 〖海〗(육분의(六分儀)로) 위도를 측정하다.
take the sun (1) 일광욕하다. (2) =*shoot the* SUN.
the sun drawing water 구름 사이로 새어 나오는 햇빛에 대기의 먼지가 비쳐지는 현상.
the Sun of Righteousness 정의의 태양; 그리스도(Christ).
under the sun 이 세상에서(on earth): We talked about everything *under the* ~. 이 세상 온갖 것에 대하여 이야기를 나누었다 / There is no new thing[nothing new] *under the* ~. 《속담》 세속에는 새로운 것이 없다.
with the sun 왼쪽에서 오른쪽으로, 우회전하여(↔*against the sun*).
── *v.* (-nn-) *vt.* 햇볕에 쬐다, 볕에 말리다; [~ one*self*로] 일광욕하다: She put the mattresses out to ~. 요를 햇볕에 내어 말리었다. ── *vi.* 일광욕하다, 햇볕을 쬐다: We were ~*ning* in the yard. 마당에서 일광욕을 하고 있었다.
〖OE *sunne*<Gmc. (Du. *zon*, G *Sonne*)<IE (L *sol*)〗

Sun. Sunday.
sún-and-plánet gèar *n.* 〖機〗 유성(遊星) 톱니바퀴 장치.
sún-and-plánet mòtion *n.* 〖機〗 유성(遊星) 운동《유성 톱니바퀴 장치의》.
sún·bàke *n.* 《濠》 일광욕 (기간).
sún·bàked *a.* 햇볕에 탄.
sún·bàth *n.* 일광욕.
sún·bàthe *vi.* 일광욕을 하다.
sún·bèam *n.* 태양 광선, 일광.
Sún·bèlt (Zòne) *n.* [the ~] 선벨트, 태양 지대 《미국 남부를 동서로 뻗어 있는 온난 지대; cf. SNOWBELT》.
sún·bìrd *n.* 〖鳥〗 태양새《아프리카·아시아의 열대산(産)》.
sún·blìnd *n.* (창 밖에 치는) 차양(awning).
sún blòck *n.* 햇볕타기 방지 (크림).
sún·bònnet *n.* (여성용) 햇볕 가리는 모자.
sún·bow [-bòu] *n.* 태양 광선에 의해 생기는 무지개《폭포의 물보라 따위에 생김》.
sún·bùrn *n.* U,C 햇볕에 탐.
── *vt.* [*p.p.*로] 햇볕에 태우다: one's ~*t* face 햇볕에 그을린 얼굴. ── *vi.* 햇볕에 타다: Her skin ~*s* very quickly. 그녀의 살갗은 쉽게 햇볕에 탄다.

sunbonnet

sún·bùrned *a.* 햇볕에 그을린, 햇볕에 탄.
sún·bùrner *n.* 태양등(燈).
sún·bùrnt *v.* SUNBURN의 과거·과거분사.
── *a.* =SUNBURNED.
sún·bùrst *n.* **1** (구름 사이에서 새어나오는) 강한 햇빛. **2** 해 모양의 보석, 브로치; 햇살 모양으로 퍼지는 불꽃.
sún·cùred *a.* (고기·과일 따위를) 햇볕에 말린.
Sund. Sunday.
sun·dae [sʌ́ndi, -dei] *n.* 《美》 과일·과즙 따위를 위에 얹은 아이스크림. 〖C20<? *Sunday*; 주말에 팔고 남은 것을 싸게 판 데서인가〗
◇**Sun·day** [sʌ́ndi, -dei] *n.* 일요일, (크리스트교의) 안식일(cf. SABBATH): ~ is the first day of the week. 일요일은 주의 첫째날이다 / We go to church *on* ~(*s*). 일요일엔 교회에 간다 / He promised he would go there *on* a ~. 일요일에 한번 거기 가겠다고 약속했다.
a month* [*week*] *of Sundays 오랫동안.
── *a.* 일요일의; 나들이의, 가장 좋은; 《美》 미숙한: one's ~ best[clothes] 《口》 나들이옷 / a ~ carpenter[painter] 일요 목수[화가], 아마추어 목수[화가].
── *adv.* 《口》 일요일에(on Sunday).
── *vi.* 일요일을 보내다.
〖OE *sunnan-dæg*; L *dies solis*, Gk. *hēmera hēliou* day of the sun의 역(譯); cf. G *Sonntag*〗
Sún Dày *n.* 태양의 날《태양 에너지 개발 촉진일》.
Súnday dríver *n.* 일요 운전자《아직 미숙하여 신중하게 운전하는》.
Súnday-gò-to-méet·ing *attrib. a.* 《口》 나들이 가는, 나들이옷을 입은, 잘 차려입은.
Súnday létter *n.* =DOMINICAL LETTER.
Súnday púnch *n.* 〖拳〗 강타.
Sún·days *adv.* 일요일마다[에는 언제나] (on Sundays).
Súnday Sáint *n.* 《戱》 일요일에만 신앙심 깊은 듯 행동하는 사람, 일요 성인; 위선자.
Súnday schòol *n.* 주일 학교.
sún dèck *n.* 〖海〗 (여객선 따위의) 상(上)갑판; 일광욕용 옥상[테라스].
sun·der [sʌ́ndər] *vt.* 《古·詩》 가르다, 떼다, 쪼개다, 떼어놓다(sever).
── *vi.* 갈라지다, 떨어지다.
── *n.* [다음 숙어로]
in sunder 《詩》 산산이: break[cut, tear] *in* ~ 산산이 부수다.
〖OE *sundrian*; cf. ASUNDER〗
sún·dèw *n.* U 〖植〗 끈끈이주걱, 끈끈이귀개.
sún·dìal *n.* 해시계.
sún dòg *n.* 환일(幻日)(mock sun); (지평선 가까이에 생기는) 작은 무지개.
sún·dòwn *n.* U 《美》 일몰(日沒)(sunset)(cf. SUNUP). ── *vi.* (환경에 익숙하지 않기 때문에) 야간에 환각을 경험하다.
sún·dòwn·er *n.* 《濠俗》 부랑자(hobo); 《주로 英口》 저녁때의 한 잔 (술).
sún·drènched *a.* (해안 따위가) 햇볕이 강한.
sún·drèss *n.* (팔·어깨 따위가 노출된) 여름용 드레스.
sún-drìed *a.* (벽돌·과일 따위) 햇볕에 말린.
sun·dries [sʌ́ndriz] *n. pl.* 잡화; 허드렛일, 잡비; 제계정(諸計定).
sun·dry [sʌ́ndri] *a.* 《古·戱》 잡다한(various); 몇 개의(several).
── *pron.* [*pl.*] =SUNDRIES.
all and sundry 각자, 모두(everybody). 㕊 이 숙어는 지금은 형용사적으로는 쓰이지 않음.
〖OE *syndrig* separate; ⇨ ASUNDER〗
súndry shòp *n.* (말레이시아에서) 주로 중국 식료품 판매점.
sún·fàst *a.* (염료 따위) 햇볕에 바래지 않는.
SUNFED Special United Nations Fund for Economic Development(국제 연합 경제 개발 특별 기금).

sún·fìsh *n.* 〖魚〗 개복치 ; (북미산) 개복치과의 민물고기.
sún·flòwer *n.* 〖植〗 해바라기.
Súnflower Státe *n.* [the ~] Kansas 주(州)의 속칭.
◇**sung** *v.* SING의 과거·과거분사.
sún·glàss *n.* 화경(火鏡) (burning glass) ; [*pl.*] (햇볕가리는) 색안경, 선글라스.
sún·glòw *n.* [a ~] 아침[저녁]놀.
sún-gòd *n.* 해의 신, 태양신.
sún hàt *n.* (챙이 넓은) 햇볕가리는 (밀짚)모자.
sún hèlmet *n.* 햇볕가리는 모자, 헬멧.
‡**sunk** [sʌ́ŋk] *v.* SINK의 과거·과거분사.
—— *a.* **1** 침몰[매몰]된(sunken) : a ~ fence 은장(隱墻)《전망을 방해하지 않도록 토지 경계를 짓기 위하여 땅속에 만든 담》, 물이 없는 호 / a ~ garden＝a SUNKEN garden. **2** [*pred.*로 써서] 《口》 패배한.
sunk·en [sʌ́ŋkən] *v.* SINK의 과거분사.
—— *a.* **1** 침몰된, 물밑의 ; 내려앉은, 가라앉은 ; 지면보다 낮은 : a ~ rock[reef] 암초 / a ~ garden 주위보다 한층 낮게 또는 둘레에 테라스가 있는 화단용 정원. **2** (눈 따위) 움푹한 ; (볼 따위) 홀쭉한.
sún làmp *n.* **1** ＝SUNLAMP. **2** 〖映〗 포물면경이 있는 큰 전등《영화 촬영용》.
sún·làmp *n.* 태양등(燈)《피부병 치료·미용용》.
sún·less *a.* 햇볕이 들지 않는 ; 어두운, 희망이 없는, 쓸쓸한.
***sún·lìght** *n.* Ⓤ 햇빛, 일광 : artificial ~ 인공 태양 광선(cf. SUNRAY).
sún·lìt *a.* 햇볕에 쬐인, 햇볕이 드는.
sún lòunge *n.* 《英》 일광욕실(＝《美》 sun parlor).
sunn [sʌ́n], **súnn hèmp** *n.* 동인도산 콩과(科) 활나물류 ; 그 섬유. 〖Hindi〗
sun·na, -nah [súnə, sʌ́nə] *n.* [때때로 S~] 수나《Muhammad의 언행에 바탕을 두고 이루어졌다는 이슬람교의 구전(口傳) 율법》. 〖Arab.〗
Sun·ni [súni] *n.* **1** 수니파(派), 수나파《이슬람교의 2대 분파의 하나 ; cf. SHI'A》. **2** ＝SUNNITE.
—— *a.* 수니파의. **-nism** *n.* 수니파의 교리.
Sun·nite [súnait] *n.* 수니파의 교도.
***sún·ny** *a.* **1** 밝게 햇볕이 드는 ; 양지바른(↔ *shady*) : a ~ day 밝게 햇볕이 든 날 / a ~ room 양지바른 방. **2** 명랑한, 쾌활한.
look on the sunny side of things 일을 낙관하다.
on the sunny side of …살 안된(cf. SHADY).
sún·ni·ly *adv.* 햇볕이 들어 ; 명랑[쾌활]하게.
-ni·ness *n.*
sunnyasee ☞ SANNYASI.
súnny-sìde úp *a.* (계란 노른자위가 위로 가게) 한 쪽만 프라이한.

〈회화〉
How do you like your eggs? — *Sunny-side up*, please.「계란을 어떻게 해드릴까요」「한쪽만 프라이해 주세요」

sún pàrlor *n.* 《美》 일광욕실(sun-room).
sún pòrch *n.* 《美》 (특히 유리를 두른) 일광욕실[베란다].
sún·pròof *a.* 광선이 통하지 못하는, 내광(耐光)성의, 햇볕에 바래지 않는.
sún·rày *n.* 태양 광선(sunbeam) ; [*pl.*] 인공 태양 광선《의료용 자외선》.
***sún·rìse** *n.* Ⓤ,Ⓒ 해돋이, 일출 시각 ; 새벽(cf. SUNSET) ; (사물의) 시초, 시작 : a beautiful ~ 아름다운 일출 / at ~ 해가 뜰 때에 / at ~ of the 20th century 20세기 초에.
súnrise ìndustry *n.* 기술 집약형 신흥 산업.
sún·ròof *n.* 일광욕용 옥상[지붕] ; (자동차의) 개폐식 천창 달린 지붕(sunshine roof).
sún-ròom, sún·ròom *n.* ＝SUN PARLOR.
sún·scrèen *n.* 햇볕타기 방지제.
sún·scrèen·ing *a.*
sún·sèek·er *n.* **1** 피한(避寒)객. **2** 향일 장치, (특히 우주선의) 태양 추적 장치.
***sún·sèt** *n.* **1** Ⓤ **a**) 일몰, 해거름(cf. SUNRISE) ; 해질녘 ; 해지는 쪽 : at ~ 해질녘에 / after ~ 일몰 후에. **b**) 저녁놀, 저녁놀 빛. **2** 《비유》 (인생의) 종말, 만년, 말로(decline, close) : the ~ *of* life 만년.
súnset ìndustry *n.* 사양 산업.
súnset làw *n.* 《美》 선셋법, 행정개혁 촉진법《정부 기관[사업] 존폐의 정기적인 검토를 의무화시킨 법률》.
Súnset Státe *n.* [the ~] Oregon 주의 속칭.
sún·shàde *n.* (여성용) 양산(parasol), 햇볕 가리는 데 쓰는 물건《차양(awning), 여성 모자의 챙 따위 ; cf. UMBRELLA》.
‡**sún·shìne** *n.* **1** Ⓤ 햇빛, 햇볕 : in the warm ~ 따뜻한 햇볕에서. **2** Ⓤ 맑은 날씨. **3** Ⓤ 쾌활, 명랑 ; 즐겁게 하는 것.
súnshine làw *n.* 《美》 선샤인법(法), 의사 공개법(議事公開法). 〖Florida(＝*Sunshine* State)에서 최초로 시행됨〗
súnshine pìll *n.* 《美俗》 오렌지 색[모양]의 LSD 정제(cf. ORANGE SUNSHINE).
súnshine recòrder *n.* 자동 일조(日照) (시간) 기록계, 일조계(日照計).
súnshine ròof *n.* ＝SUNROOF.
Súnshine Státe *n.* [the ~] New Mexico [South Dakota, Florida] 주의 속칭.
sún·shìny *a.* 양지바른, 맑은 날씨의 ; 밝은, 명랑한, 쾌활한.
sún·spòt *n.* 〖天〗 태양 흑점 ; 〖醫〗 주근깨 ; 〖映〗 (촬영용의) 강렬한 전등.
súnspot polàrity *n.* 〖天〗 흑점의 극성(極性).
sún·stòne *n.* Ⓤ 일장석(日長石) (cf. MOONSTONE) ; ＝AVENTURINE.
sún·stròke *n.* Ⓤ 일사병(日射病) : have[be affected by] ~ 일사병에 걸리다.
sún·strùck *a.* 일사병에 걸린.
sún·sùit *n.* (일광욕 따위를 위한) (아동용) 가슴받이 달린 반바지.
sún·tàn *n.* (피부의) 햇볕에 그을림 ; 밝은 갈색 ; [*pl.*] 담갈색 여름 군복.
sún-tràp *n.* (집안의) 양지바른 곳.
sún·ùp *n.* 《美·方》 해돋이(sunrise) (cf. SUNDOWN).
sún vìsor *n.* (자동차의 바람막이 유리에 붙이는) 차양판.
sún·ward *a.* 태양쪽의, 태양쪽으로 향한.
—— *adv.* 태양쪽으로, 태양쪽을 향하여.
sún·wards *adv.* ＝SUNWARD.
Sun Wen, Sun Wên [sún wén] *n.* 쑨원(孫文) (1866-1925)《중국의 정치가, 혁명 지도자》.
sún·wìse *adv.* 태양의 운행과 같은 방향으로, 왼쪽에서 오른쪽으로(clockwise).
sún wòrship *n.* 태양[태양신] 숭배.
Sun Yi·xian [sún jíːʃiáːn], **Sun Yat-sen** [-jáːtsén] *n.* 쑨이셴(孫逸仙) (☞ SUN WEN).
sup[1] [sʌ́p] *v.* (**-pp-**) *vi.* [動 / ＋*on*＋名] 저녁

(supper)을 먹다 : My grandfather ~*s* ***on*** bread and milk. 할아버지께서는 빵과 우유로 저녁을 드신다. —— *vt.* …에게 저녁을 주다.
〖OF *souper* < Gmc. ; ⇨ SOP, SOUP〗

sup² *vt., vi.* (**-pp-**) 홀짝이다(sip), 숟가락으로 조금씩 떠먹다 : He needs a long spoon that ~*s* with the devil. 《속담》 악마와 식사할 때는 긴 스푼이 필요하다, 못된 놈을 상대할 때는 마음을 놓을 수가 없다. —— *n.* (음료의) 한 모금〈*of*〉.
〖OE *sūpan* ; cf. G *saufen*〗

sup- [səp, sʌp] ☞ SUB-.

sup. superior ; superlative ; supine ; supplement ; *supra* 《L》 (=above) ; supreme.

Sup. Ct. Superior Court ; Supreme Court.

supe [sú:p] *n.* 《俗》 =SUPER.

su·per [sú:pər ; sjú:-] *n.* **1** 《口》 임시 고용 배우, 엑스트라(supernumerary). **2** 《口》 감독자(superintendent). **3** 〖映〗 특작품 ; 〖商〗 특제품 ; =SUPERMARKET. **4** 〖製本〗 (책 등을 보강시키는) 한랭사. —— *a.* 《口》 극상의(excellent), 특대의, (야드 파운드법에서) 면적의 ; 표면의(superficial). —— *adv.* 대단히, 과도하게, 극도로, 몹시. —— *vt.* (책 등을) 한랭사(寒冷紗)로 보강하다. —— *vi.* 엑스트라[감독]를 맡다. 〖略〗

su·per- [sú:pər ; sjú:-] *pref.* 「(이)상」「과도」「극도」「초월」「〖化〗과(過)…(per-)」의 뜻(↔*sub-*). ㊟ 형용사·명사·동사에 붙임.
〖L (*super* above)〗

super. superfine ; superior ; superintendent ; supernumerary.

su·per·a·ble [sú:pərəbəl ; sjú:-] *a.* 정복할 수 있는. 〖L (*supero* to overcome)〗

sùper·abóund *vi.* 너무 많다, 남아 돌다〈*in, with*〉.

sùper·abúndant *a.* 너무 많은, 남아 도는.
-abúndance *n.* 과다, 과분〈*of*〉.

súper·àcid *n.* 〖化〗 초산(超酸)《강산(強酸)보다도 산성이 강함》.

sùper·áctinide sèries *n.* 〖化〗 슈퍼악티니드 계열《transactinide series보다 큰 원자 번호를 가진 초중(超重) 원소 계열》.

sùper·ádd *vt.* [+目/+目+*to*+名] 그 위에 덧붙이다 : A stomachache was ~*ed* ***to*** my other troubles. 다른 근심도 많은데 복통까지 일어났다.

sùper·álloy *n.* 초(超)합금《산화(酸化)·고온·고압에 견딤》.

su·per·an·nu·ate [sù:pərǽnjuèit ; sjù:-] *vt.* **1** 노쇠[병약]하여 퇴직시키다, 연금을 주어 퇴직시키다. **2** 노후하여[시대에 뒤져서] 제거하다.
—— *vi.* 노령으로 퇴직하다 ; 시대에 뒤지게[아주 낡게] 되다. 〖역성(逆成) < ↓〗

sù·per·án·nu·àt·ed *a.* 노쇠[병약]로 퇴직한 ; 노후(老朽)한 ; 《口》 구식의, 시대에 뒤진(out-of-date). 〖L (*super*-, *annus* year)〗

sù·per·àn·nu·á·tion *n.* Ⓤ 노후 ; 노후 퇴직[퇴역] ; Ⓤ 퇴직 수당[연금].

sùper·atómic *a.* 초원자의.

su·perb [supə́:rb, sə- ; sju-] *a.* **1** 훌륭한, 멋진, 최고급의. **2** (건물 따위가) 당당한, 장려한. **3** 화려한, 눈부신. **~·ly** *adv.* 〖F or L=proud〗
類義語 ⟹ SPLENDID.

súper·bazá(a)r *n.* 《인도》 (특히 정부가 설립한 협동조합 방식의) 슈퍼마켓.

súper·blòck *n.* 초가구(超街區), 슈퍼블록《교통을 차단한 주택·상업 지구》.

súper·bòlt *n.* 〖氣〗 초(超)전광 《10^{13} 와트의 빛에너지를 내는 번개》.

súper·bòmb *n.* 초고성능 폭탄《수소 폭탄 따위》.

súper·bòmb·er *n.* 초(超)대형 폭격기.

Súper Bówl *n.* [the ~] 슈퍼볼《미국 프로 미식 축구의 왕좌 결정전》.

súper·bùg *n.* 슈퍼버그《석유를 대량으로 먹어치우는 박테리아》.

súper·càlender *n.* 슈퍼캘린더《종이에 강광택(強光澤)을 내는 롤 기계》. —— *vt.* 슈퍼캘린더 처리하다.

súper·càlendered *a.* (종이·고무 따위) 특별 광택이 나는, 특히 윤이 나는.

sùper·capácity *n.* 초용량(超容量), 초고성능.

sùper·cárgo [ˌ ˌ-ˌ] *n.* (*pl.* **~s, ~es**) 상선의 화물 감독《선적된 물품의 감독을 위하여 배에 타는 고급 선원》.
〖C17 *supracargo* < Sp. *sobrecargo* (*sobre* over)〗

súper·càrrier *n.* (원자력 따위에 의한) 초(超)대형 항공모함.

súper·cènter *n.* (특히 교외의) 대형 쇼핑센터.

súper·chàrge *vt.* (엔진 따위에) 과급(過給)하다, 여압(與壓)하다. —— *n.* 과급.

súper·chàrger *n.* (엔진 따위의) 과급기.

súper·chìc *a.* 최고급의 : a ~ restaurant 최고급 식당.

súper·chìp *n.* 슈퍼칩, 초(超)LSI《대규모 집적 회로(集積回路)》.

súper·chùrch *n.* 거대 교회《여러 교파(教派)의 통합 교회》.

sùper·cíl·i·ary [-sílièri ; -əri] *a.* 〖解·動〗 눈(썹) 위에 있는 ; 눈썹의.

su·per·cil·i·ous [sù:pərsíliəs ; sjù:-] *a.* 남을 얕보는, 거만한, 거드름피우는.
~·ly *adv.* **~·ness** *n.*

súper·cìty *n.* 거대 도시, 대(大)도시권.

súper·clàss *n.* 〖生〗 (분류상의) 초강(超綱).

súper·clùster *n.* 〖天〗 초(超)은하 집단.

sùper·colóssal *a.* (과장된 표현으로서) 무지무지하게 거대한, 초대작의.

sùper·columniátion *n.* Ⓤ 〖建〗 중열주(重列柱) ; 중열주식 건축.

sùper·compúter *n.* 초고속 컴퓨터.

sùper·condúct *vi.* 〖理〗 초전도하다.

sùper·condúction *n.* 〖理〗 초전도.

sùper·conductívity *n.* 〖理〗 초전도(超傳導)성.

sùper·condúctor *n.* 초전도체.

sùper·cóol *vt., vi.* 〖化〗 (액체를) 응고시키지 않고 어는점 이하로 냉각(冷却)시키다, 과냉(過冷)하다[되다].

súper·còuntry *n.* 초대국.

súper·cràt *n.* 《口》 (각료급) 고급 관료, 고관.

sùper·crítical *a.* 〖理〗 (핵반응 물질 농도 따위) 임계(臨界) 초과의, 초임계의 : ~ state 초임계 상태. **~·ly** *adv.*

supercrítical wíng *n.* 〖空〗 초임계(超臨界)날개, 천(遷)음속날개《기류가 날개 위를 초음속으로 흘러 충격파 발생을 제거케 한 날개》.

sùper·cúrrent *n.* 〖理〗 초전도 전류.

súper·dòme *n.* 슈퍼돔《둥근 지붕에 냉난방 완비의 초대형 스타디움》.

sùper·dóminant *n.* 〖樂〗 버금가온음, (음계의) 제6음.

sùper·dréad·nòught *n.* 초노급함(超弩級艦) 《dreadnought보다도 강력함》.

su·per·du·per [sú:pərdjú:pər ; sjú:-] *a.* 《口》 훌륭한, 월등히 좋은, 거대한, 극상의.
〖가중(加重) < *super*〗

sùper·égo *n.* 〖精神分析〗 초자아(超自我).

〚NL ; cf. G *Über-ich*〛
sùper·elevátion *n.* **1** 외쪽 경사(傾斜)《철도·고속도로 따위의 커브길에서 안쪽 레일과 바깥쪽 레일과의 높이의 차》. **2** 추가적으로 높이기.
sùper·éminent *a.* 탁월한, 빼어난.
-éminence *n.*
su·per·er·o·gate [sù:pərérəgèit ; sjù:-] *vi.* 과도하게 일하다 ; 직무 이상으로 일하여 보충하다.
su·per·er·o·ga·tion [sù:pərèrəgéiʃən ; sjù:-] *n.* Ⓤ 직무 이상으로 근무하기 ; 〔神學〕 공덕(功德), 적선 : works of ~ 공덕.
〚L (SUPER*erogo* to pay in addition)〛
sù·per·eróg·a·tò·ry [-irágətɔ̀:ri ; -təri] *a.* 직무 이상의 일을 하는 ; 여분의.
su·per·ette [sù:pərét, ⸗-⸗ ; sjù:-] *n.* 소형(小型) 슈퍼마켓.
sùper·éxcellent *a.* 극히 우수한, 더없는.
sùper·éxcellence *n.*
sùper·expréss *a.* 초(超)특급의. —— *n.* 초(超)특급 열차.
súper·fàmily *n.* 〔生〕 (분류상의) 상과(上科), 초과(超科).
sùper·fátted *a.* (비누가) 지방분이 너무 많은.
sùper·féc·ta [-féktə] *n.* 《美》〔競馬〕 초연승(超連勝) 단식《1등에서 4등까지를 알아맞히는 ; cf. PERFECTA, TRIFECTA》. 〚*super-*+per*fecta*〛
sùper·fecundátion *n.* 과임신(過姙娠)《같은 배란기에 나온 두개 이상의 난자가 특히 다른 부(父)의 정자에 의해 수태되기》.
sùper·fémale *n.* 〔遺〕 초자(超雌)《X 염색체 수가 보통보다 많은 불임자성(不姙雌性) 생물, 특히 초파리》.
Su·per·fet [sú:pərfet] *n.* 《美》 슈퍼펫《고속·대(大)전력 집적회로의 일종 ; 상표명》.
sùper·fetátion *n.* 〔動〕 과수태[수정](過受胎[受精]), 이기복임신(異期複姙娠)《다른 배란기에 나온 두개 이상의 난자가 수태하기》; 〔植〕 동일(同一) 밀씨의 다른 종류의 화분에 의한 수정 ; 과잉산출[축적], 누적.
***su·per·fi·cial** [sù:pərfíʃəl ; sjù:-] *a.* **1** 표면의, 외면의, 외관의 : a ~ resemblance 외형상의 유사성 / a ~ wound 가벼운 상처. **2** 깊이가 없는, 천박한, 피상적인, 영향이 적은 : ~ knowledge 천박한 지식 / a ~ observer 피상적인 관찰자. **3** 면적의, 제곱의(square).
~·ly *adv.* 외면적으로, 피상적으로, 천박하게.
〚L=of the surface ; ⇨ FACE〛
類義語 ***superficial*** 사물의 외면[외관]상 분명하게 알 수 있는 부분에 한정되는 ; 나쁜 의미로는 깊이·철저·중요성 따위가 없는 : a *superficial* observation (피상적인 관찰). ***shallow*** 품성·지성·의미 따위에 깊이가 없는 : *shallow* mind [writing] (천박한 생각[저작]). ***cursory*** 세부를 보지 않고 서둘러 관찰[생각]한 ; 좋은 의미로도 나쁜 의미로도 쓰인다 : a *cursory* reading (쭉 훑어 읽기).
su·per·fi·ci·al·i·ty [sù:pərfìʃiǽləti ; sjù:-] *n.* **1** Ⓤ 천박, 피상(皮相). **2** 천박한 사물.
su·per·fi·ci·es [sù:pərfíʃìi:z ; sjù:-] *n.* (*pl.* ~) 표면, 외면 ; (본질에 대하여) 외관, 외모 ; 면적 ; 〔法〕 지상권(地上權). 〚L〛
súper·film *n.* 〔映〕 특작품.
sùper·fíne *a.* **1** 〔商〕 극상의, 최고급의. **2** 지나치게 섬세한 ; 너무 점잔빼는.
súper·fix *n.* 〔音聲〕 상피(上被) 《합성어 따위 일정한 단어 결합에서 공통으로 나타나는 강세형(型) ; 합성 명사의 ⸗⸗ 따위》.
sùper·flúid *n., a.* 〔理〕 초유동체(超流動體)(의). **-fluídity** *n.* 〔理〕 초유동.
su·per·flu·i·ty [sù:pərflú:əti ; sjù:-] *n.* **1** U,C 여분, 과잉, 과다〈*of*〉. **2** [보통 *pl.*] 여분의 것, 무용지물, 사치품 ; 남아 도는 재산.
su·per·flu·ous [supə́:rfluəs ; sjú:-] *a.* 여분의, 남아 도는 ; 불필요한 : ~ wealth[knowledge] 남아 돌 정도의 부[지식]. **~·ly** *adv.*
〚L=running over (*fluo* to flow)〛
Súper·fòrtress, -fòrt *n.* 〔美軍〕 초(超)공중 요새《2차 대전 말의 B-29 ; 후의 B-50》.
sùper·fréeze *vt.* …을 극도로 냉각하다.
súper·gìant *n.* 아주 거대한 것 ; 〔天〕 초거성(=⸗ **stár**) (cf. GIANT STAR). —— *a.* 아주 거대한.
súper·gròup *n.* 〔樂〕 슈퍼그룹《해체된 몇 개 그룹의 우수한 멤버들로 재편성된 록 밴드》.
súper·hàwk *n.* (핵전쟁도 불사하는) 초강경파의 사람.
sùper·héat *vt.* 과열하다. —— [⸗⸗] *n.* U,C 과열(상태). **~·er** *n.* 과열기[장치].
sùper·héavy *a.* 〔理〕 초중(超重)의 《기지(旣知)의 것보다 큰 원자 번호·원자 질량을 가짐》: ~ atom 초중 원자. —— *n.* 초중 원소.
superhéavy èlements *n. pl.* 〔理〕 초중 원소.
súper·hèlix *n.* 〔生化〕 초(超)헬릭스《DNA 따위의 나선 구조를 가진 두 사슬이 다시 꼬인 것》.
súper·hèro *n.* 슈퍼히어로《(1) 초(超)일류의 탤런트·운동선수(superstar). (2) 만화 따위에서 초인적 능력으로 악과 싸우는 가공의 영웅》.
sùper·hétero·dỳne *n.* Ⓤ 〔通信〕 초(超)헤테로다인 ; Ⓒ 고감도 수신장치. —— *a.* 슈퍼헤테로다인(장치)의.
súper·hìgh fréquency *n.* 〔電〕 초(超)고주파 《3-30 gigahertz ; 略 SHF》.
súperhigh préssure *n.* 〔電〕 초고압.
sùper·hígh·wày *n.* 《美》 고속도로《expressway, turnpike 따위의 총칭》.
sùper·húman *a.* 초인적인, 인간이 한 일이 아닌 ; 신의 일인, 신의(divine).
sùper·impóse *vt.* (…위에) 놓다〈*on*〉; 첨가하다 ; 〔映〕 2중 인화(印畫)하다.
sùper·incúmbent *a.* 위에 있는《하늘 따위》; 위로부터의《압력 따위》.
sùper·indúce *vt.* 덧붙이다, 병발(倂發)시키다 《병 따위》.
sùper·indúction *n.* Ⓤ 첨가 ; (딴 병의) 병발.
su·per·in·tend [sù:pərinténd ; sjù:-] *vt., vi.* (일·종업원·시설 따위를) 감독하다(supervise), 관리하다, 지배하다.
〚L ; Gk. *episkopō*의 역(譯)〛
su·per·in·tend·ence [sù:pərinténdəns ; sjù:-] *n.* Ⓤ 감독 : under the ~ of …의 감독하에.
sù·per·in·ténd·en·cy *n.* Ⓤ 감독권 ; 감독자의 지위[직무·임기].
sù·per·in·ténd·ent *n.* **1** 감독(자), 관리자, 중역, 지휘자 : a ~ of schools 교육감. **2** 장관, 부장, (관리) 국장, 원장 ; 교장, 소장. **3** 《英》 총경(police superintendent)《inspector의 윗자리》.
—— *a.* 감독[지배, 관리]하는.
***su·pe·ri·or** [supíəriər ; sju(:)-] *a.* **1** 훌륭한, 보다 나은(better) (↔*inferior*) : Their machine is ~ *to* ours. 그들의 기계는 우리들 것보다 더 낫다. **2** 우수한, 고급의(excellent) : a ~ person 우수한 사람 ; 《蔑》 높으신 어른. **3** 우세한, 다수의 〈*to*〉: escape by ~ speed 상대방보다 빠른 속도로 도망치다 / the ~ numbers (투표 따위의) 다수, 우세. **4** 상급의, 상관의, 고위의, (…보다) 위

의〈*to*〉. **5** 오만한(haughty) : with a ~ air 오만하게. **6** 초월한, 좌우되지 않는 : He is ~ *to* flattery[temptation]. 아첨[유혹]에 빠지지 않는다. **7** 상부의, 위(쪽)의. **8** 〔植〕 (꽃받침이) 씨방 위에 있는, 위에 생기는. **9** 〔印〕 위에 붙은, 어깨에 붙은(superscript) (↔*inferior*) : a ~ figure [letter] 어깨숫자[글자]《보기 shock², x^n의 2, *n* 따위》. —— *n.* **1** 뛰어난 사람, 훌륭한 사람, 우월자. **2** 상관, 손윗 사람, 선배. **3** [S~, 때때로 the Father[Mother, Lady] S~] 수도원장. **4** 〔印〕 어깨글자[숫자] (cf. *a.* 9).
〖OF<L (compar.) ‹*superus* upper ; ⇨ SUPER-〗

Superior *n.* [Lake ~] 슈피리어호(湖)《미국 Michigan 주와 캐나다 Ontario 주 사이에 있으며 5대호(the Great Lakes) 중에서 가장 큰 호수 ; 세계 최대의 담수호(淡水湖)》.

supérior cóurt *n.* 《美》 상급 법원 ; 《英》 고등[항소] 법원.

***su·pe·ri·or·i·ty** [su(:)pìəriɔ́(:)rəti, -ár- ; sju:-] *n.* Ⓤ 우월, 탁월, 우세, 위, 한수 위〈*over, to*〉(↔ *inferiority*) ; 오만.

superiórity còmplex *n.* 〔精神分析〕 우월 복합, 우월감(↔*inferiority complex*) ; 《口》 우월감.

supérior plánet *n.* 〔天〕 외행성《지구보다 궤도가 큰 행성 ; 화성 따위 ; cf. PLANET¹》.

súper·jèt *n.* 초음속[점보] 제트기.

superl. superlative.

su·per·la·tive [supə́:rlətiv ; sju:-] *a.* **1** 최고(도)의 ; 최상의(supreme) ; 과도의(excessive). **2** 〔文法〕 최상급의(cf. POSITIVE, COMPARATIVE) : the ~ degree 최상급. —— *n.* **1** 〔文法〕 **a**) [the ~] 최상급 : *the* absolute ~ 절대 최상급《다른 것과 비교해서가 아니라 막연히 정도의 최고성을 나타낸다》. **b**) 최상급의 어형(語形). **2** [보통 *pl.*] 최상급의 말[찬사] : full of ~*s* (말 따위) 과장된 / speak[talk] in ~*s* 과장해서 말하다. **3** 최고도 ; 극치, 완벽. **4** 최고의[비길 바 없는] 사람[것].
~**·ly** *adv.* ~**·ness** *n.*
〖OF<L SUPER *lat-* -*fero* to carry over, raise high〗

súper·lìner *n.* 대형 호화 쾌속 객선.

su·per·lu·na·ry [sù:pərlú:nəri ; sjù:-], **-lúnar** *a.* 달 저편의 ; 하늘의 ; 이승이 아닌(cf. SUBLUNAR, TRANSLUNARY).

súper·màle *n.* 〔遺〕 초웅(超雄) (metamale)《상(常)염색체 수가 보통보다 많은 생식력 없는 웅성(雄性) 생물, 특히 초파리》.

súper·màn *n.* 슈퍼맨, 초인 ; 〔哲〕 (Nietzsche가 제창한) 초인 ; [S~] 슈퍼맨《Jerry Siegel과 Joe Shuster의 만화 주인공인 초인》.
〖G. B. Shaw가 Nietzsche의 *Übermensch*에서 만든 말〗

***súper·màrket** *n.* 슈퍼마켓.

súper·màrt *n.* =SUPERMARKET.

sùper·médial *a.* 중(中) 이상의, 중심보다 위인.

sùper·mícroscope *n.* 초(超)현미경《전자현미경의 일종》.

súper mínicomputer *n.* 〔컴퓨〕 슈퍼 미니컴퓨터《종래의 16비트 미니컴퓨터에 대하여 32비트의 연산 처리 단위를 가짐》.

súper·mòlecule *n.* 〔化〕 거대[집합] 분자, 초(超)분자.

sùper·múndane *a.* 속세[현세]를 초월한.

su·per·nac·u·lum [sù:pərnǽkjələm ; sjù:-] *adv.* 《英》 마지막 한 방울까지 : drink ~ 마지막 한 방울까지 마시다. —— *n.* 상등품의 것, (특히) 극상품의 술.

su·per·nal [supə́:rnl ; sju:-] *a.* 《詩·文語》 **1** 하늘(위)의, 신의(divine) (↔*infernal*). **2** 정상(頂上)의, 높은. 〖OF〗

sùper·nátant *a.* 표면 위로 떠오르는 ; 〔化〕 상청의. —— *n.* 〔化〕 상청.

***sùper·nátural** *a.* 초자연의 ; 불가사의한 ; 신의 조화인 ; 이상한. —— *n.* [the ~] 초자연적인 것, 신의 조화, 신통력, 불가사의. ~**·ist** *n.* 초자연론자. ~**·ly** *adv.*

sùper·nátural·ìsm *n.* Ⓤ 초자연성, 초자연(론) ; 초자연력 숭배.

súper·nàture *n.* 초자연.

sùper·nórmal *a.* 비범한, 보통이 아닌.

sùper·nóva *n.* (*pl.* **-nóvae, ~s**) 〔天〕 초신성(超新星)《갑자기 태양의 천만 배에서 억 배까지 밝아지는 변광성(變光星)의 일종》. 〖NL〗

súper NÓW[nów] accòunt *n.* 〔美金融〕 슈퍼나우 예금 계좌《시장 금리에 연동(連動)하여 이자가 붙는 NOW account》.

sùper·núke *n.* 《美口》 원자력 발전소의 상주 기술 고문.

sùper·númerary *a.* 정원 외의, 남아 도는. —— *n.* 정원 외의 사람, 과잉물 ; 임시 직원 ; 〔劇〕 단역을 맡은 사람, 엑스트라(cf. SUPER).
〖L ; ⇨ NUMBER〗

sùper·nutrítion *n.* Ⓤ 영양 과다[과잉].

súper·òrder *n.* 〔生〕 (분류학상의) 상목(上目)《강(綱)의 아래》.

sùper·órdinate *a.* (격·지위 따위가) 상위의〈*to*〉; 〔論〕 상위의《개념》. —— *n.* 상위의 사람[것]. —— *vt.* 상위로 하다.

sùper·orgánic *a.* 초유기적(超有機的)인, 형이상(形而上)의, 정신적인.

sùper·phósphate *n.* 〔化〕 과인산염(過燐酸鹽) ; 과인산 비료.

sùper·phýsical *a.* 초물질적인, 물리학적으로 설명할 수 없는.

sùper·plastícity *n.* (합금의) 초(超)가소성.
-plástic *a., n.* 초가소성의 (물질).

súper·pòrt *n.* 초대형 항구《매머드 탱커 따위를 위해 특히 해상에 건설된 것》.

su·per·pose [sù:pərpóuz ; sjù:-] *vt.* 위에 두다, (…의 위에) 겹쳐 놓다〈*on*〉; 〔數〕 (도형 따위를) 겹쳐 놓다. 〖F ; ⇨ POSE¹〗

su·per·po·si·tion [sù:pərpəzíʃən ; sjù:-] *n.* 위에 놓음, 겹침, 포갬.

sùper·pótent *a.* 특히 강력한, (약품 따위가) 초(超)효력의. **-pótency** *n.*

súper·pòwer *n.* **1** Ⓤ 비상[강대]한 힘 ; 〔電〕 과력(過力), 초출력(超出力). **2** 초강대국 ; 강력한 국제(연합) 기구[기관].

súper príme ráte *n.* 〔美金融〕 초우대 대출 금리《prime rate보다 낮음》.

súper·ràce *n.* (타민족보다 뛰어나다고 생각하는) 우수 민족.

súper rát *n.* (종래의 쥐약 따위의 독물에 대해 유전적 면역성을 획득한) 슈퍼 쥐.

sùper·réal·ìsm *n.* =SURREALISM.
-ist *n.* =SURREALIST.

sùper·sáturate *vt.* 과도히 포화시키다.
-saturátion *n.* 과포화(過飽和).

Súper Sáver *n.* 《美》 초(超)할인 국내 항공 운임《30일 전에 구입, 7일 이상의 여행이 조건》.

súper·scrìbe *vt.* (이름 따위를) 위에 쓰다 ; (편지·소포의) 겉봉을 쓰다.
〖L ; ⇨ SCRIBE〗

súper·scrìpt *a.* (문자·부호가) 위에 붙은(superior).
—— *n.* (오른쪽 위에 쓰는) 어깨문자[기호·숫자] 《보기 $a^3 \times b^n$의 3, *n* 따위; ↔*subscript*》.
sùper·scríption *n.* 위에 쓰기; 표제, 명(銘); (편지·소포의) 주소 성명.
sùper·sécret *a.* 초(超)극비의(top secret).
su·per·sede, -cede [sù:pərsí:d; sjù:-] *vt.* [+目/+目+*by*+名] …을 대신하다, …의 지위를 빼앗다(displace); 폐기하다; (직원 등을) 교체하다, 면직하다: The use of machinery has largely ~*d* manual labor. 기계의 사용이 광범위하게 인력을 대신하게 되었다 / A new mayor has ~*d* the old one. 신임 시장이 전시장과 교체되었다 / We must ~ old machines ***by*** new ones. 낡은 기계를 새 것으로 바꾸지 않으면 안된다.
〖OF<L *super*-(*sedeo* to sit)=to be superior to〗
類義語 ⟹ REPLACE.
su·per·se·de·as [sù:pərsí:diəs; sjù:-] *n.* (*pl.* ~) 〖法〗 소송 중지 영장.
〖L〗
su·per·se·dure [sù:pərsí:dʒər; sjù:-] *n.* 대신 들어섬; 교체, 경질, (특히) 신구(新舊) 여왕벌의 교체.
sùper·sénsible *a.* 오감을 초월한, 정신적인, 영혼의.
sùper·sénsitive *a.* (감각이) 과민한, 너무 민감한; 〖寫〗 고감도의.
sùper·sénsual *a.* 오감을 초월한, 정신적인, 관념적인; 극히 관능적인.
su·per·ses·sion [sù:pərséʃən; sjù:-] *n.* Ⓤ 대신 들어서기[앉기], 대체, 대용; 폐기, 폐지.
súper·sèx *n.* 〖遺〗 초성(超性)《성염색체 비율이 문란해진 중성의 유기체[생물]》.
súper·shìp *n.* 초대형 선박, (특히) 매머드 탱커.
sùper·sónic *a.* **1** 〖空〗 초음속의(cf. SONIC) (↔*subsonic*): ~ speed 초음속. **2** 〖理〗 초음파의 《주파수가 20,000 이상》: ~ waves 초음파.
—— *n.* 초음파; 초음속(항공)기.
sùper·són·ics *n.* Ⓤ 초음속학; 초음파학.
supersónic trànsport *n.* 〖空〗 초음속 수송기[여객기]《略 SST》.
súper·sòund *n.* Ⓤ =ULTRASOUND.
súper·spàce *n.* 〖理〗 초(超)공간《3차원의 공간이 점으로 되는 공간》.
súper·spèed *a.* 초고속의, (특히) 초음속의.
súper·stàr *n.* **1** (스포츠·예능의) 슈퍼스타. **2** 〖天〗 강력한 전자기파(電磁氣波)를 내는 천체.
súper·stàte *n.* (가맹국들을 지배하는) 국제 정치 기구; 초(超)대국(superpower); 전체주의 국가.
súper stèreo *n.* 〖音響〗 슈퍼 스테레오《연주회장의 가장 좋은 위치에서 듣는 것 같은 입체 음향 재생(再生)》.
***su·per·sti·tion** [sù:pərstíʃən; sjù:-] *n.* Ⓤ,Ⓒ 미신; 미신적 관습[행위]; 《蔑》 사교(邪敎) 신앙: do away with a ~ 미신을 타파하다.
〖OF or L=standing over (as witness or survivor) (*sto* to stand)〗
su·per·sti·tious [sù:pərstíʃəs; sjù:-] *a.* 미신의, 미신적인, 미신에 홀린.
~·ly *adv.*
súper·stòre *n.* 《英》 대형 슈퍼마켓, 슈퍼스토어(hypermarket).
súper·stràtum *n.* 상층(上層).
súper·strùcture *n.* 상부 구조; (토대 위의) 건축, 건물(cf. SUBSTRUCTURE).
sùper·súbmarine *n.* 대형 잠수함.
sùper·súbtle *a.* 지나치게 미세한.
súper·tànk·er *n.* 초대형 유조선.
súper·tàx *n.* Ⓤ,Ⓒ 《美》 =SURTAX; 《英》 소득세 초과 누진 부가세《1909-29년 실시, 이후 surtax로 됨》.
sùper·tónic *n.* 〖樂〗 (음계의) 제2음, 위으뜸음.
Súper (Tràde Láw) 301 *n.* 슈퍼 301조.
sùper·tràns·uránic *n., a.* 〖理·化〗 초초(超超)우라늄 원소(元素)(의).
súper·vaccìne *n.* 슈퍼백신《여러 종류의 바이러스에 대해 면역이 있는 백신》.
su·per·vene [sù:pərví:n; sjù:-] *vi.* 연달아 일어나다, 병발하다; 부수(附隨)하다, 결과로 일어나다. **sù·per·vén·tion** [-vénʃən] *n.*
〖L *super*-(*vent*- *venio* to come)〗
***su·per·vise** [sú:pərvàiz; sjú:-] *vt.* 감독[지시·지휘]하다, 단속하다, 관리하다(oversee): ~ work[workers, a project] 일[노무자, 계획]을 감독하다.
〖L *super*-(*vis*- *video* to see)〗
su·per·vi·sion [sù:pərvíʒən; sjù:-] *n.* Ⓤ 감독, 지휘, 관리: under the ~ of …의 감독하에.
sú·per·vì·sor *n.* **1** 감독자, 감시자; 이사(理事), 관리인. **2** 《美》 (민선(民選)의) 군수, 읍장; (공립 학교의) 교사 지도 장학관. **3** 《英》 (철도의) 보선(保線)담당자. **4** 〖컴퓨〗 슈퍼바이저, 감시자.
su·per·vi·so·ry [sù:pərváizəri; sjú:pəvài-] *a.* 감독의, 관리의.
súper·wàter *n.* =POLYWATER.
súper·wèapon *n.* 초강력 병기(兵器).
su·pi·nate [sú:pənèit; sjú:-] *vt., vi.* 〖生理〗 (손바닥·발바닥을) 위로 향하(게 하)다, 외전(外轉)하다(↔*pronate*).
sù·pi·ná·tion *n.* (손발의) 외전(外轉).
su·pine[1] [su:páin, ∸-; sju:-, ∸-] *a.* **1** 반듯이 누운(cf. PRONE 2). **2** 나태한(indolent); 게으른.
~·ly *adv.* 반듯이 누워; 태만하게.
〖L (*super* above)〗
su·pine[2] [sú:pain; sjú:-] *n.* 〖文法〗 (라틴어로) 동사적 명사(verbal noun), 동명사; (영어로) to가 붙은 부정사(to-infinitive). 〖L (↑)〗
◇**sup·per** [sʌ́pər] *n.* **1** 저녁 식사《낮에 그날 제일 잘 차린 「정찬」인 dinner를 먹었을 때 저녁에 먹는 것; 아침 breakfast—점심 dinner—오후 tea—저녁 supper의 순서가 중류·하류 사회에서 보통이다》. **2** 밤참《아침 breakfast—점심 lunch—오후 tea—만찬 dinner가 상류·유한계급 사이에서의 보통 순서인데, 그후 파티나 연극 관람후 밤늦게 드는 야식(夜食)》; (식사가 나오는) 저녁 모임. ㊟ supper가 「식사 시간 (mealtime)」 또는 「식사의 양(量)」을 의미하면 Ⓤ, 「식사의 좋고 나쁨, 그 종류」를 의미하면 Ⓒ: It's time for ~. 저녁 식사 시간입니다 / What's there for ~? 저녁 식사는 뭐지 / at[before, after] ~ 저녁 식사 중[전에, 후에] / have[take] ~ 저녁을 먹다 / She didn't eat much ~. 저녁을 조금 먹었다 / It was a good ~. 훌륭한 저녁 식사였다 / The hotel is famous for its elaborate ~*s*. 그 호텔은 공들인 저녁 식사《요리》로 유명하다.
—— *vt., vi.* 《稀》 supper를 내다[먹다].
~·less *a.* 저녁 식사를 하지 않은.
〖OF *souper*; ⇨ SUP[1]〗
súpper clùb *n.* 《美》 (식사·음료를 제공하는) 고급 나이트클럽.
súpper·tìme *n.* Ⓤ 저녁 식사 때: at ~ 저녁 식사 때에.
supp(l). supplement(ary).

sup·plant [səplǽ(ː)nt ; -plɑ́ːnt] *vt.* **1** …에 대신하다(supersede) : All the trams in the city will shortly be ~*ed* by buses. 모든 시내 전차는 머지않아 버스로 대체된다. **2** (책략·음모·수단 따위로) …에 대신 들어앉다, 밀어내고 대신 들어앉다 : The chief retainer plotted to ~ the lord. 하인장(下人長)은 주인을 밀어내고 대신 들어서려고 음모를 꾸몄다 / May was ~*ed* in her lover's affections by her sister. 메이는 동생에게 연인의 사랑을 빼앗겼다.
〖OF or L *sup*-(*planto*＜*planta* sole of the foot)＝to trip up〗
類義語 ⟹ REPLACE.

sup·ple [sʌ́pəl] *a.* (**-pler ; -plest**) **1** 나긋나긋한 ; 순응성이 있는, 유연한. **2** 유순한 ; (특히) 알랑거리는, 비굴한.
—— *vt., vi.* 유순하게 하다[되다] ; (말을) 길들이다. **~·ly** *adv.* 나긋나긋하게 ; 유연[유순]하게.
〖OF＜L *supplex* submissive, bending under〗
類義語 ⟹ ELASTIC.

súpple·jàck *n.* 〔植〕 등나무류의 반연식물, (특히) 청사조 나무 ; 청사조로 만든 지팡이.

sup·ple·ment [sʌ́pləmənt] *n.* 보충, 증보(增補), 추가 ; 부록, 증간(增刊) ; 〔數〕 보각(補角) (cf. COMPLEMENT) : a ~ to a magazine 잡지의 부록. ——[sʌ́pləmènt] *vt.* 보충하다, 추가하다 ; 증보하다 ; …에 부록을 붙이다.
〖L (*suppleo* to SUPPLY[1])〗
類義語 ***supplement*** 최신의 지식을 추가하거나 잘못을 정정하거나 하여 책의 내용을 완전히 하기 위하여 뒤에 첨가한 부분. ***appendix*** 책의 내용 이외의 지식을 제공하기 위하여 첨가한 부분 ; 전체의 완전성을 위해서 반드시 필요한 것은 아님.

sup·ple·men·tal [sʌ̀pləméntl] *n., a.* ＝SUPPLEMENTARY.

sup·ple·men·ta·ry [sʌ̀pləméntəri] *n., a.* 보충(하는), 추가(의) ; 부록(의) (additional) ; 〔數〕 보각(의).

suppleméntary ángle *n.* 〔數〕 보각(補角).

suppleméntary bénefit *n.* 《英》 추가 급부(給付) 《일종의 극빈자 보호》.

suppleméntary únit *n.* 보조 단위.

sup·ple·tion [səplíːʃən] *n.* 〔言〕 보충법《어형 변화가 없는 형(形)을 다른 어원의 말로 보충하기 ; 보기 go, *went*, gone ; good, *better*, *best* 따위의 이탤릭체 부분》.

sup·ple·to·ry [səplíːtəri, sʌ́plətɔ̀ːri ; -təri] *a.* 《옛투》 보충의, 보유(補遺)의.

sup·pli·ance[1] [səpláiəns], **sup·pli·al** [səpláiəl] *n.* 공급, 보충.
〖SUPPLY[1]〗

sup·pli·ance[2], **-cy** [sʌ́pliəns(i)] *n.* Ⓤ 탄원, 애원(supplication)〈*for*〉: in *suppliance* ***for*** …을 간청하여. 〖↓〗

súp·pli·ant *a.* **1** 탄원하는, 애원하는, 갈망하는 (entreating). **2** 탄원[애원]하는 듯한, 매달리는 듯한. —— *n.* 탄원자, 애원자.
~·ly *adv.* 탄원[애원]하여.
〖F ; ⇨ SUPPLICATE〗

sup·pli·cant [sʌ́plikənt] *n., a.* ＝SUPPLIANT.

sup·pli·cate [sʌ́pləkèit] *vt.* **1** [＋目 / ＋目＋*for*＋名 / ＋目＋*to* do] …에 탄원[애원]하다, 울며 매달리다 : She ~*d* the judge ***for*** protection [*to* spare her husband]. 판사에게 보호[남편의 구명]를 탄원하였다. **2** (신에게) 기원하다.
—— *vi.* [＋*for*＋名] 탄원[애원]하다 : ~ ***for*** pardon 용서를 빌다.
〖L (*supplico* to kneel ; ⇨ SUPPLE)〗
類義語 ⟹ APPEAL.

sùp·pli·cá·tion *n.* Ⓤ 간청, 애원 ; 탄원 ; Ⓤ,Ⓒ 〔宗〕 기도, 기원(祈願).

súp·pli·cà·tor *n.* 탄원자, 애원자 ; 기도를 올리는 사람, 기원자.

sup·pli·ca·to·ry [sʌ́plikətɔ̀ːri ; -kèitəri] *a.* 탄원하는, 간절히 바라는 ; 기원하는.

supplíer's crèdit *n.* 서플라이어즈 크레디트《수출업자 자신이 수입업자들에게 연불(延拂) 신용을 공여하는 거래 형태 ; cf. BANK LOAN, BUYER'S CREDIT》.

‡**sup·ply**[1] [səplái] *vt.* **1 a**) [＋目＋前＋名 / 《美》＋目＋目 / ＋目] 공급하다 : Cows ~ us (***with***) milk. 암소는 우리에게 우유를 제공한다《with를 생략함은 《美》》 / The libraries in large cities are well *supplied with* books on many subjects. 대도시의 도서관에는 많은 항목의 도서가 풍부하게 소장되어 있다 / This school *supplies* textbooks ***for*** the pupils.＝This school *supplies* the pupils *with* textbooks. 이 학교는 학생들에게 교재를 지급한다 / Water is *supplied* abundantly ***to*** every household. 물은 모든 가정으로 풍부하게 공급된다 / *S*~ me the exact dates, please! 《美》 정확한 약속 날짜를 알려 주십시오 / We can ~ any quantity of these goods. 이 물품은 얼마든지 주문에 응해 드립니다. **b**) …에 배급[배달]하다 : Families *supplied* daily. (주문품은) 매일 귀 가정까지 배달해 드립니다《상점의 광고문》. **2** (부족을) 보충하다, 메우다 ; (필요를) 충족시키다, (수요에) 응하다 : ~ a want 부족을 충족시키다 / ~ the need for cheap houses 수요자에게 저렴한 주택을 제공하다 / We've got just enough to ~ the demand. 그럭저럭 수요에 응할 만큼은 있다. **3** (지위 따위를) 대신 차지하다, …의 대리[후보] 노릇을 하다 : ~ a pulpit 설교를 대행하다.
—— *vi.* 대역(代役)을 하다.
—— *n.* **1** Ⓤ 공급, 배급, 지급, 보급 : ~ and demand＝demand and ~ 〔經〕 수요와 공급 / in short ~ (물품이) 부족하여. **2** 공급품, 지급품, 비품. **3** [때때로 *pl.*] 양식, 군량(軍糧), 군대생활 필수품《의식(衣食)·연료·비누 따위》; 병참(兵站) ; Ⓤ 군수(軍需). **4** [때때로 *pl.*] (의회의 협의를 거친) 세출, 경비 : the Committee of *S*~ 《英》 하원 예산위원회. **5** [*pl.*] (개인의) 지출, 송금 ; 〔電〕 전원 : cut off the *supplies* (생활비·학비 따위의) 송금을 끊다. **6** 후보, (목사·교사 등의) 대리.
—— *a.* 보조가 되는 ; 공급하는 ; 〔電〕 전원의.
sup·plí·er *n.*
〖OF＜L *suppleo* to fill up〗
類義語 ⟹ PROVIDE.

sup·ply[2] [sʌ́pli] *adv.* ＝SUPPLELY.

supplý dày *n.* 《英》 정부 세출의 개산(槪算) 승인을 의회에 요청하는 날.

supplý-sìde económics *n.* 〔經〕 공급측(중시)의 경제(이론)《감세 따위의 정책을 통하여 재화 및 용역의 공급증가를 꾀하고 고용을 확대하려는 이론》.

supplý-sìder *n.* 공급측의 경제학을 주장하는 미국 경제학의 한 파.

supplý tèacher *n.* 《英》 임시 임용 교원.

‡**sup·port** [səpɔ́ːrt] *vt.* **1** [＋目 / ＋目＋前＋名] 버티다 ; 가라앉지 않게 해 놓다 : Walls ~ the roof. 벽이 지붕을 버티고 있다 / He ~*ed* himself ***on*** my arm. 나의 팔에 기대어 섰다. **2** [＋目 / ＋

目+前+名] 유지하다, 지속시키다 ; 기운나게 하다 : I was ~*ed* by the hope for the future. 미래를 향한 희망으로 기운을 내었다. **3** 참다, 견디다(endure) : She managed to ~ her fatigue. 이럭저럭 피로를 견딜 수 있었다. **4** 부양하다(provide for) : I have a wife and two children to ~. 처와 두 아이를 부양하지 않으면 안된다 / ~ oneself 자활하다. **5** (시설 따위를) 재정적으로 원조하다 ; (사람·주의·정책 따위를) 지지하다, 원조[후원]하다 ; 〘軍〙 (다른 부대를) 지원하다 : Most of us ~*ed* the President. 우리들 대부분은 대통령을 지지하였다. **6** (증거 따위를) 입증하다, 배서(背書)하다, 확인하다 : The doctors ~*ed* his testimony. 의사들은 그의 증언을 확인하였다. **7** 〘劇〙 (배역·인물을) 잘 해내다 ; (주연자를) 조연하다, (스타의) 보조역할을 하다 ; 〘樂〙 반주하다 ; 시중 들다, 보좌하다. **8** 〘컴퓨〙 지원하다.

── *n.* **1** 버팀, 지지 ; 유지 ; Ⓤ 버텨 주는 것[사람], 지지물, 지주, 토대 : John is the sole ~ *of* his aged mother. 노모에게는 존이 유일하게 의지할 수 있는 사람이다. **2** Ⓤ 고무 ; 원조, 후원 : give ~ to …을 지지[후원]하다. **3** Ⓤ 의식(衣食), 생활비. **4** 원조[후원]자 ; 〘劇〙 조연자 ; Ⓤ 조연 ; Ⓤ 〘樂〙 반주 ; 〘醫〙 부목. **5** 〘軍〙 원호부대 ; 예비부대, 지원군. **6** 〘컴퓨〙 지원.

〈회화〉
Thank you for your *support*. — Any time.
「후원해 주셔서 감사합니다」「천만에요」

in support (1) 옹호[찬성]하여 : speak *in* ~ *of* a motion 동의(動議)에 찬성하여 연설을 하다. (2) 〘軍〙 원호의, 예비의 : troops *in* ~ 예비부대.

~·less *a.* 〖OF<L *sub-*(*porto* to carry)=to bear, endure〗

類義語 ***support*** 사람 또는 사물에 적극적인 원조를 하거나 또는 승인하거나 하여 지지하는 가장 넓은 의미의 말 : *support* a policy (정책을 지지하다). ***uphold*** support하고 있는 것이 현재 공격을 받고 있음을 암시한다 : *uphold* civil rights for Negroes (흑인의 민권을 옹호 지지하다). ***sustain*** 사람 또는 사물에 힘을 주거나 실패를 방지하기 위하여 또는 더욱 강화하기 위하여 적극적으로 지지함을 뜻한다 : The patient is *sustained* by the hope of recovery. (환자는 회복의 희망으로 견뎌 나가고 있다). ***maintain*** 완전하게 또는 상처 받지 않게 하기 위하여 support 하다 : *maintain* the peace (평화를 유지하다). ***advocate*** 구두 또는 서면으로 지지하다 ; 설득·의논하는 것을 암시한다 : *advocate* communism (공산주의를 지지하다). ***back*** (***up***) 실패를 방지하기 위하여 경제적 원조나 정신적 격려를 하다 : *back* (*up*) a person in business (누구의 사업을 돕다).

suppórt·able *a.* 지지[찬성]할 수 있는 ; 참을 수 있는 ; 부양할 수 있는. **-ably** *adv.*

suppórt àrea *n.* =SUPPORT LEVEL.

suppórt·ed wórk *n.* 정부 지원 직업 훈련 계획 《복지 대상자에 대한》.

suppórt·er *n.* **1** 지지자, 원조자, 후원자 ; 조역 ; 찬성자 ; 자기편, 한패. **2** 부양자 ; 〘劇〙 조연자. **3** 지지물, 지주(支柱). **4 a**) 〘醫〙 박대(縛帶). **b**) 《美》 (경기용) 서포터(jockstrap). **5** 〘紋〙 문장(紋章)의 양편에 서거나 그것을 받드는 한 쌍의 짐승.

類義語 ⟹ FOLLOWER.

suppórt hòse *n.* 〘醫〙 서포트 호스, 탄성 스타킹 《다리 보호용의 신축성있는 스타킹》.

suppórt·ing *a.* 버티는, 지지[원조, 후원]하는 : a ~ actor 조연자 / a ~ part[role] 조역 / a ~ program 보조 프로그램 / a ~ film[picture] 보조[동시 상영]영화 / ~ troops 예비부대, 지원군.

suppórt·ive *a.* 지지가 되는 ; (특히) 환자의 체력 유지에 유효한. **~·ness** *n.*

suppórtive thérapy[**tréatment**] *n.* 〘醫〙 지지(支持) 요법《체력적·정신적으로 환자를 떠받쳐 주는》.

suppórt lèvel *n.* 〘證〙 지지선(support area) (↔ *resistance level*).

suppórt mìssion *n.* 적 지상군에 대한 아군 지상군 지원 공습.

suppórt prìce *n.* (농가 따위에 대한 정부 보조금의) 최저 보장 가격.

suppos. 〘處方〙 suppository.

sup·pos·al [səpóuzəl] *n.* Ⓤ 상상하기 ; Ⓒ 추측.

◇**sup·pose** [səpóuz, (I의 뒤) 흔히 spóuz] *vt.* **1 a**) [+*that* 節 / +目+*to* do / +目] 상상하다, 가정하다(assume) : Let us ~ (*that*) you are right. 너의 말이 정당하다고 가정해 보자 / Foreigners are ~*d to* dislike these dishes. 외국인은 이런 요리를 싫어할 것이다 / *S*~ another war! 또 전쟁이 났다고 상상해 보게. **b**) [+*that* 節] [명령법으로] 만일 …이라면(cf. SUPPOSING) ; …하면 어떻겠어 : *S*~ (*that*) (=If) he refuses, what shall we do? 만일 그가 거절한다면 어떻게 하지 / *S*~ we (=Let's) change the subject. 화제를 바꿉시다.

2 [+*that* 節 / +目+*to* do / +目+補] 생각하다(think) ; 추측하다(guess) : I ~ you are right. 자네가 옳을거야 / What do you ~ she will do? 그녀가 어떻게 하리라 생각하느냐 / Most people ~*d* him (*to be*) innocent. 대부분의 사람들은 그가 결백하다고 생각하고 있었다 / The box was ~*d to* contain gold. 그 상자에는 금(金)이 들어 있다고 생각되었다. 주 (1) 구어(口語)로 I ~ 가 삽입적으로 쓰이는 수가 있다(cf. RECKON *vt.* 3) : You are Mr. Smith, *I* ~. 당신이 스미스씨라고 생각한다(cf. I ~ (that) you are Mr. Smith.). (2) *that* 節 대신에 긍정인 경우에는 so를, 부정인 경우에는 not을 쓰는 수가 있다 : He will be there this time. ── I ~ *so*[*So* I ~]. 이번에는 그가 오겠지 ── 그럴 것 같아 / I ~ *not*[I do*n't* ~ so]. 올 것 같지 않아.

3 …의 가정을 필요로 하다, 전제로 하다 : Purpose ~*s* foresight. 목적은 선견(先見)을 전제로 한다.

── *vi.* 가정하다 ; 추량하다 ; 생각하다.

be supposed to do (1) ☞ *vt.* 1 a), 2. (2) …하기로 되어 있다(be expected to do) : You *are* ~*d to* be here at eight every day. 자네는 매일 8시에 출근하기로 되어 있네 / Every pupil *is* ~*d to* know the school regulations. 학생들은 모두 교칙을 알고 있는 것으로 간주된다《몰랐다 하여도 처벌을 면할 수 없다》. (3) 《口》 [부정 구문으로] …해서는 안되게 되어 있다 : In England we are *not* ~*d to* play baseball on Sundays. 영국에서는 일요일에는 야구를 해서는 안되는 것으로 되어 있다.

sup·pós·able *a.* 상상[가정]할 수 있는.
〖OF *sup-*(*poser* to POSE[1])〗

sup·posed [səpóuzəd] *a.* 상상된, 가정된, …이라고 여겨진 ; 소문난 : The ~ beggar turned out to be a prince in disguise. 거지라고 생각된 사람은 실은 변장한 왕자였다.

sup·pós·ed·ly [-ədli] *adv.* 상상하건대, 추측하건대, 아마도(presumably).
sup·pos·ing [səpòuziŋ, -ˊ-] *conj.* 만일 …이라면 (if) (cf. SUPPOSE *vt.* 1 b)) : *S*~ you can't come, who will do the work? 당신이 오지 않을 경우에 누가 그 일을 합니까 / *S*~ (*that*) it were true, what would happen? 그것이 사실이라면 어떻게 되겠느냐.
sup·po·si·tion [sʌ̀pəzíʃən] *n.* [+*that* 節] Ⓤ 상상, 추측 ; Ⓒ 가정, 가설 : His theory is merely based on ~. 그의 이론은 단지 추측에 불과하다 / on mere ~*s* 단순한 가설에 의하여 / I was acting *on* the ~ *that* what he told me was true. 나는 그가 한 말이 진실이라고 가정하고서 행동하고 있었다. **~·al** *a.* 상상의 ; 가정적인, 추정의. 〖L=act of placing beneath ; ⇨ SUPPOSE〗
sup·po·si·tious [sʌ̀pəzíʃəs] *a.* =SUPPOSITITIOUS.
sup·pos·i·ti·tious [səpɑ̀zətíʃəs] *a.* **1** (편지 따위) 위조의, 가짜의, (아이 등을) 슬쩍 바꿔친. **2** 상상의, 가상의(hypothetical). **~·ly** *adv.* 〖L ; ⇨ SUPPOSE〗
sup·pos·i·tive [səpɑ́zətiv] *a.* **1** 상상의, 가정의, 추정의. **2** 위조의, 가짜의. **3** 〖文法〗 상상[가정]을 나타내는. ── *n.* 〖文法〗 가정을 나타내는 접속사. **~·ly** *adv.*
sup·pos·i·to·ry [səpɑ́zətɔ̀:ri ; -təri] *n.* 〖醫〗 좌약(坐藥).
***sup·press** [səprés] *vt.* **1** 억압[진압·진정]하다 : The army ~*ed* the revolt. 군대는 반란을 진압하였다. **2** 억제하다, (신음·하품·감정을) 억누르다 ; (이름·증거·사실 따위를) 숨기다, 발표하지 않다, 삭제하다 ; (서적 따위를) 출판금지하다 : He ~*ed* a yawn[~*ed* an inclination to laugh]. 그는 하품을 참았다[웃고 싶은 기분을 억제했다] / All the newspapers ~*ed* the news. 어떠한 신문도 그 뉴스를 발표하지 않았다. **3** (출혈 따위를) 막다. **~·ible** *a.* 억제[억압]할 수 있는, 숨길 수 있는 ; 금지[삭제]할 수 있는. 〖L *sup*-(PRESS[1])〗
sup·pres·sion [səpréʃən] *n.* Ⓤ 억압, 진압, 억제 ; (혈액·유출 따위를) 막기 ; 은폐 ; 발매금지 ; 삭제.
sup·pres·sio ve·ri [səprésiou vérai ; -víərai] *n.* 사실 은폐. 〖L〗
sup·pres·sive [səprésiv] *a.* 억압[억제]하는 ; 은폐하는 ; 억누르는.
sup·prés·sor *n.* 억압[진압]하는 사람[물건] ; 〖라디오·TV〗 혼신(混信) 차단 장치.
suppréssor grìd *n.* 〖電子〗 억제 그리드.
sup·pu·rate [sʌ́pjərèit] *vi.* 곪다, 화농하다(fester). 〖L ; ⇨ PUS〗
sùp·pu·rá·tion *n.* Ⓤ 곪음, 화농 ; 고름(pus).
súp·pu·rà·tive [, -pjuərə-] *a.* 화농하는[시키는], 화농성의. ── *n.* 화농 촉진제.
supr. superior ; supreme.
su·pra [sú:prə ; sjú:-] *adv.* 위에 ; 앞에(↔ *infra*) : ☞ VIDE SUPRA. 〖L=above〗
su·pra- [sú:prə ; sjú:-] *pref.* 「위의」 「위에」 「앞에」의 뜻. 〖L (↑)〗
sùpra·céllular *a.* 세포 이상의, 세포보다 큰.
sùpra·génic *a.* 유전자를[의 수준을] 넘어선, 초유전자적인.
sùpra·líminal *a.* 〖心〗 식역상(識閾上)의, 의식내의, 자극역[변별역]을 초월한.
sùpra·molécular *a.* 〖理〗 초분자(超分子)의《분자보다 더 복잡한 ; 많은 분자로 된》.
sùpra·múndane *a.* 속세를 초월한, 영적 세계의.
sùpra·nátional *a.* 국가·민족을 초월한, 초국가적인 : ~ agencies 국제기구.
sùpra·órbit·al *a.* 〖解〗 눈구멍 위의.
sùpra·prótest *n.* 〖法〗 참가[명예] 인수(引受)《어음지급의》.
sùpra·rátional *a.* 이성을 초월한.
sùpra·rénal *n., a.* 〖解〗 부신(副腎)(의).
sùpra·segméntal phóneme *n.* 〖音聲〗 초분절(超分節) 음소《pitch, stress, juncture 따위》.
sùpra·thérmal íon detèctor *n.* 〖宇宙〗 초열이온 검출 장치《태양풍(太陽風) 에너지를 측정할 목적으로 달 표면에 설치됨》.
sùpra·vítal *a.* 〖醫〗 초생체(超生體)의《생체로부터 꺼낸 살아 있는 조직·세포 따위》. **~·ly** *adv.*
su·prém·a·cist *n.* 지상(至上)주의자 : a white ~ 백인 지상주의자.
su·prem·a·cy [su(:)préməsi ; sju(:)-] *n.* **1** Ⓤ 최고, 지상(至上) ; 무상(無上), 최고위. **2** Ⓤ 주권, 대권(大權) ; 최고 권한 ; 패권.
the Act of Supremacy 〖英史〗 국왕 지상법, 수장령《영국 국왕을 국교의 주권자로 하고 로마 교황의 주권을 부인한 법령》.
the oath of Supremacy (영국왕이 정치상·종교상 갖는) 지상권 승인의 선서.
〖*prime* ; *primacy*에 준하여 *supreme*에서〗
su·prem·a·tism [suprémətìzəm ; sju-] *n.* 〖美術〗 절대주의, (러시아의) 쉬프레마티슴《1913년에 일어남》.
***su·preme** [suprí:m ; sju-] *a.* **1** 지고(至高)의 ; 다시 없는 ; 주권을 갖는 : the ~ court 《美》 국가 또는 주(州)의 최고 법원 / the ~ good 지상선(至上善) / the ~ commander 최고 사령관. **2** 절대의 ; 극도의, 가장 중요한. **3** 최후의, 종국의 : at the ~ moment [hour] 바로 그순간[때]에, 임종때에.
make the supreme sacrifice (특히 전쟁에서) 목숨을 던지다.
── *n.* 최고의 것[상태] ; [the ~] 최고도, 절정(height) ; [the S~] =the SUPREME BEING.
~·ly *adv.* 〖L (superl.) ‹ *superus* that is above ; ⇨ SUPER-〗
Supréme Béing *n.* [the ~] 《文語》 우주의 주권자, 신(神) ; 절대적 존재, 절대적 권력.
Supréme Sóviet *n.* [the ~] 최고 회의《구소련의 최고 회의로서 연방회의(the Council of the Union)와 민족회의(the Council of the Nationalities)로 구성됨》.
su·pre·mo [səprí:mou, su(:)- ; sju-] *n.* (*pl.* **~s**) 《英》 최고 지도자[지배자], 총통. 〖Sp.=SUPREME〗
Supt., supt. Superintendent.
sur-[1] [sər, sʌr, sə:r] ☞ SUB-.
sur-[2] [sər, sʌr, sə:r] *pref.* 「과도하게」 「위에」의 뜻. 〖OF〗
sur. surface ; surplus.
su·ra, -rah[1] [súərə] *n.* (Koran의) 장(章), 수라. 〖Arab.〗
su·rah[2] [súərə] *n.* Ⓤ,Ⓒ 능견(綾絹). 〖*surat*의 프랑스 어 읽기인 듯〗
su·ral [súrəl ; sjúə-] *a.* 장딴지의. 〖L *sura* calf〗
su·rat [súrət, surǽt ; súərət] *n.* (인도 Bombay 지방산의) 목화, 무명.
sur·base [sə́:rbèis] *n.* 〖建〗 (징두리널의) 두겁, (주춧대 따위의) 받침돌갓.
sur·cease [sə:rsí:s, ˊ-] *n.* Ⓤ 《古》 그침, 정지(停

止). —— *vi.* 그치다, 정지하다 ; 종결하다.
—— *vt.* 중단[중지]하다 ; 포기하다.
〚OF *sursis* (p.p.) ‹ *surseoir* < L (⇨ SUPERSEDE), 어형(語形)은 *cease*에 동화(同化)〛

sur·charge [sə́ːrtʃɑ̀ːrdʒ] *n.* **1** 과도하게 쌓기[싣기], 과중. **2** (대금의) 부당 청구, 폭리. **3** 과도 충전(充電). **4** 우편환의 가격[날짜] 변경인(變更印). **5** 특별[부가] 요금. **6** 부족세(稅) ; 과세 재산의 부정신고에 대한 가중벌금 ; 부당지출의 배상액. —— [-ˊ, ˊ-] *vt.* **1** 과도하게 쌓다[싣다] (overload) ; 과도 충전하다 ; (마음에) 지나치게 부담을 지우다‹*with*›. **2** …에 특별[부가] 요금을 부과하다, (부정신고에 대하여) 가중 벌금을 징수하다 ; (금액을) 부당지출배상으로 징수하다. **3** (우편환에) 가격[날짜] 변경인을 찍다.
〚OF (*sur-*²)〛

sur·cin·gle [sə́ːrsìŋgəl] *n.* (말의) 뱃대끈, 복대(腹帶). —— *vt.* (말에) 뱃대끈을 매다 ; (모포 따위를) 복대(腹帶)로 묶다.
〚OF (*cengle* girdle ; ⇨ CINGULUM)〛

sur·coat [sə́ːrkòut] *n.* 〖史〗 (중세 기사가 갑옷 위에 입는) 겉옷 ; (15-16세기경) 여성용 겉옷의 일종.

surcoat

sur·cu·lose [sə́ːrkjəlòus] *a.* 〖植〗 흡지(吸枝)를 내는.
〚L (*surculus* twig)〛

surd [sə́ːrd] *a.* **1** 의미없는, 불합리한. **2** 〖數〗 무리수(無理數)의, 부진근(不盡根)의 ; 〖音聲〗 무성음의.
—— *n.* 〖數〗 무리수 ; 〖音聲〗 무성음 《[p, f, s] 따위 ; ↔*sonant*》 ; 도리로는 명확히 규정지을 수 없는 성질.
〚L=deaf, dull〛

◇**sure** [ʃúər, 英+ʃɔ́ːr] *a.* **1** [*pred.*로 써서] **a**) [+*of*+do*ing* / +*that* 節 / +(前+) *wh.* 節·句] 확실한, 틀림없는 : I think he will agree, but I am not ~. 그가 동의하리라 생각되지만 확실치는 않다 / He is ~ ***of*** success. 그는 성공하리라는 자신감에 차 있다 / He is [feels] ~ *of* himself. 그는 자신감에 차 있다 / I am ~ *of* his liv*ing*[~ *that* he will live] to eighty. 그가 80세까지는 살리라 확신한다 / Are you quite ~ ***about*** the number? 그 수가 틀림이 없다고 확신하십니까 / The general was ~ *that* he could defeat the enemy. 장군은 적을 쳐부술 수 있다고 확신하였다 / I'm ~ I don't know. 정말 모르겠어요 / None of the doctors were ~ *what* the trouble was. 의사 모두가 그 병이 무엇인지 정확히 알 수 없었다 / I'm not ~ *where to* put the key. 어디에 열쇠를 두어야 할지 잘 모르겠어요. **b**) [+*to* do] 꼭 …하는 (certain) : He is ~ *to* come[succeed]. 그는 반드시 온다[성공한다] / The weather is ~ *to* be wet. 날씨는 틀림없이 나쁠 거다 / Be ~ *to* close the windows. 창을 꼭 닫아라. **2** 확실한, 안전한, 견실한 ; 신뢰할 수 있는, 믿을 수 있는(reliable) ; 의심할바 없는, 진정한 : a ~ messenger 신뢰할 수 있는 확실한 사자(使者) / ~ proof 확실한 증거 / There is only one ~ way to succeed. 확실하게 성공할 길은 오직 하나밖에 없다.
a sure draw 꼭 여우를 몰아낼 수 있을 듯한 숲 ; 남을 꼭 실토케 할 만한 말.
be sure and do 《口》 꼭[틀림없이] …하다(=be ~ to do ; ☞ 1 b)) : *Be* ~ *and* remember what I told you. 어떤 일이 있어도 내가 한 말을 잊지 않도록 해라.
for sure 확실히(for certain).
make sure (1) 확인하다 ; 한층 주의하기 위하여 (…하는) 수단을 강구하다, 미리 (…을) 손에 넣다 : *make* ~ *of* a fact 사실을 확인하다 / *make* ~ *of* a seat 좌석[입장권]을 확보해 두다 / You had better *make* ~ *which* is your carriage. 너의 차가 어떤 것인지 확인해 보는 게 좋다. (2) 확신하다(feel sure) : I *made* ~ she would consent, and she didn't. 그녀가 꼭 승낙하리라 생각했는데, 승낙하지 않았다.
sure thing 《美口》 [부사구로, 감탄사적으로] 꼭, 반드시, 물론.
to be sure (1) [양보구로] 과연, 정말, 사실 : She's not perfect, *to be* ~, but she's pretty. 사실, 그녀는 완벽한 여성이라 할 수는 없지만 귀엽습니다. (2) = *Well, I'm* SURE!
Well, I'm sure! [감탄사적으로] 이것 참!, 놀랐는 걸!
—— *adv.* 《美口》 확실히, 전적으로, 그렇고 말고 ; 물 론(=《英》 certainly) (cf. SURELY 4) : Are you coming? — *S*~! 올래 — 가고말고 / It ~ is cold out. 밖은 틀림없이 춥다.
(*as*) *sure as nails*[*fate, death, a gun*] 확실히, 틀림없이.
sure enough 《口》 과연 ; 꼭, 정말로.
~·ness *n.* 확실(함) ; 안전.
〚OF < L SECURE〛
類義語 ***sure*** 확실하여 의문이 없는 ; 가장 간단한 말. ***certain*** 분명한 이유나 증거에 근거를 두어 확실한 : I am *certain* of his innocence. (나는 그의 결백을 확신한다). ***confident*** 어떤 일을 확신하고 있는, 특히 확실한 것으로 기대하고 있는 : I'm *confident* of your success. (너의 성공을 확신한다). ***positive*** 자신의 의견이나 결론에 대한 움직일 수 없는 확신을 나타낸다 ; 때로는 과신(過信) 또는 독단을 암시한다 : He is too *positive* in his conclusion. (그는 자기의 결론에 대하여 지나치게 자신을 가진다).

súre-enóugh *a.* 《美口》 진짜의, 실제[현실]의, 사실상의.

súre·fire *a.* 《美口》 확실한, 틀림없이 성공하는.

súre·fóot·ed *a.* 디딤발이 든든한, 엎어지지 않는 ; 《비유》 확실한, 믿음직스러운.

‡**súre·ly** *adv.* **1** 확실히 : work slowly but ~ 느리지만 확실하게 일하다. **2** 꼭, 반드시 : He will ~ succeed. 그는 반드시 성공할 거야. **3** [문장 머리 또는 끝에 두어, 불신 또는 확신의 뜻을 강조하여] 설마, 분명히 : *S*~ you will not desert me! 당신이 설마 나를 버리시지는 않겠지요 / *S*~ I've heard you say so. 분명히 당신이 그렇게 말하는 것을 들은 적이 있습니다. **4** 《美》 [대답으로] 좋고말고, 물론(=《英》 certainly) : Would you come with me? — *S*~! 동행하시겠어요 — 물론입니다. 주 《美口》에서는 surely 대신에 SURE (*adv.*)를 쓴다. **5** 안전하게, 단단히 : The deer leaped ~ from rock to rock. 사슴은 바위에서 바위로 안전하게 껑충 뛰었다.

sure·ty [ʃúərəti, ʃúərti] *n.* **1** U,C 보증, 저당 ; C 인수인, (보석) 보증인. **2** 《古》 확실성.
of*[*for*] *a surety 《聖·古》 확실히.
stand*[*go*] *surety for …의 보증인이 되다.
~·ship *n.* 〖法〗 보증인의 지위[책임].
〚OF < L ; ⇨ SECURITY〛

súrety bònd *n.* (계약·의무 수행의) 보증서.

surf [sə́ːrf] *n.* U (해안에) 밀려오는 파도, 밀려와서 부서지는 파도. —— *vi.* 서핑하다, 파도를 타다. **~·er** *n.*
〚*suff* (obs.)가 *surge*와 동화(同化)한 것인가〛

類義語 ⟹ WAVE.

súrf·able *a.* 서핑에 적합한.

‡**sur·face** [sə́:rfəs] *n.* **1** 표면, 외면(↔*bottom*); 외부, 겉: The wood has a polished ~. 목재의 표면은 윤이 나게 잘 닦여 있다. **2** 〖數〗 면(面). **3** 겉보기, 외관: *on* the ~ 외관상으로는 / scratch the ~ of... ☞ SCRATCH *v.* 숙어 / come to the ~ 부상하다 / rise[raise] to the ~ 부상하다[시키다]; (사실 따위) 표면화하다[시키다]. —— *attrib. a.* **1** 표면뿐인, 외관상의, 피상적인(superficial): ~ politeness 겉치레만의 공손함. **2** 지상[길바닥]의; 물위의: a ~ boat 수상 함정.
—— *vt.* **1** [+目 / +目+*with*+名] (종이 따위에) 엷은 표지를 대다, (도로를) 포장하다: ~ a road (***with*** gravel) 도로를 (자갈로) 포장하다. **2** (잠수함을) 부상(浮上)시키다.
—— *vi.* **1** (잠수함이) 부상하다(↔*submerge*); 《口》 나타나다, 표면화하다. **2** 본래의 생활로 돌아오다; 지표[지상, 수상]에서 일하다. **3** 〖鑛〗 지표(가까이)에서 채광하다, (광석의) 표면 퇴적물을 씻다. 〖F (*sur-*²)〗

súrface-àctive *a.* 〖化〗 표면 활성(表面活性)의, 계면 장력(界面張力)을 현저히 저하시키는: a ~ agent 표면[계면] 활성제.

súrface bóundary làyer *n.* 〖氣〗 표면 경계층, 접지(기)층《지구면 약 1km의 대기층》.

súrface bùrst *n.* (폭탄의) 지[수]표면 폭발.

súrface càr *n.* 《美》 (고가·지하 철도에 대하여) 노면(路面) 전차.

súrface còlor *n.* (보석 따위의) 표면색.

súrface cràft *n.* (잠수함에 대하여) 수상선.

súrface dénsity *n.* 〖理〗 표면 밀도.

súrface drèssing *n.* 간이 포장에 의한 도로의 보수(재료).

súrface-efféct shìp *n.* 《美》 수상용(用) 호버크라프트.

súrface frìction dràg *n.* 〖空〗 표면 마찰 항력.

súrface máil *n.* 보통 우편《항공 우편에 대하여 육상 또는 선박편의 우편》: *S*~ is cheaper than airmail. 보통 우편은 항공 우편보다 싸다.

súrface·man [-mən] *n.* 보선공(保線工); 갱외(坑外) 광부.

súrface nòise *n.* (레코드의 홈에서 생기는) 표면 잡음.

súrface prìnting *n.* 철판(凸版) 인쇄(letterpress); 평판 인쇄.

súrface ríghts *n. pl.* 지상권(地上權).

súrface sòil *n.* 표층토, 표토(表土).

súrface strùcture *n.* 〖言〗 표층(表層) 구조《문자의 발음을 규정지음》.

súrface ténsion *n.* 〖理〗 표면 장력.

súrface-to-áir *a.* 지대공(地對空)의《미사일·통신 따위》: a ~ missile 지대공 미사일. —— *adv.* 땅에서 하늘로.

súrface-to-súrface *a.* 지대지(地對地)의: a ~ missile 지대지 미사일. —— *adv.* 땅에서 땅으로.

súrface-to-únder·wàter *a., adv.* 지대수중(地對水中)의[으로]: a ~ antisubmarine missile 지대수중 대잠(對潛) 미사일.

súrface wàter *n.* 지상[지표]수; (바다·호수 따위의) 표층수(水).

súrface wàve *n.* (지진에 의한) 표면파(波).

sur·fac·tant [sərfǽktənt, ⌐--] *n., a.* 〖化〗 표면[계면] 활성제(surface-active agent) (의).

súrf and túrf *n.* 〖料〗 새우 요리와 비프스테이크가 한 코스인 요리.

sur·fa·ri [sərfɑ́:ri; -fǽri] *n.* 《口》 서핑하기에 적합한 해안을 찾아다니는 서핑 그룹. 〖*surf*ing+sa*fari*〗

súrf·bòard *n.* 파도타기용 널빤지.
—— *vi.* 파도타기를 하다.

súrf·bòat *n.* 거센 파도를 헤치도록 부력(浮力)을 크게 한 구명 작업용 보트.

súrf-càst *vi.* 〖낚시〗 (해안에서) 던질낚시하다. **~·er** *n.*

súrf càsting *n.* (해안에서 하는) 던질낚시.

súrf dùck *n.* 〖鳥〗 (북미산) 검둥오리의 일종.

sur·feit [sə́:rfət] *n.* **1** Ⓤ 과식(過食), 과음(過飮). **2** 과도(excess); 식상; 포만, 물림, 싫증남(satiety); 범람, (…의) 홍수: a ~ *of* advice 지긋지긋할 정도의 충고. —— *vt.* [+目 / +目+*with*+名] 과식[과음]시키다(overfeed); 물리게 하다: ~ oneself ***with*** good cheer 맛있는 음식을 과식하다 / They were ~*ed with* entertainment. 그들은 오락에 물릴 정도였다[놀기에 싫증이 나 있었다].
—— *vi.* 과음[과식]하다; 물리다.
〖OF (SUR*faire* to overdo)〗

súrfer's knòt *n.* 파도타기하는 사람의 못《무릎이나 발등에 생김》.

súrf fish *n.* 〖魚〗 바다망상어.

súrf·ie *n.* 《濠俗》 파도타기광[꾼].

súrf·ing *n.* Ⓤ 파도타기, 서핑.

súrf·man [-mən] *n.* surfboat를 잘 조종하는 사람; 《美》 (연안 경비대의) 구명대원.

súrf-rìding *n.* =SURFING.

súrfy *a.* 밀려오는 파도가 많은; 밀려오는 파도의[같은].

surg. surgeon; surgery; surgical.

surge [sə:rdʒ] *vi.* [動 / +前+名 / +副] (바다·군중·감정 따위가) 파도처럼 밀려오다; (밭의 곡식 따위가) 파도치다, 너울대다; (전류·전압이) 급증하다, 갑자기 변동하다; 〖海〗 (로프가) 갑자기 느슨해지다: *surging* crowds 밀어닥치는 인파 / A great wave ~*d* ***over*** the swimmer. 큰 파도가 헤엄치는 사람의 머리 위로 덮쳐왔다 / Envy ~*d* (***up***) ***within*** her. 질투가 그녀의 가슴속에 불타올랐다. —— *vt.* 파도치게 하다; 〖海〗 (로프를) 느슨하게 하다. —— *n.* **1** 큰 파도. **2** [a ~] 파동; (감정 따위의) 동요, 들끓음. **3** 〖電〗 서지《전압·전류의 동요》; 〖海〗 로프의 느슨해짐. **4** 〖컴퓨〗 전기놀, 전기 파도.
〖OF＜L *surgo* to rise, spring forth〗

***sur·geon** [sə́:rdʒən] *n.* **1** 외과의사(cf. PHYSICIAN). **2** 〖軍〗 군의관.
〖AF＜L *chirurgia* surgery＜Gk.=handiwork〗

súrgeon déntist *n.* 치과 의사, 구강 외과 의사.

súrgeon·fìsh *n.* 쥐돔《가시 모양의 지느러미가 있는 열대어》.

súrgeon géneral *n.* (*pl.* **súrgeons géneral**) 의무감(醫務監); 《美》 공중(公衆) 보건국 국장.

***sur·gery** [sə́:rdʒəri] *n.* **1** Ⓤ 외과(의술) (cf. MEDICINE 2); 외과적 조치; Ⓤ,Ⓒ 수술: plastic ~ 성형(成形) 외과(술) / cosmetic ~ 정형 외과(수술) / ~ and medicine 외과와 내과, 내외과. **2** 수술실; 《英》 (외과) 의원, 진찰실; 진료 시간. 〖OF; ⇨ SURGEON〗

sur·gi·cal [sə́:rdʒikəl] *a.* 외과(술)의, 외과적인, 외과용의; 외과의사의(cf. MEDICAL 2); 교정[정형]용의: ~ boots[shoes] 정형 외과용 구두. **~·ly** *adv.* 외과적으로.

súrgical spírit *n.* 〖化〗 외과용 알코올《피부 따위의 세척용》.

súrgical stríke *n.* 〖軍〗 국부(局部) 공격.
súr·gi·cènter [sə́ːrdʒə-] *n.* 《美》 외과 센터《입원이 불필요한 작은 수술을 함》.
súrgy [sə́ːrdʒi] *a.* 크게 파도치는, 놀치는, 굽이치는 ; 큰[거친] 파도에 의한.
Su·ri·na·me [sùərənáːmə], **Su·ri·nam** [súrənæ̀m, sùrənáːm ; sùərinǽm] *n.* 수리남《남미 북동부의 나라 ; 1975년 네덜란드에서 독립 ; 수도 Paramaribo》.
sur·loin [sə́ːrlɔin] *n.* =SIRLOIN.
sur·ly [sə́ːrli] *a.* **1** (심술궂게) 기분 언짢아하는 ; 무뚝뚝한, 퉁명스러운. **2** (날씨가) 거친, 험악한. ── *adv.* 오만하게, 건방지게. **súr·li·ly** *adv.* 심술궂게 ; 무뚝뚝하게. **-li·ness** *n.*
〚*sirly* (obs.) haughty (SIR, -*ly*²)〛
***sur·mise** [sərmáiz, sə́ːrmaiz ; sə́ːmaiz] *n.* U,C 추량(推量), 추측 ; 의견.
──[-ˊ] *vt., vi.* [+目/+*that* 節] 추량[추측]하다(guess) ; …인가 하고 생각하다(suspect) : I ~*d that* his business had come to a standstill. 그의 사업이 막다른 지경에 이르렀다고 추측하였다. **sur·mís·able** *a.* 〚AF and OF<L *super-miss- supermitto* to accuse〛
類義語 ⟹ GUESS.
sur·mount [sə(ː)rmáunt] *vt.* **1** (곤란·장애를) 이겨내다(overcome), 헤쳐 나가다 ; (산을) 타고 넘다(climb over) : ~ many difficulties 여러 가지 곤란을 이겨내다. **2** [+目/+目+前+名] [보통 *p.p.*로] 위에 놓다, …에 얹다(cap) : The entrance was ~*ed* by some elaborate carving. 입구 위에 정교한 조각이 부착되어 있었다 / peaks ~*ed* ***with*** snow 눈덮인 봉우리들. **3** …위로 솟아 있다(rise above) : The old castle ~*ed* the cliff. 고성(古城)이 낭떠러지 위에 우뚝 솟아 있다. **~·able** *a.* 극복[타파]할 수 있는. 〚OF (*sur*-²)〛
sur·mul·let [sə(ː)rmʌ́lət, ˊ--] *n.* (*pl.* **~s**, ~) = RED MULLET.
***sur·name** [sə́ːrnèim] *n.* **1** 성(姓)(family name)(☞ NAME *n.* 1 주) : Jones is a common ~. 존스는 흔한 성이다. **2** 이명(異名), 별명. ──[, 美+-ˊ] *vt.* [+目/+目+補] …에게 별명을 붙이다 ; [*p.p.*로] 성으로 부르다 : Simon was ~*d* Peter. 시몬은 성이 피터였다.
〚변형(變形) ‹ *surnoun*<AF (*sur*-², NOUN name)〛
sur·pass** [sə(ː)rpǽ(ː)s ; -páːs] *vt.* [+目/+目+前+名] …보다 낫다, …을 능가하다, …의 한계를 초월하다 ; 너무 …하여 (기술)할 수 없다 : The result ~*es* our hopes [expectations]. 결과는 우리들이 희망[예상]했던 것 이상이다 / ~ description 필설로 이루 다 할 수 없다 / He has ~*ed* himself. 그의 성과는 이제까지 없었던 것이다 / Our age ~*es* all previous ages ***in knowledge. 지식에 있어 현대는 이전의 어느 시대보다도 앞서 있다. 〚F (*sur*-²)〛
類義語 ***surpass*** 정도·분량·성질이 다른 사람·것 보다는 많다[크다] : No one *surpasses* him in eloquence. (아무도 그의 능변을 따를 수 없다). ***excel*** 성질·기술·업적 따위에서 모든 것 또는 특정한 것보다 우수하다 : He *excels* in physics. (그는 물리학에 뛰어나다). ***outdo*** 다른 사람이 한 일보다 많거나 또는 종전의 기록보다 뛰어나다 : The runner *outdid* the previous record. (그 육상 선수는 종전의 기록을 깨뜨렸다).
surpáss·ing *a.* 뛰어난, 탁월한 ; 비상한 : the ~ beauty of the bay 만(灣)의 절경. ── *adv.* 《古·詩》 =SURPASSINGLY.
~·ly *adv.* 뛰어나게, 탁월하여, 멋지게 ; 비상하게 ; 심하게.
sur·plice [sə́ːrpləs] *n.* 〖카톨릭·英國敎〗 중백의(中白衣), 소백의(小白衣) ; 앞이 비스듬하게 교차하는 의복.
── *a.* (의복이) 앞에서 비스듬히 교차한. **~d** *a.* surplice를 입은.
〚AF<L (*super*-, PELISSE)〛

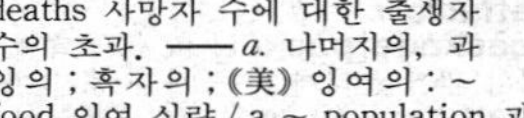
surplice

súrplice fèe *n.* 〖英國敎〗 (결혼식·장례식 따위에서 목사에게 주는) 사례금.
sur·plus [sə́ːrpləs, -plʌs] *n.* 나머지, 과잉 ; 《英》 잔액 ; 〖會計〗 잉여금 ; 흑자(↔ *deficit*) ; 《美》 잉여 농산물 : a ~ *of* births *over* deaths 사망자 수에 대한 출생자 수의 초과. ── *a.* 나머지의, 과잉의 ; 흑자의 ; 《美》 잉여의 : ~ food 잉여 식량 / a ~ population 과잉 인구 / ~ value 〖經〗 잉여 가치 / ~ to one's needs 필요이상의, 여분의.
〚AF<L (*super*-, PLUS)〛
súrplus·age *n.* U 여분, 잉여, 과잉 ; 쓸데없는 글[구절].
sur·print [sə́ːrprìnt] *vt., n.* 〖印〗 =OVERPRINT.
sur·pris·al [sərpráizəl] *n.* U 놀람 ; 기습.
‡**sur·prise** [sərpráiz] *n.* **1** U (깜짝) 놀람 : Her visit did not cause me much ~. 그녀의 방문을 받았으나 나는 별로 놀라지 않았다. **2** U 기습. **3** 놀라운 사건[보도], 뜻밖의 일[선물], 뜻밖의 결과 : His failure was a great ~ *to* us. 그가 실패한데에 우리는 대단히 놀랐다 / I have a ~ for you. 자네가 놀랄만한 소식[선물]이 있네.
by surprise 불시에 : take a person *by* ~ 불시에 덤벼들다, 기습하다.
in surprise 놀라서 : jump *in* ~ 깜짝 놀라 (무의식중에) 뛰다.
to one's surprise 놀랍게도 : *To* his ~, his master appeared suddenly before him. 놀랍게도 주인이 돌연 그의 앞에 나타났다 / *to* my great ~=much *to* my ~ 몹시 놀라운 것은.
with surprise 놀라면서 : watch *with* ~ 놀라서 지켜보다.
── *vt.* **1 a**) 놀라게 하다, 의외로 생각하게 하다 : His conduct ~*d* me. 그의 행동은 어처구니 없었다. **b**) [*p.p.*로 형용사적으로] [+前+do*ing* / +*to* do / +*that* 節] 놀라서 : She was so ~*d* that she shut her eyes. 깜짝 놀라서 무의식중에 눈을 감았다 / I should not be ~*d* if it snowed tonight. 오늘밤 눈이 내리더라도 별로 놀랄 것은 없다《어차피 눈이 내릴 것 같다》 / You will be ~*d* ***at*** the number of different plastics you use every day. 매일 사용하고 있는 플라스틱 제품의 수가 많은 데 놀랄 것이다 / We were ~*d at* find*ing* the house empty. 그 집이 비어 있는 것을 보고 놀랐다 / I am ~*d to* hear of his failure. 난 그가 실패했다는 소식을 듣고 놀랐다 / He was ~*d that* his father had sold the farm. 아버지가 농장을 팔아버린 데 대하여 아연실색하였다.
2 [+目/+目+前+名] 기습(하여 점령)하다, 불시에 치다 ; (…의 현행중에) 체포하다 : The enemy fighters ~*d* the harbor. 적의 전투기는 항만을 기습하였다 / The pickpocket was ~*d* ***in*** the act of stealing in the train. 소매치기가 열차 안에서 절도범행중 (현행범으로) 체포되었다.
3 [+目+前+名] 당황케 하여[갑자기 독촉하여]

…시키다 : He ~*d* me ***into*** consent. 그는 갑자기 독촉하여 나의 동의를 얻었다.

〈회화〉
I was *surprised* at the news. — So was I. 「그 소식을 듣고 놀랐어요」「나도 그랬어요」

sur·prís·ed·ly [-ədli] *adv.* 놀라서.
〖OF (p.p.) 〈 *sur-*²(*prendre*＜L＝to seize)＝to overtake〗
類義語 ***surprise*** 예기치 않거나 또는 통상적이 아니기 때문에 사람을 놀라게 하다. ***astonish*** 도저히 믿어지지 않기 때문에 사람을 놀라게 하다 ; surprise보다 강하다. ***amaze*** 상대방에게 당혹(當惑)·혼란을 일으키게 할 정도로 몹시 astonish 하다. ***astound*** 상대방에게 생각이나 행동을 할 수 없을 정도로 쇼크를 주다.

surpríse attàck *n.* 기습.
surpríse pàckage[**pàcket**] *n.* 《英》 속에서 돈 따위가 나와 깜짝 놀라게 하는 과자 봉지《따위》.
surpríse pàrty *n.* 《美》 기습 파티《친구들이 몰래 준비하여 갑자기 개최하는 축하회 따위》.
surpríse vìsit *n.* 불시의 방문 ; 임검(臨檢).
***sur·prís·ing** *a.* 놀라운, 의외의, 이상한 : It is not ~ that she was named for the post. 그녀가 그 지위에 임명된 것은 놀랄 일이 아니다[당연하다]. **~·ly** *adv.* **~·ness** *n.*
surr. surrender.
sur·re·al [sərí(ː)əl] *a.* 초현실적인, 기상천외의. ―― *n.* [the ~] 초현실적인 것[분위기].
surréal·ìsm *n.* Ⓤ 〖文藝〗 초현실주의.
-ist *n., a.* 초현실주의자(의). **sur·rè·al·ís·tic** *a.* 초현실주의적인. 〖F〗
sur·re·but [səːrribʌ́t ; sʌ̀ri-] *vi.* (-tt-) 〖法〗 (원고(原告)가) 제4소답(訴答)을 하다.
sùr·re·bút·ter *n.* (원고의) 제4소답.
sùr·re·bút·tal *n.* 〖法〗 재항변, 재반론《피고의 반론에 항변하기 위한 증거의 제출》.
sur·re·join [səːrridʒɔ́in ; sʌ̀ri-] *vi.* 〖法〗 (원고가) 제 3 소답을 하다.
sur·re·join·der [səːrridʒɔ́indər ; sʌ̀ri-] *n.* (원고의) 제 3 소답.
sur·ren·der** [səréndər] *vt.* **1** [＋目 / ＋目＋*to*＋名] 인도하다, 넘겨주다 ; 명도하다, 양도하다 : They ~*ed* the fortress ***to the enemy. 요새를 적에게 넘겨주었다 / ~ oneself *to* justice[the police] 자수하다(cf. *vi.*). **2** (자유·희망·직장 따위를) 버리다 : The shipwrecked people had to ~ all hope. 배의 조난자들은 모든 희망을 버릴 수 밖에 없었다. **3** (불입한 보험료의 일부를 반환받고) (보험을) 해약하다. **4** [＋目＋*to*＋名] [~ one*self* 로] (습관·감정·감화 따위에) 몸을 맡기다, 빠지다, 열중하다, 골몰하다 : ~ one*self* ***to*** despair[*to* bitter grief, *to* sleep] 자포자기에 빠지다[깊은 슬픔에 빠지다, 잠에 떨어지다].
―― *vi.* [動 / ＋*to*＋名] 항복[굴복, 함락]하다 ; (감정 따위에) 빠지다 : We shall never ~. 절대로 항복하지 않겠다 / They ~*ed* on terms. 조건부로 항복했다 / ~ ***to*** the enemy 적에게 항복하다 / ~ *to* justice[the police] 자수하다《注 이 *vi.* 의 용법은 *vt.* 1의 용법에서 one*self*가 탈락된 것에 유래한다》.
―― *n.* **1** Ⓤ,Ⓒ 인도, 명도, 양도 : ~ of a fugitive 〖國際法〗 탈주범의 인도. **2** Ⓤ 항복, 함락 : unconditional ~ 무조건 항복. **3** Ⓤ 자수. **4** Ⓤ,Ⓒ 〖保險〗 보험해약.
〖AF＜OF *sur-*²(*rendre* to RENDER)〗
類義語 ⟹ YIELD.

surrénder vàlue *n.* 〖保險〗 보험해약 환급금.
sur·rep·ti·tious [səːrəptíʃəs, sʌ̀r- ; sʌ̀r-] *a.* 비밀의, 은밀한, 몰래 하는 ; 부정의. **~·ly** *adv.* 〖L (SUR*rept*- -*ripio* to seize secretly)〗
sur·rey [sə́ːri, sʌ́ri ; sʌ́ri] *n.* 《美》 2좌석 4인승의 4륜 유람 마차[자동차]. 〖↓ ; 최초의 제작지〗
Surrey *n.* 서리《잉글랜드 남동부의 주(州) ; 주도 Kingston upon Thames》.
sur·ro·gate [sə́ːrəgèit, sʌ́rə-, -gət ; sʌ́rəgit] *n.* **1** 〖英國教〗 감독대리《banns 없이 결혼의 허가를 내줌》, 종교 재판소 판사대리. **2** 《美》 유언 검증판사. **3** 대리, 대용물〈*for, of*〉. ―― [-gèit] *vt.* 대리로 임명하다 ; 자기의 후임으로 지명하다 ; 〖法〗 대위하다. 〖L *sur-*¹(*rogo* to ask)＝to choose as substitute〗
súrrogate mòther *n.* 대리모《다른 부부를 위해 자궁을 빌려주고 아기를 낳는 여성 ; 모르는 남성의 정자에 의한 인공 수정이나 체외 수정의 수정란 이식에 의함》.
súrrogate mòtherhood *n.* 대리모업(業).
súrrogate pàrent·ing *n.* 대리모 노릇(＝**súrrogate mòthering**).
‡**sur·round** [səráund] *vt.* [＋目 / ＋目＋前＋名] 에워싸다, 둘러싸다 ; 〖軍〗 포위하다(encircle) : The garden is ~*ed* ***with*** a low fence. 정원에는 낮은 울타리가 쳐져 있다 / Young girls ~*ed* the movie personality. 어린 소녀들이 그 배우 주위를 둘러쌌다 / The town is ~*ed with* walls. 마을은 성벽으로 둘러싸여 있다 / A stone wall ~*s* the palace. 돌벽이 궁전을 둘러싸고 있다. ―― *n.* 둘러싸는 것, 경계를 이루는 것 ; [*pl.*] 환경, 주위. 〖ME＝to overflow＜AF＜L (*sur-*², *unda* wave) ; 어의(語義)상 ME *rounden* to round의 영향〗
surróund·ing *a.* 둘러싸는 ; 주위의 : York and its ~ countryside 요크와 그 주변의 시골.
―― *n.* [*pl.*] 주위(의 상태), 환경 ; [때때로 *pl.*] 주위 사람들, 측근자들.
surróund-sòund *n.* 《英》 〖오디오〗 서라운드 사운드《콘서트홀에서 직접 듣고 있는 것처럼 들리는 재생음》.
sur·sum cor·da [súərsum kɔ́ːrdɑː] *n.* 용기를 불러일으키게 하는 것 ; [때때로 S~ C~] 〖카톨릭〗「마음을 드높이…」《미사 서창(序唱)의 문구》. 〖L＝lift up your hearts〗
sur·tax [sə́ːrtæ̀ks] *n.* Ⓤ,Ⓒ 부가세 ; 소득세 특별부가세《영국에서는 supertax 대신 1929-30년 이후 실시》. ―― [ˌ, 美＋ˊˋ] *vt.* …에게 (누진) 부가세를 과하다. 〖F (*sur-*²)〗
sur·tout [sə́ːrtuːt, -ˊ] *n.* 남자용 외투 ; (여성용) 두건 달린 외투. ―― *a.* 〖紋〗 (방패 무늬가) 부분적으로 다른 무늬와 겹치다.
〖F (*sur-*², *tout* everything)〗
surv. survey(ing) ; surveyor ; survivor.
sur·veil, -veille [sə(ː)rvéil] *vt.* …을 감독[감시]하다. 〖역성(逆成)〈↓〗
sur·veil·lance [sə(ː)rvéiləns] *n.* Ⓤ 감시, 망봄, 감독 : under ~ 감시하에.
〖F (*sur-*², *veiller*＜L *vigilo* to watch)〗
sur·véil·lant *a.* 감시[감독]하는. ―― *n.* 감시[감독]자.
***sur·vey** [sə(ː)rvéi, sə́ːrvei] *vt.* **1** 내려다보다, 조망(眺望)하다 : I am monarch of all I ~. 내려다보이는 것은 모두 우리 영토《William Cowper의 시구》. **2** …의 개략을 조사하다 ; 개관[개설]하다 : The President ~*ed* the current situation. 대통령은 현재의 정세를 대략 설명하였다. **3** 확인

하다, 조사하다, 사정(査定)하다, 탐사하다 : We had the house ~*ed* before buying it. 그 집을 사기 전에 사정을 받았다. **4** 측량하다 : ~ the land [a railroad] 토지[철도]를 측량하다. —— *vi.* (토지의) 측량을 하다.
—— [sə́:rvei, sə(:)rvéi] *n.* **1** 둘러봄. **2** 개관, 통람. **3** 측량, 실지답사. **4** 측량부[국]. **5** 측량[실측]도(圖). **6** (건물 따위의) 검사, 조사, 사정 ; 조사표. **7** 〖統〗 표본 조사.
make a survey 검사[측량]하다〈*of*〉; 개관하다〈*of*〉.
〖AF<L (*super-*, *video* to see)〗

súrvey còurse *n.* 개설(槪說) 강의.

survéy·ing *n.* Ⓤ 측량(술).

survéy·or *n.* **1** 측량사[기사] : ~'s measure (측쇄(測鎖)에 의한) 측량단위. **2** 감시인, 감독자. **3** 감정인, (세관의) 조사관 : a ~ *of* weights and measures 도량형 조사관.

survéyor géneral *n.* (*pl.* **survéyors géneral**, ~**s**) 《美》 공[국]유지 감독관 ; 검사 주임.

survéyor's chàin *n.* 〖測〗 측쇄(測鎖)《거리 측정용 쇠사슬》.

survéyor·shìp *n.* surveyor의 직위[신분].

survéyor's lèvel *n.* 측량용 수준의(水準儀).

súrvey rèsearch *n.* 〖마케팅〗 서베이 리서치《일정한 표적 대상이나 집단에 직접 또는 간접으로 인터뷰하여 시장정보를 입수하는 연구방법》.

sur·viv·able [sərváivəbəl] *a.* 살아남을 수 있는 ; 살아남게 하는.
sur·vìv·abíl·i·ty *n.*

***sur·viv·al** [sərváivəl] *n.* **1** Ⓤ 살아남기, 잔존(殘存), 구조되는 것 : the ~ *of* the fittest ☞ FIT[1] *a.* 숙어. **2** 생존자, 잔존자[물], 유물, 유풍.
—— *a.* (식료 · 의류 따위) 긴급[비상]시용의.

survíval guìlt *n.* 생존자의 자책[죄악감]《전쟁 · 재해 따위에서 살아남은 사람이 희생자에 대하여 가지는》.

survíval·ìsm *n.* 생존주의《전쟁 · 재해 따위에서 살아남기 위해 대비하기》.

survíval·ist *n.* 생존주의자《대피 시설이나 비축 식량에 의해 전쟁 따위의 대재난에서 살아남는 것을 제1의 목표로 삼는 사람》.
—— *a.* 생존주의(자)의.

survíval kìt *n.* 〖空〗 (조난 따위에 대비하는 의료품 · 식량 따위의) 생존 장비, 구명 주머니.

sur·vive** [sərváiv] *vt.* **1** [+目/+目+*by*+名] …에서 살아남다, 보다 오래 살다 ; 《口》 (겪무 따위를) 참아내다 : She ~*d* her husband (by*** four years). (4년 전에) 남편과 사별하였다 / The institution has ~*d* its usefulness. 그 제도는 이제 (낡아) 쓸모가 없게 되었다. **2** …에도 불구하고 살아[잔존해] 있다, …로부터 구조되다 : ~ a shipwreck [an operation] 난파에서[수술하여] 구조되다 / They had to find ways to ~ the danger of everyday life. 일상생활의 위험 속에서 살아남는 길을 발견해 내지 않으면 안되었다.
—— *vi.* [動/+前+名] 생존하다 ; 잔존하다 : No one of the sufferers ~*d.* 이재민(罹災民) 중 아무도 살아남은[구조된] 자가 없었다 / This custom still ~*s.* 이 관습은 오늘날까지도 잔존하고 있다.
〖AF *survivre*< L (*super-*, *vivo* to live)〗
類義語 ***survive*** 다른 사람이 죽은 뒤에도 또는 위험한 사건이 있은 후에도 살아남다 : Two sons *survived* the father. (아버지가 죽은 뒤 두 아들이 남았다). ***outlive*** 다른 사람과의 경쟁 · 투쟁 또는 곤란을 극복하고 살아남다 : *outlive* one's enemies (자기 원수가 죽은 뒤까지 살아남다). ***outlast*** 보다 오래가다 ; 생존의 기간이 긴 것을 나타낸다.

sur·ví·vor *n.* 살아남은 사람, 생존자, 구조된 사람 ; 유족 ; 잔존물, 유물.

survívor guìlt *n.* =SURVIVAL GUILT.

Survívor's Bénefit *n.* 《美》 유족 급부금《치안 · 법집행 기관의 직원이 순직했을 때 주는》.

survívor·shìp *n.* Ⓤ 살아남음, 잔존 ; 〖法〗 생존자권, 잔존자 취득권.

survívor sỳndrome *n.* 〖醫〗 생존자 증후군《전쟁 · 재해를 겪은 생존자에게 보이는 죄악감에 바탕을 두는 정신 증상》.

sus, suss [sʌ́s] *vt.* (**-ss-**) 《英俗》 의심하다.
sus out 《英俗》 정찰하다, 조사하다 ; 간파하다.
—— *n.* 의심, 혐의.
on sus 《英俗》 혐의를 받아.
〖略〗

sus- [səs, sʌs] ☞ SUB-.

Su·san [sú:zən], **Su·san·na(h)** [su:zǽnə], **Su·sanne** [su:zǽn] *n.* 여자 이름《애칭 Sue, Susie, Susy》. 〖Heb.=lily〗

Susanna *n.* **1** ☞ SUSAN. **2** 〖聖〗 수산나《Joachim의 아내로 「수산나 이야기」에 나오는 정숙한 여자》; 수산나 이야기《구약 성서 외전(外典)에 실려있음》.

sus·cep·ti·bil·i·ty [səsèptəbíləti] *n.* **1** Ⓤ 느끼기 쉬운 성질[상태], 감수성 ; [*pl.*] 감정. **2** Ⓤ 〖電〗 자화율(磁化率) : magnetic ~ 대자율(帶磁率).

sus·cep·ti·ble [səséptəbəl] *a.* **1** [*pred.*로 써서] **a**) 허용하는, 가능한(capable) : This passage is ~ *of* another interpretation. 이 귀절에 대해선 또 다른 해석을 내릴 수 있다 / facts not ~ *of* proof 증명할 수 없는 사실. **b**) 받기 쉬운, 영향받기 쉬운, 감염되기 쉬운 : Caesar was ~ *to* flattery. 시저는 감언이설에 잘 넘어갔다 / She is ~ *to* colds. 그녀는 감기에 잘 걸린다. **2** 느끼기 쉬운, 다정다감한 ; 여자(의 매력 따위)에 약한 : a girl of a ~ nature 감수성이 예민한 소녀 / a ~ young man 다감한[연정(戀情)에 빠지기 쉬운] 청년. **-bly** *adv.*
〖L *sus-*(*cept- cipio*)=to take up〗
類義語 ⟹ SENSITIVE.

sus·cep·tive [səséptiv] *a.* 감수성의 ; 감수성이 예민한 : the ~ nature 감수성.

Su·sie [sú:zi] *n.* 여자 이름《Susan, Susanna(h)의 애칭》.

sus·pect** [səspékt] *vt.* **1** (위험 · 음모 따위를) 느끼다, 어렴풋이 알다, 알아채다 : ~ danger 위험을 느끼다 / ~ a hoax 속는 게 아닌가 생각하다. **2** [+*that* 節/+目+*to* do] …이 아닌가 생각하다, 상상하다 : I ~ *that* an accident has happened. 무언가 사고라도 일어난 것이 아닌가 생각한다 / He showed more courage than we ~*ed* him *to* possess. 우리들이 생각했던 것 이상의 용기를 보였다. **3** [+目+*of*+名/+目+*as* 補] …에게 (…의) 혐의를 두다, 수상쩍다고 생각하다 : Several people have been ~*ed* ***of the murder. 몇몇 사람이 살인 혐의를 받아 왔다 / I ~*ed* him *of* drinking [lying, a crime]. 나는 그가 술을 마셨다고[거짓말을 했다고, 죄를 범했다고] 의심하였다 / The man was ~*ed as* an accomplice. 그 사나이는 공범자란 혐의를 받았다. **4** 의심하다, 신용하지 않다(doubt) : I strongly ~ the authenticity of the document. 그 서류가 진짜인지 어떤지 몹시 의심스럽다.
—— *vi.* 의심을 품다, 사추(邪推)하다.

——[sʌ́spekt, səspékt] a. [보통 *pred.*로 써서] 의심스러운, 수상쩍은 : His statements are ~. 그의 진술은 신용할 수 없다.

——[sʌ́spekt] *n.* 용의자, 혐의자, 요주의 인물.

〖L *suspect- -picio* (*sus-* up, secretly) = to look up at〗

sus·pend** [səspénd] *vt.* [+目/+目+前+名] **1 a**) 매달다, 걸다 : Some chandeliers are ~*ed* ***from the ceiling. 샹들리에가 몇개 천장에 매달려 있다. **b**) [*p.p.*로] (수중·공중 따위에) 뜨게 하다 : I saw the fog ~*ed* ***in*** the air. 안개가 공기 중에 퍼져 있는 것을 보았다. **2** 중지하다 ; 일시 정지하다, 연기하다, 보류하다 : ~ payment (파산으로 말미암아) 지급을 정지하다 / The accused was fined £100 with ~*ed* execution of sentence. 피고는 집행 유예로 100 파운드의 벌금에 처해졌다 / The judgment will be ~*ed* ***till*** next Monday. 판결은 내주 월요일까지 보류되었다. **3** 정직(停職)하다, (잠시) …의 특권을 정지하다, (학생을) 정학처분하다 : The boy was ~*ed* ***from*** school for a month. 소년은 1개월간 정학처분을 받았다. **4** …의 마음을 들뜨게 하다, 불안하게 하다. **5** 〖化〗 현탁(懸濁)하다.

—— *vi.* (일시) 정지하다, 중지하다 ; 지급을 정지하다 ; 뜨다 ; 매달리다.

〖OF or L *sus-*(*pens- pendo* to hang)〗

類義語 ⟹ EXCLUDE.

suspénd·ed animátion *n.* 가사(假死), 인사불성 ; 생명 활동의 중단 : in a state of ~ 인사불성에 빠져.

suspénded séntence *n.* 〖法〗 집행 유예.

suspénded sólids *n. pl.* 현탁(懸濁) 고체《물을 오염시키는 고형물(固形物) ; 불용성(不溶性)으로 입자 지름 2 mm 이하》.

***suspénd·er** *n.* 매다는 사람[것] ; [*pl.*] 《英》 양말 대님(garters) ; [*pl.*] 《美》 바지의 멜빵(=《英》 braces).

suspénder bèlt *n.* 《英》 =GARTER BELT.

***sus·pense** [səspéns] *n.* **1** Ⓤ 미결, 미정(상태) ; 허공에 뜬 상태, 불안, 염려 ; (소설·극·영화 따위의) 서스펜스 : She waited *in* great ~ for her husband's arrival. 몹시 애태우며 남편의 도착을 기다렸다 / The detective story kept[held] me *in* ~ until the end of it. 그 추리소설은 끝까지 나를 마음졸이게 했다. **2** Ⓤ 〖法〗 (권리의) 정지.

〖AF and OF (p.p.) <L SUSPEND〗

suspénse accòunt *n.* 〖簿〗 임시 계정.

sus·pén·si·ble *a.* 매달 수 있는 ; 부동성(浮動性)의 ; 미결의.

sus·pen·sion [səspénʃən] *n.* **1** Ⓤ **a**) 매닮, 부유(浮遊), 부동(浮動) ; 미결(정), 어중간. **b**) 정직(停職), 정학, 정권 ; 중지, 정지 ; 불통 ; 지급 정지. **2** Ⓤ 〖理〗 부유(상태). **3** Ⓤ 〖化〗 현탁(액). **4** 버팀대 ; (자동차·전차 따위의) 차대 버팀 장치《스프링 따위》.

suspénsion brìdge *n.* 현수교(懸垂橋).

suspénsion pòints[pèriods] *n. pl.* 《美》 〖印〗 생략 부호《글의 생략을 나타내며 문장 안에서는 3점(...)을, 문장 끝에서는 보통 4점(....)을 찍음》.

sus·pen·sive [səspénsiv] *a.* **1** 미결[미정]의 ; 불안한, 위태위태한 ; 불확실한. **2** 중지하는, 휴지(休止)하는. **~·ly** *adv.*

suspénsive véto *n.* 정지권.

sus·pén·sor *n.* =SUSPENSORY ; 〖植〗 배(胚)자루, 현수사(懸垂絲).

sus·pen·so·ry [səspénsəri] *a.* **1** 매다는, 매달아 늘어뜨린, 현수(懸垂)의. **2** 정지한, 중지의.

—— *n.* 〖解〗 현수근(懸垂筋)[대] ; 현수 붕대.

suspénsory lígament *n.* 〖解〗 현수 인대.

sus. per coll. 〖法〗 *suspendatur per collum* 《L》 (=let him be hanged by the neck) (교살형 (선고서)).

sus·pi·cion** [səspíʃən] *n.* **1** Ⓤ,Ⓒ [+*that* 節] 용의(容疑), 혐의 ; 의심, 눈치챔 : *S*~ kept me awake. 의심스러운 생각으로 잠을 잘 수 없었다 / He resented your ~*s* ***about his motives. 그는 자신의 의도를 자네한테 의심받아 분개하였네 / I had a ~ *that* he had been there. 나는 아무래도 그가 거기 있었던 것 같은 생각이 들었다 / There is not the shadow[ghost] of a ~. 추호도 의심할 바 없다. **2** [a ~] 미량, 기미(touch, soupçon) : *a* ~ *of* a smile 엷은 미소 / He spoke with *a* ~ *of* humor. 그는 약간의 유머가 섞인 말투로 이야기하였다.

above*[*under*] *suspicion 혐의의 여지가 없이[를 받고].

have suspicions*[*a suspicion*] *about*...** = ***attach suspicion to*...** = ***hold*... *in suspicion = ***cast suspicion on*** …에 혐의를 두다.

***on suspicion* (*of*...)** (…의) 혐의로 : He was arrested *on* ~ *of* fraud[be*ing* a spy]. 그는 사기[스파이] 혐의로 체포되었다.

—— *vt.* 《美俗》 …에 혐의를 두다, 의심하다 (suspect).

〖AF<L ; ⇨ SUSPECT ; 어형은 F에 동화(同化)〗

類義語 ⟹ DOUBT.

suspícion·al *a.* (병적으로) 의심 많은.

sus·pi·cious** [səspíʃəs] *a.* **1** 의심 많은, 잘 믿지 않는 : The general was ~ ***of the new officer. 장군은 신임 장교를 의심하였다. **2** 의혹을 갖게 하는, 거동이 수상한, 수상쩍은 : ~ behavior 수상쩍은 행동 / a ~ character 의심스러운 인물 / The matter seemed ~ ***to*** him. 그 사건이 그에게 수상쩍게 생각되었다.

~·ly *adv.* 의심많게, 수상쩍게. **~·ness** *n.*

類義語 ⟹ DOUBTFUL.

sus·pi·ra·tion [sʌ̀spəréiʃən] *n.* 《古·詩》 한숨, (장)탄식.

sus·pire [səspáiər] *vi.* 《詩》 탄식하다(sigh) ; 호흡하다(breathe).

—— *vt.* 탄식하여 말하다.

〖L (*spiro* to breathe)〗

Sus·sex [sʌ́siks] *n.* **1** 서식스《잉글랜드 남동부에 있는 옛 주(州)로 1974년에 East Sussex와 West Sussex의 두 주로 나누어짐》. **2** 서식스종(種)《닭 및 식육우의》.

sus·so [sʌ́sou] *n.* (*pl.* **~s**) 《濠俗》 실업 수당 (수급자).

〖*sustenance*, *-o*〗

sus·tain** [səstéin] *vt.* **1** 버티다, 지지하다(support) ; …에 견디다, 굴하지 않다 : The breakwater ~*s* the shock of the great waves. 방파제는 큰 파도의 충격에 버티고 있다. **2** (손해 따위를) 받다, 당하다(suffer) ; 경험하다(experience) : ~ a defeat 패배당하다 / ~ a great loss 큰 손해를 입다 / ~ severe injuries 중상(重傷)을 입다. **3** [+目+前+名] (생명 따위를) 유지하다 ; 기운을 내게 하다 ; (시설 따위에) 식량을 보급하다 : provisions sufficient to ~ the lives of so many people 그처럼 많은 인명을 살리기에 충분한 식량 / Hope ~*ed* us ***in our misery. 희망이 있었으므로 우리는 불행을 견뎌 냈다. **4** [+目/+目+*in*+名] 〖法〗 확인하다, 지지하다(uphold) :

The judge ~*ed* his objection[~*ed* him ***in*** his objection]. 판사는 그의 이의(異議)를 인정하였다. **5** 보증하다, 확인하다(confirm) : His theory has been ~*ed* by the facts. 그의 이론은 사실에 의해 입증되었다. **6** 〔劇〕 (역을) 훌륭히 해내다 : ~ one's role 역할을 훌륭하게 해내다. **7** (노력을) 계속하다 ; 지속하다 : ~ a conversation 대화가 끊기지 않게 계속 이어 나가다.
~·able *a.* 지지할 수 있는 ; 지속할 수 있는 ; 참을 수 있는. **~·ment** *n.* 지지(하는 것), 유지 ; 지속.
〚AF *sustenir*<L *sus*-(*tent*- *tineo*=*teneo* to hold)〛

sus·táined *a.* 지속된, 한결같은 : ~ efforts 부단한 노력.

sustáined yíeld *n.* 수확량 유지《수확하여 감소된 삼림·물고기 따위의 생물 자원을 다음 수확 이전까지 불어나도록 관리하는 일》.

sustáin·er *n.* 떠받치는[버티는] 사람[물건] ; 《美》 =SUSTAINING PROGRAM ; 〔로켓〕 지속(持續) 비행(용 로켓 엔진).

sustáin·ing *a.* 떠받치는, 버티는 ; 견딜 수 있는 ; 자체 프로그램의 ; 몸에 원기를 북돋우는 : ~ food 강장(強壯) 식품.

sustáining prògram[shòw] *n.* 《美》〔라디오·TV〕 자체 프로그램《sponsor 없이 방송국 자체가 기획·제작하여 방송하는 비(非)상업성 프로그램》.

sus·te·nance [sʌ́stənəns] *n.* **1** Ⓤ 생계, 살림살이. **2** Ⓤ 음식, 먹을 것 ; 영양(물), 자양(물). **3** Ⓤ 지지, 유지 ; 내구(耐久), 지속.
〚OF ; ⇨ SUSTAIN〛

sus·ten·ta·tion [sʌ̀stəntéiʃən] *n.* Ⓤ,Ⓒ 지지, 생명[생활]의 유지, 부조, 부양 ; 음식.

sustentátion fùnd *n.* 〔基〕 전도사 부조 기금.

sus·ten·tion [səsténʃən] *n.* =SUSTENTATION.

su·sur·ra·tion [sùːsəréiʃən ; sjùː-] *n.* 《文語》 속삭임.

su·sur·rous [susə́ːrəs, -sʌ́r- ; sjúːsə-] *a.* 《文語》 속삭이는 ; 바스락거리는.

Su·sy [súːzi] *n.* 여자 이름《Susan, Susanna(h)의 애칭》.

sut·ler [sʌ́tlər] *n.* (이전의) 종군(從軍) 상인, (군대의) 구내 매점 상인.
〚Du. *soeteler*<LG=sloppy worker〛

su·tra [súːtrə] *n.* [때때로 S~] (바라문교·불교의) 경전.
〚Skt.=thread, list of rules ; ⇨ SEW〛

sut·tee, sa·ti [sʌtíː, sʌ́tiː] *n.* **1** Ⓤ 아내의 순사(殉死)《옛날 인도에서 남편이 죽으면 아내도 함께 산 채로 화장하던 풍습》. **2** 남편을 따라 순사하는 아내.
〚Skt.〛

su·tur·al [súːtʃərəl] *a.* 솔기의, 꿰맨 줄의 ; 봉합선의. **~·ly** *adv.*

su·ture [súːtʃər] *n.* **1** 꿰맨 줄, (특히 두개골의) 봉합선 ; 〔動·植〕 봉합, 꿰맨 자리. **2** 〔醫〕 (상처의) 봉합, 봉합법[술] ; 봉합사. —— *vt.* 〔醫〕 (상처를) 봉합하다, 꿰매다.
〚F or L (*sut*- *suo* to sew)〛

Su·va [súːvə] *n.* 수바《Fiji의 수도·항구 도시》.

su·ze·rain [súːzərèin, -ərən] *n.* **1** 영주(領主), 봉건 군주. **2** (속국에 대한) 종주국.
〚F ; *souverain* SOVEREIGN에 준하여 *sus* above에서 인가〛

súzerain·ty *n.* Ⓤ 종주권 ; 영주[종주]의 지위[권력] ; 봉건 군주의 영토.

Su·zy, -zie [súːzi] *n.* 여자 이름《Susan, Susanna(h) 따위의 애칭》.

S.V. *Sancta Virgo* 《L》 (=Holy Virgin) ; *Sanctitas Vestra* 《L》 (=Your Holiness). **s.v.** sailing vessel ; *sub verbo*[*voce*] 《L》 (=under the word[heading]).

sva·ra·bhak·ti [sfɑ̀ːrəbʌ́ːkti, svɑ̀ː-, swɑ̀ː-] *n.* 〔言〕 모음 감입(母音嵌入)《산스크리트에서 특히 r[l]과 바로 뒤의 자음 사이에 모음이 삽입되는 것 ; 또 다른 언어에서의 같은 현상》.

svc, svce. service.

svelte [svélt, sfélt] *a.* 날씬한, 우아한, 맵시 있는. **~·ly** *adv.* **~·ness** *n.*
〚F<It. (*svellere* to pull out)〛

SV40 Simian Virus 40《시미언 바이러스 40 ; 원숭이의 발암 바이러스》. **svgs.** savings. **SVP** senior vice president《(회사의) 상무 ; cf. EVP》. **SW, S.W., s.w.** southwest(ern). **Sw.** Sweden ; Swedish. **S.W.** South Wales. **sw** shortwave. **sw.** switch. **S.W.A.** South-West Africa.

swab [swɑ́b] *n.* **1** (갑판용) 자루 걸레(mop). **2** 〔醫〕 소독면[거즈], 면봉 ; 총구 청소용 도구. **3** 《英》 (해군 장교의) 견장 ; 《美俗》 수병 ; 해군 하사관 ; 《俗》 미련퉁이, 굼뜬 놈.
—— *vt.* (-**bb**-) **1** [+目/+目+副] …에 걸레질하다 : ~ (***down***) the decks 갑판을 자루 걸레로 닦다 / ~ ***up*** water 물을 걸레로 훔쳐내다. **2** 〔醫〕 (상처에) 면봉으로 약을 바르다.
~·ber *n.* 청소담당 선원(船員) ; 자루 걸레 ; 《俗》 데퉁바리.
〚MDu. *swabbe* mop ; 일설(一說)에 (n.)〈(v.) 역성(逆成)〈*swabber*〛

swáb·bie, -by *n.* [보통 호칭으로] 《美俗》 해군 하사관, 수병(swab).

swacked [swǽkt] *a.* 《俗》 (술·마약에) 취한.

swad·dle [swɑ́dl] *vt.* (갓난아기를) 강보로 감싸다. —— *n.* 그 포대기.
〚SWATHE[1]〛

swád·dling clòthes[bànds] *n. pl.* (갓난아기를 감싸는) 좁고 긴 천, 강보, 포대기 ; 유년기, 요람기 ; 《비유》 엄격한 감시[감독], 속박.

swad·dy [swɑ́di] *n.* 《英俗》 군인, 병사.

Swa·de·shi [swədéiʃi] *n.* 《인도》 스와데시《독립 전 인도에서의 국산품 애용, 특히 영국 상품 배척 운동》.
—— *a.* 인도제[산(産)]의.
〚Bengali=own-country things〛

swag[1] [swǽ(ː)g] *n.* **1** Ⓤ 《俗》 약탈품(booty) ; 장물 ; 부정이득 ; 돈, 귀중품, 밀수품. **2** 《濠》 (여행자의) 짐 보퉁이. —— *vi.* (-**gg**-) 《濠》 (일상용품을 휴대하고) 방랑하다.
〚? Scand. (ON *sveggja* to cause to sway, OHG *swingan* to sway)〛

swag[2] *n.* 꽃장식, 꽃줄(festoon) ; =SWALE ; 흔들림.
—— *v.* (-**gg**-) *vi.* 흔들리다 ; 축 늘어지다 ; 가라앉다.
—— *vt.* 늘어뜨리다, 흔들다 ; 꽃장식으로 장식하다.
〚↑〛

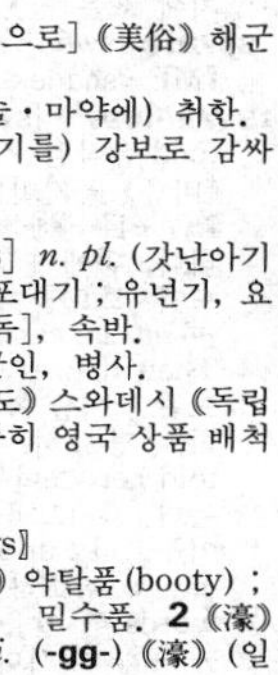

top swage

bottom swage

swage

swage [swéidʒ, swédʒ] *n.* 형철(型鐵)《쇠붙이의 형체를 뜨는 틀》. —— *vt.* 형철로 구부리다[만들다].
〚OF=decorative groove <?〛

swáge blòck *n.* 〔機〕 벌집틀, 모루.

swag·ger [swǽgər] *vi.* **1** [動/+副/+前+名] 뽐내며 걷다 : The bully ~*ed* ***about*** [~*ed* ***into*** the classroom]. 개구쟁이가 으스대며 돌아다녔다[교실로 들어왔다]. **2** 허풍떨다, 자만하다 ⟨*about*⟩ ; 뻐기다. —— *vt.* 《稀》 [+目+前+名] 위협하여 …시키다(bluff) ; 위협하여 그만두게 하다 : ~ a person ***into*** dread [***out of*** opposition] 사람을 위협하여 공포에 떨게 하다[반항을 못하게 하다]. —— *n.* **1** 뽐내며[우쭐거리며] 걷기, 활보 : with a ~ 우쭐거리며. **2** 허풍떨기 ; 뻐기기. —— *a.* 《口》 멋진, 스마트한, 맵시 있는.
~·er *n.* 〚SWAG[1] ; 어미는 cf. CHATTER〛
類義語 ⟹ BOAST.

swágger còat *n.* 스왜거 코트《어깨가 넓고 뒤에 플레어를 넣은 여성용 코트의 일종》.

swágger·ing *a.* 활보하는 ; 뻐기는 ; 자만하는. **~·ly** *adv.* 뽐내며, 뻐기며, 자만하며.

swágger stìck[**càne**] *n.* 《주로 美》 (군인 등이 산책·외출시에 멋으로 드는) 짧은 지팡이.

swag·gie [swǽgi] *n.* 《濠口》 =SWAGMAN.

swág·man, swágs- [-mən, -mæ̀n] *n.* 《濠》 방랑자.

Swa·hi·li [swɑːhíːli] *n.* (*pl.* **~, ~s**) 스와힐리 사람《아프리카의 Zanzibar 및 부근 연안에 사는 Bantu족 사람들》 ; Ⓤ 스와힐리어(語).
〚Arab. (pl.) ‹ *sāḥil* coast〛

swain [swéin] *n.* 《古·詩》 시골 젊은이, 시골 멋쟁이 ; (목가에 나오는) 애인.
〚ON=lad ; OE *swān* swineherd와 같은 어원〛

SWAK, S.W.A.K., swak [swǽk] sealed with a kiss《키스로 봉함 ; 아이들이나 연인이 편지에 쓰는 말》.

swale [swéil] *n.* 《美》 풀이 무성한 저습지.
〚ME=shade‹ ? Scand.〛

‡**swal·low**[1] [swɑ́lou] *vt.* **1** 삼키다 : ~ one's food 음식을 삼키다 / ~ the bait 미끼를 물다 ; 《비유》 올가미[계략]에 걸리다. **2** [+目/+目+副/+目+前+名] 빨아들이다, 감싸다 ; 다 써버리다, 없애다 : The waves ~*ed* ***up*** the boat. 파도가 보트를 삼켰다 / The expenses more than ~ *up* the earnings. 지출이 소득을 웃돌고 있다 / Their figures were ~*ed up* ***in*** the dark. 그들의 모습은 어둠 속으로 사라졌다. **3** 그대로 받아들이다, 경솔히 믿다 : She ~*s* everything that is told her. 그녀는 들은 이야기는 무엇이든 곧이듣는다. **4** (모욕을) 참다 ; (노여움·웃음 따위를) 억누르다 : an insult hard to ~ 참기 어려운 모욕. **5** 취소하다, (말을) 우물거리다 : ~ one's words 한 말을 취소하다.
—— *vi.* 마시다, 들이켜다.
—— *n.* **1** 삼킴, 마심. **2** 한 모금(의 양) : take a ~ *of* water 물을 한 모금 마시다. **3** 식도(食道) ; 식욕. **4** 《英》 수챗구멍(=~ **hòle**).
〚OE *swelgan* ; cf. G *schwelgen*〛

***swallow**[2] *n.* 〔鳥〕 제비 ; 제비처럼 빨리나는 새 : One ~ does not make a summer. 《속담》 제비 한 마리가 왔다고 해서 여름이 되는 것은 아니다《지레 짐작은 금물》.
〚OE *swealwe* ; cf. G *Schwalbe*〛

swállow dìve *n.* 《英》 =SWAN DIVE.

swállow·tàil *n.* **1** 제비 꽁지. **2** 〔昆〕 호랑나비. **3** 〔木工〕 주먹장부촉. **4** 〔海〕 긴 깃대의 끝, 삼각 깃대의 끝. **5** 〔植〕 버드나무의 일종. **6** 연미복. **swállow-tàiled** *a.* 제비 꽁지 모양의.

◇**swam** *v.* SWIM의 과거형.

swa·mi, -my [swɑ́ːmi] *n.* 스와미《힌두교의 교사에 대한 존칭 ; 힌두교의 우상》 ; 《美》 요가 수행자(yogi) ; =PUNDIT. 〚Hindi〛

***swamp** [swɑ́mp, 美+swɔ́ːmp] *n.* Ⓤ,Ⓒ 늪, 수렁, 소택지(沼澤地), 저습 지대《미국에서는 침수된 산림 지대를 뜻하기도 함 ; cf. MARSH》.
—— *vt.* **1** [+目/+目+*in*+名] 수렁에 빠뜨리다 ; 물에 잠기게 하다, 물에 담그다, 침수시키다 : The boat was ~*ed* by the waves. 보트는 파도에 뒤집혀 가라앉았다 / The horses were ~*ed* ***in*** the stream. 말들은 개울에 빠졌다. **2** [+目+*with*+名] (수·양으로) 압도하다, 궁지에 빠뜨리다(overwhelm) : They ~*ed* us ***with*** letters asking for money. 그들로부터 돈을 부탁하는 편지가 쇄도하여 난처해졌다 / He was ~*ed with* invitations. 그는 초대장 사태를 만났다. **3** 《美》 (토지·길 따위를) 내다⟨*out*⟩ ; (벌목한 나무)의 가지를 치다. —— *vi.* (침수되어) 가라앉다, (늪에) 빠져들다 ; 궁지에 몰리다.
—— *a.* 소택지에 사는.
〚? MDu. *somp* morass ; cf. MHG *sumpf* marsh, Gk. *somphos* spongy〛

swámp bòat *n.* (소택지용) 에어보트.

swámp bùggy *n.* 《美》 스왐프 버기《소택지용 자동차 또는 공중 프로펠러배(airboat)》.

swámp·er *n.* 《美》 소택지 주민 ; 잡역 인부 ; 조력자 ; 《美俗》 (트럭의) 조수 ; 《濠》 소몰이의 조수.

swámp féver *n.* 《美》 말라리아(malaria) ; 감염성 빈혈 ; 렙토스피라증(leptospirosis).

swámp·lànd *n.* Ⓤ (경작 가능한) 소택지.

swámpy *a.* 늪의 ; 늪 같은 ; 습지가 있는.
swámp·i·ness *n.*

***swan**[1] [swɑ́n] *n.* **1** 〔鳥〕 백조 : ☞ BLACK SWAN. **2** 비길데 없이 아름다운 사람[것] ; 《비유》 가수, 시인 : the (sweet) *S*~ of Avon 셰익스피어(Shakespeare)의 별칭. **3** [the S~] 〔天〕 백조자리(Cygnus).
—— *vi.* (**-nn-**) 《口》 정처없이 헤매다⟨*about, around*⟩ ; 유유히 나아가다 ; (남의 돈으로) 우아하게 놀러 다니다.
swan it 《口》 빈들거리(며 지내)다.
~·lìke *a.* 〚OE ; cf. G *Schwan* ; OE *swinsian* to make music, *swinn* melody, L *sonus* sound와 같은 어원 ; 죽기 전에 노래한다는 전설에서인가〛

swan[2] *vi.* (**-nn-**) 《美方》 맹세하다, 단언하다.
I swan ! 꼭 그렇다, 정말이다.
〚*swear*의 euph.인가〛

swán bòat *n.* (유원지 따위의) 백조 모양으로 만든 보트.

swán dìve *n.* 《美》 〔泳〕 제비식 다이빙《양팔을 벌리고 다리를 모아 뛰어들기》.

swang *v.* 《稀》 SWING의 과거형.

swán·hèrd *n.* 백조를 지키는 사람.

swank [swæŋk] *n.* 《口》 **1** Ⓤ 자랑, 허세 ; 거만. **2** Ⓤ 우아, 멋짐, 고상함(elegance).
—— *vi.* 허세부리다, 거드름피우다 ; 뽐내며 걷다(swagger). —— *a.* 화려한, 멋부린, 스마트한.
〚C19 (dial.) ‹ ? MHG *swanken* to sway〛

swánky *a.* 《口》 허세부리는 ; 멋진 ; 사치스러운.

swán·nery *n.* 백조 사육장.

swáns·dòwn, swán's- *n.* **1** Ⓤ 백조의 솜털《의복 장식·분첩용》. **2** Ⓤ 두껍고 부드러운 융의 일종.

swán shòt *n.* 백조 사냥용 총알.

swán·skìn *n.* (깃털이 달린) 백조의 가죽 ; (양털·면으로 촘촘히 짠) 플란넬.

swán sòng *n.* **1** 백조의 노래《백조가 죽을 때 부른다는 노래 ; cf. DYING swan》. **2** 최후의 작품[작곡], 절필(絕筆) ; 최후를 장식하는 것.

swán-ùpping *n.* 《英》 백조 조사《백조새끼를 잡아 부리에 임자 표시를 하는 Thames 강의 연례 행사》.

swap, swop [swáp] *vt., vi.* (**-pp-**) 《口》 [+目/+目+前+名/動] 교환[교역]하다, 맞바꾸다; 《卑》 부부를 교환하다: Never ~ horses while crossing the stream. 《속담》 개울을 건너는 동안 말을 바꾸지 마라《위험이 지나갈 때까지 현상을 유지하라》/ He offered to ~ his camera ***for*** money. 그는 카메라를 돈으로 바꾸고 싶다고 하였다 / Will you ~ places ***with*** me? 저와 자리를 바꾸시지 않겠습니까. —— *n.* **1** 교환(품); 《卑》 부부교환(exchange): do a ~ 교환하다. **2** 〔컴퓨〕 교환, 갈마들임.
〖ME=to hit<? imit.; 교환 성립의 '박수'인가〗

swáp agrèement *n.* 〔經〕 스와프 협정《국제간에 자국 통화를 서로 교환 예치하는 협정》.

swáp mèet *n.* 《美》 중고품 교환회[시장].

SWAPO, Swa·po [swá:pou] *n.* 남서 아프리카 인민 기구, 스와포《나미비아의 독립을 목표로 했던 흑인 해방 조직》.
〖*S*outh-*W*est *A*frican *P*eople's *O*rganization〗

swa·raj [swərá:dʒ] *n.* Ⓤ (인도의) 자치, 독립, 스와라지《원래 인도 독립 운동의 표어》; [the S~] 스와라지당(黨)(1923-26)《영국으로부터의 독립을 주장함》. **~·ism** *n.* **~·ist** *n.* 인도 독립 운동가. 〖Skt.=self-rule〗

sward [swɔ́:rd] *n.* Ⓤ 잔디밭, 뗏장(turf).
—— *vt., vi.* 잔디로 뒤덮다[뒤덮이다]. ㊟ *vt.*는 보통 수동태로 쓰임. **~·ed** *a.*
〖OE *sweard* skin, rind〗

sware *v.* 《古》 SWEAR의 과거형.

swarf [swɔ́:rf, swá:rf] *n.* (나무 · 쇠붙이 따위의) 지스러기. 〖ON=file dust〗

swarm**[1] [swɔ́:rm] *n.* **1 a)** 무리, 떼(cf. FLOCK[1]): a ~ *of* bees 벌떼. **b)** (특히 분봉(分蜂)하는) 벌[개미]떼. **2** (사람 · 동물의) 무리, 군중; 대세(大勢), 다수: ~*s of* schoolchildren 학동의 무리. **3** 〔生〕 부유 생물[세포]군. —— *vi.* **1** [動/+副/+前+名] 떼짓다, 들끓다, 무리지어 움직이다[모여들다]: Bees ~*ed* ***about in the orchard. 벌이 과수원에 떼를 지어 날아다녔다 / The peddlers were ~*ing* (***a***)***round*** the sightseers. 행상인들이 관광객 주위를 몰려 다녔다 / The crowds ~*ed* ***over*** the baseball ground. 군중이 야구장을 가득 메웠다. **2** (벌이) 분봉(分蜂)하다. **3** [+*with*+名] (장소가) 가득 모이다: The marshes were ~*ing* ***with*** mosquitoes. 늪에는 모기가 우글거렸다 / The beach ~*s with* children during the holidays. 바닷가는 여름 휴가 동안에는 아이들로 붐빈다. **4** 〔生〕 떼지어 부유하다. —— *vt.* [보통 수동태로] …에 떼지어 모여들다〈*with*〉.
〖OE *swearm*; cf. G *Schwarm*〗
類義語 ⟹ CROWD, GROUP.

swarm[2] *vt., vi.* (나무 따위에) 기어오르다(shin) 〈*up*〉. 〖C16<?〗

swárm·er *n.* 우글우글 떼짓는 사람[것]; 무리 중의 한 사람[한개]; 분봉 준비가 다된 꿀벌; 〔生〕=SWARM SPORE.

swárm spòre[cèll] *n.* 〔生〕 유주자(遊走子)(zoospore); 유주 세포.

swart [swɔ́:rt] *a.* =SWARTHY; 유독한.
~·ness *n.* 〖OE *sweart*; cf. G *schwarz*〗

swart ge·vaar [swá:rt xəfá:r] *n.* 《南아》 흑화(黑禍)《흑인 세력 신장에 대하여 백인들이 품는 공포감》. 〖Afrik.=black peril〗

swarth[1] [swɔ́:rθ] *n.* 《古 · 方》 건초용 작물; =SWARD. 〖변형(變形)<SWATH〗

swarth[2] *n.* 《方》 피부, 살가죽. —— *a.* 《古》 = SWARTHY. 〖SWARD〗

swarthy [swɔ́:rði, -θi] *a.* (피부 · 안색이) 거무스름한, 가무잡잡한, 볕에 탄(sunburnt).
swárth·i·ly *adv.* 거무스름하게. **-i·ness** *n.*
〖*swarty* (obs.)<SWART〗

swash [swáʃ, 美+swɔ́:ʃ] *vi.* **1** (물이) 세차게 부딪다, 철썩[첨벙] 소리를 내다, (물이) 튀다. **2** 허세부리다. —— *vt.* 물을 튀기다(splash).
—— *n.* **1** Ⓤ 세게 부딪치는 소리, 분류(奔流). **2** 《美》 여울; 좁은 해협. **3** 허세. **4** 강타.
〖C16<? imit.〗

swásh·bùckle *vi.* 허세부리다.

swásh·bùckler *n.* 허세[만용]부리는 사람; 깡패(bully); 그런 인물을 다룬 영화[소설].

swásh·bùck·ling *n.* Ⓤ 허세부림.
—— *a.* 허세부리는; 깡패의[같은]; (영화가) 스릴과 모험에 찬.

swásh bùlkhead *n.* 〔海〕 제수(制水) 격벽.

swásh plàte *n.* 〔機〕 회전 경사판, 제수판.

swas·ti·ka [swástikə] *n.* **1** 만(卍)자(gammadion)《십자가의 변형》. **2** 갈고리 십자장(章)《나치스 독일의 국장》.
〖Skt. (*svastí* well-being, prosperity); 행운을 가져오는 표라고 여겼음〗

swat[1] [swát] *vi., vt.* (**-tt-**) …을 세게 치다, 찰싹 때리다(slap); 〔野〕 장타를 치다. —— *n.* 찰싹 때림; 강타; 〔野〕 장타.
〖C17=to sit down (dial.)<SQUAT〗

swat[2] *n., v.* (**-tt-**) 《英口》 =SWOT[1].

SWAT, S.W.A.T. [swát] *n.* 《美》 스와트《(FBI 따위의) 특수 공격대, 특별 기동대》.
〖*S*pecial *W*eapons *a*nd *T*actics or *S*pecial *W*eapons *A*ttack *T*eam〗

swatch [swátʃ] *n.* 《美 · 北英》 (직물 · 가죽 따위의) 견본(조각); 《비유》 전형(적인 예)〈*of*〉; 소수. 〖C17<?〗

swath [swáθ, swɔ́:θ; swɔ́:θ] *n.* **1** 한줄로 벤 자리《목초 · 보리 따위》; 벤 폭; 한번 벤 분량. **2** 넓은 길, 긴 줄; 띠모양의 것; 〔海〕 파도의 폭.
cut a (***wide***) ***swath*** 풀을 베어 길을 내다; 《美》 주의를 끌다, 잘난 체하다; 《비유》 여지없이 파괴하다.
〖OE *swæth* footstep, trace〗

swathe[1] [swéið, 美+swáð, 美+swɔ́:ð] *vt.* [+目/+目+*in*+名] 붕대를 감다; (천 따위로) 싸다, 두르다: with one's arm ~*d* ***in*** bandages 팔에 붕대를 감고. —— *n.* 《稀》 붕대(bandage).
swáth·er *n.*
〖OE *swathian*; cf. *swæthel* swaddling clothes (⇨ SWADDLE)〗

swathe[2] *n.* =SWATH.

swát-stìck *n.* 《野俗》 방망이, 배트.

swát·ter *n.* 탁하고 때리는 사람[물건]; 파리채(fly swatter); 〔野〕 강타자.

S wave [és ∸] *n.* (지진의) S파(波), 횡파(橫波). 〖*s*econdary *wave*〗

***sway** [swéi] *vt.* **1** …을 흔들다, 동요시키다; (특정 방향으로) 움직이게 하다, 기울게 하다; (목적 · 진로를) 빗나가게 하다: The wind ~*ed* the branches of the trees. 바람이 나뭇가지를 흔들었다. **2** …의 의견[결의]을 움직이다, 좌우하다, …에 영향을 주다; (권력 · 무기 따위를) 휘두르다; 지배하다, 조종하다, 통치하다: His speech ~*ed* the audience[voters]. 그의 연설은 청중의 마음

을 사로잡았다[유권자의 투표를 좌우하였다]. **3** 〖海〗 (돛대를) 세우다, (활대를) 올리다.

— *vi.* **1** [動/+前+名] 흔들리다, 동요하다 : The grass is ~*ing* ***in*** the breeze. 풀이 산들바람에 한들거리고 있다 / The pail ~*ed* ***in*** the girl's hands as she ran. 소녀가 달리자 손에 들고 있던 양동이가 흔들렸다. **2** (마음이) 움직이다, 기울다 ;《文語》통치하다.

sway the scepter ☞ SCEPTER.

— *n.* **1** Ⓤ 동요, 진동. **2** Ⓤ 좌우[자유로이] 하는 힘 ; 세력 ; 지배, 통치 : under the ~ of … 의 통치[세력]하에 / hold ~ (over...) (…을) 지배(支配)하다 / own love's ~ 반했다고 고백하다. **~·er** *n.* 〖ME *swey* to fall, swoon< ? Scand. (ON *sveigja* to sway, bend)〗

類義語 ⟹ SWING, AFFECT[1].

swáy·bàck *n.* 〖獸醫〗 (말의) 척추 만곡증 ; 굽은 등 ;〖醫〗 척추 전만증(前彎症).

— *a.* =SWAYBACKED.

swáy·bàcked *a.* (말이) 척추가 굽은.

swayed [swéid] *a.* =SWAYBACKED.

Swa·zi·land [swɑ́:zilæ̀nd] *n.* 스와질란드《아프리카 남동부의 왕국 ; 수도 Mbabane》.

swaz·zled [swɑ́zəld] *a.*《美俗》몹시 취한.

swbd. switchboard.

SWbS, S.W.bS. southwest by south(남서미남(南西微南)).

SWbW, S.W.bW. southwest by west(남서미서(南西微西)).

sweal [swí:l] *vi., vt.* 《方》타다, 태우다 ; (양초가) 녹다, (양초를) 녹이다.

〖OE *swelan, swǣlan* to (cause to) burn〗

swear** [swέər, swǽər] *v.* (**swore** [swɔ́:r], 《古》**sware** [swέər, swǽər] ; **sworn** [swɔ́:rn]) *vi.* **1** 맹세하다, 서약하다. **2** [動/+*at*+名] 함부로 신의 이름을 부르다, 신의 이름을 더럽히다, 지나친[벌받을] 소리를 하다, 욕하다 : The captain *swore* ***at the crew. 선장은 승무원을 꾸짖었다. 注 swearing은 놀람이나 경멸 따위를 나타낼 때 By God!, Jesus Christ!, Damn! 따위를 사용함 ; 교회에서 금지되었으나 gosh, Goodness gracious, Heavens, gee, darn 따위의 여러 가지 변형된 말이 생겨나 대용됨. **3** [+前+名] 〖法〗 (증거 따위를) 선서를 하고 진술하다 ;《口》단언하다 : I will ~ ***to*** it. 맹세해도 좋다《틀림 없다》/ I can ~ *to* hav*ing* been there on Friday night. 나는 금요일 밤에 확실히 거기 있었다고 맹세할 수 있다 / I think she was at the party, but I couldn't ~ *to* it. 나는 그녀가 파티에 참석했다고 생각되나 단언할 수는 없다.

— *vt.* **1** [+目/+目+前+名/+*that* 節/+*to* do] 맹세하다, 선서하다 ; 신께 맹세하다 ; 맹세코 약속하다 ;《口》단언하다, 장담하다 : ~ an oath 선서하다 ; 꾸짖다 / They *swore* eternal friendship. 영원한 우정을 서로 맹세했다 / ~ a charge [an accusation] ***against*** a person 남을 선서하고 고소[탄핵]하다 / I could have *sworn that* I heard a report of a gun. 내가 총소리를 들은 것은 틀림없는 사실이다 / I ~ it's too bad of him. 《口》정말로 그는 몹쓸 사람이다 / He *swore to* be faithful to us. 우리에게 충성을 맹세하였다. **2** [+目/+目+*to*+名] (증인에게) 선서시키다 ; 맹세하고 지키게 하다 : ~ a witness 선서케 하여 증인으로 세우다 / Members of the club were *sworn* ***to*** secrecy. 그 클럽의 회원은 비밀을 지키기로 맹세했다. **3** [+目+補] 악담이 지나쳐 (어떤 상태에) 이르게 하다 : They both *swore* themselves hoarse. 둘 다 욕설이 지나쳐서 목이 쉬어 버렸다.

swear away 맹세코 빼앗다.

swear black is white ☞ BLACK *n.*

swear by... (1) …의 이름으로 맹세하다 : I ~ *by* God[the Bible] that.... 신께[성서에 손을 얹고] …임을 맹세하다. (2) 《口》…을 매우 신뢰하다, …에 크게 의지하다, 맹신하다 : He ~*s by* quinine for preventing colds. 감기 예방에 퀴닌이 좋다고 굳게 믿고 있다.

swear a person ***in*** (취임 전에) 남을 선서시키다, 선서한 다음 취임시키다.

swear off 《口》(술·담배 따위를) 끊는다고 맹세하다 ; 맹세코 끊다.

swear on one***'s sword*** [***the Book***] 칼에 걸고 [성서에 손을 얹고] 맹세하다.

swear out 맹세코 끊다 ;《美》선서하고 (구속 영장을) 발부받다.

swear the peace against a person 남에게 살해당할[위해를 받을] 우려가 있다고 선서하고 고소하다.

— *n.* 선서 ;《口》저주, 꾸짖음.

〖OE *swerian* ; cf. ANSWER, G *schwören*〗

swéar·wòrd *n.* 욕설, 저주, 악담.

***sweat** [swét] *n.* **1 a)** Ⓤ 땀 ; Ⓒ 땀흘리기, [때때로 *pl.*] (운동 후·병 따위로 인한) 심한 땀 : He wiped the ~ off his brow. 이마의 땀을 닦았다 / A ~ will do you good. 땀을 한차례 흘리면 몸에 좋겠지요 / (in a) cold ~ 식은땀을 흘리고 / night ~*s* (자면서 흘리는) 식은땀. **b)** (표면의) 물기 ; Ⓤ 습기(moisture). **2** [단수형만을 써서] 고역, 힘드는 일 ;《美俗》고문 : an awful ~ 몹시 힘드는 일. **3** 《口》식은땀, 불안, 걱정, 초조. **4** 《주로 英俗》병사, 고참병 : an old ~ 노병 ; 《비유》노련한 사람.

by [***in***] ***the sweat of*** one***'s brow*** 이마에 땀을 흘리며, 정직하게 일하여.

in a sweat 땀을 흘리고 ;《口》걱정되어, 조바심이 나서.

— *v.* (~, **~·ed**) *vi.* **1** 땀흘리다, 땀이 스미다 (perspire) : The long exercise made me ~. 장시간의 운동으로 땀투성이가 되었다. 注 특히 여성 사이에는 고상한 말로 PERSPIRE가 대신 쓰임. **2** 습기가 나오다[발산하다] ; (표면에) 물방울이 생기다 ; (담뱃잎 따위가) 발효되다 ; (분비물이) 스며나오다. **3** [動/+副/+前+名] 노동하다 ; 착취하다 ;《口》고되게 일하다 ; 걱정하다 : We are always ~*ing* (*away*) ***at*** our job. 언제나 땀흘리며 열심히 일하고 있다. — *vt.* **1** …에게 땀흘리게 하다 ; (약으로) …을 발한시키다 : ~ a horse 말을 발한시키다 / Doctors often ~ their patients. 의사는 때때로 환자에게 땀을 흘리게 한다. **2** …의 수분[지방]을 분비시키다, (수피(獸皮)·담뱃잎을) 발효시키다(ferment). **3** 혹사하다, (사람을) 착취하다 : ~ one's workers 노동자를 혹사하다. **4** (금화(金貨)를) 자루에 넣어 마찰하여 가루를 취하다. **5** 〖冶〗 (땜납을) 녹이다, (접합부를) 납땜질하다 ; (가열하여) 가용물(可溶物)을 제거하다 ; (야채 따위를) 가열하다.

sweat blood 열심히 일하다 ; 몹시 걱정하다.

sweat for it 후회하다.

sweat out (1) 땀을 내어 (감기를) 고치다. (2) 《美俗》끝까지 견뎌내다, 지루하게 기다리다. (3) (목표·해결)을 위해 힘쓰다.

〖OE *swǣtan* (*v.*) ‹ *swāt sweat* ; cf. G *schweissen* to fuse〗

swéat·bànd *n.* (모자 안쪽에 댄) 땀받이용 가

죽 ; (이마·팔의) 땀받이 밴드.

swéat·bòx *n.* (쇠가죽 따위 원피(原皮)의) 발한(發汗) 상자, (담뱃잎 따위의) 건조상자 ; 돼지의 속성 사육 우리 ;《口》발한 치료실[법] ;《美口》(죄수의) 좁은 독방, 신문실.

swéat còoling *n.* 발한(發汗) 냉각《우주선의 재돌입 때의 냉각 방법》.

swéat dùct *n.* 〖解〗 땀샘관(管).

swéat·ed *attrib. a.* (노동자가) 착취당하는 ; (상품이) 착취 노동에 의하여 만들어진 : ~ labor 착취 노동.

swéat èquity *n.* 《美》 노동 부가로 얻는 소유권《황폐 건물에 입주자의 노동력을 부가시켜 일정기간 싼 집세로 거주시킨 후 소유권을 주는 정책》.

***swéat·er** *n.* **1** 노동 착취자. **2** 땀을 흘리는 사람 ; 발한제. **3** 스웨터.

swéater gìrl *n.* 《口》 가슴이 풍만한 여자[배우, 모델], (특히) 몸에 꼭 끼는 스웨터를 입어 가슴을 강조하는 여자.

swéat glànd *n.* 〖解〗 땀샘.

swéat·ing *n.* Ⓤ 발한 ; 고역 ; 착취당하기.

swéating bàth *n.* 한증.

swéating ròom *n.* (증기탕의) 발한(發汗)실 ; 치즈 건조실.

swéating sỳstem *n.* 노동자 착취 제도.

swéat pànts *n. pl.* 스웨트 팬츠《운동 경기자가 경기 전후에 입는 보온용의 헐렁한 바지》.

swéat shìrt *n.* 스웨트 셔츠《운동 경기자가 경기 전후에 입는 보온용의 헐겁고 두꺼운 스웨터》.

swéat·shòp *n.* 착취 공장《저임금으로 장시간 노동시킴 ; cf. SWEATING SYSTEM》.

swéaty *a.* **1** (몹시 더워서) 땀이 나는. **2** 땀투성이의, 땀에 젖은. **3** 힘드는 ; 고된(laborious).
swéat·i·ly *adv.* **-i·ness** *n.*

Swed. Sweden ; Swedish.

Swede [swíːd] *n.* **1** 스웨덴 사람《개인(個人) ; cf. SWEDISH *n.* 2》. **2** [보통 s~] =SWEDISH TURNIP ; [때때로 s~] 《美俗》 얼간이(같이 한 일). 〖MLG and MDu. *Swēde*<? ON (*Svíar* Swedes, *thjóth* people)〗

Swe·den [swíːdn] *n.* 스웨덴《수도 Stockholm》.

Swe·den·bor·gi·an [swìːdnbɔ́ːrdʒiən, -giən] *a., n.* 스베덴보리《스웨덴의 과학자·신비주의의 철학자(1688-1772)》의 (학설의 신봉자).

Swe·dish [swíːdiʃ] *a.* 스웨덴 (사람)의 ; 스웨덴풍(風)의 ; 스웨덴 어(語)의. ── *n.* **1** Ⓤ 스웨덴어. **2** [the ~ ; 복수 취급] 스웨덴 사람(cf. SWEDE 1).

Swédish móvements[gymnástics] *n. pl.* 스웨덴식 운동[체조].

Swédish túrnip *n.* [때때로 s~] 〖植〗 = RUTABAGA.

swee·ny [swíːni] *n.* Ⓤ 《美》〖獸醫〗 (특히 말 어깨의) 근육 위축(증).

sweep** [swíːp] *v.* (**swept** [swépt]) *vt.* **1 a)** [+目/+目+副+名/+目+補] 청소하다 : ~ the floor with a broom 비로 마루를 쓸다 / ~ a chimney 굴뚝 청소를 하다 / I must have this room *swept.* 이 방을 청소해야 겠다 / She *swept* the garden clean. 그녀는 정원을 깨끗이 청소하였다. **b)** [+目/+目+副] (먼지를) 털다, 쓸다 : ~ (*away*) the dust 먼지를 털어 내다 / I *swept* ***up the dead leaves. 낙엽을 쓸어버렸다.
2 [+目/+目+副/+目+前+名] (급류·눈사태 따위가) 쓸어 내리다, (장소를) 휩쓸다 ; 날려버리다 ; 일소[소탕]하다, 소사(掃射)하다 ; (개울·바다 따위의 밑바닥을) 쳐내다 : A storm *swept* the plain. 폭풍우가 평야를 휩쓸었다 / His song had *swept* the city in one night. 《비유》 그의 노래는 하룻밤 사이에 도시의 인기를 독차지하였다 / the area *swept* by the flames 불탄 구역 / The current was ~*ing* the boat ***along***. 보트는 조류(潮流)에 휩쓸려 떠내려 가고 있었다 / A puff of wind *swept* his hat ***off***. 바람이 획 불어 와서 그의 모자를 날려버렸다 / The breakwater was *swept* ***away*** by the torrent. 방파제는 급류에 휩쓸려 버렸다 / The snow was *swept* ***into*** drifts by the wind. 눈이 바람에 날려 수북이 쌓였다 / The seas had been *swept* ***of*** the enemy fleets. 바다에서 적의 함대가 일소되었다.
3 [+目/+目+副/+目+前+名] 휙 지나가다[통과시키다], 스쳐 지나가다 ; 한눈에 조망하다 ; (옷자락 따위를) 질질 끌다 : The searchlight *swept* the sea. 탐조등이 바다를 쫙 비치고 지나갔다 / His eyes *swept* the sky. 하늘을 휙 둘러 보았다 / He *swept* the horizon ***with*** a telescope. 망원경으로 수평선을 훑어보았다 / He *swept* his hand ***across*** (my face). 그는 손으로 (내 얼굴을) 어루만졌다.
4 (손가락으로 현악기 따위를) 빠르게 타다 : Her hands *swept* the keyboard. 그녀의 손이 피아노의 건반을 빠르게 쳤다 / He began playing his guitar with his fingers ~*ing* the strings. 그는 손가락으로 줄을 빠르게 퉁기며 기타를 치기 시작하였다.
5 [+目+目] 공손히 인사하다 : She *swept* me a curtsey. 그녀는 나에게 공손히 인사했다.
6 《口》 (선거에서) 압승(壓勝)하다, (모든 게임에) 연승(連勝)하다.
7 (거룻배 따위를) 큰 노로 젓다(cf. *n.* 10).
── *vi.* **1** 청소하다, 쓸다 : She is good at ~*ing*. 그녀는 청소를 잘한다 / ~ with a broom 빗자루로 쓸다.
2 [+副/+前+名] 엄습하다, 휘몰아치다, 황폐해지다 ; 날아가다, 휙 지나가다 : The clouds *swept* ***down*** and hung over the land. 구름이 몰려와 대지 위를 뒤덮었다 / The pirates *swept* *down* ***on*** the town. 해적이 마을을 습격하였다 / The cavalry *swept down* the valley. 기병대는 계곡으로 돌진해 나갔다 / A strong wind *swept* ***along*** the road. 강풍이 도로를 휩쓸고 지나갔다 / A sea *swept* ***over*** the deck. 파도가 갑판을 휩쓸었다 / A deadly fear *swept over* me. 《비유》 오싹하는 공포감이 나를 엄습하였다 / The car *swept* ***round*** the corner. 자동차가 모퉁이를 휙 돌아갔다.
3 [+副/+前+名] (여성이) 옷자락을 끌며 걷다 ; 당당하게[소리없이] 나아가다 : The lady *swept* ***in***[***into*** the room, ***out of*** the room]. 그 여성은 소리없이 들어왔다[방으로 들어왔다, 방에서 나갔다] / A gorgeous car *swept* ***up*** the drive. 한 대의 멋진 차가 차도를 달려갔다.
4 [+副/+前+名] (시선이) 닿다, 바라보다 ; (들·도로·해안이) 넓게 뻗치다, (산이) 굽이지다, 만곡(彎曲)하다 : The road ~*s eastward*. 도로는 동쪽으로 뻗어 있다 / The plain ~*s away* ***to*** the sea. 벌판은 저멀리 바다까지 펼쳐져 있다 / His glance *swept* ***in*** every direction. 그의 시선은 사면 팔방으로 향했다.

be swept off ***one's feet*** (파도에) 발이 씻기다 〈*by*〉 ; 《비유》 (감정에) 지배되다, (명가수 등에게) 도취되다〈*by*〉.

sweep all[***everything***] ***before*** one 파죽지세로 나아가다.

sweep one***'s audience along with*** one 청중의 인기를 독점하다.
sweep the seas 바다를 횡단하다, 해상의 적을 일소하다(cf. *vt.* 2).
swept and garnished 〖聖〗 소제되고 수리된 《악마를 맞아들이기에 알맞은 상태》; (일반적으로) 깨끗이 청소되어 몰라볼 정도가 된.
—— *n.* **1** 쓸기, 청소; (선거 따위의) 대승, (경기 따위의) 전승(全勝): give a room a good ~ 방을 잘 청소하다. **2** 일소, 전폐. **3** (문명 따위의) 진보, 발전. **4** (손 따위를) 한번 휘두름; 휘둘러 쓰러뜨리기; 소사(掃射). **5** (토지 따위의) 뻗음, 일대(一帶) (stretch); (미치는) 범위; 시야: a ~ *of* grassland 광활한 목초지 / within [beyond] the ~ *of* the eye 시야의 범위 안[밖]에. **6** 굽음, 만곡(彎曲)(부); 굽은 길, (특히 대문에서 현관까지의) 마찻길. **7** [보통 *pl.*] 쓸어 모은 것《특히 귀금속 공장의 줄밥 따위》. **8** 굴뚝 청소부(chimney sweep), 청소부: a regular little ~ 몹시 더러운 아이. **9** =SWEEPSTAKE(S). **10** 〖海〗 길고 큰 노《폭풍우가 일 때 또는 얕은 개울을 갈 때 범선에 서서 저음》. **11** 반동식 두레박(의 대).
(***as***) ***black as a sweep*** 새까만, 더러운.
at one sweep 일거에.
make a clean sweep of …을 전폐하다; (고물 따위를) 일소[처분]하다; (늙은 관리 등을) 대대적으로 정리하다.
〖OE *swāpan*; ⇨ SWOOP〗

swéep·bàck *n.* Ⓤ 〖空〗 (비행기 날개의) 후퇴(각): ~ wings 후퇴 날개.

swéep·er *n.* **1 a**) 청소부: a chimney ~ 굴뚝 청소부(chimney sweep). **b**) 《인도》 청소부《가정의 하수도·변소 따위의 청소를 하는 천민》. **2** 청소기(機): ☞ CARPET SWEEPER. **3** 〖蹴〗 스위퍼《골키퍼 앞에 위치함》.

swéep hànd *n.* =SWEEP-SECOND.

swéep·ing *a.* **1** 일소하는, 소탕하는; 밀어내는: ~ anticorruption probe 대대적인 부패 척결 수사. **2** 파죽지세의, 맹렬한. **3** 《비유》 **a**) 포괄적인, 광범위한, 대강의: ~ generalizations 개괄(概括). **b**) 철저한, 결정적인: ~ changes 전면적인 변경.
—— *n.* **1** Ⓤ,Ⓒ 청소(cf. SWEEP *vi.* 1); 일소, 소탕; 밀어냄. **2** [*pl.*] 쓸어 모은 것, 쓰레기; 얼간이. **~·ly** *adv.* 일소하여; 개략적으로; 철저하게, 대대적으로. **~·ness** *n.*

swéep nèt *n.* 후릿그물; 포충망(捕蟲網).

swéep-sècond *n.* (시계의 시침·분침과 동심(同心)인) 초침(sweep hand).

swéep·stàke(s) *n.* [단수·복수 취급] 판돈 전부를 혼자 또는 몇 사람이 독차지하는 경마[노름]; 그 판돈 전부; (일반적으로) 경주, 경쟁.

swéep·swìng·er *n.* 《美學俗》 셸(shell)의 노를 젓는 사람.

swéep tìcket *n.* sweepstake(s)의 마권.

◇**sweet** [swíːt] *a.* **1** 단 (cf. SAVORY² 3) (↔*bitter*); (물이) 소금기가 없는(↔*salt*), 센물이 아닌; 마셔서 단, (술이) 달콤한(↔*dry*): ~ stuff 사탕과자(sweetmeats). **2** 맛좋은, 맛있는: This fruit is very ~. 이 과일은 아주 맛있다. **3** 향긋한: It smells ~. 좋은 냄새가 난다 / The park was ~ *with* roses. 공원은 장미꽃 향기로 그윽했다. **4 a**) (소리·음성이) 듣기 좋은, 미묘한; (사람이) 음성이 좋은: a ~ singer 목소리 좋은 가수. **b**) 《美俗》 (재즈 음악이) 느리고 감미로운(cf. HOT *a.* 5). **5** 기분 좋은, 즐거운: ~ love 달콤한 사랑 / ~ toil 즐겨하는 힘든 일 / It is ~ to hear oneself praised. 남에게 칭찬받는 건 즐거운 일이다. **6** 신선한, 깨끗한: ~ butter[milk] 신선한 버터[우유] / He keeps the study ~ and clean. 항상 서재를 깨끗이 정리하여 둔다. **7** [+*of*+名+*to* do] 친절한, 상냥한(kind): a ~ temper 상냥한 기질 / It's very ~ *of* you *to* give me this. 이것을 제게 주시다니 정말 친절하십니다. **8 a**) 느낌이 좋은, 단아(端雅)한(gentle); [특히 여성용어] 깨끗한, 귀여운, 예쁜, 매력적인(fetching): ~ one 《호칭》 =DARLING. **b**) 《反語》 호된, 심한《일격(一擊) 따위; cf. FINE¹ *a.* 1 注》: I gave him a ~ one *on* his head [*across* his face]. 그의 머리[얼굴]를 한 대 세게 후려쳤다. **9** 쉽게 조작할 수 있는; 순조롭게 나아가는(smooth): ~ going 쾌적한 자동차[도로] 여행. **10** 〖化〗 부식성[산성] 물질을 함유하지 않은; (석유가) 유황분을 함유하지 않은, 스위트한(↔*sour*): ~ gas 스위트 가스.
at one***'s own sweet will*** 제멋대로.
be sweet (***up***)***on...*** 《口》 …에게 반하다.
have a sweet tooth 단 것을 좋아하다.
sweet and twenty 방년 20세의 미인.
sweet seventeen[***sixteen***] 꽃다운 나이.
—— *adv.* =SWEETLY.
—— *n.* **1 a**) 단 것, 단맛; [보통 *pl.*] 과자《드롭스류》(=《美》 candy): Children like ~*s*. 아이들은 단것을 좋아한다. **b**) [보통 *pl.*] 《英》 식후에 먹는 단 것《푸딩·젤리·아이스크림 따위; cf. SAVORY² *n.*》. **c**) [보통 the ~] 《英》 단 음식 코스(☞ b); DESSERT 注. **2** [*pl.*] 유쾌, 쾌락: taste the ~*s* of success 성공의 희열을 맛보다 / the ~*s* and bitters of life 인생의 고락(苦樂). **3** [my ~로 호칭에 써서; 흔히 ~est] 내사랑, 귀여운[그리운] 그대(darling). **4** 《美口》 (설탕을 친) 고구마. **5** [*pl.*] 《古·詩》 향기.
〖OE *swēte* (SUAVE, PERSUADE); cf. G *süss*〗

swéet alýssum *n.* 〖植〗 양구슬갓냉이《겨자과(科) 원예 식물》.

swéet-and-sóur *a.* 달콤새콤하게 요리한: ~ pork 탕수육《중국 요리》.

swéet básil *n.* 〖植〗 꿀풀과의 풀《향미료·약용》.

swéet báy *n.* 〖植〗 월계수; 양옥란.

swéet·brèad *n.* (송아지의) 지라, 흉선(胸腺).

swéet·brìer, -brìar *n.* 〖植〗 들장미의 일종(eglantine) 《꽃은 흰색, 빨간색 따위로 다양함》.

swéet cíder *n.* 발효가 덜 된 사과주스; 《英》 단맛의 사과술.

swéet clóver *n.* 〖植〗 전동싸리, 스위트 클로버《사료·토양 개량용》.

swéet córn *n.* 〖植〗 사탕 옥수수(sugar corn); =GREEN CORN.

swéet crúde *n.* 유황분이 적은 원유(cf. SOUR CRUDE).

swéet·en *vt.* **1** (식품을) 달게 하다, …에 설탕을 넣다, 가당(加糖)하다. **2 a**) …의 입맛[울림, 느낌]을 좋게 하다, 즐거운[유쾌한] 것으로 만들다; (숨·공기 따위를 스프레이 따위로) 냄새 좋게 하다, 탈취(脫臭)하다, 산뜻하게 하다; 부드럽게 하다, 경감하다; 즐겁게 하다. **b**) …의 가치를[매력을] 높이다; 《口》 〖商〗 (유가증권을) 보태어 늘리다; 《俗》 〖카드놀이〗 (판에) 판돈을 늘리다; 《美俗》 (사운드 트랙)에 녹음해 둔 웃음 소리를 넣어서 희극적인 느낌을 더하다. **c**) 《俗》 …의 비위를 맞추다, …에게 아첨하다, 알랑거리다, 뇌물을 주다〈*up*〉. **d**) 《口》 (술을) 첨배(添杯)하다. **3** (흙·위 따위의) 산성을 약하게 하다; 맑게 하다,

소독하다 ; …의 유해물을[악취를] 제거하다.
—— *vi.* 달게 되다 ; 냄새가 좋아지다, 향기롭게 되다 ; 소리가[가락이] 좋아지다 ; 아름다워지다 ; 유쾌하게 되다.

swéet·en·er *n.* 달게 하는 것, 감미료 ; 《俗》 뇌물 : an artificial ~ 인공 감미료.

swéet·en·ing *n.* Ⓤ 달게 하기 ; Ⓤ,Ⓒ 감미료.

swéet férn *n.* 〖植〗 콤프토니아속(屬)의 소귀나무《북미 원산》.

swéet·fish *n.* 〖魚〗 은어, 향어(香魚).

swéet flág *n.* 〖植〗 창포.

swéet gále *n.* 〖植〗 소귀나무과의 작은 관목《노란 꽃이 피고 방향이 있는 소택지의 관목》.

swéet gúm *n.* 〖植〗 금루매과(科)인 풍나무의 일종《북미 원산》; (그 나무에서 얻는) 소합향(蘇合香)《방향성의 액체수지》.

swéet·hèart *n.* **1** 연인, 애인《흔히 여자를 가리킴 ; cf. LOVER, LOVE》. **2** 《호칭》 =DARLING.
—— *vi.* 《口》 사랑을 하다 : go ~*ing* 사랑을 하다.
—— *vt.* …에게 구애하다.

swéetheart agrèement [《美》 **còntract**] *n.* 스위트하트 협약《고용자와 노동 조합 간부가 결탁하여 서로 짜고 맺는 저임금 노동 계약》.

swéet·ie *n.* **1** 《口》 =SWEETHEART. **2** [보통 *pl.*] 《英》 =SWEETMEAT.

swéetie·wife *n.* 《스코》 수다스런 여자 ; 캔디 파는 여자.

swéet·ing *n.* **1** 단 품종의 사과. **2** 《古》 = SWEETHEART 1.

swéet·ish *a.* 조금 달콤한 ; 몹시 단 ; 조금 귀여운[예쁘장한].

swéet Jóhn *n.* 《古》 〖植〗 가는잎미국패랭이꽃.

swéet·ly *adv.* **1** 달콤하게, 맛있게 ; 향긋하게 ; 순조롭게. **2** 상냥하게, 친절하게. **3** 예쁘게, 사랑스럽게. **4** (칼 따위) 잘 들어. **5** 기분 좋게 ; 술술(smoothly).

swéet máma *n.* 《美俗》 스위트 마마《관능적이고 돈 잘 쓰는 애인》.

swéet mán *n.* 《美俗》 (겉멋들고 돈 잘 쓰는) 연인 ; 《카리브》 정부(情夫).

swéet márjoram *n.* =MARJORAM.

swéet·mèat *n.* [보통 *pl.*] 사탕 과자(=《美》 candy) 《사탕·초콜릿 따위를 재료로 한 드롭스·봉봉·캐러멜》; (과일의) 설탕절임.

swéet·ness *n.* Ⓤ 단맛 ; 신선 ; 방향(芳香) ; (소리·음성의) 아름다움 ; 유쾌 ; 친절, 부드러움 ; 귀여움, 우아(優雅).
sweetness and light 《때때로 戱》 기분 좋은.

swéet nóthings *n. pl.* 《口》 사랑의 말, 다정한 이야기, 정담(情談).

swéet òil *n.* 올리브 기름, 유채 기름(rape oil) 《식용》.

swéet pápa *n.* 《美俗》 스위트 파파《젊은 여자에게 돈 잘 쓰는 중년의 플레이보이》.

swéet pèa *n.* 〖植〗 스위트 피(의 꽃) ; 《美俗》 연인, 애인 ; 《美俗》 잘 속는 사람, 봉.

swéet pépper *n.* 〖植〗 피망(green pepper).

swéet potàto *n.* 〖植〗 고구마 ; 《口》 =OCARINA.

swéet·ròot *n.* 감초(甘草).

swéet-scènt·ed *a.* 향기로운(fragrant).

swéet·shòp *n.* 《英》 과자 가게(=《美》 CANDY STORE).

swéet·sòp *n.* 〖植〗 번려지(蕃茘枝) ; 그 열매.

swéet sórghum *n.* 〖植〗 사탕기장(sorgo).

swéet spót *n.* 〖스포츠〗 스위트 스폿《골프 클럽·라켓·야구 배트 따위의 한 면으로, 공이 그곳에 맞으면 가장 잘 튀[나가]는 곳》.

swéet súltan *n.* 〖植〗 스위트술탄.

swéet tàlk *n.* 《口》 감언(甘言), 아첨.

swéet-tàlk *vt., vi.* 《美口》 감언으로 꾀다, 아첨하다, 달콤한 말을 하다 : ~ a person *into* do*ing*... 달콤한 말로 …시키다.

swéet-témpered *a.* 마음씨 고운.

swéet tòoth *n.* **1** 단 것을 좋아함 : have a ~ 단것을 좋아하다. **2** 《美俗》 마약 상용자.

swéet víolet *n.* 〖植〗 향기제비꽃.

swèet wílliam *n.* 〖植〗 미국패랭이꽃.

swéety *n.* [보통 *pl.*] 《英》 =SWEETMEAT.

swell** [swél] *v.* (~**ed** ; **swol·len** [swóulən], 《古》 **swoln** [swóuln], 《稀》 ~**ed**) *vi.* **1** [動/+副] 부풀다, 팽창하다, 커지다 ; (손발 따위가) 부어 오르다 ; (돛 따위가) 불룩해지다 : A tire ~*s* as it is filled with air. 타이어는 공기를 넣으면 부풀어 오른다 / His injured wrist began to ~ (up***). 부상당한 그의 손목이 부어 오르기 시작했다 / All the sails ~*ed* ***out*** in the strong wind. 돛은 모두 강풍을 받아 불룩해졌다. **2** [動/+前+名] (수량·힘·강도 따위가) 증가하다 ; 물이 붇다, (조수가) 밀려오다, (바다가) 넘실거리다 ; (소리가) 높아지다 : The murmur ~*ed* ***into*** a roar. 속삭임은 고함소리로 변했다 / The book has *swollen* ***to*** an inordinate size. 책이 지나치게 큰 부피로 늘어났다. **3** [動/+前+名] (물건의 모양이) 삐죽 나오다 ; (땅이) 높아지다, 융기하다 : A barrel ~*s* in the middle. 통은 가운데가 불룩하다 / The hills ~ gradually ***from*** the plain. 언덕은 평지에서 점점 높아진다. **4** [動/+前+名] (가슴이) 감정으로 뿌듯해지다 ; (감정이) 복받치다 : He felt his heart ~*ing* ***with*** indignation. 그는 분노가 치밀어 오름을 느꼈다. **5** 《口》 의기양양하다, 뽐내다 : ~ like a turkey-cock (칠면조처럼) 뽐내다.
—— *vt.* **1** [+目/+目+*with*+名] 부풀리다 ; 부풀어 오르게 하다 ; (돛 따위) 불룩하게 하다 : The wind has *swollen* the sails. 돛이 바람을 받아 불룩해졌다 / The rain[melted snow] ~*ed* the rivers. 비로[눈이 녹아] 강물이 불었다 / Your eyes have been *swollen* ***with*** tears. 너의 눈은 울어서 퉁퉁 부어 있다. **2** (수·양을) 증가시키다, (소리·음성 따위를) 높이다, 세게 하다 ; 흥분시키다 : The new notes and additions have *swollen* the size of the book. 새로운 각주(脚註)와 부록으로 책의 부피가 늘어났다 / All of us joined in to ~ the chorus of admiration. 우리들 모두가 소리높여 찬양하였다. **3** 《口》 의기양양하게 하다.
swell a note 음조를 높여 연주하다[노래하다].
—— *n.* **1** Ⓤ,Ⓒ 팽창, 부풀기, 부어 오름 ; 증가, 증대(increase) : a ~ *in* population 인구의 증가. **2** (파도의) 넘실거림, 높은 파도 ; (땅의) 융기, 기복 ; 언덕짐 ; 구릉(丘陵) ; (감정의) 격앙. **3 a)** Ⓤ,Ⓒ (음의) 높아짐 ; 〖樂〗 억양, 증감 ; Ⓒ 그 기호(<, >). **b)** (오르간의) 증감음(增減音) 장치. **4** 《古俗》 **a)** 멋쟁이, 맵시꾼 ; 명사, 거물 : a ~ *in* politics 정계의 거물. **b)** 달인, 수완가 : a ~ *at* tennis 테니스의 명수.
come the heavy swell over... 《俗》 …에 대하여 거만하게 나오다.
—— *a.* **1** 《古俗》 멋진 (차림의), 세련된(smart) ; 상류의(fashionable) : He looks very ~. 매우 세련된 모습을 하고 있다. **2** 일류의(first-rate), 훌륭한, 유명한, 뛰어난(excellent) : a ~ speech 훌륭한 강연 / a ~ hotel 일류 호텔.

—— *adv.* 《美俗》 훌륭히, 멋지게 ; 유쾌하게.
〖OE *swellan* ; cf. G *schwellen*〗
類義語 ⟹ EXPAND.

swéll bòx *n.* 〔樂〕 (오르간의) 증음기.

swéll·dom *n.* Ⓤ 《口》 상류[사교] 사회, 높으신 분들, 멋쟁이들.

swélled héad *n.* 《口》 자만 ; =SWELLHEAD : get[have] a ~ 몹시 자만하다.

swéll·fìsh *n.* 〔魚〕 검복.

swéll·hèad *n.* 자만하는 사람.
~·ed *a.* **~·ed·ness** *n.*

swéll·ing *n.* **1** Ⓤ 팽창 ; 부어 오름 ; Ⓒ 종기. **2** (땅의) 융기, 기복 ; 작은 산. **3** 증대 ; (강물의) 증수, (파도의) 굽이침 ; 돌출부, 융기부, 부어오른 부분. —— *a.* (땅이) 융기한, 불룩한 ; (조수가) 높아진 ; 과장된 ; 거만한 : a ~ oratory 과장된 연설.

swéll·ish *a.* 《俗》 멋쟁이의, 멋진.

swéll mób *n.* [집합적으로] 《英古俗》 신사 차림의 소매치기.

swéll òrgan *n.* 〔樂〕 증음 오르간 ; 그 스톱.

swel·ter [swéltər] *vi.* 더위먹다, 무더위로 지치다, 땀투성이가 되다. —— *n.* 무더위, 혹서(酷暑) ; 흥분 (상태) : in a ~ 땀투성이의 상태로 ; 흥분하여.
〖OE *sweltan* to die, be overcome by heat ; cf. SULTRY, OHG *swelzan* to burn with passion〗

swélter·ing *a.* 더위에 지친 ; 나른한 ; 찌는 듯이 더운 : a ~ (hot) day 찌는 듯이 더운 날.
~·ly *adv.*

***swept** *v.* SWEEP의 과거 · 과거분사.

swépt-báck *a.* 〔空〕 (날개가) 후퇴각(後退角)이 있는 ; (항공기) 후퇴익(後退翼)의.

swépt-fórward *a.* 〔空〕 전진익(前進翼)의.

swépt·wìng *a.* 〔空〕 후퇴익[전진익]이 있는.

swerve [swə́:rv] *vi.* **1** 빗나가다, 벗어나다, 갑자기 방향을 바꾸다 : The car ~*d* at the corner and upset. 차는 모퉁이에서 갑자기 벗어나 전복되었다. **2** [動 / +*from*+名] 바른길에서 벗어나다, 갈피를 잡지 못하다 : One ought not to ~ ***from*** the path of duty. 본분을 벗어나서는 안된다.
—— *vt.* 빗나가게 하다, 벗어나게 하다, 비뚤어지게 하다. —— *n.* **1** 빗나감, 벗어남, 비뚤어짐. **2** 〔크리켓〕 곡구(曲球).
〖OE *sweorfan* to scour[1] ; cf. OHG *swerban* to wipe, ON *sverfa* to file〗
類義語 ⟹ DEVIATE.

S.W.G., SWG standard wire gauge.

***swift** [swíft] *a.* **1** 빠른, 신속한(↔*slow*), 민첩한 : a ~ automobile 빠른 자동차 / be ~ *of* foot 《文語》 발이 빠르다. **2** 순식간의. **3** 즉석의, 즉각적인 : a ~ response 즉답. **4** [+*to* do] 바로 …하는, …하기 쉬운 : He was ~ *to* hear, but slow to speak. 그는 남의 말을 듣는 것은 빠르나 말을 하는 것은 느린 편이었다 / be ~ *to* anger 《文語》 화를 잘 내다. —— *adv.* 잽싸게, 신속하게 (swiftly). 注 때때로 복합어로 쓰임 : ~-passing 금방 지나가는. —— *n.* **1** 〔鳥〕 칼새《날개가 길고 swallow와 흡사함》. **2** 〔動〕 민첩한 작은 도마뱀 ; 스위프트 여우(=~ **fòx**) ; 〔昆〕 박쥐나방. **3** 물레바퀴. **4** 《俗》 스피드, 속도. **5** 동작이 빠른 사람 ; 〔機〕 선재(線材) 공급 릴, 스위프트 ; 《俗》 재빠른 문선공.
~·ly *adv.* 신속히, 즉각. **~·ness** *n.*
〖OE ; SWIVEL과 같은 어원〗
類義語 ⟹ QUICK.

Swift *n.* 스위프트. **Jonathan** ~ (1667-1745) 영국의 문인 ; *Gulliver's Travels*의 작가.

swíft-fóot·ed *a.* 발이 빠른.

swíft-hánd·ed *a.* 손이 빠른 ; (행동이) 민첩한.

swíft·ie, swífty *n.* 《濠俗》 책략, 계략.

swíft-wínged *a.* 빨리 나는.

swig [swíg] *vt., vi.* (**-gg-**) 《口》 통음(痛飮)[폭음]하다. —— *n.* 통음, 폭음 : take a ~ *at*[*from*] a bottle of beer 맥주를 병채로 마시다.
〖C16=liquor < ?〗

swill [swíl] *vt.* **1** 《口》 꿀꺽꿀꺽 들이켜다 : ~ beer 맥주를 들이켜다. **2** [+目/+目+副] 헹구다, 씻어내다(rinse) : ~ ***out*** a dirty bucket 더러운 양동이를 씻어내다. —— *vi.* 《口》 폭음하다.
—— *n.* **1** [a ~] 씻어냄 : Give the pail *a* good ~ (out). 그 물통을 잘 씻어 내라. **2** 《口》 통음, 꿀꺽꿀꺽 들이켜기. **3** Ⓤ 부엌의 음식 찌끼[쓰레기] ; 싸구려 술 ; (밀려오는 파도의) 철썩철썩하는 소리.
〖OE *swillan* to wash out < ?〗

swíll·er *n.* 《口》 주호(酒豪), 술고래.

◇swim [swím] *v.* (**swam** [swǽ(:)m], 《古》 **swum** [swʌ́m] ; **swum** ; **swím·ming**) *vi.* **1** [動/+副/+前+名] 헤엄치다, 수영하다 : go ~*ming* 수영하러 가다 / He *swam back* ***to*** the shore. 해안까지 헤엄쳐서 돌아왔다 / I *swam* ***across***[***over***] the river. 강을 헤엄쳐 건넜다 / ~ ***on*** one's back[chest, side] 배영(背泳)[평영(平泳), 횡영(橫泳)]하다. **2** 《비유》 (사람이) 쑥 나아가다 ; (배 · 별 따위가) 미끄러지듯이 달리다, 떠오르다 : ~ *into* the room 방으로 쑥 들어서다. **3** [+前+名] 뜨다 ; 잠기다, 젖다 ; 넘치다 : The fat is ~*ming* ***on*** the soup. 기름기가 수프 위에 떠 있다 / with her eyes ~*ming* ***with*** tears 눈에 눈물이 글썽해서. **4** 현기증이 나다 ; 빙빙 도는 것처럼 보이다, 어찔어찔하다 : The heat made his head ~. 그는 더위로 머리가 빙빙 돌았다 / The sight *swam* before her eyes. 그 광경이 그녀의 눈앞에 어른거렸다. —— *vt.* **1** 헤엄쳐 건너다 ; (…의 영법으로) 헤엄치다 : He once *swam* the Strait(s) of Dover. 이전에 도버 해협을 헤엄쳐 건넌 적이 있었다 / I cannot ~ a stroke. 전혀 헤엄치지 못한다. **2** 수영 경기에 참가하다 ; …와 경영(競泳)하다 : Let's ~ the race. 우리 경영하자 / I *swam* him half a mile. 그와 반 마일의 수영 경기를 하였다. **3** (…을) 헤엄치게 하다 ; (배 따위를) 띄우다.

swim against[***with***] ***the tide***[***stream, current***] 시세(時勢)에 역행하다[순응하다].

swim to the bottom[***like a stone***] 전혀 수영을 못하다, 「맥주병」이다.

—— *n.* **1** 헤엄치기, 수영 ; 한차례의 헤엄 : have a ~ 한차례 헤엄치다 / go for a ~ 헤엄치러 가다. **2** =SWIM BLADDER ; (물고기가 모이는) 깊은 못. **3** [the ~] 시대 조류, 경향 : be *in* [*out of*] *the* ~ 실정에 밝다[어둡다] ; 시대의 흐름에 따르다[뒤떨어지다].

swím·ma·ble *a.*
〖OE *swimman* ; cf. G *schwimmen*〗

swim·a·thon [swíməθɑ̀n] *n.* 경영[수영]대회.

swím blàdder *n.* (물고기의) 부레(bladder).

swím fìn *n.* (스킨다이빙용) 지느러미, 핀.

swím mèet *n.* 수영 대회.

swím·mer *n.* 헤엄치는 사람[동물] : a strong [poor] ~ 헤엄을 잘[못]치는 사람.

swim·mer·et [swímərèt, ⌐-⌐] *n.* (갑각류(甲殼類)의) 유영각.

swím·ming *n.* **1** Ⓤ 수영 ; 〔動〕 유영(游泳) ; 경

영. **2** [a ~] 현기증 : have *a* ~ in the head 현기증이 나다. ── *a.* **1** 헤엄치는 ; (새 따위) 유영성의 ; 수영[유영]용의. **2** 어지러운. **3** 물[땀·침 따위]로 넘치는 : ~ eyes 눈물이 글썽한 눈. **4** (동작 따위) 흐르는 듯한, 술술[척척] 진행하는.

swímming bàth *n.* 《英》 (보통 실내의) 수영장 (cf. SWIMMING POOL).

swímming bèll *n.* (해파리 따위의) 영종(泳鐘) 《종 모양의 헤엄치는 기관》.

swímming bèlt *n.* (수영 연습용의) 부낭.

swímming blàdder *n.* =SWIM BLADDER.

swímming còstume *n.* 《英》 수영복.

swímming cráb *n.* 〖動〗 꽃게.

swímming gàla *n.* 수영 대회.

swímming hòle *n.* (강의) 수영을 할 수 있는 깊은 곳.

swímming·ly *adv.* 거침없이, 손쉽게, 일사천리로 : Everything went ~. 모든 일이 순조롭게 진행되었다 / get on[along] ~ 순조롭게 진척되다.

swímming pòol *n.* 수영장 ; (원자력 발전소의) 용수(用水) 탱크《방사성 폐기물의 냉각·일시적 저장용》.

swímming pòol reáctor *n.* 수영장형 원자로.

swímming stòne *n.* 경석(輕石) (floatstone).

swímming trùnks *n. pl.* 수영 팬츠.

swím·sùit *n.* 수영복《특히 어깨끈이 없는 여성용 수영복》.

swím·wèar *n.* 수영복, 해변복.

swin·dle [swíndl] *vt.* [+目/+目+*out of*+名] (사람을) 속여 빼앗다, (돈을) 사취(詐取)하다 : He is not so easily ~*d.* 그는 그렇게 쉽게 속아 넘어가지는 않는다 / ~ a person ***out of*** his money=~ money *out of* a person 남으로부터 돈을 사취하다. ── *vi.* 사기치다. ── *n.* 사취, 사기, 협잡 ; 가짜, 겉보기와 다른 사람[것] ; 《美俗》 (상)거래 : This advertisement is a real ~. 이 광고는 완전히 사기다.

swín·dler *n.* 사기꾼. 〖역성(逆成) ‹ *swindler* ‹ G=giddy person (*schwindeln* to be dizzy)〗

swíndle shèet *n.* 《口》 (교제비 따위의) 경비 계정, 소요 경비 ; 《CB俗》 운행 일지.

swine [swáin] *n.* **1** (*pl.* ~) 《文語》 돼지 ; 〖動〗 멧돼지. **2** (*pl.* ~**s**) 《俗》 비열한 놈, 욕심쟁이, 호색한 : You ~! 이 자식 !

〖OE *swīn* ; cf. SOW², G *Schwein*〗

[活用] 현재 《英》에서는 동물학 용어 이외에는 보통 pig 또는 hog를 쓴다.

swíne fèver[**plàgue**] *n.* 〖獸醫〗 돼지[돈] 콜레라(hog cholera).

swíne·hèrd *n.* 돼지치는 사람, 양돈가.

swíne pòx *n.* 〖獸醫〗 돈두(豚痘).

swin·ery [swáinəri] *n.* 돼지우리, 양돈장 ; [집합적으로] 돼지 ; Ⓤ 불결(한 상태·행동).

‡**swing** [swíŋ] *v.* (**swung** [swʌ́ŋ], 《稀》 **swang** [swǽŋ] ; **swung**) *vi.* **1** [動/+前+名] 흔들리다, 진동하다 ; 매달리다 ; 그네타다 : The door *swung* in the wind. 문이 바람에 흔들렸다 / A lamp *swung* ***from*** the ceiling. 램프가 천장에 매달려 있었다. **2** [+補/+過分/+副] (문이) 흔들려 열리다[닫히다] : The door *swung* open [shut, *back,* ***to***]. 문이 삐걱 열렸다[닫혔다]. **3 a**) [+副/+前+名] 회전하다, 커브를 돌다 : The knight *swung* ***round*** and faced the enemy. 그 기사는 홱 뒤로 돌아 적을 정면으로 마주 보았다 / The ship was ~*ing* ***at*** anchor. 배는 닻을 내리고 파도에 선체를 맡긴 채 빙빙 돌았다 / The cab *swung* ***around*** the corner. 택시는 모퉁이를 돌았다. **b**) (팔을 크게 휘둘러) 때리다, 한방 먹이다‹*at*›. **4** [動/+副/+前+名] (몸을 흔들며) 당당하게 나아가다[달리다] : The soldiers came ~*ing* ***along***[***down***] the road]. 병사(兵士)들은 발맞추어 보무 당당하게[길을 따라] 왔다. **5** 스윙(swing music)을 연주하다[춤추다]. **6** 《口》 [+*for*+名] 교수형을 받다 : ~ ***for*** a person 살인죄로 교수형에 처해지다. **7** 《俗》 (쾌락·섹스를) 마음껏 즐기다 ; 부부 교환을 하다, 프리섹스를 하다.

── *vt.* **1** 흔들다, 흔들어 움직이다, (어린애 등) 흔들어 올리다 ; (무기를) 휘두르다 : The boy walked ~*ing* his arms. 소년은 팔을 흔들며 걸었다 / There was no room to ~ a cat (in). 고양이 한 마리 흔들어 올릴 여지도 없었다《몹시 비좁았다》. **2** [+目/+目+前+名] 매달다(hang) : He *swung* the hammock ***between*** two trees. 해먹을 두 나무 사이에 매달았다. **3** [+目+副/+目+前+名] 방향을 바꾸다, 회전시키다 ; (의견·입장을) 바꾸다 ; (관심을) 돌리다 ; 유행의 첨단을 걷다 : He *swung* the car (***a***)***round*** [(*a*) *round* the corner]. 그는 자동차 방향을 돌렸다[자동차로 모퉁이를 돌았다]. **4** 《美口》 (여론 따위를) 좌우하다 ; …을 잘 처리하다 : ~ a business deal 상거래를 잘 해나가다. **5** 스윙조로 (곡[춤]을) 연주하다[추다].

swing the lead ☞ LEAD².

── *n.* **1** 흔들기, 진동, 동요 ; 진폭 : the ~ of a pendulum 진자의 진동. **2** Ⓤ,Ⓒ (골프·테니스·야구 따위) 휘두르는 법, 스윙 : a long [short] ~ 장[단]타. **3** 몸을 흔들며 걷기 : walk with a ~ 몸을 흔들며 걷다. **4** Ⓤ,Ⓒ 음률, 박자 ; Ⓤ = SWING MUSIC. **5** 그네 ; 그네 타기 : have [sit in] a ~ 그네를 타다 / What one loses on the ~*s* one gains [wins] on the roundabouts. 《속담》 한편으로 나쁜 일이 있으면 다른 한편으론 좋은 일이 있다, 괴로움이 있으면 즐거움도 있다(cf. ROUNDABOUT *n.* 4) / lose on the ~*s* what one makes on the roundabouts 《英》 도로아미타불이 되다. **6** 돌리기 ; 〖機〗 선회 ; 일주 여행 ; 〖經〗 (주가 따위의) 동향, 규칙적 변동 ; (여론 따위의) 움직임 ; (무기를) 휘두르기 ; 일격. **7** Ⓤ (일 따위의) 진행, 진척 ; 자유스러운 활동 : let it have its ~=give full[free] ~ to it 마음대로 활동하게 내버려두다. **8** 《美口》 (교대 근무의) 오후 근무(cf. SWING SHIFT).

go with a swing (곡·시 따위가) 음조가 좋다 ; 《비유》 (일 따위가) 잘[척척] 진행되다, (회합 따위가) 성황을 이루다.

in full swing 한창인, 잘 되어가는.

── *a.* 스윙(음악)의 ; 흔들림[진동]의 ; 결정[선거의 결과]을 좌우하는 ; 교수형(용)의 ; 《口》 (야근 따위의) 교체용의.

~·able *a.* **~·ably** *adv.*

〖OE *swingan* to beat, fling ; cf. G *schwingen*〗

[類義語] ***swing*** 매달린 것, 경첩으로 고정된 것, 축을 가진 것 따위가 앞뒤로 흔들려 움직이다 : *swing* like a pendulum (시계추처럼 흔들리다). ***sway*** 다른 물건에 부착되어 있고 않고에 관계없이 외부의 힘에 의해 불안정하게 흔들리다 : branches *swaying* in the wind(바람에 흔들리는 나뭇가지). ***rock*** 대체로 격렬하게 진동하는 뜻으로 쓰인다 : The building *rocked* at the earthquake. (건물이 지진으로 흔들렸다). ***vibrate*** 현악기를 통길 때 줄의 급격하고 규칙적인 전후 운동과 비슷함을 의미한다. ***fluctuate*** 불규칙하게 엇갈린 운동을 계속하

다 : Prices *fluctuate.* (물가는 변동한다).

swíng accòunt *n.* 스윙 계정《상호간에 credit를 일정 한도까지 서로 공여하기》.

swíng·bàck *n.* (특히 정치적인) 원상 복귀, 본래 상태로 되돌아감.

swíng·bòat *n.* (유원지 따위의 마주보고 타는) 배 모양의 큰 그네.

swíng brìdge *n.* 회선교(回旋橋), 선개교(旋開橋) (swivel bridge).

swíng-bỳ *n.* (*pl.* **~s**) (우주선의) 행성 궤도 근접 통과《궤도 수정을 하는데 행성의 중력장(重力場)을 이용하는 비행》.

swíng dòor *n.* (안팎으로 여닫히는) 자동식 문[도어].

swinge[1] [swíndʒ] *vt.* 《古·詩》 채찍질하다 ; 강타하다(beat) ; (사람을) 응징하다.
〖ME *swenge* to shake, shatter<OE *swengan*〗

swinge[2] *vt.* 《方》 =SINGE.

swínge·ing *a.* 《주로 英口》 **1** (타격이) 심한, 강한. **2** 굉장히 큰, 엄청난. —— *n.* 강타(強打). —— *adv.* 매우, 굉장히.

swing·er[1] [swíŋər] *n.* **1** swing하는 사람. **2** 《俗》 활동적이고 세련된 사람, 유행의 첨단을 걷는 사람 ; 쾌락[성]의 탐닉자 ; 부부 교환[프리섹스]을 하는 사람. **3** 《競俗》 두 포지션을 잘 해내는 선수.

swing·er[2] [swíndʒər] *n.* 매질[응징]하는 사람 ; 《口》 거대한 것 ; 큰 허풍. 〖SWINGE[1]〗

swing·ing [swíŋiŋ] *a.* 흔들리는 ; 위세 좋은, 활발한, 기운찬 ; (노래 따위) 경쾌한 ; 《俗》 유행을 앞서 가는, 현대적인 ; 일류의, 최고의 : a ~ door=a SWING DOOR / at a ~ trot 위세 좋게 빠른 걸음으로 / a ~ chorus 경쾌한 박자로 노래하는 합창대. —— *n.* 흔들림, 진동 ; 《俗》 프리섹스(행위), 부부[연인] 교환(행위). **~·ly** *adv.* 흔들려서 ; 《俗》 활발하게.

swínging vóter *n.* 《濠口》 (선거의) 부동표층(浮動票層) ; 특정 지지 정당이 없는 사람.

swin·gle[1] [swíŋgəl] *n.* 타마기(打麻器) ; 도리깻열. —— *vt.* 타마기[도리깨]로 치다. 〖MDu.〗

swingle[2] *n.* [보통 *pl.*] 《美·Can.》 독신의 플레이보이. 〖*swing*ing+sin*gle*〗

swíngle·trèe, 《英》 **swíngle·bàr** *n.* 마구(馬具)의 봇줄(trace)을 매는 가로대《이 한가운데에 쟁기나 수레를 연결함》. 주 《美》에서는 보통 singletree ; whiffletree, whippletree라고 함.

swíng·màn *n.* 두 포지션이 가능한 선수, (특히) 공격과 수비를 모두 잘하는 농구 선수 ; 《俗》 결정표를 던지는 사람 ; 《美俗》 마약 판매인[중개인] ; 《美》 이동(移動)중인 소를 감시하는 카우보이 ; 스윙 뮤지션.

swíng mùsic *n.* 스윙 (음악)《자유분방한 즉흥적 연주법에 의한 재즈》.

swíng-òver *n.* (여론 따위의) 전환.

swíng ròom *n.* 《美俗》 (공장 안 따위의) 휴게실(休憩室).

swíng shìft *n.* 《美口》 오후[야간] 작업반《보통 오후 4-12시의 작업조》; [집합적으로] 야간교대 작업원들.

swíng stràtegy *n.* 〔軍〕 스윙 전략《NATO 제국(諸國)이 공격받았을 때 아시아에 배치된 미군을 유럽으로 돌리는 전략》.

swíng vòter *n.* 부동성 투표자.

swíng-wìng *a.* 〔空〕 가변 후퇴익(可變後退翼)의. —— *n.* 가변 후퇴익(기).

swin·ish [swáiniʃ] *a.* 돼지같은 ; 심술궂은 ; 호색(好色)의. **~·ly** *adv.* 돼지처럼 ; 천하게.

swink [swíŋk] *vi.* 《古·方》 구슬땀[비지땀] 흘리며 일하다, 애쓰다. —— *n.* Ⓤ 노고, 수고, 애씀, 노동. 〖OE *swincan*〗

swipe [swáip] *n.* 《口》 (크리켓·골프 따위에서) 강타, 맹타, =SIDESWIPE ; 신랄한 말[비평] ; (두레박의) 대 ; (특히 경마장의) 마부 ; 《美俗》 자가제의 질이 나쁜 위스키[포도주] : have[take, make] a ~ *at* the ball 볼을 강타하다. —— *vt.* **1** 《口》 [+目/+目+前+名] 강타하다 : The batman ~*d* the ball ***into*** the grandstand. 타자는 볼을 특별관람석으로 세게 쳤다. **2** 《俗·戲》 훔치다(steal) ; 낚아채다. —— *vi.* 《口》 강타하다 〈*at*〉 ; (술 따위를) 벌컥벌컥 들이켜다, 단숨에 마시다. **swíp·er** *n.*
〖? 변형(變形) <*sweep*〗

swipes [swáips] *n. pl.* 《英口》 값싼[순한] 맥주, (일반적으로) 맥주. 〖C18<? *sweep*〗

swirl [swə́ːrl] *vi.* **1** [動/+副/+前+名] 소용돌이치다(whirl) : The snowflakes were ~*ing* ***about*** (the streets). 눈송이가 (거리를) 소용돌이 치고 있었다 / There was a stream ~*ing* ***over*** the rocks. 분류(奔流)가 소용돌이치며 바위 위를 흐르고 있었다. **2** (머리가) 아찔아찔하다, 현기증나다(be giddy). —— *vt.* 소용돌이치게 하다〈*off, away*〉. —— *n.* **1** 소용돌이, 회오리(eddy) ; 소용돌이 모양(의 것)(twist) ; 고수머리(curl) ; 혼란 : a ~ *of* dust 먼지의 회오리. **2** 눈보라. 〖Sc.< ? LDu.〗

swírly *a.* 소용돌이(모양)의 ; 소용돌이치는 ; 《스코》 뒤얽힌, 꼬인.

swish [swíʃ] *vt.* **1** (지팡이·꼬리 따위를) 휘두르다 : He ~*ed* his whip. 그는 휙하고 채찍을 휘둘렀다 / The cow ~*ed* her tail. 암소는 꼬리를 휙휙 휘둘렀다. **2** [+目+副] (풀 따위를 지팡이 따위로) 쳐서 자르다 : He ~*ed* ***off*** the heads of the thistles with his cane. 그는 지팡이로 엉겅퀴 끝을 쳐냈다. **3** 《英》 채찍질하다. —— *vi.* [動/+前+名/+副] (지팡이·채찍 따위로) 휙 소리내다 ; (새가 날면서) 휙 바람을 가르다 ; (낫으로 풀을 벨 때) 사각사각 소리나다 ; 비단 스치는 소리가 나다 ; 《俗》 여자답게 굴다[걷다] : The whip ~*ed* ***past*** his ear. 채찍이 휙 소리를 내며 그의 귀밑을 스쳤다 / The ladies ~*ed* ***in***[***out***]. 여성들은 비단 스치는 소리를 내며 들어왔다[나갔다]. —— *n.* **1** (지팡이·채찍 따위의) 휙하는 소리 ; (물 따위의) 쏴하는 소리 ; 《美俗》 동성애자, 호모. **2** 《英》 (채찍 따위의) 한차례 휘두르기, 일격. —— *a.* =SWISHY ; 《英口》 (의복 따위가) 화려한, 스마트한. 〖C18 (imit.)〗

swíshy *a.* 휙 소리를 내는 ; 연약한, 남자답지 않은, 《美俗》 호모의.

***Swiss** [swís] *a.* 스위스의, 스위스 사람의, 스위스풍[산(産)·제]의 : ~ French[German] 스위스식 프랑스어[독일어] / the ~ Confederation 스위스 연방(☞ SWITZERLAND). —— *n.* (*pl.* ~) 스위스 사람 ; 비치는 면직물의 일종 ; =SWISS CHEESE : He is a ~. 그는 스위스 사람이다. **~·er** *n.* 스위스 사람.
〖F *Suisse*<MHG *Swīz*〗

Swíss chárd *n.* =CHARD.

Swíss chéese *n.* 스위스 치즈《딱딱하고 커다란 구멍이 많은 담황[백]색 치즈》.

Swíss guárd *n.* 스위스 호위병《로마 교황청 호위대(Swiss guards)의 일원 ; 순수 토박이 스위스인이어야 함》.

Swíss mílk *n.* 가당연유(加糖煉乳).

Swíss róll *n.* 잼을 넣은 롤빵[카스텔라].

Swíss stéak *n.* 스위스식 스테이크《밀가루를 양면에 묻혀 구워 토마토·양파 따위의 소스와 함께 익힌 스테이크》.

Swit. Switzerland.

***switch** [switʃ] *n.* **1** 교환, 교체; (급한) 전환, 변경; (나무에서 잘라낸) 낭창낭창한 잔 가지; 《美》 회초리, 채찍질; (소·사자 따위의) 꼬리 끝에 있는 술모양의 털; 《美俗》 잭 나이프: make a ~ in plans 계획을 변경하다. **2** 《美》〔鐵〕 전철기(轉轍機), 측선, 포인트(=《英》 points). **3** 〔電話〕 교환대; 〔電〕 개폐기(開閉器), 스위치: Turn on [off] the light ~, please. 전기 스위치를 켜[꺼] 주십시오. **4** (가스 따위의) 꼭지, 마개. **5** (여자 머리의) 다리. **6** 〔카드놀이〕 다른 짝패로 바꾸기. **7** 〔컴퓨〕 스위치, 엇바꾸개.

asleep at the switch 《美俗》 방심하여, 의무를 게을리하여.

—— *vt.* **1** [+目/+目+前+名] 채찍질하다 (whip): The man ~*ed* the slave ***with*** a birch [rod]. 그 사내는 노예를 회초리로 매질하였다. **2** (말·소가) 꼬리치다. **3** [+目/+目+前+名/+目+副] **a)** 〔鐵〕 전철하다(shunt): The train was ~*ed* ***into*** the siding. 열차는 측선(側線)으로 선로를 바꾸었다. **b)** (생각·화제 따위를) 바꾸다, 옮기다: ~ the conversation ***to*** a new subject 이야기를 새로운 화제로 바꾸다. **c)** (가스·전등·라디오 따위를) 끄다〈*off*〉, 켜다〈*on*〉. **4** [+目/+目+前+名] 잡아채다: The young man ~*ed* the handbag ***out of*** her hand. 젊은이는 그녀의 손에서 핸드백을 잡아챘다. **5** 〔카드놀이〕 승산이 없어 다른 짝(suit)으로 바꾸어 모으다. **6** (말을) 다른 사람 명의로 경마에 내보내다.

—— *vi.* 전환하다, (휙) 방향을 바꾸다; (전등 따위를) 끄다〈*off*〉, 켜다〈*on*〉.

switch off (전등·라디오 따위를) 끄다; 〔電話〕 …와 전화를 끊다; (*vi.*) 전화를 끊다: He ~*ed* the light *off.* 전등을 껐다 / Don't ~ *off* yet, please. 아직 (전화를) 끊지 마세요.

switch on (1) (전등·라디오)의 스위치를 켜다; …에게 전화를 걸다: ~ *on* a loudspeaker 확성기의 스위치를 켜다. (2) ☞ 3 b).

switch over (전신을) (타국(局)으로) 바꾸다.

~·able *a.* 〖C16 *swits, switz* < ? LG; cf. LG *swukse* long thin stick, MDu. *swijch* branch, twing〗

swítch·bàck *n.* 〔鐵〕 전향선(轉向線); 지그재그식의 산악 도로[철도], 스위치백; 《英》 =ROLLER COASTER.

swítch·blàde (knífe) *n.* 손잡이를 누르면 칼날이 튀어나오는 잭나이프의 일종.

swítch·bòard *n.* 〔電〕 (전화 교환대 따위의) 배전반(配電盤) (cf. PLUGBOARD); (전화) 교환대.

swítched-méssage nètwork *n.* 〔通信〕 메시지 교환망(網)《네트워크 안의 사용자간에 메시지를 주고받는 시스템》.

swítched-ón *a.* 《口》 =TURNED-ON.

switch·er·oo [switʃərú:] *n.* (*pl.* **~s**) 《美俗》 불의의 전환[역전], 돌연한 변화.

swítch·gèar *n.* 〔電〕 (고압용) 개폐기[장치].

swítch·gìrl *n.* 《濠》 전화 교환수.

swítch-hít *vi.* 〔野〕 (타자가) 좌우 어느 타석에서나 치다.

swítch-hítter *n.* 〔野〕 스위치 히터; 《美俗》 두가지 일을 잘 해내는 사람, 다재다능한 사람; 《美俗》 양성애(兩性愛)인 남자.

swítch·man [-mən] *n.* 《美》〔鐵〕 전철수(轉轍手) (=《英》 pointsman).

swítch·òver *n.* U,C 전환(轉換).

swítch sèlling *n.* 속임수 판매《싼 상품의 광고로 손님을 끌어 비싸게 팔기》.

swítch sìgnal *n.* 전철(轉轍) 신호.

swítch tòwer *n.* 《美》 (철도의) 신호소(signal box).

swítch tràding *n.* 〔經〕 스위치 무역《통화 대신에 서비스·편익·희소 상품 따위로 지급하는 국제 무역》.

swítch·yàrd *n.* 《美》〔鐵〕 조차장(操車場).

swith·er [swíðər] *vi.* 《스코》 의심하다, 망설이다. —— *n.* U 불안, 의심; 망설임.

Switz. Switzerland.

Switz·er [swítsər] *n.* **1** 《古》 스위스인(人). **2** 스위스인(人) 용병.

***Switz·er·land** [swítsərlənd] *n.* 스위스《별칭 the Swiss Confederation; 수도 Bern》.

swiv·el [swívəl] *n.* **1** 〔機〕 회전 이음쇠, 쇠고리 사슬. **2** (회전 의자·선회포의) 받침. **3** =SWIVEL GUN.

—— *v.* (**-l-** | **-ll-**) *vt.* **1** 회전 이음쇠를 달다[로 받치다]. **2** [+目/+目+副] 회전[선회]시키다: The boss ~*ed* his chair ***round*** to see me. 사장은 나를 마주 보려고 회전 의자를 빙그르르 돌렸다. —— *vi.* 선회[회전]하다.

〖OE *swifan* to sweep, revolve; cf. SWIFT〗

swivel *n.* 1

swível brìdge *n.* =SWING BRIDGE.

swível chàir *n.* 회전 의자.

swível gùn *n.* 선회포(砲).

swível pìn *n.* (자동차의) 킹핀(kingpin).

swiv·et [swívət] *n.* 《方·口》 초조, 격앙: in a ~ 당황해서, 초조하여.

〖C19 < ?〗

swiz(z) [swíz] *n.* (*pl.* **swízz·es**) 《英口》 실망시킴, 협잡질, 속임수. 〖C20 < ?〗

swiz·zle [swízəl] *n.* 스위즐《럼·라임주스·설탕·얼음 따위로 만든 칵테일》; 《英口》 =SWIZZ.

—— *vi.* 술을 벌컥벌컥 들이켜다. —— *vt.* (휘젓는 막대로) 뒤섞다. **-zler** *n.* 〖C19 < ?〗

swízzle stìck *n.* (칵테일 따위용) 휘젓는 가는 막대.

swob [swáb] *n., v.* (**-bb-**) =SWAB.

***swol·len** [swóulən] *v.* SWELL의 과거분사.

—— *a.* 부푼; 부어오른; 물이 불은; 과장된.

〈회화〉

What happened to your leg? — I've got a *swollen* ankle. 「다리가 어떻게 된 거니」「발목이 부었어요」

~·ly *adv.* **~·ness** *n.*

swóllen héad *n.* =SWELLED HEAD.

swoln [swóuln] *v., a.* 《古》 =SWOLLEN.

swoon [swú:n] *vi.* **1** 졸도[기절]하다(faint): She ~*ed* at the dreadful sight. 무서운 광경을 보고 기절하였다. **2** (소리 따위가) 약해지다, 서서히 사라져가다. **3** 《文語·戲》 황홀해지다.

—— *n.* 졸도, 기절: be in[fall into] a ~ 기절해 있다[기절하다]. 〖ME? (역성(逆成)) < *swogning* (OE *geswogen* (p.p.) overcome)〗

swoony [swú:ni] *a., n.* 《美俗》 매력적인[귀여운] (사내 아이).

swoop [swú:p] *vi.* [+副/+*on*+名] (매 따위가) 공중에서 내리 덮치다, 급습하다: The hawk ~*ed* ***down on*** its prey. 매가 먹이를 향해 내리

덮쳤다 / The bombers *~ed down on* the air base. 폭격기는 공군 기지를 급습했다.
—— *vt.* 《口》 낚아[잡아]채다(snatch) 〈*up*〉.
—— *n.* (매 따위의) 급습, 급강하 ; 낚아채기 : with a ~ 일격으로.
at one (***fell***) ***swoop***=***at a*** (***single***) ***swoop*** 일거에.
〖ME *swopen*<OE *swāpan* to SWEEP〗

swoosh [swú(:)ʃ] *n.* 분사, 분출 ; 휙[쉭]하는 소리. —— *vi., vt.* 휙[쉭]하는 소리를 내다 ; 기세 좋게 움직이다 ; 쉭하고 소리를 내며 내뿜다.
〖C19 (imit.)〗

swop ☞ SWAP.

***sword** [sɔ́:rd] *n.* **1** 검, 칼(모양의 것) : a court [dress] ~ 대례복(大禮服)에 착용하는 검. **2** [the ~] 무력, 폭력, 군사력, 전쟁, 병마권(兵馬權) (cf. SABER 2) : The pen is mightier than the ~. ☞ PEN[1] 2. **3** 《軍俗》 총검(bayonet).
at sword's points 당장에라도 싸울[전쟁할] 듯이, 몹시 반목[불화]하여.
at the point of the sword 칼을 들이대고 ; 무력으로.
cross swords with …와 칼을 겨루다 ; 《비유》 …와 논쟁하다.
draw the sword 싸움을 시작하다.
fall on one***'s sword*** 자인(自刃)하다.
fire and sword 약탈, 전화(戰禍).
measure swords (결투 전에) 검의 길이를 조사하다 ; 《비유》 결투하다, 싸우다〈*with*〉.
put...to the sword (특히 승자가) …을 검으로 베어 죽이다.
put up [***sheathe***] ***the sword*** 칼을 거두다 ; 《비유》 강화하다.
the sword of justice 사법권.
the sword of State [***honour***] 《英》 보검(寶劍).
the sword of the Spirit 하느님 말씀.
~·less *a.* **~·lìke** *a.*
〖OE *sw*(*e*)*ord* ; cf. G *Schwert*〗

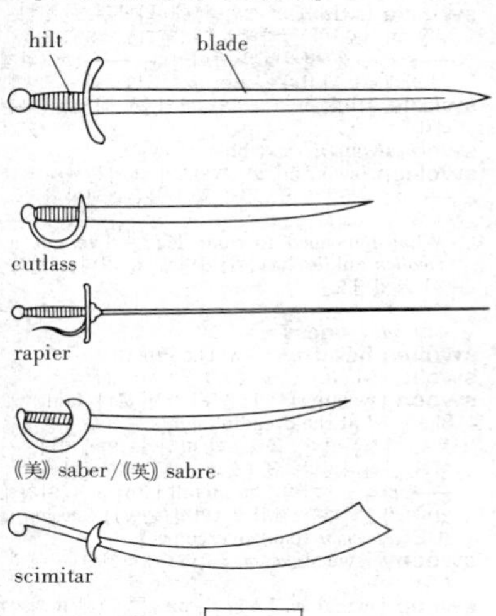

sword

swórd àrm *n.* (보통) 오른팔.
swórd báyonet *n.* 총검.
swórd bèan *n.* 〖植〗 작두콩.
swórd-bèar·er *n.* 칼을 차고 있는 사람 ; 《英》 검을 든 사람.
swórd bèlt *n.* 검대(劍帶).
swórd·bìll, swórd-bìlled húmmingbird *n.* 〖鳥〗 (남미산) 벌새의 일종.
swórd càne *n.* 속에 칼이 든 지팡이.
swórd·cràft *n.* 검술 솜씨 ; 검술, 용병술, 전력(戰力).
swórd cùt *n.* 칼에 벤 상처 ; 칼자국.
swórd dànce *n.* 칼춤, 검무《엇걸어 세운 칼 아래 또는 늘어놓은 칼 사이를 누비며 추는 춤》.
swórd·fish *n.* **1** 〖魚〗 황새치. **2** [the S~] 〖天〗 황새치자리(Dorado).
swórd flàg *n.* 〖植〗 노랑창포.
swórd gràss *n.* 〖植〗 칼 모양의 가느다란 잎을 가진 풀, (특히) 방동사니과(科)의 멧돼지새 따위의 풀.
swórd guàrd *n.* (칼의) 날밑.
swórd hànd *n.* 오른손(↔*bow hand*).
swórd knòt *n.* 칼 자루의 장식 줄[끈].
swórd làw *n.* 무단(武斷) 정치 ; 군정 ; 계엄령.
swórd lìly *n.* 〖植〗 글라디올러스.
swórd of Dámocles *n.* [the ~, 때때로 the S~] 다모클레스의 검, (영화가 한창일 때에도) 몸에 닥쳐오는 위험.
swórd·plày *n.* Ⓤ 펜싱, 검술 ; 《비유》 격렬한 논쟁 ; 임기 응변의 명답.
swórd·pròof *a.* 칼이 안 들어가는.
swórd ràttling *n.* =SABER RATTLING.
swórd(s)·man [-mən] *n.* **1** 검객, 검사 : be a good [bad] ~ 검술이 능란하다[서투르다]. **2** (특히 검으로 무장한) 군인, 병사. **~·shìp** *n.* 검술 ; 검도 ; 검술가의 솜씨, 검객임.
swórd stìck *n.* =SWORD CANE.
swórd·tàil *n.* 〖魚〗 소드테일《중앙 아메리카 원산의 열대어》 ; 〖動〗 투구게(king crab).
***swore** *v.* SWEAR의 과거형.
***sworn** [swɔ́:rn] *v.* SWEAR의 과거분사.
—— *a.* 맹세[언약]한(pledged) ; (증언 따위를) 선서한 ; 공공연한 : ~ brothers 의형제 / ~ enemies[foes] 불구대천의 원수 / ~ friends 맹우(盟友), 둘도 없는 벗.
swórn-ín *n.* 각료의 취임 선서.
swot[1] [swát] *vi., vt.* (-tt-) 《英俗》 지독히 공부하다, (책 따위에) 매달리다. —— *n.* 맹렬한 공부 ; 벼락 공부. 〖변형(變形) (dial.) 〈*sweat*〉〗
swot[2] *n., vi., vt.* =SWAT[1].
swound [swáund, swú:nd] *vi., n.* 《古·方》 = SWOON.
'swounds [zwáundz, zwú:ndz] *int.* 《古》 체!, 제기랄(zounds).
Swtz. Switzerland. **SWU** separate work unit 《분리 작업 단위 ; 천연 우라늄에서 농축 우라늄을 만들 때의 작업량 단위》.
◇**swum** *v.* SWIM의 과거 분사·《古》 과거형.
‡**swung** *v.* SWING의 과거·과거 분사.
swúng dàsh *n.* 〖印〗 스윙 대시, 물결 대시《~》.
sy- [si, sə] ☞ SYN-[1].
S.Y., SY steam yacht.
Syb·a·ris [síbərəs] *n.* 시바리스《이탈리아 남부에 있었던 고대 그리스의 부와 사치로 유명한 도시 ; 510 B.C. 멸망》.
Syb·a·rite [síbəràit] *n.* Sybaris 사람 ; [때때로 s~] 사치와 방탕을 일삼는 사람.

—— *a.* [s~] =SYBARITIC 2.
syb·a·rit·ic, -i·cal [sìbərítik(əl)] *a.* **1** [S~] Sybaris 사람의. **2** 사치 향락에 빠지는, 유약한.
sybil, Sybil ☞ SIBYL.
syc·a·mine [síkəmàin, -mən] *n.* 〖聖〗 뽕나무《누가복음 17 : 6》; 오디.
syc·a·more, syc·o·more [síkəmɔ̀ːr] *n.* 〖植〗 **1** 무화과나무의 일종《시리아 및 이집트산》. **2** 《美》 플라타너스의 일종. **3** 《英》 시카모아단풍나무(=∼ **máple**); Ⓤ 그 단단한 재목.
〖OF<L<Gk.〗
syce[1]**, sice, saice** [sáis] *n.* 《인도》 말구종, 마부. 〖Hindi<Arab.〗
syce[2] ☞ SICE[1].
sy·cee [saisíː, ∸-] *n.* (중국의) 마제은(馬蹄銀) (=∼ **sílver**).
〖Chin.=fine silk〗
sy·co·ni·um [saikóuniəm] *n.* (*pl.* **-nia** [-niə]) 〖植〗 무화과 열매, 은화과(隱花果).
〖L (Gk. *sukon* fig[1])〗
syc·o·phan·cy [síkəfənsi] *n.* Ⓤ 아첨, 알랑거림.
sýc·o·phant *n.* 아첨꾼, 알랑쇠. —— *a.* =SYCOPHANTIC. 〖F or L<Gk.=informer (*sukon* fig[1], *phainō* to show)〗
syc·o·phan·tic, -ti·cal [sìkəfǽntik(əl)] *a.* 아첨하는, 알랑거리는.
sy·co·sis [saikóusəs] *n.* (*pl.* **-ses** [-siːz]) 〖醫〗 모창(毛瘡).
〖L<Gk. (*sukon* fig[1]) ; 모양이 비슷한 데서〗
Syd·ney [sídni] *n.* 시드니《오스트레일리아 동해안의 항구 ; New South Wales 주의 주도》.
sy·e·nite [sáiənàit] *n.* Ⓤ 섬장암(閃長岩).
sỳ·e·nít·ic [-nít-] *a.*
syl- [sil, səl] ☞ SYN-[1].
syl., syll. syllable(s) ; syllabus.
sy·li, si·ly [síːli] *n.* 실리《Guinea의 화폐 단위》.
syl·la·bary [síləbèri ; -bəri] *n.* 음절 문자표 ; 자음표(字音表). 〖NL〗
syllabi *n.* SYLLABUS의 복수형.
syl·lab·ic [səlǽbik] *a.* **1** 음절의, 음절로 된. **2** 음절을 나타내는. **3** 각 음절을 발음하는, 발음이 지극히 명료한. **4** 〖音聲〗 음절을 이루는, 음절 주음(主音)적인 : a ∼ consonant 음절 자음(子音).
—— *n.* **1** 음절을 나타내는 문자. **2** 〖音聲〗 음절 주음(主音).
-i·cal·ly *adv.*
〖F or L<Gk. ; ⇨ SYLLABLE〗
syl·lab·i·cate [səlǽbəkèit] *vt.* 음절로 나누다.
syl·làb·i·cá·tion *n.* Ⓤ 음절 구분 ; 분철법.
syl·lab·i·fy [səlǽbəfài] *vt.* =SYLLABICATE.
syl·làb·i·fi·cá·tion *n.*
syl·la·bism [síləbìzəm] *n.* 음절 문자의 사용[발달] ; 분철(syllabication).
syl·la·bize [síləbàiz] *vt.* =SYLLABICATE.
***syl·la·ble** [síləbəl] *n.* **1** 〖音聲〗 음절 ; 음절을 나타내는 문자 : "Simply" is a word of two ∼*s.* simply는 2음절로 된 낱말이다. **2** 한마디, 일언반구 : Not a ∼! 한마디도 하지 마라. —— *vt.* 음절마다 발음하다 ; 명확하게 발음하다 ; 《詩》 말하다(utter). —— *vi.* 각 음절을 발음하다.
〖AF<L<Gk.=that which holds together (*syl-*, *lambanō* to take)〗
sýl·la·bled *a.* [복합어를 이루어] …철자[음절]의 : a three-∼ word 3음절의 단어.
syl·la·bub, sil·la-, sil·li- [síləbʌ̀b] *n.* **1** 〖料〗 실러버브 《⑴ 거품이 일게 한 우유에 포도주 따위를 넣은 것. ⑵ 럼 · 포도주 · 브랜디를 우유에 넣은 음료》. **2** 《비유》 알맹이가 없는[공허한] 것.
〖C16<?〗
syl·la·bus [síləbəs] *n.* (*pl.* **∼es, -bi** [-bài]) **1** (강의의) 개략, 요목 ; 《英》 시간표. **2** 〖法〗 판결요지, 판결의 두주(頭註) ; 〖카톨릭〗 교서 요목, 교회 적요 ; [흔히 S∼] (교황 Pius 9세가 1864년에 발표한 80개 조항으로 이루어진) 유론표(謬論表), 실러버스.
〖NL (오기(誤記)) ‹ L *sittybas* (acc. pl.) ‹ *sittyba* <Gk. *sittuba* label〗
syl·lep·sis [səlépsəs] *n.* (*pl.* **-ses** [-siːz]) **1** Ⓤ 〖文法〗 겸용법(兼用法)《Neither he nor I *am* wrong. (=He is not wrong, nor am I.)의 문장 중 *am*이 He와 I에 걸려 같은 하나의 말로 두 개 이상의 다른 기능을 갖게 하는 어법》; 〖修〗 쌍서법(雙敍法)《He *lost* his hat and his temper. (모자를 잃어 버려서 화가 났다)의 문장 중 *lost*처럼 같은 말을 동시에 문자 그대로의 뜻과 비유적인 뜻으로 사용하는 것》. **2** =ZEUGMA.
〖L<Gk.=taking together ; ⇨ SYLLABLE〗
syl·lép·tic *a.* syllepsis의.
-ti·cal·ly *adv.*
syl·lo·gism [sílədʒìzəm] *n.* 〖論〗 삼단 논법, 추론식 ; Ⓤ 연역법(演繹法) (cf. INDUCTION) ; 엉터리 논법, 궤변. 〖OF or L<Gk. =a reckoning together (*logos* reason)〗
sỳl·lo·gís·tic *a.* 삼단 논법[연역법]의. —— *n.* [때때로 *pl.*] (논리학의 일부로서) 삼단 논법(론) ; 삼단 논법적 추론(推論).
-ti·cal *a.* **-ti·cal·ly** *adv.*
syl·lo·gize [sílədʒàiz] *vi., vt.* 삼단 논법을 쓰다, 추론하다, (사실 · 의론을) 삼단 논법으로 논하다.
syl·lo·gi·za·tion [sìlədʒəzéiʃən ; -dʒai-] *n.* 삼단 논법에 의한 추론.
sylph [sílf] *n.* **1** 공기[바람]의 요정(妖精) (cf. NYMPH, SALAMANDER, UNDINE). **2** 날씬하고 우아한 여인. **3** 〖鳥〗 벌새의 일종.
∼·lìke *a.* 공기[바람]의 요정 같은 ; 가냘픈.
〖NL *sylphes*, G *Sylphen* ; ? 혼성(混成) <L *sylvestris* of the woods+*nympha* NYMPH〗
sylph·id [sílfəd] *n.* 젊은[작은] sylph.
syl·va [sílvə] *n.* =SILVA ; 《古》 시집, 문집《책 이름에 씀》.
syl·van, sil- [sílvən] *a.* 숲의[이 있는], 숲속의, 수목이 우거진 ; 목가적인.
—— *n.* 숲의 요정 ; 숲속에 사는 새와 짐승 ; 숲속에 사는 사람.
〖F or L SILVANUS (*silva* a wood)〗
sylviculture ☞ SILVICULTURE.
sym- [sim, səm] ☞ SYN-[1].
sym. symbol ; 〖化〗 symmetrical ; symphony ; symptom.
sym·bi·ont [símbiɑ̀nt, -bai-], **-on** [-ɑ̀n] *n.* 〖生態〗 공생자(共生者).
sym·bi·o·sis [sìmbióusəs, -bai-] *n.* (*pl.* **-ses** [-siːz]) Ⓤ 〖生態〗 (상리) 공생(↔*parasitism*) ; 《비유》 공존, 공동 생활.
〖NL<Gk. (*sym-*, *bios* life)〗
sym·bi·ot·ic [sìmbiɑ́tik, -bai-] *a.* 〖生態〗 공생의[하는].
-i·cal·ly *adv.*
‡**sym·bol** [símbəl] *n.* **1** 상징, 표상, 심벌 : the ∼ of peace 평화의 상징. **2** 표, 부호, 기호 : a chemical ∼ 화학 기호. **3** 신조(creed). **4** 〖精神分析〗 심벌《억압된 무의식적 욕구를 나타내는 행위[것]》. **5** 〖컴퓨〗 심벌, 상징(기호).
—— *v.* (**-l-** | **-ll-**) *vt.* 표상하다, 상징하다 ; 기호로

나타내다. —— *vi.* 기호를 사용하다.
〚L<Gk.=sign, token (*sym-*, *ballō* to throw)〛

symbol

類義語 ***symbol*** 사상이나 성질 따위의 추상적인 것을 표현하기 위하여 선택된 말; 특히 그 형태가 내용과 흡사하다던가 특별한 관련이 있는 것으로 한정되지는 않는다: The cross is the *symbol* of Christianity. (십자가는 기독교의 상징이다). ***emblem*** 어떤 사상이나 성질 또는 나라 따위를 나타내는데 적합한 그림·도안 따위: The eagle is the *emblem* of the United States. (독수리는 미합중국의 표상이다).

sym·bol·ic, -i·cal [simbɑ́lik(əl)] *a.* **1** 상징적인, 표상하는(cf. PRESENTIVE); 〘言〙 음표(音表)상의: The dove is *symbolic of* peace. 비둘기는 평화를 상징한다. **2** 부호(符號)의, 기호적인: *symbolic* language 기호 언어. **3** 상징주의적인. **-i·cal·ly** *adv.*

symbólic lógic *n.* 기호 논리학(mathematical logic)《논리적 법칙을 기호에 따라 수학적으로 표시함》.

sym·ból·ics *n.* Ⓤ 〘神學〙 신조론(信條論)[학]; 〘人類〙 의식(儀式) 연구.

symbólic wórds *n. pl.* 〘言〙 상징어(군)《공통의 음소와 공통의 뜻을 갖는 어군(語群): glare, glitter, *etc.*》.

sým·bol·ìsm *n.* **1** Ⓤ 〘文·美術〙 상징주의. **2** Ⓤ 상징적 의미, 상징성. **3** Ⓤ 부호사용; 부호성; Ⓒ 부호 체계. **-ist** *n., a.* 〘文·美術〙 상징주의자(의); 부호학자(의); 부호 사용자(의).

sỳm·bol·ís·tic *a.* 상징주의(자)의; 상징적인. **-ti·cal·ly** *adv.*

sým·bol·ìze *vt.* **1** …의 부호[표상]다, 상징하다. **2** 부호[기호]로 나타내다; 상징[표상]화하다. **3** 상징으로 보다, …에 상징의 정신을 내포하게 하다. —— *vi.* 상징[기호]을 쓰다, 상징화하다. **sỳm·bol·i·zá·tion** *n.* 상징[기호]화; (인류 특유의) 기호 체계를 발전시키는 능력.

sym·bol·o·gy [simbɑ́lədʒi] *n.* Ⓤ 상징학; 기호론; 상징[기호]의 사용. **-gist** *n.*

sym·met·al·lism [simmétəlìzəm] *n.* 〘經〙 (화폐의) 복본위제(複本位制) (cf. BIMETALLISM).

sym·met·ric, -ri·cal [səmétrik(əl)] *a.* (좌우) 대칭적(對稱的)인, 균형잡힌; 〘植〙 대칭의; 〘化·數·論〙 대칭의; 〘醫〙 대칭성의《발진 따위》. **-ri·cal·ly** *adv.*

symmétric gróup *n.* 〘數〙 대칭군(群).

sym·me·trize [símətrài z] *vt.* (좌우) 대칭[상칭]적으로 하다; 균형잡히게 하다, 조화시키다.

sym·me·try [símətri] *n.* Ⓤ (좌우의) 대칭, 균형(balance), 조화(harmony) (cf. CONTRAST); 균형[조화]미; 〘植〙 대칭(對稱)(↔*asymmetry*). 〚F or L<Gk. (*sym-*, *metron* measure)〛

sym·pa·thec·to·my [sìmpəθéktəmi] *n.* 〘醫〙 교감 신경 절제(술).

***sym·pa·thet·ic** [sìmpəθétik] *a.* **1** 동정심[인정]이 있는: one's ~ looks[words] 동정적인 표정[말투] / a ~ strike=SYMPATHY STRIKE / The management was not ~ enough *to*[*toward*] the workers' complaints. 경영자측은 노동자들의 불평에 대하여 그리 동정적은 아니었다. **2** 동의[찬성]한, 동감의, 호의적인: They are ~ *to* our plan. 그들은 우리의 계획에 찬성하고 있다. **3** 〘生理〙 교감[감응]적인: the ~ nerve 교감 신경 / a ~ pain 동정 고통; 교감 고통. **4** 〘理〙 공명하는: ~ vibrations 공명. **5** (독자에게) 호소하는, 공감케 하는〈*to*〉. —— *n.* **1** 〘解〙 교감 신경(계). **2** (최면술 따위에) 걸리기 쉬운 사람. **-i·cal·ly** *adv.* 동정하여; 교감하여. 〚*pathetic*에 준하여 *sympathy*에서〛
類義語 ⟹ TENDER[1].

sympathétic cóntact *n.* 〘社〙 자기가 소속된 단체의 대표자로서가 아닌 개인적인 접촉.

sympathétic ínk *n.* =SECRET INK.

sympathétic (nérvous) sýstem *n.* 〘解·生理〙 교감 신경계.

sym·pa·thize** [símpəθàiz] *vi.* [動/+*with*+名] **1** 동정하다, 가엾이 여기다; 조의를 표하다: He ~*d* ***with the people in their afflictions. 그는 그들의 고통을 동정하였다. **2** 동감[공명]하다, 찬성[동의]하다, 감응하다, 융합하다; 교감[공감]하다: His parents did not ~ ***with*** his hope to become a journalist. 그의 부모는 저널리스트가 되고 싶어하는 그의 희망에 동의하지 않았다. **3** 일치하다, 조화하다.
-thìz·er *n.* **1** 동정자, 인정있는 사람. **2** 동조자, 공명자, 지지자, 동지.

sym·pa·tho·lyt·ic [sìmpəθoulítik] *a.* 〘藥〙 교감 신경 차단 작용의. —— *n.* 교감 신경 차단제.

sym·pa·tho·mimétic [sìmpəθou-] *a.* 〘藥〙 교감 신경 흥분 작용의. —— *n.* 교감 신경 흥분제.

***sym·pa·thy** [símpəθi] *n.* **1** Ⓤ,Ⓒ 동정, 연민의 정; Ⓤ 조위, 위문: a letter of ~ 동정[조의]의 편지 / excite (a person's) ~ (남의) 동정을 불러일으키다 / express ~ *for* a person 남을 위문하다, 조의를 표하다 / They don't feel much ~ *for*[*with*] us. 그들은 우리를 그다지 동정하지 않는다 / He had no ~ *for*[*with*] their misfortune. 그는 그들의 불행에 대해서는 전혀 동정하지 않았다 / He is a man of ready *sympathies.* 그는 동정심이 많은 사람이다. **2** Ⓤ 동감, 공명, 찬성, 호감, 승인(↔*antipathy*); 〘心〙 공감: be in[out of] ~ *with* a plan 계획에 찬성하다[하지 않다] / The faculty expressed their ~ *with* the students' action. 교수단은 학생들의 행동에 공감을 표명하였다. **3** Ⓤ 감응(성); 조화, 융화, 일치〈*with*〉; 〘生理〙 교감; 〘理〙 공진(共振), 공명. 〚L<Gk.=fellow feeling (*sym-*, PATHOS)〛
類義語 ⟹ PITY.

sýmpathy strìke *n.* 동정 파업.

sym·pétal·ous [sim-] *a.* 〘植〙 합판(合瓣)의.

sym·phi·ly [símfəli] *n.* 〘生態〙 우호 공생.

sym·phon·ic [simfɑ́nik] *a.* 〘樂〙 교향곡의; (소리가) 조화된: a ~ poem 교향시(tone poem) / a ~ suite 교향모음곡. **-i·cal·ly** *adv.*

sym·pho·ni·ous [simfóuniəs] *a.* 《文語》〘樂〙 협화음의 〈*with*〉; 조화를 이룬〈*to, with*〉. **~·ly** *adv.*

sym·pho·nist [símfənəst] *n.* 교향곡 작곡가 ; 교향악단원.

sym·pho·nize [símfənàiz] *vt., vi.* (소리가) 협화하다[잘 어울리다] ; 교향곡풍으로 연주하다.

***sym·pho·ny** [símfəni] *n.* **1** 〖樂〗 교향곡 ; 《美》 교향악단(의 콘서트). **2** 협화음 ; 색의 조화 ; 《古·詩》 조화(harmony). 〚OF<L<Gk.=concordant in sound ; ⇨ PHONE〛

sýmphony órchestra *n.* 교향악단.

sym·phy·sis [símfəsəs] *n.* (*pl.* **-ses** [-sì:z]) 뼈의 유착, 유합(癒合) ; 〖植〗 합생(合生), 유합. 〚NL<Gk. (*sym-*, *phuō* to grow)〛

sym·po·si·ac [simpóuziæ̀k] *a.* symposium 의[에 적합한]. —— *n.* 《古》 =SYMPOSIUM.

sym·po·si·arch [simpóuziɑ̀:rk] *n.* symposium의 주재자(主宰者) ; 《稀》 연회의 사회자.

sym·po·si·ast [simpóuziæ̀st, -əst] *n.* symposium 참가[기고(寄稿)]자.

sym·po·si·um [simpóuziəm] *n.* (*pl.* ~**s**, **-sia** [-ziə]) **1** (어떤 문제에 관하여 몇 사람이 기고(寄稿)한) 논문집, 논총(論叢). **2** 심포지엄, 좌담회, 토론회(cf. PANEL DISCUSSION). **3** (고대 그리스의) 술잔치, 연회.
〚L<Gk. (*sumpotēs* fellow drinker)〛

***symp·tom** [sím*p*təm] *n.* 징조, 징후, 조짐, 전조 〈*of*〉 ; 〖醫〗 징후(徵候), 증후(症候), 증상(sign, indication)〈*of*〉 : A runny nose is a ~ *of* a cold. 콧물은 감기의 한 증상이다.

〈회화〉
I feel sick today. — What are the *symptoms* ?
「오늘은 몸이 불편해요」「증상이 어떤데요」

~**less** *a.*
〚ME *synthoma*<L<Gk. =chance〛
類義語 ⟹ SIGN.

symp·to·mat·ic [sìm*p*təmǽtik] *a.* 징후[증후]의, 전조가 되는〈*of*〉 ; 증후에 관한 ; …을 나타내는(indicative)〈*of*〉.

symp·tom·a·tol·o·gy [sìm*p*təmətɑ́lədʒi] *n.* Ⓤ 〖醫〗 징후학.

syn. synonym ; synonymous ; synonymy.

syn-[1] [sin, sən], **sym-** [sim, səm], **syl-** [sil, səl], **sys-** [sis, səs], **sy-** [si, sə] *pref.* 「함께」「동시에」「비슷한」 따위의 뜻. 注 그리스어 또는 같은 계열의 말에 붙여 l 앞에서는 *syl-* ; b, m, p 앞에서는 *sym-* ; s 앞에서는 *sys-* ; sc, sp, st, z 앞에서는 *sy-*가 된다. 〚Gk. (*sun* with)〛

syn-[2] [sín] *comb. form* 「합성」의 뜻.

synaeresis ☞ SYNERESIS.

synaesthesia ☞ SYNESTHESIA.

syn·a·gog(ue) | **-gogue** [sínəgɑ̀g, 美+-gɔ̀:g] *n.* **1** 유태 교회당. **2** [the ~] (예배에 모인) 유태인 회중(會衆) ; 유태인 모임.
sỳn·a·góg·ic, -i·cal [-gɑ́dʒ-] *a.*
〚OF<L<Gk. *sunagōgē* assembly〛

syn·a·le·pha, -loe- [sìnəlí:fə] *n.* 〖文法〗 (다음 어두 모음 앞에서의) 어미 모음 소실《보기 *th'*(=the) eagle》.

Syn·a·non [sínənən, -nɑ̀n] *n.* 시나논《예전의 미국의 마약 중독자 갱생 단체》.

syn·apse [sínæps, sənǽps ; sáinæps, sinǽps] *n.* 〖解〗 시냅스《신경 세포(neuron) 상호간의 접합부》 ; 〖生〗 =SYNAPSIS. —— *vi.* 시냅스를 형성하다 ; synapsis가 되다.

syn·ap·sis [sənǽpsəs] *n.* (*pl.* **-ses** [-si:z]) **1** Ⓤ 〖生〗 시냅시스《세포의 감수 분열 초기의 상동 염색체의 병렬 접착》. **2** 〖解〗 =SYNAPSE.

syn·ap·to·né·mal cómplex, syn·ap·ti- [sənæ̀ptəní:məl-] *n.* 〖生〗 합사기 복합체.

syn·áp·to·sòme [sənǽptə-] *n.* 〖生理〗 시냅토솜《신경 조직을 믹서에 갈았을 때 생기는 신경 단말이 떨어져 나온 것으로 생각되는 구조물》.

syn·ar·thro·sis [sìnɑ:rθróusəs] *n.* (*pl.* **-ses** [-si:z]) 〖解〗 (뼈의) 부동(不動) 결합, 관절 유합(증(症)).

syn·as·try [sínəstri] *n.* 〖占星〗 상성(相性)《출생시의 행성 배치의 상호관계를 본 것으로 affinity 와 다름》.

sync, synch [síŋk] *n.* 《口》 =SYNCHRONISM ; =SYNCHRONIZATION.
in* [*out of*] *sync 〖TV·映〗 (음성과 화상(畫像)이) 정확히 동조(同調)하여[하지 않아].
—— *vt., vi.* =SYNCHRONIZE.

syn·carp [sínkɑ:rp] *n.* 〖植〗 다화과(多花果), 집합과(集合果), 복과(複果).

syn·car·pous [sinkɑ́:rpəs] *a.* 〖植〗 합성 심피(心皮)가 있는 ; syncarp의.

syn·chon·dro·sis [sìŋkəndróusəs] *n.* (*pl.* **-ses** [-si:z]) 〖解〗 연골(軟骨) 결합.

syn·chro [síŋkrou, sín-] *n.* (*pl.* ~**s**) 〖工〗 싱크로《generator와 motor 사이에서 회전각이나 위치를 유도하는 기구》.
—— *a.* 싱크로의, 동조(同調)의.

syn·chro- [síŋkrou, -krə, sín-] *comb. form* 「동시(성)의」「동시 발생의」의 뜻.
〚*synchro*nized, *synchro*nous〛

sỳnchro-cýclotron *n.* 〖理〗 싱크로사이클로트론《가변 전기장에 주파수 변조를 가하는 대(大)사이클로트론》.

sýnchro·flàsh *n., a.* 〖寫〗 싱크로플래시(로 찍은)《셔터가 열리는 동시에 플래시가 터짐》.

sýnchro·mèsh *n., a.* (자동차의) 기어를 동시에 맞물리게 하는 장치(의) : a ~ gearbox 동시에 맞물게 되어 있는 기어 장치. 〚*syncro*nized *mesh*〛

syn·chro·nal [síŋkrənl, sín-] *a.* =SYNCHRONOUS.

syn·chron·ic, -i·cal [siŋkrɑ́nik(əl), sin-] *a.* =SYNCHRONOUS ; 〖言〗 공시적(共時的)인《언어를 시대별로 구분하여 역사적 배경을 배제하고 연구함 ; ↔*diachronic*》 : ~ studies in English grammar 영문법의 공시적 연구. **-i·cal·ly** *adv.*

syn·chro·nic·i·ty [sìŋkrənísəti, sìn-] *n.* 동시 발생, 동시성(synchronism).

syn·chro·nism [síŋkrənìzəm, sín-] *n.* **1** Ⓤ 동시 발생, 동시성 ; 〖映〗 영상과 발성의 일치. **2** Ⓤ (역사적 사건 따위의) 연대별 배열 ; Ⓒ 대조 역사 연표. **3** Ⓤ 〖理·電〗 동기(同期)(성).
〚Gk. ; ⇨ SYNCHRONOUS〛

sỳn·chro·ni·zá·tion *n.* 시간을 일치시킴, 동시에 함 ; 동시성, 시각이 동일함 ; 〖電子〗 동기화.

syn·chro·nize [síŋkrənàiz, sín-] *vi.* **1** 동시성을 가지다, 동시에 일어나다〈*with*〉. **2** (몇 개의 시계가) 표준시[일정시간]를 가리키다, 같은 시간을 가리키다. **3** 〖映〗 화면과 발성이 일치하다. —— *vt.* **1** [+目/+目+*with*+名] …에 동시성을 갖게 하다, 동시가 되게 하다, 동조(同調)하다 : The sound track of a film should be ~*d* ***with*** the scenes. 필름 녹음대의 발성은 화면과 일치시켜야 한다. **2** (여러 시계의) 시간을 동시에 맞추다 : ~ all the clocks in an office 사무실 안의 시계를 전부 맞추다. **3** (사건을) 동시대별로 배열하다. **4** 〖映〗 (영상과 발성을) 일치시키다 ; 〖寫〗 (사진기의 셔터를 플래시나 스트로보와) 동조(同調)시키다(cf. SYNCHROFLASH).

sýn·chro·nìzed shífting *n.* (자동차의) 동시 맞물림 변속 장치에 의한 기어 변속.
sýnchronized sléep *n.* 〖生理〗 동기성(同期性) 수면《꿈을 거의 꾸지 않는 규칙적인 수면》.
sýnchronized swímming *n.* 싱크로나이즈드 스위밍《음악의 리듬에 맞추어 수영하는 일종의 수중 발레》.
sýn·chro·nìz·er *n.* 〖電〗 동기(同期) 장치 ; 〖寫〗 동시 발광 장치, 싱크로나이저.
syn·chro·nous [síŋkrənəs, sín-] *a.* 동시(성)의 ; 동시에 일어나는 ; 〖理·電〗 동기(식)의. **~·ly** *adv.* 동시에 ; 동기에. **~·ness** *n.*
〖L<Gk. (*khronos* time)〗
sýnchronous compúter *n.* 동기식 컴퓨터.
sýnchronous convérter *n.* 〖電〗 동기[회전] 변류기(變流機).
sýnchronous mótor *n.* 〖電〗 동기 전동기.
sýnchronous órbit *n.* 〖空〗 동기(同期) 궤도《24시간 주기의 원형 궤도로서 위성은 지구의 특정 지점 상에 정지한 것처럼 됨》.
sýnchronous sátellite *n.* 〖宇宙〗 정지 (궤도) 위성(cf. SYNCOM).
syn·chro·ny [síŋkrəni, sín-] *n.* =SYNCHRONISM ; 〖言〗 공시태[상](共時態[相]), 공시적 연구, 공시 언어학.
sýnchro·scòpe *n.* 〖電〗 동기 검정기, 싱크로스코프《동기 소인형(同期掃引型) 오실로스코프》.
syn·chro·tron [síŋkrətràn, sín-] *n.* 〖理〗 싱크로트론《하전입자(荷電粒子) 가속장치의 일종 ; cf. BEVATRON, CYCLOTRON》.
sýnchrotron radiátion *n.* 〖理〗 싱크로트론 방사《상대론적으로 큰 에너지를 가진 하전입자가 가속될 때 방출하는 빛 ; 성운(星雲)·싱크로트론 따위에서 볼 수 있음》.
syn·cli·nal [sinkláinl] *a.* 〖地質〗 향사(向斜)의 ; 서로 만나도록 반대방향에서 서로 경사가 진(↔ *anticlinal*). —— *n.* =SYNCLINE.
syn·cline [sínklain] *n.* 〖地質〗 향사.
Syn·com [sínkɑm] *n.* 신콤《미국의 정지(靜止) 통신 위성》. 〖*syn*chronous *com*munication〗
syn·co·pate [síŋkəpèit, sín-] *vt.* **1** 〖文法〗 중략하다《every를 ev'ry로 하는 따위》. **2** 〖樂〗 당기다.
sýn·co·pà·tor *n.* syncopation을 쓰는 사람 ; 재즈 음악 연주가.
〖L ; ⇨ SYNCOPE〗
syn·co·pa·tion [sìŋkəpéiʃən, sìn-] *n.* **1** Ⓤ 〖文法〗 중략. **2** Ⓤ 〖樂〗 당김음(contretemps).
syn·co·pe [síŋkəpi, sín-] *n.* **1** 〖醫〗 졸도, 기절. **2** 〖言〗 어중음 소실(語中音消失), 중략 ; 중략어(cf. APOCOPE). **3** 〖樂〗 당김(법).
〖L<Gk. (*syn*-, *koptō* to strike, cut off)〗
syn·cret·ic [sinkrétik, siŋ-] *a.* 혼합주의의 ; 〖言〗 다른 상이한 격(格)의 기능을 흡수한.
syn·cre·tism [síŋkrətìzəm, sín-] *n.* Ⓤ 〖哲·宗〗 혼합주의 ; 〖言〗 (상이한 기능의 어형(語形)의) 융합. **-tist** *n., a.* **sỳn·cre·tís·tic** *a.* 〖NL<Gk. = alliance of Cretans (*Krēs* a Cretan)〗
syn·cre·tize [síŋkrətàiz, sín-] *vi.* 단결[융화]하다 ; (여러 파(派)가) 합병(에 찬성)하다. —— *vt.* (여러 파(派)를) 융화 통합하려고 힘쓰다.
sýn·crùde *n.* (석탄에서 얻어지는) 합성 원유.
sýnc sìgnal *n.* 〖電子〗 동기 신호.
synd. syndicate.
syn·dac·tyl, -tyle [sindǽktəl] *a.* 합지(合指)의 《발가락이 유착한》. —— *n.* 합지 동물.
syn·des·mo·sis [sìndesmóusəs, -dez-] *n.* (*pl.* **-ses** [-si:z]) 〖解〗 인대(靭帶) 결합.
sỳn·des·mót·ic [-mɑ́t-] *a.*
syn·det [síndèt] *n.* 합성 세제.
〖*syn*thetic+*det*ergent〗
syn·det·ic, -i·cal [sindétik(əl)] *a.* 연결[결합]하는 ; 〖文法〗 접속사의, 접속사를 사용하는.
syn·dic [síndik] *n.* **1** (Andorra 등지의) 지방 행정 장관. **2** 《英》 (대학의) 평의원, 이사 ; (Cambridge 대학의) 특별 평의원.
〖F<L (*syndicus*<Gk.=advocate)〗
sýn·di·cal *a.* syndic의 ; syndic의 권력을 집행하는 위원회의 ; 직업 조합의 ; syndicalism의.
sýndical·ìsm *n.* Ⓤ 생디칼리슴, 노동 조합 지상 운동《총파업·사보타주 따위의 직접적 행동으로 생산과 분배를 노동 조합의 수중에 넣으려는 운동》. **-ist** *n.* 그 주의자. **sỳn·di·cal·ís·tic** *a.*
〖F (*chambre syndicale* trade union)〗
syn·di·cate [síndikət] *n.* **1** 신디케이트, 기업 조합[연합], 사업 인수 조합, 채권 발행 인수 조합[은행단] ; 신문 잡지 연맹 ; (수렵권·어업권 따위의) 권리 임대 조합. **2** (Cambridge 대학 따위의) (특별) 평의원회. **3** 《美》 조직 폭력 연합. —— [-dəkèit] *vi.* 신디케이트를 만들다. —— *vt.* **1** 신디케이트 조직으로 하다 ; 기업조합으로 경영하다. **2** (기사·만화 따위를) 신문 잡지 연맹을 통하여 배급하다, 동시에 다수의 신문 잡지를 배급하다. **sỳn·di·cá·tion** *n.* Ⓤ 신디케이트를 조직하기 ; 신디케이트 조직.
〖F ; ⇨ SYNDIC〗
syn·drome [síndroum] *n.* **1** 〖醫〗 증후군(症候群). **2** (어떤 감정·행동이 일어나는) 일련의 징후, 일정한 행동 양식.
-drom·ic [sindróumik, -drɑ́m-] *a.*
〖NL<Gk.=running together (*dromos* course)〗
syne [sáin, sain] *adv., conj., prep.* 《스코》 이전에 (since) : ☞ AULD LANG SYNE.
syn·ec·do·che [sənékdəki] *n.* Ⓤ 〖修〗 제유법(提喩法), 대유(代喩)《일부로써 전체를 나타내는 법 ; *blade*로 sword를, *sail*, *keel* 또는 *bottom*으로 ship을 나타내는 따위 ; cf. METONYMY》.
〖L<Gk. (*ekdekhomai* to take up)〗
sỳn·ecólogy *n.* Ⓤ 군집(群集)[군락(群落)] 생태학(生態學). **-gist** *n.* **sỳn·ecológic, -i·cal** *a.* **-i·cal·ly** *adv.*
syn·ec·tics [sənéktiks] *n.* 창조 공학, 시넥틱스.
syn·er·e·sis, -aer- [sənérəsəs ; -níərə-] *n.* (*pl.* **-ses** [-sì:z]) 〖音聲〗 합음(合音)《2모음 또는 2음절을 하나로 축소하는 특히 2중모음화》 ; 〖化〗 분리액(分離液), 시네레시스《겔의 수축에 의해 겔에서 액체가 분리되기》. 〖Gk.=a shortening〗
syn·er·ga·my [sənə́:rgəmi] *n.* Ⓤ (두서너 쌍의 남녀의) 공동 결혼.
syn·er·gic [sənə́:rdʒik] *a.* 함께 일하는, 공동 작용의. **-gi·cal·ly** *adv.*
synérgic cúrve *n.* 〖空〗 연료 경제 곡선《최소의 에너지로 로켓 따위에 소정의 위치·속도를 내게 하는 궤도》.
syn·er·gism [sínərdʒìzəm, sənə́:rdʒizəm] *n.* Ⓤ **1** 〖神學〗 신인(神人) 협력설. **2** (약 따위의) 공동[상승] 작용. **3** 〖生態〗 상조(相助) 작용. **4** (근육 따위의) 공동(共動).
〖Gk. SYN*ergos* working together〗
sỳn·er·gís·tic, -ti·cal *a.* 〖神學〗 신인 협력설의 ; (약·근육 따위) 공동성의 ; (반응·효과 따위) 상호 의존적인, 상승[공동] 작용적인.
-ti·cal·ly *adv.*
syn·er·gy [sínərdʒi] *n.* Ⓤ (근육 따위의) 공동[협동] 작용 ; (약품 따위의) 공동[상승] 작용.

syn·e·sis [sínəsəs] *n.* Ⓤ 〔修〕 의미에 의한 문법 무시 ; 〔文法〕 의미 구문《문법·규칙보다 의미에 지배되는 비논리적 구문, 예를 들면 these *sort* of things나 Neither of them *are* right.에서 수의 불일치》.

syn·es·the·sia, -aes- [sìnəsθí:ʒiə, -ziə] *n.* 〔心〕 공감각(共感覺) ; 〔生理〕 공감(共感).

sýn·fùel *n.* =SYNTHETIC FUEL.

syn·ga·my [síŋgəmi] *n.* 〔生〕 배우자 합체(配偶子合體) ; 유성(有性) 생식.

sýn·gàs *n.* (석탄에서 얻어지는) 합성 가스.

syn·ge·ne·ic [sìndʒəní:ik] *a.* 〔生·醫〕 공통 유전자의, 선천성의.

syn·génesis *n.* 〔生〕 유성(有性)생식 ; 〔地質〕 동시생성《광상(鑛床)이 모암(母岩)과 동시에 생성(生成)됨》.

sýn·mètal *n.* 합성 금속.

syn·od [sínəd, -ɑd] *n.* **1** 교회 회의, 종교 회의. **2** (일반적으로) 회의. **3** (장로 교회에서) 대회《장로회와 총회의 중간적 회의》. **4** 《古》 〔天〕 (행성의) 합(合). **~·al** *a.* =SYNODIC. 〚L<Gk. *sunodos* meeting, assembly (*syn-*, *hodos* way)〛

syn·od·ic, -i·cal [sənɑ́dik(əl)] *a.* **1** (종교) 회의의. **2** 《古》 〔天〕 합(合)의 : a *synodical* month 삭망월(朔望月) (lunar month)《삭 또는 망이 되풀이하는 주기의 평균값 ; 29일 12시간 44분》.

syn·onym [sínənìm] *n.* **1** 유의어(類義語), 동의어(同義語) (↔*antonym* ; cf. HOMOGRAPH, HOMONYM, HETERONYM) ; 별명, 별칭 : "Quick" is a ~ *of* "fast." quick은 fast의 유의어다. **2** (다른 나라 말의) 해당어 ; 〔生〕 (종명(種名)·속명(屬名) 따위의) 이명(異名). **3** 《口》 유사물. **sỳn·oným·ic, -i·cal** *a.* synonym의 ; synonym을 사용한. **sỳn·oným·i·ty** *n.* Ⓤ 같은 뜻, 동의, 유의(類義) (성). 〚L<Gk. =of like meaning or name (*onoma* name)〛

syn·on·y·mize [sənɑ́nəmàiz] *vt.* …의 유의어를 나타내다 ; (어떤 낱말)의 유의어를 분석하다 ; (사전 따위)에 유의어의 분석 해설을 싣다.
—— *vi.* 유의어를 사용하다.

syn·on·y·mous [sənɑ́nəməs] *a.* 동의어의, 같은 뜻의, 같은 사항을 나타내는[의미하는] : "Upon" is ~ *with* "on." upon은 on과 같은 뜻이다.
~·ly *adv.*

syn·on·y·my [sənɑ́nəmi] *n.* **1** Ⓤ 동의(同義) (성) (synonymity). **2** Ⓤ (강조하기 위한) 동의어 중복《보기 in any *shape* or *form*》. **3** 동의어집《주로 책자의 표제》 ; Ⓤ 유의어 연구.
〚L<Gk. ; ⇨ SYNONYM〛

synop. synopsis.

syn·op·sis [sənɑ́psəs] *n.* (*pl.* **-ses** [-si:z]) 개요, 대의(大意) (summary), 일람표〈*of*〉.
〚L<Gk. (*opsis* view)〛

syn·op·size [sənɑ́psaiz] *vt.* 《美》 요약하다.

syn·op·tic [sənɑ́ptik] *a.* **1** 개요의, 대의의. **2** [때때로 S~] 공관(共觀) 복음서의 ; 〔氣〕 총관적인 : the ~ Gospels 공관 복음서《마태복음·마가복음·누가복음의 3복음서》. —— *n.* [때때로 S~] 공관 복음서 ; =SYNOPTIST.
syn·óp·ti·cal *a.* **-ti·cal·ly** *adv.*
〚Gk. ; ⇨ SYNOPSIS〛

synóptic chárt *n.* 일기도(圖), 기상 일람도 (weather map).

synóptic meteorólogy *n.* 총관기상학(總觀氣象學).

syn·op·tist [sənɑ́ptəst] *n.* [때때로 S~] 공관 복음서의 저자.

sỳn·ostósis, syn·os·te·ó·sis [-ɑstióusəs] *n.* (*pl.* **-ses** [-si:z]) 〔解·醫〕 골격 유착.

syn·o·via [sənóuviə, sai-] *n.* Ⓤ 〔生理〕 활액(滑液), 관절 활액. 〚NL (? *syn-*, OVUM)〛

syn·ó·vi·al *a.* 〔生理〕 활액(滑液)의[을 분비하는] : ~ membrane 활막.

syn·o·vi·tis [sìnəváitəs] *n.* 〔醫〕 활막염(滑膜炎).

sy·no·vi·um [sənóuviəm] *n.* 〔解〕 활막(滑膜).

syn·roc [sínrɑ̀k] *n.* 핵폐기용 합성 암석《핵폐기물을 고압과 고열로 압축한》. 〚*syn*thetic *roc*k〛

syn·tac·tic, -ti·cal [sintǽktik(əl)] *a.* 통사론(統辭論)의, 문법적 어구 배열의, 문장론적인, 통어상의 : *syntactic* relations 통어 관계. **-ti·cal·ly** *adv.* 통어상, 문장 구성상. 〚Gk.〛

syntáctic fóam *n.* 유리 기포(氣泡) 강화 플라스틱《부양성(浮揚性)이 있어 잠수함(潛水艦)·우주선에 쓰임》.

syn·tác·tics *n.* 〔論〕 기호 통합론.

syn·tagm [síntæm] *n.* =SYNTAGMA.

syn·tag·ma [səntǽgmə] *n.* (*pl.* **~s, -ma·ta** [-tə]) 〔言〕 신태그마《통어적(統語的) 관계를 갖는 어구 ; 발화(發話)의 질서가 선 집합》.
syn·tag·mat·ic [sìntægmǽtik] *a.*
〚Gk. ; ⇨ SYNTAX〛

syn·tax [síntæks] *n.* Ⓤ 〔文法〕 통사론, 구문론, 문장론(cf. MORPHOLOGY, ACCIDENCE) ; 문법적 어구 배열, 구문 규칙 ; =SYNTACTICS ; 〔컴퓨〕 통사(론). 〚F or L<Gk.=arrangement (*tassō* to arrange)〛

syn·téchnic *a.* 〔生〕 유사한 환경에 있어서 유연(類緣) 관계가 없는 생물이 서로 닮게 되는.

syn·te·ny [síntəni] *n.* 〔遺〕 동일한 염색 분체(分體)에 몇 개의 유전자가 들어 있기.

syn·tex·is [səntéksəs] *n.* 〔地質〕 신텍시스《이종(異種)의 암석 마그마에 의한 동화·재용융(再溶融) 작용》.

syn·thase [sínθeis, -z] *n.* 〔生化〕 신타아제《역방향으로 리아제 반응을 하는 효소》.

syn·the·sis [sínθəsəs] *n.* (*pl.* **-ses** [-sì:z]) **1** Ⓤ 종합, 통합, 조립(↔*analysis*) ; Ⓒ 종합[통합, 조립]체[물]. **2** 〔化〕 합성, 인조. **3** Ⓤ 〔文法〕 낱말의 합성, 복합[파생]어를 만들기. **4** Ⓤ 〔外科〕 접골(接骨), 복위(復位).
〚L<Gk. (*syn-*, *tithēmi* to put together)〛

sýnthesis gàs *n.* =SYNGAS.

syn·the·size [sínθəsàiz] *vt., vi.* 종합하다, 통합하다 ; 종합적으로 취급하다 ; 〔化〕 합성하다.

sýn·the·sìz·er *n.* 종합[통합]하는 사람[것] ; 신시사이저《전자 음향 합성 장치》 ; 〔컴퓨〕 신시사이저, 합성기.

syn·thet·ic [sinθétik] *a.* **1** 종합적인, 통합적인 (↔*analytic*) : Latin is a ~ language, while English is analytic. 라틴어는 종합적인 언어며 영어는 분석적인 언어다. **2 a)** 〔化〕 합성의 ; 인조의 : ~ chemistry 합성 화학 / ~ resin 합성 수지 / ~ rubber[indigo] 합성 고무. **b)** 대용(代用)의 (substitute). —— *n.* 합성품[물], (특히) 합성[화학] 섬유. **-thét·i·cal** *a.*=SYNTHETIC.
-i·cal·ly *adv.* 종합하여, 종합적으로 ; 합성적으로. 〚F or NL<Gk.=of composition ; ⇨ SYNTHESIS〛

synthétic-áperture ràdar *n.* 합성 개구(開口) 레이더《비행기·인공 위성 따위에 탑재하는 공대지(空對地) 고분해능(高分解能) 레이더》.

synthétic blóod *n.* 〔醫〕 합성 혈액.

synthétic detérgent *n.* 합성 세제(syndet).

synthétic fíber *n.* 합성 섬유.

synthétic fúel *n.* 합성 연료(synfuel)《합성 원유[가스] 따위》.
synthétic geómetry *n.* 종합 기하학.
syn·thet·i·cism [sinθétəsìzəm] *n.* 합성적 방법[절차, 순서].
synthétic lánguage *n.* 〔言〕 종합적 언어《복잡한 어미 변화를 하는 언어 ; 라틴어가 대표적임》.
synthétic músic *n.* 전자음악, 합성음악 《synthesizer를 사용한 음악》.
synthétic philósophy *n.* 〔哲〕 (Spencer의) 종합 철학.
syn·thét·ics *n.* 합성 화학 ; 합성화학 산업.
synthétic séed *n.* 합성 종자.
synthétic spéech *n.* 〔컴퓨〕 합성 음성《사람의 말을 컴퓨터를 사용하여 인공적으로 합성한 음성》.
syn·the·tism [sínθətìzəm] *n.* 〔美術〕 생테티즘, 종합주의 ; 〔醫〕 골절(骨折) 접합법.
syn·the·tize [sínθətàiz] *vt.* =SYNTHESIZE.
syn·ton·ic [sintánik] *a.* 〔電〕 동조(同調)의, 동조하는 ; 〔心〕 (환경에 대해) 동조성이 있는.
syn·to·nize [síntənàiz] *vt.* 〔電〕 동조시키다.
syn·to·nous [síntənəs] *a.* =SYNTONIC.
syn·to·ny [síntəni] *n.* Ⓤ 〔電〕 동조 ; 〔心〕 (환경에 대한) 동조(同調)(성).
syn·u·ra [sənjúərə] *n.* (*pl.* **-rae** [-ri:], **~s**) 〔動〕 시누라속(屬)의 각종 황색 편모충(鞭毛蟲).
syph [síf] *n.* 《俗》 =SYPHILIS.
syph·il- [sífəl], **syph·ilo-** [sífəlou, -lə] *comb. form* 「매독」의 뜻.
〚SYPHILIS〛
syph·i·lis [sífələs] *n.* Ⓤ 〔醫〕 매독. 〚NL< *Syphilus* ; 라틴 시(詩) *Syphilis, sive Morbus Gallicus* (=Syphilis or the French disease) (1530) 중에 나오는 매독에 최초로 걸린 양치기〛
syph·i·lit·ic [sìfəlítik] *a., n.* 매독의 ; 매독에 걸린 환자.
syph·i·lize [sífəlàiz] *vt.* 매독에 걸리게 하다.
syph·i·lol·o·gy [sìfəlálədʒi] *n.* Ⓤ 매독학. **-gist** *n.*
syphon ☞ SIPHON.
Syr. Syria ; Syriac ; Syrian. **syr.** syrup.
Syr·a·cuse [sírəkjù:s, -z] *n.* **1** [; sáiərəkjù:z] 시라쿠사《시칠리아섬의 항구 도시 ; 고대 카르타고의 도시》. **2** 시러큐스《미국 뉴욕주 중부의 도시》.
Syr Dar·ya [siər dá:rjə] *n.* [the ~] 시르다리야 《텐산(天山) 산맥에서 서쪽으로 흘러 Aral해로 흘러드는 아시아 최대의 강》.
sy·ren [sáiərən] *n., a.* 《英》 =SIREN.
Syr·ette [sərét] *n.* 시레트《1회용의 응급용 주사기 ; 상표명》.
Syr·ia [síriə] *n.* **1** 시리아《아시아 남서부 지중해 동안의 공화국 ; 수도 Damascus》. **2** 〔史〕 현재의 시리아와 레바논을 포함한 프랑스 위임통치령 (1922-44). **3** 〔史〕 고대 시리아《로마 제국의 일부》.
Syr·i·ac [síriæ̀k] *n.* Ⓤ 시리아어. ── *a.* 시리아어의. 〚L<Gk. (↑)〛
Syr·i·a·cism [síriəsìzəm] *n.* 시리아 어법(語法).
Sýr·i·an *n., a.* 시리아인(의) ; 시리아의.
sy·rin·ga [səríŋgə] *n.* 〔植〕 =LILAC ; 정향나무속(屬), 라일락속(屬).
〚NL↓ ; 줄기로 피리를 만들었음〛
sy·ringe [səríndʒ, sírindʒ] *n.* **1** 주사기 : a hypodermic ~ 피하 주사기. **2** 세척기, 관장기, 물총. ── *vt.* 주사하다 ; 세척하다 ; 물을 뿌리다. **~·fùl** *n.* 주사기에 가득한 분량, 1회분의 주사[세척]량.
〚NL *syringa* ; ⇨ SYRINX〛
sy·rin·ge·al [səríndʒiəl] *a.* SYRINX의.
syr·in·gi·tis [sìrindʒáitəs] *n.* 〔醫〕 이관염(耳管炎).
sy·rin·go·my·e·lia [səriŋgoumaiíːliə] *n.* 〔醫〕 척수 공동증(脊髓空洞症).
sy·rin·go·my·él·ic [-él-] *a.*
syr·inx [síriŋks] *n.* (*pl.* **sy·rin·ges** [səríndʒi:z], **~·es**) **1** [S~] 〔그神〕 목신(牧神) Pan의 피리, 팬파이프(Panpipe). **2** (새의) 울음관(管). **3** 〔解〕 이관(耳管). **4** 〔考古〕 (고대 이집트의 분묘 속의) 좁은 돌 복도.
〚L<Gk. *surigg- surigx* pipe〛
Sy·ro- [sáirou, sír-, -rə] *comb. form* 「시리아(인)」의 뜻.
〚Gk. *Suro-* (*Suros* a Syrian)〛
syr·phid [sə́:rfəd, síər-] *a.* 〔昆〕 꽃등에과의. ── *n.* 꽃등에.
sýr·phus flỳ [sə́:rfəs-, síər-] *n.* 〔昆〕 꽃등에.
syr·tic [sə́:rtik] *a.* 표사(漂砂)[유사(流砂)]에 관한[와 비슷한].
syr·up, 《美》 **sir-** [sírəp, 美+sə́:rəp, 美+sʌ́rəp] *n.* Ⓤ 시럽 ; 《美》 당밀, 꿀 ; 《비유》 (문학 작품 속의) 감상 : golden ~ 《英》 청백 당밀. ── *vt.* 시럽 상태로 하다 ; 시럽으로 씌우다[달게 하다].
〚OF or L<Arab.=beverage ; cf. SHERBET〛
sýr·upy *a.* 시럽의[같은] ; 당밀성의 ; 끈적끈적한 ; 감상적인《문체 따위》.
sys- [sis, səs] ☞ SYN-[1]
sys·gen [sísdʒèn] *n.* 〔컴퓨〕 시스템 생성.
〚*sys*tem *gen*eration〛
sys·sar·co·sis [sìsɑːrkóusəs] *n.* 〔解〕 근골(筋骨) 연결.
syst. system ; systematic.
sys·tal·tic [sistǽltik, -tɔ́:l-] *a.* 교대로 수축 팽창하는, 심장 수축의.
‡**sys·tem** [sístəm] *n.* **1 a**) 조직, 계통, 체계, 조직망《통신·운송 따위의》; 제도, 체제 ; [the ~, 흔히 the S~] (지배) 체제 : a mountain[river] ~ 산[하천]계 / a ~ *of* grammar 문법 체계 / the feudal ~ 봉건 제도. **b**) 학설, 주의, 가설 : the Ptolemaic ~ 톨레미(Ptolemy)의 천동설(天動說). **c**) 〔生〕 계통, 체계, 조직, 기관 ; the nervous ~ 신경계. **d**) 〔天〕 계, 계통 ; the solar ~ 태양계. **e**) 복합적인 기계장치, 계, (오디오의) 시스템 ; [*pl.*] 〔컴퓨〕 시스템《프로그램의 조직화된 모임》. **f**) [the[this] ~] 세계, 우주. **2** 방식, 방법(method) : the sales ~ 판매 방법. **3** Ⓤ 순서, 규칙, 통일성(orderliness) : do a thing without ~ 어떤 일을 하는데 조직적이 아니다 / This book has no ~ in it. 이 책은 체계적으로 쓰여 있지 않다. **4** 분류(법) : the Linn(a)ean ~ 린네(Linnaeus)의 식물 분류법. **5** [the ~, one's ~] 신체, 전신. **~·less** *a.*
〚F or L<Gk. *sustēmat- sustēma* (*sy-*, *histēmi* to set up)〛
***sys·tem·at·ic** [sìstəmǽtik] *a.* **1** 조직적인, 계통적인, 규칙바른, 정연한 : a ~ way of learning English 영어의 계통적 학습법. **2** 계획적인, 고의의 : a ~ liar 일부러 거짓말을 하는 사람. **3** 〔生〕 분류법의 : ~ botany[zoology] 식물[동물] 분류학. **4** 우주의, 우주적인(cosmical).
〚L<Gk. (↑)〛
類義語 ⟹ ORDERLY.
sỳs·tem·át·i·cal *a.* =SYSTEMATIC.
~·ly *adv.* 조직적으로, 정연하게 ; 계획적으로.
systemátic érror *n.* 〔統〕 정오차(定誤差), 계통오차《원인이 분명하여 보정 가능한 오차》.
sỳs·tem·át·ics *n.* 분류학, 계통학 ; 〔生〕 계통 분류학 ; 분류법(taxonomy).

systemátic theólogy *n.* 〔神學〕 조직 신학.

sys·tem·a·tism [sístəmətìzəm, sistémə-] *n.* 조직[계통, 체계]화 ; 조직[계통]주의 ; 계통[조직] 고수[중시] ; 분류.

sys·tem·a·tist [sístəmətəst, sistémə-] *n.* 조직[계통]을 따르는 사람 ; 분류학자.

sỳs·tem·a·ti·zá·tion *n.* Ⓤ 조직화, 체계화, 계통화 ; 분류.

sys·tem·a·tize [sístəmətàiz] *vt.* 조직화하다, 체계화하다, 계통을 세우다 ; 분류하다.
-tìz·er *n.* 분류자.

sys·tem·a·tol·ogy [sìstəmətálədʒi] *n.* 체계학, 계통학.

sys·tem·ic [sistémik] *a.* 조직[계통, 체계]의 ; 〔生理〕 온몸의, 전신에 영향을 주는 ; (특정한) 계(系)의 ; 식물체 전체에 삼투효과를 내는《살충제 따위》. —— *n.* 삼투 살충제《식물에 흡수됨》.

systémic circulátion *n.* 〔生〕 체순환(體循環), 대(大)순환.

systémic inSécticide *n.* 삼투 살충제.

sys·te·mic·i·ty [sìstəmísəti] *n.* 체계성, 계통성, 조직성.

sýstem·ìze *vt.* ＝SYSTEMATIZE.
sỳstem·izátion *n.*

sỳstem prògram *n.* 〔컴퓨〕 체계 풀 그림, 시스템 프로그램《컴퓨터 시스템을 효율적으로 움직이기 위한 관리 프로그램의 총칭》.

sýstems anàlysis *n.* 시스템 분석.

sýstems àudit *n.* 〔會計〕 컴퓨터화된 회계 시스템 감사.

sýstems desìgn *n.* 시스템 설계《컴퓨터 처리를 하기 쉽게 문제를 분석 체계화함 ; 일련의 정보처리 시스템이 기능을 다하도록 조직화함》.

sýstems dynàmics *n.* 시스템 역학(力學)《어떤 시스템 안에서 문제·경향을 만들어 내는 여러 가지 힘을 수학적 모델을 써서 모식적(模式的)으로 재현하는 일》.

sýstems engineèring *n.* 시스템[조직] 공학《복잡한 조직을 유효하게 설계 기획하는 방법을 연구함》.

sýstems ìndustry *n.* 시스템 산업(産業).

sýstem·wìde *a.* 전조직[계열, 체계]에 이르는[걸친].

sys·to·le [sístəli:, -li] *n.* **1** 〔生理〕 심장수축(기). **2** 〔古詩學〕 (장음절의) 음절 단축.
-tol·ic [sistálik] *a.*
〚L＜Gk.＝contraction (*stellō* to place)〛

systólic préssure *n.* 〔醫〕 수축기압(收縮期壓)《최고 혈압》.

Sys·tox [sístɑx] *n.* 시스톡스《살충제 데메톤(demeton)의 상표명》.

sys·tyle [sístail] *a.* 〔建〕 집주식(集柱式)의, 이경간식(二經間式)의, 기둥 사이가 (비교적) 좁은. —— *n.* 집주식, 이경간식 ; 집주식의 열주(列柱)[건물].

syz·y·get·ic [sìzədʒétik] *a.* 삭망(朔望)에 관한.
-i·cal·ly *adv.*

syz·y·gy [sízədʒi] *n.* 〔天〕 삭망(朔望) ; 〔生〕 연접(連接). **sy·zyg·i·al** [səzídʒiəl] *a.*
〚L＜Gk. (*suzugos* yoked)〛

T

t, T [tíː] *n.* (*pl.* **t's, ts, T's, Ts** [-z]) **1** 티《영어 알파벳의 스무 번째 글자》. **2** T자형(의 것) : a *T* bandage[pipe, square] T자형 붕대[T형관, T자]. **3** T, t가 나타내는 음《but, butter, tub 따위의 [t]》. **4** (활자·스탬프의) T, t자.
cross the [one's] ***t's*** ☞ CROSS *v.*
to a T 정확하게, 꼭 들어맞게, 딱(exactly) (cf. *to a* TITTLE) : That's him *to a T*. 그것은 꼭 그 답다 / They will suit each other *to a T*. 그들이라면 서로 잘 어울릴 것이다.

t' [tə] **1** *prep.* 《古》 to의 단축형《모음으로 시작되는 동사 앞에 to가 올 때》 : *t'*attempt=to attempt. **2** *a.* 《方》 the의 생략 : *t'*bottle=the bottle.

't [t] *pron.* (동사의 앞뒤에서) it의 단축형 : *'t*is=it is / *'t*was=it was / do*'t*=do it.

T. tablespoon ; Tenor ; Territory ; Testament ; Township ; Trinity ; Tuesday ; Turkish (pounds). **T** temperature ; tera- ; tesla ; tritium. **t.** tackle ; taken (from) ; tare ; target ; teaspoon ; technical ; telephone ; temperature ; 〖樂〗 tempo ; *tempore* 《L》 (=in the time of) ; tenor ; 〖文法〗 tense ; tension ; terminal ; territory ; time ; tome ; ton(s) ; top ; town ; township ; transit ; transitive ; troy.

T- trainer《미군의 연습기 ; T-38, T-41 따위》.

ta [táː] *int.* 《英口》 thank you의 유아어(語) : *Ta* muchly. 정말 고맙습니다 / You must say *ta*. 고맙습니다 해야지.

Ta 〖化〗 tantalum. **TA** 〖心〗 transactional analysis(교류 분석). **T.A.** tax agent ; teaching assistant ; Telegraphic Address ; 《英》 Territorial Army. **TAA** Technical Assistance Administration((유엔) 기술 원조국).

Taal [táːl] *n.* [the ~] 탈어(語)《남아프리카 공화국의 네덜란드어 방언》.

tab [tæ(ː)b] *n.* **1** (옷을 걸기 위한) 깃에 달린 고리 ; (방한 모자의) 귀덮개, (열쇠 따위를 매다는 가죽의) 끈, (옷·리본 따위의) 드림 장식, (장부 따위의 가장자리에 붙인) 색인표, (구두의) 손잡이 가죽 ; 《英方》 (구두·샌들 따위의) 가죽끈 ; 《英方》 가죽끈 끝에 달린 쇠 ; 〖英軍〗 (참모 장교의) 붉은 금장(襟章). **2** 물표, 꼬리표, 부전(tag, label). **3** 《口》 계산서(bill) ; 계정(計定). **4** 〖空〗 태브《보조날개·방향타(舵) 따위에 붙어 있는 작은 가동 날개》. **5** 회계, (출납의) 기록 ; 《口》 청구서 ; 차용증. **6** 감시, 망보기. **7** 〖컴퓨〗 징검(돌).
keep (***a***) ***tab*** [***tabs***] ***on...*** 《口》 ⑴ 기록하다, …의 회계를 하다 : She *keeps a* ~ *on* daily income and outgo. 매일의 수지를 장부에 기록하고 있다. ⑵ …에 주의하다, …을 감시하다 : *Keep a* close ~ *on* the kids! 아이들을 잘 보살펴라.
pick up the tab 《美口》 셈을 치르다.
── *vt.* (**-bb-**) 《口》 …의 일람표를 만들다, 기록하다 ; …에 tab를 붙이다 ; 지명[지정]하다.
〖C17 ? (dial.) ; cf. TAG[1]〗

TAB, TABs 《美》 tax anticipation bills(납세국채). **T.A.B.** typhoid-paratyphoid A and B (vaccine) (장티푸스·파라티푸스 혼합 백신) ; 《濠》 Totalizator Agency Board(장외(場外) 마권 공사). **tab.** table(s) ; tablet.

tab·ard [tǽbərd] *n.* 〖史〗 (전령관(傳令官)이 입던) 문장(紋章)이 박힌 관복(官服) ; (기사(騎士)가 갑옷 위에 입는) 문장 박힌 겉옷 ; (중세 농민의) 외투의 일종.
〖OF *tabart* < ?〗

Ta·bas·co [təbǽskou] *n.* Ⓤ 타바스코《고추(red pepper)에 식초를 넣어서 만드는 붉은빛의 매운 소스 ; 상표명》 ; [t~] 고추《향신료》.

tab·bou·leh [təbúːlə], **tab·bou·li, tab·bu·li** [təbúːli] *n.* 중동식 야채 샐러드. 〖Arab.〗

tab·by[1] [tǽbi] *n.* **1** 얼룩고양이, 범무늬고양이 ; (일반적으로) 고양이, (특히) 암코양이. **2** 심술궂은 수다쟁이 여자 ; 《英》 노처녀(old maid).
── *a.* 얼룩 무늬의 ; 범무늬 털이 있는 ; 물결 무늬가 있는. ── *vt.* (비단 따위에) 물결[줄] 무늬를 넣다. 〖F *tabis* < Arab. ; Baghdad의 견직물 생산 지구의 이름에서〗

tabby[2] *n.* Ⓤ 태비《석회·자갈·조개 껍데기·물을 섞은 콘크리트의 일종》. 〖Gullah < Afrik.〗

tab·e·fac·tion [tæ̀bəfǽkʃən] *n.* 수척, 쇠약 ; 〖醫〗 소모증.

tab·er·na·cle [tǽbərnæ̀kəl] *n.* **1** 임시 거처, 가옥(假屋), 텐트. **2** 《비유》 (영혼의 임시 거처로서의) 신체, 육체. **3** [흔히 T~] 〖聖〗 성막《유태인이 팔레스티나에 최종적인 거처를 정하기까지 광야를 방랑했을 때 법궤[십계명을 넣은 궤]를 그 속에 넣고 다녔던 이동신전(移動神殿)》. **4** 유태 신전(神殿) ; (일반적으로) 예배당, (비(非)국교파의) 회당. **5** 〖宗〗 (성체(聖體)를 넣는) 성합(聖盒) ; 〖建〗 (성상(聖像) 따위를 안치하는) 닫집 달린 감실(龕室).
the Feast of Tabernacles 초막절, 수장절《광야를 방랑했던 조상의 천막 생활을 기념하는 유태인의 가을 수확의 축제》.
── *vi., vt.* 임시로 거주하다 ; …에게 숙소를 제공하다 ; 《古》 …을 tabernacle에 모시다[안치하다].
tab·er·nac·u·lar [tæ̀bərnǽkjələr] *a.* tabernacle의.
〖OF or L (dim.) ‹ *taberna* TAVERN〗

ta·bes [téibiːz] *n.* (*pl.* ~) 쇠약, 소모 ; 〖醫〗 소모증 ; 척수로(脊髓癆). 〖L=wasting away〗

ta·bes·cent [təbésənt] *a.* 소모성의 ; 여윈, 쇠약한. **-cence** *n.*

ta·bet·ic [təbétik] *a.* 〖醫〗 척수로의.
── *n.* 척수로 환자.

tab·id [tǽbəd] *a.* 《古》 말라빠진, 쇠약한, 초췌한.

tab·i·net, tab·bi·net [tǽbənèt] *n.* Ⓤ 물결 무늬를 넣은 견모(絹毛) 교직물《실내 장식용》.

tab·la·ture [tǽblətʃər] *n.* (조각이나 그림 무늬가 있는) 평평한 판[표면] ; 〖樂〗 태블러처《음보(音譜)가 아닌 문자·숫자·기호 따위를 사용하는 기보법》 ; 《古》 의식적으로 마음속에 그린 그림, 심상(心像).

〚F<It. (*tavolare* to set to music)〛

◇**ta·ble** [téibəl] *n.* **1 a**) 테이블, 탁자 ; 작업대 ; 세공대, 수술대《따위》; 식탁 : a card ~ 카드놀이 탁자 / a green ~ 도박대(臺)《녹색의 테이블 보를 덮음》. **b**) [단수형으로만 써서] 음식물, 맛있는 음식, 요리 : pleasures of the ~ 식음(食飮)의 쾌락, 식도락 / She keeps[sets] a good ~. 언제나 좋은 음식을 먹는다[내놓는다]. **c**) [단수형으로만 써서] 테이블에 둘러앉은 사람들, 한자리의 사람들 : a ~ of cardplayers 탁자에 둘러 앉은 카드놀이꾼 / keep the ~ amused 좌중을 즐겁게 하다 / set the ~ in a roar 좌중을 한바탕 웃기다. **d**) [형용사적으로] 테이블의, 책상의, 식탁(용)의 ; 식사의 : a ~ lamp 탁상(전기) 스탠드 / ~ manners 식사 예법 / ☞ TABLE SALT. **2** 위원(회), 국(局), 부(部). **3** 표(表), 목록 : a ~ of contents (in a book) (책의) 목차, 목록 / a ~ of descent 계도(系圖) / a ~ of interest[rates] 이율[세율(稅率)]표 / the ~ of (kindred and) affinity = the ~ of prohibited[forbidden] degrees 금혼 친등표(禁婚親等表). **4 a**) (목(木))판, 금속판. **b**) 《古》 평판, 박판(薄板), 박층(薄層). **c**) 화판(畫板), 서판(書板) ; 화판 그림, 명각문(銘刻文) ; [*pl.*] 법전 : the ~*s* of the law 모세의 십계(the Ten Commandments). **d**) (주사위 놀이판 따위의) 면(面). **e**) 평면 ; 대지(臺地), 고원 ; 〖建〗 직사각형면(面), 돌림띠, 액판(額板), 차양. **5** 〖手相〗 손바닥. **6** 〖解〗 두개골판(板). **7** [*pl.*] 형세, 정세. **8** 〖컴퓨〗 표.

at table 식사중에 : be *at* ~ 식사중이다 / sit (down) *at* ~ 식탁에 앉다.

be on the table 검토중이다 ; 널리 알려지다.

keep an open table (식탁을 개방하여) 손님을 환영하다.

lay [***set, spread***] ***the table*** 식탁을 차리다, 밥상을 차려내다.

lay [***put***] . . . (***up***)***on the table*** (의안 따위를) 파기하다, 심의를 당분간 연기하다, 보류해 두다 ; (의안을) 상정하다, 토의에 부치다.

learn one'***s tables*** 구구단《따위》을 외우다.

lie on the table (의안 따위가) 기각되다, 보류되다.

rise from table (다 먹고) 식탁에서 일어나다.

turn the tables (***up***)***on*** …에 대하여 형세[국면]를 역전시키다, …을 역습하다.

under the table 《口》 (1) (남)몰래, 비밀리에 ; 뇌물로서. (2) 술취해 (있는) : drink a person *under the* ~ ☞ DRINK *v.*

wait at table = 《美》 ***wait*** (***on***) ***table*** 식사 시중을 들다.

── *vt.* **1** 탁상에 놓다. **2** 《美》 (의안·동의 따위를) 미루어두다, 보류하다 ; 《英》 상정하다. **3** 표로 만들다. 〚OF<L *tabula* board〛

tab·leau [tǽblou, 美+-ˊ] *n.* (*pl.* **-leaux** [-*z*], **~s**) **1** 그림, 회화(繪畫) ; 회화적인 묘사 ; = TABLEAU VIVANT. **2** 극적인 장면 : *T*~! [감탄사적으로] (어떤 것을 묘사한 뒤에) 그 모양[광경]을 상상해 보라! 〚F=picture (dim.)〈↑〛

tábleau cùrtain *n.* 〖劇〗 한가운데서 갈라져 비스듬히 위쪽으로 당겨 여는 막(幕).

tableau vi·vant [*F* tablo vivɑ̃] *n.* (*pl.* **tableaux vi·vants** [―]) 활인화(活人畫)《분장한 사람이 정지한 자세로 무대위에서 명화(名畫)나 역사적인 장면을 재현하는 것》.

táble bèer *n.* (보통의) 순한 맥주.

táble-bòard *n.* 식탁 판자 ; 《美》 식사, 끼니 ; 게임대(臺), 도박대.

táble bòok *n.* 계산표 ; (거실의) 탁상 장식용 책.

*__táble·clòth__ *n.* 식탁[테이블]보.

táble cùt *n.* 테이블 컷《보석에서 8면체 결정의 위 아래의 각(角)을 깎아 평평하게 하는 컷 양식》. **táble-cùt** *a.*

ta·ble d'hôte [tɑ́:bəl dóut, 美+tǽb-; *F* tabl do:t] *n.* (*pl.* **tables d'hôte** [―]) **1** (여관의 식당·음식점의) 공동 식탁[식사]. **2** 정식(定食) (cf. A LA CARTE). 〚F=host's table〛

táble-flàp *n.* (경첩을 달아서 접었다 폈다 하는) 탁자의 판.

táble·fùl *n.* (*pl.* **~s, tábles·fùl**) 한 상(의 분량) ; 한 식탁에 둘러앉은 사람 수.

táble gàrden *n.* 채소밭.

táble gràde *a.* 《卑》 (특히 여성의 다리·가슴이) 성적 매력이 있는.

táble-hòp *vi.* (파티·레스토랑 따위에서) 테이블 사이를 돌아다니며 이야기하다. **-hòp·per** *n.*

táble knìfe *n.* 식탁용 나이프.

táble·lànd *n.* 대지(臺地), 고원(高原).

táble lìcence *n.* 《英》 (식사와 함께 낼 경우에 한한) 주류 판매 허가(증).

táble lìfting *n.* 테이블 리프팅《테이블에 손을 얹으면 테이블이 자연적으로 올라가거나 기울어지거나 하는 심령 현상(心靈現象)》.

táble lìnen *n.* 식탁용 리넨《식탁보·냅킨 따위》.

táble màt *n.* (식탁에서 뜨거운 요리의 접시 밑에 까는) 받침, 깔개.

táble·màte *n.* 식사를 함께 하는 사람.

táble mòney *n.* (클럽의) 식당 사용료 ; (영군(英軍) 고급 장교의) 접대[교제]비.

táble·mòunt *n.* 위가 평평한 해산(海山) (guyot) 《태평양에 많음》.

táble mòuntain *n.* (정상이 평탄한) 탁상 산지(卓狀山地).

táble of organizátion *n.* 〖軍〗 편성표.

táble ràpping *n.* 테이블 래핑《탁자가 저절로 똑똑 두드리는 소리를 내는 심령 현상 ; 심령의 통신이라고 함 ; cf. TABLE LIFTING》.

táble sàlt *n.* 식탁용 소금.

*__táble·spòon__ *n.* (식탁용의) 큰 숟가락[스푼]《수프용 ; cf. TEASPOON》; = TABLESPOONFUL.

táble·spòon·fùl *n.* (*pl.* **~s, -spòons·fùl**) 식탁용 큰 스푼 하나 가득한 분량.

táble sùgar *n.* 정제 설탕 ; (일반적으로) 설탕.

*__tab·let__ [tǽblət] *n.* **1** 서판(書板) ; [*pl.*] (떼어 쓰게된 편지지 따위의) 한권. **2** (금속·돌·나무 따위의) 평판(平板), 액판(額板), 작은 패(牌), 패 : a memorial ~ 기념패, 위패(位牌). **3** 정제(錠劑) (tabloid) (cf. PILL). **4** 〖建〗 갓돌. **5** 〖鐵〗 태블릿《열차를 운전할 때 기관사에게 넘겨 주는 원형 증표(證票)》. **6** 〖컴퓨〗 자리판.

── *vt.* …에 tablet을 달다 ; …을 (tablet에) 메모하다 ; …을 tablet 모양으로 하다. 〚OF<L (dim.)〈TABLE〛

táble tàlk *n.* 식탁에서의 잡담[화제].

táblet(**-àrm**) **chàir** *n.* 태블릿 체어《우측 팔걸이 끝이 넓어 필기할 때 받침이 되는 교실용 의자》.

táble tènnis *n.* 탁구(cf. PING-PONG).

táble·tòp *n.* **1** 테이블의 윗면. **2** (탁상 위의 물건을 찍은) 정물 사진. ── *a.* 탁상용의 ; 테이블 모양의.

tablet(-arm) chair

táble·tòp·per *n.* 《英俗》〔스포츠〕(축구 따위의) 수위 팀.

táble tùrning[tìlting, tìpping] *n.* 여러 사람이 테이블 위에 손을 놓으면 테이블이 움직이는 심령 현상(心靈現象)의 일종.

táble·wàre *n.* Ⓤ 식탁용 식기류《접시·스푼·나이프·포크 따위》.

táble wàter *n.* 식탁용 광천수(鑛泉水).

táble wìne *n.* [종류를 말할 때에는 Ⓒ] 테이블 와인, 식탁용 포도주《주로 식사할 때 마시며 비교적 알코올 성분이 적음》.

táb-lìft·er *n.* 《美俗》 나이트클럽의 손님.

ta·bling [téibliŋ] *n.* Ⓤ 냅킨류 ;〔木工〕(사개맞춤·장부촉 이음 따위) 맞물리기 ;〔海〕(돛의) 보강용 가장자리 천.

tab·loid [tǽblɔid] *n.* **1** 타블로이드판 신문《주로 간결한 기사와 사진을 실은 것으로서 보통 신문의 반쪽되는 크기 ; 흔히 저속하고 선정적임》; 요약 : ~ journalism 대중 상대의 신문. **2** [T~] 정제(錠劑) (tablet)《상표명》.
—— *a.* 타블로이드판의, 요약한, 압축된 ; 선정적인, 자극적인.
in tabloid form 요약하여.
tabloid play 촌극(寸劇), 토막극.
〖원래 상표 (*tablet*, *-oid*)〗

ta·boo, ta·bu [təbúː, tæ-] *n.* (*pl.* **~s**) **1** Ⓤ.Ⓒ (일부 Polynesia 인(人) 사이에서의) 금기(禁忌), 터부 ; Ⓒ 금기어(語), 꺼리는 말〈*on*〉: be *under* (a) ~ 터부로 되어 있다. **2** Ⓤ.Ⓒ (일반적으로) 금제(禁制), 금령(禁令) : put a ~ *on*…＝put… *under* ~ …을 엄금하다. —— *pred. a.* 금기로 되어 있는 ; 금제의 : The topic is ~. 그 화제는 금제되어 있다. —— *vt.* 터부로 삼다, 금제하다, 금기시하다, 피하다 ; 추방하다 : a ~*ed* word 해서는 안될 말.
〖Tongan＝set apart, inviolable〗

ta·bor, -bour [téibər] *n.* (원래 피리부는 사람이 자기의 반주용으로 쓰는) 작은북.
—— *vi.* 작은북을 치다.
—— *vt.* 《古》 둥둥 두드리다. 〖OF＝drum〗

tabor

tab·o·ret, tab·ou- [tǽbərət, 美＋tæ̀bərét] *n.* **1** 둥글고 낮은 걸상(stool) ; 낮은 대(臺)(stand). **2** 자수용의 틀. **3** 《古》 소형 tabor.
〖F (dim.) ‹TABOR〗

tab·u·la [tǽbjələ] *n.* (*pl.* **-lae** [-lìː]) 필기판(筆記板) ;〔解·動〕골판(骨板), (화석·산호류의) 상판(床板). 〖L＝board, tablet〗

tab·u·lar [tǽbjələr] *a.* **1** 평판 모양의, 평평한, 탁자(table) 모양의 ; 얇은 판자로 된. **2** 표(表)의, 표로 만든, 표를 사용한 : in ~ form 표로 되어, 표로 만들어. 〖L (↑)〗

tab·u·la ra·sa [tǽbjələ ráːzə, -sə] *n.* (*pl.* **tab·u·lae ra·sae** [tǽbjəlài ráːzai, -sai]) 글자가 지워진[쓰여 있지 않은] 서판(書板) ;《비유》〔教〕 백지 (상태), 순진 무구한 마음.
〖L＝scraped tablet〗

tábular cáshbook *n.* 〔簿〕다란식(多欄式) 금전 출납부.

tábular dífference *n.* 〔數〕(수표(數表)의) 표차(表差).

tábular stándard *n.* 〔經〕계표(計表) 본위《화폐 가치의 변동에 의한 대차(貸借)의 불공평을 없애기 위하여 복수 상품을 기준으로 화폐 가치를 정하는 것》.

tab·u·late [tǽbjəlèit] *vt.* 표로 만들다. —— *vi.* 태뷸레이터를 조작하다.
——[, -lət] *a.* 평면으로 된, 얇고 평평한.
tàb·u·lá·tion *n.*

táb·u·là·tor *n.* 도표 작성자 ; 태뷸레이터《타자기의 도표 작성 장치》;〔컴퓨〕(도)표 작성용 전산기《데이터를 입력하면 자동적으로 도표화됨》.
〖L ; ⇨ TABULA〗

ta·bun [táːbun] *n.* 〔化〕 독가스의 일종.

TAC [tǽk] 《美》 Tactical Air Command.

tac·a·ma·hac, -hack [tǽkəməhæ̀k], **-haca** [tæ̀kəməhǽkə] *n.* 타카마하크 수지(樹脂)《방향성 수지의 일종》; 그 수지를 분비하는 나무, (특히 북미산) 발삼포플러. 〖Sp.＜Aztec〗

TACAMO [tækǽmou] *n.* 〔軍〕미해군의 공중 통신 중계기(機)의 통칭.
〖*t*ake *c*harge *a*nd *m*ove *o*ut〗

ta·can [tǽkæn] *n.* 타칸《기상용(機上用) 단거리 항법 장치》. 〖*tac*tical *a*ir *n*avigation〗

tach(e) [tǽtʃ ; táːʃ, tǽʃ] *n.* 《古》 걸쇠, 죔쇠.
〖OF *tache* clasp, nail＜Gmc. ; cf. TACK[1]〗

ta·chís·to·scòpe [təkístə-, tæ-] *n.* 〔心〕순간 주의력[기억] 측정 장치, 순간 노출기.
ta·chìs·to·scóp·ic [-skáp-] *a.* **-i·cal·ly** *adv.*

tacho [tǽkou] *n.* (*pl.* **tách·os**) 《口》＝TACHOMETER.

tacho- [tǽkə] *comb. form* 「속도」의 뜻.
〖Gk.＝speed〗

tácho·gràm *n.* 회전 속도계의 기록.

tácho·gràph *n.* 회전 속도계 ; ＝TACHOGRAM.

ta·chom·e·ter [tækámətər, tə-] *n.* 회전 속도계(計) ; (물·피 따위의) 유속계.

tachy- [tǽkə] *comb. form* 「빠른」의 뜻. 〖Gk.〗

tachy·car·dia [tæ̀kəkáːrdiə] *n.* 〔醫〕 심계 항진(心悸亢進).

táchy·gràph *n.* 속기(速記) 문서, 속기 문자의 문서 ; 속기자(stenographer).

ta·chyg·ra·phy [tækígrəfi, tə-] *n.* 속기술《특히 고대 그리스·로마의》. **ta·chýg·ra·pher, -phist** *n.* **tàchy·gráph·ic, -i·cal** *a.*

ta·chym·e·ter [tækímətər] *n.* 〔測〕 시거의(視距儀) ; 속도계.

tachy·on [tǽkiàn] *n.* 〔理〕타키온《빛보다 빠른 가상의 소립자(素粒子)》. **tàchy·ón·ic** *a.*〔理〕타키온 입자의, 초광속 입자에 관한.

tachy·phy·lax·is [tæ̀kəfəlǽksəs] *n.* (*pl.* **-phy·lax·es** [-fəlǽksiːz]) 〔醫〕과내성(過耐性), 타키필락시스《생리학적 유효 성분의 반복 투여에 의해서 반응이 차차 약해지는 것》.

tachy·pnea, -pnoea [tæ̀kəpníːə] *n.* Ⓤ〔醫〕빈호흡(頻呼吸).

ta·chys·ter·ol [tækístəròul, -ràl] *n.* 〔生化〕타키스테롤《에르고스테린에 자외선을 쐬어 생성되는 물질》.

tachy·tely [tǽkətèli] *n.* 〔生〕 급진화.
tàchy·tél·ic *a.*

tac·it [tǽsət] *a.* **1** 암묵(暗默)의(understood) : ~ agreement[understanding] 묵계, 무언의 양해 / ~ approval[consent] 묵인[무언의 승낙]. **2** 말로 나타내지 않는, 무언의 ; (관중 등) 잠잠한, 고요한. **3** 〔法〕묵시의. **~·ly** *adv.* 잠자코 ; 암암리에, 넌지시. 〖L *tacit- taceo* to be silent〗

tac·i·turn [tǽsətə̀ːrn] *a.* 입이 무거운, 과묵한.
tàc·i·túr·ni·ty *n.*
〖F or L ; ⇨ TACIT〗

Tac·i·tus [tǽsətəs] *n.* 타키투스. **Publius Cornelius** ~ (55?-120?) 로마의 역사가.

tack[1] [tæk] *n.* **1** 납작한 징[못], 압정 ; 마구(馬具) 한 벌. **2** [*pl.*] 〖洋裁〗 주름 ; 시침질. **3** 〖海〗 **a**) 돛의 맨 밑 귀퉁이를 뱃전에 매는 밧줄. **b**) (돛의 위치로 정해지는 배의) 항로, 침로(針路). **c**) 바람 불어오는 쪽으로 배를 돌리기, (돛배가) 바람을 비스듬히 받으며 갈짓자형으로 나아가기. **4** 《비유》 방침, 정책. **5** 부가(물) ; 〖英議會〗 부대조항. **6** (니스 따위의) 점성(粘性).

be on the right [***wrong***] ***tack*** 침로[방침]를 바로잡고 있다[있지 않다].

come [***get***] ***down to*** (***brass***) ***tacks*** ☞ BRASS TACKS.

on the port [***starboard***] ***tack*** 〖海〗 좌[우]현으로 바람을 받고.

tack and tack 〖海〗 바람의 방향에 따라 침로를 좌우로 번갈아가며.

── *vt.* **1** [+目+副/+目+前+名] 압정으로 고정시키다[붙이다] ; 시침질하다 ; (두개를) 접합하다 : She ~*ed* ***down*** the folds in the carpet. 융단의 접히는 곳을 압정으로 고정시켰다 / Two islands are ~*ed together* by a beautiful bridge. 두 섬은 아름다운 다리로 서로 연결되어 있다 / He ~*ed* the picture ***on*** the wall. 그림을 벽에 압정으로 고정시켰다 / She ~*ed* a large ribbon ***to*** her dress. 옷에 커다란 리본을 달았다. **2** [+目+*to*+名/+目+副] 부가하다, 덧붙이다 : They ~*ed* an amendment ***to*** the bill. 그 의안에 수정문을 덧붙였다 / I ~*ed* some notes *to* the end of the manuscripts. 원고의 끝에 주석을 덧붙였다 / He ended his speech by ~*ing* an appeal for help ***on*** *to* it. 마지막으로 원조해 달라는 호소를 한 마디 덧붙이고 연설을 끝맺었다. **3** 〖英議會〗 (부대조항을) 법안에 추가하다 ; (말)에 마구를 채우다.

── *vi.* **1** [動/+副/+前+名] 〖海〗 바람 불어오는 쪽으로 배를 돌리다, (배가) 바람을 비스듬히 받으며 갈짓자형으로 나아가다(cf. *n.* 3 c)) : The yacht ~*ed* ***along*** smoothly ***with*** the onshore breeze. 요트는 해안 쪽으로 부는 미풍을 받으며 바다 위를 미끄러지듯 나아갔다 / The ship ~*ed* ***about*** [***against*** the wind]. 배는 진로를 바꾸었다[맞바람을 받고 갈짓자형으로 나아갔다]. **2** 《비유》 방침[정책]을 바꾸다. **3** 마구를 채우다.

〚ME<? ; cf. TACH(E)〛

tack[2] *n.* 〖海〗 음식물(cf. HARDTACK). 〚C19<?〛

táck bòard *n.* (압정을 박아 고정시키는) 게시판.

táck clàw *n.* 징뽑이.

táck drìver *n.* 압정 박는 자동 기계.

táck·er *n.* 압정[징]을 박는 사람[기구] ; 시침질하는 사람.

táck hàmmer *n.* 압정을 박는 장도리.

táck·hèad *n.* 《美俗》 멍청이, 얼간이.

tack·i·fy [tǽkəfài] *vt.* 접착하기 쉽게 하다 ; …의 접착성을 강화하다.

táck·i·fi·er *n.* 접착성 부여제.

táck·ing *n.* **1** 압정으로 고정하기 ; 시침질 ; 붙여놓은 접합물. **2** 〖海〗 바람부는 방향으로 침로를 바꾸어 갈짓자형으로 나아가기 ; 〖法〗 (저당권의) 결합 ; 《英》 (재산 법안 수정권이 없는 상원을 통과하려고) 재산 법안에 무관계 조항을 추가하기.

***tack·le** [tǽkəl ; 《海》 téikəl] *n.* **1** U,C 〖機〗 (고패 장치로 된) 감아올리는 장치, 삭구(索具), 녹로(轆轤), 복합 도르래, 도르래 장치, 태클 : a single [compound] ~ 홑[복합] 도르래. **2** U 도구, 연장, 장치 ; 낚시 도구(fishing tackle). **3** 〖럭비·美蹴〗 태클《공을 가진 상대에게 달려들어 전진을 방해하기》.

── *vt.* **1 a**) 붙잡다, …와 맞붙다 : He ~*d* the thief fearlessly. 용감하게 도둑과 맞붙었다. **b**) 태클하다. **c**) 《비유》 …와 논쟁하다, 맞싸우다, (일·문제 따위에) 달라붙다 : I ~*d* him on the question of world peace. 나는 세계 평화 문제에 대해서 그와 논쟁하였다 / Everyone has his own difficulties to ~. 사람은 누구에게나 스스로 해결해야 할 어려움이 있다. **2** 도르래로 잇다 ; (특히 말 따위에) 마구를 부착시키다. ── *vi.* 〖럭비 따위〗 태클하다.

tackle to 《口》 기세좋게 일에 달려들다, 힘차게 시작하다.

〚ME=gear<MLG (*taken* to lay hold of)〛

táckle bòx *n.* 낚시 도구 상자.

táck·ling *n.* **1** U 붙잡고 방해하기, (럭비 따위에서의) 태클 동작. **2** U 도르래 장치 ; 〖海〗 삭구(索具), 태클링.

táck ròom *n.* (마구간에 딸린) 마구 보관실.

tacky[1] [tǽki] *a.* (아교·니스 따위) 달라붙는, 끈적끈적한(sticky). 〚TACK[1]〛

tacky[2] *a.* 《美口》 초라한, 보기 흉한 ; 속물적인, 품위없는. ── *n.* 《美南部》 초라한 말 ; 초라한[가난한] 사람. 〚C19<?〛

ta·co [tá:kou] *n.* (*pl.* **~s**) tortilla 안에 고기·치즈·양상추 따위를 넣고 튀겨낸 멕시코 요리. 〚Mex. Sp.〛

TACOMSAT, TACSAT 《美》 tactical communications satellite(전술용 통신 위성).

tac·o·nite [tǽkənàit] *n.* 〖鑛〗 타코나이트, 타콘암(岩)《철을 함유한 규질암(硅質岩)의 일종》.

tact** [tǽkt] *n.* **1** U [+前+do*ing*] 재치, 눈치, 요령 : She has ~ ***in teach*ing* pupils. 그녀는 학생을 가르치는 요령이 좋다. **2** 예민한 감각 ; 세련된 미적 감각 ; 《古》 손에 닿는 감촉, 촉감.

〚F<L=sense of touch (*tact*- *tango* to touch)〛

táct·ful *a.* 약삭빠른, 재치 있는 ; 적절한.

~·ly *adv.* **~·ness** *n.*

tac·tic [tǽktik] *a.* 순서[배열, 조직]의 ; 〖生〗 주성(走性)의[을 나타내는] ; 《古》 전술(상)의.

── *n.* =TACTICS ; 용병(用兵), 작전, 전법 ; 방책, 수단, 책략. 〚NL<Gk. (*tekhnē* art)〛

-tac·tic [tǽktik] *a. comb. form* 「…의 순서[배열(형)]의」「…에 대해 주성(走性)을 나타내는」의 뜻 : para*tactic*. 〚Gk.(↑)〛

tác·ti·cal *a.* **1** 전술적인, 전술상의, 용병(用兵)상의 : a ~ point 전술상의 요점. **2** 술책[책략]에 능한. **~·ly** *adv.*

táctical núclear wéapon *n.* 〖軍〗 전술 핵무기《略 TNW》.

táctical únit *n.* 전술 부대.

tac·ti·cian [tæktíʃən] *n.* 전술가(戰術家), 책략가, 모사(謀士).

tác·tics *n.* **1** U [단수취급] 전술(학), 병법, 용병학(用兵學) ; [복수취급] (전술의 응용으로서의) 작전(cf. STRATAGEM, STRATEGY) : The book says that ~ differs from strategy. 전술은 전략과는 다르다고 그 책에 쓰여있다 / The colonel's ~ were wrong. 대령의 전술은 잘못이었다. **2** [복수취급] 방책, 책략, 임기 응변적인 술책 : The opposition's delaying ~ in the Congress were deplorable. 의회에서의 야당의 지연 전술은 유감이었다. **3** [단수·복수취급] 〖言〗 배열론.

〚NL<Gk. *taktika* (*tassō* to arrange)〛

tac·tile [tǽktail, -tl] *a.* 촉각의 ; 촉각을 가진 ; 만져서 알 수 있는 ; 〖畫·彫〗 입체감의[있는] : a ~ impression[sensation] 촉감 / a ~ organ 촉각기(器). **~·ly** [tǽktaili, -təli] *adv.* 〚L ; ⇨ TACT〛

Táctile Commúnicator *n.* 촉감 전달 장치《청

T

각 장애 휴대용 보조 장치 ; 상표명》.
tac·til·i·ty [tæktíləti] *n.* Ⓤ 감촉성 ; 촉감.
tac·tion [tǽkʃən] *n.* 접촉.
táct·less *a.* 재치 없는, 꾀 없는 ; 무뚝뚝한.
~·ly *adv.* **~·ness** *n.*
tac·tu·al [tǽktʃuəl] *a.* 촉각(기)의, 촉각에 의한.
~·ly *adv.* 촉감으로.
TACV tracked air cushion vehicle(공기 부상식 초고속 철도).
tad [tǽd] *n.* 《美口》 **1** 어린아이 ; (특히) 소년. **2** [a ~] 조금(bit)《양·정도를 나타냄》.
tad·pole [tǽdpòul] *n.* 올챙이 (모양의 유생) ; [T~] 미국 Mississippi 주 사람의 속칭.
〖ME ; ⇨ TOAD, POLL[1]〗
tádpole gàlaxy *n.* 〖天〗 태드폴 은하《올챙이 모양을 한 전파 은하》.
Ta·dzhik·i·stan [tɑːdʒìkistǽn, -dʒìː-, -stɑ́ːn] *n.* [the ~] 타지키스탄 공화국《중앙 아시아의 공화국》.
tae·dium vi·tae [tíːdiəm váitiː, táidium wíːtai] *n.* 삶의 권태, 염세. 〖L=weariness of life〗
tae kwon do [tái kwɑ́n dóu] *n.* [때때로 T~ K~ D~] 태권도. 〖Korean〗
tael [téil] *n.* 테일, 량(兩)《중국 등지에서의 도량형 단위 ; 보통 37.7그램 ; 중국의 옛 화폐 단위》.
〖Malay〗
ta'en [téin] *v.* 《詩》 =TAKEN.
tae·nia, te·nia [tíːniə] *n.* (*pl.* **-ni·ae** [-niàiː, -niìː], **~s**) 〖建〗 (도리아식 건축에서) 띠 모양의 쇠시리 ; 〖解〗 끈 모양의 기관(器官) ; 붕대 ; 〖動〗 촌충 ; (고대 그리스·로마의) 머리 장식[띠].
〖L<Gk.=ribbon〗
táe·nia·fùge, té- [tíːniə-] *n.* 촌충(구제)약.
—— *a.* 촌충을 구제하는.
tae·ni·oid, te- [tíːniɔ̀id] *a.* 끈 모양의 ; 촌충 (모양)의.
TAF, T.A.F. Tactical Air Force.
taff [tǽf] *a.* 《俗》 살찐. 〖fat의 역철자〗
taf·fe·ta [tǽfətə] *n.* Ⓤ 태피터, 호박단(琥珀緞)《약간 탄탄한 평견직(平絹織)》.
〖OF or L<Pers.〗
taff·rail [tǽfrèil, -rəl] *n.* 〖海〗 고물의 난간 (손잡이), 고물의 윗부분.
〖Du. *taffereel* panel (dim.) ‹ *tafel* TABLE〗

taffrail

taf·fy [tǽfi] *n.* **1** Ⓒ《美·스코》 태피(=《英》 toffee)《설탕과 버터를 조려 속에 땅콩 따위를 넣은 캔디의 일종》. **2** Ⓤ 《美口》 아부, 아첨(flattery). 〖C19<?〗
Taffy *n.* **1** 남자 이름《Davy (=David)의 Wales 사투리》. **2** 《口》 웨일스인.
táffy pùll *n.* 《美》 태피(taffy)를 만드는 모임.
taf·ia [tǽfiə] *n.* Ⓤ (서인도 제도 등지에서 사탕수수를 증류하여 만든) 럼(rum)의 일종.
Taft [tǽft, 英+tɑ́ːft] *n.* 태프트. **William Howard** ~ (1857-1930) 미국의 제27대 대통령.
Táft-Hárt·ley Àct [-hɑ́ːrtli-] *n.* 태프트-하틀리 법(法)《미국의 노사(勞使) 관계를 규정한 연방법 Labor-Management Relations Act 「노사관계법」(1947)의 통칭》.
〖R. A. *Taft*, F. A. *Hartley* (d. 1969) 미국 하원 의원〗
***tag**[1] [tǽ(ː)g] *n.* **1** (옷·리본 따위의) 드림 장식, 늘어뜨린 장식. **2** 끈 끝에 달린 쇠붙이(tab). **3** (구두의) 손잡이 가죽(cf. BOOTSTRAP) ; (옷을 걸기 위한) 깃 안쪽에 단 고리. **4** 꼬리(의 끝). **5** 《美》 꼬리표, 물표, 찌지, 부전(附箋). **6** (판에 박은 듯한) 상투적인 인용구 ; 이야기 끝의 교훈 ; (시가(詩歌))의 후렴 ; 〖劇〗 (대사의) 끝내는 말, 암시구(cue). **7** (양의) 곱슬곱슬한 털. **8** 〖文法〗 =TAG QUESTION. **9** 〖컴퓨〗 꼬리표.
tag, rag, and bobtail =RAGTAG.
—— *v.* (**-gg-**) *vt.* **1** [+目/+目+*with*+名] …에 드림 장식[쇠붙이, 손잡이 따위]을 달다 ; …에 부전[꼬리표, 물표]을 달다 : ~ a shoelace 구두끈 끝에 쇠붙이를 달다 / ~ every item in the store 가게의 모든 상품에 정찰표를 달다 / He ~*ged* his trunk ***with*** his name and address. 그는 트렁크에 주소 성명을 적은 꼬리표를 달았다. **2** [+目+前+名] (연설·이야기 따위 끝에) 인용 어구를 덧붙이다 ; …에 부가하다 : He ~*ged* his speech ***with*** a quotation from the Bible. 그는 연설을 끝내면서 성서에서의 인용구를 덧붙였다 / They ~*ged* ***to*** our name all the abusive epithets. 우리들 이름에 온갖 욕설을 덧붙였다. **3** 《口》 …에게 붙어다니다, 붙어서 떨어지지 않다 : A dog ~*ged* his master. 개가 주인의 뒤를 따라갔다. **4** [+目/+目+副] (시(詩)·문장 따위를) 잇다 : I have ~*ged* some old articles *together* to make the essays. 전에 썼던 몇몇 글을 모아서 수필집을 엮었다. **5** 《美口》 주차 위반 딱지를 (차 따위에) 붙이다 ; 교통 위반 딱지를 떼다.
—— *vi.* [+副/+動/+前+名] 《口》 붙어다니다, 따라다니다 : A beggar ~*ged* ***along*** [***behind***]. 거지가 뒤따라왔다 / John is always ~*ging* ***after*** his teacher. 존은 언제나 선생님의 뒤를 붙어다니고 있다 / Look at the dog ~*ging* ***at*** her heels. 그녀의 뒤를 졸졸 따라가는 개를 보아라.
〖ME< ? Scand. (Swed. and Norw. *tagg* barb, prickle)〗
tag[2] *n.* Ⓤ **1** 술래잡기(cf. TAGGER[2]) : play ~ 술래잡기를 하다. **2** 〖野〗 터치 아웃. —— *a.* (프로레슬링에서) 태그 방식의.
—— *vt.* (**-gg-**) **1** (술래가) 붙잡다. **2** 〖野〗 (주자를) 터치아웃시키다 ; (베이스를) 밟다 ; (투수)에게서 히트를 빼앗다 ; (공을) 치다 ; 〖레슬링〗 (자기편)과 터치하다. **3** 세게 치다[때리다, 충돌하다]. **4** 골라내다.
tag up (*vi.*) 〖野〗 (주자가) 베이스를 밟다, 터치업하다.
〖C18< ?〗
TAG the adjutant general.
Ta·ga·log [təgɑ́ːlɔ(ː)g, -lɑg, -ləg] *n.* (*pl.* **~, ~s**) 타갈로그 인(人)《필리핀 제도의 토착 종족》 ; Ⓤ 타갈로그어(語).
tág·alòng *a., n.* 《口》 늘 남에게 귀찮게 붙어다니는 (사람).
tág·bòard *n.* 두꺼운 종이로 된 짐표.
tág dày *n.* 《美》 가두 모금일(募金日)《기부자의 옷깃에 tag(작은 패)를 달아주는 데서 유래 ; cf. FLAG DAY》.
tág énd *n.* 종말, 말기(末期), 말미(末尾) (tail end) ; [보통 *pl.*] 자투리, 토막, 단편(斷片).
tágged átom [tǽ(ː)gd-] *n.* 〖理〗 표지(標識)(를 단) 원자.
tág·ger[1] *n.* 늘어뜨린 것 ; 붙어다니는 사람 ; (쇠붙이를) 붙이는 사람 ; (양의) 헝클어진 털을 깎는 기계 ; [*pl.*] 아주 얇은 양철.
tagger[2] *n.* (술래잡기의) 술래. 注 it이라고도 함.
tág·ging *n.* 〖水產〗 표지(標識) 방류《산 물고기에 표를 하여 방류》.

tág lìne *n.* 끝맺음말, 결구(結句), 결언(結言); 〔機〕(기중기의 버킷을 매달고 있는) 지삭(支索).

tág màtch *n.* 태그 매치《두 사람씩 편짜고 하는 프로 레슬링》.

tag·meme [tǽgmiːm] *n.* 〔言〕 문법소(文法素). 〖Gk. *tagma* arrangement, *-eme*〗

tag·mé·mic grámmar *n.* 〔言〕 문법소 문법《K. L. Pike 등이 제창한 미국의 언어 이론》.

tag·mé·mics *n.* 〔言〕 문법소론(論).

Ta·gore [təgɔ́ːr] *n.* 타고르. Sir **Ra·bin·dra·nath** [rəbíndrənɑ̀ːt] ~ (1861-1941) 인도의 시인; Nobel 문학상(1913).

tág quéstion *n.* 〔文法〕 부가의문《평서문 뒤에 첨가하는 간단한 의문문; 보기 You know it, *don't you*? / It isn't right, *is it*?》.

tág·ràg *n.* =RAGTAG.

tág sàle *n.* (자기 집 차고 따위에서 하는) 중고 가정용품 판매(garage sale).

tág tèam *n.* (프로 레슬링에서의) 2인조 팀.

Ta·hi·ti [təhíːti; tɑː-] *n.* 타히티《남태평양의 프랑스령 Society 제도의 주도(主島)》.

Ta·hi·tian [təhíːʃən, -tiən] *a.* 타히티 섬(사람[어])의. —— *n.* 타히티 섬 사람; Ⓤ 타히티어(語).

Tai [tái] *n.* (*pl.* ~) 타이계 제족(諸族). —— *a.* 타이계 제족의.

t'ai chi (ch'uan), tai chi (chuan) [tái dʒíː (tʃuːɑ́ːn), -tʃíː-] *n.* 태극권(太極拳)《중국 송대에 시작된 체조식 권법》.

tai·ga [táigə, taigɑ́ː] *n.* (시베리아·북미 등지의) 침엽수림 지대. 〖Russ.＜Turk.〗

‡**tail**[1] [téil] *n.* **1** (동물의) 꼬리: The dog is wagging its ~. 그 개는 꼬리를 흔들고 있다. **2 a**) (양복의) 꼬리 모양의 자락; [*pl.*] (여성복의) 긴 옷자락; 뒤에 긴 자락이 달린 옷《특히 연미복(燕尾服); cf. TAILCOAT》. **b**) 연(kite)[혜성(彗星)]의 꼬리. **c**) 〔印〕 테일《다른 글자보다 밑으로 처지게 쓰는 부분》: the ~ of "g" or "y" g, y의 밑으로 나온 부분. **d**) 〔樂〕 (음표의) 꼬리. **e**) 땋아 늘인 머리, 변발(辮髮). **f**) 행렬; 줄 선 사람들. **3** 말미(末尾), 후부(後部); 끝; 〔機〕 미부(尾部), (비행기의) 기미(機尾), 꼬리 부분: at the ~ of …의 맨 끝에 / close on a person's ~ 남의 바로 뒤에 (바짝 붙어서) / the ~ of a stream 개울의 웅덩이. **4** 아랫사람, 말단〈*of*〉. **5** 종자(從者), 수행원; 《軍俗》 (부대의) 비전투원, 군속들. **6** [*pl.*] 나머지, 찌꺼기. **7** [보통 *pl.*] (동전 던지기(놀이)에서) 동전의 뒷면, 이면 (cf. HEAD *n.* 1 b)): head(s) or ~(*s*) ☞ HEAD 숙어. **8** 〔建〕 (기와·슬레이트 따위의) 노출된 끝 부분. **9** 〔컴퓨〕 꼬리.

cannot make head or tail of... ☞ HEAD.

get [***have***] one***'s tail down*** [***up***] 풀이 죽다[기운이 나다].

go into tails (어린애가 자라서) 연미복을 입게 되다.

keep one***'s tail up*** 원기 왕성하다.

tails up 기분이 좋아서; 《비유》 싸울 자세로.

the tail of the eye 눈초리: look (at...) with [out of] *the ~ of the eye* (…을) 곁눈으로 훔쳐보다.

tread on one***'s own tail*** 《비유》 남을 해치려다가 도리어 자기가 해를 입다.

turn tail (등을 보이고) 달아나다.

twist a person***'s tail*** 남의 비위에 거슬리는 짓을 하다, 남을 괴롭히다: *twist* the lion's[Lion's] ~ ☞ LION 숙어.

with the [one***'s***] ***tail between the legs*** (개가) 꼬리를 말고; 《비유》 풀이 죽어서, 겁이 나서; 위축되어.

—— *a.* 꼬리부분의, 맨 뒤의; 뒤에서 오는.

—— *vt.* **1** …에 꼬리를 달다: He ~*ed* a kite for his brother. 그는 동생의 연에 꼬리를 달아주었다. **2** [+目/+目+副/+目+*to*+名] 첨부하다, 잇다: ~ one thing ***on to*** another 어떤 것을 다른 것에 첨부하다. **3** …을 수행하다; 《口》 미행(尾行)하다(shadow): The detective ~*ed* the man. 형사는 그 사나이를 미행했다. **4** (과일 따위의) 꼭지를 잘라내다; (어린 양의) 꼬리를 자르다. —— *vi.* [+*after*+名] 따라가다; 열을 짓다; (대열의) 맨 뒤가 되다: Many boys and girls ~*ed* ***after*** the circus procession. 수많은 소년 소녀들이 서커스의 행렬을 뒤따랐다.

tail away [***off***] 차차 작아[적어, 희미해, 드물어]지다; (이야기 따위가) 흐지부지되다: The noise ~*ed away*. 소음은 차차 사라졌다 / The wind ~*ed off* in the evening. 바람은 저녁녘에 이르러 차차 가라앉았다.

〖OE *tæg(e)l*; cf. OHG *zagal*, Goth. *tagl* hair〗

tail[2] *n., a.* 〔法〕 소유권 제한(의), 계후 한정(繼後限定)(의); 계후 한정 부동산: an estate in ~ 계후 한정 상속 재산 / an heir in ~ 계후 한정 상속인.

táil·bàck *n.* **1** 〔美蹴〕 테일백《공격할 때 스크리미지 라인에서 가장 먼 곳에 위치하는 백》. **2** 《英》 (사고 따위로) 정체된 자동차의 행렬.

táil·bòard *n.* (짐마차의) 후미 판자《붙였다 떼었다 할 수 있음》.

táil·còat *n.* 연미복(燕尾服), 모닝코트(cf. TAIL[1] *n.* 2 a)). **~·ed** *a.* 연미복을 입은.

táil dìve [**dròp**] *n.* 〔空〕 기미(機尾)를 떨어뜨리기[내리기].

táil·dòwn *a., adv.* 〔空〕 기미(機尾)를 떨어뜨린[떨어뜨리고].

tailed [téild] *a.* 꼬리를 잘린; [복합어를 이루어] 꼬리가 있는, 꼬리가 …한: long-~ 꼬리가 긴.

táil énd *n.* [the ~] 말단, 끄트머리, 끝, 말미(末尾)〈*of*〉; [the ~] 최종단계, 말기.

táil-ènd Chárlie *n.* 《英俗》 맨 뒤의 사람.

táil·énd·er *n.* 《口》 (경기 따위의) 꼴찌, 최하위.

táil·er *n.* tail하는 사람[것]; (특히) 미행자(shadow).

táil fìn *n.* (물고기의) 꼬리지느러미; 〔空〕 수직 안정판; (잠수함 따위의) 수평판.

táil·fírst *adv.* 뒷걸음질쳐서, 꼬리를 앞으로 하고.

táil·gàte *n.* (트럭·마차 따위의 뒷부분의 짐을 싣거나 부리는 데 쓰는) 뒷문, 테일게이트; (수문의) 아랫문; 〔樂〕 (대위법·활주법을 쓰는) 트롬본 취주법. —— *a.* 《美》 음식물을 스테이션 왜건의 뒤쪽으로 내릴 수 있는. —— *vi.* 앞차에 바싹 다가붙어서 나아가다. —— *vt.* (앞차에) 바싹 다가붙어서 나아가다; 《美》 (미식축구 팬이 시합 전 따위에 경기장 밖에서) 스테이션 왜건의 뒷부분에서 음식을 내려놓고 야외 식사 (파티)를 하다.

táil·gàt·er *n.* 앞차에 바싹 붙어서 운전하는 기사.

táil·gàt·ing *n.* 《美》 (미식축구 팬 또는 응원하는 학생 등이) 시합 전후에 경기장 밖에서 가지는 야외 파티.

táil gròup *n.* 〔空〕 =TAIL UNIT.

táil gùn *n.* (군용 비행기의) 미포(尾砲).

táil-héavy *a.* 〔空〕 꼬리 부분이 무거운.

táil·ing *n.* 꼬리를 달기; 미행; 〔建〕 벽에 박힌 벽돌·돌 따위의 돌출부; [*pl.*] 부스러기, 찌꺼기, 겨, 깍지; [*pl.*] 광물 부스러기.

táil làmp *n.* 《英》 =TAILLIGHT.

T

táil·less *a.* 꼬리[꼬리 부분]가 없는.
táilless áirplane *n.* 〖空〗 무미익기(無尾翼機).
táil·lìght *n.* (자동차 따위의) 미등(尾燈), 테일라이트(cf. HEADLIGHT).
táil màrgin *n.* (책의) 페이지 밑부분의 여백.
***tai·lor** [téilər] *n.* 양복장이, 재단사, 재봉사, 테일러《주로 남자 양복을 주문받아 지음 ; cf. DRESSMAKER》; 〖軍〗 재봉공[병] : sit ~ fashion 책상다리를 하고 앉다 / Nine ~*s* make[go to] a man. 《속담》 양복장이 아홉 사람을 합쳐야 한 사람 몫을 한다《쪼그리고 앉아서 일하기 때문에 허약한 양복장이를 비웃는 말》/ The ~ makes the man. 《속담》 옷이 날개다.
ride like a tailor 승마(乘馬)가 서투르다.
—— *vt.* [주로 *p.p.*로] (양복을) 짓다 ; (남의) 옷을 짓다 : He[His suit] is well ~*ed.* 그의 옷은 잘 지어졌다 / a well-~*ed* suit 잘 지은 양복.
—— *vi.* 양복을 짓다 ; 양복점을 운영하다.
táilor·bìrd *n.* 〖鳥〗 재봉새《아시아산 ; 잎을 꿰맨 것 같은 모양으로 둥지를 지음》.
tái·lored *a.* =TAILOR-MADE.
táilor·ing *n.* **1** Ⓤ 재봉[양복 제조]업. **2** Ⓤ 재봉[재단]법. **3** (특별 용도에 알맞게 하기 위한) 개조(改造), 개작(改作), 변경(adaptation).
táilor-máde *a.* **1** (특히 여자옷을) 남자옷 같이 지은, 몸에 꼭 맞는 ; (여성이) 남자가 만든 옷을 입은(cf. DRESSMAKER). **2** 주문에 의한, (특별히) 맞춘. **3** 《俗》 (궐련이 손으로 만 것이 아니고) 기계로 만. ——[⌐⌐] *n.* [보통 *pl.*] 맞춤 옷 ; 《俗》 공장제 궐련 ; 《美俗》 사복 경찰관[형사].
táilor's cháir *n.* (책상다리하고 앉아 재봉할때 사용하는) 재단사용 의자.
táilor's chálk *n.* 재단용 초크.
táilor's clíppings *n. pl.* 양복감 견본.
táil·pìece *n.* **1** 꼬리 조각 ; 꼬리 부분(의 부속물) ; (현악기의 끝에 있는) 줄걸이판. **2** 〖印〗 (서적의) 장끝[권말(卷末)] 여백에 넣는 장식용 컷(cf. HEADPIECE). **3** 〖建〗 토막 귀틀.
táil pìpe *n.* (펌프의) 흡입관 ; (자동차 뒤쪽에 있는) 배기관 ; 〖空〗 (제트 엔진의) 미관(尾管).
táil-pìpe búrner *n.* 〖空〗 =AFTERBURNER.
táil plàne *n.* 〖空〗 수평 꼬리 날개.
táil·ràce *n.* (물레방아 따위의) 방수로(放水路) ; 〖鑛〗 광석 조각을 흘려보내는 도랑.
táil ròtor *n.* 〖空〗 (헬리콥터의) 꼬리 회전날개.
táil skìd *n.* 〖空〗 (비행기 따위의) 미부 활재(尾部滑材).
táil slìde[slìp] *n.* 〖空〗 (비행기 따위의) 미부 활공(滑空).
táil·spìn *n.* 〖空〗 회전 수직 강하, 꼬리스핀 ; 《비유》 당황함 ; 의기 소침 ; 대혼란, 심한 불경기.
táil ùnit *n.* 〖空〗 미부, 미익.
táil wárning ràdar *n.* 〖軍〗 후방 경계 레이더.
táil·wàter *n.* (물레방아의) 방수로의 물 ; (댐 따위의) 방수된 물.
táil whèel *n.* (비행기 따위의) 꼬리 바퀴.
táil wìnd *n.* 〖空·船〗 뒤에서 부는 바람.
tain [téin] *n.* Ⓤ 얇은 주석판 ; (거울 뒤에 붙이는) 주석박(箔).
taint [téint] *n.* **1** Ⓤ (잠재적인) 병독, 병폐, 감염력(感染力) ; (도덕적인) 부패, 타락 ; 폐해(弊害) : meat free from ~ 썩지 않는 고기 / The moral ~ has spread among young people. 도덕적인 부패가 젊은이들 사이에 만연해 있다. **2** 더러움, 오점(stain) ; 오명(汚名) ; 기미(氣味), 흔적 : a ~ *of* dishonor[disgrace] 불명예[치욕]스러운 오점 / There seems to be a ~ *of* drunken frenzy in his family. 그의 집안에는 주정을 하는 기질이 있는 것 같다. —— *vt.* [+目/+目+前+名] 더럽히다 ; 감염시키다, (마음 따위를) 해치다 ; 부패[타락]시키다 : Smog has ~*ed* the air. 매연으로 대기가 오염되어 있다 / Bad publication ~*s* the young mind. 저속한 출판물은 젊은이들의 마음에 해를 끼친다 / His character is ~*ed* by self-seeking. 그의 성격에는 이기적인 데가 있다 / The transaction is ~*ed* ***with*** fraud. 그 거래는 사기성을 띠고 있다. —— *vi.* 더러워지다 ; 감염되다 ; 부패[타락]하다 : Meat will ~ readily in hot weather. 날씨가 더우면 고기는 쉬 상한다.
〖OF<L (p.p.) 〈 TINGE〗
'taint [téint] 《方·俗》 it isn't[hasn't]의 단축형.
táint·ed *a.* 더러워진, 부패한.
táint·less *a.* 더러워지지 않은 ; 부패하지 않은 ; 순결한 ; 해가 없는.
Tai·pei, Tai·peh [táipéi, 美+-béi] *n.* 타이베이, 대북.
Tai·ping [táipíŋ] *n.* (중국의) 장발적(長髮賊), 태평 천국군의 전사(戰士).
the Taiping Rebellion 태평 천국 운동 (1851-64).
〖Chin. 태평(太平)〗
Tai·wan [táiwáːn] *n.* 타이완, 대만(Formosa).
Tai·wan·ese [tàiwəníːz, -s] *a.* 대만의, 대만인의. —— *n.* (*pl.* ~) 대만인(人) ; Ⓤ 대만어(語).
Taj Ma·hal [táːdʒ məháːl, 美+táːʒ-] *n.* [the ~] 타지마할《인도 아그라에 있는 흰 대리석으로 만들어진 영묘(靈廟)》.
◇**take** [téik] *v.* (**took** [túk] ; **ta·ken** [téikən]) *vt.*
1 [+目/+目+副/+目+前+名] (손으로) 잡다, 쥐다, 들다, 움켜쥐다(grasp) ; 껴안다(embrace) : The child *took* my arm. 어린애는 내 팔을 잡았다[팔에 매달렸다] / John *took* ***up*** the receiver and dialed the number. 존은 수화기를 집어들고 다이얼을 돌렸다 / I *took* him ***by*** the arm. 그의 팔을 잡았다 / She *took* her child ***to*** her breast. 그녀는 아이를 가슴에 껴안았다 / The boy *took* the ball ***between*** his knees. 그 소년은 공을 무릎 사이에 끼웠다 / ~ one's life ***in*** one's hand 《비유》 생명을 걸다, 목숨을 건 모험을 하다.
2 [+目/+目+前+名/+目+補] (덫·미끼 따위로) 잡다, 사로잡다 ; 포박하다, 포로로 하다 ; (게임에서 상대방의 패나 말을) 잡다 ; 점령하다, 탈취하다 ; 지게 하다, 격파하다(defeat) : ~ a fort 요새를 탈취하다 / ~ the trick ☞ TRICK *n.* 6 / He *took* lots of fish ***in*** the net. 그물로 많은 물고기를 잡았다 / The thief was ~*n* ***in*** the act. 그 도둑은 현행범으로 체포되었다 / He was ~*n* prisoner. 그는 포로가 되었다.
3 [+目/+目+前+名] 획득하다 ; 벌다 : His team *took* the first prize at the contest. 그의 팀이 경기에서 1등상을 탔다 / What will you ~ ***for*** this watch? 이 시계는 얼마에 팝니까.
4 사다 ; (좌석 따위를) 예약하다 ; (신문 따위를) 구독하다 ; (집 따위를 계약해서) 빌리다 : I'll ~ this hat. 이 모자를 주십시오 / What paper do you ~? 무슨 신문을 구독합니까(cf. TAKE *in*) / We have ~*n* a hut at the hillside for the holidays. 휴가용으로 산기슭에 있는 오두막집 하나를 빌려 놓았다.
5 [+目/+目+*as* 補] (주는 것을) 받다, 얻다, 수납(受納)하다(accept) : Please ~ this gift. 제발 이 선물을 받아 주십시오 / I will not ~ a penny[cent] less. 한푼도 깎아드릴 수 없습니다 /

T~ things *as* they come. 사물을 있는 그대로 받아들여라 / You had better ~ the world *as* it is [*as* you find it]. 세상을 있는 그대로 받아들이는 것이 좋다《지나친 기대를 해서는 안된다》.
6 [+目/+目+前+名/+目+*to* do] (남을) 채용하다 ; (제자(弟子)를) 받다 ; (하숙인을) 두다 ; (배우자로) 맞다 : ~ a wife《古》 아내를 맞다 / We *took* him ***into*** our plans. 그를 우리 계획에 참여시켰다 / Mary decided to ~ him ***for*** [*to* be] her husband. 메리는 그를 남편으로 맞기로 결심했다.
7 a) [+目/+目+前+名] (수단 따위를) 강구하다, 고르다, 채택하다(select), (명칭·기회 따위를) 사용[이용]하다 ; (보기로서) 들다, 인용하다 : ~ a means[policy, measure] 수단[정책, 방법]을 강구하다 / I'll ~ (advantage of) the next opportunity. 다음 기회를 이용하겠다 / *T*~ your time before answering. 잘 생각하고 나서 대답하시오《서둘지 않아도 좋다》/ Let us ~ an example. 한 예를 들어 보자 / This medicine ~*s* its name ***from*** the inventor. 이 약은 발명자의 이름에서 딴 것이다 / He *took* ***for*** his pen name the old river term "Mark Twain." 그는 필명(筆名)으로 마크 트웨인이라는 예로부터 강에 쓰는 용어를 사용했다. **b**) (길을) 택하다, 가다, 당도하다 : We *took* the shortest way to school. 제일 가까운 길로 학교에 갔다 / You can only let the matter ~ its own course. 되어가는 대로 사태를 맡겨둘 수 밖에 없다. **c**) (수업을) 받다, (전문가의 의견을) 구하다 : ~ dancing lessons 댄스 교습을 받다 / ~ medical[legal] advice 의사의 진찰을 받다[변호사의 의견을 들어 보다].
8 [+目/+目+副/+目+前+名] 제거하다, 빼버리다 ; 빼앗다 ; (남의) 목숨을 앗아가다 : Someone has ~*n* my umbrella. 누군가가 내 우산을 가져갔다 / Tuberculosis *took* her. 결핵이 그녀의 목숨을 앗아갔다 / Thomas was ~*n away* ***from*** school because of stealing. 토머스는 도둑질 때문에 퇴학당했다 / If you ~ 3 *from* 8, you have 5. 8에서 3을 빼면 5가 남는다 / The glow has ~*n* all the ache *from* her tired legs. 그 감격으로 그녀의 지쳐버린 다리의 아픔도 완전히 사라졌다.
9 a) [+目+前+名/+目+副/+目+目](물건을) 가지고 가다, 휴대하다(cf. BRING 1) : He *took* the book ***to*** his father. 그 책을 아버지에게 가지고 갔다 / *T*~ your umbrella ***with*** you. 우산을 가지고 가십시오 / He usually ~*s* sweets *home* *to* his children. 그는 아이들에게 주려고 으레 과자를 사들고 집에 간다 / Please ~ these dishes *away* and wash them. 이 접시를 가지고 가서 닦아 주십시오 / Bring me a cup of tea and ~ the driver a cup, too. 나에게 차를 한잔 가져오고 운전사에게도 한잔 갖다 주시오(cf. *T*~ a cup of tea *to* the driver.). 注 수동태에서는 : The tea was ~*n to* the driver. 그 차는 운전사에게 보내졌다. **b**) [+目+前+名/+目+副/《美》+目+目](사람·동물을) 데리고 가다 : My father often ~*s* me ***to*** the zoo. 아버지는 가끔 나를 동물원에 데리고 가신다 / Will this road ~ me *to* the station? 이길로 가면 정거장으로 갑니까 / I *took* her a new way *to* the office. 그녀를 새로 난 길로 사무실까지 안내했다《注 a new way는 부사구》/ Her uncle *took* her ***round*** the town. 그녀의 아저씨는 그녀에게 마을을 안내했다 / Most people ~ guides ***with*** them. 대개의 사람들은 안내인을 동반한다 / *T*~ Mary ***out for*** lunch. 점심식사에 메리를 데리고 나가시오 / The bus *took* us *home* again. 돌아올 때도 그 버스를 탔다. 注 다음 구문은 지금은 주로《美》: He *took* her a drive (= He *took* her out for a drive). 그녀를 드라이브하러 데리고 나갔다.

> **take를 사용한 문장 전환**
> If you walk another five minutes, you will get to the station.
> (앞으로 5분 더 걸으면 역에 도착할 것이다.)
> → Another five minutes' walk will *take* you to the station.《무생물 주어》

10 (탈것을) 타다 : ~ a bus[plane, ship] 버스[비행기, 배]를 타다.
11 먹다, 마시다, 복용하다, 들이마시다, 냄새맡다 : ~ medicine 약을 복용하다 / ~ a breath of fresh air 신선한 공기를 한숨 들이마시다 / Will you ~ milk or Coke? 우유를 마시겠습니까 아니면 콜라를 마시겠습니까《注《口》에서는 have 쪽이 일반적》.
12 [+目+*to* do/+目+目/+目][때때로 it을 주어로 하여](시간·노력 따위를) 요하다, 필요로 하다, …이 걸리다 : *It* only ~*s* ten minutes *to* walk there. 그곳은 걸어서 10분밖에 안 걸린다 / *It* ~*s* two *to* make a quarrel.《속담》 둘이 있어야 싸움이 된다《혼자서는 싸움이 되지 않는다》/ She *took* a long time *to* prepare breakfast. 아침식사를 준비하는데 많은 시간을 보냈다 / *It took* me three hours *to* do the work. 그 일을 하는데 3시간이 걸렸다 / How long will *it* ~ this letter *to* reach London? 이 편지가 런던에 도착하는데는 얼마나 걸릴까 / The work ~*s* a lot of doing.《口》 그 일은 상당히 힘이 든다. 注 이 뜻의 take는 보통 수동태로 쓰이지 않음.
13 a) [+目/+目+副](언어·행동의) 뜻을 새기다, 해석하다 : ~ a hint 암시하는 바를 깨닫다 / You must not ~ it *ill*[must ~ it *well*] of him. 그의 행위를 악의로 해석해서는 안된다[선의로 해석해야 한다]. **b**) [+目+前+名/+目+*to* do/+目+*as* 補] (…이라고) 생각하다, 여기다, 간주하다, 믿다 : To hear him speak English, one would ~ him ***for*** an Englishman. 누구든지 그가 영어를 하는 것을 듣는다면 영국 사람이라고 생각할 것이다 / What do you ~ me *for*? 나를 어떻게 생각하느냐 / He ~*s* nothing *for granted*. 당연하다고 생각하는 것은 아무것도 없다 / I *took* her *to be* intelligent. 그녀를 총명하다고 생각했다 / Let us ~ it *as* read. (지난 회기(會期)의 의사록 따위를) 그것은 읽은 것으로 해둡시다. 注 뒤에 *that* 節이 수반될 때에는 바로 뒤에 형식목적어로서 it을 둠 : I ~ *it* (*that*) he has not been invited. 그는 초대되지 않았다고 생각한다. **c**) [+目/+目+前+名] 믿다, 신뢰하다 : You may ~ it ***from*** him[~ his word ***for*** it]. 그의 말이니 그것은 믿어도 좋다. **d**) [+目+補/+目+副] …에 대해서 어떤 태도를 (취)하다 : ~ it[things] easy 예사롭게 대하다, 안달하지 않다 / ~ things *calmly* 침착하게[태연자약하게] 대하다.
14 (형태·성질·의견 따위를) 취하다 ; (호감·나쁜 감정을) 품다, 느끼다, 일으키다 : Water ~*s* the shape of the vessel containing it. 물은 담긴 그릇에 의해 모양을 이룬다 / He *took* the most helpless view of life. 인생을 더없이 비관하고 있었다 / ~ a dislike to ☞ DISLIKE *n.* / ~ (an) interest in ☞ INTEREST 숙어 / ~ notice

T

of ☞ NOTICE 숙어 / ~ offense (at...) ☞ OFFENSE 숙어 / ~ pity on ☞ PITY *n.* / ~ (a) pride in ☞ PRIDE *n.* 1.

15 a) (책임 따위를) 지다, 맡다, 떠맡다 : Which of the teachers has ~*n* your class? 어느 선생님이 너의 학급 담임이시냐 / ~ charge of... ☞ CHARGE *n.* 숙어. **b)** (구실·역할·직무 따위를) 하다, 맡아보다, 행하다 : Rev. Thomas Smith will ~ the morning service. 토마스 스미스 목사님께서 아침 예배를 맡아하십니다. **c)** (관직·지위에) 앉다, 오르다 : ~ the throne[crown] 왕위에 오르다.

16 a) (장소·위치에) 몸을 두다[몸담다], …에 자리잡다[를 차지하다] : ~ a seat 자리에 앉다 / ~ the place of a person = ~ a person's place 남과 교대하다, 남을 대신하다, 남의 뒤를 잇다. **b)** (시험 따위를) 치다 : ~ an examination 시험을 치다.

17 (충고 따위를) 받아들이다, …에 따르다 ; (비난 따위를) 감수하다, 참고 견디다 ; (신청·내기 따위에) 응하다 : *T*~ my advice. 내 충고를 들어라 / I will ~ no nonsense. 어리석은 말은 듣고 싶지 않다 / I'm not *taking* any. 《俗》 그것에는 반대한다, 싫다《신청·제안에 대한 대답》/ ~ hard punishment 엄벌을 받다 / ☞ TAKE *it* (2).

18 (행동 따위를) (취)하다 ; (주의 따위를) 기울이다 ; (휴가 따위를) 얻다 : ~ action 행동을 취하다 / ~ a walk[trip, rest] 산책[여행, 휴식]을 하다 / ~ an oath 맹세를 하다 / ~ a sudden leap 갑자기 뛰어오르다 / ~ care 주의하다 / ~ prudence 신중을 기하다 / ~ a week's holiday 1주간의 휴가를 얻다.

19 [+目/+目+副/+目+前+名] 받아쓰다, (사진을) 찍다 ; (초상을) 그리다 : ~ a copy 베끼다 / ~ notes of a lecture 강연내용을 노트에 적다 / Please ~ my snapshot. 내 스냅 사진을 찍어 주십시오 / I *took* his broadcast ***down*** in shorthand. 그의 방송 내용을 속기했다 / I am going to ~ his speech ***on*** tape. 그의 연설을 테이프에 녹음하려고 한다.

20 재다, 확인하다, 조사하다 : ~ a poll 여론조사를 하다 / The nurse *took* the patient's temperature. 간호사는 환자의 체온을 쟀다 / The tailor *took* the customer's measures. 재단사는 손님의 치수를 쟀다 / They will ~ your name and address at the police station. 그들은 경찰서에서 너의 이름과 주소를 확인할 것이다.

21 a) (질병에) 걸리다 : ~ (a) cold 감기에 걸리다. **b)** [+目+補] [수동태로] (질병이) 침범하다(cf. *vi.* 6) : *be* ~*n* ill 병이 나다.

22 (불이) 붙다 ; (염료(染料)·향기 따위를) 흡수하다, …이 물들다 ; 닦아지다 : ~ fire rapidly 급속히 불이 붙다 ; 《비유》 발끈 성을 내다 / This butter has ~*n* the flavor of tea. 이 버터에 차 향(香)이 배었다 / Marble ~*s* a high polish. 대리석은 잘 닦아진다.

23 [+目/+目+前+名] (정신적으로) 덮치다 ; (눈길·마음을) 끌다, 사로잡다, 황홀하게 하다 : He was ~*n* at his ignorance. 그는 무지(無知)해서 이용당했다 / The song has ~*n* our fancy. 그 노래는 우리들의 마음에 들었다 / The young novelist has ~*n* his readers ***with*** him. 그 신진 작가는 독자의 마음을 사로잡았다.

24 〔文法〕 어미(語尾)[종속적 요소]로 취하다 : Ordinary nouns ~ -s in the plural. 보통 명사의 복수는 어미에 -s가 붙는다 / The word ~*s* an accent on the first syllable. 그 단어는 제1음절에 악센트가 있다.

25 (말 따위가 울타리를) 뛰어넘다.

〈회화〉

What train shall we *take*? — Let's *take* the 4 : 15 train.「몇 시 기차를 탈까요」「4시 15분 기차를 탑시다」

—— *vi.* **1** (불 따위가) 붙다 : The fire has ~*n.* 불이 붙었다. **2** (종두(種痘)가) 잘 되다 : The smallpox vaccination did not ~. 천연두의 종두는 잘 되지 않았다. **3** 인기를 얻다 : The play *took* from its first performance[with the public]. 그 연극은 첫 공연부터 히트했다[대중의 인기를 끌었다]. **4** [+副] 사진에 찍히다 : She ~*s well.* 그녀는 사진이 잘 받는다. **5** 뿌리박다 (strike root), (접목이) 붙다, (씨앗·싹이) 싹트다 ; 잘[순조롭게] 되어가다, (약 따위가) 듣다, 효험이 있다. **6** [+補] 《口·方》 (질병에) 걸리다 (cf. *vt.* 21 b)) : ~ ill[sick] 병에 걸리다.

be taken aback ☞ ABACK.

not taking any ☞ *vt.* 17.

take after …을 흉내내다 ; …을 닮다 : Bob ~*s after* his father. 보브는 아버지를 닮았다.

take apart 분해하다, 산산이 흩어지다 ; 분석하다 : Chemistry ~*s* substances *apart.* 화학은 물질을 분석한다.

take away (*vt.*) 가져[운반해, 데려]가다(cf. *vt.* 9 a)) ; 떠나게 하다, 쫓아내다(cf. *vt.* 8) ; 치우다 : Not to be ~*n away.* (도서관 따위에서) 대출 금지 / What shall I do if my father should be ~*n away from* me? 아버지가 나에게서 떠나신다면 어떻게 할까.

take back (1) 도로 찾다 : ~ *back* one's money 돈을 도로 찾다. (2) 《口》 철회하다, 취소하다 : I'll ~ *back* all I said about her conduct. 그녀의 품행에 대해서 말한 것을 모두 취소하겠다. (3) (출발점으로) 데리고 돌아가다 ; 회상시키다 : This picture ~*s* me *back to* my childhood. 이 사진을 보니 어릴 때 일이 생각난다.

take down (1) 내리다, 낮추다 : 움푹 들어가게 하다 ; (건물 따위를) 허물다, 베어 넘기다 ; (땋은 머리를) 풀다 : ~ *down* a box *from* a shelf 선반에서 상자를 내리다 / ~ *down* a crane 기중기(起重機)를 내리다 / ~ *down* a wall 벽을 허물다. (2) …에게 창피를 주다, …의 콧대를 꺾어주다 : ~ a person *down* a peg (or two) ☞ PEG *n.* 숙어. (3) (겨우) 삼키다. (4) 써두다, 적어놓다(cf. *vt.* 19).

take from …을 줄이다, 약하게 하다 : Such faults do not ~ *from* the value of the book. 이와 같은 결함이 그 책의 가치를 감소시키지는 않는다.

take in (1) 수용(收容)하다, 숙박시키다 ; (하숙인을) 받다 : Can you ~ me *in* for a few days? 2, 3일 동안 숙박시켜 주시겠습니까 / ~ *in* lodgers 하숙인을 받다. (2) (세탁·봉제품 따위를) 자기집에서 맡아하다 : ~ *in* washing 세탁물을 맡다. (3) 《英》 (신문 따위를) 받아 보다(cf. *vt.* 4). (4) (여자를 객실에서) 식당으로 안내하다(cf. TAKE *out* (1)) : He *took* Mrs. Smith *in to* dinner. 스미스 부인을 만찬 자리로 안내했다. (5) 《美》 방문하다, 가다, 구경하다 : ~ *in* the World's Fair 세계 박람회를 구경하다. (6) (강연 따위를) 이해하다, 납득하다 ; (허보(虛報) 따위를) 곧이듣다 : Give me time to ~ *in* the whole situation. 사태 전체를 차분히 생각하여 이해할 수 있는 시간을 주시오 / ~ *in* a lecture 강의의 내용을 이해하다.

T

(7) 열심히 듣다 ; 진지하게 귀를 기울이다 : He *took* it all *in.* 진지하게 귀를 기울였다. (8) 한눈에 알아보다 ; 곧 깨닫다 : I *took in* the situation at a glance. 한눈에 사태를 파악했다 / He could not ~ *in* any of the details of her appearance. 그녀 모습의 세세한 점은 전혀 알 수 없었다. (9) (옷 따위를) 줄이다 ; (돛을) 감아올리다(furl) : I must ~ *in* this dress at the waist. 이 드레스의 허리 부분을 줄여야 되겠다. (10) 들르다 : This tour ~*s in* the birthplaces of the poets. 이번 여행에서는 시인들의 출생지를 들르기로 되어 있다. (11) (영토·공유지 따위를) 접수(接收)하다 ; (…의 반환을) 요구하다. (12) 속이다, 기만하다 (deceive) : She told the lie so well that I was easily ~*n in.* 그녀가 거짓말을 하도 잘해서 나는 쉽게 속았다.

take into …의 안[속]에 넣다 : ~ it into one's head *to* do…[*that…*] …하려고 생각하다[…이라고 생각하다, …이라고 믿다].

take it (1) ☞ *vt.* 13 b), c). (2)《口》벌[어려움, 공격]을 견디어 내다.

Take it or leave it. 승낙하든지 말든지 네 마음대로다.

take it out of a person《口》(1) 남을 지치게 하다, 못살게 굴다, 괴롭히다 : All that heavy work has ~*n it out of* him. 중노동으로 그는 완전히 지치고 말았다. (2) 남에게 복수하다 ; 남에게 변상시키다.

take it out on a person《口》남에게 마구 역정을 내다, 마구 화풀이를 하다.

take it (up)on oneself to do …하는 것을 도맡다, 책임을 지고 …하다 ; 용감히[과단성 있게] …하다.

take off (*vt.*) (1) (모자·구두 따위를) 벗다(↔ *put on*) ; 제거하다 ; (…에서) 없애다, 떼다 ; 데리고 가다 : The stranger *took off* his hat (*to* me). 낯선 사람은 (나에게 인사하기 위해서) 모자를 벗었다 / He has ~*n off* his moustache. 콧수염을 깎아 버렸다 / The girl was ~*n off* by the kidnapers. 소녀가 유괴범들에게 끌려갔다 / *T*~ your hands *off* the handle. 핸들에서 손을 떼시오 / The survivors were ~*n off* the wreck. 생존자들은 난파선에서 구출되었다 / He never *took* his eyes *off* his book. 언제까지고 책에서 눈을 떼지 않았다. (2) (값 따위를 …에서) 에누리하다, 할인하다 : ~ ten percent *off* the price 정가에서 10퍼센트 에누리하다. (3) (차편 따위를) 폐지하다 : Two express trains will be ~*n off* next month. 두 급행이 내달부터 폐지된다. (4) 그리다, 묘사하다(portray) ;《口》(남의 버릇 따위를) 흉내내다(mimic) : Bill often ~*s off* our teacher. 빌은 가끔 선생님의 흉내를 낸다. (5) 다 마셔 버리다(drink off). (*vi.*) (6) 떠나가다, 가버리다 (leave) ; 날다, 날아오르다 ;〖空〗이륙(離陸)[이수(離水)]하다 : Four airplanes *took off* at the same time. 비행기 4대가 동시에 이륙했다 / At 8 : 50 we *took off* on the flight for Paris. 8시 50분에 우리들은 파리를 향해서 이륙했다. (7) (병이) …의 생명을 빼앗다, (자객이) 죽이다.

take on (*vt.*) (1) 고용하다(engage) : We are going to ~ *on* some additional workers. 노무자들을 추가로 고용할 예정이다. (2) (일·상대 따위를) 떠맡다 : ~ *on* extra work[heavy responsibilities] 초과 근무[중책(重責)]를 맡다 / ~ *on* new patients 새로운 환자를 맡다《치료에 응하다》/ I'll ~ you *on* at tennis. 나와 테니스를 한 판 해 보자. (3) (성질·외관 따위를) 몸에 띠다[지니다] ; (형세를) 나타내 보이다 : He ~*s on* an Irish accent. 그는 아일랜드 사투리를 쓴다 / The clouds are *taking on* the glow of the evening sky. 구름이 저녁 노을 빛에 물들고 있다. (4) (탈것이 사람을) 태우다, (짐을) 싣다 : The bus *took on* some tourists at the next stop. 버스는 다음 정거장에서 몇 사람의 관광객을 태웠다. (*vi.*) (5)《口》흥분하다, 떠들어 대다, 몹시 슬퍼하다[노하다] : Don't ~ *on* so! 그렇게 애태우지[슬퍼하지] 마라 / She *took on* terribly when told the sad news. 비보(悲報)를 들었을 때 그녀는 몹시 심란했다. (6)《口》인기를 얻다, 유행하기 시작하다 : His theory has ~*n on* among the younger scholars. 그의 학설은 젊은[소장파] 학자들 사이에서 인기를 얻었다.

take oneself off 떠나가다.

take or leave (1) (그 당시의) 자기 판단[마음]으로 …의 여부[채부(採否)]를 결정하다. (2) 다소 …이라는 과부족은 있다고 치고(give or take)《take, leave 다 함께 명령법》: $1000, ~ *or leave* a few dollars 5, 6 달러의 과부족은 있다고 치고 대략 1000달러.

take out (1) 끄집어 내다, 꺼내다, (산책·식사 따위에) 데리고 나가다(cf. *vt.* 9 b)) ;《口》(여자를) 데리고 놀러 가다 : He *took* me *out to* dinner[*for* a walk]. 나를 저녁 식사[산책]에 데리고 나갔다. (2) (…에서) 제거하다 ; (얼룩 따위를) 빼다 : She *took out* the ink stains *from* her blouse. 블라우스에서 잉크 얼룩을 뺐다 / That ~*s* all the fun *out of* it. 그것이 온통 흥을 다 깨는군. (3) (면허 따위를) 얻다, 받다 ; (소환장 따위를) 발행시키다 : ~ *out* a doctorate 박사 학위를 받다 / He *took out* a patent on his new invention. 새 발명품에 대해서 특허를 얻었다. (4) (꾸어준 돈 따위를 …으로) 갚게 하다 : He *took* part of the debt *out in* goods. 그 빚의 일부를 물품으로 받았다. (5) (서적 따위를) 대출하다 ; 베끼다, 발췌하다.

take over (1) (다른 장소까지) 운반해[데려] 가다 : Mr. Green *took* me *over to* the city in his car. 그린씨는 나를 차에 태워 그 도시까지 데려다 주었다. (2) (사업 따위를) 인수하다, 접수하다 ; (직무·직책 따위를) 인계받다 : The building was ~*n over* by the army. 그 건물은 군대에 접수되었다 / The new Minister *took over* on Monday. 신임 장관은 월요일에 인계를 받았다. (3) 차용[채용, 모방]하다.

take place 일어나다.

take to… (1) (습관·도락(道樂) 따위에) 전념하다 ; …에 골몰하기 시작하다, …에 몰두하다 : ~ *to* drink[drink*ing*] 술마시는 버릇이 생기다《㊟ drink는 명사》/ ~ *to* literature 문학에 열중하기 시작하다 / He *took to* writ*ing* after he retired from the college. 대학에서 은퇴한 후 그는 저술(著述)에 전념했다 / ~ *to* the road ☞ ROAD 숙어. (2) …에 정들다, …이 좋아지다 ; (매력 따위에) 끌리다 : ~ kindly *to* …을 따르다 / The children *took to* each other. 아이들은 서로가 마음이 맞았다 / My brother will never ~ *to* baseball. 동생은 결코 야구를 좋아하게 되지 않을 것이다. (3) (숨을 곳·피난처를 찾아서) …으로 가다, …에 의지하다 : The rabbit *took to* the bush. 토끼는 덤불로 도망쳤다 / The passengers *took to* the lifeboat. 승객들은 구조선에 옮겨 탔다 / ~ *to* violence 폭력에 호소하다 / ~ *to* flight ☞ FLIGHT[2] 숙어 / ~ *to* one's heels ☞ HEEL[1] 숙어.

T

take together 통틀어 생각하다 : *T*~*n together,* there cannot be more than a dozen. 모두 합쳐도 한 다스 이상 있을 턱이 없다.
take up (*vt.*) (1) 집어[주워] 올리다, 손으로 집어들다(cf. *vt.* 1). (2) (탈것에) 태우다, (손님을) 잡다 ; (제자(弟子) 등을) 받다, 거느리다 : The train stopped to ~ *up* a number of passengers. 열차가 멈추자 몇사람의 승객이 올라탔다. (3) 포박(捕縛)[체포, 연행]하다(arrest) : He was ~*n up* by the police for robbery. 강도질을 했기 때문에 경찰에 체포되었다. (4) 압축하다 ; 흡수하다(absorb) ; 용해(溶解)하다(dissolve) : Sponges ~ *up* water. 스펀지는 물을 흡수한다 / Water ~*s up* salt. 물은 소금을 녹인다. (5) (시간·장소 따위를) 잡다, 차지하다(occupy) ; (노력 따위를) 들이다 ; (마음·주의 따위를) 끌다, 유의하다 : You are *taking up* too much room. 너는 자리를 너무 많이 차지하고 있다 / Most of his time is ~*n up with* his job. 그의 시간의 대부분은 일이 차지한다. (6) (일·취미 따위) 시작하다, …에 종사하다, (자리·직위에) 앉다 ; (문제 따위를) 다루다, 처리하다 ; (도전(挑戰) 따위를) 받다 : ~ *up* photography 사진 촬영을 시작하다 / I am going to ~ the business *up with* him. 일에 대해서 그와 교섭할 작정이다. (7) (끊어진 대화의) 뒤를 잇다 ; (상대방의) 이야기에 말참견을 하다, (말참견하여) 고쳐 말하게 하려고 하다 : Dick will ~ *up* the story at this point. 여기서부터는 딕이 이야기를 계속한다 / One of the audience *took* me *up* short. 청중의 한 사람이 갑자기 내말을 가로막고 말참견을 했다. (8) (후진·부하로서) 보호하다, 후원하다, 패에 끼어주다. (9) (모집·채권 발행에) 응하다 ; (환어음을) 인수하다 ; (빚을) 모두 변제하다(pay off). (10) (거주지·숙소를) 정하다 : ~ *up* one's residence at …에 거주지를 정하다. (11) (터진 혈관·솔기 따위를) 묶다, 동이다, 홀치어매다. (*vi.*) (12) 《口·方》 (날씨 따위가) 좋아지다.
take up with... (1) (학대 따위를) 참다. (2) 《口》 …와 사귀다, 친밀해지다. (3) 동숙(同宿)하다. (4) (학설 따위에) 동조하다. (5) 흥미를 갖다, 열중하다.
—— *n.* **1 a**) 포획량, 어획량 : a great ~ *of* fish 풍어(豊漁). **b**) 매상액, (입장료 따위의) 판매액(takings). **2** 잡음, 받음, 취득, 획득. **3** 종두(種痘)가 잘 됨. **4** 〖映·TV〗 일회분의 촬영, 한 신(scene), 한 숏(shot) ; 일회분의 녹음. **5** 〖新聞〗 취재. **6** 〖印〗 (식자공이) 한 번에 짜는 원고.
on the take 기회를 엿보아.
〚OE *tacan*<ON *taka*〛
[類義語] (1) ***take*** 손 따위로 물건을 잡다[쥐다] ; 또는 비유적으로도 사용되며, 가장 의미가 넓은 보편적인 말. ***seize*** 갑자기 완력으로 난폭하게 쥐다[잡다] : The robber *seized* the pistol from the policeman. (강도는 경찰관에게서 권총을 잡아챘다). ***grasp*** seize한 것을 단단히 쥐다[잡다] : *grasp* a rope (밧줄을 꼭 쥐다). ***clutch*** 잡고[가지고] 싶다고 생각하는 것을 단단히 또는 발작적으로 움켜잡다[쥐다] : She *clutched* his hand in terror. (그녀는 무서워서 그의 손을 꼭 쥐었다). ***grab*** 난폭하게 또는 버릇없게 seize하다 : The child *grabbed* all the candy. (그애는 버릇없게 사탕을 모두 거머쥐었다). ***snatch*** 갑자기 재빠르게 쥐다[잡다] ; (때때로) 낚아채어 훔치다 : She *snatched* the letter from my hand. (그녀는 내 손에서 편지를 낚아챘다).
(2) ⟹ BRING.
(3) ⟹ RECEIVE.

táke-alòng *a.* 휴대용의.
táke·awày *n.* 《英》 =TAKEOUT 2.
—— *a.* =TAKEOUT.
táke·dòwn *a.* 분해식(分解式)의.
—— *n.* take down 하기 ; (기계 따위의) 분해, 조립식 기계 ; 《口》 창피, 굴욕.
táke-hòme *a.* 학생이 집에 가지고 가서 하는, 숙제용의.
táke-home pày *n.* 《원래 美》 실제로 받는[세금 따위를 공제한] 급료(cf. DISPOSABLE INCOME).
táke-home sàle *n.* 《英》 =OFF-SALE.
táke-ìn *n.* 《口》 **1** take in 하기, (특히) 협잡, 사기(fraud) ; 사기꾼 ; 겉만 번드레한 사람. **2** take in된 수[양].
táke-it-or-léave-it *a.* 승낙하느냐 안하느냐밖에 없는, 승낙 여부를 묻는, 교섭의 여지가 없는.
táke-it-wíth-you *a.* 휴대용의, 갖고 다닐 수 있는 : ~ TV sets 휴대용 텔레비전.
◇**taken** *v.* TAKE의 과거분사.
táke·òff *n.* **1** 출발(점). **2** (도약의) 시발(점) ; (경제 발전의) 도약(단계) ; 〖空〗 이륙[이수(離水)] (지점). **3** 《口》 흉내 ; 만화. **4** 결점. **5** (장소·목적으로의) 유도 수단[장치, 부분], (엔진의) 전도(傳導) 기구[장치]. **6** (건축 따위의) 견적조사. **7** (관(管)·전선 따위의) 분지(分枝), 지선(支線) ; 방수로(放水路).
táke-òne *n.* 낱장으로 떼어내는 전단.
táke-one ád *n.* 《美》 떼어내기식 광고《광고와 함께 놓이어 한 장씩 떼어내도록 된 신청 용지[엽서]나 광고지》.
táke·òut *n.* **1** take out하기 ; 〖브리지〗 테이크 아웃《상대방이 비드(bid)한 것과는 다른 한 벌을 으뜸패로 지정하기》 ; 꺼낸[갈라 놓은] 것 ; 떼어내어[분리시켜] 사용하는 것 ; 연구, 리포트 ; 《美俗》 몫. **2** 《美》 집으로 사 가져가 먹는 음식(을 파는 음식점).
—— *a.* 《美》 집으로 사 가지고가서 먹는《요리》 ; 그 요리를 파는《음식점》.
táke·òver *n.* take over 하기 ; 인계(引繼) ; 관리[지배, 소유]권의 취득[횡령], (회사 따위의) 탈취 ; (이어달리기의) 배턴 터치.
táke-over bíd *n.* 《英》 (매수(買收)를 노리는 기업 주식의) 공개 매입《略 TOB》.
táke-over zóne *n.* 〖陸上〗 배턴 존《이어달리기의 배턴 터치 지점》.
tak·er [téikər] *n.* 잡는[쥐는] 사람, 수취인(受取人) ; 포획자 ; 구독자 ; 음용자 ; 소비자 ; 도전[내기]에 응하는 사람.
táke-ùp *n.* take up 하기 ; 죄는 도구 ; (빨아올리는) 통풍관 ; (직물·벽지 따위를) 감아올리는 장치 ; (필름을) 감는 장치 ; (직물의) 수축.
ta·kin [tá:ki:n] *n.* 〖動〗 타킨《티베트 산악지대의 산양의 일종》. 〚Tibetan〛
tak·ing [téikiŋ] *a.* **1** 매력[애교]이 있는(attractive), 흥미를 돋우는 : a ~ smile 매력적인 미소 / She will be a ~ girl. 매력적인 소녀가 될 것이다. **2** 《口》 (병이) 전염성(性)의 : Measles is ~. 홍역은 전염된다. —— *n.* **1** 획득 ; 어획량(漁獲量). **2** [*pl.*] 소득, 매상액 : In those days ~*s* did not cover expenses. 그 당시에는 아무리 벌어도 적자였다. **3** 《古·方》 동요, 흥분, 곤란 : He was in a great ~. 몹시 조바심내고 있었다. **4** (병의) 발작.
~**·ly** *adv.*
táking-óff *n.* 제거, 치우기 ; 〖空〗 이륙, 이수(離

水), 이함(離艦), 출발 ;《俗》흉내.

taky [téiki] *a.* 《口》 =TAKING.

ta·lar·ia [təlέəriə, -lǽər-, -lά:-] *n. pl.* 〖그 · 로神〗 (Hermes[Mercury]의 양발에 달린) 날개 달린 샌들. 〚L (*talus* ankle)〛

Tal·bot [tɔ́:lbət, 美+tǽlbət] *n.* 톨벗《귀가 긴 사냥개의 일종》.

talc [tǽlk] *n.* Ⓤ 〖鑛〗 활석(滑石), 탤크 ; = TALCUM POWDER.

—— *vt.* (**tálcked, ~ed ; tálck·ing, ~·ing**) 활석으로 문지르다, 탤크로 처리하다.

〚F or L *talcum*<Arab.<Pers.〛

talc·ose [tǽlkous, -⌐] *a.* 활석(滑石)의, 활석을 함유하는.

tálc·ous *a.* 활석으로 이루어진 ; 활석과 비슷한.

tal·cum [tǽlkəm] *n.* **1** =TALCUM POWDER. **2** =TALC.

tálcum pòwder *n.* 탤컴 분말, 땀띠약, 화장분 《활석 가루에 붕산 분말 · 향료 따위를 섞은 것》.

‡**tale** [téil] *n.* **1** (사실 또는 지어낸) 이야기, 설화(說話) ; (이야기 형식의) 문학 작품 : fairy ~*s* 옛날 이야기 / ~*s* of adventure 모험담 / tell one's ~ 신상(身上) 이야기를 하다 ; 자기 할 말을 하다, (사자(使者) 등이) 말을 전하다 / Father told us ~*s* of his boyhood. 아버지는 우리에게 자신의 어린 시절의 이야기를 들려 주셨다 / The ~ goes back to the time when I was still a mere child. 이야기는 내가 아직 어린아이에 불과했던 시절로 거슬러 올라간다 / His ~ is[has been] told. 그는 이제 틀렸다《운이 다 되었다》 / That tells a ~. 그것에는 사정[이유]이 있다 / The result tells its own ~. 결과가 형편을 말해 주고 있다 / Thereby hangs a ~. 《셰익스피어》 그것에는 이유[사정]가 약간 있다. **2** 객담 ; 소문 ; 중상(中傷) ; 지어낸 이야기, 거짓말 : a ~ of a tub ☞ TUB 1 a) / a ~ of nought 쓸모없는 것 / ☞ OLD WIVES' TALE / tell[bring, carry] ~*s* 일러바치다 ; 소문을 퍼뜨리다 ; 비밀을 누설하다 / tell ~*s* out of school ☞ SCHOOL[1] *n.* 숙어 / If all ~*s* be true... 소문이 다 진실이라면…, 정말인지 어떤지 모르지만… / Dead men tell no ~*s*. 《속담》 죽은 자는 말이 없다. **3** 《古 · 文語》 계산, 총계, 총수[액] : The shepherd told his ~. 양치기는 양의 마리수를 세었다 / The ~ is complete. 계산은 모두 맞다 / The ~ of the injured was 50. 부상자는 총 50명이었다.

tell the tale 《俗》 (동정을 얻기 위해) 처량하게 말하다.

〚OE *talu* ; cf. TELL, OS and ON *tala* talk, G *Zahl* number〛

[類義語] ⟹ STORY[1].

tále·bèar·er *n.* 고자쟁이, 소문[험담]을 퍼뜨리는 사람. **tále·bèar·ing** *a., n.* 소문을 퍼뜨리는[퍼뜨리기].

tal·ent** [tǽlənt] *n.* **1** Ⓤ,Ⓒ (타고난) 재주, 소질 ; [흔히 *pl.*] (특수한) 재능, 수완, 역량, 여러 가지 재능(cf. ACQUIREMENT) : a man of ~ 재사 / He early showed a (real) ~ ***for painting. 그는 일찍이 그림에 대한 (진정한) 재능을 나타내었다 / I have no[not much] ~ *for* acquir*ing* foreign languages. 나는 외국어 습득의 재능이 전혀[그다지] 없다. **2** Ⓤ,Ⓒ [때때로 집합적으로] 재능이 있는 사람(들), 인재 ; 《美》 연예인, 예능인(들), 방송 출연자, 연기자, 탤런트 : He encouraged young ~. 젊은 인재를 격려했다 / He is a minor ~ *in* contemporary writing. 오늘날의 문단에서 이류 작가다. [주] 마지막 예문에서와 같이 개별적인 사람을 가리켜 Ⓒ로 쓰는 것은 《美口》. **3** 〖史〗 고대 그리스 · 로마 · 헤브라이의 중량(重量) 및 화폐 단위《가치는 때 · 장소에 따라 다름》.

hide one's talents in a napkin 〖聖〗 자기의 재능을 썩이다.

~·ed *a.* 재주 있는, 유능한. **~·less** *a.* 무능한.

〚OE and OF<L<Gk. *talanton* balance, unit of weight and money〛

[類義語] ***talent*** 어떤 특별한 분야에 대한 타고난 재능 ; 훈련에 의하여 더욱 빛낼 수 있음을 암시함 : a *talent* for painting (그림에 대한 재능). ***gift*** 노력에 의해서 후천적으로 얻은 것이 아니라 태어나면서부터 가지고 있는 천부적인 재능 : a *gift* for learning languages (언어 습득의 선천적인 재질). ***aptitude*** 어떤 특수한 일에 대해서 태어나면서부터 알맞은 성질 ; 성공할 것을 암시함 : an *aptitude* test (적성 검사(適性檢査)). ***faculty*** 어떤 일을 쉽게 실행할 수 있는 선천적 또는 후천적인 능력 : the *faculty* of judgment (사물의 판단 능력). ***knack*** 어떤 일을 교묘한 솜씨로 해내는 재주 ; 후천적으로 길러진 것 : She has the *knack* of cooking. (그녀는 요리 솜씨가 있다). ***genius*** 예술이나 과학에 있어서 독창적이며 타고난 또는 예외적이며 뛰어난 재능 : the *genius* of Shakespeare (셰익스피어의 천부적인 재능).

tálent mòney *n.* 〖野 · 크리켓〗 (직업 선수에게 주는) 우수 성적 특별 상금.

tálent scòut[spòtter] *n.* 《美》 새로운 탤런트를 스카우트하는 사람, 신진 발굴 (담당자).

tálent shòw *n.* 탤런트 쇼《아마추어 연예인들이 연예계 진출을 위해 하는 공연》.

taler ☞ THALER.

ta·les [téili:z] *n.* (*pl.* ~) [복수취급] 〖法〗 보결 배심원 ; 보결 배심원 소집 명령[영장]. 〚L〛

tales·man [téili:zmən, téilz-] *n.* 〖法〗 보결 배심원(陪審員).

tále-tèll·er *n.* **1** 이야기를 하는 사람, 이야기꾼. **2** =TALEBEARER.

tále-tèll·ing *a., n.*

tali *n.* TALUS[1]의 복수형.

tal·i·on [tǽliən] *n.* 동태(同態)[동해(同害)] 보복(법)《피해자가 받은 피해를 가해자에게 똑같이 되갚음하는 것》.

tal·i·ped [tǽləpèd] *a., n.* 안짱다리의 (사람[동물(動物)]).

tal·i·pes [tǽləpì:z] *n.* Ⓤ 안짱다리.

tal·i·pot [tǽləpɑ̀t] *n.* 〖植〗 탈리폿야자나무《남인도산의 야자나무의 일종》.

〚Bengali〛

tal·is·man [tǽləzmən, -əs-] *n.* (*pl.* **~s**) **1** 부적, 호신부(護身符) ; 액막이. **2** 신기한 효험[힘]이 있는 것 ; 강한 영향력을 미치는 사람.

tàl·is·mán·ic, -i·cal [-mǽnik(əl)] *a.* 부적의 ; 마력 있는, 불가사의한. **-i·cal·ly** *adv.*

〚F and Sp.<Gk. *telesma* completion (*teleō* to complete)〛

◇**talk** [tɔ́:k] *vi.* **1 a)** [動/+補] 말하다, 이야기하다(speak) : Our child is learning to ~. 우리 아이는 말을 배우고 있다 / Some robots can ~. 말을 하는 로봇도 있다 / She is always ~*ing*. 언제나 이야기를 늘어놓는다 / Now you are ~*ing*. 《口》 이제 무슨 말인지 알겠다 / She often ~*s* in her sleep. 가끔 잠꼬대를 한다 / I heard him ~ on the radio last night. 어젯밤에 그가 라디오에서 이야기하는 것을 들었다 / ~ big ☞ BIG *adv.* / ~ tall ☞ TALL *adv.* / You ~ quite sen-

T

sible. 너의 말은 아주 이치에 맞는다 / know what one is ~*ing about* 정확히 이해하고 있다, 정통해 있다. **b**) 《비유》 효력이 있다, 위력을 발휘하다 (carry weight) : Money ~*s.* 돈이면 다된다《황금 만능주의》.
2 [+前+名 / +副] 서로 이야기[담화]하다 : She was ~*ing* ***to***[***with***] her neighbor. 이웃 사람과 이야기를 하고 있었다《주 전치사는 *to*를 많이 씀》/ I want someone to ~ *to.* 누군가 이야기 상대가 있었으면 좋겠다 / What are you ~*ing* ***about***[***of***]? 너는 무슨 말을 하고 있느냐《주 이 문장은 *about*을 많이 씀》/ We ~*ed of* one thing and another. 이것저것 잡담했다 / My father and I ~*ed* in detail ***on*** the subject. 아버지와 나는 그 문제에 대해서 자세히 이야기를 나누었다 / After supper they ~*ed* ***over*** the good old days till late at night. 저녁을 먹고 그들은 좋았던 지난 시절에 대하여 밤늦게까지 이야기했다 / Have you ~*ed together* yet? 벌써 의논을 했습니까.

> **talk의 ○×**
>
> (×) He has no friend to *talk about* the matter.
> (그에게는 그 일에 대하여 상의할 친구가 없다.)
> (○) He has no friend to *talk with about* the matter.
> He has no friend to *talk about* the matter *with.*
>
> ☆「남과 …에 대하여 상의하다」는 talk *with* a person *about…* 이므로 위의 부정사를 쓴 표현에서도 그 with가 필요한 것이다.
> 관계대명사를 써서 표현하면 다음과 같다.
> (×) He has no friend *with whom* he can *talk about* the matter.
> (○) He has no friend (*whom*) he can *talk about* the matter *with.*
>
> 「…에 관하여 이야기하다」는 *talk about*이 일반적이다. *talk on*을 쓰면 「…대하여 논하다, 강연하다」 따위로 약간 딱딱한 표현이 된다. 「…와 이야기를 하다」는 talk *to,* talk *with* 중 어느 것을 써도 상관없다.

3 [動 / +前+名] 소문을 말하다(gossip) ; 비밀을 누설하다 ; 험담하다 : People will ~. 세상 사람들의 소문은 못막는다 / He never ~*s* ***about*** others behind their backs. 본인이 없는 데서 남의 이야기를 하지 않는다 / You'll get yourself ~*ed about* if you go there too often. 그곳에 너무 자주 가면 소문나겠다 / *T~* ***of*** the Devil. ☞ DEVIL 1.
4 (말 이외의 방법으로) 의사 소통을 하다 ; 말하는 것 같은 소리를 내다 : The monkeys are ~*ing* loudly among the trees. 원숭이들이 나무 사이에서 시끄럽게 소리를 지르고 있다.
5 [動 / +前+名] (신호·몸짓 따위로) 말하다, 알리다 ; (무선으로) 통신하다 : ~ ***with*** a radio station 무선국과 교신하다 / ~ ***in*** sign language [***by*** gesture, ***with*** one's hands] 수화로[몸짓으로, 손짓으로] 말하다.
— *vt.* **1** [+目 / +目+副 / +目+前+名] …을 말하다, 이야기하다(say), …에 관하여 말하다[논하다](discuss) : It is no use ~*ing* rubbish[nonsense]. 시시한 이야기를 해봐야 아무 소용없다 / The vice president ~*ed* what was sensible enough. 부의장은 매우 분별 있는 말을 했다 / We ~*ed* business[politics] till the small hours. 우리들은 밤늦게까지 상담(商談)[정치를 논]했다 / ~ sense ☞ SENSE *n.* 숙어 / ~ shop ☞ SHOP *n.* 3 / I've to ~ it ***over with*** her family. 그녀의 가족과 함께 의논해야 한다.
2 (외국어 따위를) 말하다(speak) : He ~*ed* Italian fluently and French like a Frenchman. 이탈리아어를 유창하게 구사했을 뿐만 아니라 프랑스어도 프랑스 사람처럼 구사했다.
3 [+目+副 / +目+前+名 / +目+補] (…에게) 이야기하여 …하게[되게]하다, 설득하다 : They ~*ed* their time[fears] *away.* 이야기를 하며 시간을 보냈다[무서움을 달랬다] / I had great difficulty in ~*ing* him ***down.*** 그를 설득하는데 매우 힘들었다 / We ~*ed* them ***over*** [***round***] ***to*** our side. 그들을 설득하여 우리편에 끌어들였다 / She ~*ed* her child *to* sleep. 이야기를 해주어 아이를 재웠다 / He ~*ed* his father ***into*** buy*ing* a new car. 아버지를 졸라 새 자동차를 사시게 했다 / They ~*ed* me ***out of*** my foolish plan. 나의 어리석은 계획을 단념하도록 타일렀다 / He ~*ed* himself hoarse. 목이 쉬도록 이야기했다 / That night they ~*ed* themselves tired [their tongues weary]. 그날밤 그들은 지칠 정도로[입이 아프도록] 이야기했다.
talk at a person 남에게 빗대어 말하다.
talk away (1) 계속해서 말하다[지껄여대다]. (2) 이야기하면서 (시간을) 보내다(cf. *vt.* 3) : ~ *away* an evening 저녁을 이야기하며 보내다.
talk baby ☞ BABY.
talk back 《口》 말대꾸하다(answer back) : Don't ~ *back to* your teacher. 선생님에게 말대꾸를 해서는 안된다.
talk black into white ☞ BLACK *n.*
talk (***cold***) ***turkey*** ☞ TURKEY.
talk down (1) 말로 꼼짝 못하게 하다(cf. *vt.* 3). (2) 〖空〗 (비행기에) 무전으로 착륙을 지시하다, 무전 유도(誘導)하다.
talk down to a person 남에게 얕보는 투로 말하다 ; …에게 알기 쉽게 이야기하다 : He ~*ed down to* his hearers. 청중들에게 알기 쉽게 이야기했다.
talk one***'s head*** [***arm***] ***off*** 한없이 지껄여대다.
talking of …을 말할 것 같으면, …말이 났으니 말인데 : *Talking of* weather, how is it in England about this time of the year? 날씨 이야기가 났으니 말인데 이맘때면 영국의 날씨는 어떻습니까.
talk of. . . (1) …에 관해 말하다, …의 소문을 말하다(cf. *vi.* 2, 3) : ~ *of* one thing or other 이것저것 이야기하다, 잡담하다. (2) …할 생각이라고 말하다 : He is ~*ing of* go*ing* abroad. 해외여행을 갈 생각이라고 말하고 있다.
talk out (1) (문제를) 철저하게 논하다. (2) 《英》 = *talk to* DEATH (2).
talk over (1) (…에 대해서) 상담하다[여러가지 말하다](cf. *vi.* 2, *vt.* 1) : I've got something to ~ *over with* you. 자네에게 의논할 일이 있네. (2) (전화로) 말하다 : Someone was ~*ing over* the telephone. 누군가가 전화로 통화하고 있었다. (3) (남을) 설득하다(cf. *vt.* 3).
talk round (1) (…에 대해서) 장광설을 늘어놓다, 말을 이랬다저랬다 하다. (2) (남을) 설득시키다(cf. *vt.* 3).
talk through one***'s hat*** ☞ HAT.
talk to. . . (1) …에게 이야기를 걸다, …에게 의논하다(cf. *vi.* 2). (2) 《口》 …에게 따지다, 나무라다, 문책하다 ; 훈계하다, 충고하다(cf. TALKING-

TO) : I will ~ *to* him. 나는 그에게 한마디 해주어야겠다.
talk to* one*self 혼잣말을 지껄이다(cf. SAY *to* one*self*).
talk up 큰소리로 말하다, 서슴없이[흥미를 끌도록] 말하다 ; 칭찬하다.
talk with …와 이야기하다, …와 의논하다(cf. *vi.* 2, 5, *vt.* 1).
── *n.* **1** U,C 이야기, 담화, 좌담(座談)(speech) ; C [주로 *pl.*] 회담, 협의 ; U 쓸데없는 이야기, 공론(空論) : ☞ SMALL TALK / ☞ TABLE TALK / have a (long[friendly]) ~ (한가롭게[사이좋게]) 이야기하다〈*with*〉/ There is too much ~ among them. 그들은 말이 너무 많다 / He is all ~. 그는 말뿐이다 / It will end in ~. 말로만 그칠 것이다 / That's the ~! 《美》 조용히!, 근청(謹聽)! **2** (짧은) 강연, 연설 : give a ~ 이야기를 해주다, 강연을 하다. **3** U 소문, 풍문, 낭설 ; 이야깃거리, 화제 : the ~ of the town ☞ TOWN 3 a). **4** U 말투, 어조 ; 용어. **5** 말소리 비슷한 소리 : baby ~ ☞ BABY 4. 〖ME *talk(i)en* (freq.)〈TALE or TELL ; *-k-*는 Fris. *talken* to talk도 영향〗
類義語 (1) (*v.*) ⟹ SPEAK.
(2) (*n.*) ⟹ SPEECH.
talk·a·thon [tɔ́:kəθɑ̀n] *n.* 장시간의 토론[연설, 회담] ; (의사 방해를 위한) 장광설, 지연 연설(filibuster).
〖*talk*+mar*athon*〗
talk·ative [tɔ́:kətiv] *a.* 말하기 좋아하는, 수다스러운. **~·ly** *adv.* **~·ness** *n.*
tálk-bòx *n.* 《口》 입, 말문.
talk·ee-talk·ee [tɔ́:kitɔ́:ki] *n.* **1** (흑인 등의) 서투른 영어. **2** 《蔑》 수다, 객담. **3** 수다쟁이.
tálk·er *n.* **1** 말하는 사람 ; 이야기 잘하는 사람 ; 말하는 새 : a good ~ 좌담을 잘하는 사람. **2** 공론가(空論家) ; 수다쟁이.
tálk·fèst *n.* 《美口》 (격식차리지 않는) 간담회, 토론회 ; 장황한[장시간의] 토론.
talk·ie [tɔ́:ki] *n.* 《口》 발성 영화, 토키.
tálk-ìn *n.* 항의 토론 집회, 토크인 ; 비공식적인 강연 ; 회의.
tálk·ing *a.* **1** 말을 하는 ; 말할 수 있는 : a ~ doll 말하는 인형. **2** 표정이 풍부한 : ~ eyes 말하는 듯한 눈. **3** 수다스러운.
── *n.* U 말하기, 객담, 잡담, 수다.
tálking bóok *n.* 말하는 책, 토킹 북《맹인용으로 서적·잡지 따위를 낭독한 것을 녹음한 레코드나 테이프》.
tálking-dòwn sỳstem *n.* 〔空〕 지상 무전 유도 착륙 방식.
tálking fílm[pícture] *n.* =TALKIE.
tálking hèad *n.* (텔레비전·영화에서) 화면에 등장해서 말하는 사람.
tálking machìne *n.* 축음기(phonograph).
tálking pàper *n.* 입장 표명서(position paper).
tálking pòint *n.* 화제, 이야깃거리(topic).
tálk(ing) shòp *n.* 《英·蔑》 잡담 장소《의회(議會) 따위》.
tálk·ing-tò *n.* (*pl.* **~s, tálk·ings-tò**) 《口》 꾸지람, 잔소리.
tálk jòckey *n.* 《美》 (전화에 의한 청취자 참여 라디오 프로그램의) 사회자.
tálk mòde *n.* 《해커俗》 (단말의) 통신 가능 상태.
tálk shów *n.* 〔라디오·TV〕 명사와의 인터뷰 프로그램.
tálky *a.* 수다스러운, 말이 많은.
tálky tálk *n.* 《口》 잡담, 시시한 이야기.
◇**tall** [tɔ:l] *a.* **1** 키 큰(↔*short*). **2** 높이[키]가 …인(cf. HIGH *a.* 1 주) : He is six feet ~. 신장이 6 피트다. **3** (양말 따위가 보통보다) 긴. **4** 《口·원래 美》 과장된, 허풍떠는 ; (수량이) 엄청난, 큰, 많은 : ~ talk 허풍, 큰소리 / tell a ~ story 허풍떨다 / a ~ price 엄청난 가격 / a ~ order 터무니없는 요구. ── *adv.* 《口》 과장하여, 터무니없게 ; 의기양양하게 : talk ~ 허풍치다 / walk ~ 뽐내며 걷다. **~·ness** *n.* 〖ME=big, comely, valiant<OE *getæl* swift ; cf. OHG *gizal* quick〗
類義語 ⟹ HIGH.
tal·lage [tǽlidʒ] *n.* U 〔史〕 (영주에게 납부한) 토지 사용세, 지대(地代) ; 〔史〕 탤리지《특히 노르만 왕이 예농(隷農)·영토·도시에 부과한 임시세》.
── *vt.* …에게 tallage를 부과하다.
〖OF〗
táll·bòy *n.* 《英》 다리가 긴 옷장(=《美》 highboy) ; 이층장 ; (굴뚝 맨 위의) 통풍관 ; (손잡이가 없는) 운두가 높은 술잔.
táll cópy *n.* 〔製本〕 상하의 여백을 보통 책보다 많이 남겨 두고 재단한 책.
táll drínk *n.* 톨 드링크《운두가 높은 유리컵으로 마시는 칵테일》.
táll hát *n.* 실크해트, 명주로 만든 예식용 남자 모자(top hat).
táll·ish *a.* 키가 큰 편인, 약간 높직한.
tal·lith, -lit, -lis [tɑ́:ləs, tǽl-, -ləθ, -lət] *n.* (*pl.* **tal·li·thim, -li·tim, -li·sim** [tɑ̀:ləsí:m, -θí:m, -tí:m], **ta·ley·sim** [təléisəm]) 탈리스《(1) 유태교도 남자가 아침 예배 때 어깨[머리]에 걸치는[쓰는] 모직[견직] 숄(prayer shawl). (2) 이보다 작으며 유태인 남자가 웃옷 속에 입는 옷》.
〖Heb.=a cover, garment〗
táll òil [tɑ́:l-, tɔ́:l-] *n.* 〔化〕 톨유(油).
tal·low [tǽlou] *n.* U 수지(獸脂) : a ~ candle 수지 양초 / ☞ VEGETABLE TALLOW. ── *vt.* …에 수지를 바르다 ; (지방을 얻기 위해 양·소를) 살찌우다. ── *vi.* 수지가 생기다.
〖MLG<? ; cf. G *Talg*〗
tállow chàndler *n.* 수지 양초 제조[판매]인.
tállow-fàced *a.* 얼굴이 창백한.
tál·lowy *a.* 수지(獸脂)의 ; 수지를 바른 ; 살찐, 기름진 ; 창백한.
táll póppy *n.* 《濠口》 고액 수령자 ; 뛰어난 인물.
tal·ly [tǽli] *n.* **1** 부절(符節), 부신(符信)《옛날 대차(貸借) 관계자가 한 막대기에 눈금을 새겨 금액을 나타내고 그것을 둘로 쪼개어 제각기 소지하여 후일의 증거로 삼은 것》. **2** (일반적으로) 계정[계산]을 기록한 것, 계산서, 계정서《대방(貸方)과 차방(借方)의 양쪽이 가질 수 있게 정·부(正·副) 2통을 만들었을 경우의》. **3** 셈, 계산(account, reckoning) ; (경기 따위의) 득점(score) : pay the ~ 셈을 치르다 / make[earn] a ~ in a game 경기에서 득점하다. **4** 부합하는 물건, 쌍을 이룬 것의 한쪽(counterpart)〈*of*〉; 부합, 일치. **5** 할인(割印) ; (나무·금속·종이의) 부찰(符札), 짐표, 꼬리표(label, tag) : the ~ on a box 상자에 붙인 꼬리표. **6** (물품 수도(受渡) 계산의) 단위수《한 다스·한 다발 따위》; (계수 단위의) 정확한 끝수《20을 단위로 하여 2개씩 셀 경우 …16, 18, *tally*라고 하면 tally는 20을 말함》: buy goods *by* the ~ 물건을 한 다스[한 다발]에 얼마로 사다.
── *vt.* **1** (부절 따위에) 적다(score) ; (계산 따위를) 기록하다, 셈하다 ; 득점하다 : Our team *tallied* three runs in that inning. 우리 팀은 그

회에서 3점을 얻었다. **2** …에 꼬리표[패]를 달다 (label). **3** 부합[일치] 시키다.
—— *vi.* **1** [動/+*with*+名] 부합하다, 일치하다 (agree) : The two accounts *tallied*. 양쪽의 계산이 일치했다 / His story *tallies* ***with*** yours. 그의 이야기는 네 이야기와 일치한다. **2** 득점하다.
〚AF *tallie*<L *talea* rod〛

tálly bòard *n.* 셈판(板), 계산판.

tálly càrd *n.* =TALLY SHEET.

tálly clèrk *n.* **1** 할부 판매원(tallyman). **2** (하역 따위의) 검수원 ; 《美》 (투표의) 계표원.

tal·ly·ho [tæ̀lihóu] *int.* 쉭쉭《사냥개를 부추기는 소리》. —— *n.* (*pl.* **~s**) **1** tallyho라는 외침소리. **2** 4필의 말이 끄는 대형마차.
—— *v.* [美+⌐-⌐] *vi.* 쉭쉭 부추기는 소리를 지르다.
—— *vt.* 쉭쉭 외쳐서 (사냥개를) 부추기다 ; 쉭쉭 외쳐서 (여우가) 있는 것을 알리다.
〚cf. F *taïaut* hunter's cry〛

tálly·man [-mən, -mæ̀n]) *n.* (*pl.* **-men** [-mən, -mèn]) **1** 《英》 할부 판매인. **2** 수를 세는 사람, 검수원. **3** 《俗》 내연(內緣)의 남자.

tálly shèet *n.* (계산·점수 따위의) 기입용지 ; 《美》 (선거의) 투표수 기입용지(記入用紙).

tálly·shòp *n.* 《英》 분할 지급[할부] 판매점.

tálly sỳstem[**tràde**] *n.* 《英》 분할 지급[할부] 판매법.

tál·mi gòld [tǽlmi-] *n.* 금을 입힌 놋쇠. 〚G〛

Tal·mud [tǽlmud, -məd, tá:l-] *n.* [the ~] 탈무드《유태의 율법과 그 해설(서)》. **~·ist** *n.* 탈무드 편찬자[연구가, 신봉자]. **~·ìsm** *n.* 탈무드 교리(의 신봉). 〚Heb.=instruction〛

Tal·mud·ic, -i·cal [tælmjú:dik(əl), tɑ:l-, -múd-, -mʌ́d-] *a.* Talmud의[와 같은] ; 탈무드 편찬 시대의.

tal·on [tǽlən] *n.* **1** [보통 *pl.*] (특히 맹금(猛禽)의) 발톱(cf. CLAW) ; [*pl.*] (맹금의 발톱 같은) 손가락, 움켜쥐려는 손. **2** 칼코등이 밑 ; (자물쇠 볼트의) 돌출부 ; 〔建〕 S자형 쇠시리. **3** 〔카드놀이〕 도르고 남은 패. **4** 〔商〕 (채권의) 이자 교환권. **~ed** *a.* 발톱이 있는. 〚OF=heel ; ⇨ TALUS[1]〛

Ta·los [téilɑs] *n.* **1** 〔그神〕 탈로스《(1) Daedalus의 조카 ; 발명의 재능을 시기한 Daedalus에게 살해당함. (2) Crete섬을 지키기 위해 Hephaestus가 만든 청동 인간》. **2** 탈로스《미해군의 지대공(地對空) 유도 미사일》.

tal. qual. *talis qualis* 《L》 (=such as it is).

ta·lus[1] [téiləs] *n.* (*pl.* **-li** [-lai]) 〔解〕 거골(距骨) ; 복사뼈(ankle). 〚L=ankle〛

talus[2] *n.* (*pl.* **~·es**) 사면 ; 〔建〕 물매, (담 따위의) 물매진 면 ; 〔地質〕 애추(崖錐), 테일러스《낭떠러지 밑에 무너져 쌓인 암설(岩屑)의 퇴적》.
〚F<? L *talutium* slope indicating presence of gold under the soil〛

tam [tǽ(:)m] *n.* =TAM-O'-SHANTER.

TAM television audience measurement(텔레비전 시청자수 (측정)). **Tam.** Tamil.

ta·ma·le [təmá:li] *n.* (옥수수 가루·다진 고기·고추로 만든) 멕시코 요리. 〚Mex. Sp.〛

ta·man·dua [təmǽnduə, təmæ̀nduá:] *n.* 〔動〕 애기개미핥기《열대 아메리카산》.
〚Port.<Tupi〛

tam·a·rack [tǽməræ̀k] *n.* 〔植〕 아메리카 낙엽송 ; Ⓤ 그 목재. 〚Algonquian〛

tam·a·rin [tǽmərən, -ræ̀n] *n.* 〔動〕 타마린《송곳니가 긴 비단원숭이의 일종 ; 남미산》.
〚F<Carib〛

tam·a·rind [tǽmərənd, -rìnd] *n.* 〔植〕 타마린드《열대산 콩과의 상록 교목》; 그 열매《청량 음료·약용·조미용(調味用)》.
〚Arab.=Indian date〛

tam·a·risk [tǽmərìsk] *n.* 〔植〕 위성류속(渭城柳屬)의 관목. 〚L〛

ta·ma·ru·go [tɑ̀:mɑ:rú:gou] *n.* (*pl.* **~s**) 〔植〕 타마루고《칠레의 사막에 나는 콩과의 관목》.

ta·ma·sha [təmá:ʃə] *n.* 《인도》 구경거리, 놀이, 흥행물 ; 행사. 〚Urdu<Arab.〛

tam·ba·la [tɑ:mbá:lə] *n.* (*pl.* **~, ~s**) 탐발라《Malawi의 화폐 단위 ; =1/100 kwacha》.
〚(Malawi)=cockerel〛

tam·bour [tǽmbuər, -⌐] *n.* **1 a**) (특히 저음(低音)의) 북(drum). **b**) 고수(鼓手). **2** 원형 자수틀, 자수품(品). **3** 〔建〕 호박 주춧돌. **4** (캐비닛 따위의) 미늘창.
—— *a.* 미늘창식의.
—— *vt., vi.* (…을 자수틀에 끼워) 수를 놓다.
〚F ; ⇨ TABOR〛

támbour clòck *n.* 받침이 양쪽으로 뻗어 나온 둥근 탁상 시계.

tam·bou·rin [tǽmbərən ; *F* tɑ̃burɛ̃] *n.* 남프랑스에서 쓰는 북의 일종 ; 그에 맞추어 추는 춤(곡).
〚F (dim.) 〈TAMBOUR〛

tam·bou·rine [tæ̀(:)mbərí:n] *n.* 〔樂〕 탬버린《둘레에 방울을 달고 한쪽만 가죽을 댄 북》.
-rín·ist *n.* 탬버린을 치는 사람. 〚↑〛

Tamburlaine ☞ TAMERLANE.

***tame** [téim] *a.* **1** 길든, 길러서 길들인(↔*wild*) : ☞ TAME CAT. **2** 《口》 재배용의 ; 경작된 : ~ plants 재배 식물. **3 a**) 유순한, 온순한 : (as) ~ as a cat 아주 유순한(cf. TAME CAT). **b**) 무기력한, 줏대없는, 박력이 없는 : a ~ husband 줏대없는 남편. **4** (경치 따위) 풍취가 없는, 단조로운, 매력없는.
—— *vt.* **1** 길들이다 : ~ a lion 사자를 길들이다. **2** 복종시키다 ; (용기·정열 따위를) 누르다 ; 꺾다 ; 무기력하게 하다. **3** 재배하다, 경작하다. **4** (색채 따위를) 부드럽게 하다〈*down*〉.
—— *vi.* 길들다 ; 온순해지다.
tám·able, táme- *a.* **~·ly** *adv.* **~·ness** *n.*
〚OE *tam* ; cf. G *zahm* ; (v.)〈(a.)〛

táme cát *n.* 집고양이 ; 《비유》 고분고분하여 귀염 받는 사람, 남이 하라는 대로 하는 호인.

táme·less *a.* 길들지 않은 ; 길들일 수 없는 ; 야성의, 거친.

tám·er *n.* 길들이는 사람[것], …을 부리는 사람 : a lion-~ 사자 조련사.

Tam·er·lane [tǽmərlèin], **Tam·bur·laine** [tǽmbərlèin] *n.* =TIM(O)UR.

Tam·il [tǽməl, tʌ́m-, tá:m-] *n.* (*pl.* **~, ~s**) 타밀인《남부 인도·스리랑카에 사는 종족》; Ⓤ 타밀어(語). —— *a.* 타밀인[어]의.
Ta·mil·ian [tæmíliən] *a.*

tam·is [tǽmi, tǽməs] *n.* (체·여과용의) 망사(網紗), 거르는 천.

Tam·ma·ny [tǽməni] *n.* 태머니파《New York 시의 Tammany Society의 회관인 Tammany Hall을 근거지로 하는 민주당의 정치 단체 ; 흔히 정치적 부패·추문을 뜻함》. —— *a.* 태머니파의 ; 태머니파적인.

Támmany Háll *n.* **1** 태머니 홀(☞ TAMMANY). **2** =TAMMANY.

Támmany Socìety *n.* [the ~] 태머니 협회《1789년 New York시에 설립된 자선 공제 조합 ; 후에 사실상 중산계급의 이익을 대표하는 민주당의 지도적 기구가 됨》.

tam·my [tǽmi] *n.* 《英》 ＝TAM-O'-SHANTER; 《英口》 스코틀랜드인(人).

Tam o' Shan·ter [tǽm ə ʃǽntər] *n.* 태머섄터 《R. Burns의 동명시(同名詩)의 주인공 농부》.

tam-o'-shan·ter [tǽməʃæ̀ntər; ⌐-⌐-] *n.* 태머섄터《스코틀랜드인(人)이 쓰는 위에 술이 달린 베레모(帽)》. 〖↑〗

tam-o'-shanter

tamp [tǽ(ː)mp] *vt.* **1** (땅 따위를) 다져 굳히다. **2** 〔鑛〕 (발파공을) 진흙 따위로 틀어막다. ── *n.* 파이프에 담배를 재는 도구. 〖역성(逆成) ‹ *tampion*〗

tam·per[1] [tǽmpər] *vi.* [＋*with*＋名] **1** 만지작거리다 (meddle); (원문 따위를) 함부로 변경하다, 개찬(改竄)하다: Don't ~ ***with*** the car. 그 자동차를 만져서는 안돼 / It is not good to ~ *with* a personal letter. 개인의 편지를 함부로 개봉하는 것은 좋지 않다. **2** 간섭하다; 뇌물을 주다, 매수하다 ⟨*with*⟩: The candidate ~*ed* ***with*** some voters. 그 후보자는 몇몇 선거인을 매수했다. ── *vt.* 부정하게[함부로] 변경하다. **~·er** *n.* 〖변형(變形) ‹ *temper*〗
類義語 ⟹ MEDDLE.

tamp·er[2] *n.* tamp하는 사람; 메워넣는 막대, 달굿대; (콘크리트 따위의) 죄어 굳히는 기계; 〔理〕 반사체(反射體), 탬퍼. 〖TAMP〗

támper-èvident *a.* 손댄[조작된, 개봉한] 흔적이 뚜렷한.

támper-indìcative *a.* ＝TEMPER-EVIDENT.

támper·pròof *a.* (계기가) 부정(不正) 조작이 불가능한, (기록 따위가) 고쳐질 염려 없는, 간섭을 막을 수 있게 된.

támperproof pàckage *n.* 못된 장난 방지 포장 《시판 약품의 포장을 흠내지 않고 속에 든 것에 독물을 넣거나 하지 못하도록 한번 찢으면 곧 알 수 있게 한 포장》.

támper-resìstant *a.* (포장 따위가) 부정 조작이 불가능한.

támper-sènsitive *a.* 부정에 좌우되기 쉬운, 독물 혼입이 되기 쉬운.

támp·ing *n.* Ⓤ (발파공을) 틀어막기; 충전(充塡) (재료); (도로를) 달구질해 굳히기. 〖TAMP〗

tam·pi·on [tǽmpiən, tɑ́m-], **tom-** [tɑ́m-] *n.* (총구·포구(砲口) 따위의) 나무 마개; (오르간 음관의) 위쪽 끝의 마개. 〖F *tampon* (변형(變形)) ‹ *tapon* ‹ *tape* plug＜Gmc.; ⇨ TAP[2]〗

tam·pon [tǽmpɑn] *n.* 〔醫〕 탐폰《지혈·분비물 흡수에 쓰이는 솜 따위로 된 마개》. ── *vt.* (상처 따위를) 탐폰으로 틀어막다. 〖F (↑)〗

tam·pon·ade [tæ̀mpənéid], **támpon·age** *n.* 〔外科〕 탐폰 삽입(법); 〔醫〕 심장 탐폰 삽입 양(식) 급성 압박, 심(心)탐포네이드.

tam-tam [tǽmtæ̀m, tʌ́mtʌ̀m] *n.* 징(gong); ＝TOM-TOM. 〖Hindi〗

***tan**[1] [tǽ(ː)n] *n.* **1** Ⓤ 탠 껍질《무두질용》. **2** Ⓤ 탠 껍질의 찌끼《뜰·승마길 따위에 깖》; [the ~] 《英俗》 승마 연습장. **3 a**) 햇볕에 태우기(suntan); Ⓤ 황갈색: get a ~ 햇볕에 타다. **b**) [*pl.*] 황갈색 의류품, (특히) 갈색 구두. **4** 타닌(tannin). ── *a.* 황갈색의, 갈색의; 탠 껍질의, 무두질용의. ── *v.* (**-nn-**) *vt.* **1** (짐승 가죽을) 무두질하다; (피부를) 햇볕에 태우다; (그물 따위에) 타닌을 먹이다. **2** 《俗》 후려갈기다(thrash): ~ a person's hide ☞ HIDE[2] 숙어. ── *vi.* 무두질한 가죽이 되다; 햇볕에 타다: She ~*s* easily. 그녀는 햇볕에 쉽게 탄다.
tán·na·ble *a.* 〖OE *tannian*＜L *tanno*＜? Celt. (Ir. *tana* thin)〗

tan[2] [tǽ(ː)n] *n.* ＝TANGENT.

tan·a·ger [tǽnidʒər] *n.* 〔鳥〕 풍금새《중미·남미산의 깃털이 아름다운 새》. 〖NL＜Port.＜Tupi〗

Ta·nan·a·rive [tənæ̀nəríːv] *n.* 타나나리브《Antananarivo의 별칭》.

tán·bàrk *n.* Ⓤ (무두질용의) 탠 껍질; 그것을 깐 지면.

T.& A.V.R., T.A.V.R. 《英》 Territorial and Army Volunteer Reserve(국방 의용 예비군).

T & E travel and entertainment.

tan·dem [tǽndəm] *adv., a.* (2필의 말이) 앞뒤로 나란히 서서[선], (자전거가) 2개(이상) 좌석이 앞뒤로 나란히 있어[있는]; 〔電〕 직렬로[의]: a ~ bicycle 2인승[탠덤식] 자전거 / drive ~ 말 2필이 앞뒤로 나란히 연결해 몰다 / ride ~ (자전거에) 2명(이상)이 앞뒤에 타다, 탠덤식으로 달리다. ── *n.* **1** 앞뒤로 나란히 연결한 2필의 말; 그 마차. **2** (2명(이상)이 앞뒤로 타는) 탠덤식 자전거 [삼륜차]. **3** 직렬식 기관차. 〖L＝at length를 'lengthwise'의 뜻으로 쓴 것〗

tang[1] [tǽŋ] *n.* **1** (칼 따위의) 슴베(tongue). **2 a**) 얼얼한 맛, 톡 쏘는 맛, 특유한 향기⟨*of*⟩. **b**) 《비유》 기미, 풍미⟨*of*⟩. **3** 〔魚〕 쥐돔(surgeonfish). ── *vt.* …에 슴베를 박다; 짜릿하게 하다. **~ed** *a.* 〖ON *tange* point〗

tang[2] *n.* (금속의) 쨍 울리는 소리, 쾅[탕]하고 울리는 소리. ── *vt.* 쾅[탕]하고 울리다. ── *vi.* 쾅[탕]하고 소리나다. 〖imit.〗

tang[3] *n.* Ⓤ 〔植〕 큰바닷말. 〖Scand. (Norw. and Dan. *tang*, Icel. *thang*)〗

Tang [tɑ́ːŋ; tǽŋ] *n.* 〔중국史〕 당(唐)나라, 당조(唐朝)(618-907).

tan·ga [tǽŋgə] *n.* 짧은 끈 모양의 비키니.

Tan·gan·yi·ka [tæ̀ŋgənjíːkə, tæ̀ŋ-; tæ̀ŋ-] *n.* **1** 탕가니카《아프리카 중동부의 인도양에 면해 있던 공화국; 1964년 Zanzibar와 합병하여 Tanzania로 됨》. **2** [Lake ~] 탕가니카 호(湖)《탄자니아와 자이르 사이에 있는 담수호(淡水湖)》.

tan·ge·lo [tǽndʒəlòu] *n.* (*pl.* **~s**) 〔植〕 탄젤로 《귤과 그레이프프루트의 교배종》.

tan·gent [tǽndʒənt] *a.* 접촉하는(touching)⟨*to*⟩; 〔數〕 접선(接線)의, 접하는; 정접(正接)하는; 본래의 목적[방침]에서 벗어난. ── *n.* **1** 〔數〕 접선, 접평면(接平面), 탄젠트《略 tan》, 정접(正接). **2** (도로·선로의) 직선 구간.
fly [***go***] ***off at*** [***in,*** (***up***)***on***] ***a tangent*** 《口》 갑자기 옆길로 빗나가다; 탈선하다.
tán·gen·cy *n.*
〖L *tact- tango* to touch〗

tángent bálance *n.* 탄젠트[정접] 저울.

tángent galvanómeter *n.* 〔電〕 탄젠트 검류계(檢流計).

tan·gen·tial [tændʒénʃəl] *a.* **1** 〔數〕 접선[정접]의, 접하는. **2** (힘·운동 따위) 접선을 따라 움직이는. **3** 거의 관계없는, 부적절한; 미미한. **4** 빗나가는, 탈선하는. **~·ly** *adv.* 접선적으로.

tángent síght *n.* 탄젠트자, 표척.

tan·ger·ine [tæ̀ndʒəríːn, ⌐-⌐] *n.* **1 a**) 탕제린오렌지(나무)《Tangier 원산의 귤; mandarin(e)의 일종》. **b**) 붉은기가 많은 오렌지색. **2** [T~] Tangier의 주민. ── *a.* 탕제린 색의; [T~] Tangier의.

tan·gi·ble [tǽndʒəbəl] *a.* **1** 만져서 알 수 있는;

실체적(實體的)인, 구체적인 ; 〖法〗 유형(有形)의 (corporeal) : ~ assets 〖會計〗 유형 자산. **2** 명백한 ; 확실한 ; 현실의(real). —— *n.* [때때로 *pl.*] 유형(有形) 자산. **-bly** *adv.* 만져서 알 수 있게 ; 명백하게. **~·ness** *n.* **tàn·gi·bíl·i·ty** *n.* 〚F or L ; ⇨ TANGENT〛

Tan·gier [tændʒíər], **-giers** [-z] *n.* 탕헤르《아프리카 북서부 끝에 있는 모로코의 옛 국제 관리 지대 ; Gibraltar 해협에 면한 항구 도시》.

tan·gle** [tǽŋgəl] *vt.* [+目/+目+*with*+名/+目+副] 엉키게 하다, 얽히게 하다 ; 분규시키다 ; 그물[덫]에 걸리게 하다 ; 함정에 빠뜨리다 ; 당황하게 하다 : The hedges are ~*d* ***with wild roses. 울타리에는 들장미가 휘감겨 있다 / The trees and bushes were all ~*d together.* 큰 나무와 덤불들이 모두 뒤엉켜 있었다. —— *vi.* 엉키다, 얽히다 ; 분규하다, 혼란스럽다 ; 《口》 말다툼하다, 논쟁하다. —— *n.* **1 a**) (머리털 따위의) 엉킴 : a ~ *of* wool[briars] 얽혀 있는 양털[찔레]. **b**) 얽힘, 혼란, 분규 ; 《口》 말다툼, 격론 : *in* a ~ 얽혀서, 혼란에 빠져. **2** 큰바닷말 ; 다시마. **~·ment** *n.* **tán·gler** *n.*

tán·gled *a.* 얽힌 ; 혼란한 : a ~ jungle 밀림 / ~ hair 엉클어진 머리.

tángle·fòot *n.* (*pl.* **~s**) Ⓤ 《美俗》 독한 술, (특히) 싸구려 위스키.

tán·gly *a.* 엉클어진 ; 혼란한.

tan·go [tǽŋgou] *n.* (*pl.* **~s**) 탱고《라틴 아메리카 기원의 4박자의 춤》 ; 그 곡. —— *vi.* 탱고를 추다. 〚Am. Sp.〛

tan·gram [tǽŋgrəm, -græm] *n.* 지혜 놀이 판자《7매의 판으로 된 중국의 퍼즐》. 〚C19 <? TANG+*-gram*〛

tangy [tǽŋi] *a.* (맛이) 짜릿한, (냄새가) 코를 쏘는. 〚TANG[1]〛

***tank** [tǽŋk] *n.* **1** (물·기름·가스 따위의) 저장통, 탱크, 수조(水槽), 유조(油槽) ; 《인도》 저수지 ; 《美·英方》 못, 호수. **2** 〖軍〗 전차, 탱크 : a female[male] ~ =a light[heavy] ~ 경[중]전차. **3** 《美俗》 혼거(混居) 감방 ; 작은 마을 ; 위, 밥통. —— *vt.* 저장통[탱크]에 넣다[저장하다], 탱크 속에서 처리하다. —— *vi.* 《口》 탱크처럼 움직이다.

tánk·age *n.* Ⓤ 탱크 사용료 ; 탱크 설비 ; 탱크 용량 ; 탱크 찌꺼기《지스러기 고기, 내장 따위를 탱크에서 쪄 탈지한 찌꺼기 ; 비료·사료용》.

tan·kard [tǽŋkərd] *n.* 탱커드 《뚜껑·손잡이가 달린 금속·도기(陶器)·나무로 만든 큰 컵》 ; 그것으로 한 잔 가득한 분량. 〚ME=bucket <? ; cf. MDu. *tankaert*〛

tankard

tank·a·to·ri·um [tæ̀ŋkətɔ́ːriːəm] *n.* 탱크 요법 클리닉《뜨뜻한 소금물을 반쯤 채운 밀폐된 탱크에 환자를 넣어 치료하는 정신 요법 시설》.

tank·bust·er [tǽŋkbʌ̀stər] *n.* 《俗》 대(對) 전차포 탑재기.

tánk càr *n.* 탱크 차《액체·기체 수송 화차》.

tánk destròyer *n.* 대전차포 ; 전차 공격용 고속 장갑 전차.

tánk dràma *n.* 〖劇〗 (수난(水難) 구조 장면 따위에) 실제로 물을 써서 인기를 끌려는 싸구려 신파극 ; 무대 장치에 공을 들인 신파극.

tanked [tǽŋkt] *a.* 《俗》 몹시 취한. ***get tanked up*** 《俗》 만취하다.

tánk èngine *n.* =TANK LOCOMOTIVE.

tánk·er *n.* **1** 탱커, 유조선(油槽船) ; 급유 (비행)기(機) ; 탱크 로리(=《美》 tank truck). **2** 〖美軍〗 전차[장갑차] 대원.

tánker wàr *n.* 탱커 전쟁《상대방의 원유 수출 저지를 위한 이란·이라크간의 원유 탱커 공격 ; 이란·이라크 전쟁》.

tánk fàrm *n.* 석유 탱크 밀집 지역.

tánk fàrming *n.* 수경법(hydroponics).

tánk fìght *n.* 《美俗》 미리 짜고 하는 권투 시합.

tánk locomòtive *n.* 〖鐵〗 탱크 기관차《석탄·물을 실음》.

tánk·man [-mən] *n.* (공장의) 탱크 담당 ; (수족관의) 수조 담당 ; 〖美軍〗 =TANKER ; 《俗》 남자 수영 선수《스포츠 기자 용어》.

tánk ràce *n.* 수영 경기.

tánk·shìp *n.* 유조선, 탱커.

tánk sùit *n.* 탱크 슈트《1920년대에 유행한 스커트가 달려 있지 않은 위아래가 붙은 수영복》. 〚*tank* swimming pool〛

tánk tòp *n.* 탱크 톱《소매 없는 셔츠풍의 상의》. 〚cf. ↑〛

tánk tòwn *n.* 〖美鐵〗 급수역 ; 작은 마을.

tánk tràp *n.* 대전차 장애물[호(壕)].

tánk trùck *n.* 유조(油槽)[수조(水槽)] 트럭.

tan·nage [tǽnidʒ] *n.* Ⓤ 무두질(tanning) ; 무두질한 것.

tan·nate [tǽneit] *n.* Ⓤ 〖化〗 타닌산염(酸鹽).

tanned [tǽ(ː)nd] *a.* 무두질한 ; 햇볕에 탄 : with a ~ face 햇볕에 탄 얼굴로.

tan·nen·baum [tǽnənbàum] *n.* 크리스마스 트리 《전나무의 뜻》. 〚G=fir tree〛

tán·ner[1] *n.* 무두장이, 제혁업자. 〚TAN〛

tanner[2] *n.* 《英俗》 옛 6펜스(짜리 은화). 〚C19<?〛

tán·nery *n.* 무두질[제혁] 공장 ; Ⓤ 무두질(법).

tan·nic [tǽnik] *a.* 탠 껍질의 ; 〖化〗 타닌성(性)의 ; 타닌에서 얻은 : ~ acid 타닌산(酸). 〚F ; ⇨ TANNIN〛

tan·nin [tǽnən] *n.* Ⓤ 〖化〗 타닌(산(酸)). 〚F *tanin* ; ⇨ TAN[1]〛

tán·ning *n.* **1** Ⓤ 제혁법(製革法), 피혁무두질법 ; 햇볕에 타기. **2** 《俗》 채찍질(thrashing).

tánning bèd *n.* 일광욕용 베드.

tán·nish *a.* 황갈색을 띤.

Tan·noy [tǽnɔi] *n.* 태노이《스피커 시스템 ; 상표명》 ; [t~] 《英》 스피커 시스템. —— *vt.* [t~] 《英》 스피커 시스템으로 방송하다.

TANS 〖空〗 tactical air navigation system《전술 항법(航法) 시스템 ; Doppler rader를 이용함》.

TANs 《美》 tax anticipation notes《납세 지방채(債) ; 지방 자치 단체가 세수를 예상하여 발행하는 공채》.

tan·sy [tǽnzi] *n.* 〖植〗 쑥국화. 〚OF<L<Gk. *athanasia* immortality〛

tan·ta·lize [tǽntəlàiz] *vt.* (보여 주면서) 감질나게 하다, 애타게 하여 괴롭히다. **-lìz·er** *n.* **tàn·ta·li·zátion** *n.* 〚TANTALUS〛

tán·ta·lìz·ing *a.* 안타까운, 애태우게 하는 : a ~ smell of savory food 견딜 수 없이 식욕을 돋구는 맛있는 음식 냄새. **~·ly** *adv.* 애태우게 하여.

tan·ta·lum [tǽntələm] *n.* Ⓤ 〖化〗 탄탈《희유(稀有) 원소 ; 기호 Ta ; 번호 73 ; 백금 대용품》. 〚↓ ; 그 비(非)흡수성에서〛

Tan·ta·lus [tǽntələs] *n.* **1** 〖그神〗 탄탈로스 《Zeus의 아들 ; 신들의 비밀을 누설한 벌로 턱에까

지 차는 지옥의 물에 잠겨 목이 말라 물을 마시려 하면 물이 빠지고, 배고파 나무 열매를 따려 하면 가지가 뒤로 물러갔다 함》. **2** Ⓒ [t~]《英》탄탈로스 스탠드《보통 3개 한 벌로 된 술병을 올려놓는 스탠드로 열쇠가 없으면 병을 꺼낼 수 없음》.

tan·ta·mount [tǽntəmàunt] *a.* 동등한, 거의 같은(equal) : The excuse was ~ *to* a refusal. 그 변명은 거절이나 다름없었다. 〖AF<It. *tanto montare* to AMOUNT to so much〗

tan·ta·ra [tæntǽrə, -tɑ́:rə, tǽntərə] *n.* 나팔[피리]의 소리[울림]. 〖L‹(imit.)〗

T-antigen [tí:ˊ-] *n.* T항원《바이러스에 의해 암(癌)화된 세포에서 볼 수 있는 항원》.

tan·tivy [tæntívi] *adv.* 질주하여, 쏜살같이 ; 단숨에. —— *n.* 질주, 돌진 ;〖사냥〗「달려가」하는 외침 ; 뿔피리 소리 ; [T~]〖英史〗1660-88년의 고교회파[토리당]의 사람. —— *a.* 질주하는 ; Tantivy의. 〖C17<? ; imit.인가〗

tan·to [tɑ́:ntou, tǽn-] *adv.*〖樂〗지나치게, 너무 : non ~ 너무 …하지 않게. 〖It.〗

tán·tony (pìg) [tǽntəni(-)] *n.* 한 배에서 난 돼지 새끼 중 가장 작은 놈(Anthony) ; 추종자.

tan·tra [tʌ́ntrə, tɑ́:n-, tǽn-] *n.* [때때로 T~]〖힌두教〗탄트라 경전 ; Ⓤ 그 교리. **tán·tric** *a.* 〖Skt.=groundwork, doctrine (*tan* to stretch)〗

tan·trum [tǽntrəm] *n.* [주로 *pl.*] 기분이 언짢음, 부아, 짜증, 화 : be in one's ~*s* 기분이 언짢다 / go[fly, get] into one's ~*s* 불끈 화를 내다. 〖C18<?〗

tán·yàrd *n.* (무두질[제혁] 공장의) 무두질 액통 두는 곳.

Tan·za·nia [tæ̀nzəní:ə, tænzéiniə] *n.* 탄자니아《아프리카 중동부에 있는 공화국 ; 1964년 Tanganyika와 Zanzibar가 합병하여 이루어짐 ; 수도 Dar es Salaam》.

Tao [dáu, táu, tɑ́:ou] *n.* (도교(道教)의) 도(道) ; (유교의) 도. 〖Chin.〗

Táo·ism *n.* Ⓤ 도교 ; 노장철학(老莊哲學).

Táo·ist *n., a.* 노장 철학 신봉자(의), 도가(道家)(의) ; 노장 철학(의), 도교(의). **Tao·ís·tic** *a.*

tap**[1] [tǽp] *v.* (**-pp-**) *vt.* **1** [+目/+目+前+名] 가볍게 두드리다 : He ~*ped* his foot to the piano. 피아노에 맞추어 발을 가볍게 굴렀다 / She ~*ped* me ***on the shoulder. 내 어깨를 가볍게 툭 쳤다 / The gentleman ~*ped* his stick *on* the pavement[~*ped* the pavement ***with*** his stick]. 신사는 지팡이로 보도를 똑똑 두드렸다. **2** [+目/+目+前+名] (소리를) 똑똑 내다 ; (파이프를) 툭툭쳐서 재를 털다 : ~ time 똑똑 박자를 맞추다 / He ~*ped* the ashes ***out of*** his pipe. 파이프를 툭툭쳐서 재를 털었다. **3** 구두창을 대다. **4** (특히 회원을) 뽑다, 지명하다. —— *vi.* [動/+前+名] 가볍게 치다[두드리다], 똑똑[톡톡] 치다 ; 타진(打診)하다 ; 탭댄스를 추다 : I heard someone ~ ***at***[***on***] the door. 누군가가 문을 똑똑 두드리는 소리가 들렸다. —— *n.* **1** 똑똑치기, 가볍게 두드리기, 똑똑치는 소리〈*at, on*〉. **2** [*pl.* ; 보통 단수취급]〖美軍〗소등(消燈) 신호《나팔·북 따위로 알림 ; cf. TATTOO[1], POST[3] 6》;〖英軍〗식사 나팔. **3**《美》(창갈이용의) 구두창 ; 탭댄스 ; (탭댄스용 구두에 박는) 큰 징. 〖imit. ; F *taper*의 영향〗

***tap**[2] *n.* **1** (통에 달린) 주둥이, 꼭지 ; (통 따위의) 마개 : a ~ borer 구멍 뚫는[마개 따는] 송곳. **2** 암나사의 홈을 파는 공구. **3** (술통 꼭지에서 나오는) 술 ; (술의) 품질, (약한·독한) 맛 ; (일반적으로) 특질 : an excellent ~ 고급 술. **4** = TAPROOM. **5**〖電〗탭《전기 회로의 중간 접점(接點)》; 도청 ; 도청기. **6**〖醫〗천자(穿刺)(법).

on tap (통에) 꼭지가 달려, (술이) 언제나 따를 수 있게 준비가 되어 ;《비유》준비가 되어 ; (국고채권을) 언제든지 살 수 있는.

—— *vt.* (**-pp-**) **1** (통에) 꼭지를 달다 ; (통의) 마개를 따다, …의 꼭지로 술을 따르다 : ~ a cask of wine 포도주 통의 꼭지를 따다. **2** (줄기에 칼자국을 내어) …의 수액을 채취하다 ; 천자하다 : ~ gum trees 고무 나무에서 수액을 채취하다. **3** (전선을) 탭에 연결하다《통신을 엿듣기 위해》; (특히) 엿듣다, 도청하다. **4** (토지·광산 따위를) 개발하다 : The new highway has ~*ped* the districts. 새로운 고속도로 덕분에 그 지역(의 교통편)이 개발되었다. **5** (이야기 따위를) 꺼내다, 시작하다(broach). **6** [+目+*for*+名]《口》(남에게 물건을) 청(구)하다, 조르다(solicit) : He tried to ~ me ***for*** a tip[the news source]. 그는 나에게 팁을 뜯어내려고[뉴스 원(源)을 알아내려고] 했다. **7**〖機〗…에 암나사 홈을 파다. —— *a.* (채권이) 발행 기간·발행 총액에 제한이 없는. 〖OE *tæppa* ; cf. G *Zapfen* ; (v.)‹(n.)〗

ta·pa [tɑ́:pə, tǽpə] *n.* Ⓤ 타파《꾸지나무의 껍질》; 타파 천(=ˊ~ **clòth**)《태평양 제도 지역에서 타파로 만든 종이 모양의 천》. 〖Marquesan, Tahitian〗

táp bòlt *n.* 탭 볼트(cap screw).

táp bònd[ìssue] *n.*《美》(유휴 자본의 흡수를 목적으로 발행하는) 국채의 일종.

táp cìnder *n.*〖冶〗광재(鑛滓).

táp dànce *n.* 탭 댄스《구둣발 소리의 리듬을 주로 하는 춤의 일종》.

táp-dànce *vi.* 탭 댄스를 추다.

táp dàncer *n.* 탭 댄스를 추는 사람.

táp dàncing *n.* =TAP DANCE.

‡tape [téip] *n.* **1 a)** Ⓤ,Ⓒ 납작한 끈, 테이프. **b)** Ⓤ,Ⓒ (절연) 테이프, 접착 테이프, 셀로판 테이프 ; 녹음 테이프 ; 천공(穿孔) 테이프《컴퓨터·전신 수신용》. **c)**〖競〗테이프 : breast the ~ 테이프를 끊다, 일등을 하다. **d)** Ⓤ,Ⓒ (기계의) 피대. **2** =TAPE MEASURE. **3** =TAPEWORM. —— *vt.* **1** 납작한 끈으로 묶다 ; 절연 테이프를 감다 ; (결승선에) 테이프를 치다 ; 접착 테이프로 붙이다[바르다]. **2** …을 테이프에 녹음하다. **3** …을 줄자로 재다. —— *vi.* **1** 테이프에 기록하다. **2**《俗》…의 인물을 간파하다(size up).

be taped《英口》완전히 이해되다 ; 매듭짓다.

have*[*get*]*... taped《英口》(사람·사태 따위를) 완전히 이해[파악]하다 ;《英口》…의 매듭을 짓다.

—— *a.* 테이프에 기록한. **~·less** *a.* **~·lìke** *a.* 〖OE *tæppa, tæppe* part torn off<? ; cf. OFris. *tapia* to pull, MDu. *tapen* to tear〗

tápe dèck *n.* 테이프 덱《(1) 자기 헤드에 테이프를 통과하게 하는 기구. (2) 파워 엠프와 스피커를 내장하지 않은 테이프 리코더》; =TAPE PLAYER.

tápe-delày *n.* 테이프 딜레이《(1) 녹음한 것을 방송에 걸기까지의 시간. (2) 연주 생방송에서 효과를 높이는 방법으로 후속되는 연주에 음을 겹치게 하기 위한 녹음》.

tápe·lìne *n.* =TAPE MEASURE.

tápe machìne *n.* **1**《英》=TICKER 2 b). **2** = TAPE RECORDER.

tápe mèasure *n.* (천 또는 금속제의) 줄자.

tápe mèasure jòb *n.*《野俗》특대(特大) 홈런.

tápe plàyer *n.* 테이프 플레이어(tape deck)《재생 전용 장치》.

T

ta·per[1] [téipər] *n.* **1** (옛날의) 작은 초, 가는 초 ; (점화용의) 초 먹인 심지 ; 《詩·文語》 약한 빛 ; 끝이 뾰족한 것 ; (주물공의) 인두. **2** (길고 가는 물체의 두께·너비 따위의) 체감도[률] ; (활동·힘 따위의) 점점 약해지기, 점감(漸減). —— *a.* 《주로 詩·文語》 = TAPERING. —— *vi.* [+副] 끝이 가늘어지다 ; 차차 작아지다 ; 차츰 약해지다 : The flagpole ~*s* ***off*** to a point. 깃대는 꼭대기 쪽으로 차차 가늘어져 있다. —— *vt.* 끝이 가늘어지게 하다〈*off*〉. 〖OE *tapur, taper* wax candle＜L PAPYRUS ; 심(芯)(wick)으로 파피루스의 고갱이를 사용한 데서〗

tap·er[2] *n.* tape를 사용하는 사람 ; 테이프를 거는 기계.

tápe rèader *n.* 〔컴퓨〕 테이프 판독기(判讀機).

tápe-recòrd *vt.* 테이프에 녹음하다.

tápe recòrder *n.* 테이프 리코더.

tápe recòrding *n.* 테이프 녹음[녹화].

tápe rèel *n.* 〔컴퓨〕 테이프 릴《자기(磁氣) 테이프를 감기 위한 얼레》.

táper fìnger *n.* 끝이 가는 손가락(↔*sausage finger*).

tá·per·ing *a.* 끝이 가늘어진 ; 차차 줄어드는. **~·ly** *adv.* 끝이 가늘게, 차차 줄어들게.

táp·es·tried *a.* tapestry로 장식한[에 색무늬를 짜 넣은] : ~ walls 색무늬 융단으로 장식된 벽.

tap·es·try [tǽpəstri] *n.* U,C 색실로 그림 무늬를 짜 넣은 융단, 벽걸이 융단 ; 그런 직물의 무늬. —— *vt.* 색무늬 융단으로 장식하다 ; (색무늬를) 융단에 짜 넣다. **~·lìke** *a.* 〖ME *tapissery*＜OF ; ⇨ TAPIS〗

tápe ùnit *n.* 〔컴퓨〕 테이프 장치.

tápe·wòrm *n.* 〔動〕 촌충(寸蟲).

ta·phon·o·my [təfánəmi] *n.* 〔地質〕 **1** (동식물의) 화석화(化石化)(의 과정 조건). **2** 화석학(學), 화석 생성론.

táp·hòuse *n.* 《英》 (생맥주) 선술집.

tap·i·o·ca [tæ̀pióukə] *n.* U 타피오카《cassava 뿌리에서 채취한 식용 녹말》. 〖Port. and Sp.＜Tupi-Guarani (*tipi* dregs, *og, ok* to squeeze out)〗

ta·pir [téipər] *n.* (*pl.* ~, ~**s**) 〔動〕 맥(貘)《말레이·중남미산》. 〖Tupi〗

tap·is [tǽpi(:), 美+tæpí:] *n.* U 색무늬 융단. 注 지금은 다음 숙어로만 쓰임.

on [***upon***] ***the tapis*** 심의중인. 〖OF=carpet, tablecloth＜Gk. (dim.)〈*tapēt-tapēs* tapestry〗

ta·pote·ment [təpóutmənt] *n.* U 〔醫〕 가벼운 안마 요법. 〖F (*tapoter* to tap)〗

táp·per[1] *n.* 가볍게 두드리는 사람 ; 구두 수선공 ; (전신기의) 전건(電鍵) ; (벨의) 딸딸이 ; 《英方》 딱따구리 ; 탭댄서.

tapper[2] *n.* tap하는 사람[것] ; 수액(樹液) 채취자[기] ; 암나사 깎는 사람[기계].

tap·pet [tǽpət] *n.* 〔機〕 철자(凸子). 〖TAP[1]〗

táp·ping *n.* U tap하기 ; 〔醫〕 복수(腹水) 빼내기 ; 암나사 깎기 ; (통신 따위의) 도청.

táp ràte *n.* 《英》 (국채 따위의) 시세.

táp·ròom *n.* 《英》 바, 술집(barroom).

táp·ròot *n.* 〔植〕 곧은뿌리, 원뿌리 ; 《비유》 성장의 요인.

taps [tǽps] *n.* [단수·복수 취급] 〔美軍〕 소등 나팔[북] ; (군대장(葬)·위령제의) 영결 나팔.

TAPS [tǽps] *n.* 알래스카 횡단 석유 수송관망(網). 〖*T*rans-*A*laska *P*ipeline *S*ystem〗

táp·ster *n.* (술집의) 종업원, 바텐더. 〖OE *tæppestre* ; ⇨ TAP[2]〗

táp-táp *n.* 똑똑《두드리는 소리》.

táp wàter *n.* 수도꼭지에서 받은 맹물.

tar[1] [tá:r] *n.* U 타르《석탄·목재를 건류하여 얻은 검은 유상액(油狀液)》 ; (담배의) 댓진 ; 《美俗》 아편 ; 《美俗》 커피. —— *vt.* (**-rr-**) …에 타르를 칠하다 ; 더럽히다 : ~*red* paper 타르를 칠한 종이 《방수용(防水用)》.

be tarred with the same brush [***stick***] 남과 같은 결점이 있다, 같은 부류다.

tar and feather a person (남의) 온몸에 타르를 칠하고 새털을 붙여서 메고 다니다《사형(私刑)의 일종》.

〖OE *te*(*o*)*ru*＜Gmc. (《美》 *trew*- TREE) ; cf. G *Teer*〗

tar[2] *n.* 뱃사람, 선원(jack-tar). 〖*tar*paulin〗

tar·a·did·dle, tar·ra- [tǽrədidl, ⌐-⌐-] *n.* 《口》 거짓말. 〖C18＜? ; cf. DIDDLE〗

ta·ra·ma·sa·la·ta, -mo- [tɑ̀:rəməsəlɑ́:tə] *n.* 〔料〕 타라마살라타《어란(魚卵)으로 만든 그리스풍의 오르되브르》. 〖Mod. Gk.〗

ta·ran·tass, -tas [tɑ̀:rɑ:ntɑ́:s, -tǽs] *n.* (러시아의) 대형 4륜 마차의 일종. 〖Russ.〗

tar·an·tel·la [tæ̀rəntélə], **-telle** [-tél] *n.* 타란텔라《나폴리 부근에서 생긴 3/8, 6/8박자의 활발한 춤 ; 그 곡》. 〖It. (dim.)〈TARANTO〗

tar·an·tism [tǽrəntìzəm] *n.* 〔醫〕 무도병(舞蹈病)《15-17세기 Taranto에서 유행함 ; tarantula에 물려서 생긴다고 함》.

Ta·ran·to [tɑ́:rəntòu, tərǽntou] *n.* 타란토《이탈리아 남동부의 Taranto만(灣)에 면한 항구 도시 ; 고대명(名) **Ta·ren·tum** [təréntəm] 타렌툼》.

ta·ran·tu·la [tərǽntʃələ] *n.* (*pl.* **~s, -lae** [-lì:]) 타란툴라늑대거미《Taranto 지방산(産)》.

tar·a·tan·ta·ra [tæ̀rətæntǽrə, tɑ̀:rə-, -tɑ́:rə, -tǽntərə] *n.* 나팔 따위의 소리.

ta·rax·a·cum [tərǽksəkəm] *n.* 〔植〕 민들레속(屬)의 식물 ; 그 말린 뿌리로 만든 하제(下劑). 〖L＜Arab.＜Pers.=bitter purslane〗

tár bàby *n.* 빼도 박도 못하게 된 일.

tar·boosh, -bush, -boush, -bouche [tɑ:r-bú:ʃ, ⌐⌐] *n.* 터키 모자《이슬람교도 남자가 쓰는 챙이 없고 술 달린 빨간 모자》. 〖Arab.＜Pers.=head cover〗

tarboosh

tár·brùsh *n.* 타르 솔 ; 《俗》 《보통 蔑》 흑인의 혈통.

a touch [***lick, dash***] ***of the tarbrush*** 《蔑》 (혈통에) 흑인의 피가 섞임.

tar·di·grade [tɑ́:rdəgrèid] *a.* 동작이 느린 ; 걸음걸이가 느린 ; 〔動〕 완보류(緩步類)의. —— *n.* 완보류(緩步類)의 절족 동물.

tar·dive [tɑ́:rdiv] *a.* 만기의, 지발성(遲發性)의.

tárdive dys·ki·né·sia [-dìskəní:ʒiə] *n.* 〔醫〕 지발성(遲發性) 운동 이상(증).

tar·do [tɑ́:rdou] *a.* 〔樂〕 느린. 〖It.〗

tar·dy [tɑ́:rdi] *a.* **1** [+前+do*ing*] 느린, 더딘 ; 마음내키지 않는, 마지못해 하는 : ~ reform [amendment] 때늦은 개심(改心) / He was ~ ***in*** his response [*in* pay*ing* the money]. 그는 회답을 꺼렸다[좀처럼 돈을 갚지 않았다]. **2** 《美》 지각한(late), 늦은 : be ~ *at* school [*for* supper] 학교[저녁 식사]에 늦다. —— *n.* 늦게 옴, 지각. **tár·di·ly** *adv.* **-di·ness** *n.* 〖OF *tardif*＜L *tardus* slow〗

類義語 ⟹ LATE.

tar·dy·on [tɑ́ːrdiɑ̀n] *n.* 〖理〗 타디온, 아광성(亞光性) 입자(cf. TACHYON).

tare¹ [tέər, tǽər] *n.* **1** 〖植〗 들완두, 살갈퀴(vetch)《목초》. **2** [*pl.*] 〖聖〗 가라지, 독초(毒草); [*pl.*] 《비유》 해독. 〖ME<?〗

tare² *n.* **1** Ⓤ (화물의) 포장 무게; (화물·승객 등을 제외한) 차체(車體) 중량. **2** Ⓤ 〖化〗 용기의 중량. —— *vt.* …의 포장 무게를 달다[공제하다]. 〖F = deficiency, waste<L<Arab. = what is rejected〗

targe [tɑ́ːrdʒ] *n.* 《古》 작고 둥근 방패. 〖OF<Frank.=shield; cf. OE *targe*, ON *targa*〗

***tar·get** [tɑ́ːrgət] *n.* **1** 과녁, 표적, 공격 목표; 《비유》 대상, 목표, 중심, (웃음)거리: The arrow hit the ~. 화살은 과녁에 명중했다 / a ~ *for* [*of*] criticism 비판의 대상. **2** (모금(募金)·생산 따위의) 달성목표, 목표액. **3** 〖鐵〗 (전철기(轉轍機)의) 원형 신호기. **4** (소형의) 둥근 방패. **5** 〖컴퓨〗 대상.
off target 요점이 빗나간, 부정확한.
on target 정곡을 찌른, 적확한.
—— *vt.* …을 목표로 삼다.
〖(dim.) < ↑〗

Target A [⌐ éi] *n.* 《美俗》 미국 국방부《Washington, D. C.에 소재》.

tárget àudience *n.* 광고 타깃《광고주가 광고 메시지를 전하려는 대상》.

tárget càrd *n.* (사격용의) 점수 기록 카드.

tárget dàte *n.* (계획 수행 따위의) 목표 일시: set a ~ for …의 목표 일시를 정하다.

tár·get·ing *n.* 〖藥〗 약물 표적화(化) 《환부에 대한 약효의 지속화·증강을 목적으로 함》.

tárget lànguage *n.* 목표 언어《학습·번역 따위의 대상이 되는 외국어》.

tárget màrket *n.* 표적 시장《기업의 마케팅 계획 충족을 위해 필요한 일정한 고객군(群)》.

tárget pràctice *n.* 사격 훈련[연습].

tárget-pràctice projéctile *n.* 〖軍〗 연습탄.

tárget shìp *n.* 표적함(標的艦)[선(船)].

tárget zòne *n.* 〖金融〗 (국제 통화 안정을 목표로 설정한) 외환 시세 변동폭.

Tar·gum [tɑ́ːrgu(ː)m] *n.* (*pl.* **~s, -gu·mim** [tɑ̀ːrgu(ː)míːm]) 타검《Aram어로 번역된 구약 성서》. **~·ist** *n.* 타검의 작가[역자]; 타검 연구자. **Tar·gum·ic** [tɑːrgúːmik] *a.*
〖Aram.=paraphrase〗

Tar·heel(·er) [tɑ́ːrhìːl(ər)] *n.* North Carolina 주 주민의 속칭.

Tárheel Státe *n.* [the ~] North Carolina주의 속칭.

***tar·iff** [tǽrəf] *n.* **1** 관세표, 세율표; 세율; 관세; 관세 제도: preferential ~ 특혜 관세 / retaliatory ~ 보복 관세 / protective ~ 보호 관세. **2** (철도·전신 따위의) 운임[요금]표; (여관·음식 따위의) 요금[가격]표; 《英》 공공 요금의 청구법[요금표]; (보험업계 따위의) 요율(料率); 《美口》 요금. —— *vt.* …에 관세를 부과하다; …의 요금을 정하다.
〖F<It.<Turk.<Arab.=notification〗

táriff bàrrier *n.* 관세 장벽.

táriff ràtes *n. pl.* 관세율.

táriff refòrm *n.* 관세 개정《보통 영국에서는 자유무역 반대론자의, 미국에서는 보호무역 반대론자의 정책》.

táriff wàll *n.* 관세 장벽: raise ~*s against* foreign goods 외국 상품에 대한 관세 장벽을 높이다.

tar·la·tan, -le- [tɑ́ːrlətən] *n.* Ⓤ 얇은 모슬린. 〖F; 아마 인도에서 기원〗

tar·mac [tɑ́ːrmæk] *n.* [T~] 타르맥《포장용 아스팔트 응고제; 상표명》; 타르머캐덤 포장의 도로[활주로, (공항) 에이프런]. —— *vt.* (**-mack-**) (도로·활주로를) 타르머캐덤으로 포장하다. 〖↓〗

tàr·macádam *n.* Ⓤ 타르머캐덤《쇄석과 타르를 섞어 굳힌 포장 재료》; Ⓒ 그 포장 도로.
—— *vt.* =TARMAC.

tarn¹ [tɑ́ːrn] *n.* (산중의) 작은 호수, 못. 〖ON; cf. Icel. *tjörn* pond〗

tarn² *n.* =TERN¹.

tar·nal, 'tar- [tɑ́ːrnl] *a., adv.* 《美方》 엄청난[나게], 터무니없는[없이]. **~·ly** *adv.*
〖*eternal*〗

tar·na·tion, 'tar- [tɑːrnéiʃən] *n.* 《美方》 =DAMNATION. —— *a., adv.* =TARNAL.
〖↑+dam*nation*〗

tar·nish [tɑ́ːrniʃ] *vt.* **1** 흐리게 하다; 녹슬게 하다; 변색시키다: Salt ~*es* silver. 소금은 은(銀)을 변색시킨다. **2** …의 질[가치]을 떨어뜨리다; (명예 따위를) 더럽히다: His reputation has been ~*ed* by their slanders. 그의 명성은 그들의 중상으로 더럽혀졌다. —— *vi.* 흐려지다; 더러워지다; 녹슬다; (질이) 떨어지다: This metal ~*es* easily. 이 금속은 변색되기 쉽다. —— *n.* Ⓤ 흐림; 더러움; 저하; 변색; Ⓤ,Ⓒ 오점, 흠.
~·able *a.* **~ed** *a.* **~·er** *n.*
〖OF *ternir* to dull (*terne* dark)〗

ta·ro [tɑ́ːrou, tǽər-, tέər-] *n.* (*pl.* **~s**) 〖植〗 타로토란《태평양 제도산(産) 토란의 일종》.
〖Polynesian〗

ta·rot [tǽrou; -⌐] *n.* Ⓤ 22장 한 벌의 트럼프.
〖F or It.<?〗

tarp [tɑ́ːrp] *n.* 《美口》 =TARPAULIN.

tar·pan [tɑːrpǽn, ⌐-] *n.* 〖動〗 타판《중앙 아시아 초원 지대의 빨리 달리는 작은 야생마; 19세기에 절멸》. 〖Russ.<Tartar〗

tár pàper *n.* 타르지(紙)《건축용》; 루핑.

tar·pau·lin [tɑːrpɔ́ːlən, 美+tɑ́ːrpə-] *n.* Ⓤ 타르를 칠한 방수포(防水布); 범포; Ⓒ (선원의) 방수 외투, 방수 모자; 《稀》 선원. —— *vt.* 방수포로 덮다. 〖? *tar*¹+PALL¹+-*ing*〗

tar·pon [tɑ́ːrpən] *n.* (*pl.* ~, **~s**) 타폰《북미 남부 해안산의 큰 물고기》. 〖Du.<?〗

tar·ra·gon [tǽrəgən] *n.* 사철쑥의 일종《그 잎은 조미료로 씀》. 〖L<Gk.〗

tar·ra·go·na [tæ̀rəgóunə] *n.* 타라고나《스페인산의 붉은 포도주》. 〖↓; 원산지〗

Tarragona *n.* 타라고나《(1) 스페인 북동부의 지중해에 면한 주(州). (2) 그 주도·항구 도시; 로마의 성벽·수도교(水道橋)·원형 극장이나 로마네스크-고딕 양식의 대성당 따위로 유명》.

tar·ry¹ [tɑ́ːri] *a.* 타르의, 타르질(質)의; 타르를 칠한, 타르로 더러워진.

tar·ry² [tǽri] *vi.* 《文語》 **1** [動/+副/+*for*+名] 늦어지다, 늑장부리다(delay); 기다리다(wait): Why did he ~ so long on his way to school? 어째서 그는 학교에 가는 도중에 그렇게 오래 어정거렸을까 / Someone had to ~ (***behind***) ***for*** him. 누군가가 (뒤에 남아서) 그를 기다려야만 했다. **2** 체재(滯在)하다, 머무르다(stay): They *tarried* ***at*** the hotel for a week. 그 호텔에서 1주일간 머물렀다 / I saw no reason to ~ ***in*** that town. 그 마을에 머무를 이유는 조금도 없었다. —— *vt.* 희망을 가지고 기다리다. —— *n.* 《古》 체재. **tár·ri·er** *n.* 〖ME *tarien*<?〗

T

類義語 ⟹ STAY[1].

tars- [társ], **tar·so-** [tá:rsou] *comb. form* 「tarsus(의)」의 뜻.

tar·sal [tá:rsəl] *a.* 〖解〗 발목뼈의, 안검 연골(眼瞼軟骨)의. —— *n.* 발목뼈[관절].

tár sànds *n. pl.* 〖地質〗 타르 샌드, 역청 사암(瀝青砂岩).

tar·sia [tá:rsiə] *n.* (15세기경 이탈리아의) 쪽나무를 끼워 맞추는 세공.

tar·si·er [tá:rsiər] *n.* 〖動〗 셀레베스안경원숭이.

tar·sus [tá:rsəs] *n.* (*pl.* **tar·si** [-sai]) **1** 〖解〗 발목(뼈); (새의) 부척골(跗蹠骨); (곤충의) 부절(跗節), 발끝마디. **2** 안검 연골(眼瞼軟骨).
〖NL<Gk. =flat surface〗

tarsier

tart[1] [tá:rt] *a.* 맛이 강한, 짜릿한, 신(sour); 신랄한, 날카로운. **~·ish** *a.* **~·ish·ly** *adv.* **~·ly** *adv.* **~·ness** *n.*
〖OE *teart* rough, sharp<?; cf. Du. *tarten* to defy〗
類義語 ⟹ SOUR.

tart[2] *n.* **1** 타트, (과일이 든) 작은 파이《미국에서는 과일을 얹은 파이, 영국에서는 과일을 넣은 파이를 말함》: an apple ~ 사과들이 타트. **2** 《英俗》 품행이 나쁜 여자, 매춘부. —— *vt., vi.* 《英口》 (야하게) 꾸미다, 차려입다〈*up*〉.
〖OF *tarte*<?; '여자'의 뜻은 *sweetheart*의 생략 또는 '맛있는 음식'의 뜻에서(⇨ CAKE, PIE[1])인가〗

tar·tan[1] [tá:rtn] *n.* **1** Ⓤ (스코틀랜드 고지 사람의) 바둑판 무늬의 모직물; (일반적으로) 바둑판 무늬의 직물; Ⓒ 바둑판 무늬. **2** 스코틀랜드 고지 사람[연대 병사]. —— *a.* 바둑판 무늬의.
〖? OF *tertaine* linsey-woolsey<Sp. (*tiritar* to rustle)〗

tartan[2] *n.* (지중해의) 외대박이 삼각 돛배.
〖F<? Prov. *tartana* falcon〗

tártan tràck *n.* 타탄 트랙《합성 수지로 포장한 전천후 경주로(路)》.

Tártan Túrf *n.* 타탄 터프《경기장용(用) 인조 잔디; 상표명》.

tar·tar [tá:rtər] *n.* Ⓤ 주석(酒石)《포도주 양조통 밑바닥에 생기는 침전물(沈澱物)로 타르타르산(酸)의 원료》; 치석(齒石): cream of ~ 주석영(酒石英). 〖F<L<Gk.〗

Tartar *n.* **1** 타타르 사람; Ⓤ 타타르 어(語). **2** [보통 t~] 난폭한 사람, 사나운 여자: a young ~ 다루기 힘든 망나니 / catch a ~ 처치 곤란한 상대를 만나다, 애먹다. —— *a.* 타타르 사람(식)의; 난폭한. **Tar·tar·i·an** [tɑ:rtέəriən, -tǽər-] *a.* 〖L or OF〗

Tar·tar·e·an [tɑ:rtéəriən, -tǽər-] *a.* 지옥의; Tartarus의.

tártar emétic *n.* 토주석(吐酒石).

tár·tare sàuce [tá:rtər-] *n.* =TARTAR SAUCE.

tar·tar·ic [tɑ:rtǽrik] *a.* 〖化〗 주석(酒石)의: ~ acid 타르타르산(酸).

tártar·ìze *vt.* 〖化〗 주석화(酒石化)하다; 주석으로 처리하다.

tártar·ous *a.* 주석을 함유한, 주석의[과 같은].

tártar sàuce *n.* 타르타르 소스《마요네즈에 잘게 썬 피클즈·올리브 따위를 넣은 소스》.
〖F; ⇨ TARTAR〗

Tar·ta·rus [tá:rtərəs] *n.* 〖그神〗 타르타로스《지옥의 바닥 없는 깊은 못》; (일반적으로) 지옥.

Tar·ta·ry [tá:rtəri] *n.* 〖史〗 타타르 (지방)《동부 유럽에서 서부 아시아 일대에 걸침》.

tárt·let *n.* 작은 타트.

tar·trate [tá:rtreit] *n.* Ⓤ 〖化〗 타르타르산염(酸鹽). 〖F; ⇨ TARTAR〗

Tar·tuf(f)e [tɑ:rtúf, -tú:f] *n.* 타르튀프《Molière 작 희극의 주인공》; [때때로 t~] 위선자.

Tar·túf·fism *n.* 위선, 위선적 행위[성격].

Tar·zan [tá:rzən, -zæn] *n.* 타잔《미국의 작가 E. R. Burroughs작 정글 모험 소설의 주인공》; 초인적인 힘을 가진 사람.

TAS telephone answering service; 〖空〗 true airspeed(진대기(眞對氣)속도). **Tas.** Tasmania.

Ta·sa·day [tɑ̀:sɑ:dái] *n.* (*pl.* ~, **~s**) 타사다이족《Mindanao섬 동굴에 삶》; Ⓤ 타사다이어.

Ta·ser [téizər] *n.* 테이저《긴 전선 끝에 붙인 화살을 발사하는 무기; 맞으면 전기 충격으로 한때 마비됨; 상표명》. —— *vt.* 테이저로 공격하다.
〖*T*ele-*A*ctive *S*hock *E*lectronic *R*epulsion〗

Tash·kent [tɑ:ʃként; tæʃ-], **-kend** [-ként, -d] *n.* 타슈켄트《Uzbek 공화국의 수도》.

ta·sim·e·ter [təsímətər] *n.* 미압계(微壓計)《전기 저항을 이용하여 온도·습도의 변화에 의한 물질 변형을 측정함》.

task** [tǽ(:)sk; tá:sk] *n.* [+前+do*ing*] 직무, 맡은 일, 과업, 과제; 힘드는 일[작업], 노역(勞役); (일반적으로) 일; 〖컴퓨〗 작업《컴퓨터로 처리되는 일의 최소단위》: be at one's ~ 일을 하고 있다 / set a person (to) a ~ 남에게 일을 주다 / take a ~ upon oneself 일을 맡다 / He performed the tedious ~ ***of collat*ing* texts. 원문(原文)을 대조하는 지루한 일을 했다.
take[***call, bring***] a person ***to task*** (***for***...) (…의 탓으로) 남을 꾸짖다[책망하다].
—— *vt.* **1** …에게 일[작업]을 맡기다[할당하다]. **2** 혹사하다, 괴롭히다: He ~*ed* his energies all the time. 그는 언제나 전력(全力)을 기울였다 / ~ one's brain …의 골치를 썩이다, …을 괴롭게 하다. **~·less** *a.*
〖OF *tasque*<L *tasca*=*taxa* TAX〗
類義語 ***task*** 남에게서 또는 의무에 의해서 부과되는 일[작업]; 어렵고 힘이 드는 것을 말함: He has the *task* of solving the problems. (그는 그 문제를 해결해야 하는 과제를 안고 있다). ***chore*** 가정안에서 자기에게 할당된 일상적인 일[잡무]: Her *chore* is sweeping the rooms. (그녀의 일은 방 청소다). ***job*** 자기의 장사 또는 자발적으로 떠맡은 특별한 일: the *job* of mending our house (우리집을 수리하는 일).

tásk fòrce *n.* 〖美軍〗 (특수 임무를 띤) 기동부대; 대책위원회, 특별조사단.

tásk·màster *n.* **1** 일[작업]을 할당하는 사람, 공사(工事) 감독, 십장. **2** 엄격한 감독자[주인, 선생]. **~·shìp** *n.*

tásk wàges *n. pl.* 도급 임금.

tásk·wòrk *n.* Ⓤ 할당된 일[과제], 강제 노동; 삯일, 도급일[작업].

Tas·ma·nia [tæzméiniə] *n.* 태즈메이니아 섬《오스트레일리아 남동부의 섬; 주도 Hobart》. **-ni·an** *a., n.* 태즈메이니아의 (사람[어]).

Tasmánian dévil *n.* 태즈메이니아 데블《유대목 주머니고양이과의 맹수》.

Tasmánian wólf[**tíger**] *n.* 〖動〗 태즈메이니아 늑대.

Tass, TASS [tǽs, tá:s] *n.* 타스《구소련의 통신사》. 〖Russ. *T*elegrafnoe *A*gentstvo *S*ovetskovo *S*oyuza Telegraph Agency of the Soviet

Union》
tasse [tǽs] *n.* 허리에서 넓적다리까지 늘어진 갑옷 미늘.
tas·sel [tǽsəl] *n.* 술, 장식 술 ; 〖植〗 술, 총상 화서(總狀花序) ; (책의) 서표[갈피] 끈 ; (옥수수의) 수염.
—— *vt.* (**-l-** | **-ll-**) **1** …에 (장식) 술을 달다. **2** (옥수수의) 수염을 뽑다. —— *vi.* 《美》 (옥수수 따위) 수염이 나다〈*out*〉. 〖OF *tas(s)el* clasp< ? ; cf. L *taxillus* a small die (<*talus*)〗
tas·set [tǽsət] *n.* =TASSE.
Tas·sie, -sy [tǽzi] *n.* 《濠口》 =TASMANIA ; 태즈메이니아 사람.
Tas·so [tǽsou, tɑ́ː-] *n.* 타소. **Torquato** ~ (1544-95) 이탈리아의 시인.
tastable ☞ TASTEABLE.
‡**taste** [téist] *n.* **1 a)** [the ~] 미각, 미감(味感) : It is bitter[sweet, sour] to *the* ~. 맛이 쓰다[달다, 시다]. **b)** U.C 맛, 풍미(風味) : There was some ~ *of* almond in the cake. 케이크에서 약간의 아몬드 맛이 났다 / This food has very little[has an unpleasant] ~. 이 음식은 거의 맛이 없다[맛이 좋지 않다]. **c)** 맛봄, 시식(試食) ; [a ~] (시식되는 음식 따위) 한 입, 소량 : I'll have just *a* (small) ~ *of* cheese. 치즈를 조금만 맛봅시다. **d)** [a ~] 기미, 기색(touch) : The chilly wind had *a* ~ *of* rain in it. 찬바람은 비를 머금고 있었다. **e)** 《비유》 맛, 경험 : He gave me *a* ~ *of* the whip. 그는 나에게 회초리[채찍]맛을 보였다《매를 맞아 따끔한 맛을 보았다》. **2 a)** U.C 기호, 취미 : He has a ~ *for* the theater. 연극에 취미가 있다[을 좋아한다] / a man of ~ 취미가 있는 사람《특히, 문예(文藝)를 이해하는》 / a matter of ~ 취미의 문제, 취미 나름 / She has (developed) good ~ *in* dress. 옷에 대한 취미가 고상하다 / There is no accounting for ~*s*.=*T*~*s* differ. 《속담》「취미도 가지가지」, 「각인 각색」. **b)** U 심미안(審美眼), 감식력, 풍류심(風流心)〈*in*〉. **c)** (장식·말씨 따위의) 멋 ; 양식, 스타일 : a house in a Gothic ~ 고딕 양식의 집. **d)** 분별, 신중.
in bad [***good***] ***taste*** 취미가 나쁜[좋은], 천[고상]하게, 멋없는[있는].
leave a bad [***nasty***] ***taste in the mouth*** 《비유》 뒷맛이 나쁘다, 나쁜 인상을 남기다.
out of taste 멋없는, 풍류를 모르는.
to a person***'s taste*** 남의 마음에 들어 : These kind of books are not *to* my ~. 이런 종류의 책은 내 마음에 안 든다 / Everyone to his ~. 《속담》「십인 십색(十人十色)」.
to taste 기호에 따라 : Add milk and sugar *to* ~. 우유와 설탕을 기호에 따라 넣으시오.
to the [***a***] ***king's*** [***queen's***] ***taste*** 완벽하게, 지극히 만족스럽게.
—— *vt.* **1** (음식을) 맛보다 ; 시식하다 ; (한 입) 먹다, 마시다 : I ~*d* garlic in the meat dish. 고기 요리에서 마늘 맛이 났다 / Mother ~*d* the lamb stew and made a face. 어머니는 양고기 스튜를 한 입 먹어 보고 얼굴을 찡그리셨다. **2** 《비유》 맛보다, 경험하다(experience) : ~ the joys of freedom 자유의 기쁨을 맛보다.
—— *vi.* **1** 맛을 알다 : I have a cold ; I cannot ~. 감기에 걸려 음식 맛을 모르겠다. **2** [+補/+過分/+前+名] (음식이 …한) 맛[느낌]이 있다 : This cake ~*s* nice. 이 과자는 맛있다 / The medicine ~*d* nasty. 약은 쓴맛이 났다 / This coffee ~*s* burnt. 이 커피는 탄내가 난다 / This dish ~*s* too much ***of*** onion. 이 요리는 양파 맛이 너무 난다 / Doesn't this ~ *of* something strange? 이것은 좀 이상한 맛이 나지 않습니까. ☞ 活用. **3** [+*of*+名] 《文語》 맛보다, 경험하다 : He shall not ~ ***of*** death[danger]. 그를 죽게는 하지 않겠다[위험한 입장에 처하도록 하지 않겠다].
〖ME=to touch, taste<OF<L *taxo* to appraise (⇨ TAX) ; L *tango*와 L *gusto*의 혼성설(混成說)도 있음〗
活用 taste는 *vi.* 2의 뜻일 때, 뒤에 보어로 형용사가 사용되므로 This meat tastes bad. (이 고기는 맛없다)를 This meat tastes *badly.*로 할 수는 없음. ☞ SMELL 活用 (1).
類義語 ***taste***는 일반적인 「맛」의 뜻. ***flavor***는 어떤 것의 특유[독특]한 맛.
tást(e)·able *a.* 맛볼 수 있는, 맛[풍미]있는.
táste bùd *n.* 〖解·生理〗 미뢰(味蕾) 《혀의 미각 기관》.
táste·ful *a.* **1** 풍류를 아는, 심미안이 있는, 감식력이 높은. **2** 취미가 풍부한, 아취있는, 멋을 풍기는. **~·ly** *adv.* 아취있게, 품위 있게. **~·ness** *n.*
táste·less *a.* 맛이 없는 ; 무미건조한 ; 몰취미한, 멋없는 ; 천한. **~·ly** *adv.* **~·ness** *n.*
táste·màker *n.* 인기를 높이는[유행을 일으키는] 사람[것].
tast·er [téistər] *n.* **1** 맛보는 사람 ; 맛을 감정하는 감별사 ; 〖史〗 (독이 있는지) 시식하는 사람 ; 술맛 감정용 잔. **2** 검미기(檢味器) ; 맛을 보는데 쓰는 소량의 음식. **3** 《비유》 (출판사의) 원고 교열[심사] 담당원(reader).
tásty *a.* 《口》 **1** 맛좋은, 풍미있는. **2** 고상한. 㳂 《英》에서는 tasty가 품위없는 말이라 하여 tasteful을 씀. **tást·i·ly** *adv.* **-i·ness** *n.*
tat[1] [tǽt] *vt., vi.* (**-tt-**) TATTING으로 만들다[을 하다].
tat[2] *n.* 가볍게 치기 : give[pay] him tit for ~ ☞ TIT² 숙어. 〖? imit.〗
tat[3] *n.* 《俗》 (4, 5, 6 세 끗수만 있는) 주사위 ; 부정한 주사위.
tat[4] *n.* 《인도》 (황마(黃麻) 따위로 만든) 투박한 즈크(천) ; 망아지(tattoo). 〖Hindi〗
tat[5] *n.* 《英俗》 싸구려 물건 ; 넝마.
〖역성(逆成) <*tatty*²〗
TAT 〖心〗 thematic apperception test (과제 통각(統覺) 검사).
ta-ta [tɑ́ːtɑ́ː ; tætɑ́ː] *int.* 《兒·口》 안녕! (good-bye!). —— *n.* 《英兒》 [다음 숙어로]
go ta-ta's=***go for a ta-ta*** 걸음마하다.
〖C19<?〗
Ta·tar [tɑ́ːtər] *n., a.* =TARTAR.
Ta·tar·i·an [tɑːtéəriən, -tǽər-], **Ta·tar·ic** [tɑːtǽrik] *a.* =TARTAR.
Ta·ta·ry [tɑ́ːtəri] *n.* =TARTARY.
Táte Gállery [téit-] *n.* [the ~] (London의) 테이트 미술관《정식 명칭 the National Gallery of British Art ; 1897년 개설》.
ta·ter, 'ta- [téitər] *n.* 《方·卑》 감자(potato).
tat·ter[1] [tǽtər] *n.* [주로 *pl.*] (천·종이 따위) 찢어진 것, 넝마 (조각) ; [보통 *pl.*] 누더기 옷 ; 《古》 =TATTERDEMALION ; 《英俗》 넝마주이 : in (rags and) ~*s* 누더기가 되어 / tear to ~*s* …을 갈기갈기 찢다 ; 《비유》 (이론 따위를) 철저하게 논파하다. —— *vt., vi.* [보통 *p.p.*로] 갈기갈기 찢다[찢기다], 너덜너덜 해뜨리다[해어지다].
〖ON *tötrar* (pl.) rags〗
tatter[2] *n.* TATTING하는 사람.

T

tat·ter·de·ma·lion [tæ̀tərdiméiljən, -mǽl-] *n.* 누더기를 입은 사람. —— *a.* 너덜너덜한 ; 망가진 ; 빈약한.

tát·tered *a.* (옷 따위가) 너덜너덜한(ragged) ; 누더기를 입은 ; 망가진 ; 산산조각이 난.

tat·ter·sall [tǽtərsɔ̀:l, -səl] *n.* 태터솔(=∼ **chèck**)《2-3색의 체크 무늬》; 태터솔 무늬의 모직물[날염지(地)].

tat·ting [tǽtiŋ] *n.* Ⓤ 태팅《레이스식으로 뜨개질한 세공》; 태팅으로 만든 레이스. 〖C19< ?〗

tat·tle [tǽtl] *vi.* **1** [動/+前+名] 잡담을 늘어놓다, 수다떨다(chatter) : The women ∼*d* endlessly ***about*** the latest fashion in dress[***over*** the day's news]. 여자들은 최신 유행복[그날의 새로운 뉴스]에 대해서 한정없이 수다를 늘어놓았다. **2** 남의 말을 하다, 비밀을 누설하다. —— *vt.* 수다를 떨다, (말을) 함부로 지껄이다. —— *n.* Ⓤ 잡담, 객담, 시시한 이야기, 수다, 쓸데없는 이야기(idle talk) (cf. TITTLE-TATTLE). 〖MFlem. *tatelen, tateren* (imit.)〗

tát·tler *n.* **1** 수다를 떠는 사람, 수다쟁이. **2** 〔鳥〕 노랑발도요. **3** 자명종. **4** 야경(꾼).

táttle·tàle *n.* 수다쟁이, 고자쟁이. —— *a.* = TELLTALE. —— *vt., vi.* 고자질하다.

tat·too[1] [tætú:] *n.* (*pl.* **∼s**) **1** 〔軍〕 (보통 오후 10시의) 귀영(歸營)[귀대] 나팔[북](cf. TAP[1] *n.* 2, POST[3] 6) ; 폐문(閉門) 시간 : beat[sound] the ∼ 귀영 나팔을 불다. **2** (경계를 위한) 북소리 ; 둥둥 계속 두드리는 소리 ; (심장 따위의) 심한 고동 : He beat a ∼ with his fingers on the table. 손가락 끝으로 탁자를 똑똑 계속 두드렸다《흥분·초조 따위의 표시》. **3** 군악 행렬 행진《영국 군대에서 보통 야간에 거행하는 행사 ; 횃불을 사용하므로 torchlight ∼ 라고도 함》.

beat the devil's tattoo (초조할 때 따위) 손가락 끝[발끝]으로 책상[마룻 바닥] 따위를 똑똑 두드리다.

—— *vi., vt.* (흥분·초조 따위로) 똑똑[탁탁] 두드리다. 〖C17 *tap-too*<Du. *taptoe* to close the tap (of cask)〗

tattoo[2] *n.* (*pl.* **∼s**) 문신(文身)(하기), 문신의 무늬. —— *vt.* [+目/+目+前+名] …에[…의] 문신을 하다 : ∼ a person's arm 남의 팔에 문신을 하다 / The man had some figure ∼*ed* ***on*** his back. 그 사내는 등에 어떤 모양의 문신을 하고 있었다. **∼·er, ∼·ist** *n.* 〖Polynesian〗

tat·too[3] [tǽtu:] *n.* (*pl.* **∼s**) 《인도》 망아지. 〖Hindi〗

tat·ty[1] [tǽti] *n.* 《인도》 멍석발의 일종《더위를 덜기 위해 물에 적셔 문이나 창에 침》. 〖Hindi=wicker frame〗

tatty[2] *a.* 초라한 ; 서투른, 조잡한 ; 값싼, 야한. 〖Sc.=shaggy ; cf. OE *tættec* rag, TATTER〗

tau [tɔ́:, táu] *n.* 타우《그리스어 알파벳의 제19째 자 *T, τ*; 영어의 T, t에 해당》; T자형, T표 ; 〔理〕 타우 입자(tau particle) : a ∼ cross T자형 십자(十字). 〖Gk.〗

◇**taught** *v.* TEACH의 과거·과거분사.

taunt[1] [tɔ́:nt, 美+tá:nt] *vt.* **1** [+目/+目+*with*+名] 비웃다, 조롱하다(mock) ; 욕지거리하다, 꾸짖다(reproach) : Don't ∼ him ***with*** cowardice[*with* be*ing* a coward]. 그를 비겁하다고 비웃지 마라. **2** [+目+前+名] 비웃어[조롱하여] …하게 하다 : They ∼*ed* him ***into*** los*ing* his temper. 그를 조롱하여 화나게 했다. —— *n.* 비웃음, 조롱 ; 조매(嘲罵) ; 통렬한 풍자[비꼼] : He became the ∼ *of* his neighbors. 이웃 사람들의 비웃음거리가 되었다. **∼·er** *n.* **∼·ing·ly** *adv.* 욕지거리하며, 입정사납게. 〖F *tant pour tant* tit for tat, smart rejoinder〗

taunt[2] *a.* 〔海〕 (돛대가) 굉장히 높은 ; (밧줄 따위가) 팽팽한 ; (신경이) 긴장된 ; 단정한. —— *adv.* 의장(艤裝)을 모두[본격적으로] 갖추고. 〖ME< ?〗

Taun·ton [tɔ́:ntn] *n.* 잉글랜드 Somerset 주(州)의 도시.

táu pàrticle *n.* 〔理〕 타우 입자(tau).

taupe [tóup] *n., a.* 암회색(暗灰色)(의). 〖F=MOLE[1]<L *talpa*〗

taur- [tɔ́:r], **tau·ri-** [tɔ́:rə], **tau·ro-** [tɔ́:rou, -rə] *comb. form* 「수소」의 뜻. 〖L ; ⇨ TAURUS〗

tau·rine [tɔ́:rain, -rən] *a.* =BOVINE ; 〔天〕 황소자리의.

tau·rom·a·chy [tɔ:rámәki] *n.* 《文語》 투우(술).

Tau·rus [tɔ́:rəs] *n.* 〔天〕 황소자리(the Bull) ; 금우궁(金牛宮)(cf. *the signs of the* ZODIAC). 〖L=bull〗

taut [tɔ́:t] *a.* 〔海〕 **1** (돛·밧줄을) 팽팽하게 친 : a ∼ rope 팽팽하게 친 로프 / haul a rope ∼ 밧줄을 팽팽하게 치다. **2** (근육·신경 따위가) 긴장한(tense) ; 엄한, 엄격한(rigorous) : a ∼ smile 어색하게 딱딱한 웃음 / Her nerves were ∼ as bowstrings. 그녀의 신경은 팽팽한 활시위 같이 긴장되어 있었다. **3** (배 따위가) 잘 정비된, 단정한, 깔끔한(neat, tidy) ; (말 따위가) 간결한.
∼·ly *adv.* **∼·ness** *n.*
〖ME *touht*=? TOUGH ; *tog-* (p.p.) ‹ *tee* (OE *tēon*) (obs.) to pull, TOW[1]의 영향이 있음〗
類義語 ⟹ TIGHT.

taut- [tɔ́:t], **tau·to-** [tɔ́:tou, -tə] *comb. form* 「같은」「대등한」의 뜻. 〖Gk. (*tauto* the same)〗

táut·en *vt., vi.* (밧줄 따위를) 팽팽하게 치다.

tau·tog [tɔ́:tɔ(:)g, -tɑg, -⌐] *n.* 〔魚〕 (북미 대서양 연안산) 혹돔의 일종. 〖Narraganset〗

tau·to·log·i·cal, -ic [tɔ̀:təládʒik(əl)] *a.* 동어 반복(同語反復)의, 중언 부언하는 ; 〔論〕 =TAUTOLOGOUS. **-i·cal·ly** *adv.*

tau·tol·o·gism [tɔ:tálədʒìzəm] *n.* 동어 반복.
-gist *n.* 같은 말을 되풀이하는 사람.

tau·tol·o·gize [tɔ:tálədʒàiz] *vi.* 같은 말[유사한 말]을 되풀이하다, 중복[반복]하여 말하다.

tau·tol·o·gous [tɔ:táləgəs] *a.* =TAUTOLOGICAL ; 〔論〕 그 논리 형식 때문에 항상 진실[참]인, 항진식(恒眞式)의. **∼·ly** *adv.*

tau·tol·o·gy [tɔ:tálədʒi] *n.* **1** Ⓤ 〔修〕 같은[유사한] 말의 쓸데없는 반복, 동의어[유사어] 반복, 중복《예를 들면 the *modern* college life *of today*에서의 *modern*과 *of today* 따위》. **2** 중복어(重複語) ; (동작 따위의) 반복. **3** 〔論〕 항진식(恒眞式). **4** 원인과 결과의 혼돈. 〖L<Gk. (*tauta-, -logy*)〗

tau·to·mer [tɔ́:təmər] *n.* 〔化〕 호변체(互變體).
tàu·to·mér·ic [-mér-] *a.* 호변체의.

tau·tom·er·ism [tɔ:támərizəm] *n.* Ⓤ 〔化〕 호변이성(互變異性).

tav·ern [tǽvərn] *n.* 선술집, 바(=《英》 public house) ; 여인숙. 〖OF<L *taberna* hut, inn〗

ta·ver·na [tɑvέərnə] *n.* 타베르나《그리스 지방의 작은 요릿집》. 〖Mod. Gk.〗

taw[1] [tɔ́:] *n.* 튀김돌, 돌튀기기 ; (돌튀기기 놀이의) 개시선(線) ; (경기의) 출발점 ; 스퀘어 댄스의 파트너 ; 투자금.

come [***bring***] ***to taw*** (경기에서) 출발점에 서다[세우다].
— *vi.* 튀김돌을 던지다.
〖C18<?; cf. OE *getawu* tools〗

taw[2] *vt.* (생가죽을) 명반(明礬)·소금물에 무두질하다 ; 《古》 (원료를) 가공하다 ; 《古·方》 채찍질하다. 〖OE *tawian*<Gmc.=to do (Du. *touwen*)〗

taw·dry [tɔ́:dri, 美+tá:-] *a.* 야한, 겉만 번지르르한 ; 값싼, 천한 : ~ jewelry[garments] 야한 보석[옷]. — *n.* 값싸고 겉만 번지르르한 것.
táw·dri·ly *adv.* **-dri·ness** *n.*
〖*tawdry lace*<*St. Audrey's lace* (St. Audrey (d. 679) Northumbria의 여왕)〗

taw·ny [tɔ́:ni, 美+tá:-] *a.* 황갈색의 ; 《美俗》 최고의. — *n.* 황갈색(의 것[사람]).
-ni·ness *n.* 〖AF *tauné* ; ⇨ TAN〗

taws(e) [tɔ́:z] *n.* 《스코》 [단수·복수 취급] (아이들을 벌줄 때 쓰는) 가죽 채찍 ; [the ~, 보통 단수 취급] 채찍질《벌》; [단수·복수 취급] (팽이를 돌리는) 가죽 끈. — *vt.* 가죽 채찍으로 때리다. 〖(pl.)<*taw*<Scand.〗

‡**tax** [tǽks] *n.* **1** Ⓤ,Ⓒ 세(稅), 조세, 세금(cf. DUTY 3) : ☞ INCOME TAX / business ~ 영업세 / free of ~ 비과세[면세]의 / local ~*es* 《美》 지방세 / lay[levy] a ~ *on* …에 과세하다 / I paid $500 in ~*es*. 세금으로 500달러를 냈다. **2** [단수형만으로 쓰여] 《비유》 힘든 일, 무거운 부담, 무리한 요구 : The work was a ~ *on* his heart. 그 일은 그의 마음에 큰 부담이 되었다. **3** 《美》 회비, 할당금.
after [***before***] ***tax*** 세금을 공제[포함]하여 : $1500 *after* ~ 세금 공제하고 1500달러.
— *vt.* **1** (사람·수입·재산·물품 따위에) 세금을 매기다, …에 과세하다 ; 《美口》 (대금으로) 청구하다 : ~ a person's property 재산에 과세하다 / It is unfair to ~ rich and poor alike. 부자나 가난한 사람이나 똑같이 과세하는 것은 불공평하다. **2** …에게 무거운 부담을 지우다, 과중하게 부담시키다 ; 혹사하다 : Reading for many hours will certainly ~ your eyes. 오랜 시간에 걸쳐 책을 읽으면 반드시 눈에 부담이 간다 / The boys ~*ed* the teacher's patience by making noises. 소년들이 소란을 피워 선생님은 더 이상 참을 수 없게 되었다. **3** [+目+*with*+名] 비난하다, 책망하다(accuse) : He ~*ed* his son ***with*** laziness [*with* hav*ing* been lazy all day]. 그는 아들이 태만하다고[하루종일 빈둥거렸다고] 책망했다. **4** 〔法〕 (소송 비용을) 사정(査定)하다.
〖OF<L *taxo* to censure, compute<? Gk. *tassō* to fix〗

tax- [tǽks], **taxo-** [tǽksou, -sə], **taxi-** [tǽksə] *comb. form* 「순서」「배열」의 뜻. ㊟ 모음 앞에서는 tax-. 〖Gk. ; ⇨ TAXIS〗

taxa *n.* TAXON의 복수형.

táx·able *a.* 과세할 수 있는 ; 과세 대상이 된 ; 〔法〕 (당연히) 청구할 수 있는 : ~ articles 과세품.
— *n.* [보통 *pl.*] 《美》 과세 대상.

***tax·a·tion** [tækséiʃən] *n.* Ⓤ 과세, 징세 ; 세제(稅制) ; 과세 원리 ; 세수(稅收) ; 〔法〕 소송 비용 사정 : ~ at the source 원천 과세 / progressive ~ 누진 과세 / a ~ bureau[office] 국세청[세무서] / be subject to ~ 과세되다 / impose high ~ on …에 중세(重稅)를 과하다 / reduce ~ 감세(減稅)하다.

táx avòidance *n.* (합법적) 과세 회피, 절세.

táx bàse *n.* 과세 표준.

táx-bàsed íncomes pòlicy *n.* 조세에 근거한 소득 정책《세의 증감으로 임금·물가 안정을 꾀함 ; 略 TIP》.

táx brèak *n.* (면세·감세의) 조세 우대 조치.

táx collèctor *n.* 세금 징수원.

táx crèdit *n.* 세액 공제(稅額控除).

táx crèep *n.* 택스 크리프《누진 과세로 인하여 소득 증가에 따라 소득 세액이 점차 늘어남》.

táx cùt *n.* 감세(減稅).

táx dày *n.* 납세(기)일.

táx-dedùct·ible *a.* 세금을 공제할 수 있는.

táx dedùction *n.* 세금 공제(액).

táx-defèrred sávings *n. pl.* 과세 유예 저축.

táx dìsc *n.* 《英》 =TAX TOKEN.

táx-dòdger *n.* 탈세자.

táx-dòdg·ing *a.* 탈세하는. — *n.* 탈세 (행위).

táx dùplicate *n.* (세무서 제출용) 부동산 평가 증명서 ; 세무 등본.

táx(ed) càrt *n.* 〔英史〕 (소액의 세금이 부과되는) 농업[상업]용 경량(輕量) 2륜차《나중에는 면세되었음》.

tax·eme [tǽksi:m] *n.* 〔言〕 문법 특성소(素)《어순·어형·음조·음형 따위의 선택적 특징》.
tax·é·mic *a.* 〖*tax*-, *-eme*〗

-taxes *n. comb. form* -TAXIS의 복수형.

táx evàder *n.* 탈세자.

táx evàsion *n.* 탈세.

táx-exémpt, táx-frée *a.* 면세(免稅)의, 비과세의.

táx èxile[**expàtriate**] *n.* 탈세하기 위해 국외로 이주하는 사람.

táx fàrmer *n.* 《英》 (정부의 각종 세금의 징수권을 매입한) 징세권 보유자.

tàx·flátion *n.* 택스플레이션《높은 세율이 원인으로 생기는 인플레이션》.

táx hàven *n.* 세금[조세] 회피[피난]지역.

‡**taxi** [tǽksi] *n.* (*pl.* **táx·is, táx·ies**) **1** 택시(=taxicab, 《美》 cab)《taximeter를 비치한 자동차》 : take a ~ 택시를 타다 / go by ~ 택시로 가다. **2** =TAXIMETER. **3** =TAXIPLANE. — *vi.* (**táx·ied** ; **~·ing, táxy·ing**) **1** [動/+前+名] 택시로 가다 : They ~*ed* ***to*** the airport. 공항까지 택시로 갔다. ㊟ 이런 뜻으로는 ~*ed* 대신에 명사를 사용해서 took a ~ 또는 went by ~ 라고 하는 편이 일반적임. **2** 〔空〕 (비행기가) 지상[수면]에서 자력으로 활주하다.
〖*taxi*meter cab〗

taxi- [tǽksə] ☞ TAX-.

táxi·càb *n.* =TAXI. 〖*taxi*meter+*cab*〗

táxi dàncer *n.* (댄스홀 따위의) 직업 댄서《시간제 요금을 받고 손님과 춤을 추는 데서》.

taxi·der·my [tǽksədə̀:rmi] *n.* Ⓤ 박제술.
-mist *n.* 박제사(師). **tàxi·dér·mal, -dér·mic** *a.* 박제술의. 〖*tax*-, *derma* skin〗

táxi drìver *n.* 택시 운전사.

táxi lìght *n.* 〔空〕 유도등.

táxi·man [-mən] *n.* 《英》 =TAXI DRIVER.

táxi·mèter *n.* (택시 따위 탈것의) 요금 자동 표시기, 요금계(計), 택시미터. 〖F *taxe* tariff, TAX〗

táx incèntive *n.* 감면세(減免稅) 조처.

táx·ing *a.* 부담을 주는 ; 힘드는, 고된(toilsome).
~·ly *adv.*

táx·ing-màster *n.* 《英》 소송 비용을 사정(査定)하는 공무원.

táxi·plàne *n.* 전세[대절] 비행기.

táxi rànk *n.* 《英》 =TAXI STAND.

tax·is [tǽksəs] *n.* (*pl.* **tax·es** [tǽksi:z]) 순서, 배열 ; 〔醫〕 (지압(指壓)에 의한 탈장(脫腸)의) 정복

T

술(整復術) ; 〔生〕 주성(走性) ; 〔文法〕 배치, 순서 ; 〔古그〕 군대의 편성 단위《대대·중대 따위》. 〚Gk. =arrangement (*tassō* to arrange)〛

-tax·is [tǽksəs] *n. comb. form* (*pl.* **-tax·es** [tǽksi:z]) 「배열(配列)」 「주성(走性)」의 뜻 : hypo*taxis*, para*taxis*. 〚↑〛

táxi squàd *n.* 〔美蹴〕 연습 상대로 고용된 축구 선수단. 〚구단주(球團主)가 연습 상대로 고용한 선수를 그가 소유한 택시 회사에 운전기사로 근무하게 한 데서〛

táxi stànd *n.* 《美》 택시 승차장(cabstand).

táxi strìp *n.* =TAXIWAY.

táxi·wày *n.* 〔空〕 유도로(誘導路).

táx·less *a.* =TAX-FREE.

táx lèvy *n.* 과세, 세징수.

táx·man [-mən] *n.* 《口》 =TAX COLLECTOR.

táx·mobìle *n.* 《美》 순회 세무 서비스[상담]차.

tax·ol·o·gy [tæksάlədʒi] *n.* 분류학.

tax·on [tǽksɑn] *n.* (*pl.* **taxa** [tǽksə], **~s**) (종(種)·속(屬) 따위) 분류 단위, 분류군.

taxon. taxonomic ; taxonomy.

tax·o·nom·ic, -i·cal [tæ̀ksənάmik(əl)] *a.* 분류학[법]의 ; 분류(상)의. **-i·cal·ly** *adv.*

tax·on·o·my [tæksάnəmi] *n.* Ⓤ 분류(classification) ; 분류학[법]. **-mist** *n.* 분류학자. 〚F (Gk. TAXIS, *-nomia* distribution)〛

táx·pày·er *n.* 납세(의무)자 : a local ~ 《美》 지방세 납부자(=《英》 a ratepayer).

táx ràte *n.* 세율.

táx retùrn *n.* (납세를 위한) 소득 신고(서).

táx rèvenue *n.* 세수(입).

táx revòlt *n.* 《美》 세금 반란《재산세 인하 운동》.

táx sàle *n.* (부동산의) 체납 처분 공매.

táx sèlling *n.* 세금 매출《소득세 신고용으로 손익을 명확히 하기 위하여 연도말에 증권을 일제히 매출하는 일》.

táx shèlter *n.* 탈세를 위한 위장 수단《특별 소득 공제 따위》 ; =TAX HAVEN. **táx-shèltered** *a.*

táx stàmp *n.* 납세 인지, 납세필 증지.

táx-suppórt·ed *a.* 세금으로 운영되는 : a ~ public school (세금으로 운영되는) 공립학교.

táx tìtle *n.* 〔法〕 조세 체납 때문에 공매된 물건에 대하여 매수인이 얻게 되는 권원(權原).

táx tòken *n.* 《英》 (자동차의) 납세필증(tax disc)《앞유리에 붙이는》.

-taxy [tǽksi] *n. comb. form* =-TAXIS. 〚Gk.〛

Tay-Sachs [téisæ̀ks] *n.* 테이삭스병(=~ **disèase**)《흑내장 가족성 백치 ; 특히 유태계·동유럽계 아이들에게 있으며 점차 시력을 잃음》. —— *a.* 테이삭스병의.
〚Warren *Tay* (d. 1927) 영국의 안과 의사, Bernard *Sachs* (d. 1944) 미국의 신경병 학자〛

Tay·side [téisaid] *n.* 테이사이드《1975년 신설된 스코틀랜드 중동부의 주 ; 주도는 Dundee》.

taz·za [tά:tsə, tǽtsə] *n.* 높은 굽이 달린 큰 접시. 〚It. =cup〛

TB [tì:bí:] *n.* 《口》 =TUBERCULOSIS.

TB, T.B., tb, t.b. torpedo boat ; tubercle bacillus ; tuberculosis. **Tb** 〔化〕 terbium. **tb** tablespoon(s) ; tablespoonful(s). **t.b.** 《英》 trial balance. **TBA, tba** to be announced.

T-bar [tí:-] *n.* (건설 공사의) T형강 ; (스키 리프트용의) T자형 가로대(T-BAR LIFT).

T-bar lift [tí:--] *n.* 티바 리프트《T자형 가로대로 두명씩 운반하는 스키 리프트》.

T.B.D. torpedo-boat destroyer.

Tbi·li·si [təbíləsi] *n.* 트빌리시《Georgia 공화국의 수도》.

T-bill [tí:-] *n.* 《美口》 =TREASURY BILL.

T-bone [tí:-] *n.* 티본 스테이크(=~ **stéak**)《소의 허리 부위의 뼈가 붙은 T자형 스테이크》.

TBS 《美》 Turner Broadcasting System《CNN의 모회사》. **tbs., tbsp.** tablespoon(s) ; tablespoonful. **TC** Trustee Council (of the United Nations). **Tc** 〔化〕 technetium. **tc.** tierce(s). **T.C., TC** 〔軍〕 Tank Corps ; Teachers College ; Temporary Constable ; Town Council(lor) ; traveler's check ; 〔UN〕 Trusteeship Council ; 〔自動車〕 twin carburetors《한 쌍의 기화기》. **TCBM** 〔軍〕 transcontinental ballistic missile. **T.C.D.** Trinity College, Dublin. **TCDD** tetrachlorodibenzo-p-dioxin 《제초제에 함유된 잔류성의 발암성 디옥신》.

T cell [tí: -] *n.* 〔醫〕 T세포《흉선(胸腺)에서 분화한 림프 세포》.

Tchai·kov·sky, Tschai- [tʃaikɔ́:fski, tʃə-, -kɔ́:v-; -kɔ́v-] *n.* 차이코프스키. **Peter Ilych** ~ (1840-93) 러시아의 작곡가.

tchick [tʃík] *int., n.* 쯧쯧! 《말을 몰 때의 혀를 차는 소리》. —— *vi.* (말을 몰기 위해) 쯧쯧 혀를 차다. 〚imit.〛

tchotch·ke [tʃάtʃkə] *n.* 《美俗》 장식 방물[소품].

TD tank destroyer ; touchdown(s). **T.D.** Telegraph[Telephone] Department ; Traffic Director ; Treasury Department. **T/D** 〔商〕 time deposit. **TDB** Trade and Development Board of the UN. **TDN, T.D.N.** total digestible nutrients(총가소화(可消化)양분).

T-dress [tí:-] *n.* T드레스《T셔츠를 길게 만든 것 같은 드레스》.

TDRS tracking and data relay satellite(추적 데이터 중계 위성). **TDY** temporary duty. **TE, T.E.** table of equipment(장비표) ; trailing edge. **Te** 〔化〕 tellurium.

te ☞ TI.

◇**tea** [tí:] *n.* **1** 차나무. **2** Ⓤ 차(의 잎)(cf. TEA-LEAF) : ☞ BLACK TEA, GREEN TEA / coarse [dust] ~ 엽[가루]차 / roasted ~ 볶아서 달인 (엽)차 / a pound of ~ 차 1파운드. **3** Ⓤ (음료의) 차, (특히) 홍차 : cold ~ 냉차 ; 냉 홍차 ; 《俗》 술 / early (morning) ~ (조반 전의) 아침 일찍 마시는 차 / two cups of ~=two ~*s* 차 두 잔 / a pot of ~ 홍차 한 포트 / make ~ 차를 끓이다 / She offered[served] ~ to the guest. 손님에게 차를 대접했다. **4** Ⓤ,Ⓒ 오후의 초대, 다과회 ; 《英》 다과회《점심과 정찬(正餐) 사이의 가벼운 식사, afternoon[five o'clock] tea라고도 하며 보통 음료로는 홍차를 마심》; 《濠》 저녁 식사 : ☞ HIGH TEA / ☞ LOW TEA / ask a person to ~ 남을 다과회에 초대하다. **5** Ⓤ (차 비슷하게) 달여낸 즙 ; =BEEF TEA ; 《俗》 마리화나 ; 《美俗》 (경주마 따위에 쓰는) 흥분제 : ☞ SAGE TEA.

one's *cup of tea* [주로 부정문에서] 《英口》 마음에 드는 것, 기호물 : Golf is*n't* his *cup of* ~. 골프는 그의 성미에 안맞는다.

wet the tea 《英俗》 차를 끓이다.

〈회화〉
Shall I make you a cup of *tea*? — Yes, please.
「차 한잔 드릴까요」「네, 주세요」

—— *vi., vt.* (**~ed, ~'d**) 차를 마시다, 가벼운 식사를 하다 ; (남)에게 차를 내다[대접하다].
〚C17 *tay, tey* < ? Du. *tee* < Chin. ; cf. G *Tee*, F *thé*〛

téa and sýmpathy *n.* 《口》 불행한 사람에 대한 호의적인 대응.
téa bàg *n.* 찻봉지, 티 백《종이[천]로 만든 1인분의 차를 넣은 봉지》.
téa bàll *n.* 차 거르는 그릇, 티 볼《작은 구멍이 많이 뚫려 있는 금속제의 차 거르는 기구》.
téa·bèrry [, -bəri] *n.* =CHECKERBERRY.
téa bìscuit *n.* 《美》 (차 마실 때 먹는) 작고 동그란 비스킷.
téa·bòard *n.* (특히 나무로 된) 찻쟁반.
téa brèak *n.* 《英》 차 마시기 위해 쉬는 시간(cf. COFFEE BREAK).
téa càddy *n.* 차 넣는 작은 통(caddy).
téa·càke *n.* 《美》 =COOKIE ; 《英》 차 마실 때 먹는 과자《보통 버터를 발라 먹는 작고 납작한 과자》.
téa càrt *n.* =TEA WAGON.
◇**teach** [tí:tʃ] *v.* (**taught** [tɔ́:t]) *vt.* **1** [+目/+目+目/+目+*to*+名] 가르치다, 교수[교습]하다(instruct) : ~ a boy English=~ English *to* a boy 사내 아이에게 영어를 가르치다 / ~ oneself (German) (독일어를) 독학하다 / Who is ~*ing* your little ones? 누가 댁의 자제들을 가르치고 있습니까 / Spanish is not *taught* at that school. 저 학교에서는 스페인어를 가르치지 않는다 / Miss Green *taught* me mathematics. 그린 선생님이 나에게 수학을 가르쳐 주셨다 / All apprentices will be *taught* English. 모든 견습생은 영어를 배우게 되어 있다 / Professor Jones has *taught* history ***to*** our class this term. 존스 교수는 이번 학기에 우리 반에서 역사를 가르쳤다.
2 [+目+*to* do/+目+*wh.*+*to* do/+目+*wh.* 節] (…하는 법을) 가르치다, 훈련시키다(train) ; 길들이다(accustom) : She has *taught* her dog *to* sit up and beg. 그녀는 자기 개에게 뒷발로 서는 법을 가르쳤다 / He has *taught* himself *to* play the violin. 바이올린 켜는 법을 스스로 습득했다 / In learning a foreign language it is important to ~ the ear *to* distinguish sounds. 외국어를 배울 때에는 여러가지 음을 분간할 수 있도록 귀를 길들이는 일이 중요하다 / I will ~ you *to* meddle in my affairs. 《口》 나의 일에 쓸데없이 참견하면 가만있지 않겠다《to meddle은 not to meddle의 뜻》 / He *taught* Tom *how to* make a model airplane. 톰에게 모형 비행기 만드는 법을 가르쳐 주었다 / He *taught* them *how* a canoe is built. 그들에게 카누 만드는 법을 가르쳐 주었다.
3 [+目+目/+目+*to* do/+目+*that* 節] (사실·경험 따위를) 가르치다, 깨닫게 하다 ; 《口》 혼내주다, 뜨끔한 맛을 보여 주다 : Experience will ~ you common sense. 경험을 쌓으면 당신도 상식이 늘 것이오 / The accident *taught* him *to* be careful[*that* driving at eighty miles an hour is dangerous]. 그 사고로 그는 주의가 필요하다는 것[시속 80마일로 차를 모는 것은 위험하다는 것]을 깨달았다 / This will ~ you *to* speak the truth. 거짓말을 하면 이렇게 혼날 줄 알아라《벌을 줄 때 하는 말》.
── *vi.* [動/+前+名] 가르치다 ; 교사 노릇을 하다 : He ~*es* ***at*** high school. 그는 고등학교 교사다 / He ~*es* ***for*** a living. 그는 생계를 잇기 위해 교편을 잡고 있다.
teach school 《美》 학교 선생노릇을 하다.
〖OE *tǣcan* to show, instruct ; cf. TOKEN, G *zeigen*〗
類義語 ***teach*** 지식이나 기술을 「가르치다」라는 뜻으로 가장 기본적인 말 ; 학습자 개개인에 대하여 조금이라도 주의를 기울이는 것을 나타낸다 : He *taught* her how to ski. (그는 그녀에게 스키타는 법을 가르쳤다). ***instruct*** 어떤 특수한 일에 대하여 조직적으로 계통을 세워서 가르치다 : She *instructs* the students in history. (그녀는 학생들에게 역사를 강의한다). ***educate*** 사람이 가진 잠재적인 능력[재능]을 정식의 규칙적인 교수법에 의하여 발달시키다 ; 주로 고등교육에 관해서 말함 : He was *educated* in a French university. (그는 프랑스 대학에서 교육을 받았다). ***train*** 어떤 특수한 기술·능력을 발달시키다 ; 또는 질서 있는 훈련에 의하여 특수한 직업에 대한 기술을 양성하다 : He was *trained* as a pilot. (그는 조종사로서의 훈련을 받았다).
tèach·abílity *n.* 교육용에 알맞음 ; 학습 능력.
téach·able *a.* **1** 가르칠 수 있는 ; 잘 기억하는, 잘 배우는 ; 학습 능력[의욕]이 있는 ; 순한, 얌전한 : a ~ pupil 얌전한 학생. **2** (학과·예능 따위) 가르치기 쉬운 : a ~ textbook 가르치기 쉬운 교과서. **~·ness** *n.* 가르칠 수 있음.
◇**téach·er** *n.* 가르치는 사람, 선생, 교사 ; 교육자 ; 〖모르몬교〗 deacon의 상위의 신도 : be one's own ~ 독학하다. 注 특히 미국의 초등 교육은 여교사가 많으므로 she로 받는 경우가 많음. **~·shìp** *n.* 교사의 직위, 교직.
téachers còllege *n.* 《美》 교육대학.
téacher's pèt *n.* 선생님 마음에 드는 학생 ; 권위에 아첨하는 자.
téa chèst *n.* 차 통[상자](caddy).
téach-ìn *n.* 티치인《대학생·교수에 의한 정치 문제 따위의 토론 집회 ; 항의의 한 형식》.
***téach·ing** *n.* **1** Ⓤ 가르치기, 교수, 수업 ; 교직. **2** [때때로 *pl.*] 가르침, 교훈 : the ~*s* of Christ 그리스도의 가르침. ── *a.* 가르치는.
téaching àid *n.* 보조 교재, 교구(教具).
téaching fèllow *n.* TEACHING FELLOWSHIP을 가진 대학원생.
téaching fèllowship *n.* (수업료 및 기타 경비를 면제받는 대신에 얼마동안 교직 의무가 있는) 대학원생의 신분[지위].
téaching hòspital *n.* 의과대학 부속 병원.
téaching machìne *n.* (프로그램 학습을 위한) 자동 학습기, 티칭 머신.
téach·wàre *n.* 시청각 교재.
téa clòth *n.* (차 탁자의) 탁자보 ; 찻그릇용 행주.
téa còzy *n.* 찻주전자 보온커버《보온용》.
téa·cùp *n.* (홍차) 찻잔 ; =TEACUPFUL : a storm in a ~ ☞ STORM *n.* 숙어.
téa·cùp·fùl *n.* (*pl.* **~s**, **-cùps·fùl**) 찻잔 한 잔(의 분량).
téa dànce *n.* (오후) 다과회의 댄스 파티 ; 오후의 무도회.
téa fight *n.* 《俗》 =TEA PARTY.
téa gàrden *n.* 차나무 밭 ; 찻집이 있는 공원.
téa gòwn *n.* (여성의) 다회복(茶會服).
Teague [tí:g] *n.* 《蔑》 아일랜드인(人).
téa hòund *n.* 다과회에 자주 가는 사람 ; 나약한 남자.
téa·hòuse *n.* 찻집, 다방.
teak [tí:k] *n.* 〖植〗 티크나무《동인도산》 ; Ⓤ 티크 목재. 〖Port.<Malayalam〗
téa·kèttle *n.* 차 끓이는 솥, 찻주전자 ; 《美俗》 작은 상업 라디오 방송국.
téak·wòod *n.* 티크 재목.
teal [tí:l] *n.* (*pl.* **~s**, ~) 〖鳥〗 쇠오리《작은 오리의 일종》. 〖ME<? ; cf. Du. *taling*〗
téa làdy *n.* (회사에서) 차 시중을 드는 여성.

téal blúe *n.* 암회색(暗灰色).
téa-lèaf *n.* 차 잎사귀 ; [*pl.*] 차 찌꺼기.
◇**team** [tíːm] *n.* **1 a**) 〖競〗 팀, (한 편의) 조(組), 한패 : He was *on* the baseball ~. 그는 야구 팀에 들어 있었다. **b**) 한 조의 직공들. **2** (수레 또는 쟁기 따위를 끄는 2필 이상의) 한 조의 말[소]. **3** 《古·方》 (돼지 따위의) 한배의 새끼 ; 《廢》 자손, 종족. ── *a.* 팀으로 행동하는. ── *vt.* (말[소] 따위를) 한데 매다〈A (*up*) *with* B〉; 한데 맨 소[말]로 (짐을) 운반하다 ; (일을) 하청 주다. ── *vi.* 팀이 되다, 협력하다〈*up*, *together*〉; 한데 맨 마소를 몰다.
team up with . . . 《口》 …와 협력[협동]하다.
〖OE *tēam* offspring, set of draft animals ; cf. TOW[1], G *Zaum* bridle〗
téam fòul *n.* 〖籠〗 팀 파울.
téam hàndball *n.* 7인제 핸드볼.
téam·màte *n.* 한 팀의 동료[선수].
téam plày *n.* 팀 전체의 (조직적) 플레이, 팀 플레이 ; 협력.
téam spírit *n.* **1** 단체[협동] 정신. **2** [T~ S~] 팀 스피리트《1976년 이후 실시되고 있는 한미 합동 군사 훈련》.
téam·ster *n.* 한데 맨 마소떼를 모는 사람 ; 《美》 트럭 운전사.
téam tèaching *n.* 팀 지도《2인 이상이 공동으로 가르침》. **téam-tèach** *vi.*
téam·wòrk *n.* Ⓤ 팀워크, (짜인[규율 있는]) 협동[공동] 작업.
téa pàrty *n.* (오후의) 다과회, 티 파티 ; 소란, 분쟁(행위) ; 《美俗》 마리화나 파티.
téa plànt *n.* ＝TEA TREE.
téa plànter *n.* 차 재배자.
téa·pòt *n.* 티포트, 찻주전자 : a tempest in a ~ ☞ TEMPEST 숙어.
tea·poy [tíːpɔi] *n.* (찻그릇을 놓는) 차 탁자.
〖Hindi *tin*, *tir*- three, Pers. *pāī* foot ; 어형·어의 모두 *tea*에 동화(同化)〗
◇**tear**[1] [tíər] *n.* **1 a**) [보통 *pl.*] 눈물(teardrop) : with ~*s* in one's eyes[voice] 눈물을 글썽거리고[울먹이는 소리로] / bring ~*s* to one's eyes 눈물이 글썽글썽해지다 / burst into ~*s* 왈칵 울음을 터뜨리다 / draw ~*s* (from a person) (남의) 눈물을 자아내게 하다 / shed (bitter) ~*s* (피)눈물을 흘리다 / squeeze out a ~ 억지로[마지못해] 눈물을 흘리다 / *French Without T~s* 「눈물 없이[쉽게] 배우는 프랑스어」《책이름》 / Her eyes were wet with ~*s*. 그녀의 눈은 눈물로 젖어 있었다 / A ~ fell down her cheek. 눈물이 (한 방울) 그녀의 뺨을 흘러내렸다 / He laughed and laughed till the ~*s* came. 어찌나 웃었던지 눈물이 다 나왔다. **b**) [*pl.*] 비애, 비탄(悲嘆). **2** 눈물 같은 것 ; 방울, 이슬 방울, (수지(樹脂) 따위의) 투명한 작은 방울 : ~*s* of Eos ☞ Eos 숙어 / ~*s* of strong wine 독한 술을 반쯤 따른 컵안쪽에 맺히는 이슬.
bored to tears 몹시 지루하여.
in tears 눈물을 글썽이고, 눈물을 흘리며 (weeping) : I found her *in* ~*s*. 보았더니 그녀는 울고 있었다.
melt into tears 쓰러져 (정신없이) 울다.
── *vi.* 눈물을 흘리다[머금다].
〖OE *tēar* ; cf. G *Zähre*〗
tear**[2] [téər, tǽər] *v.* (**tore** [tɔ́ːr] ; **torn** [tɔ́ːrn]) *vt.* **1** [＋目 / ＋目＋前＋名 / ＋目＋副 / ＋目＋補] (천·종이·옷 따위를) (잡아) 찢다, 째다 : I've *torn* my coat. 웃옷을 찢었다 / The explosion *tore* the town ***in[***to***] pieces. 폭발로 그 마을은 철저히 파괴되고 말았다 / Why have you *torn* it *in* two? 너는 왜 그것을 두 조각으로 찢었느냐 / She *tore* ***up*** the letter. 편지를 갈기갈기 찢어버렸다 / He *tore* the envelope open[*tore* open the envelope]. 그는 겉봉을 찢어 열었다.
2 [＋目＋副 / ＋目＋前＋名] 잡아채다, 억지로 잡아떼다, 쥐어뜯다, 뜯어[따]내다 : He *tore* ***off*** his clothes and jumped into the river to save the boy from drowning. 황급히 옷을 벗더니 강으로 뛰어들어 물에 빠진 아이를 구출했다 / He *tore* ***down*** the enemy's flag. 적의 깃발을 끌어내렸다 / He *tore* the poster *down* ***from*** the bulletin board. 게시판에서 포스터를 뜯어냈다 / I *tore* wrappings *from* the package. 꾸러미의 포장지를 벗겼다 / I *tore* myself (*away*) *from* my wife. 뿌리치듯 아내 곁을 떠났다 / She *tore* the plant ***out of*** the ground. 식물을 땅에서 뽑아 버렸다.
3 (머리털 따위를) 쥐어뜯다《진노·슬픔·절망·분함 따위의 표정》: He was so angry that he felt like ~*ing* his hair. 그는 화가 나서 머리카락을 쥐어뜯고 싶을 지경이었다.
4 [＋目/＋目＋前＋名] **a**) 째서 …에 상처를 내다 : A piece of broken glass *tore* her skin. 깨진 유리 조각으로 그녀의 살갗에 상처가 났다 / I *tore* my knee ***on*** a nail. 못으로 무릎에 상처를 입었다. **b**) 잡아당겨 (틈이) 나게 하다, 찢어서 (구멍을) 내다 : She[The nail] *tore* a hole ***in*** her dress. 그녀는[못이] 옷을 찢어 구멍을 냈다 / They have *torn* a way ***through*** the wall. 그들은 담을 헐어 길을 냈다.
5 [＋目/＋目＋前＋名] [보통 수동태로] (나라 따위를) 분열시키다 ; (마음을) 괴롭히다 : The country had *been torn* by civil war. 그 나라는 내란으로 분열되어 있었다 / Her heart *was torn* by grief[***with*** conflicting emotions]. 그녀의 마음은 슬픔[착잡한 심정]으로 찢어질 것 같았다.
── *vi.* **1** 찢어지다, 째지다 : Lace ~*s* easily. 레이스는 쉽게 찢어진다 / The sheet *tore* as she pulled it out of the typewriter. 그녀가 타자기에서 용지를 잡아뺄 때 종이가 찢어졌다. **2** [＋*at*＋名] 쥐어뜯다 : He *tore* ***at*** the wrappings of the package. 소포의 포장지를 잡아뜯었다. **3** [＋副/＋前＋名] 날뛰다, 돌진하다 : The brothers were ~*ing* ***about*** in the house. 형제는 집안을 이리저리 마구 날뛰고 있었다 / A car came ~*ing* ***along***. 자동차가 질주해 왔다 / Tom *tore* ***down*** the street. 톰은 거리를 달려왔다[갔다].
be torn between …사이에서 갈피를 못잡다 : I *was torn between* the two alternatives. 두 가지 방법 중에 어느 것을 택할 것인가 망설였다.
── *n.* **1** 잡아 찢기, 쥐어뜯기. **2** 갈라진 틈, 찢어진 곳, 해진 곳〈*in*〉. **3** 광포, 격노 ; 돌진 (rush), 맹렬한 속도 ; 《美俗》 떠들썩한 놀이[소동], 야단법석 : be[go] on a ~ 떠들썩하게 놀다.
at[***in***] ***a tear*** 무서운 기세로, 황급히.
full tear 쏜살같이.
tear and wear＝***wear and tear*** 소모(消耗).
〖OE *teran* ; cf. G *zehren* to destroy, consume〗
téar·awày [téər-, tǽər-] *n.* 《英俗》 난폭한 사람, 불량배 ; 망나니. ── *a.* 맹렬한(impetuous).
téar bòmb[**grenàde**] *n.* 최루탄(催淚彈).
téar·dòwn [téər-, tǽər-] *n.* 분리, 분해.
téar·dròp *n.* 눈물, 눈물 방울 ; 눈물 같은 것, (특히) (귀고리 따위의) 눈물 모양의 구슬 장식.
téar dùct *n.* 〖解〗 누관(淚管), 누도(淚道) (lacrimal duct).

téar·er [téər-, tǽər-] *n.* 찢는[째는] 사람 ;《美口》 마구 날뛰는 것, (특히) 폭풍우.

téar·ful *a.* **1** 눈물어린 ; 곧잘 우는 ; 눈물이 헤픈 ; 눈물을 흘리게 하는 : in a ~ voice 울먹이는 목소리로. **2** 슬퍼하는(sad) : ~ news 비보(悲報). **~·ly** *adv.* 눈물을 글썽이며, 울면서. **~·ness** *n.*

téar gàs *n.* 최루(催淚)가스 : a ~ bomb 최루탄.

téar·gàs *vt.* 최루가스[탄]를 사용하다[퍼붓다].

téar·ing [téər-, tǽər-] *a.* (잡아) 찢는, 쥐어뜯는 ; 지속적으로 괴롭히는 ;《口》 사납게 날뛰는, 맹렬한(violent) ;《英口》 근사한, 굉장한.
—— *adv.*《口》 무섭게, 격렬하게, 맹렬히.

téar·jèrk·er *n.*《口》 눈물을 자아내게 하는 영화[극 · 프로그램 · 이야기]《따위》.

téar·less *a.* 눈물이 없는, 눈물을 흘리지 않는 ;《비유》 감정없는 : ~ grief 눈물도 안 나올 정도로 아주 슬픔. **~·ly** *adv.* **~·ness** *n.*

téar-òff [téər-, tǽər-] *a., n.* (절취선으로) 떼어낼 수 있는 (부분).

téa·ròom *n.* 다방.

téa ròse *n.* 〖園藝〗 티로즈《차의 향기가 나는 담황색 꽃이 피는 장미 ; 중국 원산》.

téar shèet [téər-, tǽər-] *n.* 오려낸 페이지《광고 게재 증거로 광고주에게 보내려고 신문 · 잡지 따위에서 오려낸 것》.

téar shèll *n.* =TEAR BOMB.

téar·stàined *a.* 눈물에 젖은.

téar strìp [téər-, tǽər-] *n.* (깡통이나 담뱃갑의 포장을 뜯기 쉽게 하기 위해 두른) 개봉띠.

téar-stríp kéy *n.* 개봉띠(를 감아 따는) 키.

téar tàpe [téər-, tǽər-] *n.* (포장 따위를 열기 쉽게 붙여 놓은) 개봉 테이프.

téar-tápe pàckaging *n.* 개봉 테이프식 포장.

téary *a.* 눈물의[같은] ; 눈물어린 ; 눈물을 자아내는, 슬픈.

tease** [tiːz] *vt.* **1** [+目 / +目+前+名] 못살게 굴다, 곯리다, 괴롭히다 : The naughty boy ~*d* the dog. 개구쟁이 소년은 개를 괴롭혔다 / Don't ~ Jim because he is young. 어리다고 해서 짐을 곯리지 마라 / The other boys ~*d* John ***about his curly hair. 다른 소년들은 존의 곱슬머리를 놀려댔다. **2** [+目+*for*+名 / +目+*to* do] …에게 끈질기게 졸라대다, 조르다 : He ~*d* his mother ***for*** money. 그는 어머니에게 돈을 달라고 졸랐다 / He was always *teasing* her *to* marry him. 그는 언제나 그 여자에게 결혼하자고 졸랐다. **3** (양털 · 삼 따위를) 빗질하다 ; 잘게 찢다 ; (특히) (조직 · 표본을) 현미경 검사용으로 잘게 자르다 ; (머리카락을) 세워 부풀리다 ; (모직물의) 보풀을 세우다 ; =TEASEL.
—— *vi.* [+*for*+名] 못살게 굴다 ; 졸라대다 ; 놀리다 : John ~*s* ***for*** every toy he sees. 존은 장난감을 보는대로 달라고 조른다 / He keeps *teasing for* candy. 캔디를 달라고 계속 조르기만 한다.
—— *n.* **1** 곯리기, 골탕을 먹기. **2** 괴롭히는 사람, 성가신 녀석 ; 남자를 (성적으로) 애태우는 여자. **3** 티저 광고(teaser) ;《俗》 돈(money).
〚OE *tǣsan* to pull, tear ; cf. OHG *zeisan* to pick〛
類義語 ⟹ ANNOY.

tea·sel, tea·sle [tíːzəl] *n.* 〖植〗 산토끼꽃의 일종 ; (보풀을 세우는) 기모기(起毛機). —— *vt.* …의 보풀을 세우다. **téasel·(l)er** *n.*
〚OE *tǣs*(*e*)*l* (↑, *-le*)〛

teas·er [tíːzər] *n.* 못살게 구는 사람, 괴롭히는 사람 ; 기모기(起毛機) ;《口》 어려운 일[문제] ; 〖商〗 티저 광고《살 마음이 내키게 하는 광고》; 마음만 부추기고 성교는 끝내 허용치 않는 여자 ; 무대 상부에 드린 막.

téaser campàign *n.* 선전의 정체를 숨겨 두고 완전한 내용을 알리지 않는 일련의 광고 캠페인《소비자의 호기심을 자극하기 위함》.

téa sèrvice[**sèt**] *n.* 찻그릇 (한 벌), 티 세트(cf. COFFEE SERVICE).

téa shòp *n.*《주로 英》 다방(tearoom) ;《英》 간이 식당(lunchroom).

teas·ing [tíːziŋ] *a.* 못살게 구는, 괴롭히는, 곯리는. **~·ly** *adv.* 놀리듯이, 성가시게.

***téa·spòon** [, 美+-spùn] *n.* 찻숟가락, 티스푼(cf. TABLESPOON) ; =TEASPOONFUL.

***téa·spòon·fùl** *n.* (*pl.* **~s, téa·spòons·fùl**) 찻숟가락 하나 가득(한 분량)《큰 숟가락의 약 1/3, 5cc ; 略 tsp.》〈*of*〉; 소량, 조금, 약간.

téa stràiner *n.* 차 거르는 조리.

teat [tí(ː)t] *n.* 젖꼭지, 유두(乳頭)(nipple) ; (포유병(哺乳瓶)의) 젖꼭지 ; 유두상 돌기.
〚OF < ? Gmc. ; cf. TIT[3]〛

téa tàble *n.* 차 탁자. **téa-tàble** *a.*

téa-thìngs *n. pl.*《口》 =TEA SERVICE.

téa·tìme *n.* Ⓤ 티타임《(오후의) 차 마시는 시간》: at ~ 차 마시는 시간에.

téa tòwel *n.* (접시 · 식기를 닦는) 행주(dish towel).

téa tràу *n.* 찻쟁반.

téa trèe *n.* **1** 차나무. **2** 〖植〗 구기자나무.

téa tròlley *n.*《英》 =TEA WAGON.

téa ùrn *n.* 차 끓이는 탕관[솥].

téa wàgon *n.* (바퀴 달린) 차도구 운반대(tea cart) (cf. DINNER WAGON).

tea·zel, tea·zle [tíːzəl] *n., vt.* =TEASEL.

tec[1] [ték] *n.*《俗》 탐정, 형사《detective의 단축형》; 추리 소설.

tech, tec[2] [ték] *n.*《口》 공업[공과] 대학[학교] (technical college[institute, school]) ; 과학 기술(technology). —— *a.* 과학 기술의.

tech., techn. technical(ly) ; technician ; technological ; technology.

tech·ne·ti·um [tekníːʃiəm] *n.* Ⓤ 〖化〗 테크네튬《금속 원소 ; 기호 Tc ; 번호 43 ; cf. MASURIUM》.

tech·ne·tron·ic [tèknətránik] *a.* 정보화 시대의《사회》.

tech·nic [téknik, tekníːk] *a.* =TECHNICAL.
—— *n.* **1** =TECHNIQUE. **2** [~s ; 단수 · 복수취급] 공예(학), 과학 기술. **3** [*pl.*] 전문(용)어, 술어. **4** [*pl.*] 전문적[학술적] 방법[법칙, 표현], 전문적 사항.
〚L<Gk. (*tekhnē* art, craft)〛

***téch·ni·cal** *a.* **1** 실용(상)의 ; 응용 과학의 ; 공업의, 공예의 : a ~ school 공업 학교. **2** 전문의[적인], 기술의, 학술(상)의, 특수한(↔*classical*) : a ~ adviser 기술 고문 / ~ skill 기교(技巧) / ~ terms 술어, 전문어. **3** 화학 공업적 방법에 의한 ; 법률[규칙]상 성립되는 ; 기법[수법, 기술]의 ; 〖證〗 (시세 따위가) 인위적인.

téchnical cóllege *n.*《英》 기술 전문 대학.

téchnical fóul *n.* 〖籠〗 테크니컬 파울《상대 선수와의 신체적 접촉에 의하지 않은 파울》.

téchnical hítch *n.* (기계의 고장으로 인한) 일시 정지.

tech·ni·cal·i·ty [tèknəkǽləti] *n.* **1** Ⓤ 전문적인 성질[일] ; 전문어[기술 따위]의 사용. **2** [때때로 *pl.*] 전문적인 사항[방법 · 표현] ; 전문(용)어.

téchnical·ìze *vt.* 전문[기술]화하다.
tèchnical·izátion *n.*

téchnical knóckout *n.* 〖拳〗 테크니컬 녹아웃,

티 케이 오《略 TKO, T.K.O.》.

téchnical·ly *adv.* 전문적으로, 기술[학술]적으로; 절차상; 술어(術語)로.

téchnical sérgeant *n.* 〖美空軍〗 중사(中士).

tech·ni·cian [tekníʃən] *n.* 전문가, 기술자; (그림·음악 따위의) 기교가(技巧家), 테크니션.

tech·ni·cism [téknəsìzəm], **tech·nism** [téknizəm] *n.* 기술 지상주의.

tech·ni·cist [téknəsəst] *n.* =TECHNICIAN. ── *a.* 기술 편중의, 기술 지상주의적인.

Tech·ni·col·or [téknikÀlər] *n.* Ⓤ 테크니컬러《천연색 영화(법)의 하나; 상표명》; [t~] 선명한 색채; [t~] 현란한 색채: a ~ film=a film *in* ~ 천연색 영화.

tech·ni·con [téknəkàn] *n.* (피아노·오르간의) 손가락 연습기《소리가 나지 않는 건반 같은 것》.

tech·ni·fy [téknəfài] *vt., vi.* 기술을 도입하다, 고도로 기술화하다, 기술적으로 세분하다, 기술 혁신하다: the most *technified* war in history 사상(史上) 가장 최고의 기술을 도입한 전쟁.

***tech·nique** [tekní:k] *n.* Ⓤ (전문적) 기술; 기교, 테크닉; Ⓒ (예술의) 수법, 예풍(藝風), 화풍, (음악의) 연주법; (연애 따위의) 수완.
〖F TECHNIC〗

tech·no- [téknou, -nə] *comb. form* 「기술」 「공예」「응용」의 뜻. 〖Gk.; ⇨ TECHNIC〗

tech·noc·ra·cy [teknákrəsi] *n.* Ⓤ [때때로 T~] 기술주의, 기술자 정치[지배], 테크노크러시《전문 기술자에게 한 나라의 산업적 자원의 지배·통제를 일임하려는 방식》; Ⓒ 기술주의 사회.

tech·no·crat [téknəkræ̀t] *n.* 테크노크러시의 주장자[신봉자]; 기술자 출신의 고급관료, (경영·관리직에 있는) 전문 기술자.

tech·nog·ra·phy [teknágrəfi] *n.* 기술사(史), 과학사, 공예 기재(記載)학.

technol. technological(ly); technology.

tech·no·log·ic, -i·cal [tèknəládʒik(əl)] *a.* **1** 과학 기술의: ~ development 과학 기술의 발달 / ~ society 기술 사회. **2** 과학 기술(의 발달)에 의한: ~ unemployment 과학 기술의 발달에 의해 생기는 실직[실업(失業)]. **3** 공예(학)의; 응용 과학의: a ~ university 공과[공업] 대학.

technológical innovátion *n.* 기술 혁신.

tech·nol·o·gize [teknálədʒàiz] *vt.* …을 기술 혁신하다, 기술화하다: ~*d* society 기술화[공업화] 사회.

***tech·nol·o·gy** [teknálədʒi] *n.* **1 a**) Ⓤ 과학 기술, 생산[공업] 기술; 기술[과학]적인 방법: industrial ~ 산업 기술. **b**) (개개의) 기술, 방법; 공정(工程)〈*for*〉. **2** Ⓤ 공예(학); 응용 과학(applied science): an institute of ~ 《美》 (이(理))공과 대학, 공업 대학. **3** Ⓤ (과학·예술의) 술어, 전문어. **-gist** *n.* 과학 기술자[연구가], 공학자; 공예가, 공예학자.
〖Gk. *tekhnologia* systematic treatment (*tekhnē* art)〗

technólogy assèssment *n.* 새로운 기술이 사회에 주는 영향의 사전 평가[기술 재평가].

technólogy pùll *n.* 기술 혁신에 수반된 문제의 전통적 해결에 대한 재검토의 요청.

technólogy trànsfer *n.* 기술 이전[도입]; 기술 원조《특히 선진국으로부터의 최신 기술의 이동》.

tèchno·mánia *n.* Ⓤ 과도한 기술 편중주의.

téchno·pèasant *n.* 기술[컴퓨터]에 약한 사람.

téchno·phòbe *n.* 최신 기술에 약한 사람; 컴퓨터를 싫어하는 사람.

tèchno·phóbia *n.* Ⓤ 과학 기술 공포증.

tech·nop·o·lis [teknápəlәs] *n.* Ⓤ 기술 지배 사회. **tech·no·pol·i·tan** [tèknəpálətn] *a.*

téchno·pòp *n.* [때때로 T~] 〖樂〗 테크노팝《신시사이저에 의한 전자 음악을 기조로 한 팝록 음악》.

téchno·sphère *n.* 인간 중심의 공업[과학] 기술, 인류의 과학 기술적 행동.

téchno·strèss *n.* 〖心〗 테크노스트레스.

téchno·strùcture *n.* 〖經〗 기술 구조《회사 운영의 실제적 권한을 가진 기술진》.

téch·scàm *n.* (첨단기술 정보를 불법 입수하려는) 스파이 행위에 대한 함정 수사.

Tech. Sgt. Technical Sergeant.

techy ☞ TETCHY.

tec·tol·o·gy [tektálədʒi] *n.* Ⓤ 〖生〗 조직형태학.

tec·ton·ic [tektánik] *a.* TECTONICS의; 건축의, 건조(建造)의; 건축학상의(architectural); 〖生〗 구조[구성]의; 〖地質〗 지각(地殼) 구조상의.
〖L＜Gk. (*tektōn* carpenter)〗

tec·tón·ics *n. pl.* [단수취급] (실용과 미의 양면에서 생각하는) 구축(構築)[구조]학; 지질 구조; 구조 지질학; 지각 변동(diastrophism).

tèc·to·no·mágnet·ìsm [tèktənou-, -tə-] *n.* 〖地質〗 지각 자기(地殼磁氣)《지각 변형에 기인하는 지구 자기장의 이상》.

ted [téd] *vt.* (**-dd-**) (풀 따위를) 널어서 말리다.
〖ON *tethja*〗

Ted *n.* **1** 남자 이름《Theodore, Edward의 애칭》. **2** [흔히 t~] 《英口》 =TEDDY BOY.

téd·der *n.* 풀을 말리는 사람[기계], 건초기, 테더.

ted·dy [tédi] *n.* [보통 teddies; 때때로 단수취급] 테디《슈미즈의 상반부와 헐거운 팬츠(pants)를 한데 붙인 여성용 속옷》.

Teddy *n.* **1** 남자이름《Theodore, Edward의 애칭》. **2** [흔히 t~] 《英口》 =TEDDY BOY.

téddy bèar *n.* 장난감 곰《미국의 T. Roosevelt 대통령이 곰 사냥을 좋아한 데서 연유》.

téddy bòy[gìrl] *n.* [때때로 T~] 《英口》 (Edward 7세 시대풍의 복장을 즐겨 입는) 영국의 불량 소년[소녀].

Te De·um [ti: dí:əm, tei déiəm] *n.* (*pl.* **~s**) 〖宗〗 찬미의 노래, 찬송가《조과(朝課)·승리 따위에서 신에게 바치는 감사의 노래》; 그 가곡; 찬미[감사]의 말.
sing Te Deum 《비유》 기뻐하다.
〖L *te deum* (*laudamus*) to thee God (we praise)〗

***te·di·ous** [tí:diəs, 美+-dʒəs] *a.* 지루한, 지겨운: a ~ lecture 지루한 강의 / ~ work 싫증나는 일.
~·ly *adv.* 지루하게; 장황하게, 싫증나게.
~·ness *n.* Ⓤ 지루함, 싫증.
〖F or L (*taedet* it bores)〗
[類義語] ⟹ TIRESOME.

te·di·um [tí:diəm] *n.* Ⓤ 지겨움, 지루함, 단조로움. 〖L (↑)〗

tee[1] [tí:] *n.* **1** (알파벳의) T[t]; T자형(의 것); (특히) T자관(字管); T형강(形鋼): to a ~=to a T (☞ T). **2** (curling, quoits 따위에서의) 표적《원래 T자형》. ── *a.* T자형의.

tee[2] *n.* 〖골프〗 티《칠 공을 올려놓는 대》; =TEEING GROUND; 〖美蹴〗 티《placekick을 할 때 공을 세우는 기구》. ── *vt., vi.* 〖골프·美蹴〗 (공을) 티 위에 올려놓다〈*up*〉; 준비하다〈*up*〉.
tee off (*vi.*) 〖골프〗 티에서 공을 쳐내다; 《비유》 시작하다, 개시하다(start)〈*with*〉; 〖拳·野〗 강타하다〈*on*〉; 《俗》 엄하게 꾸짖다, 헐뜯다〈*on*〉.
〖C17 *teaz*＜?〗

tee-hee ☞ TEHEE.

tée·ing gròund *n.* 〖골프〗 각 홀에서 플레이를 시작할 때 처음 공을 치는 곳.

teel ☞ TIL.

teem[1] [tí:m] *vi.* [+前+名] 충만하다, 풍부하다 (abound); 《廢》 임신하다: Fish ~ ***in*** this stream. = This stream ~*s* ***with*** fish. 이 개울에는 물고기가 많다 / This book ~*s with* blunders. 이 책은 오류투성이다. —— *vt.* 《古》 낳다, 생산하다. 〖OE *tēman* to give birth to; cf. TEAM〗

teem[2] *vt.* (속의 것을) 비우다; (녹인 강철을) 도가니에서 따라내다. —— *vi.* (물이) 쏟아져 나오다; [종종 진행형으로] (비가) 세차게 내리다: a ~*ing* rain 억수로 내리는 비 / It's ~*ing* (with rain). = The rain is ~*ing down.* 비가 억수로 내린다. 〖ON (*tómr* empty)〗

téem·ful *a.* 풍부한, 결실이 많은. **~·ness** *n.*

téem·ing *a.* 풍부한, 굉장히 많은, 넘치는; 자녀가 많은, 다산(多産)의: a head ~ *with* bright ideas 명안(名案)이 풍부한 머리. **~·ly** *adv.*

teen[1] [tí:n] *n.* 《古》 비애, 불행; 《스코》 분노. 〖OE *tēon*(*a*)〗

teen[2] *a.* 10대의(teen-age). —— *n.* = TEEN-AGER (cf. TEENS).

-teen [tí:n] *suf.* 「십(10)」의 뜻(13-19의 수의 접미사). ㊟ -teen이란 말(13-19)의 악센트는 리듬의 관계로 ⌐ ⌐ 또는 ⌐ ⌐이 됨. 〖OE; ⇨ TEN〗

téen·àge, -àged *a.* 《원래 美》 10대의.

téen·ag·er [-èidʒər] *n.* 《원래 美》 10대의 소년[소녀], 틴에이저.

téen·er *n.* = TEEN-AGER.

téen·pìx *n. pl.* 10대를 위한 영화.

teens [tí:nz] *n. pl.* **1 a**) [one's ~] 10대(13-19세); 소년[소녀]시절: *in*[*out of*] one's ~ 10대에서[를 지나서] / *in* one's early[low] ~ 10대 전반에[인], 로틴인 / *in* one's late[high] ~ 10대 후반에[인], 하이틴인 / *in* one's last ~ 19살 때에 / pass one's ~ 10대를 지나다, 20대가 되다 / enter one's ~ 13세가 되다. **b**) 10대의 젊은이들(teen-agers): The ~ want fun. 10대의 젊은이들은 신나게 노는 것을 좋아한다. **2** [the ~] (어떤 세기(世紀)의) 10년대(보기 1913-1919). 〖-TEEN〗

téen·ster *n.* = TEEN-AGER.

teen·sy [tí:nsi], **teent·sy** [tí:ntsi] *a.* 《口》 = TINY.

téensy-wéen·sy [-wí:nsi], **téentsy-wéent·sy** [-wí:ntsi], **téen·sie-wéen·sie** [tí:nsiwí:nsi] *a.* 《口》 = TINY.

tee·ny [tí:ni] *a.* 《口》 = TINY; 《口》 = TEEN-AGER.

téeny·bòpper *n.* 《俗》 틴에이저인 소녀; 유행을 좇아 로큰롤에 열중하는 틴에이저.

téeny-wée·ny [-wí:ni], **tée·nie-wée·nie** [tí:niwí:ni] *a.* 《口》 조그마한(tiny).

teepee ☞ TEPEE.

tée shìrt *n.* = T-SHIRT.

tee·ter [tí:tər] *vi.* 비틀거리며 나가다, 흔들리다; 주저하다; = SEESAW. —— *vt.* = SEESAW. —— *n.* = SEESAW; 동요(動搖); 《비유》 (선택할 때의) 마음의 흔들림, 주저. 〖*titter* (dial.)〗

téeter·bòard *n.* = SEESAW; 티터보드(널뛰기 식으로, 한쪽 사람을 튕겨내는 기구).

téeter-tòtter *n.* 《美》 = SEESAW.

◇**teeth** *n.* TOOTH의 복수형.

teethe [tí:ð] *vi.* 이가 나다. 〖↑〗

teeth·ing [tí:ðiŋ] *n.* Ⓤ 이가 나기, 젖니가 남; 이가 남으로 인해 생기는 여러 가지 현상.

téething rìng *n.* (이가 날 무렵에 아기에게 물리는) 고무[상아, 플라스틱] 고리.

téething tróubles *n. pl.* (사업 따위의) 초기의 곤란, 발족[창업]시의 고생.

téeth·rìdge *n.* 잇몸.

tee·to·tal [ti:tóutl, ⌐--] *a.* **1** 절대 금주(주의)의 《略 TT》: a ~ pledge 절대 금주 맹세 / a ~ society 절대 금주회(禁酒會). **2** [total의 강조어] 완전한; 절대적인. —— *vi.* 절대 금주주의를 실행[주창]하다. **~·(l)er, ~·ist** *n.* 절대 금주(주의)자. **~·ìsm** *n.* Ⓤ 절대 금주(주의). **~·ly** *adv.* 절대 금주주의상; 《口》 전혀. 〖*total*의 머리 글자를 강조한 것; 1833년 영국의 절대 금주론자 R. Turner의 조어(造語)인가〗

tee·to·tum [ti:tóutəm] *n.* 손가락으로 돌리는 팽이; (특히) 측면에 글자를 새긴 PUT-AND-TAKE용의 사각(四角) 팽이: like a ~ 빙글빙글 돌아. 〖*T totum*; *T*(팽이의 한 측면에 기재된 *totum* (take) all의 머리글자) + L *totum* whole (stakes)〗

tee·vee [tí:ví:] *n.* = TELEVISION. 〖TV〗

TEFL [téfəl] teaching English as a foreign language(외국어로서의 영어 교수(법)).

Tef·lon [téflɑn] *n.* 테플론(열에 강한 수지; 상표명): ~ factor 테플론 효과[요인](실언·실책 따위를 유머 따위로 돌려서 심한 타격을 받지 않음의 비유).

teg [tég] *n.* 두 살난 암사슴; 두 살난 양(의 털).

t.e.g. 〖製本〗 top edge(s) gilt (윗단면 금붙임).

Te·gu·ci·gal·pa [təgù:səgǽlpə] *n.* 테구시갈파 (중미 Honduras의 수도).

teg·u·lar [tégjələr] *a.* 기와 모양의; 기와 모양으로 배열된; 〖昆〗 어깨판의.

teg·u·ment [tégjəmənt] *n.* 덮개, 외피(外被) (integument). **tèg·u·mén·tal** [-méntl] *a.* **teg·u·men·tary** [tègjəméntəri] *a.* 덮개의, 외피의, 포피의.

teh ch'i [té tʃí:] *n.* 감응(침술에서 침이 혈에 닿았을 때 시술자·환자가 느끼는). 〖Chin.〗

te·hee, tee-hee [ti:hí:] *int., n.* 히히! (하는 소리); 냉소(冷笑). —— *vi.* 히히 웃다, 냉소하다. 〖imit.〗

Teh·ran, Te·he·ran [tèiərǽn, -rɑ́:n, tì:ə-, tèhə-] *n.* 테헤란(이란의 수도).

Teil·hard de Char·din [*F* tɛjar də ʃardɛ̃] *n.* 테야르 드 샤르댕. **Pierre** ~ (1881-1955) 프랑스의 예수회 신부·신학자·철학자·지질학자·고생물학자; 인간은 신적(神的)인 종국을 향해 진화하고 있다고 함.

téil (trèe) [tí:l(-)] *n.* 〖植〗 보리수(linden).

tek·tite [téktait] *n.* 텍타이트(오스트레일리아·인도네시아 등지에서 산출되는 흑요석과 비슷한 유리 모양의 물질). **tek·tit·ic** [tektítik] *a.*

TEL [tél] *n.* 〖美軍〗 MX 미사일 발사 기능을 가진 이동차. 〖*t*ransporter-*e*lector-*l*auncher〗

tel. telegram; telegraph(ic); telephone.

tel-[1] [tél], **tele-** [télə], **telo-** [télou, tí:lou, -lə] *comb. form.* 「원거리의」「전신」「텔레비전」「전송」의 뜻. 〖Gk. (*tēle* far off)〗

tel-[2] [tél], **tele-** [téli], **tel·eo-** [téliou, tí:liou, -liə], **telo-** [télou, tí:lou, -lə] *comb. form* 「말단」「목적」「완전한」의 뜻. 〖Gk. (*telos* end, completion)〗

tel·a·mon [téləmɑ̀n, -mən] *n.* **1** (*pl.* **-mo·nes** [tèləmóuni:z], **~s**) 〖建〗 인상주(人像柱); 남상주(男像柱) (cf. CARYATID). **2** [T~] 〖그神〗 텔라몬(Salamis 섬의 왕, 대(大) Ajax의 아버지).

tel·au·to·gram [telɔ́:təgræ̀m] *n.* 텔오토그램

《TELAUTOGRAPH로 전송(傳送) 재현한 메시지[팩시밀리]》.

Tel·Au·to·graph [telɔ́:təgræ̀(:)f ; -grɑ̀:f] *n.* 텔오토그래프《사진·서화(書畫)를 전기 신호로 바꾸어 전송 재현하는 장치 ; 상표명》.

Tel Aviv [tél əví:v] *n.* 텔아비브《이스라엘의 최대 도시》.

tél·cò *n.* (전문어·회사명으로서) 전화 회사. 〚*tel*ephone *co*mpany〛

tele [téli] *n.* 《口》 =TELEVISION.

tele- ☞ TEL-[1, 2].

tele·ar·chics [tèliɑ́:rkiks] *n.* 〖空〗 (전파에 의한) 항공기 무선 조작.

téle·càmera *n.* 텔레비전 카메라 ; 망원 사진기.

tele·cast [téləkæ̀(:)st ; -kɑ̀:st] *n.* 텔레비전 방송 ; 텔레비전 프로그램. —— *vt., vi.* (~, **~·ed**) 텔레비전 방송을 하다.

télecast stàtion *n.* 텔레비전 방송국.

tele·cine [téləsìni] *n.* 텔레비전 영화.

téle·còm *n.* =TELECOMMUNICATION.

tèle·communicátion *n.* [때때로 *pl.*] 전기 통신(학) ; 〖컴퓨〗 (전기) 통신 : a ~(*s*) satellite 통신 위성(cf. TELSTAR).

téle·com·pùt·ing *n.* 〖컴퓨〗 텔레컴퓨팅《일반 전화선을 이용하여 원격지의 중앙 컴퓨터를 활용함》.

téle·cònference *n.* (장거리 전화·텔레비전 따위를 이용한) 원격지간의 회의.
-còn·fer·enc·ing *n.*

tèle·consultátion *n.* 〖醫〗 원격 상담(相談)《원격 측정기기나 텔레비전을 이용한 원격지에서의 의료 상담》.

tèle·contról *n.* 전파에 의한 원격(遠隔) 조작.

Téle·còpier *n.* 전화 복사기《문자나 도형을 전화로 전송·복사하는 기계 ; 상표명》.

téle·còurse *n.* 《美》 텔레비전 강좌(講座)《대학 따위의 텔레비전을 통한 강의》.

tèle·diagnósis *n.* Ⓤ 텔레비전[원격] 진단.

tel·e·du [télədù:, télədu:] *n.* 〖動〗 스컹크오소리《자바 및 수마트라산》. 〚Malay〛

tèle·facsímile *n.* Ⓤ,Ⓒ 전화 전송.

téle·film *n.* 텔레비전 영화.

teleg. telegram ; telegraph(ic) ; telegraphy.

téle·gàmes *n. pl.* [단수취급] 텔레게임《전화회선을 이용하여 원거리 복수 플레이어가 동시에 참가하는 게임 ; 체스 따위》.

tèle·génic *a.* 텔레비전 방송에 적합한[알맞은], 텔레비전 화면(畫面)을 잘 받는(videogenic) (cf. PHOTOGENIC, RADIOGENIC).

te·leg·o·ny [təlégəni] *n.* 〖生〗 감응 유전(感應遺傳). 〚Gk. *-gonia* begetting〛

*__téle·gràm__ *n.* 전보, 전신 : by ~ 전보로 / send a ~ 전보를 치다(☞ TELEGRAPH 活用) / a ~ in cipher[plain language] 암호[보통어] 전보 / a ~ to follow 추가 전보. —— *vt.*, *vi.* (**-mm-**) =TELEGRAPH.

*__téle·gràph__ *n.* **1** 전신기(機) ; 전신(電信), 전보 ; 〖컴퓨〗 전신 : by ~ 전신[전보]로 / a ~ corps 전신대(電信隊) / a ~ office[station] 전신국(局) / a ~ form[slip, 《美》 blank] 전보 용지. **2** 신호기(信號機) (semaphore). **3** (경기·경마 따위의) 속보[득점] 게시판. **4** [T~] 신문 명칭 : the Daily *T*~ (런던의) 데일리 텔레그래프.
—— *vt.* [+目/+目+目/+目+前+名/+目+*to* do/+目+*that* 節] …에 전보를 치다, 전보로 알리다 ; (선물 따위를) 전신[전보] 주문하여 보내어 닿게 하다 ; (의도·결의 따위를) 몸짓[표정]으로 알아채게 하다 : Please ~ me the result. = Please ~ the result ***to*** me. 결과를 전보로 알려주시오 / I ~*ed* him ***for*** help. 그에게 도와 달라고 전보를 쳤다 / *T*~ her *to* come at once. 곧 오라고 그녀에게 전보를 치시오 / I ~*ed* my father *that* everything was all right. 만사가 잘되어 간다고 아버지에게 전보를 쳤다. —— *vi.* [動/+前+名] 전보를 치다 ; 신호하다 : You may either ~ or telephone. 전보를 치거나 전화를 걸거나 어느 쪽이라도 좋다 / I ~*ed* ***to*** my father. 나는 아버지에게 전보를 쳤다. 〚F〛

活用 동사로서는 telegraph 보다는 send a TELEGRAM, send a CABLE을 쓰는 편이 일반적.

télegraph bòard *n.* (경마장 따위의) 속보(速報)게시판.

te·leg·ra·pher [təlégrəfər], **-phist** [-fəst] *n.* 전신 기사(技師).

tele·graph·ese [tèləgræfí:z, -s, 英+-grɑ:-] *n., a.* 전문체(電文體)(의) ; 《戲》 과장된 문체(의).

tele·graph·ic [tèləgræ̀fik] *a.* **1** 전신기(機)의. **2** 전송의, 전신[전보]의 ; 신호의 : a ~ address (전보의) 전신 약호(略號) / a ~ code (특히 Morse식의) 전신 부호 / ~ instructions 전신 훈령 / a ~ message 전보, 전문 / a ~ picture 전송 사진. **3** (문장이) 간결한, 전문체의. **-i·cal·ly** *adv.* 전신[전보]로 ; 신호[표시]로 ; 간결하게.

telegráphic tránsfer *n.* 《英》 전신환(=《美》 cable transfer)《略 TT》.

télegraph kèy *n.* 전신 키, 전건(電鍵).

télegraph lìne *n.* 전(신)선(線).

télegraph mòney òrder *n.* 전신환.

te·leg·ra·phone [təlégrəfòun] *n.* 축음(蓄音) 전신기《전화 내용이 자동으로 녹음되어 필요시 재생할 수 있게 된 것》.

tele·grapho·scope [tèləgræ̀(:)fəskòup ; -grɑ́:fə-] *n.* (초기의) 사진 전송기(電送機).

télegraph plànt *n.* 〖植〗 도둑놈의갈고리속(屬)의 관목《콩과》.

télegraph pòle[pòst] *n.* 《英》 전(신)주(柱).

télegraph wìre *n.* 전선(電線).

te·leg·ra·phy [təlégrəfi] *n.* Ⓤ 전신(술).

téle·kìnema *n.* 텔레비전 영화 상영관.

tèle·kinésis *n.* 〖心靈〗 격동(隔動)(현상), 염동(念動)(작용)《심령 현상의 일종》.

Téle·lèarn·ing *n.* 텔레러닝《본부와 전화선으로 연결된 홈 컴퓨터(home computer)로 대학 수준의 강의를 받을 수 있는 가정 학습 시스템》.

téle·lècture *n.* 전화 강연《전화를 이용한 마이크 방송》.

tele·man [télimæ̀n] *n.* (*pl.* **-men** [-mèn]) 〖美海軍〗 사무·암호·통신을 담당하는 상급하사관.

tel·e·mark [téləmɑ̀:rk] *n.* [흔히 T~] 〖스키〗 텔레마크《회전법의 일종 ; 노르웨이의 지명에서》.
—— *vi.* 〖스키〗 텔레마크 회전을 하다.

téle·màrket·ing *n.* =TELESHOPPING.

tele·mat·iks [tèləmǽtiks] *n.* =TÉLÉMATIQUE.

té·lé·ma·tique [*F* telematik] *n.* 텔레마티크《전화와 컴퓨터를 결합한 정보 서비스 시스템》.

tèle·mechánics *n.* (기계의) 원격 조작법, 무선 조종법.

tèle·médicine *n.* 통신 의료 상담, 원격 의료《원격 측정기기·전화·텔레비전 따위에 의해 행해지는 의료》.

téle·mès·sage *n.* 《英》 텔레메시지《전화나 텔렉스로 받은 전보문》.

téle·mèter [, təlémətər] *n.* 거리 측정기 ; 〖電〗 원격 계측기(計測器)《자동 계측 전송 장치》.
—— *vt., vi.* (신호·자료 따위를) 자동 원격 전송

하다. **~·ing** *n.* 원격 측정.
te·lem·e·try [təlémətri] *n.* Ⓤ 텔레미터법(法), 원격 측정법 ; 원격 측정으로 얻은 데이터 ; = BIOTELEMETRY. **tele·met·ric** [tèləmétrik] *a.* **-ri·cal·ly** *adv.*
téle·mòtor *n.* 〖海〗 텔레모터.
tèl·encéphalon *n.* 〖解·動〗 단뇌(端腦). **tèl·encephálic** *a.*
tél·e·nèws *n.* Ⓤ 텔레비전 뉴스.
teleo- [téliou, tí:liou, -liə] ☞ TEL-[2].
tel·eo·log·i·cal, -log·ic [tèliəládʒik(əl), tì:l-] *a.* 목적론(적)인. **-i·cal·ly** *adv.*
tel·e·ol·o·gy [tèliálədʒi, tì:li-] *n.* Ⓤ 〖哲〗 목적론. **-gist** *n.* 목적론자. 〚NL ; (*tel-*[2])〛
tel·e·on·o·my [tèliánəmi, tì:li-] *n.* 목적론적 법칙《생물의 구조·기능의 존재는 그것이 진화 과정에서 남아 있을 만한 가치를 지녔다고 함》; 종합적 목적에 지배되는 사회 조직[집단].
tèle·óperator *n.* 원격 조작(으로 작동하는) 장치 [로봇].
Tel·eo·sau·rus [tèliəsɔ́:rəs] *n.* 〖古生〗 완룡(完龍)《중생대의 파충류》.
tel·e·ost [téliàst, tí:li-] *n., a.* 〖動〗 경골어류(硬骨魚類)(의).
tele·path [téləpæ̀θ] *n.* 텔레파시 능력자(telepathist). —— *vi.* =TELEPATHIZE.
tele·pathic [tèləpǽθik] *a.* 정신 감응적인, 이심전심(以心傳心)의 : ~ clairvoyance 전심적(傳心的) 천리안. **-i·cal·ly** *adv.*
te·lép·a·thist *n.* 정신 감응술(感應術) 연구자 ; 텔레파시 능력자.
te·lep·a·thize [təlépəθàiz] *vt.* 정신 감응으로 전하다. —— *vi.* 정신 감응술을 행하다.
te·lep·a·thy [təlépəθi] *n.* 〖心靈〗 텔레파시, 정신 감응(cf. MIND READING, THOUGHT-READING). 〚*tele-*, -PATHY〛
tèle·páyment *n.* 비디오텍스를 이용하여 대금을 지급하는 방법.
◇**tele·phone** [téləfòun] *n.* Ⓤ 전화 ; Ⓒ 전화기 ; [the ~] 전화 (통신) 조직 : by ~ 전화로 / a public ~ 공중 전화 / a ~ girl (전화) 교환양 / a ~ message[call] 통화, 전화 / a ~ set 전화기 / a ~ subscriber 전화 가입자 / speak to a person *over*[*on*] the ~ 전화로 남과 이야기하다 / call a person *on*[*to*] the ~ 남을 전화로 불러내다 / We don't have a ~ yet.=We are not *on* the[a] ~ yet. 우리 집에는 아직 전화가 없다.

〈회화〉
You are wanted on the *telephone*. — Who is it?「전화가 왔어요」「누구한테」

—— *vt.* [+目/+目+目/+目+前+名/+目+*to* do/+目+*that* 節] …에게 전화를 걸다, 전화로 말하다(phone) : I ~*d* him congratulations.=I ~*d* congratulations ***to*** him. 그에게 전화로 축하 인사를 했다 / I ~*d* him *to* come at once. 나는 그에게 곧 오라고 전화했다 / I ~*d* him *that* I was coming to him this evening. 오늘 밤에 가겠다고 그에게 전화를 걸었다. —— *vi.* [動/+前+名/+*to* do] 전화를 걸다 ; 전화로 이야기하다 : ~ ***to*** a person (남)에게 전화를 걸다 / He ~*d* (*through*) *to* say that he wanted to see me. 그는 나를 만나고 싶다고 전화로 말했다. 注 특히 구어에서는 종종 *n., v.* 모두 phone을 씀.
télephone ánswering machìne *n.* =ANSWERING MACHINE.
télephone bànk *n.* (자원자들이 투표나 자선 모금을 호소하기 위해 준비한) 전화 대열.
télephone bìt *n.* 《美俗》 장기 금고형(刑).
télephone bòok[**dirèctory**] *n.* 전화 번호부.
télephone bòoth[《英》 **bòx, kìosk**] *n.* 공중 전화 부스.
télephone càll *n.* 건[걸려 온] 전화 : a ~ from Pusan 부산에서 온 전화 / make[receive] a ~ 전화를 걸다[받다].
tèle·phon·ée *n.* 전화받는 사람.
télephone exchànge[**òffice**] *n.* 전화 교환국(局)[실(室)].
télephone nùmber *n.* 전화 번호 ; 《美俗》 = TELEPHONE BIT.
télephone òperator *n.* (전화) 교환원.
télephone pòle *n.* 전화선 전주.
télephone recèiver[**transmìtter**] *n.* (전화의) 수[송]화기.
tele·phon·ic [tèləfánik] *a.* 전화(기)의, 전화에 의한 ; 소리를 멀리 전달하는. **-i·cal·ly** *adv.*
te·leph·o·nist [təléfənəst, 美+téləfòu-] *n.* 《英》 전화 교환원.
tele·pho·ni·tis [tèləfənáitəs] *n.* Ⓤ 《戱》 전화광.
te·leph·o·ny [təléfəni, 美+téləfòu-] *n.* Ⓤ 전화(통화)법[방식] ; 전화기 제조[조작]법.
tele·phote [téləfòut] *n.* 사진 전송기 ; 망원 사진기(機).
tele·pho·to [téləfòutou] *attrib. a.* 망원 사진술의 ; 사진 전송술의 ; (렌즈가) 망원 사진용의. —— *n.* (*pl.* **~s**) 망원 렌즈 ; 망원 사진.
tèle·phóto·gràph *n.* 망원 사진 ; 전송 사진. —— *vt., vi.* 망원렌즈로 촬영하다 ; (사진을) 전송하다.
tèle·photógraphy *n.* Ⓤ 망원 사진술 ; 사진 전송술. **-photográphic** *a.*
téle·plàsm *n.* 〖心靈〗 영매(靈媒)의 몸에서 난다고 보는 영기(靈氣) (ectoplasm).
téle·plày *n.* 텔레비전극.
tele·port[1] [télәpɔ̀:rt] *vt.* 〖心靈〗 (물체·사람을) 염력(念力)으로 움직이다[이동시키다]. **tèle·por·tá·tion, téle·pòrt·age** *n.* 염력 이동. 〚*port*[4]〛
teleport[2] *n.* 〖通信〗 텔레포트《통신 위성으로 세계에 통신을 송수신하는 지상 센터》. 〚PORT[1]〛
téle·prìnt·er *n.* =TELETYPEWRITER.
téle·prócess·ing *n.* 〖컴퓨〗 텔레프로세싱《중앙 컴퓨터와 복수(複數)의 원격 지점이 데이터 전송 회선으로 접속된 시스템》.
Tele·Promp·Ter [téləprɑ̀mptər] *n.* 텔레프롬프터《텔레비전용 후견기(後見機) ; 출연자에게 방송 대본을 한 행씩 확대시켜 보여주는 시스템 ; 상표명(名)》.
Tele·put·er [téləpjù:tər] *n.* 《英》 텔레퓨터《퍼스널 컴퓨터와 비디오텍스를 결합한 것》.
tele·ran [télərǽn] *n.* 〖空〗 전파 탐지기 항공술. 〚*tele*vision-*ra*dar *n*avigation〛
téle·recòrd *vt.* 〖TV〗 녹화하다.
téle·recòrd·ing *n.* 〖TV〗 녹화 ; 녹화 프로그램《따위》.
tel·er·gy [télərdʒi] *n.* 〖心〗 정신 감응력.
***tele·scope** [téləskòup] *n.* 망원경 ; 원통 모양 확대 광학 기계《기관지경·방광경 따위》; =RADIO TELESCOPE ; =TELESCOPE BAG ; [the T~] 〖天〗 망원경자리 : a sighting ~ (총포의) 조준 망원경 / a terrestrial ~ 지상 망원경. —— *a.* 포개어 넣을 수 있는. —— *vt.* **1** (망원경의 몸통처럼) 포개어 끼워 넣다, 집어 넣다 : The two coaches were ~*d* by the collision. 충돌로 2량의 객차가

포개졌다. **2** 짧게 하다, 압축하다. ── *vi.* **1** 포개지다 ; 자유로이 신축하다. **2** (시간적·공간적으로) 짧아지다, 단축되다.
〖It. or NL (*-scope*)〗

télescope bàg *n.* (신축 자재로) 접는 가방.

télescope gòldfish *n.* 퉁방울눈금붕어.

télescope sátellite *n.* (달 따위의) 탐사용 무인 인공 위성.

télescope wòrd *n.* =PORTMANTEAU WORD.

tele·scop·ic [tèləskápik] *a.* **1** 망원경의 ; (경치 따위) 망원경으로 본 ; (멀어서) 육안으로는 안보이는 : a ~ object 망원경으로만 보이는 물체. **2** 멀리까지 볼 수 있는[보이는]. **3** 끼워 넣어지는 ; 늘었다 줄었다하는 : a ~ tube 포개어 끼우게 된 관(管). **-i·cal·ly** *adv.*

Tele·sco·pi·um [tèləskóupiəm] *n.* 〖天〗 망원경자리《궁수자리 남쪽의 작은 별자리》.

te·les·co·py [təléskəpi] *n.* Ⓤ **1** 망원경 사용법[관측술]. **2** 망원경 제조법. **-pist** *n.* 망원경 사용자[관측자] ; 망원경 사용에 숙달된 사람.

téle·scrèen *n.* 텔레비전 수상면(受像面), 수상 스크린.

téle·scrìpt *n.* 텔레비전 방송용 대본.

tele·seism [téləsàizəm] *n.* 원격 지진에 의한 미동(微動).

tèle·shóp·ping *n.* 텔레쇼핑(telemarketing)《텔레비전에 나온 상품을 보고 주문하는 구매 방식》.

tel·e·sis [téləsəs] *n.* (*pl.* **-ses** [-sì:z]) 〖社〗 지적(知的)인 계획과 노력에 의한 목적 달성 ; 지적 계획에 의한 진보. 〖Gk. =completion〗

tèle·spéctro·scòpe *n.* 망원 분광기(分光器).

tèle·stéreo·scòpe *n.* 입체 망원경.

tel·es·the·sia, -aes- [tèləsθí:ʒiə, -ziə] *n.* Ⓤ 〖心靈〗 원격 투시《예감·천리안(天里眼) 따위》.
tèl·es·thét·ic [-θét-] *a.*

téle·tèx *n.* 텔레텍스《종래의 텔렉스를 고속·고성능화한 것》.

téle·tèxt *n.* 텔레텍스트, 문자 다중(多重) 방송, 문자 방송 ; 〖컴퓨〗 글자 방송.

tèle·thermómeter *n.* 원격 자기(自記)[전기] 온도계.

tele·thon [téləθàn] *n.* (기금 모집 따위를 위한) 장시간 텔레비전 프로그램. 〖*tele*vision mara*thon*〗

tèle·transcríption *n.* (브라운관(管) 녹화법으로 만든) 녹화 방송.

Téle·tỳpe *n.* **1** TELETYPEWRITER의 상표명. **2** [때때로 t~] 텔레타이프 통신(문(文)). ── *vt., vi.* [때때로 t~] 텔레타이프로 송신하다.

téle·tỳper *n.* =TELETYPIST.

Tèle·týpe·sètter *n.* 전송식 식자기《상표명》.

tèle·týpe·wrìter *n.* 텔레타이프(라이터), 인쇄 전신기.

téle·tỳpist *n.* 텔레타이프 타자원.

téle·vìew *vt., vi.* 텔레비전으로[을] 보다.

téle·vìew·er *n.* 텔레비전 시청자.

tele·vise [téləvàiz] *vt.* 텔레비전(으로) 방송하다, 방영(放映)하다 : The funeral of the national hero was ~*d* on the spot. 국민적 영웅의 장례식이 텔레비전으로 실황 방송되었다.
── *vi.* 텔레비전 방송에 적합하다 : The play ~*d* well. 그 극은 텔레비전 방송에 적합했다.
〖역성(逆成) < ↓〗

◇**tele·vi·sion** [téləvìʒən] *n.* **1** Ⓤ 텔레비전《略 TV ; cf. TELLY》; Ⓒ 텔레비전 수상기(機) (=~ **sèt**) : the two-way ~ ☞ TWOWAY / He was watching ~. 텔레비전을 보고 있었다 / I saw the Olympics *on* ~. 올림픽을 텔레비전으로 보았습니다 / He often appears *on* ~. 그는 자주 텔레비전에 나온다. **2** [형용사적으로] 텔레비전의[에 의한] : a ~ camera 텔레비전 카메라 / ~ commercials 텔레비전 광고[코머셜].
tèle·ví·sion·al, -ví·sion·àry [; -nəri] *a.* 텔레비전의[에 의한]. **-ví·sion·al·ly** *adv.* 〖F〗

télevision shòpping *n.* =TELESHOPPING.

télevision stàtion *n.* 텔레비전 방송국.

télevision tùbe *n.* 수상관(受像管).

téle·vì·sor *n.* 텔레비전 송신[수신]장치 ; 텔레비전 수상기 사용자 ; 텔레비전 방송자.

tèle·vísual *a.* 텔레비전(방송)의, 텔레비전 방송에 알맞은.

téle·vòx *n.* (발성 장치가 있는) 기계 인간.

téle·wòrk·ing *n.* 자택 근무.

téle·wrìter *n.* 전기 사자기(寫字機), 인자(印字) 전신기 ; 텔레라이터《송신 단말기의 필기 동작을 수신 단말기의 필기 장치에 재현하는 장치》.

tel·ex [téleks] *n.* **1** 텔렉스, 가입(자) 전신《가입 전신·전화로 상대방을 호출해서 텔레타이프를 사용하여 직접 교신하는 것》. **2** 텔렉스(에 의한) 통신. ── *vt.* 텔렉스로 통신하다.
〖*tel*etypewriter[*tel*eprinter] *ex*change〗

telfer ☞ TELPHER.

◇**tell** [tél] *v.* (**told** [tóuld]) *vt.* **1** [+目/+*wh.* 節/+目+目/+目+前+名/+目+*that* 節] 말하다, 이야기하다 ; 진술하다 : ~ the truth[a lie] 사실대로[거짓을] 말하다 / That tells a tale. ☞ TALE 1 / ~ the tale ☞ TALE 숙어 / That child doesn't know how to ~ the time. 저 애는 시계 보는 법을 모른다(cf. 3) / She could not ~ *how* sad she was. 얼마나 슬펐는지 말로는 표현할 수 없었다 / He *told* us his adventures. 우리에게 모험담을 말해 주었다 / The following story was *told* (***to***) me. 다음과 같은 이야기를 나에게 말해 주었다 / They *told* us ***about***[***of***] foreign lands. 우리에게 외국에 관한 이야기를 해 주었다 / She *told* me *that* she had been ill. 나에게 죽 아팠었다고 말했다《주 이 구문에서 수동태는 I *was told* that…이며 It *was told* me that…은 드물게 쓰인다》/ So she *told* me. 그렇게 그녀는 나에게 말했다《so는 *that* 節의 대용어》/ I *told* you so!=Didn't I ~ you so! 그것봐!, 내가 그렇게 말하지 않던.
2 [+目/+*wh.* 節/+目+目/+目+*to*+名/+目+*that* 節/+目+*wh.* 節/+目+*wh.*+*to* do] …에게 알리다, 이르다, 전하다, 가르쳐 주다 : I will ~ you. 자초지종을 말하겠다《내 얘기를 들어 보아라》/ You're ~*ing* me! 《俗》 다 알고 있어 / Don't ~ *where* you found the knife. 칼을 어디서 찾았는지 말하지 마라 / He did not ~ her his name. 그녀에게 이름을 밝히지 않았다 / I will ~ you what. ☞ WHAT[1] *pron.* 숙어 / I have been *told* the full truth. 진상을 모두 들었다 / He *told* the event ***to*** everyone in the neighborhood. 그 사건을 모든 이웃 사람에게 알렸다 / She *told* him *that* you would come later. 그녀가 당신이 늦게 온다는 것을 그에게 알렸다 / *T*~ me *when* you will leave London. 언제 런던을 떠날 것인지 가르쳐 주시오 / She will ~ you *what to* do. 어떻게 하면 좋을 것인지 그녀가 알려드릴 거예요.
3 《비유》 (물체가) 나타내다, 표시하다 : Her face *told* her grief. 그녀의 얼굴은 슬픔을 나타내고 있었다 / This signpost ~*s* the way to New York. 이 도표(道標)는 뉴욕으로 가는 길이 표시되어 있다 / The clock ~*s* the time. 시계는 시각을 알린다.

4 [+目+*to* do] 명령하다, (…하라고) 말하다: *T*~ her ***to*** bring me a cup of tea. 그녀에게 차 한잔 가지고 오라고 말하시오 / I was *told* always *to* speak the truth. 언제나 진실을 말하도록 타이름을 받았다 / Do as you are *told*. 시킨 대로 하시오《주 told 뒤에 to do가 생략되어 있음》.

5 [특히 can, could, be able to 따위를 수반하여] **a**) [+目/+*wh.*+*to* do/+*wh.* 節/+*that* 節] 알다, 이해하다(know): I can't ~ the color[the size]. 나는 그 색채[크기]를 알 수 없다 / You can ~ him by his voice. 목소리로 그라는 것을 알 수 있다 / He couldn't ~ *what to* do. 그는 어떻게 해야 할지를 몰랐다 / How did you ~ *which* way *to* take? 어느 쪽을 택할 것인지 어떻게 알았습니까 / There is no ~*ing when* he may come. 그가 언제 오려는지 알 수 없다 / Nobody can ~ *what* it is[*where* it is]. 그것이 무엇인지[어디에 있는지] 아무도 모른다 / One can ~ (*that*) she is intelligent. 그녀가 총명하다는 것은 누가 보아도 알 수 있다. **b**) [+目/+目+前+名] 분간하다, 식별하다(distinguish): You can never ~ the difference ***between*** them. 양자의 차이를 자네는 분간 못할 거야 / I can't ~ one twin ***from*** the other. 나는 그 쌍둥이를 분간할 수 없다.

6 [+目/+目+*that* 節] …에게 단언하다, 분명히 말하다(assure): It is not so easy, let me ~ you. 분명히 말하지만 그것은 그렇게 쉽지 않다 / I don't like it, I can ~ you. 정말로 나는 그것이 싫다 / I ~ you I'm sick of it. 정말로 그것에 싫증이 난다.

7《古》세다, 헤아리다(count) (cf. TELLER 2; UNTOLD): ~ one's beads ☞ BEAD *n.* 숙어.

—— *vi.* **1** [動/+前+名] 이야기하다, 말하다, 진술하다; 나타내다, 증명하다: He is always ~*ing*, never doing. 언제나 말뿐이지 실행을 하지 않는다 / I'll ~ ***about***[***of***] it. 그 이야기를 하겠다 / His hands ~ *of* labor. 그의 손은 노동자라는 것을 말해준다.

2 [動/+*on*+名] 고자질하다;《口·兒》(비밀을) 일러주다: Did he promise not to ~? 그는 말하지 않겠다고 약속했는가 / Helen *told* ***on*** her sister Mary. 헬렌은 동생 메리를 일러바쳤다.

3 [動/+前+名] 효과[효험]가 있다, (포탄 따위가) 명중하다; 영향[지장]을 주다: Money is bound to ~. 돈의 효과는 꼭 나타난다 / Every shot *told*. 백발백중이었다 / His age is beginning to ~ ***upon*** him. 그도 나이에는 어쩔 수 없다 / Everything *told* ***against*** him. 모든 것이 그에게 불리했다.

4 [특히 can, could, be able to 따위를 수반하여] 알다, 분간하다, 식별하다(cf. *vt.* 5): Nobody can ~. =Who can ~? 아무도 알 수 없다 / You never can ~. 미리 알 수는 없어요 / You can't always ~ from appearances. 겉보기만으로는 알 수 없는 일이다.

all told 모두해서, 통틀어, 총계하여(in all) (cf. *vt.* 7): There were fifty of them, *all told*. 그들은 모두 50명이었다.

Do tell.《口》무어라구!, 설마!

hear tell ☞ HEAR.

tell a person ***good-bye***《美》남에게 작별을 고하다(say good-bye to a person).

tell off (1) (사람 등) 세어 나누다(count off) (cf. *vt.* 7); 특파(特派)하다: The workers were *told off* for their special task. 노동자들이 특별한 일을 위하여 파견되었다. (2)《口》…에게 잔소리하다, 야단치다, 혼내주다: Betty was *told off* for being late. 베티는 지각했기 때문에 야단을 맞았다.

Never[***Don't***] ***tell me*** (that…)! 설마 (…은 아니겠지요), 농담이시겠지요.

tell the world《美》공언(公言)하다, 단언하다: I can[will] ~ *the world* it's true. 단연 진짜다.

〚OE *tellan* to reckon, narrate; cf. TALE, G *zählen* to count〛

類義語 ***tell*** 가장 보편적인 말; 사실·일어난 일·사정 따위를 상대방에게 전하다. ***relate*** 자기가 목격·경험한 일을 순서있게 말하다: *Relate* what happened to us. (일어난 일을 우리에게 이야기해라). ***recount*** 일어난 일을 차례대로 자세하게 말하다: *recount* one's experiences (자기가 경험한 일을 소상히 말하다). ***narrate*** 이야기의 전개·클라이맥스 따위 같은 소설적인 수법을 써서 이야기하다: *narrate* the story of a hero's life (영웅의 생애를 극적으로 이야기하다). ***report*** 자기가 목격[조사]한 일[업적]을 남에게 알리다[보고하다]: *report* the result of the election (선거 결과를 보도하다).

Tell *n.* 텔. **William** ~ 스위스의 전설적 영웅.

téll·able *a.* 이야기[말]할 수 있는; 이야기[말]할 만한, 말할 가치가 있는, 이야기하기[화제삼기]에 족한.

téll·er *n.* **1** 이야기[말]하는 사람. **2** 셈하는 사람; (은행의) 금전 출납원; 투표 계산원: a deposit ~ 예금 담당원 / a paying [receiving] ~ 지출[수납(收納)] 담당원. **~·shìp** *n.*

téll·ing *a.* 보람이 있는; 효과적인, 유효한, 반응이 있는; 자세히 말하는[밝히게 하는]: a ~ speech [argument] 반응이 있는[효과적인] 연설[의논] / a ~ blow 따끔한 일격 / with ~ effect 잘 들어, 아주 효과적으로. **~·ly** *adv.* 유효하게, 강력하게(forcefully).

téll·tàle *n.* **1** 남 말하기 좋아하는 사람; 밀고자. **2** 비밀[내막 따위]을 폭로하는 것, 증거. **3**〖機〗자동 표시기(表示器), 지수기(指數器), 등록기; 타임리코더(time clock). **4**〖樂〗오르간의 풍압 표시기(器). **5**〖海〗타각(舵角) 표시기, 매달린 컴퍼스. —— *attrib. a.* 비밀[내막 따위]을 폭로하는, 숨기려 해도 저절로 드러나는; (자동적으로) 점검 기록[경고]하는《장치 따위》: a ~ blush 저도 모르게 얼굴을 붉히기 / Your ~ face shows what you have done. 네가 무엇을 했는지 얼굴에 환히 쓰여 있다.

téll-them-nóth·ing *a.* 아무런 말도 하지 않는, 정보를 주지 않는.

tel·lur- [teljúər, tə-], **tel·lu·ro-** [teljúərou, tə-, -rə] *comb. form*「지구」「텔루르(tellurium)」의 뜻. 〚L *tellur*- *tellus* earth〛

tel·lú·ral *a.*《戱》지구 (주민)의, 지상(인)의.

tel·lu·ri·an [telúəriən] *a.* 지구의; 지구 주민의. —— *n.* 지구인(人).

tel·lu·ric [telúərik] *a.* 지구의; 땅[흙]에서 나는; 〖化〗텔루르의[를 함유한].

tellúric líne *n.*〖天〗지구(대기)선((大氣)線).

tel·lu·ride [téljəràid] *n.* Ⓤ〖化〗텔루르 화합물.

tel·lu·ri·um [telúəriəm] *n.* Ⓤ〖化〗텔루르《비금속 원소; 기호 Te; 번호 52》. 〚*tellur*-, uran*ium*〛

tel·lu·rize [téljəràiz] *vt.*〖化〗텔루르화(化)하다, 텔루르와 화합시키다.

tel·lu·rom·e·ter [tèljərámətər] *n.* 텔루로미터《초단파를 이용해서 거리를 측정하는 장치》.

tel·lu·rous [téljərəs, təlúərəs] *a.* 〖化〗 아(亞)텔루르의, (특히) 4가(價)의 텔루르를 함유한.

tel·ly [téli] *n.* (*pl.* **~s, -lies**) 《英俗》 **1** [the ~] 텔레비전(television) : I saw it on *the* ~. 그것을 텔레비전에서 보았다. **2** 텔레비전 수상기. 〚*tele*vision〛

TEL-MED [télmed] *n.* 무료 의료 상담 전화.

telo- [télou, tí:lou, -lə] ☞ TEL-[1, 2].

tèlo·céntric *n., a.* 〖生〗 단부[말단] 동원체형(動原體型)(의).

tèlo·dynámic *a.* 동력 원거리 전송(傳送)의.

tèlo·hól·ic *n.* 텔레비전 중독환자.

te·lome [tí:loum] *n.* 〖植〗 텔롬《관다발 식물의 구조 단위》. **te·lo·mic** [tilóumik, -lám-] *a.*

tél·òp *n.* 〖TV〗 텔롭《화면에 삽입되는 문자 따위》.

télo·phàse *n.* 〖生〗 (유사 분열의) 말기(末期). **tèlo·phás·ic** [-féizik] *a.*

télo·tỳpe *n.* 인자(印字) 전신(기(機)).

tel·pher, -fer [télfər] *n., a.* 〖鐵·機〗 텔퍼《고가 궤도 운반 장치》(의), 공중 케이블카(로 나르는).
—— *vt.* 텔퍼[공중 케이블카]로 운반하다.

télpher·age *n.* 텔퍼 운반 장치.

tel·son [télsən] *n.* 〖動〗 (자루눈 갑각류·전갈·곤충의) 꼬리마디.

Tel·star [télstɑ̀:r] *n.* (미국의) 통신 위성, 텔스타 《1962, 63년 발사》.

tem·blor [témblər, -blɔ:r], **trem·blor** [trémblər, -blɔ:r] *n.* 《美》 지진(earthquake). 〚Sp. =trembling〛

tem·er·ar·i·ous [tèməréəriəs, -rǽər-] *a.* 무모한, 저돌적인, 대담 무쌍한. **~·ly** *adv.* 〚L (*temere* in the dark, rashly)〛

te·mer·i·ty [təmérəti] *n.* Ⓤ 《文語》 [+*to* do] 무모함, 저돌적임 ; 염치 없음(rashness) : He had the ~ *to* criticize his employer. 무모하게도 고용주를 비난했다. 〚L=hap, chance (↑)〛

Tém·in énzyme [témən-] *n.* 〖生化〗 테민 효소 《RNA에서 DNA를 만드는 역전사(逆轉寫) 효소》. 〚H. M. *Temin* (1934-) 미국의 생화학자〛

Tem·in·ism [témənìzəm] *n.* 〖生化〗 테민 이론《유전자의 역전사(逆轉寫) 이론》.

temp [témp] *n.* 《口》 임시 직원《비서·타자원》.
—— *vi.* 임시 직원으로 일하다.
〚*temp*orary (employee)〛

temp. temperance ; temperature ; temporal ; temporary ; *tempore* 《L》 (=in the time [period] of).

***tem·per** [témpər] *n.* **1** Ⓤ,Ⓒ 기질, 성미(disposition) ; 기분, 심기 ; (시대의) 경향, 추세 ; 울화, 성마름, 노기 : an equal[even] ~ (변덕스럽지 않은) 차분한 성미 / a hot[quick, short] ~ 성마름, 욱하는 성미 / *in* a bad[good] ~ 기분이 나빠[좋아] / *in* a ~ 성을 내어 / *in* a fit of ~ 홧김에 / get *into*[*in*] a ~ 화를 내다, 울화통을 터뜨리다 / show (sign of) ~ 노기를 띠다, 짜증을 내다. **2** Ⓤ 침착, 차분함, 참을성 : keep one's ~ 분노를 억누르다, (꾹) 참다 / lose one's ~=get *out of* ~ 울화통을 터뜨리다, 화를 내다 / put a person *out of* ~ 남을 화나게 하다 / recover one's ~ 침착을 되찾다. **3** Ⓤ (강철·무쇠 따위의) 단련, 불림 ; 경도(硬度), 탄성(彈性), (칼붙이 따위의) 담금질 정도, (찰흙 따위의) 이긴 정도. **4** (물질의 성질을 바꾸거나 완화시키기 위한) 첨가물(添加物)[제(劑)].
—— *vt.* **1** [+目/+目+前+名] 조절[가감]하다, 누이다, 완화하다, 억제하다 : ~ one's excessive grief 극도의 슬픔을 가라앉히다 / ~ criticism ***with*** reason 이성(理性)으로 비판을 조절하다 / ~ strong drink *with* water 독한 술에 물을 타다 / She asked the court to ~ justice *with* mercy. 그녀는 정상을 참작하여 달라고 법정에 간청했다 / God ~*s* the wind ***to*** the shorn lamb. ☞ SHORN. **2** [+目/+目+*with*+名] (찰흙 따위를) 반죽하다, 이기다 ; (강철 따위를) 단련하다 ; (그림 물감을 기름으로) 개어 만들다 : Steel is ~*ed* by heating and sudden cooling. 무쇠는 달군 후에 갑자기 냉각시켜 담금질한다 / Some paints are ~*ed* ***with*** oil. 그림 물감에는 기름으로 개는 것도 있다. **3** 〖樂〗 (악기 따위를) 조율(調律)하다 ; (목소리의) 음조를 맞추다.
—— *vi.* **1** 알맞은 정도가 되다. **2** 누그러지다, 유연해지다, 부드러워지다. **3** (무쇠 따위가) 불리어지다, 달구어지다.
〚ME=mixture (OE *temprian*<L *tempero* to mingle) ; OF *temprer* to soak, moderate의 영향이 있음〛
類義語 ⟹ CHARACTER, MOOD[1].

tem·pera [témpərə] *n.* Ⓤ 〖畫〗 템페라화(畫)(법) 《그림 물감을 달걀 흰자위·꿀·아교 따위에 풀어서 그림》. 〚It.<L (↑)〛

***tem·per·a·ment** [témpərəmənt] *n.* **1** Ⓤ,Ⓒ 체질 《옛 생리학에서는 사람의 기질은 체내에 있는 4개의 체액의 배합 정도에 따라 결정된다고 생각했음》 : a choleric[melancholic, phlegmatic, sanguine] ~ 쓸개즙[우울·점액(粘液)·다혈]질. **2** Ⓤ,Ⓒ 기질, 성미. **3** Ⓤ (천재 기질인 사람에게 흔한) 열정성, 흥분하기 쉬운 기질. **4** 〖樂〗 평균율(平均律). **5** 조절, 타협 ; 중용. 〚L ; ⇨ TEMPER〛
類義語 ⟹ CHARACTER.

tem·per·a·men·tal [tèmpərəméntl] *a.* **1** 기질상의, 타고난 : He has a ~ aptitude for language. 그는 어학에 선천적인 재질이 있다. **2** 신경질적인 ; 변덕스러운, 성마른 : a ~ person 변덕쟁이 / He is a ~ actor. 그는 변덕스러운[성미가 까다로운] 배우다.

tem·per·ance [témpərəns] *n.* **1** Ⓤ [+前+do*ing*] (언동·사상·감정 따위를) 자제시키기, 절제, 적당한 정도 ; 극기(克己) : ~ ***in*** speech and conduct 언행의 절제 / *T*~ *in* eat*ing* and drink*ing* is good for the health. 음식을 절제하는 것은 건강에 좋다. **2** Ⓤ 절주, 금주(주의) : a ~ hotel 술을 팔지 않는 호텔 / ~ drinks 알코올 성분이 없는 음료 / a ~ movement[society] 금주 운동[금주회] / a ~ pledge 금주 맹세.
〚AF<L ; ⇨ TEMPER〛

tem·per·ate** [témpərət] *a.* **1** [+*in*+do*ing*] 도를 지나치지 않은, 중용을 지키는 ; 온건한 : a man of ~ habits 절제있는 생활을 하는 사람 / ~ ***in eat*ing* and drink*ing* 먹고 마시는 데에 절도가 있는 / You must be ~ *in* your behavior. 행동을 삼가야 한다. **2** 절주[금주]의. **3** (기후·온도 따위가) 온화한(cf. FRIGID, TORRID) ; (지역이) 온대성의 ; (생물이) 온대의 ; 〖菌〗 용원성(溶原性)의. **~·ly** *adv.* 절도 있게 ; 온건하게.
〚L *temperat- tempero* ; ⇨ TEMPER〛
類義語 ⟹ MODERATE.

témperate phàge *n.* 〖生〗 용원성(溶原性)파지 《용원균에서 유발하여 생성되는 박테리오파지》.

témperate zóne *n.* [the ~, 때때로 the T~ Z~] 온대(溫帶)(cf. FRIGID ZONE, TORRID ZONE) : the north[south] ~ 북[남] 온대.

‡**tem·per·a·ture** [témpərətʃər] *n.* Ⓤ,Ⓒ 온도 ; 기온 ; 한란(寒暖) ; 체온 ; 《口》 고열, 발열상태 : atmospheric ~ 기온 / take one's ~ 체온을 재

다 / have[run] a ~ (환자가) 열이 나다[있다]. 〖C16=mingling<F or L ; ⇨ TEMPER〗

témperature cùrve *n.* (환자의) 체온 곡선.

témperature gràdient *n.* 〔氣〕 온도 기울기.

témperature-humídity índex *n.* 온습 지수(溫濕指數)《원래 discomfort index(불쾌 지수)라고 불렀음 ; 略 THI》.

témperature invèrsion *n.* 〔氣〕 기온 역전《대기중의 어느 층에서 고도가 높아짐에 따라 온도가 상승함》.

témperature scàle *n.* 온도의 눈금.

témperature sensàtion *n.* (피부의) 온도감각.

tém·pered *a.* **1** 조절[조정]된, 완화된. **2** 단련된 : ~ steel 단강(鍛鋼). **3** [복합어를 이루어] (…의) 기질인 : hot-~ 성마른.

témper·some *a.* 성 잘 내는, 성마른.

témper tántrum *n.* 울화(통).

tem·pest [témpəst] *n.* **1** 《文語》 사나운 비바람, 폭풍우, 폭설. **2** 《비유》 대소동, 야단법석 : a ~ *of* weeping 울며불며 난리 피우기.
a tempest in a teapot = *a* STORM *in a teacup.*
—— *vt.* 《詩》 큰 소란을 일으키다 ; 《古·詩》 동요시키다.
〖OF<L=storm (*tempus* time)〗

témpest-swèpt, -tòssed *a.* 《美》 세파에 시달린, (불행·불운 따위에) 얼룩진.

tem·pes·tu·ous [tempéstʃuəs] *a.* **1** 폭풍우[폭설]의, 사나운 비바람의 : a ~ sea 폭풍우가 치는 바다. **2** 격렬한, 광포한, 동란(動亂)의 : ~ rage 격노 / the most ~ period in history 역사상 최대의 격동기. **~·ly** *adv.* 폭풍우가 휘몰아쳐서 ; 격렬하게. **~·ness** *n.*
〖L (TEMPEST)〗

tempi *n.* TEMPO의 복수형.

Tem·plar [témplər] *n.* **1** 〔史〕 성당 기사(聖堂騎士) (☞ KNIGHTS TEMPLARS). **2** [t~] (London의 법학원 the Inner Temple, the Middle Temple에 사무실을 가진) 변호사(barrister), 법학도(cf. *the* INNS *of Court*).

tem·plate, -plet [témplət] *n.* 본뜨는 판[틀], 형판(型板) ; 〔建〕 도리[보]받침 ; 〔컴퓨〕 보기판.
〖(dim.) ‹ *temple*[3] ; 어미는 *plate* 따위의 연상〗

‡**tem·ple**[1] [témpəl] *n.* **1** (고대 그리스·로마·이집트 ; 또는 근대 힌두교·불교의) 신전(神殿), 사원. **2** (크리스트교의) 교회당(church, chapel) ; (프랑스 기타 등지의) 신교도 예배당. **3** 〔聖〕 성령(聖靈)의 전(殿)《크리스트교도의 육체 ; 고린도전서 6 : 19》 : the ~ of the Holy Ghost 성령(聖靈)의 전(殿). **4** [the T~] 예루살렘의 여호와의 신전. **5** [the T~] 《英》 법학원(cf. TEMPLAR 2). **6** 《비유》 전당(殿堂) : a ~ of art 예술의 전당 / the ~ of fame 명예의 전당.
〖OE *temp*(*e*)*l* and OF<L *templum* open or consecrated space〗

temple[2] *n.* **1** 〔解〕 관자놀이. **2** 《美》 안경다리.
〖OF<L (pl.) ‹ *tempus* temple〗

temple[3] *n.* (짠 피륙을 펴기 위한 직기(織機)의) 쳇발, 템플. 〖OF (↑)〗

Témple Bár *n.* 런던시 서쪽 끝 the Temple 근처에 있었던 문《죄인·반역자의 머리를 매달던 곳 ; 1878년에 이전》.

templet ☞ TEMPLATE.

tem·po [témpou] *n.* (*pl.* **~s, -pi** [-piː]) **1** 〔樂〕 빠르기 ; 박자. **2** (일반적으로) (활동·운동의) 속도, 템포 : the fast ~ of modern life 현대 생활의 급속한 템포 / The illness upset the ~ of his studies. 그 질병 때문에 그의 연구 속도는 엉망이 되었다.
〖It.<L *tempor- tempus* time〗

témpo prímo [-príːmou] *adv., a., n.* 〔樂〕 =A TEMPO.

tem·po·ral[1] [témpərəl] *a.* **1** 현세의, 세속적인, 세속의 ; 승적(僧籍)에 없는 : the ~ peers 세속 의원《성직 이외의 상원 의원》/ ~ power (성직자, 특히 교황의) 세속적인 권력. **2** 잠시(동안)의, 잠깐의, 덧없는. **3** 〔文法〕 때를 나타내는 ; 시제(時制)의 : a ~ clause[conjunction] 때를 나타내는 (부사)절[접속사]. —— *n.* [보통 *pl.*] 세속적인 것[일], 세속적인 권력[재산]. **~·ly** *adv.* 일시적으로, 속세의 일에 관하여.
〖OF or L ; ⇨ TEMPO〗

temporal[2] *a.* 관자놀이의, 옆 머리의 : the ~ bone 측두골(側頭骨). —— *n.* 〔解〕 측두부.
〖L ; ⇨ TEMPLE[2]〗

tem·po·ral·i·ty [tèmpərǽləti] *n.* **1** Ⓤ 일시적임, 덧없음(↔*perpetuity*) ; 변화 유동성, 유행 ; 시간성(時間性) (↔*spatiality*). **2** [보통 *pl.*] 세속적인 소유물《교회·성직자의 수입·재산》.

témporal·ty *n.* **1** =TEMPORALITY 2. **2** [the ~ ; 집합적으로] 속인, 속계(俗界)(the laity).

tem·po·rar·i·ly [tèmpərérəli, ⌐-⌐--; témpərərili] *adv.* 임시로, 일시적으로, 미봉책으로.

***tem·po·rary** [témpərèri ; -pərəri] *a.* 일시적인, 잠시(동안)의, 덧없는 ; 임시의, 우선의, 임시 변통의(↔*eternal*, *lasting*, *permanent*) : a ~ account[business] 임시 계정(計定)[영업].
—— *n.* 임시 변통한 것 ; 임시 고용인.
-ràr·i·ness [; -pərərinis] *n.*
〖L ; ⇨ TEMPO〗

類義語 ***temporary*** 일시적으로 메우는 것의 또는 임시 변통으로 한 ; 얼마 후에 끝나는[쓸데없게 되는] 것을 암시함 : a *temporary* dwelling [job] (임시 거처[일]). ***transient*** 일시적인 것으로 곧 변화하는 또는 사라져 버리는 : the *transient* terror (일시적인 공포). ***transitory*** 그 자체의 본래의 성질상 조만간 끝나 버리는[없어져 버리는] : Life is *transitory.* (인생은 덧없는 것이다). ***momentary*** 일순간의 또는 극히 짧은 동안의 : *momentary* joy (일순간(一瞬間)의 즐거움).

témporary dúty *n.* 〔軍〕 임시 직무, 일시 파견 근무《略 TDY》.

témporary óut of stòck *n.* 〔商〕 일시적 재고 품절《略 TOS》.

tem·po·rize [témpəràiz] *vi.* **1** 일시적 미봉책을 쓰다, 임시 변통하다 ; 형세를 관망하다, (결정을 내리지 못하고) 우물쭈물하다. **2** 세상 형편과 영합하다, 타협하다 : a *temporizing* politician (대세에) 영합하는[시세를 따르는] 정치가.
tèm·po·ri·zá·tion *n.* Ⓤ 임시 변통, 미봉 ; 시간 끌기(위한 의론[교섭]) ; 형세 관망 ; 타협.
tém·po·rìz·er *n.*
〖OF<L =to pass the time, hang back ; ⇨ TEMPO〗

tém·po·rìz·ing *n.* =TEMPORIZATION. —— *a.* 임시 변통의, 타협적인 ; 기회주의적인, 영합적인. **~·ly** *adv.*

témpo túrn *n.* 〔스키〕 템포 턴《속도를 늦추지 않고 큰 반원을 그리며 스키의 뒤쪽을 흔드는 듯이 하는 평행 회전》.

***tempt** [témpt] *vt.* **1** [+目/+目+前+名/+目+*to* do] (나쁜 일·쾌락으로) 유혹하다, 부추기다 : The serpent ~*ed* Eve. 뱀은 이브를 유혹했

다 / Nothing could ~ her ***to*** a crime. 아무리 유혹을 당해도 그녀가 죄를 범할 리 없다 / The ruffians ~*ed* him ***into*** vice. 불량배들은 그를 유혹해서 악의 길로 들어서게 했다 / The stand outside displayed various articles to ~ people *into* buy*ing.* 바깥 노점에는 갖가지 물품이 진열되어 사람들의 구매욕을 돋웠다 / The thought of the consequences ~*ed* the man *to* run away. 결과를 생각하고 사나이는 도망쳐 버렸다. **2** [+目+*to* do] (일반적으로) …할 마음이 내키게 하다, 꾀다, 권하다 : The fine weather ~*ed* me *to* go out for a walk. 좋은 날씨에 이끌려 나는 산책을 나갔다 / The doctor ~*ed* the patient *to* eat more. 의사는 환자에게 좀더 먹도록 권했다 / I am [feel] ~*ed to* try it again. 한번 더 그것을 해 보고 싶은 마음이 든다. **3** …의 마음[식욕]을 자극하다 : This dish ~*s* me. 이 요리는 맛있을 것 같다 / She was strongly ~*ed* by his offer. 그의 제의에 마음이 아주 솔깃해졌다. **4** 〖古·聖〗 시험하다(test) : God did ~ Abraham. 하느님께서는 아브라함을 시험하셨다.

tempt God [***Providence***] 신의 뜻을 거역하다, 신을 무시[시험]하다, 위험한 짓을 하다 : Don't ~ *God* ! 무모한[당치 않은] 짓을 하지 마시오 / It is ~*ing Providence* to go out in spite of the heavy snow. 폭설을 무릅쓰고 나간다는 것은 무모한 짓이다.

〖OF<L *tempto* to try, test〗

類義語 ⟹ LURE.

témpt·able *a.* 유혹할 수 있는, 유혹당하기 쉬운.

***temp·ta·tion** [tem*p*téiʃən] *n.* [+*to* do] **1** Ⓤ 유혹 : fall into ~ 유혹에 빠지다 / lead a person into ~ 남을 유혹에 빠뜨리다 / put[throw] ~ in the way of a person 남을 유혹하려고 꾀하다 / The ~ *to* move in the other direction was alluring. 다른 방향으로 가볼까 하는 유혹이 강했다. **2** 유혹물, 유혹의 마수(魔手), 마음을 사로잡는 것 : That candy is a ~. 저 과자는 먹음직스럽다 / ~*s to* commit a crime 죄를 범하게 하는 유혹의 마수. **3** [the T~] 〖聖〗 (예수가 마귀에게 받은) 광야의 시험.

témpt·er *n.* 유혹하는 사람[것] ; [the T~] 악마.

témpt·ing *a.* 유혹하는, 부추기는, 황홀하게 하는, 마음을 이끄는, 미각(味覺)을 자극하는 : a ~ offer 구미당기는 제의. **~·ly** *adv.* 유혹하듯이 ; 솔깃해지게.

témpt·ress *n.* 유혹하는 여자, 요부.

tem·pus fu·git [témpəs fjúːdʒət, -fúːgit] 세월은 유수 같다. 〖L=time flies〗

◇**ten** [tén] *a.* **1** 10의, 10개의, 10명의 ; [*pred.* 로 쓰여] 열 살인 : ~ times as big 열 배나 큰 / He is ~. 그는 열살이다. **2** (막연하게) 많은 : I'd ~ times rather do …하는 쪽이 훨씬 좋다.

── *pron.* [복수취급] 10, 10개, 10명.

── *n.* **1** 10, 10개, 10명 ; Ⓤ 10시, 10살 ; 10달러[파운드, 센트《따위》] : ~*s* of thousands 몇만이나. **2** 10의 기호[숫자]《10, x, X》. **3** 열 개[사람] 한 조[벌]인 것. **4** (카드 따위의) 10.

ten to one 십중 팔구, 틀림없이, 99%까지 : It is ~ *to one* (that) he will forget about it. 그는 그 일을 잊어버리고 말 것이 거의 틀림없다 / *T~ to one* you will be chosen. 십중 팔구 자네가 선출될 것일세.

〖OE *tīen, tēn* ; cf. G *zehn*, L *decem*, Gk. *deka*〗

ten. tenement ; 〖樂〗 tenor ; 〖樂〗 tenuto.

ten·a·bil·i·ty [tènəbíləti] *n.* 지킬 수 있음, 유지할 수 있음 ; 주장[지지]할 수 있음.

ten·a·ble [ténəbəl] *a.* (요새 따위) 공격에 견딜 수 있는 ; 유지[계속]할 수 있는 ; (의논 따위) 주장할 수 있는, 변호할 수 있는, 사리에 맞는.

〖F (*tenir* to hold<L *teneo*)〗

te·na·cious [tənéiʃəs] *a.* **1** 고집센, 끈덕진, 집요한 : be ~ *of* life 목숨이 모질다, 삶의 집착이 강하다. **2** 끈기있는 ; 완강한, 달라붙어 떨어지지[놓아 주지] 않는. **3** 좀처럼 잊지 않는 : The child has a ~ memory. 그 애는 기억력이 좋다.

~·ly *adv.* 끈기있게, 집요하게.

〖L *tenaci- tenax* (*teneo* to hold)〗

te·nac·i·ty [tənǽsəti] *n.* Ⓤ 고집 ; 끈기있음 ; 완강, 불굴 ; 기억력이 좋음.

ten·an·cy [ténənsi] *n.* Ⓤ 차용(借用) (tenure) ; Ⓒ 차용 기간, 소작 기간 ; Ⓒ 차지(借地), 소작지(小作地), 셋집.

***ten·ant** [ténənt] *n.* **1** 보유자, 소유자 ; (토지·가옥 따위의) 차용자, 차지인(借地人), 세든 사람, 소작인. **2** [뜻이 바뀌어] 거주자 : ~*s of* the woods[trees] 조류(鳥類). ── *vt.* [보통 수동태로] (토지·가옥을) 세내다, 차용하다, (세들어) 거주하다 : The house is ~*ed* by a statesman. 그 집에는 정치가가 세들어 있다. ── *vi.* 《稀》 살다 〈*in*〉. **~·able** *a.* (토지나 집을) 임차할 수 있는 ; 살 수 있는. **~·less** *a.* 빌려 쓰는 사람이 없는 ; 거주자가 없는 ; 빈터[집]의. **~·shìp** *n.* =TENANCY.

〖OF (pres. p.) 〈*tenir* ; ⇨ TENABLE〗

ténant fàrmer *n.* 소작농(민).

ténant fàrming *n.* 소작농.

ténant ríght *n.* 《英》 (토지·가옥 따위의) 차용권, 차지권(借地權) ; 소작권.

ténant·ry *n.* Ⓤ 차지인(借地人)[소작인·세든 사람]의 지위[신분], 토지[가옥 따위]의 차용 ; [집합적으로] 전체 차지인, 소작인, 차가인(借家人).

tén-cárat *a.* 《美俗》 굉장한, 대단한.

tén cènts *n.* 《美俗》 10달러짜리 마약 봉지.

tén-cènt stòre *n.* 《美》 10센트 균일점포(dime store).

tench [téntʃ] *n.* (*pl.* ~, **~·es**) 〖魚〗 텐치《유럽산 잉어과 식용어의 일종》. 〖OF<L *tinca*〗

Tén Commándments *n. pl.* [the ~] 〖聖〗 십계명(the Decalogue)《Moses가 Sinai 산에서 하나님으로부터 받은 열 가지 계명》.

‡**tend**[1] [ténd] *vi.* **1 a)** [+*to* do/+前+名] …하기 쉽다 ; (…하는) 경향이 있다 : Woolen ~*s to* shrink. 모직물은 줄어들기 쉽다 / We ~ *to* use more and more electric appliances in the home. 가정에서 더욱더 많은 전기 기구류를 쓰는 경향이 있다 / He ~*s* ***to***[***toward***] selfishness. 그는 이기주의적 경향이 있다. **b)** [+*to* do] (…하는데) 도움이 되다, 이바지하다 : Good health ~*s to* make people cheerful. 건강하면 사람은 쾌활해진다. **2** [+副/+前+名] (길 따위가) 향하다, 향하여 가다 : This road ~*s south*[***to*** the south, ***toward*** the coast] here. 이 길은 여기서부터 남[남쪽, 해안]으로 향하고 있다 / Prices were ~*ing downward*[*upward*]. 물가가 하락[상승]세를 보이고 있었다.

〖OF<L *tens-* or *tent- tendo* to stretch〗

tend[2] *vt.* **1** (환자·어린이 등을) 돌보다, 간호하다, 보살피다 ; (기계 따위를) 손질하다 ; 기르다, 재배하다 : She ~*ed* the sick and wounded. 그녀는 환자와 부상병을 간호했다. **2** (가축·점포 따위를) 지키다 ; 〖海〗 (정박선을) 망보다《닻줄이 얽히지 않도록》 : There a shepherd was ~*ing* his flock. 그곳에서 한 양치기가 양떼를 지키고 있었다 / She ~*ed* shop for her sister. 그녀는 언니를 대신해서 점포를 지켰다. ── *vi.* [+前+名] **1** 《文語》 시중들다, 돌보다 : ~ (***up***) ***on*** a patient 환자를 보살피다. **2** 《口》 주의하다 : ~ ***to*** one's own affairs 자기의 일에 전념하다. 注 이 용법으로는 보통 ATTEND를 씀.
〖at*tend*〗

ténd·ance *n.* 시중, 돌보기, 간호 ; [집합적으로] 《古》 종자(從者) (attendants).

ten·den·cious, -tious [tendénʃəs] *a.* 목적[속셈]이 있는, 어떤 입장을 지지[찬동]하는 경향이 있는, (문서·발언 따위가) 선전적인, 편향(偏向)한. **~·ly** *adv.*

tend·en·cy** [téndənsi] *n.* [+*to* do] **1** 경향, 풍조(風潮), 추세(drift) : Juvenile crimes show a ~ *to* increase. 청소년 범죄가 증가하는 경향을 보이고 있다 / The ~ is ***toward higher prices. 물가는 오름세를 보이고 있다. **2** 성향(性向), 성벽(inclination) : Girls have a stronger ~ *to* chatter than boys. 여자애들은 사내애들보다 더 재잘대는 경향이 있다 / Wood has a ~ *to* swell if it gets wet. 목재는 젖으면 팽창하는 경향이 있다. **3** (작품·언어 따위에 나타난) 특정한 경향, 의도 : a ~ novel 경향 소설.
〖L ; ⇨ TEND[1]〗

類義語 ***tendency*** 선천적인 성질 또는 습관적으로 어떤 방향으로 향하는 또는 어떤 방법으로 행동하는 경향 : He has a *tendency* toward carelessness. (그는 부주의한 행동을 하는 경향이 있다). ***trend*** 뚜렷한 진로나 목표는 없으나 일반적으로 어떤 방향으로 향하는 움직임 ; 외부로부터의 힘에 의해 변동을 받기 쉬운 것을 암시함 : a recent *trend* in art (예술의 최근 경향). ***current*** 변화할 가능성은 있으나 그 방향·목표가 뚜렷한 점에서 trend와 다름 : the *current* of the public opinion (여론의 추세). ***drift*** 어떤 것이 운반되는[흘러가는] 진로 : a *drift* toward nationalism (국수주의(國粹主義)로 흐르는 경향).

ten·der**[1] [téndər] *a.* (**~·er** ; **~·est**) **1** (고기 따위) 부드러운, 연한(soft) (↔*tough*). **2** (색깔·빛·음조(音調) 따위가) 부드러운, 약한 : ~ green 신록(新綠). **3** 약한, 부서지기 쉬운 ; 허약한, 가냘픈, (더위·추위에) 상하기 쉬운 : ~ plants 상하기 쉬운 묘목(苗木). **4** 어린, 여린, 미숙한(immature) : a child of ~ years 어린[연약한·철없는] 아이(cf. 6). **5** 상냥한 ; 친절한, 인정 있는, 동정심 많은, 사랑하는 : grow ~ of a person 남을 좋아하게 되다 / the ~ emotions 애정 ; 연민의 정 / the ~ passion[sentiment] 애정 ; 연애. **6** 만지면 아픈 ; 민감한, 감수성이 예민한 : a girl of very ~ years 아주 감수성이 예민한 나이의 소녀(cf. 4) / He has a ~ conscience. 그는 (자신이 한 일에 대해) 마음 아파한다 / My bruise is still ~. 다친 데를 만지면 아직 아프다. **7** (문제 따위) 미묘한, 다루기 힘든, 까다로운 ; 〖海〗 (범선이) 항해중에 기울기 쉬운, 전복되기 쉬운. **8** 《文語》 마음쓰는, 아끼는 ; [+*of*+do*ing*] (…하지나 않을까) 염려하는, 두려워하는 : be ~ ***of one's honor 명예를 손상시킬까 걱정하다 / ~ *of* hurt*ing* another's feelings 남의 감정을 상하지 않게 마음을 써서.
── *n.* 《廢》 배려, 고려, 동정심.
── *vt.* 부드럽게 하다 ; 《古》 곱게 다루다, 소중히 하다.
~·ly *adv.* **~·ness** *n.*
〖OF *tendre*<L *tener* delicate〗

類義語 ***tender*** 남에게 상냥하고 인정스러운 : a *tender* word (상냥한 말). ***compassionate*** 남의 괴로움이나 고민에 민감하여 즉시 동정이나 자비를 나타내는 : a *compassionate* mind (자애로운 마음). ***sympathetic*** 남의 기분·감정을 이해하며 그 사람의 슬픔·기쁨·희망 따위를 나누어 갖는 : *sympathetic* behavior (동정적 행위). ***warm*** 진심으로 동정적인 관심[애정]을 나타내는 : *warm* hospitality (진심에서 우러난 따뜻한 접대).

tender**[2] *vt.* **1** [+目/+目+*to*+名/+目+目] 제출하다, 제공하다, 제의하다(offer) : ~ one's thanks[apologies] 감사[사과]의 말을 하다 / The engineer ~*ed* his resignation ***to the chief. 그 기사는 기사장(技師長)에게 사표를 제출했다 / They ~*ed* him a reception. 사람들은 그를 위해 환영회를 열었다. **2** 지급하다, 대상(代償)으로 제공하다 : ~ the amount of rent 임대료를 지급하다. ── *vi.* [動/+*for*+名] (공사 따위에) 입찰을 하다(bid) : ~ ***for*** the construction of a new bridge 새로운 교량 건설에 입찰하다. ── *n.* **1** 제출, 제의 ; 제공하는 것[물건]. **2** 〖商〗 입찰 〈*for*〉. **3** 법화(法貨) (=legal ~). **4** 변제(辨濟)의 제공 ; 배상금. **5** 〖證〗 (어떤 회사의 지배권을 장악하기 위한) 주식 매입[매점]. **~·er** *n.*
〖OF=to extend ; ⇨ TEND[1]〗
類義語 ⟹ OFFER.

tend·er[3] *n.* **1** 돌보는 사람, 간호하는 사람, 지키는 사람, 감독 : a ~ of a shop 상점을 지키는 사람. **2** (모선(母船)의) 부속선, 거룻배 ; (기관차의) 탄수차(炭水車).
── *vt.* 거룻배에 싣다. 〖TEND[2]〗

ténder ánnual *n.* 〖植〗 (첫서리에 상하는) 비내한성(非耐寒性)의 1년생 식물《토마토·호박 따위 ; cf. HARDY ANNUAL》.

ténder-éyed *a.* 눈매가 부드러운 ; 시력이 약한.

ténder·fòot *n.* (*pl.* **~s, -fèet**) 《美口》 (미국의 목장·광산 따위의) 신참자 ; (일반적으로) 풋내기, 초보자, 미경험자.

ténder·héart·ed *a.* 마음씨가 고운, 감동하기 쉬운, 정에 약한, 동정심이 있는.
~·ly *adv.* **~·ness** *n.*

ténder·ìze *vt.* (고기를 다져서) 연하게 하다.
-ìz·er *n.* 식육 연화제(軟化劑).

ténder·lòin *n.* **1** U.C (소·돼지의) 텐더로인, 허리부분의 연한 살(cf. SIRLOIN) : a ~ steak 텐더로인 스테이크(용의 고깃점). **2** [때로 T~] 《美》 악덕 환락가, (널리) 번화가《원래 New York시의 한 지구 이름》.

ténder-mínd·ed *a.* 소심한, (특히) 불쾌한 현실을 직시하지 못하는.

ténder òffer *n.* 〖證〗 공개 매입.

ten·der·om·e·ter [tèndərámətər] *n.* 〖植〗 (야채 따위의) 성숙도 측정기.

ten·di·ni·tis [tèndənáitəs] *n.* 〖醫〗 건염(腱炎).

ten·di·nous [téndənəs] *a.* 힘줄의[같은], 건질(腱質)의, 힘줄로 된.

ten·don [téndən] *n.* 〖解〗 힘줄(sinew), 건(腱) :
☞ ACHILLES(') TENDON.
〖F or L *tendin- tendo*<Gk. *tenōn* sinew〗

ten·dril [téndrəl] *n.* 〖植〗 덩굴, 덩굴손 (모양의 것). 〖? F *tendrillon* (dim.) ‹ *tendron* young shoot (L *tener* TENDER[1])〗

tén·dril·lar *a.* 덩굴손 (모양)의.

-tene [tiːn] *a. comb. form* 「…의[…개(個)의] 염색사(染色絲)가 있는」의 뜻 : poly*tene*. ── *n. comb. form* 「(감수 분열 전기에서의) …의 염색

사를 특징으로 하는 시기」의 뜻: diplo*tene*, pachy*tene*. 〖L or Gk.; ⇨ TAENIA〗

Ten·e·brae [ténəbrèi, -brài, -brì:] *n.* [단수·복수 취급] 〔카톨릭〕 테니브리《부활절 전주(前週)의 마지막 3일간에 드리는 그리스도 수난 기념의 조과(朝課) 및 찬미가》. 〖L=darkness〗

ten·e·brif·ic [tènəbrífik] *a.* 어둡게 하는; 어두운.

ten·e·brism [ténəbrìzəm] *n.* [흔히 T~] 〔美術〕 (특히 이탈리아 바로크식의) 명암 대비 화법.

ten·e·brous [ténəbrəs], **-brose** [-bròus], **te·neb·ri·ous** [tənébriəs] *a.* 《古》 어두운, 음침한 (gloomy). 〖OF<L (TENEBRAE)〗

10820 [ténèittwénti] *n.* =METHADON(E).

1080, ten-eighty [tènéiti] *n.* 플루오르 산화나트륨《쥐약》.

ten·e·ment [ténəmənt] *n.* **1** 〔法〕 보유재산《토지 및 그에 준(準)하는 유형·무형의 재산》; 소유[보유]물; (tenant가 보유하는) 차지(借地); 셋집. **2** =TENEMENT HOUSE.

the tenement of clay*=*the soul's tenement 《詩》 육체.

〖AF<L (*teneo* to hold)〗

ténement dìstrict *n.* 빈민가.

ténement hòuse *n.* (빈민가의) 싸구려 아파트, (공동) 연립 주택(cf. APARTMENT HOUSE).

te·nes·mus [tənézməs] *n.* Ⓤ 〔醫〕 결리(結痢) 《대·소변이 마려우면서도 잘 안나오는 증세》. 〖L<Gk. =straining〗

ten·et [ténət, tí:-] *n.* (종교·철학·정치 따위의) 주의, 교리(敎理) (doctrine). 〖L=he holds〗

tén·fòld *a.* 열 배의, 열 겹의; 열 개의 부분을 가진. ── [, ⌐⌐] *adv.* 열 배로, 열 겹으로.

tén-fòur, 10-4 *n., int.* 《美俗》 (특히 시민 라디오(CB radio) 통신에서) 알았음, 오케이.

tén-gàllon hát *n.* 《美》 (카우보이가 쓰는) 챙이 넓은 모자(☞ COWBOY HAT).

Teng Hsiaoping *n.* =DENG XIAOPING.

teniafuge ☞ TAENIAFUGE.

tén-mínute màn *n.* 《美俗》 정력적인 사람, 말솜씨가 좋은 사람.

Tenn. Tennessee.

ten·ner [ténər] *n.* 《美口》 10달러 지폐, 《英口》 10파운드 지폐(cf. FIVER).

Ten·nes·see [tènəsí:, ⌐⌐⌐] *n.* **1** 테네시《미국 남동부의 주; 주도 Nashville; 略 Tenn., TN》. **2** [the ~] 테네시 강《Tennessee 주 북동부에서 발원하여 Ohio 강으로 흘러듦》.

Tèn·nes·sé·an, -sée·an *a., n.* 테네시 주의 (사람).

Ténnessee Válley Authòrity *n.* [the ~] 테네시 강 유역 개발 공사(公社)《미국 테네시 강에 댐을 건설하여 발전·치수(治水)·용수 따위를 운영함; 略 TVA》.

◇**ten·nis** [ténəs] *n.* Ⓤ 테니스(cf. LAWN TENNIS): play ~ 테니스를 하다.

〖? OF *tenez* take! (impv.) < *tenir*〗

ténnis àrm *n.* 테니스 따위의 과도한 운동으로 인한 팔의 통증[염증].

ténnis bàll *n.* 테니스 공.

ténnis còurt *n.* 테니스 코트.

ténnis èlbow *n.* 팔을 심하게 비튼 탓으로 인해 일어나는 팔꿈치의 통증[염증].

ténnis ràcket *n.* 테니스 라켓.

ténnis shòe *n.* [보통 *pl.*] 테니스(용 운동)화.

tén·nist *n.* 테니스를 하는 사람, 테니스 선수.

ténnis tòe *n.* 테니스 토《급격한 정지로 인한 테니스 선수의 발가락의 통증》.

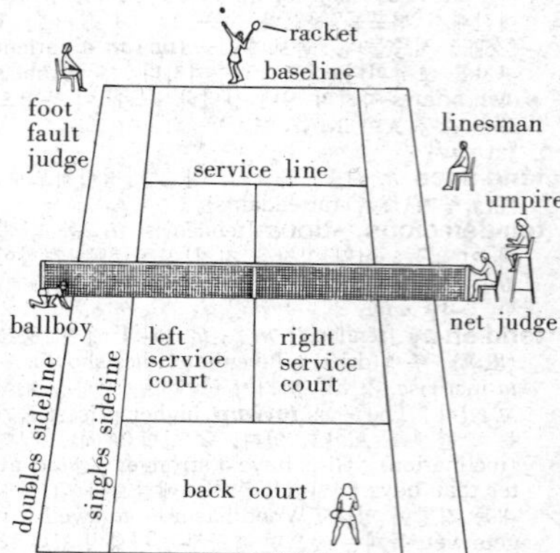

tennis

Ten·ny·son [ténəsən] *n.* 테니슨. **Lord Alfred ~** (1809-92) 영국의 계관(桂冠) 시인.

Ten·ny·so·ni·an [tènəsóuniən] *a., n.* 테니슨의, 테니슨 작(풍)의; 테니슨 숭배[연구]자.

teno- [ténou, ténə] *comb. form* 「힘줄(tendon)」의 뜻. 〖Gk. *tenōn*〗

ten·on [ténən] *n.* 〔木工〕 장부(cf. MORTISE). ── *vt.* …에 장부를 만들다; 장부 이음하다; 《비유》 단단히 잇다. ── *vi.* 장부를 만들다; 장부로 이어지다. 〖F (*tenir* to hold<L *teneo*)〗

ténon sàw *n.* 〔木工〕 장부용 톱.

ten·or [ténər] *n.* **1** 방침, 진로, 행로: the even ~ *of* (one's) life 단조로운 나날의 생활. **2** 취지, 주지(主旨), 대의(大意)〈*of*〉; 일반적인 성격[성질]. **3** Ⓤ 〔樂〕 테너, 남자 고음; 버금가온음; Ⓒ 테너 가수, 버금가온음부; 테너 악기《예를 들면 viola》. ☞ BASS[1] *n.* 주. ── *a.* 테너[버금가온음]의: a ~ bell (한 벌의 종 가운데서) 가장 낮은 음의 종. **~·ist** *n.* 테너 가수; 테너 악기 연주자. **~·less** *a.* 방침이 없는, 취지가 없는.

〖OF<L (*teneo* to hold); 〔樂〕의 뜻은 It.에서〗

te·not·o·my [tənátəmi] *n.* Ⓤ 〔醫〕 힘줄 절제술.

tén·pènny [, -pəni; -pəni] *a.* 《英》 10펜스의; 《美》 10센트의; (못이) 길이 3인치의.

ténpenny náil *n.* 《美》 3인치 길이의 못.

〖원래 100개 10펜스〗

tén-percént·er *n.* 《俗》 배우 대리인《배우 수입의 10%를 수수료로 받은 데서》; 10퍼센트의 구전을 받는 사람.

tén·pìn *n.* **1** 텐핀즈용의 핀. **2** [~s, 단수취급] 텐핀즈(=~ **bòwling**)《열 개의 핀을 사용하는 볼링; cf. NINEPIN*s*》.

tén·póund·er *n.* **1** 무게 10파운드짜리 물건《탄환·물고기 따위》. **2** (값이) 10파운드짜리 (물건); 10파운드 지폐. **3** 〔英史〕 1년에 10파운드의 땅[집]세를 내고 선거권을 얻는 사람.

tén ròger *n.* 《CB俗》 알았음: That's a ~. 알았다(cf. TEN-FOUR).

tén(')s dìgit [ténz-] *n.* (아라비아 숫자 표기에서의) 10자리의 수《234의 3》.

***tense**[1] [téns] *a.* (밧줄 따위가) 팽팽한; (신경·감

정 따위가) 긴장[긴박]한(strained) ; (너무 긴장하여) 부자연스러운, 딱딱한(stiff) ;〖音聲〗혀의 근육을 긴장시킨(↔*lax* ; cf. SLACK[1] 8).
— *vt., vi.* 팽팽하게 하다, 긴장시키다[되다].
~·ly *adv.* 팽팽히 ; 긴장하여 ; 딱딱하게.
~·ness *n.* 긴장 (상태).
〖L (p.p.) ‹ TEND[1]〗
類義語 ⟹ TIGHT.

***tense**[2] *n.*〖文法〗시제 : the present[past, future] ~ 현재[과거, 미래] 시제.

ten·si·bil·i·ty [tènsəbíləti] *n.* 신장성(性).

ten·si·ble [ténsəbəl] *a.* 잡아늘일 수 있는.

ten·sile [ténsəl ; -sail] *a.* 잡아늘일 수 있는, 늘어나는, 장력(張力)의.〖L ; ⇨ TENSE[1]〗

ténsile stréngth *n.*〖理〗장력 강도.

ténsile stréss *n.*〖理〗장력.

ten·sil·i·ty [tensíləti] *n.* Ⓤ 장력 ; 신장성.

ten·sim·e·ter [tensímətər] *n.* 증기 압력계.

ten·si·om·e·ter [tènsiámətər] *n.* 장력계(張力計) ; 수량계(水量計) ; 표면 장력계.

tèn·si·óm·e·try *n.* 측정학.

***ten·sion** [ténʃən] *n.* **1** Ⓤ 긴장 ; 신장 : the ~ of the muscles 근육의 긴장. **2** Ⓤ (정신적인) 흥분, 긴장(strain) ; 노력 ; (정세·관계 따위의) 절박, 긴장 상태 ; (힘의) 균형, 길항(拮抗). **3** Ⓤ〖理〗(탄성체(彈性體)의) 장력, 응력(應力) ; (기체의) 팽창력 ; 압력, 전압 : ☞ SURFACE TENSION / a high ~ current 고압 전류. **4**〖機〗인장장치.
— *vt.* 긴장시키다, 팽팽하게 하다. **~·al** *a.* 긴장(성)의. **~·less** *a.*〖F or L ; ⇨ TEND[1]〗

ten·si·ty [ténsəti] *n.* Ⓤ 긴장 (상태).

ten·sive [ténsiv] *a.* 팽팽한, 긴장한.

ten·som·e·ter [tensámətər] *n.* 장력계(張力計) (tensiometer).

ten·son [ténsən], **ten·zon** [-zən] *n.* Ⓤ 논쟁시, 경시(競詩)《두 명의 troubadours가 동일 형식으로 번갈아 읊으면서 겨룬 시》.

ten·sor [ténsər, -sɔːr] *n.*〖解〗장근(張筋) ;〖數〗텐서.〖NL=that which stretches ; ⇨ TEND[1]〗

ténsor lìght[làmp] *n.* 텐서 라이트《경첩이 달린 축을 이용하여 조명 위치를 임의로 바꿀 수 있는 탁상 램프》.〖*Tensor* (↑) 상표명〗

tén-spèed *n.* Ⓤ 10단 변속기가 달린 자전거.

tén(')s plàce *n.* (아라비아 숫자 표기에서의) 10의 자리.

tén-spòt *n.*《美》(카드의) 10점짜리 패 ; 10달러 지폐.

tén-strìke *n.*《美》**1** 텐스트라이크《TENPIN*s*에서 10개의 핀을 모두 쓰러뜨리기 ; cf. STRIKE *n.* 5 b)》. **2**《口》대성공, 크게 히트하기.

***tent**[1] [tént] *n.* **1** 텐트, 천막 : ☞ BELL TENT / pitch[strike] a ~ 텐트를 치다[걷다]. **2** 천막 모양의 것. **3** 주택, 사는 집. **4**〖寫〗휴대 암실 ;〖醫〗=OXYGEN TENT.
— *vt.* 천막으로 덮다. — *vi.* 천막에서 자다, 야영(野營)하다.〖OF *tente*<L (p.p.) ‹ TEND[1]〗

tent[2] *n.*〖醫〗거즈(심). — *vt.* 거즈를 넣어 (상처 따위를) 벌려 두다, …에 거즈심을 삽입하다.〖OF (*tenter* to probe) ; ⇨ TEMPT〗

tent[3] *n.* (주로 Spain산의 성찬용의) 달콤한 적포도주.〖Sp. *tinto* deep-colored ; cf. TINGE〗

tent[4]《스코》*n.* 주의. — *vt.* …에 유의하다.
〖? *intent* or *attent* (obs.) attention〗

ten·ta·cle [téntikəl] *n.*〖動〗촉수(觸手), 촉각 ;〖植〗선모(腺毛), 촉모(觸毛). **~d, ten·tac·u·late** [tentǽkjələt], **-lat·ed** [-lèitəd] *a.* 촉수[선모]가 있는.〖NL (*tento*=*tempto* to TEMPT)〗

ten·tac·u·lar [tentǽkjələr] *a.* tentacle 모양의.

ten·ta·tive [téntətiv] *a.* **1** 시험적인, 임시의 : a ~ method 실험법 / a ~ plan 시안(試案) / a ~ theory 가설(假說). **2** 망설이는(hesitant), 애매한, 불확실한(uncertain) : a ~ smile 망설이는 듯한 미소. — *n.* 시도, 시험 ; 시안, 가설.
~·ly *adv.* 시험적으로 ; 머뭇거리며. **~·ness** *n.*
〖L ; ⇨ TEMPT〗

tént bèd *n.* 텐트 모양의 닫집이 달린 침대 ; 천막 내의 환자용 침대.

tént càterpillar *n.*〖昆〗천막벌레나방.

tént còat[drèss] *n.* 텐트 코트[드레스]《어깨에서 옷자락에 걸쳐 삼각형으로 퍼진 코트[드레스]》.

tént·ed *a.* 천막을 친, 천막에 사는 ; 천막 모양의.

ten·ter[1] [téntər] *n.* (빨래 따위) 펴서 말리는 틀, 폭을 당겨 펴는 장치. — *vt.* (직물을) 펴서 말리는 틀에 걸다. — *vi.*《廢》펴서 말리는 틀에 걸다.〖AF<L *tentorium* ; ⇨ TEND[1]〗

tent·er[2] *n.*《英》지키는 사람, (특히 공장의) 기계 감시원.

ténter·hòok *n.* 펴서 말리는 틀의 갈고리.
on tenterhooks 조바심하여, 안달복달하여.

tént-flỳ *n.* 천막 차일(遮日).

◊**tenth** [ténθ] *a.* **1** 제10의, 열번째의. **2** 10분의 1의 : a ~ part 10분의 1. — *n.* **1** 제10[십] ; (달의) 10일, 열흘. **2** 10분의 1. **3**〖樂〗10도, 10도 음정. **~·ly** *adv.* 열번째로.

tén-thìrty-síx *n.*《CB俗》시각(時刻)(time of the day). 주 ten-thirty-four(10-34)라고도 함 : Breaking for a 10-36. 몇 시입니까.

tén-thìrty-thrée *n.*《CB俗》긴급사태(emergency). 주 10-33라고도 함 : We've got a 10-33. 곧 구조 바람.

ténth-ráte *a.* (질(質)이) 최저의.

tént·màker *n.* 천막 제조인[업자].

tént pèg[pìn] *n.* 텐트[천막]를 치는 말뚝.

tént-pègging *n.* 달리는 말 위에서 천막 말뚝을 긴 창으로 빼는 인도의 기마술.

tént shòw *n.* 천막 안에서 하는 흥행[쇼]《서커스 따위》.

tent peg

tént stìtch *n.* 텐트 스티치《짧고 비스듬하게 수를 놓는 스티치》.

tént tràiler *n.* 텐트 트레일러《자동차가 끄는 이동 캠프용의 2륜 트레일러》.

tén-twènty *n.*《CB俗》위치(location).

ten·u·is [ténjuəs] *n.* (*pl.* **-u·es** [ténjuìːz])〖音聲〗무성 파열음《보기 [k, t, p] 따위》.
〖L=thin, slender〗

te·nu·i·ty [tənjú(ː)əti] *n.* Ⓤ 엷음, 가늚 ; 희박 ; 빈약, 단순〈*of*〉.〖L (↑)〗

ten·u·ous [ténjuəs] *a.* 엷은, 가는 ; (공기 따위) 희박한 ; (차이 따위) 너무 미세한 ; 박약한, 애매한, 모호한.〖L TENUIS〗

ten·ure [ténjər, -njuər] *n.* **1** Ⓤ (부동산의) 보유(保有) ; Ⓒ 보유 기간 ; Ⓤ 보유권, 보유 조건 : feudal ~ 봉건적 토지의 보유(권) / one's ~ *of* life 수명(壽命) / On what ~? 어떠한 조건으로 / ~ for life 종신(終身) 토지 보유권. **2** Ⓤ,Ⓒ (일반적으로) 보유, 유지(維持)(holding) : during one's ~ *of* office 재직(在職) 기간중에. **3**《美》(특히 대학 교수의) 종신 재직권.
hold one's life on a precarious tenure 언제 어떻게 될지도 모를 목숨이다.
〖OF (*tenir* to hold<L *teneo*)〗

tén·ured *a.* 보유권이 있는 ; (특히 대학 교수가) 종

신 재직권을 가진 : ~ graduate student《學戲》 10년째의 대학원생.

ténure-tràck *a.* (대학 교수가) 종신 재직이 인정되는 신분에 있는.

te·nu·to [tənú:tou] *a.*〔樂〕음을 충분히 끄는.
—— *adv.* 테누토로, 음을 충분히 끌어서.
—— *n.* (*pl.* ~**s**, **-ti** [-ti:]) 테누토 기호.
〖It. =held〗

ten-vee, 10-V [ténvì:] *n., a.*《美俗》최저(의), 최악(의), 최하위(의).

te·pa [tí:pə] *n.* Ⓤ〔化〕테파《곤충 불임제(不姙劑)·제암제(制癌劑)용, 섬유의 끝손질·방염제(防炎劑)용》.
〖*t*ri-+*e*thylene+*p*hosphor-+*a*mide〗

te·pee, tee-, ti·pi [tí:pi:] *n.* 티피《북미 인디언이 가죽·천으로 만든 원뿔꼴의 작은 천막집》.
〖Dakota〗

tepee

tep·e·fac·tion [tèpəfǽkʃən] *n.* 미온적임.

tep·e·fy [tépəfài] *vt., vi.* 미온적으로 하다, 미지근해지다.

teph·ra [téfrə] *n.* 테프라《분화에 의해 방출되어 퇴적한 화산 쇄설물(碎屑物)》. 〖Gk. =ashes〗

teph·ro·chrónology [tèfrou-] *n.* Ⓤ 테프라 연대학(年代學)《tephra에 의한 편년(編年)》.

tep·id [tépəd] *a.* 미온적인, 미지근한 ; (대우 따위) 열의가 없는 ; (관계 따위가) 식은 : ~ water 미지근한 물. ~**·ly** *adv.* 미온적으로, 미지근하게. ~**·ness** *n.* 〖L (*tepeo* to be lukewarm)〗

te·pid·i·ty [təpídəti, te-] *n.* Ⓤ 미온적임, 미지근함, 열의 없음(tepidness).

TEPP [tì:ì:pì:pí:] tetraethyl pyrophosphate (살충제(劑)).

te·qui·la [təkí:lə] *n.*〔植〕테킬라용설란《멕시코산》; Ⓤ 테킬라《그 줄기의 즙을 발효시킨 것을 증류한 술》.
〖*Tequila* 멕시코 서부 Jalisco 주(州)의 도시〗

ter [tə́:r] *adv.*〔樂〕세번, 3회. 〖L *ter* thrice〗

ter- [tə́:r] *comb. form*「3회」의 뜻. 〖L TER〗

ter. terrace ; territorial ; territory.

tera- [térə] *comb. form*「10의 12제곱」의 뜻 : *tera*bit (1조 비트에 해당하는 정보량의 기본 단위). 〖⇨ TERAT-〗

téra·cỳcle *n.* 테라사이클(《=10^{12} cycles》).

téra·hèrtz *n.* 테라헤르츠《=10^{12} hertz》.

te·rai [tərái] *n.* 아열대 지방에서 쓰는 챙이 넓은 펠트 모자. 〖*Tarai* 인도 북동부의 습지대〗

ter·a·phim [térəfìm] *n. pl.* (*sg.* **ter·aph** [térəf]) [단수취급] (고대 헤브라이 인(人)의) 가신상(家神像).

ter·at- [térət], **ter·a·to-** [térətou, -tə] *comb. form*「기형」「괴물」의 뜻.
〖Gk. *terat- teras* monster〗

ter·a·tism [térətìzəm] *n.* Ⓤ 기형 ; 기괴한 취미, 괴물 숭배.

te·rato·gen [tərǽtədʒən] *n.* Ⓤ〔生·醫〕(태아기의) 기형(畸形) 발생 물질.

tèrato·génesis *n.*〔生·醫〕기형 발생[생성].

ter·a·to·log·i·cal, -log·ic [tèrətəlɑ́dʒik(əl)] *a.* 기형학(畸形學)상의.

ter·a·tol·o·gy [tèrətɑ́lədʒi] *n.* Ⓤ 기형학 ; 괴물 연구 ; 괴기담(怪奇談)(집).

-gist *n.* (생물의) 기형학 전문가[전공자].

téra·vòlt *n.*〔理〕테라볼트《(1) =10^{12} volts. (2) = 10^{12} electron volts》.

téra·wàtt *n.* Ⓤ〔電·理〕테라와트《=10^{12} watts》.

ter·bi·um [tə́:rbiəm] *n.* Ⓤ〔化〕테르븀《희토류 원소 ; 기호 Tb ; 번호 65》.

ter·cel [tə́:rsəl], **terce·let** [tə́:rslət] *n.*〔鳥〕(훈련된) 수컷 매.

ter·centénary [tə̀:r-], **ter·centénnial** [tə̀:r-] *n.* 300년 ; 300년 기념[제(祭)] (cf. CENTENARY).
—— *a.* 300년(간)의. 〖*ter*-〗

ter·cet [tə́:rsət, tə:rsét] *n.*〔樂〕셋잇단음표 ;《詩》3(행) 연구(聯句) (triplet).
〖F<It. ; ⇨ TERTIUS〗

Ter·com [téərkɑm] *n.*〔軍〕테르콤《목표까지의 지형을 기억시킨 컴퓨터에 의해 비행하는 순항 미사일의 유도 방식》.
〖*ter*rain *co*ntour *m*atching〗

ter·e·bene [térəbì:n] *n.* Ⓤ〔化〕테레빈.

te·rébic ácid [tərébik-, -rí:-] *n.*〔化〕테레브산.

ter·e·binth [térəbìnθ] *n.* (지중해 연안산) 테레빈나무 : oil of ~ 테레빈유(油).
〖OF or L<Gk.〗

ter·e·bin·thine [tèrəbínθain, -θən] *a.* 테레빈성(性)의.

te·re·do [tərí:dou, -réi-] *n.* (*pl.* ~**s**, **te·red·i·nes** [-rédənì:z])〔貝〕배좀벌레조개.
〖L<Gk. (*teirō* to rub hard, bore)〗

Ter·ence [térəns] *n.* 남자 이름《애칭 Terry》.
〖로마의 가족명에서〗

Te·re·sa [tərí:sə ; -zə] *n.* **1** 여자 이름. **2** [Mother ~] 마더 테레사(1910-97)《알바니아 태생의 카톨릭 수녀 ; 빈민구제에 헌신하여 1979년 노벨 평화상 수상》.
〖It., Sp.<Gk. =? harvester ; 'a woman from Therasia'의 뜻인가 ; cf. THERESA〗

ter·gal [tə́:rgəl] *a.* TERGUM의.

ter·gi·ver·sate [tə:rdʒívərsèit, -gív-, tə́:rdʒəvər-] *vi.* 변절[전향]하다 ; 발뺌하다, 핑계대다, 속이다. 〖L (TERGUM, *vers- verto* to turn)〗

ter·gì·ver·sá·tion [, tə̀:rdʒivər-] *n.* Ⓤ,Ⓒ 핑계, 발뺌(할 구실), 속임 ; 변절(變節).

ter·gum [tə́:rgəm] *n.* (*pl.* **-ga** [-gə])〔動〕(절지(節肢)동물의) 가슴 등판. 〖L=back〗

‡**term** [tə́:rm] *n.* **1** 말 ; (특히) 술어(術語), 용어, 전문어 ;〔論〕명사(名辭) ; [*pl.*] 말하는 법, 말씨 〈*of*〉: legal[scientific, technical] ~*s* 법률[과학·전문] 용어 / an absolute ~〔論〕절대 명사(名辭) / a general ~〔論〕전칭(全稱)[일반] 명사 / the major[minor] ~〔論〕대[소]명사. **2** **a**) (지급 따위의) 기일, 기한 ; 기간(period) ; [종종 full ~] 출산 예정일, 분만일 : a long[short] ~ 장[단(短)]기 / a president's ~ of office 대통령의 재임 기간. **b**) Ⓤ,Ⓒ (학교의) 학기(cf. QUARTER 1 c), SEMESTER) ; (법원의) 개정 기간(sittings) : the spring[fall, autumn] ~ 봄[가을] 학기 / keep a ~ 1학기 출석하다 / during ~ 학기중에. **3** [*pl.*] 교제 관계 ; 친한 사이 : on bad[equal, good, speaking, visiting] ~*s* (*with*...) (…와) 사이가 나쁜[대등한, 좋은, 말을 주고받을 정도인, 오고갈 정도인]. **4** [*pl.*]〔經·商〕(지급·요금 따위의) 조건〈*of*〉; 요구액, 값, 요금, 임금〈*for*〉: *on* deferred[easy] ~*s*《英》분할 지급[월부]으로 / *on* even ~*s* (*with*...) (…와) 반씩, 대등하게 / set ~*s* 조건을 붙이다[정하다] / *T*~*s* cash. 현금 지급 / *T*~*s*, two pounds a week. 요금은 1주에 2파운드.

5 〖數〗 항(項) ; 〖數〗 한계점[선·면]. **6** 《古》 한계, (특히 때의) 종말, 종극(終極).
bring** a person **to terms 남을 항복[승복·동의]시키다.
come to terms (with . . .) (1) (…와) 절충이 되다, 협상[타협]이 이루어지다 ; (…와) 화해하다. (2) (…에게) 굴복하다.
eat** one's **terms ☞ EAT.
in terms of . . . (1) …의 말(씨)로 ; …에 특유한 표현으로 ; …으로 환산하여 ; 〖數〗 …의 항(項)[식]으로 : *in ~s of* respect 경의를 나타내어. (2) [뜻이 바뀌어] …에 의해서, 관하여, …이란 점에서 (보면, 보아), 견지에서 : see life *in ~s of* money 인생을 금전적인 면에서 보다.
keep terms 규정된 학기 동안 재학하다 ; 협상[교섭]을 계속하다〈*with*〉.
make terms (with) = *come to* TERMS (*with*).
not (up)on any terms = ***(up)on no terms*** 어떤 일이 있어도 …않다.

〈회화〉
When does the second *term* begin?—It begins on September. 「2학기는 언제 시작되지」「9월에 시작돼」

—— *vt.* [+目+補] 이름짓다, 명명(命名)하다, 부르다(name) : He *~ed* the gas argon. 그 기체를 아르곤이라고 명명했다 / The drama might be *~ed* a comedy. 그 희곡은 하나의 희극이라고 불러도 될 것이다.
〖OF<L TERMINUS〗

term. terminal ; termination.

ter·ma·gant [tə́ːrməgənt] *n.* **1** 〖史〗 [T~] (중세의 종교극 중에서) 사나운 이슬람교 신(神). **2** 입심 사나운 여자. —— *a.* (특히 여자가) 잔소리가 심한, 입심 사나운, 표독한(scolding).
~·ly *adv.* 입심 사납게. **tér·ma·gan·cy** *n.* Ⓤ (여자가) 성미 사나움, 괄괄함 ; 입심 사나움.
〖OF *Tervagan*<It.〗

térm dày *n.* 지급일, 만기일.

term·er [tə́ːrmər] *n.* **1** (교도소) 복역자, 죄수 《보통 복합어로 쓰임 ; 보기 first-*termer* 초범(初犯)》. **2** (장관·의원 등의) 임기중인 사람.

ter·mi·na·ble [tə́ːrmənəbəl] *a.* (계약 따위) 기한이 있는, 유한(有限)의 ; 끝마칠 수 있는 : a ~ annuity 유한 연금(年金). **-bly** *adv.* 기한부로. **~·ness** *n.* **tèr·mi·na·bíl·i·ty** *n.* 유기(有期), 유한성(有限性).

***ter·mi·nal** [tə́ːrmənl] *a.* **1** 맨 끝의, 말단의, 종말의, 경계의 ; 종점의, 종착역의 : We reached the ~ station. 우리는 종착역에 도착했다. **2** 〖植〗 정생(頂生)의 ; 〖動·解〗 말단의. **3** 정기(定期)의, 일정 기간중의 ; (매)학기의, 학기말의 : a ~ examination 학기말 시험. **4** 〖論〗 명사(名辭)의. **5** 〖醫〗 말기의, (환자가) 말기 증상의 ; 치명적인 : ~ cancer 말기 암.
—— *n.* **1** 말단, 맨 끝, 종말 ; 어미(語尾)(의 음절·문자). **2** 《원래 美》 **a)** (기차·비행기·버스 따위의) 종점, 기점(起點), 종착역, 시발역(=《英》 terminus) ; 종단 도시. **b)** (공항의) 터미널. **3** 말초 신경부, 신경 종말. **4** 〖建〗 끝머리 장식. **5** 학기말 시험. **6** 〖電〗 전극, 단자(端子) ; 〖컴퓨〗 단말기, 터미널. **~·ly** *adv.* 종말에, 맨 끝에 ; 정기적으로, 매학기마다 ; 학기말에.
〖L ; ⇨ TERMINUS〗
類義語 ⟹ LAST[1].

términal élevator *n.* 《Can.》 대형 곡물 창고.

términal equípment *n.* 단말 장치《컴퓨터 본체와 떨어져 통신 회선에 의해 연결된 입출력 기기로 판독 장치나 텔레타이프 따위》.

términal fígure *n.* 〖建〗 경계주(境界柱).

términal identificátion *n.* 〖컴퓨〗 단말 장치 식별 기구(機構).

términal júncture *n.* 〖言〗 말미 연접(連接).

términal léave *n.* 〖軍〗 제대 직전 마지막 휴가.

términal scánner *n.* 〖컴퓨〗 단말 주사 장치.

términal séquencer *n.* 〖宇宙〗 터미널 시퀀서 《로켓 발사의 초읽기 때 최종 단계를 제어하는 전자 장치》.

términal velócity *n.* 〖理〗 종단(終端) 속도.

términal vóltage *n.* 단자 전압(端子電壓).

ter·mi·nate** [tə́ːrmənèit] *vt.* **1** (행동·상태 따위를) 종결짓다, 끝내다 : ~ a contract 계약을 해제하다 / The two countries *~d* friendly relations. 두 나라는 우호 관계를 단절했다. **2** (조망(眺望) 따위를) 한정하다 ; …의 경계를 이루다 : The mountain *~s* the view. 산이 시야를 가로막고 있다. —— *vi.* **1** (행동·상태 따위가) 끝나다(end) ; (기차·버스 따위가) (…에서) 종점이 되다 : The contract *~s* in April. 계약은 4월에 끝난다. **2** [+*in*+名] (어미가 …으로) 끝나다 : Many adjectives ~ ***in -ful. -ful로 끝나는 형용사가 많다. ——[-nət] *a.* 유한의 : a ~ decimal 〖數〗 유한소수(小數). 〖L ; ⇨ TERMINUS〗
類義語 ⟹ END.

ter·mi·na·tion [tə̀ːrmənéiʃən] *n.* **1** Ⓤ,Ⓒ 종료, 종결, 결말, 결과 ; 종점, 말단 ; 한계 ; 폐지 ; (계약 따위의) 만기 : bring...to a ~ = put a ~ to … 을 종결시키다. **2** 〖文法〗 어미 ; 접미사.
~·al *a.*

ter·mi·na·tive [tə́ːrmənèitiv ; -nə-] *a.* **1** 종말적인, 종결의, 종국의, 결정적인(conclusive). **2** 〖文法〗 (접미사 따위가) 방향[종결]을 나타내는.

tér·mi·nà·tor *n.* 끝맺는 사람[것] ; 〖天〗 (달·별의) 명암(明暗) 경계선 ; 〖遺〗 (DNA상의) 종료 암호 ; 〖컴퓨〗 종료기(終了器).

ter·mi·na·to·ry [tə́ːrmənətɔ̀ːri ; -təri] *a.* 말단의 ; 말단을 형성하는.

termini *n.* TERMINUS의 복수형.

ter·mi·nism [tə́ːrmənìzəm] *n.* Ⓤ **1** 〖神學〗 성총(聖寵) 유한설《신이 정한 일정한 회개 시기를 놓치면 구원을 받을 수 없다는 설》. **2** 〖哲〗 (Occam 파의) 유명론(唯名論), 명사론(名辭論).
-nist *n.* terminism론자.

ter·mi·no·log·i·cal [tə̀ːrmənəlɑ́dʒikəl] *a.* 술어학(상)의, 술어(術語)의, 용어상의. **~·ly** *adv.*

ter·mi·nol·o·gy [tə̀ːrmənɑ́lədʒi] *n.* **1** Ⓤ,Ⓒ 술어학 ; (특수한) 용어법[론]. **2** Ⓤ [집합적으로] 술어, (전문) 용어 : technical ~ 전문 용어 / chemical ~ 화학 용어 / the ~ of space science 우주 과학 용어. 〖G<L TERMINUS=expression〗

térm insùrance *n.* 정기 보험《계약 기간 내의 사망에 대해서만 보험금을 지급하는 보험》.

ter·mi·nus [tə́ːrmənəs] *n.* (*pl.* **-ni** [-nài, -nìː], **~·es**) **1** (철도·버스의) 종점, 종착역(terminal). **2** 말단 ; 목표, 목적지. **3 a)** [T~] 〖로神〗 테르미누스《경계표의 신》. **b)** 〖建〗 경계주(term).
〖L=end, limit, boundary〗

términus ad quém [-æd kwém] *n.* (토론 따위의) 귀결점, 귀착점. 〖L=limit to which〗

términus a quó [-ɑː kwóu] *n.* (토론·정책 따위의) 출발[시발]점. 〖L=limit from which〗

ter·mite [tə́ːrmait] *n.* 〖昆〗 흰개미《속칭 white ant ; cf. ANT》. 〖L *termit- termes*〗

térm·less *a.* **1** 기한이 없는, 무한의, 한없는

(limitless). **2** 무조건의(unconditional). **3** 《詩》 형언할 수 없는.
ter·mor [tə́ːrmər] *n.* 〖法〗 정기(定期)[종신(終身)] 부동산 보유권자.
térm páper *n.* 《美》 학기말 논문.
térms of tráde *n. pl.* 《英》〖經〗 교역 조건(交易條件)《수출물가 지수와 수입물가 지수의 비율》.
térm·tìme *n.* Ⓤ 학기 중의 시기 ; 〖法〗 재판 개정기 중의 시기.
tern[1] [tə́ːrn] *n.* 〖鳥〗 제비갈매기《갈매기과(科)》. 〚Scand. ; cf. Dan. *terne*, Swed. *tärna*<ON〛
tern[2] *n.* 세 개 한벌 ; 셋을 갖추면 당첨되는 복권 ; 그 상품. —— *a.* =TERNATE.
〚F<L *terni* three each〛
tern[3] *n.* 《美》〖醫〗 인턴. 〚in*tern*〛
tern·al [tə́ːrnl] *a.* 셋[3요소, 3부분, 3구분]으로 이루어진, 세 개 한벌인.
ter·na·ry [tə́ːrnəri] *a.* 세 개로 이루어진, 3중(重)의, 세 겹의, 세 개 한벌의 ; 제3위의 ; 〖數〗 3진법의, 삼원(三元)의 ; 〖化·冶〗 삼원의, 세 성분의. —— *n.* 세 개로 된 것[한벌]. 〚L ; ⇨ TERN[2]〛
térnary físsion *n.* 〖理〗 삼중 핵분열.
térnary fórm *n.* 〖樂〗 세도막 형식.
ter·nate [tə́ːrnət, -neit] *a.* 셋으로 된 ; 〖植〗 세 갈래의, 세 잎의 : a ~ leaf 세 갈래난 잎.
terne [tə́ːrn] *n.* 턴 메탈(=~ **mètal**)《납과 주석의 합금》.
térne·plàte *n.* 턴플레이트《턴메탈을 입힌 강판》.
tero·technólogy [tèrou-] *n.* 기계·플랜트·장치 따위 설비 일반의 운전·유지를 연구하는 공학의 한 분야.
ter·pene [tə́ːrpiːn] *n.* 〖化〗 테르펜《송진 따위에 함유된 액체》.
ter·pólymer [təːr-] *n.* 〖化〗 삼합체(三合體), 터폴리머.
Terp·sich·o·re [təːrpsíkəri] *n.* **1** 〖그神〗 테르프시코라《가무(歌舞)의 여신 ; nine Muses 중의 한 신》. **2** [t~] 무도(술). 〚L<Gk.〛
terp·si·cho·re·an [tə̀ːrpsikəríːən, -səkɔ́ːriən] *a.* **1** [T~] Terpsichore의 : the ~ art 무용. **2** 무용의. —— *n.* 《口》 무희(舞姬), 댄서.
terr [tέər] *n.* 《南아·蔑》 (짐바브웨·남아프리카 공화국의) 흑인 게릴라. 〚*terr*orist〛
terr. terrace ; territorial ; territory.
ter·ra [térə] *n.* (*pl.* **ter·rae** [tériː, -ai]) Ⓤ 땅, 흙, 대지(earth). 〚L=land〛
***ter·race** [térəs] *n.* **1 a)** 대지(臺地), 높은 지대 ; 〖地質〗 단구(段丘)《계단 모양의 지형》. **b)** (정원 따위에 설치한) 테라스, 단(壇), 언덕 모양 ; 주랑 ; 넓은 베란다 : The children are out on the ~. 아이들은 테라스에 나와 있다. **2** 《英》 비탈진 [고지대의] 동네. —— *vt.* [보통 *p. p.*로] (토지 따위를) 계단식으로 정비하다 : a ~*d* garden 계단식 정원 / ~*d* fields 계단식 밭.
〚OF=heap of earth<L ; ⇨ TERRA〛
térraced hòuse *n.* 테라스 하우스(=《美》 row house)《연립주택의 한 채》.
térraced róof *n.* (특히 인도 등지의) 평지붕.
ter·ra-cot·ta [tèrəkɑ́tə] *n.* **1** Ⓤ 테라코타《이탈리아의 붉은 점토로 만든 오지 그릇》 ; 테라코타 세공 ; Ⓒ 테라코타제(입(立))상(像) : a ~ pipe 토관(土管). **2** Ⓤ 적갈색. 〚It. =baked earth〛
térra fír·ma [-fə́ːrmə] *n.* Ⓤ (물·공기에 대해서) 대지, 육지 : We were again *on* ~. 우리들은 다시 대지[육지]로 돌아왔다. 〚L=solid land〛
ter·rain [térein ; təréin] *n.* **1** (지문(地文)·군사상으로 본) 지형, 지세(地勢). **2** 지역.
〚F<L ; ⇨ TERRENE〛
térra in·cog·ní·ta [-ìnkɑgníːtə, -inkɑ́gnətə] *n.* (*pl.* **térrae ìn·cog·ní·tae** [-tai]) 미지(未知)의 나라[세계] ; 미개척 분야. 〚L=unknown land〛
térrain-fòllow·ing rádar *n.* 〖軍〗 지형 추적 레이더《비행하는 밑의 지형에 따라 비행기·미사일의 고도를 자동 조절할 수 있는 레이더 장치》.
Ter·ra·my·cin [tèrəmáisən] *n.* Ⓤ 〖藥〗 테라마이신《항생제의 일종 ; 상표명》.
Ter·ran [térən] *n.* 지구인《SF 용어》.
ter·rane [təréin, te-] *n.* 〖地質〗 지층, 암층(岩層), 계통.
ter·ra·pin [térəpən, tǽr-] *n.* 〖動〗 테라핀《북미산 식용 거북》. 〚Algonquian〛
terr·aque·ous [teréikwiəs, -rǽk-] *a.* 물과 육지로 된, 수륙(水陸)의. 〚*terra*+*aqueous*〛
ter·rar·i·um [teréəriəm, -rǽər-] *n.* (*pl.* **-rar·ia** [-iə], **~s**) 육생(陸生) 동물 사육장 ; (옥내 식물 재배용) 유리 그릇.
〚NL ; *aquarium*에 준하여 TERRA에서〛
térra rós·sa [-rɑ́sə] *n.* 테라 로사(=red ocher).
〚It. =red earth〛
ter·raz·zo [tərǽzou, -rɑ́ːtsou] *n.* (*pl.* **~s**) 테라초《대리석 부스러기를 시멘트와 혼합하여 굳힌 뒤 표면을 반들반들하게 갈아낸 인조석 바닥》.
〚It. =terrace〛
ter·rene [teríːn, tə-, téəriːn] *a.* 지구의 ; 토지[흙·땅]의 ; 현세[속세]의. —— *n.* 대지, 육지.
〚AF<L *terrenus* ; ⇨ TERRA〛
ter·re·plein [térəplèin ; téəplèin] *n.* 〖城〗 누도(壘道)《누벽(壘壁) 위에 대포를 놓는 평평한 곳》 ; 꼭대기가 판판한 둑. 〚OF<OIt.〛
ter·res·tri·al [təréstriəl] *a.* **1** 지구(상)의(cf. CELESTIAL) : ~ heat 지열(地熱) / this[the] ~ globe[ball, sphere] 지구 / a ~ globe 지구의(地球儀). **2** 땅(위)의, 육지로[뭍으로] 된 (cf. AQUATIC). **3** 〖動〗 육지에 사는. **4** 지상의, 현세의 : ~ aims[interests] 공명심(功名心). **5** 흙의, 토질의. —— *n.* 지구상의 생물 ; 인간.
~·ly *adv.* 〚L ; ⇨ TERRA〛
類義語 ⟹ EARTHLY.
terréstrial guídance *n.* 〖空〗 지구 기준 유도《지구 자기·중력 따위의 세기·방향에 기초를 두고 행하는 미사일·로켓의 유도》.
terréstrial télescope *n.* 지상 망원경(cf. ASTRONOMICAL TELESCOPE).
ter·ret [térət] *n.* (안장의) 고삐 꿰는 고리.
〚ME<?OF (dim.) ‹ *tour* ring〛
‡**ter·ri·ble** [térəbəl] *a.* **1** 무서운, 겁나는, 무시무시한 : a ~ crash of thunder 무서운 천둥소리. **2** 심한, 격렬한, 고된 : ~ sufferings 심한 고생. **3** 《口》 굉장한, 지독한 : in a ~ hurry 몹시 서둘러서 / a ~ man to drink 지독한 술꾼. —— *adv.* 《口》 두렵게, 심하게, 무섭게(terribly) (cf. AWFUL) : I was in a ~ bad way. 몹시 어려운 처지에 있었다. —— *n.* 무서운 사람[것].
〚OF<L (*terreo* to frighten)〛
***tér·ri·bly** *adv.* **1** 무섭게, 엄청나게 ; 무시무시하게 : They were ~ shocked. 그들은 엄청난 충격을 받았다. **2** 《口》 심하게, 몹시(extremely) : He is ~ tired. 그는 몹시 지쳐 있다.
ter·ri·er[1] [tériər] *n.* 테리어《애완·사냥용의 개》 ; 《美》 [the T~] 지대공 미사일.
〚OF (*chien*) *terrier* (dog) of the earth<L(⇨ TERRA) ; 너구리를 굴에서 쫓아내는데 썼음〛
terrier[2] *n.* 〖法〗 토지 대장.
〚OF<L *terrarius* (*liber* book) ; ⇨ TERRA〛

***ter·rif·ic** [tərífik] *a.* **1** 무서운, 무시무시한 ; 엄청난. **2** 《口》 굉장한, 심한 ; 훌륭한(magnificent), 멋있는 : at ~ speed 굉장한 속력으로.
-i·cal·ly *adv.*

ter·ri·fy** [térəfài] *vt.* **1** 무섭게 하다, 겁나게 하다 (frighten) : The prospect of nuclear war *terrifies* the population. 국민은 핵전쟁을 예상하여 겁을 먹고 있다. ㊟ 때때로 *p. p.*로 형용사적으로 쓰임. **2** [+目+前+名] 놀라게 해서 …시키다 : His threats *terrified* her ***into hand*ing* over the money. 그의 협박에 겁이 나서 그녀는 돈을 내주고 말았다 / I was *terrified* ***out of*** my wits. 나는 혼비 백산했다.
《L ; ⇨ TERRIBLE》
類義語 ⟹ FRIGHTEN.

térrify·ing *a.* 두렵게 하는, 무서운 ; 예사롭지 않은. **~·ly** *adv.*

ter·rig·e·nous [terídʒənəs] *a.* 지상에[땅에서] 난 (earthborn) ; 〔地質〕 (해저 퇴적물이) 육성(陸成)의.

ter·rine [tərí:n] *n.* 테린《요리를 담은 채 파는 도자기로 된 난형(卵形) 용기 ; 그것에 담은 식품》.
《F ; ⇨ TUREEN》

ter·ri·to·ri·al [tèrətɔ́:riəl] *a.* **1** 영토의 ; 토지의, 토지를 소유하는 : ~ air[waters, seas] 영공(領空)[해(海)] / ~ possession 영토. **2 a**) 지역적인. **b**) [T~] 《美·Can.·濠》 준주(準州)의, 지방의. **c**) 지방 수비의. —— *n.* 지방 수비병 ; 《英》 국방 의용병(義勇兵).
~·ly *adv.* 영토적으로 ; 지역적으로.
《L ; ⇨ TERRITORY》

Territórial Ármy *n.* [the ~] 《英》 국방 의용군 《1908년 조직 ; 1967년 폐지》.

territórial cóurt *n.* (미국의 자치령에 둔) 준주(準州) 법원.

territórial impérative *n.* 〔生態〕 세력권 본능.

territórial·ìsm *n.* Ⓤ 지주 제도.

ter·ri·to·ri·al·i·ty [tèrətɔ̀:riǽləti] *n.* 영토임 ; 〔生態〕 세력권제(制).

territórial·ìze *vt.* 영토를 확장하다 ; 영토화(化)하다 ; 속령으로 격하(格下)하다.

***ter·ri·to·ry** [térətɔ̀:ri ; -təri] *n.* **1** Ⓤ,Ⓒ 영토《영해(領海)를 포함》, 영지(領地), 판도(版圖) ; 지방, 지역 : a leased ~ 조차지(租借地). **2** 《비유》 (과학·예술 따위의) 영역, 분야 : the *territories of* social and economic history 사회사(社會史) 및 경제사의 영역. **3** Ⓤ,Ⓒ (외교관·외판원 등의) 담당 구역, 세력 범위 ; 〔競〕 (각 팀의) 수비구역. **4** [T~] 《美·Can.·濠》 준주《아직 주(州)의 자격을 얻지 못한 지역》, 지방(cf. STATE *n.* 5) : In those days Alaska was a *T*~. 당시 알래스카는 준주였다.
《L=land surrounding a town ; ⇨ TERRA》

***ter·ror** [térər] *n.* **1** Ⓤ,Ⓒ (매우 심한) 공포, 겁, 놀람 ; Ⓒ 공포의 원인[대상], 무서운 사람[물건] : in ~ 깜짝 놀라서 / a novel[romance] of ~ 공포 소설 / have a holy ~ of …을 몹시 두려워하다 / strike ~ into a person's heart 남을 공포에 떨게 하다 / be a ~ to …을 (무서워) 떨게 하다. **2** 《口》 몹시 성가신 것, 지긋지긋한 놈 : a little ~ 성가신 아이. **3** Ⓤ 공포 정치, 공포 시대 ; [the T~] =the REIGN of *T*~ : ☞ RED TERROR / ☞ WHITE TERROR.
the king of terrors 〔聖〕 죽음(death).
《F<L (*terreo* to frighten)》
類義語 ⟹ FEAR.

térror·ìsm *n.* **1** Ⓤ 공포 정치 ; 테러[폭력] 행위[수단] ; 테러리즘. **2** Ⓤ 공포 (상태).

térror·ist *n.* 공포 정치가, 폭력(혁명) 주의자, 테러리스트. —— *a.* =TERRORISTIC.

ter·ror·is·tic [tèrərístik] *a.* 폭력주의의, 테러리스트의.

térror·ìze *vt.* **1** (위협하거나 폭력을 가하거나 하여) 공포에 떨게 하다, 위협하다. **2** 공포 정치로 지배하다, …에게 테러 수단을 쓰다.
tèrror·izátion *n.* 위협, 탄압.

térror-strìcken, -strùck *a.* 공포에 사로잡힌, 벌벌 떠는.

ter·ry [téri] *n.* Ⓤ 테리직(織)《보풀을 고리 모양으로 만들어 짠 흡수성이 좋은 두터운 천으로, 특히 타월천》.
《C18< ? F *tiré* (p.p.) ‹ *tirer* to draw》

terse [tə́:rs] *a.* (문체·표현이) 간결한, 짜임새 있는. **~·ly** *adv.* 간결하게. **~·ness** *n.*
《L=precise (*ters- tergo* to polish)》

ter·tian [tə́:rʃən] *a.* 〔醫〕 3일마다[격일로] 일어나는(cf. QUARTAN). —— *n.* 3일열(熱) 말라리아.
《ME (*fever*) *tersiane*<L (*febris*) *tertiana* ; ⇨ TERTIARY》

ter·ti·ary [tə́:rʃəri, 美+-ʃièri] *a.* **1** 제3의 ; 〔化〕 제3(차)의 ; 〔醫〕(매독(梅毒) 따위) 제3기(期)의 ; (화상이) 제3도의, 매우 심한. **2** [T~] 〔地質〕 제3기(紀)[계(系)]의. —— *n.* **1** [the T~] 〔地質〕 제3기[계]. **2** [*pl.*] 〔醫〕 제3기 매독의 징후. **3** 〔文法〕 제3차 어(구)《부사적 수식어(구) ; cf. PRIMARY, SECONDARY》. 《L ; ⇨ TERTIUS》

tértiary còllege *n.* 《英》 고등 전문학교《중등학교의 제6학년과 직업 전문 과정을 합친 것》.

tértiary cólor *n.* 제3색《제2색의 두 가지 혼색(混色)에 의함》.

tértiary consúmer *n.* 〔生態〕 3차 소비자《소형 육식동물을 먹는 대형 육식 동물》.

tértiary educátion *n.* 《英》 제3차 교육《중등학교에 이어지는직업및비(非)직업 과정의총칭 ; cf. HIGHER EDUCATION》.

tértiary índustry *n.* 〔經〕 제3차 산업.

tértiary recóvery *n.* (통상적인 방법 또는 2차 채취(secondary recovery)에 의해 채취 불능이 된 유전·가스전(田)으로부터의) 3차 채취.

tértiary sýphilis *n.* 〔醫〕 제3기 매독.

ter·ti·um quid [tə́:rʃiəm kwíd, -tiəm-] *n.* 제3의 것, (양자의) 중간물 ; 이도저도 아닌 것.
《L=third something》

ter·ti·us [tə́:rʃiəs] *a.* 셋째의 ; (학교에서 같은 성(姓)의 남학생 중에서) 가장 나이 어린.
《L=third》

tértius gáu·dens [-gɔ́:denz, -gáudeins], **tér·tius gáu·det** [-gɔ́:det, -gáu-] *n.* 어부지리(漁父之利)를 얻는 제3자. 《L=glad third》

Ter·y·lene [térəli:n] *n.* 《英》 테릴렌《폴리에스테르섬유 ; 상표명》. 《*ter*ephthalic acid+eth*ylene*》

ter·za ri·ma [téərtsə rí:mə] *n.* (*pl.* **ter·ze ri·me** [téərtsei rí:mei]) 〔韻〕 3운구법(韻句法)《단테가 「신곡(神曲)」에 사용한 시형(詩形)》.
《It. =third rhyme》

ter·zet·to [teərtsétou ; tə:-] *n.* (*pl.* **~s, -ti** [-ti]) 〔樂〕 3중창[주](곡) (trio). 《It.》

TESL [tésəl] teaching English as a second language (제2언어로서의 영어 교수(법)).

tes·la [téslə] *n.* 〔理〕 테슬라《자기력선속밀도(密度)의 단위》. 《↓》

Tesla *n.* 테슬라. **Nikola** ~ (1856-1943) Croatia 태생인 미국의 전기 기술자·발명가.

Tésla còil *n.* 〔電〕 테슬라 코일《고주파 교류를 생

기게 하는 감응 코일의 일종》.

TESOL [tí:sɔ:l, tésɔ:l] Teachers of English to Speakers of Other Languages《미국에서 1966년 결성》; teaching of English to speakers of other languages.

Tess [tés] *n.* 여자 이름《Theresa의 애칭》.

tes·sel·lar [tésələr] *a.* 바둑판 무늬 세공의, 모자이크 모양의.

tes·sel·late [tésəlèit] *vt.* [보통 *p. p.*로] (마루·포장 도로 따위를) 바둑판 무늬[모자이크식]로 깔다: a ~*d* pavement[floor] 모자이크 무늬의 도로[마루]. —— *vi.* (삼각형 따위 동일한 모양이) 꽉 합쳐지다. —— [-lət, -lèit] *a.* =TESSELLATED. 〖L (*tessella* (dim.) ‹ TESSERA)〗

tés·sel·làt·ed *a.* 바둑판 무늬의, 모자이크(식)의.

tès·sel·lá·tion *n.* Ⓤ 바둑판 무늬 세공; 모자이크 세공.

tes·sera [tésərə] *n.* (*pl.* **-ser·ae** [tésərì:, -rài]) (모자이크용) 각석(角石), 네모난 돌[유리·타일] 《따위》. 〖L<Gk. (neut.) ‹ *tesseres, tessares* four〗

tes·ser·act [tésəræ̀kt] *n.* 〔數〕 4차원 정육면체.

tes·si·tu·ra [tèsətúərə] *n.* (*pl.* **~s, -tu·re** [-túəri]) 〔樂〕 (특정한) 음역(音域), 성역(聲域). 〖It. TEXTURE〗

◇**test**[1] [tést] *n.* **1** 시험, 검사, 시련, 고사(考査): ☞ ACHIEVEMENT TEST, BLOOD TEST / a water ~ 수질 검사 / an oral ~ 구두 시험 / put...to the ~ …을 시험하다 / stand[bear, pass] the ~ 시련에 견디다; 시험[검사]에 합격하다. **2** 시험하는 것, 시금석; 시험의 수단: Wealth, no less than poverty, is a ~ *of* character. 부(富)는 빈곤에 못지않게 인격의 시금석이다. **3** 〔化〕 시험, 분석, 감식, 시약(試藥); 〔冶〕 (분석용의) 골회(骨灰) 접시. **4** =TEST MATCH. **5** [the T~] 〔英史〕 취임 선서: take *the T~* (TEST ACT에 의하여) 취임 선서를 하다. —— *vt.* [+目/+目+前+名] 시험하다, 검사하다(examine); 시험해 보다(try); 〔化〕 분석하다: ~ nuclear weapons 핵무기를 시험하다 / The long-distance race ~*ed* our physical strength. 장거리 경주로 우리의 체력을 검사받았다 / I got my eyes ~*ed.* 시력 검사를 받았다 / He ~*ed* the car tire ***for*** a puncture. 그는 자동차의 타이어가 터졌는지를 검사했다 / He ~*ed* the metal *for* radioactivity. 그는 방사능의 유무를 알기 위해 그 금속을 검사했다. —— *vi.* (…의) 검사를 하다, 테스트를 하다. 〖ME=earthen vessel used in treating metals<OF<L (↓)〗

類義語 ⟹ TRIAL.

test[2] *n.* 〔動〕 (게 따위·연체류(軟體類)의) 겉껍데기, 개각(介殼); 〔植〕 =TESTA. 〖L *testa* earthen pot, jug, shell, etc. (F *têt*, It. *testa* head); cf. TESTER[2], TESTY〗

Test. Testament. **test.** testator; testatrix; testimony.

tes·ta [téstə] *n.* (*pl.* **-tae** [-ti:, -tai]) 〔植〕 외종피(外種皮), 종각(種殼). 〖L TEST[2]〗

tést·able[1] *a.* 시험[검사·분석]할 수 있는; 정련할 수 있는. **tèst·abílity** *n.* 〖TEST[1]〗

testable[2] *a.* 〔法〕 유언 능력이 있는, 유언으로 양도할 수 있는. 〖⇨ TESTATE〗

tes·ta·cean [testéiʃən] *n., a.* 〔動〕 유각류(有殼類)(의).

tes·ta·ceous [testéiʃəs] *a.* 겉껍데기가 있는, 개각[외각] (모양)의; 〔動·植〕 적갈색의.

Tést Àct *n.* [the ~] 〔英史〕 심사율(審査律)《관리가 취임할 때 충성과 국교 신봉의 선서를 규정한 조례(1673-1828)》.

tes·ta·cy [téstəsi] *n.* Ⓤ 〔法〕 (유효한) 유언[유언장]이 있음《유언을 해둔 것을 뜻함; cf. TESTATE》.

tes·ta·ment [téstəmənt] *n.* **1** 〔法〕 유언, 유서 《보통 one's last will and ~ 라고 함》: a military ~ (구두의) 군인 유언. **2** 〔聖〕 (신과 인간과의) 계약, 성약; [the T~] 성약서(聖約書); [the T~] 《口》 신약 성서: the Old[New] *T~* 구[신]약 성서. **3** 《비유》 **a**) 증거, 증참, 증서(testimonial)〈*to*〉. **b**) 신조, (신앙) 고백(credo, profession)〈*of*〉.

make** one**'s testament 유언장을 작성하다.

〖L *testamentum* (⇨ TESTATE); 'covenant'의 뜻은 Gk. *diathēkē*의 라틴어역(語譯)〗

tes·ta·men·tal [tèstəméntəl] *a.* 유언의.

tes·ta·men·ta·ry [tèstəméntəri] *a.* **1** 유언의; 유언(장)에 의한[에서 지정한]. **2** 구약[신약] 성서의.

tes·ta·mur [testéimər] *n.* 《英大學》 시험 합격증.

tes·tate [tésteit, -tət] *a., n.* 법적으로 유효한 유언을 남기고 죽은 (사람) (↔ *intestate*): die ~ 유언을 남기고 죽다.

〖L (p.p.) ‹ *testor* to be a witness; ⇨ TESTIS〗

tes·ta·tion [testéiʃən] *n.* Ⓤ 〔法〕 유언에 의한 재산 처리, 유증(遺贈); 입증, 증언.

tes·ta·tor [testéitər, ⌐--] *n.* 유언자.

tes·ta·trix [testéitriks] *n.* (*pl.* **-tri·ces** [-trəsì:z, tèstətráisi:z]) 여성 유언자.

tes·ta·tum [testéitəm] *n.* 〔法〕 (날인 증서 따위의) 본문.

tést bàn *n.* (대기권에서의) 핵실험 금지 협정.

tést bèd *n.* (비행기 따위의 엔진) 시험대.

tést càse *n.* **1** 〔法〕 (그 결정이 다른 유사한 사건에 영향을 주는) 시소(試訴), 판례가 될 소송 사건. **2** 선례가 되는 사례(事例), 테스트 케이스.

tést·cròss *n., vt.* 〔生〕 검정(檢定)교배(시키다).

tést drìve *n.* (차의) 시운전, 시승(試乘).

tést-drìve *vt.* (차를) 시운전하다.

tèst-dróp *vt.* (폭탄 따위를) 시험 투하하다.

test·ee [testí:] *n.* 수험자.

tést·er[1] *n.* **1** 시험자, 음미자, 분석자. **2** 시험기(器)[장치], 테스터.

tes·ter[2] *n.* (침대 위의) 닫집(canopy).

〖L; ⇨ TEST[2]〗

testes *n.* TESTIS의 복수형.

tést-fìre *vt.* (로켓 따위를) 시험 발사하다.

tést flìght *n.* 시험 비행.

tést-flỳ *vt.* 시험 비행하다.

tést glàss *n.* 〔化〕 시험용 글라스.

tes·ti·cle [téstikəl] *n.* [보통 *pl.*] 〔解·動〕 정소(精巢), 고환(testis).

〖L (dim.) ‹ TESTIS〗

tes·tic·u·lar [testíkjələr] *a.* 〔解·動〕 고환의.

testícular feminizátion *n.* 〔遺〕 고환성 여성화(증)《발생 단계에서 고환의 미발달로 남성이 여성의 외관으로 태어나는 일》.

tes·tic·u·late [testíkjələt] *a.* 〔植〕 고환 모양의 (덩이줄기가 있는).

tes·ti·fy** [téstəfài] *vi.* **1** [動/+前+名] 증명하다; 〔法〕 증언하다: I can ~ ***to the marvelous effect of this medicine. 이 약의 신기한 효험을 증명할 수 있다 / I won't ~ ***against*** my companion. 동료에게 불리한 증언을 하지 않겠다. **2** [+*to*+名] (언행·사실 따위가 …의) 증거가 되다: His successful work *testifies* ***to*** his ability. 그의 일의 성공은 그가 유능하다는 것을 증명하고 있다.

— *vt.* **1** [+*that* 節] 증명[입증]하다 ; (법정에서) 증언하다 : The young man *testified that* he had not seen her there(=*testified to* not having seen her there). 청년은 그녀를 그 장소에서 본 일이 없다고 증언했다. **2** (사물이) …의 증거가 되다, …을 밝혀주다 : Her tears ~ her sorrow. 눈물은 그녀의 슬픔을 나타낸다. **3** (감사·유감 따위의 뜻을) 나타내다 : He *testified* his regret for his own mistake. 그는 자기 자신의 과오에 대해서 유감의 뜻을 나타냈다.

-fi·er *n.* **tès·ti·fi·cá·tion** *n.*

〖L *testificor* ; ⇨ TESTIS〗

tes·ti·mo·ni·al [tèstəmóuniəl] *n.* **1** 증거 ; (인물·자격 따위의) 증명서 ; 추천장. **2** 감사장, 표창장 ; 상장 ; 공로 표창의 선물. — *a.* **1** 증명서의. **2** 감사의, 표창의.

testimónial·ìze *vt.* …에 추천장을 쓰다 ; …에 감사장을 수여하다 ; …에 감사의 뜻을 표명하다.

tes·ti·mo·ny** [téstəmòuni ; -məni] *n.* **1** Ⓤ [+*that* 節] 〖法〗 증거, 증언, 진술[구술]서(陳述[口述]書) : be ~ ***to[***against***] a person's character 사람의 인물됨이[나쁜 행실이] 증명되다 / He produced ~ ***of***[*to*] his statement. 그는 자신의 진술에 대한 증거를 제출했다 / Three witnesses gave ~ *that* Mr. Black was talking with his friends in the street. 세 사람의 증인은 블랙씨가 거리에서 친구들과 이야기를 하고 있었다고 증언했다. **2** Ⓤ 증명, 고증, 언명 ; Ⓒ 증명서 : His hearty laughs are ~ *of* his happiness. 그의 호탕한 웃음은 행복하다는 증거다. **3** 《古》 (신앙 따위의) 고백, 선언 ; 항의〈*against*〉. **4** [the ~] 〖聖〗 십계(十戒) ; [*pl.*] 신의 계율[가르침] ; [the ~ *or* testimonies] 성서.

bear testimony 증언[입증]하다〈*to*〉; 항의하다〈*against*〉.

call . . . in testimony (…을) 증인으로 세우다 ; (신께) 굽어 살펴주시기를 빌다.

〖L ; ⇨ TESTIS〗

類義語 ⟹ PROOF.

tést·ing *a.* 최대한의 노력[능력]이 요구되는, 아주 곤란한. — *n.* 테스트 (하기), 시험, 실험. **~·ly** *adv.*

tes·tis [téstəs] *n.* (*pl.* **-tes** [-tiːz]) 〖解·動〗 정소(精巢), 고환(睾丸).

〖L=witness (of virility) ; cf. TESTICLE〗

tést-màrket *vt.* (상품을) 시험 판매하다.

tést màrketing *n.* 테스트 마케팅《어떤 제품을 선택된 일정 지역에서 시험적으로 판매함》.

tést màtch *n.* (영국·오스트레일리아·남아프리카 공화국 간의) 크리켓 우승 결정전 ; (일반적으로 크리켓·럭비 따위의) 국제 결승전.

tést òbject *n.* (현미경의) 피험(被驗)물(체).

tes·tos·ter·one [testɑ́stəròun] *n.* 〖化〗 테스토스테론《남성 호르몬의 일종》.

tést pàper *n.* **1** Ⓤ 〖化〗 시험지(cf. LITMUS PAPER). **2** 《美》 시험 문제지 ; 시험 답안지.

tést pàttern *n.* 〖TV〗 테스트 패턴《수상 조정용으로 방영되는 도형(圖形)》.

tést pìece *n.* (콩쿠르 따위의) 과제곡.

tést pìlot *n.* 시험 조종사, 테스트 파일럿.

tést plàte *n.* (편광(偏光) 현미경용의) 검광판(檢光板), 검판.

tést rùn *n.* 시운전(road test).

tést tùbe *n.* 시험관(管).

tést-tùbe *a.* 시험관에서 만들어진 ; 인공수정(人工受精)의 : a ~ baby 인공수정아(兒).

tést tỳpe *n.* 시력 검사표의 문자(cf. EYE CHART) ; [*pl.*] 시력 검사표.

tes·tu·di·nal [test*j*úːdənəl], **-nar·i·ous** [test*j*ùːdənέəriəs, -nǽər-] *a.* 거북이[귀갑(龜甲)]의.

tes·tu·di·nate [test*j*úːdənət, -nèit] *a.* 〖動〗 거북목(目)의 ; 귀갑(龜甲) 모양의. — *n.* 거북목의 동물.

tes·tu·do [test*j*úːdou] *n.* (*pl.* **~s**, **-di·nes** [-dənìːz]) **1** 〖古로〗 거북의 갑(甲)[귀갑(龜甲)] 모양의 큰 방패. **2** (갱부(坑夫) 등의) 작업용 방패. **3** 〖醫〗 귀갑대(龜甲帶). 〖L=tortois (shell)〗

tést wòrking *n.* (기계 따위의) 시운전.

tes·ty [tésti] *a.* 성미 급한, 성 잘 내는 ; (언행 따위가) 퉁명스러운. **tés·ti·ly** *adv.* **-ti·ness** *n.*

〖AF (OF *teste* head ; ⇨ TEST²)〗

te·tan·ic [tətǽnik] *a.* 〖醫〗 파상풍(성)의 ; 강직 경련(성)의. — *n.* 강직 경련 유기제(誘起劑).

tet·a·nus [tétənəs] *n.* Ⓤ 〖醫〗 파상풍(cf. LOCKJAW) ; (격렬한) 근육의 강직 경련.

〖L<Gk. =taut〗

tet·a·ny [tétəni] *n.* Ⓤ 〖醫〗 테타니《근(筋) 강직성 경련증》.

te·tart- [tetɑ́ːrt], **te·tar·to-** [tetɑ́ːrtou, -tə] *comb. form* 「4분의 1」의 뜻. 〖Gk.〗

tetchy, techy [tétʃi] *a.* 신경이 과민한, 성마른, 화 잘 내는 ; 성가신《문제 따위》.

té(t)ch·i·ly *adv.* **-i·ness** *n.*

〖C16 (? *teche* blemish, fault<OF)〗

tête-à-tête [téitətéit] *a., adv.* 두 사람끼리만의[으로] ; 마주 앉아서(의), 남몰래(의).

— *n.* **1** 두 사람만의 대담, 은밀한 이야기, 탁터놓는[솔직한] 이야기 : have a ~ (*with* a person) (남과) 마주 앉아서 이야기하다. **2** S자형 2인용 의자.

tête-à-tête

〖F=head to head〗

teth·er [téðər] *n.* **1** (소·말 따위를 매는) 밧줄[사슬]. **2** 《비유》 (능력·재력·인내 따위의) 한계, 범위(scope) : at the end of one's ~ 모든 방책이 다하여, 막다른 데 이르러, 참지 못할 지경에 이르러 / be beyond one's ~ 자기 힘이 미치지 못하다 ; 권한 밖에 있다. — *vt.* [+目/+目+*to*+名] 밧줄[사슬]로 매다 : He ~*ed* his old horse ***to*** the tree. 늙은 말을 나무에 묶어 두었다.

〖ON<Gmc. (《美》 *teu-* to fasten)〗

téther·bàll *n.* 테더볼《기둥에 끈으로 매단 공을 라켓으로 서로 치는 2인용 게임 ; 그 공》.

Te·thys [tíːθis] *n.* 〖그神〗 테티스《Uranus와 Gaea의 딸로 Oceanus의 아내》 ; 〖天〗 테티스《토성의 제3위성》 ; [the ~] 테티스 해(海)《옛 지중해》.

tet·ra- [tétrə], **tetr-** [tétr] *comb. form* 「4」 ; 〖化〗 「4 원자를[기(基)를, 원자단(團)을] 가진」의 뜻. 〖Gk. ; ⇨ TETRAD〗

tètra·básic *a.* 〖化〗 사염기성(四鹽基性)의.

tètra·bén·a·zine [-bénəziːn] *n.* 〖藥〗 테트라베나진《정신 안정제》.

tétra·caine [-kèin] *n.* 〖藥〗 테트라카인《국부 마취제》.

tètra·chlóride *n.* 〖化〗 사염화물(四鹽化物).

tètra·chlòro·éthylene *n.* 〖化〗 사염화에틸렌《세척제·고무나 타르의 용제(溶劑)로 씀》.

tet·ra·chord [tétrəkɔ̀ːrd] *n.* 〖樂〗 4음 음계 ; 테트라코드《고대의 4현금(絃琴)의 일종》.

tètra·cý·cline [-sáiklain, -kliːn, -klən] *n.* Ⓤ

〔藥〕 테트라사이클린《항생제의 일종》.
tet·rad [tétræd] *n.* **1** 네 개(한 벌) ; 넷으로 이루어진 것. **2** 〔化〕 4가(價) 원소 ; 〔生〕 4분자 ; 〔生〕 4분 염색체. 〖Gk. *tetrad- tetras* four〗
tètra·dáctyl *n.* 〔動〕 사지(四肢) 동물. ── *a.* 사지를 지닌.
tètra·éthyl *a.* 〔化〕 4에틸기(基)가 있는.
tétra·èthyl léad [-léd] *n.* 〔化〕 테트라에틸 납《가솔린의 연소를 고르게 하는 작용을 함》.
tet·ra·gon [tétrəgàn] *n.* 〔數〕 사각형, 사변형, 네모꼴 : a regular ~ 정사각형. 〖L<Gk.〗
te·trag·o·nal [tetrǽgənl] *a.* 〔數〕 사각[변]형의 ; 〔結晶〕 정방정계(正方晶系)의.
tétra·gràm *n.* 넉 자로 된 단어.
tètra·hédral *a.* 사면(체)의.
tètra·hédron *n.* (*pl.* **~s, -ra**) 〔數〕 사면체. 〖Gk.〗
tètra·hỳdro·can·náb·i·nol [-kənǽbənɔ̀:l, -nòul] *n.* Ⓤ 〔化〕 테트라히드로칸나비놀《마리화나의 주성분 ; 略 THC》.
te·tral·o·gy [tetrǽlədʒi, -trá:l-] *n.* (극 · 문학 작품 따위의) 4부작 ; 〔古그〕 4부극《3비극과 1풍자극으로 됨》.
te·tram·e·ter [tetrǽmətər] *n., a.* 〔韻〕 4보격(步格)(의)《시각(詩脚)(foot)이 네 개 있는 시행》.
tètra·pétalous *n.* 〔植〕 꽃잎이 넷 있는.
tea·plòid *a.* 〔生〕 (염색체가) 4배성의.
── *n.* 4배체.
tet·ra·pod [tétrəpàd] *n.* (탁자 · 의자 따위의) 네 다리 ; 〔工〕 테트라포드《네 다리가 있는 방파용(防波用) 콘크리트 블록》; 〔動〕 사족수(四足獸), 네발짐승. ── *a.* 네 다리가 있는.
te·trarch [tétra:rk, tí:-] *n.* 〔古로〕 한 주(州)의 4분의 1을 다스린 영주(領主) ; (속령(屬領)의) 영주, 원님.
te·trarch·ate [tétra:rkèit, -kət, tí:- ; tetrá:r-] *n.* =TETRARCHY.
té·trarchy *n.* tetrarch의 직[영지] ; 4두정치 ; 4두정치의 네 통치자 ; 4 행정구로 나뉜 나라.
tet·ra·stich [tétrəstìk] *n.* 〔韻〕 4행시(詩).
tètra·sýllable *n.* 4음절의 단어. **-syllábic** *a.*
tètra·válent [ˌ tetrǽvələnt] *a.* 〔化〕 4가(價)의 ; 〔生〕 (상동염색체가) 네 개의, 4가의. ── *n.* 4가 염색체.
tet·rode [tétroud] *n.* 〔電〕 4극(진공)관.
tet·ro·do·tóxin [tetròudə-] *n.* 〔生化〕 테트로도톡신《복어의 독 성분》.
tet·rose [tétrous] *n.* 〔化〕 사탄당(四炭糖), 테트로오스.
te·trox·ide [tetráksaid], **te·trox·id** [tetráksəd] *n.* 〔化〕 사산화물.
tet·ter [tétər] *n.* Ⓤ 〔醫〕 피진(皮疹), 피부병 : moist [humid] ~ 습진(濕疹).
Teut. Teuton(ic).
Teu·ton [tjú:tən] *n.* **1** 튜턴인 ; [the ~s] 튜턴족(族)《게르만 민족의 일파 ; 지금은 독일 · 네덜란드 · 스칸디나비아 따위의 북유럽 민족》. **2** 독일 사람. ── *a.* =TEUTONIC.
〖L *Teutones*<IE=people, country〗
Teu·ton·ic [tju:tánik] *a.* 튜턴[게르만]인(人)[민족 · 어]의. **2** 독일(민족)의. ── *n.* Ⓤ 튜턴어, 게르만어.
Téuton·ìsm *n.* Ⓤ,Ⓒ 튜턴[독일] 주의[정신 · 문화] ; 튜턴 말씨.
téuton·ìze *vt., vi.* [흔히 T~] (문화 따위) 튜턴화[식으로] 하다[되다]. **tèuton·izátion** *n.* 튜턴화.
TEV Today's English Version(현대역 성서).
TEWT [tjú:t] *n.* 〔英軍〕 현지 전술《사령부 · 참모들만으로 행하는 모의전(模擬戰)》.
〖*T*actical *E*xercise *W*ithout *T*roops〗
Tex. Texan ; Texas.
Tex·an [téksən] *a., n.* 텍사스 주의 (사람).
Téxan[Téxas] bórder *n.* [the ~] 《美俗》 미국과 멕시코의 국경.
Tex·as [téksəs, -səz] *n.* 텍사스《미국 남서부의 주 ; 주도 Austin ; 略 Tex.》.
Téxas féver *n.* 〔獸醫〕 텍사스 열(熱)《진드기에 의해 전염되는 가축의 전염병》.
téxas léaguer *n.* [흔히 T~ l~] 〔野〕 텍사스 리거《내야수와 외야수 사이에 떨어지는 안타》.
〖*Texas League* 마이너 리그의 하나〗
Téxas ptérosaur *n.* 〔古生〕 텍사스익룡(翼龍)《멸종한 파충류 익룡목(翼龍目)의 일종 ; 그 화석이 1975년 Texas 주(州) Big Bend 국립공원에서 발견됨》.
Téxas Ránger *n.* (반관(半官) 반민(半民)의) 텍사스 경비대(원) ; 텍사스 기마 경관.
Téxas tówer *n.* 〔美軍〕 텍사스 타워《바다에 건설한 조기 경계용 레이더 · 수로 표지 따위를 비치한 탑의 속칭》.
Tex-Mex [téksméks] *a.* 《美》 텍사스 주와 멕시코의 국경 부근의 ; 텍사스 · 멕시코 절충의.
── *n.* 영어적 요소가 섞인 멕시코의 스페인어.
***text** [tékst] *n.* **1** Ⓤ (머리말 · 주석 · 부록 · 삽화 따위에 대하여) 본문 : This book does not contain much ~. 이 책에는 그다지 많은 본문이 들어가 있지 않다. **2** 원문(原文) : the original ~ 원문, 원전(原典) / The ~ is hopelessly corrupt. 원문은 손댈 수 없을 정도로 틀린 데가 많다. **3** (설교 제목 따위로 인용하는) 성서의 원구(原句), 성구(聖句) : a golden ~ (주일학교에서의) 훈화용 성구 / The minister preached on the ~ "Judge not, that ye be not judged." 그 목사는 「남을 비판하지 말지니, 이는 곧 자기가 비판을 받지 않기 위함이라」고 하는 성구를 주제로 설교했다. **4** (연설 · 토론 따위의) 제목, 표제, 주제 : stick to one's ~ (주제 따위에서) 벗어나지 않다. **5** 《美》 =TEXTBOOK. **6** =TEXT HAND.
〖OF<L=texture, literary style (*text- texo* to weave)〗
***téxt·bòok** *n.* 교과서, 교본 ; [형용사적으로] 교과서적인, 모범적인 : an English ~ 영어 교과서. **~·ish** *a.* 교과서(식)의.
téxt edìtion *n.* 교과서판(版) (cf. LIBRARY EDITION, TRADE EDITION).
téxt hànd *n.* (획이 굵은) 고체(古體) 문자.
tex·tile [tékstail, 美+-tl] *a.* **1** 직물의, 직조의 : the ~ industry 방직 공업. **2** 방적된 : A carpet is a ~ fabric. 융단은 직물이다. **3** 직물로 짤 수 있는 : Cotton, linen, wool, and so forth are ~ materials. 무명, 삼, 양모 따위는 직물의 원료가 된다. ── *n.* Ⓤ,Ⓒ 직물, 포목, 피륙, 옷감 ; 직물의 원료. 〖L=woven ; ⇨ TEXT〗
téxt-to-spéech *a.* 텍스트를 음성으로 변환하는《맹인을 대상으로 한 것》.
tex·tu·al [tékstʃuəl] *a.* **1** 본문의, 원문(상)의 ; 성서 원전의 : These are ~ errors. 이것들은 원본의 잘못에 기인한다. **2** 축어적(逐語的)인 ; 원문대로의, 글자 그대로의 : a ~ quotation 원문 그대로의 인용문. **~·ly** *adv.* 원문[글자] 그대로.
〖L ; ⇨ TEXT〗
téxtual críticism *n.* (이본(異本)과 대조하여 고전의 원문을 확립하는) 본문[원문 · 원전] 비평 ;

(작가의 경력·개성 따위에 구애받지 않고 작품과 그 자체의 독자성을 평가하는) 작품 분석 비평.

téxtual·ìsm *n.* Ⓤ (특히 성서의) 원문 고집[존중]; (성서의) 원문 연구[비판]의 기술.

téxtual·ist *n.* (특히 성서의) 원문주의자[연구가], 원문학자[비평가].

*__tex·ture__ [tékstʃər] *n.* **1** Ⓤ,Ⓒ 직조법, 바탕, 천. **2** Ⓤ,Ⓒ (피부·목재·암석 따위의) 결, 촉감. **3** Ⓤ,Ⓒ (의식·사회의) 조직, 구성, 구조. **4** Ⓤ,Ⓒ 《비유》 기질, 성질, 성격. **5** Ⓤ,Ⓒ 〖美術〗 (소재의) 표면적인 묘사, 질감의 표현; 〖樂〗 텍스처《가락과 화성의 작곡상의 특징》. **6** 〖컴퓨〗 그물짜기. ―― *vt.* 짜다; (무늬를) 짜넣다; …에 특정의 texture를 내다. **téx·tur·al** *a.* 〖L=web; ⇨ TEXT〗

téxtured végetable prótein *n.* 식물성 단백질《콩으로 만든 인공육》.

TF, T.F. tank force; task force; 《英》 Territorial Force.

T formation [tí: ⌐] *n.* 〖美蹴〗 T자형 공격 대형.

TFR 〖軍〗 terrain-following radar. **tfr.** transfer.

TFT 〖電子〗 thin film transistor. **TFTR** 〖原子〗 Tokamak Fusion Test Reactor (토카막형(型) 핵융합 시험로). **TGIF** Thank God It's Friday 《주말의 안도감을 나타냄》.

T-group [tí:⌐] *n.* 〖心〗 훈련 그룹, T그룹《트레이너 밑에서 자유로이 자기 표현을 함으로써 소외감을 극복하고 인간관계를 원활하게 하려는 심리학적 훈련 그룹》. 〖Sensitivity *Training group*〗

tgt. target. **TGV** train à grande vitesse((프랑스 국철의) 초고속 열차). **Th** 〖化〗 thorium. **Th.** Theodore; Thomas; Thursday.

-th[1] [θ], **-eth** [əθ] *a. suf.* 4(four) 이상의 기수(基數)에 대한 서수(序數)를 만드는 어미《단, -ty로 끝나는 수사(數詞)에 붙일 경우에는 (-ty를 -ti-로 하고) *-eth*》: the fif*th* 제5(의) / three-fif*ths* 5분의 3 / the thirti*eth* 제30(의). 〖OE *-tha, -the*〗

-th[2] [θ] *n. suf.* 형용사·동사에서 추상 명사를 만드는 어미: tru*th*, grow*th*. ㈜ heigh*t*, thef*t* 따위는 th가 t만으로 줄어든 것임. 〖OE *-thu, -tho, -th*〗

-th[3] ☞ -ETH[1].

Thack·er·ay [θǽkəri] *n.* 새커리. **William Makepeace** ~ (1811-63) 영국의 소설가.

Thai [tái, tά:i] *n.* **1** =THAILANDER. **2** Ⓤ 타이어, 샴어(語) (Siamese). ―― *a.* 타이(어·사람)의, 샴의(Siamese). 〖Thai=free〗

Thai·land [táilæ̀nd, -lənd] *n.* 타이《원래는 Siam; 수도 Bangkok》. **~·er** *n.* 타이 사람.

Thái stíck *n.* 타이 스틱《아시아산의 독한 마리화나를 만 가느다란 막대기》.

thal·a·mus [θǽləməs] *n.* (*pl.* **-mi** [-mài, -mì:]) 〖解〗 시상(視床) (=**óptic** ⌐); 〖植〗 꽃받침. 〖NL<Gk. =chamber〗

tha·lass- [θəlǽs], **tha·las·so-** [θəlǽsou, -sə] *comb. form* 「바다(sea)」의 뜻. 〖Gk. *thalassa* sea〗

thal·as·se·mia [θæ̀ləsí:miə] *n.* 〖醫〗 지중해 빈혈. **-sé·mic** *a.* 〖NL (Gk. *thalassa* sea, *-emia*)〗

tha·las·sic [θəlǽsik] *a.* 바다[해양]의; 내해(內海)의; 바다에서 사는[나는].

thalàsso·chémistry *n.* Ⓤ 해양 화학.

thal·as·soc·ra·cy [θæ̀ləsάkrəsi] *n.* 제해권(權).

tha·las·so·crat [θəlǽsəkræ̀t] *n.* 제해권(制海權)을 가진 자(者).

thal·as·sog·ra·phy [θæ̀ləsάgrəfi] *n.* (연안) 해양학(海洋學).

tha·ler, ta·ler [tά:lər] *n.* (*pl.* ~, ~**s**) 탈러《독일의 옛 3마르크 은화》.

Tha·les [θéili:z] *n.* 탈레스(640?-546 B.C.) 그리스의 철학자; 7현인(賢人) 중의 한 사람.

Tha·lia [θəláiə] *n.* 〖그神〗 **1** 탈레이아《목가(牧歌)·희극의 여신; the Muses 중의 하나》. **2** 탈레이아《개화(開花)를 상징하는 여신》.
Tha·lí·an *a.* THALIA의; 희극의. 〖L<Gk. =blooming〗

tha·lid·o·mide [θəlídəmàid, -məd] *n.* Ⓤ 〖藥〗 탈리도마이드《진정제·수면제로 썼음》. 〖ph*thal*ic acid+im*ide*+-*o*-+i*mide*〗

thall- [θæl], **thal·lo-** [θǽlou, θǽlə] *comb. form* 「새싹」「엽상체(葉狀體)」「탈륨(thallium)」의 뜻. 〖Gk.〗

thal·lic [θǽlik] *a.* 〖化〗 탈륨의, (특히) 3가(價) 탈륨을 함유하는.

thal·li·um [θǽliəm] *n.* Ⓤ 〖化〗 탈륨《희금속 원소; 기호 Tl; 번호 81》. 〖cf. THALLUS; 스펙트럼 중의 녹색의 휘선(輝線)에서〗

thállo·phỳte *n.* 〖植〗 엽상(葉狀) 식물《이끼·버섯·말류 따위》.

thal·lous [θǽləs] *a.* 〖化〗 탈륨의, (특히) 1가(價)의 탈륨을 함유하는.

thal·lus [θǽləs] *n.* (*pl.* **~·es, -li** [-lai]) 〖植〗 엽상체(葉狀體). 〖NL<Gk. =green shoot〗

thal·weg [tά:lveg] *n.* **1** (지도에 그려진) 요선(凹線). **2** 〖國際法〗 (국경선이 되는) 주요 항행 수로(水路)의 중앙선. 〖G〗

*__Thames__ [témz] *n.* [the ~] 템스 강《London을 관통해서 북해로 흘러듦》. ㈜ London에서는 흔히 the River라고 부름.
burn the Thames **=** ***set the Thames on fire*** 《廢》 세상을 깜짝 놀라게 하다, 이름을 떨치다.

Thámes Embánkment *n.* [the ~] 템스 강의 북쪽 강변길《약 2km에 걸친 산책로》.

◇**than** [ðən, ðæn]

> (1) than은 형용사·부사의 비교급 뒤에 이어져 「…보다」의 뜻을 나타내는 절을 이끈다. 단 그 종속절에서는 주절과의 공통 부분이 생략되는 경우가 많다: He is stronger *than* his brother (is strong).
> (2) 비교의 종속절의 동사는 흔히 생략되지만 than 뒤에 인칭대명사가 올 때에는 be동사나 조동사 따위를 붙이는 형태가 잘 쓰인다: He is five years older *than* I *am*. (그는 나보다 5살 위다) / He can run faster *than* I *can*. (그는 나보다 빨리 달린다).
> (3) than은 반드시 형용사·부사의 비교급(other, otherwise, rather, else 따위를 포함)과 함께 쓰며 단독으로 쓰는 경우는 없다.

―― *conj.* **1** [형용사·부사의 비교급 뒤에 따르며 보통 비교의 대상이 되는 부사절을 이끎] …보다, …에 비하여: He is taller ~ I (am). 나보다 키가 크다(㈜ 《口》에서는 때때로 than을 전치사적으로 써서… ~ *me*. 로 함) / I [ái] like you better ~ he [hí:] (does). 그보다 내가 너를 더 좋아한다(㈜ does는 대동사(代動詞)로 likes you의 뜻이지만 보통 생략됨) / I like you [jú:] better ~ (I like) him [hím]. 그보다는 너를 더 좋아한다 (㈜ 대동사를 써서 …I do him [hím]. 이라고 해도 좋지만 보통 위의 보기와 같이 줄여서 씀) / She was no bigger ~ he, though perhaps a year or two older. 아마 나이는 한둘 위였겠지만 그녀는 그 보다 크지는 않았다 / He is no happier ~ (he was) before. 이전과 마찬가지로 조금도 행복하지

못하다 / Nothing will please me more ~ that my son will pass the entrance examination. 아들의 입학시험 합격만큼 나를 더 기쁘게 할 수 있는 일은 없습니다 / I am wiser ~ to believe that. 그것을 믿을 만큼 바보는 아니다. ㊟ 관계 대명사적으로 사용될 때가 있음 : He offered more ~ could be expected. 그는 기대했던 것보다 훨씬 많은 것을 내놓았다 / Her services are more valuable ~ was supposed. 그녀의 봉사는 생각했던 것보다 더 귀중한 것이다.

2 [rather, sooner 따위의 뒤에 계속되어] …하기보다는, …할 바에는 (차라리) : I would *rather* [*sooner*] die ~ disgrace myself. 수모를 당하느니보다는 (차라리) 죽는 편이 낫다 / I prefer *to* be called a fool *rather* ~ (to) fight. 싸우기보다는 바보로 불리는 편이 낫다. ㊟ 이 문장보다는 I prefer be*ing* called a fool *to* fight*ing*. 을 사용하는 편이 좋음.

3 [other, otherwise, else, different, another 따위 뒤에 계속되어] …밖의, …밖에는 : I have *no other* friend ~ you. (=I have no friend but you.) 친구라고는 너밖에 없다 / It was *none other* ~ the king. (=It was the king himself.) 그것은 다름 아닌 왕 자신이었다 / He is *otherwise* ~ I thought. 내가 생각했던 것과는 딴판의 인물이다 / He did *nothing else* ~ laugh. 그는 그저 웃을 뿐이었다.

4 [오용] =WHEN : *Scarcely* [*Hardly*] had I left ~ it began to rain. 내가 떠나자마자 비가 내리기 시작했다.

no sooner...than ☞ SOON.

── *prep.* 《文語》 [보통 목적격 대명사가 계속됨 ; 문어에서는 than whom의 경우 뿐] …보다(cf. *conj.* 1) : Here is Jones, ~ *whom* there is no better authority on the subject. 여기 존스가 있지만 그 문제에 있어서 그 이상의 권위자는 없다. 〖OE=than, then, when ; 원래 THEN과 같음〗

than·age [θéinidʒ] *n.* Ⓤ 〖英史〗 호족(thane)의 신분[영지(領地)·지배권·신종[병역] 의무].

than·at- [θǽnət], **than·a·to-** [θǽnətou, -tə] *comb. form* 「죽음」의 뜻. 〖Gk. (*thanatos* death)〗

than·a·toid [θǽnətɔ̀id] *a.* 죽은 듯한, 가사(假死)(상태)의 ; 치명적인.

than·a·tol·o·gy [θæ̀nətálədʒi] *n.* Ⓤ 사망학(死亡學), 사망 심리학[연구].

thànato·phóbia *n.* 〖精神醫〗 죽음 공포(증).

than·a·top·sis [θæ̀nətápsəs] *n.* 《美》 죽음에 관한 고찰, 사관(死觀).

Than·a·tos [θǽnətàs] *n.* **1** 〖그神〗 타나토스《의인화(擬人化)된 죽음(의 신)》. **2** 〖精神醫〗 죽음의 본능. 〖Gk. ; ⇨ THANAT-〗

thane, thegn [θéin] *n.* **1** 〖英史〗 (앵글로색슨 시대의) 왕의 측근 무사(武士)《후에는 세습 귀족으로 전화했음》. **2** (스코틀랜드의) 호족(豪族). **~·hòod** *n.* thane의 신분[지위] ; thane의 계급. **~·dom, ~·shìp** *n.* =THANAGE. 〖OE *theg*(*e*)*n* servant, soldier ; cf. G *Degen* warrior〗

◇**thank** [θǽŋk] *vt.* **1** [+目/+目+前+名/+目+*that* 節] …에게 감사하다, 사의를 표하다 : She ~*ed* me heartily. 그녀는 진심으로 나에게 사의를 표했다 / *T*~ you. 고맙습니다《I ~ you에 I를 첨가하는 것은 격식을 차리는 경우》/ *T*~ you very[ever so] much. 대단히 감사합니다 / No, ~ you. 고맙지만 괜찮습니다《사절의 말》/ I ~*ed* him ***for*** his help. 그의 도움에 대하여 감사하다는 말을 했다 / *T*~ you *for* nothing. 《戱》 조금도 반갑지 않아[내 걱정 마시오]《상대편의 친절이 귀찮을 때》/ You may ~ yourself *for* that.=You have only yourself to ~ *for* that. 《戱》 누구 탓할 것 없이 네 탓이다 / *T*~ Heaven (*that*) I met you in time. 참 고맙기도 하지, 때 마침 너를 만났으니 / *T*~ God he's alive. 아아, 고맙게도 그는 살아있었군 / *T*~ God! ☞ GOD. **2** [주로 미래형으로 써서] **a**) [+目+前+名] (미리) …에게 고맙다고 하다 : I will ~ you ***for*** the salt. 미안하지만 소금을 좀 집어 주십시오 / *T*~ you *for* that ball. 미안하지만 그 공을 좀 집어 주시오《문장 첫머리에 I will이 생략되어 있음》. **b**) [+目+*to* do] 《戱·反語》 …해주었으면 좋겠다 : I will ~ you *to* leave me alone for a moment. 잠시 동안 혼자 있게 해주었으면 좋겠다 / I will ~ you *to* mind your own business. 쓸데없는 참견은 말기 바라네.

── *n.* [복합어 외에는 언제나 *pl.*] 감사, 사의(謝意), 치사(의 말) : express[extend] one's ~*s* 사의를 표하다〈*to* a person *for* a thing〉/ give [return] ~*s* to …에게 사의를 표하다 ; (축배에 대해서) 답사를 하다 ; (식사 전후에 신(神)에게) 감사 기도를 드리다 / I owe you ~*s*. 당신에게 감사드려야 할 일이 있습니다 / He bowed [smiled] his ~*s*. 그는 절을 하며[미소를 지으며] 사의를 표했다 / *T*~*s* (very much). =*T*~*s* a lot. 《口》 참으로 고맙소.

A thousand thanks. =***Many*** [《古》 ***Much***] ***thanks.*** =(*Please accept*) ***My best thanks.*** 정말로 감사합니다 : *Many* ~*s for* your advice. 충고해 주신데 대하여 참으로 감사합니다.

No thanks! 그만둬!, 괜찮아!

No, thanks. 《口》 아니오, 괜찮아요(cf. *vt.* 1).

no [***small***] ***thanks to*** 《口》 …의 덕택은 아니지만(not owing to) : We pushed through somehow, but *small* ~*s to* you. 이럭저럭 해냈지만 당신의 덕택은 아닙니다.

Small [《戱》 ***Much***] ***thanks I get for it.*** 감사하다는 인사는커녕.

Thanks be to God! 아아, 고마워라!, 됐다!

thanks to …의 덕택으로, …때문에(owing to) : *T*~*s to* his decision, things have come out right. 그의 결단 덕분에 사태가 호전되었다. ㊟ 나쁜 일에도 쓰임 : *T*~*s to* bad weather, we had to put off the trip. 날씨가 나빴기 때문에 여행을 연기해야만 했다.

〖OE (v.) *thancian*, (n.) *thanc* thoughtfulness, gratitude (⇨ THINK) ; cf. G *danken*, *Dank*〗

thánk·ful** *a.* **1** [+*to* do/+*that* 節] (남이) 감사하는[하고 있는], 매우 고마운, 고맙게 생각하는 (grateful) : I am ~ ***to you ***for*** your encouraging words. 격려의 말씀을 주셔서 감사합니다 / We are ~ *to* have[~ *that* we have] been rescued from the sinking boat. 가라앉는 보트에서 구조된 데 대하여 고맙게 생각하고 있습니다. **2** (마음·언동이) 감사에 넘치는, 감사의 뜻을 나타내는 : with a ~ heart 감사하는 마음으로. **~·ly** *adv.* 고맙게도. **~·ness** *n.* 감사, 사은(謝恩).

類義語 ⟹ GRATEFUL.

thánk·less *a.* **1** 은혜를 모르는, 배은망덕한 (ungrateful) : a ~ fellow 배은망덕한 녀석. **2** (일 따위가) 감사받지 못하는, 생색이 안나는, 보람이 없는 : a ~ task[job] 생색이 안나는 일, 애쓴 보람이 없는 일 / Giving advice is usually a ~ act. 남에게 충고를 한다는 것은 보통 달갑지 않은 일이다.

~·ly *adv.* ~·ness *n.*

thánk[thánks] òffering *n.* (신에게 바치는) 감사의 제물 ; 〖聖〗 사은제(謝恩祭) : a harvest ~ 추수 감사절.

thánks·gìver *n.* 감사[보은]하는 사람.

*__thànks·gíving__ [; ⌐] *n.* **1** Ⓤ (특히) 신에게의 감사 ; Ⓒ 감사의 기도. **2** [T~] 《美》 감사 축제(일) (☞ THANKSGIVING DAY) : *T~* dinner [turkey] 감사 축제일의 성찬[칠면조 요리].

Thanksgíving Dày *n.* 《美》 (추수) 감사절[축제일] 《지난 1년간의 신의 은혜를 감사하는 법정 휴일로 11월의 네번째 목요일》.

thánk·wòrthy *a.* 감사할 만한, 고마운.

thánk-yòu *n.* 감사의 말, 「감사합니다」. —— *a.* 감사를 나타내는, 사은(謝恩)의.

thánk-you-[-ye-]mà'am *n.* 《美口》 도로를 비스듬히 가로질러 판 도랑《빗물을 흐르게 만든 것 ; 차가 지나갈 때 탄 사람의 머리가 흔들리는 것이 인사하는 것 같은 데서》.

thar [tɑ́:r] *n.* 〖動〗 히말라야산양《야생염소》. 〖Nepali〗

◇**that**[1] [ðǽt]

> (1) that은 지시사와 연결사로 대별된다. 여기서는 지시사로서의 용법을 다룬다.
> (2) 기본 뜻 : 「그것」
> (3) 지시형용사로서 : *That* car is mine. (저 차는 내 차다.)
> (4) 지시대명사로서 : *That* is my house. (저것이 내 집이다) / What's *that*? (저건 뭐지?)
> (5) 지시부사로서 : Don't drink *that* much. (그렇게 많이 마시지 말게.)

—— *a.* (↔*this*) [지시 형용사] (*pl.* **those** [ðóuz]) ☞ 活用 (1). **1** 그, 저, 저쪽의, 그쪽의 : **a**) [동작에 수반하여] : You see ~ tree. (손으로 가리키며) 저 나무가 보이지요. **b**) [자세히 설명하지 않아도 되는 것을 가리킴] : What is ~ loud noise? 저 큰소리는 무엇일까. **c**) [멀리 있는 것·때·장소를 가리킴] : from ~ hour 그 시각부터 / in ~ country 그 나라에서는 / ~ man there (저기) 저 사람 / ~ day[night, morning] 그날[밤·아침] 《때때로 부사구》 / ~ once 그때만. **d**) [this와 상관적으로] : He went to *this* doctor *and* ~. 여기저기 여러 의사에게 다녔다. **2** 저런, 그런, 예(例)의 : ~ horse of yours 너의 저 말 《㊟ 보통 your that horse라고는 하지 않음》 / ~ fool of a gardener 저 바보 정원사. ㊟ 감탄적 표현으로도 쓰임 : *T~* monster! 저 극악 무도한 놈! (☞ THE[1] 1 d) ㊟).

——[ðǽt, ðæt] *pron.* [지시 대명사] (*pl.* **those** [ðóuz, ðouz]) **1** 그것, 저것, 그[저] 일, 그[저] 사람《this에 대해서 좀 떨어진 저편에 있는 것·사람 ; 지금 말한 일·사람 ; 화제에 오른 사물·사람을 가리킴 ; ☞ THIS 活用》 : Can you see ~? 저것이 보입니까 / Take ~! (때릴 때 따위) 이래도 하겠니 / All ~ is nonsense. 그런 일은 모두 터무니없는 짓이다 / Only ~ is true. 단지 그것만이 진실이다(cf. *only* THAT[1]) / He was a bank clerk before ~. 그 전에는 은행원이었다 / After ~ things changed. 그 후에 사정이 달라졌다 / *T~* [*Those*] will do. 그것으로 되겠다[좋다] / (Is) ~ so? 그렇습니까 / *T~*'s all. 그것이 전부다 ; 그것뿐이다 / *T~*'s it. (아아) 그거다, 바로 그대로다, 거기다 / *T~*'s so. = *T~*'s right. 그것이면 됐다, 그렇습니다, 그대로다 / *T~*'s the question. 그것이 문제다 / *T~*'s the (very) thing. 그것이야 말로 안성맞춤이다 / *T~*'s what it is! 바로 그렇다, 그것이 바로 그것이다 / *T~*'s why I dislike him. 그렇기 때문에 그가 싫다 / Hurry up, ~'s a good boy[a dear]. 빨리 해요, 참 착하지 (cf. THERE *adv.* 4) / Which will you have, this or ~? 이것과 저것 중 어느 것을 바라니? / *T~* being so, nothing can be done. 그렇게 됐으니 달리 방도가 없다.

2 [반복하는 대명사로서] (…의) 그것(cf. ONE *pron.* 3) : The climate is like ~ (=the climate) *of* France. 기후는 프랑스(의 그것)과 비슷하다.

3 [강조하는 대명사로서] : He makes mistakes, *and* ~ (=he makes mistakes) very often. 그는 잘못을 저지른다, 그것도 아주 자주 저지른다.

4 [this와는 상관적으로] **a**) 전자(前者) (the former) : Work and play are both necessary to health ; *this* (=play) gives us rest, and ~ (=work) gives us energy. 일하거나 놀거나 모두 건강에 필요하다, 후자는 휴식을 주고 전자는 활력을 준다. **b**) [부정적(不定的)] 저것 : *this* and [or] ~ 이것과 저것, 이래저래.

5 [관계대명사의 선행사로서] : *T~ which* (=What) you told me to do I did. 당신이 나에게 하라고 한 것은 했습니다 / Let *those* try *who* choose. 하겠다는 사람에게는 하게 하라. ☞ 活用 (1) i), (2).

and all that …및, …따위 ; 아주, 정말《감사·축하 따위의 상투적인 어구에 곁들이는 문구》 : Very many happy returns of the day, *and all* ~! 부디 오래 사시길, 아무쪼록 복받으시기를《생일·축제일의 인사》.

and that 게다가, 더구나《앞의 문장을 모두 받음 ; ☞ 3》.

at that 《口·원래 美》 (1) 그대로, 그 정도로 : leave...*at* ~ ☞ LEAVE[1]. (2) 그렇다 치더라도 (even so). (3) 게다가, 그것도, 더구나 : He bought a car, and a Cadillac *at* ~. 그는 차를 샀는데, 그것도 캐딜락이다.

Come out of that! 《俗》 비켜! ; 저리 가(버려), 물러가라.

for all that ☞ FOR *all.*

not give that (=a snap) ***for*** . . . (손가락을 탁 퉁기며) …은 조금도[전혀] 상관없다.

only that 단지 그것뿐이다(that is all) (cf. 1).

that is (***to say***) 즉, 그것으로 말하면(☞ SAY ; cf. I. E.).

That's that. 《口》 그것으로 끝이다[결정되었다] : I won't go and *that's* ~. 안간다면 안가《딴 소리 마라》 / So *that's* ~. 그건 그렇다고 치고, 그것으로 끝났다.

upon that 거기에 있어서, 그래서 곧.

with that 그렇게 말하고 ; 그리고.

——[ðǽt] *adv.* [지시 부사] **1** [주로 수량·정도(程度)를 나타내는 말을 한정하여] 《口》 그만큼, 그렇게(so) (cf. THIS *adv.*) : She can't go ~ far. 그렇게 멀리까지 갈 수 없다 / He only knows ~ much. 그 정도밖에 모른다. **2** [성질·동작을 나타내는 말을 한정하여] 《俗·方》 정말로 : I'm ~ sleepy (=so sleepy that) I can't keep my eyes open. 어찌나 졸린지 눈을 뜨고 있을 수가 없다. 〖OE *thæt* that, the ; cf. G *das, dass* ; 지시 대명사·정관사의 중성(cf. OE *sē, sēo*)〗

活用 (1) 지시 형용사로서의 that은, i) 관계 대명사와 호응하여 미리 관계사절을 가리키는 수가 있음 : *that* courage *which* you boast of (네가 자랑하는 바로 그 용기). ☞ WHICH[2] 活用 (1) ii). ii) 《口》에서 접속사 that 앞에서 such (a), so great (a) 대신에 사용되기도 함 : He was angry to *that* degree *that* he turned pale. (창백해질 정도로 화를 냈다). (2) 지시 대명사로서의 that (*pron.* 5)의 뒤에 계속되는 관계 대명사가 목적어인 경우, 그 관계 대명사는 때때로 생략됨 : What was *that* (*that, which*) you said? (뭐라고 말씀하셨습니까).

◇**that²** [ðət, 《稀》 ðæt] *conj.* **A** [명사절을 이끌어] (…이라는, …한다는) 것. 주 특히 《口》에서 주로 목적어절을 이끄는 경우에 비교적 평이한 짧은 문장 따위에서는 때때로 생략됨. ☞ 活用 (1). **a)** [주어절을 이끌어] : *T*~ he is alive is certain. 그가 살아있는 것은 확실하다 / Is *it* true ~ he has returned home? 그가 귀국한 것은 사실입니까. **b)** [보어절을 이끌어] : The trouble is ~ my father is ill in bed. 걱정거리는 우리 아버지가 병환으로 누워계신다는 것이다. ☞ 活用 (2). **c)** [동격절(同格節)을 이끌어] : We must pay attention to the fact ~ fire burns. 불은 탄다고 하는 사실에 주의해야만 한다 / A fear ~ the worst had happened overcame him. 최악의 사태가 발생한 것이 아닌가 하는 불안이 그의 마음을 사로잡았다. **d)** [목적어절을 이끌어] : I knew (~) he was alive. 나는 그가 살아있다는 것을 알고 있었다 / You will soon realize ~ London is a very old place. 너는 런던이 매우 오래된 곳이라는 것을 곧 알게 될 것이다. **e)** [형용사·자동사 따위에 계속되는 절을 이끌어] (…인) 것을, (…인) 것에 대하여 : I am afraid (~) he will not come. 저는 그가 오지 않을 것이라고 생각합니다 / He insisted ~ he was innocent (= insisted *on* his innocence). 그는 자기가 결백하다는 것을 주장했다 / Remind her ~ the meeting is on Saturday. 모임이 토요일에 있다는 것을 그녀에게 상기시켜 주어라(cf. Remind her *of* her promise.) / He was convinced ~ his father was innocent. 그는 아버지가 결백하시다는 것을 믿고 있었다.

B [부사절을 이끌어] **1** [(so) that…may[can, will], in order that…may 따위의 형식으로 목적을 나타냄] : We eat (*so*) ~ we *may* live. = We eat *in order* ~ we *may* live. 우리는 살기 위해서 먹는다(cf. *in* ORDER *to*) / I tried to walk quietly, *so* ~ they *might* not hear me. 그들에게 들키지 않도록 조용하게 걸으려고 애썼다 / She covered her face with her hands, *so* ~ her excitement *could* not be seen. 그녀는 흥분되어 있는 것을 남이 보지 못하도록 두 손으로 얼굴을 가렸다.
2 [so[such]…that 형식으로 결과·정도를 나타냄] : I am *so* tired (~) I cannot go on. 매우 지쳤으므로 이 이상 갈 수 없다《주 that을 생략하는 것은 주로 《美口》》 / He was *so* moved by the speech ~ he was fired with new aspiration. 그 연설에 너무 감동되어 새로운 포부로 불타올랐다 / There was *such* a great storm ~ all the ships were wrecked. 사나운 폭풍우가 일어서 배는 모두 난파되었다《배가 모두 난파되어 버릴 정도로 큰 폭풍우가 일어났다》 / He is not *so* poor ~ he can not buy it. 그는 그것을 살 수 없을 만큼 가난하지는 않다.
3 [원인·이유] …이기 때문에, …이므로 : If I find fault, it is ~ I want you to improve. 잔소리를 하는 것도 네가 더 잘되기를 바라기 때문이다 / Not ~ I object. 그렇다고 해서 내가 반대한다[너에게 이의가 있다]는 것은 아니다《앞에 It is가 생략되어 있음 ; cf. B 5》.
4 [판단의 기준] …이라니, …하다니 : Are you mad ~ you *should* do such a thing? 그런 짓을 하다니 너 미쳤니 / Who is he, ~ he *should* come at such an hour? 이런 시간에 오다니 그는 도대체 누구냐《괘씸하다》(cf. SHOULD 1 b)).
5 [보통 부정어 뒤에서 제한절을 이끌어] (…하는) 한에서는, (…하는) 바로는(so far as) : He *never* read it, ~ I saw. 내가 본 바로는 그는 한번도 그것을 읽지 않았다 / *No* one knows anything about it, ~ I can find. 내가 아는 한에서는 그것에 관해서 뭔가 아는 사람은 아무도 없다 / *Not* ~ I know (of). 내가 아는 한 그렇지는 않다. 주 이 용법의 that은 그 자체는 관계 대명사(cf. THAT³)며, 뒤의 타동사나 전치사의 목적어에 해당됨.

C [감탄문을 이루어] **1** [가정법 과거형을 써서 소망을 나타냄] : *O* ~ I *were* in England now! 아아, 지금 영국에 있다면! / Would (~) it *were* possible! 그것이 이뤄지기만 한다면! **2** [should를 써서 놀람·분함을 나타냄] : *T*~ he *should* behave like this! 그가 이런 짓을 하다니! (cf. SHOULD 1 b)).

D [It is[was]…that…의 형식으로 부사(구)를 강조함 ; cf. THAT³ 3] : *It was* on Monday ~ I bought a book. 내가 책을 산 것은 월요일이었다 (cf. I bought a book *on Monday.*).

but that… ☞ BUT¹ *conj.* 2 b), c), d) ; *prep.* 2.
in that… ☞ IN *prep.*
now that… ☞ NOW *conj.*
so that… ☞ B 1, 2 ; SO¹.
〚↑〛

活用 (1) 목적어절을 이끄는 that은 특히 《口》에서는 때때로 생략되지만, that에 이끌리는 명사절이 두 개 이상 계속될 때에는 두번째 이하의 that은 생략할 수 없음 : I suppose (*that*) the stolen money is hidden somewhere, but *that* the police will soon discover it. (도둑맞은 돈은 어디엔가 숨겨져 있을 것이지만 경찰이 곧 찾아낼 것으로 생각한다). 또한 다음과 같은 경우에도 that을 생략하지 않는 편이 좋음 : The chairman of the committee declared *that* on April first the new plan would be considered from many standpoints. (위원장은 그 새로운 계획은 4월 1일을 기하여 여러 가지 면에서 검토될 것이라고 언명했다)《that을 생략하면 on April first가 declared에 걸려 「4월 1일에 언명했다」라고 해석될 우려가 있음》.
(2) A b)의 that은 《口》에서는 때때로 생략되어 다음과 같은 병렬(竝列) 구문이 되는 수가 있음 : The trouble is, my father is ill in bed.

◇**that³** [ðət, 《稀》 ðæt] *rel. pron.* (*pl.* ~) **1 a)** [제한적 용법] (…하는, …인) 바의. 주 (1) 선행사가 사람을 가리킬 경우에나 사물을 가리킬 경우에도 쓰이며, 특히 최상급의 형용사, the only, the same, the very 따위의 제한적 어구를 포함할 때 및 선행사가 의문 대명사, all[much, little]일 때 쓰임(cf. SAME *a.* 1) ; 또는 that이 전치사의 목적어인 경우에는 그 전치사는 언제나 절내(節內)의 동사 뒤에 놓이며, 일반적으로 사물을 가리키는 which나 사람을 가리키는 whom보다 더 잘 쓰이는 경향이 있음(cf. WHO², WHICH²). (2) 《口》에서는 목적어에 해당되는 경우 흔히 생략되기도 함 : He is *the greatest* actor ~ has ever lived. 그는 지금까지 생존했던 배우 중 가장 위대한 배우다 / This is *the only* paper ~ contains the news. 이것이 그 뉴스를 게재한 유일한 신문이다 / This is *all* ~ matters. 관계가 있는 것은[중대한 것은] 이것뿐이다 / *Much* ~ had been said about her proved true. 그녀에 대한 소문은 거의가 사실이라는 것이 드러났다 / The letter ~ (=which) came this morning is from my mother. 오늘 아침에 온 편지는 어머니에게서 온 것이다 / Like the artist ~ he is, he does everything so nicely. 과연 그는 예술가답게 무엇이나 멋있게 해낸다 / Fool ~ I am! 나는 정말 바보야 / This is the book (~) I bought yesterday. 이것은 어제 내가 산 책입니다 / Is that the house (~) they live in (=in which they live)? 저것이 그들이 살고 있는 집입니까 / Who was there ~ could help him? 그곳에 있었던 사람들중에 누가 그를 도울수 있었던가. **b**) [비제한적 용법] 《文語·稀》: The water-wheel turns the shaft, ~ (=which) turns the stones. 물레바퀴가 굴대를 돌리고 그 굴대가 맷돌을 돌린다.

2 [때·방법 따위를 나타내는 명사에 계속되어 관계 부사적으로] (…하는, …인) 바의《시간·방법 따위》(at[on, in] which) (cf. WHEN B, HOW B). 注 이 that도 생략되는 수가 많음 : You were in a hurry the last time (~) I met you. 저번에 내가 너를 만났을 때 너는 서두르고 있었다 / It was raining (on) the day (~) he started. 그가 떠난 날은 비가 내리고 있었다 / Do you know the way (~) he does it? 당신은 그가 하는 방법을 알고 있습니까.

3 [It is[was]...that...의 형식으로 명사 (상당어구)를 강조함 ; cf. THAT[2] D, IT[1] 6] : *It was* a book ~ I bought yesterday. 내가 어제 산 것은 책이었습니다(cf. I bought *a book* yesterday.) / *It is* you ~ (=who) are to blame. 나쁜 사람은 바로 너다(cf. *You* are to blame.) / *It's* you (~) I rely upon. 내가 의지하는 것은 당신입니다. ☞ 活用

that is [***that was, that is to be***] 《口》 현재의[이전의, 장래의]… : Mrs. Harrison, Miss Smith ~ *was* 이전에 스미스양이었던 해리슨 부인 / Miss Smith, Mrs. Harrison ~ *is to be* 장래 해리슨 부인이 될 스미스양.

〚↑〛

活用 3의 구문에서 《口》인 경우에는 that이 주어에 해당될 경우에도 생략되는 수가 있음 : *It is* I (*that*) have been stupid. (어리석었던 것은 나다). 특히 What is..., Who is... 따위의 뒤에서는 that이 주어에 해당될 때라도 《口》에서는 때때로 생략됨 : Who is that (*that*) called just now? (지금 온 사람은 누구입니까).

thát-awày *adv.* 《方》 저쪽으로, 그쪽 방향으로 ; 그 모양으로, 그렇게 (해서). 〚*that way*〛

thát-a-wáy *a.* 《美俗》 임신한.

thatch [θǽtʃ] *n.* Ⓤ 지붕을 이는 재료《짚·새 따위》; 초가 지붕 ; 《口·戱》 숱이 많은 머리털.

—— *vt.* (지붕을) 짚으로 이다 : a ~*ed* roof 초가지붕.

—— *vi.* 지붕을 짚으로 이다, 짚으로 덮다.

~·er *n.* 지붕 이는 사람, 개초장이.

〚OE *theccan* to cover ; cf. G *decken*, OE *thæc* roof〛

Thatcher *n.* 대처. **Margaret Hilda** ~ (1925-) 영국의 여류 정치가 ; 수상(1979-90).

thátch·ing *n.* Ⓤ 지붕을 이기 ; 지붕 이는 재료.

that·ness [ðǽtnəs] *n.* (스콜라 철학에서) 통성(通性)원리《같은 종류의 개체에 공통적인 본질》.

‡that's [ðǽts] that is, that has의 단축형.

thau·mat- [θɔ́:mət], **thau·ma·to-** [θɔ́:mətou, -tə] *comb. form* 「경이」「기적」의 뜻.

〚Gk. *thauma*〛

thau·ma·tol·o·gy [θɔ̀:mətɑ́lədʒi:] *n.* 기적학, 기적론(奇蹟論).

thau·ma·tur·gist [θɔ́:mətə̀:rdʒəst], **-turge** [-tə̀:rdʒ] *n.* (마술에 의해) 기적을 행하는 사람, (특히) 마술사.

thau·ma·tur·gy [θɔ́:mətə̀:rdʒi] *n.* Ⓤ 기적을 행하기, 마술, 마법, 요술.

thàu·ma·túr·gic, -gi·cal *a.*

thaw [θɔ́:] *vi.* **1** [it을 주어로 하여] (눈·얼음 따위가) 녹다, 해빙(解氷)의 계절이 되다 : If the sun stays out, *it* will probably ~ today. 만일 하루 종일 해가 나 있으면 오늘쯤은 눈이 녹을 것이다 / *It* ~*s* in March here. 이곳은 3월에 눈이 녹는다. **2** [動/+副] (동결된 것이) 풀리다(melt) ; (차가운 몸·손발이) 따뜻해지다 : Leave this frozen food to ~ before you cook it. 이 냉동 식품은 요리하기 전에 녹이시오 / The water pipe has ~*ed* ***out***. 얼어붙었던 수도관이 녹았다 / Come up to the fire, and you will ~ *out*. 난롯가로 다가오시오, 몸이 녹을 것입니다. **3** 《비유》 (태도·감정 따위가) 누그러지다, 풀리다 : She began to ~ as our talk was going on. 우리 이야기가 진행되는 동안에 그녀도 누그러지기 시작하였다 / Her awkwardness ~*ed* in the atmosphere of friendliness. 다정한 분위기로 그녀의 어색한 태도가 사라졌다. **4** 유동적[활동적]으로 되다, 풀어지다. —— *vt.* [+目/+目+副] **1** (눈·얼음·언 것 따위를) 녹이다 ; (언 몸 따위를) 따뜻하게 하다 : ~ ***out*** the radiator 언 라디에이터를 녹이다. **2** 《비유》 (감정·태도 따위를) 누그러지게 하다, 풀리게 하다 : Similar tastes soon ~*ed* (***out***) those present. 모인 사람들은 비슷한 취미를 가지고 있었으므로 곧 허물없게 되었다.

—— *n.* **1** 눈·얼음이 녹음, 해빙, 서리가 녹음 ; 눈이 녹는 날씨《섭씨 0도 이상의 기온》, 봄의 따뜻함 ; 해빙기(解氷期) : This year the ~ will set in early. 금년에는 해빙기가 일찍 올 것이다. **2** 《비유》 마음이 누그러짐. **3** (국제 관계 따위의) 긴장 완화. **~·less** *a.* (눈·얼음 따위가) 녹지 않는 ; (감정 따위가) 풀리지 않는. **tháwy** *a.* 눈이[서리가] 녹는.

〚OE *thawian*<? ; cf. G *tauen*, L *tabeo* to melt away, waste〛

類義語 ⟹ MELT.

Th. B. *Theologiae Baccalaureus* 《L》 (=Bachelor of Theology). **THC** [tì:èitʃsí:] tetrahydrocannabinol. **Th. D.** *Theologiae Doctor* 《L》 (=Doctor of Theology 신학박사).

◇the[1] [(자음 앞) ðə, (모음 앞) ði]

(1) the는 that과 밀접한 관계가 있으며 기본 뜻은 「그」다.
(2) a, an은 듣는 이가 모르는 사물을 가리키는데 대해, 정관사 the는 어떤 뜻에서든지 듣는 이가 이미 알고 있는 사실을 말하지만 that처럼 사물을 가리키는 기능은 없다 : She keeps a cat and a dog. *The* cat is black and *the* dog is white. (그녀는 고양이와 개를 기른다. 고양이는 검고 개는 희다.)
(3) the는 일반 형용사 앞에 놓이지만 all, half, double 따위와 같이 쓰일 때는 그 뒤에 온다 : all *the* students of this class (이 반의 전학생들) / double *the* amount (2배의 양)
(4) the는 this, that, each, every, no 따위와 함께 쓰이지 않는다.

—— *a.* [정관사] **A** [특정 용법] : 그, 예의, 문제

의. ㊟ 굳이 번역하지 않아도 되는 경우가 많음. **1 a)** [전술(前述)·기지(旣知) 또는 앞뒤 관계로 지칭하는 것이 정해져 있을 때] : He keeps *a dog* and *a cat*. *T*~ *cat* is bigger than ~ *dog*. 그는 개와 고양이를 한마리씩 기르고 있다. 그 고양이는 그 개보다 크다. **b)** [한정 어구를 수반하는 명사 앞에서] : ~ water in the pond 연못의 물 / ~ book you lost 네가 잃어버린 책. **c)** [형용사의 최상급 또는 서수(序數)에 의해서 수식된 명사에 붙는 경우] : ~ *greatest* possible victory 공전(空前)의 대승리. **d)** [보통 명사 앞에서 such (a)의 뜻, 추상명사 앞에서 such, so 또는 enough의 뜻] : He is not ~ *man* to betray a friend. 친구를 배반할 그런 인간은 아니다《㊟《口》에서는 a를 씀》/ She had ~ *kindness* to show me the way. 친절하게도 나에게 길을 가르쳐주었다. ㊟ 감탄적인 표현에도 씀 : *T*~ impudence (of the fellow)! (그놈의) 뻔뻔스러움이란! (☞ THAT¹ *a.* 2 ㊟).

2 [이름을 대기만해도 상대방이 그것이라고 알 수 있는 것을 가리킴] **a)** [독특하거나 유일 무이(唯一無二)한 것] : ~ Almighty 전능하신 신 / ~ sun 태양 / ~ earth 지구. ㊟ 대문자로 시작되는 천체의 고전어명(古典語名)은 고유명사이므로 관사를 안붙임 : Leo (=the Lion) / Mars, Venus, *etc.* **b)** [보통 명사 앞에 붙여서 당사자와 가장 친근한 또는 중요한 관계에 있는 것을 가리킴] : ~ Queen 현(現)여왕 / ~ East《美》동부지방 ;《英》동양 / ~ River《英》템스 강. **c)** [계절·자연현상·방향 따위] : ~ London season 런던의 사교계절 / ~ day 낮 / ~ clouds 구름 / ~ east 동방, 동쪽. ㊟ 봄·여름·가을·겨울은 보통 무관사지만 the를 붙이는 일도 있음 : *Spring* has come. 봄이 왔다 / in (~) spring 봄에는. **d)** [특수한 병명(病名)] : (~) gout 통풍 / ~ blues 우울증, 침울증 / ~ drink《俗·卑》음주벽(飮酒癖). **e)** [앞서 말한 사람·동물의 몸의 일부분을 말할 때 ; 소유격 대명사의 대용] : I took him by ~ hand. (cf. I took his hand). 그의 손을 잡았다 / I hit him on ~ head. 그의 머리를 때렸다《I hit his head. 보다 보편적인 표현》.

3 [특정한 고유명사 앞에 붙임] **a)** [복수형의 산·섬·지방·지역 따위] : ~ Alp*s* 알프스 산맥 / ~ Philippine*s* 필리핀 제도 / ~ United State*s* (of America) 아메리카 합중국. **b)** [하천·바다 따위의 이름] : ~ Hudson 허드슨 강 / ~ Yellow Sea 황해. **c)** [특정한 가로(街路)·다리의 이름 앞에 ; 특히 기술적(記述的)인 이름으로 여겨지는 단수형의 도시·산 따위의 이름에 붙임] : ~ Oxford *Road* (London에서 Oxford로 통하는) 옥스퍼드 가도(街道) (cf. Oxford *Street*, Madison *Avenue* [관사 없음]) / ~ Jungfrau 융프라우《산의 이름 ; 독일어로 the maiden이란 뜻》. ㊟ 다음의 예는 관용적으로 쓰이게 된 것 : *T*~ Hague 헤이그《네덜란드의 도시 ; the garden이란 뜻》/ ~ Tyrol 티롤 지방. **d)** [함선(艦船)의 이름 앞에] : ~ Queen Mary 퀸 메리호. ㊟ 그 이름 앞에 S. S. (=steamship) 따위가 붙었을 때에는 흔히 생략됨 : S. S. Queen Mary 기선 퀸 메리호. **e)** [공공 건물] : ~ Imperial Hotel 임페리얼 호텔 / ~ White House (미국의) 백악관. **f)** [서적·신문·잡지의 명칭] : *T*~ Times 타임스지(紙). ㊟ 사람 이름을 책 이름으로 삼은 것에는 붙이지 않음 : *Hamlet*. **g)** [국어의 이름 ; 지금은 특정한 경우에 한함] : What is ~ *English* (word) for ~ Korean (word) "kuk'wa"? 한국어의 국화에 해당하는 영어는 무엇이니. ㊟ 국어 그 자체를 말할 때에는 *English*가 보통이지만, 격식을 차린 문체에서는 ~ *English language*라고도 함. **h)** [칭호·작위(爵位) 따위 앞에] : ~ King, ~ Queen, ~ Duke of Wellington, ~ Reverend..., *etc.* ㊟ 바로 뒤에 성(姓)이나 이름이 올 때에는 생략 : *Queen* Elizabeth. **i)** [스코틀랜드·아일랜드 등지에서 족장의 성 앞에] : ~ Mackintosh, ~ Fitzgerald, *etc.* ☞ B 2.

4 [명사 또는 형용사와 고유 명사를 동격 관계로 나란히 놓을 때 ; 명사 또는 형용사+고유 명사 앞에] : ~ poet Byron 시인 바이런. ㊟ 이 경우, 특히 고정화된 것에는 고유 명사 뒤에 the+명사[형용사]가 붙음 : Alfred ~ Great 앨프레드 대왕. 그러나 dear, honest, good, great, noble, cruel, poor 따위 감정을 나타내는 형용사에는 관사가 붙지 않음.

5 [ðíː] [강조적 용법] 특출한, 으뜸가는, 두드러진, 전형적인《따위》: This is ~ life. 이것이야말로 인생이라는 것이다 / Caesar was ~ general of Rome. 시저는 로마 제일의 장군이었다 / a physicist called Einstein, but not ~ Einstein 아인슈타인이라는 물리학자, 하지만 저 유명한 아인슈타인은 아니다. ㊟ 인쇄에서는 보통 이탤릭체로 함.

6 [비율을 나타내는 계량 단위명(單位名) 앞에] : at so much[one dollar] ~ pound 1파운드에 얼마[1달러]로《㊟ a pound가 일반적임》/ by ~ dozen[hundred, thousand, *etc.*] 수 십[백, 천 따위] 단위로 셀 만큼, 많이《㊟《美》에서는 보통 dozen 따위를 복수형으로 쓰며 the는 붙일 때도 안 붙일 때도 있음》/ a dollar *by* ~ day 하루에 1달러 / 17 oz. *to* ~ dollar 1달러당 17온스 / This car does 30 miles *to* ~ gallon. 이 차는 1갤런(의 휘발유)로 30마일을 달린다 / to ~ hour ☞ HOUR 숙어.

B [대표적인 용법] : …라는 것, …인 것. **1** [단수형의 보통 명사로 그 한 가지를 대표시킬 경우 ; 대표 단수 ; cf. A² 4] **a)** [동식물 따위의 종류·종속] : *T*~ dog is the friend of man. 개는 사람의 친구다. ㊟ man과 woman은 child, boy, girl 따위에 대조적으로 쓰이는 경우 이외에는 대표 단수로 the를 쓰지 않음 : *Man* is mortal. 사람은 언젠가는 죽는다. **b)** [단수 보통 명사 앞에 붙여서 특색·성질·능력 따위 추상적인 뜻을 나타냄] : ~ brute 야수성 / ~ stage「무대(舞臺)」, 연극(계) / *T*~ pen is mightier than ~ sword.《속담》☞ PEN¹ 2.

2 [국민·계급·사람들의 일단, 또는 가족의 성 따위를 나타내는 복수 명사 또는 집합 명사에 붙임] : ~ Liberals = ~ Liberal Party 자유당 / ~ Morgans 모건가(家) (의 사람들).

3 [형용사·분사 앞에] **a)** [추상명사의 대용 ; 단수 취급] : ~ sublime 숭고(sublimity). **b)** [보통 명사의 대용 ; 보통 복수 취급] : ~ poor 가난한 사람들, 빈민(poor people) (cf. RICH *and poor*) / ~ deceased 고인(故人) / ~ killed and wounded 사상자(死傷者).

4 [악기명 따위 앞에] : play ~ piano 피아노를 치다.

⟦OE *the* (*se, sēo, thæt*을 교체)⟧

the² *adv.* 그만큼 ; 더욱더. **1** [형용사·부사의 비교급 앞에] 그만큼 : I like him all ~ *better for* his faults. 결점이 있는 그만큼 더욱 그를 좋아한다 / I take a walk, morning and evening, and feel ~ *better for* it. 아침 저녁 산책을 하는데 그만큼 건강이 좋게 느껴진다. **2** [상관적으로 형용사·부사의 비교급 앞에 붙여서 비례적 관계를 나

타냄] …하면[이면] 그만큼[더욱더] : *T*∼ *more*, ∼ *merrier*. 많으면 많을수록 더욱 유쾌하다 / *T*∼ *sooner*, ∼ *better*. 빠르면 빠를수록 더 좋다 / *T*∼ *more* we know about life, ∼ *better* we can understand the books we read. 인생을 알면 알수록 우리가 읽는 책을 더 잘 이해할 수가 있다. 주 앞의 the는 관계부사, 뒤의 the는 지시부사. 〖OE *thȳ*, *thē* (instr. case)〗

the- [θíː ; θí(ː)], **theo-** [θíːou, θíːə ; θíəu, θíə] *comb. form* 「신(神)」의 뜻. 〖Gk. (*theos* god)〗

the·an·dric [θiǽndrik] *a.* 신인(神人) 양성(兩性)을 가진, 신인(神人)의.

the·an·throp·ic, -i·cal [θìːænθrápik(əl)] *a.* 신인(神人)의 양성이 있는 ; 신성(神性)을 인간 모습으로 나타내고 있는.

the·an·thro·pism [θi(ː)ǽnθrəpìzəm] *n.* Ⓤ **1** 신인(神人) 일체설, 그리스도 신인설(說). **2** 신에게 인간성을 부여하는 일 ; 신인 동형 동성설(同形同性說). **-pist** *n.*

the·ar·chy [θíːɑːrki] *n.* 신정(神政) ; 신정 국가 ; (신정을 하는) 제신(諸神), 신들의 계급[서열].

theat. theater ; theatrical.

‡the·ater | the·atre [θíːətər, θíə- ; θíə-, θiét-] *n.* **1** 극장 ; (고대의) 야외극장 : a patent *theatre* 《英》 칙허(勅許) 극장 / a picture ∼ 영화관 / the little ∼ 소(小)극장. 주 미국에서는 -ter가 많이 쓰이나, 극장 이름으로서는 미국에서도 때때로 -tre를 씀. **2** [보통 the ∼] 극, 연극 ; 연극계 ; 극작품 : *the* modern ∼ 근대극 / Goethe's ∼ 괴테의 희곡. **3** 계단식 강당[교실] (=lecture ∼) ; 《英》 (병원의) 수술실 : in ∼ 수술실에서. **4** 《비유》 현장, 장면, 무대. **5** 상연 효과 ; 연기. **6** [형용사적으로] 작전 지구(의), 전역(戰域)(의) : the Pacific ∼ of war 태평양 전장(戰場).
be*[*make*] *good theater (극이) 상연에 적합하다, (상연하여) 효과적이다.
do a theater 《口》=***go to the theater*** 극장에 (관람하러) 가다.
〖OF or L<Gk. (*the aomai* to behold)〗

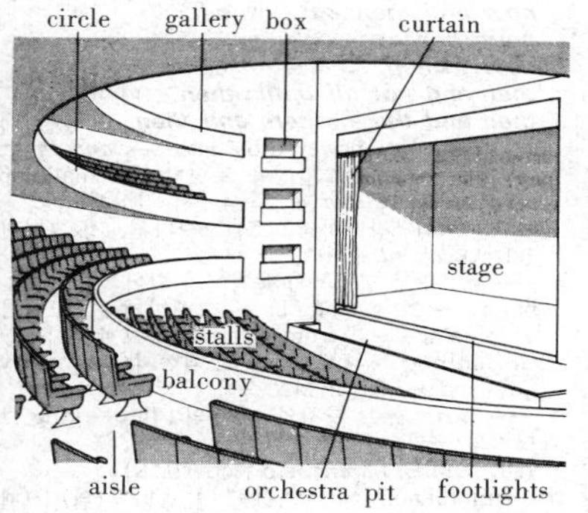

theater

théater ármaments *n. pl.* 〖軍〗 전역(戰域) 무기《사정 거리가 전술 무기보다는 크고 전략 무기보다는 작은 병기(兵器)》.

théater commànder *n.* 〖軍〗 전역 사령관(戰域司令官).

théater·gò·er *n.* 연극[영화]광(狂), 연극을 좋아하는 사람.

théater·gò·ing *n.* Ⓤ 연극 구경. —— *a.* 연극 구경 가는, 연극을 좋아하는.

théater-in-the-róund *n.* (중앙에 무대가 있는) 원형 극장 ; 그곳에서 상연하기 위한 작품.

théater núclear fórces *n. pl.* 〖軍〗 전역(戰域) 핵전력《전략 핵전력과 전술 핵전력의 중간형 ; 略 TNF》.

théater núclear wéapon *n.* 〖軍〗 전역(戰域) 핵무기《IRBM · MRBM 따위의 총칭》.

théater of fáct *n.* [the ∼] 사실극.

théater of the absúrd *n.* [the ∼] 부조리 연극 (absurd theater).

théater pàrty *n.* 관극회(觀劇會).

the·at·ri·cal [θiǽtrikəl] *a.* **1** 연극(식)의 ; 배우의, 연기의. **2** 극장의 ; 극의, 극적인, 연극적인 (dramatic) : a ∼ company 극단 / ∼ effects 극적 효과. **3** (언행이) 연극 같은, 과장된, 일부러 꾸민(showy).
—— *n.* [*pl.*] **1** 연극, 연예 ; (특히) 소인(素人)극 : private [amateur] ∼*s* 직업적이 아닌 소인[아마추어]극. **2** 《비유》 연극조의 태도, 일부러 꾸며하는 것 같음. **3** 연극기법.
the·át·ric *a.* **∼·ìsm** *n.* Ⓤ 연극법 ; 연극조 ; 극적인 짓. **the·at·ri·cal·i·ty** [θiæ̀trikǽləti] *n.* 연극조, 연극 같음, 부자연스러움. **∼·ly** *adv.* 극적으로 ; 연출투로, 여봐란듯이.

theátrical·ìze *vt., vi.* 과장하여[연극조로] 표현하다 ; 연극화하다, 각색하다.

the·át·rics *n. pl.* 소인극, (아마추어) 연극 ; 연극적인 언동 ; [단수취급] 연극 기법, 연출법.

The·ban [θíːbən] *a., n.* 테베(Thebes)의 (사람).

the·be [téibei] *n.* (*pl.* ∼) 테베《Botswana의 통화 단위 ; =1/100 pula》.

Thebes [θíːbz] *n.* 테베. **1** 고대 이집트의 도시. **2** 고대 그리스의 도시 국가.

the·ca [θíːkə] *n.* (*pl.* **-cae** [-siː, -kiː]) 〖植〗 (선태(蘚苔) 식물의) 포자낭(胞子囊), (선태(蘚苔)류의) 삭 ; 〖植〗 (속씨 식물의) 꽃가루 주머니 ; 〖動 · 解〗 포막(包膜) ; 〖動〗 (바다나리의) 관부(冠部).
thé·cal *a.* **the·cate** [θíːkeit] *a.*
〖NL<Gk.=case〗

-the·ci·um [θíːʃiəm, -siəm] *n. comb. form* (*pl.* **-cia** [-ʃiə, -siə]) 〖生〗 「소내포(小內包) 조직」의 뜻 : endo*thecium*.
〖NL<Gk. (dim.) < ↑〗

thé dan·sant [*F* te dɑ̃sɑ̃] *n.* (*pl.* **thés dansants** [—]) =TEA DANCE.

thee [ðiː, ðíː] *pron.* [thou의 목적격] 《古 · 詩》 그대를[에게]. 주 Quaker 교도는 Thee has(=You have)와 같이 주어로 씀.

thee·lin [θíːlən] *n.* 〖生化〗 =ESTRONE.

***theft** [θéft] *n.* Ⓤ,Ⓒ 도둑질, 절도⟨*of*⟩ ; Ⓤ 절도죄 ; 〖野〗 도루 ; 《稀》 도난품 ; 장물.
〖OE *thīefth*, *thēofth* ; cf. THIEF〗

théft·pròof *n., a.* 도난 방지(의).

thegn ☞ THANE.

the·ine [θíːiːn, θíːən] *n.* Ⓤ 〖化〗 테인, 카페인.

◇their [ðeər, ðæər, (모음 앞) ðər] *pron.* **1** [they의 소유격] 그들의 : They sold ∼ old car and got a new one. 그들은 중고차를 팔고 새 차를 샀다. **2** [부정(不定)의 단수 (대)명사를 받아] 《口》=his or her : *No man* in ∼ senses would do it. 제정신으로 그런 짓을 할 사람은 아무도 없을 것이다.

〚ON *their(r)a* of them (gen. pl.) 〈*sá* THE, that〛

◇theirs [ðéərz, ðǽərz] *pron.* [they에 대응하는 소유 대명사] **1** 그들의 것(cf. HERS, HIS², MINE¹, OURS, YOURS) : *T*~ *is*[*are*] good. 그들의 것은 좋다 / this plan of ~ 그들의 이 계획. **2** [부정(不定)의 단수 (대)명사를 받아] 《口》 =his or hers : I will do my part if *everybody* else will do ~. 모두가 자기 본분을 다한다면 나도 내 본분을 다하겠다.

活用 ☞ MINE¹.

the·ism¹ [θíːizəm] *n.* Ⓤ 유신론(有神論) ; 일신론, 일신교(一神敎) (cf. ATHEISM, DEISM).

-ist *n., a.* 유신론자(의).

〚Gk. *theos* god〛

theism² *n.* 〖醫〗 테인 중독, 차 중독.

-the·ism [∸-θìːizəm, ∸θi(ː)izəm] *n. comb. form* 「…의 신[신들]을 믿음」의 뜻 : mono*theism*, pan*theism*.

〚OF (*the-*+*-ism*)〛

-the·ist [∸-θìːəst, ∸θiəst] *n. comb. form* 「…의 신[신들]을 믿는 사람」의 뜻 : pan*theist*.

〚*the-*+*-ist*〛

the·is·tic, -ti·cal [θiːístik(əl)] *a.* 유신론(자)의 ; 일신교의.

the·li·tis [θəláitəs] *n.* 〖醫〗 유두염(乳頭炎).

Thel·ma [θélmə] *n.* 여자 이름.

〚Gk.=nursling ; will〛

◇them [ðəm, ðém] *pron.* **1** [they의 목적격] 그들을[에게] ; 그것들을[에게] : He teaches ~. 그는 그들을 가르친다 / He gave ~ books. 그는 그들에게 책을 주었다. **2** [부정(不定)의 단수 (대)명사를 받아] 《口》 =him or her : *Nobody* has so much to worry ~ as he has. 그만큼 걱정거리가 많은 사람도 없다. **3** 《方·戱》 저것들의, 저들의, 저것의(those) : *T*~'s my sentiments. 그것이 나의 감상이다 / some of ~ apples 저[그] 사과의 약간.

〚OE *thǣm*, ON *theim* (⇨ THEY) ; OE *him* 대신 쓰인 것〛

the·ma [θíːmə] *n.* (*pl.* **-ma·ta** [-tə]) =THEME.

〚L〛

the·mat·ic [θi(ː)mǽtik] *a.* 주제[논제]의 ; 〖文法〗 어간(語幹)의 ; (모음이) 어간을 형성하는 ; 〖樂〗 주제의. ── *n.* 어간 형성 모음.

〚Gk. ; ⇨ THEME〛

***theme** [θíːm] *n.* **1** 주제, 제목, 테마 ; 화제, 논지(論旨) : What was the ~ of his speech? 그의 연설의 주제는 무엇입니까. **2** 《美》 (과제의) 작문(composition). **3** 〖文法〗 어간. **4** 〖樂〗 주제, 테마, 주선율(主旋律) ; 《美》 =THEME SONG. **5** 〖史〗 (동(東)로마 제국 속주(屬州) 행정조직의) 군관구(軍管區), 테마(=thema). ── *a.* (레스토랑·호텔이) 특정한 시대·장소 따위의 분위기를 가진, 특징적으로 공들여 만든.

~·less *a.*

〚L<Gk. *themat- thema* (*tithēmi* to lay down, set)〛

類義語 ⟹ SUBJECT.

théme pàrk *n.* 테마 유원지《야생 동물·해양 생물·동화의 나라 따위의 같은 테마로 통일한 유원지》.

théme sòng *n.* 주제가, 주제곡, 테마 송 ; 〖放送〗 주제가[곡](signature).

The·mis [θíːməs] *n.* 〖그神〗 테미스《법률·질서·정의의 여신》; [흔히 t~] 정의.

The·mis·to·cles [θəmístəkliːz] *n.* 테미스토클레스(527?-? 460 B.C.)《Athens의 장군·정치가 ; 살라미스 해전에서 페르시아군을 격파했으나 만년에 실각하여 페르시아로 망명함》.

◇them·selves [ðəmsélvz, ðem-] *pron. pl.* [they의 재귀형(再歸形) ; ☞ ONESELF] **1** [강조용법] 그들[그녀들·그것들] 자신(이) : They did it ~. 그들 스스로가 그것을 했다 / They did the work by ~. 일을 자기들만으로 했다 / They were by ~. 그들은 그들끼리만 있었다. **2** [재귀용법] 그들[그녀들·그것들] 자신을 : They killed ~. 그들은 자살했다.

in themselves [복수 명사를 수반하여] 그 자체로(는), 본래(는).

〚⇨ THEM, SELF〛

活用 ☞ MYSELF.

◇then [ðén] *adv.* **1** 그때(는), 그 당시(는) (cf. NOW) : I was ~ living in the West End. 그 당시 나는 (런던의) 웨스트엔드에 살고 있었다 / Things will be different ~. 그때는 사정이 달라질 것이다. 注 과거에도 미래에도 씀. **2 a**) 그리고 나서, 그 후에, 다음에는, 이번에는(next) : First came Tom, (and) ~ Jim. 먼저 톰이 오고 그 다음에 짐이 왔다 / They had a week in Rome and ~ went to Naples. 로마에서 1주일을 지내고 다음에 나폴리로 갔다 / Now she weeps, ~ she laughs. 그녀는 금방 울다가는 또 금방 웃는다. **b**) 게다가, 그밖에(besides) : I haven't the time, and ~ it isn't my business. 나에게는 시간이 없다, 게다가 그것은 내가 할 일이 아니다. **3 a**) [보통 문장[절(節)] 첫머리 또는 문장 끝에 놓아] 그렇다면, 그러면 : It isn't here. — Where is it ~? 여기에는 없습니다 — 그렇다면 어디에 있습니까 / If you are bad now, ~ you must tell him so. 지금 기분이 나쁘다면 그에게 그렇다고 말해야 합니다. **b**) [이야기를 돌릴 때에 문장 중에 넣어] 그러므로, 그래서, 그런데(accordingly) : We prepared, ~, for his coming. 그래서 우리들은 그를 맞이할 준비를 했다.

and then 그리고(cf. 2 a)) ; 게다가(cf. 2 b)).

but then... 그러나 또 한편으로는, 그렇다면 : *But* ~ why did you go there? 그렇다면 왜 너는 그곳에 갔니.

now and then ☞ NOW *adv.*

now then ☞ NOW *adv.*

now...then... 때로는 …또 때로는…(cf. 2).

then and not till[***until***] ***then*** 그때 비로소.

then and there=***there and then*** 그 자리에서, 당장 : He answered the letter ~ *and there*. 그 자리에서[당장] 답장을 보냈다 / He made up his mind *there and* ~. 즉석에서 결심했다.

well then [감탄사적으로] 그렇다면, 정 그러면 (cf. WELL¹ *int.* 2 d)).

── *n.* [주로 전치사의 목적어가 되어] 그 당시 : before ~ 그 이전에 / by ~ 그때까지에, 그때까지는 / since ~ =from ~ onward 그때 이래 / till[until] ~ =up to ~ 그때까지(는) / every now and ~ ☞ EVERY 숙어.

── *attrib. a.* 그 당시의, 그때의 : the ~ king 그 당시의 국왕.

〚OE *thanne*, *thonne*, etc. ; cf. THAN〛

the·nar [θíːnɑːr] *n., a.* 〖解〗 **1** 손바닥(의) ; (때때로) 발바닥(의). **2** 엄지손가락 밑부분의 불룩한 부분(의).

〚NL<Gk.〛

thence [ðéns] *adv.* 《文語》 **1** 그곳에서부터 (from there) (cf. THITHER) : He flew to Italy and ~ France. 그는 이탈리아로 날아가서 거기서 프랑스로 갔다. **2** 그러므로, 그래서. **3** 그때부터.

〚OE *thanon*+-*s*〛
thènce·fórth [ˌ, ˋˊ; ˊˋ] *adv.* 《文語》 그때부터 ; 《稀》 거기서부터 : from ~ 그 때 이후.
thènce·fórward(s) [ˌ; ˊˋ] *adv.* =THENCEFORTH.
Theo. Theodore.
theo- [θíːou, θíːə; θíəu, θíə] ☞ THE-.
theo·bro·mine [θìːəbróumiːn, -mən, θìːou-] *n.* Ⓤ 〖藥〗 테오브로민《카카오의 알칼로이드 ; 신경 흥분제·이뇨제·동맥 확장제》.
thèo·céntric *a.* 신(神)을 사상[관심]의 중심으로 삼는.
the·oc·ra·cy [θiákrəsi] *n.* Ⓤ 신권(神權)정치, 신정(神政) ; Ⓒ 신권 정체, 신정 국가 ; [the T~] (고대 이스라엘의) 신정 정치(시대).
〚Gk. (*theo*-, -*cracy*)〛
the·oc·ra·sy [θiákrəsi] *n.* Ⓤ 신인(神人)융합 ; 제신(諸神) 혼합 숭배 ; 신령 교류.
théo·cràt *n.* 신권 정치가 ; 신정주의자.
theo·crat·ic, -i·cal [θìːəkrǽtik(əl); θìə-] *a.* 신정(국가)의.
the·od·i·cy [θiádəsi] *n.* 〖神學·哲〗 신정론(神正論)《특히 악의 존재에 대해 신의 섭리라고 보는 사상》.
the·od·o·lite [θiádəlàit] *n.* 〖天·測〗 경위의(經緯儀) (cf. TRANSIT 4). 〚C16 NL<?〛
The·o·do·ra [θìːədɔ́ːrə; θìə-] *n.* 여자 이름《애칭 Dora》. 〚(fem.) ; ⇨ THEODORE〛
The·o·dore [θíːədɔ̀ːr; θíə-] *n.* 남자 이름《애칭 Ted, Teddy》. 〚Gk.=gift of God〛
The·o·do·si·us [θìːədóuʃiəs; θìə-] *n.* 남자 이름.
〚Gk.=gift of God〛
the·og·o·ny [θiágəni] *n.* Ⓤ 신들의 기원, 신통 계보학(神統系譜學), 신통기(神統記).
〚Gk. (*theo*-, -*gony*)〛
theol. theologian ; theological ; theology.
theo·lo·gian [θìːəlóudʒən; θìə-] *n.* 신학자 ; 〖카톨릭〗 신학생.
theo·log·i·cal, -log·ic [θìːəládʒik(əl); θìə-] *a.* **1** 신학(상)의. **2** 성서에 기인하는.
-i·cal·ly *adv.* 신학상, 신학적으로.
theológical vírtues *n. pl.* 〖神學·哲〗 대신덕(對神德)《faith, hope, charity의 3덕 ; cf. CARDINAL VIRTUES》.
the·ol·o·gize [θiálədʒàiz] *vt., vi.* 신학적으로 다루다 ; 신학을 연구하다[논하다].
the·o·logue, 《美》 **-log** [θíːəlɔ̀(ː)g, -làg; θíə-] *n.* 신학자 ; 《美口》 신학도, 신학생.
the·ol·o·gy [θiálədʒi] *n.* Ⓤ (크리스트교) 신학, 〖카톨릭〗 (4년간의) 신학과정 ; 종교 심리학.
-gist *n.* 신학자.
〚OF<L<Gk. (*theo*-, -*logy*)〛
the·om·a·chy [θiáməki] *n.* 신들의 싸움[항쟁] ; 《古》 신에 대한 반역, 신과의 싸움.
thèo·mánia *n.* 〖精神醫〗 자기를 신이라고 믿는 과대 망상 ; 신(神)지핀 사람.
-mániac *n.*
theo·mor·phic [θìːəmɔ́ːrfik; θìə-] *a.* 신의 모습을 한, 신을 닮은.
the·on·o·my [θiánəmi] *n.* 신에 의한 통치[지배].
the·op·a·thy [θiápəθi] *n.* (종교적 묵상에 의한) 신인 융합감(神人融合感).
theo·pa·thet·ic [θìːəpəθétik; θìə-] *a.*
the·oph·a·ny [θiáfəni] *n.* 〖神學〗 신의 출현, 신의 현현(顯現).
thèo·phóbia *n.* 신(神) 공포(증).
the·o·phor·ic [θìːəfɔ́ːrik, -fárik; θìəfɔ́rik] *a.* 신의 이름을 받은.
the·oph·yl·line [θiáfələn, θìːəfíliːn, θìːəfílən; θiɔ́filin, θìəfíli(ː)n] *n.* Ⓤ 〖藥〗 테오필린《차의 잎에서 추출된 알칼로이드 ; 근이완제·혈관확장약용》.
theor. theorem.
the·or·bo [θiɔ́ːrbou] *n.* (*pl.* **~s**) 〖樂〗 류트(lute)의 일종《17세기경의 두개의 긴 목이 있는 현악기》.
〚It.<?〛
the·o·rem [θíːərəm, θíə-; θíə-] *n.* 일반 원리, 법칙 ; 〖數〗 정리(定理). **the·o·re·mat·ic** [θìərəmǽtik, θìːə-] *a.* 정리의.
〚F or L<Gk.=something to be viewed, subject for contemplation〛
theoret. theoretic(al).
the·o·ret·ic, -i·cal [θìːərétik(əl), θìə-; θìə-] *a.* **1** 이론(理論)(상)의, 학리(學理)적인, 순리적인 (↔*empirical, practical, applied*) : ~ physics 이론 물리학. **2** 사색적인, 공론(空論)적인, 이론을 좋아하는. **-i·cal·ly** *adv.* 이론상.
〚L<Gk. ; ⇨ THEORY〛
theorétical aríthmetic *n.* 〖數〗 정수론.
the·o·re·ti·cian [θìːərətíʃən, θìə-; θìə-] *n.* 이론가(家).
thè·o·rét·ics *n.* (어떤 과학·주제의) 순리적 측면, 이론.
the·o·rist [θíːərəst, θíə-; θíə-] *n.* 이론가.
the·o·rize [θíːəràiz, θíə-; θíə-] *vt.* 이론화하다.
—— *vi.* 이론을 세우다〈*about*〉.
-rìz·er *n.* 이론가. **thè·o·ri·zá·tion** *n.* 이론을 붙임, 이론 구성.
***the·o·ry** [θíːəri, θíə-; θíə-] *n.* **1** Ⓤ,Ⓒ 이론, 학리(學理) ; 이치, 공론(空論) (cf. DOCTRINE) : ~ and practice 이론과 실제 / economic ~ 경제 이론[학설] / the ~ of physical education (실기(實技)에 대한) 체육 이론 / It is a mere ~. 그것은 단지 이론에 불과하다 / Your proposal is all right *in* ~. 너의 제안은 이론상으로는 옳다(cf. *in* PRACTICE). **2** [+*that* 節] 학설, 설(說), 논(論) : the atomic ~ 원자설 / Einstein's ~ *of* relativity 아인슈타인의 상대성 이론 / Columbus helped to explode the ~ *that* the earth was flat. 콜럼버스는 지구가 평평하다는 설을 타파하는데 공헌했다. **3** [+*that* 節] 의견, 지론, 사견 ; 추측, 억측 : my ~ *of* life 나의 인생관 / Many people hold a ~ *that* smoking is a cause of cancer. 흡연이 암의 원인이라고 생각하는 사람들이 많다.
theory of games =GAME THEORY.
〚L<Gk.=a viewing ; ⇨ THEOREM〛
théory X [-èks] *n.* 〖經營〗 X이론《인간은 본디 작업기피, 책임 회피 따위의 성향이 있다는 이론》.
théory Y [-wài] *n.* 〖經營〗 Y이론《인간은 본디 목표를 위해 헌신하며, 문제 해결에 창조성을 발휘한다는 따위의 경영 이론》.
theos. theosophical ; theosophy.
the·os·o·phist [θiásəfəst] *n.* 견신론자, 신지학자(學者).
the·os·o·phy [θiásəfi] *n.* Ⓤ 견신론, 신지학(學), 접신론. **theo·soph·ic, -i·cal** [θìːəsáfik(əl); θìə-] *a.* 신지학(상)의. **-i·cal·ly** *adv.*
〚L<Gk. (*theosophos* wise concerning God) ; ⇨ THE-, -SOPHY〛
therap. therapeutic(s).
ther·a·peu·tic, -ti·cal [θèrəpjúːtik(əl)] *a.* 치료상의, 치료법의 ; 건강유지에 도움이 되는.
-ti·cal·ly *adv.* 치료(학)상.
〚F or L<Gk. (*therapeuō* to wait on, cure)〛

therapéutic abórtion *n.* 〔醫〕 치료적 유산(流産)《모체의 생명을 구하기 위한 것》.
therapéutic ìndex *n.* 〔藥〕 치료지수[계수].
therapéutic régimen *n.* 〔醫〕 최적 치료 계획, 최적 투약 방식.
thèr·a·péu·tics *n.* 치료학[술], 치료론(論).
ther·a·peu·tist [θèrəpjúːtəst] *n.* 치료학자 ; 치료 전문가.
ther·a·pist [θérəpəst] *n.* =THERAPEUTIST.
ther·a·py [θérəpi] *n.* Ⓤ 치료법 : occupational ~ ☞ OCCUPATIONAL / surgical ~ 외과적 치료. ㊟ 때때로 복합어를 만듦(cf. -PATHY) : hydro*therapy*.
〚NL<Gk.=healing ; ⇨ THERAPEUTIC〛
◇**there** [ðέər, ðǽər]

(1) there는 장소·방향을 가리켜「거기에」「거기서」「거기로」란 뜻의 지시사로 쓰이며, there is [are]의 형태로「존재」를 나타내는 허사(虛詞)로도 쓰인다.
(2) there는 지시 대명사 that에 대응(對應)하는 부사다.
(3) 지시사로서의 문장 예문 : Sit *there.* (거기 앉아라) / There was nobody *there.* (거기에는 아무도 없었다.)
(4) 문장 첫머리에서 상대방의 주의를 끌기 위해「여보, 저것 봐」: *There* he goes! (봐, 저기 그가 간다.)
(5) 문제점 따위를 내놓으며「그점에서」: *There* I cannot agree with you. (그점에서 나는 너에게 동의할 수 없어.)

── *adv.* **A** [장소·방향의 부사] **1** (↔*here*) **a**) 그곳에(서), 저기에(서) : I saw nobody ~. 그곳에는 아무도 보이지 않았다 / She lived ~ all her life. 그곳에서 한평생 살았다 / *T*~ comes the bus! 저기 버스가 온다! / *T*~ it comes! 저기 온다! / [(대)명사 뒤에 놓여] The man ~ is my uncle. 저기 있는 분이 나의 아저씨야 / [부사를 수반하여] over ~ 저기 (건너편에) / He is *out* [*in*] ~. 그는 저기 나가[들어가] 있다 / He lives somewhere near ~. 그 근처 어딘가에 살고 있다 / [전치사를 수반하여] *from* ~ 거기서부터. **b**) 거기에, 저기에 : I often go ~. 나는 자주 그곳에 간다 / Are you ~? 〔電話〕 여보세요. **2** 거기서《담화·사건·동작 따위가 진행중》: You've done enough, you may stop ~. 이제 충분히 했으니 거기서 그만두어도 좋다. **3** 그(런)점에서 : *T*~ you are mistaken. 그점에서 너는 잘못 생각하고 있어 / You have me ~! 내가 졌다. **4** [어떤 사물에 주의를 환기시키기 위해서] (cf. *int.*) : *T*~ goes the bell!=*T*~'s the bell ringing! 저 봐, 종이 울린다 / *T*~ comes the train on Track 2. 저것 봐, 열차가 2번 홈으로 들어온다 / *T*~'s a fine apple for you! 어때 사과 좋지! / *T*~ he goes! 저런, 그가 저런 짓[말]을 하다니! / *T*~ it goes! 저런! 떨어진다[부서진다·사라진다 따위] / *T*~ it is, you see. 바로 그거야, 알겠지 / *T*~'s a good boy[girl]! 참 잘했구나!, 우리 아기 착하지! (cf. THAT[1] *pron.* 1) / *T*~ you are! 그것 봐 ; 자 어때 ; 그것으로 됐어《따위》; 바로 그거다 ; 거봐 끝났지! / You ~! 여보게들《주의를 줄 때》.
be* (*all*) *there [보통 부정·의문문에서] 《口》 (능력·정신이) 온전[또렷]하다, 조금도 빈틈없다 : He *is* not *all* ~. (머리가) 조금 이상하다 / *Is* he *all* ~? 정신이 온전하냐.
get there 《口》 잘 되다, 성공하다.
***have been there* (*before*)** 《俗》 실제로 겪어 보았다, 실제로 겪어보아서 잘 알고 있다[환하다].
that there 저기 (있는) 저…(cf. *this* HERE) : *that* ~ tree 저기 있는 저 나무, 저기 보이는 저 나무《㊟ that tree there라고 하는 편이 좋으며, 보통은 that tree로도 좋음》.
there and back 왕복하여[으로] : It's ten miles ~ *and back.* 왕복 10마일이다.
there and then ☞ THEN *adv.*
***there or thereabout*(*s*)** 그 근처[쯤], 그 정도《장소·수량 따위》.
B [ðər, ðeər, ðæər] [주로 존재를 나타내는 there is (…이 있다)의 구문을 이루어 형식상 주어처럼 취급(取扱)되며, 동사 뒤에 보통 부정(不定)의 주어가 뒤따라 옴 ; 구태여 번역할 필요는 없음] (☞ 活用) : *T*~ *is* [ðər iz] a school there [ðέər]. 그곳에 학교가 있다 / *T*~'s [ðərz] a book on the table. 탁자 위에 책이 한 권 있다(cf. The book *is* on the table. 그 책은 탁자 위에 있다) / *T*~ *are* 100 pence in the English pound. 영화(英貨) 1파운드는 100펜스다 / God said, *Let* ~ *be* light : and ~ *was* light. 〔聖〕 하나님이 가라사대 빛이 있으라 하시매 빛이 있었다《창세기 1 : 3》/ We don't want ~ *to be* another war. 또 다른 전쟁이 있기를 원하지 않는다 / *T*~ *is* no need to hurry, is ~? 서두를 필요는 없잖아요 / *T*~ *seems*[*appears*] *to be* no need to worry about that. 그일에 대해서는 아무런 걱정도 할 필요가 없을 것 같다 / *T*~ *remains* for me to apologize. 이제는 내가 사과할 일만 남았다 / *T*~ *is* a page missing. 한 페이지가 모자란다 / What *is* ~ *to* say? 뭐 할 말이라도 있니. ㊟ there 뒤에 be 대신으로 도래(到來)·거주(居住) 따위를 뜻하는 자동사가 쓰이기도 함 : *T*~ *came* to Korea a foreigner. 한 외국 사람이 한국에 왔다《㊟ A foreigner came to Korea. 보다도 듣는 사람의 주의를 더 주어로 끌어들이는 표현법》/ *T*~ once *lived* (=*T*~ was once) a very rich king in the country. 옛날 그 나라에 돈 많은 왕이 살고 있었다.
There is no* do*ing …하는 것은 불가능하다 : *T*~ *is no* account*ing* for tastes. ☞ ACCOUNT *vi.* 3.

There is no doing의 문장 전환
There is no telling what may happen in the future.
(앞으로 무슨 일이 일어날지 알 수 없다.)
→ It is impossible to tell what may happen in the future.
→ We cannot tell what may happen in the future.

── *a.* 《비표준》 저기의 ; 《美俗》 능숙한, 뛰어난, 대단한 것인.
── *n.* Ⓤ 그곳, 저곳, 거기, 저기 : from ~ 그곳으로부터 / He lives somewhere near ~. 그 근처 어딘가에 살고 있다 / She left ~ a week ago. 그녀는 그곳을 1주일 전에 떠났다.
── *int.* **1** 자!, 거봐!, 저봐!, 저런!, 이럴 수가!, 어럽쇼!《확신·승리·실망했을 때 내는 소리》: So ~! 자아 한다[간다]! / *T*~ (, now)! It's just as I told you. 그것봐, 내가 말한 대로지. **2** 자!, 알겠지!, 잘해!《격려·지휘 따위》. **3** 그래 그래!, 좋아 좋아!, 잘했어!《위로할 때의 말》: *T*~, ~, don't worry! 좋아 좋

아! 염려하지 마라 / But ~! 그렇지만 괜찮아! 《참아보자 따위》.
〚OE *thǣr, thēr*; cf. OS *thār*, OHG *dār*, ON, Goth. *thar*〛
活用 (1) there is[was]... 의 구문은 처음으로 화제가 되는「물건·사건·사람」이 뒤에 계속되는 것이 보통이기 때문에 There's *the school* there. / There's *the book* on the table. 처럼 말할 수는 없음. *There* was *the sound* of a helicopter taking off. (헬리콥터가 이륙하는 소리가 들렸다)에서는 sound가 of 이하의 관계에 한정되어 the를 수반하고 있는데 지나지 않으며, 결국 특정한 것을 가리키고 있지 않음.
(2) there is[was]... 는 존재를 나타내는 구문으로 고정화되어 있기 때문에, 특히 《口》로 사물을 예거하는 문장일 경우, 뒤에 복수 주어가 계속되어 수의 일치란 점에서는 얼핏 비문법적으로 생각되는 예도 드물지 않음 : There'*s a bed, a table, and four chairs* in this room. (이 방에는 침대 하나, 탁자 하나, 의자 네 개가 있다) / On his desk there *was an inkstand, a desk lamp, a dictionary, and several English books.* (그의 책상 위에는 잉크 스탠드, 전기 스탠드, 사전 그리고 몇 권의 영어책이 있었다).

thére·abòut(s) *adv.* 그 주변[근처, 부근]에 ; 그 무렵에, 그즈음 ; 대략, …쯤 : $10[5 o'clock] *or* ~ 10달러[다섯시] 쯤 / there or ~ ☞ THERE A 숙어 / He comes from Ohio *or* ~. 그는 오하이오 아니면 그 근처 출신이다.

thère·áfter *adv.* 《文語》 그후에, 그 이래(로) ; 《古》 그에 따라서.

thère·agáinst *adv.* 《古》 그에 반해서, 그러기는 커녕.

thère·amóng *adv.* 그들 사이[속]에서.

thère·anént *adv.* 《스코》 그에 관해서.

thère·át *adv.* 《古》 거기에(서) ; 그때 ; 그 때문에.

thère·bý *adv.* **1** 《文語》 그것에 의해서, 그것의 결과로 ; 그것에 관해서 : *T*~ hangs a tale. ☞ TALE 1. **2** 《古》 그 부근에.

there'd [ðərd, ðeərd, ðæərd] there had, there would의 단축형.

thère·fór *adv.* 《古》 그 때문에 ; 그 대신에.

‡**there·fore** [ðéərfɔ̀ːr, ðǽər-] *adv., conj.* 그런고로, 그 까닭에, 따라서, 그것[이것]으로 말미암아 : I think, ~ I am. 나는 생각한다, 고로 나는 존재한다《Descartes가 한 말》.

thère·fróm *adv.* 《古》 거기서부터, 그것으로부터.

thère·ín *adv.* 《文語》 그 가운데에, 거기에, 그(런) 점에서.

thère·in·áfter *adv.* 〔法〕 후문(後文)에, 이하.

thère·in·befóre *adv.* 〔法〕 (공문서 따위) 전문(前文)에.

thère·ínto *adv.* 《古》 그 속으로.

‡**there'll** [ðərl, ðeərl, ðæərl] there will, there shall의 단축형.

thère·óf *adv.* 《古》 그것을 ; 거기서부터 ; 그것에 관하여.

thère·ón *adv.* 《古》 그 위에 ; 그리하여 곧(thereupon).

thère·óut *adv.* 《古》 그것으로부터.

‡**there's** [ðərz, ðeərz, ðæərz] there is, there has의 단축형.

The·re·sa [təríːsə, -réisə, -zə ; -zə] *n.* **1** 여자 이름《애칭 Tess》. **2** [St. ~] 성 테레사(1515-82) 스페인의 수녀·신비가. **3** ☞ MARIA THERESA.
〚⇨ TERESA〛

thère·thróugh *adv.* 그것을 통해서 ; 그 결과, 그 때문에.

thère·tó *adv.* 《古》 **1** 거기에, 그것에, 거기로. **2** 게다가, 그 위에 다시.

there·to·fore [ðèərtəfɔ́ːr, ðǽər-] *adv.* 《古》 그 전에, 그때까지.

thère·únder *adv.* 《文語》 (권위·항목의) 그 아래에 ; (나이나 수가) 그 이하에.

thère·únto *adv.* 《古》 =THERETO.

thére·upòn [ˌ ⌒] *adv.* **1** 《文語》 그리하여, 그래서 곧. **2** 《古》 =THEREON.

thère·wíth *adv.* **1** 《文語》 그와 함께, 그것과 더불어. **2** 《古》 그래서 ; 그래서 곧(바로).

there·with·al [ðèərwiðɔ́ːl, ðǽər-] *adv.* 《文語》 **1** 그것과 함께, 동시에 ; 거기서. **2** 그밖에 또, 게다가.

the·ri·ac [θíəriæ̀k] *n.* =THERIACA ; 만병통치약 (cure-all). 〚L<Gk. *thēriakē* antidote〛

the·ri·a·ca [θiráiəkə] *n.* Ⓤ 테리아카《짐승에 물렸을 때 쓰는 벌꿀을 섞어 만든 항독제》.

the·ri·an·throp·ic [θìəriænθrάpik] *a.* (모습이) 반인 반수(半人半獸)의 ; 반인 반수신(神) 숭배의.
the·ri·an·thro·pism [θìəriǽnθrəpìzəm] *n.* 반인 반수신 숭배.

the·rio·mórphic [θìəriə-] *a.* (신이) 짐승의 모습을 한.

-the·ri·um [θíəriəm] *n. comb. form* 「동물」 「야수」의 뜻 : mega*therium*.
〚NL<Gk. (dim.) ‹ *thēr* wild beast〛

therm [θə́ːrm] *n.* 〔理〕 섬《열량 단위》.
〚Gk. *thermē* heat, *thermos* hot〛

therm- [θə́ːrm], **ther·mo-** [θə́ːrmou, -mə] *comb. form* 「열」「열전기」의 뜻.
〚Gk. (*thermē* heat)〛

-therm [θə̀ːrm] *n. comb. form* 「…의 온도를 좋아하는 식물」「…의 체온을 가진 동물」「온도선(線)」의 뜻 : endo*therm*, iso*therm*.
〚Gk. (↑)〛

therm. thermometer.

ther·mae [θə́ːrmiː] *n. pl.* 온천, 온천탕(湯) ; (고대 그리스·로마의) 공동 목욕탕.
〚L=hot springs<Gk. ; ⇨ THERM-〛

ther·mal [θə́ːrməl] *a.* **1** 열의, 온도의 : a ~ unit 열(량) 단위. **2** 따뜻한, 뜨거운 ; 온천의 : a ~ bath 온욕(溫浴) / ~ regions 온천 지대. — *n.* 〔空〕 상승 온난 기류(氣流). 〚F ; ⇨ THERM〛

thérmal bárrier *n.* 열의 장벽《대기와의 마찰에 의해 생기는 고열 때문에 로켓 따위의 속도가 제한을 받는 일》.

thérmal bréeder *n.* 〔理〕 열중성자 증식로.

thérmal capácity *n.* 〔理〕 열용량(heat capacity).

thérmal conductívity *n.* 〔理〕 열전도율.

thérmal effíciency *n.* 〔熱力學〕 열효율.

thérmal equilíbrium *n.* 〔理〕 열평형.

thérmal·ing *n.* 〔글라이더〕 서멀링《열 상승 기류를 이용한 활상(滑翔)》.

thérmal·ìze *vt.* 〔理〕 (중성자를 감속시켜) 열중성자화하다.

thérmal néutron *n.* 〔理〕 열중성자.

thérmal pollútion *n.* (원자력 발전소의 폐수 따위에 의한) 열 오염[공해].

thérmal pówer generàtion *n.* 화력발전.

thérmal pówer stàtion *n.* 화력 발전소.

thérmal reáctor *n.* 〔理〕 열중성자 증식로.

thérmal shóck *n.* 〔理〕 열충격《물체에 가해진 급격한 온도 변화》.

thérmal spríng *n.* 온천.
thérmal tránsfer prìnting *n.* 열전사(熱轉寫) 인쇄(법)《고체 컬러 잉크를 발열 저항체로 가열하여 보통 종이에 기록하는 방법》.
thèrm·ántidote *n.* (인도의) 물에 적신 tatty에 부착시킨 선풍기 비슷한 실내 냉각기.
therme [θə́ːrm] *n.* 〖理〗 =THERM.
ther·mel [θə́ːrmel] *n.* 열전기 온도계.
〚*thermo*el*ectric*〛
thèrm·esthésia *n.* 〖生理〗 온각, 온도 감각.
ther·mic [θə́ːrmik] *a.* 열의 ; 열에 의한 : ~ fever 일사병 / ~ rays 열선(熱線).
Ther·mi·dor [θə́ːrmədɔ̀ːr ; *F* tɛrmidɔːr] *n.* 열월(熱月), 테르미도르《프랑스 혁명력의 제11월 : 7월 19일-8월 17일》.
〚F (*therm*-+Gk. *dōron* gift)〛
therm·ion [θə́ːrmiən, -màiən] *n.* 〖理〗 열전자(熱電子), 열이온.
therm·ion·ic [θə̀ːrmiánik, -maián-] *a.* 열전자의, 열이온의 : a ~ tube[valve] 열이온관.
thermiónic cúrrent *n.* 〖理〗 열전자 전류.
thèrm·ión·ics *n.* 〖理〗 열이온학, 열전자학.
therm·is·tor [θə́ːrmistər, ⌐⌐-] *n.* 서미스터《온도가 오르면 전기 저항이 감소되는 반도체 회로 소자(素子)》.
〚*therm*al res*istor*〛
Ther·mit [θə́ːrmət, -mait] *n.* 테르밋《thermite의 상표명》.
ther·mite [θə́ːrmait] *n.* 테르밋《알루미늄과 산화철의 혼합물 ; 용접용》. 〚G〛
thermo- [θə́ːrmou, -mə] ☞ THERM-.
thèrmo·barómeter *n.* 끓는점 기압계 ; 온도 기압계.
thèrmo·chémistry *n.* Ⓤ 열화학.
thérmo·clìne *n.* (호수와 늪의 수온이 급격히 변하는) 변온층(變溫層), (수온) 약층(躍層).
thèrmo·coagulátion *n.* 〖醫〗 (조직의) 열응고(凝固)(법).
thérmo·còuple *n.* 열전기쌍, 열전지.
thèrmo·dynámic, -ical *a.* 열역학의 ; 열을 동력에 사용하는. **-ical·ly** *adv.*
thermodynámic equilíbrium *n.* 열역학 평형(平衡).
thèrmo·dynámics *n.* 열역학.
thermodynámic témperature *n.* 〖理〗 열역학적 온도.
thèrmo·eléctric, -trical *a.* 열전기의 : ~ current 열전류(熱電流).
thermoeléctric efféct *n.* 〖理〗 열전기 효과.
thèrmo·electrícity *n.* Ⓤ 열전기.
thermoeléctric thermómeter *n.* 열전기 온도계.
thèrmo·eléctron *n.* 〖理〗 열전자(熱電子).
thèrmo·élement *n.* 열전기 소자.
thérmo·fòrm *n.* Ⓤ (플라스틱의) 열성형(熱成形). —— *vt.* (플라스틱 따위를) 열성형하다.
thèrmo·génesis *n.* (동물 체내의 생리 작용에 의한) 열발생, 산열(產熱).
thèrmo·génic, -genétic *a.* 열발생의 ; 열을 내는, (특히) 산열(產熱)(성)의.
ther·mog·e·nous [θərmádʒənəs] *a.* =THERMOGENIC.
thérmo·gràm *n.* (자기(自記)온도계에 의한) 온도 기록도 ; 〖醫〗 열상(熱像) ; (열 중량 분석에 의한) 열 중량 변화의 기록.
thérmo·gràph *n.* 자기(自記) 온도계 ; 〖醫〗 온도 기록계.
ther·mog·ra·phy [θərmágrəfi] *n.* 〖印〗 융기 인쇄 ; 〖醫〗 온도 기록(법), 서모그래피. **-pher** *n.*
thèrmo·há·line [-héilain, -hǽl-] *a.* 열염(熱鹽)의《해양에서 온도와 염분에 의한 작용에 관하여 말함》.
thèrmo·jét *n.* 〖空〗 열분사(熱噴射) 엔진, 서모제트《분류(噴流) 추진 엔진》.
thèrmo·júnction *n.* 〖理〗 (열전기쌍의) 열전기 접점.
thèrmo·lábile *a.* 〖生化〗 열불안정(성)의, 역(易)열(성)의. **-labílity** *n.*
thèrmo·luminéscence *n.* Ⓤ 〖理〗 열(熱)루미네선스, 열발광(熱發光). **-cent** *a.*
thermoluminéscent [**thermoluminéscence**] **dáting** *n.* 〖考古〗 열(熱)루미네선스 연대 측정법.
ther·mol·y·sin [θərmáləsən] *n.* 〖生化〗 서몰리신《호열성(好熱性) 세균에서 얻어지는 단백질 분해 효소》.
ther·mol·y·sis [θərmáləsəs] *n.* Ⓤ 〖生理〗 열방산 ; 〖化〗 열분해.
thèrmo·magnétic *a.* 열자기(熱磁氣)의.
thèrmo·mágnetism *n.* Ⓤ 열자기(熱磁氣).
***ther·mom·e·ter** [θərmámətər] *n.* 온도계, 한란계 ; 체온계(clinical thermometer).
〚F or L (*thermo*-, -*meter*)〛
ther·mo·met·ric, -ri·cal [θə̀ːrməmétrik(əl)] *a.* 온도계의, 온도계로 측정한 ; 온도 측정의. **-ri·cal·ly** *adv.*
ther·mom·e·try [θərmámətri] *n.* Ⓤ 검온(檢溫), 온도 측정 ; 온도 측정학.
thèrmo·núclear *a.* 열핵(熱核)의, 열핵 폭탄의, 원자핵 융합 반응의 : a ~ bomb 열핵[수소] 폭탄 / a ~ explosion 열핵 폭발 / a ~ reaction 열핵 반응 / a ~ warhead 열핵탄두.
thérmo·phìle, -phìl *n.* 고온균(高溫菌), 호열성(好熱性) 생물[세균]. —— *a.* 호열성의, 열친화(성)(熱親和(性))의.
thèrmo·plástic *a.* 열가소성(熱可塑性)의. —— *n.* 열가소성 물질.
Ther·mop·y·lae [θə(ː)rmápəlìː] *n.* 테르모필레《B.C. 480년 스파르타군이 페르시아군에게 대패한 그리스의 산길》.
thérmo·règulate *vi., vt.* (…의) 체온(體溫)을 조절하다.
thèrmo·regulátion *n.* (사람·동물의) 체온 조절 ; 온도 조절.
thèrmo·régulator *n.* 온도 조절기, 서모스탯.
thèrmo·régulatory *a.* 체온 조절(성)의.
ther·mos [θə́ːrməs, -mas] *n.* 보온병(=⌐ **flàsk** [**jùg**]) ; [T~] 그 상표명.
〚Gk. (*thermos* hot)〛
thérmos bòttle *n.* 보온병 ; 《CB俗》 액체 운반용 트럭, 탱크로리.
thérmo·scòpe *n.* 온도 측정기, 측온기.
thèr·mo·scóp·ic, -i·cal [-skáp-] *a.*
thérmo·sèt *a.* 열경화성의. —— *n.* 열경화성 수지[플라스틱].
thèrmo·sétting [ˌ ⌐⌐] *a.* 열경화성(熱硬化性)의 (↔ *thermoplastic*) : ~ resin 열경화성 수지(樹脂). —— *n.* Ⓤ 열경화(성).
thèrmo·síphon *n.* 열사이펀《온도차에 의해 생기는 사이펀 작용》.
thérmo·sphère *n.* 열권(熱圈)《대기의 중간층보다 윗부분》. **thèrmo·sphéric** *a.*
thèrmo·stáble *a.* 〖生化〗 내열(성)의, 열안정

의. **-stabílity** *n.*

ther·mo·stat [θə́:rməstæ̀t] *n.* 서모스탯《자동 온도 조절기》. ── *vt.* …에 서모스탯을 달다 ; 서모스탯으로 조절하다.

thèr·mo·stát·ic *a.* 서모스탯[온도 조절 장치]의. **-i·cal·ly** *adv.*

〖*thermo-*+Gk. *statos* standing〗

thèrmo·státics *n.* 〔理〕 열평형학(熱平衡學).

thèrmo·thérapy *n.* 〔醫〕 온열요법(cf. CRYOTHERAPY).

ther·mot·ro·pism [θə(:)rmátrəpìzəm, θə̀:r-moutróupizəm] *n.* 〔生〕 온도 굴성, 굴열성(屈熱性). **thèrmo·trópic** *a.*

-ther·my [θə̀:rmi] *n. comb. form* 「열의 상태」「열의 생성」의 뜻.

〖NL<Gk. (*thermē* heat)〗

the·roid [θíərɔid] *a.* 짐승 같은, 야수성의.

the·sau·rus [θisɔ́:rəs] *n.* (*pl.* **-ri** [-rai, -ri:], **~·es**) 지식의 보고(寶庫), (특히 동의어·유의어(類義語)·반의어(反義語) 따위를 모은) 어휘 색인, 사전, 백과 전서 ; 보고(寶庫) (treasury) ; 〔컴퓨〕 관련어집.

〖L<Gk. ; ⇨ TREASURE〗

◇these [ðí:z] *a., pron.* [this의 복수형 ; cf. THOSE] 이것들은, 이것들의[을·에게] : *T*~ are my books. 이것들은 내 책이다 / He's one of ~ artist chaps. 《蔑》 (흔히 있는) 소위 삼류 예술가다 / I have been studying English ~ five years. 5년간 줄곧 영어 공부를 하고 있다. ㊟ *these* five years는 약간 예스러운 표현이며, for the *last* [*past*] five years 라는 편이 일반적임.

(***in***) ***these days*** ☞ DAY.

one of these (***fine***) ***days*** ☞ DAY.

The·se·us [θí:siəs, -su:s] *n.* 〔그神〕 테세우스《괴물 Minotaur를 물리친 영웅》.

the·sis [θí:səs] *n.* (*pl.* **-ses** [-si:z]) **1** Ⓤ,Ⓒ [+*that* 節] 〔論〕 (논증되어야 할) 명제(命題) ; 정립(定立) ; 주제(cf. ANTITHESIS) ; 《俗》 주장, 진술. **2** 학위 청구 논문, 졸업 논문(cf. DISSERTATION). **3** 논제, 제목 ; (학교의) 작문. **4** [, θésəs] 〔樂〕 하박(下拍)《마디의 강한 부분》; 〔韻〕 (고시운각(古詩韻脚)의) 약음부 ; (현대시의) 강음부.

〖L<Gk.=putting, something set down〗

Thes·pi·an [θéspiən] *a.* Thespis의 ; [때때로 t~] 비극의, 연극의, 희곡의 : the ~ art 희곡 (the drama).

── *n.* [흔히 t~] 배우, 광대 ; 비극 배우.

Thes·pis [θéspəs] *n.* 테스피스《기원전 6세기 그리스의 전설적 비극 시인 ; 비극시의 시조로 불림》.

Thess. 〔聖〕 Thessalonians.

Thes·sa·li·an [θeséiliən] *a.* 테살리아(Thessaly)(인)의. ── *n.* 테살리아 인[어].

Thes·sa·lo·ni·an [θèsəlóuniən] *n.* **1** 테살로니카인《그리스 Thessalonica의 주민》. **2** [~s ; 단수취급] 〔聖〕 데살로니가서(書) (the Epistle of Paul the Apostle to the Thessalonians)《신약 성서 중의 한 권》.

Thes·sa·ly [θésəli] *n.* 테살리아《그리스 중동부의 에게 해에 면한 지방》.

the·ta [θí:tə, θéitə] *n.* 세타《그리스어 알파벳의 여덟번째 자(字)로 영어의 th에 해당》.

〖Gk.〗

théta pìnch *n.* 〔理〕 세타 조이기《핵융합 제어를 위한 플라스마의 압축·가열의 한 방식》.

théta rhýthm *n.* =THETA WAVE.

théta wàve *n.* 〔醫〕 세타파(波), θ파《4-7 Hz의 뇌파(腦波)》.

thet·ic, -i·cal [θétik(əl)] *a.* 독단적[단정적, 명령적]으로 말한. **-i·cal·ly** *adv.*

The·tis [θí:təs, θétəs] *n.* 〔그神〕 테티스《Nereids의 하나로 Peleus와의 사이에 Achilles를 낳음》.

the·ur·gy [θí:ə:rdʒi] *n.* 신의 조화, 기적, 마법.

〖L<Gk.=miracle (*the-*, *ergon* work)〗

thew [θjú:] *n.* [*pl.*] 근육 ; 근력(筋力), 체력 ; 활력 : He has ~ of steel. 그는 강철같은 체력을 가지고 있다. 〖OE *thēaw* habit, usage<?〗

◇they [ðei, (특히 모음 앞) ðe] *pron.* **1** [he, she 또는 it의 복수형] 그들, 그들이[은], 그 사람들 ; 저것들, 그것들. **2** [관계사의 선행사로서] : ~ *who* [*that*] …하는 사람들 / *T*~ do least *who* talk most. 다변가(多辯家)일수록 실천함이 적다. ㊟ 지금은 They who... 대신에 Those who...를 쓰는 것이 일반적. **3** [부정적(否定的)] **a**) 세상 사람, 사람들 : *T*~ say(=It is said) that Mr. Smith has taken a doctor's degree. 스미스씨가 박사 학위를 받았다고 한다. **b**) [부정(不定)의 단수(대)명사를 받아서] 《口》 =he or she : *Nobody* ever admits that ~ are to blame. 자기가 잘못했다고 인정하는 사람은 아무도 없다. **4** 당국(자) ; 관계자들 : *T*~ have raised the taxes again. (정부는) 또 세금을 올렸다.

〖ON *their* (nom. pl. masc.), *theim* (dat. pl.) ‹ *sá* THE, that〗

‡they'd [ðéid] they had[would]의 단축형.

‡they'll [ðéil] they will[shall]의 단축형.

‡they're [ðéiər, ðər] they are의 단축형.

‡they've [ðéiv] they have의 단축형.

THF tetrahydrofuran.

thi- [θái], **thio-** [θáiou, θáiə] *comb. form* 「황」의 뜻. 〖Gk. *theion* sulfur〗

T.H.I., THI temperature-humidity index (온습 지수).

thia·ben·da·zole [θàiəbéndəzòul] *n.* 〔藥〕 티아벤다졸《구충약》.

thi·a·mine [θáiəmì:n, -mən], **-min** [-mən] *n.* 〔生化〕 티아민《비타민 B_1과 같음》.

〖*thi-*+vit*amine*〗

thi·a·zide [θáiəzàid, -zəd] *n.* 〔藥〕 사이어자이드《특히 고혈압 환자용의 이뇨제》.

Thibet ☞ TIBET.

◇thick [θík] *a.* **1** 두꺼운, 두께가 …인 ; 굵은, (필체·활자의) 획이 굵은(↔*thin*) : a ~ book 두꺼운 책 / a ~ overcoat 두툼한 외투 / a wall two inches ~ 두께 2인치의 벽 / a ~ neck 굵은 목 / (a) ~ type 획이 굵은 활자 / How ~ is it? 그것은 두께[굵기]가 얼마나 됩니까.

2 (머리카락 따위가) 숱이 많은 ; (나무 따위가) 무성한(dense) ; (군중 등이) 혼잡한 ; 쉴새 없이 오가는 : ~ hair[eyebrows] 숱이 많은 머리[눈썹] / a ~ forest 우거진 숲 / a garden ~ *with* weeds 잡초가 우거진 정원 / The crowd grew ~*er*. 군중이 점점 많아졌다 / a ~ shower of bullets 빗발치는 탄환 / with honors ~ upon one 넘치는 영광을 한몸에 받고.

3 (…으로) 가득찬, 빽빽한 : ~ *with* flies 파리가 우글거리는 / The desk was ~ *with* dust. 책상은 먼지투성이였다 / The air is ~ *with* snow. 밖에는 눈이 펑펑 내리고 있다.

4 (액체 따위가) 진한, 짙은 ; 끈적끈적한 ; 흐린, 탁한 : ~ soup 진한 수프 / The river looked ~ after the rain. 비가 오고난 뒤라 강은 탁했다.

5 (연기·안개 따위가) 자욱한 ; (날씨가) 흐린, 안개 짙은 : a ~ fog 짙은 안개 / ~ darkness (칠흑 같은) 어두움 / ~ weather 잔뜩 흐린[안개가

짙은] 날씨.
6 (목소리가) 불명확한, 또렷하지 못한 ; 탁음의, 목쉰 : I've got a bad cold and got a ~ voice. 심한 감기가 들어 목소리가 쉬었다.
7 《口》 머리가 둔한[나쁜], 우둔한(stupid) : He is a ~ fellow. 그는 머리가 둔하다 / ☞ THICKHEADED.
8 [*pred.*로 써서] 《口》 친밀한, 사이가 좋은(intimate) : They're very ~ *together.* 서로 사이가 아주 좋다 / I've been ~ *with* his family for years. 그의 가족과는 여러 해 동안 절친하게 지내고 있다 / (as) ~ as thieves ☞ THIEF 숙어.
9 《口》 너무 심한, 견딜 수가 없는 : It's rather[a little too] ~. 그것은 좀 너무 한데 / We thought it a bit ~ when she said she would play Chopin. 그녀가 쇼팽(의 곡)을 연주하겠다고 말했을 때 우리는 좀 지나치다고 생각했다.
(as) thick as two short planks 《口》 머리가 아주 나쁜.
get a thick ear 《俗》 (맞아서) 귀가 붓다.
— *n.* **1** [the ~] (팔뚝・장딴지・몽둥이 따위의) 가장 굵은[두꺼운] 부분〈*of*〉. **2** [the ~] (물건이) 가장 밀집된 부분 ; 사람이 가장 (많이) 모이는 곳 ; (싸움 따위) 한창일 때 : *the* ~ *of* the town 마을에서 제일 번잡한 곳 / *the* ~ *of* the argument[fight] 의논[싸움]이 한창일 때 / The candidate died in *the* ~ *of* the election campaign. 그 후보자는 선거전이 한창일 때 죽었다. **3** 《俗》 멍청이, 바보.
through thick and thin 시종(일관) 변함없이, 갖은 고난을 무릅쓰고, 물불을 가리지 않고(cf. THICK-AND-THIN).
— *adv.* 두껍게, 진하게, 짙게 ; 깊게, 자꾸만, 빈번히 : Slice the ham ~*er.* 햄을 더 두껍게 썰어라 / Don't spread butter too ~. 버터를 너무 두껍게 바르지 마시오 / The bushes have grown ~. 관목이 무성하게 자라났다 / Doubt came ~ upon him. 강한 의혹이 그의 마음에 불쑥 솟아 올랐다 / The snow was falling ~ and fast. 눈이 계속 내리고 있었다 / Misfortunes came ~ and fast. 불행이 한꺼번에 덮쳐 왔다 / Her heart beat ~. 그녀의 가슴은 심하게 두근거렸다.
lay it on thick ☞ LAY[1] *v.*
〖OE *thicce* (a., adv.) ; cf. G *dick*〗
類義語 ⟹ CLOSE[2].

thíck-and-thín *a.* 물불을 가리지 않는, 시종(일관) 변함없는, 목숨을 바친 : ~ supporters 맹목적인 지지자.

thíck·en *vt.* 두껍게[굵게・짙게] 하다, 흐리게[탁하게] 하다, 무성하게[진하게] 하다 : ~ the soup 수프를 진하게 하다 / Smog has ~*ed* the air. 스모그로 하늘이 흐려졌다. — *vi.* **1** 두껍게[굵게・짙게] 되다, 흐려지다, 무성해지다 : The clouds are ~*ing.* 구름이 겹겹이 쌓이고 있다. **2** 복잡해지다, 한창이 되다 ; 심해지다 : The plot is ~*ing.* 줄거리가 점점 복잡해지고 있다《이야기가 재미있게 되어가고 있다》.

thíck·en·ing *n.* **1** Ⓤ 두껍게[굵게・짙게] 되기 ; 두껍게[굵게・짙게] 된 부분. **2** Ⓤ 농(밀)화(濃(密)化). **3** Ⓤ (직물에) 풀먹이기. **4** Ⓤ 농후하게 하는 재료, 농후제.

***thíck·et** [θíkət] *n.* 덤불, 수풀, 잡목림(雜木林) ; 복잡하게 얽힌 것. 〖OE〗

thíck fílm *n.* 〔電子〕 후막(厚膜).

thíck·hèad *n.* **1** 〔鳥〕 **a**) 때까치딱새. **b**) 돌물떼새. **2** 머리가 둔한 사람, 바보.

thíck·héad·ed *a.* 머리가 둔한, 바보의(stupid).
~·**ly** *adv.*

thíck·ish *a.* 약간 두꺼운[짙은], 굵은.

***thíck·ly** *adv.* **1** 두껍게, 굵게 ; 진하게, 빽빽하게, 무성하게 : a ~ settled region 인구 밀집 지역. **2** 자주, 빈번히(frequently). **3** 불명료하게, 탁한 목소리로.

thíck-nécked *a.* 목이 굵은.

***thíck·ness** *n.* **1** Ⓤ,Ⓒ 두께 ; 굵기 ; Ⓒ (등 따위의) 두꺼운 부분 : five inches *in* ~ =a ~ of five inches 두께 5인치. **2** Ⓤ 진함, 농후 ; 농도. **3** Ⓤ 농밀(濃密) ; (올이) 촘촘함 ; 치밀 ; 밀집, 무성. **4** Ⓤ 빈번. **5** Ⓤ 머리가 둔함. **6** Ⓤ 혼탁 ; 불명료. **7** (일정한 두께의 보드지・합판 따위의) 한 장. — *vt.* 적당한 두께로 만들다.

thíck·sét *a.* **1** 짙은, 촘촘한, 무성한, 울창한. **2** 땅딸막한. **3** 올이 촘촘한. — [́ ̀] *n.* 덤불(thicket), 무성한[빽빽하게 심은] 산울타리.

thíck-skínned *a.* 가죽이[피부가] 두꺼운 ; 《비유》 (비난・모욕 따위에 대해서) 둔감한, 우둔한, 무신경한, 뻔뻔스러운(↔*thin-skinned*).

thíck-skúlled *a.* 우둔한.

thíck stùff *n.* 《CB俗》 안개(fog).

thíck-wítted *a.* =THICKHEADED.

***thief** [θí:f] *n.* (*pl.* **thieves** [θí:vz]) 도둑, 도적, 절도범(cf. BURGLAR, ROBBER) : Set a ~ to catch a ~. 《속담》 도둑은 도둑을 시켜 잡아라, 이열치열(以熱治熱).
(as) thick as thieves 떨어질 수 없는 사이로, 매우 친밀한.
honor among thieves 도둑들 사이의 의리.
〖OE *thēof* ; cf. G *Dieb*〗

thíef·tàker *n.* 〔英史〕 도둑 포리(捕吏).

thieve [θí:v] *vt.* 훔치다(steal). — *vi.* 도둑질하다. 〖OE *thēofian* ; ⇨ THIEF〗

thieve·less [θí:vləs] *a.* 《스코》 냉담한 ; =THOWLESS.

thíev·ery *n.* 도둑질(theft) ; 《古》 도둑질한 물건.

***thieves** *n.* THIEF의 복수형.

thíeves' kìtchen *n.* 《英俗》 도둑의 집합소.

thíeves' Látin *n.* 도둑들의 변말[은어].

thiev·ish [θí:viʃ] *a.* **1** 훔치는 버릇[도벽(盜癖)]이 있는, 도둑의. **2** 도둑과 같은, 남몰래하는 : ~ living 도둑살이.
~·**ly** *adv.* 살금살금, 남몰래 ; 부정(不正)하게.
~·**ness** *n.* 도벽(盜癖) ; 절도.

***thigh** [θái] *n.* **1** 〔解〕 넓적다리, 허벅다리. **2** = THIGHBONE.
〖OE *thē(o)h, thīoh* ; cf. OHG *dioh*〗

thígh·bòne *n.* 〔解〕 대퇴골(大腿骨) (femur).

thígh bòot *n.* (무릎 위까지 오는) 긴 부츠.

thig·mo·táxis [θìgmə-] *n.* 〔生〕 접촉주성(接觸走性), 주촉성(走觸性).
〖Gk. *thigma* touch+-*taxis*〗

thill [θíl] *n.* (짐 마차의) 채, 끌채. 〖ME<?〗

thíll·er *n.* 끌채에 맨 말 ; 뒷말(wheeler).

thim·ble [θímbəl] *n.* (재봉용의) 골무 ; 〔機〕 끼우는 고리[통]. 〖OE *thȳmel* ; ⇨ THUMB〗

thímble·bèrry *n.* 〔植〕 (미국산) 나무딸기(raspberry)의 일종.

thímble·fùl *n.* 골무 하나 가득한 양 ; (특히 액체의) 극소량.

thímble·rìg *n.* Ⓤ 골무 야바위《골무 모양의 세 개의 컵을 엎어놓고 콩[작은 구슬]을 이동시켜 구경꾼에게 콩[작은 구슬]이 어느 컵 속에 있는가를 알아맞히게 함》. — *vt.* 골무 야바위로 속이다.
— *vi.* 골무 야바위를 하다.

thímble·rìgger *n.* 골무 야바위꾼 ; 엉터리 도박

꾼, 사기꾼.

thímble·wìt *n.* 《美》 바보, 멍청이.

Thim·bu [θímbu:], **Thim·phu** [θímpu:] *n.* 팀부《Bhutan의 수도》.

thi·mer·o·sal [θaimérəsæ̀l, -mə́:r-] *n.* 〖藥〗 티메로살《결정성 분말 ; 주로 살균 소독약으로 씀》.

◇**thin** [θín] *a.* (**thín·ner** ; **thín·nest**) **1** 얇은 ; 가는, 홀쭉한, (글씨체·활자가) 획이 가는(↔ *thick*) : a ~ book 얄팍한 책 / a ~ wire 가는 철사 / a ~ dress 얇은 드레스 / ~ white hands 가냘픈 흰손 / a ~ stroke 가늘게 쓴 필적 / I want some ~*ner* paper. 좀 얇은 종이를 주세요.
2 야윈, 마른, 살이 없는(↔*fat*) : a ~ person 야윈 사람 / He looks ~ in the face. 얼굴이 홀쭉해 보인다 / She became ~ after her illness. 그녀는 앓고 난 후 야위었다.
3 (머리털이) 성긴, 숱이 적은 ; (사람 등이) 적은, 드문드문한 : ~ hair 숱이 적은 머리 / a ~ forest 나무가 드문드문 있는 삼림 / a ~ crowd 드문드문 있는 군중 / a ~ meeting 참석자가 적은 회합 / a ~ rain 오는 것 같지 않게 오는 비.
4 (액체·기체 따위가) 희박한 ; 묽은, 물기 많은, 싱거운, (술 따위가) 약한, 순한 : a ~ mist 엷은 안개 / ~ milk[soup] 묽은 우유[수프] / ~ wine 순한 포도주 / The air is ~ on the top of a high mountain. 높은 꼭대기는 공기가 희박하다.
5 (색채 따위가) 연한(cf. DEEP[1] 6, FAINT 1) ; (광선 따위가) 약한, 희미한 ; (음성 따위가) 가냘픈 ; (토지가) 메마른 ; (식탁 따위가) 초라한 : ~ winter sunshine 약한 겨울 햇볕.
6 《비유》 천박한, 빈약한, 속이 들여다 보이는, 뻔한 : a ~ joke 시시한 농담 / a ~ pretext 뻔한 변명 / a ~ argument (설득력이 약한) 뻔한 주장 / That's too ~. 《口》 속이 빤히 들여다 보인다 / The plot is rather ~ for such a long story. 이렇게 긴 줄거리로서는 다소 구상이 빈약하다.
7 《口》 불쾌한, 비참한 : have a ~ time (of it) 불쾌한[싫은] 꼴을 당하다.
vanish into thin air ☞ AIR.
── *adv.* =THINLY : She cut the bread ~. 빵을 얇게 썰었다.
── *n.* [the ~] 얇은[가는] 부분〈*of*〉 ; 《美俗》 10센트.
── *v.* (**-nn-**) *vt.* [+目/+目+副/+目+*with*+名] 얇게[가늘게] 하다 ; 성기게[희박하게] 하다 : ~ ***down*** sauce[paint] 소스[페인트]를 묽게 하다 / Weeks of bombing ~*ned* (*down*) the population of the city. 몇 주일에 걸친 폭격으로 그 시의 인구는 감소되었다 / ~ ***out*** seedlings 묘목(苗木)을 솎아내다 / This wine is ~*ned* ***with*** water. 이 포도주는 물을 타서 약하게 한 것이다.
── *vi.* [動/+副] 얇게[가늘게] 되다 ; 성기어지다, 희박해지다 ; 야위다 : His hair is ~*ning.* 그의 머리숱이 적어지고 있다 / The fog is beginning to ~. 안개가 서서히 걷히기 시작하고 있다 / The crowd gradually ~*ned* ***off***. 군중은 점점 줄어들었다.
〚OE *thynne* (a., adv.) ; cf. G *dünn* ; IE에서 'to stretch'의 뜻〛
[類義語] ***thin*** 질병·피로·영양부족 따위로 살이 빠지고 야윈. ***lean*** 원래 지방분이 적고 야위었으나 강단이 있는. ***gaunt*** 굶주리거나 너무 일하거나 하여 뼈가 앙상하게 보일 정도로 야윈. ***slender*** 몸이 날씬하고 우아하게 균형이 잡힌. ***slim*** slender와 같은 뜻이지만 살이 빠져 보기 흉함을 암시할 때가 많음.

thín·clàd *n.* (육상 경기의) 트랙 선수.

thín díme *n.* 《美俗》 단돈 10센트, 얼마 안 되는 돈 : not have a ~ 무일푼이다 / not worth a ~ 한푼어치 가치도 없다.

thine [ðáin] *pron.* 《古·詩》 **1** [thou에 대응하는 소유 대명사 ; thy의 독립형] 그대의 것. **2** [ðain] [thou의 소유격 ; 모음 또는 h음으로 시작되는 명사 앞에서] =THY.

thín fílm *n.* 〖電子〗 박막(薄膜).

◇**thing**[1] [θíŋ] *n.* **1** 물건. **a**) (일반적으로) 물체, 사물. **b**) 무생물, 것. **c**) 생물, 동물 ; 유령 ; 초목 : a living ~ 생물 / all ~*s* 만물, 우주 / dumb ~*s* (말 못하는) 동물, 짐승. **d**) 《口》 사람《경멸·비난·귀여움·연민·칭찬 따위 뜻을 포함시켜 주로 여자·어린애를 일컬음》 : a pretty little ~ 귀여운 애[계집애] / the dear old ~ 저 놈, 저 것 / The poor little ~.=Oh, poor ~. 가엾은 것. **e**) 물질 ; 음식물. **f**) [보통 *pl.*] ⑴ 소지품, 휴대품 ; 의류, 의복《특히 외투 따위》 : Do take off your ~*s.* 외투를 벗으시지요. ⑵ 가재(家財), 세간살이, 집기 : tea ~*s* 차 도구. ⑶ 〖法〗 재산, 유체물(有體物) : ~*s* personal[real] 동[부동]산 / ~*s* mortgaged 저당물. **g**) 사실, 실재 ; 실체. **h**) 작품 : a little ~ of mine 졸작(拙作).
2 일. **a**) 하는 일, 생긴 일. **b**) [보통 *pl.*] 사물 ; 문물, 풍물 : the good ~*s* of life 이 세상의 좋은 것들, 인생에 행복을 가져오는 것들 / take ~*s* easy[as they are] 사물을 낙관하다[있는 그대로 생각하다] / ~*s* Korean[foreign] 한국[외국]의 풍물(㈜ 형용사는 뒤에 옴). **c**) 사항, 사건 ; [*pl.*] 사태, 사정, 상황 : *T*~*s* have changed greatly. 사정이[형세가] 많이 달라졌다 / *T*~*s* will come out right. 정세는 호전될 것이다. **d**) 말(씨). **e**) 소행, 행위 : do great ~*s* 엄청난 짓을 하다. **f**) 생각, 의견, 관념 : put ~*s* in a person's head 남의 머리 속에 여러가지 생각을 주입시키다, 남에게 여러가지 지혜를 가르쳐 주다.
3 [the ~] 마땅한[올바른] 일 ; 유행 ; 당면한 문제 ; 안성맞춤인 것[상태] : That's *the* (very) ~. 그것이야말로 안성맞춤이다 / *The* (great) ~ is to wait patiently. (무엇보다) 중요한 것은 끈기 있게 기다린다는 것이다 / "Surf-riding" was quite *the* ~ then among young people. 파도타기가 당시 젊은이들 사이에 대유행이었다 / You haven't been *the* ~ recently, have you? 너는 요즘 어쩐지 기운이 없는 것 같다.
. . .and things 《口》 …따위, …등등 : I held on to ropes *and* ~*s* and went down to the saloon. 나는 밧줄 따위를 붙들고 (여객선의) 식당으로 내려갔다.
as things are [***stand***] 지금 형편으로는, 현재로서는.
as things go 지금의 상태로서는, 세상이란 그렇듯이 ; 세상 통례로서.
a thing or two 어지간한 것[일] : know[be up to] *a* ~ *or two* 《口》 빈틈이 없다, 능수능란하다 / learn *a* ~ *or two* 세상 물정을 배우다[알다] / show a person *a* ~ *or two* 남에게 이것저것[여러가지]을 가르쳐 주다.
be all things to all men 모두의 마음에 들도록 애쓰다, 「팔방 미인」 노릇을 하다.
(***be***) ***no great things*** 《俗》 (사물·인물이) 대단치 않다.
for one [***another***] ***thing*** (이유를 들어) 첫번째[두번째·다음번]로는 ; 일차로는 : *For one* ~ he drinks. 첫째로 그는 술을 마신다.
for the last thing 최후로는[에는].
have a thing about. . . 《口》 …에 대해 몹시 좋

은[나쁜] 감정을 갖고 있다, …을 몹시 좋아[싫어] 하다.
make a good thing of... 《口》 …으로 돈을 벌다, 이익을 얻다.
of all things ☞ OF.
see[***hear***] ***things*** 허깨비를 보다, 환각[환청]을 일으키다.
(***the***) ***first thing*** ☞ FIRST *a.*
(***the***) ***last thing*** ☞ LAST¹ *a.*
(***the***) ***next thing*** ☞ NEXT *a.*
〖OE=assembly ; cf. ON ↓, OHG *ding* assembly, G *Ding* thing〗

thing² [θíŋ, θíŋk] *n.* [흔히 T~] (스칸디나비아 제국의) 의회, 법정.
〖ON *thing* assembly (↑)〗

thìng-in-it·sélf *n.* (*pl.* **thìngs-in-them·sélves**) (칸트 철학에서) 물(物)자체.

thing·ism [θíŋizəm] *n.* (문학・예술에서의) 사물주의.

thíng·ness *n.* (사물의) 객관적 실재성[사물성].

thing·um·bob [θíŋəmbὰb], **-a·ma·bob** [θíŋəməbὰb], **-a·ma·jig** [-dʒìg], **-a·my** [-əmi], **-um·a·bob** [-əməbὰb], **-um·a·jig** [-dʒìg], **-um·my** [-əmi] *n.* 《口》 거시기, 뭐라던가 하는 것[사람] : Mr. *T*~ 아무개, 모씨(某氏). 주 *what's*-his-*name*, *what-d'ye-call* him (☞ WHAT¹ 숙어) 따위와 같이 씀.
〖THING²〗

thingy [θíŋi] *a.* 물건의, 물질적인 ; 실제적인.

◇**think** [θíŋk] *v.* (**thought** [θɔ́ːt]) *vt.* **1 a**) 생각하다, 마음에 품다, 상상하다 : Can you ~ the infinite? 무한(無限)을 상상할 수 있습니까 / That's what you ~. 그것은 너만의 생각[의견]이냐《의혹을 나타냄》. 주 흔히 동족(同族) 목적어로서 thought를 수반함 : They waited, each ~*ing* the same *thought.* 서로가 똑같은 것을 생각하면서 기다리고 있었다. **b**) (나쁘다는 것 따위를) 느끼다, 알게 되다, 의식하다 : The boy *thought* no harm in entering my study. 그 소년은 내 서재에 들어가는 것을 별로 나쁜 일이라고는 생각하지 않았다.
2 a) [+*that* 節] (…이라고) 생각하다, 여기다. 주 특히 *that* 절이 짧을 경우 that은 때때로 생략됨 : Do you ~ (*that*) she'll come? 너는 그녀가 올 거라고 생각하니 / I don't ~ (*that*) it will rain. 비는 내리지 않을 거라고 생각한다《주 I ~ (*that*) it will *not* rain. 보다도 일반적》 / I ~ (*that*) you are mistaken. 네가 틀린 것으로 생각한다 / I ~ (*that*) you said so yesterday. 네가 어제 그렇게 말했다고 생각하는데《상대방에게 완곡하게 주의 따위를 주는 경우》 / I ~ *so*. 나도 그렇게 생각한다 / I ~ *not*. 나는 그렇지 않다고 생각한다. 주 (1) 이 뜻의 think를 포함하는 절은 흔히 삽입적(插入的)으로 쓰이거나 문장 끝으로 돌려지거나 함 : It's going to be a fine day, I ~. 날씨가 좋아질 것 같은데요 / It would be better, don't you ~, to go back. 어떨까요, 되돌아 가는 것이 좋지 않을까요. (2) 다음과 같이 복합적인 구조의 의문문에서는 do you think는 의문사 바로 뒤에 놓이게 됨 : Who do you ~ is going with us? 누가 우리와 함께 갈 것으로 생각합니까(cf. Do you *know* who is going with us? 누가 우리와 함께 갈 것인지 아십니까) / What do you ~ has happened? 무슨 일이 일어났다고 생각합니까. **b**) [+目+補/+目+*to* do] (…을 …이라고) 생각하다, 간주하다 : I ~ him (*to be*) a charming person.=I ~ (that) he is a charming person. 나는 그를 매력적인 사람이라고 생각한다 / I ~ it better not to try. 해보지 않는 편이 좋다고 생각한다 / They were *thought to* have been dead. 그들은 죽은 것으로 여겨졌다. 주 (1) b)의 문형은 a)의 문형보다 격식을 차린 문체에 흔히 쓰여짐. (2) 2의 뜻으로 think는 보통 진행형으로는 쓰이지 않음.
3 [+*that* 節] (…하려고) 생각하다, 꾀하다 : I ~ I'll try. 해 보려고 생각한다 / I ~ we'll go for a picnic. 소풍을 가려고 생각하고 있다. 주 이런 뜻의 I ~ 는 반드시 문장 첫머리에 옴.
4 a) [+*wh.*+*to* do/+*wh.* 節] [때때로 진행형으로 써서] (어떻게 할까 하고) 생각하다, 궁리하다(reflect) : I'm ~*ing what to* do next. 다음에 무엇을 할 것인지 궁리하고 있다 / She was ~*ing how* nice it would be to marry him. 그녀는 그와 결혼한다면 얼마나 좋을까라고 생각하고 있었다. **b**) [+*wh.* 節] [보통 cannot을 수반하여] 알게 되다, 생각이 나다, 상상하다 : I *can't* ~ *what* you are going to say. 네가 무슨 말을 하려는지 나는 알 수 없다 / I *can't* ~ *where* the rumor came from. 그 소문이 어디서 나왔는지 나는 알 수 없다 / They *can't* ~ *how* glad I am to invent this machine. 이 기계를 발명해서 내가 얼마나 기쁜지 그들은 상상할 수 없을 것이다 / I *can't* ~ *how* you do it. 《口》 네가 어떻게 그것을 하는지 알 수가 없다《도저히 모르겠다》.
5 a) [+*that* 節/+*to* do] [보통 부정(否定)・의문] 예기[예상]하다(expect) : *Little* did she ~ [She *little thought*] *that* she would become a princess. 왕비가 되리라고는 꿈에도 생각지 못했다 / Who would have *thought to* find me here! 내가 여기 있으리라고 누가 예상했겠는가. **b**) [+*to* do] [부정(否定)・의문] 《口》 (…할 것을) 생각해 내다(☞ THINK *of* (3)). **c**) [+*to* do] 《古》 (…할) 작정이다(intend) : He ~*s to* deceive us. 우리를 속일 작정이다. ☞ 活用.
6 [+目+補/+目+前+名/+目+副] [때때로 ~one*self* 로] 생각해서 …으로 (되게) 하다, 생각에 잠기어 …에 이르게 하다 : I fear she will ~ her*self* mad[***into*** madness], worrying about her husband. 그녀가 남편의 일을 너무 염려하여 정신이 이상해지지 않을까 걱정된다 / He has *thought* him*self* ***out of*** the difficulty. 그는 궁리 궁리하여 난관을 벗어났다 / You try to ~ *away* your headache in vain. 아무리 두통을 잊으려 해도 헛수고다.
7 [+目+副] 생각해 내다, 심사숙고하다, 곰곰 생각하다 : We had to ~ ***out*** a way of escaping. 도망갈 방법을 생각해 내지 않으면 안되었다 / He always ~*s* the problems ***through*** before acting. 언제나 행동하기 전에 반드시 문제를 심사숙고한다 / I must ~ ***up*** some way of convincing him of his mistake. 《口》 그에게 자기 잘못을 깨닫게 할 방법을 생각해 내지 않으면 안된다.
— *vi.* **1** [動/+前+名] 생각하다 : ~ aloud 생각한 것을 중얼거리다, (무의식적으로) 말을 하다 / ~ hard 골똘히 생각하다 / ~ and ~ 거듭[깊이] 생각하다 / Some animals are able to ~. 동물들 중에는 생각할 수 있는 것도 있다 / I ~, therefore I am. ☞ THEREFORE / Let me ~ a minute. 잠깐 생각하게 해 주세요 / Only ~! 생각 좀 해 보시오 / I am ~*ing* ***about***[***of***] my days in school. 학창 시절의 일을 생각하고 있다 / I am ~*ing of* get*ting* (=I am going to buy) a copy of the new dictionary. 신간으로 나온 사전을 한 권 사려고 생각하고 있다. ☞ 活用.

2 [動/+前+名] 잘 생각하다, 사고(思考)하다, 숙고하다 : News of such mountaineering accidents will make you ~. 그러한 등산 조난(遭難) 뉴스를 알게 되면 너도 생각[반성]하게 되겠지 / You had better ~ carefully before you begin. 시작하기 전에 잘 생각해 보는 것이 좋다 / I'll ~ ***about*** it. 그럼 잘 생각해 보겠습니다《때때로 점잖은 거절》/ They were *~ing about* construct*ing* a bridge across the channel. 해협에 다리를 놓는 일을 생각하고 있었다 / I have so much to ~ *about*[***of***]. 생각해야 할 일이 산더미같이 많다 / He *thought* deeply (***up***)***on*** life, love and death. 인생과 사랑 그리고 죽음에 대해서 깊이 생각했다 / Please ~ ***over*** what I have said. 내가 말한 것을 잘 생각해 두시오.

I don't think. 《口》 (빈정거린 다음에) (…라고는) 생각이 안되는 걸 : You're a kind man, *I don't ~*. 네가 친절하다고는 생각이 안된다.

think about …의 일을 (잘) 생각하다, …의 일을 검토하다(cf. *vi.* 2) ; …의 일을 이리저리 생각하다(cf. *vi.* 1).

think better of... (1) (남을) 다시 보다, 되생각하다, …을 더 훌륭한[분별이 있는] 사람이라고 생각하다 : Now I ~ *better of* you. 너를 다시 봤어《그런줄 몰랐는데》/ She had *thought better of* her husband than to suppose that he could be so cruel. 남편이 그런 잔인한 일을 할 수 있는 사람이라고는 미처 생각도 못했었다. (2) 고쳐 생각하여 그만두다 : She considered divorcing her husband, but *thought better of* it. 남편과 이혼하려고 생각했으나 생각을 고쳐 먹었다.

think fit[***good, proper, right***] ***to*** do …하는 것이 타당하다고 (스스로) 생각하다 : I didn't ~ *fit to* do what he suggested. 그가 제안한 일을 하지 않는 것이 좋으리라고 생각했다. 注 이 표현법으로는 보통 fit 앞에 형식상의 목적어인 it을 쓰지 않음.

think no end[***think the world***] ***of*** …을 매우 존경[찬양]하다, …을 과대 평가하다.

think nothing of …을 업신여기다, …을 얕보다, 경시하다 : She seems to ~ *nothing of* ly*ing*. 그녀는 거짓말하는 것을 대수롭지 않게 여기는 것 같다.

think of... (1) …에 대하여 생각하다(consider) (cf. *vi.* 1, 2). (2) [+目/+目+do*ing*/+do*ing*] …에 관하여 상상하다(imagine) : Just ~ *of* the fun ! 얼마나 재미있을지 좀 상상해 보십시오 / To ~ *of* me ever be*ing* rich ! 내가 부자라고 생각하다니 / To ~ *of* her becom*ing* a lawyer. 그녀가 변호사가 되다니《도저히 생각할 수 없다》. (3) [+目/+do*ing*] [보통 부정(否定) 구문] …할 것을 생각해 내다, 안출하다, 몽상하다(dream of) : His innocence is *not* to be *thought of.* 그가 결백하다는 것은 상상도 할 수 없다 / He *never thought of* consult*ing* the timetable. 시간표를 검토해 본다는 생각은 전혀 하지 못했다(《口》 He never *thought to* consult the timetable. ☞ *vt.* 5 b)). ☞ 活用. (4) …을 생각해 내다 ; …이 생각나다 : I couldn't ~ *of* her name. 그녀의 이름이 생각나지 않았다 / Can you ~ *of* any good hotel in New York ? 뉴욕의 호텔 중 어디 좋은 호텔이 없습니까. (5) [think와 of 사이에 여러 가지 부사를 수반하여] …을 (…이라고) 생각하다, 평가하다《注 이 뜻으로는 진행형은 쓰이지 않음》: I don't ~ *much of* their new plan. 그들의 새 계획을 대단한 것으로는 생각지 않는다 / ~ *little of* …을 얕보다 / ~ *highly of* …을 존경하다 / ~ *lightly*[*meanly*] *of* …을 깔보다 / ~ *well*[*ill*] *of* …을 좋게[나쁘게] 생각하다.

think out 생각해 내다, 안출(案出)하다, 생각을 거듭하다 ; 숙고하여 해결하다 : ☞ *vt.* 6 / He *thought out* a good plan for saving expenses. 비용을 절약할 좋은 방안을 생각해 냈다.

think out loud =THINK aloud (☞ *vi.* 1).

think over (…을) 숙고하다 : I must ~ the matter *over* before giving my answer. 회답을 하기 전에 나는 그 문제를 잘 생각해 봐야겠다《注 이때 over는 부사》/ ☞ *vi.* 2.

think sense ☞ SENSE *n.*

think shame to do ☞ SHAME *n.*

think through (결론에 도달할 때까지) 충분히 생각하다, 끝까지 생각하다(cf. *vt.* 7).

think to one***self*** 몰래[마음속으로] 생각하다.

think twice ☞ TWICE.

think up (구실 따위를) 생각해 내다 ; 《口》 발명하다(cf. *vt.* 7).

think (***up***)***on*** …을 잘 생각해 보다, 숙고하다(cf. *vi.* 2).

—— *n.* 《口》 생각하기 ; 생각, 의견, 일고(一考), 고안. —— *a.* 《口》 사고의 ; 《口》 지성[정신]에 호소하는.

〖ME기(期)에 OE *thenc*(*e*)*an* to think와 ↓이 융합한 것 ; cf. G *denken*〗

活用 일반적으로 think *to* do의 형식은 피하는 것이 좋음. *vt.* 5 a)의 뜻은 think 대신에 expect를 expect *to* do의 형태로 쓰는 것이 좋으며, *vt.* 5 b) 용법의 think *to* do 대신에는 think *of* do*ing* (☞ THINK *of* (3))을 쓰는 편이 좋음. 또 *vt.* 5 c) 뜻인 think 대신에 intend를 intend *to* do의 형식으로 쓰거나, 또는 think *of* do*ing* (☞ *vi.* 1)을 쓰는 편이 좋음.

類義語 ***think*** 「생각하다」를 의미하는 가장 일반적인 말. ***reason*** 기정[기지(旣知)] 또는 가정의 사항에서 출발하여 논리적인 추론을 거듭하여 어떤 명확한 결론에 도달함 : He *reasoned* that they would succeed. (그는 그들이 성공할 것이라고 추론했다). ***reflect*** 어떤 문제에 대해서 곰곰이 진지하게 생각해 보다 ; 오래 깊이[조용히] 생각을 계속하는 것을 나타냄 : She *reflected* on her own happiness. (그녀는 자신의 행복에 대해서 깊이 생각해 보았다). ***speculate*** 불완전[불확실]한 증거에 기인하여 추리하다 ; 따라서 그 의견이 억측임을 암시함 : *speculate* on the possibility of life on the planets (유성(遊星)에 생물이 존재할 가능성에 대하여 추론하다). ***deliberate*** 어떤 결론에 이를 때까지 신중히 검토[고려]하다 : The judges *deliberated* on the case. (판사들은 그 사건에 대해서 숙의했다).

thínk·able *a.* 생각[상상]할 수 있는, 있을 법한 ; 믿을 수 있는 ; 가능한. 注 「…이라고는 생각되지 않는다」라는 뜻으로는 It's not ~ that....보다는 It's UNTHINKABLE that....이 일반적임.

thínk-bòx *n.* 《俗》 두뇌, 머리.

thínk·er *n.* 생각하는 사람, 사상가, 사색가 ; …한 사고 방식을 가진 사람 ; 《美俗》 머리, 두뇌 : a great[superficial] ~ 위대한[피상적인] 사상가 / a free ~ =a FREETHINKER.

thínk fàctory *n.* =THINK TANK.

thínk-ìn *n.* 《口》 회의, 심포지엄.

***thínk·ing** *a.* 생각하는, 사고력[이성]이 있는 ; 도리를 아는, 사려있는 : a ~ reed 생각하는 갈대, 「인간」《Pascal의 말》/ Man is a ~ animal. 사람은 생각하는 동물이다 / the ~ people 이성적인

민중 / All ~ men will protest against it. 생각 있는 사람은 모두 그것에 대하여 항의할 것이다.
put** one's **thinking cap on**=**put on** one's **thinking cap 《口》 골똘히 생각하다, 궁리하다.
—— *n.* Ⓤ 생각하기, 궁리, 사고(思考) ; [*pl.*] 사색, 고찰 ; 의견, 판단, 견해 : plain living and high ~ ☞ LIVING[2] 1 / philosophical ~ 철학적 사고 / You had better do a little hard ~. 좀 더 잘 생각하시는 편이 좋겠습니다 / It is, to my ~, the most important point of the problem. 제 생각으로는 그것이 그 문제의 가장 중요한 점인 것 같습니다 / That is my way of ~. 그것이 나의 사고 방식[생각]이다.
thínk·ing·ly *adv.* 잘 생각하여 ; 궁리 끝에.
thínking pàrt *n.* 〔劇〕 대사가 없는 역(役).
thínk pìece *n.* 〔新聞〕 논설 기사, 시사 해설《기자의 이름을 밝힌 정치·경제·외교 문제에 관한 기사》.
thínk tànk *n.* 《美俗》 두뇌 집단(頭腦集團), 싱크 탱크 ; 《俗》 두뇌, 머리.
thín·ly *adv.* 얇게, 가늘게 ; 희박하게 ; 드문드문 ; 야위어, 가냘프게 : be ~ clad 옷을 얇게 입고 있다 / The valley was ~ covered with mist. 골짜기에는 엷은 안개가 끼어 있었다. —— *n.* 트랙 경기 선수, 러너.
thín·ner *n.* 얇게[가늘게] 하는 사람[것] ; (페인트 따위의) 희석제(劑), 용제(溶劑).
thín·ness *n.* Ⓤ 희박 ; 가늚 ; 야윔 ; 빈약 ; 박약.
thín·nish *a.* 약간 얇은[가는], 좀 뜸한, 좀 야윈, 약간 수척한.
thín-skínned *a.* 가죽이 얇은 ; 《비유》 민감한, 신경 과민의 ; 성마른(↔*thick-skinned*).
thio- [θáiou, θáiə] ☞ THI-.
thìo·acétic ácid *n.* 〔化〕 티오 아세트산.
Thi·o·kol [θáiəkɔ̀(:)l, -kòul, -kɑ̀l] *n.* 인조 고무의 일종《상표명》.
thi·on- [θáiən] *comb. form* 「황」의 뜻. 〚Gk. *theion* sulfur ; cf. THI-〛
thi·on·ic [θaiɑ́nik] *a.* 〔化〕 황의, 티온산의.
thiónic ácid *n.* 〔化〕 티온산.
thio·pén·tal (sódium) [θàiəpéntəl(-)] *n.* 〔藥〕 티오펜탈《수술용 전신 마취제의 일종》.
thio·rid·azine [θàiərídəzì:n, -zən] *n.* 〔藥〕 티오리다진《강력한 정신 안정제》.
thìo·súlfate *n.* Ⓤ 〔化〕 티오황산염(黃酸鹽).
thìo·sulfúric *a.* 〔化〕 티오황산의.
thiosulfúric ácid *n.* 〔化〕 티오황산.
◇**third** [θə́:rd] *a.* **1** 제3의, 제3번의 ; 3등의 : the ~ class[prize] 3학년[3등상] / ☞ THIRD BASE / the ~ floor 《美》 3층, 《英》 4층 / Henry the *T*~ 헨리 3세(Henry Ⅲ) / *T*~ time does the trick [is lucky, pays for all]. 《속담》 세번째에는 수가 생긴다《대개의 일이 세번째에는 이루어진다》 / in the ~ place 제3으로, 세번째로(thirdly). **2** 3분의 1의.
—— *n.* **1** [the ~] 제3, 제3위 ; (달의) 3일 : the ~ of January=January (the) ~=Jan. 3rd. 1월 3일. **2** 3분의 1 ; [*pl.*] 〔法〕 (미망인에게 주어야 할) 남편의 재산(財産)의 3분의 1 : One ~ of the senators are elected every two years. 상원의원의 3분의 1은 2년마다 개선(改選)된다. **3** [관사없이] 〔野〕 3루(third base). **4** (시간·각도의) 1초의 60분의 1. **5** 〔樂〕 제3도, 3도 음정(音程). **6** 〔自動車〕 제3속(速), 3단 기어 : on[in] ~ 제 3 속으로. **7** [*pl.*] 〔商〕 3등품.
—— *adv.* **1** 제3으로. **2** 3등으로 : finish ~ 3등이 되다.
〚OE *third*(*d*)*a*, *thridda*<Gmc. (⇨ THREE) ; cf. G *dritte*〛
thírd áge *n.* [the ~] 노년기(期). 〚F *troisième âge*〛
thírd báse *n.* [보통 관사 없이] 〔野〕 3루 ; 3루수(壘手)의 수비 위치.
thírd báseman *n.* 〔野〕 3루수.
thírd-bést *a.* 세번째로 좋은, 세번째의, 제3위의.
thírd cláss *n.* (제)3급 ; 3류 ; (열차·배 따위의) 3등 ; 〔美·Can. 郵〕 제3종《중량 16oz. 이하의 상품이나 광고인쇄물 따위의 요금이 싼 별납우편》.
thírd-cláss *a.* 3등[급(級)]의 ; 《美》 제3종(種)의 : ~ matter 제3종 우편물. —— *adv.* 3등[급]으로 ; 제3종(우편)으로 : travel ~ 3등으로 여행하다.
Thírd Dày *n.* 화요일《퀘이커 교도의 용어》.
thírd degrée *n.* 가혹한 신문, 고문 ; (프리메이슨단(團)의) 제3급(Master Mason).
thírd-degrée *a.* (죄상이) 제3급의, (화상(火傷) 따위가) 제3도의 : ~ arson 〔法〕 제3급 방화죄. —— *vt.* 고문하다.
thírd-degrée búrn *n.* 〔醫〕 제3도 화상(火傷)《괴사성(壞死性) 화상으로 가장 심한 증세》.
thírd diménsion *n.* 제3차원 ; 두께, 깊이 ; 입체성 ; 현실성, 박진감, 생생함.
thírd estáte *n.* [the ~, 때때로 the T~ E~] 제3계급《귀족도 성직자도 아닌 평민》 ; (특히 프랑스 혁명 전의) 중산(中産) 계급.
thírd fínger *n.* 무명지, 약손가락.
thírd fórce *n.* **1** 제3 세력《대립하는 정치 세력의 중간에 있는 세력 ; 대립하고 있는 두 세력[진영] 사이의 조정에 나서는 중립국 (블록) 따위》. **2** [the T~ F~] (프랑스의) 제3 세력《인민 공화당과 사회당과의 연합체》.
thírd-generátion *a.* 제3 세대의.
thírd generátion compúter *n.* 〔컴퓨〕 제3 세대 컴퓨터.
thírd·hánd *a.* (정보 따위) 두사람의 매개자를 거쳐 입수한 ; (고서 따위) 두사람의 소유자를 거친 ; 중고의《특히 상태가 나쁜》.
thírd hóuse *n.* 《美》〔議會〕 제3원(院)《로비스트 등 원외(院外) 단체의 속칭》.
thírd kíngdom *n.* [the ~] 〔生〕 제3생물계《식물계도 동물계도 아닌 생물의 구분으로 제창된 것으로 시원(始原) 세균으로 이루어짐》.
thírd-lével càrrier *n.* 《美》 소도시 사이의 짧은 구간을 운항하는 항공 회사.
thírd·ly *adv.* 제3으로, 세번째로.
thírd mán *n.* [the ~] 〔크리켓〕 제3수(手)《위켓(wicket)에서 비스듬히 후방에 선 야수(野手)》.
thírd márket *n.* [the ~] 〔證〕 제3시장《상장주의 장외 직접거래 시장》.
thírd párty *n.* 〔法〕 제3자《당사자가 아님》 ; 제3정당, 소수당.
thírd-párty *a.* 제3자[정당]의.
thírd pérson *n.* [the ~] 〔文法〕 제3인칭《he, she, it, they로 나타냄 ; cf. FIRST PERSON, SECOND PERSON》 ; 제3자(third party) ; [T~ P~] 〔神學〕 (삼위일체의) 성신.
thírd pérson síngular présent fòrm *n.* 〔文法〕 제3인칭 단수 현재형.
thírd ráil *n.* 〔鐵〕 (전차의 가공선(架空線)에 대체되는) 제3궤조《송전용》 ; 《美俗》 독한 술 ; 《美俗》 매수에 안 넘어가는 사람.
thírd-ráte *a.* 3등의 ; 3류의 ; 열등한.
thírd réading *n.* 〔議會〕 제3독회(讀會)《영국에서는 보고 심의를 거친 의안을 표결에 부치기 전에 토의함 ; 미국에서는 제2독회를 거쳐 정서(淨書)된 의안을 표결에 부치기 전에 명칭만 읽음》.

Thírd Réich *n.* [the ~] 제3 제국《1933-45년 Hitler 치하의 독일》.

thírd séx *n.* [the ~] 제3의 성, 동성애자.

thírd stréam *n.* 클래식과 재즈의 요소를 융합시킨 음악. **thírd-stréam** *a.*

Thírd Wáve *n.* [the ~] 제3의 물결《미국의 문명 비평가 Alvin Toffler가 동명의 저서에서 논한 말로 전자 공학 발전에 의한 고도 기술 시대》.

thírd whéel *n.* 《美俗》 무용지물, 거치적거리는 사람, 두통거리인 사람.

Thírd Wórld *n.* **1** [the ~] 제3세계《특히 아프리카·아시아 등지의 개발 도상국》. **2** [집합적으로] (문화·사회에서의) 소수 그룹, (소득·교육 수준이 낮은) 약자. 〖F *tiers monde*〗

***thirst** [θə́ːrst] *n.* **1** Ⓤ [또는 a ~] 목마름, 갈증 : quench[relieve, satisfy] one's ~ 갈증을 풀다 / have *a* ~ 《口》 한잔 마시고 싶다. **2** Ⓤ [또는 a ~] 갈망, 열망〈*for, after*〉 : *a* ~ *for* pleasure [knowledge] 쾌락에의 갈망[지식욕]. —— *vi.* **1** 목이 마르다 : I ~. = I am THIRSTY. **2** [動/+前+名] 갈망하다.
〖OE *thurst* ; cf. G *Durst*〗

thírst quèncher *n.* 갈증을 푸는 것, 음료.

‡**thírsty** *a.* **1** 목이 마른 : I am[feel] ~. 목이 마르다. **2** 술을 좋아하는 : a ~ soul 술을 좋아하는 사람, 술꾼. **3** (토지·초목 따위가) 건조한 (parched) : ~ soil 메마른 땅. **4** 《口》 (일·음식 따위가) 목마르게 하는, 목이 마른 : Weeding the garden is a ~ job. 정원의 잡초 뽑는 일은 쉬 갈증이 나게 하는 일이다. **5** 《비유》 갈망[열망]하는, 기갈이 든 : He was ~ *for* news. 그는 소식을 애타게 기다리고 있었다 / The crew were ~ *for* contact with the land. 승무원들은 육지와의 접촉을 갈망하고 있었다.
thírst·i·ly *adv.* **-i·ness** *n.*

◇**thir·teen** [θə́ːrtíːn] *a.* 13의, 13개의, 13명의 ; [*pred.*로 쓰여] 13세의 : the ~ superstition 13을 불길하다고 믿는 미신. —— *pron.* [복수취급] 13, 13개, 13명. —— *n.* **1** 13, 13개, 13명. **2** 13의 기호《13, xiii, XIII》.
〖OE *thrēotīene* (THREE, *-teen*)〗

‡**thir·teenth** [θə́ːrtíːnθ] *a.* 제13(번째)의 ; 13분의 1의. —— *n.* **1** [the ~] 제13 ; (달의) 13일. **2** 13분의 1.

‡**thir·ti·eth** [θə́ːrtiəθ] *a.* 제30(번째)의 ; 30분의 1의. —— *n.* **1** 제30 ; (달의) 30일. **2** 30분의 1.

◇**thir·ty** [θə́ːrti] *a.* 30의, 30개의, 30명의 ; [*pred.*로 쓰여] 30세의. —— *pron.* [복수취급] 30, 30개, 30명. —— *n.* **1** 30, 30개, 30명. **2** 30의 기호《30, xxx, XXX》. **3** [the thirties] (세기(世紀)의) 30년대 ; [one's thirties] (나이의) 30대 : die in one's *thirties* 30대 나이로 죽다. **4** (테니스 따위에서) 2점(의 득점). **5** 30구경의 기관총《보통 .30으로 씀》. **6** 《美》 끝, 완료(完了)《신문 원고 따위에 보통 30으로 씀 ; ☞ 30-DASH》.
〖OE *thrītig* ; (THREE, *-ty*)〗

30-dash [θə́ːrti-] *n.* 〖新聞·印〗 —30—, —O—, —XXX—의 기호《기자가 원고 끝에 써서 기사가 끝났음을 나타냄》.

thírty-éight *n.* 38구경 권총《흔히 .38이라 씀》.

Thírty-nine Árticles *n. pl.* [the ~] (16세기에 제정된) 영국 국교의 39개조의 교리《성직에 취임할 때에는 이에 동의를 표명해야 함》.

thírty-sécond nòte *n.* 〖樂〗 32분 음표.

thírty-thrée *n.* 33회전판《33⅓회전의 음반 ; 보통 33이라고 씀》.

thìrty-twó·mo [-mòu] *n.* (*pl.* **~s**) 32절판(切判) (의 책)《略 32 mo, 32°》.

Thírty Yéars' Wár *n.* [the ~] 30년 전쟁《독일에서 일어났던 종교 전쟁(1618-48)》.

◇**this** [ðís] *a.* (*pl.* **these** [ðíːz]) (↔ *that*) **1** 이(것), 여기의, 여기 있는, 이쪽의 : ~ life 현세(現世) / ~ broad land of ours 이 넓은 우리 나라. **2** [ðis] 지금의, 현재의, 금(今)…, 방금의, 당(當)… : ~ month 이달 / ~ day 오늘, 금일.
this or that 이것 저것의, 어떤 특정의.
this same. . . 《때때로 蔑》 바로 이… : ~ *same* system 이 조직이라는 것.
this way and that 이리저리 : People were running ~ *way and that.* 사람들이 우왕 좌왕하고 있었다.
—— *pron.* (*pl.* **these**) **1** 이것, 이 물건[사람] : like ~ 이와 같이 / for all ~ 이럼에도 불구하고 / What's all ~? 도대체 이것은[이 소동은] 무엇인가.
2 [after, before, by, ere 따위의 전치사에 수반되어] 지금, 방금, 이 때[날], 오늘 : *before* ~ 지금까지는, 이전에 / long *before* ~ 이 보다 훨씬 전에 / *by* ~ 지금쯤은, 이맘때까지는, 이미.
3 여기 : Get out of ~. 여기서 나가라.
4 지금 말한 것 ; 다음에 말하는 것(☞ 活用) : *At* ~ the man turned pale and looked away. 이것을 보자[듣자] 그 사내는 파랗게 질려서 시선을 돌렸다 / *With* ~ she took up her sewing again. 이렇게 말하면서 그녀는 다시 바느질감을 집어 들었다.
5 [that과 상관적으로] 후자(the latter) : ☞ THAT[1] *pron.* 4.
6 〖電話〗 여기, 나 ; 거기, 당신 : *T*~ is (Mr.) Smith (speaking). (저는) 스미스입니다 / *T*~ is Radio X. 여기는 X 방송국입니다.
this and (*. . .*) ***that*** 이것 저것 ; 첫째에도… 둘째에도… : put ~ *and that* together 이것 저것 종합해서 생각하다 / *T*~ *and that* remains to be done. 이것 저것[여러가지] 해야 할 일이 남아 있다 / We must consider ~ *and that* aspect of the matter. 문제의 여러가지 면을 고려해야만 한다 / It was Miss Mary ~ *and* Miss Mary *that.* 말만 나오면 메리양 이야기뿐이었다.
this, that, and the other 이것 저것, 갖가지 물건[사람].
—— *adv.* [주로 수량·정도를 나타내는 형용사·부사를 수식하여] 《口》 이만큼, 이렇게 (cf. THAT[1] *adv.*) : ~ early 이렇게 빨리 / It was about ~ deep. 그것은 이만큼의 깊이였다 / Now that we have read ~ far, let's have tea. 이만큼 읽었으니 차를 마시기로 하자 / *T*~ much is certain. 이것 만큼은 확실하다《注 ~ much로 대명사적으로 주어로서 쓰이고 있음》.
〖OE *this* (neut. sg. ; cf. G *dies*), *thes* (masc. sg.), *thēos* (fem. sg.) ; ⇨ THE, THAT〗

活用 지금(까지) 말한 것을 나타내는 데에는 that, this의 어느 것을 사용해도 좋지만, 다음에 말하는 것을 가리키려면 this가 쓰임 : I'll say *this* : he will never betray you. (이것만은 내가 말해두겠는데 그는 결코 너를 배반하지 않을 것이다) / He spoke to me like *this.* "Hey, you! You are tired?" (그는 나에게 이렇게 말을 걸었다. "이봐, 지쳤나").

This·be [θízbi] *n.* 〖그神〗 티스베《Pyramus와 서로 사랑한 여자 ; Thisbe가 사자에게 잡혀 먹힌 것으로 잘못 알고 자살한 Pyramus의 뒤를 따라 자살함》.

thís·ness *n.* Ⓤ 〖哲〗 '이것'임, 개성 원리(原理) (haecceity).

this·tle [θísəl] *n.* 〖植〗 엉겅퀴《스코틀랜드의 국화(國花)》; 가시가 있는 각종 식물; [the T~] (스코틀랜드의) 엉겅퀴 훈장[훈위] (the **Órder of the T~**).

grasp the thistle firmly 용기를 내어 난국에 대처하다.

〚OE *thistel*; cf. G *Distel*〛

thístle·dòwn *n.* Ⓤ 엉겅퀴의 관모(冠毛).

thís·tly *a.* 엉겅퀴가 무성한; 엉겅퀴 같은, 가시가 있는.

thís-wórld·ly *a.* 세상사에 관심[집착]이 많은, 세속적인(↔*otherworldly*).

thís-wórld·li·ness *n.*

thith·er [θíðər, ðíð-; ðíð-] *adv.* 《古》 저쪽으로, 거기[저기]에(there) (cf. THENCE): hither and ~ ☞ HITHER. —— *a.* 《稀》 저쪽의: on the ~ side of the hill 언덕 저쪽에 / on the ~ side of fifty 50 고개를 넘어서.

〚OE *thider* (*hither*의 유추(類推)) ‹ *thæder*〛

thìther·tó [ˌ⁻⁻ˊ] *adv.* (과거(過去)에 있어서) 그때까지(는).

thíther·wàrd(s) *adv.* 《古》 =THITHER.

thix·ot·ro·py [θiksátrəpi] *n.* 〖化〗 틱소트로피《(겔의) 요변성(搖變性)》.

tho, tho' [ðóu] *conj., adv.* =THOUGH.

Tho. 〖聖〗 Thomas.

thole[1] [θóul] *vt.* 《方》 견디다, (고통 따위를) 참다; 받다; …의 여지가 있다, 허락하다. —— *vi.* 참다. 〚OE *tholian*〛

thole[2] *n.* (뱃전의) 놋좆; 못, 마개.

〚OE *thol*(*l*); cf. Du. *dol*, ON *thollr* fir tree, peg〛

thóle·pìn *n.* (뱃전의) 놋좆(thole).

tho·loide [θóulɔ̀id] *n.* 톨로이데, 종상화산.

tho·los [θóulɑs] *n.* (*pl.* **-loi** [-lɔi]) 톨로스. **1** (고대 그리스 건축의) 원형 건축물. **2** (미케네 양식의) 둥근 천장식 지하 납골당. 〚Gk.〛

Thom·as [támǝs] *n.* **1** 남자 이름. **2** [Saint ~] 성(聖) 도마《그리스도 12사도 중의 한 사람》: ☞ DOUBTING THOMAS. **3** 토머스. **Dyl·an** [dílən] ~ (1914-53) 웨일스 태생의 영국 시인.

〚Aram.=twin〛

Thómas Cùp *n.* 토머스 컵《남자 세계 배드민턴 선수권의 우승배; 국제 배드민턴 연맹 초대 회장 Sir George Thomas가 1939년에 기증》.

Tho·mism [tóumizəm] *n.* 토머스설《Thomas Aquinas의 신학설(神學說)》.

Thómp·son séedless [tám*p*sən-] *n.* 〖園藝〗 (미국 캘리포니아산의) 씨없는 포도《건포도용》.

〚W.B. *Thompson* (d. 1930) 미국의 원예가〛

Thómpson submachíne gùn *n.* 《美》 톰프슨식 소형 경기관총(tommy gun). 〚John. T. *Thompson* (d. 1940) 발명자인 미육군 장교〛

thong [θɔ́(:)ŋ, θáŋ] *n.* 끈, 가죽끈. —— *vt.* …에 가죽끈을 달다; 채찍으로 때리다.

〚OE *thwang, thwong*; cf. G *Zwang*〛

Thor [θɔ́:r] *n.* 〖北유럽神〗 토르, 뇌신(雷神)《벼락·전쟁·농업을 관장하는 신》; 〖美軍〗 지대지(地對地) 중거리 전술 미사일의 일종.

〚OE *Thōr* ‹ ON *thōrr* thunder〛

tho·rac- [θɔ́:rǝk], **tho·ra·ci-** [θɔ́:rǝsǝ], **tho·ra·co-** [θɔ́:rǝkou, -kǝ] *comb. form* 「가슴」의 뜻. 〚⇨ THORAX〛

tho·rac·ic [θɔ:rǽsik, θǝ-] *a.* 가슴의, 흉부의.

thorácic dúct *n.* 〖解〗 흉관(胸管), 가슴관(管).

tho·ra·cot·o·my [θɔ̀:rǝkátǝmi] *n.* 〖外科〗 개흉(술)(開胸(術)).

tho·rax [θɔ́:ræks] *n.* (*pl.* **~·es, -ra·ces** [-rǝsi:z]) **1** 〖解·動〗 가슴, 흉부, 흉곽(胸郭). **2** 〖古그〗 흉갑(胸甲), 가슴받이(breastplate).

〚L ‹ Gk.=breastplate, trunk〛

Tho·reau [θɔ́:rou, θǝróu, 美+θǝróu] *n.* 소로. **Henry David** ~ (1817-62) 미국의 초절(超絶)주의자·수필가·시인.

tho·ri·a·nite [θɔ́:riǝnàit] *n.* Ⓤ 토리아나이트《방사성이 있는 광석》.

tho·rite [θɔ́:rait] *n.* 〖鑛〗 토라이트《규(硅)토륨광(鑛)》.

tho·ri·um [θɔ́:riǝm] *n.* Ⓤ 〖化〗 토륨《방사성 금속 원소; 기호 Th; 번호 90》. 〚*Thor*〛

thórium óxide[dióxide] *n.* 〖化〗 (이)산화((二)酸化)토륨.

thórium sèries *n.* 〖化〗 토륨 계열.

‡**thorn** [θɔ́:rn] *n.* **1** 가시, 바늘: Roses have ~*s.* =No rose without a ~. 《속담》 가시 없는 장미는 없다, 즐거움이 있으면 괴로움도 있다. **2** 〖植〗 가시나무《가시가 있는 식물》. **3** 《비유》 고통거리, 고민거리: be[sit, stand, walk] (up) on ~*s* 끊임없이 괴로움을 겪다. **4** 고대 영어의 *þ* 자《현대의 th에 해당; cf. EDH》.

a thorn in one***'s flesh***[***side***] 걱정거리, 근심걱정의 원인(原因).

—— *vt.* 괴롭히다, 애타게 하다.

〚OE; cf. G *Dorn*〛

thórn àpple *n.* 〖植〗 참산사나무(의 열매) (haw); 독말풀.

thórn·bàck *n.* 〖魚〗 홍어; 털다리게의 일종.

thórn·bùsh *n.* 가시가 있는 관목; 가시나무 덤불.

Thorn·dike [θɔ́:rndàik] *n.* **1** 남자 이름. **2** 손다이크. **Edward Lee** ~ (1874-1949) 미국의 심리학자·사서 편집자.

〚OE=ditch covered with thorns〛

thorned [θɔ́:rnd] *a.* 가시가 있는[많은]; 가시나무가 무성한.

thórn trèe *n.* 〖植〗 가시가 있는 나무《hawthorn, honey locust 따위》.

thórny *a.* **1** 가시가 많은[있는], 가시 같은. **2** 곤란한, 괴로운; (문제가) 쟁점[이론]이 많은, 처리하기 힘든: a ~ question[subject] 어려운 문제 / tread a ~ path 가시밭길을 걷다.

thoro [θɔ́:rou, θʌ́r-; θʌ́rǝ] *a., adv., prep.* 《口》 =THOROUGH.

tho·ron [θɔ́:rɑn] *n.* Ⓤ 〖化〗 토론《radon의 방사성 동위 원소; 기호 Tn》.

***thor·ough** [θɔ́:rou, θʌ́r-; θʌ́rǝ] *a.* **1** 완전한, 철저한; 상세한; 세심한; 순전한; (예술가·전문가 등) 숙달된: a ~ investigation[reform] 철저한 조사[개혁] / He is a ~ fool. 저놈은 완전한 바보다 / The chemist was ~ *in* his analysis of the matter. 화학자는 그 물질을 철저하게 분석했다. **2** 꿰뚫는, 관통하는. —— *adv., prep.* 《古·詩》 =THROUGH. —— *n.* [보통 T~] 철저한 정책[행동], (특히) 철저한 탄압 정책; [T~] 〖英史〗 (Charles 1세 시대의) 무단 정책.

~·ly *adv.* 완전히, 충분히, 철저히; 면밀히, 꼼꼼히. **~·ness** *n.* 〚변형(變形) ‹ *through*〛

thórough bàss [-bèis] *n.* 〖樂〗 통주 저음(通奏低音); 숫자가 붙은 저음; 화성학(和聲學).

thórough·brèd *a.* **1** (특히 말이) 순종인; (자동차 따위) 일류의, 고급의. **2** 《비유》 (사람이) 태생[가문]이 좋은; 의기왕성한; 교양 있는, 교육을 잘 받은, 고상한, 점잖은.
—— *n.* **1** 순종의 말[동물]. **2** 《비유》 태생[가문]이 좋은 사람, 교양이 있는 사람 ; 고급차.

***thor·ough·fare** [θə́:rəfὲər, -fæ̀ər, θʌ́r- ; θʌ́r-] *n.* **1** (통과할 수 있는) 도로, 거리 ; (특히) 큰 거리, 한길(main street), 주요 도로, 본도(main road) : a busy ~ 내왕이 빈번한 큰 거리. **2** Ⓤ,Ⓒ 통과(할 수 있는 큰 길), 통행 : No ~. 《게시》 통행 금지. **3** (배가 통과할 수 있는) 수로(水路) 《강·호수 따위》.

thórough·gò·ing *a.* 꼼꼼한, 세심한, 면밀한 ; 철저한, 완전한 : ~ cooperation 완전한 협력.

thórough-pàced *a.* **1** (말이) 모든 보조에 맞추어 (갈 수 있게) 훈련된. **2** 철저한, 완전한 : a ~ rascal 철저한 악당.

thorp(e) [θɔ́:rp] *n.* [지명 이외는 《古》] 마을, 촌락. 〖OE〗

Thór's hámmer *n.* 〖北유럽神〗 토르의 해머《던지면 적에게 맞고 되돌아옴》.

Thos. Thomas.

◊**those** [ðóuz] *a.*, *pron.* [that의 복수형 ; cf. THESE] 그것들의 ; 그것들 ; 사람들 : Who are ~ people? 저 사람들은 누구냐 / *T*~ are my shoes. 저것들은 내 구두다 / I put aside all ~ useless. 쓸데없는 것은 모두 따로 두었다 / *T*~ present [standing] were all men. 참석자[서 있는 사람]는 모두 남자였다 / There are ~ who think that the time has come. 때가 왔다고 생각하는 사람들이 있다.
in those days ☞ DAY 6.

〈회화〉
I lived in Kunsan *in those days.* — Oh, really? When did you move to Seoul? 「그 당시 저는 군산에 살았어요」「그래요, 서울로는 언제 이사하셨나요」

thou¹ [ðau] *pron.* (*pl.* **ye, you** [ji:] ; 목적격 thee, 소유격 thy, 소유대명사 thine) [2인칭 단수 주격] 그대는, 너는. ㊟ 지금은 신에게 기도할 때 Quaker교도들 사이에서 방언(方言) 및 고아(古雅)한 문장·시(詩) 따위 이외에는 모두 you를 씀 ; 이에 수반되는 동사는 are가 art, have가 hast가 되는 외에는 -st, -est의 어미를 붙임.
—— *v.* [ðáu] *vi.* 《蔑》 thou를 써서 이야기하다.
—— *vt.* 《蔑》 …에게 thou라는 말로 부르다.
〖OE *thu* ; cf. G *du*, L *tu*〗

thou² [θáu] *n.* (*pl.* **~s**, (수사 다음에서는) ~) 천 달러[파운드·원 따위]. 〖*thou*sand(th)〗

thou. thousand.

◊**though** [ðou]

(1) 기본 뜻 : 「…이지만, …이긴 하지만, 비록 …일지라도」
(2) though는 종속접속사로서 등위접속사 but, yet, 그리고 부사 still과 뜻이 유사하나 구문상 어순이 거꾸로 된다 : *Though* she is old, she is still pretty. (나이는 들었으나 그녀는 여전히 아름답다 ; cf. She is old, *but* she is still pretty).
(3) though로 시작되는 종속절 내에서 특히 「주어+be동사」가 흔히 생략되는 수가 있다 : *Though* (I was) invited, I didn't go. (나는 초대받았지만 가지 않았다.)

—— *conj.* **1** …임에도 불구하고, …이지만 : *T*~ it was very cold, he went out without an overcoat. = He went out without an overcoat, ~ it was very cold. 대단히 추웠지만 외투없이 외출했다 / Young ~ he was[*T*~ he was young] he could understand the meaning. 어렸지만 그 뜻을 이해할 수 있었다(cf. AS¹ *conj.* 4). ☞ 活用. **2** [가정적(假定的)] 가령 …일지라도, 만일 …한다 해도(even if) : It is worth attempting ~ we fail. 설사 실패한다고 해도 해볼 만한 가치가 있다. **3** [추가·보충적](읽어내려 가면서) …이라 할지라도, 비록 …이기는 해도, …하기는 하지만(cf. *adv.*) : He may be saved, ~ I think not. 안될거라고 생각하지만 혹시 그가 구조될지도 모른다.
as though ☞ AS¹.
even though ☞ EVEN¹.
What though...? ☞ WHAT¹.

though의 문장 전환
Though he is wealthy, he is not happy.
→ *In spite of* [*Despite*] his wealth, he is not happy.
→ *With all* [*For all*] his wealth, he is not happy.
(그는 부자지만 행복하지 않다.)

—— [ðóu] *adv.* 《口》 역시, 그래도, 하긴 …이지만, 그렇지만(however) 《㊟ 문장 첫머리에 두지 않음》 : It was true, ~. 역시 사실이었다 / I'm sorry about our quarrel ; you began it, ~. 싸움을 한 것은 잘못이다, 하긴 네가 먼저 걸었지만. 〖ME<ON ; OE *thēah*, G *doch*와 같은 어원〗
活用 (1) *conj.* 1의 용법에서는 though가 이끄는 절과 주절의 주어가 같을 때, when이나 while의 경우와 같이 though가 이끄는 절(節)의 주어와 be 동사는 생략할 수가 있음 : *Though* (he is) poor, he is above telling a lie. (가난하지만 거짓말할 사람이 아니다).
(2) ☞ ALTHOUGH 活用.

◊**thought**¹ *v.* THINK의 과거·과거분사.

◊**thought**² [θɔ́:t] *n.* **1** Ⓤ **a**) [+*that* 節 / +前+do*ing*] 생각, 사고(思考), 사색 ; 생각에 잠김 ; 숙고 : after much[serious] ~ 충분히 생각한 뒤에 / be lost[absorbed] in ~ 생각에 잠기다 ; 사색에 잠겨 있다 / take ~ 숙고하다(cf. 4) / act without ~ 생각없이 행동하다 / Action as well as ~ is necessary. 생각하는 것과 같이 행동 또한 필요하다 / The ~ *that* she might not come annoyed him. 그녀가 오지 않을지도 모른다는 생각이 그를 애타게 했다 / She felt uneasy at the ~ ***of*** be*ing* deserted by her husband. 남편에게 버림받는다고 생각하니 그녀는 불안했다. **b**) 사고력 ; 추리력 ; 상상력 : I applied ~ to the problem. 나는 그 문제를 생각해 보았다 / He is endowed with ~. 그는 사고력을 갖추고 있다 / a beauty beyond ~ 상상을 초월한 미인.
2 a) 생각, 착상(着想), 착안 ; 아이디어(idea) : a happy ~ 좋은 착상, 묘안 / an essay full of original ~*s* 독창적인 생각으로 가득찬 논문. **b**) [보통 *pl.*] 의견, 심정 : What are your ~*s* *on* the subject? 그 문제에 대해서 어떻게 생각하십니까 / She always keeps her ~*s* to herself. 그녀는 언제나 자기의 생각을 마음속에만 담고 있다 / You are always in my ~*s*. 너를 늘 잊지 않고 있다 / A penny for your ~*s*! ☞ PENNY 숙어.
3 Ⓤ,Ⓒ [+*of*+do*ing*] (…할) 생각, 의향, 의도(intention) ; 예상 : Our ~ is to avoid war. 우리는 전쟁을 피할 생각이다 / I've got some ~ ***of*** go*ing* to Hawaii this winter. 이번 겨울에는 하와이로 갈까 생각하고 있다 / He had no ~ *of*

offending you. 그는 너를 화나게 할 생각은 추호도 없었다 / You had better give up all ~(*s*) *of* marry*ing* Betty. 베티와 결혼하려는 생각은 깨끗이 버리는 것이 좋다.
4 Ⓤ [또는 a ~] 동정, 배려, 염려 : take ~ *for* …을 염려하다, …에 마음을 쓰다(cf. 1) / Show more ~ *for* others than yourself. 자기의 일보다 남의 일에 더 마음을 쓰시오 / The mother was full of ~ *for* her injured child. 어머니는 부상당한 자식을 몹시 걱정하고 있었다 / Don't give it a moment's ~. 그런 일에는 잠시도 마음을 쓰지 말게《㊟ a는 moment를 수식하고 있음》/ I hardly gave the matter a ~. 그런 일은 거의 생각지도 않았다.
5 Ⓤ (시대·민족·학파 따위의) 사상, 사조(思潮) : modern[Western, Greek] ~ 근대[서양, 그리스] 사상[사조].
6 [a ~ ; 부사적으로] 조금, 약간(a little) (cf. TOUCH *n.* 5 b)) : It's *a* ~ too long. 좀 길어 보인다 / Be *a* ~ more polite. 좀 예절 바르게 해라.
at*[*like*] *a thought 단숨에, 곧.
quick as thought 번개같이 빠르게, 순식간에.
upon*[*with*] *a thought 즉시.
⟦OE *thōht* (⇨ THINK) ; cf. G *Gedacht*⟧
類義語 ⟹ IDEA.

thóught disòrder *n.* 〖精神醫〗 사고 장애.

thóught·ed *a.* [보통 복합어를 이루어] …한 생각이 있는, 생각이 …한 : deep-~ 생각이 깊은.

***thóught·ful** *a.* **1** 생각[사색]에 잠겨 있는, 생각이 깊은 : a ~ look[face] 생각에 잠긴 표정[얼굴] / He remained ~ for a while. 잠시 동안 생각에 잠겨 있었다. **2** 사려깊은 ; 사상이 풍부한 : a ~ mind 사려깊은 마음. **3** 마음쓰는, 인정있는, 친절한 : a ~ gift 정성이 담긴 선물 / a ~ person 인정있는 사람 / He is very ~ *of* safety. 그는 안전에 매우 마음을 쓴다 / You are always ~ *of* me. 언제나 나의 일에 마음을 써주는군 / It was ~ *of* you *to* invite me to the party. 파티에 초대해 주셔서 정말 고마웠습니다. **~·ly** *adv.* 생각에 잠기어 ; 깊이 생각하여 ; 인정있게, 친절하게. **~·ness** *n.* 사려깊음 ; 친절.
類義語 ***thoughtful*** 남의 행복·이익·필요·희망 따위에 대해서 마음을 써주는. ***considerate*** 고통이나 불쾌함을 주지 않으려는 따위, 남의 감정이나 처지에 대해서 동정적인 관심을 기울이는 : The manager was *considerate* enough to postpone the time for payment. (지배인은 지급 기일을 연기해 줄 만큼 마음씨가 좋았다). ***attentive*** 되풀이하여 친절하게 하거나 호의를 보이거나 하여 늘 마음을 쓰는 : She was a very *attentive* waitress. (그 여자는 매우 친절한 종업원이었다).

thóught·less *a.* **1** 사려가 없는, 경솔한, 부주의한 : You are ~ *for* your health. 당신은 자신의 몸을 돌보지 않아요. **2** 생각[인정]이 없는 ; 불친절한 : ~ words 생각없는 말 / Don't be so ~ of other people. 남에게 그렇게 불친절해서는 못쓴다 / It's ~ *of* him *to* say such things. 그런 말을 하다니 그도 생각없는 사람이다. **~·ly** *adv.* 경솔하게 ; 불친절하게. **~·ness** *n.* Ⓤ 사려가 없음, 불친절.

thóught-óut *a.* 심사 숙고한, 용의주도한.

thóught polìce *n.* 사상 경찰.

thóught-provòking *a.* 생각케 하는 ; 시사하는 바가 많은.

thóught-rèad [-ri:d] *vt.* 표정으로[텔레파시로] (사람의 마음을) 읽다[알아내다]. **~·er** *n.* 독심술(讀心術)을 하는 사람(mind reader). **~·ing** *n.* 독심술(術).

thóught transfèrence *n.* 직각적 사고 전달, 이심 전심 ; (특히) = TELEPATHY.

thóught wàve *n.* 심파(心波)《정신 감응을 설명하기 위한 가정》; 사상의 감응 파동.

thóught·wày *n.* (특정 집단·시대·문화에 따라 다른) 사고 방식.

◇**thou·sand** [θáuzənd] *n.* (*pl.* **~s** [-*d*z]) **1** 천(千), 1,000, 1,000개, 1,000명 : a[one] ~ (일)천 / three ~ 3,000 / one in a ~ 천에 하나, 1,000명 중의 한 사람《특히 우수한 것 또는 신기한 것에 대해서 하는 과장적 표현》. ㊟ 수사(數詞) 또는 수를 나타내는 형용사를 수반할 때 복수형 s를 붙이지 않음(cf. HUNDRED, DOZEN). **2** 천의 기호《m, M》. **3** 다수, 무수 ; [*pl.*] 몇[수]천 : (many) ~*s of* people 수천의 사람들 / tens of ~*s* (*of*...) 몇만(이나 되는) / *by* the ~(*s*) 몇천이나, 무수히 / ~*s* and ~*s* (*of*...) 무수(한) / *T*~*s* upon ~*s of* soldiers were being sent to the front. 수많은 병사들이 속속 전선으로 보내지고 있었다.
a thousand to one 거의 절대적인 일 : It is *a* ~ *to one* that he will refuse. 그가 거절하리라는 것은 거의 틀림없다.
── *a.* **1** 1,000의, 천개의, 1,000명의. **2** [보통 a ~] 몇천이나 되는 ; 다수의, 무수한 : *a* ~ times easier 천배나[비교가 안되게] 쉬운 / *A* ~ thanks[pardons, apologies]. 정말로 고맙습니다[죄송합니다].
(***a***) ***thousand and one*** 무수한 : She made *a* ~ *and one* apologies. 그녀는 거듭 사과했다.
The Thousand and One Nights 천일야화(千一夜話)《아라비안 나이트》.
⟦OE *thūsend* ; cf. G *Tausend*⟧

thóusand·fòld *a.* (몇) 천배의. ──[ˊˋ] *adv.* (몇) 천배로. ── *n.* (몇) 천배의 수[양].

Thóusand Ísland dréssing *n.* 《美》 사우전드 아일랜드 드레싱《마요네즈에 케첩·잘게 썬 피클·향료 따위를 섞은 샐러드용 소스》.

thóusand-légger *n.* 〖動〗 노래기.

thóusand-mìl·er [-màilər] *n.* 짙은 검남색 작업셔츠[복]《철도 작업원이 입음》.

thóusand(')s dìgit *n.* (아라비아 숫자 표기에서의) 천자리의 숫자《6541에서 6》.

thóusand(')s plàce *n.* (아라비아 숫자 표기에서의) 천의 자리.

thou·sandth [θáuzəndθ, -tθ] *n.*, *a.* 1,000번째(의) ; 1,000분의 1(의).

thow·less [θáuləs] *a.* 《스코》 기운[활기]이 없는, 의지가 약한.

thp 〖海〗 thrust horsepower(추력(推力) 마력).

thr. through.

Thrace [θréis] *n.* 트라키아《Balkan 반도의 에게해 북동 해안지방 ; 고대 트라키아의 영토는 Danube 강 유역에까지 이른 적도 있음 ; 현재는 그리스령(領)(=Western ~)과 터키령(=Eastern ~)으로 나누어짐》.

Thrá·cian *a.* 트라키아(인[어])의.
── *n.* 트라키아인[어].

thrall [θrɔ́:l] *n.* Ⓤ,Ⓒ 노예(의 상태) ; 속박 : He is (a) ~ *to* vice. 죄악의 노예가 되어 있다 / in ~ *to* …에 사로잡혀. ── *vt.* 노예로 삼다(enslave). ── *a.* 노예가 된. **thrál(l)·dom** *n.* 노예의 신분[처지] ; 속박. ⟦OE *thræl* <ON⟧

***thrash** [θrǽ(:)ʃ] *vt.* **1** (몽둥이·채찍 따위로) 때려 눕히다, 매질하다 : ~ a person soundly 남을

호되게 때려주다. **2** 《口》 (경기에서 상대를) 패배시키다 : The home team ~*ed* the visiting team. 홈팀이 원정온 팀을 패배시켰다. **3** (일반적으로) 세게 때리다 : The big fish ~*ed* the water with its tail. 큰 물고기가 꼬리로 해면을 세게 쳤다. **4** (곡물(穀物)을 도리깨 따위로) 두들기다, 탈곡하다. **5** (문제 따위를) 철저하게 검토하다. —— *vi.* [動/+副/+前+名] **1** 뒹굴다, 부림치다 ; 세게 움직이다[세게 치다] : He ~*ed* (***about***) in bed with a high fever. 그는 고열로 잠자리에서 몸부림쳤다 / The branches of the tree are ~*ing* ***against*** the window. 나뭇가지가 창문을 후려치고 있다. **2** (배가) 파도를 헤치고 [바람을 거슬러서] 나아가다. **3** 탈곡하다, 곡물을 털다, 타작하다. 주 *vt.* 4, *vi.* 3에서는 thresh라고 하는 것이 일반적임.

thrash out (문제 따위를) 의논한 끝에 해결하다 ; 철저하게 검토하다 ; 충분한 토의 끝에 (진리 따위에) 도달하다, 여러가지 시도하여 발견하다 : You'll have to ~ *out* the question among yourselves. 그 문제는 너희들 자신이 철저하게 검토해야 할 것이다.

thrash over (…을) 되풀이하다 ; (문제 따위를) 면밀히 검토하다.

thrash the life out of …을 때려 눕히다.

—— *n.* **1** 때리기 ; 패배시키기. **2** 〖泳〗 물장구치기. **3** 《英俗》 파티. 〚OE *threscan* < *therscan* to thresh ; cf. G *dreschen*〛

類義語 ⟹ BEAT[1].

thrásh·er[1] *n.* **1** 채찍질하는 사람. **2** 탈곡하는 사람 ; 도리깨, 탈곡기《thresher라고 하는 쪽이 일반적임》. **3** 〖魚〗 =THRESHER.

thrasher[2] *n.* 〖鳥〗 미무스속의 지빠귀, (특히) 톡소스토마속의 (갈색)지빠귀붙이《남북 아메리카산(産)》. 〚? *thrusher* (dial.) thrush〛

thrásh·ing *n.* 탈곡 ; 매질 ; 채찍질 : a ~ floor 탈곡장.

thra·son·i·cal, -son·ic [θrəsάnik(əl), θrei-] *a.* 자랑하는, 허풍떠는. **-i·cal·ly** *adv.*

thraw [θrɔ́:] *vt.* 《스코》 뒤틀다 ; 가로지르다, 방해하다. —— *vi.* 뒤틀어지다 ; 맞지 않다, 엇갈리다. —— *n.* 뒤틀림 ; 불쾌함, 노여움. 〚OE *thrāwan*〛

thra·wart [θrά:wərt] *a.* 《스코》 고집센, 완고한 ; 비뚤어진, 뒤틀린, 비꼬인.

thrawn [θrɔ́:n] *a.* 《스코》 뒤틀린, 구부러진 ; 성질이 비뚤어진. **~·ly** *adv.* 〚*thrown*의 Sc. 형〛

***thread** [θréd] *n.* **1 a**) Ⓤ [집합적으로] 실 ; Ⓒ (한 오리의) 실 ; 바느질 실 ; 꼰 실 : black ~ 검은 실 / gold ~ 금사(金絲) / a needle and ~ 실을 꿴 바늘 / sew with ~ 실로 꿰매다. **b**) (몸에 걸친) 실오라기 : He has not a dry ~ on him. 온몸이 흠뻑 젖어 있다 / be worn to a ~ 너덜너덜 해어져 있다. **c**) 《英》 삼실, 《美》 무명실. **2** (금속·유리 따위의) 가는 줄[선(線)], 섬조(纖條). **3** 실처럼 가는 것《털·거미줄·가는 줄기·실날같은 소리 따위》 : a ~ of light[hope] 한 줄기의 광명[희망]. **4** 《비유》 **a**) 생명의 줄, 인간의 수명 : the ~ of life 목숨 / cut one's[a person's] mortal ~ 자기의[남의] 목숨을 끊다, 자살하다[죽이다]. **b**) (이야기·이론의) 줄거리, 맥락 : resume[take up] the ~ of a story 이야기를 이어서 다시 하다. **5** 나사, 나사산.

gather up the threads 《비유》 (따로 따로 다루던 문제·부분 따위를) 종합하다.

hang by* [(*up*)*on*] *a thread ☞ HANG *v.*

thread and thrum 모조리, 뭐든지 다.

—— *vt.* **1** (바늘에) 실을 꿰다 ; (작은 구슬 따위를) 실에 꿰다. **2** [+目/+目+前+名] (복잡한 거리 인파 등을) 요리조리 빠져 나가다 : ~ a maze 미로(迷路)를 요리조리 빠져 나가다 / The pickpocket ~*ed* his way ***through*** the crowd. 소매치기는 사람 틈바구니를 요리조리 빠져 나갔다. **3** [+目/+目+*with*+名] …에 실처럼 줄을 긋다 ; (검은 머리에 흰머리가) 줄을 이루다 : A note of hope ~*ed* the story. 그 이야기에는 한 가닥 희망이 끊기지 않고 이어져 있다 / I saw his black hair ~*ed* ***with*** silver. 그의 검은 머리에 몇 가닥의 흰머리가 섞여 있는 것이 보였다. **4** …에 나사산을 내다. —— *vi.* 꼬불꼬불 구부러지다 ; (설탕이) 졸아서 실처럼 늘어지다.

〚OE *thrǣd* (⇨ THROW) ; cf. G *Draht* wire〛

thréad·bàre *a.* **1** 낡아서[닳아서] 올이 보이는, 오래 입어 낡은 : a ~ overcoat 닳아빠진 외투. **2** 누더기 옷을 입은, 초라한. **3** 내용이 빈약한 ; 케케묵은, 진부한(well-worn) : ~ arguments 진부한 논의.

thréad·er *n.* 실을 꿰는 기구 ; 〖機〗 나사산을 내는 기계.

thréad làce *n.* 실로 짠 레이스.

thréad màrk *n.* 실을 섞어 넣기《지폐·우표 따위의 위조를 방지하기 위해서 채색한 명주실을 섞어 넣음》.

Thrèad·néedle Strèet *n.* 스레드니들가(街) 《London의 은행가(街)》.

the Old Lady of Threadneedle Street 잉글랜드 은행《속칭》.

thréad pàper *n.* 실 다발을 싸는 얇은 종이 ; 야위고 껑충한 사람.

(***as***) ***thin as thread paper*** 피골이 상접한.

thréad·wòrm *n.* 요충(蟯蟲).

thréady *a.* **1** 실같은, 가는. **2** 실의, 섬유질의. **3** 끈적끈적하는, 실같이 늘어지는. **4** (맥박·목소리 따위가) 가냘픈, 약한.

***threat** [θrét] *n.* **1** 위협, 협박(cf. MENACE) : make ~*s* 위협하다 / utter a ~ *of* violence 폭력을 쓰겠다고 위협하다. **2** 위압, (…할 듯한) 기세, 우려, 조짐 : the ~ *of* war 전쟁의 위협 / There was a ~ *of* storm. 폭풍이 일 것 같았다. **3** 위협하는 사람[것], 강적.

—— *v.* 《古·方》 =THREATEN.

〚OE *thrēat* coercion〛

thréat·en** *vt.* **1** [+目/+目+前+名/+*to* do] 위협하다, 협박하다, …하겠다고 위협하다 : ~ an opponent 상대방을 위협하다 / The employees ~*ed* the management ***with a strike. 종업원들은 파업을 하겠다고 경영자측을 위협했다 / They ~*ed to* kill him. 그를 죽이겠다고 협박했다. **2** [+目/+*to* do] …할 우려가 있다, (…할) 듯하다 : The clouds ~ rain[thunder]. 구름을 보니 비가 내릴[벼락이 칠] 것 같다 / It ~*s to* rain [thunder]. 비가 내릴[벼락이 칠] 것 같다. **3** [+目/+目+前+名] (위험·재앙이) …에 다가오고 있다, 위협을 받다 : A flood ~*ed* the city. 그 시는 홍수의 위협을 받았다 / a tribe ~*ed* ***with*** extinction 멸종 위기에 있는 종족. —— *vi.* **1** 위협하다, 협박하다 : I don't mean to ~. 협박이 아니다. **2** (위험 따위가) 닥치다, 다가올 것 같다 : A storm ~*s.* 폭풍우가 다가올 것 같다.

~·ing·ly *adv.*

類義語 ***threaten*** 말·행동·사건·조건 따위에 의해서 벌·위험·재해(災害) 따위의 위협을 하다 : He *threatened* to revenge. (복수하겠다고 위협했다). ***menace*** *threaten*하는 사람의 위협

또는 적의(敵意)를 강조하다 : He *menaced* with a gun. (그는 총으로 위협했다).

thréat·ened *a.* (야생 동식물이) 절멸(絶滅) 위기에 있는.

◇**three** [θríː] *a.* 3의, 3개의, 3명의 ; [*pred.*로 써서] 3살의 : ~ parts 4분의 3(☞ PART *n.* 3) / the *T*~ Wise Men=the MAGI. —— *pron.* [복수취급] 3, 3명, 3개. —— *n.* **1** 3, 3개, 3명 ; Ⓤ 3시, 3살, 3달러[파운드, 센트 따위] : ~ feet ~ 3피트 3인치 / ~ ten 《英》 3파운드 10펜스《£ 3 10 p.》. **2** 3의 기호《3, iii, III》. **3** 3개[사람] 한 벌[조(組)]이 되는 것. **4** 〔스케이트〕 3자형으로 지치기. **5** (카드·주사위 따위의) 3.

give a person ***three times three*** 남에게 만세 삼창을 3번 되풀이하게 하다.

the rule of three 〔數〕 복비례(複比例).

the Three in One=the TRINITY.

〖OE *thrī* (⇨ TRIO, THIRD) ; cf. G *drei*〗

3-A, III-A [θríːéi] *n.* (미국의 선발 징병 분류에서) 아주 곤궁하거나 가족 부양으로 징병이 연기된 사람(을 가리키는 구분).

thrée-bágger *n.* =THREE-BASE HIT.

thrée-bàll mátch *n.* 〔골프〕 스리볼 매치《3명의 선수가 각자 자기 공을 치면서 함께 한바퀴 돎》.

thrée-bàse hít *n.* 〔野〕 3루타.

thrée-bòttle mán *n.* 술고래.

thrée-còlor *a.* 3색을 쓴 ; 〔印〕 3색판의 ; 3색 사진법의.

thrée-còlor photógraphy[prócess] *n.* 3색[천연색] 사진법.

thrée-córnered *a.* **1** 삼각의 : a ~ hat 삼각모(cocked hat). **2** (경기 따위) 3명의 선수로 이루어지는, 삼파전의 ; 삼각 관계의 : a ~ fight 삼파전 / a ~ relation 삼각 관계.

3-D, three-D [θríːdíː] *n.* 3차원의 형태 ; 입체시(立體視), 입체감 ; 입체 효과 ; 입체 사진[영화]. —— *a.* =THREE-DIMENSIONAL.

thrée-dày méasles *n.* 〔醫〕 풍진(風疹).

thrée-déck·er *n.* **1** (옛날의) 3층 갑판 함선《각 갑판마다 포를 장비했음》. **2** 《비유》 큰[중요한] 사람[물건]. **3** 3부로 이루어지는 것 ; 3부작 소설 ; 빵 세 조각을 겹친 샌드위치.

thrée dígit nùmber *n.* 세 자릿수.

thrée-diménsion·al *a.* 3차원의, (사진·영화 따위가) 입체적인《3-D라고도 씀》 : ~ movies [television] 입체 영화[텔레비전].

thrée-dòllar bíll *n.* 《美俗》 괴짜 ; 남의 이름을 사칭하는 놈 ; 호모.

Thrée Estátes *n. pl.* [the ~] (중세 유럽의) 세 신분《성직자·귀족·평민》 ; 《英》 상원의 고위 성직 의원(Lords Spiritual)과 귀족 의원(Lords Temporal)과 하원 의원(Commons)의 세 계급.

thrée-fòld *a.* 3배[세겹]의.
—— *adv.* 3배[세겹]로.

thrée-fóur (tìme) *n.* 〔樂〕 4분의 3박자(three-quarter time).

thrée-gáit·ed *a.* (말이) walk, trot, canter를 훈련받은.

thrée-hálfpence, -há'pence [-héipəns] *n.* =HALFPENNY 2.

thrée-hánd(·ed) *a.* **1** 손이 셋인. **2** (게임 따위) 세 명이 하는.

3HO [θríːéitʃóu] *n.* 3HO 교단(敎團)《북미에서 시작된 시크교의 일파》. 〖*H*appy, *H*ealthy, *H*oly *O*rganization (1971년(年))〗

thrée-làne *a.* (도로가) 3차선인.

thrée-légged *a.* 3각(脚)의.

thrée-lègged ráce *n.* 〔競〕 2인 3각 (경주).

thrée-lètter mán *n.* 《美俗》 계집애 같은 사내, 호모. 〖*f-a-g*=*fag*²〗

thrée-lìne whíp *n.* 〔英議會〕 긴급 등원 명령(서)《긴급함을 강조하기 위해 밑줄을 셋 그은 데서》 ; (채결(採決) 때의) 당론 엄수 지령.

3M [θríːém] *n.* 미국의 가정용·공업용 접착제, 테이프, 자기(磁氣) 테이프 따위를 생산하는 대(大) 메이커.
〖*M*innesota *M*ining & *M*anufacturing Co.〗

thrée-martìni lúnch *n.* 《美》 업무상 교제비로 먹는 호화 점심.

thrée-mást·er *n.* 돛대가 셋 있는 배.

Thrée Mìle Ísland *n.* 스리마일 섬《Pennsylvania 주 Susquehanna 강에 있는 섬 ; 1979년 이곳의 원자력 발전소 사고로 원자력 발전 반대 운동이 일어났음 ; 略 TMI》.

thrée-mìle límit *n.* [the ~] 〔國際法〕 (영해의 폭으로서의) 3해리폭[영해].

thrée-pàir *a.* 《英》 4층의.

three·pence [θrépəns, θríp-, θrʌ́p-, 美+θríːpèns] *n.* (*pl.* ~, **-penc·es**) 《英》 **1** Ⓤ 3펜스(의 금액). **2** 옛 3펜스 은화(threepenny bit)《1971년 십진법 이행에 따라 폐화(廢貨)》.

three·pen·ny [θrépəni, θríp-, θrʌ́p-, 美+θríːpèni] *a.* **1** 《英》 3펜스의 : a ~ stamp 3펜스 우표. **2** 보잘 것 없는, 값싼. —— *n.* 3펜스 짜리 물건.

thréepenny bìt[pìece] *n.* =THREEPENCE 2.

thrée-percént *a.* 3퍼센트의, 3부 이자부(附)의. —— *n.* [the ~s] 3부 이자부 공채[채권] ; (예전의 영국 정부의) 3부 이자부 정리 공채(公債) (cf. CONSOLS).

thrée-phàse *a.* 〔電〕 3상(相)의.

thrée-píece *a.* (가구 따위) 세 가지 한 세트인 ; (의복 따위) 세 가지 한 벌인, 스리피스의《여자의 coat, skirt, blouse ; 남자의 jacket, vest, trousers 따위》 : a ~ suit 스리피스 / a ~ furniture set 세 가지가 한 세트인 가구. —— *n.* 스리피스의 옷 ; 세 가지가 한 세트인 가구.

thrée-plý *a.* 세 겹의, 삼중직의 ; 석장을 깐, 스리플라이의 ; (밧줄을) 세 가닥으로 꼰. —— *n.* 삼중직물 ; 스리플라이 합판.

thrée-pòint lánding *n.* 〔空〕 3점 착륙《3개의 바퀴가 동시에 땅에 닿는 이상적인 착륙 방식》 ; 만족한 결과.

thrée-pòint túrn *n.* 《英》 3점 방향 전환《전진·후퇴·전진하여 좁은 곳에서 차를 돌리는 방법》.

thrée-quárter, -quárters *a.* **1** 4분의 3의. **2** (사진 따위) 7분신(分身)의 ; 얼굴의 4분의 3을 나타내는. —— *n.* **1** (사진 따위에서) 7분신(의 초상), 4분의 3이 보이는 얼굴. **2** (럭비의) 스리쿼터(=∠ **báck**)《halfback과 fullback 사이에 있는 경기자》. **3** 4분의 3톤 트럭.

thrée-quárter bínding *n.* 〔製本〕 등가죽이 표지의 4분의 3을 덮은 장정. **thrée-quárter-bóund** *a.* 4분의 3 가죽 장정의.

thrée-quárter tìme *n.* 〔樂〕 4분의 3박자(拍子)(three-four).

thrée-rìng(ed) círcus *n.* 세곳에서 동시에 쇼를 하는 서커스 ; 《비유》 한 바탕의 난리.

three R's [∠ áːrz] *n. pl.* [the ~] 읽기·쓰기·산술, 기초 학과 ; (각 영역의) 기본적인 기술. 〖*r*eading, '*r*iting, and '*r*ithmetic〗

thrée·scóre *n., a.* 60(의), 60세(歲)(의) : ~ (years) and ten 〔聖〕 70(세)《인간의 수명 ; 시편 90 : 10》.

thrée-séater *n.* 3인승 자동차[비행기 따위].
three·some [θríːsəm] *n.* **1** 3인조(人組). **2** 〖골프〗 스리섬(1인대(人對) 2인이 하는 경기); 그 경기자들. —— *a.* 3인조의, 3명이서 하는.
thrée-squáre *a.* (줄 따위) 단면이 정삼각형인.
thrée únities *n. pl.* [the ~] =DRAMATIC UNITIES.
thrée-válued *a.* 〖哲〗 삼가(三價)의: ~ logic 삼가 논리(진(眞)·위(僞)의 두 가치 이외에 제3의 가치를 인정함).
thrée vówels *n. pl.* 《俗》 차용 증서(IOU에서).
thrée-wày *a.* 세 가지 방식으로 작용하는, 세 가지의; 세 방향으로 통하는; 세 사람의.
thrée-wày búlb *n.* 밝기가 3단계로 조절되는 전구(電球).
thrée-whéeler *n.* 삼륜차.
threm·ma·tol·o·gy [θrèmətálədʒi] *n.* Ⓤ 〖動·植〗 양식(養殖)[사육]학.
thre·net·ic, -i·cal [θrinétik(əl)] *a.* 슬퍼하는, 비탄의, 애도하는, 비가(悲歌)의.
thren·o·dy [θrénədi, θríː-], **thre·node** [θríːnoud, θrén-] *n.* 비가(悲歌), 애가; (특히) 만가(挽歌); 애도사. **thre·nod·ic** [θrinádik] *a.* 비가의, 애가의. **thren·o·dist** [θrénədəst] *n.* 비가[만가]의 작자.
〖Gk. (*thrēnos* wailing, *ōidē* ODE)〗
thre·o·nine [θríːəniːn, -nən] *n.* Ⓤ 〖生化〗 트레오닌(필수 아미노산의 일종).
thresh [θréʃ] *vt.* **1** 도리깨로 두드리다, 탈곡하다. **2** 반복하여 치다, 때리다(thrash라는 편이 일반적). —— *vi.* **1** 도리깨질하다, 탈곡하다. **2** 뒹굴다(thrash라는 편이 일반적).
thresh out =THRASH *out*.
—— *n.* 탈곡; 물장구치기(thrash).
〖⇨ THRASH〗
thrésh·er *n.* **1** 탈곡기(機); 탈곡하는 사람. **2** 〖魚〗 환도상어(thrasher).
thrésh·ing flòor *n.* 탈곡장(場).
thréshing machìne *n.* 탈곡기(機).
***thresh·old** [θréʃhould] *n.* **1** 문지방; 입구: on the ~ 문턱에서 / cross the ~ 문지방을 넘어서다, 집으로 들어가다. **2** 《비유》 (혁명·신세기 따위의) 시초, 발단, 출발점: He is *on* the ~ *of* adulthood. 어른이 되어가고 있는 중이다 / Are we *at* the ~ *of* a global reformation? 우리들은 세계적인 개혁의 출발점에 있는 것일까. **3** 〖心·生理〗 역(閾), 역치(域値); 〖理〗 한계[문턱]값: the ~ of consciousness 〖心〗 식역(識閾)(의식 작용이 야기되고 소실되는 경계). **4** 〖컴퓨〗 문턱(값).
—— *a.* 문지방의; 한계를 이르는.
〖OE *therscold*, *threscold*, etc.; cf. THRASH=(obs.) to tread〗
thréshold fréquency *n.* 〖理〗 한계 진동수.
thréshold swítch *n.* 〖電子〗 한계 스위치(전압 따위가 어떤 한계값을 넘으면 작동함).
Thréshold Tést Bán Trèaty *n.* (군사 목적의) 지하 핵폭발 실험 제한 조약.
thréshold vòltage *n.* 〖電子〗 역치(閾値) 전압 (그 전압 이상에서 작동을 시작하는 반도체 소자나 회로의 입력 전압).
◇**threw** *v.* THROW의 과거형.
thrice [θráis] *adv.* **1** 《古·文語》 3번, 3회; 3배로 (three-fold). **2** 몇 번이고; 크게, 매우: ~-blessed[-favored] 매우 복된, 행운의.
〖ME *thries* (*thrie* (adv.) <OE; ⇨ THREE)〗
***thrift** [θríft] *n.* **1** Ⓤ 절약(節約), 검약(↔*waste*): Children should early be trained to value ~. 어린이에게는 어렸을 때부터 검약을 소중히 여기는 것을 가르쳐 주어야 한다. **2** Ⓤ 무성, 성장. **3** Ⓤ 《美》 번영, 성공(thriving). **4** 〖植〗 아르메리아. 〖ON; ⇨ THRIVE〗
thríft accòunt *n.* 《美》 =SAVINGS ACCOUNT.
thríft ìndustry *n.* =THRIFT INSTITUTION.
thríft institùtion *n.* 《美》 저축 기관(mutual savings bank, savings and loan association, credit union의 총칭).
thríft·less *a.* 돈 씀씀이가 헤픈, 낭비하는; 《古》 무용의, 무의미한. **~·ly** *adv.*
thríft shòp *n.* 《美》 중고(품) 할인 가게.
thríf·ty *a.* **1** 절약하는, 검소한, 알뜰한: He was as ~ *in* the use of time as *in* spend*ing* money. 돈을 쓰는데 알뜰할 뿐 아니라 시간도 절약해서 썼다. **2** 《美》 (알뜰살뜰히 하여) 번성하는. **3** 기운차게 자라는, 무성한.
[類義語] ***thrifty*** 돈이나 물건을 알뜰하게 쓰며 절약하는; 그 결과 여유가 생겨 다소 저축할 수 있음을 암시함. ***frugal*** 절약하기 위해서 간소한 식사나 의복으로 참아내고 사치·낭비를 전혀 하지 않는. ***sparing*** 비용 따위를 최소한도로 제한하는. ***economical*** 돈·물자·시간 따위의 낭비를 피하기 위해서 신중하게 처리하는.
***thrill** [θríl] *n.* **1** Ⓤ,Ⓒ (공포·쾌감으로) 오싹[두근두근]하는 느낌, 스릴, 전율: a ~ of joy [terror] 가슴설레는[오싹하는] 기쁨[공포] / a story full of ~*s* 스릴 넘치는 이야기 / the ~ of speed 스피드의 쾌감 / A ~ went through her. 그녀는 온몸이 오싹했다. **2** 진동 (소리). **3** 동계(動悸), 맥박, 〖醫〗 (순환·호흡기계의) 이상미진전(異常微震顫). **4** 《俗》 선정 소설.
—— *vt.* [+目/+目+前+名] 감동[감격]시키다, 오싹[두근두근]하게 하다: The scene ~*ed* the onlookers. 그 광경은 구경꾼들을 오싹하게 했다 / The audience were ~*ed* ***with*** joy. 청중은 기쁨으로 설레였다. —— *vi.* **1** [動/+前+名/+*to* do] 오싹하다, 두근거리다, 감격[감동]하다; (강한 감정이) 온몸에 사무치다, 몸에 스며들다: They ~*ed* ***at*** the news of victory. 승리의 소식을 듣고 감격에 휩싸였다 / Fear ~*ed* ***through*** my veins. 오싹하는 공포감이 온몸에 스며들었다 / I ~*ed to* watch him win the first prize. 그가 1등상을 받는 것을 보고 감격했다. **2** [動/+前+名] 떨리다: Her voice ~*ed* ***with*** terror[joy]. 그녀의 목소리는 공포[기쁨]로 떨렸다. 〖ME〗
thríll·er *n.* **1** 스릴을 느끼게 하는 사람[것]. **2** 《口》 (특히) 선정[괴기]적인 영화[연극·소설], 스릴러.
thríll·er-díll·er [-dílər] *n.* 《美俗》 =CHILLER-DILLER.
thríll·ing *a.* **1** 오싹[두근두근]하게 하는, 소름이 끼치는, 감격적인, 장렬한, 스릴 만점의. **2** 떨리는. **~·ly** *adv.* **~·ness** *n.*
thrip·pence [θrípəns] *n.* =THREEPENCE.
thrips [θríps] *n.* (*pl.* ~) 〖昆〗 털날개(이 종류에는 식물을 해치는 것이 많음).
〖L<Gk.=wood worm〗
thrive [θráiv] *vi.* (**throve** [θróuv], **~d**; **thriv·en** [θrívən], **~d**) **1** 성공하다, 부자가 되다, 번영하다; 성해지다: Education ~*s* there. 그곳은 교육열이 왕성하다 / Industry never ~*s* under the control of the government. 산업은 정부의 통제하에서는 결코 발전하지 못한다. **2** (동·식물이) 튼튼하게 자라다, 성장하다, 무성하다: Banana does not ~ in Korea. 바나나는 한국에

서는 잘 자라지 않는다 / Children ~ in the country with good air and sunshine. 어린이는 공기가 좋고 양지 바른 시골에서 튼튼하게 자란다. 〖ON (rflx.) < *thrifa* to grasp〗

類義語 ⟹ SUCCEED.

thriven *v.* THRIVE의 과거분사.

thriv·ing [θráiviŋ] *a.* **1** 번성[번영]하고 있는, 번화한 ; 성한, 성대한 : a ~ business 번창하는 사업 / a ~ town 번화한 마을. **2** (동·식물이) 잘 자라나고[번성하고] 있는.

thro, thro' [θrú:] *prep., adv., a.* 《英》《美古》 = THROUGH.

***throat** [θróut] *n.* **1 a**) 목구멍, 인후(咽喉), 숨통 : pour[send]...down one's ~ …을 삼키다 / spring at the ~ of... 덤벼들어 …의 목을 조르려고 하다 / take[seize] a person by the ~ 남의 목을 조르다 / have a sore ~ (감기 따위로) 목구멍이 아프다. **b**) [뜻이 변하여] 목소리 : at the top of one's ~ 목청껏. **2** 목구멍 모양의 것 ; (그릇·병 따위의) 목, 주둥이, (식물의) 관상(管狀) 기관의 개구부 ; 좁은 통로 ; 협류(峽流).

clear one***'s throat*** (이야기하기 전에) 기침을 하다, 헛기침을 하다.

cut one another's throats 《口》 서로 망칠 짓을 하다.

cut one***'s*** (***own***) ***throat*** 제 목을 찌르다, 자살하다 ; 자멸을 초래하다.

full to the throat 목구멍까지 차서, 배가 잔뜩 불러.

give a person ***the lie in*** his ***throat*** 남의 말이 거짓말임을 밝혀내다.

jump down a person***'s throat*** 《口》 남을 찍소리 못하게 하다, 꼼짝 못하게 하다.

a lump in the[one***'s***] ***throat*** ☞ LUMP[1] *n.*

stick in one***'s throat*** (뼈·가시 따위가) 목에 걸리다 ; 비위에 거슬리다, (말 따위가) 좀처럼 안 나오다 ; (제안 따위가) 납득이 안되다.

thrust[***cram, force, push, ram,*** etc.]... ***down*** a person***'s throat*** 《口》 …을 남에게 억지로 떠맡기다, 일부러 남의 코앞에 들이대다.

—— *vt.* **1** 〔建〕 …에 홈을 파다. **2** 《古》 낮은 목소리[쉰 목소리]로 말하다.

〖OE *throte, throtu* ; Gmc.에서 'to swell'의 뜻 ; cf. G *Drossel*〗

thróat·ed *a.* [복합어를 이루어] (…의) 목을 한, …한 목이 있는, 목이 …한 : a red-[white-]~ bird 목이 붉은[흰] 새.

thróat·làtch, thróat·làsh *n.* (말의) 목끈.

thróat mìcrophone *n.* 목에 대는 마이크로폰 《말하는 이의 목에 대어 녹음함》.

thróaty *a.* 목구멍 소리의, 후음(喉音)의, 쉰 목소리의(hoarse).

throb** [θráb] *vi.* (**-bb-**) [動/+前+名] **1** (심장이) 고동치다 ; (맥박이) 뛰다 ; 심장이 두근거리다, 울렁거리다 : My heart ~*bed* heavily. 심장이 심하게 고동쳤다 / My finger ~*s* ***with the cut. 베인 상처 때문에 손가락이 욱신거린다 / His mind was ~*bing with* expectation. 그의 마음은 기대로 두근거리고 있었다. **2** 흥분하여 떨다, 감동하다 : She ~*bed* ***at*** the dreadful sight. 무서운 광경을 보고 벌벌 떨었다. —— *n.* 동계, 고동 ; 흥분, 감동 : ~*s of* joy 기쁨의 흥분 / My heart gave a ~. 나는 가슴이 철렁했다 / A ~ of pain ran through my back. 아픔이 등을 스쳐 지나갔다. 〖ME (? imit.)〗

throe [θróu] *n.* **1** [보통 *pl.*] 격통, 심한 고통. **2** [*pl.*] 진통 ; 죽음의 고통. **3** [*pl.*] 《口》 [+前+doi*ng*] 과도기의 혼란[갈등] : They were in the ~*s* ***of*** revolution[*of* elect*ing* chairman]. 그들은 한창 혁명에 열을 올리고[의장을 선출하고] 있는 중이었다. —— *vi.* 고민하다. 〖ME *throwe*<? OE *thrēa, thrawu* calamity ; 어형은 *woe*와의 유추(類推)인가〗

Throg·mór·ton Strèet [θragmɔ́:rtən-] *n.* **1** 스로그모턴가(街)《London의 증권 거래소가 있는 곳》. **2** 런던 증권 거래소 ; 영국의 증권 시장, 증권업계(cf. WALL STREET, LOMBARD STREET).

thromb- [θrámb], **throm·bo-** [θrámbou, -bə] *comb. form* 「혈전(血栓)」 「혈전증(血栓症)」의 뜻. 〖Gk. *thrombos* clot〗

throm·bin [θrámbən] *n.* 〔生化〕 트롬빈《응혈(凝血) 작용을 돕는 혈액 중의 한 효소》.

thrómbo·cỳte *n.* 〔解〕 혈소판(血小板).

thròm·bo·cýt·ic [-sít-] *a.*

throm·bo·cy·to·pe·nia [θràmbəsàitəpí:niə] *n.* 〔醫〕 혈소판 감소(증).

thròmbo·émbolism *n.* 〔醫〕 혈전 색전증(血栓塞栓症). **-embólic** *a.*

thròmbo·kínase *n.* 〔生化〕 트롬보키나아제 (thromboplastin).

thròmbo·plás·tin [-plǽstən] *n.* 〔生化〕 트롬보플라스틴《혈액 응고 촉진 물질》.

throm·bose [θrámbouz] *vi., vt.* 〔醫〕 혈전증에 걸리다[게 하다].

〖역성(逆成) < ↓〗

throm·bo·sis [θrambóusəs] *n.* (*pl.* **-ses** [-si:z]) Ⓤ 〔醫〕 혈전증(血栓症) : cerebral ~ 뇌혈전증. 〖NL<Gk.=curdling〗

throm·bos·the·nin [θrambásθənən] *n.* 〔生化〕 트롬보스테닌《혈소판(血小板)의 수축 단백》.

throm·box·ane [θrambáksein] *n.* 〔生化〕 트롬복세인《혈소판을 응고시켜 혈관의 수축을 촉진하는 세포 기능 조절 물질》.

throm·bus [θrámbəs] *n.* (*pl.* **-bi** [-bai]) 〔醫〕 혈전. 〖NL<Gk.=lump, blood clot〗

***throne** [θróun] *n.* **1** 왕좌, 보좌(寶座), 용상(龍床) ; 왕위, 왕권 : the speech from the ~ 《英》 의회 개[폐]원식의 칙어(勅語) / ascend[mount, come to, sit on] the ~ 즉위하다. **2** 군주, 교황성좌(聖座) ; 주교좌(主敎座) ; 신의 보좌. **3** [*pl.*] 좌천사(座天使)《9천사중의 제3위 ; cf. HIERARCHY》. —— *vt.* [*p. p.*이외에는 《詩》] 왕위에 오르게 하다(enthrone) ; …에게 제왕의 권능을 주다. —— *vi.* 왕위에 오르다 ; 제왕의 권능을 쥐다. 〖OF<L<Gk.=high seat〗

thróne ròom *n.* 왕실, 알현실 ; 권부(權府).

throng** [θrɔ́(:)ŋ, θráŋ] *n.* 군중(crowd) ; 다수 ; 인파, 집합(collection) : a ~ *of* people[sea gulls] 사람[갈매기]떼. —— *vi.* [動/+前+名/+*to* do] 떼지어 모이다, 모여들다, 쇄도하다 : They ~*ed* ***around him. 그들은 우르르 그를 에워쌌다 / Crowds of people ~*ed to* see the new governor. 신임 지사(知事)를 보려고 사람들이 쇄도했다. —— *vt.* [+目/+目+*with*+名] …에 모여들다, 북적거리다 ; …으로 밀려들다, 쇄도하다 : People ~*ed* the church to hear the sermon. 설교를 들으려고 사람들이 교회로 몰려들었다 / The streets were ~*ed* ***with*** shoppers. 거리는 물건 사려는 사람들로 북적거렸다. —— *a.* [후치] 《스코》 바쁜(busy).

〖OE *gethrang* ; cf. G *Drang*, OE *thringan* to press, crowd〗

類義語 ⟹ CROWD.

thros·tle [θrásəl] *n.* 《英》 **1** 〔鳥〕 노래지빠귀. **2**

스로틀《소모(梳毛) 방적기》.
〖OE ; cf. THRUSH[1]〗

throt·tle [θrátl] *n.* **1** 〖機〗 =THROTTLE LEVER, THROTTLE VALVE. **2** 《稀》 목구멍, 숨통.
at full throttle 전속력으로(at full speed).
— *vt.* **1** …의 목을 조르다, 질식시키다 : ~ a dog 개를 목졸라 죽이다. **2** 누르다 ; 억압하다 (suppress) : The dictator ~*d* the freedom of the press. 독재자는 출판의 자유를 억압했다. **3** 〖機〗 (스로틀 밸브를 죄어) 조절하다 ; (기관(機關)을) 감속하다<*down*>. — *vi.* 질식하다 ; 감속하다.
〖(v.)? *throat*+-*le* ; (n.)은 (dim.) ‹ *throat*인가〗

thróttle·able *a.* (로켓 엔진이) 추력(推力)을 바꿀 수 있는.

thróttle·hòld *n.* 통제, 억압, (신문사 따위의) 탄압<*on*>.

thróttle lèver *n.* 〖機〗 스로틀 레버, 조절 레버.

thróttle vàlve *n.* 〖機〗 스로틀 밸브, 조절 밸브.

◇**through** [θru:, θrù:]

> (1) 기본 뜻 : 「…을 통하여, 꿰뚫어」
> (2) 사용 빈도가 높은 전치사 겸 부사다.
> (3) 《美》에서는 thru라고 쓸 때도 있다.
> (4) 부사 용법 중 「be동사+through」는 술어적으로 형용사로 해석되기도 한다.

— *prep.* **1** [관통·통과] …을 통하여, …의 끝에서 끝까지 : pass ~ a town 시내를 통과하다. **2** [통행·통로] …속을[에], …을 지나서, …을 거쳐서 : fly ~ the air 공중을 날아가다 / look ~ a window[telescope] 창문을 통해[망원경으로] 보다. **3 a)** [시간] …중(中) : ~ all ages 영원히 / ~ (one's) life 생애(중) / ~ the year 연중(年中)《주 *all* ~ the year라고 하는 것은 강조적》. **b)** [장소] …을 두루 : travel ~ the country 국내를 (두루) 여행하다. **c)** 《美》 (…부터) …까지(cf. INCLUSIVE 1) : *from* Sunday ~ Friday 일요일부터 금요일까지 / *from* p. 10 ~ p. 29 10페이지부터 29페이지까지《모두 20페이지》. **4** [경과·종료] …을 지나, …이 끝나서, …의 끝까지 (cf. *adv.* 6 a)) : We are ~ school at three. 3시에 학교가 끝난다 / go ~ an operation 수술을 받다 / go ~ college 대학을 졸업하다 / go ~ war 전쟁(의 고초)를 겪다. **5** [수단·원인·동기·이유·관계] …을 통해서, …에 의해서, …의 덕택으로 ; …때문에 ; …의 탓으로 : ~ carelessness 부주의 탓으로 / Big Ben is heard every day ~ the B. B. C. 빅벤의 종소리는 매일 B. B. C.를 통해서 들린다 / Housekeeping is made much easier ~ the use of labor-saving devices. 가사(家事)는 노동력 절약 기기류의 사용으로 훨씬 편하게 되었다 / She covered her face ~ shame. 그녀는 부끄러운 나머지 얼굴을 가렸다.
— [θrú:] *adv.* **1** [관통] 통하여, 꿰뚫어, 관통하여 : The bullet hit the wall and went ~. 탄알은 벽에 맞고 관통하였다. **2** [종료] 처음부터 끝까지 ; 완성하기까지 : read ~ a book=read a book ~ 책을 통독하다. **3** 줄곧(all the way) ; 직행으로 : This train goes ~ *to* Berlin. 이 열차는 베를린까지 (바꿔타지 않고) 직행한다 / Get the tickets ~ *to* Boston. 보스턴까지의 직행 차표를 사주시오. **4** [시간] …중(中), 계속해서 : We drank the whole night ~. 하룻밤 내내 술을 마셨다. **5** 완전히, 철저하게 : I was wet ~. 흠뻑 젖어버렸다. **6** [보어로서] 《口》 **a)** (시종 잘) 끝나서, 완료되어 ; (사람 등) 관계가 끊겨서, 그만두어 ; 못쓰게 되어(☞ *be* THROUGH *with*) : I am ~ for the day. 오늘은 이제 일이 끝났다 / Is he ~? 그는 (시험에) 합격했니 / He and I are ~. 그와 나는 이제 관계가 없다[손을 끊었다] / As a boxer, he is ~. 권투선수로서 그는 끝장났다. **b)** 구멍이 뚫려서, 해어져 : My sweater is ~ at the elbow. 내 스웨터는 팔꿈치에 구멍이 나있다. **7** 〖電話〗 **a)** 《美》 (통화를) 마치고(finished) : I am ~. (전화) 끊겠습니다 ; 통화가 끝났습니다. **b)** 《英》 연결되어(connected) : You are ~. (상대방이) 나왔습니다[통화하십시오] / I will put you ~ (*to* Mr. Green). (그린씨를) 바꿔 드리겠습니다.
be through with... (1) …을 끝내다, …을 마무리하다 ; …와 관계를 끊다 ; …을 그만두다 : *be* ~ *with* a book 책을 다 읽어 버리다 / *Is* everybody ~ *with* the dessert? 여러분 디저트는 다 드셨습니까 / He *is* ~ *with* drinking[gambling]. 술[도박]을 끊었다. (2) 《口》 …에 진절머리가 나다, 지긋지긋하다 : I'*m* ~ *with* his company. 이제 그와 교제하는 것은 진절머리가 난다.

〈회화〉
> *Are* you *through with* your homework?— Not yet. 「너 숙제 다 했니」 「아직 못했어」

through and through 완전히, 철두철미하게 : I know him ~ *and* ~. 나는 그를 속속들이 알고 있다 / a trustworthy person ~ *and* ~ 끝까지[완전히] 신뢰할 수 있는 사람.
— [θrú:] *attrib. a.* 직행의, 직통의 ; 관통한 : a ~ passenger 직행 여객 / a ~ fare[ticket] 직행 운임[표].
〖OE *thurh* ; cf. G *durch*〗

thróugh bòlt *n.* 관통(貫通) 볼트.

thróugh brìdge *n.* 하로교(下路橋)《주구(主構)의 아래쪽에 통로를 만든 다리》.

thróugh-dèck crùiser *n.* (영국의) 경중량(輕重量) 원자력 항공모함.

thróugh·ly *adv.* 《古》 =THOROUGHLY.

‡**through·out** [θru:áut] *adv.* 완전히, 모조리, 빠짐없이, 구석구석(까지), 철두철미하게 : The building is well built ~. 그 건물은 구석구석까지 잘 지어져 있다.
— *prep.* **1** [장소] …의 구석구석까지, …의 도처에 : His name is famous ~ the world. 그의 이름은 세계 도처에 알려져 있다. **2** [시간] …중(中), …동안 : ~ one's life 일생을 통해서.

thróugh·pùt *n.* 처리량《(1) 정 시간내에 가공되는 원료의 양. (2) 〖컴퓨〗 일정시간내에 처리할 수 있는 일의 양》.

thróugh stòne *n.* 〖建〗 온물림돌《벽 앞면에서 뒷면까지 벽 두께에 걸쳐지는 돌》.

thróugh strèet *n.* 우선도로《교차점에서 다른 도로의 교통에 우선하는 도로》.

thróugh tràffic *n.* 통과 교통《고속 도로 본선(本線)상의 교통 따위》.

thróugh tràin *n.* 직통[직행] 열차.

thróugh·wày *n.* =THROUGH STREET, 고속(자동차) 도로(expressway).

throve *v.* THRIVE의 과거형.

◇**throw** [θróu] *v.* (**threw** [θrú:] ; **thrown** [θróun]) *vt.* **1** [+目/+目+副/+目+前+名/+目+目] 던지다, 내던지다, 팽개치다 : He *threw* the ball (***up***). 공을 (위로) 던졌다 / Stop ~*ing* paper ***about***. 종이를 어지르지 마라 / The noisy fellows were ~*n* ***out of*** the hall. 소란스러운 녀석들이 홀에서 쫓겨났다 / He *threw* himself

down on the bed. 그는 침대 위에 몸을 내던졌다 / The boat was ~*n* ***upon*** the rock. 보트는 바위 위로 밀려올라갔다 / The demonstrators *threw* stones ***at*** the police. 시위대는 경찰을 향해 돌을 던졌다 / He *threw* a bone ***to*** the poor dog[*threw* the poor dog a bone]. 불쌍한 개에게 뼈다귀를 하나 던져 주었다 / He *threw* me the parcel. 그는 꾸러미를 나에게 확 던졌다 / A rope was ~*n to* the drowning boy. 밧줄 한 가닥이 물에 빠져 있는 소년에게 던져졌다《㊟ 보통의 경우 throw *at*은「겨누어 던지다」, throw *to*는「어느 방향으로 던지다」》/ He *threw* the thief *to* the floor. 도둑놈을 마룻바닥에 내던졌다.

2 [+目/+目+前+名/+目+目] **a**) (탄환 따위를) 발사하다 ; (펌프가 물을) 내뿜다 : ~ a missile 미사일을 발사하다 / The hoses were ~*ing* water ***on*** the fire. 호스는 불난 장소에 물을 내뿜고 있었다. **b**) (빛·시선 따위를) 던지다, 보내다 : ~ a kiss 키스를 보내다《손을 입술에 대었다가 상대방에게》/ The trees *threw* long shadows in the moonlight. 나무들은 달빛을 받아 긴 그림자를 드리우고 있었다 / Many people *threw* doubt ***on*** the value of his invention. 그의 발명의 진가에 대해서 의심을 품는 자가 많았다 / ~ (a) new light (up)on... ☞ LIGHT[1] *n.* 12 / She *threw* a contemptuous look ***at*** me. 그녀는 나에게 경멸하는 눈초리를 보냈다. **c**) (목소리를) 크게 내다.

3 [+目+副/+目+前+名] (몸의 일부를 격렬하게) 움직이다 : ~ ***about***[***up***] one's hands 손을 휘두르다, 손을 번쩍 들다 / ~ one's head *back* 갑자기 머리를 뒤로 젖히다 / He *threw* his arms ***around*** his mother's neck. 그는 어머니의 목을 얼싸 안았다.

4 [+目+副/+目+前+名] (의복 따위를) 서둘러[급히] 입다[벗다], 아무렇게나 걸치다 : ~ ***off*** one's clothes 옷을 급히 벗다 / ~ a hat ***on*** (one's head) 모자를 되는대로 쓰다 / The woman *threw* a shawl ***over*** her shoulders. 그 여자는 서둘러[아무렇게나] 숄을 어깨에 걸쳤다.

5 [+目+前+名/+目+補] (어떤 위치·상태 따위에) 내던지다, 빠지게 하다 : ~ a person ***into*** prison 남을 투옥시키다 / ~ one's soul[heart, spirit, efforts] *into* …에 전력을 다하다 / He *threw* himself *into* the work. 그는 그 일에 전력을 다했다 / The meeting was ~*n into* (a state of) disorder. 회의는 혼란 (상태)에 빠졌다 / men ~*n* ***out of*** work 실직한 사람들 / ~ a bridge ***across***[***over***] a river 강에 다리를 급히 가설하다 / He *threw* the door open[open the door]. 문을 확 열었다.

6 a) (말이 탄 사람을) 흔들어 떨어뜨리다. **b**) 〖레슬링〗 (상대방을) 내던지다. **c**) 〖카드놀이〗 (패를) 내다, (손에 든 패를) 버리다 ; (주사위를) 던지다(cast).

7 a) (뱀이 허물을) 벗다. **b**) (가축이 새끼를) 낳다 ; (작물 따위를) 산출하다.

8 a) (질그릇 따위를) 녹로에 걸어 모양을 만들다. **b**) (생사(生絲) 따위를) 꼬다.

9 (스위치 따위를) 넣다, 움직이다 ; 끊다.

10 (분별·도덕 따위를) 내팽개치다 ;《美口》(경기·경주 따위에서) 일부러 지다, 져주다.

11《口·원래 美》(파티 따위를) 개최하다, 열다, 베풀다(give) : ~ a dance 댄스 파티를 열다 / ~ a dinner 만찬회를 열다.

── *vi.* 던지다, 투구하다 : Can you ~ well? 잘 던질 수 있니 / He ~*s* fifty yards. 그는 50야드를 던진다.

throw about (1) 마구 내던져 어지르다(cf. *vt.* 1). (2)《비유》(돈을) 낭비하다. (3) (팔을) 휘두르다(cf. *vt.* 3).

throw a fit ☞ FIT[2].

throw away (1) 내던지다, 팽개치다, 폐기하다 : It's no good ; ~ it *away.* 그것은 못쓰겠다, 던져 버려라. (2)《비유》(기회·제의 따위를) 거절하다, 상실하다 : ~ *away* a good opportunity[an excellent offer] 좋은 기회[아주 좋은 제의]를 놓치다. (3) 〖劇·放送〗 (배우·아나운서 등이) 일부러 아무렇지도 않은 듯 말하다. (4) [*p. p.* 로] (충고·친절 따위를) 뿌리치다(waste) : His advice has been ~*n away.* 그의 충고는 받아들여지지 않았다.

〈회화〉
Let's *throw* this old TV set *away.* — All right.
「이 낡은 텔레비전을 버립시다」「좋아요」

throw back (1) 되던지다 ; 반사(反射)하다(cf. *vt.* 3). (2) (제자리로) 되돌리다〈*upon*〉. (3) (적·공격 따위를) 격퇴하다. (4) (*vi.*) (동·식물 따위가) 격세 유전하다.

throw down 던져 떨어뜨리다[버리다] : ~ *down* one's arms 무기를 버리다《항복하다》/ ~ *down* one's tools 동맹 파업하다, 스트라이크하다 / ☞ *vt.* 1.

throw in (1) 던져넣다 ; 주입하다. (2) (말을) 삽입하다, 참견하다 : The speaker *threw in* a joke to soften the tension. 강연자는 긴장을 풀기 위해서 농담을 삽입했다. (3) 덤으로 곁들이다.

throw in one***'s hand*** ☞ HAND *n.*

throw in one***'s lot with...*** ☞ LOT *n.*

throw off (1) 벗다, (벗어) 던져 버리다(cf. *vt.* 4). (2) (성가신 것을) 뿌리쳐 버리다 ; …와의 관계를 끊다 ; (추적자를) 따돌리다 : ~ *off* one's pursuers 추적자를 따돌리다. (3) (감기·버릇 따위를) 고치다 : ~ *off* a bad habit 나쁜 버릇을 고치다. (4)《口》(시 따위를) 즉흥적으로 짓다[읊다] : ~ *off* a sketch 즉석에서 스케치하다 / ~ *off* a pun 익살을 떨다. (5) 발산하다, (불꽃을) 내다. (6) (*vi.*) 사냥을 시작하다 ; (일반적으로) 개시하다(cf. THROW-OFF).

throw on 급히 입다.

throw one***self at...*** (남)의 사랑[우정 따위]을 얻으려고 무던히 애쓰다.

throw one***self down*** 몸을 내던지다, 벌렁 드러눕다(cf. *vt.* 1).

throw one***self into*** …에 몸을 바치다, …을 열심히 하기 시작하다, …에 적극적으로 종사하다 (cf. *vt.* 5).

throw one***self*** (***up***)***on*** …에 의지하다 ; …에 맡기다 : She *threw* her*self* (*up*)*on* the judge's mercy. 그녀는 재판관의 자비에 맡겼다.

throw one***'s weight about*** ☞ WEIGHT.

throw open (1) (문을) 확 열다(cf. *vt.* 5) : ~ *open* the door to... ☞ OPEN *a.* 숙어. (2) (정원 따위를 일반 대중에게) 공개[개방]하다〈*to*〉; (경쟁 따위를) 공개하다.

throw out (1) 내던지다, 버리다. (2) 돌출시키다, 증축(增築)하다 : ~ *out* a new wing 새로이 곁채를 증축하다. (3) 암시하다, 넌지시 말하다 : ~ *out* a suggestion (넌지시) 비치다. (4) (의안을) 부결하다. (5) 〖크리켓〗 공을 위켓에 맞혀서 (타자를) 아웃시키다 ;〖野〗 송구하여 (주자를) 아웃시키다. (6) (빛·열 따위를) 방사하다. (7) …의 마음을 산란하게 하다, 당황하게 하다 : Don't ~ me *out* in my thinking. 내가 지금 생각중이니 마음을 산란하게 하지 마라.

throw over (친구 등을) 저버리다(desert); (계획·조약 따위를) 폐기[파기]하다(abandon).

throw together (1) (작품 따위를) 한데 모으다; 그러모아 어설프게 만들어[조작해] 내다. (2) (사람들을) 우연히 만나게 하다: Fate *threw* them *together* again. 운명의 장난으로 그들은 다시 만났다.

throw up (1) 던져 올리다: ☞ *vt.* 1, 3 / The volcano *threw up* lava. 화산은 용암을 뿜어 올렸다. (2) (창을) 밀어 열다[올리다]. (3) 《口》 (*vt.*, *vi.*) (먹은 것을) 토하다[토해내다](vomit). (4) 포기하다, 그만두다: ~ *up* one's job 사직하다. (5) 서둘러 짓다, 급조(急造)하다.

—— *n.* **1 a**) 던지기; (탄환 따위의) 발사; 〖레슬링〗 던지는 기술; 〖馬〗 낙마(落馬). **b**) 주사위를 던지기, 던져서 나온 끝수; 《비유》 모험, 운(運)(수): It's your ~. 이번에는 네 차례다. **2** 던져서 닿는 곳: at [within] a stone's ~ 돌을 던지면 닿는 곳에. **3** 〖낚시〗 낚싯줄을 던져 넣기[드리우기]. **4** 어깨걸이, 스카프. **5** [a ~] 《美口》 하나, 한 개, 일회.

〚OE *thrāwan* to twist, torment; cf. G *drehen* to turn, spin, L *tero* to rub〛

[類義語] ***throw*** 물건을 「던지다」란 뜻의 가장 일반적인 말. ***cast*** *throw* 보다도 격식을 차린 《文語》로 《口》에서는 특수한 경우에 쓰임: *cast* a net[a vote, dice](그물[표·주사위]을 던지다). ***toss*** 위쪽으로 또는 옆쪽으로 가볍게[홀쩍] 던지다: *toss* a coin(동전을 던지다). ***hurl*** 어떤 거리를 날아가도록 세고 빠르게 던지다: *hurl* a javelin(투창을 던지다). ***fling*** 세게 던져서 물건 표면에 심하게 부딪치게 하다: She *flung* the glass to the wall. (그녀는 유리잔을 벽에 내던졌다). ***pitch*** 뚜렷한 목표 지점을 향해서 던지다: *pitch* a baseball(야구공을 던지다).

thrów·awày *n.* 광고지, 선전문; 아무렇게나 하는 말; 《美俗》 할인 티켓. —— *a.* 쓰고 버리는; (말 따위) 아무렇게나 하는.

thrów·bàck *n.* **1** 되던지기; 되돌아가기, 역전(reversion). **2** 격세 유전(隔世遺傳)(atavism); 격세 유전의 예.

thrów·er *n.* 던지는 사람[것].

thrów-ìn *n* 《俗》 덤, 개평; 〖蹴〗스로인《터치라인 밖에 나간 공을 던져 넣기》; 〖野〗 외야에서 내야로 공을 던져 보내기.

thrów-mòney *n.* 《美俗》 잔돈.

◇**thrown** [θróun] *v.* THROW의 과거분사. —— *a.* 꼰: ~ silk 꼰 명주실.

thrów-òff *n.* (사냥·경기 따위의) 개시, 출발: at the first ~ 당초에.

thrów-òut *n.* 내던지기; 내팽개쳐진 사람[것], (특히 제품의) 불합격품.

thrów rùg *n.* 《美》 =SCATTER RUG.

thrów·ster *n.* 생사(生絲)를 꼬는 직공; 주사위를 던지는 사람.

thrów wèight *n.* (핵미사일의) 발사 중량.

thru [θrúː] *prep.*, *adv.*, *a.* 《美口》 =THROUGH.

thrum[1] [θrʌ́m] *v.* (**-mm-**) *vt.* **1** (현악기를) 퉁기다, 퉁겨서 소리내다: ~ a guitar 기타를 퉁기다. **2** (탁자 따위를) 똑똑 두드리다. —— *vi.* [+*on*+名] **1** 타다, 퉁겨 소리나다: ~ ***on*** a harp 하프를 타다. **2** 똑똑 두드리다: Stop ~*ming* ***on*** your desk. 책상을 똑똑 두드리지 마라. —— *n.* 퉁기기; 똑똑 두드리기; 퉁겨서[두드려] 울리는 소리. 〚imit.〛

thrum[2] *n.* **1** (직물의) 자투리, 술, 실밥, 실오라기; 실보무라지: thread and ~ ☞ THREAD *n.* 숙어. **2** (식물의) 털, 술, (피륙의) 술.

—— *vt.* (**-mm-**) …에 술을 달다.

—— *a.* thrum으로 만든.

〚ME *throm* endpiece<OE; cf. G *Trumm*〛

thrúm·my *a.* 실보무라지로 만든; 보풀이 인.

thrú-òut *adv.*, *prep.* 《美》 =THROUGHOUT.

thrup·pence [θrʌ́pəns] *n.* =THREEPENCE.

thrú·pùt *n.* =THROUGHPUT.

thrush[1] [θrʌ́ʃ] *n.* 〖鳥〗 지빠귀.

〚OE *thrysce*; cf. THROSTLE, THROAT〛

thrush[2] *n.* Ⓤ 〖醫〗 아구창(鵞口瘡).

〚C17<? Scand. (Dan. *troske*)〛

thrust** [θrʌ́st] *v.* (**thrust**) *vt.* **1** [+目/+目+前+名/+目+副] 쿡(쿡) 밀다, 밀어넣다, 밀어내다: Don't ~ your hands ***into your pockets. 손을 호주머니에 집어 넣지 마라 / I had to ~ myself *into* the bus. 나는 남을 밀치고 버스에 타지 않으면 안되었다 / They ~ their way ***through*** the crowd. 사람들 사이를 밀어 헤치며 나아갔다 / Don't ~ me *aside*. 나를 떠밀지 마라 / We ~ ourselves *forward*. 밀치고 나아갔다 / He ~ ***out*** his hand[tongue]. 그는 손[혀]을 내밀었다. **2** [+目/+目+前+名/+目+副] 푹 찌르다, 찔러 넣다, 찌르다: He ~ a dagger ***into*** her back.=He ~ her back ***with*** a dagger. 그는 그녀의 등을 단검으로 찔렀다 / The sword ~ him ***through***. 칼이 그의 몸을 꿰뚫었다. **3 a**) [+目+前+名] 《비유》 억지로 가지게 하다, 억지로 떠맡기다: He ~ a coin ***into*** the porter's hand. 포터의 손에 동전 한 닢을 억지로 쥐어 주었다 / I don't like to have greatness ~ ***upon*** me. 나는 억지로 떠받들리고 싶지는 않다. **b**) [+目+副/+目+*into*+名] [보통 ~ one*self* 로] 《비유》 억지로 끼어들다, 주제넘게 나서다: She is always ~*ing* her*self forward*. 그녀는 언제나 주제넘게 나선다 / He has ~ him*self* ***into*** the position of president. 그는 억지를 써서 사장 자리에 올랐다.

—— *vi.* [+前+名] **1** 밀다, 찌르다, 찌르려고 달려들다: He ~ ***at*** me ***with*** a knife. 그는 칼로 나를 찌르려고 했다. **2** 돌진하다, 밀어젖히고 나아가다: ~ ***through*** a crowd 인파를 헤치고 나아가다 / He ~ ***past*** me in a rude way. 나를 난폭하게 밀어젖히고 지나갔다.

thrust one***self*** [one***'s nose***] ***in*** 남의 일에 참견하다; 간섭하다.

—— *n.* **1** 갑자기 떠밀기; (꿰)찌르기(cf. CUT *n.* 1): a ~ with elbow[a sword] 팔꿈치[칼]로 찌르기. **2** 습격, 공격; 말에 의한 공격, 논란: a shrewd ~ (공격·비평 따위의) 날카로운 일격 / the ~ and parry of A and B A와 B의 날카로운 논쟁. **3** 〖地質〗 충상(衝上) 단층; 〖機〗 추진력. **4** 요점, 진의, 취지.

〚ON *þrýsta*; cf. INTRUDE〛

[類義語] ⟹ PUSH.

thrúst chàmber *n.* (로켓의) 연소실.

thrúst·er, thrúst·or *n.* 떼미는[찌르는] 사람; (여우 사냥에서) 무턱대고 앞장서 나가는 사람; (특히) 참견하는 사람(pusher).

thrúst fàult *n.* 〖地質〗 스러스트 단층.

thrúst·ful *a.* 《英》 억지가 센, 공격적인, 적극적인.

thrúst hòe *n.* (밀어서도 당겨서도 사용할 수 있는 양날의) 풀깎는 괭이.

thrúst·ing *a.* 자기 주장이 강한; 공격적인; 무모한; 몹시 뽐내는.

thrúst revèrser *n.* 〔空〕 역(逆)추진 장치.
thrúst stàge *n.* 돌출 무대《삼면이 객석으로 둘러 싸인 무대》.
thrúst véctor còntrol *n.* 〔로켓〕 추력(推力) 방향 제어《略 TVC》.
thrú·wày *n.* 《美》 =THROUGHWAY.
Thu·cyd·i·des [θjuːsídədiːz] *n.* 투키디데스 (460?-? 400 B.C.)《그리스의 역사가》.
thud [θʌ́d] *n.* 강타[연타] ; 쿵, 털썩, 쾅《무거운 물건이 떨어지는 소리》; 《美俗》 (비행기의) 추락 : with a ~ 털썩하고. —— *v.* (**-dd-**) *vi.* 털썩 떨어지다[쓰러지다], 쾅 하다[부딪치다]. —— *vt.* 탁 치다, …에 탁 부딪치다.
〖? OE *thyddan* to thrust, strike〗
thug [θʌ́g] *n.* [흔히 T~] (옛 인도의) 암살 단원 ; (일반적으로) 흉한(凶漢), 폭한, 살인[암살]자, 자객. **thúg·gish** *a.* **thúg·gism** *n.*
〖Hindi=swindler〗
thug·gee [θʌ́giː, -ˊ] *n.* thug에 의한 살인 강도.
thúg·gery *n.* **1** =THUGGEE. **2** 잔인한 살인 강도.
Thu·le [θjúːli, túː- ; θjúː-] *n* 세계의 끝, 극북(極北)의 땅(ultima Thule) 《고대 그리스·로마인이 브리튼 섬의 북쪽에 있는 섬이나 지역을 이렇게 불렀음》.
thu·li·um [θjúːliəm ; θjúː-] *n.* Ⓤ 〔化〕 툴륨《회토류 금속 원소 ; 기호 Tm ; 번호 69》.
〖NL (THULE+*-ium*)〗
***thumb** [θʌ́m] *n.* 엄지손가락(cf. FINGER, TOE) ; (장갑 따위의) 엄지손가락 부분 ; 〔建〕 볼록 쇠시리 ; 《美俗》 마리화나 담배.
all thumbs 손재주가 없어 : His fingers are *all* ~*s.* 그는 몹시 서투르다.
(***a***) ***rule of thumb*** 어린셈, 주먹구구 ; 경험적으로 거의 틀림없는 방법[지혜] : by *rule of* ~ 주먹구구식으로, 경험으로.
bite one*'s*[***the***] ***thumb at...*** 《비유》 …을 도발적으로 모욕하다, …을 취급하다.
Thumbs down! 《口》 (거부·금지 따위를 나타내어) 안돼!, 싫어!
Thumbs up! 《口》 알았다!, 좋다!, 잘한다!
turn up[***down***] ***the thumb*** 만족[불만]의 뜻을 나타내다, 칭찬하다[깎아 내리다].
twirl one*'s* ***thumbs*** 빈둥빈둥 놀(고 지내)다.
under a person*'s* ***thumb***=***under the thumb of*** a person 남의 손끝에 놀아나, 남이 시키는 대로 하여.
—— *vt.* **1** [+目/+目+副] (책장을) 엄지손가락으로 넘기다[더럽히다] ; (책장을) 재빠르게 넘기다, 재빨리 읽다 : This dictionary is badly ~*ed.* 이 사전은 (많이 써서) 책장 끝에 손때가 묻어 있다 / He ~*ed* ***through*** the book. 책을 대충 훑어 보았다. **2** (일 따위를) 서투르게 하다 ; (악기·악곡을) 서툴게 연주하다. **3** 엄지손가락으로 신호하여 지나가는 차에 편승하다, 히치하이크하다 (hitchhike) ; 태워 달라고 (지나가는 차에) 엄지손가락으로 신호하다 : ~ a ride[lift] 신호하여 도중에서 편승하다. —— *vi.* 엄지손가락으로 책장을 넘기며 읽다 ; 편승을 부탁하다, 편승하다, 히치하이크하다.
thumb one*'s* ***nose*** (***at*** a person) 《美》 (남을) 조롱하다.
〖OE *thūma* ; cf. G *Daumen* ; IE에서 'to swell'의 뜻 ; *-b*는 13세기 말에 첨가한 글자〗
thúmb·hòle *n.* 엄지손가락을 넣는 구멍 ; 관악기의 엄지손가락용 스톱.
thúmb ìndex *n.* 반원 색인《사전 따위 페이지를 찾기 쉽게 가장자리에 반원형으로 도려낸 곳》.
thúmb·màrk *n.* 엄지손가락 자국《특히 책장 위에 남은 손 때》.
thúmb·nàil *n.* **1** 엄지 손톱. **2** 매우 작은 것.
—— *a.* 매우 작은, 간결한 : a ~ sketch (사람의 경력 따위) 간결한 기록 ; 간략한 기술.
—— *vt.* 간결하게 그리다, 약기(略記)하다.
thúmb nùt *n.* 〔機〕 손잡이 너트.
thúmb piàno *n.* (엄지)손가락 연주용 피아노 《mbira 따위와 같은 아프리카 기원의 소형 악기》.
thúmb pot *n.* 작은 화분.
thúmb·prìnt *n.* 엄지손가락의 지문(指紋) ; 무인(拇印).
thúmb·scrèw *n.* 엄지손가락을 죄는 형틀《옛 고문 기구》; 〔機〕 나비 모양의 수나사.
thúmbs-dòwn *n.* 거절, 불찬성, 반대.
thúmb·stàll *n.* (엄지손가락에 끼우는) 손가락 골무 ; (구둣방의) 가죽 골무.
thúmb·sùck·er *n.* 《美》 (정치 기자가 쓴 흔히 사견을 집어 넣은) 분석 기사.
thúmb-sùck·ing *n.* 엄지손가락 빨기.
thúmb-ùp *n.* 승인 찬성, 격려.
thúmb·tàck *n.* 《美》 제도용 압핀(=《英》 drawing pin). —— *vt* 압핀으로 고정시키다.
Thummim ☞ URIM AND THUMMIM.
thump** [θʌ́mp] *vt.* **1** [+目/+目+*with*+名/+目+補] (주먹·몽둥이 따위로) 탁[딱] 치다 : ~ the[a] pulpit (설교자가) 강단 설교대를 두드리며 연설하다 / He spoke ~*ing* the table ***with his fist. 그는 주먹으로 탁자를 두드리면서 이야기했다 / She ~*ed* the pillow flat. 베개를 두들겨서 평평하게 했다. **2** [+目] (물건이) …에 탁[쾅·탕] 부딪치다 : The branches ~*ed* the shutters in the wind. 나뭇가지가 바람에 흔들려 덧문에 탁탁 부딪쳤다. **3 a**) [+目/+目+前+名] …을 주먹으로 치다, 때리다 : The children began to ~ each other. 아이들은 서로 주먹 다짐을 시작했다. **b**) [+目/+目+副/+目+前+名] (악기를) 쾅쾅 치다[울리다] : ~ a drum 북을 둥둥 치다 / ~ the keys of the piano = ~ ***out*** a tune ***on*** the piano 피아노를 쾅쾅 시끄럽게 치다. —— *vi.* [+前+名] 탁[쾅·탕]하고 부딪치다 ; 후려치다 ; (심장·맥박이) 두근두근 뛰다[고동치다] ; 터벅터벅 (소리내며) 걷다 ; 강력하게 지지[변호·선언]하다 : ~ ***at***[***on***] the table 탕탕 테이블을 두드리다 / His bat ~*ed* ***against*** the post. 그의 배트는 기둥에 탁 부딪쳤다.
—— *n.* 탁(하고 치기[치는 소리]) ; 〔電子〕 전자 회로의 방해음 : with a ~ 탁.
〖C16 (imit.)〗
thúmp·er *n.* **1** 탕 치는 사람[것]. **2** 《口》 거대한 사람[것] ; 터무니없는 거짓말.
thúmp·ing *a.* **1** 탁하고 치는. **2** 《口》 거대한, 엄청난 ; 굉장한 : a ~ lie 엄청난 거짓말. —— *adv.* 《口》 엄청나게, 굉장히, 대단히.
~·ly *adv.*
‡**thun·der** [θʌ́ndər] *n.* **1** Ⓤ 천둥, 우레 ; Ⓒ 《詩》 =THUNDERBOLT 1 : a crash[peal] of ~ 천둥 소리 / We have had a lot of ~ this summer. 이번 여름엔 천둥이 많았다. **2** [때때로 *pl.*] 우레와 같은 소리[음성·진동] : the ~ of a cataract 울려 퍼지는 폭포 소리 / ~*s* of applause 우레와 같은 박수 갈채. **3** [보통 *pl.*] 위협, 탄핵, 비난, 노호 : the ~*s* of the Church 교회의 격노《파문(破門) 따위》.
(***By***) ***thunder!*** 《口》 어머!, 참!, 제기랄!
in thunder 《口》 도대체 : What *in* ~ is that? 도대체 저것은 뭐니.

steal** a person's **thunder**=**run away with** a person's **thunder 남의 생각[방법]을 가로채다.
—— *vi.* **1** [it을 주어로 하여] 천둥치다 : *It* was ~*ing* and raining. 천둥치며 비가 내리고 있었다. **2** [+前+名] 큰소리를 내다 : He ~*ed* ***at*** the window. 창문을 깨져라고 두드렸다. **3** [+前+名] 고함을 지르다 ; 욕설을 퍼붓다, 탄핵하다 : He ~*ed* ***at*** his servant. 그는 하인에게 호통을 쳤다 / The church ~*ed* ***against*** birth control. 교회는 산아 제한을 맹렬히 공격했다. —— *vt.* [+目/+目+副] 고함을 지르다, 큰소리로 말하다 : ~ a reply 큰소리로 대답하다 / ~ ***out*** threats 큰소리로 협박하다.
〖OE *thunor* ; cf. THURSDAY, THOR, G *Donner*〗

thúnder-and-líghtning *a.* 선명한 색깔의 ; (옷이) 대조적인 색채인.

thun·der·a·tion [θʌ̀ndəréiʃən] *int.* 무어라고, 벼락맞을《놀라움·노여움을 나타냄》.

Thúnder·bìrd *n.* 〔英陸軍〕 지대공(地對空) 미사일의 일종.

thúnder·bòat *n.* (모터보트 경주에서 배기량) 무제한급의 수상 활주정(艇).

thúnder·bòlt *n.* **1** 벼락, 낙뢰. **2** 《비유》 **a**) 청천 벽력 : The information came upon me like a ~.=The information was a regular ~ *to* me. 그 통지는 나에게는 천천 벽력이었다. **b**) 호된 위협[비난]. **c**) [뜻이 변하여] 벼락처럼 행동하는 사람 ; 파괴적인 사람[것].

thúnder·bòx *n.* 《英俗》 (지면의 구덩이 위에 설치하는) 상자꼴 변기 ; 휴대 변기.

thúnder·clàp *n.* 천둥소리 ; 《비유》 청천벽력 : a ~ *of* applause 우레 같은 박수.

thúnder·clòud *n.* 뇌운(雷雲) ; 《비유》 암운(暗雲), 위협을 느끼게 하는 것.

thúnder·er *n.* **1** 벼락같이 소리를 지르는 사람, 고함치는 사람 ; [the T~] =JUPITER. **2** 《英》 (런던) 타임스지(紙)의 풍자적 호칭.

thúnder·ing *a.* **1** 천둥 (소리)같은, 천둥처럼 울리는. **2** 엄청난, 굉장한 : a ~ fool[mistake] 엄청난 바보[잘못]. —— *adv.* 《口》 엄청나게, 굉장히. **~·ly** *adv.* **1** 천둥처럼, 우르르 울려 퍼져. **2** 《口》 엄청나게.

thúnder·less *a.* 천둥을 동반하지 않는.

thúnder lìzard *n.* 〔古生〕 뇌룡(雷龍) (brontosaurus).

thúnder·ous *a.* **1** 천둥치게 하는, 천둥이 칠듯한. **2** 우레 같은, 우레같이 울리는, 큰소리치는 ; 매우 불길한 : ~ applause 우레 같은 박수.

thúnder·shòwer *n.* 뇌우(雷雨).

thúnder·squàll *n.* 천둥치며 오는 소나기.

thúnder·stòne *n.* 뇌석(雷石)《벼락이라고 믿었던 고대의 석기·화석 따위》.

thúnder·stòrm *n.* (천둥을 동반한) 뇌우.

thúnder·strìcken, thúnder·strùck *a.* 벼락맞은, 대경 실색한, 혼비 백산한.

thúnder·strìke *vt.* 깜짝 놀라게 하다.

thúnder·stròke *n.* 낙뢰(落雷).

thún·dery *a.* 천둥칠 듯한, 뇌성이 울리는 ; 험악한 ; 형세가 불온한, 불길한.

Thur. Thursday.

thu·ri·ble [θjúrəbəl, θə́ːr- ; θjúə-] *n.* 〔카톨릭〕 향로(香爐) (censer).
〖OF or L (*thur-* *thus* incense)〗

thu·ri·fer [θjúrəfər, θə́ːr- ; θjúə-] *n.* 〔카톨릭〕 (미사 때) 향로를 드는 복사(服事).
〖L (↑, Gk. *-fer* -bearing)〗

thu·rif·er·ous [θjurífərəs ; θjuə-] *a.* 유향(乳香)이 나는.

thu·ri·fi·ca·tion [θjùrəfəkéiʃən ; θjùə-] *n.* 향을 피움, 분향(焚香).

Thurs. Thursday.

◇**Thurs·day** [θə́ːrzdi, -dei] *n.* 목요일《略 Thur., Thurs., Th ; ☞ SUNDAY 1 [주]》 : Today is ~. 오늘은 목요일이다 / next[last] ~=on ~ next [last] 다음[지난] 목요일에. —— *adv.* 《口》 목요일에. 〖OE *thunres-*, *thur(e)sdæg* day of thunder, Thor's day (cf. G *Donnerstag*) ; L *Jovis dies* day of Jupiter에 준한 것〗
[活用] ☞ SUNDAY.

Thúrs·days *adv.* 목요일에 ; 목요일마다.

Thurs·ton [θə́ːrstən] *n.* 남자 이름.
〖Dan.=Thor's stone〗

‡**thus** [ðʌs] *adv.* 《文語》 **1** 이와 같이, 이처럼 : ~ and so 《美》 그와 같이, 그런 식으로 / ~ and ~ 이러이러하게 / He spoke ~. 이렇게 말했다. **2** 그러므로, 따라서 : *T*~ they judged that he was guilty. 그런 까닭에 그들은 그가 유죄라고 판단했다. **3** [형용사·부사를 수식하여] 이 정도까지 (so) : ~ far 여기[지금]까지는(so far) / *T*~ much is certain. 이것만은 확실하다 / Why ~ sad? 왜 이렇게도 슬플까. **4** 예컨대, 예를 들어 (for example). **~·ly** *adv.*
〖OE<? ; cf. Du. *dus*〗

thús·ness *n.* 《口》 이러이러함 : Why this ~? 왜 이 모양일까.

thwack [θwæk] *n.* 철썩 때리기, 철썩 때리는 소리(whack). —— *vt.* 철썩 때리다.
〖C16<imit.〗

thwaite [θwéit] *n.* 《方》 (삼림을 개간한) 농경[목축]용 토지.
〖ON=paddock ; cf. OE *thwītan* to cut〗

thwart [θwɔ́ːrt, 《海》 θɔ́ːrt] *adv.* 《古》 가로질러, 가로 놓여. —— [∸] *prep.* 《古》 …을 가로질러서, …에 거슬러서. —— *a.* 《古》 가로 놓인, 가로지르는, 횡단의 ; 형편이 나쁜.
—— *n.* 〔海〕 (보트의) 가로대《노젓는 사람이 앉음》 ; (마상이의) 가름 들보.
—— *vt.* [+目/+目+前+名] 방해[훼방]하다, 반대하다, …의 허를 찌르다 : ~ a person's plans 남의 계획을 방해하다 / They were ~*ed* ***in*** their ambition. 그들의 야심을 저지당했다. —— *vi.* 반대하다.
〖ON=across ; cf. OE *thwe(o)rh* transverse, angry〗
[類義語] ⟹ FRUSTRATE.

thwárt·shìp *a.* 〔海〕 배를 가로질러 뱃전에서 뱃전에 이르는.

thwárt·shìps *adv.* =ATHWARTSHIPS.

thwárt·wìse *adv., a.* 가로지르는[지르듯이] ; 교차하는[하듯이].

T.H.W.M. Trinity (House) High Water Mark.

thy [ðai] *pron.* [thou의 소유격 ; 모음 또는 h 앞에서는 thine] 《古·詩》 당신의, 그대의.

thy·la·cine [θáiləsàin] *n.* 〔動〕 =TASMANIAN WOLF.

thym-[1] [θáim], **thy·mo-** [θáimou, -mə] *comb. form* 「타임(thyme)」의 뜻.

thym-[2] [θáim], **thy·mo-** [θáimou, -mə] *comb. form* 「흉선(胸腺) (thymus)」의 뜻.

thyme [táim] *n.* Ⓤ 〔植〕 **1** 타임, 백리향의 일종. **2** 자극성 향이 있는 꿀풀과 각종 풀.
〖OF *thym*<L<Gk. (*thuō* to burn sacrifice)〗

thy·mec·to·my [θaiméktəmi] *n.* 〔解〕 흉선(胸

腺) 적출(술).

thym·ey [táimi] *a.* =THYMY.

-thy·mia [θáimiə] *n. comb. form* 「정신[의지] 상태」의 뜻 : schizo*thymia*. 〖Gk. (*thumos* mind)〗

thy·mic[1] [táimik] *a.* 〔植〕 백리향속(屬)의 ; 백리향에서 채취한. 〖Gk. *thureas* ; ⇨ THYME〗

thy·mic[2] [θáimik] *a.* 〔解〕 흉선(thymus)의.

thy·mine [θáimi:n, -mən] *n.* 〔生化〕 티민《DNA를 구성하는 염기(鹽基)의 하나 ; 기호 T》.

thymo- [θáimou, -mə] ☞ THYM-[1, 2].

thy·mol [θáimɔ(:)l ; -moul, -mɑl] *n.* 〔化〕 Ⓤ 티몰《강력한 방부제》.

thy·mo·sin [θáiməsən] *n.* 〔生理〕 티모신《T 세포의 증식과 관계가 있다고 생각되는 흉선 분비 호르몬》.

thy·mus [θáiməs] *n.* (*pl.* ~·**es**, **-mi** [-mai]) 〔解〕 흉선(胸腺) (=~ **glànd**). 〖NL<Gk.〗

thymy [táimi] *a.* 백리향의[이 우거진 · 의 향기가 나는].

thyr- [θáiər], **thy·ro-** [θáiərou, -rə] *comb. form* 「갑상선」의 뜻. 〖Gk. *thureos* ; ⇨ THYROID〗

thy·ra·tron [θáiərətràn] *n.* 〔電子〕 사이러트론《열음극 방전관》.

thy·ris·tor [θaiərístər] *n.* 〔電子〕 사이리스터《(실리콘) 반도체 소자(素子)》.

thy·roid [θáiərɔid] *a.* 〔解〕 갑상선(甲狀腺)의 ; 갑상 연골(軟骨)의 ; 갑상선 기능이상의. —— *n.* **1** 〔解〕 갑상선(=~ **cártilage**). **2** 갑상선제(劑). 〖F or NL<Gk. (*thureos* oblong shield)〗

thy·roid·ec·to·my [θàiərɔidéktəmi, -rə-] *n.* 〔醫〕 갑상선 적출[절제](술).

thy·roid·i·tis [θàiərɔidáitəs, -rə-] *n.* 〔醫〕 갑상선염(炎).

thy·rox·ine, -in [θairáksi:n, -sən] *n.* Ⓤ 〔生化〕 티록신《갑상선에서 분비되는 호르몬》.

thyr·sus [θə́:rsəs] *n.* (*pl.* **-si** [-sai, -si:]) 〔그神〕 바커스의 지팡이. 〖L<Gk.=rod〗

thy·self [ðaisélf] *pron.* 《古 · 詩》 [THOU[1], THEE의 강조 · 재귀형(再歸形)] 그대 자신, 너 자신을[으로](yourself). 〖ME ; ⇨ THY, SELF〗

THz. teraherz.

ti, te [tí:] *n.* 〔樂〕 (도레미 창법의) 「시」《장음계의 제7음 ; si라고도 함》. 〖변형(變形)‹*si*〗

Ti 〔化〕 titanium.

Ti·a·mat [tjɑ́:mɑ:t] *n.* 티아마트《바빌로니아의 여신(女神)》.

Tian·an·men Squáre [tjɑ́:nɑ́:nmén-] *n.* (베이징(北京)의) 톈안먼(天安門) 광장.

Tian·jin [tjɑ́:ndʒín], **Tien·tsin** [tjéntsín, tín-] *n.* 톈진(天津)《중국 허베이(河北)성의 도시》.

ti·ara [tiɑ́:rə, -ǽrə ; -éərə] *n.* **1** 고대 페르시아(왕)의 머리 장식(품). **2** 로마 교황의 삼중관(三重冠) ; [the ~] 교황직 ; 교황의 직권. **3** (여성용) 보석이 달린 머리 장식[관(冠)]. 〖L<Gk. ; 동양 기원인가〗

tiara 3

Ti·ber·i·us [taibíəriəs] *n.* 티베리우스《로마 제2대 황제 ; 42 B.C.–A.D. 37》.

Ti·bet, Thi·bet [təbét] *n.* 티베트《서장(西藏) ; 중국 남서부의 산악지대 ; 수도는 Lhasa》.

Tibét·an *a.* 티베트의 ; 티베트인[어]의. —— *n.* 티베트인 ; Ⓤ 티베트어.

tib·ia [tíbiə] *n.* (*pl.* **-i·ae** [-iì:, -iài], **-i·as**) 〔解〕 경골(脛骨), 정강이뼈 ; 〔昆〕 경절(脛節).

tíb·i·al *a.* 경골의. 〖L=shinbone〗

tic [tík] *n.* 안면 경련 ; Ⓤ 안면 신경통 ; (성격 · 행동의) 끈덕진 특징[버릇]. 〖F<It.〗

ti·cal [tikɑ́:l, -kɔ́:l, tí(:)kəl] *n.* (*pl.* ~**s**, ~) (타이의) 형량(衡量)《약 14.2 그램》; 미얀마 및 중국의 형량《약 16.6그램》; =BAHT.

tic dou·lou·reux [tík dù:lərú:] *n.* 〔醫〕 삼차(三叉) 신경통성 안면 경련, 동통성(疼痛性) 안면 경련. 〖F=painful twitch〗

***tick**[1] [tík] *n.* **1** (시계 따위의) 똑딱똑딱하는 소리. **2** 《口》 순간 : I'm coming in a ~ [two ~*s*]. 금방 갑니다 / Half a ~! 잠깐만 기다려 주시오. **3** 점(點), 점검, 대조필 표시(check). **4** 술래잡기(tag).

on [***to***] ***the tick*** 《주로 英口》 정각[제시간]에, 정확하게 : start *on the* ~ of three[at three *on the* ~] 정각 3시에 출발하다.

—— *vi.* **1** [動/+副] (시계 따위가) 똑딱거리다, (미터 따위가) 재깍하고 소리나다 ; 똑딱소리내며 지나가다 : We were listening to the clock ~. 시계가 똑딱거리는 소리에 귀를 기울이고 있었다. **2** (기계가) 작동하다, 움직이다 ; (사물이) 계획대로 진행되다 : What makes him ~? 《비유》 어째서 그는 그렇게 행동하느냐. —— *vt.* **1** [+目+副] 똑딱똑딱 소리를 내어 신호를 보내다[알리다] ; (시계가) 똑딱똑딱 시간을 가리키다 : The telegraph ~*ed* ***out*** a message. 전신기(電信機)가 똑딱똑딱 통신을 쳐보냈다 / The clock was ~*ing away* the time. 시계가 똑딱거리며 시간을 가리키고 있었다. **2** [+目/+目+副] (점을) 찍다, 점검[대조]표를 찍다, 체크하다, 조사하다(check) : She was ~*ing* ***off*** the items in an account. 그녀는 계산서의 품목을 대조하고 있었다.

tick off (1) ☞ *vt.* 2. (2) 《口》 (남을 몹시) 꾸짖다 : get ~*ed off* (몹시) 야단 맞다.

tick over (엔진을 끈 상태에서) 천천히 돌다[움직이다] ; 《비유》 세력[기운]이 없어지다.

〖(n.) ME *tek*, (v.) C16<imit. ; cf. Du. *tik* a touch, tick〗

tick[2] *n.* 〔動〕 진드기 : a dog ~ 개에 붙은 진드기. 〖OE 《美》 *tica*, 《美》 *ticca* ; cf. G *Zecke*〗

tick[3] *n.* **1** (이불 · 베개 따위의) 잇. **2** =TICKING[2]. 〖MDu., MLG<WGmc.<Gk. *thēkē* case〗

tick[4] *n.* 《口》 외상, 외상판매, 신용대출(credit) : buy[get]...*on* ~ (…을) 외상으로 사다 / give... ~ …에게 외상으로 팔다 / (*up*) *on* ~ 외상으로, 신용 거래로. —— *vi.* 외상 판매하다. 〖*on the ticket* on credit에서 인가〗

tíck·bìrd *n.* 〔鳥〕 소찌르레기.

ticked [tíkt] *a.* (개 · 새 따위가) 반점이 있는(flecked) ; (모발이) 두 가지 이상의 색깔로 얼룩진[구분된].

tíck·er *n.* **1** 똑딱거리는 물건. **2 a**) (시계의) 추, 진자(振子) ; 《口》 회중 시계. **b**) 증권시세 표시기(機), 티커. **c**) (전신(電信)의) 수신기(受信機). **3** 《戲》 심장. 〖TICK[1]〗

tícker tàpe *n.* **1** 티커에서 자동적으로 나오는 테이프《시시각각으로 통신 · 시세 따위가 찍혀져 나옴》. **2** (환영하기 위해서 빌딩에서 내던지는) 테이프, 색종이 조각 : get a ~ welcome (빌딩에서) 테이프나 색종이를 던지며 환영하다.

tícker-tàpe paràde *n.* (미국 뉴욕시의 전통적인) 색종이[테이프]가 뿌려지는 퍼레이드.

‡**tick·et** [tíkət] *n.* **1** 표, 입장권, 승차권 : a theater ~ 극장표 / ☞ SEASON TICKET / a single [return] ~ 편도(片道)[왕복]표(=《美》 one-

way[round-trip] ~) / Admission by ~ only. 표소지자에 한하여 입장을 허가함. **2** 정찰, 정가표 ; 전당표. **3** (창에 매어 다는) 셋집 광고판. **4** 《美》 **a**) (정당의) 공천 후보자 (명부) ; (공천 후보자 명부를 인쇄한) 투표 용지 : a straight [mixed, scratch, split] ~ 전부의[혼합, 일부 삭제한, 비공천도 포함한] 공천 후보자 (명부) / *on* the Democratic ~ 민주당 공천 후보자로서 / vote the straight ~ (어떤 정당의) 공천 후보자 전부에게 투표하다 / The whole Democratic ~ was returned. 민주당 후보는 모두 당선됐다. **b**) 정견(政見), 주의 : the Republican ~ 공화당의 강령. **5** 《英軍俗》 제대 명령 ; 《英》 가출옥 허가증 : get one's ~ 《英軍俗》 제대하다. **6** (선장·운전사·조종사 등의) 자격 증명서, 면허증. **7** [the ~] 《口》 정당[당연]한 일, 진짜 물건 ; 안성맞춤인 일 : That's *the* ~. 그것은 아주 제격이다, 알맞다 / Hot coffee is just *the* ~ for you. 뜨거운 커피가 당신에게는 알맞겠습니다 / What's *the* ~? 어떻게 하면 좋을까. **8** 《美口》 (특히 교통 위반자에 대한) 소환장, 교통위반 카드, 딱지 : a parking ~ 주차 위반 카드[소환장] / The policeman gave me a ~ *for* speeding. 나는 경찰한테서 속도 위반 딱지를 떼었다.

—— *vt.* …에 표찰을 붙이다, (상품에) 정찰(正札)을 붙이다 ; 《美》 …에게 표를 발행하다 ; 《口》 교통 위반 딱지를 떼다.

〚F *étiquet* (obs.) <OF (*estiquier, estechier* to stick on<MDu.) ; cf. ETIQUETTE〛

tícket àgency *n.* (기차)표 판매 대리점.

tícket àgent *n.* 표 판매 대리업자.

tícket bàrrier *n.* 《英》 개찰구.

tícket collèctor *n.* 집찰[검표, 개찰]원.

tícket dày *n.* (London 증권 거래소의) 현물인도(現物引渡)의 전날.

tícket nìght *n.* 자선 흥행(의 밤).

tícket òffice *n.* 《美》 매표구, 표파는 곳(=《英》 booking office).

tícket-of-léave *n.* (*pl.* **tíckets-**) 《英》 가출옥 허가(증) : a ~ man 가출옥자.

tícket pùnch *n.* 개찰용 펀치.

tícket scàlper *n.* 암표상.

tíck·ing[1] *n.* 짤깍짤깍 소리 ; (새·짐승 따위의) 두가지색(이상)의 줄무늬. 〚TICK[1]〛

ticking[2] *n.* Ⓤ 이불잇《줄무늬 무명천 따위》. 〚TICK[3]〛

tícking óff *n.* 질책, 주의.

tick·le** [tíkəl] *vt.* **1** [+目/+目+前+名] 간질이다 ; 근질근질하게 하다 : Pepper ~*s* my nose. 후춧가루가 코를 근질근질케 한다 / ~ a person ***under the arm(s) 남의 겨드랑이를 간질이다. **2** [+目/+目+前+名] 기쁘게 하다, 즐겁게 하다, 웃게 하다 ; 만족시키다, 재미있게 하다 : The fairy tale ~*d* the child. 그 동화를 아이는 매우 재미있어 했다 / I was ~*d* to death ***at*** the news. 《口》 나는 그 소식을 듣고 기뻐서[반가워서] 견딜 수 없었다 / The little girl was ~*d* ***with*** the toys. 어린 소녀는 장난감에 정신이 팔렸다 / All her friends ~*d* her vanity ***by*** praising her costume. 친구들은 모두 그녀의 의상을 칭찬하여 허영심을 만족시켜 주었다. **3** (송어 따위를) 손으로 잡아 올리다, 산 채로 움켜잡다.

—— *vi.* **1** 간지럽다, 근질근질하다 : My throat [foot] ~*s.* 목구멍[발]이 간질간질하다. **2** 간질이다 : Don't ~. 간지럽히지 말아라.

be tickled pink [***silly, to death***] 《口》 매우 기쁘게 하다, 포복절도하다.

—— *n.* 간질이기 ; 간질간질한 느낌.

〚ME (freq.) ‹? *tick*[1] (dial.) to touch or tap lightly ; cf. OE *tinclian*, G *kitzeln* to tickle〛

tick·ler [tíklər] *n.* **1** 간지럽히는 것[사람] ; 간질이는 깃털《사육제 따위 때에 남의 얼굴을 간질이는 작은 깃털솔》; 부추기는 사람. **2** 비망록, 메모장, 메모카드[색인]. **3** 《口》 어려운 사태[문제]. **4** 〔通信〕 티클러[재생] 코일(=~ **còil**).

tíck·lish, tíck·ly *a.* **1** 간지럼 타는, 간질이면 곧 웃는. **2** 다루기 어려운, 성질이 미묘한, 델리킷한 : a ~ question[situation] 신중을 요하는 문제[정세]. **3** (통나무배 따위가) 잘 뒤집히는 ; (사람이) 꾀까다로운, 성마른 ; (기후가) 변하기 쉬운.

tíck·lish·ly *adv.*

tíck·òver *n.* 《英》 (엔진의) 유전(遊轉), 헛돌기(idling).

tíck·sèed *n.* 〔植〕 **1** 씨가 옷에 붙는 식물의 총칭. **2** 기생초.

tick·tack, tic·tac [tíktæ̀k] *n.* **1** (시계 따위의) 똑딱똑딱(하는 소리), 재깍재깍 ; 《兒》「똑딱똑딱」《시계》. **2** 심장의 고동, 동계(動悸). —— *vi.* 똑딱똑딱하는 소리를 내다.

tick·tack·toe, tic·tac·toe [tìktæktóu], **tick·tack·too** [-túː] *n.* Ⓤ 3목(目)놓기《정자형(井字形)으로 선을 그어 9개의 구획을 만들고 2명이 번갈아 ○과 ×를 써넣어 세개를 나란히 한 쪽이 이기는 놀이》.

tic(k)·toc(k) [tíktɑ̀k] *n.* (특히 큰 시계의) 똑딱(하는 소리) (cf. TICKTACK). —— *vi.* 똑딱똑딱 소리내다. 〚C19 imit.〛

ticky-tacky [tíkitæ̀ki], **ticky-tack** [-tæ̀k] *n.* Ⓤ 《美》 흔히 있는 싸구려 재료《주로 건축용의》; 멋없고 단조로운 획일성《단지의 가옥 따위》.

—— *a.* 《美》 초라한, (주택이) 싸구려 재료로 지은 : a ~ house 싸구려 건재로 지은 집.

TID, t.i.d. 〔處方〕 *ter in die* 《L》 (=three times a day).

tid·al [táidl] *a.* **1** 조수(潮水)의, 조수가 밀려드는, 조수의 영향을 받는, 간만(干滿)이 있는 : a ~ harbor 만조항(滿潮港)《만조 때만 사용할 수 있는 항구》/ a ~ river 감조하천(感潮河川)《강어귀에서 조수가 올라오는》. **2** 만조때에 출범하는 : a ~ boat[steamer] 만조때에 출항하는 배[기선] / a ~ train (tidal steamer로 연락하는) 임항(臨港) 열차. **3** 주기적으로 변동하는. 〚TIDE[1]〛

tídal àir[**brèath**] *n.* 〔醫〕 (호흡할 때마다 폐에) 드나드는 숨.

tídal bàsin *n.* 조수 독(dock).

tídal cúrrent *n.* 조류(潮流).

tídal dàtum *n.* 조위(潮位) 기준면(面).

tídal flòw *n.* (사람·차량 따위의) 시간에 따라 변하는 흐름.

tídal fríction *n.* 〔海洋〕 조석(潮汐) 마찰《조류와 해저 사이의 마찰 현상》.

tídal pòwer generátion *n.* 〔電〕 조력(潮力) 발전《조수의 간만의 차를 이용한 발전》.

tídal pówer plànt *n.* 조력(潮力) 발전소.

tídal wàve *n.* **1** (태양 또는 달의 인력에 의한) 조파(潮波). **2** (지진·태풍 따위로 인한) 큰 해일, (강풍 따위에 의한) 높은 파도 ; (인심·인간사의) 큰 동요, 격동‹*of*›.

tid·bit [tídbìt] *n.* 한 입, 한 조각‹*of*› ; (소량의) 맛있는 음식물 ; 재미있는 뉴스의 한 토막, 토막 기사. 〚*tid* (dial.) delicate, BIT[1]〛

tid·dle·dy·wink [tídəldiwìŋk], **tid·dly·wink, tid·dley-** [tídli-] *n.* [~s ; 단수취급] 작은 원반을 튀겨서 종지 속에 넣는 놀이.

tid·dler [tídlər] *n.* 《英兒》 =STICKLEBACK.
tid·dly, tid·dley [tídli] *a.* 《英口》 자그마한 ; 시시한. 〖C19<? ; 'tiny'의 뜻은 *little*의 유아어형(幼兒語形)인가〗
***tide**[1] [táid] *n.* **1** Ⓤ,Ⓒ 조수, 조석(潮汐), 조류(潮流) : ☞ EBB [LOW] TIDE / ☞ FLOOD [HIGH] TIDE / spring [neap] ~ 사리[조금] / The ~ is in [out, down]. 지금 만조[간조(干潮)]다 / The ~ is making[ebbing]. =The ~ is on the flow [on the ebb]. 조수가 밀려오고[빠지고] 있다. **2 a**) 간만(干滿) ; 영고성쇠(榮枯盛衰). **b**) 《비유》 풍조(風潮), 경향, 형세 : the full ~ of pleasure 환락의 절정 / go with the ~ 시류에 따르다 / turn the ~ 형세를 일변시키다 / The ~ turns. 형세는 항상 바뀐다 / The ~ turns to[against] him. 형세가 그에게 유리[불리]해진다. **3 a**) [복합어 이외는 《古》] 때, 철, 계절 ; (특히 종교상의) 절(節), 축제 : noon*tide*, spring*tide*, Christmas*tide*, etc. / Time and ~ wait for no man. ☞ TIME *n.* 1. **b**) 《古》 알맞은 때, 좋은 시기[기회] : take fortune at the ~=take the ~ at the flood 좋은 기회를 타다.
a turn of the tide 조수가 바뀌는 때 ; 《비유》 형세 일변.
work double tides ☞ DOUBLE *a.*
—— *vi.* 조수를 타고 가다, 조수처럼 흐르다.
—— *vt.* [+目+副] (곤란 따위를) 극복하다, 이겨내다, 타개하다 ; (남을) 헤어나게 하다 : ~ ***over*** a difficulty [an obstacle] 곤란[장애]을 뚫고나가다 / The food is enough to ~ us *over* till spring. 양식은 봄까지 견디어 내기에 충분하다.
〖OE *tīd* time ; cf. TIME, G *Zeit*〗
tide[2] *vi.* 《古》 일어나다, 야기하다, 생기다.
〖OE (↑)〗
tíde-bòund *a.* 〖海〗 (배가) 썰물로 인하여 움직이지 못하는.
tíde gàge[règister] *n.* 검조기(檢潮器).
tíde gàte *n.* (썰물 때 닫히고 밀물 때 열리는 자동식) 조문(潮門).
tíde·lànd *n.* Ⓤ (조수 간만의 영향을 받는) 낮은 해안 지대, 간석지 ; [*pl.*] 영해 안의 해저.
tíde·less *a.* 조수 간만이 없는.
tíde lòck *n.* 조갑문(潮閘門) 《조수 간만이 있는 수면과 운하·독과의 사이의 수문(水門)》.
tíde·màrk *n.* 조(수)표(潮(水)標).
tíde mìll *n.* 조력(潮力)에 의한[조수를 뽑아내는] 물레방아[수차(水車)].
tíde·pòol *vi.* 조수 웅덩이에서 자연관찰을 하다.
tíde ràce *n.* 거센 조류 ; 조류의 물길.
tíde rìp *n.* =RIP[2] 1.
tíde tàble *n.* 조석표(潮汐表), 간만표(干滿表).
tíde·wàit·er *n.* **1** 《古》 (입항 선박을 점검하는) (승선) 세관원. **2** 《비유》 기회주의자.
tíde·wàter *n.* **1** Ⓤ (밀물 때 바닷물이 낮은 곳으로 밀려오는) 조수 ; 《美》 (강어귀 따위에서) 조석(潮汐)의 영향을 받는 물[수면(水面)]. **2** Ⓤ 《美》 (조석의 영향을 받는) 낮은 해안 지대 ; (일반적으로) 해안 지대 ; [the T~] 미국 Virginia주 동부의 저(低)지대.
tíde wàve *n.* 조석파(潮汐波), 조파(潮波).
tíde·wày *n.* 바닷물길 ; 조류(潮流) (tidal current).
ti·dings [táidiŋz] *n. pl.* **1** [단수로도 취급] 《주로 文語》 기별, 소식, 통지 : glad [sad] ~ 기쁜[슬픈] 소식 / good [evil] ~ 좋은[나쁜] 소식 / The ~ were[was] received with shouts of joy. 그 보도는 환성으로 받아들여졌다. **2** 《古》 사건.
〖OE *tīdung*<? ON *tithindi* events ; cf. G *Zeitung* information〗
tid·ol·o·gy [taidálədʒi, -dɔ́l-] *n.* 조석학(潮汐學).
***ti·dy** [táidi] *a.* **1** 단정한, 깔끔한, 말쑥한, 산뜻한, 정돈된 ; (사람이) 깨끗한 것을 좋아하는 : The kitchen is always ~. 부엌은 늘 깨끗이 정돈되어 있다. **2** 《口》 상당한, 꽤 좋은, 괜찮은 : a ~ sum of money 상당한 금액. **3** 포동포동한, 건강한.
—— *n.* **1** 의자의 등씌우개. **2** 자질구레한 것을 담는 그릇[자루] ; (부엌의) 쓰레기통. —— *vt.* [+目/+目+副] (말끔히) 치우다, 깨끗이 정리하다, 정돈하다 : ~ oneself 몸단장을 하다 / ~ ***up*** one's room 방을 깨끗이 치우다. —— *vi.* 깨끗해지다〈*up*〉. **tí·di·ly** *adv.* **-di·ness** *n.*
〖ME=timely, good ; ⇨ TIDE[1]〗
類義語 ⟹ NEAT.
‡tie [tái] *v.* (**tý·ing**) *vt.* **1** [+目/+目+副/+目+前+名] (끈·밧줄·새끼 따위로) 붙들어 [동여·얽어]매다, 이어매다, 묶다 ; 결합시키다 : ~ a package 꾸러미를 묶다 / ~ person's hands [feet] *together* 남의 양손[양발]을 한데 묶다 / ~ ***up*** one's things ***in*** a parcel 소지품을 한데 모아 꾸리다 / Shall I ~ all these things *together* ***with*** string? 여기에 있는 것을 모두 끈으로 한데 묶을까요 / *T*~ the horse ***to*** the tree. 말을 나무에 매어놓으시오.
2 a) [+目/+目+副] (…의 끈을) 매다, 끈 따위로 잡아매다 : ~ one's shoes [shoelace] 구두끈을 잡아매다 / ~ one's apron strings 앞치마 끈을 매다 / ~ a bonnet (***on***) 보닛의 끈을 (턱 밑에서) 매다 / ~ *on* a plate 끈으로 판자를 붙들어매다. **b**) [+目/+目+前+名] (리본·넥타이 따위를) 매다, (나비꼴 따위로) 매다, (매듭을) 짓다 : ~ a necktie 넥타이를 매다 / She ~*d* a knot ***in*** her handkerchief to remind herself of the appointment. 그녀는 약속이 생각나도록 손수건에 매듭을 지었다.
3 [+目/+目+副/+目+*to*+名] (남을 어떤 경우·처지에) 묶어두다, 얽매다 ; 속박[구속]하다 : My duties ~ me ***down*** all day. 나는 온종일 일에 얽매어 있다 / He was ~*d* ***to*** the job by the contract. 그는 계약에 얽매어 그 일을 하지 않으면 안되었다.
4 [+目/+目+前+名] (경기 따위에서 상대방과) 동점이 되다, 비기다, …와 타이가 되다 : Oxford ~*d* Cambridge ***in*** football. 축구에서 옥스퍼드와 케임브리지는 비겼다.
5 a) 결합[접합]시키다 ; 《口》 결혼시키다. **b**) 〖樂〗 (음표를 붙임줄로) 연결하다.
—— *vi.* **1** 매이다, 묶이다 : This ribbon doesn't ~ well. 이 리본은 잘 매어지지 않는다. **2** [動/+前+名] (경기 따위에서) 동점[타이]이 되다, 비기다 : We ~*d* ***with*** Harvard. 하버드와 동점이 되었다 / The two teams ~*d* ***for*** first place in the league. 리그전에서 양팀 모두 수위(首位)에 올랐다.
tie down 일어나지 못하게 묶어놓다 ; 구속하다, 제한하다(cf. *vt.* 3).
tie the hands of …의 (행동의) 자유를 빼앗다, …을 속박[구속]하다.
tie a person***'s tongue*** 남의 입막음을 하다 : My *tongue* is ~*d*. 그것은 말할 수 없습니다.
tie up ⑴ 단단히 묶다, 포장하다(cf. *vt.* 1) ; 붕대로 감다. ⑵ (기업 따위를) 연합시키다, 제휴시키다, 타이업시키다 : We must be ~*d up with* that firm. 그 회사와 제휴하지 않으면 안된다. ⑶ 구속하다 ; 방해하다, 꼼짝 못하게 하다 ; (쟁의 따

위에서) (영업을) 정지시키다, (쟁의 따위로 철도 따위를) 불통이 되게 하다 ; (매듭을) 옭아매다, 풀어지지 않게 하다 : be ~*d up* in conference 회의 때문에 꼼짝 못하다. ⑷ (재산을) 다른 곳에 유용[매매]할 수 없게 하다 ; (자본을) 고정시키다. ⑸《美》 정박시키다. ⑹《口》 결혼시키다 : get ~*d up* 결혼하다. ⑺ (전화 따위를) 혼자 독점 사용하다.

—— *n.* **1** 맨 것, 매듭, 장식매듭. **2** 끈, 줄 ; 구두끈. **3** [*pl.*]《美》끈이 달린 낮은 구두. **4** [*pl.*]《비유》 인연, 연줄, 유대, 의리(義理) : business ~*s* 사업상의 유대 / family ~*s* 가족의 인연 / the ~*s of* friendship 우정의 의리 / ~*s of* blood 혈연(血緣) / the ~*s between* the United States and Britain 미국과 영국 사이의 유대. **5** 구속하는 것, 성가신 것, 방해물 : Children were a ~ *on* her. 어린애들은 그녀에게 있어서 성가신 존재였다. **6**〖建〗이음 나무, 결착재 ;《美》붙임줄《⌒》. **7** (경기 따위에서) 동점, 타이, 호각(互角) ; 비기기(draw) ; (비긴 후의) 재시합 ; 승자 진출전(戰) : a cup ~ 우승배 쟁탈전 / play[shoot] off the ~ 결승 시합을 하다 / The baseball game ended in a ~. 야구 시합은 동점으로 끝났다. **8** 넥타이(necktie).

〈회화〉
> Do I have to wear a *tie*? — Yes, you really should.「넥타이를 매야 합니까」「네, 꼭 매야 합니다」

~·less *a.* 〖(v.) OE *tīgan, tēgan* ; (n.) OE *tēah, tēg* ; cf. TEAM, TOW[1]〗
類義語 (1) (*v.*) ⟹ FASTEN.
(2) (*n.*) ⟹ BOND[1].

tíe·bàck *n.* (커튼을 한쪽으로 모아) 묶어 놓는 장식띠 고리 ; [*pl.*] 그 커튼.
tíe bèam *n.*〖建〗이음보, 지붕들보.
tíe brèak(er) *n.*〖競〗동점 결승전, 연장전 ; 동점 때 결판을 내는 것《제비뽑기 따위》.
tíe-brèak·ing *a.*〖競〗균형을 깨는.
tíe clàsp[clìp, bàr] *n.* 넥타이에 꽂는 금속제의 장신구[넥타이 핀].
tíed cóttage *n.*《英》사택(社宅).
tíed hóuse *n.*《英》(특정 회사의 술만을 파는) 특약점, 시음장(cf. FREE HOUSE).
tíed lóan *n.* 조건부 융자[원조].
tíe-dòwn *n.* 고정 용구, 고정시키는 끈 ; 묶음 ; 고정, 설치.
tíe-dỳe *n.* Ⓤ 홀치기 염색 ; Ⓒ 홀치기 염색한 옷[천]. —— *vt., vi.* 홀치기 염색하다.
tíe-ìn *attrib. a.* 함께 끼워 파는. —— *n.* **1** 함께 끼워 파는 판매 ; 그 상품. **2** 관련, 관계 ; 연결장치.
tíe lìne *n.*〖電話〗(PBX 방식에서 내선(內線)의) 연락선 ;〖電·交通〗연락선, 접속선.
Tien·tsin ☞ TIANJIN.
tíe-òn *a.* 매어놓은 ; (끈으로) 동여매는.
tíe·pìn *n.* 넥타이핀.
tier[1] [tiər] *n.* **1** [*pl.*] (계단식 좌석 따위의) 단(段), 층(層), (층층으로 된) 열 : in ~*s* 층층으로 줄지어 / ~*s* of seats 계단식 좌석. **2** [단수형만으로 써서] (층층으로 된) 한 단, 한 줄. —— *vt.* 층층으로 쌓다, 겹치다〈*up*〉.
〖F *tire* (*tirer* to draw, elongate)〗
ti·er[2] [táiər] *n.* 매는 사람[것] ;《美方》(어린애의) 두렁이[앞치마]. 〖TIE〗
tierce [tiərs] *n.* **1** [英+tə́ːrs]〖카드놀이〗(특히 piquet에서) 3장 연속되기. **2**〖카톨릭〗(성무일과의) 3시과(時課) ; 그 시각《오전 9시》. **3**〖펜싱〗제 3의 자세(cf. GUARD *n.* 3). **4**《古》용량 단위. **5**〖樂〗제3음, 제3도 음정.
〖OF＜L *tertia* (fem.)〈*tertius* third〗
tier·cel [tíərsəl] *n.* ＝TERCEL.
tiered [tiərd] *a.* 단[층]으로 된, 계단식으로 된 : a ~ skirt 단을 댄 스커트.
tíered párking lòt *n.*《美》주차장 빌딩.
tiers état [*F* tjɛːrzeta] *n.*〖史〗제 3계급, 서민, 평민. 〖F＝third estate〗
tíe sìlk *n.* 타이실크《넥타이·블라우스 따위에 쓰는 부드럽고 탄성(彈性)이 큰 견직물》.
tíe tàck[tàc] *n.* 넥타이핀.
tíe-ùp *n.* **1** 막다름, 정체(停滯) ; (교통의) 불통, 정지 ;《美》파업. **2**《口》타이업, 협조, 협력, 제휴, 휴대 : a technical ~ 기술 제휴.
tiff[1] [tíf] *vi.* ＝《인도》TIFFIN.
tiff[2] *n.* (애인·친구들 사이의) 사소한 싸움[다툼], 승강이 ; 기분이 언짢음, 역정 : have a ~ *with* … 와 말다툼을 하다 / be *in* a ~ 공연히 역정을 내고 있다. —— *vi.* 사소한 말다툼을 하다 ; 역정을 내다. 〖C18＜?〗
tiff[3] *n., vt.*《古》(술 따위) 한 모금 (마시다).
〖? ON *thefr* a smell〗
tif·fa·ny [tífəni] *n.* 티파니《얇고 성기게 짠 견직물의 일종》.
tif·fin [tífən] *n.* Ⓤ《인도》점심, 런치(lunch). —— *vi.* 점심 식사를 하다. —— *vt.* (남에게) 점심을 내다.
〖*tiffing*〈*tiff* (obs.) to take small drink〗
tig [tíg] *n.* 술래잡기(tag) ;《英口》싸움.
‡**ti·ger** [táigər] *n.* (*fem.* **tigress**) **1**〖動〗호랑이 ; 호랑이 비슷한 동물 : the American ~＝JAGUAR / the red ~＝COUGAR. **2** 잔인한 사나이, 광포한 자, 난폭한 사람 ; 용맹한 사람 ; 척척 일을 하는 사람, 굉장한 수완가. **3**《口》(경기의) 강적(cf. RABBIT 2 b)). **4**《美口》(three cheers 한 뒤에) 더 부르는 만세[갈채]《때때로 "tiger"라고 외침》: three cheers and a ~ 갈채[만세] 4창. **5**《美俗》(포커에서) 가장 낮은 수.
work like a tiger 맹렬히 일하다.
~·lìke *a.* 〖OF＜L＜Gk.〗
tíger bèetle *n.*〖昆〗길앞잡이.
tíger càt *n.* **1**〖動〗살쾡이. **2** 스라소니.
tíger·èye, tíger's-èye *n.*〖鑛〗호안석(虎眼石)《황갈색의 광석으로 장식용으로 씀》.
tíger·ish *a.* 호랑이 같은 ; 사나운, 용맹스러운, 잔인한. **~·ly** *adv.* **~·ness** *n.*
tíger lìly *n.*〖植〗참나리.
tíger mòth *n.*〖昆〗불나방.
tíger swèat *n.*《美俗》밀조 위스키 ; 맥주.
tíger·wòod *n.* Ⓤ (호랑이 털처럼) 얼룩무늬가 있는 아름다운 가구용 목재.
‡**tight** [táit] *a.* **1** 단단히 맨, 단단한, 야무진, 다져진 : a ~ knot [drawer] 단단한 매듭[빡빡한 서랍]. **2** 빈틈이 없는, (공기·물 따위) 새지 않는 : a ~ ship 물이 새어들지 않는 배. ㊟ 특히 연결형으로 쓰임(☞ -TIGHT). **3** (밧줄 따위가) 팽팽한(↔*slack*) ;《비유》 엄격한 : ☞ TIGHTROPE / keep a ~ rein [hand] on …에 대해서 고삐[제어하는 손길]를 늦추지 않다 ;《비유》…에게 엄격히 대하다. **4 a**) (옷감 따위) 톡톡한, 올이 촘촘한. **b**) (문체·표현 따위가) 극단적으로 압축된, 간결한. **5** (의복 따위가 몸에) 꼭 맞는 ; (특히) 꼭 끼는, 째는, 갑갑한 : ~ shoes [trousers] 꼭 끼는[째는] 구두[바지] / It is a ~ fit. 이것은 갑갑하다. **6** (주머니 따위) 가득 찬, 꽉 찬 ; 배부른 : a ~ bale 가득찬 가마니 / a ~ schedule 꽉 짜인 스

케줄. **7** 세게 누르는 : ☞ TIGHT SQUEEZE. **8** 옴쭉달싹할 수 없는, 비좁은. **9** 돈이 돌지 않는, (금융이) 핍박한, (물건이) 달리는, (시장의) 거래가 적은(↔*easy*) : Money was ~ then. 그때는 돈이 돌지 않았다. **10** 어려운, 곤란한 ; 곤경에 처한 : He is now in a ~ corner. 그는 지금 진퇴양난에 몰려 있다. **11** 《口》 술취한(drunk). **12** 《口》 인색한, 구두쇠의. **13** 《口》 별로 이익이 남지 않는. **14** 《口》 거의 엇비슷한, 호각(互角)의 : a ~ race 접전(接戰). —— *adv.* 단단히, 꽉, 꼭(tightly) : sit ~ 딱 버티고 있다 ; 《口》 버티다, 고집하다, 주장을 굽히지 않다 / Hold it ~. 꽉 붙잡고 있어라. —— *n.* **1** [*pl.*] ☞ TIGHTS. **2** 《美俗》 궁지, 곤경 ; 좁고 답답한 장소. **3** (럭비의) 스크럼. **4** 시간이 꽉 찬 방송 프로그램.

~·ly *adv.* 단단히, 꼭, 굳게. **~·ness** *n.* 견고, 죄임 ; 긴장 ; 갑갑함 ; 금융핍박.

〖? *thight* close set<ON 《美》 *thehtr, théttr* watertight〗

類義語 ***tight*** 어떤 물건 주위에 꼭[단단히] 감겨[묶여]져 있는 : a *tight* collar (꼭 끼는 칼라). ***taut*** 밧줄·끈·천 따위가 팽팽히 잡아당겨진 : a *taut* rope(팽팽한 밧줄). 주 tight가 이 뜻으로 쓰이는 일이 있으나 엄밀하게는 잘못된 표현임. ***tense*** 매우 *tight* 또는 *taut* 한 상태에 있기 때문에 긴장되어 있는 : *tense* muscles (긴장된 근육).

-tight *a. suf.* 「…이 통하지 않는」「…이 새지 않는」「방(防)…」「내(耐)…」의 뜻(cf. -PROOF) : air*tight*, water*tight*.

tíght-áss *n.* 《美俗》 긴장한 사람, 강직한[융통성 없는] 사람. **~ed** *a.* 《美俗》 긴장한, 딱딱한.

tíght·en *vt.* (↔*loosen*) [+目/+目+副] 단단히 죄다, 단단하게 하다, 팽팽하게 당기다, 고정시키다 ; (경제적으로) 핍박하게 하다 ; (규칙 따위를) 엄중히 하다, 강화하다 : ~ (***up***) a bolt 볼트를 단단히 죄다 / ~ (*up*) a rope 밧줄을 팽팽하게 당기다. —— *vi.* 단단히[꽉] 죄어지다, 단단해지다, 팽팽해지다 ; (경제적으로) 핍박되다.

tighten one***'s belt*** 허리띠를 졸라매다 ; 《戱》 끼니를 거르다 ; 《비유》 지출을 억제하다, 내핍생활을 하다, 절약(節約)하다.

~·er *n.*

tíght énd *n.* 〔美蹴〕 타이트 엔드《태클에서 2야드 이내의 공격 엔드》.

tíght·físt·ed *a.* 구두쇠의, 인색한.

tíght·fítting *a.* (옷이) 꼭 맞는, 꼭 끼는 ; 꼭 끼어 갑갑한.

tíght-knít *a.* 촘촘하게 짠 ; 정연하게 조직된, 계획이 빈틈없는, 긴밀한.

tíght-làced *a.* 꼭 끼는 코르셋을 입은 ; 딱딱한, 융통성이 없는.

tíght-lípped *a.* 입을 꼭 다문, 말이 없는.

tíght-mòney pólicy *n.* 금융 긴축 정책.

tíght-móuthed [-máuðd, -θt] *a.* =TIGHT-LIPPED ; =CLOSEMOUTHED.

tíght·ròpe *n.* 팽팽히 맨 밧줄 : a ~ dancer 줄타는 곡예사 / perform on the ~ (곡예사가) 줄타기를 하다. —— *vi.* 줄타기하다 ; 위험한 다리를 건너다.

tíghts *n. pl.* (몸에 착 붙는) 타이츠, 속옷.

tíght spót *n.* 《口》 난처한 입장, 어려운 상황 : in a ~ 궁지에 몰려.

tíght squéeze *n.* 굳은 악수 ; 힘찬 포옹 ; 《口》 궁지, 곤경.

tíght·wàd *n.* 《美俗》 노랑이, 구두쇠.

tíght·wìre *n.* 줄타기용 와이어 로프.

ti·gon [táigən] *n.* 타이곤《수펌과 암사자의 잡종》. 〖*tiger*+li*on*〗

ti·gress [táigrəs] *n.* 암펌(cf. TIGER) ; 잔인한 여자, 사나운 여자.

Ti·gris [táigrəs] *n.* [the ~] 티그리스 강《터키와 이라크 사이를 흘러 Euphrates 강과 합류하여 페르시아 만으로 흐름 ; 이 유역은 고대 바빌로니아 문화가 번영했던 곳》.

ti·grish [táigriʃ] *a.* =TIGERISH.

T.I.H. Their Imperial Highnesses.

Ti·juá·na tàxi [ti:wáːnə-] *n.* 《CB俗》 순찰차.

tike ☞ TYKE.

til [tí(ː)l], **teel** [tíːl] *n.* 〔植〕 참깨(sesame) ; 참기름(=~ òil). 〖Hindi〗

'til *prep., conj.* =TILL. 〖un*til*〗

ti·la·pia [təléipiə, -láː-, -lǽp-] *n.* 〔魚〕 틸라피아《아프리카 동부·남부 원산의 양식어》.

til·bury [tílbèri, -bəri ; -bəri] *n.* 지붕이 없는 2륜 경장(輕裝) 마차《19세기 초에 유행》. 〖*Tilbury* 19세기 London의 마차 제조업자〗

til·de [tíldə ; tíld] *n.* **1** 스페인어에서 n 위에 붙이는 기호(˜)로 ñ=[nj] : señor. **2** 포르투갈어에서 모음 위에 붙이는 비모음(鼻母音)화 기호(˜) : pão(빵). **3** 반복을 피하기 위한 생략 기호(~). 〖Sp.<L=superscription ; ⇨ TITLE〗

***tile** [táil] *n.* **1** [집합적으로 쓰여] 기와, 화장 벽돌, 타일 ; 토관(土管), 하수관 : a plain ~ 평기와. **2** 《口》 모자, (특히) 실크 해트. **3** (마작(麻雀)의) 패(牌).

be (***out***) ***on the tiles*** 《俗》 놀며 돌아다니다, 방탕하다.

have a tile loose 《俗》 약간 머리가 돌다.

—— *vt.* **1** 기와로 이다 ; …에 타일을 붙이다. **2** (비밀 결사의 집회 따위에) 파수꾼을 배치하다 ; (회의 따위를) 비밀로 하다 ; (아무에게) 비밀을 지키게 하다. 〖OE *tigule, tigele*<L *tegula* (*tego* to cover) ; cf. G *Ziegel*〗

til·er [táilər] *n.* 기와 제조자 ; 타일공, 기와장이.

til·ery [táiləri] *n.* 기와[타일] 제조소[공장].

til·ing [táiliŋ] *n.* **1** Ⓤ 기와 이기, 타일 붙이기(작업). **2** [집합적으로] 기와류(類), 타일(tiles). **3** 기와지붕, 타일면(面).

◇till[1] [til] *prep.* **1** [동작·상태의 계속] …까지(줄곧) : ~ now[then] 지금[그때]까지(cf. BEFORE *prep.* 2, BY[1] *prep.* 4, UNTIL ; ☞ 活用 (1)). **2** [부정어(否定語)의 뒤에서] …까지 …않다, …에 이르러 …하다 : He did *not* come ~ ten o'clock. 그는 10시까지 오지 않았다 / It was *not* ~ yesterday that I got the news. 어제 비로소 나는 소식을 들었다. **3** 《美口》 (…분(分))전(前)(to) : at quarter [ten minutes] ~ five 5시 15분[10분]전에. **4** 경(頃), …가까이 : ~ evening 저녁 무렵에.

—— *conj.* [계속·정도] …(할 때)까지 ; …할 정도로, …하여 마침내 : Do not start ~ I give the word. 내가 말할 때까지 출발하지 마라(☞ 活用 (2)) / He talked ~ he became hoarse. 그는 너무 지껄여 마침내 목이 쉬어 버렸다.

〖OE and ON *til* to ; cf. TILL[2], G *Ziel* goal〗

活用 (1) till과 until을 비교해 보면, 일반적으로는 till이 보편적인 말 ; until은 다소 강조적이며 묵직한 느낌이 있으며 특히 그에 이끌리는 어구나 절이 문장 첫머리에 놓일 때 흔히 쓰임 ; 또한 until은 《美》에서 즐겨 쓰는 경향이 있음.

(2) till, before, after, when, as soon as, if 따위에 이끌리는 때나 조건을 나타내는 부사절 안에서는 미래의 동작이나 상태를 나타내는데 보통

현재형의 술어동사가 사용되며, 마찬가지로 미래완료의 뜻이 보통 현재완료의 술어동사로 나타내어짐 : There is an hour *till* the plane *takes* off. (비행기가 이륙할 때까지는 1시간이 남아 있습니다) / It will not be long *before* spring *comes*. (봄이 오는 것도 머지않다) / Let's start *as soon as* we *have finished* lunch. (점심 식사가 끝나면 곧 출발하자).
☞ BEFORE *conj.* 1 [주]; WHEN [活用] (2).

***till**[2] [tíl] *vt., vi.* 갈다, 경작하다(cultivate).
~·able *a.* 경작할 수 있는, 경작에 알맞은.
~·age *n.* [U] 경작(지) ; 농작물.
〚OE *tilian* to strive, obtain (Gmc.《美》*tilam* aim, goal) ; cf. G *zielen* to aim〛
[類義語] ***till*** 사람이 토지를 경작할 때 씀. cultivate 처럼 비유적인 뜻은 없음. ***cultivate*** 경작하는 뜻 외에 비유적으로 교양으로서 학예 따위를 몸에 익힌다는 뜻도 있음. ***plough*** 가래로 땅을 갊.

till[3] *n.* (계산대의) 돈 넣는 서랍 ; 돈궤 ; (귀중품용) 서랍. 〚ME < ? ; cf. ME *tyllen* to draw〛

till[4] *n.* 〔地質〕 빙력토(氷礫土), 표석 점토(漂石粘土). 〚C17 Sc. < ?〛

tíll·er[1] *n.* 경작자, 농부 ; 경작기, 경운기 ; 〔植〕 (그루터기에서 나는) 싹. 〚TILL[2]〛

tiller[2] *n.* 〔海〕 키의 손잡이 ; (일반적으로) 조종장치. 〚AF *telier* weaver's beam (L *tela* web)〛

Til·lie, Til·ly [tíli] *n.* 여자 이름《Matilda의 애칭(愛稱)》.

tilt[1] [tílt] *n.* **1** 기울기, 경사(slant) : give it a ~ 그것을 기울게 하다 / have a ~ to left[east] 왼쪽[동쪽]으로 기울다 / on the ~ 기울어져. **2** (창으로) 찌르기 ; (중세기사(騎士)의) 마상(馬上) 창시합 ; (일반적으로) 시합, 논쟁, 토론 : have a ~ *at* a person (주장·풍자 따위로) 남을 공격하다. **3** = TILT HAMMER.
(***at***) ***full tilt*** 전속력으로, 전력을 다하여 : come [run] *full* ~ *against* …에 전속력으로[힘껏] 부딪치다 / run *full* ~ *into*[*at*] …에 쏜살같이 부딪치다[덤벼들다].
— *vt.* **1** [+目/+目+副/+目+前+名] 기울이다, 갸웃하다 : ~ a chair [table] 의자[탁자]를 기울이다 / ~ a cask ***up*** [***over***] 통을 기울이다[눕히다] / He is in the habit of *~ing* his head ***to*** one side. 그는 머리를 한쪽으로 갸웃거리는 버릇이 있다. **2** (창을) 쑥 내밀다. **3** (강철을) 동력(動力) 망치(tilt hammar)로 단련하다. **4** (카메라를) 상하로 움직이다[기울이다]. **5** (말·글로) 공격하다 ; …와 논쟁하다.
— *vi.* **1** [動/+副/+前+名] 기울다, 갸우뚱거리다 : This table is apt to ~ (***over***). 이 탁자는 잘 기울어진다 / a tree *~ing* ***to*** the south 남쪽으로 기울어진 나무. **2** [動/+*at*+名] (중세 때 기사가) 마상(馬上) 창시합을 하다 ; 싸우다, (창으로) 찌르다, 돌격하다 ; 《비유》 (연설·문장 따위로) 공격하다, 항의하다, 풍자하다 : ~ ***at*** social injustice 사회의 부정을 규탄하다.
tilt at windmills ☞ WINDMILL.
— *a.* 기울어진 ; 전도되어[뒤집혀] 비워진.
~·er *n.*
〚OE *tealt* unsteady〛

tilt[2] *n.* (마차·배 따위의) 덮개, 포장, 차양 ; 천막.
— *vt.* 천막[차양]을 치다.
〚*tild* (obs.) ; *-t*는 아마 *tent*[1]의 영향〛

tilth [tílθ] *n.* = TILLAGE.

tílt hàmmer *n.* (동력으로 움직이는) 자동 망치.

tílt-tòp *a.* (외다리 탁자의) 위판을 수직으로 접을 수 있는《안 쓸 때》.

tílt·yàrd *n.* (중세의) 마상 창시합장.

Tim [tím] *n.* 남자 이름《Timothy의 애칭》.

Tim. 〔聖〕 Timothy.

TIM Travel Information Manual.

tim·bal, tim·bul [tímbəl] *n.* 〔樂〕 = KETTLEDRUM ; 〔昆〕 (매미 따위의) 진동막(振動膜).

tim·bale [tímbəl, tæmbɑ́ːl ; *F* tɛ̃bal] *n.* 닭고기나 생선에 계란 흰자위·크림 따위를 넣고 만든 요리. 〚F〛

***tim·ber**[1] [tímbər] *n.* **1** [U] (제재한) 재목, 각재(角材) ; 《英》 판재(板材) (=《美》 lumber). **2** [U] [집합적으로] 《美口》 (건축 용재로서의) 수목(樹木), 입목(立木) (=standing ~) ; [C] 삼림(forest) ; 목조 장애물《문·울타리 따위》. **3** 들보 ; [*pl.*] 〔海〕 선재(船材), 늑재(肋材). **4** [U] 《美》 인물, 인품, 성격, 소질 : a man of good ~ 성격이 좋은 사람. **5** 《크리켓俗》 = TIMBERYARD. **6** 재료, 소재. **7** 《俗》 다리(leg). **8** [*pl.*] 《美口》 사람의 뼈, (특히) 늑골. **9** 《美俗》 거지.
(***Shiver***) ***my timbers !*** 《海俗》 제기랄 !, 빌어먹을 !
— *vt.* [*p. p.*로] …에 재목을 대다, 재목으로 덮다[지탱하다].
— *vi.* 나무벌채에 종사하다 ; 버팀목을 대다.
— *int.* (나무가) 쓰러진다《벌채 때의 위험 신호》. — *a.* timber(용)의 ; 《古》 목제(木製)의.
〚OE = house, building (material) ; cf. G *Zimmer* room〛

timber[2] *n.* 모피 한 다발《40장》.

tím·bered *a.* **1** 나무로 만든[덮인] ; 벽을 통나무로 만든 ; 만듦새가 (…)한, 체격이 …한. **2** 입목(立木)이 있는, 수목이 우거진.

tímber-fràme, -fràmed *a.* 목골조(木骨造)의.

tímber·hèad *n.* 〔海〕 늑재(肋材)의 상단 ; 늑재의 연장부《뱃전에서 위로 내민 부분》.

tímber-héad·ed *a.* 《俗》 우둔한.

tímber hìtch *n.* 〔海〕 둥근 재목에 밧줄 매는 법.

tímber·ing *n.* [U] 건축용재, 목재 ; 나무로 짜(만들)기 (timberwork).

tímber·jàck *n.* 나무꾼, 벌목꾼(logger).

tímber·lànd *n.* [U] 《美》 삼림지(地).

tímber·lìne *n.* 《주로 美》 (고산(高山)·극지(極地)의) 교목 한계선(線) (tree line).

tímber mìll *n.* 제재소.

tímber tòe *n.* 《口》 나무 의족(을 한 사람).

tímber wòlf *n.* (북미산) 얼룩반점이 있는 큰 산림늑대.

tímber·wòrk *n.* [U] 나무로 짜기, 목조공사 ; [*pl.*] 제재소.

tímber·yàrd *n.* 《英》 목재 하치장(荷置場) ; 《크리켓俗》 위켓(wicket).

tim·bre [tímbər, tǽmbər ; *F* tɛ̃ːbr] *n.* [U] 음색(音色), 음질(音質) ; 《비유》 특징, 특질. 〚F = sound (of bell) < Rom. < Gk. ; ⇨ TYMPANUM〛

tim·brel [tímbrəl] *n.* = TAMBOURINE.

Tim·buk·tu, -buc·too [tìmbʌktúː, ⌐-⌐] *n.* **1** 팀북투《Africa 서부, Mali 중부에 있는 도시》. **2** 멀리 떨어진 곳, 원격지.

timbul ☞ TIMBAL.

◇**time** [táim] *n.* **1** [U] 시, 일, 때, 시간 ; 시간의 경과, 세월 : ~ and space 시간과 공간 / *T*~ is money. 《속담》 시간은 돈이다 / *T*~ flies. 《속담》 세월은 유수와 같다 / *T*~ and tide wait for no man. 《속담》 세월은 사람을 기다리지 않는다.
2 [U] [또는 a ~] 기간, 사이, 동안(period) : *a* long[short] ~ 오랜[짧은] 시간 / for all ~ 영원히(forever) / for *a* ~ 한동안, 잠시 ; 임시로 /

have a busy ~ 바쁘다 / It would take (*a* long) ~. 시간이 (오래) 걸릴 것이다.
3 Ⓤ 시각, 시점, (몇) 시, (…) 때 : *at* any ~ 언제든지 / *at* no ~ 한번도 …않다 / *at* some ~ 언젠가는 / by this ~ 이때까지, 지금 쯤은 / What ~ is it?=What is the ~?=What ~ do you have? 지금 몇 시입니까(cf. *the* TIME *of day* (1)) / That child doesn't know how to tell the ~. 저 애는 시계 볼 줄 모른다.
4 Ⓤ 표준시, 타임 : ☞ GREENWICH TIME / ☞ SUMMER TIME.
5 Ⓤ (1년의) 시기, 시절, 계절(season) : Christmas ~ / ☞ SUMMERTIME.
6 a) [때때로 *pl.*] 시대, 연대, (…)대(代) : *in* ancient[modern] ~*s* 고대[현대]에 / *in* the ~(*s*) *of* the Stuarts=*in* Stuart ~*s* 스튜어트 왕조 시대에 / (The) ~ was[has been] when... 《古·文語》 …이라는 시대가 (옛날에) 있었다 / He is the greatest writer of all ~*s*. 그는 고금을 통하여 가장 위대한 작가다. **b**) [the ~, ~s] 당대, 당시, 현대 : the scientists of *the* ~ 당시[현대]의 과학자들. **c**) 〖劇〗 시간(cf. DRAMATIC UNITIES) ; 시제(tense).
7 [때때로 *pl.*] 시기, 시세, 경기, 경험 : the good old ~*s* 옛날의 좋은 시대, 그리운 옛날 / behind [ahead of] the ~*s* 시대에 뒤져[앞서] / have a good [fine] ~ (of it) 유쾌하게 지내다 / have a hard ~ (of it) 혼나다 ; 고생하다 / hard ~*s* 불경기 / Those were ~*s*! 그때는 정말 좋았어.
8 Ⓤ (사람의) 생애, 일생 ; 무렵 : The trouble happened before his ~. 사건은 그가 아직 (세상에) 태어나기 이전에 일어났다(cf. *before* one*'s* TIME) / He was no longer teaching there in my ~. 내가 있었을 무렵에는 그는 이미 거기서 가르치고 있지 않았다.
9 Ⓤ [+*to* do] (필요한) 시간 ; (한가한) 틈 ; 여가 : give a person ~ 남에게 여유를 주다 / be pressed for ~ 시간에 쫓기고 있다, 시간이 모자라다 / have no ~ to spare 한가한 시간이 없다, 바쁘다 / There is [I have] no ~ to lose. 우물쭈물하고 있을 시간이 없다 / I have no ~ ***for*** reading [*to* read books]. 책을 읽을 시간[틈]이 없다 / He managed to find ~ *for* a trip. 그럭저럭 해서 여행할 수 있는 여가를 마련했다.
10 Ⓤ,Ⓒ [+*to* do/+*that* 節] 때《정각(定刻)》, 기일 ; 시기, 기회, 호기 : arrive ahead of ~ 정각[예정]보다 빨리 닿다 / behind ~ 정각보다 늦게, 지각하여 / for the first ~ 처음으로 / for the last ~ (그것[이것]을) 마지막으로 (하여) / The ~ will come when... 장래 …할 때가 올 것이다 / There is a ~ *for* everything. 무슨 일에나 때가 있는 법이다 / It is (high) ~ ***for*** [*to* have] lunch. 이제(벌써) 점심(먹을) 시간이다 / Now is the ~ *to* do. 지금이 바로 기회다 / It is ~ we *were* going to bed. 이제 잠잘 시간이다. 注 *that* 節의 that이 흔히 생략되어, 절(節) 안에는 과거형(원래 가정법)의 동사가 쓰임.
11 회(回), (몇) 번 ; 배(倍) : three ~*s* a day 하루에 세번 / many[a lot of] ~*s* 여러번, 자주 (cf. *many a* TIME) / ~*s* out of number 몇번이고, 수없이 / ten ~*s* as large as …보다 10배나 큰 / Four ~*s* two is[are] eight. 4곱하기 2는 8《4×2=8》/ Two ~*s*(=《美》 Twice) three is [are] six. 2곱하기 3은 6《2×3=6》(☞ TWICE *adv.* 2) / One ~*s* one is one. 1곱하기 1은 1《1×1=1》.
12 Ⓤ (도제·고용살이의) 연기(年期) ; 〖軍〗 복무 연한 : serve [serve out] one's ~ 연기를 채우다[마치다].
13 Ⓤ 근무[취업]시간 ; 시간급(給).
14 Ⓤ 죽을 때, 임종 : His ~ has come. 드디어 그의 최후(의 시각)이 왔다.
15 Ⓤ 형기(刑期) : do ~ 복역하다.
16 Ⓤ 회임기(懷妊期), 출산기, 분만기(分娩期).
17 Ⓤ 〖競〗 (경기자의) 소요시간 ; 타임《게임의 일시적인 중지[중단]》; 시작!, 중지! : call the ~ (심판이) 타임을 선언하다 / *T*~ is up. (이제) 시간이 다 되었다.
18 a) Ⓤ 〖樂〗 박자 ; 속도 : in slow[true] ~ 느린[바른] 박자로 / beat ~ 박자를 맞추다. **b**) 〖韻〗 운율 단위.
19 Ⓤ 〖軍〗 행군 속도[보속(步速)], 보조(步調) ; 보행(행진) 속도 ; (운전·일 따위의) 속도 : double[quick, slow] ~ 구보[속보, 보통 걸음].
against time 시간내에 마치려고 노력하여, 시간을 다투어, 전속력으로.
all the time 그 동안 줄곧 ; 《美》 언제나, 늘.
as times go 《口》 이런 시절에는, 시절이 시절이니만큼.
at all times 언제나, 항시.
at a time 한번에 (…씩) ; 한꺼번에, 동시에.
at one time 전에는, 한때는, 옛날(에는) ; 한번에, 동시에.
at one time with[***and***] ***another***=*one* TIME *with*[*and*] *another*.
at other times 평소에는 ; 다른 때는.
at the same time 동시에 ; 그래도, 역시(however).
at this time of (***the***) ***day*** 이맘때에 ; 《비유》 이렇게 늦게[빨리].
at times 때때로, 가끔.
before one***'s time*** 때가 오기 전에 ; 달을 채우지 못하고 ; 제명을 다하지 못하고(cf. 8) : He died *before* his ~. 그는 요절했다.
buy time 〖放送〗 (광고료를 치르고) 광고 시간을 얻다[사다] ; 《口》 시간을 벌다[끌다].
for the time (***being***) 당분간, 당장(은) (cf. BEING *a.*).
from time to time 때때로.
gain time ☞ GAIN.
half the time ☞ HALF *adv.*
in bad time 때에 어긋나, 늦게.
in good time 시간에 맞춰, 알맞은 때에 ; 곧.
in no time=***in less than no time*** 곧, 즉시, 당장.
in one***'s own good time*** 계제가 좋을 때에.
in one***'s own time*** 여가에.
in time (1) 때가 되면 ; 조만간, 이윽고, 결국 : That boy will learn that *in* ~. 저 소년은 언젠가는 그것을 알게 될 것이다. (2) 마침 좋은 때에, 제시간에〈*for*〉 (cf. *on* TIME (1)) : I got there just *in* ~. 제시간에 그곳에 도착하였다. (3) 박자가 맞아[를 맞추어]〈*with*〉. (4) 《口》 [의문사를 강조하여] 도대체(on earth) : Why *in* ~ don't you come? 도대체 왜 안오느냐.
in time of …의 때에 : *in* ~ *of* peace 평화로운 때[시기]에, 평화시에.
keep good[***bad***] ***time*** (시계가) 꼭 맞다[맞지 않다].
keep time (발로) 박자를 맞추다〈*with*〉.
lose time ☞ LOSE.
make time (1) 서두르다 ; 급히 가다(go fast) : We *made* (good) ~ between Chicago and here. 시카고에서 여기까지는 빨리 왔다. (2) (열차 따위)

지체된 시간을 만회하다.
make time to do 이럭저럭 …하다.
many a time 《文語》 여러번, 누차(many times, often) (cf. MANY *a*...).
many and many a time [강조적으로] = *many a* TIME.
many a time and oft [***often***] [강조적으로] 《詩·文語》 = *many a* TIME.
mark time ☞ MARK[1] *v.*
near one***'s time*** 임종이 가까운; 해산[출산]이 가까운.
on time (1) 《원래 美》 시간대로, 정각에: arrive *on* ~ 정각에 닿다 / Be *on* ~. 시간을 지켜라. (2) 《美》 후불로, 분할[월부] 지급으로: buy a piano *on* ~ 피아노를 월부로 사다.
one time with [***and***] ***another*** 여러가지 경우에, 때때로.
out of time 늦게; 제철이 아닌; 박자가 틀린.
pass the time of day 아침 저녁 인사말을 주고받다.
play for time ☞ PLAY.
sell time 방송 광고를 허가하다.
spar for time ☞ SPAR[2].
take one ***all*** one***'s time*** 《口》 매우 힘들게 하다: This work has *taken* me *all* my ~. 이 일은 매우 힘이 들었다.
take one***'s*** (***own***) ***time*** 천천히[서두르지 않고] 하다〈*over*〉.

〈회화〉
I'll be back in a minute. — *Take* your *time.* 「금방 돌아올게요」「천천히 오세요」

(***the***) ***time of day*** (1) 시각, 시간: He asked me what is *the* ~ *of day.* 나에게 지금 몇시냐고 물었다 / pass *the* ~ *of day* ☞ PASS *v.* 숙어. (2) 《비유》 (그때의) 사정, 정세: know *the* ~ *of day* ☞ KNOW *v.* 숙어.
the time of one***'s life*** 《口》 다시없는 즐거운[불쾌한] 때[경험]: have *the* ~ *of* one's *life* 다시없는 즐거운[괴로운] 경험을 하다 / give a person *the* ~ *of* his *life* 남에게 다시없는 유쾌한[불쾌한] 경험을 하게 하다.
time after time = ***time and again*** = ***time and time again*** 재삼재사.
time enough 《口》 시간이 남을 만큼 이르게: I got there ~ (=early) *enough for* [*to* see] the show. 쇼에[를 보는데] 시간이 남을 만큼 그곳에 일찍 도착했다.
time out of mind 태고, 아주 먼 옛날; 태고적부터, 아주 옛날부터.
to time (1) 시간을 한정하여: write *to* ~ 기한부의 원고를 쓰다. (2) 《英》 시간대로, 정각에(cf. *on* TIME (1)): The buses run *to* ~. 버스는 운행시간이 정확하다.
up to time 《英》 = *on* TIME (1).
what time 《詩》 = WHEN, WHILE (*conj.*).
with time 시간이 경과함에 따라, 이윽고.
—— *a.* 시간의; 시간의 경과를 나타내는; 시한 장치가 부착된《폭탄 따위》; 〖商〗 정기의; 장기 결제의; 분할 지급의.
—— *vt.* **1** [+目/+目+*to* do] (행동·사건을) 시기[시간]에 맞추다, 계제를 봐서 하다: ☞ ILL-TIMED, WELL-TIMED / ~ one's arrival opportunely 마침 좋은 때에 도착하도록 하다 / I will ~ my visit *to* suit your convenience. 당신의 형편이 좋을 때에 방문하겠습니다. **2** [+目/+目+*to* do] (열차 따위의) 시간을 정하다[조정하다]: a train ~*d to* leave at 6:30 6시 반 출발의 열차. **3** (경주 따위의) 시간을 재다: ~ a race [runner] 경주[주자(走者)]의 시간을 재다. **4** [+目/+前+名] 조절하다, …의 박자를 맞추다; (시계의) 시간을 맞추다: ~ the revolution of a disc ***at*** 33⅓ per minute 레코드의 회전을 1분에 33⅓로 조절하다 / They ~*d* their steps ***to*** the music. 음악에 스텝을 맞추었다 / I ~*d* my watch ***with*** the time signal. 시계를 시보(時報)에 맞추었다. —— *vi.* 《稀》 박자를 맞추다, 박자가 맞다, 조화하다〈*with*〉.
〚OE *tīma* < Gmc. 《美》 *tī-* to extend; cf. TIDE[1]〛

tíme and a hálf [**a quárter, a thírd,** etc.] *n.* (시간외 근무의) 5할[¼, ⅓ 따위] 초과 근무 수당.
tíme and mótion stùdy *n.* 시간 및 동작 연구 《시간과 작업 능률과의 상관 조사》.
tíme bàll *n.* 보시구(報時球), 표시구(標時球)《옛날 표준시를 알리기 위해 영국에서는 오후 1시, 미국에서는 정오에 측후소에서 떨어뜨린 공》.
tíme bàrgain *n.* 〖商〗 정기(定期) 매매[거래].
tíme báse *n.* (레이더의) 시간축(軸).
tíme bèlt *n.* = TIME ZONE.
tíme bìll *n.* 《英》 = TIMETABLE; 〖商〗 기한부[정기불] 약속 어음.
tíme-bìnd·ing *n.* Ⓤ 경험과 기록을 다음 세대에 전하는 인간의 특성.
tíme bòmb *n.* 시한 폭탄; (후일의) 위험을 내포한 정세.
tíme bòok *n.* 집무 시간표, 근무 시간 기록표.
tíme càpsule *n.* 타임 캡슐《후세에 남길 당대의 자료를 넣어 땅속 따위에 파묻어 두기 위한 용기(容器)》.
tíme càrd *n.* **1** 근무[작업]시간 기록표, 타임 카드. **2** = TIMETABLE.
tíme chàrt *n.* 표준시 일람도《세계 각지의 표준시를 나타내는 표》; (어떤 시대에 관한) 대조 연대표(年代表).
tíme chàrter *n.* 정기 용선(傭船) 계약.
tíme clòck *n.* 시간 기록계, 타임리코더.
tíme-consùming *a.* 시간이 걸리는[낭비하는].
timed [táimd] *a.* 일정 시각[시간 후]에 작동[발생]하도록 장치한; 때가 마침 …한: an ill-~ arrival 형편이 나쁜 때의 도착.
tíme depòsit *n.* 〖商〗 정기 예금.
tíme dìfference *n.* 시차(時差).
tíme dilàtion [**dilatàtion**] *n.* 〖理〗 (상대성 이론에 의한 고속도 물체의) 시간 지연[팽창].
tíme dìscount *n.* 〖商〗 (어음의) 기한 할인.
tíme dràft *n.* 〖商〗 일람후 정기불 어음.
tíme-expìred *a.* 〖軍〗 병역기간 만기의.
tíme expòsure *n.* 〖寫〗 (순간 노출(露出)에 대해) 타임 노출《보통 1/2초 이상》; 그 사진.
tíme fàctor *n.* 시간적 요인[제약].
tíme fràme *n.* (특정 상황에서 어떤 일에 소요되는) 시기, 기간; (어떤 시간의) 틀.
tíme·ful *a.* 기회가 좋은, 형편이 좋은.
tíme fùze *n.* 시한 신관(信管).
tíme gùn *n.* 시포(時砲), 오포(午砲).
tíme-hònored *a.* 옛날부터의, 유서 깊은.
tíme immemórial *n.* **1** (기록·사람의 기억에도 없는) 아득한 옛날, 태고: from ~ 태고적부터. **2** 〖英法〗 법률적 초기억 시대《영국의 법률로서 정해진 Richard 1세 치세(1189) 이전》.
—— *adv.* 태고적부터, 아득한 옛날부터.
tíme·kèep·er *n.* **1** 작업 시간 기록원; (경기 따위의) 시간 기록담당, 계시원(計時員), 타임 키퍼

(timer). **2** 시계 : a good [bad] ~ 정확한[부정확한] 시계. **3** 박자를 맞추는 사람.
tíme·kèep·ing *n.* 계시(計時).
tíme kìller *n.* 심심풀이가 되는 것, 소일거리 ; 심심풀이로 시간을 보내는 사람.
tíme làg *n.* 시간이 어긋남 ; 지체, 지체량 ; 지연 ; 감속.
tíme-lápse *a.* 저속도 촬영의.
tíme·less *a.* **1** 《文語》 영원한(eternal), 처음도 끝도 없는 ; 시대[시간]를 초월한. **2** 《古》 때가 아닌, 계제가 나쁜(untimely). **~·ly** *adv.*
tíme lìmit *n.* 제한 시간, 시한, 기한.
tíme·lìne *n.* 우주 비행중의 시간표.
tíme lòan *n.* 〖商〗 정기 대출.
tíme lòck *n.* 시한(時限) 자물쇠《시간이 되기 전에는 열리지 않음》.
tíme·ly *a.* (충고 따위) 시기적절한, 계제가 좋은, 때를 맞춘(cf. MISTIME) : a ~ hit 적시 안타.
—— *adv.* 알맞게, 적시에, 때마침.
tíme·li·ness *n.*
類義語 ***timely*** 적당한 시기, 특히 도움이 되는, 또는 도움이 될 때 일어난[행하여진] : a *timely* remark (시기 적절한 논평). ***opportune*** 그 자리에 필요한 때 마침 행한[일어난] : an *opportune* statement (시의(時宜)에 알맞은 성명). ***seasonable*** 1년 중 그 계절에 어울리는 ; 비유 적으로는 그 경우에 적합한 : *seasonable* weather[advice] (적절한 날씨[충고]).
tíme machìne *n.* 타임 머신《과거나 미래로 마음대로 여행할 수 있는 상상의 기계》.
tíme mòney *n.* 정기 대출금.
tíme-mótion stùdy *n.* =TIME AND MOTION STUDY.
tíme nòte *n.* 〖商〗 약속 어음.
tíme-òff *n.* 일을 쉰 시간(수).
time·ous, tim·ous [táiməs] *a.* 《스코》 **1** = TIMELY. **2** 이른(early).
tíme-óut *n.* 〖競〗 타임아웃《경기중 작전 따위를 위해서 요구되는 시간》 ; 잠시 중단, 중간 휴식 ; 〖컴퓨〗 타임아웃, 시간끝.
tíme·pìece *n.* 시계(clock, watch).
tíme·pròof *a.* 내구성이 있는, 소용없게 되지 않는, 낡지 않는.
tim·er [táimər] *n.* **1** =TIMEKEEPER 1. **2** 기초(記秒) 시계, 스톱 워치 ; 〖컴퓨〗 시계. **3** 시간제 노동자. **4** (내연 기관의) 점화 조절 장치. **5** 타임 스위치《미리 정한 시간에 작동함》.
tíme ràte *n.* [보통 *pl.*] 〖經〗 **1** 시간 임률(賃率), 시간급. **2** 시간대별 방송 요율 ; 기한부 환시세.
tíme recòrder *n.* =TIME CLOCK.
tíme revérsal *n.* 〖理〗 시간 반전(反轉)《시간의 진행이 역(逆)이 되어도 같은 법칙이 지배함》.
tíme revèrsal invàriance *n.* 〖理〗 시간 반전(反轉) 불변성.
Times [táimz] *n.* [The ~] 타임스《(1) London의 신문 이름 ; 소위 「런던 타임스」; 1785년 *Daily Universal Register*로 창간, 1788년 *The Times*로 개칭. (2) *The New York Times*, 1851년 창간》 : *The* ~ leading article in question 문제의 타임스지 사설 / write to *The* ~ 타임스지에 기고하여 여론에 호소하다.
tíme·sàver *n.* 시간을 절약하는 것.
tíme·sàving *a.* 시간 절약의.
tíme scàle *n.* 시간의 척도 ; 기간, 시간.
tíme-séries anàlysis *n.* 〖마케팅〗 시계열(時系列) 분석.
tíme·sèrver *n.* 지조없는 사람, 기회주의자, 사대주의자, 여론에 영합하는 사람.
tíme·sèrving *a.* 시류에 편승하는, 기회주의적인, 지조없는, 사대주의적인 : ~ politicians 기회주의적인 정치가. —— *n.* 기회주의, 무절조, 사대주의적인 행동, 여론에 영합하기.
tíme-shàre *vi.* (시스템 · 프로그램이) 시분할(時分割)되다. —— *vt.* (컴퓨터 · 프로그램을) 시분할 방식으로 사용하다.
—— *n.* 《美》 휴가 시설의 공동 소유[임차].
tíme-shàring *n.* 〖컴퓨〗 타임셰어링, 시간 나눠쓰기, 시분할《한 대의 컴퓨터를 동시에 몇 대의 단말(端末)로 사용하는 방식》 ; 《美》 (휴가용 임대 주택의) 공동 이용 계약.
tíme-shàred *a.*
tíme shèet *n.* =TIME CARD 1.
tíme sìgnal *n.* 시보(時報) 신호.
tíme sìgnature *n.* 〖樂〗 박자표.
tíme spáce *n.* 시공(時空)《4차원의 세계》.
tíme spìrit *n.* 시대 정신.
tímes sígn *n.* 곱셈 기호《×》.
Tímes Squáre *n.* 타임스 스퀘어《New York시의 중앙부에 있는 광장 ; 부근에는 극장 · 오락 시설 따위가 많음》.
tíme stàmp *n.* 타임 스탬프《편지 · 문서 발송 · 수취 일시를 기록함》. **tíme-stàmp** *vt.*
tíme stùdy *n.* =TIME AND MOTION STUDY.
tíme swítch *n.* =TIMER 5.
tíme-symmètric *a.* 〖理〗 시간 대칭의《팽창과 수축을 번갈아 되풀이하는 진동 우주 모델에 대해 일컬음》.
***tíme·tàble** *n.* (열차 · 선박 · 비행기 따위) 시간표, (발착의) 예정표 ; (수업) 시간표.
—— *vt.* 《英》 …의 시간표[예정표]를 짜다.
tíme-tèst·ed *a.* 시간의 시련을 겪은 ; 오랜 사용[경험]으로 증명이 된.
tíme tràvel *n.* (SF의) 시간 여행.
tíme trìal *n.* 타임 트라이얼《개별 스타트로 개인마다 시간을 재는 경주》.
tíme utìlity *n.* 〖마케팅〗 시간 효용《구입자가 요구하는 상태로 함으로써 제품에 부가되는 가치》.
tíme wàrp *n.* 〖理〗 시간 왜곡《시간의 변칙적인 흐름 · 정지》.
tíme·wòrk *n.* Ⓤ 시간제[시간당 얼마의] 일[작업] (cf. PIECEWORK). **~·er** *n.* 시간제 노동자.
tíme·wòrn *a.* 낡아빠진, 못쓰게 된 ; 옛날부터의 ; 케케묵은.
tíme zòne *n.* 시간대(帶)《표준시가 같은 지대》.
***tim·id** [tímәd] *a.* 겁많은, 소심한 ; 수줍어하는, 내성적인 : (as) ~ as a rabbit 매우 소심한.
~·ly *adv.* **~·ness** *n.* 〚F or L (*timeo* to fear)〛
類義語 ⟹ AFRAID.
ti·mid·i·ty [timídəti] *n.* Ⓤ 소심, 겁많음.
tim·ing [táimiŋ] *n.* Ⓤ 타이밍, (경기 · 극 따위에서의) 시간적 조절 ; 시간측정.
ti·moc·ra·cy [taimákrəsi] *n.* (아리스토텔레스 철학의) 금권 정치.
ti·mo·crat·ic, -i·cal [tàiməkrǽtik(əl)] *a.* 〚OF<L<Gk. (*timē* honor, worth, value)〛
Ti·mor [tí:mɔ:r, 美+-ˊ] *n.* 티모르 섬.
Ti·mor·ese [tì:mɔ:rí:z, -s] *a.*, *n.*
tim·o·rous [tímərəs] *a.* 겁많은, 소심한, 마음이 약한(timid). **~·ly** *adv.* **~·ness** *n.* 〚OF ; ⇨ TIMID〛
類義語 ⟹ AFRAID.
tim·o·thy [tíməθi] *n.* Ⓤ 〖植〗 큰조아재비《목초》. 〚*Timothy* Hanson 18세기 미국의 농부 ; 뉴잉글랜드에서 남부로 이주했다고 함〛

Timothy *n.* **1** 남자 이름. **2** 〔聖〕 **a)** 디모데《사도 바울의 제자》. **b)** 디모데서(the Epistle of Paul the Apostle to Timothy)《신약성서 중 한 편》. 〖Gk.=honoring God (honor+God)〗

Ti·mour, Ti·mur [timúər] *n.* 티무르(1336?-1405)《아시아의 서쪽 절반을 정복하고 대제국을 건설한 티무르조(朝)의 시조 ; 별명 Tamerlane》.

tim·pa·ni, tym- [tímpəni] *n. pl.* (*sg.* **-pa·no** [-pənòu]) 팀파니《관현악에서 한 사람이 연주하는 2-3개의 KETTLEDRUMS》. **-nist** *n.* 팀파니 연주자. 〖It.=TYMPANUM〗

***tin** [tín] *n.* **1 a)** Ⓤ 〔化〕 주석《기호 Sn ; 번호 50》: salt of ~ 염화제일주석 / the cry of ~ 주석을 구부릴 때 나는 소리. **b)** 주석제 용기. **2** Ⓤ 양철(= tinplate). **3** 《英》 (양철)통, 통조림(=《美》 can) ; 한 깡통, 깡통 하나 가득(한 분량). **4** Ⓤ 《俗》 돈, 금전. **5** Ⓒ 《美俗》 경찰의 배지 ; 경찰, 형사. —— *a.* 주석[양철]으로 만든 ; 싸구려의, 모조품의. —— *vt.* (**-nn-**) **1** …에 주석 도금을 하다, 주석을 입히다. **2** 《英》 통조림으로 하다 (=《美》 can) (cf. TINNED). 〖OE ; cf. G *Zinn*〗

tin·a·mou [tínəmù:] *n.* 〔鳥〕 중남미산의 메추라기 비슷한 새. 〖F<Carib〗

tin·cal, tin·kal [tíŋkəl] *n.* Ⓤ 천연붕사(硼砂).

tín cán *n.* 양철 깡통 ; 《美俗》 값싼 소형 자동차 ; 《美海軍俗》 구축함.

tín ców *n.* 통조림[깡통] 우유.

tinct [tíŋkt] *n.* 《詩》 색채, 빛깔의 조화 ; 염료. —— *a.* 색칠한, 물들인. 〖L ; ⇨ TINGE〗

tinct. tincture.

tinc·to·ri·al [tiŋktɔ́:riəl] *a.* 빛깔의, 색깔을 내는, 착색용의, 염색의, 물들이는. **~·ly** *adv.* 〖L (*tinctor* dyer) ; ⇨ TINGE〗

tinc·ture [tíŋktʃər] *n.* **1** [a ~] **a)** 색조 ; 특색 ; (색채의) 기미(氣味) : *a* ~ *of* blue 푸른기. **b)** (일반적으로) (…의) 기, 기미, 냄새, 약간 …한 점 : *a* ~ *of* tobacco 희미한 담배 냄새 / have *a* ~ *of* learning 조금은 학식이 있다 / He has not *a* ~ *of* evil in his nature. 그는 조금도 악의가 없는 사람이다. **2** 《비유》 허울, 임시변통, 겉치레 : some ~ *of* education 허울뿐인 교육. **3** Ⓤ 〔藥〕 팅크제 : ~ of iodine 요오드팅크.
—— *vt.* **1** …에 착색하다, 물들이다. **2** [+目+*with*+名] 《비유》 …에[…의] 기미[냄새]를 띠게 하다, 더럽히다 : views ~*d* ***with*** prejudice 편견을 가진 견해 / His mind is ~*d with* sin. 그의 마음은 죄로 더럽혀져 있다.
〖L=dyeing ; ⇨ TINGE〗

tin·dal [tíndl] *n.* (인도 사람의) 수부장(水夫長). 〖Hindi〗

tin·der [tíndər] *n.* Ⓤ 부싯깃, 불타기[붙기] 쉬운 것 ; 화구(火口) : burn like ~ 맹렬하게 타다. 〖OE *tynder* ; cf. G *Zunder*, OE *ā-tendan* to set on fire〗

tínder·bòx *n.* 부싯깃통 ; 《비유》 분노에 찬 사람 ; 분쟁의 불씨.

tínder-drỳ *a.* 바싹 말린.

tín·dery *a.* 부싯깃 같은, 불타기[격하기] 쉬운.

tín disèase *n.* =TIN PEST.

tine [táin] *n.* (포크·빗 따위의) 갈래, 가랑이 ; (사슴뿔의) 가지(prong). 〖OE *tind* ; 어미 소실(語尾消失) ; cf. OHG *zint* point〗

tín éar *n.* 《美口》 음치 ; 《俗》 재즈 따위를 이해하지 못하는 사람 ; =CAULIFLOWER EAR : have a ~ 음치다.

tíned *a.* (…의) 갈래[가지]가 있는.

tín físh *n.* 《美海軍俗》 어뢰(torpedo).

tín fòil *n.* (초콜릿·담배 따위를 싸는) 은종이, 은박지.

tín·fòil *vt.* …에 주석 도금을 하다 ; 은종이로 싸다.

ting [tíŋ] *n., v.* =TINKLE.

ting-a-ling [tíŋəlìŋ] *n., adv.* 방울소리 ; 따르릉(하고). 〖imit.〗

tinge** [tíndʒ] *n.* (엷은) 색조(tincture), …한 티[기미], 냄새 : a ~ *of* irony 비꼬는 투. —— *vt.* (**tinged ; ~·ing, ting·ing** [tíndʒiŋ]) [+目+*with*+名/+目] **1** …에 엷게 채색하다, 물들이다 ; …에 은은한 맛[냄새]을 풍기게 하다 : The roses ~ the air ***with their fragrance. 장미는 주위에 향긋한 냄새를 풍긴다. **2** [특히 *p.p.*로] 《비유》 (심정 따위에 …한) 기색을 띠다, …에 변화를 주다 : respect ~*d* ***with*** love 애정이 섞인 경의. —— *vi.* 색조[양상]의 변화를 보이다.
〖L (*tinct- tingo* to dye, color)〗
類義語 ⟹ COLOR.

tin·gle [tíŋgəl] *vi.* [動/+前+名] **1** (몸이) 얼얼하다, 따끔따끔 쑤시다[아프다], (귀가) 윙윙거리다 : fingers *tingling* ***with*** a burn 화상(火傷)으로 얼얼한 손가락 / My head ~*s* ***from*** the blow. 머리를 얻어맞아 욱신거린다 / The reply ~*d* ***in*** his ears. 그 대답 소리에 귀가 따가웠다. **2** 《비유》 (흥분 따위로) 가슴이 울렁거리다, 좀이 쑤시다 ; (벨 따위가) 따르릉 울리다 : The music made my blood ~. 그 음악을 들으면 온 몸의 피가 끓었다 / The mother was *tingling* ***with*** anxiety. 어머니는 걱정으로 애가 탔다. —— *vt.* 《稀》 가슴을 울렁거리게 하다, 흥분시키다 ; (귀를) 따갑게 하다 ; 따르릉 울리게 하다. —— *n.* 얼얼하기, 따끔함. **tín·gler** *n.* 〖ME<? TINKLE〗

tín gód *n.* 건방진 사람 ; 겉만 번드레하고 속은 보잘것없는 사람 ; 우상(偶像) ; 《비유》 가짜.

tín hát *n.* 《口》 철모, 헬멧 ; 《海俗》 술주정뱅이.

tín·hòrn *n.* 《俗》 같잖게 뽐내는 사람. —— *a.* 싸구려의, 변변치 않은.

tin·kal [tíŋkəl] *n.* =TINCAL.

***tin·ker** [tíŋkər] *n.* **1** 《英》 땜장이. **2** 서투른 직공. **3** 서투른 수선, 만지작거리기 : have a ~ at …을 만지작거리다. **4** 《美》 무엇이든지 하는[고치는] 사람, 만물상. **5** 《口》 말썽꾸러기 ; 〔魚〕 고등어 새끼.
not care a tinker's damn [***curse***] 아무렇지도 않게 생각하다.
—— *vi.* [動/+副/+前+名] 땜장이 노릇을 하다 ; 임시 변통의[서투른] 수선을 하다, 서투르게 만지작거리다 ; 시시한 일[서툰 짓]을 하면서 허덕거리다 : Americans like to ~ (*away*) ***at*** broken gadgets. 미국 사람들은 부서진 기구를 만지작거리기 좋아한다 / Don't ~ ***with*** my camera. 내 카메라를 어설프게 만지작거리지 말게. —— *vt.* [+目/+目+副] (냄비나 솥을) 수선하다 ; 서투르게[아무렇게나 임시 변통으로] 수선하다 : ~ ***up*** a broken-down car 고장난 자동차를 응급 수리하다. **~·er** *n.* 땜장이, 만지작거리는 사람. **~·ly** *a.* 땜장이의[같은] ; 날림의, 서투른. 〖ME<? ; *tink* (obs.) to TINKLE (imit.)에서인가〗

tín kìcker *n.* 항공 사고의 조사원.

tin·kle [tíŋkəl] *n.* [단수형으로만 쓰여] 딸랑딸랑(울리는 소리[것]) ; 《口》 전화를 걺 ; 《兒》 쉬《오줌》 : give a person a ~ 누구에게 전화하다.
—— *vi.* **1** [動/+前+名] (방울 따위가) 딸랑딸랑 울리다[울려 퍼지다] ; 건반 악기를 띵동띵동치다 : The sheep's bells ~*d* ***through*** the hills. 양의 목에 단 방울이 산 속으로 딸랑딸랑 울려 퍼졌다. **2** 《兒》 쉬하다. —— *vt.* **1** 딸랑딸랑 울리다.

2 [+目+副] 딸랑딸랑 울려서 알리다 : The bell was *tinkling* ***out*** the hours. 벨이 따르릉 울려 시각을 알리고 있었다. **tín·kly** *a.*
〖ME (imit) ; cf. TINKER〗
tínkle-bòx *n.* 《美俗》 피아노.
tín·kler *n.* 딸랑딸랑 울리는 사람[것] ; 《口》 작은 방울 ; 《英方》 =TINKER.
tín·kling *n., a.* 찌르릉찌르릉, 딸랑딸랑 (울리는).
Tín Lízzie *n.* 《美》 틴 리지《T 형(型) 포드(1908-28)의 애칭》 ; [t~ l~] (일반적으로) 값싼 소형 자동차, 중고 자동차, 덜커덩거리는 자동차, 고물 비행기.
tín·man [-mən] *n.* **1** =TINSMITH. **2** 《英》 통조림 제조업자[직공].
tínman's sòlder *n.* (판금용(用)의) 저온 땜납.
tinned [tínd] *a.* **1** 주석 도금을 한, 은박을 한. **2** 《英》 통조림한(=《美》 canned) : ~ fruit[sardines] 통조림한 과일[정어리].
tínned ców *n.* =TIN COW.
tín·ner *n.* =TINSMITH ; 주석 광부.
tin·ni·tus [tənáitəs, tínə-] *n.* 〔醫〕 귀울음, 이명(耳鳴). 〖L (*tinnit- tinnio* to jingle<imit.)〗
tín·ny *a.* 주석의[같은] ; 주석을 함유하는[이 많은] ; 양철을 울리는 듯한, 시끄러운 ; 내용이 빈약한, 조악한 ; 《俗》 돈많은 ; 《英》 깡통 냄새가 [맛이] 나는. —— *n.* 《濠俗》 캔맥주.
tín·ni·ly *adv.* **-ni·ness** *n.* 〖TIN〗
tín òpener *n.* 《英》 깡통따개(=《美》 can opener).
tín-pàn, -pán·ny [-pǽni] *a.* 양철을 두드리는 듯한 소리를 내는, 시끄러운, 귀아픈.
Tín Pàn Álley *n.* 대중음악 관계자《가수·작곡가·출판업자》들이 모이는 지역《원래 뉴욕시의 한 지역의 속칭》 ; 《비유》 대중음악·출판계.
tín pèst[plàgue] *n.* 주석 페스트《흰 주석이 저온에서 회색가루가 됨》.
tín·plàte *n.* Ⓤ 주석(판(板)).
tín-plàte *vt.* (철판 따위에) 주석 도금을 하다.
tín-pót *a.* 조악한, 싸구려의, 보잘것없는, 무가치한, 열등한, 하등(下等)의.
tín pyrítes *n.* 〔鑛〕 황석광(黃錫鑛).
tin·sel [tínsəl] *n.* **1** Ⓤ 반짝반짝 빛나는 금속 조각《의상 장식용》. **2** Ⓤ 값싸고 번지르르한 것 ; 허식. —— *a.* 번쩍거리는 ; 《비유》 허울[겉모양] 뿐인. —— *vt.* (**-l-** | **-ll-**) 번쩍이는 것으로 꾸미다[장식하다] ; 《비유》 …의 겉치레를 하다.
~·ly *a.* 싸고 겉만 번지르르한.
〖OF *estincele*<L SCINTILLA〗
tínsel tèeth *n. pl.* 《俗》 금속 치열 교정기를 낀 치아[사람].
Tínsel Tówn *n.* 화려한 도시《Hollywood의 속칭》. 〖미국의 음악가·희극 배우 Oscar Levan (d. 1972)의 조어(造語)〗
tín·smìth *n.* 양철 직공 ; 주석 세공장이.
tín sóldier *n.* (주석 따위 쇠붙이로 만든) 장난감 병정 ; 병정놀이하는 사람.
tín·stòne *n.* Ⓤ 〔鑛〕 주석 광석(鑛石).
***tint** [tínt] *n.* **1** 색깔 ; 엷은 색, (붉은기·푸른기 따위의)기, 기미 : autumnal *~s* 가을빛 / green of [with] a blue ~ 푸른기가 도는 초록색. **2** 색채의 배합, 색조(色調), 농담(濃淡) : in all *~s of* red 갖가지 농담의 붉은색으로. **3** 〔彫〕 선의 음영(陰影), 병행선(竝行線)으로 음영을 나타내기 ; 〔印〕 엷은 바탕색, 그림자. **4** 《비유》 기미 ; 성질. —— *vt.* …에 (엷게) 색을 칠하다 ; 〔彫〕 …에 음영을 나타내다, 색조를 첨가하다 : The sunset *~ed* the hills. 석양이 온 산을 물들였다.
—— *vi.* 색(조)를 띠다.
〖*tinct* (⇨ TINGE) ; It. *tinto*의 영향으로 인한 변형(變形)인가〗
類義語 ⟹ COLOR.
tín tàck *n.* 《英》 주석으로 도금한 압정(押釘).
tínt·er *n.* 채색하는 사람 ; 도료[그림 물감]의 색조를 조절하기 위해 안료를 혼합시키는 사람.
tin·tin·nab·u·lar [tìntənǽbjələr], **-lary** [-lèri ; -ləri], **-lous** [-ləs] *a.* 방울의, 방울 같은, 딸랑딸랑 울리는.
tin·tin·nab·u·la·tion [tìntənæ̀bjəléiʃən] *n.* (방울의) 딸랑딸랑 (울리는 소리).
tin·tin·nab·u·lum [tìntənǽbjələm] *n.* (*pl.* **-la** [-lə]) 작은 방울.
〖L=bell (*tintino* to ring) ; cf. TINNITUS〗
Tint·om·e·ter [tintámətər] *n.* 틴토미터《영국의 The Tintometer Ltd. 제(製)의 색조계(色調計) ; 상표명》.
tínt tòol *n.* 음영선(陰影線) 조각용 칼.
tín·tỳpe *n.* =FERROTYPE.
tín·wàre *n.* Ⓤ 양철[주석] 제품(cf. TINPLATE).
tín wédding *n.* 석혼식(錫婚式)《결혼 10주년 기념식[일]》.
tín·wòrk *n.* 주석[양철] 제품[세공] ; [*pl.*] 주석 공장, 양철 공장.
‡**ti·ny** [táini] *a.* 조그마한, 아주 작은 : a ~ little [little ~] boy 아주 조그마한 아이. —— *n.* 유아, 어린이. **tí·ni·ly** *adv.* **-ni·ness** *n.*
〖*tine, tyne* (a.) small, (n.) a little< ?〗
類義語 ⟹ SMALL.
tíny BÁSIC *n.* 〔컴퓨〕 컴퓨터 언어의 일종《BASIC 기능을 축소 간략화하여 메모리 용량이 적어도 쓸 수 있게 한 것》.
-tion *n. suf.* 「상태」「동작」「동작의 결과」를 나타냄 : condi*tion,* tempta*tion.*
Tio Ta·co [tíːou tάːkou] *n.* (*pl.* **~s**) 《美俗·蔑》 백인 사회에 융화된 멕시코계 미국인.
-tious *a. suf.* -tion 명사에 대응하는 형용사 어미로 「…한」 「…이 있는」의 뜻 : ambi*tious.*
***tip**[1] [típ] *n.* **1** 끝, 선단, 첨단(point) : the ~ of one's nose 코끝 / walk on the *~s* of one's toes 발끝으로 걷다. **2** 끝에 붙이는[씌우는] 물건[쇠붙이] ; (우산·지팡이 따위의) 물미, 낚싯대 따위의 선단부 ; (구두의) 앞닫이, 콧등 가죽 ; (장식용) 모피·깃털의 끝 ; 〔空〕 (비행기의) 날개 끝(wing tip), 프로펠러의 날개끝 ; (담배의) 필터 ; 차(茶)의 잎눈. **3** (산 따위의) 꼭대기, 정상 : a mountain ~ 산꼭대기. **4** 금박솔 ; 〔製本〕 (지도·정오표 따위를 인쇄한) 별장(別帳) ; 제본하기 전에 풀로 붙여둠(tip-in).
from tip to toe 머리끝에서 발끝까지, 모조리, 온통.
have. . .at the tips of one***'s fingers*** …에 정통하다, …을 환히 알고 있다.
on*[*at*] *the tip of one***'s tongue*** (하마터면) 입에서 말이 나올 뻔하여.
to the tips of one***'s fingers*** 철두철미, 철저히, 완전히.
—— *vt.* (**-pp-**) [+目/+目+*with*+名] …에 끝을 달다, 끝에 씌우다 ; …의 끝을 장식하다 ; (모피의) 털끝을 염색하다 ; …의 끝[가지]을 자르다 ; 〔製本〕 (간지의) 끝을 풀로 붙이다 : filter *~ped* cigarettes 필터 달린 궐련 / The natives *~ped* their arrows ***with*** stone. 원주민은 화살 끝에 돌을 달았다. **típped** *a.*
〖ON *typpi* (n.), *typpa* (v.) ; cf. TOP[1], G *Zipfel*〗
***tip**[2] *n.* **1** 팁, 행하, 화대 ; 사례금 : I gave her a

five-dollar ~. 나는 그녀에게 5달러의 팁을 주었다. **2** [+*that* 節/+前+do*ing*] (특히 내기·투기 따위의) 정보, 귀띔, 예상 ; 조언(suggestion) ; 비결 : the straight ~ 신뢰할 수 있는 조언[귀띔] / Take my ~. 내가 말한 대로 하십시오 / The police had a ~ *that* they were plotting a riot. 경찰은 그들이 폭동을 계획하고 있다는 정보를 얻었다 / a ~ ***for*** extract*ing* grease spots 기름 얼룩을 빼는 비결. **3** 《美俗》 불러모은 구경꾼들 ; 불러들이는 문구. **4** 《美卑》 성교 ; 《美俗》 매력적인 아가씨.

miss one's tip 기대가 어긋나다, 실패하다.

—— *v.* (**-pp-**) *vt.* **1** [+目/+目+目] (…에게) 팁을 주다 : ~ the waiter (ten cents) 식당 종업원에게 (10센트의) 팁을 주다. **2** [+目+目] 《俗》 가볍게 던져주다 ; 주다, 전하다, …에게 노래[이야기]를 들려주다 : ~ a beggar a copper 거지에게 동전을 던져주다 / ~ a person the wink 남에게 눈짓을 하다 / *T*~ us a song[yarn]. 노래[이야기]를 들려주시오. **3** (특히 내기·경마·투기에서) 귀띔하다, 정보를 제공하다 ; (비밀·음모를) 누설하다 : ~ the winner 이길 말을 알려주다. **4** 《美俗》 …에게 부정을 하다 ; 《卑》 …와 성교하다.

—— *vi.* 팁을 주다, 《美俗》 부정을 저지르다 ; 《卑》 성교하다 : ~ freely 아낌없이 팁을 주다.

tip off 《口》 (남에게) 밀고하다, 귀띔하다 ; …에게 경고하다.

〖C18 ‹? *tip*[4]〗

tip[3] *n.* **1** 기울기, 기울어짐 ; 경사. **2** 뒤집어엎기, 뒤집히기 ; 쓰레기 버리는 곳(dump). —— *v.* (**-pp-**) *vt.* **1** [+目/+目+副/+目+前+名] 기울이다 ; 쓰러뜨리다, 넘어뜨리다, 뒤집어엎다 : ~ the scale(s) ☞ SCALE[2] *n.* 숙어 / ~ (***up***) a barrel[desk] 통[책상]을 기울이다 / ~ ***over*** a vase 꽃병을 쓰러뜨리다. **2** [+目+副/+目+前+名] 기울여 (안에 든 것을) 비우다, 버리다 ; (사람을) 내동댕이치다 : ~ rubbish ***out*** (***of*** a bucket) (양동이의) 쓰레기를 버리다 / He was ~*ped out of* the car ***into*** the pond. 차가 전복되는 바람에 그는 연못속으로 내던져졌다. **3** [+目/+目+*to*+名] …에 살짝 손을 대다 : He ~*ped* hat ***to*** the pastor. (모자에 손을 살짝 대고) 목사에게 인사했다. —— *vi.* [動/+副] 기울다 ; 전복하다, 뒤집어지다 : The desk[chair] ~*ped* ***up***. 책상[의자]이 기울어[뒤집어]졌다 / The boat ~*ped* ***over***. 보트가 전복됐다.

〖ME *type* < ? Scand. ; *tip*[1]의 영향이 있음 ; cf. TOPPLE〗

tip[4] *n.* 살짝 날카롭게 침, 가볍게 침[스침] ; 〖野·크리켓〗 팁 ; [감탄사적으로] 툭, 톡, 똑《살짝 치는[닿는] 소리》. —— *v.* (**-pp-**) *vt.* 가볍고 날카롭게 치다 ; 살짝 대다[치다] ; 〖野·크리켓〗 팁하다. —— *vi.* =TIPTOE.

tip off TIP-OFF[2]하다.

〖ME < ? LG *tippen* ; cf. G *tippen*〗

típ-and-rún *n.* 〖크리켓〗 타자가 타봉에 공이 닿자마자 곧 뛰기. —— *a.* 〖크리켓〗 공에 맞자마자 뛰는 ; 전격적인.

tip·càrt *n.* =DUMPCART.

tip·càt *n.* Ⓤ 자치기(놀이)《양쪽이 뾰족한 나무 토막을 막대기로 쳐올리는 아이들의 놀이》 ; Ⓒ 자치기의 나무 토막.

tip·ee [tìpiː, -́-] *n.* 티피《주식 시장 가격의 비밀 정보를 얻는 사람》.

tip·in[1] *n.* 〖籠〗 팁인《리바운드 볼을 손끝으로 쳐서 집어 넣는 골》.

tip-in[2] *n.* 〖製本〗 =TIP[1].

tip·òff[1] *n.* 귀띔, 정보 ; 경고, 조언. 〖TIP[2] *off*〗

tip-off[2] *n.* 〖籠〗 팁오프《점프볼로 경기를 시작하기》. 〖TIP[4] *off*〗

tip·per *n.* **1** 팁을 주는 사람. **2** 정보 제공자. **3** 끝을 붙이는 사람. **4** 쓰레기 치는 인부 ; 덤프차.

tipper trùck[**lòrry**] *n.* 덤프차.

tip·pet [típət] *n.* **1** (여성의) 목도리 따위의 끝이 늘어진 부분. **2** (재판관·성직자 등의) 어깨걸이.

〖ME ‹? *tip*[1]〗

tippet 2

tip·ple[1] [típəl] *vt.* (술을) 상습적으로 마시다. —— *vi.* 늘 (술을) 마시다. —— *n.* Ⓤ 독한 술 ; 《戲》 마실 것 : His favorite ~ is vodka. 그가 좋아하는 술은 보드카입니다. **típ·pler**[1] *n.* 술꾼, 술고래. 〖역성(逆成) ‹ *tippler*[1] (obs.) tapster < ?〗

tipple[2] *n.* (차를 기울여 짐을 부리는) 장치 ; 짐을 부리는 장소, (특히) 석탄 선별장.

—— *vt., vi.* 《北英》 뒤집히다, 뒤집다 ; 《俗》 (비가) 세차게 내리다.

tippler[2] *n.* 석탄 선별 작업원.

〖*tipple* to overturn ‹ *tip*[3]〗

tip·py *a.* 기울기 쉬운, 엎어지기 쉬운 ; 불안정한. 〖TIP[3]〗

típpy-tòe *n., vi., a., adv.* 《口》 =TIPTOE.

típ shèet *n.* 업계지(業界紙) ; (시세·경마 따위의) 예상표.

tip·si·fy [típsəfài] *vt.* 《口》 취하게 하다.

típ·stàff *n.* (*pl.* **-stàves**, **~s**) **1** 물미를 씌운 지팡이《옛날 집달리·경찰 등이 사용한 직무용》. **2** (옛날의) 집달리, 순경.

típ·ster *n.* 《口》 (경마·시세 따위의) 정보 제공자, 조언자, 예상가.

típ·stòck *n.* 총상[개머리판]의 끝.

tip·sy [típsi] *a.* 《口》 한잔 들이켠, 얼근히 취한, (취해서) 비틀거리는 ; (건물이) 기울어진 : a ~ lurch 갈짓자 걸음. **típ·si·ly** *adv.* **típ·si·ness** *n.* 〖? TIP[3]=inclined to lean ; cf. TRICKSY, FLIMSY〗

típsy càke *n.* 포도주에 적신 스펀지 케이크[카스텔라].

típ-tìlt·ed *a.* (코 따위가) 끝이 위로 향한, 들창코의 : ~ eyes 눈꼬리가 치켜올라간 눈.

***tip·toe** [típtòu] *n.* 발끝.

on tiptoe 발끝으로 ; 살그머니 ; 크게 기대하고 있는 ; 흥분해서, 신이 나서 : stand *on* ~ 발끝으로 서다 / walk *on* ~ 발끝으로 살금살금 걷다 / be *on* ~ with expectation 학수고대하다.

—— *adv.* 발끝으로 살금살금 걸어 ; 주의깊게 ; 매우 기대하여《[주] on TIPTOE를 쓰는 쪽이 보통》.

—— *vi.* 발끝으로 걷다〈*about, into*〉 ; 발끝으로 서다, 발돋움하다.

—— *a.* **1** 발끝으로 선, 살금살금 걷는 ; 조심스러운. **2** 발돋움하는, 야심적인 ; 의기양양한, 흥분한 ; 크게 기대하고 있는.

típ-tóp *n.* 정상(頂上) ; 《비유》 절정, 최고 ; [*pl.*] 사회의 최상층[최고 계급] : *at* the ~ *of* one's fame 명성의 절정에 이르러. —— *a.* 절정의 ; 《口》 극상의, 최고급의, 일류의(first-rate) : a ~ meal 최고급의 식사. —— *adv.* 《口》 더할 나위 없이 : We're getting along ~. (일은) 더할 나위 없이 잘 되어가고 있다.

—— *vt.* (**-pp-**) …에게 최고급품을 주다[공급하다]. **típ·tòp·per** *n.* 《口》 톱클래스의 사람[것].

típ trùck *n.* =TIPPER TRUCK.

típ-ùp séat *n.* (극장 따위의) 등받이를 세웠다 접었다 하는 의자.

TIR *Transport International Routier* 《F》 (=international road transport ; 국제 도로 수송).

ti·rade [tairéid, ⌐-; tairéid, ti-, tirá:d] *n.* **1** 장광설 ; 격론, (특히) 긴 비난[탄핵]연설. **2** [美+tirá:d] 〖樂〗 티라드《바로크 음악의 장식음의 일종》; (시 따위의) 단일 테마만을 다룬 일절. 〚F=long speech<It. *tirata* volley (*tirare* to draw)〛

ti·rail·leur [*F* tirajœ:r] *n.* 저격병.

‡**tire**[1] [táiər] *vt.* **1** [+目/+目+副] 지치게 하다, 피로하게 하다 : Walking soon ~*s* me (=makes me ~). 나는 걸으면 곧 지친다《㊟ 이 뜻으로는 동사로서의 tire 보다도 make TIRED를 쓰는 편이 보통》/ I walked so fast that I ~*d* him ***out***[to death]. 내가 너무 빨리 걸었기 때문에 그는 지쳐 녹초가 되었다. **2** [+目/+目+*with*+名] 싫증나게 하다, 물리게 하다 : The subject ~*s* me. 그 이야기는 이제 진저리가 난다 / He ~*d* us ***with*** his long speech. 긴 이야기로 우리를 진력나게 했다. ―― *vi.* **1** 지치다, 피로해지다 : He ~*s* (=gets ~*d*) easily. 그는 곧 지쳐버리고 만다. ㊟ 이 뜻으로서는 동사로서의 tire 보다도 get[be] TIRED를 쓰는 편이 보통. **2** [+*of*+名] 질리다, 싫증나다 : The children soon ~*d* ***of*** play*ing*. 아이들은 노는 데에 곧 싫증을 냈다. ―― *n.* 피로. 〚OE *tēorian*<?〛

*__tire__[2] | **tyre** [táiər] *n.* 타이어 : a pneumatic ~ (공기를 넣은) 고무 타이어 / a solid ~ (공기를 채운) 탱탱한 타이어. ―― *vt.* …에 타이어를 달다. 〚? TIRE[3]〛

tire[3] *n.* (여성의) 머리쓰개, 머리 장식 ; 《古》 옷, 의상. ―― *vt.* 머리장식을 달다 ; 《古》 차려 입다. 〚ATTIRE〛

tíre chàin *n.* 자동차 바퀴에 다는 쇠사슬.

‡**tired**[1] [táiərd] *a.* **1** [보통 *pred.* 로 쓰여] [+前+do*ing*] (…으로) 지친, 피로한 : I'm very ~ ***with*** work[teach*ing*]. 나는 일[수업]로 매우 피로하다 / She got ~ ***from*** iron*ing* the clothes. 그녀는 옷을 다림질하느라고 피로했다(☞ 活用) / The long drive *made* us all ~. 오랜 드라이브로 모두 지쳐버렸다. **2** [*pred.*로 쓰여] [+*of*+do*ing*] (…에) 싫증난, 물린 ; 정나미 떨어진 : get[be] ~ ***of*** life 세상이 싫어지다 / People will soon get ~ *of* you if you behave in that way. 네가 그런 식으로 행동하면 곧 모두들 네게 싫증을 느끼게 될 것이다 / You make me ~! 너에게는 정말 진저리난다. **3** (농담·재담 따위) 진부한, 케케묵은(hackneyed). **4** (물건이) 낡아버린, 허름한.

sick and tired of …이 아주 싫어져서.

tired out=***tired to death*** 완전히 지쳐버려서 ; 몹시 싫증이 나서(cf. TIRE[1] *vt.*) : You look ~ *out*. 너는 몹시 피로해 보인다.

〈회화〉
I'm *tired* of waiting.—Shall we go home?
「나는 기다리는 데 지쳤어」「집에 갈까」

~·ly *adv.* **~·ness** *n.* 〚TIRE[1]〛

活用 1의 경우, tired *with*... 는 피로의 원인을 나타내며, tired *from*... 은 어떤 일의 결과로서의 피로를 말할 때 쓰이지만, 특히 《美》에서는 일반적으로 tired *from*... 을 쓰는 경향이 있음.

類義語 ***tired*** 노력·진력·초조 따위 때문에 육체적, 정신적으로 피로한[지친·싫증난] : I am *tired* with a day's work. (종일 일해서 피로하다). ***weary*** 지쳐버려서[싫증나서] 계속하기가 싫어진[불가능하게 된] : I am *weary* of her company. (이제 그녀와 교제하는 것은 진저리가 난다). ***exhausted*** 어렵고 힘든 일 따위에 체력·정력을 완전히 다 써버려 기진한 : I was utterly *exhausted* after the hard climbing. (힘든 등산을 하고 나서 거의 기진맥진했다). ***fatigued*** 지쳐서 휴식이나 수면이 필요한 : We were *fatigued* at the end of the trip. (우리는 여행의 마지막판에 녹초가 되었다). ***fagged*** 《口》 애쓰는, 끊임없이 반복되는 일 때문에 지쳐버린 : They were *fagged* after the game. (그 시합 후에 그들은 지쳐 떨어졌다).

tired[2] *a.* (…의) 타이어를 단 : rubber-~ 고무 타이어를 단. 〚TIRE[2]〛

tíre·kìck·er *n.* 《美俗》 (물건을 사지 않고) 보기만 하며 다니는 사람.

tíre·less[1] *a.* 《文語》 **1** (사람이) 피로를 모르는, 정력적인. **2** (행동 따위가) 지칠줄 모르는, 꾸준한, 끈기있는 : ~ energy[zeal] 지칠 줄 모르는 정력[열의]. **~·ly** *adv.* **~·ness** *n.* 〚TIRE[1]〛

tireless[2] *a.* (차가) 타이어가 없는. 〚TIRE[2]〛

tíre pàtch *n.* 《美俗》 핫케이크.

Ti·re·si·as [tairí:siəs ; -æs] *n.* 〖그神〗 티레시아스 《Thebes의 장님 예언자》.

*__tíre·some__ *a.* **1** [+*of*+名+*to* do] 성가신, 귀찮은, 속상한 : How ~!—I have left my watch behind. 아이 속상해—시계를 두고 왔네 / It was very ~ *of* John not *to* come till so late. 그렇게 늦게 오다니 존도 참 속썩이는 녀석이군. **2** 지루한, 진저리나는, 싫증나는 : a ~ speech 지루한 연설. **~·ly** *adv.* **~·ness** *n.*

類義語 ***tiresome*** 재미가 없어서 사람들을 진력나게 하는 : a *tiresome* old woman (진절머리나는 노파). ***tedious*** 언제까지나 변화없이 단조롭거나 지루하고 느리기 때문에 재미없는 : a *tedious* sermon (지루한 설교).

tíre·wòman *n.* 《古》 시녀(侍女), (특히) 극장의 의상 담당 부인 ; =DRESSMAKER. 〚TIRE[3]〛

tír·ing *a.* 지치게 하는, 고된, 지루한(tedious).

tíring-ròom *n.* 《古》 (특히 극장의) 분장실 (dressing room).

tiro ☞ TYRO.

Ti·rol [təróul, tírəl, 美+táiroul] *n.* =TYROL.

Ti·ros [táirous] *n.* 타이로스《미국의 일련의 기상관측용 텔레비전 위성》. 〚*T*elevision and *I*nfra-*R*ed *O*bservation *S*atellite〛

tir·ri·vee [tə́:rəvì:] *n.* 《스코》 감정의 폭발 ; 격동, 동요.

'tis [tìz] 《詩·古·方》 it is의 단축형(cf. IT'S ; 'TWAS, 'TWERE).

ti·sane [tizǽn, -zɑ́:n] *n.* (예전에는 보리, 지금은 말린 잎·꽃으로 만드는) 약탕(藥湯).

tish [tíʃ] *vt.* 《美俗》 …에 박엽지(tissue paper)를 채우다 ; (큰 돈뭉치처럼 보이려고) 박엽지 뭉치를 현찰로 싸다 ; 《비유》 부풀리다.

*__tis·sue__ [tíʃu:, 英+-sju:] *n.* **1** Ⓤ,Ⓒ 〖生理〗 조직 : nervous [muscular] ~ 신경[근육] 조직. **2** Ⓤ,Ⓒ (얇은) 직물 ; (특히) 얇은 명주. **3** 《비유》 (거짓·어리석은 짓 따위의) 투성이, 연속 : a ~ *of* falsehoods[lies] 거짓말투성이. **4** =TISSUE PAPER. **5** Ⓤ 〖寫〗 탄소(炭素) 인화지 ; 탄산지 복사. ―― *vt.* …을 얇은 명주로 짜내다, …에 금·은실을 넣어 짜다. **tís·sued** *a.* 금[은]실을 넣어 짠. **tís·su·ey** *a.* tissue같은.

〚OF *tissu* woven cloth (p.p.) ‹ *tistre* to weave<

L ; ⇨ TEXT】
tíssue cùlture *n.* (동물) 조직 배양(법) ; 배양한 조직.
tíssue flùid *n.* 〖生理〗 조직액.
tíssue pàper *n.* 얇은 화장지, 티슈페이퍼.
tíssue tỳping *n.* 〖醫〗 (장기 이식 전의) 조직 적합 검사.
tis·su·lar [tíʃələr] *a.* 〖生〗 생체 조직의[에 관한, 에 영향을 미치는] : ~ grafts 조직 이식.
tit[1] [tít] *n.* 〖鳥〗 =TITMOUSE, (일반적으로) 박새류(類).
tit[2] *n.* 《稀》 작은[빈약한] 말 ; 《古·方》 소녀. 【ME *tite-* little ; cf. TITMOUSE】
tit[3] *n.* 《口》 젖꼭지(teat) ; [*pl.*] 《俗》 젖통 ; 《俗》 조작용 단추 ; 후레아들 ; 하찮은 놈.
get on a person***'s tits*** 《口》 남의 신경을 건드리다, 짜증나게 하다.
How are your tits ? 안녕하십니까《버릇없는[스스럼없는] 인사》.
look an absolute tit 《俗》 어쩔 도리 없는 바보 같다.
with tits on 《美俗》 (1) 분명히. (2) 기꺼이, 곧. 【OE *titt* ; cf. G *Zitze*】
Tit. 〖聖〗 Titus. **tit.** title.
Ti·tan [táitən] *n.* **1** 〖그神〗 **a**) 티탄《Uranus 「하늘의 신」과 Gaea 「땅의 여신」과의 사이에서 태어남》 : the weary ~ (하늘을 두 어깨로 떠받치는) Atlas 신 ; 《비유》 노대국(老大國)《영국 따위》. **b**) 《詩》 해의 신 Helios. **2** [t~] Ⓤ 거인, 장사, 지혜가 뛰어난 사람. **3** 〖天〗 타이탄《토성의 제 6위성》 ; 〖軍〗 미국의 대륙간 탄도탄. ── *a.* = TITANIC[1]. **~·ness** *n.* **Tìtan·ésque** *a.* 【L<Gk.】
ti·tan- [táitən, taitǽn, tə-, -téin], **ti·ta·no-** [táitənou, taitǽnou, tə-, -téi-, -nə] *comb. form* 「티탄(titanium)」의 뜻.
ti·ta·nate [táitənèit] *n.* 〖化〗 티탄산염(酸鹽).
títan cràne *n.* (자동) 대형 기중기(起重機).
Títan·ess *n.* Titan의 여신 ; [t~] 힘이 센 여자, 몸집이 큰 여자, 여장부.
Ti·ta·nia [tətáːnjə, -téi-, tai-] *n.* 티타니아《요정의 나라의 여왕 ; Oberon의 아내》 ; 천왕성의 제 3위성.
ti·tan·ic [taitǽnik] *a.* 〖化〗 4가(價) 티탄의.
Ti·tán·ic[1] *a.* **1** Titan의[같은]. **2** [때때로 t~] 거대한, 힘이 장사인. **-i·cal·ly** *adv.*
Titanic[2] *n.* [the ~] 타이타닉호《1912년 처녀 항해 도중 Newfoundland 남쪽에서 빙산과 충돌하여 침몰, 많은 희생자를 낸 영국의 호화 여객선》.
ti·ta·nif·er·ous [tàitəníf ərəs] *a.* 티탄을 함유하는[생성하는].
títan·ìsm *n.* [때때로 T~] (전통·질서 따위에 대한) 반항심.
ti·ta·ni·um [taitéiniəm] *n.* Ⓤ 〖化〗 티탄《금속 원소 ; 기호 Ti ; 번호 22》. 【*uranium*에 준하여 *Titan*에서】
titánium dióxide *n.* 〖化〗 이산화티탄.
titánium whíte *n.* 티탄백(白)《흰색 안료·그림물감》.
ti·tano·saur [taitǽnəsɔ̀ːr] *n.* 티타노사우루스《초식성 공룡》.
ti·tan·ous [taitǽnəs] *a.* 〖化〗 (3가(價)) 티탄의.
tit·bit [títbìt] *n.* 《英》 =TIDBIT.
ti·ter | **ti·tre** [táitər] *n.* Ⓤ 〖化〗 **1** 적정량(滴定量), 역가(力價). **2** 적정 농도.
tit·fer [títfər] *n.* 《주로 英俗》 모자(hat).
tít for tát *n.* 되받아치기, 보복(報復) ; 오는 말에 가는 말.
tith·able [táiðəbəl] *a.* 10분의 1세(稅)를 부과할 수 있는 ; 십일조가 붙는.
tithe [táið] *n.* **1** [때때로 *pl.*] 《英》 10분의 1(교구)세, 십일조(十一租)《성직자의 생활을 위해서 교구민이 해마다 주로 농작물의 1/10을 헌납했음 ; 지금은 폐지》. **2** (일반적으로) 10분의 1세《보통 물품으로 납부》. **3** 《文語》 10분의 1, 극히 일부분, 약간(fraction) : I cannot remember a ~ *of* it. 나는 그것에 대해서는 조금도 생각이 나지 않는다.
── *vt.* …에게 10분의 1세를 과하다.
── *vi.* 10분의 1세를 내다.
títh·er *n.* tithe를 바치는[거두는] 사람. 【OE *teogotha* tenth】
títhe bàrn *n.* 십일조 세의 곡식 보관 창고.
tith·ing [táiðiŋ] *n.* Ⓤ 10분의 1세 징수[납입] ; Ⓒ 십일조(tithe).
Ti·tho·nus [təθóunəs] *n.* 〖그神〗 티토노스《여명의 여신 Eos의 애인 ; 늙어서 매미가 되었다고 함》.
ti·tian [tíʃiən] *n.* [때때로 T~] Ⓤ 금갈색《Titian이 여자의 머리색으로 즐겨 쓴 빛깔》 ; [형용사적으로] (머리털이) 금갈색의. 【↓】
Titian *n.* 티치아노(1477?-1576)《이탈리아의 화가》. **Tìtian·ésque** *a.*
tit·il·late [títəlèit] *vt.* …을 간질이다(tickle) ; (미각·상상 따위를) 즐겁게 자극하다, …의 흥을 돋우다, …의 마음을 들뜨게 하다. **-làt·er** *n.* **tìt·il·lá·tion** *n.* Ⓤ 간질임 ; 간지러움 ; 기분좋은 자극, 감흥. **tít·il·là·tive** *a.* 간질이는 ; 흥을 돋우는. 【L=to tickle】
tit·i·vate, tit·ti- [títəvèit] *vt., vi.* 《口》 [*vt.* 로서는 ~ one*self* 로] 《口》 잠깐 몸치장하다, 맵시내다. **tìt·(t)i·vá·tion** *n.* 【C19 *tidivate*<? ; *cultivate*에 준하여 *tidy*에서인가】
tít·làrk *n.* =PIPIT.
‡ti·tle [táitl] *n.* **1 a**) 표제, 제목, 책 이름 ; = TITLE PAGE ; 책, 출판물. ㊟ 서적명 따위를 인용할 때의 정식서법 : (1) 단행본·신문 잡지의 명칭, 희곡·영화 따위의 제명은 밑줄을 치고《인쇄할 때는 이탤릭체를 씀》, 제목의 첫자와 명사·대명사·동사·형용사·부사·(때때로) 4자 이상의 전치사는 대문자를 씀 : *Paradise Lost* / *Of Mice and Men* / *You Can't Take It With You.* (2) 단행본 중의 장절(章節), 단편·단시류(短詩類), 신문·잡지 기사 따위의 표제는 보통 " "로 묶음 : a passage from "*The Raven*" of E. A. Poe. (3) 신문·잡지에 붙이는 the는 보통 글자체로 함(cf. *The Times*) : the *Daily Mail* / the *New York Times* / the *Milwaukee Sun.* **b**) 〖映〗 제명 ; 자막(字幕), 타이틀. **c**) 〖法〗 (법령·소송의) 표제 ; (법령·법률 문서 따위의) 편, 장. **2** 칭호, 직함 ; 경칭, 작위 : a man of ~ 직함이 있는 사람, 귀족. **3** Ⓤ.Ⓒ **a**) [+*to* do] (정당한) 권리, (주장할 수 있는) 자격 : the ~ ***to*** the crown [throne] 왕위에 오를 정당한 권리 / You have no ~ *to* ask for our support. 너는 우리에게 원조를 청할 자격이 없다. **b**) 〖法〗 Ⓤ.Ⓒ (특히 부동산에 대해서) 재산 소유권, 권리의 근원 ; Ⓒ 권리증서 (cf. TITLE DEED) : He has no ~ ***to*** the estate. 그에게는 토지의 소유권이 없다 / one's ~ *to* a house 가옥의 소유권. **4** 〖競〗 선수권, 타이틀 (championship) : win a tennis ~ 테니스 선수권을 획득하다 / defend [lose] one's ~ 선수권을 방어하다[상실하다]. **5** 금의 순도. ── *a.* 표제의[에 관한] ; 선수권이 걸린. ── *vt.* …에 제목을 붙이다 ; 〖映〗 자막을 넣다 ; …에 칭호[작위]를 주다 ; [주로 *p. p.*로] …로 부르다(entitle) : ☞

TITLED. **~·less** *a.*
〖OF＜L *titulus* placard, title〗

títle càtalog(ue) *n.* (도서관의) 서명 목록(書名目錄).

títle cháracter *n.* = TITLE PART.

títled *a.* 직함이 있는, 위계(位階)[작위]를 가진 : ~ members 작위를 가진 의원.

títle dèed *n.* 〖法〗 부동산 권리 증서.

títle·hòld·er *n.* 선수권 보유자(champion).

títle insùrance *n.* 〖保險〗 부동산 물권 보험.

títle màtch *n.* 선수권 쟁탈전, 타이틀 매치.

títle pàge *n.* (서적의) 표제지(紙)《제목·저자명 따위를 인쇄한 맨 첫 장》.

títle párt[**róle**] *n.* (제명의 인물역을 맡아하는) 주(제)역《*Hamlet* 극의 Hamlet 역 따위》.

títle pìece *n.* **1** 표제작(標題作)《단편집·가곡집 따위에서 전체의 표제와 같은 제목의 작품》. **2** 표제용 찌지《책 이름을 써서 책의 표지 또는 등에 붙이는 보통 가죽으로 된 레테르》.

ti·tler [táitələr] *n.* 〖映〗 타이틀 촬영 장치.

ti·tling [táitəliŋ] *n.* (책등에) 금박으로 제명을 찍기 ; 등문자.

ti·tlist [táitələst] *n.* = TITLEHOLDER.

tit·man [títmən] *n.* (*pl.* **-men** [-mən]) 한배 돼지 중의 가장 작은 것.

tit·mouse [títmàus] *n.* (*pl.* **-mice** [-màis]) 〖鳥〗 박새류(類)의 여러 새. 〖ME *tit* little, *mose* titmouse ; 어형은 *mouse*에 동화(同化)〗

Ti·to [tí:tou] *n.* 티토. **Marshal** ~ (1892-1980) 구 유고슬라비아의 대통령. **~·ìsm** *n.* Ⓤ 티토주의《민족주의적 공산주의》. **~·ist** *n.*, *a.* 티토주의자 ; 티토주의(자)의.

ti·trant [táitrənt] *n.* Ⓤ 〖化〗 적정제(滴定劑).

ti·trate [táitreit] *vt.* 〖化〗 적정(滴定)하다.
〖F (TITRE=title)〗

ti·tra·tion [taitréiʃən] *n.* Ⓤ,Ⓒ 〖化〗 적정(滴定).

ti·tri·met·ric [tàitrəmétrik] *a.* 〖化〗 적정(법)에 의한. **-ri·cal·ly** *adv.*

tits [títs] *a.* 《美俗》 굉장한, 최고의. 〖? TIT[3]〗

títs-and-áss *a.* 《美卑》 누드사진의.

tít shòw *n.* 《英俗》 유방을 구경거리로 하는 쇼.

tit-tat-toe [tìttættóu] *n.* = TICKTACKTOE.

tit·ter [títər] *vi.* 킥킥 웃다. —— *vt.* 킥킥 웃으면서 말하다. —— *n.* 킥킥 웃기.
〖C17＜imit.〗
[類義語] ⟹ LAUGH.

tittivate ☞ TITIVATE.

tit·tle [títl] *n.* **1** (글자 위의) 작은 점, 점획(點劃)《i의 점 따위》 : not one jot or (one) ~ ☞ JOT *n.* 숙어. **2** 극히 적음, 미량(微量).
to a tittle 꼭, 정확하게, 완전히(cf. *to a* T).
〖L ; ⇨ TITLE〗

tit·tle·bat [títlbæt] *n.* = STICKLEBACK.

tit·tle-tat·tle [títltætl] *n.* Ⓤ 쓸데없는 이야기, 잡담, 소문 이야기(gossip). —— *vi.* 잡담하다.
〖TATTLE의 가중(加重)〗

tit·tup [títəp] *vi.* (**-p(p)-**|**-pp-**) **1** 깡충깡충 뛰어다니다, 춤추듯 걷다. **2** (말·기수(騎手)가) 단축 구보로 하다. **3** (보트가) 흔들리다. **4** 《英海俗》 (술내기 따위의) 동전 던지기를 하다. —— *n.* 깡총깡총 뛰어다니기 ; (말이) 단축 구보로 달리기 ; 〖海〗 흔들림 ; 똑똑(하이힐 소리).
〖imit. ; 말발굽 소리〗

tít·tup·py *a.* 명랑한, 경쾌한, 까부는 ; 깡충깡충 뛰어다니는 ; 흔들리는, 요동하는.

tít·ty *n.* 젖꼭지 ; 《卑》 유방 ; 《方》 우유. 〖TIT[3]〗

tit·ty-boo [títibú:] *n.* 《美俗》 말괄량이 ; 불량소녀 ; (마약 중독·성적 교유(性的交遊) 따위에 의한) 젊은 여죄수.

tit·u·ba·tion [tìtʃəbéiʃən] *n.* Ⓤ 〖醫〗 (소뇌 장애에 의한) 비틀거리기 ; 더듬는 소리, 언어 장애.
〖L (*titubo* to totter)〗

tit·u·lar [títʃələr] *a.* **1** 이름뿐인, 명의상의, 유명무실한(nominal) ; (교회가) 추기경을 명의상의 주임 사제로 하고 있는 ; 소멸한 교구의 칭호를 가진 ; 명예직의 : a ~ head of a company 명목상의 회사 사장. **2** 자격이 있는 정당한 권리에 의한 : ~ possessions 유권(有權) 소유물. **3** 직함[존칭·칭호]의 ; 이름의 유래가 된 : a ~ distinction 직함에 따르는 영예. **4** 표제의, 제목의 : a ~ character 제명의 인물《*Macbeth* 극중의 Macbeth》/ a ~ saint 교회의 수호 성인《St. Paul's Cathedral의 St. Paul》.
—— *n.* **1** 명의[직함]뿐인 사람, 명예직의 사람 ; 명목뿐인 특정 임지(任地)의 녹(祿), 그 녹을 받는 성직자, (특히) = TITULAR BISHOP. **2** 직함[칭호]이 있는 사람 ; 이름의 유래가 된 사람[것].
~·ly *adv.* **tit·u·lar·i·ty** [tìtʃəlǽrəti] *n.*
〖F ; ⇨ TITLE〗

títular bíshop *n.* 〖카톨릭〗 (교구를 갖지 않은) 명의 주교.

títular hèad *n.* 명색뿐인 지배자[회장, 사장].

ti·tu·lary [títʃəlèri ; -ləri] *a.*, *n.* 《古》 = TITULAR.

Ti·tus [táitəs] *n.* **1** 티투스(39-81)《로마의 황제 ; 재위 79-81》. **2** 〖聖〗 디도서(書) (the Epistle of Paul to Titus)《신약 성서 중의 한 편 ; 略 Tit.》.
〖L=? safe〗

Tiv [tív] *n.* (*pl.* ~, **~s**) 티브족(族)《나이지리아 남동부의 Benue주에 삶 ; 수장(首長)이 없음》 ; 티브어(語).

tizz [tíz], **tiz·zy** [tízi] *n.* Ⓤ 《俗》 (사소한 일로) 당황함, 흥분(상태). 〖C20＜?〗

T. J., t. j. [tì:dʒéi] *n.* = TALK JOCKEY.

T junction [tí: ⌐] *n.* T자형 삼거리 ; (파이프 따위의) T자형 접합부.

tk. truck.

TKO, T.K.O. [tì:kèióu] *n.* 〖拳〗 (*pl.* **~s**) technical knockout. **tkt.** ticket. **Tl** 〖化〗 thallium. **T/L** 〖商〗 time loan.

T.L.O., t.l.o. 〖保險〗 total loss only (전손(全損) 담보). **TLP** transient lunar phenomena (일시적 월면현상). **tlr.** tailor. **T.M.** technical manual(기술 편람) ; 〖軍〗 trench mortar. **Tm** 〖化〗 thulium.

t.m. 〖數〗 true mean (진평균).

T-man [tí:⌐] *n.* 《美口》 (재무부의) 특별 세무 조사관 ; 민간 교통 감시원.
〖*T*reasury *man*〗

TMer [tì:émər] *n.* 《美》 초월 명상법(transcendental meditation)의 신봉자[실천자].

tme·sis [(tə)mí:səs] *n.* (*pl.* **-ses** [-si:z]) Ⓤ 〖文法〗 분어법(分語法), 어분할(語分割)《복합어 사이에 다른 말을 삽입하기 ; 예로 to *us* ward (= toward us) 따위》.
〖Gk. =cutting〗

TMO telegraph money order(전신환). **Tn** 〖化〗 thoron. **tn.** ton ; town ; train. **TNF** Theater Nuclear Forces. **tng.** training. **tnpk.** turnpike. **TNT, T.N.T.** [tì:èntí:] trinitrotoluene. **TNW** theater[tactical] nuclear weapon. **TO, T.O.** table of organization (인원 편성표) ; Telegraph Office ; turn over(cf. P.T.O.).

◇to [(자음 앞에서) tə, (모음 앞에서) tu, (문장 또는 절의 끝에서) tu:] *prep.* **1** [방향] **a)** [도착의

뜻을 포함시키지 않고] …(의 쪽)으로, …에 : turn *to* the right 오른쪽으로 돌다. **b**) [도착의 뜻을 포함시켜 ; 비유적으로도] …까지, …으로, …에 : get *to* London 런던에 도착하다 / come *to* the crown 왕위에 오르다 / *to* that end 그 목적을 위해서 / I have often been *to* Scotland. 스코틀랜드에는 자주 가본 적이 있다 / I have been *to* the station to see my friend off. 친구를 배웅하러 역에 다녀오는 길이다. **c**) [방위] …쪽에 : Their house is *to* the north of the park. 그들의 집은 공원 북쪽에 있다(cf. The pond is *in* the north of the park. 연못은 공원내 북쪽에 있다.).

2 [상태·환경 변화의 방향] …으로, …에, …쪽으로 : rise *to* wealth and honor 부귀(富貴)를 누리게 되다 / stand *to* attention 차려 자세를 취하다 / *To* horse! 승마!

3 [도달점·정도·범위] …까지, …에 이르기까지, …할 만큼(cf. 4) : be wet *to* the skin 흠뻑젖다 / cut *to* the heart 가슴에 사무치다 / *to* the best of my belief[knowledge] 내가 믿는[아는] 바로는 / *to* that[this] extent 그[이] 정도까지 / *to* the last man 최후의 한 사람까지, 철저하게 / He drank himself *to* death. 그는 술을 너무 마셔서 죽었다.

4 [결과·효과] …까지 (cf. 3) ; …한 것으로는, …하게도 : tear *to* pieces 갈기갈기 찢다 / *to* one's cost 결국 손해를 보고 / *to* a person's credit ☞ CREDIT *n.* 숙어 / *to* no purpose 헛되이 / *to* one's surprise[joy, sorrow] 놀랍게도[기쁘게도, 슬프게도] / *to* the point[purpose] 적절하게 / The train slowed *to* a stop. 열차는 속력을 늦추어 정차했다.

> **to one's** ~를 이용한 문장 전환
> He failed in the exam and *I was greatly disappointed*. (그가 시험에 낙방해서 나는 대단히 실망했다.)
> → *To my great disappointment*, he failed in the exam.

5 [접촉] …에, …에게 : apply soap *to* a towel 수건에 비누를 칠하다.

6 [시간의 끝] 까지 ; (…분) 전(에) (=《美》 of, till, before) (cf. PAST *prep.* 1) : stay *to* the end of June 6월말까지 머무르다 / at a quarter *to* eight 8시 15분 전에(at 7 : 45) / It's ten (minutes) *to* four. 지금 4시 10분 전입니다.

7 [목적·예정] …을 위해서, …에 : He came *to* my rescue. 나를 구조하러 왔다 / We sat down *to* dinner. 우리는 만찬을 들기 위해 착석했다.

8 《古》…으로서, …로(as, for) : call[take] …*to* witness …을 증인으로 부르다 / take a woman *to* wife 어떤 여자를 아내로 맞이하다.

9 [대면·대립] 마주 향하여, 대좌[상대]하여 : face *to* face 서로 마주 보고 / fight hand *to* hand 백병전을 벌이다, 접전하다 / drawn *to* life 실물 그대로(의) / *to* one's taste 자기 취미에 맞는.

10 [적합·일치] …에 맞추어, …대로, 그대로의 : correspond *to* ☞ CORRESPOND 1 / according *to* ☞ ACCORDING 2 / made *to* order 주문에 따라 만든.

11 [비교·대비(對比)]…에 비하여, …대(對), …당(當) : one penny *to* the pound 1파운드당 1 페니의 비율로《치르다 따위》/ ten *to* one ☞ TEN *n.* 숙어.

12 [부가(附加)] …에다, …에 더하여 : Add three *to* five. 5에 3을 더하시오 / It belongs *to* me. 그것은 나의 것이다 / That's all there is *to* it. 《원래 美》 그뿐이다 / There's nothing *to* him. 그는 아무것도 갖추지 못한 사람이다.

13 [부속·소유·관계] …의, …에(대한) : a key *to* the door 문의 열쇠 / brother *to* the king 왕의 동생.

14 [수반(隨伴)] …에 맞추어, …에 따라서 : dance *to* the music 음악에 맞추어 춤을 추다.

15 [결합·집착] …에(게) : Fasten it *to* the wall. 그것을 벽에 붙이시오 / He is deeply attached *to* his little sister. 누이동생을 몹시 아끼고 있다.

16 [행위·작용을 받는 대상] …에 대해서, …에의, …을 위하여, …의 손에 : drink *to* a person 남을 위해서 축배하다 / Here's *to* you. 자, 너의 건강을 위해서《축배할 때》/ keep[have, get] the room *to* oneself 방을 독차지하다 / listen *to* …에 귀를 기울이다 / It is nothing *to* me. 나에게는 아무것도 아니다 / What will he say *to* it? 그것에 대해서 그는 무엇이라고 말할까.

17 [confess, swear, testify, witness 다음에 올 때] …이라고, …을 인정하여 : confess *to* crime 죄를 지었다고 자백하다 / He swore *to* the miracle. 과연 기적이라고 그가 말했다.

18 [형용사의 적용 방향·범위] …에 대하여, …에게 있어서, …에 : His attitude is open *to* attack. 그의 태도에는 공격을 받을 여지가 있다 / That's most important *to* us. 그것이 우리에게 있어서 가장 중요하다.

19 [간접 목적어에 상당하는 구를 만듦] (cf. 16) : Give this *to* him.=Give him this.

20 《方·美》 …에서 (at) : He is *to* home. 그는 집에 있다 / I got this *to* Brown's. 이것을 브라운씨 가게에서 샀다.

21 [부정사(不定詞)를 이끌어] 주 (1) 이 용법의 to는 본래 전치사이지만, 현재에 와서는 'to+동사의 원형'으로 부정사를 나타내는 기호처럼 되어서, 전치사로는 느껴지지 않음. (2) 이 부정사는 전후 관계로 명백할 때에는 생략되고 to만 남아서 그 대용을 함 : Do you want to go?—I should like *to* (=to go). 너 갈래—가고 싶어. 다만, be동사일 때에는 be를 생략하지 않는 것이 보통 : The examination was easier than I imagined it to *be*. 시험은 내가 생각했던 것보다 더 쉬웠다. (3) 부정형은 to 바로 앞에 부정어(not, never, *etc.*)를 두며, don't to do라고는 하지 않음 : I'll ask him *not to* say such a thing. 그에게 그런 말을 하지 않도록 부탁하겠다. **a**) [명사용법] …하는 것 : *To err* is human, *to forgive* divine. 잘못을 저지르는 것은 사람이고, 용서하는 것은 신(神)이다《시인 Pope의 시구》/ *It* is foolish *to read* such a book. 그런 책을 읽는 것은 어리석다《주어》/ I should like *to think* so. 나는 그렇게 생각하고 싶다《목적어》/ The best way is *to visit* that country. 제일 좋은 방법은 그 나라를 찾아가 보는 것이다《보어》. **b**) [형용사용법] …하기 위한, …하는 : the first *to come* 제일 먼저 오는[온] 사람 / I have nothing *to do*. 아무런 할 일이 없다 / water *to drink* 음료수 / a house[room] *to let* 셋집[방]. **c**) [부사용법] : We eat *to live*. 우리들은 살기 위해서 먹는다《목적》/ She is wise enough *to know* it. 그녀는 현명하기 때문에 그것을 알고 있다《정도》/ I am sorry *to hear* that. 그것을 들으니 유감스럽군, 그것 참 안되었군《원인》/ That fish is good *to eat*. 그 물고기는 먹을 수 있다《한정》/ He awoke *to find* himself in a strange room. 깨어 보니 그는 알지도 못하는 방에 있었다《결과》/ *To tell* the truth, ... 사실을

말한다면…《독립 부사구》/ *To return.* 본론으로 되돌아갑시다(Let us return.)《독립문장》. **d**) [기타] : The ship is *to arrive* tomorrow. 배는 내일 도착할 예정이다 / He seems *to be*[*have been*] innocent. 그는 결백한[했던] 것 같다 / I'll ask him *to come.* 그에게 와달라고 부탁하겠다. 주 감각동사(see, hear, feel, *etc.*), 사역동사(let, make, have) 및 때때로 help나 had better 따위 뒤에는 to없는 부정사를 씀, 단 수동태의 뒤에는 to를 씀 : I saw him *run.* = He was seen *to run.*

—— [túː] *adv.* **1** 정상 상태로[에] ; (특히) 정지[폐쇄] 상태로, 멈추어, 닫혀서. 주 때때로 일부 동사와 함께 숙어를 만듦 : *come to*=come *to* oneself (사람이) 제정신을 차리다 / *push*[*shut*] the door *to* 문을 닫다 / I can't *get* the lid of my trunk quite *to.* 트렁크의 뚜껑이 꼭 닫히지 않는다 / Is the door *to*? 문은 닫혀 있는가 / bring *to* ☞ BRING 숙어 / heave *to* ☞ HEAVE 숙어. **2** 앞으로 돌려, 앞으로 향하여 : The ship moored head *to* (=*to* the wind). 배는 바람 불어오는 쪽을 향하여 정박했다.

to and fro 여기저기, 이리저리로(cf. TO-AND-FRO).

〖OE *tō* (adv. and prep.) ; cf. G *zu*〗

t.o. turn over.

***toad** [tóud] *n.* **1** 〖動〗 두꺼비. **2** 보기 싫은 놈 ; 쓸모없는 것. **~·ish** *a.* **~·lìke** *a.*

〖OE *tādige*<? ; cf. TADPOLE〗

tóad·èat·er *n.* 아첨하는 사람(toady).

tóad·èat·ing *a.* 알랑거리는, 아첨하는.

—— *n.* Ⓤ 알랑거림, 아부.

tóad·fìsh *n.* 〖魚〗 둑중개 비슷한 물고기《미국 대서양 연안산》; 복어.

tóad·flàx *n.* 〖植〗 해란초.

tóad-in-the-hòle *n.* Ⓤ 《英》 BATTER²를 입혀서 구운 쇠고기 요리.

tóad·stòne *n.* 두꺼비의 몸속에 생기는 것으로 믿었던 돌《옛날의 부적》.

tóad·stòol *n.* 〖植〗 버섯, (특히) 우산 모양의 독버섯(cf. MUSHROOM).

tóady *n.* =TOADEATER. —— *vi., vt.* [動/+*to*+名/+目] (…에게) 알랑거리다, 아첨하다 : ~ (*to*) the boss 상사에게 알랑거리다. **~·ìsm** *n.* 사대주의. 〖*toad*eater, -y⁴〗

tóady·ish *a.* 아첨하는, 비굴한, 사대주의적인.

tó-and-fró *attrib. a.* 이리저리로 움직이는, 이리저리로 가는, 서로 오고가는, 앞뒤의 ; 동요하는.

—— *n.* (*pl.* **~s**) 이리저리 움직임, 동요 ; 논쟁.

***toast** [tóust] *n.* **1 a**) Ⓤ 토스트, 구운 빵 : a slice of buttered[dry] ~ 버터를 바른[바르지 않은] 토스트 한 조각. **b**) 《古》 토스트 한 조각. **2** 축배, 건배 ; 축배의 말 : drink a ~ 축배하다 / give [propose] a ~ to a person 남을 위해서 축배하다[를 제의하다] / respond to the ~ 축배에 대해서 감사의 말을 하다. **3 a**) 축배를 받는 사람, 축배의 대상이 되는 것 ; 《古》 축배 대상이 되는[될 만한] 미인. **b**) 명사, 유명 인사.

(***as***) ***warm as a toast*** (불을 쬐어서 몸이) 따뜻한, 훈훈한.

—— *vt.* **1** (빵·치즈 따위를) 노르스름하게 굽다 ; 불에 쬐어 굽다. **2** 불에 쬐어 따뜻하게 하다 : ~ oneself 불을 쬐다 / ~ one's toes 발끝을 불에 쬐다. **3** …을 위해서 축배를 들다, 축배하다 : ~ the newly married couple 신혼 부부를 위해 축배하다. —— *vi.* **1** 노르스름하게 구워지다 : This bread ~*s* well. 이 빵은 잘 구워진다. **2** 불을 쬐다. **3** 축배하다. **~·ing** *n.*

〖OF *toster* to roast<L ; ⇨ TORRID〗

tóast·er *n.* **1** 빵 굽는 사람[기구], 토스터. **2** = TOASTMASTER.

tóaster òven *n.* 오븐 겸용 토스터.

tóasting fòrk *n.* (토스트용) 자루가 긴 포크.

tóast lìst *n.* 식탁 연설자 명단.

tóast·màster *n.* (연회석상에서 축배의 말을 하거나 연설자를 소개하는) 사회자.

tóast ràck *n.* 토스트를 세워 놓는 기구《탁자 위에 놓는 작은 대(臺)》.

tóasty *a.* 토스트의, 구운 빵 같은 ; 훈훈한, 따뜻한, 알맞게 구워진.

Tob. Tobias ; Tobit. **TOB** take-over bid.

‡**to·bac·co** [təbǽkou] *n.* (*pl.* **~s, ~es**) **1 a**) Ⓤ [종류를 말할 때에는 Ⓒ] 담배, 살담배(cf. BACCY) : a ~ pipe (살담배용) 담뱃대, 파이프 / a ~ pouch (주로 살담배용) 담배 쌈지. **b**) Ⓤ 끽연(smoking). **2** Ⓤ 〖植〗 담배.

〖Sp. *tabaco*<Am. Ind.〗

tobácco bròwn *n.* (건조된 담뱃잎의 색과 비슷한) 누르스름한 갈색.

tobácco búdworm *n.* =CORN EARWORM.

tobácco hórnworm *n.* 〖昆〗 담배 따위의 가지과 식물의 해충인 박각시과(科) 나방의 애벌레.

tobácco jùice *n.* 담배 때문에 갈색이 된 침.

tobácco mosàic vìrus *n.* 담배 모자이크 바이러스《略 TMV》.

to·bac·co·nist [təbǽkənəst] *n.* 담배 장수.

tobácco·phòbe *n.* 담배 연기를 싫어하는 사람, 혐연권론자(嫌煙權論者).

tobácco róad *n.* [흔히 T~ R~] 가난하고 초라한 지역.

〖미국 남부의 가난한 농촌 지대를 묘사한 E. Caldwell의 소설 *Tobacco Road*의 이름에서〗

tobácco stòpper *n.* 스토퍼《파이프에 담배를 채워 넣는 기구》.

To·ba·go [təbéigou] *n.* 토바고 섬《서인도제도 남서부의 섬 ; Trinidad and Tobago의 일부》.

To·ba·go·ni·an [tòubəgóuniən] *n.*

to-bé *a.* 장래의, …이 되려고 하는 : a bride-~ 신부가 될 사람. —— *n.* [the ~] 미래.

To·bi·as [təbáiəs] *n.* **1** 남자 이름《애칭 Toby》. **2** =TOBIT. 〖Heb. =God is good〗

To·bit [tóubət] *n.* 〖聖〗 토비트서(書)《경외전(經外典) (Apocrypha)의 한 편》.

to·bog·gan [təbάgən] *n.* **1** 터보건 썰매 : *on* a ~ 터보건 썰매를 타고. **2** (물가·운세 따위의) 급락. —— *vi.* **1** 터보건 썰매로 언덕을 미끄러져 내려가다. **2** (물가·운세 따위가) 갑자기 떨어지다, 기울다. **~·er, ~·ist** *n.* 〖Can. F<Algonquian〗

tobóggan slìde[**chùte**] *n.* 터보건 썰매 활강장.

to·by [tóubi] *n.* **1** [T~] 남자 이름《Tobias의 애칭》. **2** [때때로 T~] 땅딸보 노인 모양의 맥주잔《모자 부분으로 마심》. **3** 《美俗》 가늘고 긴 값싼 엽궐련.

toby 2

tóby còllar *n.* (여성·어린이용의) 폭이 넓고 주름잡힌 칼라.

toc·ca·ta [təkάːtə] *n.* 〖樂〗 토카타《피아노·오르간용의 화려하고 빠른 전주곡, 또는 환상곡·즉흥곡풍의 악곡》. 〖It. =touched〗

To·char·i·an, -khar- [toukάːriən, -kέər-, -kǽər-] *n.* (*pl.* ~, **~s**) Ⓤ (중앙 아시아에서 비교적 최근에 발견된) 토카라어 ; Ⓒ 토카라 사람

《B.C. 1000년경에 멸종》. —— *a.* 토카라어[사람]의.

toch·er [tάxər] *n.* 《스코》 신부의 지참금 (dowry). —— *vt.* …에게 지참금을 주다.

to·co, to·ko [tóukou] *n.* (*pl.* **~s**) 《英俗》 체벌(體罰), 징벌 : catch ~ 벌을 받다, 매를 맞다. 〖Hindi〗

to·col·o·gy, -kol- [toukάlədʒi] *n.* Ⓤ 산과학(產科學). **-gist** *n.*

to·coph·er·ol [toukάfərɔ̀(:)l, -ròul] *n.* 〖生化〗 토코페롤《비타민 E의 주요 본체》.

toc·sin [tάksən] *n.* 경종, 경보. 〖F<Prov. (TOUCH, SIGN)〗

tod[1] [tάd] *n.* 《스코·北英》 여우(fox) ; 교활한 사람. 〖ME<?〗

tod[2] *n.* 《英古》 덤불, (잎이) 무성한 곳 ; (옛날) 양털의 무게 단위(=28 pounds). 〖ME ; cf. LG *todde* rag, OHG *zotta* tuft of hair〗

tod[3] *n.* [다음 숙어로]

on** one**'s tod 《英俗》 홀로.

〖? *on* one's *Tod Sloan* ; *alone*과의 압운(押韻) 속어〗

TOD 〖空〗 takeoff distance(이륙 활주 거리).

◇**to·day, to-day** [tədéi] *adv.* **1** 오늘, 오늘은, 금일 (중에) : *T*~ I am very busy. 오늘 나는 몹시 바쁘다 / I must do it ~. 오늘 중에 그것을 해야 한다 / ~ week ☞ WEEK 숙어 / a week[month, year] ago ~ ☞ WEEK[MONTH, YEAR] 숙어. **2** 현재[현대](에는), 오늘날(에는), 요즘에는 : People ~ think differently. 현대인은 달리 생각한다. —— *n.* **1** Ⓤ 오늘, 금일 : *T*~ is Saturday [my birthday]. 오늘은 토요일[내 생일]이다 / I saw it in ~'s newspaper. 나는 그것을 오늘 신문에서 보았다. **2** Ⓤ 현대, 현재 : the world of ~ 현대의 세계.

〖OE *tō dæg* on (this) day〗

tod·dle [tάdl] *vi.* **1** (걷기 시작한 어린이·노인처럼) 아장아장[되뚝되뚝] 걷다. **2** 《口》 [動/+副] 어슬렁어슬렁 거닐다, 산책하다 : I must be *toddling* now. 나는 이제 슬슬 가봐야만 한다 / I ~*d* ***round*** to my friend's house. 나는 산책삼아 친구 집에 놀러갔다.

—— *vt.* (비틀비틀) 나아가다, (어떤 거리를) (어슬렁어슬렁) 가다.

toddle** one**'s way 아장아장 걸어가다.

—— *n.* **1** 아장아장 걷기 ; 《口》 아장아장 걷는 아기. **2** 《口》 어슬렁거리기, 산책.

〖Sc. and north. Eng. *todle*<? ; 일설(一說)에 *to*tter+wa*ddle*〗

tód·dler *n.* 아장아장 걷는 사람 ; 처음 걸음마를 시작한 아기 ; 어슬렁어슬렁 거니는 사람.

tod·dy [tάdi] *n.* **1** Ⓤ,Ⓒ 타디《위스키 따위의 독한 술에 뜨거운 물·설탕·레몬을 넣은 음료》. **2** Ⓤ 야자[종려] 나무의 수액(樹液) ; 야자[종려]술. 〖Hindi=palm〗

to-do [tədú:] *n.* (*pl.* **~s**) 《口》 큰 소동, 야단법석 (ado) : What a ~! 웬 법석인가!

***toe** [tóu] *n.* **1** 발가락(cf. FINGER, THUMB) ; 발끝(↔*heel*) ; 《口》 발 : a big[great] ~ 엄지발가락 / a little ~ 새끼발가락 / the light fantastic ~ 《戲》 춤. **2** 발가락에 해당하는 부분《예를 들면 발굽의 앞부리》 ; (구두·양말 따위) 앞부리 : the ~ *of* Italy 이탈리아 반도의 끝 부분. **3** (도구의) 끄트머리 ; 〖골프·하키〗 토《클럽의 끝》 ; 〖機〗 축종(軸踵) ; (둑·벼랑의) 기부(基部), 언저리 ; 〖鐵〗 (레일의) 궤지(軌趾).

from top to toe 머리끝에서 발끝까지 ; 철두 철미하게.

on** one**'s toes 《口》 활동적으로, 기민하여 ; 긴장하여.

tread*[*step*] *on a person***'s toes*** 남의 발끝을 밟다 ; 《비유》 남의 감정을 해치다.

turn up** one**'s toes 《俗》 죽다.

—— *vt.* **1** 발가락으로 건드리다 ; 발끝으로 차다. **2** (구두·양말 따위에) 새로 앞부리를 달다 ; …의 앞부리를 수선하다. **3** 〖골프〗 토로 치다. **4** 〖木工〗 비스듬히 (못을) 박다 ; 못을 비스듬히 박아 고정시키다.

—— *vi.* [+副] 발가락을 움직이다[돌리다] : ~ ***in*[*out*]** 안짱[밭짱]다리로 걷다[서다] ; 발끝을 안쪽[바깥쪽]으로 하여 서다.

toe the line (경주 따위에서) 출발선(線)에 발끝을 대고 서다 ; 《비유》 통제[명령·당규(黨規)]에 복종하다, 관습[규칙]을 지키다.

〖OE *tā* ; cf. G *Zeh(e)*〗

tóe càp *n.* (구두의) 콧등 가죽, 앞닫이.

tóe cràck *n.* (말발굽 앞의) 갈라짐.

toed [tóud] *a.* 발가락이 있는 ; [복합어를 이루어] …한 발가락을 가진 ; 발의 앞부분을 보강한《양말 따위》 ; (못을) 비스듬히 박은.

tóe-dànce *vi.* 토 댄스를 추다.

tóe dànce *n.* (발레에서 발끝으로 추는) 토 댄스.

TOEFL [tóufəl] Test(ing) of English as a Foreign Language (외국인 상대의 영어 시험).

tóe·hòld *n.* **1** 〖登山〗 토 홀드, 발끝으로 디디는 홈. **2** 발디딤, 발판. **3** 〖레슬링〗 토 홀드《상대편의 발을 비틀기 ; cf. HOLD *n.* 1》.

TOEIC Test of English for International Communication(토익 ; 국제 커뮤니케이션 영어 능력 테스트).

tóe-ìn *n.* 토인《자동차 앞바퀴를 약간 안쪽으로 향하게 하는 일 ; 직진성(直進性)이 향상되며 타이어 마모가 감소됨》.

tóe·less *a.* 발가락이 없는 ; (구두 따위가) 앞닫이가 없는.

tóe·nàil *n.* 발톱 ; 〖木工〗 비스듬히 박은 못.

—— *vt.* 비스듬히 못을 박아 고정시키다.

tóe-ràg *n.* 《英俗》 거지.

tóe shòe *n.* 토 슈즈《발레용 신발》.

tóe sòck *n.* 토 삭스《각 발가락[엄지발가락]이 갈라진 양말》.

toey [tóui] *a.* 《濠俗》 안달이 난, 신경질적인 ; (말이) 달리고 싶어하는, 조급해 하는.

toff [tάf] *n.* 《英俗》 신사, 상류계급의 사람 ; 멋쟁이. —— *vt.* 신사처럼 꾸며대다.

〖? TUFT (arch. sl.) titled undergraduate〗

tof·fee, tof·fy [tάfi] *n.* =TAFFY.

tóffee-nòse *n.* 《英俗》 오만한 녀석, 자만하는 사람. **~d** *a.* 거드름 피우는, 젠체하는, 콧대 높은.

toft [tɔ́(:)ft, tάft] *n.* 〖英法〗 (농토가 딸린) 가옥 부지, 택지 ; 《英方》 언덕. 〖OE〗

tog [tάg, 美+tɔ́:g] *n.* 《口》 [보통 *pl.*] 옷, 의복 (garment).

—— *vt.* (**-gg-**) [+目+副] (옷을) 입히다 : ~ oneself ***up*[*out*]** 성장하다, 멋을 내다.

〖? *togeman(s)*, *togman* cloak (↓, -*mans* (cant suffix)<?)〗

to·ga [tóugə] *n.* (*pl.* **~s, to·gae** [tóudʒi:, -gai]) **1** 토가《고대 로마 시민이 입었던 헐거운 겉옷 ; 남자는 15세가 되면 성년의 표시로 입었음》. **2** (교수·법관 등의) 예복[제복, 직복(職服)], (특히) 상원 의원(senator)의 직[지위].

tó·ga'd, tó·gaed *a.* 토가를 걸친[입은].

〖L=a covering〗

to·gate [tóugeit] *a.* 고대 로마의.

◇**to·geth·er** [təgéðər] *adv.* **1** (다) 함께 : **a**) 같이, 동반해서 : go about ~ 함께 돌아다니다. **b**) 합쳐 : sew pieces ~ 꿰매어 붙이다. **c**) 서로 : compare ~ 서로 비교하다. **2 a**) 동시에, 일제히 : Don't speak all ~. 모두가 동시에 말하지 마시오. **b**) 중단하지 않고, 계속하여 : study for hours ~ 몇 시간 동안 계속해서 공부하다. **3** 긴밀하게, 통일되게.
belong together (합쳐서) 전체를 이루다, 같은 종류에 속하다.
close [***near***] ***together*** 서로 가까이에.
go together ☞ GO.
live together 함께 살다, 동거하다.
put two and two together ☞ TWO.
together with …와 함께 ; …와 더불어, …도 또한 : The professor, ~ *with* his students, is dining here tonight. 교수는 학생들과 함께 오늘밤 여기서 식사하기로 되어 있다.
—— *a.* 《美俗》 (정신적·정서적으로) 침착한 ; 잘 정리된 ; 요즘 유행하는, 근사한 ; 실수가 없는.
~·ness *n.* 동질성(同質性), 우의(友誼), 단결 ; 침착, 착실.
〚OE *tōgædere* ; ⇨ TO, GATHER〛

tog·ger [tágər, 美+tɔ́ː-] *n.* 《옥스퍼드大學俗》 = TORPID.

tog·gery [tágəri, 美+tɔ́ː-] *n.* Ⓤ 《口》 의류(衣類), (특히 특수한 사람의) 직복(職服), 군복 ; 《英》 양복점.

tog·gle [tágəl] *n.* **1** 토글《단추 대신에 옷의 앞섶을 여미는 작은 막대 모양의 단추 ; 시계줄 따위 끝에 붙어 있는 가로대 따위》. **2** 〖機〗 = TOGGLE JOINT ; 〖海〗 토글《밧줄을 걸어맴》.
—— *vt.* 토글로 고정시키다.
〚C18< ? ; cf. TACKLE〛

toggle 1

tóggle bòlt *n.* 〖機〗 토글 볼트《스프링 장치로 벌어지는 쌍가닥 쇠막대가 달린 볼트 ; 쌍가닥 쇠막대를 오므린 채 구멍을 통과시키면 통과 후 쇠막대가 벌어져 빠지지 않게 됨》.

tóggle jòint *n.* 〖機〗 토글 이음쇠《압력을 옆으로 전달하는 장치(裝置)》.

tóggle swìtch *n.* 〖電〗 토글 스위치《손잡이를 올렸다 내렸다 함으로써 전기를 넣거나 빼는 스위치 장치》 ; 〖컴퓨〗 토글 스위치, 똑딱엇바꾸개[스위치].

To·go [tóugou] *n.* [the ~] 토고《아프리카 중서부의 공화국 ; 1960년 독립 ; 수도 Lomé》.

Tógo·lànd *n.* 토골란드《아프리카 서부의 옛 독일령(領) ; 제1차 대전 후 서부는 영국의 위임 통치령, 동부는 프랑스의 위임 통치령으로 된 후, 서부는 가나 독립시에 그 일부가 되고 동부는 독립하여 토고 공화국이 됨》.

To·go·lese [tòugoulíːz, -s] *n.* (*pl.* ~) 토고인.
—— *a.* 토고인의.

toil**[1] [tɔ́il] *vi.* [動/+前+名/+副] **1** (장시간) 고되게 일하다, 힘써 일하다 : ~ ***at a task 끊임없이 일을 하다 / ~ ***for*** one's living 생계를 위해서 애써 일하다 / He ~*ed* ***on*** till he was past eighty. 80고개를 넘도록 일을 계속했다. **2** 애써서 나아가다, 힘들게 걷다 : ~ *up* a steep slope 가파른 고개를 애써 오르다 / He had to ~ ***along*** (the muddy road). 그는 (진창길을) 힘들게 걸어가야 했다.
—— *vt.* 애써서 성취하다〈*out*〉.
toil and moil ☞ MOIL.
—— *n.* Ⓤ 애쓰기, 고생 ; 고된 일, 노역.
~·er *n.* 임금 노동자 ; 고생하는 사람.
〚AF *toil*(*er*) (to) dispute<L〛
類義語 ⟹ WORK.

toil[2] *n.* [보통 *pl.*] 짐승 잡는 그물[올가미] ; [*pl.*] 덫, 함정 ; 《비유》 (법률 따위의) 구속[속박]하는 것[힘] : be caught in the ~*s* of the law 법망에 걸리다. 〚OF *toile*<L *tela* loom, web〛

toile [twáːl] *n.* 얇은 아마포의 일종.
〚F=cloth (↑)〛

toile de Jouy [twàːl də ʒwíː] *n.* 단색 무늬의 실내 장식용 천. 〚F〛

***toi·let** [tɔ́ilət] *n.* **1** 화장실, 세면실, 변소 ; 《美》 욕실(浴室). **2** 화장, 몸단장 : make one's ~ 화장하다, 몸치장하다. **3** 옷맵시, 옷차림 ; 복장. **4** 화장 도구 ; 화장대(= ~ table). **5** 〖醫〗 (외과에서 수술 후의) 세정(洗淨). —— *a.* 화장(용)의 ; 변기용의 : ~ articles 화장 도구 일습(cf. TOILETRY). —— *vi.* 화장을 하다 ; (유아가 스스로) 용변을 보다. —— *vt.* …에게 화장을 시키다 ; (유아에게) 용변을 누이다.
〚F *toilette* cloth, wrapper (dim.) < TOILE〛

tóilet bòwl *n.* 변기(便器).

tóilet clòth [**còver**] *n.* 화장대보, 경대보.

tóilet pàper [**tìssue**] *n.* (보통 두루마리로 된) 화장지, 휴지, 뒤지.

tóilet pòwder *n.* Ⓤ (목욕, 면도 후에 사용하는) 화장분.

tóilet quéen *n.* 남자(공중)변소를 어슬렁거리며 상대를 찾거나 변소 안에서 동성애 행위를 하는 동성애자.

tóilet ròll *n.* 두루마리 화장지.

tóilet ròom *n.* 화장실 ; 《美》 (변기가 딸린) 세면장, 욕실.

tóilet·ry *n.* [보통 *pl.*] 화장품《비누·치약 따위의 세면 용구를 포함함》.

tóilet sèat *n.* (변기의) 앉는 부분.

tóilet sèt *n.* 화장 도구 (한 벌).

tóilet sòap *n.* Ⓤ 화장 비누.

tóilet tàble *n.* 화장대, 경대.

toi·lette [tɔilét, twɑː-] *n.* 화장, 몸단장 ; 의상, 옷. 〚F〛

tóilet tràining *n.* (어린 아이가 스스로 용변을 볼 수 있도록 하는) 배변 훈련.

tóilet vìnegar *n.* 손씻는 물에 타는 향수가 들어 있는 식초.

tóilet wàter *n.* Ⓤ 화장수《목욕·면도 후에 쓰는 미안수 따위》.

tóil·ful *a.* **1** =TOILSOME. **2** 힘써 일하는, 근면한.

tóil·less *a.* 힘이 들지 않는, 편한.

tóil·some *a.* 힘드는, 고된.

tóil·wòrn *a.* 고생하여 야윈[지친] ; 고생한 흔적이 보이는.

tó-infínitive *n.* 〖文法〗 to부정사.

tó-ing and fró-ing *n.* (*pl.* **tó-ings and fró-ings**) 《口》 바쁘게 왔다갔다 함, 왕래, 법석.

to·ka·mak, to·ko- [tóukəmæ̀k, ták-] *n.* 〖理〗 토카막《핵융합용 플라스마 발생 장치》. 〚Russ.〛

To·kay [toukéi] *n.* Ⓤ 토케이 포도주《헝가리의 포도주 산지 이름에서》; 토케이 포도《알이 굵고 닮》; 캘리포니아산(產)의 백포도주.

toke [tóuk] *n.* **1** 《英俗》 음식물, (특히) (한 사람 분의) 빵. **2** 《美俗》 마리화나 담배를 한 대 피움.
—— *vt.* 《美俗》 마리화나 담배를 피우다.
〚C20< ? ; TOKEN인가〛

***to·ken** [tóukən] *n.* **1 a)** 표, 징후, 증거, 상징(mark, sign) ; 〔컴퓨〕 징표 : Black is a ~ *of* mourning. 검은 것은 상(喪)을 입었다는 표다. **b)** 특징, 특색. **c)** 전체를 대표하는 일부분 ; 증거로 삼는 것. **2** 기념품, 유물 ; 증거품 ; 〔聖〕 징조, (하느님 힘의) 현현(顯現) : a birthday ~ 생일 기념품. **3** ＝TOKEN COIN. **4** 《古》 암호, 군호, 신호(signal). **5** [형용사적으로] 표시가 되는 ; 명색뿐인 : a ~ ring 약혼 반지 / a ~ protest[resistance, strike] 명색뿐인 항의[저항·파업] / ~ import 〔商〕 명목 수입《장차 본격적으로 수입할 뜻을 내포한 소액의 수입》.

by the same token**＝by this*** [***that***] ***token*** ⑴ 그 증거로는, 더구나, 게다가(furthermore). ⑵ 《美》 같은 이유로, 마찬가지로.

in [***as a***] ***token of*** …의 표시[증거]로 ; …의 기념으로.

more by token 《古》 더한층, 더욱더, 점점 더(the more so).

── *vt.* …의 표시다, 상징하다. ── *vi.* 표시로서 생기다, 증거하다.

〚OE *tāc*(*e*)*n* (⇨ TEACH) ; cf. G *Zeichen*〛

類義語 ⟹ PLEDGE, SIGN.

tóken còin *n.* (지하철·버스 요금 따위에 쓰이는) 대용 화폐.

tóken·ìsm *n.* 명목상의 흑인 고용《법과 여론의 압력에 못이겨 하는 소수의 흑인 채용》.

tóken mòney *n.* Ⓤ 명목 화폐《지폐 따위》 ; 대용 화폐(cf. TOKEN COIN).

tóken páyment *n.* Ⓤ,Ⓒ (부채의 잔액 지급을 보증하는) 일부 지급.

tóken vóte *n.* 《英》 (의회의) 지출 결의《그 표시 금액은 후에 추가 예산에서 변경할 여지가 있음》.

toko ☞ TOCO.

tokology ☞ TOCOLOGY.

To·kyo [tóukiou] *n.* 도쿄, 동경(東京)《일본의 수도(首都)》.

To·kyo·ite [tóukiouàit] *n.* 도쿄 사람.

tol- [tál], **tolu-** [tálju] *comb. form* 「톨루엔(toluene)」의 뜻.

to·la [tóulə, toulɑ́:] *n.* 인도의 중량 단위《금형(金衡) 180 grains ; 11.6638g》. 〚Hindi〛

to·laz·o·line [toulǽzəlì:n, -lən] *n.* 〔藥〕 톨라졸린《말초 혈관 확장제》.

tolbooth ☞ TOLLBOOTH.

tol·bu·ta·mide [tɑlbjú:təmàid] *n.* 〔藥〕 톨부타미드《내복용 당뇨병 치료제》.

◇**told** *v.* TELL의 과거·과거분사.

tole[1] ☞ TOLL[3].

tole[2] [tóul] *n.* 톨《쟁반·상자 제조용의 채색된 금속판 ; 그 제품》. 〚F＝sheet metal〛

To·le·do [təlí:dou] *n.* **1** 톨레도《스페인 중부의 주(州)》. **2** Ⓒ 톨레도검《톨레도산의 명검(名劍)》. **3** 털리도《미국 Ohio 주의 항구 도시》.

tol·er·a·ble [tálərəbəl] *a.* **1** 참을 수 있는(bearable), 허용할 수 있는. **2** 상당한, 꽤 좋은(fairly good) ; 《口》 꽤 건강한 : a ~ income 상당한 수입 / be in ~ health 꽤 건강하다. **-bly** *adv.* 참을 수 있을 만큼 ; 꽤, 어지간히(fairly). **~·ness** *n.* **tòl·er·a·bíl·i·ty** *n.*

tol·er·ance [tálərəns] *n.* **1** Ⓤ 관용, 관대 ; 아량, 포용력. **2** Ⓤ 〔醫〕 내약력(耐藥力), 내성(耐性), 허용(許容) ; 〔造幣〕 공차(公差) ; 〔機〕 공차, 오차 허용도 ; 〔컴퓨〕 허용 한계. **3** 〔食品〕 (식품 중의 살충제의) 잔류 허용 한계량. **4** 참음, 인내(력). **5** 〔生態〕 (생물의 환경에 대한) 내성(耐性).

tólerance lìmits *n. pl.* 〔統〕 허용[공차] 한도.

tól·er·ant *a.* **1** 관대한, 아량이 있는 : be ~ *of* … 을 참아내다, …에 관대하다. **2** 〔醫〕 내성(耐性) 있는. **3** 신앙의 자유를 지지하는. **~·ly** *adv.*

tólerant socíety *n.* ＝PERMISSIVE SOCIETY.

***tol·er·ate** [tálərèit] *vt.* **1** [＋目/＋do*ing*] 묵인하다, 허용하다, 너그러이 보아주다, 관대하게 다루다 : I cannot ~ your carelessness[your *being* careless]. 네가 부주의한 것을 너그러이 보아줄 수 없다. **2** 참아내다 ; 참고 동석(同席)[교제]하다 : Why will you ~ that impudent fellow? 너는 왜 저런 염치 없는 사람과 억지로 사귀려고 하는가 / The people could not ~ the military regime. 국민은 군사 정권을 참아낼 수가 없었다. **3** 〔醫〕 …에 대해 내성(耐性)이 있다. **-à·tive** *a.* **-à·tor** *n.* 〚L *tolerat- tolero* to endure〛

類義語 ⟹ BEAR[1].

tol·er·a·tion [tàləréiʃən] *n.* **1** Ⓤ 용인, 관용, 묵인 ; 인내. **2** Ⓤ 〔宗〕 신앙의 자유 : the Act of *T*~ 〔英史〕 신교(信敎) 자유령(1689).

~·ism *n.* **~·ist** *n.*

tol·i·dine [tálədì:n, -dən] *n.* 〔化〕 톨리딘《벤지딘계(系) 물감의 중간체》.

toll[1] [tóul] *vt.* **1** (만종(晩鐘)·조종(弔鐘) 따위를) 천천히 치다, 울리다 : ~ a bell at a person's death 남의 죽음에 임해 조종을 울리다. **2** (시계·종 따위가 시간을) 알리다 ; (사람의 죽음을) 종을 쳐서 알리다 ; (사람을) 종을 울려[쳐]서 부르다 : The bell ~*ed* six[his death]. 종이 여섯 시[그의 죽음]를 알렸다. ── *vi.* (종이) 천천히 (일정한 가락으로) 울리다.

── *n.* [단수형만으로 쓰여] (천천히 일정한 간격을 두고 울리는) 종소리.

〚ME *tollen* (now dial.) to entice, pull〛

***toll**[2] *n.* **1** 사용료, 요금《통행세·교량세·뱃삯 ; 고속도로 통행세 ; 시장이나 장날의 자릿세·가겟세 ; 항만의 적화(장)(積貨(場))료 ; 철도[운하] 운임 따위》. **2** 《비유》 희생, 대가 ; 손해, 사상자 수 : take a heavy ~ *of* lives (사고 따위가) 많은 사상자를 내다 / The ~ of the accident was 5 persons dead and 100 persons injured or missing. 그 사고의 희생자는 사망자 5명, 부상 및 행방불명자가 100명이었다. **3** 사용세[료] 징수권. **4** 장거리 전화료. **5** 《英》 (원래는) 방앗간의 빻는 세[제분료(製粉料)](로 징수한 곡물의 일부).

take toll of …의 일부를 공제하다(cf. 5) ; …에게 손해를 입히다.

〈회화〉
Is this a *toll* road? — No, it isn't. 「이 길은 유료도로인가요」「아니예요」

── *vt.* (물건)의 일부를 요금으로 받다 ; (물건을) 요금으로 징수하다 ; …에게 사용료[요금]를 부과하다.

── *vi.* 통행세 따위를 걷다[치르다].

~·age *n.* Ⓤ 사용료, 통행료 ; 그 징수[지급].

〚OE<L *toloneum*<Gk. (*telos* tax)〛

toll[3], **tole** [tóul] *vt.* (사냥감·물고기를) 유인하다 ; (먹이·미끼를) 뿌리다 ; (가축을) 이끌다.

── *vi.* 권유[지도]에 따르다. 〚TOLL[1]〛

tóll bàr *n.* (통행세 징수소 따위의) 차단봉(棒) ; 통행 요금 징수 게이트.

toll·booth, tol- [tóulbù:θ, -bù:ð ; tɔ́l-] *n.* (유료 도로의) 통행세 징수소 ; 《스코》 교도소 ; 구치소.

tóll brìdge *n.* 통행세를 받는 다리, 유료 교량.

tóll càll *n.* 《美》 시외 통화 ; 《英》 (이전의) 근거리 시외 통화.

tóll collèctor *n.* (통행) 요금 징수원[기(器)].

tóll·er[1] *n.* (통행) 요금 징수원[기]. 〖TOLL[2]〗
toller[2] *n.* 종을 치는 사람 ; 종. 〖TOLL[1]〗
tol·ley [táli] *n.* 구슬치기의 구슬. 〖C20＜?〗
tóll-frèe *a.* 《美》 무료 장거리 통화의《기업의 선전·공공 서비스 따위에서 요금이 수화자(受話者) 부담임》.
tóll·gàte *n.* 통행료 징수소 ; (고속도로의) 요금 징수소.
tóll hìghway *n.* 유료 도로.
tóll·hòuse *n.* 통행료 징수 사무소.
tóllhouse cóoky *n.* 《美》 초콜릿(과 땅콩)이 들어간 쿠키.
tóll·ing dóg *n.* 오리 몰이를 하는 작은 사냥개.
tóll·kèep·er *n.* 통행료 징수원.
tóll lìne *n.* 장거리 전화선(線).
tóll·man *n.* ＝TOLLKEEPER.
tol-lol [talál] *a.* 《英俗》 좋지도 나쁘지도 않은, 어지간한.
tóll ròad *n.* 유료 도로.
tóll thòrough *n.* 〔英法〕 도로세, 교량세.
tóll tràverse *n.* 〔英法〕 사유지 통행세.
tóll TV *n.* Ⓤ 유료 텔레비전.
tóll·wày *n.* ＝TOLL ROAD.
tol·ly[1] [táli] *n.* 《英俗》 양초(candle). 〖TALLOW〗
tol·ly[2], **-lie** [táli] *n.* 《南아》 수송아지.
Tol·stoy, -stoi [tɔ(:)lstɔ́i, toul-, tal-, ∸-] *n.* 톨스토이. **Lev Nikolaevich** ～ (1828-1910) 러시아의 문호. **～·an** *a., n.* **～·ìsm** *n.* **～·ist** *n.*
Tol·tec [tóultek, tál-] *n.* (*pl.* ～, **～s**) 톨테크족《10세기경 중앙 Mexico에서 번영했던 인디언》. —— *a.* 톨테크족[문화]의.
tolu- [tálju] ☞ TOL-.
tol·u·ate [táljuèit] *n.* 〔化〕 톨루엔산염(酸鹽) [에스테르].
to·lú bálsam [təlú:-] *n.* 톨루 발삼《남미산의 교목 톨루발삼나무에서 채취하는 방향수지》.
tol·u·ene [táljuì:n] *n.* 〔化〕 톨루엔《무색의 가연성 액체 ; 염료·화약 원료》. 〖*tolu*＋*-ene*〗
to·lu·ic [təlú:ik] *a.* 〔化〕 톨루산(酸)의 : ～ acid 톨루산(酸).
tol·u·ide [táljuàid], **-id** [-əd], **to·lu·i·dide** [təlú:ədàid] *n.* 〔化〕 톨루이드, 톨루이디드《톨루이딘에서 유도되는 1가(價)의 원자단》.
to·lu·i·dine [təlú:ədì:n] *n.* 〔化〕 톨루이딘《벤젠의 메틸아미노 유도체 ; 염료 제조용》.
tolúidine blúe *n.* 〔化〕 톨루이딘 블루《흑색 분말의 핵(核) 염료용》.
tol·u·ol [táljuɔ̀(:)l, -òul, -àl] *n.* 〔化〕 톨루올《상품화된 toluene ; 염료·화약의 원료》.
tol·u·yl [táljuəl] *n.* 〔化〕 톨루일(기(基)) (＝∸ **ràdical**[**gròup**])《1가(價)의 아실기(基)》.
Tom [tám] *n.* **1** 남자 이름《Thomas의 애칭》. **2** [t～] (여러 동물의) 수컷, (특히) 수코양이. **3** ＝LONG TOM.
Tom, Dick, and Harry 너나할것없이, 아무나, 어중이떠중이.
tom·a·hawk [támihɔ̀:k] *n.* **1** (북미 인디언의) 전투용 도끼, 전부(戰斧). **2** [T～] 토마호크《미해군의 순항 미사일》.
bury [***lay aside***] ***the tomahawk*** 화목하다.
raise [***dig up, take up***] ***the tomahawk*** 전투를 시작하다.
—— *vt.* **1** 도끼로 자르다[죽이다]. **2** (서적·저자 등을) 혹평하다. **～·er** *n.*
〖C17 *tomahack*＜N. Am. Ind. (Renape)〗
tom·al·ley [támæli, təmǽli] *n.* 〔料〕 바닷가재의 간(肝)《삶으면 녹색으로 됨 ; sauce로 씀》.
to·man [təmá:n] *n.* 페르시아의 금화. 〖Pers.〗
Tóm and Jérry *n.* **1** 톰과 제리《⑴ 영국의 저술가 Pierce Egan, the elder (1772-1849)가 저술한 런던 풍류객의 행상기(行狀記) *Life in London* 속의 2명의 풍류객. ⑵ 미국의 동명(同名)의 만화영화(1937)의 고양이와 쥐》. **2** 럼주(酒)의 계란 혼합주.
***to·ma·to** [təmá:tou, 美＋-méi-] *n.* (*pl.* **～es**) **1** 토마토 : ～ juice 토마토 주스. **2** 《美俗》 매력적인 여자, 소녀 ; 《美俗》 매춘부 ; 《美俗》 3류 복서.
～·ey [-toui] *a.*
〖C17 *tomate*＜F or Sp.＜Nahuatl *tomatl*〗
tomáto àspic *n.* 〔料〕 토마토 아스픽《토마토 주스에 향미료를 넣고 만든 젤리》.
tomáto càn *n.* 《美》 경찰관 배지(badge).
tomáto càtsup[**càtchup**] *n.* 토마토 케첩.
***tomb** [tú:m] *n.* **1** 무덤, 묘 ; (지하의) 납골당(納骨堂). **2** 묘석, 묘비. **3** [the ～] 죽음. **4** [the T～s] 《美》 New York 시 교도소. —— *vt.* 매장하다 ; 가두어 넣다, 유폐하다.
～·less *a.* **～·lìke** *a.*
〖AF *tumbe*＜L＜Gk. ; cf. TUMOR, TUMULUS〗
tom·bac, -bak, -back [támbæk] *n.* Ⓤ 톰백《구리와 아연의 합금 ; 값싼 장신구 따위에 쓰임》.
tom·bo·la [tambóulə] *n.* 복권의 일종.
〖F or It. (*tombolare* to tumble)〗
tom·bo·lo [támbəlòu, tóum-] *n.* (*pl.* **～s**) 〔地〕 톰볼로, 육계사주(陸繫砂洲)《섬과 다른 육지를 연결하는 모래톱》.
〖It.＜L TUMULUS〗
tóm·bòy *n.* 말괄량이.
tómb·stòne *n.* 묘비, 묘석. —— *a.* 《美俗》 사자(死者)의.
tómbstone lòans *n. pl.* 《美俗》 사망한 사람의 이름을 이용한 은행 차입.
tómbstone vòtes *n. pl.* 《美俗》 사망한 사람의 이름을 이용한 부정 투표.
tóm·càt *n.* 수코양이 ; 《美俗》 여자 꽁무니를 따라다니는 남자 ; [T～] 《美》 톰캣, 함재 전투기《F 14의 애칭》. —— *vi.* (**-tt-**) 《美俗》 여자의 꽁무니를 따라다니다〈*around*〉.
tóm·còd *n.* 〔魚〕 대구속(屬)의 작은 물고기.
Tóm Cóllins *n.* 톰 콜린즈《진(gin)에 레몬 주스·소다수를 타서 얼음을 넣은 칵테일》.
tome [tóum] *n.* (여러 권으로 된 저서의) 한 권 ; 큰 책, 학술서.
〖F＜L＜Gk. ＝a slice (*temnō* to cut)〗
-tome [tòum] *n. comb. form* 「자른 조각」「절개도(刀)」「절제기」의 뜻 : myo*tome*, micro*tome*.
〖Gk. *tomē* a cutting (↑)〗
to·men·tose [təméntous, tóumən-], **-tous** [təméntəs] *a.* 〔解〕 양털 같은 ; 〔植〕 (양털 같은) 면모(綿毛)로 뒤덮인.
to·men·tum [təméntəm] *n.* (*pl.* **-ta** [-tə]) 〔動·植〕 솜털, 면모(綿毛) ; 〔解〕 (모세혈관으로 된) 연뇌막(軟腦膜)의 모상내면(毛狀內面). 〖L〗
tóm·fóol *n.* 어리석은 자, 멍텅구리 ; [T～] 어릿광대. —— *a.* 바보의, 어리석은 : a ～ speech 어리석은 소리. —— *vi.* 어리석은 짓을 하다, 어릿광대짓을 하다. **tòm·fóol·ish** *a.*
〖*Tom Fool*「어리석음」의 의인화〗
tòm·fóol·ery *n.* **1** Ⓤ 바보[광대]짓. **2** 실없는 농담 ; 시시한 것.
tóm·gìrl *n.* ＝TOMBOY.
Tóm·ism *n.* ＝UNCLE TOMISM.
tom·my [támi] *n.* **1** [보통 T～] 《英》＝TOMMY ATKINS ; 《美俗》 ＝TOMBOY. **2 a)** 〔機〕 나사돌리

개 ; 스패너 ; 자루 달린 너트 돌리개(=∼ **bàr**). **b**) =TOMMY GUN ; 기관총 사수. **3** 《英》 노동자가 휴대하는 도시락 ; 임금 대신 주는 흑빵[음식] ; 빵 덩어리 ; 현물 급여(제) (truck system) ; = TOMMY SHOP. **4** 《美俗》 토마토.

soft tommy 〔海〕 말랑말랑한 빵, 새 빵.

〖TOM〗

Tommy, -mie *n.* 남자 이름《Thomas의 애칭》.

Tómmy Átkins *n.* (*pl.* ∼) 영국 병사《별명》.

Tómmy còoker *n.* (작고 간편한) 휴대용 석유 스토브.

tómmy gùn *n.* 《美》 톰슨(Thompson)식 기관총 ; (일반적으로) 경기관총.

tómmy-gùn *vt.* tommy gun으로 쏘다.

tómmy·ròt *n.* Ⓤ 《俗》 허튼소리, 난센스.

tómmy shòp *n.* 공장 내의 매점 ; (원래) 현물 지급 임금제 공장 ; 빵 가게.

tóm·nòddy *n.* 바보, 얼간이.

tó·mo·gràm [tóumə-] *n.* 〔醫〕 (X선) 단층(斷層) 사진. 〖Gk. *tomos* slice〗

tó·mo·gràph [tóumə-] *n.* 〔醫〕 (X선) 단층 촬영기(撮影機).

to·mog·ra·phy [təmágrəfi] *n.* Ⓤ 〔醫〕 (X선) 단층 촬영술.

◇**to·mor·row, to-mor·row** [təmárou, 美+-mɔ́ːr-] *adv.* **1** 내일, 명일(은) : ∼ week ☞ WEEK 숙어 / *T*∼ I shall be free. 내일은 한가할 거예요 / I'm starting ∼. 내일 출발할 예정입니다. **2** (가까운) 장래에는 : People ∼ will think differently. 미래의 사람들은 다르게 생각할 것이다. ―― *n.* **1** Ⓤ 내일, 명일 : ∼ morning [afternoon, evening, night] 내일 아침[오후, 저녁, 밤] 《부사적으로도 씀》 / the day after ∼ 모레《부사적으로도 씀》 / *T*∼ is[will be] Sunday. 내일은 일요일이다 / Don't put it off till ∼. 내일까지 미루지 마라 / *T*∼ never comes. 《속담》 내일은 결코 오지 않는다《오늘 할 일은 오늘 해야 한다》 / You will read the news in ∼'s newspaper. 그 뉴스는 내일 신문에 날 것이다. **2** Ⓤ (가까운) 장래 : Korean's ∼ 한국인의 장래 / the world of ∼ 내일의 세계.

〖OE *tō morgenne* ; ⇨ TO, MORROW〗

tompion ☞ TAMPION.

Tóm Shów *n.* 《美》 Uncle Tom's Cabin극《순회 공연하는 연극》.

Tóm Thúmb *n.* (동화에 나오는) 엄지손가락 톰, 난쟁이 ; Ⓒ 작은 사람[동물·식물].

Tóm Tíddler's gròund *n.* 아이들의 땅뺏기 놀이 ; 줍는 대로 (쉽게) 물건을 얻을 수 있는 땅, 노다지판 ; 《俗》 (영유권을 둘러싼) 분쟁 지구.

tom·tit [támtìt, ⌐⌐] *n.* 《英》 〔鳥〕 =TITMOUSE ; (일반적으로) 동작이 빠른 작은 새. 〖TOM〗

tom-tom [támtàm] *n.* 톰톰《인디언이나 아프리카 원주민 등이 쓰는 몸통이 긴 북》 ; 둥둥《tom-tom 따위의 소리》, 단조로운 리듬. ―― *vi.* 둥둥 소리를 내다 ; 북소리로 신호하다. ―― *vt.* (리듬을) 둥둥 소리로 내다. 〖Hindi. *tamtam* (imit.)〗

tom-tom

Tóm Tý·ler [-táilər] *n.* 《廢》 사나이 ; 공처가, 엄처 시하의 남편.

-t·o·my [⌐təmi] *n. comb. form* 「분단」 ; 〔外科〕 「절제」 「절개(술)」의 뜻 : ana*tomy*. 〖Gk. (*temnō* to cut)〗

***ton**[1] [tʌ́n] *n.* (*pl.* **∼s**, ∼) (cf. TONNAGE) **1** [중량 단위] 톤(=20 hundredweight) : **a**) 영국톤《long ton=2240파운드, 1016.1 kg》. **b**) 미국톤《short ton=2000파운드, 907.2 kg》. **c**) 프랑스[킬로그램]톤, 미터톤 《metric ton=1000 kg》. **2** [부피의 단위] 용적톤 《measurement ton=40세제곱피트》. **3** [배의 크기·적재 능력의 단위] 톤 : **a**) 총(總)톤《100세제곱피트》. **b**) 순(純)톤《net ton ; 총톤에서 화물·여객의 적재에 이용될 수 없는 부분의 용적을 뺀 것》. **c**) 용적톤《cf. 2 ; 순톤 산출용(算出用)》. **d**) 중량(重量)톤 《deadweight ton=2240파운드 ; 화물선용》. **e**) 배수(排水)톤 《displacement ton=2240파운드 ; 군함용》. **f**) 등록톤 《register ton=100세제곱피트》. **4** [흔히 *pl.*] 《口》 상당한 중량, 다량(多量), 다수 : This box weighs (half) a ∼. 이 상자는 상당히 무겁다 / That is ∼*s better.* 그 편이 훨씬 좋다 / The couple got ∼*s of* wedding presents. 그 부부는 결혼 선물을 많이 받았다. 〖TUN〗

ton[2] [*F* tɔ̃] *n.* (*pl.* **∼s** [―]) 유행(fashion) ; 유행형[양식] ; 상류사회.

in the ton 유행하여.

〖F<L TONE〗

-ton [tən] *n. suf.* 「…한 사람」 「…한 것」의 뜻 : simple*ton*, single*ton*.

〖*tone*(dial.) one ; cf. TOTHER〗

ton·al [tóunəl] *a.* 가락의, 음조의, 음색의 ; 〔樂〕 조성(調性)을 가진 ; 〔畫〕 색조의. **∼·ly** *adv.*

to·nal·i·ty [tounǽləti] *n.* 〔樂〕 조성(調性) ; 주조(主調) ; 〔畫〕 색조, 색체의 배합, 배색.

tó·nàme [túː-] *n.* 《스코》 (주로 동성 동명인을 구별하기 위한) 이명(異名), 별명.

ton·do [tándou] *n.* (*pl.* **-di** [-diː]) 〔美術〕 원형의 회화. 〖It. =circle (*rotondo* round plate)〗

‡**tone** [tóun] *n.* **1** 음조, 음색 ; 〔樂〕 고른음(音) : heart ∼*s* 〔醫〕 심음(心音) / a fundamental ∼ 바탕음 / a partial ∼ 부분음. **2** 어조, 어투, 어세, 논조 : speak in a sad ∼ 슬픈 어조로 이야기하다. **3** 〔音聲〕 음의 높낮음 ; 억양 : the four ∼*s* (중국어의) 4성(聲) / the upper[lower, even] ∼ 상[하·평(平)]성(聲). **4** (사상·감정 따위의) 경향, 풍조 ; (연설 따위의) 품격, 격조 ; 시황(市況) ; 추세 : the ∼ *of* the school[army] 교풍(校風)[군기(軍紀)]. **5** Ⓤ (신체·기관(器官)의) 활동할 수 있는 상태, 정상 상태, (근육 따위의) 긴장 상태. **6** 〔畫〕 색조 ; 농담(濃淡), 명암. **7** 〔寫〕 (양화(陽畫)의) 색조. **8** 〔컴퓨〕 음조, 톤.

in a tone 일치하여.

take a high tone 큰소리를 치다.

―― *vt.* …에 어떤 음조[색조]를 주다 ; 〔樂〕 (악기의) 음조를 맞추다 ; 〔寫〕 (약품으로 사진을) 조색(調色)하다 ; (색·그림을) 어떤 색채로 하다.

―― *vi.* [+前+名/+副] 조화적인 색조를 띠다 ; (색채가) 조화되다 : This carpet ∼*s* (***in***) well ***with*** the furniture. 이 융단은 가구의 색깔과 잘 조화되고 있다.

tone down (1) (*vt.*) (색채·어조 따위를) 낮추다, 부드럽게 하다, (감정 따위를) 누그러지게 하다 : ∼ *down* a person's anger 남의 분노를 누그러지게 하다 / He never ∼*d down* his criticism on the government. 그는 결코 정부에 대한 비판의 강도를 낮추지 않았다. (2) (*vi.*) 누그러지다, 부드러워지다, 가라앉다 : His anger has ∼*d down*. 그의 분노는 가라앉았다.

tone up (1) (*vt.*) (색체·어조 따위를) 올리다,

높이다, (체력 따위를) 강화하다 : This exercise ~*s up* the abdominal muscles. 이 운동은 배의 근육을 튼튼하게 한다. (2) (*vi.*) 가락[음조]이 올라가다, 높아지다, 강해지다.
〖F<L<Gk. *tonos* tension, tone (*teinō* to stretch)〗
類義語 ⟹ SOUND[1].

tóne àccent *n.* =PITCH ACCENT.
tóne àrm *n.* (레코드 플레이어의) (톤)암.
tóne còlor *n.* 〔樂〕 음색 ; 〔文藝〕 격조, 풍격.
tóne contròl *n.* 음질 조절(장치).
toned [tóund] *a.* [때때로 합성어로] (…한) tone 이 있는[을 특색으로 하는] ; (종이가) 엷은 빛을 띤 : shrill-~.
tóne-dèaf *a.* 〔醫〕 음치의.
tóne dèafness *n.* 〔醫〕 음치.
tóned páper *n.* 엷은 (크림)색의 종이.
tóne lànguage *n.* 〔言〕 음조[성조(聲調)] 언어 《중국어처럼 음조의 변화에 의해서 말의 뜻을 구별하는 언어》.
tóne·less *a.* 음조[억양]가 없는 ; 색조가 없는 ; 단조로운. **~·ly** *adv.* **~·ness** *n.*
to·neme [tóuni:m] *n.* 〔音聲〕 음조소(音調素)《보통 동일한 음조로 다루어지는 일단(一團)의 유사한 음조 ; cf. PHONEME》. 〖*tone*+*-eme*〗
tóne pòem *n.* 〔樂〕 음시(音詩) (symphonic poem)《시적인 주제를 표현하는 관현악곡 ; cf. PROGRAM MUSIC》; 《美》 시적 색조의 회화.
tóne quálity *n.* Ⓤ 음색(timbre).
ton·er [tóunər] *n.* **1** 음조를 조정하는 사람[것] ; 페인트의 색과 질을 검사하는 사람. **2** 〔寫〕 조색액(調色液) ; (전자 복사의) 현상재(材) ; 토너《무기안료를 함유하지 않은 유기안료로 다른 안료의 색 배합이나 조색에 쓰임》.
to·net·ic [tounétik] *a.* 음조[성조]의 ; 억양의 ; 음조[성조] 언어의. **-i·cal·ly** *adv.*
to·nét·ics *n.* 음조학(音調學).
to·nette [tounét] *n.* 토넷《소형의 피플 플루트 (fipple flute)》. 〖*tone*+*-ette*〗
tong[1] [táŋ, 美+tɔ́:ŋ] *n.* **1** (중국의) 당(黨), 협회, 결사, 조합. **2** (중국인의) 비밀 결사. **3** 《美俗》 학생 사교 클럽 하우스. 〖Chin. 탕(堂)〗
tong[2] *vt.* 부젓가락《따위》(tongs)으로 집다[모으다, 다루다]. ── *vi.* 부젓가락《따위》을 쓰다.
ton·ga [táŋgə, 美+tɔ́:ŋ-] *n.* (인도나 파키스탄 따위에서 사용되는 소형) 2륜 마차. 〖Hindi〗
Tonga *n.* 통가 왕국《영연방국내의 독립국 ; 수도 Nukualofa》.
Tongking ☞ TONKIN.
tongs [táŋz, 美+tɔ́:ŋz] *n. pl.* [또는 a pair of ~] 부젓가락 ; …집게 ; (머리를 지지는) 집게 인두 : coal[ice, sugar] ~ 석탄[얼음·각설탕] 집게 / go [be] at it hammer and ~ ☞ HAMMER *and* ~*s* / I wouldn't touch him[it] with a pair of ~. 《英》 저런 놈[것]은 부젓가락으로도 건드리기조차 싫다《딱 질색이다》(cf. BARGE POLE).
〖(pl.) ‹ *tong*<OE *tang*(*e*) ; cf. G *Zange*〗
‡tongue [tʌ́ŋ] *n.* **1 a)** 혀 : a coated[dirty, furred] ~ 설태(舌苔) / put[stick] out one's ~ 혀를 내밀다《경멸하거나 또는 진찰을 받거나 할 때》/ on the tip of one's ~ ☞ TIP[1] 숙어 / wag one's ~ ☞ 숙어. **b)** Ⓤ.Ⓒ 〔料〕 (소·양 따위의) 혓바닥 고기 : stewed ~ 혓바닥 고기 스튜 / boil an ox ~ 소의 혓바닥 고기를 삶다. **2** (말을 하는) 혀, 입 : **a)** 말 ; 발언, 담화. **b)** 변설 ; 말투 : a long ~ 장광설, 수다 / have a ready [fluent] ~ 능변이다 / have a spiteful[bitter] ~ 입버릇이 사납다. **c)** 언어, 국어 ; 외국어 : one's mother ~ 모국어 / the ancient ~*s* 고대어(古代語) / the confusion of ~*s* 〔聖〕 말의 혼란. **d)** 어떤 국어를 쓰는 민족[국민] : all ~*s* 〔聖〕 모든 (국어의) 민족. **3** 혀 모양의 물건, 혀 같은 것 : **a)** 좁고 긴 곶(串) ; 좁은 후미, 좁은 해협. **b)** (구두의) 혓바닥 가죽《구두끈이나 잠그개 밑에 있는 가죽》. **c)** (종·방울의) 추. **d)** 날름거리는 불길. **e)** 〔樂〕 관악기의 리드. **f)** 〔木工〕 장부촉, 은촉 ; 〔機〕 플랜지(flange)《관(管)을 잇기 위하여 덧붙인 날밑 모양의 것》; (차바퀴의) 불룩한 테두리, 수레의 끌채. **g)** (분도기 따위의) 지침. **h)** (저울의) 지침. **i)** (브로치·버클 따위의) 핀.
find one***'s tongue*** (깜짝 놀란 뒤) 말문이 간신히 열리다.
give[***throw***] ***tongue*** (특히 사냥감을 발견하고 사냥개가) 짖다 ; 《비유》 (사람이) 외치다, 큰소리로 부르다.
have[***speak with***] one***'s tongue in*** one***'s cheek*** 마음에도 없는 말을 하다, 비꼬아[놀리는 투로·경멸하여] 말하다.
hold one***'s tongue*** 침묵을 지키다 : *Hold* your ~! 잠자코 있어!
lose one***'s tongue*** (부끄러움 따위로) 말을 못하다, 말문이 막히다.
on the tongues of men 소문이 나서, 세상 사람들의 입에 올라.
stick[***put***] one***'s tongue in*** one***'s cheek*** 혀끝으로 볼을 볼록하게 하다《풍자·비꼼·경멸 따위의 표정》.
wag one***'s tongue*** 쉴새없이 지껄이다.
── *v.* (**tóngu·ing**) *vt.* **1** (플루트 따위를) 리드로 음정을 조정하며 불다[스타카토로 연주하다]. **2** 《古》 말하다, 진술하다 ; 발음하다. **3** 〔木工〕 (판 따위에 혀 모양의) 은촉을 붙이다.
── *vi.* **1** (플루트 따위를 불 때) 리드로 스타카토의 소리를 내다. **2** 재잘거리다. **3** (개가) 짐승 냄새를 맡고 짖어대다. **4** (불길이) 날름거리다.
~·less *a.* 혀가 없는 ; 잠자코 있는 ; 벙어리의 (dumb). **~·lìke** *a.* 〖OE *tunge* ; cf. G *Zunge*, L *lingua* (earlier *dingua*)〗
tóngue-and-gróove jòint *n.* 〔建〕 은촉이음 (=tongue and groove).
tongued [tʌ́ŋd] *a.* 혀가 있는 ; …혀의, 말투가 …한 : double-~ 혀가 둘인, 일구 이언하는 / foul-~ 입심 사나운.
tóngue deprèssor[**blàde**] *n.* (의사의) 혀누르는 기구, 설압자.
tóngue-fish *n.* 〔魚〕 참서대과(科)의 물고기.
tóngue-in-chèek *a.* 반놀림조의, 불성실한.
tóngue-làsh *vt.* 힐책하다.
~·ing *n.* 힐책, 호된 꾸짖음.
tóngue-tìe *n.* 혀가 짧음, 혀짤배기.
── *vt.* 혀가 돌지 않게 하다, 말을 못하게 하다.
tóngue-tìed *a.* 혀가 짧은 ; (놀람·부끄러움 따위로) 말을 못하는 ; 잠자코 있는, 말이 없는.
tóngue twìster *n.* 혀가 잘 돌아가지 않는 말, 혀가 잘 돌지 않아 발음하기 어려운 말, 빨리 말하기 어려운 어구《Peter Piper picked a peck of pickled pepper.「이 콩깍지는 깐 콩깍지냐 안 깐 콩깍지냐」 따위 ; cf. JAWBREAKER》.
tonguey [tʌ́ŋi] *a.* 《口》 잘 지껄이는, 말하기 좋아하는.
To·ni [tóuni] *n.* 여자 이름《Antonia, Antoinette의 애칭》.
-to·nia [tóuniə] *n. comb. form* 「긴장(증)」의 뜻. 〖L ; ⇨ TONE〗

ton·ic [tánik] *n.* **1** 강장제(劑) ; 《비유》 기운을 북돋우는 것 : a hair ~ 양모제(養毛劑) / Cod-liver oil is a ~. 간유(肝油)는 강장제다 / Your cheering was a real ~ *on* our team. 너희들의 응원이 참으로 우리 팀의 힘을 북돋아 주었다. **2** 《원래 美》 (맛을 낸) 소다수(soda pop). **3** 〔樂〕 으뜸음(keynote). **4** 〔音聲〕 주요한 양음(揚音) 악센트가 있는 음절. ── *a.* **1** (약 따위가) 튼튼하게 하는 ; (공기 따위가) 상쾌한 ; (칭찬 따위가) 기운을 북돋우는 : a ~ medicine 강장제 / The mountain air is ~. 산 공기는 심신을 상쾌하게 한다. **2** 〔樂〕 (특히) 으뜸음의 ; 〔音聲〕 제1강세가 있는, 악센트가 있는 ; 〔言〕 음조로 뜻을 구별하는, 음조언어의 : ~ accent 음조 악센트(cf. STRESS accent) / Chinese is a ~ language. 중국어는 음조 언어다. **3** 〔醫〕 강직성(強直性)의 : ~ convulsions 강직성 경련.
〖F or L ; ⇨ TONE〗

to·nic·i·ty [tounísəti] *n.* **1** Ⓤ (심신의) 건강, 강장(強壯), 강건. **2** Ⓤ 〔生理〕 (근육 조직의) 긴장력, 탄력성.

tónic sol-fá *n.* 〔樂〕 토닉 솔파 계명 창법《성악 교수용》.

tónic spásm *n.* 〔醫〕 긴장성 경련.

tónic wàter *n.* 탄산수(quinine water).

ton·i·fy [tánəfài ; tɔ́ni-] *vt.* 유행시키다 ; (보약 따위로) 몸을 튼튼하게 하다(tone up).

◇**to·night, to-night** [tənáit] *adv.* 오늘밤에(는) : *T*~ I shall be free. 오늘밤 나는 한가합니다 / I hope you will sleep better ~ than you did last night. 오늘밤에는 어젯밤보다 더 편히 주무시길 빕니다. ── *n.* Ⓤ 오늘밤 : This must be done before ~. 이것은 밤이 되기 전에 해야 한다 / ~'s television program 오늘밤의 텔레비전 프로그램. 〖ME ; ⇨ TO, NIGHT〗

tón·ing *n.* Ⓤ 음조를 맞추기 ; 〔寫〕 조색 ; 도금(鍍金) : a ~ bath 〔寫〕 조색욕(調色浴).

to·nite[1] [tóunait] *n.* 뇌약(雷藥)《강력한 면화약(綿火藥)의 일종》.
〖*ton-* (L *tono* to thunder), *-ite*〗

to·nite[2] [tənáit] *n., adv.* 《口》 =TONIGHT.

tonk [táŋk] *n.* 《美俗》 =HONKY-TONK ; 《濠俗》 여자 같은 남자, 호모.

tón·ka bèan [táŋkə-] *n.* 〔植〕 (열대 아메리카산) 통카콩《향료의 원료》. 〖Tupi *tonka*〗

Ton·kin [tánkín], **Tong·king** [táŋkíŋ] *n.* **1** 통킹《인도차이나 북부 ; 베트남 북부의 지방》. **2** [tonkin] 통킹 참대《스키 스톡·낚싯대용》.

ton·let [tʌ́nlət] *n.* (중세 갑옷의) 철 스커트.

tón-míle *n.* 톤마일《톤수와 마일수를 곱한 것으로 철도·항공기 따위의 일정 기간 중의 수송량을 나타내는 단위》.

tonn. tonnage.

ton·nage [tʌ́nidʒ] *n.* (cf. TON ; 略 tonn.) **1** Ⓤ (선박의) 용적(容積)톤수《1톤을 100세제곱피트로 하여 계산함》 : gross ~ 총톤수 / registered ~ ☞ REGISTER TONNAGE / displacement ~ (군함의) 배수톤수《배수하는 물의 중량으로 바닷물 35세제곱피트의 무게를 1톤으로 침 ; cf. TON[1] 3 e)》. **2** Ⓤ 한 나라의 상선(商船)의 총톤수 ; [집합적으로] 선박, 선복(船腹). **3** (일반 중량의) 톤수. **4** Ⓤ (선박·적화(積貨)의) 톤세(稅).
〖TON[1] and OF *tonne* TUN, *-age*〗

tonne [tʌ́n] *n.* 미터톤(metric ton) (☞ TON[1] 1 c))《略 t.》.

ton·neau [tánou, tənóu] *n.* (*pl.* **~s, -neaux** [-z]) (자동차의) 뒷좌석 부분 ; 프랑스의 간편한 2륜 마차. 〖F=cask〗

ton·ner [tʌ́nər] *n.* [복합어를 이루어] …톤(급의) 배[것].

T-O noise [tíːóu ˌ] *n.* 이륙 소음치(騷音値).
〖*t*ake-*o*ff *noise*〗

to·nom·e·ter [tounámətər] *n.* **1** 토노미터, 음진동(音振動) 측정기. **2** 〔醫〕 안압계(眼壓計) ; 혈압계(血壓計). 〖*tone, -o-, -meter*〗

ton·sil [tánsəl] *n.* 〔解〕 편도선(扁桃腺) (almond) : have one's ~*s* out 편도선 절제[적출] 수술을 받다. **tón·sil·lar** *a.* 〖F or L〗

ton·sill- [tánsəl], **ton·sil·lo-** [tánsəlou, -lə] *comb. form* 「편도」의 뜻.

ton·sil·lec·to·my [tànsəléktəmi] *n.* 〔醫〕 편도선 절제[적출]술.

ton·sil·li·tis [tànsəláitəs] *n.* Ⓤ 〔醫〕 편도선염.

ton·so·ri·al [tansɔ́ːriəl] *a.* 이발사의, 이발(기술)의 : a ~ artist[parlor] 이발사[관].

ton·sure [tánʃər] *n.* **1** 삭발(削髮) ; 〔宗〕 삭발식(式) ; 성직(聖職)에 들어감, 출가(出家). **2** (삭발식에서) 머리를 민 부분. ── *vt.* (삭발식에서) …의 머리를 밀다. 〖OF or L (*tons-* *tondeo* to shave)〗

tonsure 2

ton·tine [tántiːn, -ˊ] *n.* 톤틴 연금법(年金法)《가입자에게 해마다 배당되는데 그 중에 사망자가 있을 때마다 배당을 늘려 오래 사는 사람이 많은 배당을 받게 되는 식의 계의 일종》; [집합적으로] 톤틴 연금 조합원. 〖Lorenzo *Tonti* 1653년경 프랑스에서 이 방법을 창시한 Naples의 은행가〗

Ton·to [tántou] *n.* (*pl.* **~, ~s**) 톤토족《아파치 지족(支族)의 원주민》.

tón-ùp [tʌ́n-] *a.* 《英口》 시속 100마일로 모터사이클을 모는, 폭주족의 : ~ boys 폭주족.
── *n.* 폭주족.

to·nus [tóunəs] *n.* 〔生理〕 (근육의) 긴장(도).
〖L=tension, TONE〗

to·ny [tóuni] *a.* 《美口》 멋진, 고상한 ; 사치스런, 유행의 ; 상류 사회의 ; (말씨·태도 따위가) 태깔스러운. ── *n.* 유명[저명]인.

Tony *n.* **1** 남자 이름《Anthony, Antony의 애칭》; 여자 이름《Antoinette, Antonia의 애칭》. **2** (*pl.* **~s**) 토니상(賞) (의 큰 메달) 《미국에서 매년 연극계의 뛰어난 업적에 대하여 주어짐 ; 미국의 여배우 겸 연출가 Antoinette Perry (d. 1946)를 기념하여》.

◇**too** [túː]

> (1) too는 언제나 부사로, 「…도(in addition, also)」의 뜻과 「너무(excessively)」의 뜻으로 나누어진다.
> (2) too는 보통 문장 끝에 놓이는 경우가 많지만, 뜻이 애매하게 될 때는 수식하는 말 바로 뒤에 놓기도 한다 : I like singing, *too*. =《격식어》 I, *too*, like singing. (나도 노래 부르기를 좋아한다.) / I like singing, *too*. (나는 노래 부르기도 좋아한다.)
> (3) 부정문에 계속되는 부정문에서는 too나 also 대신에 not...either, 또는 neither...nor를 쓴다 : He did*n't* go to England, and I did*n't* go, either. = He did*n't* go to England, and *neither* did I. (그는 영국에 가지 않았다. 나도 역시 가지 않았다.)

── *adv.* **1** [전문(全文)을 수식하여] **a)** (…도)

또한, 게다가 : beautiful, and good ~ 아름다운 데다가 또한 선량한 / I can play the piano(,) ~. =I, ~, can play the piano. 나도 (또한) 피아노를 칠 줄 안다. ☞ 活用. **b**) 그렇지만 : But it has its merits, ~. 그러나 그것은 또한 장점도 있다. **c**) (아니) 역시, 정말로, 참으로 : I mean to do it ~. 말뿐이 아니고 참으로 할 작정이다. **d**) 《美口》[상대방의 부정적인 말을 반박하여] 아니 : He doesn't go there often.—He does ~. 그는 그곳에는 별로 안간다—아니야 잘만 가더라. **2** [형용사·부사를 수식하여] **a**) [+*to* do] 너무나, 유감이지만 (너무) …한 : ~ beautiful ***for*** words 형언할 수 없을만큼 아름다운 / He is ~ young *for* the task[~ young *to* do the task]. (=He is so young that he cannot do the task.) 너무 어려서 그 일을 하기엔 무리다(cf. He is old ENOUGH *to* do the task.) / The thing is ~ good *to* be true. 그것은 너무 좋아서 사실 같지가 않다 / The burden was ~ heavy *for* me *to* lift (=was so heavy that I could not lift it). 그 짐은 너무 무거워서 나는 들어올릴 수 없었다 / Their light love came to an end all ~ soon. 그들의 들뜬 사랑은 너무나도 맥없이 끝나버렸다. 注 only too...to, too apt[likely, ready] to... 따위는 긍정의 뜻(☞ *only* TOO (2)).

> **too와 a의 어순**
> (×) She is a *too* nice girl for him.
> (그녀는 그에겐 지나치게 멋진 여자다.)
> (◯) She is *too* nice a girl for him.
> *다음 각 어순을 구별해야 한다.
> a very nice girl
> such a nice girl
> too[so] nice a girl

b) 《口》 매우, 대단히(cf. SO[1] *adv.* 2 b)) : You are ~ kind. 당신은 매우 친절하십니다 / That's ~ bad. 정말 안됐군 / I'm not ~ well today. 오늘은 기분이 썩 좋지 않습니다.

all too 너무 …한(cf. *only* TOO (1)) : It ended *all* ~ soon. 너무 일찍 끝났다.

but too = *only* TOO (1).

cannot. . .too. . . 아무리 …해도 지나치지 않다 : You *cannot* be ~ diligent[*cannot* work ~ hard]. 근면은 아무리 해도 지나친 법이 없다.

none too 조금도(not at all) : The trip was *none* ~ pleasant. 여행은 조금도 즐겁지 않았다.

only too (1) 유감스럽게도 : It is *only* ~ true. 그것은 유감스럽게도 사실이다. (2) 더할 나위 없이 : I shall be *only* ~ pleased to come. 기꺼이 찾아 뵙겠습니다.

quite too 《口》 =TOO *too.*

too good to last 너무나 좋아서 오래가지 않는 《미인 박명(薄命) 따위》.

too much[***many***] (***for*** one) 도저히 감당할 수 없는.

too much (***of a good thing***) 견딜 수 없는, 너무 지나친, 참을 수 없는 : That's really ~ *much of a good thing.* 그것은 정말 진절머리가 난다.

too too 《口》 아주, 훌륭한《delightful 따위를 생략한 형》; 몹시, 대단히(excessively).

〖TO의 강세형(強勢形)〗

活用 (1) also보다도 평이한 말로 때때로 강조적이며 감정적 색채를 띰 ; 보통 문장 가운데 또는 문장 끝에 놓이지만 《美》에서는 문장 첫머리에 놓이기도 함 : *Too*, she had to pay the rent. (게다가 그녀는 집세도 물어야만 했다). 또한 문장 끝에 놓여질 경우에는 too 앞에 콤마를 찍지 않을 때도 있음. (2) too는 부정(否定) 구문에는 쓰이지 않지만, 다음과 같은 경우에는 예외. i) 권유를 나타내는 부정(否定) 의문문 중에서 : Won't you come with me, *too*? (너도 나와 함께 가지 않겠는가) (cf. Don't you go, *either*? 너도 (역시) 가지 않겠는가). ii) not이나 기타의 부정어(否定語)보다도 앞에 놓이는 경우 : I, *too*, have *not* seen it before. (나도 아직 그것을 본 적이 없다) (=I have not seen it before, either. =Neither have I (seen it before)). iii) why로 이끌리는 부정(否定) 의문문 중에서 : *Why* don't you go to help her(,) *too*? (왜 너도 그녀를 도우러 가지 않지).

too·dle-oo [tù:dəlú:] *int.* 《英口》 안녕, 미안합니다. 〖자동차의 경적 소리인가〗

◇**took** *v.* TAKE의 과거형.

tool** [tú:l] *n.* **1** 연장, 도구, 공구 ; 공작 기계(=machine ~) : a broad ~ 날이 넓적한 끌 / an edged ~ 날이 있는 연장 / the ~*s* of one's trade 장사 도구. **2** (목적을 위한) 수단, 방편 ; 앞잡이, 끄나풀(cat's-paw) : He is a mere ~ of the boss. 두목의 앞잡이에 지나지 않는다. **3** 〔製本〕 압형(기)(押型(器)). **4** 〔컴퓨〕 연장. —— *vt.* **1** 도구로 세공(細工)하다 ; (돌을) 정으로 다듬다 ; 〔製本〕 (표지에) 압형기로 글자[장식]를 새겨 넣다. **2** [+目+副] (공장 따위)에 (새) 기계 설비를 하다 : ~ ***up a factory 공장에 기계 설비를 하다. **3** 《英俗》 (마차·차를) 천천히 몰아가다. —— *vi.* **1** 연장으로 세공하다. **2** 공장에 기계 설비를 하다 〈*up*〉. **3** 《口》 걸어 돌아다니다, (마차·차로) 천천히[한가롭게] 가다〈*along, about, around*〉. **~·er** *n.* tool하는 사람[것] ; 석공의 큰 정.
〖OE *tōl* ; ⇨ TAW[2]〗
類義語 ⟹ IMPLEMENT.

tóol·bàg *n.* 도구[공구] 자루.

tóol·bòx *n.* 연장통 ; 《美俗》 (철도의) 작은 역.

tóol engineèring *n.* 생산 설비 공학.

tóol·hèad *n.* 〔機〕 툴헤드《장착한 공구를 목적 위치로 이동시키는 기계 부분》.

tóol·hòld·er *n.* (선반 따위의) 날[바이트] 고정기.

tóol·hòuse *n.* 공구실.

tóol·ing *n.* **1** Ⓤ 연장(을 써서 하는)세공. **2** Ⓤ 〔石工〕 정 자국이 평행선이 되게 (돌을) 다듬기[다듬는 법]. **3** Ⓤ 장식 조각. **4** Ⓤ,Ⓒ 〔製本〕(표지에) 압형기로 글자[무늬]를 찍(어 넣)기 : a blind [gold, gilt] ~ 민박[금박] 찍기.

tóol·màker *n.* 연장 제작자.

tóol·ròom *n.* (공장의) 공구실.

tóol sùbject *n.* 〔教〕 도구 학과《사회과학 따위의 연구나 실생활의 한 수단으로서의 외국어·통계학 따위 ; cf. CONTENT SUBJECT》.

toom [tú:m] *a.* 《스코》 내용이 없는, 텅 빈.

toon [tú:n] *n.* 〔植〕 (멀구슬나무과의) 인도참중나무. 〖Hindi〗

toot[1] [tú:t] *n.* 뚜뚜[뻑뻑] 울리는 소리《기적·나팔·피리 따위의 소리》. —— *vt.* 불다, (나팔·피리 따위를) 뚜뚜[뻑뻑] 울리다. —— *vi.* 나팔[피리]을 불다 ; 뚜뚜[뻑뻑] 울리다 ; (산새·아이 등이) 울다. **~·er** *n.*
〖? MLG *tūten* or imit.〗

toot[2] *n.* 《美俗》 술마시며 떠듦, 주연 ; 도취 : on a ~ 술마시며 법석거려.
〖Sc. *toot* to drink heavily < ?〗

toot[3] *n.* 《濠俗》 화장실(lavatory). 〖? TOOT[1]〗

toot[4] *n.* 《美俗》 코카인(의 흡입). —— *vt.* (코카인을) 흡입하다. 〖C20 < ?〗

◇**tooth** [tú:θ] *n.* (*pl.* **teeth** [tí:θ]) **1** 이 : pull (out) a ~ 이를 뽑다 / cut a ~ 이가 나다 / be long in the ~ 연로하다. **2** 취미 ; (음식물의) 기호, 식성 : have a sweet[dainty] ~ 단것을 좋아하다[입이 고급이다]. **3** 이 모양의 것 : **a**) (톱니바퀴 · 빗 · 쇠스랑 따위의) 이, 살, (톱 · 줄 따위의) 날. **b**) 〖動 · 植〗 치상(齒狀)돌기. **4** [보통 *pl.*] 대항, 반항 ; 위력, 맹렬한 위세, 파괴적인 것 : the *teeth* of the wind 바람의 위력 / put *teeth* in[into] a new law 새로운 법률에 (강제적) 위력을 부여하다.
be fed to the teeth ☞ FEED *v.*
between the teeth 목소리를 낮추어[죽여].
cast [***throw***]***...in*** a person***'s teeth*** (과실 · 실수 따위에 대해) 남을 문책하다, 책망하다.
draw a person***'s teeth*** 《비유》 남의 불평[고민]의 원인을 제거하다 ; 남을 회유하다.
have the run of one***'s teeth*** ☞ RUN.
in spite of a person***'s teeth*** 남의 반대를 무릅쓰고.
in the[a person***'s***] ***teeth*** 맞대놓고, 공개적으로, 공공연히.
in the teeth of …에도 불구하고, …을 무릅쓰고 ; …의 면전에서 : *in the teeth of* the wind 맞바람을 받고.
lie in one***'s teeth*** 새빨간 거짓말을 하다.
set [***clench***] one***'s teeth*** (곤란 · 불쾌한 일 따위에 대하여) 이를 악물다 ; 단단히 벼르다.
show one***'s teeth*** 이를 드러내다, 성내다 ; 위협하다 ; 거역하다.
sink one***'s teeth into...*** 《美》 ⑴ (과일 따위를) 덥석 물다, …을 먹다. ⑵ 《비유》 (문제 따위를) 진지하게 생각하다, …에 본격적으로 맞서다.
to a person***'s teeth*** 《古》 남을 맞대놓고 ; 안하무인으로 ; 대담하게.
tooth and nail 온갖 힘을 다하여, 맹렬히, 필사적으로.
to the teeth 조금도 빈틈없이, 완전하게, 충분히 : be armed *to the teeth* 완전 무장하고 있다.
── *v.* [, tú:ð] *vt.* …에 이를 달다, (톱 · 줄 따위에) 날을 세우다 ; (톱니바퀴를) 서로 맞물리게 하다. ── *vi.* (톱니바퀴가) 서로 맞물리다.
〚OE *tōth*, (pl.) *tēth* ; cf. DENTAL, G *Zahn*〛

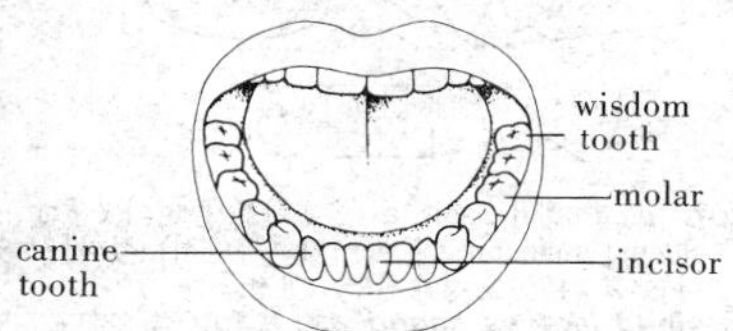

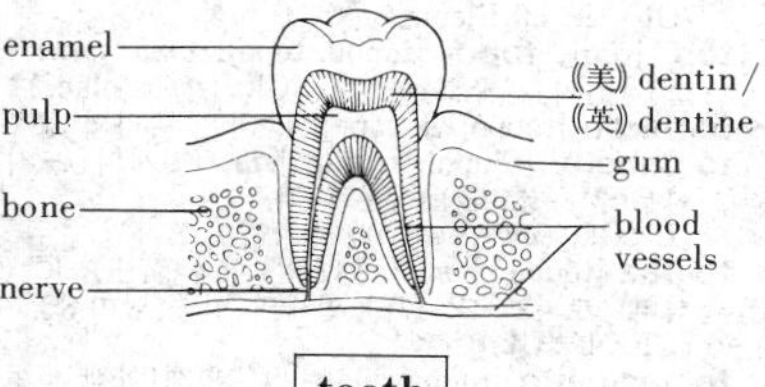

tooth

tóoth·àche *n.* 치통 : have (a) ~ 이가 아프다.
tóoth·brùsh *n.* 칫솔.
tóoth·brùsh·ing *n.* 칫솔질.
tóoth·còmb *n.*, *vt.* 《英》 참빗(으로 빗다).
tóothed [, tú:ðd] *a.* [보통 복합어를 이루어] (…한[…개의]) 이가 있는, 톱니 모양의 ; 이가 …한.
tóoth extràction *n.* 발치술(拔齒術).
tóoth·fùl *n.* (브랜디 따위의) 한 모금, 소량.
tóoth·ing [, 美+tú:ðiŋ] *n.* 이[날]를 달기[세우기] ; (톱니바퀴의) 맞물림 ; [집합적으로] (톱니바퀴 · 줄 따위의) 이.
tóoth·less *a.* 이가 없는[빠진, 나지 않은] ; 둔한, 효과[효력] 없는.
tóoth·let *n.* 작은 이 (모양의 돌기).
tóoth·pàste *n.* Ⓤ 크림 치약.
tóoth·pìck *n.* 이쑤시개.
tóoth pòwder *n.* Ⓤ 가루 치약, 치분.
tóoth·some *a.* **1** 맛있는(dainty) : a ~ dish 맛있는 요리. **2** 유쾌한, 흡족한, 만족스러운. **3** (성적) 매력이 있는 ; 즐거운, 감미로운.
~·ly *adv.* **~·ness** *n.*
tóoth·wòrt *n.* 〖植〗 유럽산의 개종용의 일종 ; 미나리냉이.
tóothy [, tú:ði] *a.* 이가 보이는, 이를 드러낸 ; 맛좋은 ; (표면이) 까칠까칠한 ; 위력있는, 유효한.
too·tle [tú:tl] *vi.* (피리 따위를) 부드럽게 불다, 계속해서 불다 ; (새가) 짹짹 지저귀다 ; 객담을 늘어놓다 ; 《英口》 터벅터벅[천천히] 가다 ; 《英》 떠나다, 철수하다〈*off*〉. ── *vt.* 피리 · 곡(曲)을 불다. ── *n.* 피리를 불기, 그 소리 ; Ⓤ 쓸데없는 소리, 졸문(拙文). 〚TOOT[1]〛
too-too [tú:tú:] *a.*, *adv.* 지나친, 극단적인[으로], 몹시 ; 뽐낸.
toots [túts] *n.* 《俗》 아가씨, 이봐요《낯선 여자에 대한 정다운 또는 희롱조의 호칭》.
toot·sie[1] [tútsi] *n.* 《美口》 =TOOTS ; 《美俗》 파티 접대부, (특히) 매춘부.
toot·sy, tootsie[2] [tútsi] *n.* 《兒 · 口》 발(foot). 〚C19< ? ; cf. FOOTSIE〛
toot·sy-woot·sy [tútsiwútsi] *n.* **1** 《兒 · 口》 발(foot). **2** 《美口》 =TOOTS.
◇**top**[1] [táp] *n.* **1 a**) (사물의) 꼭대기, 정상 ; 절정 (cf. FOOT 3, SIDE 3 b)) : the ~ *of* a mountain 산꼭대기 / the ~ *of* a tree 나무 꼭대기. **b**) (페이지 · 지도 따위의) 위쪽, 윗부분, 상단, 상란(上欄). **c**) [보통 *pl.*] (무 · 인삼 따위의) 땅위의 부분, 어린 싹 ; (경사진 도로 따위의) 위쪽, (식탁 · 방의) 상석, 윗자리 : sit *at* the ~ *of* the table 식탁의 상석에 앉다. **d**) 윗면, 표면. **e**) (참호의) 흉벽(胸壁)의 꼭대기. **f**) [*pl.*] (열차의) 지붕 ; (마차 · 자동차 따위의) 지붕, 포장. **2 a**) (장화 · 승마화 따위의) 윗부분, 양말의 윗부분《되접어 꺾은 부분》. **b**) [*pl.*] =TOP BOOTS. **c**) 〖海〗=TOPSAIL ; [때때로 the ~s] 장루(檣樓), 톱《아랫 돛대의 꼭대기에 있는 원형의 대(臺)》 : ☞ FIGHTING TOP. **d**) 〖製本〗 위쪽 머리 : the gilt ~ 머리금붙임. **e**) 뚜껑 ; 마개 ; 씌우개. **f**) (투구 따위의) 앞장식, 털술. **3 a**) 수석, 우두머리 ; 최상위(最上位) (↔*bottom*). **b**) (보트 젓는 사람의) 톱. **4** 《비유》 절정, 극점(極點) : *at* the ~ *of* one's voice [speed] 목청껏 소리질러[전속력으로]. **5** Ⓤ《英》 (자동차의) 최고속, 톱(기어) (=~ gear, 《美》 high) : in[into] ~ 톱 기어로[에서] ; 매우 호조로[에서]. **6** 〖골프〗 공의 윗부분을 치기. **7** 〖野〗 (한 회(回)의) 초(初) (↔*bottom*). **8** [*pl.*] 〖카드놀이〗 (bridge 놀이에서) 으뜸가는 연속패.
be at [***reach***] ***the top of the tree*** [***ladder***] 《비

유》 최고의 지위를 차지하다[에 앉다], 제일인자가 되다.
blow** one's **top 《美俗》 울화통을 터뜨리다, 화를 벌컥 내다 ; 미치다.
come out (***at the***) ***top*** 첫째가 되다.
come out on top 경기에 이기다.
come to the top 나타나다 ; 남보다 앞서다.
from top to bottom[***toe***] 머리 끝에서 발끝까지 ; 완전히(completely).
from top to tail 온통 ; 완전히, 절대적으로.
go over the top 참호에서 나와 공세하다 ; 《비유》 과감한 조처를 취하다, 강경 수단을 취하다.
on top 위에(above) ; ☞ 5.
on (***the***) ***top of*** …의 위에 ; …에 더하여 : *on ~ of* everything else 게다가, 더욱이 / *on ~ of* the stairs 계단의 맨 위에 / *on ~ of* the world ☞ WORLD 숙어.
the top of the tide 만조(滿潮) ; 제일 계제가 좋을 시기[때].
top and tail 전체, 전부 ; 실질 ; 몽땅, 완전히.
top and top-gallant 〖海〗 돛을 모두 올리고 ; 전속력으로.
top to bottom 곤두박질로, 거꾸로 ; =*from* TOP *to bottom.*
—— *attrib. a.* 최고의, 맨 위의, 수석의 : at ~ speed 전속력으로 / the ~ rung 《비유》 성공의 절정 ; 가장 중요한 지위, 수위(首位) / ~ price(s) 최고가격, 고가(高價).
—— *v.* (**-pp-**) *vt.* **1** …에 지붕을 달다, 덮어씌우다, …의 정상을 덮다 : ~ a box 상자에 뚜껑을 달다 / ~ a carriage 마차에 포장을 씌우다 / snow-~*ped* mountains 눈으로 덮인 산들 / The church is ~*ped* by a steeple. 교회는 지붕이 첨탑(尖塔)으로 되어 있다. **2** …의 꼭대기[꼭지점]를 이루다, …의 정상[꼭지점]에 있다 : A church ~*s* the hill. 교회가 언덕 위에 서 있다 / The book ~*s* the best-seller list. 그 책은 베스트셀러의 수위를 차지하고 있다. **3** …의 정상에 오르다[이르다] ; …의 위에 오르다 : We ~*ped* the hill at noon. 우리는 정오에 언덕 꼭대기에 이르렀다 / The sun has ~*ped* the horizon. 태양이 지평선 위로 떠올랐다. **4** (높이·무게 따위가) …에 이르다 : The fish ~*ped* 80 pounds. 그 물고기는 무게가 80파운드였다. **5** [+目/+目+前+名] (높이가) 초과하다 ; (질·기량 따위가) …보다 뛰어나다, …에 앞서다, 능가하다(surpass) : His ability ~*ped* all the rest. 그의 능력은 다른 누구보다도 뛰어났다 / John ~*s* them all at baseball. 야구는 존이 그들 중 누구보다도 잘한다 / She ~*s* her mother ***by*** a head. 어머니보다도 머리 하나만큼 더 크다. **6** (식물의) 끝을 잘라내다 : ~ beets 사탕무의 잎을 치다. **7** 〖골프〗 (공의) 중심보다 윗부분을 치다. **8** 〖海〗 (돛의 활대 따위의) 한쪽 끝을 올리다. —— *vi.* 솟아나다, 뛰어나다 ; 탁월하다.
top off 마무리짓다, 끝내다 : ~ *off* one's dinner *with* coffee 커피로 식사를 끝내다.
top** one**self (일 따위에서) 이제껏 할 수 없었을 정도로 훌륭하게 해내다, 이제껏 없었던 (좋은) 성적을 올리다.
top** one's **part (배우가) 연기를 (전보다 더) 훌륭히 해내다.
top up (1) (*vt.*) (꼭대기까지) 가득 채우다 : ~ *up* a battery 축전지에 가득 충전하다. (2) (*vi.*) 가득차다 : ~ *up with* fuel 연료로 가득차다.
to top it all 더욱이, 게다가.
〖OE *topp* ; cf. G *Zopf* plait〗

類義語 ***top*** 사물의 최고점 또는 부분 ; 가장 보편적인 말. ***summit*** 산꼭대기 또는 그것과 유사한 것, 도달하려면 노력이 필요한 것. ***peak*** 산맥 중의 최고봉, 비유적으로는 숫자의 연속이나 그래프 중의 최고점[값]. ***climax*** 흥미·힘·흥분 따위가 점차로 상승[고조]되어 이르는 최고점. ***apex*** 삼각형·원뿔 따위의 꼭지점 ; 비유적으로는 모든 상승선(上昇線)·진로 따위가 합류되는 최고점. ***zenith*** 하늘의 최고점, 천정(天頂) ; 비유적으로는 성공이나 명성의 절정. ***crown*** 비유적으로 완성도(度) 또는 질이 최고인 상태.

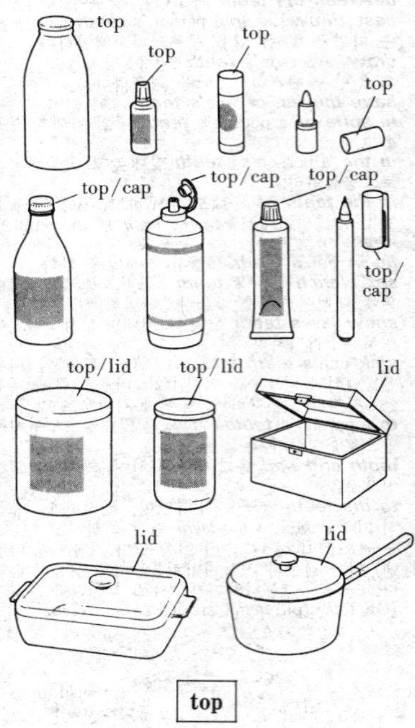

top

top² *n.* **1** 팽이 : spin a ~ 팽이를 돌리다 / The ~ sleeps[is sleeping]. 팽이가 (가만히) 섰다[서 있다]. **2** 《俗·호칭》 친구, 대장.
sleep like[***as sound as***] ***a top*** 푹 자다, 단잠을 자다, 숙면하다.
〖OE< ? ; cf. Flem. *top*〗
top- [tάp], **topo-** [tάpou, tάpə] *comb. form* 「장소」「위치」「국소」의 뜻. 〖Gk. (*topos* place)〗
to·parch [tóupɑːrk, tάp-] *n.* 작은 나라의 군주.
to·par·chy [tóupɑːrki, tάp-] *n.* (몇개의 도시로 이루어진 정도의) 작은 나라.
〖L<Gk. (*top-, -arch*)〗
to·paz [tóupæz] *n.* **1** Ⓤ 〖鑛〗 황옥(黃玉), Ⓒ (보석의) 토파즈. **2** 〖鳥〗 벌새의 일종《남미산》.
〖OF<L<Gk.〗
to·paz·o·lite [toupǽzəlàit] *n.* 황색[녹색, 연두색]의 석류석(石).
tópaz quàrtz *n.* 황수정, 시트린(citrine).

tóp banána *n.* 악극단의 주연 희극 배우 ; (그룹·조직의) 제1인자, 우두머리, 중요한 인물.
tóp bílling *n.* 주연급 배우 이름을 게시하는 연극 광고의 최상부 ; 대대적인 선전[광고·취급].
tóp bòots *n. pl.* 승마화(靴)의 일종《윗부분에 밝은 색 계통의 가죽을 사용함》.
tóp-brácket *a.* =TOP-DRAWER.
tóp bràss *n.* 《口》 (군대의) 고급 장교, 고급 간부, 고위층.
tóp-càp *vt.* (재생 고무 따위로) 타이어의 표면을 갈아 붙이다.
tóp·còat *n.* 가벼운 외투, 톱코트(topper).
tóp dóg *n.* 승리자 ; 지배자, 우세한 쪽(↔*underdog*) ; 중요 인물, 두목, 우두머리.
tóp-dòg *a.* 톱의, 최고의 ; 가장 중요한.
tóp-dówn *a.* 말단까지 조직화된, 통제가 잘 되어 있는 ; 상의 하달(上意下達) 방식의 ; 《口》 모든 것을 포함하는, 포괄적인.
tóp-down devélopment *n.* 〔컴퓨〕 톱다운 개발《소프트웨어를 설계(設計) 개발할 때 톱다운 방식을 취함》.
tóp dráwer *n.* 맨 윗서랍 ; (사회·권위 따위의) 최상층, 최고위 : be[come] out of the ~ 상류 계급 출신이다.
tóp-dráw·er *a.* (계급·중요성 따위가) 최고(급)의, 최상층의, 가장 중요한(cf. TOP-NOTCH).
tóp-drèss *vt.* (흙 위에) 거름을 주다, 비료를 뿌리다, 시비(施肥)하다 ; (도로 따위에) 자갈[쇄석(碎石)]을 깔다.
tóp·drèss·ing *n.* 추비(追肥), 시비 ; (도로 따위에) 자갈[쇄석]깔기 ; 《비유》 피상적인 처리, 외형(을 꾸미는 것).
tope[1] [tóup] *vt.* (술을) 지나치게 마시다. —— *vi.* 늘 술을 마시다. 〖? *top* (obs.) to quaff〗
tope[2] *n.* (둥근 지붕 모양의) 불탑(佛塔). 〖Punjabi＜Skt. STUPA〗
tope[3] *n.* 〔魚〕 작은 상어, (특히) 참상어과(科) 행락상어의 일종. 〖? Corn.〗
tope[4] *n.* 《인도》 (특히) 망고나무의 숲.
to·pee, to·pi [tóupi(:), toupí:] *n.* 차양이 넓은 헬멧 모자. 〖Hindi〗
tóp elíminator *n.* 《美俗》 (경기의) 우승 후보(자) ; 최우수 선수, 최유망 선수.
tóp ènd *n.* (가는 쪽의) 끝(↔*butt end*).
top·er [tóupər] *n.* 대주가(大酒家), 술고래.
tóp flíght *n.* 최우수, 최고급, 최고위.
tóp·flíght *a.* 일류의(first-rate), 최고의. **~·er** *n.*
Top 40 [-fɔ́:rti] *n. pl., a.* [the ~] 톱 포티(의) 《일정 기간 동안의 베스트셀러 레코드 40종》.
tóp-fréez·er refrígerator *n.* (상부에 냉동실이 있는) 냉장고.
tóp·fúl, -fúll *a.* 《稀》 위까지 가득 찬(brimful).
tòp·gállant [ˌ《海》 təgǽlənt] *n.* 〔海〕 윗돛대《아래서부터 세번째 돛대》 ; 윗돛대에 걸리는 돛. —— *a.* 윗돛대의 ; 최상의.
tóp géar *n.* Ⓤ 《英》 (자동차의) 톱 기어(=《美》 high gear) (cf. TOP[1] *n.* 5 ; BOTTOM GEAR).
tóp-hàmper *n.* 〔海〕 (배의) 상부의 돛·밧줄 ; 갑판 위의 무거운 장비《포탑·닻·보트 따위》.
tóp hàt *n.* 실크 해트(tall hat).
tóp-hát *a.* 《口》 최상층의, 톱의.
tóp-hèavy [ˌ ; ˌ] *a.* **1** 머리가 큰 ; 불안정한, 균형이 안잡힌. **2** 자본이 과대한.
To·phet, -pheth [tóufet] *n.* **1** 〔聖〕 도벳《Jerusalem 근처의 옛 유태인이 우상 Moloch에게 어린아이를 제물로 불태우던 곳으로 후에 쓰레기 소각장이 되었고 그 불은 늘 꺼지는 적이 없었다고 함》. **2** 불지옥, 지옥.
tóp-hóle *a.* 《英口》 일류의, 최고의(first-rate). —— *int.* 훌륭하구나.
to·phus [tóufəs] *n.* (*pl.* **-phi** [-fai, -fi:]) 〔醫〕 통풍결절(痛風結節) ; 근류(筋瘤), 결절종(腫).
to·pi·ary [tóupièri ; -piəri] *a.* (산울타리·정원수 따위를) 장식적으로 가지치기 한. —— *n.* 장식적인 가지치기법 ; 장식적으로 가지치기 한 정원. 〖F＜L=landscape gardening＜Gk. ; ⇨ TOPOS〗
***top·ic** [tápik] *n.* **1** 화제, 논제, 이야깃거리, 토픽 : current ~*s* 오늘의 화제 / discuss the ~*s* of the day 시사 문제를 논하다. **2** (논설·강연 따위의 일부 요지를 나타내는) 표제, 항목 ; 요지, 테마. **3** 〔論·修〕 대체론(大體論) ; 총론. **4** 일반 법칙[규범], 원칙. 〖L＜Gk. =things pertaining to commonplaces ; ⇨ TOPOS〗
類義語 ⟹ SUBJECT.
tóp·i·cal *a.* **1** 화제의, 논제의 ; 문제의 ; 제목의, 항목의. **2** 시사 문제의 ; 주제별의 : a ~ allusion 시사 문제에 관한 언급 / a ~ news film 시사 뉴스 영화. **3** 국소적인 ; 〔醫〕 국소의. **~·ly** *adv.*
top·i·cal·i·ty [tàpəkǽləti] *n.* 일시적인 관심사 ; 주제별 배열.
tópic séntence *n.* 주제문《단락(段落) 따위의 담화(談話) 단위중의 중심이 되는 (생각을 나타내는) 문장 ; 종종 첫째 문장》.
tóp·kìck *n.* 《美俗》 〔陸軍〕 선임하사관, 상사(first sergeant) ; 《美俗》 지도자, 권력자, 보스(boss) ; 권위자.
tóp·knòt *n.* **1** (17-18세기 여자 머리의) 나비 매듭의 리본. **2** (정수리의) 머리 다발 ; (새의) 도가머리 ; (사람의) 상투.
tóp lántern[líght] *n.* 〔海〕 장루등(檣樓燈)《기함(旗艦) 돛대의 뒤쪽에 단 신호등》.
tóp·less *a.* (옷 따위) 가슴을 드러낸, (수영복·드레스가) 토플리스의 ; 꼭대기[머리]가 없는 ; (산 따위) 꼭대기가 보이지 않는, 매우 높은 ; 한정이 없는. —— *n.* 토플리스의 드레스[옷, 수영복].
tópless rádio *n.* 《美》 라디오의 성(性) 상담.
tóp-lével *a.* 수뇌의, 최고급의 ; 가장 중요한 : a ~ conference 수뇌 회담.
tóp-líne *a.* (신문·포스터의) 맨 위에 실릴 만큼 중요한 ; 일류급의.
tóp·líner *n.* 제일인자 ; 유명한 배우, 명배우.
tóp·lòfty, top·loft·i·cal [taplɔ́(:)ftikəl, -láf-] *a.* 《口》 (태도 따위가) 거만한, 건방진, 으스대는, 오만한.
tóp·man [-mən] *n.* **1** 〔海〕 장루원(檣樓員). **2** 《英》 =TOP SAWYER 1.
tóp mánagement *n.* Ⓤ (기업의) 최고 경영 관리 조직, 경영층, 톱 매니지먼트《기업에서의 회사 경영진, 즉 사장·이사·감사등의 최고 경영 간부(조직)》.
tóp·màst [ˌ《海》 -məst] *n.* 〔海〕 중간 돛대, 톱마스트《아랫 돛대 위에 잇대어 댄 돛대》.
tóp·mìnnow *n.* 〔魚〕 **1** 송사리류의 물고기. **2** =KILLIFISH.
tóp·mòst *a.* 최상의, 최고급의(highest).
tóp·nótch *n.* 《美口》 최고, 최우수, 일류〈*of*〉.
tóp-nótch *attrib. a.* 《美口》 일류의, 최고의, 최우수의(first-rate). **tóp·nótch·er** *n.*
topo- [tápou, tápə] ☞ TOP-.
tóp-of-the-líne *a.* 최고급품의.
topog. topographical ; topography.
tópo·gràph *n.* 물체 표면의 정밀 사진.
to·póg·ra·pher *n.* **1** 지형(地形)학자, 지지(地誌)학자. **2** 풍토기(風土記) 작가.

top·o·graph·i·cal, -ic [tàpəgrǽfik(əl), tòupə-] *a.* topography의 ; (시·회화 따위) 일정지역의 예술적 표현의, 지지(地誌)적인.
-i·cal·ly *adv.*
to·pog·ra·phy [təpágrəfi] *n.* **1** Ⓤ 지형도 작성, 지형학 ; 지형측량[조사]. **2** Ⓒ 지지(地誌)(학), (한 지방의) 지세(도), 지형. **3** Ⓤ (물품 따위의) 지방 분포 상태 ; (물체 따위의) 형태학. **4** 〖解·動〗 국소(局所) 해부학[도].
〚L<Gk. ; ⇨ TOPOS〛
top·o·log·i·cal [tàpəládʒikəl, tòupə-] *a.* topology의 ; 〖數〗 위상적(位相的)인.
topológical spáce *n.* 〖數〗 위상공간.
to·pol·o·gy [təpálədʒi, tou-] *n.* Ⓤ 지세학 ; 풍토지(風土誌) 연구 ; 〖數〗 위상수학[기하학] ; 〖解·動〗 국소 해부학 ; 〖心〗 지역 행동 심리학.
〚G ; ⇨ TOPOS〛
top·on·o·mas·tic [tàpənəmǽstik] *a.* 지명의.
top·o·nym [tápənìm, tóupə-] *n.* **1** 지명(地名). **2** 지명에서 유래한 이름.
tòp·oným·ic, -i·cal *a.* **1** toponym 의. **2** toponymy의.
to·pon·y·my [təpánəmi, tou-] *n.* (어떤 지방의) 지명 (유래) 연구 ; 〖解〗 (신체의) 국소 이름, 국소 명명법.
to·pos [tápɑs, tóup-] *n.* (*pl.* **-poi** [-pɔi]) 〖修〗 토포스《상용되는 주제·개념·표현》.
〚Gk. =place, commonplace〛
tóp·per *n.* **1** 《口》 (특히 여성용의) 짧고 가벼운 외투, 톱코트(topcoat). **2** 《口》 =TOP HAT. **3** 《口》 뛰어난 것[사람], 일품(逸品). **4** 〖商〗 위에 쌓아 놓은 물건《상품 따위를 잘 보이게 하기 위해서 겉이나 위에 쌓아 놓은 우량품》.
tóp·ping *a.* 《英口》 최고급의(first-rate) ; 아주 특출하게 뛰어난, 훌륭한(excellent) : have a ~ time 아주 멋진 시간을 보내다. —— *n.* **1** 상부 제거 ; 우듬지 치기 ; 〖石油〗 상압 증류 ; 제거된 상부. **2** 꼭대기에 얹힌 것 ; 상단, 꼭대기, 꼭대기 부분의 장식 ; 도가머리 ; 《戱》 머리. **3** 〖料〗 토핑《조미·장식을 위해 요리 위에 첨가하는 소스·빵가루·휘핑 크림 따위》 ; 〖建〗 (콘크리트 위에 바르는) 모르타르의 마무리칠.
tópping óut *n.* 건축물의 1층 부분을 완성시키는 일《상량식(上樑式)에 해당》 : celebrate the ~ 상량식을 거행하다.
top·ple [tápəl] *vi.* **1** [動/+副] (위쪽이 무거워서) 흔들리다, 쓰러지다 : The whole goods ~*d* ***over***[***down***]. 상품이 모두 쓰러졌다. **2** 떨어질 듯이 걸려 있다, (곧 쓰러질 듯이) 앞으로 기울다 : *toppling* crags 곧 쓰러져 덮칠 듯한 험한 바위산.
—— *vt.* [+目/+目+前+名] 흔들거리게 하다, 쓰러뜨리다, 전복하다 : He ~*d* his opponent. 상대방을 쓰러뜨렸다 / The revolution ~*d* the emperor ***from*** his throne. 혁명으로 황제는 왕위에서 축출되었다. 〚TOP[1]〛
tóp prìority *n.* [the ~] 최우선 사항.
tóp quàrk *n.* 〖理〗 톱 쿼크《양성자(陽性子)의 13배의 질량을 가진 쿼크》.
tóp-ránk·ing *a.* 최고의, 일류의.
tops [táps] *pred. a.* [때때로 the ~] 《口》 최고의, 최상의(topmost) : She is (*the*) ~ *in* singing. 그녀는 노래부르는 데는 최고다.
TOPS [táps] thermoelectric outer planet spacecraft (열전기식 외행성 탐색 우주선).
tóp·sàil [, 《海》 -səl] *n.* 〖海〗 중간 돛, 톱세일.
tóp sáwyer *n.* **1** (두명이 톱질할 때) 위에서 켜는 사람(cf. SAWPIT, PIT SAW). **2** 《口》 윗자리에 있는 사람, 상사, 중요 인물.
tóp sécret *a.* 〖주로 軍〗 (정보·공문서 따위) 최고 기밀의, 국가 기밀의. —— *n.* 1급 비밀, 극비(極祕), 극비 사항.
tóp sérgeant *n.* 《美軍俗》 고참[선임] 하사관 ; 특무상사.
tóp·sìde *n.* **1** [보통 *pl.*] 〖海〗 건현(乾舷)《흘수선 위의 뱃전》 ; (군함의) 상갑판. **2** 위쪽, 상위(上位). **3** 고위 간부, 지도층, 최고 권위.
—— *adv.* [때때로 ~s] 건현[상갑판]에서[으로] ; 높은 장소에서 ; 지상에서 ; 권위 있는[높은] 지위에서. —— *a.* 상갑판의 ; 《口》 톱 클래스의.
tóp·sìder *n.* (조직의) 상층부의 사람, 고관 ; 상갑판·함교(艦橋) 담당 장교[승무원] ; [T~] 톱사이더《부드러운 가죽·즈크제의 구두 ; 굽이 낮고 푹신한 고무창으로 됨 ; 상표명》.
tóps·man [-mən] *n.* 《英》 교수형 집행인(hangman).
tóp·sòil *n.* Ⓤ 표토(表土)《흙[토양]의 표면이나 윗부분을 말함》. —— *vt.* 표토로 덮다 ; (토지)에서 표토를 제거하다.
tóp spìn *n.* 〖球技〗 톱 스핀《공이 날아가는 방향으로 회전하도록 공 위를 쳐서 주는 스핀》.
tóp stóry *n.* 맨 위층 ; 《美俗》 대가리, 머리.
top·sy-tur·vy [tápsitə́ːrvi] *adv.* 거꾸로, 반대로, 역(逆)으로 ; 뒤죽박죽으로 : fall ~ 거꾸로 떨어지다 / Everything has turned ~. 모든 일이 엉망이 되었다. —— *a.* 거꾸로의, 반대[역]의 ; 뒤죽박죽인 : A mirror gives us a ~ image. 거울은 거꾸로 된 상을 보여 준다. —— *n.* Ⓤ 전도(轉倒) ; 뒤죽박죽, 혼란 상태. —— *vt.* 거꾸로 하다 ; 뒤죽박죽[엉망]이 되게 하다. **~·dom** *n.* Ⓤ 뒤죽박죽, 엉망 ; 본말전도(本末轉倒).
〚TOP[1], *terve* (obs.) to topple〛
tóp tùrn *n.* 〖서핑〗 톱 턴《파도 상부에서 회전하는 기법》.
tóp·wòrk *vt.* 〖園藝〗 가지에 접목(接木)하다.
toque [tóuk] *n.* **1** 토크《챙이 없는 작은 모자, 특히 여성용》. **2** 〖動〗 토크원숭이《머리털이 모자 모양임》.
〚F<Sp. *toca* headdress<? Basque *tauka* hat〛

toque 1

tor [tɔ́ːr] *n.* (꼭대기가 뾰족한) 바위산(山). 〚OE *torr* <? Celt. ; cf. Gael. *tòrr* bulging hill〛
-tor *suf.* 「…하는 사람[것]」의 뜻(☞ -OR[1]).
To·rah, -ra [tɔ́ːrə] *n.* (*pl.* **-roth** [tourόut, -θ, -s], **~s**) 〖유태教〗 율법 ; [the ~] 〖聖〗 =PENTATEUCH ; [t~] 〖유태教〗 가르침, 규율.
to·ran [tɔ́ːrən], **to·ra·na** [tɔ́ːrənə] *n.* (인도 등지의) 절의 대문, 산문(山門). 〚Skt.〛
torc [tɔ́ːrk] *n.* =TORQUE[2].
*__torch__ [tɔ́ːrtʃ] *n.* **1** 횃불, 봉화. **2** 《비유》 (지식·문화의) 빛 : the ~ *of* learning 학문의 빛 / hand on the ~ 전통[문화·지식]의 횃불을 끊임없이 후세에 전하다. **3** (납땜·가스 취급공 등이 사용하는) 토치 램프, 발염(發炎) 램프. **4** 《英》 회중전등(=《美》 flashlight). **5** 《美》 방화광(狂)[범] ; 《美俗》 권총, 피스톨.
carry a[***the***] ***torch for . . .*** 《俗》 …에게 사랑을 불태우다, (특히) …을 짝사랑하다.
—— *vt.* torch로 태우다[비추다] ; 《美俗》 방화(放火)하다.
〚OF *torche*<L=something twisted ; ⇨ TORT〛
tórch·bèar·er *n.* **1** 횃불 든 사람. **2** 새로운 지식

《따위》을 전하는 사람, 문명의 선구자, 계몽가.
tor·chère [tɔːrʃέər] *n.* 대가 높은 촛대; 간접조명용의 플로어 램프. 〖F; ⇨ TORCH〗
tórch-fìsh·ing *n.* 야간에 토치 램프를 이용해서 물고기를 잡기.
tórch·lìght *n.* Ⓤ 횃불의 빛; Ⓒ 횃불; [형용사적으로] 횃불의[을 든]: a ~ procession 횃불(을 든) 행렬.
tórch mùrder *n.* (시체를 태워 버리는) 소각(燒却)살인.
tór·chon (láce) [tɔ́ːrʃɑn(-); -ʃən(-)] *n.* Ⓤ 거친 레이스의 일종; 접시 닦는 행주.
tórchon pàper *n.* 표면이 꺼칠꺼칠한 수채화(水彩畫) 용지.
tórch ràce *n.* 〖古그〗 횃불 릴레이 경주.
tórch rèlay *n.* (올림픽 경기 따위의) 성화(聖火) 릴레이.
tórch sìnger *n.* 《美》 torch song 가수.
tórch sòng *n.* 《美》 짝사랑[실연 따위]을 다룬 감상적인 노래(cf. *carry a* TORCH *for*).
tórch·wòod *n.* Ⓤ 횃불용 나무.
***tore** *v.* TEAR²의 과거형.
to·re·ador [tɔ́(ː)riədɔ̀ːr, tɑ́r-] *n.* (스페인의) 기마(騎馬) 투우사. 〖Sp.〗
tóreador pànts *n. pl.* 투우복 모양의 여성용 스포츠 바지.
to·re·ro [təréərou] *n.* (*pl.* **~s**) (특히 척살역(刺殺役)의) 투우사. 〖Sp.〗
to·reu·tic [tərúːtik] *a.* 금속 세공의.
to·réu·tics *n.* 금속 세공(술), 조금(彫金)(술).
tori *n.* TORUS의 복수형.
to·ric [tɔ́(ː)rik, tɑ́r-] *a.* (안경용의) 원환체(圓環體) 렌즈의; 〖光〗 원환체의.
tor·ment** [tɔ́ːrment] *n.* Ⓤ,Ⓒ 고통, 격통, 고뇌; 성가신 것, 귀찮은 것, 고민거리, 고통거리; 《古》 고문(도구): be in ~ 고뇌하다 / suffer ~(*s*) 고통을 받다 / My wife is a real ~ *to* me. 내 여편네는 참으로 골칫거리다. ── [tɔːrmént, ⌐-] *vt.* [+目/+目+前+名] **1** 고문하다; (육체적·정신적으로) 고통을 주다, 괴롭히다, 못살게 굴다: He was ~*ed* ***with toothache[remorse]. 그는 치통으로[양심의 가책으로] 괴로워했다 / John often ~*s* his teachers *with* silly questions. 존은 어리석은 질문을 하여 선생님을 자주 괴롭힌다 / Stop ~*ing* your mother ***by*** ask*ing* for money. 돈을 달라고 어머니를 졸라서는 안돼. **2** …의 뜻을 왜곡하여 해석하다.
〖OF＜L＝instrument of torture worked by twisting; ⇨ TORT〗
類義語 ***torment*** 상대방에게 장기간에 걸쳐 또는 되풀이하여 고통[괴로움]을 주어서 괴롭히다[박해하다]: We were *tormented* by harmful insects. (우리들은 해충(害蟲) 때문에 괴로움을 당했다). ***torture*** 격렬한 육체[정신]적 고통을 주어 괴롭히다: The prisoners were severely *tortured*. (죄수들은 심한 고문을 받았다). ***rack*** 고문을 하는 것처럼 남을 괴롭히다: be *racked* with toothache (치통으로 몹시 고생하다). ***afflict*** 고통·고초·곤혹·초조감 따위를 주다: be *afflicted* with heart disease (심장 질환으로 고생하다).
tor·men·til [tɔ́ːrməntil] *n.* 〖植〗 노랑꽃이 피는 유라시아산 양지꽃속의 1년생초의 일종.
〖OF＜L (↑)〗
tormént·ing·ly *adv.* 괴로울 정도로, 뇌쇄(惱殺)시킬 듯이.
tor·mén·tor, tormént·er *n.* **1** 괴롭히는 사람[것]. **2** 〖映〗 (촬영할 때의) 반향(反響)방지 스크린; 〖劇〗 무대의 양쪽 끝에 튀어나온 칸막이[막].
tor·mén·tress *n. fem.* 남을 괴롭히는 여자.
***torn** *v.* TEAR²의 과거분사.
tor·na·do [tɔːrnéidou] *n.* (*pl.* **~es, ~s**) **1** 〖氣〗 토네이도《특히 서아프리카나 미국의 Mississippi 강 유역 지방에서 일어나며 대단한 파괴력을 가진 회오리바람》. **2** (일반적으로) 강렬한 폭풍, 선풍. **3** (갈채·비난 따위의) 빗발침⟨*of*⟩; (감정·활동 따위의) 격발. **4** [T~] 〖軍〗 영국·독일·이탈리아가 공동 개발한 다목적 전투기.
tor·nád·ic [-nǽd-, -néi-] *a.* 토네이도의, 회오리바람의, 선풍 같은.
〖Sp. *tronada* thunderstorm과 *tornar* to turn의 동화(同化)인가〗
To·ron·to [tərɑ́ntou] *n.* 토론토《캐나다 Ontario 호에 면한 Ontario 주의 주도》.
to·rose [tɔ́ːrous, -⌐], **to·rous** [-rəs] *a.* 〖動〗 혹 모양의 돌기가 있는 표면의; 〖植〗 염주 모양의 원통형의, 염주 모양의 마디가 있는.
tor·pe·do [tɔːrpíːdou] *n.* (*pl.* **~es**) **1** 수뢰(水雷), 어뢰, 공(중 어)뢰(aerial torpedo). **2** 〖鐵〗 신호 뇌관《선로 위에 놓아 바퀴가 누르면 소리를 내어 열차에 위험을 알림》. **3** (유정(油井)의 기름이 잘 나오게 하는) 발파(發破). **4** 딱총《부딪쳐서 폭발시키는 어린이 장난감》. **5** ＝ELECTRIC RAY. **6** 《美俗》 살인 청부업자, 직업적 살인자. ── *vt.* **1** 수뢰[어뢰, 공중 어뢰]로 파괴하다, 수뢰《따위》로 공격하다. **2** 《비유》 (정책·제도 따위를) 공격하여 무력하게 하다: ~ the negotiations 교섭을 결렬시키다. **3** (…에) 수뢰를 부설하다. **4** (유정에) 발파 장치를 하다. ── *vi.* 어뢰로 배를 공격[파괴, 격침]하다.
〖L＝electric ray; ⇨ TORPID〗
torpédo bòat *n.* 어뢰[수뢰]정(艇).
torpédo-bòat destròyer *n.* 대(對)어뢰정용 구축함《공식적으로는 간단히 destroyer라고 함》.
torpédo bòdy *n.* (스포츠 카의) 어뢰형 차체.
torpédo bòmber[càrrier, plàne] *n.* 뇌격기(雷擊機).
torpédo jùice *n.* 《美軍俗》 싸구려[하급] 밀주.
torpédo nèt(ting) *n.* 어뢰 방어망(網).
torpédo plànter *n.* 어뢰 부설함(敷設艦).
torpédo tùbe *n.* 어뢰 발사관(管).
tor·pex [tɔ́ːrpeks] *n.* Ⓤ [때때로 T~] 〖海軍〗 토펙스《폭뢰(爆雷)용 고성능 폭약》.
〖*torp*edo＋*ex*plosive〗
tor·pid [tɔ́ːrpəd] *a.* **1** 움직이지 않는, 활발치 못한, 느린. **2** 둔한, 무신경한, 무감각한. **3** (동면(冬眠) 동물이) 잠자고 있는, 동면하고 있는.
── *n.* [T~s] Oxford 대학 춘계 보트 레이스; 그 레이스의 보트[선수]. **~·ly** *adv.* 활기없이; 둔감하게. **tor·pid·i·ty** [tɔːrpídəti], **~·ness** *n.*
〖L (*torpeo* to be numb)〗
tor·pi·fy [tɔ́ːrpəfài] *vi., vt.* 마비되다[시키다], 무감각해지다[하게 하다].
tor·por [tɔ́ːrpər] *n.* **1** Ⓤ 무기력; 지둔; 무감각, 마비 상태. **2** Ⓤ 휴면(休眠) (cf. HIBERNATION).
〖L＝numbness; ⇨ TORPID〗
tor·por·if·ic [tɔ̀ːrpərífik] *a.* 둔하게 하는, 마비성의, 무감각하게 하는.
tor·quate [tɔ́ːrkwət, -kweit] *a.* torques가 있는.
torque¹ [tɔ́ːrk] *n.* Ⓤ 〖機〗 토크; 〖理〗 회전효과; (일반적으로) 비트는[회전시키는] 힘, 비틀림; 비틀림 모멘트. ── *vt., vi.* …에 비틀림[토크]을 전달하다. 〖F＜L; ⇨ TORT〗
torque² *n.* 목걸이(torc)《고대 골(Gaul)인(人)·

게르만인의 목장식》.
〖F ; *torques*의 -*s*를 복수 어미로 잘못 쓴 것〗

tórque convèrter *n.* 〔機〕 토크 컨버터《유체(流體) 변속기의 하나》.

tórque mòtor *n.* 〔電〕 토크 전동기.

tor·ques [tɔ́:rkwi:z] *n.* 〔動〕 (목둘레에) 고리 모양으로 빛깔이 변한 부분. 〖L ; ⇨ TORT〗

torr [tɔ́:r] *n.* 〔理〕 토르《저압(低壓) 기체의 압력 단위 : =1 수은주 밀리미터, 1/760기압》.
〖E. *Torricelli*〗

tor·re·fy, -ri- [tɔ́(:)rəfài, tár-] *vt.* 말리다, 그을리다, 굽다. **tòr·re·fác·tion** [-fǽkʃən] *n.*

***tor·rent** [tɔ́(:)rənt, tár-] *n.* **1** 급류(急流), 격류, 분류. **2** [*pl.*] 억수, 호우 : ~*s of* lava 갑자기 유출된 용암(鎔岩) / The rain is falling *in* ~*s.* 비가 억수같이 내리고 있다. **3** 《비유》 (말 따위의) 쏟아져 나옴, 연발 ; (감정 따위의) 솟구침 : a ~ *of* abuse[eloquence] 마구 쏟아져 나오는 욕설[능변]. —— *a.* =TORRENTIAL.
〖F<It.<L=burning, boiling (*torreo* to scorch)〗

tor·ren·tial [tɔ:rénʃəl, tə-] *a.* **1** 급류의[같은] ; 억수처럼 쏟아지는 ; 급류 작용으로 생긴 : ~ rain 호우(豪雨) / ~ gravel 급류로 인해 생긴 자갈. **2** 맹렬한, 격렬한 : ~ anger 격렬한 분노 / a ~ speech 쉬지 않고 쏟아져 나오는 변설.
~·ly *adv.*

Tor·ri·cel·li [tɔ̀(:)rətʃéli, tàr-] *n.* 토리첼리. **Evangelista** ~ (1608-47) 이탈리아의 물리학자·수학자 ; 기압계의 원리를 발견함.
~·an *a.* 토리첼리의.

Torricéllian expériment *n.* 〔理〕 토리첼리의 실험《기압계의 원리를 나타내는 수은관(水銀管)의 실험》.

Torricéllian vácuum *n.* 〔理〕 토리첼리의 진공(眞空).

tor·rid [tɔ́(:)rəd, tár-] *a.* **1** (태양의 열로) 그을린, 탄, 염열(炎熱)에 쬐인, 바싹 마른 : a ~ desert 타는 듯한 사막. **2** 타는 듯이 무더운, 염열의(cf. FRIGID, TEMPERATE) : It was a ~ summer day. 어느 무더운 여름 날의 일이었다. **3** 열렬한(ardent) : a ~ love letter 열렬한 연애 편지. **~·ly** *adv.* **~·ness** *n.* **tor·rid·i·ty** [tɔ(:)rídəti, tɑ-] *n.* 염열(炎熱). 〖F or L ; ⇨ TORRENT〗

tórrid zòne *n.* [the ~, 흔히 the T~ Z~] 열대(熱帶).

torrify ☞ TORREFY.

tor·sel [tɔ́:rsəl] *n.* 〔建〕 들보받이.

torsi *n.* TORSO의 복수형.

tor·sion [tɔ́:rʃən] *n.* Ⓤ 비틀기, 비틀림 ; 〔機〕 토션, 비틀림. **~·al** *a.* 비트는, 비틀리는.
〖OF<L ; ⇨ TORT〗

tórsion bàlance *n.* 〔機〕 비틀림 저울《비틀리는 힘을 이용하여 미세한 힘을 잼》.

tórsion bàr *n.* 토션 바《비틀림에 대해 복원력을 가진 스프링용의 막대기》.

tor·so [tɔ́:rsou] *n.* (*pl.* **~s, -si** [-si:]) **1** 토르소《머리 및 손발이 없는 나상(裸像)의 조각》. **2** (인체의) 몸통(trunk). **3** 《비유》 미완성의 작품.
〖It.=stalk, stump<L THYRSUS〗

tórso mùrder *n.* 토막 살인 (사건).

tort [tɔ́:rt] *n.* 〔法〕 사범(私犯), 불법 행위. 〖OF<L *tortum* wrong (p.p.)〈*tort- torqueo* to twist〗

torte [tɔ́:rt] *n.* (*pl.* **tor·ten** [tɔ́:rtn], **~s**) 토르테《밀가루에 계란·설탕·호두 따위를 넣어 만든 케이크》. 〖G〗

tor·ti·col·lis [tɔ̀:rtəkáləs] *n.* Ⓤ 〔醫〕 사경(斜頸) (wryneck).

tor·tile [tɔ́:rtl, -tail, -təl ; -tail] *a.* 비틀린 ; 〔植〕 비비 꼬인.

tor·ti·lla [tɔ:rtí:jə] *n.* 납작하게 구운 옥수수빵《멕시코인의 주식》. 〖Sp. (dim.)〈*torta* cake<L〗

tor·tious [tɔ́:rʃəs] *a.* 〔法〕 사범의, 불법행위의.

***tor·toise** [tɔ́:rtəs] *n.* **1** 〔動〕 거북《특히 육지·민물에 사는 ; cf. TURTLE》. **2** =TESTUDO 1. **3** 동작이 느린 사람[것].
〖OF<L *tortuca*=coming from Tartarus ; 어형은 L *tortus* twisted의 영향〗

tor·toise·shell [tɔ́:rtəʃèl, -ʃʃ-, -sʃ-] *n.* Ⓤ 귀갑(龜甲). —— *a.* 귀갑의, 귀갑으로 만든 ; 귀갑색[무늬]의 : a ~ cat 백색·흑색·갈색의 얼룩 고양이 / the ~ butterfly 〔昆〕 들신선나비 / the ~ turtle 〔動〕 대모(玳瑁).

tor·to·ni [tɔ:rtóuni:] *n.* 토르토니《버찌·아몬드가 든 아이스크림》. 〖It. ; 19세기의 Paris의 이탈리아인 요리사의 이름인가〗

tor·tu·os·i·ty [tɔ̀:rtʃuásəti] *n.* ⓊⒸ 뒤[비]틀림, 꼬임 ; 부정(不正).

tor·tu·ous [tɔ́:rtʃuəs] *a.* **1** (길·물줄기 따위가) 꼬불꼬불한 ; 뒤틀린. **2** 《비유》 (마음·방법 따위가) 올바르지 못한, 뒤틀린, 부정한 ; (말 따위가) 우회적인, 에둘러 말하는. **~·ly** *adv.* 꼬불꼬불하게, 뒤틀려서 ; 부정하게. **~·ness** *n.*
〖OF<L (*tortus* a twist ; ⇨ TORT)〗

tor·ture** [tɔ́:rtʃər] *n.* **1** Ⓤ 고문 ; [흔히 *pl.*] 고통을 주기 : put a person to (the) ~ 남을 고문하다 / an instrument of ~ (고문에 쓰이는) 고문 도구. **2** ⓊⒸ 심한 고통, 고뇌 : be in ~ 고민하다 / suffer ~ from violent stomachache 심한 복통으로 몹시 시달리다. **3** 《稀》 (의미 따위의) 왜곡, 곡해. —— *vt.* **1** [+目/+目+*with*+名] 고문하다 ; (육체적·정신적으로) …에게 대단한 고통을 주다, 괴롭히다, 번민하게 하다 : ~ a prisoner 포로를 고문하다 / He was ~*d* ***with anxiety[his tight boots]. 그는 불안[꼭 죄는 장화]에 몹시 시달렸다. **2** 《비유》 (정원의 나무 따위를) 억지로 구부리다, 비틀다 ; (단어·문장 따위를) 왜곡하다, 곡해하다 : Winds have ~*d* the branches of the trees. 바람으로 나뭇가지들이 휘었다. **tór·tur·er** *n.* 고문하는 사람.
〖F<L *tortura* twisting ; ⇨ TORT〗
類義語 ⟹ TORMENT.

tor·tur·ous [tɔ́:rtʃərəs] *a.* 고문의, 괴로운 ; 일그러진, 구불구불한.

tor·u·la [tɔ́:rjələ, tár- ; tɔ́rjulə] *n.* (*pl.* **-lae** [-lì:, -lài], **~s**) 〔植〕 토룰라《효모균의 일종》.

to·rus [tɔ́:rəs] *n.* (*pl.* **-ri** [-rai, -ri:]) 〔建〕 (기둥 뿌리의) 큰 쇠시리 ; 〔植〕 꽃턱 ; 〔解〕 (근육의) 원형 융기 ; 〔數〕 원환체[면](圓環體[面]). 〖L〗

To·ry [tɔ́:ri] *n.* **1** 〔英史〕 토리 당원 ; [the Tories] 토리당(黨)《1679년 James 2세를 옹호하여 혁명에 반대한 왕당파 ; 19세기에 지금의 Conservatives (보수당)가 됨 ; cf. WHIG 1》. **2** [흔히 t~] 보수당원, 보수주의자(Conservative). **3** 〔美史〕 (독립 전쟁때의 독립파에 대해서) 영국파(의 미국 사람), 왕당원(王黨員) (cf. WHIG 2). —— *a.* 토리당(원)의, 왕당(원)의 ; [때때로 t~] 보수당(원)의, 보수주의(자)의. 〖C17 = Irish outlaw< ? Ir.= pursuer (*tóir* to pursue)〗

-tory *suf.* =-ORY.

Tóry·ìsm *n.* Ⓤ 토리[보수]주의(cf. CONSERVATISM).

Tos·ca [táskə] *n.* 토스카《Puccini의 오페라 및 그 주인공 ; 인기 가수》.

Tos·ca·ni·ni [tàskəní:ni, tɔ̀:s-] *n.* 토스카니니.

Arturo ~ (1867-1957) 이탈리아 태생인 미국의 오케스트라 지휘자.

tosh [táʃ] *n.* Ⓤ《俗》 허튼[잠꼬대 같은] 소리. 〖C19<?; trash+bosh인가〗

tosh·er [táʃər] *n.*《英俗》 대학의 기숙사(college)에 속하지 않은 학생.

toss** [tɔ́(:)s, tás] *v.* (~**ed** [-t],《古·詩》 **tost** [-t]) *vt.* **1** [+目/+目+副/+目+前+名/+目+目](가볍게·되는 대로) 던지다;〘球技〙(공을 밑에서) 가볍게 던져 올리다, 토스하다: ~ a thing *aside*[*away*] 물건을 내팽개치다, 등한히 하다 / ~ something ***into the wastebasket 물건을 쓰레기통에 휙 던지다 / The catcher ~*ed* a ball ***to*** the pitcher. 포수가 투수에게 공을 가볍게 던졌다 / She ~*ed* the beggar a fivepence.＝She ~*ed* a fivepence *to* the beggar. 그녀는 거지에게 5펜스 동전을 던져 주었다.

2 [+目/+目+副/+目+前+名] (갑자기) 던져 올리다; (머리 따위를) 쳐들다; (소 따위가) 뿔로 치받다;〘테니스〙(공을) 높이 쳐 올리다: ~ a pancake (냄비 속에) 구워진 케이크를 던져 올려 뒤집다 / ~ (the) oars 노를 세우다《보트 승무원의 경례》/ The horse ~*ed* the jockey. 말은 기수(騎手)를 내동댕이쳤다 / The cowboy was ~*ed* by the bronco. 그 목동은 야생마 위에서 내동댕이 쳐졌다 / ~ one's head 고개를 쳐들다 / ~ one's head *back*[***up***] 새침하게 고개를 빼다《무관심·경멸·항의 따위를 나타내는 몸짓》/ ~ hay ***about*** (말리기 위해서) 마른풀[건초]을 던져 올리며 뒤집다 / ~ a person ***in*** a blanket (많은 사람이) 모포에 사람을 올려놓고 헹가래치다.

3 [+目/+目+副/+目+*for*+名/+*wh.* 節/+*wh.*+*to* do](순번을 정하기 위해서 동전을) 던져 올리다; 동전을 던져 올려 (남과) 결정을 짓다; 동전 던지기로 정하다《우리나라의 「가위·바위·보」에 해당함; cf. HEADs *or tails*》: ~ (***up***) a coin (뒤쪽인가 앞쪽인가로 차례·승부를 결정짓기 위해) 동전을 던져 올리다 / I will ~ you ***for*** the armchair. 동전 던지기를 하여 누가 안락 의자에 앉을지 결정하자 / Let's ~ *up who* plays first. 누가 먼저 할지 동전을 던져 결정하자 / We ~*ed up whether to* go or stay. 우리는 가느냐 안가느냐를 동전을 던져 결정했다.

4 [+目/+目+副](거센 파도가 배 따위를) 몹시 동요시키다: Our small boat was ~*ed* ***about*** on the wild sea. 우리들의 작은 배는 거친 바다에서 가랑잎처럼 흔들렸다 / He was ~*ing* himself *about* in bed. 침대에서 몸을 뒤치락거리고 있었다 / The accident ~*ed* her mind infinitely. 뜻밖의 사고로 그녀의 마음은 한없이 뒤흔들렸다. **5**〘料〙 가볍게 휘저어 뒤섞다.

6 남김없이 다 마시다, 단숨에 들이켜다.

── *vi.* **1** [動/+副/+前+名](배 따위가 위아래로) 흔들리다, 동요하다; 뒤치락거리다, 뒹굴다, 데굴데굴 구르다: The patient ~*ed* ***about in*** his sleep all day. 환자는 하루종일 잠을 자면서 몸을 뒤치락거렸다 / The tower was ~*ing in* the storm. 탑은 폭풍으로 흔들리고 있었다. **2** [動/+副/+*for*+名] 동전 던지기를 하다, 동전 던지기로 정하다;〘球技〙 라켓을 돌려 던져 안이냐 밖이냐로 정하다: Who's to try first?—Let's ~ ***up***[~ ***for*** it]. 누가 먼저 해볼래—동전 던지기로 결정하자.

toss off (*vt.*) (1) (말이 기수 등을) 내동댕이치다. (2) 단숨에 들이켜다. (3) 간단히 해치우다: ~ *off* a task 일을 단숨에 해치우다 / ~ *off* a newspaper article 신문 기사를 단숨에 써내다. (4)《卑》(남)에게 수음을 해주다. (*vi.*) (5)《卑》 수음을 하다, 사정을 하다.

toss up (1) ☞ *vi.* 2, *vt.* 3. (2) (요리 따위를) 급히 만들어 내다.

── *n.* **1** 던져 올리기, 쳐올리기; (머리를) 쳐들기: *with* a disdainful ~ of his head 남을 얕보는 듯이 머리를 쳐들고. **2**《英》 낙마(落馬): take a ~ 낙마하다. **3** (위아래로) 흔들림, 동요(pitch); 흥분. **4** [the ~] (차례 따위를 정하기 위한) 동전 던지기, 토스(toss-up): win[lose] *the* ~ 토스를 해서 이기다[지다];《비유》 잘되다[안되다]. ~·**er** *n.*

〖C16<? Scand. (Norw., Swed. *tossa* to strew)〗

類義語 ⟹ THROW.

tóss bòmbing *n.* (그냥 낙하시키지 않고 폭탄을 한번 던져 올렸다가 투하하는) 토스 폭격(법).

tóssed sálad *n.*〘料〙 토스트 샐러드《드레싱을 치고 섞은 샐러드》.

tóss-òff *n.*《卑》 자위, 수음.

tóss·pòt *n.*《古》 대주가, 술고래; 술주정꾼.

tóss-ùp *n.* **1** (승부 따위를 정하기 위한) 동전 던지기. **2**《口》 반반의 가능성(even chance): It's quite a ~ whether he comes or not. 그가 올지 안 올지 어느 쪽도 단정하기 어렵다.

tost *v.*《詩》 TOSS의 과거·과거분사. ── *a.* 몹시 시달린.

tot[1] [tát] *n.* **1** 어린 아이: a tiny ~ 꼬마. **2**《口》(특히 술의) 한 잔, 한 모금, 소량.

〖C18<? *totterer*; ⇨ TOTTER〗

tot[2] *n.*《英口》 덧셈(의 합계), 가산(加算). ── *v.* (-**tt**-) *vt.*《口》 [+目+副] 더하다, 합계하다: The waiter ~*ted* ***up*** the bill. 웨이터가 요금을 합계했다. ── *vi.* [+副/+*to*+名](수·비용 따위가) 합계 (…이) 되다: The account ~*ted* ***up to*** an enormous amount. 계산서는 통틀어 엄청난 액수에 이르렀다.

〖*total* or L *totum* the whole〗

tot[3] *n.*《英俗》 쓰레기에서 회수한 뼈[귀중품].

〖C19<?〗

tot. total. **T.O.T., TOT** time on target.

***to·tal** [tóutl] *a.* **1** 전체의(whole), 총계의, 총…(↔*partial*): the ~ cost 전체 비용 / the ~ output 총생산량 / the sum ~ ☞ SUM *n.* 1. **2** 완전한, 절대적인, 전적인: a ~ abstainer ☞ ABSTAINER / ~ abstinence ☞ ABSTINENCE / ~ darkness[silence] 칠흑같은 어둠[완전한 침묵] / a ~ eclipse 개기식(皆旣蝕) / I'm in ~ ignorance of the affair. 그 사건에 대해서 나는 아무것도 모른다 / The project was a ~ failure. 계획은 완전히 실패했다. **3** 국가 전체의 힘을 기울인, 총동원의; 총력의: a ~ state 전체주의 국가 / ~ war[warfare] 총력전(戰). ── *adv.*《口》＝TOTALLY. ── *n.* [때때로 grand ~] 총계, 합계, 총액; 전체, 총량: a ~ of $100 총액 100달러 / The ~ *of* the gains amounts to three thousand dollars. 이익의 총액(總額)은 3천 달러에 이르고 있다.

── *v.* (-**l**-|-**ll**-) *vt.* **1** 총계[합계]를 내다, 합치다: He ~*ed* that column of figures. 그 난의 숫자를 합계했다. **2** 총계 …이 되다: The casualties ~*ed* 150. 사상자는 합계 150명이었다.

── *vi.* [+*to*+名] 총계[합계]가 (…이) 되다: The population has ~*ed* ***to*** three million. 인구는 총 300만에 이르렀다.

〖OF<L (*totus* entire)〗

類義語 (1) (*a.*) ⟹ FULL. (2) (*n.*) ⟹ SUM.

tótal demánd *n.* 총수요.

tótal envíronment *n.* 환경 예술의 작품.
tótal fertílity ràte *n.* 총출산율《출산 가능 연령의 여성 1인당 출산한 아기 수》.
tótal fréeze *n.* 완전 동결.
tótal héat *n.* 〖熱力學〗 총열량(enthalpy).
tótal (intérnal) refléction *n.* 〖光〗 전반사(全反射).
tótal·ìsm *n.* 전체주의(totalitarianism). **-ist** *n.*
to·tal·i·tar·i·an [toutæ̀lətέəriən, -tǽər-] *a.* 전체주의의, 1국(國) 1당(黨)주의의 : a ~ state=a TOTAL state. —— *n.* 전체주의자.
〖*totality*+*-arian*〗
totalitárian·ìsm *n.* 전체주의.
to·tal·i·ty [toutǽləti] *n.* **1** Ⓤ 전체성, 완전(성). **2** 전체 ; 전액(全額), 총계. **3** 〖天〗 개기식(皆旣蝕)(의 시간).
in totality 전체(적으)로 ; 총계로.
to·tal·i·za·tor, -sa- [tóutələzèitər ; -lai-] *n.* 〖競馬〗 건 돈 전체에서 경비·세금 따위를 뺀 나머지를 건 액수에 따라서 분배하는 방식 ; 경마의 건 돈 비율 계산기 ; 가산기.
tótal·ìze *vt.* 합계하다, 합하다(add up) ; 요약하다 ; 총력화하다 : ~*d* war 국가 총력전.
—— *vi.* 계산기를 사용하다. **tòtal·izátion** *n.*
tótal·ly *adv.* 전적으로, 완전히 ; 전체로.
tótal márket potèntial *n.* (마케팅에서 어떤 상품·서비스의) 기대되는 최대 판매액.
tótal recáll *n.* (사소한 일까지도 상기할 수 있는) 완전 기억(능력).
tótal théater *n.* 토털 연극《모든 표현 수단을 활용함》.
tótal utílity *n.* 〖經〗 (상품·서비스 따위의) 총[전]효용.
tote[1] [tóut] *vt.* 《口》 나르다 ; 짊어지다 ; 휴대하다 : ~ a gun 총을 메다. —— *n.* 나르기 ; 나르는 것, 짐 ; =TOTE BAG.
〖C17 U.S. ; cf. Angolese *tota* to pick up, carry〗
tote[2] *vt., vi.* [보통 ~ up] 《美口》 더하다, 보태다, 합계하다(total, tot).
—— *n.* 《口》 =TOTALIZATOR.
tóte bàg *n.* 여성용 대형 핸드백(tote).
tóte bòard *n.* 《口》 (경마장 따위에서) 배당금 따위의 전광(電光) 표시판.
to·tem [tóutəm] *n.* **1** 토템《미개인, 특히 북미 원주민 사이에 세습적으로 숭배하며 기장(記章)[표상(表象)]으로 삼은 자연물, 특히 동물의 상(像)》. **2** 토템상(像). 〖Ojibwa *ototeman*〗
to·tem·ic [toutémik] *a.* 토템(신앙)의.
tótem·ìsm *n.* 토테미즘《토템과 인간집단과의 연합을 둘러싼 신앙·풍속·예절·사회제도》.
tò·tem·ís·tic *a.* =TOTEMIC.
tótem·ist *n.* 토템 제도의 사회에 속하는 사람 ; 토테미즘 연구가.
tótem pòle[pòst] *n.* 토템 폴《토템의 상을 그리거나 새긴 것으로 북미 인디언들이 집앞 따위에 세우는 나무 기둥》.
tóte ròad *n.* (비(非)포장의) 물자 수송로.
toth·er, t'oth·er, 'toth·er [tʌ́ðər] *a., pron.* 《方》 또 하나의 (것[사람]), 다른 (것)(the other). 〖ME *the tother* ‹ *thet other*〗
to·ti- [tóutə] *comb. form* 「전부」「전체」의 뜻. 〖L〗
to·ti·dem ver·bis [tɔ́:tədèm wérbi:s] *adv.* 바로 그러한 말로. 〖L=in these very words〗
to·ti·es quo·ti·es [tóutièis kwóutièis, tóuʃii:z kwóuʃii:z] *adv.* …(할) 때마다‹*of*› ; 되풀이하여, 재삼. 〖L=as many times as〗

tót lòt *n.* 어린이용 놀이터.
toto ☞ IN TOTO.
Tot·ten·ham [tátənəm] *n.* 토테넘《Greater London 북부의 Haringey 시내의 한 지구(地區) ; 1965년 이전(以前)에는 Middlesex주(州)의 독립된 도시》.
Tóttenham púdding *n.* 《英》 토테넘 푸딩《돼지의 농축 사료로 음식 찌꺼기로 만듦》.
tot·ter[1] [tátər] *vi.* **1** [動/+前+名] 비틀거리다, 아장아장 걷다 : ~ ***to*** one's feet 비틀거리며 일어서다. **2** (건물 따위가) 흔들리다 ; 《비유》 (국가·제도 따위가) 흔들거리다. —— *vt.* 비틀거리게 하다 ; 흔들리게 하다. —— *n.* 비틀거림.
~·ing·ly *adv.* 비틀거리며 ; 쓰러질듯이.
tót·tery *a.* 비틀거리는, 흔들거리는, 불안정한.
〖MDu.=to swing<OS〗
類義語 ⟹ STAGGER.
totter[2] *n.* 《英俗》 넝마주이. 〖TOT[3]〗
tou·can [tú:kæn, -ka:n, ˌ-ˊ] *n.* 〖鳥〗 큰부리새《열대 남미산 ; 큰 부리가 있으며 깃이 아름다운 새》 ; [the T~] 〖天〗 큰부리새자리.
〖F<Port.<Tupi〗
◇**touch** [tʌtʃ] *vt.* **1** [+目/+目+前+名] (손 따위로) 만지다, 대다 : Don't ~ the exhibits. 진열품에 손대지 마십시오 / He ~*ed* it ***with*** his umbrella. 그는 그것에 우산을 대어 보았다 / She ~*ed* him ***on*** the arm[shoulder]. 그녀는 그의 팔[어깨]에 손을 댔다《주의를 끌기 위해서》 / The gentleman ~*ed* his hand ***to*** his hat[~*ed* his hat *to* me]. 그 신사는 모자에 살짝 손을 댔다[손을 대어 내게 인사했다].
2 a) [+目/+目+副] (물체를) 접촉시키다, 마주 닿게 하다 : They ~*ed* their glasses *together.* 그들은 유리잔을 서로 부딪쳤다. **b**) [+目/+目+前+名] (사람·물건이) …에 접촉하다, …에 마주 닿다 : Your skirt is ~*ing* the paint. 당신의 스커트가 페인트에 닿았습니다 / The line ~*es* the circle. 선은 원에 접해[접선을 이루고] 있다 / The two ships ~*ed* each other ***at*** the heads. 두 척의 배는 뱃머리가 서로 맞닿았다.
3 …와 경계를 접하다, …에 인접하다 : His garden ~*es* mine. 그의 정원은 우리 정원과 맞닿아 있다.
4 a) 가볍게 누르다[치다] : ~ a bell 종을 울리다[누르다] / ~ the keys of the piano 피아노의 건반을 가볍게 두드리다 / She ~*ed* the strings of the harp. 그녀는 가볍게 하프의 현을 튕겼다. **b**) (붓·연필로) 상세히[가볍게] 그리다 ; (그림·문장에) 가필하다, 수정하다 ; [보통 *p.p.*로] …에 색조를 띠게 하다, …의 기미를 풍기게 하다.
5 …에 이르다, 미치다 : He can almost ~ the ceiling. 그는 거의 천장에 닿는다 / The speedometer needle ~*ed* 80 miles. 속도계의 바늘이 80마일에 이르렀다.
6 [+目+前+名/+目+*as* 補] [보통 부정(否定) 구문에서] (능력 따위가 남과) 필적하다, 비견하다 : No one can ~ him ***in*** comedy[*as* a comedian]. 희극에서는[희극 배우로서는] 그와 견줄 만한 사람이 없다 / Nothing can ~ this cloth ***for*** durability. 내구성(耐久性)이라는 점에서는 이 옷감에 견줄 만한 것이 없다.
7 [보통 부정 구문으로] **a**) (음식물 따위에) 손을 대다, 먹다, 마시다 : He never ~*es* alcoholic drinks. 알코올성 음료는 전혀 입에 대지 않는다 / She hardly ~*ed* her dinner. 저녁 식사는 거의 손도 안대었다. **b**) (사업 따위에) 손을 대다, 관계하다 : It isn't my business ; I won't ~ it. 그것

은 내가 알 바가 아니다, 관여하지 않겠다. **c**) (시험 문제 따위에) 손을 대다 : I couldn't ~ the history paper. 역사 문제에는 손도 댈 수 없었다.
8 a) 해치다, 아프게 하다(affect) : The frost had *~ed* all the fruit. 서리로 과일이 모두 피해를 입었다 / The exhibits were severely *~ed* by the fire. 전시품은 화재로 크게 손상되었다. **b**) [부정 구문으로] …에 (물질적으로) 작용하다, 변화시키다 : Nothing can ~ this stain. 이 얼룩은 무엇을 써도 빠지지 않는다.
9 《口》 [+目/+目+前+名] [*p.p.*로] 정신적으로 손상시키다, …의 마음을 어지럽히다 : He is a little *~ed* (***in*** his head). 머리가 약간 돌았다.
10 [+目/+目+前+名] **a**) 감동시키다, …에 동정[감사]의 마음을 일으키다 : The scene *~ed* her (heart). 그 광경을 보고 그녀는 감동했다 / It *~ed* me ***to*** the heart. 그것은 나를 깊이 감동시켰다 / The story *~ed* him *to* tears. 그는 그 이야기에 감동하여 눈물을 흘렸다 / I was *~ed* ***with*** their friendship. 나는 그들의 우정에 감동되었다. **b**) …의 급소를 찌르다, (감정 따위를) 해치다(cf. *to the* QUICK) : The abuse does not ~ me. 그 욕설은 나에게는 아무렇지도 않다 / Nobody should ~ his self-esteem. 누구든지 그의 자존심을 상하게 해서는 안된다. **c**) 화나게 하다, 신경을 건드리다 : He *~ed* her ***on*** a sore spot. 그녀의 아픈 데를 건드려 화나게 했다.
11 …에 대해 가볍게 언급하다, 말하다(cf. *vi.* 2 a)) : a pamphlet *~ing* social reforms 사회 개혁을 논한 팸플릿 / We *~ed* many subjects in our conversation. 우리는 대담에서 여러가지 문제를 언급했다.
12 (사람·이해에) 관계하다, …에게 중대하다 : This problem *~es* our national interests. 이 문제는 우리의 국가적 이해에 관계가 있다.
13 〖海〗 (배가) …에 기항(寄港)하다, …에 들르다(cf. *vi.* 3) : The ship will shortly ~ port. 그 배는 머지않아 기항할 것이다.
14 《俗》 [+目+*for*+名] (남에게서 돈을) 빌리다, 타쓰다, 뜯어내다 : My nephew *~ed* me ***for*** ten dollars. 조카는 나에게서 10달러를 뜯어냈다.
── *vi.* **1 a**) 닿다, 만지다, 접촉하다 : Their hands *~ed*. 그들의 손이 서로 닿았다 / The two ships *~ed*. 두 배가 접촉했다. **b**) 경계를 접하다 : The two countries ~. 두 나라는 경계를 접하고 있다. **2** [+*on*+名] **a**) (문제를) 간단히 다루다, 언급하다(cf. *vt.* 11) : Our talk did not ~ (***up***)***on*** that question. 우리의 이야기에서 그 문제는 언급되지 않았다. **b**) 접근하다, 가깝다 : Your remarks ~ (***up***)***on*** madness. 너의 말은 정신나간 소리다. **3** [+*at*+名] 〖海〗 기항(寄港)하다(cf. *vt.* 13) : Cargo boats do not ~ ***at*** this port. 화물선은 이 항구에는 기항하지 않는다.
as touching ☞ TOUCHING (*prep.*).
touch and go 아슬아슬하게 나아가다 ; 닿을까 말까하게 나아가다(cf. TOUCH-AND-GO).
touch bottom (1) (발끝이) 물 밑바닥에 닿다 : Here you can just ~ *bottom.* 여기서는 발끝이 물밑바닥에 닿을 수 있다. (2) 좌초하다. (3) 밑바닥으로 떨어지다 ; (시세가) 뚝 떨어지다. (4) (사실이) 명백해지다.
touch down 〖美蹴〗 터치다운하다(☞ TOUCHDOWN) ; (비행기가) 착륙하다.
touch in (그림의 세부에) 가필(加筆)하다.
touch off (1) 발사[발포]하다 ; (사건 따위에) 계기를 주다, 야기시키다. (2) 《英》 휘갈겨 쓰다, (스케치를) 서둘러 그리다. (3) 《美》 정확하게[능숙하게] 묘사하다.
touch pitch ☞ PITCH² *n.*
touch the spot ☞ SPOT.
touch up (1) (그림·작품 따위를) 조금 수정하다, 끝손질을 하다. (2) (말 따위에) 살짝 채찍질하다. (3) (기억 따위를) 불러일으키다.
touch wood 나무에 손을 대다《자랑 따위를 한 뒤에 복수의 여신(Nemesis)의 노여움을 풀기 위한 미신적인 동작》.
── *n.* **1** Ⓤ 만지는 감촉, 촉감 : the sense of ~ 촉각 / be soft[smooth] to the ~ 감촉이 부드럽다[매끈하다] / be hard[rough] to the ~ 감촉이 딱딱[까칠까칠]하다. **2** 대기, 만지기, 접촉 : A bubble bursts at a ~. 거품은 살짝 건드리면 터진다. **3 a**) (그림의) 가필(加筆) ; 붓으로 한번 긋기[칠하기] ; 〖樂〗 탄주법(彈奏法), (현악기 따위의) 탄주 솜씨 ; (키·현(絃)의) 터치, 탄주감(感). **b**) 특질(特質) ; 필치, 운필(運筆) ; 솜씨, 다듬기 ; 하는 방법, …식(式) : a happy ~ 뛰어난 필치[표현] / the ~ of a master 명인의 특징[솜씨]. **4** Ⓤ (정신적인) 접촉, 연락 ; 공감. **5 a**) 기미, 약간, 조금, 암시 : It wants a ~ *of* salt [sugar]. 소금[설탕]이 약간 모자란다 / He has a ~ *of* fever. 그는 열이 좀 있다 / a ~ *of* irony [bitterness] 빈정대는[신랄한] 투. **b**) [부사적으로 ; a ~] 조금(cf. THOUGHT² 6) : He is *a* ~ more sensible. 그가 약간 더 말이 통한다. **6** 가벼운 병, 이상 : a ~ *of* rheumatism 류머티즘의 기미. **7** 《古》 시금석(試金石)(touchstone) ; 시험, 테스트 : bring[put]...to the ~ …을 시험하다. **8** Ⓤ 〖醫〗 촉진(觸診).

〈회화〉

I have a *touch* of a cold. — You'd better go to bed. 「나는 감기 기운이 있어요」「그럼 자는 것이 좋아요」

get in touch with …와 연락하다, 접촉하다.
in touch 〖蹴〗 터치가 되어, 경기가 중단되어.
in touch of. . . =***within touch of. . .*** (…의) 가까이에.
in touch with …에 접촉[동정, 일치]하여.
keep (***in***) ***touch with*** …와 접촉[연락]을 유지하다, …와 기맥이 (상)통하다 ; (시대·시류 따위에) 뒤지지 않다, …의 사정에 정통하다.
lose touch with …와의 접촉[연락]이 끊어지다 ; (시대 따위에) 뒤지다, …에 어두워지다.
a near touch 구사 일생, 위기 일발.
out of touch with …에 접촉[동정, 일치]하지 않고.
a touch of nature 자연의 정감, 인정미(人情味) ; (흔히) 동정심을 일으킬 만한 감정의 표시.
〚OF *tochier* <Rom. (? imit.)〛
類義語 ⟹ AFFECT¹.

tóuch·able *a.* **1** 만져 볼 수 있는, 촉감으로 알 수 있는. **2** 감동시킬 수 있는.

Touch-a-Mat·ic [tʌ̀tʃəmǽtik] *n.* 터처매틱《30개 이상의 상대방 번호를 기억시켜 둘 수 있는 전화기 ; 상표명》.

tóuch and gó *n.* 재빠른 움직임, 민첩한 동작 ; 일촉 즉발의[불안정한] 정세[상태] ; 아슬아슬한 위기 탈출.

tóuch-and-gó *a.* **1** 일촉 즉발의, 아슬아슬한, 불안정한 : a ~ business 아슬아슬한 일 / It was ~ *with* him. 그에게는 성패를 건 아슬아슬한 고비였다 / It was ~ whether we should catch the train. 기차를 타느냐 못타느냐 아슬아슬했다. **2** 날림의, 대충의 : ~ sketches 대충 그린 스케치.

tóuch·bàck *n.* 〔美蹴〕 터치백《상대가 차 보낸[패스한] 공을 자기 편의 라인 위 또는 그 후방의 땅바닥에 대기》.

tóuch dàncing *n.* 터치 댄싱《로큰롤에 맞춘 댄스와는 달리 왈츠·탱고 따위처럼 상대방을 껴안고 추는 춤》.

tóuch·dòwn *n.* **1** 〔美蹴〕 터치다운《공을 가진 사람이 골 라인을 넘거나 또는 end zone에 들어가서 땅바닥에 대기》; 그 득점. **2** 〔空〕 착륙, 착지.

tou·ché [tuːʃéi] *int.* 〔펜싱〕 (한번) 찔렸다!; (토론 따위에서) 손들었다!, 잘한다! —— *n.* 〔펜싱〕 한번 찌르기; 《비유》 정곡을 찌르는 논법, 묘답(妙答). 〖F (p.p.) ‹ TOUCH〗

touched [tʌ́tʃt] *a.* 《口》 조금 미친; 감동한.
touched in one's ***mind*** [***brain, wits***] 《俗》 머리가 좀 돈.
touched in wind 숨이 찬.

tóuch·er *n.* **1** 만지는 사람, 닿는 것. **2** 《英俗》 아슬아슬한 고비: a near ~ 위기 일발 / (as) near as a ~ 거의, 위태롭게, 하마터면.

tóuch fóotball *n.* 터치 풋볼《공을 가진 선수의 몸에 닿으면 태클한 셈이 되는 미식 축구의 변종》.

tóuch·hòle *n.* (구식 대포의) 화문(火門), 점화구(點火口).

tóuch·ing *a.* 감동시키는, 마음에 와닿는; 측은한, 안스러운: a ~ scene 감동적인 장면 / a ~ incident 가슴 아픈 사건.
—— *prep.* [때때로 as ~] 《文語》 …에 관하여 (concerning). **~·ly** *adv.* 비장하게, 애처롭게. **~·ness** *n.*
類義語 ⟹ MOVING.

tóuch-in-góal *n.* 〔럭비〕 터치인골《경기장 네 구석의 뒤쪽으로 터치인골 라인의 바깥쪽》.

tóuch jùdge *n.* 〔럭비〕 선심(線審).

tóuch-làst *n.* 술래잡기.

tóuch·lìne *n.* 〔蹴·럭비〕 터치라인, 측선(側線).

tóuch-me-nòt *n.* **1** 건드려서는 안될 사람[물건, 화제(話題)]. **2** 〔植〕 봉선화.

tóuch nèedle *n.* 〔金屬加工〕 시금침(試金針).

tóuch pàper *n.* 도화지(導火紙).

tóuch-sénsitive *a.* 손가락을 대면 감응하는.

tóuch·stòne *n.* **1** (원래 금·은의 순도(純度)를 판정하던) 시금석(試金石). **2** (사물·사람의 진위를 판정하는) 시험, 표준.

tóuch sỳstem *n.* 키보드를 안 보고 치는 타이프 방식 (cf. HUNT AND PECK).

Tóuch-Tòne *n.* 누름단추식 전화기《상표명》.
—— *a.* [touch-tone] (전화기 따위가) 누름단추[푸시 폰]식(式)의.

tóuch-tỳpe *vi.* (키보드를 안 보고) 타이프를 치다. **-tỳpist** *n.*

tóuch-ùp *n.* 작은 변경[수정, 부가](에 의한 처리[마무리]), 터치업.

tóuch·wòod *n.* Ⓤ 부싯깃(=《美》 punk[1]); 술래잡기의 일종.

tóuchy *a.* **1** 성 잘 내는, 성질이 급한; 신경과민인. **2** (문제·일 따위가) 다루기 어려운, 까다로운; 위험한. **tóuch·i·ly** *adv.* **-i·ness** *n.*

***tough** [tʌ́f] *a.* **1** 단단한, 질긴(↔*tender, soft*); 끈기있는: ~ meat 질긴 고기 / ~ clay 찰흙. **2** 튼튼한, 건장한(hardy); 불굴의; 억센, 고집센: a ~ customer 《口》 다루기 어려운 사나이 / a ~ nut 《俗》 다루기 어려운 사람, 억센 상대, 완고한 자. **3** 곤란한, 고달픈, 집요한, 힘이 드는: a ~ job[problem] 힘드는 일[문제]. **4** 《口》 불쾌한, 쓰라린, 지독한, 참혹한; 치열한: ~ luck 불운(不運) / Things are ~. 세상사가 고달프다. **5** 믿을 수 없는: a ~ story 믿기 어려운 이야기. **6** 《美》 무법적인, 무도한; 흉악한: a ~ guy 《美俗》 완력이 센 남자, 무법자 / a ~ neighborhood 무법자가 많은 일대. **7** 강압적인, 강경한. **8** 《美俗》 훌륭한, 아주 좋은.
—— *adv.* 《口》 강경하게, 난폭하게; 냉혹하게.
—— *n.* 《口》 불량자, 깡패, 폭력배(ruffian) (cf. ROUGH *n.*). —— *vt.* 《美口》 참고 견디다 ‹*out*›.
~·ly *adv.* **~·ness** *n.*
〖OE *tōh*; cf. G *zäh*〗
類義語 ⟹ STRONG.

tóugh búck *n.* 《美俗》 고된 일(을 하여 번 돈).

tóugh cát *n.* 《美俗》 개성적이어서 여자에게 인기 있는 남자.

tóugh cóokie *n.* 《美俗》 자신만만하고 당당하게 행동하는 사람.

tóugh·en *vt.* **1** 강하게[굳게] 하다. **2** 튼튼하게 하다. **3** 곤란하게 하다. —— *vi.* **1** 튼튼[완강]해지다. **2** 강건해지다. **3** 곤란해지다.

tóugh·ie, tóughy *n.* 《美口》 TOUGH한 것[사람]; 악한, 무뢰한; 어려운 문제; 난처한 처지; 조잡한 영화·책《따위》.

tóugh lìne *n.* 강경 노선.

Tóugh·màn tòurnament *n.* 주먹에 자신있는 자가 자유로이 참가해 상금을 노리고 하는 복싱 토너먼트.

tóugh-mínd·ed *a.* 실제적인, 감상적이 아닌, 현실적인; 의지가 강한, 굳건한.
~·ly *adv.* **~·ness** *n.*

tóugh slédding *n.* 《口》 곤란한 시기[때].

tóugh spót *n.* 《口》 곤란한 위치.

tóugh-tàlk *vt.* …을 강경하게 발언하다; 고자세로 말하다.

tou·pee, tou·pet [tuːpéi; ∸-] *n.* (남성용) 가발. 〖F=hair tuft (dim.) <OF *toup* tuft; ⇒ TOP[1]〗

***tour** [túər] *n.* **1** 만유(漫遊), 관광 여행; (시찰·순시 따위의) 여행, 주유(周遊); 일주, 구경: a foreign ~ 외국 여행 / a wedding ~ 신혼 여행 / a walking[motoring] ~ 도보[자동차] 여행 / ☞ GRAND TOUR / a ~ of inspection 시찰 여행; 견학(見學) / go on a ~ 관광 여행을 떠나다 / make a ~ of the world[the country] 세계[전국]를 유람하다. **2** (극단의) 순회 공연; (스포츠팀의) 원정(여행): a ~ of the country=a provincial ~ 지방 순회 공연. **3** [, táuər] (공장의) 교대(시간) (shift); 〔軍〕 (1개소에서의) 근무 기간: two ~*s* a day 하루 2교대.
on tour 관광 여행중(인); 순회 공연중(인): actors *on* ~ 순회 공연중인 배우들 / take a company *on* ~ 극단을 이끌고 순회 공연에 나서다.
—— *vt.* **1** 유람하다, 주유[만유]하다, 여행하다: Last year we ~*ed* Europe. 우리는 작년에 유럽 일주 여행을 했다. **2** (미술관 따위를) 돌아보다, 견학[구경]하다: They ~*ed* the museum. 그들은 박물관을 돌아보았다. **3** (극단·악단이) 순회 공연하다: The play is ~*ing* the provinces. 그 연극은 지방 순회 공연중이다.
—— *vi.* [動/+副/+前+名] 유람[주유]하다, (관광) 여행하다: ~ ***about*** (the world) (세계를) 주유하다 / The party are ~*ing* ***in***[***through***] Mexico. 일행은 멕시코를 여행하고 있다.
〖OF=lathe, circuit<L; ⇒ TURN〗
類義語 ⟹ TRAVEL.

tour·bil·lion, -bil·lon [tuərbíljən] *n.* 회오리 바람; (기체·액체의) 소용돌이; 빙빙 돌며 하늘로 치솟는 불꽃[봉화]. 〖OF〗

tóur condùctor *n.* (여행의) 안내원.

tour de force [tùər də fɔ́ːrs ; *F* tur də fɔrs] *n.* (*pl.* **tours de force** [—]) 힘 부리는 재주, 놀라운 재주 ; (예술상의) 역작.
〖F=feat of strength or skill〗

tóur·er *n.* tour 하는 사람[것] ; =TOURING CAR.

tóur·ing càr *n.* (5-6인승의) 포장형 관광 자동차.

tóur·ism *n.* Ⓤ 관광[유람] 여행 ; 관광 사업 ; [집합적으로] 관광객.

‡**tóur·ist** *n.* **1** 관광 여행자, 관광객, 여행가 ; 원정 중의 운동 선수 ; 일에 무성의한 사람. **2** = TOURIST CLASS. ── *a.* 여행자의[를 위한] ; tourist class의 : a ~ party 관광단 / a ~ city 관광 도시 / the ~ industry 관광 산업. ── *adv.* tourist class로. ── *vi., vt.* 관광 여행을 하다[으로 방문하다].

tou·ris·ta [tuəríːstə] *n.* =TURISTA.

tóurist àgency *n.* (관광) 여행 안내사[소], 관광 협회.

tóurist bùreau *n.* (정부의) 관광국 ; 여행사.

tóurist càrd *n.* 여행자 카드《passport 나 visa 대신 발행됨》.

tóurist clàss *n.* (선박·비행기의) 투어리스트 클래스《first class의 아래 등급 ; cf. CABIN CLASS》.

tóurist cóurt *n.* =MOTEL.

tour·iste [tuːríːst] *n.* 《Can. 俗》 (여행자가 캐나다의 프랑스어권(語圈)에서 걸리는) 설사(cf. TURISTA).

tóurist hòme *n.* 여행자에게 돈받고 재워주는 민가, 민박집(=《英》 guest house).

tour·ís·tic *a.* 관광[여행]의 ; 관광객의.

tóurist slèeper *n.* 《美》 2등 침대차(cf. PULLMAN).

tóurist tìcket *n.* 관광표, 유람표[권].

tóurist tràp *n.* 관광객에게 바가지 씌우는 가게[시설, 명승지 따위].

tóur·isty *a.* 《때때로 蔑》 관광객풍[용(用)]의 ; 관광지화(化)한, 관광객에게 인기가 있는.

tour·ma·line [túərməlìːn, -lən] *n.* Ⓤ,Ⓒ 〖鑛〗 전기석(電氣石). 〖F<Sinhalese=cornelian〗

***tour·na·ment** [túərnəmənt, tə́ːr-, tɔ́ːr-] *n.* **1** 〖史〗 (중세 때 기사들의) 마상(馬上) 시합(대회). **2** 토너먼트, 승자 진출전, 선수권 쟁탈전.
〖OF ; ⇨ TOURNEY〗

tour·ne·dos [tùərnədóu ; ⌐-⌐] *n.* (*pl.* ~) 투르네도《소의 등심살의 가운데 부분을 쓴 스테이크》.
〖F (TURN, *dos* back)〗

tour·ney [túərni, tə́ːr-, tɔ́ːr-] *n.* =TOURNAMENT. ── *vi.* (중세 기사가) 마상 시합에 참가[출장]하다(joust).
〖OF (n.) ‹ (v.) <L=to keep TURNing〗

tour·ni·quet [túrnikət, tə́ːr- ; túənikèi, tɔ́ː-] *n.* 〖醫〗 지혈대(止血帶), 압박기. 〖F ; ⇨ TURN〗

tour·nure [túərnjuər, -⌐] *n.* 윤곽 ; 곡선미 ; (여성복의) 허리에 대는 것《엉덩이의 둥근 곡선미를 나타내기 위한 것》 ; (여성복의) 둔부. 〖F〗

tou·sle [táuzəl] *vt.* 거칠게 다루다 ; (머리카락을) 헝클다 ; 혼란시키다, 뒤죽박죽으로 만들다 : ~*d* hair 헝클어진 머리카락. ── *vi.* 난잡하게 하다 ; 흐트러지다. ── *n.* Ⓤ 헝클어진 머리카락 ; Ⓤ,Ⓒ 혼란, 뒤죽박죽, 헝클어짐.
〖(freq.) ‹ *touse* (dial.) <OE 《美》 *tūsian*〗

tousy [táuzi] *a.* 《스코》 헝클어진 ; 텁수룩한 ; 임시 변통의.

tout [táut] *vi.* **1** [動/+*for*+名] 강매(強賣)하다, 귀찮게 권유하다, 손님을 끌다, 선전하다 : ~ ***for*** orders 귀찮게 주문하라고 조르다 / ~ *for* a hotel 호텔의 손님을 끌다. **2** 《英》 (조련(調鍊) 중인 경주말의) 상태를 염탐하다 ; 《美》 경마의 예상을 하다. ── *vt.* **1** 귀찮게 권하다. **2** 치켜세우다. **3** (경주말 따위) 비밀[정보]을 염탐하다. ── *n.* **1** 손님 끄는 사람. **2** 《英》 (경주말의) 염탐꾼 ; 《美》 (경마의) 예상가. **~·er** *n.*
〖ME *tūte* to look out<OE 《美》 *tutian* to peep ; ME *toot*<OE *tōtian* to project와 같은 어원〗

tout à fait [*F* tuta fɛ] *adv.* 완전히, 온통(completely) ; 전적으로(quite).

tout court [*F* tu kuːr] 아주 짧게 ; 간단히, 약하여 ; 무뚝뚝하게.
〖F=quite short〗

tout en·sem·ble [*F* tutɑ̃sɑ̃ːbl] *n.* 총체(總體), 전체, 전부 ; (예술 작품 따위의) 전체적 효과. ── *adv.* 전체로서, 전부로.
〖F (*tout* whole, ENSEMBLE)〗

tou·zle [táuzəl] *v., n.* =TOUSLE.

to·va·rich, -rish [təváːriʃ, -ritʃ] *n.* 동지, 타바리치 ; 구소련인. 〖Russ.〗

tow[1] [tóu] *vt.* **1** [+目/+目+前+名] (배·자동차를) 밧줄[쇠사슬]로 끌다 ; 끌어당기다, 견인(牽引)하다(pull) : ~ a ship ***into*** port 배를 항구로 끌고 가다 / The broken truck was ~*ed* ***to*** the garage. 부서진 트럭은 수리 공장으로 견인되었다. **2** (어린아이·개 따위를) 끌고 가다(drag). ── *vi.* 끌고 가다, 견인하다, 예항(曳航)하다. ── *n.* **1** 밧줄로 끌기, 견인 ; 예항, 끌려[따라] 가기. **2 a**) 끌려가는 배[차]《따위》 ; 끌려가는 일련의 짐배(barges). **b**) =TOWBOAT ; =SKI TOW. **3** =TOWLINE.

in tow 끌려서 : the damaged ship *in* ~ *of* [*by*] a tug 끌배에 끌려가는 파손선.

take [***have***] ***. . .in tow*** (파손된 배 따위를) 밧줄로 끌다 ; 《비유》 (남을) 돌봐주다 ; 거느리다, 마음대로 지배하다 : *take* a boat *in* ~ 배를 예인하다 / *have* a number of admirers *in* ~ 수많은 추종자들을 거느리다 / He was *taken in* ~ by his aunt. 그는 숙모에게 몸을 의탁하게 되었다.
〖OE *togian* ; cf. OE *tēon*, L *duco* to draw, lead〗
類義語 ⟹ PULL.

tow[2] *n.* 토《방적 원료로서의 아마(亞麻)나 삼 따위의 짧은 섬유·지스러기 섬유》 ; 토사(絲), 토천 ; 합성 섬유의 꼬지 않은 가닥. ── *a.* 토(제(製))의, tow와 같은.
〖MLG *touw*<OS *tou* ; cf. ON *tó* tuft of wool〗

TOW [tóu] *n.* 〖軍〗 토(=⌐ **mìssile**)《대전차 유선 유도 미사일》. 〖*t*ube-launched, *o*ptically tracked, *w*ire-guided〗

tów·age *n.* Ⓤ 배를 끌기, 예선 ; 예선료.

◇**to·ward** [tɔ̀ːrd, təwɔ́ːrd] *prep.* (cf. TOWARDS) **1** [운동의 방향] …쪽으로, …을 향하여 : get ~ …에 다가가다 / go ~ the river 강쪽으로 가다 / I look ~ you. 《戱》 건강을 축원합니다《축배를 들 때 하는 말》. 注 to와는 달리 목적한 곳에 도착하는 뜻은 포함하지 않음. **2** [위치·방향] …쪽에(있는), …쪽을 향하여 (있는) : hills ~ the north 북쪽에 있는 구릉들. **3** [경향·결과] …의 쪽에, …을 향하여 ; [감정·행위의 목적] …에 대해서, …에 관하여 : cruelty ~ animals 동물 학대. **4** [시간의 접근] …경에, …무렵에 : ~ noon 정오경에. **5** [수량의 접근] …가깝게, …정도. **6** [보조·공헌(貢獻)] …을 위하여 : Here is ten dollar ~ it. 여기 10달러 기부합니다.
──[tɔ́ːrd ; tóuəd] *a.* 《古》 **1** [*pred.*로만 쓰여] 바야흐로 일어나려고 하는 ; 진행중인 ; 임박한 (impending). **2** 앞길[전도]이 유망한 ; 얌전한

(docile).
〖OE *tōweard* imminent, future (*to, -ward*)〗
to·ward·ly [tɔ́ːrdli] *a.* 《古》 가망이 있는 ; 좋은 조짐의, 형편에 맞는 ; 유순한. —— *adv.* 전도 유망하게 ; 얌전하게. **-li·ness** *n.*
◇**to·wards** [tɔ̀ːrdz, təwɔ́ːrdz] *prep.* =TOWARD. 주 《英》에서는 산문(散文)·구어체로서는 towards 가 보통.
tów·awày *n., a.* (불법 주차 차량의) 강제 견인 철거(의).
tówaway zòne *n.* 불법 주차 차량 견인 철거 구역, 주차 금지 구역.
tów·bàr *n.* 견인봉(棒)《자동차 견인용 철봉》.
—— *vt.* (자동차를) 견인봉으로 잡아 끌다.
tów·bòat *n.* =TUGBOAT.
tów càr[**trùck**] *n.* =WRECKER 3 d).
◇**tow·el** [táuəl] *n.* 수건, 타월《천이나 종이로 만든》: a bath ~ 목욕 수건 / ☞ ROLLER TOWEL.
throw[***toss***] ***in the towel*** 〔拳〕 타월을 던지다《패배의 자인》; 《비유》 항복하다.
—— *v.* (-l- | -ll-) *vt.* [+目/+目+補] 수건으로 닦다[말리다] : He ~*ed* himself dry. 그는 수건으로 몸을 닦았다. —— *vi.* 수건을 쓰다.
〖OF *toaille*<Gmc. (《美》 *thwaham* to wash)〗
tówel hòrse[**ràck, ràil**] *n.* 타월걸이.
tów·el·(l)ing *n.* **1** Ⓤ 수건감, 타월천. **2** Ⓤ 수건으로 닦기.
‡**tow·er**[1] [táuər] *n.* **1** 탑, 망루(望樓) ; 성채 : a bell ~ 종루(鐘樓) / a clock ~ 시계탑 / an observation ~ 전망대 / ☞ WATER TOWER / the ~ of ivory=IVORY TOWER. **2** 《비유》 안전한 장소 ; 옹호자 : a ~ of strength 의지가 되는 사람, 기둥이 되는 사람, 옹호자. **3** 《美》 철도 신호소. **4** (다친 새가) 일직선으로 날아오르기.
the Tower (***of London***) 《英》 런던탑.
tower and town=***town and tower*** 《詩》 인가가 있는 곳, 마을.
—— *vi.* **1** [動/+副/+前+名] 높이 솟다 ; 《비유》 (재능 따위가 남보다 훨씬) 뛰어나다 : a spire ~*ing* ***up to*** the heavens 하늘 높이 솟아 있는 첨탑 / the castle ~*ing* ***over*** the city 도시 위에 우뚝 솟아 있는 성채 / John ~*s* ***above*** his classmates in mathematics. 존은 수학에서는 반의 다른 애들보다 훨씬 뛰어나다. **2** (상처입은 새가) 일직선으로 상승하다. **~ed** *a.* 탑이 있는.
〖OE *torr* and OF *tur*<L<Gk. *turris*〗
tow·er[2] [tóuər] *n.* 끄는[예인하는] 사람[것].
〖TOW[1]〗
tówer blòck *n.* 고층 빌딩.
Tówer Brídge *n.* [(the) ~] 타워 브리지《런던의 Thames 강의 두 개의 탑 사이에 걸려 있는 가동교(可動橋)》.
tówer cráne *n.* 〔機〕 타워 크레인, 탑 기중기.
tówer·ing *a.* **1** 높이 솟은(lofty) : a ~ tree 높이 솟은 나무. **2** 《비유》 큰, 원대한 : a ~ ambition [ideal] 크나큰 야심[원대한 이상]. **3** 격렬한, 강렬한 : a ~ passion[rage] 격노. **~·ly** *adv.*
tów·ery *a.* **1** 탑이 있는[많은]. **2** 탑 모양의, 높이 솟은(towering).
tów·hèad *n.* 머리털이 아마색[담황갈색]인 사람.
~·ed *a.* 머리털이 아마색의.
to·whee [tóuhiː, táu-] *n.* 〔鳥〕 토히새《멧새과(科) ; 북미산》. 〖imit.〗
tów·ing nèt *n.* =TOWNET.
tówing pàth *n.* =TOWPATH.
tów·lìne *n.* (배·자동차 따위를) 끄는 밧줄, (예인선의) 예항삭(索).

◇**town** [táun] *n.* **1** 읍(邑), 도시, 도회(↔*country*). 주 village보다 크며, city의 공칭이 없는 것 ; 영국에서는 city의 자격이 있어도 흔히 town이라고 함. **2** [관사 없이] **a**) 중심 도시, 《英》 (특히) London ; (화제가 되고 있는 부근의) 주요한 읍 : in ~ 재경(在京)[상경(上京)]하여 / out of ~ 시골로 가서, 도시를 떠나서 / come[go] (up) to ~ 상경하다. **b**) (교외에 대해서) 도심(都心)[상업] 지구, 시내, 번화가(downtown) : Mother has gone to ~ to do some shopping. 어머니는 쇼핑을 하러 시내에 가셨다 / He has his office in ~. 그의 사무실은 시내에 있다. **3** **a**) [the ~] 읍민, 시민 ; [the ~] 도회지 생활 : the talk [rumor] of *the* ~ 장안의 소문, 세평(世評) / It is all over *the* ~. 읍에서 온통 화제거리다. **b**) 《원래 英》 (대학 관계자에 대해서) 시민 : ~ and gown 일반 시민과 대학 관계자들. **4** 《英方》 작은 촌락, 부락. **5** 〔史〕 성시(城市), 성내(城內), 문안.
go down town 시내로 가다, 물건을 사러 가다 (cf. DOWNTOWN).
go on the town 《美》 읍으로부터 생활 보조(비)를 받다(cf. *go on the* PARISH).
a man about town (도회지의 사교장에 출입하며 놀고 지내는) 놈팡이, 《英》 London 사교계의 고등 놈팡이, 사람을 많이 상대하는[세상 물정에 밝은] 사람.
paint the town red ☞ RED.
town and tower =TOWER *and town.*
a woman of the town 매춘부.
〖OE *tūn* village, enclosure ; cf. G *Zaun* hedge, fence〗
tówn càr *n.* 타운 카《운전석과 객석 사이를 유리로 칸막이하고 문이 4개 있는 승용차》.
tówn clérk *n.* 읍[시]사무소 서기.
tówn cóuncil *n.* 읍의회.
tówn cóuncil(l)or *n.* 읍의회 의원《略 TC》.
tówn críer *n.* 〔史〕 공지 사항을 알리는 읍직원 《원래 새 규칙·포고 사항 따위를 알리고 다니던 관리》.
town·ee [tauníː] *n.* **1** 《蔑》 대학 도시의 (학생 나이 또래의) 주민. **2** 《蔑》 (시골 사정을 모르는) 도시 사람, 도회지인(人).
tówn·er *n.* 《俗》 도회지 사람.
tów·nèt *n.* (표본 채집용) 예망(曳網) (towing net).
tówn gàs *n.* 《英》 도시 가스.
tówn háll *n.* **1** 읍 사무소, 시청(사(舍)) (=《美》 city hall). **2** 공회당.
tówn hòuse *n.* (영국에서 귀족 등의) London의 별장《본 집은 시골에 있으며 country house라고 함》; 연립[공동]주택.
town·ie [táuni] *n.* 《美口》 =TOWNEE.
town·i·fy [táunəfài] *vt.* 도시풍으로 하다 ; 도시화하다.
tówn·ish *a.* 도시의 ; 도시다운 ; 도회지식의 ; 도회지 사람의[다운]. **~·ly** *adv.* **~·ness** *n.*
tówn mánager *n.* 《美》 읍장(邑長) (cf. CITY MANAGER).
tówn méeting *n.* 읍민 대회 ; 읍 위원회.
tówn plánning *n.* =CITY PLANNING.
tówn·scàpe *n.* 도시 풍경(화(畫)).
tówns·fòlk *n. pl.* =TOWNSPEOPLE.
tówn·ship *n.* **1** 〔英史〕 읍구(邑區)《큰 parish를 작게 나눈 행정 단위》, 그 주민. **2** 《美·Can.》 (county내의) 군구(郡區).
tówn·sìte *n.* 도시 건설부지[지구].

tówns·man [-mən] *n.* **1** 도회지 사람. **2** 읍민, 읍내 사람(↔*gownsman*).
tówns·pèople *n. pl.* 도시 사람 ; [the ~] (특정한 도시의) 시민, 읍민.
tówn tàlk *n.* 읍내의 소문 ; 세평.
tówn·wèar *n.* 외출복.
towny [táuni] *n.* =TOWNEE.
tów·pàth *n.* (강·운하 연안의) 배를 끄는 길, 예선(曳船)용 길.
tów·ròpe *n.* (배·자동차·스키 타는 사람 등을 끌고 가는) 끄는 밧줄, 예선용(曳船用) 로프.
tow·ser [táuzər] *n.* 큰 개 ;《口》몸집이 큰 정력가, (특히) 억척스럽게 일하는 사람.
tówy *a.* 삼 지스러기의[같은] ; (머리카락이) 아마색(亞麻色)[담황갈색]의.
tox-[1] [táks], **toxi-**[1] [táksə], **toxo-**[1] [táksou, -sə] *comb. form* 「유독한」「독(毒)」의 뜻. 〖Gk. ; ⇨ TOXIC〗
tox-[2] [táks], **toxi-**[2] [táksə], **toxo-**[2] [táksou, -sə] *comb. form* 「활」「화살」「활과 화살」의 뜻 : *toxo*philite. 〖Gk. ; ⇨ TOXIC〗
tox·a·phene [táksəfiːn] *n.* 〖藥〗 톡사펜《살충제·쥐약》.
tox·e·mia | **-ae-** [taksíːmiə] *n.* Ⓤ 〖醫〗 독혈증(毒血症) ; 임신 중독증. **-mic** *a.* 〖*tox-*[1], Gk. *haima* blood〗
tox·ic [táksik] *a.* 유독한(poisonous) ; 중독(성)의, 독성의 : ~ epilepsy 중독성 간질 / ~ smoke 독가스. 〖L=poisoned<Gk. *toxikon* (*pharmakon*) (poison) used on arrows (*toxa* arrows)〗
tox·ic- [táksik], **tox·i·co-** [táksikou, -kə] *comb. form* 「독」의 뜻. 〖Gk. (↑)〗
tox·i·cant [táksikənt] *a.* 유독한. ── *n.* 독약, 독성 물질.
tox·i·ca·tion [tàksəkéiʃən] *n.* 중독(poisoning).
tox·ic·i·ty [taksísəti] *n.* Ⓤ (유)독성.
tòxico·génic *a.* 독물 발생의 ; 독물로 형성된.
tox·i·coid [táksəkɔ̀id] *n.* (환경·인체를 오염시키는) 독성[화학] 물질.
tox·i·col·o·gy [tàksəkálədʒi] *n.* Ⓤ 독물학(毒物學). **-gist** *n.* 독물학자. **tòx·i·co·lóg·ic, -i·cal** *a.* 독물학(상)의. **-i·cal·ly** *adv.*
tox·i·co·sis [tàksəkóusəs] *n.* (*pl.* **-ses** [-siːz]) Ⓤ 〖醫〗 중독(증).
tóxic wáste *n.* 유독 산업 폐기물.
tòxi·génic *a.* 〖醫〗 독소를 생산하는, 독소 발생의.
tox·in [táksən] *n.* 독소(毒素), 톡신. 〖*toxic*+*-in*〗
tòxi·phóbia *n.* 〖心〗 독물 공포증.
toxo·ca·ri·a·sis [tàksəkəráiəsəs] *n.* 〖醫〗 톡소카라증(症)《개 따위의 장에 기생하는 톡소카라속(屬)의 회충에 의한 감염증》.
tox·oid [táksɔid] *n.* 〖醫〗 변성 독소, 톡소이드《화학적 처리 또는 물리적 수단에 의하여 무독화(無毒化)된 독소 ; 항체의 산출을 촉진하여 특수한 면역을 얻기 위해 씀》.
tox·oph·i·lite [taksáfəlàit] *n.* 궁술(弓術)가, 궁술 애호가, 궁술의 명수. ── *a.* 궁술(가)의.
tòxo·plasmósis *n.* (*pl.* **-ses**) 〖醫·獸醫〗 (사람·개·양·고양이 따위가 걸리는) 톡소플라스마증(症)《사산(死産)·유산·기형·시력장애 따위를 일으킴》.
‡**toy** [tɔ́i] *n.* **1** 장난감(plaything). **2** 《비유》**a)** 실용이 되지 않는 물건 ; 하찮은 물건 ; 시시한 작품 ; 소형의 것[짐승, (특히) 개]. **b)** 소꿉장난 ; 장난삼아 하는 일 ; 소일거리 : make a ~ of …을 가지고 놀다, 장난감으로 삼다.
── *a.* 장난감의, 모형의, 장난감 같은 ; 소형의 : a ~ box 장난감 상자.
── *vi.* [+前+名] **1** 가지고 놀다, 희롱하다, 장난치다 : Don't ~ ***with*** the tail of a cat! 고양이의 꼬리를 쥐고 장난치지 마라. **2** 부주의하게[적당히] 다루다, 건성으로 생각하다 : She ~*ed* ***with*** the idea of buying a car. 그녀는 자동차를 살까하는 생각도 해보았다. 〖C16=dallying, fun, whim<?〗
tóy dòg *n.* 애완용의 작은 개.
tóy·man *n.* 장난감 상인, 완구 제조인.
Toyn·bee [tɔ́inbi] *n.* 토인비. **Arnold J.** ~ (1889-1975) 영국의 역사가.
toy·on [tɔ́ian, tóujən] *n.* 〖植〗 붉은순나무속(屬)의 북미 태평양 연안산(産)인 능금나무과(科)의 상록관목. 〖Am. Sp.〗
tóy·shòp *n.* 장난감 가게.
TP 〖軍〗 target practice (연습탄, 훈련탄). **tp.** telephone ; township ; troop. **t.p.** title page. **TPA** Taxpayer Privacy Act ; tissue plasminogen activator. **TPI** 〖컴퓨〗 tracks per inch. **tpk(e)** turnpike. **TPM** ticketed point mileage. **TPN** 〖醫·藥〗 total parenteral nutrition(종합비경구(非經口) 영양 수액(輸液)). **tpr.** trooper. **TPS** 〖宇宙〗 thermal protection system《내열시스템 ; 우주선 표면의 내열 타일》. **TQC** total quality control(종합적 품질관리).
t quark [tíː ∸] *n.* 〖理〗 =TOP QUARK.
T.R. 〖海〗 tons registered (등록 톤). **T-R, T.R.** transmit-receive. **Tr** 〖化〗 terbium. **Tr.** Treasurer ; Troop ; Trust(ee). **tr.** trace ; train ; transactions ; transitive ; translate(d) ; translation ; translator ; transport(ation) ; transpose ; treasurer(s) ; 〖樂〗 trill ; trust ; trustee.
tra- [trə] *pref.* =TRANS-: *tra*dition.
tra·be·at·ed [tréibièitəd], **-ate** [-èit, -ət] *a.* 〖建〗 상인방(lintel)식 구조의. **trà·be·á·tion** *n.*
*__trace__[1] [tréis] *n.* **1** [부정 구문 이외에서는 흔히 *pl.*] (짐승·사람 등이 지나간) 자국(track) ; 발자국 ; 바퀴자국, 쟁기자국《따위》: (hot) on the ~*s* of …을 (맹렬히) 추적하여. **2** [+前+do*ing*] (사건 따위의) 흔적, 형적(形跡) ; 증적(證跡) ; (경험·경우 따위의) 영향, 결과 : ~*s* of an old civilization 고대 문명의 유적 / The war has left its ~*s.* 전쟁은 그 흔적을 남겨 놓았다 / The bed bore ~*s* ***of*** hav*ing* been slept in. 그 침대에는 사람이 자고 있었던 흔적이 있었다. **3** 얼마 안되는 분량, 소량, 기미 : with a ~ *of* rising temper 약간 노한 기색으로 / He showed not a ~ *of* fear. 그는 공포의 빛을 조금도 보이지 않았다. **4 a)** 선(線), 도형 ; 약도. **b)** 자동기록기의 기록. **5** 〖컴퓨〗 뒤쫓기, 추적.
── *vt.* **1** [+目/+目+*to*+名/+目+副] (…의 자국을) 따라가다, 추적하다 ; …의 흔적을 찾다, 수색하다 ; (오솔길 따위를) 따라가다 : ~ a person's footprints 남의 발자국을 밟아가다 / ~ a river ***to*** its source 강을 따라 수원(水源)까지 찾아가다 / The dog ~*d* a fox *to* its den. 개는 여우를 여우굴까지 추적했다 / The thief was ~*d* ***out*** by stolen goods. 도둑놈은 장물 때문에 뒤를 밟혔다.
2 [+目/+目+*to*+名] (유래·원인·출처를) 조사해 내다, 밝혀내다, 규명하다 : ~ the etymology of a word[the history of a nation] 어떤 어휘의 어원[민족의 역사]을 규명해 내다 / The accident is ~*d* ***to*** various reasons. 그 사건을

조사해 보면 여러가지 원인을 찾게 된다.
3 (유적 따위로 …의 옛 모양을) 확인하다, 발견하다 ; (일반적으로 …의 윤곽을) 더듬어 보다, 규명해 보다, (…의 표시를) 찾아내다 : The professor ~*d* the custom in Egypt. 교수는 그 풍습이 이집트에 있었음을 확인했다 / I couldn't ~ her features in the darkness. 어두워서 그녀의 얼굴 생김새를 알아볼 수 없었다 / He could not ~ any reference to that accident. 그 사고와 연관된 것은 아무것도 찾아낼 수 없었다.
4 [＋目/＋目＋副] (선(線)·윤곽·지도 따위를) 긋다, 그리다 ; (…의) 개략적인 도형을 그리다 ; 《비유》 획책하다 : He ~*d* (***out***) a copy from the original. 원도(原圖)로부터 사본을 베껴냈다 / The policy ~*d out* by him was never followed. 그가 세운 정책은 실시되지 못하고 말았다.
5 (위에서 따라) 베끼다, 복사하다, 전사(轉寫)[투사(透寫)]하다 : The detective noticed that she had ~*d* the signature of her dead father. 형사는 그녀가 돌아가신 아버지의 서명을 투사한 것을 알아냈다.
6 (문구를) 정성들여[꼼꼼히] 쓰다.
7 [주로 *p.p.*로] 〔建〕(창문 따위를) 격자(格子) 장식으로 꾸미다(cf. TRACERY).
── *vi.* 길을 더듬어 가다 ; (역사적·시간적으로) 거슬러 올라가다 ; 유래하다.
trace back to... ⑴ (*vt.*) …의 기원[역사]을 …까지 거슬러 올라가다, …까지 …의 원인[출처]을 규명하다(cf. *vt.* 2) : He ~*s* his family *back to* about five hundred years ago. 그는 자기 의 집안이 약 500년 전부터 계속되고 있다고 말한다 / The rumor has been ~*d back to* a diplomat. 그 소문의 출처는 어느 외교관이라는 것이 판명되었다. ⑵ (*vi.*) (역사적·시간적으로) …에 까지 거슬러 올라가다, …에 유래하다 : Her dislike for mathematics ~*s back to* experiences in her girlhood. 그녀가 수학을 싫어하는 것은 소녀 시절의 여러가지 경험에서 비롯된다.
〖OF＜Rom.＜L ; ⇨ TRACT ; (n.)〈(v.)〗
類義語 ***trace*** 탈 것이나 또는 수레 따위의 지나간 자리에 남은 자국 ; 무엇인가 있던 또는 일어났던 것을 나타내는 것 : the *traces* of a bear (곰이 지나간 자국). ***vestige*** 과거에는 존재했으나 현존하지 않는 것의 흔적, 또는 유적 : the *vestiges* of an ancient civilization (고대 문명의 흔적). ***track*** 특히 연속된[일련의] 흔적, 이를 더듬어 뒤를 밟아갈 수 있는 것 : automobile *tracks* in the sand (모래 위에 있는 자동차 바퀴 자국).

trace² *n.* (마차 따위를 끌기 위한) 봇줄, 가죽끈, 끄는줄.
in the traces 봇줄에 매여 ; 《비유》 일상적인 일에 종사하여.
kick over the traces (말이) 봇줄을 차내다 ; 《비유》 (사람이) 말을 듣지 않다, 반항하다.
〖OF *trais* (pl.)〈TRAIT〗

tráce·able *a.* **1** 자국을 찾아낼[더듬어 갈] 수 있는, 추적할 수 있는. **2** 유래를 알 수 있는, (…으로) 거슬러 올라가는, 기인하는 〈*to*〉. **3** 투사(透寫)할 수 있는, 써[그려]낼 수 있는.
tràce·abílity *n.*

tráce èlement *n.* 〔生化〕 (동식물에게 없어서는 안될) 미량(微量) 원소.

trac·er [tréisər] *n.* **1 a)** 추적자. **b)** 쓰[그리]는 사람, 모사자(模寫者) ; 철필(鐵筆), 투사필(透寫筆). **2** 《美》 분실물 수색 담당자 ; 분실 우편물[화물] 수색 조회장(照會狀). **3** 〔軍〕 예광탄(曳光彈) : a ~ shell 예광탄. **4** 탐침(探針). **5** 〔化·生理〕 트레이서, 추적자(追跡子) 표지(標識)《음식물에 넣어 내장 안에서의 반응·변화를 추적하여 알리기 위해 사용되는 방사성 동위원소》. **6** 〔컴퓨〕 추적 루틴.

trácer bùllet *n.* 예광탄.

trácer èlement *n.* 〔化·生理〕 추적 원소.

trác·er·ied *a.* 격자(格子) 장식이 있는 ; 트레이서리와 같은 무늬가 있는.

trac·ery [tréisəri] *n.* U,C 〔建〕 격자 장식, 트레이서리《고딕식 창문 위쪽의 장식적인 골조(骨組)》 ; (일반적으로) 트레이서리와 같은 무늬, 장식 격자(格子), 그물 무늬 세공.

1 trefoil
2 quatrefoil
tracery

tra·che- [tréiki], **tra·cheo-** [tréikiou, -kiə, trəkí:ou, -kí:ə ; trəkí:ə(u)] *comb. form* 「기관(氣管)」 「물관」의 뜻. 〖↓〗

tra·chea [tréikiə ; trəkí:ə] *n.* (*pl.* **-che·ae** [-kiì:, -kiài ; trəkí:i:], **-che·as**) 〔解〕 기관(氣管) ; 〔植〕 물관. **tra·che·al** [tréikiəl ; trəkí:əl] *a.*
〖L＜Gk. *trakheia* (*artēria*) rough artery〗

tra·che·i·tis [trèikiáitəs] *n.* U 〔醫〕 기관염.

trach·el- [trǽkəl, tréi-, trəkí:l], **trach·e·lo-** [trǽkəlou, tréi-, trəkí:lou, -lə] *comb. form* 「목」 「경부(頸部)」의 뜻. 〖Gk.〗

tra·che·ot·o·my [trèikiátəmi ; trǽki-] *n.* U 〔醫〕 기관 절개(술).

tra·cho·ma [trəkóumə] *n.* U 〔醫〕 트라코마, 과립성(顆粒性) 결막염. **tra·chó·ma·tous** *a.*

trachy- [trǽki, tréi-] *comb. form* 「거친」 「강한」 「조면암(粗面岩)의」의 뜻.
〖Gk. ; ⇨ TRACHEA〗

tra·chyte [trǽkait, tréik-] *n.* 〔岩石〕 조면암(粗面岩)《화강암의 일종》.

tra·chyt·ic [trəkítik] *a.* 조면암(岩) 모양의.

trac·ing [tréisiŋ] *n.* **1** U 자취를 쫓기[찾아 내기] ; 근원으로 거슬러 올라가기, 근원을 (따져) 캐기. **2** 트레이싱, 투사, 복사 ; 투사물. **3** 자동 기록 장치의 기록.

trácing clòth[**lìnen**] *n.* 투사포(透寫布).

trácing pàper *n.* 투사지, 트레이싱 페이퍼.

‡track¹ [trǽk] *n.* **1 a)** 지나간 자국 ; 바퀴 자국 ; 선적(船跡), 항적(航跡) : The dirt road showed many automobile ~*s*. 포장이 안된 도로에는 많은 자동차 바퀴 자국이 나 있었다. **b)** [특히 *pl.*] (사람·동물의) 발자국 ; (사냥개가 뒤쫓는 짐승의) 냄새 자취 : off the ~ ☞ 숙어 / We saw some quadruped ~*s* near our camp. 우리 캠프 근처에 네발 짐승의 발자국이 보였다 / He is always *on* my ~*s*. 그는 언제나 내 뒤를 따라다닌다. **2 a)** (밟아서 생긴) 작은 길, 밟아 다져진 길 : go off[keep to] the beaten ~ 《비유》 상도(常道)를 벗어나다[따르다] / A ~ runs across the field to his house. 작은 길 하나가 들판을 가로 질러 그의 집까지 나 있다. **b)** 《비유》 (인생의) 행로(行路), (세상의) 상도(常道) ; 처세의 길 : go on in the same ~ year after year 해마다 같은 행로를 가다. **3 a)** 철도 선로, 궤도(rail(s), line) : a single[double] ~ 단(單)[복(複)]선 / The train left the ~. 그 열차가 탈선했다. **b)**

〖機〗무한(無限) 궤도. **c)** 지나는 길, 통로, 진로, 항로(航路) : the ~ of a ship 배의 진로. **4** (행위·계획 따위의) 증적(證跡), 형적(形跡). **5 a)** 경마로(路) ; 경주로, 주로(走路), 트랙(cf. FIELD *n.* 4) : a ~ meet(ing) 육상경기회 / a cycling ~ 자전거 경주로. **b)** [집합적으로] 트랙 경기(cf. FIELD SPORTS) ; (일반적으로) 육상경기. **6** 〖自動車〗양바퀴 (사이의) 간격, 윤거(輪距) ; 《美》궤간(軌間). **7** (레코드판의) 홈 ; (자기(磁氣) 테이프의) 음대(音帶), 트랙 ; =SOUND TRACK. **8** 〖美敎〗능력[적성]별 편성 코스. **9** 〖컴퓨〗(저장) 테, 트랙.

clear the track 길을 비키다[트다] ; [명령] (거기) 비켜라!

cover (***up***) one***'s tracks*** 행적[행방]을 감추다 ; 의도[계획 따위]를 비밀로 하다.

in one***'s tracks*** 《美》있는 자리에서, 그 자리에서 ; 당장 : He suddenly stopped *in* his ~*s.* 갑자기 그는 그 자리에서 발을 멈추었다.

in the track of …의 보기[예]에 따라 ; …의 도중에서[에 있는].

keep track of …의 자취를 더듬다, …을 잃지[놓치지] 않도록 뒤쫓다 ; (정세)에 늘[끊임없이] 주의하고 있다 : You must *keep ~ of* current affairs. 매일 일어나는 일에 주의를 기울이고 있어야 한다.

lose track of …의 자취를 잃어[놓쳐]버리다 ; …을 잊어버리다 ; …와 소식[접촉]이 끊어지다 : After a year or two we *lost ~ of* each other. 1, 2년이 지나서 우리들은 서로 소식이 끊어지고 말았다.

make tracks 《口》(급히) 떠나가다, 도망치다.

make tracks for... 《口》…을 뒤쫓아가다 ; 《口》… 의 쪽으로 가다 : It's time you *made ~s for* school. 이제 학교에 갈 시간이다.

off the track (사냥개가) 사냥감 냄새 자취를 잃고 ; 《비유》 문제[주제]를 벗어나서 ; 잘못되어 (wrong).

on the right side of the (***railroad***) ***tracks*** 《美》도시의 상류층[부자들]이 사는 지역에.

on the track (***of...***) (…을) 추적하여 ; (…의) 단서를 잡고 (있는) : The dogs are *on the ~ of* the fox. 개는 여우를 뒤쫓고 있다.

on the wrong side of the (***railroad***) ***tracks*** 《美》도시의 하류층[빈민]이 사는 지역에.

put...on the track …에게 추적시키다.

throw...off the track (추적자를) 떼어 버리다 ; 단서를 잃어버리다 ; 탈선하다.

—— *vt.* **1** [+目/+目+前+名/+目+副] (사람·동물을) 추적하다 ; 추적하여 잡다 ; (사막 따위를) 횡단하다 ; (일반적으로 흔적이나 증거 따위를 더듬어) 찾아내다, 탐지하다 : The hunter *~ed* the bear ***to*** its den. 사냥꾼은 곰을 굴까지 추적했다 / The police *~ed* ***down*** the criminal. 경찰관은 범인을 추적하여 체포했다 / The explorers *~ed* ***out*** the course of an old glacier. 탐험대는 옛 빙하가 있던 흔적을 찾아냈다. **2** [+目/+目+前+名] 《美》(진흙 묻은 구두로) …에 발자국을 남기다 ; (눈·진흙 따위를) 발에 묻혀 오다 : Don't ~ the floor! 마루에 흙 발자국을 내지 마라 / He *~ed* dirt ***into*** the house. 그는 구두에 흙을 묻힌 채로 집안에 들어왔다. **3** 《美》(학생 등을) 능력[적성]별로 편성하다.

—— *vi.* **1** 추적하다 ; …의 자취를 쫓다 ; (바늘이) 레코드의 홈을 따라가다 ; (뒷바퀴가) 앞바퀴의 바퀴자국을 지나다 ; 예상대로의[바른] 코스를 가다 ; (차의 양바퀴가) 같은 바퀴거리를 유지하다, 궤도에 맞다 ; 《美》궤간이 …이다. **2** 돌아다니다〈*about, around*〉; 발자국을 남기다 ; 《美》가다, 나아가다 ; 〖映·TV〗(카메라(맨)이) 돌리(dolly)에 타고 움직이다.

〖OF *trac* <? Gmc. (MDu. *trachen* to pull) ; cf. Norw. *trakke* to trample, Icel. *trathk* trodden spot〗

類義語 ⟹ TRACE[1].

track[2] *vt.* (둑 따위에서 배를) 밧줄로 끌다.
—— *vi.* (배가) 밧줄로 끌려 나아가다.
〖? Du. *trekken* to draw ; ↑에 동화(同化)〗

tráck·age *n.* Ⓤ [집합적으로] 《美》철도 선로《궤도 전체》; 궤도의 부설 ; Ⓤ,Ⓒ 궤도 사용권 ; 궤도 사용료.

tráck and fíeld *n.* [집합적으로] 트랙 및 필드 종목, 육상 경기.

tráck cléarer *n.* (기관차·전차 따위의 앞 부분에 단) 장애물 제거 장치, 배장기(排障機) ; (기관차의) 제설(除雪) 장치.

tracked [trǽkt] *a.* 무한 궤도가 있는(cf. TRACK *n.* 3 b)) : a ~ vehicle 무한 궤도차.

tráck·er *n.* **1** 추적하는 사람[것], 캐내는 사람 ; 경찰견, 사냥감을 쫓는 사냥꾼[사냥개]. **2** 배 끄는 사람 ; 끌배.

trácker dòg *n.* 추적견(犬).

tráck evènt *n.* 〖競〗트랙 종목《달리기·장애물 경주·릴레이 따위》.

tráck·ing *n.* 추적 ; Ⓤ,Ⓒ 〖映〗트래킹《촬영중 카메라의 전후 이동 ; 그 효과》; 〖宇宙〗(레이더 따위에 의한 로켓·미사일의) 추적 ; 〖美敎〗능력[적성]별 학급 편성.

trácking shòt *n.* 〖映·TV〗이동 촬영(장면).

trácking stàtion *n.* (인공위성 따위의) 추적 스테이션, 관측소.

tráck·lày·er *n.* 《美》(철도) 선로 부설 인부[기계] ; 무한 궤도 트랙터[전차(戰車)].

tráck·lày·ing *a.* 선로 부설용의 ; (차가) 무한 궤도식의.
—— *n.* Ⓤ 선로 부설.

tráck·less *a.* **1** 발자국이 없는, 길이 없는, 인적 미답(人跡未踏)의 ; 자국을 남기지 않은. **2** (전차 따위) 무궤도의.

tráckless trólley *n.* (무궤도) 트롤리버스.

tráck lìght *n.* 트랙 라이트《track lighting에 사용되는 전등》.

tráck lìghting *n.* 트랙 조명《전등설비를 이동시켜 장치할 수 있도록 전기를 통한 띠 모양의 금속 조각을 쓰는 것》.

tráck·man [-mən, -mæ̀n] *n.* 《美》철도 보선원 ; =TRACKWALKER ; 트랙 경기의 주자.

tráck-mìle *n.* 1마일의 선로[궤도].

tráck rècord *n.* **1** 트랙 경기의 성적. **2** (회사의) 현재까지의 업적, 실적.

tráck shòe *n.* (육상 선수의) 운동화 ; (궤도차의) 브레이크 장치.

tráck sùit *n.* 운동 선수가 연습할 때 입는 옷.

tráck sỳstem *n.* 〖美敎〗능력[적성]별 학급 편성 방식[제도].

tráck·wàlk·er *n.* 〖美鐵〗선로 순찰원.

tráck·wày *n.* 밟아 다져진 길 ; (옛날의) 도로.

***tract**[1] [trǽkt] *n.* **1** (토지·하늘·바다 따위의) 넓이 ; 넓은 면적, 지역, 구역 : a wooded ~ 삼림지대 / a vast ~ *of* ocean 광대한 대양. **2** 〖解〗**a)** 관(管), …계(系), 도(道), (중추 신경계의) 로(路) ; (신경의) 속(束) : the digestive ~ 소화관. **b)** (신경 섬유의) 다발, 삭(索) : the motor ~ 운동 신경삭(索). **3** 《古》기간(period) ; 세

월 : a long ~ *of* time 장시간.
〚L=a stretching out (*tract- traho* to drag, pull)〛

tract² *n.* (특히 종교상·정치상의) 작은 책자, 팸플릿. 〚? L *tractatus* TRACTATE〛

tract³ *n.* [흔히 T~] 〖카톨릭〗 영송(詠誦).
〚L *tractus* (*cantus*) extended (song) ; ⇨ TRACT¹〛

trac·ta·ble [trǽktəbəl] *a.* **1** 다루기[길들이기] 쉬운, 유순한, 양순한. **2** (재료 따위가) 세공하기 쉬운, 다루기 쉬운. **-bly** *adv.* 유순하게. **~·ness** *n.* 순종 ; 다루기 쉬움. **tràc·ta·bíl·i·ty** *n.*
〚L (*tracto* to handle, treat) ; cf. TRACT¹〛

Trac·tar·i·an [træktέəriən, -tǽər-] *a.* 옥스퍼드 운동의. ── *n.* 옥스퍼드 운동 주창자[주의자, 논문 집필자].
~·ìsm *n.* 옥스퍼드 운동.

trac·tate [trǽkteit] *n.* 논문(treatise).
〚L=handling, treatment ; ⇨ TRACT¹, TREATY〛

tráct hòuse *n.* 트랙트 하우스《한 곳에 세워진 같은 형태의 주택 중의 하나》.

trac·tile [trǽktəl, -tail ; -tail] *a.* 잡아늘일 수 있는, 연성(延性)이 있는.
trac·til·i·ty [træktíləti] *n.* 연성, 신장성.

trac·tion [trǽkʃən] *n.* **1** Ⓤ 끌기, 견인(력)(牽引(力)) : electric[steam] ~ 전기[증기] 견인. **2** 공공 수송 업무 ; [집합적으로] 《美》(시내) 전차 : motor ~ 자동차 운송 / an electric ~ company 전철 회사. **3** Ⓤ 〖生理〗 (근육의) 수축(收縮). **4** Ⓤ (레일에 대한 차바퀴·도르래에 대한 로프 따위의) 점착(粘着) 마찰. **5** 끄는 힘, 매력, 영향력. **~·al** *a.*
〚L ; ⇨ TRACT¹〛

tráction èngine *n.* 견인 기관차.

tráction whèel *n.* (기관차의) 동륜(動輪) (driving wheel).

trac·tive [trǽktiv] *a.* 끄는, 견인하는 ; 견인용의.

***trac·tor** [trǽktər] *n.* **1** 견인자(牽引者)[물]. **2** 트랙터, 견인(자동)차, 무한 궤도 견인차 : a farm ~ 경작용 트랙터. **3** 〖空〗 견인식 비행기《프로펠러가 주날개보다 앞에 붙어 있음》.

tráctor·càde *n.* (농민의 시위·항의 행동으로서의) 트랙터 행진[시위].

tráctor-tràil·er *n.* 트레일러가 달린 트랙터.

tráct socìety *n.* 종교 서적 보급회.

Tra·cy [tréisi] *n.* **1** 여자 이름《Teresa의 애칭》. **2** 남자 이름.

trad [trǽ(ː)d] *a.* 《英口》 =TRADITIONAL.
── *n.* 트래드《1950년대에 리바이벌된 1920-30년대의 영국 재즈》.

trad. tradition ; traditional.

‡trade [tréid] *n.* **1 a**) 무역, 통상(commerce) ; U,C 상업, 장사, 매매, 거래 : domestic[foreign] ~ 국내[외국] 무역 / fair ~ 공정 거래 ; 호혜 무역 / free ~ 자유 무역 / drive[do, make] a roaring ~ 장사[상업]가 번성하다 / This article is good[bad] *for* ~. 이 물건은 살 마음이 나게 한다[나지 않는다] / The tourist ~ was booming. 관광업은 대호황이었다 / *T*~ follows the flag. 국기가 나부끼는 곳에 장사가 있다《식민지 때문에 장사가 번창한다》. **b**) Ⓤ 소매업, 소매상(cf. COMMERCE, INDUSTRY) : Mr. Brown is in ~ and is very prosperous. 브라운씨는 소매상을 하는데 아주 번창하고 있다. **c**) [집합적으로] (미개인과의) 교역품(交易品). **2 a**) (특히 숙련을 필요로 하는) 수공(업) ; 손 일 : A printer or carpenter learns his ~. 인쇄공이나 목수는 일을 실제로 배운다. **b**) (일반적으로) 직업, 장사 ; 가업 : follow[carry on] a ~ 직업에 종사하다, 장사를 하다 / He is a butcher *by* ~. 그의 직업은 정육업이다 / Jack of all ~*s* 만물상 / Everyone to his ~.=Every man for his own ~. 《속담》 장사에는 제각기 전문이 있다 / Two of a ~ never agree. 《속담》 같은 장사끼리는 화합이 안된다. **3** U,C 《美》 교환(exchange) : They arranged a ~ of cars. 그들은 차를 교환하기로 결정하였다. **4** [집합적으로] **a**) [the ~] 동업자, 업계 ; 소매상인들 ; 《英口》 술장수, (특히) 양조업자들 : discount to the ~ 동업자 할인(trade discount) / automobile ~ will welcome the measure. 자동차업자는 그 조치를 환영할 것이다. **b**) 《美》 고객, 거래처(customers) : That salesman is popular with the ~. 저 판매원은 (단골) 손님에게 인기가 좋다. **5** [the ~s] 무역풍(trade wind). **6** 《美》 (정치상의) (부정) 거래, (정당간의) 담합(談合), 타협.
── *vi.* **1** [動/+前+名] 장사하다, 매매하다 ; 거래[무역]하다 : He ~*s* ***in*** cotton. 그는 면직물 장사를 한다 / England ~*s* ***with*** China. 영국은 중국과 무역을 하고 있다. **2** [+前+名] (남과) 교환하다 : If she doesn't like her doll, I'll ~ ***with*** her. 그녀가 자기의 인형을 마음에 안들어 한다면 내것과 바꿔주겠다. **3** (지위·사면(赦免) 따위를) 돈으로 거래하다 ; (정치적인 세력 따위에 의해서) 부정한 교섭[흥정, 거래]을 하다. **4** [+前+名] (배가) 화물을 운반하다, 다니다 : These merchant ships ~ ***between*** London and the Baltic ports. 이 상선(商船)들은 런던과 발트 해 여러 항구 사이를 왕래한다 / English ships ~ all ***over*** the world. 영국 선박은 온 세계로 상품을 운반한다. **5** [+前+名] 《美》 물건을 사다(shop, buy) : I usually ~ ***at*** our local stores. 대개 우리 이웃 가게에서 물건을 산다.
── *vt.* [+目/+目+前+名] 바꾸다(exchange) ; (물물) 교환하다(barter) : ~ seats (***with*** a person) (남과) 자리를 바꾸다 / The Red Indians ~*d* their captive ***for*** two guns. 북미 인디언들은 그들의 포로를 총 두 자루와 교환했다.
trade in (1) (*vi.*) ☞ *vi.* 1. (2) (*vt.*) 중고품을 웃돈을 주고 신품과 바꾸다 : He ~*d in* his used car *for* a new one. 중고차를 웃돈을 얹어 주고 새 차와 바꾸었다.
trade off 《美》 팔아 버리다 ; 지위를 교체하다 ; 번갈아 사용하다 ; 교환하다.
trade (***up***) ***on*** …을 이용[악용]하다, …에 편승하다 : It is not good to ~ (*up*) *on* other's ignorance. 남의 무지를 이용하는 것은 좋지 않다.
〚ME=course, path<MLG *trade* track ; ⇨ TREAD〛
類義語 ⟹ SELL.

tráde accèptance *n.* 〖商〗 수출 인수 어음.

tráde àdvertising *n.* 산업 광고《일반 대중이 아닌 업계가 대상임》.

tráde agrèement *n.* (국제) 무역 협정 ; 노동 협정[계약].

tráde associàtion *n.* 동업 조합, 동업자 단체.

tráde bàrrier *n.* 무역 장벽.

Tráde Bòard *n.* 임금국《1909년에 설립된 영국의 노사 및 공익 대표 삼자로 구성된 노동 위원회》.

tráde bòok *n.* 일반[대중]용 책 ; =TRADE EDITION.

tráde càrd *n.* 《英》 =BUSINESS CARD.

tráde cỳcle *n.* 《英》 =BUSINESS CYCLE.

tráde dèficit *n.* 무역 수지의 적자.

tráde dìscount *n.* 〖商〗 동업자 할인.
tráde edìtion *n.* (어떤 책의 한정판·교과서판 따위에 대한) 보급판, 대중판(cf. LIBRARY EDITION, TEXT EDITION).
tráde fàir *n.* 산업[무역] 박람회.
tráde frìction *n.* 무역 마찰.
tráde gàp *n.* 무역 불균형, (한 나라의) 무역 결손, 무역 수지의 적자.
tráde-ìn *n.* (*pl.* **~s**) 《美》 신품 대금의 일부로 내놓는 중고품 〈*for*〉; 트레이드인. —— *a.* 신품 대금의 일부로 내놓는 (중고품의).
tráde jòurnal *n.* 업계지(業界誌).
tráde-làst *n.* 《美口》 제3자의 칭찬《자기에게 누군가가 칭찬[호평]을 해주면 그 대가로 상대방이 제3자를 통해 칭찬해 주는 말; 略 T. L.》: I have a *T.L.* for you. 너에 관해서 칭찬하는 사람이 있는데 말이야.
tráde liberalizàtion *n.* 통상[무역] 자유화.
tráde magazíne *n.* 업계지《특정 업계나 전문적 직업인 상대의 잡지》.
tráde·màrk *n.* (등록) 상표; 사람[사물]을 상징하는 특징[습성], 트레이드 마크. —— *vt.* …에 상표를 붙이다; …의 상표를 등록하다.
tráde nàme *n.* **1** 상품명; 상표명. **2** 《美》 상호. —— *vt.* …에 trade name을 붙이다.
tráde-òff *n.* 《美》 **1** 둘 이상의 대안을 분석하고 이점만을 선택하여 결정안으로 하기. **2** (타협을 위한) 흥정, (교섭의) 교환 조건.
tráde ómnibus bìll *n.* 《美》 (무역 역조를 막기 위한) 종합 무역법안.
tráde pàper *n.* 업계지(紙), 업계 신문.
tráde páperback *n.* 대형(大型) 페이퍼백(책) (cf. MASS-MARKET PAPERBACK).
tráde plàte *n.* 미등록 자동차의 임시 번호판《판매업자가 사용하는》.
tráde première *n.* 〖映〗 영화사 관계자들만의 시사회(試寫會).
tráde prèss *n.* =TRADE MAGAZINE.
tráde prìce *n.* 도매 가격, 업자간의 가격.
trad·er [tréidər] *n.* **1** 상인, 무역업자. **2** 무역선(船), 상선(商船).
tráde recipròcity *n.* (통상) 상호주의《보복의 뜻이 강함》.
tráde rèference *n.* (거래상의) 신용 문의처《처음 거래할 때 상대방에게 통지해 주는 자기의 신용에 관한 문의처》; 신용조회.
tráde ròute *n.* 통상(항)로.
tráde sàle *n.* 업자끼리 하는 경매.
tráde schòol *n.* 실업학교.
tráde sécret *n.* 장사[직업, 업무]상의 비밀.
trádes·fòlk *n. pl.* =TRADESMEN.
tráde shòw *n.* 〖映〗 (개봉 영화의) 시사회《영화관 경영자·비평가에게 보임》.
trádes·man [-mən] *n.* (*pl.* **-men** [-mən]) **1** 《주로 英》 상인, (특히) 소매 상인(shopkeeper). **2** 《美·스코》 장인(匠人)(artisan); 배달원.
trádes·wòman *n. fem.*
trádes·pèople *n. pl.* 상인, (특히) 소매 상인; [집합적으로] 《英》 소매상(계급·가족).
trádes ùnion *n.* 《주로 英》 =TRADE UNION.
Trádes Ùnion Cóngress *n.* [the ~] 《英》 노동 조합 회의《略 TUC, T. U. C.》.
tráde súrplus *n.* 무역 수지의 흑자.
tráde ùnion *n.* 노동 조합(=《美》 labor union). ***the World Federation of Trade Unions*** ☞ WORLD.
tráde únionism *n.* 노동 조합 조직[주의, 이론, 운동].
tráde únionist *n.* 노동 조합원(組合員), 노동 조합주의자.
tráde wìnd *n.* [때때로 the ~s] 무역풍《늘 적도(赤道)를 향해서 부는 바람; 옛날 돛단배의 항진에 이용되었음; cf. ANTITRADE》.
trad·ing [tréidiŋ] *n.* Ⓤ 무역, 통상; 《美》 (정당간 따위의) 타협, 담합(談合). —— *a.* 상거래[무역]하는; 통상용의.
tráding còmpany[concèrn] *n.* 상사회사.
tráding estàte *n.* 산업 지대, 공업 단지.
tráding pòst *n.* (미개지 원주민과의) 교역소.
tráding stàmp *n.* 《美》 경품권《여러장 모아서 경품과 바꿈》.
‡tra·di·tion [trədíʃən] *n.* **1** Ⓤ,Ⓒ 전설, 전승(傳承), 구비(口碑): true to ~ 전설대로, 이름 그대로 / be handed down by ~ 구비로 전해지다 / This story is founded on ~(*s*). 이 소설은 전설에 의거하고 있다 / *T*~ says[runs] that …이라고 전해지고 있다. **2** Ⓤ,Ⓒ 전통, 인습, 관례, 관습; (예술상의 유파로서의) 양식[관례, 수법], 전통, 유형(cf. CONVENTION 5, 6): the ~*s* of painting 회화(繪畫)의 전통[수법] / It is a ~ in his family. 그것은 그의 집안의 가풍[전통]이다. **3** 〖法〗 인도(引渡), 교부(交付). **4** 〖神學〗 경외(經外) 전설, 성전(聖傳)《정경(正經)에 기록되지 않은 말로 전해지는 교리》. **~·less** *a.*
〖OF<L (*tradit- trado* to hand on, betray (*trans-*, *do* to give))〗
***tradítion·al** *a.* 전설의; 전통(적)인, 인습적인, 고래(古來)의, 구습적인, 전래(傳來)의[에 의한] (cf. CONVENTIONAL).
~·ly *adv.* 전설적으로; 전통적으로.
tradítional consérvative *n.* 《美》 (공화당을 중심으로 한) 전통적 보수파.
tradítional grámmar *n.* 전통 문법.
tradítional·ìsm *n.* Ⓤ 인습 고수; 전통주의《전통에 집착하는 사상·태도》; 〖宗〗(신의 계시에 기반을 둔 종교적) 전통주의. **-ist** *n.* 전통주의자.
tradítion·al·ìze *vt.* 전통에 따르게 하다; …에게 전통을 가르치다[지키게 하다].
tradítional líberal *n.* 《美》 (민주당을 중심으로 한) 전통적 진보파(cf. NEOLIBERAL).
tradítion·àry [; -əri] *a.* =TRADITIONAL.
tradítion·ist *n.* =TRADITIONALIST; 전승에 정통한[을 전하는] 사람, 전승자, 전승 연구[기록]자.
trad·i·tor [trǽdətər] *n.* (*pl.* **-to·res** [trӕdətɔ́ːriːz], **~s**) 〖史〗 (로마의 박해에 의한 초기 기독교의) 배교자, 개종자.
tra·duce [trədjúːs] *vt.* (남의) 욕을 하다, (남을) 비방하다, 중상하다(slander). **~·ment** *n.* 중상, 험담. **-dú·cer** *n.* 중상하는 사람.
〖L=to disgrace (*trans-*, *duco* to lead)〗
tra·du·cian [trədjúːʃən] *n.* 〖神學〗 영혼유전(遺傳)론자. **~·ìsm** *n.* 영혼 유전설. **~·ist** *n.*
Tra·fal·gar [trəfǽlgər] *n.* [Cape ~] 트라팔가르곶《스페인 남서부의 곶; 그 앞바다에서 1805년 10월 21일 Nelson이 스페인·프랑스 연합함대를 격파했음》.
Trafálgar Squáre *n.* (London의) 트라팔가르 광장《중앙에 Nelson의 동상 기념탑이 있음》.
‡traf·fic [trǽfik] *n.* **1** Ⓤ **a**) (사람이나 차의) 왕래, 통행, 교통: control[regulate] ~ 교통정리를 하다 / be open to ~ 개통하다 / There is little[heavy] ~ on this road. 이 도로는 교통량이 적다[많다] / Safety *T*~ Week 교통안전 주간. **b**) (철도·선박·비행기 따위에 의한) 교통 운수

업 ; 교통 기관. **c**) (사람의) 교통량 ; (화물의) 수송량, (전화의) 통화량 ; 운임 수입. **2** Ⓤ 무역(trade), 매매, 상업 ; 부정 거래 : the ~ *in* pearls 진주 매매 / the ~ *in* votes 투표의 부정 거래. **3** Ⓤ 교섭, 관계〈*with*〉; 교환. **4** 〖컴퓨〗 소통(량). **5** [형용사적으로] 교통(정리)의 : a ~ accident 교통 사고 / a ~ circle 《美》 원형 교차점, 로터리(rotary) / a ~ department[section] (철도회사·청(廳) 따위의) 운수과[국] / a ~ island 교통 안전 지대(cf. SAFETY ISLAND) / a ~ network 교통망 / a ~ policeman 교통 순경 / ~ regulations 교통 규칙 / a ~ ticket 《美》 (교통 순경이 건네주는) 교통 위반 카드[딱지](cf. TICKET *n.* 8) / a ~ survey 교통 조사.

the traffic will bear 현상황이 허락하다 : We feel that two candidates are all *the ~ will bear.* 현상황으로 미루어 후보자는 두 명이 한도라는 감이 든다.

—— *v.* (**-ficked** [-ikt] ; **-fick·ing**) *vi.* [+前+名] (특히 부정하게) 매매[거래, 무역]하다(trade) : He *~ked* ***with*** the natives ***for*** opium. 그는 원주민과 아편 거래를 했다 / ~ ***in*** jewelry 보석류 장사를 하다. —— *vt.* 장사하다, 거래하다 ; (도로 따위를) 통행하다.

〚OF＜OIt. *trafficare* to engage in trade〛

tráffic·able *a.* (도로 따위를) 자유로이 통행할 수 있는 ; 거래[교역]하기에 알맞은.

traf·fi·ca·tor [trǽfəkèitər] *n.* 《英》 (자동차의) 방향 지시기(器). 〚*traffic* indic*ator*〛

tráffic blòck *n.* 《英》 ＝TRAFFIC JAM.

tráffic-càst *n.* 도로 교통 정보 방송. **~·er** *n.* 도로 교통 정보 아나운서.

tráffic còne *n.* 트래픽 콘《도로의 공사 구간 따위에 설치하는 원뿔 모양의 표지》.

tráffic contròl *n.* 교통 정리.

tráffic contròl sìgnal *n.* ＝TRAFFIC SIGNAL.

tráffic còp *n.* 《美口》 교통 순경.

tráffic còurt *n.* 교통 위반 즉결 재판소.

tráffic dèath *n.* 교통 사고사(死).

tráffic dènsity *n.* 교통량 ; 교통 밀도.

tráffic engineèring *n.* 교통 공학.

tráffic engineèr *n.*

tráffic ìndicator *n.* 《英》 ＝TRAFFICATOR.

tráffic jàm *n.* 교통 체증[마비].

traf·fick·er [trǽfikər] *n.* **1** (악덕) 상인, 밀매[밀수]꾼 : a drug ~ 마약 밀매인 / a ~ *in* slaves 노예 상인. **2** 알선업자, (비밀 따위를) 팔아먹는 사람.

tráffic lìght *n.* ＝TRAFFIC SIGNAL.

tráffic mànager *n.* 운수 과장.

tráffic pàttern *n.* 〖空〗 (비행기가 이착륙시 지시받는) 지정 비행 경로.

tráffic retùrns *n. pl.* (정기적인) 운수 보고.

tráffic ríght *n.* (항공사의 유상) 운송권.

tráffic sìgn *n.* 교통 표지.

tráffic sìgnal *n.* 교통 신호(등).

tráffic wàrden *n.* 《英》 교통 지도관《주차 위반 단속, 아동 교통지도 따위를 하는 경찰 보조관》.

tráffic·wày *n.* 도로 용지(用地) ; 차도(車道) ; ＝HIGHWAY.

trag. tragedy ; tragic.

trag·a·canth [trǽgəkæ̀nθ, -dʒə-, -kənθ] *n.* Ⓤ (소아시아·페르시아산) 트라가칸트 고무(수액(樹液))《주로 제약·직물 마무리용》.

〚F＜L＜Gk.＝goat's thorn〛

tra·ge·di·an [trədʒíːdiən] *n.* 비극(悲劇) 작가 ; 비극 배우.

tra·ge·di·enne [trədʒìːdién] *n.* 비극 여배우.

*__trag·e·dy__ [trǽdʒədi] *n.* **1 a**) Ⓤ 비극《극의 일부문》, Ⓒ (한편의) 비극(cf. COMEDY) : a ~ king[queen] 비극 배우[여배우] / "Macbeth" is a famous ~ by Shakespeare. 맥베스는 셰익스피어의 유명한 비극이다. **b**) Ⓤ 비극의 창작[연출]. **2** Ⓤ,Ⓒ 비극적 사건, 참사, 참극 : His death in the accident was a ~ for his family. 그 사고로 그가 죽은 것은 그의 가정에 비극이었다. **3** Ⓤ 비극적인 일, 비극적 요소.

〚OF＜L＜Gk. *tragōidia* goat song (↓)〛

*__trag·ic__ [trǽdʒik] *a.* **1** 비극의, 비극적인(cf. COMIC) : a ~ actor[poet] 비극 배우[시인]. **2** 비참한, 비장한 ; 비통한 : a ~ death[event] 비참한 죽음[사건]. —— *n.* [the ~] (인생·예술 따위의) 비극적 요소[표현].

〚F＜L＜Gk. (*tragos* goat) ; ↑〛

trág·i·cal *a.* ＝TRAGIC 《㈜ tragical은 tragic과 같은 뜻이지만 때때로 슬픔을 가장한 경우에도 씀》 : in a ~ voice (장난삼아) 처량한 목소리로.

~·ly *adv.* 비극적으로, 비참하게. **~·ness** *n.*

trágic fláw *n.* 〖文藝〗 비극적 약점《스스로를 비극적 파멸로 몰아가는 주인공의 성격적 결함》.

tragi·cómedy [træ̀dʒə-] *n.* Ⓤ,Ⓒ 《비유》 희비극. **-cómic, -i·cal** *a.* **-i·cal·ly** *adv.*

〚F or It.＜L ; ⇨ TRAGIC, COMEDY〛

trag·o·pan [trǽgəpæ̀n] *n.* 〖鳥〗 수계(綬鷄)《아시아산의 꿩과의 새》. 〚L＜Gk. (*tragos* goat)〛

tra·gus [tréigəs] *n.* (*pl.* **-gi** [-gai, -dʒai]) 〖解〗 이주(耳珠) ; 이모(耳毛). 〚L〛

tra·hi·son des clercs [*F* traizɔ̃ de klɛːr] *n.* 지식인의 배신[지성 포기], 지적(知的) 배신.

‡**trail** [tréil] *n.* **1** 끌어간 자국, 지나간 자국, 흔적 ; 선적(船跡), 항적(航跡) ; 징후, 증적(證跡) : the ~ *of* a slug 민달팽이가 지나간 자국 / a ~ *of* smoke 길게 뻗친 연기 / *on* the ~ (*of*...) (…을) 추적하여. **2** (짐승의) 냄새 자취 ; (수사 따위의) 단서 : *on*[*off*] the ~ 냄새 자취를 맡고[놓치고] ; 단서가 잡혀[를 잃고]. **3** 《주로 美·Can.》 (광야 따위에) 밟아 다져져서 생긴 길, (산중 따위의) 오솔길(cf. FOOTPATH) : ☞ OREGON TRAIL. **4** (혜성(彗星)·유성의) 꼬리 ; (구름·연기 따위의) 길게 뻗치기〈*of*〉; 열(列), 대열 ; 긴 옷자락, 치맛자락 ; 늘어뜨린 술·머리털《따위》; (땅을 기는) 덩굴, 기는 가지. **5** 끄는 그물, 끌그물(trail net). **6** 〖軍〗 (포차(砲車)의) 가미(架尾). **7** 〖軍〗 세워총(의 자세) : at the ~ 세워총의 자세로. **8** (사건 따위의) 여파, 후유증.

—— *vt.* [+目/+目+副/+目+前+名] **1** 질질 끌다, 질질 끌고 가다 : ~ one's coat[coattails] ☞ COATTAIL 숙어 / The boy was *~ing* his toy train ***by***[***on***] a piece of string. 소년은 장난감 기차를 끈으로 끌고 다녔다 / He let the boat float *~ing* the fishing line. 낚싯줄을 물속에서 끌면서 보트를 떠다니게 했다 / The tiger *~ed* (***along***) its wounded leg. 호랑이는 상처입은 발을 끌면서 갔다 / She *~ed* her dress ***through*** the mud. 진흙 속을 옷자락을 끌면서 갔다. **2 a**) [+目/+目+前+名] …에 삼삼오오[흩어져서] 따라가다 ; …의 뒤를 따라가다 : The five ducklings *~ed* their mother duck (***a***)***round*** the yard. 다섯 마리의 오리새끼는 어미 오리의 뒤를 따라 뜰을 돌아다녔다. **b**) (짐승 따위의) 뒤를 밟다(pursue) ; (범인 등을) 추적하다 : The hunter went on *~ing* the deer. 사냥꾼은 사슴의 뒤를 계속 쫓았다. **3** (풀 따위를) 밟아서 오솔길을 내다. **4** 〖軍〗 세워총을 하다 : *T~* arms! 〖구령〗 세

워총!

—— *vi.* [+副/+前+名] **1** (옷자락 따위가) 질질 끌리다, (머리털이) 늘어지다 ; (구름·연기가) 길게 뻗다 : Her dress was ~*ing* ***along***[***on*** the ground]. 그녀의 드레스는 질질 끌리고 있었다[땅위에 질질 끌리고 있었다]. **2** (지쳐서) 발을 끌며 걷다 ; 터벅터벅 걷다 ; 낙후[낙오]하다 : The tired soldiers ~*ed* ***along behind*** their captain. 지쳐버린 병사들은 발을 질질 끌며 대장의 뒤를 따라갔다 / They ~*ed home*[***to*** school]. 그들은 도중에서 지정거리다 집에 돌아갔다[학교에 갔다]. **3** (덩굴이) 기다 ; (뱀이) 느릿느릿 기어다니다 : Ivy ~*s* ***over*** the house. 그 집은 담쟁이덩굴로 뒤덮여 있다. **4** (이야기 따위가) 질질 끌다 ; (소리 따위가) 차차 사라지다 : The discussion ~*ed* ***on***. 토론은 질질 시간을 끌며 계속되었다 / His voice ~*ed* ***off***[*away*] ***into*** silence. 그의 목소리는 점점 작아져 드디어는 사라졌다.

〖OF=to tow or MLG *treilen* to haul<Rom. (L *tragula* dragnet) ; (n.) ⟨ (v.)〗

tráil·able *a.* =TRAILERABLE.

tráil bìke *n.* 트레일 바이크《길이 험한 지역에서 사용하는 소형 모터사이클》.

tráil·blàzer *n.* (산·등산로 따위에서 뒤에서 오는 사람이 따를 수 있도록) 지나온 길에 표적을 만드는 사람 ; 개척자, 선구자, 창시자.

tráil bòss *n.* 《美西部》 소몰이꾼의 책임자.

tráil·er *n.* **1** (질질) 끄는 사람[것], 뒤따라가는 사람[것] ; 추적자. **2** 덩굴 식물. **3** (자동차 따위의) 부수차(附隨車), (부수차를 끄는) 트레일러 ; 《美》 (자동차로 끄는) 이동 주택, 트레일러 하우스《따위》. **4** 〖映〗 예고편(cf. PREVIEW 2 a)). **5** 〖컴퓨〗 정보 꼬리. —— *vt.* 트레일러로 나르다. —— *vi.* 이동 주택에 살다 ; 이동 주택으로 여행하다 ; 트레일러로 나르다.

tráil·er·able *a.* 트레일러로 이동[운반]할 수 있는.

tráiler càmp[**còurt, pàrk**] *n.* 《美》 트레일러[이동 주택]용의 캠프장[주차용지(地)]《전기·수도 따위의 설비가 있음》.

tráiler còach *n.* (자동차로 끌고 가는 바퀴 달린) 작은 이동 주택.

tráil·er·ist *n.* 이동 주택으로 여행하는 사람 ; =TRAILERITE.

tráil·er·ìte *n.* 이동 주택의 주민[거주자] ; =TRAILERIST.

tráiler pùmp *n.* 이동 소방 펌프.

tráil·er·shìp *n.* 트레일러선(船)《트럭·트레일러·승용차 따위를 수송함》.

tráiler trùck *n.* 《美》 트레일러 트럭.

tráil·hèad *n.* 자취[흔적]의 기점(起點).

tráil·ing arbútus *n.* 〖植〗 월귤나무류의 덩굴식물《북미산》.

tráiling èdge *n.* 〖空〗 (비행기) 날개의 뒷전.

tráil nèt *n.* (배로 끄는) 끌줄.

◇**train** [tréin] *n.* **1** 열차, 기차, 기관차 : a passenger[goods, freight] ~ 여객[화물]열차 / an express [a local] ~ 급행[보통] 열차 / a down [an up] ~ 하행[상행]열차 / a through ~ 직통[직행] 열차 / a night ~ 야간 열차 / the seven o'clock ~ 7시발 열차 / the 5 : 30 ~ 5시 30분발 열차 / go[come] by ~ 기차로 가다[오다] / put on a special ~ 임시 열차를 마련하다 / get on [off] a ~ 기차를 타다[에서 내리다] / take[《美》 board] the 5 : 15 (p.m.) ~ *to* Chicago (오후) 5시 15분발 시카고행 기차를 타다 / I missed[just caught] my ~. 기차를 놓쳤다[겨우 탔다] / I met him *on*[*in*] the ~. 그를 기차에서 만났다. **2 a**) (사람·차 따위의) 열(列), 연속 : a long ~ *of* camels [sightseers] 낙타의[관광객의] 긴 행렬. **b**) [집합적으로] 종자(從者), 수행원 ; (승배자 등의) 무리 : the queen and her ~ 여왕과 그 수행원들. **3 a**) (관념 따위의) 연속, 연달아 일어나기, 계기 : a ~ *of* thought 일련의 생각 / An unlucky ~ *of* events discouraged him. 불행한 사고의 연속으로 그는 낙담했다. **b**) (사건 따위의) 결과, 연속, 후속(sequence) : The Reformation brought *in* its ~ the Thirty Years' War. 종교 개혁에 뒤이어 30년 전쟁이 일어났다. **c**) Ⓤ《文語》 순서, 차례 ; 준비 ; 정돈(整頓) : All is now *in* (good) ~. 모든 준비는 갖추어져 있다. **4 a**) (길게 뒤로 끌리는 치마[옷]의) 자락. **b**) (혜성(彗星) 따위의) 꼬리 ; (공작새 따위의) 긴 꽁지. **c**) 도화선(fuse). **5** 〖軍〗 병참대, 수송대. **6** 〖機〗 (전동(傳動)의) 열(列), 윤열(輪列). **7** 〖理〗 (파동 따위의) 연속.

—— *vt.* **1** [+目/+目+副/+目+*to* do/+目+前+名/+目+*as* 補] 교육하다(teach), 가르치다, 훈련하다, 양성하다, (…하도록) 길들이다 ; (…의 신체를) 단련하다 ; 《口》 (유아·강아지 따위)에게 배변 연습을 시키다 : It is important to ~ (***up***) children *to* be polite. 어린이들을 예절바르게 교육하는 것이 중요하다 / ~ a chimpanzee ***for*** a show 쇼에 나갈 수 있게 침팬지를 훈련하다 / ~ oneself *for* a boat race 보트 레이스에 대비하여 몸을 단련하다 / He was ~*ed for* the army. 그는 군인이 되도록 교육을 받았다 / The dog was ~*ed* to the hunt. 그 개는 사냥 훈련을 받았다 / These girls are being ~*ed as* nurses. 이 소녀들은 간호사로 양성되고 있다. **2** [+目/+目+副/+目+前+名] 〖園藝〗 (잎·가지 따위를) 보기좋게 가꾸다, 일정한 방향으로 향하게 하다 : ~ (***up***) vines ***over*** a wall [***around*** a post] 포도 덩굴을 벽에[기둥에] 감기게 하다. **3** [+目/+目+*on*+名] (총포·카메라 따위를) 향하(게 하)다, 조준하다 : ~ a camera (***up***)***on*** a model 카메라를 모델에게로 돌리다. **4** 《口》 열차로 (여행)하다 ; [~ it 으로] 기차로 가다. **5** 《英古》 유혹하다⟨*away, from*⟩. **6** 《稀》 (무거운 것을) 질질 끌다(drag).

—— *vi.* **1** [動/+前+名] 훈련하다, 연습[트레이닝]하다 ; (선수가) 몸을 단련하다, 훈련[트레이닝]을 받다 : They are ~*ing* ***for*** the marathon. 마라톤 연습을 하고 있다 / American troops ~*ed* ***on*** the beaches. 미군은 해안에서 훈련을 했다. **2** 《口》 기차로 가다.

train fine 엄격하게 훈련하다.

train off (총알이) 빗나가다 ; 체중을 줄이다.

~·able *a.* 훈련[교육]할 수 있는.

〖OF<Rom.=something dragged (L *traho* to draw) ; (n.) ⟨ (v.)〗

類義語 ⟹ TEACH.

tráin·bànd *n.* 〖英史〗 (16-18세기에 London 등지에 있었던) 민병단.

tráin·bèar·er *n.* (신부(新婦)나 의식 때 귀부인의) 옷자락을 드는 사람 ; 〖鳥〗 긴꼬리벌새《남미산》.

tráin càse[**bòx**] *n.* 트레인 케이스《세면·화장용품 및 그 밖의 것을 넣는 작은 상자 모양의 여행용 케이스》.

tráin dispàtcher *n.* 〖美鐵〗 열차 발차 담당, 조차(操車) 담당.

tráined núrse *n.* 《英》 정규 간호사(=《美》 graduate nurse).

train·ee [treiníː] *n.* 훈련을 받는 사람[동물] ; 군사[직업] 훈련을 받는 사람, 연습[교습]생.

~·ship *n.*

tráin·er *n.* **1 a**) 훈련자, 훈육사, 조련시키는 사람, 조마사(調馬師), 트레이너, 코치. **b**) 연습용구. **2** 〔園藝〕 (덩굴이 올라가게 한) 시렁. **3** 〔美海軍〕 조준병. **4** 〔空〕 연습기(機).

tráin fèrry *n.* 열차 운반선(船)《열차를 그대로 싣고 건네줌》.

***tráin·ing** *n.* **1** Ⓤ 훈련, 교련 ; 양성, 연습 ; 단련, 조련 ; 조교(調教) : go into ~ 연습을 시작하다. **2** 〔園藝〕 가지 고르기. **3** (경기자의) 컨디션 : be in[out of] ~ 컨디션이 좋다[나쁘다].

tráining àid *n.* =TEACHING AID.

tráining còllege *n.* 《英》 교육대학(=《美》 teachers college).

tráining pànts *n. pl.* (유아용의) 두터운 팬츠《용변 가리기를 길들일 때 입힘》.

tráining schòol *n.* **1** (각종 기술) 양성소 ; 훈련소. **2** 감화원.

tráining sèat *n.* (유아용의) 연습용 변기.

tráining shìp *n.* 연습선(船)[함(艦)].

tráin·lòad *n.* 한 열차분(의 화물[여객]).

tráin·man [-mən, -mæ̀n] *n.* 《美》 열차 승무원 ; 제동수(brakeman).

tráin·màster *n.* 《美》 (구간 담당) 열차 감독.

tráin òil *n.* 고래 기름(whale oil) ; 어유(魚油). 〖*train* (obs.) train oil<MLG *trān*〗

tráin·sìck *a.* 기차 멀미하는. **tráin sìckness** *n.*

traipse, trapes, trapse [tréips] *vi.* 《口》 (특히 여자가) 싸돌아 다니다 ; (볼일로) 뛰어다니다 〈*about, round*〉 ; 어슬렁어슬렁 걷다 ; 헤매다 ; 휘청거리다〈*across, along, away*〉. —— *vt.* …을 걷다. —— *n.* 《口·方》 **1** 싸돌아 다니기 ; 어슬렁어슬렁 다니기. **2** 단정치 못한 여자(slattern). 〖C16 *trapes*<?〗

***trait** [tréit ; tréi*t*] *n.* **1** 특성, 특색, 특징 ; (펜·연필 따위의) 한 번 쓰기 : culture ~*s* 〔社〕 문화 특성. **2** 《稀》 기미, 조금(touch) : a ~ *of* humor 익살기. 〖F=something drawn<L *tractus* ; ⇨ TRACT[1]〗 類義語 ⟹ QUALITY.

***trai·tor** [tréitər] *n.* 반역자, 배신자 ; 매국노 : He turned ~ *to* the cause[*to* his country]. 그는 명분을 지키지 못했다[조국에 반역자가 되었다]. **trái·tress, trái·tor·ess** *n. fem.* **~·shìp** *n.* 〖OF<L *traditor* ; ⇨ TRADITION〗

tráitor·ous *a.* 배반하는 ; 반역(죄)의, 불충한. **~·ly** *adv.* 배반하여, 반역적으로. **~·ness** *n.*

tra·ject [trədʒékt] *vt.* (빛 따위를) 투과시키다, 전도하다(transmit) ; (강 따위를) 건너다, 넘다. **tra·jéc·tion** *n.*

tra·jec·to·ry [trədʒéktəri, 英+trǽdʒik-] *n.* 〔理〕 (탄환 따위의) 탄도, (로켓 따위의) 비적(飛跡) ; 〔天〕 (혜성(彗星)·행성의) 궤도. 〖L (*traject- traicio* to throw across)〗

tra-la [trəlɑ́:], **tra-la-la** [trɑ̀:ləlɑ́:] *int.* 트랄라《환희·기쁨 따위를 나타내는 소리》.

tram[1] [trǽ(:)m] *n.* **1** 《英》 시내[노면] 전차(=《美》 streetcar, trolley car) : by ~ 전차로. **2** [*pl.*] 《英》 전차 궤도. **3** (석탄 따위를 운반하는) 무개 화차, 탄차(炭車). —— *v.* (**-mm-**) *vi.* 《英》 전차로 가다. —— *vt.* 전차로 운반하다. 〖MLG and MDu. *trame* beam, barrow shaft〗

tram[2] *n.* (견직물의) 씨실《가는 견사를 꼬아 합친 것》. 〖F *trame*<L ; cf. L *trames* footpath〗

tram[3] *n.* 〔機〕 =TRAMMEL ; 정확한 위치[조정]. —— *vt.* …을 바르게 조정하다.

trám·càr *n.* 《英》 =TRAM[1] 1, 3.

trám·lìne *n.* 《英》 전차 노선[궤도] (tramway) ; [*pl.*] 《英口》 (테니스 코트의) 사이드 라인, 측선(側線).

tram·mel [trǽməl] *n.* **1** [보통 *pl.*] 구속물, 속박, 장애 : the ~*s of* routine[superstition] 세상의 관례라는[미신이라는] 속박. **2** (물고기·새를 잡는) 그물, (특히) 3중 걸그물(=~ **nèt**). **3** (amble 조교(調教)용의) 말의 족쇄. **4** 자재(自在) 갈고리. **5** 타원형 컴퍼스 ; [보통 a pair of ~s] =BEAM COMPASSES. —— *vt.* (**-l-** | **-ll-**) …의 자유를 방해하다, 구속하다. 〖ME=net<OF<L *tremaculum* (*tri-*, *macula* MAIL[2])〗

tram·mie [trǽmi] *n.* 《濠口》 시내 전차(tram)의 운전사[차장].

tra·mon·ta·na [trɑ̀:mountɑ́:nə] *n.* (아드리아 해(海)에 휘몰아치는) 알프스에서 불어오는 북풍. 〖It.<L (*trans-*, MOUNT[2])〗

tra·mon·tane [trəmɑ́ntein, træ̀məntéin] *a.* 산너머의, 산너머에서 오는 ; 외국의 ; 야만의《원래는 이탈리아 쪽에서 보아 알프스 저편의 뜻》. —— *n.* 산너머의 사람, 다른 나라 사람.

tramp** [trǽmp] *vi.* **1** [動/+副/+前+名] 쿵쿵 걷다, 무거운 발걸음으로 걷다, 짓밟다 : We heard him ~*ing* ***about overhead. 그가 쿵쿵거리며 머리 위에서 걸어다니는 소리가 들려왔다 / He ~*ed* ***up*** and ***down*** the street waiting for his friend to come. 그는 친구가 오기를 기다리면서 거리를 왔다갔다 했다 / He ~*ed* ***on*** the flowers. 그는 꽃을 짓밟았다. **2** [動/+前+名] 걸어서 가다 ; 터벅터벅 걷다, 도보 여행을 하다 : I can't bear to ~ ten miles in this heat. 이 더위에 10마일이나 걸어간다는 것은 견딜 수가 없다 / We ~*ed* ***through*** the Lake District. 우리는 호수 지방을 도보 여행했다. **3** (방랑객으로서) 방랑하다 ; 부정기 화물선으로 항해하다.
—— *vt.* …을 (쿵쿵) 걷다, 도보로 가다 ; …을 도보 여행하다 : We ~*ed* the hills. 우리는 산속을 여기저기 걸어다녔다. 주 it을 목적어로 할 때도 있음 : I missed my bus and had to ~ *it.* 버스를 놓쳐서 걸어가지 않으면 안되었다.
—— *n.* **1** [the ~] 쿵쿵 걷는 소리 : *the* heavy ~ *of* the night watchman 야경꾼의 무거운 발소리. **2** (긴) 도보 여행 ; 도보 여행자 : go for a ~ *through* the country 시골로 도보 여행을 떠나다. **3** 부랑자, 방랑객(vagabond) (cf. HOBO) ; 떠돌이 일꾼 : look like a ~ 추레한 모습을 하고 있다. **4** 〔海〕 부정기 화물선(tramp steamer) (cf. LINER[1]). **5** (얼음 위에서 미끄러지지 않게 박은) 구두징.
on* (*the*) *tramp 방랑하여 ; (일자리를 찾아) 떠돌아다녀.
—— *a.* 일정한 주소[숙소]가 없는, 주소가 일정치 않은 ; 일정한 거래처가 없는 ; 정해진 행선지가 없는. **~·er** *n.* 도보 여행가 ; 쿵쿵 걷는 사람 ; 유랑인. 〖? MLG *trampen* to stamp ; cf. G *trampen* to hitchhike〗

tram·ple** [trǽmpəl] *vt.* **1** [+目/+目+副/+目+前+名] 짓밟다, 밟아 뭉개다, 밟아 짓이기다 : ~ ***out a fire 불을 밟아 끄다 / The naughty boy ~*d* (***down***) the grass[~*d* the grass *down*]. 그 개구쟁이는 잔디를 밟아 뭉개버렸다 / He ~*d* the earthworm ***to*** death. 그는 지렁이를 밟아 죽였다. **2** [+目+副/+目+前+名] 《비유》 (권리·감정 따위를) 유린하다, 무시하다 : He ~*d* ***down*** her feelings. 그는 그녀의 감정을 짓밟았다 / ~ law and order ***under*** foot 법과 질

서를 유린하다. —— *vi.* **1** 쿵쿵 걷다〈*about*〉. **2** [＋*on*＋名] 짓밟다 ; 《비유》 (남의 감정을) 짓밟다, 유린하다, 학대하다 : ~ ***on*** a person's toes 남의 발을 짓밟다. —— *n.* 짓밟기 ; 짓밟는 소리.
trám·pler *n.* 〖(freq.) ‹ TRAMP〗

tram·po·line [trǽmpəlìːn, -lən, træ̀mpəlíːn] *n.* Ⓤ 트램펄린《즈크 그물의 탄성을 이용하여 뛰어올랐다 내렸다 하는 운동》; Ⓒ 트램펄린용 즈크 그물. —— *vi.* 트램펠린을 사용하다.
tràm·po·lín·er, tràm·po·lín·ist *n.*
〖It. (*trampoli* stilts)〗

tràm·po·lín·ing [, ‐‐‐́‐] *n.* 트램펄린《트램펄린을 쓰는 도약 회전 기법》.

trámp stèamer *n.* 부정기 화물선(tramp).

trám·ròad *n.* 《美》 (특히 광산의 석탄·광석 운반용) 궤도.

trám·wày *n.* **1** 《英》 전차 선로[궤도](=《美》 street railway). **2** (케이블카의) 삭도(索道).

tran- [træn, trɑːn] *pref.* =TRANS-《s로 시작되는 말 앞에서》: *tran*scribe.

trance [trǽ(ː)ns ; trɑ́ːns] *n.* **1** 몽환경(夢幻境), 황홀(경), 무아지경, 도취(ecstacy) : in a ~ 황홀해져서. **2** 실신, 인사불성, 망연자실, 혼수상태 : fall into a ~ 혼수상태에 빠지다, 실신하다. —— *vt.* 《文語》 황홀하게 하다, 넋을 잃게 하다 (entrance). **~·lìke** *a.*
〖OF=passage (from life to death) (*transir*<L *transeo* to pass over) ; cf. TRANSIT〗

trank [trǽŋk] *n.* 《美口》 =TRANQUILIZER.

tran·ny, -nie [trǽni] *n.* 트랜지스터 라디오.

tran·quil [trǽŋkwəl] *a.* (**-quil·(l)er ; -quil·(l)est**) 조용한, 고요한, 평온한(calm) ; 평정(平靜)의, 차분한 : the ~ waters of pond 연못의 잔잔한 수면. **~·ly** *adv.* 평온하게, 차분하게. **~·ness** *n.* 〖F or L〗
類義語 ⟹ CALM.

Tran·quil·ite [trǽŋkwəlàit] *n.* 〔鑛〕 아폴로 11호가 달 표면의 고요의 바다에서 채취해 온 광물《티탄·철·마그네슘으로 구성된 혼합물》.

tran·quil·(l)i·ty [træŋkwíləti] *n.* Ⓤ 평온 ; 차분함, 평정.
the Sea of Tranquillity (달 표면에 있는) 고요의 바다.

trán·quil·(l)ìze *vt.* 조용하게 하다, 진정시키다 ; (마음을) 가라앉히다. —— *vi.* 잠잠해지다, 차분해지다. **tràn·quil·(l)i·zá·tion** *n.*

trán·quil·(l)ìz·er *n.* 진정시키는 사람[것] ; 〔藥〕 트란퀼라이저, 진정제, 신경 안정제.

trans. transaction(s) ; transfer(red) ; transformer ; transit ; transitive ; translated ; translation ; translator ; transport ; transportation ; transpose ; transposition ; transverse.

trans- [træns, trænz, 英＋trɑːns, trɑːnz] *pref.* **1** 「넘어서」「가로 질러」: *trans*mit. **2** 「꿰뚫어」「지나서」「완전히」: *trans*fix. **3** 「다른 쪽으로」「다른 상태[곳]로」: *trans*late. **4** 「초월하여」: *transcend*. **5** [자유로운 접두사로서] 「…의 저편의」. **6** 〔化〕「특정한 원자(단)이 분자의 상대되는 쪽에 있는」의 뜻. 〖L *trans* across〗

trans·act** [trænsǽkt, trænz-, 英＋trɑːns-, 英＋trən-] *vt.* [＋目/＋目＋*with*＋名] (사무 따위를) 처리하다 ; (거래 따위를) 하다 : He ~*s* business ***with a large number of stores. 그는 많은 가게와 거래하고 있다.
—— *vi.* (남과) 거래하다〈*with*〉.
trans·ác·tor *n.* 처리자 ; 거래인.
〖L=to drive through ; ⇨ ACT〗

trans·áctinide sèries *n.* 〔化〕 초악티늄 계열.

***trans·ac·tion** [trænsǽkʃən, trænz-, 英＋trɑːns-, 英＋trən-] *n.* **1** [the ~] (업무의) 처리, 취급, 처치 : *the* ~ *of* business 사무처리. **2** (처리된) 업무, 거래 ; 매매 : have ~ with …와 거래하다 / ~*s in* real estate 부동산 매매. **3** [*pl.*] (협회·회의 따위의) 회보(會報), 학보, 의사록 : Philosophical *T*~*s* 영국 왕립 학사원(Royal Society)의 회보. **4** 〔心〕 (교류 분석에서의) 교류(交流). **5** 〔컴퓨〕 변동 자료. **~·al** *a.*

transáctional análysis *n.* 교류 분석《略 TA》.

transáctive críticism *n.* 〔文〕 교류 비평.

trans·álpine *a., n.* **1** (특히 이탈리아측에서 보아서) 알프스 너머의 (주민) (↔*cisalpine*). **2** 알프스 횡단(의).

Tráns-Àm *a.* 《口》 **1** =TRANS-AMERICAN. **2** 아마존 횡단의. —— *n.* **1** (상표 따위에서) 아메리카 횡단. **2** 아마존 횡단 도로.

tràns-Américan *a.* 아메리카 횡단의. 注 구어·상표명으로는 Trans-Am.

trans·áminase *n.* 〔生化〕 트랜스아미나아제, 아미노기(基) 전이(轉移) 효소.

tràns·atlántic *a.* **1** 대서양 건너편의 ; (미국에서 보아) 유럽의 ; (유럽에서 보아) 미국의 : ~ humour 《英》 미국식 유머《미소보다는 큰 웃음을 유발하는》. **2** 대서양 횡단의 : a ~ liner 대서양 항로 정기선(船) / a ~ cable 대서양 횡단 케이블.

trans·áxle *n.* 〔機·自動車〕 트랜스액슬《전치(前置) 기관·전륜 구동차 따위에 쓰이는 동력 전달 장치로 변속장치와 구동축(軸)이 일체가 된 것》.

trans·bús *n.* 《美》 노인·신체 장애자를 위해 개량한 대형 버스(cf. KNEELING BUS).

trans·ca·lent [trænskéilənt, trænz-, 英＋trɑːns-] *a.* 열을 잘 전도하는, 열 양도성(良導性)의. **-len·cy** *n.*

Tràns·caucásia *n.* 트랜스카프카스《Caucasus 산맥 남쪽의 Caucasia》.

trans·ceiv·er [trænsíːvər, 英＋trɑːn-] *n.* 트랜스시버, 무선 전화기《송수신 겸용 ; cf. WALKIE-TALKIE》. 〖*trans*mitter＋re*ceiver*〗

tran·scend [trænsénd, 英＋trɑːn-] *vt.* **1** (경험·이해력의 범위를) 넘다, (우주·물질적 존재 따위를) 초월하다 : The grandeur of the Grand Canyon ~*s* description. 그랜드캐니언의 웅대함은 필설로 다할 수 없다. **2** 능가하다, …보다 우월하다, 뛰어나다 : The genius of Shakespeare ~*s* that of all other human beings. 셰익스피어의 재능은 다른 모든 인간의 재능보다 뛰어나다. —— *vi.* 우월하다, 능가하다.
〖F or L (*scando* to climb)〗

tran·scén·dent *a.* **1** 탁월한, 출중한, 뛰어난 ; 비범한 : an author of ~ genius 탁월한 재능을 지닌 작가. **2** 〔哲〕 초월적인《스콜라 철학에서는 「아리스토텔레스의 범주를 초월한」의 뜻이며 칸트 철학에서는 「모든 가능한 경험을 초월한」의 뜻》. **3** 〔神學〕 (신이) 초월적인.
—— *n.* 초월한 사람[것] ; 〔칸트哲〕 초월적인 것.
-dence, -den·cy *n.* Ⓤ 초월, 탁월, 우월 ; (신의) 절대[초월]성. **~·ly** *adv.*

tran·scen·den·tal [træ̀nsendéntl, 英＋trɑ̀ːn-] *a.* **1** 〔스콜라哲〕 초월적인 ; 〔칸트哲〕 선험적인 ; (에머슨의) 초절(超絶)주의[초월론]적인. **2** 뛰어난, 탁월한 ; 《戱》 숭고한, 고급의(exalted) ; 보통의 경험의 범주를 넘어선 ; 초자연적인, 심원한 ; 추상적인. **3** 막연한, 모호한. —— *n.* 초월적인 것[개념, 교의, 학설] ; 〔哲〕 (스콜라 철학의) 초월적인 것《진·선·미 따위》. **~·ly** *adv.*

transcendéntal·ism *n.* **1** Ⓤ 〔哲〕 (칸트의) 선험(先驗)주의 ; (에머슨의) 초절주의, 초월론, 초월적인 성격[상태]. **2** Ⓤ 불가해 ; 고원한 사상, 난해한 표현. **3** Ⓤ 탁월성. **-ist** *a., n.*

transcendéntal·ize *vt.* 우월[초월]케 하다 ; 이상화하다, 이상주의적으로 처리[표현]하다.

transcendéntal meditátion *n.* 초월 명상법《진언(眞言)의 암송 따위로 심신의 긴장을 풀 수 있는 명상법 ; 略 TM》.

tràns·continéntal *a.* 대륙 횡단의 ; 대륙 건너편[저편]의. **~·ly** *adv.*

tran·scribe [trænskráib, 英+trɑːns-] *vt.* **1** [+目/+目+*from*+名] 베끼다, 복사[등사(謄寫)]하다 ; (연설 따위를) 필기하다 ; (속기 따위를 보통 글씨체로 고쳐서) 옮겨 쓰다 : The minutes of their meeting were entirely ~*d* in the bulletin. 그들의 회의록은 그대로 회보(會報)에 게재되었다 / His farewell words were ~*d* ***from*** shorthand notes. 그의 고별사(告別辭)는 속기에서 보통 문장으로 고쳐 써졌다. **2** 번역하다 ; 〔樂〕 (악곡을) 편곡하다. **3** 〔放送〕 녹음[녹화]하다 ; 재생하다, 녹음[녹화] 방송하다 ; (정보를) 전사(轉寫)하다 ; 〔生化〕 (유전 정보를) 전사하다. **-scríb·er** *n.* 필사생, 등사자 ; 편곡자 ; 전사기(機).
〚L (*trans-*, SCRIBE)〛

tran·script [trǽnskript, 英+trɑ́ːn-] *n.* 베끼기, 사본, 등본 ; 복사, 전사 ; (연설 따위의) 필기 ; (학교의) 성적 증명서 ; 〔生化〕 전사.
〚OF<L (p.p.) ‹ ↑〛

tran·scrip·tase [trænskrípteis, 英+trɑːns-, -z] *n.* 〔生化〕 전사 효소(轉寫酵素).

tran·scrip·tion [trænskrípʃən, 英+trɑːn-] *n.* **1** Ⓤ 필사(筆寫) ; 고쳐쓰기, 전사 ; Ⓒ (특별한 형태로) 고쳐 쓴 것 ; 사본 : phonetic ~*s* 발음기호로 고쳐 쓴 것, 발음 전사. **2** Ⓤ,Ⓒ 〔樂〕 편곡 ; 〔放送〕 녹음[녹화](방송), 재생 ; 〔生化〕 (유전 정보의) 전사. **~·al** *a.* **~·al·ly** *adv.*

transcríption machìne *n.* 녹음[녹화](재생)기.

trans·cúrrent *a.* 가로 뻗치는, 횡단하는, 옆으로 뻗는.

trans·duce [trænsdjúːs, trænz-, 英+trɑːns-] *vt.* 〔理〕 (에너지 따위를) 변환하다 ; 〔生〕 (유전자 따위를) 형질(形質)도입하다.
〚L (*trans-*, DUCT) ; cf. TRADUCE〛

trans·dúc·er *n.* 〔理〕 (에너지) 변환기(變換器) ; 〔海〕 송수파기(送受波器).

trans·duc·tant [trænsdʌ́ktənt, trænz-, 英+trɑːns-] *n.* 〔生〕 형질 도입주(導入株).

trans·duc·tion [trænsdʌ́kʃən, trænz-, 英+trɑːns-] *n.* Ⓤ **1** (에너지 따위의) 변환. **2** 〔生〕 (세균의) 형질 도입(形質導入). **~·al** *a.*

trans·éarth *a.* 〔宇宙〕 지구로 향한.

tran·sect [trænsékt, 英+trɑːn-] *vt.* 가로로 절개(切開)하다 ; 횡단하다. —— [ˊ-] *n.* 〔生態〕 트랜섹트《식생을 횡단하여 만든 대상 표본지》.

tran·sec·tion [trænsékʃən, 英+trɑːn-] *n.* Ⓤ 횡단 ; Ⓒ 횡단면.

tran·sept [trǽnsept, 英+trɑ́ːn-] *n.* 수랑(袖廊)《십자형 교회당의 좌우의 익부(翼部)》.
〚NL (*trans-*, SEPTUM)〛

transf. transfer ; transferred.

trans·fec·tion [trænsfékʃən, trænz-, 英+trɑːns-] *n.* 〔生化〕 트랜스펙션《분리된 핵산의 세포 감염 ; 완전한 바이러스가 복제(複製)됨》.
trans·féct *vt.*

trans·fer** [trænsfə́ːr, 英+trɑːns-, 美+trǽnsfəːr] *v.* (-rr-) *vt.* **1** [+目/+目+前+名] **a**) 옮기다, 움직이다, 나르다, 건네주다 ; 전임(轉任)시키다, 전학(轉學)시키다 : The control of the new business was ~*red* ***from the head office ***to*** the branch. 새 사업의 감독권은 본사에서 지사로 이양되었다 / Her husband has been ~*red* ***to*** another branch in Boston. 그녀의 남편은 보스턴의 다른 지점으로 전근되었다. **b**) (애정 따위를 다른 데로) 옮기다 ; (책임 따위를) 전가하다 : The baby ~*red* its affection ***to*** its new mother. 그 갓난아기는 새 엄마를 따랐다. **2** [+目/+目+*to*+名] 〔法〕 (재산·권리 따위를) 양도하다 : ~ a piece of land ***to*** a person 남에게 토지를 양도하다. **3** (석판(石版) 따위에) 베끼다, 베껴쓰다 ; (벽화 따위를) 모사하다. **4** (프로 선수 등을) 이적(移籍)시키다.
—— *vi.* [動/+*to*+名] **1** (기차·버스·비행기 따위를) 갈아타다 : I took the streetcar and ~*red* ***to*** the bus. 전차에 탔다가 버스로 갈아탔다. **2** 옮기다, 전학하다, 전임하다 : He has ~*red* ***to*** Harvard. 그는 하버드 대학으로 옮겼다. **3** 이적하다.
—— [trǽnsfəːr] *n.* **1** Ⓤ,Ⓒ **a**) 이전(移轉), 이동, 전임(轉任)(자). **b**) (권리 따위의) 이전 ; (증권 따위의) 명의 변경 ; 양도 ; Ⓒ 양도 증서. **2** 전사한 그림, 베낀 그림《따위》. **3** Ⓤ,Ⓒ 〔鐵〕 이송(점)(移送(點)). **4** Ⓤ,Ⓒ 갈아타기 ; Ⓒ 갈아타는 지점 ; 갈아타는 표 : a ~ from a train to a ship 기차에서 배로 갈아타기. **5** 환(換), 대체(對替) : a postal ~ account 대체 저금 계좌 / ☞ CABLE TRANSFER. **6** Ⓤ,Ⓒ 〔心〕 전이(轉移) ; 〔遺〕 (유전자의) 전이 ; 〔컴퓨〕 이송, 옮김 : ~ of learning 학습 효과의 전이.
~·able *a.* **~·abílity** *n.* **trans·fér·al** *n.*
〚F or L (*lat- fero* to carry)〛
類義語 ⟹ MOVE.

transférable vóte *n.* 이양표《비례 대표제에서 득표수가 당선 기준수를 초과한 후보자에게서 다른 후보에게 이양될 수 있는 표》.

trans·fer·ase [trǽnsfərèis, -z, 英+trɑ́ːns-] *n.* 〔生化〕 전이효소(轉移酵素) ; 〔工·海〕 전달 효소.

tránsfer bòok *n.* (증권의) 명의 변경 대장.

tránsfer cèll *n.* 〔植〕 전이(轉移)세포《특수화한 식물 세포의 일종》.

tránsfer còmpany *n.* (짧은 구간의) 통운(通運)회사, 용달사.

tránsfer dàys *n. pl.* (잉글랜드 은행의 공채 따위의) 명의 변경일.

trans·fer·ee [trænsfəríː, 英+trɑ̀ːns-] *n.* 〔法〕 양수인(讓受人), 양도받은 사람 ; 전임자.

trans·fer·ence [trænsfə́ːrəns, trǽnsfər- ; trǽnsfər-, 英+trɑ́ːns-] *n.* **1** Ⓤ,Ⓒ 옮기기 ; 이전, 이동 ; 전임, 전근(轉勤) ; 운반 ; 양도, 매도(賣渡). **2** Ⓤ 〔精神分析〕 (감정의) 전이(轉移).
-fer·en·tial [trænsfərénʃəl] *a.*

tránsfer fáctor *n.* 〔生化〕 이입[전달] 인자.

tránsfer fèe *n.* (프로 선수 등의) 이적료.

tránsfer ìnk *n.* (석판 인쇄 따위의) 전사 잉크.

tránsfer machìne *n.* 트랜스퍼 머신《일관 작업용 자동 공작 설비》.

tránsfer pàper *n.* 전사지 ; 복사지.

tránsfer pàyment *n.* 이전 지급《생활 보조비처럼 정부를 통해 지급하는 소득의 재배분》.

tránsfer prìcing *n.* 〔經〕 이전(移轉) 가격 조작.

trans·fér·(r)er, -(r)or [ˌ -fə(ː)rɔ́ːr] *n.* [보통 -feror] (재산) 양도인 ; 전송(轉送)자 ; 전사하는 사람.

transfer RNA [ˊ- ɑ̀ːrènéi] *n.* 〔遺〕 전이(轉移) RNA, 운반 RNA.

tránsfer tàble *n.* 〔美鐵〕 천차대(遷車臺).

tránsfer tìcket *n.* 갈아탈 수 있는 표, 환승권.

trans·fig·u·ra·tion [trӕnsfìgjəréiʃən, 英+trɑːns-] *n.* **1** Ⓤ,Ⓒ 변형, 변신(變身), 변모. **2** [the T~] 〔聖〕 (산상에서의 그리스도의) 변용(變容) ; [the T~] 변용 축제일《8월 6일》.

trans·fig·ure [trӕnsfígjər ; -gər, trɑːns-] *vt.* **1** …의 모습[자태]을 바꾸다, 변형하다, 변모시키다. **2** 미화[이상화]하다, 신성화하다(glorify). 〚OF or L ; ⇨ FIGURE〛

[類義語] ⟹ TRANSFORM.

trans·fix [trӕnsfíks, 英+trɑːns-] *vt.* [+目/+目+*with*+名] **1** 찌르다, 꿰뚫다 : The native ~*ed* the shark ***with*** a spear. 원주민은 창으로 상어를 찔렀다. **2** 《비유》 (공포 따위가 사람을) 꼼짝 못하게 하다, 오금을 못쓰게 하다 : She stood ~*ed* ***with*** fear[wonder]. 그녀는 무서워서[놀라서] 그 자리에 꼼짝도 못하고 서 있었다.

trans·fix·ion [-fíkʃən] *n.* 〚L ; ⇨ FIX〛

trans·form** [trӕnsfɔ́ːrm, 英+trɑːns-] *vt.* [+目/+目+*into*+名] **1** (외양·모양을) 일변시키다, 변형[변용·변태(變態)]시키다 : Joy ~*ed* her face. 기쁨으로 그녀의 얼굴은 일변했다 / A tadpole is ~*ed* ***into a frog. 올챙이는 개구리로 변한다. **2** (성질·기능·용도 따위를) 바꾸다 : The failure ~*ed* the young man's character. 실패가 그 청년의 성격을 일변시켰다 / Technology has ~*ed* our ways of life. 과학 기술은 우리들의 생활양식을 일변시켰다. **3** 〔理〕 (에너지를) 변환하다 ; 〔電〕 변압시키다 : Heat is ~*ed* ***into*** energy. 열은 에너지로 변한다. **4** 〔數〕 변환하다 ; 〔컴퓨〕 변환하다 ; 〔論·言〕 변형하다 ; 〔生〕 (세포)에 형질 전환을 일으키다. ── *vi.* 《稀》 변형하다. ── [ˊ-] *n.* Ⓤ,Ⓒ 〔數〕 변환된 것, 변환 ; 〔論·言〕 변형규칙, 변형체. **-fórm·able** *a.* 〚OF or L〛

[類義語] (1) ***transform*** 어떤 물건이나 사람의 외관·모양 또는 성질을 근본적으로 바꾸다 : She was *transformed* into a clever housewife. (그녀는 현명한 주부로 일변했다). ***transmute*** 사람이나 물체의 근본적인 성질·모양을 완전히 바꾸어 멋있는 것이 되게 하다 : *transmute* raw material into finished products (원료를 완제품으로 변화시키다). ***convert*** 미세한 부분을 새로운 사용 목적에 맞도록 변화시키다 : *convert* a barn into a garage (창고를 차고로 개조하다). ***transfigure*** 외관을 현저히 또는 멋있게 변형시키다 : The frog was *transfigured* into a prince. (개구리가 왕자로 둔갑했다).
(2) ⟹ CHANGE.

trans·for·ma·tion [trӕ̀nsfərméiʃən, 英+trɑ̀ːns-] *n.* **1** Ⓤ,Ⓒ 변형, 변용, 변질〈*of*〉 : thought ~ 사상의 전환 / Soon public opinion underwent a complete ~. 곧 여론이 일변했다. **2** Ⓤ,Ⓒ 〔生〕 형질 전환 ; 〔動〕 변태 ; 〔數〕 변환 ; 〔컴퓨〕 변환 ; 〔論·言〕 변형(하기) ; 〔理〕 변환, 전이(轉移) ; 〔化〕 (화합물의) 성분 치환(置換) ; 〔電〕 변압, 변류(變流). **3** 《稀》 (여자의) 가발(wig). **4** 〔劇〕 =TRANSFORMATION SCENE. **~·al** *a.*

transformátional dráma *n.* 〔劇〕 변형극《배우가 때로 무생물로도 변형되는 비현실극의 하나》.

transformátional génerative grámmar *n.* 〔言〕 변형 생성 문법.

transformátion·al·ism *n.* 〔言〕 변형 문법 이론(理論).

transformátion·al·ist *n.* 변형 문법학자.

transformátion scène *n.* 〔劇〕 (특히 영국의 무언극(pantomime)의) 급변하는 장면.

trans·for·ma·tive [trӕnsfɔ́ːrmətiv, 英+trɑːns-] *a.* 변화시키는, 변화시키는 힘이 있는.

transfórm·er *n.* 변화시키는 사람[것] ; 〔電〕 변압기, 트랜스포머.

trans·fuse [trӕnsfjúːz, 英+trɑːns-] *vt.* **1** (액체를 다른 용기에) 옮겨 붓다. **2** 〔醫〕 수혈(輸血)하다 ; (식염수(水) 따위를) 주사하다. **3** [+目+前+名] 《비유》 (열의 따위를) 불어 넣다 : The professor ~*d* his enthusiasm for research ***into*** his students. 교수는 자신의 연구열을 학생들에게 불어넣었다. **-fús·able, -ible** *a.* 〚L ; ⇨ FOUND[3]〛

trans·fu·sion [trӕnsfjúːʒən, 英+trɑːns-] *n.* Ⓤ,Ⓒ 주입(注入), 이주(移注) ; 〔醫〕 수혈(輸血) (blood transfusion) ; 수주(輸注)〈*of*〉. **~·al** *a.* **~·ist** *n.* 수혈학자[전문 의사].

trans·gress [trӕnsgrés, trӕnz-, 英+trɑːns-] *vt.* **1** (제한·범위를) 벗어나다, 넘다, 일탈하다 : Her behavior ~*ed* all boundaries of good taste. 그녀의 거동은 어느 모로 보나 양식의 한계를 벗어나고 있었다. **2** (법률·규칙 따위를) 어기다, 범하다, 위반하다. ── *vi.* 법률을 어기다, 규칙을 위반하다 ; (도덕적으로) 죄를 짓다(sin). 〚F or L *trans-* (*gress-* *gredior* to step ; ⇨ GRADE)〛

trans·gres·sion [trӕnsgréʃən, trӕnz-, 英+trɑːns-] *n.* Ⓤ,Ⓒ 위반, 범죄 ; (종교·도덕상의) 죄 ; 〔地〕 (육지로의) 해침(海侵).

trans·gres·sive [trӕnsgrésiv, trӕnz-, 英+trɑːns-] *a.* 초월하는 ; 위반하기 쉬운, 범하기 쉬운. **~·ly** *adv.*

trans·grés·sor *n.* 위반자, 범칙자 ; (특히 종교·도덕상의) 죄인.

tran·ship [trӕnʃíp, 英+trɑːn-] *vt., vi.* (**-pp-**) = TRANSSHIP.

tràns·históricaI *a.* 역사를 초월하는 ; 역사나 연대(학)의 제약을 받지 않는.

trans·hu·mance [trӕns*h*júːməns, trӕnz-, 英+trɑːns-] *n.* Ⓤ 이동 방목(放牧), 이목(移牧)《계절에 따라 고지(高地)와 저지(低地)를 왕래하는 (인간까지 포함한) 가축[양떼]의 이동》.

tran·sience [trӕ́nʃəns, trӕ́nziəns, 英+trɑ́ːn-] *n.* Ⓤ 일시적인 일, 무상(無常), 덧없음 ; 이동성 ; 유동성 : the ~ of human life 인생의 무상함.

trán·sien·cy *n.*

trán·sient *a.* **1 a**) 일시적인, 순간적인, 잠깐의 (↔*lasting*) : a ~ smile 순간적인 미소 / a ~ emotion 일시적인 감정. **b**) 〔樂〕 지나는 : a ~ chord[note] 지남음. **2** 덧없는, 헛된, 무상한 : ~ love 덧없는 사랑 / a ~ joy of childhood 유년시절의 무상한 기쁨. **3** 《美》 (호텔 고객·외국 여행자·하숙인 등이) 잠시 머무는(temporary) : a ~ visitor 단기 체류객[관광객]. ── *n.* **1** 일시적인 것[사람]. **2** 《美》 단기 체류객[관광객] ; 이동 노동자. **3** 〔動〕 지나가는 철새. **4** 〔電子〕 과도 현상, 과도 전류. **~·ly** *adv.* 잠시 ; 덧없이. 〚L=passing ; ⇨ TRANCE〛

[類義語] ⟹ TEMPORARY.

tran·sil·i·ent [trӕnsíliənt, 英+trɑːn-] *a.* (한 점에서 다른 점으로) 뛰어 옮아가는, 급변하는.

tràns·illúminate *vt.* …에 빛을 통과시키다 ; 〔醫〕 (몸의 일부)에 강한 광선을 투과시키다. **-illuminátion** *n.* 〔醫〕 투조(透照)(법)《진단하기 위하여 기관에 강한 광선을 투과시키기》.

trans·i·re [trænsáiəri, 英+trɑːn-] *n.* 《英》 (세관 발행의) 연안 운송 면허장.

tran·sis·tor [trænzístər, -sís-, 英+trɑːn-] *n.* 〔電子〕 트랜지스터《진공관 대신 게르마늄을 이용한 소형 증폭기》; 《口》 트랜지스터 라디오(=∼ **rádio**). 〖*trans*fer+res*istor*〗

transístor·ìze *vt.* (라디오 수신기 따위에) 트랜지스터를 사용하다.

tran·sit [trǽnsət, -zət, 英+trɑ́ːn-] *n.* **1** Ⓤ 통과, 통행, 횡단; 《비유》 변이(變移), 변천, 변화; 사망: ∼ passengers 통과여객. **2** Ⓤ 운송, 운반: ☞ RAPID TRANSIT / The goods were damaged in ∼. 상품은 수송 중에 파손되었다. **3** Ⓤ 〔天〕 (천체의) 자오선 통과; (작은 천체의) 다른 천체면 통과; (천체의) 망원경 시야(視野)통과. **4** (토지 측량용) 전경의(轉鏡儀), 트랜싯. **5** 〔컴퓨〕 거쳐보냄. —— *vt.* (천체가 태양면 따위를) 통과하다; 가로지르다; 이동(移動)시키다, 운반하다. —— *vi.* 통과하다; 가로지르다; 운반하다.
〖L=a going across; ⇨ TRANCE〗

tránsit càmp *n.* (난민 등을 위한) 일시 체재용 캠프[수용소].

tránsit cìrcle *n.* 〔天〕 (천체 관측용(用)) 자오환(子午環).

tránsit còmpass *n.* (측량용) 전경의(轉鏡儀), 트랜싯.

tránsit dùty *n.* (화물의) 통과세, 통행세.

tránsit ìnstrument *n.* (천체 관측용) 자오의(儀); 〔測〕 전경의(轉鏡儀), 트랜싯.

tran·si·tion [trænzíʃən, -síʃən, 英+trɑːn-] *n.* **1** U,C 변이(變移), 변천, 이행(移行), 변화, 전환; 과도기, 변천기, 변환기: in ∼ 과도기에 있는 / a period of ∼=a ∼ period 과도기 / a sudden ∼ *from* autocracy *to* democracy 독재체제에서 민주체제로의 급변. **2** U,C (예술 양식의) 변화, 추이(推移). **3** U,C 〔樂〕 (일시적) 조바꿈. **4** 〔理〕 전이. **∼·al, ∼·àry** [; -əri] *a.* 변이하는, 변천적인; 과도적인, 과도기의. **∼·al·ly** *adv.*
〖F or L; ⇨ TRANCE〗

transítion èlement[**mètal**] *n.* 〔化〕 전이(轉移) 원소[금속].

transítion pòint *n.* 〔理〕 전이점(點); 〔化〕 전이점(transition temperature).

transítion tèmperature *n.* 〔化〕 전이 온도.

tran·si·tive [trǽnsətiv, -zə-, 英+trɑ́ːn-] *a.* **1** 〔文法〕 타동(사)의(↔*intransitive*): a ∼ verb=a verb ∼ 타동사《略 vt., v.t.》. **2** 이행하는, 과도적인, 중간적인. —— *n.* 타동사.
∼·ly *adv.* 타동(사)적으로. **∼·ness** *n.*
tràn·si·tív·i·ty *n.* 〔文法〕 타동성; 이행성(性).
〖L; ⇨ TRANSIT〗

tránsit lóunge *n.* 공항의 통과(通過) 여객용의 대합실.

tran·si·to·ry [trǽnsətɔ̀ːri, -zə-; -təri, 英+trɑ́ːn-] *a.* 일시적인, 잠시의; 무상한, 덧없는(transient).
tràn·si·tó·ri·ly [; trǽnsətərili, -zə-, trɑːn-] *adv.* **-ri·ness** *n.* 〖AF *transitorie*<L; ⇨ TRANSIT〗
類義語 ⟹ TEMPORARY.

tránsitory áction *n.* 이동 소송《사건 발생지와 관계없이 어떤 법원에나 제기할 수 있는 소송》.

tránsit vìsa *n.* 통과 사증.

transl. translated; translation(s); translator.

trans·late** [trænsléit, trænz-, 美+´-, 英+trɑːns-] *vt.* **1** [+目/+目+前+名] 새기다, 번역하다: ∼ an English sentence ***into Korean 영문을 한국어로 번역하다 / The Bible has been ∼*d into* all tongues. 성서는 모든 나라의 언어로 번역되어 있다 / ∼ Homer ***from*** the Greek 호머를 그리스어에서 번역하다. **2** [+目/+目+*as* 補] (언행 따위를) 해석하다, 설명하다(interpret): How would you ∼ his conduct? 당신은 그의 행동을 어떻게 해석하십니까 / I ∼*d* his silence *as* a refusal. 그의 침묵을 거절로 해석했다. **3** [+目+*into*+名] (다른 모양으로) 옮기다, 고치다: ∼ a poem ***into*** prose 시를 산문으로 바꾸다 / I could hardly ∼ my thoughts *into* words. 내 생각을 좀처럼 말로 표현할 수가 없었다. **4** (다른 장소로) 옮기다; 〔宗〕 (bishop을) 전임시키다; 〔聖〕 산채로 승천시키다. **5** 〔컴퓨〕 번역하다. —— *vi.* **1** [+副] (시 따위가) 번역되다: Her novels ∼ *well*[*easily*]. 그녀의 소설은 번역이 잘 된다[번역하기 쉽다]. **2** (비행기 따위가) 이동하다.
Kindly translate. 분명하게[알기 쉽게] 말해 주시오.
〖L; ⇨ TRANSFER〗

***trans·la·tion** [trænsléiʃən, trænz-, 英+trɑːns-] *n.* **1 a)** Ⓤ 번역: free[literal] ∼ 자유[축어]역, 의[직]역 / a mistake in ∼ 오역. **b)** 번역문, 번역물: Chapman's ∼ *of* Homer 채프먼 역(譯) 호머 / do[make] a ∼ into Korean 한국어로 번역하다. **2** Ⓤ 해석. **3** U,C 바꾸어 말하기; 바꾸어 놓기. **4** U,C 〔宗〕 bishop의 전임(轉任); 〔聖〕 산채로의 승천; (유해·유품의) 이전. **5** 〔로法·스코法〕 재산 양도, 유산 수취인 변경. **6** 〔컴퓨〕 번역. **∼·al** *a.*

trans·la·tive [trænsléitiv, trænz-, 美+´--, 英+trɑːns-] *a.* (장소·임자 등을) 옮아가는, 이전하는; 번역의; 〔로法·스코法〕 재산 양도의.

trans·lá·tor [, 美+´--] *n.* (번)역자, 번역가(cf. INTERPRETER); 〔컴퓨〕 번역기.

trans·lit·er·ate [trænslítərèit, trænz-, 美+trɑːns-] *vt.* [+目/+目+*into*+名/+目+*as* 補] (다른 나라의 문자 따위로) 자역(字譯)하다, 고쳐 쓰다; 음역(音譯)하다《상하이(上海)를 Shanghai로 하는 따위》: ∼ Hebrew ***into*** English letters 헤브라이어를 영어 알파벳으로 자역하다.
-lìt·er·á·tion *n.* 자역; 음역(音譯). **-à·tor** *n.* 자역[음역]자.
〖*trans-*, L *littera* letter〗

trans·lo·cate [trǽnsloukèit, trǽnz-, 英+trɑ́ːns-, ˌ-´-] *vt.* 이동시키다, 바꾸어 놓다; (식물이 녹말·단백질 따위를) 전류(轉流)시키다.

tràns·locátion *n.* Ⓤ 이동, 전치(轉置); 〔植〕 전류(轉流); 〔遺〕 (염색체의) 전좌(轉座).

trans·lu·cent [trænslúːsənt, trænz-, 英+trɑːns-] *a.* 반투명의: ∼ glass 반투명 유리.
∼·ly *adv.* **-cence, -cen·cy** *n.*
〖L (*luceo* to shine)〗
類義語 ⟹ TRANSPARENT.

trans·lúnar *a.* =TRANSLUNARY; (우주선의 궤도·엔진 점화 따위) 달을 향한.

trans·lu·nary [trænslúːnəri, trænz-, 美+trǽnsluːnèri, 美+trǽnz-] *a.* 달 저편의; 천상(天上)의; 《비유》 비현실적인, 환상적인(cf. SUBLUNAR(Y), SUPERLUNAR(Y)).

tràns·maríne *a.* 해외의; 바다를 횡단하는.

trans·mi·grant [trænsmáigrənt, trænz-, trǽnsməgrənt, trǽnz-] *a.* 이주하는; 윤회(輪廻)하는. —— *n.* 이민, (특히 어떤 나라를 통과하는) 이주민.

trans·mi·grate [trænsmáigreit, trænz-, ˌ-´-; trænzmaigréit, 英+trɑ̀ːns-] *vi.* **1** 이전하다, 옮기다, 이주(移住)하다. **2** (영혼이 육체가 죽은 후에 다른 곳에서) 다시 태어나다, 윤회하다.

── *vt.* 이주(移住)시키다 ; (영혼을) 다시 태어나게 하다.
-gra·tor [; -gréitər] *n.* **tràns·mi·grá·tion** *n.* 이주 ; 전생, 윤회(輪廻). 〖L〗

trans·mis·si·ble [trænsmísəbəl, trænz-, 美+trɑːns-] *a.* 보낼[전할] 수 있는 ; 유전성의 ; 전염성의 : a ~ disease 전염병.
trans·mìs·si·bíl·i·ty *n.*

trans·mis·sion [trænsmíʃən, trænz-, 英+trɑːns-] *n.* **1** Ⓤ 전달, 전송(傳送) ; 전염 : the ~ *of* electric power[disease] 송전(送電)[질병의 전염]. **2 a)** Ⓤ 〖理〗 (열·빛 따위의) 투과, 전도. **b)** ⓊⒸ 〖機〗 전동(傳動) ; Ⓒ (자동차의) 트랜스미션, 변속기(變速機), 전동 장치 : an automatic[a manual] ~ 자동[수동] 변속 장치. **c)** ⓊⒸ 〖通信〗 송파(送波), 송신, 발신 ; 〖컴퓨〗 전송 : the Telstar ~*s* of news of space explorations 통신 위성에 의한 우주 탐색의 뉴스 송신. **3** Ⓤ 양도(讓渡). **4** Ⓤ 〖生〗 유전.
trans·mís·sive *a.* 보내는, 전하는 ; 보내지는, 전도(傳導)되는.
〖L ; ⇨ TRANSMIT〗

transmíssion dènsity *n.* 〖光〗 투과 농도.

transmíssion eléctron mìcroscope *n.* 〖光〗 투과형(型) 전자 현미경(cf. SCANNING ELECTRON MICROSCOPE).

transmíssion fàctor *n.* 〖理〗 투과 인자.

transmíssion lìne *n.* 〖電〗 전송(傳送) 선로《송전선, 통신선》.

transmíssion lòss *n.* 〖電〗 송전 손실.

tràns·mis·sív·i·ty *n.* 〖理〗 투과율.

trans·mit** [trænsmít, trænz-, 英+trɑːns-] *v.* (**-tt-**) *vt.* **1 a)** [+目/+目+前+名] (물품 따위를) 인도하다, 보내다, 송달하다 : ~ a letter ***by hand[a parcel *by* rail, a message *by* radio] 편지를 손수 전해주다[소포를 철도편으로 보내다, 통신을 무전으로 보내다]. **b)** [+目/+目+*to*+名] (지식·보도 따위를) 전하다, 알리다 : ~ a tradition ***to*** posterity 전통을 후세에 전하다. **c)** (성질 따위를 자손에게) 전하다, 유전시키다〈*to*〉. **d)** (질병 따위를) 전염시키다 : Cockroaches ~ disease. 바퀴벌레는 질병을 전염시킨다. **2** (열·전기·빛 따위를) 전도하다 ; (힘·운동 따위를) 전동(傳動)하다, (빛을) 투과시키다, 통과시키다 ; (신호를) 발신하다 ; (프로그램을) 방송하다 ; 〖컴퓨〗 전송하다 : Metal ~*s* electricity. 금속은 전기를 전도한다 / Glass ~*s* light. 유리는 빛을 통과시킨다. ── *vi.* 〖法〗 자손에게 전해지다 ; 〖通信〗 신호를 보내다. **-mít·tal** *n.* = TRANSMISSION. 〖L (*miss- mitto* to send)〗

trans·mít·tance *n.* = TRANSMISSION ; 〖理〗 투과율[도].

trans·mít·ter *n.* **1** 전달자, 송달자. **2** 양도자. **3** 전승(傳承)자, 유전자(遺傳者). **4** 〖通信〗 송신기(器), 송화기, 발신기[장치].

tràns·modálity *n.* 종합 수송《도로·철도·해로 따위에 의한 각종 수송 방식을 조합한》.

trans·mog·ri·fy [trænsmágrəfài, trænz-, 英+trɑːns-] *vt.* 《戱》 (마법 따위에 의해서 모습·성격을) 일변시키다. **trans·mòg·ri·fi·cá·tion** *n.* 〖C17<?〗

trans·mu·ta·tion [trӕnsmjuːtéiʃən, trӕnz-, 英+trɑ̀ːns-] *n.* **1** ⓊⒸ 변화, 변형, 변질, 변성 : ~*s* of fortune 영고성쇠(榮枯盛衰). **2** ⓊⒸ (연금술(鍊金術)에서) 변성(變成)《비(卑)금속이 귀금속으로 변하기》. **3** ⓊⒸ 〖生〗 변이(變移), 변종 ; 진화. **4** ⓊⒸ 〖法〗 소유권의 양도[이전]. **5** ⓊⒸ 〖理〗 (원소의) 변환. **~·al** *a.* **~·ist** *n.* 금속 변질론자 ; 생물 변이론자.

trans·mu·ta·tive [trænsmjúːtətiv, trænz-, 英+trɑːns-] *a.* 변화[변형, 변질, 변성]의.

trans·mute [trænsmjúːt, trænz-, 英+trɑːns-] *vt.* [+目/+目+*into*+名] (성질·외관 따위를) 바꾸다 ; (연금술에서 비금속을 금·은으로) 변화시키다 : It is possible to ~ one form of energy ***into*** another. 어떤 종류의 에너지를 다른 것으로 바꿀 수 있다. ── *vi.* 변형[변질]되다.
trans·mút·able *a.* **-ably** *adv.* **-mút·er** *n.*
〖L (*muto* to change) ; cf. MUTABLE〗
類義語 ⟹ TRANSFORM.

trans·nátional *a.* 국경[민족, 한 나라의 이해]을 초월한. ── *n.* = MULTINATIONAL.

trans·nórmal *a.* 보통[정상]의 범위를 벗어난, 특이한.

tràns·oceánic *a.* 대양 저쪽의, 해외의 ; 대양횡단의, 도양(渡洋)의.

tran·som [trǽnsəm] *n.* **1** 〖建〗 중간홈대《문과 위의 채광창 따위를 가로지르는 가로대》. **2** 《美》 (문 위의) 채광창(=《英》 fanlight). **3** 〖船〗 선미판(船尾板), 선미 늑골.
〖OF *traversin* ; ⇨ TRAVERSE〗

tránsom wìndow *n.* 《美》 (창·문 위의) 작은 창문, 채광창.

tran·sónic [træn-] *a.* 〖空〗 음속에 가까운《시속 970-1450 km 정도의 속도 ; cf. SONIC》.

transp. transportation ; transposition.

tràns·pacífic *a.* 태평양 저편[건너편]의 ; 태평양 횡단의.

trans·pa·dane [trǽnspədèin, trǽnz-, 英+trάːns-, trænspéidein] *a.* (로마에서 보아) Po강 북쪽의. 〖L (*Padus* Po 강)〗

trans·par·ence [trænspéərəns, -pǽər-] *n.* Ⓤ 투명, 투명성(性)[도(度)].

trans·pár·en·cy *n.* **1** Ⓤ 투명, 투명성[도] ; 《비유》 명백. **2** (종이의) 비침, 비치는 그림[무늬] ; (자기(磁器)의) 양각 무늬. **3** Ⓤ 〖寫〗 투명도 ; Ⓒ 투명 양화(陽畫). **4** [T~] 《戱》 각하.

***trans·pár·ent** *a.* **1** 투명한, 비치는 : ~ windowpanes 투명한 창유리 / ~ colors 〖畫〗 투명 그림 물감. **2** (직물이) 올이 성긴, 아주 얇은. **3** (문체 따위가) 평이한, 간명한. **4** (성격이) 솔직한, 잘난 체하지 않는. **5** (의도 따위가) 명백한 ; (변명 따위가) 뻔히 들여다보이는.
~·ly *adv.* **~·ness** *n.*
〖OF<L *trans-* (*pareo* to appear) = to show through〗
類義語 ***transparent*** 반대쪽의 물건이 똑똑히 보일 정도로 밝고 투명한. ***translucent*** 빛은 통과되지만 반대쪽의 것이 보일 정도로 투명하지는 않은.

transpárent·ìze *vt.* 투명하게 하다.

trans·péptidase *n.* 〖生化〗 트랜스펩티다아제.

trans·pérson·al *a.* 개인의 한계[이해(利害)]를 초월한.

transpérsonal psychólogy *n.* 초(超) 개인 심리학《여러 층의 의식 상태를 가정하고 특히 초감각적 지각을 중시하는 정신 요법의 하나》.

tran·spic·u·ous [trænspíkjuəs, 英+trɑːns-] *a.* 투명한, 들여다 보이는 ; 《비유》 (말 따위) 명백한.
~·ly *adv.*

trans·pierce [trænspíərs, 英+trɑːns-] *vt.* 꿰뚫다, 관통하다.

tran·spi·ra·tion [trӕnspəréiʃən, 英+trɑ̀ːns-] *n.* ⓊⒸ 증발(물), 배출, 발산(작용) ; 비밀의 누설.

tran·spire [trænspáiər, 英+trɑːns-] *vi.* **1** (비밀 따위가) 새다, 누설되다 : It ~*d* that the King was dead. 왕이 죽었다는 말이 새어나왔다. **2** (사건 따위가) 일어나다(happen) : I gave an honest account of what ~*d*. 일어난 사건에 대해서 정직하게 말해주었다. ㊟ 이 뜻의 transpire는 일반적으로 오용이라고 간주되어 왔으나 오늘날에는 신문·잡지 용어로 보통 쓰이고 있음. **3** (가죽·피부·식물 따위가) 수분[냄새 따위]을 발산하다 ; (수분·냄새 따위가) 발산되다, 증발하다.
—— *vt.* (피부·식물 따위가 수분·냄새 따위를) 발산하다, 배어 나오게 하다.
〖OF or L (*spiro* to breathe)〗

trans·plant [trænsplǽ(ː)nt ; -plɑ́ːnt, trɑːns-] *vt.* [+目/+目+前+名] **1** 〔植·醫〕 이식(移植)하다 : I ~*ed* the roses ***to*** the garden. 장미를 정원에 옮겨 심었다. **2** 《비유》 (제도 따위를) 이식하다 ; 이주시키다 : He wished to ~ his family ***to*** America. 그는 가족을 미국으로 이주시키기를 원했다 / Many institutions were ~*ed* ***from*** Europe. 많은 제도가 유럽에서 이식되었다.
—— *vi.* 이식에 견디다, 이식할 수 있다 : These plants ~ easily. 이 묘목들은 간단히 이식된다.
——[ˊˋ] *n.* 이식 ; 이식된 것[묘목, 기관, 조직 따위] ; 이주(자).
transplánt·er *n.* **1** 이식자. **2** 이식기(機).
transplànt·abílity *n.* 〔醫〕 (조직의) 이식 가능성. 〖L〗

trans·plant·ate [trænsplǽ(ː)nteit ; -plɑ́ːnt-, trɑːns-] *n.* 이식 조직[편(片), 기관].

tràns·plantátion *n.* 이식(수술).

trans·pólar *a.* 남극[북극]을 통과하는, 극지 횡단(橫斷)의.

tran·spon·der [trænspɑ́ndər, 英+trɑːns-] *n.* 송수신(送受信) 장치.

trans·pon·tine [trænspɑ́ntain ; trænz-, trɑːns-] *a.* 다리 저편의 ; (London에서) Thames강 남쪽 기슭의 ; 값싼 연극의《원래 Thames강 남쪽 기슭에서 유행》. 〖L *pont-* PONS〗

trans·port** [trænspɔ́ːrt, 英+trɑːns-, 美+ˊˋ] *vt.* **1** [+目/+目+前+名] 수송하다, 운송하다 : ~ goods ***by truck[lorry] 트럭[화물차]으로 짐을 운송하다 / The products were ~*ed* ***from*** the factory ***to*** the station. 제품은 공장에서 역까지 운반되었다. **2** 〔史〕 (죄수를) 유배시키다, 추방하다. **3** [+目+前+名] [보통 수동태로] 열중시키다 : He *was* ~*ed* ***with*** joy[grief] by those words. 그 말에 그는 기뻐서 어쩔줄 몰랐다[슬픔으로 망연자실했다]. ——[ˊˋ] *n.* **1** Ⓤ 수송, 운송 ; 수송 기관 : the ~ *of* mail by air 우편물의 항공 수송 / We were deprived of any (means of) ~ during the storm. 폭풍이 치는 동안 우리에게는 모든 수송 수단이 없어지고 말았다. ㊟ 《美》에서는 이 뜻으로 보통 transportation을 사용함. **2** 운송선, (군용) 수송선 ; 수송(비행)기. **3** [때때로 *pl.*] 황홀, 무아지경(無我之境) : He was *in* ~*s of* joy[*in* a ~ *of* rage]. 그는 기쁨에 도취되어 있었다[분노로 미친 사람 같았다]. **4** 〔史〕 유형수(流刑囚).
transpórt·able *a.* 수송[운송]할 수 있는.
transpòrt·abílity *n.*
〖OF or L (*porto* to carry)〗
類義語 ⟹ CARRY.

***trans·por·ta·tion** [trænspərtéiʃən ; -pɔː-, trɑ̀ːns-] *n.* **1** Ⓤ **a**) 수송, 운송 : a means of ~ 수송 기관. **b**) 수송 기관 : *T*~ will be supplied by the company. 회사에서 운송차를 내드리기로 되어 있습니다. ㊟ 《英》에서는 1의 뜻으로 보통 transport를 씀. **2** 〔史〕 (죄인의) 추방, 유형(流刑). **3** Ⓤ 《美》 수송료, 운반비, 운임 ; 수송[여행]표.

transport cafe[**café**] [ˊˋ] *n.* 《英》 (장거리 트럭 운전사 등이 이용하는) 드라이브인[간이] 식당.

transpórt·er [, 美+ˊˋ-] *n.* 수송[운송]자 ; 운반 장치.

transpórter brìdge *n.* 운반교(橋)《케이블 카와 비슷한 운반 장치》.

Tránsport Hòuse *n.* 《英》 노동당 본부 건물.

trans·pós·al *n.* =TRANSPOSITION.

trans·pose [trænspóuz, 英+trɑːns-] *vt.* **1** (위치·순서 따위를) 바꾸어 놓다[넣다](interchange) ; 〔文法〕 (문자·어구를) 전치(轉置)하다(shift) : He ~*d* the numbers and mistakenly wrote 19 for 91. 숫자를 잘못하여 91을 19라고 바꾸어 써버렸다. **2** 〔數〕 이항(移項)하다 ; 〔樂〕 조옮김하다. —— *vi.* 〔樂〕 조옮김하다.
——[ˊˋ] *n.* 〔數〕 배치행렬 ; =TRANSPOSITION.
〖ME=to transform<OF (⇨ POSE) ; cf. COMPOSE〗

trans·pós·ing ìnstrument *n.* 〔樂〕 조옮김 악기《원악보를 조옮김해 연주하는 악기 ; 조옮김 장치가 있는 악기》.

trans·po·si·tion [trænspəzíʃən, 英+trɑ̀ːns-] *n.* **1** Ⓤ,Ⓒ 바꾸어 놓기, 전위(轉位). **2** Ⓤ,Ⓒ 〔數〕 이항(移項) ; 〔樂〕 조옮김. **3** 〔解〕 전위(轉位) ; Ⓤ,Ⓒ 〔文法〕 전환법, 전치법(轉置法).
〖F or L ; ⇨ TRANSPOSE〗

transposítion cìpher *n.* 〔軍〕 전치(轉置)(식(式)) 암호(법)《평문(平文)의 문자 순서를 계통적으로 바꾼 암호문[법]》.

tràns·pó·son [-póuzən] *n.* 〔遺〕 트랜스포존《전이(轉移)인자의 하나 ; DNA의 단위영역에서 같거나 다른 DNA로 전위하는 단위》.

trans·rácial *a.* 다른 인종간의, 인종을 초월한.

trans·séxual *n.* 성전환자 ; 이성화 원망자.
—— *a.* 성전환의 ; 이성화 원망자의. **~·ìsm** *n.*

trans·shíp *vt.* (승객·화물을) 다른 배[열차]로 옮기다, 옮겨 싣다. —— *vi.* 갈아타다, 옮겨싣다. **~·ment** *n.* 옮겨 싣기.

Tràns-Sibérian Ráilroad *n.* [the ~] 시베리아 횡단 철도《약 6500km ; 건설은 1891-1916》.

trans-sónic *a.* =TRANSONIC.

tran·stage [træn-, 英+trɑːn-] *n.* 〔宇宙〕 다단식(多段式) 로켓의 제3단[최종단].

tran·sub·stan·ti·ate [trænsəbstǽnʃièit, 英+trɑ̀ːn-] *vt.* 변질시키다 ; 〔神學〕 성변화(聖變化)시키다. —— *vi.* 변질되다 ; 〔神學〕 성변화하다.
〖L (*trans-*, SUBSTANCE)〗

tran·sub·stan·ti·a·tion [trænsəbstænʃiéiʃən, 英+trɑ̀ːn-] *n.* Ⓤ 〔神學〕 성변화(聖變化)《성찬 예식의 빵과 포도주는 그리스도의 살과 피가 완전히 실체화된 것이라는 설(說)》.

tran·su·da·tion [trænsjudéiʃən, 英+trɑ̀ːn-] *n.* Ⓤ,Ⓒ 스며 나오는 것, 삼출물(滲出物).

tran·sude [trænsjúːd, 英+trɑːn-] *vi., vt.* 스며[배어] 나오(게 하)다, 삼출하다[시키다].
tran·su·da·to·ry [trænsjúːdətɔ̀ːri ; -təri, trɑːn-] *a.* (액체가) 스며[배어] 나오는, 삼출성의.

tràns·uránic *a.* 〔化·理〕 초우라늄의. —— *n.* 초우라늄 원소.

Trans·vaal [trænsvɑ́ːl, trænz- ; trǽnzvɑːl, trɑ́ːns-] *n.* [the ~] 트란스발《남아프리카 공화국의 주(州) ; 세계 제일의 금 산지 ; 略 Tvl.》.

tràns·valuátion *n.* 재평가.

trans·válue *vt.* 다른 가치 기준으로 평가하다, 재평가하다.

trans·ver·sal [trænsvə́:rsəl, trænz-, 英+trɑ:ns-] *a.* =TRANSVERSE;〔數〕(선이 복수의 선을) 횡단하는. —— *n.*〔數〕횡단선(線);〔解〕횡행근(橫行筋)[조직].

trans·verse [trænsvə́:rs, trænz-, 英+trɑ:ns-, 美+´-] *a.* 가로의(cf. LONGITUDINAL); 횡단하는;〔數〕가로축의: a ~ artery〔解〕횡행(橫行)동맥 / a ~ section 횡단면 / a ~ wave〔理〕횡파(橫波), 고저파(高低波). ——[´-, -´] *n.* **1** 횡단물(物). **2**〔解〕횡근(橫筋);〔數〕가로축, (쌍곡선의) 교축. **3** (공원의) 횡단 도로. **~·ly** *adv.* 가로로, 가로질러, 횡단하여.

〖L *trans-*(*vers- verto* to turn) =to turn across〗

transvérse vibrátion *n.*〔理〕가로 진동.

trans·vést *vt.* [~ one*self* 로]〔心〕이성(異性)의 옷을 입다. 〖L *vestio* to clothe〗

trans·ves·tism [trænsvéstizəm, trænz-, 英+trɑ:ns-] *n.* Ⓤ〔心〕복장 도착(服裝倒錯)《이성의 옷을 입고 싶어하는 변태적 경향》.

trans·vés·tite [-tait] *n., a.* 이성(異性)의 옷을 입는 사람(의).

Tràns Wórld Áirlines *n.* 트랜스 월드 항공《미국의 민영 항공 회사; 略 TWA》.

***trap**[1] [træp] *n.* **1** (새·짐승 따위를 잡는) 덫《특히 용수철 장치로 물리게 된 것》: ☞ MOUSETRAP / catch an animal in a ~ 덫으로 동물을 잡다. **2** 《비유》(남을 속이는) 함정, 계략, 책략: fall [walk] into a ~=be caught in a ~ 함정[계략]에 빠지다 / lay[set] a ~ for …에 덫을 설치하다; …을 함정에 빠뜨리려고 하다. **3** 방조기(放鳥器)《trapshooting에서 표적인 클레이 피전(clay pigeon) 따위를 날리는 장치》. **4**〔工〕방취(防臭) 밸브, 트랩(장치)《배수관 따위의 U자형의 부분》. **5** =TRAPDOOR 1. **6** (특히 2륜(輪)의) 경장 마차. **7** 《俗》입(mouth): Shut your ~! 입닥쳐! **8** [*pl.*] (악단 연주 따위에서) 타악기류. **9** (trapball에서) 공을 던져 올리는 목제 기구.

—— *v.* (**-pp-**) *vt.* **1 a)** (새·짐승을) 덫으로 잡다; (숲 따위에) 덫을 설치하다: ~ a fox 여우를 덫으로 잡다 / ~ the wood 숲에 덫을 놓다. **b)** 《비유》(남을) 계략에 빠뜨리다, 속이다. **2** …에 방취(防臭) 장치를 (설치)하다(cf. *n.* 4). **3**〔劇〕(무대에) 함정문을 장치하다(cf. TRAP CELLAR). **4** (방조기 따위에서 클레이 피전을) 발사하다.

—— *vi.* **1** 덫을 놓다; 덫사냥을 업으로 삼다. **2** (냄새 따위가 철파이프 속에서) 방취 장치로 막아지다. **3** 방조기를 사용하다[취급하다].

〖OE *træppe*<?; cf. MLG *trappe*, L *trappa*〗

類義語 (1) (*n.*) ***trap*** 동물을 잡는 덫, 특히 용수철 장치를 한 것; 비유적으로는 신중하게 계획된 음모 또는 매복(埋伏). ***pitfall*** 함정; 비유적으로 보이지 않는 위험·잘못의 원인 따위. ***snare*** 용수철 장치가 풀리면 올가미가 휙 튀어나가게 된 것; 비유적으로 빠지기 쉬운 유혹.
(2) (*v.*) ⟹ CATCH.

trap[2] *n.* [*pl.*]《口》소지품, 휴대품, 수화물; [보통 *pl.*]《廢》말에 입힌 장식 옷: pack up one's ~*s* 소지품을 챙기다. —— *vt.* (**-pp-**) …에 장식을 달다(cf. TRAPPINGS); 성장(盛裝)시키다.

〖*trap* (obs.)<OF *drap* cloth; cf. DRAPE〗

trap[3] *n.*〔地質〕트랩《(1) 검은 빛깔의 화성암; 도로 공사용. (2) 석유·천연가스 따위를 집적(集積)·저류(貯留)하는 지질 구조》.

〖Swed. (*trappa* stair; 그것의 겉보기에서)〗

trap[4] *n.* 《스코》발판; 다락방에 오르는 사닥다리;〔컴퓨〕사다리.

〖C18<?; cf. ↑, Du *trap* flight of steps〗

tráp·bàll *n.* 트랩볼《trap에서 던져 올린 공을 배트로 치는 예전의 구기(球技)의 일종; 그것에 사용하는 공》.

tráp càr *n.* (적화량이 적은) 경(輕)화차.

tráp cèllar *n.* 《英》무대 밑[아래], 나락.

tráp·dóor *n.* **1** (지붕·천장·마루·무대의) 들어[밀어]올리는 문, 뚜껑문, 들창. **2**〔鑛〕(갱도의) 통풍문.

tráp-dòor spíder *n.*〔動〕원실젖거미류(類)의 사립문거미.

trapes ☞ TRAIPSE.

tra·peze [træpí:z; trə-] *n.* **1** (곡예·체조용의) 공중 그네. **2** =TRAPEZIUM.

〖F<L; ⇨ TRAPEZIUM〗

tra·péz·ist *n.* 공중 그네 타는 사람(=**trapéze àrtist**)《곡예사》.

tra·pe·zi·um [trəpí:ziəm, træ-] *n.* (*pl.* **-zia** [-ziə], **~s**) 《美》부등변(不等邊) 사각형; 《英》사다리꼴. 〖NL<Gk. (dim.) ‹ *trapeza* table〗

trap·e·zoid [trǽpəzɔ̀id] *n., a.* 《美》사다리꼴(의); 《英》부등변 사각형(의).

〖NL<Gk.; ⇨ TRAPEZIUM〗

tráp·nèst *n.*〔養鷄〕트랩네스트《입구가 경첩식 문으로 되어 있어 산란수를 측정할 수 있는 산란용 상자》. —— *vt.* (개개의 닭)의 산란수를 트랩네스트로 측정하다.

tráp·per *n.* (특히 모피(毛皮)를 얻기 위해서) 덫으로 새·짐승을 잡는 사냥꾼.

tráp·pings *n. pl.* **1** (장식적인) 마구(馬具), 말장식. **2** 《비유》(허울만의) 장식, 액세서리; (관직 따위를 나타내는) 장식, 부속물: the ~ of success 출세[성공]에 따르는 허식(虛飾).

〖TRAP[2]〗

Trap·pist [trǽpəst] *n.*〔카톨릭〕트라피스트(수도)회의 수사(修士); [the ~s] 트라피스트 수도단《프랑스 Normandy의 La Trappe에서 1664년에 창립》. —— *a.* 트라피스트 수도회의.

Trap·pist·ine [trǽpəstì:n] *n.* 트라피스트회[여자 트라피스트 수도회]의 수녀; Ⓤ 트라피스트 술《달콤한 리큐어의 일종》.

tráp·py *a.* 함정이 있는; 방심할 수 없는, 성가신, 귀찮은.

tráp·shòot·ing *n.* Ⓤ 클레이 사격(cf. TRAP[1] *n.* 3, CLAY PIGEON). **tráp·shòot·er** *n.* 클레이 사격을 하는 사람.

trash [trǽ(:)ʃ] *n.* **1** Ⓤ《美》쓰레기, 잡동사니, 찌꺼기, 폐물(rubbish). **2** Ⓤ 지저깨비, 잘라낸 지스러기, 잘라낸 가지《따위》. **3** Ⓤ (문학·예술상의) 졸작; 객담. **4** [집합적으로]《美》쓸모없는 인간, 건달: ☞ WHITE TRASH. **5** 《俗》닥치는 대로의 파괴 행위. —— *vt.* **1** …에서 찌끼를 제거하다; (나무)의 가지를 치다; 쓰레기[찌끼, 쓸모없는 것]로 처분하다. **2** 파괴하다, 부수다; 《俗》닥치는 대로 마구 부수다(vandalize); 《美俗》(남을) 호되게 때리다. —— *vi.* 《俗》마구 부수다; 쓰레기 중에서 쓸 만한 것을 찾아다니다, 노상에 버려져 있던 가구를 주워 오다.

〖C16<? Scand. (Norw. *trask* trash)〗

trásh càn *n.* 《美》(물기가 없는 마른 쓰레기를 넣는) 쓰레기통[깡통](cf. GARBAGE CAN).

trásh·er *n.* 《俗》닥치는 대로 파괴 행위를 하는 자; 《美俗》길에 버려진 가구(家具)를 주워 오는 사람.

trásh fish *n.* 기름을 짜거나 사료로나 쓸 바닷물고기; 잡어(雜魚)《잡으려고 한 물고기가 아니어서

버리는》.

tràsh·formátion *n.* 버려진 잡동사니로 유용한 예술적 작품을 만들어내기.

trásh ìce *n.* 얼음물, 빙수.

trásh·màn [, -mən] *n.* 넝마주이.

tráshy *a.* 쓰레기의, 찌끼의 ; 보잘것 없는, 쓸모없는 ; 《美》 (밭 따위) 먼저 작물의 마른 잎·줄기로 뒤덮인 ; 《美俗》 야한.

trásh·i·ly *adv.* **-i·ness** *n.*

trass [træ(:)s] *n.* 트래스《화성암의 부스러기로 수경(水硬) 시멘트 재료》. 〚Du. ; cf. TERRACE〛

trat·to·ria [trɑ̀:tərí:ə] *n.* (*pl.* **-ri·as**, **-rie** [-rí:ei]) (이탈리아풍의) 음식점. 〚It.〛

trau·ma [trɔ́:mə, tráu-] *n.* (*pl.* **~s**, **-ma·ta** [-tə]) Ⓤ,Ⓒ 〔醫〕 외상(外傷), 외상성 증상 ; 〔精神醫〕 정신적 외상, 마음의 상처, 쇼크. 〚Gk. *traumat- trauma* wound〛

trau·mat·ic [trɔ:mǽtik, trə-, trau-] *a.* 외상(성)의 ; 외상 치료의 ; 깊이 상처 입은, 잊을 수 없는 : a ~ neurosis 외상성 신경증.

trau·ma·tism [trɔ́:mətìzəm, tráu-] *n.* 〔醫〕 외상성 전신 장애 ; 외상.

trau·ma·tize [trɔ́:mətàiz, tráu-] *vt.* …에게 외상을 입히다 ; 마음에 충격을 주다.

tràu·ma·ti·zá·tion *n.*

trav. traveler ; travels.

tra·vail [trəvéil, trǽveil] *n.* **1** Ⓤ 산고, 진통 : in ~ 진통이 일어난. **2** Ⓤ 《文語》 노고, 수고 (labor). —— *vi.* **1** 진통하다, 산고를 겪다. **2** 《文語》 애쓰다(toil). —— *vt.* 《古》 괴롭히다. 〚OF (n.) (‹ *travailler*) ‹ L *trepalium* 고문 도구 (*tres* three, *palus* stake)〛

◇**trav·el** [trǽvəl] *v.* (**-l-** | **-ll-**) *vi.* **1** [動/+副/+前+名] (특히 먼 곳 또는 외국으로) 여행하다 ; (탈것을) 타고 가다 : I've not ~*ed abroad.* 해외여행을 한 적이 없다 / We ~*ed* first-class ***to*** Washington. 우리는 워싱턴까지 1등석을 타고 갔다 / He is ~*ing* ***in*** Africa. 그는 아프리카를 여행 중이다 / She has ~*ed* all ***over*** Europe. 그녀는 유럽을 두루 여행했다.

2 [+前+名] 순회 판매를 하다, 주문을 받으러 다니다 : This salesman ~*s* ***for*** a New York motor dealer. 이 세일즈맨은 뉴욕의 한 자동차 판매업소의 외판원으로 일하고 있다 / She ~*s* ***in*** toiletries. 그녀는 화장품을 외판하고 있다.

3 [動/+前+名] 움직여 가다, 나아가다, 달리다, 걷다 : We ~*ed* many miles on foot. 우리는 여러 마일을 걸었다 / Trains ~ *along* rails. 기차는 철로를 따라 달린다 / The earth ~*s* ***round*** the sun. 지구는 태양 주위를 돈다 / The guard ~*ed* ***from*** one place ***to*** another at regular intervals. 보초는 일정한 간격으로 한 위치에서 다른 위치로 움직여 갔다.

4 [動/+前+名] (빛·소리 따위가) 전해지다, 나아가다 : Light ~*s* much faster than sound. 빛은 소리보다 훨씬 빨리 전해진다 / Television waves ~ only ***in*** straight lines. 텔레비전의 전파는 오직 직선으로만 나아간다 / Bad news ~*s* fast. 나쁜 소문은 빨리 퍼진다.

5 [+前+名] (눈길이) 차례로 옮아가다 ; (마음이) 차례차례 생각해 내다 : The old man's eyes ~*ed* ***over*** the plain. 노인의 눈길은 멀리 벌판을 향했다 / His mind ~*ed over* the happy events in his boyhood. 그의 마음속에서 소년 시절의 즐거웠던 일들이 이것저것 떠올랐다.

6 《美口》 황급히[성큼성큼] 걷다, 재빠르게 걷다 : Keep ~*ing* ! 빨리 가 !, 달려라 !

〈회화〉

Are you going to *travel* alone? — No, I'll be on a group tour. 「혼자 여행하실건가요」 「아뇨, 단체 여행을 할 거예요」

—— *vt.* …을 여행하다, 여행하며 지나가다 : My father has ~*ed* the whole world. 나의 아버지는 온 세계를 여행하셨다. 주 My father ~*ed over* the whole world.에서는 자동사 용법(☞ *vi.* 1) 보다는 행동의 완료적 관념을 강조함.

travel light ☞ LIGHT² *a.* 10.

travel out of the record ☞ RECORD².

—— *n.* **1 a**) Ⓤ (일반적으로) 여행(하기) (traveling) : I like ~ in spring. 봄에 여행하기를 좋아한다 / The time will come when ~ to the moon can be realized. 달 여행이 실현될 시대가 올 것이다. **b**) [보통 *pl.*] (특히) 외국 여행, 원거리 여행 : Did you enjoy your ~*s* in Europe? 유럽 여행은 즐거웠습니까. **2** [보통 *pl.*] 여행기(記)[담(談)], 기행(紀行) : Do you like books of ~(*s*)? 당신은 여행기를 좋아하십니까.

〚ME *travailen* to journey, TRAVAIL〛

類義語 ***travel*** 가장 뜻이 넓은 말 ; 먼 나라 또는 장기간에 걸친 여행에 쓰일 때가 많음. ***trip*** 비교적 짧은 기간의 여행 ; 보통은 상용(商用)이나 유람 여행하는 것 : a *trip* to Europe (유럽 여행). ***journey*** 보통은 육상 교통을 이용하는 상당히 긴, 때로는 고된 여행 ; 반드시 돌아옴을 의미하지는 않음. ***voyage*** 해상의 (때로는 항공의) 비교적 긴 여행. ***tour*** 관광·시찰 따위를 위해 여러 곳을 역방(歷訪)하고 돌아오는 꽤 긴 여행. ***excursion*** 레크리에이션 따위를 위해 수많은 사람들이 함께 하는 짧은 기간의, 특히 열차 또는 배로 하는 여행.

trável àgency[**bùreau**] *n.* 여행 안내소, 여행사(旅行社).

trável àgent *n.* 여행 안내업자, 여행사 직원.

trav·e·la·tor [trǽvəlèitər] *n.* 《英》 (평면적으로) 움직이는 보도(步道).

tráv·eled | **tráv·elled** *a.* **1** 널리 여행을 한 ; (여행을 하여) 견문이 넓은 : a ~ man 여행이 몸에 밴 사람 ; 견문이 넓은 사람. **2** 여행자가 많은 : a much ~ road 많은 여행자가 지나가는 길.

***trável·er** | **tráv·el·ler** *n.* **1** 여행자, 나그네 ; 여행가 : a ~'s tale 여행자의 이야기 ; 《비유》 신용할 수 없는 말, 허풍. **2** 《주로 英》 =COMMERCIAL TRAVELER.

tip a person ***the traveler*** 남에게 허풍을 떨다, 남을 속이다.

Trávelers Áid *n.* 《美》 (자원 봉사자에 의한 공항 따위의) 여행자 원조 협회.

tráveler(')s chèck *n.* 여행자 수표.

tráveler's-jòy *n.* (*pl.* **~s**) 〔植〕 미나리아재비과의 덩굴 식물인 사위질빵·위령선 따위.

trável·ing | **tráv·el·ling** *a.* **1** 여행하는, 순회하는, 이동하는 : a ~ companion 여행의 길동무 / ☞ TRAVELING SALESMAN / ☞ TRAVELING LIBRARY / a ~ entertainer 순회 배우. **2** 움직이는, 가동(可動)의 ; 활주(滑走)하는.

—— *n.* **1** Ⓤ 여행(하기) ; 순력(巡歷), 순방(巡訪) ; 순회 공연 : a ~ bag 여행용 가방. **2** Ⓤ 이동 ; 가동, 활주.

tráveling càse *n.* 여행용 슈트케이스.

tráveling clòck *n.* 여행용 시계.

tráveling cràne *n.* 이동 크레인[기중기].

tráveling fèllowship *n.* 연구 여행 장학금.

tráveling líbrary *n.* 순회 도서관.

tráveling sálesman *n.* 《美》 =COMMERCIAL TRAVELER.

tráveling wáve *n.* 〔理〕 진행파(波).

tráveling-wáve tùbe *n.* 〔電子〕 진행파관(管) 《마이크로파(波)를 증폭하는 진공관》.

trav·el·ogue, -og [trǽvəlɔ̀(ː)g, -lɑ̀g] *n.* **1** (슬라이드·영화를 사용하여 하는) 여행담. **2** 〔映〕 기행(紀行) 영화.

trável-sìck *a.* 탈것에 멀미가 난.

trável-sòiled *a.* =TRAVEL-STAINED.

trável-stàined *a.* 여행으로 더러워진.

trável stèamer *n.* 여행자용 증기 다리미.

trável tràiler *n.* 여행용 트레일러《자동차로 끌게 하는 이동 주택》.

trável-wòrn *a.* 여행으로 지친.

tra·vers·able [trævə́ːrsəbəl ; trǽvəː-] *a.* 가로지를 수 있는, 횡단할 수 있는, 넘을 수 있는, 통과할 수 있는.

trav·erse [trǽvə(ː)rs, trəvə́ːrs] *vt.* **1 a**) 가로지르다, 횡단하다 : a river ~*d* by a beautiful bridge 아름다운 다리가 놓인 강 / The railroad ~*s* the Continent from East to West. 철도는 북미 대륙을 동부에서 서부로 횡단하고 있다. **b**) (사람·동물·배 따위가) 가로질러 가다, 횡단해 가다, 횡단 여행하다 ; …을 끼고 가다, 지나가다 ; (산 따위를) 종주(縱走)하다 ; (광선 따위가) 통과하다 : He ~*d* alone the whole continent of Africa. 단신으로 아프리카 대륙을 횡단 여행했다 / The beams of the searchlight ~*d* the sky. 탐조등(燈)의 빛이 하늘에서 교차됐다. **c**) 오락가락하다 : The policeman ~*d* his beat. 경찰관은 순찰 구역을 오락가락했다. **2** 《비유》 (문제 따위를) 자세히 고찰하다, 상세히 설명[논증]하다. **3** (의견·계획 따위에) 반대하다, 반박하다, 방해하다 : I must ~ several points in your plan. 너의 계획 중의 몇가지 점에 대해서 반대하지 않을 수 없다. **4** 〔法〕 (상대방의 주장 따위를) 거부[부인]하다, …에 항변하다. **5** 〔砲〕 (포문을) 선회하다 ; 〔機〕 (선반 따위를) 선회하다. —— *vi.* **1** (말의 조련에서 말이) 옆으로 걷다. **2** 〔登山〕 지그재그로 오르다. **3** (포구(砲口)·자침(磁針) 따위가) 선회하다. **4** 〔펜싱·拳〕 좌우로 움직이다. —— *n.* **1** 횡단(여행), 가로 지르기. **2** 가로장, 가로대. **3** 장애, 방해, 반대. **4** 횡단선(線). **5** 〔登山〕 (산허리·암벽을) 지그재그로 오르기, 지그재그로 오르는 장소 ; 지그재그 코스. **6** (말의 조련에서) 말의 횡보(橫步). **7** 〔築城〕 횡장(橫牆) ; 〔建〕 (교회의) 가로 통로. **8** 〔海〕 (바람을 안고 가는) 지그재그 항로. **9** 〔砲〕 포문의 선회. —— *a.* 가로 지르는, 횡단하는. —— *adv.* 《廢》 옆으로, 횡단하여, 교차하여.
〚OF ; ⇨ TRANSVERSE〛

tra·vérs·er *n.* 횡단자 ; 〔法〕 부인[거부]자 ; 〔鐵〕 천차(遷車)대.

tráverse ròd *n.* (끈을 당겨서 여닫는) 금속제 커튼 레일.

tráverse sàiling *n.* 〔海〕 Z자형 항법(航法).

tráverse tàble *n.* 〔海〕 방위표(方位表), 경위표(經緯表) ; 〔鐵〕 천차대.

tráverse tràck *n.* =TRAVERSE ROD.

trávers·ing brìdge *n.* 교체(橋體)가 수평으로 여닫혀 항로를 여는 가동교(可動橋).

trav·er·tine [trǽvərtìːn, -tən], **-tin** [-tən] *n.* Ⓤ 〔鑛〕 석회화(石灰華).

trav·es·ty [trǽvəsti] *vt.* 익살스럽게 고치다 ; 희화화(戱畫化)하다 ; (사람·물건이) …의 희화적 모방이다 ; 변장시키다. —— *n.* 익살화, 희화화 ; (이성(異性) 차림의) 변장.
〚F (p.p.) ‹ *travestir* to disguise < It. (TRANS-, *vestire* to clothe)〛

tra·vois [trəvɔ́i, trǽvɔi] *n.* (*pl.* ~ [-z], **~es** [-z]) (북미 평원지방 인디언의) 2개의 막대기를 상자에 붙들어 매어 개나 말에게 끌도록 하는 운반 용구. 〚Can. F < F *travail* TRAVEL〛

Trav·o·la·tor [trǽvəlèitər] *n.* Ⓤ 트래벌레이터 《움직이는 보도(步道) ; 상표명》.

trawl [trɔ́ːl] *n.* **1** 트롤망(網)《원뿔형의 커다란 주머니 모양의 그물》, 저인망(底引網). **2** 《美》 = TRAWL LINE. —— *vi.* 트롤망을 끌다, 저인망 어업을 하다. —— *vt.* (그물을) 저인(底引)하다 ; (물고기를) 트롤망(網)으로 잡다.
~·er *n.* 트롤선(船)[어부].
〚? MDu. *traghelen* to drag ; cf. Du. *traghel* dragnet〛

tráwl-bòat *n.* 트롤선.

tráwler·man [-mən] *n.* 트롤 어업을 하는 사람.

tráwl lìne *n.* 《美》 주낙《낚시가 달린 많은 낚싯줄을 드리운 긴 그물》.

tráwl·nèt *n.* 트롤망, 저인망.

***tray** [tréi] *n.* **1** 쟁반 ; (음식물 따위를 담는) 요리 접시 : an ash ~ 재떨이 / a pen ~ 펜접시 / a tea ~ 차쟁반 / a ~ *of* food 쟁반에 가득 담은 음식. **2 a**) (책상 위의 서류 넣어 두는) 운두가 낮은 정리함, 뚜껑없는 상자 : in[out] ~ (서류가) 미[기]결의. **b**) (트렁크 따위의) 칸막이 상자.
〚OE *trīg* ; cf. TREE〛

tráy àgriculture *n.* 수경법(水耕法).

tráy·fùl *n.* 한 쟁반(의 분량)〈*of*〉.

treach·er·ous [trétʃərəs] *a.* **1** 배반하는, 반역하는, 불충(不忠)한, 부실한 : a ~ action 배신 행위 / He is ~ *to* his friends. 그는 친구에게 불성실한 사내다. **2** 믿을 수 없는, 마음 놓을 수 없는, 의지할 수 없는 : ~ ice[branches] 단단한 것 같지만 깨지기 쉬운 얼음[부러지기 쉬운 가지] / ~ weather 변덕스러운 날씨 / a ~ memory 아리송한 기억. **~·ly** *adv.* **~·ness** *n.*

***treach·ery** [trétʃəri] *n.* Ⓤ,Ⓒ 배반, 내통(內通), 불신 행위, 위약(違約), 변절 ; 반역(treason).
〚OF (*trichier* to cheat) ; ⇨ TRICK〛

trea·cle [tríːkəl] *n.* Ⓤ 《英》 꿀, 당밀(糖蜜) (= 《美》 molasses) ; 《비유》 달콤하면서 역겨운 것 [음성, 태도, 추종(追從) 따위]. **tréa·cly** *a.* 당밀 같은 ; 당밀처럼 단 ; 달콤한《말 따위》.
〚ME=antidote for snakebite < OF < L ; ⇨ THERIAC〛

tread** [tréd] *v.* (**trod** [trɑ́d], **~·ed,** 《古》 **trode** [tróud] ; **trod·den** [trɑ́dn], **trod**) *vi.* **1** 걷다, 가다 : Let's ~ lightly, or we will wake our baby. 가만히 걸어갑시다, 그렇지 않으면 아기가 깰겁니다. **2** [+*on*+名] 밟다, 딛다 ; (잘못하여) 짓밟다 : Please be careful not to ~ (up***) ***on*** the heels of my shoes. 내 신발 뒤축을 밟지 않도록 주의해 주십시오 / He resolutely *trod on* the accelerator. 그는 단호하게 액셀러레이터를 밟았다. —— *vt.* **1** …을 걷다, 가다, 지나다 : He *trod* the room from end to end. 그는 그 방을 끝에서 끝까지 걸어갔다 / It is better not to ~ an unknown path. 《비유》 모르는 길은 가지 않는 편이 좋다 / ~ the paths of exile 《비유》 망명하다. **2** [+目/+目+副] 밟다, 밟아 뭉개다 ; 밟아 …하다 ; (흙 따위를) 밟아 다지다 : ~ grapes 포도를 밟아 으깨다《포도즙을 짜기 위해 ; cf. TREAD *wine*》 / He *trod* ***out*** a cigarette. 담뱃불을 밟아 껐다 / John was told not to ~ (***down***) the earth

round the roots of the seedling. 존은 묘목 뿌리 둘레의 흙을 밟아 다져서는 안된다는 말을 들었다. **3** [+目/+目+副+名] (길 따위를) 밟아 다져서 만들다 : The cows *trod* a path ***to*** the cowsheds [***through*** the grass]. 소들이 밟고 다녀서 외양간까지[풀밭에] 길이 났다. **4** [+目+副] 《비유》 (적 등을) 정복하다 ; (감정 따위를) 억누르다 : She just managed to ~ ***down*** her sad feelings. 그녀는 가까스로 자기의 슬픈 감정을 억누를 수 있었다 / The enemy were completely *trodden down.* 적군은 완전히 정복되었다.
tread in (물건을) 흙속에 밟아 넣다.
tread in a person***'s*** (***foot***) ***steps*** 남의 뒤를 따라 가다 ; 《비유》 남의 본보기를 따르다 ; 남의 전철을 밟다.
tread lightly (1) 가만히 걷다(cf. *vi.* 1). (2) 《비유》 어려운 문제를 신중하게 다루다.
tread on air ☞ AIR.
tread on a person***'s corns*** [***toes***] 《비유》 남을 화나게 하다.
tread on one***'s own tail*** 남을 해치려다가 도리어 자신이 다치다.
tread on the heels of... ☞ HEEL[1] *n.*
tread on the neck of... ☞ NECK[1] *n.*
tread out (불을) 밟아 끄다(cf. *vt.* 2) ; (포도즙 따위를) 밟아 짜다 ; 밟아 탈곡하다 ; 《비유》 진압[박멸]하다.
tread shoe leather ☞ SHOE LEATHER.
tread the boards [***stage***] 무대를 밟다[에 서다], 배우가 되다.
tread this earth 살아 있다.
tread...under foot …을 짓밟다 ; 《비유》 …을 박멸하다 ; …을 경멸하다.
tread (***up***) ***on eggs*** ☞ EGG[1].
tread water 서서 헤엄치다《주 이 숙어에서는 과거·과거분사는 보통 treaded를 씀》.
tread wine 포도를 밟아서 포도주(酒)를 빚다 (cf. *vt.* 2).
—— *n.* **1** 밟기, 걷기 ; 걸음걸이 ; 발소리 : walk with a heavy [cautious] ~ 무거운[조심스러운] 걸음으로 걷다 / We heard the ~ of marching soldiers. 행진하는 군인들의 발소리가 들렸다. **2** **a**) (계단·차 따위의) 발판 ; (사닥다리의) 가로대 ; (재봉틀·자전거 따위의) 페달. **b**) (차바퀴·타이어의 지면(地面)·레일에) 닿는 부분. **c**) (구두·썰매의) 바닥 ; 발바닥《발바닥의 오목한 부분을 제외한 땅에 닿는 부분》. **3** 윤거(輪距)《자동차 따위 좌우 차바퀴 사이의 폭》. **4** (알의) 알끈. **5** 〔海〕 용골(龍骨)의 길이 ; 〔築城〕 흉벽(胸壁) 배후의 발판. **6** 〔獸醫〕 제관외상(蹄冠外傷)《발굽 위를 다른 발로 밟아서 생기는 상처》.
〖OE *tredan* ; cf. G *treten*〗

tréad·bòard *n.* 계단의 발판.

trea·dle [trédl] *n.* (선반·재봉틀 따위의) 페달.
—— *vi.* 페달을 밟다.
—— *vt.* 페달을 밟아서 움직이다.
〖OE *tredel* stair ; ⇨ TREAD〗

tréad·mìll *n.* **1** 발로 밟아 돌리는 수레 바퀴, 답차(踏車)《평평하게 놓은 원반 둘레를 사람이나 마소가 밟아 회전시켜서 그 동력을 여러가지 기계에 응용한 장치 ; 옛날 옥사내(獄舍內)에서는 죄수에게 징벌로 밟게 하였음》. **2** 《비유》 단조로운 일.

treadmill 1

tréad·whèel *n.* (물을 퍼올리거나 하는) 발로 밟아 돌리는 바퀴.

treas. treasurer ; treasury.

***trea·son** [trí:zən] *n.* **1** Ⓤ 〔法〕 반역죄 : ☞ HIGH TREASON / petit [petty] ~ 경(輕) 반역죄. **2** Ⓤ 불신, 배신(betrayal) ⟨*to*⟩. 〖AF *treisoun* < L=a handing over ; ⇨ TRADITION〗

tréason·able *a.* **1** 반역의, 대역(大逆)의, 국사범(國事犯)의. **2** 불신의, 불충의, 배반하는.

tréason fèlony *n.* 〔英法〕 반역죄, 국사범.

tréason·ous *a.* =TREASONABLE.

‡**trea·sure** [tréʒər] *n.* **1** **a**) Ⓤ,Ⓒ [집합적으로] 보물, 보화(寶貨), 재보(財寶)《특히 귀중히 간수한 옛날 돈·금은·보석 따위》 ; 비장물, 비보(祕寶) : a voyage in quest of ~ 보물 찾기 항해 / amass great ~(*s*) 막대한 보화(寶貨)를 모으다 / There was ~ buried in the island. 그 섬에는 보물이 묻혀 있었다. **b**) 귀중품, 중요품 : art ~*s* 중요 미술품. **c**) Ⓤ 재화(財貨), 부(富), 재산(wealth) ; 금전 : spend [cost] blood and ~ 생명과 재산을 바치다[희생하다]. **2** 《口》 **a**) 보배로운 사람, 다시없는 사람 : Our new maid is a (perfect) ~. 우리집에 새로 온 가정부는 아주 다시없는 사람이다. **b**) 가장 사랑하는 사람, (특히) 자식 : My ~! 아가! 《어린애·젊은 여성에 대한 호칭》.
—— *vt.* [+目/+目+副] **1** 소중히 하다, 비장하다(hoard) ; (장래를 위해서) 간직해 두다, 비축하다(store) : one's ~*d* books 비장서(祕藏書) / She ~*s* everything her mother has given her. 그녀는 어머니로부터 받은 것은 무엇이나 소중히 한다. **2** (교훈 따위를) 마음에 새기다(cherish) : I'll ~ ***up*** your words forever. 말씀은 언제까지나 잊지 않겠습니다. 〖OF < L THESAURUS〗
類義語 ⟹ APPRECIATE.

tréasure-hòuse *n.* 보고(寶庫), 보물 창고 ; 《비유》 (지식 따위의) 보고.

tréasure hùnt *n.* 보물 찾기.

Tréasure Ísland *n.* 보물섬《R. L. Stevenson 작의 모험 소설》.

tréa·sur·er *n.* **1** 회계원, 출납관, 수납공무원 ; 재무관 : the *T*~ of the United States 《美》 재무부 출납국장 / the *T*~ of the Household 《英》 왕실 회계국 장관. **2** 《비유》 귀중품 보관자.
~**·shìp** *n.* 회계원의 직.

Tréasure Státe *n.* [the ~] Montana주(州)의 속칭.

tréasure tròve *n.* 〔法〕 매장물《소유자 불명의 금은 따위 고가의 발굴물》 ; Ⓒ (일반적으로) 귀중한 발견(물) ; 귀중한 발견.
〖AF *trové* (p.p.) ⟨TROVER〗

***trea·sury** [tréʒəri] *n.* **1** 보고(寶庫), 보물 창고 ; 보물. **2** [때때로 the T~] 국고(國庫), (공공단체의) 공고(公庫) ; 기금, 자금(funds) : The ~ of the baseball club is as empty as ever. 야구부의 자금은 여전히 바닥이 나 있다. **3** [the T~] 《英》 재무부(財務部) (cf. *the* CHANCELLOR *of the Exchequer*) ; 《美》 재무부《정식으로는 the Department of the Treasury》. **4** 《비유》 (지식의) 보전(寶典) ; 명시(名詩)[문(文)]집 ; 박식한 사람 : a ~ of English words and phrases 영어 어구 보전. 〖OF *tresorie* ; ⇨ TREASURE〗

Tréasury Bénch *n.* [the ~] 〔英議會〕 국무장관석(席)《의장 오른쪽의 첫번째줄 ; cf. FRONT BENCH》.

tréasury bìll *n.* 《英》 재무부 증권 ; 《美》 재무부 단기 채권《할인채》.
Tréasury Bòard *n.* [the ~] 《英》 재무 위원회.
tréasury bònd *n.* 국채(國債).
tréasury certìficate *n.* 《美》 재무부 발행 증권, 재무부 발행 채무 증서.
Tréasury Depàrtment *n.* [the ~] 《美》 재무부《정식 명칭은 the Department of the Treasury》.
tréasury lòrd *n.* 《英》 재무 위원회 위원.
tréasury nòte *n.* 《美》 재무부 장기 채권 ; 《英》 법정 지폐《원래 1파운드 또는 10실링 지폐 ; 지금은 잉글랜드 은행 지폐가 이것을 대신함》.
tréasury stòck *n.* 《美》 사내주(社內株), 자기 주식(株式).
tréasury wàrrant *n.* 국고 지급[수납] 명령서.
‡**treat** [tríːt] *vt.* **1 a**) [+目+副/+目+前+名/+目+*as* 補] (남을) 대우하다, 다루다 : He was *well*[*badly*] ~*ed* by his uncle. 그는 아저씨로부터 친절한 대우를 받았다[학대받았다] / Is that *how* you ~ me? 그것이 나에 대한 너의 대접이냐 / You should ~ your employees ***with*** more kindness. 고용인들을 좀더 친절히 다루어야 한다 / Don't ~ me *as* a stranger[*as if* I were a stranger]. 나를 낯선 사람 취급하지 말아 주게. **b**) [+目+副/+目+*as* 補] (생각해 본 뒤에) 다루다, 여기다(consider) : Let's ~ the matter *lightly.* 그 문제는 가볍게 다루기로 하자 / She ~*ed* my mistake *as* a joke. 내 잘못을 농담으로 여겼다 / I ~*ed* his words *as* a warning. 그의 말을 경고로 받아들였다.
2 a) [+目/+目+前+名] (환자·질병을) 치료하다, 조처하다, 처치하다 : Do you know how to ~ a person ill with influenza? 유행성 감기에 걸린 사람을 어떻게 치료하면 좋은지 알고 있습니까 / Dr. White is ~*ing* my mother ***for*** (her) rheumatism. 화이트 박사가 어머니의 류머티즘을 치료해 주고 계십니다 / They ~*ed* me ***with*** a new drug. 나는 새로운 약으로 치료를 받았다. **b**) [+目+前+名] (화학 약품 따위로) 처리하다 : In engraving a metal plate is ~*ed* ***with*** acid. 동판술(銅板術)에서는 금속판을 산(酸)으로 처리한다.
3 a) (문제 따위를) 논하다, 다루다, 진술하다 (discuss) (cf. *vi.* 1) : In this book the author ~*s* the difficult subject of space science intelligibly. 필자는 이 책에서 우주과학에 관한 어려운 문제를 알기 쉽게 기술하고 있다 / At the symposium the problem was ~*ed* in detail by various lecturers. 토론회에서 그 문제는 각계의 강연자에 의해서 상세하게 다루어졌다. **b**) (문학·미술에서 주제를) 다루다, 표현하다, 나타내다 : The author has ~*ed* his theme realistically in this novel. 저자는 이 소설에서 자기의 주제를 사실적으로 다루고 있다.
4 [+目/+目+前+名] **a**) (남에게) 한턱 내다, 대접하다 ; (선거인을 매수할 목적으로) 향응을 베풀다 : He ~*ed* me ***to*** dinner[a movie]. 그는 나에게 식사를 대접했다[영화를 보여주었다]. **b**) [~ one*self* 로] 큰마음 먹고 (…을) 사다[먹다·보내다] : I shall ~ my*self* *to* a bottle of wine this evening. 나는 오늘 저녁에는 큰마음 먹고 포도주를 한병 마셔야겠다.
── *vi.* **1** [+*of* +名] (특히 책 따위가 문제를) 다루다, 논하다, 언급하다 : This book ~*s* ***of*** politics in modern Korea. 이 책은 현대 한국의 정치를 논하고 있다. 㔾 특히 문제를 다루는 법을 말할 경우에는 treat를 타동사로 씀(cf. *vt.* 3). **2** [+前+名] 담판[상담(商談)]하다, 거래하다, 교섭하다, 흥정하다 : They decided never to ~ ***with*** the enemy ***for*** peace. 결코 적과 평화 교섭을 않기로 결정했다. **3** 한턱 내다 ; 대접하다 : I'll ~ today. 오늘은 내가 한턱 내겠다.
── *n.* **1** (좀처럼 없는) 즐거움, 대접, (뜻밖의) 기쁨, 경사 ; 아주 좋은 것 : It was a great ~ for my sister to go to the theater. 영화 구경가는 것은 누이에게 있어서는 대단한 즐거움이었다 / What a ~ it is not to have to get up early! 늦잠을 잘 수 있다니 얼마나 즐거운 일이냐 / I've got a ~ for you after supper. 저녁 식사가 끝나면 좋은 것을 주지. **2** 위로회(慰勞會) : a children's [school] ~ (주일 학교의) 어린이들의 위로회《소풍·운동회 따위》. **3** [one's ~] 한턱 내기 ; 한턱 낼 차례 : This is my ~. 이것은 내가 한턱 내는 것이다 / Whose ~ is it now? 이번에는 누가 한턱 낼 차례니.
stand treat 《口》 한턱 내다.
〖OF *traiter* < L *tracto* to manage (freq.) ‹ *traho* to drag〗
trea·tise [tríːtəs, -təz] *n.* (학술) 논문 ; 《廢》 이야기 : a ~ (*up*) *on* chemistry 화학에 관한 논문. 〖AF ; ⇨ TREAT〗
‡**tréat·ment** *n.* **1** [U,C] (사람 등에 대한) 처우, 대우 : cruel[unkind] ~ 잔인한[불친절한] 대우 / If I get much ~ of this sort, I shall leave. 언제까지나 이런 대우를 받는다면 나는 그만두겠습니다. **2** [U,C] (사물의) 처리(법) ; (문제의) 논법, 취급법. **3** [U,C] (의사의) 치료(법), 요법 : medical ~ 의료(醫療) / Dr. Hall is studying a new ~ *for* polio. 홀박사는 소아마비에 대한 새 치료법을 연구하고 있다 / My father is now under medical ~ in (《美》 the) hospital. 아버지는 지금 입원하여 치료를 받고 계신다.
give the silent treatment 묵살하다, 무시(無視)하다.
***trea·ty** [tríːti] *n.* **1** 조약, 협약, 협정, 맹약(cf. ENTENTE) : a peace ~ 평화 조약 / enter into a ~ (with...) (…와) 조약을 맺다. **2** [U] (개인간의) 교섭, 담판, 상담(商談) : be in ~ *with* a person *for* an agreement 남과 계약 문제로 교섭[협의] 중이다. 〖OF ; ⇨ TREAT〗
tréaty pòrt *n.* 〖史〗 조약항(港), (조약에 의한) 개항장(開港場).
tréaty pòwers *n. pl.* 조약[동맹]국(國).
tre·ble [trébəl] *a.* **1** 세배[겹]의(cf. DOUBLE), 세가지의 ; …의 세배의 : He earns ~ my earnings. 내 수입의 3배나 번다 / There was a sudden ~ knock at the door. 별안간 문에 세번노크 소리가 났다. **2 a**) 〖樂〗 최고음부(最高音部)의. **b**) [뜻이 변하여] 소리가 높고 날카로운. ── *n.* **1** 3배 ; 세겹의 것. **2** 〖樂〗 최고음부(의 가수·목소리·악기) (☞ BASS[1] *n.* 㔾) ; [뜻이 변하여] 높고 날카로운 목소리. ── *vt., vi.* 3배하다, 3배가 되다 ; 고음으로 노래하다[말하다] : The quantity has ~*d* (itself). 양은 3배가 되었다. 〖OF < L TRIPLE〗
tréble cléf *n.* 〖樂〗 높은음자리표.
tré·bly *adv.* **1** 세 줄로[겹으로·배로], 세 번 되풀이하여, 세 가지로. **2** 고음으로.
treb·u·chet [trébjəʃèt, -tʃèt, ⌐-⌐] *n.* (중세의 성문 파괴용) 투석기(投石機) ; (극미량(極微量)용의) 작은 천칭《화학 실험용》.
tre·buck·et [tríːbʌ̀kət, trèbəkét] *n.* 투석기(投石機) (trebuchet).
tre·cen·tist [treitʃéntəst] *n.* [흔히 T~] 14세기의

이탈리아 시인[미술가].

tre·cen·to [treitʃéntou] *n.* (*pl.* **~s**) [흔히 T~] 14세기의 이탈리아 문학[미술]. 〚It. *mille trecento* a thousand three hundred〛

◇**tree** [tríː] *n.* **1** 나무, 수목, 교목(cf. SHRUB[1], PLANT 1 b), ARBOR[1]) : an apple ~ 사과나무 / a cherry ~ 벚나무 / cut down a ~ for lumber 목재용으로 나무를 베어 쓰러뜨리다 / A ~ is known by its fruit. 〔聖〕 그 실과(實果)로 나무를 아느니라《사람은 말보다 행동에 의해서 판단된다 ; 마태복음 12 : 33》. ㈜ 관목이나 초목일지라도 교목처럼 자라는[가꾼] 것은 tree라고 함 : a rose ~ (입목성의) 장미나무(standard rose) / a banana ~ 바나나나무. **2** [보통 복합어를 이루어] 나무로 만든 것, 목제기구 : an axle ~ (나무) 굴대. **3** = BOOT TREE ; =SADDLETREE. **4** (나무 모양으로 나타낸) 도표, 계보 : a family ~ (가)계도((家)系圖). **5** 《古》 교수대(臺) ; [the ~] (특히 그리스도의) 십자가. **6** 〔컴퓨〕 나무꼴.

at the top of the tree 최고의 지위에.

the tree of Buddha 보리수(菩提樹).

the tree of heaven 〔植〕 가죽나무.

the tree of knowledge (***of good and evil***) 〔聖〕 (에덴 동산의) 지혜의 나무.

a tree of liberty 자유의 나무《자유 획득을 기념하여 광장 따위에 심는 나무나 기둥》.

up a tree 나무 위로 쫓겨 올라가서 ; 《口》 진퇴양난에 빠져, 어찌할 바를 몰라.

maple

willow

horse chestnut 《美》 chestnut / 《英》 conker

oak acorn

pine pinecone

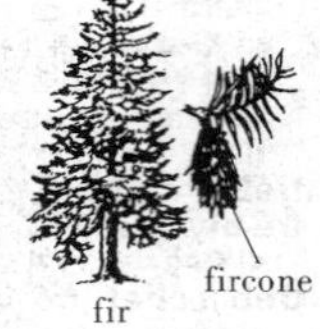

fir fircone

tree

—— *vt.* **1** (짐승을) 나무 위로 몰다 : The hound ~*d* the fox. 사냥개는 여우를 나무 위로 몰았다. **2** 《口》 (남을) 막다른 길로 몰다, 궁지에 빠뜨리다 : The native boy was ~*d* by crocodiles. 원주민 소년은 악어에게 쫓겨 궁지에 몰렸다. **3** …에 나무[굴대]를 대다 ; (구두를) 목형(木型)으로 모양을 잡다. —— *vi.* 나무 위로 도망치다.

~·less *a.* **~·lìke** *a.* 〚OE *trēow* < Gmc. (ON *tré*, OS *treo*) ; cf. G *drus* tree〛

trée càlf *n.* 나뭇결 카프《나뭇결 무늬의 제본용 고급 송아지 가죽》.

trée crèeper *n.* 〔鳥〕 나무발발이.

treed [tríːd] *a.* 나무가 심어져 있는[자라고 있는] ; 나무 위로 쫓긴 ; 《비유》 궁지에 몰린 ; 목형으로 모양을 잡은.

trée díagram *n.* 〔言〕 (문법 따위의) 수형도(樹形圖), 분지도(分枝圖).

trée-dòzer *n.* 벌채용 불도저.

trée fàrm *n.* (기업적인) 조림원(造林園).

trée fèrn *n.* 〔植〕 목생양치류(木生羊齒類).

trée fròg *n.* 〔動〕 청개구리.

trée frùit *n.* 《美》 (사과·복숭아 따위) 교목(喬木)에 열리는 과일(=《英》 top fruit).

trée·hòuse *n.* (특히 어린이 놀이터로서의) 나무 위의 오두막.

trée hùgger *n.* 《美俗》 〔政〕 의회 로비 활동을 하는 환경 보호 운동가.

trée làwn *n.* (차도와 인도 사이의) 녹지대.

trée lìne *n.* =TIMBERLINE.

trée-lìned *a.* 나무가 늘어선《길》.

trée mòuse *n.* 나무 위에서 사는 쥐《특히 아프리카산(産)》.

treen [tríːn, tríːən] *n.* (*pl.* ~) [보통 *pl.*] (오래된) 목제 가정용품《접시·대접 따위》 ; 목제 가정용품 제작 기술. —— *a.* 목제의.

tree·nail, tre- [tríːnèil, trénl, trʌ́nl] *n.* 나무못.

tréen·wàre *n.* 나무그릇, 목기(木器).

trée of lífe *n.* **1** [the ~] (1) 〔聖〕 (에덴 동산의) 생명의 나무《창세기 2 : 9, 3 : 22》. **2** 〔植〕 = ARBOR VITAE.

trée pèony *n.* 〔植〕 모란(꽃).

Trée Plànters Státe *n.* [the ~] Nebraska 주의 속칭.

trée shrèw *n.* 〔動〕 나무타기쥐《동남아시아산》.

trée sùrgeon *n.* 수목 외과(外科) 전문가.

trée sùrgery *n.* 수목 외과(술).

trée tomàto *n.* 〔植〕 토마토나무(의 열매)《열대 아메리카 원산 ; 가지과(科)》.

trée·tòp *n.* 나무 꼭대기.

tref[1] [tréif], **tre·fa, tre·fah** [tréifə] *a.* (유태교의 율법에 비추어) 먹는 데 적합하지 않은, 부정(不淨)한(↔*kosher*). 〚Yid. < Heb. = (animal meat) torn (by beasts)〛

tref[2], **treff** [tréf] *n.* 《美俗》 (불법거래를 위한) 비밀 회합. 〚G *Treffen* meeting〛

tre·foil [tréfɔil, tríːf-] *n.* 〔植〕 토끼풀속(屬) 식물 ; 〔建〕 트레포일, 세잎무늬, 세잎(모양)의 장식 ; 〔紋〕 세잎, 삼판화(三瓣花). —— *a.* 세잎의, 삼판(화)의. **~ed** *a.* 세잎 장식이 붙은. 〚AF (*tri-*, FOIL[1])〛

trek [trék] *n.* **1** 《南아》 소달구지(로 하는) 여행(의 하루 거리)(cf. SAFARI). **2** (일반적으로) 길고 고된 여행, 이주(移住). —— *v.* (**-kk-**) *vi.* **1** 《南아》 소달구지로 여행하다[이주하다] ; (소가) 수레[짐]를 끌다. **2** (일반적으로) 천천히 여행하다, 고된 여행을 하다〈*to*〉. —— *vt.* (소가 수레·짐을) 끌다. **trék·ker** *n.*

〚Afrik. *trekken* to draw〛

trel·lis [tréləs] *n.* 격자(格子), 격자 세공(細工) (trelliswork) ; 격자 울타리 ; (포도밭의) 격자 시렁. —— *vt.* …에 격자를 달다 ; 격자 울타리로 두르다 ; 시렁으로 받치다. **~ed** *a.* trellis가 있는[로 받쳐진].
〚OF＜Rom. (*tri-*, L *licium* warp thread)〛

tréllis·wòrk *n.* Ⓤ 격자 세공, 격자 짜기.

trem·a·tode [trémətòud, trí:-] *n.* 〔動〕 흡충류(吸蟲類). —— *a.* 흡충류의.
〚Gk. ＝full of holes (*trēma* hole)〛

trem·blant [trémblənt] *a.* 용수철 장치로 진동(震動)하는.

‡trem·ble [trémbəl] *vi.* **1** [動/+前+名] **a**) (공포·분노·추위·질병 따위로 손발·몸이) 떨리다, 부들부들 떨다, 전율하다 : Hear and ～!《反語》듣고 놀라지 마라 / She ～*d* ***with*** fear. 공포로 부들부들 떨었다 / His hands ～ ***from*** drinking too much. 그는 술을 너무 마셔서 손이 떨린다 / Her limbs ～*d with* anger. 그녀의 사지는 분노로 떨렸다. **b**) (땅·나뭇잎·목소리 따위가) 흔들리다, 떨리다 : The wooden bridge ～*d* as we crossed it. 우리들이 건널 때 나무다리가 흔들렸다 / The leaves are *trembling* ***in*** the breeze. 나뭇잎이 산들바람에 하늘거리고 있다. **2** [動/+前+名/+*to* do]《비유》몹시 걱정하다, 애태우다 : She ～*d* ***for*** the safety of her children. 그녀는 아이들의 안부를 (몹시) 염려하였다 / I ～ *to* think that I may be scolded by my mother. 나는 어머니에게 꾸중을 들을지도 모른다고 생각하니 걱정이 된다. **3** [+前+名] (운명 따위가) 위태로운 처지에 있다, 갈림길에 처해 있다 : His fate[life] ～*s* ***in*** the balance. 그의 운명[생명]은 위태로운 처지에 놓여 있다.
—— *vt.* 떨게 하다 ; 떨리는 목소리로 말하다 〈*out*〉.
—— *n.* **1** 떨림, 전율 : Betty is all of[in] a ～.《口》베티는 (완전히 겁에 질려) 부들부들 떨고 있다 / There is a ～ in her voice. 그녀의 목소리는 떨리고 있다《㊟ 이 문장에서는 TREMOR 쪽이 일반적》. **2** [*pl.*] 〔醫〕 (병적인) 떨림 ; (특히 말과 소의 병적으로) 근육이 떨리는 증세(의 병).
〚OF＜L ; ⇨ TREMOR〛
類義語 ⟹ SHAKE.

trém·bler *n.* 떠는 사람[것] ; (종 따위의) 진동판 ;《美俗》다른 죄수를 겁내는 죄수.

trém·bling *n.* 떨림 ; 전율 : in fear and ～ 공포에 떨며. —— *a.* 떠는 ; 전율하는. **~·ly** *adv.*

trémbling póplar *n.* 〔植〕 유럽[미국]사시나무.

trém·bly *a.* 떨고 있는, 겁에 질린, 전율하는.

***tre·men·dous** [triméndəs] *a.* **1** 무서운, 무시무시한(dreadful) : a ～ truth 놀라운 사실 / a ～ explosion 무시무시한 폭발. **2**《口》거대한, 굉장한, 어마어마한 ; 훌륭한, 참으로 심한, 엄청난, 아주 지독한 ; 멋진, 대단한, 비범한 : a ～ house 거대한 집 / The boy came at a ～ speed. 소년은 굉장한 속도로 달려왔다 / Jack is a ～ eater [talker]. 잭은 굉장한 대식가[수다쟁이]다 / We had a ～ time yesterday. 어제는 굉장히 재미있었다. **~·ly** *adv.* **~·ness** *n.*
〚L *tremendus* to be trembled at ; ⇨ TREMOR〛
類義語 ⟹ HUGE.

trem·o·lo [tréməlòu] *n.* (*pl.* **~s**) 〔樂〕 트레몰로, 떤음 ; (오르간의) 트레몰로[떤음] 장치(cf. VIBRATO).
〚It. ＝trembling ; ⇨ TREMULOUS〛

trem·or [trémər] *n.* **1** 떨림, 전율, 목소리의 떨림 : There was a ～ in his voice. 그의 목소리는 떨리고 있었다. **2** (흥분에 의한) 떨리는 느낌 ; 겁, 기가 질림 : face death without a ～ 죽음에 직면해서도 끄떡 하지 않다. **3** (빛·나뭇잎·물 따위의) 미동, 흔들림 ; 미진(微震). **4** 〔醫〕 진전(震顫). —— *vi.* 떨리다 ; 불안해지다 ; 흥분[공포]으로 떨다.
〚OF or L (*tremo* to tremble)〛

trem·u·lant [trémjələnt] *a.* ＝TREMULOUS.
—— *n.* 〔樂〕 (오르간의) tremolo.

trem·u·lous [trémjələs] *a.* **1** 떠는, 전율하는 (trembling) : (in) a ～ voice 떨리는 목소리(로). **2** (필적 따위가) 떨린 : ～ handwriting 떨린 필적. **3** 겁이 많은 ; (기쁨 따위) 몸이 떨리는 듯한. **~·ly** *adv.* **~·ness** *n.*
〚L *tremulus* ; ⇨ TREMOR〛

trenail ☞ TREENAIL.

***trench** [trentʃ] *n.* **1** 〔軍〕 참호, [*pl.*] 참호 진지 : a cover ～ 엄폐호 / mount the ～*es* 참호에서 파수를 보다 / open the ～*es* 참호를 파기 시작하다 / relieve the ～*es* 참호 근무병과 교대하다 / search the ～*es* (유산탄(榴散彈) 따위로) 참호를 포격하다. **2** (깊은) 홈, 도랑, 해자(垓字) : dig ～*es* for drainage 배수용의 도랑을 파다.
—— *vt.* **1 a**) …에 도랑[호·참호]을 파다 ; (논밭을) 일구다, 갈다. **b**) 〔軍〕 …에 참호를 파다, 참호에서 지키다. **2** (재목 따위에) 파 새기다, 절단하다. —— *vi.* **1** 도랑[참호]을 파다. **2** [+前+名] **a**) (권리 따위를) 침해하다, 잠식하다 : He ～*ed* (***up***)***on*** my time last night. 어젯밤에는 그가 와서 시간을 뺏겼다. **b**) (…에) 근접하다, 가깝다 : His behavior ～*es* closely (***up***)***on*** madness. 그의 행동은 꼭 미친 사람같다.
〚OF＝path made by cutting (*trenchier* to cut＜L ; ⇨ TRUNCATE)〛

tren·chant [tréntʃənt] *a.* **1** (말씨 따위가) 신랄한, 통렬한 : ～ wit[style] 신랄한 재치[문체]. **2** (정책 따위) 엄한, 철저한, 강력한 ; (의견·의론 따위) 명쾌한, 설득력 있는, 유효한. **3** (윤곽·모양 따위) 뚜렷한, 명확한.
~·ly *adv.* **trén·chan·cy** *n.* 날카로움, 통렬함.
〚OF (pres. p.) 〈 *trenchier* (↑)〛

trénch còat *n.* 참호안에서 입는 방수 외투 ; 트렌치 코트《허리띠 달린 레인코트》.

trenched [trentʃt] *a.* trench가 있는 ; 배수구가 있는 ; 〔軍〕 참호로 방비된.

tren·cher[1] [tréntʃər] *n.* **1** (네모난 또는 둥근) 큰 나무 접시《지금은 빵을 담아 자르는 데 씀》. **2**《古·비유》음식 ; 식사 : ～ companions 식사 친구. **3** [형용사적으로] 나무접시의 ; 식사의 ;《古》기생충 같은, 비굴하게 아첨하는. **4** ＝TRENCHER CAP.
lick the trencher 아첨하다, 아양 떨다.
〚AF ; ⇨ TRENCH〛

trénch·er[2] *n.* 호[도랑]를 파는 사람 ; 참호병.
〚TRENCH〛

tréncher càp *n.* (대학의) 사각 모자.

tréncher-féd *a.*《英》(사냥개 따위를) 사냥꾼이 손수 기르는.

tréncher·man [-mən] *n.* **1** 먹는 사람 ; (특히) 대식가 : a good[poor] ～ 대[소]식가. **2**《古》식객, 기식자.

trénch fèver *n.* 〔醫〕 재귀열(relapsing fever).

trénch fòot *n.* 〔醫〕 참호족(足)《참호내의 습기로 발생하는 동상》.

trénch knìfe *n.* 참호용 단검《흔히 육박전용》.

trénch mòrtar[gùn] *n.* 박격포.

trénch mòuth *n.* 〖醫〗 참호 구강염.

trénch wárfare *n.* 참호전(戰)《양군이 참호를 이용한 전투》.

*__trend__ [trénd] *n.* **1** 방향, 기울기, …향(向) : The valley has a northeast ~. 골짜기는 북동쪽을 향하고 있다. **2** 《비유》 경향, 추세 : Prices are ***on*** the upward[downward] ~. 물가가 상승[하락] 추세에 있다 / The event changed the ~ *of* public opinion. 사건이 여론의 추세를 바꾸었다. **3** 유행(의 스타일). —— *vi.* **1** [+副/+前+名] 굽어져 가다, 기울다, 향하다 : The coastline ~*s south*[***to*** or ***toward*** the south]. 해안선은 남으로 향하고 있다. **2** [+前+名] 《비유》 (사태·여론 따위가 특정한 쪽으로) 향하다, 기울다 : Things are ~*ing* ***toward*** democracy. 상황이 점차로 민주주의로 기울어지고 있다.
〖OE *trendan* to revolve ; cf. TRUNDLE〗
類義語 ⟹ TENDENCY.

trénd·sètter *n.* 유행을 선도하는 [만드는] 사람[것]. **-sèt·ting** *a.*

tréndy *a.* 《때때로 蔑》 최신 유행의 ; 유행을 쫓는. —— *n.* 유행의 첨단을 걷는 사람.
trénd·i·ly *adv.* **-i·ness** *n.*

tren·tal [tréntl] *n.* 〖카톨릭〗 (죽은 사람을 위한) 30일간의 위령(慰靈) 미사.

trente-(et-)qua·rante [trɑ́:n(tei)kərɑ́:nt] *n.* = ROUGE ET NOIR. 〖F=thirty and forty〗

tre·pan[1] [tripǽn, trí:pæn] *n.* 〖醫〗 (두개(頭蓋)에 둥근 구멍을 뚫는) 천공기, 천두기 (cf. TREPHINE) ; 〖鑛山〗 수갱 개착기(竪坑開鑿機) ; 〖機〗 둥근 톱. —— *vt.* (**-nn-**) 〖醫〗 (두개골에) 둥근 톱으로 구멍을 뚫다 ; 수갱 개착기로 구멍을 파다[뚫다]. 〖L<Gk. *trupanon* borer (*trupē* hole)〗

tre·pan[2], **tra·pan** [trəpǽn] *n.* 《古》 사기꾼 ; 올가미, 함정. —— *vt.* (**-nn-**) 함정에 걸리게 하다, 속이다, 유인하다.
〖*trapan* (n.) ; 아마 *trap*[1]에서의 도둑의 은어〗

tre·pang [tripǽŋ, trí:pæŋ] *n.* 〖動〗 해삼(cf. SEA CUCUMBER) ; (특히) 건해삼《해삼을 쪄서 말린 것 ; 중국요리용》. 〖Malay〗

tre·phine [trifí:n, -fáin] *n.* 〖醫〗 자루달린 둥근 톱 《trepan이 개량된 것》. —— *vt.* 그 톱으로 수술하다. 〖(obs.)<L *tres fines* tree ends〗

trep·id [trépəd] *a.* 소심한, 떠는.
〖L *trepidus* flurried〗

trep·i·da·tion [trèpədéiʃən] *n.* Ⓤ 전율, 공포 (fright) ; 당황, (마음의) 동요, (사지의) 떨림 : be in ~ 공포에 떨다.
〖L (*trepido* to tremble ‹ TREPID)〗

trep·o·ne·ma [trèpəní:mə] *n.* (*pl.* **-ma·ta** [-tə], **~s**) 〖菌〗 트레포네마(매독균류).
〖Gk. *trepō* to turn〗

*__tres·pass__ [tréspəs, 美+-pæs] *vi.* **1** [動/+*on*+名] 〖法〗 (남의 토지나 가옥에) 침입하다 ; (권리를) 침해하다 : The old man put up a board "No *T*~*ing*" at the edge of his land. 노인은 자기 토지의 가장자리에 출입금지 팻말을 세웠다 / ~ (***up***)***on*** a person's privacy[private grounds] 남의 사생활[사유지(私有地)]을 침해하다. **2** [+*on*+名] (남의 호의 따위에) 편승하다, 염치없이 굴다, 폐를 끼치다 : I shall ~ (***up***)***on*** your hospitality, then. 그럼, 호의를 염치없이 받겠습니다《접대를 받을 때 따위의 딱딱한 표현》/ I don't want to ~ (***up***)***on*** your time any longer. 이제는 더 이상 폐를 끼치고 싶지 않습니다. **3** [動/+*against*+名] 《文語》 위반하다, 죄를 범하다 : God forgives those who ~ ***against*** Him. 신(神)은 자신에게 거역한 자일지라도 용서하신다.
—— *vt.* 범하다, 침해하다.
—— *n.* **1** Ⓤ,Ⓒ 〖法〗 불법 행위 ; (남의 권리에 대한) 침해 ; (신체에 대한) 폭력 행사 ; 침해 소송. **2** Ⓤ,Ⓒ (타인의 시간·호의·인내 따위에 대한) 방해, 폐 : One ~ more I must make *on* your patience. 한번 더 신세를 져야만 하겠습니다. **3** 《文語》 범죄 ; (종교·도덕상의) 죄(sin) : Forgive us our ~*es*. 〖聖〗 우리 죄를 사하여 주옵소서《마태복음 6 : 12》.
〖OF (n.) ‹ (v.) = to pass over<L (*trans*-, PASS)〗
類義語 ***trespass*** 남의 소유물·권리 따위를 불법적으로 침해하다 : *trespass* on a private land (남의 사유지를 침범하다). ***encroach*** 몰래 또는 어느 사이에 점차로 침입하다. ***infringe*** 법률 또는 협정을 어기고 남의 권리를 침해하다 : *infringe* on a patent (특허권을 침해하다). ***intrude*** 부탁[요구] 받지도 않고 멋대로 모이거나 어떤 장소로 밀고 들어가다 : *intrude* on a person's privacy (남의 사생활을 침범하다). ***invade*** 폭력 또는 적의(敵意)를 가지고 남의 영토에 침입하거나 권리를 침범하다 : *invade* a neighboring country (이웃나라를 침략하다).

tréspass·er *n.* 침입자, 침해[침략]자 : *T*~*s* will be prosecuted. 《게시》 침입자는 고발함.

tress [trés] *n.* 《文語》 (여자의) 긴 머리 다발, 머리 타래, 땋은 머리(카락) ; [*pl.*] 치렁치렁한[삼단 같은] 머리 : her long golden ~*es* 그녀의 삼단 같은 금발. —— *vt.* [보통 *p.p.*로] (머리털을) 타래로 땋다[묶다]. 〖OF<? Gk. *trikha* three-fold〗

tressed [trést] *a.* (머리 따위) 땋은 ; [복합어를 이루어] …한 머리의 : a golden-~ maiden 금발의 소녀.

tres·tle, tres·sel [trésəl] *n.* **1** 가대(架臺), 트레슬 ; 구각(構脚)《trestle bridge의 토대(土臺)》. **2** =TRESTLE BRIDGE.
〖OF<Rom. (dim.)<L *transtrum* crossbeam〗

tréstle brìdge *n.* 〖土〗 구각교(橋), 육교.

tréstle tàble *n.* 트레슬 테이블《2-3개의 trestles를 배열한 위에 편편한 널을 얹은 테이블》.

tréstle·trèe *n.* [보통 *pl.*] 〖海〗 장두(檣頭)를 세로로 받치는 버팀 나무.

tréstle·wòrk *n.* Ⓤ 〖土〗 트레슬, 구각 공사(構脚工事)《육교 따위의 받침대 짜기》.

tret [trét] *n.* 《古》〖商〗 감손 예측 첨가량《운송중의 감손을 예측하고 100파운드당 4파운드를 첨가함》.

trews [trú:z] *n. pl.* 《스코》 바둑판 무늬의 나사로 만든 홀태바지. 〖Ir. and Gael. ; ⇨ TROUSERS〗

trey [tréi] *n.* 3점 짜리 카드패[주사위].
〖OF<L *tres* three〗

t.r.f., TRF tuned radio frequency (무선 주파수 동조). **TRF, TRH** thyrotropin-releasing factor[hormone].

T.R.H. Their Royal Highnesses.

tri [trái] *n.* 《口》 =TRIMARAN.

tri- [trái] *comb. form* 「3…」 「세 배의」 「세 겹…」의 뜻. 〖L and Gk. (*treis* three)〗

tri·able [tráiəbəl] *a.* 〖法〗 공판에 부칠 수 있는 ; 《稀》 시험할 수 있는.

tri·ac [tráiæk] *n.* 〖電子〗 트라이액《교류 전력용 게이트 제어식 반도체 스위치》.

tri·ácetate *n.* 〖化〗 삼아세트산염(鹽) ; 트리아세테이트.

tri·ad [tráiæd, -əd] *n.* 세개 한 벌, 3인조, 3폭짜리 ; 〖化〗 3가(價) 원소 ; 〖樂〗 3화음 ; 〖社〗 삼자 관계. 〖F or L<Gk.〗

tri·age [triɑ́:ʒ, trí:ɑ:ʒ, tráiidʒ] *n.* **1** 《英》 (품질이

최하등급인) 커피 원두. **2** 《英》(상품의) 선별 절차. **3** (치료 우선 순위에 의거한) 부상자의 분류. **4** (긴급성·유효성에 의해 한정된) 자원의 선별적 분배.

***tri·al**[1] [tráiəl] *n.* **1 a)** Ⓤ,Ⓒ (좋고 나쁨·성능 따위의) 시험, 시도 : by way of ~ 시험삼아 / give... a ~ (사람·물건을) 시험삼아 써 보다 / make ~ *of* one's strength (against a person) (남과) 힘겨루기를 하다 / put...to ~ …을 시도[시험]해 보다 / run a ~ 시운전을 하다(cf. TRIAL RUN). **b)** =trial HEAT (☞ HEAT 7) ; =TRIAL match (☞ 4). **2** 시련, 고난, 고통 ; 성가신 사람[것] : Life is full of troubles and ~*s.* 인생은 고난과 시련으로 가득차 있다 / That child was a ~ *to* his parents. 저 애는 부모에게 골칫거리였다. **3** Ⓤ,Ⓒ 〖法〗 재판, 공판, 심리 : a criminal ~ 형사 재판 / a new ~ 재심 / a preliminary ~ 예심(豫審) (preliminary hearing) / a public ~ 공판 / a ~ (*of* a man) for theft 절도범의 공판 / take [stand] one's ~ 재판을 받다. **4** [형용사적으로] 시험의, 시험적인 ; 예선의 ; 공판의, 예심의 : a ~ flight 시험 비행 / a ~ match (크리켓·축구 따위의) 예선 시합 / ☞ TRIAL RUN.

bring** a person **to trial**=**bring** a person **up for trial**=**put** a person **on trial 남을 고발하다, 남을 공판에 부치다.

on trial (1) 시험중에 : He[It] is *on* his[its] ~. 그[그것]는 시험중이다. (2) 〖法〗 심리중에 : He was *on* ~ *for* theft. 그는 절도죄로 공판중이었다. (3) 시험해 보니 : He was found *on* ~ to be unqualified. 시험 결과 그는 부적임자로 판정되었다. (4) 시험삼아 : Take this implement *on* ~ before you pay for it. 이 기구를 사시기 전에 먼저 시험삼아 써 보십시오.

***a trial by battle*[*combat*]** 〖史〗 결투 재판《당사자를 결투하도록 하여 판결한 재판》.

trials and tribulations 시련, 고난.

〚AF ; ⇨ TRY〛

類義語 ***trial*** 사람 또는 물건을 실제로 써 보기 전에 그 가치·능력·성능 따위를 시험해 보기. ***experiment*** 물건이 효력이 있는지 없는지 또는 물건이 처음 발견된 것인가 아니면 이미 알려져 있는 것인가를 실제로 증명하기 위해서 행하는 실험. ***test*** 어떤 조건 아래에서 일정한 기준을 정하고 사람 또는 물건의 능력·성능 따위를 분명하게 시험하기.

trial[2] *n.* 〖文法〗 삼수(三數)《세 개의 사물을 가리키는 수를 나타내는 문법 범주》. 〚*tri-*+*-al*〛

tríal and érror *n.* 시행 착오, 암중 모색.

tríal-and-érror *a.*

tríal bálance *n.* 〖簿〗 시산표(試算表).

tríal ballóon *n.* **1** =PILOT BALLOON. **2** 《비유》 (여론의 반응을 보기 위한) 시안(試案), 시론(試論), 타진(ballon d'essai).

tríal cóurt *n.* 〖法〗 예심 법정.

tríal éights *n. pl.* (보트레이스 출전 선수 선발을 위한) 2조(組)의 선발 후보 그룹.

tríal exàminer *n.* 〖法〗 행정 심사관.

tríal hòrse *n.* 《口》 연습 상대《중대한 시합 전의 상대역》.

tríal jùdge *n.* 〖法〗 예심 판사.

tríal jùry *n.* 〖法〗 심리 배심(陪審), 소(小)배심 (petit jury) (cf. GRAND JURY).

tríal làwyer *n.* 《美》 법정(法廷) 변호사《사무소에서 일을 주로 하는 변호사에 대(對)하여》.

tríal márriage *n.* (기간을 정한) 시험[우애(友愛)] 결혼(cf. COMPANIONATE MARRIAGE).

tri·a·logue [tráiəlɔ̀(:)g, -lɑ̀g] *n.* 삼자 회담 ; 삼인극, 세 사람이 등장하는 장면.

tríal rún[**tríp**] *n.* 시운전, 시승 ; 《비유》 실험.

***tri·an·gle** [tráiæŋgəl] *n.* **1** 삼각형 : a right-[an acute-, an obtuse-]angled ~ 직[예(銳)·둔(鈍)]각 삼각형 / a plane[spherical] ~ ☞ PLANE[1], SPHERICAL / the red ~ 적색 삼각형《Y.M.C.A.의 표장(標章)》. **2** 삼각자. **3** 〖樂〗 트라이앵글《타악기의 일종》. **4** 삼인조 ; 삼각 관계(의 남녀) : the (eternal) ~ 남녀의 삼각 관계. **5** [the T~] 〖天〗 삼각형자리.

a triangle of forces 〖理〗 힘의 삼각형.

〚OF or L=three-cornered〛

tri·an·gu·lar [traiǽŋgjələr] *a.* **1** 삼각(형)의 : a ~ bandage 삼각붕대. **2** 삼자(사이)의 : a ~ situation 삼각 관계 / a ~ treaty 삼국 조약 / a ~ election 삼자간의 선거.

tri·an·gu·lar·i·ty [traiæ̀ŋgjəlǽrəti] *n.*

〚L ; ⇨ TRIANGLE〛

triángular còmpass *n.* 삼각 컴퍼스.

tri·an·gu·late [traiǽŋgjəlèit] *vt.* **1** 삼각으로 만들다 ; 삼각형으로 나누다. **2** (토지의) 삼각 측량을 하다 ; 삼각법으로 측정하다. —— [-lət, -lèit] *a.* **1** =TRIANGULAR. **2** 삼각 무늬가 있는 ; 삼각형으로 이루어진. **~·ly** *adv.* 〚L ; ⇨ TRIANGLE〛

tri·an·gu·la·tion [traiæ̀ngjəléiʃən] *n.* 〖數〗 삼각형으로 분할하기 ; 〖測·海〗 삼각 측량.

tri·ar·chy [tráiɑːrki] *n.* 삼두(三頭) 정치(국).

Tri·as·sic [traiǽsik], **Tri·as** [tráiəs] *a.* 〖地〗 트라이아스기(紀)의. —— *n.* [the ~] 트라이아스기. 〚L〛

tri·ath·lon [traiǽθlən, -lɑn] *n.* 3종 경기, 트라이애슬런《하루에 장거리 수영·장거리 사이클링·마라톤 세 가지를 이어 하는 경기》.

tri·át·ic stáy [traiǽtik-] *n.* 〖海〗 두 돛대 사이를 이은 밧줄 ; 수평 지삭(支索).

trib. tributary.

trib·ade [tríbəd, trəbɑ́ːd] *n.* 동성애를 하는 여자《특히 남자역》.

〚F<L<Gk. =rubbing ; cf. TRIBO-〛

trib·a·dism [tríbədìzəm] *n.* 여자 동성애.

trib·al [tráibəl] *a.* 종족의, 부족의 ; 동아리의 ; 동족적인. —— *n.* 《인도·파키스탄》 부족적 생활자, 부족민. **~·ly** *adv.*

tríbal·ism *n.* 종족의 조직[생활, 감정, 신앙, 풍속, 문화], 종족적 특징 ; (종족으로서의) 동족 의식 ; (타종족에 대한) 종족적 우월 의식 ; (일반적으로 자신들의 집단에 대한) 강한 동족적 충성심. **-ist** *a., n.* **trìb·al·ís·tic** *a.*

tri·básic *a.* 〖化〗 3염기(鹽基)의.

***tribe** [tráib] *n.* **1 a)** (원시적인) 종족, 부족, 일족, …족 : Indian[Mongol] ~*s* 인디언[몽고]족. **b)** 〖로史〗 족(族)《처음에는 3부족, 뒤에는 지역적으로 30부족, 후에는 35부족으로 됨》 ; (고대 이스라엘의) 지족(支族) : the ~*s* of Israel 〖聖〗 12지파《야곱의 아들 12명의 자손》. **2** 〖動·生〗 족, 류(類). **3** 《戱·蔑》 (대)가족, 족속, 패거리, 동아리, (…의) 족 : the scribbling ~ 《戱》 문인[작가]들 / the ~ *of* artists 예술가들 / he and his ~ 그와 그의 동아리. **~·less** *a.* 〚OF or L *tribus*〛

tríbes·man [-mən] *n.* 종족의 한 사람[구성원], 부족민.

tri·bo- [tráibou, tríbou, -bə] *comb. form* 「마찰」의 뜻. 〚Gk. *tribō* to rub〛

trìbo·eléctric *a.* 〖理〗 마찰 전기의.

trìbo·electrícity *n.* 〖理〗 마찰 전기.

tri·bol·o·gy [traibɑ́lədʒi, tri-] *n.* 마찰학. **-gist** *n.*

tri·bo·log·i·cal [tràibəlɑ́dʒikəl, trìb-] *a.*

trìbo·luminéscence *n.* 〖理〗 마찰 발광(發光), 트리보루미네선스. **-luminéscent** *a.*

tri·bom·e·ter [traibɑ́mətər] *n.* 마찰계(計).

tri·brach[1] [tráibræk, tríb-] *n.* 〖韻〗 삼단격(三短格), 단단단(短短短)격(⏑⏑⏑).
tri·brách·ic *a.* 〚L<Gk. (*brakhus* short)〛

tri·brach[2] [tráibræk] *n.* 〖考古〗 세 갈래진 것[(특히) 석기]. 〚Gk. *brakhīōn* arm〛

trib·u·la·tion [trìbjəléiʃən] *n.* U,C 고난, 간난, 고된 시련 : in great ~ 몹시 고생하여 / All his life was full of ~*s.* 그의 전생애는 시련으로 가득차 있었다. 〚OF<L (*tribulum* threshing sledge)〛

tri·bu·nal [traibjúːnl, tri-] *n.* **1** 재판소, 법정. **2** 판사석, 법관석. **3** 《비유》 (세상의) 비판, 비평 : before the ~ *of* public opinion 여론의 비판을 받고. **4** 《英》 (제 1차 대전 중의) 병역 면제 심사국(局).
〚F or L ; ⇨TRIBE〛

trib·u·nary [tríbjunèri ; -nəri] *a.* 호민관의.

trib·u·nate [tríbjənèit, -nət] *n.* 〖古로〗 호민관의 직[임기] ; [집합적으로] 호민관.

trib·une[1] [tríbjuːn, -ˊ] *n.* **1** 〖古로〗 호민관 ; 군단 사령관. **2** 민중 지도자, 민권 옹호자. **3** [the T~] 트리뷴지(紙)《신문 이름》: The Herald *T*~ 헤럴드 트리뷴《New York의 신문 ; 1966년 폐간》. **~·shìp** *n.* tribune의 직[임무, 임기].
〚L *tribunus* head of a TRIBE〛

tribune[2] *n.* 상좌(上座), (특히 프랑스 하원의) 연단(演壇) ; (교회의) 설교단, 주교석 ; 신자석 ; (경마장의) 관람석.
〚F<It. *tribuna*<L TRIBUNAL〛

Trib·u·nite [tríbjənàit] *n.* 영국 노동당내의 극좌파(極左派).

trib·u·tary [tríbjətèri ; -təri] *a.* **1 a)** 공물(貢物)을 바치는 ; 속국(屬國)의 : a ~ king 속국의 왕. **b)** 공물로 바치는 ; 공물 같은. **2** 공헌[기여]하는, 도움이 되는, 지원하는. **3** 지류(支流)를 이루는 : a ~ river 지류. ── *n.* **1** 공물을 바치는 사람[나라], 속국. **2** (강의) 지류.

***trib·ute** [tríbjuːt, -bjət] *n.* **1** U,C **a)** 공물 ; 연공(年貢), 조세 ; 과도한 세 : pay ~ to the ruler 지배자에게 공물을 바치다. **b)** 공물[납세] 의무. **2** U,C 《비유》 감사, 존경, 찬사 ; 진상품, 증정품 : floral ~*s* (여배우 등에게의) 꽃 증정 ; (장례식의) 헌화 / a ~ of admiration[praise] 찬사 / a ~ of a tear 조의를 표하는 눈물 / a ~ *to* the memory of the late Mr. So-and-So 고(故) … 씨에게 바치는 조의[조사(弔詞)] / pay (a) ~ *to* …에게 찬사를 보내다, …에게 경의를 표하다. **3** …의 가치[유효성]를 입증하는 것, 증거. **4** 〖鑛〗 광부(에 대한) 배당.
lay a tribute on …에게 공물을 바치는 의무를 지우다.
lay. . .under tribute …에게 공물을 바치게 하다 ; …을 여러모로 이용하다.
〚L *tribut- tribuo* to divide between TRIBE*s*, assign, bestow〛

Tri·cap [tráikæ̀p] *n.* 〖美陸軍〗 3종 통합사단《기계 · 보병 · 항공을 일체화한 사단 ; 1971년 발족》.

trí·càr *n.* 《英》 3륜 자동차.

trice[1] [tráis] *vt.* 〖海〗 밧줄로 달아올리다⟨*up*⟩ ; 끌어 올려서 묶다⟨*up*⟩.
〚MDu. *trīsen* to haul up (*trīse* pulley)〛

trice[2] *n.* 순간(moment). [다음 숙어로]
in a trice 순식간에, 하자마자 곧.
〚↑〛

trì·centénary, trì·centénnial *a., n.* = TERCENTENARY.

tri·ceps [tráiseps] *n.* (*pl.* ~, ~·**es**) 〖解〗 삼두근(三頭筋), (특히) 상완(上腕) 삼두근. ── *a.* (근육이) 삼두의.
〚L=three-headed (*caput* head)〛

tri·cer·a·tops [traisérətɑ̀ps] *n.* 〖古生〗 트리케라톱스《중생대 공룡의 하나》.

-trices *n. suf.* -TRIX의 복수형.

trich- [trík, tráik], **tricho-** [tríkou, tráikou, -kə] *comb. form* 「모발(毛髮)」「섬조(纖條)」의 뜻.
〚Gk. (*trikh- thrix* hair)〛

tri·chi·a·sis [trikáiəsəs] *n.* U 〖醫〗 첩모 난생증(睫毛亂生症)《속눈썹이 안쪽으로 나서 안구(眼球)를 자극하는 증세》; 모뇨(毛尿)(증).

tri·chi·na [trikáinə] *n.* (*pl.* **-nae** [-niː], ~**s**) 선모충(旋毛蟲)《인체 · 돼지 · 쥐 따위에 기생함》.

trich·i·nop·o·ly [trìtʃənɑ́pəli] *n.* 엽궐련의 일종《인도산》.

trich·i·no·sis [trìkənóusəs] *n.* (*pl.* **-ses** [-siːz]) U 〖醫〗 선모충병, 선모충 기생.

trich·i·not·ic [trìkənɑ́tik ; -kinɔ́t-] *a.* 선모충병의 ; 선모충의.

trich·i·nous [tríkənəs] *a.* 선모충이 기생하고 있는 《고기》; 선모충의 ; 선모충증(症)의.

tri·chlóride *n.* 〖化〗 3염화물(鹽化物).

tri·chlòro·phenòxy·acétic ácid *n.* 트리클로로페녹시아세트산(2, 4, 5-T).

tricho- [tríkou, trái-, -kə] ☞ TRICH-.

trich·oid [tríkɔid, trái-] *a.* 모발[털] 모양의.

tri·chol·o·gy [trikɑ́lədʒi] *n.* U 모발학(毛髮學).
-gist *n.* 모발학자.

tri·chome [tríkoum, tráik-] *n.* 〖植〗 (식물 외피에 생기는) 모상체(毛狀體).
〚Gk.〛

tricho·mo·ni·a·sis [trìkəmənáiəsəs] *n.* (*pl.* **-ses** [-siːz]) U 트리코모나스증(症), 질염.

trich·o·my·cin [trìkəmáisin] *n.* U 트리코마이신《트리코모나스에 효험있는 항생제》.

trí·chòrd *n.* 3현(絃) 악기 ; 3현금(琴)《lyre, lute 따위》. ── *a.* 3현의.

tri·cho·sis [trikóusəs] *n.* (*pl.* **-ses** [-siːz]) 〖醫〗 이소(異所) 발모(증), (특히) 다모증.

tri·cho·the·cene [tràikəθíːsin] *n.* 〖醫〗 트리코테센《진균류에 의해 만들어진 독소》.

tri·chot·o·mous [traikɑ́təməs, tri-] *a.* 셋으로 나누는, 셋으로 갈라진, 삼차(三叉)의.
~·ly *adv.*

tri·chot·o·my [traikɑ́təmi, tri-] *n.* U 삼분(법)(三分(法)), 〖論〗 (특히) 삼단법(三段法) ; 〖神學〗 삼상법(三相法)《인간의 성(性)을 육(肉) · 심(心) · 영(靈)으로 나눔》. 〚Gk. *trikha* three-fold ; *dichotomy*를 모방한 것〛

-tri·chous [ˊtrikəs] *a. comb. form* 「…한 털이 있는」의 뜻. 〚Gk. *trich-*+*-ous*〛

tri·chro·ic [traikróuik] *a.* 〖結晶〗 삼색성의.

tri·chro·ism [tráikrouìzəm] *n.* U 〖結晶〗 삼색성《다른 세 방향에서 보면 세 가지 다른 색이 나타나는 성질》.

trì·chromátic *a.* **1** 3색(사용)의 : ~ photography 3색 사진(술). **2** 〖眼科〗 삼색형 색각의《3원색이 판별됨》.

tri·chrómatism *n.* U 3색임, 3색 사용 ; 〖眼科〗 삼색형 색각(色覺)《3원색의 판별이 가능함》.

tri·chróme, tri·chrómic *a.* =TRICHROMATIC.

trí·cíty [ˊ, ˊˊ] *n., a.* (경제적으로 밀접한) 인접 세 도시(의).

‡trick [trík] *n.* **1 a**) [+*to* do] 계략, 책략, 술책, 속임수, 야바위; 《俗》 범죄 행위: obtain a profit from a person by a ~ 남을 속여 이익을 얻다 / resort to a ~ (in order) to do …하기 위해 책략을 쓰다 / I suspect some ~. 어쩐지 속는 것 같다 / You shall not serve me that ~ twice. 두번 다시 그 수엔 안 속아 넘어간다 / None of your ~*s* with me! 그 허튼 수작은 그만 두시지 / His wound was a ~ *to* play truant from school. 그의 상처는 학교를 결석하기 위한 속임수였다. **b**) 착각; 환각: a ~ *of* the senses[*of* the imagination] 정신 착각 / a ~ *of* the eyesight 착시 / ~*s of* the memory 어슴푸레한 기억, 기억 착오. **c**) 〖映〗 트릭: a ~ film 트릭에 의한 영화.
2 a) (악의없는) 장난, 짓궂음, 농담: a ~ *of* fortune 운명의 장난 / play[serve] a person a ~ =play[serve] a ~ (*up*) *on* a person 남에게 장난을 치다; 남을 속이다 / He is *at*[*up to*] his ~*s* again. 또 시시덕거리고[장난질 치고] 있다. **b**) 못된 장난, 나쁜 짓, 비열한 수법: a dirty [mean, shabby, dog's] ~ 비열한 수단 / None of your cheap ~*s*. 그런 잔꾀는 그만둬.
3 a) [+前+do*ing*] (교묘한·잘하는) 수법, 비결, 요령(knack): the ~ ***of*** mak*ing* pies 파이를 만드는 요령 / get[learn] the ~ *of* it 비결을 터득하다. **b**) [*pl.*] (장사·전문가들의) 관습, 비결, 비법: learn[teach] the ~*s of* the trade 장사 요령[비결]을 터득하다[가르치다].
4 재주, 요술, 기술(奇術), 곡예: a conjurer's ~*s* 요술 / I have taught my dog some ~*s*. 나는 나의 개에게 몇가지 재주를 가르쳐 주었다.
5 [+前+do*ing*] (태도·말씨 따위의) 버릇, 성벽, 특징: He has a ~ ***of*** repeat*ing* himself. 같은 말을 되풀이하여 말하는 버릇이 있다.
6 〖카드놀이〗 (브리지 놀이 따위의) 한판, 한판 돌리기(round); (한판의 승부에서) 깔아놓은 패《보통 4매》; 1회의 득점: ☞ ODD TRICK / take [win] the ~ 그 회[판]에 이기다 / lose the ~ 그 회[판]에 지다 / take up the ~ (그 판에 이겨서) 내놓은 패를 모두 따다.
7 〖海〗 조타수(操舵手)의 한번 교대하기까지의 시간《보통 2시간》; 《俗》 형기; 출장: take[stand] one's ~ at the wheel 조타 당직을 서다 / the night ~ 야근.
8 장난감; [*pl.*] 방물, 장신구류; 《美口》 (어린) 여자 아이; 《俗》 매춘부의 한탕일, 그 손님.
9 〖紋〗 문장의 선화(線畫)《색채 없는》.
do*[*turn*] *the trick 《口》 목적을 이루다, 일이 잘 되다; 약효가 있다.
know a trick or two 보통내기가 아니다.
know a trick worth two of that 그보다 훨씬 좋은 방법을 알고 있다.
the* (*whole*) *bag of tricks ☞ BAG[1] *n.*
── *a.* **1** 곡예(용)의; (영화 따위의) 트릭의: ~ cards 요술용 카드패 / ~ shot 트릭 촬영. **2** (문제 따위) 의외로 어려운, 헷갈리는: a ~ question 함정이 있는 문제. **3** (관절 따위) 잘 움직이지 않는, 갑자기 탈이 나는.
── *vt.* **1** [+目/+目+前+名] 속이다, 야바위치다: I've been ~*ed*. 감쪽같이 속았다 / The poor boy was ~*ed* ***out of*** all the money he had. 가엾은 소년은 속아서 가진 돈을 몽땅 빼앗겼다 / I was ~*ed* ***into*** sign*ing*. 나는 속아서 서명하게 되었다. **2** …의 예상을 뒤엎다, …의 기대에 어긋나다. **3** [+目+副] 치장하다, 모양을 내다: The girl is ~*ed* ***out***[***up***] in jewels. 소녀는 보석으로 치장하고 있다. **4** 〖紋〗 (문장을) 선화로 그리다.
── *vi.* 남을 속이다; (남에게) 장난치다; 요술부리다. **~·er** *n.* **~·less** *a.*
〚OF (*trichier* to deceive<? L *tricari* to play tricks)〛
類義語 ⟹ CHEAT.

tríck bàbe *n.* 《CB俗》 창녀.
tríck cỳcling *n.* 자전거 곡예.
tríck cýclist *n.* 자전거 곡예사; 《英俗》 정신과 의사(psychiatrist).
tríck·ery *n.* Ⓤ 속임수, 사기; 책략, 계략.
tríck·ish *a.* 속이는, 교활한.
trick·le [tríkəl] *vi.* **1** [動/+前+名] 뚝뚝 떨어지다, 똑똑 방울져 떨어지다; 졸졸 흐르다: Onions made her eyes ~. 그녀는 양파 때문에 눈에서 눈물이 줄줄 흘렀다 / The water ~*d* ***from*** the faucet. 물이 수도 꼭지에서 똑똑 떨어졌다 / Tears ~*d* ***down*** her cheeks. 그녀의 뺨에 눈물이 주르르 흘러 내렸다 / A stream ~*d* ***through*** rocks. 시냇물이 바위 사이로 졸졸 흘렀다. **2** [+副/+前+名] 조금씩 움직이다; 《비유》 드문드문 오다[가다]: Summer visitors are now *trickling home*. 피서객들은 이제 드문드문 집으로 돌아가고 있다 / The students are *trickling* ***into***[***out of***] the classroom. 학생들은 삼삼오오 교실로 들어오고 있다[에서 나오고 있다]. ── *vt.* [+目/+目+前+名] 뚝뚝 떨어지게 하다, 찔끔찔끔 흘려넣다: He ~*d* a few drops of oxygenated water ***into*** the goldfish basin. 금붕어 어항에 과산화(過酸化)수소수를 몇 방울 떨어뜨렸다. ── *n.* 뚝뚝 떨어짐, 물방울; 실개천; (조금씩 움직임을 보이는) 소수[소량]의 것. 〚ME<? (imit.)〛
tríckle chàrge *n.* (전지의) 세류(細流) 충전.
tríckle chàrger *n.* 〖電〗 세류 충전기(細流充電器), 적하(滴下) 충전 장치.
tríckle-dówn *a.* 〖經〗 트리클다운 이론(理論)의[에 의한].
tríckle-dówn thèory *n.* 〖經〗 트리클다운 이론(理論)《정부 자금을 대기업에 유입시키면 중소 기업과 소비자에게 영향을 미쳐 경기를 자극하게 된다는 이론》.
tríckle irrigátion *n.* (가느다란 호스로 간헐적으로 행하는) 점적 관수(點滴灌水), 세류 관개(細流灌漑). **tríckle-írrigate** *vt.*
trick·let [tríklət] *n.* 실개천, 작은 내.
tríck·ly *a.* 방울져 떨어지는, 졸졸 흐르는; 드문드문한.
tríck or tréat *n.* 《美》 「과자를 안 주면 장난칠 테야」《만성절(Halloween)날 밤 어린이들이 이웃집을 돌며 'trick or treat!'라고 외치며 과자나 사탕을 얻어 먹는 행사》. **tríck-or-tréat** *vi.*
tríck·ster *n.* 사기꾼, 협잡꾼; 책략가; 요술쟁이.
tricksy [tríksi] *a.* **1** 장난을 좋아하는. **2** (일 따위) 다루기 어려운, 애쓰는. **3** 《古》 교활한; 믿을 것이 못되는; 치장한.
trícks·i·ly *adv.* **-i·ness** *n.*
〚TRICK; -*sy*는 cf. TIPSY〛
trick·track [tríktræ̀k] *n.* =TRICTRAC.
tríck wìg *n.* 머리털이 곤두선 가발.
tricky *a.* **1** (사람·행동이) 교활한, 방심할 수 없는: a ~ politician 교활한 정치가. **2** 솜씨를 필요로 하는, 다루기 힘든, 미묘한: a ~ job 솜씨를 필요로 하는 일 / a ~ lock 복잡한 자물쇠 / a ~ problem[situation] 미묘한 문제[처지]. **3** 교묘한: ~ gadgets 묘한 장치[도구].
tríck·i·ly *adv.* **-i·ness** *n.*
tricl. triclinic.
tri·clin·ic [traiklínik] *a.* 〖結晶〗 삼사(三斜)의, 삼

사정계(三斜晶系)의 : ~ system 삼사정계.

tri·clin·i·um [traiklíniəm] *n.* (*pl.* **-clin·ia** [-klíniə]) 《古로》 3면에 긴 안락의자를 둘러 놓은 식탁 ; 그 식탁이 있는 식당. 〖L<Gk. (*klīnē* couch)〗

tric·o·lette [trìkəlét] *n.* Ⓤ 트리콜레트《비단·레이온의 여성복용 메리야스》. 〖*tricot*+flanne*lette*〗

tri·col·or [tráikʌ̀lər, 英+tríkələr] *a.* 3색의 ; 삼색기의, (특히) 프랑스의.
—— *n.* 삼색기, (특히) 프랑스 국기. 〖F (*tri-*)〗

trí·còlored *a.* 3색의.

tri·corn(e) [tráikɔːrn] *a.* (모자 따위) 세모진, 뿔이 세 개 나온. —— *n.* 삼각 모자 (cocked hat) ; 삼각수(三角獸)《상상의 동물》. 〖L (*cornu* horn)〗

tricorn(e)

tri·cot [tríːkou, tráikət ; trí(ː)kəu] *n.* **1** 털실·명주·레이온 따위를 손으로 뜬 것 ; 그것을 모방한 직물. **2** 트리코《능직 옷감의 일종 ; 여성용》. 〖F=knitting (*tricoter* to knit<? Gmc.)〗

tric·o·tine [trì(ː)kətíːn] *n.* 능직 메리야스 천.

tric·trac [tríktræ̀k] *n.* 트릭트랙《backgammon의 일종》. 〖F (imit.)〗

tri·cúspid *a.* **1** 세개의 뾰족한 끝이 있는. **2** 〖解〗 3첨판(尖瓣)의 : the ~ valve (심장 우심실(右心室)의) 3첨판. —— *n.* 끝이 셋으로 뾰족하게 갈라져 있는 이.

tri·cúspidate *a.* 세개의 첨두(尖頭)[첨단, 첨판(尖瓣)]가 있는.

tri·cy·cle [tráisikəl] *n.* 삼륜차 ; 세발 자전거(cf. BICYCLE) ; 삼륜 모터사이클. —— *vi.* tricycle을 타다. 〖*tri-*, CYCLE〗

tri·cýclic *a.* 〖化〗 삼환(三環)의. —— *n.* 삼환계 항울약(抗鬱藥).

tri·cy·clist [tráisikləst, -saik-] *n.* =TRICYCLER.

tri·dáctyl, -dáctylous *a.* 〖動〗 손가락[발가락]이 셋 있는.

tri·dáily *a.* 하루 세번의 ; 사흘에 한번의.

tri·dent [tráidənt] *n.* **1** 〖그·로神〗 삼지창(三枝槍)《바다의 신 Poseidon[Neptune]의 표장(標章) ; 흔히 제해권(制海權)의 상징으로 쓰임》. **2** (물고기를 찌르기 위한) 세 갈래진 작살.
—— *a.* 삼차(三叉)의, 세 갈래진.
〖L (*dent- dens* tooth)〗

tri·den·tate [tràidénteit] *a.* 이가 셋 있는, 세 갈래진.

Tri·den·tine [traidéntain, -tiːn, tráidən-, tríd-] *a.* 이탈리아 트리엔트의 ; 트리엔트 공의회(1545-63)의 : ~ Theology 트리엔트 공의회에서 정한 카톨릭 신학. —— *n.* 트리엔트 신경(信經)(1564)을 따르는 정통 카톨릭 교도.

trì·diménsion·al *a.* 3차원의, 입체의.
trì·dimensionál·ity *n.* 3차원.

trid·u·um [trídʒuəm, -djə-, trái-] *n.* 3일간 ; 〖카톨릭〗 (성인 축일 전에 행하는) 3일 묵상[묵도]. 〖L (*dies* day)〗

◇**tried** [tráid] *v.* TRY의 과거·과거분사. —— *a.* 시험이 끝난, 고난[시련]을 견뎌낸 ; (친구 등) 믿음직한, 확실한, 틀림없는 : ~ and sure 절대 확실한 / ~ and true 입증이 끝난 / old and ~ 전적으로 신용할 수 있는.

tri·ene [tráiiːn] *n.* 〖化〗 트리엔《이중 결합이 세 개 있는 탄화수소》.

tri·en·ni·al [traiéniəl] *a.* **1** 3년간 계속되는. **2** 3년마다의(cf. ANNUAL, BIENNIAL). **3** 〖植〗 3년생의. —— *n.* **1** 3년마다의 축제[행사], 3년제(祭). **2** 〖카톨릭〗 3년마다의 미사 추도. **3** 〖植〗 3년생 식물 ; 3년마다 출판되는 간행물.
~·ly *adv.* 3년마다. 〖L (*annus* year)〗

tri·er [tráiər] *n.* **1** try하는 사람 ; 시험관[자], 실험자. **2** (식품 따위의) 검사원. **3** 〖法〗 배심원 기피 심판원(trior). **4** 노력하는 사람, 늘 최선을 다하는 사람.

tri·er·arch [tráiərɑ̀ːrk] *n.* (고대 그리스의) 삼단노로 된 갤리선(trireme)의 사령관 ; (아테네의) trireme 건조[의장, 유지] 의무를 진 시민. 〖L<Gk.〗

Tri·este [triést, -ésti] *n.* 트리에스테《이탈리아 북동부에 있는 항구도시》.

tri·fec·ta [traiféktə] *n.* 〖競馬〗 3연승 단식(單式) (=《美》 triple) ; (jai alai 도박의) 3연승식.

trif·fid [trífəd] *n.* (공상 과학 소설의) 트리피드《식물 괴수(怪獸)》.

tri·fid [tráifid, -fəd] *a.* (잎·스푼 따위) 세 갈래진, 삼차(三叉)의.

◇**tri·fle** [tráifəl] *n.* **1** 보잘것없는[하찮은] 것, 사소한 일 : stick at ~*s* 하찮은 일에 구애받다 / The merest ~ puts her out. 극히 사소한 일에도 그녀는 당황한다[화를 낸다] / I sent a few ~*s* for your birthday. 당신 생일축하 선물로 변변찮은 물건을 조금 보냈습니다. **2** 소량 ; 소액, 푼돈 : The shopping has left me only a ~. 물건을 사고 나니 돈이 몇 푼 밖에 남지 않았다. **3** Ⓤ,Ⓒ 《英》 트라이플《포도주에 적신 카스텔라류》 : make a ~ 트라이플을 만들다 / She bought too much ~. 트라이플을 너무 많이 샀다. **4** [a ~ ; 부사적으로] 약간, 조금 : *a* ~ sad 좀 슬픈 / *a* ~ too long 조금 긴 / I was *a* ~ vexed. 나는 약간 화가 났었다. **5** 백랍(pewter)《주석·납 따위의 합금》 ; [*pl.*] 백랍 제품.
—— *vi.* [+*with*+名] **1** 가벼이 다루다, 희롱하다 : Don't ~ ***with*** serious matters. 중요한 문제를 경시해서는 안된다 / She is not a woman to be ~*d with.* 경솔하게 다룰 여자가 아니다. **2** 가지고 놀다, 만지작거리다 : Don't ~ ***with*** your meal. 음식을 깨지락거리지 말아라. **3** 빈둥빈둥 보내다. —— *vt.* [+目+副] (시간·정력·돈 따위를) 낭비하다(fool)〈*away*〉 : I ~*d away* my study hours yesterday. 어제 나는 공부 시간을 허송해 버리고 말았다.
〖ME *trufle* idle talk<F *truf(f)e* deceit<?〗

trí·fler *n.* 농담을 하는 사람, 희롱거리는 사람 ; 경솔한 사람 ; 게으름뱅이(idler).

trí·fling *a.* **1** 하찮은, 사소한, 보잘것없는 : a ~ error[matter] 사소한 잘못[일]. **2** 소량의, 약간의 : of ~ value 약간의 가치밖에 없는. **3** 경박한, 농지거리의 : ~ talk 농담. **4** 《美方》 게으름뱅이의, 쓸모없는. —— *n.* 시시한 농담 ; 시간 낭비, 무익한 행동. **~·ly** *adv.* **~·ness** *n.*
類義語 ⟹ PETTY.

trì·flùo·pér·a·zine [-pérəzìːn, -zən] *n.* 〖藥〗 트리플루오페라진《정신 안정제》.

tri·flu·ra·lin [traiflúərələn] *n.* 〖農藥〗 트리플루랄린《비선택성 제초제》.

tri·fócal *a.* (안경·렌즈가) 초점이 셋 있는.
—— *n.* 3중 초점 렌즈 ; [*pl.*] 3중 초점 안경《근·중·원거리를 모두 볼 수 있음》.

tri·fóliate, -fóliated *a.* =TRIFOLIOLATE ; 3엽(葉)의.

trifóliate órange *n.* 〖植〗 탱자나무.

tri·fóliolate *a.* 〔植〕 세개의 작은 잎이 있는.
tri·fo·li·um [traifóuliəm] *n.* 〔植〕 달구지풀속(屬) (*T*~)의 각종 초본. 〚L=triple leaf〛
tri·fo·ri·um [traifɔ́:riəm] *n.* (*pl.* **-ria** [-riə]) 〔建〕 트리포리움《교회 건축 측벽(側壁)의 아치와 높은 창 사이의 부분》.
〚AL (? *tri-*, *foris* a doorway) ; 각 기둥과 기둥 사이(bay)에 세 개의 출입구가 있는 데서〛
trí·fòrm(ed) *a.* 세가지 형태[성질]의, 3체(體)의 ; 세 부분으로 이루어진.
tri·fur·cate [tráifə(:)rkèit, tràifɔ́:rkeit] *vt.*, *vi.* 세 갈래지(게 하)다, 세 부분으로 나누다[나뉘다].
── [traifɔ́:rkət, -keit, tráifə(:)rkèit] *a.* 세 갈래[가지]의.
trig[1] [tríg] *a.* 깔끔한, 말쑥한, 멋진 ; 튼튼한, 건강한. ── *vt.* (**-gg-**) …을 꾸미다, 치장하다〈*up*, *out*〉. 〚ME=trusty<ON ; cf. TRUE〛
trig[2] *v.* (**-gg-**) *vt.* 《方》 (바퀴·통 따위가 구르지 않도록) 멈추개로[받침으로] 괴다〈*up*〉.
── *vi.* (차·바퀴가) 구르는 것을 멈추게 하다.
── *n.* (차의) 바퀴 멈추개, 구르지 않도록 괴는 물건《쐐기 따위》.
〚C16<? Scand. (ON *tryggja* to make secure)〛
trig[3] *n.* 《學俗》 =TRIGONOMETRY.
trig. trigonometric(al) ; trigonometry.
trig·a·mist [trígəməst] *n.* 아내가[남편이] 셋 있는 사람, 삼중 결혼자.
trig·a·mous [trígəməs] *a.* 아내가[남편이] 셋 있는, 삼중 결혼의 ; 〔植〕 (수꽃·암꽃·양성화(兩性花)의) 3가지 꽃이 있는.
trig·a·my [trígəmi] *n.* 일부 삼처, 일처 삼부 ; 삼중 결혼.
tri·gem·i·nal [traidʒémənəl] *n.*, *a.* 〔解〕 삼차(三叉) 신경(의).
trigéminal nérve *n.* 〔解〕 삼차(三叉) 신경 (trigeminal).
trigéminal neurálgia *n.* 〔醫〕 삼차 신경통.
trig·ger [trígər] *n.* **1** (총포 따위의) 방아쇠 ; 〔컴퓨〕 방아쇠 : pull[press] the ~ (…을 향하여) 방아쇠를 당기다〈*at*, *on*〉. **2** 제동기, 제륜 장치. **3** 《비유》 (생리현상·일련의 사건 따위를 일으키는) 동기, 계기, 유인, 자극. **4** 〔電子〕 트리거 ; 〔魚〕 =TRIGGERFISH.
in the drawing of a trigger 곧, 즉각.
quick on the trigger 사격이 빠른 ; 《口》 민첩한, 재빠른 ; 빈틈없는.
── *vt.* **1** …의 방아쇠를 당기다, 발사하다 ; …에 폭발을 일으키다. **2** [+目+副] (사건 따위를) 일으키다, 촉발시키다, …의 계기가 되다 : A trifle ~*ed* ***off*** the trouble. 사소한 일이 실마리가 되어 분쟁이 일어났다. ── *vi.* 방아쇠를 당기다. ── *a.* 방아쇠의[같은 작용을 하는].
trig·gered *a.* (…한) 방아쇠가 있는.
〚C17 *tricker* <Du. (*trekken* to pull) ; cf. TREK〛
trígger àction *n.* 방아쇠 작용《계기가 되는》.
trígger fìnger *n.* (오른손의) 집게 손가락.
trígger·fish *n.* 〔魚〕 파랑쥐치《쥐치복과(科)의 물고기》.
trígger-hàppy *a.* 《口》 (함부로) 총쏘기 좋아하는 ; 호전[공격, 도발]적인.
trígger·man [-mən, -mæ̀n] *n.* 《美俗》 살인 청부업자 ; (갱의) 신변 경호자.
trígger prìcing *n.* 미국내 산업 보호를 위한 기준 가격《기준 가격 이하로 수입되면 덤핑 조사 대상이 됨》.
trígger sỳstem *n.* (미사일 탄두의) 기폭 장치.
tri·glot [tráiglɑt] *a.*, *n.* 3개 국어로 쓴[로 인쇄된, 를 다룬] (책).
tri·glyph [tráiglif] *n.* 〔建〕 트리글리프, 세 줄의 세로 홈이 진 돌기석(突起石) (cf. METOPE).
tri·go [trí:gou] *n.* (*pl.* **~s**) 《美南部》 밀(밭). 〚Sp.〛
tri·gon [tráigɑn] *n.* **1** 〔古그〕 삼각금(琴). **2** (해시계용) 삼각자 ; 《古》 삼각형. **3** 〔占星〕 = TRINE ; =TRIPLICITY. 〚L<Gk. (*tri-*, *-gon*)〛
trigon. trigonometric(al) ; trigonometry.
trig·o·nal [trígənl, traigóu-] *a.* 삼각형(形)의 ; 〔生〕 =TRIGONOUS ; trigon의 ; 〔結晶〕 삼방정계(三方晶系)의. **~·ly** *adv.*
tri·go·neu·tic [tràigənjú:tik] *a.* 〔昆〕 삼세대성(性)의《1년에 삼세대가 생기는》.
trig·o·nom·e·ter [trìgənɑ́mətər] *n.* 직각 삼각계(計) ; 삼각법 학자 ; 삼각 측량자.
trig·o·no·met·ric, -ri·cal [trìgənəmétrik(əl)] *a.* 삼각법에 의한, 삼각법의. **-ri·cal·ly** *adv.*
trigonométric fúnction *n.* 〔數〕 삼각 함수, 원함수(circular function).
trig·o·nom·e·try [trìgənɑ́mətri] *n.* Ⓤ 삼각법, 삼각술(術). 〚NL<Gk. (*trigōnon* triangle)〛
trig·o·nous [trígənəs, trái-] *a.* 〔生〕 3개의 각이 있는, (단면이) 삼각(형)의.
trí·gràm *n.* =TRIGRAPH.
trí·gràph *n.* 3자 1음, 3중음자(重音字)《보기 schism [sízəm]에서의 *sch*》. **trì·gráph·ic** *a.*
trì·hédral *a.* 〔數〕 3면(面)이 있는 ; 3면체의.
── *n.* 3면체.
tri·hédron *n.* 〔數〕 3면체.
tri·hýbrid *n.* 〔遺〕 3유전자 잡종.
trì·hýdrate *n.* 〔化〕 3수화물(水和物).
-hýdrated *a.*
trì·iodo·thý·ro·nine [-θáirənì:n, -nən] *n.* 〔生化〕 트리요오드티로닌《갑상선 호르몬의 일종》.
trí·jèt *n.*, *a.* 3발(發) 제트기(의).
trike [tráik] *n.*, *vi.* 세발 자전거(를 타다).
tri·lábiate *a.* 〔植〕 3개의 순판(脣瓣)이 있는 ; 3순(脣)의.
tri·láminar *a.* 3층의.
tri·láteral *a.* 〔數〕 세변이 있는, 3변의 ; 삼자간의.
── *n.* 3변형. **~·ly** *adv.*
tri·láteral·ìsm *n.* 삼자 상호 협력 (정책). **-ist** *n.*
trì·laterátion *n.* 3변(邊) 측량(술).
tril·by [trílbi] *n.* 《英》 소프트 모자, 중절모(=~ **hát**) ; [*pl.*] 《俗》 발(feet).
tri·lem·ma [trailémə] *n.* **1** 삼자 택일의 궁지(cf. DILEMMA). **2** 〔經〕 트릴레마《불황·인플레이션·에너지 위기에 의한 삼중고》. **3** 〔論〕 삼자 택일, 삼도(三刀) 논법《불리한 입장이 예상되는》.
〚*dilemma*에 준한 것〛
trí-lével *a.* 3단계의 ; 3층 건물의.
── *n.* 3단계.
tri·línear *a.* 세 개의 선(線)의[으로 둘러싸인].
tri·língual *a.* 3개 국어[언어]의[를 말하는](cf. BILINGUAL). **~·ly** *adv.*
tri·líteral *a.*, *n.* 3자(字)로[3자음(子音)으로] 이루어진 (말·어근(語根)).
tri·lith·on [trailíθɑn, tráiləθɑ̀n], **tri·lith** [tráiliθ] *n.* 〔考古〕 삼석탑(三石塔)《두개의 입석(立石) 위에 돌하나를 얹은 거석 기념물》.
trill[1] [tríl] *vt.*, *vi.* **1** 떨리는 목소리[트릴]로 노래하다 ; 트레몰로(tremolo)로 연주하다. **2** 〔音聲〕 (r 음을) 혀를 굴려 발음하다. **3** (새·벌레가) 트릴로 노래하듯 울다 : The birds were ~*ing* in the trees. 새들이 나무 사이에서 지저귀고 있었다.
── *n.* **1** 떨리는 목소리 ; 〔樂〕 떤음(音), 트릴,

트레몰로 ; (새의) 트릴같은 소리. **2** 〚音聲〛 전동음(顫動音)《혀를 굴리거나 프랑스말에서처럼 목젖을 울려 발음하는 자음 ; 발음기호 [R]》.
〚It.<Gmc. (Du. *trillen* to vibrate)〛

trill² *vi.* 회전[선회]하다 ; (액체가) 졸졸 흐르다. ── *vt.* 졸졸 흘려보내다.
〚? Scand. (Norw. *trilla* to roll)〛

trill³ *vi.* 《美俗》 활보하다, 으스대며 걷다.

tríll·er *n.* trill¹하는 것 ; 〚鳥〛 회색할미새사촌.

tril·lion [tríljən] *n.* (*pl.* **~s**, 수사(數詞) 다음에서는 ~) 《美》 1조《10^{12}》 ; 100만조《10^{18}》 ; [강조] 무수(無數). 주 ☞ MILLION.
── *a.* trillion의. **-lionth** [-θ] *n.*, *a.*
〚F or It. (*tri*-, mi*llion*) ; *billion*에 준한 것〛

tril·li·um [tríliəm] *n.* 〚植〛 연령초속(延齡草屬) (*T*~)의 식물.

tri·lóbate, -lóbated, trì·lóbed *a.* 〚植〛 (잎이) 세 갈래진.

tri·lo·bite [tráiləbàit] *n.* 〚古生〛 삼엽충(三葉蟲) 《고생대의 절족(節足) 동물》.
〚Gk. =three-lobed (*tri*-, LOBE)〛

tril·o·gy [tríləd3i] *n.* **1** (극·소설·오페라 따위의) 3부작. **2** 〚古그〛 3비극《Dionysus의 제전에 상연됨》 ; 세 개 한벌. 〚Gk. (*tri*-)〛

trim** [trím] *v.* (**-mm-**) *vt.* **1 a**) (잔디나 산울타리 따위를) 쳐서 가지런히 하다, 손질하다 ; (재목 따위를) 깎아 다듬다 : ~ a nail 손톱을 깎다 / ~ (the wick of) a lamp 램프의 심지를 자르다 / Joe ~*med* the hedge on Sunday. 조는 일요일에 울타리를 손질했다 / Jim is ~*ming* the lumber with a plane. 짐은 목재를 대패질하여 다듬고 있다 / I had my hair ~*med.* 머리를 깎았다. **b**) [+目+副 / +目+前+名] 잘라[깎아] 내다, 떼어[뜯어]내다 ; (사진을) 트리밍하다 : ~ *away* the edges of a picture 사진 가장 자리를 잘라내다 / He ~*med* dead branches ***off the tree. 나무에서 죽은 가지를 쳐냈다. **2 a**) [+目 / +目+*with*+名] (모자·드레스 따위에) 장식[가장자리 장식]을 달다 ; 장식하다(decorate) : The boys and girls ~*med* the Christmas tree. 소년 소녀들은 크리스마스 트리를 장식했다 / She ~*med* her coat ***with*** fur. 코트를 모피로 장식했다. **b**) [+目+副] [~ one*self* 로] 몸치장을 하다 : She ~*med* her*self* ***up***. 단정하게 몸치장을 했다. **3** 〚海·空〛 (짐·승객 등의 배치에 의해 배·비행기의) 균형을 잡다(balance) ; 〚海〛 (돛·활대를 바람을 잘 받게) 조절하다. **4** (의견 따위를) 형편에 좋도록 바꾸다, (사정에 따라서) 조절하다. **5** 《口》 (남을) 꾸짖다, 추궁하다, 야단치다 ; 형편없이 지게 하다 ; 속이다(cheat). **6** 〚空〛 (비행기의) 균형을 잡다. ── *vi.* (정치가 등이) 중도[중립] 정책을 취하다 ; (형편에 따라) 의견[방침]을 바꾸다, (기회주의자처럼) 기회를 엿보다 ; 〚海〛 (배가) 균형이 잡히다 ; 돛을 바람부는 방향으로 조절하다.
── *a.* (**trím·mer ; trím·mest**) (복장·모양 따위가) 깔끔한, 정돈된, 잘 손질된 ; 정비된.
── *adv.* [보통 복합어를 이루어] 깔끔히, 단정히, 말쑥이 : ~-kept 손질이 잘되어 있는.
── *n.* **1** Ⓤ 정돈, 준비 ; (건강 따위의) 상태 ; 기분, 컨디션. **2** Ⓤ 장식, 치장 : the ~ *on* a dress 드레스의 장식. **3** Ⓤ 몸차림, 모습 ; 나들이옷. **4** Ⓤ 〚海〛 (배의) 균형, 평형 상태. **5** 손질, (가지) 치기, 깎아 다듬기. **6** 《美》 건물 내부의 목조 부분 ; 건물의 외부 장식 ; (차체(車體)의) 외장(外裝) ; (자동차 따위의) 내장. **7** 《廢》 성격. **8** 《美俗》 완패시킴. **9** 〚空〛 (비행기·기구의) 평형상태, 트림. **10** 〚映〛 (필름의) 잘라낸 부분.

in (***good, proper***) ***trim*** 잘 정돈되어, (몸의) 상태가 좋아 ; 〚海〛 균형이 잡혀서 : *in* fighting [sailing] ~ 전투[출범] 준비가 갖추어져서 / Everything in his chest was *in* (*good*, *proper*) ~. 그의 연장통 안은 무엇이나 다 잘 정돈되어 있었다 / The boxers were *in* ~ *for* the match. 시합을 앞두고 권투 선수들은 컨디션이 좋았다.

into (***good***) ***trim*** (사람이) …에 적절한[정돈된] 상태로 : You must get *into* (*good*) ~ *for* the race. 경기에 대비하여 몸의 컨디션을 조절해야 한다.

out of trim 정비가 안 되어 ; 컨디션이 나빠 ; 〚海〛 배가 (균형이 안잡혀) 한쪽으로 치우쳐 : I found everything *out of* ~. 모든 것이 제대로 되어 있지 않다는 것을 알았다.

~·ly *adv.* **~·ness** *n.*
〚OE *trymman, trymian* to strengthen (*trum* strong) ; (a.) (n.) < (v.)〛
類義語 ⟹ NEAT.

tri·ma·ran [tráimərӕn, ⌐-⌐] *n.* 3동선(胴船)《3개의 선체(船體) (hull)를 연결한 보트 ; cf. CATAMARAN 1 b)》.
〚*tri*-+cata*maran*〛

tri·mer [tráimər] *n.* 〚化〛 삼합체(三合體).

tri·mes·ter [traiméstər, ⌐--] *n.* 3개 월 간 ; 〚教〛 (3학기 제도의) 1학기.
〚F<L (*menstruus* monthly)〛

tri·mes·tral [traiméstrəl], **-tri·al** [-triəl] *a.* 3개월간의 ; 3개월마다의.

trim·e·ter [trímətər] *a.* 〚韻〛 3보격의.
── *n.* 3보격 ; 3보격의 시행(詩行).

tri·meth·o·prim [tràiméθəprìm] *n.* 〚藥〛 트리메토프림《살균약·항말라리아약》.

trì·métric, -métrical *a.* 〚韻〛 3보격의 ; 〚結晶〛 사방정계(斜方晶系)의.

tri·met·ro·gon [traimétrəgàn] *n.* (항공 사진에서) 삼각점 부감(俯瞰) 촬영법《세 개의 카메라로 세 방향을 동시 촬영함》.

trím·mer *n.* **1** 정돈[손질·장식 따위]하는 사람. **2** 큰 낫, 가위, 식칼, 작은 칼, 재단용 칼, (램프 따위의) 심지 자르는 연장. **3** 기회주의자. **4** 꾸짖는 사람 ; 《口》 만만찮은 사람[것]. **5** 낚시찌. **6** 〚電子〛 트리머.

trím·ming *n.* **1** Ⓤ 정돈, 정리, 깔끔하게[말쑥하게] 하기 ; 〚寫〛 트리밍. **2** U,C 손질, 잘라[깎아] 다듬기 ; [*pl.*] 잘라[깎아] 낸 것, 재단[자른] 지스러기. **3** U,C 꾸밈, 장식〈*for*〉 ; 말의 수식[꾸밈]. **4** [*pl.*] 《口》 〚料〛 (요리의) 곁들인 음식. **5** 《口》 매질 ; 호되게 꾸짖기 ; 《美口》 대패(大敗). **6** 《口》 사기, 협잡.

trímming bòard *n.* (종이 따위를 자를 때의) 절단기 밑 받침[깔개판].

tri·mónth·ly *a.* 3개월마다의.

trí·mòtor [⌐ ⌐⌐] *n.* 〚空〛 삼발기(三發機).

trím sìze *n.* (책의) 재단 치수.

Trin. Trinity.

tri·nal [tráinl] *a.* 3부로 이루어지는, 세겹[배]의.

tri·na·ry [tráinəri] *a.* 세개의 부분으로 이루어지는, 세겹[배]의.

trine [tráin] *a.* 세 부분으로 된, 3배[겹]의, 3층의 ; 〚占星〛 3분의 1대좌(對座)의. ── *n.* 세개 한벌, 세개 한조, 셋으로 된 것 ; 〚占星〛 3분의 1대좌 ; [the T~] 〚神學〛 =the TRINITY.
〚OF<L *trinus* three-fold (*tres* three)〛

trin·gle [tríŋgəl] *n.* 〚建〛 가늘고 긴 모난 쇠시리.

Trin·i·dad [trínədӕd] *n.* 트리니다드《서인도 제도에 있는 섬》.

Trínidad and Tobágo *n.* 트리니다드 토바고《West Indies 제도에 있는 영연방 독립국 ; 수도 Port of Spain》.

Trin·i·tar·i·an [trìnətéəriən, -tǽər-] *a.* 〖宗〗 삼위 일체(설)의[을 신봉하는] ; 삼위일체설 신봉자의 ; 성삼위일체 수도회의 ; [t~] 세 부분[면]을 가진, 세 개로 한 쌍[벌]을 이룬. —— *n.* 삼위 일체(설) 신봉자. **~·ìsm** *n.* 삼위 일체론.

tri·nitr- [trὰináitr], **tri·ni·tro-** [trὰináitrou, -trə] *comb. form* 〖化〗「한 분자 중에 세개의 니트로기(基)가 있는」의 뜻. 〚*tri-*+*nitro-*〛

trì·nìtro·bénzene *n.* 〖化〗 트리니트로벤젠《작약(炸藥) ; 略 TNB》.

trì·nìtro·tóluene, -tóluol *n.* Ⓤ 트리니트로톨루엔《강력 폭약 ; 略 TNT, T. N. T.》.

Trin·i·ty [trínəti] *n.* **1** [the ~] 〖神學〗 삼위 일체《성부·성자·성신의삼위를일체로봄 ; cf.PERSON 6》 ; 삼위 일체설. **2** [t~] =TRIO. **3** 《口》 = TRINITY SUNDAY. **4** 〖美術〗 삼위 일체의 상징. 〚OF<L *trinitas* ; ⇨ TRINE〛

Trínity Bréthren *n. pl.* 《英》 수로(水路) 안내 협회원.

Trínity Còllege *n.* 케임브리지 대학의 학료(學寮)의 하나 ; 옥스퍼드 대학의 학료의 하나 ; Dublin에 있는 아일랜드 최고(最古)의 대학.

Trínity Hóuse *n.* 《英》 (런던의) 수로 안내 협회《등대·항로 표지의 건설·수로 안내원의 시험 따위를 관리함》 ; 그 회관.

Trínity sítting *n.* =TRINITY TERM.

Trínity Súnday *n.* 삼위 일체의 주일《Whitsunday의 다음 일요일》.

Trínity tèrm *n.* **1** 《英大學》 4월 중순부터 6월말까지의 제3학기. **2** 《英》 트리니티 개정기(開廷期)《(1) 5월 22일부터 6월 12일까지의 옛 상급 법원의 개정기. (2) 6월 9일부터 7월 31일까지의 영국 고등 법원의 개정기(Trinity sitting)》.

trin·ket [tríŋkət] *n.* **1** 작은[자질구레한] 장신구[소지품]. **2** 보잘것없는 것. 〚C16<? ME *trenket* little knife ; cf. L *trunco* to lop〛

trin·oc·u·lar [trὰinákjələr] *a.* 삼안 현미경의《두 개의 접안 렌즈 외에 사진 촬영용의 렌즈를 갖춘》.

tri·no·mi·al [trainóumiəl] *a.* **1** 〖數〗 3항(식)의. **2** 〖動·植〗 3명명법(命名法)의.
—— *n.* 〖數〗 3항식 ; 〖動·植〗 3명명법.
~·ìsm *n.* 〖動·植〗 (속·종·아종(亞種)의) 3명명(법). **~·ly** *adv.*

tri·núcleotide *n.* 〖生化〗 트리뉴클레오티드, = CODON.

trio [tríːou] *n.* (*pl.* **trí·os**) **1** 〖樂〗 3중주[창](곡), 3중주단, 트리오. ☞ SOLO 㖿. **2** 세개 한 벌[조], 3인조, 세개로 갖추어지기 ; 세쪽 짜리 : the scenic ~ of England 잉글랜드의 3경(景).
〚F and It.<L *tres* three ; *duo*에 준한 것〛

tri·ode [tráioud] *n., a.* 〖電子〗 3극 진공관(의).

tri·o·let [tráiələt, tríːə- ; -lèt] *n.* 〖韻〗 2운각(韻脚)의 8행시(詩)《ABaAabAB로 압운(押韻)하여 제1행은 제4행과 제7행에, 제2행은 제8행에 되풀이 됨》. 〚F (*-let*)〛

Tri·o·nes [traióuniːz] *n. pl.* 〖天〗 북두칠성.

tri·or [tráiər] *n.* =TRIER 3.

tri·óxide *n.* 〖化〗 3산화물(酸化物).

◇**trip** [tríp] *n.* **1** (특히 짧은) 여행, 소풍 ; 항해(voyage) ; 짧은 배 여행 ; (어선의) 한번의 출어 ; 그 어획량 ; 출장 : a holiday[honeymoon] ~ 휴가[신혼] 여행 / a cheap ~ 할인 여행 / ☞ ROUND TRIP / a ~ (=journey) abroad 해외 여행 / a ~ (a)round the world 세계 여행 / go *on* a sight-seeing ~ 관광 여행을 가다 / make[take] a ~ *to* …으로 여행하다, …으로 가다 / She made a ~ *to* the corner store. 길 모퉁이에 있는 가게에 (물건사러) 갔다. **2** 경쾌한 발걸음. **3 a**) 헛디딤, 실족(失足) ; 실족하게 하기 ; (레슬링 따위에서) 발걸기, 되차기. **b**) 《비유》 과실 ; 실언(失言) : make a ~ 실수를 하다 / a ~ of the tongue 실언《㖿 이 구에서는 SLIP쪽이 일반적임》. **4** 〖海〗 뱃머리를 바람이 불어오는 쪽으로 돌리고 나아가는 거리. **5** 《美》 한 항해(의 어획고). **6** 《美俗》 체포, 구류 ; (다른 교도소로의 범인) 이송. **7** 《俗》 (주로 LSD에 의한) 환각(의 경험, 기간) ; 자극적 경험 ; 《口》 경험, 사는 방식, 상황, 세계 ; 《口》 (일시적) 열중, 도취. **8** 〖機〗 시동 장치 ; 스위치 ; 멈추개.
—— *v.* (**-pp-**) *vi.* **1** [動/+前+名] **a**) 실족하다, 실족하여 넘어지다 ; 비틀거리다(stumble) : The boy ~*ped* ***on*** a stone[***over*** something hard]. 소년은 돌[무엇인가 단단한 것]에 걸려 넘어졌다. **b**) 《비유》 과실을 저지르다, 실수하다, 잘못하다(err) ; 말을 더듬다 ; 잘못 말하다 : I have never found him ~*ping* even in a matter of detail. 비록 사소한 일에서도 그가 실수하는 것을 본 적이 없다 / My tongue ~*ped.* 나는 실언했다 / She ~*ped* ***on*** the test in English. 영어 시험에서 실수를 했다. **2** [動/+前+名] 경쾌한 걸음으로 걷다[달리다·춤추다] : A number of children came ~*ping* ***down*** the street. 몇 명의 아이들이 거리를 경쾌한 발걸음으로 걸어왔다. **3** 〖機〗 (사람이) 운전하다, (기계가) 작동하다. **4** 《俗》 (LSD 따위에 의한) 환각을 경험하다〈*out*〉.
—— *vt.* **1 a**) [+目/+目+副] 실족시키다, 걸려 넘어지게[쓰러지게] 하다 ; (레슬링 따위에서) 발을 걸어 넘어 뜨리다 : The slippery floor ~*ped* him. 그는 마루가 미끄러워 넘어졌다 / I was ~*ped* (***up***) by him. 나는 그이 때문에 걸려서 넘어졌다. **b**) 《비유》 실패하게 하다, 조리[이치]에 닿지 않는 말을 하게 하다 ; …의 잘못을 찾다 ; …의 뒷다리를 잡다 : He ~*ped* (***up***) the witness by artful questions. 그는 증인을 교묘히 유도하여 이치에 닿지 않는 말을 하게 했다 / He was ~*ped* (*up*) by the difficult question. 그는 어려운 질문을 받고 실언하고 말았다. **2** (기계의) 멈추개를 벗기다, (기계·장치를) 시동시키다 ; 〖海〗 (닻을) 감아 올리다 ; (활대를) 내리기 위해서 기울이다.
catch a person ***tripping*** 남의 뒷다리를 잡다, 남의 약점을 찾아내다 ; (남의) 실수를 꼬집다.
go tripping 《古》 경쾌한 발걸음으로 춤추다 ; 척척 진행되다.
〚OF<MDu. *trippen* to skip, hop ; cf. OE *treppan* to tread〛
類義語 ⟹ TRAVEL.

TRIP [tríp] *a.* 고강도 강연성(強延性) 특수강의. 〚*tr*ansformation-*i*nduced *p*lasticity〛

trí·pàck *n.* 〖寫〗 트라이팩《감색성(感色性)이 다른 세가지 필름을 겹친 컬러 필름》.

trip·a·ra [trípərə] *n.* 세쌍둥이를 낳은 여자.

tri·párt·ed *a.* 세부분으로 갈라진.

tri·par·tite [traipáːrtait] *a.* **1** 셋으로 나누어진, 3부로 이루어진 ; 〖植〗 (잎이) 세갈래로 깊게 갈라진. **2** 삼자간의 : a ~ treaty 3개국 조약. **3** (같은 문서가) 세통으로 작성된(cf. BIPARTITE).
~·ly *adv.* 〚L (*partior* to divide)〛

trì·partítion *n.* Ⓤ 3분할, 3분(하기) ; (3분할에 의한) 3분의 1의 취득.

tripe [tráip] *n.* **1** Ⓤ 트라이프《반추 동물, 특히 소

의 제1·2위(胃)의 조직 ; 식용》; [*pl.*] 《卑》 내장, 창자. **2** Ⓤ 《口》 보잘것없는 것, 허튼 소리 (nonsense), 졸작 ; 《俗》 (행상인이 진열 케이스를 얹어 놓는) 삼각대. 〖OF<?〗

tri·pe·dal [tráipədl, traipí:dl, trípədl] *a.* 발이 셋 있는, 삼각(三脚)의.

trípe·man *n.* 소의 위(胃)를 파는 상인.

tri·personálity *n.* [때때로 T~] (신의) 삼위격성(三位格性).

tríp-hàmmer *n.* 〔機〕 (왕복 장치에 의한) 전동(電動)해머. ── *a.* 전동해머와 같은, 잇따른, 숨 돌릴 틈도 없는.

tri·phas·ic [traiféisik] *n.* 〔藥〕 트리페이식《경구 피임약의 하나》.

trì·phènyl·méthane *n.* 〔化〕 트리페닐메탄《염료의 원료》.

tri·phib·i·an [traifíbiən] *a.* 육·해·공군 어느 전투에도 강한 ; (비행기가) 지상·수상·빙설 위 어디에서도 발진할 수 있는 ; =TRIPHIBIOUS.
── *n.* 육·해·공군 통합 작전 지휘관.

tri·phib·i·ous [traifíbiəs] *a.* 육·해·공군 공동 작전의, 3군 합동 작전의.

tri·phósphate *n.* 〔化〕 3인산염.

trí·phóspho·pỳridine núcleotide *n.* 〔生化〕 트리포스포피리딘 뉴클레오티드.

triph·thong [trífθɔ(:)ŋ, tríp-, -θɑŋ] *n.* 3중 모음 《예를 들면 fire에서 [aiər]의 단음절적 발음 ; cf. DIPHTHONG》.

tripl. triplicate.

trí·plàne *n.* 3엽(葉) 비행기(cf. MONOPLANE, BIPLANE).

tri·ple [trípəl] *a.* 세겹의, 세배의, 세부분으로 된 (cf. SINGLE, DOUBLE) ; 〔國際法〕 3자간의(tripartite) ; 세 종류[모양]의 ; 〔樂〕 세 박자의 ; 〔韻〕 (시각(詩脚)이) 3성분 단위로 된 ; (압운이) 대응하는 3음절을 포함하는 : a ~ mirror 삼면경(三面鏡). ── *n.* **1** 세배의 수[양(量)], 세개 한 벌 [조, 쌍]. **2** 〔野〕 3루타(threebase hit). **3** 〔競馬〕 3연승 단식. ── *vt., vi.* 세겹으로 하다[되다], 세배로 하다[되다] ; 〔野〕 3루타를 치다.
〖OF or L *triplus*<Gk.〗

Tríple Allíance *n.* [the ~] 3국 동맹《(1) 1668년 Louis 14세에 대한 영국·스웨덴·네덜란드의 동맹. (2) 1717년 스페인에 대한 프랑스·영국·네덜란드의 동맹. (3) 1795년 프랑스에 대한 영국·오스트리아·러시아의 동맹. (4) 1882-1915년 프랑스와 러시아에 대한 독일·오스트리아·이탈리아의 동맹》.

tríple bónd *n.* 〔化〕 3중 결합.

tríple bóttom *n.* 〔軍〕 3중 바닥《대수뢰(對水雷) 방어용 함선 바닥》.

tríple-chèck *vt.* 3중으로 체크하다, 세번 확인하다 : check, recheck and ~ 재삼재사 확인하다, 매우 신중하게 확인하다.

tríple cóunterpoint *n.* 〔樂〕 3중 대위법.

tríple crówn *n.* 로마 교황의 3중관(重冠) (tiara) ; [T~ C~] 〔野·競馬〕 3관왕《자격》.

tríple-déck·er *n.* =THREE-DECKER.

tríple-dígit *a.* 세 자릿수의.

tríple-éngined tỳpe *n.* 〔海〕 3엔진형.

Tríple En·ténte [-ɑ:ntá:nt] *n.* [the ~] 3국 협상《러불동맹(1891)·영불협상(1904)·영러협상(1907)을 축(軸)으로 한 영국·프랑스·러시아간의 협상》.

tríple-expánsion èngine *n.* 〔機〕 3단 팽창(膨脹) 기관.

tríple-héad·er *n.* 〔스포츠〕 같은 날 같은 장소에서 연속 세번 시합을 하는 일.

tríple júmp *n.* [the ~] 삼단[세단] 뛰기.

tríple-nérved *a.* 〔植〕 잎맥이 셋 있는.

tríple pláy *n.* 〔野〕 3중살(重殺), 트리플 플레이.

tríple póint *n.* 〔理〕 3중점(重點)《기상(氣相)·액상(液相)·고상(固相)의 평형점》.

tríple-spáce *vt., vi.* 행간을 2행간씩 띄어 (…을) 타자하다.

trip·let [tríplət] *n.* **1** 세개 한 벌, 세개 짜리, 삼인조. **2** [*pl.*] 세 쌍둥이, [단수형만으로 써서] 세쌍둥이 중의 한 사람 ; [*pl.*] 〔카드놀이〕 같은 점수인 석장의 패. **3** 〔韻〕 3행 연구(聯句) ; 〔樂〕 셋잇단음표 ; 〔光〕 3매로 된 렌즈 ; 〔理〕 삼중항(三重項) ; 〔理〕 삼중항 상태 ; [*pl.*] 〔理〕 (스펙트럼의) 3중선. 〖*doublet*에 준하여 *triple*에서〗

tríple thréat *n.* 세분야에 고루 능숙한 사람 ; 〔美蹴〕 차기·패스·달리기의 세 가지에 고루 뛰어난 명선수.

tríple tíme *n.* 〔樂〕 3박자.

trip·lex [trípleks, trái-] *a.* 세 부분으로 된, 세겹[세배·3중]의 ; 세가지 효과를 내는 ; 삼층 건물의 : ~ glass 3중 유리. ── *n.* 세 개 한 벌 ; 〔樂〕 3박자 ; 《美》 3층 건물 ; 아래위 3층의 방으로 한 세대분을 이루는 아파트 ; 〔樂〕 =TRIPLE TIME.
〖L (*-plicis -plex* -fold)〗

trip·li·cate [tríplәkèit] *vt.* 세배로[세 부분으로] 하다 ; (같은 문서를) 세통으로 작성하다(cf. DUPLICATE). ── [-likət] *a.* 세겹의, 세 부분으로 된 ; (같은 문서를) 세통 작성한(cf. DUPLICATE) : ~ ratio 〔數〕 세제곱비(比).
── [-likət] *n.* 세개 한 벌[서류 세통] 중의 하나 ; [*pl.*] 세개 한벌.
〖L (p. p.) ‹ *triplicat- -plico* to triple〗

trip·li·ca·tion [trìpləkéiʃən] *n.* 3배[부(部)], 세겹 ; 세통작성 ; 3배로 한 것, 세통(중의 하나) ; 〔法〕 (로마법에서) 피고의 재답변에 대한 원고의 답변.

tri·plic·i·ty [triplísəti, trai-] *n.* Ⓤ 세배[겹]임 ; Ⓒ 세개[폭] 한 벌 ; 〔占星〕 3궁(三宮) (trigon).

trip·loid [tríplɔid] *a.* 〔生〕 (염색체가) 삼배수(三倍數)의. ── *n.* 삼배체(三倍體).

tríp·loi·dy *n.* 삼배체성(性).

tri·ply [trípli] *adv.* 세겹[3중]으로, 세배로.
〖TRIPLE〗

tri·pod [tráipɑd] *n.* **1** 삼각대(三脚臺), 삼발이, 삼각(三脚) 탁자[걸상]《따위》. **2** 〔寫〕 삼각가(架). **3** [형용사적으로] 삼각의 : a ~ race 2인 3각. 〖L<Gk. =three-footed (*pod- pous* foot)〗

trip·o·dal [trípədl] *a.* tripod의[모양의] ; 다리가 셋 있는 ; (뼈가) 세개의 돌기가 있는.

tri·pod·ic [traipɑ́dik] *a.* 다리가 셋인.

trip·o·dy [trípədi] *n.* 〔韻〕 삼보격(三步格)의 시행[시구].

tri·pólar *a.* 삼극(三極)의.

trip·o·li [trípəli] *n.* Ⓤ 〔鑛〕 판상(板狀) 규조토《규조·방산충 따위의 유해로 됨》. 〖↓〗

Tripoli *n.* 트리폴리《리비아의 수도》.

Tri·pol·i·tan [tripɑ́lətn] *n., a.* 트리폴리주민(의).

tri·pos [tráipɑs] *n.* 《英》 (Cambridge 대학의) 우등 졸업 시험 ; 우등 시험 합격자 명부 : take the mathematical ~ 수학의 우등시험을 치르다.
〖L *tripus* ; ⇨ TRIPOD ; 연설시의 삼각(三脚) 의자에서〗

tríp·per *n.* **1** 경쾌하게 걷는[춤추는] 사람. **2** 발이 걸려 넘어지는 사람, 발을 걸어 넘어뜨리는 사람. **3** 《英》 (근거리) 여행자, 소풍객, 관광객 : a day-~ 당일 치기 행락객 / weekend ~*s* 주말의 여행객. **4** 〖機〗 방탈(防脫) 장치. **5** 《俗》 환각제 복용자.
tríp·pery *a.* (당일치기) 여행자가 많이 찾는.
tríp·ping *a.* 발걸음이 가벼운, 경쾌한, 걸려 넘어지게 하는 ; 죄를 범하는, 비틀거리는. —— *n.* 〖美蹴〗 트리핑《발로 상대를 거는 반칙》; 《古》 (도덕적으로) 죄를 범함 ; 《俗》 환각 증상의 지속.
~·ly *adv.* 가벼운 발걸음으로, 경쾌하게.
tríp·py *a.* 《美·Can. 俗》 (마약 따위로) 몽롱해진, 황홀해진.
tríp·pi·ness *n.*
trip·tane [tríptein] *n.* 〖化〗 트립탄《앤티노크성(性)이 높아 항공기 연료로 쓰임》.
〚*tri-*, bu*tane*〛
trip·tych [tríptik] *n.* 석장 계속(되는 그림) ; 세폭 한 벌 ; 3부작.
〚*diptych*에 준한 것〛
trip·tyque [triptí:k] *n.* (세관이 발행하는) 자동차 입국 허가증.
tríp wìre *n.* 트립 와이어《덫·경보·폭발물 따위와 연동(連動)장치가 된 선》.
tri·que·trous [traikwí:trəs, -kwét-] *a.* 세각의, 세개의 철각(凸角)이 있는 ; (줄기 따위의) 절단면에서 삼각형을 나타내는.
tri·reme [tráiri:m] *n.* 〖古그·로〗 3단 노로 된 갤리(galley)선.
〚F or L (*remus* oar)〛
tris- [trís] *pref.* 「3배」「3중」의 뜻.
〚Gk. ; ⇨ TRI-〛
Tris [trís] *n.* 남자 이름《Tristram의 애칭》.
Tri·sa [trí:sə] *n.* 여자 이름.
〚TRIS-〛
tri·sect [tráisekt, -́-] *vt.* 3(등)분하다.
-séction *n.* 3(등)분.
〚L *sect- seco* to cut〛
trí·sèrvice *a.* 육·해·공 3군의 : the ~ operation 3군 합동 작전.
tris·kai·deka·phóbia [trìskàidèkə-] *n.* 13(의 숫자에 대한) 공포증.
tri·skel·i·on [triskéliən, trai-] *n.* (*pl.* **-ia** [-ə], **~s**) 다릿가랑이로 이어진 삼각도(三角圖), 세 다리가 원형을 그리며 도는 모양의 무늬.
tris·mus [trízməs] *n.* 〖醫〗 =LOCKJAW.
〚Gk. =gnashing (of teeth)〛
trìs·òcta·hédron *n.* 〖數〗 24면체.
trì·sódium *a.* 〖化〗 1분자 중에 3개의 나트륨 원자를 함유한, 삼나트륨의.
Tris·tam [trístəm] *n.* 남자 이름.
〚⇨ TRISTRAM〛
Tris·tan [trístən, -tɑ:n, -tæn] *n.* 남자 이름.
〚⇨ TRISTRAM〛
trí-stàte *a.* 3개 주(州)에 걸치는.
triste [trí:st] *a.* 슬픈 ; 슬픈듯한.
〚F<L *tristis*〛
trist·ful [trístfəl] *a.* 《古》 슬픈, 서글픈.
Tris·tram [trístrəm] *n.* **1** 남자 이름《애칭 Tris》. **2** 트리스트럼《Arthur왕 전설에서 원탁의 기사중 한 사람 ; Mark 왕의 왕비 Iseult와의 비련(悲戀)으로 유명》.
〚Celt. =tumult, din ; F *triste* sad도 영향〛
trí·sỳllable [, -́-́-] *n.* 3음절어[시각(詩脚)].
-syllábic *a.* 3음절어(音節語)의, 음절이 셋인.
-ical·ly *adv.*
trit. triturate.
trit- [tráit], **tri·to-** [tráitou, -tə] *comb. form* 「세번째의」「제3의」의 뜻.
〚Gk. *tritos* third〛
tri·tag·o·nist [traitǽgənəst] *n.* 〖古그劇〗 (세번째로 중요한 역할을 하는) 제3배우, 조연 배우.
trite [tráit] *a.* 흔해빠진, 진부한, 케케묵은(hackneyed) : “Cheeks like roses” is a ~ expression. 장밋빛 같은 뺨이라는 것은 진부한 표현이다. **~·ly** *adv.* **~·ness** *n.*
〚L *trit- tero* to rub, wear away ; cf. THROW〛
tri·the·ism [tráiθiìzəm, -θì:izəm] *n.* 〖神學〗 삼신론(三神論), 삼위이체론(異體論).
-ist *n.* 삼위이체론자.
trit·i·um [trítiəm, tríʃ-] *n.* Ⓤ 〖化〗 트리튬, 3중 수소《수소의 동위원소 ; 기호 T, ^{3}H, H^3》.
〚NL (Gk. *tritos* third)〛
tri·ton [tráitɑn] *n.* 〖化·理〗 트리톤, 3중 수소핵《3중 수소의 원자핵》.
〚*trit*ium, -*on*²〛
Tri·ton [tráitn] *n.* **1** 〖그神〗 트리톤《반인 반어(半人半魚)의 해신(海神)》. **2** [t~] 〖動〗 영원(newt, eft). **3** [t~] 〖貝〗 소라고둥(=**t~ shèll**). **4** 〖天〗 해왕성의 제1 위성.
a Triton among [***of***] ***the minnows*** 군계일학(群鷄一鶴).
〚L<Gk.〛
trit·u·rate [trítʃərèit] *vt.* 가루로 만들다, 빻다, 찧다 ; 〖生理〗 씹다, 저작(咀嚼)하다. —— *n.* 분쇄한 것 ; 가루약.
〚L *trituro* to grind corn ; ⇨ TRITE〛
trìt·u·rá·tion *n.* Ⓤ 분쇄 ; 저작 ; 씹기 ; Ⓒ 가루약.
trít·u·rà·tor *n.* 빻는[가는] 사람 ; 막자 사발, 약연, 분쇄기.
***tri·umph** [tráiəmf] *n.* **1** 〖古로〗 (전승(戰勝)장군의) 개선식(式). **2** (일반적으로) 축하의 행사, 축제 소동. **3** 승리(victory), 정복 ; 대성공, 대공훈, 큰 업적 : the ~ of right *over* might 권력에 대한 정의의 승리 / the ~*s* of modern science 근대 과학의 눈부신 업적 / achieve ~*s* 큰 업적을 이룩하다. **4** Ⓤ 승리감, 성공의 기쁨, 의기양양한 기색, 환희(joy) : There was ~ in his eye[on his face]. 그의 눈[얼굴]에는 의기양양한 기색이 보였다. **5** [T~] 트라이엄프《영국제 자동차·현재는 BL이 제조함》.
in triumph 대승리를 거두고, 대성공리에 ; 의기양양하여 : The boy brought home the prize *in* ~. 소년은 의기양양하여 상품을 집으로 가져 왔다.
—— *vi.* **1** [動/+*over*+名] **a)** 성공하다 ; 이기다 ; 극복하다 : Our team ~*ed* ***over*** the visiting team. 우리 팀은 원정 팀을 이겼다 / They ~*ed over* the difficulty. 곤란을 극복하였다. **b)** 개가를 올리다, 기뻐 날뛰다 : They ~*ed* ***over*** the Egyptians. 이집트군을 격파하여 개가를 올렸다. **2** 〖古로〗 개선식을 거행하다. —— *vt.* 《廢》 완전히 지게 하다, 정복하다. **~·er** *n.*
〚OF<L<? Gk. *thriambos* Bacchic hymn〛
類義語 ⟹ VICTORY.
tri·um·phal [traiʌ́mfəl] *a.* 개선의 ; 승리를 축하하는, 의기양양한 : a ~ return 개선 / a ~ car (고대 로마의) 개선차 / a ~ crown 승리의 월계관 / a ~ hymn 개선 찬미가.
triúmphal árch *n.* 개선문 ; (초기 교회 건축의) 본당의 성직자[성가대]석(choir)과 회중석(會衆席) 사이의 칸막이용 아치.
triúmphal·ìsm *n.* 〖宗〗 승리주의《특정의 교리가 다른 종교의 교리보다 우수하다는 주장》.
-ist *n.*
tri·um·phant [traiʌ́mfənt] *a.* **1** 승리를 거둔 ; 성공한 : the ~ team 승리팀. **2** 득의의, 승리를 기뻐하는, 의기양양한.

~·**ly** *adv.* 의기양양하게[하여].

tri·um·vir [traiʌ́mvər] *n.* (*pl.* **~s**, **-vi·ri** [-vərài, -rì:]) 〖古로〗 3인 집정(執政) 중의 한사람 ; 3인 위원회의 한 사람.
〖L (*tres* three, *vir* man)〗

tri·um·vi·rate [traiʌ́mvərət] *n.* **1** 3인의 연합 정치 ; 삼당 연립에 의한 정치. **2** 지배적 위치에 있는 3인조 ; 세개 한 벌, 3인조. **3** 〖古로〗 3인 집정의 직[임기] ; 삼두 정치 : the first ~ (기원전 60년 Pompey, Caesar, Crassus가 행한) 제1회 삼두 정치 / the second ~ (기원전 43년 Antony, Octavian, Lepidus가 행한) 제2회 삼두 정치.

tri·une [tráijuːn] *a.* [때때로 T~] 삼위 일체의.
—— *n.* =TRIAD ; [the T~] =TRINITY.
〖*tri-*, L *unus* one〗

tri·uni·ty [traijúːnəti] *n.* Ⓤ 삼위 일체 ; 세개 한 벌, 삼인조, 삼중성.

tri·válence, -válency *n.* 〖化·生〗 3가(價).

trì·válent [, trívələnt] *a.* 〖化〗 3가(價)의.
—— *n.* 〖生〗 3가 염색체.

triválent cárbon *n.* 〖化〗 3가(價) 탄소.

trí·vàlve *a.* 〖動〗 (조개 따위의) 아가미가 셋인, 아가미 뚜껑이 셋인.

triv·et [trívət] *n.* **1** (불에 올려 놓는) 삼발이. **2** 《美》 3각대《뜨거운 냄비 따위의 받침접시》.
(**as**) ***right as a trivet*** 매우 기운찬, 아주 순조로운, 만사 형통한.
〖? L *tri-*(*ped- pes* foot) =three-footed〗

triv·ia [tríviə] *n. pl.* **1** TRIVIUM의 복수형. **2** [때때로 단수취급] 사소한[하찮은] 일.
〖L =crossroads (pl.)‹TRIVIUM ; 어의상 *trivial*의 영향〗

***triv·i·al** [tríviəl] *a.* **1** 사소한, 하찮은(trifling) : ~ matters[mistakes] 사소한 일[잘못] / a ~ problem 하찮은 문제 / a ~ man 보잘것없는 인간. **2** 진부한, 평범한 : the ~ round (of daily life) 평범한 일상 생활. **3** 경박한, 천박한. **4** 〖動·植〗 (학명이 아닌) 통칭의 ; 종(種)의 ; 〖數〗 자명한, 트리비얼한 : a ~ name[term] (생물의) 통속명 ; 종명(種名).
—— *n.* [보통 *pl.*] 하찮은[대수롭지 않은] 일.
~·**ly** *adv.* ~·**ness** *n.*
〖L *trivialis* commonplace ; ⇨ TRIVIUM〗
類義語 ⟹ PETTY.

trívial·ìsm *n.* =TRIVIALITY.

trívial·ist *n.* 잡학자(雜學者).

triv·i·al·i·ty [trìviǽləti] *n.* **1** Ⓤ 하찮음, 평범. **2** 하찮은 것[생각·작품].

trívial·ìze *vt.* 평범하게 하다.
trìvial·izátion *n.*

triv·i·um [tríviəm] *n.* (*pl.* **-ia** [-iə]) 〖史〗 3학, 3과《중세 대학의 문법·수사학(修辭學)·논리학 ; cf. QUADRIVIUM》.
〖L =three-way street corner (*via* road)〗

tri·wéek·ly *a., adv.* 1주 3회(의) ; 3주 마다(의).
—— *n.* 1주 3회[3주 1회]의 간행물.

-trix [triks] *n. suf.* (*pl.* **-tri·ces** [trəsìːz, tráisiːz], **-trix·es**) 「…하는 여자」「〖數〗 선·점·면」의 뜻 : execu*trix* / genera*trix*.
〖L (fem.) ‹ *-tor*〗

TRM trademark.

tRNA [tìːɑ̀ːrènéi, ⸗⸗⸗⸗] *n.* =TRANSFER RNA.

troat [tróut] *vi.* (수사슴 따위가) 발정(發情)하여 울다. —— *n.* (수사슴 따위의) 발정기의 울음 소리. 〖C17 < ? ; cf. OF *tr*(*o*)*ut*〗

tro·car, -char [tróukɑːr] *n.* 〖醫〗 투관침(套管針) 《체내의 액체를 뽑아내기 위한 기구》.

tro·cha·ic [troukéiik] *a.* 〖韻〗 trochee의.
—— *n.* 강약격(強弱格) ; [*pl.*] 강약격의 시(詩).
〖L < Gk. ; ⇨ TROCHEE〗

tro·chal [tróukəl, trɑ́kəl] *a.* 〖動〗 윤상(輪狀)의.

tro·chan·ter [troukǽntər] *n.* 〖解·動〗 전자(轉子)《대퇴골 경부(頸部)밑의 두 돌기》; 〖昆〗 도래마디《발의 제2관절》.

tro·che [tróuki ; -ʃ] *n.* 〖藥〗 트로키《빨아먹어 목의 통증 따위를 완화하는 정제(錠劑)》.

tro·chee [tróukiː] *n.* 〖韻〗 (고전시의) 장단격(長短格)《—⏑》; (영시의) 강약격《⸗× ; cf. FOOT *n.* 5》. 주 보기 : Lífe is / bút an / émpty / dréam. 인생은 허무한 꿈에 지나지 않는다《Longfellow시의 한 구절》.
〖L < Gk. =running (*trekhō* to run)〗

troch·i·lus [trɑ́kələs] *n.* (*pl.* **-li** [-lài]) **1** 〖鳥〗 개똥지빠귀 ; 악어새 ; 벌새(hummingbird). **2** 〖建〗 =SCOTIA.
〖L < Gk.〗

troch·lea [trɑ́kliə] *n.* (*pl.* **-le·ae** [-liìː]) 〖解·動〗 활차(滑車).
〖L =pulley < Gk.〗

tróch·le·ar *a.* 〖解〗 활차의 ; 〖植〗 도르래 모양의.

tróchlear nèrve *n.* 〖解〗 활차 신경.

tro·choid [tróukɔid, trɑ́k-] *n.* 〖數〗 트로코이드 ; 여파선(餘擺線) ; 〖解〗 활차 관절 ; 〖貝〗 밤고둥과의 각종 고둥. —— *a.* 바퀴처럼 움직이는 ; 바퀴 모양의. **tro·choi·dal** [troukɔ́idl, trɑ-] *a.*
〖Gk. =wheellike〗

tro·chom·e·ter [troukɑ́mətər] *n.* (차의) 주행 거리계.

***trod** *v.* TREAD의 과거·과거분사.

***trodden** *v.* TREAD의 과거분사.

trode *v.* 《古》 TREAD의 과거형.

trof·fer [trɑ́fər, 美+trɔ́(ː)f-] *n.* (끼워넣는 형광등의) 반원형통의 갓.
〖*trough*+*coffer*〗

trog[1] [trɑ́g] *vi.* (**-gg-**) 《英口》 터벅터벅 걷다, 한가로이 거닐다.
〖? *tr*udge+sl*og*〗

trog[2] *n.* 《英俗》 머리가 구식인 사람, 시대에 뒤떨어진 사람.
〖↓〗

trog·lo·dyte [trɑ́glədàit] *n.* **1** (특히 선사 시대 서유럽의) 혈거인(穴居人) ; 《비유》 은둔자, 세상일에 어두운 사람. **2** 〖動〗 유인원(類人猿) ; 〖鳥〗 굴뚝새. 〖L < Gk. (*trōglē* cave)〗

tro·gon [tróugɑn] *n.* 〖鳥〗 비단깃새속의 각종 새 《깃털이 아름다운 열대·아열대산의 새》.

troi·ka [trɔ́ikə] *n.* 《Russ.》 트로이카《러시아의 세 필의 말이 끄는 마차 썰매》; 3두제 ; 3인조.
〖Russ. (*troe* three)〗

troil·ism [trɔ́ilizəm] *n.* 셋이서 하는 성교.

Troi·lus [trɔ́iləs, tróuələs] *n.* 〖그神·中世傳說〗 트로일로스《Troy의 왕 Priam의 왕자 ; Cressida의 연인》.

Tro·jan [tróudʒən] *a.* 트로이(Troy) (사람)의.
—— *n.* **1** 트로이 사람. **2** 용사, 노력가, 근면한 사람 : work like a ~ 용감히[부지런히] 일하다.
〖L (*Troia* Troy)〗

Trójan hórse *n.* **1** 트로이의 목마(木馬)《트로이 전쟁에서 그리스 군사가 적을 기만하기 위해서 사용한 것 ; cf. GREEK GIFT》. **2** (적국에 잠입하는) 파괴 공작(단·단원) (cf. FIFTH COLUMN).

Trójan Wár *n.* [the ~] 〖그神〗 트로이 전쟁 (cf. ILIAD).

troll[1] [tróul] *vt.* **1** [+目/+目+副] 윤창(輪唱)하

다 ; 명랑[태평]하게 노래하다 : ~ *forth* a tune [an air] 명랑하게 노래부르기 시작하다. **2** (제물 낚시로) 견지 낚시질하다. **3** (공·주사위 따위를) 굴리다(roll). —— *vi.* **1** 명랑[태평]하게 노래하다. **2** [動/+*for*+名] 견지 낚시질하다 : ~ ***for*** bass 배스를 견지 낚시질하다. —— *n.* **1** 윤창(輪唱) ; 윤창가(歌). **2** 견지 낚시질 ; (견지낚시용) 제물 낚싯바늘(이 달린 낚싯줄). **3** 회전(回轉). 〖ME=to stroll, roll ; cf. OF *troller* to quest, MHG *trollen* to stroll〗

troll[2] *n.* 〔北유럽神〕 트롤《동굴에 산다는 거인》 ; 장난꾸러기 난쟁이.
〖ON and Swed. =demon, Dan. *trold*〗

trol·ley, -ly [tráli] *n.* (*pl.* **-leys, -lies**) **1** 고가 이동 활차《교량형 크레인의 주행로를 달림》. **2** 촉륜(觸輪), 트롤리《전차(電車) 따위의 가공선(架空線)에 접하는 집전(集電) 장치》. **3** 《美》 = TROLLEY CAR ; 《英》 = TROLLEYBUS : by ~ 《美》 시가전차로. **4** 《英》 손수레 ; 소형 무개화차, 광차(鑛車). **5** 《英》 (식사·책 따위를 나르는) 이동식 테이블, 왜건 ; (병원 안에서 환자를 나르는) 운반차. —— *vt., vi.* (**-leyed, -lied**) trolley로 운반하다[를 타고 가다].
〖? TROLL[1]〗

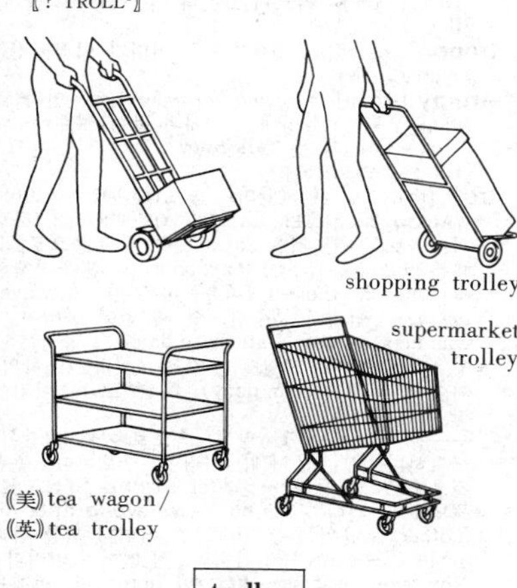
shopping trolley
supermarket trolley
《美》tea wagon / 《英》tea trolley

trolley

trólley·bùs *n.* 트롤리 버스, 무궤도 전차.

trólley càr *n.* 《美》 (촉륜식(觸輪式)) 시가 전차 (=《英》 tram).

trólley lìne[ròad] *n.* 시내 전차[트롤리 버스] 운행 노선[계통].

trólley·man [-mən] *n.* 《美》 (시내) 전차의 승무원《운전사·차장》.

trólley pòle *n.* (전차·트롤리 버스 지붕 위에 세운) 트롤리 폴.

trólley whèel *n.* 촉륜(觸輪) (trolley).

trólley wìre *n.* (전차의) 가공선(架空線), 촉륜선(觸輪線).

trol·lop [tráləp] *n.* 타락한 여자(slattern) ; 매춘부(prostitute). **tról·lopy** *a.*
〖cf. TRULL〗

trol·ly[1] [tráli] *n.* 트롤리 레이스《굵은 실로 무늬의 윤곽을 뜬 성긴 레이스》.
〖? Flem. *tralie* trellis, mesh〗

trolly[2] ☞ TROLLEY.

trólly·bòbs *n. pl.* 바지(trousers).

trom·be·nik [tróumbənik] *n.* 《美俗》 **1** 자만하는 사람, 허풍선이. **2** 게으름뱅이 ; 쓸모없는 사람.

trom·bi·di·a·sis [trὰmbədáiəsəs], **-o·sis** [-daióusəs] *n.* 〔獸醫〕 진드기의 일종인 chigger로 인한 병.

trom·bone [trambóun, 美+ˊ-ˋ] *n.* 〔樂〕 트롬본.
trom·bón·ist *n.* 트롬본 연주자.
〖F or It. (*tromba* trumpet)〗

trom·mel [tráməl] *n.* 〔冶〕 (회전식의) 광석을 치는 체. 〖G=drum〗

tro·mom·e·ter [troumámətər] *n.* 미진계(微震計), 미동계.

tromp [trámp, 美+trɔ́:mp] *vt.* =TRAMP ; 때리다 ; 때려눕히다, 완패시키다. —— *vi.* =TRAMP.

trompe [trámp] *n.* 〔冶〕 (용광로에 바람을 보내는) 낙수(落水) 송풍기. 〖F=trumpet〗

trompe l'oeil [trɔ:mp lə́:i ; *F* trɔ̃p lœj] *n.* 〔美術〕 트롱프 뢰유《(1) 실물과 매우 흡사하게 묘사한 그림(기법), 그로 인한 착각[효과]. (2) 실내 장식에서의 그 응용》.
〖F=deceives the eye〗

-tron [tran] *n. suf.* 「진공관」「원자 이하의 입자를 처리하는 장치」「소립자」의 뜻 : magne*tron*, cyclo*tron*, iso*tron* / posi*tron*.
〖Gk. ; ⇨ ELECTRON〗

troop** [trú:p] *n.* **1 a**) (특히 이동 중인 사람·짐승·조류의) 무리, 떼, 단(團), 대(隊), 조(組) : a ~ *of* demonstrators 일단의 시위대 / a ~ *of* deer 한 떼의 사슴. **b**) 많은 사람, 대군(host) : There were ~*s of* friends to see him off. 그를 배웅하기 위해서 많은 친구들이 와 있었다. **2** [보통 *pl.*] 군대, 군세(軍勢) : regular ~*s* 상비군 / ☞ SHOCK TROOPS. **3** 〔軍〕 기병(騎兵) 중대 (cf. COMPANY 6, BATTERY 1 ; TROOPER) ; 기병 중대의 지휘권 : get one's ~ 기병 중대장으로 승진하다. **4** (보이스카우트의) 분대《최소 5명 이상》. **5** 《古》 =TROUPE. —— *vi.* [+副/+前+名] **1** 모이다, 떼짓다 ; 대오를 짜서 걷다 ; 떼지어 몰려오다[가다] : The audience began to ~ *away* [off***]. 청중들은 떼지어 떠나가기 시작했다 / The schoolchildren ~*ed* ***around*** the headmaster. 학생들은 교장 선생님 주위에 우루루 모여 들었다. 주 주어로는 보통 복수형을 씀. **2** 《옛투》 교제하다〈*with*〉. —— *vt.* (기병대를) 중대로 편성하다 ; (군대를) 수송하다 ; 《英軍俗》 (군인을) 군기 위반으로 상관에게 보고하다.
trooping the color 《英》 군기(軍旗)에 대한 경례 분열식.
〖F *troupe* (역성(逆成)) ‹ *troupeau* (dim.) <L *troppus* flock<? Gmc.〗
類義語 ⟹ COMPANY.

tróop càrrier *n.* 〔軍〕 군대 수송기(機)[선(船)].

tróop·er *n.* **1** 기병. **2** 《美》 기마 경찰, 경찰 기동대원 ; 《美口》 주(州) 경찰관. **3** 기마(騎馬). **4** 《주로 英》 =TROOPSHIP.
swear like a trooper 마구 욕설을 퍼붓다.

troop·ie [trú:pi] *n.* 《俗》 (짐바브웨·남아프리카 공화국의) 최하급 병사.

tróop·shìp *n.* 군대 수송선(transport).

trop- [tráp], **tropo-** [trápou, tróupou, -pə] *comb. form* 「회전」「변화」「굴성(屈性)」의 뜻.
〖Gk. TROPE〗

trop. tropic(al).

tro·pae·o·lum [troupí:ələm] *n.* (*pl.* **-la**[-lə], **~s**)

〖植〗 한련(旱蓮)속의 각종 초본.

trope [tróup] *n.* 〖修〗 말의 비유적 용법 ; 비유 ; 말의 수사적 표현(figure of speech). 〚L<Gk. *tropos* (*trepō* to turn)〛

-trope [tròup] *a. comb. form, n. comb. form* 「회전하는[한] (것)」「회전」「…에의 친화성」「회전·반사·굴절하는 장치」의 뜻 : hemi*trope*, thauma*trope*. 〚Gk. (↑)〛

troph- [tráf], **tropho-** [tráfou, tróufou, -fə] *comb. form* 「영양」의 뜻. 〚Gk. (*trophē* food)〛

troph·ic [tráfik] *a.* 영양(작용)에 관한. 〚Gk. (*trophē* food)〛

-troph·ic [tráfik, tróu-] *a. comb. form* **1** 「…의 영양에 관한[을 특징으로 하는]」「…의 영양을 필요로 하는[활용하는]」의 뜻 : ecto*trophic*, poly*trophic*. **2** = -TROPIC. 〚Gk. (↑)〛

tro·phied [tróufid] *a.* 전리품[기념품]으로 장식한 : ~ walls 기념품으로 장식한 벽.

-trophin ☞ -TROPIN.

trópho·plàsm *n.* Ⓤ 〖生〗 (세포의) 영양 원형질(營養原形質).

***tro·phy** [tróufi] *n.* **1** 전리품 ; 전승[성공] 기념물 《적의 연대기·사슴뿔·짐승의 머리 따위》. **2** (경기의) 우승 기념품, 상품, 트로피. **3** 〖古그·로〗 전승 기념비. —— *vt.* trophy로 장식하다. 〚F<L<Gk. (*tropē* defeat of the enemy ; ⇨ TROPE)〛

-tro·phy [ˊtrəfi] *n. comb. form* 「영양」「발육」의 뜻 : eu*trophy*, hyper*trophy*. 〚Gk. ; ⇨ -TROPHIC〛

trop·ic[1] [trápik] *n.* **1** 〖天·地〗 회귀선(回歸線). **2** [the ~s] 열대 지방.

the Tropic of Cancer 북(北)회귀선, 하지선(夏至線)《북위 23°27′》.

the Tropic of Capricorn 남회귀선, 동지선(冬至線)《남위 23°27′》.

—— *a.* 열대(지방)의(tropical). 〚L<Gk. =pertaining to a turn ; ⇨ TROPE〛

tropic[2] *a.* **1** 〖生〗 (호르몬이 특정한 선(腺)의 활동을) 자극하는, 유발하는. **2** 〖生〗 굴성(屈性)의 (cf. TROPISM). 〚↑〛

-trop·ic [trápik, tróu-] *a. comb. form* 「…의 자극에 따라 전회하는, 향 …성의」의 뜻 : helio*tropic*. 〚↑〛

***tróp·i·cal** *a.* **1** 열대(지방)의 ; 열대성의, 열대용의 ; 혹서의 : a ~ climate 열대성 기후 / ~ fruit 열대 과일 / a ~ fish[plant] 열대어[식물]. **2** 《비유》 열렬한, 열정적인. **3** [美+tróupikəl] 〖修〗 비유적인, 수사적인(figurative) (cf. TROPE).

—— *n.* 열대어 ; 열대용[여름용] 옷감.

~·ly *adv.*

trópical aquárium *n.* 열대 수족관, 항온수조.

trópical cýclone *n.* 〖氣〗 열대 저기압《hurricane이나 typhoon으로 발달함》.

trópical·ìze *vt.* 열대 지방에 적합하게 하다.

trópical níght *n.* 열대야《기온 25℃ 이상인 밤》.

trópical ráin fòrest *n.* 열대 다우림.

trópical stórm *n.* 〖氣〗 열대 폭풍우《풍력 8-11의 태풍》.

trópical yéar *n.* 〖天〗 회귀년(回歸年), 태양년(solar year)《365일 5시간 48분 45.5초》.

trópical zóne *n.* [the ~] 열대.

trópic bìrd *n.* 〖鳥〗 열대조《제비갈매기 비슷한 바다새》.

-tro·pin [tróupən], **-tro·phin** [-fən] *n. comb. form* 「호르몬」의 뜻.

tro·pine [tróupi:n, -pən] *n.* 〖化〗 트로핀《유독한 결정성 알칼로이드》.

tro·pism [tróupizəm] *n.* Ⓤ 〖生〗 (동물의) 향성(向性), (식물의) 굴성(屈性)《자극하는 방향으로 굽히는 성질》; (바이러스의) 친화성.

tro·pis·tic [troupístik] *a.*

-tro·pism [ˊtrəpìzəm, tróupizəm] *n. comb. form* 「…에의 굴성(屈性)[향성(向性), 친화성]」의 뜻 : helio*tropism*. 〚↑〛

tropo- [trápou, tróupou, -pə] ☞ TROP-.

tro·pol·o·gy [troupálədʒi, trɑ-] *n.* Ⓤ 비유 사용 ; 비유적 어법 ; Ⓒ 성서의 비유적 해석, 비유에 관계된 논문 ; 비유집(集).

tro·po·nin [tróupənən] *n.* 〖生化〗 트로포닌《근육의 수축을 조절하는 단백질》.

trópo·pàuse *n.* 〖氣〗 대류권계면(界面)《대류권과 성층권 사이의 두께 약 3km의 범위》.

trópo·scàtter *n.* Ⓤ 〖通信〗 대류권 산란(散亂).

trópo·sphère *n.* 〖氣〗 대류권《지표에서 약 10-20 km사이 ; cf. STRATOSPHERE》. **trò·po·sphér·ic** [-sférik] *a.* 대류권의.

-tro·pous [ˊtrəpəs] *a. comb. form* 「…처럼 전회(轉回)한[구부러진]」「…에의 굴성(屈性)을 나타내는」의 뜻 : ana*tropous*. 〚Gk. ; ⇨ -TROPIC〛

trop·po[1] [trápou] *adv.* 〖樂〗 대단히, 매우 : allegro ma non ~ 빠르게 그러나 너무 빠르지 않게. 〚It.〛

troppo[2] *n.* 《濠俗》 열대기후로 머리가 이상해진. 〚TROPIC[1], -*o*〛

-tro·py [ˊtrəpi] *n. comb. form* 「…처럼 전회(轉回)한[구부러진] 상태」「…에의 굴성(屈性)을 나타내는 상태」의 뜻 : allo*tropy*. 〚Gk. ; ⇨ -TROPIC〛

***trot**[1] [trát] *n.* **1** (말의) 속보(速步), 구보(cf. WALK *n.* 2, CANTER, GALLOP, FOX-TROT) ; (사람의) 구보, 빠른 걸음 : at a ~ 빠른 걸음으로. **2** 빠른 걸음의 산책 : go for a short ~ 잠깐 산책하러 가다. **3** [the ~] 《비유》 바쁜 일 : (always) *on the* ~ 언제나 분주한, 쉴 새 없이 움직여 / I was kept *on the* ~ all those days. 그 당시는 매일 시간에 쫓기는 생활을 했다. **4** 《美俗》 (어학의) 자습서, 번역서(crib, pony). **5** 《주로 英》 아장아장 걷는 어린애.

—— *v.* (**-tt-**) *vi.* **1** (말이) 속보로 가다 ; (말이) 구보하다. **2** [動/+副] (사람이) 구보하다 ; 총총걸음으로 (서둘러) 걷다(cf. STRIDE) ; 《口·戲》 뚜벅뚜벅 걷다 : The boy ~*ted* ***along*** after his mother. 소년은 총총 걸음으로 어머니 뒤를 따라갔다 / *T*~ *away* ! 썩 가버려, 썩 없어져 버려라 / Now, you must be ~*ting* ***off*** home. 자, 이제는 (서둘러) 집으로 돌아가야 한다. —— *vt.* **1** (말을) 속보로 가게 하다, …에게 구보를 시키다. **2** (어떤 거리를) 속보로 가다. **3** [+目+副/+目+前+名] (남을 총총 걸음으로) 걷게 하다 ; 걸어 다니게 하여 (어떤 상태에) 이르게 하다 : ~ a person ***round*** 남을 (물건을 사는데) 데리고[안내하고] 다니다 / He ~*ted* me ***off*** my legs[***to*** death]. 그를 따라 돌아 다녔더니 나는 기진맥진 해졌다.

trot in double harness ☞ DOUBLE HARNESS.

trot out (1) (말을) 자랑스럽게 걸려 보이다. (2) 《口》 (물건 따위를) 꺼내어 보이다, 자랑삼아 보이다 ; (의견 따위를) 내놓다 ; (지식 따위를) 과시하다 ; (케케묵은 재담 따위를) 입 밖에 내다 : ~ *out* a song 노래를 한 곡 불러 보이다. 〚OF<L<Gmc. (OHG *trottōn* to tread)〛

trot[2] *n.* =TROTLINE ; 낚시가 달린 견지 낚싯줄의 곁가닥 줄.

troth [trɔ́(:)θ, tróuθ, tráθ, -ð] *n.* 《古》 **1** Ⓤ 진실,

성실(誠實) : in ~ 참으로 / by[upon] my ~ 맹세코. **2** Ⓤ 약속, (특히) 약혼(betrothal) : plight one's ~ 서약하다 ; (특히) 부부의[가 될] 약속을 하다. ── *vt.* 약속하다 ; 약혼하다(betroth). 〖OE *trēowth* TRUTH〗

trót·lìne *n.* 《美南部》 (짧은 곁가닥 낚싯줄을 매단) 견지 낚싯줄, 주낙(setline).

Trot(s) [trát(s)] *n.* (*pl.* **Trots**) 트로츠키파.

Trots·ky, -ki [trátski, 美+trɔ́(:)t-] *n.* 트로츠키. **Leon** ~ (1879-1940) 러시아의 혁명 지도자. **~ìsm** *n.* 트로츠키주의.

Trótsky·ist, -ìte *n.* 트로츠키(주의) 신봉자, 트로츠키스트. ── *a.* 트로츠키주의(자)의.

trót·ter *n.* **1** 구보하는 말, 속보로 달리는 말, (특히) 속보 훈련을 받은 말. **2** 총총 걸음을 하는 사람 ;《口》 활동가. **3** [보통 *pl.*] (양·돼지 따위의 식용의) 족(足) ;《戱》 (어린이나 젊은 여자의) 발.

trot·toir [trɑtwɑ́:r, 英+trɔ́twɑ:r] *n.* 인도(人道), 보도. 〖F〗

tro·tyl [tróuti(:)l, 美+tróutl] *n.* ＝TRINITROTOLUENE.

trou [tráu] *n.* 《美俗》 양복바지.

trou·ba·dour [trú:bədùər, -dɔ̀:r] *n.* 트루바두르 《11-13세기경 주로 프랑스 남부에서 활약했던 서정 시인 ; cf. PROVENCE》 ; (일반적으로) 음유(吟遊) 시인. 〖F＜Prov. (*trobar* to find, compose)〗

◇**trou·ble** [trʌ́bəl] *n.* **1** Ⓤ,Ⓒ 근심(거리), 걱정 ; 고민 ; Ⓤ 괴로움, 고생 ; 재난, 불행, 위험 : family [domestic] ~(*s*) 가정의 근심거리 / a heart filled with ~ 고민으로 가득찬 마음 / You must not make any more ~ for your teacher. 더 이상 선생님께 걱정을 끼쳐서는 안된다 / My mother has been through much ~ [many ~*s*]. 어머니께서는 이제까지 많은 고난을 겪어 오셨다 / Tell me about your ~*s*. 너의 고민거리를 이야기해 보렴 / His ~*s* are over. 그의 고생은 끝났다《때로 죽은 사람을 말함》 / The ~ is that the boy is sickly. 곤란한 것은 저 아이가 병약하다는 점이다 / What is the ~ *with* you? 왜 그러니, 무슨 일이냐 ; 어디가 아프니 / I am having ~ *with* my teeth. 나는 이가 아파서 고생하고 있다 / *T*~*s* never come singly. 《속담》 근심은 겹치게 마련이다, 화불단행(禍不單行).

2 고생(거리), 두통거리 ; 성가신 일 : He is a (great) ~ *to* his parents. 그는 양친에게 (큰) 골칫거리입니다 / I found it a great ~ to cook myself. 나 스스로 요리를 하는 것은 아주 성가신 일이었다 / It will be no ~ to persuade him. 그를 설득하는 것은 별로 힘들지 않을 것이다.

3 Ⓤ,Ⓒ 탈, (…)병 ; (기계 따위의) 고장 : liver [mental] ~ 간장[정신]병 / a respiratory ~ 호흡기 질환 / suffer from heart ~ 심장병을 앓다 / engine ~ 엔진 고장.

4 Ⓤ [+*to* do/+前+do*ing*] **a**) 불편 ; 수고, 폐 : I'm sorry I have given you[put you to] so much ~. 폐를 많이 끼쳐서 죄송합니다 / This will save me some ~. 이로써 얼마간은 수고를 덜게 되겠지요 / It's no ~. 수고랄 것도 없습니다, 쉬운 일입니다 / No ~ (at all). 천만의 말씀입니다 / You need not take any ~ ***about*** it. 그 일은 조금도 염려할 필요가 없다 / He took all the ~ possible *to* help me. 나를 돕기 위해서 온갖 수고를 다해 주었다. **b**) 노고, 고심 : You must always take the ~ *to* consult a dictionary. 번거롭다고 여기지 말고 언제나 사전을 찾아 보도록 해야 한다 / Did you have much ~ ***in*** find*ing* my house? 저의 집을 찾으시는 데 애먹으셨습니까. ㊟ 마지막 예와 같은 구문에서 《口》로 쓰일 때는 흔히 전치사 *in*이 생략되어 do*ing*이 현재 분사처럼 보이기도 함 : She had no ~ select*ing* her future career. 장래의 진로를 택하는 데 전혀 힘들지 않았다.

5 Ⓤ,Ⓒ 분쟁, 분규 ; 옥신각신, 말썽, 내분 : labor ~(*s*) 노동 쟁의 / There is a political ~ in the country now. 그 나라에는 지금 정치적인 분쟁이 일어나고 있다.

〈회화〉
I have *trouble* seeing the blackboard. — I guess you'll have to wear glasses. 「나는 칠판이 잘 안보여요」 「안경을 써야 될 것 같구나」

ask for trouble 《口》 재난을 자초할 짓을 하다, 경솔한 짓을 하다 : It was *asking for* ~ that they dispatched troops to Siberia. 그들이 시베리아로 출병(出兵)했다는 것은 재난을 자초하는 짓이었다.

be at the trouble of do*ing* 일부러 …하다, 모처럼 …하다.

be in trouble 곤란을 당하고 있다 ; 문제를 일으키고 있다, 관련되어 있다 ; 경찰에 호출당할 지경에 있다, 체포당하게 되어 있다 ; 야단맞을[벌 받을] 입장에 있다 ; (남과) 분규중이다〈*with*〉 ; (미혼 여성이) 임신하고 있다.

borrow trouble ☞ BORROW.

get a person ***into trouble*** 남에게 폐를 끼치다, 남을 말려들게 하다.

get into trouble (***with***. . .) (…와) 문제[트러블]를 일으키다 ; 야단맞을[처벌받을] 입장에 있다, 경찰에 호출되다, 처벌당하다 ; 《口》 (여자를) 임신시키다, (여자가) 임신하다.

get a person ***out of trouble*** 남이 곤란받고 있는 것을 도와주다, 남을 곤경에서 구출하다.

get out of trouble 분쟁에서 벗어나다, 벌을 모면하다, 구출되다.

give oneself trouble 애쓰다, 진력하다 〈*about*〉.

go to the trouble of do*ing*＝*be at the* TROUBLE *of* do*ing*.

look for trouble＝*ask for* TROUBLE.

take trouble 수고하다, 노고를 아끼지 않다(cf. 4) : He is incapable of *taking* ~. 그는 노력을 할 줄 모르는 사나이다《꾀를 피우는 사람이다》.

── *vt.* **1** [+目/+目+前+名] (…의 마음을) 괴롭히다, 난처하게 하다, 걱정시키다 ; (질병이 사람을) 괴롭히다 : What is *troubling* you? 너는 무엇을 걱정하고 있느냐 / What ~*s* me is that she is a little delicate. 내가 걱정하는 것은 그녀의 몸이 좀 약한 점이다 / He was ~*d* ***about*** his son[by the accident]. 아들의 일[사고]로 걱정했다 / I'm ~*d* ***with*** a headache. 두통으로 고생하고 있다. **2** [+目/+目+前+名/+目+*to* do] (남을) 수고시키다, …에게 수고[폐·성가심 따위]를 끼치다, (폐를 무릅쓰고) …에게 부탁하다 : I'm sorry to ~ you, but.... 폐를 끼쳐 죄송합니다만… / He's always *troubling* me ***about*** his own unimportant affairs. 그는 언제나 자신의 하찮은 일로 나를 성가시게 하고 있다 / May I ~ you ***for*** a light? 미안하지만 (담뱃)불 좀 빌려 주실까요 / Let me ~ you ***with*** one more question. 한가지 더 여쭙고 싶은 것이 있습니다 / May I ~ you *to* pass the salt? 미안하지만 소금 좀 건네 주시겠습니까《식탁에서》 / I must ~ you *to* mind your own business[*to* hold your tongue]. (비꼬는 투로) 남의 일에 쓸데없는 간섭은 그만 두시

지요[입 좀 다무시지요].

—— *vi.* [動/+前+名/+*to* do] [특히 부정(否定)·의문] 걱정하다, 염려하다; 애쓰다, 일부러 …하다: Don't ~ ***about*** that. 거기에 대해서는 걱정하지 마세요 / Don't ~ *to* come and meet me at the station. 일부러 역에까지 마중 나오시지 않아도 좋습니다 / Why should I ~ *to* apologize? 어째서 내가 일부러 사과를 해야 합니까.

trouble oneself about... (성가신 일)에 관계하다; …을 염려하다: She doesn't ~ her*self about* her household. 그녀는 집안 일에 대해서는 전혀 신경을 쓰지 않는다.

trouble oneself to do 노고를 아끼지 않고 …하다: He seldom ~*s* him*self to* answer his letters. 그는 귀찮아서 좀처럼 답장을 쓰지 않는다.

tróu·bler *n.* **tróu·bling·ly** *adv.*

⟦OF<L; ⇨ TURBID⟧

tróuble and strífe *n.* 《英韻俗》 마누라.

tróu·bled *a.* **1** (표정 따위) 난처한 (듯한): ~ looks 곤란한 [염려스러운] 얼굴[표정]. **2** (바다·세상 따위) 거친, 어수선한, 소란한.

~·ly *adv.* **~·ness** *n.*

tróubled wáters *n. pl.* 거친 바다[파도]; 혼란 상태: fish in ~ 혼란을 틈타서 한몫 보다; 《옛투》 귀찮은 일에 관련되다.

tróuble-frèe *a.* 문제가 생기지 않는, 고장 없는.

tróuble·màker *n.* 분쟁[말썽·파란]을 일으키는 사람.

tróuble·pròof *a.* (기계가) 고장날 염려가 없는.

tróuble·shòot *vi.* (**~·ed, -shòt**) troubleshooter로 일하다[조정하다].

—— *vt.* 수리[조정]인으로 조사[처리]하다.

tróuble·shòot·ing *n.* 고장의 발견 수리; 분쟁 해결, 조정; 〖컴퓨〗 고장고치기.

tróuble·shòot·er *n.* (기계를) 수리하는 사람; 분규해결의 수완가, 조정하는 사람.

***tróuble·some** *a.* **1** 성가신, 곤란한, 귀찮은: a ~ child 성가신 아이 / a ~ job 귀찮은 일. **2** 번거로운, 시끄러운. **3** 다루기 힘든.

~·ly *adv.* **~·ness** *n.*

tróuble spòt *n.* (국제 관계의) 분쟁 (가능) 지역; (기계의) 고장이 잘나는 곳; 문제점.

trou·blous [trʌ́bləs] *a.* 《古·文語》 (바다·바람 따위) 거친, 어수선한, 소란한: live in ~ times 난세에 살다.

trou-de-loup [trù:dəlú:] *n.* (*pl.* **trous-de-loup** [—]) 〖軍〗 함정《끝이 뾰족한 말뚝을 박은》.

⟦F=wolf's hole⟧

trough [trɔ́(:)f, trɑ́f] *n.* **1 a)** (길쭉한) 여물통, 구유. **b)** [, 美+tróu, 英+tráu] (빵집의) 반죽 그릇. **c)** (지붕의) 빗물 홈통. **d)** 〖鑛〗 (광석을 씻는) 홈통. **2** (조제(調劑)·사진현상 용의) 물통. **3 a)** (물결과 물결 사이의) 골, 파곡(波谷)(↔ *crest*): the ~ of the sea 물골. **b)** 〖氣〗 기압골.

trough 1 a)

⟦OE *trog*; cf. G *Trog*⟧

trounce [tráuns] *vt.* 호되게 때리다, 혼내주다; 깎아내리다, 헐뜯다; 《口》 (시합 따위에서) 참패시키다. **tróunc·er** *n.* ⟦C16<?⟧

troupe [trú:p] *n.* (배우·곡예사 등의) 일단, (흥행단의) 한 패. —— *vi.* 《美》 (단원으로서) 순회 공연하다. **tróup·er** *n.* 흥행단의 일원, 극단원; 노련한[중견] 배우; 의지가 되는 동료.

⟦F=TROOP⟧

trou·ser [tráuzər] *a.* 양복바지(용)의: ~ buttons 바지 단추 / a ~ stretcher 바지 주름 펴는 기구 / I keep my keys in my ~ pocket. 나는 열쇠를 바지 주머니에 넣어 둔다.

—— *n.* [*pl.*] =TROUSERS.

活用 「바지의 양쪽 호주머니」의 경우에는 one's *trouser* pockets 외에 one's *trousers* pockets도 쓰인다.

tróu·ser·ing *n.* U.C 바짓감.

‡tróu·sers *n. pl.* (남자의) 바지: ~ pockets= trouser pockets(☞ TROUSER 活用) / I want to buy some ~. 바지를 사고 싶다.

wear the trousers 《口》 (여자가) 남편을 좌지우지하다 (注 《美》에서는 wear the PANTS 라는 편이 일반적).

⟦Ir. and Gael. *triubhas* TREWS; (pl.)은 *drawers*를 모방한 것⟧

活用 수(數)를 셀 때에는 a *pair*[three *pairs*] *of trousers* (바지 한벌[세벌])와 같이 말함.

tróuser sùit *n.* 《英》 =PANTSUIT.

trous·seau [trú:sou, -ˊ] *n.* (*pl.* **~s, -seaux** [-z]) 혼수감[의상·채비].

⟦F=bundle (dim.) ‹TRUSS⟧

***trout** [tráut] *n.* (*pl.* ~, **~s**) 〖魚〗 송어; [old ~] 《英口》 지겨운 여자: fish (three) ~ 송어를 (세 마리) 낚다 / You must lose a fly to catch a ~. 《속담》 작은 것을 버리고 큰 것을 잡아라.

—— *vi.* 송어를 잡다[낚다].

⟦OE *truht*<L *tructa*; '지겨운 여자'의 뜻은 *trot* (obs.) old woman의 변형(變形)인가⟧

tróut-còlored *a.* 흰 바탕에 검정[적갈·황갈]색의 반점이 있는《말》.

tróut·let, -ling *n.* 〖魚〗 (1년 미만의) 송어새끼.

tróuty *a.* 송어가 많은, 송어 같은.

trou·vaille [tru:vái; trú:vail; *F* truvɑ:j] *n.* 횡재; 생각지도 않은 행운. ⟦F⟧

trou·vère [tru:véər] *n.* 11-14세기경 프랑스 북부지방에서 활약했던 서사 시인들.

⟦OF (*trover* to find, compose)⟧

trou·veur [tru:vɔ́:r] *n.* =TROUVÈRE. ⟦F⟧

trove [tróuv] *n.* 발견된 것(cf. TREASURE TROVE); 귀중한 수집품; 전리품.

⟦*treasure trove*⟧

tro·ver [tróuvər] *n.* 〖法〗 (발견에 의한) 동산의 취득; 횡령물 회복 소송. ⟦AF *trover* to find⟧

trow [tróu] *vt.* 《古》 생각하다, 믿다; [의문문에 붙여서] …일지 몰라, …일까.

⟦OE *trūwian, trēowian*; cf. TRUCE⟧

trow·el [tráuəl] *n.* **1** (미장이가 쓰는) 흙손. **2** (원예용의) 모종삽.

lay it on with a trowel 《口》 과장하다; 허풍떨며 말[추종]하다, 아양떨다.

—— *vt.* (**-l-** | **-ll-**) (…에) 흙손으로 바르다[섞다]; 모종삽으로 파다.

⟦OF<L *truella* scoop (dim.) ‹*trua* stirring spoon⟧

troy [trɔ́i] *a.* 금형(金衡)[금량(金量)]의[에 의한]: One ~ pound[pound ~] contains 12 oz. 금형 1파운드는 12온스다. —— *n.* =TROY WEIGHT.

Troy *n.* 트로이《소아시아 북서부의 옛 도시》.

tróy wèight *n.* 트로이식 형량(衡量), 금형《금은·보석 따위에 쓰는 형량; cf. AVOIRDUPOIS》.

trp 〖軍〗 troop. **TRRL** Transport and Road Research Laboratory. **trs.** 〖印〗 transpose(정판); trustees. **trsd.** transferred; transposed.

tru·an·cy [trú:ənsi] *n.* U.C 무단 결석, 꾀부려 놀

기 ; 꾀부리기, 게으름피우기.

tru·ant [trúːənt] *n.* 게으름뱅이 ; 무단 결석자.
play truant 학교를 무단 결석하다 ; 일을 태만히 하다(cf. *play* HOOKY).
— *a.* 꾀를 피우는, 나태한 ; 무단 결석하는.
— *vi.* 무단 결석하다. 〚OF=vagabond<Celt. (Welsh *truan* wretched)〛

trúant òfficer *n.* =ATTENDANCE OFFICER.

truce [trúːs] *n.* **1** 휴전(협정) : make a ~ 휴전하다 / a flag of ~ 휴전의 흰 깃발. **2** (곤란·고통 따위의) 중단 : A ~ *to* jesting! 《古》 농담은 그만하게. — *vi.* 휴전하다. — *vt.* 휴전(협정)에 의해서 중지하다. **trúce·less** *a.* 휴전의 가망이 없는 ; 끝없이 전투가 계속되는.
〚ME *trewes* (pl.)<OE *trēow* covenant ; ⇨ TRUE〛

tru·cial [trúːʃəl] *a.* 휴전 협정에 제약을 받는《특히 1835년 영국 정부와 아라비아 반도의 아랍 수장제국 사이에 체결된 것을 말함》.

‡**truck**[1] [trʌ́k] *n.* **1** 《원래 美》 **a**) 트럭, 화물 자동차(=《英》 lorry) : by ~ 트럭으로. **b**) [형용사적으로] 트럭의, 트럭용의. **2** 《英》 (철도의) 무개(無蓋)화차. **3** (화물의) 운반차 ; (2륜) 손수레, 광차(鑛車) (cf. LORRY) ; 대차(臺車), 보기 차(bogie). **4** 〔海〕 트럭《깃대[돛대] 꼭대기의 둥근 목관(木冠)》. — *vt.* 트럭에 싣다[으로 나르다] ; 《美口》 운반하다. — *vi.* 트럭을 운전하다 ; 《美俗》 전진하다 ; 멋대로 살다.
〚? TRUCKLE=wheel, pulley〛

truck[2] *n.* **1** Ⓤ **a**) (물물) 교환, 교역(barter) ; 교역품. **b**) 《口》 거래, 교제 : I have no ~ *with* him. 그와는 거래[관계]가 없습니다. **2** Ⓤ 자질구레한 상품, 잡화 ; 《口》 잡동사니 ; 허튼 소리(rubbish) : I shall stand no ~. 시시한 소리는 듣지 않겠다. **3** Ⓤ (임금의) 현물 지급. **4** Ⓤ 《美》 시장에 낼 야채. — *vt.* **1** [+目/+目+*for*+名] 교환[교역]하다(exchange) : ~ a thing ***for*** another 어떤 물건을 다른 물건과 교환하다. **2** (물품을) 행상하다, 외치고 다니며 팔다.
— *vi.* [動/+前+名] 거래하다 : ~ ***with*** a person ***for*** a thing 남과 어떤 것을 거래하다.
〚OF *troquer* to exchange<?〛

Trúck Àcts *n. pl.* [the ~] 《英》 (임금의) 현물지급 금지령.

trúck·age[1] *n.* Ⓤ 트럭 운반 ; 트럭 운송료.

truckage[2] *n.* Ⓤ 《稀》 교역, 교환.

trúck càp *n.* 《美》 트럭 캡《캠프할 수 있게 무개 트럭의 짐받이에 설치하는 나무·알루미늄으로 만든 덮개》.

trúck·drìver *n.* 《美》 트럭 운전사 ; 《俗》 = AMPHETAMINE.

trúck·er[1] *n.* 《美》 트럭 운전사 ; 트럭 운송업자.

trucker[2] *n.* 교역자 ; 《스코》 행상인 ; 《美》 = TRUCK FARMER.

trúck fàrm[**gàrden**] *n.* 《美》 시장 판매용 채소밭(=《英》 market garden).

trúck fàrm·er *n.* 《美》 시장 판매용 채소 재배업자. **trúck fàrm·ing** *n.*

truck·ie [trʌ́ki] *n.* 《濠口》 트럭 운전사.

trúck·ing *n.* Ⓤ 교역, 거래 ; 《美》 시장 판매용 야채 재배 ; 트럭 수송.

trúcking shòt *n.* 〔映·TV〕 dolly에서 찍은 장면(scene).

truck·le[1] [trʌ́kəl] *n.* **1** =TRUCKLE BED. **2** 작은 바퀴, 굴림대, 다리바퀴. — *vi., vt.* 롤러로 움직이다[움직이게 하다].
〚AF *trocle*<L TROCHLEA〛

truckle[2] *vi.* 굴종[굴복]하다, 추종하다, 굽실거리다 : ~ ***to*** bullies 약한 자를 학대하다.

trúckle bèd *n.* 바퀴가 달린 침대《옛날엔 하인들이 쓰던 침대로 낮에는 보통 다른 침대 밑에 밀어 넣어 둠》.

trúck·lìne *n.* 트럭 화물 수송로.

trúck·ling *a.* 알랑거리는, 굽실굽실하는.
~·ly *adv.*

trúck·lòad *n.* 한 트럭분의 화물《略 T.L., TL》.

trúck·man [-mən] *n.* 트럭 운전사 ; 트럭 운수업자 ; 고가 사다리 소방차 대원.

trúck shòp[**stòre**] *n.* 노동자가 물품 교환권으로 지급하는 상점.

trúck stòp *n.* 《美》 (고속도로변의) 트럭 운전사 식당.

trúck sỳstem *n.* (임금의) 현물 급여제.

trúck tràctor *n.* trailer를 끄는 트럭.

trúck tràiler *n.* 화물 트레일러《truck tractor가 끄는 운반차》.

tru·cu·lent [trʌ́kjələnt] *a.* 공격적인, 호전적인, 반항적인 ; 신랄한, 통렬한 ; 흉포한, 잔인한, (말씨 따위가) 거친. **trú·cu·lence, -cy** *n.*
〚L (*truc-* *trux* fierce)〛

trudge [trʌ́dʒ] *vi.* [動/+前+名] 뚜벅뚜벅[터벅터벅] 걷다 : He ~*d* 20 miles ***through*** the deep snow. 깊은 눈속을 20마일이나 터벅터벅 걸어갔다. — *n.* 터벅터벅[뚜벅뚜벅] 오래 걷기.
〚C16<? ; *tread*+d*rudge*인가〛

trúdg·en (**stròke**) [trʌ́dʒən(-)] *n.* 〔泳〕 양손 팔매헤엄.
〚John *Trudgen* (d. 1902) 영국의 수영 선수〛

Tru·dy [trúːdi] *n.* 여자 이름《Gertrude의 애칭》.

◇**true** [trúː] *a.* **1 a**) 정말의, 진실의, 사실대로의(↔*false*) : a ~ story 실화(實話) / Is the news [rumor, gossip] ~? 그 소식[소문·험담]은 정말입니까 / His words ring ~. 그의 말은 진실인 것 같다 / The report proved ~. 보고는 사실이었다. **b**) [명사적으로 ; the ~] 진실임, 진리(truth) ; 〔컴퓨〕 참. **2** 진정한, 진짜의 ; 순종의(genuine) : ~ gold 순금 / ~ friendship 진정한 우정 / a ~ sign 확실한 징후 / the ~ heir 정당한 상속인 / a ~ collie dog 순종의 콜리개 / *T*~ fishes do not include whales. 고래는 순수 어류에 포함되지 않는다. **3** 충실한, 변하지 않는 ; 믿을 수 있는, 성실한(faithful) : a ~ patriot 충실한 애국자 / ~ *to* oneself 자기에게 충실한, 분에 넘치는 짓을 안하는 / be ~ *to* one's word 약속을 지키다 / be ~ *to* one's cause[friend] 주의[친구]에 충실하다. **4 a**) 정확한, 틀림없는, 한 치도 어김없는(accurate) : a ~ copy[balance] 정확한 사본(寫本)[저울] / a ~ judgment 틀림없는[정확한] 판단 / ~ *to* life[nature] 실물[자연] 그대로의 / ~ *to* one's name 그 이름에 어긋나지 않는 / The translation is ~ *to* the original. 그 번역은 원문에 충실하다. **b**) 해당되는, 들어맞는 : It is ~ *of* everybody else. 그것은 그 밖의 누구에게나 적용된다. **5** (목소리 따위) 음조가 바른 ; (연장·기구·차바퀴 따위) 고장나지 않은, 바른 위치에 있는 : The gear is not quite ~. 기어가 꽉 물려 있지 않다. **6** (방향·힘 따위) 일정한, 변하지 않는 : The plane made a ~ course toward Iceland. 비행기는 곧바로 아이슬란드 쪽으로 날아갔다. **7** 《古》 거짓말을 하지 않는, 정직한, 참된.
(***as***) ***true as steel***[***flint, touch***] 매우 충실한, 신용할 수 있는.
come true (희망 따위가) 실현되다, (꿈이) 정말

로 되어가다, (예언이) 적중하다 : His dream *came* ~. 그의 꿈이 실현되었다.
hold true (규칙 · 언어 따위가) 적용되다, 유효하다.
It is true[***True***]...***but***... 과연[사실] …이지만 그러나…《뒤에 반대 의견을 말하려고 할 경우의 형식》: *It is* ~ *that* he did his best, *but* on this occasion he was careless. 사실 그는 전력을 다했으나 이 경우에는 부주의했다.
true to type 전형적인 ; (동 · 식물이) 순종인.
—— *adv.* 注 다음의 보기 이외에는 드묾 : aim ~ 정확하게 겨냥하다 / breed ~ 순종을 낳다 / Tell me ~. 정직하게 말해 보시오.
—— *n.* Ⓤ 정확함, 정확한 상태 : in[out of] ~ (위치 · 상태가) 정확하여[어긋나].
—— *vt.* (도구 · 차량 따위를) 올바르게 맞추다, 조정하다〈*up*〉. **~·ness** *n.*
〖OE *trēowe* (⇨ TRUCE) ; cf. TROW, TRUST, G *treu*〗
類義語 ***true*** 실제로 존재하는 것과 일치하는 또는 어떤 기준이나 유형에 합치하는 : a *true* story (실화(實話)) / a *true* here(참된 영웅). ***actual*** 실제로 존재하는 또는 일어난 일을 강조하여 주로 구체적인 일에 쓰임 : *actual* examples (실례). ***real*** 외견과 내용이 일치하는, 겉꾸밈[위조물, 상상한 것]이 아닌 : *real* rubber [courage] (진짜 고무[용기]).

trúe béaring *n.* 참방위(方位).
trúe bíll *n.* 〖美法 · 英史〗 원안 적정(原案適正)《기소장 원안을 대배심(grand jury)이 타당하다고 인정했을 때의 그 뒷면에 적는 문구》.
find a true bill (대배심이) 기소를 적정하다고 인정하다 ; 《비유》 진술[주장 따위]을 진실이라고 인정하다.
trúe blúe *n.* **1** (바래지 않는) 짙은 남빛. **2** 의지가 굳은 사람, 충실한 사람.
trúe-blúe *a.* **1** 짙은 남빛의. **2** (주의 따위에) 충실한, 타협하지 않는.
trúe·bórn *a.* 순수한 ; 적출(嫡出)의, 혈통이 바른 : a ~ Londoner 순수한 런던내기.
trúe·bréd *a.* (동물이) 순종의 ; (사람이) 혈통이 바른 ; 교양 있는.
trúe·brèed *n.* 순종, 우량종.
trúe búg *n.* 〖昆〗 반시류[매미목]의 곤충(bug).
trúe cóurse *n.* 〖海〗 참침로(針路).
trúe-fálse tèst *n.* 진위법(眞僞法) 테스트《○×식의 객관식 테스트》.
trúe flý *n.* 〖昆〗 파리(fly).
trúe héading *n.* 〖空〗 참기수(機首) 방위.
trúe·héart·ed *a.* 성실한, 충실한, 진실한.
trúe-lífe *a.* 사실과 흡사한, 현실성 있는.
trúe·lòve *n.* 진실한[성실한] 사랑 ; 애인, 연인.
trúe lóver's[**trúelove**] **knòt** *n.* (애정의 표시로서의) 나비 매듭(love knot) ; 두 밧줄의 끝을 맞매는 법의 하나.
trúe nórth *n.* 진북(眞北).
trúe·pènny *n.* 《古》 충직[정직]한 사람, 의리가 두터운 사람.
trúe rìb *n.* 〖解〗 (흉골(胸骨)에 연결된) 진늑골(眞肋骨).
trúe sún *n.* 〖天〗 진태양(眞太陽).
trúe tíme *n.* 〖天〗 진태양시(眞太陽時).
truf·fle [trʌ́fəl, 美+trú:fəl] *n.* **1** 〖植〗 (프랑스) 송로(松露)《땅속에서 자라는 맛있는 버섯의 일종》. **2** 초콜릿 · 버터 · 설탕을 섞어 둥글게 만들고 겉에 코코아 · 밤 · 호두 따위를 묻힌 둥근 과자.
〖? Du.<F ; ⇨ TUBER[1]〗
trug [trʌ́g] *n.* 《英》 나무로 만든 우유 냄비 ; (정원용의) 나무로 만든 바구니.
〖TROUGH의 사투리형인가〗
tru·ism [trú:izəm] *n.* 자명한 이치 ; 뻔한 사실 ; 판에 박힌[진부한] 문구. 〖TRUE〗
trull [trʌ́l] *n.* 《古》 매춘부(prostitute).
〖G (dial.) *trulle* ; cf. TROLL[2]〗
***tru·ly** [trú:li] *adv.* **1** 진실하게, 거짓없이, 사실대로 : report ~ 사실을 보고하다 / It is ~ said that …이라고 하는 것도 당연하다. **2** 충실하게, 성실히, 충심으로 : serve one's master ~ 주인을 충실하게 받들다 / I feel ~ grateful[sorry]. 진심으로 감사[동정]합니다 / yours ~ ☞ YOURS 숙어. **3** 정확하게, 정밀하게, 한치도 어김없이 : be ~ depicted 정확[충실]하게 그려져 있다. **4** [특히 형용사를 수식하여] 진정으로, 참으로, 아주 : a ~ noble knight 참으로 고귀한 기사(騎士). **5** 올바르게, 정당하게, 합법적으로. **6** [보통 삽입(揷入)적으로] 《古 · 文語》 사실대로 말하면, 사실은 ; 정말, 전혀 : Why, ~, I cannot say. 아니, 사실 나는 말할 수 없습니다 / *T*~, I was astonished. 사실 나는 놀랐다.
〖OE *trēowlice* ; ⇨ TRUE〗
Tru·man [trú:mən] *n.* 트루먼. **Harry S.** ~ (1884-1972) 미국 제33대 대통령(1945-53).
Trúman Dóctrine *n.* [the ~] 트루먼 독트린[선언]《1947년 선언》.
trump[1] [trʌ́mp] *n.* **1** (트럼프의) 으뜸패(trump card) ; [*pl.*] 상수[으뜸]패의 한 벌 : no ~(*s*) 으뜸패가 없이 하는 승부 / lead ~*s* 최초에 으뜸패를 내다, 으뜸패로 시작하다 / a call for ~*s* 상대에게 으뜸패를 내라는 신호 / *T*~*s* are spades. 으뜸[상수]패는 스페이드다. **2** 《비유》 비장의 수, 최후의 수단. **3** 《口》 훌륭한[믿음직한] 사람, 호감이 가는 남자.
hold some trumps 아직 으뜸패를 쥐고 있다 ; 《비유》 비장의 수가 있다 ; 운수가 좋다.
play a trump 으뜸패를 내다 ; 《비유》 비장의 수를 쓰다.
put a person ***to his trumps*** 남에게 으뜸패를 내게 하다 ; 《비유》 남을 궁지에 몰아넣다, 최후의 수단을 쓰게 하다.
turn up trumps 《口》 예상 이상으로 잘 되어가다, 순조롭게 진척되다.
—— *vt.* (패를) 으뜸패로 치다[따다] ; 《비유》 (남을) 지게 하다, …에게 이기다. —— *vi.* 으뜸패를 내다[로 이기다].
trump up (이야기 · 구실 따위를) 날조[조작]하다, 꾸며내다(fabricate).
〖TRIUMPH〗
trump[2] *n.* 《古 · 詩》 나팔(소리) (trumpet).
—— *vi., vt.* 나팔을 불다[로 알리다].
〖OF *trompe*<Frank. (? imit.)〗
trúmp càrd *n.* **1** 으뜸패(trump). **2** [–⌣] 《비유》 비장의 수 : play one's ~ 으뜸패를 내다 ; 《비유》 비장의 수를 쓰다.
trúmped-úp *a.* 날조된.
trum·pery [trʌ́mpəri] *n.* **1** Ⓤ 겉만 번지르르한[실속이 없는] 것, 값싸고 야한 물건. **2** Ⓤ 보잘것없는 것 ; 허튼 소리. —— *a.* (장식품 따위) 값싸고 야한 ; (의견 따위) 하찮은.
〖OF=deceit (*tromper* to deceive)〗
***trum·pet** [trʌ́mpət] *n.* **1** 〖樂〗 트럼펫 (연주자). **2** 나팔 모양의 것 ; (축음기 따위의) 나팔 모양의 확성기 ; 전성기(傳聲器) ; 나팔 모양의 보청기(ear trumpet). **3** 나팔(같은) 소리 ; (코끼리 따위의) 나팔 같은 울음소리.

blow** one's **own trumpet ☞ BLOW[1] *v.*
— *vi.* 나팔을 불다 ; (코끼리 따위가) 나팔 같은 소리를 내다. — *vt.* **1** 나팔 소리로 알리다[포고하다]. **2** [＋目/＋目＋副] 《비유》 퍼뜨리고 다니다, …의 선전을 하다 : ～ (*forth*) a person's great deeds 남의 훌륭한 행위를 선전하다.
〚OF (dim.) ‹ TRUMP[2]〛

trúmpet càll *n.* 트럼펫 취주 ; 집합[소집] 나팔 ; 《비유》 긴급한 요청.

trúmpet crèeper[**flòwer, vìne**] *n.* 〖植〗 아메리카능소화(凌霄花).

trúmpet·er *n.* **1** 트럼펫 주자 ; 나팔수. **2** 《비유》 나팔부는 사람, 남의 선전을 하고 다니는 사람. **3** (남미산) 두루미의 일종 ; 집비둘기의 일종.
be** one's **own trumpeter 《비유》 자화자찬하다, 자랑하다.

trúmpet·lìke *a.* (모양·소리가) 트럼펫 비슷한.

trúmpet lìly *n.* 〖植〗 나팔나리.

trúmpet màjor *n.* 〖軍〗 (기병 연대의) 나팔대장 ; (악단의) 수석 트럼펫 연주자.

trúmpet shèll *n.* 〖貝〗 소라고둥.

trun·cal [trʌ́ŋkəl] *a.* 줄기의, 몸통의.

trun·cate [trʌ́ŋkeit, -́] *vt.* **1** (나무·원뿔 따위의) 꼭대기[끝]를 자르다 ; 《비유》 (긴 인용문구 따위를) 잘라 줄이다. **2** 〖結晶〗 (모서리를) 면(面)이 되게 자르다. **3** 〖數〗 끝수를 버리다 ; 〖컴퓨〗 끊다. — *a.* ＝TRUNCATED.
〚L *trunco* to mutilate〛

trún·cat·ed *a.* **1** (끄트머리를) 잘라낸 ; 〖植·動〗 절두형의, 끝을 자른 모양의 ; 〖數〗 끄트머리를 비스듬히 자른, 사절두(斜截頭)의. **2** (문장 따위) 너무 생략된, 불완전한.

trun·ca·tion [trʌŋkéiʃən] *n.* Ⓤ 끝을 자름, 절두(截頭), 절단 ; 〖컴퓨〗 끊음, 끊기.

trun·cheon [trʌ́ntʃən] *n.* **1** 《英》 (순경 등의) 경찰봉(棒), 곤봉. **2** 직장(職杖)《권위의 표장(標章)이 됨》. — *vt.* 곤봉으로 치다.
〚OF＝stump＜L ; ⇨ TRUNK〛

trun·dle [trʌ́ndl] *n.* **1** (침대·피아노 따위의) 다리바퀴(castor). **2** ＝TRUNDLE BED. **3** 구르기 ; 회전음. **4** 손수레. — *vt.* [＋目/＋目＋前＋名] (특히 무거운 것·특수한 모양의 것을) 굴려서[밀고] 가다 : The farmer ～*d* his wheelbarrow ***along*** the path. 농부는 손수레를 밀면서 길을 걸어갔다. — *vi.* (바퀴·공·차 따위가) 구르다, 돌다 ; 다리바퀴로 움직여 가다.
trún·dler *n.* 〚*trendle* (dial. or obs.) ＜OE *trendel* circle ; ⇨ TREND〛

trúndle bèd *n.* ＝TRUCKLE BED.

‡**trunk** [trʌŋk] *n.* **1 a)** (나무의) 줄기, 수간(樹幹) (cf. BRANCH) : Look at the huge ～ of that oak. 저 오크나무의 거대한 줄기를 보렴. **b)** (몸의) 동체, 몸통. **c)** (사물의) 본체, 주요부 : ☞ TRUNK CALL, *etc.* **d)** ＝TRUNK LINE. **e)** 〖解〗 대동맥, 굵은 신경《따위》. **2 a)** 여행용 큰 가방, 트렁크(cf. SUITCASE). **b)** 《美》 (자동차의) 트렁크(＝《英》 boot) 《뒷부분의 짐·연장 따위를 넣는 곳》. **3 a)** (코끼리의) 코《나무 줄기와 닮은 데서》. **b)** 〖建〗 기둥몸 ; 주신(柱身). **4** [*pl.*] **a)** 《美》 남자용 운동[수영] 팬츠, 트렁크스. **b)** ＝TRUNK HOSE. **5** [*pl.*] 《英》 장거리 전화(＝《美》 long distance) : Give me ～*s*. 장거리 전화를 부탁합니다. **6** 전화 중계 회선 ; (컴퓨터 따위의) 정보 전달용(用) 전자 회로.
live in** one's **trunks 여장(旅裝)을 풀지 않고 있다 ; 옹색한 곳에서 지내다.
— *a.* 주요한, 간선(幹線)의 ; 상자의[같은] ; 화물 수납용의 ; 상자 모양의 ; 수로[통로]의 흐름을 이용하는. **～·less** *a.*
〚OF *tronc*＜L＝cut short ; ⇨ TRUNCATE〛

trúnk càll *n.* ＝LONG-DISTANCE call.

trúnk carríer *n.* 《美》 주요[대형] 항공회사.

trunked [trʌ́ŋkt] *a.* (…한) 줄기[몸통]를 가진 ; (동물이) 긴 코를 가진.

trúnk·físh *n.* 〖魚〗 거북복(boxfish).

trúnk·fùl *n.* (*pl.* **～s, trúnks·fùl**) 트렁크하나 가득(한 양) ; 다량, 다수.

trúnk hòse *n.* (16-17세기에 유행했던 무릎 위까지 내려오는 헐렁한 남자용) 반(半)바지.

trúnk lìne *n.* (철도·도로·운하·전신의) 간선(幹線), 본선(本線) ; (수도·가스 따위의) 공급 간선, 본관 ; (전화의) 중계선, 장거리선.

trúnk nàil *n.* 트렁크 못《트렁크 따위의 장식으로 쓰이는 대가리가 큰 못》.

trunk hose

trúnk pìston *n.* 〖機〗 통형(筒形)[트렁크] 피스톤.

trúnk ròad *n.* 간선 도로.

trun·nion [trʌ́njən] *n.* (포신을 포가(砲架)에 받치는) 포이(砲耳) ; 〖機〗 통이(筒耳).
〚F *trognon* core, trunk＜?〛

Tru·ro [trúərou] *n.* 트루로《잉글랜드 남서부 Cornwall 주의 주도(州都)》.

truss [trʌs] *n.* **1** (말린 풀·짚 따위의) 다발(bundle) ; (꽃의) 한송이. **2** 〖醫〗 헤르니아[탈장(脫腸)]대(帶). **3** 〖建〗 트러스, 형구(桁構), 들보받침 ; 처마버팀목. **4** 〖海〗 아래 활대의 중간을 돛대에 고정시키는 쇠붙이. — *vt.* **1** 다발로 묶다. **2** 〖建〗 (지붕·다리 따위를) 트러스로 떠받치다. **3** [＋目/＋目＋副] **a)** (요리하기 전에) (새의) 날개[다리]를 꼬챙이에 꿰다[몸뚱이에 동여매다] : ～ ***up*** a chicken 병아리의 날개를 몸뚱이에 동여매다. **b)** (사람의) 양팔을 옆구리에 묶다 : The robber ～*ed* ***up*** a middleaged woman. 강도는 중년 부인의 양팔을 묶었다. **4** 《古》 (옷을) 단단히 동여매다. **5** (매 따위가 새를) 움켜잡다.
〚OF＜?〛

trúss brìdge *n.* 〖建〗 트러스교(橋).

‡**trust** [trʌ́st] *n.* **1** Ⓤ 신뢰, 신임, 신용 : have [put, place, repose] ～ in a person 남을 신용하다, 남을 신임하다 / He showed himself worthy of our ～. 우리의 신뢰를 저버리지 않았다. **2** 신용할 수 있는 것 : God is our ～. ＝Our ～ is in God. 하느님은 우리가 신뢰할 수 있다. **3** Ⓤ 기대, 확신 : Our ～ is that he will recover.＝We have ～ in his recovery. 그의 회복을 확신한다. **4** Ⓤ 위탁(되기), 보관 ; 〖法〗 신탁, 수탁자(受託者)의 권리 ; Ⓒ 위탁물, 피보호자 ; 〖法〗 신탁 재산, 신탁 물건 : leave a thing in ～ with a person 물건을 남에게 맡기다[위탁하다] / have[hold] a thing in ～ for a person 남의 것을 맡고[보관하고, 위탁받고] 있다 / These valuables are ～*s*. 이 귀중품들은 위탁물입니다 / breach of ～ 배임(背任). **5** Ⓤ (신뢰·위탁에 대한) 책임 ; 의무 : hold a position of ～ 책임 있는 지위에 있다. **6** Ⓤ 〖商〗 신용 거래, 외상 판매. **7** 〖經〗 트러스트, 기업 합동(cf. CARTEL).
(*up*)*on trust* (1) 증거 없이, 남이 하자는 대로 : take...*on* ～ (조사하지도 않고) …을 그대로 신용하다. (2) 외상으로(on credit).
— *vt.* **1** 신뢰[신임·신용]하다, 믿다(cf. *vi.*) :

I cannot ~ what he says. 그가 말하는 것은 믿을 수 없다 / He is not a man to be ~*ed*. 그는 신뢰할 만한 사람이 못된다.
2 [+目+前+名] (중요한 것을) 위탁[신탁]하다, 맡기다, 위임하다 ; (비밀 따위를) 터놓고 이야기하다(entrust) : I ~ the bargain ***to*** my manager.=I ~ my manager ***with*** the bargain. 거래는 일체 지배인에게 일임하고 있다 / Can I ~ the car *to* him? 차를 그에게 맡겨도 괜찮을까.
3 [+目+*to* do/+目+前+名] (남을) 안심하고 …시켜 두다, (남이) 충분히 …하리라고 생각하다 : We cannot ~ Mary *to* go out alone at night. 메리를 밤에 혼자 외출시킬 수는 없다 / John may be ~*ed to* undertake the task. 존에게는 안심하고 일을 맡길 수 있다 / Can you ~ your small children ***out of*** doors[your sight]? 어린 아이들을 밖에 내보내도[안보이는 데 두어도] 괜찮다고 생각하십니까.
4 [+目/+目+*for*+名] (남과) 신용 거래를 하다, 외상 판매하다 : The tailor will ~ me ***for*** the new suit. 그 재단사라면 새 양복을 외상으로 해줄 것이다.
5 [+*that* 節/+*to* do] 기대하다, 믿다 ; …이라고 생각하다 : I ~ (*that*) he is not hurt.=He is not hurt, I ~. 그가 다치지는 않았으리라고 생각한다 / I ~ *to* hear better news. 틀림없이 더 좋은 뉴스를 들을 수 있을 것으로 생각한다. 注 강한 희망을 나타내는 것이 보통이며 확신을 나타낼 경우는 드묾.
—— *vi.* [+前+名] 신용[신임]하다 ; 신뢰하다 ; 믿고 맡기다 ; 의지하다 : *T*~ ***in*** God. 하느님을 믿으시오 / *T*~ ***to*** chance. 운에 맡겨라 / You shouldn't ~ *to* your experiences so much. 그렇게 너무 경험만 믿어서는 안된다.
~·able *a.* **~·abílity** *n.* **~·er** *n.*
⟦ON *traust* (*traustr* strong) ; cf. G *Trost* comfort⟧
類義語 (1) (*n.*) ⟹ BELIEF.
(2) (*v.*) ⟹ RELY.

trúst accòunt *n.* 〔銀行〕 신탁 계정 ; 〔法〕 신탁 재산.
trúst·bùst·er *n.* 《美》 독점(獨占) 금지법으로 트러스트를 해체시키려는 관리(官吏) ; (미국 연방 정부의) 반트러스법 위반 단속관.
trúst-bùst·ing *n.* 반트러스트의 공소[정치 운동].
trúst còmpany *n.* 신탁 회사, 신탁 은행.
trúst dèed *n.* 신탁 증서.
trust·ee [trʌstí:] *n.* **1** 피신탁자, 수탁(受託)자, 보관하는 사람 : the Public *T*~ 《英》 공인 수탁자. **2** 보관 위원, 관재인(管財人) ; (대학 따위의) 평의원, 이사. **3** 신탁통치국가 ; 〔美法〕 제3 채무자. —— *vt.* (재산을) 수탁자[관리인]의 손에 넘기다. —— *vi.* trustee를 맡다. **~·ship** *n.* trustee의 직[지위·임기] ; 신탁 통치 (지역).
trustée pròcess *n.* 〔美法〕 제3 채무자에 대한 채권 압류.
trúst·ful *a.* 믿어 의심치 않는, 신용[신뢰]하는. **~·ly** *adv.* 충분히 신용하여. **~·ness** *n.*
trúst fùnd *n.* 신탁 자금[재산].
trust·i·fy [trʌ́stəfài] *vt.* 〔商〕 트러스트[기업합동]화하다. **trùst·i·fi·cá·tion** *n.*
trúst·ing *a.* 믿고 있는, (신뢰하여) 남을 의심하지 않는. **~·ly** *adv.* 신용[안심]하여.
trúst ìnstrument *n.* 〔法〕 신탁 증서.
trúst·less *a.* 신용할 수 없는, 믿을 수 없는 (unreliable) ; 신용하지 않는, 수상쩍은(suspicious) 〈*of*〉. **~·ly** *adv.* **~·ness** *n.*
trúst mòney *n.* 신탁금.
trúst tèrritory *n.* (국제 연합의) 신탁 통치 지역.
*****trúst·wòrthy** *a.* 신뢰[신용]할 수 있는, 믿을 수 있는(reliable).
-wòrth·i·ly *adv.* **-wòrth·i·ness** *n.*
類義語 ⟹ RELIABLE.
trústy *a.* 《주로 古》 =TRUSTWORTHY. —— *n.* **1** 믿을 수 있는 사람, 신용할 수 있는 사람. **2** 《원래 美》 모범수(囚). **trúst·i·ly** *adv.*
‡truth [trú:θ] *n.* (*pl.* **~s** [trú:ðz, trú:θs]) **1** Ⓤ 진리, 참, 진실(↔*falsehood*) : God's ~ 절대적 진리 / The ~ will out. 《속담》 진실은 언젠가는 밝혀지는 법이다. **2** 정말[실제]로 있는 일, 사실, 진상(眞相)(↔*lie*) : tell[speak] the ~ 사실을 말하다 / find out the ~ 진상을 밝혀내다 / scientific ~*s* 과학적 사실 / tell a person home ~*s* 남에게 따끔한 말을 하다 / What is the ~ *about* the matter? 그 일의 진상은 어떠한가 / The ~ is (that) he was not fit for the job. 사실을 말하자면 그는 그 일에는 적임자가 아니었다. **3** Ⓤ 진실성, (일의) 진위(眞僞) : I doubt the ~ of it. 정말인지 미심쩍다 / There seemed to be some ~ in what he said. 그가 말한 것에는 다소 진실도 있는 것 같았다. **4** Ⓤ 성실, 충성, 충직, 정직. **5** Ⓤ (묘사 따위의) 박진성(迫眞性) ; (기계의) 정확성 : ~ *to* nature[life] 박진성, 사실성(寫實性) / out of ~ 어긋나서, 정확하지 않게.
in truth=***of a truth*** 《文語》 진정으로, 실제로 ; 사실은.
the moment of truth ☞ MOMENT *n.*
to tell (***you***) ***the truth***=***truth to tell*** (사)실은, 사실을 말하면 : *To tell* (*you*) *the* ~, I don't know much about it. 사실을 말하면 나는 그것을 그다지 잘 알지 못한다.
⟦OE *trēowth* ; ⇨ TRUE⟧
trúth drùg[**sèrum**] *n.* 심리 억제 해소약, 자백제(自白劑)《마음속에 눌러 두었던 것을 말하게 하는 최면약·마취약》.
trúth·ful *a.* (사람이) 거짓말을 안하는, 성실한, 정직한 ; (이야기 따위가) 진실한, 정말의 ; (예술 표현 따위) 현실 그대로인.
~·ly *adv.* **~·ness** *n.*
trúth-fùnction *n.* 〔論〕 진리 함수.
trúth·less *a.* 사실이 아닌, 거짓의 ; 정직하지 못한, 믿을 수 없는. **~·ness** *n.*
trúth sèt *n.* 〔數·論〕 진리 집합.
trúth tàble *n.* 〔論〕 진리(값)표.
trúth-vàlue *n.* 〔論〕 진리값.
◊try [trái] *vt.* **1** [+目/+*to* do] 시도하다, 해보다, (…하려고) 노력하다 : ~ one's best[hardest] 전력을 다하다, 힘껏 해보다 / *T*~ it again. 다시 한 번 해보시오 / *T*~ *to*(=*T*~ and) behave better. 더 얌전해지도록 해라 / You must ~ *to*(= ~ and) get it finished tonight. 그것을 오늘밤 안으로 끝내도록 하시오(cf. *vi.*) / He didn't ~ *to* do the work. 그 일을 해보려고 하지 않았다. ☞ 活用 (1), (2).
2 [+目/+*wh.* 節/+do*ing*] 시험하다, 실지로 해보다 : ~ one's skill[strength] 자기의 솜씨[힘]를 시험하여 보다 / ~ one's hand at ☞ HAND *n.* 숙어 / ~ conclusions with ☞ CONCLUSION 숙어 / *T*~ the door to see whether it's locked or not. 문이 잠겨 있는지 아닌지 열어 보시오 / *T*~ *how* much time it takes you to swim across this river. 이 강을 헤엄쳐 건너는데 어느 정도 시간이 걸리는지 해보시오 / *T*~ *whether* you can learn all these words by heart. 이 단

어를 모두 암기할 수 있는지 없는지 해보시오 / He *tried* writ*ing* under an assumed name. 시험삼아 가명으로 써보았다. ☞ 活用 (1).
3 [+目/+目+前+名] 시용(試用)하다, 사용해[마셔・먹어] 보다 : Do ~ more. 자, 더 하시지요[드시지요]《음식물을 권하면서》/ *T*~ this pudding and tell me what you think of it. 이 푸딩을 드시고 소감을 말씀해 주십시오 / We ~ each car before we sell it. 우리들은 자동차를 팔기 전에 한 대 한 대 시운전을 해본다 / You had better ~ him ***for*** the work. 시험삼아 그에게 일을 시켜 보는 것이 좋겠다.
4 [+目/+目+前+名] 괴롭히다, 고통을 주다, 시련을 겪게 하다 ; 혹사하다, …에게 무리하게 …시키다 : The boy *tries* my patience. 저 애는 참으로 성가시다 / They were greatly *tried* ***in*** the war. 전쟁으로 커다란 시련을 겪었다 / Don't ~ your eyes ***by*** reading too much[***with*** that small print]. 책을 너무 읽어[그런 작은 활자를 보아] 눈을 혹사시키지 않도록 하시오.
5 [+目/+目+前+名] 〖法〗 (사건을) 심문[심의・심리]하다, (남을) 재판하다 : ~ a case 사건을 심리하다 / She was *tried* but was found not guilty. 재판을 받았으나 무죄가 되었다 / He was *tried* ***for*** theft. 절도죄로 심리받았다 / The prisoner will be *tried for* his life. 죄수는 재판에서 사형을 받게 될 것이다.
6 (금속을) 정련(精鍊)하다 ; (고래기름 따위를) 짜내다〈*out*〉.
7 (문제 따위를) 해결하다.
8 〖木工〗 대패로 마무리하다〈*up*〉.
── *vi.* [動/+*for*+名] 해보다, 시도하다, 노력하다 : Well, I'll ~ again. 그러면 다시 한번 해보겠다 / *T*~ and (= *T*~ to) be punctual. 시간을 지키도록 노력하십시오 / Let's ~ and(= ~ to) get permission for the bazaar. 자선 특매장을 열기 위해 허가를 받도록 합시다(☞ 活用 (2)) / He *tried* ***for*** post of a president. 사장 자리에 앉으려고 노력했다.
try back (사냥개가) 되돌아가 냄새를 맡아보다 ; (일반적으로) 다시 한번 해보다, 다시 시작하다 ; 〖海〗 (밧줄을) 늦추어 풀어내다.
try on (1) 시험삼아 입어[신어・써]보다 ; (시침질한 옷을) 입어보다(☞ TRY-ON) : ~ a new hat *on* (시험삼아서) 새 모자를 써보다 / I can't really see how this dress suits me until I ~ it *on*. 시침질해서 입어보기 전에는 나에게 이 옷이 맞는지 어떤지 잘 모르겠군요. (2) 《英口》 …로 (남을) 속이려고 하다 : It's no good ~*ing* it *on with* me. 그런 짓을 해서 나를 속이려고 해도 소용없다 《그 수에는 안 넘어간다》.

〈회화〉
May I *try on* this jacket? — Please do. 「이 재킷을 입어봐도 됩니까」「어서 입어보세요」

try out (1) 충분히 시험해 보다 : The project is apparently good but we must ~ it *out*. 그 계획은 언뜻 보기에는 좋지만 엄밀히 검토해 볼 필요가 있다. (2) 《美口》 (팀의 선발 따위에) 나가 보다, (테스트를) 시험삼아 받아보다 : About fifty boys came to ~ *out for* the football team. 축구팀의 선발 테스트에 50명 가량의 소년이 왔다. (3) ☞ *vt.* 6.
── *n.* **1** [+*to* do] 《口》 시험, 시도, 노력 ; 해보기 : have a ~ ***at***[***for***] it 해보다 / have a ~ *to* catch it 붙잡으려고 하다. **2** 〖럭비〗 트라이《상대방의 골 안에 공을 찍음으로써 득점하기》.
〖ME= to separate, distinguish<OF *trier* to sift<?〗
活用 (1) try do*ing*은 「(결과를 알아보기 위해서) 시험삼아 해보다」의 뜻 ; try *to* do는 「(…하려고) 노력하다, 애쓰다」라는 뜻 : I *tried* persuad*ing* him and succeeded. (그를 실제로 설득해 보았는데 잘 되었다) / I *tried to* persuade him but in vain. (그를 설득하려고 노력했으나 허사였다). ☞ LIKE² 活用 (1). (2) try *and do*는 try *to do* 보다도 평이한 구어체로 권유・명령・약속 따위의 표현에 쓰이며 try를 언제나 원형으로 쓰고 또 부정문에는 드물게 쓰임 : *Try and* get your work done before three o'clock. (3시 전에 일을 끝내도록 하시오) / I will *try and* do something about this. (이 일에 대해서 뭔가 조치를 취하겠습니다). 보다 격식을 차린 문체에서는 위의 예는 각기 *Try to* get.... 및 I will *try to* do....가 됨. 또는 He *tried and made* the best of it. 이라고는 하지 않고 He *tried to* make the best of it. (그는 그것을 최대한으로 이용하려고 했다)과 같이 말함.
類義語 ***try*** 「노력하다」라는 뜻의 가장 일반적인 말. ***attempt*** try 보다 다소 격식을 차린 말로 열심히 노력하다[시도하다] ; 때때로 성공하지 못할 것을 암시함 : He *attempted* to take my life. (그는 내 목숨을 앗아가려고 기도했다). ***endeavor*** 큰 곤란에 직면하여 용기, 결의를 가지고 노력하다 : Our country is *endeavoring* to establish peace. (우리 나라는 평화를 확립하기 위해서 애쓰고 있다). ***strive*** 어떤 일을 이룩하기 위해서 대단한[열성적인] 노력을 하다 : The team *strove* to win. (그 팀은 이기려고 분발했다).
trý·ing *a.* **1** 몹시 힘드는, 괴로운, 쓰라린〈*for*〉: a hot ~ day 더워서 견디기 어려운 날 / ~ experiences 쓰라린 경험. **2** 화가 나는, 약이 오르는(provoking) : have a ~ day 짜증스런 기분으로 하루를 보내다. **3** 시험[시도]의.
~·ly *adv.* **~·ness** *n.*
trýing plàne *n.* 〖木工〗 마무리용 대패.
trý-òn *n.* **1** 《口》 (시침질한 옷을) 입어보기 ; 시침질. **2** 《英口》 속이려고 하기[해보기].
trý·òut *n.* **1** 《口》 예행(豫行), 테스트, 실연(實演). **2** (팀 선발 따위를 위한) 예선, (연기자 등의) 테스트. **3** (새로운 연극 따위의) 시험적 흥행, 인기 탐색 ; 시험적 실시[사용].
try·pano·some [tripǽnəsòum, trípənə-], **try·pano·so·ma** [tripæ̀nəsóumə] *n.* (*pl.* **~s, -ma·ta** [-tə]) 〖動〗 편모충(鞭毛蟲)의 일종, 트리파노소마.
〖Gk. *trupanon* borer, *sōma* body〗
tryp·sin [trípsən] *n.* Ⓤ 〖生理〗 트립신《췌액(膵液)[이자액] 중의 단백질 분해 효소》. **trýp·tic** *a.*
〖Gk. *tripsis* friction〗
tryp·to·phan [tríptəfæ̀n], **-phane** [-fèin] *n.* Ⓤ 〖生化〗 트립토판《동물의 생육에 필요한 아미노산의 일종》.
trý·sàil [ˌ《海》 -səl] *n.* 〖海〗 트라이슬《횡범선(橫帆船) 돛대 뒤쪽의 작은 세로돛 ; 거친 날씨에 씀》.
〖*at try* (obs.) lying to〗
trý squàre *n.* (목수가 쓰는) 곱자, 곡척(曲尺).
tryst [tríst, tráist] *n.* 《古》 **1** Ⓤ,Ⓒ (특히 애인끼리의) 만날 약속 ; (약속한) 회합, 밀회 : keep [break] ~ (with...) (…와) 만날 약속을 지키다[어기다] / make a ~ 만날 약속을 하다. **2** 회합 장소, 밀회 장소(rendezvous). ── *vt.* (남과) 만날 약속을 하다 ; (회합의 때・장소를) 지정하다.

~·er *n.* 〖OF *triste* appointed station in hunting<? Gmc.〗

trýst·ing plàce *n.* 《古》 =TRYST 2.

trý·wòrks *n.* (*pl.* ~) 고래기름 정제소[가마].

TS toolshed; top secret; 《美俗》 tough shit (빌어먹을 놈); tub-sized; typescript. **ts, t.s.** 〖理〗 tensile strength.

tsar *n.* =CZAR.

Tschaikovsky ☞ TCHAIKOVSKY.

tset·se [tsétsi, tét-, tsí:t-, tí:t-; tsét-, tét-] *n.* (*pl.* ~, **~s**) 〖昆〗 체체파리《아프리카의 집파리의 일종; 수면병 · nagana(말의 병)의 매개체》.

TSgt, T. Sgt., T/Sgt Technical Sergeant.

T.S.H. Their Serene Highnesses.

TSH, T.S.H. thyroid-stimulating hormone (갑상선 자극 호르몬).

T-shirt [tí:ʃə̀:rt] *n.* T셔츠. **~·ed** *a.* T셔츠를 입은.

tsim·mes [tsíməs] *n.* Ⓤ.Ⓒ 대소동.

tsk [tísk] *int.* 쯧《혀 차는 소리; 불만 · 비난 따위를 나타냄》. —— *vi.* 쯧쯧 혀를 차다. 〖imit.〗

TSO 〖空〗 time since overhaul (오버홀 이후의 사용시간). **T.S.O.** town suboffice.

tsor·is, tsoor·is, tsor·es, tsor·ris's, tsou·ris, tsu·ris, tzu·ris [tsɔ́:rəs, tsú:-; tsɔ́:-, tsú:-] *n.* Ⓤ 괴로움, 고난, (계속되는) 불운. 〖Yid.〗

tsp. teaspoon(s); teaspoonful(s).

T square [tí: ˌ] *n.* T자《제도용 직선자의 하나》.

TSS time-sharing system 《시분할(時分割) 시스템; 대형 컴퓨터에 많은 단말장치를 접속해 몇 가지 일을 동시에 처리하게 된 시스템》.

T-strap [tí:ˌ] *n.* T자형의 혓바닥 가죽(이 있는 숙녀화).

t.s.v.p. *tournez s'il vous plaît* 《F》 (=please turn over). **TT** teetotal(ler). **T.T.** 《英》 telegraphic transfer; teletypewriter; tuberculin-tested. **TTB** telegraphic transfer buying rate (전신환 매수 시세).

T-time [tí:ˌ] *n.* (유도탄 · 로켓 따위의) 발사 예정 시각. 〖*t*akeoff *time*〗

TTL 〖電子〗 transistor transistor logic (트랜지스터 트랜지스터 논리); through-the-lens; to take leave. **TTS** telegraphic transfer selling rate(전신환(換) 매각 시세); Teletypesetter; teletypesetting.

T.U. toxic unit; Trade Union; Training Unit; transmission unit. **Tu.** Tuesday.

tu·an [tu(:)ɑ́:n] *n.* 말레이인이 쓰는 경칭《sir, master, lord에 해당》. 〖Malay〗

***tub** [tʌ́b] *n.* **1 a**) 통, 함지: a tale of a ~ 실없는 이야기《Swift 작 「통 이야기」에서》/ Every ~ must[Let every ~] stand on its own bottom. 《속담》 사람은 모두 자기의 힘으로 살아야 한다《독립심이 필요하다》. **b**) 통[함지] 하나 가득. **2 a**) 목욕통, 욕조(bath tub). **b**) 《英口》 목욕(bath): take a cold ~ every morning 매일 아침 냉수욕을 하다 / He seldom has a ~. 그는 좀처럼 목욕을 하지 않는다. **3** 《口》 느리고 볼품없는 배; 연습용 보트. **4 a**) 〖鑛〗 (광석을 실어 올리는) 통, 두레박; 광차(鑛車). **b**) 《俗》 뚱뚱보. —— *v.* (-**bb**-) *vt.* 《口》 목욕통에 들어가 (몸을) 씻다; 통에서 세탁하다; 초심자 연습용 보트로 지도하다. —— *vi.* 《英口》 목욕하다(take a bath); 《美口》 (천 따위) 세탁이 잘되다; 초심자 연습용 보트로 연습하다. **~·ber** *n.* 통 만드는 사람; 통을 써서 일하는 사람; tub하는 사람. **~·bing** *n.* 입욕(入浴); 통 만들기; 보트 연습.
〖ME<? MDu., MLG *tubbe*〗

tu·ba [tjú:bə] *n.* 〖樂〗 튜바《저음의 큰 나팔》. **~·ist** [-bəist] *n.* 〖It.<L=trumpet〗

tub·al [tjú:bəl] *a.* 관 (모양)의; 〖解 · 動〗 나팔관[수란관]의, 기관지의: ~ pregnancy 난관 임신. —— *n.* 난관.

Tu·bal-cain [tjú:bəlkèin] *n.* 〖聖〗 두발가인《놋쇠 · 날붙이를 만드는 사람; 창세기 4 : 22》.

túbal ligátion *n.* 난관 결찰《불임 수술》.

túb·bish *a.* 통 같은; 뚱뚱하게 살찐.

túb·by *a.* **1** 통 같은; (사람 등) 땅딸막한. **2** (악기가 통을 두드리는 것처럼) 둔탁한 소리가 나는. —— *n.* 《口》 뚱뚱보.

túb chàir *n.* 등받이가 반원형이고 팔걸이가 넓은 안락의자.

túb dòor *n.* 욕조에 단 미닫이《욕실 안의 욕조와 다른 부분을 칸막이함》.

***tube** [tjú:b] *n.* **1** (금속 · 유리 · 고무 따위의) 관, 통; … 관(管): ☞ TEST TUBE, VACUUM TUBE, BRAUN TUBE / the inner ~ of a bicycle [car] tire 자전거[자동차]의 튜브. **2** (그림 물감 · 치약 따위의) 튜브, 짜내게 되어 있는 용기(容器): ~ colors 튜브에 든 그림 물감 / a toothpaste ~ 치약 튜브. **3 a**) (관악기의) 관(管), 몸통. **b**) 〖解 · 植〗 관(管), 통 모양의 부분, 관 모양의 기관: the bronchial ~*s* 기관지(氣管支). **4 a**) 터널. **b**) 《口》 지하철(=《美》 subway); [the ~] 《英口》 런던의 지하철: go to school *by* ~ 지하철로 통학하다. **5** 《美》 진공관(=《英》 valve). —— *vt.* …에 관을 달다, 관 모양으로 하다. —— *vi.* 《英口》 지하철로 가다. **~·less** *a.* 튜브[관] 없는: a ~*less* tire 튜브 없는 타이어. **~·lìke** *a.*
〖F or L *tubus*〗

tu·bec·to·my [tju:béktəmi] *n.* 〖醫〗 난관 절제술.

túbe drèss *n.* 〖服〗 직선적인 실루엣의 통 모양의 드레스.

túbe fòot *n.* 〖動〗 (극피 동물의) 관족(管足).

tu·ber[1] [tjú:bər] *n.* 〖植〗 덩이줄기《감자 따위》; 〖解〗 결절(結節), 병적 융기.
〖L=hump, swelling〗

tuber[2] *n.* 관을 만드는 사람[물건]; 배관공.

tu·ber·cle [tjú:bərkəl] *n.* **1** 〖解〗 (생체 조직의 일부인) 융기; 〖醫〗 결절, 결핵. **2** 〖植〗 작은 덩이줄기, 덩이뿌리. **~d** *a.* 결절이 생긴[있는].
〖L (dim.) ‹ TUBER[1]〗

túbercle bacìllus *n.* 결핵균.

tu·ber·cul- [tjubə́:rkjəl], **tu·ber·cu·lo-** [-lou, -lə] *comb. form* 「결절(모양의)」 「결핵(균)」의 뜻. 〖L〗

tu·ber·cu·lar [tjubə́:rkjələr] *a.* 결절(모양)의, 결절이 있는; 결핵(성)의, 결핵에 걸려 있는; 병적인, 불건전한. —— *n.* 결핵 환자. **~·ly** *adv.*

tu·ber·cu·late [tjubə́:rkjələt, -lèit], **-lat·ed** [-lèitəd] *a.* 결절이 있는; 결핵의.

tu·bèr·cu·lá·tion *n.* 결절[결핵] 형성.

tu·ber·cu·lin [tjubə́:rkjələn] *n.* Ⓤ 투베르쿨린 주사액《1890년 R. Koch가 발명》: a ~ test[reaction] 투베르쿨린 검사[반응].

tubérculin·ìze *vt.* =TUBERCULIZE.

tubérculin-tèst·ed *a.* 투베르쿨린 반응 음성의 소에서 짜낸《우유》.

tu·ber·cu·lize [tjubə́:rkjəlàiz] *vt.* …을 결핵에 걸리게 하다, 결핵성으로 만들다; …에 투베르쿨린 접종을 하다.

***tu·ber·cu·lo·sis** [tjubə̀:rkjəlóusəs] *n.* (*pl.* **-ses** [-si:z]) Ⓤ 〖醫〗 결핵《略 T.B., TB》; 폐(肺)결핵 (pulmonary tuberculosis).

tu·ber·cu·lous [tjubə́:rkjələs] *a.* 결핵성의, (폐) 결핵에 걸린.
tu·be·rose[1] [tjú:bəròuz, -s] *n.* 〖植〗 투베로사《멕시코 원산》. 〚L ; ⇨ TUBER[1]〛
tu·ber·ose[2] [tjú:bəròus] *a.* =TUBEROUS.
tu·ber·os·i·ty [tjù:bərɑ́səti] *n.* Ⓤ 결절(형성)성(性) ; 결절(모양) ; 덩이줄기 상태.
túber·ous *a.* **1** 결절이 있는, 결절 모양의. **2** 〖植〗 덩이줄기 모양의. 〚F or L ; ⇨ TUBER[1]〛
túberous róot *n.* (달리아 따위의) 덩이뿌리. **túberous-róot·ed** *a.*
túbe sòck *n.* 뒤꿈치가 없고 신축성이 강한 양말.
túbe tòp *n.* 〖服〗 튜브 톱《어깨끈 없이 상반신에 입는 복대식 옷》.
túbe tràin *n.* 《英》 지하철 열차.
túbe wéll *n.* 관(管) 우물, 관정(管井)《약한 지반에 철관을 박아 만든 우물》.
túb·fùl *n.* 통[함지] 하나 가득(한 양)〈*of*〉.
tu·bi- [tjú:bə] *comb. form* 「관(tube)」의 뜻. 〚L〛
tub·ing [tjú:biŋ] *n.* Ⓤ 관(管)조직 ; 관 재료 ; 관 종류 ; 관의 한 조각, 파이프(a piece of tube) ; 관공사, 배관.
tub·ist [tjú:bəst] *n.* 튜바 연주자.
túb màt *n.* 욕조용(用) 매트《욕조 안에 깔아 미끄러짐을 방지함》.
túb-of-gúts *n.* =TUB OF LARD.
túb of lárd *n.* 《美俗》 뚱뚱보.
túbs *n. pl.* [보통 the ~] 증기탕《동성애자가 상대를 찾거나 밀회의 장소로 잘 이용함》.
túb-thùmp·er *n.* 《口》 열변을 토하는 사람 ; 《美》 보도관. **túb-thùmp** *vi., vt.*
túb-thùmp·ing *a., n.* Ⓤ 《口》 열변(의), 대연설(의) ; 《美》 과대 선전.
tu·bu·lar [tjú:bjələr] *a.* 관(管)의 ; 관 모양의 ; 관으로 이루어진[만들어진] : a ~ boiler 다관식 보일러 / ~ furniture (스틸) 파이프식 가구(家具). 〚TUBULE ; (dim.)의 뜻이 없음〛
tu·bu·late [tjú:bjələt, -lèit] *a.* **1** =TUBULAR. **2** 관(管)이 달린[붙은]. —— [-lèit] *vt.* 관모양으로 하다, 관을 달다.
tu·bule [tjú:bju:l] *n.* 가느다란[작은] 관(管). 〚L (dim.) ‹ TUBE〛
tu·bu·lin [tjú:bjələn] *n.* 〖生化〗 튜뷸린《세포내의 미소관(管)을 구성하는 단백질》.
tu·bu·lous [tjú:bjələs] *a.* =TUBULAR.
T.U.C., TUC 《英》 Trades Union Congress.
tuck**[1] [tʌk] *vt.* **1** [+目/+目+*with*+名] (옷 따위를) 단을 호아 올리다, 주름 겹단을 달다, 주름을 잡다 : Her dress was ~*ed* ***with beautiful stitches. 그녀의 옷은 아름다운 주름단이 잡혀 있었다. **2** [+目+副] (옷자락·소매 따위를) 걷어[접어]올리다, (옷자락을) 접다 : ~ ***up*** one's sleeves[trousers, skirt] 소매[바지·스커트]를 걷어올리다. **3** [+目+前+名/+目+副] (침구(寢具) 따위로) 기분좋게 감싸다, 둘러싸다 : ~ a blanket ***around*** a baby 갓난아기를 담요로 감싸주다 / ~ oneself ***up in*** bed 침구로 몸을 감싸다 / She ~*ed* the children ***into*** bed. 어린이들을 침구로 감싸 자리에 뉘었다. **4** [+目+副/+目+前+名] **a**) (옷·시트 따위의 솔기를) 밀어 넣다, 접어 넣다 : ~ one's blouse ***in*** 블라우스 자락을 스커트 속으로 밀어 넣다 / with a napkin ~*ed* ***under*** one's chin 냅킨을 턱밑에 접어 넣고. **b**) (좁은 장소 따위에) 처넣다, 쑤셔 넣다 : He crouched, ~*ing* his knees ***under*** his chin. 양무릎을 턱밑에 괴고 웅크렸다 / She ~*ed* her money ***into*** her wallet. 돈을 지갑 속에 쑤셔 넣었다 / There are three maps ~*ed away* ***in*** the pocket at the end of the dictionary. 사전의 권말(卷末)에 붙어 있는 봉투 속에 지도가 세 매 들어 있다.
—— *vi.* 접어 넣고 호다, 시쳐 넣다 ; 주름을 잡다.
tuck away 챙겨 넣다, 숨기다(cf. *vt.* 4 b)) ; (*vi.*) 《俗》 배불리 먹다[마시다].
tuck in 감싸[밀어] 넣다(cf. *vt.* 3, 4 a)) ; (*vi.*) 《俗》 배불리 먹다[마시다]〈*at*〉.
tuck into …에 감싸[밀어] 넣다 (cf. *vt.* 3, 4 a)) ; 《俗》 (음식)을 게걸스럽게[실컷] 먹다.
—— *n.* **1** 주름 겹단, 호아 올린 단, 시친 단 : make a ~ in the sleeves 소매를 호아 올리다 / put in[take out] a ~ 호아 올리다[내리다]. **2** 끼워 넣기, 접어 넣기. **3** Ⓤ 《英俗》 음식물, (특히 어린이가 좋아하는) 과자. 〚MDu., MLG *tucken* to pull, pluck ; cf. TUG, OE *tūcian* to torment, G *zucken* to jerk〛
tuck[2] *n.* 《古·스코》 북치는 소리 ; 나팔을 마구 불기. —— *vt.* (북을) 치다 ; (나팔을) 힘차게 불다. 〚ME<ONF<OF *toucher* to TOUCH〛
tuck[3] *n.* 《美》 활력, 정력. 〚? TUCK[1]〛
tuck[4] *n.* 《美》 =TUXEDO.
tuck·a·hoe [tʌ́kəhòu] *n.* **1** 〖植〗 **a**) 아메리칸 인디언이 식용으로 하는 천남성과(科)의 식물. **b**) 〖植〗 복령(茯苓) (Indian bread). **2** [T~] 터커호《특히 Blue Ridge 산맥 동쪽에 사는 Virginia 주 사람의 속칭》. 〚Algonquian〛
túck bòx *n.* 《英俗》 (학교에 아이들이 가지고 가는) 과자 상자. 〚*tuck*[1], *tucker*〛
tucked [tʌkt] *a.* (옷자락 따위를) 접어 넣은, 걷어 올린 ; 호아 주름을 잡은 ; 《口·方》 (좁은 곳에) 가둔, 좁고 답답한.
tuck·er [tʌ́kər] *n.* **1** (옷단을) 호아 올리는 사람 ; 재봉틀의 주름잡는 기계. **2** (17-18세기 때 여성의 목에 둘렀던 레이스 따위의) 깃에 대는 천 : in one's best bib and ~ ☞ BIB. **3** Ⓤ 《濠俗》 음식 : earn[make] one's ~ 간신히 먹고 입을 정도로 벌다. —— *vt.* [+目+副] 《美口》 지치게 하다, 피로하게 하다(tire) : be ~*ed* ***out*** 지쳐 버리다. 〚(v.)는 tuck[1] (obs.) to reproach에서〛
túcker-bàg, -bòx *n.* 《濠俗》 (오지(奧地)여행자용의) 식량 휴대 주머니.
túck-ìn, túck-òut *n.* 《英俗》 진수성찬(spread).
túck-shòp *n.* 《英俗》 (교내의) 과자점, 매점.
-tude [ˊ-tjù:d] *n. suf.* [주로 라틴어계의 형용사에 붙여] 「성질」「상태」의 뜻 : apti*tude*, soli*tude*. 〚L〛
Tu·dor [tjú:dər] *a.* **1** 〖英史〗 튜더 왕가[왕조]의. **2** 〖建〗 튜더 양식[후기 수직식(垂直式)]의.
—— *n.* **1** 튜더 왕가의 이름 : the House of ~ 튜더 왕가《Henry 7세에서 Elizabeth 1세까지의 영국 왕조(1485-1603)》. **2** 튜더 왕가의 사람《특히 군주》 ; 튜더 왕조의 사람《정치가·문인 등》. 〚Owen *Tudor* of Wales, Henry 7세의 조부〛
Tues., Tue. Tuesday.
◇**Tues·day** [tjú:zdi, -dei] *n.* 화요일《略 Tue., Tues.; ☞ SUNDAY 1 (주)》. (주) 용례는 ☞ MONDAY.
—— *adv.* 《口》 화요일에(on Tuesday).
〚OE *Tīwesdæg* ; *Tīwes* (gen.) ‹ *Tīw* 게르만의 군신(軍神)으로 로마의 Mars에 해당함 ; L *dies Martis* day of Mars의 역(譯)인가〛
Túes·days *adv.* 화요일마다, 화요일에는 언제나(on Tuesdays).
tu·fa [tjú:fə] *n.* Ⓤ 〖地質〗 석회화(石灰華) 《다공질(多孔質) 탄산칼슘의 침전물》. 〚It. and F<L *tofus* ; ⇨ TOPHUS〛
tuff[1] [tʌ́f] *n.* Ⓤ 〖地質〗 응회암(凝灰岩).

tuff·a·ceous [tʌféiʃəs] *a.* 〖F<It.‹TOPHUS〗
tuff[2] *a.* 《俗》 빼어난, 대단한.
tuft [tʌ́ft] *n.* **1** (머리털·실·깃털 따위의) 술 : a ~ of feathers 더부룩한 깃털. **2** 덤불, 숲, 수풀. **3** (원래 옥스퍼드·케임브리지 대학의) 귀족 학생(의 모자의 장식술). —— *vt.* **1** …에 술을 달다, 술로 장식하다. **2** (이불 따위를) 시침질하다. —— *vi.* 술이 되다 ; 군생(群生)하다. **~·ed** *a.* 술을 단[로 장식한] ; 술 모양을 이루고 있는 ; 무더기로 자라는.
〖? OF *tofe*<? ; *-t*는 cf. GRAFT[1]〗
túft-hùnt·er *n.* 명사(名士)[부호]에게 아첨하는 사람, 아첨꾼, 알랑쇠 ; 속물(俗物).
túft-hùnt·ing *n., a.*
túfty *a.* 술의[같은] ; 술이 많은 ; 술로 장식된 ; 군생하는.
Tu Fu [tú: fú:] *n.* 두보(杜甫) (712-770)《중국 당(唐)대의 시인》.
tug**[1] [tʌ́g] *v.* (**-gg-**) *vt.* **1** [+目/+目+副/+目+前+名] (세게) 당기다, 잡아끌다 : Don't ~ it ***along behind! 그런 것을 끌고 다니지 말아라 / I managed to ~ my dog *home.* 가까스로 개를 집까지 끌고 돌아왔다 / ~ ***in*** a subject 《비유》 이야깃거리를 억지로 꺼내다 / The little girl was ~*ging* a pussy ***round*** the lawn. 어린 소녀는 새끼 고양이를 끌며 잔디위를 빙빙 돌고 있었다. **2** (배를) 끌배로 끌다. —— *vi.* **1** [動/+*at*+名] 힘껏 끌어당기다 : The kitten was ~*ging* ***at*** my shoelace. 새끼 고양이가 내 구두끈을 힘껏 끌어당기고 있었다. **2** 《비유》 열심히 일하다, 노력[분투]하다. —— *n.* **1** 힘껏 끌어당기기 : give a person's hair[arm] a ~ 남의 머리털[팔]을 잡아당기다 / She felt a ~ *at* her sleeve. 누군가 자기의 소매를 잡아당기는 것을 느꼈다. **2** [+*to* do] 《비유》 노력, 분투 : We had a great ~ *to* persuade him. 그를 설득하는데 몹시 힘이 들었다. **3** =TUGBOAT ; (글라이더) 예항기. **4** (마구(馬具)의) 가죽 고삐.
a tug of war 줄다리기 ; 주도권 다툼, 결전, 격전, 격투.
〖ME ; TOW[1]과 같은 어원〗
tug[2] *n.* 《英俗》 (Eton 학교의) 장학생. 〖? TOG〗
túg·bòat *n.* 끌배, 예인선(tug, towboat).
tu·i·fu [tù:ifú:, ⌐-⌐] *n.* 《美俗》 구제 불능의 얼간이.
〖*t*he *u*ltimate *i*n *f*uck-*u*ps ; cf. SNAFU〗
Tui·ler·ies [twí:ləri:z ; -ri: ; *F* tɥilri] *n.* 튈르리 궁전《파리에 있었던 궁전 ; 1871년 소실》.
tu·i·tion [tjuːíʃən] *n.* **1** Ⓤ 교수, 수업, 지도 : have private ~ *in* French 프랑스어의 개인 교수를 받다. **2** Ⓤ 수업료, 납입금.
tuítion·al, -àry [; -nəri] *a.* 교수[지도](용)의 ; 수업료의.
〖OF<L (*tuit- tueor* to look after)〗
tu·la·re·mia, -rae- [tjù:lərí:miə] *n.* Ⓤ 〔獸醫〕 야토병(野兎病) 《페스트 비슷한 설치류의 전염병으로 사람·가축에게도 감염됨》. **-mic** *a.*
***tu·lip** [tjú:ləp] *n.* 〔植〕 튤립 ; 튤립의 꽃[알뿌리].
〖C16 *tulipa*<L<Turk. =TURBAN ; 꽃모양에서〗
túlip trèe *n.* 〔植〕 튤립나무《목련과의 교목》.
túlip·wòod *n.* Ⓤ 튤립나무의 재목.
tulle [tú:l ; tjú:l] *n.* Ⓤ 튈《베일 따위에 쓰는 그물 모양의 얇은 명주》.
〖F (*Tulle*, 남서 프랑스의 산지(産地))〗
tul·lies [tʌ́liz] *n. pl.* [the ~] 《美俗》 시골, 벽지.
tul·war [tʌ́lwa:r] *n.* (인도 북부 등지의) 구부러진 칼, 만도(彎刀).
tum [tʌ́m] *n.* 딩, 댕, 둥둥《밴조·드럼 따위의 소리》. —— *vi.* (**-mm-**) 딩[댕]하고 소리나다.
〖imit.〗
tum·ble** [tʌ́mbəl] *vi.* **1** [動/+副/+前+名] **a)** 쓰러지다, 넘어지다 ; 전락(轉落)하다 : In her hurry she ~*d over.* 그녀는 서두르다 넘어졌다 / ~ *over* the roots of a tree 나무 뿌리에 걸려 넘어지다 / ~ *down* the stairs 계단을 굴러 떨어지다(cf. *vi.* 2 b)) / ~ ***off a horse[bicycle] 말[자전거]에서 떨어지다. **b)** (건물 따위가) 금방 무너지려 하다 ; (주가 따위가) 급격히 떨어지다, 폭락하다 : The old building seemed to ~ *down*[***to*** pieces]. 낡은 건물은 금방 무너질 것 같이 보였다. **2** [+副/+前+名] **a)** 뒹굴다, 몸부림치다 : toss and ~ ***in*** bed 침대 속에서 뒹굴다 / pussies *tumbling* ***about on*** the floor 마루 위에서 뒹굴고 있는 고양이 새끼. **b)** 황급히[허둥지둥] 오다[가다] ; 뒹굴듯이 들어오다 ; 구르다시피 뛰어나가다 : She came *tumbling* ***along***. 그녀는 허둥지둥 달려왔다 / ~ ***down***[***up***] the stairs 계단을 황급히 뛰어내려가다[올라가다](cf. *vi.* 1 a)) / He ~*d* ***into***[***out of***] bed. 그는 침대로 뛰어들어갔다[침대에서 굴러나왔다]. **3** 재주넘기[공중제비]를 하다. **4** [+*to*+名] 《口》 (…에) 문득 생각이 미치다, (…을) 깨닫다 : He finally ~*d* ***to*** what she was doing. 마침내 그는 그녀가 무엇을 하고 있을까 하는 생각이 문득 떠올랐다.
—— *vt.* **1** [+目/+目+副/+目+前+名] 넘어뜨리다, 쓰러뜨리다, 굴리다, 뒤집어엎다 ; 던지다, 내동댕이치다 : He ~*d* ***over*** a chair. 의자를 넘어뜨렸다 / All the passengers were ~*d* ***out of*** the car. 승객은 모두 차 밖으로 내동댕이쳐졌다. **2** [+目/+目+前+名] (머리털·의복 따위를) 흐트러[헝클어]뜨리다 ; 난잡하게 내던져 흩뜨리다 ; 뒤범벅으로 쑤셔 넣다 : Don't ~ your underclothes. 내복을 그렇게 구기지 마라 / He ~*d* his clothes helter-skelter ***into*** his suitcase. 그는 황급히[허둥지둥] 옷을 여행 가방에 쑤셔 넣었다.
—— *n.* 넘어짐 ; 추락, 전도(轉倒) ; 재주넘기, 공중제비(따위의 곡예) ; 붕괴, 패배, 몰락 ; (주가 따위의) 폭락, 하락 ; 혼란 : have a (slight) ~ (살짝) 넘어지다 / be all in a ~ 뒤죽박죽 되다.
give[***get***] ***a tumble*** 《口》 관심[호의]을 나타내다.
〖(freq.) ‹OE *tumbian* ; cf. OHG *tumalōn* (freq.) ‹ *tūmōn* to turn〗
túmble·bùg *n.* 〔昆〕 쇠똥구리.
túmble·dòwn *a.* (건물(建物)이) 곧 허물어질 듯한, 황폐한.
túmble drìer *n.* =TUMBLER DRIER.
túmble-drỳ *vt., vi.* 회전식 건조기로 말리다.
túmble hòme *n.* 〔船〕 텀블 홈《배의 뱃전이 상갑판 가까이에서 안쪽으로 만곡되어 있는 것》.
túm·bler *n.* **1** (보통) 큰 컵, 텀블러 ; 큰 컵 한 잔 〈*of*〉. **2** (체조·곡예 따위의) 도약하는 사람, 뒹구는 사람, 재주넘기하는 사람, (특히 공중제비하는) 곡예사 ; 오뚝이《장난감》. **3** 〔鳥〕 공중제비하는 비둘기. **4** (총기의) 공이치기 용수철 ; 자물쇠 속의 회전하는 쇠붙이[날름쇠].
túmbler drìer *n.* (세탁물의) 회전식 건조기.
túmbler gèar *n.* 〔機〕 텀블러 기어《공작 기계에 쓰이는 속도 변환 기구》.
túmbler swìtch *n.* 텀블러 스위치《손잡이를 상하로 작동시켜 개폐함》.
túmble·wèed *n.* 《美》〔植〕 (명아주·엉겅퀴 따위) 가을에 줄기 밑동에서 떨어져 날리는 잡초.
túm·bling *n.* tumble하기 ; 텀블링. —— *a.* (소의

소인(燒印) 따위가) 오른쪽[왼쪽]으로 기운.

túmbling bàrrel[bòx] *n.* 회전통[상자].

tum·brel, -bril [tʌ́mbrəl] *n.* **1** 비료 운반차. **2** 〖史〗(프랑스 혁명 시대의) 사형수 호송차. **3** 〖軍〗(원래 탄약 따위를 운반하던 2륜의) 운반차, 탄약차. 〖OF=dumpcart (*tomber* to fall)〗

tu·me·fa·cient [tjù:məféiʃiənt] *a.* 부어오른, 종창성(腫脹性)의 ; 부어오르게 하는(swelling).

tu·me·fac·tion [tjù:məfǽkʃən] *n.* Ⓤ 부어오르기, 부어오름 ; Ⓒ 종기.

tu·me·fy [tjú:məfài] *vt., vi.* 부어오르게 하다[오르다], 붓게 하다, 붓다. 〖F ; ⇨ TUMOR〗

tu·mesce [tu:més] *vi., vt.* (성기가) 발기하다 ; …을 발기시키다.

tu·mes·cence [tju:mésəns] *n.* Ⓤ 팽창, 비대 ; 통화 팽창(inflation) ; 성행위 전의 흥분 상태 ; 팽창[비대]한 부분, 부풂.

tu·més·cent *a.* 부어오르는, 종창성의 ; 발기한 ; 과장된 ; 정서가 풍부한, 사상이 충실한.

tu·mid [tjú:məd] *a.* **1** 부어오른, 팽창성의, 비대한. **2** 《비유》 (문체 따위) 과장된.
~·ly *adv.* **~·ness** *n.* 〖L ; ⇨ TUMOR〗

tu·mid·i·ty [tju:mídəti] *n.* Ⓤ 부어오름 ; 《비유》 과장.

tum·my [tʌ́mi] *n.* 《兒》 배. 〖STOMACH〗

túmmy·àche *n.* 《口》 배앓이, 복통(stomachache).

túmmy bùtton *n.* 《口》 배꼽(navel).

tu·mor | tu·mour [tjú:mər] *n.* 〖醫〗 종양(腫瘍), 부스럼, 종기 : a benign[malignant] ~ 양성(良性)[악성] 종양. **~·al** *a.* **~·lìke** *a.*
〖L (*tumeo* to swell)〗

tu·mor·i·génesis, tu·mor·o- [tjù:mərə-] *n.* 〖醫〗 종양 형성, 종양 발생.

tu·mor·i·génic [tjù:mərə-] *a.* 종양을 생기게 하는, 종양 형성의, (특히) 발암성(發癌性)의.
-ge·nic·i·ty [-dʒənísəti] *n.*

túmor necrósis fàctor *n.* 〖藥〗 종양 괴사(壞死) 인자《림프구의 1종이 분비하는 생리 활성물질 ; 略 TNF》.

túmor·ous *a.* 종양의[같은].

tum-tum [tʌ́mtʌ̀m] *n.* 딩동, 둥둥《현악기 따위의 소리 ; cf. TUM》.

tu·mult [tjú:mʌlt] *n.* **1** Ⓤ,Ⓒ 소동, 소란, 법석 ; 폭동⟨*of*⟩. **2** Ⓤ,Ⓒ (마음의) 격동, 격정 ; (색채·물건 따위의) 어지러이 뒤섞임 ; 마음의 산란함 : in (a) ~ 격동하여.
〖OF or L=a rising ; ⇨ TUMOR〗

tu·mul·tu·ary [tju:mʌ́ltʃuèri ; -tjuəri] *a.* 혼란한, 훈련이 안된, 규율[법률·질서]이 없는, (군대 따위) 오합지졸의 ; =TUMULTUOUS.

tu·mul·tu·ous [tju(:)mʌ́ltʃuəs] *a.* **1** 떠들썩한, 시끄러운 : a ~ meeting 떠들썩한 집회. **2** (마음이) 동요된, 산란한, 격앙된 : ~ passions 폭풍과 같은 격정. **~·ly** *adv.* **~·ness** *n.*

tu·mu·lus [tjú:mjələs, tʌ́m-] *n.* (*pl.* **~·es, -li** [-lài, -lì:]) 뫼, 흙무덤 ; 고분(古墳) (mound).
〖L=mound ; ⇨ TUMOR〗

tun [tʌ́n] *n.* **1** 큰 술통 ; 양조용의 큰 통. **2** 턴《술 따위의 용량 단위 ; =252 gallons》. ── *vt.* (-nn-) (술을) 큰 통에 넣다[저장하다].
〖OE *tunne*<L<? Gaulish〗

tu·na[1] [tjú:nə] *n.* (*pl.* ~, ~s) 〖魚〗 (참)다랑어(tunny) ; Ⓤ (참)다랑어의 살(=∠ **fish**).
〖Am. Sp.<? Sp. *atún* tunny〗

tuna[2] *n.* 〖植〗 부채선인장의 일종. 〖Sp.<Haitian〗

tun·able, tune- [tjú:nəbəl] *a.* 가락을 맞출 수 있는, 좋은 가락[음조]을 낼 수 있는 ; 조율[조정(調整)]할 수 있는 ; 《古》 가락이 맞는, 선율적인.
-ably *adv.* **~·ness** *n.* 〖TUNE〗

tun·dra [tʌ́ndrə, tún-] *n.* 툰드라, 동토대(凍土帶) 《북극에 가까운 평원 지대》.
〖Russ. =marshy plain<Lappish=hill〗

***tune** [tjú:n] *n.* **1** 곡(曲) ; (소(小))가곡, 절(節), 가락(melody) : sing a popular ~ 유행가를 노래하다 / play a ~ on the piano 피아노로 한곡 치다 / dance *to* a ~ 곡에 맞추어 춤추다. **2** Ⓤ 뚜렷한 가락, 멜로디 : waltz ~ 왈츠 가락 / music that lacks ~ 뚜렷한 가락이 없는 음악. **3** Ⓤ (노래·음률의) 바른 곡조 ; 음의 고저, 억양 ; 음질, 음색 ; (다른 악기와의) 조화 : sing[play] *in*[*out of*] ~ 바른 가락으로[곡조가 틀리게] 노래하다[연주하다] / The violin and the orchestra are not *in* ~. 바이올린과 오케스트라는 가락이 맞지 않는다. **4** Ⓤ 《비유》 (심신의) 상태, 기분(mood) : I am not *in* ~ *for* talk. 지금 나는 이야기하고 싶지 않다. **5** Ⓤ 《비유》 협조 : She is *in* [*out of*] ~ *with* her classmates. 학급 친구들과 잘 어울린다[어울리지 못한다]. **6** Ⓤ 〖通信〗 동조(同調), 조정.
call the*[*one's own*] *tune 《口》 자기가 생각한 대로 지시를 하다.
change one's tune*=*sing another*[*a different*] *tune 《비유》 (오만에서 겸손한 태도 따위로) 행동[처지·태도·논조(論調)]을 바꾸다.
dance to a person's tune ☞ DANCE.
to the tune of (1) …(의 곡)에 맞추어. (2) 《비유》 자그마치 …이나 : We had to pay *to the* ~ *of* $ 2,000. 무려 2천 달러나 지급해야 했다.
── *vt.* **1** (악기의) 가락을 맞추다, 조율하다. **2** 《詩》 노래하다, 연주하다. **3** [+目+前+名] …에 일치[조화]시키다, 적합하게 하다 : ~ a thing ***to*** the standard[purpose] 사물을 표준[목적]에 맞추다 / The place ~*d* me *to* a solemn mood. 그 장소는 내게 엄숙한 기분이 들게 했다. **4** [+目+前+名] 〖通信〗 (수신기를) 동조(同調)하다, (회로를) 조정하다 : ~ a television set ***to*** the local channel 텔레비전을 지방 방송국에 맞추다.
── *vi.* (…와) 가락이 맞다, 조화하다⟨*with*⟩.
tune in (***to*...**) 〖通信〗 (…에) 파장을 맞추다, 동조시키다 : ~ *in to* a (broadcasting) station 방송국에 파장을 맞추다 / Will you please ~ *in to* a music program? 음악 프로그램에 맞추어 주시겠어요.
tune out 〖라디오〗 파장을 달리하여 …이 들리지 않게 하다 ; 무시하다.
tune up (*vt.*) (1) (오케스트라 악기를) 조율하다 ; (기계 따위의) 상태를 조정하다, (모터 따위를) 조정하다 : I must ~ *up* my car before the trip. 여행 전에 차를 정비해 두지 않으면 안된다. (*vi.*) (2) (오케스트라 따위가) 악기의 음조를 맞추다. (3) 《口》 연주를 시작하다, 노래부르기 시작하다 ; 《戱》 (어린애가) 울기 시작하다.
〖ME (변형(變形)) ⟨TONE〗

tuneable ☞ TUNABLE.

túned círcuit *n.* 〖電子〗 동조 회로.

túned-ín *a.* 《口》 새로운 유행을 따르는, 새로운 것을 좋아하는 ; 진보적인, 앞선.

túne·ful *a.* 음조가 좋은, 선율이 아름다운, 음악적인. **~·ly** *adv.* **~·ness** *n.*

túne·less *a.* 음조가 맞지 않는 ; 가락이 틀린 ; (악기가) 소리가 나지 않는.

túne·òut *n.* 《美口》 〖放送〗 시청자로 하여금 프로그램을 안 보게 만드는 요소. ── *vi.* (방송의) 시

청을 그만두다, 다이얼을 딴 데로 돌리다.

tun·er [tjú:nər] *n.* 조율사(調律師) ; 〖通信〗 동조기, 튜너.

túne·smìth *n.* 《美俗》 (대중) 가요 작곡가.

túne-ùp, túne·ùp *n.* (엔진 따위의) 조정 ; 준비 연습 ; 예행 연습.

tung [tʌŋ] *n.* =TUNG TREE.

túng òil *n.* 동유(桐油)《페인트·인쇄잉크의 원료(原料)》.

tungst- [tʌ́ŋst], **tung·sto-** [tʌ́ŋstou, -stə] *comb. form* 「텅스텐」의 뜻.

tung·state [tʌ́ŋsteit] *n.* 〖化〗 텅스텐산염(酸鹽).

tung·sten [tʌ́ŋstən] *n.* Ⓤ 〖化〗 텅스텐《금속 원소 ; 기호 W ; 번호 74》 : a ~ lamp 텅스텐 전구 / ~ steel 텅스텐강(鋼). **-sten·ic** [tʌŋsténik] *a.* 〖Swed. =heavy stone〗

tung·stic [tʌ́ŋstik] *a.* 〖化〗 (6[5]가(價)의) 텅스텐의[을 함유한].

túngstic ácid *n.* 텅스텐산(酸).

tung·stous [tʌ́ŋstəs] *a.* 〖化〗 (저(低)원자가의) 텅스텐의.

túng trèe *n.* 유동(油桐).

Tun·gus, -guz [tuŋgú:z, tən-, 英+túŋgus] *n.* (*pl.* ~, ~**·es**) 퉁구스족《시베리아 동부에 사는 몽고의 한 종족》 ; Ⓤ 퉁구스어(語).
—— *a.* =TUNGUSIC.

Tun·gú·sic *n., a.* 〖言〗 퉁구스어군(의) ; 퉁구스족 (언어)의.

tu·nic [tjú:nik] *n.* **1** 〖古그·로〗 (무릎까지 내려오는) 셔츠 같은 겉옷[속옷]. **2** (경찰관·군인 등의) 짧은 제복 상의. **3** 튜닉《허리에서 죄게 되어 있는 여성용의 짧은 상의》. **4** 〖解·動〗 피막(被膜) ; 〖植〗 포막, 종피(種皮).

tu·ni·cate [tjú:nikət, -nəkèit] *a.* 〖動〗 피막이 있는 ; 〖植〗 외피가 있는.

tu·ni·cle [tjú:nikəl] *n.* 〖카톨릭〗 주교가 제복(祭服) 밑에 받쳐 입는 얇은 명주옷. 〖L〗

tun·ing [tjú:niŋ] *n.* **1** Ⓤ 조율. **2** Ⓤ 〖通信〗 파장 조정, 동조(同調) ; 〖컴퓨〗 세부 조정.

túning capàcitor[**condènser**] *n.* 〖電〗 동조 콘덴서.

túning còil *n.* 〖電子〗 동조 코일.

túning fòrk *n.* 〖樂〗 소리굽쇠.

túning hàmmer[**wrènch**] *n.* (피아노의) 조율용 나사돌리개.

túning pèg[**pìn**] *n.* (현악기의 음정을 조정하는) 줄감개 ; (피아노의) 조율용 핀.

túning pìpe *n.* =PITCH PIPE, (특히 현악기 조율용의) 조율관.

Tu·nis [tjú:nəs] *n.* 튀니스《Tunisia의 수도》.

Tu·ni·sia [tju:ní(:)ʒiə] *n.* 튀니지《북아프리카의 공화국 ; 수도 Tunis》.

Tu·ní·sian *n.* 튀니지인 ; 튀니스(Tunis)의 주민.
—— *a.* 튀니지의 ; 튀니지 문화의.

tun·nel** [tʌ́nl] *n.* **1** 굴, 터널, 지하도 ; 〖鑛〗 갱도. **2** (동물이 서식하는) 굴. —— *v.* (**-l-** | **-ll-**) *vt.* **1** …에 터널을 파다, 굴을 뚫다 : ~ a hill[river] 산[강밑]에 터널을 파다. **2** [~ one's way로] 갱도[터널]를 파 나아가다. —— *vi.* [+前+名] 터널[굴]을 파다 : ~ ***through[***into***] a hill 터널을 파서 산을 관통하다[산속에 들어가다]. 〖OF (dim.) ‹ *tonne* TUN〗

túnnel dìode *n.* 〖電子〗 터널 다이오드《터널 효과를 이용한 다이오드》.

túnnel effèct *n.* 〖理〗 터널 효과.

túnnel nèt *n.* 원뿔형의 어망[조망].

túnnel of lóve *n.* (유원지에서) 애인끼리 자동차나 보트를 타고 들어가는 캄캄한 터널.

túnnel vìsion *n.* 〖醫〗 터널시(視)《시야 협착의 일종》 ; 시야가 좁음, 협량.

túnnel-vísioned *a.* 시야가 매우 좁은.

tun·ny [tʌ́ni] *n.* (*pl.* **-nies,** ~) 〖魚〗 다랑어 (tuna). 〖F *thon*<Prov.<L<Gk. *thunnos*〗

tuny [tjú:ni] *a.* (곡이) 가락이 좋은, (재미가 있어) 외우기 쉬운 ; 음악적인. 〖TUNE〗

tup [tʌp] *n.* 숫양(ram) ; 〖機〗 (동력 망치 따위의) 대가리, 타면(打面). —— *vt., vi.* (**-pp-**) (숫양이 암양과) 교미하다, (암양이) 발정하다. 〖ME<?〗

tu·pe·lo [tjú:pəlòu] *n.* (*pl.* ~**s**) 〖植〗 니사나무과의 교목《북미산》 ; Ⓤ 그 재목. 〖Creek=swamp tree〗

-tu·ple [tʌ̀pəl, tù:-] *n. comb. form* 「…개의 요소로 구성된 집합」의 뜻. 〖cf. quin*tuple*, sex*tuple*〗

tup·pence [tʌ́pəns] *n.* 《英口》 =TWOPENCE.

Tup·per·ware [tʌ́pərwὲər] *n.* 터퍼웨어《플라스틱제의 식품 보존 용기 ; 상표명》.

tuque [tjú:k] *n.* 《Can.》 끝이 뾰족한 털실로 짠 모자. 〖TOQUE〗

tu quo·que [tjú: kwóukwi] *n.* 「너도 마찬가지 아니냐」고 하는 말대구, 「피차 일반이야」라고 하는 응수(retort). 〖L=you too〗

tuque

Tu·ra·ni·an [tjuréiniən, -rɑ́:-] *a.* 우랄알타이 어족의 ; 우랄알타이 어계 사람의. —— *n.* 우랄알타이 어계의 사람 ; Ⓤ 우랄알타이 어족.

tur·ban [tə́:rbən] *n.* **1** 터번《이슬람교도 등이 머리에 두르는 두건》. **2** (여성·어린이 등의) 터번식 모자. 〖MF, <Turk.<Pers. ; cf. TULIP〗

túr·baned *a.* 터번을 두른.

tur·bary [tə́:rbəri] *n.* Ⓤ,Ⓒ 토탄 채굴장 ; 〖英法〗 토탄 채굴권.

tur·bid [tə́:rbəd] *a.* **1** (액체·색채 따위가) 흐린, 탁한, 밀도 짙은. **2** 《비유》 (생각·문체 따위가) 혼란한, 어지러운. ~**·ly** *adv.* ~**·ness** *n.* 〖L (*turba* crowd, confusion)〗

tur·bi·dim·e·ter [tə̀:rbədímətər] *n.* 탁도계(濁度計) ; =NEPHELOMETER.
-dím·e·try *n.* 탁도 측정, 비탁(比濁) 분석.
tùr·bi·di·mét·ric *a.* **-ri·cal·ly** *adv.*

tur·bi·dite [tə́:rbədàit] *n.* 〖地質〗 혼탁류에 의하여 운반된 깊은 바다의 퇴적물. 〖*turbid*ity current〗

tur·bid·i·ty [tə:rbídəti] *n.* Ⓤ 혼탁 ; 혼란(상태) ; 탁도(濁度).

tur·bi·nal [tə́:rbənl] *a.* 〖解〗 갑개(甲介)의 ; =TURBINATE. —— *n.* 〖解〗 갑개골(骨).

tur·bi·nate [tə́:rbənət, -nèit] *a.* 팽이 모양의, 거꾸로 세운 원뿔형(形)의, 나선[소라, 소용돌이] 모양의 ; 〖解〗 갑개골의. —— *n.* 소용돌이 패각.

tùr·bi·ná·tion *n.* 거꾸로 세운 원뿔형 ; 소용돌이(모양).

tur·bine [tə́:rbən, -bain] *n.* 〖機〗 터빈 : an air [a gas] ~ 공기[가스] 터빈 / a steam [water] ~ 증기[수력(水力)] 터빈. 〖F<L *turbin- turbo* spinning top, whirlwind〗

tur·bit [tə́:rbət] *n.* [흔히 T~] 집비둘기의 일종.

tur·bo [tə́:rbou] *n.* (*pl.* ~**s**) **1** =TURBINE. **2** =TURBOSUPERCHARGER. 〖↓〗

tur·bo- [tə́ːrbou, -bə] *comb. form* 「터빈」의 뜻.
túrbo·càr *n.* 가스 터빈 자동차.
túrbo·chàrge *vt.* (엔진을) turbocharger로 과급(過給)하다.
túrbo·chàrger *n.* 〖機〗 배기(排氣)터빈 과급기, 터보차저《내연기관의 배기로 구동되는 터빈에 의해 회전하는 과급장치 ; 이것에 의해 실린더에 압축공기가 보내짐》.
túrbo·cop·ter [-kὰptər] *n.* 터보헬리콥터.
tùrbo·eléctric *a.* 터빈 전기의.
túrbo·fàn *n.* 터보 송풍기《보일러의 통풍장치》; 〖空〗 터보팬 엔진《터보제트 엔진의 일종》, 터보팬기(機).
túrbofan èngine *n.* 〖空〗 ＝TURBOFAN.
tùrbo·génerator *n.* 터빈 발전기.
túrbo·jèt *n.* ＝TURBOJET ENGINE ; 터보제트(항공)기.
túrbojet èngine *n.* 터빈식 분사 추진기, 터보제트 엔진.
túrbo·lìner *n.* 터빈 열차《가스 터빈 엔진을 동력으로 하는 고속 열차》.
túrbo·pàuse *n.* 〖氣〗 난류 권계면(亂流圈界面).
túrbo·pròp *n.* 〖空〗 터보프롭[프로펠러]엔진(기).
túrbo-propèller[**túrboprop**, **túrbo·pròp-jèt**] **èngine** *n.* 〖空〗 터보프로펠러 엔진.
túrbo·pùmp *n.* 터보펌프《추진제를 공급》.
tùrbo·rám·jèt èngine *n.* 〖空〗 터보램제트 엔진《터보제트 엔진과 램제트 엔진을 병용한 것》.
túrbo·shàft *n.* 〖機〗 터보샤프트《전도 장치가 붙은 가스 터빈 엔진》.
tùrbo·súper·chárged *a.* 터보 과급기(過給器)를 갖춘.
tùrbo·súper·chárger *n.* 터보 과급기(過給器).
tur·bot [tə́ːrbət] *n.* (*pl.* ~, ~**s**) 〖魚〗 가자미의 일종《유럽산》.
〖OF＜OSwed. (*törn* thorn, *but* BUTT[1])〗
túrbo·tràin *n.* 터빈 열차.
tur·bu·lence [tə́ːrbjələns] *n.* **1** Ⓤ (풍파 따위) 몹시 사나움 ; (사회적) 불온, 동란. **2** Ⓤ,Ⓒ 〖理〗 난류(亂流) ; 〖氣〗 (대기의) 난류.
túr·bu·len·cy *n.* 《古》 ＝TURBULENCE.
túr·bu·lent *a.* **1** (풍파 따위) 사납게 요동치는 ; (감정 따위) 흐트러진, 격렬한. **2** (폭도 등) 소란스러운, 난폭한, 불온한. ~**·ly** *adv.*
〖L (*turba* crowd) ; cf. TURBID〗
túrbulent flów *n.* 〖氣·理〗 난류(亂流).
Tur·co [tə́ːrkou] *n.* (*pl.* ~**s**) 《때때로 蔑》 (프랑스군에 속하는) 알제리 경보병(輕步兵).
Tur·co-, Tur·ko- [tə́ːrkou, -kə] *comb. form* 「터키(인)」「튀르크어(계 민족)의」의 뜻.
〖L ; ⇨ TURK〗
Turcoman ☞ TURKOMAN.
Túrco·phìl *a.*, *n.* 터키를 좋아하는 (사람).
~**·ism** *n.* 친터키주의.
Túrco·phòbe *a.*, *n.* Ⓤ,Ⓒ (극단적으로) 터키를 싫어하는 (사람).
turd [tə́ːrd] *n.* Ⓤ,Ⓒ 《卑》 똥 ; Ⓒ 똥 같은 놈.
〖OE *tord* ; cf. ON *tord-*(*yfill*) dung (beetle)〗
tu·reen [təríːn, tju-] *n.* 뚜껑이 있는 움푹한 그릇《여기에서 수프·양념 소스 따위를 각자의 접시에 담음》. 〖C18 *terrine*＜F＝earthenware dish＜L TERRA〗

tureen

***turf** [tə́ːrf] *n.* (*pl.* ~**s**, 《稀》 **turves** [tə́ːrvz]) **1** Ⓤ 잔디. **2** 뗏장(sod) ; [a ~] 한 조각의 뗏장《이식하기 위해서 떠낸 것》. **3** Ⓤ 토탄(土炭)(peat) ; Ⓒ (떠낸) 토탄 덩어리 : cut ~ 토탄을 떠내다. **4** [the ~] 경마장 ; 경마 ; 경마업 : *on the ~* 경마를 업으로 삼고 ; 《俗》 매춘을 하여 ; 《俗》 빈털터리로. **5** 《美俗》 (폭력단이나 불량 그룹의) 세력권, (막연한) 영역.
—— *vt.* 잔디로 덮다, …에 잔디를 심다 ; (토탄을) 떠내다. —— *vi.* 잔디를 모으다.
turf out 《英口》 (남을) 쫓아내다 ; (물건을) 내던지다.
〖OE ; cf. G *Torf*〗
túrf accòuntant *n.* 《英》 ＝BOOKMAKER.
túrf·ite [-ait] *n.* 경마에 정통한 사람, 경마광.
túrf·man [-mən] *n.* ＝TURFITE ; 경주말의 마주[조련사].
túrf·skì *n.* 터프스키《바닥에 롤러가 달린 잔디용 스키》. ~**·ing** *n.*
túrfy *a.* **1** 잔디로 덮인, 잔디가 많은 ; 잔디 모양의. **2** 《아일》 토탄이 풍부한(peaty) ; 토탄질의. **3** 경마(장)의.
Tur·ge·nev, -niev [tuərgéinjəf, -gén- ; təːgéi-njev] *n.* 투르게네프. **Ivan Sergeevich** ~ (1818-83) 러시아의 소설가.
tur·ges·cence [təːrdʒésəns] *n.* 부어 오름, 〖醫〗 종창 ; 과장(誇張).
tur·gés·cen·cy *n.* 《古》 ＝TURGESCENCE.
tur·gés·cent *a.* 부어오르는 ; 종창성(腫脹性)의 ; 과장적인.
tur·gid [tə́ːrdʒəd] *a.* **1** 부어오른. **2** 《비유》 (문체 따위) 과장된. ~**·ly** *adv.* ~**·ness** *n.*
〖L (*turgeo* to swell)〗
tur·gid·i·ty [təːrdʒídəti] *n.* Ⓤ 부어오름, 부풀음, 팽창 ; 《비유》 과장.
Tú·ring machìne [tjúəriŋ-] *n.* 튜링 머신《영국의 수학자 A. M. Turing (d. 1954)이 제안한 무한대로 정보를 저장하고 절대로 고장이 생기지 않는 상상의 계산기》.
tu·ri·on [tjúəriən] *n.* 〖植〗 (땅속줄기에서 나온) 비늘눈이 있는 어린 줄기[가지].
tu·ris·ta [tuəríːstə] *n.* 투리스타《외국 여행자의 설사》, (특히) 몬테수마의 앙화《멕시코에서 여행자가 걸리는 설사》. 〖Sp. ＝tourist〗
Turk [tə́ːrk] *n.* **1** 터키인 : the Grand[Great] ~ 터키 황제. **2** 《비유》 잔인한 사람 ; 다루기 힘든 놈《지금은 주로 아이들에 대해서 씀》 : a little [young] ~ 《戱》 개구쟁이, 말썽꾸러기.
turn [***become***] ***Turk*** 이슬람교도가 되다 ; 악당이 되다.
〖ME＜? ; cf. F *Turc*〗
Turk. Turkey ; Turkish.
Tur·ke·stan, -ki- [təːrkəstǽn, -stáːn] *n.* 투르케스탄《중앙 아시아의 한 넓은 지역》.
***tur·key** [tə́ːrki] *n.* **1** 〖鳥〗 칠면조 ; Ⓤ 칠면조의 고기 ; 《美俗·戱》 싼 고기 요리. **2** 《美俗》 쓸모없는 놈[것], 바보 ; 《美俗》 약한 마약. **3** (연극·영화의) 실패(작) (flop). **4** 〖볼링〗 터키《3회 연속의 스트라이크 ; cf. STRIKE *n.* 5 b)》.
(*as*) ***proud as a lame turkey*** 매우 겸손한.
(*as*) ***proud as a turkey*** ☞ PROUD.
talk (***cold***) ***turkey*** 《美俗》 있는 그대로 이야기하다, 솔직히 말하다.
〖*turkey*-cock[-hen] ; 본래 Turkey 경유로 수입된 아프리카의 guinea fowl을 말함〗.
Turkey *n.* 터키《공화국 ; 수도 Ankara》.
—— *attrib. a.* 터키산[제]의.

túrkey bùzzard *n.* (남미·중미·미국 남부산의) 독수리의 일종.
Túrkey cárpet *n.* (두꺼운) 터키 융단.
túrkey-còck *n.* **1** 칠면조의 수컷. **2** 《비유》 젠체하는 사람, 우쭐대는 사람.
turn as red as a turkey-cock 얼굴이 새빨개지다.
túrkey còrn *n.* 옥수수.
túrkey-hèn *n.* 칠면조의 암컷.
Túrkey léather *n.* 《英》 (털을 뽑기 전에 기름으로 무두질한) 터키 가죽.
Túrkey réd *n.* 진홍색; 진홍색 무명.
túrkey shòot *n.* 움직이는 표적을 쏘는 라이플 사격대회(칠면조가 상품); 《美俗》 손쉬운 것, 전투기에 의한 적기의 유효 공격.
Túrkey stòne *n.* 〖보석〗 터키석(石) (turquoise); 숫돌의 일종.
túrkey tròt *n.* 무용의 일종《둘씩 짝지어 둥글게 원을 이루어 춤》.
túrkey vùlture *n.* =TURKEY BUZZARD.
Tur·ki [tə́:rki, túər-] *n.* 튀르크어; 튀르크어군(語群); 튀르크어 사용 민족. —— *a.* 튀르크어 사용 민족의; 튀르크어(군)의.
Turk·ic [tə́:rkik] *a.* 튀르크어군(語群)의; 튀르크어 사용 민족의; =TURKISH. —— *n.* 튀르크어(군)《알타이어족에 속하며 Turkish, Kazakh 따위를 포함》.
Túrk·ish *a.* 터키식[풍]의; 터키인의, 터키족의; 터키어의. —— *n.* Ⓤ 터키어.
Túrkish báth *n.* 터키식 목욕, 증기 목욕, 한증; [때때로 *pl.*] 증기탕.
Túrkish cárpet[rúg] *n.* =TURKEY CARPET.
Túrkish cóffee *n.* 터키식 커피《시럽으로 단맛을 낸 진한 분말 커피》.
Túrkish delíght[páste] *n.* 터키식 캔디《설탕을 입힌 젤리[껌] 모양의 과자》.
Túrkish Émpire *n.* =OTTOMAN EMPIRE.
Túrkish músic *n.* 터키 음악《타악기로 연주》.
Túrkish póund *n.* 터키 파운드《18실링 2펜스에 해당; 略 £T》.
Túrkish tobácco *n.* 터키 담배.
Túrkish tówel *n.* (보풀이 긴) 타월의 일종.
Túrk·ism *n.* 터키 문화[풍].
Túrk·man [-mən] *n.* 투르크멘인《투르키스탄; 이란 및 아프가니스탄 지방의 터키족》.
Turk·men [tə́:rkmən] *a.* =TURKMENIAN. —— *n.* **1** 투르크멘어(語). **2** =TURKMENISTAN.
Turk·me·ni·an [tə:rkmí:niən] *a.* 투르크멘(인)의, 투르크메니스탄(공화국)의.
Turk·men·i·stan [tə̀:rkmenəstǽn, -stá:n] *n.* 투르크메니스탄 공화국《이란과 아프가니스탄 북방, 카스피해에 면한 국가; 1991년 소련 연방에서 독립; 수도 Ashkhabad》.
Turko- ☞ TURCO-.
Tur·ko·man, Tur·co- [tə́:rkəmən] *n.* (*pl.* **~s**) **1** 투르크멘족(族)《투르키스탄, 이란 및 아프가니스탄 지방의 터키족》. **2** Ⓤ 투르크멘어.
〖Pers. (Turk, *mānistan* to resemble)〗
Túrkoman cárpet[rúg] *n.* 보풀이 부드럽고 길며 빛깔이 아름다운 융단.
Túrk's-càp lìly, Túrk's càp *n.* 백합의 일종.
Túrk's hèad *n.* 〖海〗 터번 모양의 장식 매듭; (천장 청소용) 자루가 긴 깃털 비; 선인장의 일종.
tur·mer·ic [tə́:rmərik] *n.* 〖植〗 Ⓤ 심황; 심황뿌리(의 분말)《염료·건위제·카레 가루용》.
〖C16 *tarmaret* <? F *terre mérite* saffron<L〗
tur·moil [tə́:rmɔil] *n.* Ⓤ,Ⓒ 법석, 소동, 소란, 혼란; 분투. —— *vt.* 《古》 괴롭히다.
〖C16<?; 일설(一說)에 *turn*+*moil*〗
◇**turn** [tə́:rn] *vt.* **1 a)** [+目/+目+副] (열쇠·나사 따위를) 돌리다, 회전시키다; (마개 따위를) 비틀다, 틀다: ~ the key in the lock 열쇠를 자물쇠에 꽂아 돌리다 / ~ the knob of a door 문의 손잡이를 돌리다 / She ~*ed* the cock ***off***[***on***]. 꼭지를 잠궈[틀어] (물 따위를) 멎게[나오게] 했다 / ~ the light *high*[*low*] 심지를 돌려서 (가스등·램프 따위의) 불빛을 크게[작게] 하다. **b)** (모퉁이를) 돌다; (적의 측면을) 우회하다: ~ the corner ☞ CORNER *n.* 숙어.
2 [+目/+目+副] **a)** (페이지를) 넘기다: ~ (***over***) the pages 책장을 넘기다(☞ P.T.O.). **b)** (옷을) 뒤집다: I had my old overcoat ~*ed*. 나는 낡은 외투를 뒤집었다. **c)** (가장자리 따위를) 접다〈*back, in, up*〉; (칼을) 무디게 하다; (쟁기 따위로 흙을) 파뒤집다.
3 a) [+目/+目+副] (위치·자세를) 거꾸로 하다, 전도하다: She ~*ed* a cake on the gridiron. 석쇠 위의 과자를 뒤집었다 / Take care not to ~ ***over*** the lamp. 램프를 뒤집어엎지 않도록 주의하시오 / He ~*s* everything *upside down* [*inside out*]. 《비유》 그는 무엇이나 혼란스럽게 만들고 만다. **b)** [+目+副] 《비유》 (사물을) 이모저모 생각하다, 숙고하다: I have ~*ed* the matter ***over*** and *over* in my mind. 나는 그 문제를 마음속으로 곰곰이 생각해 보았다.
4 a) [+目+副/+目+前+名] …의 방향[위치]을 바꾸다; (…쪽으로) 향하게 하다; (주의 따위를) 돌리다; (이야기를 …에) 쏠리게 하다; (용도를 …에) 충당하다: Please ~ your eyes *this way*. 이쪽을 보아 주시오 / She ~*ed* her head ***(a)round*** but saw nobody. 둘러보았으나 아무도 보이지 않았다 / The plane ~*ed* its course ***to*** the west. 비행기는 서쪽으로 진로를 바꿨다 / He ~*ed* his back *to* me. 나에게 등을 돌렸다 / He ~*ed* even his errors *to* account[good use]. 실수는 했을망정 교훈을 얻었다 / ~ a deaf ear *to*... ☞ EAR[1] 숙어 / She wouldn't ~ her attention *to*[***toward***] what I said. 내가 말한 것에 주의를 돌리려고도 하지 않았다 / He ~*ed* the telescope ***on*** the star. 그 별을 향해 망원경을 돌렸다 / ~ the[one's] back *on*... ☞ BACK[1] *n.* 숙어 / He ~*ed* the conversation *away* ***from*** an unpleasant subject. 불쾌한 화제에서 이야기를 돌렸다. **b)** (총알·공격 따위로부터) 몸을 피하다: ~ a bullet[punch] 총알[주먹]을 피하다.
5 [+目/+目+*from*+名] …의 마음을 바꾸게 하다; (…에서) …의 마음을 다른 데로 돌리게 하다: You cannot ~ him[him ***from*** his determination]. 그의 마음[결심]을 돌리게 할 수 없다.
6 [+目/+目+*into*+名] **a)** (…의 질(質)·형상 따위를) 변화시키다, 바꾸다(change): Hot weather ~*s* meat. 날씨가 더우면 고기가 상한다 / Heat ~*s* water ***into*** vapor. 열은 물을 수증기로 변화시킨다 / She ~*ed* her tears *into* a smile. 울다가 곧 웃는 얼굴이 되었다. **b)** 번역하다, (다른 표현으로) 바꾸다: How would you ~ this passage? 너는 이 한 구절을 어떻게 번역하겠느냐 / *T*~ this sentence ***into*** English. 다음 문장을 영어로 번역하시오. **c)** (돈 따위로) 바꾸다, 교환하다.
7 [+目+補] …을 …으로 만들다(make): The very thought ~*s* me pale. 생각만 해도 질린다 / His behavior ~*ed* me sick. 그가 하는 짓거리에는 진저리가 났다 / Thunder ~*s* milk sour. 천둥

이 치면 우유가 상한다《미신(迷信)》.
8 (기분·머리를) 혼란시키다, 어지럽히다, 비위를 상하게 하다 : Success has ~*ed* his head. 그는 성공에 도취되어 있다[우쭐해 있다] / Overwork has ~*ed* his brain. 그는 과로로 머리가 이상해졌다 / The sight ~*ed* his stomach. 그 광경을 보자 그는 비위가 상했다.
9 (어떤 연령·때·금액을) 넘다, 초과하다 : She has ~*ed* (the age of) forty. 40을 넘었다 / It has just ~*ed* five. 방금 5시가 지났다.
10 녹로(轆轤)[선반]로 깎다[만들다] ;《비유》모양[솜씨]있게 만들다[마무리하다], 멋있게 표현하다 : ☞ WELL-TURNED / She can ~ compliments. 그녀는 알랑거리기를 잘한다.
11 [+目+副/+目+前+名] 보내다, 쫓아버리다 : She never ~*s* (*away*) a beggar ***from*** her door. 그녀는 결코 거지도 문간에서 그냥 (쫓아) 보내지 않는다.
12 (자금·상품을) 회전시키다 ; (다른 주를 사기 위해 주를) 처분하다 ; (이익을) 올리다.
—— *vi.* **1 a**) [動/+副/+前+名] 돌다, 회전하다 : This tap will not ~. 이 꼭지는 아무리 해도 돌지 않는다 / The Ferris wheel is ~*ing* slowly. 관람차가 천천히 돌고 있다 / He ~*ed* ***on*** his heel(s). 그는 발뒤축으로 돌았다 / The moon ~*s* ***round*** the earth. 달은 지구 둘레를 돈다. **b**) 뒹굴다, 몸부림치다 : He often ~*s* (***over***) in bed[his sleep]. 자면서 가끔 몸을 뒤친다 / make a person ~ in his grave ☞ GRAVE[1] 숙어.
2 a) 전복되다 ; 뒤집히다 : ~ inside out ☞ INSIDE *out.* **b**) (의복·칼 따위가) 접히다, 무디어지다.
3 a) [+副/+前+名] 방향을 바꾸다, 향하다, 돌다, 뒤돌아보다 ; 되돌아가다 : She ~*ed* when I called her. 내가 부르자 그녀는 되돌아보았다 / It's time to ~ now. 이제 돌아갈 시간이다 / I didn't know where[which way] to ~. 《비유》 나는 어찌할 바를 몰랐다 / She ~*ed away* ***from*** him. 그에게서 얼굴을 돌리고 말았다 / The jeep ~*ed* ***round*** the corner[***to*** the left]. 지프는 모퉁이를[왼쪽으로] 돌았다 / The road ~*s south* [*to* the south] here. 길은 여기에서 남쪽을 향하고 있다. **b**) 《비유》 정색하고 나서다 ; 거역하다, 반항하다(cf. TURN *against*[*on*]) : Even a worm will ~. ☞ WORM *n.* 1 a). **c**) [+前+名] (생각·주의(注意)·욕망 따위가) 향하다 ; 의지하다 ; (사전 따위를) 참조하다 : My thoughts often ~ ***to*** you. 가끔 너의 생각을 한다 / I have no one but you to ~ *to*. 의지가 되는 것은 너뿐이다 / He ~*ed to* his friend ***for*** help[advice]. 친구에게 도움[충고]을 청했다.
4 [+前+名] (…에) 달려 있다, …좌우되다 (depend) : Everything ~*s* ***on*** her answer. 만사는 그녀의 회답에 달려 있다 / The future of our nation ~*s* ***upon*** this treaty. 우리 나라의 장래는 이 조약에 달려 있다.
5 a) [+前+名] 전화(轉化)하다, 바뀌다(be changed) : Tadpoles ~ ***into*** frogs. 올챙이는 개구리가 된다. **b**) (조수(潮水)·형세가) 바뀌다 : The tide has ~*ed*. 조수가 바뀌었다 ;《비유》 형세가 일변했다. **c**) [+補/動] …으로 되다 (become) ; 맛[색]이 변하다 : She ~*ed* pale [red]. 그녀의 얼굴이 창백해[새빨개]졌다 / The weather has ~*ed* fine. 날씨가 좋아졌다 / He has ~*ed* Communist[Christian]. 공산주의자[기독교도]가 되었다《注 turn의 보어가 되는 명사는 관사없이 씀》/ The milk has ~*ed* (sour). 우유가 상했다 / The leaves have ~*ed* (red). 나뭇잎은 붉게 물들었다[단풍들었다].
6 현기증이 나다 ; 메스꺼워지다 : Her head ~*ed* at the sight of the accident. 그녀는 사고 현장을 보자 머리가 아찔해졌다.
7 (상품이) 회전되다, 판매되다.
turn about 돌아보다 ; 빙글 돌다[돌리다] (cf. About ~ ! ☞ *n.* 2).
turn against... (1) (*vi.*) …에 적대[반항]하다, 거역하다 ; …에게 혐오의 마음을 품다. (2) (*vt.*) …에 거역하게 하다 : He ~*ed against* his motherland. 그는 조국을 배반했다.
turn aside (*vt.*) 옆으로 비키다 ; (노여움을) 가라앉히다 ; (*vi.*) 옆으로 빗나가다 ; 옆을 향하다.
turn away (1) (*vt.*) 들어오지 못하게 하다, 내쫓다(cf. *vt.* 11). (2) (*vi.*) 외면하다, 돌보지 않다 (cf. *vi.* 3 a)) : She ~*ed away* from them in embarrassment. 그녀는 당황하여 그들에게서 얼굴을 돌렸다.
turn back (*vt.*) 되돌아가게 하다 ; (시계를) 늦추다 ; 접어 꺾다 ; (*vi.*) 되돌아가다<*from, to*> ;《비유》 원상태로 돌아가다, 소급하다.
turn down (*vt.*) (1) 접다, 접어 꺾다 ; (트럼프를) 엎어놓다 : ~ *down* a collar 옷깃을 접어젖히다 / ~ *down* the corner of the page 페이지 귀를 접다. (2) (가스·램프의 불 따위를) 가늘[작]게 하다, (라디오 따위의) 소리를 작게[낮게] 하다 : *T*~ *down* the radio. 라디오 소리를 작게 하시오. (3) (제안·후보자 등을) 거절[기각·각하(却下)]하다(reject) : She ~*ed down* every suitor. 구혼자를 모두 다 거절했다. (*vi.*) (4) 접히다. (5) [*down*은 *prep.*] 모퉁이를 돌아가다.
turn in (*vt.*) (1) 안쪽으로 구부리다[접다], 안쪽으로 접어 넣다(↔*turn out*) : He ~*ed* his fingers *in* one by one. 손가락을 하나 하나 꼽았다. (2) 속에 넣다, 몰아넣다. (3) (비료 따위를) 땅속에 파넣다. (4) (서류·사표 따위를) 제출하다, 내놓다(deliver) : ~ *in* one's resignation 사표를 제출하다. (5) 되돌리다(give back) : You must ~ *in* your badge when you leave the club. 클럽을 떠날 때에는 배지를 반납해야만 한다. (*vi.*) (6) 들르다 : ~ *in at* a pub 술집에 들르다. (7)《口》 잠자리에 들다(↔*turn out*) : I ~*ed in* at 12 last night. 어젯밤에는 12시에 잠자리에 들었다. (8) (발가락 따위) 안으로 굽다.
turn inside out ☞ INSIDE *out.*
turn loose ☞ LOOSE *a.*
turn off (*vt.*) (1) 꼭지를 틀어 (가스·물 따위를) 잠그다, 멈추게 하다 ; (등을) 끄다(turn out), (라디오·텔레비전을) 끄다(↔*turn on*) : ~ *off* the radio[TV] 라디오[텔레비전]를 끄다 / ☞ *vt.* 1 a). (2)《英》 (고용인을) 해고하다 : She ~*ed* the maid *off* for misconduct. 가정부가 좋지 않은 짓을 했기 때문에 해고했다. (3) (주의·싫은 소리 따위를) 다른 데로 돌리다, …에 쏠리게 하다 : ~ it *off as* a joke 그것을 농담으로 흘려 버리다. (4) 만들어 내다, 생산하다(produce) : ~ *off* an epigram 경구(警句)를 지어내다. (*vi.*) (5) (사람이) 곁길로 빠지다, 옆길로 들어서다, (길이) 갈라지다 : *T*~ *off* at 15th Street. 15번가에서 옆길로 들어가시오.
turn on (*vt.*) (1) [on은 *adv.*] 꼭지를 틀어 (가스·물 따위를) 나오게 하다, (등을) 켜다, (라디오·텔레비전을) 켜다(↔*turn off*) : ~ the lights *on* 전등을 켜다 / ☞ *vt.* 1 a). (2) [on은 *prep.*] …으로 돌리다 : ~ a hose *on* the fire 불에 호스를 들이대다《물을 뿌리다》/ They ~*ed* ridicule

on him. 그들은 그에게 냉소를 보냈다. (*vi.*) [on은 *prep.*] (3) …에 반항하다, …을 공격하다 : The dog suddenly *~ed on* the owner. 개가 갑자기 주인을 향하여 덤벼들었다. (4) …여하에 따라 결정되다, …에 달려있다(depend on) (cf. *vi.* 4).

turn out (*vt.*) (1) 쫓아내다[버리다] ; 해고하다(drive out, dismiss) ; 몰아내다 ; (가축을) 내놓다(cf. TURN *out of* (2)) : If you don't pay rent, you'll be *~ed out into* the street. 집세를 치르지 않으면 거리로 쫓겨날 것이다. (2) 밖으로 향하게 하다, 뒤집다(↔*turn in*). (3) 폭로하다. (4) [*p.p.*로] …에게 (좋게) 차려 입히다, 성장시키다 : The young man *was* nicely *~ed out*. 그 청년은 잘 차려 입고 있었다. (5) (속에 들은 것을) 꺼내다, 비우다, 털어 놓다 : I *~ed out* all my pockets but found no money. 호주머니를 모두 털어 보았으나 한푼도 없었다. (6) [비유적으로도] 만들어 내다, 생산하다, 산출하다 ; 제작하다, 제조하다(produce) : That factory *~s out* thirty thousand cars every year. 저 공장은 매년 3만대의 자동차를 생산하고 있다 / This college has *~ed out* a great many excellent engineers. 이 대학은 수많은 우수한 기술자를 양성했다. (7) (가스·불 따위를) 끄다 : *T~ out* the lights[gas fire] before you go to bed. 자기 전에 전등[가스불]을 끄십시오. (*vi.*) (8) (발가락 따위가) 밖으로 굽다. (9) 밖에 나가다, 외출하다 ; 몰려 나오다, 출동하다 : The whole village *~ed out* to rescue the crew. 온 마을 사람들이 승무원을 구조하려고 나섰다 / Many boys have *~ed out for* football practice. 많은 소년들이 축구 연습하러 나왔다. (10) 《口》 (잠자리에서) 일어나다(↔*turn in*). (11) 동맹파업[스트라이크]을 시작하다. (12) [+補/+副/+*to* do] [또는 It...that... 구문으로] (결과가) …이 되다, 결국 …이라는 것이 판명되다 : The night *~ed out* stormy. 그날밤은 폭풍으로 지샜다 / We shall see *how* things *~ out*. 사태가 어떻게 될 것인지 곧 알게 될 것이다 / The story *~s out happily*. 그 이야기는 결국 행복하게 끝난다 / He *~ed out* (*to be*) a humbug. 그는 역시 협잡꾼이었다 / The plan *~ed out to* have had no effect. 계획은 결국 아무런 효과도 거두지 못했다 / *It ~s out that* she was never there. 결국 그녀는 그곳에 가지 않았다는 것이 판명되었다 / As *it ~ed out*, ... 결국 (…이었다).

turn out of... (*vt.*) (1) …에서 (내용물을) 비우다, 끄집어 내다. (2) …에서 내쫓다(expel) (cf. TURN *out* (1)) : *~* a person *out of* his job[post] 남을 해고[그의 직책에서 추방]하다 / He was *~ed out of* his club. 그는 클럽에서 제명되었다. (*vi.*) (3) …에서 나오다[떠나다].

turn over (*vt.*) (1) 뒤집어엎다, 쓰러뜨리다 ; (흙을) 파엎다, (마른 풀을) 뒤집다《볕에 말리기 위해》 : The waves *~ed* our boat *over*. 우리 보트는 파도로 뒤집혔다(cf. *vt.* 3 a)). (2) (페이지·책을) 넘기다, 들추다(cf. *vt.* 2 a)) : *~ over* a new leaf ☞ LEAF 숙어. (3) (서류 따위를) 뒤적거려 찾다. (4) 《비유》 잘 생각해 보다, 숙고하다(cf. *vt.* 3 b)). (5) (일·책임 따위를) 인계하다, 넘겨주다, 옮기다, 양도하다 : He *~ed over* his firm to his nephew. 자기 회사를 조카에게 양도했다 / The inventory was *~ed over to* the broker. 재고 목록은 중개인의 손에 넘겨졌다. (6) 〖商〗 다루다, 취급하다, (자금을) 운용하다, (…액수의) 장사를 하다 : He *~s over* $ 5000 a month. 매월 5천 달러 정도의 장사를 한다. (*vi.*) (7) 몸부림치다 ; 전복되다 : ☞ *vi.* 1 b) / A boat *~ed over*. 보트가 전복됐다.

turn round (*vi.*) (1) 회전하다 ; 뒤돌아보다 : ☞ *vi.* 1 a) / The earth *~s round* from west to east. 지구는 서쪽에서 동쪽으로 회전한다 / She *~ed round* and began to cry. 그녀는 돌아서서 울기 시작했다. (2) 《비유》 의견[태도]을 일변하다 ; 변절(變節)하다 : He *~ed round* and voted for the Democrats. 생각을 일변하여 민주당에 투표했다. (3) 《비유》 (특히 말로) 공격하다〈*on, upon*〉. (*vt.*) (4) 회전시키다 ; 뒤돌아보게 하다 (cf. *vt.* 4 a)) ; 변절시키다.

turn to... (1) …에 조회(照會)하다, (사전 따위를) 참고하다 : *~ to* a dictionary *for* guidance 사전을 참고로 하다. (2) …에 의지하다(cf. *vi.* 3 c)). (3) (일 따위)에 착수하다 : He *~ed to* book-collection again. 또 다시 책 모으기를 시작했다. (4) [to는 *adv.*] 일을 시작하다 : Now, let's *~ to*. 자, 일을 시작하자.

turn up (*vt.*) (1) (위로) 접어 올리다, 끝을 접다 : *~ up* one's shirt cuffs[sleeves] 셔츠의 소매를 걷어올리다. (2) 뒤엎다, 거꾸로 하다 ; 위로 향하게 하다 ; 반듯이 눕히다 : *~ up* one's toes ☞ TOE *n.* 숙어 / *~ up* one's nose at... ☞ NOSE *n.* 숙어 / *~* a child *up* 아이를 무릎 위에 엎어놓고 볼기를 위로 쳐들다《볼기를 때려 벌주기 위해》. (3) (얼굴을) 돌리게 하다 ; 진저리나게 하다 ; 《口》 욕지기 나게 하다 : The bad smell from the ditch *~ed* me *up*. 시궁창의 악취로 욕지기가 났다. (4) (패를) 뒤집어 놓다, 젖혀놓다. (5) (램프·가스 따위를) 밝게[세게] 하다, (라디오 따위의) 소리를 크게 하다 : Don't *~ up* the radio. 라디오 소리를 크게 하지 마라. (6) 파헤치다, 발굴하다 : The remains of an ancient building were *~ed up* nearby. 고대 건축의 유물이 부근에서 발굴되었다. (7) (책을) 조사하다, 참조하다 : You'd better *~* it *up* in a dictionary. 그것은 사전을 찾아보는 것이 좋다. (*vi.*) (8) 모습을 나타내다, 불쑥 나타나다(show up) ; 일어나다(happen) : He *~ed up* an hour later. 한 시간이나 늦게 나타났다 / I fear something extraordinary might *~ up*. 무언가 뜻하지 않은 일이 일어나지 않을까 염려된다. (9) (물건이) 우연히 나타나다[발견되다] : The camera I had lost long before *~ed up*. 오래전에 잃어버렸던 카메라가 우연히 발견됐다. (10) 위로 굽다, 위로 향하다 : Her nose *~s up* a little. 그녀의 코는 약간 위를 향하고 있다. (11) (…임이) 판명되다, 알다.

turn upon＝TURN *on* (*vi.*).

turn upside down ☞ UPSIDE DOWN.

—— *n.* **1** 돌리기, 돌기, 회전, 비틂 : a *~* of a handle 손잡이를 돌리기 / a *~ of* the dice 주사위 굴리기 / A *~ of* the knob opened the door. 손잡이를 돌리자 문이 열렸다.

2 (방향) 전환, 회전(回轉) ; 되돌아감 ; 턴, 역전(逆轉) ; 선회 ; 돌아가는 모퉁이(bend) : a *~ of* the tide ☞ TIDE 숙어 / a *~ in* the river[street] 강의 굽이[길 모퉁이] / The car made[took] a *~ to* the right. 차는 우회전을 했다 / About *~* ! 〖구령〗 뒤로 돌아 ! / Right[Left] *~* ! 〖구령〗 우향[좌향] 우[좌] !

3 (정세의) 변화, 전환(change) ; 추세, 경향(trend) ; 전환점, 전기(轉機) (turning point) ; (새로운) 관점, 사고 방식 : the *~ of* life 갱년기(更年期) / at the *~ of* a century 세기의 전환기에 / take a *~ for* the better (정세·질병 따위가) 호전되다 / The patient has taken a good[bad] *~*. 환자는 병세가 호전되었다[병세가 악화

되었다] / give a new ~ to the argument[one's thought] 논의[사상]에 새로운 관점을 부여하다.
4 a) 한 번 돌기, (가벼운) 산책(walk), 드라이브 : take a ~ in the garden 뜰을 산책하다. **b**) 한바탕의 일(spell) ; (직공의) 교대 시간[근무] : a ~ *of* work 한 차 례 의 일 / take a ~ *at* gardening[the oars] 정원 일을 한바탕 하다[보트를 한차례 젓다].
5 차례, 순번 : wait one's ~ 차례가 오기를 기다리다 / It's your ~ *to* row. 이번에는 네가 저을 차례다.
6 [good, bad 따위를 앞에 붙여] (좋은 · 나쁜) 처사, (불)친절 : do someone a *good*[*bad*] ~ 남에게 친절하게 대해 주다[불친절하게 하다] / A [One] *good* ~ deserves another. 《속담》 「오는 정이 있어야 가는 정이 있다」, 친절하게 대하면 친절을 되받게 될 자격이 생긴다.
7 a) (타고난) 성질, 성향(bent) ; (특별한) 버릇, 성능 : a cheerful ~ (*of* mind) 명랑한 기질 / I have a ~ *for* music. 음악에 재능이 있다 / have a fine ~ *of* speed (차 따위가) 굉장한 속력을 낼 수 있다. **b**) 모양, 형태(shape) ; 주형, 성형틀 : the ~ *of* one's neck 목의 모양. **c**) (특별한) 말씨, 표현, 표현방법, 문체 : a happy ~ *of* expression 적절한[멋진] 표현.
8 (특정한) 목적, 필요, 소용, 경우, 요구 ; 급할 때 : serve a person's ~ ☞ 숙어.
9 《口》 깜짝 놀라(게 하)기, 움찔 정신이 들기, 놀라기(shock) ; 《俗》 메스꺼움 ; 《口》 (병의) 발작 : The sight gave me quite a ~. 그것을 보고 나는 가슴이 철렁했다.
10 (경기 · 내기 따위의) 한번 승부 ; (연예의) 일막, 한차례(number) ; (쇼 따위에서의) 연예인.
11 (밧줄 따위의) 한 사리〈*of*〉.
12 〖樂〗 돈꾸밈음.
13 〖印〗 복자(伏字).
14 [*pl.*] 월경(月經).
15 〖商〗 (수지 · 거래의) 한 구분, (자본의) 회전(율) ; (증권 거래의) 왕래 ; 이윤 차액.
at every turn 굽이마다 ; 도처에 ; 《비유》 언제나, 항상 : We were welcomed *at every* ~. 우리는 어디서나 환영을 받았다.
by turns 순서대로, 번갈아 : We rowed *by* ~*s*. 교대로 노를 저었다 / It rained and blew *by* ~*s*. 비바람이 번갈아 몰아쳤다.
in turn (1) (두 명이) 번갈아 가며 ; (여럿이) 차례로 : Baby and I caught flu *in* ~. 아기와 나는 번갈아 감기에 걸렸다 / The doctor saw them all *in* ~. 의사는 모두를 차례대로 진찰했다. (2) 《文語》 =*in* one's TURN : The expense, *in* ~, had to be reduced. 이어서 경비를 삭감하지 않으면 안되었다.
in one***'s turn*** 자기의 차례가 되어 ; 이번에는 자기가, 다음에, …도 또한(cf. *in* TURN) : I'll call you in, each *in* your ~. 모두를 한 사람씩 차례로 불러들이겠다 / He was scolded *in* his ~. 이번에는 그가 야단을 맞았다.
on the turn 바뀌기 시작하여, 바뀌는 고비에 : The tide[current] is *on the* ~. 조수(潮水)가 바뀌기 시작한다 / The public opinion is *on the* ~. 여론이 바뀌고 있다.
out of turn (1) 차례없이, 순번을 무시하고 : You mustn't get on the swing *out of* (your) ~. 차례를 무시하고 그네를 타서는 안됩니다. (2) 경솔하게, 분별없이(tactlessly).
serve a person***'s turn*** 남의 소용에 닿다, 쓸모 있다 : I hope this will *serve* your ~. 이것이 도움을 주리라 생각합니다.
take turns at[***about***] …을 교대로 하다 : Let's *take* ~*s at* cook*ing*. 요리를 교대로 합시다.
to a turn 꼭 알맞게, 더할 나위 없이 : The roast was done *to a* ~. 고기는 알맞게 구워졌다.
turn (***and turn***) ***about*** = *by* TURNS : Mother and I do the dishes ~ *and* ~ *about*. 접시 닦기는 어머니와 내가 교대로 한다.
~·able *a.*
〖OE *tyrnan, turnian* and OF *turner, torner*<L *torno* to turn (*tornus* lathe<Gk.)〗
類義語 ***turn*** 돌다, 축을 중심으로 해서 회전하다 ; 가장 보편적인 말 : A wheel *turns*. (차바퀴가 돈다). ***rotate*** 그 물건 자체의 축을 중심으로 해서 회전하다. ***revolve*** 엄밀히는 축을 중심으로 해서 그 주위의 궤도를 회전하다 : The earth *rotates* on its axis and *revolves* round the sun. (지구는 자전하면서 태양 둘레를 공전한다). ***gyrate*** 회오리 바람 따위가 둥근 모양이나 또는 나선형으로 운동하다 : The wind *gyrated* past the houses. (바람은 회오리치며 집들을 통과했다). ***spin, whirl*** 매우 빠르게 rotate 또는 revolve 하다 : A top is *spinning*. (팽이가 돌고 있다) / The leaves *whirled* about the garden. (나뭇잎이 정원(庭園)에 휘날렸다).

túrn·abòut *n.* **1** 방향전환, 선회. **2** (사상 따위의) 180도의 전환, 전향, 배반, 변절 ; 변절[배반]자. **3** 《美》 회전목마. **4** 보복. **5** 뒤집어 입을 수 있는 옷.
túrn-abòut-fáce *n.* 180도의 전환(turnabout).
túrn and bánk ìndicator *n.* 〖工〗 선회경사계.
túrn·aròund *n.* 왕복 소요시간 ; (자동차의) 회전하는 장소 ; (사상 · 정책의) 전향, 변경 ; 방향전환, 선회 ; (탈것의) 분해 검사[수리].
túrn·bùckle *n.* 죔나사, 죔쇠.
túrn·càp *n.* (굴뚝의) 회전식 불똥마개.
túrn·còat *n.* 변절자, 배반자.
túrn·còck *n.* 수도 급수전(給水栓) 담당자.
túrn·dòwn *attrib. a.* (옷깃을) 접어 젖힌(↔ *stand-up*) ; 접게 된. —— *n.* **1** 접은 옷깃. **2** 거절, 배척 ; 기각.
turned [tə́ːrnd] *a.* **1** 돌린, 회전시킨. **2** 거꾸로 된, 역전[전도]된 : a ~ letter (활자의) 거꾸로 된 글자 ; 복자(伏字). **3** [복합어를 이루어] 말투가[모 양 이] … 한 : ☞ WELL-TURNED / an exquisitely-~ wrist 모양이 곱게 생긴 손목.
túrned cómma *n.* 〖印〗 역(逆)콤마(').
túrned-óff *a.* 《俗》 마약 기운이 떨어진 ; 마음 내키지 않은 ; 정떨어진.
túrned-ón *a.* 《俗》 유행에 민감한 ; 멋부린, 맵시 있는, 싱싱한, 팔팔한 ; 열띤, 흥분한 ; (마약 따위로) 환각 상태에 있는.
túrned périod *n.* 〖印〗 역(逆)종지부(·).
túrn·er *n.* **1** [, 美+túrnər] 재주넘기[공중제비]하는 사람. **2** (요리에 사용하는) 뒤집는 주걱. **3** 녹로공(轆轤工), 선반공. **4** 《英》〖鳥〗 공중제비하는 비둘기.

turner 2

Túr·ner's sỳndrome [tə́ːrnər-] *n.* 〖醫〗 터너 증후군(症候群), (여성) 성선(性腺) 발육 장애 증후군.
〖Henry H. *Turner* 19세기 미국의 의사〗
túrn·ery *n.* 선반공장 ; Ⓤ 선반[녹로] 세공(법).
túrn ìndicator *n.* (자동차의) 방향 지시기 ; 방향

지시등(=**túrn ìndicator lìght**).
túrn·ing *n.* **1** Ⓤ 선회, 회전 ; 역전, 반전 ; 방향 전환. **2** 굽이, 굴곡 ; 모퉁이 ; 분기점, 갈랫길 : Take the second ~ to[on] the left. 두번째 모퉁이를 왼쪽으로 도시오 / It's a long lane that has no ~. ☞ LANE 1. **3** Ⓤ 선반[녹로] 세공(법) ; 둥글게 깎기. **4** Ⓤ 형성, 구성.
túrning cìrcle *n.* (차의) 회전 반지름이 그리는 원 ; 〖水産·海運〗 선회권.
túrning pòint *n.* **1** 방향 전환의 지점. **2** 전환기, 전기(轉機) ; (병의) 고비 ; 위기 : A ~ *in* history has come. 역사의 전환기가 왔다 / This may be the ~ *of* his life. 지금이 그의 생애의 전환기가 될지도 모른다.
tur·nip [tə́ːrnəp] *n.* **1** 〖植〗 순무. **2** 《俗》 구식인 대형 회중 시계. **3** 단조로운 일.
túrnip tòps[grèens] *n. pl.* 순무의 어린잎.
túr·nipy *a.* (모양·맛 따위가) 순무 같은, 순무 맛이 나는 ; 기운[생기] 없는.
túrn·kèy *n.* 감옥지기, (교도소의) 교도관, 간수.
—— *a.* 완성품을 인도(引渡)하는 방식의.
túrn·òff *n.* 《美》 옆길, 샛길 ; (고속도로에서 벗어나는) 갈림길 ; 〖컴퓨〗 끔.
túrn-òn *n.* Ⓤ 《美俗》 마약 흡인으로 도취함 ; 흥미를 일으키게 하는 사람[것] ; 〖컴퓨〗 켬.
túrn·òut *n.* **1** 집합, 비상소집 ; (집회에) 모인 사람들 ; [집합적으로] 출석한 사람(들) : There was quite a good ~ at the polls. 선거인의 투표율은 아주 좋았다. **2** 《英》 동맹 파업(자). **3** 생산량, 산출액. **4** 옷차림, 장비 : a smart ~ 날씬한 몸차림. **5** 《口》 마차와 시중꾼 일행, 수행원(들). **6** 〖鐵·운하〗 대피선(待避線) ; (도로상의) 자동차 대피소. **7** (서랍 따위의) 속에 든 것을 끄집어내기 : have a good ~ *of* one's drawers 서랍 속을 완전히 비우다.
túrn·òver *n.* **1** (마차 따위의) 전복, 전도(轉倒). **2** 자금[상품]의 회전율 : reduce prices to make a quick ~ 자금[상품]의 회전율이 빨라지도록 값을 내리다. **3** (일정 기간의) 거래액, 총매상액 : make a profit of $350 *on* a ~ *of* $7000 총 매상고 7000달러에 대해서 350달러의 이익을 올리다. **4** Ⓤ 전직률(轉職率) : reduce labor ~ 노동자의 전직률을 낮추다. **5** 《英》 다음 페이지까지 계속되는 신문기사. **6** 턴오버《과일이나 잼 따위를 속에 넣고 반원형(半圓形)으로 접은 파이》.
—— *attrib. a.* 반전하는 ; 접어 젖힌 : a ~ collar 접어 젖힌 옷깃[칼라].
túrn·pìke *n.* **1** =TOLLGATE. **2** 유료 도로(toll road) ; 《美》 (특히) 유료 고속도로, 턴파이크(cf. EXPRESSWAY, FREEWAY, SUPERHIGHWAY).
〚ME=road barrier ; ⇨ TURN, PIKE[3]〛
túrn·plàte *n.* 《英》 =TURNTABLE.
túrn-ròund *n.* 반환점 ; (기선의) 기항(寄港).
túrn·scrèw *n.* 나사 돌리개(screwdriver).
túrn sìgnal (lìght) *n.* 방향 지시등.
turn·sole [tə́ːrnsòul] *n.* 〖植〗 꽃이 태양을 따라 도는 식물《해바라기 따위》 ; 리트머스(염료) ; 보랏빛 색소.
túrn·spìt *n.* **1** 꼬치구이를 돌리는 사람[회전기]. **2** 턴스피트《허리가 길고 다리가 짧은 작은 개》.
túrn·stìle *n.* 회전식문, 회전문《사람만 지날 수 있고 말·소는 지날 수 없게 한, 또는 극장이나 역의 입구에 한 사람 씩 지나가게 만든 회전식 장치》 ; 회전식 개찰구.
túrn·stòne *n.* 〖鳥〗 꼬까도요.
túrn·tàble *n.* **1** (일반적으로) 회전대(臺) ; 〖鐵〗 전차대(轉車臺). **2** (축음기의) 회전반(盤), 턴테이블 ; (방송국의) 녹음 재생기.
túrntable làdder *n.* 《英》 =AERIAL LADDER.
túrn·ùp *n.* **1** TURN up하는[된] 것 ; 《英》 (바지 따위의) 접단(=《美》 cuff). **2** 《英口》 뜻밖임, 이례적인 일. **3** 《英口》 소동, 싸움, 격투.
—— *attrib. a.* **1** (코 따위가) 위를 향한. **2** (옷깃 따위를) 되접어 꺾은 : a ~ collar 되접어 꺾은 깃.

turnstile

turp. turpentine.
tur·pen·tine [tə́ːrpəntàin] *n.* Ⓤ 테레빈《소나무과 식물의 함유수지(含油樹脂)》 ; 테레빈유(油)(=~ **òil**) : oil of ~=spirit of ~ 테레빈유.
—— *vt.* …에 테레빈유를 바르다[칠하다] ; (나무)에서 테레빈유를 채취하다.
〚OF<L ; ⇨ TEREBINTH〛
Túrpentine Státe *n.* [the ~] North Carolina 주의 속칭.
tur·peth [tə́ːrpəθ] *n.* 인도 JALAP(의 뿌리)《동인도산 덩굴 식물 ; 하제(下劑)》.
tur·pi·tude [tə́ːrpətjùːd] *n.* 비열(한 행위), 타락, 간악. 〚OF or L (*turpis* disgraceful)〛
turps [tə́ːrps] *n.* 《口》 테레빈유(油)(turpentine).
tur·quoise, -quois [tə́ːrkwɔiz] *n.* **1** 〖보석〗 터키석(石)(turkey stone). **2** Ⓤ 하늘색, 청록색.
—— *a.* 하늘색[청록색]의 ; 터키석으로 장식한.
〚OF=Turkish (stone)〛
tur·ret [tə́ːrət ; tʌ́r-] *n.* **1** (건물의 귀퉁이에 세운) 작은 탑 ; (성채 귀퉁이의) 파수대. **2** 〖軍〗 회전식포탑(砲塔) ; (전차의) 포탑 ; (전투기의) 돌출 기총좌. **3** 〖史〗 바퀴가 달린 높은 사닥다리《중세 때의 성 공격용》. **4** (선반의) 터릿(=turret-head)《선회[회전] 날붙이대(臺)》 ; (현미경·텔레비전 카메라 따위의) (렌즈) 터릿《원반을 회전시켜서 주변의 수개의 렌즈를 신속히 교환시킬 수 있는 장치》.
〚OF (dim.) ‹ TOWER〛

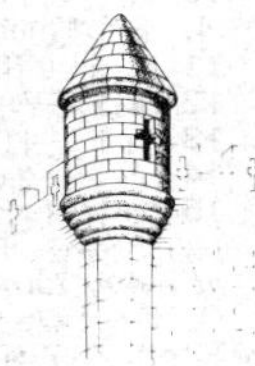
turret 1

túrret càptain *n.* 〖美海軍〗 포탑장(砲塔長).
túrret clòck *n.* 탑시계.
túrret·ed *a.* 작은 탑이 있는 ; 탑 모양의 ; 포탑이 있는 ; (조개가) 작은 탑 모양으로 나선형인.
túrret gùn *n.* 〖軍〗 포탑포(砲).
túrret·hèad *n.* (선반의) 터릿대(臺)《여러 가지 공구를 얹은 탑 모양의 대(臺)》.
túrret làthe *n.* 터릿 선반(旋盤).
túrret shìp *n.* 포탑함(艦).
***tur·tle**[1] [tə́ːrtl] *n.* (*pl.* **~s**, ~) **1** (특히) 바다거북 ; Ⓤ 바다거북의 수프, (수프용의) 거북 살. **2** =TURTLENECK ; 〖海〗 터틀《spinnaker를 넣는 앞갑판에 고정된 지퍼 달린 주머니》 ; 《美俗》 현금 수송차. **3** 〖컴퓨〗 터틀《LOGO의 그래픽스로 「펜을 가지고」 화면 위를 움직여 도형을 그려내는 삼각형》.
turn turtle (배·자동차 따위가) 뒤집히다 ; 《美俗》 어쩔 도리 없다 ; 《美俗》 겁먹다 ; 〖서핑〗 (위험한 파도를 넘겨 보내기 위해) 보드 위에 누워 손발로 보드를 잡고 뒤집힌 자세를 취하다.

—— *vi.* (직업으로서) 바다거북을 잡다.
túr·tling *n.* 거북[바다거북]잡기 (작업).
〖변형(變形) ‹ *tortue* ; ⇨ TORTOISE〗
turtle² *n.* =TURTLEDOVE. 〖OE *turtla*＜L *turtur*〗
túrtle·bàck *n.* 〔海〕 귀갑(龜甲) 갑판(whaleback) ; 〔考古〕 귀갑 모양의 석기. —— *a.* 귀갑 모양의, 거북 등껍데기 같은 등(판)을 가진.
túrtle·dòve *n.* 〔鳥〕 멧비둘기 ; 호도애《암컷과 수컷이 의좋기로 잘 알려져 있음》 ; 연인.
a pair of turtledoves 《비유》 한 쌍의 연인.
túrtle gràphics *n.* 〔컴퓨〕 (LOGO의) 터틀 그래픽스, 터틀 도형.
túrtle·hèad *n.* 〔植〕 현삼과(科)의 다년생초《북미산(産)》.
túrtle·nèck *n.* (스웨터 따위의) 목까지 감싸는 깃, 터틀넥 ; 목이 긴 스웨터.
túrtle shèll *n.* =TORTOISESHELL.
túrtle sòup *n.* 〔料〕 GREEN TURTLE의 고기로 만든 수프.
***turves** *n.* TURF의 복수형.
Tus·can [tʌ́skən] *a.* 토스카나(주민)의 ; 토스카나어의 ; 〔建〕 토스카나 양식의 : the ~ order 〔建〕 토스카나 양식. —— *n.* 토스카나인 ; Ⓤ 토스카나어《표준 이탈리아어》 ; 토스카나산 밀짚(=∠ **stràw**). 〖F＜L=Etruscan〗
Tus·ca·ny [tʌ́skəni] *n.* 토스카나 《이탈리아 중부의 주[지방]》.
Tus·ca·ro·ra [tʌ̀skərɔ́:rə] *n.* (*pl.* ~, ~**s**) 터스커로라족《북아메리카 인디언 Iroquois의 한 지족(支族)》 ; 터스커로라어(語).
tush¹ [tʌ́ʃ] *int., n.* 《古》 첫 ! , 씨 《짜증·경멸 따위를 나타내는 소리》(pshaw). —— *vi.* 첫[씨]하고 소리 내다. 〖imit.〗
tush² *n.* (말 따위의) 송곳니, 엄니.
~**ed** *a.* 엄니가 있는.
〖OE *tusc* TUSK〗
tush³ *n.* 《美俗》 황갈색 살갗의 흑인, 흑백 혼혈아. —— *a.* 호전적인, 위험한 ; 상류의, 유복한.
tush·ery [tʌ́ʃəri] *n.* (tush 같은 고어를 쓴) 점잔 뺀 문체, 의고체(擬古體).
〖R. L. Stevenson의 조어(造語)〗
tusk [tʌ́sk] *n.* **1** (코끼리·멧돼지 따위의) 엄니 (cf. IVORY) ; 《戯》 (사람의) 이, (특히) 뻐드렁니. **2** (써레(harrow) 따위의) 뾰족한 끝.
—— *vt., vi.* 엄니로 찌르다[파헤치다].
~**ed** *a.* 엄니가 있는. ~**lìke** *a.* ~**y** *a.*
〖OE *tux* (변형(變形)) ‹ TUSH²〗
túsk·er *n.* 엄니가 큰 동물《코끼리·멧돼지 따위》.
tus·sah [tʌ́sə, tʌ́sɔ:] *n.* **1** 〔昆〕 참나무산누에나방, 멧누에. **2** Ⓤ 멧누에 실[명주](=∠ **sílk**).
〖Hindi〗
tus·sal [tʌ́səl] *a.* 〔醫〕 기침의.
〖TUSSIS〗
Tus·saud [təsóu, tu- ; tú:sau ; *F* tyso] *n.* **Madame ~** (1760-1850) 스위스의 납세공자 ; London의 MADAME TUSSAUD'S의 창립자.
tus·sis [tʌ́səs] *n.* 〔醫〕 기침. 〖L〗
tus·sive [tʌ́siv] *a.* 〔醫〕 기침의[같은] ; 기침에 기인하는, 기침성의.
tus·sle [tʌ́səl] *n.* 격투, 난투, 분투 : a ~ *with* a person[work] 남과 격투[일과 싸움]하기.
—— *vi.* [動/+前+名] 격투[난투, 분투]하다 : ~ ***with*** a person (***for*** a thing) (어떤 것을 얻으려고) 남과 다투다[맞잡고 싸우다]. 〖Sc. and north Eng. ? (dim.) ‹ *touse* ; ⇨ TOUSLE〗
tus·sock [tʌ́sək] *n.* 풀숲, 덤불 ; (머리털 따위) 숱. **tús·socky** *a.* (풀이) 밀생하고 있는 ; (털이) 많은, 더부룩한. 〖C16 ‹? *tusk* (dial.) tuft〗
tússock gràss *n.* 뭉쳐나기 초본, (특히) 터석그래스《남아메리카산 포아풀과의 목초》.
tússock mòth *n.* 〔昆〕 독나방《독나방과(科) 나방의 총칭》.
tus·sore, -sor [tʌ́sɔ:r, tʌ́sər] *n.* =TUSSAH.
〖Hindi＜ Skt.=shuttle〗
tut¹ [ɿ, tʌ́t] *int., n.* 첫 ! , 쯧쯧 《초조·비난·불만 따위의 혀차는 소리》. 㖿 [ɿ]는 혀끝을 잇몸에 붙이고 빨듯이 하여 혀차는 소리 ; 보통 tut-tut라고 두번 되풀이함. ——[tʌ́t] *vi., vt.* (**-tt-**) …에 혀를 차다 : He *tut-tutted* the news. 그 소식을 듣자 쯧쯧 하고 혀를 찼다. 〖imit.〗
tut² [tʌ́t] *n.* 〔英鑛山〕 일의 생산량(piece) (cf. TUTWORK) : by (the) ~=upon ~ (지급이) 일의 생산량에 따라.
〖C18 (Cornwall) ＜ ?〗
Tut·ankh·a·men [tù:tæŋká:mən, -tɑ:ŋ- ; -təŋká:men] *n.* 투탕카멘《기원전 14세기 후반의 이집트왕 ; 그 무덤이 1922년에 발굴되었음》.
tu·tee [tju:tí:] *n.* tutor의 지도를 받고 있는 사람, 학생.
tu·te·lage [tjú:təlidʒ] *n.* **1** Ⓤ 후견(後見), 보호, 감독 ; 지도. **2** Ⓤ 보호[감독·지도]를 받기. **3** Ⓤ 피(被)후견 기간. 〖L ; ⇨ TUTOR〗
tu·te·lar [tjú:tələr] *a., n.* =TUTELARY.
tu·te·lary [tjú:təlèri ; -ləri] *a.* 수호[보호, 감독, 후견]하는 ; 수호자[보호자, 감독자, 후견인]의 : a ~ deity [god] 수호신(神) / a ~ saint[angel] 수호 성인[천사]. —— *n.* 수호자[신(神)].
tu·tor** [tjú:tər] *n.* **1** (보통 침식을 같이하는) 가정교사(cf. GOVERNESS). **2** 《英大學》 개인지도 교수 ; 《美》 (대학의) 강사《INSTRUCTOR의 아래》. **3** 《英》 교본. **4** 〔法〕 (미성년자에 대한) 후견인, 보호자. —— *vt.* **1** …에게 (가정 교사로서) 가르치다 ; (개별적으로) 지도하다 : She ~*ed* a girl in French. 가정 교사로서 소녀에게 프랑스어를 가르쳤다. **2** [+目/+目+*to* do/+目+前+名] (감정 따위를) 억제하다 ; [수동태 또는 ~ one*self* 로] (자기를) 단련하다 : He has never ~*ed* him*self* *to* be patient.=He has never *been* ~*ed* ***in patience. 참을성을 기른 일이 없었다. —— *vi.* **1** 가정 교사로서의 일을 하다, (특히) 가정 교사를 하다. **2** 《美口》 가정 교사에게 배우다.
〖OF or L (*tut- tueor* to watch)〗
tútor·age *n.* **1** Ⓤ 가정 교사[개인 지도교수·후견인]의 지위[직무]. **2** Ⓤ 지도(instruction). **3** Ⓤ (가정 교사의) 월급.
tu·to·ri·al [tju:tɔ́:riəl] *a.* **1** 가정 교사의 ; 개인 지도의 : ~ classes 개별 지도반. **2** 〔法〕 후견인의 : ~ authority 후견인의 권한. —— *n.* (대학에서 개인 지도 교수에 의한) 개별 지도 시간 ; 〔컴퓨〕 지침(서) : attend a ~ 개별 지도 시간에 출석하다.
tutórial sỳstem *n.* 〔教〕 (특히 대학의) 개인[개별] 지도제.
tútor·shìp *n.* =TUTORAGE 1.
tut·ti [tú:ti(:), tút- ; tút-] *a., adv.* 〔樂〕 전악단원의[으로], 전악기의[로], 투티의[로]. —— *n.* (전원에 의한) 전합창, 전합주, 투티.
tútti-frút·ti [-frú:ti(:)] *n.* 잘게 썬 과일 설탕절임 (이 든 아이스크림). 〖It.=all fruits〗
tut-tut [ɿɿ, tʌ́ttʌ́t] *int., n.* = TUT¹.
——[tʌ́ttʌ́t] *v.* =TUT¹.
tut·ty [tʌ́ti] *n.* Ⓤ 불순(不純) 산화아연《연마용》.
tu·tu [tú:tu:] *n.* Ⓤ 발레용의 짧은 스커트. 〖F〗
tút·wòrk *n.* 〔英鑛山〕 (생산량에 따라 지급받는)

삯일(piecework).

Tu·va·lu [tuvɑ́:lu:] *n.* 투발루《태평양 중남부의 섬나라 ; 1978년 영국 식민지로부터 독립함 ; 수도 Funafuti》.

tu-whit tu-whoo [təhwít təhwú:] *n.* (부엉이의) 부엉부엉(하는 울음소리). —— *vi.* 부엉부엉 울다. 〚imit.〛

tux [tʌ́ks] *n.* 《美口》 =TUXEDO.

tux·e·do [tʌksí:dou] *n.* (*pl.* ~**s**, ~**es**) 《美》 턱시도《남자의 야회용 약식 예복 상의(dinner jacket) ; 그 상의를 포함한 남자의 야회용 약식 예복 한 벌》; 《俗》 구속복(straitjacket).
〚New York 주(州) Tuxedo 공원의 컨트리 클럽의 복장인데서〛

tuxédo jùnction *n.* 《美俗》 스윙 팬의 집합장소.

tu·yère, -yere [twi:jέər, tu:-; twí:eər, twáiər; F tyjε:r] *n.* 〖冶〗 (용광로·풀무의) 바람 구멍.
〚F (*tuyau* pipe< ? Gmc.)〛

◇**TV, tv** [tí:ví:] *n.* (*pl.* ~**s**, ~**'s**) =TELEVISION : a ~ star 텔레비전 스타 / watch ~ 텔레비전을 보다[시청하다].

TV terminal velocity. **TV, Tv, tv** transvestite.

TVA Tennessee Valley Authority.

TVC 〖宇宙〗 thrust vector control (추력(推力) 방향 제어).

TV dinner [tì:ví: ⌐] *n.* (알루미늄통에 냉동되어 불에 데워 먹는) 간편한[인스턴트] 식사.
〚텔레비전을 보면서도 간단히 만들 수 있으므로〛

Tvl. Transvaal.

TV monitor [tì:ví: ⌐] *n.* 텔레비전 모니터.

TVP [tì:vì:pí:] *n.* 식물성 단백질(textured vegetable protein)의 상표명.

TV-Q [tí:vì:kjú:] *n.* (텔레비전의) 프로그램 인지(認知)도·호감도.

TV right [tì:ví: ⌐] *n.* 텔레비전 방송권《특히 올림픽을 특정의 텔레비전 회사가 독점하여 방영하기 위한 권리》.

twa [twɑ́:, twɔ́:], **twae** [twɑ́:, twí:] *n.* 《스코》 =TWO.

TWA Trans World Airlines.

twad·dle [twɑ́dl] *n.* Ⓤ 실없는 말, 군소리, 졸작 ; 쓸데없는 말을 하는 사람. —— *vi., vt.* (…에 대하여) 실없는 말을 하다 ; 시시한 글을 쓰다.
〚C16 *twattle* (변형(變形)) ‹ *tattle* or *twittle*〛

twain [twéin] *n., a.* 《古·詩》 =TWO.
—— *vt., vi.* 둘로 나누다[나뉘어지다].
〚OE *twegen* (masc. nom. and acc.) ‹ TWO ; cf. G (obs.) *Zween*〛

Twain ☞ MARK TWAIN.

twang [twǽŋ] *n.* **1** (현악기·활시위 따위의) 팅[윙·퉁]하는 소리. **2** 콧소리, 코멘 소리 : speak with a ~ 콧소리로 말하다. —— *vt.* (현악기를) 팅 하고 울리다, (화살을) 윙 쏘다 ; 콧소리로 말하다 : ~ a guitar 기타를 퉁기다. —— *vi.* **1 a)** (현악기·활시위가) 팅[윙] 울리다 : The bow ~*ed* and the arrow shot away. 활이 윙 소리를 내자 화살이 날아갔다. **b)** [+前+名] 팅 하고 퉁기다 : ~ ***on*** one's fiddle 바이올린을 퉁겨 울리다. **2** 콧소리로 말하다.
〚C16 (imit.)〛

Twán·kay téa [twǽŋkei-] *n.* 둔계차(屯溪茶) 《녹차의 일종 ; 중국의 산지 이름에서》.

'twas [twɑ́z, twʌ́z, twəz] 《詩·古·方》 it was의 단축형(cf. 'TIS, 'TWERE).

twat [twɑ́t] *n.* 《卑》 여성의 음부(vagina), (특히 섹스의 대상으로서의) 여자, 성교 ; 《俗》 놈, 바보 ; 《俗》 엉덩이(buttocks). 〚C17< ?〛

tweak [twí:k] *vt.* 비틀다, 꼬집다 ; 홱 잡아당기다 : ~ a person's cheek 남의 뺨을 꼬집다 / ~ a girl's hair 소녀의 머리카락을 홱 잡아당기다.
—— *vi.* =TWITCH.
—— *n.* 비틀기, 꼬집기 ; 잡아당기기.
~·**er** *n.* 《英俗》 고무줄 새총.
〚? *twick* (dial.) and *twitch*〛

twee [twí:] *a.* 《英口》 매우 귀여운, 귀엽게 차려입은 ; 기품을 가장하는, 새침떼는.
〚*sweet*의 유아어〛

tweed [twí:d] *n.* **1** 트위드《거친 느낌이 드는 털로 짠 옷감》: a ~ suit 트위드 천의 옷. **2** [*pl.*] 트위드 옷감으로 만든 옷 : The gentleman was dressed in Scottish ~*s*. 그 신사는 스코틀랜드제의 트위드 옷을 입고 있었다.
〚C19 (변형(變形)) ‹ *tweel* (Sc.) TWILL〛

twee·dle [twí:dl] *vi.* (가수·새·백파이프·바이올린·피리 따위가) 강약의 변화에 풍부한 높은 소리를 내다 ; 악기를 만지다[가지고 놀다].
—— *vt.* 음악으로 꾀다, 달콤한 말로 유혹하다.
—— *n.* 깡깡, 팅팅《바이올린 따위 현악기의 소리》. 〚imit.〛

Twee·dle·dum and Twee·dle·dee [twì:dəldʌ́m ənd twì:dəldí:] *n.* 구별하기 힘들 정도로 비슷한 두 사람[물건].

twéedy *a.* 트위드의[비슷한] ; 트위드를 입기 좋아하는, (여성이) 약간 남성적인 ; 트위드를 입은 ; 꾸밈없는, 비공식의.

tweeked [twí:kt] *a.* 《美俗》 몹시 취한.

'tween [twí:n] *adv., prep.* 《詩》 =BETWEEN.

twéen·er *n.* 〖野〗 내야수와 내야수의 좁은 사이를 빠지는 안타.

tweeny [twí:ni] *n.* 《英口》 허드렛일꾼《여자》.

tweet [twí:t] *vi.* (새가) 짹짹 지저귀다. —— *n.* 지저귀는 소리 ; (음성 재생 장치에서 나는) 높은 소리. —— *int.* 짹짹, 찍찍. **twéet·er** *n.* 고음 확성기(cf. WOOFER). 〚imit.〛

twèet·er-wóof·er *n.* 트위터우퍼《고음·저음 양용 스피커》.

tweeze [twí:z] *vt.* 족집게로[핀셋으로] 뽑다[끄집어 내다]‹*out*›. 〚역성(逆成) ‹ *tweezers*〛

twee·zer [twí:zər] *n.* =TWEEZERS.
—— *vt.* =TWEEZE.

twéez·ers *n. pl.* [a pair of ~] (털뽑는) 족집게 ; 핀셋. 〚*tweezes* (pl.) ‹ *tweeze* (obs.) case for small instruments ‹ *etweese* ; ⇨ ÉTUI〛

◇**twelfth** [twélfθ] *a.* **1** 제12의, 12번째의. **2** 12분의 1의 : a ~ part 12분의 1. —— *n.* **1** 제12 ; (달의) 12일 ; [the ~ (of August)] 8월 12일《영국에서 뇌조의 사냥 해금일》. **2** 12분의 1. **3** 〖樂〗 12도(度), 12도 음정. ~·**ly** *adv.* 〚OE *twelfta* (TWELVE, -th^1) ; -*th*는 16세기에 일반화〛

Twélfth càke *n.* Twelfth Night용(用)의 축하케이크.

Twélfth Dày *n.* 12일절(節), 공현절《크리스마스에서 12일째인 1월 6일 ; =EPIPHANY》.

twélfth mán *n.* (크리켓의) 후보[대기] 선수.

Twélfth Nìght *n.* 12일절의 전야제(祭)《1월 5일》, (때로) 12일절의 밤(cf. EPIPHANY).

Twélfth·tìde *n.* 12일절《크리스마스부터 1월 6일까지》.

◇**twelve** [twélv] *a.* 12의, 12개의, 12명의 ; [*pred.* 로 쓰여] 열두 살인. —— *n.* **1** 12, 12개, 열두 명 ; Ⓤ 12시, 12살 ; 12달러[파운드, 센트 따위]. **2** 12의 기호《12, xii, XII》. **3** 12개[명] 한 벌[한 조]의 것 ; [the T~] (그리스도의) 12사도. **4** 〖印〗 12절판, 4·6판(判) : in ~*s* 4·6판의.

〚OE *twelf*(*e*) ; 'two left behind'「10을 세고 나머지 2」의 뜻 ; cf. ELEVEN, G *zwölf*〛
twélve·fòld *a.* **1** 12배의[가 되는]. **2** 열두 부분으로 이루어진. ── *adv.* 12배로.
twélve·mo [-mòu] *n.* (*pl.* ~**s**) =DUODECIMO.
twélve·mònth *n.* [a ~]《주로 英》12개월, 1년, 한 해(year) : I have been looking forward to his visit for nearly *a* ~. 근 1년이나 그의 방문을 고대해 왔다. ── *adv.* 1년전[후] : this day ~ 내년[작년]의 오늘.
twélve·pènny [, -pəni] *a.* 12펜스의, 예전의 1실링의 값[가치]의.
twélvepenny náil *n.* 3¼인치 길이의 못.
Twélve Tábles *n. pl.* [the ~]〘古로〙12표법(表法)[동판법(銅版法)]《로마법 초기의 12조문 ; 451-450 B. C.에 제정》.
twélve-tóne, -nòte *a.*〘樂〙12음(音)의, 12음 조직의 : the ~ system 12음 조직, 무조(無調) 주의 / ~ music 12음 음악.
‡**twen·ti·eth** [twéntiəθ] *a.* 제 20의, 20번째의 ; 20분의 1의. ── *n.* **1** [the ~] 제20 ; (달의) 20일[스무날]. **2** 20분의 1.
◇**twen·ty** [twénti] *a.* **1** 스물의, 20의, 20개의, 20명의 ; [*pred.*로 쓰여] 20세인 : ~ times 20회[스무번]. **2** 다수의(☞ HUNDRED *a.*) : ~ and ~ 다수의 / I have told you ~ times. 너에게 여러 번 말했다. ── *pron.* [복수취급] 20, 스물, 20개, 20명. ── *n.* **1** 스물, 20, 20개, 20명. **2** 20의 기호《20, xx, XX》. **3** [the twenties] (세기의) 20년대 ; [one's twenties] (연령의) 20대. **4**〘印〙20절(折)(판).
〚OE *twentig* (? TWO, *-ty*[1]) ; cf. G *zwanzig*〛
活用 21-29, 31-39, … 91-99는 twenty-one, thirty-four, ninety-nine 처럼 반드시 하이픈으로 연결함. 특히 연령을 말할 경우에는 one and twenty, four and thirty의 형태를 취하기도 함.
twénty-fíve *n.*〘럭비·하키〙(골에서) 25야드선(내) ;《俗》LSD ; 25구경 권총.
twénty·fòld *a.* **1** 20배의[가 되는]. **2** 20부분으로 이루어진. ── *adv.* 20배로.
twénty-fóur·mo, 24 mo [-mou] *n.* (*pl.* ~**s**) 24절판(의 책).
20-gauge [twénti-] *n.* 20번(산탄총, 산탄)《지름 615 / 1000 인치》.
twénty·mo, 20 mo [-mòu] *n.* (*pl.* ~**s**)〘印〙20절판(의 책).
twénty-óne *a.* 21(개)의 ; 21인의. ── *n.* Ⓤ〘카드놀이〙「21점」(vingt-et-un)《21점까지 선보다 먼저 따는 사람이 이기는 게임》.
twénty-twénty, 20/20 *a.* 시력(視力)이 정상인.
twénty-twó *n.* 22 ; 22 구경 라이플[권총] ; 그에 쓰는 총알.
'twere [twə́ːr, twər]《詩·古》it were(=it would be)의 단축형(cf. 'TIS, 'TWAS).
twerp, twirp [twə́ːrp] *n.*《英俗》무법자, 무례한 자(bounder) ; 어리석은 자, 시시한 녀석.
〚C20 < ?〛
T.W.I. Training within Industry (기업내 감독자 훈련).
twi- [twái] *pref.*「2」「2배의」「두 겹…」의 뜻.
〚OE=OHG *zwi-*, ON *tvi-* ; L *bi-*, Gk. *di-*[1]과 같은 어원〛
twi·bil(l) [twáibil] *n.* **1**《英》곡괭이《양날의》. **2**《古》쌍날 전부(戰斧). 〚OE (*two*, BILL[3])〛
‡**twice** [twáis] *adv.* **1** 두 번, 2회 : once or ~ 한두 번 / ~ or thrice《文語》두세 번. **2** 두 배로, 갑절로 : ~ as good as …의 배나 좋은 / ~ as many 두 배(의 수) / ~ as much 두 배(의 양) / *T*~ (=《美》Two times) three is[are] six. 2곱하기 3은 6《2×3=6》/ I am ~ your age. 내 나이는 너의 갑절이다.
think twice 재고하다 ; 주저하다 : I shouldn't *think* ~ *about*[*before*] refusing his offer. 나라면 그의 제의를 단연 거절하겠다.
〚ME *twies* (OE *twiga, -es*)〛
twíce-bórn *a.* 두 번 태어난, 화신(化身)의 ; (정신적으로) 거듭 태어난.
twíce-láid *a.* 낡은 밧줄로 엮어 만든 ; 재생한 ; 낡은 것으로 만든 ; 풀어서 다시 꼰.
twíc·er *n.* **1** 두 번 반복하는 사람, 두가지 일을 하는 사람. **2**《英·蔑》식자 겸 인쇄공. **3**《美俗》악한, 사기꾼 ;《俗》전과 2범인 자.
twíce-tóld *a.* 재차[누차] 이야기한 ; 케케묵은 : a ~ tale 진부한 이야기.
twid·dle [twídl] *vt.* 비틀어 돌리다, 만지작거리다 : ~ one's pencil (심심하여) 연필을 만지작거리다. ── *vi.* [+前+名] 만지작거리다, 가지고 놀다 : ~ ***with*** one's watch chain 시계 줄을 만지작거리다.
twiddle one***'s thumbs*** (지루하여) 두 엄지손가락을 번갈아 돌리다 ;《비유》(아무것도 하지 않고) 빈둥거리다.
── *n.* 비틀어 돌리기 ; 둘둘 감긴 표시[기호] ; (악음(樂音)의) 떨림 ; 파문(波紋).
〚C16 (? imit.) ; *twirl, twist*+*fiddle, piddle*인가〛
***twig**[1] [twíg] *n.* **1** 작은 가지, 잔가지《보통 잎이 붙어 있지 않은 것 ; cf. SPRAY[2], BRANCH, BOUGH》. **2**〘解〙(신경·혈관의) 지맥 ; =DIVINING ROD.
hop the twig《口》죽다.
── *vt.* (-gg-)《美俗》벌하다.
twíg·gy *a.* 잔가지의[같은] ; 연약한, 섬세한 ; 잔가지가 많은. 〚OE *twigge* ; cf. OE *twā* two, OHG *zwig* twig ; '두 갈래의 가지'의 뜻인가〛
twig[2] *vt., vi.* (-gg-)《英口》[+目+*wh.*節 / 動] 알다, 이해하다(understand), (진의(眞意) 따위를) 간파하다, 알아차리다 : I soon ~*ged why* she was absent. 나는 왜 그녀가 오지 않았는지 곧 알아챘다.
〚C18 < ? Sc. Gael. *tuig* I understand〛
***twi·light** [twáilàit] *n.* **1** Ⓤ (일출 전·일몰 후의) 땅거미, 여명, 어스름, 황혼 : in the ~ 저녁(때)에. **2** Ⓤ (땅거미 비슷한) 희미한 빛, 미광(微光). **3** Ⓤ《비유》(전성기 전후한) 여명기(期), 황혼(의 상태) : in the ~ *of* revolution 혁명 초기에. **4** (의식 따위의) 몽롱한 상태, 알 듯 모를 듯 함.
the Twilight of the Gods〘北유럽神〙신들의 황혼《신들과 거인들과의 최종적 결전의 결과로서 초래되는 신들과 세계의 멸망》.
── *a.* 여명의[같은].
〚ME=half light (between day and night) (OE *twi-* half, two)〛
twílight ìndustry *n.* 사양 산업.
twílight slèep *n.* (무통분만(無痛分娩)시의) 반(半) 마취 상태.
twílight stàte *n.*〘醫〙몽롱 상태.
twílight zòne *n.* **1** 빛이 닿는 바닷속 가장 깊은 층. **2** 어느 쪽에도 속하지 않는 영역 ; (도시의) 노후 지구.
twill [twíl] *n.* 능직(綾織)(무늬). ── *vt.* 능직으로 짜다 : ~*ed* fabrics[weaves] 능직.
〚north. Eng. *twilly* < OE *twili* two thread(*twi-*) ; L *bi-*[1](*lix* ‹ *licium* thread)의 부분역(譯)〛
'twill [twil]《古·詩》it will의 단축형(cf.

'TWOULD).

twilled [twíld] *a.* 능직의.

T.W.I.M.C. to whom it may concern (관계자 여러분에게).

***twin** [twín] *n.* **1** 쌍둥이(의 한 사람); [*pl.*] 쌍생아, 쌍둥이 : one of the ~*s* 쌍둥이의 한 사람 / ☞ FRATERNAL TWINS / ☞ IDENTICAL TWINS / ☞ SIAMESE TWINS. **2** 비슷한 사람[물건]; 쌍을 이룬 것의 한쪽; [*pl.*] 쌍. **3** 〖結晶〗 쌍정(雙晶). **4** [the T~s] 〖天〗 쌍둥이 자리 (Gemini). —— *attrib. a.* **1** 쌍둥이의; 〖植·動〗 쌍생의 : ~ children 쌍둥이 아이 / ~ brother(s) [sister(s)] 쌍둥이 형제[자매]. **2** 쌍을 이루는, 쌍의 (한 쪽의); 흡사한, 꼭 닮은 : ~ bed(s) 트윈 베드[침대]《쌍을 이룬 같은 모양의 싱글 침대》/ a ~ room 트윈 침대가 있는 방. —— *v.* (**-nn-**) *vi.* **1** 쌍둥이를 낳다. **2** 쌍[짝]을 이루다〈*with*〉. —— *vt.* 쌍[짝]을 이루게 하다〈*with*〉.
〖OE *twinn* double; ⇨ TWO〗

twín bíll *n.* 《美口》 〖野〗 =DOUBLEHEADER; 〖映〗 =DOUBLE FEATURE.

twín·bòrn *a.* 쌍둥이의, 쌍생(雙生)의.

Twín Bróthers [**Bréthren**] *n. pl.* [the ~] 〖天〗 쌍둥이 자리(the Twin); 〖그神〗 =DIOSCURI.

twín-cám èngine *n.* 〖自動車〗 트윈캠 엔진《고회전에 의해 성능을 높임》.

Twín Cíties *n. pl.* [the ~] (Mississippi 강을 끼고 있는) St. Paul과 Minneapolis의 두 도시.

twín dóuble *n.* (경마 따위의) 4 연승식 내기 방식《1-4착을 맞춤》.

***twine** [twáin] *n.* **1** Ⓤ 꼰 실; (포장용·그물 제조용 따위의) 삼실, 삼끈. **2** Ⓤ 꼬기, 짜넣기, 짜서 합치기. **3** 사리어 감기; 얽힌 줄기[잔가지]. **4** 혼란, 분규.
—— *vt.* **1** [+目/+目+前+名] (실을) 꼬다, 꼬아 합치다; (직물·화환(花環) 따위를) 짜다, 엮다, 엮어 만들다 : She ~*d* the flowers ***into*** a wreath. 꽃을 엮어 화환을 만들었다. **2** [+目+副/+目+前+名] 얽히게 하다; 감기게 하다 : She sat *twining* the fingers *together* in silence. 그녀는 손가락을 깍지낀 채 잠자코 앉아 있었다 / She ~*d* her arms (***a***)***round*** me. 그녀는 두 팔로 나를 껴안았다. —— *vi.* [動/+前+名] **1** (식물 따위가) 감기다, 얽히다 : The ivy ~*d* ***about*** [(***a***)***round***] the oak tree. 담쟁이 덩굴이 떡갈나무를 친친 감았다. **2** (뱀 따위가) 꿈틀거리며 가다 : A snake ~*d* ***over*** the ground. 뱀이 땅 위를 꿈틀거리며 기어갔다. 〖OE *twin* double or twisted thread; cf. G *Zwirn*〗

twín-éngine(d) *a.* (비행기가) 쌍발(雙發)의.

twin·er [twáinər] *n.* 꼬는 사람[것, 기계]; 감기는 것, (식물의) 덩굴; 감겨 올라가는 식물《나팔꽃 따위》.

twín·flòwer *n.* 〖植〗 린네풀, 연리초.

twinge [twíndʒ] *n.* **1** 쑤시는 듯한 아픔, 욱신거림 : a ~ *of* rheumatism 욱신거리는 류머티즘. **2** (마음의) 가책, 고통, 후회 : a ~ *of* conscience 양심의 가책. —— *vi., vt.* 욱신거리다, 쑤시듯이 아프다[아프게 하다].
〖(n.) < (v.) =to pinch, wring < OE *twengan*; cf. G *zwingen* to constrain〗

twí-nìght [twái-] *a.* 〖野〗 오후 늦게 시작하여 밤늦도록 계속하는 더블헤더(doubleheader)의. **~·er** *n.* 〖*twi*light+*night*〗

twín·jèt *n.* 쌍발 제트기.

twink[1] [twíŋk] *n., vi.* =TWINKLE; =WINK : in a ~ 눈 깜짝할 사이에.

twink[2] *n.* 여자 같은 남자, (남자) 호모; 괴짜.

twínk·ie *n.* 《美俗》 얼간이, 멍청이.

twín kílling *n.* 《野俗》 더블 플레이, 병살.

twin·kle** [twíŋkəl] *vi.* **1** (별·먼 곳의 등불 따위가) 반짝반짝 빛나다, 번득이다, 반짝이다, 빛나다 : The stars are *twinkling* in the sky. 별들이 하늘에서 반짝이고 있다. **2** [動/+前+名] 눈을 깜박거리다; (눈이) 반짝이다 : She said so with her eyes *twinkling* ***with amusement[mischief]. 재미있어서[장난기 어린] 눈을 반짝이며 그렇게 말했다. **3** (무용수가) 경쾌하게 움직이다. —— *vt.* (눈을) 반짝이다. —— *n.* **1** Ⓤ 번득임, 반짝거림 : the ~ of the stars 별들의 반짝임. **2** (눈을) 깜박거리기, 반짝임; (생기 있는) 눈빛 : a mischievous ~ in a girl's eyes 소녀의 장난기 어린 눈초리. **3** (무용수가) 경쾌하게 움직임. **4** 눈 깜빡할 사이, 순간 : *in* a ~ = *in* the ~ of an eye 순식간에, 아차 하는 순간에.
〖OE (freq.) < 《美》 *twincan* to twink〗

twín·kling *a.* 반짝반짝하는, 번득이는, 반짝반짝 빛나는; 경쾌하게 움직이는. —— *n.* [단수형만으로 쓰여] **1** 번득이기, 반짝임. **2** 눈을 깜박거림; 순간 : *in* a ~ = *in* the ~ of an eye[a bedpost] 눈깜짝할 사이에, 순식간에. **3** (발 따위의) 경쾌한 움직임.

twín-lèns *a.* 〖寫〗 2안(眼)의, 쌍안 렌즈의 : a ~ reflex camera 2안 리플렉스 카메라.

twín-mòtored *a.* =TWIN-ENGINE(D).

twinned [twínd] *a.* 쌍생(雙生)의; 결합한, 짝을 이룬; 〖結晶〗 쌍정의.

twín·ning *n.* 쌍둥이를 낳음[뱀]; 결합, 양자를 결합하여 인증[연상, 비교]함; 〖結晶〗 쌍정화.

twín-plàte pròcess *n.* 〖工〗 판유리의 양면을 동시에 갈고 연마하는 가공 공정.

twín póts *n. pl.* 《美俗》 2 연장(連裝)의 기화기(를 가진 자동차).

twín róom *n.* twin bed가 있는 (호텔의) 객실.

twín-scréw *a.* 〖海〗 (서로 반대 방향으로 도는) 트윈스크루[쌍 추진기]를 갖춘.

twín sèt *n.* 《英》 (빛깔과 스타일이 같은) cardigan과 pullover의 앙상블《여성용》.

twín·ship *n.* 쌍둥이 관계[상태]; 밀접한 관계임; 근사[유사](성).

twín-sìze *a.* 《美》 (침대가) 트윈 사이즈의《39×75 인치》.

twín tówn *n.* 자매 도시.

twirl [twə́ːrl] *vt.* **1** [+目/+目+副] 빙글빙글 돌리다, 휘두르다 : ~ one's thumbs 깍지낀 양손의 엄지 손가락을 빙글빙글 돌리다《지루할 때 따위의 몸짓》/ She ~*ed* ***round*** the drum major's baton. 악대의 선두에 서서 지휘봉을 빙글빙글 돌렸다. **2** [+目/+目+副] 비비 틀다, 만지작거리다 : ~ ***up*** one's mustache 수염을 꼬아 올리다. **3** 〖野〗 (공을) 던지다. —— *vi.* 빙글빙글 돌다; 획 방향을 바꾸다; 투구하다. —— *n.* **1** 회전, 비비 틀기 : a ~ in a dance 댄스의 회전. **2** 장식적인 글씨체. **~·er** *n.* 《美口》 투수(pitcher); =BATON TWIRLER.
〖*whirl*의 영향으로 인한 *tirl* (obs.) TRILL의 변형(變形)인가; 또는 ? imit.; 일설(一說)에 *twist*+*whirl*; cf. Norw. (dial.) *tvirla* to twirl〗

twirp ☞ TWERP.

twist** [twíst] *vt.* **1** [+目/+目+副/+目+前+名] 꼬다, 꼬아 합치다, (새끼 따위를) 꼬다; 엮다, 짜넣다; 꼬아[엮어] 만들다 : ~ ***up a strip of paper 종이 조각을 꼬다 / ~ threads *together* to make string 실을 꼬아 끈을 만들다 / She ~*ed* flowers ***into*** a garland. 꽃을 엮어서 화환을 만들었다 / This cord is ~*ed* ***from*** several kinds of fiber. 이 노끈은 몇 종류의 섬유를 꼬아 만든 것이다.

2 [+目+前+名] 친친 감다, 휘감다 : She ~*ed* her hair in ringlets ***around*** her finger. 그녀는 머리칼을 손가락에 감아서 곱슬곱슬하게 했다.

3 a) [+目/+目+副/+目+前+名] 비틀다, 비틀어 돌리다, 뒤틀다 ; 비틀어 빼다[구부리다] : ~ a wire 철사를 비틀어 구부리다 / The typhoon ~*ed* ***off*** the large tree. 태풍으로 큰 나무가 비틀려 꺾였다 / The little girl ~*ed* the arm ***off*** her doll. 어린 소녀는 인형의 팔을 비틀어 떼어 버렸다 / He ~*ed* it ***out of*** my hand. 그것을 비틀다시피하여 내손에서 잡아챘다. **b)** 회전[선회]시키다 ; 〖撞球·野〗 (공에) 회전 운동을 일으키다, 커브지게 던지다, 비틀어[깎아] 치다.

4 [+目/+目+副/+目+前+名] (얼굴을) 찡그리다 ; (손발 따위를) 삐다 ; (몸의 일부를) 뒤틀다 : He ~*ed* his ankle. 발목을 삐었다 / He ~*ed* his body ***around*** to look back. 몸을 뒤틀다시피하여 뒤돌아보았다 / He ~*ed* his face ***into*** a grin. 이를 드러내며 싱긋이 웃었다.

5 [+目/+目+前+名] 《비유》 (뜻을) 억지로 갖다 붙이다, 곡해(曲解)하다 : He tried to ~ my words ***into*** an admission of error. 억지를 써서 나에게 잘못을 인정시키려고 했다.

6 [+目+前+名] 누비며 지나가다 : They ~*ed* their way ***through*** the crowd. 군중 속을 누비며 지나갔다(cf. *vi.* 2).

7 《美口》 (생명 보험 계약을) 부정 수단으로 다른 보험 회사의 계약으로 바꾸게 하다.

8 [보통 *p.p.*로 쓰여] (마음을) 비뚤어지게 하다.

── *vi.* **1 a)** [動/+副] 꼬이다, 비틀리다, 나선 모양이 되다 ; 감기다 : The smoke from Sherlock Holmes's pipe ~*ed upward.* 셜록 홈즈가 피던 파이프의 연기는 나선 모양이 되어 위로 올라갔다. **b)** [動/+副/+前+名] 몸을 비틀다[뒤틀다] : She ~*ed* (***around***) to see the procession. 행진을 보려고 몸을 뒤틀었다[몸을 틀어 행진을 보았다] / The girl ~*ed* ***out of*** the man's arm and shouted "Help me!" 소녀는 몸을 뒤틀어 남자의 팔에서 벗어나 살려줘요!라고 소리쳤다. **c)** [+副] 버둥거리다, 몸부림치다 : The patient ~*ed* ***about*** in pain. 환자는 고통으로 몸부림쳤다. **2** [+副/+前+名] 누비며 나아가다 ; (강·길 따위가) 꼬불꼬불하다 : The path ~*s* ***in*** and ***out*** among the rocks. 길은 바위 산 속을 굽이쳐 들쭉날쭉 나 있다 / I ~*ed* ***through*** the crowd. 군중 사이를 누비듯이 나아갔다(cf. *vt.* 6). **3** 〖撞球〗 당구공이 회전하면서 나아가다. **4** 〖댄스〗 트위스트를 추다. **5** 부정 행위를 하다.

twist the lion's [***Lion's***] ***tail*** ☞ LION.

── *n.* **1 a)** U.C 꼰 실, 새끼, 밧줄. **b)** 꼬기, 한번 꼼, 꼬는 법. **2 a)** 비틀림, 뒤틀림 ; 얽힘 : give a ~ to the rope 로프를 비비 꼬다 / a ~ in one's tongue 혀 꼬부라짐, 발음이 불명료함(cf. TONGUE TWISTER). **b)** 비비 꼬인 빵 ; U.C 꼰 담배 ; C 《英》 (음료·잡화점에서 간단한 물건을 넣어주는 양쪽 끝이 비틀어진) 작은 종이 봉지 <*of*>. **c)** U.C 소용돌이 모양 ; 〖野·撞球〗 커브, 틀어치기 공. **d)** 굽이 ; 만곡(彎曲) ; 《비유》 (정세 따위의) 급변, 뜻밖의 진전 : a ~ *in* a road 도로의 굽이 / ~*s* and turns ☞ 숙어. **e)** (뜻을) 억지로 갖다 붙임, 곡해(曲解). **f)** 버릇, 기벽(奇癖) ; 부정(不正), 부정직 : a ~ *in* one's nature 기벽, 비뚤어진 성질. **3** 비결, 요령(trick) ; 새로운 고안, 새 방식. **4** U.C 〖空〗 기류의 비틀림 ; 〖理〗 비틀림(율(率)·각(角)). **5** 〖댄스〗 트위스트 : dance the ~ 트위스트를 추다.

a twist of the wrist 《비유》 솜씨, 요령.

twists and turns 꾸불꾸불함, 많은 굴곡 ; 《비유》 우여곡절, 자초지종.

〖ME=divided object<OE *-twist* rope (⇨ TWIN, TWINE) ; cf. G *Zwist* quarrel, Du. *twisten* to quarrel〗

類義語 ⟹ CURVE.

twíst drìll *n.* 〖機〗 타래 송곳, 트위스트 드릴.

twíst·ed *a.* 비틀린, 꼬인 ; 미친 ; 〖美俗〗 마약으로 황홀해진, 술에 취한.

twíst·er *n.* **1** 꼬는 사람, 엮는 사람 ; 실꼬는 기계 ; 비트는 사람. **2** 《口》 (마음이) 비뚤어진 사람, (교활하게) 속이는 사람, 부정직한 사람. **3** 〖球技〗 곡구(曲球), 커브진 공. **4 a)** 어려운 일[문제]. **b)** =TONGUE TWISTER. **5** 《美口》 선풍, 회오리 바람. **6** 〖댄스〗 트위스트를 추는 사람.

twíst grìp *n.* 트위스트 그립《모터사이클·자전거의 비틀어서 액셀러레이터[기어]를 조작하는 핸들의 손잡이》.

twíst·ing *n.* 〖保險〗 이승(移乘)계약《속여서 계약을 타사와의 계약으로 바꾸도록 하기》 ; 〖纖維工〗 가연(加撚) : a ~ machine 연사기(撚絲機).

twíst-relèase *a.* 비틀어 여는, 비틀어 내용물을 꺼내는.

twíst wáveguide *n.* 꼬임 도파관(導波管).

twísty *a.* **1** 꼬불꼬불한, 비틀린. **2** 정직하지 않은, 교활한.

twit[1] [twít] *vt.* (**-tt-**) [+目/+目+前+名] (과실·결점 따위를) 나무라다, 비웃다, 야유하다 : They ~*ted* him ***with*** [***about***] his stammer. 그들은 그가 말을 더듬는다고 비웃었다. ── *n.* 힐난, 힐책, 조소. 〖OE *ætwītan* (*æt* against, *wītan* to accuse) ; 두음 소실(頭音消失)은 16세기〗

twit[2] *n.* 《英口》 바보. 〖↑ ; (dial.)=a person given to twitting의 뜻에서〗

twit[3] *n.* 신경의 항진, 안달. 〖TWIT[1]〗

twitch [twítʃ] *vt.* **1** [+目/+目+副/+目+前+名] 홱 잡아당기다, 잡아채다 : ~ a curtain *aside* 커튼을 옆으로 쓱 당기다 / ~ a person ***by*** the sleeve 남의 소매를 잡아당기다 / The thief ~*ed* my handbag ***out of*** my hand. 도둑놈이 내 손에서 핸드백을 잡아채 갔다. **2** (몸의 일부분을) 씰룩거리다, 경련시키다 : The cows were ~*ing* their flanks to drive off the flies. 소들이 파리를 쫓으려고 옆구리를 씰룩거리고 있었다. ── *vi.* [動/+前+名] 씰룩거리다, 경련하다 ; 홱 잡아당기다 : The smell made my dog's nose ~. 냄새로 내 개의 코가 씰룩거렸다 / Her lips ~*ed* ***in*** exasperation. 심한 분노로 그녀의 입술이 씰룩거렸다.

── *n.* **1** 홱 잡아당기기 : She felt a ~ *at* her skirt. 그녀는 스커트가 홱 당겨지는 것을 느꼈다. **2** (근육 따위의) 경련, 쥐 ; (심신의) 갑작스러운 아픔, 동통(twinge).

at a twitch 순식간에.

~·er *n.* 홱 잡아당기는 사람[것].

〖ME *twicchen* ; cf. OE *twiccian* to pluck〗

twítchy *a.* 안달이 난, 들뜬, 침착하지 못한.

twítch·i·ly *adv.*

twite [twáit] *n.* 〖鳥〗 노랑부리방울새《유럽산》. 〖imit.〗

twit·ter [twítər] *n.* **1** (새의) 지저귐 : the ~ of sparrows 참새들의 지저귐. **2** 킥킥 웃기. **3** 《口》

홍분, 몸서리 : (all) in a ~ (아주) 안절부절못하여, 어찌할 바를 몰라. —— *vi.* 지저귀다 ; 킥킥웃다 ; (홍분하여 떨리는 목소리로) 지껄이다 ; (흥분·열중·공포로) 떨다, 안절부절못하다, 어찌할 바를 모르다. —— *vt.* 작은 새의 지저귐 같은 목소리로 지껄이다 ; 지저귀며 노래하다 ; 조금씩 앞뒤로 흔들다[동요시키다].
〖imit. ; cf. G *zwitschern*〗

'twixt, twixt [twíkst] *prep., adv.* 《詩·方》 = BETWIXT.

◇**two** [tú:] *a.* 둘의, 2의, 2명의 ; [*pred.*로 쓰여] 2살인 : be in ~ minds 마음이 정해지지 않다, 우물쭈물하다 / in one or ~ days=in a day or ~ 하루 이틀 사이에 / ~ parts 3분의 2(☞ PART *n.* 3) / *T*~ heads are better than one. 《속 담》 한 사람의 꾀보다 두 사람의 꾀가 낫다. —— *n.* (*pl.* ~**s**) **1** 2, 둘, 2개, 2사람 ; Ⓤ 2시 ; 2살, 2달러[파운드·센트《따위》] : in ~ 둘[두 동강]로 / *T*~ and ~ make four. 2에 2를 더하면 4가 된다 ; 자명한 이치 / *T*~ can play at that (game). (그렇다면) 이편에서도 생각이 있다, 그 보복은 반드시 한다 / It takes ~ to make a quarrel. 《속담》 상대가 없으면 싸움이 안된다 / *T*~ is company, (but) three is none. 《속담》 둘이면 사이가 좋고, 셋이면 의가 상한다. **2** 2의 기호(2, ii, Ⅱ). **3** 2개[사람] 한 벌[조]이 되는 것, 한쌍 : by[in] ~*s* and threes 삼삼오오, 드문드문. **4** (카드·주사위) 2.
in two twos 《英》 곧(바로), 즉시, 순식간에.
put two and two together 생각나는 일을 짜맞추다, 여러 가지 종합해 보다.
two and [***by***] ***two*** 두 사람씩, 2개씩.
〖OE *twā* (fem. and neut.), *tū* (neut.) ; cf. OE *twēgen* two (masc.), G *zwei*, L *duo*〗

2-A, II-A [tú:éi] *n.* (미국의 선발 징병 분류에서) 2-A《농업종사자·학생이 아닌 자로서 직업에 의해 징병이 연기된 자(의 구분)》.

twó-a-dáy *n.* 하루에 2번 상연되는 쇼.

twó-addréss instrúction *n.* 〔컴퓨〕 2번지 명령《2개의 연산수 address가 지정되는 명령》.

twó-bágger *n.* 〔野〕 2루타.

twó-báll fóursome *n.* 〔골프〕 2인 1조가 되어 넷이서 하는 매치 플레이.

twó-báse hít *n.* 〔野〕 =TWO-BAGGER.

twó-bèat *a.* 〔樂〕 투비트의《재즈에서 2박자와 4박자에 악센트를 둠》.

twó-bìt *a.* 《美俗》 25센트의 ; 싸구려의.

twó bíts *n.* [단수·복수 취급] 《美口》 25센트 ; 소액 ; 시시한 것.

twó-by-fòur *n.* 두께 2인치[피트] 폭 4인치[피트]의 재목《건축 재료》. —— *a.* **1** 두께 2인치[피트] 폭 4인치[피트]의. **2** 《美口》 조그마한, 좁은, 한정된 ; 시야가 좁은, 아량이 좁은.

2-C, Ⅱ-C [tú:sí:] *n.* (미국의 선발 징병 분류에서) 2-C《징병이 연기된 농업 종사자》.

twó-cáreer *a.* 부부가 같이 본격적인 직업을 가지고 있는.

twó cénts *n. pl.* 《美口》 시시한 것 ; [one's ~ (worth)] 의견, 견해 : feel like ~ 창피한 생각이 들다.
put [***get***] ***in*** one***'s two cents*** (***worth***) 주장하다, 의견을 말하다.

twó cúltures *n. pl.* [the ~] 인문·사회 과학과 자연 과학. 〖Cambridge 대학에서의 C. P. Snow의 강연 제목(1959)에서〗

twó-cỳcle *a.* 〔機〕 (내연 기관의) 2사이클의.

twó-déck·er *n.* 이중 갑판의 배 ; 2층 전차[버스].

twó-dígit *a.* 두 자릿수의(double-digit).

twó-diménsion·al *a.* 이차원의 ; 평면적인, 깊이 없는 : ~ array 〔工·컴퓨〕 이차원 배열.

twó-éarner còuple *n.* 맞벌이 부부[가정].

twó-édged *a.* =DOUBLE-EDGED.

twó-fàced *a.* =DOUBLE-FACED.
-fác·ed·ly [-féist-, -səd-] *adv.* **-fác·ed·ness** [-féist-, -səd-] *n.*

two·fer [tú:fər] *n.* 《美口》 싸구려 상품, 염가품, (특히) 2개 5센트의 여송연 ; 한 장분의 요금으로 2인분의 표를 살 수 있는 우대권. —— *a.* 하나로 둘을 겸하는.
〖*two for* (*one*)〗

twó-físt·ed *a.* 《美口》 두 주먹을 쓸 수 있는 ; 《비유》 강한, 정력적인(vigorous) ; (소설 따위를) 소박하고 남성미 있는 내용으로 팔리게 한.

twó·fòld *a.* 2배[두 겹]의, 2요소[부분]가 있는. —— *adv.* 2배[두 겹]로.

twó-for-óne *a.* 표리[양자(兩者)]일체의.

2, 4-D [tù: fɔ̀:rdí:] *n.* =DICHLOROPHENOXY-ACETIC ACID《제초제》.

2, 4, 5-T [tù: fɔ̀:r fàivtí:] *n.* =TRICHLORO-PHENOXYACETIC ACID 《제초제》.

twó-fóur (**tìme**) *n.* 〔樂〕 4분의 2박자.

twó-generátion fàmily *n.* 핵가족.

twó-hánd·ed *a.* **1** 두 손이 있는 ; (칼 따위) 두 손으로 다루는. **2** (톱 따위) 2명이 쓰는 ; (게임 따위) 두 명이 하는. **3** 양손잡이의, 양손을 쓰는.

two i/c [tú: áisí:] *n.* 《美俗》 부사령관(second in command).

twó-íncome fàmily *n.* 맞벌이 부부.

twó-légged *a.* 다리가 둘인.

twó-lèvel stórage *n.* 〔컴퓨〕 2단계 기억 장치.

twó-lìne, -lìned *a.* 〔印〕 (활자가) 배형(倍型)의 : a ~ letter 배형 문자.

twó-mást·ed *a.* 쌍돛대의.

twó-mást·er *n.* 쌍돛대의 배, 두 대박이.

twó mínute òffense *n.* 〔美蹴〕 경기 종반에 나머지 시간을 고려에 넣고 행하는 공격.

twó-nàme páper *n.* 복명 어음.

twó·ness *n.* **1** Ⓤ 둘임[이 되기] ; 두 부분[2통]이 있음. **2** Ⓤ 이중성(二重性).

twó on óne *n.* 〔美蹴〕 적과 이쪽이 2 대 1로 플레이하는 상태.

twó-out-of-fíve còde *n.* 〔컴퓨〕 5자택 2부호.

twó páirs *n. pl.* 〔포커〕 투페어.

twó-pàrt *a.* 〔樂〕 2부의 : ~ time 2박자 (또는 그 배수(倍數)).

twó-pàrty *a.* 양대 정당의.

twó-party sýstem *n.* 〔政〕 양대 정당(政黨) 제도, 양당제.

twó-páy·chèck *a.* 두 사람이 버는 ; 수입원이 둘 있는 ; 맞벌이하는.

two·pence [tʌ́pəns] *n.* **1** 《英》 Ⓤ 2펜스 ; Ⓒ 2펜스 청동화. **2** Ⓤ 조금, 하찮은 일 : do not care ~ 조금도 상관[개의]치 않다, 태평하다.

two·pen·ny [tʌ́pəni] *a.* **1** 2펜스의. **2** 싸구려의, 보잘것없는. —— *n.* 2펜스화 ; 미량.

twópenny-hálf·pen·ny [-héipəni] *a.* 《英》 2펜스 반의 ; 보잘것없는, 하찮은(petty).

twópenny náil *n.* 길이 1인치의 못.

twópenny píece *n.* 2펜스 화폐.

twó-pháse *a.* 〔電〕 2상(相)의.

twó-píece *attrib. a.* 두 부분으로 이루어진 ; 투피스의 : a ~ dress 투피스의 옷. —— *n.* 투피스의 의복[수영복](=**twó-píecer**).

twó-píece cán *n.* 2부재(部材) 깡통《밑과 동체

가 한 부재고 여기에 뚜껑을 접합시킴》.
twó-plý *a.* **1** (실 따위) 두 가닥으로 꼰, 두가닥의. **2** 두 겹으로 짠 ; 2장을 겹친.
twó-pót scrèamer *n.* 《濠俗》 술에 빨리 취해버리는 사람.
twó-pówer *a.* 두 나라의.
twó-ròwed bárley *n.* 맥주보리.
2-S, II-S [tú:és] *n.* (미국의 선발 징병 분류에서) 2-S《학생으로서 징병이 연기된 자》.
twó's cómplement *n.* 〔컴퓨〕 2의 채움수.
twó-séat·er *n.* 2인승 자동차.
twó-shòt *n.* 《美放送俗》 배우가 2명인 장면.
Twó Sícilies *n.* [the ~] 양(兩)시칠리아 왕국《남부 이탈리아와 Sicily 섬을 국토로 함 ; 1861년 이탈리아 왕국에 통합》.
twó-síded *a.* **1** 두 면[변(邊)]의 ; 위선적인 ; 양자간의, 쌍무적인. **2** 두 마음[표리]이 있는 ; 위선적인.
twó-sìded tést *n.* 〔統〕 양측 검정.
twó·some *n.* 두 사람이 하는 놀이[무용·시합] ; 2인조. —— *a.* 두 사람의[이 하는].
twó-spéed *a.* (자동차의) 2단 변속의.
twó-spòt *n.* 하찮은 사람[물건], (카드의) 2의 패 ; (도미노의) 2의 말[패] ; 《美口》 2달러(지폐).
twó-stèp *n.* Ⓤ 투스텝《사교 댄스의 일종》 ; 그 곡. —— *vi.* 투스텝을 추다.
twó-stríper *n.* 〔美海軍〕 =LIEUTENANT.
twó-stròke *a.* 2행정(行程) 사이클(엔진)의. —— *n.* 2 행정 사이클 엔진(을 단 탈것).
twó-stròke cýcle *n.* 2행정 사이클《내연기관의 작동형식(作動型式)》.
twot [twát] *n.* 《卑》 =TWAT.
twó ténners *n. pl.* 《CB俗》 두 대의 안테나.
Twó Thòusand Guíneas *n.* [the ~] 《英》 투사우전드 기니 상(賞)《나릅《4살》말로 Newmarket에서 행하는 경마 ; 5대 경마의 하나 ; cf. CLASSIC RACES》.
twó-tíer wáge sỳstem *n.* 이중 임금제도《신입사원에게 새로 설정된 낮은 급여수준이 적용됨》.
twó-tìme *vt.* 《美俗》 (사랑을) 배반하다, 속이다 ; …에 부정(不貞)하다. —— *vi.* 남을 속이다 ; 배반 행위를 하다. **twó-tìmer** *n.* 배반자, 부정한 사람. **twó-tìming** *a.*
twó-time lóser *n.* 두 번 무거운 죄를 범하여 세 번째는 종신 징역을 받을 사람 ; 전과 2범인 사람, 재범자 ; 두 번 파산[이혼]한 사람.
twó-tóne, twó-tóned *a.* 두가지 색을 배합한, 두 가지 색조(色調)[음]의.
twó-tóngued *a.* 두말하는 ; 속이는.
'twould [twúd, twəd, təd] 《詩》 it would의 단축형(cf. 'TWILL, 'TWERE).
twó-úp *n.* 《美》 동전 2개를 던져 양쪽 다 앞면 또는 뒷면인가를 거는 내기.
TWOV transit without visa.
twó-vàlued *a.* 〔哲〕 (진(眞)·위(僞)) 2가(價)의 (cf. THREE-VALUED).
twó-wáy *attrib. a.* **1** 두 길[쌍로(雙路)]의 ; 송수신이 가능한 : a ~ switch 쌍로 스위치 / a ~ radio 송수신 겸용의 무선기[장치] / the ~ television 쌍방향 텔레비전《송·수상을 동시에 할 수 있는 방식》. **2** (교통·도로 따위가) 왕복 양방향의(cf. ONE-WAY) : a ~ road 양면 교통 도로. **3** (무역 따위) 상호적인. **4** 양자간의.
twó-wày cáble sỳstem *n.* 〔電子〕 쌍방향 케이블 시스템《송수신 양쪽에서 서로 정보를 주고받을 수 있음》.
twó-wày cáble tèlevision *n.* 〔電子〕 쌍방향 유선 텔레비전《수신측도 영상·음성·정보를 되보낼 수 있음》.
twó-wày stréet *n.* 양방향 도로 ; 쌍무[호혜]적인 상황[관계].
twó-whéel·er *n.* 2륜 마차 ; 자전거 ; 《CB俗》 모터 사이클.
twó-wìnged flý *n.* 〔昆〕 쌍시류(雙翅類)의 각종 곤충.
twp. township. **TWX** teletypewriter exchange (텔렉스).
twy- [twái] *pref.* =TWI-.
twy·er [twáiər] *n.* =TUYÈRE.
TX [tí:éks] *n.* 《CB俗》 전화. 〚telephone 의 단축형〛
TX 〔美郵〕 Texas.
-ty[1] [ti] *n. suf.* 「십[10]의 배수」의 뜻 : twen*ty*. 〚OE *-tig* ten〛
-ty[2] *n. suf.* 「…한 성질[상태, 정도]」의 뜻《*-ity*, *-ety* 로 되는 경우가 많음》 : subtle*ty* ; facili*ty*. 〚OF *-té*, *-tet*＜L *-tas*, *-tatis* ; cf. -ITY〛
Ty·burn [táibərn] *n.* 〔英史〕 런던의 사형장.
Týburn tìppet *n.* 《英》 교수(絞首)용 밧줄.
Týburn trèe *n.* 《英》 교수대.
Ty·che [táiki] *n.* 〔그神〕 튀케《운명의 여신 ; 로마 신화에서는 Fortuna》. 〚Gk.=luck, fortune〛
Ty·cho [táikou] *n.* 〔天〕 티코 《월면 제3사분면의 크레이터》.
tye, tie [tái] *n.* 〔海〕 타이《활대를 올렸다 내렸다 하는 사슬》.
‡**tý·ing** *v.* TIE의 현재 분사. —— *n.* Ⓤ 묶기[매기·동이기], 맺기 ; Ⓒ 매듭. —— *a.* 묶는, 매는.
tyke, tike [táik] *n.* **1** 잡종개, 들개. **2** 《英》 비열한 녀석. **3** 《美口》 아이 ; 개구쟁이. 〚ON *tík* bitch〛
tyle [táil] *vt.* (회의 따위를) 극비에 부치다 ; (비밀결사 회원)에게 비밀을 맹세시키다(tile).
ty·lec·to·my [tailéktəmi] *n.* 〔醫〕 못[변 지(胼胝)] 절제(술) (lumpectomy).
Ty·le·nol [táilenɔ̀:l] *n.* 〔藥〕 타일레놀《진통약 ; 상표명(名)》.
tyl·er [táilər] *n.* (비밀결사) 집회장소의 문지기.
ty·lo·pod [táiləpɑ̀d] *n.*, *a.* 〔動〕 혹발류[아목]의 (동물)《낙타·야마 따위》.
ty·lop·o·dous [tailɑ́pədəs] *a.*
〚Gk. *tulos* knob or *tulē* callus, cushion, *-pod*〛
ty·lo·sin [táiləsən] *n.* Ⓤ 〔藥〕 틸로신《항생 물질》.
ty·lo·sis [tailóusəs] *n.* 〔醫〕 변지증(胼胝症)《조직의 경화》 ; 〔植〕 (물관부(部)에 있는) 전충 세포(塡充細胞).
tym·bal [tímbəl] *n.* =TIMBAL.
tym·pan [tímpən] *n.* 팽팽한 엷은 막 ; 〔建〕 (장식을 한 돌출부·박공 따위의) 삼각면 ; 〔印〕 팀판, 누름 덮개, 압지(押紙)를.
tym·pa·ni [tímpəni] *n.* =TIMPANI.
tym·pan·ic [timpǽnik] *a.* 고막(鼓膜)[고실]의 ; 북의, 북가죽 같은 ; 〔建〕 삼각면의 : a ~ membrane 고막.
tympánic cávity *n.* 〔解·動〕 고실(鼓室).
tym·pa·nist [tímpənəst] *n.* =TIMPANIST.
tym·pa·ni·tes [tìmpənáiti:z] *n.* 〔醫〕 고창(鼓脹), 복부 팽창.
tym·pa·ni·tis [tìmpənáitəs] *n.* Ⓤ 〔醫〕 중이염.
tym·pa·num [tímpənəm] *n.* (*pl.* **~s, -na** [-nə]) **1** 〔解·動〕 중이(中耳) (eardrum) ; 〔解·動〕 고막. **2** 〔建〕 팀파눔《⑴ pediment 따위의 삼각면[벽]. ⑵ 문 위의 상인방과 아치 사이의 스페이스 ; 그 조각》. **3** 《美》 (전화기의) 진동판. **4** 북, 북가죽.
〚L＜Gk. *tumpanon* drum ; ⇨ TYPE〛

tym·pa·ny [tímpəni] *n.* ⓊⒸ **1** =TYMPANITES. **2** 《古》 과장, 자만, 거만.
Tyn·dale, Tin-, Tin·dal [tíndl] *n.* 틴들. **William** ~ (1492?-1536) 영국의 종교 개혁자·성서 번역자.
Tyn·dall [tíndl] *n.* 틴들. **John** ~ (1820-93) 아일랜드 출신의 영국의 물리학자.
Týndall effèct *n.* 〔理〕 틴들 효과《많은 입자가 산재한 매질(媒質) 속으로 빛을 통하면 통로가 산란광(散亂光)으로 빛나 보이는 현상》. 〖↑〗
tyn·dall·om·e·ter [tindəlάmətər] *n.* 틴달로미터 《틴들 효과를 이용하여 부유 분진(浮遊粉塵)을 측정하는 계기》.
tyne [táin] *n.* =TINE.
Týne and Wéar *n.* 타인 위어《잉글랜드 북동부의 주 ; 주도 Newcastle upon Tyne》.
typ- [taip], **ty·po-** [táipou, -pə] *comb. form* 「활자」「표상」「유형」의 뜻. 〖Gk. ; ⇨ TYPE〗
typ. typographer ; typography.
typ·al [táipəl] *a.* type의 ; 전형적(典型的)인.
‡**type** [táip] *n.* **1 a**) 형(型), 형식, 타입, 양식, 유형 : several ~*s of* intonation(s) 억양의 몇가지 유형, 몇가지 억양 / women *of* the blond ~ 블론드 타입의 여성 / whiskey *of* the Scotch ~= Scotch ~ whiskey 스코치풍의 위스키. **b**) (흔히) 종류, 타입(kind) : people *of* that ~ 그런 종류의 사람들 / This ~ *of* books *is* popular. 지금은 이런 종류의 책이 인기가 있다. ㊟ this type *of* car 형식의 표현은 특히 《美口》에서는 흔히 of 가 생략되어 this type car처럼 씀. **c**) 《口》 (…형인) 사람, 녀석(fellow). **2** 전형(典型), 모범, 본, 좋은 예(model) : a perfect ~ *of* American businessman 미국 실업가의 완전한 전형 / He is a good ~ *of* sportsmanship[the sportsman]. 운동선수의 모범이다. **3** 표시, 표상, 상징 ; 〔神學〕 예징 ; (경화·메달의) 의장, 무늬 ; 《稀》 (분명히 그것으로 아는) 특징 : The crown is a ~ *of* royal power. 왕관은 왕권의 상징이다. **4** 〔生〕 형, 유형, 모식 ; 〔生理〕 병형(病型), 균형(菌型) ; 혈액형 ; 〔化〕 기형(基型) : variant ~*s of* pigeon 비둘기의 변종. **5** 〔印〕 Ⓤ [집합적으로] 활자, 활판, 자체(字體), 인자체(印字體) ; Ⓒ (한 개의) 활자 : a piece of ~ 활자 한 개 / in ~ 활자로 조판되어 / set ~ 활자를 짜다 / wooden ~(*s*) 목판(木版) / We are now short of these ~*s*. 이 종류의 활자는 지금 떨어졌습니다. ㊟ 크기에 의한 활자의 명칭《지금은 이 명칭이 쓰이지 않고, 보통 포인트를 씀 ; 괄호안은 포인트》: brilliant (3½), gem (4), diamond (4½), pearl (5), agate[ruby] (5½), nonpareil(6), emerald (6½), minion (7), brevier (8), bourgeois (9), long primer (10), small pica (11), pica (12), English (14), great primer (18). **6** 《英俗》 = TYPEWRITER.
(***breed***) ***true to type*** ☞ BREED *v.*, TRUE *a.*

〈회화〉
What is your blood *type*? — It's type A. 「혈액형이 뭡니까」「A형이예요」

—— *vt.* **1** 대표하다, 상징하다, …의 전형이 되다. **2** 〔醫〕 (혈액의) 형을 검출하다 ; 분류하다 ; =TYPECAST. **3** (편지 따위를) 타이프라이터로 치다, 타자하다(typewrite). —— *vi.* 타이프라이터를 치다.
týp·able, týpe·able *a.* 〖OF or L<Gk. *tupos* impression (*tuptō* to strike)〗
類義語 ⟹ KIND².

-type [tàip] *a. comb. form* 「…타입[(유)형, 식, 판]의」의 뜻. 〖↑〗
Type A [ˊ éi] *n.* A형 행동 양식(의 사람)《경쟁심이 강하고 성마르며 긴장형인 사람 ; 관상동맥계 병을 일으키기 쉬움》.
Type B [ˊ bí:] *n.* B형 행동 양식(의 사람)《A형의 반대로 유유자적하고 느긋함》.
týpe·bàr *n.* 조판된 활자 한 줄, (타자기의) 타이프바《끝에 활자가 있는 금속 막대》.
týpe·càse *n.* 활자 케이스.
týpe·càst *vt.* (활자를) 주조하다 ; (체격·성격을 고려하여) 배역을 맡기다.
type C virus [ˊ sí: ˊ] *n.* =C-TYPE VIRUS.
týpe declarátion *n.* 〔컴퓨〕 형(型)선언.
týpe·fàce *n.* 활자면 ; 인쇄면 ; 활자체.
týpe·fòund·er *n.* 활자 주조공[주조업자].
týpe·fòund·ing *n.* 활자 주조(업).
týpe·fòund·ry *n.* 활자 주조소.
týpe gènus *n.* 〔生〕 기준[모식(模式)]속(屬) 《과·아과(亞科)의 명명의 기초가 된 속》.
týpe locàlity *n.* 〔生〕 모식 산지(模式產地)《기준 표본의 야생지》.
týpe mètal *n.* 활자 합금(活字合金)《납·안티몬·주석의 합금》.
type 1 error [ˊ wʌ́n ˊ] *n.* 〔統〕 제1종 과오《귀무(歸無) 가설이 옳은데도 기각하는 일》.
týpe·scrìpt *n.* 타자기로 친 원고, 타이프 인쇄물. —— *a.* 타자기로 친.
týpe·sèt *vt.* (기사 따위를) 식자[조판]하다. —— *a.* 식자[조판]한.
týpe·sètter *n.* 식자공(工) ; 식자기(機).
týpe·sètting *n.* Ⓤ 식자, 조판(組版). —— *a.* 식자[조판]의 : a ~ machine (자동) 식자기(機).
týpe sìte *n.* 〔考古〕 표준 유적.
týpe spècies *n.* 〔生〕 (생물 분류·명명의) 기준[모식(模式)]종(種).
týpe spècimen *n.* 〔生〕 (종의) 기준 표본.
Type T [ˊ tí:] *n.* T형 인간《스릴을 좋아함》.
týpe thèory *n.* 〔化〕 기형설(基型說).
type II error [ˊ tú: ˊ] *n.* 〔統〕 제2종 과오《귀무(歸無) 가설이 그릇되었는데도 수용하는 일》.
týpe whèel *n.* 활자차《원통 표면에 활자를 돌출시킨 것으로, 특정 종류의 타자기나 전보에 쓰임》.
týpe·wrìte *vt., vi.* 타자기로 찍다[타자 치다].
*__týpe·wrìter__ *n.* 타자기, 타이프라이터 ; 〔印〕 타이프라이터 자체(字體) ; 《古》 타자수, 타이피스트.

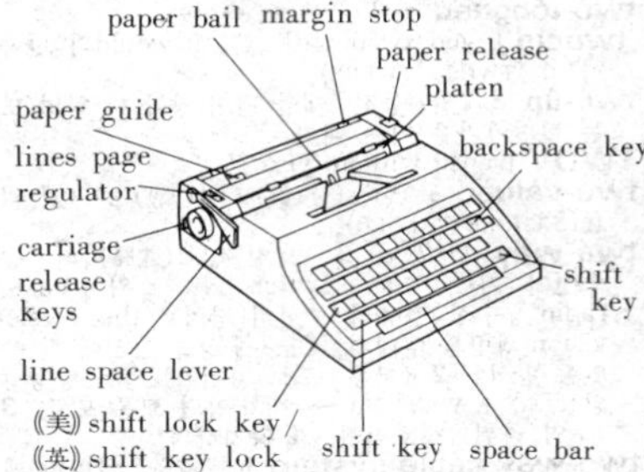

typewriter

***týpe·wrìting** *n.* Ⓤ 타자 치기 ; 타자술 ; 타자기로 찍은 인쇄물.
týpe·wrìtten *a.* 타자기로 친, 타자한.
typh- [táif], **ty·pho-** [táifou, -fə] *comb. form* 「티푸스(typhus)」의 뜻.
〖Gk.〗
typh·li·tis [tifláitəs] *n.* Ⓤ 〔醫〕 맹장염(盲腸炎) (cf. APPENDICITIS).
typh·lol·o·gy [tiflálədʒi] *n.* 맹목학(盲目學).
tỳpho·génic *a.* 〔醫〕 티푸스에 걸리게 하는.
ty·phoid [táifɔid, -́] *a.* 〔醫〕 장티푸스(성)의 : the ~ bacillus 장티푸스균.
—— *n.* Ⓤ 장티푸스(=~ **féver**).
ty·phoi·dal [taifɔ́idl] *a.*
〖TYPHUS, -*oid*〗
ty·phoi·din [taifɔ́idən] *n.* 〔醫〕 티포이딘《장티푸스 감염 검사에서 피부 반응을 보기 위한 티푸스 균액(菌液)》.
tỳpho·malárial *a.* 〔醫〕 티푸스성 말라리아의.
ty·phon [táifɑn] *n.* 타이폰《압축 공기 따위에 의해 영향을 받는 진동판 신호 경적(警笛)》.
Typhon *n.* 튀폰《(1) 〔그神〕 100개 머리의 용이 어깨에 나고 무릎 밑은 몸을 서린 독사라는 괴물로 Typhoeus라고도 함. (2) 이집트신화의 Set에 대한 그리스어명》.
ty·phon·ic [taifánik] *a.* 태풍(성)의.
***ty·phoon** [taifú:n] *n.* 〔氣〕 태풍(cf. CYCLONE, HURRICANE).
〖Chin. =great wind, and Arab.〗
ty·phous [táifəs] *a.* 〔醫〕 발진티푸스(성)의.
ty·phus [táifəs] *n.* Ⓤ 〔醫〕 발진티푸스.
〖NL<Gk. =stupor (*tuphō* to smoke) ; cf. DEAF〗
týphus féver *n.* =TYPHUS.
typ·ic [típik] *a.* =TYPICAL.
***typ·i·cal** [típikəl] *a.* **1** 전형적인, 대표적인 ; 상징적인, 표상(表象)하는 : be ~ *of* …을 대표하다, …을 상징하다. **2** 〔生〕 모식[전형]적인 ; 특징을 나타내는, 특유의. **~·ly** *adv.* 대표적으로, 전형적으로 ; 상징적으로, 일반적으로는, 대략.
~·ness *n.* **typ·i·cal·i·ty** [tìpəkǽləti] *n.*
〖L ; ⇨ TYPE〗
類義語 ⟹ NORMAL.
typ·i·fi·ca·tion [tìpəfəkéiʃən] *n.* Ⓤ,Ⓒ 전형(이 됨), 상징 ; 징조, 예징(豫徵).
typ·i·fy [típəfài] *vt.* **1** 표본[전형]이 되다, 대표하다. **2** 상징하다 : The dove *typifies* peace. 비둘기는 평화를 상징한다. **3** …의 특징[특색]을 나타내다 ; 예시[예징]하다.
typ·ing [táipiŋ] *n.* Ⓤ 타자치기 ; 타자기 사용법 : ~ speed 타자 속도.
týping pàper *n.* 타자[타이프] 용지.
týping pòol *n.* (사무실내의) 타이피스트 집단.
***typ·ist** [táipəst] *n.* 타자수, 타이피스트.
ty·po [táipou] *n.* (*pl.* ~**s**) **1** 《俗》 인쇄공, (특히) 식자[조판]공(typographer). **2** 《美俗》 =TYPOGRAPHICAL error.
〖*typo*grapher, *typo*graphical error〗
typo- [táipou, -pə] ☞ TYP-.
typo., typog. typographer ; typographic(al) ; typography.
ty·pog·ra·pher [taipágrəfər] *n.* 인쇄[식자]공, 활판[인쇄] 기술자 ; 타이포그래퍼《활자 서체 짜기·레이아웃 따위의 전문가》.
ty·po·graph·ic, -i·cal [tàipəgrǽfik(əl)] *a.* 활판 인쇄의, 인쇄상[용]의 : a *typographical* error 오식(誤植). **-i·cal·ly** *adv.* 인쇄상, 인쇄로.
ty·pog·ra·phy [taipágrəfi] *n.* Ⓤ 활판 인쇄술 ; 인쇄의 체재, 인쇄법 ; 활자학, 자체 연구.
〖F or NL ; ⇨ TYPE〗
ty·po·log·ic, -i·cal [tàipəládʒik(əl)] *a.* TYPOLOGY의 ; 활자(types)의.
-i·cal·ly *adv.*
ty·pol·o·gy [taipálədʒi] *n.* Ⓤ 〔哲·言·生·社〕 유형학(學)[론(論)] ; 〔神學〕 예표론(豫表論).
ty·po·script [táipəskrìpt] *n.* =TYPESCRIPT.
typp [típ] *n.* 〔纖維〕 팁《실의 굵기의 단위 : 무게 1 파운드로 1000야드의 몇 배인가를 나타냄》.
〖*t*housand *y*ards *p*er *p*ound〗
typw. typewriter ; typewritten.
typy, typ·ey [táipi] *a.* 전형적인, (특히) (가축 따위) 체형이 우수한.
Tyr, Tyrr [tíər] *n.* 〔北유럽神〕 튀르《Odin의 아들로 전쟁과 승리의 신》.
ty·ran·nic, -ni·cal [tərǽnik(əl), tai-] *a.* 전제(專制) 군주적인(despotic) ; 압제적인, 잔인 무도한, 포학한(cruel). **-ni·cal·ly** *adv.* 포학하게, 잔인 무도하게.
〖OF<L<Gk. ; ⇨ TYRANT〗
ty·ran·ni·cide [tərǽnəsàid, tai-] *n.* Ⓤ 폭군 살해 ; Ⓒ 폭군 살해자.
ty·ràn·ni·cí·dal *a.*
tyr·an·nize [tírənàiz] *vi.* 학정을 행하다, 압제하다, 학대하다〈*over*〉. —— *vt.* …에 폭정을 펴다 ; 《稀》 …에 폭정을 하다.
ty·ran·no·saur [tərǽnəsɔ̀:r, tai-] *n.* 〔古生〕 폭군룡, 티라노사우루스《육생(陸生) 동물 중 최대의 육식 공룡》.
ty·ran·no·sau·rus [tərǽnəsɔ́:rəs, tai-] *n.* 〔古生〕 =TYRANNOSAUR ; [*T*~] 티란노사우루스속.
〖*dinosaur*를 모방하여 *tyrant*에서〗
tyr·an·nous [tírənəs] *a.* =TYRANNIC.
~·ly *adv.* **~·ness** *n.*
***tyr·an·ny** [tírəni] *n.* **1** Ⓤ,Ⓒ 전제(專制)정치, 폭정(despotism) : live under a ~ 폭정 하에 살다. **2** Ⓤ 포학, 압정(壓政) ; Ⓒ 포학[무도]한 행위. **3** Ⓤ 〔그史〕 참주(僭主)정치.
〖OF<L<Gk. (↓)〗
***ty·rant** [táiərənt] *n.* **1** 폭군, 압제자, 전제 군주 ; 《비유》 폭군과 같은 사람 : a domestic ~ 가정의 폭군. **2** 〔그史〕 참주(僭主) : the Thirty *T*~*s* 30 참주《404-403 B.C.에 Athens를 지배했던 집정관(執政官)들》.
〖OF<L<Gk. *turannos*〗
týrant flýcatcher[bìrd] *n.* 〔鳥〕 타이런트과(科) 새의 총칭《남북 아메리카산 ; 구대륙의 딱새류에 해당함》.
***tyre** ☞ TIRE².
Tyre, Tyr [táiər] *n.* 티레《고대 페니키아의 항구 도시 ; 현재의 레바논 남서부에 위치》.
Tyr·i·an [tíriən] *a.* Tyre(시민)의 ; TYRIAN PURPLE의. —— *n.* Tyre 사람 ; =TYRIAN PURPLE《색깔》.
〖L (*Tyrus* TYRE)〗
Týrian púrple[dýe] *n.* 자줏빛이 나는 진홍색(眞紅色) (물감).
ty·ro, ti- [táiərou] *n.* (*pl.* ~**s**) 초학자, 초심자, 신참자.
〖L=recruit〗
Ty·rol [təróul, tírəl, 美+táiroul] *n.* [the ~] 티롤《알프스 산맥 중의 한 지방 ; 서부 오스트리아와 북부 이탈리아에 걸쳐 있음》.
Ty·ro·lese [tìrəlí:z, -s] *a., n.*
Ty·ro·le·an [təróuliən, tìrəlí:ən], **Ty·ro·li·an**

[tәróuliәn] *a.* **1** 티롤(주민)의. **2** (모자가) 펠트제로 테가 좁고 깃털이 달린, 티롤리언의.
—— *n.* 티롤의 주민.

Ty·rone [tiróun] *n.* 티론《북아일랜드 서부의 주》.

ty·ros·i·nase [tәrɑ́sәnèis, tai-, -z] *n.* 〖生化〗 티로시나아제《동식물 조직에 존재하며 tyrosine을 melanin으로 변환하는 반응을 촉매하는 효소》.

ty·ro·sine [táiәrәsìːn, -sәn, tírә-] *n.* 〖生化〗 티로신《대사(代謝)에 중요한 페놀성 α-아미노산》.

týrosine hydróxylase *n.* 〖生化〗 티로신수산화(水酸化) 효소.

ty·ro·thri·cin [tàiәrәθráisәn] *n.* 〖生化〗 티로트리신《그램 양성(gram-positive)균에 대하여 유효한 항생 물질 ; 피부 질환 따위에 국소적으로 씀》.

tyr·o·tox·i·con [tàirәtɑ́ksikɑn ; tàiәrәtɔ́ksikɔn] *n.* 〖化〗 티로톡시콘《썩은 치즈 따위에 함유된 프토마인(ptomaine)의 일종》.

Tyr·rhene [tíriːn], **Tyr·rhe·ni·an** [tәríːniәn] *a.*, *n.* ＝ETRUSCAN.

tythe [táið] *n.*, *vt.*, *vi.* 《英》 ＝TITHE.

tzar ☞ CZAR.

tzét·ze (flỳ) [*t*sétsi(-) ; tsét-] *n.* ＝TSETSE.

tzi·gane [*t*sigɑ́ːn ; tsi-], **tzi·gany** [*t*sigɑ́ːni, ⌐--- ; tsi-] *n.*, *a.* [때때로 T~] 헝가리계(系) 집시(의). 〖F＜Russ.＜Hung.＝gypsy＜?〗

tzim·mes [tsímәs] *n.* 〖料〗 치메스《홍당무·감자·말린 자두·국수 따위를 섞어 끓인 스튜》; 《美俗》 소동, 법석.
〖Yid.＝mixed dish, stew〗

tzitzit(h), **tzitzis** ☞ ZIZITH.

tzuris ☞ TSORIS.

U

u, U[1] [júː] *n.* (*pl.* **u's, us, U's, Us** [-z]) **1** 유《영어 알파벳의 스물 한 번째 글자》. **2** U자형(의 것) : a *U*-tube U자관(管) / ☞ U-TURN.

U[2] *a.*《口》(말씨 따위) 상류 사회적인 (cf. NON-U). ── *n.* 상류 사회 사람, 상류 사회적인 것. 〚*u*pper class〛

U 〔化〕 uranium.

u. uncle ; *und* 《G》 (=and) ; upper.

U. Union(ist) ; 《英》〔映〕 Universal (대중상대) ; University.

UA 〔國際航空略稱〕 United Airlines.

UAAC 《美》 Un-American Activities Committee (비(非)미 활동 조사 위원회).

UAE United Arab Emirates.

UAM underwater-to-air missile (수중대공(水中對空) 미사일).

UAR, U.A.R. United Arab Republic.

U.A.T.P. Universal Air Travel Plan (항공권 신용 판매 제도). **UAW, U.A.W.** United Auto(mobile) Workers (전미(全美) 자동차 노동조합).

ub·ble-gub·ble [ʌ́bəlgʌ̀bəl] *n.* 《美俗》 횡설수설, 잠꼬대. 〚C20 < ?〛

Über Cùp [júːbər-] *n.* 유버컵《국제 여자 단체 배드민턴 선수권의 우승배》. 〚H. S. *Uber* (1907-) 영국의 여자 배드민턴 선수, 기증자〛

Über·mensch [*G* ýːbərmɛnʃ] *n.* (*pl.* **~·en** [-ən]) (Nietzsche 철학의) 초인 (superman).

Über·set·zung [*G* yːbərzɛ́tsuŋ] *n.* 번역 (translation).

ubi·e·ty [juːbáiəti] *n.* 소재, 위치 ; 일정한 장소에 있음.

ubiq·ui·tar·i·an [juːbìkwətέəriən, -tǽər-] *a., n.* 〔神學〕 그리스도 편재론의 (논자). **~·ìsm** *n.* 그리스도 편재론.

ubiq·ui·tous [juːbíkwətəs] *a.* 도처에 있는, 편재(遍在)하는 (omnipresent) ; 《戲》 도처에 모습을 나타내는. **~·ly** *adv.* **~·ness** *n.* 〚↓〛

ubiq·ui·ty [juːbíkwəti] *n.* 편재(遍在) ; [U~] 〔神學〕 그리스도의 편재 ; 《戲》 도처에 나타나기, 자주 마주침 : the ~ of the king 〔英法〕 국왕의 편재《국왕이 재판관을 대표하여 어느 재판소에 존재하는 것》.

ubi su·pra [júːbai súːprə ; -sjúː-] *adv.* 상술한 곳에, 전기(前記)의 장소에《서적 따위의 참조 표시 ; 略 u.s.》. 〚L〛

U-boat [júː ˌ] *n.* U보트《독일의 대형 잠수함》. 〚G *U-boot* < *Unterseeboot* undersea boat〛

U-bolt [júː ˌ] *n.* U(자형) 볼트.

u.c. 〔印〕 uppercase.

U.C. Upper Canada ; Under Construction ; University College (대학 부속 칼리지).

UCC, U.C.C. Universal Copyright Convention. **UCCA, U.C.C.A.** [ʌ́kə] 《英》 Universities Central Council on Admissions (입학에 관한 대학 중앙 평의회). **UCLA, U.C.L.A.** University of California at Los Angeles. **UCMJ** Uniform Code of Military Justice (군사 재판 통례). **UCS** Union of Concerned Scientists. **UDA, U.D.A.** Ulster Defence Association (얼스터 방위 연맹).

UDAG [júːdæg] *n.* 《美》 도시 재개발 조성에 대한 연방 자금 원조 계획. 〚*U*rban *D*evelopment *A*ction *G*rant〛

UDC, U.D.C. Union of Democratic Control ; Universal Decimal Classification (국제 십진(十進) 분류법) ; 《英》 Urban District Council ((예전의) 준자치 도시 위원회).

ud·der [ʌ́dər] *n.* (소·양·염소 따위의) 젖통이. 〚OE *ūder* ; cf. G *Euter*〛

UDI, U.D.I. unilateral declaration of independence (일방적 독립 선언).

udom·e·ter [juːdάmətər] *n.* 우량계(雨量計). 〚F (L *udus* damp)〛

U.D.T. underwater demolition team ; United Dominions Trust. **U.E.L.** United Empire Loyalist. **U.F.(C.), UF(C)** United Free Church (of Scotland).

UFO, ufo [jùːèfóu, júːfou] *n.* (*pl.* **~s, ~'s**) 미확인 비행 물체, (특히) 비행 접시 (flying saucer). 〚*u*nidentified *f*lying *o*bject〛

ufol·o·gy, UFOl·o·gy [juːfάlədʒi] *n.* UFO 연구. **-gist** *n.* **ufo·log·i·cal** [jùːfəlάdʒikəl] *a.*

Ugan·da [juːgǽndə] *n.* 우간다《아프리카 중동부의 공화국 ; 수도 캄팔라 (Kampala)》. **Ugán·dan** *a., n.*

UGC, U.G.C. 《英》 University Grants Committee (대학 육성 위원회).

ugh [úːx, ʌ́x, úːx, ʌ́g, ú, ʌ́] *int.* 우, 와, 오《혐오·경멸·공포 따위를 나타냄》. 〚imit.〛

ug·li [ʌ́gli] *n.* (*pl.* **~s, ~es**) 《英》 =TANGELO. 〚UGLY ; 껍질이 울퉁불퉁하거나 반점이 있는데서〛

ug·li·fy [ʌ́glifài] *vt., vi.* 추하게 하다[되다], 흉하게 하다[되다] ; (아름다움 따위를) 망쳐 놓다, (아름다움 따위가) 망쳐지다. **ùg·li·fi·cá·tion** *n.*

‡ug·ly [ʌ́gli] *a.* **1** 추한, 보기 싫은, 못생긴 ; 모양이 보기 흉한, 꼴사나운 : an ~ design 보기 흉한 디자인 / ~ surroundings 지저분한 환경. **2** 추악한, 사악한 ; 지긋지긋한 : an ~ crime 추악한 범죄(犯罪). **3** 험악한, 불온한 : The situation is ~. 사태는 험악하다 / The sky looks ~. 하늘이 잔뜩 찌푸려 있다. **4** 위험한, 사나운 : an ~ sea (파도가) 사나운 바다. **5** 싫은, 귀찮은 : an ~ task 싫은 일. **6** 《口》 심술궂은 ; 흥분한, 화가 난, 싸우려고 하는, 성을 잘 내는.

(as) ugly as sin 추악한.

── *n.* 추한 것 ; 추남, 추녀 ; 《英》(19세기에 유행한) 여성모자 챙. **úg·li·ly** *adv.* **úg·li·ness** *n.* 〚ON *uggligr* to be dreaded (*ugga* to dread)〛

類義語 ***ugly*** 추악하여 불쾌감을 갖게 하는 외관뿐만 아니라 혐오감을 일으키는 사상(事象) 전반에 씀 : an *ugly* story (추악한 이야기). ***hideous*** ugly보다 강한 뜻으로 섬뜩한, 소름끼치는 : a *hideous* monster (소름끼치는 괴물).

unsightly 아름다워야 할 것이 보기 흉하게 되어 있는 ; 소유자 등의 부주의 · 태만이 시사되는 경우가 많음 : *unsightly* disorder (보기 흉한 혼잡). ***ill-favored*** 아름답지 않은, 못생긴 ; ugly 만큼 추악하지는 않음 : an *ill-favored* child (못생긴 아이). ***homely*** 미끈하지 않은, 촌스러운 ; ugly의 완곡어로 씀 : a *homely* girl (미끈하게 생기지 못한 여자).

Úgly Américan *n.* 추한 미국인《현지인이나 그 문화에 무신경하고 건방진 해외 거주 미국인》. 〖*The Ugly American* (1958) 미국의 저작가(著作家) Eugene Burdick (d. 1965)과 William J. Lederer (1912-)의 공저〗

úgly cústomer *n.* 귀찮은 녀석, 어찌할 도리가 없는 인간.

úgly dúckling *n.* 미운 오리 새끼《집안 식구에게 바보 취급을 받다가 나중에 훌륭하게 되는 아이》. 〖H. Andersen의 우화에서〗

úgly tóngue *n.* 독설(毒舌).

Ugri·an [jú:griən] *n.* 우고르족(族)의 사람《우고르족은 Finno-Ugrian족의 중동부의 분족(分族)》; =UGRIC. —— *a.* 우고르족의 ; =UGRIC.

Ugric [jú:grik] *a.* 우고르어(파)의 ; 우고르족의. —— *n.* Ⓤ 우고르어.

ugt., UGT urgent.

uh [ʌ́, ʌ̃] *int.* **1** =HUH. **2** =ER ; =UR. 〖imit.〗

U.H. upper half. **u.h.f., U.H.F.** 〔電〕 ultra-high frequency.

uh-huh [m̀hḿ, ʌhʌ̃] *int.* 응, 음, 허《찬성 · 동의 · 감사 따위의 감정을 나타냄》. 〖imit.〗

uh·lan, ulan [ú:lɑ:n, -ˊ, jú:lən] *n.* (제1차 대전 이전의 독일 · 오스트리아의) 창기병(槍騎兵). 〖G<Pol.<Turk.=boy, servant〗

UHT ultra heat tested《초고온 처리된 ; 장기 보존용 우유》.

uh-uh, uh-huh [ʌ̃ʔʌ̃] *int.* 응, 으음, 아니(no) 《부정을 나타냄》. 〖imit.〗

uhu·ru [u:hú:ru:] *n.* 민족 독립, 자유《아프리카 민족주의자의 구호》. 〖Swahili〗

U.I.C.C. 《F》 Union internationale contre le cancer (국제 대암(對癌) 연합).

Ui·g(h)ur [wí:guər] *n.* (*pl.* ~, ~**s**) 위구르족《터키계의 부족》; 위구르인[어]. —— *a.* 위구르족[어]의.

uin·ta(h)·ite [ju:íntəàit] *n.* 유인타석(石)《Utah 주산(産)의 천연 아스팔트 ; 안료(顔料) · 니스의 재료》.

Uit·land·er [éitlæ̀ndər, ɔ́it-, áit-] *n.* 《南아》 외국인. 〖Afrik. =outlander〗

uja·máa vìllage [ù:dʒɑ:mɑ́:-] *n.* [때때로 U~ v~] (탄자니아의) 우자마 마을《대통령 Nyerere에 의해 도입된 공동체 조직의 마을》. 〖*ujamaa*<Swahili=brotherhood〗

◇**U.K.** United Kingdom (of Great Britain and Northern Ireland). **U.K.A.** United Kingdom Alliance. **UKAEA, U.K.A.E.A.** United Kingdom Atomic Energy Authority (영국 원자력 공사).

ukase [ju:kéis, -z, ˊ-, u:kɑ́:z ; ju:kéiz] *n.* (제정 러시아의) 칙령(勅令) ; (절대적인) 법령, 포고. 〖Russ.〗

uke [jú:k] *n.* 《口》 =UKULELE.

Ukr. Ukraine.

Ukraine [ju:kréin] *n.* [the ~] 우크라이나《동유럽의 흑해 북쪽의 나라 ; 수도 Kiev》. 〖Russ. *ukraina* frontier region〗

Ukrai·ni·an [ju:kréiniən] *a.* 우크라이나의, 우크라이나인[어]의. —— *n.* 우크라이나인 ; Ⓤ 우크라이나어.

uku·le·le [jù:kəléili, ù:-] *n.* 우쿨렐레《하와이의 4현 악기》. 〖Haw.〗

UL, U.L. Underwriters' Laboratories (보험업자 연구소).

ula·ma, ule·ma [ù:ləmɑ́:] *n.* (*pl.* ~, ~**s**) 울라마《특히 터키의 이슬람교 신학자[법학자(단)]》. 〖Arab.=learned (pl.) ('*alama* to know)〗

ulan ☞ UHLAN.

Ulan Ba·tor [ú:lɑ:n bɑ́:tɔ:r] *n.* 울란바토르《몽골의 수도》.

-u·lar [jələr] *a. suf.* 「(작은) …의」「…비슷한」의 뜻 : tub*ular*, valv*ular*. 〖L (*-ule*)〗

ULCC [jù:èlsì:sí:] *n.* 초대형 유조선《용량 40만톤 이상의》. 〖*u*ltra *l*arge *c*rude *c*arrier〗

ul·cer [ʌ́lsər] *n.* 〔醫〕 궤양 ; 종기 ; 《비유》 숙폐(宿弊), 병폐, 도덕적 부패(의 근원). —— *vt., vi.* =ULCERATE. 〖L *ulcer*- *ulcus*〗

ul·cer·ate [ʌ́lsərèit] *vi.* 궤양이 생기다 ; 《비유》 (도덕적으로) 부패하다. —— *vt.* 궤양을 생기게 하다 ; 《비유》 (도덕적으로) 부패시키다.

ùl·cer·átion *n.* Ⓤ 궤양화[형성] ; 궤양 상태. **úl·cer·àtive** [, -sərə-] *a.* 궤양 (형성)의.

ùl·cero·génic [ʌ̀lsərou-] *a.* 궤양 유발의.

úlcer·ous *a.* 궤양성[상태]의 ; 궤양에 걸린 ; 《비유》 썩은 ; (마음이) 미어지듯이 아픈. ~**·ly** *adv.* ~**·ness** *n.*

-ule [-ju:l] *n. suf.* 「작은 것」의 뜻 : glob*ule*, gran*ule*. 〖L *-ulus*, *-ula*, *-ulum*〗

ulema ☞ ULAMA.

-u·lent [jələnt] *a. suf.* 「…이 풍부한」의 뜻 : fraud*ulent*, truc*ulent*, turb*ulent*. 〖L〗

ul·lage [ʌ́lidʒ] *n.* Ⓤ 부족량, 누손(漏損)량《통 · 병 따위에 담긴 액체의 누출 · 증발로 인해 생기는》; (용기에) 남은 술 ; 《俗》 찌꺼기, 하찮은 녀석들.

on ullage (통 따위에) 가득 채우지 않고. 〖OF (*ouiller* to fill a cask < *ouil* eye ; '나무통의 마개 구멍'을 눈에 비유하였음)〗

úllage ròcket *n.* 〔空〕 얼리지 로켓《주엔진 점화 전에 탱크 후부에 추진약을 흘려 보내기 위해 가속(加速)을 주는 소형 로켓》.

ul·min [ʌ́lmən] *n.* Ⓤ 〔化〕 울민《느릅나무 또는 썩은 흙속의 갈색 무정형 물질》. 〖L *ulm*us elm+*-in*〗

ULMS underwater long-range missile system (수중 발사 장거리 미사일 시스템) ; underwater launched missile system (수중 발사(發射) 미사일 시스템).

ul·na [ʌ́lnə] *n.* (*pl.* **-nae** [-ni:], ~**s**) 〔解〕 척골(尺骨). **ul·nar** [ʌ́lnər, -nɑ:r] *a.* 〖L=elbow ; cf. ELL[1]〗

ul·no- [ʌ́lnou, -nə] *comb. form* 「척골의」의 뜻. 〖↑〗

-u·lose [jəlòus, -z] *n. suf.* 「케토오스당」의 뜻. 〖lev*ulose*〗

ulot·ri·chous [ju:lɑ́trikəs] *a.* 양털 같은 털을 가진, 고수머리 (인종)의.

-u·lous [jələs] *a. suf.* 「…의 경향이 있는」「다소 …한」의 뜻 : cred*ulous*, trem*ulous*. 〖L (dim. suf.)〗

Ul·ri·ca, -ka [ʌ́lrəkə] *n.* 여자 이름. 〖Gmc. =wolf+rule〗

ULSI 〔電子〕 ultra large-scale integration (초초(超超) LSI, 극초대규모 집적회로).

Ul·ster [ʌ́lstər] *n.* **1** 얼스터《(1) 아일랜드 북부의 한 주(州)의 옛 이름. (2) 아일랜드 공화국 북부지방. (3)《口》 북아일랜드》. **2** [u~] 얼스터 외투《벨트 달린 길고 헐렁한 외투》. **~·man** [-mən], **~·ìte** *n.* 얼스터 사람.

úlster cùstom *n.* 얼스터(에서 행하여지는 차지권(借地權)상의) 관습.

ult. ultimate(ly) ; ultimo : your letter of the 10th *ult.* (= ultimo) (지난 달 10일자 당신의 편지).

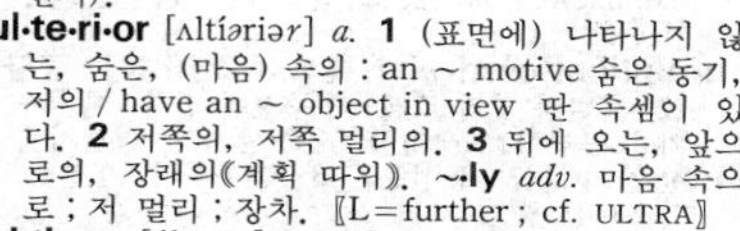

Ulster 2

ul·te·ri·or [ʌltíəriər] *a.* **1** (표면에) 나타나지 않는, 숨은, (마음) 속의 : an ~ motive 숨은 동기, 저의 / have an ~ object in view 딴 속셈이 있다. **2** 저쪽의, 저쪽 멀리의. **3** 뒤에 오는, 앞으로의, 장래의《계획 따위》. **~·ly** *adv.* 마음속으로 ; 저 멀리 ; 장차. 〖L=further ; cf. ULTRA〗

ul·ti·ma [ʌ́ltəmə] *a.* 최후의 ; 가장 먼.
── *n.* 〖文法〗 최후의 음절, 끝음절. 〖L〗

ul·ti·ma ra·tio [últəmə rá:tiòu] *n.* 최후의 담판 ; 최후 수단, 무력.

ul·ti·ma ra·tio re·gum [últimɑ: rá:tiou réigum] *n.* 제왕의 최후의 논의《최후 수단으로서 무력 행사, 곧 전쟁》. 〖L=the final argument of kings ; Richelieu의 말〗

***ul·ti·mate** [ʌ́ltəmət] *a.* **1** 최후의, 마지막의, 궁극의 : the ~ end of life 인생의 궁극 목적. **2** 최종[결정]적인 : the ~ weapon 궁극 무기《수소 폭탄·미사일 따위》. **3** 더 이상 분석할 수 없는, 근본적인, 본원적인 : ~ truths[principles] 근본적 진리[원칙] / the ~ cause 〖哲〗 제1[근본] 원리. **4** 가장 먼 : to the ~ ends of the world 세계의 끝까지. ── *n.* 최후의 것, 궁극점 ; 최후의 수단 ; 최종 결과, 결론 ; 근본 원리. ── *vt.* 끝까지 밀고 나가다[추진하다], 끝내다, 완성시키다. ── *vi.* (…으로) 끝나다(result)〈*in*〉.
~·ness *n.*
〖L *ultimat- ultimo* to come to an end (*ultimus* last)〗

últimate análysis *n.* 〖化〗 원소 분석.

últimate constítuent *n.* 〖言〗 종극 구성 요소《예컨대 He is going to get some toys.를 분석할 때 더 이상으로 세분할 수 없는 구성 요소 He, is, go,-ing, to, get, some, toy, -s ; cf. IMMEDIATE CONSTITUENT》.

últimate detérrent *n.* [the ~] 궁극적 억지력《수소 폭탄을 말함》.

últimate lóad *n.* 〖空〗 종극 하중(終極荷重).

últimate·ly *adv.* 최후로, 결국 ; 궁극적으로.

últimate párticle *n.* 소립자(elementary particle).

última Thúle *n.* [the ~] 세계의 끝 ; 최북단 ; 극한 ; 극점 ; 아득한 목표[이상].
〖L=furthest Thule〗

ul·ti·ma·tism [ʌ́ltimətìzəm] *n.* 비타협적 태도, 강경 자세, 과격론. **ùl·ti·ma·tís·tic** *a.*

ul·ti·ma·tum [ʌ̀ltəméitəm, -má:-] *n.* (*pl.* **~s, -ta** [-tə]) 최후의 말[제의, 조건], (특히) 최후 통첩 ; 근본 원리. 〖L (p.p.) ; ⇨ ULTIMATE〗

ul·ti·mo [ʌ́ltəmòu] *a.* 지난[전]달의 《略 ult. ; cf. PROXIMO, INSTANT》 : on the 10th *ult.* 지난달 10일에. 〖L *ultimo* (*mense*) in the last month〗
活用 ☞ INSTANT.

ul·ti·mo·gen·i·ture [ʌ̀ltəmoudʒénitʃər, 美+-ətʃùər, 美+-ətjùər] *n.* 〖法〗 말자(末子) 상속 제도(↔*primogeniture*).

Ul·ti·sol [ʌ́ltəsɔ̀(:)l, -sòul, -sɑ̀l] *n.* 〖土壤〗 얼티졸《열대·온대 습지의 오래된 표층에서 볼 수 있는 풍화된 황적색의 토양》.

ul·tra [ʌ́ltrə] *a.* 극단의, 과격한, 과도한, 극도의.
── *n.* 극단론자, 과격론자, 급진론자 ; (유행 따위의) 최첨단을 걷는 사람.
〖L *ultra* beyond〗

ul·tra- [ʌ́ltrə] *pref.* 「극단으로」「초…」「한외(限外)…」「과(過)…」 따위의 뜻.
〖L (↑)〗

ùltra·céntrifuge *n., vt.* 초원심(超遠心) 분리기(에 걸다).

últra·chìp *n.* 〖電子〗 울트라칩《ULSI를 탑재한 실리콘의 소편(小片)》.

ùltra·cléan *a.* 초청정(超淸淨)한, (특히) 완전 무균의.

ùltra·cóld *a.* 극저온의.

ùltra·consérvative *a., n.* 극단적인 보수주의의(사람[그룹]).

ùltra·crítical *a.* 혹평의.

ùltra·eleméntary párticle *n.* 〖理〗 소립자를 구성하는 입자, 초소립자.

ùltra·fáshionable *a.* 극단으로 유행을 좇는, 초첨단적인.

Últra·fàx [-fæ̀ks] *n.* 초고속 복사 전송 방식[장치]《상표명》.

últra·fiche *n.* 초(超)마이크로피시《원본을 90분의 1이하로 축소한 microfiche》.

ùltra·fílter *n., vt.* 한외 여과막(限外濾過膜)(으로 여과하다).

últra-fíne párticles *n. pl.* 초미립자.

ùltra·hígh *a.* 매우 높은, 초고(超高)…, 최고(도)(最高(度))의.

últra·hìgh fréquency *n.* 〖電〗 극(極)초단파《略 U.H.F., u.h.f.》.

ùltra·híp *a.* 초진보적인, 초히피풍의.

últra·ìsm *n.* Ⓤ 과격주의 ; 극단[과격]론.
-ist *n., a.* 극단주의자(의). **ùl·tra·ís·tic** *a.*

ùltra·léft *a.* 극좌(파)의. ── *n.* [the ~] 극좌, 극좌파[진영]. **~·ist** *n., a.*

ùltra·líberal *a., n.* 급진적 자유주의의 (사람).

ùltra·líght pláne *n.* 초경량 비행기《스포츠용 1인승 비행기》.

ùltra·maríne *a.* 해외의, 바다 저쪽의 ; 군청색(群青色)의.
── *n.* Ⓤ 군청색(의 안료), 울트라마린.
〖It. and L=beyond sea ; lazuli가 해외에서의 수입품인 데서〗

ùltra·mícro *a.* micro보다 작은(물질을 다루는), 초마이크로의.

ùltra·mícrofiche *n.* =ULTRAFICHE.

ùltra·micrómeter *n.* 초측미계(超測微計).

ùltra·míicro·scòpe *n.* 한외(限外) 현미경, 암시야(暗視野) 현미경.

ùltra·microscópic *a.* 한외[암시야] 현미경의 ; 극히 미소한.

ùltra·míicro·tòme *n.* 전자 현미경용 초박편(超薄片) 절단기.

ùltra·mílitant *a., n.* 극단적으로 호전적[전투적]인 (사람).

ùltra·míniature *a.* =SUBMINIATURE.

ùltra·módern *a.* 초현대적인. **~·ìsm** *n.* **~·ist** *n.*

ùltra·montáne *a.* **1** 산[알프스] 저쪽의(↔*cismontane*) ; 알프스 남쪽의, 이탈리아의 ;《古》 알프스 북쪽의(tramontane). **2** [때때로 U~] 교황

권 지상주의의(↔*Gallican*). —— *n.* 알프스 남쪽 사람;《古》알프스 북쪽 사람;[때때로 U~] 교황권 지상주의자. 〖L; ⇨ MOUNTAIN〗

ùltra·món·ta·nism [-mántənizəm] *n.* Ⓤ [때때로 U~] 교황권 지상주의. **-nist** *n.*

ùltra·múndane *a.* 세계 밖의; 태양계 밖의; 이 세상 밖의.

ùltra·nátional·ìsm *n.* Ⓤ 초국가주의, 국수주의. **-ist** *a., n.* 초국가[국수]주의의 (사람).

ùltra·púre *a.* 극히 순수한, 초고순도의. **~·ly** *adv.*

ùltra·réd *a., n.* =INFRARED《통속적인 용어》.

ùltra·ríght·ist *n., a.* 초보수주의자(의), 극우(極右)(의).

ùltra·sécret *a.* 극비의.

ùltra·shórt *a.* 극단으로 짧은;〖理〗초단파의《파장이 10m 이하의》: ~ wave 초단파.

ùltra·sónic *a., n.* 초음파(의) (supersonic). **-són·i·cal·ly** *adv.*

ultrasónic cléaning *n.* 초음파 세정(洗淨).

ultrasónic diagnósis *n.* 초음파 진단법.

ùltra·sónics *n.* 초음파학(supersonics).

ùltra·sóno·gràm *n.* 〖醫〗초음파 검사도(圖).

ùltra·sóno·gràph *n.* 〖醫〗초음파 진단[검사] 장치(裝置).

ùltra·sonógraphy *n.* 〖醫〗 초음파 진단[검사](법). **-sonográphic** *a.*

ùltra·so·nól·o·gist [-sənálədʒəst] *n.* 〖醫〗 초음파 검사 기사.

ùltra·sophísticated *a.* 매우 정밀한, 초정교의《기기》.

últra·sòund *n.* Ⓤ〖理〗초음파: ~ image 초음파 영상(映像).

últra·strùcture *n.* 〖生〗(원형질의) 초미세 구조.

ùltra·trópical *a.* 열대권 밖의; 열대보다도 더운.

ùltra·víolet *a.*〖理〗자외(선)의: ~ rays 자외선. —— *n.* 자외선《略 UV; cf. INFRARED》.

ultravíolet astrónomy *n.* 〖天〗 자외선(紫外線) 천문학.

ultravíolet líght *n.* 자외선, 자외 방사.

ultravíolet mícroscope *n.* 자외선 현미경.

ul·tra vi·res [ʌ́ltrə váiri:z] *adv., a.* 〖法〗권한을 넘어서[넘어선]; 월권하여[의].
〖L=beyond power〗

ùltra·vírus *n.* 〖菌〗초여과성 병원체.

ulu·lant [jú:ljələnt, ʌ́ljə-] *a.* 짖는; 부엉부엉 우는; 울부짖는.

ulu·late [jú:ljəlèit, ʌ́ljə-] *vi.* (개 따위가) 짖다; (부엉이 따위가) 부엉부엉 울다; 큰 소리로 울다. **ùlu·lá·tion** *n.* 짖는 소리; 우는 소리; 포효(咆哮); 큰 소리로 욺.
〖L *uluat- ululo* to howl ‹ imit.〗

Ulys·ses [ju:lísi:z, ⌐-⌐] *n.* 〖그神〗율리시스《Ithaca의 왕; Homer의 시(詩) *Odyssey*의 주인공; Odysseus의 라틴어명》. 〖L=angry or hater〗

um [m:, əm] *int.* 응, 아니《주저·의무 따위를 나타냄》. —— *vi.* 다음 숙어로.
um and aah 《口》 =HUM¹ *and haw.*
〖imit.〗

um·bel [ʌ́mbəl] *n.* 〖植〗산형(繖形) 꽃차례.
úm·bel·lar, -bel(l)ed *a.* =UMBELLATE.
〖F or L *umbella* sunshade (dim.) ‹ UMBRA〗

um·bel·late [ʌ́mbələt, -lèit, ʌmbélət] *a.* 〖植〗산형 꽃차례의 꽃이 피는[와 같은].

um·bel·li·fer [ʌmbéləfər] *n.* 〖植〗미나리과(科) 식물.

um·bel·lif·er·ous [ʌ̀mbəlífərəs] *a.* 〖植〗산형 꽃차례의 꽃이 피는; 미나리과의.

um·bel·lule [ʌ́mbəljù:l, ʌmbélju:l] *n.* 〖植〗 작은 산형화(繖形花).

um·ber [ʌ́mbər] *n.* Ⓤ 엄버《암갈색의 천연 안료(顔料)》; 암[황]갈색, 밤색, 적갈색《채료》; (교통 신호의) 황색; Ⓒ《方》그늘.
burnt umber 암갈색, 밤색《채료》.
raw umber 황갈색《채료》.
—— *a.* umber의[로 착색한]; 암갈색의. —— *vt.* umber[암갈색]로 칠하다.
〖F or It.<L UMBRA〗

um·bil·i·cal [ʌmbílikəl, ʌ̀mbəláikəl] *a.* 배꼽의; 배꼽 가까이의; 배꼽 모양의; 밀접[긴밀]한; 중앙의;《稀》모계(母系)의. —— *n.* **1** 〖宇宙〗 = UMBILICAL CORD 2. **2** 연결하는 것, 연결물.
〖L; cf. NAVEL〗

umbílical còrd *n.* **1** 탯줄. **2** 〖宇宙〗 공급선(線)《발사 전의 로켓·우주선에 전기·냉각수 따위를 공급함》; 생명줄《우주선 밖의 비행사에 대한 공기 보급·통신용》. **3** (잠수부의) 생명줄, 연락용(用) 줄.

um·bil·i·cate [ʌmbíləkət, -kèit] *a.* **1** 배꼽이 있는. **2** 배꼽 모양의; 가운데가 움푹한.

um·bil·i·cus [ʌ̀mbəláikəs, ʌmbílə-] *n.* (*pl.* **~·es, -ci** [ʌ̀mbəláikai, -sai, əmbíləkài, -sài, -kì:]) 〖解〗배꼽;〖植〗종제(種臍);〖動〗(소라의) 제공(臍孔);〖數〗제점(臍點);〖古로〗권축(卷軸)의 장식; (문제의) 핵심. 〖L=NAVEL〗

úm·ble píe [ʌ́mbəl-] *n.* 《古》 =HUMBLE PIE.

um·bles [ʌ́mbəlz] *n. pl.* 사슴의 내장《식용》.

um·bo [ʌ́mbou] *n.* (*pl.* **-bo·nes** [ʌmbóuni:z], **~s**) **1** 방패 중앙의 장식 돌기. **2** 〖動〗(쌍패류(雙貝類)의) 각정(殼頂);〖解〗고막제(鼓膜臍)부;〖植〗(균산(菌傘)의) 중심 돌기. **3** (일반적으로) 돌기물. 〖L〗

um·bra [ʌ́mbrə] *n.* (*pl.* **~s, -brae** [-bri:, -brai]) **1** 그림자;《稀》망령, 유령. **2** 〖天〗본영(本影)《일식·월식 때의 지구·달의 그림자; cf. PENUMBRA》. **3** (태양 흑점의) 중앙 암흑부. **4** 〖古로〗동반자《초대객이 데리고 오는 불청객》.
úm·bral *a.* 〖L=shade, shadow〗

um·brage [ʌ́mbridʒ] *n.* Ⓤ 불쾌, 노여움;《古·詩》음영(陰影); (그늘을 이루는) 무성한 잎.
give umbrage to …을 성나게 하다, 불쾌하게 하다.
take umbrage at …을 불쾌히 여기다, …에 성내다.
〖OF<L (↑)〗

um·bra·geous [ʌmbréidʒəs] *a.* **1** 그늘을 만드는, 무성한《수목 따위》, 그늘이 많은. **2** 노여움을 잘 타는, 의심이 많은, 성마른.
~·ly *adv.* **~·ness** *n.*

‡um·brel·la [ʌmbrélə] *n.* **1** 우산, 박쥐 우산: put up an ~ 우산을 쓰다 / open an ~ 우산을 펼치다 / close an ~ 우산을 접다. **2** 양산《보통 sunshade 또는 parasol이라고 함》. **3** 《비유》(정당·재계 따위의) 산하, 보호; 통괄[포괄] 조직[단체]: under the Conservative ~ 보수당 산하에. **4** 〖動〗해파리의 갓; 삿갓조개. **5** 〖軍〗공중 호위(전투)기(대); (적기에 대한) 탄막(彈幕). **6** 핵우산.
—— *a.* 우산의[같은]; 포괄적인. —— *vt.* 우산으로 가리다[보호하다], …의 우산이 되다.
〖It. (dim.) ‹ *ombra* shade<L UMBRA〗

umbrélla bìrd *n.* 〖鳥〗우산새《중남미산 우산 모양의 볏이 있는 새》.

umbrélla lèaf *n.* 〖植〗매자나무과의 일종.

umbrélla organizàtion *n.* (산하에 많은 소속

U

단체를 거느린) 상부 단체[기구].

umbrélla pàlm *n.* 〖植〗 **1** 캔터베리야자나무《호주 동해안 난바다의 로드하우 섬 원산》. **2** 종려방동사니《아프리카산》.

umbrélla pìne *n.* 〖植〗 금송.

umbrélla shèll *n.* 〖貝〗 삿갓조개.

umbrélla stànd *n.* 우산꽂이.

umbrélla tàlks *n. pl.* 포괄 교섭[협상, 회담].

umbrélla trèe *n.* 〖植〗 목련속(屬)의 일종《북미산》; 〖園藝〗 (일반적으로) 우산 모양의 나무, 우산 모양으로 손질한 나무.

um·brette [ʌmbrét] *n.* 〖鳥〗 망치새.

Um·bria [ʌ́mbriə] *n.* 움브리아《(1) 이탈리아 중부의 주. (2) 고대 움브리아 사람이 거주했던 이탈리아 반도 중부·북부 지방》.

Úm·bri·an *a., n.* 움브리아(인[어])의; Ⓒ 움브리아인; Ⓤ 움브리아어.

Úmbrian schóol *n.* [the ~] 움브리아 화파(畫派)《15세기에 일어난 페루지노 및 그의 제자 Raphael 등의 일파》.

um·brif·er·ous [ʌmbrífərəs] *a.* 그늘짓는.

um·faan [ʌ́mfɑːn] *n.* 《南아》 애보기나 잡일하는 소년. 〚Afrik.<Zulu〛

um-hum [m̀mm] *int.* 응(응)《긍정·이해·흥미 따위를 나타냄》. 〚imit.〛

umi·a(c)k, -ac, oo·mi- [úːmiæ̀k] *n.* 우미액《바다표범 가죽을 댄 나무로 만든 작은 배; 특히 에스키모인이 사용; cf. KAYAK》. 〚Eskimo〛

um·laut [úmlàut] *n.* **1** 〖言〗 움라우트, 모음 변이(變異) (mutation)《뒤따르는 음절의 모음 또는 반모음이 주로 i 또는 j 의 영향에 의하여 a, o, u 가 각기 ä(=ae), ö(=oe), ü(=ue)로 변하는 모음 변화; 보기 mann>männer; man, men; cf. ABLAUT》. **2** 움라우트 기호(¨). ── *vt.* …에 움라우트 기호를 붙이다; (어형·발음을) 움라우트로 변화시키다.
〚G (*um* about, *Laut* sound)〛

umm [mː] *int.* =UM. 〚um을 길게 발음한 것〛

ump [ʌmp] *n., vi., vt.* 《俗》 =UMPIRE.

UMP Upper Mantle Project (국제 지구 내부 개발 계획).

umph [mmm, ʌmf] *int.* =HUMPH.

um·pir·age [ʌ́mpaiəridʒ] *n.* Ⓤ 판정인[심판]의 지위[권위]; Ⓒ 중재인의 재결, 심판의 판정.

um·pire** [ʌ́mpaiər] *n.* **1** 〖法〗 재정인. **2** (경기의) 엄파이어, 심판(원), 중재인: be an ~ *at* a match 시합의 심판을 보다. ── *vi.* [動/+前+名] umpire를 보다: ~ ***for the league 리그의 심판 노릇을 하다 / ~ ***in*** a dispute 논쟁의 중재를 하다 / Mr. Smith was asked to ~ ***between*** the two parties. 스미스씨가 두 편 사이의 중재역을 부탁받았다. ── *vt.* (경기·논쟁 따위를) 심판하다: ~ a baseball match 야구 시합의 심판을 보다. **~·shìp** *n.* 심판[재정인]의 직(職).
〚ME *noumper*<OF *nonper* not equal (⇨ PEER[1]); *n*-의 소실은 cf. ADDER〛
類義語 ⟹ JUDGE.

ump·teen [ʌ́mptíːn, ʌmptíːn], **um·teen** [ʌ́m-] *a., pron.* 《口》 다수의, 무수(無數)(한).
〚*umpty*+*-teen*〛

ump·teenth [ʌ́mptíːnθ], **um·teenth** [ʌ́m-] *a.* 《口》 몇 번째인지 모를 정도의: That's the ~ time I've told you to do that. 하라고 몇 번 말해야 알겠느냐.

ump·ty [ʌ́mpti] *a., pron.* 《口》 =UMPTEEN; [흔히 복합어를 이루어] 이러 이러한(such and such); 몸이 좀 좋지 않아: the ~-fifth regiment 제 몇 십 오 연대.

úmpty-úmpth [-ʌ́mpθ] *a.* 《美口》 =UMPTEENTH.

umpy [ʌ́mpi] *n.* 《濠口》 =UMPIRE.

UMT universal military training (일반 국민 군사 교련). **UMW, U.M.W.** United Mine Workers of America (미국 탄광 노동자 조합).

un, 'un [ən] *pron.* 《口·方》 =ONE: He's a tough *'un.* 저녀석은 만만치 않은 놈이다 / That's a good *'un.* (익살·거짓말 따위를) 그럴듯하게 하는군 / a little[young] *'un* 꼬마, 애.

°**UN, U.N.** United Nations.

un- [ʌn] *pref.* [자유롭게 쓰인다] **1** [형용사·부사·명사에 붙여서 「부정」의 뜻을 나타냄]: happy 행복한 →*un*happy 불행한 / happily 다행히도 →*un*happily 불행하게도 / kind 친절한 →*un*kind 불친절한 / kindly 친절하게 →*un*kindly 불친절하게 / kindness 친절 →*un*kindness 불친절. **2** [동사에 붙여서 그 「반대」의 동작을 나타냄]: cover 뚜껑을 덮다 →*un*cover 뚜껑을 열다 / tie 매다 →*un*tie 풀다 / lock 자물쇠를 잠그다 →*un*lock 자물쇠를 열다. **3** [명사에 붙여서 명사가 나타내는 성질·상태를 「제거」하는 뜻을 나타내는 동사를 만듦]: *un*man 남자다움을 없애다 / *un*bishop 주교의 지위를 빼앗다. 注 (1) [부정의 un-, in-, non-의 용법] 긍정의 형용사를 부정하기 위해서 un-을 첫머리에 붙이는 것이 보통이지만《보기 *un*able》, 이미 in-[il-, im-, ir-]이 붙은 부정의 뜻의 형용사가 있을 경우에는 un-보다는 in-이 보통《보기 *im*possible》. 그러나 in-형의 형용사가 단순한 부정이 아니고 특별한 뜻을 포함하고 있을 경우에는, 애매함을 피하기 위해서 un-형이 단순한 부정을 나타내는 데 쓰인다. 예컨대 *im*moral이 「부도덕한」「행실이 나쁜」의 뜻으로 쓰이며, 「도덕 범위 밖의」「비도덕적인」의 뜻에는 *un*moral을 쓴다. 더욱이 in-, un- 다같이 「비난」의 뜻을 포함하는 경우에는 순 중립적 부정으로 NON-을 쓴다. (2) 이 사전에 없는 un-의 단어는, 단어의 뜻을 부정적으로 생각하면 된다.
〚OE reversal을 나타내는 *un-*, *on-*과 negation을 나타내는 *un-*에서〛

UNA, U.N.A. United Nations Association.

ùn·abáshed *a.* 얼굴을 붉히지 않는, 뻔뻔스러운, 태연한. **ùn·abásh·ed·ly** [-ədli] *adv.*

ùn·abáted *a.* 줄지 않는, 약해지지 않는.

ùn·abbréviated *a.* 생략하지 않은.

‡**un·able** [ʌ̀néibəl] *a.* **1** [+*to* do] 할 수 없는: He was ~ *to* attend the meeting. 그 회합에 참석할 수 없었다(=He could not attend....). **2** 자격[능력]이 없는; 연약한; 무력한.

ùn·abrídged *a.* 생략하지 않은, 완전한(complete); (같은 종류 중에서) 제일 완전한; 완본(完本)의. ── *n.* 《美》 대사전.

ùn·absórb·ent *a.* 흡수하지 않는, 비흡수성의.

ùn·áccent·ed *a.* 악센트[강세]가 없는; (그림 따위) 두드러진 데가 없는.

ùn·accépt·able *a.* 받아들일 수 없는, 용납[용인]할 수 없는; 환영할 수 없는; 마음에 안드는.

ùn·accómmodated *a.* 적응하지 않은; (필요한) 설비[편의]가 없는.

ùn·accómmodating *a.* 순종하지 않는; 부탁한 것을 들어주지 않는, 불친절한.

ùn·accómpanied *a.* **1** 동행이 없는, (…에) 따르지 않는〈*by, with*〉(cf. ACCOMPANY 1 注). **2** 〖樂〗 무(無)반주의.

ùn·accómplished *a.* **1** 미완성의, 성취되지 않은. **2** 재주 없는, 무능한.

U

ùn·accóunt·able *a.* **1** 설명할 수 없는 ; 까닭 모를, 기묘한, 불가해한 : for some ~ reason 뭔가 뜻모를 이유로. **2** (변명의) 책임이 없는, 책임을 지지않는〈*for*〉: He is ~ *for* the error. 그는 그 잘못에 책임이 없다. **-ably** *adv.* 설명할 수 없을 만큼 ; 기묘하게.

ùn·accóunt·ed-fòr *a.* 설명[해명]되지 않은, 원인 불명의.

ùn·accústomed *a.* **1** [+前+do*ing*] 익숙지 않은 : He is ~ ***to*** early rising. 일찍 일어나는 데 익숙지 않다 / I am ~ *to* cook*ing* for myself. 혼자서 요리하는 데는 익숙지 않다. **2** 보통[관례]이 아닌, 기묘한, 잘 모르는 : his ~ silence 전에 없는 그의 침묵.

ùn·acquáint·ed *a.* 모르는, 낯선, 면식이 없는 ; 사정에 어두운, 경험이 없는, 생소한〈*with*〉. **~·ness** *n.*

ùn·adápt·able *a.* 적응할 수 없는, 적합하지 않은, 맞출 수 없는, 융통성이 없는.

ùn·addréssed *a.* 말을 걸어오지 않은 ; (수신인의) 주소 성명이 없는《편지 따위》.

ùn·adópt·ed *a.* 채용되지 않은 ; 양자로 되어 있지 않은 ;《英》(특히 신설 도로가) 지방 당국이 유지하도록 인계되지 않은, 공도(公道)가 아닌.

ùn·adórned *a.* 꾸밈없는 ; 있는 그대로의, 간소(簡素)한.

ùn·adúlterated *a.* 섞인 것이 없는, 외곬의 ; 순수한, 진짜의.

ùn·advénturous *a.* 모험심 없는, 대담하지 않은.

ùn·advísable *a.* 충고를[조언을] 받아들이지 않는 ; 권할 수 없는, 적당치 않은 ; 좋은 계책이 못되는.

ùn·advísed *a.* **1** 무분별한, 경솔한. **2** 충고를 듣지 않는. **ùn·ad·vís·ed·ly** [-ədli] *adv.* 무분별하게, 경솔하게.

ùn·aesthétic, -es- *a.* 미적(美的)이 아닌 ; 악취미의, 불쾌한.

ùn·afféct·ed *a.* **1** 변하지 않는, 움직이지 않는〈*by*〉; (마음이) 흔들리지 않는, 영향을 받지 않은, 감화되지 않은〈*by*〉. **2** 젠체하지 않는, 있는 그대로의, 자연스러운, 소박한 ; 마음으로부터의, 진실한. **~·ly** *adv.* **~·ness** *n.*
[類義語] ⟹ SINCERE.

ùn·afráid *pred. a.* (…을) 두려워하지 않는, (…에) 놀라지 않는, 꿈쩍도 하지 않는〈*of*〉.

ùn·áid·ed *a.* 도움[원조, 조력]이 없는 ; 원조를 받지 않은 : the ~ eye (안경을 쓰지 않은) 육안 / I did it ~. 그것을 혼자 힘으로 했다.

ùn·áired *a.* 환기를 하지 않은 ; 눅눅한.

ùn·álien·able *a.* =INALIENABLE.

ùn·allów·able *a.* 허락[허용, 승인]할 수 없는.

ùn·allóyed *a.* **1** 합금(合金)이 아닌, 순수한. **2** (감정 따위) 완전한, 진실한 : ~ happiness 참다운 행복.

ùn·álter·able *a.* 변하기 어려운, 불변의.
-ably *adv.* (영구) 불변하게.

ùn·áltered *a.* 변하지 않는, 불변의.

ùn·ambíguous *a.* 애매하지 않은, 의아스럽지 않은, 명백한. **~·ly** *adv.* 명백하게.

ùn·ambítious *a.* 공명심[야심]이 없는, 눈에 띄지 않는, 수수한.

ùn-Américan *a.* (풍속·습관·주의 따위가) 미국식에 맞지 않는, 비미국적인, 반미적인 : ~ activities 비미(非美) 활동. **~·ism** *n.* 비미 활동.

ùn·ámiable *a.* 붙임성 없는 ; 무뚝뚝한, 퉁명스러운 ; 불친절한.

unan. unanimous.

ùn·ánchor *vt., vi.* 발묘(拔錨)하다.

ùn·anéled *a.* 《古》 병자성사(病者聖事) (extreme unction)를 받지 않은.

una·nim·i·ty [jùːnənímǝti] *n.* Ⓤ 전원 이의 없기, (만장) 일치, (전원) 합의 : with ~ 만장 일치로, 이의 없이.

unan·i·mous** [juːnǽnəməs] *a.* **1** [+前+do*ing*] 합의의, 동의의 : be ~ ***for reform 개혁에 대하여 같은 의견이다[전원 찬성이다] / The members of the council were ~ ***in*** their approval of the report. 회의의 회원들은 그 보고서를 전원 일치로 승인했다 / The meeting was ~ *in* protest*ing* against the policy. 회의는 전원 그 정책에 항의하기로 동의했다. **2** 만장[전원] 일치의, 이구동성의, 이의 없는 : with ~ applause 만장의 박수 갈채로 / He was elected chairman by a ~ vote. 전원 일치의 표결로 의장에 선출되었다.
~·ly *adv.* 만장 일치로.
⟦L (*unus* one, *animus* mind)⟧

unánimous decísion *n.* **1** 재판관 전원 일치의 판결. **2** 〖拳〗 심판 전원 일치의 판정.

ùn·annóunced *a.* 공언[공표, 발표]되지 않은 ; 예고를 받지 않은 : They marched in ~. 예고도 없이 당당하게 들어왔다.

ùn·ánswer·able *a.* 답변[반박]할 수 없는, 한 마디도 없는 ; 결정적인. **-ably** *adv.*

ùn·ánswered *a.* **1** 대답없는, 회답없는. **2** 반박되지 않는. **3** 보답되지 않는 : ~ love 짝사랑. **4** 다툴 여지가 없는, 결정적인.

ùn·apologétic *a.* 변명하지 않는, 사죄도 하지 않는, 핑계도 대지 않는. **-ical·ly** *adv.*

ùn·appéal·able *a.* 상소(上訴)할 수 없는, 종심(終審)의.

ùn·appéal·ing *a.* 호소력[매력]이 없는.

ùn·appéasable *a.* 가라앉힐[완화시킬] 수 없는, 진정시킬 수 없는, 억누를 수 없는, 채울[만족시킬] 수 없는. **-ably** *adv.*

ùn·áppetizing *a.* 식욕을 돋우지 않는, 흥미없는. **~·ly** *adv.*

ùn·appréciated *a.* 진가가 인정되지 않는 ; 감상되지 않는 ; (호의 따위) 고맙게 여기지 않는.

ùn·apprehénd·ed *a.* 이해되지 않은 ; 체포되지 않은.

ùn·appróach·able *a.* 가까이하기 어려운, 접근할 수 없는 ; (태도 따위가) 냉담한(distant), 서름서름한(reserved) ; 비할 데 없는, 무적의(unmatched) : The new president is an ~ sort of person. 새로운 사장은 가까이하기 어려운 사람이다. **-ably** *adv.*

ùn·appròpriated *a.* 임자없는 ; (기금·돈이) 특정 용도에 충당되지 않은.
unappropriated blessing 《戲》 노처녀.

ùn·ápt *a.* **1** 부적당한, 어울리지 않는. **2** [+*to* do] 둔한, 이해력이 나쁜 ; 서투른 : be ~ *to* learn 이해력이 나쁘다 / be ~ ***at*** games 경기가 서투르다. **3** [+*to* do] …에 익숙지 않은, …할 마음이 없는 : I am a soldier and ~ *to* weep. 나는 군인이니까 울거나 하지는 않는다.
~·ly *adv.* 부적당하게 ; 서툴게. **~·ness** *n.*

ùn·árgued *a.* 논의[토론]되지 않는 ; 반박할 여지 없는(undisputed).

ùn·árm *vt.* …에서 무기를 빼앗다, 무장 해제하다 (disarm) ;《詩》 해롭지 않게 하다.
— *vi.* 무기를 버리다 ; 무장 해제하다.

ùn·ármed *a.* **1** 무기를 지니지 않은, 무장하지 않은, 맨손의. **2** 〖動·植〗 (비늘·가시·뿔 따위의) 방호 기관이 없는. **3** (폭탄 따위가) 불발 상태로

있는.

ùn·ármored *a.* 갑옷을 입지 않은; (특히 순양함 따위가) 장갑(裝甲)을 하지 않은.

ùn·árt·ful *a.* 교활하지 않은; 솔직한, 있는 그대로의(genuine); 서투른.

ùn·artifícial *a.* 인공[인위]적이 아닌; 자연스러운, 소박한.

ùn·artístic *a.* 예술과 관련이 없는; 비예술적인 (inartistic). **-tical·ly** *adv.*

una·ry [jú:nəri] *a.* 단일체의, 단일 요소로 된; 〔數〕 1진법의. 〖L *unus* one+*-ary*; cf. BINARY〗

unasgd. unassigned.

ùn·ashámed *a.* 부끄러움 없는, 부끄러움을 모르는, 파렴치한, 뻔뻔스러운; 태연한. **~·ly** *adv.*

ùn·ásked *a.* 부탁[요구]받지 않은; (손님 등) 초대받지 않은: She came ~. 초대받지 않았는데도 왔다.

ùn·aspíring *a.* 향상심[공명심]이 없는, 패기가 없는, 현상에 만족하고 있는.

ùn·assáil·able *a.* **1** 공격할 수 없는, 난공 불락의. **2** (토론이) 공격할 틈을 안주는, 논쟁의 여지가 없는(irrefutable). **3** 부정할 수 없는, 불멸의. **-ably** *adv.*

ùn·assígned *a.* 할당[배당]되지 않은.

ùn·assíst·ed *a.* =UNAIDED.

ùn·assúming *a.* 젠 체하지 않는, 주제넘지 않은, 건방지지 않은, 겸손한(modest).
~·ly *adv.* 건방지지 않게, 차분하게.

ùn·attáched *a.* **1** 매어있지 않은; 부속되지 않은. **2** 무소속의, 중립의; 약혼[결혼]하지 않은, (이성과) 교제하지 않은. **3** 〔法〕 차압되지 않은. **4** 〔軍〕 (장교가) 대기중인. **5** 《英大學》 (학적(學籍)은 있으나) 특정한 단과 대학(college)에 속하지 않은.

ùn·attáin·able *a.* 얻기 어려운, 도달하기 어려운, 미치기 어려운.

ùn·attémpt·ed *a.* 해본[시도한] 적이 없는.

ùn·atténd·ed *a.* **1** 출석자[참가자]가 없는, 시중꾼을 거느리지 않은, 수행원이 없는. **2** (위험 따위) 따르지 않은〈*by, with*〉. **3** 주의[보호]를 받지 않은, 내버려둔〈*to*〉; (기계 따위) 무인의: an ~ ticket machine 무인[자동] 표 판매기. **4** (상처 따위) 치료받지 않은.

ùn·attráct·ive *a.* **1** 이목을 끌지 않는, 매력이 없는, 아름답지 않은. **2** 흥미없는.
~·ly *adv.* **~·ness** *n.*

ùn·authéntic *a.* 출처 불명의, 불확실한, 믿을 수 없는; 진짜가 아닌.

ùn·áuthorized *a.* 권한이 없는, 독단적인; 인정되지 않은, 제멋대로의.

ùn·aváil·able *a.* 이용[통용]할 수 없는〈*for*〉; (원고가) 채택되지 않은.

unaváilable énergy *n.* 〔理〕 무효 에너지.

ùn·aváil·ing *a.* 무익한, 무용의; 무효의; 헛된.
~·ly *adv.* **~·ness** *n.*

ùn·avóid·able *a.* 피할[어쩔] 수 없는; 〔法〕 무효로 할 수 없는. **-ably** *adv.* **~·ness** *n.*

ùn·awáre *pred. a.* **1** [+*that* 節] 모르는, 알아채지 못하는: He was ~ ***of*** her innocence[*that* she was innocent]. 그녀가 결백한 것을 몰랐다 / I am not ~ *that* …을 모르지는 않는다. **2** 《文語》 부주의한, 무모한(reckless).
—— *adv.* =UNAWARES.

un·awares [ʌ̀nəwέərz, -əwǽərz] *adv.* **1** 알아채지 못하고, 무심코: He must have dropped it ~. 무심코 그것을 떨어뜨린게 틀림없다. **2** 부지중에, 불시에: be taken[caught] ~ 불시에 습격을 받다 / take[catch] a person ~ 남을 불시에 습격하다.
at unawares 갑자기, 불시에.

ùn·áwed *a.* 두려워하지 않는, 위압당하지 않는, 태연한.

ùn·bácked *a.* 지지자[후원자]가 없는; 거는 사람이 없는《경마 따위》; (말이) 사람을 태워 본 적이 없는, 타서 길들이지 않은; 등받이가 없는《의자》.

ùn·báked *a.* 굽지 않은, 요리하지 않은; 《古》 미숙한, 발육 불충분한.

ùn·bálance *vt.* 불균형하게[잘 어울리지 않게] 하다; (마음의) 평형을 깨뜨리다, 착란시키다.
—— *n.* Ⓤ 불균형(cf. IMBALANCE); 착란.

ùn·bálanced *a.* **1** 균형을 잃은; 마음의 평형을 잃은, 마음이 어수선한, 착란한. **2** 평형[균형]이 안잡힌, 어울리지 않는; 불안정한, 흔들흔들하는. **3** 〔商〕 미결산[미청산]의: ~ accounts 미결산 계정 / ~ books 미청산 장부.

ùn·bánk *vt.* (강)의 제방을 허물다; (묻어둔 불)을 쑤석거리다.

ùn·báptized *a.* 세례를 받지 않은; 기독교도가 아닌; 세속적인.

ùn·bár *vt.* …에서 빗장을 벗기다, 가로장을 떼다; …의 고리를 벗기다; 열다, 열어 젖뜨리다.

ùn·báted *a.* **1** =UNABATED. **2** 《古》 (칼 따위의 날·끝을) 무디게 하지 않은.

unb(d). unbound.

ùn·béar·able *a.* 견딜 수 없는, 참기 어려운: This heat is quite ~ *to* me. 나에게 이 더위는 아주 참기 어렵다. **-ably** *adv.* 참을 수 없을 만큼.
~·ness *n.*

ùn·béat·able *a.* 패배시킬 수 없는, 맞겨룰 수 없는; 탁월한. **-ably** *adv.*

ùn·béaten *a.* **1** 매맞지 않은. **2** (길이) 밟아 다져지지 않은. **3** 정복된 일이 없는; (경기 따위) 져본 일이 없는.

ùn·becóming *a.* **1** 격에 맞지 않는, 어울리지 않는, 부적당한, 적합하지 않은: conduct ~ *to* a gentleman[*for* persons of education] 신사답지 않은[교양있는 사람에게는 적합하지 않은] 행위 / expenditure ~ *in* a person of his rank 그와 같은 지위에는 부적당한 지출. **2** 온당치 못한, 보기 흉한, 꼴사나운, 버릇없는: ~ language 천한 말씨. **3** (옷·색채 따위) 맞지 않는, 어울리지 않는.
~·ly *adv.*
[類義語] ⟹ IMPROPER.

ùn·be·knówn [-bi-], **-knównst** [-st] *a.* 《口》 미지(未知)의, 알려지지 않은, 모르는(unknown): ~ *to* a person 남이 모르는 틈에, 남에게 눈치채이지 않고.

ùn·belíef *n.* Ⓤ 불신앙; 불신, 의혹, (종교상의) 회의(懷疑).
[類義語] ***unbelief*** 다만 확실한 지식이나 증거가 없기 때문에 믿지 않는 것. ***disbelief*** 거짓이거나 믿을 수 없는 일로 적극적으로 믿기를 거부(拒否)하는 것.

ùn·belíevable *a.* 믿기 어려운: It is ~ that he did it for himself. 그가 그것을 혼자 힘으로 했다는 것은 믿을 수 없다. **-ably** *adv.* 믿어지지 않을 만큼.

ùn·belíever *n.* 신앙심이 없는 사람, 불신자; 이교도; 회의자(懷疑者).

ùn·belíeving *a.* (특히 천계(天啓)를) 믿으려 하지 않는; 의심 많은, 회의적인.
~·ly *adv.* 믿지 않게; 회의적으로.

ùn·bélt *vt.* (…의) 띠를 끄르다[풀다]; 띠를 끌러 …을 풀다.

U

ùn·bénd *vt.* **1** (굽은 것을) 곧게 하다, 펴다 ; 평평하게 늘이다 ; (마음·몸을) 편하게 하다, 쉬게 하다 : ~ a bow (활줄을 끌러) 활을 펴다 / ~ oneself 편안하게 하다 / ~ one's brow 한시름 놓다. **2** 〔海〕 (돛을) 돛대[밧줄]에서 끄르다 ; (닻줄·매듭 따위) 풀다. —— *vi.* **1** 곧바르게 되다, (늘어나) 평평하게 되다. **2** 편히 쉬다, (마음을) 터 놓다 : He never ~*s.* 편히 쉬는 일이 없다.

ùn·bénd·ing *a.* 굽지 않은, 휘지 않은 ; 단단한 ; (성격 따위) 불굴의, 확고한, 외고집의 ; 일시적인 위안의, 기분풀이의, 편히 쉬는. —— *n.* Ⓤ 편히 쉬기, 기분풀이. **~·ly** *adv.*

ùn·bént *v.* UNBEND의 과거·과거분사.
—— *a.* 굽지 않은, 곧은 ; 굴복하지 않은 ; 자연 그대로 뻗은《가지》.

ùn·beséem *vt.* 어울리지 않다, 걸맞지 않다.

ùn·beséem·ing *a.* 어울리지 않는, 걸맞지 않은.

ùn·bíased | **-bíassed** *a.* 선입관이 없는, 편견이 없는, 공평한(impartial).
類義語 ⟹ FAIR[1].

ùn·bídden, un·bíd *a.* **1** 명령받지 않은, 요청받지 않은, 자발적인. **2** (손님 등) 초대받지 않은 (uninvited) : an ~ guest 불청객.

ùn·bínd *vt.* 풀다, 끄르다(untie) ; …의 속박을 풀다, 석방하다.

ùn·blámable *a.* 나무랄[비난할] 데 없는, 잘못이 없는, 결백한.

ùn·bléached *a.* 바래지 않은, 표백하지 않은.

ùn·blémished *a.* 흠이 없는, 결점 없는, 결백한.

ùn·bléssed, un·blést *a.* **1** 은혜를 입지 못한, 축복받지 못한. **2** 저주받은 ; 불행한.

ùn·blínk·ing *a.* 눈을 깜박이지 않는 ; 눈하나 깜짝 않는, 동요하지 않는, 태연한. **~·ly** *adv.*

ùn·blóod·ed *a.* (말 따위가) 순종이 아닌 ; (사냥개가) 피가 묻지 않은, 경험이 없는(uninitiated).

ùn·blúsh·ing *a.* 얼굴을 붉히지 않는, 수치를 모르는, 뻔뻔스러운.

ùn·bódied *a.* 육체를 떠난 ; 무형의, 정신적인.

ùn·bólt *vt., vi.* 빗장을 벗기다, 열다 ; (볼트의 너트를) 풀다.

ùn·bólt·ed[1] *a.* 빗장이 벗겨진.

unbolted[2] *a.* 체질하지 않은, 거친.

ùn·bónnet *vi.* 모자를 벗고 절하다, 모자를 벗다.
—— *vt.* (남에게) 모자를 벗게 하다.
~·ed *a.* 모자를 안 쓴.

ùn·bórn *a.* 아직 태어나지 않은, 태내의 ; 장래의, 후세의(future) : an ~ child 태아 / ~ generations 후세(後世).

ùn·bórrowed *a.* 빌리지 않은, 천성의, 고유한.

ùn·bósom *vt.* (심중·비밀 따위를) 털어놓다, 밝히다, 고백하다〈*to*〉. —— *vi.* 의중을 밝히다.
unbosom* one*self 의중을 밝히다, 흉금을 터놓다 ; 고백하다〈*to*〉.

ùn·bóund *v.* UNBIND의 과거·과거분사.
—— *a.* **1** 풀린 ; 족쇄를 벗은, 매듭이 풀린, 자유의 몸이 된 : come ~ 풀려 나오다. **2** (책·종이 따위) 철하지 않은, 미제본의(loose).

ùn·bóund·ed *a.* **1** 한정되지 않은, 제한되지 않은 〈*by*〉 ; 무한의. **2** 억제할 수 없는, 속박 없는. **~·ly** *adv.* 무한히.

ùn·bówed [-báud] *a.* (무릎 따위) 굽지 않은 ; 굴복하지 않는.

ùn·bráce *vt.* 풀다, 늦추다 ; (신경·정신 따위)의 긴장을 풀다, 느긋하게 하다 ; 연약하게 하다 ; 《古》 하나하나 풀다.

ùn·bráid *vt.* …의 꼰 것을 풀다.

ùn·bréak·able *a.* 깨뜨릴[꺾을, 부서뜨릴] 수 없는 ; (말이) 길들이기 어려운.
-ably *adv.* **~·ness** *n.*

ùn·bréd *a.* 교육받지 않은, 무학의 ; (소나 말이) 새끼를 낳은 적이 없는, 미(未)교배의 ; 《廢》 버릇 없이 자란.

ùn·bréech [; ʌnbríːtʃ] *vt.* 바지를 벗기다.

ùn·bréeched *a.* (아직) 바지를 입지 않은.

ùn·brídle *vt.* (말)에서 굴레[고삐]를 벗기다 ; 《비유》 구속에서 풀다, 해방하다, 자유롭게 하다 : ~ the tongue 지껄이기[말하기] 시작하다.

ùn·brídled *a.* **1** 말굴레를 씌우지 않은, 말굴레를 벗긴. **2** 《비유》 구속없는, 억압되지 않은, (특히) 방종한, 난폭한.

ùn·bróken *a.* **1** 깨어지지[파손되지] 않은, 온전한. **2** 꺾이지 않는, 약해지지 않는. **3** 끊기지 않은, 계속되는(continuous) : four hours of ~ reading 연속 네 시간의 독서 / ~ fine weather 계속되는 좋은 날씨. **4** (말 따위) 길들지 않은. **5** 갈지 않은, 미개간의. **6** (약속 따위) 깰 수 없는, 지켜진. **7** (기록 따위) 깨뜨려지지 않은, 져 본 적이 없는.

ùn·búckle *vt.* [+目/+目+前+名] …의 죔쇠를 끄르다 ; 풀다, 벗기다 : ~ a sword ***from*** its belt 검을 띠에서 풀다. —— *vi.* 죔쇠를 끄르다 ; 편히 쉬다.

ùn·buíld *vt., vi.* (건조물을) 헐다, 파괴하다.

ùn·búndle *vi., vt.* (흔히 일괄 판매되는 상품·서비스)에 개별로 가격을 매기다 ; (일괄 정보로부터) 개개의 것을 끄집어내다. **ùn·búndling** *n.*

ùn·búrden *vt.* [+目/+目+前+名] …의 짐을 부리다, (마음의) 무거운 짐을 벗다, 편안하게 하다 : ~ one's heart 마음의 무거운 짐을 벗다 / ~ one's sins ***to*** a person 남에게 범한 죄를 털어놓다 / ~ oneself *to* a person 남에게 흉금을 털어놓다 / ~ oneself ***of*** a secret 비밀을 털어놓다.

ùn·búried *a.* **1** 아직 매장되지 않은. **2** 무덤에서 파낸, 발굴된.

ùn·búry *vt.* 무덤에서 파내다, 발굴하다 ; 《비유》 폭로하다.

ùn·búsiness·lìke *a.* 사무적이지 않은, 비실제[비조직, 비능률]적인 ; 사업의 목적[방침]에 관심이 없는.

ùn·bútton *vt.* (옷의) 단추를 끄르다 ; 《비유》 시원히 털어놓다. —— *vi.* 단추를 끄르다 ; 《비유》 마음을 터놓다. **~ed** *a.* 단추가 없는[를 끄른] ; 《비유》 억제되지 않은, 스스럼 없는.

unc [ʌ́ŋk] *n.* 《美俗》 =UNCLE.

UNC, U.N.C. United Nations Charter[Congress] (국제 연합 헌장[의회]) ; United Nations Command (유엔군 총사령부).

ùn·cáge *vt.* 새장[우리]에서 내놓다 ; 해방하다.

ùn·cálled *a.* 초대받지 않은 ; 부탁받지 않은.

ùn·cálled-fòr *a.* 불필요한, 쓸데없는, 지나친, 주제넘은, 참견하는 ; 까닭[이유]없는 : an ~ insult 이유없는 모욕.

ùn·cánny *a.* 무시무시한, 무서운 ; 신비적인, 이상한, 초인적인, 초자연적인 ; 《스코》 위험한, 힘드는, 심한 : an ~ noise 무시무시한 소리 / He has an ~ skill with dice. 그는 이상하리 만큼 주사위를 잘 던진다.
-cánnily *adv.* **-cánniness** *n.*

ùn·canónical *a.* 교회법에 의하지 않는 ; 정경(正經)에 속하지 않는 ; 비정통적인 : ~ hours 결혼식 거행이 허용되지 않는 시간《오전 8시-오후 3시 이외의 시간》 / ~ books 위경(僞經), 외전(外典) (the Apocrypha).

ùn·cáp *vt., vi.* 모자를 벗기다[벗다] ; (병 따위의)

마개를 뽑다 ; 밝히다, 폭로하다.
ùn·cáred-fòr *a.* 남에게 호감을 못받는 ; (어린아이 등을) 돌보지 않는, 내버려둔.
ùn·cáse *vt.* 통[상자]에서 꺼내다 ; (군기(軍旗)를) 휘날리다(unfurl) ; 발표하다 ;《古》…의 옷을 벗기다. —— *vi.*《古》옷을 벗다.
ùn·cástrated *a.* 삭제되지 않은, 완전한.
ùn·cáused *a.* 원인이 없는 ; 자존(自存)하는 ; 영원한.
UNCDF United Nations Capital Development Fund(유엔 자본 개발 기금).
ùn·céasing *a.* 끊임없는, 부단한, 간단 없는. **~·ly** *adv.*
ùn·ceremónious *a.* **1** 의식[형식]에 얽매이지 않는, 격식을 차리지 않는, 마음을 터놓는. **2** 실례되는, 버릇없는. **3** 갑작스런, 돌연한. **~·ly** *adv.* 격식을 차리지 않고 ; 허물없이, 버릇없이.
ùn·cértain** *a.* **1** [+(前+) *wh.*節·句] 불확실한, 분명치 않은, 의심스러운 ; 분명히는[확실하게] 모르는, 확신이 없는, 단정할 수 없는 : a woman of ~ age (젊게 보이려고) 나이를 분명히 하지 않는 여자《중년 여성을 일컬음》/ be ~ ***of the truth [*of* success] 진실 여부는 분명치 않다[성공 여부는 불확실하다] / I am ~ ***as to*** my movements. 나 자신의 금후 행동에 대해서는 아무말도 할 수 없다 / He was[felt] ~ (***about***) *how to* do it. 그 일을 어찌했으면 좋을지 확신이 서지 않았다. **2** (행동·목적이) 불확정한, 확고하지 않은 ; 변하기 쉬운, 믿을 수 없는 : ~ weather 변덕스러운 날씨 / a girl with an ~ temper 변덕쟁이 소녀. **~·ly** *adv.* **~·ness** *n.*
***ùn·cértainty** *n.* **1** Ⓤ 의심하기(doubt), 반신반의〈*as to*〉. **2** Ⓤ 부정(不定) ; 불확실[불확정](성) ; 불안, 미덥지 못함, (특히) 변하기 쉬운 일 ; Ⓒ 기대할 수 없는 일[것] : ~ *as to* results 결과의 애매함 / the ~ of life 인생 무상(人生無常) / the ~ of temper 변덕스러움.
類義語 ***uncertainty*** 확실성이 충분히 없거나 추측적이기 때문에 일어나는 애매함[불안감]. ***doubt*** 충분한 증거가 없든가 해서 자신이 없고 뚜렷한 의견·결정에 이르지 못한 상태. ***dubiety*** 결론에 대해서 주저(躊躇)하는 uncertainty. ***dubiosity*** 애매함·혼란을 특징으로 하는 uncertainty《가장 딱딱한 말》. ***skepticism*** 충분한 증거가 없는 한 믿지 않으려고 하는 경향[심리]《종종 습관적인 경향을 암시》.
uncértainty prìnciple *n.*〔理〕불확정성 원리.
ùn·cháin *vt.* 사슬에서 풀다, 해방하다.
ùn·chállenged *a.* 도전받지 않는 ; 문제되지 않는, 논쟁되지 않는.
ùn·cháncy *a.*《스코》불운한 ; 때를 못 잡은 ; 위험(危險)한.
ùn·chánge·able *a.* 변하지 않는, 불변의 : be ~ *of* purpose 목적이 일정하다. **-ably** *adv.*
ùn·chánged *a.* 변하지 않는, 변화되지 않은, 불변의.
ùn·chánging *a.* 변하지 않는, 불변의, 언제나 일정한.
ùn·chárged *a.* 짐을 싣지 않은 ; 탄환을 재지 않은 ; 충전하지 않은 ; 죄를 짓지 않은, 고소당하지 않은.
ùn·cháritable *a.* 무자비한, 용서없는 ; 무정한.
ùn·cháritably *adv.* 무정하게, 용서없이.
~·ness *n.*
ùn·chármed *a.*〔理〕(quark가) charm 성질을 갖지 않은.
ùn·chárt·ed *a.* 해도[지도]에 없는[표시되지 않은] ; 미답(未踏)의, 미지의.
ùn·chártered *a.* 특허를 얻지 못한, 무면허[무인가]의, 면허증[인가증]이 없는(unlicensed) ; 제약이 없는, 불법의.
ùn·cháste *a.* 부정(不貞)한, 행실이 나쁜, 천한, 음란한. **~·ly** *adv.*
ùn·chástity *n.* Ⓤ 부정, 행실이 나쁨, 음란.
ùn·chécked *a.* (운동이) 억제되지 않는, 저지되지 않는 ; 검사[시험]받지 않은.
unchécked bággage *n.* 기내 휴대 수화물.
ùn·chrístian *a.* 기독교도가 아닌 ; 기독교적 정신에 반하는 ; 야만의, 난폭한 ;《口》(값·시간 따위) 터무니 없는, 불합리한, 맞지 않는.
ùn·chúrch *vt.* …에게서 교회의 특권을 빼앗다 ; (남을) 교회에서 추방하다, 파문하다.
un·cia [ʌ́ntʃiə ; -ʃiə] *n.* (*pl.* **-ci·ae** [-tʃiìː ; -ʃiìː]) 12분의 1 ; 인치 ; 온스 ; (고대 로마의) 1/12 아스(as) 동전. 〖L=twelfth part, inch, ounce〗
un·ci·al [ʌ́nʃiəl, -ʃəl, -tʃəl] *n.* 언셜 자체(字體)《기원 4-8세기에 쓰인 큼직하고 모가 없는 필사체(筆寫體)》; 그 글씨체로 쓴 사본. —— *a.* 언셜 자체의 ; 인치[온스]의 ; 십이진법의. 〖L=inch-high (↑)〗
un·ci·form [ʌ́nsəfɔ̀ːrm] *a.*〔動·解〕갈고리 모양의. —— *n.*〔解〕구상골(鉤狀骨).
un·ci·nal [ʌ́nsənl] *a.* =UNCINATE.
un·ci·nate [ʌ́nsənət, -nèit], **-nat·ed** [-nèitəd] *a.*〔解·動·植〕갈고리 모양의 ; 끝이 꼬부라진.
UNCIO United Nations Conference on International Organization《유엔 국제 기구 회의 ; UN의 정식 창설까지의 준비 회의》.
ùn·círcumcised *a.* **1** 할례(割禮)받지 않은 ; 유태인[헤브라이인]이 아닌, 이방인의. **2** 갱생하지 않은 ;《비유》이교의, 순수하지 않은.
ùn·circumcísion *n.* Ⓤ 할례를 받지 않은 상태 ; 할례 거부 ; [the ~]〔聖〕무할례자, 이방인(the Gentiles).
ùn·cívil *a.* **1** 무례한, 버릇없는. **2** 미개한. **3** 인간의 융화[복지]에 도움이 되지 않는. **~·ly** *adv.*
類義語 ⟹ RUDE.
ùn·cívilized *a.* 미개한 ; 야만의.
ùn·clád *a.* 옷을 입지 않은, 알몸의.
ùn·cláimed *a.* 청구자가 없는 ; (짐 따위) 소유주 불명의.
ùn·clásp *vt.* …의 걸쇠를 끄르다 ; (쥐었던 손 따위를) 펴다. —— *vi.* 걸쇠가 끌러지다 ; (쥐었던 손 따위가) 펴지다, 풀리다.
ùn·clássifiable *a.* 분류할 수 없는. **~·ness** *n.*
ùn·clássified *a.* 분류[구분]하지 않은 ; (문서 따위) 기밀 취급을 받지 않은, 비밀이 아닌.
◇**un·cle** [ʌ́ŋkəl] *n.* **1** 아저씨 ; 백[숙]부, 고모부 : I have three ~*s.* 나에게는 아저씨가 세 분 계신다. **2**《口》(정다운 말투로) (이웃) 아저씨《방송국의 아나운서, 미국에서는 늙은 흑인 하인 등》. **3**《俗》전당포 주인(pawnbroker). **4** [U~] =UNCLE SAM ;《美俗》연방정부의 수사관, (특히) 마약 특별 수사관. **5** [U~] (원래) 문자 u를 나타내는 통신 용어《지금은 Uniform이 보통》.
say uncle《美口》항복하다.
talk to a person ***like a Dutch uncle*** ☞ DUTCH UNCLE.
〖AF<L ; ⇨ AVUNCULAR〗
-uncle *suf.*「소(小)…」의 뜻 : carb*uncle*.
ùn·cléan *a.* **1** 더러워진, 불결한 ; 식용에 적합지 않은, 먹을 수 없는《산란 직후의 물고기 따위》. **2**〔宗〕부정(不淨)한, 더럽혀진 : the ~ spirit〔聖〕

악귀, 악마, 악령《특히 사람 마음 속에 깃드는》. **3** 순결하지 않은, 부정(不貞)한, 방탕한, 외설된. **4** 불명확한, 분명치 않은.

ùn·cléanly[1] [-klén-] *a.* 불결한, 더러운, 음란한, 부정한. **-li·ness** *n.*

ùn·cléan·ly[2] [-klíːn-] *adv.* 불결하게.

ùn·cléar *a.* 불분명한, 명백하지 않은, 모호한, 막연한.

Úncle Dúdley *n.* 《美俗》 나, 이 아저씨(I, me) 《주로 다음 표현으로》: Now, tell *your* ~. 자, 아저씨한테 말해 보렴.

ùn·clénch *vt.* 억지로[비집어] 열다; (억지로) 벌리다; (쥐었던 손을) 펴다. —— *vi.* (꼭 쥐었던 손이) 펴지다; 열리다.

Úncle Sám *n.* 미국 정부; (전형적인) 미국인 《별명; cf. JOHN BULL, JONATHAN》; 《美俗》 연방정부의 수사관. 〖U.S. (=United States)를 마음대로 길게 한 것; *U.S.*의 유래는 미군 정육 납품업자 Samuel Wilson (d. 1854)의 별명 *U*ncle *S*am의 고기 상자에 붙인 약호에서인가〗

Úncle Súgar *n.* 《美俗》 연방 수사국(FBI).

Úncle Tóm *n.* 톰 아저씨《H.B. Stowe작 *Uncle Tom's Cabin*의 주인공》; 《美·蔑》 백인에게 굴종적인 흑인. —— *vi.* (**-mm-**) (흑인이) 백인에게 비굴한 태도를 취하다. **Úncle Tóm·ism** *n.* (흑인의) 백인 영합(迎合)주의.

Úncle Tómahawk *n.* 《美·蔑》 백인 사회에 융화한 아메리칸 인디언. 〖*Uncle Tom*+*tomahawk*〗

ùn·clóak *vt.* …의 외투를 벗기다; (위선 따위의) 가면을 벗기다, 폭로하다. —— *vi.* 외투를 벗다.

ùn·clóg *vt.* …에서 방해[장애]를 없애다.

ùn·clóse *vt.* 열다; 나타내다. —— *vi.* 열리다; 드러나다.

ùn·clósed *a.* 열려 있는, 열린 채로의; 완결되지 않은.

ùn·clóthe *vt.* 옷을 빼앗다, 옷을 벗기다, 발가벗기다; 덮개를 떼어버리다[벗기다]; 드러내다, 털어놓다.

ùn·clóud·ed *a.* 구름 없는, 갠; (마음 따위가) 밝은, 맑은, 명랑한.

un·co [ʌ́ŋkou, -kə] *a.* 《스코》 낯선, 이상한; 눈에 띄는, 커다란; 기분 나쁜; 무시무시한. —— *n.* (*pl.* **~s, ~es**) 낯선[안면 없는] 사람; [*pl.*] 뉴스, 진문(珍聞), 기별. —— *adv.* 대단히, 극히: the ~ guid [보통 반어적으로] 각별히 근엄한 신자들. 〖*uncouth*〗

ùn·cóffee *n.* (카페인을 없앤) 커피 대용 음료.

ùn·cóil *vt.* (감긴 것을) 펴다, 끄르다, 풀다. —— *vi.* 풀리다; (뱀이) 사리를 풀다.

ùn·cóined *a.* (화폐로) 주조되지 않은; 위조가 아닌, 진짜의; 천연의.

ùn·cólored *a.* **1** 물들이지 않은, 채색하지 않은, 본색 그대로의. **2** (이야기 따위) 있는 그대로의, 꾸미지 않은.

ùn·cómbed *a.* 빗질하지 않은, 헝클어진.

ùn·come-át-able *a.* 《口》 접근하기[가까이하기] 어려운; 구하기 힘든, 얻기 어려운.

ùn·cómely *a.* **1** 예쁘지[깨끗하지] 않은, 못생긴; 부적절한, 어울리지 않는. **2** 보기 흉한; 버릇없는. —— *adv.* 《古》 부적절하게.

‡**ùn·cómfort·able** *a.* **1** 마음이 편치 않은, 불안한; (사태 따위) 난처한, 귀찮은. **2** 살기[앉기, 입기, 신기] 불편한. **-ably** *adv.* 불쾌하게; 귀찮게; 마음이 편치 않게. **~·ness** *n.*

ùn·commércial *a.* **1** 상업에 종사하지 않는, 장사와 관계 없는. **2** 상업 도덕[정신]에 어긋나는. **3** 채산이 맞지 않는; 비영리적인.

ùn·committed *a.* **1** 미수의. **2** 언질[서약]에 얽매이지 않는; 아무데도 관계 없는, 당파심이 없는, 중립의〈*to*〉: the ~ countries 중립국《동서 양 진영의 어디에도 속하지 않음》. **3** (법안 따위) 위원회에 회부되지 않은.

***ùn·cómmon** *a.* 진귀한; 이상한, 흔하지 않은, 비범한: an ~ act of charity 흔치 않은 자선 행위. —— *adv.* 《方·口》 =UNCOMMONLY. **~·ly** *adv.* 드물게; 진귀하게; 대단히, 매우: not ~*ly* 흔히. **~·ness** *n.*

類義語 ⟹ RARE[1].

ùn·commúnicative *a.* 터놓지 않는, 삼가는, 말없는.

ùn·compláin·ing *a.* 불평(不平)하지 않는; 참을성이 많은.

ùn·cómpromising *a.* **1** 타협하지 않는, 양보하지 않는. **2** 단호한, 완고한; 엄격한, 강경한. **~·ly** *adv.*

ùn·concérn *n.* 무관심, 태연, 태평, 냉담함.

ùn·concérned *a.* **1** 태평한, 걱정이 없는〈*about*〉. **2** 연관이 없는〈*in*〉; 관심[흥미]을 갖지 않는, 개의치 않는〈*with, at*〉. **ùn·con·cérn·ed·ly** [-ədli] *adv.* 태평하게; 무관심하게.

類義語 ⟹ INDIFFERENT.

ùn·condítion·al *a.* 무조건의, 무제한의, 절대적인; 〘心〙 =UNCONDITIONED: ~ surrender 무조건 항복. **~·ly** *adv.* **~·ness** *n.*

ùn·condítioned *a.* 무조건의, 절대적인; 〘心〙 조건[학습]에 의하지 않은《반응》, 무조건 반응을 일으키는《자극》.

uncondítioned résponse *n.* 〘心〙 무조건 반응 (=**uncondítioned réflex**)《무조건 반사》.

ùn·confírmed *a.* **1** 확인되지 않은, 확증이 없는: an ~ report 미확인 정보. **2** 〘基〙 견신례[안수식]를 받지 않은.

ùn·confórm·able *a.* 적합하지 않은, 일치하지 않는(not consistent); (특히) 〘英史〙 영국 국교회에 따르지 않는; 〘地質〙 부정합(不整合)의. **-ably** *adv.* **~·ness** *n.*

ùn·confórmity *n.* 《古》 불일치, 부적합; 〘地質〙 (지층의) 부정합(不整合).

ùn·connéct·ed *a.* 연속되지 않은, 분리[독립]한; 관계 없는; 연고가 없는; 조리가 맞지 않는; 산만한. **~·ly** *adv.* **~·ness** *n.*

ùn·cónquer·able *a.* 정복하기 어려운, 극복할 수 없는, 억제하기 어려운.

ùn·cónquered *a.* 정복되지 않은.

ùn·cónscionable *a.* **1** 비양심적인, 수치를 모르는, 무정한; 〘法〙 부당한: an ~ bargain 부당 계약. **2** 부조리의, 불합리한, 터무니없는: He takes an ~ time eating. 식사 시간이 터무니없이 길다. **-bly** *adv.* 도리에 어긋나게.

ùn·cónscious** *a.* **1** [+前+do*ing*] 알지 못하는, 눈치 못채는, 깨닫지 못하는: be ~ ***of any danger[one's mistake] 위험을[자신의 잘못을] 알아채지 못하다 / He is ~ *of* hav*ing* made a serious error. 중대한 과오를 저지른 것을 알아차리지 못하고 있다. **2** 의식을 잃은, 의식 불명의, 기절한, 인사 불성의: become ~ 의식을 잃다. **3** 부지 불식간에 나온, 생각없이 (말)한; 무의식중에 나온: ~ wit 무의식중에 나온 기지. **4** 〘心〙 무의식의(↔*conscious*). **5** 자각[지각, 의식]을 갖지 않은. —— *n.* [the ~] 잠재의식; 무의식(의 심리).

~·ness *n.* 무의식; 인사 불성.

U

ùn·cónscious·ly *adv.* 무의식적으로, 부지중에.
ùn·consídered *a.* (언행 따위) 조심성 없는, 생각 없는 ; 고려할 가치가 없는.
ùn·constitútion·al *a.* 헌법 위반의, 위헌의. **~·ly** *adv.* 헌법에 위반하여. **ùn·constitutionálity** *n.* Ⓤ 헌법 위반, 비합헌성, 위헌(성).
ùn·constráined *a.* **1** 구속[속박]을 받지 않는, 자유의. **2** 강제에 의하지 않은, 자발적인. **3** 침착한, 자연스러운 ; 거북하지 않은, 편한.
ùn·constráin·ed·ly [-ədli] *adv.* 자유롭게 ; 마음대로 ; 침착하여, 편하게.
ùn·constráint *n.* Ⓤ 구속없음 ; 수의(隨意), 자유(自由).
ùn·construct·ed *a.* (옷이) 심이나 패드(pad)를 넣어 모양을 만든 것이 아닌《몸에 잘 맞음》.
ùn·contést·ed *a.* 다툴 상대가 없는, 경쟁이 없는 ; 의론의 여지가 없는, 명백한.
ùn·contróll·able *a.* 제어할 수 없는, 억제하기 어려운, 걷잡을 수 없는. **-bly** *adv.*
ùn·contrólled *a.* 억제[통제]되지 않은, 방치된, 자유스러운.
ùn·controvérsial *a.* 논쟁[토론]이 안 되는.
ùn·convéntion·al *a.* **1** 관례에 따르지 않는, 인습에 얽매이지 않는. **2** (태도·복장 따위가) 틀에 박히지 않은, 약식의, 자유스러운. **~·ly** *adv.* 인습에 얽매이지 않고 ; 약식으로, 자유스럽게.
ùn·conventionálity *n.* Ⓤ 비(非)인습적인 일[행위] ; 독창성.
ùn·convért·ed *a.* **1** (질·모양이) 변(화)하지 않는. **2** 개종(改宗)하지 않은, 아직도 이교도인 ; 회개하지 않은. **3** 전향하지 않은, 당(黨)을 바꾸지 않은.
ùn·convért·ible *a.* 바꿀 수 없는 ; (지폐 따위) 불환(不換)의.
ùn·convínced *a.* 설득되지 않은, 납득하지 않은.
ùn·convíncing *a.* 납득시킬 수 없는, 설득력이 없는, 의문이 있는.
~·ly *adv.* **~·ness** *n.*
ùn·cóoked *a.* 요리하지 않은, 굽[찌]지 않은, 날것의(raw) : eat vegetables ~ 야채를 날것으로 먹다.
ùn·cóol *a.*《俗》자신 없는, 몹시 감정적인 ; 품위 없는, 무무한 ; 당황한 ; (동료의 방식을) 알지 못하고 있는.
ùn·córd *vt.* (상자 따위의) 줄[끈]을 풀다[끄르다] (unfasten).
ùn·córk *vt.* (병 따위의) 마개를 뽑다 ; 세차게 내뿜다[내쏟다] ;《비유》(감정 따위를) 토해내다, 입밖에 내다.
ùn·corréct·able *a.* 회복[복원]할 수 없는, 돌이킬 수 없는. **-ably** *adv.*
ùn·corrúpt·ed *a.* 썩지 않은 ; 타락하지 않은, 청렴결백한.
***ùn·cóunt·able** *a.* **1** 셀 수 없는, 무수한 : ~ ants 수많은 개미. **2** 셀 수 없는 (성질의) : an ~ noun. 불가산 명사. —— *n.*〖文法〗셀 수 없는 명사, 불가산 명사(↔*countable*).
ùn·cóunt·ed *a.* 세지 않은 ; 다수의.
ùn·cóuple *vt.* [+目/+目+前+名] (개를) 가죽끈에서 풀다 ; …의 연결을 풀다, 떼어놓다 : ~ a freight car ***from*** a train 열차에서 화차를 떼어놓다. —— *vi.* 떨어지다.
ùn·cóurteous *a.* 버릇없는, 조야(粗野)한.
~·ly *adv.*
ùn·cóurt·ly *a.* 궁정 예절에 익숙지 못한[어긋난] ; 거친, 천한, 우아하지 못한, 야비한.
-cóurtliness *n.*
un·couth [ʌnkúːθ] *a.* **1** 천한, 거친, 쓸모없는, 무뚝뚝한 : He behaves in a most ~ way. 그의 행동은 참으로 보기 흉하다. **2**《古》미지의, 낯선. **3** 황량한, 쓸쓸한 ; 기이한, 이상한.
~·ly *adv.* **~·ness** *n.*
〖OE *uncūth* unknown (*cuth* (p.p.) ‹ *cunnan* to know, CAN)〗
ùn·cóvenant·ed *a.* 계약[서약, 신약(神約)]에 의하지 않은 ; 계약에 속박되지 않은 : *U*~ Civil Service《英》(인도에서) 무계약 문관(文官) 복무《문관복무 규정에 의한 것이 아니며 채용 시험 및 연금도 없음》.
***ùn·cóver** *vt.* **1** …의 뚜껑[덮개]을 열다 ; (몸을) 알몸이 되게 하다 ; …에서 모자를 벗다 ; (여우를) 몰아내다 ; 파내다 : ~ one's head 모자를 벗다 / ~ oneself 탈모하다《경의·인사의 표시》/ He remained ~*ed.* 모자를 쓰지 않은 채로 있었다 / fragments ~*ed* by excavating parties 발굴대에 의해 파내어진 부서진 조각. **2** (음모 따위를) 폭로[적발]하다, 터놓다. **3**〖軍〗(군을) 적의 포화[시야]에 드러내 놓다 ; …의 원호를 그치다, 무방비 상태에 두다. —— *vi.*《古》(경의를 나타내어) 모자를 벗다 ; 뚜껑[덮개]을 열다.
ùn·cóvered *a.* **1** 덮개를 씌우지 않은 ; 모자를 쓰지 않은 ; 드러내 놓은, 노출된 : ~ legs 노출된 다리. **2** 보험에 들지 않은, (연금 따위의) 적용을 받지 않는 ; 담보가 없는 ; 교사가 없는《학급》.
ùn·creáte *vt.* …의 존재를 말살하다, 없애다, 절멸시키다. —— *a.* =UNCREATED.
ùn·creáted *a.* 자존(自存)하는 ; 아직 창조되지 않은 ; 존재하지 않은.
ùn·crítical *a.* 비판하지 않는 ; 비판력[정견]이 없는 : an ~ reader 무턱대고 읽는 독자.
ùn·cróss *vt.* …의 교차(交叉)를 풀다 : ~ one's arms[legs] 팔짱을[책상다리를] 풀다.
ùn·cróssed *a.* (십자로) 교차하지 않은, 엇걸리지 않은 ; 방해받지 않는 ;《英》(수표가) 횡선을 긋지 않은 : an ~ cheque《英》보통 수표(open check) (cf. CROSSED cheque).
ùn·crówn *vt.* 왕관을 빼앗다, 퇴위시키다 ; (경기 따위에서) …의 왕좌를 빼앗다.
ùn·crówned *a.* 아직 왕관을 물려받지 않은, 아직 대관식을 올리지 않은 ; 무관(無冠)의.
ùn·crúsh·able *a.* **1** (천 따위가) 주름이 지지 않는. **2**《文語》(사람·의지 따위가) 꺾이지 않는.
UNCSTD United Nations Conference on Science and Technology for Development.
UNCTAD [ʌ́ŋktæd] United Nations Conference on Trade and Development (국제 연합 무역 개발 회의).
unc·tion [ʌ́ŋkʃən] *n.* **1** Ⓤ (종교적 성별(聖別)의 표시로서의) 주유(注油), 도유(塗油) ;〖카톨릭〗병자 성사《임종 때 성유를 바름 ; cf. EXTREME UNCTION》; (대관식에서의) 도유식. **2** Ⓤ (의료의) 유약 도포(油藥塗布), 연고 도찰법. **3** Ⓤ 바르는 기름, 고약, 연고. **4** Ⓤ **a**) 남을 감동[감격]시키는 말투[태도 따위] ; 즐겁게 하기, 감언 ; (특히) 종교적 열정. **b**) 겉치레만의 열정, 거짓 감동[감격, 동정, 공손 따위]. **c**) (이야기 따위의) 흥미. 〖L (*unct-* *ungo* to anoint)〗
unc·tu·ous [ʌ́ŋktʃuəs] *a.* **1** 기름 같은, 유질(油質)의 ; 기름기가 도는 ; 매끄러운, 반드러운. **2** 상냥한, (사람을) 살살 녹이는 ; (겉으로만) 열심인 체하는, 자못 감동한 듯한. **~·ly** *adv.* **~·ness** *n.* 〖L (*unctus* anointing ; ↑)〗
ùn·cúltivated *a.* **1** 미경작의, 미개간(未開墾)의. **2** 내버려 돌보지 않는, 가꾸지 않은, 키워지

U

지 않은. **3** 미개의, 교양이 없는, 조야한.

ùn·cúltured *a.* 개간되어 있지 않은; 교양 없는.

ùn·cúred *a.* 치료되지 않은, 아직 낫지 않은; 저장[가공] 처리되지 않은, 소금절이하지 않은, 말리지 않은.

UNCURK United Nations Commission for Unification and Rehabilitation of Korea (국제 연합 한국 통일 부흥 위원회).

ùn·cúrl *vt.* (머리털 따위를) 똑바로 펴다, 꼬불꼬불한 것을 펴다. ── *vi.* (꼬불꼬불 말린 것이) 풀리다, 똑바르게 펴지다.

ùn·cút *a.* 자르지 않은; (보석이) 다듬어지지 않은;〔製本〕(가장자리를 자르지 않고 마무른) 언컷의; (기록·연극 따위) 삭제[생략, 단축]하지 않은.

ùn·dámaged *a.* 손해를 입지 않은, 손상되지 않은, 완전한.

ùn·dámped *a.* 의기 소침하지 않은;〔理·電〕(진동이) 불감쇠(不減衰)의.

ùn·dáted *a.* 날짜 표시가 없는; 별다른 사건이 없는; 기일[기한]을 정하지 않은.

ùn·dáunt·ed *a.* 겁내지 않는, 두려워하지 않는, 대담한, 불굴의. **~·ly** *adv.* 두려워하지 않고, 대담하게. **~·ness** *n.*

UNDC United Nations Disarmament Commission (국제 연합 군축 위원회).

un·dé, un·dée [ʌndéi, ⌐–; ⌐–] *a.*〔紋〕(특히 높은) 물결 모양의(wavy).〖F〗

un·dec- [ʌndék, -dés] *comb. form* 「11」의 뜻.〖L *undecim* (*unus* one, *decem* ten)〗

un·dec·a·gon [ʌndékəgàn] *n.* 11각형.

ùn·decéive *vt.* [+目/+目+*of*+名] …의 미망(迷妄)을 깨우치다, …에게 진실을 깨닫게 하다: be *~d* 비로소 (잘못을) 깨닫다 / ~ a person ***of*** his error 남의 잘못을 깨우쳐 주다.

ùn·decidabílity *n.*〔數·論〕결정 불가능성, 논증 불능.

ùn·decíded *a.* **1** [+(前+) *wh.* 節·句] 아직 결정되지 않은, 미결의; (날씨 따위) 어떻게 될지 모르는(unsettled); 결심이 서지 않는: I am ~ *whether to* believe him or not. 그를 믿어야 좋을지 어떨지 망설이고 있다. **2** 결단성 없는, 우유부단한《성격 따위》. **3** (모양·윤곽이) 뚜렷하지 않은, 희미한. **~·ly** *adv.* 결심이 서지 않고, 결단성 없게. **~·ness** *n.*

ùn·decláred *a.* 과세 신고를 하지 않은; 선언[선전 포고]하지 않은.

ùn·deféat·ed *a.* 패배하지 않은, 져본 일이 없는, 불패의.

ùn·defénd·ed *a.* 변호되지 않은; 변호인이 없는《피고인 등》; 무방비의.

ùn·defíled *a.* 더럽혀지지 않은, 깨끗한, 순결한(chaste); 순수한.

ùn·defínable *a.* =INDEFINABLE.

ùn·defíned *a.* (경계 따위) 불확정한, 막연한; 아직 정의가 안 내려진;〔컴퓨〕미정의.

ùn·delívered *a.* 석방[방면] 되지 않은《죄수》; 입밖에 내지 않은; 배달되지 않은: If ~ please return to sender. 배달 불능의 경우에는 발송자에게 반송해 주십시오.

ùn·democrátic *a.* 비민주적인. **-ical·ly** *adv.*

ùn·demónstrative *a.* (감정 따위를) 겉으로 나타내지 않는, 내색하지 않는, 조심스러운; 내성적인. **~·ly** *adv.* **~·ness** *n.*

ùn·deníable *a.* 부정[부인]하기 어려운, 시비의 여지가 없는, 흠잡을 데 없는, 명백한; 말할 나위 없는. **-ably** *adv.*

ùn·denominátion·al *a.* (교육 따위) 비종파적(非宗派的)인.

ùn·depénd·able *a.* 의지[신뢰]할 수 없는. **-ably** *adv.*

°**un·der** [ʌ́ndər]

> (1) 기본 뜻: 「…에 덮여, …의 밑에」
> (2) under는 over의 반의어로서 본래는 물리적인 위치를 나타내지만 비유적으로도 쓰인다.
> (3) 동의어인 beneath, below, underneath 따위보다 뜻이 훨씬 넓고 밑에 있는 것이 떨어져 있든 붙어 있든 상관이 없다.
> (4) 기능상 주로 전치사지만 부사로도 쓰이는 전치사적 부사의 하나다.

── [⌐–, ⌐–] *prep.* **1** [위치] (↔*over*) **a**) …의 아래에[를], …의 바로 밑에[을], …의 기슭에 (cf. BELOW): ~ a bridge 다리 밑에 / ~ a tree 나무 밑에, 나무 그늘에 / ~ the sun ☞ SUN 숙어 / ~ a wall 벽 밑에 / a village nestling ~ a hill 산기슭에 자리잡은 마을. **b**) …의 안[내측, 내부, 속]에; …의 속에 가라앉아 (있는), …으로 덮인: ~ the ground 땅속에(서) / ~ the skin 피부 속에 / a field ~ water 침수된 밭. **c**) …을 심은 (planted with): a field ~ grass[wheat] 목초[밀]를 심은 벌판.
2 (무거운 짐 따위)를 지고, …의 밑에: ~ the burden of sorrow 슬픔에 짓눌려.
3 [상태] **a**) (치료·시련·형벌 따위)를 받아, …에게 맡겨져: be ~ a doctor 의사의 치료를 받고 있다 / land ~ fire 포화를 받으며 (적전) 상륙하다 / land ~ the plow=land ~ cultivation [tillage] 경지(耕地) / It is forbidden ~ pain of death. 금제(禁制)를 범하는 자는 사형에 처한다. **b**) …중의[에]: ~ discussion 논의중에[의] / a road ~ repair[construction] 수리[공사]중인 도로. **c**) …의 (지배·감독·영향 따위) 밑에, …하(下)에, …을 받아; …에 의하여: the class ~ us 우리가 지배하는 계급(cf. the class *below* us 우리보다 낮은 계급) / ~ (the reign of) Queen Anne 앤 여왕의 치세 하에 / ~ Article 43 제 43조에 의하여 / ~ the influence of wine 술의 힘으로 / study ~ Dr. Brown 브라운 박사 밑에서 배우다. **d**) …의 (의무·책임) 아래, …에 얽매어: give evidence ~ oath 선서하고 증언하다. **e**) [분류 따위] …에 속하는, …의 항목하에: treat a question ~ several heads 몇개의 항목으로 나누어 문제를 다루다. **f**) …의 밑에《숨어서》, …의 그늘에서: ~ a false name 가명을 써서 / ~ (the) cover of night 밤을 틈타서. **g**) …의 (사정·조건) 하에: ~ such conditions 이러한 조건하에 / ~ a delusion 착각으로.
4 a) (지위가) …보다 못한, …보다 하급의: officers ~ a major 소령 이하의 장교. **b**) (수량이) …이하의, …미만의(less than): *U*~ 50 people were there. 출석자는 50명 미만이었다. 주 숙어는 그 명사의 항 참조.
── *adv.* 밑에, 종속하여, 예속하여, 복종하여《보통 underneath 또는 beneath를 씀》; 의식을 잃어, 무의식 상태에; …보다 작게, 불충분하게. 주 동사와의 숙어는 각 동사의 항 참조.
── *a.* 밑의, 하부의; 종속의, 버금 가는; (…보다) 못한: the ~ jaw 아래턱 / ~ layers 하층. 주 보통 복합어를 이루어 쓰임 (cf. UNDER-): *under*-tenant, *under*lease.
〖OE; cf. G *unter*, OS *undar*, ON *undir*〗
類義語 ***under*** (↔*over*) 바로 밑에 있거나 또는 종

속되듯이 밑에 있음 : Hide *under* the table. (식탁 밑에 숨어라). ***below*** (↔*above*) 다른 것보다 밑에 있다는 뜻이지만 반드시 바로 밑에 또는 직접 밑에 있는 것을 뜻하지는 않음 : Look *below* your eyes. (눈아래를 보아라). ***beneath*** under 및 below에 상당하는 말로 현재는《詩·文語》: My father lies *beneath* the ground. (아버지께서는 지하에 누워 계신다).

under- *pref.* [동사·명사와 결합하여] 주 (특히 1 및 2의 뜻인 동사에서는) [ʌ́ndər-; ʌ̀ndər-]가 되는 경우가 많음. **1** 밑의[에], 아래쪽의[에] : *under*clothes, *under*line(*v.*). **2** 아래로부터 : *under*mine. **3** 불완전(不完全)하게, 불충분하게 : *under*state. **4** 보다 못한, 차위(次位)의, 종속의 : *under*secretary.

ùnder·abúndant *a.* 충분히 풍부하지 않은. 〚cf. OVERABUNDANT〛

ùnder·achíeve *vi.*〔敎〕(지능검사에서) 능력보다 낮은 성적을 얻다. **~·ment** *n.*

ùnder·áct *vt., vi.* =UNDERPLAY.

ùnder·áge[1] *a.* 미성년의. 〚AGE〛

únder·age[2] [-ridʒ] *n.* 부족량. 〚*-age*〛

únder·àrm *a.* 팔 밑의, (솔기 따위) 겨드랑 밑의 ; (가방 따위) 겨드랑이에 끼는 ;〔크리켓·테니스〕= UNDERHAND.
—— [⌐, ⌐⌐] *adv.* =UNDERHAND.
—— *n.* 겨드랑이 밑 ; (옷의) 소매 아래쪽.

ùnder·ármed *a.* 충분하게 무장을 갖추지 않은, 군비[무기]가 불충분한.

únder·bèlly *n.* 하복부 ; (동물의) 배의 최하부(最下部) ; 방비가 허술한 지역 ; 약점.

ùnder·bíd *vt., vi.* …보다 싼 값을 매기다[입찰하다] ;〔카드놀이〕(bridge 에서) 돈을 적게 걸다.
—— *n.* 지나치게 낮은 입찰 ; (bridge에서) 소극적인 비드.

únder·bòdice *n.* (여성용) 속적삼.

únder·bòdy *n.* [the ~] (기체(機體)·차체의) 하부 ; (선체의) 물속에 잠긴 부분 ; (짐승의) 복부(腹部).

ùnder·bóss *n.*《美俗》(마피아의) 부(副)두목.

underbought *v.* UNDERBUY의 과거·과거분사.

ùnder·bréd *a.* 버릇없는, 볼품 없는, 천한 ; (말이) 순종이 아닌.

únder·brùsh, -bùsh *n.* Ⓤ 덤불, 숲(brush) ; 관목.

ùnder·búy *vi.* 수량이 부족하게 물건을 사다, 충분히 사지 않다. —— *vt.* 정가보다 싸게 사다 ; 경쟁 상대보다 싸게 사다.

ùnder·cápital·ìze *vt., vi.* (기업에) 자본을 충분히 대지 않다.

únder·càrriage *n.* (자동차 따위의) 하부 구조, 차대 ; (비행기의) 기체 지지부(支持部) ; (비행기의) 착륙 장치(landing gear).

ùnder·cárt *n.* 《英》 (비행기의) 착륙 장치 (undercarriage).

únder·càst *n.* 〔鑛〕 (광산 밑의) 통풍도(通風道) ; 비행기 밑에 퍼지는 구름. —— [⌐⌐] *vt.* (배우에게) 단역을 주다 ; (연극·영화)에 2류 배우를 배역하다.

ùnder·cháracter·ìze *vt.* (소설·연극 따위)의 등장 인물의 성격 묘사가 부족하다 ; (음악)의 주제를 충분히 전개시키지 못하다.
ùnder·chàracter·izátion *n.*

ùnder·chárge *vt.* **1** (남에게) 실제 대가 이하로 청구하다 ; …만큼 적게 대가를 청구하다. **2** (총포에) 불충분하게 탄약을 재다. **3** (축전지에) 과소 충전을 하다. —— [⌐⌐, ⌐⌐] *n.* 과소 청구 ; 장약[충전] 불충분.

únder·clàss *n.* 사회의 저변, 최하층. —— *a.* 하급생의.

ùnder·cláss·man [-mən] *n.*《美》대학[고교]의 하급생《1[2]년생 ; cf. UPPERCLASSMAN》.

únder·clày *n.*〔鑛〕탄층(炭層) 밑의 하반 점토(下盤粘土).

únder·clèrk *n.* 서기보(補) ; 하급 점원[사원], 견습 사원.

únder·clìff *n.* 부애(副崖)《위쪽 절벽에서 떨어진 암석·토사에 의해서 생긴 이차적인 절벽》.

ùnder·clóthed *a.* 옷을 얇게 입은.

únder·clòthes *n. pl.* 속옷, 내의, 속바지, 셔츠.

únder·clòthing *n.* Ⓤ 속옷[내의] 종류(underclothes).

ùnder·clúb *vi.*〔골프〕(거리에 비해서) 힘이 약한 작은 클럽을 쓰다.

únder·còat *n.* 다른 코트 안에 입는 코트 ; (새·짐승의) 잔털 ; (겉칠하기 전의) 밑칠 ; (자동차의) 녹슬지 않게 하는 밑칠. —— *vt.* 밑칠을 하다 ;《美》(자동차)에 녹방지의 밑칠을 하다.

únder·còat·ing *n.* (겉칠하기 전의) 밑칠 ;《美》자동차 하부의 밑칠, 그 방수(防銹) 도료.

ùnder·cólored *a.* 색이 부족한 ; 동물의 짧은 털 색깔의.

ùnder·cóol *vt., vi.* 불충분하게 냉각하다 ; = SUPERCOOL.

ùnder·cóunt *vt., n.* 실제보다 적게 세다[세기].

ùnder·cóver [⌐, ⌐⌐] *a.* 비밀리에 행해진[행하여지는], 비밀의 ; (특히) 첩보 활동에 고용되어 있는, 비밀 조사에 종사하고 있는.

úndercover ágent[mán] *n.* (범죄 용의자 등과 행동을 같이하는) 비밀[함정] 수사원, 첩자 ; 기업[산업] 스파이.

únder·cròft *n.* (교회 따위의) 천장이 둥근 지하실(地下室).

únder·cròss·ing *n.* =UNDERPASS.

únder·cùrrent *n.* **1** (해류 따위의) 저류(底流), 하층의 수류. **2**《비유》(감정·의견 따위의) 저류, 암류(暗流), 저의〈*of*〉. —— *a.* 저류의 ; 표면에는 나타나지 않는, 감추어진(hidden).

ùnder·cút [⌐, ⌐⌐] *vt.* **1** …의 밑을 잘라 버리다 ; (조각 따위) 밑을 도려내다. **2**〔商〕…의 가격을 경쟁적으로 내리다 ; (상대보다) 가격을 내리다. **3**〔골프·테니스〕(공을) 역회전 하도록 비스듬히 밑쪽으로 치다, 언더컷하다. —— *vi.* 경쟁 상대보다 가격을 내리다 ; 밑을 잘라내는 동작을 하다 ; 언더컷하다. —— *a.* 밑을 잘라낸 ; 언더컷에 의한.
—— [⌐⌐] *n.* **1** 밑을 잘라[도려]내기[낸 부분]. **2** Ⓤ《英》(소의) 허리 부분의 부드러운 살. **3**〔골프·테니스〕언더컷.

ùnder·devéloped *a.* 발달이 불충분한, 발육 부전(不全)의 ;〔寫〕현상 부족의 ; (나라·지역 따위가) 저개발의, 충분히 개발되지 않은 : ~ countries 저개발국, 후진국(cf. DEVELOPING countries ; DEVELOPED countries).

ùnder·devélop·ment *n.* Ⓤ〔寫〕현상 부족 ; 저개발 ; 발육 부전.

ùnder·divísion *a.* (대학생이 저학년이어서) 아직 전문과정으로 나누어지지 않은.

ùnder·dó *vt., vi.* (일 따위) 불충분하게 하다 ; (고기 따위를) 설굽다, 설익히다[설익다].

únder·dòg *n.* 싸움에 진 개 ; [보통 the ~] 패(배)자, (사회의) 낙오자 ; (사회 부정·박해 따위의) 희생자(↔*top dog*). **únder·dògger** *n.* 패자[이길 것 같지 않은 사람]의 지지자.

ùnder·dóne *a.* 충분하게 되어 있지 않은 ;《주로

英》(특히 고기가) 설구워진, 설익은 (=《美》 rare) (cf. WELL-DONE ; ↔*overdone*) : Some people like beef ~ 설구운 쇠고기를 좋아하는 사람도 있다.

ùnder·dráin *vt.* 암거(暗渠)로 배수하다. ── [⌐⌐] *n.* 암거, 지하 하수도.

únder·dràin·age *n.* Ⓤ (농지의) 암거 배수(暗渠排水).

ùnder·dráw *vt.* 부적절한 묘사를 하다, …밑에 선을 긋다.

únder·dràwers *n. pl.* 《美》 속바지, 팬츠.

ùnder·dráw·ing *n.* Ⓤ 밑그림, 소묘(素描).

ùnder·dréss *vt., vi.* 평소보다 간소한 옷을 입히다[입다]. ── [⌐⌐] *n.* (겉옷 속에 입는) 언더드레스, (특히) 겉 스커트의 속에 보이게 장식을 단 속옷[페티코트].

ùnder·emplóyed *a.* 능력·기술을 충분히 살리지 않은, 상시 고용이 아닌, 불완전 고용[취업]의. ── *n.* [the ~] 불완전 취업자.

ùnder·emplóy·ment *n.* Ⓤ 불완전[과소] 고용 (cf. full EMPLOYMENT).

ùnder·éstimate *vt., vi.* 싸게 견적하다 ; 가볍게 보아 넘기다, 얕보다 : ~ the enemy's strength 적의 힘을 가볍게 보아 넘기다. ── *n.* 싼 견적, 과소 평가 ; 경시. **ùnder·estimátion** *n.*

ùnder·expóse *vt.* (사진을) 노광(露光)[노출]을 부족하게 하다.

ùnder·expósure *n.* Ⓤ,Ⓒ 〖寫〗 노광 부족(↔*overexposure*).

ùnder·féd *v.* UNDERFEED의 과거·과거분사. ── *a.* 영양 부족의.

ùnder·féed *vt.* **1** …에게 충분히 음식을 주지 않다. **2** (난로 따위에) 아래쪽에서 연료를 공급하다. ── *vi.* 감식하다. ── [⌐⌐] *n.* (연료 따위를) 아래쪽에서 공급하는 장치.

únder·fèlt *n.* 양탄자 밑에 까는 펠트 천.

únder·fired *a.* (벽돌·도자기 따위가) 덜 구워진, 소성 부족의 ; (솥 따위가) 밑에서 불을 때(게 돼 있)는, 하입식(下入式)의.

únder·flòor *a.* 바닥밑식의《난방 따위》.

únder·flòw *n.* 저류, 암류(undercurrent) ; 〖컴퓨〗 아래넘침.

ùnder·fóot *adv.* 발 밑에(는) ; 짓밟아, 천대하여. ── *a.* 발 밑의 ; 《비유》 보행에 방해가 되는 ; 《비유》 짓밟힌.

ùnder·fúnd *vt.* (사업·계획 따위에) 충분한 자금을 공급 못하다.

únder·gàrment *n.* 내의, 속옷 ; [*pl.*] =UNDERCLOTHES.

ùnder·gírd *vt.* 아래를 단단히 묶다 ; 《비유》 뒷받침하다.

únder·glàze *a.* (도자기가) 유약을 바르기 전의, 밑그림용의. ── *n.* 밑그림.

***ùnder·gó** *vt.* 경험하다, 겪다, 당하다(suffer) ; 견디다, 참다(endure) : ~ changes 변화[변천]하다 / ~ an experience 경험하다 / ~ an operation[examination] 수술[시험]을 받다 / ~ many hardships 갖은 고난을 맛보다 / The new car *underwent* its tests successfully. 새 자동차는 성공적으로 실험에 통과했다.

undergone *v.* UNDERGO의 과거분사.

únder·gràd *n., a.* 《口》 =UNDERGRADUATE ; 《美俗》 학부의 과목.

ùnder·gráduate *n., a.* 대학[학부] 재학생(의), 대학생(의)《졸업생·대학원생·연구원과 구별하여 ; cf. POSTGRADUATE》. **~·shìp** *n.* 대학생의 신분[지위].

ùnder·grád·u·ette [-grǽdʒuèt, ⌐⌐⌐] *n.* 《英口》 여자 대학생.

***únder·gròund** *a.* 지하의, 지하 … ; 잠행적(潛行的)인, 비밀의, 숨은 ; 지하 조직의, 반체제의 ; 체제 외(外)의, 전위적인, 실험적인 : an ~ burst 지하 폭발 / an ~ movement 지하[잠행] 운동 / an ~ government 지하 정부. ── *n.* **1** 지하 ; 《英》 지하철(=《美》 subway). **2** 지하도(=《英》 subway). **3** [the ~] 지하 조직, 지하 운동 ; 반체제[전위, 급진] 그룹[운동].

〈회화〉
Shall we take the *underground* ? — No, let's go on foot.「지하철을 탈까요」「아니오, 걸어서 갑시다」

── [⌐⌐] *adv.* 지하로[에서] ; 지하로 잠복하여, 비밀히, 잠행적으로, 몰래 : go ~ 지하로 잠복하다. ── [⌐⌐, ⌐⌐] *vt.* 매설(埋設)하다.

únderground ecónomy *n.* 지하 경제 (활동).

únder·gròund·er *n.* 땅 밑에서 일하는 사람 ; 지하철 이용자 ; 전위 운동가.

únderground fílm[móvie] *n.* 전위 영화.

únderground núclear tést *n.* 지하 핵실험.

únderground préss *n.* 반체제 신문 (잡지).

únderground ráilroad *n.* 《美》 지하철(subway) ; [the U~ R~] 〖美史〗 (남북 전쟁 전의) 노예의 탈출을 도운 비밀 조직.

ùnder·gròwn *a.* 발육이 불충분한, 덜 자란.

únder·gròwth *n.* **1** Ⓤ 작은 잡목, 덤불(underbrush). **2** Ⓤ 발육 불충분.

únder·hànd *a.* **1** 〖球技〗 밑으로 던지는[치는] ; 밑으로 향한. **2** 비밀의, 내밀의, 속이 검은, 음험한(↔*aboveboard*), 몰래 하는. ── *adv.* 밑으로 던져서 ; 내밀히, 속이 검게, 음험하게(↔*aboveboard*).

ùnder·hánd·ed *a.* 비밀리의, 불공정한 ; 일손이 부족한. ── *adv.* =UNDERHAND. **~·ly** *adv.* **~·ness** *n.*

ùnder·hóused *a.* 주택 부족의《지역》; 주택이 비좁고 불편한《가정》.

ùnder·húng *a.* (아래턱이) 위턱보다 튀어나온, 아래턱이 튀어나온(↔*overhung*).

ùnder·insúrance *n.* 일부 보험《보험 금액이 보험 가액보다 적은 보험》.

ùnder·insúre *vt.* …에 실제의 가격보다 낮게 보험을 들다, 일부 보험으로 하다, 보험부(액) 과소로 하다.

ùnder·insúred *a.* 일부 보험의.

ùn·derívéd *a.* 파생된 것이 아닌, (공리(公理) 따위가) 기본적인.

únder·jàw *n.* 아래턱.

únder·kìll *n.* 적을 격파할 힘의 결여, 전력 부족, 열세(劣勢).

ùnder·láid *v.* UNDERLAY[1]의 과거·과거분사. ── *a.* (토대·기초 따위가) 아래에 놓인 ; (…을) 밑에서 받친 〈*with*〉.

underlain *v.* UNDERLIE의 과거분사.

ùnder·láp *vt.* …의 밑에 일부 비어져 나오다, (위의 것) 밑에 부분적으로 겹치다.

ùnder·láy[1] *vt.* …의 밑에 깔다 ; 〖印〗 (활자 따위에) 밑을 대다. ── *vi.* (광맥이) 경사지다. ── [⌐⌐] *n.* 〖印〗 밑받침《활자의 고저를 고르게 하기 위한 종이 쪽지·보드지 따위》; 융단《따위》의 밑깔개《내수지(耐水紙)·천》.

underlay[2] *n.* UNDERLIE의 과거형.

únder·làỳ·er *n.* 하층.

ùnder·láy·ment *n.* 마루청[융단]의 밑깔개

U

(underlay).
únder·lèase *n.* =SUBLEASE. ——[⌐⌐] *vt.* = SUBLEASE.
ùnder·lét *vt.* 싼값으로 빌려주다 ; (빌려 온 것을) 다시 빌려주다, 전대(轉貸)하다(sublet).
ùnder·líe *vt.* **1** …의 밑에 있다[가로놓이다] ; …에 따르다, 응하다 : Shale ~*s* coal. 혈암(頁岩)은 석탄 밑에 있다. **2** …의 기초가 되다 : political ideas *underlying* a revolution 혁명의 기초가 되는 정치적 사상. **3** 〖經〗(권리·담보 따위가) …에 우선하다 ; 〖文法〗 (파생어)의 어근이 되다.
***únder·lìne** *n.* 언더라인, 밑줄 ; (광고의 하단에 기록한) 다음 흥행[차기 간행물 따위]의 예고 ; 삽화[사진] 밑의 설명(문구). ——[⌐⌐, ⌐⌐] *vt.* …의 밑에 선을 긋다, …에 밑줄을 치다 ; 《비유》 강조하다 ; 예고하다 : an ~*d* part[section] 밑줄을 친 부분, 밑줄친 곳.
únder·lìnen *n.* (리넨의) 속옷, 셔츠.
un·der·ling [ʌ́ndərliŋ] *n.* 《蔑》 하급 직원, 아랫사람. 〖⇨ -LING〗
ùnder·líp [ˌ ⌐⌐] *n.* 아랫입술(lower lip).
únder·lỳing *a.* 밑에 있는 ; 기초가 되는, 근본적인 (fundamental) ; 함축적인, 잠재적인(implicit), 숨겨진(hidden).
ùnder·mánned *a.* (배 따위) 인원[승무원] 부족의 ; (일반적으로) 인원[일손]이 모자라는.
ùnder·mátched *a.* 신분이 낮은 사람과 결혼한.
ùnder·méaning *n.* 숨은 뜻, 함축(含蓄)된 말.
ùnder·méntioned *a.* 하기(下記)의.
ùnder·míne *vt.* **1** …의 밑을 파다, …의 밑에 갱도를 파다 ; (침식 작용으로) …의 밑동[토대]을 깎아 내리다 : The sea had ~*d* the cliff. 바닷물이 절벽 밑을 침식하고 있었다. **2** (명성 따위를) 몰래[음험한 수단으로] 손상시키다 ; (건강 따위를) 서서히 해치다 : My father's health was ~*d* by excesses. 아버지의 건강은 과음으로 서서히 약해졌다 / They will do anything to ~ their adversary's reputation. 상대방의 평판을 손상시키기 위해서 무슨 일이든 하려고 한다.
únder·mòst *a., adv.* 최하(급)의, 최저의[로].
***un·der·neath** [ʌ̀ndərníːθ] *prep.* …의 밑에[을, 의], …의 지배하에(under, beneath) ; …에 숨어서. —— *adv.* 밑에, 하부에(beneath). —— *a.* 낮은 ; 숨겨진. —— *n.* 낮은 부분, 아래쪽, 바닥(면(面)). 〖OE *underneothan* ; cf. BENEATH〗
ùnder·nóurish *vt.* 영양을 충분히 주지 않다. **~·ment** *n.* Ⓤ 영양 부족.
ùnder·nóurished *a.* 영양 부족의.
ùnder·nutrítion *n.* 영양 부족, 저(低)영양.
ùnder·óccupied *a.* 넓이에 비해 거주자가 적은 《집 따위》 ; 이렇다 할 일이 없는, 일정한 직업이 없는《사람》.
ùnder·páid *v.* UNDERPAY의 과거·과거분사. —— *a.* 박봉의.
únder·pànts *n. pl.* 속바지 ; 팬츠.
únder·pàrt *n.* Ⓤ 하부 ; (새·동물의) 복부 ; (항공기의) 동체(胴體) 하부 ; 부차적[보좌적] 지위[역할(役割)].
únder·pàss *n.* 《美》(철도 또는 다른 도로 밑을 지나는) 지하도(cf. OVERPASS). —— *vt.* (교차로에) 도로 밑을 통과하여 빠져나가는 입체 교차로를 만들다.
ùnder·páy *vt.* …에 급료를 충분히 지급하지 않다, 저임금을 주다.
ùnder·pín *vt.* (건물 따위의) 약한 토대를 갈다[보강하다], …의 밑에 버팀을 대다 ; 실증하다 ; 지지하다(support), 응원하다.
únder·pìnning *n.* 받침 ; 토대, 지주, 지지물 ; 지지, 응원 ; [*pl.*] 《口》 (특히 여성의) 속옷, 내의 ; [*pl.*] 《口》 다리(legs).
ùnder·pláy *vt., vi.* (역할 따위를) 소극적으로 연기하다, 절제된 연기를 하다(↔*overplay*). ——[⌐⌐] *n.* 두드러지지 않은 연기[작용, 행위].
únder·plòt *n.* **1** (소설·연극 따위의) 곁줄거리, 삽화. **2** 밀계(密計), 음모.
ùnder·pópulated *a.* 인구가 적은, 인구 부족[희박]의.
ùnder·populátion *n.* 인구 부족, 과소(過疏).
ùnder·práise *vt.* 충분히 칭찬하지 않다, 칭찬을 아끼다.
ùnder·prepáred *a.* 준비가 충분하지 않은, 준비 부족의.
ùnder·príce *vt.* …에 표준 이하의 값을 매기다 ; (경쟁 상대)보다 싸게 팔다.
ùnder·prívileged *a.* 《원래 美》(보통 사람보다 사회적·경제적으로) 혜택을 받지 못하는(cf. UNPRIVILEGED). —— *n.* [the ~] 혜택을 못받는 사람들.
ùnder·prodúce *vt., vi.* …을 과소 생산하다, …의 생산이 (목표·수요보다) 부족하다, (…을) 생산 부족이 되게 하다.
ùnder·prodúction *n.* Ⓤ 생산 부족(↔*overproduction*).
ùnder·prodúctive *a.* 충분한 생산을 할 수 없는, 생산성이 낮은. **ùnder·productívity** *n.*
ùnder·próof *a.* (알코올이) 표준도수(50%) 이하의《略 u.p.》.
ùnder·próp *vt.* …에 지주(支柱)로 버티다, 밑에서 받치다 ; 《비유》 지지[지원]하다(support).
ùnder·quóte *vt.* (상품을) 다른 가게[시장가격]보다 싸게 팔다, …보다 싼 값을 매기다[부르다].
underran *v.* UNDERRUN의 과거형.
ùnder·ráte *vt.* 지나치게 싸게[낮게] 견적하다, 과소 평가하다 ; 얕보다(underestimate).
ùnder·reáct *vi.* 소극적[미온적]인 반응을 보이다. **ùnder·reáction** *n.*
ùnder·repórt *vt.* (수입(收入) 따위를) 너무 적게 보고하다.
ùnder·rípe *a.* 미숙한, 설익은.
ùnder·rún *vt.* (…의) 밑을 달리다[통과하다] ; 〖海〗 (배 밖의 케이블 따위를) 보트를 타고 밑을 통과하면서 조사하다. —— *vi.* 저류(底流)로 흐르다. ——[⌐⌐] *n.* 밑을 통과하는[달리는] 것《조류·흐름 따위》 ; (목재 따위의) 견적과 실제 생산량과의 차, 부족량.
ùnder·scóre *vt.* =UNDERLINE. ——[⌐⌐] *n.* 밑줄, 언더라인(underline) ; 〖映·劇〗 배경 음악.
únder·sèa *a.* 해중(海中)의, 해저의 : an ~ cable [tunnel] 해저 전선[터널]. —— *adv.* 해중에, 해저에.
únder·sèal *n.* 《英》 밑칠(=《美》 undercoating). —— *vt.* …에 밑칠을 하다.
ùnder·séas *adv.* =UNDERSEA.
ùnder sécretary *n.* 차관 : a Parliamentary [Permanent] *U*~ 《英》 정무[사무]차관.
ùnder·séll *vt.* 투매(投賣)하다, …보다 싼값으로 팔다. **~·er** *n.*
únder·sènse *n.* 잠재 의식 ; 숨은 뜻.
únder·sèrvant *n.* 잔심부름꾼, 허드렛일을 하는 하녀[하인].
ùnder·sét[1] *vt.* **1** (벽·지붕 따위를) 돌[벽돌]로 받치다[괴다] ; 지지하다. **2** (받치기 위해서) …을 밑에 놓다. **3** 《英》 전대(傳貸)하다(sublet).

únder·sèt² *n.* 〔海〕 (바람·물결과 반대로 흐르는) 하층류(undercurrent) ; 〔鑛〕 낮은 광맥.
ùnder·séxed *a.* 성욕이 약한.
únder·shèriff *n.* 《英》 주(州)장관 대리 ; 《美》 군(郡)보안관 대리.
únder·shìrt *n.* 《美》 속옷, 내의(=《英》 vest).
ùnder·shóot *vt.* (목표·표적)에 미치지 않다 ; (비행기가 활주로)에 못미쳐서 착륙하다. ── *vi.* 목표에 미치지 못하게 발사하다 ; 비행기가 활주로에 못미쳐서 착륙하다.
únder·shòrts *n. pl.* 《美》 남자용 팬츠.
únder·shòt *a.* **1** (개 따위) 아래턱이 튀어나온. **2** (물레방아가) 하사식(下射式)의(↔*overshot*).
únder·shrùb *n.* 작은 관목(灌木).
únder·sìde [ˊ, ˋˊ] *n.* 하측, 아래쪽, 밑바닥 ; 《비유》 이면, 내면, 좋지 않은 면.
ùnder·sígn *vt.* …의 밑에 서명하다 ; (증서·편지 따위의) 끝에 서명하다.
ùnder·sígned *a.* 끝에 서명한[시킨], 하기의. ──[ˋˊ] *n.* [the ~] 서명자 : I, *the* ~ 소생(小生), 서명자(는) / *The* ~ are the petitioners. 서명자가 진정인(陳情人)이다.
únder·sìze *n.* 보통보다 작음, 소형 ; 사하분(篩下分)《부서진 광석 따위가 특정(特定)한 체를 통과한 부분》. ──[ˋˊ] *a.* =UNDERSIZED.
ùnder·sízed *a.* 보통보다 작은, 소형의.
únder·skìrt *n.* 속치마 ; (특히) 페티코트(petticoat).
únder·slèeve *n.* 아랫소매, 안소매《소매 안에 대는 다른 소매》.
ùnder·slúng *a.* (자동차의 차대 따위가) 차축 밑에 부착된 ; 중심이 낮은.
únder·sòil *n.* Ⓤ 심토(心土), 하층토(下層土), 속흙(subsoil).
undersold *v.* UNDERSELL의 과거·과거분사.
únder·sòng *n.* (반주로서의) 후렴, 저음의 반주 ; 《비유》 저의, 숨겨진 뜻.
ùnder·spénd *vt.* (어떤 액수)보다 돈을 적게 쓰다, 지출이 …을 넘지 않다. ── *vi.* 보통보다 [자력(資力)에 비해] 적은 돈밖에 쓰지 않다(↔*overspend*).
ùnder·stáffed *a.* 인원 부족의.
◇**un·der·stand** [ʌ̀ndərstǽnd] *v.* (**-stood** [-stúd], 《古》 *p.p.* **~·ed**) *vt.* **1** [+目/+*wh.* 節/+*wh.*+*to* do/+do*ing*] (사람의 말 따위) 알다, 이해하다 ; (참뜻·원인·설명 따위를) 알아듣다, 납득하다 ; (수학·법률 따위에) 정통하고 있다 : ~ English 영어를 알다 / ~ a question 질문(의 뜻)을 알다 / Do you ~ me? 내 말 뜻을 알겠소 / (Now,) ~ me! 자, 잘 들으세요《때때로 경고 따위를 나타냄》 / I cannot ~ him[his conduct]. 그를[왜 그런 짓을 하는지] 이해할 수가 없다 / I certainly *understood* so. 확실히 그렇게 알았다[알아차렸다] / She ~*s* what I say. 내가 한 말을 알고 있다 《㊟ what은 관계대명사》 / You don't ~ *what* a painful situation he is in. 너는 그가 얼마나 괴로운 입장에 있는지 모른다 / You ~ best *how to* repair the machine. 그 기계의 수리법은 자네가 제일 잘 알고 있네 / I cannot ~ his desert*ing* his wife[*why* he deserted his wife]. 나는 그가 왜 처를 버렸는지 모른다《㊟ I cannot ~ *him* desert*ing* his wife. 의 어법은 《口》》. **2** [+*that* 節/+目+*to* do] 들어서 알고 있다, 듣고 있다 ; 추찰(推察)하다, …라고 생각하다 ; (남이 말한 것을) …의 뜻으로 이해하다 : I ~ *that* he is now in the States. 그가 지금 미국에 있는 것으로 알고 있다 / Am I to ~ *that* you have agreed to the proposal? 당신이 그 제안에 동의해준 것으로 생각해도 좋겠지요 / It is *understood that* the Cabinet will resign. (결국) 내각은 사직할 것으로 생각되고 있다 / I *understood* him *to* be satisfied. 나는 그가 만족하고 있다고 생각했다. **3** [때때로 수동태로] 심중(心中)에 보충하다(supply mentally), (말을) 보충하여 해석하다 ; (말을) 생략하다 : In the sentence "She is younger than Tom", the verb "is" is to *be understood* after "Tom". She is younger than Tom.이라는 문장에서는 Tom 다음에 동사 is가 생략된 것이다 / The verb may be expressed or *understood*. 그 동사는 들어가도 좋고 생략해도 좋다.
── *vi.* **1** 알다, 이해력이 있다 ; 사리를 알다, 지력이 있다 : Animals don't ~. 동물에게는 이해력이 없다 / You don't ~. (사정을) 모른다 《㊟ 다음에 the situation 따위가 생략된 *vt.*의 용법에서 유래한 것》 / Now I ~! 겨우 알았다. **2** 들어서 알고 있다 : The situation is better, *so* I ~. 사태가 호전된 것으로 그렇게 알고 있다 / He is, I ~, going abroad next month. 나는 그가 내달 외국에 간다고 알고 있다.
give a person ***to understand*** (***that...***) 남에게 (…이라고) 말하다, 알리다 : I was *given to* ~ *that* the wedding would be a private affair. 결혼식은 은밀히 행하여질 것으로 알고 있다.
make one***self understood*** 자신의 말[생각]을 남에게 이해시키다.
understand one another[***each other***] 서로 이해하다, 의사가 소통하다 ; 서로 친해지다, 결탁하다, 공모하다.
〖OE ; ⇨ UNDER, STAND〗
類義語 ***understand, comprehend*** 모두 어떤 일의 뜻을 확실하게 이해하는 뜻으로 쓰이나 엄밀하게 *understand*는 이해한 결과의 지식을, *comprehend*는 이해에 이르기까지의 심중의 과정을 강조한다 : He *understood* the plans without *comprehending* their purpose. (그는 그 계획을 알았지만 그들이 목적한 바를 알아차리지는 못했다). ***appreciate*** 어떤 일의 참다운 가치를 올바르게 이해[평가]하다 : *appreciate* the difficulties of the situation (상황의 어려움을 이해하다).
understánd·able *a.* 이해할 수 있는, 알 수 있는, 의사소통이 되는 : It is ~ that he is angry. 그가 화난 것은 이해할 수 있다.
-ably *adv.* 이해할 수 있게.
***understánd·ing** *n.* **1** Ⓤ [또는 an ~] 이해, 납득, 알아차림, 지식 : He doesn't seem to have much ~ *of* the question. 문제를 잘 모르고 있는 것 같다. **2** Ⓤ **a**) [때때로 the ~] 이해력, 지력(intellect) : human ~ 인지(人智). **b**) 사려, 분별(intelligence) : a person of[without] ~ 사리를 아는[모르는] 사람. **3** [+*that* 節] (의견 따위의) 상호 이해, 일치, 조화 ; 양해, 묵계 ; 협정, 내정, 약정 ; (비공식적인) 결혼 약속 : a tacit ~ 묵계 / have[keep] an ~ *with* a person 남과 의사가 통하고 있다, 남과 기맥이 상통하다 / *with*[*on*] this ~ 이것을 이해[양해]하고, 이 조건으로 / There is an ~ *between* them. 그들사이에 양해가 이루어지고 있다 / We came to[We reached] an ~ *with* them *about* the matter. 우리는 그 일에 대하여 그들과 양해가 이루어졌다 / They were allowed to plow up the footpaths *on* the ~ *that* they restored them afterward. 그들은 일이 끝난 뒤에 원상태로 한다는 조건으로 보도를 파헤칠 수 있는 허가를 받았다. ── *a.* 사리를 아는, 이해가

빠른, 분별있는 ; 《古》 머리가 좋은 : "All right, my boy," he answered with an ~ smile. 「좋아, 얘야」라고 그는 이해성 있는 미소를 지으며 대답했다.

ùnder·státe *vt.* 삼가서 말하다, 은근히 말하다, (수효를) 적게 말하다(↔*exaggerate*) : ~ one's loss 손해를 낮추어서 말하다.
~·ment *n.* Ⓤ 삼가서 말하기 ; Ⓒ 삼가서 하는 말[표현].

únder·stèer *n.* 언더스티어《핸들을 꺾은 각도에 비하여 차체의 선회 반경이 커지는 조종 특성 ; ↔ *oversteer*》. —— [⌐⌐] *vi.* (차가) 언더스티어하다.

ùnder·stóck *vt.* (농장 따위)에 가축을 충분히 넣지 않다 ; (상점 따위)에 물품을 충분히 들여놓지 않다. —— [⌐⌐] *n.* (접목의) 밑나무, 대목(臺木) ; 공급 부족, 물품 부족.

◇**un·der·stood** [ʌ̀ndərstúd] *v.* UNDERSTAND의 과거·과거분사. —— *a.* 충분히 이해된, 미리 알려진, 알고 있는 ; 협정된.

únder·stòry *n.* 〖生態〗 (식물 군락의) 하층.

únder·stràpper *n.* 《蔑》 하급 직원(underling) ; 말단 직원.

únder·stràtum *n.* 하층(下層).

ùnder·stréngth *a.* 힘[강도, 농도] 부족의, 병력이 부족한, 정원 미달의.

únder·strùcture *n.* 하부 구조 ; 기초, 근거, 바탕, 토대.

únder·stùdy *n.* (연습 중의) 임시 대역 배우(cf. SUBSTITUTE) ; (일반적으로) 대역(代役).
—— [, ⌐⌐] *vt.* 대역을 하기 위해 어떤 역을 연습하다 ; (배우의) 임시 대역을 맡아하다.

ùnder·supplý *n.* 공급 부족, 불충분한 양.
—— *vt.* 불충분하게 공급하다.

únder·sùrface *n.* 하면(下面), 저면(底面).
—— *a.* 수중의, 지중의.

***ùnder·táke** *vt.* **1** [+目/+*to* do] 떠맡다, 청부맡다 ; (…하는) 의무를 지다, 약속하다(promise) : ~ responsibility[a task] 책임[일]을 떠맡다 / The lawyer *undertook* the case without the fee. 변호사는 그 사건을 무보수로 떠맡았다 / He *undertook to* do it by Monday. 월요일까지 그 일을 마치겠다고 약속했다 / I didn't ~ *to* return the money to you in a week. 자네에게 일주일 안에 돈을 갚는다고 약속하지는 않았네. **2** [+*that* 節] 보증하다(guarantee), 책임지고 말하다, 단언하다(affirm) : I can't ~ *that* you will succeed. 당신이 성공한다고는 보증할 수 없다. **3** 꾀하다(attempt), 착수하다, 손대다 : ~ a journey 여행을 떠나다 / He *undertook* a number of experiments with rabbits. 토끼를 가지고 몇 가지 실험을 시작했다. —— *vi.* 《古》 **1** 증인이 되다, 보증하다〈*for*〉. **2** 《美》 장례를 떠맡다, 장의사를 경영하다.

***undertaken** *v.* UNDERTAKE의 과거분사.

ùnder·táker *n.* **1** 인수인, 청부인 ; 기업가. **2** [⌐⌐] 장의사업자(=《美》 mortician).

ùnder·táking *n.* **1** 떠맡은 일, 청부 맡은 일 ; 기업, 사업, 일 : a serious ~ 중대한 일. **2** 약속, 보증, 보장(guarantee) : He gave her an ~ *to* pay the money back within a year. 그는 그녀에게 일년내에 그 돈을 갚겠다고 약속했다. **3** [⌐⌐] 장의사업(業).

ùnder·táx *vt.* 과소하게 과세하다. **-taxátion** *n.*

únder·tènant *n.* 전차인(轉借人). **-tènancy** *n.* 전차(轉借).

únder-the-cóunter *attrib. a.* (수효가 적은 상품 따위) 몰래 거래되는 ; 비밀의 ; 불법적인(unlawful). —— *adv.* (암시장 따위에서) 몰래[불법으로] (팔려).

únder-the-táble *attrib. a.* (거래가) 은밀한, 몰래 거래하는(unlawful) : ~ payment 〖政〗 뇌물, 증회.

únder·thìngs *n. pl.* 《口》 여자용 속옷.

únder·tìnt *n.* 연해진 색조, 엷은 색, 담색(淡色).

únder·tòne *n.* **1** 저음, 작은 소리 : talk in ~*s* 작은 소리로 말하다. **2** 〖樂〗 기초음 밑의 배음(倍音) (↔*overtone*). **3** 《비유》 잠재적 성질, 저류(底流) ; 시장(市場)의 기조. **4** 엷은 빛깔.

***undertook** *v.* UNDERTAKE의 과거형.

únder·tòw *n.* (수면 밑의) 역류, 저류, 암류 ; (기슭에서 되물러가는) 물결.

ùnder·válue *vt.* 값을 싸게 보다, 과소 평가하다 ; 경시하다(↔*overvalue*). **-valuátion** *n.* Ⓤ 싸게 견적함, 과소 평가 ; 얕봄, 경시.

únder·vèst *n.* =UNDERSHIRT.

únder·wàist *n.* 《美》 속적삼.

únder·wáter *a., adv.* **1** 수면 밑의[에], 수중(용)의[에] : an ~ camera 수중 카메라. **2** (배의) 흘수선 밑의. —— [⌐⌐] *n.* 수중, 수면 밑(의 물).

underwáter archeólogy *n.* 수중 고고학(水中考古學).

ùnder·wáy *a.* 여행[진행, 항행]중의 (cf. *under* WAY[1]).

únder·wèar *n.* Ⓤ 내의(류), 속옷.

únder·wèight *n.* 중량[체중]부족 ; 표준 중량 이하의 사람[물건]. —— [⌐⌐] *a.* 중량 부족의.

***underwent** *v.* UNDERGO의 과거형.

ùnder·whélm *vt.* 《戲》 …을 감동시키지 않다, 실망시키다. 〖*under*+over*whelm*〗

únder·wìng *n.* (나방 따위의) 뒷날개 ; 뒷날개에 줄무늬가 있는 종류의 나방.
—— *a.* 날개 밑에 있는.

únder·wòod *n.* Ⓤ =UNDERBRUSH.

ùnder·wórk[1] *vt.* (기계·소·말 따위를) 충분히 일[가동]시키지 않다 ; (…보다) 싼 임금으로 일하다. —— *vi.* 충분히 일하지 않다, 몸을 아끼다. 〖*under* (adv.)〗

únder·wòrk[2] *n.* 허드렛일, 잡무 ; 이면 공작 ; 기초 (공사). 〖*under* (a.)〗

únder·wòrld *n.* (↔*upperworld*) [the ~] **1** 《古》 하계(下界) ; 저 세상 ; 지옥. **2** 하층 사회, 악의 세계, 암흑가. **3** 대척지(對蹠地).

ùnder·wríte *vt.* **1** [보통 *p.p.*로] …의 밑에 쓰다 ; …의 밑에 서명하다 ; 서명 승낙하다 : the *underwritten* signatures[names] 서명인, 기명. **2 a)** …을 (특히 해상)보험에 넣다 ; (어떤 위험을) 보험에 들다. **b)** 〖商〗 (회사의 발행 주식·사채 따위를 일괄하여) 떠맡다. —— *vi.* 아래[말미]에 쓰다 ; 〖海上保險〗 보험업을 경영하다.

únder·wrìter *n.* 보증인 ; 보험업자, (특히) 해상보험업자 ; (주식·공채 따위의) 인수업자, 증권인수인.

únder·wrìting *n.* 보험업, (특히) 해상 보험업 ; 증권의 인수.

underwritten *v.* UNDERWRITE의 과거분사.

underwrote *v.* UNDERWRITE의 과거형.

ùn·descénd·ed *a.* 내려가지 않은, 정류(停留)하고 있는《고환(睾丸)》.

ùn·desérved *a.* 받을 가치가 없는, 과분한, 분에 넘치는, 부당한. **ùn·de·sérv·ed·ly** [-ədli] *adv.* 어울리지 않게, 부당하게.

ùn·deserving *a.* 받을 가치가 없는 ; (…할) 가치가 없는〈*of*〉.

ùn·désignated *a.* 지정되지 않은.

ùn·desígned *a.* 고의가 아닌, 생각 없이 한, 마음에도 없는. **ùn·de·síg·ned·ly** [-ədli] *adv.*
ùn·desígn·ing *a.* 이기적인 마음이 없는, 아무 의도[야심]도 없는, 정직한(sincere). **~·ly** *adv.*
ùn·desírable *a.* 바람직하지 않은, 탐탁지 않은, 불쾌한 : an ~ person 탐탁지 않은 사람. —— *n.* 탐탁지 않은 사람[물건].
ùn·desíred *a.* 바라지[원하지] 않은.
ùn·despáir·ing *a.* 실망[낙담]하지 않는. **~·ly** *adv.*
ùn·destróy·able *a.* 파괴할 수 없는, 불멸의.
ùn·detéct·ed *a.* 발견되지 않은, 들키지 않은.
ùn·detérmined *a.* **1** 미정[미결]의(vague). **2** 결단을 못내리는, 우유부단한 ; 분명치 않은, 결정[확정]되지 않은.
ùn·detérred *a.* 말리지 못한, 저지하지 못한.
ùn·devéloped *a.* **1** 미발달의, 미발전의. **2** (나라·지역이) 미개발의 : ~ countries 미개발국. **3** (사진이) 현상되어 있지 않은.
ùn·déviating *a.* (본)길을 벗어나지 않는, 옆길로 빗나가지 않는, 헤매지 않는.
ùn·devóut *a.* 신앙심[믿음]이 없는.
***undid** *v.* UNDO의 과거형.
un·dies [ʌ́ndiz] *n. pl.* 《口》 속옷류《여성·어린이용》. 〖*under*wear+-*ie*〗
ùn·differéntiated *a.* 분화(分化)되지 않은, 미분화의 ; 구별이 없는 ; 특성이 없는, 획일적인.
ùn·digést·ed *a.* 소화되지 않은, 미소화의 ; 충분히 이해되지 않은.
ùn·dígnified *a.* 위엄[품위]없는.
ùn·dilúted *a.* 묽게 하지 않은, 희석하지 않은, 물타지 않은 ; 《비유》 순수한, 온전한.
ùn·dilútion *n.* 불희석(不稀釋).
ùn·dimínished *a.* (힘·질 따위) 감소되지 않은, 쇠퇴하지 않은, 저하되지 않은.
un·dine [ʌndíːn, ⌐-; ⌐-] *n.* 물의 요정(妖精) (cf. DRYAD, NAIAD, NYMPH, OREAD). 〖L (*unda* wave)〗
ùn·diplomátic *a.* 외교적 수완이 없는, 교섭이 서툰. **-ical·ly** *adv.*
ùn·diréct·ed *a.* 지시가 없는, 지도자가 없는, 목표가 불명한 ; 수취인(受取人)의 주소 성명이 없는 《편지 따위》.
ùn·discérn·ing *a.* 분간할 수 없는, 분별이 없는 ; 잘 깨닫지 못하는, 감각이 둔한. **~·ly** *adv.*
ùn·dischárged *a.* 발사되지 않은 ; (짐이) 내려지지 않은 ; (의무 따위) 이행되지 않은 ; 미불(未拂)된 ; (지급 불능자 등) 면책되지 않은.
ùn·dísciplined *a.* **1** 훈련이 안된, 수련이 모자라는, 미숙한. **2** (군사) 훈련을 받지 않은, 미교육의, 규율을 지키지 않는.
ùn·disclósed *a.* 발표되지 않은 ; 비밀에 붙여진(hidden) : an ~ place 어떤 곳.
ùn·discóuraged *a.* 낙심하지 않은, 태연한.
ùn·discóvered *a.* 발견되지 않은, 찾아내지 못한 ; 미지의.
ùn·discríminating *a.* 식별[구별]하지 않는, 무차별한, 동등한 ; 식별[감상]력이 없는, 민감하지 않은. **~·ly** *adv.*
ùn·discússed *a.* 의논되지 않은, 토의되지 않은.
ùn·disguísed *a.* **1** 변장하지 않은, 가면을 안 쓴. **2** 있는 그대로의, 숨기지 않은, 공공연한. **ùn·dis·guís·ed·ly** [-ədli] *adv.*
ùn·dismáyed *a.* 의기소침하지 않는, 기죽지 않는, 겁내지 않는, 태연한.
ùn·dispósed *a.* 좋아하지 않는, 마음이 내키지 않는〈*to* do〉; 미(未)처리의, 용도가 정해지지 않은, 할당되지 않은, 처분[매각]되지 않은.
ùn·dispúted *a.* 다툴 수 없는, 이의가 없는, 명백한, 당연한.
ùn·dissóciated *a.* 〖化〗 해리(解離)되지 않은.
ùn·dissólved *a.* 용해[융해, 분해]되지 않은, 해산[해소]되지 않은.
ùn·distínguish·able *a.* 구별할 수 없는, 분간하기 어려운 ; 혼동하기 쉬운.
ùn·distínguished *a.* 다른 것과 다를 바가 없는, 다른 것과 뒤섞인 ; 구별할 수 없는, 두드러지지 않은, 평범한, 보통의.
ùn·distórt·ed *a.* (화상(畫像) 따위가) 원작을 닮은 ; (스테레오 음 따위가) 변질되지 않은, 생음에 충실한.
ùn·distúrbed *a.* 혼란되지 않은 ; 괴로움받지 않은 ; 방해받지 않은 ; 평정한 : sleep ~ (방해받지 않고) 조용히 잠자다.
-ed·ly [-ədli] *adv.* **-ed·ness** [-ədnəs] *n.*
ùn·divíded *a.* **1** 나누어지지 않은, 분할되지 않은 ; 완전한 ; 연속된. **2** 한눈팔지 않는, 전면적인 : ~ attention 전념.
***ùn·dó** *vt.* **1** (일단 한 일을) 원상태로 하다, 원상태로 돌리다 ; 취소하다 : What's done cannot be *undone.* 《속담》 한번 저지른 일은 돌이킬 수 없다 《엎지른 물은 다시 담을 수 없다》. **2** 끄르다, 늦추다 ; (의복 따위를) 벗기다 ; (매듭·꾸러미 따위를) 풀다 : ~ a button 단추를 끄르다 / ~ a package 꾸러미를 풀다 / His shoelace came *undone.* 그의 신발끈이 풀어졌다. **3** (남을) 영락[타락, 파멸]시키다, (성격·재산·명성 따위를) 파괴하다(ruin) ; (여성을) 유혹하다(seduce) : Alcohol will ~ him some day. 술이 언젠가는 그를 망칠 것이다. **4** 《古》 (수수께끼 따위를) 풀다, 설명하다. —— *vi.* 열다, 풀어지다. **~·er** *n.* 취소하는 사람 ; 파멸로 이끄는 사람 ; 엽색꾼, 난봉꾼 ; 여는[푸는] 사람.
ùn·dó·able[1] *a.* 실행할 수 없는.
undoable[2] *a.* undo할 수 있는.
ùn·dóck *vt.* (배를) 선거(船渠)에서 내보내다 ; 도킹(docking)한 우주선을 분리시키다. —— *vi.* (배가) 선거(船渠)에서 나가다.
ùn·dócument·ed pérson *n.* 《美》 밀입국자《미국 법무부 이민 귀화국 용어》.
ùn·dogmátic *a.* 독단적이 아닌, 교의[교리]에 얽매이지 않는. **-ical·ly** *adv.*
ùn·dó·ing *n.* **1** Ⓤ 원상태로 하기, 취소. **2** Ⓤ (소포 따위를) 풀기, 끄르기. **3** Ⓤ 타락시키기, 영락시키기, 파멸(따위의 원인).
ùn·doméstic *a.* 가사와 관계가 없는 ; 가사에 충실하지 않는, 가정적이 아닌 ; 국내의 것이 아닌.
ùn·domésticated *a.* **1** (동물이) 길들지 않은, 사람과 친숙하지 않은. **2** (여성 등) 가정 생활에 익숙지 못한, 가정적이 아닌.
***un·done**[1] [ʌndʌ́n] *v.* UNDO의 과거분사. —— *a.* **1** 풀린, 끌러진 : come ~ 풀리다. **2** 영락한, 파멸한(ruined) : I am ~! 이젠 틀렸다!, 마지막이다!, 망했다!

〈회화〉

Your shoestring is *undone.* — Oh. Thanks for telling me. 「구두끈이 풀렸네요」「아. 알려줘서 고마워요」

undone[2] *a.* 하지 않은 ; 완성되지 않은, 미완성의 : leave one's work ~ 일을 안하고 방치하다. 〖*un*-〗
ùn·dóubt·ed *a.* 의심할 여지가 없는 ; 진짜의, 확실한 : an ~ fact 확실한 사실.

ùn·dóubt·ed·ly *adv.* 의심할 여지 없이 ; 확실히 (doubtless) : This is ~ her signature. 이것은 확실히 그녀의 서명이다.

ùn·dóubt·ing *a.* 의심하지 않는, 서슴지 않은, 자신에 찬.
~·ly *adv.* 의심치 않고, 서슴지 않고.

UNDP United Nations Development Program (국제 연합 개발 계획).

ùn·dráined *a.* 배수되지 않은.

ùn·dramátic *a.* 극적이 아닌, 놀랍지 않은, 인상적이 아닌, 시시한, 뛰어나지 않은 ; 상연에 적합하지 않은. **-ical·ly** *adv.*

ùn·drápe *vt.* …의 옷을 벗기다, 덮개를 벗기다.

ùn·dráw *vt.* (커튼 따위를) 당겨서 열다. —— *vi.* (커튼이) 당겨져 열리다.

ùn·dréamed, -dréamt *a.* 꿈에도 생각지 않은, 생각지도 않은, 전혀 예기치 않은⟨*of*⟩.

ùn·dréamed-òf, ùn·dréamt-òf *attrib. a.* (행운 따위) 꿈에도 생각지 못한, 의외의.

ùn·dréss[1] *vt.* …의 의복을 벗기다 ; …의 장식을 떼다 ; (상처의) 붕대를 풀다 : ~ oneself 옷을 벗다.
—— *vi.* 옷을 벗다.

ún·drèss[2] *n.* **1** Ⓤ 평복, 약복(略服), 보통 옷 ; 평상 군복. **2** Ⓤ [형용사적으로] 평복의 ; 일상의, 보통의. **3** (거의) 전라(全裸).

ùn·dréssed *a.* **1** 의복을 벗은, 벌거숭이의 ; 잠옷 바람의 ; 약복(略服)의. **2** 붕대를 감지 않은 ; (가죽 따위) 무두질하지 않은 ; (머리·말 따위) 손질하지 않은 ; (요리가) 소스를 치지 않은.

undrew *v.* UNDRAW의 과거형.

ùn·dríed *a.* 건조시키지 않은.

ùn·drínk·able *a.* 마실 수 없는, 마시기에 적합하지 않은.

UNDRO [, ʌ́ndrou] United Nations Disaster Relief Organization.

und so wei·ter [*G* unt zou váitər] …따위 (and so forth)《略 usw》.

ùn·dúe *a.* **1** 과도한, 격심한 : He left with ~ haste. 그는 급히 서둘러 떠났다. **2** 부당한, 부적당한. **3** (지급) 기한에 이르지 않은.

undúe ínfluence *n.* 〖法〗 부당 압박[위압].

un·du·lant [ʌ́ndʒələnt] *a.* 물결치는, 물결 모양의.

úndulant féver *n.* 〖醫〗 파상열(波狀熱) (brucellosis).

un·du·lar [ʌ́ndʒələr] *a.* 파동의(undulatory).

un·du·late [ʌ́ndʒəlèit] *vi.* **1** (수면·보리밭 따위) 물결치다, 파도치다 : The field of wheat was *undulating* in the breeze. 밀밭이 산들바람에 물결치고 있었다. **2** (지표(地表) 따위) 기복하다, 꾸불거리다 : *undulating* land 기복진 땅. —— *vt.* 물결치게 하다, 진동시키다 ; 꾸불거리게 하다.
—— [-lət, -lèit] *a.* 물결 모양의 ; 〖植〗 (잎의 가장자리가) 물결 모양으로 잘려 있는, 물결 모양의. 〚L (*unda* wave)〛

un·du·la·tion [ʌ̀ndʒəléiʃən] *n.* **1** Ⓤ 파동, 꾸불거림 ; (지표의) 기복. **2** Ⓤ,Ⓒ 〖理〗 파동, 진동 ; 음파 ; 광파 ; 〖醫〗 동계(動悸). **3** 〖樂〗 (높이가 완전히 같지 않은 음을 동시에 낼 때의) 맥(脈)놀이. **4** 〖골프〗 그린 표면에 만든 기복.

un·du·la·to·ry [ʌ́ndʒələtɔ̀:ri ; -təri] *a.* 파동[기복]의 ; 꾸불거리는, 물결 모양의 : the ~ theory (of light) 〖理〗 (빛의) 파동설.

un·du·la·tus [ʌ̀ndjuːléitəs] *a.* 〖氣〗 (구름이) 물결 모양의.

un·du·ly [ʌ̀ndjúːli] *adv.* 과도하게, 극심하게 ; 부당하게, 불합리하게, 부정하게.

ùn·dútiful *a.* 의무를 다하지 않는, 불충실[불효]한, 순종치 않는.

ùn·dýing *a.* (명성 따위) 불사의, 불멸의, 불후의, 영원한 ; 끊임없는, 그치지 않는.

ùn·éarned *a.* (형벌·소득 따위) 일하지 않고 얻은 ; 상대팀의 에러에 의한 ; 부당한 : ~ praise 부당한 칭찬.

únearned íncome *n.* 불로 소득(cf. EARNED INCOME).

únearned íncrement *n.* 〖經〗 (토지의) 자연적인 가치 증가(분).

ùn·éarth *vt.* **1** 땅속에서 발굴하다 ; (사냥개를 부추겨) (여우 따위를) 몰아내다 : ~ a buried treasure 파묻힌 보물을 파내다. **2** 《비유》 발견하다, 폭로하다, 세상에 소개하다, (음모 따위를) 적발하다 : The lawyer ~*ed* some new evidence about the case. 변호사는 사건과 관련하여 새로운 증거를 발견했다.

ùn·éarth·ly *a.* **1** 이 세상의 것으로는 생각할 수 없는, 비현세적인, 초자연적인. **2** (창백함 따위) 기분 나쁜, 처절한 ; (외치는 소리 따위) 무서운, 소름끼치는. **3** 《口》 (시간 따위) 이상한, 터무니 없이 빠른.

ùn·éase *n.* 불안, 걱정, 곤혹, 불쾌.

ùn·éasily *adv.* 불안하게, 근심하여 ; 불쾌하게 ; 거북하게.

ùn·éasiness *n.* Ⓤ 불안, 근심, 불쾌 ; 거북함 : cause[give] a person ~ 남을 불쾌[불안]하게 하다 / be under some ~ at …에 좀 불쾌[불안]감을 갖고 있다.

***ùn·éasy** *a.* **1** 불안한, 근심되는, 마음에 걸리는 (anxious) ; 불안[근심]에서 생기는 : an ~ conscience 꺼림칙한 마음 / ~ dreams 불안한 꿈 / pass an ~ night 불안한 하룻밤을 지내다 / He felt ~ *about* the future[weather]. 미래에 관하여 불안을 느꼈다[날씨가 마음에 걸렸다] / I feel ~ *at* my son's absence. 아들이 없는 것이 마음에 걸린다. **2** (몸이) 편하지 않은, 거북한(uncomfortable), 불안정한(restless) ; (태도 따위) 딱딱한 : feel ~ in tight clothes 꼭 죄는 옷을 입어서 거북하다 / be ~ in the saddle 말탄 자세가 불안정하다 / give an ~ laugh 어색한 웃음을 짓다 / *U*~ lies the head that wears a crown. 《속담》 왕은 편한 잠을 잘 날이 없다. **3** 간단치 않은, 어려운. —— *adv.* =UNEASILY.

ùn·éat·able *a.* 식용에 부적합한, 먹을 수 없는(cf. INEDIBLE).

ùn·éaten *a.* 먹지 않은, 먹다 남은.

ùn·económic, -ical *a.* 경제 원칙에 반하는[맞지 않는], 비경제적인, 비절약[비검약]적인, 낭비하는. **ùn·económical·ly** *adv.* 비경제적으로, 낭비하여.

ùn·édify·ing *a.* 계발적이 못되는.

ùn·édit·ed *a.* 편집되지 않은, 아직 출판되지 않은.

ùn·éducated *a.* 교육 받지 못한, 무학의, 무지의, 무식한.
[類義語] ⟹ IGNORANT.

UNEF [, júːnèf] United Nations Emergency Forces(국제 연합 경찰군).

ùn·eléctrified *a.* 전화(電化)되지 않은, 전력이 공급되지 않는.

ùn·emótion·al *a.* 감정적[정서적]이 아닌, 냉정한, 이지적인. **~·ly** *adv.*

ùn·emplóy·able *a., n.* (나이·결함 따위로) 고용할 수 없는, 쓸 수 없는 (사람).

ùn·emplóyed *a.* **1** 일이 없는, 실직한, 실업(자)의 ; [명사적으로 ; the ~] 실업자. **2** 이용[활용]하지 않는, 잠재우고[놀리고] 있는 : ~ capital 유

휴 자본. **3** 한가한.

***ùn·emplóy·ment** *n.* Ⓤ 실업 ; 실업상태 ; 실업률, 실업자수 : There will be less ~ year. 내년에는 실업(률)이 감소되겠지.

unemplóyment bènefit *n.* 실업 수당.

unemplóyment compensàtion *n.* 《美》 (주(州) 정부 따위에 의한) 실업(보상) 수당.

unemplóyment insùrance *n.* 실업 보험.

unemplóyment ràte *n.* 실업률.

ùn·enclósed *a.* 둘러싸지 않은 ; (토지가) 담으로 둘러싸이지 않은 ; (수녀가) 수도원에 들어가 있지 않은.

ùn·encúmbered *a.* 방해가 없는 ; (무거운) 짐이 되지 않는 ; (부동산이 저당·채무 따위의) 부담이 없는 ; (사람이) 매인 데가 없는.

ùn·énd·ed *a.* 종료[완결]되지 않은, 끝나지 않은, 미완성의.

ùn·énd·ing *a.* 끝이 없는, 무궁한, 영원한(undying) ; 《口》 끊임 없는. **~·ly** *adv.*

ùn·endówed *a.* (…이) 부여되지 않은 ⟨*with*⟩, 기부금[기본금]이 없는 ; 천부의 재능이 없는.

ùn·endúrable *a.* 견딜 수 없는, 참을 수 없는. **-ably** *adv.* 견디기 어렵게.

ùn·engáged *a.* 선약이 없는 ; 약혼하지 않은 ; (볼)일 없는, 한가한 ; 고용되지 않은.

ùn·engág·ing *a.* 마음을 끌지 않는, 매력이 없는.

ùn-Énglish *a.* 영국인[영어]답지 않은 ; 영국식이 아닌, 비영국적인.

ùn·enjóy·able *a.* 즐겁지 않은, 재미가 없는 : an ~ excursion 시시한 소풍.
-ably *adv.* **~·ness** *n.*

ùn·enjóyed *a.* 즐거움을 누리지 못한 ; 즐거움을 주지 못한.

ùn·en·líghtened *a.* 계몽되지 않은, 미개한, 사리(事理)를 모르는.

ùn·énviable *a.* 부럽지 않은, 부러워할 것이 없는 ; 난처한(embarrassing).

ùn·énvied *a.* 남이 부러워할 것이 없는.

ùn·énvious *a.* 부러워하지 않는, 시샘하지 않는. **~·ly** *adv.*

ùn·énvy·ing *a.* 시샘하지 않는, 부러워하지 않는. **~·ly** *adv.*

UNEP [júːnep] United Nations Environment Program(국제 연합 환경 계획 기관).

ùn·équal *a.* **1** 같지 않은, 동등하지 않은. **2** 부동(不同)의, 고르지 않은, 부정(不整)의, 불균형의 ; (시합 따위) 불공평한. **3** (가치·질이) 부동한, 한결같지 않은, 불평등한. **4** 불충분한, 적합하지 않은 : Do you feel ~ *to* the task? 당신은 그 일을 감당할 수 없다고 생각하십니까 / He was ~ *to* the occasion. 그는 그런 일을 당하자 당황했다. —— *n.* [*pl.*] 동등하지 않은[고르지 못한, 부적당한] 사람[것].
~·ly *adv.* 같지 않게 ; 고르지 않게, 불공평하게. **~·ness** *n.*

ùn·équaled | **-équalled** *a.* 필적(匹敵)할 것이 없는, 무적의, 비길 데 없는, 둘도 없는.

ùn·equívocal *a.* 애매하지 않은, 의문의 여지가 없는, 무조건의, 명료한, 명백한, 솔직한. **~·ly** *adv.*

ùn·érr·ing *a.* 잘못이 없는, 틀림이 없는 ; (판단 따위) 정확한. **~·ly** *adv.*

UNESCO, Unes·co [juːnéskou] United Nations Educational, Scientific and Cultural Organization(국제 연합 교육 과학 문화 기구, 유네스코).

ùn·esséntial *a.* 본질적이 아닌 ; 긴요하지 않은, 없어도 좋은.
—— *n.* 본질적이 아닌 것, 중요하지 않은 것.

ùn·estáblished *a.* 확립[설립, 제정]되지 않은 ; (작가 등이) 신인인 ; (교회가) 국교로 인정되지 않은, 비국교회의 ; 《英》 상임(常任)이 아닌.

unesthetic ☞ UNAESTHETIC.

ùn·éven *a.* **1** 평탄[평평]하지 않은, 울퉁불퉁한. **2** 한결같지 않은, 고르지 못한 : of ~ temper 변덕스런 성미의. **3** 〖數〗 둘로 나눌 수 없는, 홀수의(odd) : ~ numbers 홀수. **4** 《廢》 공정하지 않은. **~·ly** *adv.* 고르지 않게, 가지런하지 않게, 어울리지 않게.
類義語 ⟹ ROUGH.

unéven bárs *n.* [the ~] 2단 평행봉《여자 체조 경기용 평행봉 ; 2개의 가로대 중 1개는 낮음》.

ùn·evént·ful *a.* (나이·생애 따위) 사건이 없는, 파란이 없는, 평온 무사한, 평범한. **~·ly** *adv.*

ùn·exáct·ing *a.* 엄하지 않은, 수월한, 편한, 강요되지 않은 ; 잔소리하지 않는. **~·ly** *adv.*

ùn·exámpled *a.* 전례[유례]가 없는, 비할데 없는, 독특한.

ùn·excéption·able *a.* 흠잡을 데 없는, 더할 나위 없는, 훌륭한.

ùn·excéption·al *a.* 예외가 아닌, 보통의 ; 예외를 인정하지 않는. **~·ly** *adv.*

ùn·exháust·ed *a.* 아직 없어지지 않은 ; 아직 다 쓰지 않은 ; 무진장의 ; 아직 지치지 않은.

ùn·exháust·ible *a.* =INEXHAUSTIBLE.

***ùn·expéct·ed** *a.* **1** 예기치 않은, 의외의, 돌연한 : an ~ accident 예기치 않은 사고, 춘사(椿事). **2** [명사적으로 ; the ~] 생각지 않은 일, 춘사(椿事). **~·ly** *adv.* **~·ness** *n.*

ùn·expénd·able *a.* 불가결의, 중요한 ; 다 써버릴 수 없는 ; 소비[지출]할 수 없는.

ùn·expérienced *a.* (실제) 경험이 없는.

ùn·expláin·able *a.* 설명할 수 없는, 묘한.
-ably *adv.*

ùn·expláined *a.* 설명이 없는, 해명되지 않은, 불명(不明)한.

ùn·explóded *a.* 폭발되지 않은 ; 아직 발사되지 않은(undischarged) : an ~ shell 실탄.

ùn·explóred *a.* 탐험[탐사, 답사, 조사]되지 않은, 미답의.

ùn·expréssed *a.* 표현되지 않은, 말로 나타내지 않은 ; 암묵의(tacit).

ùn·expréssive *a.* 표현력이 모자라는, 충분히 뜻을 전할 수 없는.

ùn·éxpurgated *a.* (서적 따위) 삭제되지 않은 : an ~ edition 무삭제판.

ùn·extínguished *a.* 꺼지지 않은, 침묵[압도]당하지 않은.

ùn·fáded *a.* 색이 바래지 않은, 신선한.

ùn·fád·ing *a.* 색이 바래지 않는 ; 쉽게 시들지 않는 ; 쇠퇴하지 않는, 불멸의.
~·ly *adv.* (색이) 바래지 않고, 쇠퇴하지 않고.

ùn·fáil·ing *a.* **1** 없어지지 않는, 끊임 없는. **2** 확실한 ; 신뢰할 수 있는, 충실한《친구 등》.
~·ly *adv.* 끊임 없이 ; 확실하게 ; 충실하게.

ùn·fáir *a.* **1** 불공평한. **2** 공명 정대하지 않은, 교활한. **3** (상업적으로) 부정한, 부당한. **~·ly** *adv.*

unfáir lábor pràctice *n.* 부당 노동 행위.

unfáir tráde pràctice *n.* 불공정 무역 관행.

ùn·fáith *n.* 불신, 불신임 ; 비[반]종교적 신념.

ùn·fáith·ful *a.* **1** 충실하지 않은, 성실하지 않은, 부실한, 불충한. **2** 부정한《처》. **3** (사본·번역문 따위) 부정확한.

U

~·ly *adv.* 불충실하게, 부실하게.
ùn·fállen *a.* 타락하지 않은 ; 인간의 타락[아담과 하와의 원죄] 이전의[같은].
ùn·fálter·ing *a.* **1** (발걸음 따위) 건들건들하지 않는, 꿋꿋한 ; 부들부들 떨지 않는 ; 변하기 쉽지 않은, 여념이 없는, 전념하는. **2** 망설이지 않는, 단호한. **~·ly** *adv.* 단호하게.
ùn·famíliar *a.* **1** 잘 모르는, 낯선, 진귀한 ; 익숙하지 않은, 생소한, 미지의. **2** 친하지 않은, 정통하지 않은, 경험이 없는 : I am ~ *with* the subject. = The subject is ~ *to* me. 나는 그 문제를 잘 모른다.
ùn·familiárity *n.* Ⓤ 잘 모름, 익숙하지 않음.
ùn·fáshionable *a.* 유행하지 않는, 유행에 뒤떨어진[무관심한], 낡은, 멋없는 ; 유행을 따르지 않는 ; 평판이 좋지 않은.
ùn·fáshioned *a.* 모양이 갖추어지지 않은, 가공되지 않은 ; 《古》 세련되지 않은.
ùn·fásten *vt.* …을 풀다(undo), 끄르다 ; 늦추다(loose). —— *vi.* 풀리다, 풀어지다.
ùn·fáthered *a.* 아버지에게 인정받지 못한, 비적출의, 사생아의 ; 《비유》 출처[작자, 창설자 등]가 불분명한 ; 아버지 없는.
ùn·fáther·ly *a.* 아버지답지 않은 ; 냉정한.
ùn·fáthom·able *a.* **1** 잴 수 없는, 바닥을 알 수 없는. **2** 심원한, 불가해한. **-ably** *adv.* 잴 수 없을 만큼 ; 불가해하게. **~·ness** *n.*
ùn·fáthomed *a.* (깊이를) 헤아릴 수 없는, 바닥 없는 ; 미해결의.
ùn·fávorable | **-vour-** *a.* **1** 형편이 나쁜, 불운한, 불리한, 거슬리는 : an ~ report 불리한 보고. **2** 은혜를 베풀지 않는, 호의가 없는, 불친절한. **3** 반대(의견)의, (무역수지가) 수입초과인 : an ~ balance of trade 수입 초과.
-ably *adv.* 불리하게 ; 불친절하게.
ùn·fázed *a.* 동요[당황]하지 않는.
ùn·féar·ing *a.* 두려움 없는, 두려움을 모르는, 주저하지 않는.
ùn·féasible *a.* 실행할 수 없는, 불가능한(impracticable).
ùn·féderated *a.* 동맹[연합]하지 않는.
ùn·féel·ing *a.* 무감각한 ; 무정[냉혹, 잔인]한.
~·ly *adv.* 냉혹하게, 인정 없게.
ùn·féigned *a.* 거짓 없는, 진실한, 성실한, 있는 그대로의. **ùn·féign·ed·ly** [-ədli] *adv.* 진심으로, 성실하게.
類義語 ⟹ SINCERE.
ùn·félt *a.* 느끼지 못한, 느낌이 없는.
ùn·féminine *a.* 여자답지 않은, 여성적이 아닌, 연약하지 않은, 부드럽지 않은(unwomanly).
ùn·fénced *a.* 울[담]이 없는, 에워싸지 않은 ; 무방비의.
ùn·fértile *a.* (토지가) 비옥하지 않은, 메마른, 불모의.
ùn·fétter *vt.* [+目/+目+*from*+名] …의 족쇄를 풀다 ; 자유롭게 하다, 석방[해방]하다 : ~ a prisoner 죄수를 석방하다 / ~ the mind ***from*** prejudice 마음에서 편견을 버리다.
ùn·féttered *a.* 족쇄가 풀린, 속박이 풀린 ; (사상·행동이) 구속을 받지 않는, 독립의, 자유의.
ùn·fílial *a.* 자식답지 않은, 자식으로서의 도리를 다하지 않는, 불효의. **~·ly** *adv.*
ùn·fílled *a.* 차지 않은, 빈 ; 충전(充塡)되지 않은.
ùn·fínished *a.* **1** 이루어지지 않은, 미완성의(immature) : The *U*~ Symphony 미완성 교향곡《Schubert의 교향곡 제8번》. **2** 거칠게 다듬은, 세련되지 않은. **3** (페인트 따위) 마무리[겉칠]를 하지 않은.
unfínished búsiness *n.* (회의 따위에서의) 미결 사항, 미필 사무.
ùn·fít *a.* [+*to* do/+*for*+do*ing*] 부적당한, 적임이 아닌, 격에 안맞는, 어울리지 않는 : He is ~ *to* be a teacher. 교사로서 적임이 아니다 / You are ~ ***for*** business. 사업에 적임이 아니다 / This land is ~ *for* farm*ing*. 이 토지는 농업에 부적당하다. —— *vt.* [+目/+目+*for*+名] 부적당하게 하다, 맞지[어울리지] 않게 하다, 무자격으로 만들다 : Illness ~*ted* him ***for*** the life of a farmer. 병으로 그는 농사를 지을 수 없게 됐다 / He is ~*ted for* close and regular study. 그는 꼼꼼하고 규칙적인 연구에는 알맞지 않다.
ùn·fítted *a.* 부적당한, 적임이 아닌, 맞지 않은 ; 적응되지 않은 ; 비품이 갖추어지지 않은, 설비가 없는.
ùn·fítting *a.* 부적당한, 어울리지 않는(unsuitable). **~·ly** *adv.*
ùn·fíx *vt.* **1** (떼어) 끄르다, 풀다 ; 늦추다 : *U*~ bayonets! 〖구령〗 빼어 칼! **2** (마음 따위를) 흔들리게 하다.
ùn·fíxed *a.* **1** 고정되어 있지 않은. **2** 떼어낸 ; 늦추어진.
ùn·flágging *a.* (기세가) 쇠약해지지 않는, 방심하지 않는, 지칠 줄 모르는, 싫증나지 않는 : ~ enthusiasm 지칠 줄 모르는 열의. **~·ly** *adv.*
ùn·fláppable *a.* 《口》 움직이지 않는, 침착한. **-bly** *adv.* **ùn·flappabílity** *n.*
ùn·flátter·ing *a.* 아첨하지 않는, 아부[추종]하지 않는. **~·ly** *adv.*
ùn·flávored *a.* 가미(加味)하지 않은.
ùn·flédged *a.* 아직 깃털이 덜난 ; 어린, 미숙한, 젖내 나는(cf. FULL-FLEDGED).
ùn·flésh·ly *a.* 육욕적[현세적(現世的)]이 아닌, 정신적인.
ùn·flínch·ing *a.* 움츠리지 않는, 굴하지 않는(unyielding) ; 단호한(resolute).
~·ly *adv.* 움츠리지 않고 ; 단호히.
***ùn·fóld**[1] *vt.* **1** (접은 것·잎·봉오리 따위를) 펼치다 : ~ a map[newspaper] 지도[신문]를 펼치다 / The story ~*s* itself. 이야기가 전개된다. **2** [+目/+目+前+名] (생각·의도 따위를) 나타내다, 표명하다(disclose), 털어놓다(reveal) : He described and ~*ed* his theme without much trouble. 별문제 없이 그 논제를 설명하고 전개해 보였다 / He ~*ed* his plans *to* her. 그의 계획을 그녀에게 털어 놓았다. —— *vi.* (잎·봉오리 따위) 벌어지다, (풍경이) 펼쳐지다, 전개되다 : Soon the landscape ~*ed* before them. 얼마 안돼서 광막한 풍경이 그들 앞에 전개되었다. 〖FOLD[1]〗
unfold[2] *vt.* (양 따위를) 우리에서 내놓다. 〖FOLD[2]〗
ùn·fóld·ing hóuse *n.* 공장에서 조립한 후 접어서 현장으로 옮겨 그곳에 설치하는 조립식 주택.
ùn·fórced *a.* 강제적이 아닌, 자발적인 ; 억지가 아닌, 자연스러운.
ùn·fore·séen *a.* 생각지 않은 ; 예측하기 어려운, 우연의, 뜻밖의. —— *n.* [the ~] 예측하기 어려운 일.
ùn·forgéttable *a.* 잊을 수 없는, 언제까지나 기억에 남는. **-bly** *adv.*
ùn·forgívable *a.* 용서할 수 없는.
ùn·forgíving *a.* 허용하지 않는, 깊이 앙심품은, 용서 없는, 집념이 강한.
ùn·forgótten *a.* 잊혀지지 않은.
ùn·fórmed *a.* **1** 아직 형태를 이루지 않은, 정형(定形)이 없는 ; 충분히 발달되지 않은. **2** 단련되

지 않은, 미숙한.
ùn·forthcóming *a.* 박정한, 불친절한.
***ùn·fórtunate** *a.* **1** [+前+do*ing* / +*to* do] 불행한 ; 결과가 나쁜, 유감스러운 ; 운이 나쁜 : be ~ *in* one's wife[children] 악한 처[자식]를 거느려 불운하다 / He was ~ *in* los*ing* his property. 불운하게도 재산을 잃었다 / She was ~ *to* lose her husband. 불행히도 남편을 잃었다 / It was ~ that the accident should happen. 사고가 일어난 것은 불행한 일이었다. **2** 부적당한. —— *n.* [보통 *pl.*] 불운한 사람, 불행한 사람, 박명한 사람 ; 사회에서 따돌림 받는 사람《매춘부·죄수 등》.
~·ly *adv.* 불행하게도 ; 운나쁘게도, 공교롭게도.
ùn·fóught *a.* 전쟁[경쟁, 경합]이 없는.
ùn·fóund *a.* 발견되지 않은, 알려지지 않은.
ùn·fóund·ed *a.* 근거 없는, (사실) 무근의, 이유가 없는 : ~ hopes 헛된 소망.
ùn·frámed *a.* 틀이 없는, (그림 따위가) 액자에 들어 있지 않은.
ùn·frée *a.* 자유가 없는 ;〔英法史〕(토지에 대한) 자유 보유권이 없는.
ùn·fréeze *vt.* 녹이다 ;〔經〕(자금 따위의) 동결을 풀다, …의 제한[통제]을 해제하다, 자유화하다.
—— *vi.* (얼음 따위가) 녹다.
ùn·fréquent *a.* 희귀한, 드문(infrequent).
~·ly *adv.*
ùn·fréquent·ed *a.* (좀처럼) 사람이 가지[다니지] 않는, 인적이 드문.
ùn·fríend·ed *a.* 벗[자기편]이 없는, 의지할 곳이 없는. **~·ness** *n.*
ùn·fríend·ly *a.* 우정이 없는, 불친절한, 박정한 〈*toward*〉; 악의[적의]가 있는 ; (날씨 따위) 나쁜, 형편이 나쁜, 불리한 : She is ~ to me. 그녀는 나에게 쌀쌀맞게 대한다. —— *adv.*《稀》비우호적으로, 불친절하게. **-fríendliness** *n.*
類義語 ⟹ HOSTILE.
ùn·fróck *vt.* …의 법의(法衣)를 벗기다, …에게서 성직을 박탈하다 ; …의 특권을 빼앗다, (직업 집단 따위에서) 제명하다(cf. FROCK).
ùn·frózen *a.* 얼지 않은 ;〔經〕동결되지 않은.
ùn·frúit·ful *a.* **1** 무익한, 헛된, 보람없는, 보답 받지 못하는. **2** 열매를 맺지 않는, 열매 없는 ; 효과가 없는 ; 불모의 ; 새끼를 낳지 못하는, 생산력이 없는.
ùn·fulfílled *a.* 다하지 못한, 이행되지 않은 ; 실현되지 않은, 채워지지 않은.
ùn·fúnd·ed *a.*〔商〕일시 차입의, (공채가) 단기의 (floating) ; 자금[재원]이 없는.
unfúnded débt *n.* 일시 차입금.
ùn·fúrl *vt.* (돛·우산 따위) 펼치다(unroll), (깃발 따위) 올리다, 펄럭이게 하다.
—— *vi.* 펼쳐지다, 오르다, 펄럭이다.
ùn·fúrnished *a.* 공급되지 않은, 갖추어지지 않은 〈*with*〉; (방 따위) 가구를 갖추지 않은, 비품이 없는 : rooms to let ~ 가구 없는 셋방.
ùn·fússy *a.* 별로 관계[관심] 없는, 귀찮지 않은 ; 꾸미지 않은, 복잡하지 않은, 단순한.
UNGA [, ʌ́ŋgə] United Nations General Assembly(국제 연합 총회).
un·gain·ly [ʌ̀ngéinli] *a.* 볼품 없는, 보기 흉한, 어색한(clumsy). —— *adv.*《古》볼품없게, 보기 흉하게. **-gáinliness** *n.*
〖*gain* (obs.) straight<OE<ON *gegn* straight〗
ùn·gárbled *a.* 왜곡하지 않은, 정확한, 있는 그대로의.
ùn·génerous *a.* 도량이 좁은, 편협한, 까다로운 ; 돈을 내기 싫어하는, 인색한 ; 비열한. **~·ly** *adv.*
ùn·géntle *a.* 가문이 좋지 않은, 버릇 없는, 상스러운, 거친.
ùn·géntleman·ly *a.* 비(非)신사적인 ; 상스러운 (vulgar). **-géntlemanliness** *n.*
ùn·get·át·able *a.* 쉽게 도달하기 어려운, 가까이하기 어려운.
ùn·gírd *vt.* …의 (허리)띠를 풀다 ; (허리)띠를 풀어 늦추다 : ~ a camel 낙타의 굴레를 풀다.
—— *vi.* (허리)띠를 풀어 벗기다.
ùn·gírt *a.* (허리)띠를 늦춘, (허리)띠를 매지 않은 ; 규율[통제]이 느슨해진, 해이해진.
ùn·glázed *a.* 유약을 칠하지 않은, 설구운 ; 유리를 끼우지 않은, 유리창이 없는.
ùn·glúe *vt.* (우표 따위를) 접착제를 녹여 떼다 ; (접착한 것에서) 떼어 놓다.
ùn·glúed *a.* 잡아 뗀, 떼어놓은 ;《美俗》격노한 ; 이성을 잃은 ;《美俗》미친.
come*[*get*] *unglued《美口》(산산이) 허물어지다 ; (뿔뿔이) 흩어지다 ;《美俗》흥분하여 냉정을 잃다, 격노하여 이성을 잃다.
ùn·gód·ly *a.* **1** 신을 부정하는, 신앙심이 없는, 신을 따르지[공경하지] 않는 ; 사악한(wicked), 죄 많은(sinful) ; [명사적으로 ; the ~] 죄 많은[사악한] 사람들. **2** 천한(indecent). **3**《口》격렬한, 지독한(dreadful). —— *adv.*《口》심히, 대단히 ;《古》불경한 태도로.
-gódliness *n.*
ùn·góvern·able *a.* 제어할 수 없는, 어찌해 볼 도리가 없는. **-ably** *adv.*
ùn·góverned *a.* 제어되지 않은, 제멋대로의, 미친 듯이 날뛰는.
ùn·gráce·ful *a.* 우아하지 않은 ; 예의 없는, 버릇없는 ; 꼴사나운, 보기 흉한.
~·ly *adv.* **~·ness** *n.*
ùn·grácious *a.* 공손하지 않은, 버릇없는, 불친절한 ; 예의 없는, 무뚝뚝한, 무례한 ; 불쾌한, 달갑지 않은. **~·ly** *adv.*
ùn·gráded *a.* **1** 등급[학년]별로 분류하지 않은. **2** (도로가) 평탄하지 않은 ; 물매가 뜨지 않은. **3** (교사가) 특정 학년의 담임이 아닌.
ungráded schóol *n.*《美》단급(單級) 초등학교《한 교사가 한 교실에서 모든 학년의 학생들을 가르치는 시골 학교》.
ùn·grammátical *a.* 문법에 맞지 않는[을 무시한], 비문법적인, 관용적이지 않은. **~·ly** *adv.*
***ùn·gráte·ful** *a.* **1** 은혜를 모르는, 배은망덕한. **2** (토지 따위) 경작에 적합지 않은 ; (일 따위) 헛수고의 ; 불쾌한, 싫은. **~·ly** *adv.* **~·ness** *n.*
ùn·gróund·ed *a.* 근거가 없는, 이유가 없는, 사실무근의 ; 기초적 지식이 없는, 무지한 ;〔電〕접지(接地)되지 않은.
ùn·grúdging *a.* 아끼지 않는, 선심쓰는 ; 기꺼이 하는, 진심에서의. **~·ly** *adv.*
un·gual [ʌ́ŋgwəl] *a.* 손톱[발톱, 발굽]의[있는, 같은](cf. UNGULA). —— *n.* 발톱, 집게발, 발굽.
ùn·guárd·ed *a.* **1** 경계심이 없는, 경솔한 ; 방심하고 있는 ; 한눈 파는 : in an ~ moment 방심한 순간에, 한눈 팔고(있을 때에). **2** 무방비의, 수비가 없는 ; 경비원이 없는. **3** (카드의 패·체스의 말 따위가) 먹힐 듯한.
~·ly *adv.* 방심하여, 한눈 팔고.
un·guent [ʌ́ŋgwənt] *n.* U.C 고약, 연고(軟膏).
un·guic·u·late [ʌŋgwíkjələt, -lèit] *a.* 발톱[발굽]이 있는 ;〔動〕유제류(有蹄類)의, 유조류(有爪類)의 ;〔植〕(꽃잎이) 발톱 모양인. —— *n.* 유제류[유조류]의 포유동물.
ùn·guíded *a.* 유도되지 않은, 안내[지도]가 없

는 ; 무유도의 : an ~ tour 가이드 없는 관광 여행 / an ~ missile 무유도 미사일.

ún·gui·fòrm [ʌ́ŋgwi-] *a.* 발톱[발굽] 모양의.

un·guis [ʌ́ŋgwəs] *n.* (*pl.* **-gues** [-gwiːz]) **1** 〖動〗 발톱, 발굽. **2** 〖植〗 발톱 모양의 꽃받침. 〚L〛

un·gu·la [ʌ́ŋgjələ] *n.* (*pl.* **-lae** [-lìː]) **1** 〖動〗 발굽(hoof) ; 〖植〗 (화관의) 발톱 모양의 꽃받침 ; (일반적으로) 손톱(nail, claw) (cf. UNGUAL). **2** 〖數〗 제상체(蹄狀體). 〚L (dim.) < ↑〛

un·gu·late [ʌ́ŋgjələt, -lèit] *a.* 〖動〗 발굽이 있는, 유제(有蹄)의 ; 유제류의. —— *n.* 유제 동물. 〚L (↑)〛

ungula 2

ùn·háir *vt.* (모피)의 거친 털을 제거하다 ; 《古》 (머리)의 털을 빠지게 하다, 탈모시키다. —— *vi.* 털이 빠지다, 탈모하다.

ùn·hállow *vt.* 《古》 더럽히다, …의 신성함을 더럽히다, 모독하다(profane).

ùn·hállowed *a.* 신성하지 않은, 더럽혀진, 부정한, 죄 많은(wicked).

ùn·hámpered *a.* 족쇄(足鎖)를 채우지 않은, 제약[통제]되지 않은 ; (전망 따위가) 방해하는 것이 없는.

ùn·hánd *vt.* 《古》 손에서 놓다, …을 쥐고 있는 손을 놓다(let go).

ùn·hándled *a.* (말이) 길들여지지 않은.

ùn·hándsome *a.* **1** 아름답지 않은, 추한, 재주가 없는. **2** 돈을 잘 안내는, 인색한. **3** 야비한, 버릇 없는 ; 어울리지 않는, 부적당한.

ùn·hándy *a.* **1** 손쉽지 않은, 다루기 어려운, 불편한. **2** 솜씨 없는, 서투른.

ùn·hánged *a.* 걸어 놓지 않은, 매달지 않은 ; (특히) 교수형을 당하지 않은[모면한].

ùn·háppily *adv.* **1** 불행하게(도), 운나쁘게, 비참하게(도) ; 유감스럽게, 공교롭게 : They lived ~ together. 함께 비참하게 살았다 / *U*~ I was out. 공교롭게도 부재중이었다. **2** 적절하지 않게.

‡**ùn·háppy** *a.* **1** [+*to* do / +前+do*ing*] 불행한, 불운한, 비참한, 불쌍한 : an ~ life 불행한 생애 / She was ~ *to* see[***at*** see*ing*] the misery in the slums. 빈민가의 비참한 광경을 보고 몹시 불쌍하게 여겼다. **2** 계제가 나쁜, 공교로운. **3** (언사 따위) 적절하지 않은, 서투른 : an ~ remark 서투른 소견 / The singer was a little ~ *in* French. 그 가수는 프랑스어가 좀 서툴렀다.
ùn·háppiness *n.*

ùn·hármed *a.* 손상되지 않은, 상처[해]를 받지 않은, 무사한.

ùn·hárness *vt.* **1** (말 따위) 장구(裝具)를 끄르다, …의 마구를 풀다. **2** …의 갑옷을 벗기다, …의 무장을 해제시키다. —— *vi.* 마구를 풀다.

UNHCR (Office of the) United Nations High Commissioner for Refugees(유엔 난민 고등 판무관(사무소)).

ùn·héalth·ful *a.* 건강에 해로운, 건강하지 못한, 비위생적인.

ùn·héalthy *a.* **1** 건강치 못한, 병든 ; (정신이) 불건전한, 병적인. **2** (장소·기후 따위) 건강에 해가 되는, 유해한. **3** 건강해 보이지 않는 : an ~ paleness 건강치 못한 창백함.
ùn·héalthily *adv.* **ùn·héalthiness** *n.*

ùn·héard *a.* 들리지 않는 ; 경청되지 않는, 변명할 기회를 주지 않는 ; 아직 알려지지 않은.

un·héard-òf *a.* 전례 없는, 전대 미문의, 미증유의 ; 들어 보지도 못한, 괘씸한, 터무니 없는.

ùn·héed·ed *a.* 돌보지 않은, 유의하는 사람이 없는, 주목받지 못하는 ; 무시된.

ùn·héed·ful *a.* 《古》 정신차리지 못하는, 부주의한. **~·ly** *adv.*

ùn·héed·ing *a.* 유의하지 않는, 부주의한(careless). **~·ly** *adv.*

ùn·hémmed *a.* 가장자리를 두르지 않은, 테두리 없는.

ùn·hérald·ed *a.* 예고되지 않은, 통고 없는, 불의의(unexpected) ; 널리 알려지지 않은, 무명의(anonymous).

ùn·hésitating *a.* 우물쭈물[주저]하지 않는 ; 민활한, 재빠른〈*in*〉; 활발한. **~·ly** *adv.* 우물쭈물하지 않고, 활발하게.

ùn·híndered *a.* 방해[제약]받지 않는.

ùn·hínge *vt.* **1** …의 경첩[돌쩌귀]을 떼다 ; 떼어 놓다 ; 분열[붕괴]시키다. **2** 《비유》 (정신을) 어지럽게 하다, 착란시키다, (남을) 미치게 하다 : The shock ~*d* his mind. 충격으로 그는 미쳐버렸다.

ùn·híp(ped) *a.* 《美俗》 =UNCOOL.

ùn·históricaI, -ic *a.* 역사적이 아닌, 사실(史實)에 맞지 않는, 비역사적인.

ùn·hítch *vt.* 풀어 놓다(unfasten).

ùn·hóly *a.* **1** 신성하지 않은, 부정한. **2** 신앙심이 없는 ; 사악한, 악인의. **3** 《口》 터무니 없는, 엄청난, 부자연스런 : an ~ row 굉장한 소동 / at an ~ hour 뜻하지 않은 시간에.

ùn·hónored *a.* 존경 받지 않는 ; (어음이) 인수되지 않는, 지급이 거절된.

ùn·hóok *vt.* 갈고리에서 벗기다 ; (의복 따위) 훅을 끄르다. —— *vi.* 갈고리[훅]가 벗겨지다.

ùn·hóped(-fòr) *a.* 바라지 않은, 의외의, 예기치 않은.

ùn·hórse *vt.* 말에서 떨어뜨리다, …에게서 말을 빼앗다 ; (말이 탄 사람을) 흔들어 떨어뜨리다 ; 실각시키다.

ùn·hóuse [-háuz] *vt.* 집[숙소]을 빼앗다, 집에서 내쫓다 ; 집없이 떠돌게 하다, 올데갈데 없게 만들다(dislodge).

ùn·húlled *a.* 껍질을 벗기지 않은 : ~ rice 벼.

ùn·húman *a.* 《稀》 잔인한(inhuman) ; 인간적이 아닌, 초인적인(superhuman), 사람의 것이 아닌(cf. INHUMAN).

ùn·húrried *a.* 서두르지 않는, 신중한. **~·ly** *adv.*

ùn·húrt *a.* 해를 입지 않은, 해를 받지 않은, 상처 없는.

uni [júːnə] *n.* 《濠口》 대학(university).

uni- [jùːnə, (모음 앞에서) jùːni] *pref.* 「단일(single)」의 뜻(cf. MONO-, POLY-, MULTI-). 〚L (*unus* one)〛

Uni·ate, -at [júːniæ̀t] *n.* 〖宗〗 동방귀일 교회의 신도《교황 지상권(至上權)을 인정하면서 그리스 정교의 고유한 전례(典禮)·관습을 지킴》. 〚Russ. *uniyat* < L *unio* UNION〛

ùni·áxial *a.* 〖結晶·植·動〗 단축(單軸)의, 외줄기의.

uni·cam·er·al [jùːnəkǽmərəl] *a.* (의회가) 단원(제)의(cf. BICAMERAL).

UNICEF, Uni·cef [júːnəsèf] *n.* 유엔 아동 기금, 유니세프(United Nations Children's Fund). 〚옛 칭호 *U*nited *N*ations *I*nternational *C*hildren's *E*mergency *F*und 유엔 국제 아동 긴급 기금〛

ùni·céllular *a.* 〖生〗 단세포의 : a ~ animal 단세포[원생(原生)]동물(protozoan).

U

unic·i·ty [juːnísəti] *n.* 단일성 ; 독자성, 특이성.
ùni·cólor(ed) *a.* 〔動〕 단색의.
uni·corn [júːnəkɔ̀ːrn] *n.* **1** 일각수(一角獸) 《이마에 비비 꼬인 긴 외뿔과 영양의 엉덩이와 사자의 꼬리가 있는 말 비슷한 전설적인 동물 ; 사자와 맞대어 영국 왕실의 문장으로 쓰임》 ; 〔聖〕 외뿔 들소. **2** [the U~] 〔天〕 외뿔소자리. **3** 〔動〕 일각고래(narwhal). 〖OF<L (*uni-*, *cornu* horn) ; Gk. *monokerōs*의 역(譯)〗

unicorn 1

ùni·cúspid *a., n.* 〔解〕 일첨(두)(一尖(頭))(이), 단두(單頭)의 (이).
úni·cỳcle *n.* 외바퀴 자전거.

unicycle

ùn·idéaed, -idéa'd *a.* 독창성[상상력, 아이디어]이 없는, 우둔한.
ùn·idéntified *a.* 신원[국적] 미상의 ; 미확인의.
unidéntified flýing óbject *n.* 미확인 비행 물체《flying saucer 따위 ; 略 UFO》.
ùni·diménsion·al *a.* 일차원적인 ; 표면적인.
-dimensionálity *n.*
ùn·idiomátic *a.* (어법이) 관용적이 아닌.
ùni·diréction·al *a.* 단일 방향(성)의 ; 〔電〕 단향성(單向性)의 : a ~ microphone 단일 지향성 마이크로폰.
UNIDO [juníːdou] United Nations Industrial Development Organization(유엔 공업(工業) 개발 기구).
uni·fi·able [júːnəfàiəbəl] *a.* 통일[단일화]시킬 수 있는.
uni·fi·ca·tion [jùːnəfəkéiʃən] *n.* Ⓤ 통일, 단일화.
Unificátion Chùrch *n.* [the ~] 통일 교회, 세계 기독교 통일 신령 협회(cf. MOONIE).
únified field thèory *n.* 〔理〕 통일장이론(統一場理論).
UNIFIL [júːnəfìl] United Nations Interim Force in Lebanon(유엔 레바논 주둔 잠정군).
ùni·flórous *a.* 〔植〕 단화(單花)의[를 가진].
ùni·fóliate *a.* 〔植〕 단엽(單葉)의[을 가진].
‡**uni·form** [júːnəfɔ̀ːrm] *a.* **1** 동형(形)의, 동형(型)의, 똑같은 ; 한결같은, 균일한 : ~ motion 〔理〕 등속(도) 운동 / Everyone should wear the pattern of dress ~ *with* this one. 누구나 이 모양과 똑같은 옷을 입지 않으면 안된다. **2** 불변의, 일정한 : keep at a ~ temperature 일정한 온도를 유지하다. **3** 균등의, 균질의, 고른. **4** (어떤 집단에) 독특한, 특유한. —— *n.* Ⓤ.Ⓒ (군인·경찰관·간호사 등의) 군복, 제복, 관복(cf. MUFTI) ; 똑같은 운동복, 유니폼 : the khaki ~(*s*) of the army 카키색의 군복 / in full ~ 〔軍〕 정복을 입고 / in[out of] ~ 제복[평복]으로. —— *vt.* …에게 제복을 입히다 ; 한결같게 하다. **~ed** *a.* (항시) 제복을 입은. **~·ly** *adv.* **~·ness** *n.*
〖F or L (*uni-*, FORM)〗
類義語 ⟹ STEADY.
Úniform Códe of Mílitary Jústice *n.* [the ~] 〔美軍〕 통일 군사 재판법《1951년 Articles of War에 대신하는 것으로 제정》.
úniform delívered prìcing *n.* 균일 수송 가격《수송비가 판매자 부담인 경우에 활용》.
uni·form·i·tar·i·an [jùːnəfɔ̀ːrmətέəriən, -tǽər-] *a.* 〔地質〕 균일설(均一說)의.
—— *n.* 균일론자.
uniformitárian·ìsm *n.* 〔地質〕 균일설《지질 변화는 균일한 힘의 계속적 작용에 의함》.
uni·form·i·ty [jùːnəfɔ́ːrməti] *n.* Ⓤ 똑같음, 한결같음 ; 균일성 ; 균등(성), 등질 ; 균일, 획일, 일률(↔*variety*) ; 단조(單調) : ~ of size and color 크기와 색깔이 똑같은 것.
the Act of Uniformity 〔英史〕 기도 방식 통일 법령《1549년, 1559년, 특히 1662년》.
uni·fy [júːnəfài] *vt., vi.* 하나로 하다, 단일화하다, 통일[통합]하다 ; 한결같게 하다 : ~ the world and abolish war 세계를 통합하여 전쟁을 없애다.
〖F or L〗
ùni·láteral *a.* **1** 일방적인, 한 쪽[면, 편]만의. **2** 〔法〕 일방적인, 편무적인(cf. BILATERAL) : a ~ contract 편무 계약. **3** 〔植〕 한 쪽에만 생기는. **4** (주차가) 한 쪽으로만 제한된.
~·ly *adv.* 일방적으로.
ùni·línear *a.* 단선적(單線的)인《전개·발전》.
ùni·língual *a.* 한 국어[언어]만을 사용하는 《사람·책》.
ùni·líteral *a.* 단일 문자의, 한 글자로 된.
ùni·lóck *a.* 유니록식의《서랍 따위가 한 곳을 잠그면 전체가 잠김》.
ùn·imáginable *a.* 상상[이해]할 수 없는 ; 생각할 수 없는, 생각조차 할 수 없는.
ùn·imáginative *a.* 상상력이 없는, 시적이 아닌, 산문적인 ; 사무적인.
ùn·impáired *a.* 손상되지 않은, 약해지지 않은, (가치 따위) 줄지 않은.
ùn·impássioned *a.* 정에 움직이지 않는, 냉정한, 냉철한.
ùn·impéach·able *a.* 탄핵[비난]할 수 없는, 더할 나위 없는. **-ably** *adv.*
ùn·impórtance *n.* Ⓤ 중요하지 않음, 대수롭지 않음.
***ùn·impórtant** *a.* 중요하지 않은, 사소한, 쓸데 없는, 대수롭지 않은.
ùn·impósing *a.* 당당하지 못한, 억지로 떠맡기지 않는, 눈에 띄지 않는.
ùn·impréssive *a.* 인상적이 아닌, 강한 감동을 주지 않는.
ùn·impróved *a.* **1** 개량[개선]되지 않은 ; (토지가) 경작되지 않은 ; (건축 용지 따위로) 이용되지 않은, (천연 그대로) 손질하지 않은. **2** (기회 따위) 아직 이용되지 않은. **3** (건강이) 좋아지지 않은 ; 세련되지 않은.
ùn·incórporated *a.* 합병 되지 않은 ; 법인 조직이 아닌 ; 자치체로 인가되지 않은.
ùn·inflámmable *a.* 타지 않는, 불연성의.
ùn·ínfluenced *a.* 영향받지 않은, 감화되지 않은 ; 공평한, 편견이 없는.
ùn·infórmative *a.* 정보 가치가 없는. **~·ly** *adv.*
ùn·infórmed *a.* 정보를 얻지 못한, 알려지지 않은 ; 무식한, 교육받지 않은.
ùn·inhábit·able *a.* 살기에 부적당한, 살 수 없는.
ùn·inhábit·ed *a.* (섬 따위) 사람이 살지 않는, 주민이 없는, 무인의.
ùn·inhíbit·ed *a.* 금지되지 않은, 제약받지 않은, 솔직한, 개방적인, 떠들썩한.
~·ly *adv.* **~·ness** *n.*
ùn·inítiate *a.* =UNINITIATED.

ùn·inítiated *a.* 충분한 경험[지식]이 없는, 풋내기의, 신참의.

ùn·ínjured *a.* 손해받지 않은, 상처[상해]를 입지 않은.

ùn·inspíred *a.* 영감을 받지 않은 ; (연설 따위) 창조성이 결여된, 생동감이 없는, 평범한, 지루한.

ùn·instrúct·ed *a.* 무지한 ; 지시를 받지 않은, 훈령을 받지 않은.

ùn·insúred *a.* 보험에 들지 않은.

ùn·intélligent *a.* 이해력이 없는, 총명하지 않은 ; 무지한.

ùn·intélligible *a.* 이해할 수 없는, 알기 어려운, 난해한, 분명치 않은. **ùn·intélligibly** *adv.*

ùn·inténd·ed *a.* 고의가 아닌, 의도[계획]한 바가 아닌.

ùn·inténtion·al *a.* 고의가 아닌, 무심코 한, 부지중의. **~·ly** *adv.*

un·ínterest *n.* 무관계 ; 무관심.

ùn·ínterest·ed *a.* (…에) 관계가 없는, 이해관계가 없는<*in*> ; 무관심한 ;《口》공평무사한.

ùn·ínterest·ing *a.* 흥미가 없는, 재미 없는, 하찮은, 지루한. **~·ly** *adv.*

ùn·interrúpt·ed *a.* 중단되지 않는, 연속된, 부단한. —— *adv.* 중단하지 않고. **~·ly** *adv.*

ùn·invíted *a.* 초대받지 않은, (손님 등) 밀어 닥치는 ; 공연히 나서는, 주제넘은.

ùn·invíting *a.* 마음을 끌지 못하는, 마음이 내키지 않는, 싫은.

***un·ion** [jú:njən] *n.* **1** Ⓤ 결합, 합체, 합동, 단결, 합일, 합병 ; 일치, 융화, 화합 ; 짜맞춤 : spiritual ~ 정신적 융합 / the ~ of two states (*into* one) 두 나라의 합병 / *U*~ is strength. 단결은 힘이다 (cf. UNITE[1] *vt.* 1). **2** (미국 국기의 푸른 바탕에 흰 별이 있는 부분과 같은) 연합 표상, (영국 국기와 같은) 연방 국기 ; (특히) 영국 국기(Union Flag). **3** (공동 목적의) 동맹, 연합 : the Universal Postal *U*~ 만국 우편 연합. **4** 노동 조합(labor[trade] union). **5** 결혼 ; 성교 : a happy ~ 행복한 결혼. **6** [the U~] 연합 국가, 연방 ; [the U~] =UNITED KINGDOM ; [the U~] 아메리카 합중국 : the President's address to *the U*~ 미국민에 대한 대통령의 연설. **7** (국가와 국가 사이의 정치적) 병합, 연합 ; [the U~] England와 Scotland의 연합《1707》, Great Britain과 Ireland의 연합《1801》. **8** [the U~] (남북 전쟁 당시) 연방군, 북군 : *the U*~ Army 북군. **9** 〖英史〗 **a**) 구빈구(救貧區)연합《원래 빈민 구제법을 시행하기 위한 여러 교구의 연합체》; (위 설립의) 구빈원(union workhouse). **b**) (신교 여러파의) 연합 교회. **10** [보통 U~] (대학의) 학생 클럽 ; 학생 회관(student union). **11** Ⓤ〖醫〗 유합(癒合), 유착(癒着). **12**〖機〗 접합관(接合管). **13**〖數·컴퓨〗 합집합(合集合). **14** 교직물(交織物) ; 혼방사 ;〖化〗 화합물.

in union 공동으로 ; 화합하여 : live *in* ~ 사이좋게 살다.

the Union of India ☞ INDIA.

the Union of South Africa 남아프리카 연방《the Republic of SOUTH AFRICA의 옛 이름》.

union down 연합 표상(union)의 부분을 아래쪽으로 해서, 기(旗)를 거꾸로 하여, 거꾸로 한 기(旗)를 올려서《조난 신호》: an ensign hoisted[a flag flown] ~ *down* 조난 신호의 표시로 거꾸로 건 깃발.

—— *a.* **1** (노동) 조합의, 조합을 이루는. **2** 다른 요소와의 결합으로 된. **3** 교직의, 혼방의.

〖OF or L *union- unio* unity (*unus* one)〗

類義語 ⟹ ALLIANCE, UNITY.

únion avóidance càmpaign *n.*《美》(기업이 노동조합에 대해서 하는) 노자 협조(勞資協調) 캠페인.

únion càrd *n.* (노동 조합의) 조합원증.

únion càtalog *n.* (도서관의) 종합 도서 목록.

únion dìstrict *n.*《美》합동 학구.

Únion Flàg *n.* [the ~] 영국 국기《잉글랜드의 St. George, 스코틀랜드의 St. Andrew, 아일랜드의 St. Patrick의 세 개의 십자(十字)를 합친 3국 연합의 표상 ; cf. UNION JACK》.

únion·ìsm *n.* **1** Ⓤ 노동조합주의. **2** Ⓤ《英》연합주의, 통일주의《대영제국을 구성하는 전 속령을 중앙 정부하에 연합 통일하려고 했던 정책 ; ↔ *separatism*》;〖英史〗 아일랜드 통일주의(cf. HOME RULE). **3** Ⓤ [U~]〖美史〗 (남북 전쟁 당시의) 연방주의(cf. UNIONIST 2).

únion·ist *n.* **1** 통일론자, 연합론자 ; [U~]〖英史〗 통일 당원《아일랜드 자치안에 반대한 보수당원 ; 또는 흔히 아일랜드가 독립하기까지의 보수당원》. **2** [U~]〖美史〗 연방주의자《미국 남북 전쟁 당시에 남북 분리에 반대함》. **3** 노동조합원 ; 노동조합주의자. **4** (신교 각파의 통일을 주장하는) 종교상의 통일주의자.

ùn·ion·ís·tic *a.* union의 ; unionist의.

únion·ìze[1] *vt., vi.* 노동조합화하다 ; 노동조합을 조직하다 ; 노동조합에 가입시키다[가입하다]. **ùnion·izátion** *n.* 노동 조합화 ; 노동 조합 형성 ; 노조 가입.

ùn·íon·ìze[2] *vt.* 〖化〗 탈(脫)이온화하다.

ùn·íonized *a.* 〖化〗 이온화하지 않은.

Únion Jàck *n.* [the ~] 유니언 잭《함선 뱃머리에 다는 기로서의 영국 국기 ; 보통 Union Flag와 같은 뜻》.

únion lìst *n.* (도서관의) 정기 간행물 리스트《ABC순의 카탈로그》.

únion schòol *n.*《美》합동 학교《합동 학구(union district)가 관리하는 초등학교·중학교》.

únion shòp *n.* 유니언 숍《노동조합에 가입한 노동자 및 채용 후 일정 기간내에 노동조합에 가입하기로 한 노동자만 채용하는 기업체 ; cf. CLOSED SHOP, OPEN SHOP, NONUNION SHOP》.

únion stàtion *n.*《美》합동역《두개 이상의 철도회사·버스 회사 따위에 의해서 공동으로 사용되는 역(驛)》.

únion sùit *n.*《美》유니언 슈트(=《英》combinations)《셔츠와 속바지가 한데 붙은 것》.

únion wòrkhouse *n* 〖英史〗 구빈원.

unip·a·rous [ju:nípərəs] *a.* 〖動〗 한 번에 한 마리[한 알]만 낳는 ; (여성이) 1회 경산(經産)의 ; 〖植〗 단화경(單花梗)의.

ùni·pártite *a.* 부분으로 나누어지지 않는.

úni·pèd *a., n.* 외다리[외발]인 (사람[동물, 것]).

ùni·plánar *a.* 평면상의, 단일 평면에 있는 : ~ motion 평면 운동.

úni·pòd *n.* (카메라 따위의) 일각(一脚)의 지주(支柱) (cf. TRIPOD).

ùni·pólar *a.* 〖生〗 (신경 세포가) 단극성의 ;〖電〗 단극(單極)의, 단축(單軸)의.

***unique** [ju:ní:k] *a.* **1** 유일(무이)한, 독특한, 독자의 ; 비길 데 없는(peerless) : ~ studies in Elizabethan literature 엘리자베스조(朝) 문학에 대한 독창적인 연구. **2**《口》진기한, 좀처럼 없는, 굉장한. ㊟ 엄밀하게는 비교할 수 없는 말이지만《口》에서는 흔히 more, most ; very ; rather 따위로 수식됨.

—— *n.* 유일한[비길 데 없는] 사람[것].

~·ly *adv.* **~·ness** *n.*
〚F<L *unicus* (*unus* one)〛
類義語 ⟹ ONLY.

úni·sèx *a.* (복장 따위가) 남녀 공통[공용]의 ; 남녀 구별이 안 가는 : a ~ look 남녀 구별이 되지 않는 외관.
── *n.* Ⓤ (복장·머리 모양 따위에서) 남녀 구별이 되지 않는[을 하지 않는] 상태 ; (일 따위에서) 성적(性的) 차별이 없음.

ùni·séxed *a.* 남녀 구별이 안 가는.

ùni·séxual *a.* 〘生〙 단성(單性)의, 암수 딴 몸의, 자웅 이체의(cf. BISEXUAL).

UNISIST, Uni·sist [júːnəsist] *n.* 유엔 정부간 과학 기술 정보 시스템.
〚*U*nited *N*ations *I*ntergovernmental *S*ystem of *I*nformation in *S*cience and *T*echnology〛

ùn·ísolated *a.* 떨어져[고립되어] 있지 않은.

***uni·son** [júːnəsən, -zən] *n.* **1** Ⓤ 조화, 화합, 일치 ; 동조, 동의, 찬성. **2** Ⓤ 〘樂〙 제창(齊唱), 제주(齊奏) ; 동음.
in unison (하나의 선율을) 동음으로, 제창으로 ; 일치하여, 조화해서〈*with*〉.
── *a.* 〘樂〙 동음(同音)의, 같은 음높이[피치]의 (unisonous).
〚OF or L (*sonus* SOUND[1])〛

unis·o·nance [juːnísənəns] *n.* 음의 일치[조화].

unís·o·nant *a.* 음이 일치하는, 조화되는 같은 음[높이]의.

unis·o·nous [juːnísənəs] *a.* **1** 같은 음[높이]의. **2** 일치[화합]하는.

***unit** [júːnət] *n.* **1** 하나, 한 개, 한 사람 ; 일단. **2** 편제[구성] 단위, 유닛 ; 〘軍〙 (보급) 단위, 부대 : a mechanized ~ 기계화 부대 / a tactical ~ 〘軍〙 전술 단위 / The family is the ~ of society. 가족은 사회의 단위다. **3** 〘數〙 단위, 최소 자연수(즉 1) ; 〘理〙 단위 ; 〘藥〙 단위(생체에 일정한 효과를 주는 데 필요한 약물·혈청 따위의 양) : the cgs system of ~*s* 시지에스 단위계(센티미터·그램·초(秒) 단위법). **4** (특정 기능을 갖는) 장치(apparatus) ; 유닛식 가구 따위의 한 점, 유닛 ; 〘컴퓨〙 장치 : an input[output] ~ (컴퓨터 따위) 입력[출력] 장치. **5** 《美》〘敎〙 (학과목) 단위 ; 단원(單元)(학습의 과정 또는 학습 내용의 한 구획).
be a unit 《美》 일치하고 있다 : We *were a* ~ on the question. 그 문제에 의견이 일치했다.
── *a.* 단위의, 단위를 구성하는 ; 유닛식의 : a ~ price 단가 / ~ furniture 세트식 가구(재료·의장 따위가 동일하고 세트로 되어 있음).
〚L *unus* one ; *digit*에 준한 조어인가 ; 일설(一說)에, 역성(逆成) 〈*unity*〉〛

Unit. Unitarian ; Unitarianism.

UNITA, Uni·ta [júːnətɑ̀ː] *n.* 앙골라 완전 독립 민족 동맹(앙골라의 사회주의 정권에 대항하는 게릴라 조직). 〚Port. *U*niano *N*acional para a *I*ndependencia *T*otal de *A*ngola〛

unít·able, uníte- [juːnáit-] *a.* 결합[연합, 합동]할 수 있는.

únit·age *n.* (비타민 따위의) 단위량의 규정 ; 단위량, 단위수.

UNITAR United Nations Institute for Training and Research(유엔 훈련 조사 연수원 ; 국제 협력 활동을 위한 국가 공무원의 훈련 기관 ; 1965년 발족 ; 본부 New York).

uni·tard(s) [júːnətɑ̀ːrd(z)] *n.* (*pl.*) 유니타드 (몸통과 보통 발끝까지의 다리를 덮는 레오타드).
〚*uni-*+leo*tard*〛

Uni·tar·i·an [jùːnətέəriən, -tǽər-] *n.* **1** 유니테어리언파(派)의 사람, 유일교도 ; [the ~s] 유니테어리언파(신교의 한 파 ; 삼위 일체설을 배제하고 유일한 신격을 주장하며 그리스도를 신으로 하지 않음). **2** [u~] 단일제론자, 중앙 집권론자, 단일정부주의자. ── *a.* **1** 유니테어리언[유일교]파(派)의. **2** [u~] 유일신교의 ; =UNITARY. **3** [u~] 중앙 집권제(지지)의.
〚L *unitas* unity〛

Unitárian·ìsm *n.* **1** 유니테어리언파의 교의. **2** [흔히 u~] 단일제, 중앙 집권제.

uni·tar·i·ty [jùːnətέərəti, -tǽər-] *n.* 〘理·數〙 단일성 (이론).

uni·tary [júːnətèri ; -təri] *a.* 하나의, 단위의, 일원의 ; 단일(제)의 ; 중앙 집권제의.

únitary táx *n.* 《美》 합산 과세(일부 주에서 주 안의 사업체에 대해 주외(州外)[국외]의 계열회사 전체의 소득을 합산, 과세하는 일).

únit cèll *n.* 〘結晶〙 단위 격자.

únit cháracter *n.* 〘生〙 단위 형질(Mendel 법칙에 의해 하나의 단위로서 유전되는 형질).

únit còst *n.* 단위 원가.

‡unite[1] [juːnáit] *vt.* **1** [+目 / +目+前+名] 결합하다, 접합하다, 합체시키다, 합병하다, 합동시키다 ; 결속시키다, 일체로 하다 : There are sufficiently common interests to ~ these two countries. 이 두 나라를 결합시키기에 족한 공통의 이해가 존재한다 / ~ one country ***to*** another 한 나라를 다른 나라와 합병시키다 / ~ bricks ***with*** mortar 모르타르로 벽돌을 접합하다 / A dirt road ~*s* the farm road *with* the main highway. 진흙길이 주요 도로와 농로를 연결하고 있다 / *U*~*d* we stand, divided we fall. 《속담》 뭉치면 살고, 흩어지면 망한다(cf. Union is strength. ☞ UNION 1). **2** [+目 / +目+*to*+名] (특히 결혼으로) 맺다, 결혼시키다 : ~ two families by marriage 결혼으로 양가를 맺다 / ~ one's son ***to*** a suitable wife 아들을 걸맞는 여자와 결혼시키다. **3** 함께 지니다[나타내다], 겸비하다 : He ~*s* the best qualities of the gentleman and the Christian. 신사와 크리스천의 가장 좋은 특성을 겸비하고 있다. ── *vi.* **1** [動 / +*with*+名] 일체가 되다, 합병[합체]하다 : Oil and water will not ~. 기름과 물은 섞이지 않는다 / Smoke ~*s* ***with*** fog to form smog. 연기가 안개와 합쳐서 스모그가 된다. **2** [動 / +*in*+名 / +*to* do] 제휴[일치]하다, 결속하다 : It is time for us to ~ ***in*** fight*ing*[*to* fight] these social evils. 이제야말로 우리는 힘을 합쳐서 이러한 사회적 병폐와 싸워야 할 때다. **3** 결혼하다〈*with*〉; 〘化〙 화합하다.
〚L *unit- unio* (*unus* one)〛
類義語 ⟹ JOIN.

unite[2] [júːnait, -⌐] *n.* 〘英史〙 유나이트(Jacobus) (최초 James 1세의 치하(1604)에 발행된 20실링 금화 ; 스코틀랜드와 잉글랜드의 연합을 기념하기 위한 것). 〚(obs.) =united〛

***unit·ed** [juːnáitəd] *a.* 합병한, 연합한 ; 협력[제휴, 단결]한 ; 일심 동체의, 화합한, 일치한 : in one ~ body 일체가 되어 / present a ~ front 공동 전선을 펴다.
~·ly *adv.* 연합[협동, 일치]하여.

Uníted Árab Emírates [, -émərəts] *n. pl.* [the ~] 아랍에미리트 연방(아라비아 반도 동북부, 페르시아 만(灣)에 면한 공화국 ; 수도 Abu Dhabi ; 略 U.A.E.).

Uníted Árab Repúblic *n.* [the ~] 아랍 연방

공화국《이집트·시리아·예멘으로 성립한 나라, 뒤에 분열하여 이집트만이 남아 1971년 이집트 아랍 공화국(the Arab Republic of Egypt)이라고 개칭 ; 略 U.A.R.》.

Uníted Bréthren *n. pl.* [the ~] 〖宗〗 모라비아 형제단(cf. MORAVIAN).

uníted frónt *n.* **1** 연합[통일]전선. **2** = POPULAR FRONT.

◇**Uníted Kíngdom** *n.* [the ~] 연합 왕국, 영국《대브리튼섬의 잉글랜드·웨일스·스코틀랜드 및 아일랜드섬의 북아일랜드로 이루어져, 영연방의 중핵 ; 원래 아일랜드 전체를 포함함(1801-1921) ; 수도 London ; 略 U.K.》. ㊟ 정식명은 the United Kingdom of Great Britain and Northern Ireland.

◇**Uníted Nátions** *n.* [the ~] **1** [단수 취급] 국제 연합《1945년 조직 ; 본부는 New York 시 ; 略 UN, U.N. ; cf. *the* LEAGUE[1] *of Nations*》. **2** [복수 취급] (제2차 세계 대전 추축국(樞軸國)(the Axis)에 대한) 연합국《26개국》.

Uníted Nátions Chàrter *n.* [the ~] 유엔 헌장(憲章).

Uníted Nátions Chíldren's Fùnd *n.* [the ~] 유엔 아동기금, 유니세프(UNICEF).

Uníted Nátions Secúrity Còuncil *n.* [the ~] 유엔 안전 보장 이사회《略 UNSC》.

Uníted Préss Internátional *n.* [the ~] 《美》 합동 국제 통신사《略 UPI ; cf. UP, AP》.

◇**Uníted Státes** *n.* **1** [the ~ ; 단수·복수취급] 아메리카 합중국, 미국(=the **Uníted States of América**)《수도 Washington, D.C. ; 略 U.S., U.S.A., USA》. **2** [a ~](일반적으로) 연방 국가 : advocate *a* ~ of Europe 유럽 연방의 결성을 제창하다.
—— *a.* 미국(으로부터)의 ; 미국식의.

úni·tèrm *n.* (문헌 색인의 기술(記述)에 쓰이는) 단일어.

únit fàctor *n.* 〖生〗 (유전상의) 단일 인자.

únit·hòld·er *n.* unit trust의 투자자[수익자].

uni·tive [jú:nətiv, junái-] *a.* 결합력이 있는 ; 결합적인.

únit·ìze *vt.* 결합하다 ; 단위로 나누다.
ùnit·izátion *n.*

únit pàcking *n.* (환약(丸藥) 따위를 따로 따로 나누어 싸는) 단일 포장.

únit prícing *n.* 단위 가격 표시.

únit pròcess *n.* 〖化〗 단위 공정.

únit rúle *n.* 《美》 단위(선출)제《민주당 전당 대회 따위에서 어떤 주(州)의 대의원 전체는 그들의 과반수가 지지하는 후보자에게 전부 투표한 것으로 보는 규정》.

únit tràin *n.* 고정 편성의 화물열차《단일 상품을 대량 수송함》.

únit trùst *n.* 《英》 유닛형 투자 신탁 ; 계약형 투자 신탁 회사.

únit vòlume *n.* 〖數〗 단위 부피.

*__uni·ty__ [jú:nəti] *n.* **1** Ⓤ 단일(성), 유일 ; Ⓒ 개체, 단일체, 통일체 ; Ⓤ 통일, 통합 : racial ~ 민족적 통일성. **2** Ⓤ 일치(단결), 협동 일치, 조화, 협조 : family ~ 일가 화합 / national ~ 거국 일치 / live *in* ~ 화합하여[사이좋게] 살다〈*with*〉. **3** 〖數〗 1 (이라는 수). **4** 불변성〈*to*〉; (의도·행동의) 일관성 ; (목적의) 집중. **5** [the unities] 〖劇〗 (때·장소·행동의) 삼일치의 법칙《Aristotle에서 시작하여 특히 프랑스 고전파 희곡에 쓰인 희곡 구성상의 법칙》. **6** [U~] 유니티《20세기 미국에서의 건강과 번영을 목표로 한 종교 운동》.
〖OF<L (*unus* one)〗
類義語 ***unity*** 각종 요소나 개체로 구성된 것이 정신적·감정적으로 또는 그 목적이나 이해 따위가 동일하고 통일된 것. ***union*** 공통된 목적을 위하여 하나의 조직으로 결합된 것. ***solidarity*** 행동이나 세력 따위로 최대의 힘을 발휘하기 위하여 클럽·계급·조직 따위가 확고하게 완전히 통일된 것.

univ. universal ; universally ; university.

Univ. Universalist ; University.

Uni·vac [jú:nivæ̀k] *n.* 유니백《1951년 미국에서 개발된 세계 최초의 실용 컴퓨터 ; 상표명》.
〖*Univ*ersal *A*utomatic *C*omputer〗

ùni·válent *a.* 〖化〗 1가(價)의 ; 〖生〗 (염색체가) 1가의. —— *n.* 〖生〗 1가 염색체.
-vá·lence, -cy *n.*

úni·vàlve *a.* 〖動〗 단판(單瓣)의, 단각(單殼)의. —— *n.* 단각 연체(軟體)동물 ; (특히) 복족류(腹足類).

*__uni·ver·sal__ [jù:nəvə́:rsəl] *a.* **1** 만국의, 모든 사람들의, 만인(공통)의, 널리 행해지는 ; 전부의, 전원의 ; 《古》 전부를 포함한, 전체의 : ~ brotherhood 사해(四海)동포. **2** 전반적인, 일반적인, 보편적인 ; (말이) 만인에게 이해되는 ; 편재하는 ; 〖論〗 전칭의(↔*particular*) : ~ grammar 보편 문법 / ~ gravitation 〖理〗 만유 인력. **3** (사람이) 만능의, 박식한(versatile) : a ~ genius 만능의 천재. **4** 《詩》 우주의, 만물의 ; 완전한, 절대적인. **5** 〖機〗 만능의 ; 자재(自在)의. —— *n.* **1** [the ~] (특정한 것의) 전체, 전반. **2** 보편적 특질, 보편성. **3** 〖論〗 전칭 명제(命題) ; 〖哲〗 일반 개념. **4** 〖機〗 = UNIVERSAL JOINT. **~·ness** *n.*
〖OF or L ; ⇨ UNIVERSE〗
類義語 ⟹ COMMON.

univérsal affírmative[**affirmátion**] *n.* 전체[전칭] 긍정.

univérsal ágent *n.* 총대리인[점].

univérsal cáre *n.* 전국민 보험(제도)《정부 부담으로 모든 국민을 의료 보험에 가입시키는 제도》.

univérsal cómpass *n.* 〖機〗 만능 컴퍼스.

Univérsal Cópyright Convèntion *n.* [the ~] 국제 저작권 협정《1952년 조인, 1955년 발효 ; 略 U.C.C.》.

Univérsal Declarátion of Húman Ríghts *n.* [the ~] 세계 인권 선언《1948년 12월 국제 연합에서 채택》.

univérsal dónor *n.* O형(型) 혈액(의 사람).

univérsal·ìsm *n.* Ⓤ 보편적인 것 ; 보편성 ; [흔히 U~] 〖神學〗 (인류는 결국 모두 구제된다는) 보편 구제설 ; 〖社〗 보편[전반]주의 ; 박식, 해박.

univérsal·ist *n.* [흔히 U~] 보편 구제설론자(↔ *limitarian*) ; [흔히 U~] 유니버설리스트 ; 만능인[박식한] 사람. —— *a.* [흔히 U~] 보편 구제설신자[유니버설리스트](의 신념[행위])의.

uni·ver·sal·i·ty [jù:nəvə(:)rsǽləti] *n.* Ⓤ 일반성, 보편성 ; 다방면의 일 ; 만능.

univérsal·ìze *vt.* 일반화하다, 보편화하다.
univèrsal·izátion *n.*

univérsal jóint [**cóupling**] *n.* 〖機〗 만능 이음쇠, 자재 연결 장치.

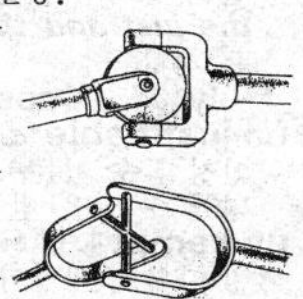
universal joint

univérsal lánguage *n.* 세계(공통)어《에스페란토 따위》; 세계 공통으로 이해되는 표현《음악 따위》.

univérsal·ly *adv.* 일반적으

로 ; 예외 없이 ; 도처(에), 널리, 보편적으로 (generally) ;〖論〗전칭적으로.

univérsal négative *n.* 〖論〗(명제의) 전체[전칭] 부정.

univérsal pártnership *n.* 공동조합.

Univérsal Próduct Còde *n.* 《美》 통일 상품 코드《슈퍼마켓 따위에서 상품의 가격·재고 따위를 관리하기 위해 개개의 제품 포장에 인쇄된 짧은 흑선의 집합 무늬 ; 전자식으로 읽게 됨 ; 略 UPC》.

univérsal propositíon *n.* 〖論〗 전칭 명제.

univérsal sét *n.* 〖數〗 전체 집합.

univérsal súffrage *n.* 보통 선거권.

Univérsal tìme *n.* 〖天〗 세계시(時)《略 UT》.

***uni·verse** [júːnəvə̀ːrs] *n.* **1** [the ~] 우주(cosmos) ; 만유, 천지 만물, 삼라 만상. **2** [the ~] 세계(the world) ; [the ~] 전인류. **3** 영역, 분야. **4** 〖統〗 모집단(population). **5** 다수, 대량. **6** [the ~] 은하계(우주) ; (은하계에 필적하는) 성운(星雲).
〚F<L *universus* combined into one (*verto* to turn)〛

Uni·ver·si·ade [jùːnəvə́ːrsiæ̀d] *n.* 유니버시아드 《국제 학생 경기 대회》.

‡uni·ver·si·ty [jùːnəvə́ːrsəti] *n.* **1** 대학(교)《종합대학 ; 미국에서는 대학원이 설치되어 있는 대학 ; cf. COLLEGE》: I want to go to (a) ~. 나는 대학에 가고 싶다. **2** [집합적으로] 대학생 ; 대학 당국. **3** 대학 선수단, 대학 팀.
at university 대학에서 연구하여, 대학에 재학중(中)인.
—— *a.* 대학의[에 관계있는] : a ~ professor [student] 대학 교수[대학생] / a ~ man 대학 출신자 ; 대학생.
〚OF<L=the whole (world) ; ⇨ UNIVERSE〛

univérsity cóllege *n.* **1** 대학부속, 단과대학. **2** 《英》 학위 수여 자격이 없는 대학. **3** [U~ C~] Oxford 대학의 단과 대학의 하나《1249년 창설 ; 略 U.C.》; London 대학의 단과 대학의 하나《1827년 창설 ; 略 U.C.L.》.

univérsity exténsion *n.* 대학 교육 공개 강좌.

univ·o·cal [juːnívəkəl ; jùːnivóu-] *a.* **1** 단조로운 목소리로 말하는 ; 한 뜻밖에 없는《말》; 뜻이 명료한. **2** 〖樂〗 동음(unison)을 갖는, 제주(齊奏)[제창]의. —— *n.* 일의어(一義語).

UNIX [júːniks] *n.* 〖컴퓨〗 유닉스《미국 벨 전화 연구소가 미니 컴퓨터용으로 개발한 오퍼레이팅 시스템》.

ùn·jóin *vt.* 결합을 풀다, 가르다.

ùn·jóint *vt.* 매듭을 풀다, 이은 데를 끄르다[떼다] ; 《비유》 분열시키다, 불화하게 하다.

***ùn·júst** *a.* [+*of*+名+*to* do] 부정한, 불의[불법]의, 부조리한 ; 불공평한, 부당한(cf. INJUSTICE) ; 《古》 불성실한 : ~ enrichment 부당 이득 / It was ~ *of* them not *to* hear my side. 나의 말을 들어주지 않은 것은 불공평한 처사였다.
the just and the unjust (옳거나 그르거나) 모든 사람들.
~·ly *adv.* **~·ness** *n.*

ùn·jústifiable *a.* 도리에 맞지 않는, 정당하다고 인정할 수 없는, 변명할 수 없는. **-ably** *adv.* 변명할 수 없을 만큼. **~·ness** *n.*

un·kempt [ʌnkémpt] *a.* 단정[깔끔]하지 못한《복장 따위》; 세련되지 못한, 거친《말씨 따위》; 빗질하지 않은, 텁수룩한《머리 따위》.
〚=uncombed (OE *cemban* to comb) ; cf. KEMPT〛

ùn·kénnel *vt.* (개를) 개집에서 놓아 주다 ; (여우 따위를) 굴에서 몰아내다 ; 《비유》 적발하다, 폭로하다.

ùn·képt *a.* 유지[보존]되지 않는 ; (규칙 따위가) 지켜지지 않는, 무시되고 있는.

‡ùn·kínd *a.* [+*of*+名+*to* do] 불친절한, 몰인정한, 동정심이 없는, 매정한, 고약한 ; (기후 따위가) 나쁜, 궂은 ; 《方》 경작에 적합하지 않는《토양》: It's very ~ *of* you *to* say that. 그런 말을 하다니 너무하다 / an ~ problem 고약한 문제 / The weather proved ~. 날씨가 나빴다.
~·ness *n.*

ùn·kínd·ly *adv.* 불친절하게, 몰인정하게, 냉정하게, 매정하게 : look ~ at[on] …에게 무서운 얼굴을 하다 / take it ~ 나쁘게 받아들이다.
—— *a.* =UNKIND. **-li·ness** *n.*

ùn·knít *vt.* (매듭 따위를) 끄르다 ; (뜨개질한 것을) 풀다 ; (주름잡힌 것을) 펴다 : ~ one's forehead 찌푸린 이맛살을 펴다. —— *vi.* 풀리다.

ùn·knót *vt.* …의 매듭을 풀다, (매듭을) 풀다.

ùn·knów·able *a.* 알 수 없는 ; 〖哲〗 불가지(不可知)의. —— *n.* 알 수 없는 것 ; [the U~] 〖哲〗 불가지물, 절대, 제1 원인. **-ably** *adv.* **~·ness** *n.*

ùn·knów·ing *a.* 모르는, 알아채지 못하는〈*of*〉; 무지한 ; (남에게) 알려지지 않은(unknown)〈*to*〉; [the ~ ; 명사적으로 ; 복수취급] 모르는 사람들. **~·ly** *adv.* 모르고.

‡ùn·knówn *a.* **1** 알려지지 않은, 진기한, 미지의 : an ~ place 미지의 장소. **2** 알 수 없는, 헤아릴 수 없는, 이루 다 셀 수 없는 : ~ wealth 막대한 부(富). **3** 〖數〗 미지의 : an ~ quantity 미지수.
unknown to …에 알려져 있지 않은, …에 알리지 않고 : He did it ~ *to* me. 나에게 알리지 않고 했다.
unknown to fame 무명의 : a man ~ *to fame* 이름이 알려지지 않은 사람.
—— *n.* [the ~] 세상에 알려지지 않은 사람[것], 무명인 ; 미지의 것[상태, 지방] ; 〖數〗 미지수 : *The* ~ is always mysterious and attractive. 미지의 것은 언제나 신비롭고 흥미롭다 / venture into *the* ~ 미지의 세계에 뛰어들다.
the Great Unknown 위대한 무명 작가《이름이 알려지기 전까지의 Sir Walter Scott》.

Unknówn Américan *n.* 무명 미국 용사《제2차 대전·한국 전쟁에서 전사한 무명 용사를 대표하여 모셔진 각 1명의 병사 ; 묘는 Arlington 국립 묘지에 있음》.

unknówn cóuntry *n.* 미지(未知)의 토지[분야, 영역].

Únknown Sóldier[《英》 **Wárrior**] *n.* [the ~] 무명 용사《제1차 대전 따위에서 전사한 무명 용사를 대표하여 모셔진 각1명의 병사 ; 미국은 Arlington 국립 묘지에, 영국은 Westminster Abbey에 묘가 있음》.

ùn·lábored *a.* (토지가) 경작되지 않은 ; 노력없이 얻은, 노력의 흔적을 느낄 수 없는 ; 자연스러운.

ùn·láce *vt.* (구두·코르셋 따위의) 끈을 풀다[늦추다] ; …의 옷을 느슨하게 하다 ; 《廢》 …의 체면을 잃게 하다.

ùn·láde *vt.* (배·말 따위에서) 짐을 부리다 : ~ a horse 말의 짐을 부리다. —— *vi.* 짐을 부리다.

ùn·lády·lìke *a.* 숙녀답지 않은, 귀부인으로서 있을 수 없는, 품위 없는, 천한.

ùn·láid *v.* UNLAY의 과거·과거분사.
—— *a.* **1** 놓이지[부설되어 있지] 않은 ; 매장되어 있지 않은. **2** 비치는 무늬가 없는《종이》; 꼬여 있지 않은《새끼 따위》. **3** 진정되지 않은, 갈피를 못

잡은. **4** 식사가 준비되어 있지 않은《식탁》. **5** 액막이를 하지 않은.

ùn·lamént·ed *a.* 슬프게 여겨지지 않는 ; 슬퍼하는[한탄하는] 사람 없는(unwept).

ùn·látch *vt.* …의 걸쇠[죔쇠]를 벗기다, 열다. —— *vi.* (문이) 열리다, 걸쇠[죔쇠]가 벗겨지다.

ùn·láw·ful *a.* 불법의, 비합법적인 ; 도리에 어긋난 ; 사생(아)의. **~·ly** *adv.* **~·ness** *n.*

unláwful assémbly *n.* 《英》 불법집회.

ùn·láy *vt.* 〖海〗 (밧줄 따위의) 꼬인 것을 바로잡다[풀다]. —— *vi.* 꼬인 것이 풀리다.

ùn·léad [-léd] *vt.* 납(성분)을 제거하다 ; 〖印〗 …에서 인테르를 빼다.

ùn·léad·ed [-léd-] *a.* 납(성분)을 제거한 ; 납을 첨가하지 않은, 무연의 ; 〖印〗 인테르를 끼우지 않은 : ~ gasoline 무연 휘발유.

ùn·léarn *vt.* (배운 것을) 잊다(forget) ; 염두에서 없애다 ; …한 버릇을 버리다 ; 고쳐 배우다. —— *vi.* 지식[습관]을 버리다.

ùn·léarn·ed[1] [-lə́ːrnəd] *a.* 무식한, 교육을 받지 못한 ; …에 숙달[통효(通曉)]하지 못한〈*in*〉; 배우지 못한 사람들의. **~·ly** *adv.*

ùn·léarned[2] [-lə́ːrnd], **-learnt** [-lə́ːrnt] *a.* 배우지 않고도 알고 있는, 배워서 안 것이 아닌.

ùn·léased *a.* 임대 계약이 체결되어 있지 않은.

ùn·léash *vt.* …의 가죽끈을 풀다 ; …의 속박을 풀다 ; 해방하다 : ~ a hound 사냥개를 풀어놓다 / ~ one's temper 화를 내다.

unleash. . .against [***on***] (개[부대] 따위를) …에 대해 부추기다[싸우도록 하다].

ùn·léavened *a.* 이스트를 넣지 않은 ; 《비유》 변화[영향]를 받지 않은.

‡**un·less** [ənlés]

> (1) 기본 뜻 :「…이 아니면(if...not), …하지 않는 한(except on the condition that...)」
> (2) 주로 조건의 부사절을 이끄는 종속접속사로 쓰인다.
> (3) 구문은 if와 거의 같으며 unless가 이끄는 부사절에는 직설법도 가정법도 쓸 수 있으나, 직설법의 사용 빈도가 특히 높다.

—— *conj.* 만약 …하지 않으면[이 아니라면], …이 아니면, …이외에는(cf. IF 1) : You will miss the bus ~ you walk more quickly(=... *if* you do *not* walk more quickly). 좀더 서두르지 않으면 버스를 놓친다 / [생략 구문으로] Nothing, ~ a miracle, could save him. 기적이 일어나지 않는 한 그를 구할 수는 없을 것이다.

unless and until =UNTIL *conj.* 1 《unless and 는 불필요한 말 ; cf. IF 1 㞾 (2)》.

—— *prep.* …을 제외하고는, …외에는.

ùn·léttered *a.* 배우지 못한, 무학의, 문맹의 ; 글자가 기록되어 있지 않은.

ùn·lével *a.* 평평하지 않은. —— *vt.* 울퉁불퉁하게 하다.

ùn·líb *a.* =UNLIBERATED.

ùn·líberated *a.* (여성 등이) 해방되어 있지 않은, (사회 역할이) 종속적[수동적]인.

ùn·lícensed *a.* 무면허의, 감찰이 없는 ; 방종한 ; 무법의 : ~ driving 무면허 운전.

ùn·lícked *a.* 《古》 (핥아서) 모양이 다듬어지지 않은(cf. LICK...*into shape*) ; 예의 없는 ; 아직 끝내지 못한《일 따위》; 아직 지지 않은, 불패의《게임 따위》: an ~ cub 볼품 없는 곰 새끼《곰은 새끼를 핥아서 모양을 내준다고 함》; 버릇 없는 젊은이.

ùn·líght·ed *a.* 불을 켜지 않은, 어두운.

***un·like** [ʌ̀nláik] *a.* **1** 같지않은, 동등하지 않은, 다른, 닮지 않은 : ~ signs 〖數〗 서로 다른 부호《+와 − 따위》/ The two sisters are ~ in disposition. 두 자매는 성격이 닮지 않았다. 㞾 목적격을 수반하는 용법에서 다음과 같은 전치사적 용법이 생긴다(cf. LIKE[1]) : Don't act ~ others. 딴 사람과 다른 행동을 하지 마라. **2** 《古·方》 있음직 하지 않은(unlikely). —— *prep.* **1** …와 닮지 않아서 ; …와 달라서 : *U*~ his father, he was no sissy. 아버지와 달리 그는 뱅충이는 아니었다. **2** …답지 않게, …에 어울리지 않게 : It is ~ him to be late. 시간에 늦다니 그 사람답지 않다 / The picture is quite ~ him. 그 사진은 그와 전혀 닮은데가 없다. —— *n.* 닮지 않은 사람[것]. **~·ness** *n.*

***ùn·líke·ly** *a.* **1** [+*to* do] 있음직하지 않은, 정말 같지 않은(improbable) : an ~ tale 믿기 어려운 이야기 / in the ~ event of... 만일 …할 경우에는 / Tom is ~ *to* succeed. 톰은 성공할 것 같지 않다 / It was ~ that France should win the war. 프랑스가 전쟁에 이긴다고 믿기 어려웠다. **2** 성공할 것 같지 않은, 믿을 수 없는, 가망이 없는 ; 《古·方》 매력이 없는 : an ~ enterprise 잘될 것 같지 않은 계획. —— *adv.* 있을 법하지 않게.

-líkelihood, -líke·liness *n.* 있을 법하지 않음 〈*of*〉; 가망 없음.

ùn·límber[1] *a.* 유연하지 않은, 단단한. —— *vt., vi.* 유연하게 하다[되다]. 〚LIMBER[1]〛

unlimber[2] *vt.* (포)의 앞차를 떼다 ; …의 (작동) 준비를 갖추다. —— *vi.* 발포[활동 개시] 준비를 하다. 〚LIMBER[2]〛

ùn·límit·ed *a.* 제한(制限)이 없는, 무제한의, 한(정)없는 ; 광막한 ; 아주 큰, 과도한, 대단한 ; 무조건의. **~·ly** *adv.* 무(제)한으로 ; 대단히. **~·ness** *n.*

ùn·líned[1] *a.* 안감(lining)을 대지 않은. 〚LINE[2]〛

unlined[2] *a.* 선(線)이 없는, 주름이 없는《얼굴 따위》. 〚LINE[1]〛

ùn·línk *vt.* (사슬 따위)의 고리를 빼다 ; 풀다. —— *vi.* 풀리다, 떨어지다.

ùn·línked *a.* 〖生〗 동일 연쇄군에 속하지 않은《유전자》.

ùn·líquidated *a.* 청산[결제, 결산]되지 않은 : ~ damages 〖法〗 불확정 손해배상(액).

ùn·líst·ed *a.* (목록·전화 번호부 따위에) 실려 있지 않은 ; 〖證〗 비상장(非上場)의, 상장되지 않은 : ~ stock 비상장주(株).

ùn·líve [-lív] *vt.* 본래대로 되돌리다, (과거를) 청산하다, 다음 행위로 보상하다.

ùn·lóad** *vt.* **1 a**) [+目/+目+前+名] (차·배 따위의) 짐을 내리다, …에서 짐을 양륙하다 ; (실은 짐을) 부리다 : ~ a ship 배의 짐을 양륙하다 / ~ cargo ***from a ship 배에서 짐을 부리다. **b**) (마음 따위의) 부담을 덜다(relieve) ; (총포)에서 탄환을 빼내다 : ~ one's heart 마음의 부담을 덜다, 한시름 놓다 / With his head buried in his mother's lap, the boy ~*ed* his problems. 머리를 어머니의 무릎에 파묻고 소년은 그의 근심을 털어 놓았다 / ~ a gun 총의 탄환을 빼다. **2** 〖證〗 (소유 주식을) 처분하다, 팔아버리다(sell).

> 〈회화〉
> Could you help me *unload* the car? — Sure. Wait just a second.「차에서 짐내리는 일좀 도와주시겠어요」「그러죠. 잠깐만 기다리세요」

—— *vi.* (배가) 짐을 부리다, 하역을 하다.

***ùn·lóck** *vt.* (문·상자 따위의) 자물쇠를 열다 ; 《비

유》(비밀 따위를) 털어놓다, 누설하다(disclose).
—— *vi.* 자물쇠가 열리다.

ùn·lóoked-fòr *a.* 예기치 않은, 의외의.

ùn·lóose *vt.* 풀다, 늦추다, 해방하다(set free).

ùn·lóvable *a.* 귀엽지 않은, 애교가 없는.

ùn·lóve·ly *a.* 사랑스럽지 않은, 못생긴, 추한 ; 싫은, 불쾌한.

***ùn·lúcky** *a.* **1** 불운한, 불행한(unfortunate) ; 성공하지 못한, 잘 되지 않는(unsuccessful) : This has been an ~ year for us. 올해는 우리에게 불운한 해였다 / I am ~ *at* cards. 카드 놀이에 운이 없다[잘 진다] / She was ~ *in* love. 그녀는 실연했다. **2** 불길한, 재수없는 : Friday is believed to be an ~ day. 금요일은 재수 없는 날로 여겨지고 있다. **3** 공교로운 : in an ~ hour 좋지 않은 계제에, 공교롭게. **-lúckily** *adv.* 불행하게도, 불운하게, 공교롭게(unfortunately). **-lúckiness** *n.* 불운, 불행.

unm. unmarried.

ùn·máde *v.* UNMAKE의 과거·과거분사.
—— *a.* 만들어지지[정돈되지] 않은, 다듬어지지 않은 ; 만들어지지 않고 존재하는 ; (매사냥의 매가) 훈련되어 있지 않은(unmanned).

ùn·máke *vt.* **1** 원래대로 되돌리다. **2** 망치다, 부수다, 파괴하다, 말소하다 ; 변형하다, 변질시키다. **3** 폐지하다 ; (남)에게서 지위를 빼앗다, 해임하다 ; 격하시키다.

ùn·málleable *a.* **1** 두들겨 늘이기 힘든, 전성(展性)이 없는. **2** 순응성이 없는, 완고한.

ùn·mán *vt.* **1** …의 남자다움을 잃게 하다, 나약하게 하다, 무기력하게 하다, 낙담시키다 ; 거세하다 : I was ~*ned* by the news of my failure in the examinations. 나는 그 불합격 소식으로 낙담했다. **2** (배 따위)에서 승무원을 철수시키다. **3** 《古》 인간답지 못하다.

ùn·mánage·able *a.* **1** 취급하기 어려운, 처치 곤란한 ; 수습 불가능한. **2** 제어하기 어려운, 힘겨운. **-ably** *adv.*

ùn·mán·ly *a.* 남자답지 못한, 계집애 같은 ; 겁쟁이의, 비겁한 ; 유약한(weak). —— *adv.* 《古》 남자답지 못하게. **-mánliness** *n.*

ùn·mánned *a.* **1** 승무원이 없는, 무인의 : an ~ artificial satellite 무인[원격 조종의] 인공 위성. **2** 사는 사람이 없는 ; 거세된 ; 《古》 (매가) 훈련되어 있지 않은.

ùn·mánnered *a.* 예의 없는, 버릇없는, 무뚝뚝한 ; 솔직한, 아무런 티가 없는.

ùn·mánner·ly *a.* 버릇없는, 예의 없는. —— *adv.* 버릇없게, 예의없이.

ùn·márked *a.* 표시[표지]가 없는, 주(注)가[정정(訂正)이] 없는 ; 채점하지 않은 ; 묘비가 없는 ; 눈에 띄지 않는 ; 상처가 없는 ; 특색이 없는〈*by*〉; 〖言〗 무표의(↔*marked*).

unmárked cár *n.* 《美》 마크[표지] 없는 순찰차.

ùn·márried *a.* 결혼하지 않은, 미혼의, 독신의 ; 이혼한(divorced) ; 남편[아내]을 잃은 : an ~ mother 미혼모.

ùn·másk *vt.* **1** …의 가면을 벗기다 : ~ a masquerader 가면 무도자의 가면을 벗기다. **2** 《비유》 (정체를) 폭로하다 ; 〖軍〗 발포하여 (총포의) 소재를 나타내다 : That conduct ~*ed* a traitor[hypocrite]. 그 행위로 반역자[위선자]의 정체가 폭로됐다. —— *vi.* 가면을 벗다 ; 《비유》 정체를 폭로하다.

ùn·mátch·able *a.* 필적할 수 없는, 대항할 수 없는, 비길데 없는.

ùn·mátched *a.* =UNMATCHABLE ; 균형이 잡히지 않은, 어울리지 않는.

ùn·méan·ing *a.* 무의미한, 의의가 없는 ; 멍한, 생기가 없는 ; (얼굴 따위) 무표정한.

ùn·méant *a.* 본의[고의]가 아닌.

ùn·méasurable *a.* 잴 수 없는 ; 헤아릴 수 없는 ; 과도한, 끝없는.

ùn·méasured *a.* **1** 헤아릴[측정할] 수 없는. **2** 한이 없는, 무한의, 무한량의. **3** 과도한, 터무니없는. **4** (시가) 운율이 고르지 않은.

ùn·méet *a.* 《古·文語》 어울리지 않는, 부적당한〈*for, to* do〉. **~·ly** *adv.* **~·ness** *n.*

ùn·melódious *a.* 비(非)선율적인, 비음악적인, 귀에 거슬리는.

ùn·méntion·able *a.* 입에 담을 수 없는, 입밖에 낼 수 없는. —— *n.* [the ~] 입에 담아서는 안되는 것[물건] ; [*pl.*] 《古·戱》 속옷(underwear) ; [*pl.*] 《古》 바지.

ùn·mérciful *a.* 무자비한, 무정한, 잔혹한 ; 《口》 지독한, 터무니없는(exorbitant). **~·ly** *adv.* 무자비하게, 냉혹하게.

ùn·mérit·ed *a.* 공없이 얻은, 과분한 ; 부당한, 터무니없는.

ùn·mérit·ing *a.* (…할) 가치가 없는, 대단찮은, 불로 소득인.

ùn·mínd·ful *a.* 마음에 두지 않는, 잊기 쉬운 ; 부주의한, 무관심한, 개의치 않는(regardless)〈*of*〉. **~·ly** *adv.* 무관심하게.

ùn·mistákable, -mistáke·able *a.* 틀릴 여지가 없는, 틀림 없는, 명백한. **-ably** *adv.* 틀림 없이, 명백하게.

ùn·mítigated *a.* **1** 누그러지지 않은, 경감되지 않은. **2** 순전한, 진짜의, 완전한 : an ~ villain 지독한 악당.

ùn·míxed, -míxt *a.* 섞인 것이 없는, 순수한.

ùn·módified *a.* 변경되지 않은 ; 〖文法〗 한정[수식]되지 않은.

ùn·móld *vt.* …의 모양을 부수다, 변형하다 ; 틀에서 떼어내다. **~·able** *a.*

ùn·moléstˑed *a.* 방해되지[시달리지] 않은, 괴로움을 겪지 않은 ; 평온한.

ùn·móor *vt.* (배의) 매었던 밧줄을 풀다, 닻을 올리다. —— *vi.* 닻을 올리다.

ùn·móral *a.* 도덕에 관계 없는, 초도덕적인(cf. IMMORAL, NONMORAL).

ùn·mótivated *a.* 이렇다할 동기가 없는.

ùn·móunt·ed *a.* 말을 타지 않은 ; 대지(臺紙)에 붙이지 않은 ; 포가(砲架)에 설치되지 않은.

ùn·móvable *a.* =IMMOVABLE.

ùn·móved *a.* **1** (위치·지위가) 변동되지 않은 ; (목적·결심이) 부동의, 단호한. **2** 마음이 움직이지 않는, 냉정한, 태연한 : I remained ~ by whatever others said. 나는 누가 뭐래도 꿈쩍도 하지 않았다.

unmóved móver *n.* (아리스토텔레스 철학에서) =PRIME MOVER.

ùn·móving *a.* 운동 정지의(motionless), 부동의, 정지의(still) ; 마음을 움직이지 못하는.

ùn·múffle *vt., vi.* (…로부터) 덮개[소음기, 스카프]를 벗기다.

ùn·músical *a.* 음악적이 아닌, 장단이 안맞는 ; 음악적 소양이 없는 ; 불쾌한.

ùn·múzzle *vt.* **1** (개 따위의) 입마개를 벗기다. **2** 《비유》 …에 언론의 자유를 주다, …의 함구령을 풀다.

ùn·náil *vt.* …에서 못을 뽑다, (상자 따위를) 못을 뽑아 열다.

ùn·námed *a.* 이름 없는, 무명의 ; 지명되지 않은,

불특정의 : a man who shall go ~ 이름을 밝히지 않기로 한 어떤 사람.

ùn·nátional *a.* 특정한 한 나라(의 문화적 특질)에 속하지 않은.

ùn·nátural *a.* **1** 부자연스러운 ; 이상한, 변태적인 ; 기괴한 ;《廢》불법의 : die an ~ death 횡사[변사]하다. **2** 인정에 반(反)하는, 비인도적인 ; 육친의 애정이 없는 ; 잔혹한, 사악한. **3** 꾸민 티가 나는, 억지의 : an ~ smile 억지 웃음.
~·ly *adv.* **~·ness** *n.*
類義語 ⟹ IRREGULAR.

ùn·necessárily [; -ˊ----] *adv.* 불필요하게, 쓸데없이.

***ùn·nécessary** *a.* 불필요한, 무용의(needless), 무익한(useless) : That rendered it ~ for him to do anything. 그 때문에 그는 아무 것도 할 필요가 없어졌다. —— *n.* [보통 *pl.*]《稀》불필요한 것, 쓸데없는 것.

ùn·néighbor·ly *a.* 이웃답지 않은, 이웃과 사귀지 않는, 붙임성이 없는.

ùn·nérve *vt.* …의 기력을 잃게 하다, 무기력하게 하다, 낙담시키다(unman). **-nérving·ly** *adv.*

ùn·nóted *a.* 남의 이목을 끌지 않는 ; 보잘것없는, 하찮은.

ùn·nótice·able *a.* 남의 이목을 끌지 않는 ; 중요하지 않은.

ùn·nóticed *a.* 남의 이목을 끌지 않는, 주의[유의]하지 않는 ; 돌보아지지 않는 ; 알아채이지 않는 : The incident passed ~. 그 사건은 무관심속에 지나쳐 버렸다.

ùn·númbered *a.* 셀 수 없는, 무수한(countless) ; 세지 않은 ; (도로·페이지 따위) 번호가 붙지 않은.

UNO, U.N.O., Uno [jú:nou] United Nations Organization(국제 연합 기구).

ùn·objéction·able *a.* 반대할 수 없는, 잔소리할 수 없는, 이의 없는.

ùn·obsérvant *a.* 부주의한 ; (규칙·관례 따위를) 지키지 않는〈*of*〉.

ùn·obsérved *a.* 지켜지지 않는 ; 관찰되지 않은, 주의되지 않은.

ùn·obsérving *a.* 부주의한, 무관심한.

ùn·obtáin·able *a.* 얻기 어려운.

ùn·obtrúsive *a.* 주제넘지 않은 ; 신중한, 겸손한, 삼가는. **~·ly** *adv.* 겸손하게, 신중히. **~·ness** *n.*

ùn·óccupied *a.* **1** (집·대지 따위) 점유되지 않은, 소유자가 없는, 사람이 살지 않는(vacant) : This table is ~. 이 테이블은 비어 있다. **2** (사람이) 할일이 없는, 한가한, 빈들빈들하고 있는 (idle). **3**〖軍〗점령되지 않은.

ùn·offénd·ing *a.* 해[죄]가 없는 ; 남의 마음에 거슬리지 않는.

ùn·offícial *a.* 비공식의, 사적인 ; 비공인의 ; (파업이) 조합 승인을 얻지 않은 ; (약품이) 무허가인.
~·ly *adv.* 비공식으로.

ùn·ópened *a.* 열리지 않은, (아직) 닫힌 채로의, 개봉되지 않은, 봉한 채로의 ; 페이지의 앞 가장자리를 자르지 않은 ; 공개되지 않은.

ùn·oppósed *a.* 반대가 없는, 반대[저항]하는 사람이 없는, 무경쟁의 : He was elected ~. 그는 무경쟁으로 당선했다.

ùn·órganized *a.* **1** 조직되지 않은, 미조직의, 미편성의 ;《美》노동조합에 가입하지 않은. **2**〖生·化〗무기(無機)의. **3** 영역이 명확하지 않은.

ùn·oríginal *a.* 독창적이 아닌, 모방의 ; 본래의 것이 아닌 ; 파생의.
~·ly *adv.* **ùn·originálity** *n.*

ùn·órthodox *a.* 정통이 아닌, 이단의.

ùn·ostentátious *a.* 점잔빼지 않는, 허식이 없는, 허세부리지 않는 ; 겸소한, 수수한. **~·ly** *adv.*

unp. unpaged.

ùn·páck *vt.* **1** (꾸러미·짐을) 풀다, 풀어 속을 꺼내다 : ~ a package 꾸러미를 풀어 속을 꺼내다. **2** (속을) 꾸러미[짐]에서 꺼내다 : She ~*ed* the wedding presents. 그녀는 결혼 선물을 꾸러미에서 꺼냈다. **3**《비유》(마음의) 무거운 짐을 내려놓다, 털어 놓고 이야기하다 ; 해독하다. —— *vi.* 꾸러미[짐]를 풀다.

ùn·páged *a.* 페이지 수가 매겨져 있지 않은.

ùn·páid *a.* **1** (빚·어음 따위) 미불(입)의, 미납의. **2** (사람·직업 따위) 보수를 받지 않는, 무급의 ; 명예직의 ; 무보수의 : the great ~ [복수취급]《英》무급의 치안 판사(justices of peace).

ùn·páid-fòr *attrib. a.* 미불(未拂)의.

ùn·pálatable *a.* **1** 입에 맞지 않는, 맛이 없는 (distasteful). **2** 싫은, 불쾌한.

ùn·páralleled *a.* 견줄 것이 없는, 비길 데 없는, 전대 미문의 ; 미증유의.

ùn·párdon·able *a.* (행동 따위가) 허용되지 않는, 용납[용서]할 수 없는. **-ably** *adv.*

ùn·paréntal *a.* 어버이답지 않은, 어버이로서 부끄러운. **~·ly** *adv.*

ùn·parliaméntary *a.* 의회 안에서 허용되지 않는, 의회의 관례[국회법]에 어긋나는 ; 불근신(不謹愼)한《말》: ~ language 불손한 말, 욕설.

ùn·pátent·ed *a.* 전매 특허를 받지[얻지] 않은.

ùn·patriótic *a.* 애국심이 없는, 비애국적인.
-ical·ly *adv.*

ùn·páved *a.* 포석(鋪石)을 깔지 않은, 포장이 되지 않은.

ùn·pég *vt.* …에서 못[말뚝, 마개]을 뽑다 ; (물가·임금 따위)의 통제를 풀다.

ùn·pén *vt.* 우리[유치장]에서 풀어주다.

ùn·péople *vt.* …에서 주민을 없애다[제거하다·근절하다], 무인지경으로 만들다. —— *n.* 개성을 잃은 사람들.

ùn·péopled *a.* 사람이 살지 않는 ; 무인지경이 된.

ùn·percéived *a.* 발견되지 않은, 남의 눈에 띄지 않은, 들키지 않은.

ùn·perpléxed *a.* 당혹하지 않은 ; 복잡하지 않은, 간단 명료한.

ún·pérson *n.* (정치적·사상적 이유로) 실각한[좌천된] 사람, 과거의 사람. —— *vt.* 좌천시키다, 실각시키다, 정치적으로 매장하다.

ùn·pertúrbed *a.* 흐트러지지 않은, 교란되지[당황하지] 않은, 평온한, 침착한.

ùn·philosóphic, -ical *a.* 철리(哲理)에 반한 ; 철학적인 통찰[식견]이 없는. **-ical·ly** *adv.*

ùn·píck *vt.* …의 솔기를 뜯어서 풀다.

ùn·píerced *a.* 관통되지 않은, 꿰뚫리지 않은.

ùn·píle *vt.* (쌓인 것을) 하나하나 치우다.
—— *vi.* (운집해 있던 사람·산더미처럼 쌓아올린 물건이) 흩어지다, 무너지다.

ùn·pín *vt.* …의 핀을 뽑다, …의 마개를 뽑다 ; 핀을 뽑아 늦추다[끄르다·열다], (문의) 빗장을 벗기다.

ùn·pítied *a.* 동정하는 사람이 없는 ; 동정 받지 못하는.

ùn·pláced *a.* 제자리에 놓이지 않은, 일정한 지위[직장 따위]가 없는 ;〖競馬〗등외의, 3등 안에 들지 못한.

ùn·pláit *vt.* …의 주름을 펴다 ; (땋은 머리 따위를) 풀다.

ùn·pláy·able *a.* play할 수 없는 ; 연주(演奏)할 수

없는 ; (크리켓·테니스 따위에서) 공을 받을 수 없는.

***ùn·pléasant** *a.* 불쾌한, 싫은, 마음에 들지 않는 : an ~ small[noise] 불쾌한 냄새[소리].
~·ly *adv.* 불쾌하게.

ùn·pléasant·ness *n.* **1** Ⓤ 불쾌함. **2** Ⓤ 살풍경, 몰취미, 파홍. **3** Ⓤ 오해, 어색한 관계 ; Ⓒ 불쾌한 일, 소동 ; 불화, 다툼 : the late ~ 《美·戱》 최근의 불쾌한 사건《특히 남북전쟁》/ I had a slight ~ *with* the manager. 지배인과의 사이에 좀 말썽이 있었다.

ùn·pléased *a.* 기뻐하지 않는, 불쾌한, 불만인 : ~ eyes 불만스런 눈초리.

ùn·pléasing *a.* 만족을 주지 않는 ; 불쾌한, 싫은 (disagreeable), 재미없는. **~·ly** *adv.*

ùn·plúg *vt.* …의 마개를 뽑다 ; …에서 장애물을 제거하다 ; 〖電〗 플러그를 뽑다.

ùn·plúmbed *a.* 측연(測鉛)으로 잴 수 없는 ; 헤아릴 수 없는, 깊이를 알 수 없는(unfathomed) ; (집에) 수도[가스]관의 설비가 없는.

ùn·poétic, -ical *a.* 시적이 아닌, 산문적인, 범속한. **-ical·ly** *adv.*

ùn·pólished *a.* 닦지 않은, 광택이 없는 ; 잘 다듬어지지 않은 ; 세련되지 않은, 때를 벗지 못한 ; 무무(貿貿)한 : ~ rice 현미.

ùn·polítical *a.* 건전한 정치 이념에 들어맞지 않는 ; =APOLITICAL ; =NONPOLITICAL.

ùn·pólled *a.* 선거인으로서 등록되지 않은 ; 투표하지 않은 ; (투표가) 아직 기록되지 않은 ; (여론 조사에서) 대상 밖의 ; 잘리지 않은, 베어지지 않은.

ùn·pópular *a.* 인기가 없는, 평판이 나쁜, 유행하지 않는 : He is ~ *with* his associates. 그는 동료들 사이에 평판이 나쁘다. **ùn·populárity** *n.* 평판이 나쁨, 인기가 없음.

ùn·práctical *a.* =IMPRACTICAL ; (사람이) 실제적인 기능이 결여된, 실무적이 아닌.
~·ly *adv.* **~·ness** *n.*

ùn·prácticed, -práctised *a.* 실행되지 않은 ; 미숙한, 서투른, 무경험의.

***ùn·précedent·ed** *a.* 선례[전례]가 없는, 유례없는, 공전의(↔*precedented*) ; 비길 데 없는 ; 새로운, 신기한. **~·ly** *adv.* 전례가 없을 만큼, 미증유로. **~·ness** *n.*

ùn·predíct·able *a.* 예언[예측]할 수 없는.
—— *n.* 예언[예측]할 수 없음. **-ably** *adv.*

ùn·préjudiced *a.* **1** 편견[선입견]이 없는 ; 편파적이 아닌, 공평한. **2** 《古》 (권리 따위) 침해받지 않은.

ùn·prè·méditated *a.* 미리 계획되지 않은 ; 고의가 아닌, 우연한 ; 즉석의, 즉흥의.

ùn·prepáred *a.* **1** 준비가 없는 : an ~ lecture 즉석 강연. **2** [+*to* do] 준비[각오]가 돼 있지 않은 : I was ~ *for* the answer[*to* answer]. 나는 답변할 준비가 돼 있지 않았다 / You caught me ~. 너에게 허를 찔렸어.

ùn·prè·posséss·ing *a.* 호감을 주지 못하는, 무뚝뚝한, 인상 나쁜.

ùn·presént·able *a.* 남 앞에 내놓을 수 없는, 보기 흉한, 보기 싫은 ; 버릇 없는, 꼴사나운 ; 점잖지 못한.

ùn·presúmptuous *a.* 주제넘게 나서지 않는, 겸손한, 거만하지 않은.

ùn·preténd·ing *a.* =UNPRETENTIOUS.
~·ly *adv.*

ùn·preténtious *a.* 젠체하지 않는, 얌전한, 겸손한. **~·ly** *adv.* 얌전하게, 겸손하게. **~·ness** *n.*

ùn·príced *a.* 일정한 값이 없는, 값이 정해지지 않은 ; 가격표가 붙지 않은 ; 값을 매길 수 없는, 귀중한.

ùn·prínce·ly *a.* 황태자답지 않은.

ùn·príncipled *a.* 절조(節操)가 없는, 주의가 없는, 파렴치한, 부(도)덕한(unscrupulous), 부정직한(dishonest).

ùn·prínt·able *a.* (외설 따위로) 인쇄하기에 적합치 않은, 인쇄할 수 없는.

ùn·prívileged *a.* 특권[특전]이 없는(cf. UNDERPRIVILEGED).

ùn·prodúctive *a.* 수확이 없는, 불모의 ; 비생산적인, 수익[이익]이 없는 ; 무효한, 쓸데없는.
~·ly *adv.* 비생산적으로. **~·ness** *n.*

ùn·proféssion·al *a.* **1** 직업적이 아닌, 전문외의 ; 전문가답지 않은 ; 본직(本職)이 아닌, 문외한의(cf. NONPROFESSIONAL). **2** (행위 따위) 직업상의 규칙[습관]에 어긋나는. —— *n.* 비전문가.

ùn·prófit·able *a.* **1** 이익이 없는, 벌이가 안되는. **2** 무익한, 쓸데 없는.

ùn·progréssive *a.* 진보적이 아닌, 후퇴적인 (backward). **~·ly** *adv.* **~·ness** *n.*

ùn·prómising *a.* 가망이 없는, 유망하지 않은, 장래성이 없는 : look ~ 좋아질 것 같지 않다.
~·ly *adv.*

ùn·pronóunce·able *a.* 발음할 수 없는, 발음하기 어려운.

ùn·pronóunced *a.* 발음되지 않는 ; 무음의, 무언(無言)의.

ùn·próp *vt.* …에서 지주(支柱)를[지원을] 없애다.

ùn·propítious *a.* 계제가 좋지 않은, 불길[불운]한. **~·ly** *adv.* **~·ness** *n.*

ùn·propórtion·ate *a.* =DISPROPORTIONATE.

ùn·protéct·ed *a.* **1** 보호(자)가 없는, 지키지 않는. **2** 무방비의, 무장갑(無裝甲)의. **3** (산업 따위) 관세의 보호를 받지 않는.

ùn·províded *a.* **1** 공급[지급]되지 않은〈*with*〉. **2** 준비가 안된, 설비가 없는 : The sisters were left ~ *for*. 뒤에 남은 자매들은 생활의 방도가 없었다.

ùn·provóked *a.* 자극[도발]되지 않은 ; 정당한 이유[까닭] 없는.

ùn·públished *a.* **1** 공개되지 않은, 숨은. **2** 출판되지 않은, 미간행의.

ùn·púnctual *a.* 시간[기일]을 지키지 않는, 규칙 바르지 않은, 차근하지 못한.
~·ly *adv.* **~·ness** *n.* **ùn·punctuálity** *n.*

ùn·púnished *a.* 처벌받지 않은, 벌받지 않은, 형벌을 면한.

ùn·púrged *a.* 깨끗해지지 않은 ; 숙청[추방]되지 않은.

ùn·put·dówn·able *a.* 《口》 (책이) 재미 있어 읽기를 그만둘 수 없는, 몰두하게 하는.

ùn·quáil·ing *a.* 두려워하지 않는, 기가 꺾이지 않는, 불굴의.

ùn·quálified *a.* **1** [+*to* do] 자격이 없는, 무자격의 ; 적임이 아닌, 부적당한 : an ~ nurse 무자격 간호사 / He is ~ *to* teach English. 영어를 가르치기에는 적임이 아니다. **2** 솔직한, 기탄없는 ; 제한되지 않은, 무조건의, 절대적인(absolute) ; 《口》 전적인, 철저한(complete) : ~ praise 무조건[무턱대고] 하는 칭찬 / an ~ liar[fool] 지독한 거짓말쟁이[바보].

ùn·quántifiable *a.* 수량화할 수 없는, 계량할 수 없는.

ùn·quénch·able *a.* 끌 수 없는, 막을 수 없는, 억제할 수 없는.

ùn·quéstion·able *a.* 의심할 여지없는, 논의의 여지가 없는, 확실한 ; 나무랄 데 없는, 말할 나위 없

는. **-ably** *adv.* **~·ness** *n.*

ùn·quéstioned *a.* 문제가 되지 않는, 의심받지 않는 ; 조사받지 않는, 심문받지 않는 ; 의문의 여지가 없는.

ùn·quéstion·ing *a.* 질문을 하지 않는, 절대적인 ; 의심치 않는 ; 망설이지 않는 : ~ obedience 절대적인[무조건의] 복종.

ùn·quíet *a.* 침착하지 못한, 설레는, 불안한 ; 불온(不穩)한 : an ~ mind 설레는 마음 / ~ times 동란 시대. —— *n.* Ⓤ 불안, 동요 ; 불온.

ùn·quótable *a.* 인용할 수 없는 ; 인용할 가치가 없는, 인용에 적당하지 않은.

ùn·quóte *vi.* 인용(문)을 끝내다. ㊟ 전문(電文) 따위에서 quote와 상관적으로 씀 : Mr. Hill said *quote* I will not run for governor ~. 힐씨가「나는 주지사에 입후보하지 않겠다」고 말했다. ——[∸∸] *n.*「인용끝」.

ùn·rável *vt.* **1** (얽힌 실 따위를) 풀다, 끄르다 : The naughty child *~ed* his mother's knitting. 장난꾸러기는 그의 어머니가 짠 편물을 풀어 헤쳤다. **2** (의문 따위) 해명하다, 풀다 ; (이야기 줄거리를) 결말짓다 : ~ a mystery 신비(神祕)를 해명하다. —— *vi.* 풀어지다, 끌러지다.

ùn·réad [-réd] *a.* **1** (책 따위) 읽히지 않는. **2** 많이 읽지 않은, 독서하지 않은 ; 학식이 없는(cf. DEEP-READ, WELL-READ) : an ~ person 학식이 없는 사람.

ùn·réad·able [-rí:d-] *a.* **1** 읽어서 재미가 없는, 지루한 ; 뜻이 불명료한 ; 읽을 가치가 없는, 읽기에 적합치 않은. **2** 판독하기 어려운《이 뜻으로는 ILLEGIBLE이 보통》.

ùn·réady *a.* **1** [+*to* do] 준비가 없는, 준비가 되어 있지 않은 : be ~ *to* start 출발 준비가 되어 있지 않다. **2** 민첩하지 못한, 느린.

***ùn·réal** *a.* 실재하지 않는 ; 상상의, 가공의, 비현실적인 ; 진실성이 없는, 허위의. **~·ly** *adv.*

ùn·reálity *n.* Ⓤ 비현실(성) ; Ⓒ 실재하지 않는 것, 비현실적인 것.

ùn·réalizable *a.* 이해[인식]할 수 없는, 실현할 수 없는 ; 현금으로 바꿀 수 없는.

ùn·réalized *a.* 실현[달성]되지 않은 ; 의식[인식·이해]되지 않은, 알려지지 않은 ; 판매대금으로서 미회수의, 장부상만의《이익》: ~ profit ＝PAPER PROFIT.

ùn·réason *n.* 불합리, 부조리 ; 광기(狂氣), 무질서, 혼란. —— *vt.* …를 미치게 하다.

***ùn·réason·able** *a.* **1** (사람·행동이) 이성적이 아닌, 도리를 분별하지 않는, 무분별한, 사리를 분간 못하는, 상식을 벗어난, 불합리한 : an ~ attitude 부문별한 태도. **2** (값 따위) 부당한, 터무니 없는 : an ~ demand 무리한 요구.
-ably *adv.* 무분별하게 ; 불합리하게 ; 터무니없게. **~·ness** *n.*
類義語 ⟹ IRRATIONAL.

ùn·réasoned *a.* 이성[도리]에 벗어난, 불합리한 (unreasonable).

ùn·réason·ing *a.* 이성이 없는, 생각이 없는, 충동적인 ; 도리를 모르는, 불합리한(irrational) ; 당치않은 : the ~ multitude 사리를 분별하지 못하는 일반 대중 / ~ fear 까닭 모를 공포 / an ~ hatred 당치 않은 증오. **~·ly** *adv.*

ùn·récognizable *a.* 인지[승인]할 수 없는.
-ably *adv.*

ùn·récognized *a.* 인식[승인]되지 않은, 인정받지 못한.

ùn·re·constrúct·ed *a.* 개조[개축]되지 않은 ; 머리를 개조할 수 없는, 낡은 사상의 ; 〖美史〗 (남부 여러 주(州)가 남북전쟁 후) 합중국 재편입을 받아들이지 않는.

ùn·recórd·ed *a.* 등록되어 있지 않은, 기록에 실리지 않은.

ùn·redéemed *a.* 완화되지 않은 ; 회수[상환]되지 않은.

ùn·réel *vt., vi.* 실패에서 풀다[풀리다].

ùn·réeve *vt.* 〖海〗 (밧줄을) 도르래에서 빼내다. —— *vi.* (밧줄이) 도르래에서 빠지다.

ùn·refíned *a.* (말·행동이) 세련되지 않은, 촌스러운 ; (광석 따위) 정제[정련]되지 않은.

ùn·refléct·ed *a.* 깊이 생각하지 않은〈*on*〉; (빛·입자 따위가) 반사되지 않은, 직접 보이는.

ùn·refléct·ing *a.* **1** 빛을 반사하지 않는. **2** 반성하지 않는, 생각이 얕은, 무분별한(thoughtless).
~·ly *adv.*

ùn·refléctive *a.* (행동 따위가) 지각없는, 사려깊지 못한, 무분별한.

ùn·refórmed *a.* 개혁[개정]되지 않는, (죄인 등이) 교정(矯正)되지 않는 ; 종교개혁의 영향을 받지 않는.

ùn·regárd·ed *a.* 주의되지 않는, 돌보아지지 않는, 무시된.

ùn·regénerate, **-regénerated** *a., n.* (정신적으로) 갱생하지 않은 (사람), 죄 많은 (사람), 신에게서 버림받은 (사람).

ùn·régistered *a.* 등록[등기]되지 않은 ; 등기 우편이 아닌 ; (가축 따위의) 혈통 증명이 없는.

ùn·reláted *a.* 친족[혈연]이 아닌 ; 관계 없는 ; 말할 수 없는.

ùn·reláxed *a.* 늦춰지지 않은, 긴장한.

ùn·relént·ing *a.* 가차[용서] 없는, 엄한 ; 무자비한, 잔혹한 ; (속도·노력 따위) 꾸준한.
~·ly *adv.* 용서 없이 ; 냉혹하게.

ùn·relíable *a.* 의지할 수 없는, 믿을 수 없는, 신뢰할 수 없는.
-ably *adv.* **~·ness** *n.* **ùn·reliabílity** *n.*

ùn·relíeved *a.* **1** 누그러지지 않은 ; 구제되지 않은. **2** 변화가 없는, 단조로운 : a plain ~ *by* the smallest hillock 작은 언덕 하나 없는 평야.

ùn·relígious *a.* 종교와 관계가 없는, 비종교적인 (nonreligious) ; 《文語》 신앙심이 없는(irreligious).

ùn·remémbered *a.* 기억되지 않은, 생각나지 않은, 잊혀진.

ùn·remítted *a.* 사면[경감]되지 않은《죄·부채》; 부단한, 꾸준한.

ùn·remítting *a.* 간단없는, 끊임없는, 끈기있는, 끈질긴, 노력을 그치지 않는.
~·ly *adv.* 끊임없이 ; 끈질기게.

ùn·remúnerative *a.* 보수[이익]가 없는, 벌이가 안 되는, 수지가 안 맞는.

ùn·repáir *n.* Ⓤ 파손[미수리] 상태, 황폐.

ùn·repéaled *a.* 폐지되지 않은, 여전히 유효한.

ùn·repént·ant *a.* 뉘우치지 않는, 회개하지 않는 ; 완고한, 고집센.

ùn·repíning *a.* 불평을 하지 않는.

ùn·replénished *a.* 보충[보전]되지 않은.

ùn·represséd *a.* 억압[억제]되지 않은.

ùn·repríeved *a.* 집행이 유예되지 않은.

ùn·repróved *a.* 비난을 받지 않은, 꾸짖을 수 없는, 비난할 데가 없는.

ùn·requíted *a.* **1** 보답받지 못하는 ; 보복당하지 않는 : ~ love 짝사랑. **2** 보수를 받지 않는 : ~ labor 무보수 노동.

ùn·résérve *n.* 거리낌[기탄] 없음, 솔직.

ùn·resérved *a.* **1** 스스럼없는, 기탄없는, 솔직

한. **2** 자제하지 않는, 거리낌 없는. **3** 제한이 없는, 무조건의, 충분한, 전적인. **4** 보류하지 않은 ; 예약하지 않은. **ùn·re·sérv·ed·ly** [-ədli] *adv.* 기탄[거리낌]없이.

ùn·resólved *a.* 결말이 지어지지 않은, 미해결의 ; 결심이 서지 않은, 의견이 정해지지 않은 ; (음이) 해조(諧調)로 바뀌지 않은, 불협화인 채로의 ; 성분으로 분해되지 않는.

ùn·respónsive *a.* 반응이 느린, 둔감한 ; 동정심이 없는.

ùn·rést *n.* **1** Ⓤ (특히 사회적인) 불안, 불온(상태) : social ~ 사회 불안. **2** Ⓤ (마음의) 불안, 근심.

ùn·restráined *a.* 억제되지 않은, 제어되지 않은 ; 제멋대로의, 거리낌 없는. **ùn·restráin·ed·ly** [-ədli] *adv.*

ùn·restráint *n.* Ⓤ 무구속(無拘束), 무제한, 방종, 자제하지 않음.

ùn·restríct·ed *a.* 제한[구속] 없는, 자유로운.

ùn·reténtive *a.* 보존력[기억력]이 좋지 않은.

ùn·retráct·ed *a.* 움츠러지지 않은, 수축되지 않은 ; 취소[철회]되지 않은.

ùn·revóked *a.* 취소[폐지]되지 않은.

ùn·rewárd·ed *a.* 보답받지 못하는, 무보수의.

ùn·ríddle *vt.* …의 수수께끼를 풀다 ; 판단하다, 풀다, 해명하다.

ùn·ríg *vt.* 〖海〗 (배에서) 삭구(索具)를 떼어내다 ; …의 장비를 풀다 ; 《英方》 …에게 옷을 벗도록 하다, 벌거벗기다.

ùn·ríghteous *a.* **1** 공정치 않은, 부당한(unjust). **2** (도덕적으로) 부정한, 죄많은. —— *n.* [집합적으로 ; the ~] 악인들. **~·ly** *adv.* **~·ness** *n.* Ⓤ 부정, 불의 ; 사악.

ùn·ríp *vt.* 절개하다, 잘라버리다, 쪼개다, 가르다 ; 《稀》 폭로[발표]하다, 밝히다.

ùn·rípe *a.* 익지 않은, 미숙한, 날것의 ; 시기 상조의. **~·ly** *adv.* **~·ness** *n.*

ùn·ríval(l)ed *a.* 경쟁자[상대]가 없는, 무적의, 비할 데 없는.

ùn·róbe *vt.* …의 옷[관복]을 벗기다. —— *vi.* 옷을 벗다.

ùn·róll *vt.* (말린 것을) 풀다, 열다, 펴다 ; 전개하다, (펼쳐서) 보이다 : ~ a map (말린) 지도를 펴다 / The novel ~*s* the woman's history. 그 소설은 그녀의 내력을 밝히고 있다. —— *vi.* (시야·풍경 따위가) 전개되다, 펼쳐지다 ; (말린 것이) 풀리다, 펴지다, 열리다(unfold) : The landscape ~*ed* under the speeding plane. 경치가 날아가는 비행기 밑에 펼쳐졌다.

ùn·róof *vt.* …의 지붕을 벗기다.

ùn·róot *vt.* …의 뿌리를 뽑다, 뿌리째 뽑다, 근절하다. —— *vi.* 뿌리째 뽑아지다.

ùn·róund *vt.* 〖音聲〗 입술을 둥글게 하지 않고 발음하다. —— *a.* =UNROUNDED.

ùn·róund·ed *a.* 〖音聲〗 입술을 둥글게 하지 않고 발음한.

UNRRA, U.N.R.R.A., Unr·ra [ʌ́nrə, -rɑː] United Nations Relief and Rehabilitation Administration (국제 연합 구제 부흥 기구).

ùn·rúffled *a.* (마음·수면이) 어지럽지 않은, 혼란하지 않은 ; 조용한, 평온한, 냉정한.

ùn·rúled *a.* 지배를 안받는 ; 괘선을 치지 않은.

ùn·rúly *a.* 제어하기 어려운, 제멋대로의, 무법의, 다루기 어려운 ; 광포한 : an ~ boy 개구쟁이. **ùn·rúliness** *n.*

UNRWA [ʌ́nrə, -rɑː] United Nations Relief and Works Agency (국제연합 구제사업국).

ùn·sáddle *vt.* (말 따위의) 안장을 벗기다 ; (사람을) 낙마시키다. —— *vi.* 말 안장을 내리다.

ùn·sáfe *a.* 위험한, 불안한, 뒤숭숭한 ; 믿을 수 없는. **~·ly** *adv.* **~·ness** *n.*

ùn·sáid *v.* UNSAY의 과거·과거분사. —— *a.* 말하지 않는 : Better leave it ~. 말하지 않는 편이 좋다.

ùn·sálable *a.* 팔 것이 아닌, 비매품인 ; 팔리지 않는, 팔림새가 나쁜.

ùn·sánitary *a.* 비위생적인, 건강에 좋지 않은 ; 건강하지 않은.

ùn·sátiable *a.* =INSATIABLE.

ùn·sátiated *a.* 만족스럽지 못한, 성에 차지 않은.

***ùn·satisfáctory** *a.* 불만족한, 마음에 차지 않는, 불충분한. **ùn·satisfáctorily** *adv.*

ùn·sátisfied *a.* 만족하지[하고 있지] 않은, 성에 차지 않은, 납득하지[하고 있지] 않은〈*with*〉.

ùn·sátisfy·ing *a.* 만족을 주지 않는, 불충분한, 흡족하지 못한 ; 납득이 안되는.

ùn·sáturated *a.* 충분히 용해되지 않은 ; 〖化〗 포화(飽和)되지 않은.

ùn·sáved *a.* 구제할 수 없는.

ùn·sávory *a.* **1** 좋지 않은 맛[냄새]이 나는, 맛 없는 ; 불쾌한, 싫은. **2** (도덕적으로) 불미스러운 : an ~ reputation 불미스러운 평판.

ùn·sáy *vt.* (했던 말을) 취소하다, 철회하다.

UNSC [, ʌ́nsk] United Nations Security Council (국제연합 안전보장 이사회).

ùn·scálable *a.* (기어) 올라갈 수 없는.

ùn·scále *vt.* …에서 비늘을[물때를] 벗기다[벗겨내다].

ùn·scáled *a.* 비늘[물때]이 벗겨지지 않은 ; (산 따위) 올라본 일이 없는, 처녀봉의.

ùn·scáred *a.* 위협당하지 않는, 두려워하지 않는.

ùn·scáthed *a.* 상처 없는, 다치지 않은 ; (마음 따위) 상처를 입지 않은.

ùn·schólar·ly *a.* 학문[학식]이 없는, 학자답지 않은, 학문적이 아닌.

ùn·schóoled *a.* 학교 교육을 받지 않은, 무교육의 ; 경험이 없는〈*in*〉.

ùn·scientífic *a.* 비과학적인, 비학술적인 : an ~ method 비과학적인 방법. **-ical·ly** *adv.*

ùn·scóured *a.* 문질러 닦이지 않은 ; 씻겨 흘러내리지 않은.

ùn·scrámble *vt.* (혼합체를) 원래 요소로 분해하다, (흐트러진 것을) 제대로 해놓다, 정돈하다 ; (암호를) 해독하다.

ùn·scréw *vt.* **1** …의 나사를 빼다, 나사를 늦추어 풀다 : ~ a lid 뚜껑을 비틀어 열다. **2** (나사처럼) 돌려빼다[풀다]. —— *vi.* 나사가 빠지다[풀리다], 나사로 뽑다.

ùn·scrípt·ed *a.* (방송대사가) 대본에 없는, 즉흥적인(extemporary).

ùn·scrúpulous *a.* 예사로 나쁜 짓을 하는, 부덕한, 비양심적인, 파렴치한, 무절제한 ; 조심성없는, 못된 : *U*~ boy as he was, Bill cheated in the examination. 파렴치하게도 빌은 시험에서 부정행위를 저질렀다. **~·ly** *adv.* 조심성 없이, 무법하게 ; 예사로. **~·ness** *n.*

ùn·séal *vt.* **1** …의 봉한 것을 뜯다, (봉인한 것을) 열다, 개봉하다. **2** 《비유》 (입 따위) 열게 하다, 드러내게 하다.

ùn·séaled *a.* **1** 봉인하지 않은, 봉하지 않은. **2** 개봉의, 개봉된.

ùn·séam *vt.* …의 솔기를 풀다, 풀다, 잡아 찢다.

ùn·séarch·able *a.* 찾아 낼 수 없는 ; 헤아릴 수 없는, 신비적인, 이상한(mysterious). **-ably** *adv.*

ùn·séason·able *a.* **1** 철[계절]에 안맞는, 불순(不順)한. **2** 때를 얻지 못한, 계제가 나쁜 ; 때와 장소를 가리지 않는 : ~ advice 때에 안맞는 충고. **-ably** *adv.*

ùn·séasoned *a.* **1** 맛을 맞추지 않은, 양념을 넣지 않은. **2** (목재 따위) 건조하지 않은 : ~ wood 생목(生木). **3** (날씨 · 일 따위) 익숙하지 않은, 무경험의, 미숙한⟨*to*⟩.

ùn·séat *vt.* **1** 낙마시키다. **2** …의 지위[직책]를 빼앗다, 퇴직시키다 : He was ~*ed* for bribery. 그는 수회로 면직당했다. **3** (의원의) 의석을 박탈하다 : He was ~*ed* at the general election. 그는 총선거에서 낙선했다.

ùn·séated *a.* 좌석(의 설비)가 없는 ; 의석이 없는 ; 낙마한.

ùn·séa·wòrthy *a.* (배 따위가) 항해에 적합하지 않은, 항해에 견디지 못하는, 내항력(耐航力)이 없는. **-wòrthiness** *n.*

ùn·sécond·ed *a.* 시중드는 사람이 없는, 지지를 받지 못한.

ùn·secúred *a.* **1** 안전하지 않은, 담보물이 없는 : ~ loan 무담보 대출. **2** (문 따위가) 잘[꼭] 닫히지 않은.

ùn·sée·ing *a.* 똑똑히[정신차려서] 보지 않는 (unobservant) ; 수상히 여기지 않는 ; 장님인.

ùn·séem·ly *a.* 보기 흉한, 꼴사나운, 부적당한. —— *adv.* 보기 흉하게, 꼴사납게, 부적당하게. **-liness** *n.* Ⓤ 보기 흉함, 부적당.

類義語 ⟹ IMPROPER.

ùn·séen *a.* **1** 아직 본 적이 없는 ; 알려지지 않은, 미지의, 알지 못하는. **2** (눈에) 보이지 않는. **3** (번역 따위) 즉석의 : an ~ translation 즉석 번역 / an ~ passage 즉석 번역 문제.
—— *n.* **1** [the ~] 보이지 않는 것 ; 영계(靈界). **2**《英》즉석 번역 문제.

ùn·ségregat·ed *a.* (흑인이) 차별대우를 안 받는 ; 인종차별이 없는.

ùn·sélf·ish *a.* 이기적이 아닌, 몰아적(沒我的)인, 이타적인, 관대한. **~·ly** *adv.* **~·ness** *n.* Ⓤ 무아(無我).

ùn·séll *vt.* (…의) 진실성[가치]을 믿지 않도록 설득하다, 찬동하지 말도록 권하다.

ùn·sérvice·able *a.* 쓸모없는, 실용이 안 되는, 무익한, 무용의.

ùn·séttle *vt.* 흩뜨리다 ; …의 마음을 어지럽히다, …의 침착성을 잃게 하다, 불안하게 하다 : The heavy food ~*d* his stomach. 소화가 잘 안되는 음식으로 그의 위장상태가 나빠졌다 / The strike might ~ this year's economy. 파업으로 올해의 경제가 혼란해 질지도 모른다 / The cold war has ~*d* the minds of men. 냉전은 사람들의 마음을 불안하게 만들었다. —— *vi.* 흔들리다 ; 어지러워지다 ; 침착성을 잃다. **-séttling** *a.*

ùn·séttled *a.* **1** (날씨 따위가) 고르지 않은 (changeable), 변하기 쉬운 ; (상태 따위) 불안정한, 동요하는 : an ~ state of mind 마음이 불안정한 상태. **2** 결정되지 않은 ; 미해결의 ; 미결제의 : The problem was still ~. 그 문제는 아직 미결상태였다. **3** (토지 따위가) 할당되지 않은 ; 정착 주민이 없는 : ~ land 주민 없는 토지.

ùn·séw *vt.* …의 실밥을 뽑다 ; 풀다.

ùn·séx *vt.* (남녀의) 성의 특질을 없애다, (특히) …의 여자다움을 없애다, 남성화하다.

ùn·séxed *a.* (병아리가) 암수 선별이 안된 ; 성적 불능이 된.

ùn·sháckle *vt.* …의 족쇄[속박]를 풀다 ; 자유의 몸이 되게 하다, 자유롭게 하다.

ùn·sháckled *a.* 속박을 받지 않는, 자유로운.

ùn·shákable *a.* (신념 따위) 흔들림이 없는, 굳은, 확립된.

ùn·sháken *a.* (결심 따위) 흔들리지 않는, 부동의 ; 움직이지 않는, (마음 따위) 확고한.

ùn·sháped *a.* 형태가 이루어지지 않은, 완성되지 않은 ; 기형의.

ùn·shápe·ly *a.* 못생긴, 추한.

ùn·shápen *a.* = UNSHAPED.

ùn·sháved *a.* 면도하지 않은, 깎이지 않은.

ùn·shéathe *vt.* (칼 따위) 칼집에서 빼다.
unsheathe the sword 칼을 뽑다 ;《비유》선전(宣戰)하다, 개전하다.

ùn·shéll *vt.* (…의) 껍데기를 벗기다[떼다].

ùn·shéltered *a.* 덮여 있지 않은, 노출된 ; 보호되지 않은.

ùn·shíp *vt.* **1** (뱃짐 따위) 부리다, 양륙하다 ; (선객을) 하선시키다(unload). **2** 〖海〗(노 · 키 따위를) 떼어내다. —— *vi.* **1** 뱃짐이 부려지다 ; 하선하다. **2** 떼어지다.

ùn·shírkable *a.* 피할 수 없는.

ùn·shírt·ed *a.*《口》[흔히 ~ hell 꼴로] 꾸미지 않는, 노골적인 : give a person ~ *hell* 남을 호통치다 / raise ~ *hell* 격노하다, 큰 소동을 일으키다.

ùn·shód *a.* 신을 신지 않은, 맨발의 ; (말이) 편자를 박지 않은.

ùn·shórn *a.* (머리 · 수염 따위가) 가위로 다듬어지지 않은 ; (논밭이) 수확하지 않은 ; 줄지 않은.

ùn·shrínk·ing *a.* 꽁무니 빼지 않는, 꿈쩍도 하지 않는, 단호한. **~·ly** *adv.*

ùn·síght *vt.* …의 눈에 보이지 않게 하다. —— *a.* 보지 않은, 조사하지 않은. [다음 숙어만 씀]
unsight, unseen《口》(매매 · 교환 따위에서) 현물을 보지도[검사하지도] 않고 : He bought a car ~, *unseen.* 그는 차를 검사하지도[보지도] 않고 샀다.

ùn·síght·ed *a.* 보이지 않는, 시야(視野)가 가로막힌 ; (총이) 가늠자가 없는, 가늠자 없이 겨눈 ; 〖野〗(심판이) 안 보이는 위치에 있는.

ùn·síght·ly *a.* 보기흉한, 꼴사나운, 추한, 눈에 거슬리는 : ~ advertisements 눈에 거슬리는 광고.

ùn·skílled *a.* 숙달되지 않은 ; 미숙한 ; (전문적) 숙련을 요하지 않는 : ~ labor 미숙련 노동 ; [집합적으로] 미숙련 노동자.

ùn·skíll·ful, ùn·skílful *a.* 서투른, 졸렬한 ; 익숙지 못한, 솜씨 없는(clumsy).
~·ly *adv.* **~·ness** *n.*

ùn·sláked *a.* **1** (갈증 따위) 풀리지 않은. **2** (석회가) 소화(消和)되지 않은.

ùn·slíng *vt.* (어깨에 멘 총 따위를) (풀어) 내리다 ; 〖海〗(활대 · 짐 따위의) 매단 밧줄을 풀다, 매단 밧줄에서 내리다.

ùn·smóked *a.* 훈제가 아닌, 불에 그슬리지 않은 ; (담배 따위) 피우지 않는.

ùn·snáp *vt.* …의 스냅을 끌러 벗다 ; 끄르다, 열다.

ùn·snárl *vt.* (엉킨 것을) 풀다, 끄르다(disentangle).

ùn·sociabílity *n.* Ⓤ 교제하기 싫어함[서투름], 붙임성 없기 ; Ⓒ 붙임성 없는 행동[성격].

ùn·sóciable *a.* 교제하기 싫어하는, 비사교적인, 붙임성 없는 ; 내성적인. **-bly** *adv.*

ùn·sócial *a.* **1** = UNSOCIABLE. **2** 비사회적인 ; 반사회적인(antisocial). **~·ly** *adv.*

unsócial hours *n. pl.*《英》(사교에 지장이 있는) 정상 근무시간 외의 노동시간 : work ~ 시간외 근무를 하다.

ùn·sóiled *a.* 더럽혀지지 않은, 청결한.

ùn·sóld *a.* 팔리지 않은, 팔다 남은.

ùn·sólder *vt.* …의 납땜을 벗기다, (납땜으로 붙인 것을) 떼다 ; 《비유》 분리하다.

ùn·solícit·ed *a.* 탄원[간청]하지 않은, 청하지 않은〈*for*〉; 청혼받지 않은 ; 부탁받지 않은, 자발적인 ; 쓸데없는, 불필요한.

ùn·sólved *a.* 해결되지 않은, 미해결의.

ùn·sophísticated *a.* **1** 세파에 젖지 않은, 천진한, 순진한(innocent) ; 단순[소박]한(simple). **2** 섞은 것이 없는, 순수한, 진짜의.
~·ly *adv.* **~·ness** *n.*
類義語 ⟹ NAIVE.

ùn·sóught *a.* 찾지[구하지] 않는, 원하지[부탁하지] 않는.

ùn·sóund *a.* **1** (심신이) 건전하지 않은, 건강치 못한 : a person of ~ mind 정신 이상자. **2** (과일·건물 따위) 상한, 썩은 ; 낡은, 흔들흔들하는. **3** (학설 따위) (근거가) 박약한, 불합리한, 불확실한 : ~ arguments 불합리한 논쟁. **4** 견실하지 않은, 불안정한 ; 신용할 수 없는 : an ~ business scheme 견실치 못한 사업계획. **5** (잠이) 선.

ùn·spáring *a.* **1** 인색하지 않은, 통이 큰(liberal), 아끼지 않는 : He was ~ *of* praise[*in* his offers of help]. 그는 칭찬을 아끼지 않았다[아낌없는 원조를 제안했다]. **2** 용서 없는, 엄한(severe) : an ~ critic 용서 없는 비평가.
give with unsparing hand 아낌없이 주다.
~·ly *adv.* **~·ness** *n.*

ùn·spéak *vt.* 《廢》 =UNSAY.

ùn·spéak·able *a.* **1** 말로 나타낼 수 없는, 말로 다할 수 없는 : ~ joy 형언할 수 없는 기쁨. **2** 입에 담기 싫은[무서운], 말도 안되는, 매우 나쁜 : ~ misery[torments] 형언할 수 없는 불행[고통]. **-ably** *adv.* 말할 수 없이. **~·ness** *n.*

ùn·spécified *a.* 특별히 지시하지 않은, 명시하지 않은, 불특정의.

ùn·spectácular *a.* 돋보이지 않는, 진부한, 평범한, 호화판이 아닌, 현란하지 않은.

ùn·spéll *vt.* …의 주문(呪文)[마력]을 풀다.

ùn·spént *a.* 소비[소모]되지 않은.

ùn·sphére *vt.* (행성 따위를) 궤도에서 벗어나게 하다 ; 범위에서 제외하다.

ùn·spíritual *a.* 정신적이 아닌, 현세적인, 물질적인. **~·ly** *adv.* **~·ness** *n.*

ùn·spóken *v.* UNSPEAK의 과거분사. —— *a.* 입 밖에 내지 않은, 무언의, 언외의.

ùn·spórtsman·lìke *a.* 운동가[사냥꾼]답지 않은, 운동정신에 반(反)한 ; 불공평한, 엉큼한.

ùn·spótted *a.* 반점(斑點)이 없는 ; (죄에) 물들지 않은, 결백한, 흠 없는.

ùn·stáble *a.* **1** 불안정한, 앉음새가 나쁜 ; 동요하는, 변하기 쉬운. **2** 마음이 변하기 쉬운, 침착성이 없는, (정서가) 불안정한(shaky). **3** 〖化〗 (화합물이) 분해하기 쉬운, 불안정한.
-bly *adv.* **~·ness** *n.*

unstáble equilíbrium *n.* 〖理〗 불안정 평형.

unstáble oscillátion *n.* 〖空〗 불안정 진동.

ùn·stáined *a.* 더러움[얼룩]이 없는 ; 오점[결점]이 없는.

ùn·stéady *a.* **1** 불안정한, 흔들거리는 : an ~ table 흔들거리는 식탁 / be ~ on one's feet 발이 휘청거리다. **2** 변하기 쉬운, 확고하지 못한 ; 소행[몸가짐]이 나쁜 : be ~ *of* purpose 목적이 확고하지 않다. —— *vt.* …을 불안정하게 하다.
-stéadily *adv.* **-stéadiness** *n.*

ùn·stéel *vt.* …의 무장을 해제하다, (마음을) 누그러뜨리다.

ùn·stép *vt.* 〖海〗 (돛대를) 장좌(檣座)(step)에서 떼내다.

ùn·stíck *vt.* (붙은 것을) 잡아 떼다.

ùn·stínt·ed *a.* 아낌없이 주는, 인색하지 않은 ; 아끼지 않는.

ùn·stínt·ing *a.* 무제한으로 주어진, 무조건의.
~·ly *adv.*

ùn·stítch *vt.* (꿰맨 것을) 뜯다, (옷 따위의) 솔기를 뜯다.

ùn·stóp *vt.* …의 마개를 뽑다, …의 뚜껑을 열다 ; …에서 장애(물)을 없애다 ; (오르간의) 스톱을 열다 : ~ a drain 수채에 막힌 것을 없애다.

ùn·stóppable *a.* 멈출[막을] 수 없는, 제지[억지]할 수 없는.

ùn·stráined *a.* **1** 거르지 않은, 걸러내지 않은. **2** 긴장하지 않은 ; 무리없는, 자연스러운.

ùn·stráp *vt.* …의 가죽끈을 끄르다[풀다].

ùn·strátified *a.* 층을 이루지 않은, 〖地質〗 무성층(無成層)의.

ùn·stréssed *a.* **1** 강조되지 않은. **2** 〖音聲〗 강세[악센트]가 없는(unaccented).

ùn·stríkable *a.* 파업 대상이 안되는.

ùn·stríng *vt.* **1** (현악기·활 따위의) 현을 풀다[늦추다]. **2** [보통 *p.p.*로] (신경을) 약하게 하다 ; (남을) 심히 신경질적으로 만들다, …의 자제력을 잃게하다, 혼란시키다 : with his nerves much *unstrung* by the news 그 소식으로 심히 자제력을 잃고[아주 혼란해져서]. **3** 실에서 뽑아 내다 : ~ the beads 구슬을 실에서 뽑아 내다.

ùn·strúctured *a.* (사회가) 체계적으로 조직되지 않은 ; (사람이) 사회적 기능 체계에 속하지 않는 ; 통일되지 않은, 애매한 ; 정식 자격을 그리 필요로 하지 않는.

ùn·strúng *v.* UNSTRING의 과거·과거분사.
—— *a.* **1** (활·현악기 따위) 현이 늦춰진[풀어진]. **2** (신경이) 약해진, 자제력을 잃은, (사람이) 침착성을 잃은, 해이해진.

ùn·stúck *a.* (접착이) 떨어진, 풀린 ; 혼란된, 무질서[지리멸렬]한 상태가 된.
come unstuck (봉투의 붙인 곳 따위가) 떨어지다 ; 《俗》 (사람·계획 따위가) 실수하다, 실패하다 ; 망쳐지다.

ùn·stúdied *a.* **1** 자연히 터득한, 저절로 알게 된. **2** 일부러가 아닌, 꾸밈없는, 자연스러운, 무리 없는(natural).

ùn·subdúed *a.* 진압[정복]되지 않은 ; 억누를 수 없는.

ùn·substántial *a.* **1** 실체[실질]가 없는, (음식물 따위) 허울만 좋은, 모양[이름]뿐인, 가벼운, 실하지 않은. **2** 비현실적인(unreal), 공상적인, 꿈 같은. **~·ly** *adv.*

ùn·substántiated *a.* 입증되지 않은, 근거 없는.

ùn·succéss·ful *a.* 성공하지 못하고 끝난 ; 실패한 ; 잘 안된, 불운의 : The attack was ~. 공격은 실패로 끝났다 / He was ~ *in* the exam. 그는 시험에 합격하지 못했다.

ùn·succéss·ful·ly *adv.* 성공하지 못하고, 실패하여, 불운하게(도).

ún·sùit *n.* 일광욕용 원피스.

ùn·sùit·abílity *n.* Ⓤ 부적당, 어울리지 않음, 부적임(不適任).

ùn·súit·able *a.* 적응[적합]하지 않는, 부적당[부적임]한, 어울리지 않는. **-ably** *adv.* **~·ness** *n.*

ùn·súit·ed *a.* 적당치 않은, 부적당한〈*for, to*〉; 어울리지 않는, 상충되는.

ùn·súllied *a.* 더럽혀지지 않은, 오점이 없는(untarnished).

ùn·súng *a.* 노래로 불리지 않는, 시가(詩歌)로 읊어지지 않은; 시가로 찬양되지 않은, 찬양되지 않은: The hero died ~. 그 영웅은 찬양받지도 못하고 죽었다.

ùn·súnned *a.* 햇빛이 비치지 않는; 일반에게 공개되지 않는.

ùn·suppórt·able *a.* 지탱[지지, 옹호]할 수 없는; 견딜 수 없는〈*to*〉, 참을 수 없는.

ùn·suppórt·ed *a.* 받치지 않은, 지지를 못받는.

ùn·súre *a.* 확신이 없는, 불확실한; 불안정한; 신용할 수 없는. **~·ly** *adv.*

ùn·surpássed *a.* 이겨낼 사람이 없는, 능가할 자가 없는, 매우 뛰어난, 비할 데 없는.

ùn·suscéptible *a.* 민감하지 못한, 불감성의, (…에) 물들지 않는.

ùn·suspéct·ed *a.* 의심받지 않는, 수상히 여기지 않는; 생각지도 않은, 뜻밖의.
~·ly *adv.* 의심받지 않고; 생각지도 않게.

ùn·suspéct·ing *a.* 의심하지 않는, 수상히 여기지 않는, 신용하는. **~·ly** *adv.*

ùn·suspícious *a.* **1** 의심스럽지[수상하지] 않은. **2** 의심하지 않는, 수상히 여기지 않는. **~·ly** *adv.* **~·ness** *n.*

ùn·swáthe *vt.* …에서 감은 천[붕대]을 벗기다.

ùn·swéar *vt.* 《古》 (맹세한 것)을 취소하다[어기다]. —— *vi.* 맹세를 철회하다.

ùn·swéetened *a.* 단맛이 없는, 달지 않은; (가락 따위) 아름답게 다듬지 않은.

ùn·swépt *a.* 털지 않은, 쓸지 않은; 일소[소탕]되지 않은.

ùn·swérving *a.* **1** 어긋나지 않는, 빗나가지 않는, 헤매지 않는. **2** 확고한, 변하지 않는, 부동의.

ùn·syllábic *a.* 음절을 이루지 않는.

ùn·symmétrical *a.* 비대칭적인; 균형이 잡히지 않은. **~·ly** *adv.*

ùn·sympathétic *a.* 동정이 없는, 무정한; 성미가 맞지 않는. **-ical·ly** *adv.*

ùn·systemátic, -ical *a.* 조직적이 아닌, 비체계적인, 비조직적인, 비계통적인.
-ical·ly *adv.*

UNTAC United Nations Transitional Authority in Cambodia(유엔 캄보디아 과도 행정기구).

ùn·táck *vt.* …의 TACK 을 뽑다.

ùn·táint·ed *a.* 더러워지지 않은, 오점이 없는.

ùn·támed *a.* **1** 길들지 않은, 야성의, 거친. **2** 억제[진정]할 수 없는, 억제되지 않은.

ùn·tángle *vt.* (얽힌 것을) 풀다, 끄르다(disentangle); (분규 따위) 해결하다.

ùn·tánned *a.* (짐승의 가죽이) 무두질되지 않은; (피부가) 볕에 타지 않은.

ùn·tápped *a.* (통의) 뚜껑이 열려 있지 않은; (자원 따위) 이용되지 않은, 미개발의.

ùn·tárnished *a.* 변색되지 않은, 흐린 데가 없는; 흠이 없는, 더럽혀지지 않은.

ùn·táught *a.* **1** 가르치지 않은, 무교육의, 무식한, 무지의(uneducated). **2** 배우지 않고 (자연히) 알게 된.

ùn·táxed *a.* 비과세의; 부담이 없는.

UNTC United Nations Trusteeship Council (국제 연합 신탁 통치 이사회).

ùn·téach *vt.* (배운 것)을 잊게 하다; (이미 배운 것)의 반대를 가르치다, …의 기만성을 알려주다.

ùn·téach·able *a.* 가르치기 어려운, 말을 듣지 않는. **~·ness** *n.*

ùn·témpered *a.* **1** (금속이) 단련되지[불리지] 않은. **2** 조절되지 않은, 누그러지지 않은.

ùn·ténable *a.* (지위·주장 따위) 지킬 수 없는, 지지할 수 없는, 주장할 수 없는; 보유[점거, 사용]할 수 없는. **-ably** *adv.*

ùn·ténant·able *a.* (토지·집이) 세놓기[세내기]에 적합지 않은; 살 수 없는, 살만하지 못한.

ùn·ténant·ed *a.* (토지·가옥이) 임대되지 않은, 사람이 안 사는, 비어 있는.

ùn·ténd·ed *a.* 간호[시중]받지 않는.

ùn·tént·ed *a.* 탐사되지 않은; 치료하지 않은.

Un·ter·mensch [*G* úntərmɛnʃ] *n.* (*pl.* **-menschen** [*G* -ʃən]) 인간 이하의 것, 인간 취급을 못받는 사람, 열등 인간.

ùn·thánk·ful *a.* **1** 감사하지 않는, 고마워하지 않는(ungrateful)〈*to* a person, *for* a thing〉. **2** 달갑지 않은, 고맙지 않은, 감사받지 못하는(thankless): an ~ task 달갑지 않은 일.
~·ly *adv.* **~·ness** *n.*

ùn·thátch *vt.* (지붕의) 이엉을 벗기다.

ùn·thínk *vi.* 생각을 걷어치우[바꾸]다; 고쳐 생각하다. —— *vt.* 더 생각지 않다; …에 대한 생각을 바꾸다, 고쳐 생각하다.

ùn·thínk·able *a.* 상상도 할 수 없는, 생각조차 할 수 없는; 전연 생각할 수 없는, 도저히 있을 법하지 않은. —— *n.* [보통 ~s] 상상[생각]할 수 없는 것.

ùn·thínk·ing *a.* 생각[분별]이 없는; 경솔한; 사고력이 없는: in an ~ moment 생각없이 멍하고 (있을 때에). **~·ly** *adv.*

unthought *v.* UNTHINK의 과거·과거분사.

ùn·thóught·ful *a.* 생각이 깊지 못한, 부주의한. **~·ness** *n.*

ùn·thóught(-òf) *a.* 생각해 본 적이 없는; 뜻밖의, 예기치 않은.

ùn·thréad *vt.* **1** …의 실을 빼다[뽑다]: ~ the needle 바늘의 실을 뽑다. **2** (미로(迷路) 따위를) 빠져 나오다, 벗어나다; (수수께끼 따위를) 풀다, 해결하다: ~ the maze 미로를 빠져 나오다.

ùn·thríft *n.* Ⓤ 비경제, 낭비; Ⓒ 낭비가, 난봉꾼.

ùn·thrífty *a.* 비경제적인; 헤프게 쓰는, 낭비하는.

ùn·thróne *vt.* 왕좌(王座)에서 물러나게 하다(dethrone); 폐하다, 제거하다. **~·ment** *n.*

***ùn·tídy** *a.* 단정치 못한, 말끔하지 않은; 너저분한, 난잡한. —— *vt.* …을 망치다, 어지럽히다, 혼란시키다. **un·tídily** *adv.* **-tídiness** *n.*

ùn·tíe** *vt.* **1** [+目/+目+前+名] 풀다, 끄르다, (꾸러미 따위의) 매듭을 끄르다: ~ a package 꾸러미를 끄르다/~ a horse ***from the tree 말을 나무에서 풀어놓다. **2** 해방하다, 자유롭게 하다; (곤란 따위를) 해결하다. —— *vi.* 풀리다, 끌러지다.

ùn·tíed *a.* 묶이지 않은; 제한되지 않은.

untíed lóan *n.* 〖金融〗 언타이드 론, 불구속 융자 《자금을 빌려주는 쪽이 빌어쓰는 쪽의 용도에 아무런 지정을 하지 않음》.

◇**un·til** [əntíl, -tl, -tèl, ʌn-] *prep.* **1** [동작·상태의 계속] …까지, …이 되기까지, …에 이르기까지 (줄곧) (cf. BEFORE *prep.* 2, BY[1] *prep.* 4, TILL[1] *prep.* 1): Wait ~ two o'clock. 두 시까지 기다려라. **2** [부정어와 함께] …이 되어 비로소 …하다: It was not ~ yesterday[quite recently] that I noticed it. 나는 어제[아주 최근에]야 비로소 그것을 깨달았다.

〈회화〉
How long are you planning to stay here? — *Until* July 1. 「여기 얼마나 계실 예정이세요」 「7월 1일까지요」

—— *conj.* **1** [동작·상태의 계속] …의 때까지,

…까지 (줄곧) : We must wait ~ he comes. 우리는 그가 올 때까지 기다려야만 한다. **2** [부정어와 함께] …까지 …않다, …이 되어 비로소 …하다 : He paid no attention to my warning ~ he had an accident. 그는 사고가 일어날 때까지 전연 나의 주의에 귀를 기울이지 않았다 / It was not ~ he was thirty that he started to paint. 그는 서른 살이 되어서야 비로소 그림을 그리기 시작했다. **3** [정도] …할 만큼[정도], …하여 결국 : He worked ~ too tired to do anything more. 그는 너무 지쳐서 더 이상 아무것도 할 수 없을 정도로 일을 했다.
unless and until = UNTIL 1 (☞ UNLESS).
〖ON *und* as far as + *till*[1]〗
活用 ☞ TILL[1].

ùn·tílled *a.* 갈지 않은, 경작되지 않은.

ùn·tíme·ly *a.* **1** 때 아닌, 철 아닌, 불시의 ; 시기상조의, 미숙한 : an ~ snowfall in May 오월의 때 아닌 눈 / die an ~ death 요절하다. **2** 계제가 나쁜, 시기를 얻지 못한, 시기를 잃은 : an ~ remark 시기에 적절치 못한 소견.
—— *adv.* 때 맞지 않게 ; 계제 나쁘게, 시기를 잃고, 공교롭게. **-tímeliness** *n.*

ùn·tíme·ous *a.* 《스코》 = UNTIMELY.

ùn·tíring *a.* 지치지 않는, 물리지 않는, 끊임없는, 불굴의 : one's ~ efforts 꾸준한 노력.
~·ly *adv.* 꾸준하게.

ùn·títled *a.* 칭호[작위·직함]가 없는 ; 권리가 없는 ; 표제가 없는.

un·to [ʌ̀ntu(:), (자음 앞) ʌ̀ntə] *prep.* 《古·詩》 …에, …의 쪽으로, …까지 : Come ~ me, all ye that labor. 〖聖〗 수고하고 무거운 짐진 자들아 다 내게로 오라. 注 to와 같은 뜻이지만 unto는 부정사의 기호로는 쓰지 않음.
〖UNTIL ; *to*가 *til*에 대신한 것〗

ùn·togéther *a.* 《美俗》 혼란한, 산란한, 머리가 돈 ; 세파에 익숙지 못한, 당황한 ; 낡아빠진.

ùn·tóld *a.* **1** 말하여지지 않은, 이야기되지 않은 ; 밝혀지지 않은, 누설되지 않은 ; 전해지지 않은 ; 입으로 나타낼 수 없는, 말로 다할 수 없는. **2** 헤아릴 수 없는, 막대한 : ~ stars 헤아릴 수 없는 별 / ~ wealth 막대한 재산.

ùn·tómb *vt.* 무덤에서 파내다, 발굴하다, 파헤치다 (disinter).

ùn·tóoth *vt.* …의 이를 뽑다.

ùn·tòuch·abílity *n.* Ⓤ **1** 손댈 수 없음. **2** 《인도》 최하 천민(賤民)의 더러움[신세].

ùn·tóuch·able *a.* **1** 손댈 수 없는, 실체가 없는 ; 손을 대서는 안 되는 ; 손이 닿지 않는 ; 《비유》 비판[제어]할 수 없는, 의심할 수 없는 ; 견줄 자 없는(unrivaled). **2** 손대기조차 싫은.
—— *n.* **1** [U~] (원래 인도 최하층의) 불촉(不觸) 천민 (cf. PARIAH) ; (일반적으로) 사회에서 배척당하는 사람. **2** (정직·근면하여) 비난의 여지가 없는 사람. **3** 다루기가 까다로운 것[생각], 어려운 문제.

ùn·tóuched *a.* **1** 만지지 않은, 손대지 않은 ; 아직 착수되지 않은, 전인미답의 ; 원상태로의, 손상되지 않은, 상처입지 않은 ; 논급[언급]되지 않은 : He left the work ~. 그는 그 일에 손도 대지 않고 내버려 두었다. **2** 영향받지 않은, 마음이 움직여지지 않은.

un·to·ward [ʌ̀ntəwɔ́:rd, ʌntɔ́:rd] *a.* **1** 《古》 고집 센, 외고집의, 성질이 비뚤어진 : this ~ generation 〖聖〗 이 패역(悖逆)한 세대. **2** 운수[계제] 나쁜, 곤란한 : ~ circumstances 역경. **3** 부적당한, 버릇없는.

ùn·tráce·able *a.* 추적할 수 없는, 종적없는 ; 찾아낼 수 없는 ; 투사(透寫)할 수 없는.

ùn·trácked *a.* 발자국[인적]이 없는, 길이 없는, 추적[탐지]되지 않은.

ùn·tráined *a.* 훈련되지 않은, (경기 따위에서) 연습을 쌓지 않은.

ùn·trámmeled *a.* 제약[구속]받지 않은 ; 방해[구속]되지 않은, 자유의.

ùn·tráveled *a.* (외국) 여행 경험이 없는, 견문이 좁은 ; 사람이 찾지 않는, 인적이 끊긴.

ùn·tráversed *a.* 횡단[방해]되지 않은, (특히) 여행자의 발길이 닿지 않는, 인적 미답의.

ùn·tréad *vt.* (온 길을) 되돌아가다.

ùn·tríed *a.* 해보지 않은, 아직 실험[시험]해 보지 않은 ; 미경험의 ; 확인되지 않은 ; 〖法〗 미심리의, 공판에 회부되지 않은.
leave nothing [***no means***] ***untried*** 온갖 일을 다 해보다, 온갖 수단을 다 쓰다.

ùn·trímmed *a.* 정돈되어 있지 않은, 베어 다듬지 않은 ; 〖製本〗 도련하지 않은.

ùn·tród, -trόdden *a.* 밟지 않은 ; 사람이 밟은 일이 없는, 인적 미답의.

ùn·tróubled *a.* **1** 마음이 흐트러지지 않은, 괴로움 없는. **2** 흐트러지지 않은, 조용한(calm), 침착한.

ùn·trúe *a.* **1 a**) 진실이 아닌, 허위의 : an ~ statement 허위진술. **b**) 충실[성실]하지 않은 ; 부실한, 부정한 : ~ *to* a principle 주의(主義)에 충실치 않은. **2** 올바르지 않은, 표준[형·치수]에 맞지 않는 : ~ doors and windows 치수에 맞지 않는 문과 창문 / These boxes are ~ *to* type. 이 상자들은 규격에 맞지 않는다.

ùn·trúss *vt.* (다발 따위를) 풀다 ; 해방하다 ; (옷 따위를) 벗기다. —— *vi.* 옷[바지]을 벗다.

ùn·trúst·wòrthy *a.* 믿을 수 없는, 신뢰할 수 없는. **-wòrthily** *adv.*

ùn·trúth *n.* Ⓤ 허위, 진실이 아님 ; Ⓒ 거짓말, 거짓 ; 《古》 부실, 불성실.

ùn·trúth·ful *a.* 거짓말하는 ; 정말이 아닌, 거짓의 ; 불성실한. **~·ly** *adv.* **~·ness** *n.*

ùn·túck *vt.* …의 주름[단]을 풀다, 걷어 올린 것을 내리다. —— *vi.* (걷어 올린 것이) 펴지다.

ùn·túned *a.* 조율(調律) 되지 않은, 가락을 맞추지 않은, 가락이 맞지 않는.

ùn·túrned *a.* 돌려지지 않은 ; 뒤집혀지지 않은, 뒤집지 않은 : leave no stone ~ ☞ LEAVE[1] 숙어.

ùn·tútored *a.* 교육을 받지 않은 ; 교육에 의하지 않은 ; 조야한, 소박한.

ùn·twíne *vt.* …의 꼬인 것을 풀다.
—— *vi.* 꼬인 것이 풀리다, 풀어지다.

ùn·twíst *vt.* …의 꼬인 것을 풀다.
—— *vi.* 비틀린[꼬인] 것이 풀리다.

ùn·týpical *a.* 대표적[전형적]이 아닌. **~·ly** *adv.*

ùn·úsed *a.* **1** [-jú:zd] 사용되지 않은 ; 쓰인 적이 없는 ; 《古》 진귀한, 드문. **2** [-jú:st] [+*to* do] 익숙지 않은, …경험이 없는 : be ~ *to* labor[foreign travel] 노동[외국 여행]에 익숙지 않다 / be ~ *to* sleep outdoors 집 밖에서 자본 적이 없다.

ùn·úse·ful *a.* = USELESS.

***ùn·úsual** *a.* 보통이 아닌, 이상한, 드문 ; 눈에 익지 않은, 처음 듣는, 진귀한 ; 예외의, 별난 : a scholar of ~ ability 뛰어난 재능을 지닌 학자 / an ~ expression 드문 표현.

***ùn·úsual·ly** *adv.* 이상하게, 희귀하게, 현저하게 ; 유별나게 ; 《口》 매우, 대단히 : It's ~ cold this morning. 오늘 아침은 매우 춥다.

ùn·útter·able *a.* **1** 말로 표현할 수 없는, 이루 말

할 수 없는, 형언할 수 없는(unspeakable) : ~ torment 형언할 수 없는 고뇌. **2** 전적인, 철저한 : an ~ fool 형편 없는 바보. ── *n.* [*pl.*] 《口》 =UNMENTIONABLES. **-ably** *adv.* 형언할 수 없을 만큼 ; 매우.

ùn·úttered *a.* 말로 표명되지 않은, 입 밖에 내지 않은 ; 무언의, 암묵의.

ùn·válued *a.* 중요시[존중]되지 않는 ; 가치를 인정받지 못하는, 시시한, 하찮은.

ùn·várnished *a.* **1** 니스칠을 하지 않은. **2** 꾸밈없는, 있는 그대로의, 소박한 : the ~ truth 있는 그대로의 사실.

ùn·váry·ing *a.* 변하지 않는, 한결같은, 일정한. **~·ly** *adv.*

ùn·véil *vt.* **1** …의 베일을 벗기다, …의 덮개를 벗기다 ; …의 제막식을 거행하다 : ~ oneself (가면을 벗고) 정체를 드러내다. **2** (비밀 따위) 밝히다 ; 《비유》 보이다, 발표하다. ── *vi.* 베일을 벗다, 덮개를 열다 ; 가면을 벗다, 정체를 나타내다 (reveal oneself).

ùn·vérifiable *a.* 입증[증명]할 수 없는, 확인할 수 없는.

ùn·vérsed *a.* 통달[숙달]하지 못한, …에 밝지 못한〈*in*〉.

ùn·véxed *a.* 화나지[초조하지] 않은, 냉정한, 침착한 ; 조용한(calm).

ùn·vísit·ed *a.* 방문을 받지 않은, 찾는 사람 없는, 사람이 가지 않는.

ùn·vóiced *a.* **1** 소리내지[입 밖에 내지] 않은, 말하지 않은. **2** 〖音聲〗 =VOICELESS 2.

ùn·vóuched *a.* 증명[보증]되지 않은〈*for*〉.

ùn·wánt·ed *a.* 요구되지 않은 ; 불필요한, 쓸모없는 ; (자식 등) 바라지 않은, 잘못 태어난 ; (성격·유전성 따위에) 결함이 있는, 악질의.

ùn·wárned *a.* 경고받지 않은, 예고되지 않은, 불의(不意)의.

ùn·wárrant·able *a.* 정당하다고 인정하기 어려운, 변호할 수 없는 ; 부당한, 무법의.

ùn·wárrant·ed *a.* **1** 보증되지 않은, 보증 없는. **2** 옳다고 인정되지 않는(unjustified), 공인되지 않는, 부당한. **~·ly** *adv.*

ùn·wáry *a.* 부주의한, 조심성이 없는, 경솔한. **-wárily** *adv.* **-wáriness** *n.*

ùn·wáshed *a.* **1** 씻지 않은 ; 불결한, 더러운. **2** 하층민의, 서민의 ; 무지한 ; [명사적으로 ; the (great) ~] 《蔑》 하층 사회, 하층민(the rabble). **3** 파도에 씻기지 않은, 바닷[강]가에 있지 않은.

ùn·wátered *a.* 급수되지 않은 ; 물이 뿌려지지 않은 ; 물을 타지 않은.

ùn·wáver·ing *a.* 동요하지 않는, 확고한. **~·ly** *adv.*

ùn·wéaried *a.* 피로하지 않은 ; 싫증내지 않는, 끈기 있는, 부지런한.

ùn·wéathered *a.* 풍화의[풍우를 맞은] 흔적이 안 보이는.

ùn·wéave *vt.* (실·피륙을) 풀다, 풀리게 하다.

ùn·wéd, -wédded *a.* =UNMARRIED.

ùn·wéighed *a.* 무게를 달지 않는 ; 생각이 모자라는, 경솔한.

ùn·wéight *vt., vi.* …에서 무게를 빼다[줄이다], 체중을 옮겨 (스키 따위에) 얹힌 힘을 빼다.

ùn·wélcome *a.* 환영받지 못하는, 대우받지 못하는 ; 반갑지 않은, 달갑지 않은, 싫은. **~·ly** *adv.*

ùn·wéll *pred. a.* **1** 몸이 편치 않은, 기분이 언짢은. **2** 《婉》 월경중인.

ùn·wépt *a.* **1** (죽은 사람 등) 슬퍼하는 이 없는, 애석히 여겨 주는 사람이 없는(unlamented) : die ~ 슬퍼해 주는 사람 없이 (쓸쓸히) 죽어가다. **2** (눈물을) 흘리지 않는[않고 있는].

ùn·wét *a.* 젖지 않은 ; (눈이) 눈물로 젖지 않은, 눈물이 나지 않은(tearless).

ùn·whólesome *a.* **1** 몸에[건강에] 나쁜. **2** (책 따위) 불건전한, 유해한. **3** (음식 따위) 부패한. **~·ly** *adv.*

ùn·wíeldy *a.* 다루기 힘든, 부피가 큰 ; 다듬어지지 않은, 맵시 없는 ; 너무 무거운, 거추장스러운. **-wíeldiness** *n.*
〖*wieldy* (dial.) active ; ⇨ WIELD〗

ùn·wílled *a.* 의도적이 아닌, 고의가 아닌.

ùn·wíll·ing *a.* **1** [+*to* do] 마음 내키지 않는, 마지못해 하는, 억지로 하는, 본의가 아닌 : I was ~ *to* go. 나는 가기가 싫었다 / He was ~ *for* his poems *to* be published. 그는 자신의 시가 출판되는 것을 좋아하지 않았다 / willing or ~ 싫든 좋든. **2** 반항적인. **~·ly** *adv.* 본의 아니게, 억지로, 마지못해. **~·ness** *n.*

ùn·wínd [-wáind] *vt.* (감은 것을) 풀다, 펴다 ; 긴장을 풀다, 편한 마음을 갖게 하다. ── *vi.* (감긴 것이) 풀리다 ; 긴장이 풀리다(relax).

ùn·wínd·ase [-wáindeis, -z] *n.* 〖遺〗 언와인드 효소(酵素) (unwinding protein)《DNA의 복제 과정에서 두 가닥 사슬 DNA의 되감기를 도움》.

ùn·wínd·ing prótein [-wáind-] *n.* 〖遺〗 언와인드 단백질(unwindase).

ùn·wínk·ing *a.* 눈을 깜박이지 않는 ; 방심하지 않는. **~·ly** *adv.*

ùn·wínnable *a.* 이길 수 없는, (성 따위) 난공불락의.

ùn·wísdom *n.* Ⓤ 무지, 우둔 ; Ⓒ 어리석은 언행, 경거(輕擧).

ùn·wíse *a.* [+*of*+名+*to* do] 지혜[분별]가 없는 [모자라는], 바보 같은, 어리석은(foolish) ; 상책이 아닌 : It was ~ *of* you *to* accept his offer. 그의 제안을 받아들이다니 너도 어리석었다. **~·ly** *adv.* 어리석게(도). **~·ness** *n.*

ùn·wíshed(-fòr) *a.* 원하지 않는, 바라지 않는.

ùn·wít *vt.* 발광하게 하다(derange).

un·wit·ting [ʌnwítiŋ] *a.* **1** (과실 따위) 모르고 [부지중에] 한, 무의식의(unintentional). **2** (남이) (어떤 일을) 알아차리지 못하는, 모르는, 무의식중의(unaware) ; 조심하지 않는, 부주의한 (heedless). **~·ly** *adv.* 모르고, 무의식중에, 무심히, 뜻밖에. **~·ness** *n.*
〖OE *unwitende* (*un*-, WIT, *-ing*[1])〗

ùn·wóman·ly *a.* 여자답지 않은, 여자에게 어울리지 않는. ── *adv.* 여성답지 않게.

ùn·wónt·ed *a.* 보통이 아닌, 그다지 없는, 드문 (unusual) ; 《古》 (…에) 익숙지 않은(unaccustomed)〈*to*〉. **~·ly** *adv.* 여느 때와 다르게, 진귀하게. **~·ness** *n.*

ùn·wóoed *a.* 구혼[구애]받지 못하는.

ùn·wórk·able *a.* 실행[실시, 사용] 불가능한, 쓸모없는 ; 가공[세공]하기 어려운.

ùn·wórld·ly *a.* **1** 이 세상의 것이 아닌, 정신[심령]계의 ; 천상(天上)의. **2** 속세를 떠난, 탈속적인, 순박한, 명리(名利)를 떠난. **-liness** *n.*

ùn·wórn *a.* **1** 닳지 않은, 손상되지 않은. **2** (감각 따위) 참신한. **3** (옷이) 아직 입어보지 않은, 그다지 입은 적이 없는, 새로운(new).

***ùn·wórthy** *a.* **1** (도덕적으로) 가치가 없는, 존경할 가치가 없는 ; 천하게 여겨지는, 비열한 : an ~ person 가치없는 사람, 사람답지 않은 사람 / an ~ son 불초(不肖)한 자식. **2 a)** [+*to* do] (지위·칭찬 따위) 받을 자격이 없는 ; (…하기에) 가

치가 없는 : an ~ pupil of a great teacher 훌륭한 스승의 이름을 더럽히는 제자 / a man ~ *to* be called an artist 예술가로 불리기에는 가치없는 사람. **b**) [+*of* +do*ing*] (…의) 값어치가 없는, 모자라는 ; (…으로서) 부끄러운, 적합하지 않은, (…에) 어울리지 않는, 있을 수 없는 : conduct ~ ***of*** praise[*of* an honest man] 칭찬받을 가치가 없는[정직한 자에게 어울리지 않는] 행위 / He is ~ *of* act*ing* as your deputy. 그는 너의 대리인 노릇을 하기에 부적합한 사람이다.

—— *n.* 보잘것 없는 인간.

ùn·wórthily *adv.* **ùn·wórthi·ness** *n.*

ùn·wóund [-wáund] *a.* **1** 감긴 것이 풀린, 되풀린. **2** 감기지 않은.

ùn·wóven *v.* UNWEAVE의 과거분사. —— *a.* 짜지 않은.

ùn·wráp *vt.* **1** (보따리를) 열다, (소포 따위의) 포장을 풀다. **2** 분명히 하다. —— *vi.* 열리다, 풀리다.

ùn·wréathe *vt.* (감긴 것·꼬인 것을) 풀다.

ùn·wrínkle *vt.* …의 주름을 펴다 ; 반반하게 하다. —— *vi.* 주름이 없어지다 ; 반반해지다.

ùn·wrítten *a.* **1** 씌어 있지 않은, 기록되어 있지 않은, 성문화하지 않은, 관습적인, 구전(口傳)의, 구두의(↔*written*). **2** (책장 따위) 글씨가 씌어 있지 않은, 백지 그대로의.

unwrítten láw *n.* 관습법, 불문법(common law) ; [보통 the ~] 불문율.

ùn·wróught *a.* 끝손질하지 않은 ; 제작되지 않은 ; (금속 따위) 가공[세공]하지 않은 ; 채굴하지 않은 ; 미개발의.

ùn·yíeld·ing *a.* **1** 유연성[탄력]이 없는 ; 견고한(rigid). **2** 완고한, 단호한. **~·ly** *adv.*

ùn·yóke *vt.* **1** (소 따위의) 멍에를 벗기다[끄르다]. **2** 분리시키다 ; 해방하다. ——《古》*vi.* **1** 멍에를 벗기다. **2** 일을 그만두다.

ùn·zíp *vt., vi.* 척(chuck)[지퍼]을 당겨서 열다[열리다].

ùn·zípped *a.*《美俗》=UNGLUED ; 우편 번호(zip code)를 쓰지 않은.

U. of S. Afr. Union of South Africa.

◇**up** [ʌ́p]

> (1) 기본 뜻 :「높은 쪽으로, …을 올라가서」.
> (2) 반의어는 down이다.
> (3) up은 go *up* (the hill) 「(언덕을) 올라가다」, The boat sailed *up*. (배는 상류로 올라갔다) 따위와 같이「아래에서 위로 향하는 방향이동」의 느낌이 있어서 「위」를 나타내는 above, on, over 따위와는 다른 특징이 있다.
> (4) 중요한 전치사적 부사로서 get *up*, stand *up*, take *up* 따위의 많은 동사와 결합하여 많은 동사구를 만든다.

—— *adv.* (↔*down*) **1** (낮은 위치에서) 위쪽으로, 위로[에], 올라가서 ; 몸을 일으켜서 ; (잠자리에서) 일어나 : stand *up* 일어서다 / He took *up* the book. 그는 책을 집어들었다 / The flag is *up*. 기가 올라가 있다 / I went *up* to the top of the hill. 언덕 꼭대기까지 올라갔다 / The bird was flying high *up* in the air. 새는 하늘 높이 날고 있었다 / The sun is *up*. 해가 떴다 / I get *up* at six in (the) summer. 여름에는 여섯 시에 일어난다 / I was[stayed] *up* all night. 나는 꼬박 밤을 새웠다 / She was sitting *up* in bed. 그녀는 침대에 일어나 앉아 있었다.

2 (남쪽에서) 북쪽으로 ; 고지로, 내륙으로 ; (강의) 상류로 : as far *up* as Aberdeen 북으로 애버딘까지 / The man lives *up* in Alaska. 그 사람은 (북쪽) 알래스카에 살고 있다 / They went ten miles further *up* in the country. 그들은 10마일이나 더 내륙으로 갔다.

3 a) (특정한 장소·사람 또는 이야기하는 사람의) 쪽으로, 다가가서, 접근하여 ; (원천·중심·도회지·대학 따위로) 향하여, 상경하여[중에] : I went *up* to the teacher's table. 교탁 곁으로 다가갔다 / The stranger came *up* to me. 낯선 사람이 나에게 다가왔다 / She went *up* to London on business. 그녀는 볼일로 런던에 갔다 / Is he *up* in town now? 그는 지금 상경중입니까 / go *up* to Oxford[the university] (학생이) 옥스퍼드에[대학에] 진학하다 / I am going to be[stay] *up* during the holidays. 나는 휴가중에 (귀향하지 않고) 학교에 머물러 있을 작정이다. **b**) 무대 뒤쪽에(cf. UPSTAGE).

4 a) (지위·평가·음량·수량·가격·온도·정도·연령 따위가) 위쪽으로, 올라가, 높게, 증가하여, 성장하여 ; [종종 from... up 형태로] …에서 …까지, (…부터) 이후로 내내 : come *up* in the world 출세하다 / He has gone *up* in my opinion. 그에 대한 나의 평가가 높아졌다《그를 다시 보았다》/ Prices are going *up*. 물가가 오르고 있다 / Sugar is *up*. 설탕값이 올랐다 / Keep your voice *up*. 소리를 높여라 / The tide was *up*. 밀물이 되어 있었다 / The piano is *up* a note. 피아노가 한 음정 올라가 있다 / bring *up* a child 아이를 키우다 / from sixpence *up* 6펜스 이 상 / from his youth *up* to his old age 그의 청년시절에서 노년에 이르기까지 / from childhood *up* 어릴 때 부터 줄곧. **b**)《口》숙달하여, 정통하여 : My brother is(well) *up in* English literature. 형은 영문학에 정통하다.

5 힘차게, 활기있게, 활동하여 ; 반란을 일으켜 : speak ~ ☞ SPEAK 숙어 / flare ~ ☞ FLARE 숙어 / Their spirits went *up*. 그들의 사기는 올라갔다 / The town is *up*. 마을은 활기를 띠었다 / be *up* in arms 반란을 일으키다.

6 (논의·화제 따위에) 올라 ; (일·문제 따위가) 일어나, 생겨서 : It came *up* in conversation. 그것이 화제에 올랐다 / The question came *up for* discussion. 그 문제가 의제로 제기되었다 / show [turn] *up* ☞ SHOW, TURN 숙어 / What's *up*? 무슨 일인가, 어떻게 된거야 / Is anything *up*? 무슨 일이 있는가.

7 [종결·결합·완전·완성·강조(強調) 따위를 나타내어] 아주, 완전히 ; …을 다하여, 끝나서, 끝장나 : finish *up* ☞ FINISH 숙어 / Eat *up* your cake. 과자를 모두 먹어라 / You must fold *up* your letter. 편지를 (잘) 접어야 한다 / add *up* (figures) (수를 보태어) 합계하다 / The house was burned *up*. 집이 다 타버렸다 / The time is [Time's] *up*. 시간이 다 됐다 / When is your contract *up*? 당신의 계약은 언제 끝납니까 / It's all *up*[《俗》U. P. [júːpíː]] (*with* him). (그는) 이제 끝장이다, 가망이 없다 / The game is *up*. ☞ GAME[1] *n.* 7.

8 [무활동·보관 따위의 상태를 나타내어] 정지하여, 쉬어서, 곁에 : lie *up* (병으로) 누워 있다 / lay *up* riches 재물을 쌓다 / I pulled *up* my car at the gate. 나는 문 옆에 차를 세웠다 / He put *up* his sword (into its sheath). 그는 칼을 (칼집에) 꽂았다.

9 [동사를 생략하여 명령법으로 써서] : *Up*! 일어나!, 일어서!《*Get*[*Stand*] *up*!의 略》/ *Up*

with it! 일으켜!, 세워! (=Put it *up*!) / *Up with* you! 일어나라!, 일어서라!, 분기하라! / *Up* (*with*) (the) helm! 〖海〗 키를 바람부는 쪽으로 돌려라 (cf. put the HELM up).
10 〖競〗 이겨서, 앞질러.
11 〖野〗 공격중에; 타석에 들어가(at bat): He went *up* three times in that game. 그는 그 시합에서 3번 타석에 들어섰다.
12 《美》 쌍방 모두, 각각, 저마다: The score is five points *up*. 득점은 각각 5점씩이다.
all up ☞ ALL *n.*
be up and about (환자가) 자리에서 일어나 기동하다, (건강해져서) 이리저리 거닐고 있다.
be up and coming 《美》 원기 왕성하다; (거리 따위가) 활기에 차 있다, 진취적이다.
be up and doing 크게 활동하고 있다, 부지런히 일하고 있다.
be up to a thing or two ☞ *a* THING *or two.*
be (***well***) ***up in***[***on***]... 《口》 …에 정통하고 있다(☞ 4).
come up with... ☞ COME.
up against... 《口》 (곤란·장애 따위)에 부딪쳐, …에 직면하여: be *up against* a wall ☞ WALL 숙어.
up against it 《口》 (특히 경제적으로) 곤궁하여, 곤란하여.
up and down 상하로; 왔다갔다, 이리저리.
up for... (선거)에 후보가 되어; (팔려고) 내놓아져; 재판을 위해 출정(出廷)하여.
up there 저기서(over there): What were you doing *up there*? 저기서 뭘하고 있었느냐.
up till[***until***]=TILL *prep.*, UNTIL *prep.*
up to... (1) …과 나란히: I could not get *up to* him. 나는 그를 따라잡을 수 없었다. (2) …까지(에), …에 이르기까지(cf. 3, 4 a)); …에 이르러, …에 미쳐: *up to* this time 지금까지(로서는) / I stood *up to* my knees in the water. 무릎까지 물이 찼다[차 있었다] / School attendance is compulsory for all children *up to* the age of fourteen. 열네살까지의 아동은 모두 취학의 의무가 있다.

〈회화〉
How far did we get last week? — *Up to* Section 5. 「지난주에 우리가 어디까지 했지」 「제 5항까지요」

(3) [보통 부정문에서] (일 따위)를 할[감당할] 수 있어, …에 견디어: You're not *up to* the work. 너는 그 일을 (감당)할 수 있을 것 같지 않다 / She did not feel *up to* going out. 그녀는 (건강이 나빠서) 외출하고 싶지 않았다. (4) [보통 부정·의문문에서] …에 필적하여[맞먹어]; [부정문에서] …만 못하여: He is not *up to* his father as a scholar. 그는 학자로서 그의 아버지에 미치지 못한다 / This cigar is not *up to* much. 이 담배는 그리 좋은 것이 못된다. (5) …을 알고, …을 충분히 알고서: He was *up to* all their tricks. 그들의 흉계를 충분히 알고 있었다. (6) 《口》 (보통 나쁜 짓)을 하고, …을 꾀하여: He is *up to* something[no good]. 그는 무엇인가[좋지 않은 일을] 꾀하고 있다. (7) 《口》 (사람이) 해야 할, …의 의무로: It's *up to* you to decide. 결정은 네 손에 달렸다 / It's *up to* him to support his mother. 그가 어머니를 봉양해야만 한다.
up to date ☞ DATE[1] *n.*, UP-TO-DATE.
Up with...! ☞ 9.

—— [ʌp, ʌ̀p] *prep.* **1** (낮은 위치·지점에서) …의 높은 쪽으로[에], …의 위로[에], …을 올라가서[올라간 곳에]: He went steadily *up* the social scale. 그는 꾸준히 사회적 지위를 향상시켜 갔다. **2** (강의) 상류로[에], (흐름을) 거슬러 올라가: live further *up* the stream 강의 훨씬 상류 쪽에 살다. **3** …에 연하여, …을 끼고, …을 따라(along): ride *up* the road 길을 따라 말을 타고 가다. **4** …의 해안에서 내륙으로, …의 오지로: travel *up* country 내륙 지방으로 여행하다.
up hill and down dale ☞ HILL.
—— *a.* **1** 위로 향하는, 올라가는(↔*down*); (열차 따위) 상행의: the *up* grade 올라가는 경사, 오르막(cf. UPGRADE) / the *up* line (철도의) 상행선 / an *up* platform 상행선 플랫폼 / an *up* stroke (글씨 따위의) 위로 긋는 선 / an *up* train 상행 열차; 《英》 (런던행) 상행 열차. **2** (해 따위가) 떠오른, (무대의 막이) 오른.
—— *n.* **1** 상승, 향상; 높은 곳, 오르막; 행운, 출세. **2** 상행열차[마차]; 높은[유리한] 지위의 사람; 《美俗》 만족[행복]감, 좋은 기분; 《美俗》 각성제(upper).
on the up and up 《美俗》 정직하여[하게], 성실하여[하게], 공평하여[하게]; (경기(景氣) 따위) 상승의, 호황으로.
ups and downs (1) (길 따위) 오르내림, 기복: a house full of *ups and downs* 계단 따위가 많은 집. (2) 상하, 고저, 변동, 부침(浮沈), (흥망)성쇠: the *ups and downs of* fortune 운명의 부침(浮沈).
—— *v.* (**upped** [ʌpt], **up**) *vi.* 《口·戱》 일어나다[서다](get[jump] up), 갑자기 몸을 솟구치다, 별안간 입을 열다.
—— *vt.* 《口》 (총 따위를) 어깨에 메다; (값 따위를) 올리다, (생산 따위를) 늘리다.
up and do 《口·方》 돌연[느닷없이] …하다: He *ups and* says.... 그는 갑자기 이렇게 입을 열기 시작했다 / The fool *upped and* died. 그 바보는 갑자기 죽어버렸다. 주 up은 때때로 무변화 그대로 과거형 또는 3인칭 단수 현재형에도 씀: He *up and married* a show girl. 그는 갑자기 쇼걸과 결혼했다.
up with... 《口·方》 …을 쳐들다, …을 집어 올리다: He *up*(*ped*) *with* his stick. 그는 단장을 치켜올렸다.
〖OE *up*(*p*), *uppe*; cf. G *auf*, OS *up*〗
UP, up., u.p. underproof((술이) 표준강도 이하). **UP, U.P.** United Presbyterian (연합 장로파); 《美》 United Press 《UP[합동]통신사; 1958년에 INS와 합병하여 UPI로 됨》. **up.** upper.
U.P., u.p. [júːpíː] *adv.* 《俗》 다 틀려서(up) 〈*with*〉.
up- *pref.* **1** [부사적으로 동사 (주로 과거분사) 또는 동명사 앞에 붙인다; 단 대개 고어·시어 또는 문어]: *up*bringing, *up*cast, *etc.* **2** [전치사적으로 부사·형용사·명사를 만듦]: *up*hill, *up*ward, *etc.* **3** [형용사적으로]: *up*land, *up*stroke.
ùp-ánchor *vi.* 닻을 올리다[걷어 올리다]; [명령형] 《俗》 떠나라.
úp and (a) dówner *n.* 《英口》 격렬한 언쟁, 소동, 대판 싸움, 분쟁.
úp-and-cóming *a.* 《美口》 정력적인, 활동적인, 유능한, 진취적인, 유망한. **úp-and-cómer** *n.*
úp-and-dówn *a.* **1** 오르내리는, 고저가 있는, 기복이 있는; 《비유》 성쇠[부침(浮沈)]가 있는. **2** 《美》 명확한, 솔직담백한, 순전한(downright):

an ~ lie 새빨간 거짓말.
úp-and-óver *a.* (문을) 들어올려 수평으로 여는.
úp-and-úp *n.* [다음 숙어로 써서]
on the up-and-up 《美俗》 ☞ UP *n.*
Upa·ni·shad, -sad [u:pɑ́:niʃɑ̀:d, ju:pǽnəʃæ̀d; *j*u:pʌ́niʃəd, -ʃæ̀d] *n.* 우파니샤드《바라문교(Brahmanism)의 성전 베다 사서(四書) (the Vedas)의 일부로, 인도 철학·종교 사상의 원천을 이룸》.
upas [jú:pəs] *n.* **1** 유퍼스나무(=∠ **trèe**)《자바 및 그 부근 섬에서 나는 뽕나무과의 무화과 나무》; Ⓤ 유퍼스독《유퍼스나무의 진에서 채취하며 화살촉에 바름》. **2** Ⓤ 《비유》 독, 해독, 악영향. 〚Malay=poison〛
úp·bèat *n.* 〔樂〕 상박(上拍); (경기 따위의) 상승 기조, 번영, 호경기. ── *a.* 낙천적인; 행복한; 즐거운, 오락적인, 경쾌한.
ùp·bláze *vi.* 타오르다.
ùp·bórne *a.* 들어올려진; 받쳐진.
úp·bóund *a.* 북쪽[대도시, 상류]으로 향[통]하는.
up·braid [ʌpbréid] *vt.* [+目/+目+前+名] 나무라다, 꾸짖다, 비난[비판]하다: ~ a person ***with***[***for***] a fault 잘못을 꾸짖다/The teacher ~*ed* Tom *for* hav*ing* been late for the lesson. 선생님은 수업에 늦었다고 톰을 꾸짖었다.
── *vi.* 《古》 비판하다. **~·er** *n.*
〚OE *up*-(BRAID=to brandish)〛
類義語 ⟹ SCOLD.
upbráid·ing *a.* 꾸짖는[비난하는] 듯한.
── *n.* Ⓤ 질책, 비난, 책망. **~·ly** *adv.*
úp·brìng·ing *n.* Ⓤ (유아기의) 교육, 훈도, 가정 교육(education).
ùp·buíld *vt.* 설립하다; 발전시키다, 개량하다.
UPC, U.P.C. 《美》 Universal Product Code (만국 제품 코드).
úp·càst *a.* 던져 올린, (눈을) 치뜬.
── *n.* 던져 올리기; 던져 올린 물건; 〔鑛〕 배기갱(排氣坑). ──[, ⌐] *vt.* …을 위로 던지다.
úp·chùck *vi., vt.* 《口》 토하다, 게우다.
── *n.* 토함.
úp·còming *a.* 다가오는, 곧 나올[공개될] (forthcoming).
ùp·convért *vt.* 〔電子〕 upconverter로 변환하다.
ùp·convért·er *n.* 〔電子〕 업컨버터《입력 신호의 주파수를 높여서 출력하는 변환기》.
úp·còuntry *n.* [the ~] 내륙, 오지. ── *a.* 해안에서 먼, 내륙의, 오지의; 《蔑》 촌스러운, 소박한 (unsophisticated). ──[; ⌐] *adv.* 내륙(쪽)으로, 오지로: The party traveled ~ for a hundred miles. 일행은 오지를 향하여 100마일이나 여행했다.
úp·cùrve *n.* 상승 곡선.
úp·cùt·ting *n.* 업커팅《텔레비전이나 라디오 프로그램의 일부를 삭제하여 코머셜의 시간을 늘리는 일》.
ùp·dáte *vt.* 《美》 새롭게 하다, 최신의 것으로 하다(bring up to date). ──[⌐] *n.* 새롭게 하기, 갱신, 개정; 최신정보; 〔컴퓨〕 경신. ── *a.* 《美俗》 최신의, 첨단을 걷는.
úp·dràft *n.* 기류[가스]의 상승(운동), 상향 통풍.
ùp·énd *vt.* **1** (통 따위를) 세우다, 일으키다. **2** 곤두세우다(upset); 뒤집다, 거꾸로 하다[놓다]; 《口》 충격을 주다, 놀라게 하다; 《口》 완패시키다.
── *vi.* 똑바로 서다.
úp-from-the-ránks *a.* 낮은 신분[지위]에서 출세한.
úp-frònt *a.* 《口》 솔직한; 맨 앞줄의; 중요한; (기업 따위의) 관리 부문의; 눈에 띄는; 선행 투자의, 선불의.
ùp·gáther *vt.* (정보 따위를) 모으다, 수집하다.
úp·gráde *a., adv.* (↔*downgrade*) 《美》 치받이의[로]. ──[⌐] *n.* 《美》 치받이, 오르막; 〔컴퓨〕 향상: *on* the ~ 오르막에 (있는); 《비유》 향상[상승]하고 (있는). ──[⌐, ⌐] *vt.* **1** (직원 등) 승급시키다, 승격시키다. **2** (제품 따위) 품질을 높이다; (가축의) 품종을 개량하다; (싸구려 물건을) 고급품으로 취급하다[비싸게 팔다].
úp·gròwth *n.* Ⓤ 성장, 발육, 발달; Ⓒ 성장[발달]의 결과; 〔解·生〕 융기, 돌기.
up·heav·al [ʌ̀phí:vəl] *n.* **1** U,C 밀어 올리기, 들어올리기; 〔地質〕 (화산 활동 따위에 의한 지각의) 융기(隆起). **2** U,C (사회 따위의) 대변동, 격변, 동란.
up·heave [ʌ̀phí:v] *vt.* 들어올리다, 밀어 올리다, 융기시키다; …을 혼란시키다. ── *vi.* 치오르다, 융기하다(rise). 〚ME〛
***upheld** *v.* UPHOLD의 과거·과거분사.
úp·hìll *a.* **1** 오르는, 올라가는, 오르막길: an ~ road 오르막길/The road is ~ all the way. 그 길은 죽 오르막이다. **2** 힘드는, 곤란한: ~ work 힘드는 일. ──[⌐] *adv.* **1** 고개[언덕] 위로. **2** 곤란을 무릅쓰고, 고생하여.
── *n.* 오르막길, 치받이.
***up·hold** [ʌ̀phóuld] *vt.* (**up·held** [-héld]) **1** 들어올리다, 떠받치다; 《英》 유지하다, 올리다. **2 a)** 격려하다(encourage): Your praise *upheld* me greatly. 당신의 칭찬이 나를 크게 격려했오. **b)** 시인하다(approve), 찬성하다(support); (결정·판결 따위를) 확인하다, 지지하다(confirm): No one could ~ such opinion. 아무도 그와 같은 의견을 지지할 수 없을 것이다/The higher court *upheld* the lower court's decision. 상급 법원은 하급 법원의 판결을 지지했다.
~·er *n.* 지지자, 장려자, 옹호자, 후원자.
類義語 ⟹ SUPPORT.
up·hol·ster [ʌphóulstər] *vt.* **1** [+目/+目+*with*+名] (집·방 따위를) 융단[커튼·가구류]으로 장식하다, …에 가구를 비치하다: ~ a room ***with*** curtains 방을 커튼으로 장식하다. **2** [+目/+目+前+名] (의자 따위에) 속·용수철·커버 따위를 대다, 커버를 씌우다: ~ a chair ***in***[***with***] leather 의자에 무두질한 가죽을 씌우다. 〚역성(逆成)<↓〛
up·hol·ster·er [ʌphóulstərər, ʌpóul-] *n.* 실내 장식업자; (의자류의) 천갈이업자.
〚*upholster* (n.), *upholder* (n.) (*uphold* to keep in repair, *-ster, -er*[1])〛
uphólsterer bée *n.* 〔昆〕 가위벌.
ùp·hól·stery *n.* **1** Ⓤ 가구 제조 판매업, 실내 장식업; 가구업. **2** Ⓤ 실내 장식용품류《특히 벽걸이·의자 커버·가구 덮개·커튼·융단·의자 씌우개 천 따위 직물류나 그것을 사용해서 만든 쿠션·소파·천을 댄 의자 따위》.
UPI 〔컴퓨〕 universal peripheral interface(범용(汎用) 단말 인터페이스). **UPI, U.P.I.** United Press International.
úp·kèep *n.* Ⓤ 유지, 보존(maintenance); (토지·가옥·자동차 따위의) 유지비.
up·land [ʌ́plənd, 美+-læ̀nd] *n.* 고지, 대지; 고지[고원] (지방). ── *a.* 고지의, 대지의; 고원 지방의. **~·er** *n.* 고지인.
ùp·líft *vt.* (비유적으로) 올리다, 들어올리다; …의 정신을 고양하다, …의 사기를 높이다; (사회적·도덕적·지적으로) 향상시키다; 외치다, 큰소리를 지르다: The boy's soul was ~*ed* by the sol-

emn music. 소년의 정신은 장엄한 음악으로 고양되었다. ── vi. 들어올려지다 ; 〖地質〗 융기하다. ── [⌐⌐] n. **1** 〖地質〗 융기 (upheaval). **2** Ⓤ 《美》 (지적 · 사회적 · 도덕적인) 향상 (운동), 정신적 고양, 감정의 고조. **3** (유방을 위로 올려붙이기 위한) 브래지어 (=∼ **brassíere**).

ùp·líft·ed *a.* 올려진, 고양된 ; (지적 · 정신적으로) 향상된.

úp·lìnk *n.* 〖通信〗 업링크《지상에서 우주선[위성]으로의 정보의 전송》. ── [⌐⌐] *vt.* (정보를) 지상에서 우주선[위성]으로 전송하다, 업링크하다.

úp·lòad·ing *n.* 〖컴퓨〗 (데이터를) 하위 시스템으로부터 상위 시스템으로 전송하기.

úp·man·shìp [-mən-] *n.* =ONE-UPMANSHIP.

úp-márket *a.* 《英》 (상품 따위) 고급 시장[고소득층]용의, 고급이며 비싼. ── *adv.* 고급 시장으로, 고급품 분야로. ── *vi., vt.* 고급 시장에 팔다 [진출하다].

úp·mòst [ˏ, 英+-məst] *a.* =UPPERMOST.

úp nórth[**Nórth**] *adv.* 북쪽에(서) ; 《美》 (일반적으로) 북부 여러 주에(서).

◇**up·on** [əpɔ̀(ː)n, əpɑ̀n, əpən] *prep.* =ON.

depend upon it ☞ DEPEND.

once upon a time ☞ ONCE *adv.*

upon my word ☞ WORD *n.*

── *adv.* =ON《동작을 완결할 때만》.

〚*up on* ; ON *upp á*의 영향〛

活用 upon은 위의 숙어에 한해 쓰는 외에, on과의 사이에 다음과 같은 차이가 인정된다.

⑴ 대개 on은 구어조(口語調) ; 일반적으로 on 보다도 중후한 어감을 띠며, 특히 동사에 뒤따라 문미에 올 때에는 흔히 upon을 씀 : a chair to sit *upon* (앉을 의자).

⑵ 어느 경우에는 on이 상태를 강조하는 데 대하여, upon은 동작을 강조하는 경향이 있다 : A large dictionary lay *on* the floor and the little cat jumped *upon* it. (큰 사전 한 권이 마루에 놓여 있었는데 작은 고양이가 그 위로 뛰어올랐다).

úp-or-dówn vóte *n.* (선거의) 부동표.

úp-or-óut *n.* 〖美經〗 업오어아웃《일정 연한 내에 승진하거나 아니면 그 기업 또는 조직에서 나가야 한다는 일부 기업에서의 불문율》.

***up·per** [ʌ́pər] *attrib. a.* (↔*lower*) **1** [장소 · 위치 따위] 보다 위의[위에 있는], 높은 쪽의, 상부의 ; (얼굴 따위) 위를 향하는 ; (옷 따위) 허리 위에 착용하는 : the ∼ lip 윗입술 / ☞ UPPER DECK / the ∼ rooms 위층 방 / the ∼ side 상부, 상측 / in the ∼ air 상공에 / ☞ UPPER STORY. **2** 윗자리의, 위쪽의, 상류의 ; 고지의, 오지의, 내륙의 ; (문에서) 안쪽의 ; 북부의 : ☞ UPPER CIRCLE / the ∼ reaches of the Thames 템스 강의 상류 일대 / ∼ Manhattan 북부 맨해튼. **3** (관직 · 지위 · 학교 따위) 상위의, 상급의, 고등의 ; 상원(上院)의 ; 상류의 : ∼ servants 우두머리격의 하인《집사 · 하녀의 우두머리 등》. **4** 〖地質〗 상층의 ; [U∼] 〖地質〗 신(新), 후기의(later) (↔*Lower*) : the *U*∼ Cambrian 후기 캄브리아기(紀). **5** (소리 · 음성이) 높은.

── *n.* 위쪽의 것 ; [보통 *pl.*] 구두의 갑피(甲皮) ; [*pl.*] 천 각반(cloth gaiters) ; [∼s, 때때로 *pl.*] 최고질의 재목 ; 윗니, 위틀니 ; (침대차 따위의) 상단 침대 ; 상의(上衣) ; 각성제, (특히) 암페타민(amphetamine) ; 《俗》 자극적인[신나게 하는] 경험[사람, 일].

be* (*down*) *on* one's *uppers 《口》 구두창이 닳아빠지다 ; 몹시 가난하다, 초라하다.

〚(compar.) < *up*〛

úpper áir *n.* 〖氣〗 고층 대기(大氣).

úpper árm *n.* 상박, 상완(上腕).

úpper átmosphere *n.* 〖氣〗 초고층 대기.

úpper-brácket *a.* 순위표가 상위인 : ∼ taxpayers 고액 납세자.

Úpper Cánada *n.* 원래 영령 캐나다의 한 주(州) 《1791-1841 ; 지금의 Ontario 주의 일부》.

úpper cáse *n.* 〖印〗 어퍼 케이스《대문자 · 소형 대문자(small capitals) · 분수 · 기호 따위를 넣는 상단의 활자 상자 ; cf. LOWER CASE》.

úpper·cáse *n.* 〖印〗 (cf. LOWERCASE ; 略 u.c.) Ⓤ 대문자(capital letters). ── *a.* 대문자의, 대문자로 쓴[인쇄된]. ── *vt.* 대문자로 인쇄하다, (소문자를) 대문자로 바꾸다.

úpper chámber *n.* [the ∼] =UPPER HOUSE.

úpper círcle *n.* 〖劇〗 2층 좌석.

úpper-cláss *a.* 상류 계급의, 상류 계급 특유의 ; 《美》 (고교 · 대학의) 상급의, 3[4]학년생의.

ùpper·cláss·man [-mən] *n.* 《美》 상급생《고교 · 대학의 3[4]학년생(junior[senior]) ; cf. UNDERCLASSMAN》.

úpper crúst *n.* **1** Ⓤ,Ⓒ (빵 따위의) 겉껍질. **2** [the ∼] 《口》 (한 사회 · 집단 중의) 최상층부, (특히) 상류 계급, 귀족 계급 ; 《俗》 머리.

úpper-crúst·er *n.* 《口》 최상류 계급의 사람.

úpper·cùt 〖拳〗 *n.* 어퍼컷《올려쳐서 상대방의 턱 밑에 가하는 타격》.

── *vt., vi.* …에게 어퍼컷을 치다.

úpper déck *n.* 〖海〗 윗갑판.

úpper·dóg *n.* =TOP DOG.

Úpper Gérmany *n.* 독일 고지 지방, 남부 독일.

úpper hánd *n.* [the ∼] 우월, 우위, 지배.

get*[*gain have*] *the upper hand of …보다 우세해지다[하다], …에 이기다[이기고 있다] ; …을 (억)누르다.

úpper hóuse *n.* [the ∼, 흔히 the U∼ H∼] 상원(上院) (cf. LOWER HOUSE) ; [the U∼ H∼] (영국 국교의) 성직자 회의의 주교들.

úpper jáw *n.* 위턱.

úpper léather *n.* (구두의) 갑피, 갑피용(用)의 가죽.

úpper·mòst [ˏ, 英+-məst] *a.* 최상[최고]의, 최우위의 ; (생각이) 맨 처음 떠오르는 ; 제일 중요한. ── *adv.* 제일 위에[높이], 최고위에 ; 맨 먼저 (머리에 떠올라서).

úpper régions *n. pl.* [the ∼] 하늘 ; 천계(天界), 천국.

úpper stóry *n.* **1** 상층《2층 이상》. **2** [the ∼] 《俗》 머리, 두뇌(brain) : He is a little off [wrong] in the ∼. 그는 머리가 조금 이상하다.

úpper·tén·dom *n.* 상류 계급[사회].

úpper tén (**thóusand**) *n.* [the ∼] 《英》 상류 사회, 귀족 사회(the aristocracy) (cf. FOUR HUNDRED).

Úpper Vólta *n.* 어퍼 볼타《부르키나파소의 옛이름 ; 아프리카 서부의 프랑스 공동체내의 공화국 ; 1984년 개칭 ; 프랑스명 Haute-Volta》.

úpper·wórks *n. pl.* 〖海〗 건현(乾舷), 물 위에 드러난 부분, 상부 구조(superstructure) ; 《俗》 두뇌, 지력(知力) (brains).

úpper·wòrld *n.* (↔*underworld*) [the ∼] **1** 지상의 세계. **2** (무법자의 세계에 대한) 정직한 사람들(의 세계), 착실한 생활.

úp·pish *a.* 《口》 뻐기는, 잘난 체하는, 건방진, 주제넘은(impudent) ; (장소가) 조금 높은 : Don't get ∼, you silly boy! 어리석은 놈, 잘난 체하지

마라 / Don't be too ~ *about* it! 그 일로 너무 뽐내지 마라. **~·ly** *adv.* **~·ness** *n.*

up·pi·ty [ʌ́pəti] *a.* 《口》 =UPPISH ; 완고한. 〖? UP+-*ity*〗

úp quárk *n.* 〔理〕 업쿼크《가설상의 소립자 구성요소의 하나》.

ùp·ráise *vt.* [보통 *p.p.*형으로] 올리다, 들어올리다, (지층을) 융기시키다 ; 기운을 북돋우다, 격려하다(cheer) : with hands[voice] ~*d* 손을 쳐들고[소리를 높여] / with ~*d* eyebrows 눈썹을 치뜨고.

úp·ràte *vt.* …의 율(率)을 올리다 ; …의 출력[효력]을 불리다, 품질을 높이다, 개량하다.

ùp·réar *vt.* 일으키다, 올리다 ; 짓다 ; 키우다 ; 승진시키다, 높이다. —— *vi.* 일어나다, 일어서다.

***úp·rìght** [ˊ, 美+ˋˊ] *a.* **1** 똑바로 선, 똑바른, 직립(直立)형의 ; 수직의 : an ~ post[tree] 곧추선 기둥[나무] / an ~ posture 똑바른 자세 / set a flagstaff ~ 깃대를 똑바로 세우다 / sit ~ in the saddle 안장[말]에 똑바로 걸터앉다 / Stand ~. 똑바로 서 있어 / Thrust a stick ~ in the earth. 땅에 나무 막대기를 수직으로 세워라 / bolt ~ ☞ BOLT *n.* 숙어. 주 위 처음의 두 예 이외의 서술 용법에서는 부사로도 볼 수 있다. **2** 올바른, 정직한, 고결한 ; 공정한 : an ~ man[judge] 올바른 사람[재판관] / He is ~ *in* his dealings. 그는 거래에 공정하다. —— *n.* **1 a)** Ⓤ 똑바른 상태, 직립 상태 : (be) out of ~ 기울어 (있다). **b)** 똑바른 것, 직립물, (건축물의) 직립재(材) ; [보통 *pl.*] (의자 따위의) 곧게 선 부분 ; [*pl.*] 〔蹴〕 = GOALPOSTS. **2** =UPRIGHT PIANO. —— *adv.* 똑바로, 직립하여. —— *vt.* 직립시키다 ; 수직으로 하다. **~·ly** *adv.* (위로 향하여) 똑바로, 직립하여. **~·ness** *n.*

〖OE *up(p)riht* (UP, RIGHT) ; cf. G *aufrecht*〗

類義語 ***upright*** 도덕적으로 곧바르고 굽은 데가 없이 성실한. ***honest*** 남에게 공평, 솔직하고 거짓·가식이 전혀 없는. ***just*** 도덕적으로 고결하고 공평 무사한. ***honorable*** 사회적인 계급·직업·지위 따위로 도덕적으로 올바르다고 생각되는 것을 잘 지키는. ***scrupulous*** 도덕적이고 양심에 따라서 행동하려고 노력하는.

úpright piáno *n.* 수형(竪型) 피아노(cf. COTTAGE PIANO, GRAND PIANO).

up·rise [ʌ̀praíz] *vi.* (**up·rose** [-róuz] ; **up·ris·en** [-rízən]) 《文語》 (태양이) 떠오르다 ; 일어서다 ; 기상하다 ; 일어나다(rise, get up) ; 올라가다(ascend) ; 오르막이 되다 ; 똑바로 되다 ; (소리가) 높아지다 ; (양이) 늘다 ; 출현하다 ; 되살아나다 ; 폭동[반란]을 일으키다.
—— [ˊˋ] *n.* 해돋이, 새벽 ; 상승, 오르막 ; 입신, 출세 ; 출현 ; 발생, 발달.

uprisen *v.* UPRISE의 과거분사.

up·ris·ing [ʌ́pràiziŋ] *n.* (지역적인) 반란, 폭동, 봉기(revolt) ; 치받이, 오르막 ; 《美》 《英古》 기립, 기상, 상승.

類義語 ⟹ REVOLT.

úp·ríver *a., adv.* 강의 상류의[로] ; 수원(水源)의[으로]. —— *n.* 강의 상류[수원, 원류(源流)] 지역[지대].

***up·roar** [ʌ́prɔ̀ːr] *n.* Ⓤ [또는 an ~] 소란, 소동 ; 소음 : in (*an*) ~ 몹시 소란하여 / No words could be heard in the ~. 소란하여 아무말도 들을 수가 없었다.

〖Du. =commotion (*op* up, *roer* confusion)〗

類義語 ⟹ NOISE.

up·roar·i·ous [ʌprɔ́ːriəs] *a.* 떠들썩한, 소란스러운 ; 크게 웃기는 : ~ laughter 떠들썩한 웃음 소리. **~·ly** *adv.* **~·ness** *n.*

úp·ròck *n.* 〔브레이크댄싱〕 업록《격투풍의 춤》. **~·er** *n.*

ùp·róot *vt.* **1** 뿌리째 뽑다(root up) ; (사람을) (정든 집·땅·환경에서) 내쫓다, 몰아내다〈*from*〉: The typhoon ~*ed* numerous trees. 태풍이 수많은 나무를 송두리째 뽑아 버렸다 / Millions of people were ~*ed* by the war. 수백만이나 되는 사람들이 전쟁으로 집과 땅을 잃었다. **2** 근절[절멸]하다 : ~ a bad habit 악습을 근절하다.
—— *vi.* 절멸하다.

uprose *v.* UPRISE의 과거형.

ùp·róuse *vt.* 일으키다, …을 눈뜨게 하다, 각성시키다.

úp·rùsh *n.* (가스·액체 따위의) 급격한 상승 ; (잠재 의식·무의식에서의) 사고(思考)의 분출, (감정의) 고조 ; 급증.

UPS Underground Press Syndicate ; United Parcel Service ; uninterrupted power supply ((정전 대비용) 보조 전원).

úp·scàle *a.* 《美》 (소득·교육·사회적 지위가) 평균 이상[부자]의 ; 돈 많은 소비자의 마음에 드는.

***up·set** [ʌ̀psét] *v.* (~ ; **-tt**) *vt.* **1** 뒤엎다, 전복하다(overthrow) ; 뒤엎어서 흘리다 : ~ a boat 보트를 뒤엎다 / ~ a cup of tea 찻잔을 뒤엎다. **2** (계획 따위를) 망쳐 놓다, 실패시키다 : The storm ~ their plans for a hike. 폭풍은 그들의 하이킹 계획을 망쳐 놓았다. **3 a)** …의 마음을 뒤흔들어 놓다, 어지럽히다 : Her nerves were ~ by the shock. 충격 때문에 그녀는 신경의 안정을 잃었다. **b)** …의 몸을 해치다, 배탈나게 하다 : The fish last night ~ me. 어젯밤 생선 요리 때문에 배탈이 났다. **4** (예상을 뒤엎고) (강적을) 쓰러뜨리다 ; 때려눕히다(defeat), 전복시키다(overthrow) : ~ a government 정부를 전복시키다. **5** 〔機〕 (달군 철봉을) 뭉뚝하게 하다《망치질 또는 압력을 가하여 굵고 짧게 함》; (차바퀴의 바퀴쇠를) 짧게 눌러 오그라뜨리다. —— *vi.* 뒤집히다, 전복하다 : We feared that the boat might ~. 우리는 보트가 뒤집히지 않을까 근심했다. —— [ˊˋ] *n.* **1** 전복, 전도. **2** 혼란 (상태) ; 낭패 ; (몸의) 불편, 이상, 탈 : All of them had a terrible ~. 그들은 모두 몹시 당황했다 / He has a stomach ~. 그는 배탈이 났다. **3** 의견의 차이, 불화, 다툼 : have an ~ with a person 남과 다투다. **4** (경기·선거 따위) 의외의 패전, 패배〈*in*〉. **5** 〔機〕 팽경(膨徑) 스웨이지, 끝을 단압해서 뭉뚝하게 한 금속 막대. —— [ˊˋ] *a.* 뒤집힌, 전도한 ; 패배한 ; (몸이) 상태가 좋지 않은, 배탈이 난 ; 혼란한, 엉망(진창)의 ; 근심하는, 당황한.

類義語 ***upset*** 안정 따위를 잃게 하여[잃고] 뒤엎다[엎어지다] ; 그 결과 부스러뜨리다[부서지다] : *upset* a glass on the table (탁자 위의 유리컵을 뒤집어 엎다). ***overturn*** 물건을 위아래로 뒤엎다, 또는 옆으로 자빠뜨리다 ; 비유적으로는 확립된 것을 붕괴시키다 : *overturn* a chair[government] (의자[정부]를 쓰러뜨리다).

úpset prìce *n.* 〔商〕 (경매 개시 때의) 부르는 값, 최저 판매 가격.

ùp·sét·ter *n.* 뒤집어 엎는[혼란시키는] 사람 ; 〔機〕 단압기(鍛壓機).

ùp·sét·ting *a.* 소란을 일으키는, 엉망으로 만드는 ; 〔機〕 (단압(鍛壓)에 의한) 팽경(膨徑)의.

úp·shìft *n., vi.* 고속 기어로 바꾸기[바꾸다].

úp·shòt *n.* [the ~] (최종적인) 결과, 결말 ; [the

~] 결론 ; 요지⟨*of*⟩.
in the upshot 드디어, 마침내, 결국.
úp·sìde *n.* 상측, 위쪽, 상부 ;〖鐵〗상행선 플랫폼 ; (가격 따위) 상승 경향.
úpside dówn *adv.* **1** 거꾸로, 전도하여, 뒤집혀 : turn the table ~ 테이블을 뒤집어 엎다. **2** 혼란하게, 난잡하게, 엉망진창으로 : He turns everything ~. 그는 모든 일을 엉망진창으로 만들어 버린다 / We found the room turned ~ by the thieves. 도둑들에 의해서 방이 엉망진창이 되었다. 〚*up so down* up as if down〛
úp·sìde-dówn *a.* 거꾸로의, 전도된 ; 혼란된, 엉망진창의.
úp·sídes *adv., a.* 《英口》 나란히[나란한], 맞먹어[호각(互角)의] (even) ⟨*with*⟩.
be*[*get*] *upsides with... 《英口》 …과 맞먹다 ; 복수하다, 앙갚음하다.
up·si·lon [ʌ́psəlɑ̀n, júː-, -lən, 英+juːpsáilən] *n.* 입실론《그리스어 알파벳의 제20번째 글자 Υ, *υ* ; 영자의 Y, y 또는 U, u에 해당함》. 〚Gk. =slender U (*psilos* slender)〛
úp·skìll·ing *n.* 숙련도(熟練度) 향상.
úp-Sóuth *a.* 《美俗》 (남부 여러 주(州)와 같이 인종 차별을 하는 곳으로서의) 북부의.
ùp·spríng *vi.* 뛰어오르다 ; 발생[출현]하다 ; 마음에 떠오르다. ── [ˊˋ] 《古》 *n.* 뛰어오름 ; 발생, 출현.
úp·stáge *adv.* 무대 뒤쪽에[으로]《옛날의 무대는 앞쪽보다도 뒤쪽이 높게 되어 있었다》; 카메라로부터 멀리 떨어져서. ── *a.* **1** 무대 뒤쪽의(↔ *downstage*). **2** 《口》 도도한, 거만한. ── [ˊˋ] *vt.* 무대 안쪽에 있어서 (다른 배우를) 불리한 입장에 놓이게 하다《관객에게 등을 보이기 때문에》; 《비유》 …의 인기를 가로채다 ; 《口》 깔보다, 거만하게 굴다, 냉대하다. ── [ˊˋ] *n.* Ⓤ 무대 뒤쪽, 무대 안, 카메라에서 가장 먼 곳.
úp·stáir *a.* =UPSTAIRS.
‡**up·stairs** [ʌ́pstéərz, -stǽərz] *adv.* **1** 이층에[으로], 위층에[으로] (↔ *downstairs*) ; 《口》 공중에 ; 《비유》 한층 높은 [높지만 별로 권위 없는] 지위에 : go ~ 이층[위층]으로 가다 / He was ~ in bed. 그는 이층에서 자고 있었다 / kick a person ~ ☞ KICK 숙어. **2** 《俗》 머리는, 두뇌는(in the head) : She is all vacant ~. 그녀는 머리가 텅 비어 있다. ── *n.* [단수·복수취급] 이층, 위층(↔ *downstairs*) ; [집합적으로] 《英口》 (특히 대저택의) 주인 ; 《美俗》 머리, 두뇌.
── *a.* 2층의, 위층의(↔ *downstairs*) ; 높은 곳에 있는, 고도의 : an ~ room 이[위]층 방.
ùp·stánd·ing *a.* (자세가) 꼿꼿한, 곧바른, 늘씬한 ; (인물이) 정직한, 고결한, 훌륭한(upright) : Be ~. 기립《판사의 입퇴정 때의 호령》.
úp·stárt *n.* **1** 벼락 출세자, 벼락 부자. **2** 건방진 놈. ── *a.* 벼락 출세한 ; 건방진, 거들먹거리는 ; 최근에 나타난. ── *v.* [ˋˊ] *vi.* 갑자기 일어서다[나타나다]. ── *vt.* 갑자기 일어서게 하다.
úp·státe *a., adv.* 《美》 (주(州) 안에서) 큰 도회지에서 먼[멀리], 해안에서 먼[멀리], 북쪽의[에·으로·에서]. ㊟ 특히 New York 주에 대하여 씀.
── [ˊˋ] *n.* Ⓤ (주(州) 안의) 시골 ; (특히) New York 주의 북부 지방. **úp·státer** *n.*
ùp·stép *vt.* …을 증진하다.
úp·stréam *adv.* 상류에[로], 흐르는 물을 거슬러 올라가. ── *a.* 상류의, 강을 거슬러 올라가는.
úp·stròke *n.* (글씨의) 위쪽으로 그은 획[필체] ; (피스톤의) 상승 운동[행정(行程)].
ùp·súrge *vi.* (파도처럼) 솟구쳐 오르다, 치솟다 (surge up). ── [ˊˋ] *n.* (파도와 같이) 솟구쳐 오르기, (급격한) 증가(increase) ; 격증 ; 쇄도 ; (감정의) 급격한 고조 ; 돌발(突發) : an ~ of nationalism 급격한 민족주의의 고조.
úp·swèep *n.* 위쪽으로 (향하여) 쓰다듬기[손질하기] ; (불독 따위의) 아래턱이 위로 굽은 모양 ; 가파른 치받이[언덕] ; 위로 빗어 올리는 머리형 ; (활동의) 현저한 증가. ── [ˊˋ, ˋˊ] *vt., vi.* 위쪽으로 (향하여) 쓸다[쓰다듬다·빗다·경사지다·곡선을 그리다].
úp·swèpt *a.* 위로 휜[굽은] ; 위로 빗어 올린《머리털 따위》.
úp·swìng *n.* (가격 따위의) 상승, 오름세 ; 향상, 발전, 현저한 증가. ── [ˋˊ] *vi.* 위쪽으로 흔들리다, 향상하다.
up·sy-dai·sy [ʌ́psidéizi] *int.* 안아 올려보자《어린애를 안아 올릴 때 하는 소리》. 〚*up-a-daisy*〛
úp·tàke *n.* Ⓤ 이해(력) (understanding) ; (생체(生體)로의) 흡수, 섭취 ; 들어올림 ; Ⓒ 〖機〗 (빨아 올리는) 통풍관, 연도(煙道) ; 〖鑛〗 =UPCAST. ㊟ 보통 다음 숙어에 씀.
quick*[*slow*] *at*[*in, on*] *the uptake 《口》 이해가 빠른[늦은], 사리를 잘 아는[모르는].
ùp·téar [-téər, -tǽər] *vt.* 뿌리째 뽑다, 갈기갈기 찢다, 토막내다.
úp·thròw *n.* 던져 올림 ; (지면 따위의) 융기 ; 〖地質〗 (단층에 의한 지반의) 융기.
── *vi.* 위로 던지다, 밀어 올리다.
úp·thrùst *n.* 밀어 올리기 ; 〖地質〗 지각의 융기.
── *vt., vi.* 융기시키다[하다].
úp·tìck *n.* (수요·공급의) 증대, 상향 ; (사업·경기·금리의) 상승 경향 ; 〖證〗 전회의 매매 성립가보다 높은 거래.
úp·tíght [ˌ ˋˊ] *a.* **1** 《口》 초조해하는, 불안한 ; 성이 난 ; 완고한 ; 경제적으로 어려운 ; 《口》 틀에 박힌, 딱딱한, 매우 엄격한 ; 보수적인. **2** 《美俗》 (곡 따위가) 잘 알려진 ; 잘 알고[진행되고] 있는 ; (복장이) 매디슨가(街)[아이비 리그] 스타일인[의] ; 멋진, 훌륭한.
ùp·tílt *vt.* 위로 기울이다(tilt up).
úp·tìme *n.* (컴퓨터 따위가 유효하게 기능을 발휘하는) 내용(耐用) 시간 ; 가동 시간.
*__úp-to-dáte__ *a.* 최근의, 최신(식)의 ; (사람이) 현대적인, 당세풍의, 첨단적인(↔*out-of-date*) : an ~ dictionary 최신의 (정보를 담은) 사전 / an ~ method of teaching 최신 교수법.
úp-to-the-mínute *a.* 최근의, 최신의, 최신식의.
úp·tówn *adv.* (↔*downtown*) 언덕빼기에[로] ; 《美》 주택지구에[로] : go[live] ~ 언덕빼기로 가다[에 살다]. ── *a.* 언덕빼기의[에 있는] ; 《美》 주택 지구의 : ~ New York 뉴욕 주택 지구.
── [ˊˋ] *n.* Ⓤ 언덕빼기 ; 《美》 주택 지구.
~·er *n.* 언덕빼기 주민.
úp·trènd *n.* 〖經〗 상승 경향, 오름세.
ùp·túrn *vt.* 위쪽으로 돌리다 ; (가격·시황이) 오름세를 보이다, 뒤집다, 혼란에 빠뜨리다 ; 파헤치다 : ~ one's face 얼굴을 위쪽으로 돌리다 / ~ the ground 땅을 파헤치다. ── *vi.* 위쪽으로 향하다[경사지다]. ── [ˊˋ] *n.* 위로 향함, 상승, 호전, 개선 ; 전복 ; (사회의) 대혼란.
ùp·túrned *a.* (눈 따위) 위로 향한, (코 따위) 위로 들린(turnup) ; (배 따위) 뒤집힌, 전복한 ; 파헤쳐진, 끝이 구부러진.
UPU Universal Postal Union (만국 우편 연합).
ùp·válue *vt.* (통화를) 평가 절상하다.
∼·valuátion *n.*
‡**up·ward** [ʌ́pwərd] *a.* 위로 향하는, 위쪽의, 상위

의, 상류로 향하는, 상승의 ; 위쪽에 있는 : an ~ tendency (물가 따위) 오름세 / an ~ current 상승세[기류] / He took an ~ glance. 그는 눈을 치켜 뜨고 보았다.
—— *adv.* **1** 위쪽으로, 위로 향하여, 오름세로, 높은 쪽으로 ; 상류[오지(奧地)] 쪽으로 ; 대도시로 ; 중심[주요]부 쪽으로 : look ~ 위쪽을 보다 / follow a stream ~ 시냇물을 거슬러 올라가다. **2** (수량·정도 따위) …이상, 이래, 이후, 더 높이[많이] : from my youth ~ 청년 시절 이후로 / boys of ten years ~ 열 살 이상의 사내 아이.
and [***or***] ***upward*** (***s***) …이상.
upward (***s***) ***of*** …보다 이상(more than) : ~ *of* a million unemployed 백만명 이상의 실업자.
~·ly *adv.* 위쪽으로.
〖OE *upweard*(*es*) (UP, *-ward*)〗

úpwardly móbile *a.* (사회적·경제적 지위의) 향상 지향[경향]의.

úpward mobílity *n.* 《美》〖社〗(경제적·사회적 지위의) 상향적 사회 이동.

úpward revàluation *n.* (평가(平價)) 절상.
㊟ revaluation만으로도 「절상」의 뜻이 되며, 또는 upvaluation이라고도 함.

‡**úp·wards** *adv.* =UPWARD.

úp·wéll *vi.* 분출하다, 솟아나다.

ùp·wéll·ing *n.* 용승(湧昇)《영양염(鹽)이 많은 심해수(深海水) 따위의》.

úp·wínd [-wínd] *a., adv.* 바람이 불어오는 쪽의 ; 바람을 거슬러서. —— [∸∸] *n.* 역풍(逆風).

u quark [júː ∸] *n.* =UP QUARK.

ur [ʌː, əː] *int.* =ER.

ur-[1] [júər], **uro-** [júərou, -rə] *comb. form* 「오줌, 요도, 배뇨, 요소」의 뜻. 〖Gk. *ouron* urine〗

ur-[2] [júər], **uro-** [júərou, -rə] *comb. form* 「꼬리, 미부(尾部), 후미돌기」의 뜻. 〖Gk. *oura* tail〗

Ur- [úər] *pref.* [때때로 ur-] 「원시의, 초기의, 원형의」의 뜻 : the *Ur*-form 원형(原形). 〖G〗

Ur 〖化〗 uranium.

ura·cil [júərəsìl, -səl] *n.* 〖生化〗 우라실《RNA를 구성하는 피리미딘 염기 ; 기호 U》.

uraemia ☞ UREMIA.

urae·us [juəríːəs] *n.* (*pl.* **uraei** [juəríːai], **~·es**) 뱀꼴 표상《고대 이집트 왕의 왕관에 달던》.
〖NL<Gk.<Egypt *uro* asp〗

uraeus

Ural [júərəl] *a.* 우랄 산맥[강]의. —— *n.* 우랄 지방 ; [the ~] 우랄 강《우랄 산맥 남부에서 카스피해로 흐름》; [the ~s] 우랄 산맥.

Úral-Altáic *a.* 우랄 알타이(Ural-Altai) 지방 (주민)의 ; 우랄 알타이어족의.
—— *n.* 우랄 알타이어족(語族)《핀어·터키어·몽고어 따위를 포함하여 동부 유럽 및 중앙아시아에 걸침》.

Ura·li·an [juəréiliən, -rǽl-] *a.* 우랄(산맥·지방)의 ; 〖言〗 우랄 어족의.

uran-[1] [júərən, juəréin], **ura·no-** [júərənou, juəréi-, -nə] *comb. form* 「천(天)」「구개(口蓋)」의 뜻 〖Gk. *ouranos*〗

uran-[2] [júərən, juəréin], **ura·no-** [júərənou, juəréi-, -nə] *comb. form* 「우란, 우라늄(uranium)」의 뜻.

Ura·nia [juəréiniə] *n.* **1** 여자 이름. **2** 〖그神〗 우라니아《천문(天文)의 여신, the Muses의 하나 ; Aphrodite(=Venus)의 별칭》.
〖Gk. =heavenly〗

uran·ic[1] [juərǽnik, -réi-] *a.* 〖化〗 우란의, 우라늄의, 우란을 함유한 : ~ acid 우란산.

uranic[2] *a.* 하늘의, 천문학상의.
〖Gk. *ouranos* heaven〗

***ura·ni·um** [juəréiniəm] *n.* Ⓤ 〖化〗 우라늄《방사성 금속원소 ; 기호 U ; 번호 92》: ~ metals 금속 우라늄군(群) / enriched ~ 농축 우라늄 / ~ pile 우라늄 원자로.
〖NL (URANUS, *-ium*) ; cf. TELLURIUM〗

urano- [júərənou, juəréinou, -nə] ☞ URAN-[1, 2].

ura·nog·ra·phy [jùərənágrəfi] *n.* Ⓤ 천체학, 천문학.

ura·nol·o·gy [jùərənálədʒi] *n.* Ⓤ 천체지(天體誌) ; 천체학, 천문학.

ura·nom·e·try [jùərənámətri] *n.* Ⓤ 천체 측량 ; Ⓒ 천체도, 천체지(誌), 천체 설명서.

Ura·nus [juəréinəs, júərənəs] *n.* **1** 〖그神〗 우라노스《천(天)의 인격화로 세계를 지배하는 신, Gaea의 아들이자 남편 ; cf. HYPERION》. **2** 〖天〗 천왕성. 〖Gk. *ouranos* heaven〗

urb [ə́ːrb] *n.* (교외 구역에 대하여) 시가지 (구역), 도시, 읍. 〖*urb*an, sub*urb*〗

***ur·ban** [ə́ːrbən] *a.* 도시의, 도회의, 시가지의, 도시에 사는, 도시 특유의(↔*rural*) : ~ problems 도시 문제. 〖L (*urbs* city)〗

úrban anthropólogy *n.* 도시 인류학.

úrban archeòlogy *n.* 도시 고고학.

úrban blúes *n.* [단수·복수 취급] 어번블루스《보통 밴드를 동반하는 리드믹컬하고 화려한 블루스》.

úrban desígn *n.* 〖建〗 도시 설계《도시계획을 바탕으로, 도시생활에 필요한 물리적 공간을 형태화하는 설계 행위》.

ur·bane [əːrbéin] *a.* 도회지풍의, 우아한, 세련된, 때를 벗은(refined) ; 정중한, 예절바른.
~·ly *adv.* 점잖게 ; 정중하게. **~·ness** *n.*
〖L ; ⇨ URBAN〗

úrban guerrílla *n.* 도시 게릴라 (조직).

úrban hómesteading *n.* 《美》 도시 정주(定住) 장려 (정책)《도시의 황폐화 방지를 위한 연방정부의 정책》. **úrban hómesteader** *n.* 도시 재(再)정주자. 〖*Urban Homestead* Act (1973)〗

úrban·ìsm *n.* 도시 생활 ; 도시화 ; 도시계획 ; (인구의) 도시집중.

úrban·ist *n.* 도시 계획 전문가. —— *a.* 도시 계획 전문(가)의. **ùr·ban·ís·tic** *a.* **-ti·cal·ly** *adv.*

úrban·ìte *n.* 도회지 사람.

ur·ban·i·ty [əːrbǽnəti] *n.* Ⓤ 도회지풍, 우아, 품위 있는 모양 ; [*pl.*] 품위있는 행동 ; 도시생활.

úrban·ìze *vt.* 도시화하다, 도회지풍으로 하다 ; 《稀》 우아하게 하다.

ur·ban·ol·o·gy [ə̀ːrbənálədʒi] *n.* 도시학, 도시문제 연구. **-gist** *n.*

úrban óre *n.* (재생 원료로서의) 폐기물.

úrban renéwal [**redevélopment**] *n.* 《美》 도시 재개발.

úrban sociólogy *n.* 도시 사회학.

úrban spráwl *n.* 도시 스프롤 현상《도시의 불규칙하고 무계획적인 교외(郊外) 발전》.

ur·bia [ə́ːrbiə] *n.* Ⓤ [집합적으로] 도시(cities).

úr·bi·cìde [ə́ːrbə-] *n.* 도시(환경[경관])의 파괴.

úr·bi·cùlture [ə́ːrbə-] *n.* Ⓤ 도시 생활 특유의 생활 습관[여러 문제], 도시 문화.

ur·chin [ə́ːrtʃən] *n.* **1** 장난꾸러기, 개구쟁이 ; 부랑아 ; (일반적으로) 소년. **2** 〖動〗 성게(sea urchin) ; 《古·方》 고슴도치(hedgehog) ; 《廢》

(고슴도치로 둔갑하는) 작은 요정.
〚OF *heriçon*<L *ericius* hedgehog〛

úrchin cùt *n.* (여성 머리의) 쇼트 컷.

Ur·du [úərdu:, ə́:r-] *n.* Ⓤ 우르두어《Hindustani 어의 하나 ; 주로 인도·파키스탄의 이슬람교도 사이에 쓰이며 페르시아어·아랍어 따위를 포함함 ; 파키스탄의 국어》. 〚Hindi (*zabān i*) *urdū* (language of the) camp<Pers.〛

-ure [ər] *n. suf.* **1** [동작·과정·존재] : censure, culture. **2** [동작의 결과] : picture, creature. **3** [직무·기능] : judicature. **4** [기능 집단] : legislature. **5** [수단] : ligature.
〚OF *-ure* and L *-ura*〛

urea [júəriə, juərí:ə] *n.* Ⓤ 〔化〕 요소(尿素).
〚NL<F *urée*<Gk. *ouron* urine〛

uréa-formáldehyde rèsin *n.* 〔化〕 요소 포름알데히드 수지.

ure·al [juərí:əl, júəriəl] *a.* 요소의[를 함유한].

ure·ase [júərièis, -z] *n.* Ⓤ 〔生化〕 우레아제《요소의 가수분해를 촉진하는 효소》.

ure·mia, urae- [juərí:miə] *n.* Ⓤ 〔醫〕 요독증.

uré·mic *a.* 요독증의[에 걸린].

-u·ret [jərét, jərèt] *comb. form* 「…와 화합[혼합]시키는」「《古》 2원소로[성분으로] 이루어진 화합물」의 뜻 : carburet, sulfuret.
〚NL *-uretum*<F *-ure* -ide〛

ure·ter [juərí:tər, júərətər] *n.* 〔解〕 수(輸)뇨관.
~·al [juərí:tərəl], **ure·ter·ic** [jùərətérik] *a.*
〚F or NL<Gk. (*oureō* to urinate)〛

ure·tero- [juərí:tərou, -rə] *comb. form* 「수뇨관」의 뜻. 〚URETER〛

ure·thane [júərəθèin], **-than** [-θæ̀n] *n.* Ⓤ 〔化〕 우레탄《주로 최면제용》.

ure·thr- [juərí:θr], **ure·thro-** [juərí:θrou, -rə] *comb. form* 「요도」의 뜻. 〚↓〛

ure·thra [juərí:θrə] *n.* (*pl.* **-thrae** [-θri:], **~s**) 〔解〕 요도. **uré·thral** *a.* 〚L<Gk. URETER〛

ure·thri·tis [jùərəθráitəs] *n.* Ⓤ 요도염(尿道炎).

uréthro·scòpe *n.* 〔醫〕 요도경(尿道鏡).

ure·thros·co·py [jùərəθrɑ́skəpi] *n.* Ⓤ 〔醫〕 (요도경에 의한) 요도 검사.

uret·ic [juərétik] *a.* 〔醫〕 오줌의, (특히) 배뇨촉진[이뇨]의.

urge** [ə́:rdʒ] *vt.* **1** [+目/+目+副] 몰다, 몰아대다, 재촉하다, 밀어대다 : ~ one's way 길을 재촉하다 / The hunter ~*d* his horse ***on[*onward*]. 사냥꾼은 말을 몰아댔다 / They ~*d* their flight *northward*. 그들은 북쪽으로 계속 비행을 강행했다. **2** [+目/+目+*to* do/+目+前+名] (사람에게) 다그치다, 재촉하다, 촉구하다 ; 권유하다, 격려하다 : We ~*d* them *to* stay overnight. 우리는 그들에게 하룻밤 묵어가도록 권유했다 / I was ~*d to* sign the contract. 나는 계약서에 서명하도록 재촉받았다 / He ~*d* the crowd ***to*** revolt. 그는 군중을 부추겨 반란을 일으키게 했다. **3** [+目/+*that* 節/+目+*on*+名] 주장하다, 우겨대다, 역설하다 : ~ an argument 주장을 강하게 내세우다 / The doctor ~*d* a change of climate. 의사는 전지(轉地) 요양을 거듭 권유했다 / It was ~*d that* slavery should be abolished. 노예제도의 폐지가 요구되었다 / The teacher ~*d* (***up***) ***on*** us the necessity of practice. 선생님은 우리에게 연습의 필요성을 역설했다.
── *vi.* 주장[요구, 반대 의견 따위]를 역설하다 ; 자극[추진력]으로 작용하다.
── *n.* [+*to* do] 몰아댐 ; 자극, 압박, (강한) 충동 : I had[felt] an ~ *to* visit Europe. 나는 유럽 여행을 하고 싶은 강한 충동을 느꼈다.
〚L *urgeo* to press, drive〛
類義語 ***urge*** 간청·주장·추천으로 남에게 권하여 어떤 일을 하게 하다 : He *urged* me to accept the offer. (그는 나에게 그 제의를 수락하도록 촉구했다). ***exhort*** 적당한[올바른] 행위를 하도록 강하게 설득시키다 : The clergyman *exhorted* them to live honestly. (목사는 그들에게 정직하게 살기를 강력히 권했다). ***press*** 계속하여 끈덕지게 상대방이 거역하지 못할 만큼 강요하다 : They *pressed* us to withdraw our proposal. (그들은 우리의 제안을 철회하도록 졸라댔다).

ur·gen·cy [ə́:rdʒənsi] *n.* **1** Ⓤ 절박, 급박 ; 긴급, 화급, 몹시 급함 ; [*pl.*] 긴급한 필요 : a problem of great ~ 긴급한 문제. **2** Ⓤ (요구 따위의) 집요함, 끈질김 ; the ~ of a suitor 구혼자의 집요함.

***úr·gent** *a.* **1** 다급한, 절박한, 긴급한 : ~ necessity 절박한 필요 / an ~ telegram 지급전보 / on ~ business 급한 일로 / They were in ~ need of pecuniary help. 그들은 금전상의 원조가 긴급히 필요했다 / It is ~ that food and clothing (should) be sent to the sufferers. 긴급히 식료품과 의류를 이재민에게 보내는 일이 필요하다. **2** 마구 재촉하는, 귀찮게 조르는, 강요하는 ; (탄원·청구 따위) 끈덕진, 성가신 : They are ~ *for* payment of arrears of wages. 체불된 임금의 지급을 강경히 요구하고 있다 / He was ~ *with* his wife *for*[*to* disclose] further particulars. 그는 아내에게 좀더 자세히 이야기하도록 끈덕지게 요구했다. **~·ly** *adv.* 다급하여, 긴급하게 ; 마구[끈덕지게] 졸라서. 〚OF ; ⇨ URGE〛

urg·er [ə:rdʒər] *n.* Ⓤ 몰아대는 것[사람] ; 《濠俗》 (경마의) 예상가.

-ur·gy [ə:rdʒi] *n. comb. form* 「…의 취급법, …의 조작기술」의 뜻 : chemurgy.
〚NL *-urgia*<Gk.〛

U.R.I. upper respiratory infection(상기도(上氣道) 감염).

-uria [júəriə] *n. comb. form* 「오줌이 …한 상태」「오줌에 …가 섞인 상태[증상]」의 뜻 : albuminuria, pyuria. 〚Gk. (*ouron* urine)〛

Uri·ah [juəráiə] *n.* **1** 남자 이름. **2** 〔聖〕 우리아《Bathsheba의 남편 ; 다윗에게 모살됨》.
〚Heb. =God is light〛

uric [júərik] *a.* 오줌의, 오줌에서 얻은 : ~ acid 요산(尿酸). 〚F *urique* ; ⇨ URINE〛

uric- [júərik], **uri·co-** [júərikou, -kə] *comb. form* 「요산(uric acid)」의 뜻.

Uri·el [júəriəl] *n.* **1** 남자 이름. **2** 〔聖〕 우리엘《대천사의 하나》. 〚Heb. =light of God〛

Urim and Thum·mim [júərəm ənd θʌ́məm, ùəri:m ənd túmi:m] *n.* [때때로 u~ and t~] 〔聖〕 우림과 둠밈《재판을 행하는 유태의 사제가 신탁을 받기 위하여 쓰던 것으로 보석 또는 금속으로 상상되는 신성한 물건 ; 출애굽기 28 : 30》.

urin- [júərən], **uri·no-** [júərənou, -nə] *comb. form* 「오줌, 요도, 요소」의 뜻.
〚L ; ⇨ URINE〛

uri·nal [júərənl, 英+juərái-] *n.* 요강 ; 소변소, (특히) 남자용의 소변 변기 ; 유리제품 소변기《검사용》. 〚OF<L ; ⇨ URINE〛

uri·nal·y·sis, ura- [jùərənǽləsəs] *n.* (*pl.* **-ses** [-si:z]) Ⓤ,Ⓒ 〔醫〕 요검사, 검뇨(檢尿).

uri·nary [júərənèri ; -nəri] *a.* 오줌의 ; 비뇨(기)의 ; 오줌으로[요속에] 배설하는 : ~ diseases 비

뇨기병 / the ~ bladder 〔解〕 방광(膀胱) / ~ organs 비뇨기. —— *n.* 소변소(urinal) ; 오줌 구덩이.

úrinary cálculus *n.* 〔醫〕 요(결)석(尿(結)石).

úrinary túbule *n.* 〔解〕 요세관(尿細管).

uri·nate [júərənèit] *vi.* 오줌누다, 소변보다. —— *vt.* 오줌으로 적시다 ; (피 따위를) 오줌으로[과 함께] 배출하다. **ùri·ná·tion** *n.* Ⓤ 배뇨 (작용). **úri·nà·tive** *a.*

urine [júərən] *n.* Ⓤ 오줌, 소변 : pass[discharge] (one's) ~ 소변을 보다, 방뇨하다. 〖OF<L *urina*〗

urino- [júərənou, -nə] ☞ URIN-.

ùrino·génital *a.* 비뇨 생식기의.

uri·nom·e·ter [jùərənámətər] *n.* 요(尿)비중계. **ùri·no·métric** *a.*

urn [ə́:rn] *n.* **1** 항아리, 단지 ; 유골 단지 ; (묘석에 조각한) 항아리 그림 ; 무덤(the grave), 묘. **2** (주둥이가 달린) 대형 커피 포트. **3** 샘, 원류. —— *vt.* 유골 단지에 넣다 ; 매장하다. 〖L *urna* ; cf. L *urceus* pitcher〗

uro- [júərou, -rə] ☞ UR-[1, 2].

ùro·génital *a.* 비뇨생식기의, 성뇨기(性尿器)의.

urol·o·gy [juərálədʒi] *n.* Ⓤ 비뇨기 과학.

-u·ron·ic [juəránik] *a. suf.* 「오줌에 관련이 있는」의 뜻 : gluc*uronic* acid. 〖Gk. (*ouron* urine)〗

-u·rous [júərəs] *a. comb. form* 「…의 꼬리의[가 있는]」의 뜻 : an*urous*. 〖Gk. (*oura* tail)〗

Ur·sa [ə́:rsə] *n.* 여자 이름. 〖L = (she-)bear〗

Úrsa Májor *n.* 〔天〕 큰곰자리(the Great Bear).

Úrsa Mínor *n.* 〔天〕 작은곰자리(the Little Bear).

ur·sine [ə́:rsain] *a.* 〔動〕 곰과(科)의 ; 곰 같은. 〖L ; ⇨ URSA〗

Ur·su·la [ə́:rsələ ; -sju-] *n.* **1** 여자 이름. **2** [Saint ~] 성(聖) 우르술라《영국의 전설적 순교자》. 〖L (dim.) ; ⇨ URSA〗

Ur·su·line [ə́:rsələn, -làin, -lì:n ; -sjulàin] *n.* 〔카톨릭〕 우르술라회의 수녀《병자의 간호와 소녀의 교육을 목적으로 1535년 창설되었음》. —— *a.* 우르술라회의. 〖St. *Ursula* (↑) St. Angela의 수호 성인〗

ur·ti·ca·ceous [ə̀:rtəkéiʃəs] *a.* 〔植〕 쐐기풀과(科)의.

ur·ti·cant [ə́:rtikənt] *a.* (쐐기풀에 찔린 것처럼) 따끔따끔한, 부어서 가려운.

ur·ti·car·ia [ə̀:rtəkéəriə, -kǽər-] *n.* Ⓤ 〔醫〕 두드러기.

ur·ti·cate [ə́:rtəkèit] *vi.* 쐐기풀처럼 찌르다 ; 두드러기가 나다 ; 《廢》 쐐기풀로 치다. —— *vt.* 쐐기풀(같은 것으)로 찌르다 ; …에 두드러기가 나게 하다. —— *a.* 두드러기가 난. 〖L *urtica* nettle〗

ùr·ti·cá·tion *n.* Ⓤ (쐐기풀로) 찌름, 따끔거리는 감각 ; 두드러기 발생.

Uru·guay [júərəgwài, júərəgwèi] *n.* **1** 우루과이《남미 남동부의 공화국 ; 수도 Montevideo ; 略 Uru.》. **2** [the ~] 우루과이 강《남미 남동부의 강 ; 브라질 남부에서 라플라타 강(☞ PLATA)으로 흐름》. **Ùru·guáy·an** *a., n.*

Úruguay Róund *n.* 우루과이 라운드《1986년 우루과이에서 개최된 GATT 각료회의에서 선언되어 이듬해부터 행해진 15개 분야의 다자간(多者間) 무역 협상》.

◇**us** [əs, s, ʌ́s] *pron. pl.* **1** [we의 목적격] 우리들을[에게] : Let *us* go. =Let's *go.* ☞ LET[1] *auxil. v.* / Let *us* go. ☞ LET[1] *auxil. v.* **2** 《詩·古》 = OURSELVES : We laid *us* down. 우리는 드러누웠다. **3 a)** 짐(朕)을[에게] ; (신문 논설 따위에서) 우리들을[에게](cf. WE 2). **b)** 《英方·俗》 =ME, to me : Give *us* a penny. 나에게 한푼만 주시오. **4** [부정 대명사적으로] (일반적으로) 사람에게[을]. 〖OE ; cf. G *uns*〗

◇**US, U.S.** United States ; United Service ; Under Secretary. **US, U/S, u/s** unserviceable ; useless.

◇**USA, U.S.A.** Union of South Africa ; United States Army (미국 (상비) 육군) ; United States of America.

us·able, use·able [jú:zəbəl] *a.* 쓸 수 있는, (사용하기에) 편리한. **ùs·abíl·i·ty** *n.* Ⓤ 유용성, 편리함. **~·ness** *n.*

U.S.A.E.C. United States Atomic Energy Commission(미국 원자력 위원회).

USAF, U.S.A.F. United States Air Force (미국 공군 ; cf. RAF). **USAFI** United States Armed Forces Institute (미군 교육 기관).

*__us·age__ [jú:sidʒ ; -zidʒ] *n.* **1 a)** Ⓤ 용법, 사용(법), 취급(법), 대우(treatment) : This instrument will not stand rough ~. 이 기구는 마구 다루면 망가질 것이다. **b)** ⓊⒸ (언어의) 관용법, 어법 : ~ and abusage 관용과 오용 / We must master both grammar and ~ for writing good English. 훌륭한 영어를 쓰기 위해서는 문법과 관용법 양자에 숙달해야만 한다 / Expressions used by good writers are mostly good ~*s.* 훌륭한 작가가 쓰는 표현은 거의 다 좋은 어법이다. **2** ⓊⒸ 습관, 관례(custom) : social ~(*s*) 사회의 관습 / come into[go out of] ~ 관례가 되다[없어지다]. 〖OF ; ⇨ USE〗
類義語 ⟹ HABIT.

us·ance [jú:zəns] *n.* Ⓤ 〔商〕 어음 (관습) 기간《환어음의 만기일까지의 기간》〈*on*〉; 《古》 관례, 관습, 습관, 버릇 ; 《古》 사용, 이용 : at ~ 관습 기한부로[의]. 〖OF ; ⇨ USE〗

USAR United States Army Reserve(미육군 예비부대). **USASI** United States of America Standards Institute(미국 규격 협회). **USC, U.S.C.** United States Code ; United States of Columbia. **USCAB** United States Civil Aeronautics Board(미국 민간 항공 위원회).

USCG, U.S.C.G. United States Coast Guard(미국 연안 경비대).

USDA United States Department of Agriculture.

◇**use** [jú:z] *vt.* **1** [+目 / +目+前+名 / +目+*as* 補 / +目+*to* do] 쓰다, 사용하다 ; 이용하다 ; (자신의 재능·신체 따위를) 행사하다, 써먹다, 움직이다 : ~ a train 열차를 이용하다, 기차로 가다 / ~ force 폭력을 쓰다 / ~ care 주의하다 / *U~* your head. 머리 써라 / *U~* your pleasure. 좋으실 대로, 마음대로(Do as you please.) / The root is ~*d* ***for*** food. 뿌리는 식용으로 쓰인다 / Gravel is much ~*d for* mak*ing* roads. 자갈은 길을 만드는 데 많이 쓰인다 / *U~* the following words ***in*** a sentence. 다음 단어를 사용하여 문장을 지어라 / You may ~ my name (*as* a reference). 당신은 나의 이름을 (신원 보증인으로서) 사용해도 좋습니다 / A man ~*s* knife *to* cut things. 사람은 물건을 자르는 데 칼을 쓴다. **2** [+目 / +目+副] 소비하다, 쓰다(consume) : ~ a ton of coal in a month 한 달에 1

톤의 석탄을 소비하다 / Do you ~ sugar in your coffee? 커피에 설탕을 넣으십니까 / I have ~*d* ***up*** all my energy. 나는 힘을 다 써버렸다. **3** [+目+副] 대우하다, 취급하다, 다루다(treat) : ~ a person *well*[*ill*] 남을 친절히 대하다[학대하다](cf. ILL-USE) / *How* is the world *using* you? 《俗》 근자에 재미가 어떻소.

〈회화〉
Can I *use* this telephone? — I'm sorry. It's out of order. 「이 전화 좀 써도 되겠습니까」「미안합니다. 고장이 났어요」

—— *vi.* 주 지금은 과거형만으로 씀(☞ USED[1] *vi.*).

use up (1) 다 써버리다(cf. *vt.* 2) : The soldiers had ~*d up* all their supplies. 병사들은 식량을 모두 먹어 버렸었다. (2)《口》 녹초가 되게 하다 : He was pretty well ~*d up* by walking. 그는 걸어서 거의 녹초가 되었다.

——[jú:s] *n.* **1** Ⓤ 사용, 이용(법) ; (음식물 따위의) 소비 : maps *for* ~ in schools 학교용의 거는 지도 / buy a thing *for* one's personal ~ 개인적으로 사용하기 위해서 물건을 사다 / a dictionary *for* the ~ *of* students 학생용 사전 / teach [learn] the ~ *of* a machine 기계의 사용법을 가르치다[배우다] / This sofa has got worn *with* ~. 이 소파는 오래 사용해서 낡았다.

2 Ⓤ 사용하는 힘[능력] ; 사용할 자유, 사용권 ; 사용의 필요[기회] ; 〖法〗 (토지 따위의) 향유(권) : He has lost the ~ *of* his right hand. 그는 오른손을 못쓰게 되었다 / He gave me the ~ *of* his books. = He put the ~ *of* his books at my disposal. 그는 그의 서적을 내 마음대로 사용하도록 해주었다.

3 a) Ⓤ [+前+do*ing*] 유용, 효용, 이득, 효과 (cf. GOOD *n.* 2) : be *of* (great) ~ (크게) 소용되다, (매우) 유익하다 / be *of* no ~ =《口》 be no ~ 쓸모없다, 무익하다 / A telephone is *of* little ~ in this town. 이 마을에서는 전화가 그다지 쓸모가 없다 / Advice is no ~ *to* him. 충고를 해도 그에게 아무런 소용이 없다 / There is no ~ (***in***) talk*ing*. = It is *of* no ~ [《口》 It's no ~] to talk[talking]. 말해봐야 아무런 소용이 없다 / What is the ~ ***of*** talk*ing*? = *Of* what ~ is it to talk? 말해서 무슨 소용이 있느냐 / It is no ~ crying over spilt milk. 《속담》 한번 엎지른 물은 되담을 수 없다 / It is no ~ your trying to deny it. 그것을 부정하려고 해도 소용없다. **b**) U,C 사용목적, 용도 : a machine with many ~*s* 용도가 많은 기계 / They found a ~ *for* old scrap iron. 그들은 낡은 파쇠의 이용법을 알아냈다 / have no ~ *for*... ☞ 숙어 / Put that money to a good ~. 그 돈을 유용하게 쓰시오.

4 U,C 관습, 관행, 습관(custom, habit) : ~ and wont 관습, 관례 / *U*~ makes perfect. 《속담》 배우기 보다 익혀라 / Once a ~, for ever a custom. 《속담》 버릇은 천성이 된다 / It was his ~ to walk five miles every day. 매일 5마일 걷는 것이 그의 습관이었다 / Such things are learned *by* ~. 이러한 일은 자꾸 하다 보면 배우게 된다.

5 〖宗〗 (각 교회·감독 관구에 특유한) 의식, 예식(ritual) : the Anglican[Roman] ~ 영국[카톨릭] 교회의 의식.

6 Ⓤ 〖法〗 (신탁된 토지 따위의) 수익(권), 신탁.

bring...into use …을 쓰기 시작하다 : Atomic energy is going to be *brought into* greater ~ for peaceful purposes. 원자력은 평화적 목적을 위하여 더욱 더 이용될 전망이다.

come into use 쓰이게 되다 : The telephone first *came into* ~ in the seventies. 전화는 1870 년대에 처음 쓰이게 되었다.

have no use for …의 필요가 없다, …에(는) 소용이 없다 ; 《비유》 …을 매우 싫어하다, …을 참을 수 없다, …의 진가를 인정하지 않다, …을 상대하지 않다 : I *have no* (further) ~ *for* the key. 나는 그 열쇠가 (더 이상) 소용이 없다 / I *have no* ~ *for* such people. 나는 그런 사람들은 아주 싫다.

in use 사용되어[되고 있는], 일반적으로 행해져[행해지고 있는] : These implements are *in* common ~. 이러한 도구는 일반적으로 사용되고 있다 / The word is not *in* ~. 그 단어는 그다지 사용되지 않는다.

make use of …을 사용[이용]하다 : Any member can *make* ~ *of* the reading room. 어느 회원도 독서실을 이용할 수 있다 / She *makes* good ~ *of* her time. 그녀는 시간을 잘 이용한다.

out of use 쓰이지 않게 되어, 필요없게 되어 : The custom is[has got, has gone, has fallen] *out of* ~. 그 관습은 이제 사라져 버렸다.

put...to use …을 쓰다, 이용하다(cf. 3 b)).

〖(n.) OF *us* (<L *usus*), (v.) OF *user* (freq.) < L *us- utori* to use〗

類義語 ***use*** 어떤 목적을 달성하기 위한 수단으로 물건[때로는 사람]을 쓰다 ; 가장 일반적인 말 : *use* a typewriter[camera, car, *etc.*] (타자기[카메라, 자동차 따위]를 쓰다). ***employ*** 남에게 일을 시키고 급료를 지급하여 쓰다[고용하다] ; 또는 현재 사용되지 않는 것을 유효하게 사용하다 : *employ* a servant (하인을 고용하다) / *employ* a vacant lot as a playground (빈터를 놀이터로 쓰다). ***utilize*** 어떤 것을 실용적으로 또는 유리하게 사용하다 : She *utilizes* every bit of cloth. (그녀는 헝겊조각도 모두 이용한다).

useable ☞ USABLE.

used**[1] [jú:st, (to의 앞) jú:s*t*] *pred. a.* [+*to*+do*ing*] 익숙해져 (있는) (accustomed) : The lighthouse people were ~ ***to raging seas and driving winds. 등대 사람들은 성난 파도와 몰아치는 폭풍에 익숙해져 있었다 / I got[became] ~ gradually *to* the vegetarian diet. 나는 차츰 채식에 익숙해졌다 / He isn't ~ *to* walk*ing*. 그는 걷는데 익숙하지 못하다. —— *vi.* [부정 단축형 use(d)n't [jú:snt, (to의 앞) jú:sn*t*]] [+*to* do] 언제나 …했다, …하는 것이 보통이었다, …하는 것이 버릇[예·습관]이었다(cf. WOULD) (☞ 活用 (3)) ; [이전의 사실·상태를 나타냄] 이전에는[원래는] …이었다 : I ~ *to* think I'd like to be a sea captain. 나는 늘 선장이 되겠다고 생각했었다 / The country inn was as pleasant as it ~ *to* be in the old times. 시골 여인숙은 옛날이나 다름없이 즐거운 곳이었다 / That is how automobiles ~ *to* be made. 그것이 원래 자동차가 만들어지던 방법이다《옛날 자동차 제조법이다》 / He visits us oftener than he ~ (*to*). 그는 이전보다 더 자주 우리를 방문한다 / The Tower of London ~ *to* be a prison. 런던 탑은 원래 감옥이었다. ☞ 活用.

活用 (1) i) used (to)는 조동사로 간주되어, 부정문 및 의문문에도 보통 did를 쓰지 않음 : He *usedn't to* answer. (대답 안하는 것이 예사였다) / What *used* he *to* say? (그는 늘 무어라

고 말하던가). ii) 단, 주로 《美》에서 did를 쓰는 경우가 있다 ; 이 용법은 《英》에서는 일반적으로 《무교육·卑》로 취급되었으나, 최근 《口》에서는 did를 쓰는 경향이 있다 : He *didn't use to* answer. (그는 대답 안하는 것이 예사였다) / What *did* he *use to* say? (그는 늘 무어라고 말하던가). 이 경우 《美卑》로는 He *didn't used to* be like that. (그는 예전에는 저렇지 않았다) 라고 할 경우도 있으나, 이를 피하여, used를 use로 함. iii) did는 다음과 같은 경우에도 씀 : Brown *used to* live in Paris. — Oh, *did* he [*used* he]? (브라운씨는 파리에 살고 있었지 — 아, 그랬어요) / He *used to* live in Paris, *usedn't* he[*didn't* he]? (그는 전에 파리에 살지 않았습니까).

(2) used to는 다음과 같은 구문에도 씀 : *It used to* be said that.... (…이라고들 늘 말했었다) / *There used to* be a house here. (원래는 이곳에 집이 있었다).

(3) used to는 과거의 습관(적 동작)을 현재의 상태와 대조적으로 표현하는데 대하여, WOULD는 반복적 동작을 표현하지만 상습적 색채가 희박하고, 가끔 often, sometimes 따위를 병용함 (cf. WOULD 5).

***used**[2] [júːzd] *a.* 사용된, 이용된 ; 써버린, 써서 낡은, 중고의 : ~ cars 중고차 / ~ tickets 써버린 표. 〖USE〗

***used·n't** [júːsnt] used not의 단축형.

úsed-to-bè [júːst-] *n.* 《美口》 =HAS-BEEN.

úsed-úp *a.* 써서 낡은, 낡아빠진 ; 지쳐버린, 녹초가 된.

‡**use·ful** [júːsfəl] *a.* **1** [+*to* do / +前+do*ing* / +*as* 補] 유익한, 유용한, 편리한, 유효한, 실용적인 : The advice was very ~ ***to*** me. 그 충고는 나에게 매우 유익했다 / a ~ dictionary ***for*** students 학생에게 유익한 사전 / I tried to make myself generally ~. 나는 여러모로 도움이 되려고 애썼다 / It will be ~ for you to learn English. 영어를 배우면 너에게 유익할 것이다 / It is ~ *to* have in the house. 그것이 집에 있으면 편리하다 / The computer is ~ ***in*** process*ing* data [*for* data processing]. 컴퓨터는 데이터 처리에 유용하다 / This is ~ *as* a labor saving device. 이것은 노동 절약 장치로서 유용하다. **2** 《口》 유능한, 솜씨 좋은(efficient) : a ~ member of the firm 회사의 유능한 사원 / She is pretty ~ *at* cooking. 그녀는 제법 요리 솜씨가 좋다.

come in useful ☞ COME.

~·ly *adv.* **~·ness** *n.* Ⓤ 쓸모 있음, 유용성.

úseful lóad *n.* 〘空〙 적재량.

úse immùnity *n.* 〘美法〙 (증언의 증언자 본인에 대한) 사용 면책.

‡**úse·less** *a.* 쓸모 없는, 소용없는, 무용한, 무익한 : It is ~ to ask him. 그에게 물어봐도 소용이 없다. ㊟ useless의 용법은 useful에 준함.

~·ly *adv.* 무익[무용]하게, 헛되게. **~·ness** *n.* Ⓤ 쓸모 없음, 무용[무효]성.

us·er [júːzər] *n.* [흔히 복합어를 이루어] 사용자, 이용자 ; 술[마약] 애용자 ; 〘컴퓨〙 사용자. 〖USE〗

úser-defínable kéy *n.* 〘컴퓨〙 사용자가 정의할 수 있는 보조키.

úser-fríend·ly *a.* 〘컴퓨〙 (시스템이) 사용하기가 쉬운.

úser identificàtion *n.* 〘컴퓨〙 사용자 식별(識別) 번호.

úser prògram *n.* 〘컴퓨〙 사용자 프로그램.

USES, U.S.E.S. United States Employment Service.

úse tàx *n.* 《美》 이용세(稅)《다른 주에서 사가지고 들어온 물건에 대한 주세(州稅)》.

usf. *und so fort* 《G.》(=and so on).

USGS, U.S.G.S. United States Geological Survey(미국 지질 조사소).

ush [ʌʃ] *vi.* 《美俗》 usher로서 일하다.

USHA 《美》 United States Housing Authority.

U-shaped [júː-] *a.* (단면이) U자형(形)인.

***ush·er** [ʌ́ʃər] *n.* **1 a**) 수위, 접수계, 안내인 ; 《英》 (법정의) 정리(廷吏) (=《美》 bailiff) ; 《美》 (교회의 결혼식에서) 참석자의 안내인《신랑·신부의 친구》. **b**) (영국 왕실의) 의전관 ; (의식이나 행렬 따위의) 선도역(先導役). **2** 《蔑·英古》 (남학교의) 보조 교사(assistant teacher).

── *vt.* [+目+前+名 / +目+副] 선도하다, 안내하다, 인도하다 : The footman ~*ed* the visitor ***into*** the drawing room. 하인이 손님을 응접실로 안내했다 / I ~*ed* him ***out*** [*forth*]. 나는 그를 바래다 주었다. ── *vi.* 안내역을 맡다.

usher in 안내하여 들이다 ; 《文語》 미리 알리다, …의 도착을 알리다(herald) : The event ~*ed in* a new era in our nation's history. 그 사건은 우리 나라 역사에 새로운 기원을 펼쳤다.

~·shìp *n.* Ⓤ usher의 역할[지위].

〖OF (변형(變形)) ‹ *huissier* <L (*ostium* door)〗

ush·er·ette [ʌ̀ʃərét] *n.* Ⓒ (극장 따위의) 여자 안내원.

USI United Service Institution. **USIA, U.S.I.A.** United States Information Agency (미국 해외 정보국). **USICA** United States International Communication Agency(미국 국제 교류청(=ICA)). **USIS, U.S.I.S.** United States Information Service (미국 공보원). **USLTA, U.S.L.T.A.** United States Lawn Tennis Association(전미 테니스 협회). **USM, U.S.M.** underwater-to-surface missile (수대지(水對地) 미사일). **U.S.M.** United States Mail[Marines, Mint] (미국 우정(郵政)[해병대, 조폐국]). **U.S.M.A., USMA** United States Military Academy (미국 육군 사관 학교). **USMC, U.S.M.C.** United States Marine Corps (미국 해병단). **USN, U.S.N.** United States Navy (미국 해군). **U.S.N.A., USNA** United States National Army ; United States Naval Academy (미국 해군 사관 학교). **USNG, U.S.N.G.** United States National Guard (미국 국방군). **USO, U.S.O.** United Service Organizations (미군 서비스 기관). **U.S.P., U.S.Pharm.** United States Pharmacopoeia (미국 약전). **U.S.P.S., USPS** United States Postal Service (미국 우편 공사).

us·que·baugh [ʌ́skwəbɔ̀ː, 美+-bɑ̀ː] *n.* 《스코·아일》 위스키. 〖Gael=water of life〗

USR, U.S.R. United States Reserves (미국 예비군). **U.S.R.C., USRC** United States Reserve Corps (미국 예비군). **U.S.S.** United States Senate (미국 상원) ; United States ship [steamer, steamship] (미국선[기선]) ; United States standard (미국 표준 규격). **USTC** United States Tariff Commission (미국 관세 위원회). **USTS** United States Travel Service.

usu. usual ; usually.

‡**usu·al** [júːʒuəl, -ʒəl] *a.* 늘, 평소의, 부단의, 언제나의 ; 평상의, 통례의, 흔히 있는, 일상의 : All the ~ people were there. 늘 모이는 사람들이 거

기에 있었다 / It is ~ for him to sit up late at night. 그가 밤늦게까지 앉아 있는 것은 보통이다 / I left home earlier than ~. 나는 평소보다 더 빨리 집을 나섰다 / As is ~ *with* such people, they left paper and empty bottles everywhere. 그러한 무리가 늘 그렇듯이 그들은 휴지와 빈병을 사방에 버리고 갔다.

as usual 여느 때처럼, 평소나 다름없이, 여전히 : *As* ~, he had forgotten something. 여느 때처럼 그는 무언가를 잊어버리고 왔다 / She was late, *as* ~. 그녀는 여전히 늦었다.

—— *n.* [one's ~] 《口》 평소의 건강 상태.

out of the usual 보통이 아닌, 진귀한.

the [one'*s*] ***usual*** (***thing***) 《口》 늘 그러한 일[것, 말].

〈회화〉
What would you like to drink? — The *usual*.
「뭘로 드릴까요」「늘 마시던걸로」

〚OF or L ; ⇨ USE〛

類義語 (1) ***usual*** 과거의 경험으로 정상[보통]이라고 생각되는 ; 따라서 예측한 대로의 : the *usual* results[price] (뻔한 결과[값]). ***customary*** (사물이) 어느 개인의 습관이나 특히 어떤 사회의 관습[관례]에 일치하는 : It is *customary* to begin a ceremony with an opening speech. (개회사로 식을 시작하는 것이 관례다). ***habitual*** 습관의 결과로 어떤 행위가 고정된 : a *habitual* drunkard (상습적 술꾼). ***accustomed*** customary와 같은 뜻이나 그보다 뜻이 약함 : He sat in his *accustomed* place. (그는 평소에 늘 앉던 자리에 앉았다).
(2) ⟹ NORMAL.

‡**úsual·ly** [(빠른 말로는) jú:zli] *adv.* 통례, 통상, 보통으로(는), 일반적으로(generally) : I ~ go to bed at 10. 나는 보통[대개] 열시에 잔다 / She was more than ~ reserved. 그녀는 평소보다 더 수줍어했다.

活用 문장 속에서의 어순은 always의 경우에 준함. ☞ ALWAYS 活用 (1).

類義語 ***usually***는 「습관적으로 언제나」의 뜻이 강함 : *Usually,* this street is crowded. (늘 이 길은 혼잡하다). ***generally***는 「모든 경우에, 도처에서」의 뜻이지만, usually 대신 쓰이는 경우도 있음 : *generally* speaking (일반적으로 말하자면).

usu·fruct [jú:zəfrʌ̀kt, -sə- ; -sju-] *n.* Ⓤ 〖法〗 용익권, 사용권 ; 이용권.
—— *vt.* (토지 따위의) 사용권을 행사하다.

usu·rer [jú:ʒərər] *n.* 고리 대금업자 ; 《廢》 대금업자(moneylender).

usu·ri·ous [ju:ʒúəriəs] *a.* 고리(대금 업자)의 ; 고리를 받는[탐내는]. **~·ly** *adv.* 고리를 받아.

***usurp** [ju:sə́:rp, -zə́:rp] *vt.* (왕좌·권력 따위) 빼앗다, 강탈[탈취]하다 ; 불법 행사하다 : The king's bastard contrived to ~ the throne. 왕의 서자는 왕위를 강탈하려고 음모를 꾸몄다.
—— *vi.* 침해하다(encroach)〈*on, upon*〉.
〚OF<L=to seize for use〛

usur·pa·tion [jù:sərpéiʃən, -zər- ; -zə:-, -sə:-] *n.* 권리침해 ; 왕위찬탈.

usu·ry [jú:ʒəri] *n.* **1** Ⓤ 고리 대금《행위》, 고리대금업. **2** Ⓤ (법정 이율을 넘는) 엄청난 고리, 폭리. 〚AF or L ; ⇨ USE〛

U.S.V. United States Volunteers (미국 의용병단(義勇兵團)).

usw., u.s.w. *und so weiter* 《G.》 (=and so forth). **USW, usw** 〖通信〗 ultrashort wave.

ut[1] [ʌ́t, ú:t, út] *n.* 〖樂〗 (8도 음계의) 첫째음, 주음《지금의 solmization의 *Do* 음》. 〚L〛

ut[2] [ʌ́t] *a.* 《美俗》 철저한. 〚*ut*ter(l)y〛

UT 〖美郵〗 Utah. **Ut.** Utah. **ut** urinary tract ; user test ; utility. **UT, U.T., u.t.** Universal time.

Utah [jú:tɔ:, -tɑ:] *n.* 유타《미국 서부 주(州) ; 주도 Salt Lake City ; 略 Ut., UT.》.
útah·an *a., n.* 유타 주의 (사람).

UTC coordinated universal time. **Utd.** United.

ut dic·tum [ut díktum] 〖醫〗 처방의 지시에 따라 《略 ut dict.》. 〚L=as directed〛

ute [jú:t] *n.* 《濠口》 소형 트럭(utility (truck)).

Ute [jú:t] *n.* (*pl.* **~, ~s**) 미국 Utah, Colorado 따위의 주(州)에 사는 아메리카 원주민.

-ute *suf.* [형용사 또는 동사를 만듦] : resol*ute,* exec*ute.*

***uten·sil** [ju(:)ténsəl] *n.* **1** 용구(用具), 도구 ; 가정용품, 주방용품 : farming ~*s* 농기구 / kitchen ~*s* 주방용품 / sacred ~*s* 성기(聖器), 교회용 기구 / writing ~*s* 필기구 / ~*s* of war 무기. **2** 유용한 사람 ; 하라는 대로 하여 이용당하는 사람.
〚OF<L *utensilis* usable ; ⇨ USE〛

uter- [jú:tər], **utero-** [jú:tərou, -rə] *comb. form* 「자궁」의 뜻.

uter·ine [jú:təràin, -rən] *a.* **1** 〖解〗 자궁의, 자궁 속에서 일어난, 자궁용의. **2** 동모이부(同母異父)의 ; 어머니쪽의, 모계의 : ~ sisters 씨다른 자매.
〚L ; ⇨ UTERUS〛

uter·itis [jù:təráitəs] *n.* 〖醫〗 자궁염(炎).

uter·us [jú:tərəs] *n.* (*pl.* **uteri** [-rài], **~·es**) 〖解〗 자궁(womb). 〚L〛

Uti·ca [jú:tikə] *n.* 우티카《북아프리카 Carthage 북서에 있던 옛 도시》.

utile [jú:tail, -til] *a.* =USEFUL.
〚OF<L ; ⇨ USE〛

util·i·tar·i·an [ju:tìlətéəriən, -tǽər-] *a.* **1** 공리적인, 실리(주의)의, 실용(주의)의. **2** 공리주의(자)의, 공리설의. —— *n.* 공리론[주의]자.

utilitárian·ìsm *n.* Ⓤ 〖哲〗 공리설[주의]《소위 「최대 다수의 최대 행복」을 인간 행위의 규범으로 하는 J. Bentham 및 J. S. Mill의 윤리학설》.

***util·i·ty** [ju:tíləti] *n.* **1** Ⓤ 유용, 유익, 효용, 실리(usefulness) ; 〖經〗 효용 ; 〖哲·倫·美術〗 공리, 공리성 : marginal ~ 〖經〗 한계효용 / of no ~ 쓸모 없는, 무익한. **2 a)** [보통 *pl.*] 쓸모 있는 것, 유용물. **b)** 〖劇〗 =UTILITY MAN. **3** 공익 사업, 공익 설비《전기·가스·상하수도·교통 기관 따위》 ; [*pl.*] 공익 사업체. **4** 〖컴퓨〗 유틸리티, 도움모. —— *a.* (상품이) 실용적인, 실용본위의 ; 여러 가지 용도를 갖는, 만능의 ; 공익 사업의 : a ~ model 실용 신안품 / ~ clothes[furniture] 실용본위의 의복[가구] / a ~ truck 만능 트럭.
〚OF<L ; ⇨ UTILE〛

utílity màn *n.* 〖劇〗 엑스트라 배우, 단역 ; 〖스포츠〗 만능 후보 선수 ; 〖海〗 (배의) 주방 조수 ; (일반적으로) 무엇이나 할 수 있는 사람, 만능 박사.

utílity plàyer *n.* 〖스포츠〗 =UTILITY MAN.

utílity pòle *n.* 전신주.

utílity prògram *n.* 〖컴퓨〗 도움모 풀그림[프로그램]《기억 매체 사이의 데이터의 전송 따위의 파일을 그 특정한 내용과는 관계없이 조작하는 프로그램》.

utílity ràte *n.* (전기·가스·수도·오수 처리 시설 따위의) 사용 요금률.

utílity ròom *n.* 다용도실《전기 세탁기·전기 청

소기 따위를 넣어두는 방).

utílity routìne *n.* 〖컴퓨〗 유틸리티 루틴《컴퓨터에 의한 처리를 일반적으로 지원하는 컴퓨터 프로그램》.

utílity vèhicle *n.* 다용도차(車).

uti·lize** [jú:təlàiz ; -til-] *vt.* [+目 / +目+前+名] (폐물 따위를) 이용하다, 쓸모 있게 하다 (make use of) : Water is ~*d* ***for produc*ing* electric power. 물은 발전(發電)에 이용된다.
-lìz·able *a.* 이용 가능한. **ùti·li·zá·tion** *n.* Ⓤ 이용. 〖F<It. ; ⇨ UTILE〗
類義語 ⟹ USE.

ut in·fra [ut ínfra:] 아래와 같이《略 u.i.》. 〖L=as below〗

uti pos·si·de·tis [jú:tai pàsidí:tis] *n.* 〖로法〗 점유(占有) 보호 명령 ; 〖國際法〗 점유물 보류의 원칙. 〖L=as you possess〗

UTLAS University of Toronto Library Automation System《토론토 대학 도서 목록 데이터 뱅크 ; 도서관 업무의 자동화를 권하기 위한 도서 목록의 데이터 뱅크》.

***ut·most** [ʌ́tmòust, 英+-məst] *attrib. a.* (cf. UTTERMOST) **1** 최대(한)의, 최고(도)의, 극도의 (extreme) : in the ~ danger 극도의 위험에 빠져서 / This is (a matter) of (the) ~ importance. 이것은 극히 중요하다[한 일이다]. **2** 가장 먼, 맨 끝의 : to the ~ ends of the earth 지구의 맨 끝까지. ── *n.* [(the) ~] (능력·힘·노력 따위의) 최대 한도, 최고도, 극한, 극도 ; [the ~] 《美俗》 최고[최상]의 것 : do[try, exert] one's ~ 전력을 다하다 / That was the ~ he could do. 그것이 그가 할 수 있는 최고의 한도였다.
at (***the***) ***utmost*** 기껏해야.
to the utmost 극도로, 극력 : *to the* ~ of one's power 힘 닿는 한.
〖OE *ūt*(*e*)*mest* OUTMOST〗

***Uto·pia** [ju(:)tóupiə] *n.* **1** 유토피아《Sir Thomas More작 *Utopia* 중에 나오는 이상향》. **2** Ⓤ,Ⓒ 이상향 ; 이상 사회 ; 공상적 정치[사회] 체제. **3** Ⓒ [u~] 유토피아 소설.
〖L=nowhere (Gk. *ou* not, *topos* place)〗

utó·pi·an *a.* [흔히 U~] 이상향의, 유토피아 같은 ; 유토피아적인 ; 몽상[공상]적인.
── *n.* 유토피아의 주민 ; 공상적 사회 개량가, 몽상가(visionary).

utópian·ìsm *n.* Ⓤ [또는 U~] 유토피아적 이상주의 ; 유토피아적 이상[이론].

utópian sócialism *n.* 공상적 사회주의(cf. SCIENTIFIC SOCIALISM).

Utrecht [jú:trekt] *n.* 위트레흐트《(1) 네덜란드 중부의 주. (2) 그 주도》.

utri·cle [jú:trikəl] *n.* 〖植〗 포과(胞果)《폐과(閉果)의 일종 ; 명아주 열매 따위》; 〖生〗 소낭(小囊), 소포(小胞) ; (내이(內耳)의) 난형낭(卵形囊).
〖F or L (dim.) ‹ *uter* bag〗

utric·u·lar [ju(:)tríkjələr] *a.* 소낭[소포] 모양의, 소낭[기포]의[가 있는].

ut su·pra [ut sú:pra:] *adv.* 위와 같이《略 ut sup.》. 〖L=as above〗

‡**ut·ter**[1] [ʌ́tər] *attrib. a.* 전적인, 완전한, 철저한 ; 단호한, 확고한 ; 순연한, 진짜의 : ~ darkness 칠흑 같은 어둠 / an ~ refusal 단호한 거절. 주 보통 나쁜 뜻의 말과 결합 : an ~ folly 천치.
〖OE (compar.) ‹ *ūt* OUT〗

‡**utter**[2] *vt.* **1** (소리·말·신음 소리·한숨 따위를) 입밖에 내다 ; 발음하다(pronounce), 말하다(say) ; 서술하다, 말로 표현하다, 터놓다 : ~ a groan[a cry of pain] 신음 소리[고통의 외침]를 내다 / These were the last words she ~*ed.* 이것이 그녀가 말한 마지막 말이었다 / This sound is difficult to ~. 이 음은 발음하기 어렵다 / He ~*ed* his thoughts. 그는 자신의 생각을 털어놓았다. **2** (위조 지폐 따위를) 유통시키다.
── *vi.* 말하다 ; 말하여지다.
~·able *a.* 발언[발음]할 수 있는 ; 말로 나타낼 수 있는. **~·er** *n.* 발언[발음]하는 사람 ; (지폐의) 위조 행사자.
〖MDu. *ūteren* to make known ; 어형은 ↑에 일치 ; cf. G *äussern*〗

***ut·ter·ance**[1] [ʌ́tərəns] *n.* **1** Ⓤ 입 밖에 내기, 발언, 발성, 발음 : defective ~ 불완전 발음 / He gave ~ to his rage. 그는 분노를 입 밖으로 터뜨렸다. **2** Ⓤ [또는 an ~] 발표력, 말씨, 어조, 발음 : a man of good ~ 구변이 좋은 사람 / He has a distinct ~. 그는 말씨가 또렷하다. **3** (이야기한 또는 쓴) 말, 언사, 언설 ; 〖言〗 발화(發話)《일정하게 한 마디로 통합된 음성 연속체 ; cf. DISCOURSE 3》. **4** 유통시키기. 〖UTTER[2]〗

utterance[2] *n.* Ⓤ《古·詩》 극한, 막판, 최후, 죽음(death) : to the ~ 죽을 때까지, 최후까지.
〖UTTER[1]〗

***útter·ly** *adv.* 아주, 전연, 완전히 : He was ~ exhausted. 그는 완전히 지쳐버렸다.

ut·ter·most [ʌ́tərmòust, 英+-məst] *attrib. a.* **1** 가장 멀리 떨어진. **2** 최대 한도의, 극도의.
── *n.* [(the) ~] 최대 한도, 극도, 극한. 주 UTMOST보다 문어적인 말.
to the uttermost of one***'s power***[***capacity***] 힘 자라는[미치는] 데까지.

U-tube [jú:-̀] *n.* U자관(字管).

U-turn [jú:-̀] *n.* (자동차 따위의) U 턴 ; 《비유》 (정책 따위) 180도 전환(reversal) : make a ~ U턴을 하다 / No ~*s* ! 《게시》 U턴 금지.

UUM underwater-to-underwater missile. **UV** ultrahigh vacuum(초고 진공). **U.V., UV** ultraviolet ; under voltage.

U-value [jú:-̀] *n.* U값《건물의 특정 구획의 재료의 열전도량》. 〖British thermal *u*nit〗

UVM 《美》 universal vender mark (통일 벤더 마크)《백화점업계가 종래 UPC의 10자리 정도의 표시로는 불충분하다 하여 개발한 상품 코드》.

uvu·la [jú:vjələ] *n.* (*pl.* **~s, -lae** [-lì:, -lài]) 〖解〗 구개수(口蓋垂), 현옹수(懸壅垂), 목젖.
〖L (dim.) ‹ *uva* grape〗

uvu·lar [jú:vjələr] *a.* 구개수의 ; 〖音聲〗 구개수음의. ── *n.* 〖音聲〗 구개수음, 후부 연구개음.

U/W, u/w 〖商〗 underwriter.

uxor [ú:ksɔ:r] *n.* 처《略 ux.》. 〖L〗

ux·o·ri·al [ʌksɔ́:riəl, ʌgz-] *a.* 아내의, 아내다운.

ux·or·i·cide [ʌksɔ́:rəsàid, -sár-, ʌgz-] *n.* Ⓤ,Ⓒ 아내 살인(범).

ux·o·ri·ous [ʌksɔ́:riəs, ʌgz-] *a.* 처(妻)시하의, 너무 아내를 사랑하는. **~·ly** *adv.* **~·ness** *n.*

Uz·bek [úzbek, ʌ́z-, uzbék], **Uz·beg** [-́beg, -bég], **Us-** [ús-, ʌ́s-] *n.* (*pl.* ~, **~s**) **1** 우즈베크인《중앙아시아의 터키족》. **2** Ⓤ 우즈베크어(語). ── *a.* 우즈베크족[어]의.

Uz·bek·i·stan [uzbèkistǽn, ʌz-, -stá:n] *n.* 우즈베키스탄《중앙 아시아에 있는 공화국(國) ; 정식명 Republic of Uzbekistan ; 수도 Tashkent》.

V

v, V [víː] *n.* (*pl.* **v's, vs, V's, Vs** [-z]) **1** 브이《영어 알파벳의 스물 두 번째 글자》. **2** V자형(形)(의 것). **3** (로마 숫자의) 5;《美口》5달러 지폐: IV=4, VI=6, XV=15.
V 〔理〕(전위·위치 에너지량의 기호) V;〔光〕(발광 효율(發光效率)의 기호(記號)) V;〔化〕vanadium; vector; victory;〔電〕volt. **v** velocity; volt. **V.** Venerable; Vicar; Vice; Victoria; Viscount; Volunteer. **v.** valve; 《Du.》 *van*;〔數〕 vector; vein; velocity; verb; verse; version; versus; very; vicar; vice-; *vide* 《L》(=see); village; vocative; voice; volt; voltage; volume; *von*《G》(=of).
VA 〔美郵〕 Virginia; visual aid. **VA, V.A.** Veterans Administration; Vicar Apostolic; Vice Admiral; (Order of) Victoria and Albert (빅토리아 앨버트 훈장). **Va.** Virginia;〔樂〕viola. **v.a.** value analysis(가치 분석); verb active; verbal adjective; *vixit annos* 《L》(=lived...years). **VAB** vehicle assembly building(우주 왕복선 조립 공장).
vac [vǽk] *n.* 《英口》 **1** 휴가(vacation). **2** 전기 청소기(vacuum cleaner).
***va·can·cy** [véikənsi] *n.* **1** Ⓤ 공허, 텅 빔; 빈 곳, 공간, 허공. **2** 공지, 빈 방《따위》; 빈자리, 공석, 결원: a ~ *on* the staff 스태프의 결원 / a ~ *in* the Cabinet 각료의 공석. **3** 빈틈, 간격(間隔), 간극(間隙)(gap); 공백〈*in* one's knowledge〉. **4** Ⓤ 건성임, 방심 (상태), (마음의) 공허, 무기력. **5** Ⓤ 무위(無爲)(의 상태); 틈, 휴가.
vácancy decontról *n.* 《美》 빈집 집세 통제 해제《아파트 따위가 비면 집세 통제가 해제되어 새 입주자에 대하여 임대료를 자유로 정할 수 있게 한 법규》.
***vá·cant** *a.* **1** 텅 빈, 공허한: look into ~ space 허공을 바라보다. **2** 세든[살고 있는] 사람이 없는, 비어 있는; 무인의. **3** 공석[궐위]의, 결원의;〔法〕유휴의, 상속인이[현 거주자가] 없는《부동산》: fall ~ (자리가) 비다 / situation ~ columns (신문의) 구인 광고란. **4** 할 일이 없는, 한가한: ~ hours[time] 한가한 시간. **5** (마음이나 머리가) 공허한, 텅 빈; (표정 따위가) 멍청한, 얼빠진: a ~ expression 멍청한 표정.
~·ly *adv.* 멍청하게, 넋을 잃고. **~·ness** *n.*
〖OF or L *vaco* to be empty〗
類義語 ⟹ EMPTY.
vácant posséssion *n.* 〔英法〕 선주(先住) 점유자가 없는 가옥의 소유권; 즉시 입주가(可)《부동산 광고의 문구》.
va·cate [véikeit, -ˊ; vəkéit] *vt.* **1** (자리·집 따위를) 비우다, 내주다, 물러가다: ~ a house 집을 내주다 / ~ (rented) rooms 셋방을 비우다. **2** (직위·지위 따위를) 물러나다, 사퇴하다, 결원[공석]이 되게 하다. **3** (계약 따위를) 취소하다, 무효로 하다(cancel).
—— *vi.* 비우다; 공석으로 하다;《美口》휴가를 얻다;《美口》떠나가다.

‡va·ca·tion [vəkéiʃən, vei-] *n.* **1** Ⓤ,Ⓒ (학교·법정의) 정기 휴가: the Christmas[Easter, Whitsun] ~ 크리스마스[부활절, 성령 강림절] 휴가 / ☞ LONG VACATION / during ~ 휴가 중에. **2** Ⓤ,Ⓒ 《美》 (노동자 등의) 휴식, 휴가(=《英》 holidays);《美俗》 징역[금고]형: *on* ~ 휴가로, 휴가를 얻어(on holiday) / take a ~ 휴가를 얻다. **3** Ⓤ (집 따위의) 명도(明渡), 물러나기, 내주기; 사직, 퇴임. **4** Ⓤ 궐위[공석]기간.

〈회화〉
When does the *vacation* begin? — Next week.
「언제 방학이 시작되니」「다음주에요」

—— *vi.* [動 / +前+名] 《美》 휴가를 얻다[보내다]: go ~*ing* 휴가로 놀러가다 / ~ ***in*** Florida 플로리다에서 휴가를 보내다.
~·er, ~·ist *n.* 《美》 휴가 여행자[관광객], 휴가를 얻은 사람(=《英》 holidaymaker).
〖OF or L; ⇨ VACANT〗
vacátion·lànd *n.* 《美》 휴양지, 유원지, 관광지, 명승 고적.
vac·ci·nal [vǽksənl, væksíː-] *a.* 백신[예방 접종]의[에 의한].
vac·ci·nate** [vǽksənèit] *vt.* [+目 / +目+前+名] …에게 백신 주사를 놓다, 예방 접종을 하다; (특히) …에게 종두를 놓다: be ~*d* ***against typhus 티푸스 예방 주사를 맞다. —— *vi.* 예방 접종을 하다. —— [ˌ -nət] *n.* 예방 주사[종두]를 맞은 사람.
vac·ci·na·tion [væ̀ksənéiʃən] *n.* Ⓤ,Ⓒ 〔醫〕 백신 주사, 예방 주사[접종], (특히) 종두; Ⓤ 종두 자국. **~·ist** *n.* 종두론자, 종두 찬성론자.
vác·ci·nà·tor *n.* 종두의사; 접종칼[침].
vac·cine [vǽksiːn, -ˊ] *n., a.* 두창(痘瘡)(의), 두묘(痘苗)(의); (널리) 백신(의)(cf. SERUM): a ~ farm 두묘 제조소 / a ~ injection 백신 주사 / ~ lymph[virus] 두묘. 〖L (*vacca* cow)〗
vac·ci·nee [væ̀ksəníː] *n.* 백신 주사[종두]를 맞은 사람.
váccine pòint *n.* 〔醫〕 접종침.
váccine thèrapy *n.* 백신 요법.
vac·cin·ia [væksíniə] *n.* 〔醫〕 우두.
vac·ci·ni·za·tion [væ̀ksənəzéiʃən; -nai-] *n.* 〔醫〕 (면역이 될 때까지의) 반복 접종.
vac·il·lant [vǽsələnt] *a.* =VACILLATING.
vac·il·late [vǽsəlèit] *vi.* **1** 흔들거리다, 흔들리다, 비틀거리다. **2** [動 / +前+名] 마음의 갈피를 못잡다, 망설이다, 머뭇거리다: ~ ***between*** different opinions 여러 의견 가운데서 어느 것도 택하지 못하고 망설이다. **-là·tor** *n.*
〖L *vacillat- vacillo* to sway〗
vác·il·làt·ing *a.* 갈팡질팡하는, 우유부단한; 동요하는. **~·ly** *adv.*
vac·il·la·tion [væ̀səléiʃən] *n.* Ⓤ,Ⓒ 동요, 흔들림; 갈팡질팡함, 우유 부단함, 변덕스러움.
vac·il·la·to·ry [vǽsələtɔ̀ːri; -təri] *a.* =VACILLATING.

*__vacua__ *n.* VACUUM의 복수형.
__va·cu·i·ty__ [vækjúːəti, və-] *n.* __1__ Ⓤ 공허, 진공; 마음의 공허, 허탈, 방심; 우둔함, 멍청함; 허무. __2__ [보통 *pl.*] 무의미한 일[말·행위]. 〖L; ⇨ VACUUM〗
__vac·u·o·lar__ [vӕkjuóulər] *a.* vacuole의[이 있는].
__vac·u·o·late__ [vǽkjuələt, -lèit], __-lat·ed__ [-lèitəd] *a.* 〖生〗 공포(空胞)의, 공포가 있는.
__vac·u·ole__ [vǽkjuòul] *n.* 〖生〗 공포(空胞), 액포(液胞).
__vac·u·ous__ [vǽkjuəs] *a.* __1__ 텅 빈, 공허한. __2__ 마음이 공허한, 넋나간, 머리가 텅 빈, 우둔한; 무의미한. __3__ 할 일 없는, 멍하니 지내는. __~·ly__ *adv.* 멍하니, 무의미[무위]하게. __~·ness__ *n.* 〖L; ⇨ VACUUM〗
*__vac·u·um__ [vǽkjuəm, -kjuːm, -kjəm] *n.* (*pl.* __~s, vac·ua__ [vǽkjuə]) __1__ 진공: Nature abhors a ~. 자연은 진공을 싫어한다《고대인이 믿은 사상》. __2__ 빈 곳, 공허, 공백. __3__ 《美口》 =VACUUM CLEANER. —— *a.* 진공의: a ~ fan 진공 환기 선풍기 / a ~ bulb 진공관. —— *vt.* 진공 청소기로 청소하다: ~ rugs (진공 청소기로) 융단을 청소하다. 〖L (*vacuus* empty)〗
__vácuum árc remèlting__ *n.* 〖金屬〗 진공 아크재용해법.
__vácuum aspiràtion__ *n.* 〖醫〗 진공 흡인(법[술]) 《임신 10-12주에 적용되는 인공 유산법의 하나》.
__vácuum bòttle[flàsk]__ *n.* 보온병.
__vácuum bràke__ *n.* 진공 제동기(制動機).
__vácuum-cléan__ *vt., vi.* 진공 청소기로 청소하다.
__vácuum clèaner__ *n.* 전기[진공] 청소기(vacuum sweeper); (여러가지) 흡인 장치.
__vácuum dischàrge__ *n.* 〖電〗 진공 방전(放電).
__vácuum distillàtion__ *n.* 〖化〗 진공 증류.
__vácuum drìer__ *n.* 진공 건조기.
__vácuum filtràtion__ *n.* 〖化〗 진공 여과(법).
__vácuum fòrming__ *n.* 진공 (플라스틱) 성형.
__vácuum gàuge__ *n.* 진공계(計).
__vácuum indúction fùrnace__ *n.* 〖冶〗 진공 유도로(誘導爐).
__vácuum·ìze__ *vt.* 진공(眞空)으로 만들다, 진공화하다; 진공 장치로 청소하다[건조시키다].
__vácuum jùg__ *n.* =VACUUM BOTTLE.

__vácuum mèlting__ *n.* 〖冶〗 진공 용해(법).
__vácuum-páck__ *vt.* (식료품을) 진공 포장하다.
__vácuum páckage__ *n.* 진공 포장.
__vácuum-pácked__ *a.* 진공 포장의.
__vácuum pùmp__ *n.* 진공 펌프; 배기 장치.
__vácuum séaled pròcess__ *n.* 감압 조형 주조법(減壓造型鑄造法).
__vácuum sèamer__ *n.* 진공 밀봉기[시머].
__vácuum swèeper__ *n.* =VACUUM CLEANER.
__vácuum tùbe[《英》 vàlve]__ *n.* 〖電子〗 진공관.
__vácuum-tùbe vóltmeter__ *n.* 〖電子〗 진공관 전압계(電壓計).
__V.A.D.__ Voluntary Aid Detachment.
__va·de me·cum__ [véidi míːkəm, váːdi méi-] *n.* (*pl.* __~s__) 휴대용 참고서, 안내서, 필휴(必携), 편람. 〖F<L=(impv.) go with me〗
__V. Adm., VADM__ Vice Admiral.
__vae vic·tis__ [víː víktis, wái wíktiːs] 패자(敗者)는 비참하도다. 〖L=woe to the vanquished〗
__vag__ [vǽ(ː)g] *n., vt.* (__-gg-__) 부랑자(로 체포하다). 〖*vagrant*〗
__vag-__ [véig], __va·go-__ [véigou, -gə] *comb. form* 〖解〗 「미주 신경」의 뜻. 〖*vagus*〗
__vag·a·bond__ [vǽgəbɑ̀nd] *n.* __1__ 방랑[유랑·표류]자, 정처없이 떠돌아 다니는 사람. __2__ 깡패, 건달, 무뢰한. —— *a.* __1__ 방랑하는, 유랑의, 정처없는(wandering): lead a ~ life 유랑 생활을 하다. __2__ 의지할 데 없는, 건달의; 하잘 것 없는. __3__ (하천·천체·배 따위) 일정한 방향[진로]이 없는. —— *vi.* 방랑하다, 유랑하다. __~·ish__ *a.* __~·ism__ *n.* 방랑성[벽]. 〖OF or L (*vagor* to wander)〗
__vágabond·age__ *n.* Ⓤ 방랑 (생활); 방랑성, 방랑벽; [집합적으로] 방랑자.
__vágabond·ìze__ *vi.* =VAGABOND.
__va·gal__ [véigəl] *a.* 〖解〗 미주(迷走) 신경의[에 의한]. __~·ly__ *adv.*
__va·gar·i·ous__ [vəgɛ́əriəs, -gǽər-, vei-] *a.* 상도(常道)를 벗어난, 엉뚱한, 기발한, 호기심이 많은, 변덕스러운(capricious). __~·ly__ *adv.*
__va·gary__ [véigəri, vəgɛ́əri, -gǽəri, vǽgəri] *n.* [때때로 *pl.*] 엉뚱한 것, 주책, 변덕, 일시적 기분(caprice): the *vagaries* of a dream[women's fashion] 엉뚱한 꿈[여성의 유행에 대한 변덕스러움]. 〖L; ⇨ VAGABOND〗
__vagi__ *n.* VAGUS의 복수형.
__vag·ile__ [vǽdʒəl, -ail] *a.* 〖生〗 자유롭게 움직이는, 이동성의. __va·gil·i·ty__ [vədʒíləti, væ-] *n.* 〖生態〗 (생물의) 산포(散布)력.
__vag·in-__ [vǽdʒən], __vag·i·ni-__ [vǽdʒənə] *comb. form* vagina의 뜻.
__va·gi·na__ [vədʒáinə] *n.* (*pl.* __-nae__ [-niː], __~s__) 칼집; 〖解〗 질(膣); 〖植〗 엽초(葉鞘).
__va·gi·nal__ [vǽdʒənl] *a.* 〖L=sheath〗
__váginal móund__ *n.* 치구(恥丘).
__vag·i·nate__ [vǽdʒənət, -nèit], __-nat·ed__ [-nèitəd] *a.* 엽초(葉鞘)[질(膣)]가 있는; 엽초[질] 비슷한.
__vag·i·ni·tis__ [vӕdʒənáitəs] *n.* Ⓤ 〖醫〗 질염(膣炎).
__vago-__ [véigou, -gə] ☞ VAG-.
__va·gran·cy__ [véigrənsi] *n.* Ⓤ 방랑, 유랑; 방랑성[생활]; [집합적으로] 부랑[무숙]자.
__vá·grant__ *a.* __1__ 방랑[유랑]하는, 주거 부정의, 전전하는, 방황하는, 방랑적인, 정처없는: ~ tribes 방랑 민족 / a ~ life 방랑 생활. __2__ 《비유》 변하기 쉬운, 종잡을 수 없는, 변덕스러운. —— *n.* 방랑자, 유랑자; 〖法〗 부랑자. 〖OF (pres. p.) ‹ *waucrer* to roll, wander<Gmc.; 어형은 OF *vagant* (L *vagor* to wander에 동화(同化))〗
__va·grom__ [véigrəm] *a.* 《古》 =VAGRANT.
*__vague__ [véig] *a.* 희미한, 막연한, 구름을 잡는 듯한, 확실치 않은, 애매한, 흐리멍덩한(↔*distinct*): make a ~ answer 애매한 대답을 하다 / yield to ~ terrors 막연한 공포에 빠지다 / Shapes look ~ at dusk. 해질 무렵에는 사물의 형체가 희미하게 보인다 / I haven't the ~*st* idea what to do [who she is]. 어찌해야 좋을지[그녀가 누구인지] 통 모르겠다 / I've heard a ~ rumor to that effect. 그러한 내용의 소문을 어렴풋이 들었다. __~·ness__ *n.* 애매, 막연. 〖F or L *vagus* wandering, uncertain〗 類義語 ⟹ OBSCURE.
__vágue·ly__ *adv.* 막연하게, 애매하게.
__va·gus__ [véigəs] *n.* (*pl.* __-gi__ [-dʒai, -gai]) 〖解〗 미주(迷走) 신경(=__~ nérve__).
__vail__[1] [véil] *vt.* 《古》 (모자 따위를) 벗다《항복·경례의 표시로》; 숙이다, 떨어뜨리다. —— *vi.* 모자 따위를 벗다; 머리를 숙이다. 〖*avale* (obs.) <OF=to lower (*a val* down ‹ VALE[1])〗
__vail__[2] *vt., vi.* 《古》 =AVAIL.

—— *n.* 텁, 행하 ; 부수입.

***vain** [véin] *a.* **1** 무익한, 헛된, 무효의, 헛수고의 : ~ efforts[attempts] 헛수고 / It is ~ (for you) to try. 해봤자 소용없다. **2** 공허한, 근거없는, 쓸데없는, 하찮은, 보잘것없는 : ~ promises [threats] 헛된 약속[공갈] / ~ distinctions 실속없는 영예 / waste one's life in ~ pleasures 하찮은 쾌락으로 일생을 낭비하다 / How ~ are earthly splendors ! 지상의 영화란 얼마나 허무한가. **3 a)** 자부심이 강한, 독불장군의, 허영심이 강한 : a very ~ man 매우 허영심이 많은 사람 / ~ boasts 되지 못한 자랑 / (as) ~ as a peacock 공작처럼 허영심이 강한. **b)** (…을) 매우 자만하고 있는 : She was ~ *of*[*about*] her beauty. 그녀는 자신의 미모를 뽐냈다.

in vain ⑴ 공연히, 헛되이(vainly) : All our efforts were *in* ~. 우리의 노력은 수포로 돌아갔다 / He did it(, but) *in* ~. 그것을 했으나 헛일이었다 / He tried *in* ~ to solve the question. 문제를 해결하려고 했으나 헛수고였다. ⑵ 경솔하게, 함부로 : take the name of God *in* ~ 하느님의 이름을 남용하다 / take a person's name *in* ~ 남의 이름을 함부로 입에 담다.

~·ly *adv.* **1** 헛되이, 쓸데없이. **2** 자만하여, 젠체하여. **~·ness** *n.* **1** 무익함, 헛됨, 무효. **2** 《稀》 자만, 허영.

〚OF<L *vanus* empty〛

類義語 ***vain*** 가치·의미 따위가 거의[전혀] 없는 : *vain* appeal for the improvement (향상을 위한 헛된 호소). ***futile*** 무익함[헛일임]을 강조하고 그것을 하는 것이 현명하지 않음을 나타냄 : *futile* attempt to teach science to the pupils (어린 학생들에게 과학을 가르치려는 무익한 시도). ***fruitless*** 오랫동안 많은 노력을 하고도 보람이 없(었)음을 강조함 : Our efforts proved *fruitless*. (우리의 노력은 헛된 것임이 입증되었다).

vàin·glórious *a.* **1** 자부심이 강한, 허영심이 강한. **2** 자부심에서 오는, 허영심을 보이는. **~·ly** *adv.* 강한 자만으로, 아주 뽐내어. **~·ness** *n.*

váin·glòry *n.* Ⓤ 자만심, 자부심, 대단한 자만, (강한) 허영심(을 나타냄) ; 과시, 허식.

〚OF *vaine gloire*〛

vair [véər, vǽər] *n.* 〘史〙 회색과 흰색 얼룩이 있는 다람쥐의 모피《중세 귀족의 긴 외투의 안 또는 깃에 댄 장식》 ; 〘紋〙 모피 무늬.

〚OF=variegated〛

Vais·ya [váisjə, -ʃjə] *n.* 바이샤《인도 4성(姓)의 제3계급, 평민 ; cf. CASTE》.

〚Skt. =settler〛

Val [vǽ(:)l] *n.* 《美》 밸리 걸(Valley girl).

val. valentine ; valuation ; value(d).

val·ance [vǽləns, véi-] *n.* (창문의 위쪽·선반·침대 가장자리 따위의 짧은) 휘장 (valence).

〚AF (*valer* to descend)〛

valance

vale[1] [véil] *n.* 《詩》 계곡 (valley), 골짜기 ; 이승, 현세 : this ~ of tears[woe, misery] 《비유》 현세, 이승.

〚F *val*<L *vallis*〛

va·le[2] [vɑ́:lei, véili] *int.* 안녕 !, 안녕히 계십시오[가십시오]. —— *n.* 작별, 작별 인사. 〚L (impv.)〈*valeo* to be well or strong〛

val·e·dic·tion [væ̀lədíkʃən] *n.* **1** 고별, 작별. **2** 고별사, 작별 인사 ; 《美》 =VALEDICTORY.

〚L (VALE[2], *dico* to say)〛

val·e·dic·to·ri·an [væ̀lədiktɔ́:riən] *n.* 《美》 (졸업식장에서 고별 연설을 하는) 졸업생 대표(cf. SALUTATORIAN).

val·e·dic·to·ry [væ̀lədíktəri] *a.* 고별의, 작별의. —— *n.* 고별사[연설] ; 《美》 졸업생 대표의 고별연설(cf. SALUTATORY).

val·ence[1] [vǽləns] *n.* =VALANCE.

va·lence[2] [véiləns] *n.* **1** 〘化〙 원자가(價). **2** 〘生〙 (항원 따위의 반응·결합하는) 결합가(價) ; 〘社〙 유의성(誘意性) 《개인·행위 따위가 갖는 끄는 힘》. 〚L *valentia* power ; ⇨ VALE[2]〛

válence bànd [véiləns-] *n.* 〘理〙 원자가 전자대(電子帶)《반도체·절연체 따위 결정의 에너지대(帶) 중 전자가 충만한 에너지대》.

válence bònd [véiləns-] *n.* 〘化〙 원자가 결합.

válence elèctron [véiləns-] *n.* 〘化〙 (원자)가 전자(電子).

Va·len·cia [vəlénʃiə] *n.* **1** 발렌시아《스페인 동부의 주 ; 베네수엘라 북부의 도시》. **2** [보통 *pl.*] 양털과 명주[무명]의 교직 나사.

Va·len·ci·ennes [vəlènsiénz, væ̀lən- ; *F* valɑ̃sjɛn] *n.* **1** 발랑시엔《프랑스 북부의 도시》. **2** 발랑시엔 레이스(=~ **láce**)《프랑스[벨기에]산의 고급 레이스》.

va·len·cy [véilənsi] *n.* 〘化〙 =VALENCE[2] ; 〘言〙 결합가《동사 따위가 문장 구성상 꼭 필요로 하는 요소의 수》.

-va·lent [véilənt] *a. comb. form* 〘化〙「…(원자)가(valence)의」; 〘生〙「…(결합)가의」「(감수분열에서 대합(對合)하는 상동 염색체의 수가) …가(價)의」의 뜻 : bi*valent*, multi*valent*, uni*valent*.

〚L〛

Val·en·tine [vǽləntàin] *n.* **1** 남자 이름. **2** [Saint ~] 성(聖) 발렌타인《3세기 로마의 크리스트교 순교자 ; cf. SAINT VALENTINE'S DAY》. **3** [v~] **a)** 성발렌타인 축일에 선물을 주는 상대 ; 연인, 애인. **b)** 성발렌타인 축일에 연인에게 보내는 카드·편지·선물《따위》. **c)** 《美俗》 (근무 태도 따위가 불량한 종업원에 대한) 경고서, 해고 통지. 〚L=healthy〛

Va·le·ria [vəlíəriə] *n.* 여자 이름. 〚L=valorous〛

va·le·ri·an [vəlíəriən] *n.* 〘植〙 쥐오줌풀 ; Ⓤ 〘藥〙 쥐오줌풀 뿌리《쥐오줌풀 뿌리를 건조한 것 ; 신경 안정제》. 〚OF<L〛

va·ler·ic [vəlérik, -líə-], **va·le·ri·an·ic** [vəlìəriǽnik] *a.* 쥐오줌풀의[에서 얻어지는] ; 발레르산(酸)의.

valéric ácid *n.* 〘化〙 발레르산(酸).

Va·lé·ry [*F* valeri] *n.* 발레리. **Paul (Ambroise)** ~ (1871-1945) 프랑스의 시인·철학자.

val·et [vǽlət, -ei, vælei] *n.* **1** (귀인 등의 곁에서 시중드는) 시종, 종자(從者)(manservant) : No man is a hero to his ~. 《속담》 영웅도 (조석으로 대하는) 시종에게는 여느 사람과 다름없다. **2** (호텔 따위의) 보이 ; 옷[모자]걸이. —— *vt., vi.* 시종[보이]으로서 (…에게) 시중들다.

〚OF *va(s)let* ; cf. VARLET, VASSAL〛

va·let de cham·bre [*F* valɛ də ʃɑ̃:br] *n.* (*pl.* **va·lets de cham·bre** [—]) =VALET 1.

val·e·tu·di·nar·i·an [væ̀lətjù:dənéəriən, -nǽər-] *a.* **1** 병든, 병약한, 허약한. **2** 병에 신경을 쓰는, 건강을 몹시 염려하는. —— *n.* 병약자 ; 건강을 너무 염려하는 사람. **~·ism** *n.* 병든 몸, 병약 ; 건강을 몹시 염려하기. 〚L (*valetudin- valetudo* state of health〈VALE[2])〛

V

val·e·tu·di·nary [vӕlət*j*ú:dənèri ; -nəri] *a.*, *n.* =VALETUDINARIAN.

val·gus [vǽlgəs] *n.* 〔醫〕 외반족(外反足), 발장다리, 외반슬(外反膝) (↔*varus*). —— *a.* 발장다리인, 외반(外反)의. 〚L=bow-legged〛

Val·hal·la [vælhǽlə, vɑ:lhɑ́:-], **Val·hall** [vælhǽl, vɑ:lhɑ́:l] *n.* 〔北유럽神〕 발할라《Odin 신의 전당 ; 전사한 영웅의 혼을 모시는 기념당》; (국민적 영웅의) 기념당(堂), 합사소(合祀所).

val·iant [vǽljənt] *a.* 《文語》 씩씩한, 용맹스러운, 용감한, 영웅적인. —— *n.* 용감한 사람. **vál·ian·cy, -iance** *n.* 용감, 용기. **~·ly** *adv.* 용감하게, 씩씩하게. **~·ness** *n.* 〚AF, OF<L ; ⇨ VALE²〛 類義語 ⟹ BRAVE.

***val·id** [vǽləd] *a.* **1** (토론·논증 따위) 근거가 확실한, 틀림없는, 정당[타당]한, 유효한(sound). **2 a)** 〔法〕 정당한 수속을 밟은, 법적으로 유효한 (↔*void*) : a ~ claim 합법적인 청구권 / a ~ marriage 정식 결혼. **b)** (일반적으로) 확실한, 효력이 있는, 효과적인(effective) : a ticket ~ *for* two days 이틀간 유효한 표 / a passport ~ only *for* the U.S. 미국에서만 유효한 여권 / Oversleeping is no ~ excuse for being absent from school. 늦잠 때문에 학교를 결석한 것은 정당한 이유가 못된다. **3** 《古》 강건한. 〚F or L=strong ; ⇨ VALE²〛

val·i·date [vǽlədèit] *vt.* (법률적으로) 유효하게 하다, 비준하다 ; (…을) 확증하다, 확인하다(↔*invalidate*). **vàl·i·dá·tion** *n.*

válidated expòrts *n. pl.* 수출 인증액(額).

va·lid·i·ty [vəlídəti] *n.* Ⓤ 정당함, 타당성, 확실성 ; 〔法〕 효력, 유효성, 합법성 : the term of ~ 유효 기간.

val·ine [vǽli:n, véi-] *n.* 〔生化〕 발린《단백질의 분해로 생기는 α 아미노산》.

val·in·o·mýcin [vӕlənou-] *n.* 〔藥〕 발리노마이신《polypeptide형(型)의 항생 물질의 하나》.

va·lise [vəlí:s ; -z] *n.* 《美》 여행용 손가방 ; 〔軍〕 원통형 가방, 배낭. 〚F<It.〛

valise

Va·li·um [vǽliəm, véi-] *n.* 발륨《diazepam 제제(製劑)의 상표명 ; 정신 안정제》.

Val·kyr [vǽlkiər] *n.* = VALKYRIE.

Val·ky·rie [vælkíəri, -káiə-, vǽlkəri] *n.* 〔北유럽神〕 발키리《Odin 신의 12시녀의 하나 ; 전사한 영웅들의 영혼을 Valhalla 로 이끌어 시중든다고 함》.

valla *n.* VALLUM의 복수형.

Vál làce *n.* 발랑시엔 레이스(Valenciennes).

val·la·tion [væléiʃən] *n.* 누벽(壘壁), 보루(堡壘) ; 누벽 축조(술).

val·lec·u·la [vælékjələ, və-] *n.* (*pl.* **-lae** [-lì:, -lài]) 〔解·植〕 홈, 와(窩) ; 〔植〕 (분과(分果)의) 과곡(果谷).

◇**val·ley** [vǽli] *n.* **1** 골짜기, 계곡(cf. VALE¹, DALE). **2** (큰 강의) 유역 : the Mississippi *V*~ 미시시피 강 유역. **3** 골짜기처럼 움푹 들어간 곳 ; 〔建〕 (지붕의) 골. **4** (경기(景氣) 따위의) 골, 저미기(低迷期). ***the valley of the shadow of death*** 〔聖〕 사망의 음침한 골짜기《시편 23 : 4》; 고난. **~·lìke** *a.* 〚OF<L ; cf. VALE¹〛

Válley bòy *n.* 《美》 밸리 보이《Valley girl의 놀이 상대가 되는 남자》.

Válley gìrl *n.* 《美》 밸리 걸《독특한 유행어나 말투로 풍속적 상징이 되었던 미국 소녀 ; 1982년에 대량 발생》.

válley glàcier *n.* 〔地〕 곡빙하(谷氷河)《산지 빙하의 일종》.

val·lum [vǽləm] *n.* (*pl.* **val·la** [-lə], **~s**) 〔古로〕 목책을 두른 보루.

va·lo·nia [vəlóuniə, -njə ; væ-] *n.* 발로니아 떡갈나무 열매의 깍정이《잉크 원료·염색용》.

val·or | **val·our** [vǽlər] *n.* Ⓤ 《주로 詩·文語·戲》 (특히 전장 따위에서의) 용기, 무용, 강용(cf. COURAGE, BRAVERY). 〚OF<L ; ⇨ VALE²〛

val·or·ize [vǽlərὰiz] *vt.* (상품의) 가격을 지정하다[안정시키다]. **vàl·o·ri·zá·tion** *n.* (보통 정부의) 물가 안정책.

válor·ous *a.* 씩씩한, 용감한(brave). **~·ly** *adv.* **~·ness** *n.*

val·pro·ate [vælpróueit] *n.* 〔藥〕 발프로에이트《간질의 작은 발작에 유효한 항경련약》.

valse [*F* vals] *n.* =WALTZ. 〚F<G ; ⇨ WALTZ〛

Vál·spèak *n.* 밸어(語)《Valley girl의 독특한 용어와 말하는 품 ; 입술을 옆으로 당겨 이를 보이는 듯이 하고 이야기함》.

***val·u·able** [vǽljuəbəl] *a.* **1** 금전적 가치가 있는, 값을 지닌(↔*valueless*) : ~ papers 유가 증권. **2** 값비싼 ; 귀중한, 소중한(↔*valueless*) : ~ furniture 값비싼 가구 / ~ pictures 값진 그림 / ~ information[assistance] 귀중한 정보[원조]. **3** 평가할 수 있는, 돈으로 환산할 수 있는(↔*invaluable*) : a service not ~ *in* money 돈으로 따질 수 없는 봉사. —— *n.* [보통 *pl.*] 귀중품《특히 보석·황금류》. **-ably** *adv.* 고가로 ; 가치가 많게 ; 유익하게. **~·ness** *n.* 〚C16 ; ⇨ VALUE〛 類義語 ⟹ COSTLY.

váluable considerátion *n.* 〔法〕 유가 약인(有價約因)《수약자(受約者)의 손실 또는 약속자의 이득으로 이루어지는 약인 ; 반대 급부에 해당》.

val·u·ate [vǽljuèit] *vt.* 평가[견적, 사정(査定)]하다. **vál·u·à·tor** *n.* 평가자, 사정인.

val·u·a·tion [væljuéiʃən] *n.* Ⓤ 평가 ; 견적[사정] 가격 : put[set] too high a ~ on …을 과대 평가하다 / accept[take] a person *at*[*on*] his own ~ 남의 평가를 본인이 말하는 그대로 받아들이다.

‡**val·ue** [vǽlju:] *n.* **1** Ⓤ 가치, 값, 진가, 값어치 (worth) ; 유용성 : the ~ of sunlight[education] 일광[교육]의 가치 / surplus ~ 〔經〕 잉여 가치 / news[propaganda] ~ 뉴스[선전] 가치 / *of* ~ 가치있는, 귀중한(valuable) / *of* great[little, no] ~ 가치가 큰[적은, 전혀 없는]. **2** Ⓤ,Ⓒ (교환·금전적) 가치, 가격, 값, 대가 : an exchangeable ~ =a ~ in exchange 교환 가치 / a face ~ 액면 가격 / a market ~ 시장 가격. **3** Ⓤ,Ⓒ 평가 : set[put] much[a high] ~ (up)on …을 소중히 여기다, …을 높이 평가하다. **4** Ⓤ (문장 속의 말의) 진의, 의의. **5** Ⓤ 〔畫〕 밸류, 명암도(明暗度) ; 〔樂〕 (음표의) 길이 ; 〔數〕 값 ; 〔音聲〕 (문자가 나타내는) 음가(音價) ; 〔化〕 …가《어떤 화학적 척도로 측정된 값》; 〔生〕 (분류상의) 등급 : out of ~ 〔畫〕 명암이 조화되지 않은. **6** [*pl.*] 〔社〕 가치《이상·관습·제도 따위》; 〔倫〕 가치.

── *vt.* **1** [+目/+目+*at*+名] (금전적으로) 평가하다, 값을 매기다, (…의 값을) 견적하다 : ~ a house and lot ***at*** $50,000 가옥과 대지를 5만 달러로 평가하다. **2** [+目/+目+前+名/+目+副] …의 가치를 (소중히 또는 가볍게) 보다 ; 존중하다, 귀중히 여기다, 소중히 하다 : ~ oneself (***up***) ***on*** one's success [***for*** what one did] 성공하여[한 일로] 의기양양 해지다 / How do you ~ him as a manager? 당신은 지배인으로서의 그를 어떻게 평가하십니까.
〖OF (p.p.) ‹ *valoir* to be worth < L ; ⇒ VALE[2]〗
類義語 (1) (*n.*) ⟹ WORTH[1].
(2) (*v.*) ⟹ APPRECIATE.

válue ádded *n.* 〔經〕 부가 가치.

válue-àdded cómmon càrrier *n.* 〔通信〕 부가 가치 통신업자《통신 회선을 빌려서 이에 컴퓨터를 접속하여 데이터를 전송하는 재판매(再販賣) 업자》.

válue-àdded nétwork *n.* 부가 가치 (통신)망 《略 VAN》.

válue-àdded reséller *n.* 〔컴퓨〕 부가 가치 재판매업자.

válue-àdded táx *n.* 부가 가치세《略 VAT》.

válue anàlysis *n.* (생산비 절감을 위한) 가치 분석《略 VA》.

válue ànalyst *n.* 가치 분석자.

vál·ued *a.* **1** 값이 매겨진, 평가된 ; 존중되고[귀중히 여겨지고] 있는, 귀중한, 소중한 : a ~ friend 소중한 친구. **2** [복합어를 이루어] …의 가치가 있는 : two-~ logic 이가(二價) 논리.

válued pòlicy *n.* 〔保險〕 정액 보험 증권.

válue engineèring *n.* 가치 공학《제품을 최소 비용으로 제조하는 방법을 얻기 위한 설계·제조 공정의 분석 ; 略 VE》.

válue jùdgment *n.* 가치 판단.

válue·less *a.* 가치[값] 없는, 하찮은(↔*valuable* ; cf. INVALUABLE). **~·ness** *n.*

vál·u·er *n.* 평가자, 가격 사정관 ; 《美》 삼림(森林) 답사자.

válue sỳstem *n.* 〔社〕 가치 체계.

va·lu·ta [vəlúːtə] *n.* Ⓤ 화폐 (교환) 가치 ; 외화(外貨). 〖It.〗

val·vate [vǽlveit] *a.* **1** 밸브가 있는, 밸브로 여는 ; 밸브 비슷한, 밸브 구실을 하는. **2** 〔植〕 겹치지 않고 맞닿은.

*__valve__ [vælv] *n.* **1** (장치의) 판(瓣), 밸브 : a safety ~ 안전판. **2** 〔解·動〕 판, 판막(膜) ; (조개의) 껍데기 (cf. BIVALVE) ; 〔植〕 (깍지 따위의) 판. **3** 《주로 英》 진공관(=《美》 tube) : a ~ detector 진공관 검파기(檢波器) / a six-~ set 6구(球) 진공관 수신기. **4** 〔樂〕 (금관 악기의) 피스톤, 활전(活栓). ── *vt., vi.* …에 밸브를 달다 ; 밸브로 조절하다.
~d *a.* **~·less** *a.* 밸브가 없는. **~·lìke** *a.*
〖L *valva* leaf of folding door〗

válve·let *n.* =VALVULE.

válve tìming díagram *n.* 밸브 개폐시기 선도(線圖).

val·vu·lar [vǽlvjələr] *a.* 밸브 모양의, 밸브를 갖춘 ; 밸브로 된 ; 심장 판막의 : ~ disease 심장 판막증.

val·vule [vǽlvjuːl] *n.* 작은 밸브.

val·vu·li·tis [væ̀lvjəláitəs] *n.* Ⓤ 〔醫〕 (심장) 판막염(瓣膜炎).

val·vu·lot·o·my [væ̀lvjəlɑ́təmi] *n.* 〔醫〕 판막 절개(술).

vam·brace [vǽmbreis] *n.* 〔史〕 (팔꿈치에서 손목까지를 보호하는) 팔갑옷, 완갑(腕甲). **~d** *a.* 완갑을 댄. 〖AF〗

va·moose [væmúːs, væ-], **-mose** [-móus] *vi., vt.* 《美俗》 (…에서) 도망치다, 줄행랑치다.
〖Sp. *vamos* let us go〗

vamp[1] [væmp] *n.* **1** (구두의) 등가죽. **2** (헌 것을 새롭게 보이게 하기 위해) 기운 것, 덧댄 것 ; 헌 것 감추기. **3** 〔樂〕 즉흥 반주.
── *vt.* **1** (구두에) 새 등가죽을 대다. **2** [+目+副/+目+前+名] **a)** 깁다(repair), …에 천 조각을 덧대다, …의 헌 것을 새 것처럼 보이게 하다, 외양을 꾸미다 : ~ ***up*** old furniture 헌 가구를 재생하다. **b)** 《비유》 내다 ; 이어서 만들다 : ~ ***up*** an excuse 핑계를 대다 / ~ *up* a news story ***out of*** odds and ends 단편적인 재료를 이어서 신문 기사로 작성하다. **3** 〔樂〕 (곡을) 즉흥적으로 반주하다. ── *vi.* 〔樂〕 즉흥반주를 하다.
〖AF < OF *avantpié* front of the foot (AVAUNT, *pied* foot)〗

vamp[2] *n.* 바람둥이《여자》, 요부, 뱀프.
── *vt.* (남자를) 이용해 먹다 ; 호리다, 유혹하다, (남자와) 희롱하다(flirt with). ── *vi.* 요부역(役)을 맡아하다. 〖*vamp*ire〗

vámped, vámped-úp *a.* (헌 것을) 새 것으로 보이게 하는, 꾸며낸.

vámp·er *n.* 구두 고치는 사람, 신기료 장수 ; (특히 피아노의) 즉흥 반주자.

vam·pire [vǽmpaiər] *n.* **1** 흡혈귀《밤에 시체가 되살아나서 무덤을 나와 잠자고 있는 사람의 생피를 빨아 먹는다고 함》. **2** (흡혈귀 같은) 착취자. **3** =VAMP[2] ; 요부(妖婦)역의 여배우. **4** 〔動〕 피먹이박쥐《남미 열대지방산》. **5** 〔劇〕 (무대의) 용수철식 함정문(trapdoor).
〖F or G < Hung. < ? Turk. *uber* witch〗

vam·pir·ic [væmpírik] *a.* 흡혈귀의[같은].

vám·pir·ìsm [, -pə-] *n.* **1** 흡혈귀(의 존재)를 믿기(cf. VAMPIRE 1). **2** 흡혈귀의 소행 ; 남의 고혈을 빠는[악랄한] 착취 ; 남자 호리기.

vámp·ish *a.* 요부형의.

*__van__[1] [væ(ː)n] *n.* **1** 유개(有蓋) 화물 운반차, 유개 트럭《가구·흥행용 짐승 따위를 운반함 ; cf. LORRY》. **2** 《英》 (철도의) 수화물차 ; 유개 화차(=《美》 car) (cf. WAGON 2). **3** (포장이 달린) 큰 마차《집시 등이 씀》. ── *vt.* (**-nn-**) 차에 싣다, 차로 운반하다. 〖cara*van*〗

van[2] *n.* **1** 〔軍〕 (군대·함대의) 전위, 선두, 선진(先陣)(↔*rear*[1]) ; [집합적으로] 행렬의 선두에 서서 가는 사람. **2** [집합적으로] 《비유》 (사회·정치 운동 따위의) 선도[지도]자, 선봉, 선구(先驅) : in the ~ *of* …의 선두[진두]에 서서, 선구로서 / lead the ~ *of* …의 선봉이 되다, …의 주도자가 되다. 〖*van*guard〗

van[3] *n.* 《古》 (곡식의 겨를 날리는) 풍구 ; 《詩》 날개 ; 〔鑛〕 선광(選鑛)용 삽. ── *vt.* (**-nn-**) 선광하다. 〖FAN[1]〗

van[4] *n.* 《英口》 〔테니스〕 =ADVANTAGE.

van[5] [væn] *prep.* (사람 이름의 일부로서) …출신의 (of, from). 注 원래는 출생지를 나타냄.
〖Du. =of, from ; cf. VON〗

VAN value-added network.

va·nad- [vənéid, vǽnəd], **va·na·do-** [-dou, -də] *comb. form* 「바나듐(vanadium)」의 뜻.

van·a·date [vǽnədèit], **va·na·di·ate** [vənéidièit] *n.* 〔化〕 바나듐산염[에스테르].

va·nad·ic [vənǽdik, -néi-] *a.* 〔化〕 (특히 고원자가(高原子價)로) 바나듐을 함유한.

vanádic ácid *n.* 〔化〕 바나듐산.

V

va·na·di·um [vənéidiəm] *n.* Ⓤ 〖化〗 바나듐《희유 원소 ; 기호 V ; 번호 23》. 〚NL (ON *Vanadís* : Scandinavia의 여신 Freyja의 이름)〛

vanádium stéel *n.* 바나듐강(鋼)《기계적 강도가 큰 바나듐을 함유한 합금강》.

van·a·dous [vǽnədəs, vənéi-] *a.* 〖化〗 (특히 저(低)원자가로) 바나듐을 함유한.

Van Al·len [væn ǽlən, vən-] *n.* 밴 앨런. **James Alfred** ~ (1914-) 미국의 물리학자.

Van Állen (radiátion) bèlt[làyer] *n.* 〖理〗 밴 앨런 (복사)대(帶)《지구를 둘러싼 방사능대》.

van·co·mýcin [væ̀ŋkə-] *n.* Ⓤ 반코마이신《스피로헤타(spirochete)에 듣는 항생 물질》.

Van·cou·ver [vænkú:vər] *n.* 밴쿠버《(1) 캐나다 British Columbia 주 남서안의 섬. (2) British Columbia 주 남서부의 항구 도시》.

V. & A., V and A 《英》 Victoria and Albert Museum.

Van·dal [vǽndl] *n.* **1** 반달인 ; [the ~s] 반달족(族)《5세기에 서유럽에 침입, 로마를 약탈한 게르만의 한 종족 ; 로마 문화의 파괴자 ; cf. GOTH》. **2** [v~] 예술품 · 자연미 따위의 파괴자. —— *a.* 반달인(人)의[같은] ; [v~] 문화 · 예술 따위를 파괴하는, 야만적인. 〚L<Gmc.〛

Vándal·ism *n.* **1** 반달인의 기질. **2** [보통 v~] 예술 · 문화의 파괴 ; (비문화적) 야만 행위. **vàn·dal·ís·tic, vándal·ish** *a.*

vándal·ìze *vt.* (문화 · 예술)을 반달인처럼 파괴[적대시]하다.

Ván de Gràaff génerator [vǽn də grǽ(:)f- ; -grɑ̀:f-] *n.* 밴 더 그래프 발전기《고전압 정전(靜電) 발전기》. 〚Robert Jemison *Van de Graaff* (d. 1967) 미국의 물리학자로 그 고안자〛

van der Waals [væn dər wɔ́:lz, -wɑ́:lz] *n.* 반 데르 발스. **Johannes Diederik** ~ (1837-1923) 네덜란드의 물리학자 ; Nobel 물리학상(1910).

vàn der Wáals equàtion *n.* 〖理〗 반 데르 발스의 방정식《실재 기체에 관한 경험적인 상태식》.

vàn der Wáals fórces *n. pl.* 〖理〗 반 데르 발스의 힘《분자 사이에 작용하는 인력》.

Van Dyck [vændáik] *n.* 반다이크. Sir **Anthony** ~ (1599-1641) 플랑드르의 초상화가 ; 영국왕 Charles 1세의 궁정화가.

Van·dyke [vændáik, vən-] *n.* **1** = VAN DYCK. **2** [흔히 v~] 반다이크의 그림[초상화]. **3** 테두리가 깊게 들쭉날쭉함 ; VANDYKE BEARD ; = VANDYKE COLLAR. —— *a.* 반다이크풍의. —— *vt.* [v~] …에 깊게 들쭉날쭉한 테두리를 달다.

Vandýke béard *n.* 반다이크 수염.

Vandýke bórders *n. pl.* 톱니 모양의 장식이 붙은 가장자리.

Vandýke brówn *n.* 짙은 갈색《반 다이크가 즐겨 쓴 안료》.

Vandýke cóllar *n.* (넓고 들쭉날쭉한 레이스가 달린) 반다이크식 칼라.

vane [véin] *n.* **1** 바람개비, 풍향계(風向計) (= weather vane). **2** (풍차 · 추진기 · 터빈 따위의) 날개 ; 〖測〗 (함척(函尺) · 사분의(四分儀) 따위의) 시준판(視準板) ; 〖鳥〗 깃판(板) (web). **~d** *a.* vane이 있는. 〚*fane* (dial.) banner<OE *fana* ; cf. G *Fahne* flag〛

Vandyke collar

va·nes·sa [vənésə] *n.* 〖昆〗 큰멋쟁이나비속(屬)의 나비.

vang [vǽŋ] *n.* 〖海〗 사형 지삭(斜桁支索)《사형(gaff)의 끝을 고정 위치에 두기 위하여 양현(兩舷)과 연결한 버팀줄》. 〚C18 *fang*<OE〛

van Gogh [væn góu, -gɔ́:x ; -gɔ́x] *n.* 반 고흐. **Vincent** ~ (1853-90) 네덜란드의 화가.

van·guard [vǽngɑ̀:rd, vǽŋ-] *n.* **1** 〖軍〗 전위, 선봉, 첨병(尖兵) (↔*rear guard*). **2** [집합적으로] 《비유》 (사회 · 정치 운동 따위의) 선도자, 선구자, 전위 ; 지도적 지위 : be in the ~ *of* …의 진두[선두]에 서다, …의 선구자가 되다. **3** [V~] 《美》 뱅가드《인공위성 발사용 삼단식 로켓》. **~·ism** *n.* **~·ist** *n.* 〚OF *avangarde* (*avant* before, GUARD)〛

va·nil·la [vənílə, 美+-nélə] *n.* **1** 〖植〗 바닐라《아메리카 열대 지방산 덩굴 식물》 ; 바닐라 열매. **2** Ⓤ 바닐라 익스트랙트(=∠ **èxtract**)《그 열매에서 채취한 향료》 : two ~ ice creams 바닐라 아이스크림 두 개. **3** 《美俗》 근거없는 이야기, 거짓말, [감탄사적으로] 《戱》 설마, 거짓말이겠지. —— *a.* 흔한, 평범한, 보통의. 〚Sp. (dim.) 〈 *vaina* pod<L VAGINA〛

vanilla 1

va·nil·lic [vənílik, 美+-nél-] *a.* 바닐라의 ; 〖化〗 바닐라에서 채취한.

van·il·lin [vǽnələn, vənílən] *n.* 바닐린《vanilla 에서 채취한 향료》.

van·ish** [vǽniʃ] *vi.* **1** [動/+前+名] (눈에 보이던 것이) (특히 빨리) 사라지다, 자취를 감추다 (disappear) ; (빛 · 색깔 따위가) 희미해지다, 소멸하다 : The thief ~*ed* ***in the crowd. 도둑이 군중 속으로 사라졌다 / ~ ***from*** sight 자취를 감추다, 시야에서 사라지다 / The sun has ~*ed* ***below*** the horizon. 태양이 지평선 아래로 사라졌다. **2** [動/+前+名] (지금까지 존재하던 것이) 없어지다, 소멸하다 : Our last hope has ~*ed.* 우리들의 마지막 희망도 사라졌다 / Many kinds of life have ~*ed* ***from*** the earth. 여러 종류의 생물(生物)이 지구상에서 소멸했다. **3** 〖數〗 영(零)이 되다.

〈회화〉
What are you looking for, Joe? — My wallet suddenly *vanished* from my pocket. 「조, 무엇을 찾고 있니」 「내 지갑이 주머니에서 갑자기 사라졌어」

—— *vt.* 보이지 않게 하다, 소멸시키다, 없애다. —— *n.* 〖音聲〗 소음(消音)《이중모음 [ou], [ei]의 [u, i] 따위》. **~·er** *n.* 〚OF<L ; ⇨ VAIN〛

類義語 ***vanish*** 돌연[완전히, 때로는 신비스럽게] 보이지[존재하지] 않게 되다 : All the color has *vanished* from the picture. (그 그림은 색이 완전히 바랬다). ***disappear*** 돌연[서서히] 보이지[존재하지] 않게 되다 : The ship *disappeared* at last. (그 배는 드디어 사라졌다). ***fade*** 서서히 보이지 않게 되다가 마지막에는 완전히[부분적으로] 사라지다 : His figure *faded* into the mist. (그의 모습은 안개 속으로 사라져 갔다).

vánish·ing crèam *n.* 배니싱 크림《화장품》.

vánishing lìne *n.* 〖畫〗 소멸선(消滅線).

vánishing pòint *n.* 〔畫〕 소멸점(消滅點), 소점 ; 《비유》 사물이 다하는 최후의 한 점.

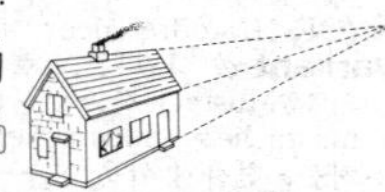

vanishing point

vánish·ment *n.* Ⓤ 소실, 소멸.

van·i·to·ry [vǽnətɔ̀ːri ; -təri] *n.* 거울이 달린 세면대. 〖*vani*ty+lava*tory*〗

*__van·i·ty__ [vǽnəti] *n.* **1** Ⓤ 자만심, 허영심 : do something out of ~ 허영심에서 일을 하다 / tickle a person's ~ 남의 허영심을 만족시키다. **2** Ⓤ 텅 빔, 공허, 덧없음, 허무, 헛됨 ; Ⓒ 덧없는 일[행위], 허영, 영화 : the ~ of human wishes 인간 욕망의 무상함 / *V*~ of *vanities* ; all is ~. 〔聖〕 헛되고 헛되며 헛되고 헛되니 모든 것이 헛되도다《전도서 1 : 2》. **3 a)** 유행의 장식품[방물] ; (여성의) 콤팩트 ; =VANITY BAG[CASE, BOX]. **b)** =DRESSING TABLE.
〖OF<L ; ⇨ VAIN〗
類義語 ⟹ PRIDE.

vánity bàg[càse, bòx] *n.* 휴대용 화장품[도구] 케이스, 핸드백.

Vánity Fáir *n.* 허영의 시장《Bunyan작(作) *Pilgrim's Progress*중에 나오는 시장 이름 ; Thackeray의 소설 제목》 ; [때때로 v~ f~] 허영의 거리, 이 세상, 상류 사교계.

vánity gàllery *n.* 세놓는 화랑.

vánity plàte *n.* (자동차의) 장식된 번호판.

vánity prèss[pùblisher] *n.* 《美》 자비(自費) 출판 전문 출판사.

vánity sùrgery *n.* 미용 (성형) 외과.

ván lìne *n.* 《美》 (대형 유개 화물 자동차를 이용하는) 장거리 이삿짐 운송 회사.

ván·ner *n.* 《美·Can.》 유개 트럭(van)을 타는 사람 ; 《英》 경마차용 말.

van·nette [vənét] *n.* 소형의 밴(van).

ván·pòol *n., vi.* 통근시(時) 밴(van)의 합승(에 참가하다).

van·quish [vǽŋkwiʃ, vǽn-] *vt.* 《文語》 (적 등을) 정복하다, 무찌르다, 패배시키다 ; (감정 따위를) 극복하다 : the ~*ed* 패배한 사람(들). —— *vi.* 이기다, 승자가 되다. **~·able** *a.* 무찌를 수[정복할 수] 있는, 극복할 수 있는. **~·er** *n.* 정복자, 승리자. **~·ment** *n.* 〖OF *vencus* (p.p.) *veintre*<L *vinco* to conquer〗
類義語 ⟹ CONQUER.

van·tage [vǽ(ː)ntidʒ ; vɑ́ːn-] *n.* **1** 《古》 이익 ; 우세 ; 유리한 입장[조건](advantage) : a point [coign(e)] of ~. =VANTAGE POINT 1. **2** 《英》 〔테니스〕 =ADVANTAGE 3.
〖AF<OF ADVANTAGE〗

vántage gròund *n.* 유리한 위치[입장, 조건].

vántage-ín *n.* 〔테니스〕 듀스 후에 서브측(server)이 얻은 포인트.

vántage-óut *n.* 〔테니스〕 듀스 후에 리시브측(receiver)이 얻은 포인트.

vántage pòint *n.* **1** =VANTAGE GROUND. **2** 견해, 관점(point of view).

van't Hoff [vɑːnt hɔ́(ː)f, vænt-, -hɑ́f] *n.* 반트호프. **Jacobus Hendricus** ~(1852-1911) 네덜란드의 물리 화학자 ; 노벨 화학상(1901).

van't Hóff's láw *n.* 〔化〕 반트 호프의 법칙《온도를 높여 반응이 흡열적(吸熱的)이면 화학 평형은 그 방향으로 진행한다고 하는 이론》.

Va·nu·a·tu [vænuɑ́ːtuː] *n.* 바누아투《태평양 남서부의 New Hebrides가 1980년 독립하여 성립된 공화국 ; 수도 Vila》.

ván·ward *a., adv.*, 선두에 선, 전방의[으로].

vap·id [vǽpəd, véi-] *a.* (음료 따위) 맛없는, 김빠진(flat) ; 《비유》 생기를 잃은, 활기 없는, 흥미 없는, 지루한(dull) : ~ beer 김빠진 맥주 / a ~ talk 지루한 이야기 / run ~ 김빠지다, 맥빠지다. **~·ly** *adv.* 김빠져서, 지루하게. **~·ness** *n.*
〖L *vapidus* flat tasting〗

va·pid·i·ty [væpídəti, vei-, və-] *n.* **1** Ⓤ 맛없음, 김빠짐 ; 활기[흥미] 없음, 지루함. **2** [*pl.*] 지루한[재미없는] 말.

‡**va·por | va·pour** [véipər] *n.* **1 a)** Ⓤ 증(발)기《공기 중의 수증기·김·안개·연무(煙霧) 따위》 ; 〔理〕 증기 : escape in ~ 증발하다. **b)** 〔醫〕 흡입제[약]. **c)** 《古》 (위(胃)에서 생긴다고 믿어지는) 유독 가스. **d)** [the (Sea of) V~] (달 표면의) 증기의 바다. **2** 부질없는 공상, 허황된 생각. **3** [the ~s] 《古》 침울, 우울증. **4** 《古》 허세, 자만.
—— *vi.* **1** 증기를 내다 ; 증발하다, 발산하다. **2** 자만하다, 허세를 부리다. —— *vt.* 증기로 만들다.
~·able *a.* **~·er** *n.* **~·less** *a.* **~·lìke** *a.*
〖OF or L *vapor* steam〗

vápor bàth *n.* 증기욕 ; 한증.

vápor éngine *n.* 〔機〕 증기 기관《특히 작동유체(流體)가 수증기 이외의 것》.

va·por·if·ic [vèipərífik] *a.* 증발하는 ; 증기의.

va·por·im·e·ter [vèipərímətər] *n.* (압력과 양을 재는) 증기압계(計).

vápor·ing *a.* **1** 증기를 내는 ; 증발하는. **2** 공연히 뽐내는, 허세부리는. **3** 《古》 우울증의, 침울한.
—— *n.* [흔히 *pl.*] 공연히 뽐내기, 호언장담, 허세. **~·ly** *adv.*

vápor·ish *a.* 증기와 같은, 증기가 많은 ; 《古》 우울한. **~·ness** *n.*

vàpor·izátion *n.* Ⓤ 증발 (작용), 기화(氣化) ; 〔醫〕 흡입(법), 증기 요법.

vápor·ìze *vt., vi.* 증발[기화]시키다[하다] ; 희박하게 하다. **vá·por·ìz·able** *a.*

vá·por·ìz·er *n.* 증발시키는 사람[것], 증발기 ; 기화기, 분무(기) ; 〔醫〕 흡입기.

vápor lòck *n.* 〔機關〕 증기 폐색《증기 발생으로 인해 연료공급 장치·브레이크 장치 따위에 일어나는 고장》.

vápor·ous *a.* **1** 증기를 내는[로 만드는]. **2** 증기가 많은 ; 안개가 낀. **3** 증기 같은. **4 a)** (일이나 생각이) 덧없는, 공허한, 공상적인. **b)** 《古》 공상에 치우치는. **~·ly** *adv.* **~·ness** *n.*

vápor prèssure *n.* 〔理〕 증기압《일정한 온도에서 액체상(相) 또는 고체상과 평형 상태에 있는 증기상의 압력, 즉 포화 증기압》.

vápor tènsion *n.* =VAPOR PRESSURE.

vápor tràil *n.* =CONTRAIL.

vápor·wàre *n.* 《컴퓨俗》 발표는 되었으나 상품화되지 않은 소프트[하드]웨어.

vá·pory | vá·poury *a.* =VAPOROUS.

*__vapour__ ☞ VAPOR.

va·que·ro [vɑːkέərou] *n.* (*pl.* **~s**) (중앙 아메리카·멕시코 등지의) 가축 상인 ; 목축업자, 목동, 카우 보이, 소치는 사람. 〖Sp.〗

var [vɑ́ːr] *n.* 〔電〕 바《무효 전력의 단위》.
〖*v*olt-*a*mpere *r*eactive〗

VAR 〔空〕 visual-aural (radio) range. **var.** variable ; variant ; variation ; variety ; variometer ; various.

va·rac·tor [vərǽktər ; véəræk-] *n.* 〔電子〕 버랙터, 가변(可變)용량 다이오드《전압에서 용량이 변

하는 반도체 다이오드). 〖*var*ying re*actor*〗
Va·ran·gi·an [vərǽndʒiən] *n.* 바랑인(人)《북유럽계의 방랑적 부족; 9세기에 러시아에 정착하여 한때 왕조를 세웠음》. —— *a.* 바랑인(人)의.
Varángian Guárd *n.* 바랑 친위대《11-12세기경 바랑인(人)으로 조직된 동로마 황제의 친위대》.
var·ec(h) [vǽrek] *n.* Ⓤ 해초; 해조(海藻); 해초의 재《요오드·칼륨의 원료》.
vari- [véərə, vǽərə], **var·io-** [véəriou, vǽər-, -riə] *comb. form* 「여러가지의」 「가지각색의」의 뜻. 〖L VARIOUS〗
var·ia [véəriə, vǽər-] *n. pl.* =MISCELLANY, (특히) 잡문집.
***vari·able** [véəriəbəl, vǽər-] *a.* **1** 변하기 쉬운, 변화하기 쉬운(↔*constant*); 일정치 않은, 변덕스러운: ~ weather 변덕스러운 날씨 / Her mood is ~. 그녀는 변덕쟁이다. **2** 변화시킬 수 있는, 변동할 수 있는, 가변적인: Prices are ~ according to the exchanges. 물가는 환(換)시세에 따라 변동한다. **3** 〔數〕 변수(變數)의, 부정(不定)의(↔*constant*); 〔生〕 변이(變異)하는; 〔氣〕 방향이 변하는; 〔天〕 변광(變光)하는: ~ species 〔生〕 변이종(種) / a ~ star 〔天〕 변광성(變光星) / a ~ wind 〔氣〕 변풍(變風). —— *n.* **1** 변화하는[변하기 쉬운] 것. **2** 〔數·理·컴퓨〕 변수(↔*constant*); 〔氣〕 변풍; [the ~s] (대양의) 변풍대(帶)《북동 무역풍대와 남동 무역풍대 사이》; 〔天〕 변광성. **vàri·abíl·i·ty** *n.* Ⓤ 변하기 쉬움, 변화성, 가변성; 〔生〕 변이성. **vári·ably** *adv.* 변하기 쉽게, 부정(不定)하게; 변하도록, 가변적으로. **~·ness** *n.* 변하기 쉬움, 가변성. 〖OF<L; ⇨ VARY〗
váriable annúity *n.* 변동[가변] 연금《기금의 투자 대상을 주식으로 하고 급부액을 경제 정세에 맞춘 것》.
váriable condénser *n.* 〔電〕 가변 콘덴서.
váriable cóst *n.* 〔經〕 변동비, 변동 원가《생산량과 관련하여 변동하는 비용》.
váriable geómetry *n.* 〔空〕 (날개의) 가변 후퇴각(variable sweep).
váriable-léngth rècord *n.* 〔컴퓨〕 가변(可變) 길이 레코드《길이가 같지 않은 레코드》.
váriable lífe insúrance *n.* 〔保險〕 변동제 생명보험《액면 보험액을 주가 지수 따위와 연동시켜서 경제 정세에 적합토록 한 것》.

váriable-pítch *a.* 〔空·海〕 (프로펠러가) 가변 피치의: a ~ propeller 가변 피치 프로펠러.
váriable ráte mòrtgage *n.* 〔美金融〕 변동 저당 증권《이율이 금융 시장 금리의 움직임에 따라서 변동함; 略 VRM; cf. GRADUATED PAYMENT MORTGAGE》.
váriable swéep *n.* 〔空〕 (날개의) 가변 후퇴각(後退角) (설계).
váriable-swéep wìng *n.* 〔空〕 가변 후퇴익.
váriable tíme fùze *n.* =PROXIMITY FUZE.
váriable zòne *n.* [the ~] 온대(溫帶).
va·ria lec·tio [wɑ́:riɑ̀: léktiòu] *n.* (*pl.* **va·ri·ae lec·ti·o·nes** [wɑ́:riài lèktióuneis]) 이문(異文). 〖L=variant reading〗
vari·ance [véəriəns, vǽər-] *n.* **1** Ⓤ 변화, 변동; (의견·취미·생각 따위의) 상위, 불일치, 어긋남; 불화, 충돌, 적대: *at* ~ (*with*...) (…와) 불화로; (…와) 모순되어 / set ... *at* ~ …을 불화하게 하다[이간시키다]. **2** Ⓤ 〔法〕 주장과 증거와의 다름, (일치해야 할 문서 간의) 불일치; 〔會計〕 차이 계정《실제 원가와 표준 원가와의 차》. **3** 〔統·數〕 분산; 〔物理化學〕 분산량. **4** 《美》 (건축·토지 개발 따위의) 특례적 인가. 〖OF<L=difference; ⇨ VARY〗
vári·ant *a.* **1** 다른, 틀리는, 상위한; 가지각색의: "Mustache" is a ~ spelling of "moustache." mustache는 moustache의 이형(異形)이다. **2** 변하는, 변하기 쉬운. —— *n.* 변체(變體), 변형, 별형; (원전의) 이문(異文); (철자·발음의) 이형; 〔生〕 변이체, 이형; 〔統〕 =VARIATE.
vari·ate [véəriət, -rièit, vǽər-] *n.* 〔統〕 변량(變量); =VARIANT.
***var·i·a·tion** [vèəriéiʃən, vǽər-] *n.* **1 a)** ⓊⒸ 변동, 변화(change): ~(*s*) *of* temperature 기온의 변동 / a temperature ~ *of* 10° 온도 10도의 변차(變差) / ~(*s*) *in* popular taste 유행의 변화. **b)** 변화의 양[정도]; 변형물, 이체(異體): a marked ~ *in* prices 현저한 물가의 변동. **2** 〔文法〕 어미 변화; 〔天〕 변차, (달의) 2균차; 〔理〕 지구 자기의 편각(declination); 〔生〕 변이; 변종 (cf. MUTATION). **3** 〔數〕 변분(變分); 〔樂〕 변주곡; 〔발레〕 혼자 추는 춤. **~·al** *a.* **~·al·ly** *adv.* **vári·à·tive** [, -ətiv] *a.*
var·ic- [véərək, vǽər-], **var·i·co-** [-kou, -kə] *comb. form* 「정맥류(靜脈瘤)(varix)」의 뜻. 〖L〗
var·i·cel·la [væ̀rəsélə] *n.* Ⓤ 〔醫〕 수두(水痘). **-cél·lar** *a.* **vàr·i·cél·loid** *a.* 수두 모양의.
vár·i·co·cèle [vǽrəkou-] *n.* 〔醫〕 정계 정맥류(精系靜脈瘤).
vári·còlored *a.* 잡색의, 얼룩덜룩한.
var·i·cose [vǽrəkòus] *a.* 〔醫〕 정맥류성(靜脈瘤性)의; (특히 다리의) 정맥 노장(怒張)의; 정맥류 치료용의. 〖L; ⇨ VARIX〗
var·i·co·sis [væ̀rəkóusəs] *n.* 〔醫〕 정맥류증(靜脈瘤症), 정맥 노장.
var·i·cos·i·ty [væ̀rəkɑ́səti] *n.* ⓊⒸ 〔醫〕 정맥류 《종양창(腫瘍脹)》.
***var·ied** [véərid, vǽər-] *a.* **1** 형형색색의, 잡다한; 변화 있는[가 많은]; 변한, 변경시킨: live a ~ life 파란 많은 생애를 보내다. **2** 잡색의, 얼룩의(variegated). **~·ly** *adv.* 형형색색으로; 변화가 많게. **~·ness** *n.*
var·ie·gate [véəriəgèit, vǽər-] *vt.* **1** 잡색으로 하다, 얼룩지게 하다, 얼룩 무늬를 넣다. **2** …에 변화를 주다. 〖L; ⇨ VARIOUS〗
vár·ie·gàt·ed *a.* **1** 잡색의, 얼룩의, 갖가지 색깔로 물들인: ~ pansies 잡색 제비꽃. **2** 가지가지의, 형형색색의(varied).
var·ie·ga·tion [vèəriəgéiʃən, vǽər-] *n.* Ⓤ 잡색, 얼룩; 얼룩 무늬 넣기, 가지각색으로 물들이기.
va·ri·e·tal [vəráiətl] *a.* 〔生〕 변종의.
‡va·ri·e·ty [vəráiəti] *n.* **1** Ⓤ 변화, 다양(성)(↔*monotony*); 상위, 불일치(↔*uniformity*): a life full of[lacking in] ~ 변화많은[변화없는] 생활 / for ~'s sake=for the sake of ~ 변화를 주기 위하여, 취향을 달리할 목적으로 / the ~ of opinions 여러가지 의견 / give[lend] ~ to …에 변화를 주다 / *V*~ is the spice of life. 《속담》 변화는 인생의 양념이다. **2** (여러가지 다른 것의) 잡동사니, 혼합, 구색 갖추기(assortment): for a ~ *of* reasons 여러가지 이유로 / A wide ~ *of* articles is sold at a drugstore. 약국에서는 가지각색의 물품을 팔고 있다 / A ~ *of* hooks are used for different kinds of fish. 물고기의 종류에 따라서 사용되는 낚싯 바늘은 가지각색이다. **3** 종류(kind); 〔生〕 (분류상의) 변종(cf. CLASSIFICATION); 〔農·畜〕 품종; 〔言〕 변이형(變異形): an early flowering ~ *of* tulip 일찍 피는 튤립의

종류 / a new ~ *of* rose 장미의 신종. **4** Ⓤ《주로 英》 버라이어티 쇼, 연예(=《美》 vaudeville).
—— *a.* 버라이어티 쇼의.
〖F or L ; ⇨ VARIOUS〗

varíety mèat *n.* 《美》 잡육(雜肉)《내장·혓바닥 따위》; 잡육 가공품.

varíety shòw[**entertàinment**] *n.* 버라이어티 쇼, 연예(cf. VAUDEVILLE).

varíety stòre[**shòp**] *n.* 《美》 잡화점.

varíety thèater *n.* 《주로 英》 (variety show를 보는) 연예장, 연예관.

vári·fòrm *a.* 가지각색의 모양의.

vario- [véəriou, vǽər-, -riə] ☞ VARI-.

vàrio·cóupler *n.* 〔電〕 가변 결합기.

va·ri·o·la [vèərióulə, vǽər-, vəráiələ] *n.* Ⓤ 〔醫〕 두창(痘瘡), 천연두(smallpox). 〖L=pustule〗

va·rí·o·lar *a.* 천연두의.

var·i·o·late [véəriəlèit, vǽər-, -lət] *a.* 〔醫〕 마맛자국이 있는. —— *vt.* …에게 천연두 바이러스를 접종하다. **vàr·i·o·lá·tion** *n.* 종두.

var·i·o·lite [véəriəlàit, vǽər-] *n.* 〔岩石〕 구과(球顆) 현무암, 곰보돌.

var·i·o·loid [véəriəlɔ̀id, vǽər-, vəráiə-] *a.* 〔醫〕 유사 천연두의, 가두(假痘)의. —— *n.* 가두.

va·ri·o·lous [vəráiələs, vèərióu-, vǽər-] *a.* 천연두[두창]의[에 걸린]; 마맛 자국이 있는.

var·i·o·mat·ic [vèəriəmǽtik, vǽər-] *a.* 벨트 구동 자동 변속의.
〖*vari*able+auto*matic*〗

var·i·om·e·ter [vèəriɑ́mətər, vǽər-] *n.* 〔電〕 바리오미터, 자기력 편차계(磁氣力偏差計); 〔空〕 승강계《승강 속도 측정용》.

var·i·o·rum [vèəriɔ́:rəm, vǽər-] *a.* 여러 대가(大家)의 주를 단; 원전의 이본을 실은 : a ~ edition 집주판[본](集註版[本]). —— *n.* 집주판[본].
〖L (*cum notis*) *variorum* (with) various (notes)〗

◇**var·i·ous** [véəriəs, vǽər-] *a.* **1** (다양성을 강조하여) 서로 다른, 가지가지의, 여러가지[가지각색]의(different) : ~ opinions 여러가지 의견 / The modes of procedure are ~. 수속 방식은 여러가지다. **2** (부정수를 강조하여) 여러가지, 여러 개의, 몇 개의(several); 수많은(many) : for ~ reasons 여러가지의 이유로 / known under ~ names 여러가지 이름[가명]으로 알려진. **3** 다방면의, 다각적인(many-sided); 변화가 많은(varied). **4** [대명사적으로] 몇 사람(several), 수명, 몇 개 : I asked ~ *of* them. 그들 몇 사람에게 물어 보았다.
~·ly *adv.* 여러가지[가지각색]로. **~·ness** *n.* 다양성, 변화.
〖L *varius* changing, diverse〗
類義語 ⟹ DIFFERENT.

va·ris·tor [vərístər, və-] *n.* 〔電子〕 배리스터《인가 전압에 따라 저항값이 바뀌는 회로 소자》.
〖*vari*-+resi*stor*〗

vári·tỳpe *vi.*, *vt.* VariTyper를 사용하다[로 조판하다]. **-tỳpist** *n.*

Vári·Tỳp·er, -tỳp·er *n.* 바리타이퍼《행끝 맞추기 및 활자 교환이 가능한 타자기 비슷한 식자기; 상표명》.

var·ix [véəriks, vǽər-] *n.* (*pl.* **var·i·ces** [véərəsì:z, vǽər-]) 〔醫〕 정맥류(靜脈瘤); 〔貝〕 (소라 따위의) 나선층.
〖L *varic*- *varix* varicose vein〗

var. lect. varia lectio.

var·let [vɑ́:rlət] *n.* 〔史〕 종자(從者), 종복, 하인; 〔史〕 기사 견습(page); 《古》 악당, 악한(rascal).
〖OF *vaslet* VALET〗

var·mint, -ment [vɑ́:rmənt] *n.* **1** 《方》 =VERMIN; 해를 끼치는 들짐승[야조]; (특히) 여우. **2** 《美口·方》 장난꾸러기, 비열한 놈 : You little ~! 《戲》 이 장난꾸러기 녀석아.
〖VERMIN〗

var·na [vɑ́:rnə] *n.* 바르나, 카스트(caste).
〖Skt. =class〗

***var·nish** [vɑ́:rniʃ] *n.* **1** Ⓤ [종류를 말할 때에는 Ⓒ] 바니시, 니스; 유약(釉藥); 덧칠. **2** Ⓤ (동백·담쟁이덩굴의 잎 따위의) 광택면; 《英》 =NAIL POLISH. **3** Ⓤ,Ⓒ 겉만의 광택(gloss); 《비유》 겉치레, 속임수, (나쁜 일 따위의) 눈가림 : a ~ of refinement 겉치레뿐인 교양 / put a ~ on … 을 분식(粉飾)하다, …을 교묘하게 꾸미다.
—— *vt.* …에 바니시[유약]를 칠하다; …에 광택을 내다; 《비유》 …의 외관을 꾸미다, 눈가림하다.
~·er *n.* **~·y** *a.* 니스의, 광택을 지닌.
〖OF *vernis*<L or Gk.〗

várnish·ing dày *n.* 그림 전람회 개최 전날《출품한 그림을 손질하게 하는 날》.

várnish trèe *n.* 니스를 채취하는 나무《옻나무》.

va·room [vərú:m] *n.*, *vi.* =VROOM.

var·sal [vɑ́:rsəl] *a.* 《英口》 =UNIVERSAL.

var·si·ty [vɑ́:rsəti] *n.* **1** 《英口》 《美》 대학. **2** 《美》 대학[기타 학교 따위]의 대표팀 : ~ letter 《美》 (운동복에 다는) 학교 이름의 머리글자.
—— *a.* 《美》 대학[학교] 대표의; 《英口》 대학의 : a ~ team 대학 대표팀. 〖uni*versity*〗

var·so·via·na [vɑ̀:rsouvjɑ́:nə], **-vi·enne** [vɑ̀:rsouvién] *n.* 바르소비아나《마주르카를 모방한 무도; 그 곡》.
〖F and It. =(dance) of Warsaw (*Varsovie*)〗

Var·u·na [vǽrənə] *n.* 〔인도神〕 바루나《베다 신계(神界)에서 전지 전능한 신》. 〖Skt.〗

var·us [véərəs, vǽər-] *n.* 〔醫〕 안짱다리, 내반슬, 내반족(內反足) (↔*valgus*).
—— *a.* 안짱다리인, 내반(內反)의.
〖L=knock-kneed〗

varve [vɑ́:rv] *n.* 〔地〕 연층(年層), 빙호(氷縞)《빙식호(氷蝕湖)의 호수 바닥 퇴적물 따위에서 볼 수 있는 조밀(租密)한 2층으로 된 호(縞); 하나의 층이 1년을 나타냄》. **~d** *a.*
〖Swed. =layer〗

várved clày *n.* 〔地質〕 호상(縞狀)점토, 빙호(氷縞)점토.

vary** [véəri, vǽəri] *vt.* **1** 바꾸다(change), 변경하다, 고치다; …에 변화를 주다, 다양하게 하다 : ~ one's style of writing 문장의 스타일을 바꾸다 / ~ one's meals 식사에 변화를 주다. **2** 〔樂〕 변주[변곡]하다. —— *vi.* [動 / +前+名] 변화하다, 달라지다; 다르다; 일탈하다, 벗어나다; 〔數〕 변화하다; 〔生〕 변이하다 : The weather *varies* hourly. 날씨는 시시각각으로 변한다 / He tried with ~*ing* success. 해서 성공할 때도 있었고 못할 때도 있었다 / The translation *varies* a little ***from the original. 그 번역은 원문과 조금 다르다 / They ~ ***in*** age from 10 to 15. 그들의 나이는 열살부터 열다섯살까지 다양하다 / The prices ~ ***with*** the size. 값은 치수에 따라 다르다 / Opinions ~ ***on*** this point. 이 점에 관해서는 의견이 구구하다.
~·ing·ly *adv.*
〖OF or L *vario* ; ⇨ VARIOUS〗
類義語 ⟹ CHANGE.

váry·ing hàre *n.* 〘動〙 변색토끼《겨울에 털이 희게 변함》.
vas [vǽ(:)s] *n.* (*pl.* **va·sa** [véizə ; -sə]) 〘解·生〙 관(管), 맥관(脈管), 물관. 〖L=vessel〗
vas- [véiz, véis], **va·si-** [véizə, -sə], **va·so-** [véizou, -zə, véisou, -sə] *comb. form* 〘醫〙「맥관」의 뜻. 〖L (↑)〗
va·sal [véizəl, -səl] *a.* 맥관의, 물관의.
VASCAR, Vas·car [vǽskɑ:r] *n.* 바스카《자동차의 속도 위반 단속용 속도 측정 장치 ; 상표명》. 〖*V*isual *A*verage *S*peed *C*omputer *A*nd *R*ecorder〗
vas·cu·lar [vǽskjələr] *a.* 〘解·生〙 물관[맥관·혈관 따위]의, 혈관《따위》이 많은 ; 혈기 왕성한, 정열적인. **~·ly** *adv.* 〖VASCULUM〗
váscular búndle *n.* 〘植〙 관다발, 유관속.
vas·cu·lar·i·ty [væ̀skjəlǽrəti] *n.* Ⓤ 맥관[혈관]질 ; 혈기.
váscular plánt *n.* 〘植〙 관다발 식물.
váscular sỳstem *n.* 〘植〙 관다발계(系) ; 〘動〙 맥관계(系).
váscular tíssue *n.* 〘植〙 관다발 조직.
vas·cu·la·ture [vǽskjələtʃùər] *n.* 〘解〙 맥관(脈管) 구조.
vas·cu·li·tis [væ̀skjəláitəs] *n.* (*pl.* **-lit·i·des** [-lítədi:z]) 〘醫〙 맥관염, 혈관염(angiitis).
vas·cu·lum [vǽskjələm] *n.* (*pl.* **-la** [-lə], **~s**) (식물 채집용) 통 ; 〘植〙 =ASCIDIUM. 〖L (dim.) ‹ VAS〗
vás déf·er·ens [-défərènz] *n.* (*pl.* **vása def·er·én·tia** [-dèfərénʃiə]) 〘解〙 정관(精管). 〖L〗
***vase** [véis, -z ; vɑ́:z] *n.* **1** (장식용의) 항아리, 병, 단지 ; (특히) 꽃병, 화병. **2** 〘建〙 병 모양의 장식. 〖F‹L VAS〗
vas·ec·to·my [væséktəmi, veizék-] *n.* Ⓤ 정관 절제(술). **vas·éc·to·mìze** *vt.* 〖VAS〗
Vas·e·line [vǽsəlì:n, ⌐-⌐] *n.* Ⓤ 〘化〙 바셀린《상표명》. ── *vt.* [v~] …에 바셀린을 바르다.
váse pàinting *n.* (특히 고대 그리스의) 꽃병에 그린 그림.
vaso- [véizou, -zə, véisou, -sə] ☞ VAS-.
vàso·áctive *a.* 〘醫〙 혈관(의 수축[확장])에 작용하는 : ~ agent 혈관 작용약.
vàso·constríction *n.* 〘醫〙 혈관 수축.
vàso·constríctive *a.* 혈관을 수축시키는, 혈관 수축(성)의.
vàso·constríctor *n.* 〘醫〙 혈관 수축 신경[약]. ── *a.* 혈관을 수축시키는.
vàso·dilatátion, -dilátion *n.* 〘醫〙 혈관 확장.
vàso·dilátor *a.* 혈관을 확장시키는. ── *n.* 혈관 확장 신경[약].
vàso·ligátion *n.* 〘醫〙 정관 결찰(結紮)술. **vàso·lígate** *vt.* 정관 결찰 수술을 하다.
vàso·mótor *a.* 〘生理〙 혈관의 수축을 조절하는 ; 혈관 운동 신경의.
vàso·prés·sin [-présən] *n.* 〘生化〙 바소프레신《신경성 뇌하수체 호르몬의 일종 ; 혈압 상승·항이뇨 작용이 있음》.
vas·sal [vǽsəl] *n.* **1** 〘史〙 (유럽 봉건시대의) 가신(家臣). **2** 종속자, 부하 ; 심부름꾼. ── *a.* 가신의[같은] ; 예속하는 ; 노예적인 : ~ homage [fealty] 신하의 예, 충성의 맹세 / a ~ state 속국. 〖OF‹L=retainer‹Celt.〗
vással·age *n.* **1** Ⓤ 〘史〙 신하임, 가신의 신분 ; 충성(의 맹세). **2** Ⓤ 예속(적 지위), 노예의 신분.
***vast** [vǽ(:)st ; vɑ́:st] *a.* **1** 광대[거대]한, 광막한 : a ~ expanse of desert[ocean] 광대한 사막[대양] / a ~ scheme 방대한 기획 / shake one's ~ frame 거구를 흔들다. **2** 막대한, 거액의 : spend a ~ sum of money 거액의 돈을 쓰다. **3** 《口》 굉장한, 대단한 : a matter of ~ importance 매우 중대한 일 / It gave him ~ satisfaction. 그것으로 그는 매우 만족했다. ── *n.* [관사를 붙여] 《古·詩》 끝없는 퍼짐, 광막함 : the[a] ~ *of* desert[ocean, heaven] 광막한 사막[대양, 하늘].
~·ly *adv.* 광대하게, 광막하게 ; 《口》 매우, 굉장히. **~·ness** *n.*
〖L=deserted, immense〗
vas·ti·tude [vǽ(:)stətjù:d ; vɑ́:s-] *n.* Ⓤ 광대(무변) (vastness, immensity) ; 광막한 넓이[공간].
vásty *a.* 《詩》 거대[광대]한, 광막한.
vat [vǽt] *n.* (양조·염색용 따위의) 큰 통 ; 배트《vat dye의 용액》.
── *vt.* (**-tt-**) 큰 통에 넣다[저장하다] ; 큰 통에 넣어 처리하다[숙성시키다].
〖*fat* (obs.)‹OE *fæt*‹Gmc. 《美》 *fatam* vessel〗
VAT, V.A.T. [vì:èití:, vǽt] value-added tax.
Vat. Vatican.
vát dỳe[còlor] *n.* 건염(建染)염료《산화에 의하여 섬유를 물들이는 염료》.
vát·fùl *n.* 큰 통 가득.
vat·ic [vǽtik] *a.* 예언자의[같은], 예언적인.
vát·i·cal *a.*
***Vat·i·can** [vǽtikən] *n.* [the ~] 바티칸 궁전, 로마 교황청 ; 교황의 지위, 교황권[정치]. ── *a.* 바티칸 궁전의, 로마 교황청의 ; 바티칸 공의회의.
~·ist *n.*
〖L *Vaticanus* 로마의 언덕 이름〗
Vátican Cíty *n.* 바티칸 시국《교황의 지배하에 있는 로마 시내의 독립 국가로 St. Peter's Church, Vatican 궁전이 있음》.
Vátican Cóuncil *n.* [the ~] 바티칸 공의회(公議會)《(1) 제1회(1869-70) : 교황의 무류 교의(無謬敎義)를 결정함. (2) 제2회(1962-65) : 교회의 현대화를 토의함》.
Váticanìsm *n.* Ⓤ 교황 절대권설.
Vat·i·can·ol·o·gist [væ̀tikənɑ́lədʒəst] *n.* 바티칸[로마 교황청] 연구자[전문가].
va·tic·i·nal [vətísənl] *a.* 예언의, 예언적인.
va·tic·i·nate [vətísənèit] *vt., vi.* 《文語》 예언하다 (prophesy).
〖L *vates* prophet〗
Vaud [F vo] *n.* 보《스위스 서부의 주(州) ; 주도 Lausanne》.
vaude·ville [vɔ́:dəvəl, vóud-, -vìl, 美+vɑ́:d-] *n.* 보드빌《(1) Ⓤ 노래와 음악을 곁들인 소희극(小喜劇), 가벼운 희가극. (2) Ⓤ 대중적인 연예(=variety) (3) 풍자적인 유행가》.
〖F ; 최초 Normandy의 *Vau de Vire*의 시인 O. Basselin (C15)이 작곡한 유행가를 가리킴〗
vaude·vil·lian [vɔ̀:dəvíljən, vòud-, 美+vɑ̀:d-] *n.* 보드빌 대본 작가 ; 보드빌 배우. ── *a.* 보드빌의[같은].
Vau·dois[1] [vóudwɑ:, -⌐] *n.* (*pl.* ~) 보(Vaud)의 주민 ; 보어(語)《프랑스어의 방언》.
── *a.* 보의.
Vaudois[2] *n. pl., a.* Waldenses(의).
***vault**[1] [vɔ́:lt] *n.* **1** 〘建〙 둥근[아치형] 천장(cf. CUPOLA) ; 《비유》 푸른 하늘, 창공, 대공(大空) : the (blue) ~ of heaven 푸른 하늘. **2** 둥근 천장이 있는 방[장소·마루]. **3 a)** (식료품·주류 따

위의) 지하 저장실 : a wine ~ (지하의) 포도주 저장실. **b**) (지하) 금고실 ; (은행 따위의) 귀중품 보관실. **c**) (교회·묘소의) 지하 납골당 : a family ~ 가족 지하 납골당. **d**) (자연) 동굴 (cave), 분화구(crater). —— *vt.* [특히 *p.p.*로] 둥근 천장으로 만들다, …에 둥근 천장을 달다. —— *vi.* 둥근 천장처럼 만곡하다.
〚OF<Rom. (L *volvo* to roll)〛

vault[2] *vi.* [動/+前+名/+副] (손이나 나무 막대기를 짚고) 뛰다, 도약하다(jump) : ~ ***from*** [***into***] the saddle 안장에서 뛰어내리다[에 올라타다] / ~ ***over*** a ditch 도랑을 뛰어넘다 / ~ ***upon***[***on to***] a horse 말에 뛰어올라 타다.
—— *vt.* 뛰어 넘다 : ~ a horse (체조용의) 뜀틀을 뛰어넘다.
—— *n.* 뛰어넘기, 도약 ; (말의) 도약(curvet) : the pole ~ 장대 높이뛰기.
~·er *n.* 도약자 ; =POLE-VAULTER.
〚OF=to leap (freq.)‹↑〛

váult·ed *a.* 둥근[아치형] 천장으로 지은 : a ~ roof 아치형으로 된 지붕 / a ~ chamber 둥근 천장이 있는 방.

váult·ing[1] *n.* Ⓤ 〔建〕 둥근 천장 건축물 ; 둥근 천장 짓기[공사] ; [집합적으로] 둥근 천장.

vaulting[2] *n.* Ⓤ (나무 막대기 또는 손 따위를 짚고) 뛰기, 뛰어넘기. —— *a.* 한숨에 뛰는, 도약용의 ; 《비유》 뽐내는, 분수에 넘치는 : ~ ambition 분에 넘치는 야심.
~·ly *adv.*

váulting hòrse *n.* (체조용) 뜀틀.

váult lìght *n.* =PAVEMENT LIGHT.

váulty *a.* vault 비슷한, 아치형의.

vaunt [vɔ́ːnt, 美+vɑ́ːnt] *vt.* 《文語》 자만하다, 뽐내다(boast) ; (장점·좋은 점 따위를) 허풍떨며 말하다. —— *vi.* [動/+前+名] 자만하다, 허풍떨다, 손뼉을 치며 좋아하다 : ~ ***over*** another's failure 남의 실패를 보고 고소해 하다. —— *n.* Ⓤ,Ⓒ 자만, 허풍, 장담 : make a ~ of …을 자랑하다.
~·er *n.* 자만하는 사람, 허풍선이.
〚AF, OF<L=to brag ; ⇨ VAIN〛

váunt-còurier *a.* 《古·詩》 =AVANT-COURIER.

váunt·ed *n.* 과시되어 있는, 자만의.

váunt·ing *a.* 자랑하는, 뻐기는. **~·ly** *adv.*

váunty *a.* 《스코》 자랑의, 뽐내는, 자만한.

v. aux(il). verb auxiliary.

vb. verb(al).

V-bomb [víː-] *n.* 로켓 폭탄《2차 대전중 독일이 사용 ; V는 독일어의 Vergeltung (=vengeance)의 머리 글자》.

V. C. Vice-Chairman ; Vice-Chancellor ; Vice-Consul ; Victoria Cross ; Vietcong ; Voluntary Corps. **VCP** Video Cassette Player.

VCR [vìːsìːɑ́ːr] *n.* 비디오 카세트 리코더.
〚*v*ideo*c*assette *r*ecorder〛

VD, V.D. venereal disease. **v.d., V.D., VD** vapor density (증기 밀도) ; various dates (간행일 각기 다름).

V-day [víː-] *n.* 《美》 제2차 세계대전 전승 기념일.
〚*V*ictory *Day*〛

v. dep. verb deponent《이태(異態)동사 ; 그리스·라틴어 문법에서 수동태면서 능동의 뜻이 있는 것》.
V.D.H. valvular disease of the heart(심장판막증). **V.D.M.** *Verbi Dei Minister* 《L》 (=Preacher of God's Word). **VDP** 〔電子〕 video display processor《화상(畫像) 표시용의 프로세서 ; LSI칩》. **VDR** videodisc recorder.
V.D.T., VDT visual display terminal(단말 표시 장치). **VDU** 〔컴퓨〕 visual display unit.

've [v, əv] 《口》 I, we, you, they에 따르는 have의 단축형 : I'*ve* / you'*ve*.

VE value engineering ; Victory in Europe.

veal [víːl] *n.* Ⓤ 송아지 고기《식용 ; cf. CALF[1]》.
—— *vt.* (송아지를) 송아지 고기로 만들다.
〚OF<L (dim.)‹*vitulus* calf〛

véal·er *n.* 《美·濠》 (식용의) 송아지.

véaly *a.* 《俗》 송아지(고기) 같은 ; 《美俗》 미숙한 (immature).

vec·tion [vékʃən] *n.* Ⓤ 〔醫〕 병원체 전염.

vec·tor [véktər] *n.* **1** 〔數〕 벡터, 방향량(方向量) (cf. SCALAR), 동경(動徑), (일반적으로) 벡터 공간의 원소 ; 〔天〕 =RADIUS VECTOR. **2** 〔空〕 방향, 진로 (방위). **3** 〔生〕 보균 생물, 병균 매개 곤충. **4** 영향력, 충동. **5** 〔컴퓨〕 선그림. —— *vt.* (비행기·미사일 따위를) 전파로 유도하다 ; 방향을 바꾸다 ; 특정 방향으로 이동시키다[향하다].
vec·to·ri·al [vektɔ́ːriəl] *a.* **-tó·ri·al·ly** *adv.*
〚L=carrier (*vect- veho* to carry)〛

véctor spàce *n.* 〔數〕 벡터 공간.

Ve·da [véidə, víː-] *n.* **1** [the ~(s)] 베다《고대 인도의 바라문교(Brahmanism)의 종교 문헌》. **2** 베다《베다 사서(四書)중의 한권》 ; [the ~s] 베다 사서(四書)《부속서를 포함》.
Ve·da·ic [vidéiik] *a., n.* =VEDIC. **~·ism** *n.*
〚Skt. =knowledge〛

Ve·dan·ta [vədɑ́ːntə, vei-, -dǽn-] *n.* 베단타 철학《범신론적인 관념론적 일원론으로 인도 철학의 주파》 ; (그 철학에 기초한) 우파니샤드.

V-E day, VE day [vìːíː ⌐] *n.* (제2차 세계대전의) 유럽 전승 기념일《1945년 5월 8일 ; cf. V-DAY, V-J DAY》. 〚*V*ictory in *E*urope〛

ve·dette [vidét] *n.* 〔軍〕 기마 초병(哨兵) ; 초계정 (=≁ **bòat**) ; (예능계의) 유명인.
〚F=scout<It.〛

Ve·dic [véidik, víː-] *a.* 베다(Veda)의 ; 베다어의.
—— *n.* Ⓤ 베다어(語)《초기의 산스크리트》.

ved·u·tis·ta [vèdətístə] *n.* (*pl.* **-ti** [-ti]) 도시 경관 화가. 〚It.〛

vee [víː] *n.* (알파벳의) V[v] ; V자형(의 것) ; 《美口》 5달러 지폐.

veep [víːp] *n.* 《美口》 =VICE PRESIDENT.

veer [víər] *vi.* [動/+副/+前+名] **1** (특히 바람이) 방향을 바꾸다(shift) (cf. BACK[1] *vi.*) ; 〔海〕 (배가) 침로를 바꾸다, 뱃머리를 바람부는 쪽으로 돌리다(wear) : The wind[vane] has *~ed* (***round***) ***to*** the east. 바람이 동쪽으로 바뀌었다 [풍향계가 동쪽으로 향했다] / The ship *~ed* ***from*** the course. 배가 침로를 바꾸었다. **2** 《비유》 (의견·감정 따위가) 변하다, 전향[전신]하다 : ~ ***round to*** the opposite party 반대당으로 전향하다 / The topic *~ed to* the world situation. 세계 정세로 화제가 바뀌었다. —— *vt.* 〔海〕 (배의) 침로를 바꾸다, (특히) 바람부는 쪽으로 돌리다(wear) ; 《비유》 …의 방침을 바꾸다.
veer and haul (바람 방향이) 번갈아 바뀌다.
—— *n.* 방향[진로·경향 따위] 전환.
類義語 ⟹ DEVIATE.

vee·ry [víəri] *n.* 〔鳥〕 미국 동부산 지빠귀의 일종.
〚imit.〛

veg [védʒ] *n.* (*pl.* ~) 《英口》 야채(요리).
〚*veg*etable〛

veg. vegetable(s).

Ve·ga [víːgə, véi-] *n.* 〔天〕 베가, 직녀성《거문고자리의 일등성》.

V

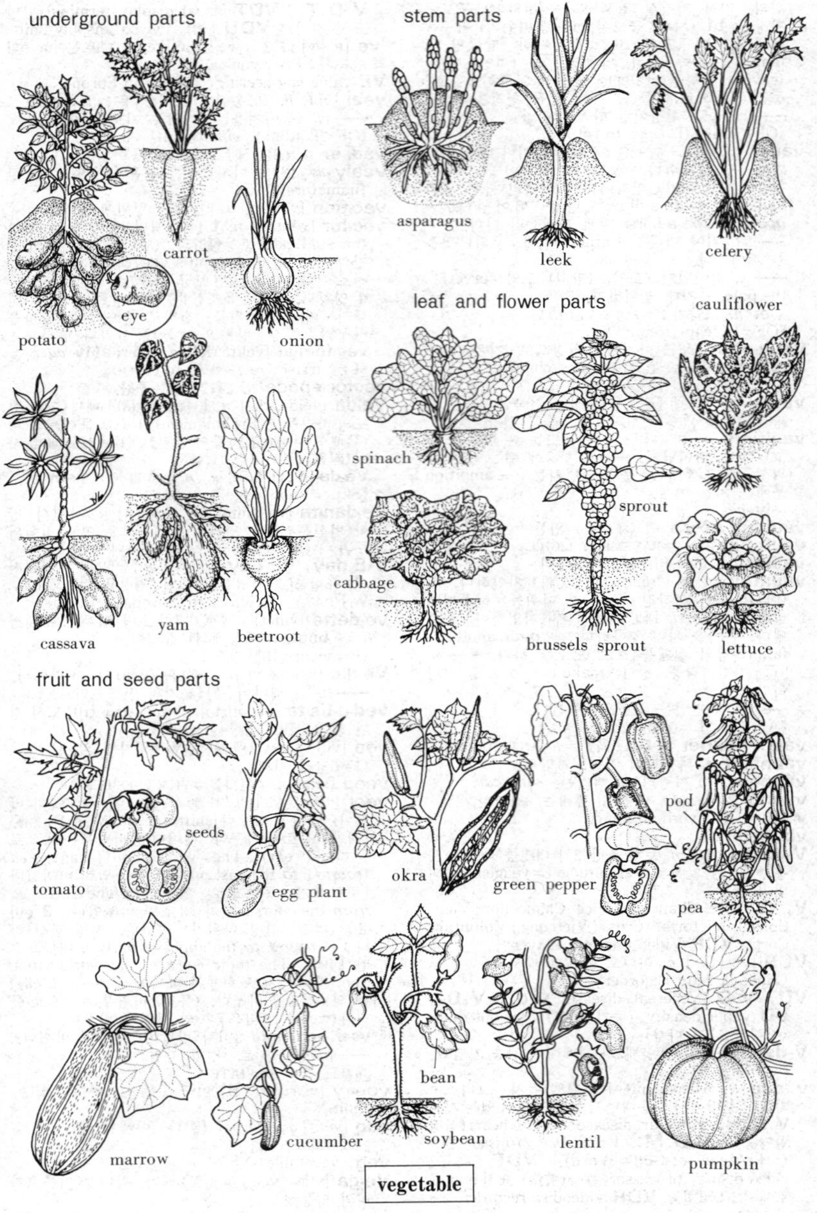

underground parts

carrot

potato

eye

onion

cassava

yam

beetroot

stem parts

asparagus

leek

celery

leaf and flower parts

cauliflower

spinach

sprout

cabbage

brussels sprout

lettuce

fruit and seed parts

seeds

tomato

egg plant

okra

green pepper

pod

pea

marrow

cucumber

bean

soybean

lentil

pumpkin

vegetable

veg·an [védʒən, -æn ; víːgən] *n.*, *a.* 철저한 채식주의자(의). **~·ìsm** *n.* **~·ist** *n.* 〖*veg*etar*ian*〗

‡**veg·e·ta·ble** [védʒətəbəl] *n.* **1** 야채(물), 채소 : green ~*s* 푸성귀 ; 신선한 야채 요리 / live on ~*s* 채식하다. **2** 식물(plant) ; 무기력한 사람 ; 식물인간 : become a mere ~ 《비유》(식물처럼) 무위[공허]한 생활에 빠지다. —— *a.* **1** 식물의, 식물성의 ; 야채의 : a ~ diet 채식 / ~ food 식물성 음식 / ~ oil 식물(성) 기름 / ~ soup 야채 수프 / ~ life [집합적으로] 식물 / the ~ kingdom 식물계. **2** 단조로운, 보잘것없는.
〖OF or L ; ⇒ VEGETATE〗

végetable bùtter *n.* 식물성 버터 ; =AVOCADO.

végetable gàrden *n.* 남새밭, 채소밭.

végetable ìvory *n.* 식물 상아《상아 대용품 ; 남미산 상아야자나무 열매의 배젖》.

végetable màrrow *n.* 〖植〗 서양호박의 일종.

végetable òyster *n.* 〖植〗 서양우엉(salsify).

végetable sìlk *n.* 식물 명주, 베지터블 실크《브라질산 판야과(科) 나무의 종자에서 얻는 케이폭[판야]과 비슷한 섬유》.

végetable spònge *n.* 〖植〗 수세미.

végetable tàllow *n.* 식물성 지방《양초·비누 따위의 원료》.

végetable wàx *n.* 목랍(木蠟).

veg·e·ta·blize [védʒətəbəlàiz] *vt.* 식물화시키다, 식물질적으로 되게 하다. —— *vi.* (단조로운) 생활을 하다, 하는 일 없이 지내다.

veg·e·tal [védʒətl] *a.* **1** 식물(성)의. **2** 〖生理〗 생장(生長)의, 기능의, 생물 작용의 : ~ metabolism 식물성 물질대사. —— *n.* 《古》 식물, 야채.

végetal fúnctions *n. pl.* [the ~] 식물성 기능《영양·순환·생장 작용 따위》.

végetal póle *n.* 〖生〗 식물극(植物極)《난세포중 동물극(animal pole)의 대극(對極) ; 난황이 짙고, 후에 주로 소화관 따위의 식물성 기관(器官)을 형성함》.

veg·e·tar·i·an [vèdʒətέəriən, -tǽər-] *n.* 채식주의자 ; 〖動〗 초식동물(herbivore). —— *a.* **1** 채식주의(자)의. **2** 야채뿐인, 채식의《보통 계란·우유·버터 따위는 허용》: a ~ diet 채식, 정진(精進) 요리. **~·ìsm** *n.* 채식주의.

veg·e·tate [védʒətèit] *vi.* **1** 식물처럼 생장[증식]하다 ; 〖醫〗 (사마귀 따위가) 증식하다. **2** 초목과 같은 (단조로운) 생활을 하다, 무위도식하다. **3** (땅이) 식물을 생성시키다. —— *vt.* (땅)에 식물을 생장케 하다. 〖L *vegeto* to grow, animate〗

***veg·e·ta·tion** [vèdʒətéiʃən] *n.* **1** Ⓤ [집합적으로] 초목, 한 지방 (특유)의 식물 : tropical ~ 열대 식물 / The mountaintops were bare of any ~. 산꼭대기에는 초목이라고는 아무 것도 없었다. **2** Ⓤ 식물성 기능 ; 식물의 생장[발육] ; 〖醫〗 (조직의) 증식 ; 〖醫〗 혹 : *V*~ is at its height in spring. 식물은 봄에 가장 잘 자란다. **3** Ⓤ 무위 도식하는 생활. **~·al** *a.* **~·al·ly** *adv.*

veg·e·ta·tive [védʒətèitiv ; -tə-] *a.* **1** 생장력이 있는, 생장하는 : a ~ stage 생장기. **2** 발육[생장·영양]에 관한 ; 식물성의. **3** 식물을 생장시키는[기르는] 힘이 있는 ; 〖生〗 (생식이) 무성[영양]의 : ~ organs 〖植〗 영양 기관. **4** (식물처럼) 단조로운 생활의, 무위(도식)의 : a ~ life 무위도식하는 생활. **~·ly** *adv.* **~·ness** *n.*

veg·gie, veg·ie, veg·gy [védʒi] *a.* 《美口》 채식주의(자)의. —— *n.* 채식주의자 ; [*pl.*] 야채.
〖VEG〗

ve·he·mence, -men·cy [víːəməns(i)] *n.* Ⓤ 격렬함, 맹렬함(violence), 강함, 열렬함, 열정.

***vé·he·ment** *a.* **1** 열렬한, 열의 있는, 열정적인 (ardent, passionate) : a ~ effort 열의있는 노력 / a ~ speech 열정적인 연설 / a man of ~ character 정열적인 성격의 사람. **2** 격렬한, 맹렬한(violent) : a ~ wind 거센 바람.
~·ly *adv.* 맹렬히, 격렬하게 ; 열렬하게.
〖F or L=ardent〗

***ve·hi·cle** [víːhikəl, víːə-] *n.* **1** (사람·물건의) 운반 기구 ; (특히) 탈것《자동차·열차·선박·항공기·우주선 따위》; 〖宇宙〗 (탑재물 이외의) 로켓 본체(本體) : a space ~ 우주선. **2** 매개물[자], 전달 수단[방법] ; (목적 달성의) 수단 ; (은유의) 매체《은유의 주어가 비유되는 사물 또는 개념》: Language is the ~ of thought. 언어는 사상의 전달 수단이다. **3** 〖畫〗 용액(溶液), 전색제(展色劑) ; 〖醫〗 부형약(賦形藥)《먹기 어려운 약을 먹기 쉽게 함》.
〖F or L (*veho* to carry)〗

ve·hic·u·lar [vihíkjələr] *a.* 탈것의[에 관한·에 의한] ; 전달물[기구]의, 매개물의 : a ~ contrivance 운반기구, 차 / ~ traffic 차량 교통 / ~ deaths 교통 사고사.

vehícular lánguage *n.* 〖言〗 (언어가 다른 종족간의) 매개어《흔히 「공통어」라 함》.

V-eight, V-8 [víːéit] *a.* V형 8기통 엔진의《4기통씩 2개조로 V자 모양으로 됨》. —— *n.* V형 8기통 엔진 ; V형 8기통 엔진의 자동차.

***veil** [véil] *n.* **1** 베일, (특히 여성용의) 덮어 가리는 것 ; (수녀가 쓰는) 베일 ; [the ~] 수녀 생활 : drop[raise] a ~ 베일을 내리다[걷어올리다]. **2** **a**) 《비유》 가려 덮어서 보이지 않게 하는 물건 : A ~ *of* smoke obscured the view. 경치가 연기 때문에 희미하게 보였다. **b**) 겉치레, 구실, 가면 : under the ~ of charity 자선이라는 겉치레로, 자선의 미명[구실] 아래 / be hidden in a ~ of mystery 수수께끼의 장막에 가려 있다. **3** 〖動·植〗 =VELUM.
draw [***throw***] ***a veil over*** …을 덮어 가리다 ; …에 대해 입을 다물다.
lift the veil 베일을 벗기다, 진상을 밝히다.
pass the veil 저승에 가다, 죽다.
take the veil (여자가) 수도원에 들어가다, 수녀가 되다.
within the veil 천국에, 저승에.
—— *vt.* **1** …에 베일을 씌우다, 베일로 가리다 : ~ oneself 베일을 쓰다 / be ~*ed* 베일을 쓰고 있다. **2** 《비유》 숨기다(conceal) : She ~*ed* her animosity. 그녀는 반감을 숨겼다.
—— *vi.* 베일을 쓰다.
~·less *a.*
〖AF<L *vela* (pl.) 〈VELUM〗

véiled *a.* **1** 베일로 가린. **2** 베일에 싸인, 숨겨진 ; 분명치 않은 : ~ threats 은근한 협박 / a ~ voice 불명확한 소리, 어물어물하는 소리 / a fact ~ from public knowledge 세상에 숨기고 있는 사실.

véil·ing *n.* **1** Ⓤ 베일로 덮기 ; 덮어 감추기. **2** Ⓤ 베일용 천.

***vein** [véin] *n.* **1** 〖解〗 정맥(↔*artery*) ; (흔히) 혈관 : the main ~ 대정맥. **2** 〖動〗 (곤충의) 날개맥 ; 〖植〗 잎맥(脈) ; (목재·돌 따위의) 나뭇결, 돌결, 줄무늬의 색과 색 사이. **3** 〖地質·鑛〗 맥, 암맥, 광맥 ; 지하수(맥) ; 갈라진 틈, 금 : a ~ of gold 금광맥. **4** **a**) 특질, 기질, 성질, 경향 : a ~ *of* humor 해학미(諧謔味) / poetic ~ 시인 기질 / He was *of* an imaginative ~. 상상력이 풍부했다. **b**) [+前+do*ing*] (일시적인) 기분, 감

정 ; 호조(好調) : *in* the giving ~ 선심쓰는 기분으로 / say *in* a humorous ~ 반농담조로 말하다 / She helps her mother when she is *in* the (right) ~. 그녀는 마음이 내키면 어머니를 돕는다 / I am not *in* the ~ ***for*** work[*for* study*ing*]. 일[공부]할 마음이 내키지 않는다 / He was not *in* (the) ~ then. 그때에는 마음이 내키지 않았었다. **5** 《美俗》 (모던 재즈 연주에 쓰이는) 베이스.
—— *vt.* …에 줄무늬[맥]를 넣다.
~·al *a.* **~·less** *a.* **~·lìke** *a.*
〖OF<L *vena*〗

veined [véind] *a.* 맥[줄(무늬)]이 있는, 잎맥이 있는 ; 나뭇결이 있는 : ~ marble 줄무늬 대리석.

véin·ing *n.* Ⓤ 줄무늬를 넣기, 맥배열 ; 잎맥, 맥계(脈系).

véin·let *n.* Ⓤ 소맥(小脈) ; 〖植〗 (잎의) 가는 맥.

vein·ule [véinjuːl], **vein·u·let** [-njələt] *n.* = VEINLET ; =VENULE.

véiny *a.* 정맥[잎맥, 맥, 줄무늬]이 많은[있는].

vel. vellum ; velocity.

vela *n.* VELUM의 복수형.

Ve·la [víːlə] *n.* 〖天〗 (남쪽 하늘의) 돛자리 ; 미국의 지하 핵실험 탐지 계획.

ve·la·men [vəléimən] *n.* (*pl.* **-lam·i·na** [-lǽmənə]) 〖解〗 막(膜), 피막(被膜) ; 〖植〗 근피(根被)《기근(氣根)을 덮는 코르크질의 표피》.

ve·lar [víːlər] *a.* 〖解〗 막(膜)의, 연구개(軟口蓋)의 ; 〖音聲〗 연구개(음)의 : ~ consonants 연구개 자음《[k, g, ŋ, x] 따위》.
—— *n.* 〖音聲〗 연구개 자음.

ve·lar·i·um [viléəriəm, -lǽər-] *n.* (*pl.* **-ia** [-iə]) 〖古로〗 (지붕없는 극장의 좌석 위에 친) 차일, 천막 ; 〖動〗 (해파리류 따위의) 의연막(擬緣膜).

vélar·ìze *vt.* 〖音聲〗 연구개음화하다 ; 연구개로 발음하다.

Ve·láz·quez, -lás- [vəláːskeis, -kəs, -lǽs- ; vilǽskwiz] *n.* 벨라스케스. **Diego Rodríguez de Silva y ~** (1599-1660) 스페인의 화가.

Vel·cro [vélkrou] *n.* 나일론제(製) 부착 테이프《단추·지퍼 대용, 양탄자 고정시키는 것 ; 거친 면끼리 부착함 ; 상표명》.

veld(t) [vélt, félt] *n.* Ⓤ,Ⓒ (아프리카남부의) 초원(지대). 〖Afrik. =FIELD〗

veld(t)·schoen [véltskùːn, félt-] *n.* (*pl.* ~, ~**s**) 생가죽제 구두《못을 쓰지 않고 기워 만듦》. 〖Afrik. =field shoe〗

vel·i·ta·tion [vèlətéiʃən] *n.* 승강이 ; 논쟁.

vel·le·i·ty [velíːəti, və-] *n.* 〖哲〗 불완전 의욕《아직 행동으로 나타나지 않은 약한 욕망》.

vel·li·cate [véləkèit] *vi., vt.* 씰룩거리다 ; 경련이 일다[을 일으키게 하다](twitch).
vèl·li·cá·tion *n.* (특히 안면의) 경련.

vel·lum [véləm] *n.* Ⓤ 송아지 피지(皮紙), 고급 피지 ; 피지 문서 ; =VELLUM PAPER. —— *a.* 송아지 피지의[같은] ; 약간 감촉이 거친 ; 송아지 피지로 장정한. 〖OF *velin* ; ⇨ VEAL〗

véllum páper *n.* 모조 피지.

ve·lo·ce [vəlóutʃi] *a., adv.* 〖樂〗 빠른 템포의[로], 빠른, 빨리, 벨로체의[로]. 〖It.〗

ve·lo·cim·e·ter [vìlousímətər, vèl-] *n.* (특히 발사물의) 속도계.

ve·loc·i·pede [vəlásəpìːd] *n.* 발로 땅을 차서 나아가는 옛날 2륜차[3륜차] ; 《稀》 어린이용 세발 자전거 ; 〖鐵〗 수동차(手動車) (=~ **càr**)《보선용(保線用)》.

***ve·loc·i·ty** [vəlásəti] *n.* **1** Ⓤ 속력(速力), 빠르기(speed) : fly at the ~ of sound 음속으로 날다. **2** Ⓤ 〖理〗 속도 ; (동작 또는 사건 추이의) 빠르기 ; (자금 따위의) 회전율 : accelerated ~ 가속도 / initial ~ 초(初)속(도) / muzzle ~ (탄환이 총구를 떠난 순간의) 초속도 / uniform[variable] ~ 등(等)[가변(可變)]속도 / the ~ of light 〖理〗 광속도, 빛의 속도.
〖F or L (*veloc- velox* swift)〗

vé·lo·dròme [víːlə-, vélə-, véilə-] *n.* (자전거·자동차 따위의) 경주장, 벨로드롬.

ve·lour(s) [vəlúər, ve-] *n.* (*pl.* **ve·lóurs**) Ⓤ 벨루어《벨벳 모양의 천 ; 펠트에 보풀을 세운 모자를 만드는 천》 ; Ⓒ 벨루어 모자. 〖F=velvet<OF<L *villosus* hairy ; cf. VELVET〗

ve·lum [víːləm] *n.* (*pl.* **-la** [-lə]) 〖解〗 연구개(soft palate) ; 〖植〗 균막(菌膜) ; 〖動〗 (해파리의) 연막(緣膜). 〖L=veil〗

ve·lure [vəljúər, véljər] *n.* Ⓤ 벨벳류(類) ; 벨벳 브러시《실크해트용》. —— *vt.* 벨벳 브러시로 솔질하여 매끈하게 하다.

ve·lu·ti·nous [vəlúːtənəs] *a.* 〖動·植〗 (표면이) 벨벳 모양의 (보드라운 털이 있는).

vel·ver·et [vélvərət] *n.* 벨베레《거친 면비로드》.

***vel·vet** [vélvət] *n.* **1** Ⓤ 벨벳, 우단 ; 벨벳 비슷한 것《복숭아 껍질·솜털이 난 뺨 따위》 : cotton ~ 면(綿)벨벳[비로도](velveteen) / silk ~ 견(絹)벨벳[비로도]. **2** 녹용(鹿茸). **3** Ⓤ 《口》 괜찮은 지위 ; 《俗》 (예상 이상의) 이익, (도박·투기 따위의) 엄청난 수입, (일반적으로) 돈.
be*[*stand*] *on velvet 《俗》 (도박·투기에서) 딴 돈으로 승부를 하고 있다 ; 《口》 유리한 입장에 있다 ; 유복하게 살다.
—— *a.* 벨벳(제)의 ; 벨벳 같은, (손결이) 매끄러운, 부드러운 : a ~ tread 조용한 발소리.
〖OF<L (*villus* hair)〗

vélvet ànt *n.* 〖昆〗 개미벌.

vélvet bèan *n.* 벨벳콩《콩과의 1년생 덩굴풀 ; 미국 남부산(産) ; 사료용》.

vel·vet·een [vèlvətíːn] *n.* Ⓤ 면(綿)벨벳[비로드] ; [*pl.*] 면벨벳으로 만든 의류품[특히 바지] ; [~s ; 단수취급] 《英》 사냥터지기.
—— *a.* 면벨벳제의.

vélvet glóve *n.* 벨벳 장갑 ; 《비유》 외면만 유순[정중]함.
an*[*the*] *iron hand in a*[*the*] *velvet glove 외유내강.
handle with velvet gloves (단호한 의지를 감추고) 겉으로만 부드럽게 다루다.

vélvet·ing *n.* [집합적으로] 벨벳 제품.

vélvet páw *n.* 고양이의 발《온화함을 가장하나 실제는 잔인한 것》.

Vélvet Revolútion *n.* 벨벳 혁명《무력이나 충돌을 거치지 않고 공산 정권을 무너뜨린 1989년 체코슬로바키아의 혁명》.

vélvet spònge *n.* 벨벳 해면(海綿)《멕시코 만·서인도 제도산(産)》.

vél·vety *a.* 벨벳 같은, 촉감이 매끄러운[유연한] ; 감칠 맛이[입에 당기는 맛이] 있는.

ven- [víːn, vén], **ve·ni-** [-nə], **ve·no-** [-nou, -nə] *comb. form* 「정맥」「잎맥」「날개맥」「광맥」의 뜻. 〖L〗

Ven. Venerable ; Venice.

ve·na [víːnə] *n.* (*pl.* **-nae** [-niː, -nai]) 〖解〗 = VEIN. 〖L〗

véna cá·va [-kéivə] *n.* (*pl.* **vénae cá·vae** [-kéiviː]) 〖解〗 대정맥.
〖L=hollow vein〗

ve·nal [víːnl] *a.* **1** (사람이) 돈으로 움직일 수 있

V

는[좌우되는], 매수할 수 있는, 부패한 : ~ politicians 부패한 정치가. **2** (행위·동기가) 금전에 따른, 타산적인 ; (지위 따위) 매수에 의한 : a ~ agreement 금전에 의한 승낙 / a ~ vote [office] 매수된 투표[금전으로 얻은 지위].
~·ly *adv.* 돈에 따라서, 돈의 힘으로.
〚L (*venum* thing for sale)〛

ve·nal·i·ty [vi(:)nǽləti] *n.* Ⓤ 돈에 따라 움직이기, 금전적으로 좌우되기 ; (금전상의) 무절조.

ve·nat·ic, -i·cal [vi(:)nǽtik(əl)] *a.* 사냥의 ; 사냥을 좋아하는.

ve·na·tion [veníːʃən, vi-] *n.* Ⓤ 잎맥[날개맥]의 분포상태, 맥조직 ; [집합적으로] 잎맥, 날개맥. **~·al** *a.*

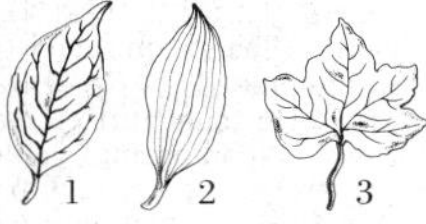

1 pinnate 2 parallel
3 palmate

venation

vend [vénd] *vt.* **1** 〚法〛 (토지·가옥 따위를) 매각하다, 팔다 (sell). **2** (작은 상품을) 팔고 다니다, 행상하다 (peddle) ; 《稀》 공언하다.
── *vi.* 팔리다 ; 장사를 하다.
~·able *a.* =VENDIBLE.
〚F or L (*vendo* to sell)〛
類義語 ⟹ SELL.

ven·dace [véndəs, -deis] *n.* (*pl.* ~, **~s**) 〚魚〛 잉글랜드 및 스코틀랜드의 호수에 사는 화이트피시 (whitefish)의 일종.

vend·ee [vendíː] *n.* 〚法〛 사는 편, 사는 사람, 매수인 (↔*vendor*).

vénd·er *n.* =VENDOR.

ven·det·ta [vendétə] *n.* 피의 복수 ; (특히 코르시카 섬 등지에서 행해졌던) 살상으로 인한 몇대에 걸친 복수 ; (일반적으로) 뿌리 깊은 반목[싸움].
〚It. =revenge<L ; ⇨ VINDICATE〛

ven·deuse [*F* vɑ̃døːz] *n.* (양장점의) 여점원.

vend·ibil·i·ty [vèndəbíləti] *n.* Ⓤ 팔리기, 시장 가치(價値).

vénd·ible *a.* 팔 수 있는, 팔리는, 처분할 수 있는 ; 돈으로 좌우되는. ── *n.* [*pl.*] 판매 가능품, 팔리는 물건. **-ibly** *adv.*

vénd·ing machìne *n.* 자동 판매기(機) (slot machine).

ven·di·tion [vendíʃən] *n.* Ⓤ 판매, 매각.

ven·dor [véndər, vendɔ́ːr ; véndɔːr] *n.* **1** 파는 사람 ; 팔러 다니는 사람 ; (특히) 노점 상인, 행상인 (peddler) ; 〚法〛 매주(賣主) (↔*vendee*) : a peanut ~ 땅콩 장수. **2** =VENDING MACHINE.
〚F or L ; ⇨ VEND〛

ven·due [véndjuː, vɑ́ːn-, fén-] *n.* 《美》 공매, 경매. 〚Du. <F=sale ; ⇨ VEND〛

ve·neer [vəníər] *n.* **1** Ⓤ,Ⓒ 화장판, 덧붙이는 판자, 단판(單板)《가구 따위에 고급재(材)인 것처럼 보이게 하기 위해 표면에 붙이는 얇은 판자 ; 우리나라에서 말하는 「베니어판」은 veneer(단판)를 겹쳐 붙인 「합판(合板)」, 즉 plywood》. **2** 《비유》 임시 변통을 위해 꾸밈, 허식, 겉치레 : a thin ~ *of* education [respectability] 겉치레뿐인 교육[사회적 지위]. ── *vt.* **1** [+目 / +目+*with*+名] …에 베니어판을 대다, (나무·돌 따위에 상아·대리석·진주 따위로) 덧붙여 장식하다 ; (얇은 판자를) 맞붙여 합판을 만들다 : ~ a wooden table ***with*** mahogany 목재 식탁에 마호가니를 붙이다. **2** 《비유》 …의 겉을 꾸미다. **~·er** *n.*
〚*fineer* (obs.) <G<OF ; ⇨ FURNISH〛

venéer·ing *n.* Ⓤ 장식판(재) ; 장식판면 ; 《비유》 겉치레.

ven·e·nate [vénənèit] *vt.* …에 독물(毒物)을 주입하다. ── *vi.* 독물을 투여하다. 〚VENOM〛

ven·e·nose [vénənòus] *a.* 《稀》 유독(有毒)한.

***ven·er·a·ble** [vénərəbəl] *a.* **1 a**) (연령·인격·지위 따위에서) 존경할 만한, 존경해야 할, 공경해야 할, 덕망있는 : a ~ scholar[priest] 훌륭한 학자[덕망있는 성직자]. **b**) (건물·토지 따위가) 유서깊은, 오래되어 숭엄한 ; 신성한, 장엄한 : a ~ building 유서깊은 건물 / the ~ ruins of a temple 사원의 고색 창연한 유적. **2** 〚英國教〛 …사(師)《부주교의 존칭 ; 略 Ven.》; 〚카톨릭〛 존자《아직 복자로 서임되지 않은 사람에 대한 존칭》. **3** 오래된. **-bly** *adv.* **~·ness** *n.*
vèn·er·a·bíl·i·ty *n.* 존경할 만함 ; 존경함.
〚OF or L (↓)〛

ven·er·ate [vénərèit] *vt.* 존경하다, 숭배하다, 공경하다. **-à·tor** *n.*
〚L *veneror* to revere (*venus* love, charm)〛
類義語 ⟹ WORSHIP.

ven·er·a·tion [vènəréiʃən] *n.* 존경 ; 숭배 : have [hold] a person in ~ 남을 존경[숭배]하다.

ve·ne·re·al [vəníəriəl] *a.* 성적 쾌락의 ; 정욕[색정]의 ; 성욕을 자극하는 ; 성교에서 기인하는 ; 성병 치료용의 ; 〚醫〛 성병의[에 걸린] : a ~ disease 성병《略 V.D.》. **~·ly** *adv.*
〚L (*Vener*- VENUS=sexual love)〛

ve·ne·re·ol·o·gy [vənìəriɑ́lədʒi] *n.* 성병학.
-gist *n.* 성병과(科) 의사.

ven·ery[1] [vénəri, víː-] *n.* 《古》 사냥, 수렵.
〚OF (*vener* to hunt)〛

venery[2] *n.* 《古》 정욕에 빠짐 ; 성적 쾌락의 추구 ; 성교.

vene·séction, veni- [vènə-, vìːnə-, ´-`-] *n.* Ⓤ 〚醫〛 방혈(放血), 사혈(瀉血) (법).

Venet. Venetian.

Ve·ne·tian [vəníːʃən] *a.* Venice의, 베니스[베네치아]풍[식]의. ── *n.* 베니스[베네치아] 사람 ; [v~] 배게 짠 광택이 있는 능직(=~ **clóth**)《옷감·안감용》; [v~]=VENETIAN BLIND ; [v~s] venetian blind의 끈.
〚OF or L (*Venetia* Venice)〛

venétian blínd *n.* [때때로 V~] 베니션 블라인드《끈으로 올리고 내리며 채광을 조절하는 발》.

Venétian blúe *n.* 코발트청(青).

Venétian cárpet *n.* 베니스 양탄자《털실로 만들었으며 보통 줄무늬가 있음》.

Venétian chálk *n.* (양재용) 초크, 활석, 석필.

Venétian dóor *n.* [때때로 v~] (곁문이 두개 있는) 베니스식 문.

Venétian gláss *n.* [때때로 v~] 베네치아 유리《고급품》.

Venétian láce *n.* Venice산(產)의 여러 종류의 레이스.

Venétian mást *n.* 장식 기둥《얼룩덜룩하게 채색한 가두 장식용 기둥》.

Venétian péarl *n.* [때때로 v~] 베니스 진주《유리로 만든 모조 진주》.

Venétian réd *n.* 적색 안료의 일종 ; 어두운 적갈색(色).

Venétian shútter *n.* 베니스식 겉창[덧문].

Venétian wíndow *n.* (두개의 옆창이 있는) 베니스식 창.

Venez. Venezuela.

Ven·e·zu·e·la [vènəzwéilə, 美+-wí:-] *n.* 베네수엘라《남미 북부의 공화국 ; 수도 Caracas》.
Vèn·e·zu·é·lan *n., a.* 베네수엘라인[문화](의), 베네수엘라의.
venge [véndʒ] *vt.* 《古》 =AVENGE.
***ven·geance** [véndʒəns] *n.* Ⓤ 복수(심), 원수 갚기, 앙갚음 : take ~ (*up*)*on* a person (*for* a thing) (어떤 일 때문에) 남에게 복수하다 / swear ~ *against* …에 대하여 복수를 맹세하다 / Heaven's ~ is slow but sure. 《속담》 천벌은 더디지만 반드시 온다.
with a vengeance 《口》 심하게, 호되게, 실컷, 싫을 만큼, 철저하게 : The wind was blowing *with a* ~. 바람이 맹렬하게 불고 있었다 / We beat their team *with a* ~. 그들 팀을 여지없이 패배시켰다.
〚OF (*venger* to avenge<L ; ⇨ VINDICATE)〛
vénge·ful *a.* 복수심이 있는[에 불타는] ; 집념이 강한 ; (행위나 감정이) 복수의, 보복적인, 앙갚음의. **~·ly** *adv.* **~·ness** *n.*
veni- [ví:nə, vénə] ☞ VEN-.
ve·ni·al [ví:niəl, -njəl] *a.* **1** (과실 따위가) 용서되는, 용서할 만한, 경미한(pardonable, minor) (↔ *grievous*). **2** 〖神學〗 (죄가) 사면받을 만한, 가벼운 죄의(↔*mortal*). **~·ly** *adv.*
〚OF<L (*venia* forgiveness)〛
vè·ni·ál·i·ty *n.* Ⓤ 용서받기, 용서받을 수 있음, 가벼운 죄.
vénial sín *n.* 〖카톨릭〗 소죄(小罪).
Ven·ice [vénəs] *n.* 베니스, 베네치아《이탈리아 북동부의 항구 도시》.
ven·in [vénən, ví:-] *n.* 〖生化〗 베닌《뱀의 독속에 함유된 유독 물질의 총칭》. 〚VENOM〛
ve·ni·re [vinάiəri] *n.* 〖法〗 =VENIRE FACIAS ; 배심원단, 배심 명부《그것에서 배심을 선출》. 〚L〛
veníre fá·ci·as [-féiʃiæ̀s] *n.* 〖法〗 배심원 출두 명령서 ; 〖英法〗 출두 영장, 소환장. 〚L〛
ve·ni·re·man [vənάiərimən, -níər-] *n.* 《美》 배심원 출두 명령서(venire facias)에 의하여 호출된 사람.
venisection ☞ VENESECTION.
ven·i·son [vénəsən, -zən, 英+vénzən] *n.* Ⓤ 사슴고기(cf. DEER), 사냥에서 잡은 짐승의 고기.
〚OF<L *venatio* hunting (*venor* to hunt)〛
Ve·ni·te [vənάiti, -ní:tei] *n.* 시편 제95편 및 96편 ; 그 찬송가《아침 기도 때 부름》 ; 그 악곡. 〚L〛
ve·ni, vi·di, vi·ci [ví:nai vάidai vάisai ; wéini: wí:di: wí:ki:] 왔노라, 보았노라, 이겼노라《원로원에 대한 Julius Caesar의 간결한 전황 보고》.
〚L=I came, I saw, I conquered〛
Vénn dìagram [vén-] *n.* 〖數·論〗 벤 다이어그램《원(圓)으로 집합과 명제 사이의 이론적인 관계를 나타내는 도식》.
〚John *Venn* (d. 1923) 영국의 논리학자〛
veno- [ví:nou, vénou, -nə] ☞ VEN-.
ven·om [vénəm] *n.* **1** Ⓤ (독사·전갈·벌 따위가 분비하는) 독액 ; 《古》 독(毒), 독물 : a ~ duct 독관(毒管) / a ~ fang 독아(毒牙). **2** Ⓤ 《비유》 악의(spite), 원한 ; 독설 ; 원한 행위 : the ~ of one's tongue 독설. ── *vt.* 《古》 …에 독을 넣다.
〚OF<L *venenum* poison〛
vénom·ous *a.* **1** 독액을 분비하는 ; 유독의 : a ~ snake 독사. **2** 《비유》 악의에 찬, 남을 해치는, 유해한 : ~ criticism 악의에 찬 비평 / She has a ~ tongue. 그녀는 독설가다. **~·ly** *adv.* 유독하게 ; 독살스럽게. **~·ness** *n.*
ve·nose [ví:nous] *a.* =VENOUS.

ve·nos·i·ty [vinάsəti] *n.* Ⓤ 정맥[잎맥]이 많음 ; 〖生理〗 정맥성 출혈.
ve·nous [ví:nəs] *a.* **1** 〖解〗 정맥의, 정맥중의(↔ *arterial*) : ~ blood 정맥혈. **2** 〖植〗 잎맥이 많은 ; 〖動〗 날개맥이 있는. **~·ly** *adv.*
〚L ; ⇨ VEIN〛
vent [vént] *n.* **1** (공기·액체 따위를 넣다 뺐다 하는) 구멍, 빠져 나가는 구멍, 새는 구멍, 통풍[공기] 구멍 ; (대포의) 화문(火門) ; (통의) 바람 구멍 ; (관악기의) 지공(指孔) ; (자동차의) 삼각창(窓) (vent window) ; (굴뚝의) 연기 구멍 ; (분화구의) 화도(火道) ; 총안(銃眼) ; (조류·파충류·어류 따위의) 항문(anus). **2** Ⓤ [또는 a ~] 배출구, 출구 ; (감정 따위의) 표출, 표현(expression) : The steam found (*a*) ~ *through* a crack in the pipe. 수증기는 관의 갈라진 틈에서 새어 나왔다 / He found (*a*) ~ *for*[gave ~ *to*] his sorrow in (composing) an elegy. 애가(哀歌)로써[를 지어서] 슬픔을 표현했다. **3** (수달·비버가) 호흡을 위해 수면에 떠오르기. ── *vt.* **1** …에 출구를 내다 ; …에 새는 구멍을 만들다, (통에) 구멍을 내다. **2** [+目 / +目+前+名] (감정 따위에) 드러내다, 발산하다 : He ~*ed* his disgust ***in*** an epigram. 그는 풍자시를 지어 그의 메스꺼움을 발산했다 / He ~*ed* his ill humor ***on*** his wife. 그는 불쾌한 기분을 아내에게 터뜨렸다 / He ~*ed* his anger ***by*** smash*ing* the vase. 그는 홧김에 꽃병을 박살내버렸다. ── *vi.* (수달·비버가) 호흡을 위해 수면에 나오다. **~·less** *a.*
〚F *vent* wind and OF *esventer* to expose to air (L *ventus* wind)〛
vént·age *n.* **1** (공기·액체 등의) 출구, 새는 구멍 ; (감정을) 드러냄. **2** (관악기의) 지공(指孔).
ven·ter[1] [véntər] *n.* 〖解〗 배 ; 〖法〗 배, 모(母) : brothers of another ~ 배다른 형제.
〚L=belly〛
vént·er[2] *n.* 생각[감정, 노여움, 슬픔 따위]을 밖으로 나타내는 사람. 〚VENT〛
vént·hòle *n.* (공기·빛 따위가 새는) 구멍, 통기공(通氣孔), 가스 배출 구멍.
ven·ti·duct [véntədʌ̀kt] *n.* 통풍관(通風管).
ven·til [véntl] *n.* (관악기·오르간의) 활전(活栓), 피스톤.
***ven·ti·late** [véntəlèit] *vt.* **1** …에 공기[바람]를 통하게 하다, (방의) 통풍이 잘되게 하다, 환기하다 ; …에 환기 구멍을 설치하다 : ~ a room by opening windows 창문을 열고 방을 환기시키다. **2** (혈액을) 신선한 공기로 정화하다 : The blood is ~*d* by the lungs. 혈액은 폐에서 정화된다. **3** 《비유》 의제에 올리다, 여론에 묻다, 공표하다 ; (의견·불만 따위를) 표명하다 : ~ a grievance 불만을 말하다 / The new policy was freely ~*d.* 새로운 정책은 일반에 공표되어 자유로이 검토되었다. **vén·ti·là·tive** *a.* 통풍의, 환기의.
〚L *ventilo* to blow, winnow (*ventus* wind)〛
ven·ti·la·tion [vèntəléiʃən] *n.* **1** Ⓤ 환기하기, 공기의 유통, 통풍, 환기 ; 통풍 상태 ; 환기법, 통풍장치 : a room with good[poor] ~ 환기가 잘되는[잘 안되는] 방. **2** Ⓤ 《비유》 자유 토의, 세인(世人) 일반의 토의, 여론에 묻기, 공표. **3** (감정의) 표출, 발로(expression). **4** 〖生理〗 환기《특히 폐와 외기(外氣)·폐포와 혈액간의 가스 교환》.
vén·ti·là·tor *n.* **1** 환기하는 것 ; 통풍[환기]장치, 통풍[송풍]기 ; 통풍구멍[관] ; (모자의) 바람 구멍 ; 환기창 ; 환기 담당자. **2** 《비유》 (세상에 호소하기 위하여) 문제를 제기하는 사람.
ven·ti·la·to·ry [véntələtɔ̀:ri ; -lèitəri] *a.* 통기[환

기]에 관한 ; 환기 장치가 있는.

vént pèg *n.* (술통 따위의) 통기 구멍의 마개.

vént pìpe *n.* 배기관, 통풍관.

vént plùg *n.* =VENT PEG.

ventr- [véntr], **ven·tri-** [véntrə], **ven·tro-** [véntrou, -trə] *comb. form* 「배」의 뜻.
〖L VENTER¹〗

ven·tral [véntrəl] *a.* 배의, 복부의 ; 복면(腹面)의, 전면의(cf. DORSAL) ; 〖植〗 하면의 : ~ massage 배마사지. —— *n.* 배, 복부 ; =VENTRAL FIN. **~·ly** *adv.*
〖F or L ; ⇨ VENTER¹〗

véntral fín *n.* 〖魚〗 배지느러미, 꼬리지느러미 ; 〖空〗 벤트럴 핀《비행기 동체 후부 하면에 있는 지느러미 모양의 기체 방향 및 안정 유지 조정 장치》.

ven·tri·cle [véntrikəl] *n.* 〖解〗 (뇌수·후두(喉頭) 따위의) 공동(空洞), 실(室) ; (심장의) 심실(心室) ; 뇌실.
〖L (dim.) < VENTER¹〗

ven·tri·cose [véntrikòus], **-cous** [-kəs] *a.* 배가 나온 ; 불룩한 ; 〖植·動〗 한쪽 면이 튀어나온[팽대한].

ven·tric·u·lar [ventríkjələr] *a.* 〖解〗 (뇌·심장 따위의) 공동의, 실(室)의 ; 불룩한, 비대한.

ven·tric·u·lo- [ventríkjəlou, -lə] *comb. form* 「심실」「뇌실」「실(ventricle)」의 뜻. 〖L (↓)〗

ven·tric·u·lus [ventríkjələs] *n.* (*pl.* **-li** [-lài, -lì:]) 〖解〗 소화 기관, 위(胃) ; (새의) 모래주머니 ; =VENTRICLE.
〖L (dim.) < VENTER¹〗

ven·tri·lo·qui·al [vèntrəlóukwiəl] *a.* 복화(腹話)(술)의 ; 복화술을 쓰는. **~·ly** *adv.*

ven·tril·o·quism [ventríləkwìzəm], **ven·tril·o·quy** [ventríləkwi] *n.* Ⓤ 복화(술)《목소리가 그 사람의 목구멍 이외에 다른 곳에서 나오는 듯이 보임》. **-quist** *n.* 복화술자.
〖L (VENTER¹, *loquor* to speak)〗

ven·tril·o·quize [ventríləkwàiz] *vi., vt.* 복화를 하다, 복화술로 말하다.

ventro- [véntrou, -trə] ☞ VENTR-.

***ven·ture** [véntʃər] *n.* **1** Ⓤ,Ⓒ 모험(adventure), 모험적 사업 ; 《古》 위험 : make a ~ 모험하다, 되든 안되든 해보다 / He is ready for any ~. 어떠한 위험도 각오하고 있다. **2** 투기, 속셈, 요행을 노림(speculation) : a bold ~ 큰 요행수. **3** 투기에 건 것《돈·재산·생명·배 따위》, 투기의 대상물《배·뱃짐·상품 따위》.

at a venture 모험적으로, 운(運)에 맡기고 ; 되는 대로.

—— *vt.* **1** [+目 / +目+前+名] (생명·재산 따위를) 내맡기다, 위험에 내놓다, 내걸다(risk) : They ~*d* their lives ***for*** the cause. 대의를 위하여 목숨을 내걸었다 / He ~*d* all his wealth [£10,000] ***on*** the enterprise. 그 사업에 전재산[1만 파운드]을 내걸었다. **2** [+目 / +*to* do] 위험을 무릅쓰고 …하다, 과감하게 하다, 감행하다(dare) : I won't ~ a step farther. 이제 한 발자국도 더 갈 용기가 없다 / Will you ~ a flight in a jet plane? 과감하게 제트기를 타보겠느냐 / Nothing ~, nothing have[win]. 《속담》 호랑이 굴에 들어가야 호랑이를 잡는다 / No one ~*d to* object to the plan. 아무도 감히 그 제안에 반대하는 사람이 없었다. 㕥 *venture to* do의 형태는 흔히 자신(自信) 없이 말하거나 공손하게 말할 때에 씀 : I ~ *to* differ from you. 실례지만 당신과는 의견이 다릅니다 / I hardly ~ *to* say it, but…. 말씀드리기 어렵습니다만…. **3** (의견 따위를) 시험삼아 내놓다, 과감히 이야기하다 : I would not ~ an opinion[a guess]. 나는 의견[추정]을 삼가겠다 / We ~*d* a protest. 과감히 항변했다.

—— *vi.* **1** [+*on*+名] 위험을 무릅쓰고 하다, 과감하게 하다, 되든 안되든 해보다 : He ~*d* (***up***)***on*** an ambitious project. 야심적인 계획을 감행했다 / Will you ~ *on* another slice of cake? 케이크를 한 조각 더 드시겠습니까. **2** [+副 / +前+名] 과감하게 나아가다, 위험을 무릅쓰고 가다 : The snow was too deep for us to ~ ***on***. 눈이 너무 깊어서 앞으로 나아가려고 해도 나아갈 수가 없었다 / They ~*d* ***out*** *on* the stormy sea to rescue the shipwrecked people. 조난자들을 구조하기 위하여 과감하게 풍랑의 바다로 뛰어들었다 / He was too cautious to ~ (***up***)***on*** such a dangerous expedition. 그는 너무 신중해서 그런 위험한 탐험에 나설 수가 없었다.
〖ME *aventure* ADVENTURE〗

vénture bùsiness *n.* 〖經〗 (고도의 전문 지식을 활용한) 모험적 기업.

vénture càpital *n.* 〖經〗 위험 부담 자본, 모험자본(equity capital, risk capital).

vénture cùlture *n.* 적극적이고 모험을 좋아하는 기질의 문화.

vén·tur·er *n.* 모험자, 투기꾼 ; (특히 16-17세기의) 무역 상인(merchant adventurer).

Vénture Scòut *n.* 《英》 (보이 스카우트의) 연장(年長) 소년 단원《16-20세》.

vénture·some *a.* (사람이) 모험을 즐기는, 대담한, 물불을 가리지 않는(adventurous) ; (행위·동작이) 모험적인, 위험한(dangerous).
~·ly *adv.* 모험적으로, 대담하게. **~·ness** *n.*

ven·tú·ri (tùbe) [ventúəri(-)] *n.* [때때로 V~] 〖理〗 벤투리관(管)《압력차를 이용하여 유속계(流速計)·기화기(氣化器) 따위에 쓰임》.
〖G. B. *Venturi* (d. 1822) 이탈리아의 물리학자〗

ven·tur·ous [véntʃərəs] *a.* 모험을 좋아하는, 물불을 가리지 않는, 대담한 ; 모험적인, 위험한.
~·ly *adv.* **~·ness** *n.*

vént wìndow *n.* (자동차의) 삼각창(vent).

ven·ue [vénju:] *n.* **1** 〖法〗 범행지(地) ; 행위 장소, (특히 배심 재판의) 재판 장소 : change the ~ 재판 장소를 변경하다《공평을 기하기 위해》. **2** 《口》 회합장소(meeting place) ; (경기 따위의) 개최지 ; (의론의) 입장, 논거.
〖F=coming (L *venio* to come)〗

ven·ule [vénju:l, ví:-] *n.* 〖解〗 소(小)[세(細)] 정맥 ; 〖昆〗 작은 날개맥 ; 〖植〗 작은 잎맥.
vén·u·lar [vénjələr] *a.* 〖(dim.) < VENA〗

Ve·nus [ví:nəs] *n.* **1** 〖로神〗 비너스《미와 사랑의 여신 ; 〖그神〗의 Aphrodite에 해당됨 ; cf. URANIA》 ; 성애(性愛), 애욕(愛慾) ; Ⓒ 《비유》 미녀, 미인. **2** 〖天〗 금성(金星)《Hesperus 「개밥바라기」 및 Lucifer 「샛별」로서 나타남》. **3** Ⓒ 비너스 여신상(像)[그림] : the ~ of Milo 밀로의 비너스. 〖OE<L〗

Vénus·háir, Vénus's-háir (fèrn) *n.* 〖植〗 공작고사리.

Ve·nu·sian [vinjú:ʒən, -ziən] *a., n.* 금성의 ; 금성인(人).

Vénus's-flówer-bàsket *n.* 〖動〗 해로동혈(偕老同穴).

Vénus's-flý·tràp *n.* 〖植〗 끈끈이주걱과(科)에 속하는 파리지옥.

Vénus's-shóe[-slípper] *n.* =LADY'S SLIPPER.

ver. verse(s) ; version. **Ver.** Version.

VERA vision electronic recording apparatus (텔

V

레비전의 프로그램 수록 장치).

ve·ra·cious [vəréiʃəs; ve-] *a.* 진실을 말하는, 정직한(truthful); 정말의(true); 확실한, 정확한(accurate). **~·ly** *adv.* **~·ness** *n.*
〖L *verac- verax* (*verus* true)〗

ve·rac·i·ty [vərǽsəti; ve-] *n.* Ⓤ 진실을 이야기하기, 성실; 정직함; 정확함, 정확도(度); 진실(성), 진상.

***ve·ran·da(h)** [vərǽndə] *n.* 〖建〗 (지붕이 달린) 베란다, 툇마루(=《美》 porch). **~ed** *a.* 베란다가 있는. 〖Hindi<Port.〗

ver·a·trine [vérətrì:n, -trən, vərǽtrən] *n.* 〖化〗 베라트린《sabadilla의 종자에서 채취하는 유독성 알칼로이드 혼합체; 이전에는 신경통·류머티즘 치료제》.

***verb** [və́:rb] *n.* 〖文法〗 동사: an auxiliary ~ 조동사 / a dative ~ 여격(與格)동사《give, lend 따위의 이중 목적어를 취하는 타동사》/ causative [factitive] ~*s* ☞ CAUSATIVE, FACTITIVE / ☞ FINITE VERB / an intransitive[a transitive] ~ 자[타]동사 / a regular[an irregular] ~ 규칙[불규칙]동사 / a reflexive ~ ☞ REFLEXIVE 3 / strong ~*s* ☞ STRONG 11 / weak ~*s* ☞ WEAK 8 / a substantive[copulative] ~ 존재[계사(繫辭)] 동사《즉 be》.
〖OF or L *verbum* word〗

ver·bal [və́:rbəl] *a.* **1** 말의[에 관한], 말로 이루어지는; 언어상의, 용어상의: a ~ mistake 언어 사용상의 과오 / a ~ criticism (내용보다) 어구에 치우친 비평 / He has a good ~ memory. 언어의 암기력이 좋다 / The difference is merely ~. 상위점은 (실질적인 것이 아니고) 언어 (표현) 상의 것일 뿐이다 / A description is a ~ picture. 묘사란 그림을 말로 나타낸 것이다. **2** 입으로 표현한, 구두의(oral) (cf. WRITTEN). ㊟ 원래 verbal은 "in words", oral은 "spoken"의 뜻이지만 현재는 흔히 구별없이 씀: ~ evidence 증언 / a ~ promise 구두 약속 / a ~ report 구두 보고 / a ~ dispute 구두 논쟁 / A ~ message will suffice. 구두 전갈로 충분하겠지. **3** 문자 그대로의, 축어적인(literal): a ~ translation 축어역(譯), 직역. **4** 〖文法〗 동사의, 동사에서 나온, 동사적인. —— *n.* **1** 〖文法〗 준동사(형). **2** 《英》 진술, (특히 경찰에서의) 자백; 《戲》 말다툼.
—— *vt.* 《英俗》 …에게 자백시키다.
〖F or L; ⇨ VERB〗

V

vérbal ímage *n.* 〖心〗 언어 심상(心象).

vérbal·ìsm *n.* **1** Ⓤ 언어적 표현, 어구의 사용[선택]. **2** Ⓤ 자구(字句)에 구애되기, 어구를 따지기; 어구 비평; 언어 편중(주의); 용장(冗長)(wordiness). **3** 형식적 문구.

vérbal·ist *n.* 어구 사용의 숙달자; 어구 비평가; 어구만 따지는 사람.

vérbal·ìze *vt.* **1** (사고·감정 따위를) 언어로 나타내다, 언어화하다. **2** 〖文法〗 동사적으로 사용하다, 동사화하다. —— *vi.* 말수가 너무 많다, 쓸데없이 길어지다. **-ìz·er** *n.* 말로 나타내는 사람; 말이 많은 사람. **vèrbal·izátion** *n.*

vérbal·ly *adv.* **1** 언어로, 말로서, 구두로: You may answer either ~ or in writing. 구두나 문서 어느 것으로 대답해도 좋다. **2** 축어적으로: The witness repeated the talk ~. 증인은 그 이야기를 그대로 반복했다. **3** 언어상으로. **4** 〖文法〗 동사로서.

vérbal nóte *n.* 진술서; 〖外交〗 무(無)서명 친서, 구두 통첩.

vérbal nóun *n.* 〖文法〗 동사적 명사(cf. GERUND, INFINITIVE).

ver·ba·tim [və(:)rbéitəm] *adv.* 축어적으로, 말 그대로: report a speech ~ 연설을 한 마디 한 구절 그대로 보도하다. —— *a.* 축어적인, 말 그대로의: a ~ translation 직역. —— *n.* 축어적 보고.
〖L; ⇨ VERB; cf. LITERATIM〗

ver·be·na [və(:)rbí:nə] *n.* 〖植〗 마편초속(屬)의 식물, 버베나.
〖NL=sacred boughs (of olive etc.)〗

ver·bi·age [və́:rbiidʒ] *n.* **1** Ⓤ 쓸데없는 말이 많음, 말많음, 용장(冗長), 요설: lose oneself in ~ 주책없이 수다떨다. **2** Ⓤ 말씨, 말의 표현.
〖F (*verbeier* (obs.) to chatter ‹ *verbe* VERB)〗

vér·bi·cìde [və́:rbə-] *n.* Ⓤ,Ⓒ 말의 뜻을 (의도적으로) 왜곡하기[하는 사람].

ver·bid [və́:rbəd] *n.* 〖文法〗 준동사(형) (verbal).

verb·i·fy [və́:rbəfài] *vt.* 〖文法〗 (명사 따위를) 동사화하다, 동사적으로 사용하다.

vérb of percéption *n.* 〖文法〗 지각동사.

ver·bose [və(:)rbóus] *a.* 말이 많은, 다변의, 장황한; 길게 늘어 놓는. **~·ly** *adv.* **~·ness** *n.*
〖L; ⇨ VERB〗

ver·bos·i·ty [və(:)rbɑ́səti] *n.* Ⓤ 장황하기; 용만(冗漫), 용장(冗長); 다변.

ver·bo·ten [vərbóutn, fər-; *G* fɛrbó:tən] *a.* (법률에 의해) 금지된(forbidden).

vérb phràse *n.* 〖文法〗 동사구.

ver·bum sap·i·en·ti (sat[sat·is]) (est) [və́:rbəm sæ̀piéntai (sǽt [sǽtəs]) (est); wérbum sɑ̀:piénti: (sɑ́:t [sɑ́:tis]) (èst)] 현자(賢者)에게는 한 마디면 충분하다, 다언무용(多言無用)《略 verb. sap.》.
〖L=a word to the wise (is sufficient)〗

ver·dant [və́:rdənt] *a.* **1** 푸른(green), 푸릇푸릇한, 초록색의, 신록의; 푸른색으로 뒤덮인. **2** 젊은, 순진한, 익숙지 못한, 미숙한(inexperienced): in one's ~ youth 순진한 청년기에 / Mr. *V*~ Green 《口》 풋내기《순진한 사람》.
~·ly *adv.* **vér·dan·cy** *n.* **1** 푸릇푸릇함, 신록, 녹음(greenness), 초록 일색. **2** 미숙함, 젊음; 순진, 천진난만. 〖? OF *verdeant* (pres. p.) ‹ *verdoier* to be green; ⇨ VERT[1]〗

vérdant gréen *n.* 담녹색, 신록.

Verde [və́:rd], **Vert** [və́:rt] *n.* [Cape ~] 베르데 곶《아프리카 대륙 서쪽 끝의 곶》.

vérd(e) antíque [və́:rd-] *n.* 〖鑛〗 사문암(蛇紋岩) 대리석; 녹청(綠青), 녹.
〖F or It.=ancient green〗

ver·der·er, -or [və́:rdərər] *n.* 〖英法史〗 왕실 산림 관리관.

Ver·di [vέərdi] *n.* 베르디. **Giuseppe** ~ (1813–1901) 이탈리아의 오페라 작곡가.

***ver·dict** [və́:rdikt] *n.* **1** 〖法〗 (배심원의) 평결(評決), 답신(答申): bring in[return] a ~ of guilty[not guilty] (배심원이) 유죄[무죄] 평결을 내리다. **2** (일반적으로) 재결, 판단, 의견: the ~ of the people 국민의 심판 / pass one's ~ upon …에 판단을 내리다 / The doctor's ~ was that the patient would not live until spring. 의사의 의견은 환자가 봄까지 살기 어렵다는 것이었다.
〖AF *verdit* (*ver* true, *dit* (p.p.) ‹ *dire* to say); ⇨ DICTUM〗

ver·di·gris [və́:rdəgrìs, -grì:s, -grəs] *n.* Ⓤ 녹청(綠青). 〖OF=green of Greece〗

ver·di·ter [və́:rdətər] *n.* 녹청색의 그림물감《탄산구리의 청색[녹색] 안료》.

ver·dure [və́:rdʒər] *n.* **1** Ⓤ (초목의) 푸르름, 신

록 ; 푸른 초목, 신록의 새 잎 ; 청초(青草). **2** Ⓤ 신선함, 생생함, 생기(freshness) ; 융성. 〖OF ; ⇨ VERT[1]〗

vér·dur·ous *a.* 푸른 초목으로 뒤덮인 ; 신록의, 푸릇푸릇한, 신록이 우거진. **~·ness** *n.*

Ver·ein [vəráin ; *G* fɛráin] *n.* 연맹, 동맹, 조합 ; 회, 협회.

*__verge__ [vɔ́:rdʒ] *n.* **1 a)** 가, 가장자리, 끝, 모서리(edge) ; 《英》 (잔디가 난) 길의 가장자리, 화단의 가장자리. **b)** 《詩》 수평선, 지평선. **c)** [the ~] (…의) 직전[바로 앞] ; 경계선, 한계. **d)** 경계 내의 지역, 범위 ; 특별 관할구 ; 〖英史〗 궁내대신 관구. **2** 권표(權標)《행렬 따위에서 고위 성직자 앞에 받들어 직권을 상징함》. **3** 〖建〗 합각머리 ; (시계 따위의) 축, 굴대.

on the verge of (…살)이 되려는 참인 ; (파멸 따위에) 직면하여, 바야흐로 …하려고 하여 ; 직전에(서) : be *on the ~ of* ruin[war] 파멸[전쟁] 직전에 있다.

—— *vi.* **1** [＋*on*＋名] 접하다, 임하다, 경계를 이루다 : The path *~s* ***on*** the edge of a precipice. 그 길은 벼랑 가장자리에 접해 있다. **2 a)** [＋前＋名] 기울어지다, 향하다(incline) : The hill *~s* ***to*** the south. 언덕은 남쪽으로 기울어져 있다 / The sun was *verging* ***toward*** the horizon. 해는 수평선에 기울어지고 있었다. **b)** [＋*on*＋名] (어떤 상태·방향으로) 향하다(tend), 가까워지다, 바야흐로 (…이) 되려고 하다 : He is *verging* ***on***[***toward***] ruin[a nervous breakdown]. 파멸에 임박하고[신경 쇠약 직전에] 있다 / Her manner *~d* (***up***) ***on*** impudence. 그녀의 태도는 무례함에 가까웠다. —— *vt.* …의 경계를 이루다, 경계가 되다 : a hedge *verging* the lane 작은 길을 경계 짓고 있는 생울타리.

verg·er [vɔ́:rdʒər] *n.* 교회당지기(sexton)《교회당 청소를 하거나 예배자를 좌석에 안내함》; 《英》 (교회·대학 따위의) 권표를 받드는 사람 (cf. VERGE *n.* 2).

Ver·gil, Vir- [vɔ́:rdʒəl] *n.* **1** 남자 이름. **2** 베르길리우스(L **Publius Vergilius Maro**) (70-19 B.C.)《로마의 시인 ; *The Aeneid*의 작자》.

Ver·gil·ian [vərdʒíliən] *a.* Vergil풍의. 〖L *Vergilius* 가족 이름〗

ver·glas [veərglɑ́: ; ˊ-] *n.* Ⓤ 〖登山〗 베르글라《바위 표면에 얇게 덮인 얼음》. 〖F=glass ice〗

ve·rid·i·cal, -rid·ic [vərídik(əl)] *a.* 속이지 않는, 정직한, 진실한《보통 비꼬아서》; 몽상이 아닌, 현실의. **-i·cal·ly** *adv.* **ve·rìd·i·cál·i·ty** [-kǽl-] *n.* 진실성.

ver·i·est [vériəst] *a.* [very의 최상급] 《美·英古》 순전한(utmost) : the ~ rascal 순 악당 / The ~ baby could do it. 아주 갓난아기라도 하려면 할 수 있다.

ver·i·fi·ca·tion [vèrəfəkéiʃən] *n.* **1** Ⓤ 확인, 조회 ; 입증, 검증, 증명 ; 검사. **2** 〖法〗 진술이 사실이라는 확언《진술·탄원·변론에 붙여짐》.

vér·i·fi·er *n.* 입증자, 증명자 ; 검정기(檢定器) ; 〖컴퓨〗 검공기(檢孔機).

*__ver·i·fy__ [vérəfài] *vt.* **1** (대조·조사하여 사실을) 확인하다(cf. CORROBORATE) : ~ the details of a statement 진술의 세부를 확인하다 / You can ~ (the source of) a quotation by going to a book of quotations. 인용문(의 근거)는 인용구 사전을 조사하여 확인할 수 있다. **2** (사실·행위 따위가 예언·약속 따위를) 실증하다 ; 〖法〗 (증거·선서 따위에 의해서) 입증하다 : Subsequent events *verified* his prophecy. 그후의 사건은 그의 예언이 옳았다는 것을 실증했다 / The allegations of the plaintiff were *verified* by the testimony of the witnesses. 원고의 주장은 증인의 증언에 의해서 입증되었다. **3** 〖컴퓨〗 검공(檢孔)하다.

vér·i·fì·able *a.* 증명할 수 있는 ; 입증[검증]할 수 있는. **vèr·i·fi·abíl·i·ty** *n.* 입증할 수 있음. 〖OF＜L ; ⇨ VERY〗

ver·i·ly [vérəli] *adv.* 《古》 (특히 맹세하는 말로) 진실로, 확실히(truly).

veri·sim·i·lar [vèrəsímələr] *a.* 진실[정말] 같은, 그럴싸한, 있을 법한. **~·ly** *adv.*

veri·si·mil·i·tude [vèrisəmílətjù:d] *n.* Ⓤ 정말[진실] 같음, 있을 법함, 박진(迫眞)(성) ; Ⓒ 정말 같은 이야기[것]. 〖L (VERY, *similis* like)〗

ve·rism [víərizəm, véər-] *n.* Ⓤ 베리즈모《특히 오페라·가극 따위에서의 현실(취재)주의》.

vér·ist *a., n.* **ve·rís·tic** *a.*

ve·ris·mo [veirí:zmou, veríz-] *n.* (*pl.* **~s**) 베리즈모(verism). 〖It.〗

ver·i·ta·ble [vérətəbəl] *a.* 실제의, 정말의, 진실니, 진정한, 틀림없는. **-bly** *adv.* 정말로, 틀림없이. **~·ness** *n.* 〖OF＜L *veritas* truth ; ⇨ VERY〗

vé·ri·té [vèrətéi] *n.* 〖映〗 진실[현실] 묘사 수법. 〖F〗

ver·i·ty [vérəti] *n.* **1** Ⓤ (진술 따위의) 진실성, 진실(truth)〈*of*〉. **2** 진리의 진술 ; 사실, 진리 : the eternal *verities* 영원한 진리.

in all verity 《古》 진실로《맹세하는 말에 씀》.

in verity 참으로, 진실로.

of a verity 《古》 참으로, 정말로.

ver·juice [vɔ́:rdʒù:s] *n.* Ⓤ (설익은 포도 따위에서 짜낸) 신 과즙 ; 《비유》 성미가 까다로움(sourness), 뿌루퉁한 태도. —— *a.* 신 맛이 강한 과즙의, 신(sour) ; (기질·표정 따위가) 심술사나운, 까다로운, 찡그린. —— *vt.* 시큼하게 하다.

~d *a.* 신 (과즙의) ; 성미가 까다로운.

ver·kramp·te [fərkrɑ́:mptə] *n., a.* 《南아》 국민당 우파의 (사람)《대(對)흑인 정책에서 반동적으로 취급됨》; 초(超)보수주의자. 〖Afrik. =cramped (one)〗

ver·ligh·te [fərlíxtə] *n., a.* 《南아》 국민당 좌파의 (사람)《대흑인 정책에서 비교적 온건함》; 온건파의. 〖Afrik. =enlightened (one)〗

Verm. Vermont.

ver·meil [vɔ́:rmeil, -məl] *n.* **1** Ⓤ 《詩·文語》 주색(朱色), 주홍색(色). **2** [viərméi, vər-] Ⓤ 도금한 은(銀)[청동]. —— *a.* 주색의, 주홍색의. 〖OF ; ⇨ VERMILLION〗

ver·mi- [vɔ́:rmə] *comb. form* 「충(蟲)」의 뜻. 〖L〗

ver·mi·cel·li [vɔ̀:rməséli, 美＋-tʃéli] *n.* Ⓤ 베르미첼리《spaghetti보다 가늘고 면식품으로 만든 macaroni의 일종》. 〖It.〗

vérmi·cìde *n.* 살충제 ; 회충약, 구충제.

ver·mic·u·lar [və(:)rmíkjələr] *a.* 연충(蠕蟲) 모양의 ; 연동(蠕動)하는 ; 벌레 먹은 것 같은 ; 꾸불꾸불한.

ver·mic·u·late [və(:)rmíkjələt, -lèit], **-lat·ed** [-lèitəd] *a.* 벌레먹은 모양의 장식의 ; (생각 따위가) 복잡한, 뒤얽힌. —— [-lèit] *vt.* …에 벌레먹은 모양의 세공을 하다.

ver·mìc·u·lá·tion *n.* Ⓤ (장(腸) 따위의) 연동(蠕動) ; Ⓤ,Ⓒ 〖建〗 벌레먹은 모양의 세공[장식].

ver·mic·u·lite [və(:)rmíkjəlàit] *n.* Ⓤ 〖鑛〗 질석(蛭石)《흑운모의 변성물로 단열·방음재》.

vérmi·fòrm *a.* 연충형(形)의 : the ~ appendix 〔解〕 충양 돌기, 충수(蟲垂).

vérmi·fùge *n.* ⓊⒸ 회충약, 구충제. —— *a.* 구충(제)의.

vérmi·gràde *a.* 벌레처럼 움직이는, 구불구불 나아가는.

ver·mil·ion, ver·mil·lion [vərmíljən] *n.* Ⓤ 주(朱), 주홍, 진사(辰砂) ; 주색(朱色). —— *a.* 주(색)의, 주색으로 물들인[칠한]. —— *vt.* 주색으로 물들이다, 주색으로 칠하다. 〚OF〛

ver·min [və́:rmən] *n.* (*pl.* ~) **1** Ⓤ 《英》 해수(害獸), 해조(害鳥) 《여우·족제비·쥐·두더지·올빼미 따위》. **2** Ⓤ (작은) 해충, 악충《특히 집·의류 따위의 해충이나 벼룩·빈대·이 따위》; 기생충. **3** Ⓤ [단수·복수취급] 사회의 해충, 인간 쓰레기, 건달. 〚OF<L〛

ver·mi·nate [və́:rmənèit] *vi.* 해충[벼룩, 이, 빈대]이 꾀다 ; 《古》 해충이 생기다.

vèr·mi·ná·tion *n.* 해충 발생.

ver·mi·no·sis [və̀:rmənóusəs] *n.* (*pl.* **-ses** [-si:z]) 〔醫〕 기생충증(症).

vérmin·ous *a.* **1** 해충[벼룩·이·빈대 따위]이 꾄[들끓는], 벼룩·이가 많은. **2** 해충 때문에 생긴, 기생충에 의한. **3** 《蔑》 벌레나 다름없는, 천한, 비열한 ; 해독을 끼치는.
~·ly *adv.* **~·ness** *n.*

ver·miv·o·rous [və(:)rmívərəs] *a.* 벌레를 먹는, 식충의.

Ver·mont [vərmánt] *n.* 버몬트《미국 New England의 한 주 ; 略 Verm. ; 주도 Montpelier》.
~·er *n.* 버몬트 주(州) 사람.

ver·mouth, -muth [vərmú:θ ; və́:məθ] *n.* Ⓤ 베르무트《쑥과 기타 향기나는 풀로 맛을 낸 백포도주》. 〚F<G *wermut* WORMWOOD〛

ver·nac·u·lar [vərnǽkjələr] *n.* **1** 자국어, 모국어, 토속어(土俗語) ; 지방말, 사투리, 방언 ; 일상어 : in the ~ 자국어[토속어·지방말]로. **2** (어떤 직업에 특유한) 전문[직업]어 ; (동물·식물에 대한) (통)속명.
—— *a.* **1** (국어·어법·말이) 자국의, 모국의, 본국의 ; 지방어[사투리]로 쓴[를 사용하여 쓰는] : a ~ paper 자국어 신문 / a ~ poem 지방 사투리로 쓴 시. **2** 〔醫〕 풍토(병)의 ; (동식물 이름이 학명이 아닌) 통속명의 : a ~ disease 풍토병. **~·ly** *adv.*
〚L *vernaculus* native (*verna* homeborn slave)〛

vernácular·ìsm *n.* Ⓤ 자국어법, 자국어[지방말](로 표현함).

vernácular·ìze *vt.* …을 자국어화(自國語化)[지방어화]하다 ; 구어[지방어]로 표현하다.

vernácular náme *n.* 〔生〕 지방명, 속명(俗名) (popular name)《학명이 아닌 동·식물명》.

ver·nal [və́:rnl] *a.* **1** 봄의, 봄철에 일어나는[에 오는], 봄에 나는, 봄에 피는 : ~ sunshine 봄볕 / ~ flowers[breezes] 봄꽃[봄바람]. **2** 봄 같은[다운], 봄을 방불케 하는 : ~ weather 봄 같은 날씨. **3** 《詩》 젊음이 넘치는, 청춘의, 청년의(youthful) : the ~ freshness of a young girl 젊은 처녀의 봄 같은 싱싱함. **~·ly** *adv.* 봄같이, 봄답게. 〚L (*ver* the spring)〛

vérnal équinox *n.* [the ~] 춘분(점).

vérnal·ìze *vt.* (식물을) 춘화(春化)처리하다, 인공적으로 발육을 촉진하다.
vèrnal·izátion *n.*

vérnal póint *n.* [the ~] 춘분점(vernal equinox).

ver·na·tion [və(:)rnéiʃən] *n.* Ⓤ 〔植〕 아형(芽型) 《싹 속의 엽아(葉芽)의 배열 상태》.

Ver·ner [véərnər, və́:r-] *n.* **1** 남자 이름. **2** 베르너. **Karl** (**Adolph**) ~ (1846-96) 덴마크의 언어학자. 〚가족 이름에서〛

Vérner's láw *n.* 〔言〕 베르너의 법칙《인도 게르만 기어(基語)의 [p, t, k]는 그 바로 앞의 음절에 악센트가 없는 경우, 게르만 기어에서는 [b, d, g]로 되었음》.

ver·ni·cle [və́:rnikəl] *n.* =SUDARIUM 1.

ver·ni·er [və́:rniər] *n.* 〔理〕 부척(副尺), 버니어 (=~ **scàle**)《발명자인 프랑스 수학자의 이름에서》; 〔宇宙〕 버니어 엔진(=~ **éngine**[**rócket**]) 《로켓 비행의 속도[진로, 자세] 제어 분사 장치》.
—— *a.* 부척을 갖춘. 〚P. *Vernier*〛

Ver·nier [; *F* vɛrnje] *n.* 베르니에. **Pierre** ~ (1580-1637) 프랑스의 수학자.

vérnier cáliper[**micrómeter**] *n.* 〔機〕 버니어 캘리퍼《부척이 달린 캘리퍼》. 〚↑〛

Ve·ro·na [vəróunə] *n.* 베로나《이탈리아 북부의 도시(都市)》.

Ver·o·nal [vérənl, vérənɔ̀:l] *n.* Ⓤ 베로날《수면제의 일종 ; 상표명》. 〚G (↑)〛

Ver·o·nese [vèrəní:z] *a.* Verona의.
—— *n.* (*pl.* ~) 베로나 사람.

ve·ron·i·ca [vəránikə] *n.* **1** 〔植〕 꼬리풀속(屬) (*V*~)의 각종 풀[관목](speedwell). **2** [때때로 V~] 베로니카의 성백(聖帛)《형장으로 끌려가는 예수의 얼굴을 성녀 Veronica가 닦았더니 예수의 얼굴 모습이 남았다는 천》, 그 안면상, (일반적으로) 예수의 얼굴을 그린 천조각(cf. SUDARIUM). **3** [V~] 여자 이름. **4** 〔鬪牛〕 베로니카《정지한 채 케이프를 천천히 흔들어 소를 다루는 재주》. 〚L=true image〛

ver·ru·ca [vərú:kə, ve-] *n.* (*pl.* **-cae** [-si:, -ki:, -sai, -kai], **~s**) 〔醫〕 사마귀(wart) ; 〔動·植〕 사마귀 모양의 돌기. 〚L〛

vers 〔數〕 versed sine.

Ver·sailles [*F* vɛrsɑ:j] *n.* 베르사유《파리 남서쪽의 도시로, 루이 14세의 궁전 소재지 ; 1919년 제1차 세계대전 후의 강화 조약 체결 장소》.

ver·sant [və́:rsənt] *n.* 산[산맥]의 한쪽 사면 ; (한 지방 전체의) 경사면. 〚OF (*verser* to turn)〛

ver·sa·tile [və́:rsətl ; -tàil] *a.* **1** 다재(多才)의, 다예(多藝)한, 다방면에 걸친, 다용도의, 무엇을 시켜도 잘하는 : a ~ genius 만능천재 / a ~ writer 다재 다능한 작가. **2** (감정·기질 따위) 변하기 쉬운, 이랬다저랬다하는, 변덕스러운. **3** 〔動〕 가[반]전성(可[反]轉性)의 ; 〔植〕 (꽃밥이) T자형으로 붙은. **~·ly** *adv.* **~·ness** *n.* 〚F or L ; ⇨ VERSION〛

vèr·sa·tíl·i·ty [-tíl-] *n.* Ⓤ 다재(多才), 다예(多藝), 다능 ; 변하기 쉬움, 이랬다저랬다함 ; 〔動〕 가[반]전성.

vers de so·cié·té [*F* vɛr də sɔsjete] *n.* ⓊⒸ 사교시(詩)《사교계의 취미에 맞도록 쓴 경묘하고 우아한 시》.

***verse**[1] [və́:rs] *n.* **1** Ⓤ 운문(韻文), 시, 시형(詩形) (↔*prose*) : write in ~ 운문으로 쓰다 / put [turn]...into ~ …을 시로 짓다 / ☞ BLANK VERSE, FREE VERSE, HEROIC VERSE / iambic ~ 약강격(弱強格)의 시(cf. IAMBIC). **2** Ⓤ (어떤 작가·시대·나라 따위의) 시가(詩歌)(poetry) : contemporary American ~ 현대 아메리카 시. **3** 시의 한 행(行), 시구(句) : an iambic ~ 약강격의 시행 / a stanza of four ~*s* 4행(行)으로 이루어진 1연(聯) / He quotes some ~*s* from Keats.

키츠의 시 몇행을 인용하고 있다. **4** 시의 절(節), 연(聯) (stanza) : a poem of five ~*s* 5절로 이루어진 한편의 시. **5** (성서·기도서의) 절 : give chapter and ~ ☞ CHAPTER 숙어. —— *vt.* 시로 표현하다[짓다]. —— *vi.* 시를 짓다.
〚OE *fers*<L *versus* turn of plough, furrow, line (of writing) (⇨ VERSION) ; ME 기(期)에 OF *vers*에 의해 보강됨〛

verse[2] *vt.* …에 정통[숙달]하다〈*in*〉.

versed [vəːrst] *a.* 숙달[정통]한, 통달한 : be ~ *in* English literature 영문학에 정통하다. 〚F or L (*verso* to be engaged in) ; ⇨ VERSANT〛

vérsed síne *n.* 〔數〕 버스트 사인《1에서 각의 코사인을 뺀 것 ; 略 vers》.

vérse·let *n.* Ⓤ 단시(短詩).

vérse·mònger *n.* 엉터리 시인.

vers·et [vəːrsət, -set, vəːrsét] *n.* (특히 성서에서 따온) 단시(短詩) ; 〔樂〕 버세트《그레고리오 성가의 verse 대신에 연주하는 오르간 곡》; 《古》 = VERSICLE.

ver·si·cle [vəːrsikəl] *n.* 단시(短詩) ; 〔宗〕 창화(唱和)[교창(交唱)]의 단구(短句)《예배식에서 목사가 선창하고 성가대·참석자가 화답하는 것으로 때때로 시편(詩編)에서 인용》.
〚OF or L (dim.) ‹ VERSE〛

vér·si·còlor(ed) [vəːrsi-] *a.* 잡색의, 여러가지 색의 ; (광선에 의해) 색이 여러가지로 변하는, 무지개빛의.

ver·sic·u·lar [və(ː)rsíkjələr] *a.* 단시(短詩) 모양의, 단시로 되는 ; (창화(唱和)용의) 단구(短句)의 ; 시구(詩句)의, (성서의) 절(verse)의.

ver·si·fi·ca·tion [vəːrsəfəkéiʃən] *n.* Ⓤ 작시(作詩), 시작 ; 운문화(韻文化) ; 작시법 ; 시형.

vér·si·fi·er *n.* 작시가, 시인 ; 산문을 운문으로 고치는 사람 ; 엉터리 시인.

ver·si·fy [vəːrsəfài] *vt.* (산문을) 운문으로 고치다 ; 시로 짓다, 시로 읊다 : ~ an old legend 옛 이야기를 시로 짓다.
—— *vi.* 시를 짓다.

***ver·sion** [vəːrʒən, -ʃən] *n.* **1** 번역, 역문[서] ; (소설의) 각색 ; …판 ; …화(化) : the English ~ *of* the Bible 영역 성서 / ☞ AUTHORIZED [REVISED] VERSION / the screen[stage] ~ *of* a novel 영화[극]화된 소설 / read Hamlet in its original ~ 원어판으로 햄릿을 읽다. **2** (개인적인 또는 특수한 입장에서의) 설명, 이설(異說), 이견 : The driver gave a slightly different ~ *of* the accident from that of the eyewitness. 운전자는 사고에 대하여 목격자와는 조금 다른 설명을 했다. **3** 〔醫〕 (자궁 기타 기관의) 경사 ; (분만 때의) 태아 전위법(轉位法). **4** 〔컴퓨〕 판.
~·al *a.*
〚F or L (*vers- verto* to turn)〛

vers li·bre [vèər líːbrə] *n.* (*pl.* **~s** [—]) 자유시 (free verse). 〚F〛

vers-li·brist [vèərlíːbrəst], **vers-li·briste** [-liːbríːst] *n.* 자유시 작자.

ver·so [vəːrsou] *n.* (*pl.* **~s**) (펼친 책의) 왼쪽 페이지, 짝수 페이지(reverse) (↔*recto*) ; (화폐·메달 따위의) 뒤쪽, 이면(↔ *obverse*).
〚L *verso* (*folio*) turned (leaf) (abl. p.p.) ‹ *verto* to turn〛

verst, verste [vəːrst, véərst] *n.* 베르스트, 러시아 리(里)《러시아의 옛날 거리 단위(單位) ; 약 1067m》.

ver·sus [vəːrsəs, 美+-z] *prep.* (소송·경기 따위에서) …대(對), …에 대한《略 v., vs.》: Jones *v.* Smith 〔法〕 존스 대 스미스 사건 / Detroit ~ Cleveland at baseball 클리블랜드 대 디트로이트의 야구 시합.
〚L=turned towards, against ; ⇨ VERSION〛

vert[1] [vəːrt] *n.* Ⓤ **1** 〔英史〕 (삼림법에서) 삼림 속에 우거진 수풀《특히 사슴이 숨는 장소》; 〔英史〕 입목(立木) 벌채권(cf. VERDERER). **2** 〔紋〕 초록빛. —— *a.* 〔紋〕 초록빛의.
〚OF<L *viridis* green〛

vert[2] *n.* 《英口》(카톨릭교에서의 또는 카톨릭교에로의) 개종자 ; 《英口》 배교자(背教者), 변절자 ; 개심한 악한 ; 전향자. —— *vi.* 《英口》 (특히 신교에서 카톨릭교로 또는 그 반대로) 개종하다 ; 전향하다. 〚con*vert*, per*vert*〛

Vert ☞ VERDE.

ver·tebr- [vəːrtəbr], **ver·te·bro-** [-brou, -brə] *comb. form* 「등뼈」「척추」의 뜻. 〚L (↓)〛

ver·te·bra [vəːrtəbrə] *n.* (*pl.* **-brae** [-brìː, -brèi], **~s**) 〔解〕 척추골, 추골 ; [the vertebrae] 척추, 척골(backbone).
〚L=joint (*verto* to turn)〛

ver·te·bral [vəːrtəbrəl] *a.* 〔解·動〕 척추의[에 관한] ; 등뼈로 된 ; 척추골을 가진.
—— *n.* 척추 부분.
~·ly *adv.*

vértebral cólumn *n.* 척추, 척주.

Ver·te·bra·ta [vəːrtəbrɑ́ːtə, -bréi-] *n.* [the ~] 〔動〕 척추동물문(門).

ver·te·brate [vəːrtəbrət, -brèit] *a.* 척추가 있는 ; 척추 동물문에 속하는 : a ~ animal 척추동물. —— *n.* 척추동물.
〚L=jointed ; ⇨ VERTEBRA〛

vér·te·bràt·ed *a.* =VERTEBRATE ; 척추골로 된.

ver·te·bra·tion [vəːrtəbréiʃən] *n.* Ⓤ 척추 구조 ; 견고함, 긴밀함.

ver·tex [vəːrteks] *n.* (*pl.* **~·es, ver·ti·ces** [-təsìːz]) **1** 최고점, 정상, 산정. **2** 〔解〕 두정(頭頂), 정수리 ; 〔數〕 꼭지점 ; 〔天〕 천정(天頂).
〚L *vertic- vertex* whirlpool, crown of head (*verto* to turn)〛

***ver·ti·cal** [vəːrtikəl] *a.* **1** 수직[연직(鉛直)]의, 직립한, 세로의(cf. HORIZONTAL) : a ~ fall 수직 낙하 / ~ fins 세로지느러미《등지느러미·뒷지느러미·꼬리지느러미의 총칭》; 〔空〕 수직 안정판[미익(尾翼)] / a ~ line 수(직)선, 연직선 / a ~ motion 상하운동 / a ~ plane 수직면 / a ~ section 종단면(縱斷面) / a ~ cliff 깎아지른 절벽. **2** 〔解〕 두정(頭頂)의 ; 〔數〕 꼭지점의 ; 〔天〕 천정의 : a ~ angle 꼭지각, 맞꼭지각. **3** 〔經〕 (제조·판매 따위의 각 단계를) 세로로[수직적으로] 연결한[일관한] : a ~ combination[trust] 수직적 연합[합동] / a ~ union=INDUSTRIAL UNION. —— *n.* [the ~] 수직선[면] ; 연직권(圈) ; 수직위(位) : out of *the* ~ 수직이 아닌. **~·ly** *adv.* 수직으로, 연직으로, 직립하여. **ver·ti·cal·i·ty** [vəːrtəkǽləti], **~·ness** *n.*
〚OF or L (↑)〛

vértical círcle *n.* 〔天〕 고도권(圈), 수직권, 방위권 ; 〔測〕 연직 눈금반(盤).

vértical divéstiture *n.* 〔經〕 수직 박탈《수직적 통합(vertical integration) 상태에 있는 기업 활동을 법에 의해 특정 단계로 국한시키기》.

vértical envélopment *n.* 〔軍〕 입체[수직] 포위《공수 부대에 의한》; 입체 포위 작전《지상 기동부대 지원하에 실시되는 공수 부대의 공격》.

vértical féed *n.* 〔컴퓨〕 세로 이동.

vértical fíle *n.* 세로꼴 서류 정리함(函).

vértical integrátion[**mérger**] *n.* 〖經〗 수직적 통합(일련의 생산 공정에 있는 기업간의 통합 ; cf. HORIZONTAL INTEGRATION).

vértical internátional specializátion *n.* 〖經〗 수직적 국제분업.

vértical márketing sỳstem *n.* 〖마케팅〗 수직적 마케팅 시스템(유통 계열화의 한 형태).

vértical mobílity *n.* 〖社〗 수직 이동(사회적 수준이 다른 지위·신분으로의 이동이나 문화의 보급 ; cf. HORIZONTAL MOBILITY).

vértical príce-fixing *n.* 〖經〗 수직적 가격 유지(메이커가 제품 가격을 정하고 그 값 이하로는 팔지 않을 것을 소매점과 계약해 제품의 가격유지를 꾀하는 일).

vértical proliferátion *n.* 수직적 증대(핵 보유국들의 핵무기 보유량의 증대).

vértical stábilizer *n.* 〖美空〗 수직 안정판.

vértical tákeoff *n., a* 〖空〗 수직 이륙(의).

vértical thínking *n.* 수직적 사고(상식에 의거한 논리적인 사고법).

vertices *n.* VERTEX의 복수형.

ver·ti·cil [vә́ːrtәsìl] *n.* 〖動·植〗 윤생체(輪生體), 환생체(環生體). 〖L (dim.) 〈VERTEX〗

ver·tic·il·late [vә(ː)rtísәlèit, vә̀ːrtәsílәt], **-lat·ed** [vә(ː)rtísәlèitәd, vә̀ːrtәsíleitәd] *a.* 〖動·植〗 윤생의, 환생의.

ver·tig·i·nous [vә(ː)rtídʒәnәs] *a.* **1** 현기증 나는, 눈이 도는, 눈이 도는 것 같은 : a ~ height [speed] 현기증 나는 높이[속력]. **2** 선회하는, 빙빙 도는 ; 어지러운, 변하기 쉬운, 불안정한.
~·ly *adv.* **~·ness** *n.*

ver·ti·go [vә́ːrtigòu] *n.* (*pl.* **~es, ~s**) Ⓤ,Ⓒ 〖醫〗 어지러움, 현기증 ; (정신적) 혼란 ; (동물의) 선회(병(病)). 〖L *vertigin- vertigo* whirling ; ⇨ VERTEX〗

vér·ti·pòrt [vә́ːrtә-] *n.* 〖空〗 VTOL기 이착륙. 〖*vertical*+air*port*〗

Ver·ti·sol [vә́ːrtәsɔ̀(ː)l, -sòul, -sɑ̀l] *n.* 〖土壤〗 버티졸(습윤 기후와 건조 기후가 번갈아 나타나는 지역에서의 점토질 토양).

vertu ☞ VIRTU.

ver·vain [vә́ːrvein] *n.* 마편초속(屬)의 식물 ; (특히) 마편초. 〖OF＜L VERBENA〗

verve [vә́ːrv] *n.* Ⓤ (예술 작품에 나타난) 기백, 열정 ; (일반적으로) 활기, 힘, 기력, 열의 ; 《古》 재능. 〖F=form of expression＜L VERB〗

ver·vet [vә́ːrvәt] *n.* 〖動〗 (남아프리카산) 긴꼬리 원숭이의 일종. 〖F〗

◇very [véri]

> (1) 비교급의 형용사·부사는 much 또는 far로 수식한다 : He talked *much*[*far*] *more* carefully. (그는 전보다 훨씬 더 조심해서 말했다.)
> (2) 동사는 (very) much로 수식한다. very만 쓰는 것은 잘못이다 : Thank you *very much.* (정말 감사합니다.)
> (3) 현재분사형의 형용사는 very로 수식한다 : a *very amusing* story
> (4) 과거분사형의 형용사가 *attrib.* 으로 쓰인 경우에는 very로 수식할 수 있으나 동사의 수동으로서의 과거분사에는 much나 very much를 쓴다. 단 감정이나 심리 상태를 나타내는 동사의 과거분사의 경우, 회화에서는 very로 수식할 때가 많다 : I'm *very* disappointed at the result. (나는 그 결과에 몹시 실망했다) / English is (*very*) *much* used in many countries. (영어는 여러 나라에서 많이 쓰이고 있다) / We were all *very* (*much*) shocked by the news. (그 소식을 듣고 우리는 모두 충격을 받았다.)

── *adv.* **1** [원급의 부사·형용사의 정도를 강조하여] 몹시, 매우, 대단히, 굉장히(extremely) : a ~ little (time) 아주 짧은 (시간) / He walked ~ carefully. 매우 조심하여 걸었다 / That's ~ easy matter for me. 그런 일은 나에게 아주 쉬운 일이다.
2 [부정구문에서] 그다지[그렇게] (…은 아니고) : *not* of ~ much use 그다지 유용치 않은 / This is *not* a ~ good bit of work. 그다지 좋은 작품은 아니다.
3 [형용사의 최상급 또는 your[my, *etc.*] own 따위에 붙어서 강조적으로] 충분히, 아주, 참으로(truly) : Do your ~ *best.* 최선을 다하라 / *my* [*your, his*] ~ *own* 나[너, 그]자신만의 것 / It is the ~ *last* thing I expected. 전혀 기대할 수조차 없는 일이다 / They used the ~ *same* words as I had. 나와 아주 똑같은 말을 썼다.
Very fine ! 아주 좋소 ! ; [때때로 반어(反語)적으로] 잘한다 !
Very good. 그래 그래, 좋아, 알았어(cf. VERY *well.*) : *V*~ *good,* sir[ma'am]. 알았습니다, 선생님[부인].
Very well. =VERY *good.* 㽕 때때로 반어적으로 씀 : Oh, ~ *well,* if you like it that way. 네가 그렇게 하고 싶다면 좋다(별 수 없지).

> 〈회화〉
> Is the job difficult? — Not *very,* but it's boring. 「일이 힘드니」「별로요. 그런데 지루해요」

── *attrib. a.* (**vér·i·er ; -i·est**) **1 a**) 참된, 정말의, 실제의 : the ~ god 참된 신 / the *veriest* scoundrel 극악한 사람 / in ~ truth 정말로, 실제로 / He has shown himself a ~ knave. 정말로 악당의 본성을 드러냈다. **b**) 문자 그대로의, 틀림없는, …에 다름없는(exact) : For ~ pity's sake. 제발 불쌍히 여기어 / The Nile is the ~ life of Egypt. 나일 강은 곧 이집트의 생명이다. **2** [the, this, that 또는 소유 대명사를 수반하여 강조적으로] **a**) 바로 그(같은), 꼭 그러한, …에 틀림없는(selfsame) : *the* ~ thing I was looking for 내가 찾고 있던 바로 그것 / *the* ~ thing for you 바로 네게 안성맞춤인 것 / to *the* ~ bone 뼛속까지 / under *your* ~ eyes 바로 네 눈 앞에서 / *this* ~ day 바로 오늘 / *this* ~ minute 바로 지금 / be caught in *the* ~ act 현장에서 붙잡히다 / He is *the* ~ picture of his father. 아버지를 꼭 닮았다 / *The* ~ fact of your hesitating proves it. 네가 주저하는 것이 바로 그 증거다. **b**) …조차도 : *the* ~ rats(=even the rats) 쥐까지도 / *The* ~ idea of it is disgusting. 그것은 생각만 해도 기분이 나쁘다 / *The* ~ stones cry out. (무심한) 돌조차도 소리지른다, 「귀신도 운다」. 〖OF *verai*＜L *verus* true〗
[類義語] ⟹ SAME.

véry hìgh fréquency *n.* 〖通信·컴퓨〗 초단파(超短波)(略 V.H.F., VHF, v.h.f., vhf).

véry lárge scàle integrátion *n.* 〖電子〗 초고밀도 집적 회로(略 VLSI).

Véry lìght [véri-, víәri-] *n.* 베리 신호광(Very pistol에서 발사하는 색채 섬광). 〖Edward W. *Very* (d. 1910) 미국의 해군 장교로서 고안자〗

véry lòw fréquency *n.* 〔通信〕 초장파《3-30 kilohertz ; 略 V.L.F., VLF, v.l.f., vlf》.

véry lòw témperature *n.* 〔理〕 극저온(極低溫)《절대 영도(−273.15℃)에 가까운 온도》.

Véry pìstol *n.* 베리 신호용 권총.

Véry sìgnals *n. pl.* 베리 신호《Very light에 의한 야간용 신호》.

ves. vessel ; vestry.

ve·si·ca [vəsíːkə, -sái-, vésikə] *n.* (*pl.* **-cae** [vesíːkai, -sáikiː, -sáisiː, vésəkìː, -əkài, -əsài]) 〔解〕 낭(囊), (특히) 방광(膀胱) ; 포(胞) ; (물고기의) 부레 ; 〔植〕 소낭(小囊), 소포(小胞) ; = VESICA PISCIS. **ves·i·cal** [vésikəl] *a.* 〔解〕 낭의, (특히) 방광의. 〖L=bladder〗

ves·i·cant [vésikənt] *n.* 〔醫〕 발포제(發疱劑) ; 〔軍〕 미란성(糜爛性) 독가스.
— *a.* 〔醫〕 수포(水疱)가 생기는 ; 발포(發疱)시키는.

vesíca pís·cis [-pískəs, -písəs, -páisəs, -píːsəs] *n.* (중세 건축·그림에 나타난 성자상(聖者像)을 에워싼) 양끝이 뾰족한 타원형의 후광 또는 윤곽.

ves·i·cate [vésəkèit] *vt., vi.* 〔醫〕 발포(發疱)시키다[하다].

ves·i·ca·tion [vèsəkéiʃən] *n.* U,C 〔醫〕 발포(發疱) ; 발포진(疹).

ves·i·ca·to·ry [vésikətɔ̀ːri ; -kèitəri] *n., a.* = VESICANT.

ves·i·cle [vésikəl] *n.* 〔解〕 소낭(小囊), 소포(小胞) ; 〔醫〕 소수포(小水疱) (blister) ; 〔動·植〕 소공포(小空胞), 기포(氣胞), 액포(液胞).
〖OF or L (dim.) ‹ VESICA〗

ves·i·co- [vésikou, -kə] *comb. form* 「방광」의 뜻. 〖L〗

ve·sic·u·lar [vəsíkjələr] *a.* 소포[소낭](성)의, 소포[기공]가 있는, 소포로 이루어진 ; 소포[소낭(小囊)] 모양의 ; 〔醫〕 (폐의) 소포[기포]의.
~·ly *adv.* **ve·sìc·u·lár·i·ty** [-lǽr-] *n.*
〖VESICLE〗

ve·sic·u·late [vəsíkjələt, -lèit] *a.* 소낭(小囊)이 있는[으로 덮인] ; 소낭[소포]성의.
— *v.* [-lèit] *vi.* (…에) 소낭이[소포가] 생기다.
— *vt.* …에 소낭을[소포를] 생기게 하다.
ve·sìc·u·lá·tion *n.*

ves·per [véspər] *n.* **1** 《古·詩》 해질 무렵, 저녁 ; [V~] 개밥바라기 (evening star, Hesperus) (cf. PHOSPHOR). **2** [*pl.* ; 단수·복수 취급] 〔宗〕 저녁 기도, 저녁 예배 (evensong) (cf. MAGNIFICAT, MATINS) ; 저녁 기도의 시각. **3** =VESPER BELL. — *a.* 저녁의 ; 저녁 기도의.
〖L=evening (star)〗

vésper·al *n.* 〔基〕 **1** 저녁 공과집. **2** (제단보 위에 덮는) 먼지막이 커버.
— *a.* 저녁의, 해질녘의 ; 저녁 기도의 ; 〔動〕 땅거미 질 때에 나타나는[활동하는].

vésper bèll *n.* 저녁 기도의 종.

ves·per·tine [véspərtàin, -tən] *a.* 저녁의, 해질 무렵의, 저녁 때 일어나는 ; 〔植〕 저녁 때 피는 ; 〔動〕 저녁 때 날아다니는[나타나는] ; 〔天〕 일몰시에 사라지는《별》. 〖L ; ⇨ VESPER〗

ves·pi·ary [véspièri ; -əri] *n.* 말벌의 집 ; (하나의 말벌 집 속의) 말벌의 떼[집단].
〖*apiary*에 준하여<L *vesp* wasp〗

ves·pid [véspəd] *a., n.* 〔昆〕 말벌과의 ; 말벌.

ves·pine [véspain, -pən] *a.* 말벌의.

Ves·puc·ci [vespjúːtʃi] *n.* 베스푸치. **Amerigo ~** (1454-1512) 이탈리아의 항해자·탐험가 ; 세 번 아메리카 대륙에 항해함 ; 지명 America는 그의 라틴어명 Americus에서 유래함.

***ves·sel** [vésəl] *n.* **1** 용기, 그릇《주전자·단지·사발·병·냄비·접시 따위》: Empty *~s* make the most sound. 《속담》 빈 그릇이 소리가 요란하다. **2** (보통 boat보다 대형의) 배 (cf. SHIP) : a merchant ~ 상선 / a sailing ~ 범선 / a war ~ 군함. **3** 〔解·植〕 물관, 맥관, 관 : a blood ~ 혈관. **4** 〔聖〕 사람, 그릇 : a chosen ~ 〔聖〕 택한 그릇[사람]《사도행전 9 : 15》/ the weaker ~ 〔聖〕 더 연약한 그릇《여성 ; 베드로전서 3 : 7》/ the *~s* of wrath 〔聖〕 진노의 그릇《신의 노여움을 받을 사람들 ; 로마서 9 : 22》/ a weak ~ 약한 그릇, 믿을 수 없는 사람.
vés·sel(l)ed *a.* **~·fùl** *n.*
〖AF<L (dim.) ‹ VAS〗

vest** [vést] *n.* **1** 《주로 美》 조끼《《英》에서는 상용어(商用語), 일반어는 waistcoat》. **2** 《英》 속옷, 셔츠(underwear) ; 《英》 (여성·어린이용의) 메리야스. **3** (여성복의) 앞장식《목 부근이 보통 V자형》. **4** 《古》 겉옷 ; 의복, 제의(祭衣). — *vt.* **1** [+目+前+名] (권리를 …에게) 주다, 부여하다 ; 귀속시키다 : ~ a person ***with authority = ~ authority ***in*** a person 남에게 권한을 부여하다 / In Korea authority is *~ed in* the people. 대한민국의 주권은 국민에게 있다 / The board of directors is *~ed with* the power to regulate production. 중역회는 생산을 조정할 권한을 부여받고 있다. **2** 《古·詩》 …에게 의복을 입히다 (clothe) ; …에게 제의(祭衣)를 입히다. — *vi.* **1** [+*in*+名] (권리·재산 따위가) 속하다, 귀속되다, (…의) 것이 되다 : Formerly the right of inheritance *~ed* ***in*** the eldest son. 예전에는 (부동산) 상속권이 장남에게 귀속되었다. **2** 옷을 입다, (특히) 제복(祭服)을 입다.
~·less *a.*
〖F<It.<L *vestis* garment〗

Ves·ta [véstə] *n.* **1** 〔로神〕 베스타《불과 노(爐)의 여신 ; 〔그神〕의 Hestia에 해당함》. **2** C [v~] 〔商〕 짧은 밀랍 성냥. **3** 〔天〕 (화성과 목성 중간의) 작은 행성 중의 하나.

ves·tal [véstl] *n.* =VESTAL VIRGIN.
— *a.* Vesta 여신의[에게 바친] ; 처녀의, 정결[순결]한. **~·ly** *adv.*

véstal vírgin *n.* Vesta 여신에게 봉사하는 처녀, 신녀《여신의 제단에 꺼지지 않고 타오르는 성화를 지킨 여섯 명의 처녀 중의 하나》; 《비유》 처녀, 순결한 여성 ; 수녀, 여승(nun).

vést·ed *a.* **1** 〔法〕 (권리 따위) 누구의 소유라고 결정한, 부여된, 확정된, 기득의. **2** 겉옷을 입은, (특히) 제의(祭衣)를 입은.

vésted ínterest *n.* **1** 〔法〕 기득권, 확정적 권리 (vested right) ; 기득권자 ; (경제·사회·정치적으로) 현존 체제에서 받는 수익[혜택]. **2** (피고용자의) 연금 수급권(受給權). **3** [*pl.*] 현존 체제의 수익 계층[단체]《국가 경제를 좌우하는 기업가 (그룹) 따위》.

vésted ríght *n.* 〔法〕 기득권, 확정적 권리.

vest·ee [vestíː] *n.* 베스티《여성복의 앞장식의 일종(一種)》.

ves·ti·ary [véstièri ; -əri] *a.* 의복의 ; 제의(祭衣)의, 법의(法衣)의. — *n.* 의류 보관실[상자] ; 의복 ; (특히) 제의[법의] 한 벌.

ves·tib·u·lar [vestíbjələr] *a.* **1** 현관(玄關)의, 문간방의. **2** 〔解〕 전정(前庭)[전방(前房)·전실(前室)]의.

ves·ti·bule [véstəbjùːl] *n.* **1** 현관, 문간방, 홀, 대청방 ; (교회 따위의) 포치(porch)《차대는 곳》.

V

2 〔美鐵〕 연랑(連廊)《객차의 앞뒤에 있는 출입용의 작은 방으로 앞뒤 객차의 연락 통로가 됨 ; cf. VESTIBULE TRAIN》. 3 〔解〕 전정(前庭), (내이(內耳)의) 미로(迷路) 전정. ── *vt.* 《美》 (열차에) 연랑을 접속시키다.
〖F or L=entrance court〗

ves·ti·bu·lec·to·my [vèstəbju:léktəmi] *n.* 〔醫〕 전정(前庭) 절제(술).

véstibule làtch *n.* 서양식 현관문의 자물쇠 장치《밖에서는 열쇠로 열고 안에서는 손잡이만 돌려도 열림》.

véstibule schòol *n.* 《美》 (공장의) 신입 공원[사원] 양성소[훈련소], 연수원.

véstibule tràin *n.* 《美》 연랑(連廊)열차(=《英》 corridor train).

ves·tige [véstidʒ] *n.* **1** 흔적, 자취, (옛)모습, 남은 자취, 표, 형적, 유적, 증거 ; 〔生〕 흔적(기관), 퇴화 기관 : These fragments of wall in London are ~*s of* the Roman occupation. 이러한 런던에 남아 있는 성벽의 단편들은 로마 사람들이 점령했던 사실을 보여주는 흔적들이다. **2** [보통 부정어를 수반하여] 아주 조금(도 …않다) : He has *not* a ~ of discretion in him. 그는 전혀 털끝만치의 분별도 없다.
〖F<L VESTIGIUM〗
類義語 ⟹ TRACE.

ves·tig·i·al [vestídʒiəl] *a.* 흔적의, 남은 자취의 ; 〔生〕 퇴화된 : a ~ organ 퇴화 기관. **~·ly** *adv.*

ves·tig·i·um [vestídʒiəm] *n.* (*pl.* **-ia** [-iə]) 〔解〕 흔적(기관) (vestige).
〖L=footprint〗

vést·ing *n.* 양복 조끼용 천 ; (정년 전 퇴직자의) 연금 수령권 (부여).

vésting dày *n.* (재산 따위의) 귀속 확정일.

ves·ti·ture [véstətʃər] *n.* 수여, 부여 ; 의복, 의류 ; (의복처럼 표면을 덮은) 비늘, 털《따위》.

vest·ment [vés*t*mənt] *n.* **1** [*pl.*] 의복, 의상 (garment) ; (특히) 식복(式服), 예복. **2** 〔宗〕 법의(法衣), 제의(祭衣)《일반적으로 성직자·성가대원이 예배때에 입는 cassock, stole, surplice 따위》 ; =CHASUBLE. **3** 《비유》 덮는 것.
~·al *a.* 〖OF<L ; ⇒ VEST〗

vést-pòcket *a.* 《美》 **1** 회중용의, 아주 소형의 : a ~ camera 포켓용[소형] 카메라 / a ~ edition (책의) 포켓판. **2** 아주 소규모의 : a ~ park 시내에 있는 작은 공원.

vést-pòcket lísting *n.* 부동산업자가 부동산 매물을 업자간의 공개 시스템에 내놓지 않고 자기 손에 쥐고 있는 것.

ves·try [véstri] *n.* **1** (교회의) 성구실(聖具室)《제의·성찬용 기물을 보관하고 또 교구 사무를 집행함》. **2** (비국교 교회의) 교회 부속실, 예배실《사무실·기도실·주일 학교 교실용》. **3** 《英》 교구회 ; 교구민 대표자회, 특별교구회 ; 〔美聖公會〕 교구위원회. 〖AF<L ; ⇒ VEST〗

véstry clèrk *n.* 《英》 교구회 서기.

véstry·man [-mən] *n.* 교구민(대표).

ves·ture [véstʃər] *n.* U,C 《古·文語》 의복, 의류 ; 옷 (한 벌) ; 《古·文語》 덮는 것(covering).
── *vt.* 《古·文語》 …에게 의복을 입히다 (clothe) ; 감싸다. 〖OF<L ; ⇒ VEST〗

Ve·su·vi·an [vəsú:viən] *a.* Vesuvius 화산의[같은] ; 화산(성)의. ── *n.* [v~] =VESUVIANITE.

vesúvian·ìte *n.* 〔鑛〕 베수비아나이트《Vesuvius 화산에서 많이 나는 갈색 또는 초록색 광물》.

Ve·su·vi·us [vəsú:viəs] *n.* [Mount ~] 베수비오 산(山) (It. **Ve·su·vio** [veizú:vjou]) 《이탈리아 남부 나폴리만 근처의 활화산》.

vet[1] [vét] *n.* 《口》 수의사(獸醫師). ── *v.* (**-tt-**) *vt.* (동물을) 진료하다 ; 《戱》 (사람을) 진찰하다, 치료하다 ; (일반적으로) 면밀히 조사하다, 점검하다. ── *vi.* 수의사(의 일)을 하다.

vet[2] *n., a.* 《美口》 =VETERAN.

vet. veteran ; veterinarian ; veterinary.

vetch [vétʃ] *n.* 〔植〕 살갈퀴덩굴《완두속(屬)의 식물》. 〖AF<L *vicia*〗

vétch·ling *n.* 〔植〕 연리초속의 각종 풀[화초].

veter. veterinarian ; veterinary.

***vet·er·an** [vétərən] *n.* **1** 노련한 사람, 고참, 베테랑, (특히) 노병(老兵). **2** 《美》 퇴역[재향]군인 (=《英》 ex-serviceman). ── *attrib. a.* 노련한, 익숙한 ; 전투 경험이 있는 ; 장기에 걸친 ; 오래 사용한 : ~ troops 역전의 정예 부대 / a ~ golfer [lawyer, politician] 노련한 골퍼[변호사, 정치가] / ~ service 장기 근속.
〖F or L (*veter- vetus* old)〗

véteran càr *n.* 《英》 베테랑 카《1916년 또는 1905년 이전에 만들어진 클래식 카》.

Véterans Administràtion *n.* [the ~] 《美》 재향 군인 원호국《略 VA, V.A.》.

Véterans(') Dày *n.* 《美·Can.》 재향 군인의 날 《11월 11일 ; cf. ARMISTICE DAY》.

vet·er·i·nar·i·an [vètərənéəriən, -nǽər-] *n.* 수의사(獸醫師).

vet·er·i·nary [vétərənèri ; -nəri] *a.* 가축병 치료의 ; 수의사의 : a ~ hospital 가축병원 / ~ science[medicine] 수의학 / a ~ school[college] 수의 학교. ── *n.* 수의사.
〖L (*veterinae* cattle)〗

véterinary súrgeon *n.* 《英》 =VETERINARIAN.

***ve·to** [ví:tou] *n.* (*pl.* **~es**) **1 a)** U,C 거부권(=∼ **pòwer**)《군주·대통령·지사·상원 등이 법률안에 대해서 가짐 ; 또 유엔 안전 보장 이사회에서 상임 이사국에 주어지고 있음》. **b)** U,C 부재가(不裁可), 거부(권의 행사). **c)** 《美》 거부 교서(教書)[통고서](=∼ **mèssage**). **2** U,C 금지(권), 금제(禁制).
put*[*set*] *a*[one's] *veto on …에 거부권을 행사하다, …을 거부하다.
── *vt.* (제안·의안 따위를) 거부하다 ; (행위 따위를) 못하게 하다, 엄금하다, 금지하다 : The teacher ~*ed* their use of a crib. 선생님은 그들에게 자습서의 사용을 금했다. 〖L=I forbid〗

véto·er *n.* 거부(권 행사)자 ; 금지자.

véto-pròof *a.* (법안·의회 따위) 거부권 행사에 대항할 수 있는.

vex** [véks] *vt.* **1** 성가시게 굴다, 짜증나게 하다, 화나게 하다 ; 괴롭히다, …의 마음을 어지럽히다 : She was much ~*ed* by her son's behavior. 그녀는 아들의 행실 때문에 몹시 마음이 괴로웠다. 주 때때로 *p.p.*로 형용사적으로 쓰임 [+前+名 / +*to* do / +*that* 節] : I am ~*ed* ***with him [***at*** his idleness]. 나는 그에게[그의 게으름 때문에] 화가 난다 / He was ~*ed to* hear the bad news. 그는 그 흉보를 듣고 심란해졌다 / I was ~*ed that* I couldn't solve the problem. 나는 문제가 풀리지 않아 짜증이 났다. **2** (문제를) 격렬하게 논하다(cf. VEXED *a.* 2). **3** 《詩》 (바다 따위를) 소란스럽게 하다(stir up). **~·er** *n.*
〖OF<L *vexo* to shake, afflict〗
類義語 ⟹ ANNOY.

vex·a·tion [vekséiʃən] *n.* **1** U 심통(心痛), 애석함, 애탐 : to my ~ 분하게도 / in ~ of spirit [mind] 속이 상하여, 마음이 아파서. **2** 괴로움[번

V

뇌]의 원인, 속상하는 일, 뜻대로 안되는 일 : the little ~*s* of life 뜻대로 안되는 인생의 자질구레한 일.

vex·a·tious [vekséiʃəs] *a.* 짜증나는, 애타는, 화나는, 분한(annoying) : Moving house is a ~ business. 이사는 성가신 일이다.
~·ly *adv.* **~·ness** *n.*

vexed [vékst] *a.* **1** 안달난, 난처한, 성난, 약오르는 : ☞ VEX 1 ㊟. **2** 분분하게 논의되는 : a ~ question 말썽 많은[의논이 분분한] 문제.
vex·ed·ness [véksədnəs, -stnəs] *n.*

vex·ed·ly [véksədli, -stli] *adv.* 성이 나서, 화를 내어.

vex·il·lary [véksəlèri ; -ləri] *n.* (고대 로마 군대에서) 기수 ; 최고참병. ── *a.* vexillum의.

vex·il·lol·o·gy [vèksəlálədʒi] *n.* 기학(旗學)《기의 의장(意匠)·역사 따위의 연구》.

vex·il·lum [veksíləm] *n.* (*pl.* **-la** [-lə]) 〖古로〗 (고대 로마의) 군기(를 받드는 부대) ; 〖植〗 기판(旗瓣) ; (새깃털의) 깃판.
〚L (*vect- veho* to carry)〛

véx·ing *a.* 애태우는, 속상하는, 짜증나게 구는, 부아가 나는 ; 귀찮은(troublesome) : How ~! 아이 속상해!

VF video frequency ; voice frequency. **V.F.** very fair[fine](일기 맑고 쾌청함) ; Vicar Forane ; visual field. **VFD** Volunteer Fire Department. **VFO** 〖電子〗 variable frequency oscillator(가변 주파수 발진기(發振器)). **VFR** 〖空〗 visual flight rules(유시계(有視界) 비행 규칙). **VFW, V.F.W.** 《美》 Veterans of Foreign Wars (해외 종군 군인회). **v.g.** very good ; *verbi gratia* 《L》(=for example). **V.G.** very good ; Vicar-General.

V gene [ví: ≐] *n.* 〖遺〗 V 유전자《면역 globulin의 가변(可變) 부분을 지배하는 유전자》.

V-girl [ví:≐] *n.* 《美俗》 **1** =VICTORY GIRL. **2** [*v*enereal disease] 성병이 있는 여자.

VHDL 〖生化〗 very high density lipoprotein(초고밀도 리포 단백질). **VHF, V.H.F., vhf, v.h.f.** 〖通信〗 very high frequency(초단파). **VHLL** 〖컴퓨〗 very high level language(초고급 언어). **VHSIC** very high speed integrated circuit(초고속 집적회로). **v.i.** verb intransitive ; *vide infra* 《L》(=see below). **Vi** 〖化〗 virginium. **VI** 〖美郵〗 Virgin Islands. **V.I.** Vancouver Island ; Virgin Islands ; volume indicator.

***via** [váiə, 美+ví:ə] *prep.* **1** 《英》 …을 거쳐서, …을 경유하여(by way of) : He flew to Europe ~ the North Pole. 비행기 편으로 북극을 경유하여 유럽에 갔다. **2** 《주로 美口》 (차 따위)를 이용하여(by means of) : ~ air mail 《美》 항공편으로 (=《英》 by air mail)《항공 우편물에 붙이는 표시》. 〚L (abl.) 〈 *via* way〛

vi·a·bil·i·ty [vàiəbíləti] *n.* Ⓤ 생존 능력, 생활력, (특히 태아·신생아의) 발육력 ; 존립의 가능성, (실행) 가능성.

vi·a·ble [váiəbəl] *a.* (태아·신생아가) 생존[발육]할 수 있는 ; (계획 따위) 존립할 수 있는, 실행 가능한 ; (국가로서) 독립[존속] 가능한.
-bly *adv.* 〚F (*vie* life〈L *vita*)〛

Vía Do·lo·ró·sa [-dàlәróusə, -dòu-] *n.* **1** 비아 돌로로사《예수가 십자가를 지고 처형지 Golgotha까지 걸어간 길》. **2** [v~ d~] 고난의 길, 쓰라린 경험의 연속.
〚L=sorrowful road〛

via·duct [váiədʌ̀kt] *n.* 육교, 고가교(高架橋)[도로]. 〚L *via* way ; *aqueduct*에 준한 것〛

vi·al [váiəl] *n.* 유리병 ; 물약병.
pour out the vials of one's ***wrath on...*** 《口》 …에게 화풀이하다.
── *vt.* (**-ll-** | **-l-**) …을 유리병에 넣다[넣어 보존하다]. 〚*fiole* PHIAL〛

vía mé·dia [-mí:diə, -méi-] *n.* 중용(中庸), 중도《특히 카톨릭과 신교의 중간에 있는 영국 국교》.
〚L=middle way〛

vi·and [váiənd] *n.* 식품 ; [*pl.*] 음식물, 식료품 (food), (특히) 진수성찬.
〚OF〈L (*vivo* to live)〛

vi·at·i·cum [vaiǽtikəm, viǽt-] *n.* (*pl.* **-ca** [-kə], **~s**) 여비, 공무 여행용 급여 ; 여행용 양식 ; 〖基〗 노자 성체(路資聖體) 《임종의 성찬》 ; 이동 제단(祭壇).
〚L=money for journey (*via* way)〛

vibes [váibz] *n. pl.* **1** 《口》 =VIBRATION 3. **2** [보통 단수취급] 《口》 =VIBRAPHONE. **víb·ist** *n.* vibraphone 연주자.

vib·gyor [víbgjɔ:r] *n.* 무지개의 일곱 가지색을 기억하기 위한 말. 〚*v*iolet, *i*ndigo, *b*lue, *g*reen, *y*ellow, *o*range, and *r*ed〛

ví·bra·hàrp [váibrə-] *n.* 《美》 =VIBRAPHONE.
~·ist *n.*

vi·bran·cy, -brance [váibrəns(i)] *n.* 진동, 울려퍼짐, 반향 ; 맥이 뜀, 활기.

ví·brant *a.* **1** 떠는, 진동하는 ; (음·소리가) 떨리는, 울려퍼지는. **2 a)** (생기 따위로) 약동하는 : a city ~ *with* life 활기 넘치는 도시. **b)** 활기에 찬. **c)** 힘찬 ; 스릴이 있는.
── *n.* 〖音聲〗 유성음.
~·ly *adv.*

vi·bra·phone [váibrəfòun] *n.* 〖樂〗 비브라폰 《marimba와 비슷한 악기》.
-phòn·ist *n.* vibraphone 연주가.

vi·brate** [váibreit ; -≐] *vi.* **1** 흔들리다, (진자(振子)처럼) 진동(振動)하다 : Strings ~ when struck. 현(絃)을 치면 진동한다 / Their house ~*d* whenever a heavy vehicle passed outside. 그들 집은 무거운 차가 밖을 지나갈 때마다 진동했다. **2** [動/+前+名] (소리가) 떨리다 ; (음향이) 반향하다 : Her voice ~*d* ***with enthusiasm. 그녀는 감격하여 목소리가 떨렸다 / The shriek still ~*s* ***in*** my ears. 비명 소리가 아직도 귀에 쟁쟁하다. **3** [+前+名] (마음이) 흔들리다, (가슴이) 두근거리다(thrill) : He ~*d* ***with*** rage. 분노로 가슴이 떨렸다 / My heart ~*d* ***to*** the rousing music. 나의 마음은 그 생기 넘치는 음악을 듣고 뒤흔들렸다. **4** 《稀》 (어느 쪽을 택할 것인가) 망설이다(waver). ── *vt.* **1** 진동시키다 ; 뒤흔들다. **2** 흔들어 나타내다 : They listened to the pendulum *vibrating* the seconds. 그들은 추가 좌우로 흔들리며 초를 알리는 것을 들었다. **3** (소리·빛 따위를) 발하다.
〚L *vibro* to shake〛

ví·brat·ed cóncrete *n.* 〖建〗 진동식 콘크리트 《다져넣을 때 진동시켜서 강도를 높인 것》.

vi·bra·tile [váibrətail, -tl] *a.* 진동하는, 진동성의. **vì·bra·tíl·i·ty** [-tíl-] *n.* 진동(성).

***vi·bra·tion** [vaibréiʃən] *n.* **1** Ⓤ,Ⓒ 진동함[시킴], 떨림, 진동(震動) ; 마음의 동요, 전율, 가슴이 뜀. **2** Ⓤ,Ⓒ 〖理〗 (진동자(振動子)의) 진동(振動) (cf. OSCILLATION) : amplitude of ~ 〖理〗 진폭(振幅). **3** [*pl.*] 《口》 (상대방의 생각이나 주위 환경에서 받는) 느낌, 분위기 ; (사람·사물에서 발산

된다고 느껴지는) 정신적 전파, 감정적 반응 작용 : I got good ~*s* from him. 나는 그에게서 좋은 느낌을 받았다.
~·al *a.* **~·less** *a.*

vibrátion-pròof *a.* 진동 방지의, 진동에 견디는.

vi·bra·tive [váibrətiv ; vaibréi-] *a.* =VIBRATORY.

vi·bra·to [vibrɑ́:tou] *n.* (*pl.* **~s**) 〖樂〗 비브라토, 진동(음) (cf. TREMOLO).
〖It. (p.p.) ‹ VIBRATE〗

vi·bra·tor [váibreitər ; -⌐-] *n.* 진동하는[시키는] 것 ; 〖電〗 진동기 ; 〖樂〗 (오르간의 황관(黃管)의) 혀[리드] ; 〖印〗 진동 롤러.

vi·bra·to·ry [váibrətɔ̀:ri ; -təri] *a.* 진동시키는 ; 진동하는 ; 진동(성)의, 떨리는.

vib·rio [víbriòu] *n.* (*pl.* **-ri·òs**) 〖菌〗 비브리오속(屬)의 각종 세균《콜레라균을 포함》.
〖NL (L VIBRATE)〗

víbrio·cìdal *a.* 비브리오균을 죽이는, 살(殺)비브리오균의.

vi·bro- [váibrou, -brə] *comb. form* 「진동」의 뜻.
〖L〗

víbro·gràph *n.* 〖理〗 진동계.

vi·bron·ic [vaibrɑ́nik] *a.* 〖理〗 바이브로닉한, 전자진동의, 전자(電子)상태와 진동상태가 결합된.
〖*vibr*ation+electr*onic*〗

víbro·scòpe *n.* =VIBROGRAPH.

vi·bur·num [vaibə́:rnəm] *n.* 〖植〗 가막살나무속(屬)의 식물 ; 그 껍질《약용》. 〖L〗

vic[1] [vík] *n.* 〖英空軍〗 V자형 편대 (비행).

vic[2] *n.* 《美俗》 죄인, 죄수(convict).

Vic *n.* 남자 이름(cf. VICTOR).

Vic. Victoria ; Victorian. **vic.** vicar(age) ; vicinity.

vic·ar [víkər] *n.* **1** 〖英國教〗 교구 목사《원래 교구 수입(☞ TITHE)의 1/10 또는 소액의 봉급을 받음 ; cf. RECTOR》; 《美》 (감독 교회의) 회당 목사, 전도 목사 ; 〖카톨릭〗 교황[주교] 대리. **2** (일반적으로) (종교상의) 대리(deputy).
~·shìp *n.* Ⓤ vicar의 직[지위, 임기].
〖AF<L *vicarius* substitute ; ⇨ VICE[4]〗

vícar·age *n.* vicar의 주택[성직록, 직], 목사관(館) (cf. RECTORY).

vícar apostólic *n.* (*pl.* **vícars apostólic**) 〖카톨릭〗 대목(代牧)《주교(主教) 자리(see)가 없는 포교지 따위에서 사교권을 대행함》.

vícar chóral *n.* (*pl.* **vícars chóral**) 〖英國教〗 (대성당의) 성가 조수《기도서의 일부를 노래함》.

vícar fo·ráne [-fɔ:réin] *n.* (*pl.* **vícars foráne**) 〖카톨릭〗 지방 주교 대리.

vícar-géneral *n.* (*pl.* **vícars-géneral**) 〖英國教〗 (대)주교 대리 《사법·행정을 대행하는 속인(俗人)》; 〖카톨릭〗 주교 총대리.

vi·car·i·al [vaikéəriəl, və-, -kǽər-] *a.* vicar의, vicar의 직에 있는, 대리의.

vi·car·i·ance [vaikéəriəns, və-, -kǽər-] *n.* 〖生態〗 분단 분포(分斷分布)《지각 변동에 의하여 생긴 산맥·해양 따위의 장벽에 의해 자매종(種)의 생물 분포가 지리적으로 분리되는 일》.

vi·car·i·ate [vaikéəriət, və-, -kǽər-, -èit] *n.* **1** Ⓤ vicar의 직[권한]. **2** vicar의 관할 구역.

vi·car·i·ous [vaikéəriəs, və-, -kǽər-] *a.* **1** 대리직의, 대리를 하는, 대명(代名)의 : ~ authority [power] 대리 직권[권능]. **2** 대신 받는, 남을 대신한, 대행의 : ~ experience (상상에 의해서 맛보는) 대행 경험 / ~ punishment 남을 대신하여 받는 형벌 / the ~ sufferings[sacrifice] of Christ 〖宗〗 그리스도가 죄인 대신 받은 수난[희생]. **3** 〖醫〗 대용[대상(代償)]의 : ~ hemorrhage (출혈을 일으킬 만한 기관 이외의 것에서의) 대상 출혈. **~·ly** *adv.* 대리로서 ; 대리로, 대신하여, 대행적으로 ; 상상에 의하여. **~·ness** *n.*
〖L ; ⇨ VICAR〗

vícar of Bráy [-bréi] *n.* 기회주의적 변절자.
〖16세기 잉글랜드 Berkshire의 Bray 마을의 목사가 왕실의 신앙이 바뀔 때마다 종지(宗旨)를 바꾸어 지위를 보존하였다는 속요(俗謠) 'The *Vicar of Bray*'에서〗

Vícar of (Jésus) Chríst *n.* [the ~] 〖카톨릭〗 그리스도의 대리자《로마 교황》.

***vice**[1] [váis] *n.* **1** Ⓤ,Ⓒ (일반적으로) 악, 악덕, 부도덕, 비행(cf. CRIME, SIN) ; 타락 행위, 악습, 나쁜 버릇 ; 매춘 : virtue and ~ 미덕과 악덕 / Drunkenness is a ~. 상습적인 음주는 악덕이다 / a city sunk in[free from] ~ 타락한[악습이 없는] 도시. **2** Ⓤ,Ⓒ (제도·성격·체질 따위의) 결함, 약점, 미비(defect) ; 《廢》 육체적 결함 : the ~*s of* our social system 우리 사회 제도의 결함. **3** Ⓤ,Ⓒ (말·개 따위의) 나쁜 버릇 : ~ *in* a horse 말의 나쁜 버릇. **4** [the V~] 〖史〗 영국의 교훈극의 악역.
~·less *a.* 악덕[결함]이 없는.
〖OF<L *vitium*〗
類義語 ⟹ SIN.

vice[2] ☞ VISE.

vice[3] [váis] *n.* 《口》 「부(副)」의 지위에 있는 사람 《vice president 등》. ── *attrib. a.* 대리의 ; 부(副)의, 차석의. 〖↓〗

vi·ce[4] [váisi] *prep.* …대신에[대리로서], …에 대신하여.
〖L (abl.) ‹ *vic- vix* change〗

vice- [váis] *pref.* [관직·관등을 나타내는 명사에 붙여서] 「부…」「대리…」「차(次)…」의 뜻 : a *vice*-agent 부대리인. 〖L〗

více ádmiral *n.* 해군 중장.
více ádmiralty *n.* 해군 중장의 직(職)[지위, 임기].

více-ádmiralty còurt *n.* 《英》 (식민지의) 부해사(副海事) 재판소.

více-cháirman *n.* 부의장, 부회장, 부위원장.
~·shìp *n.* Ⓤ vice-chairman의 직[지위, 임기].

více-chámberlain *n.* 《英》 부시종(副侍從), 내대신(內大臣) ; 부관.

více-cháncellor *n.* 대학 부총장(cf. CHANCELLOR 4) ; 《英》 부대법관(cf. CHANCELLOR 숙어).
~·shìp *n.* Ⓤ vice-chancellor의 직[지위, 임기].

více-cónsul *n.* 부영사. **více-cónsular** *a.* 부영사의. **~·shìp** *n.* Ⓤ 부영사의 직[지위, 임기].

více-cónsulate *n.* Ⓤ 부영사의 직[지위, 임기] ; Ⓒ 부영사관.

vice·ge·ral [vàisdʒíərəl] *a.* 대관(代官)(직)의 ; 대리(인)의, 대리직의.

vice·ge·ren·cy [vàisdʒíərənsi, 英+-dʒér-] *n.* Ⓤ,Ⓒ 대리인의 직[지위, 관할 구역].

vice·ge·rent [vàisdʒíərənt, 英+-dʒér-] *n.* 대리인 : God's ~ 신의 대리인《로마 교황》. ── *a.* 대리인의 ; 대리 권한을 행사하는.
〖L (*gero* to carry on)〗

více-góvernor *n.* 부총독 ; 부총재, 부지사.
~·shìp *n.* Ⓤ vice-governor의 직[지위, 임기].

více-hùnter *n.* 《美》 하층 사회 연구자.

více-kíng *n.* 부왕(副王), 태수.

více-mínister *n.* 차관.

vi·cen·ni·al [vaiséniəl] *a.* 20년마다의, 20년마다 계속되는.

více òfficer *n.* 《俗》 매춘 담당 경찰관.
Vice Pres. Vice President.
více président *n.* 부통령 ; [보통 V~ P~] 미국 부통령 ; 부총재 ; 부회장 ; 부총장.
více présidency *n.* Ⓤ vice president 의 직[지위, 임기]. **více presidéntial** *a.* vice president의.
více-príncipal *n.* 부교장, 교감.
vìce·régal *a.* 부왕의 ; 《濠》 총독의.
více-régency *n.* Ⓤ,Ⓒ vice-regent의 직무[지위, 임기].
více-régent *n.* 부섭정, 부집정. ── [-́-] *a.* 부섭정의, 부집정의.
vice·reine [váisrèin ; -́-] *n.* 부왕(副王)의 왕비, 태수 부인.
vice·roy [váisrɔi] *n.* 부왕(副王) ; 총독, 태수. 〖F (*vice-*, *roy* king)〗
vìce·róyal·ty *n.* Ⓤ viceroy의 직위[직권, 임기] ; Ⓒ viceroy의 지배 지역.
víceroy·shìp *n.* =VICEROYALTY.
více squàd *n.* (경찰의) 풍기 범죄 단속반.
vi·ce ver·sa [váisi vɔ́:rsə] *adv.* 역(逆)으로(the other way about), 반대로, 역(逆)도 또한 똑같이《略 v. v.》: Cats dislike dogs, and ~(=dogs dislike cats). 고양이는 개를 싫어하고 개도 고양이를 싫어한다.
〖L=the position being reversed (*verto* to turn)〗
Vi·chy [ví(:)ʃi] *n.* **1** 비시《프랑스 중부의 도시 · 온천지 ; 제2차 세계대전 중 비점령지구의 임시 정부 소재지》. **2** =VICHY WATER.
Víchy·ìte *n.* 비시 정부 지지자[각료].
vi·chys·soise [vì(:)ʃiswá:z] *n.* Ⓤ 감자 · 양파 따위가 들어있는 크림 수프. 〖F=of Vichy〗
Víchy wàter *n.* 비시수(水)《Vichy산(産) 광천 음료 ; 그 유사품》.
Vi·ci [váisai] *n.* (제화(製靴)용) 양새끼 가죽의 일종《상표명》.
vic·i·nage [vísənidʒ] *n.* Ⓤ 근처, 인근 ; 이웃임 ; 이웃 사람들. 〖OF<L *vicinus* (*vicus* district)〗
vic·i·nal [vísənl] *a.* 이웃의 ; 한 지방만의 ; 인접하는 ; 〔結晶〕 미사면(微斜面)의.
***vi·cin·i·ty** [vəsínəti] *n.* **1** Ⓤ 근접, 접근 : *in* close ~ *to* …의 바로 가까이에. **2** Ⓤ 이웃, 부근 : There was no hospital *in* the ~ (*of* the factory). (공장의) 부근에는 병원이 없었다.
〖L ; ⇨ VICINAGE〗
***vi·cious** [víʃəs] *a.* **1** 사악한, 악덕의(evil) ; 부도덕한, 타락한, 품행이 나쁜 : ~ habits 악습 / ~ books[companions] 악서(惡書)[못된 친구] / a ~ life[person] 부도덕한 생활[사람]. **2** 잘못이 있는, 결점이 있는, 그릇된, 불완전한 : a ~ spelling 바르지 못한 철자 / a ~ argument 이치에 닿지 않는 논쟁 / ☞ VICIOUS CIRCLE / ~ reasoning 잘못된 추론. **3** 악의가 있는, 심술궂은 : a ~ look 심술궂은 눈초리. **4** 《口》 (통증 따위가) 심한(severe) : a ~ headache 머리가 빠개질 듯한 두통. **5** (말 따위) 버릇이 나쁜, 부리기 힘드는(cf. VICE[1] 3) ; 광포한 ; 악순환의. **~·ly** *adv.* 부도덕하게 ; 심술궂게 ; 몹시. **~·ness** *n.*
〖OF<L ; ⇨ VICE[1]〗
vícious círcle *n.* 〔經 · 醫〕 악순환 ; 〔論〕 순환논법.
vícious spíral *n.* 〔經〕 =VICIOUS CIRCLE.
vi·cis·si·tude [vəsísət*j*ù:d, 美+vai-] *n.* (특히 환경 · 경험 · 세상의) 변천 ; [*pl.*] 영고(榮枯), 성쇠, (인생의) 부침(浮沈) ; 《古 · 詩》 순환, 교대 : a life full of ~*s* 파란 만장한 인생.
〖F or L (*vicissim* by turns<VICE[4])〗
vi·cis·si·tu·di·nous [vəsìsət*j*ú:dənəs, 美+vai-], **vi·cis·si·tu·di·nary** [-nèri ; -nəri] *a.* 변천하는, 변화무쌍한 ; 성쇠가 있는.
Vick [vík] *n.* 남자 이름(cf. VICTOR).
Vicky [víki] *n.* 여자 이름(cf. VICTORIA 1).
vi·comte [*F* vikɔ̃t] *n.* 자작(子爵).
Vict. Victoria ; Victorian.
***vic·tim** [víktəm] *n.* **1** 〔宗〕 희생, 산 제물, 인신제물. **2** (박해 · 사기 · 장난 따위의) 희생(자), 「먹이」, 「밥」, 「봉」: a ~ *of* another's greed [oppression] 남의 탐욕[박해]의 희생자 / a ~ *of* a swindler 사기꾼에게 속은 사람 / become[be made] a[the] ~ *of*…=fall a[the] ~ *to* …의 희생이 되다[당하다]. **3** (경우나 사정의) 피해자, 희생(자), 조난자, 이재민 : ~*s of* disease [war, a railroad accident] 질병[전쟁, 철도 사고]의 희생자 / a ~ *of* circumstances 환경의 희생자《환경으로 인해서 실패하거나 죄를 범한 사람》. **~·less** *a.* 희생자[피해자]가 없는 : a ~*less* crime 희생자 없는 범죄《매춘 · 도박 따위》. 〖L〗
víctim·ìze *vt.* 희생시키다 ; 괴롭히다, 고통을 주다 ; 속이다, 기만하다(cheat). **-ìz·er** *n.* **vìctim·izátion** *n.* 희생시키기 ; 속이기.
vic·tim·ol·o·gy [vìktəmálədʒi] *n.* Ⓤ 피해자학(學)《범죄에서의 피해자의 역할 연구》.
***vic·tor** [víktər] *n.* **1** 승리자, 전승자, 정복자(conqueror) ; 승자. **2** [V~] 남자 이름《애칭 Vic, Vick》. ── *a.* 승리(자)의 : ~ troops 승군(勝軍).
〖AF or L (*vict- vinco* to conquer)〗
vic·to·ria [viktɔ́:riə] *n.* **1** 2인승 4륜 마차의 일종. **2** 〔植〕 빅토리아《수련과의 일종 ; 남미산》.
〖Queen *Victoria*〗
Victoria *n.* **1** 여자 이름《애칭 Vicky ; cf. VICTOR》. **2** 빅토리아. **Queen ~** (1819-1901) 영국의 여왕(1837-1901). **3** 〔로神〕 빅토리아 《승리의 여신》, 그 여신상(像). **4** 오스트레일리아 남동부의 주 ; 캐나다 브리티시 컬럼비아 주의 주도. **5** 영국의 식민지인 Hong Kong의 수도.
Lake Victoria 아프리카 중부에 있는 큰 호수.
〖L=victory〗
Victória Cróss *n.* [the ~] 《英》 빅토리아 십자 훈장《1856년 Victoria 여왕이 제정 ; 수훈을 세운 육해군인에게 수여 ; 略 V.C.》; 빅토리아 십자훈장 소지자.
Victória Dày *n.* 빅토리아 데이《캐나다의 법정 휴일 ; 5월 25일 직전의 월요일》.
Victória Fálls *n. pl.* [the ~] 빅토리아 폭포《아프리카 남동부 Zambezi 강에 있음》.
Victória Lànd *n.* 빅토리아 랜드《남극 대륙의 Ross해(海) 서안 지역》.
Vic·tó·ri·an *a.* **1** 빅토리아 여왕(시대)의, 빅토리아조(朝)(풍)의 : the ~ Age 빅토리아조(朝)(1837-1901). **2** (건축 · 가구 · 실내 장식 따위가) 빅토리아조(朝) 양식의《정교하고 호화로운 장식과 중량감이 있음》, 구식의. **3** 빅토리아주(州)의. **4** (사람 · 생각이) 융통성이 없는, 위선적인, 점잔빼는, 고상한 체하는, 근엄한 듯한. ── *n.* 빅토리아 여왕 시대의 사람[것], (특히) 빅토리아조 시대의 대표적 문학가 ; 빅토리아주(州) 사람 ; 고상한 체하는 사람[여자].
~·ìsm *n.* Ⓤ 빅토리아조풍.
Vic·to·ri·ana [viktɔ̀:riá:nə, -ǽnə, -éinə] *n.* 빅토리아조(풍)의 물건[장식품] ; 빅토리아조 물품의 수집 ; 빅토리아조에 관한 자료.
vic·to·rine [vìktərí:n ; -́-́] *n.* 여성용(用) 모피 숄

의 일종.

*__vic·to·ri·ous__ [viktɔ́:riəs] *a.* 승리를 거둔, 전승자다운, 이겨서 의기양양한; 승리[전승]의: a ~ army 정복군 / a ~ war 승전 / Our team was ~ *over* theirs. 우리팀은 그들팀에 이겼다. **~·ly** *adv.* 이겨서, 승리를 거두어. **~·ness** *n.*

*__vic·to·ry__ [víktəri] *n.* **1** U,C 승리, 전승, 우승(略 V; ↔*defeat*); 극복: a ~ *in* sports 경기에서의 승리 / lead the troops to ~ 군대를 승리로 이끌다 / have[gain, get, win] a ~ (*over*...) (··· 에 대하여) 승리를 거두다 / ~ *over* oneself[one's lower self] 극기(克己). **2** [V~] 승리의 여신(VICTORIA 또는 NIKE).
〖AF, OF<L; ⇨ VICTOR〗
類義語 ***victory*** 경기·경쟁·전투·투쟁 따위에서의 승리. ***conquest*** 저항하는 상대방을 완전히 패배시켜 지배하에 둠. ***triumph*** 보기좋게 압도적[결정적]인 승리를 거두어 뽐내는 상태.

víctory gàrden *n.* 《美》 (전시중 정원 따위를 갈아 만든) 가정 채소밭.

Víctory gìrl *n.* 《美俗》 애국심에서 자진하여 장병과 관계를 갖는 여자(V-girl), 위안부; 성병이 있는 (젊은) 여자.

Víctory Mèdal *n.* 《美》 전승 기념 훈장(제1·2차 세계 대전의 종군 병사에게 수여됨).

víctory rìbbon *n.* 《美》 Victory Medal의 수장자가 다는 리본.

vic·tress [víktrəs] *n.* 《稀》 여성 승리자.

Vic·tro·la [viktróulə] *n.* 빅트롤라(상표명(名)); [v~] 《美》 축음기(phonograph)(옛 이름).

vict·ual [vítl] *n.* [보통 *pl.*] 음식물, 식품(provisions, food); 《古·方》 식량, 양식.
—— *v.* (**-l-** | **-ll-**) *vt.* (군대 따위에) 식품을 공급하다, (배에) 식량을 싣다. —— *vi.* **1** 음식물을 사들이다, 식품을 비축하다. **2** 《古》 음식을 먹다.
〖OF<L (*victus* food); cf. L *vivo* to live〗

víctual·age *n.* 음식물, 양식.

víct·ual·(l)er *n.* **1** (선박·군대에의) 식료품 공급자; 《英》 주류 판매가 허가된 음식점[여관] 주인. **2** 식량 운송선; 《英》 음식점[술집] 주인.

víct·ual·ling bìll *n.* 《英》 선박용 식량 적재 신고서.

víctualling hòuse *n.* 《英》 음식점.

víctualling nòte *n.* 〖英海軍〗 수병 식사 전표.

víctualling yàrd *n.* 〖英海軍〗 군수부 창고.

vi·cu·ña, -na, -gna [vikjú:nə, -kú:njə, vai-] *n.* 〖動〗 비큐나(남미산 야마의 일종인 야생 동물); U 〖織〗 비큐나의 털 또는 그와 비슷한 털로 짠 나사(羅紗). 〖Sp.< Quechua〗

vicuña

vid [víd] *n., a.* 《口》 비디오(의).

vid. vide.

Vi·da [ví:də, váidə] *n.* 여자 이름(Davida의 애칭(愛稱)).

vid·ar·a·bine [vidǽrəbi:n] *n.* 〖藥〗 비다라빈(급성 각결막염이나 상피 각화증(上皮角化症) 치료에 쓰이는 아데닌의 아라비노오스 유도체).

vi·de [váidi, ví:dei] *v.* ···을 보라, ···을 참조하라(略 v., vid.): ~[*v.*] p. 30[Webster] 30 페이지[웹스터] 참조. 〖L (impv.) ‹ *video* to see〗

víde án·te [-ǽnti] 앞을 보라(see before). 〖L〗

víde ín·fra [-ínfrə] 아래를 보라(see below), 하기 참조(略 v.i.; cf. VIDE SUPRA). 〖L〗

vi·del·i·cet [vədéləsèt; -dí:-] *adv.* 즉, 바꿔 말하면(略 viz.; cf. I.E.).
〖L (*video* to see, *licet* it is allowed)〗

vid·eo [vídiòu] *a.* 《美》 텔레비전의; 비디오테이프의; 〖TV〗 영상(부분)의: a ~ program [viewer] 텔레비전 프로그램[시청자]. —— *n.* (*pl.* **víd·e·òs**) U 《美》 텔레비전(television); 〖TV〗 영상(부분) (cf. AUDIO); (텔레비전 영상의) 화질; 〖컴퓨〗 영상, 비디오.
〖L=I see〗

vídeo àrt *n.* 비디오 아트[예술].

vídeo àrtist *n.* 비디오 아티스트.

vídeo càrrier *n.* 〖電子〗 영상 반송파(搬送波).

vídeo cártridge *n.* =VIDEOCASSETTE.

vídeo·cassètte *n.* 비디오카세트, 카세트 녹화.

vídeocassette recòrder *n.* 비디오카세트 리코더(略 VCR).

vídeo·càst *n.* U,C 텔레비전 방송.

vídeo·cònference *n.* 텔레비전 회의(텔레비전으로 원격지를 연결하여 행하는 회의).

vídeo·còn·fer·enc·ing *n.*

vídeo·dìsc, -dìsk *n.* 비디오디스크(레코드 모양의 원반에 화상과 음성을 기록한 것).

vídeodisc pláyer *n.* 비디오 디스크 플레이어(비디오 디스크에 녹화된 것을 재생하는 장치).

vídeodisc recòrder *n.* 비디오디스크 리코더(비디오디스크를 써서 영상의 기록·재생·소거를 행하는 전자 장치).

vídeo dìsplay términal *n.* 〖컴퓨〗 영상 단말기(略 V.D.T.).

vídeo frèquency *n.* 〖TV〗 영상 주파수.

vídeo gàme *n.* 비디오 게임; 〖컴퓨〗 영상 놀이.

vídeo-gáme sùrgery *n.* 비디오게임 수술(환부에서 나오는 영상을 모니터로 보면서 하는 수술; 관절 수술 따위에 이용).

vìdeo·génic *a.* =TELEGENIC.

vídeo·gràm *n.* 비디오그램(비디오테이프[디스크]에 녹화된 영상 내용[제품]).

vid·e·og·ra·pher [vìdiɑ́grəfər] *n.* =VIDEO ARTIST.

vídeo·ìze *vt.* 텔레비전으로 방영할 수 있게 하다, 비디오화하다.

vídeo·lànd *n.* (매스컴으로서의) 텔레비전, 텔레비전 산업(계).

vídeo·mània *n.* 비디오광.

vídeo mùsic *n.* 〖樂〗 비디오 뮤직(비디오에 의한 영상과 환경음악을 짜맞춘 새 음악개념).

vídeo nòvel *n.* 텔레비전 영화의 내용을 사진과 함께 수록한 책.

vídeo pàckage *n.* 비디오 패키지(영상과 그 음성 쌍방의 영상 정보를 어떤 동일한 기록 매체에 수록하고 그것을 하나의 케이스에 수록한 것).

vídeo·phìle *n.* 텔레비전 애호가.

vídeo·phòne *n.* 텔레비전 전화, 비디오 전화.

vídeo pìracy *n.* 해적판 비디오테이프 제작.

vídeo pìrate *n.* 비디오 저작권 침해자(cf. VIDEOTAPE PIRATE).

vídeo·plày·er *n.* 비디오테이프 재생 장치.

vídeo-recòrd *vt.* 《英》 =VIDEOTAPE.

vídeo recòrding *n.* **1** 브라운관의 영상을 필름에 찍어 만든 영화. **2** =VIDEO TAPE RECORDING.

vídeo respónse sỳstem *n.* 화상(畫像)응답 시스템(略 VRS).

vídeo sìgnal *n.* 〖TV〗 영상 신호.

vídeo·tàpe *n.* 비디오테이프; 비디오테이프 녹화. —— *vt.* 비디오테이프에 녹화하다.

vídeo tàpe cassétte *n.* 비디오테이프 카세트, 녹화 카세트.
vídeotape pírate *n.* 《英》 비디오테이프 무단 복제자(者).
vídeo (tàpe) recòrder *n.* 비디오테이프 녹화장치《略 VTR》.
vídeo tàpe recòrding *n.* 비디오테이프 녹화 《略VTR》.
vídeo·tàpping *n.* 비디오 도청《비디오 카메라에 의한》.
vídeo telecónferencing *n.* 텔레비전 회의.
vìdeo·télephone *n.* ＝VIDEOPHONE.
vídeo·tex [-tèks] *n.* 비디오텍스《방송전파나 전화선을 이용한 가입자 정보 검색 시스템》;〘컴퓨〙 영상 정보.
video vé·ri·té[**ve·ri·te**] [∸ vèrətéi] *n.* 비디오 베리테《텔레비전의 다큐멘터리 프로그램》.
víde póst [-póust] 뒤를 보라. 〚L＝see after〛
víde sú·pra [-sú:prə ; -sjú:-] 위를 보라, 상기 참조《略 v.s. ; cf. VIDE INFRA》.
〚L＝see above〛
vi·dette [vidét] *n.* ＝VEDETTE.
vid·icon [vídikàn] *n.* 〘TV〙 비디콘《광전도(光傳導) 효과를 이용한 저속형 촬상관(低速型撮像管)》. 〚*vid*eo＋*icon*oscope〛
Vid·i·font [vídəfànt] *n.* 비디폰트《키보드 조작으로 글씨나 숫자를 텔레비전 화면에 나타내는 전자장치 ; 상표명》.
vi·di·mus [váidəməs] *n.* (*pl.* **~·es**) (장부・서류따위의) 정식 검사 ; 검사필 서류.
〚L＝we have seen〛
vid·kid [vídkìd] *n.* 《美俗》 비디오 게임에 빠진 아이, 텔레비전을 너무 보는 아이.
vi·du·i·ty [vidjú:əti] *n.* Ⓤ 과부의 신분[상태].
vie [vái] *v.* (**~d** ; **vý·ing**) *vi.* [＋前＋名] 우열을 다투다, 겨루다, 경쟁하다, 대항하여 겨루다 : They *~d* ***with*** each other for the prize. 상을 타려고 서로 겨루었다 / We *~d* ***in*** wit. 재치를 겨루었다 / They all *~d in* pay*ing* her attentions. 모두들 다투어 그녀의 환심을 사려고 했다.
── *vt.* 《古》 대항하여 겨루게 하다, 대항시키다 ; 《廢》 (돈을) 걸다.
〚? OF *envier* to ENVY〛
Vi·en·na [viénə] *n.* 빈, 비엔나(*G* Wien)《오스트리아의 수도》; [때때로 v~] 비엔나 빵(＝∸ **lóaf**) 《35cm 정도의 여송연 모양의 흰 빵》; ＝VIENNA SAUSAGE.
Viénna sáusage *n.* 비엔나 소시지.
Vi·en·nese [vì:əní:z, -s ; vìə-] *a.* 빈(사람)의 ; 빈식의. ── *n.* (*pl.* ~) 빈 사람.
Vien·tiane [vjentjá:n] *n.* 비엔티안《라오스의 수도(首都)》.
Vi·et [viét, vjét] *n., a.* 《美口》 ＝VIETNAM ; ＝VIETNAMESE.
vi et ar·mis [vái et á:rməs] *adv.* 〘法〙 폭력에 의하여, 무력에 의하여(by force). 〚L〛
Viet·cong, Viet Cong [vjètkáŋ, vièt-] *n.* (*pl.* ~) 베트콩《남베트남 민족 해방 전선에 속했던 반정부 공산 게릴라 부대》.
Viet·minh, Viet Minh [vjètmín, vièt-] *n.* 베트남 독립 동맹《민족 해방에 몸바쳐 일한 베트남인의 통일 전선 조직》; (*pl.* ~) 그 동맹원, 베트민.
Viet·nam, Viet-Nam, Viet Nam [viétnά:m, vjet-, -nǽm] *n.* 베트남《인도차이나 반도의 공화국 ; 수도 Hanoi》.
Viet·nam·ese [vjètnəmí:z, vièt-, -s] *a.* 베트남의 ; 베트남 사람[어]의. ── *n.* (*pl.* ~) 베트남 사람 ; Ⓤ 베트남어.
Vièt·nam·izátion *n.* 베트남화(化)《베트남 전쟁에서 미국이 손을 떼고 베트남인에게 떠맡긴 일》.
Vietnám Wár *n.* [the ~] 베트남 전쟁 (1954-73).
Vi·et·nik [viétnik] *n.* 《美俗・보통 蔑》 베트남 전쟁 개입 반대자. 〚*Viet*nam＋beat*nik*〛
‡**view** [vjú:] *n.* **1** 보기[바라보기], 관람, 구경 ; 〘法〙 실지(實地) 검증 : It was our first ~ of the ocean. 그때 우리는 처음으로 대양을 보았다 / This ruin is well worth our ~. 이 폐허는 한번 볼만한 가치가 충분히 있다 / The jury had a ~ of the body. 배심원은 시체를 검증했다.
2 Ⓤ 보는 능력, 시력 ; 시계, 시야 : a field of ~ 시야 / exposed to ~ 나타나, 보여 / lost to ~ 보이지 않게 되어 / come *in* ~ *of*... (사람이) …이 보이는 곳으로 오다 / come *into* ~ 보이다, 나타나다 / pass from one's ~ 시야에서 사라지다, 안보이게 되다.
3 광경, 경치, 전망, 조망 : a distant ~ 원경 / a house with a good ~ *of* Mt. Namhan 남한산이 잘 보이는 집 / the quiet ~ of the countryside 조용한 전원 풍경 / Distance lends enchantment to the ~. 《속담》 민둥산도 멀리서 보면 아름답다.
4 풍경화[사진] ; 전망도 : a postcard with *~s* of the town 마을 풍경의 그림 엽서 / a back [front] ~ 배(背)[정]면도 / a perspective ~ 투시도 / do[take] some *~s* of …의 풍경을 그리다 [찍다].
5 고찰, 관측, 시찰 ; (특히 특정한) 견해 : take long[short] *~s* 선견지명이 있다[없다] / take a dark[favorable, impartial] ~ *of* …을 비관적으로[호의적으로, 공평하게] 보다 / He presented quite a new ~ *of* the affair. 사건에 대하여 전혀 새로운 견해를 표명했다.
6 [＋前＋do*ing*] 목적, 계획 ; 기대, 예측 ; Ⓤ 고려 : a project *in* ~ 고려 중인 계획 / *with* this [that] ~ ☞ 숙어 / *with* a ~ ***to***... ☞ 숙어 / We started the campaign *with* the ~ ***of*** promot*ing* true peace. 진정한 평화를 촉진하기 위하여 운동을 시작했다 / leave...*out of* ~ …을 문제삼지 않다, …을 고려하지 않다 / He had other *~s* ***for*** the vacation. 휴가에 대해서 다른 계획이 있었다 / I have *~s* ***on*** a trip to Hawaii. 하와이로 놀러갈까 생각하고 있다 / Will this meet[fall in with] your *~s*? 당신의 기대에 맞을까요.
7 a) 소견, 인상, 감명, 느낌. **b**) [＋*that* 節] 의견, 견해, 생각 : take a different ~ 다른 견해를 갖다 / hold extreme *~s* 과격한 의견을 갖다 / That was his ~ ***of*** the matter. 그것이 그 문제에 관한 그의 생각이었다 / What are your *~s* ***on*** his proposal? 그의 제안에 대해서 어떻게 생각하십니까 / They persisted in the ~ *that* the earth was flat. 지구가 평평하다는 의견을 고집했다.
8 〘컴퓨〙 보임.
have...in view …을 마음에 기약하다, …을 계획하다 ; …을 마음에 새기다, …을 염두에 두다 : He *has* only money *in* ~. 단지 돈 생각뿐이다.
in view 보이는 곳에, 보여 ; 생각중, 계획하여 (cf. 6) ; 희망[기대]하여.
in view of... (1) …의[에서] 보이는 곳에(cf. 2) : *in* full ~ *of* …이[에서] 훤히 보이는 곳에. (2) …을 고려하여 ; …의 연유로 : *In* ~ *of* our bitter experience, we must be more cautious this time. 쓰라린 경험을 생각해서라도 이번에는 더욱 신중히 하지 않으면 안된다. (3) …을 예측하

여, …을 예상하여.
keep. . .in view …에서 눈을 떼지 않고 있다, …을 눈에 보이는 곳에 놓다 ; …을 마음[기억]에 새기고 있다 ; …을 계획하고 있다.
on view 전시하여, 전람중에 ; 상영중에.
to the view 공공연하게.
with a view to. . . (1) [보통 동명사를 수반하여 ; 부정사를 쓰는 것은 통속적인 용법] …하기 위하여, …할 목적으로(for the purpose of) : We have established the institute *with a ~ to* diffus*ing* scientific knowledge. 과학 지식을 보급하기 위하여 협회를 설립했다.

> **with a view to**의 ○×와 문장 전환
> (×) He went to Germany *with a view to study* medicine.
> (그 남자는 의학을 공부하기 위하여 독일에 갔다.)
> (○) He went to Germany *with a view to studying* medicine.
> ＊ to는 부정사의 to가 아니고 전치사의 to이므로 동명사가 따른다. 이것을 바꿔쓰면
> → He went to Germany *for the purpose of* studying medicine.
> → He went to Germany *in order to*[*so as to*] study medicine.

(2) …을 (얻기를) 희망하여 ; …을 예상하여 : *with a ~ to* further hospitality 더욱 환대받기를 바라고 / He said so *with a ~ to* the vacant secretaryship. 비어있는 비서 자리를 염두에 두고 그렇게 말했다.
with this[***that***] ***view*** 이[그] 때문에, 이[그]러한 목적을 가지고.
— *vt.* **1** 보다, 바라보다 ; 조사하다, 검증[검시]하다 : ~ the body (배심원이) 검시(檢屍)하다. **2** [+目+前+名 / +目+副 / +目+*as* 補] (어떤 견해로) 보다, 고찰하다 : He doesn't ~ the matter ***in*** the right. 사태를 올바르게 보지 않고 있다 / The problem must also be *~ed* ***from*** the employers' angle. 그 문제는 또한 고용주의 관점에서도 고찰되어야만 한다 / The project was *~ed* favorably by the committee. 그 안건에 위원회는 호감을 보였다 / These cases are *~ed as* models. 이러한 예는 모범적인 것으로 생각되고 있다. **3** 《口》 텔레비전으로 보다, 시청하다. **4** 〖사냥〗 (사냥감을) 찾아내다. — *vi.* 검시하다 ; 텔레비전을 보다.
an order to view (가옥 따위의) 임검 허가.
〚AF, OF (p.p.)〈*vēoir* (L *video* to see)〛
類義語 (1) ***view*** 눈에 보이는 또는 시야 안에 있는 것 ; 일반적인 말 : The new tower cuts the *view* from our window. (새 탑이 창문에서의 전망을 차단하고 있다). ***prospect*** 멀리 바라볼 수 있는 곳에서의 넓은 전망 : command a *prospect* of the sea (멀리 바다 경치를 내다보다). ***scene*** 눈앞에 전개된 아름다운 경치 또는 극적인 광경 : The sunset was a beautiful *scene*. (일몰은 아름다운 광경이었다). ***vista*** 가로수길 같은 좁고 긴 길에서 본 view. ***landscape*** 한눈으로 내다볼 수 있는 산수 따위의 자연 경치.
(2) ⟹ OPINION.
(3) ⟹ SEE[1].
víew·able *a.* **1** 보이는 ; 조사할 수 있는. **2** (텔레비전 따위가) 볼 가치가 있는.
víew càmera *n.* 〖寫〗 뷰 카메라《렌즈 교환·초점 맞춤 기능 따위를 갖춘 대형 카메라》.
víew·dàta *n.* ＝VIDEOTEX.
víew·er *n.* 보는 사람, 관찰자, 구경꾼 ; (특히) 텔레비전 시청자 ; 검사[감독]관 ; 〖寫〗 (슬라이드 따위를 확대 투시하는 장치인) 뷰어 ; (카메라의) 파인더(viewfinder) : ~ response (텔레비전) 시청자의 반응.
víew·er·shìp *n.* (텔레비전 프로그램의) 시청자(수[층]), 시청률.
víew·fìnd·er *n.* 〖寫〗 파인더《피사체(被寫體)의 위치를 봄 ; cf. RANGE FINDER》.
víew hallóo[**halló, hallóa**] *n.* (여우 사냥에서) 여우가 숨은 곳에서 튀어나왔을 때 사냥꾼이 지르는 소리 ; 《비유》 「보았다」라고 외치는 소리.
víew·ing *n.* **1** (바라)보기, 조망. **2** 텔레비전을 보기 ; [집합적으로] 텔레비전 프로그램.
víew·less *a.* **1** 《詩·文語》 보이지 않는, 장님의 (invisible). **2** 조망이 나쁜. **3** 《美》 의견이 없는, 무정견의. **~·ly** *adv.*
víew·phòne *n.* ＝VIDEOPHONE.
***víew·pòint** *n.* (어떤 것이) 보이는 지점, 시점 ; 견지, 견해, 입장, 관점(standpoint) (cf. POINT OF VIEW).
víew wíndow *n.* ＝PICTURE WINDOW.
víewy *a.* 《口》 공상적인(visionary) ; 별난, 괴벽스러운(cranky) ; 《口》 멋진, 볼 만한(spectacular) ; 《俗》 예쁘장한, 참한. **víew·i·ness** *n.*
vi·ges·i·mal [vaidʒésəməl] *a.* **1** 제 20의, 스무번째의. **2** 1/20의. **3** 20으로 된, 20진법(進法)의 : the ~ system 20진법.
vig·il [vídʒəl] *n.* **1** U.C **a**) 밤샘, 철야, 철야 병간호, 경야(經夜) ; 불침번 : keep ~ ☞ 숙어 / She was tired out by her long *~s.* 여러날 밤을 새워 아주 지쳐버렸다. **b**) 잠못 자는 밤시간(cf. VIGILANCE 2). **2** 〖宗〗 **a**) [주로 *pl.*] 밤의 근행(勤行). **b**) (철야로 기도하는) 축제일 전야.
keep vigil (1) 불침번을 서다 ; (병간호 따위로) 철야하다 : *keep* ~ over[beside] a sick child 철야로 병든 아이를 간호하다. (2) 밤샘을 하다.
〚OF<L *vigilia* (*vigil* awake)〛
vig·i·lance [vídʒələns] *n.* **1** U 경계, 조심, 불침번 : exercise ~ 경계하다. **2** U 〖醫〗 불면증 (insomnia).
〚F or L (*vigilo* to keep awake〈VIGIL)〛
vígilance commìttee *n.* 《美》 자경단(自警團) ; 〖美史〗 불법 수단으로 흑인이나 노예제 폐지론자를 압박한 남부의 시민 조직.
vígilance màn *n.* 《美》 자경단원.
víg·i·lant *a.* 밤새워 지키는 ; 경계하고 있는, 방심하지 않는, 조심성이 많은(watchful) : One must be ever ~. 결코 주의를 게을리 해서는 안된다. **~·ly** *adv.* **~·ness** *n.*
類義語 ⟹ WATCHFUL.
vig·i·lan·te [vìdʒəlǽnti] *n.* 《美》 자경단원(自警團員). 〚Sp. ＝vigilant〛
vig·i·lan·tism [vìdʒəlǽntizəm] *n.* U 《美》 자경단(自警團) 제도 ; 자경(주의).
vígil lìght[**càndle**] *n.* 등명(燈明)《신자가 성자상(聖者像) 앞에 켜놓는 촛불》.
vi·gnette [vinjét] *n.* **1** (서적의 속표지·장두(章頭)·장미(章尾) 따위의) 작은 장식 무늬, 당초(唐草) 무늬. **2** 비네트《배경을 흐리게 한 반신의 사진·화상》. **3** (문학적인 운치가 있는) 문예 소품(小品). **4** (책 속의 작고 아름다운) 삽화[사진]. **5** (연극·영화 속의) 짧은 사건[장면]. — *vt.* (사진 따위를) 흐릿하게 하다 ; 간결하게 묘사하다 ; vignette로 장식하다. 〚F (dim.)〈VINE〛

vi·gnét·ter *n.* =VIGNETTIST ;〔寫〕비네트 사진 인화 장치.

vi·gnét·tist *n.* 비네트 사진 제작자, 비네트 화가 ; 문예 소품 작가.

***vig·or | vig·our** [vígər] *n.* **1** Ⓤ 정력, 힘, 활력 ; 정신력, 기력, 활기, 원기, 박력. **2** Ⓤ (생장·운동 따위에 나타난) 힘, 생기, 기운, 활동력, 활발함, 체력, 강장 ; (인생의) 한창때, 장년 ; (성격의) 강직함 ; (식물 따위의) 생장력. **3** Ⓤ〔法〕구속력, 유효성.

with vigor 힘차게, 원기있게(vigorously). **~·less** *a.* 〖OF<L (*vigeo* to be lively)〗

vig·o·rish [vígəriʃ] *n.* 《美俗》(경마꾼·노름판의 주인에게 지급하는) 수수료, 그 요율(料率) ; (고리 대금업자에게 지급하는) 이자 ; (불법적인 수익의) 몫[배당]. 〖? Yid.<Russ.=winnings〗

vi·go·ro·so [vì(ː)gəróusou, -zou] *adv., a.* 〔樂〕힘차게[찬], 기운차게[찬]. 〖It.〗

***vig·or·ous** [vígərəs] *a.* **1** 정력적인, 강건[건강]한 : ~ *in* body and *in* mind 심신이 모두 강건한. **2** 원기에 찬, 활기가 있는, 활발한 : ~ operations 적극적 행동 / have a ~ argument 활발한 토론을 하다. **~·ly** *adv.* 원기있게, 활발하게, 힘차게. **~·ness** *n.* 〖OF<L ; ⇨ VIGOR〗

類義語 ⟹ ACTIVE.

vi·ha·ra [vihɑ́ːrə] *n.*〔佛敎〕절, 승방, 정사(精舍). 〖Skt.=place of recreation〗

Vi·king [váikiŋ] *n.* **1** 북유럽 해적, 바이킹《8-11세기에 유럽 북부 및 서부 연안을 약탈한 북유럽 사람들》; [v~] 해적. **2** =SCANDINAVIAN.

vil. village.

vi·la·yet [vìːlɑːjét ; vilɑ́ːjet] *n.* (옛 터키 제국의) 주(州) 〖Turk.〗

***vile** [váil] *a.* **1** 타락한, 비열한, 부도덕한, 수치스러운, 품위없는 ; 하등의, 천한 ; 악질의 : ~ language 천한 말씨. **2** 《口》 형편없는, 싫은, 빈약한(poor) : ~ weather 고약한 날씨. **3** (금액 따위) 얼마 안되는, 인색한. **~·ly** *adv.* **~·ness** *n.* 〖OF<L *vilis* worthless, base〗

類義語 ⟹ MEAN[2].

vil·i·fi·ca·tion [vìləfəkéiʃən] *n.* Ⓤ 험담, 비방.

vil·i·fy [víləfài] *vt.* **1** 헐뜯다, 비방하다, 중상하다(slander). **2** 《稀》 경멸하다. **-fi·er** *n.* 비방[중상]하는 사람. 〖L ; ⇨ VILE〗

vil·i·pend [víləpènd] *vt.* 《古·文語》 업신여기다, 깔보다 ; 헐뜯다(belittle).
〖OF or L (*vile, pendo* to consider)〗

vil·la [vílə] *n.* **1** 시골 저택, 별장. **2** 《英》 교외 주택, 별장식의 집. **3** [V~s ; 주소명의 일부로서] …주택 ; (고대 로마의) 장원. 〖It. and L〗

vílla·dom *n.* 《英》 [집합적으로] 별장 ; 교외의 주택 지대 ; 교외 주민의 사회.

◇**vil·lage** [vílidʒ] *n.* 마을, 촌락《hamlet보다는 크고 town보다 작음》; [V~] 《美》=GREENWICH VILLAGE ; [집합적으로] 마을 사람 ; 동물의 군락 : All the ~ came to see him off. 온 마을 사람들이 그를 배웅하러 왔다.
〖OF<L ; ⇨ VILLA〗

víllage cóllege *n.* 《英》 몇 개 마을 연합의 교육·레크리에이션 센터.

víllage commúnity *n.*〔經〕촌락 공동체.

***víl·lag·er** *n.* 마을 사람 ; 시골[촌] 사람. —— *a.* 《東 Africa》 발달이 뒤진, 소박한, 문맹의.

víllage·ry *n.* 촌락, 마을.

***vil·lain** [vílən] *n.* **1 a)** 악한, 악인 ; (연극이나 소설의) 악인역, 악한역 : play the ~ 악당역을 맡아하다 ; 나쁜 짓을 하다. **b)** 《戯》 녀석, 놈, 망나니(cf. RASCAL, ROGUE) : You little ~ ! 요 망나니 녀석! **2** 《英경찰俗》 범인 ; =VILLEIN. **3** 《英古》 상놈, 촌놈, 시골뜨기. —— *a.* 천한, 하등의 ; 태생이 천한. 〖OF=serf<L *villanus* worker on country estate ‹ VILLA〗

víllain·age *n.* =VILLEINAGE.

víllain·ess *n.* VILLAIN의 여성형.

víllain·ous *a.* **1** 극악무도한, 잔인하고 사악한 ; 악당[악인] 같은. **2** 괘씸한, 비열한. **3** 《口》 몹시 나쁜, 지독한, 고약한. **~·ly** *adv.*

víl·lainy *n.* Ⓤ 극악, 무뢰 ; Ⓒ 나쁜 짓, 악행 ; =VILLEINAGE.

vil·la·nelle [vìlənél] *n.*〔詩學〕19행(行) 2운체(韻體)의 시. 〖F〗

vil·lat·ic [vilǽtik] *a.* 별장의 ; 마을[촌락]의 ; 농촌[시골]의.

-ville [vìl] *n. suf.* **1** 지명의 일부로서 「마을」「시」의 뜻. **2** 《口·蔑》 「특정한 상태[장소]」의 뜻. 〖F〗

vil·leg·gia·tu·ra [vilèdʒətúərə] *n.* 시골에서 휴가를 보내기, 휴일의 시골 생활 ; (그에 알맞은) 휴양지. 〖It.〗

vil·lein [vílən, vílein, viléin] *n.*〔史〕[원뜻] 하급 지주 ; 농노《13세기경 장원주(莊園主)를 위하여 노동할 것을 조건으로 토지 사용을 허락받았음》. 〖VILLAIN〗

víllen·age, víllein- *n.* 농노 토지 보유(조건), 예농(隷農)[농노]제, 농노의 신분[지위].

villi *n.* VILLUS의 복수형.

víl·li·fòrm [vílə-] *a.* 융털 모양의 ; 비로드의 보풀과 같은 ; 솔의 털과 같은. 〖VILLUS〗

vil·los·i·ty [vilɑ́səti] *n.* 융털이 많음[많은 부분], 융털 조직 ; =VILLUS.

vil·lous [víləs], **vil·lose** [vílous] *a.* 융털 같은 ; 융털[긴 솜털]이 있는.

vil·lus [víləs] *n.* (*pl.* **vil·li** [-lai, -liː])〔解〕융털 ;〔植〕긴 솜털. 〖L〗

vim [vím] *n.* Ⓤ 《口》 정력, 힘, 기력, 활기 : full of ~ 원기에 넘쳐. 〖? L (acc.) ‹ *vis* force〗

VIM [vím] *n.* (고층 건물의) 고속 우편물[서류] 배달 장치. 〖*V*ertical *I*mproved *M*ail〗

VIM vacuum induction melting.

vi·min·e·ous [vimíniəs] *a.*〔植〕가늘고 긴 작은 가지의[와 같은] ; 가늘고 긴 작은 가지가 나는[로 엮은].

v. imp. verb impersonal.

vin [*F* vɛ̃] *n.* (*pl.* **~s** [—]) =WINE.

vin- [vín, váin], **vini-** [vínə, váinə] *comb. form* 「포도주」의 뜻. 〖L VINE〗

VIN vehicle identification number (자동차 등록 번호).

vi·na [víːnə] *n.* 인도 현악기의 일종《보통 4현》. 〖Skt.〗

vi·na·ceous [vainéiʃəs, vi-] *a.* 포도(주)의[비슷한] ; 적포도주 빛깔의.

vin·ai·grette [vìnigrét] *n.* 각성제의 약병, 냄새맡는 약을 넣은 병(smelling bottle) ; =VINAIGRETTE SAUCE.
—— *a.* (요리가) 비니그레트 소스로 무친[를 친]. 〖F (dim.) ‹ VINEGAR〗

vina

vinaigrétte sàuce *n.* 비니그레트 소스《식초·기름·향신료로 만든 드레싱 ; 샐러드·냉야채용》.

vi·nal[1] [váinl] *a.* 포도주의. 〖L (*vinum* wine)〗

vi·nal² [váinæl] *n.* 바이날《폴리비닐알코올을 원료로 하는 합성 섬유 비닐론》.
〚poly*vin*yl *al*cohol〛

vin blanc [*F* vɛ̃ blɑ̃] *n.* 《F》 백포도주(white wine).

vin·blas·tine [vinblǽsti:n] *n.* 〔生化〕 빈블라스틴《일일초에서 추출하는 항종양성(抗腫瘍性) 알칼로이드》.

Vin·cent [vínsənt] *n.* 남자 이름.
〚L=conquering〛

Víncent's angína *n.* 〔醫〕 궤양성 위막성(僞膜性) 앙기나, 뱅상 앙기나(trench mouth). 〚J. H. *Vincent* (d. 1950) 프랑스의 세균학자〛

Víncent's inféction *n.* 〔醫〕 뱅상 감염《호흡기·입에 궤양이 생김》. 〚↑〛

Vin·ci [víntʃi] ☞ DA VINCI.

vin·ci·ble [vínsəbəl] *a.* 이겨낼 수 있는, 정복[극복]할 수 있는. 〚L (*vinco* to conquer)〛

vin·cris·tine [vinkrísti:n] *n.* Ⓤ 〔生化〕 빈크리스틴《백혈병 치료용 알칼로이드》.

vin·cu·lum [víŋkjələm] *n.* (*pl.* **-la** [-lə], **~s**) **1** 연결, 유대, 기반(羈絆). **2** 〔數〕 괄선(括線).

vin·di·ca·ble [víndikəbəl] *a.* 변호[옹호]할 수 있는; 정당화[입증]할 수 있는.
vìn·di·ca·bíl·i·ty *n.*

vin·di·cate [víndəkèit] *vt.* **1** (논증·증거 따위에 의해서) …의 정당[결백]함을 입증[증명]하다: ~ a person 남이 결백함《따위》을 입증하다 / ~ a policy 정책이 정당함을 증명하다 / ~ one's honor 명예를 지키다. **2** (권리·주의 따위를) 주장[지지, 옹호]하다; 요구하다: ~ one's claim [right] to …에 대한 권리를 주장하다. **3** 《古》 = AVENGE.
vindicate one***self*** 자기의 주장[권리]을 옹호하다, 변명하다, 해명하다.
〚L *vindico* to claim, avenge〛

vin·di·ca·tion [vìndəkéiʃən] *n.* **1** Ⓤ.Ⓒ 옹호, 변호, 주장: in ~ *of* …을 옹호[변호]하여. **2** Ⓤ.Ⓒ 입증, 정당화, 증명, 확립; 변명, 해명; 설욕.

vin·dic·a·tive [vindíkətiv, 美+víndəkèi-] *a.* 옹호하는; 변명[변호]적인; 《古》 징벌의.

vín·di·cà·tor *n.* 옹호자, 변호인; 입증자.

vin·di·ca·to·ry [víndikətɔ̀:ri; -kèitəri] *a.* **1** 옹호하는; 변호[변명]하는; 입증하는. **2** 〔法〕 징벌의, 제재적인.

vin·dic·tive [vindíktiv] *a.* **1** 복수심이 있는, 집념이 강한, 보복적인. **2** 《稀》 징벌적인(punitive): ~ damages=EXEMPLARY damages. **3** 악의에 찬. **~·ly** *adv.* **~·ness** *n.*
〚L *vindicta* vengeance; ⇨ VINDICATE〛

‡vine [váin] *n.* **1** 포도나무[덩굴](grapevine). **2** 덩굴 식물, 덩굴 풀, 덩굴: rose ~*s* 《美》 덩굴 장미. **3** [the ~] 《美俗》 포도주(wine). **4** 《美俗》 의복, (특히 남자의 웃도리, 조끼, 바지를 갖춘) 양복.
under one***'s*** (***own***) ***vine and fig tree*** 〔聖〕 포도나무 아래와 무화과나무 아래서; 자기 집에서 편안히.
—— *vi.* 덩굴이 뻗다, 덩굴 모양으로 뻗다[자라다]. 〚OF＜L *vinea* vineyard (*vinum* WINE)〛

víne bòrer *n.* 포도나무(의 고갱이나 뿌리)에 구멍을 뚫는 각종 딱정벌레.

víne·drèss·er *n.* 포도나무 가꾸는 사람.

***vin·e·gar** [vínigər] *n.* **1** 서양식초, 과실초, 비니거《포도주·사과주·맥아주(麥芽酒) 따위로 만든 식초》; 〔藥〕 초제(醋劑)《약물을 묽은 아세트산에 용해시킨 액》: ☞ AROMATIC VINEGAR. **2 a**) (표정·태도·말투 따위의) 신경질성, 불쾌함. **b**) 《美口》 활기, 원기: He's got a lot of ~. 그는 원기 왕성하다. —— *vt.* 초로 처리하다; …에 초를 섞다. 〚OF *vyn egre* sour wine; ⇨ EAGER〛

vínegar èel *n.* 식초벌레《묵은 식초 따위에 생기는 작은 선충(線蟲)》.

vínegar flỳ *n.* 〔昆〕 초파리.
〚밀봉이 불완전한 피클스병 따위에 꾀는 것에서〛

vínegar·ish *a.* 시큼한, 초 같은; 성미 까다로운, 기분 언짢은; 비꼬는, 빈정대는, 신랄한.

vin·e·gar·roon [vìnigərú:n, 美+-róun] *n.* 〔動〕 미국 남부·멕시코산(産)의 대형 전갈의 일종《초 같은 냄새를 냄》. 〚Am. Sp.〛

vínegar trèe[**plànt**] *n.* 〔植〕 강한 신맛이 나는 장과(漿果)가 열리는 sumac.

vin·e·gary [vínigəri] *a.* **1** 초 같은, 신(sour). **2** 《비유》 기분 언짢은, 성미 까다로운, 심술궂은: a ~ smile 쓴 웃음.

vin·ery [váinəri] *n.* **1** 포도 재배 온실; 《美》 포도밭. **2** Ⓤ [집합적으로] 《美》 포도나무, 덩굴 식물.
〚VINE〛

***vine·yard** [vínjərd] *n.* (특히 포도주 제조용) 포도원[밭]; (정신적·육체적인) 일터, 활동범위.
~·ist *n.* 포도원 경영자. **~·ing** *n.*

vingt-et-un [*F* vɛ̃teœ̃] *n.* 《F》 Ⓤ=TWENTY-ONE.

vini- [vínə, váinə] ☞ VIN-.

vi·nic [váinik, vín-] *a.* 포도주의, 포도주에서 채취한[얻어지는].

vìni·cúltural *a.* 포도 재배의.

víni·cùlture *n.* Ⓤ 포도 재배(연구); 양조법, 포도주 담그는 법. **vìni·cúlturist** *n.*

vi·nif·er·ous [vainífərəs, vi-] *a.* 포도주 생산에 알맞은, 포도가 재배되는.

vin·i·fi·ca·tion [vìnəfəkéiʃən, vài-] *n.* 포도주의 양조.

vin·i·fy [vínəfài] *vt.* …으로 포도주를 만들다.

vi·no [ví:nou] *n.* (*pl.* **~s**) 포도주. 〚It., Sp.〛

vin·om·e·ter [vinámətər] *n.* 포도주 주정계.

vin or·di·naire [*F* vɛ̃ ɔrdinɛ:r] *n.* 뱅 오르디네르《정식 따위에 사용하는 보통 포도주》.
〚F=ordinary wine〛

vi·nos·i·ty [vainásəti, vi-] *n.* Ⓤ 포도주의 특질[빛, 냄새, 맛]; 포도주를 항상 마시는 버릇.

vi·nous [váinəs] *a.* **1** 포도주의, 포도주 맛이 나는, 포도주의 성질이 있는; 포도주 빛깔의. **2** 포도주로 원기를 돋운; 포도주에 취한; 포도주를 즐겨 마시는. 〚L (*vinum* wine)〛

vint¹ [vínt] *vt.* (포도주를) 만들다, 빚다.
〚역성(逆成)‹*vint*age〛

vint² *n.* 빈트《whist 비슷한 게임》. 〚Russ.〛

vin·tage [víntidʒ] *n.* **1** [보통 단수형만으로 써서] 포도 수확(기). **2** (한 철의) 포도 수확량, 포도주 생산량: a poor[an abundant] ~ 포도의 흉작[풍작]. **3 a**) 특정한 해의 포도(주): This kind of wine is of the ~ *of* 1950. 이 종류의 포도주는 1950년산의 포도로 담근 것이다. **b**) (풍작의 해에 양조한) 우량 포도주《특히 그 상표와 연호를 기록하여 판매함》, 고급 포도주(vintage wine): a rare old ~ 희귀한 고주(古酒). **4** Ⓤ 《詩·文語》 포도주(wine). **5** 《口》 (특정 연도의) 형(型)(model): a suit *of* last year's ~ 작년 유행형의 옷. **6** 〔經〕 빈티지《자본 스토크의 평균 연수》.
—— *attrib. a.* **1** (포도주가) 우량한, 상등품의, 상표있는: ☞ VINTAGE WINE. **2** 옛것으로 품위가 있는[값이 나가는], 고전적인. **3** 낡은, 유서 있는. **4** (자동차가) 1917-30년에 제조된, 빈티지기

(期)의, (경주차가) 10년 이상 전의. **5** 낡아빠진, 시대에 뒤진. —— *vt.* (포도주용으로) (포도를) 따다 ; (이름 있는 포도주를) 빚다. **vín·tag·er** *n.* 포도 수확자 ; 포도주 양조자. 〖ME *vendage*<OF *vendange*<L (*vinum* wine, *demo* to take off)〗

víntage cár *n.* 《英》 1917-30년에 제조된 구형의 고급차.

víntage chìc *n.* 〖服〗 빈티지 식《헌 옷으로 내는 멋이나 유행》.

víntage wíne *n.* =VINTAGE 3 b).

víntage yéar *n.* **1** 포도 풍작의 해. **2** 《비유》 크게 수지맞은 해 : a ~ *in* English scholarship 영어학 방면에서 수확이 많았던 해.

vint·ner [víntnər] *n.* 포도주 상인[양조인].

viny [váini] *a.* 포도[덩굴] 나무의 ; 포도[덩굴] 나무 같은 ; 포도[덩굴] 나무가 많은.

vi·nyl [váinəl, vín-] *n.* 〖化〗 **1** 비닐(기(基)) : ~ chloride 염화 비닐. **2** U,C 비닐 수지(樹脂). —— *a.* 비닐기를 함유한.
〖L *vinum* wine〗

vínyl ácetate *n.* 〖化〗 아세트산 비닐.

vìnyl·acétylene *n.* 〖化〗 비닐아세틸렌《휘발성 액체 ; 네오프렌(neoprene) 제조의 중간체로 씀》.

vínyl álcohol *n.* 〖化〗 비닐 알코올.

vínyl gròup[ràdical] *n.* 〖化〗 비닐기(基).

vínyl-guárd·ed *a.* (바인더의 링크 따위가) 비닐로 씌워진[보호된].

vi·nyl·i·dene [vainílədì:n] *n.* U 〖化〗 비닐리덴(기(基)) (=~ **ràdical[gròup]**). —— *a.* 비닐리덴을 함유한.

vinýlidene chlóride *n.* 〖化〗 염화비닐리덴.

Vi·nyl·ite [váinəlàit] *n.* 비닐라이트《비닐 수지의 일종 ; 상표명》.

vínyl plástic *n.* 비닐 플라스틱《비닐 수지를 기초 재료로 한 플라스틱》.

vínyl résin *n.* 〖化〗 비닐 수지.

vin·yon [vínjɑn] *n.* 비니온《어망·옷감용의 합성 섬유》. 〖상표〗

vi·ol [váiəl, -oul] *n.* 비올《중세의 보통 6현(絃)의 현악기로 violin의 전신》.
〖OF<Prov.〗

vi·o·la[1] [vióulə] *n.* 비올라 《violin과 비슷하나 좀 큰 악기》 ; 비올라 연주자.
〖It. and Sp.< ? Prov. (↑)〗

vi·o·la[2] [váiələ, vaióulə, vi-] *n.* **1** 〖植〗 **a**) 제비꽃속(屬) (*V*~)의 각종 초본(violet). **b**) 팬지의 일종. **2** [V~] 여자 이름. 〖L=violet〗

vi·o·la·ble [váiələbəl] *a.* 범할 수 있는, 깨뜨릴 수 있는, 더럽힐 수 있는. **-bly** *adv.* **~·ness** *n.* **vì·o·la·bíl·i·ty** *n.* U 범할 수 있음.

vióla da bràc·cio [-də brɑ́:tʃiou] *n.* (*pl.* **viólas da bráccio, vi·ó·le da bráccio** [vióulei-]) (팔로 받치고 연주하는) 비올 《중세의 악기 ; 후세에 비올라로 바뀜》.
〖It.=viol for the arm〗

vióla da gám·ba [-də gɑ́:mbə, -gǽm-] *n.* (*pl.* **viólas da gámba, vi·ó·le da gámba** [vióulei-]) (발로 받치고 연주하는) 저음 비올《중세의 악기 ; violin보다 크고 cello와 비슷함》.
〖It.=viol for the leg〗

***vi·o·late** [váiəlèit] *vt.* **1** (약속·맹세·조약·법률 따위를) 범하다, 깨뜨리다, 무시하다 ; (양심 따위를) 배반하다, 위배[위반]하다 : ~ the law 법률을 범하다, 법에 위반하다. **2** …의 신성함을 더럽히다, …에 불경한 짓을 하다, 모독하다 : ~ a shrine 성지의 신성을 더럽히다 / ~ the sanctity of marriage 결혼의 신성함을 범하다. **3** (정숙·수면 따위를) 어지럽히다 ; 방해[침해]하다, …에 침입하다 : ~ personal rights 인권을 침해하다 / Our privacy should not be ~*d.* 우리들의 사생활이 침해되어서는 안된다. **4** (부녀자에게) 폭행을 가하다, 강간하다(rape). **5** 화나게 하다, 자극하다. —— [-lət] *a.* 《古》 침해[모독]된.
〖L *violat- violo* to treat violently〗

vi·o·la·tion [vàiəléiʃən] *n.* U,C (법률·약속의) 위반, 위배 ; 방해, 훼방, 침입, 난입 ; 불경(不敬), 모독 ; 폭행, 강간 ; 〖스포츠〗 바이얼레이션《보통 foul보다 가벼운 반칙》 : in ~ *of* …을 위반하여. **~·al** *a.*

ví·o·là·tive [, -lətiv] *a.* 범하는, 깨뜨리는 ; 침해하는 ; 더럽히는.

ví·o·là·tor *n.* 위반자, 위배자 ; 모독자 ; 침입자, 방해자 ; 폭행자, 강간자.

***vi·o·lence** [váiələns] *n.* **1** U 맹렬 ; (폭풍 따위의) 맹위 ; 맹렬함, 격렬함. **2** U 폭력(행위), 난폭 ; 〖法〗 폭행 ; 강간(rape) : offer ~ to …을 습격하다, …에 폭력을 가하다 / use[resort to] ~ 폭력을 쓰다, 완력에 호소하다. **3** U 모독 ; (자구(字句)의) 억지 수정, (사실·의미 따위의) 왜곡(歪曲) ; 불일치, 충돌.
do violence to …에 폭행[모욕]을 가하다, (감정 따위를) 해치다 ; …을 범하다, …에 위반하다 ; …을 모독하다 ; (사실 따위)를 왜곡하다, …을 곡해하다.

***ví·o·lent** *a.* **1** (자연 현상·노력 따위) 극심한, 맹렬한, 격렬한 : a ~ earthquake 격렬한 지진 / a ~ blow[attack] 맹타[맹공] / make ~ efforts 분투 노력하다. **2** 난폭한, 폭력적인, 폭력에 의한 ; 부자연스런 : ~ deeds 폭행 / lay ~ hands on a person 남에게 폭행을 가하다, 남을 손찌검하다 / resort to ~ means 폭력[완력]에 호소하다 / a ~ death 변사, 횡사. **3** 격정적인, 분격한, 격한, 흥분한 : ~ passion 격정 / ~ language 과격한 말 / be of[in] a ~ temper 노발대발하고 있다. **4** [강조적으로] 심한, 극단의 : ~ heat 혹서(酷暑) / ~ pain 극심한 통증 / a ~ stomachache 심한 복통 / a ~ contrast of color 극단적인 색채의 대조. **5** 의미를 왜곡한, 억지의. **~·ly** *adv.* 세차게, 맹렬히, 거칠게 ; 지독히 : ~*ly* dressed 요란스럽게 차려입은.
〖OF<L (? *vis* strength)〗

víolent fluctuátions *n. pl.* (시세의) 난조.

víolent presúmption *n.* 〖法〗 결정적 추정.

víolent stórm *n.* 〖海·氣〗 폭풍(storm).

vi·o·les·cent [vàiəlésənt] *a.* 보랏빛이 도는.

***vi·o·let** [váiələt] *n.* **1** 〖植〗 제비꽃속(屬)의 식물, 제비꽃 ; U,C 보랏빛 : the March[English, sweet] ~ 향기제비꽃 / the tricolored ~ 삼색(三色) 제비꽃, 팬지(pansy). **2** 신경질적인 사람, 수줍어하는 사람. **3** [V~] 여자 이름. —— *a.* 보랏빛의. 〖OF (dim.) 〈 *viole* VIOLA[2]〗

víolet rày *n.* 〖理〗 자광선(紫光線)《가시(可視) 스펙트럼 가운데의 파장이 가장 짧은 광선》 ; 《俗用》 자외선.

víolet wòod *n.* 자단(紫檀).

‡vi·o·lin [vàiəlín] *n.* 바이올린(연주자), 제금(提琴) (cf. FIDDLE) : the first[second] ~ (오케스트라의) 제1[제2] 바이올린 (연주자).
play first violin 지휘하다, 지도적 역할을 맡아 하다(cf. *play first*[*second*] FIDDLE).
〖It. (dim.) 〈 VIOLA[1]〗
類義語 ⟹ PIANO[1].

vì·o·lín·ist *n.* 바이올린 연주자, 바이올리니스트.

vi·o·list[1] [vióuləst] *n.* 비올라(viola) 연주자.

vi·ol·ist² [váiələst] *n.* 비올(viol) 연주자.

vi·o·lon·cel·lo [vàiələntʃélou ; vìːə-] *n.* (*pl.* **~s**) 〖樂〗 첼로(cello). **-cel·list** [-tʃéləst] *n.* 첼로 연주자, 첼리스트(cellist). 〚It. (dim.) < ↓〛

vi·o·lo·ne [vìːəlóunei ; váiələun] *n.* 〖樂〗 비올로네《바이올린류(類)의 최저음 현악기 ; contrabass의 전신》. 〚It. =large viol〛

vio·mýcin [vàiə-] *n.* Ⓤ 〖藥〗 바이오마이신《결핵 치료에 유효한 항생 물질》. 〚*vio*let+-*mycin*〛

vi·os·ter·ol [vaiástərɔ̀(ː)l, -ròul, -ràl] *n.* Ⓤ 〖藥〗 비오스테롤《비타민 D를 함유한 유형물 ; 구루병 약》. 〚*vio*let+*sterol*〛

VIP, V.I.P. [vìːàipíː, víp] *n.* (*pl.* **~s**) 《口》 귀빈, 거물, 요인(要人). 〚*v*ery *i*mportant *p*erson〛

vi·per [váipər] *n.* **1** 〖動〗 북살모사, (특히) 유럽 살모사 ; (일반적으로) 독사. **2** 질이 나쁜 인간, 엉큼한 사람 ; 《美俗》 마약[(특히) 마리화나] 중독자 ; 마약 판매인.
cherish [***nourish***] ***a viper in*** one***'s bosom*** 은혜를 원수로 갚다.
〚F or L (? *vivus* alive, *pario* to bring forth) ; 태생(胎生)이라고 생각되었던 것에서 인가〛

vi·per·ine [váipəràin, -rən] *a.* viper의[같은] ; 독이 있는 ; 악의에 찬.

víper·ish *a.* 악의에 찬, 독설의.

víper·ous *a.* 살모사(viper)의[같은] ; 악의가 있는, 엉큼한, 방심하지 못하는. **~·ly** *adv.*

vi·ra·go [vəráːgou, -réi-, vírə-] *n.* (*pl.* **~es, ~s**) 잔소리 심한 여자, 바가지 긁는 여자 (shrew) ; 《英古》 사내같은 여자, 여장부.
〚OE<L=female warrior (*vir* man)〛

vi·ral [váiərəl] *a.* 〖醫〗 바이러스성(性)의, 여과성 병원체(濾過性病原體)의. **~·ly** *adv.*

Vi·ra·zole [váirəzòul] *n.* 바이라졸《항바이러스병약 ribavirin의 상표명》. 〚*vir*us+*azole*〛

vir·e·lay, -lai [vírəlèi] *n.* (특히 프랑스의 옛 시에서) 1절(節) 2운체(韻體)의 단시(短詩).

vire·ment [*F* virmɑ̃] *n.* 〖商〗 대체(對替), 어음 교환 ; (자금의) 유용, 비목(費目) 변경.
〚F (*virer* to turn)〛

vir·eo [víriòu] *n.* (*pl.* **vír·e·òs**) 〖鳥〗 비레오과(科)의 각종 새《북미·중남미산》.

vires *n.* VIS의 복수형.

vi·res·cence [vərésəns, vaiər-] *n.* Ⓤ 녹색 ; 〖植〗 녹색화(化).

vi·rés·cent *a.* 녹색이 도는(greenish) ; 〖植〗 녹색으로 변하는.

vir·gate¹ [və́ːrgət, -geit] *a.* 막대기 같은, 가느다란. 〚L=rod〛

virgate² *n.* 〖英史〗 버게이트《지적(地積) 단위 ; =1/4 hide, 1/4 acre》.
〚L=a rod's measurement〛

Virgil ☞ VERGIL.

Vir·gil·ian [vərdʒíliən] *a.* =VERGILIAN.

***vir·gin** [və́ːrdʒən] *n.* **1 a**) 처녀, 미혼 여성, 아가씨. **b**) 성처녀, 수녀. **2** [the V~] 동정녀 마리아 ; [a V~] 성모 마리아의 그림[상(像)]. **3** 동정남(童貞男). **4** 〖動〗 교미한 적이 없는 암컷 ; 〖昆〗 단성(單性) 생식을 하는 곤충의 암컷. **5** [the V~] 〖天〗 처녀자리(Virgo).
the (***Blessed***) ***Virgin*** (***Mary***) 성모 마리아.
—— *a.* **1** 처녀의, 동정(童貞)의. **2** 처녀에 어울리는, 처녀다운, 순결한, 얌전한, 청순한 : ~ flushes[modesty] 처녀다운 수줍음[겸손]. **3** 손댄[밟힌] 일이 없는 ; 더럽히지 않은, 어지럽혀지지 않은 ; 혼합되지 않은 ; 아직 사용되지 않은 ; 미개간의 : a ~ blade 아직 피로 더럽혀지지 않은 칼 / ~ clay (아직 굽지 않은) 생 진흙 / a ~ forest 처녀림, 원시림 / ~ gold 순금 / a ~ peak 처녀봉 / ~ snow 처녀설(雪)《밟은 흔적이 없는 눈》. **4** 신선한, 새로운, 처음인(first) : a ~ voyage 처녀 항해. **5** 〖動〗 미수정(未受精)의 ; 〖鑛〗 (원소가) 자연에 순수한 형태로 존재하는.
〚AF and OF<L *virgin- virgo* maiden〛

vírgin·al¹ *a.* 처녀의[같은], 처녀다운 ; 순결한, 무구(無垢)한 ; 〖動〗 미수정(未受精)의 : ~ bloom 한창 아리따운 나이의 처녀. **~·ly** *adv.*

virginal² *n.* [흔히 (a pair of) ~s] 〖樂〗 버지널《16-17세기의 유건 발현 악기(有鍵撥弦樂器)》 ; 《俗》 하프시코드. **~·ist** *n.*
〚? L=of a VIRGIN〛

vírginal generátion *n.* 〖生〗 단위(單爲) 생식.

vírginal mémbrane *n.* 〖解〗 처녀막(hymen).

vírgin bírth *n.* [흔히 V~ B~] 〖神學〗 성모 마리아의 처녀 수태(受胎)(설) ; 〖生〗 단위[처녀] 생식 (parthenogenesis).

vírgin blóody Máry *n.* 《俗》 토마토 주스.

vírgin cóke *n.* 《美俗》 Coca-Cola에 체리 향의 시럽을 넣은 음료.

vírgin cómb *n.* 꿀을 저장하기 위해 단 한 번 사용하는 벌집, 처녀 봉방(蜂房).

vírgin hóney *n.* virgin comb에서 채취한 꿀, 벌집에서 저절로 흘러나오는 (어린 벌의) 꿀, 새꿀.

vír·gin·hòod *n.* Ⓤ 처녀임, 동정(童貞)(virginity), 처녀기(期).

Vir·gin·ia [vərdʒínjə] *n.* **1** 여자 이름. **2** 버지니아《미국 동부의 주 ; 주도 Richmond ; 「처녀왕」으로 불린 Elizabeth 1세에서 유래 ; 略 Va.》. **3** Ⓤ 버지니아 담배 : ~ cigarettes 버지니아 담배.
〚L ; 가족 이름에서〛

Virgínia cówslip[**blúebells**] *n.* (*pl.*) 〖植〗 갯지치속(屬)의 다년초《북미 원산(原産) ; 보통 원예 식물》.

Virgínia créeper *n.* 〖植〗 아메리카담쟁이.

Virgínia déer *n.* 〖動〗 (북미산의) 흰꼬리사슴.

virgìnia·mýcin *n.* 〖藥〗 버지니아마이신《방선균(放線菌)에서 얻는 항생 물질 ; 그램 양성균(陽性菌)에 유효》.

Vir·gín·ian *a.* 버지니아주(산)의. —— *n.* 버지니아주의 사람.

Virgínia réel *n.* 미국의 포크 댄스의 일종《두 사람씩 마주 보고 두 줄로 늘어서서 춤》 ; 그 음악.

vir·gi·ni·bus pu·e·ris·que [wirgínəbus pùəríːskwe] 소년 소녀를 위하여[에 알맞은].
〚L=for boys and girls〛

Vírgin Íslands of the Uníted States *n. pl.* [the ~] 미국령 버진아일랜드《버진아일랜드의 서반부》.

vir·gin·i·ty [vərdʒínəti] *n.* Ⓤ 처녀[동정]임, 처녀성, 동정 ; 순결 ; 청순 ; 신선 ; (특히 여성의) 미혼[독신] 생활.

vir·gin·i·um [vərdʒíniəm] *n.* Ⓤ 〖化〗 버지늄《방사성 알칼리 금속 원소 ; 기호 Vi ; 지금은 francium이라고 함》.

Vírgin Máry *n.* [the ~] 성모 마리아.

Vírgin Móther *n.* [the ~] =VIRGIN MARY.

Vírgin Quéen *n.* **1** [the ~] 영국 여왕 Elizabeth 1세의 별칭. **2** [v~ q~] 〖昆〗 (교미한 적이 없는) 새 여왕벌.

vírgin's bówer *n.* 〖植〗 참으아리.

vírgin wóol *n.* (재생 양모에 대해) 새 양모 ; (실·옷감이 되기 전의) 미가공의 양모, 원모.

Vir·go [və́ːrgou, víər-] *n.* 〖天〗 처녀자리(the Virgin) ; 처녀궁(宮) (cf. *the signs of the* ZODIAC).

〖OE<L ; ⇨ VIRGIN〗

vírgo in·tác·ta [-intǽktə] *n.* 〖法〗 (처녀막이 있는) 완전한 처녀, 숫처녀. 〖L=untouched virgin〗

vir·gu·late [vɔ́ːrgjələt, -lèit] *a.* 〖植〗 막대 모양의 (virgate[1]).

vir·gule [vɔ́ːrgjuːl] *n.* 〖印〗 사선(斜線)《/ ; cf. SOLIDUS 2 ; 어느쪽 말을 취해도 좋음을 나타냄》.

ví·ri·cìde, -ru- [váiərə-] *n.* 〖藥〗 살(殺) 바이러스제(劑).

vir·i·des·cent [vìrədésənt] *a.* **1** 담녹색의, 초록빛이 도는 ; 녹색을 띤, 푸르스름한. **2** 싱싱한, 신선한 ; 활기있는, 생기가 넘치는.

-dés·cence *n.*

vi·rid·i·an [vərídiən] *n.* 비리디언《청록색 안료 ; 그 색》. ── *a.* 청록색의.

vi·rid·i·ty [vərídəti] *n.* Ⓤ 녹색, 초록, 청록 ; 젊음, 싱싱함 ; 미경험, 미숙함.

vir·ile [vírail, vírəl, 英+váiərail] *a.* **1** 성년 남자의, 장정의 : the ~ age 한창 때의 남자. **2** 남성(적)인, 남자다운, 정력적인 ; 힘센, 강건한 (manly). **3** 생식의, 생식력 있는.

〖OF or L (*vir* man)〗

víríle mémber *n.* [the ~] 《古》 음경(陰莖), 남근(男根).

vir·i·les·cent [vìrəlésənt] *a.* (늙은 암컷 동물이) 웅성(雄性)[남성]화하는. **-lés·cence** *n.*

vir·il·ism [vírəlìzəm] *n.* Ⓤ (여자의) 남성화(化) 《수염·저음(低音) 따위》.

vir·il·i·ty [vəríləti, 英+vai-] *n.* **1** Ⓤ (성년) 남자임, 성년. **2** Ⓤ 남자다움 ; (남자로서의) 정력, 남자의 생식력. **3** Ⓤ 활기, 힘참〈*of*〉.

vi·ri·on [váiəriàn, vír-] *n.* 비리온《성숙 바이러스 입자》.

ví·ro·gène [váiərə-] *n.* 〖生化〗 바이러스 유전자 《특히 정상 세포 속에 발암성 바이러스를 만들어 내는 유전자》.

vi·roid [váiərɔid] *n.* 〖生〗 바이로이드《바이러스보다 작은 RNA 병원체로서 여러가지 식물병의 원인이 됨》. ── *a.* 바이로이드의 ; =VIRAL.

vi·rol·o·gy [vaiərálədʒi] *n.* Ⓤ 바이러스학(學). **-gist** *n.* 바이러스 학자. 〖VIRUS〗

vi·rol·y·sin [vaiərálәsən] *n.* 〖生化〗 비롤리신《세포벽을 파괴하는 효소》.

vi·rose [váiərous] *a.* 독이 있는(poisonous) ; 악취가 나는(fetid).

vi·ro·sis [vaiəróusəs] *n.* (*pl.* **-ses** [-siːz]) Ⓤ 바이러스 감염[병].

vir·tu, ver- [vəːrtúː, viər-, vɔ́ːrtuː] *n.* Ⓤ 미술품 애호, 골동품 취미 ; [집합적으로] 미술[골동]품 ; (골동·미술품류의) 아름다움, 좋은 점 : articles [objects] of ~ 골동품, 미술품.

〖It. VIRTUE〗

***vir·tu·al** [vɔ́ːrtʃuəl, 美+-tʃəl] *a.* **1** (표면 또는 명목상은 그렇지 않으나) 사실상의, 실질상의, 실제(상)의 : a ~ certainty 사실상 확실한 사건 / He was the ~ leader of the movement. 그 운동의 사실상의 지도자였다. **2** 〖光〗 허상(虛像)의(↔ *real*) : a ~ image 허상(虛像) / a ~ focus 허초점. **3** 〖理〗 (전이(轉移)에 있어서) 직접 검출[검증]될 수 없는, 가짜의 ; 가상의 ; 〖컴퓨〗 가상의 : ~ state 가상 상태.

〖L=effective ; ⇨ VIRTUE〗

vírtual displácement *n.* 〖理〗 가상 변위.

vir·tu·al·i·ty [vəːrtʃuǽləti] *n.* Ⓤ (명목상은 그렇지 않으나) 사실상[실질상] 그러함, 실질, 실제 ; 본질.

***vírtual·ly** *adv.* 사실상, 실질적으로(practically) : He is ~ dead. 죽은거나 다름없다.

vírtual máss *n.* 〖理〗 가상(假想) 질량.

vírtual mémory *n.* 〖컴퓨〗 가상 기억.

vírtual stórage *n.* 〖컴퓨〗 가상 기억 장치.

vírtual wórk *n.* 〖理〗 가상적 일[공정].

vir·tue** [vɔ́ːrtʃuː] *n.* **1** Ⓤ (일반적으로) 덕, 미덕, 덕행, 선, 선행 ; 고결, 청렴 결백 ; Ⓒ (특정한) 도덕적 미점(美點), 덕목(德目) : ~ and vice 미덕과 악덕 / Courage is a ~. 용기는 미덕(의 하나)다 / *V*~ is its own reward. 《속담》 선행은 바로 그 자체가 보답이다 / ☞ CARDINAL VIRTUES. **2** Ⓤ 정조(chastity) : a woman of ~ 정숙(貞淑)한 여성 / a lady[woman] of easy ~ 바람둥이 여자. **3** [+前+do*ing*] 미점, 장점, 가치, 공덕(merit) : Nylons have the ~ ***of durability[*of* be*ing* durable]. 나일론 양말은 질기다는 장점이 있다. **4** Ⓤ 힘, 효력, 효능, 효험(efficacy) : the ~ *of* herbs 약초의 효능. **5** [*pl.*] 힘의 천사《아홉 천사 중의 다섯번째 계급 ; cf. HIERARCHY》.

by [***in***] ***virtue of*** …의 힘으로, (…의 효력)에 의하여, …의 덕택으로.

make a virtue of necessity ☞ NECESSITY.

the seven cardinal [***chief, principal***] ***virtues*** 7주덕(主德)《희망·신의·자선·정의·현명·절제·용기 ; cf. CARDINAL VIRTUES》.

~·less *a.*

〖OF<L=manly excellence, worth(*vir* man)〗

類義語 ⟹ GOODNESS.

vir·tu·os·ic [vəːrtʃuásik] *a.* virtuoso의[같은].

vir·tu·os·i·ty [vəːrtʃuásəti] *n.* Ⓤ (예술상 특히 음악 연주상의) 묘기, 기교 ; 골동품 안식(眼識) ; 《稀》 미술 취미[애호], 골동품 취미.

vir·tu·o·so [vəːrtʃuóusou, -zou] *n.* (*pl.* **~s, -si** [-siː]) **1** (예술의) 명인, 대가, 거장, (특히) 음악의 대가[명수]. **2** 미술품 애호[감상]가, 미술품[골동품] 전문가. ── *a.* virtuoso의.

〖It.=learned, skilled<VIRTUE〗

***vir·tu·ous** [vɔ́ːrtʃuəs] *a.* **1** 덕이 있는, 덕이 높은. **2** 고결한 ; 정숙한 ; 《蔑》 고결한 체하는 : a ~ gentleman[knight] 덕망높은 신사[기사]. **3** 《古》 효능이 있는, 유효한.

~·ly *adv.* 도덕에 맞게, 고결하게 ; 절개있게.

~·ness *n.* Ⓤ 유덕, 고결 ; 정숙.

〖OF<L ; ⇨ VIRTUE〗

類義語 ⟹ MORAL.

virucide ☞ VIRICIDE.

vir·u·lence, -cy [vírjələns(i)] *n.* Ⓤ 유독, 독성 ; 병독성 ; 《비유》 독살스러움, 극심한 악의, 증오 ; 신랄함.

vír·u·lent *a.* **1** 유독한, 독성의 : ~ poison 맹독. **2** 독기를 품은, 적의에 찬, 악의 있는. **3** 〖醫〗 악성의. **~·ly** *adv.* 〖L (VIRUS=poison)〗

vírulent pháge *n.* 〖生〗 독성 파지《세균에 감염되어도 새끼 파지를 생성하면서 세균 세포를 용해하는 바이러스》.

vi·rus [váiərəs] *n.* **1** (여과성) 병원체, 바이러스 ; (일반적으로) 병독 : ~ disease 바이러스(성) 질환 / ~ X 바이러스 엑스《정체 불명의 바이러스 병독》. **2** (도덕·정신상의) 해독, 악영향 : the ~ *of* war[revolution] 전쟁[혁명]의 해독. **3** (두묘(痘苗) 따위의) 균, 두균(痘菌). **4** 〖컴퓨〗 바이러스, 전산균, 셈틀균.

〖L=slimy liquid, poison〗

vi·ru·stát·ic [vàiərə-] *a.* 바이러스 (번식) 억제성(性)의.

vírus wárfare *n.* 세균전.

vis [vís] *n.* (*pl.* **vi·res** [váiəriːz]) 힘(force). 〖L〗

Vis. Viscount; Viscountess. **vis.** visibility; visual.

vi·sa [ví:zə, -sə] *n.* (여권 따위의) 이서(裏書), 사증(査證), 비자 : an entrance[exit] ~ 입국[출국] 사증 / a transit ~ 통과 사증. ── *vt.* (**~ed, ~'d; ~·ing**) 이서[사증]하다(endorse, visé) : get[have] one's passport *~ed* (by a consular officer) (영사관원에게) 여권을 사증해 받다. 〖F<L (*vis- video* to see)〗

Vísa (Cárd) *n.* 미국의 대표적인 크레디트 카드의 하나.

vis·age [vízidʒ] *n.* 《文語》 얼굴, 얼굴빛, 얼굴 생김새, 용모; 양상, 모양 : His ~ told clearly that he would resign. 그의 얼굴빛은 그가 사직한다는 것을 분명히 말해 주었다. **~d** *a.* [복합어를 이루어] …한 얼굴의 : gloomy-*~d* 우울한 얼굴의 / stern-*~d* 엄격한 얼굴의.
〖OF=aspect<L *visus* face〗
類義語 ⟹ FACE.

vi·sa·giste [*F* vizaʒíst] *n.* 《F》〖劇〗 분장사, 메이크업 담당자.

visard ☞ VIZARD.

vis-à-vis [vi:zəví:, -zɑ:-] *adv.* 마주 대하여, 상대하여〈*to, with*〉: sit ~ at a dinner party 만찬회에서 마주 보고 앉다. ── *prep.* **1** …와 마주 보고, …와 상대하여. **2** 《비유》 …에 관하여; …와 비교하여. ── *a.* 마주 보고 있는. ── *n.* (*pl.* ~ [-*z*]) 마주 보고[상대하고] 있는 사람[것]; 좌석이 마주 보고 있는 마차; 마주보고 앉게 된 S자형의 긴의자[좌석]; (특히) (춤의) 상대역, (사교장에서의) 파트너. 〖F=face to face (*vis* face)〗

Vi·sa·yan [vəsáiən] *n., a.* 비사야인《필리핀 원주민》(의); Ⓤ 비사야어(의).

Visc. Viscount(ess).

viscacha, viscache ☞ VIZCACHA.

vis·cer- [vísər], **vis·ceri-** [vísərə], **vis·cero-** [-rou, -rə] *comb. form* 「내장(內臟)의」의 뜻《모음 앞에서는 viscer-》.

vis·cera [vísərə] *n. pl.* (*sg.* **vis·cus** [vískəs]) 〖解〗 내장《특히 복부의》; 《俗》 장(腸), 창자(intestines).

vis·cer·al [vísərəl] *a.* **1** 내장의; (병이) 내장을 침범하는. **2** 마음 속에서 느끼는; 본능적[비이지적]인; 거친, 속악한, 노골적인. **~·ly** *adv.*

vísceral léarning *n.* 내장 학습《체내의 불수의 기관 작용을 자유로이 제어할 수 있게 되는 것》.

vis·cer·ate [vísərèit] *vt.* 《古》 내장을 빼내다.

vìscero·tónic *a.* 〖心〗 내장형의《비만형에 흔한 대범하고 사교적인 기질; cf. SOMATOTONIC》.

vìscero·trópic *a.* 〖菌〗 내장향성(內臟向性)의.

vis·cid [vísəd] *a.* 끈적끈적한, 점착성(粘着性)의(sticky); 찐득찐득한. **~·ly** *adv.* **~·ness** *n.* 〖L; ⇨ VISCOUS〗

vis·cid·i·ty [visídəti] *n.* Ⓤ 끈적끈적함, 점착성.

vis·co·elástic [vìskou-] *a.* 〖理〗 점성과 탄성을 함께 지닌.
vìs·co·elastícity *n.* 점탄성(粘彈性).

vis·com·e·ter [viskámətər] *n.* 점도계(計).

vis·cose [vískous, -z] *n.* Ⓤ 〖化〗 비스코스《인조견사·레이온 따위의 원료 셀룰로오스》.
── *a.* **1** 점착하는, 끈적이는. **2** 비스코스의[를 함유한, 로 만든]. 〖VISCOUS〗

vis·co·sim·e·ter [vìskəsímətər] *n.* =VISCOMETER.

vis·cos·i·ty [viskásəti] *n.* Ⓤ 점질(粘質); 점도(粘度), 점성(粘性), 점성률.
〖F or L; ⇨ VISCOUS〗

vis·count [váikàunt] *n.* 자작(子爵) 《백작(earl)의 장남에 대한 경칭으로도 씀; 略 V., Vis(c).; cf. NOBILITY》; 〖史〗 백작의 대리; 〖英史〗 = SHERIFF. **~·cy, ~·ship** *n.* 자작의 지위[신분]. **~·ess** *n.* 자작 부인, 자작 미망인; 여(女)자작. **~y** *n.* =VISCOUNTCY; 〖史〗 자작령(領).
〖AF<L (*vice-*, COUNT[2])〗

vis·cous [vískəs] *a.* 끈적거리는, 끈기 있는, 점착성의; 〖理〗 점성(粘性)의. **~·ly** *adv.* **~·ness** *n.* 〖AF or L (*viscum* birdlime)〗

Visct. Viscount; Viscountess.

vise | vice [váis] *n.* 〖機〗 바이스 : grip in a ~ 바이스로 죄다.
(as) firm as a vice 바이스처럼 단단히.
── *vt.* 바이스로 물다, 바이스처럼 물다[죄다].
〖ME=winding stair, screw<OF *vis* screw<L *vitis* vine〗

vise

vi·sé [ví:zei, vizéi] *n., vt.* (**~d, ~'d**) =VISA. 〖F〗

Vish·nu [víʃnu:] *n.* 〖힌두敎〗 비슈누《3대 신격(神格)의 하나로 세계를 유지하는 신; cf. BRAHMA, SIVA》. 〖Skt.〗

vis·i·bil·i·ty [vìzəbíləti] *n.* **1** Ⓤ 눈에 보이는 일[상태, 정도]; 시계, 시정(視程). **2** Ⓤ 투명도, 가시도 : high[low, poor] ~ 고[저]시도(度).

***vis·i·ble** [vízəbəl] *a.* **1** (육안으로) 보이는, 가시(可視)의 : ~ and invisible stars 보이는 별과 보이지 않는 별 / They are hardly ~ *to* the naked eye. 그것들은 거의 육안으로 보이지 않는다. **2** 보고 알 수 있는, 명확한(perceptible). **3** 방문객을 만날 의지가 있는 : Is he ~? 그를 만날 수 있을까요. ── *n.* 눈에 보이는 것; 유형 품목, 제품; [the ~] 물질, 물질 세계, 가시(可視) 세계, 현세(↔*the invisible*). **-bly** *adv.* 눈에 보이게[보이도록], 분명히(evidently). **~·ness** *n.*
〖OF or L; ⇨ VISION〗

vísible chúrch *n.* [the ~] 〖神學〗 현세의 교회(church visible).

vísible horízon *n.* [the ~] 가시 지평(可視地平) (apparent horizon), 시수평(視水平).

vísible Négro *n.* 《美》 흑인 손님을 끌기 위해 고용한 흑인.

vísible ráy *n.* 〖理〗 가시 광선.

vísible spéctrum *n.* 〖理〗 가시(可視) 스펙트럼《3800-7600 Å의 가시 광선 파장 범위의》.

vísible spéech *n.* **1** Ⓤ 시화법(視話法)《발음 기관의 실제 위치를 표시하는 기호에 의하여 언어의 음을 나타내는 법》. **2** Ⓤ 〖音聲〗 음성 분석도 따위에 의해서 음성의 특징을 도형이나 그래프로 표시하기.

vísible supplý *n.* (농산물 따위의) 출하량, 유형 공급량.

Visi·goth [vízəgɑ̀θ] *n.* 서고트족(族)《Pyrenees 산맥의 남북에 걸쳐 왕국을 세웠음(418?-711); cf. OSTROGOTH》.
Vìsi·góth·ic *a.* 서고트족의.

vis in·er·ti·ae [vís inə́:rʃiì:] *n.* 〖理〗 타성(惰性), 타력(inertia). 〖L〗

***vi·sion** [víʒən] *n.* **1** Ⓤ 시각, 시력(sight); 시야; 보기, 목격, 관찰 : a field of ~ 시계, 시야 / beyond one's ~ …의 눈에 보이지 않는. **2** (시인·정치가 등의) 상상력, 직감력, 통찰력, 비전 : a man of ~ 통찰력 있는 사람. **3** 보이는 것, 눈에 비치는 것, 모양, 광경; 일견(glimpse) : a glorious ~ 찬란한 광경 / catch a ~ of …을 힐끗 보다. **4** 허깨비, 환영, 환상, 몽상, (환영으로 그리는) 이상상(像) : a man who sees ~*s* 환상을 보는 사람 / the ~ of the world that is to be 미래 세계의 이상적인 상, 세계의 미래상. **5** 이 세상의 것으로 생각되지 않는 아름다운 것《사람 · 경치 따위》. **6** 〖映〗환상의 장면《상상 · 회상을 나타내는》. **7** Ⓒ 〖修〗현사법(現寫法). —— *vt.* 환상으로 보다, 꿈에 보다 ; 마음에 그리다. **~·less** *a.* **1** 시력이 없는, 소경의(blind). **2** 통찰력[상상력]이 없는, 포부가 없는. **3** 환영을 보지 않는 ; 공상이 없는. 〚OF<L (*vis- video* to see)〛

vísion·al *a.* 환상으로 본, 환영의 ; 환영적인, 공상적인, 가공(架空)의 ; 비현실적인.
~·ly *adv.* 환상으로, 환영처럼.

vísion·àry [; -əri] *a.* **1** 환영의[같은]. **2** 가공적인 ; (계획 따위가) 꿈 같은, 실현 불가능한, 공중누각적인. **3** 공상적인 ; 환상을 좇는, 망상적인. —— *n.* 공상가, 꿈꾸는 사람, 환상[꿈]을 좇는 사람, 망상가.
類義語 ⟹ IMAGINARY.

ví·sioned *a.* 환영에 나타난[의한] ; 상상력[통찰력]이 풍부한.

◊**vis·it** [vízət] *vt.* **1** 방문하다 ; (남의) 손님으로 체재하다, …의 장소에 머물러[놀러] 가다 : ~ a new neighbor 이웃에 이사온 사람을 (인사차) 방문하다 / ~ a sick person 환자를 문병하다 / ~ one's aunt in the country 시골 아주머니집에 놀러 가다.
2 《주로 美》 (직업상 · 역할 따위로) 보러 가다[오다], 시찰[조사]을 가다, 순시하다, 임검하다, 왕진하다 : Public establishments are regularly ~*ed* by health officers. 공공시설은 정기적으로 보건원의 검사를 받는다.
3 찾아가다, 참관[참예(參詣)]하다, 구경가다 ; 가끔 찾아가다 : ~ a library[museum] 도서관[박물관]에 가다 / ~ a school 학교를 참관하다 / He had no time to ~ Niagara Falls. 나이아가라 폭포를 구경할 시간이 없었다 / I hope to ~ Rome some day. 언젠가 로마에 가보고 싶다.
4 a) [+目+前+名] 《古》…에 축복을 내리다, 축복하다 : ~ a person ***with*** salvation 남에게 구원을 베풀다. **b)** [+目+前+名] (고통 · 벌을) 가하다, (재난을) 입히다 ; 〖聖〗(죄를 남에게) 씌우다 : ~ one's indignation[blunder] ***on*** a person 남에게 분풀이하다[실책을 뒤집어 씌우다] / The sins of the fathers are ~*ed* ***upon*** the children. 어버이의 죄악은 자식에게 돌아온다《Prayer Book 중의 문구에서》. **c)** (병 · 재해가) 찾아오다, 휩쓸다, …에 덮치다 ; 〖聖〗(죄인 · 죄를) 벌하다 : London was ~*ed* by the plague in 1665. 1665년에 페스트가 런던을 휩쓸었다.

〈회화〉
What will you do tomorrow? — I'll *visit* my grandmother. 「내일 뭐 할거니」「할머니를 찾아뵐려고 해」

—— *vi.* **1** 《주로 美》 [+前+名] 방문하다 ; 순시하다 ; 구경하다 ; (손님으로) 체재하다(stay) : ~ ***at*** one's friend's 친구집에 머물다 / ~ ***in*** New York 뉴욕으로 구경가다. **2** 《美口》 [+*with*+名 / +副 / 動] 이야기하다, 잡담하다(chat) (cf. *n.* 3) : ~ ***with*** one's neighbor 이웃 사람과 잡담을 하다 / ~ *with* a friend over the phone 친구와 전화로 이야기하다 / They met on the street, stopped, and ~*ed* (*together*) for half an hour. 노상에서 만나 선 채로 반시간이나 이야기했다. **3** 벌을 주다, 보복하다.
—— *n.* **1 a)** 방문, 문안 : a ~ *to* a friend 친구 방문 / receive a ~ *from* a person 남의 방문을 받다 / return a ~ 답례로 방문하다 / a ~ of civility[respect] 예의상의 방문, 예방. **b)** 순회, 순찰, 순시, 임검, 왕진 : a ~ *to* patients 환자 왕진 / a domiciliary ~ 〖法〗 가택 수색. **c)** 참관, 견학, 구경 (여행), 유람 (여행), 참배 : a ~ *to* London[the Eiffel Tower] 런던[에펠 탑] 구경. **2** (손님으로서의) 체재. **3** 《美口》잡담, 담소(談笑) (chat) (cf. *vi.* 2) : one's ~ *with* a friend 친구와의 세상사 이야기 / I had a nice ~ *with* him. 그와 즐겁게 담소했다 / have a ~ on the telephone 전화로 이야기하다.
on a visit to …을 방문 중, …을 구경 중.
on a visit with …에 체류 중.
pay [***make, give***]***...a visit*** = ***pay*** [***make, give***] ***a visit to*** (사람 · 장소)를 방문하다, 문안가다, 순회하다, 참관하다, 구경하다.
the right of visit = the right of VISITATION.
〚OF<L (freq.) ‹ *viso* to view ; ⇨ VISION〛

vísit·able *a.* 방문[참관]할 수 있는 ; 구경할 만한 ; 손님 방문을 받기에 알맞은 ; 시찰[순시, 임검]을 받아야 할.

vis·i·tant [vízətənt, 美+víztənt] *a.* 《文語》 방문[내방]하는(visiting). —— *n.* **1** 《文語》 (특히 신분이 높은 또는 초자연계로부터의) 방문[내방]자 ; 순례자 ; 관광객. **2** 〖鳥〗철새. **3** [V~] 〖카톨릭〗성모 방문회의 수녀.

vis·i·ta·tion [vìzətéiʃən] *n.* **1** (감독관의) 공식 방문, 시찰 ; 순찰, 순회 ; 선박 임검 : the right of ~ 〖國際法〗 (선박의) 임검권. **2** (성직자가) 환자 또는 번민하는 사람을 위문하기 : the ~ of the sick 교구민 환자에 대한 목사의 위문 ; 〖英國敎〗 환자 방문 기도. **3** 《口》 (사교상의) 방문, 문안 ; (특히) 밑질긴 방문, 오래 끄는 방문. **4** 천혜(天惠) ; 하늘의 섭리, 천노(天怒) ; 천벌, 재화, 재난 : Plague was formerly regarded as a ~ of God. 옛날에는 전염병을 신의 노여움이라고 생각했다. **5** [the V~] 〖聖〗성모 방문의 축일《7월 2일 성모 마리아가 세례 요한의 어머니 Elizabeth를 방문한 날을 기념하는 축일》.
~·al *a.*

visitátion ríghts *n. pl.* 〖法〗방문권《이혼 · 별거시 한쪽 부모가 다른 한쪽 부모 밑에 있는 아이를 방문하러 가는》.

vis·i·ta·to·ri·al [vìzətətɔ́ːriəl] *a.* 순회(자)의, 순시(자)의, 임검(자)의 ; 순시[임검]권이 있는.

vísit·ing *n.* Ⓤ 방문, 문안, 시찰.
—— *a.* 방문의[하는], 문안하는, 시찰의, 순시의.
have a visiting acquaintance with... = ***be on visiting terms with*** …와 왕래할 만큼 친한 사이다.

vísiting bòok *n.* 방문객 명부 ; 방문처 명부.

vísiting càrd *n.* 《주로 英》 명함(=《美》 calling card).

vísiting dày *n.* 면회일, 접객일.

vísiting fíreman *n.* (충분히 접대해야 할) 귀한 손님[방문객] ; 아낌없이 돈을 뿌리는 여행객 ; 내방자 일단의 한 사람.

vísiting lìst *n.* 방문록, 방우록(訪友錄) : He is not on my ~. 그와는 그다지 친하지 않다.

vísiting núrse *n.* 방문[순회] 간호사.

vísiting proféssor *n.* (일정 기간만을 강의하는 타대학에서 온) 파견[객원] 교수.

vísiting téacher *n.* (병상의 학생을 방문하여 수업하는) 가정 방문 교사.

‡vis·i·tor [vízətər] *n.* **1** 방문자, 내객, 문안객 〈*at*〉. **2** 체류객, 손님〈*at*〉; 관광객, 참관자, 참배인; [*pl.*] 〖競〗 원정팀: We have ~*s*. 집에는 손님이 계십니다. **3** 《英》 시찰원, 순찰관, 감찰관. **4** (대학의) 청강생. **5** 〖鳥〗 철새.
the visitors' book (여관의) 숙박자 명부, 숙박계; (개인집의) 내객 명부.
類義語 ***visitor*** 사교·상용·관광 따위의 목적으로 방문하는 사람. ***guest*** 초대받아 대접받는 손님 또는 호텔 따위의 숙박인. ***caller*** 사교·상용 따위로 단기간 방문하는 사람.

vis·i·to·ri·al [vìzətɔ́:riəl] *a.* =VISITATORIAL.

vís·i·tress *n.* 《古》 VISITOR의 여성형; (특히 시찰·사회 복지 활동을 하는) 여성 방문자.

vis ma·jor [vis méidʒər] *n.* 〖法〗 불가항력. 〚L〛

vi·sor [váizər] *n.* **1** 〖史〗 (투구의) 면갑(面甲); 복면. **2** (모자의) 챙. **3** =SUN VISOR.
—— *vt.* …에 visor를 달다, 면갑 따위로 보호하다[가리다].
〚AF *viser*; ⇨ VISAGE〛

vis·ta [vístə] *n.* **1** 조망(眺望), (특히 양쪽에 가로수·산 따위가 있는 좁고 긴) 전망; 조망이 좋은 장소. **2** 《비유》 (과거의) 추억; (미래의) 예상, 전망: search the dim ~*s* of one's childhood 어린 시절의 어렴풋한 추억을 더듬다 / The book will open up for the readers new ~*s*[a new ~] *to* economic thinking. 그 책은 경제적 사색에 대한 새로운 전망을 독자에게 제시해 줄 것이다. 〚It.=view〛
類義語 ⟹ VIEW.

VISTA [vístə] *n.* 《美》 비스타《미국 빈민지구 봉사활동; 1964년에 발족, 빈민 지역의 생활 향상을 목적으로 볼런티어를 파견하는 정부의 계획》.
〚*V*olunteers *i*n *S*ervice *t*o *A*merica〛

vísta dòme *n.* (열차의) 전망대: a ~ car 전망차(車).

vís·taed, vís·ta'd *a.* (…의) 조망이 트인, 전망이 좋은.

Vísta·Vìsion *n.* 〖映〗 비스타비전《와이드스크린 방식의 영화; 상표명; cf. WIDE-ANGLE》.

***vi·su·al** [víʒuəl] *a.* **1** 시각의[에 관한], 사물을 보기 위한; 광학상의: a ~ angle[field] 시각[시야] / a ~ image 시각 심상(心象) / ~ instruction[education] (visual aid를 사용하는) 시각 교육 / the ~ nerve 시신경 / the ~ organ 시각 기관 / a ~ sign 시각(적) 기호 / the ~ type 〖心〗 시각형(型) (cf. the AUDITORY type). **2** 눈에 보이는(visible): a ~ object 눈에 보이는 물체. **3** 눈에 보이는 듯한, 선명한. —— *n.* 〖廣告〗 대범한 레이아웃; [*pl.*] (영화 필름에서 음성부에 대하여) 영상부; [때때로 *pl.*] 시각 정보, 시각에 제공되는 것, 영상《사진·영화·비디오 따위》; 선전용 영화[사진].
〚L (*visus* sight‹ *video* to see)〛

vísual acúity *n.* 시력(視力).

vísual áid *n.* 〖教〗 시각 교육 기재《영화·슬라이드 영사(기)·괘도 따위》.

vísual ártist *n.* 시각 예술가.

vísual árts *n. pl.* [the ~] 시각 예술.

vísual-áural (rádio) ránge *n.* 〖空〗 가시 가청(可視可聽)식 (무선) 레인지《계기 표시와 신호음으로 코스를 나타냄; 略 VAR》.

vísual bínary[dóuble] *n.* 〖天〗 안시[실시] 연성(連星).

vísual cápture *n.* 〖心〗 시각 포착《공간(空間) 파악 따위에 있어서의 다른 감각에 대한 시각 정보의 우위》.

vísual displáy ùnit *n.* 〖컴퓨〗 (CRT를 이용한) 영상 단말기《略 VDU》.

vísual flíght *n. pl.* 〖空〗 유시계(有視界) 비행.

vísual flíght rùles *n. pl.* 〖空〗 유시계(有視界) 비행 규칙《略 VFR》.

vísual flýing *n.* 유시계(有視界) 비행.

vísual ínstrument *n.* 시각 악기《스크린 위에 채색 무늬를 만들어 내는 전자 건반 악기》.

vis·u·al·i·ty [vìʒuǽləti] *n.* =VISIBILITY; 심상(心象).

vìsual·izátion *n.* **1** Ⓤ 눈에 보이도록 하기[하는 힘]; 뚜렷이 마음속에 떠오르게 하기[하는 힘]; 예술적 구상화. **2** 심상(心象), 마음에 떠오르는 것. **3** 〖醫〗 절개하여 기관을 노출시킴, 명시화(明視化), 투시.

vísual·ìze *vt.* **1** 눈에 보이게 하다, 눈앞에 뚜렷이 떠오르게 하다: He often ~*d* his dead mother's face. 가끔 돌아가신 어머니의 얼굴을 뚜렷이 떠올렸다. **2** 〖醫〗 (기관을) 절개하여 노출시키다, 명시화하다, X선으로 투시하다. —— *vi.* 사물을 눈앞에 떠올리다. **-ìz·er** *n.* 눈앞에 없는 것을 보이는 것 같이 마음에 떠올리는 사람; 〖心〗 시각형(視覺型)인 사람.

vísual líteracy *n.* 시각 판단[판별] 능력.

vísual·ly *adv.* 시각적으로, 눈에 보이도록; 시각에 의해서.

vísual mágnitude *n.* 〖天〗 안시(眼視) 등급.

vísual meteorológical condítion *n.* 〖空〗 유시계(有視界) 기상 상태《略 VMC》.

vísual póint *n.* 시점(視點), 눈의 위치.

vísual pollútion *n.* 시각 공해《광고물·건물·네온 사인 따위로 인한 미관의 파괴》.

vísual púrple *n.* 〖生化〗 시홍(視紅).

vísual ránge *n.* 가시 거리, 시계(視界).

vìs·uo·spátial [vìʒuou-] *a.* 공간 시각에 관한.

vís ví·va [-váivə] *n.* (*pl.* **víres ví·vae** [-váivi:]) 〖理〗 활력, 활세(活勢)《예전의 용어로 운동 에너지의 2배에 해당》. 〚L=living force〛

vi·ta [váitə, wí:tɑ:] *n.* (*pl.* **vi·tae** [váiti:, wí:tai]) 《美》 간단한 이력서, 약력. 〚L=life〛

Vi·ta [váitə] *n.* Ⓤ 바이타글라스《자외선 투과 유리의 일종; 상표명》.

***vi·tal** [váitl] *a.* **1** 생명의, 생명[사활]에 관한, 생명의 유지에 필요한, 생명에서 생기는: ~ energies[power] 생명력, 활력 / ~ functions 생활 기능 / ~ organs 생명의 필수(必須) 기관. **2** 매우 중대한; 치명적인: a ~ part (신체의) 급소 / a ~ question 사활 문제 / a ~ wound 치명상 / a matter of ~ importance 매우 중대[중요]한 일 / Perseverance is ~ *to* success. 인내는 성공에 절대로 필요하다. **3** 활력에 찬, 활기있는, 힘찬(lively): a ~ style 활기 있는 문체(文體).
—— *n.* [*pl.*] 생명의 유지에 절대 필요한 기관《심장·폐·장·뇌 따위》; [*pl.*] 《비유》 중추부(中樞部), 핵심: tear the ~*s* out of a subject 문제의 핵심[급소]을 잡다.
~·ly *adv.* 치명적으로, 극히 중대하게, 긴요하게; 진실로, 참으로. **~·ness** *n.*
〚OF<L (*vita* life)〛
類義語 ⟹ LIVING[1].

vítal capácity *n.* 〖生理〗 폐활량(肺活量).

vítal fórce *n.* 생명력, 활력, 생명의 근원; = ÉLAN VITAL.

vítal índex *n.* 인구 지수《출생·사망의 비율》.

vítal·ìsm *n.* Ⓤ 〖哲·生〗 활력론, 생기(生氣)설《생명 현상은 물질의 기능 이상의 생명력(vital force)에 의한다는 설; ↔*mechanism*》.

-ist *n.* 활력론자. **vì·tal·ís·tic** *a.* 활력론(자)의, 활력론적인.

*__vi·tal·i·ty__ [vaitǽləti] *n.* **1** Ⓤ 생명력, 활력, 체력, 생활력. **2** Ⓤ 활기, 생기, 원기 ; (문학·미술 작품의) 생기, 혼 : the ~ of big cities 대도시의 활기 / a girl full of ~ 발랄하고 활기찬 소녀. **3** Ⓤ 지속력[성], 존속력 ; 생명력이 있는 것.

vítal·ìze *vt.* …에 생명을 주다, 활력을 북돋우다 ; 《비유》 …에 생기[생명]를 불어넣다, 고무하다. **vìtal·izátion** *n.* Ⓤ 생명[활력] 부여.
類義語 ⟹ ANIMATE.

Vi·tal·li·um [vaitǽliəm] *n.* 비탈륨《코발트·크롬·몰리브덴의 합금 ; 치과·외과용 ; 상표명》.

vítal príncipie *n.* =VITAL FORCE.

vítal sígns *n. pl.* 생명 징후《맥박·호흡·체온·혈압》.

vítal spárk *n.* [the ~] 《口》 (예술 작품의) 생기, 박력.

vítal stáining *n.* 〖生〗 생체(生體) 염색.

vítal statístics *n.* [단수·복수 취급] 인구 (동태) 통계《생사·혼인·질병·이동의 통계 ; cf. DEMOGRAPHY》; 《口》 여성의 버스트·웨이스트·히프의 치수.

vi·ta·mer [váitəmə*r*] *n.* 〖生化〗 비타머《비타민 작용을 나타내는 물질의 총칭》.

*__vi·ta·min__ [váitəmən, 英+vít-], **-mine** [-mən, -mì:n] *n.* 〖生化〗 비타민《동물의 발육과 영양을 유지하는데 미량이나마 불가결한 유기물의 총칭 ; 에너지원으로는 되지 않고 대사에 관여함》.
〚G (VITA, AMINE)〛

vítamin·ìze *vt.* (식품에) 비타민을 첨가하다, …의 비타민을 강화하다.

vi·ta·min·ol·o·gy [vàitəmənálədʒi ; vìt-] *n.* Ⓤ 비타민학(學).

vi·ta·mi·no·sis [vàitəmənóusəs ; vìt-] *n.* Ⓤ 〖醫〗 비타민 결핍증.

ví·ta·mins *n. pl.* 《CB俗》 엔진 마력(馬力).

Ví·ta·phòne [váitə-] *n.* (축음기를 사용하는) 디스크식 발성 영화기《상표명》.

ví·ta·scòpe [váitə-] *n.* 초기의 영사기(映寫機).

vi·tel·lin [vətélən, vai-] *n.* Ⓤ 〖生化〗 난황소(卵黃素)《난황의 인단백질의 주성분》.

vi·tel·line [vətélən, -li:n, -lain, vai-] *a.* 노른자의, 난황(색)의 : ~ membrane 〖生〗 난(卵)세포막, 난황막.

vi·tel·lus [vətéləs, vai-] *n.* (*pl.* **~·es**, **-li** [-lai]) Ⓤ 노른자, 난황. 〚L〛

viti- [vítə] *comb. form* 「포도」의 뜻.
〚L (*vitis* vine)〛

vi·ti·ate [víʃièit] *vt.* **1** …의 가치를 저하시키다, 손상하다, 망치다(spoil) ; (공기·혈액 따위를) 불순하게 하다, 더럽히다, 부패시키다 : ~ an argument by exaggeration 너무 과장하여 주장의 질을 떨어뜨리다. **2** 무효로 하다(invalidate) : A word may ~ a contract. 한 낱말 때문에 계약이 무효가 될 때가 있다.
ví·ti·à·tor *n.* 해치는 사람[것], 부패시키는 사람 ; 무효화하는 사람. 〚L ; ⇨ VICE[1]〛

vi·ti·a·tion [vìʃiéiʃən] *n.* 오염, 부패 ; 무효화.

víti·cùlture *n.* Ⓤ 포도 재배(학[술, 연구]).
vìti·cúltural *a.* **vìti·cúlturer**, **-cúlturist** *n.* 포도 재배가.

vit·i·li·go [vìtəlí:gou, -lái-] *n.* (*pl.* **~s**) 〖醫〗 백반(白斑).

vitr- [vítr], **vit·ro-** [vítrou, -rə] *comb. form* 「유리(glass)」의 뜻《모음 앞에서는 vitr-》.
〚L ; ⇨ VITREOUS〛

vit·rec·to·my [vətréktəmi] *n.* 〖醫〗 유리체(體) 절제(술).

vit·re·ous [vítriəs] *a.* **1** 유리의[같은], 유리질[모양]의 ; 투명한 : ~ humor 〖解〗 (안구의) 유리체액(液). **2** 유리로 된, 유리제품의.
〚L (*vitrum* glass)〛

vítreous bódy *n.* 〖解〗 (안구의) 유리체.

vítreous electrícity *n.* 유리 전기(positive electricity)《비단으로 유리를 마찰해서 생기는 양전기》.

vítreous enámel *n.* 법랑(porcelain enamel).

vi·tres·cent [vətrésənt] *a.* 유리질로 되는.
-cence *n.* Ⓤ 유리질화(化).

vitri- *comb. form* 「유리(glass)」의 뜻.

vit·ric [vítrik] *a.* 유리질의 ; 유리 모양의.

vít·rics *n.* **1** 유리 제조술[학]. **2** [집합적으로] 유리류(類).

vit·ri·fac·tion [vìtrəfǽkʃən] *n.* =VITRIFICATION.

vit·ri·fi·ca·tion [vìtrəfəkéiʃən] *n.* Ⓤ 유리(질)화(化) ; Ⓒ 유리화된 물건.

vít·ri·fòrm [vítrə-] *a.* 유리 모양의.

vit·ri·fy [vítrəfài] *vt., vi.* 유리로 변화시키다[변하다], 유리(질)화하다.

vit·rine [vətrí:n] *n.* 유리 케이스《진열용》.

vit·ri·ol [vítriəl] *n.* **1** Ⓤ 〖化〗 황산염, 반류(礬類) ; [보통 oil of ~] (진한) 황산 : blue ~ 황산구리 / white ~ 황산 아연 / throw ~ over [at]... (복수 따위를 하려고) …(의 얼굴)에 황산을 끼얹다. **2** Ⓤ 《비유》 신랄한 말씨[비평], 깎아내림, 통렬한 풍자.
dip** one's **pen in vitriol 독필을 휘두르다(cf. GALL[1]).
—— *vt.* (**-l-** | **-ll-**) 황산으로 처리하다, (특히) (묽은) 황산에 담그다.
〚OF or L ; ⇨ VITREOUS〛

vit·ri·ol·ic [vìtriálik] *a.* **1** 황산(염)의[같은], (산이) 부식성이 강한 : ~ acid 황산. **2** 《비유》 신랄한, 통렬한, 격렬한.

vítriol·ìze *vt.* 황산염으로 처리하다 ; 황산염으로 변하다 ; …에 황산을 끼얹다[끼얹어 데게 하다].
vìtriol·izátion *n.*

vítriol-thròw·ing *n.* 사람에게 황산을 끼얹기.

vit·ta [vítə] *n.* (*pl.* **-tae** [-ti(:), -tai], **~s**) 〖植〗 유관(油管) ; 〖動·植〗 세로줄 무늬, 색(色)띠 ; 〖古로〗 머리띠 (모양의 왕관). 〚L=band〛

vit·tle [vítl] *n., vt., vi.* 《古·方·口》 =VICTUAL.

vit·u·line [vítʃəlàin, -lən] *a.* 송아지의[같은] ; 송아지 고기의[같은].

vi·tu·per·ate [vət*j*ú:pərèit, vai-] *vt., vi.* 야단치다, 꾸짖다, …의 욕지거리를 하다(revile).
-à·tor *n.* 험구가, 독설가. 〚L ; ⇨ VICE[1]〛

vi·tù·per·á·tion *n.* Ⓤ 욕지거리, 독설, 질책.

vi·tu·per·a·tive [vətjú:pərətiv, -pərèi-] *a.* 욕지거리하는, 악담하는 ; 독설을 퍼붓는.

vi·va[1] [ví:və, -vɑ:] *int.* 만세 ! —— *n.* 만세 소리 ; [*pl.*] 환성.
〚It. =let live, may (he) live〛

vi·va[2] [váivə] *n.* 《英口》 =VIVA VOCE.
—— *vt.* (**~ed**, **~'d**) =VIVA-VOCE.

vi·va·ce [vivɑ́:tʃei, -tʃi] *adv., a.* 〖樂〗 비바체로[의], 아주 빠르게. 〚It.=vivacious〛

vi·va·cious [vəvéiʃəs, vai-] *a.* 활기[원기]있는, 활발[명랑]한 ; 〖植〗 다년생의 : a ~ girl 쾌활한 아가씨. **~·ly** *adv.* 활발[쾌활]하게, 명랑하게.
~·ness *n.* 〚L *vivac- vivax* (*vivo* to live)〛

vi·vac·i·ty [vəvǽsəti, vai-] *n.* Ⓤ 원기, 활발, 쾌활, 명랑 ; [보통 *pl.*] 명랑한 행동[말씨], 수선.

vi·van·dière [*F* vivɑ̃djɛːr] *n.* (특히 옛 프랑스 군대 따위의) 여군 매점 상인.

vi·var·i·um [vaivέəriəm, -vǽər-] *n.* (*pl.* **~s, -var·ia** [-riə]) (자연의 서식(棲息) 상태를 모방하여 만든) 동식물 사육장, 자연 동물[식물]원. 〖L=warren, fishpond (*vivus* living, *-arium*)〗

vi·vat [váivæt, víː-] *int.* 만세. —— *n.* (만세의) 환성. 〖L〗

vi·vat re·gi·na [wíːbɑːt reigíːnɑː] 여왕 만세! 〖L〗

vi·vat rex [wíːbɑːt réks] 국왕 만세! 〖L〗

vi·va vo·ce [váivə vóusi, -tʃi, víːvə vóutʃei] *adv.* 구두로(orally): Shall we vote ~ or by ballot? 투표를 구두로 합니까, 투표 용지로 합니까. —— *a.* 구두[구술]의: a ~ examination 구두[구술] 시험. —— *n.* 구두[구술] 시험. 〖L=with the living voice〗

víva-vóce *vt.* 《英》…에게 구두시험을 보게 하다.

vi·vax [váivæks] *n.* 〔醫〕 삼일열(三日熱) 말라리아 원충. 〖L; ⇨ VIVACIOUS〗

vívax malária *n.* 〔醫〕 삼일열 말라리아(tertian).

vive [*F* viːv] *int.* 만세: *V*~ la Korea! 대한민국 만세!

vive le roi [*F* viːv lə rwa] 국왕 만세!

vi·ver·rine [vaivérain, -ən, və-] *a., n.* Ⓤ 사향 고양이과의 (동물). 〖L *viverra* ferret〗

vi·vers [víːvərz; vái-] *n. pl.* 《스코》 음식, 식량.

vives [váivz] *n.* Ⓤ 〔獸醫〕 망아지의 이하선염(耳下腺炎).

vivi- [vívə] *comb. form* 「살아 있는」 「생체의」의 뜻. 〖L〗

Viv·i·an [víviən] *n.* **1** 남자[여자] 이름. **2** (아서왕 전설의) 여자 마법사《Merlin의 애인; the Lady of the Lake라고도 함》. 〖L=lively〗

***viv·id** [vívəd] *a.* **1** 발랄한, 약동하는, 팔팔한: She was ~ with energy. 그녀는 생기발랄했었다. **2 a)** (빛깔·영상이) 밝은, 선명한, 강렬한, 눈부신 듯한(↔*dull*). **b)** (묘사·인상·기억이) 생생한, 눈에 보이는 듯한, 여실한: a ~ imagination 왕성한 상상력 / ~ in one's memory 기억에 생생한. **~·ly** *adv.* 선명하게, 역력하게, 생생하게, 팔팔하게. **~·ness** *n.* 〖L=lively (*vivo* to live)〗

Viv·i·en [víviən] *n.* =VIVIAN《주로 여자 이름》.

viv·i·fy [vívəfài] *vt.* …에 생명[생기]을 주다; 생생하게 하다, 활기를 띠게 하다, 격려하다. **vìv·i·fi·cá·tion** *n.* Ⓤ 생명[생기]을 주기; 소생; 부활. 〖F<L (*vivus* living)〗

vi·vip·a·ra [vivípərə] *n. pl.* 〔動〕 태생 동물.

vi·vi·par·i·ty [vìvəpǽrəti, vài-] *n.* Ⓤ 〔動〕 태생(胎生); 〔植〕 모체 발아(母體發芽).

vi·vip·a·rous [vəvípərəs, vai-] *a.* 〔動〕 태생(胎生)의(cf. OVIPAROUS); 〔植〕 모체 발아(發芽)의. 〖L (*vivus* alive, *pario* to produce)〗

vivi·sect [vívəsèkt, ⌐-⌐] *vt., vi.* 생체 해부를 하다. **vívi·sèc·tor** *n.* 생체 해부자. 〖역성(逆成)<↓〗

vivi·sec·tion [vìvəsékʃən] *n.* **1** 생체 해부. **2** 《비유》 면밀한 음미, 가혹한[지독한] 비평. **~·al** *a.* 생체 해부의. **~·ist** *n.* 생체 해부(론)자. 〖*dissection*에 모방하여 L *vivus* living으로 부터〗

vix·en [víksən] *n.* **1** 암여우(cf. FOX). **2** 잔소리 심한 여자, 심술궂은 여자. **~·ish** *a.* 암여우 같은; 잔소리 심한, 입정사나운, 심술궂은. 〖OE *fyxe* (fem.) <*fox*〗

Vi·yel·la [vaijélə] *n.* 비엘라《양모와 면 혼방의 부드러운 천; 상표명》.

viz., viz [víz, néimli, 美+vədéləsèt, 英+-díː-] *adv.* 즉(videlicet, namely). 㴀 공문서·논문 따위에 씀. 〖z는 원래 viet.라 생략한 -et의 장식 문자에서〗

viz·ard, vis·ard [vízərd, -ɑːrd] *n.* 면, 가면, 복면; 외관. 〖*visor, -ard*〗

viz·ca·cha, vis- [viskáːtʃə], **vis·ca·che** [-tʃi] *n.* 〔動〕 비스카차《친칠라 비슷한 남미산의 각종 설치 동물》. 〖Sp.<Quechua〗

vizcacha

vi·zier, vi·zir [vəzíər, vízjər] *n.* (이슬람교국, 특히 옛 터키 제국의) 고관, 대신: the grand ~ (이슬람교국의) 수상. 〖Arab.〗

vi·zor [váizər] *n.* =VISOR.

VJ [víːdʒèi] video jockey(비디오자키).

V-J day, VJ day [víːdʒéi ⌐] *n.* (제2차 세계 대전의) 대일 전승 기념일《미국에서는 1945년 8월 14일 또는 9월 2일, 또 영국에서는 8월 15일; cf. V-E DAY, V-DAY》. 〖*V*ictory over[in] *J*apan Day〗

VL Vulgar Latin.

v.l. (*pl.* **vv.ll.**) varia lectio (이문(異文)).

VLA 〔天〕 Very Large Array《미국 국립 전파 천문대의 대형 간섭계형 전파 망원경의 하나》.

Vlach [vlǽk] *n.* 왈라키아 사람.

Vlad·i·vos·tok [vlæ̀dəvəstάk, -vάstɑk] *n.* 블라디보스토크《시베리아 남동부의 항구》.

VLBI 〔天〕 very long baseline interferometry(초장기선(超長基線) 간섭계에 의한 관측).

VLCC [vìːèlsìːsíː] *n.* (30만 톤 이상의 용량을 가진) 초대형 유조선. 〖*v*ery *l*arge *c*rude *c*arrier〗

VLDL 〔生化〕 very low density lipoprotein (초저밀도 리포 단백질).

vlei [fléi, flái] *n.* **1** 《南아》 우기에 호수가 되는 저지(低地). **2** 《美北部》 늪(marsh). 〖Du.〗

vléi·gròund *n.* 《南아》 (수초가 있는) 늪, 습지.

vléi·lànd *n.* 《南아》 개간 늪지.

V.L.F., VLF, vlf, v.l.f. 〔通信〕 very low frequency.

V.L.R. very long range. **VLSI** 〔컴퓨〕 very large scale integration(초고밀도 집적 회로).

V-mail [víː⌐] *n.* Ⓤ V우편《제2차 세계대전 중에 미 본국과 해외의 미국 장병간의 편지를 마이크로필름에 촬영하여 보낸 것; cf. AIRGRAPH》.

VMC visual meteorological condition.

V.M.D. *Veterinariae Medicinae Doctor* 《L》 (=Doctor of Veterinary Medicine).

v.n. verb neuter(자동사).

VNA Vietnam News Agency ((국영) 베트남 통신). **V.N.A.** Visiting Nurse Association.

V neck [víː ⌐] *n.* (옷의) V자형 깃.

V-necked [víː⌐] *a.* V자형의 깃이 있는: a ~ sweater V깃의 스웨터.

vo. *verso* 《L》 (=left-hand page).

V.O. Victorian Order; verbal order; very old 《브랜디 따위에 씀》. **v.o.** voice-over.

VOA Voice of America; Volunteers of America.

voc. vocational; vocative.

vocab. vocabulary.

vo·ca·ble [vóukəbəl] *n.* (특히 의미에 관계없이 음(音)의 구성으로 본) 낱말, 단어(word); 모음(vowel). —— *a.* 발음[이야기]할 수 있는. **-bly**

adv. 〖F or L *vocabulum* designation (*voco* to call)〗

***vo·cab·u·lary** [voukǽbjəlèri, və-; -ləri] *n.* **1** U,C (한 개인·저자 등의) 용어수, 용어 범위, 어휘 : the ever-increasing scientific ~ 끊임없이 증대하는 학술 용어 / exhaust one's ~ 알고 있는 낱말을 다 늘어놓다 / have a large[wide] ~ of …의 어휘가 풍부하다 / His English ~ is limited. 그는 영어 어휘를 그다지 모른다. **2** 단어표[집], 용어집. **3** (예술·건축 따위의) 표현 수단, 표현 형식. 〖L ; ⇨ VOCABLE〗

vocábulary èntry *n.* (사전의) 표제어 ; 사전에 수록된 말.

vocábulary tèst *n.* 어휘 검사(檢査)《지능 검사의 하나》.

***vo·cal** [vóukəl] *a.* **1 a**) 목소리의, 음성의[에 관한] ; 발성에 필요한 : the ~ organs 발음 기관(器官). **b**) 소리를 내는 ; 구두의 : a ~ communication 구두 전달 / Animals are ~ beings. 동물은 소리를 내는 생물이다. **2** 《詩》 (수목·시냇물 따위가) 속삭이는, 소리내는, 울리는〈*with*〉. **3** 자유롭게 지껄이는, 거리낌없이 말하는 ; 시끄러운 (clamorous) : Public opinion became ~ *about* the new financial policy. 새로운 재정정책에 관하여 여론이 분분(紛紛)해졌다 / He was ~ *with* rage. 격노하여 마구 지껄여댔다. **4** 〔音聲〕 유성음의 ; 모음(성)의(vocalic) ; 〔樂〕 성악의(cf. INSTRUMENTAL) : ~ music 성악 / a ~ performer 가수 / a ~ solo 독창.

—— *n.* **1** 목소리. **2** 〔音聲〕 유성음 ; 모음. **3** [흔히 *pl.*] (재즈·팝뮤직의) 보컬(연기), 가창(歌唱) ; 성악곡. **4** 〔카톨릭〕 (교회 회의 따위의) 선거권자. **~·ly** *adv.* 목소리로, 말로, 구두로, 목소리를 내어 ; 분명한 의견을 말하여. **~·ness** *n.* 〖L ; ⇨ VOICE〗

vócal chìnk *n.* 〔解〕 성문(聲門)(glottis).

vócal còrds[**chòrds, bànds**] *n. pl.* 〔解〕 성대(聲帶).

vo·cal·ic [voukǽlik, və-] *a.* 모음(성)의 ; 모음이 많은 ; 모음 변화가 일어나는. —— *n.* 〔音聲〕 음절의 핵(核).

vo·cal·ise [vòukəlíːz] *n.* 〔樂〕 가사·계명(階名)이 아닌 모음을 이용하는 발성 연습 ; 그 곡.

vócal·ìsm *n.* U 소리를 내기, 발성(發聲) ; 모음 조직 ; 가창기법(歌唱技法).

-ist *n.* 성악가, 가수(cf. INSTRUMENTALIST).

vo·cal·i·ty [voukǽləti] *n.* 발성 능력이 있음, 발성 ; 〔音聲〕 모음성(母音性).

vòcal·izátion *n.* U 발성 ; 발성법 ; 유성음화(化), 모음화, 모음 부호 사용.

vócal·ìze *vt.* **1** (음(音)을) 목소리로 내다, 발음하다(utter) : The dog ~*d* his pain. 개가 아파서 깨갱거렸다. **2** 《戲》 (사람이) 말하다, 노래하다, 외치다. **3** [+目 / +目+前+名] 〔音聲〕 유성음으로 되게 하다, 유성음[모음]화하다 : The voiceless 'f' is ~*d* ***into*** 'v'. 무성음의 f는 유성음화하여 v가 된다. —— *vi.* 목소리를 내다, 말하다, 읊조리다, 소리치다 ; 홍얼거리다《특히 노래의 곡조만을》 ; 모음화하다.

vócal tráct *n.* 〔言〕 성도(聲道).

***vo·ca·tion** [voukéiʃən] *n.* **1** U (특정한 직업에 대한) 적성, 재능〈*for, to*〉. **2 a**) 직업, 일, 생업, 가업, 장사(cf. AVOCATION) : choose[change] one's ~ 직업을 선택하다[바꾸다]. **b**) 천직, 사명 ; 천직 의식, 사명감 : You will not make a good teacher, unless you feel teaching is your ~. 가르친다는 것을 자신의 천직으로 생각하지 않으면 훌륭한 선생님이 될 수 없을 것이다. **3** U 〔神學〕 신의 부르심 ; (신의 부르심에 의한) 종교적 생활. **4** (사회 등에 있어서의) 임무, 역할. 〖OF or L＝summons (*voco* to call)〗

***vocátion·al** *a.* 직업상의 ; 직업 보도의, 직업 교육의 : ~ diseases 직업병 / a ~ test 직업 적성 검사. **~·ly** *adv.* 직업적으로 ; 천직적으로.

vocátional búreau[**òffice**] *n.* 직업 상담소.

vocátional educátion[**schóol**] *n.* 직업 교육[학교].

vocátional guídance *n.* 취직[직업] 지도.

vocátion·al·ìsm *n.* 직업[실무] 교육 중시주의.

voc·a·tive [vákətiv] *a.* 〔文法〕 부르는, 호격(呼格)의 : the ~ case 호격. 주 영어에서는 *Boys*, be ambitious! 의 *boys*와 같은 주격으로 표현됨.

—— *n.* 호격 ; 호격어(형).

〖OF or L ; ⇨ VOCATION〗

voces *n.* VOX의 복수형.

vo·cif·er·ance [vousífərəns] *n.* 시끄러움 ; 노호(怒號).

vo·cíf·er·ant *a., n.* 큰소리로 외치는 (사람).

vo·cif·er·ate [vousífərèit] *vt., vi.* (…라고) 큰소리로 외치다[고함치다], 노호(怒號)하다, 고래고래 소리지르다. **vo·cìf·er·á·tion** *n.* U 고함, 노호 ; 소란. 〖L (VOICE, *fero* to bear)〗

vo·cif·er·ous [vousífərəs] *a.* 큰소리로 외치는[고함치는], 큰소리의, 시끄러운 ; 소란한. **~·ly** *adv.*

vo·cod·er [vóukòudər] *n.* 보코더《음성을 적당히 분석하여 송신하며 수신측에서 결합하여 재생하는 장치》. 〖*voice coder*〗

vo·coid [vóukɔid] *n.* 〔音聲〕 음성학적 모음. 〖*voc*al, *-oid*〗

vod·ka [vádkə] *n.* U 보드카《호밀·옥수수·감자로 만든 러시아산 화주(火酒)》. 〖Russ. (dim.) ‹ *voda* water〗

vo·ed [vóuèd] *n.* 《美口》 ＝VOCATIONAL EDUCATION.

voet·sek [fútsek, vút-], **-sak** [-sæk] *int.* 《南아俗》 쉿쉿 !《동물을 쫓는 소리》. 〖Afrik.〗

voets·toots, -toets [fútstuts, vút-] *a., adv.* 《南아》 상품의 품질에 대하여 판매주는 책임을 지지 않는다는 조건의[으로]. 〖Afrik.〗

***vogue** [vóug] *n.* **1** 유행(fashion) ; 유행 기간 : a mere passing ~ 일시적인 유행 / a ~ *of* long hair among students 학생간의 장발 유행 / There was once a ~ *for* long skirts. 한때 긴 치마가 유행했었다. **2** 인기, 호평(popularity) : have a short ~ 인기가 오래 못가다.

(***all***) ***the vogue*** 최신 유행(품) : It's now *all the* ~. 그것은 지금 대유행이다.

come into vogue 유행하기 시작하다.

in vogue 유행하여, 행하여져[지고 있는].

out of vogue 유행이 지나서, 시들어서, 인기를 잃어 : go *out of* ~ 시들어지다.

—— *a.* 유행의, 유행하고 있는 : a ~ word 유행어(語). 〖F‹It.＝rowing, fashion (*vogare* to row, go well)〗

類義語 ⟹ FASHION.

voguey [vóugi] *a.* 《口》 유행의, 유행하는.

vogu·ish [vóugiʃ] *a.* 유행하는, 스마트한 ; 갑자기 인기를 얻은, 일시적 유행의. **~·ness** *n.*

◇**voice** [vɔ́is] *n.* **1** U 목소리, 음성 ; C (어떤) 목소리 : *in* a deep[hoarse, loud, soft, shrill, rough] ~ 저력(底力)이 있는[쉰, 높은, 부드러운, 새된, 거친] 목소리로 / a still small ~ ☞ STILL[1] *a.* 3 / the change of ~ (사춘기 소년의) 변성(變聲) / He has a good[sweet] ~. 목소리

가 좋다[곱다] / The ~ of the people is the ~ of God. 《속담》 국민의 소리는 신의 소리, 민심이 천심(cf. VOX POPULI VOX DEI). **2** U.C 〖樂〗 (노래 부르는) 소리 ; 가수(singer) ; 발성법 : a male [female] ~ 남[여]성(聲) / a mixed ~ 혼성 / a chorus of 100 ~*s* 100명의 합창 / study ~ 발성법을 연구하다. **3** U 목소리를 내는 힘, 말하고 싶은 욕망, 말할 수 있는 힘 : lose one's ~ 목소리가 안나오다 / recover one's ~ 말을 할 수 있게 되다 / Indignation gave me ~. =I gave ~ to indignation. 분개한 나머지 나는 입을 열었다. **4** (인간의 목소리에 비유한 자연물의) 소리, 음(音) ; (인간의 말에 비유한 하늘・이법(理法)의) 소리, 알리기 ; (주의 따위의) 표명자 : the ~ of a cricket 귀뚜라미 소리 / the ~ of the wind 바람 소리 / the ~ of the tempter 악마의 소리, 유혹. **5** U.C 발언(권), 투표권 ; 영향력 ; 희망, 의견, 선택 ; 대변자, 발표 기관 : He has a[no] ~ *in* the matter. 그 일(의 결정)에 대해서 선택[발언, 투표]권이 있다[없다] / My ~ is *for* peace [compromise]. 나는 평화[타협]에 찬성한다 / the sole ~ of democracy 민주주의의 유일한 대변자. **6** U.C 〖文法〗 태(態) : the active ~ 능동태 / the passive ~ 수동태. **7** U 〖音聲〗 유성음, 탁음《모음, [b, g, z, m] 따위 ; cf. BREATH 3》. **8** (피아노・오르간 따위) 음색 강도의 미묘한 조정[조율(調律)].

be in good [***bad, poor***] ***voice*** = ***be in*** [***out of***] ***voice*** (말하는 또는 노래하는) 소리가 잘 나오다[안나오다].

find one***'s voice*** (놀라거나 한 뒤에) 목소리가 나오다, 소리내어 말하다.

find voice in song 생각을 노래로 나타내다.

give voice to …을 입밖에 내다, …을 누설하다, …을 표명하다(cf. 3).

lift up one***'s voice*** 외치다, 소리를 지르다 ; 말하다, 노래하다 ; 항의하다, 불만을 말하다.

under one***'s voice*** 낮은[작은] 목소리로.

with one voice 이구동성으로, 만장일치로.

〈회화〉
What's wrong with your *voice*? — I have a sore throat. 「목소리가 어떻게 된 거죠」 「목이 아파서 그래요」

—— *vt.* **1** 목소리를 내다, 말로 나타내다, 표명하다 : ~ one's discontent 불평을 입밖에 내다 / ~ the general sentiment 일반 사람의 감정을 대변하다. **2** 〖音聲〗 유성음으로 발음하다, 유성(음)화하다(cf. VOICED 2) ; 〖樂〗 (피아노 따위를) 조율(調律)하다, (악보에) 성부를 기입하다.
〚AF, OF *vois* < L *voc-, vox*〛

vóice-áctivated *a.* 음성 기동(起動)의《자동 장치 따위》 : ~ typewriter 음성 타이프라이터《손으로 키보드를 치는 대신에 음성으로 입력하는》.

vóice bòx *n.* 〖解〗 후두(喉頭)(larynx).

vóice còil *n.* 〖電〗 (스피커의) 음성 코일.

vóice-contròlled *a.* (컴퓨터・타이프라이터・휠체어 따위를) 음성으로 제어할 수 있는.

voiced [vɔ́ist] *a.* **1** [흔히 복합어를 이루어] 목소리가 …인, 목소리로 내는 : rough-~ 거친 소리의. **2** 〖音聲〗 유성(음)의, 탁음의(cf. VOICELESS) : ~ sounds [consonants] 유성음[자음].

vóice frèquency *n.* 〖通信〗 음성 주파《300-3000 Hz ; 略 VF》.

vóice·ful *a.* 성량이 있는 ; 큰소리를 내는, 울려 퍼지는. **~·ness** *n.*

vóice·less *a.* **1** 소리가 없는 ; 무언의, 침묵한 ; 말을 못하는, 벙어리의. **2** 실성(증)의 ; 발언[투표]권이 없는 ; 〖音聲〗 무성(음)의, 청음의, 숨소리의(breathed) (cf. VOICED) : ~ sounds[consonants] 무성음[자음]. **~·ly** *adv.* 무언인 채로, 침묵하여. **~·ness** *n.*
類義語 ⟹ DUMB.

vóice màil *n.* 음성을 녹음해 두었다가 필요한 사람에게 들려주는 전자 장치.

Vóice of América *n.* 미국의 소리《미국 정보국의 한 부문으로 해외 단파 방송을 함 ; 略 VOA》.

vóice-òver *n.* U.C 〖TV・映〗 (화면에 나타나지 않는 나레이터) 해설 소리, 화면 밖의 목소리(의 주인공) ; (말없는 화면 속 인물의) 심중을 말하는 소리. —— *adv., vi.* 화면에 나타나지 않고 목소리만으로(말하다).

vóice pàrt *n.* 〖樂〗 (성악 또는 기악곡(器樂曲)의) 성부(聲部).

vóice pìpe[**tùbe**] *n.* =SPEAKING TUBE.

vóice·prìnt *n.* 성문(聲紋).

voic·er [vɔ́isər] *n.* 〖樂〗 (특히 파이프 오르간의) 조율사.

vóice recognítion equìpment *n.* 음성 인식 기기(機器)《음성반응으로 움직이는 기계의 총칭》.

vóice sýnthesizing bòard *n.* 음성 합성 장치.

vóice vòte *n.* 발성 투표.

voic·ing [vɔ́isiŋ] *n.* U 발성 ; 유성(음)화.

***void** [vɔ́id] *a.* **1** 〖法〗 무효의(↔*valid*) : null and ~ 무효의. **2** 빈, 텅빈, 공허한(empty) : a ~ space 공간 ; 〖理〗 진공. **3** (집・땅 따위가) 빈 ; 결원(缺員)의. **4** 없는, 결여된 : His face was ~ *of* expression. 그의 얼굴은 무표정했다. —— *n.* **1 a**) [the ~] 허공, 진공, 무한. **b**) 빈집. **2** 빈 곳, 틈 ; 공허감 : an aching ~ 견잡을 수 없는 공허감 ; 공복. —— *vt.* **1** 〖法〗 무효로 하다. **2** 방출하다, 배설하다 ; 비우다 ; 제거하다. —— *vi.* 배뇨[배설]하다.
~·er *n.* **~·ness** *n.*
〚OF=empty (L *vacuus*) ; ⇨ VACATE〛

vóid·able *a.* 무익하게[무효로] 할 수 있는 ; 비울 수 있는.

vóid·ance *n.* U **1** 텅비게 하기 ; 방출, 배설. **2** 〖宗〗 (성직(聖職)에서의) 추방 ; (성직의) 공석. **3** 〖法〗 무효로 함, 취소.

vóid·ed *a.* 틈[구멍]이 있는 ; 〖法〗 무효가 된, 취소된 ; 〖紋〗 윤곽만 남기고 가운데를 잘라낸.

voi·là, -la [vwɑːlɑ́ː ; *F* vwala] *int.* 자 봐, 보란 말이야, 어때《성공・만족 따위를 나타냄》.

voile [vɔ́il ; *F* vwal] *n.* U 보일《무명・양털・명주 제품의 반투명한 얇은 직물》. 〚F=VEIL〛

voi·ture [*F* vwatyːr] *n.* 마차, 차.

vol. volcano ; (*pl.* **vols.**) volume ; volunteer.

Vo·lans [vóulænz] *n.* 〖天〗 날치자리.

vo·lant [vóulənt] *a.* 〖動〗 나는, 날 수 있는 ; 《文語》 재빠른, 민첩한 ; 〖紋〗 나는 모습의. 〚F〛

vo·lan·te [voulɑ́ːntei] *a., adv.* 〖樂〗 볼란테, 나는 것 같이 빠르고 가벼운[가볍게]. 〚It.〛

Vo·la·pük, -puk [vɑ́ləpùk, vòuləpjúːk ; *G* volapýːk] *n.* U 볼라퓌크《1879년경 독일의 J. M. Schleyer신부가 고안한 인공 언어》.

vo·lar[1] [vóulər] *a.* 손바닥의, 발바닥의. 〚L *vola*〛

volar[2] *a.* 비행(용)의. 〚L ; ⇨ VOLATILE〛

VOLAR volunteer army.

vol·a·tile [vɑ́lətl ; -tàil] *a.* **1** 휘발성의 ; 폭발하기 쉬운《물질》. **2** 쾌활한 ; 변덕스러운, 들뜬, 흥분하기 쉬운 ; (사회 정세 따위가) 불안정한, 폭발의 위험을 안은. **3** 변하기 쉬운, 잠깐 동안의, 덧없는. **4** 〖컴퓨〗 (메모리가) 휘발성의《전원을 끄면 데이터가 소실되는》. **5** 《古》 날개로 공중을 나는, 날 수 있는. —— *n.* 유익(有翼) 동물, 새 ; 휘발성 물질 ; 〔컴퓨〕 휘발성. **~·ness** *n.* **vòl·a·tíl·i·ty** [-tíl-] *n.* 차분하지 못한[들뜬] 상태 ; 휘발성 ; 휘발도.
〖OF or L (*volo* to fly)〗

vólatile òil *n.* 휘발성 기름, (특히) 정유(精油).

vólatile sàlt *n.* 〔化〕 탄산암모늄 ; 탄산암모니아수(sal volatile).

vol·a·til·ize [válətəlàiz ; vɔlǽt-] *vt., vi.* 휘발[증발]시키다[하다], 발산시키다[하다].
vòl·a·til·izá·tion [; vɔlæ̀təlai-] *n.* Ⓤ 휘발.

vol·a·tize [válətàiz] *vt., vi.* ＝VOLATILIZE.

vol-au-vent [*F* vɔlovɑ̃] *n.* 볼로방《고기·생선 따위를 크림과 함께 쪄 넣은 파이》.
〖F＝flight in the wind〗

***vol·can·ic** [vɑlkǽnik, 美＋vɔːl-] *a.* **1** 화산의 ; 화산성의 ; 화산 작용에 의한, 화성(火成)의 ; 화산이 있는[많은] : a ~ eruption 분화 / ~ activity 화산 활동 / a ~ country 화산이 많은 나라. **2** 폭발성의, 맹렬한, 격렬한 : a ~ temper 불같은 성질. —— *n.* ＝VOLCANIC ROCK.
-i·cal·ly *adv.* 화산처럼 ; 격렬[맹렬]하게.
〖F ; ⇨ VOLCANO〗

volcánic ásh[**áshes**] *n.* (*pl.*) 화산재.

volcánic bómb *n.* 화산탄(火山彈).

volcánic cóne *n.* 〔地質〕 화산 원뿔.

volcánic dúst *n.* 화산진(塵)《미세한 화산재 ; 공중을 떠돌아 기상에 영향을 미침》.

volcánic explósion *n.* 화산 폭발.

volcánic gás *n.* 화산 가스.

volcánic glåss *n.* 〔鑛〕 흑요석(黑曜石).

vol·ca·nic·i·ty [vɑ̀lkənísəti, 美＋vɔ̀ːl-] *n.* ＝VOLCANISM.

vol·cani·clas·tic [vɑlkæ̀nəklǽstik, 美＋vɔːl-] *a.* 〔地質〕 화산 쇄설물로 된. —— *n.* 화산 쇄설암.
〖*volcanic*＋*clastic*〗

volcánic róck *n.* 화산암.

volcánic túff *n.* 응회암(凝灰岩) (tuff).

vol·can·ism [válkənìzəm, 美＋vɔ́ːl-] *n.* Ⓤ 화산 활동[작용, 현상].

vol·can·ist [válkənəst, 美＋vɔ́ːl-] *n.* 화산학자 ; 암석 화성론자, 화산론자(plutonist).

vol·can·ize [válkənàiz, 美＋vɔ́ːl-] *vt.* …에 화산열을 작용시키다.

***vol·ca·no** [vɑlkéinou, 美＋vɔːl-] *n.* (*pl.* **~es, ~s**) **1** 화산 ; 분화구 : an active[a dormant, an extinct] ~ 활[휴(休), 사(死)]화산 / a submarine ~ 해저 화산. **2** 《비유》 곧 폭발할 것 같은 감정[사태].
sit on a volcano 《口》 일촉즉발(一觸卽發)의 상태에 있다.
〖It. ＜L VULCAN〗

vol·cano·génic [vɑ̀lkənə-, 美＋vɔ̀ːl-] *a.* 화산 기원(起源)의.

vol·ca·nol·o·gy [vɑ̀lkənálədʒi, 美＋vɔ̀ːl-] *n.* Ⓤ 화산학. **-gist** *n.* 화산학자.

vole[1] [vóul] *n.* 〔動〕 들쥐.
〖*vole-mouse* (Norw. *voll* field)〗

vole[2] *n.* 〔카드놀이〕 전승(全勝).
go the vole 성공이든 실패든 하여간 해보다 ; 여러 가지 일을 차례로 해보다.
〖F (*voler* to fly＜L)〗

Vol·ga [válgə, 美＋vɔ́ːl-, 美＋vóul-] *n.* [the ~] 볼가 강《러시아 남동부를 흘러 카스피해로 들어가는 유럽에서 가장 긴 강》.

Vol·go·grad [válgəgræ̀d, 美＋vɔ́ːl-, 美＋vóul-] *n.* 볼고그라드《러시아 연방 남부의 도시 ; 옛 이름 Stalingrad》.

vol·i·tant [válətənt] *a.* 나는, 날 수 있는 ; 잘 돌아다니는, 활발한.

vol·i·ta·tion [vɑ̀lətéiʃən] *n.* 비행 ; 나는 힘. **~·al** *a.*

vo·li·tion [voulíʃən, və-] *n.* **1** Ⓤ 의지 작용, 의욕. **2** Ⓤ 의지력, 결의, 결단력.
of** one's **own volition 자신의 자유 의지로.
〖F or L (*volo* to wish)〗

volítion·al *a.* 의지의, 의지에 관한, 의지에 의한, 의지적인 : ~ power 의지력. **~·ly** *adv.* 의지적으로, 의지의 힘으로.

vol·i·tive [válətiv] *a.* 의지의, 의지에서 나오는, 결단력이 있는 ; 〔文法〕 의지[원망]를 나타내는 (desiderative) : ~ faculty 의지력 / the ~ future 의지 미래.

völ·ker·wan·der·ung [*G* fœ́lkərvandəruŋ] *n.* (*pl.* **~·en** [*G* -ən]) 〔史〕 (게르만) 민족 대이동.

Volks·lied [*G* fɔ́lksliːt] *n.* (*pl.* **~·er** [*G* -liːdər]) 민요(folk song), 속요.

Volks·wa·gen [*G* fɔ́lksvaːgən] *n.* 폴크스바겐《독일제의 대중용 소형 자동차 ; 상표명》.
〖G＝people's vehicle〗

vol·ley [váli] *n.* **1** 일제 사격, 총격 : fire off a ~ *of* small arms 소총으로 일제 사격을 퍼붓다. **2** (욕설·질문 따위의) 연발 : a ~ *of* wild cries 일제히 터져 나오는 외침. **3** 〔球技〕 발리 《공이 땅에 떨어지기 전에 치거나 차넘기기》, 〔크리켓〕 발리《공을 바운드시키지 않고 위켓 위에 닿도록 던지기》 ; 〔鑛山〕 (폭약의) 일제 폭발. —— *vt.* **1** 일제히 사격하다. **2** 〔球技〕 발리로 쳐넘기다[되차다]. **3** (욕설 따위를) 연발하다, 퍼붓다. —— *vi.* 일제히 사격하다, (총포 따위가) 일제히 울리다, 일제히 큰 소리를 내다 ; 매우 빠르게 날다[움직이다] ; 〔球技〕 발리를 하다.
〖F *volée* (L *volo* to fly)〗

***vólley·bàll** *n.* Ⓤ 〔競〕 발리볼, 배구 ; Ⓒ 배구공.

vol·plane [válplèin, 美＋vɔ́ːl-] *vi.* 〔空〕 활공하다. —— *n.* 활공(滑空) ; 〔樂·音聲〕 ＝GLIDE.
〖F *vol plané* gliding flight〗

vols. volumes.

Vol·sci [vɔ́ːlski, válsai ; vɔ́l-] *n. pl.* [the ~] 볼스키족(族)《기원전 이탈리아 남부의 Latium에 살던 움브리아(Umbria)족계(族系) 종족》.

Vól·stead Àct [válsted-] *n.* [the ~] 《美》 금주법(禁酒法)《제안자인 하원의원의 이름에서 ; 1933년 폐지》.

Vólstead·ìsm *n.* Ⓤ 주류(酒類) 판매 금지주의.

Vol·sung [válsuŋ] *n.* 〔北유럽神〕 볼숭《Odin의 손자로 Sigmund, Signy의 아버지》.

Vól·sun·ga Sága [válsuŋgə-] *n.* 〔北유럽神〕 볼숭가 사가《13세기 아이슬란드의 Volsung 일가를 중심으로 한 전설집》.

volt[1] [vóult] *n.* 〔電〕 볼트, 전위차(電位差) 《전압의 실용 단위 ; 略 v., V》.

volt[2] [vóult ; vɔ́lt] *n.* 〔펜싱〕 볼트《찌르는 것을 피하는 재빠른 동작》 ; 〔馬〕 윤승(輪乘)《말을 타고 원을 그리기》. —— *vi.* 윤승하다 ; 찌름을 재빨리 피하다. 〖F＜It. ↓ (L *volvo* to roll)〗

vol·ta [váltə] *n.* (*pl.* **vol·te** [váltei]) 〔댄스〕 볼타 《16-17세기에 유행한 이탈리아 기원의 쾌활한 댄스》 ; 〔樂〕 회(回), 번, 볼타.
〖It.＝turn (↑)〗

volt·age [vóultidʒ] *n.* Ⓤ.Ⓒ 〔電〕 전압, 전압량, 볼트 수(略 V) ; 〔컴퓨〕 전압 : a high ~ 고압.

vóltage divìder *n.* 〔電〕 분압기(分壓器).

vóltage transfòrmer *n.* 〔電〕 전압 변성기 ; 계기용 변압기.
vol·ta·ic [vɑltéiik, 美+voul-, 美+vɔːl-] *a.* 〔電〕 유(流)전기의.
voltáic báttery *n.* 볼타 전지《voltaic cell을 몇 개 연결한 것》.
voltáic céll *n.* 볼타 전지(galvanic cell).
voltáic electrícity *n.* 〔電〕 볼타 전류, 평류(平流) 전기.
voltáic píle *n.* 〔電〕 볼타 전퇴(電堆).
Vol·taire [voultéər, -tǽər, vɑl-, 美+vɔːl-; *F* vɔltɛːr] *n.* 볼테르(1694-1778)《프랑스의 문학자·철학자 ; 본명 François-Marie Arouet》.
vol·tam·e·ter [vɑltǽmətər, voul-] *n.* 〔電〕 볼타계(計), 전해 전량계(電解電量計).
vólt-ámmeter *n.* 전압 전류계.
vólt-ámpere *n.* 〔電〕 볼트암페어, 피상(皮相) 전력《volt[1]과 ampere의 곱》.
volte [vóult ; vɔ́lt] *n.* =VOLT[2].
volte-face [vɔ́(ː)ltfáːs, vɑ́lt-] *n.* 방향 전환, 전회(轉回) ; (의견·기분 따위의) 180도 전환, 급변, 전향, 역전. 〖F<It. ; ⇨ VOLT[2]〗
-vol·tine [vóultiːn, vɔ́ːl-] *a. comb. form* 〔生〕「1 시즌[1년]에 …회 산란하는」의 뜻 : multi*voltine*. 〖F (It. VOLTA=turn, time+*-ine*[1])〗
vólt·mèter *n.* 〔電〕 전압계.
vol·u·bil·i·ty [vɑ̀ljəbíləti] *n.* Ⓤ (변설·문장의) 유창함 ; 다변, 요설 : with ~ 유창하게, 술술.
vol·u·ble [vɑ́ljəbəl] *a.* **1** 혀가 잘 도는, 달변의, 입심좋은, 능변인, 유창한. **2** 〔植〕 감겨 드는, 휘감기는. **-bly** *adv.* **~·ness** *n.*
〖OF or L (*volvo* to roll)〗
***vol·ume** [vɑ́ljuːm, -jəm] *n.* **1** 책, 서적 ; (저작집·전집 따위의) 한 권《略 v., vol.》; 〔史〕 두루마리《파피루스·양피지 따위의》; (정기 간행물의) 1 기분 : *Vol.*1 제1권 / You may borrow three *~s* at a time. 한번에 세 권을 빌려도 좋다. **2** [보통 *pl.*] 큰 덩어리, 대량, 많음 : *~s of* smoke [vapor] 뭉게뭉게 피어오르는 연기[수증기]. **3** Ⓤ 체적, 양, 부피 ; 용적, 용량 ; 음량 : a voice of great[little] ~ 음량이 풍부한[적은] 소리 / gather ~ 정도(程度)가 불어나다, 증대하다. **4** 〔商〕 거래량[액]. **5** 〔컴퓨〕 볼륨, 용량, 부피.
speak [***express, tell***] ***volumes*** (***for...***) (…에 있어서) 중요한 의미가 있다, (…을) 증명하고도 남음이 있다.
—— *a.* 다량[대량]의. —— *vi.* 큰 덩어리가 되어 나타나다. —— *vt.* 대량으로 (뿜어)내다.
〖OF<L *volumin- volumen* roll (*volvo* to roll) ; 이전 책은 두루마리였기 때문〗
類義語 ⟹ BULK.
vólume contròl *n.* (라디오 따위의) 음량 조절(스위치).
vol·u·me·nom·e·ter [vɑ̀ljəmənɑ́mətər] *n.* 배수(排水) 용적계.
vólume resistìvity *n.* 〔電〕 부피 저항률.
vólume retàiler *n.* 양판점(量販店), 대량 판매점(販賣店).
vo·lu·me·ter [vəljúːmətər, vɑ́ljumìːt-] *n.* 용적계 ; 비중계(hydrometer).
vol·u·met·ric, -ri·cal [vɑ̀ljumétrik(əl)] *a.* 용적[부피] 측정의.
volumétric análysis *n.* 〔化〕 용량 분석, 가스 용량 분석.
vo·lu·me·try [vəljúːmətri] *n.* 용적[부피] 측정.
vólume ùnit *n.* 〔電〕 음량 단위《음성·음악 따위의 음량을 재는 단위 ; 略 VU》.
vólume ùnit méter *n.* 〔오디오〕 VU미터《음성이나 음악에 대응하는 전기 신호의 강약을 측정하는 기기(機器)》.
vo·lu·mi·nal [vəlúːmənl] *a.* 용적[부피]의.
vo·lu·mi·nous [vəlúːmənəs] *a.* 책수[권수]가 많은, 여러 권으로 된 ; 다작의 ; 분량이 많은, 풍부한 ; 용적이 큰, 부피가 큰 ; (옷 따위가) 헐거운 ; 음량이 풍부한 ; 다변의, 장광설의.
~·ly *adv.* **~·ness** *n.*
〖L ; ⇨ VOLUME〗
vol·un·ta·rism [vɑ́ləntərìzəm] *n.* Ⓤ **1** (종교·교육·병역 따위의) 임의제, 자유 지원제 ; 〔哲〕 주의설(主意說). **2** =VOLUNTARYISM.
-rist *n.* **vòl·un·ta·rís·tic** *a.*
***vol·un·tary** [vɑ́ləntèri ; -təri] *a.* **1** 자유 의지에서 나온, 자발적인, 임의의, 수의의, 지원의, 독지의(↔*compulsory*). **2** (학교·교회·병원 따위) 임의 기부제의. **3** 고의의, 계획적인(↔*accidental*) : ~ murder 모살(謀殺). **4** 〔解〕 수의적인(↔*involuntary*). **5** 자유 의지를 가진[에 의해서 행동하는] : Man is a ~ agent. 인간은 자유 행위자다. **6** 〔法〕 임의의, 무상의 : a ~ association 임의 단체 / a ~ confession 임의[자발적] 자백. —— *n.* 오르간 독주《특히 예배 전후나 사이에 연주하는》; 자발적인 행위[증여, 원조] ; 임의(의) 기부 ; (과제에 대한) 자유연기 ; 《廢》 지원자, 유지자(有志者). **vól·un·tàr·i·ly** [, ⌐-⌐- ; -tər-] *adv.* 자유 의지로, 자발적으로 ; 임의로. **vól·un·tàr·i·ness** [; -təri-] *n.*
〖OF or L (*voluntas* will)〗
類義語 ***voluntary*** 외부의 영향 유무에 관계없이 모두 자기 자신의 자유로운 의사에 의한 : *voluntary* services (자발적인 봉사). ***intentional*** 아무런 생각없이 우연히 행한 것이 아니고 확실한 목적[이유]이 있어 행하는 : an *intentional* insult (의도적인 모욕). ***deliberate*** 자신이 행하려고 하는 일의 의미와 그 결과를 충분히 알고 행하는 : a *deliberate* lie(계획적인 거짓). ***wilful*** 반대·충고 따위를 무릅쓰고 자신의 고집스런[빗나간] 의사에 따르는 : a *wilful* refusal (고집스러운 거절). ***willing*** 강제에 의하지 않고 즐겁게[열심히] 남의 희망 또는 지시에 따르거나 남이 즐겨하는 일을 하는 : a *willing* worker (자진해서 일하는 사람).
Vóluntary Áid Detàchment *n.* 《英》 구급 간호 봉사대《略 V.A.D.》.
vóluntary cháin *n.* 자유 연쇄점.
vóluntary convéyance[**disposítion**] *n.* 〔法〕 임의[무상] 양도.
vóluntary èxport restráint *n.* 수출 자율 규제(規制).
vóluntary·ìsm *n.* Ⓤ **1** 임의 기부 제도《교회·학교 따위는 국비에 의존하지 않고 민간의 기부로 경영해야 한다고 함》. **2** 자유 지원병 제도. **-ist** *n.*
vóluntary múscle *n.* 수의근(隨意筋).
vóluntary schòol *n.* 《英》 임의 기부제의 학교.
vóluntary sérvice *n.* 〔軍〕 지원 병역 ; 자원[자발적] 봉사.
***vol·un·teer** [vɑ̀ləntíər] *n.* **1** 지원자 ; 지원병, 의용병 ; 〔法〕 임의 행위자, 무상 피증자(被贈者). **2** [V~] 《美》 Tennessee 주(州)의 주민《속칭》.
—— *a.* 자발적인, 독지(篤志)의, 지원(병)의 ; 〔植〕 자생의 : a ~ corps 의용군 / a ~ nurse 지원 간호사. —— *vt.* [+目 / +*to* do] 자발적으로 제의하다 ; 자진하여 제공[인수]하다 : ~ a subscription[one's service] 자진해서 기부[봉사]하다 / ~ an opinion 자발적으로 의견을 진술하다 /

~ information 자진하여 정보를 제공하다 / He ~*ed to* do the job. 자발적으로 일을 하겠다고 제의했다. —— *vi.* [動 / +*for*+名] 자진하여 일을 맡다, 자원하다, 지원병이 되다 ; 〖植〗 자생하다 : He ~*ed* ***for*** military service. 병역을 자원했다. 〖F *volontaire* VOLUNTARY ; 어미는 -*eer*에 동화〗

voluntéer[**vóluntary**] **ármy** *n.* 의용군(略 VOLAR).

voluntéer·ism *n.* 자유 지원제, 볼런티어 활동, 자원 활동 중시주의.

Voluntéer Státe *n.* [the ~] 미국 Tennessee 주의 속칭.

vo·lup·tu·ary [vəlʌ́ptʃuèri ; -tʃuəri] *a., n.* (관능적) 쾌락에 빠진 (사람).
〖OF or L (*voluptas* pleasure)〗

vo·lup·tu·ous [vəlʌ́ptʃuəs] *a.* **1** 육욕에 빠진, 관능적인. **2** 육감적인, 도발적인. **3** 요염한. **4** 사치스러운, 향락적인. **~·ly** *adv.* **~·ness** *n.*

vo·lute [vəlúːt, válјuːt] *n.* 〖建〗 소용돌이(꼴) ; 〖貝〗 고둥의 일종. —— *a.* =VOLUTED.
〖F or L (*volut- volvo* to roll)〗

vo·lút·ed *a.* 소용돌이 꼴의, 나선상의 ; 나선상의 홈이 있는 ; 〖建〗 소용돌이 모양이 있는.

volúte spring *n.* 〖機〗 벌류트 스프링.

vo·lu·tion [vəlúːʃən] *n.* 선회[회전] 운동 ; (조개의) 나(사)선 ; 〖解〗 뇌회(腦回).

vol·va [válvə, 美+vɔ́ːl-] *n.* 〖植〗 (버섯의) 단지, 균포(菌胞), 덮개막. **vól·vate** [-vət, -veit] *a.* 단지가 있는. 〖L (*volvo* to roll)〗

Vol·vo [válvou] *n.* (*pl.* **~s**) 볼보(스웨덴 Volvo 사제의 자동차).
〖L=I roll ; 원래 베어링 메이커의 한 부문〗

Vólvo's prodúction sỳstem *n.* 볼보 방식(벨트 컨베이어가 아닌 전동식 대차(臺車)를 써서 작업자의 작업 속도에 따라 자주적으로 대차를 움직여 조립하는 방식 ; 1974년에 스웨덴의 Volvo사가 첫 시도함).

vol·vox [válvaks, 美+vɔ́ːl-] *n.* 〖生〗 볼복스(녹조류 ; 원생동물 편모충으로 동물로 취급되기도 함).

vo·mer [vóumər] *n.* 〖解〗 (코의) 서골(鋤骨).
〖L=plowshare〗

vom·it [vámət] *vt.* **1** 토하다, 게우다 : ~ what one has eaten 먹은 것을 토하다. **2** [+目 / +目+副] (연기나 욕설 따위를) 내뱉다, 토해내다 : ~ abuse 욕설을 내뱉다 / The factory chimneys were ~*ing* (*forth*) smoke. 공장의 굴뚝이 연기를 내뿜고 있었다. **3** (토제(吐劑)로) 토하게 하다. —— *vi.* **1** 삼킨 것을 토하다, 게우다(cf. RETCH). **2** 분출[분화]하다.
—— *n.* Ⓤ 삼킨 것을 토함 ; 구토(물) ; 토제 ; 《비유》 상스러운 말씨[문장]. 〖OF or L〗

vómit·ing *n.* Ⓤ 〖醫〗 구토.

vom·i·tive [vámətiv] *a.* =VOMITORY.

vom·i·to (**ne·gro**) [vámətou (níːgrou), vóu-(, -néi-)] *n.* 〖醫〗 (황열병 환자의) 검은 구토물.

vom·i·to·ri·um [vàmətɔ́ːriəm] *n.* (*pl.* **-ria** [-riə]) (고대 로마의) 원형 연기장[극장] 출입구 (vomitory).

vom·i·to·ry [vámətɔ̀ːri ; -təri] *a.* 토하게 하는, 구토의. —— *n.* 방출구(放出口) ; (원형 극장 따위의 관람석으로 통하는) 출입구 ; 토해 내는 사람[것] ; 《廢》 토제(吐劑).

vom·i·tous [vámətəs] *a.* 구역나게 하는, 메스꺼운, 기분 나쁜.

vom·i·tu·ri·tion [vàmətʃəríʃən] *n.* Ⓤ 〖醫〗 구토, 구역.

vom·i·tus [vámətəs] *n.* 〖醫〗 구토물 ; 구토. 〖L〗

von [van, fan, fən ; *G* fɔn, fən] *prep.* …(출신)의 《귀족의 가명(家名)앞에 씀》 : Johann Wolfgang ~ Goethe. 〖G=from, of〗

Von Braun [van bráun] *n.* 폰 브라운. **Wernher** ~ (1912-77) 독일 태생인 미국 로켓 과학자.

V-one, V-1 [víːwʌ́n] *n.* 보복 병기 제1호(독일이 제2차 대전에서 쓴 로켓 폭탄).
〖G *V*ergeltungswaffe *1* reprisal weapon 1〗

von Wíl·le·brand's disèase [fɔːn víləbràːnts-] *n.* 〖醫〗 폰 빌러브란트 병(혈관 혈우병).
〖E. A. *von Willebrand* (d. 1949) 핀란드의 의사〗

voo·doo [vúːduː] *n.* (*pl.* **~s**) **1** Ⓤ 부두교(教)(서인도 제도 및 미국 남부의 흑인간에 행하여지는 일종의 마교적(魔教的) 민간 신앙 ; 아프리카 기원(起源)). **2** 부두교의 무술[주술, 마술]사 ; 주술 ; 주물(呪物). —— *a.* 무술(사)의 ; 주술의 ; 부두교적인. —— *vt.* …에 부두교의 마법[마술]을 걸다. 〖Dahomey〗

vóodoo·ìsm *n.* Ⓤ 부두 신앙 ; 주술, 마술. **-ist** *n.* 부두교의 신자[무술사]. **vòo·doo·ís·tic** *a.*

VOP 〖保險〗 valued as in original policy (협정 보험 가격은 원증권대로). **VOR** very-high-frequency omnirange(초단파 전(全)방향식 무선 표지(標識)).

-vo·ra [vərə] *n. pl. comb. form* 「…식(食) 동물류」의 뜻 : Insecti*vora*. 〖-VOROUS〗

vo·ra·cious [vɔ(ː)réiʃəs, və-] *a.* 걸신들린 듯이[게걸스럽게] 먹는, 식욕이 왕성한, 걸근거리는 ; 물릴 줄 모르는, 몹시 집착하는. **~·ly** *adv.* 걸근걸근 ; 탐욕스럽게. **~·ness** *n.*
〖L *vorac- vorax* (*voro* to devour)〗

vo·rac·i·ty [vɔ(ː)rǽsəti, və-] *n.* Ⓤ 폭식, 대식 ; 탐욕, 집착.

-vore [vɔ̀ːr] *n. comb. form* 「…식(食) 동물」의 뜻 : carni*vore*. 〖F<L ; cf. -VORA〗

vor·la·ge [fɔ́ːrlàːgə] *n.* 〖스키〗 앞으로 굽힌 자세 (내리받이의 활강(滑降) 자세). 〖G〗

-v·o·rous [-́vərəs] *a. comb. form* 「…을 먹이로 하는」의 뜻 : carni*vorous*, herbi*vorous*.
〖L ; ⇨ VORACIOUS〗

vor·tex [vɔ́ːrteks] *n.* (*pl.* **~·es**, **-ti·ces** [-təsìːz]) **1** 소용돌이, 화방수 ; (소용돌이 꼴의) 비행운(雲) ; 회오리 바람(whirlwind) ; 〖理〗 소용돌이 ; (우주 물질의) 소용돌이 운동(Descartes 철학 따위에서 천체의 발생[현상]을 설명할 수 있다고 하였음). **2** 《비유》 (사회 운동 따위의) 소용돌이, 와중(渦中) : He was drawn into the ~ *of* politics [revolution, war]. 정쟁(政爭)[혁명, 전란]의 소용돌이 속에 휘말렸다. 〖L=VERTEX〗

vor·ti·cal [vɔ́ːrtikəl] *a.* 소용돌이 꼴의, 소용돌이 치는, 선회하는. **~·ly** *adv.*

vor·ti·cel·la [vɔ̀ːrtəsélə] *n.* (*pl.* **-lae** [-liː], **~s**) 〖動〗 종벌레.

vortices *n.* VORTEX의 복수형.

vor·ti·cism [vɔ́ːrtəsìzəm] *n.* Ⓤ 〖畫〗 보티시즘(현대 사회의 소용돌이(vortices)를 다루는 1920년대 영국의 미래파의 일파) ; (데카르트 등의 우주 물질의) 와동설(渦動說). **-cist** *n.* 보티시즘 화가 ; 와동설론자.

vor·tic·i·ty [vɔːrtísəti] *n.* 〖理〗 소용돌이도(度) (유체의 소용돌이 운동의 세기와 그 축 방향을 나타내는 벡터) ; (유체의) 소용돌이 운동 상태.

vor·ti·cose [vɔ́ːrtikòus] *a.* =VORTICAL.

vor·tig·i·nous [vɔːrtídʒənəs] *a.* 《古》 =VORTICAL.

Vos·tok [vɔ́ːstak ; vɔstɔ́k] *n.* 보스토크호(구소련의 1인승 유인 우주선). 〖Russ.=East〗

vot·able [vóutəbəl] *a.* 투표할 수 있는, 투표권이 있는 ; 투표로 결정하는.

vo·ta·ress [vóutərəs] *n.* VOTARY의 여성형.

vo·ta·rist [vóutərəst] *n.* =VOTARY.

vo·ta·ry [vóutəri] *n.* **1** 신자, 신앙가. **2 a**) (이상·주의 따위의) 신봉자, 열성적인 지지자 : a ~ *of* vegetarianism 채식주의자. **b**) 심취자(心醉者), 애호가(devotee) 〈*of*〉.
〚L (↓)〛

‡**vote** [vóut] *n.* **1** (발성·거수·투표구(球)·투표용지 따위에 의한) 찬부 표시, 투표, 표결 ; 투표방법 : an open[a secret] ~ 기명[무기명] 투표 / a ~ *of* confidence[nonconfidence, censure] 신임[불신임] 투표 / a ~ *of* thanks 감사 결의 / come[go, proceed] to the ~ 표결에 부쳐지다 / put a question[bill] to the ~ 문제[의안]를 표결에 부치다 / take a ~ *on* a question 어떤 문제에 대해서 표결을 택하다. **2** 투표 용지 ; (개개의) 표, 투표 : a spoiled ~ 무효표 / the casting ~ 결정표 / canvass for ~*s* 득표 운동을 하다 / cast a ~ 한 표를 던지다〈*for, against*〉/ count the ~*s* 표수를 세다 / give[record] one's ~ 투표하다〈*to, for*〉/ pass by a majority of ~*s* 과반수로 통과하다. **3** [흔히 the ~] 투표[선거]권, 참정권(the franchise) ; [the ~] 의결권 : Women now have *the* ~ in our country. 지금 우리나라에서는 여자도 선거권이 있다. **4** [집합적으로] 투표수, 득표수 : a large ~ 다수의 투표 / the floating ~ 부동표 / The Labor ~ increased at the election. 선거에서 노동당의 표수는 증가했다. **5** 《英》 의결 사항, 의결액〈*for*〉; [V~] 《英》 하원, 일지(日誌), 의사록. **6** 《古》 투표자, 유권자.
get out a*[*the*] *vote 《美》 예상득표 획득에 성공하다.
one man one vote 일인 일표주의.
—— *vi.* [動 / +前+名] 투표하다 : the right to ~ 투표[선거]권 / ~ ***on*** a question 어떤 문제에 대하여 투표하다 / He ~*d* ***against***[***for***] the measure. 그 의안에 반대[찬성] 투표를 했다 / I shall ~ *for* you *to* captain our team. 우리 팀의 주장으로 너에게 투표하겠다. —— *vt.* **1 a**) [+目 / +目+目 / +目+*to*+名] 투표로 결정짓다, 표결하다 ; 가결하다 ; …에의 할당[증여]을 표결하다 : The board ~*d* the money for education. 위원회는 교육비의 지출을 의결했다 / Congress ~*d* the president emergency powers[emergency powers ***to*** the president]. 의회는 대통령에게 비상권한을 부여하기로 가결했다. **b**) 투표로 지지하다 : ~ the Republican ticket 공화당의 강령을 지지하여 투표하다. **2** 《口》 [+目+補] (세평이) …라고 인정[시인]하다, …라고 칭하다 : The public have ~*d* the new play a success. 새 연극은 성공적이라는 평판이다 / He is ~*d* a nuisance. 그는 귀찮은 놈이라는 정평이 나 있다. **3** 《口》 [+*that* 節] 제안[제의]하다(suggest) : I ~ (*that*) we (should) do the city by sightseeing bus. 관광버스로 시내 구경 갑시다(Let us do...).
vote down (제의 따위를) 투표하여 부결하다.
vote in (사람을) 선출하다.
vote through (제안 따위를) 투표로 통과시키다[가결하다].
〚L *votum* vow, wish (*vot- voveo* to vow)〛

vóte bùying *n.* 매표, 투표 매수.

vóte-gètter *n.* 《口》 표를 모으기에 성공한 사람, 인기 있는 후보자.

vóte·less *a.* 투표[선거]권이 없는.

vóte pàdding *n.* 표의 부풀리기.

***vot·er** [vóutər] *n.* 투표자(cf. NONVOTER) ; (특히 국회의원 선거의) 유권자, 선거인 : a casting ~ 결정 투표자《의장 등》.

vóters' líst *n.* 선거인 명부.

vot·ing [vóutiŋ] *n.* Ⓤ 투표(권 행사), 선거.

vóting àge *n.* 선거권 취득 연령, 투표 연령.

vóting bòoth *n.* 《美》 (투표장 내의) 기표소(=《英》 polling booth).

vóting machìne *n.* (자동식) 표수 계산기.

vóting pàper *n.* 《英》 투표 용지(ballot).

Vóting Ríghts Àct *n.* 《美》 투표권법《흑인 및 소수민족의 선거권 보장을 목적으로 함》.

vóting stòck *n.* 〔經〕 의결권주(議決權株).

vo·tive [vóutiv] *a.* (맹세를 지키기 위해) 봉납[봉헌]하는, 기원을 드린 : a ~ offering 봉납물(物) / a ~ picture[tablet] 봉헌한 그림[편액(扁額)]. 〚L ; ⇨ VOTE〛

vo·tress [vóutrəs] *n.* 《古》 =VOTARESS.

vou. voucher.

vouch [váutʃ] *vi.* [+*for*+名] 보증하다, 장담하다, …의 증인이 되다 ; 단언하다 : I will ~ ***for*** him[his honesty]. 그의 인물됨[그가 정직하다는 것]은 내가 보증한다 / I can't ~ *for* it that no step was taken. 아무런 조치도 취해지지 않았다고는 단언할 수 없다. —— *vt.* 보증[증언]하다, …의 보증인이 되다 ; 입증하다 ; 증거 서류를 검토하여 (거래를) 인증하다 ; (지급)의 필요를 입증하다 ; (사람을) 보증인으로 소환하다 ; 《古》 증거로 삼다, 인증하다 ; 《古》 단언하다, 확언하다.
—— *n.* 《廢》 보증, 증언, 단언.
〚OF=to summon (L *voco* to call)〛

vouch·ee [vautʃíː] *n.* 피보증인.

vóuch·er *n.* 증인, 보증인, 증명자 ; 증거물 ; 증서 ; 영수증, (거래) 증빙(서(書)) ; (현금 대용의) 상환권, 상품권, 쿠폰(coupon) ; 할인권 : a hotel ~ 숙박권 / a gift ~ 《英》 상품권 / ☞ LUNCHEON VOUCHER. —— *vt.* 증명하다 ; 〔商〕 …에 대한 거래 증표를 만들다.

vóucher plàn *n.* 〔美教〕 바우처 플랜《사립 학교의 수업료 대신에 공적인 지급 증서를 적용할 수 있는 제도》.

vóucher sỳstem *n.* 〔商〕 증빙식 제도 ; 〔美教〕 =VOUCHER PLAN.

vouch·safe [vautʃséif, ⌐-] *vt.* **1** [+目 / +目+目] 허락하다, 주다, 하사하다 : He ~*d* (me) no reply. (나에게는) 한마디 대답도 해주지 않았다 / *V*~ me a visit. 왕림해 주시기 바랍니다. **2** [+*to* do] …해주시다(condescend) : Mr. Johnson ~*d to* attend our party. 존슨씨가 우리 회합에 참석해 주셨다. **~·ment** *n.*
〚ME *vouch* to warrant, SAFE〛

vouge [vúːʒ] *n.* 〔英史〕 도끼 비슷한 자루가 긴 무기. 〚OF<?〛

vous·soir [vuːswáːr, ⌐-] *n.* 《F》 Ⓤ,Ⓒ 〔建〕 홍예석《아치용 쐐기 모양의 돌》.

vow** [váu] *n.* **1** [+*to* do] 맹세, 서약, 서원 : a devout ~ 경건한 맹세 / baptismal ~*s* 〔宗〕 세례 서약 / lovers' ~*s* 연인끼리의 맹세 / monastic ~*s* 〔宗〕 수도 서원(修道誓願)《청빈·동정·복종의 맹세》/ a ~ ***of secrecy[silence] 비밀[침묵]을 지킨다는 맹세 / take[make] a ~ (*to* do...) (…할 것을) 맹세하다, 서원하다 / I am under a ~ *to* drink no wine. 금주의 맹세를 하고 있다. **2** 맹세의 취지[내용], 서약 행위 : perform a ~ 맹세를 지키다 / Is this your ~? 이렇게 맹세했단 말이냐.

take vows 종교단의 일원이 되다, 수도원에 들어가다 ; 수사[수녀]가 되다.
── *vt.* **1** [+目 / +目+前+名] 맹세하다, 서약하다 ; …할 것[줄 것]을 맹세하다 ; 헌신하다 : He ~*ed* obedience. 복종할 것을 약속했다 / They ~*ed* vengeance ***against*** the oppressor. 압제자에게 보복할 것을 맹세했다 / They ~*ed* a temple ***to*** Apollo. 아폴로에게 신전을 헌납하기로 맹세했다. **2** [+*to* do / +*that* 節] 맹세코 …하겠다고 말하다, 단언하다 : He ~*ed to* work harder[*that* he would work harder] in the future. 맹세코[반드시] 앞으로는 더욱 열심히 일하겠다고 말했다. ── *vi.* 서약하다 ; 서원을 하다 ; 《古》 언명하다. 〚OF *vou*(*er*) (⇨ VOTE) ; '단언하다'의 뜻은〈*avow*〛

***vow·el** [váuəl] *n.* **1** 〔音聲〕 모음(cf. CONSONANT). **2** 모음자(字)《a, e, i, o, u 따위》.
── *vt.* (-l- | -ll-) **1** 〔言〕 …에 모음 부호를 붙이다. **2** 《俗》 …에 차용증(IOU)으로 지급하다(cf. THREE VOWELS). ── *a.* 모음의. **vów·elled** *a.* 모음이 있는. **~·less** *a.* 모음이 없는. **~·ly** *a.* 모음이 많은.
〚OF＜L *vocalis* (*littera*) VOCAL (letter)〛

vówel gradátion *n.* 〔言〕 =ABLAUT.

vówel hármony *n.* 〔言〕 모음 조화《핀란드어·헝가리어·터키어 따위의》.

vówel·ìze *vt.* 〔言〕 모음 부호를 붙이다《헤브라이어·속기 문자 따위에》; (자음을) 모음화하다.
vòwel·izátion *n.* 모음화.

vówel·lìke *a.* 모음과 같은. ── *n.* 모음과 같은 소리《[l], [m], [n], [ŋ], [w], [j] 따위》.

vówel mutátion *n.* 〔言〕 =UMLAUT.

vówel pòint *n.* 모음 부호《헤브라이어 따위에서 모음을 표시하는 점》.

vówel rhỳme *n.* 〔韻〕 모음운(韻).

vówel sòund *n.* 〔音聲〕 모음.

vówel sỳstem *n.* 〔音聲〕 (한 언어·어족의) 모음조직.

vox [váks] *n.* (*pl.* **vo·ces** [vóusi:z]) 목소리, 음성 ; 말(word), 표현. 〚L=voice〛

vóx bár·ba·ra [-bá:*r*bərə] *n.* (학술 용어 따위에 쓰이고 있는) 신조(新造) 라틴어.
〚L=foreign word〛

vóx hu·má·na [-hju:méinə ; -má:nə] *n.* 인간의 목소리 ; 〔樂〕 복스 후마나《사람의 목소리와 비슷한 소리를 내는 오르간 스톱》. 〚L〛

vox pop [váks páp] *n.* 《口》 (라디오·텔레비전 따위에 수록되는) 거리[시민]의 소리.
〚*vox pop*uli〛

vóx pó·pu·li [-pápjəlài, -lì:] *n.* 국민의 소리, 여론《略 **vox pop.**》. 〚L=voice of the people〛

vox po·pu·li vox Dei [wóuks pɔ́:pəli: wóuks déi:] 백성의 소리는 신(神)의 소리. 〚L〛

‡**voy·age** [vɔ́iidʒ] *n.* **1** (주로 먼) 선박 여행, 항해, 항행(cf. JOURNEY) : a ~ round the world 세계 일주 항해 / a round ~ 순항(巡航) / on the ~ out[home] 배로 가는[돌아오는] 도중에 / make [go on] a ~ 항해하다, 항해를 떠나다. **2** 하늘 여행 ; 우주 여행. **3** 《古》 (일반적으로) 여행(journey). **4** [*pl.*] 여행기, (특히) 항해기(記).
── *vi.* [+前+名] 항해하다 ; 바다[육지, 하늘] 여행을 하다 : ~ ***through*** the Pacific Ocean 태평양을 항해하다.
~·able *a.* 항행[항해]할 수 있는.
〚AF, OF＜L VIATICUM〛
類義語 ⟹ TRAVEL.

vóyage pòlicy *n.* 항해 보험 증권.

vóy·ag·er *n.* 항해자, (특히 옛날의) 모험적 항해자 ; 여행자 ; [V~] 〔宇宙〕 보이저《미국의 목성·토성 탐사 위성》.

voy·a·geur [vwɑ̀:jɑ:ʒə́:*r*, vɔ̀iə- ; *F* vwajaʒœ:r] *n.* 뱃사공《특히 옛날에 캐나다에서 모피회사에 고용되어 사람이나 화물을 실어 나르던 뱃사람》; 캐나다의 뱃사공. 〚F=traveler, voyager〛

voy·eur [vwɑ:jə́:*r*, vɔiə́:*r* ; *F* vwajœ:r] *n.* (성적으로) 엿보는[훔쳐보는] 취미를 가진 사람.
~·ism *n.* 훔쳐보는[들여다보는] 취미 ; 관음증 ; 훔쳐보는 행위. **voy·eur·is·tic** [vwɑ̀:jərístik, vɔ̀iə-] *a.* 훔쳐보는 취미의, 관음증의.
〚F (*voir* to see)〛

VP verb phrase. **V.P., V. Pres.** Vice-President. **v.p.** variable pitch ; various places ; verb passive.

V-particle [ví:⌐] *n.* 〔理〕 V입자(粒子)《1947년에 발견된 새 입자로 그 붕괴과정에서 V자 모양의 비적(飛跡)을 나타냄》.

VPF 〔宇宙〕 vertical processing facility(수직형 정비탑). **V.R.** *Victoria Regina* 《L》 (=Queen Victoria). **v.r.** verb reflexive. **VRA** voluntary restraint agreement (자주(自主) 규제 협정).

vrai·sem·blance [*F* vrɛsɑ̃blɑ̃:s] *n.* 정말 같음, 그럴 듯함, 진실인 듯함.

VRC 〔컴퓨〕 vertical redundancy check(수직 여유도 검사). **V.R.D.** 《英》 Volunteer Reserve Decoration. **v.refl.** verb reflexive. **V. Rev.** Very Reverend.

vroom [vərú:m] *n.* 붕붕, 부르릉《엔진 소리》.
── *vi.* 붕붕[부르릉] 소리를 내면서 달리다.
〚imit.〛

vrouw, vrow [fróu, vráu, fráu] *n.* (네덜란드인·남아프리카 태생인 백인의) 아내, 여자 ; …부인(Mrs.). 〚Du., Afrik.〛

VRS video response system. **vs.** verse ; *versus* 《L》 (=against). **V.S.** Veterinary Surgeon. **v.s.** *vide supra* 《L》 (=see above). **VSB** vestigial side band(잔류 측파대(側波帶)).
VSBC 〔컴퓨〕 very small business computer (업무용 초소형 컴퓨터).

V-shaped [ví:⌐] *a.* V자형[모양]의, V자형 단면(斷面)의.

V sign [ví: ⌐] *n.* V사인, 승리의 표시《집게손가락과 가운뎃손가락으로 V자를 만듦》.

V-six, V-6 [ví:síks] *n.* V형 6기통 엔진(의 차).
── *a.* (엔진이) V형 6기통의.

V.S.O. very superior[special] old《브랜디의 특급 ; 보통 12-17년 저장》; 《英》 Voluntary Service Overseas. **V.S.O.P.** very superior [special] old pale《브랜디의 특상급 ; 보통 20-25년 저장 ; cf. V.V.S.O.P.》. **vss.** verses ; versions.

V/STOL, VSTOL [ví:stɔ̀(:)l, -stòul, -stɑ̀l] *n.* 〔空〕 V / STOL기(機)《VTOL기와 STOL기의 총칭》. 〚*v*ertical *s*hort *t*ake*o*ff and *l*anding〛

VT variable time ; 〔美郵〕 Vermont. **V.T.** vacuum tube ; voice tube. **vt., v.t.** verb transitive.
V-T 《英》 video tape.

VT fuze [vì:tí: ⌐] *n.* =PROXIMITY FUZE.
〚*v*ariable *t*ime *fuze*〛

VTO 〔空〕 vertical takeoff(수직 이륙).

VTOL [ví:tɔ̀(:)l, -tòul, -tɑ̀l] *n.* 〔空〕 수직 이착륙기, VTOL기. 〚*v*ertical *t*ake*o*ff and *l*anding〛

VTOL·port [⌐⌐] *n.* 〔空〕 VTOL기 이착륙장 (vertiport).

VTP video tape player. **VTR** video tape record-

ing[recorder](테이프 녹화기).
V-twelve, V-12 [ví:twélv] *n.* V형 12기통[V12] 엔진 ; V12엔진의 차. —— *a.* (엔진이) V형 12기통의.
V-two, V-2 [ví:tú:] *n.* V-2호《독일의 보복 병기 제2호 ; 제2차 세계 대전에서 사용한 장거리 미사일》. 〖G *V*ergeltungswaffe *2* ; ⇨ V-ONE〗
V-type engine [ví:-ˊ-] *n.* V형 엔진《기통을 두 줄로 V자형으로 배치한 자동차 따위의 엔진》.
VU, V.U. volume unit. **vul.** vulgar ; vulgarly. **Vul.** Vulgate.
Vul·can [vʌ́lkən] *n.* **1** 〖로神〗 불카누스《불과 대장장이의 신》. **2** 〖天〗 벌컨(가상 행성)《19세기에 수성의 안쪽[태양에 가장 가까운 곳]에 있다고 했던 행성》. 〖L *Valcanus*〗
Vul·ca·ni·an [vʌlkéiniən] *a.* **1** Vulcan의 ; [v~] 철공[대장장이]의. **2** [v~] 화산(작용)의, 분화의(volcanic) ; [v~] 〖地〗 벌컨식 분화의《화산재나 점성이 강한 용암을 포함하여 연기를 다량으로 방출하는 폭발적인 분화》.
Vul·can·ic [vʌlkǽnik] *a.* =VULCANIAN.
vul·can·ism [vʌ́lkənìzəm] *n.* =VOLCANISM.
-ist *n.* =VOLCANIST ; =HOT MOONER.
vul·can·ite [vʌ́lkənàit] *n.* Ⓤ 경질(硬質) 고무(hard rubber), 에보나이트(ebonite).
vul·can·i·zate [vʌ́lkənəzèit] *n.* Ⓤ 가황물(加黃物). 〖역성(逆成) ‹ *vulcanization*〗
vul·can·ize [vʌ́lkənàiz] *vt.* (고무를) 경화[가황(加黃), 황화]하다 ; (고무 타이어 따위를) 수리하다. —— *vi.* 가황처리하다.
~·able *a.* **-ìz·er** *n.* 가황 처리를 하는 사람 ; 가황장치. **vùl·can·i·zá·tion** *n.* 가황.
〖VULCAN〗
vúl·can·ìzed *a.* 가황 (처리)한 ; 《美俗》 술취한.
vúlcanized fíber *n.* 가황(加黃) 섬유《종이나 천을 염화 아연으로 경화시킨 것 ; 전기 절연물 따위에 씀》.
vul·can·ol·o·gy [vʌ̀lkənɑ́lədʒi] *n.* =VOLCANOLOGY. **-gist** *n.*
vulg. vulgar(ly). **Vulg.** Vulgate.
***vul·gar** [vʌ́lgər] *a.* **1** (상류 계급에 대해) 일반 대중의, 서민의 : the ~ herd 《蔑》 일반 민중, 서민. **2** (교양있는 계급에 대하여) 천한(↔*cultured*), 속악한, 저속한, 세련되지 못한, 교양이 없는(↔*polite*) : a ~ fellow 속물(俗物) / ~ language 상스러운 말 / ~ manners 버릇없는 태도 /a ~ notion 저속한 생각. **3 a)** 일반 대중의 (사이에 행해지는), 항간의 : ~ errors 항간에 잘못 알려진 일 / ~ superstitions 항간의 미신. **b)** [흔히 V~] (언어가) 일반인이 사용하는 ; 자국어에 의한(vernacular) : the ~ tongue 자국어, 국어《이전에는 특히 라틴어에 대해서 말했음》/ ☞ VULGAR LATIN. —— *n.* 《古》 평민, 서민 ; 《廢》 자국어.
~·ly *adv.* 통속적으로 ; 항간에 ; 천박하게.
~·ness *n.* Ⓤ 비속, 통속.
〖L (VULGUS[1]=common people)〗
類義語 ⟹ COARSE, POPULAR.
vúlgar éra *n.* [the ~] =CHRISTIAN ERA.
vúlgar fráction *n.* =COMMON FRACTION.
vul·gar·i·an [vʌlgέəriən, -gǽər-] *n.* 속물, 상놈, (특히) 저속한 벼락부자, 벼락 출세자.
vúlgar·ìsm *n.* **1** Ⓤ =VULGARITY. **2** 야비한 언어, 비어(卑語), 상말 ; 문법적으로 파격적인 어법[표현].
vul·gar·i·ty [vʌlgǽrəti] *n.* Ⓤ 속악, 야비, 비천, 비속(성) ; [흔히 *pl.*] 무례한 언동.
vúlgar·ìze *vt.* 보급시키다, 평이하게 하다 ; 비속화하다, 속악하게 하다. **vùlgar·izátion** *n.*
Vúlgar Látin *n.* 통속 라틴어《문어(文語)로서의 고전 라틴어에 대한 것 ; 로망스 제어(諸語)의 원천 ; 略 VL》.
vul·gate [vʌ́lgeit, -gət] *n.* **1** [the V~] 불가타 성서《St. Jerome가 405년에 완역한 라틴어역 성서로 카톨릭 교회의 공인 성서로 되어 있음》. **2** 일반적으로 통용되고 있는 텍스트 ; 통설. **3** [the ~] 일상어 ; [the ~] 비속어. —— *a.* [V~] 불가타 성서의 ; 일반적으로 통용되고 있는 ; 비속한. 〖L *vulgata* (p.p.) ‹ *vulgo* to make public ; ⇨ VULGUS〗
vul·gus[1] [vʌ́lgəs] *n.* [the ~] 민중, 평민, 서민. 〖L〗
vulgus[2] *n.* (퍼블릭 스쿨의 학생에게 과(課)한 특정 주제의) 라틴어 시집. 〖C19 ? *vulgars* (obs.) English sentences to be translated into Latin〗
vul·ner·a·ble [vʌ́lnərəbəl] *a.* **1** 상처를 입기 쉬운, (요새 따위) 공격받기 쉬운, 무방비한. **2** (비난 따위를) 받기 쉬운 ; (유혹·설득 따위에) 약한, 느끼기 쉬운(sensitive) ; 약한 데가[약점이] 있는 : find a person's ~ point 남의 약점을 알아내다 / be ~ *to* temptation 유혹에 빠지기 쉽다 / be ~ *to* ridicule 남에게 조롱받고 속상해하다.
-bly *adv.* **vùl·ner·a·bíl·i·ty** *n.* Ⓤ 상처[비난]를 받기 쉬움, 약점이 있음, 취약성. **~·ness** *n.*
〖L (*vulner*- *vulnus* wound)〗
vul·ner·ary [vʌ́lnərèri ; -rəri] *a.* 상처에 효과있는, 상처에 바르는. —— *n.* Ⓤ 외상(外傷)약, 상처 치료법.
vúl·pe·cìde, -pi- [vʌ́lpə-] *n.* Ⓤ 《英》 (사냥개를 쓰지 않는) 여우 죽이기 ; Ⓒ 그렇게 여우를 죽이는 사람, 여우 사살자.
Vul·pec·u·la [vʌlpékjələ] *n.* 〖天〗 여우자리.
vul·péc·u·lar *a.* =VULPINE.
vul·pine [vʌ́lpain] *a.* 여우의[같은] ; 교활한, 간사한(cunning). 〖L (*vulpes* fox)〗
vul·pi·nite [vʌ́lpənàit] *n.* Ⓤ 석고옥(石膏玉)《장식용》.
vul·ture [vʌ́ltʃər] *n.* **1** 〖鳥〗 **a)** 독수리과(科)《구대륙》·콘도르과(科)《신대륙》의 각종 대형 맹금(猛禽)《독수리·콘도르 따위》. **b)** 각시콘도르. **2** 《비유》 욕심쟁이 ; (사기꾼 따위의) 남을 등쳐 먹고 사는 사람. 〖AF＜L〗
vul·tur·ine [vʌ́ltʃəràin, -rən] *a.* 독수리 같은 ; 탐욕스런, 욕심 많은.
vulv- [vʌ́lv], **vul·vo-** [vʌ́lvou, -və] *comb. form* 〖解〗 「음문(陰門)」의 뜻. 〖L (↓)〗
vul·va [vʌ́lvə] *n.* (*pl.* **-vae** [-vi:, -vai], **~s**) 〖解〗 음문(陰門), 외음부. 〖L=womb〗
vul·vate [vʌ́lveit, -vət] *a.* 음문[외음(外陰)]의, 음문[외음]과 같은.
vúl·vi·fòrm [vʌ́lvə-] *a.* 〖植·解〗 음문[외음]과 같은 모양의.
vul·vi·tis [vʌlváitəs] *n.* 〖醫〗 (여성의) 외음염(外陰炎).
vulvo- [vʌ́lvou, -və] ☞ VULV-.
vùlvo·vaginítis *n.* 〖醫〗 외음부 질염(膣炎).
vum [vʌ́m] *vi.* (**-mm-**) 《美口》 서약하다, 맹세하다(vow).
VUNC the Voice of United Nations Command (유엔군 총사령부 방송). **vv.** verses ; violins ; verbs ; volumes. **v.v.** vice versa. **vv. ll.** *variae lectiones* 《L》(=variant readings).
V.V.S.O.P. very very superior old pale《보통 25-40년된 브랜디 따위 ; cf. V.S.O., V.S.O.P.》.

VW Volkswagen. **V.W.** Very Worshipful.
VX (gas) [vìːéks (ㅡ)] *n.* VX 가스《피부·폐를 통하여 흡수되는 고치사성(高致死性) 가스》.
v.y. 〖書誌〗 various years.
Vy·cor [váikɔːr] *n.* 바이코어《내열성이 우수한 고규산(高珪酸) 유리 ; 상표명》.
Vy·cron [váikrɑn] *n.* 바이크론《미국산 폴리에스테르 합성 섬유 ; 상표명》.
vy·ing [váiiŋ] *v.* VIE의 현재분사. ── *a.* 경쟁하는, 서로 겨루는(competing). **~·ly** *adv.* 겨루어, 서로 다투어.
Vy·shin·sky, Vi·shin·sky [vəʃínski] *n.* 비신스키. **Andrei Yanuarievich** ~ (1883-1954) 구소련의 법률가·정치가 ; 외무장관(1949-53).
Vyv·yan [vívjən] *n.* 남자 이름 ; 여자 이름. 〖⇨ VIVIAN〗

W

w, W [dʌ́bəljùː] *n.* (*pl.* **w's, ws, W's, Ws** [-z]) **1** 더블류《영어 알파벳의 스물 세 번째 글자》. **2** W자형(의 것). **3** w[W]자가 나타내는 소리.

W 〔電〕 watt(s) ; west ; western ; 〔化〕 wolfram 《G》 (=tungsten). **W.** Wales ; Wednesday ; Welsh ; withdrew ; women's (size). **W., w.** warden ; warehouse ; west ; western. **w.** 〔電〕 watt(s) ; week(s) ; weight ; wide ; width ; wife ; with ; 〔理〕 work. **₩** won. **w/** 〔商〕 with. **W.A.** West Africa ; Western Australia ; 〔海上保險〕 with average(분손 담보).
W.A.A. 《美》 War Assets Administration.

Waac [wǽk] *n.* **1** 《英口》 육군 여성 보조 부대원. **2** 《美口》 육군 여성 보조 부대원. 〖↓〗

WAAC 《英》 Women's Army Auxiliary Corps 《(1차 세계 대전 때의) 육군 여성 보조 부대 ; cf. W.R.A.C.》 ; 《美》 Women's Auxiliary Army Corps 《육군 여성 보조 부대 ; WAC의 전신》.

Waaf [wǽf] *n.* 《英》 WAAF(의 대원). 〖↓〗

WAAF 《英》 Women's Auxiliary Air Force 《공군 여성 보조 부대 ; WRAF의 옛 칭호》.

WAAS 《英》 Women's Auxiliary Army Service (육군 여성 보조 부대).

wabble ☞ WOBBLE.

Wac [wǽk] *n.* 《美》 WAC의 부대원. 〖↓〗

WAC 《美》 Women's Army Corps 《육군 여성 부대 ; cf. WAAC》.

wack [wǽk], **whack** [*h*wǽk] *n.* 《美俗》 별난 사람, 괴짜, 기인 : off one's ~ 미친, 머리가 돈. 〖cf. *wacky*〗

wack·a·doo [wǽkədùː] *n.* 《美俗》 =WACK.

wacke [wǽkə] *n.* 〔地質〕 현무토(玄武土).

wacko [wǽkou] *a., n.* (*pl.* **wáck·os**) 《美俗》 = WACKY.

wácky *a., n.* 《美俗》 별스러운 (놈) ; 엉뚱한 (놈), 괴팍한 (놈).
〖*whacky* (dial.) left-handed ; fool〗

WACL World Anti-Communist League (세계 반공 연맹).

wad[1] [wád] *n.* **1** (마른 풀·삼지스러기·고무 따위 부드러운 것을 뭉친) 뭉치, 단〈*of*〉. **2** (부드러운 것을 뭉친) 메우는 물건, 대는 물건, 메워 넣는 솜뭉치. **3** (총기(銃器)의) 총알을 고정시키는 충전물. **4** (건초의) 작은 다발 ; (지폐·서류 따위의) 뭉치(cf. ROLL *n.* 6) : a ~ *of* bills[paper money] 지폐 뭉치. **5** [*pl.*] 다량, (상당한) 돈, 대금, 금액.
—— *v.* (**-dd-**) *vt.* **1** 뭉치게 하다, 다발짓다. **2** …에 속을 넣다 ; (총기에) 고정시키는 충전물을 넣다 ; (구멍을) 틀어막다 ; …에 솜을 넣다. **3** [+目+*with*+名] 《비유》 (남에게) 안전감을 가지게 하다 : be ~*ded* ***with*** conceit 자만하고 있다.
—— *vi.* 덩어리지다 ; 작게 뭉치다.
〖C16< ? ; cf. Du. *watten,* F *ouate* padding, cotton wool〗

wad[2] *n.* Ⓤ 망간흙. 〖C17< ?〗

wad·able, wade- [wéidəbəl] *a.* (시내 따위를) 걸어서 건널 수 있는.

wád·ding *n.* Ⓤ 채워[메워] 넣는 것 ; 속 넣는 솜 ; 뭉치 ; 총알 고정용 충전물.

wad·dle [wádl] *vi.* (오리·키 작고 뚱뚱한 사람 등이) 어기적어기적[뒤뚱뒤뚱] 걷다, 비트적거리다. —— *n.* [단수형만으로 써서] 어기적어기적[비틀비틀] 걷기 : with a ~ 어기적거리며.
wád·dler *n.* **wád·dling·ly** *adv.*
〖(freq.) < WADE〗

wad·dy[1] [wádi] *n.* 《濠》 (원주민의) 전투용 곤봉 ; 나무 막대기, 지팡이, 나무못, 말뚝. —— *vt.* 곤봉으로 공격하다[치다·죽이다].
〖(Austral.) ; cf. WOOD〗

waddy[2] *n.* 《美西部》 카우보이. 〖C20< ?〗

wade** [wéid] *vi.* [+前+名] **1** (시내 따위를) 걸어서 건너다, 도섭(徒涉)하다, (진창길, 눈길 따위를) 힘들여 걷다[지나다] : ~ ***across a stream 시내를 걸어서 건너다 / The children are *wading* ***in*** the pool. 어린이들은 (얕은) 풀 안에서 걸어다니고 있다. **2** 《비유》 힘들여 나아가다, 가까스로 뚫고 나가다 : ~ ***through*** slaughter [blood] ***to*** the throne 피비린내나는 싸움을 치르고 왕위를 차지하다 / ~ *through* a dull book 재미 없는 책을 가까스로 읽어 나가다. —— *vt.* (시내 따위를) 걸어서 건너다 : He wondered if he could ~ the brook. 그 개울을 걸어서 건널 수 있을까 하고 생각했다.
wade in (1) 얕은 물속에 들어가다. (2) 《口》 간섭하다 ; 상대방을 맹공격하다.
wade in**[*****into*****]...** 《口》 (적 등을) 맹렬히 공격하다 ; 《美口》 (작업 따위) 기운차게 시작하다.
—— *n.* 걸어서 건너기 ; 얕은 물. 〖OE *wadan* to go (through) ; cf. G *waten,* L *vado*〗

Wáde(-Gíles) sỳstem *n.* 웨이드식(式)《중국어의 로마자 표기법의 하나 ; Sir Thomas F. Wade(1818-95)가 고안하고, H. A. Giles (?-1935)가 중영(中英) 사전에 사용 ; cf. PINYIN》.

wad·er [wéidər] *n.* **1** (개울 따위를) 걸어서 건너는 사람 ; 섭금류(涉禽類)의 새《두루미·해오라기 따위》. **2** [*pl.*] 웨이더《가슴 또는 허리까지 오는 장화》.

wader 2

wadge [wádʒ] *n.* 《美口》 다발, 덩이 ; 케이크 한 조각. 〖WEDGE〗

wa·di, wa·dy [wáːdi ; wɔ́di] *n.* 와디《아라비아 지방의 우기(雨期) 이외에는 물이 없는 골짜기의 마른 개울》. 〖Arab.〗

wád·ing bìrd [wéidiŋ-] *n.* 〔鳥〕 섭금류의 새《물속을 긴 다리로 돌아다니며 먹이를 잡는 새》.

wáding pòol *n.* (공원 따위의) 어린이용의 얕은 풀, 걸어서 건널 수 있는 연못[풀].

WADS Wide Area Data Service(광역 데이터 전송(傳送) 서비스).

Waf [wǽf] *n.* 《美》 공군 여성 부대(원). 〖WAF〗

WAF 《美》 Women in the Air Force (공군 여성 부대).

w.a.f. with all faults (손상 보증하지 않음).

***wa·fer** [wéifər] *n.* **1** 웨이퍼《살짝 구운 얇은 과자》. **2** 〔카톨릭〕 면병(麪餠), 호스티아《성찬용의 얇은 빵》. **3** 얇고 납작한 것; 봉함지(封緘紙); 봉하는 풀. **4** 〔醫〕 오블라토낭(囊)(=∽ **càpsule**); 〔電子〕 웨이퍼《집적회로(集積回路)의 기판(基板)이 되는 실리콘 따위 얇은 조각》; 〔컴퓨〕 회로판.

(*as*) *thin as a wafer* 몹시 얇은.

—— *vt.* 봉함용[봉함지] 풀로 봉하다, …에 봉함용 풀을 바르다; (건초·앨팰퍼 따위를) 얇은 조각 모양으로 눌러 다지다; 〔電子〕 (실리콘 막대 따위를) 웨이퍼로 하다.

~·lìke *a.* 웨이퍼 모양의, 얇은. 〖AF *wafre*<Gmc.; GOFFER와 같은 어원; cf. WAFFLE[1]〗

wáfer-scále *a.* 〔電子〕 웨이퍼 규모의, 한 장의 실리콘 웨이퍼를 통째로 사용한.

wáfer-thín *a.* 얄팍한; 《비유》 근소한 차이의.

wá·fery *a.* 웨이퍼같은, 얇은.

waf·fle[1] [wɑ́fəl, wɔ́ː-] *n.* 와플《밀가루·우유·계란 따위를 섞어서 구운 것; 시럽을 쳐서 먹음》. 〖Du.; cf. WAFER〗

waffle[2] *n.* 《英口》 쓸데없는 소리. —— *vi.* 시시한 이야기를 늘어놓다, 쓸데없는 말을 지껄이다 〈*about*〉; 애매한 태도를 취하다.

〖C19 (dial.) (freq.) 〈 *woff* to yelp〗

wáffle ìron *n.* 와플 굽는 틀; 《美俗》 보도(步道)에 끼워 넣은 격자.

wáffle stòmpers *n. pl.* 《美俗》 (투박한) 하이킹 구두.

〖신바닥의 자국을 와플 굽는 틀에 비유한 것〗

wáf·fling *a.* 《口》 모호한, 엉거 주춤한, 애매한.

W. Afr. West Africa(n).

waft [wɑ́ːft, wǽ(ː)ft; wɑ́ːft, wɔ́ft] *vt.* [+目/+目+前+名] (물체·소리·냄새 따위를) 부동(浮動)시키다, 감돌게 하다; (공중·물 위에) 떠돌게 하다; 둥실둥실[가볍게] 나르다: The breeze ~*ed* the sound of music ***to*** us. 음악 소리가 산들바람을 타고 우리들 귀에 들려 왔다. —— *vi.* 떠다니다, 떠돌다(float); 키스를 던지다. —— *n.* **1** 감도는 냄새; 한차례의 바람, (연기·증기 따위의) 한 번 일기; 바람에 실려오는 소리. **2** 한 번 흔들리기, 나부끼기; 손짓; (새의) 홰치기. **3** 〔海〕 신호기(旗): make a ~ 신호기를 올리다. **4** 순간적인 느낌: a ~ *of* joy 순간적인 기쁨.

〖*wafter* (obs.) to convoy (ship)<Du. or LG *wachter* (*wachten* to guard)〗

wáft·er *n.* 불어서 보내는 사람[것], (특히) 송풍기의 회전 날개.

wag** [wǽ(ː)g] *v.* **(-gg-)** *vt.* [+目/+目+前+名] (꼬리 따위를) 흔들다, 흔들어 움직이다; (혀 따위를) 계속 움직이다: ~ one's head 머리를 흔들거리다《조소·재미있어 하는 거동》/ A dog ~*s* its tail. 개는 꼬리를 친다 / ~ one's finger ***at a person 남의 코 앞에서 손가락을 까닥거리다《비난·경멸의 거동》.

—— *vi.* **1** (꼬리 따위) 흔들리다; (머리·손가락을 흔들어) 신호하다; 어정어정 걷다; 《古》 유랑[여행]하다; 출발하다, 가버리다; 학교를 빼먹다. **2** (혀 따위가) 날름거리다: Her behavior set (people's) tongues [chins, beards] ~*ging*. 그녀의 행실 때문에 소문이 들끓었다. **3** 《古》 (세태·경기 따위가) 갖가지로 변해가다: How ~*s* the world (with you)? 요즘 재미는 어떻습니까.

The tail wags the dog. 아랫 사람이 호령하다, 하극상(下剋上).

—— *n.* **1** (머리·꼬리 따위를) 흔들어 움직이기, 한번 흔듦: with a ~ *of* the tail 꼬리를 치며. **2** 익살꾼, 패사스러운 사람. **3** 《英俗》 게으름뱅이, 꾀부리는 사람: play (the) ~ (학교 따위를) 빼먹다, 게으름피우다. 〖OE *wagian* to sway〗

***wage** [wéidʒ] *n.* **1** [보통 *pl.*] (주로 시간급·주급·일급의) 임금, 노임; 급료(cf. FEE, PAY, SALARY): at the ~*s* [a ~] of $250 a week 주급(週給) 250달러의 임금으로 / get good ~*s* 후한 임금을 받다 / His ~*s* were $300 a week. 그는 주급 300달러였다. **2** 《古》 [보통 *pl.*; 단수취급] (죄 의) 대가(代價), 응보: The ~*s* of sin is death. 〔聖〕 죄의 삯은 사망이니라《로마서 6:23》.

—— *vt.* (전쟁·투쟁 따위를) 수행하다, 행하다: ~ the peace 평화를 유지하다 / The physicians have ~*d* war against cancer. 의사들은 암 퇴치 운동을 벌였다. —— *vi.* 일어나다, 행해지다.

〖AF=(to) pledge<Gmc.; cf. GAGE[1], WED〗

[類義語] ⟹ PAY.

wáge clàim *n.* 임금 인상 요구.

wáge differèntial *n.* 임금 격차.

wáge drìft *n.* 〔經〕 임금 드리프트《전국 평균 임금률을 상회하는 개별 기업 따위의 임금 상승》.

wáge èarner *n.* 임금 노동자, 봉급 생활자.

wáge-èarn·ing *a.* 돈이 되는[을 받는]: his ~ ability 그의 돈버는 능력.

wáge frèeze *n.* 임금 동결.

wáge hìke[**ràise**] *n.* 임금 인상.

wáge·less *a.* 무급의, 무보수의.

wáge lèvel *n.* 임금 수준.

wáge pàcket *n.* 《英》 급료 봉투(=《美》 pay envelope); 급료, 임금.

wáge pàttern *n.* 동일 산업[지역] 내의 표준적 임금 기준표.

wáge plùg *n.* 《濠口》 임금 노동자.

wáge-púsh inflàtion *n.* 〔經〕 임금 상승으로 인한 코스트 인플레이션, 임금 인플레이션.

wa·ger [wéidʒər] *n.* **1** 노름(bet), 내기; 내기에 건 것, 내기 돈; 내기의 대상: lay[make] a ~ 내기를 하다 / take up a ~ 내기에 응하다. **2** 〔英法史〕 주장을 실증하기 위한 선서. —— *vt.* **1** [+目/+目+*on*+名/+目+目/+目+*that* 節] 걸다(bet): I ~ ten dollars *on* it. 그것에 10달러 걸겠다 / I'm ready to ~ you a pound *that* our team will win the game. 우리 팀이 경기에서 이길 것이라는 것에 대해 네게 1파운드 걸 용의가 있다. **2** 보증하다; 〔英史〕 결투를 서약하다.

~·er *n.* 내기하는 사람, 도박사.

〖AF; ⇨ WAGE〗

wáge ràte *n.* (일급·시간급 따위의) 임금률.

wáge restràint *n.* 임금 요구 자제(自制).

wáger of báttle *n.* 〔英史〕 결투 재판.

wáge scàle *n.* 〔經〕 임금 폭[기준], 임금표.

wáge(s) còuncil *n.* 《英》 임금 심의회.

wáge(s)-fùnd *n.* 〔經〕 (공공 단체의) 임금 자본, 임금 기금.

wáge(s)-fùnd thèory *n.* 〔經〕 임금 기금설.

wáge sláve *n.* 임금의 노예《생활을 임금에만 의존함》.

wáge stòp *n.* 《英》 사회 보험 급부 억제 한정 정책《급부액을 취업시의 통상 임금 이하로 억제함》.

wáge-stòp *vt.* (실업자)에게 사회 보험 급부 억제 정책을 적용하다.

wáge·wòrk·er *n.* 《美》 =WAGE EARNER.

wáge·wòrk·ing *n., a.* 임금 노동(의).

wág·gery *n.* Ⓤ 우스꽝스러움, 익살맞음 ; Ⓒ [때때로 *pl.*] 농담, 장난. 〖WAG〗

wág·gish *a.* 우스꽝스러운, 익살맞은 ; 장난을 좋아하는 ; 까부는. **~·ly** *adv.* **~·ness** *n.*

wag·gle [wǽgəl] *vt.* 흔들다(wag) ;〖골프〗왜글하다. —— *vi.* 흔들리다 ; 엉덩이를 흔들며[허리를 비비 꼬며] 걷다. —— *n.* 흔들기 ;〖골프〗왜글《공을 치기 전에 공 위에서 클럽 끝을 앞뒤로 흔드는 동작》. 〖(freq.) < WAG〗

waggon ☞ WAGON.

Wag·ner [*G* vá:gnər] *n.* 바그너. **Richard** ~ (1813–83) 독일의 작곡가, 근대 오페라의 창시자.

Wag·ne·ri·an [vɑ:gníəriən, -nér-] *a.* 바그너 작[풍]의.
—— *n.* 바그너 숭배자 ; 바그너풍의 작곡가.

***wag·on,** 《英》 **wag·gon** [wǽgən] *n.* **1** (각종의) 4륜차 ; 《英》 짐마차《4륜이고 보통 두 필 이상의 말이 끎 ; cf. CART》. **2** 《英》〖鐵〗 무개(無蓋) 화차, 화차(=《美》 car) (cf. VAN[1] 2). **3**〖鑛〗광차(鑛車). **4** 《美》 =DINNER WAGON. **5** =PATROL WAGON. **6** 배달용 트럭 ; =STATION WAGON ;《美俗》자동차 ; [the ~] 《美口》 범인[죄인] 호송차. **7** 《美俗》 전함.

wagon 3

***hitch** one**'s wagon to a star** [**the stars**]* 자기보다 나은 힘을 이용하다 ; 원대한 이상을 갖다, 큰 야망을 품다.
on** [**off**] **the** (**water**) **wagon 《俗》 금주(禁酒)하여[를 어기고].
—— *vt., vi.* wagon으로 보내다[여행하다].
〖C16 *wagan* < Du. ; WAIN과 같은 어원〗

wágon bòss *n.* wagon train의 대장.

wágon·er *n.* **1** (짐마차의) 마부. **2** [the W~]〖天〗 마차부자리(Auriga) ; 북두칠성(Charles's Wain).

wag·on·ette [wæ̀gənét] *n.* (양쪽으로 마주 앉는 좌석이 있는) 유람 마차《보통 6–8명이 탐》.

wag·on-lit [*F* vagɔ̃li] *n.* (*pl.* **wag·ons-lits** [—], **~s** [—]) (유럽 대륙 철도의) 침대차.
〖F (*lit* bed)〗

wágon·lòad *n.* WAGON 한 대분의 짐.

wágon màster *n.* WAGON에 의한 화물 수송(輸送) 대장.

wágon sòldier *n.* 《美軍俗》 야전병, 야전 포병.

wágon tràin *n.* 화차(貨車) ; 짐마차의 긴 대열.

wág·tàil *n.*〖鳥〗할미새(과의 새).

Wa(**h**)**·ha·bi** [wəhɑ́:bi, wɑ:-] *n.* 와하브파(派) 《18세기에 일어난 Koran의 교리를 엄수하는 이슬람교의 청교도》.
〖Muhammad ibn 'Abd al-*Wahhāb* (d. 1792) 이슬람의 종교 개혁자〗

Wa(**h**)**·ha·bism** [wəhɑ́:bizəm, wɑ:-] *n.*〖이슬람敎〗와하브주의《Koran의 교리 엄수(주의)》.

Wa(**h**)**·ha·bite** [wəhɑ́:bait, wɑ:-] *n., a.* 와하브파 신도(의), 와하브주의(의).

wa·hi·ne [wɑ:hí:ni, -nei] *n.* 마오리[폴리네시아, (특히) 하와이](의 젊은) 여성, 아내 ; 여성 서퍼(surfer). 〖Maori and Haw.〗

wa·hoo[1] [wɑ:hú:, ⌐-] *n.* (*pl.* **~s**)〖植〗화살나무속의 관목《북미산》. 〖Dakota=arrowwood〗

wahoo[2] *n.* (*pl.* **~s**)〖植〗북미산(産)의 느릅나무속(屬)의 여러 종의 관목.
〖Creek=cork elm〗

wahoo[3] *n.* (*pl.* **~s**) 《美俗》 짐승 같은 놈, 촌놈, 등신. 〖YAHOO〗

wahoo[4] *int.* 《美西部》 근사하다, 신난다, 해냈어, 잘했어. 〖imit.〗

waif [wéif] *n.* **1** 방랑자[아], 돌아갈 데 없는 사람 ; (특히) 부랑아, 집없는 아이. **2** 돌아갈 데 없는 동물, 주인없는 개[고양이]. **3** 소유주 불명의 습득물 ; 표착물(漂着物).
waifs and strays 부랑아들, 돌아갈데 없는 동물들 ; 잡동사니.
〖AF=lost, unclaimed < ? Scand.〗

Wai·ki·ki [wáikikì:, ⌐-⌐] *n.* 와이키키《미국 Hawaii 주 Oahu 섬 Honolulu 만의 해수욕장》.

wail** [wéil] *vi.* [動/+前+名] **1 a**) 울부짖다, 목놓아 울다 : The poor woman ~*ed* ***for her lost child. 그 가련한 여인은 죽은 자식 생각을 하며 목놓아 울었다. **b**) (바람이) 슬픈듯이 윙윙 불다 : The cold wind was ~*ing* ***around*** the hut. 찬바람이 오두막 주위를 처량하게 불어대고 있었다. **2** 비탄[슬퍼]하다(lament) : ~ ***over*** one's misfortunes 자기의 불운을 비탄하다. —— *vt.* 탄식하다, 통곡하다 : ~ a person's death[one's fate] 남의 죽음[자기의 불운]을 비탄하다. —— *n.* **1** 비탄, 통곡 ; 슬퍼 울부짖기, 울부짖는 소리 : the ~*s* of a baby 갓난애의 울어대는 소리. **2** (바람 따위가) 슬픈듯이 윙윙대는 소리. **~·er** *n.*
〖ON 《英》 *veila* (*vei* (int.) woe) ; cf. WELL-AWAY〗
類義語 ⟹ WEEP.

wáil·ful *a.* 비통해 하는, 비탄하는. **~·ly** *adv.*

Wáil·ing Wáll *n.* **1** [the ~] (예루살렘의) 통곡의 벽. **2** [w~ w~] 마음의 괴로움[슬픔]을 푸는 곳.

wáil·some *a.* 울부짖는 ; 비탄하는.

wain [wéin] *n.* **1** 《古·詩》 (농업용의) 큰짐차 ; 《古》 전차(chariot). **2** [the W~]〖天〗= CHARLES'S WAIN.
〖OE *wæg*(*e*)*n* ; cf. WAY[1], WEIGH, G *Wagen*〗

wain·scot [wéinskət, 美+-skɑt] *n.* Ⓤ〖建〗(실내의 벽에 대는) 널, 벽판(壁板). —— *vt.* (**-t-** | **-tt-**) [+目/+目+前+名] …에 벽판을 대다, 벽판으로 하다 : The room was ~*ed* ***in*** oak. 방의 벽은 떡갈나무 재목의 벽판이 붙어 있었다. 〖MLG *wagenschot* (*wagen* wagon)〗

wáin·scot·ing | **-scot·ting** *n.* Ⓤ (실내의 벽에 대는) 벽판 재료 ; 벽판 대기[붙이기] ; [집합적으로] 벽판, 징두리 벽판.

wainscot

wáin·wrìght *n.* 짐마차 제작자[수리자].

***waist** [wéist] *n.* **1 a**) (인체(人體)의) 허리(부분), 웨이스트 ; 허리의 둘레(치수) : I measure 28 inches round the ~. 허리둘레[웨이스트]가 28인치다. **b**) 허리의 잘록한 데 ; 맵시있는 가는 허리 ; =WAISTLINE : She has no ~. 그녀의 허리는 절구통이다. **2** 《美》 (어린애의) 조끼, (여성의) 블라우스. **3** (바이올린 따위의) 중앙부의 잘록한 부분 ;〖海〗상갑판(上甲板) 중앙부. **4**〖空〗(비행기, 특히 폭격기의) 동체 중앙부.
〖? OE *wæstm* growth, form ; ⇨ WAX[3]〗

wáist·bànd *n.* (치마·바지 따위의) 마루폭, 말기 ; 허리띠, 허리끈.

wáist·bèlt *n.* 허리띠, 벨트, 밴드, 혁대.

wáist·clòth *n.* 들보, 허리에 두르는 천.

W

waist·coat [wéis*t*kòut, wéskət] *n.* 《英》 조끼(=《美》 vest) : a fancy ~ ☞ FANCY *a.* 1.
~·ed *a.* 조끼를 입은. **~·ing** *n.* Ⓤ 조끼감.
wáist-déep *a., adv.* 허리까지 차는 깊이의[에], 허리까지 (물 따위에) 잠겨.
wáist·ed *a.* 허리 모양의, 잘록한 ; [복합어를 이루어] …한 허리를 가진 : long-~ 허리가 긴.
wáist·er *n.* (포경선 따위의) 중앙부 상갑판원《병자나 신출내기》.
wáist-hígh *a., adv.* 허리 높이의[로].
wáist·lìne *n.* 허리의 잘록한 선, 허리 선 ; 웨이스트라인, (여성복의) 허리 둘레.
◇**wait** [wéit] *vi.* **1 a)** [動/+*for*+名/+*to* do] 기다리다, 대기하다 : W~ and see. (일이 되어가는 형편을) 관망하라, 두고 보아라(cf. WAIT-AND-SEE) / Everything comes to those who ~. 《속담》 쥐구멍에도 볕들 날이 있다 / Don't ~ if I am late. 내가 늦어지면 기다리지 말게나 / Are you *~ing* ***for*** anybody? 누군가를 기다리고 있나요 / What are you *~ing for*? 무엇을 기다리고 있습니까 / He was *~ing for* the bus *to* come. 버스가 오기를 기다리는 중이었다 / There I *~ed to* see the parade come. 거기서 행렬이 오는 것을 보려고 기다렸다. 注 wait for는 때때로 한 개의 타동사처럼 다루어져 수동태가 됨 : She always has to *be ~ed for*. 언제나 남을 기다리게 한다. **b)** [+*for*+名] 기대하다, 고대하다 : The children *~ed* impatiently ***for*** the vacation. 아이들은 방학을 학수 고대하고 있었다. **c)** 《英》 정차하다 : No *W~ing*. 《英》 정차 금지. **2** 연기되다 : That matter can ~ until tomorrow. 그 문제는 내일까지 미룰 수 있다. **3** [動/+前+名] 시중들다, 모시다 : Are you accustomed to *~ing* (***at***[《美》 ***on***] table)? (식사) 시중드는 일에 익숙해 있습니까. —— *vt.* **1** (기회·신호·차례·형편·처지 따위를) 기다리다 : ~ one's turn 자기 차례를 기다리다 / He *~ed* his opportunity. 그는 기회를 기다렸다 / You must ~ my convenience. 내 형편이 좋아질 때까지 당신이 기다려 주어야 되겠소. 注 사람이나 구체적인 것을 기다릴 경우에는 wait for(☞ *vi.* 1)를 사용하는 것이 보통(cf. AWAIT). **2** [+目/+目+前+名] (식사 따위를) 늦추다, 미루다 : Please don't ~ dinner ***for*** us. 우리 때문에 식사를 미루지 말아주시오. **3** 《美》 (식탁)에서 시중들다.
keep a person ***waiting*** 남을 기다리게 하다 : I'm sorry to have *kept* you *~ing*. 기다리게 해서 죄송합니다 / I was *kept ~ing* for 30 minutes at the doctor's office. 병원에서 30분이나 기다려야 했다 / Don't *keep* him *~ing*. 그를 기다리게 하지 마시오.
wait about [***around***] (초조하게 근처에서 서성거리며) 기다리다.
wait out …동안 가만히 있다 ; 〖野〗 (사구(四球)를 얻으려고) (투수의) 투구를 그냥 보내다, 기다리다.
wait (***up***)***on...*** ⑴ …에게 시중들다 ; (특히) 식사 시중을 들다 : ~ *on* oneself 자기의 일을 자기가 돌보다 / He ~*s on* his wife hand and foot. 일일이 아내를 돌봐준다 / Are you *~ed upon*? 주문을 하셨습니까《식당 종업원 등이 쓰는 말》 / ☞ *vi.* 3. ⑵ (손윗 사람·고객 등을) 방문하다《경의를 표하기 위해서》, …에게 문안을 드리다 : We will ~ *upon* you at your office tomorrow. 내일 사무실로 찾아가 뵙겠습니다. ⑶ …에 (결과로서) 수반되다.
wait up 자지 않고 (사람을) 기다리다〈*for*〉.
—— *n.* **1** 기다리기, 대기, 지연 ; 기다리는 시간 : We had a long ~ *for* the train. 우리들은 오랫동안 기차를 기다렸다. **2** [the ~s] 《주로 英》 크리스마스 이브에 집집마다 찬송가를 부르며 돌아다니는 성가대. **3** Ⓤ 숨어서 기다림, 매복 : lie in [lay] ~ *for* …을 숨어서 기다리다, 매복하다. **4** 〖컴퓨〗 기다림, 대기.
〖OF<Gmc. ; ⇨ WAKE[1]〗
類義語 ⟹ STAY.
wáit-a-bìt *n.* (일반적으로 가시 따위가 있어) 사람의 통행을 방해하는 식물.
wáit-and-sée *a.* 일이 되어가는 것을 기다리는, 사태를 관망하는 : a ~ policy 사태를 주시하는 정책, 정관(靜觀) 정책.
‡**wáit·er** *n.* **1** (호텔·음식점의) (남자) 종업원 ; 웨이터, 보이(cf. WAITRESS). **2** 음식(을 나르는) 쟁반(tray, salver). **3** 기다리는 사람.
~·ing *n.* Ⓤ 식사 시중(드는 일).
wáit·ing *n.* **1** Ⓤ 기다리기. **2** Ⓤ 시중들기, 대령하기 ; 대기 시간 ; 《英》 정차.
in waiting 모시고, 섬기고 (있는) : ☞ LADY-IN-WAITING, LORD-IN-WAITING.
—— *a.* 기다리는 ; 섬기는, 모시는.
wáiting gàme *n.* 대기 전술.
wáiting lìst *n.* 보결자[후보자] 명부 : be *on* the ~ 차례가 오기를 기다리고 있다.
wáiting màid[**wòman**] *n.* 시녀, 몸종.
wáiting màn *n.* 시종, 하인.
wáiting pèriod *n.* (결혼 허가와 결혼식 중간의) 대기 기간 ; (노동 쟁의의) 냉각 기간 ; 보험금 지급 대기 기간.
wáiting ròom *n.* (역·병원 따위의) 대합실, 대기실.
wáit·lìst *vt.* 예약[대기·후보]자 명부에 등록시키다[기재하다].
*__wáit·ress__ *n.* (호텔·음식점 따위의) 여종업원, 여급(女給), 웨이트리스(cf. WAITER 1). —— *vi.* 웨이트리스를 하다.
waive [wéiv] *vt.* (권리·주장 따위를) 포기[철회]하다 ; (요구 따위를) 보류하다 ; (문제 따위를) 연기하다(defer) ; (사람을) 쫓아버리다 ; (생각을) 잊어버리다 ; (장물을) 버리다 : ~ the age limit 정년을 연기하다. 〖AF *weyver* ; ⇨ WAIF〗
waiv·er [wéivər] *n.* 〖法〗 Ⓤ 권리 포기(의 의사표시) ; Ⓒ 권리 포기 증서 ; (프로 야구 따위의 해고된 선수의) 공개 이적.
◇**wake**[1] [wéik] *v.* (~**d**, **woke** [wóuk] ; ~**d**, **wo·ken** [wóukən], 《稀》 **woke**) *vi.* **1** [주로 *waking*의 형태로] 깨어 있다, (자지 않고) 일어나 있다, 자지 않고 있다(cf. AWAKE, WAKEN) : The thought kept me *waking*. 그 생각에 잠을 이룰 수 없었다. **2** [動/+副/+前+名] **a)** 눈을 뜨다, 깨다, 일어나다 : I was the first to ~. 제가 제일 먼저 일어났습니다 / I *woke* (***up***) ***at*** the sound of the alarm clock. 자명종 소리에 잠을 깨었다. **b)** 《비유》 각성하다 ; 알아차리다, (…을) 깨닫다 : It's time for you to ~ ***up*** and attend to your business. 이제 정신차려 일을 할 시간이다 / At last they *woke* ***to*** the gravity of the situation. 드디어 그들은 사태의 중대성을 깨달았다. **3** [動/+前+名] 되살아나다, 소생하다 : The flowers ~ in spring. 봄이 되면 꽃은 다시 핀다 / ~ ***from*** death 죽음에서 소생하다 / ~ ***into*** life 되살아나다.
—— *vt.* **1** [+目/+目+副] …의 눈을 뜨게 하다, 깨우다, 일어나게 하다 : Please ~ me (***up***) at six. 여섯시에 깨워주십시오 / The noise *woke*

him (*up*). 그 소리에 그는 잠을 깼다. **2** [+目/+目+副] 각성시키다, 고무하다 : He wants something to ~ him ***up***. 그는 무슨 일이 닥쳐야 정신 차린다 / The event will serve to ~ you *up* a little. 너도 이 사건으로 해서 정신을 좀 차리겠지. **3** (기억을) 되살아나게 하다 ; (감정 따위를) 유발시키다 ; (반향 따위를) 불러일으키다 : It has ~*d* an ambition in me. 그것으로 인해서 내가 대망을 품게 됐다. **4** 되살아나게 하다, 소생[부활]시키다. **5** 《아일》 (초상집에서) 밤을 새우다.
—— *n.* **1** 〖史〗 (헌당식(獻堂式), 봉헌식(奉獻式) 따위의) 철야제(祭) ; 그 기념 연회 또는 자선시(市). **2** 《아일》 밤샘, 경야(經夜).
〚(v.) OE *wacian* to be awake, *wacan* to awake ; cf. WATCH, G *wachen* ; 'vigil'의 뜻은 ON에서〛

wake[2] *n.* **1** 배가 지나간 자국, 항적(航跡). **2** 물체가 지나간 자국, 자취〈*of*〉.
in the wake of …의 자국을 좇아서 ; …을 본떠서 ; …에 계속하여 ; …의 결과로서 : follow *in the* ~ *of* …의 전철을 밟다, …의 전례를 따르다 / Miseries follow *in the* ~ *of* a war. 전쟁 뒤에는 고난이 따른다.
〚? MLG<ON=hole in ice〛

Wake·field [wéikfi:ld] *n.* 웨이크필드《잉글랜드 북부 West Yorkshire 의 주도(州都)》.

wáke·ful *a.* **1** 깨어 있는, 자지 않고 있는 (sleepless) ; 잠 못이루는, 자는둥마는둥하는 : pass a ~ night 하룻밤을 뜬눈으로 새우다. **2** 불침번의, 밤샘하는 ; 경계하는, 방심 않는. **~·ly** *adv.* 잠이 오지 않아 ; 방심 않고. **~·ness** *n.*

Wáke Ìsland *n.* 웨이크 섬《북태평양의 Hawaii 제도와 Guam섬 중간에 있음 ; 미국 해군 기지》.

wáke·less *a.* 푹 자고 있는 ; (잠이) 깊은.

wak·en [wéikən] *vi.* 눈을 뜨다, 잠이 깨다, 일어나다, 각성하다, 자각하다.
—— *vt.* … 의 눈을 뜨게 하다, 잠을 깨게 하다, 일으키다 ; 각성시키다, 고무하다 : Weren't you ~*ed* by the earthquake last night? 어젯밤 지진으로 잠을 깨지 않으셨습니까. ㊟ (1) waken은 wake up보다 급작스러운 감이 적음. (2) waken은 타동사로만 쓰이는 경향이 있음.
[類義語] ⟹ STIR.

wáken·ing *n.* 눈뜸, 잠에서 깸 (awakening).

wáke-ròbin *n.* **1** 《英》 =ARUM. **2** 《英》 유럽원산의 난초의 일종. **3** 《美》〖植〗 천남성. **4** 《美》 연령초(延齡草).

wáke sùrfing *n.* 모터보트의 항적(航跡)에서 하는 파도타기.

wáke túrbulence *n.* 〖空〗 큰돌이 난류《대형 항공기의 통과 뒤에 생기는 난기류》.

wáke-ùp *n.* 《美俗》〖鳥〗 =FLICKER[2] ; 《美俗》 형기의 마지막 날 ; 《濠俗》 현명한 사람.

wa·key [wéiki] *int.* [흔히 ~, ~] 《英口·戲》 깨어나라(Wake up!).

wak·ing [wéikiŋ] *a.* 눈을 뜬[뜨고 있는], 잠을 깬[깨어 있는] : in one's ~ hours 깨어 있는 사이에 / a ~ dream 백일몽, 공상.
waking or sleeping 자나 깨나 : I thought of him, ~ *or sleeping*. 자나 깨나 그를 생각했다.

Waks·man [wɑ́:ksmən, wǽks-] *n.* 왁스먼.
Selman Abraham ~ (1888-1973) 우크라이나에서 태어나 미국에 귀화한 세균학자 ; 스트렙토마이신 발견으로 Nobel 생리의학상 수상(1952).

WAL. Western Airlines.

Wal·den·ses [wɔ(:)ldénsi:z, wɑl-] *n. pl.* 〖宗〗 발도파(派)《프랑스인 Peter Waldo가 1170년경 창시한 기독교의 한 파》. **Wal·dén·si·an** [-ʃən, -siən] *a.* 발도파의. —— *n.* 발도 교도.

Wál·dorf sálad [wɔ́:ldɔ:rf-] *n.* 〖料〗 네모나게 썬 사과·호두 따위에 마요네즈를 버무린 샐러드. 〚*Waldorf*-Astoria Hotel : New York 시(市)의 호텔〛

wale [wéil] *n.* 채찍 자국(의 부르튼 곳) ; (직물 바탕의) 웨일(ridge) ; Ⓤ (옷감의) 바탕 (texture) ; 〖土〗 (해자·도랑 따위의) 보강용 횡가목(橫架木) ; 〖海〗 하부 현측 외판(外板) ; =GUNWALE. —— *vt.* … 에 채찍 자국을 내다, 부르트게 하다 ; 골을 내어 짜다. 〚OE *walu* stripe, ridge〛

wále knòt *n.* 끝 올이 풀리지 않게 하는 매듭.

Wal·er [wéilər] *n.* 웨일러《오스트레일리아의 New South Wales 산(産)의 승용마》.

***Wales** [wéilz] *n.* 웨일스《Great Britain 섬 남서부 지방》.
the Prince of Wales 프린스 오브 웨일스《영국 황태자의 칭호》.
the Princess of Wales 프린세스 오브 웨일스《영국 황태자비의 칭호》.

Wa·łę·sa [wɑ:lénsɑ:] *n.* 바웬사.
Lech ~ (1943-) 폴란드의 독립 자치 노조 「연대」 위원장 (1980-90) ; 1983년 노벨 평화상 수상 ; 대통령(1990-95).

Wal·hal·la [wælhǽlə, væl-] *n.* =VALHALLA.

wal·ing [wéiliŋ] *n.* 〖建〗 (해자·도랑 따위의) 흙막이 띠장(재).

◇**walk** [wɔ́:k] *vi.* **1** [動/+副/+前+名] 걷다 ; 산책하다 ; 걸어서[도보로] 가다 : Are you going to ~ or ride? 걸어가겠어요 그렇지 않으면 차를 타고 가겠어요 / I'm just ~*ing* ***about***. 잠시 산책하고 있는 중입니다 / Don't knock ; just ~ ***in***. 노크할 필요 없음, 그냥 들어오시오 / ~ ***into*** [***out of***] a room 방으로 들어가다[에서 나오다] / They went ~*ing* ***in*** the park. 그들은 공원에 산책하러 갔다 / He was ~*ing* ***up*** and ***down*** the room. 그는 방안을 왔다갔다하고 있었다 / I generally ~ ***to*** school. 학교에 대개 걸어서 간다 / A visitor ~*ed* ***up*** *to* me. 한 방문객이 나에게로 다가왔다. **2** (유령이) 나오다 : Ghosts ~ at midnight. 유령은 한밤중에 나온다. **3** (말이) 보통 걸음으로 걷다, 평보로 걷다. **4** 〖野〗 (타자가) 사구로 1루로 나가다 ; 〖籠〗 트래블링하다 (travel). **5** [動/+前+名] 《古》 행동하다, 처신하다, 처세하다 : ~ ***with*** peace 평화롭게 살아가다 / ~ ***through*** life 세상을 살아가다. **6** (우주비행사가 우주 유영을 하다. **7** (배가) 나아가다, (사물이) 걷는 것처럼 움직이다. **8** 《美俗》 교도소를 나오다.
—— *vt.* **1** (길 따위를) 걷다, 걸어가다 ; 걸어다니다(pace) ; 걸어서 살펴보다 : ~ the floor 여기저기 마루를 걸어다니다 / He used to ~ the country for miles round. 그 지방을 수마일이나 두루 걸어다니곤 하였다 / The captain ~*ed* the deck. 선장은 갑판을 돌아보았다. **2** [+目/+目+副/+目+前+名] (말 따위를) 걷게 하다, 데리고 걷다[다니다] ; (남을) 끌고 다니다 ; (말을) 보통 걸음으로 걷게 하다 : The policeman ~*ed* the man ***off***. 경찰관은 그 사나이를 연행해 갔다 / We ~*ed* our horses ***down to*** the stream. 말을 끌고 시내까지 데리고 갔다. **3** [+目+副/+目+前+名] 걸어서 …시키다[하다] : ~ *away* the afternoon 산책하며 오후를 보내다 / ~ ***off*** one's headache [anger] 걸어다니며 두통[분노]을 가라앉히다 / He ~*ed* me *off* my feet [legs]. 그에게 끌려 걷다보니 다리가 빠지는 듯했다. **4** … 와 걷기 시합[경보(競步)]을 하다 : Nobody could ~ John.

걷기 시합에서 존을 당할 자가 없을 것이다. **5** 〖野〗 (타자를 사구(四球)로) 걸어나가게 하다.
walk abroad (질병·범죄 따위가) 만연(蔓延)하다.
walk away from …을 쉽게 앞지르다[따라잡다]; (경기 따위에서) …에 낙승하다(cf. WALKAWAY).
walk away [***off***] ***with*** …을 (잘못 알고) 가지고 가버리다; …을 가지고 도망치다; …을 착복하다; (상품)을 차지하다, (경기에) 낙승하다: He *~ed off with* the first prize. 그는 1등상을 차지했다.
walk into... (1) …의 속으로 들어오다; (일을) 쉽게 얻게 되다, (함정·매복)에 걸려 들다; …을 배불리[실컷] 먹다: ~ *into* a pie 파이를 실컷 먹다. (2) …을 공격하다; …을 때리다; …을 욕하다; (돈을) 쉽게 다 써버리다.
walk it (탈것을 타지 않고) 도보로[걸어서] 가다(go on foot); 낙승하다.
walk off (급히) 가버리다; (죄인 등을) 끌고 가다(cf. *vt.* 2); 걸어서 (…을) 없애다(cf. *vt.* 3).
walk out (1) 나다니다, 허가를 받고 외출하다; 별안간 가버리다《불만을 나타내는 동작》: ~ *out of* a committee 위원회에서 별안간 탈퇴(하여 항의)하다. (2) 《口》 동맹 파업하다(cf. WALKOUT).
walk out on... 《口》 (남을) 저버리다(desert).
walk out with... 《英》 (이성)과 교제하다, (여성)을 설득하다: The maid is *~ing out with* the chauffeur. 그 하녀는 운전사와 친하게 지내고 있다.
walk over (***the course***) (경마 따위에서 다른 경쟁자 없이) 형식적으로 독주하다; (경기자가) 상대를 일축하다, 낙승하다(cf. WALKOVER; ROW[2] *over*).
walk the boards = TREAD *the boards.*
walk the hospitals ☞ HOSPITAL.
walk the streets ☞ STREET.
walk through... (연극 연습에서 …의 역할 따위)를 수월하게 하다, …을 간단히 해치우다.
walk up (1) 다가서다, 나아가다〈*to*〉: *W~ up! W~ up!* 어서 오십시오! 어서 오십시오 《극장·서커스 따위의 문지기 등이 외치는 소리》. (2) (길을) 걸어가다: I was *~ing up* Oxford St. 옥스퍼드가(街)를 걷고 있었다. (3) 위층으로 걸어 올라가다(cf. WALK-UP).
── *n.* **1** 걷기, 보행; 걸음걸이, 걸음새; (말의) 보통 걸음, 평보(平步)(cf. CANTER, FOX-TROT, TROT, GALLOP): go at a ~ (말이) 보통 걸음으로 걷다. **2** 보행 거리, 노정(路程); 보행 시간: My house is ten minutes' ~ *from* here. 나의 집은 여기에서 걸어서 10분 걸린다. **3** 산책; 소풍; 우주 유영(space walk): take[go for] a ~ 산책하러 가다 / take a person for a ~ 남을 산책에 데리고 가다. **4** 산책길, 유보장(遊步場)《공원 따위》: This is my favorite ~. 여기가 제가 좋아하는 산책길입니다. **5** 길, 보도, 인도. **6** 행동 범위, 활동 영역; (행상인 등의) 장사 구역, 담당 구역. **7** (가축·가금(家禽)의) 사육장, 방목장(run): a poultry ~ 양계장(養鷄場) / a cock of the ~ ☞ COCK[1] 숙어 / ☞ SHEEPWALK. **8** 〖野〗 사구(四球)에 의한 출루, 「걸어서」 가기. **9** 처세, 세상살이, 생활 태도, 행실: an honest ~ 정직한 행동[생활 태도] / a ~ *of*[*in*] life 지위, 직업. **10** 로프제조소(ropewalk); 《英》 (커피 따위의) 농장; 줄을 지어 심는 식림. **11** 천체를 도는 탐사선의 완만한 비행. 〖OE *wealcan* to roll, toss; cf. Du. and G *walken* to full〗

[類義語] ***walk*** 「걷다」라는 뜻의 가장 보편적인 말. ***stride*** 급하게, 거드름피우며, 또는 기운차게 뚜벅뚜벅 걷다. ***plod*** 무거운 발걸음으로 천천히 힘겹게 걷다.

wálk·able *a.* (복장·구두·길 따위가) 걷기에 알맞은, 걸을 수 있는, 걸어서 갈 수 있는《거리》.
wálk·abòut *n.* 《英》 도보 여행; (높은 사람의) 민정 시찰.
wálk·aròund *n.* 《美俗》 곡마단의 피에로가 무대 주위를 돌면서 연기하는 판에 박은 우스갯짓.
walk·athon [wɔ́ːkəθɑ̀n] *n.* (지구력을 다투는) 장거리 경보; 워커슨《자선기금의 모금이나 정치적인 목적을 위한 장거리 행진》. 〖*walk*+*-athon*〗
wálk·awày *n.* 우승자가 큰 차이로 이기는 경주; 쉽게 이길 수 있는 승부[시합, 경쟁], 낙승; 쉽게 성취할 수 있는 사항; 도보 탈옥자; 《美俗》 (특히 표를 산) 손님이 잊고 간 거스름돈; 《美俗》 매표원이 거스름돈을 속여서 번 돈.
wálk-behìnd *a.* 밀면서 걷는, 사람이 뒤에서 따라가는《움직이는 기계 따위에 대해 말함》.
wálk·dòwn *n.* 노면보다 낮은 지대의 상점[주택가]; 《美口》 (서부극 따위에서) 주인공과 대결하기 위해 천천히 접근하기.
wálk·er[1] *n.* **1** 걷는 사람, 보행자; 산책을 즐기는 사람; 행상인; 경보 선수; 독자적인 행동을 하는 사람, 자기 길을 가는 사람. **2** 걷는 새《날거나 헤엄치지 못하는 새》. **3** 《美》 (유아(幼兒)의) 보행기(步行器)(go-cart).
Walker, walker[2] *int.* 《英俗》 설마!, 바보같은 소리!
walk·ie-look·ie [wɔ́ːkilúki] *n.* 혼자서 조작할 수 있는 휴대용 텔레비전 카메라.
wálk·ie-tálk·ie, wálky-tálky *n.* 휴대용 무선 전화기《송수신기 겸용; cf. TRANSCEIVER》.
wálk-ìn *a.* **1** 서서 드나들 수 있는 크기의《냉장고 따위》, (아파트 따위가) 워크인 식의, (아파트 따위가 현관을 통하지 않고) 직접 자기 방으로 들어갈 수 있게 만들어진. **2** 예약 없이 오는[들여보내는]. **3** 손쉬운: ~ victory 낙승. ── *n.* 서서 들어갈 수 있는 크기의 것《대형 냉장고·냉장실·벽장 따위》; 워크인 식의 아파트; 예고 없이 방문하는 사람; 지원자; (선거의) 낙승.
wálk-ìn apártment *n.* (출입문이 각기 따로 있는) 단층 아파트.
wálk·ing *n.* Ⓤ 걷기, 보행; 걸음걸이; 길의 상태; 경보: The ~ is slippery. 길이 미끄럽다.
── *a.* 보행(자)용의, 걷는; (기계 따위가) 이동하는: a ~ dress (여성의) 산책복, 외출복 / ~ shoes 산책화(靴) / a ~ crane 이동식 크레인.
wálk·ing-aròund mòney *n.* 《美俗》 유흥비.
wálking báss [-béis] *n.* 〖樂〗 워킹 베이스《피아노에 의한 블루스의 베이스 리듬》.
wálking bèam *n.* 〖機〗 왕복 운동 레버.
wálking chàir *n.* (유아용) 보행기.
wálking dándruff *n.* 《美俗》 〖昆〗 이.
wálking délegate *n.* 순찰 위원[대표]《노조의 임원; 각 공장의 노동 상태나 지부 연락 및 고용주와의 교섭 따위를 담당》.
wálking díctionary[**encyclopédia**] *n.* 살아있는 사전, 박식한 사람.
wálking fèrn *n.* 〖植〗 = WALKING LEAF.
wálking gèntleman[**làdy**] *n.* 〖劇〗 (연기보다도) 풍채[용모]로 한몫 보는 배우[여배우].
wálking lèaf *n.* 〖植〗 거미고사리속(屬)의 각종의 고사리(walking fern); 〖昆〗 대벌레의 일종.
wálking machìne *n.* 보행식 기계《몸에 부착하여 팔다리의 연장으로서 기능하도록 제작된 기계》.

wálk·ing-ón pàrt *n.* =WALKING PART.
wálking òrders *n. pl.* 《口》 =WALKING PAPERS.
wálking pàpers *n. pl.* 《口》 해고 통지 ; 《美俗》 (연인이나 친구에게) 버림 받기.
wálking pàrt *n.* 〖劇〗 대사 없는 단역(walk-on).
wálking ràce *n.* 경보(競步).
wálking shòrts *n. pl.* =BERMUDA SHORTS.
wálking stàff *n.* (보행용의) 지팡이.
wálking stìck *n.* 지팡이 ; [보통 walkingstick] 〖昆〗 대벌레.
wálking tìcket *n.* 《口》 =WALKING PAPERS.
wálking tòur *n.* 도보 여행.
wálk·ing-wóund·ed *a.* 보행 가능할[침대에서 움직일] 정도의 상처를 입은.
wálk-òff *n.* 떠나감 ; (항의 표시로서의) 퇴장 (walkout) ; 이별(의 정표).
wálk-òn *n.* 〖劇〗 무대를 잠깐 걷기만 하는 배역, (대사가 없는) 단역, 통행인역(役)(walking part) ; 그런 배우, 단역. —— *a.* 단역의 ; 무대에 나서는[에서 연기하는] ; (비행기편이) 좌석 예약을 출발 직전에 하는, 예약제가 아닌.
wálk·òut *n.* 동맹 파업, 스트라이크 ; (항의 표시로서의) 퇴장 ; 장기결석 ; 물건을 사지 않고 가게에서 나가는 손님.
wálk·òver *n.* 《口》 〖競馬〗 단독 경주《경주 상대가 없는 출전말이 보통 걸음으로 코스를 일주하기》, 단독 경주(에 의한 승리) 레이스 ; 독주 ; 낙승 : have a ~ 낙승하다, 쉽게 이기다.
wálk-thròugh *n.* 〖TV〗 카메라 없이 하는 텔레비전 리허설[연습] ; 〖劇〗 단역.
wálk-ùp *n.* 《美》 엘리베이터가 없는 아파트[건물]. —— *a.* 엘리베이터가 없는 : a ~ apartment house 엘리베이터가 없는 아파트.
wálk·wày *n.* (특히 정원 안의) 보도, 산책길 ; (건물·공장·열차 내의) 통로, 복도.
Wal·ky·rie [wælkíəri, væl-, ⌐--] *n.* =VALKYRIE.
◇**wall** [wɔ́:l] *n.* **1** (실내의) 벽, 칸막이 벽 ; 외벽(外壁) : Who hung this picture on the ~? 누가 이 그림을 벽에 걸었지 / *W*~*s* have ears. 《속담》 벽에도 귀가 있다, 「낮말은 새가 듣고 밤말은 쥐가 듣는다」. **2 a)** (돌·벽돌 따위의) 담 : a brick ~ 벽돌담 / a stone ~ 돌담 / a wooden ~ 판자 울타리. **b)** [보통 *pl.*] 방벽(防壁), 성벽 : an old castle with ~*s* round it 성벽에 둘러싸인 옛 성 / the Great *W*~ (of China) (중국의) 만리 장성. **c)** 제방, 둑. **3** 벽과 비슷한 것, 장벽 ; 장애 : a towering mountain ~ 병풍처럼 솟아 있는 산 / a ~ *of* bayonets [water] 총검[물]의 장벽 / break down the ~ *of* prejudice[traditional] 편견[전통]의 장벽을 부수다. **4** [때때로 *pl.*] (공동(空洞)·용기(容器) 따위의) 안쪽면, 내벽 : the ~*s of* a boiler 보일러의 안쪽면 / the ~*s of* the chest 흉벽(胸壁) / the stomach ~*s* 위벽. **5** (보도·인도의) 집·벽에 가까운 쪽.
be up against a wall 궁지에 빠지다, 벽[장애]에 부닥치다.
drive [***push, thrust***] a person ***to the wall*** 남을 궁지에 빠뜨리다, 난처하게 만들다.
give a person ***the wall*** 남에게 길[유리한 입장]을 양보하다(cf. 5).
go to the wall 궁지에 빠지다 ; 지다 ; (쓸모없게[무효로] 되어) 밀려나다 ; (사업 따위에) 실패하다 : The weakest *goes to the* ~. 《속담》 약한 자는 지게 마련, 약육 강식.
run one***'s head against a wall*** 불가능한 일을 시도하다.
see through [***into***] ***a brick wall*** 비상한 통찰력이 있다.
take the wall of a person 남에게 길을 양보하지 않다, 남보다도 유리한 입장에 서다.
(***the***) ***handwriting*** [***writing***] ***on the wall*** 〖聖〗 재앙의 전조(前兆).
with one***'s back to the wall*** ☞ BACK[1] *n.*
—— *a.* 벽[담]의 ; 벽쪽의 ; 벽에 건 ; 벽[담]에서 생육하는, 벽[담]에 붙어 사는.
—— *vt.* **1** [주로 *p.p.*로] 벽[담]으로 둘러싸다 ; 성벽을 두르다, 성벽으로 지키다 : a ~*ed* garden 담을 두른 정원 / a ~*ed* town 성벽으로 둘러싸인 마을. **2** [+目+副] 벽으로 막다 ; 방어하다, 차단하다, 두르다 : The window had been ~*ed* ***up***. 창은 벽으로 막혀 있었다.
〖OE<L *vallum* rampart〗
wall[2] *vt.* 《美》 (눈알을) 굴리다. —— *vi.* (눈이) 크게 움직이다. 〖ME (Sc.) *wawlen*<? *wawil*(-*eghed*) walleyed〗
wal·la·by [wάləbi] *n.* (*pl.* **-bies**, ~) 〖動〗 왈라비《작은 캥거루의 일종》 ; 왈라비의 털가죽 ; [*pl.*] 《口》 오스트레일리아인(人)[원주민].
〖(Austral.)〗
Wal·lace [wάləs, wɔ́(:)l-] *n.* 남자 이름.
Wállace·ìsm *n.* 월리스주의《인종 차별 정책의 지속, 남부 여러 주의 권리 옹호를 주창한 Alabama 주지사 George C. Wallace의 정책》 ; 월리스식 언사. **Wállace·ìte** *n.*
wal·lah, wal·la [wάlə] *n.* [보통 복합어를 이루어] …(종사)자, …담당자, …관계하는 사람 : a book ~ 책방 주인.
〖Hindi〗
wal·la·roo [wὰlərú:] *n.* (*pl.* ~**s**, ~) 〖動〗 큰캥거루. 〖(New South Wales, Austral.)〗
wáll-attàch·ment effèct *n.* 유체가 곡면상에 밀착하여 흐르는 성질.
wáll·bàng·er *n.* 《美》 보트카[진]와 오렌지 주스를 혼합한 칵테일.
wáll bàrs *n. pl.* (체조용의) 늑목.
wáll·bòard *n.* Ⓤ 벽을 치는 재료 ; Ⓒ (특히) 인조 벽판(cf. PLASTERBOARD).
wáll clòud *n.* 〖氣〗 =EYEWALL.
wáll·còver·ing *n.* Ⓤ 벽지.
wáll crèeper 〖鳥〗 *n.* 바위타기새《산지의 벼랑에 서식하는 회자색의 작은 새》.
walled [wɔ́:ld] *a.* 벽이 있는, 벽을 두른, 성벽으로 방비한.
wálled pláin *n.* 〖天〗 (월면의) 벽(壁) 평원.
***wal·let** [wɔ́(:)lət, wάl-] *n.* **1** 돈지갑, 지갑. **2** 연장 주머니. **3** 《古》 (나그네·순례자 등의) 전대, 배낭. 〖? AF<Gmc. 《美》 *wall*- to roll〗
wáll·èye *n.* **1** 각막(角膜)이 흐림[흐린 눈]. **2** (사시 따위에서) 흰자위가 많게 보이는 눈 ; 외사시. **3** 《美》 눈알이 큰 물고기《pike 따위의 일종》.
〖역성(逆成)<↓〗
wáll·èyed *a.* **1** 각막이 허옇게 흐린 눈의 ; (사시 따위에서) 흰자위가 많게 보이는 눈의 ; 외사시의. **2** 《美》 (물고기가) 눈알이 큰 ; 《美》 (공포·분노 따위로) 눈을 크게 뜬, 눈을 휘둥그렇게 뜬.
〖ON *vagleygr* (*vagl* beam, roost, -*eygr* eyed)의 부분역(譯) ; *vagl*은 wall[1]에 동화〗
wáll·flòwer *n.* **1** 〖植〗 향꽃무. **2** 《口》 무도회에서 상대자가 없는 사람《특히 (젊은) 여성》 ; 《口》 인기 없는 여자.
wáll frùit *n.* 담·울타리에 고정시켜 보호하고, 보온을 하여 익게 한 과일《서양배 따위》.

wáll gàme *n.* 월 게임《코트내의 벽에 공을 치거나 던지거나 하는 게임 ; squash 따위 ; Eton교에서 행함》.

wáll-hùng *a.* 벽걸이식의.

wáll knòt *n.* =WALE KNOT.

wáll néwspaper *n.* 벽(壁)신문, 벽[게시판]의 홍보지[고시문].

Wal·loon [walúːn] *n.* **1** (벨기에 남동부의) 왈론인. **2** Ⓤ 왈론어《프랑스의 한 방언》. ── *a.* 왈론인[어]의.
〚F<L<Gmc.=foreign ; cf. WELSH〛

wal·lop [wáləp] *vi.* 《口·方》 허둥대며 움직이다, 비틀거리며 움직이다 ; 《口·方》 부글부글 끓다 ; 《廢》 =GALLOP. ── *vt.* 《口》 구타하다, 세게 치다, 후려갈기다 ; 《口》 완전히 이기다, …에 대승하다 ; 《스코》 푸드덕[비틀]거리게 하다[움직이게 하다]. ── *n.* **1** 세게 침, 강타, 펀치(력) ; 《口》 호소력, 박력 ; 《方·口》 보기 흉한 움직임 ; 〔野〕 히트, 안타 ; 《廢》 =GALLOP : get a ~ 완패하다. **2** 《口》 유쾌한 흥분, 스릴 ; 《美俗》 음주 ; 《英俗》 맥주.
go* (*down*) *wallop 《口·方》 우르르[털썩] 쓰러지다.
pack a wallop 《口》 강렬한 펀치를 먹이다.
〚ME=to boil, GALLOP< OF *waloper* <Gmc.〛

wállop·er *n.* 《口》 wallop하는 사람[것] ; 《方》 터무니없이 큰 것 ; 《濠俗》 경찰관.

wállop·ing *a.* 《口》 거대한 ; 엄청난, 터무니 없는 : What a ~ great hare! 어쩌면 토끼가 이렇게 엄청나게 클까! ── *n.* **1** Ⓤ,Ⓒ 세게 치기, 강타. **2** 완패 : get a ~ 완패하다.

wal·low [wálou] *vi.* **1** [動+前+名] (진창·모래·물속에서) 뒹굴다, 버둥거리다 ; (배가) 흔들리면서 나아가다 : Two little boys were *~ing* ***in*** the mud. 두 명의 사내아이가 진창 속에서 뒹굴고 있었다 / The small boat *~ed* helplessly *in* the big waves. 작은 배가 큰 파도에 나뭇잎처럼 흔들렸다. **2** [+前+名] 《비유》 (사치·주색·쾌락 따위에) 빠지다, 탐닉하다 : ~ ***in*** sensuality [luxury, vice] 육욕[사치·나쁜짓]에 빠지다 / be *~ing in* money 《口》 돈이 주체할 수 없을 만큼 많다. ── *n.* 뒹굴기 ; (물소 따위가) 뒹구는 못[웅덩이] ; 쾌락[나쁜짓]에 빠지기 ; 타락.
〚OE *walwian* to roll ; cf. VOLUBLE〛

wáll pàinting *n.* =FRESCO ; 벽화(壁畫)(법).

wáll·pàper *n.* Ⓤ 벽지(壁紙). ── *vt., vi.* (벽·천장·방에) 벽지를 바르다.

wállpaper mùsic *n.* 《英》 (식당·백화점 따위에서 은은하게 흐르는) 배경 음악(background music).

wáll plùg[sòcket] *n.* 벽면의 플러그[소켓].

wáll·pòster *n.* 벽신문(wall newspaper), 대자보《중국의》.

wáll ròck *n.* 〔鑛〕 벽암(壁岩), 모암(母岩).

Wáll Strèet *n.* **1** 월가(街)《New York시의 증권 거래소 소재지》. **2** 미국 금융 시장, 미국 금융업계(cf. THROGMORTON[LOMBARD] STREET).

wáll-to-wáll *a.* 마루 전체를 덮는 《깔개》 ; 전면적인, 완전한 ; 《美》 어디에나 있는[일어나는].

wal·ly [wáli] *n.* 《俗》 바보, 멍청이.
〚(dim.) ‹ *Walter*〛

Wal-Mart [wɔ́ːlmàːrt] *n.* 미국의 대형 할인 판매 연쇄점 회사.

***wal·nut** [wɔ́ːlnʌ̀t, -nət] *n.* **1** 호두 ; 호두나무(=∠ **trèe**). **2** Ⓤ 호두나무 재목 ; 호두 빛깔, 갈색.
over the walnuts and the wine 식사후에 담소하면서.
〚OE *walh-hnutu* foreign nut〛

Wal·pole [wɔ́(ː)lpoul, wál-] *n.* 월폴. **Robert ~** (1676–1745) 영국의 정치가 ; 수상(1721–42).

Wal·púr·gis Níght [vaːlpúərgəs- ; væl-] *n.* [the ~] 발푸르기스의 밤 축제《5월 1일 전야(前夜) ; 독일에서는 이날 밤 마녀들이 Brocken 산에 모여 마왕과 주연을 베푼다고 함》.

wal·rus [wɔ́(ː)lrəs, wál-] *n.* (*pl.* **~·es**, ~) 〔動〕 바다코끼리. 〚? Du. ; cf. ON *hrosshvalr*, OE *horschwæl* horse whale〛

wálrus mustáche *n.* 팔자 콧수염.

Wal·ter [wɔ́ːltər] *n.* 남자 이름《애칭 Walt, Wat》.
〚Gmc.=rule+army〛

Walter Mitty ☞ MITTY.

waltz [wɔ́ːlts] *n.* 왈츠《2명이 추는 3박자의 우아한 원무(圓舞)》 ; 왈츠[원무]곡 ; 《美俗》 1라운드의 복싱 ; 《美俗》 쉬운 일. ── *vi.* **1** 왈츠를 추다. **2** 춤추는 듯한 걸음으로 걷다, 기뻐 춤추다〈*in, out, round*〉 ; 《俗》 기민하게 움직이다 ; 《美俗》 (복서가) 가볍게 싸우다. **3** [+前+名] 쉽게 빠져나가다[나아가다] ; 《美口》 뻔뻔스레 다가가다 : ~ ***through*** an exam 시험을 쉽게 치르다. ── *vt.* [+目+副 / +目+前+名] 왈츠에서 (파트너를) 리드하다, (남과) 왈츠를 추다 ; (사람을) 낚아채듯이 데리고 가다 ; (물건을) 끌어당기듯이 운반하다 : He *~ed* me ***round*** (the hall) again. 다시금 나를 리드하여 (홀을) 빙글빙글 돌며 왈츠를 추었다. **~·er** *n.* 왈츠를 추는 사람.
〚G *Walzer* (*walzen* to revolve)〛

wam·ble [wámbəl, wǽm-] *vi.* 《方》 메스껍다 ; 비틀거리다 ; 버둥거리다 ; 몸을 흔들다 ; (뱃속이) 꼬르르하다. ── *n.* 위(胃)의 탈[꼬르륵거림] ; 불안정한 걸음걸이, 갈짓자 걸음 ; 비틀거림 ; 버둥거림 ; 메스꺼움. **wám·bly** *a.* 《方》 욕지기가 나는, 메스꺼운 ; 불안정한. 〚ME *wamlen* ; cf. Dan. *vamle* to become nauseated〛

wam·pee [wampíː] *n.* 〔植〕 왐피《중국·인도산 열대성 과일 ; 그 나무》. 〚Chin. 황피(黃皮)〛

wam·pum [wɔ́(ː)mpəm, wám-] *n.* 조가비 구슬《옛날 북미 인디언이 화폐 또는 장식에 쓴 조가비로 만든 구슬을 여러개 꿴 것》 ; 《俗》 금전, 돈.
〚Algonquian〛

wa·mus [wɔ́(ː)məs, wám-] *n.* 《美》 카디건(cardigan)의 일종 ; 튼튼한 재킷의 일종.

wan [wán] *a.* **1** (질병·염려 따위로) 핏기 없는, 파리한, 창백한(pale) : a ~ face 창백한 얼굴. **2** 병약한, 나약한, 나른한, 힘이 없는 ; 효과가 없는, 쓸데없는 : a ~ smile 힘없는 미소. **3** 《詩·古》 (별빛·불빛이) 어슴푸레한 ; 어둠침침한 ; 희미한. ── *vi., vt.* (**-nn-**) 창백[병약]해지다[하게 하다]. **~·ly** *adv.* **~·ness** *n.*
〚OE *wann* dark ; cf. WANE〛
類義語 ⟹ PALE[1].

wand [wánd] *n.* **1** 가늘고 긴 지팡이[막대]《마술사·요술쟁이가 씀》 ; 지팡이, 막대, 장대(rod). **2** 직표(職標)《직권을 나타내는 관장(官杖)》. **3** 《口》 지휘봉(baton) ; (활의) 과녁판.
〚ON < ? Gmc. ; cf. WEND, WIND[2]〛

‡**wan·der** [wándər] *vi.* **1** [動/+副/前+名] **a)** (떠)돌아다니다, 헤매다 ; 배회하다, 방랑[유랑]하다, 거닐다, 어슬렁거리다, 빈들거리다 : ~ ***about*** 싸다니다 / She *~ed* ***in*** to see me. 나를 만나려고 들렀다 / I *~ed* ***over*** the countryside. 시골을 헤매고 다녔다 / He *~ed* ***up*** and ***down*** the room. 방안을 오락가락했다. **b)** (눈을) 두리번거리다, (생각이) …으로 미치다 : His eyes *~ed* ***over*** the landscape. 그는 사방의 경치를 죽

훑어보았다 / Her mind[thoughts] ~*ed back* ***to*** the past. 그녀의 생각은 과거의 일을 더듬고 있었다. **2** [動/+副/+前+名] **a)** 길을 잃다 ; 《비유》 (나쁜 길에서) 헤매다 : The child has ~*ed away* [***off***]. 아이는 길을 잃고 말았다 / He often ~*s* ***from*** proper conduct. 때때로 정도를 벗어난 행동을 한다. **b)** (이야기 따위가) 딴 곳으로 벗어나다 : You've ~*ed* (*away*) ***from*** the subject [point]. 본제(本題)에서 빗나갔다. **3** [動/+*in*+名] (생각 따위가) 산만해지다, 종잡을 수 없게 되다 ; 헛소리하다, (열 따위로) 의식이 흐릿해지다 : His wits are ~*ing*. 그는 정신이 이상하다 / The old man ~*ed* ***in*** his talk. 노인은 종잡을 수 없는 말을 했다. **4** (강·언덕 따위가) 구불구불 흐르다[이어지다]. —— *vt.* [+目/+目+副] 돌아다니다, 헤매다 ; 방랑하다 : You may ~ the world (***through***), and not find such another. 온 세상을 돌아다녀 보아도 그런 것은 다시 없을 것이다. —— *n.* 방랑, 배회.
〖OE *wandrian* (⇨ WEND) ; cf. G *wandern*〗
類義語 ⟹ ROAM.

wánder·er *n.* 헤매는 사람 ; 방랑자, 떠돌아다니는 사람 ; 나쁜 길에 발을 들여놓은 사람 ; 떠돌아다니는 짐승.

wánder·ing *a.* **1** 떠돌아다니는, 방랑하는, 헤매는 ; (민족이) 유목인(nomadic). **2** (강물이) 굽이쳐 흐르는(meandering). **3** 옆길로 빗나가는, 일탈하는, 종잡을 수 없는, 헛소리하는. **4** 〖醫〗 유주(遊走)하는 (floating). —— *n.* [때때로 *pl.*] **1** 산책, 방랑, 편력(遍歷), 만유(漫遊). **2** 일탈, 탈선 ; 복잡한 생각, 두서없는 말.
~·ly *adv.* 방랑하여, 헤매어.

Wándering Jéw *n.* **1** [the ~] 방랑하는 유태인《처형장으로 끌려가는 그리스도를 조롱한 죄로 그리스도가 재림하는 날까지 유랑하게 되었다는 중세의 전설에서》. **2** [w~ J~] 방랑자.

Wan·der·jahr [*G* vándərja:r] *n.* (*pl.* **-jah·re** [-ja:rə]) 여행[방랑] 기간 ; 편력(遍歷) 시절《견습을 끝낸 도제(徒弟)가 독립하기 전에 여행 기량을 닦는 1년간》.
〖G (*wandern* to wander, *Jahr* year)〗

wan·der·lust [wá:ndərlʌ̀st ; *G* vándərlust] *n.* Ⓤ 방랑에의 갈망[충동], 유랑하고 싶은 생각, 방랑벽. 〖L (*Lust* desire)〗

wan·der·oo [wɑ̀ndərú:] *n.* (*pl.* **~s**) 〖動〗 원더루 《(1) 랑구르원숭이 ; 스리랑카산. (2) 사자꼬리원숭이 ; 인도산》. 〖Sinhalese〗

wánder plùg *n.* 〖電〗 (어떤 소켓에도 맞는) 다목적 플러그.

W

wánd rèader *n.* 완드 리더《부호화된 bar code를 광학적으로 읽어내는 펜[스틱]》.

wane [wéin] *vi.* **1** (달이) 이지러지다, 기울다(↔ *wax*). **2** 작아[적어]지다 ; (빛·색의 밝기가) 약해지다, 쇠약해지다 ; (조수(潮水)가) 써다[빠지다] : His influence[popularity] has ~*d*. 그의 영향력[인기]은 쇠퇴했다. **3** 종말에 가까워지다 : Spring is *waning* fast. 봄이 하루하루 끝나가고 있다. —— *n.* **1** Ⓤ (달의) 이지러짐. **2** Ⓤ 감소, 감퇴, 쇠미(衰微), 쇠퇴. **3** Ⓤ 끝장, 종말 ; 쇠퇴기, 소멸기. **4** 〖製材〗 죽각《각재·판재에 나무껍질이나 둥근면이 남아 있는 결함 (부분)》.
on [***in***] ***the wane*** (달이) 이지러지기 시작하여, 쇠퇴하기[기울기] 시작하여.
〖OE *wanian* to lessen ; cf. OE *wana* defect〗

wan·ey, wany [wéini] *a.* (**wán·i·er ; -i·est**) **1** (달이) 이지러지는, 이우는 ; 쇠퇴[감퇴]하는. **2** 죽각(wane)이 있는《각재·판재 따위》.

wan·gle [wǽŋgəl] *vt.* 《口》 **1** [+目/+目+*out of*+名] 계략으로 손에 넣다, 교묘히 우려내다, 속여 …시키다 : ~ an invitation 교묘하게 초대장을 손에 넣다 / ~ ten pounds ***out of*** a person 남에게서 10파운드를 우려내다. **2** (서류 따위를) 교묘하게 속이다. **3** [~ one*self* 로] 용케 벗어나게 하다〈*out of*〉. —— *vi.* (어려움 따위를) 그럭저럭 헤쳐 나가다 ; 빠져 나가다〈*from*〉; 임시 변통의 방편을 쓰다 ; 술책을 부리다, 잔재주를 부리다. —— *n.* 계교[계략]로 손에 넣기 ; 교묘한[교활한] 수(手) ; 책략. 〖? *waggle*+*wankle* (dial.) wavering ; C19 printers' slang〗

wank, whank [wǽŋk] *n., vi.* 《卑》 자위(를 하다) 〈*off*〉. **~·er** *n.* 《卑》 수음자 ; 《俗》 난봉꾼, 변변치 않은 자, 싫은 녀석. 〖C20< ?〗

Wán·kel (éngine) [vá:ŋkəl(-), wá:ŋ-, wǽŋ-] *n.* 방켈 엔진《피스톤이 삼각형 모양이고 왕복 운동을 하지 않는, 경량화된 로터리 엔진》.
〖F. *Wankel* (1902-88) 독일의 기술자, 발명자〗

wan·na [wánə] [발음 철자] =WANT to.

wán·nish *a.* 약간 창백한.

ᐅ**want** [wɔ́(:)nt, wánt] *vt.* **1 a)** 원하다, 바라다, 탐내다, 가지고 싶어하다, 사고 싶어하다 : I ~ a holiday[new car]. 휴가를 얻고 싶다[새 차를 갖고 싶다] / She ~*s* everything she sees. 보이는 것은 무엇이나 갖고 싶어한다. **b)** (남에게) 볼일이 있다, 만나고 싶다 ; (남을) 찾다 : Tell the maid I ~ her. 가정부에게 볼일 있다고 말해 주오 / You are ~*ed* on the phone. 전화 왔네 / The man was ~*ed* by the police for murder. 그 사내는 살인죄로 경찰의 수배를 받았다(cf. WANTED 2) / She ~*s* a housemaid to look after her. 자기를 돌봐줄 가정부를 구하고 있다. 注 cf. I ~ you *to* look after me. 네가 나를 돌봐주기 바란다(☞ d)). **c)** [+*to* do] …하고 싶다[싶어하다] : I ~ *to* go to France. 프랑스로 가고 싶다. **d)** [+目+*to* do/+目+do*ing*] (…에게 …하기를) 바라다, (…에게) …해주었으면 하고 생각하다 : She ~*s* me *to* go with her. 내가 함께 가주기를 바라고 있다 / I don't ~ others interfer*ing*. 남에게 간섭 받고 싶지 않다 (注 이 [+目+do*ing*]의 구문은 주로 부정문(否定文)에 쓰임). ☞ 活用. **e)** [+目+過分] (…이 …되기를) 바라다, (…을 해주기를) 원하다 : I ~ my trousers iron*ed* out. 바지를 다려줬으면 좋겠다. 注 I ~ my trousers *to* be ironed out. (☞ d)) 보다 더 신속한 동작을 바라는 마음을 암시함. **f)** [+目+補] (…이 …이기를) 바라다 : I ~ everything ready by five o'clock. 다섯 시까지는 모든 준비가 완료되기 바란다.
2 a) [+目/+do*ing*] …이 필요하다, 소용되다 (require) : Children ~ plenty of sleep. 아이들에게는 충분한 수면이 필요하다 / That work ~*s* patience. 그 일에는 인내심이 필요하다 / This ~*s* some do*ing*. 《口》 여기에는 약간의 요령[노력]이 필요하다 / My shoes ~ mend*ing* (=need to be mended). 내 구두는 수선해야 한다 / These clothes ~ wash*ing*. 이 옷은 빨아야 한다. **b)** 《口》 [+*to* do] …해야 한다(ought), …하는 편이 낫다 (had better) : You ~ *to* see a doctor at once. 너는 곧 의사에게 진찰을 받아야 한다[받는게 좋겠다] / You don't ~ *to* be rude. 버릇없이 굴어서는 안된다.
3 [+目+前+名/《稀》+目] …이 빠져[결여되어] 있다, 모자라다(cf. WANTING) : The fund ~*s* a hundred pounds ***of*** the sum needed. 자금은 필요한 액수에서 100파운드 모자란다 / It still ~*s*

five minutes *of* ten o'clock. 아직 10시 5분 전이다 / It still ~*s* an hour ***until*** lunch. 점심 식사까지는 아직 1시간이 남았다 / This statue ~*s* the head. 《稀》 이 조상(彫像)은 머리가 없다.

—— *vi.* [動/+*for*+名] 없다, 모자라다, 부족하다(cf. WANTING) ; (…을) 바라다, 갖고 싶어하다, 필요로 하다〈*for*〉; 궁색하다, 곤란받다 : You shall ~ ***for*** nothing (that money can buy). (돈으로 살 수 있는 물건이라면) 너에게 아쉬운 것이 없도록 해주겠다.

want in 《美口》 안에 들어가고 싶어하다.

want out 《美口》 밖으로 나가고 싶어하다.

—— *n.* **1** Ⓤ 결핍, 부족, (하나도) 없음 : The tree is dying from ~ *of* water. 나무는 물이 부족하여 말라가고 있다. **2** Ⓤ 필요, 소용 ; (부족한 것을 구하는) 욕구, 욕망 : I am *in* ~ *of* money. 돈이 필요하다. **3** Ⓤ 가난, 곤궁, 빈곤 : He's living *in* ~. 가난하게 살고[끼니를 굶고] 있다 / be reduced to ~ 가난해지다 / *W*~ is the mother of industry. 《속담》 빈곤은 근면의 어머니. **4** [주로 *pl.*] 필요한[갖고 싶은] 것 ; (남의) 결점 : a man of few ~*s* 욕심이 적은 사람 / supply[meet, fill] a felt ~ 절실한 요구를 충족시키다.

for want of …의 부족 때문에 : *for* ~ *of* a better 달리 좋은 것이 없기 때문에.

〖ON (v.) *vanta,* (n.) *vant* (neut.) ‹ *vanr* lacking ; WANE, OE *wana*와 같은 어원〗

活用 want *vt.* 1 d)는 [+目+*to* do]의 문형에 따라 I *want* him *to* come. 처럼 쓰이는 것이 일반적 ; 《美口》에서는 I *want for* him *to* come. 또는 [+*that* 節]의 문형에 따라 I *want* (*that*) he should come. 과 같이 쓰이는 일도 있으나 이것은 일반적인 표현이 아님.

類義語 (1) ***want*** 결여되어 있거나 필요하다고 생각되는 것을 바라다[원하다] ; 가장 통명스러운 느낌을 주는 말 : I *want* something to eat. (무엇인가 좀 먹고 싶다). ***wish*** 비교적 뜻이 약하며 단순히 바라다의 뜻을 나타냄 ; 때때로 소원하는 바가 이루어지지 않음을 암시함 : I *wish* I had a lover. (애인이 있으면 좋으련만). ***desire*** 위의 두 말에 해당하는 격식을 차린 말로 쓰이지만 특히 소원의 뜻을 강조하여 이를 달성시키기 위해서 하는 노력을 암시함 : *desire* success [a new government] (성공[새 정부]을 바라다).

(2) ⟹ POVERTY.

(3) ⟹ LACK.

wánt àd *n.* 《美口》 (신문의 classified ad난의) 구인[구직, 찾는 물건] 광고.

wánt·age *n.* 부족(shortage) ; 부족량[액].

wánt còlumn *n.* 《美口》 (신문 따위의) 3행 광고란(欄).

◇**wánt·ed** *v.* WANT의 과거 · 과거 분사.

—— *a.* **1** 〖廣告〗 …을 구하는, 구인(求人)의 : *W*~ a cook. 요리사 구함. **2** (경찰에서 찾고 있는) 지명 수배자의, 지명 수배된. **3** 여보세요《상점에서 점원을 부르는 말》.

wánted mán *n.* (경찰의) 지명 수배자.

*__wánt·ing__ *pred. a.* **1 a)** 결핍되어 있는, 모자라는, 부족한, (목표 · 표준 · 필요에) 미달하는 : Two pages are[There are two pages] ~. 2페이지가 빠져 있다 / The applicant was tried and found (to be) ~. 그 지원자는 전형을 받았으나 부적격하다고 판정되었다. **b)** (…이) 없는 : He is ~ *in* courage[courtesy]. 용기[예절]가 없다. **2** 《方》 저능한, 모자라는, 머리가 나쁜 : He is slightly ~. 그는 머리가 약간 모자란다. ——[–̀–] *prep.* …이 없는(without), …이 결여된, …이 부족하여 : a box ~ a lid 뚜껑이 없는 상자 / *W*~ energy, all work becomes tedious. 기운이 없으면 무슨 일에나 싫증이 난다.

wánt·less *a.* **1** 부족함이 없는, 부자유함이 없는. **2** 욕심이 없는 ; 탐나는 것이 없는.

wánt lìst *n.* 희망품 목록《박물관 · 골동품 수집가 등이 업자들에게 배포함》.

wan·ton [wɔ́(:)ntən, wɑ́n-] *a.* **1** 억제되지 않은, 제멋대로의, 분방한, 난잡한 ; 울창한 : a ~ growth of weeds 제멋대로 자란 잡초. **2** 《詩》 변덕스러운 ; 까부는, 장난치는 : ~ winds 변덕스러운 바람 / ~ child 개구쟁이 / in a ~ mood 변덕스러운 기분으로. **3** 이유가 없는, 당찮은, 마구잡이의, 함부로 하는 ; 무자비한, 잔인한 : ~ cruelty 무자비한 잔인성 / a ~ reproach 이치에 닿지 않는 비난. **4** (특히 여성이) 음탕한, 바람기가 있는, 부정(不貞)한 : a ~ woman 바람기 있는 여자 / a ~ imagination 음란한 생각.

—— *n.* 바람둥이, (특히) 바람난 여자 ; 장난꾸러기, 응석받이.

play the wanton 희롱거리다, 실떡거리다, 새롱거리다 ; 까불다.

—— *vi.* [動/+*with*+名] 뛰놀다, 까불다 ; 희롱거리다 ; (이성(異性)을) 희롱하다 ; 제멋대로 하다 ; 초목이 우거지다 : The breeze was ~*ing* ***with*** the leaves. 산들바람에 나뭇잎이 한들거리고 있었다. —— *vt.* 낭비하다〈*away*〉.

〖ME *wantowen* undisciplined (*wan*- UN-, OE *togen* (p.p.) ‹ *tēon* to discipline)〗

wán·ton·ly *adv.* 변덕스럽게 ; 제멋대로 ; 까불며 ; 바람이 나서.

wán·ton·ness *n.* Ⓤ 변덕 ; 난폭 ; 까불기 ; 바람기, 부정(不貞).

WAP White Australia Policy ; work analysis program(생산 관리 프로그램).

wap·en·take [wɑ́pəntèik, wǽp-] *n.* 〖英史〗 군(郡)《잉글랜드 북부 및 동부의 Danelaw 여러 주에서 county의 구성 단위 ; 작은 읍(邑), 작은 구(區) ; 다른 주의 hundred에 해당》; 군(郡) 재판소. 〖OE<ON〗

wap·i·ti [wɑ́pəti] *n.* (*pl.* **~, ~s**) 〖動〗 와피티《북미산(産)의 큰 사슴》. 〖Cree=white (deer)〗

wapiti

◇**war** [wɔ́:r] *n.* **1** Ⓤ (일반적으로) 전쟁(이라는 것), 교전 상태(↔ *peace*) ; Ⓒ (개개의) 전쟁, 전투, (…의) 전역(戰役), … 전(戰) : make[wage] ~ *upon* …에 전쟁을 걸다, …을 공격하다 / declare ~ (*up*) *on* [*against*]… (타국)에 대해서 선전(宣戰) 포고하다 / an aggressive [a defensive] ~ 침략[방위] 전쟁 / ☞ CIVIL WAR / ☞ COLD WAR, HOT WAR, SHOOTING WAR / ☞ WHITE WAR / ☞ GREAT WAR / the Napoleonic *W*~*s* ☞ 숙어 / Is ~ necessary? 전쟁은 필요한 것인가 / *W*~ often breaks out without warning. 전쟁은 흔히 경고없이 일어난다. **2** 싸움, 투쟁(conflict) : a ~ of nerves ☞ NERVE 숙어 / a ~ of words 설전(舌戰), 논쟁 / the ~ against cancer 암과의 투쟁. **3** 《古》 Ⓤ 전투, 교전(warfare) ; 군사(軍事), 전략 ; (정부의 한 부문으로서의) 육

W

군 ;《古》 병사, [집합적으로] 군대 ;《廢》[집합적으로] 병기(兵器) : the art of ~ 전술, 병법 / the Secretary (of State) for *W*~=the *W*~ Secretary《英》육군 장관.
at war 교전중인 ; 불화하여〈*with*〉(↔*at peace*).
carry the war into the enemy's camp [***country***] 공세로 전환하다 ;《비유》같은 불평을 터뜨리며 상대방을 역습하다.
go to the war(***s***)《古》출정(出征)하다.
go to war 무력에 호소하다〈*against, with*〉; 출정하다.
have a good war《口》전장(戰場)에서[전시(戰時)에] 눈부신 활약을 하다.
have been in the wars《口·戲》(사고로) 부상당하다 ;《비유》만신창이다.
the French and Indian War(***s***) 프랑스 인디언 전쟁《7년 전쟁 무렵에 영국과 프랑스가 아메리카를 무대로 싸운 전쟁(1754-60)》.
the Napoleonic Wars 나폴레옹 전쟁(1805-15)《나폴레옹이 황제로서 유럽 정복을 기도했던 전쟁의 총칭》.
the Seven Years' War 7년 전쟁(1756-63)《프로이센 및 영국의 연합군과 오스트리아·프랑스·러시아·스웨덴·작센 간의 전쟁》.
the War between the States = *the* WAR *of Secession*. 주 특히 남군(南軍)에서 사용한 호칭.
the War in the Pacific 태평양 전쟁(the Pacific War) (1941-45)《태평양을 중심으로 전개된 일본과 미국·영국 따위 연합국간의 전쟁 ; 제2차 세계 대전의 일부》.
the War of 1812 1812년 전쟁(1812-15)《나폴레옹 전쟁 중에, 미국과 유럽간의 무역을 영국이 금지시킨 것이 주요한 원인이 되어 일어난 영·미 전쟁》.
the War of(***American***) ***Independence***《英》=《美》the AMERICAN REVOLUTION.
the War of Secession〔美史〕남북 전쟁(1861-65) (the Civil War).
the war of the elements (대)폭풍우.
the War of the Nations = WORLD WAR Ⅰ.
the Wars of the Roses ☞ ROSE[1].
the War of the Spanish Succession 스페인 왕위 계승 전쟁(1701-14).
the war to end war 전쟁을 없애기 위한 전쟁《제1차 세계 대전 때 연합군의 슬로건》.
── *vi.* (**-rr-**)《文語》[動/+前+名] 싸우다, 전쟁하다, 다투다 : ~*ring* ideologies 서로 대립하는 이데올로기 / ~ ***for*** supremacy 패권(霸權)을 다투다.
〖AF < OF *guerre* < Gmc. (OHG *werra* strife)〗

War. Warwick(shire). **war.** warrant.

wa·ra·gi [wɑ́ːrɑːgi] *n.* 우간다인(人)이 마시는 바나나 술.

warb [wɔ́ːrb] *n.*《濠俗》추레[초라]한 놈.

wár bàby *n.* 전쟁중에 태어난 아이, (특히) 전시의 사생아 ;《비유》전쟁의 산물, (특히 전쟁 경기를 탄) 군수품[산업], 전쟁으로 인해 폭등한 유가증권.

wár·bìrd *n.* 군용기(의 탑승자) ; 항공병.

war·ble[1] [wɔ́ːrbəl] *vi., vt.* [動/+前+名] **1** (새가) 지저귀다 : The canary ~*d* all day long. 카나리아가 온종일 지저귀고 있었다. **2** (개울물 따위가) 졸졸 흐르다 ; (사람이 목청을 떨며) 노래하다 ; 노래로 표현[축하]하다 : The stream was *warbling* ***over*** the rocks. 개울은 바위 위로 졸졸 흐르고 있었다. **3**《美》= YODEL. **4** (전자 장치가) 떠는 소리를 내다. ── *n.* 지저귐 ; 떨리는 목소리 ; (일반적으로) 노래. **wár·bling** *n., a.*
〖OF *werble*(*r*) < Gmc. ; ⇨ WHIRL〗

warble[2] *n.* (말 잔등이의) 안장에 의해 생긴 혹 ;〔獸醫〕우피종(牛皮腫)《쇠파리 애벌레의 기생으로 생기는 가축의 부종(浮症)》; 쇠파리의 애벌레.
〖C16 < ? Scand. (Swed. *varbulde* boil)〗

wárble flỳ *n.*〔昆〕쇠파리.

wár·bler *n.* **1** (새가) 지저귀듯이 (목청을 떨며) 노래하는 사람[가수](singer). **2** 지저귀는 새, 울새《특히 휘파람새과의 작은 새》. **3**〔通信〕무선 전화로 반송 주파수를 바꾸는 장치.

wár·bònnet *n.* 독수리의 깃털로 장식한 북미 인디언의 예모(禮帽).

warbonnet

wár brìde *n.* 전쟁 신부(新婦)《(1) 출정하는 군인과 결혼한 여성. (2) 점령군과 결혼한 피점령국의 여성》.

wár càbinet *n.* 전시(戰時) 내각.

wár chèst *n.* 군자금(軍資金) ; 운동[활동] 자금.

wár clòud *n.* 전운(戰雲), 전쟁이 일어날 것 같은 형세[기미].

wár clùb *n.* (북미 인디언이 사용한) 전투용 곤봉 ;《俗》야구의 배트.

Wár Cóllege *n.*《美》육군[해군] 대학교.

wár correspòndent *n.* 종군 기자.

wár crìme *n.* [보통 *pl.*] 전쟁 범죄 (행위).

wár crìminal *n.* 전쟁 범죄인, 전범(戰犯).

wár crỳ *n.* **1** (공격·돌격시의) 함성(battle cry). **2** (정당 따위의) 표어, 슬로건.

ward** [wɔ́ːrd] *n.* **1 a**) U 감시, 감독, 보호, 경계(guard, watch) : watch and ~ ☞ WATCH *n.* 숙어. **b**) U〔法〕피후견인(minor) (=∠ **of cóurt**), 피보호자(↔*guardian*), 피후견인 신분, 후견 ; 감독[보호]하에 있는 사람 : be in ~ (to...) (…의) 후견을 받고 있다. **2** 구(區)(=city ~)《도시의 구성 단위 ; 선거구 ; =《美》WARD HEELER》. **3** 병동(病棟), 공동 병실 ; (교도소의) 감방 ;〔英史〕구빈원(救貧院) ;《英》기숙사, (양로원 따위의) 수용실(室) ;〔모르몬教〕지방 분회(分會) ; (성(城)·요새의) 안뜰 : a children's ~ 소아과 병동 / a maternity ~ 산부인과 병동. **4** 자물쇠[열쇠 구멍] 속의 돌기, 자물쇠의 홈. **5**《古》**a**) U 억류, 감금, 구속 : be under ~ 감금당하고 있다 / put a person in ~ 남을 감금하다. **b**)《古》수비대 ;《稀》= WARDEN. **6**〔펜싱〕= GUARD ; 방어구(具). ── *vt.* **1**《古》지키다, 보호하다 ; 후견하다. **2** [+目+副] 받아 넘기다, 격퇴하다, 막다, 피하다〈*off*〉: He managed to ~ ***off the blow[danger]. 가까스로 그 타격[위험]을 피할 수 있었다 / ~ *off* sleep 졸음을 떨쳐 내다. **3** 병동(病棟)[병실, 감방《따위》]에 수용하다.
〖OE *weard* protector ; WARE[2]와 같은 어원 ; GUARD와 이중어 ; cf. G. *Wart, warten*〗

-ward [wərd] *suf.* 방향을 나타내며, 형용사·부사를 자유로이 만듦 : a home*ward* journey 고향으로의 여행 / walk back*ward*(*s*) 되돌아가다 / bed*ward*(*s*)《戲》침대쪽으로.
〖OE *-weard* < Gmc. (《美》*werth-* to turn)〗
活用《美》에서는 *adv.*에서 주로 -ward를 쓰며 -wards는 쓰지 않음.

wár dàmage *n.* 전화(戰禍), 전재(戰災).

wár dànce *n.* (원시 민족의) 출전의 춤, 전승(戰

W

勝)의 춤.

wár déad *n.* [the ~] [집합적으로] 전몰자.

wár dèbt *n.* 전쟁 채무(債務).

war·den[1] [wɔ́:rdn] *n.* **1** 관리자 ; 감시원 ; 《美》 (교도소의) 간수[교도관](=《英》 warder) ; 《英》 =AIR WARDEN : the ~ of a youth hostel 유스 호스텔의 관리인. **2** (각종 관공서의) 기관장 《장관 · 시장 · 지사 등》, 이사, 임원 ; 병원장. **3** 《英》 (대학의) 학장, 교장. **4** 교회 위원 ; 《古》 수위. —— *vi.* 수렵구 감독관으로서 감독 보호하다. **~·shìp** *n.* Ⓤ warden의 직[권위, 관할].

warden[2] *n.* 《英》 (요리용) 서양배(pear).

wárden·ry *n.* Ⓤ,Ⓒ 《美》 WARDEN[1]의 직[지위, 관할 구역].

Wár Depàrtment *n.* [the ~] 《美》 육군성(the Department of War)《1789-1947 ; 현재는 the Department of the Army로 the Department of Defense 소속》.

wárd·er[1] *n.* (*fem.* **wárd·ress**) 지키는 사람, 문지기, 감시인 ; 수위 ; 《英》 (교도소의) 간수[교도관](=《美》 warden). **~·shìp** *n.* warder의 직업[지위]. 〖AF (*warde* act of guarding) < Gmc.〗

warder[2] *n.* 〖史〗 (왕 · 사령관의) 권표(權標), 지휘봉. 〖ME *warden* to WARD〗

wárd hèeler *n.* 《美口》 (정계 보스의) 앞잡이, 지방 운동원.

wárd màid *n.* (병원의) 잡역부, 청소부.

Wár·dour Strèet [wɔ́:rdər-] *n.* 워더가(街)《골동품상(骨董品商)으로 이름났던 런던의 거리 이름 ; 지금은 영화 산업의 대명사》.

Wardour Street English 워더가(街) 영어《고문체(古文體)의 영어》.

ward·robe [wɔ́:rdroub] *n.* **1 a)** 옷[양복]장(clothespress) ; =WARDROBE TRUNK : a built-in ~ 붙박이 양복장. **b)** 의상실 ; 무대 의상. **2** (개인 소유의) 의상 : She has a large [small] ~. 그녀는 옷이 많다[별로 없다] / She wanted her ~ to be renewed. 그녀는 옷을 모두 새로 장만하고 싶었다. **3** (왕실 · 귀족 등의) 의상 관리인.

wárdrobe bèd *n.* 장롱 겸용 접는 침대.

wárdrobe càse *n.* 의상 가방《옷을 옷걸이에 건 채 운반할 수 있는》.

wárdrobe dèaler *n.* 헌 옷 장수.

wárdrobe màster *n.* (극장 · 극단의) 의상 담당자《남성》.

wárdrobe mìstress *n.* (극장 · 극단의) 의상 담당《여성》.

wárdrobe trùnk *n.* (옷장을 겸한) 의상 트렁크.

wárd·ròom *n.* (군함 안의 함장 이외의) 상급 장교실《특히 식당》; [집합적으로] 상급 장교(cf. FORECASTLE, LOWER DECK, QUARTERDECK) ; 《英》 =GUARDROOM.

-wards [wərdz] *adv. suf.* 《英》 =-WARD.

wárd·ship *n.* Ⓤ 후견을 받는 미성년자의 신분[지위] ; 피후견 ; 후견(권) : be under the ~ of … 의 후견을 받고 있다 / have the ~ of …을 후견하다.

wárd sìster *n.* 《英》 병동(病棟) 간호사.

‡**ware**[1] [wéər, wǽər] *n.* **1** Ⓤ **a)** 세공물(細工物), 제품, 기물, 물품(goods) : household ~ 가정용품. ㊟ 보통 복합어로 쓰이고 있음 : ☞ EARTHENWARE, IRONWARE, HARDWARE, SILVERWARE. **b)** [보통은 산지 이름을 붙여서] 도자기, 질그릇(pottery) : ☞ DELFTWARE, WEDGWOOD WARE. **2** [*pl.*] 상품, 팔 물건.

praise** one**'s own wares 자화자찬하다.

〖OE *waru* ; cf. G *Ware* ; ↓와 같은 어원으로 'object of care'의 뜻인가〗

ware[2] *pred. a.* 《古》 조심성이 많은, 방심하지 않는 ; 빈틈 없는 ; 눈치채고 있는(aware)〈*of*〉. —— *vt.* [보통 명령적으로] **1** 주의[조심]하다. **2** 《口》 **a)** 조심하다 : *W*~ the dog! (사냥에서) 개를 조심하시오! **b)** 삼가다 : *W*~ the bottle. 술을 삼가시오《너무 마시지 마시오》. 〖OE *wær* ; cf. WARD, AWARE, BEWARE〗

ware·house [wéərhàus, wǽər-] *n.* **1** 창고, 저장소. **2** 《英》 도매점, 도매상, 큰 상점. **3** 《美》 「인간 창고」《정신병자 · 노인 · 빈민 등을 수용하는 대형 공공 시설》.
—— [-hàuz] *vt.* 창고에 넣다 ; 보세 창고에 맡기다 ; 《美》 「인간 창고」에 처넣다. 〖WARE[1]〗

wárehouse·man [-mən] *n.* **1** 창고 관리인[종업원] ; 창고업자. **2** 《英》 도매 상인.

wárehouse recèipt *n.* 《美》 창고 증권.

wáre·ròom *n.* 상품 진열실, 상점, 가게(앞).

***war·fare** [wɔ́:rfὲər, -fæ̀ər] *n.* Ⓤ 교전 상태, 전쟁 행위 ; 전쟁, 교전(war) ; 투쟁, 싸움(fight) : chemical[guerrilla, modern] ~ 화학[게릴라 · 현대]전 / after long ~ 오랜 전투 끝에.

wár·fìght·ing *n.* 미사일 전쟁.
〖? *war*head+*fighting*〗

wár fòoting *n.* 전시 체제(cf. PEACE FOOTING) : an army on a ~ 전시 체제를 갖춘 군대.

wár gàme *n.* (참모 따위가 지도상에서 행하는) 도상(圖上) (작전) 연습, (모형을 필요로 하는) 워게임 ; 병기(兵棋) (Kriegspiel) ; 작전 ; [*pl.*] (실전을 모방한) 대항 연습 ; 〖컴퓨〗 전쟁 놀이.

wár-gàme *vt.* 도상(작전) 연습을 하다. —— *vi.* war game을 하다.

wár gàs *n.* 전쟁용 (독)가스.

wár gòd *n.* 군신(軍神)《〖로神〗의 Mars, 〖그神〗의 Ares 따위》.

wár gràve *n.* 전몰자의 묘(墓).

wár hàwk *n.* 주전론자(jingo), 매파.

wár·hèad *n.* (어뢰(魚雷) · 미사일 따위의) 탄두 : a nuclear ~ 핵 탄두.

wár-hòrse *n.* 《古 · 文語》 군마(軍馬) (charger) ; [흔히 old ~] 《口》 노병(老兵), 노련한 사람(veteran) ; (정계(政界) 따위의) 산전 수전 다 겪은 사람, 백전 노장 ; 《口》 (자주 상연하여) 식상이 된 작품《음악 · 연극 따위》 : like an old ~ (사람이) 과거의 (경험의) 회상으로 흥분하여.

Warks. Warwickshire.

wár·less *a.* 전쟁[싸움]이 없는.

wár·lìke *a.* 전쟁의, 군사(軍事)의, 병사의, 무인(武人)의 ; 호전적인, 용맹한, 도전적인, 도발적인 ; 전쟁이 될 것 같은.
類義語 ⟹ MILITARY.

wár lòan *n.* 《英》 전시 공채.

war·lock [wɔ́:rlɑ̀k] *n.* 마법사, 마술사 ; 점쟁이. 〖OE *wær-loga* (*wær* oath, *-loga* liar < *lēogan* to LIE[2])〗

wár·lòrd *n.* 《文語》 장군, 군사령관 ; (특정 지역의 통치권을 쥐고 있는) 군지도자, 군벌.

◇**warm** [wɔ́:rm] *a.* **1 a)** 따뜻한, 온난한《cool과 hot의 중간 정도》 : ~ milk[countries] 따뜻한 우유[나라들] / keep oneself ~ 옷을 입어 몸을 따뜻하게 하다 / It[The weather] is ~. 날씨가 따뜻하다 / It is[I am] getting ~. 차차 따뜻해지고 있다[몸이 따뜻해지고 있다]. **b)** 더운(hot) ; (몸이) 후끈거리는 : ~ with wine 얼근히 취하여 / be ~ from running 달려서 몸이 후끈거리다 / I found the room rather ~. 방이 약간 더웠다. **2** 열심인, 열렬한, 활발한 ; 열광적인, 흥분한 ; 성미

W

가 급한 : a ~ dispute 격론 / a ~ supporter 열광적인 지지자 / grow ~ *over* a debate 논쟁하여 흥분하다. **3** 온정이 있는, 생각해 주는 ; 마음속으로부터의(↔*cold*) : a ~ friend 다정한 친구 / ~ thanks 마음 속으로부터의 감사 / We should like to give you a ~ welcome. 충심으로 환영합니다 / She has a ~ heart. 그녀는 인정이 있다. **4** (빛깔이) 따뜻한 느낌의, (특히) 붉은, 황색이 많이 감도는(cf. COOL *a.* 1) : ~ colors 난색(暖色)《빨강·노랑 따위 계통의 빛깔》. **5 a**) 〖사냥〗(짐승 냄새가) 생생한, 오래되지 않은(cf. COOL *a.* 4). **b**) (숨바꼭질에서) 숨어 있는 사람에게 접근한, (퀴즈 프로그램에서) 정답에 가까운. **6** 도발[호색]적인 : ~ descriptions 선정(煽情)적인 기사[묘사]. **7** 《口》 힘이 드는, 괴로운 ; 《口》 위험한 ; (지위·상태 따위가) 감당하기 어려운, 불쾌한 : a ~ corner 격전지 ; 불쾌한[견디기 어려운] 입장 / The place became too ~ for him. 그는 그 곳에 있기가 거북해졌다. **8** 《英口》 안락한, 유복한(rich).

be getting warm (1) ☞ 1 a). (2) (숨바꼭질·퀴즈 따위에서) 거의 찾아내게[맞히게] 되다 ; 《비유》 진실에 가까워지다.

keep a seat [***place***] ***warm*** (정식으로 당사자가 결정될 때까지) 그 지위를 지키다.

make it [***things***] ***warm for...*** (남의) 반감을 조장하다, (격렬히 반대하여 남을) 견디지[배겨나지] 못하게 하다 ; (남의 약점을 기화로) 호되게 혼내 주다.

warm with 《口》 (더운 물과 설탕을 넣은) 핫 브랜디[위스키]《warm with sugar의 뜻 ; cf. COLD *without*, HOT *with*》.

— *vt.* **1** [+目/+目+副] 데우다, 따뜻하게 하다 : ~ a bed 침대를 따뜻하게 하다 / ~ oneself at the fire[in the sun] 불[볕]을 쬐어 몸을 따뜻하게 하다 / Will you ~ ***up*** this milk? 이 우유를 데워 주시겠습니까. **2** 열심히 하게 하다, 열중[흥분]하게 하다, 기운내게 하다 : drink wine to ~ the heart 술을 마시고 기운을 내다. **3** 마음을 따스하게 하다 : It ~*s* my heart to hear her story. 그녀의 말을 들으면 마음이 훈훈해진다. **4** 《俗》 구타하다, 채찍질하다 : ~ a person [a person's jacket] 남을 때려 주다.

— *vi.* **1** [動/+副] 따뜻해지다, 더워지다 : The milk is ~*ing* (***up***) on the stove. 난로에 올려놓은 우유가 데워지고 있다. **2** [動/+副/+ *to* +名] **a**) 열중하다, 열심히 하게 되다 ; 흥분하다 ; 생기에 넘치다 : All the speakers ~*ed* (***up***). 연설자들은 모두 열을 올렸다 / We began to ~ ***to*** our studies. 우리들은 연구에 열중하기 시작했다. **b**) 호감을 갖다 : My heart ~*s* ***to*** him. 나는 그에게 마음이 끌린다[그리움을 느낀다].

warm up (1) 따뜻하게 하다, 따뜻해지다(cf. *vt.* 1, *vi.* 1) ; (식은 요리 따위를) 다시 데우다. (2) 열중하다 ; 격노하(게 하)다, 긴장하(게 하)다 ; 동정하다, 호의를 갖다〈*to*〉(cf. *vi.* 2). (3) (경기전) 가벼운 준비운동을 하다, 웜업하다(cf. WARM-UP) ; (엔진 따위가) 작동할 수 있는 상태가 되(게 하)다 ; (관객)의 분위기를 높이다[만들다].

— *n.* **1** [보통 a ~] 따뜻해지기, 따뜻하게 하기 : Come and have *a* good ~ by the fire. 와서 불을 쬐라. **2** 따뜻함, 온기(溫氣), 따뜻한 기운, 따뜻한 곳 ; (입어서) 따뜻한 것, (특히) = BRITISH WARM.

〖OE *wearm* ; cf. Du. and G *warm*〗

類義語 ⟹ TENDER[1].

wárm-blóod·ed *a.* (동물이) 온혈의《36°-42℃》; 《비유》 피끓는, 격하기 쉬운, 열렬한(ardent) (↔ *cold-blooded*). **~·ly** *adv.* **~·ness** *n.*

wárm bòdy *n.* 《口·蔑》 (단순 작업밖에 못하는) 무능한 노동자.

wármed-óver *a.* 《美》 **1** (식은 요리 따위를) 다시 데운(reheated). **2** 《비유》 (작품 따위) 모작(模作)한, 진부한.

wármed-úp *a.* = WARMED-OVER.

wár memòrial *n.* (전몰자를 추도하는) 전쟁 기념비[관] ; 전몰자 기념비[관].

wárm·er *n.* 따뜻하게 하는 사람[것] ; [보통 복합어를 이루어] 가온(加溫)[난열(暖熱)]장치 : a foot ~ 족온기(足溫器).

wárm frònt *n.* 〖氣〗 온난 전선(↔*cold front*).

wárm·héart·ed *a.* 마음이 따뜻한, 인정이 있는, 친절한. **~·ly** *adv.* **~·ness** *n.*

wárm·ing *n.* **1** U,C 따뜻하게 하기[되기]. **2** 《俗》 채찍질, 구타.

get a (***good***) ***warming*** (호되게) 맞다.

wárming pàn *n.* **1** (옛날에 쓰던) 난상기(暖床器)《잠자리를 따뜻하게 하는 기구》. **2** 《비유》 (본인이 취임하기까지의) 임시 대리인, 서리.

wárming-úp *a.* 〖競〗 가벼운 준비 운동의, 워밍업의. — *n.* 따뜻하게 하기, 따뜻하게 되기.

wárm·ish *a.* 약간 따뜻한.

***wárm·ly** *adv.* **1** 따뜻하게 : ~ clothed 옷을 따뜻하게 입고. **2** 열심히, 열렬하게 ; 충심(衷心)으로, 따뜻하게, 격하여, 흥분하여 : thank ~ 충심으로 감사하다 / receive a person ~ 남을 따뜻이 맞이하다.

wár·mònger *n.* 전쟁 도발자, 전쟁광, 주전론자 (cf. PEACEMONGER).

wárm sèctor *n.* 〖氣〗 온난 지역.

wárm spòt *n.* (피부의) 온점(溫點) ; (마음 속의) 따뜻한[사랑이 깃드는] 곳 ; (사람·사물에 대하여) 변하지 않는 애정[따뜻한 감정].

***warmth** [wɔ́ːrmθ] *n.* **1** U 따뜻함, 난기, 온난 : vital ~ 체온. **2** U 열심, 열렬. **3** U 격렬함 ; 흥분, 격앙 : He spoke with great ~. 그는 몹시 흥분하여 말했다. **4** U 온정, 인정, 동정심. **5** U 〖畫〗 (빛깔의) 따뜻한 느낌.

with warmth 흥분하여 ; 감격하여 ; 충심으로.

wárm-ùp *n.* 〖競〗 (시합전 가벼운) 준비운동 ; (엔진 따위의) 무부하 완속 운전(시간) ; (본 프로그램에 앞선) 사전 연습, 예행 연습 : go through a ~ 웜업하다.

wárm wórk *n.* 몸이 따뜻해지는 일 ; 힘든[위험한] 일 ; 격돌, 고전(苦戰).

‡**warn** [wɔ́ːrn] *vt.* [+目/+目+副/+目+前+名/+目+*to* do/+目+*that* 節] 경고[주의]하다 ; 경고하여 피하게 하다, 타이르다 ; 통고[예고]하다 : I shall not ~ you again! 두 번 다시 주의 주지 않겠다 / I waved my arm to ~ them *off*. 가까이 가면 위험하니 가지 말라고 손을 흔들어 그들에게 경고했다 / He ~*ed* me ***of*** their fierce design. 그들의 무서운 흉계를 나에게 알려주었다 / I was ~*ed* ***against*** going there. 그곳에 가지 말라는 주의를 받았다 / The teacher ~*ed* Tom *to* be punctual. 선생님은 톰에게 시간을 엄수하도록 훈계를 하셨다 / I ~ you *that* it is dangerous. 너에게 경고하지만 그것은 위험하다.

— *vi.* [動/+ *of* +名] 경고[예고]하다, 경보를 울리다 : Birds attract each other's attention by ~*ing* ***of*** danger. 새들은 위험을 경고함으로써 상대방의 주의를 끈다.

〖OE *war*(*e*)*nian* ; cf. WARE[2], G *warnen*〗

類義語 ⟹ ADVISE.

W

wár neuròsis *n.* 〔精神醫〕 (전시(戰時) 병사의) 전쟁 신경증.

***wárn·ing** *a.* 경고[경계]의 ; 타이르는, 훈계의 ; 〔動〕 경계색의 : ~ colors[coloration] 〔動〕 경계색 / a ~ gun 경포(警砲), 호포(號砲) / a ~ light 봉화 / a ~ look 경계의 눈짓. —— *n.* **1** Ⓤ 경고, 경계 ; 훈계 : take ~ 경계하다 / take ~ *by*[*from*] …을 경계[훈계]로 삼다 / give ~ *of* danger to a person 남에게 위험을 경고하다. **2 a**) 경보 ; 훈계가 되는 것 : I hope this will be a ~ to you. 이것이 너(희들)에 대한 훈계가 되기를 바란다. **b**) 징후, 징조 : Palpitation is a ~ *of* heart trouble. 동계(動悸)는 심장병의 조짐이다. **3** Ⓤ 예고, 통고(notice) : give a month's ~ (고용자 또는 고용주에게) 1개월 전에 해고[사직]를 예고하다 / at a minute's ~ 곧, 바로 / give ~ 경고하다 ; 훈계하다. **~·ly** *adv.* 경고[경계]하여, 경고적으로.

wárning bèll *n.* 경종, 신호종.

wárning nèt *n.* (방공(防空)) 경보망.

wárning tràck[**pàth**] *n.* 〔野〕 경고 트랙《외야수에게 외야의 펜스가 가까움을 알리는》.

wár nòse *n.* = WARHEAD.

Wár Òffice *n.* [the ~] 《英》 육군성(省).

wár òrphan *n.* 전쟁 고아.

warp [wɔ́:*r*p] *vt.* **1** 휘게 하다, 뒤틀다, 구부러지게 하다 : The heat has ~*ed* the boards. 열로 인해 판자가 휘었다. **2** (마음·판단 따위를) 비뚤어지게 하다 : judgment ~*ed* by self-interest 사리사욕으로 비뚤어진 판단 / Hardship ~*ed* his disposition. 고생한 탓으로 그의 성질은 비뚤어졌다. **3** 〔海〕 밧줄로 끌어당기다. —— *vi.* **1** 휘다, 뒤틀리다. **2** (마음 따위가) 비뚤어지다, 토라지다. **3** 〔海〕 밧줄로 끌어당기다. **4** 〔織〕 날실을 베틀에 걸다. **5** 〔農〕 물을 끌어 개흙으로 (땅을) 시비하다. —— *n.* **1** 〔織〕 날실(↔*woof, weft*). **2** 〔海〕 배를 끄는 밧줄. **3** (재목 따위의) 휨, 굽음, 뒤틀림. **4** (마음의) 비뚤어짐, 뒤틀림, 편굴(偏屈), 편벽. **5** 〔農〕 개흙(비료) ; 〔地〕 충적토. 〚OE (n.) *wearp*, (v.) *weorpan* to throw ; cf. G *werfen*〛

wár pàint *n.* **1** Ⓤ 출전하는 인디언이 얼굴·몸에 바르는 물감. **2** Ⓤ 《口》 성장(盛裝)(finery). **3** Ⓤ 《俗》 여성(용) 화장품, 화장.

wár·pàth *n.* 북미 인디언의 출정(出征)의 길, 정도(征途) ; 적대 행위, 적개심.

on the warpath 싸워서, 싸우려고 (하여) ; 화가 나서, 싸울 기세로.

wár·plàne *n.* 군용(비행)기(機) ; 전투기.

wár pòwer *n.* 전쟁 수행 능력, 전력 ; (행정부의) 비상 대권.

Wár Pòwers Àct *n.* 《美》 전쟁 권한법.

war·rant** [wɔ́(:)rənt, wɑ́r-] *n.* **1** Ⓤ [+前+do*ing*] 정당한 이유, 근거 ; 권능(authority) ; 보증(이 되는 것), 확증 : without (a) ~ 정당한 이유 없이, 근거 없이 / with the ~ of a good conscience 양심에 부끄러움 없이, 정정 당당히 / You have no ~ ***for do*ing* so. 너는 그렇게 할 권리가 없다 / I will be your ~. 내가 너의 보증을 서겠다. **2** 〔法〕 **a**) (형사의) 영장《체포 영장·구속 영장 따위》, (민사의) 소환장 : a search ~ 가택 수색 영장 / a ~ of arrest 체포 영장 / a ~ of attachment 압류 영장. **b**) 지시(서) ; 위임장 : a ~ of attorney (응소(應訴)) 위임장. **3** 증명서 ; 면허장 ; 《英》〔商〕 창고[창하] 증권 ; 지급 명령서 ; 단기 공채 ; 〔軍〕 준위(准尉) 임명 사령장(cf. COMMISSION *n.* 1). —— *vt.* **1** 시인하다, 정당화하다, …의 충분한 이유가 되다(justify) : Circumstances ~ such conduct. 사정이 사정이니 만큼 그런 행위는 허용된다 / The facts ~ my belief. 내 신념이 바르다는 것을 그 사실들이 증명해 주고 있다 / His abilities ~*ed* his position in the company. 회사에서의 그의 지위는 그의 능력으로 보아서 당연한 것이었다. **2** [+目/+*that* 節/+目+*that* 節/+目+補/+目+*to* do] 보증하다, 다짐하다, 약속하다(guarantee) ; 〔法〕 (재산·토지 따위)의 권리를 보증하다 : I ~ the genuineness of the article. = I ~ *that* the article is genuine. 그 물건이 진짜라는 것을 보증한다 / I'll ~ (you) *that* the work shall be finished before the end of this month. 월말까지 꼭 일을 끝마치겠습니다. 㶱 I ('ll) ~ (you)는 때때로 삽입적 또는 부가적으로 쓰임 : I'll ~ him an honest and reliable fellow. 그가 정직하고 신뢰할 만한 사람임을 보증합니다 / This cloth is ~*ed* (*to be*) pure wool. 이 옷감은 순모임을 보증한다 / It's all true, I ~. 그것은 틀림없이 사실이다. 〚ME = protector, warrant < AF *warant* < Gmc. ; cf. GUARANTY〛

類義語 ⟹ AFFIRM.

wárrant·able *a.* 정당한 ; 보증할 수 있는, 장담할 수 있는. **-ably** *adv.* 정당하게 ; 틀림없이, 확실하게.

war·rant·ee [wɔ̀(:)rəntí:, wɑ̀r-] *n.* 〔法〕 피(被)보증인, 피담보인.

wárrant òfficer *n.* 〔陸軍〕 준위(准尉)(cf. COMMISSIONED officer, NONCOMMISSIONED officer, PETTY OFFICER)

wár·ran·tor, warrant·er *n.* 〔法〕 보증인, 담보자(者)

war·ran·ty [wɔ́(:)rənti, wɑ́r-] *n.* **1** 근거, 정당한 이유〈*for* do*ing*〉, 인가(認可) ; (상품의 품질 따위의) 보증(guarantee)〈*on, of*〉. **2** 〔法〕 담보 ; 영장, 명령서 ; 보증서.

war·ren [wɔ́(:)rən, wɑ́r-] *n.* **1** 토끼 사육장, 양토장 ; 토끼의 군서지(群棲地) ; 뒤얽힌 토끼굴 ; [집합적으로] 사육장의 토끼. **2** 북적거리는 [과밀한] 지역[건물] ; 미로, 미궁. **3** 〔英法〕 야생 조수 사육 특허지(에서의 수렵 특권).
〚AF *warenne* < Celt. = fenced-off area〛

wárren·er *n.* 야생 조수 사육 특허지의 관리인 ; 양토장 주인.

wár·ring *a.* 투쟁(중)의, 교전(중)의 ; 적대(敵對)하는, 양립할 수 없는《의견·신조 따위》 : ~ creeds 양립할 수 없는 신조(信條). —— *n.* 전쟁의 수행, 교전.

***war·ri·or** [wɔ́(:)riə*r*, wɑ́r-] *n.* 《文語》 전사(戰士), 무인 ; (특히) 노병(老兵), 용사 ; (정계 따위의) 투사 ; [형용사적으로] 무인[전사]의[같은], 전투적인. 〚OF (dial.) *werreior* ; ⇨ WAR〛

wár rìsk insùrance *n.* 《美》〔保險〕 전시 보험 ; 전쟁 상해 보험《군인에 대한 정부 보험》.

War·saw [wɔ́:rsɔ:] *n.* 바르샤바《폴란드의 수도》.

Wársaw Tréaty Organizàtion *n.* [the ~] 바르샤바 조약 기구《1955년 NATO에 대항하여 구소련 및 동유럽 8개국이 조직했던 군사 기구 ; 1991년 해체》.

***wár·shìp** *n.* 군함, 전함.

wár sòng *n.* (인디언의) 싸움의 노래 ; 군가.

wár sùfferer *n.* 전재민(戰災民).

wart [wɔ́:*r*t] *n.* 사마귀 ; 〔植〕 (나무의) 옹두리 ; (혹처럼) 쓸모없는 사람[것].

paint a person ***with*** his ***warts*** 남의 선악을 있는 그대로 그리다[묘사하다].

W

warts and all 결점도 그대로 숨기지 않고, 남김없이 전부.
~·ed *a.* 사마귀 (모양의 돌기)가 있는.
〚OE *wearte*; cf. G *Warze*〛

wárt·hòg *n.* 〖動〗 멧돼지의 일종《아프리카산》.

warthog

wár·tìme *n., a.* 전시(의) (↔*peacetime*).
wár-tòrn *a.* 전쟁으로 파괴된[피폐한].
wárty *a.* **1** 사마귀 모양[성질]의. **2** 사마귀투성이의; 사마귀가 있는.
wár vèssel *n.* 전함, 군함(warship).
wár-wèary *a.* 전쟁으로 피폐한; (군용기가) 사용할 수 없을 정도로 파괴된.
wár whòop *n.* (북미 인디언의) 함성.
War·wick [wɔ́(:)rik, wɑ́r-] *n.* 워릭《잉글랜드 Warwickshire의 주도(州都)》.
War·wick·shire [wɔ́(:)rikʃìər, -ʃər, wɑ́r-] *n.* 워릭셔《잉글랜드 중부의 주; 略 Warks.》.
wár wìdow *n.* 전쟁 미망인.
wár wòrk *n.* 전시 노동.
wár·wòrn *a.* 전쟁에 지친, 전쟁으로 황폐한.
wary [wέəri, wǽəri] *a.* [+*of*+do*ing*] 조심성 있는, 방심하지 않는, 세심[신중]한: He was ~ ***of*** tell*ing* secrets. 그는 비밀을 누설하지 않도록 조심했다 / keep a ~ eye on a person 남을 방심하지 않고 감시하다.
wár·i·ly *adv.* **wár·i·ness** *n.* 〚WARE²〛
類義語 ⟹ CAREFUL.
wár zòne *n.* 교전지대; (특히) 전쟁 수역(水域)《중립국의 권리가 존중되지 않음》.
◇**was** [wəz, wɑ́z, wʌ́z] BE의 1인칭 및 3인칭 단수 과거형.
活用 지금은 때때로 was가 가정법 단수 과거형으로서의 were에 대신하여 쓰인다: I would buy it if I *was* rich enough. (만일 내가 부자라면 사겠는데) / It is time he *was* going to bed. (이제 그는 잘 시간이다). ☞ WERE 活用.
◇**wash** [wɔ́(:)ʃ, wɑ́ʃ] *vt.* **1** [+目/+目+補] 씻다, 세탁하다, 세척하다: ~ one's face and hands 얼굴과 손을 씻다 / Please ~ these clothes clean. 이 옷들을 깨끗이 세탁해 주시오.
2 [+目+副/+目+前+名] **a**) 씻어 내다, 빨아 없애다: I can't ~ this stain ***out.*** 이 얼룩은 아무리 빨아도 빠지지 않는다 / *W*~ the dust ***off*** your face. 얼굴의 먼지를 닦아 내라. **b**) 《비유》 깨끗이 씻다, 결백하게 하다: ~ *away* one's guilt 죄를 씻다 / ~*ed* ***from*** sin 죄를 씻어 깨끗해진.
3 a) (파도가) 씻다, 밀려오다: The foot of the cliffs is ~*ed* by the sea. 낭떠러지의 기슭이 파도에 씻기고 있다. **b**) [+目+*with*+名] (물 따위로) 적시다: The grass was ~*ed* ***with*** dew. 풀이 이슬에 젖어 있었다.
4 [+目/+目+副] (유수(流水)·파도 따위가) 깎아 내리다, 구멍을 내다, 침식하다: Water had ~*ed* a channel. 물살에 도랑이 패어 있었다 / The coast has been ~*ed away* by the waves. 해안은 파도로 침식되었다.
5 [+目+副/+目+前+名] [주로 수동태로] 흘려 보내다, 나르다, 휩쓸어 가다: An empty boat *was* ~*ed* ***up***[*ashore*, ***to*** the shore] by the tide. 조수에 밀려서 한 척의 빈 배가 해안으로 떠밀려 왔다 / Houses and bridges have *been* ~*ed away* by the flood. 집과 교량들이 홍수로 유실되었다 / A huge wave ~*ed* him *overboard.* 큰 파도가 그를 갑판에서 휩쓸어 갔다.
6 (세제 따위가) …을 빨 수 있다, …에 잘 맞다: This stuff won't ~ clothes. 이것으로는 의복이 잘 빨아지지 않는다《옷을 빨 수 없다》.
7 [+目+*with*+名] **a**) …으로 도금(鍍金)하다: silver ~*ed* ***with*** gold 금으로 도금한 은. **b**) (그림물감 따위를) 엷게 칠하다: ~ a table ***with*** blue 탁자에 푸른색으로 덧칠하다.
8 〖鑛〗 (광석을) 수세 선광(水洗選鑛)하다.
9 (액체)에 기체를 통과시키다.
10 (커피 따위를) 휘젓다.
— *vi.* **1** (손이나 얼굴 따위를) 씻다, 세수하다, 목욕하다: I usually ~ in cold water. 대개 찬 물로 세수를 한다 / You must ~ before each meal. 식사하기 전에 꼭 손을 씻어야 한다. **2** 세탁[빨래]하다: ~ twice a week 1주에 두 번 세탁하다 / My aunt ~*es* for a living. 아주머니는 세탁을 하여 생계를 이어간다. **3 a**) [動/+副] (직물·빛깔 따위) 빨아도 바래지 않다, 세탁이 잘 되다: This cloth won't ~. (*well*). 이 천은 세탁이 (잘) 안된다 / This soap ~*es well.* 이 비누는 때가 잘 빠진다. **b**) [부정구문] 《口·비유》 (이론·충성심 따위가) 검증[시련]을 감당하다, (말·이야기 따위가) (사람에) 통용되다, 받아들여지다: The story wo*n't* ~ with me. 그런 이야기는 나에게는 통하지 않는다. **4** [+前+名] (파도가) 씻다, 철썩철썩 밀려 오다: Great waves ~*ed* ***over*** the deck [***against*** the cliff]. 거센 파도가 갑판위[절벽]로 밀려왔다. **5** [動/+副] (비·유수(流水) 따위로) 밀려 내려가다, 패이다, 깎이다: The hillside ~*es* frequently. 산허리는 빈번히 비로 패인다 / The bridge ~*ed* ***out*** during the storm. 폭풍우가 몰아칠 때 다리가 떠내려갔다.
wash down ⑴ (특히 세찬 물줄기로) 씻어 내다[없애다]: ~ *down* a car (호스의 물로) 차를 깨끗이 닦다. ⑵ (음식을 목구멍에) 흘려 넣다, 삼켜 버리다: He bolted a hot dog and ~*ed* it *down* with Coke. 핫도그를 입에 넣고 코카콜라를 마시어 삼켜 버렸다.
wash one***'s hands*** ⑴ 손을 씻다《「변소에 가다」를 완곡히 하는 말》: Where can I ~ my *hands*? 화장실은 어디에 있습니까. ⑵ …에서 손을 떼다, …와 관계를 끊다〈*of*〉.
wash one*self* 목욕을 하다; 손이나 얼굴을 씻다: Go and ~ your*self.* 세수하고 오너라.
wash out (*vt.*) ⑴ 씻어내다(cf. *vt.* 2 a)). ⑵ (입안을) 양치질하다. ⑶ 《口》 (소망 따위를) 버리다, (계획 따위를) 단념하다, (굴욕 따위를) 망각하다: We must ~ *out* the whole business. 그 일은 모두 잊어버려야 한다. ⑷ (비가 와서 경기 따위를) 중지하다; 《비유》 의기소침하게 하다, 소모시키다. ⑸ [*p.p.*로] 《口》 지쳐 버리게 하다, 축 처지게 하다(cf. WASHED-OUT 2): be[look, feel] ~*ed out* 지쳐 있다[지친 모양이다, 지친 느낌이다]. (*vi.*) ⑹ 빨아서 빛깔이 바래다. ⑺ 물에 떠내려가다(cf. *vi.* 5). ⑻ 《俗》 낙오[실패]하다.
wash up ⑴ (*vi.*) 세수하다. ⑵ (*vi., vt.*) 《英》 (식기 따위를) 설거지하다: Kate is ~*ing up.* 케이트는 설거지를 하고 있다 / ~ *up* the dinner things 식기류를 설거지하다. 注 식기 하나를 씻을 경우에는 up을 생략함: *W*~ this plate, will you? 이 접시를 씻어 주겠어요. ⑶ (*vt.*) 《口》 완전히 지치게 하다(cf. WASHED-UP 2).
— *n.* **1** [보통 a ~] 씻기, 세탁, 세척: have [get] *a* ~ 씻다, 빨래하다 / give a car *a* good ~ 차를 충분히 씻다. **2** [집합적으로] 세탁물, 1회의 세탁량; 세탁소[장(場)]: I've got a large

[heavy] ~ this morning. 오늘 아침에는 세탁물이 아주 많다 / All your shirts are[have been sent] at the ~. 당신의 셔츠는 모두 세탁소에 보냈습니다. **3** [the ~] (물의) 흐름, 분류 ; (물·파도가) 밀려 옴 ; (물·파도가) 밀려오는 소리. **4** [the ~] **a)** (배가 지날 때에 이는) 물결. **b)** 〔空〕 (비행기에 의해 생기는) 기류. **5 a)** Ⓤ 부엌의 음식물 찌끼《돼지 따위의 먹이》. **b)** Ⓤ,Ⓒ 멀건 음식물 : This tea is (a) mere ~. 이 홍차는 맹물같다. **c)** 《美口》 위스키를 스트레이트로 마신 후에 마시는 물[탄산수·맥주](chaser). **6** [보통 복합어를 이루어] 세제(洗劑) ; 화장수, 〔醫〕 세정액, 희석액 : an eye ~ 안약 / a hair ~ 세발제(洗髮劑) / a mouth ~ 양치액. **7** Ⓤ 금속의 도금(鍍金) ; Ⓒ (수채(水彩)그림 물감으로) 엷게 한번 칠하기. **8** [the ~] (바닷물·강물에 씻기는) 저지(低地), 습지, 늪, 여울 ; 침전물, 개흙. **9** Ⓤ (바닷물, 강물 따위의) 침식 ; Ⓒ (유수(流水)로 생긴) 홈, 도랑(channel). **10** 〔鑛〕 세광(洗鑛) 원료.
come out in the wash 《俗》 (1) (언젠가는) 알려지다, 드러나다. (2) 좋은 결과가 되다.

〈회화〉
Have you seen my red pajamas? — They're in the *wash*. 「내 붉은 색 파자마 보셨어요」「세탁하고 있다」

—— *a.* 세탁할 수 있는(=《美》 washable) : a ~ dress 세탁할 수 있는 옷.
〖OE *wæscan* ; cf. WATER, G *waschen*〗

Wash. Washington (State).

wásh·able *a.* **1** (천·옷 따위) 세탁이 잘 되는, 빨 수 있는. **2** (잉크 따위) 물로 빠지는.
—— *n.* 빨 수 있는 옷[천].

wásh-and-wéar *a.* 《美口》 (다리미질하지 않고) 세탁만해서 입을 수 있는.

wásh·bàsin *n.* 세면기[대](=《美》 washbowl).

wásh·bòard *n.* **1** 빨래판. **2** 〔建〕 벽의 굽도리에 대는 판자 ; 〔海〕 (배·항구의) 물막이판. **3** 〔樂〕 워시보드《금속 빨래판을 손톱으로 튀기는 리듬 악기》. **4** (유리 따위의) 파도꼴 겉면, 울퉁불퉁한 길.

washboard 1

wásh·bòil·er *n.* 세탁용 대형 보일러[가마솥].

wásh bòttle *n.* 〔化〕 세척병(洗滌瓶)《누르면 세척용 물이 나옴》.

wásh·bòwl *n.* 《美》 세면기(=《英》 washbasin).

wásh·clòth *n.* 《美》 세수[목욕] 수건 ; (접시 닦는) 마른 행주(washrag).

wásh·dày *n.* (가정에서) 세탁하는 날.

wásh dràwing *n.* 단색 담채풍의 수채(화).

wáshed-óut *a.* **1** 빨아서 바랜, 빛깔이 바랜. **2** 《口》 원기가 없는, 지친 ; 《口》 창백한 ; 유실된.

wáshed-úp *a.* **1** 깨끗하게 씻은. **2** 《口》 지친. **3** 《口》 실패한 ; 소용없게 된.

wásh·er *n.* **1** 씻는 사람 ; 세탁부(washer woman). **2** 세탁기 ; 세광기(洗鑛機) : a dish ~ 접시 세척기. **3** 〔機〕 (볼트의) 나사받이, 와셔. **4** 《美俗》 술집.

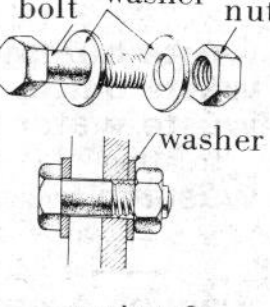

washer 3

wásh·er-drỳer *n.* 탈수기가 딸린 세탁기.

wásh·er·man [-mən] *n.* 세탁업자 ; 세탁부.

wásh·er·wòman *n.* 여자 세탁인[업자].

Wash·e·te·ria [wɔ̀(:)ʃətíəriə, wὰʃ-] *n.* 워셔테리아《세탁기 ; 상표명》 ; [w~] 《英·美南部》 셀프서비스의 세탁소 ; 《英》 셀프서비스의 세차장.
〖*wash*, *-eteria* (caf*eteria*)〗

wásh gòods *n. pl.* 세탁이 잘 되는 직물[옷].

wash·hand [wάʃhæ̀nd, wɔ́(:)ʃ-] *a.* 《英》 손 씻는, 세면용의.

wáshhand básin *n.* 《英》 =WASHBASIN.

wáshhand stànd *n.* 《英》 =WASHSTAND.

wásh·hòuse *n.* 세탁장(場) ; 세탁소(laundry).

wásh·ing *n.* **1** Ⓤ 씻기, 빨래하기, 세탁, 세척 ; 침식 ; 유실. **2** [집합적으로] 세탁물 : Go and hang out the ~ to dry. 가서 세탁물을 내다 널어라. **3** 〔鑛〕 세광(洗鑛)한 사금(砂金). **4** (은 따위의) 얇은 도금(鍍金). **5** [*pl.*] (씻기 위해 사용한) 물, 세액. **6** 주식의 공매.
—— *a.* 세탁용의, 세탁이 잘 되는.

wáshing bòttle *n.* =WASH BOTTLE.

wáshing dày *n.* 《英》 =WASHDAY.

wáshing machìne *n.* 세탁기(機).

wáshing pòwder *n.* 분말(粉末) (합성) 세제, 가루 비누.

wáshing sòda *n.* 세탁용 소다.

wáshing stànd *n.* =WASHSTAND.

***Wash·ing·ton** [wɔ́(:)ʃiŋtən, wάʃ-] *n.* 워싱턴. **1** 미국의 수도《주(州)와 구별하기 위하여 흔히 Washington, D. C.라고 함》 ; 미국 정부. **2** 미국 북서부 끝의 주《주도 Olympia ; 略 Wash.》. **3 George** ~ (1732-99) 미국 초대 대통령 ; the Father of his Country(국부(國父))라고 불리움.
〖OE=homestead of Wassa's people ; manor of the Wessyngs〗

Wash·ing·to·ni·an [wɔ̀(:)ʃiŋtóuniən, wὰʃ-] *n.* 워싱턴 주[시]민. —— *a.* 워싱턴 주[시]의 ; 조지 워싱턴의.

Wash·ing·to·nol·o·gist [wɔ̀(:)ʃiŋtənάləgəst, wὰʃ-] *n.* 워싱턴[미국 정부] 연구가[전문가].
〖*Washington*, D.C.〗

Wáshington píe *n.* 워싱턴 파이《잼 또는 크림을 넣음》. 〖George *Washington*〗

Wáshington's Bírthday *n.* 《美》 워싱턴 탄생일《미국의 많은 주에서 법정 휴일 ; 원래 2월 22일이었으나 제3 월요일을 휴일로 하는 주가 대부분》.

Wáshington Státe *n.* [the ~] 워싱턴 주(州) 《특히 Washington, D.C.와 구별하여 ; 略 Wash.》.

wásh·ing-ùp *n.* 《英》 설거지.

wáshing-up machìne *n.* 《英》 접시 닦는 기계(dishwasher).

wásh·lèather *n.* Ⓤ 부드러운 가죽(chamois) ; Ⓒ 《주로 英》 부드러운 가죽의 한 조각《물건을 닦을 때 씀》.

wásh·òut *n.* **1** (도로·교량 따위의) 유실(流失), 붕괴 ; 붕괴[침식]된 곳. **2** 《口》 실패자, 낙오자, 낙제생 ; 《口》 큰 실패 ; 실망. **3** 〔醫〕 (장·방광의) 세척. **4** 《口》 무능자 ; 〔鐵〕 긴급 정차 신호.

wásh·ràck *n.* 세차장.

wásh·ràg *n.* 《美》 =WASHCLOTH.

wásh·ròom *n.* 《美》 세면실 ; 화장실, 변소.

wásh sàle *n.* 《美》 (주식의 매매 활동이 활발한 것처럼 보이기 위한) 공매, 위장 매매.

wásh·stànd *n.* (구식의) 세면대(=《英》 washhand stand) ; (급수·배수관이 있는) 가설된 세면기용 대야.

wásh·tùb *n.* 세탁용 대야, 빨래통.

wásh·ùp *n.* 세수, 세면 ; 설거지 ; 세탁장.

wásh·wòman *n.* ＝WASHERWOMAN.
wáshy *a.* **1** 물기 많은, 멀건. **2** (빛깔이) 엷은, 연한. **3** (문체 따위가) 나약한, 힘이 없는. **4** (말·소가) 건강 상태가 나쁜, 땀을 쉬이 흘리는.
wásh·i·ly *adv.* **wásh·i·ness** *n.*
◇**was·n't** [wáznt, 美＋wʌ́znt] was not의 단축형.
wasp [wásp, wɔ́(:)sp] *n.* **1** 〔昆〕 말벌, 나나니벌 : a waist like a ~'s 가는 허리. **2** 《비유》 화 잘내는 사람, 꾀까다로운 사람 ; 자극하는 것, 화나게 하는 것. 〚OE *wæsp*(음위 전환)＜*wæps* ; cf. G *Wespe*, L *vespa*〛
WASP[1], **Wasp** [wɔ́(:)sp, wásp] *n.* 《美》 육군 항공대 여자 조종사 대원.
〚*W*omen's *A*ir Force *S*ervice *P*ilots〛
WASP[2], **Wasp** *n.* 《美》《종종 蔑》 와스프《앵글로색슨계 백인 신교도 ; 미국의 지배적인 특권 계급을 형성》.
Wásp·dom *n.* **Wásp·ish** *a.* **Wáspy** *a.*
〚a *W*hite *A*nglo-*S*axon *P*rotestant〛
wásp·ish *a.* **1** 말벌 같은. **2** 화 잘내는, 심술궂은 ; 꾀까다로운 ; 신랄한, 빈정거리는.
wásp wàist *n.* (여자의) 가는[잘록한] 허리.
wásp-wàist·ed *a.* 가는 허리의.
was·sail [wáseil, -səl] *n.* 《古》 주연(酒宴), 술잔치 ; 축하[축배]의 술 ; Ⓒ 「축배」의 인사말.
—— *vi.* 주연에 참석하다 ; 술잔치를 베풀다.
—— *vt.* …을 위해서 축배를 들다. —— *int.* (건강을 축하하여) 축배! **~·er** *n.* 〚ME *wæs hæil*＜ON *ves heill* to be in good health ; ⇨ HALE[1], WHOLE〛
Was·ser·mann [wáːsərmən ; *G* vásərman] *n.* 바서만. **August von** ~ (1866-1925) 매독 검사법을 발견한 독일의 의사·세균학자.
Wássermann reàction *n.* 〔醫〕 (매독의) 바서만 반응.
Wássermann tèst *n.* 바서만 반응 시험.
wast [wəst, wást] 《古·詩》 BE의 2인칭 단수 (thou) ART[2]의 과거형(cf. WERT).
wast·age [wéistidʒ] *n.* **1** Ⓤ 소모, 손모(損耗) ; 낭비. **2** Ⓤ 소모량[액] ; 폐품, 폐물.
‡**waste** [wéist] *vt.* **1** [＋目/＋目＋前＋名/＋目＋do*ing*] 낭비하다, 허비하다 : All his money was ~*d.* 그의 돈은 모두 낭비되었다 / Don't ~ time ***on***[***over***, do*ing*] trifles. 쓸데없는 일에 시간을 낭비하지 마라. **2** 황폐시키다 : a country ~*d* by war 전쟁으로 황폐된 나라. **3** 소모시키다, 닳아 없어지게 하다 ; 쇠약[초췌]하게 하다 : He had been apparently ~*d* by long illness. 오랜 질병으로 눈에 띄게 수척해졌다. **4** 〔法〕 (가옥 따위를) 훼손하다, …의 가치를 저하시키다. **5** 《美俗》 늘씬하게 패주다, 꼼짝 못하게 해치우다, 죽이다.
—— *vi.* **1** 낭비하다 : *W*~ not, want not. 《속담》 낭비가 없으면 부족도 없다. **2** [動/＋副] 쇠약해지다, 야위다 : He ~*d away* through illness. 그는 병으로 쇠약해졌다. **3** 낭비되다, 허비되다 : The water is *wasting.* 물이 허비되고 있다 / His fortune was *wasting.* 그의 재산은 기울고 있었다.
waste* one's *breath[***words***] 쓸데없는 말을 하다, 말해도 소용없다〈*on*〉.
—— *n.* **1** Ⓤ [또는 a ~] 낭비, 허비(↔*thrift*) ; (기회 따위를) 잃음 : It's ~ of time[energy]. 그것은 시간[에너지] 낭비다. **2** Ⓤ 쓰레기, 폐물. **3** 황무지, 불모지(인 광야), 사막 ; 폐허 ; 황폐 : the ~*s of* the Sahara 사하라 대사막 / The city was a ~ *of* tumbled walls. 도시는 괴멸된 성벽의 폐허로 변해 있었다. **4** Ⓤ 점감(漸減), 소모, 쇠약. **5** Ⓤ 〔法〕 (토지 건물의) 훼손. **6** [흔히 *pl.*] 찌꺼기 ; (산업) 폐기물, 폐물 ; Ⓤ 솜[털] 지스러기. **7** [*pl.*] 똥, 배설물.
run[***go***] ***to waste*** 폐물이[소용없게] 되다, 헛되이 되다.

〈회화〉
I'm going to throw out this food. — What a *waste*! 「이 음식 버릴려고 합니다」 「아까워서 어쩌지」

—— *a.* **1 a)** 황폐한 ; 불모의 ; 경작되지 않은 : lay ~ (국토·나라를) 황폐시키다, 메마르게 하다 / lie ~ (토지가) 황폐해 있다, 개간하지 않은 채로 있다. **b)** 무인(無人)의. **c)** (에너지 따위가) 사용[활용]되지 않은. **2** 쓸모없는 ; 무용의 ; 무익한 ; 쓰다 남은, 찌꺼기의, 폐물의 ; 배설물의 ; 폐기물 처리용의 : ~ matter (동물의) 노폐물.
wást·able *a.* 〚OF＝desolate＜L ; ⇨ VAST〛
類義語 ***waste*** 경작되어 있지 않은, 사람이 살고 있지 않은 황무지. ***desert*** 식물이 자라지 않는 건조한 지대 ; 보통은 사막. ***wilderness*** 수목이나 풀에 덮여 길이 없고 사람이 들어갈 수 없는 황야나 삼림 지대.
wáste·bàsket *n.* 《美》 (종이) 쓰레기통, 휴지통 (wastepaper basket).
wáste·bìn *n.* 쓰레기통.
wáste·bòok *n.* 《英》 ＝DAYBOOK.
wáste circulátion *n.* (신문·잡지의) 무효부수 《배포된 것 중 광고 효과가 없었던 부수》.
wást·ed *a.* **1** 황폐한 ; 쇠약한 ; 쓸모없는, 헛된 《노력》. **2** 《美俗》 살해된 ; (정신적·육체적으로) 지쳐 있는 ; 마약[알코올]에 취한, 마약 중독의 ; 《美俗》 무일푼인 ; 《古》 지나가버린.
wáste dispòsal *n.* 폐기 처분, 폐물 처리.
***wáste·ful** *a.* **1** 낭비적인 ; 비경제적인, 허비의 ; 소모성의〈*of*〉. **2** 《詩》 메마른, 황폐한, 파괴적인.
~·ly *adv.* 허비하여, 비경제적으로.
wáste·gàt·ing *n.* 웨이스트 게이팅《엔진에서의 배기가스가 일정한 수준을 넘었을 때 이를 터빈에 보내지않게 하는 방식》.
wáste hèat *n.* 폐열, 여열(餘熱).
wáste ìndustry *n.* 산업 폐기물 처리업.
wáste·lànd *n.* 황무지, 개간 안된 땅 ; 불모지 ; (정신적·정서적·문화적으로) 불모의[황폐한] 지역[시대, 생활].
wáste·less *a.* 낭비없는, 경제적인.
wáste·pàper *n.* Ⓤ 휴지, 헌 종이, 종이 쓰레기 ; [보통 waste paper] 〔製本〕 면지.
wástepaper bàsket[《英》 **bìn**] *n.* ＝WASTEBASKET.
wáste pìpe *n.* 배수관(排水管).
wáste·plex [-plèks] *n.* 폐기물 재순환 처리 시설. 〚*waste*＋com*plex*〛
wáste pròduct *n.* (생산 공정에서 나온) 폐기물 ; 노폐물.
wást·er *n.* **1** 낭비자 ; 낭비가 심하고 사치스러운 사람. **2** 《口》 불량배, 건달, 파괴자 ; 《美俗》 살인자, 총. **3** (제조품의) 흠이 있는 물건, 파치.
wáste trèatment *n.* ＝WASTE DISPOSAL.
wáste ùnit *n.* 쓰레기 처리 공장.
wáste wàter *n.* (공장) 폐수, 폐액, 하수 : ~ treating 폐수 처리.
wast·ing [wéistiŋ] *a.* 황폐시키는, 파괴적인 ; 소모성의 : a ~ disease (결핵 따위의) 소모성 질환. —— *n.* 소비, 낭비 ; 소모. **~·ly** *adv.*
wásting ásset *n.* 〔會計〕 소모(성) 자산, 감모(減耗)[고갈] 자산《광산 따위》.

was·trel [wéistrəl] *n.* **1** 《英》 낭비자, 방탕자. **2** 건달 ; 부랑아. **3** (제품의) 흠 있는 물건, 불량품, 파치. 〖WASTE〗

◇**watch** [wɑ́tʃ, 美+wɔ́:tʃ] *vi.* **1** [動/+前+名/+*to* do] 지켜보다, 살펴보다, 주목하다 ; 대기하다, 기다리다 : He remained silent during the operation and merely ~*ed*. 수술하는 동안 말없이 지켜만 보았다 / He ~*ed* for an opportunity *to* speak. 발언할 기회를 기다렸다 / I stood ~*ing for* the procession *to* go by. 나는 서서 행렬이 지나가는 것을 지켜보았다 / She ~*ed to* see who would come out of the house. 누가 그 집에서 나오는지 살펴보았다. **2** [動/+*over*+名] 경계하다, 파수를 보다, 감시하다 : There was a policeman ~*ing* outside the house. 집 밖에서 경찰관 한 사람이 감시하고 있었다 / Please ~ ***over*** my suitcase while I have gone to get the ticket. 표를 사 갖고 올 동안 가방을 좀 보아 주십시오. 注 Please ~ my suitcase....(cf. *vt.* 2 a)) 보다 주의의 뜻이 강조됨. **3** 《古》 [動/+前+名] 불침번을 서다, 자지 않고 있다, 자지 않고 간호하다 : She ~*ed* ***beside*** the sickbed. 병상 곁에서 자지 않고 간호를 했다. —— *vt.* **1 a)** [+目/+*wh.* 節/+目+原形/+目+do*ing*] 주의하다 ; 지켜보다, 주시(注視)하다 ; (식사 따위)에 마음을 쓰다 : ~ television[a baseball] 텔레비전[야구]을 보다 / *W*~ *what* he is going to do. 그가 무엇을 하려는지 지켜보아라 / He was ~*ing* a rabbit come [com*ing*] out of the burrow. 토끼가 굴에서 나오는 것을 지켜보고 있었다. **b)** (정신적으로) 주의하여 바라보다 : ~ the development of affairs 사태의 진전을 주시하다. **2 a)** 감시하다, 망보다 : They had him ~*ed* by detectives. 탐정에게 그를 감시시켰다 / If you don't ~ it, ... 《口》 주의[조심]하지 않으면 …. **b)** 간호하다, 돌보다 : ~ a patient carefully 환자를 극진히 간호하다. **c)** (가축 떼를) 지키다. **3** (기회 따위를) 기다리다, 노리다 : ~ one's time [opportunity] 기회가 오기를 기다리다.

watch the case for... 〖法〗 …을 변호하다.

watch one***'s step*** ☞ STEP *n.*

watch out 감시하다, 경계하다 : ~ *out for* speeding cars 속도 위반 차량을 감시하다.

—— *n.* **1** Ⓤ 주시 ; 경계, 조심, 주의 ; [또는 a ~] 망보기, 감시 : ☞ *keep* WATCH / keep *a* good ~ 잘[엄밀히] 감시하다. **2** 회중[손목] 시계(cf. CLOCK[1]). **3** Ⓤ 《古》 불침번 ; 잠자지[잠자리에 들지] 않고 있기(wakefulness). **4** [the ~ ; 집합적으로] 파수꾼, 감시인 ; 야경꾼. **5** 〖史〗 경(更)《밤을 3[4] 구분한 것의 하나》 : ☞ *in the night* WATCH*es*. **6** 〖海〗 (보통 4시간 교대로 승무원이 맡는) 당직(시간), 당직 배당(cf. DOGWATCH) ; [집합적으로] 〖海〗 당직원[당직자] : the port[starboard] ~ 좌[우]현 당직 / one's ~ below[off] 비번(非番).

in the night watches=***in the watches of the night*** (불안 따위로) 잠 못 이루는 밤에.

keep watch for …이 나타나는 것을 주의하여 기다리다.

on[***off***] ***watch*** 〖海〗 당직[비번(非番)]으로.

on the watch (***for...***) (…을) 방심하지 않고 경계하여 ; (…을) 기다리며 : Be *on the* ~ *for* automobiles when you cross the street. 길을 건널 때에는 자동차에 주의하십시오.

pass as[***like***] ***a watch in the night*** 곧 잊어버리고 말다, 순식간에 지나가다.

watch and ward 〖史〗 주야의 감시, 자경(自警) ; 태만하지 않는 감시[경계] : keep ~ *and ward* 끊임없이 경계하다.

watch and watch 〖海〗 양현(兩舷) 당직, 시간 교대 당직《승무원이 두 조로 나뉘어 교대》.

〖OE (n.) *wæcce,* (v.) 《美》 *wæccan*=*wacian* to WAKE[1]〗

類義語 ⟹ SEE[1].

wátch·able *a., n.* 주의해 볼 가치가 있는 (것).

wátch·bànd *n.* (손목 시계의) 시계줄.

wátch bòx *n.* 초소, 망보는 오두막, 보초 대기소[막사].

wátch càp *n.* (수병(水兵) 등의) 머리에 꼭 맞는 털로 짠 방한모.

wátch·càse *n.* 시계의 케이스.

wátch chàin *n.* 회중 시계의 쇠줄(cf. WATCH GUARD).

Wátch Commìttee *n.* 《英》 (옛날 시 의회의) 방범 위원회《경찰 업무와 등화 상태 순찰 따위를 했음》.

wátch·crỳ *n.* =WATCHWORD.

wátch crỳstal *n.* 《美》 손목[회중] 시계의 유리.

wátch·dòg *n.* 집 지키는 개, 망보는 개 ; 감시자, 파수꾼, 감찰관 ; [형용사적으로] 감시의 : a ~ committe 감시위원회.

—— *vt.* …의 감시자 역할을 맡다.

wátch·er *n.* **1** 파수꾼, 망보는 사람 ; 당직자 ; 관측자. **2** 자지 않고 돌보는 사람 ; 간호인 ; 밤샘하는 사람. **3** 《美》 (선거 투표소의) 입회인. **4** [나라 이름 뒤에 써서] …(문제) 전문가 : a Kremlin ~ 러시아 문제 전문가.

wátch·èye *n.* (특히 개의) 각막이 희게 흐려진 눈, 각막이 커진 눈(walleye).

wátch fire *n.* (신호·야영(野營)·야경(夜警)의) 모닥불, 횃불.

*****wátch·ful*** *a.* 조심스러운, 주의깊은, 경계하는, 방심하지 않는〈*against, for, of*〉; 《古》 잠자지 않는, 불면의 : You must be ~ ***of*** your health. 당신의 건강에 주의하십시오.

~·ly *adv.* 조심스럽게, 방심하지 않고. **~·ness** *n.* Ⓤ 신중, 엄중 경계.

類義語 ***watchful*** 늘 주의를 기울여 위험을 막고 좋은 기회를 잡으려고 하는 : She is *watchful* of her health. (그녀는 자기 건강에 대해서 세심한 주의를 기울인다). ***vigilant*** 특히 뚜렷한 목적이나 이유 때문에 늘 위험을 경계하고 있는 : a *vigilant* keeper (경계를 게을리하지 않는 문지기). ***alert*** 언제나 곧 행동할 수 있게 경계를 하는 : The *alert* driver avoided an accident. (그 방심하지 않는 운전사는 사고를 모면했다).

wátch glàss *n.* 《주로 英》 회중[손목] 시계의 (뚜껑) 유리(=《美》 watch crystal).

wátch guàrd *n.* 회중 시계의 끈[쇠줄](cf. WATCH CHAIN).

wátch hànd *n.* 손목[회중] 시계의 바늘.

wátch·hòuse *n.* 파수막, 초소.

wátch·kèep·er *n.* 파수꾼 ; 〖海〗 당직자, (특히) 당직의 고급 선원.

wátch kèy *n.* (구식 회중 시계의) 태엽감개.

wátch·less *a.* 경계심 없는, 부주의한 ; 파수꾼이 없는.

wátch·lìst *n.* 경계[감시] 사항 일람표.

wátch·màker *n.* 시계방, 시계 제조자[수리인].

wátch·màking *n.* Ⓤ 시계 제조[수리(업)].

wátch·man [-mən] *n.* **1** (건물 따위의) 야경(夜警)꾼, 지키는 사람, 경비원. **2** (옛날의) 순라군.

wátch mèeting *n.* 〖宗〗 제야(除夜)의 모임[예배, 집회].

W

wátch nìght *n.* ＝WATCH MEETING ; [W～ N～] 제야, 섣달 그믐날 밤.
wátch òfficer *n.* 〔海軍〕 당직 장교 ; 〔海〕 당직 사관[항해사].
wátch òil *n.* 시계[기계] 기름.
wátch·òut *n.* 주의깊게 감시함, 경계.
wátch pòcket *n.* (조끼 · 바지의) 회중 시계용 호주머니 ; (침대 머리맡의) 회중 시계집.
wátch·stràp *n.* 손목 시계줄[밴드].
wátch·tòwer *n.* 망루(望樓), 감시탑 ; 관점(觀點) ; 《古》 등대.
wátch·wòman *n.* 여성 경비원[감시원].
wátch·wòrd *n.* **1** 암호, 군호(password). **2** 표어, 모토(motto).
◇**wa·ter** [wɔ́ːtər, 美+wɑ́t-] *n.* **1** Ⓤ 물 ; 급수 : cold ～ 냉수 / hot ～ 더운 물 / boiling ～ 끓는 물 / a glass[bottle] of ～ 한 잔[병]의 물 / fresh [sweet] ～ 담수, 민물 / draw ～ to one's mill ☞ MILL[1] 숙어 / *W*～ is turned into steam by heat. 물은 가열되면 증기가 된다. **2** [the ～] 물속, 수중 : Fish live in *the* ～. 물고기는 물속에서 산다 / jump in(to) *the* ～ 물속으로 뛰어들다. **3 a)** Ⓤ [《文語》에서는 때때로 *pl.*] (하천 · 폭포 · 호수 · 연못 따위의) 흐르는[파도치는] 물 ; 바닷물, 강물, 수심, 수[해]면 ; 파도, 물결 ; (교통 수단으로서의) 수로, 해로, 조수(潮水) : the blue ～ 바다 / the ～*s* of the Nile 나일 강의 물 / cast one's bread upon the ～*s* ☞ BREAD 숙어 / Still ～*s* run deep. ☞ STILL[1] *a.* 1. **b)** [*pl.*] 《文語》 바다 ; 영해, 근해(近海) : in British ～*s* 영국의 수역(水域)[영해]에서 / cross the ～*s* 바다를 건너다. **c)** [*pl.*] 홍수. **4** [*pl.*] 광천수(鑛泉水), 약수 : mineral ～*s* 탄산수 / table ～*s* 식탁의 물《병에 담은 광천수》 / drink[take] the ～*s* (환자가) 광천수를 마시다 ; 약물로 치료하다. **5** Ⓤ 용액, 화장수(化粧水), …수(水) : soda ～ 소다수 / rose ～ 장미 향수. **6** Ⓤ 분비액《눈물, 땀, 오줌, 침 따위》 ; [보통 the ～(s)] 양수. **7** Ⓤ (보석, 특히 다이아몬드의) 품질 ; (일반적으로) 품질, 등급 : a diamond *of* the first ～ 제1급[최상급]의 다이아몬드. **8** (직물 · 금속 따위의) 물결 무늬 (cf. *vt.* 4). **9** Ⓒ 수채화(watercolor) : oils and ～*s* 유화(油畫)와 수채화.
above water (경제적 따위의) 곤란을 면해서 : keep oneself[one's head] *above* ～ 빚지지 않고 지내다.
at high[low] water ☞ HIGH[LOW] WATER.
back water ☞ BACK[1] *v.*
be in[get into] hot water ☞ HOT WATER.
by water 물길[뱃길]로(cf. *by* STEAM).
get to smooth water ☞ SMOOTH *a.*
go over the water 강[호수 · 바다]을 건너다[넘다] ; 섬으로 귀양가다.
hold (one's) water 소변을 참다.
hold water (그릇이) 물이 새지 않다 ; (의론이) 올바르다, (설명 따위) 조리에 맞다 ; (노로 물을 거슬러) 보트를 멈추다.
in deep water(s) ☞ DEEP[1] *a.*
in low water ☞ LOW WATER.
in smooth water(s) ☞ SMOOTH *a.*
like water 아낌없이 : spend money *like* ～ 돈을 물쓰듯이 쓰다.
make water (1) 소변을 보다. (2) (배 따위가) 물이 새다.
of the first water (어떤 종류의 것 중에서) 가장 질이 좋은, 매우 우수한(cf. *n.* 7).
on the water 물 위에(cf. *on* SHORE[1]) ; 배를 타고(on board).
pass water 소변 보다.
reach smooth water ☞ SMOOTH *a.*
take the water 헤엄치기 시작하다, 물속으로 뛰어들다 ; (배가) 진수(進水)하다 ; (비행기가) 착수(着水)하다.
take the waters ☞ WATER *n.* 4.
take water (물새가) 물에 들어가다 ; (배가 풍랑으로) 물을 뒤집어쓰다 ; (배가) 물이 새다.
the water of life 〔聖〕 생명수(水).
the waters of forgetfulness 《文語》 망각, 죽음(cf. LETHE).
under water 물속에 ; 침수하여.
water bewitched 《英方》 아주 묽은 차 ; 물을 탄 술.
written in water (명성이) 덧없는, 허무한 ; (업적 따위가) 곧 잊혀지는.
── *vt.* **1** …에 물을 뿌리다[끼얹다], 적시다 : ～ the lawn [streets] 잔디[거리]에 물을 뿌리다 / ～ the plants 초목에 물을 주다. **2** 관개(灌漑)하다 ; 급수하다 ; (말 따위에게) 물을 먹이다 : Our country is well ～*ed* by rivers and brooks. 우리 나라는 강과 개울이 많아서 물이 풍부하다. **3** [＋目/＋目＋副] (우유 따위를) 물로 묽게 하다, 물을 타다 : This milk[wine] seems to have been ～*ed* (**down**). 이 우유[술]는 물을 탄 것 같다. **4** [주로 *p. p.*로] (직물 · 금속판 따위에) 물결 무늬를 넣다(cf. *n.* 8) : ☞ WATERED 2. **5** 〔會計〕 (자산 · 부채 따위의) 양을 늘리다. ── *vi.* **1 a)** (동물이) 물을 마시다. **b)** (배 · 기관이) 급수받다 : Our ship ～*ed* before sailing. 우리 배는 출항 전에 급수를 받았다. **2** 분비액이 나오다, 눈물[침]이 나오다 : Smoke makes our eyes ～. 연기가 눈에 들어가면 눈물이 나온다.
make one***'s mouth water*** 군침을 흘리게 하다 ; 탐이 나서 못견디게 하다.
water down (1) …에 물을 타다(cf. *vt.* 3). (2) 완곡하게 말하다 : ～ *down* an expression[one's language] 표현을 완화하다[말을 부드럽게 하다].
〖OE *wæter* ; cf. WET, G *Wasser*, Du. *water*〗
wáter·age *n.* 《英》 (화물의) 수상 수송 (요금).
wáter ànchor *n.* ＝SEA ANCHOR.
wáter bàck *n.* (난로 뒤쪽에 장치한) 물통.
wáter bàg *n.* 물주머니 ; (가축의) 양(수)막(羊(水)膜) ; 낙타의 벌집위(reticulum).
wáter bàiliff *n.* 《英》 (불법 어로 따위의) 수상[하천] 감시관 ; 〔史〕 (영국 세관의) 선박 검사관.
wáter bàllast *n.* 〔海〕 물 밸러스트《선박의 균형을 잡기 위해 싣는 선저(船底)의 물》.
wáter ballèt *n.* 수중 발레, (특히) ＝ SYNCHRONIZED SWIMMING.
wáter bàth *n.* 중탕(重湯) 냄비(bain-marie) ; (증기식 목욕과 구별하여) 목욕.
Wáter Bèarer *n.* [the ～] 〔天〕 물병자리 (Aquarius).
wáter bèd *n.* (환자용) 물 넣은 요, 워터 베드《물을 채운 플라스틱[비닐, 고무]제의 자루를 매트리스로 한 것》 ; 수분이 많은 토양[암석층].
wáter bèetle *n.* 〔昆〕 물속에 사는 딱정벌레《물방개 따위》.
wáter bìrd *n.* 물새.
wáter bìscuit *n.* 밀가루 · 물 · 버터로 만드는 크래커 비슷한 비스킷.
wáter blìster *n.* (피부의) 물집, 수포(水疱).
wáter bòa *n.* 〔動〕 ＝ANACONDA.
wáter bòat *n.* 급수선.
wáter bòiler (reàctor) *n.* 〔原子力〕 워터보일

water bird

러형(型) 원자로.

wáter bòmb *n.* 물 폭탄《통행인에게 던지는 물을 넣은 봉지》.

wáter·bòrne *a.* **1** 물위에 뜨는(floating) ; 수상 수송의. **2** (전염병이) 수인성[음료수 매개]의.

wáter bòttle *n.* 물병 ; 수통(canteen).

wáter bòy *n.* (노동자·운동선수 등에게의) 음료수 공급인 ; 《美俗》 비위를 맞추는 사람, (윗사람을 위한) 잡일꾼.

wáter bràsh *n.* 가슴앓이.

wáter·bùck *n.* 〖動〗 워터벅《남아프리카산의 큰 영양(羚羊)》.

wáter bùffalo *n.* 〖動〗 물소 ; 《美俗》 수륙 양용 수송 전차.

wáter bùg *n.* 물가의 곤충, 수생 곤충, (특히) 바퀴, 물벌레.

wáter-bùs *n.* 《英》 (Thames강 따위의) 수상(水上)버스.

wáter bùtt *n.* 큰 빗물통.

wáter cànnon *n.* 살수포《시위대를 해산시키는 살수차의》.

wáter cànnon trùck *n.* 살수차.

waterbuck

wáter càrriage *n.* 수상 수송.

wáter càrrier *n.* **1** 수상 운송자 ; 물을 운반하는 사람[동물] ; 송수용 용기[수조, 관·수로]. **2** [the W~ C~] =WATER BEARER.

wáter càrt *n.* (거리의) 살수차(撒水車), 물 운반차 ; =WATERING CART.

wáter chèstnut *n.* 〖植〗 마름 ; 큰올방개.

wáter chùte *n.* 워터 슈트《배를 높은 곳에서 미끄러지게 하여 물위로 돌진시키는 경사로(路)》.

wáter clòck *n.* 물시계.

wáter clòset *n.* (수세식(式)) 변소《略 W.C.》.

wáter·còlor *n.* **1** [보통 *pl.*] 수채화 물감. **2** 수채화. **3** U,C [*pl.* 또는 ~] 수채화법.
wáter-còlor·ist *n.* 수채화가.

wáter convèrsion *n.* (바닷물의) 담수화.

wáter-cóol *vt.* 〖機〗 (엔진 따위를) 물로 냉각시키다. **wáter-còoled** *a.* 〖機〗 수냉식의.

wáter còolant *n.* (원자로의) 냉각수.

wáter còoler *n.* 음료수 냉각기 ; 워터 쿨러《분수식으로 된 찬 음료수를 마시는 장치》.

wáter còoling *n.* 물에 의한 냉각.

wáter·còurse *n.* 물줄기, 강 ; 물길, 운하 ; (어느 시기에만 물이 흐르는) 강바닥 ; 〖法〗 유수권.

wáter cràcker *n.* 비스킷의 일종.

wáter·cràft *n.* **1** U 수상 기술(技術)《배의 조종·수영 따위》. **2** 배 ; [집합적으로] 선박.

wáter·crèss *n.* U 〖植〗 물냉이, 양갓냉이.

wáter cùlture *n.* 수경법(水耕法), 물 재배.

wáter cùre *n.* =HYDROPATHY ; =HYDROTHERAPY.

wáter·cỳcle *n.* 수상 자전거《페달식 보트》.

wáter divìner *n.* =WATERFINDER.

wáter dòg *n.* 물에 익숙한 사냥개 ; 《俗》 노련한 뱃사람, 헤엄 잘 치는 사람 ; 수달.

wáter-drìnk·er *n.* 광천수(鑛泉水)[약수]를 마시는 사람 ; 금주가(禁酒家).

wáter·dròp *n.* 물방울, 빗방울 ; 눈물 방울.

wá·tered *a.* **1** 물을 뿌린 ; 관개(灌漑)된. **2** (명주·금속판 따위) 물결 무늬가 있는 ; (칼날에) 물결 무늬가 있는 : ~ silk 물결 무늬가 있는 비단. **3** 물을 탄 ; 〖會計〗 (자산 따위를) 실제보다 불린.

wátered-dówn *a.* (술 따위) 물을 탄 ; (물을 탄 듯이) 싱거운 ; 재미없는, 김빠진.

wáter·er *n.* 물 주는[뿌리는] 사람 ; 물 뿌리는 장치 ; 음료수 보급원 ; (가축 따위에 대한) 급수기.

***wáter·fàll** *n.* **1** 폭포 ; 낙수(落水) ; 《비유》 쇄도하는 것 : a ~ *of* fan letter 쇄도하는 팬 레터. **2** 묶지 않고 길게 늘어뜨린 여성의 머리형.

wáter-fàst *a.* 물이 스며들지 않는 ; (색깔 따위) 물에 의해 변하지[바래지] 않는.

wáter·find·er *n.* (점치는 지팡이로) 수맥(水脈)을 찾는 수자원 탐사자.

wáter flàg *n.* 〖植〗 창포, 붓꽃.

wáter flèa *n.* 〖動〗 물벼룩.

wáter·flòod *vi., vt.* 〖石油〗 (증산(增産)·2차 채유(採油)를 위하여) (유층(油層)에) 물을 퍼넣다.
—— *n.* 수공(水攻)(법). **~·ing** *n.*

wáter flòw *n.* 물의 흐름 ; (단위 시간당의) 유수량(流水量).

wáter fòuntain *n.* 분수식의 물 마시는 곳 ; 냉수기(water cooler) ; 음료수 공급 장치.

wáter·fòwl *n.* 물새 ; [집합적으로] (사냥감으로서의) 물새 : shoot ~ 물새 사냥을 하다.

wáter·fòwl·er *n.* 물새 사냥꾼.

wáter·fòwl·ing *n.* 물새 사냥.

wáter·frònt *n.* 선창가, 부두 ; (도시의) 하안 ; 호안[해안]지구(地區).

wáter gàp *n.* 《美》 수극(水隙), 계곡, 협곡.

wáter gàs *n.* 〖化〗 수성(水性)가스, 연료 가스.

Wáter·gàte *n.* **1** 워터게이트 사건《1974년 Nixon 대통령 사임의 직접적 원인이 된 도청 사건》. **2** (널리) (정치적) 부정 행위 ; 실추(失墜)(를 야기시킨 사태).

〖Washington, D.C.에 있는 민주당 본부 건물〗
wáter gàte *n.* 수문(水門) (floodgate).
wáter gàuge *n.* 수면계《탱크 따위의 수면의 높이를 표시하는 유리관》.
wáter glàss *n.* **1** (물속을 들여다보는) 유리 상자(cf. HYDROSCOPE 1). **2** (물마시는 데 쓰는) 큰 컵, 텀블러(tumbler). **3** (옛날의) 물시계. **4** Ⓤ 물 유리《규산(硅酸)소다 ; 프레스코 벽화(壁畫)의 용액용이나 계란을 보존하는 데 씀》.
wáter grùel *n.* 미음, 묽은 죽.
wáter guàrd *n.* 수상 경찰관 ; 수상 순찰 세관원.
wáter gùn *n.* =WATER PISTOL.
wáter hàmmer *n.* 수격(水擊)《관(管) 안의 물의 유통을 갑자기 멈추었을 때의 물의 충격》; 그 때 생기는 소리.
wáter-hàmmer *vi.* (물·관이) 수격(水擊)을 일으키다.
wáter hèater *n.* 온수용 히터, 온수기(器).
wáter hèn *n.* 〖鳥〗 쇠물닭(moorhen).
wáter hòle *n.* 물웅덩이, 작은 못 ; (사막 따위의) 샘 ; 얼음 표면의 구멍 ;《美俗》=WATERING HOLE ;《美CB俗》(트럭 운전사의) 휴게소.
wáter ìce *n.* **1** Ⓤ《英》물에 설탕·과즙 따위를 섞어 얼린 빙과. **2** Ⓤ 수빙(水氷)《민물 또는 바닷물이 얼어서 된 얼음 ; cf. SNOW ICE》.
wáter-ínch *n.* 물의 유출량의 단위《최소 압력으로 지름 1인치의 구멍에서 24시간 동안 흘러나오는 물의 양 ; 약 500세제곱 ft.》.
wáter·ing *n.* 물 뿌리기, 살수(撒水) ; (명주·금속판의) 물결 무늬. —— *a.* 살수[관수·급수]용의 ; 광천수[약수]의 ; 해수욕장의 ; 눈곱[눈물]이 낀[나온] ; 침을 흘린.
wátering càrt *n.* 살수차(撒水車) (water cart).
wátering hòle *n.*《美俗》사교장(場)《특히 나이트 클럽·라운지 따위》;《口》물놀이할 수 있는 행락지.
wátering plàce *n.* **1**《英》온천장 ; 약수터 ; 해수욕장, 해안[호안] 행락지. **2** (동물이) 물 마시는 곳 ; (대상·배 따위의) 물 보급지.
wátering pòt[**càn**] *n.* 물뿌리개.
wáter·ish *a.* 물 같은 ; (빛·색깔 따위가) 엷은 ; 물이 섞인, 싱거운, 물을 타서 묽게 한 ; 수분이[습기가] 많은. **~·ness** *n.*
wáter jàcket *n.* 〖機〗 수투(水套), 물 재킷《기계의 과열 냉각 장치》; (기관총의) 냉수통관.
wáter jùmp *n.* (경마 장애물 경주에서) 말이 뛰어넘어야 할 물웅덩이.
wáter jùnket *n.* 〖鳥〗 =SANDPIPER.

wáter·less *a.* 물없는, 마른 ; 물이 필요 없는.
wáterless cóoker *n.* (거의 물없이 요리할 수 있는) 기밀(氣密)솥, 압력 냄비.
wáter lèvel *n.* 수위, 수평면 ; 지하 수면 ; (갱내의) 배수용 경사면 ; 수평[수준]기(器).
wáter lìly *n.* 〖植〗 수련(睡蓮).
wáter·lìne *n.* **1** 〖海〗 흘수선(吃水線)《뱃전과 수면이 서로 접하는 선》; 해안선 ; 지하 수면 ; 수위(선) ; 송수관, 송수선. **2** (종이 따위의) 내비치는 물결 무늬의 선.
wáter·lòg *vt.* (배를) 침수시켜 항행할 수 없게 하다 ; 물이 배어서 (목재가) 물에 뜨지 않게 하다 ; (토지를) 침수시키다. —— *vi.* 물에 잠겨 흠뻑 젖다[움직임이 둔해지다]. 〖역성(逆成) < ↓〗
wáter-lògged *a.* (목재가) 물이 밴, 물에 잠긴 ; (배·토지가) 침수된 ; 부종(浮腫)이 생긴 ;《비유》곤경에 빠져서 움쭉 못하게 된.
〖*log* to accumulate in the hold〗
Wa·ter·loo [wɔ́ːtərlùː, wɑ́t-, ˌ-ˊ ; wɔ̀ːtəlúː] *n.* **1** 워털루《벨기에 중부의 촌락》. **2** Ⓒ [~ 또는 w~] 대패, 참패 ; 파멸[패배]의 원인. [주로 다음 숙어로 쓰여]
meet** one's **Waterloo [***waterloo***] 대패하다.
the Battle of Waterloo 워털루 전투(1815)《Napoleon 1세가 Wellington에게 대패했음》.
wáter màin *n.* 급수(給水)[수도] 본관(本管).
wáter·man [-mən] *n.* **1** 뱃사공, 나룻배 사공. **2** 노젓는 사람(oarsman). **3** 보트 영업자 ; 수산업으로 생계를 유지하는 사람 ; 물의 요정 ; 인어(人魚) ; 급수[관개] 업무 종업원 ; (광산의) 배수 담당자. **~·shìp** *n.* Ⓤ 노젓는 기술[솜씨].
wáter·màrk *n.* **1** (강 따위의) 수위표(水位標), 양수표(量水標). **2** (무늬를 넣은 종이의) 비침(무늬). —— *vt.* (종이에) 비침 무늬를 넣다.
wáter mèadow *n.* 강의 범람으로 비옥해진 목초지[저지(低地)].
wáter·mèlon *n.* 〖植〗 수박 ;〖魚〗 가다랭이.
wáter mèter *n.* 수량계(水量計).
wáter mìll *n.* 물레방아 ; (물레방아에 의한) 제분소, 방앗간.
wáter mònkey *n.* (동양 열대 지방의) 증발작용에 의해 음료수를 차게 하는 오지병.
wáter mòtor *n.* 수력 발동기, 수력 기관.
wáter nỳmph *n.* 물의 요정(naiad) ; 인어 ;〖植〗 향수련, (널리) 수련 ;〖植〗 나자스말《물풀》;〖昆〗 잠자리(dragonfly).
wáter òuzel *n.* 〖鳥〗 물까마귀.
wáter òx *n.* =WATER BUFFALO.
wáter pàint *n.* 수성(水性)물감[페인트].
wáter pàrting *n.* 분수계(分水界).
wáter pèpper *n.* 〖植〗 미나리과 식물.
water pick ☞ WATER TOOTHPICK.
wáter pìll *n.* 이뇨제(diuretic).
wáter pìpe *n.* 송수관(管), 배수관.
wáter pìstol *n.* 물총《장난감》.
wáter plàne *n.* 수상(비행)기(機).
wáter plànt *n.* 수중 식물, 물풀.
wáter plùg *n.* 소화전(fireplug).
wáter pollùtion *n.* 수질 오염.
wáter pòlo *n.* Ⓤ 〖競〗 수구(水球), 워터 폴로.
wáter·pòwer *n.* 수력 ; =WATER PRIVILEGE.
—— *a.* 수력의 : a ~ plant 수력 발전소.
wáter prìvilege *n.* (특히 동력원(源)으로서의 물에 관한) 용수 사용권, 수리권(水利權).
***wáter·pròof** *n.* 방수복(防水服), 레인코트 ; Ⓤ 방수 재료 ; 방수포(布). —— *vt.* 방수하다.
—— *a.* 물이 스며들지 않는, (완전) 방수의.
wáter pùlse *n.* 분사식 구강 세척수.
wáter ràm *n.* 〖機〗 자동 양수기.
wáter ràt *n.* 〖動〗 수생(水生) 쥐《갈밭쥐·사향쥐·집쥐 따위》;《口》수상 스포츠 애호가.
wáter ràte[**rènt**] *n.* 수도 요금 ;〖機〗 (증기 기관 따위의) 물 소비량.
wáter-repéllent *a.* (완전 방수는 아니나) 물이 배지 않게 한[만든], 발수가공(撥水加工)한.
—— *n.* 발수제.
wáter-resíst·ant *a.* (완전 방수는 아니지만) 물이 스며드는 것을 막는, 내수성(耐水性)의.
wáter resòurces *n. pl.* 수자원.
wáter rìght *n.* (하천 따위의) 용수권(用水權).
wáter·scàpe *n.* 수경화(水景畫).
wáter scòrpion *n.* 〖昆〗 장구애비.
wáter·shèd *n.* 분수령(分水嶺), 분수계(界)(=《美》divide) ; (강의) 유역(流域) ; 분기점 ; 중대한 시기, 위기.
wáter·shòot *n.* 배수관, 통구멍 ; =WATER

CHUTE.

wáter·sìde *n.* [the ~] (강·바다·호수의) 물가. ── *a.* 물가의 ; 물가에서 일하는.

wáter skì *n.* 수상 스키《speedboat로 끎》.

wáter-skì *vi.* 수상 스키를 하다.
wáter-skì·er *n.* **wáter-skì·ing** *n.*

wáter·skìn *n.* 물을 담는 가죽 부대.

wáter snàke *n.* 〖動〗 (물속이나 물가에 사는) 물뱀《독이 없음》; [the W~ S~] 〖天〗 바다뱀자리, 물뱀자리.

wáter-sòak *vt.* 물에 담그다, 침수시키다. ── *vi.* 흠뻑 젖다.

wáter sòftener *n.* 연수제(軟水劑) ; 정수기.

wáter-sòluble *a.* 물에 녹는, 수용성(水溶性)의.

wáter spàniel *n.* 털이 곱슬곱슬한 스패니얼《오리 사냥용 개》.

wáter·splàsh *n.* 얕은 여울 ; 물에 잠긴 도로(의 부분).

wáter·spòut *n.* (물이 흘러나오는) 홈통 구멍, 배수구 ; 〖氣〗 소용돌이 물기둥.

wáter sprìte *n.* 물의 요정.

wáter strìder *n.* 〖昆〗 소금쟁이, 깨알소금쟁이.

wáter supplỳ *n.* 급수(법) ; 상수도 ; 급수량.

wáter sỳstem *n.* 수계(水系).

wáter tàble *n.* =WATER LEVEL ; 지하 수면.

wáter tànk *n.* 물탱크, 수조(水槽).

wáter·tìght *a.* **1** 방수의, 내수(耐水)의 : a ~ compartment (배의) 방수 구획[실(室)]. **2** (의논 따위) 견실한, 빈틈없는, 물샐틈없는.

wáter tòothpick[pìck] *n.* 분사식 수류(水流)를 이용한 구강 세척기.

wáter tòrture *n.* 물고문《떨어지는 물방울 소리를 듣게 하거나 물방울을 얼굴에 떨어뜨리는》.

wáter tòwer *n.* **1** 급수[저수·배수]탑. **2** 《美》 소방용 급수탑《고층 빌딩용》.

wáter trèatment *n.* (여과 따위의) 물처리.

wáter tùbe *n.* 수관(水管).

wáter vàpor *n.* (끓는점 이하에서 생긴) 수증기, 김《steam과는 구별됨》.

wáter vòle *n.* 〖動〗 물비단털쥐.

wáter wàgon *n.* 급수차 ; 살수차.
on*[*off*] *the water wagon ☞ WAGON.

wáter-wàshed *a.* 파도에 씻긴.

wáter wàve *n.* 물결 ; 물결 모양의 퍼머넌트 머리의 일종.

wáter-wàve *vt.* (머리를) 물결 모양으로 퍼머넌트하다. **~d** *a.*

wáter·wày *n.* **1** 수로, 항로 ; 운하. **2** 〖船〗 (갑판의) 배수구, 수구(水口).

wáter·wèed *n.* (각종) 수초, 물풀 ; 〖植〗 검정말의 일종.

wáter·whèel *n.* 물레방아 ; 양수차 ; (옛날 기선의) 외륜.

wáter-whìte *a.* 무색 투명한.

wáter wìngs *n. pl.* (수영 연습할 때 사용하는) 날개 모양의 부낭.

wáter wìtch *n.* **1** 물속에 사는 마녀. **2** 점지팡이로 지하 수맥을 찾는 사람. **3** (각종) 수맥 탐지기. **4** 〖鳥〗 **a**) 농병아리(dabchick). **b**) 《英方》 바다제비.

wáter·wòrks *n. pl.* [단수·복수취급] 수도[급수] 설비(전체) ; 급수장 ; 분수 ; 인공 폭포 ; 《俗》 눈물, 낙루 ; 《英口》 방뇨계, 방광.
turn on the waterworks 《俗》 울다.

wáter·wòrn *a.* (바위 따위가) 물의 작용으로 마모된[둥글어진].

wá·tery *a.* **1 a**) 물의 ; 물 같은. **b**) (땅 따위) 젖은, 축축한. **2** 눈물어린, 눈물을 머금은(tearful) : one's ~ eyes 눈물어린 눈. **3** (포도주·홍차 따위가) 싱거운, 맛이 없는 ; (삶은 음식이) 물기가 많은. **4** (문장 따위) 재미없는, 무미 건조한. **5** (빛깔 따위) 엷은 : a ~ blue 엷은 청색. **6** (날씨 따위가) 비가 올 듯한 ; 병적으로 분비물이 많은 : a ~ moon 희미하게 흐려보이는 침침한 달. **7** 《文語》 물속의 : go to a ~ grave 물에 빠져 죽다. **wá·ter·i·ly** *adv.* **-i·ness** *n.*

WATS [wɑ́ts] *n.* 《美》 와츠《월정 정액(定額) 요금으로 몇 번이라도 장거리 통화를 할 수 있는 전화 계약》. 〖*W*ide *A*rea *T*elecommunications [(원래) *T*elephone] *S*ervice〗

watt [wɑ́t] *n.* 〖電〗 와트《전력의 실용 단위 ; 기호 W》. 〖↓〗

Watt *n.* 와트. **James** ~ (1736-1819) 증기 기관을 개량한 스코틀랜드인.

wátt·age *n.* Ⓤ 〖電〗 와트수(數) ; 와트량(量).

-watt·er [wɑ́tər] *n. comb. form* 〖電〗 「…와트(watt)의 것[기기(機器)]」의 뜻.

wátt-hòur *n.* 〖電〗 와트시(時)《한 시간 1와트의 전력량 ; 기호 Wh》.

wat·tle [wɑ́tl] *n.* **1** 욋가지(세공) ; 욋가지로 엮어 만든 것《벽, 담, 지붕 따위》; (잔가지 따위로) 엮어 만든 울타리. **2** (닭·칠면조의) 턱볏, 육수(肉垂) ; (물고기의) 수염(barbel). **3** 〖植〗 아카시아속의 나무《오스트레일리아산》.
wattle and daub 〖建〗 초벽《나뭇가지로 엮어 만든 울타리에 진흙을 이겨 바른 허술한 벽》.
── *vt.* (울타리·벽 따위를) 욋가지로 엮어 만들다, (가는 나뭇가지를) 엮어 만들다.
~d *a.* 잔가지로 엮어 만든.
〖OE *watul* < ? ; cf. OHG *wadal* bandage〗

wátt·mèter *n.* 〖電〗 전력계.

Wa·tu·si [wɑtú:si], **Wa·tut·si** [wɑtú:tsi] *n.* **1** (*pl.* ~, **~s**) 와투시족(族). **2** [w~] 와투시《팔과 머리의 힘차고 경련적인 움직임을 특징으로 하는 2박자의 춤》.
── *vi.* 와투시를 추다.

waul ☞ WAWL.

W. Aust. Western Australia.

◇**wave** [wéiv] *n.* **1** 파도, 물결 ; 풍랑 ; [the ~(s)] 《詩》 물, 바다 : rule *the* ~*s* 바다를 지배하다. **2** 파동, 기복, 굽이침 : the golden ~*s* of grain 곡식의 황금 물결 / attack in ~*s* 파상 공격을 하다. **3 a**) 〖理〗 파(波) ; (빛·소리 따위의) 파동 ; 전파 ; 〖電〗 파형 ; 〖컴퓨〗 놀, 파(도) : a long[medium, short] ~ 장[중·단]파 / a sound ~ 음파. **b**) 〖氣〗 (기압 따위의) 골, 변동 : a cold [heat] ~ 한(寒)[열(熱)]파. **4** (명주천의) 물결무늬 ; (머리털 따위의) 물결 모양, 웨이브. **5** 진동, 요동, 흔드는 신호 : with a ~ *of* one's hand 손을 흔들어. **6** (감정·형세 따위의) 물결, 고조 ; 파도처럼 밀려오는 것 ; 연쇄적 파급 ; 이동하는 동물[사람]의 무리 ; 인구의 급증 ; 진격하는 군대 : a ~ *of* depression 불경기의 물결 / a ~ *of* indignation 큰 파도처럼 치밀어오르는 분노.
make waves 《口》 풍파를 일으키다.
── *vi.* **1** [動/+前+名] **a**) 물결치다, 파동치다 ; 흔들리다 ; 펄럭이다 : The branches ~*d* ***in*** the breeze. 나뭇가지들이 산들바람에 흔들거렸다 / Fields ~ ***with*** gold. 밭에 황금 물결이 굽이친다. **b**) (머리 따위가) 곱슬곱슬하다 : She had her hair *waving* beautifully[***in*** beautiful curves]. 그녀는 머리를 아름답게 물결 모양으로 했다. **2** [+*to*+名] 손[기(旗) 따위]을 흔들어 신호하다 : ~ ***to*** a person in farewell …에게 작별

의 손을 흔들다 / She continued to ~ *to* him until the train disappeared. 기차가 보이지 않을 때까지 그에게 계속 손을 흔들었다 / He ~*d* *to* me *to* do it. 나에게 그것을 하라고 손을 흔들어 신호했다.

—— *vt.* **1** [+目/+目+副/+目+前+名] 흔들어 움직이다, 휘두르다 ; 휘날리다 : ~ one's arms (***about***) 팔을 (빙글빙글) 휘두르다 / He ~*d* a pistol menacingly ***at*** us. 위협하듯 우리를 향하여 권총을 휘둘렀다 / They ~*d* hats and handkerchiefs in welcome ***to*** their returning hero. 모자와 손수건을 흔들어 개선하는 영웅을 환영했다. **2** [+目/+目+副/+目+目/+目+前+名/+目+*to* do] 손[깃발 따위]을 흔들어 (…의) 신호를 하다 : The officer looked at my identification card and then ~*d* me ***on***. 관리가 나의 신분 증명서를 보고 손을 흔들어 나가도 좋다고 신호했다 / The policeman ~*d* the people *away*. 경찰관은 손을 흔들어 사람들에게 물러서라고 신호를 했다 / I ~*d* him a greeting[farewell]. 손을 흔들어 그에게 인사했다[작별했다] / He ~*d* adieu ***to*** his friends. 손[손수건]을 흔들어 친구들과 작별했다 / I ~*d* my dog *to* plunge into the water. 개에게 물속으로 뛰어들라고 손짓하였다. **3** (머리·줄 따위를) 굽이치게 하다, 물결치게 하다, …에 물결 무늬를 넣다 : Where did you have your hair permanently ~*d*? 어디서 퍼머넌트를 했습니까.

wave aside 비키게 하다, 물리치다 : ~ *aside* an objection 반대를 물리치다.

〖OE (v.) *wafian* (cf. WAVER, WEAVE²), (n.) ME *wawe, wage* motion (WAG와 같은 어원)이 (v.)에 동화(同化)〗

類義語 ***wave*** 「파도」란 뜻의 가장 일반적인 말. ***ripple*** 미풍 따위에 의해서 수면에 이는 잔 물결. ***roller*** 폭풍 따위 때에 해안에 밀려오는 커다란 물결. ***billow*** 《文語·詩》 대양의 큰 파도. ***breaker*** 바위 따위에 부딪혀 부서지는 큰 파도. ***surf*** 해변으로 밀려오는 파도.

Wave *n.* 《美》 해군 여성 예비 부대 대원.

wáve bànd *n.* 〔通信〕 주파대(帶).

wáve bòmbing *n.* 〔軍〕 파상 폭격.

wáve frònt *n.* 〔理〕 파면(波面), 파두(波頭).

wáve·guìde *n.* 〔通信〕 도파관(導波管).

wáve·lèngth *n.* 〔理〕 파장 ; 《비유》 사고 방식.

wáve·less *a.* 파도[파동]가 없는.

wáve·let *n.* 작은 물결, 잔물결.

wáve·lìke *a.* 파도[파동]와 같은.

wáve mechànics *n.* 〔理〕 파동 역학(力學).

wáve·mèter *n.* 〔通信〕 파장계(計).

wáve mòtion *n.* 〔理〕 파동.

wáve nùmber *n.* 〔理〕 파수(波數)《파장의 역수(逆數)》.

wáve of the fúture *n.* 금후의 동향.

wa·ver** [wéivər] *vi.* **1** (불길 따위) 흔들리다, 너울거리다 ; (목소리 따위) 떨리다 ; 변동[변화]하다 : ~*ing* shadows[flames] 흔들리는 그림자[불길]. **2** [動/+前+名] 무너지기 시작하다, 동요하기 시작하다 ; 비틀거리다, 흔들리다 ; 꺾이다 : He felt his courage ~. 용기가 꺾이는 것을 느꼈다 / The line seemed to have ~*ed* under fire. 전선(戰線)은 포화 때문에 동요하는 것같이 보였다. **3** [+前+名] (결심·판단 따위) 망설이다, 주저하다, 머뭇거리다 : He ~*ed* ***in his judgment. 그는 판단을 망설였다 / My choice ~*ed* ***between*** the fountain pen ***and*** the ball-point. 만년필과 볼펜 중에서 어느 것으로 고를까하고 망설였다. —— *n.* 주저, 망설임 ; 진동 : be upon ~ 주저하고 있다. **~·er** *n.* 주저하는 사람. 〖ME=to wander<ON *vafra* to flicker ; ⇨ WAVE〗

類義語 ⟹ HESITATE.

wáver·ing *a.* 흔들리는, 너울거리는, 동요하는 ; 떨리는 ; 주저하는, 망설이는. **~·ly** *adv.* 흔들리면서, 떨리면서 ; 망설이면서.

WAVES, Waves [wéivz] 《美》 Women Appointed for Voluntary Emergency Service(해군 여성 예비 부대).

wáve thèory *n.* 〔理〕 (빛의) 파동설(波動說).

wáve tràin *n.* 〔理〕 파열(波列).

wáve tràp *n.* 〔通信〕 웨이브 트랩《특정 주파수의 혼신을 제거하기 위한 공진 회로》.

wa·vy [wéivi] *a.* **1** 흔들리는, 요동하는, 파동적인. **2** 굽이치고 있는, 기복이 있는, 물결 모양의 : a ~ line 파선(波線)《~~~》. **3** 물결이 많은, 물결이 이는. **4** 흔들리는, 불안정한. 〖WAVE〗

Wávy Návy *n.* [the ~] 《英口》 =R.N.V.R.

wa-wa, wah-wah [wɑ́ːwɑ̀ː] *n.* **1** 와우와우《트럼펫의 나팔꽃 모양의 부분을 약음기로 개폐시키면서 내는 파상음》 ; 와우와우 장치《전기 기타에 다는 와우와우음을 내는 전자 장치》. **2** 《Can. 西海岸俗》 이야기, 말.

—— *vi.* 《Can. 西海岸俗》 말하다. 〖imit.〗

WAWF World Association of World Federalists(세계 연방주의자 세계 협회).

wawl, waul [wɔ́ːl] *vi.* (고양이나 아기처럼) 야옹야옹[앙앙] 울다, 울어 대다. —— *n.* 야옹야옹[앙앙] 우는 소리. 〖imit.〗

***wax**[1] [wǽks] *n.* **1** Ⓤ 밀랍(蜜蠟)(beeswax) ; 밀초. **2** Ⓤ 밀랍(蜜蠟) 같은 것 ; 목랍(木蠟)(vegetable wax) ; 귀지(earwax) ; 지랍(地蠟) ; (구둣방에서 실에 먹이는) 밀초(cobbler's wax) ; 봉랍(封蠟)(sealing wax) ; 《美》 당밀(糖蜜)《사탕단풍나무에서 만듦》 ; (마루 따위를) 윤내는 약, 왁스. **3** [형용사적으로] 밀랍으로 만든 : ☞ WAX CANDLE / ☞ WAX DOLL. **4** 《口》 레코드(음반), 레코드 취입.

mold a person ***like wax*** (남을) 자기 뜻대로 좌지우지하다.

wax in a person***'s hands*** (남의) 생각대로 조종되는 사람, 말하는 대로 움직이는 사람.

—— *vt.* …에 밀랍을 바르다[먹이다], 밀랍을 칠하다, 밀랍으로 닦다 ; 《口》 (곡 따위를) 레코드에 취입하다 : ~ furniture 가구를 밀랍으로 닦다 / ~ a wooden floor 마루에 밀랍을 칠하다 / ~ one's moustache 수염에 밀랍을 먹이다.

〖OE *weax* ; cf. G *Wachs*〗

wax[2] *vi.* (**~ed** ; **~ed**, 《古》 **wax·en** [wǽksən]) **1** 커지다, 증대하다, 강대해지다 ; (해가) 길어지다 ; (달이) 차다(↔*wane*). **2** 《古》 [+補] 차츰 …이 되다(become) : The party ~*ed* merry. 파티는 점점 무르익어 갔다.

wax and wane (달이) 찼다 기울었다 하다 ; 흥망 성쇠[증감(增減)]하다.

—— *n.* (달이) 참 ; [보통 on the ~] 증대, 성장, 번영. 〖OE *weaxan* ; cf. G *wachsen*〗

wax[3] *n.* 《주로 英俗》 분노, 울화 : get into a ~ 분통이 터지다 / put a person in a ~ 남을 울화가 치밀게 하다.

〖C19 ; *to* WAX² *wroth, angry* 따위에서인가〗

wáx bèan *n.* 〔植〕 강낭콩의 일종.

wáx·bèrry *n.* 〔植〕 **1** =WAX MYRTLE. **2** = SNOWBERRY.

wáx·bìll *n.* 〔鳥〕 단풍새.

wáx càndle *n.* 양초.

wáx-chàndler *n.* 양초 제조[판매]인.
wáx clòth *n.* 밀랍을 먹인 천.
wáx dòll *n.* 밀랍 인형 ; 《비유》 아름답지만 표정이 없는 여성.
wáx·en[1] *a.* **1** 《古》 밀랍으로 만든. ㊟ 지금은 wax를 씀. **2** 밀랍 같은, 매끌매끌한 ; (얼굴 따위가) 창백한. **3** 《古》 감동하기 쉬운 ; 유순한.
waxen[2] *v.* 《古》 WAX[2]의 과거분사.
wáx·ing *n.* 밀랍을 칠하기 ; 왁스로 닦기 ; (왁스를 써서 하는) 제모(除毛), 탈모(脫毛) ; 《口》 레코드 (취입) ; 《美俗》 때림, 구타.
wáx lìght *n.* 작은 초(taper).
wáx musèum *n.* 납인형관(蠟人形館).
wáx mỳrtle *n.* 〖植〗 소귀나무속(屬) 관목의 총칭, (특히) 흰소귀나무.
wáx pàinting *n.* 납화법(蠟畫法)《달군 쇠로 밀랍을 녹여 붙임》.
wáx pàlm *n.* 〖植〗 밀랍을 분비하는 야자나무《안데스밀야자나무 따위》.
wáx pàper *n.* 납지(蠟紙), 파라핀 종이.
wáx pìnk *n.* 〖植〗 채송화.
wáx trèe *n.* 〖植〗 밀랍을 분비하는 나무.
wáx·wìng *n.* 〖鳥〗 여새과의 새.
wáx·wòrk *n.* **1** 납세공(蠟細工), 납인형. **2** [~s ; 단수·복수 취급] 납세공품의 진열관, 납인형관. **3** [*pl.*] 《美俗》 (정치적 만찬에 초대된) 귀빈(貴賓).
wáx·wòrk·er *n.* 납세공사 ; 밀랍을 만드는 벌.
wáxy[1] *a.* **1** 밀랍의 ; 밀랍을 먹인. **2** 밀랍질(質)의 ; 창백한 ; 유연한. **3** 〖醫〗 (간 따위가) 납상변성(蠟狀變性)에 걸린. **wáx·i·ly** *adv.* 〚WAX[1]〛
waxy[2] *a.* 《英俗》 발끈한, 성난 : get ~ 발끈하다. 〚WAX[3]〛
◇**way**[1] [wéi] *n.* **1** 길, 도로(road, street, path) : a ~ across the park 공원을 가로지르는 길 / They used to live across[over] the ~. 길 건너편에 살았다 / ☞ HIGHWAY / ☞ PERMANENT WAY / ☞ RAILWAY.
2 통로(route) : the shortest ~ from Chongno to Kimp'o 종로에서 김포까지 가는 가장 가까운 길 / ask[show] the ~ to the station 역으로 가는 길을 묻다[안내하다] / feel[fight, push] one's ~ 길을 더듬어[싸우며, 밀고] 나아가다 / The furthest ~ about is the nearest ~ home. = The longest ~ round is the shortest ~. 《속담》 급할수록 천천히.
3 [단수형만으로] 가는 도중, 도중의 시간 : *on* the[one's] ~ home 집으로 돌아오는 길에 / He saw the sight *on* the ~ out[*to* school]. 나가는[등교하는] 길에 그 광경을 보았다 / I began singing songs to cheer the ~. 길을 가면서 심심하여 노래를 부르기 시작했다.
4 [단수형만으로] 노정(路程), 행정(行程), 거리 : I will go a little ~ with you. 잠깐[중간까지] 함께 갑시다 / The station is a long ~ off. 정거장은 멀리 떨어져 있다. ㊟ (1) 특히 이와 같은 긍정의 평서문에서는 The station is *far* off. 보다 구어적임 ; cf. Is it *far* off? / It isn't so *far* off. (2) 《美口》에서는 때때로 a ~ 대신에 a ~*s*의 형태를 부사적으로 씀 : quite a ~*s* 상당히 멀리(에) / run a long ~*s* 멀리까지 달리다.
5 [+*to* do / +前+do*ing*] 방법, 수단, 방식, 방침 : the middle ~ ☞ MIDDLE *a.* / *in* this ~ 이렇게 (하여) / This is the best ~ *to* solve the question. 이것이 문제를 해결하는 최선의 방법이다 / There are three ~*s* ***of*** deal*ing* with the situation. 사태를 처리하는 방법이 세 가지 있다 / No two ~*s* about it[that]. ☞ 숙어 / I don't like *the* ~ she speaks. 그녀의 말투가 싫다《*the way* 뒤에 in which 또는 that이 생략된 것》. ㊟ (1) 때때로 전치사 in을 생략하여 부사적으로 씀 : Do it your own ~. 네 나름의 방식대로 해라 / Do it this ~. 이런 식으로 하여라 / He has[wants to do] everything his own ~. 그는 무엇이나 자기 멋대로 한다[하고 싶어한다] / some ~ or other 어떻게 하든. (2) 《美口》에서는 때때로 the way를 접속사적으로 씀 : *The* ~ I see it, the situation is serious. 내가 보는 바로는 사태가 중대하다 / Do it *the* ~ (=as) I told you to do. 내가 말한 대로 하시오.
6 a) [+前+do*ing* / +前+名] 습관, 풍습, 버릇 ; 방식, 식(式), 풍(風) : the American ~ ***of*** liv*ing* 미국식 생활 / She has a ~ *of* exaggerat*ing* things. 사물을 과장해서 말하는 버릇이 있다 / the good old ~*s* 그리운 옛날 풍습 / It's (only) his ~. 그의 버릇에 지나지 않는다 / It is always the ~ *with* him. 그는 언제나 그런 식이다 / She wanted (to have) her (own) ~ all the time. 언제나 제 고집대로 하려고 했다 / He has a ~ *with* children. 아이들을 다루는[따르게 하는] 요령을 알고 있다(cf. *have a* WAY *with* one). **b**) (처세하는) 길, 행실, 거동 : He fell into evil ~*s*. 나쁜 길로 빠져들어갔다[타락하여 버렸다].
7 [단수형만으로] 방향, 방위(方位) (direction) ; 《口》 [지명에 수반하여] 부근, 근처, 방면 : He took his ~ *to* the north[*toward* the light]. 그는 북쪽 방면으로[빛을 향하여] 나아갔다. ㊟ 때때로 전치사 없이 부사구를 이룸 : go this[that, the other] ~ 이쪽[저쪽, 반대쪽]으로 가다 / We wandered this ~ or that. 여기저기[정처없이] 헤매었다 / Drop in if you come my ~. 내가 사는 쪽[부근]으로 오시거든 들러주십시오 / He lives somewhere Hongje-dong ~. 그는 홍제동 근처 어딘가에 살고 있다.
8 Ⓤ (어떤 방향으로의) 진행, 진보, 진척 ; 기세 ; 타성 : make ~ ☞ 숙어 (2).
9 Ⓤ 진로, 전진 : Tell him not to stand *in* the [my] ~.=Tell him to stand *out of* the[my] ~. (내가) 가는 길을 방해하지 말라고 그에게 말하시오(cf. *in the* WAY, *out of the* WAY).
10 (…한) 점 : *in* some ~*s* 어떤 점에서는 / He is willing to help you *in* any ~. 그는 어떻게 해서든지 당신을 도우려 하고 있다.
11 a) 《口》 상태(condition) : be *in* a bad ~ (건강·경기 따위가) 나쁜 상태에 있다. **b**) 《英口》 흥분 : be *in* a (great) ~ (몹시) 흥분하고 있다.
12 《口》 직업, 사업, 장사 : She is *in* the grocery[stationery] ~. 잡화[문방구]점을 하고 있다.
13 [the W~] 그리스도의 길 ; 크리스트교 : *the W~* of god 하느님의 길 ; 천도(天道).
14 [*pl.*] 〖船〗 진수대(進水臺).

〈회화〉
Is this the right *way* to the bus terminal? — No, you're going the wrong *way*. 「버스 터미널은 이 길로 가는 게 맞나요」「아니오, 길을 잘못 드셨어요」

all the way (1) 줄곧, 계속하여, 내내. (2) 《美》 (…에서 …까지) 여러가지로 : The cost is estimated *all the* ~ (=anywhere) from $100 to $150. 비용은 100달러에서 150달러 사이로 어림셈

되고 있다.
any way ☞ ANYWAY.
***at the least way*(*s*)** 적어도, 최소한.
be in a fair way to do ☞ FAIR[1].
be in a (***great***) ***way*** ☞ 11 b).
bet each way ☞ BET *vt.*
both ways 왕복 모두; 양쪽으로; 〖競馬〗 (건 돈이) 우승과 입상의 양쪽에: cut *both* ~*s* 양다리 걸치다 / You cannot have it *both* ~*s*. 양다리 걸칠 수는 없다.
(***by***) ***a long way*** 멀리 (cf. FAR *adv.* 1 주).
by the way (1) (이야기를 바꿀 때) 말이 났으니 말이지, 그런데. (2) 길가에. (3) (여행 따위의) 도중에.
by way of... (1) …을 지나서, …을 경유하여 (via): go to Paris *by* ~ *of* Calais 칼레를 경유하여 파리에 가다. (2) …을 사용하여, …에 의해서 (by means of). (3) …을 위하여; …으로서, …할 목적으로: They are making inquiries *by* ~ *of* learn*ing* the facts. 사실을 알기 위해서 조사를 하고 있다 / *by* ~ *of* introduction[warning] 서론[경고]으로서 / a stick *by* ~ *of* a weapon 무기로 사용되는 지팡이 / *by* ~ *of* a joke 농담삼아서. (4) 《주로 英》 [do*ing*, be*ing*과 함께] (…으로서) 알려진, (…이라는) 신분으로, (…이라는) 상태로: She is *by* ~ *of* be*ing* a fine singer. 훌륭한 가수로서 알려져 있다.
come one***'s way*** (일이) 벌어지다; 잘 되어가다; 손에 들어오다.
find one***'s***[***the***] ***way*** 길[방향]을 알아내다, 도착하다: He *found* his ~ *home*[*to* the house]. 그는 집에[그 집에] 당도했다 / The party managed to *find* its ~ *out* (*of* the jungle). 일행은 가까스로 (밀림에서) 빠져 나올 수 있었다.
find one***'s way into*** …의 속으로 들어가다; (신문 따위에) 나다; …한 상태로 되다.
force one***'s way into...*** ☞ FORCE *v.*
gather way (움직이는 것이) 기세를 더하다; 〖海〗 (배가 점차 돛에 바람을 안고) 속력을 내다.
get in the way 방해가 되다.
get one***'s*** (***own***) ***way*** = *have* one's (*own*) WAY.
get out of the way (방해가 되지 않게) 비키다; 제거하다, 처분하다.
give way 무너지다, 부러지다, 꺾이다, 터지다; 떨어지다; 지다, 물러나다, 양보하다〈*to*〉; 기가 꺾이다, 풀이 죽다, 주춤하다; 비탄에 잠기다; 〖海〗 열심히 노를 젓다.
go a little[***long, good***] ***way with*** a person 남에게 조금은[크게] 도움이 되다, 얼마간[지대하게] 남에게 영향을 주다〈*to, toward*〉.
go one***'s own way*** 자기 생각대로 하다.
go one***'s way*(*s*)** 출발하다, 떠나다.
go out of the[one***'s***] ***way*** 각별히 노력하다, 일부러[고의적으로] …하다 (cf. *out of the* WAY (2)): He often *goes out of* his ~ *to* insult me. 일부러 나에게 버릇없이 구는 때가 가끔 있다.
go the way of all flesh[***all the earth, all living***] 〖聖〗 죽다, 사망하다.
have a way with one 남을 다루는 요령을 알고 있다 (be persuasive) (cf. 6 a)).
have one***'s*** (***own***) ***way*** 자기 생각대로[멋대로] 하다.
have way on 〖海〗 (배가) 전진하고 있다.
in a big[***great, large***] ***way*** 대규모로《장사를 하다》; 화려하게.
in a small way 소규모로, 검소하게.
in a[***one***] ***way*** 다소, 얼마간; 어떤 의미로는.
in no way 결코[전혀] …않다 (not...at all).
in one***'s***[its] ***way*** (1) [보통 부정문으로] 전문으로, 취미에 맞아서: Music is *not in* my ~. 음악은 취미 밖이다[좋아하지 않는다]. (2) 그것 나름으로 꽤, 제법: The picture is good *in* its ~. 그 그림은 상당히 좋다.
in the[a person***'s***] ***way*** (1) 방해[장애]가 되어[되는] (cf. 9). (2) (가는 길의) 도중에 (있는): The church was *in* our ~. 교회는 가는 도중에 있었다.
in the way of... (1) …에 관하여, …으로서: I met him *in the* ~ *of* business. 장사 일로 그를 만났다. (2) …에 유망하여, …할 듯하여: ☞ *put* a person *in the* WAY *of.*
keep out of the way 피하다, 비키다.
know one***'s way about***[《美》 ***around***] 《口》 (어떤 장소의) 지리에 밝다; 사정을 잘 알고 있다.
lead the way 선두에 서서 가다; 길을 안내하다; 《비유》 (남에게) …하는 방식을 가르치다〈*to*〉; 본을 보이다, (유행 따위의) 첨단을 가다: He *led the* ~ and I walked behind him slowly. 그가 앞서서 가고 나는 천천히 그 뒤를 따랐다.
lose the[one***'s***] ***way*** 길을 잃다.
lose way 〖海〗 (배가) 속력을 잃다.
make one***'s way*** (애써) 나아가다, 가다; 번성하다, 번창하다; 출세하다: We *made* our ~ *home*[*through* the forest]. 우리는 집으로 갔다[숲속을 지나서 갔다] / The miniskirt rapidly *made* its ~ *into* universal favor. 미니스커트는 급속히 유행되었다.
make the best of one***'s way*** 될 수 있는 한 빨리 나아가다.
make way (1) 길을 트다〈*for*〉. (2) 나아가다, 진보하다, 출세하다.
No two ways about it[***that***]. 《口·원래 美》 그것임에 틀림없다, 확실히[전적으로] 그렇다.
no way = *in no* WAY.
once in a way ☞ ONCE *adv.*
one way or another 이리저리하여; 어떻게 해서라도.
one way or the other 어떻게 해서라도; 어느 편이든간에.
on the[one***'s***] ***way*** (1) 도중에 (cf. 3); 여행중에. (2) 궤도에 올라; (해결 따위가) 진척되어: He is already well *on the* ~ *to* cure. 그의 병세는 벌써 상당히 차도가 있다.
on the way out (1) ☞ 3. (2) 《口》 다 시들어 가는, 시대에 뒤떨어진; 거의 다 죽어.
out of the way (1) 방해가 안되는 곳에 (cf. 9). (2) 길에서 떨어져[벗어나], 외딴 곳에서 (cf. an OUT-OF-THE-WAY corner). (3) 상도를 벗어난, 별난, 당치않은; 경탄할 만한: That is nothing [a little] *out of the* ~. 그것은 조금도 이상하지 않다[조금 별스럽다].
pave the[one***'s***] ***way for***[***to***]... ☞ PAVE.
pay one***'s*** (***own***) ***way*** ☞ PAY *v.*
put a person ***in the way of*** …을 얻을 수 있는[…할 수 있는] 기회를 남에게 주다: That *put* him *in the* ~ *of* a good bargain[*of* get*ting* a good post]. 그 일로 해서 좋은 거래를 할 기회가 생겼다[좋은 자리를 얻게 되었다].
put a person ***out of the way*** 남을 몰래 해치우다《암살 또는 감금하다》.
put one***self out of the way*** 일부러[성가신 것을 무릅쓰고] …하다〈*to* do〉.
see one***'s way to*** do(*ing*) ☞ SEE[1].

W

take** one's **own way = *go* one's *own* WAY.
take** one's **way 《古·詩》 (여행 따위를) 떠나다, 여행하다.
the other way about [(***a***)***round***] 반대로, 거꾸로.
the parting of the ways ☞ PARTING *n.*
the Way of the Cross 십자가의 길《그리스도가 십자가를 걸머지고 Calvary 언덕에 이르는 도정을 나타낸 14개 장면의 상(像) 또는 그림 ; 교회에서 특별한 예배를 볼 때 이것을 보임》.
to** one's **way of thinking …의 생각으로는(in one's opinion).
under way 진행 중에 ; 〔海〕 (배가) 항해 중에 (under weigh) : get *under* ~ 출발하다 ; 시작(始作)되다.
Way enough! 〔海〕 노젓기 그만!
ways and means 수단, 방법 ; (정부의) 재원(財源) : the Committee on *W~s and Means* 《美》 =《英》 the Committee of *W~s and Means* 세입(歲入) 위원회《미국 의회에서는 하원의 38명, 영국 의회에서는 하원의 전원》.
—— *a.* 도중의.
〖OE *weg* ; cf. WAIN, WEIGH², Du. *weg*, G *Weg*〗
類義語 ***way*** 방법·방식을 나타내는 가장 뜻이 넓고 좀 막연한 말. ***method*** 무엇인가를 하기 위한 순서가 있는 체계적[이론적]인 방식 : the *method* of teaching a foreign language(외국어를 가르치는 방법). ***manner*** 개인적인 독특한 방법, 자기대로의 방식 : her *manner* of dressing(그녀의 옷입는 방식).

way², 'way *adv.* [부사·전치사를 강조하여] 《美口·스코》 훨씬, 멀리 : ~ above 훨씬 위에 / ~ ahead 훨씬 앞에 / ~ down South 훨씬 남쪽에 / from ~ back 멀리 시골로부터(의) ; 먼 옛날부터(의). 〖*away*〗

wáy-ahéad *a.* 《口》 = WAY-OUT.

wáy·bìll *n.* 승객 명단 ; 철도 화물 운송장(狀)《略 W.B.》; (여행자를 위해 마련한) 여행 일정.

way·far·er [wéifὲərər, -fæ̀ər-] *n.* 《文語》 (특히 도보) 여행자 ; (여관·호텔의) 단기 투숙객.

way·far·ing [wéifὲəriŋ, -fæ̀ər-] *a.* 《文語》 (도보로) 여행중인, 여행의(traveling) : a ~ man 여행하는 사람.
—— *n.* 도보 여행 ; 여행.

wáy ín *n.* (극장 따위의) 입구(entrance) (↔*way out*).

wáy·láy *vt.* **1** 숨어서 기다리다, 길목에 잠복하다, 요격(邀擊)하다 : He was *waylaid* by bandits. 산적에게 습격당했다. **2** (길목에서) 남을 불러 세우다.

wáy·lèave *n.* 통행권 ; (그) 통행권료.

wáy·màrk *n.* 길잡이, 도표(道標).

Wayne [wéin] *n.* **1** 남자 이름. **2** 웨인. **John ~** (1907-79) 미국의 영화 배우.
〖OE=wagon (maker)〗

wáy óut *n.* (곤경 따위에서의) 탈출법[로], 해결 수단, 타개책 ; 출구(exit) (↔*way in*).

wáy-óut *a.* 《口》 (스타일·기교 따위가) 진보적인, 첨단[전위, 급진]적인 ; 이색적인, 오묘한 ; 《美俗》 (재즈) 연주가가 즉흥 연주에 몰입한 ; 《美俗》 비몽사몽간의, 마약으로 멍해진.

wáy pòint *n.* 중간 지점 ; = WAY STATION.

-ways [wèiz] *suf.* [위치·상태 또는 방향을 나타내는 부사어미] : side*ways*, any*ways*.
〖OE *weges* of the WAY¹〗

wáy·sìde *n.* 길가, 노변.
—— *attrib. a.* 길가의.

wáy stàtion *n.* 《美》 (주요 역 사이의) 중간역, (급행 열차가 서지 않는) 작은 역.

wáy-stòp *n.* (버스 따위의) 정류소 ; (도중의) 휴게소.

wáy tràin *n.* 《美》 (역(驛)마다 정차하는) 보통[완행] 열차.

wáy·ward *a.* **1** 말을 (잘) 듣지 않는 ; 고집이 센, 외고집의 ; 제멋대로인, 버르장머리없는 : a ~ child[disposition] 버르장머리없는 아이[외고집]. **2** 변덕스러운, 마음이 안정되지 않은 ; (방향·방침이) 흔들리는, 불안정한.
~·ly *adv.* 고집세게 ; 변덕스럽게. **~·ness** *n.*
〖ME=turned away (AWAY, *-ward*)〗

wáy·wìsdom *n.* Ⓤ 《美》 길[지리]에 밝음.

wáy-wìse *a.* 《美》 (말이) 길에 익숙한 ; 《方》 경험이 풍부한, 노련한.

wáy·wìser *n.* 여정계(旅程計), 보행 거리 기록계, 주행[항행] 기록계.

wáy·wòrn *a.* 여행으로 지친[초췌해진].

wayz·goose [wéizgù:s] *n.* 《英》 인쇄 공장의 연1회의 위로회[위로 여행].

w.b. warehouse book ; 〔海〕 water ballast ; waybill ; westbound.

W.B., W/B waybill. **Wb.** 〔電〕 weber.

WBA World Boxing Association(세계 권투 연맹). **WBC** World Boxing Council(세계 권투 평의회). **W.B.C.** 〔生理〕 white blood cells ; white blood count.

WbN, W.bN. west by north.

WbS, W.bS. west by south.

WBS World Broadcasting System(세계 방송망(世界放送網)).

w.c. water closet ; without charge.

W.C. water closet ; West Central.

W.C.A. Women's Christian Association.

WCC, W.C.C. War Crimes Commission ; World Council of Churches(세계 교회 협의회).
W/Cdr. Wing Commander. **W.C.P.** World Council of Peace(세계 평화 평의회).

W.C.T.U. Women's Christian Temperance Union (기독교 여성 교풍회(矯風會)).

W.D. War Department. **wd.** wood ; word.

W.D.A. War Damage Act. **W.D.C.** War Damage Contribution.

◇we [wi, wí:] *pron.* **1** [I의 복수형] 우리(들), 저희(들). 주 인칭이 다른 복수형의 인칭 대명사, 또는 명사와 나란히 올 때에는 1인칭, 2인칭, 3인칭의 순서가 관례(cf. I² 주 (2)) : We, you, and they [those boys] are.... **2** [군주가 공식적으로 자신을 지칭하여] 짐(朕) (cf. OURSELVES) ; (신문·잡지의 논설 따위에서) 우리. 주 전자를 Royal "we", 후자를 Editorial "we"라고 함. **3** [상대방에게 공감적인 기분을 나타내어 you 대신으로 씀] : How are *we* (=you) this morning, child? 아가, 오늘 아침은 기분이 좀 어떠냐. **4** [부정(不定) 대명사적으로] : *We* are not naturally bad. 사람은 천성적으로 악한 것은 아니다. **5** [수동태나 비인칭어의 구문과 대등한 문장에서 막연한 사람을 나타내는 주어로서] (cf. YOU, THEY, ONE) : *We* had (=There was) much rain last year. 작년에는 비가 많이 내렸다.
〖OE *we* ; cf. OS *wī*, OHG *wir*, ON *vēr*〗

WE Women Exchange《부인 교환소 ; 이혼 재판소로 유명한 미국 Reno시의 별칭》.

W.E.A. Worker's Educational Association (노동자 교육 협회).

◇weak [wí:k] *a.* **1** 약한, 연약한, 가냘픈, 허약한

(↔*strong*) : a ~ constitution 허약한 체질 / ~ eyes[ears] 약한 시력[청력] / a ~ voice 힘없는 목소리 / a ~ government[team] 약체 정부[팀] / a ~ law 무력한 법률 / a person's[one's] ~ point[side] 남[자신]의 약점 / ~ *in* the legs[hearing] 다리가 약한[귀가 어두운] / The ~*est* goes to the wall. ☞ *go to the* WALL. **2** 우둔한 ; (상상력 따위가) 빈약한 ; 결단력이 없는, 우유부단한 : a ~ head 저능 / a ~ surrender 맥없는 항복 / a man of ~ character 우유부단한 성격의 사람. **3** 불충분한 ; 증거가 빈약한, 설득력이 없는 : a ~ evidence 희박한 증거 / a ~ argument 설득력이 빈약한 논법. **4** 서투른 ; 열등의 ; 장기(長技)가 아닌(↔*strong*) : be ~ *in* grammar[mathematics] 문법[수학]이 약하다[서툴다]. **5** (차 따위) 묽은, 싱거운 : ~ beer 순한 맥주. **6** (문체·표현 따위가) 힘이 없는, 박력이 없는. **7** 〖商〗 (시세 따위가) 약세인, 떨어지는. **8** 〖文法〗 약(弱)변화의, 규칙 변화의 ; 〖音聲〗 악센트가 없는《음절·모음 따위 ; cf. STRONG 11》 : ~ verbs 약변화 동사《현대 영어의 규칙 동사 이외에 burn, lean, snow 따위가 이에 속함》.
〖ON *veikr* ; OE *wāc* pliant, G *weich* soft〗
類義語 ***weak*** 육체적·정신적·도덕적으로 약한 ; 가장 일반적인 말. ***feeble*** 노령 또는 질병으로 약해진 ; 연민·경멸의 기분을 나타냄 : a *feeble* old woman(허약한 노파). ***frail*** 타고난 성질로 부서지기 쉬운[유약한] : her *frail* body (그녀의 연약한 신체). ***infirm*** 질병으로 인해서 또는 늙어서 힘·원기가 없는.

***wéak·en** *vt.* 약하게 하다(↔*strengthen*) ; (술·차 따위를) 묽게 하다 : The illness has considerably ~*ed* him. 병으로 그는 몹시 허약해졌다.
—— *vi.* 약해지다 ; 우유부단해지다, 결단성이 없어지다, 흔들리다, 굽히다.

wéak·er bréthren *n. pl.* (집단 중의) 다른 사람보다 뒤떨어지는 사람들, 거치적거리는 사람들.

wéaker séx *n.* [the ~] 《婉·蔑·戲》 여성(女性) (women).

wéaker véssel *n.* [the ~] 〖聖〗 연약한 그릇, 여성《베드로전서 3 : 7》.

wéak·fish *n.* (대서양산) 민어과의 식용 물고기.

wéak hánd *n.* (카드놀이·도박할 때) 손속이 나쁜 사람.

wéak-héad·ed *a.* =WEAK-MINDED.

wéak·héart·ed *a.* =FAINTHEARTED.

wéak interáction *n.* 〖理〗 (소립자 사이에서 작용하는) 약한 상호작용(cf. STRONG INTERACTION).

wéak·ish *a.* 좀 약한 ; (차 따위) 묽은.

wéak-knéed *a.* 무릎이 약한 ; 《비유》 줏대없는, 무기력한, 용기없는, 우유부단한.

wéak knées *n. pl.* 약한 무릎 ; 소극적인 태도, 결단성이 없음.

wéak·ling *n.* 허약자, 병약자 ; 나약한 사람, 약질, 약골 ; 약한 동물. —— *a.* 약한, 힘이 없는.

wéak·ly *a.* 약한, 허약한, 병약한 : a ~ child 허약아(兒). —— *adv.* **1** 약하게, 나약하게. **2** 우유부단하게, 무기력하게. **3** 묽게, 싱겁게.

wéak-mínd·ed *a.* 지능이 낮은, 마음이 약한.

***wéak·ness** *n.* **1** Ⓤ 약함, 가냘픔 ; 허약, 박약. **2** Ⓤ 우둔, 저능. **3** Ⓤ 우유부단, 나약, 마음 약함. **4** Ⓤ (증거) 불충분, 박약. **5** 결점, 약점 : Everyone has his own little ~*es.* 사람은 누구나 사소한 결점이 있는 법이다. **6** [a ~] 썩 좋아하는 일[것], 편애 : She has *a* ~ *for* sweets. 그녀는 단 것을 몹시 좋아한다 / Detective stories are *a* ~ of mine. 추리 소설은 내가 몹시 좋아하는 것이다.
類義語 ⟹ FAULT.

weak·on [wíːkɑn] *n.* 〖理〗 약한 상호 작용을 매개한다고 하는 가설 입자.

wéak síde *n.* 〖美蹴〗 위크 사이드《좌우 불균형한 포메이션에서 인원수가 적은 약한 사이드》.

wéak síster *n.* 《美口》 (집단 내에서) 도움을 필요로 하는 자, 의지할 수 없는[쓸모 없는] 자, 무능한 자.

wéak-spírit·ed *a.* 마음 약한, 겁많은.

wéak-to-the-wáll *a.* 약육강식의 : ~ kind of society 약육강식형 사회.

wéak-wílled *a.* 의지가 약한, 생각이 흔들리는.

weal[1] [wíːl] *n.* Ⓤ 《古》 복리(福利), 행복, 복지, 안녕(安寧) : for the general[public] ~ 일반[공공]의 복리를 위해서.
weal and woe = ***weal or woe*** 화복(禍福), 안부(安否).
〖OE *wela* ; ⇨ WELL[1]〗

weal[2] *n.* (채찍 따위로 친) 길게 부르튼 자리 ; (나방·두드러기 따위로 인한) 부어오름, 발진(發疹). —— *vt.* (채찍 따위로 피부)에 부르튼 자리를 내다. 〖변형(變形) ‹WALE ; WHEAL (obs.) to suppurate의 영향〗

weald [wíːld] *n.* **1** 《英》 [the W~] 월드 지방《Kent, Surrey, Hampshire 따위의 여러 주를 포함하는 잉글랜드 남부 삼림 지역》. **2** 《詩》 삼림 지대 ; 황야. 〖OE〗

wéald clày *n.* 〖地質〗 월드 점토《월드층 상위의 점토·사암·석회암 따위로 이루어진 점토질》.

wéald·en *a.* 월드 지방의 (지질과 비슷한).
—— *n.* 〖地質〗 월덴, 월드층《월드 지방에 전형적인 하부 백악기의 육성(陸成)층》.

‡**wealth** [wélθ] *n.* **1** Ⓤ 부(富), 재화(riches) : a man of ~ 재산가 / gather[attain to] ~ 부를 축적하다. **2** Ⓤ 부유, 부귀 ; [집합적으로] 부자. **3** [a ~, the ~] 풍부 : a man with *a* ~ *of* experience 경험이 풍부한 사람 / a book with *a* ~ *of* illustrations 삽화가 풍부한 책 / *A* ~ *of* words is not eloquence. 다변(多辯)은 웅변이 아니다.
〖ME (WELL[1] or WEAL[1], *-th*[2]) ; *health*에 준한 것〗

wéalth tàx *n.* 부유세.

***wéalthy** *a.* **1** 넉넉한, 부유한 : He cames from a ~ family. 그는 유복한 가정에서 태어났다. **2** 풍부한, 많은.
wéalth·i·ly *adv.* 부유하게 ; 풍부하게.
類義語 ⟹ RICH.

wean[1] [wíːn] *vt.* **1** [+目 / +目+*from*+名] 젖을 떼다, 이유(離乳)시키다 : ~ a baby ***from*** the mother[breast] 아기를 이유시키다. **2** [+目+*from*+名] (…에서) 떼어놓다, 버리게 하다 : ~ a person ***from*** a bad habit[*from* bad companions] 남에게 나쁜 버릇을 버리게 하다[남을 나쁜 친구들로부터 떼어놓다].
〖OE *wenian* to accustom ; cf. WONT〗

wean[2] *n.* 《스코》 유아(infant).
〖*wee ane* little one〗

wéan·er *n.* **1** 이유시키는 사람[것] ; (특히) (가축용) 이유 기구. **2** 갓 젖떨어진 어린 짐승[송아지, 돼지 새끼] ; 《濠》 갓 젖떨어진 양 새끼.

wéan·ling *n.* 갓 젖떨어진 어린애[동물의 새끼].
—— *a.* 갓 젖을 뗀 ; 갓 젖떨어진 어린애[짐승 새끼]의.

‡**weap·on** [wépən] *n.* 무기, 병기, 흉기 ; 공격[방어]의 수단 ; 〖動〗 (손[발]톱·뿔·엄니 따위의)

공격[방어] 기관 : Are tears a woman's ~? 눈물은 여성의 무기인가. —— *vt.* 무장하다(arm). **~ed** *a.* 무기를 가진, 무장한. **~less** *a.* 무기가 없는[를 가지지 않은].
〚OE *wǣp(e)n* ; cf. G *Waffe*〛

weap·on·eer [wèpəníər] *n.* 〖軍〗 핵폭탄 발사 준비 담당자 ; (핵)무기 고안[제작]자.

wéapon·ry *n.* [집합적으로] 무기[병기]류 ; 무기 제조, 군비개발 ; 조병학(造兵學) : megaton ~ 메가톤급 병기류.

◇**wear**¹ [wέər, wǽər] *v.* (**wore** [wɔ́:r] ; **worn** [wɔ́:rn]) *vt.* **1** [+目/+目+前+名] 몸에 걸치고 있다, (옷을) 입고 있다, 착용하고 있다, (신을) 신고 있다, (모자를) 쓰고 있다, (반지를) 끼고 있다, (안경을) 쓰고 있다, 지니고[휴대하고] 있다 : She always ~*s* green. 언제나 초록색 옷을 입고 있다 / Blue is being much *worn* at present. 지금은 청색옷이 유행하고 있다(cf. 3) / The lady *wore* a diamond ring ***on*** her finger. 부인은 손가락에 다이아몬드 반지를 끼고 있었다 / A red flower was *worn* ***in*** his buttonhole. 붉은 꽃이 그의 단춧구멍에 꽂혀 있었다. 주「몸에 걸치다」「입다」「신다」「쓰다」따위의 동작은 put on 이라고 함.
2 a) [+目/+目+補/+目+前+名] (수염 따위를) 기르고 있다, (어떤 상태로) 해두다 : ~ a moustache 콧수염을 기르고 있다 / He *wore* his hair long[short]. 그는 머리를 길게[짧게] 하고 있었다 / She ~*s* her hair ***in*** a braid. 그녀는 머리를 땋고 있다. **b**) (표정·태도 따위를) 나타내다 : ~ a smile 미소를 짓고 있다 / He *wore* a troubled look. 걱정스러운 표정을 하고 있었다 / The house ~*s* an air of sadness. 그 집은 음침해 보인다 / She ~*s* her years well. 나이에 비해서 젊어 보인다. **c**) [+目+*in*+名] (마음·기억에) 간직하고 있다 : She ~*s* him ***in*** her heart of hearts. 그를 마음으로부터 존경[사모]하고 있다.
3 [+目/+目+副/+目+補/+目+前+名] 닳아지게 하다, 마손(磨損)하다, 써서 낡아지게 하다, (…한 상태로) 하다 : That old overcoat of my father's was much *worn.* 아버지의 저 낡은 외투는 꽤 헐어 빠졌다(cf. 1) / The inscription seems to have been *worn away.* 비명(碑銘)은 마멸되어 버린 것 같다 / ~ one's coat threadbare 겉옷을 닳아서 올이 드러나 보일 때까지 입다 / ~ the steps smooth 계단이 닳아서 반들반들하게 되다 / His gloves are *worn* thin at the fingertips. 그의 장갑은 손가락 끝이 닳아서 얇아져 있다 / ~ a dictionary ***to*** tatters 사전을 닳아서 너덜댈 때까지 쓰다 / ~ one's socks ***into*** holes 양말을 오래 신어 구멍투성이가 되게 하다.
4 [+目/+目+前+名] (구멍·도랑 따위를) 파다, 뚫다 : Constant dropping ~*s* the stone. 《속담》 물방울도 계속 떨어지면 돌을 뚫는다 / We saw ruts *worn* ***on*** the road. 도로에 바퀴 자국이 난 것을 보았다 / A track was *worn* ***across*** the moor. (사람이 지나다녀) 황야를 가로지르는 길이 생겼다.
5 지치게 하다, 쇠약하게 하다 : He was *worn* (to a shadow) ***with*** care and anxiety. 근심과 걱정으로 (피골이 상접하게) 여위었다.
—— *vi.* **1** [動/+副] 사용에 견디다, 쓸만하다, 질기다, 오래가다 : Leather will ~ *well*[for years]. 가죽은 오랫동안[여러 해를] 쓸 수 있다 / Among my old friends he is ~*ing best.* 내 옛 친구 중에서 그가 제일 정정하다.
2 [+副/+前+名] (때가 차차로) 경과하다, 지나가다, 가버리다 : It grew warmer as the day *wore* ***on***. 날이 감에 따라 점점 따뜻해졌다 / The year ~*s* ***to***[***toward***] its close. 이 해도 차츰 저물어 간다.
3 [+副/+前+名/+補] 닳아 없어지다, 마멸하다, (서서히 닳아서) …하게 되다 : The steps had *worn away.* 계단은 닳아 있었다 / My jacket has *worn* ***to*** shreds. 내 상의는 오래 입어서 누더기가 돼버렸다 / This coin has *worn* thin. 이 동전은 닳아서 얇아졌다.

wear away (1) 닳아서 줄다[줄어들다] : ☞ *vt.* 3, *vi.* 3 / Time ~*s away* grief. 시간이 흐르면 슬픔도 잊혀진다. (2) (때가) 지나다 ; (시간을) 보내다 : ~ *away* one's time *in* trifles 하찮은 일로 시간을 보내다 / The long afternoon *wore away.* 긴 오후가 지나가 버렸다.
wear down (1) 마멸시키다[하다] : The heels are *worn down* on one side. 구두의 뒤축 한 쪽이 닳아 있다. (2) 지치게 하다 : A long disease has *worn* him *down.* 그는 오랜 병으로 쇠약해졌다. (3) 극복하다, 분투하여 …에 이기다 : ~ *down* the enemy's resistance 적의 저항을 꺾다.
wear off (1) 닳아 떨어지게 하다 ; 닳아 떨어지다 : Familiarity ~*s* freshness *off.* 친숙해지면 참신한 느낌이 없어지는 법이다 / The nap will ~ *off.* 보풀은 닳아서 떨어진다. (2) 차차 없어지게 하다[되다] ; 차차 지우다[지워지다] : The paint on your fingers will ~ *off* soon. 네 손가락에 묻은 페인트는 곧 지워질 거야 / His rough manners will ~ *off.* 그의 무뚝뚝한 태도도 차차 없어질 것이다.
wear on (시간 따위가) 지나가다, 경과하다(cf. *vi.* 2).
wear out (1) 다 닳아지게 하다[닳아지다](☞ WORN-OUT) : He has already *worn out* the shoes I bought for him last month. 지난 달에 사준 신발을 벌써 닳아 떨어뜨렸다. (2) (인내 따위) 다(하게) 하다 : My patience *wore*[was *worn*] *out* at last. 드디어 더 이상 참을 수 없게 되었다. (3) 지쳐 버리게 하다 : He is *worn out with* age. 노령으로 지쳐 있다. (4) 《비유》 진력이 나게[질리게] 하다 : ~ *out* one's welcome ☞ WELCOME *n.* 숙어. (5) (때를) 보내다, 허송하다 : ~ *out* one's life *in* idleness 빈둥빈둥 일생을 보내다.
wear through (하루를) 그럭저럭 보내다.

—— *n.* **1** Ⓤ **a**) 입음, 착용, 사용 : a suit for everyday ~ 평상복 한 벌 / Sunday[spring, winter] ~ 나들이[봄, 겨울]옷. **b**) 착용물 ; 의복 : men's[ladies', children's] ~ 신사[여성, 아동]복. **2** Ⓤ (착용의) 유행 : in general ~ 유행하여 / ...is the only ~. …이 지금 대유행하는 옷이다. **3** Ⓤ 사용에 견딤, 오래감 : This stuff will stand hard ~. 이 물건은 험하게 써도 오래 갈 것이다 / There is no ~ in cheap shoes. 값싼 신발은 오래가지 못한다. **4** Ⓤ 닳아 떨어짐, 마손(磨損), (옷 따위 입어서) 닳아 해어짐 : The coat showed signs of ~. 그 외투에는 입었던 흔적이 있었다.
be the worse for wear 오래 입어서 몹시 낡아 있다, 아주 낡았다.
have...in wear …을 입고 있다.
wear and tear 닳아 떨어짐, 마멸, 마손, 소모.
〚OE *werian*＜Gmc. (《美》 *was-* clothing) ; VEST와 같은 어원〛

wear² *v.* (**wore** [wɔ́:r] ; 《美》 **worn** [wɔ́:rn], 《英》 **wore**) *vt.* 〖海〗 (배를) 바람 불어가는 쪽으로 돌리다. —— *vi.* (배가) 바람 불어가는 쪽으로

돌다. —— *n.* 바람 불어가는 쪽으로 돌기. 〚C17<?〛

wear^{3} [wíər] *n.* =WEIR.

wéar·able *a.* 입을 수 있는, 착용[사용]할 수 있는, 착용[사용]하기에 알맞은.
—— *n.* [보통 *pl.*] 옷, 의복.

wéar·er *n.* 착용[사용, 휴대]자 ; 소모시키는 것.

wea·ri·ful [wíərifəl] *a.* 지친, 기진한 ; 지치게[싫증나게] 하는, 지루한.

***wéa·ri·ly** *adv.* 지쳐서, 피곤한 듯이 ; 싫증[진력]이 나서.

***wéa·ri·ness** *n.* Ⓤ 피로 ; 싫증, 권태.

wéar·ing *a.* **1** 입는, 착용하는. **2** 지치게 하는 ; 진력이 나는 : a ~ occupation 지치게 하는 일.

wéaring appàrel *n.* 의복, 옷(clothes).

wea·ri·some [wíərisəm] *a.* **1** 지치게 하는 : a ~ task 진력나는 일. **2** 싫증[진력]이 나는(tiresome) : a ~ book[lecture] 지루한 책[강의].

wéar·pròof *a.* 내구성이 있는, 닳지 않는.

‡**wea·ry** [wíəri] *a.* **1** 피곤한(tired), 기진맥진한 : a ~ brain 피곤한 머리 / a ~ sigh 지친듯한 한숨 / He feels ~ in body and mind. 심신이 모두 지쳐 있다. **2** [*pred.*로 써서] [+*of*+do*ing*] 싫증이 나서, 진력나서 : He was growing ~ ***of*** read*ing*. 독서에 싫증이 나 있었다 / I am ~ *of* his preaching. 그의 설교에는 진력이 난다. **3** [*attrib.*로 써서] 지루한, 싫증이 나게 하는 ; 지치게 하는 : a ~ journey 지루하고 고달픈 여행 / walk five ~ miles 터벅터벅 5마일이나 걷다 / have a ~ wait 지루하게 기다리다.
—— *vt.* [+目 / +目+*with*+名] **1** 지치게 하다 : He got *wearied* ***with*** climb*ing*. 등산으로 지쳤다. **2** 지루하게 하다, 싫증이 나게 하다, 진절머리나게 하다 : He *wearied* me ***with*** requests[idle talk]. 성가신 부탁으로[쓸데없는 이야기로] 그에게 진절머리가 났다. —— *vi.* **1** [+*of*+名] 지루해지다, 싫증나다 ; 지치다 : She seems to ~ ***of*** our company. 우리와 교제하는데 싫증이 난 모양이다. **2** 《주로 스코》 [+*for*+名] 간절히 바라다, 그리워하다, 동경하다(long) : She *wearied* ***for*** her absent son. 그녀는 그녀 곁을 떠나 있는 아들을 그리워했다.
—— *n.* [the wearies] 《美俗》 우울한 기분.
〚OE *wērig* drunk ; cf. OHG *wuarag* drunk〛
類義語 ⟹ TIRED.

wea·sand, -zand [wíːzənd, wíz-] *n.* 식도 ; 《古》 기관(氣管), 숨통. 〚OE *wāsend*〛

***wea·sel** [wíːzəl] *n.* **1** (*pl.* ~**s**, ~) 〘動〙 족제비(모피). **2** 《비유》 교활한 사람. **3** (육상용과 수륙양용의 두 종류가 있는) 위즐 자동 수송차. **4** 《美俗》 밀고자.
catch a weasel asleep 약아빠진 사람을 속이다, 날쌔게 행동하다.
—— *vi.* 《美口》 말끝을 흐리다 ; (의무 따위를) 회피[기피]하다 ; 《俗》 밀고하다. —— *vt.* 《美口》 (말)의 의미를 흐리게 하다, (진의를) 얼버무리다.
〚OE *wes(u)le*<? ; cf. G *Wiesel*〛

wéasel-fàced *a.* (족제비처럼) 얼굴이 가늘고 뾰족한.

wéasel wòrd *n.* [보통 *pl.*] 《美》 일부러 뜻을 애매하게 한 말. 〚알의 알맹이만을 교묘하게 살짝 빨아먹는 족제비의 습성에서〛

wéasel-wòrd·ed *a.* 짐짓 얼버무린, 애매모호한 말을 쓴.

◇**weath·er** [wéðər] *n.* **1** Ⓤ 날씨, 일기, 기후, 기상(cf. CLIMATE) : *in* wet ~ 흐린 날씨에는 / dirty[rough] ~ 거친 날씨 / favorable ~ 좋은 날씨 / settled ~ 계속 갠 날씨 / King's[Queen's] ~ 《英》 (축제일 따위의) 쾌청(☞ QUEEN 活用) / What is the ~ like? 날씨가 어떻습니까 / ☞ APRIL WEATHER / What sort of ~ did you have during your journey? 여행하시는 동안 날씨는 어떠했습니까.

> **weather의 ○×**
> (×) Why are you at home *on* such *a* fine *weather*?
> (이렇게 좋은 날씨에 어째서 집에 있습니까?)
> (○) Why are you at home *in* such fine *weather*?
> ☆ weather는 불가산 명사므로 a를 붙이지 않으며, 전치사는 in을 쓴다.
> 다음 문장과 비교해 보자.
> (○) Why are you at home *on* such a fine *day*?

2 Ⓤ 거칠어질 듯한[비바람이 휘몰아칠 듯한] 날씨 : be exposed to (the) ~ 비바람을 맞다. **3** (운명의) 변천, 사태 ; 풍화(weathering).
in all weathers 어떠한 날씨에도.
keep the weather 〘海〙 바람 불어오는 쪽에 있다[쪽을 지나가다].
make bad weather 〘海〙 폭풍을 만나다.
make good weather 〘海〙 좋은 날씨를 만나다.
make heavy weather of …에 시달리다, …의 재난을 겪다.
under stress of weather 폭풍우 때문에, 일기가 사나워서, 불순한 일기로 인하여.
under the weather 《口》 기후 탓으로, 몸에 탈이 나서, 불쾌하여.
weather permitting 날씨가 좋다면.
—— *attrib. a.* 〘海〙 바람이 불어오는 쪽으로의(↔ *lee*) ; 바람을 안은.
—— *vt.* **1** 비바람을 맞게 하다, 바깥 공기를 쏘이다, 말리다 : ~ wood 목재를 바깥 공기를 쐬어 말리다. **2** [주로 *p.p.*로] 풍화(風化)[탈색]시키다 : The rocks have been ~*ed* by wind and water. 바위는 바람과 물로 풍화되어 왔다. **3** (널판자·기와 따위에 물이 괴지 않도록) 물매를 주다, 경사지게 하다. **4** 〘海〙 …의 바람 불어오는 쪽을 지나다[달리게 하다] : ~ a cape 곶(串)의 바람 머리에 나가다. **5** (폭풍우 따위를) 헤쳐 나가다, 뚫고 나가다 : ~ a storm 〘海〙 폭풍우를 이겨 내다 ; 《비유》 난국을 뚫고 나가다 / ~ a financial crisis 경제적 위기를 극복해 나가다. —— *vi.* 바깥 공기로 인하여 변화하다, 풍화하다 ; 비바람[악천후]에 견디다.
〚OE *weder* ; cf. WIND, G *Wetter*〛

wéather advìsory *n.* 기상주의보.

wéather ballòon *n.* 기상 관측 기구(氣球).

wéather bèam *n.* 〘海〙 바람 불어오는 쪽으로 향한 뱃전.

wéather-bèaten *a.* 비바람에 시달린, (뱃사람 등이) 풍우에 단련된 ; 햇볕에 그을린 : a ~ face 햇볕에 그을린 얼굴.

wéather·bòard *n.* **1** 〘建〙 (비를 막기 위해 댄) 물막이판 ; 물막이 판자를 대기[깔기]. **2** 〘海〙 바람 불어오는 쪽의 뱃전 ; (보트의) 파도막이 널판자. —— *vt., vi.* (…에) 물막이 판자를 대다.

wéather·bòard·ing *n.* 물막이 판자를 대기 ; Ⓤ [집합적으로] 물막이판.

wéather·bòards *n. pl.* =WEATHERBOARDING.

wéather-bòund *a.* (사나운 날씨로) 출범할 수

없는, 출항을 보류한.
wéather bòx *n.* 웨더 박스《습도 변화에 따라 인형이 출몰하는 청우 표시 상자》.
wéather brèeder *n.* 좋은 날씨《흔히 폭풍우의 전조》.
Wéather Bùreau *n.* [the ~]《美》National Weather Service의 구칭.
wéather càst *n.* (라디오・텔레비전의) 일기 예보. **wéather càster** *n.* 일기 예보 통보관.
wéather chàrt *n.* 기상도, 일기도(圖).
wéather·còck *n.* **1** (수탉 모양을 한) 바람개비 ; (일반적으로) 풍향계(風向計) (cf. VANE). **2** 《비유》 마음이 변하기 쉬운 사람, 변덕쟁이.
—— *vt.* …에 바람개비를 달다, …에 대한 바람개비의 역할을 다하다. —— *vi.* (비행기・미사일의) 풍향성이 있다.
wéather·condìtion *vt.* 모든 기후에 견딜 수 있게 하다, 전천후용으로 하다.
wéather còntact[cròss] *n.* 〖電〗 우천시의 접촉[누전](에 의한 혼선).
wéather dèck *n.* 〖海〗 노천 갑판.
wéather èye *n.* 일기[기상] 관측안(觀測眼) ; 부단한 경계[주의] ; 기상 관측 장치, 기상 위성.
keep** one's **weather eye open 《口》 (예기되는 위험 따위에 대비해서) 늘 주의하고 있다, 경계를 게을리하지 않다.
wéather fòrecast *n.* 일기 예보.
wéather gàuge *n.* 〖海〗 (다른 배에 대해) 바람맞이 쪽의 위치 ; 유리한 입장, 우위 : have[get, keep] the ~ of[on] …보다 유리한 지위를 차지하다.
wéather gìrl *n.* 《美》 여성 일기 예보자.
wéather·glàss *n.* 청우계(晴雨計).
wéather hòuse *n.* =WEATHER BOX.
wéather·ing *n.* Ⓤ 〖地質〗 풍화 (작용) ; 〖建〗 비흘림, 비막이, 배수(排水) 물매.
wéather·ìze *vt.* (집 따위를 단열재 따위를 사용하여) 기후에 견디는 구조로 하다, …에 내후성(耐候性)이 있게 하다.
wéather·ly *a.* 〖海〗 (배가) 바람 불어오는 쪽으로 거슬러 달릴 수 있는.
wéather·màn *n.* 《美口》 (방송국 따위의) 일기 예보 보도원, 예보관 ; 기상대원 ; [W~] 《美》 (1960년대의) 과격파의 일원.
wéather màp *n.* 일기도(圖) (weather chart).
wéather·pròof *a.* 비바람에 견디는 ; 어떤 악천후에도 견디는 ; 내후성의. —— *vt.* 비바람에 견디게 하다 ; 어떤 악천후에도 견디어 내도록 하다, 전천후 형으로 하다. —— *n.* 《英》 레인 코트.
wéather pròphet *n.* 일기 예보자.
wéather ràdar *n.* 기상 레이더.
wéather repòrt *n.* 일기 예보, 기상 통보.
wéather sàtellite *n.* 기상 (관측 인공) 위성.
wéather shìp *n.* 기상 관측선(船).
wéather stàin *n.* (벽・천장 따위의) 비바람으로 인한 변색[얼룩].
wéather-stàined *a.* 비바람에 얼룩진[변색된].
wéather stàtion *n.* 기상 관측소, 측후소.
wéather strìp *n.* (비바람이 들이치지 않도록) 틈을 메우는 것, 문풍지, 틈마개.
wéather-strìp *vt.* weather strip를 끼우다.
wéather strìpping *n.* 틈마개 ; [집합적으로] 틈막는 재료.
wéather·tíght *a.* 비바람에 견디는.
wéather vàne *n.* 바람의 방향・강도를 보기 ; 풍향계(計) (cf. WEATHERCOCK).
wéather wàrning *n.* 기상 경보.
wéather·wìndow *n.* (어떤 목적을 위하여) 알맞은 날씨가 계속되는 기간[시간대].
wéather·wìse *adv.* 일기[날씨]에 관하여.
wéather-wìse *a.* 일기를 잘 맞히는, 일기 예측을 잘 하는.
wéather·wòrn *a.* 비바람에 상한 ; 풍상을 겪은.
weave**[1] [wíːv] *v.* (**wove** [wóuv], 《稀》 **weaved** [wíːvd] ; **wov·en** [wóuvən], **weaved**, 〖商〗 **wove**) *vt.* [+目 / +目+副 / +目+前+名] **1** (피륙을) 짜다, 짜서 만들다 ; 뜨다, 엮다 ; 엮어 맞추다[넣다] : ~ a rug 융단을 짜다 / ~ a garland 화환(花環)을 엮다 / ~ threads *together* 실을 짜맞추다 / ~ thread ***into cloth 실로 천을 짜다 / ~ straw *into* hats 밀짚을 엮어 모자를 만들다 / The fabric is *woven* ***of*** cotton. 그 천은 무명실로 짜여 있다. **2** (이야기 따위를) 엮어 넣다, 구성하다, 지어 내다 : ~ a plot (소설・극 따위의) 줄거리를 구성하다 ; 음모를 꾸미다 / The writer has *woven* a story ***about***[**(*a*)*round***] this event. 작가는 이 사건을 중심으로 해서 이야기를 엮어냈다 / He *wove* three plots (*together*) ***into*** one novel[*wove* one novel ***from*** three plots]. 세 가지 줄거리를 엮어서 한 편의 소설을 지어냈다. **3** [+目+前+名] 누비고 지나가다 : The drunken man *wove* his way ***through*** the crowd. 술주정뱅이가 사람 틈바구니를 누비고 지나갔다. —— *vi.* **1** 피륙[베]을 짜다. **2** [+前+名] (길이) 꾸불꾸불 뻗다 ; (사람이) 누비듯이 나아가다 : A path *wove* ***through*** the valleys. 꾸불꾸불한 작은 길이 골짜기로 뻗어 있었다. **3** 《英空軍俗》 우회하여 적에게서 벗어나다.
weave all pieces on the same loom 만들어 내는 이야기 따위가 모두 수법이 같다.
—— *n.* Ⓤ 짜기, 뜨기, 짜는 방법, 뜨는 방법 ; 짠[엮은・뜬] 물건 : *a* close ~ 올을 촘촘하게 짜기[짠 물건]. 〖OE *wefan* ; cf. G *weben*〗
weave[2] *vi.* 허든거리다, 좌우로 흔들리다, 〖拳〗 상체를 좌우로 움직이다. —— *vt.* 《古》 (배・선객)에게 손을 흔들어 신호를 보내다.
〖ME *waive* <ON *veifa* to WAVE〗
weav·er [wíːvər] *n.* **1** 짜는 사람, 직공(織工) ; 뜨는 사람. **2** 〖鳥〗 =WEAVERBIRD ; 〖昆〗 물매암이 (whirligig).
wéaver·bìrd *n.* 〖鳥〗 길쌈새.
wéaver's hìtch[knòt] *n.* 〖海〗 =SHEET BEND.
weazand ☞ WEASAND.
weazen(ed) ☞ WIZEN(ED).
***web** [wéb] *n.* **1** 직물, 편물 ; (한 베틀분의) 천. **2** 거미줄[집] (cobweb). **3** 《비유》 **a)** 거미집 모양의 것, …망(network) ; 《美口》 (TV・라디오의) 방송망 : a ~ *of* railroads 철도망(網). **b)** 꾀한[꾸민] 것, 함정 : a ~ *of* lies 거짓말투성이인 이야기 / a ~ *of* intrigue 얽힌 음모. **4** 〖鳥〗 (물새 따위의) 물갈퀴, 오리발 ; 깃털 축 좌우쪽의 얇은 막처럼 된 부분. **5** 〖印〗 두루마리지(紙). **6** 〖機〗 (주요부 연결용의) 얇은 금속판.
—— *v.* (**-bb-**) *vt.* 거미집으로[그물로] 덮다 ; 얽히게 하다, 함정에 빠뜨리다. —— *vi.* 거미줄을 치다. 〖OE *web(b)* ; ⇨ WEAVE[1]〗
Webb [wéb] *n.* 웨브. **Sidney James ~** (1859-1947) 영국의 경제학자・사회 개혁가.
webbed [wébd] *a.* 물갈퀴가 있는 ; 거미줄을 친 ; 거미줄 모양의.
wéb·bing *n.* 덧대는 천《의자에 대는 재료 ; 그 위에 스프링을 얹음》; (말의 복대(腹帶)용 따위의) 뱃대끈 ; (야구 글러브의 손가락을 잇는) 가죽끈 ;

손가락 사이의 피막(皮膜) ; (물새 따위의) 물갈퀴 ; (라켓 따위의) 그물코(모양의 것) ; (깔개 따위의) 두꺼운 가장자리.

wéb·by *a.* =WEBBED.

web·er [wébər, véi-] *n.* 〖電〗 웨버《자기력선속(磁氣力線束)의 실용 단위》. 〚W. E. *Weber*〛

We·ber [véibər] *n.* 베버. **1 Carl Maria Friedrich Ernst von** ~ (1786-1826) 독일의 작곡가. **2 Max** ~ (1864-1920) 독일의 사회학자·경제학자. **3 Ernst Heinrich** ~ (1795-1878) 독일의 생리학자. **4 Wilhelm Eduard** ~ (1804-91) 독일의 물리학자.

Wéber's láw *n.* 〖心〗 베버의 법칙《감각 세기의 변별역(閾)과 배경의 자극 강도(強度)의 비율은 일정함》.
〚E. H. *Weber*〛

wéb·fòot [ˌ ˈˊ] *n.* **1** 물갈퀴(발)(이 있는 새·짐승). **2** [W~] 《美戲》 Oregon 주의 사람《습지가 많은 데서》.
wéb-fóot·ed *a.* 물갈퀴발의[이 있는].

Wébfoot Státe *n.* [the ~] Oregon 주의 속칭.

wéb mèmber *n.* 〖土·建〗 복부재(腹部材), 웨브 부재(部材).

wéb òffset *n.* 〖印〗 두루마리지(紙) 오프셋 (인쇄). ── *a., adv.* web offset의[으로].

wéb prèss *n.* 〖印〗 두루마리지 (윤전) 인쇄기.

Web·ster [wébstər] *n.* 웹스터. **Noah** ~ (1758-1843) 미국의 사전 편집자·저술가.

wéb-tóed *a.* 물갈퀴발을 가진.

wéb·tòes *n. pl.* 물갈퀴발.

wéb·wòrm *n.* 거미집 모양의 집을 치는 나비·나방류의 애벌레.

WECPNL weighted equivalent continuous perceived noise level《가중 등가(加重等價) 감각 소음 기준 ; 항공기 소음의 국제적 평가단위》.

wed** [wéd] *v.* (**wéd·ded ; wéd·ded,** ~) *vt.* **1** …와 결혼하다, 장가가다, …에게 시집가다. **2** (목사가) …의 결혼식을 주례하다, (두 사람을) 결혼시키다 ; (어버이가 딸을) 시집보내다〈*to*〉. **3** [+目 / +目+*to*+名] 결합시키다(unite) : In the book matter and manner are well ~*ded.* 이 책은 내용과 형식이 잘 결합되어 있다 / One should ~ efficiency ***to economy. 능률을 경제에 결합시켜야 한다. **4** [+目+*to*+名] [*p.p.*로] 집착하게 하다, 경주(傾注)시키다(devote) : be ~*ded* ***to*** an opinion[*to* a pursuit] 어떤 의견에 집착[어떤 일에 몰두]하고 있다. ── *vi.* 결혼하다 ; 결합되다, 하나가 되다. ㊟ *vt.* 1, 2 및 *vi.*에서는 MARRY 쪽이 일반적 ; 일반적으로 *p.p.* 이외는 《文語》(cf. WEDDED).
〚OE *weddian* to pledge ; cf. GAGE[1], G *wetten* to bet〛

‡we'd [wid, wíːd] we had[would, should]의 단축형(短縮形).

Wed. Wednesday.

wéd·ded *a.* 결혼한 ; 결혼의 ; 집착한, 열중한, 몰두한 ; 결합된, 일체가 된 : a ~ pair 부부 / ~ life 결혼 생활 / He is ~ *to* the work. 그는 일에 몰두하고 있다.

***wéd·ding** *n.* **1** 결혼식, 혼례 : The couple invited their friends to their ~. 두 사람은 결혼식에 친구를 초대했다. **2** 결혼 기념식[일], …혼식(婚式) : ☞ SILVER[GOLDEN, DIAMOND] WEDDING. **3** 결혼식 초대장용 고급 종이. **4** (이질적인 것의) 결합, 일체화, 융합.
〚OE *weddung* ; ⇨ WED〛
類義語 ⟹ MARRIAGE.

wédding bànd *n.* =WEDDING RING.

wédding bèll *n.* 결혼식의 종, 웨딩 벨.

wédding brèakfast *n.* 결혼 피로연《결혼식 후 신혼 여행 출발 전에 신부집에서 행했음》.

wédding càke *n.* 웨딩 케이크.

wédding càrd *n.* 결혼 피로(연) 안내장.

wédding dày *n.* 결혼식 날 ; 결혼 기념일.

wédding drèss *n.* 웨딩 드레스.

wédding fàvor *n.* 《古》 (결혼식에서 옛날에 남자 참석자가 단) 흰꽃 모양의 기장(記章)[리본].

wédding gàrment *n.* 결혼식의 예복 ; 《비유》 축하 잔치에의 참가 자격.

wédding màrch *n.* 결혼 행진곡.

wédding recèption *n.* 결혼 피로연.

wédding rìng *n.* 결혼 반지.

we·del [véidəl] *vi.* 〖스키〗 베델른으로 활강하다. **~·ing** *n.* =WEDELN. 〚역성(逆成)‹↓〛

we·deln [véidəln] *n.* (*pl.* **~s,** ~) 〖스키〗 베델른《스키를 가지런히 모은 채 작은 회전을 연속해서 하는 활강》. ── *vi.* =WEDEL.
〚G=to wag (the tail)〛

***wedge** [wédʒ] *n.* **1** 쐐기(cf. *the six* SIMPLE *machines*) ; 쐐기[V] 모양(의 것) : a ~ *of* cake [cheese] 쐐기 모양으로 자른 과자[치즈] / arrange seats in a ~ 좌석을 쐐기형으로 배치하다. **2** 〖골프〗 대가리 부분이 쐐기꼴인 골프채. **3** 사이를 갈라놓는 것 ; 분열[분리]의 원인 ; (중대사 따위의) 발단, 실마리 : drive a ~ *into* the organization 조직에 쐐기를 박다 / The grand party was an entering ~ *into* society. 성대한 파티는 사교계로 들어가기 위한 디딤돌이 되었다. **4** 〖美蹴〗 웨지《킥오프시 리시브측 블로커가 자기편 볼 캐리어의 진로를 만드는 인벽(人壁)》.
(***drive in***[***get in, insert***]) ***the thin end of the wedge*** 얼핏 보아 아무것도 아닌데 중대한 결과가 되는 일(을 시작하다).
── *vt.* **1** [+目 / +目+補] 쐐기로 고정시키다, 쐐기로 죄다 : He ~*d* the door open. 문을 열고 쐐기로 고정시켜 두었다. **2** [+目+前+名 / +目+副] (쐐기처럼) 억지로 끼우다[밀어 넣다] : *W*~ packing ***into*** this crack. 이 갈라진 틈에 틈마개를 채워 넣으시오 / The boy ~*d* himself ***through*** the narrow window. 소년은 좁은 창문으로 억지로 몸을 밀어 넣었다 / ~ oneself ***in*** 억지로 끼어들다 / ~ a thing ***off***[*away*] 어떤 것을 억지로 밀어젖히다. **3** 《稀》 쐐기로 쪼개다.
── *vi.* 억지로 끼어들다, 밀어젖히고 나아가다.
〚OE *wecg* ; cf. OHG *wecki*〛

wédge-bùster *n.* 〖美蹴〗 웨지버스터《킥오프시 wedge를 돌파하는 킥오프측 선수》.

wedged [wédʒd] *a.* 쐐기 모양의.

wédge hèel *n.* 웨지 힐, 웨지 솔《뒤축이 높고 바닥이 평평하며 옆에서 볼 때 쐐기모양의 구두창[뒤축]》; 웨지 힐의 여성 구두.

wédge-shàped *a.* 쐐기 모양[꼴]의, V자형의.

wédge·wìse *adv.* 쐐기처럼, 쐐기 모양으로.

wedg·ies [wédʒiz] *n. pl.* 웨지(즈)《wedge heel의 여성 구두》.

Wedg·wood [wédʒwùd] *n.* **1** 웨지우드. **Josiah** ~ (1730-95) 영국의 도예가. **2 a)** 웨지우드(=ˊ **wàre**)《영국의 대표적인 도자기로 황후의 어용(御用) 도자기로도 됨》. **b)** 엷은[회색을 띤] 청색.

wedgy [wédʒi] *a.* 쐐기 같은[모양의].

wed·lock [wédlɑk] *n.* Ⓤ 결혼 생활, 혼인(marriage) : *W*~ is a padlock. 《속담》 결혼은 멍에를 짊어지는 것과 같다.

born in lawful wedlock 적출(嫡出)의.
born out of wedlock 서출(庶出)의.
〖OE *wedlāc* marriage vow (*wed* pledge, *-lāc* suffix denoting activity)〗
類義語 ⟹ MARRIAGE.

◇**Wednes·day** [wénzdi, -dei] *n.* 수요일《略 W., Wed.; ☞ SUNDAY 1 주》. —— *adv.* 《口》 수요일에(on Wednesday). 주 용례는 ☞ MONDAY.
〖OE *wōdnesdæg* day of Odin; L *Mercurii dies* day of planet Mercury의 역(譯)〗

Wédnes·days *adv.* 수요일마다[에는 언제나] (on Wednesdays).

wé dówn *n.* 《CB俗》 교신(交信) 종료, 안녕.

wee[1] [wíː] *a.* (**wé·er**; **-est**) 《스코》 조그마한 (very small); 매우 이른: in the ~ hours of the morning 아침 일찍이.
a wee bit 아주 조금: It's *a* ~ *bit* tedious. 조금은 지루하다.
the wee small hours =SMALL HOURS.
—— *n.* [a ~] 《스코》 아주 잠시 동안.
〖ME *we*(*i*) little bit<OE *wǣg*(*e*) weight; cf. WEY〗

wee[2] *n., vi.* 《口·兒》 =WEE-WEE.

*****weed**[1] [wíːd] *n.* **1** 잡초, 풀; 해초: The garden has run to ~*s.* 뜰에는 잡초가 무성했다 / Ill ~*s* grow apace. 《속담》 못된 풀이 잘 자란다. **2** [the ~] 《口》 담배; 궐련, 여송연: the soothing [fragrant, Indian] ~ 담배. **3** 《비유》 건달; 호리호리한 사람[말]. —— *vt.* **1** …의 잡초를 제거하다: We must ~ the garden. 마당의 잡초를 뽑아야 한다. **2 a**) [+目+副/+目+前+名] (무용지물·유해물(有害物) 따위를) 제거하다: ~ ***out*** useless books ***from*** one's library 쓸모없는 책들을 장서에서 추려내다. **b**) [+目+副] …에서 쓸모없는[가치없는] 것을 제거하다: ~ ***out*** the herd (열등한 것을 제거하여) 동물의 무리를 정선(精選)하다. —— *vi.* 잡초를 없애다, 제초하다.
~·**er** *n.* 풀뽑는 사람; 제초기(除草器).
〖OE *wēod*<?; cf. OHG *wiota* fern〗

weed[2] *n.* **1** [보통 *pl.*] **a**) (모자나 팔에 두르는) 상장(喪章). **b**) (미망인이 입는) 상복(widow's weeds). **2** 《古》 (법의(法衣)·법관복 따위의 직업·지위를 나타내는) 의복.
〖OE *wǣd*(*e*) garment; cf. OHG *wāt*〗

wéed·ed *a.* 제초한, 풀을 뽑은; 잡초로 뒤덮인.

wéed·hèad *n.* 《美俗》 마리화나 중독자[상용자].

weed·i·cide [wíːdəsàid] *n.* 제초제(除草劑).

wéed kìller *n.* =WEEDICIDE.

wéed·kìll·ing *n.* 제초(除草).

wéedy *a.* **1** 잡초가 많은, 잡초투성이의. **2** 잡초 같은; 잡초처럼 잘 자라는; 빨리 퍼지는. **3** (사람·동물이) 호리호리한; 쓸모없는, 건달 같은, 변변치 못한. 〖WEED[1]〗

wee-juns [wíːdʒənz] *n. pl.* 위전《moccasin풍의 구두》.

◇**week** [wíːk] *n.* **1** 주(週); 1주간, 7일간《일요일에서 토요일까지; cf. 2 a)》: What day of the ~ is it?=What is the day of the ~? 오늘은 무슨 요일입니까 / Monday ~ 《주로 英》 내[전(前)]주 월요일 / this[last, next] ~ 이번[전·내]주 《부사적으로나 명사적으로 쓰임》 / ~*s* ago 여러 주일 전에, 오래 전에 / for ~*s* 여러 주일 동안, 꽤 오랫 동안 / He earns 200 dollars a ~. 1주일에 200 달러 번다. **2 a**) (일요일을 제외한) 주, 취업일, 평일《6일간; cf. WEEKDAY》. **b**) (1주일간에서의) 몇 시간제(制): They work a 40-hour ~. 주 40시간 (노동)제로 일하고 있다. **3** Ⓤ [W~] (특별한 행사가 있는) 주간: Fire Prevention *W*~ 화재 예방 주간.
a week ago today 지난주의 오늘.
a week from now 내주의 오늘.
a week of Sundays=***a week of weeks*** 7주간; 《口》 (진절머리나도록) 오랫 동안.
knock[***send***] a person ***into the middle of next week*** 《口》 남을 늘씬하게 때려눕히다, 남을 혼내다; 남을 몹시 놀라게[당황하게] 하다.
this day week=***today week*** 《주로 英》 지난주의 오늘; 내주의 오늘: They will arrive *today* ~ (=a ~ from today). 그들은 내주의 오늘 도착할 것이다.
tomorrow week 내주의 내일; 지난주의 내일.
week about=WEEK *and week about.*
week after[***by***] ***week*** 매주.
week and week about 1주일 걸러, 격주(隔週)로.
week in(,) ***week out*** 매주, 주마다.
yesterday week 지난주의 어제(a week (from) yesterday).
〖OE *wice, wicu*; cf. Du. *week,* G *Woche*〗
活用 ☞ MONTH.

*****wéek·dày** *n.* 주일(週日), 평일, 취업일《일요일 및 토요일 이외의 날》: We go to school on ~*s.* 평일에는 학교에 간다. —— *attrib. a.* 주일의, 평일의: a ~ service 평일 예배(식).

wéek·dàys *adv.* 주일[평일]에(는).

‡**wéek·ènd** [; ⌐⌐] *n.* 주말, 위크엔드《보통 토요일 오후 또는 금요일 밤부터 월요일 아침까지》; 주말 휴가, 주말 파티: on a ~ 주말에 / over a ~ 주말을 통하여. —— *attrib. a.* 주말의: a ~ trip 주말 여행. —— *vi.* [動/+前+名] 주말을 보내다: My father is ~*ing* ***at*** Tongnae. 아버님은 동래에서 주말을 보내고 계신다.

wéekend bág[**cáse**] *n.* 소형 여행 가방.

wéek·ènd·er *n.* 주말 여행자; 주말 내방자; =WEEKEND BAG; 《濠》 주말용 작은 별장.

wéekend hábit *n.* 《俗》 습관성·중독성 있는 마약을 이따금 복용하기.

wéek·ènds *adv.* 《美》 주말마다; 주말에.

wéekend wárrior *n.* 《美俗》 주말 예비병《주(州) 방위군(National Guard) 대원의 속칭; 병역 의무를 다하기 위해 소속 부대의 주말 집회에 출석함》; 때때로 매춘하는 여자.

*****wéek·ly** *a.* **1** (급료 따위) 매주의, 1주에 한번의, 주간(週刊)의, 1주의: a ~ wage 주급(週給). **2** (일 따위) 1주간에 하는[한]. —— *adv.* 매주(마다), 1주 1회씩. —— *n.* 주간지[신문·잡지], 주보(週報).

ween [wíːn] *vt.* 《古》 **1** …이라 생각하다(think), 믿다〈*that*...〉. 주 보통 *I ween*으로 삽입구적으로 쓰임. **2** 기대하다, 예기하다〈*to* do〉.

wee·nie, -ney, wei·nie, wie·nie [wíːni] *n.* **1** 《口》 =FRANKFURTER; 《卑》 기력이 빠진[조그마한] 남근. **2** 《美俗》 의외의 난점, 함정; 《美俗》 손해를 봄; 《美俗》 싫은 녀석, 바보.
〖WIENER+-*ie,* -*y*[3]〗

wee·ny [wíːni], **ween·sy** [wíːnsi] *a.* 《口》 조그마한. 〖WEE[1]; *tiny, teeny* 따위에 준한 것〗

wéeny·bòpper *n.* 《口》 패션·로큰롤(그룹) 따위에 관심을 갖는 소녀《teenybopper보다 어림》.

‡**weep** [wíːp] *v.* (**wept** [wépt]) *vi.* **1** [動/+前+名/+*to* do] 눈물 흘리다, 울다; 슬퍼하다, 비통해 하다, 한탄하다(mourn): ~ silently 소리없이 울다 / ~ ***about*** one's loss 손실을 비통해 하다 / ~ ***at*** a pitiful sight 비참한 광경을 보고 울다 /

~ ***for*** joy 기뻐서 울다 / ~ *for* a person 남을 동정하여 울다 / ~ ***over*** one's misfortunes 자신의 비운을 한탄하다 / ~ ***with*** anger 화가 나서 울다 / She *wept to* hear the sad tale. 슬픈 이야기를 듣고 울었다. **2** 《文語》 물을 내뿜다, 물방울을 떨어뜨리다, 방울져 내리다. **3** [보통 ~*ing*] (나뭇가지가) 휘늘어지다 : ☞ WEEPING 3. —— *vt.* **1** (눈물을) 흘리다 : ~ bitter tears 애절한 눈물을 흘리다. **2** …에 눈물을 흘리다, 비통해 하다 : ~ one's sad fate 자기의 슬픈 운명을 한탄하다. **3** 눈물을 흘리면서[울면서] 말하다〈*out*〉. **4** [+目+副] 눈물로 세월을 보내다 : ~ one's life *away* 일생을 눈물로 보내다. **5** [+目+副/+目+前+名/+目+補] [때때로 ~ one*self* 로] 울어서 (어떤 상태에) 이르게 하다 : She *wept* her*self* [her heart] ***out***. 그녀는 실컷 울었다 / The boy *wept* him*self* ***to*** sleep. 소년은 울다가 잠들었다 / They *wept* their eyes blind. 그들은 눈이 잘 안보일 정도로 많이 울었다. **6** 《文語》 (물기·물방울 따위를) 스며 나오게 하다, 뿜어 내다, 떨어뜨리다. —— *n.* 울기 ; (물기 따위가) 스며나오기 ; =WEEPS. 〖OE *wēpan* < ? imit.〗

[類義語] ***weep*** 슬픔·고통 따위로 울다 ; 특히 눈물을 흘리는 것을 강조함. ***cry*** 흔히 weep와 같은 뜻이지만 특히 소리를 내어 울다. ***sob*** 목이 메어서 흐느끼듯 소리를 죽여가며 울다. ***wail*** 슬픔을 참지 못하여 큰소리를 내어 울다. ***whimper*** 보채거나 또는 놀란 어린애처럼 슬프게 흐느끼는 소리를 내면서 울다.

wéep·er *n.* **1 a**) 우는 사람, 슬퍼하는 사람. **b**) (장례식에 고용되어) 곡(哭)하는 사람. **2** 〖史〗 (남자 모자에 다는) 상장(喪章) ; 〖史〗 (미망인이 쓰는) 검은 베일 ; [*pl.*] 〖史〗 미망인의 흰 커프스. **3** 《美俗》 눈물을 자아내게 하는 연애물, (노래 따위의) 실연물(失戀物).

wéep hòle *n.* 물구멍《옹벽 따위의 배수구》.

wéep·ie *n.* 《口》 (극·영화 따위의) 눈물을 자아내게 하는 흥행물.

wéep·ing *a.* **1** 눈물을 흘리는, 우는. **2** 스며[배어] 나오는 ; 방울져 떨어지는. **3** 나뭇가지가 휘늘어진, 휘늘어지는 성질의 : ☞ WEEPING WILLOW. —— *n.* 물기 ; 스며 나오기 ; 휘늘어짐.

wéeping cróss *n.* 〖史〗 눈물의 십자가《참회의 눈물을 흘리며 기도 드리는 길가의 십자가》.

return [***come home***] ***by weeping cross*** 자기의 행위[방법]를 후회하다 ; 슬픈 일을 당하다, 실패하다.

wéeping éczema *n.* 〖醫〗 습윤성 습진.

wéeping wíllow *n.* 〖植〗 수양버들.

weeps [wíːps] *n. pl.* 《美俗》 눈물 : put on the ~ 울다.

wéepy *a.* 눈물젖은, 눈물어린 ; 눈물을 잘 흘리는 ; 물이 새는[스며 나오는] ; 《英口》 눈물을 자아내게 하는《영화 따위》. —— *n.* =WEEPIE.

wee·ver [wíːvər] *n.* 〖魚〗 눈동미리 비슷한 해산 식용어.

wee·vil [wíːvəl] *n.* 〖昆〗 바구미과의 곤충. 〖MLG ; cf. OE *wifel* beetle, WAVE, WEAVE[1]〗

wée·vily, -vil·ly *a.* 바구미가 생긴.

wee-wee [wíːwìː] *n., vi.* 《兒》 오줌, 쉬하다. 〖C20 < ?〗

w.e.f. with EFFECT from.

weft [wéft] *n.* **1** 〖織〗 (피륙의) 씨실(↔*warp*). **2** 《詩·文語》 직물(web). 〖OE *weft*(*a*) ; WEAVE[1]과 같은 어원〗

wéft-knìt(**ted**) *a.* (편물이) 가로뜨기의.

wéft·wìse *adv.* 〖織〗 씨실[가로] 방향으로 ; 직단(織端)에서 직단까지 ; 끝에서 끝까지.

‡weigh [wéi] *vt.* **1** [+目/+目+前+名] 저울에 [무게를] 달다 : ~ oneself (***in*** [***on***] the scales) (저울로) 체중을 달아보다 / ~ something *in* one's hand 손으로 물건의 무게를 가늠하다. **2** [+目/+目+副/+目+前+名] (비교) 숙고[고찰]하다 : *W*~ your words. 잘 생각해서 말해라 / I ~*ed* (***up***) the claims of the rival candidates. 경쟁 후보자들의 주장을 비교해 보았다 / They ~*ed* one plan ***against*** [***with***] the other. 두 가지 안을 비교 검토했다. **3** [+目+副/+目+前+名] (무게로) 누르다, 내리 누르다 ; 압도하다 : The fruit was so thick that it ~*ed* ***down*** the branches. 과실이 나뭇가지가 휘도록 열려 있었다 / She was ~*ed down* ***with*** grief. 그녀는 슬픔으로 우울해졌다. **4** 〖海〗 (닻을) 올리다, 달다 : ~ anchor ☞ ANCHOR 숙어.

—— *vi.* **1** [+補] 무게를 달다 ; 무게가 얼마 되다[나가다] ; 무게가 …이다 : I [The parcels] ~ 100 pounds. 내 몸무게[꾸러미의 무게]는 100파운드다. **2** [動/+*with*+名] 무게를 가지다, 중요시되다 : Money does not ~ ***with*** him. 돈은 그에게 문제가 되지 않는다 / The evidence ~*ed with* me in judgment. 그 증거는 내가 판단을 내리는데 크게 작용했다. **3** [+*on*+名/+補] 무거운 짐이 되어 내리누르다, 압박하다 : The debt ~*s* heavy [heavily] (***up***) ***on*** his conscience. 부채가 그의 양심에 무거운 짐이 되고 있다. **4** 〖海〗 닻을 올리다.

weigh down 내리밀다, 내리치다(cf. *vt.* 3) ; 무게로 가라앉다.

weigh in (소지품을) 계량하다 ; (기수가) 레이스 직후[때로 직전]에 기수 자신이나 안장 따위의 무게를 달다 ; (레슬링·권투 선수 등이) 시합 전에 체중 검사를 받다 ; 《비유》 출두하다 ; 《口》 (사업·논쟁 따위에 …을 가지고) 참가[개입]하다, 원조하다, 중재에 나서다.

weigh in with. . . (의논 따위를) 의기 양양하게 끄집어내다.

weigh out (1) 저울로 달아 나누다, 저울로 일정한 양을 배분하다 : ~ *out* the required amount of sugar 필요한 양의 설탕을 달아내다. (2) (기수가) 레이스 전에 기수 자신이나 안장 따위의 무게를 달다.

weigh up 한쪽이 무게로 튀어 오르다 ; 비교 고찰하다(cf. *vt.* 2) ; (사람·물건을) 평가하다.

—— *n.* Ⓤ 무게를 달기. **~·able** *a.*

〖OE *wegan* to carry, weigh ; cf. WAG, WAIN, WAY[1], G *wägen* to weigh〗

[類義語] ⟹ CONSIDER.

wéigh·bèam *n.* 큰 대저울.

wéigh·brìdge *n.* 계량대(計量臺)《지면과 동일 평면상에 있는 철판으로 되어 있어 차량·가축 따위의 중량을 닮》.

wéigh·er *n.* 무게를 다는 사람[기구].

wéigh·hòuse *n.* 화물 계량소(計量所).

wéigh-ìn *n.* (레슬링·권투·역도 선수 등의) 체중 검사 ; (여객기 탑승전의) 휴대품 계량 ; (일반적으로) 계량, 검량.

wéigh·ing machìne *n.* 계량기.

wéigh·lòck *n.* (운하 통행세 징수를 위해) 운하를 통과하는 배의 중량을 재는 계량 수문(水門).

wéigh·màster *n.* 검량관(官)[인].

‡weight [wéit] *n.* **1** Ⓤ **a**) 무게, 중량 ; 체중 : sell by ~ 무게로 달아 팔다 / gain [lose] ~ 체중이 늘다[줄다]. **b**) 〖理·컴퓨〗 무게. **2** [단수형(形)만으로] **a**) 중하(重荷), 중압, 압박 : a ~ *of* care

걱정. **b**) 책임, 부담 : That was a great ~ off his mind. 그것으로 그의 마음의 큰 부담이 없어졌다. **3** Ⓤ **a**) 세력, 유력 : a man of ~ 유력자. **b**) 중요성, 무게 : an argument of no ~ 하찮은 논쟁 / These points have great[no] ~ *with* him. 이런 점들은 그에겐 중대하다[아무렇지도 않다] / carry ~ ☞ 숙어. **4** 무거운 것 ; (운동 경기용의) 포환, (역도의) 웨이트 ; 분동(分銅), (저울) 추 ; 누름돌, 서진(書鎭) (paper weight) : an ounce ~ 1온스의 분동 / Many clocks are worked by ~*s*. 추[흔들이]로 움직이는 시계가 많다. **5** (…의) 무게에 상당하는 양 : one ounce ~ of gold dust 사금(砂金) 1온스분. **6** 〔統〕 가중치(加重値), 웨이트. **7** 〔競馬〕 부담 중량《출장하는 말에 요구되는 중량 ; 파운드로 표시함》.

by weight 무게가[로] ; 중량으로[의].

carry [***carry no***] ***weight*** (***with...***) (…에게 있어서) 중요하다[하지 않다], (…이) 중요시되다[중요시되지 않다], (…을) 승복시키는 힘이 있다[없다].

give good [***short***] ***weight*** 근수를 푸지게 달아 주다[근수를 속이다].

pull one***'s weight*** 체중을 이용하여 젓다 ; 자기의 역할[직분·임무]을 다하다, 자기 힘에 맞는 일을 하다.

put on weight (사람이) 뚱뚱해지다.

throw one***'s weight about*** [***around***] 《口》 뻐기다, 거드름피우다 ; 세도부리다.

under the weight of …의 중압을 받아서, …때문에.

under [***over***] ***weight*** 중량이 부족[초과]하여.

weights and measures 도량형.

── *vt.* **1** [+目 / +目+*with*+名] 무겁게 하다, …에 무게를 가하다[더하다] ; …에 무거운 짐을 적재하다 : The donkey was ~*ed* too heavily. 나귀는 짐을 지나치게 싣고 있었다 / ~ the head of a golf club ***with*** lead 골프채 끝에 납을 붙여서 무겁게 하다. **2** [+目+副 / +目+前+名] …에게 무거운 짐을 지게 하다 ; 괴롭히다 : be ~*ed* ***down with*** many cares 여러가지 걱정거리로 시달리고 있다. **3** …에 중요성[가치]을 부가하다. **4** 광물 따위를 섞어서 (직물 따위를) 무겁게 하다. **5** 〔統〕 …에 가중치(加重値)[웨이트]를 주다. **6** 〔競馬〕 (말)에 핸디캡을 주다.

〚OE (*ge*)*wiht* ; cf. WEIGH, G *Gewicht*〛

類義語 ⟹ INFLUENCE, IMPORTANCE.

wéight·ed *a.* 부담이 무거워진, 짐을 실은 ; 가중된 ; 출신구 인구비례로 대표권을 행사하는 : ~ average[mean] 가중평균.

wéight·i·ly *adv.* 무겁게 ; 유력하게 ; 중대하게 ; 괴롭게.

wéight·i·ness *n.* Ⓤ 무거움 ; 중요성 ; 괴로움.

wéight·ing *n.* 무게를 가함 ; 누름돌 ; [때때로 a ~] 《英》 급여 이외에 더 지급되는 수당, (특히) 지역 수당(=~ **allòwance**).

wéight·less *a.* 중량이 (거의) 없는 ; 무중력의, 중력이 없는.

~·ly *adv.* **~·ness** *n.* 무중력 (상태).

wéight lìfter *n.* 역도 선수.

wéight lìfting *n.* Ⓤ 〔競〕 역도.

wéight màn *n.* (투해머·투원반·투포환 따위) 투척(投擲)경기자.

wéight wàtcher *n.* 체중에 신경을 쓰는 사람 ; (식이 요법으로) 감량에 애쓰고 있는 사람.

wéighty *a.* **1** 무거운, 중량이 있는. **2** (인물 등이) 무게를 가진, 비중이 큰, 세력이 있는 ; (논거 따위가) 설득력이 있는, 유력한. **3** (문제 따위) 중요한, 중대한. **4** (책임 따위) 무거운, (괴로움 따위) 견디기 어려운.

類義語 ⟹ HEAVY.

Wéil's disèase [váilz-, wáilz-] *n.* 〔醫〕 바일병《황달 출혈성 렙토스피라증》.

〚A. *Weil* (d. 1916) 독일의 의사〛

Wei·mar [*G* váimar] *n.* 바이마르《독일 중부의 도시 ; 문호(文豪) Goethe가 잠든 곳》.

Wéimar Constitútion *n.* [the ~] 바이마르 헌법《1919년 제정》.

Wéimar Repúblic *n.* [the ~] 바이마르 공화국(1919-33)《Hitler등장으로 제3제국이 됨》.

weir [wíər] *n.* (강의) 둑, 댐 ; (물고기를 잡기 위한) 어살. 〚OE *wer* (*werian* to dam up)〛

***weird** [wíərd] *a.* **1** 불가사의한, 무시무시한, 이 세상의 것이 아닌 : a ~ shriek 괴상한 비명. **2** 《口》 이상한, 기묘한, 이해하기 어려운 : a ~ getup 기묘한 옷차림 / Isn't she ~? 이상한 여자 아냐. **3** 운명의. ── *n.* **1** Ⓤ 《古·스코》 운, (특히) 불운. **2** [보통 W~] 운명의 여신(fates)의 한 사람. **3** 예언자. **4** 예언, 전조.

~·ly *adv.* **~·ness** *n.* 〚OE *wyrd* destiny ; cf. OE *weorthan* to become, WORTH²〛

weird·o [wíərdou] *n.* (*pl.* **~s**) 《俗》 =WEIRDY.

── *a.* 기묘한, 별난.

Wéird Sísters *n. pl.* [the ~] 운명의 세 여신.

wéirdy, wéird·ie *n.* 《俗》 기묘한[이상한, 별난] 사람[것].

Weis·mann [váismən, wáis-] *n.* 바이스만. **August** ~ (1834-1914) 독일의 생물학자.

Wéismann·ìsm *n.* 바이스만 유전설(說)《A. Weismann의 학설로 획득 형질의 유전을 부정함》.

we·ka [wéikɑ:, wí:-, wé-, -kə] *n.* 〔鳥〕 오스트레일리아뜸부기《날개가 퇴화된 뜸부기의 일종》. 〚Maori〛

welch ☞ WELSH.

Welch ☞ WELSH.

◇**wel·come** [wélkəm] *int.* [때때로 부사(구)를 수반하여] 잘 오셨소!, 환영합니다!, 어서 오시오! : *W~ home*! 잘 다녀오셨습니까!, 귀국 환영! (cf. WELCOME HOME) / *W~ to* Seoul! 서울에 오신 것을 환영합니다!

── *n.* 환영, 환대 ; 환영의 인사 ; 마음대로 사용하는[즐기는] 특권 : give a person a warm [hearty] ~ 남을 진심으로 환영하다 / receive a cold ~ 냉대를 받다.

bid a person ***welcome*** = ***say welcome to*** a person 남을 환영[환대]하다.

wear out one***'s welcome*** 자주 방문하여[너무 오래 머물러] 눈총을 받다.

── *vt.* [+目 / +目+*to*+名] (사람·도착·뉴스 따위를) 환영하다 ; (비판·충고·제안 따위를) 기꺼이 받아들이다 : ~ candid criticism warmly [coldly] 솔직한 비평을 기꺼이[불쾌한 기색으로] 받아들이다 / I ~ you ***to*** my home. 저의 집에 오신 것을 진심으로 환영합니다.

── *a.* **1** (손님 등이) 환영받는 : a ~ guest[visitor] 환영받는 손님[방문객] / make a person ~ 남을 환대하다. **2** [+*to* do / +前+名] **a**) 마음대로 써도 좋은, 자유롭게 할 수 있는 : You are ~ *to* try. 마음대로 해도 좋다 / She is ~ ***to*** the use of my house. 그녀는 내 집을 자유로이 이용해도 좋다. **b**) 《戲》 멋대로 …해도 좋은 : You are ~ *to* take what steps you please. 어떻게 하든 당신 좋은 대로 하십시오 / You are ~ ***to*** any opinion you like. 마음대로 말해도 좋다. **3** 기쁜, 고마운 : ~ news 길보(吉報) / a ~ letter 몹시 고대

하던 편지 / (as) ~ as snow in harvest ☞ SNOW *n.* 숙어.
and welcome [때때로 반어적으로] 그래도 좋다 : You may do so *and* ~. 그렇게 한다면 그래도 좋다.
(*You are*) *welcome*. 잘 오셨습니다 ; 《주로 美》 천만에요《감사에 답하여》.
〖OE *wilcuma* desirable guest (*wil-* desire, pleasure, *cuma* comer) ; OF *bien venu* or ON *velkominn*의 영향으로 *wel-* WELL[1]에 동화〗

wélcome hóme *n.* 귀가[귀성·귀국] 환영회.

wélcome màt *n.* (현관의) 매트(doormat) ; 《口·비유》 환영.
put*[*roll*] *out the*[one*'s*] *welcome mat 대환영하다〈*for*〉.

weld[1] [wéld] *vt.* [+目 / +目+*into*+名 / +目+副] **1** 용접하다, 단접(鍛接)하다 : ~ a broken rod 부러진 쇠막대를 용접하다. **2** 《비유》 결합[밀착]시키다 : Several incidents have been ~*ed* ***into*** an interesting narrative. 몇가지 사건이 합해져 하나의 재미있는 이야기가 되었다 / The different elements should be ~*ed together*. 이분자(異分子)는 하나로 융합되지 않으면 안된다.
── *vi.* 용접[단접]되다 : These alloys ~ at different heats. 이 합금들은 제각기 다른 온도에서 용접된다. ── *n.* **1** 용접[접합]부. **2** U.C 용접, 밀착. **~·er** *n.* 용접공. **~·ing** *n.* 용접(하기). **~·ment** *n.* 용접, 단접 ; 용접물.
〖변형(變形) (p.p.) ‹ WELL[2] (obs.) to melt, weld〗

weld[2] *n.* (유럽산) 목서초(木犀草)의 일종 ; 그것에서 채취한 황색 염료.
〖OE 《美》 *w(e)alde*〗

***wel·fare** [wélfɛ̀ər, -fæ̀ər] *n.* U 행복[안락·건강·쾌적]한 생활, 행복, 복지, 번영〈*of*〉; 복지[후생] 사업 ; 《美》 생활 보호 ; [the ~] 《英口》 (집합적·개별적으로) 사회복지[후생] 기관.
── *a.* 복지의 ; 복지 원조[생활보호]를 받고 있는 : a ~ mother 복지 원조를 받고 있는 어머니.
〖*well faren* to FARE WELL[1]〗

wélfare bùm *n.* 생활보호를 받으며 빈둥빈둥 사는 식충이.

wélfare cènter *n.* 후생 복지 센터《진료소·건강 상담소 따위》.

wélfare económics *n.* 후생 경제학.

wélfare fùnd *n.* 복리(후생)기금《요양중인 피고용자에게 지급함》.

wélfare hòtel *n.* 복지 (사업에 의한) 숙박소.

wélfare òfficer *n.* =WELFARE WORKER 2.

wélfare stàte [;´–´] *n.* 복지 국가《각종 사회보장 제도가 확립된 나라》; 사회 보장 제도.

wélfare stàtism *n.* 복지 국가주의.

wélfare wòrk *n.* U 복지[구제] 사업.

wélfare wòrk·er *n.* **1** 복지 사업가. **2** 복지 관청(welfare officer).

wel·far·ism [wélfeərìzm, -fǽər-] *n.* 복지 국가주의적 정책[신념, 태도, 원조, 편익].

wél·far·ìte *n.* 《美蔑》 복지 원조 수령자.

wel·kin [wélkən] *n.* [the ~] 《古·詩》 창공, 하늘(the sky) ; 천국.
make the welkin ring (큰소리로) 하늘까지 울리게 하다, 천지를 진동시키다.
〖OE *wolcen* clouds ; cf. G *Wolke*〗

◇**well**[1] [wél]

> (1) 부사로서 : 「잘」「훌륭히」「충분히」
> (2) 형용사로서 : 「건강한」「괜찮은」「적당한」
> (3) 감탄사로서 : 「저런」
> (4) 형용사로서는 보통 서술적 용법으로 쓰이며 「건강한」이 가장 대표적인 뜻이다 : She is *well*. (그녀는 건강하다) / Get *well* soon. (어서 건강해지세요.)

── *adv.* (**bet·ter** [bétər] ; **best** [bést]) **1** 잘, 만족하게, 더할 나위 없이(satisfactorily) (↔*ill, badly*) : dine[sleep] ~ 잘 먹다[자다]. **2** 능숙하게, 훌륭하게(↔*badly*) : speak French ~ 프랑스어를 유창하게 말하다 / I can't do it ~. 나는 그것을 잘 못한다(cf. 5). **3** 적당하게, 적절히, 알맞게 ; 마침 잘 : That is ~ said. 지당한 말이다 / I can't very ~ refuse. 적당히 거절할 수가 없다 / *W*~ done! 잘했다!, 훌륭하다! / *W*~ met! 잘 만났다! **4 a)** 충분히, 완전히(thoroughly) : Shake ~ before using. 잘 흔들어 사용하시오. **b)** 꽤, 상당히, 훨씬(considerably) : a man ~ past fifty[~ on in his fifties] 50세를 훨씬 넘은 사람 / a man ~ up in English literature 영문학에 조예깊은 사람. **5** 지당하여, 당연히(with good reason) ; 용이하게(easily) : You may ~ say so. 그렇게 말하는 것도 무리가 아니다 / We might ~ take a holiday once in a while. 가끔 휴가를 갖는 것도 좋겠지 / You can ~ do it. 너는 충분히 할 수 있다 / I can't ~ do it. 아무래도 그것을 할 수가 없다(cf. 2). **6** 대개, 아마도(probably) : It may ~ be true. 그것은 아마 사실일지도 모른다. **7 a)** 호의적으로, 친절히 : think[speak] ~ of …을 좋게 생각하다[말하다], …을 존중하다 / stand ~ with a person 남에게 인기[평판]가 좋다. **b)** 기분좋게, 침착[담담]하게 : He took the news ~. 그는 그 소식을 담담하게 받아들였다. **8 a)** 유복하게, 안락하게 ; 건강하게. **b)** 유리하게.
as well (1) 더욱이, 그 위에, …도 역시(too), 게다가(besides) (cf. *as* WELL *as*) : This pen will do *as* ~. 이 펜이라도 좋다 / He speaks Russian *as* ~. 그는 러시아어도 잘한다. (2) 정당[합당]하지 않은 것은 아닌(cf. *may* (*just*) *as* WELL ; *might* (*just*) *as* WELL) : It's just as ~ you didn't go there. 너는 거기에 가지 않기를 잘했다 / It may be *as* ~ to explain. 설명하는 편이 좋을 것이다.
as well as... (1) …같이 잘. (2) …은 물론, …도, …뿐만 아니라 : He has experience *as* ~ *as* knowledge. 지식뿐만 아니라 경험도 있다. 注 (1) A as well as B에서는 A쪽에 의미상의 중점을 두며, 그것을 주어로 하는 술어동사의 수는 A와 일치함 : John, *as* ~ *as* his friends, was injured in the accident. 존의 친구들뿐만 아니라 존 자신도 사고로 부상을 당했다(cf. NOT *only...but* (*also*)...). (2) A와 B는 문법적으로 대등한 요소인 것이 일반적 : In theory *as* ~ *as* in practice, the idea was unsound. 이론적으로나 실제적인 면에서나 그 생각은 온당하지 못했다.

> **A as well as B의 문장 전환**
> This book is instructive *as well as* interesting.
> → This book is *not only* interesting, *but also* instructive.
> (이 책은 재미있을 뿐만 아니라 유익하기도 하다.)
> ☆ A as well as B와 not only B but also A에서 A와 B의 어순이 바뀐다.

be well off 잘 살다, 유복하다.
be well out of …을운좋게 모면하고 있다 : He

is ~ *out of* the trouble. 말썽거리에서 운좋게 벗어나 있다 / I wish I *was* ~ *out of* this job. 이런 일에서 손을 떼고 싶다.
come off well (남이) 행복하다 ; (사업이) 잘 되다.
do one***self well*** = ***live well*** 호화롭게 살다.
do well by a person 남을 우대하다.
do well to do …하는 것이 좋다 : You would *do* ~ *to* be quiet. 조용히 하는 것이 좋을 것이다 / You *did* ~ (= It was ~ done of you) *to* come. 잘 와 주셨습니다.
may (***just***) ***as well*** do (***as not***) …하는 편이 낫다. ㈜ 뒤의 as not의 뜻이 매우 약해져 생략된 것 ; had better보다도 뜻이 약하고 완곡적 : You *may* (*just*) *as* ~ go at once. 당장 가는 편이 좋을 것이다 / You *may just as* ~ confess. 자백하는 편이 좋을 것이다 / One *may as* ~ be hanged for a sheep as a lamb. 《속담》 이왕 훔치려면 크게 훔쳐라, 바늘 도둑이나 소도둑이나 매한가지다.
may well do …하는 것도 당연[타당]하다(☞ *adv.* 5) : He *may* ~ think so. 그가 그렇게 생각하는 것도 당연하다.

may well의 문장 전환
She *may well* be proud of her son. (그녀가 아들 자랑을 하는 것도 당연하다.) → She *has good reason to* be proud of her son. → *It is natural that* she *should* be proud of her son.

might as well do. . .***as*** …하는 것은 …하는 것과 매한가지다, …할 바엔 차라리 …하는 편이 낫다 : You *might as* ~ throw money away *as* spend it in gambling. 노름에 돈을 없애느니 차라리 버리는 편이 낫다 / You *might as* ~ stay at home *as* not(= rather than not). 차라리 집에 있는 편이 낫다.
might (***just***) ***as well*** do …하여도 좋다[나쁘지 않다] : You *might just as* ~ talk to your son. 당신 아들에게 주의를 주는 것도 좋을 것 같군요《*may as* WELL보다도 정중한 말》.
pretty well (1) ☞ PRETTY *adv.* (2) (*adv.*) 《口》 거의(almost) : The work is *pretty* ~ finished. 일이 거의 끝나간다 / You're *pretty* ~ the only person who's willing to help. 기꺼이 도와주시는 분은 당신뿐이랍니다.
speak well of …을 좋게 여기다[말하다], 칭찬하다 : He is ~ *spoken of* by everybody. 누구에게나 평판이 좋다.
think well of …한 것을 좋게 생각하다, …을 존중하다.
── *pred. a.* (**better ; best**) **1** 건강한, 튼튼한(↔*ill*) : feel[look] ~ 기분이 좋다[안색이 좋아 보이다] / How are you?—Quite ~, thank you. 안녕하십니까 — 덕분에 건강합니다, 감사합니다. ㈜ 《주로 美》에서 비교급·최상급은 없으나 *attrib. a.*로서도 쓰임 : a ~ man 튼튼한 사람, 건강한 사람. **2** 적당한 ; 적절한(advisable) : It would be ~ to start at once. 곧 떠나는 것이 좋을 것이다. **3** 더할 나위 없는, 형편[계제]이 좋은 : All's ~ (that ends ~). (결과가 좋으면) 만사가 좋다 / He is quite ~ where he is. 현재의 지위[상태]에 충분히 만족하고 있다 / It is ~ you came with me. 네가 나와 함께 와서 잘 됐다. **4** 안락한.
as well …하는 것이 좋다 : It may be *as* ~ to explain. 설명하는 것이 좋겠다 / It would be just *as* ~ for you to write to him. 네가 그에게 편지를 쓰는 편이 좋을 것이다.
It is all very well, but. . . . 그것은 참으로 좋지만…《불만·불찬성을 말하려고 하는 경우의 문구》 : *It's all very* ~ (for you) to say that it isn't your business, *but* you will find it is. 너의 일이 아니라고 말하는 것은 좋지만 크게 관계가 있음을 알게 될 것이다.
well and good (어떤 경우의 상황·결정·결의 따위를 받아들이는 뜻으로) 좋습니다, 하는 수 없습니다.
well off = WELL-OFF.
well to do = WELL-TO-DO.
── *int.* (cf. WHY *int.*) **1 a**) [놀람을 나타내어] 어마!, 저런!, 무엇!, 아이고! : *W*~, I never! = *W*~, to be sure! = *W*~ now! 저런, 참 놀랍군 / *W*~, ~! 저런, 저런! **b**) [안심을 나타내어] 휴우!, (자) 됐어!, 이제[드디어] 되었군! : *W*~, here we are at last. 휴우, 마침내 도착했군. **2 a**) [양보] 그래, 그렇군, 그러면 좋아 : *W*~, may be. 그래, 그럴지도 모르겠군. **b**) [이야기를 다시 계속하거나 말을 꺼낼 때] 그래서, 그런데 : *W*~, as I was saying.... 그런데, 아까 말한 대로…. **c**) [한 발자국 양보하여] 과연, 그렇다고 치고 : *W*~, but what about the money? 그렇다고 하고, 그런데 돈은. **d**) [예기(豫期)] 그래서, 그리고(서)는 : *W*~, then? 그래, 그리고 나서는. **e**) [체념] 원참!, 어떻든 : *W*~, you can't help it. 원참, 별도리 없지.
── *n.* Ⓤ 좋은 일, 만족한 상태 : I wish him ~. 그의 행복[성공]을 빈다(cf. WISH *vt.* 3 c)) / Let ~ alone. 《주로 英》 좋은 일은 그대로 두어라, 긁어 부스럼 만들지 마라.
〖OE *wel*(*l*) ; cf. G *wohl*, OE *wyllan* WILL〗
類義語 ⟹ HEALTHY.

***well**[2] *n.* **1** 우물 ; (유정(油井) 따위의) 정(井) : sink[drive] a ~ 우물을 파다. **2** 샘 ; [*pl.*] 광천[보양]지 ; 《비유》 근원, 원천 : the ~ *of* English undefiled 《詩·古》 순수(純粹) 영어의 원천《시인 Chaucer를 일컬음》. **3** 우물 모양의 구멍 ; 오목한 곳 ; (계단의) 수직 공간(☞ STAIRWELL) ; (승강기의) 수직 공동(空洞) ; (어선(漁船)의) 활어조(活魚槽) ; (만년필의) 통 ; = INKWELL. **4** 《英》 (법정의) 변호사석. **5** (각 층을 뚫고 통한) 통풍[채광]용 세로 구멍. **6** (계단식 회의 장소 따위의 밑 부분의) 연단 있는 곳, 연단 앞. **7** 〖理〗 (우물처럼 깊은) 퍼텐셜의 골.
── *vi.* [+副 / +*from*+名] 솟아나오다, 분출하다 : Tears ~*ed **up*** in his eyes[~*ed **from*** his eyes]. 그의 눈에서 눈물이 쏟아졌다 / Blood was ~*ing **out***[*forth*]. 피가 뿜어 나오고 있었다.
── *vt.* 분출시키다〈*out*〉.
〖OE *wella* ; cf. G *Welle* wave, OE *wellan* to boil, melt〗

◇**we'll** [wiːl, wil] we will[shall]의 단축형.
well·a·day [wéləd̀ei] *int.* 《古·戲》 아아 슬프도다! 〖cf. LACKADAY〗
wéll-ádvertised *a.* 요란하게 선전된.
wéll-advísed *a.* 사려[분별]있는, 신중한(prudent) : a ~ action 신중한 행동.
wéll-afféct·ed *a.* 호감[호의]을 갖고 있는〈*to*, *toward*〉 ; 충실한.
wéll-appóint·ed *a.* 준비[설비]가 다 된, (배 따위) 장비가 완전한.
well·a·way [wèləwéi, ⌐-⌐] *int.* 《古·戲》 아아《비탄을 나타냄》. ── *n.* 비탄 ; 애도의 말[시, 노

래, 곡](lament).
〚OE *wei lā wei*〈*wā lā wā* woe, lo! woe〛
wéll-bálanced *a.* **1** 균형이 잘 맞는. **2** 제정신의, 정신이 또렷한 ; 상식 있는.
wéll-beháved *a.* 품행이 단정한, 행실이 바른.
***wéll-bé·ing** *n.* Ⓤ 안녕, 행복, 건강, 복리.
wéll-belóved [-bilʌ́vəd] *a.* 매우 귀여움[사랑]을 받고 있는(dearly loved). —— *n.* 가장 사랑하는 사람.
wéll-bórn *a.* 집안이 좋은, 명문 출신의.
wéll-bréd *a.* **1** 곱게 자란, 가정 교육을 잘 받은 ; 행실이 좋은, 얌전한, 품위있는. **2** (말 따위) 종자가 좋은, 혈통이 좋은.
wéll-buílt *a.* (건물을) 튼튼하게 지은 ;《口》(사람이) 체격이 좋은, 균형잡힌 몸매의.
wéll-chósen *a.* (어구 따위) 정선(精選)된, 잘 골라 낸, 적절한.
wéll-condítioned *a.* 인품이 좋은, 선량한 ; 맵시있는 ; (신체가) 건강한, 호조인.
wéll-condúct·ed *a.* 행실[품행]이 좋은.
wéll-connéct·ed *a.* 좋은[훌륭한] 친척이 있는, 연줄이 좋은.
wéll-contént(·ed) *a.* 충분히 만족한, 충족된.
wéll-cút *a.* (옷을) 잘 지은.
wéll dèck *n.* 〖海〗 요(凹) 갑판, 웰 갑판《이물루(樓)와 고물루 사이의 갑판》.
wéll-defíned *a.* 뚜렷이 정의된 ; 명확한, 윤곽이 뚜렷한.
wéll-désigned *a.* 잘 설계[계획]된.
wéll-devéloped *a.* 잘 발달한《몸》; 충분히 가다듬어진《안(案)》.
wéll-diréct·ed *a.* 방향이 잘 정해진[지도된].
wéll-dísciplined *a.* 잘 단련된 ; 규율[규범]에 따른[일치된].
wéll-dispósed *a.* **1** 마음씨 고운, 친절한 ; 호의를 가진. **2** 가지런히 나열한.
wéll-dócumented *a.* 증거 서류로 증명된.
wéll-dó·er *n.*《古》선행자(善行者), 덕행가(德行家) (↔*evildoer*).
wéll-dó·ing *n.* Ⓤ 선행, 덕행 (↔*evildoing*) ; 번영, 성공.
—— *a.* 친절한, 덕행의.
wéll-dóne *a.* 바르게[훌륭히] 수행[처리]된 ; (고기가) 잘 익은[구워진], 충분히 조리된(cf. UNDERDONE, OVERDONE).
wéll-dréssed *a.* 좋은 옷을 입은.
wéll-éarned *a.* 자기 힘[노력]으로 벌어들인 : a ~ punishment 자업 자득.
wéll-éducated *a.* 충분한 교육을 받은, 잘 교육된 ; 교양있는.
wéll-estáblished *a.* 기초가 튼튼한, 확고 부동한, 확립된.
wéll-fávored *a.* 미모의, 잘 생긴.
wéll-féd *a.* 영양이 좋은, 살찐.
wéll-fíxed *a.* 유복한, 잘 사는(well-to-do) ; 안전한, 확실한.
wéll-fórmed *a.* 모양이 좋은 ; 〖文法〗 적격인.
~·ness *n.*
wéll-fóund *a.* =WELL-APPOINTED.
wéll-fóund·ed *a.* 근거가 충분한.
wéll-gróomed *a.* (말 따위가) 손질이 잘 된 ; (사람이) 옷차림이 깔끔한.
wéll-gróund·ed *a.* **1** 기초 교육[훈련]을 잘 받은. **2** =WELL-FOUNDED.
wéll-grówn *a.* 발육이 좋은.
wéll-hándled *a.* 관리[운영]를 잘하는 ; (상품이) 여러 사람이 만진 ; 잘[신중히] 다루어진 ; 멋지게 처리된.
wéll·hèad *n.* **1** 수원(水源) ;《비유》원천. **2** 우물의 윗부분《펌프·비막이 덮개 따위》.
wéll-héeled *a.*《美口》돈이 꽤 많은, 부유한 ; 무장한, 무기를 지닌 ; 안전한.
wéll-húng *a.* **1** (커튼이) 잘 드리워진 ; (스커트가) 맵시있게 걸쳐진. **2**《卑》(여성이) 가슴이 풍만한 ; (남성이) 성기가 큰.
wel·lies [wéliz] *n. pl.*《英口》=WELLINGTONS.
wéll-infórmed *a.* 박식한, 견문이 넓은 ; 잘 알고 있는(↔*ill-informed*) ; 확실한 정보를 얻을 수 있는 : ~ quarters 소식통.
Wel·ling·ton [wéliŋtən] *n.* 웰링턴. **1 1st Duke of** ~=**Arthur Wellesley** ~(1769-1852) Waterloo에서 Napoleon 1세를 격파한 영국의 장군·정치가. **2** New Zealand의 수도.
Wéllington bóots *n. pl.* =WELLINGTONS.
wel·ling·tons [wéliŋtənz] *n. pl.*《英》웰링턴(부츠)《무릎 위까지 오는 부츠》; (널리) 부츠, 고무장화.
〚1st Duke of *Wellington*〛
wéll-inténtioned *a.* (결과야 어쨌든) 선의의, 선의로 한.
wéll-júdged *a.* 판단이 정확한, 적절한, 시기에 알맞은.
wéll-képt *a.* 손질이 잘 된, 잘 간수[관리]된.
wéll-knít *a.* (몸 따위가) 건장한, 골격이 튼튼한 ; 간결한 ; 체제[조직]가 잘 짜여진.
***wéll-knówn** *a.* 유명한, 주지의(famous) ; 잘 알려진 ; 친밀한(familiar) ; 잘 알고 있는(↔*little-known*) : a ~ fact 주지의 사실 / a ~ actress 유명한 여배우.
wéll-líking *a.*《英》건강해 보이는, 형편이 좋아 보이는, 잘 사는 듯한.
wéll-líned *a.* (지갑에) 돈이 두둑한.
wéll-lóok·ing *a.* =GOOD-LOOKING.
wéll-máde *a.* **1** (몸이) 균형이 잡힌. **2** (세공품이) 잘 만들어진 ; 잘 된.
wéll-mánnered *a.* 품행이 단정한 ; 공손한, 점잖은.
wéll-márked *a.* 뚜렷이 식별된, 두드러진.
wéll-mátched *a.* 조화[배합]가 잘 된, 잘 어울리는《부부 등》.
wéll-méan·ing *a.* 선의의 ; 호의에서 나온 ; 사람좋은.
wéll-méant *a.* =WELL-INTENTIONED.
wéll-móunt·ed *a.* 훌륭한 말을 탄.
wéll·ness *n.* 건강, 호조.
well-nigh [wélnái] *adv.*《文語》거의(almost).
wéll-óff *a.* **1** 부유한 ; 잘 사는, 일이 순조로운(cf. WELL-TO-DO). **2** 풍부한〈*for*〉.
wéll-óiled *a.*《俗》술이 잔뜩 취한 ; 아첨을 잘하는 : have a ~ tongue 아첨을 잘하다.
wéll-órdered *a.* 질서 정연한.
wéll-páid *a.* 급료[보수]가 좋은.
wéll-páy·ing *a.* 충분한 급료를 지급하는, 보수가 좋은.
wéll-pláced *a.* 정확히 겨냥한 ; 좋은 지위에 있는 ; 적당한 장소에 설치된 ; 믿을 수 있는《정보원(情報源)》.
wéll-pléas·ing *a.*《古》흡족한, 만족한〈*to*〉.
wéll pòint *n.* 〖土〗 웰 포인트《집수관(集水管)의 구멍 뚫린 하단부 ; 땅속에 박아 넣어 주위의 지하수를 뽑아 냄》.
wéll-pólished *a.* 잘 연마한 ; 세련된.
wéll-presérved *a.* 잘 보존된, 보존 상태가 좋은, 새 것같이 보이는.

wéll-propórtioned *a.* 균형이 잘 잡힌, 잘 어울리는.
wéll-réad [-réd] *a.* 많이 읽은, 다독(多讀)의 ; 박식한〈*in*〉(cf. DEEP-READ, UNREAD).
wéll-régulated *a.* 정돈이 잘 된, 규칙이 잘 선.
wéll-repúted *a.* 호평받는, 평이 좋은.
wéll·róund·ed *a.* 폭넓게 풍부한 재능이 있는 ; (문체·구상 따위) 균형이 잘 잡힌 ; (인격 따위가) 원만한 ; 잘 발달된, 풍만한.
Wells [wélz] *n.* 웰스. **H**(erbert) **G**(eorge) ~ (1866–1946) 영국의 소설가·저술가.
wéll-séem·ing *a.* 그럴듯하게 보이는, 좋아 보이는.
wéll-sét *a.* (골격 따위가) 튼튼한 ; 균형잡힌, 건장한.
wéll sìnker *n.* 우물파기, 우물파는 사람.
wéll-spént *a.* 뜻있게 사용된, 유효하게 쓰여진.
wéll-spóken *a.* 말씨가 점잖은[세련된] ; (표현이) 적절한 ; 실수가 없는.
wéll·spring *n.* 수원(水源) ; 《비유》 (무궁무진한) 원천.
wéll-stácked *a.* 《俗》 (여성이) 풍만한, 포동포동한.
wéll-súit·ed *a.* 적절한 ; 편리한.
wéll swèep *n.* 방아두레박.
wéll-táken *a.* 근거가 확실한, 정당한.
wéll-thóught-òf *a.* 평판이 좋은, 크게 존경받는.
wéll-thòught-óut *a.* 충분히 고려된, 잘 생각하여 완성된.
wéll-tímed *a.* 시기가 좋은, 때를 잘 맞춘, 시기적절한(timely).
wéll-to-dó *a.* 유복한, 부자인(cf. WELL-OFF) ; [명사적으로 ; the ~] 부유 계급. ㈜ *pred.*로서는 WELL to do라고도 씀.
類義語 ⟹ RICH.
wéll-tráveled *a.* 여행 경험이 많은, 여행에 익숙한 ; 교통량이 많은.
wéll-tríed *a.* 수 많은 시련을 겪은 ; 충분히 시험해 본 ; 잘 음미된.
wéll-trόdden *a.* (도로 따위가) 잘 다져진 ; 사람 통행이 많은.
wéll-túrned *a.* **1** 맵시있는 : ~ legs 맵시있는 다리. **2** 표현이 잘 된 : a ~ phrase 세련된 문구, 교묘한 표현.
wéll-uphólstered *a.* 《口·戲》 (사람이) 뚱뚱한, 살찐.
wéll-wìsh *n.* 호의(好意).
wéll-wìsh·er *n.* 남[일]의 행운[성공]을 비는 사람 ; 호의를 보이는 사람, 동정자(↔*ill-wisher*).
wéll-wísh·ing *n.* 남의 성공[행복]을 빌기.
wéll-wórn *a.* 써서 낡은 ; (특히) 진부한, 신선미가 없는 ; (훈장 따위가) 바르게 착용된.
welsh, welch [wéltʃ ; wélʃ] *vi., vt.* **1** 〖競馬〗 건 돈을 (이긴 자에게) 지급하지 않고 도망치다. **2** 《俗》 남의 돈을 떼어먹다, 의무를 회피하다, 위약(違約)하다〈*on*〉.
〚C19<? ↓〛
***Welsh, Welch** *a.* **1** Wales의. **2** 웨일스인(人) [어]의. —— *n.* **1** [집합적으로 ; the ~] Wales인. **2** Ⓤ 웨일스어. **3** (소·돼지의) 웨일스 종.
〚OE *Welisc*, *Wælisc* foreign<Gmc. (G *welsch*) <L *Volcae* 켈트족의 이름〛
Wélsh córgi *n.* 웰시 코기《웨일스산의 다리가 짧고 몸통이 긴 개》.
wélsh·er *n.* 《俗》 사기꾼, 야바위꾼.
Wélsh·man [-mən] *n.* (*pl.* **-men**) 웨일스인.
Wélsh mútton *n.* 웨일스산 양고기.
Wélsh rábbit[**rárebit**] *n.* 녹인 치즈《맥주를 섞기도 함》를 토스트 또는 비스킷에 부은 요리.
Wélsh·wòman *n.* 웨일스의 여인.
welt [wélt] *n.* **1** (구두창에 갑피(甲皮)를 대고 맞꿰매는) 대다리. **2** 가장자리 뜨기[장식]. **3** 《口》 채찍 자국, 부르튼 자리 ; 구타. —— *vt.* **1** …에 대다리를 대다 ; …에 가느다란 헝겊을 대다, 가장자리 장식을 달다. **2** 《口》 …에 채찍 자국을 내다 ; 강타하다.
〚ME<? ; cf. OE *wælt* (thigh) sinew〛
Welt [*G* vɛ́lt] *n.* 세계(world).
welt·an·schau·ung [véltɑːnʃàuəŋ, -tən-] *n.* (*pl.* **~s**, **~·en** [-ən]) [흔히 W~] 〖哲〗 세계관, 인생관, 사회관. 〚G〛
Welt·an·sicht [*G* vɛ́ltanziçt] *n.* 세계관.
wel·ter[1] [wéltər] *vi.* **1** [+*in*+名] 구르다, 굴러다니다(wallow) ; (진흙·피 따위 속에서) 뒹굴다 : The little pigs were ~*ing* ***in*** the mud. 돼지 새끼들이 진창 속에서 뒹굴고 있었다. **2** (파도 따위가) 굽이치다, 소용돌이치다. **3** [+*in*+名] 《비유》 (쾌락 따위에) 잠기다, 빠지다 : They ~*ed* ***in*** sin. 죄악에 빠졌다. **4** 뒤흔들다, 교란하다. —— *n.* **1** 뒹굴기. **2** 소용돌이치기, 굽이치기. **3** 혼란, 난투 : the ~ *of* a crowd[political beliefs] 군중의 혼잡[정견(政見)의 무의미한 각축(角逐)].
〚MDu., MLG *welteren* to roll〛
welter[2] *n.* **1** 평균 체중 이상의 기수, 웰터급 복서 (welterweight) ; 특별 중량《28파운드》을 진 (장애물) 경마(=~ **ràce**). **2** 《口》 강타, 강한 펀치 ; 유별나게 무거운[큰] 것[사람].
〚C19<? ; WELT에서인가〛
wélter·wèight *n.* **1** 〖競馬〗 **a**) 평균 체중 이상의 기수(騎手). **b**) (장애물 경마에서) 말에게 지우는 특별한 중량《말의 나이에 대하여 부과하는 중량 이외의 28파운드》. **2** 〖拳〗 웰터급 복서(☞ BOXING WEIGHTS).
Welt·po·li·tik [*G* vɛ́ltpolitiːk] *n.* 세계정책.
Welt·schmerz [*G* vɛ́ltʃmɛrts] *n.* 세계고(苦), 비관적 세계관, 인생고 ; 감상적 비관론.
wen[1] [wén] *n.* **1** 〖醫〗 피지 낭종(皮脂囊腫). **2** 《비유》 대도시 ; [the (Great) W~] 런던시(市)의 속칭(俗稱).
〚OE *wen*(*n*) <? ; cf. Du. *wen.*, LG *wehne* tumor〛
wen[2] *n.* 웬《고대·중세 영어에 사용된 룬(runic) 문자 *þ*의 자모 이름 ; 후에 w로 바뀜》.
〚OE (변형(變形)) ‹ *wyn* joy〛
wench [wéntʃ] *n.* **1** 《戲·口》 소녀, 여자 아이, 처녀. **2** 하녀 ; 촌색시. **3** 《英·古》 음란한 여자, 매춘부. —— *vi.* 《古》 창녀와 관계를 맺다, 간통[밀통]하다.
~·er *n.* 《古》 유곽의 손님.
〚ME *wenchel*<OE *wencel* child ; cf. OE *wancol* weak〛
wend [wénd] *v.* (**~·ed**, 《古》 **went** [wént]) *vt.* (발을) 향하게 하다, 나아가게 하다 : ~ one's way 나아가다, 가다〈*to*〉. —— *vi.* 《古》 나아가다, 가다. ㈜ 옛 과거형 WENT는 지금은 GO의 과거형으로 대용되고 있음.
〚OE *wendan* to turn (caus.) <Gmc. 《美》 *windan* to WIND[2] ; cf. G *wenden*〛
Wend *n.* 벤드족《원래는 독일 북동부에 있었으나 지금은 동부 Saxony에 사는 슬라브족의 일파》.
Wénd·ish, Wénd·ic *n., a.* 벤드어[족](의).
Wen·dy [wéndi] *n.* **1** 여자 이름. **2** 웬디《Peter Pan에 등장하는 세 자매중 장녀》.
〚Welsh=white-browed ; ? (dim.) ‹ *Gwendolyn*〛

Wéndy hòuse *n.* (안에 들어가 노는) 아이들[장난감]집.

Wens·ley·dale [wénzlidèil] *n.* 웬즐리데일《(1) 잉글랜드 Yorkshire산(産) 치즈의 일종. (2) Yorkshire 원산의 뿔 없는 양》.
〖North Yorkshire의 한 지방 이름〗

◇**went** *v.* GO의 과거형(cf. WEND).

wen·tle·trap [wéntəltræ̀p] *n.* 〖貝〗 실패고둥의 일종. 〖Du.〗

‡**wept** *v.* WEEP의 과거·과거 분사.

◇**were** [wər, wə́:r] *v.* BE의 직설법 복수 과거형, 2인칭 단수 과거형 또는 가정법 단수·복수 과거형.
were it not for... 만일 …이 없다면.
were to do ☞ BE *auxil. v.* 5.
活用 (1) 가정법 과거형의 were는 사실에 반대되거나 있을 법하지도 않은 것을 가정하거나 실현 불가능한 소망을 나타내는 경우에 쓰이지만 단수 주어에 있어서는 직설법의 was가 쓰이기도 함 : I wish I *were*[*was*] a bird. (내가 새라면 좋을 텐데) / If it *were*[*was*] so, how happy we should be! (만일 그렇다면 얼마나 행복하랴) / She spoke as if everything *were*[*was*] settled. (그녀는 마치 모두 다 해결된 것 같은 말투였다) / If they *were* here, they would help us willingly. (만약 그들이 여기에 있었다면 그들은 기꺼이 우리들을 도와 줄 텐데). (2) 이 경우 단수 주어에 대하여 was를 쓰는 것은 《口》에 많으나 If I *were* you(만일 내가 너라면) 같은 형식에서는 If I *was* you라고 하는 것은 비표준적임. 또한 *Were* I...(=If I *were*...)의 형식에서는 was가 쓰이는 일은 없음(cf. IF 1 주 (3)).

‡**we're** [wiər, wə̀:r, wì:ər] we are의 단축형.

‡**were·n't** [wə́:rnt, 美+wə́:rənt] were not의 단축형(短縮形).

wer(e)·wolf [wíərwùlf, wə́:r-, wέər-] *n.* (*pl.* **-wolves** [-wùlvz]) (옛날 전설에 나오는) 늑대가 된 인간, 늑대 인간. 〖OE *werewulf* man wolf (*wer* man ; cf. VIRILE)〗

werf [vέərf] *n.* 《南아》 농가의 뜰.

wert [wərt, wə́:rt] *vi.* 《古》 BE의 2인칭 단수 (thou)의 직설법(cf. WAST) 및 가정법 과거형.

wes·kit [wéskət] *n.* 조끼(vest)《특히 여성용의》. 〖WAISTCOAT〗

Wes·ley [wésli ; wéz-] *n.* **1** 남자 이름. **2** 웨슬리. **John** ~ (1703-91) 영국의 메서디스트 파(Methodism)의 창시자. 〖OE=west field〗

Wésley·an *a.* 웨슬리교파[주의]의. —— *n.* 웨슬리교도. **~·ìsm** *n.* 웨슬리교[주의].

Wes·sex [wésiks] *n.* 웨섹스《영국 남서부에 있었던 고대 Anglo-Saxon왕국 ; Thomas Hardy의 소설의 배경이었음》.
〖OE *Westseaxe* West Saxon〗

◇**west** [wést] *n.* **1** [보통 the ~] 서(쪽), 서방 ; 서부《略 w., W, W. ; ↔*east* ; ☞ NORTH 1 주》. **2** [the W~] **a**) 서양, 서유럽. **b**) (공산권에 대해) 서유럽(측), 서방측. **c**) 서부 지방 ; 《美》 서부 지방《Mississippi강에서 태평양 연안까지의 지방》. **d**) 〖史〗 서로마 제국(帝國). **3** 《詩》 서풍(西風). **4** (교회당의) 서(쪽) (cf. EAST). **5** [흔히 W~] (브리지 따위에서) 서쪽 자리의 사람.
in the west of …의 서부에.
on the west of …의 서쪽에 (접하여).
to the west of …의 서쪽에 위치하여.
west by north 북서《略 WbN》.
west by south 남서《略 WbS》.
—— *a.* **1** 서(쪽)의 ; 서향(西向)의 : the ~ longitude 서경(西經) / the ~ end of a church 교회당의 서쪽 끝《제단의 반대쪽》. **2** 서부의. **3** (바람이) 서쪽에서 부는 : a ~ wind 서풍. **4** (교회당의) 서쪽의, 제단과 정반대쪽의.
—— *adv.* 서쪽으로[에], 서부로[에] : due ~ 정서(正西)에 / lie east and ~ 동서로 가로놓이다.
go west 서쪽으로 가다 ; 《俗·戱》 죽다, (돈 따위가) 다 떨어지다.
west by north[***south***] 북[남]서로(cf. *n.*).
west of …의 서쪽에.
—— *vi.* 서진하다 ; 서쪽으로 방향전환하다.
〖OE ; cf. G *West*, L VESTER〗

West. western.

wést·abòut *adv.* 서쪽으로.

Wést Bánk *n.* [the ~] 요르단 강 서안 지구《1967년 이스라엘이 점령》.

Wést Berlín *n.* 서베를린《영국·미국·프랑스가 공동 관리했었음》.

wést·bòund *a.* 서쪽으로 가는[향한] (bound for west)《略 w.b.》 : a ~ train 서행 열차.

Wést Céntral *n.* [the ~] 서 중앙구《London 우편구의 하나 ; 略 W.C.》.

Wést Cóast *n.* [the ~] (미국의) 태평양 연안.

Wést Cóuntry *n.* [the ~] 《英》 서부 지방.

wést-cóuntry *a.* 《英》 서부 지방의[에서 온].

Wést Énd *n.* [the ~] 웨스트 엔드《London 서부에 있으며 부자들의 저택이 많고 큰 상점·공원 따위가 있음 ; cf. EAST END》.

west·er [wéstər] *vi.* 서쪽으로 가다[향하다] ; (천체가) 서쪽으로 나아가다[기울다]. —— *n.* 서풍, (특히) 서쪽에서 불어오는 강풍[폭풍].

wéster·ing *a.* 서쪽으로 향하는[가는], (해가) 서쪽으로 기우는.

west·er·ly [wéstərli] *a.* 서(쪽)의 ; 서쪽으로의, 서쪽으로 기운 ; (바람이) 서쪽에서 부는.
—— *adv.* 서(쪽)으로 ; (바람이) 서쪽에서.
—— *n.* 서풍, [*pl.*] 편서풍.

‡**west·ern** [wéstərn] *a.* **1** 서(쪽)의 ; 서쪽에 있는 ; 서(쪽)에서 오는 ; (바람이) 서쪽에서의 : the ~ front (제 1 차 세계대전에서) 서부 전선. **2** [W~] **a**) 미국 서부의. **b**) 서양의, 서유럽의, 서방측의 : *W*~ civilization 서양 문명. **c**) (공산권에 대한) 서유럽(측)의, 서방측의. **3** [W~] 서방교회의. —— *n.* **1** **a**) 서부 사람, 서쪽 나라[지방] 사람. **b**) 《美》 서부 여러 주의 사람. **c**) 서유럽인. **2** 《美》 서부극《19세기 후반의 카우보이가 활약하는 미국 영화·연극 및 소설 따위》.

〈회화〉
What kind of movies do you like?—I like *westerns*. 「어떤 영화를 좋아하십니까」 「서부극을 좋아합니다」

〖OE *westerne* (WEST, -*ern*)〗

Wéstern Austrália *n.* 웨스턴오스트레일리아《호주 서부의 주》.

Wéstern Chúrch *n.* [the ~] 서방(西方) 교회, 카톨릭교회.

Wéstern Émpire *n.* [the ~] =WESTERN ROMAN EMPIRE.

wéstern·er *n.* 서양[서유럽] 사람 ; [W~] 《美》 (특히) 서부사람 ; 서양의 사상·생활을 신봉하는 사람 ; [W~] 서방측 정책[사상]의 지지자.

Wéstern Européan Únion *n.* [the ~] 서유럽 연합《1948년 체결된 영국·프랑스·Benelux 3국 사이의 연맹, 지금은 독일·이탈리아도 추가로 가맹했음》.

Wéstern Hémisphere *n.* [the ~] 서반구(西半球) (cf. EASTERN HEMISPHERE).

Wéstern Ísles *n. pl.* [the ~] 웨스턴 아일스《스코틀랜드 북서쪽의 여러 섬; 1975년에 새 주(州)가 됨》.

wéstern·ìsm *n.* [보통 W~] (특히 미국의) 서부지방 특유의 어법[화법, 발음]; 서유럽인적 특징; 서양의 사상[제도]; 서양 기술[전통]의 신봉.

wéstern·ìze *vt.* 서양식으로 하다, 서유럽화하다. —— *vi.* 서양화하다. **wèstern·izátion** *n.*

wéstern lóok *n.* 〖服〗 웨스턴 룩《미국 서부의 카우보이 복식을 모방한 것》.

wéstern·mòst *a.* 가장 서쪽의, 서단(西端)의.

wéstern ómelet *n.* 웨스턴 오믈렛《주사위 모양으로 썬 햄과 피망·양파가 든 오믈렛》.

Wéstern róll *n.* 〖높이뛰기〗 웨스턴 롤《바에서 먼쪽의 다리를 먼저 올려 몸을 바와 평행이 되게 하면서 뛰어넘음》.

Wéstern Róman Émpire *n.* [the ~] 〖史〗 서로마 제국(帝國)(395-476).

Wéstern Samóa *n.* 서사모아《남태평양 사모아 제도 서부를 차지하는 독립국》.

wéstern sándwich *n.* 웨스턴 샌드위치《western omelet을 끼운 샌드위치》.

Wéstern Státes *n. pl.* [the ~] 《美》 서부 여러 주(州).

wéstern·stýle *a.* [때때로 W~] 서양풍의, 양식의 : a ~ hotel 서양식 호텔.

Wést Germánic *n.* 〖言〗 서부 게르만어(語)《High German, Low German, English, Dutch 따위》.

Wést Gérmany *n.* 서독《통일 전 독일이 분할되었을 때의; cf. EAST GERMANY》.

Wést Glamórgan *n.* 웨스트글러모건《1974년에 신설된 웨일스 남동부의 주》.

Wést Índian *a., n.* 서인도 제도의 (사람·주민).

Wést Índies *n. pl.* [the ~] 서인도 제도《중앙아메리카의 제도; cf. EAST INDIES》.

wést·ing *n.* Ⓤ 〖海〗 서행(西行)거리; 서항(西航)(거리); 서진(西進).

Wést Irián *n.* 서이리안《New Guinea섬 서부에 있는 인도네시아의 주》.

Wést Irianése *n.* 서이리안의 주민.

Westm. Westminster; Westmorland.

Wést Mídlands *n.* 웨스트미들랜드《잉글랜드 중부의 주(州); 1974년 신설; 주도는 Birmingham》.

West·min·ster [wéstmìnstər] *n.* **1** 웨스트민스터《London시 중앙의 한 구; 국회 의사당·Buckingham Palace·Westminster Abbey 따위가 있으며 또한 상류 주택 지역》. **2** 영국 국회 의사당; 《英》 의회(정치) : at ~ 의회에서(in Parliament). **3** =WESTMINSTER ABBEY. **4** = WESTMINSTER SCHOOL. **5** 웨스트민스터 학교 출신자[재학생].

Wéstminster Ábbey *n.* **1** 웨스트민스터 사원《런던에 있는 영국 고딕 양식의 대표적인 건축물; 단순히 the Abbey라고도 함; cf. *the Poets' Corner* (☞ POET)》. **2** 《비유》 (이 사원에 묻힐 만한) 명예로운 죽음.

Wéstminster Cathédral *n.* 웨스트민스터 대성당《영국의 로마 카톨릭교의 대본당으로 Westminster Abbey 근처에 있음》.

Wéstminster Schóol *n.* 웨스트민스터 학교《웨스트민스터 사원 부속의 public school》.

West·mor·land [wéstmɔ̀:rlənd; wéstmələnd] *n.* 웨스트몰랜드《잉글랜드 북서부의 주; 그 일부는 Lake District》.

wést·mòst *a.* =WESTERNMOST.

wést-nòrth·wést *n.* [the ~] 서북서《略 WNW》. —— *a., adv.* 서북서의[로·에서].

West·pha·lia [westféiliə] *n.* 웨스트팔리아, 베스트팔렌《독일의 한 지방》.

the Peace [***Treaties***] ***of Westphalia*** 웨스트팔리아(강화) 조약(1648)《30년 전쟁(the Thirty Years' War)을 종결시켰으며 근대 유럽의 정치적 정세의 기초를 굳혔음》.

Wést Póint *n.* 웨스트 포인트《(1) New York주 남동부에 있는 미국 육군 사관 학교 소재지. (2) 미국 육군 사관 학교(the U.S. Military Academy); cf. ANNAPOLIS, SANDHURST》. **~·er** *n.* 미국 육군 사관 학교 학생[출신자].

West·politik [wéstpoulitì:k] *n.* 서방[서유럽]정책《동유럽 공산 국가가 서유럽 여러 나라와 외교 통상 관계를 정상화하려는 정책》.

Wést pòwers *n. pl.* 서유럽 여러 나라.

Wést Sáxon *n.* 웨스트 색슨 왕국의 주민; (고대 영어의) 웨스트 색슨 방언.

wést-sòuth·wést *n.* [the ~] 서남서《略 WSW》. —— *a., adv.* 서남서의[에서·로].

Wést Sússex *n.* 웨스트서식스《잉글랜드 남부의 주; 1974년 Sussex에서 분할》.

Wést Virgínia *n.* 웨스트버지니아 《미국 동부의 주; 주도 Charleston; 略 W.Va.》.

Wést Virgínian *n., a.* 웨스트버지니아 주(州) 사람(의).

***wést·ward** *adv.* 서쪽에[으로]. —— *a.* 서쪽을 향한, 서쪽의. —— *n.* [the ~] 서쪽, 서방 : to [from] the ~ 서쪽으로[에서].
~·ly *adv., a.* 서쪽에(의); 서방[서쪽]에서(의).

wést·wards *adv.* =WESTWARD.

Wést Yórkshire *n.* 웨스트요크셔《잉글랜드 북부의 주; 1974년 신설》.

◇**wet** [wét] *a.* **1** 젖은, 축축한, 눅눅한, 습기가 있는(↔*dry*) : ~ paint 갓 칠한 페인트(cf. PAINT *n.* 숙어) / get ~ 젖다 / cheeks ~ *with* tears 눈물젖은 뺨. **2** 비의, 비내리는, 비가 자주 오는; 비가 올 듯한(rainy) : ~ days[weather] 비가 오는 날[우천(雨天)] / Slippery when ~. 《美》 우천시 미끄럼 주의《도로 표지》. **3** 액체에 담가 보존한; 〖化〗 습식(濕式)의. **4** 《美口》 음주(飮酒)를 금하지 않는, 반금주주의의, 주류 판매를 인정하는(↔*dry*) : a ~ State 비금주주(非禁酒州). **5** 《俗》 술취한 : have a ~ night 밤새도록 마시다. **6** 《英口》 나약한, 감상적인; 《英俗》 틀려먹은, 얼간이의; 《濠俗》 화난, 짜증난.

wet through = ***wet to the skin*** = ***dripping wet*** 흠뻑 젖어.

—— *n.* **1** Ⓤ [때때로 the ~] 습기, 누기. **2** [보통 the ~] 강우, 우천, 비 : walk in *the* ~ 빗속을 걷다. **3** 《美口》 금주(禁酒) 반대자(↔*dry*). **4** 《俗》 (한 잔의) 술, 음주. **5** 물, 액체. **6** 《英俗》 바보, 얼간이.

—— *v.* (**-tt-**) *vt.* **1** 축이다, 적시다; …에 오줌을 싸다 : ~ one's bed 요를 적시다《밤에 오줌 싸다》. **2** 술마시며 행하다 : ~ a bargain 술을 마시면서 계약을 맺다.

—— *vi.* 젖다; 오줌 누다.

wet one'***s whistle*** 《口》 술을 마시다.

〚(p.p.) <OE (v.) *wǣtan* ‹ (a.) (n.) *wǣt*; cf. WATER〛

類義語 (1) (*a.*) ***wet*** 가장 일반적인 말로 물 또는 다른 액체가 배어든; 젖은, 누기찬 : *wet* clothes(젖은 옷). ***damp*** 약간 물기가 있어 불쾌한, 축축한 : a *damp* room(누기찬 방). ***dank*** 불쾌하게 또는 냉랭하게 습기가 차 있는 :

dank mist(축축한 안개). ***moist*** 마르지 않은, 약간 습기가 있는 : *moist* air(눅눅한 공기). ***humid*** 공기 중에 습기가 차 있는 : a hot, *humid* day(무덥고 눅눅한 날).
(2) (*v.*) ***wet*** 물이나 액체를 함유시키다, 젖게 하다 ; 가장 일반적인 말 : *wet* a cloth(옷을 적시다). ***soak*** 액체에 담가 완전히 수분을 흡수시키거나 부풀게 하다 : *soak* bread in milk(빵을 우유에 적시다). ***saturate*** 더 이상은 액체를 흡수시키지 못할 포화점까지 흡수시키다 : a sponge *saturated* with water(물에 흠뻑 젖은 스펀지). ***drench*** 물을 끼얹어 흠뻑 젖게 하다 : ground *drenched* with a heavy rain(큰 비로 인하여 흠뻑 젖은 땅). ***steep*** 어떤 것의 정수를 추출하기 위해서 액체에 담그다 : *steep* tea in hot water(차를 뜨거운 물에 담그다).

wét·bàck *n.* 《美口》 (특히 Rio Grande강을 헤엄쳐 건너) 미국으로 불법 입국하는 멕시코인(人).
wét bár *n.* 수도 설비가 되어 있는 카운터.
wét bárgain *n.* 술자리에서 맺어지는 계약.
wét blánket *n.* 《口》 결점[흠]을 들추는[잡는] 사람[것], 흥을 깨는 사람[물건].
wét-blánket *vt.* …의 흥을 깨다 ; 젖은 담요로 불을 덮어 끄다.
wét bób *n.* 《英》 (Eton 학교의) 수상(水上) 경기 [보트] 부원.
wét búlb *n.* (온도계의) 습구(濕球) ; ＝WET-BULB THERMOMETER.
wét-búlb thermòmeter *n.* 습구 온도계.
wét céll *n.* 〖電〗 습전지(濕電池).
wét còw *n.* 젖소.
wét dòck *n.* 습선거(濕船渠)《조수 간만에 관계없이 배의 높이를 일정하게 유지하여 화물을 싣고 내리는데 편리하도록 수문(水門)을 닫는 선거 ; cf. DRY DOCK》.
wét-dóg shàkes *n. pl.* 《俗》 마약이나 알코올을 끊을 때 일어나는 심한 떨림.
wét drèam *n.* 몽정(夢精).
wét emplácement *n.* (미사일의) 습식(濕式) 발사대《엔진 따위를 물로 냉각시킴》.
wét flỳ *n.* 물속에 가라앉혀 낚는 제물 낚시.
wét gòods *n. pl.* 통[병] 따위에 넣은 액체 상품 《페인트 · 기름 · 술 따위》, (특히) 주류(酒類).
weth·er [wéðər] *n.* 거세(去勢)한 숫양.
〚OE ; cf. G *Widder*〛
wét láb[**labóratory**] *n.* 해중(海中) 실험실.
wét·lànd [, -lənd] *n.* [보통 *pl.*] 습지대.
wét léasing *n.* 승무원 · 기관사 및 기타의 것이 완비된 항공기의 임대.
wét lóok *n.* (천 · 가죽 · 플라스틱 따위의) 광택 (처리). **wét-lòok** *a.* 광택 처리한.
wét·ness *n.* **1** Ⓤ 습기가 (차) 있음, 젖어 있음, 습윤. **2** Ⓤ 강우(降雨).
wét·nòse *n.* 《俗》 풋내기, 촌놈.
wét nùrse *n.* (젖먹이에게 젖을 주는) 유모(cf. DRY NURSE).
wét-nùrse *vt.* …의 유모(乳母)가 되다, 유모가 되어 (젖먹이에게) 젖을 주다.
wét pàck *n.* 찜질(요법).
wét pláte *n.* 〖寫〗 습판(濕板).
wét pléurisy *n.* 〖醫〗 습성 흉막염.
wét sùit *n.* (잠수용의) 고무 옷.
wét·ta·ble *a.* 적실 수 있는 ; 〖化〗 (습윤제의 첨가 따위로) 젖기 쉽게 된, 가용성(可溶性)이 된.
wèt·ta·bíl·i·ty *n.* 습윤성[도].
wét·ter *n.* 적시는 사람, 침윤(浸潤)[습윤] 작업자 ; ＝WETTING AGENT.
wét thúmb *n.* 어류[수생 동물] 사육의 재능.
wét·ting(**-óut**) **àgent** *n.* 〖化〗 습윤제(濕潤劑), 전착제(展着劑) (spreader).
wét·tish *a.* 약간 축축한, 눅눅한.
wét·wàre *n.* (컴퓨터의 소프트웨어를 고안해 내는) 인간의 두뇌 ; 《俗》 컴퓨터 인간.
wét wàsh *n.* [집합적으로] (다리미질하지 않은) 젖은 빨래 ; 닦아서 말리지 않는 세차법.
WEU, W.E.U. Western European Union.
‡**we've** [wiv, wíːv] we have의 단축형.
wey [wéi] *n.* 《英》 무게의 단위《물건에 따라 일정치 않음 ; 양털의 경우는 182파운드》.
〚OE *wæg*〛
w.f. 〖印〗 wrong font(활자의 자체가 틀림).
WF [dʌ́bəljuːéf] *n.* 《美》 (성적 평가의) WF《소정 기간이 지난 다음 도중에 학과 이수를 포기한 학생에게 교사가 매기는 불합격 점수 ; cf. WP》.
〚*w*ithdrawn *f*ailing〛
WFP World Food Program《세계 식량 계획 ; 사무국 Rome》.
WFTU World Federation of Trade Unions.
wg. wing. **W.G., w.g.** weight guaranteed ; water gauge ; wire gauge. **Wg. Cdr.** Wing Commander(공군 중령). **W. Ger.** West Germanic ; West Germany.
WH, wh, Wh watt-hour(s).
WH, W.H. White House.
wh, wh. white. **wh.** which.
whack[1] [*h*wǽk] *vt.* **1** 《口》 (지팡이 따위로) 세게 치다, 찰싹 때리다. **2** 《俗》 눈대중[절반씩]으로 나누다, 분배하다. **3** 《俗》 감하다 ; (마약의 양을) 줄이다.
── *vi.* 《口》 찰싹[쾅]하고 세게 두드리다.
── *n.* **1** 《口》 구타, 강타 ; 찰싹(때리기). **2** 《俗》 시도(trial), 기회, 호기. **3** 《俗》 분배, 몫 (share) : get[have, take] one's ~ (*of*…) (…의) 몫을 받다. **4** 《俗》 한번, 일회 ; 《美俗》 (좋은) 상태, 형편(condition).
have[***take***] ***a whack at...*** 《俗》 …에게 일격을 가하다 ; 《美俗》 …을 시도해 보다.
〚imit. or (변형(變形)) < *thwack*〛
whack[2] ☞ WACK.
whácked *a.* 《英口》 몹시 지친, 지쳐버린, 녹초가 된〈*from*〉; 《俗》 곤드레가 된.
whácked-òut *a.* 《俗》 ＝WHACKED ; ＝WACKY.
wháck·er *n.* 《口》 **1** (같은 종류 중에서) 큰 사람[것]. **2** 허풍, 터무니없는 거짓말.
wháck·ing *n.* 구타(beating). ── *a.* 《口》 큰 : a ~ lie 터무니없는 거짓말. ── *adv.* 《口》 대단히, 매우 : a ~ tall fellow 굉장한 키다리.
whacko [hwǽkou] *n.* (*pl.* **whác·kos**) 《美俗》 괴짜, 별난 사람. ── *a.* 《英俗》 굉장한.
whacky [hwǽki] *a.* ＝WACKY.
whácky Wíllies *n. pl.* 《俗》 환성을 지르거나 휘파람을 불며 박수 갈채하는 관객.
‡**whale**[1] [*h*wéil] *n.* (*pl.* ~, ~**s**) **1** 〖動〗 고래 : the arctic[right] ~ 북극고래 / a bull[cow] ~ 수[암]코래 / the gray ~ 쇠고래 / the humpback [sperm] ~ 혹등[향유] 고래. **2** 〖天〗 [the W~] 고래자리. **3** 《口》 (크기 · 성질 따위가) 뛰어난[발군(拔群)의] 사람[것] ; 《俗》 탐욕스런[열심인, 능숙한] 사람. **4** [W~] 《美軍俗》 고래《공중 급유의 모기(母機)로 쓰인 A-3형 전투기의 별명》.
a whale of a[***an***]... 《口》 굉장한[훌륭한]…, 대단한[엄청난]… : *a* ~ *of a* good time 대단히 즐거운 한 때 / *a* ~ *of a* difference 대단한 차이.
a whale on[***at, for***] …에 매우 능숙한 사람 ;

…에 열심인 사람.
very like a whale 암 그렇고말고《불합리한 말에 대한 반어 ; Shakespeare 극에서》.
—— *vi.* 포경(捕鯨)[고래잡이]에 종사하다 : go *whaling* 고래잡이 가다. 〖OE *hwæl* ; cf. G *Wal(fisch)*, L *squalus* sea pig〗
whale[2] *vt.* 《美口》 때리다, 매질하다 ; 강타하다 ; 지게 하다. —— *vi.* 무서운 기세로 해치우다〈*away*, *at*〉. 〖C18 〈? WALE[1]〗
whále·bàck *n.* 《美》 고래등 갑판(이 있는 화물선). —— [⌐⌐] *a.* ＝WHALEBACKED.
whále·bàcked *a.* 고래등처럼 불룩한.
whále·bòat *n.* 포경선(船) 모양의 배《지금은 구조선 ; cf. CATCHER》.
whále·bòne *n.* Ⓤ 고래의 수염[뼈] (baleen) ; Ⓒ 그 제품.
whálebone whàle *n.* 〖動〗 긴수염고래.
whále càlf *n.* 고래 새끼.
whále càtcher[chàser] *n.* 포경선.
whále fìn *n.* 고래 수염.
whále fìshery *n.* Ⓤ 고래잡이, 포경업 ; Ⓒ 포경장(捕鯨場).
whále lìne[ròpe] *n.* 작살 밧줄.
whále·man [-mən] *n.* 고래잡이하는 사람 ; 포경선원(船員).
whále òil *n.* Ⓤ 고래 기름, 경유(鯨油).
whal·er [*h*wéilər] *n.* 포경자, 고래잡이 ; 포경선. 〖WHALE[1]〗
whal·ery [*h*wéiləri] *n.* 포경업 ; 고래 가공 공장, 고래 가공선.
whal·ing[1] [*h*wéiliŋ] *n.* 고래잡이(업), 포경(업).
whaling[2] *a.*, *adv.* 《口》 ＝WHACKING.
whàling gùn *n.* 포경포(砲), 작살 발사포.
whàling màster *n.* 포경선 선장(船長).
whàling shìp *n.* 포경선.
wham [*h*wǽ(:)m] *n.* 쾅하는 소리 ; 강타, 충격. —— *adv.*, *vt.*, *vi.* (**-mm-**) 별안간, 쾅(때리다), 쾅(소리를 내다). 〖imit.〗
wham·my [*h*wǽmi] *n.* 《美俗》 **1** (길(吉)·불길을 가져오기 위한) 주문 ; 재수없는 것 ; 불길을 가져오는 것(jinx) ; (쏘아보면 재앙이 온다고 하는) 흉안(凶眼) (evil eye). **2** 강한 힘[타격], (특히) 치명적[결정적]인 일격.
put a[the] whammy on... (남을) 인사 불성으로[움직이지 못하게] 만들다, (물건을) 쓸모없게 만들다 ; (남을) 억압하다, (계획 따위를) 기각하다 ; (남)의 불운을 마음속으로 빌다 ; …의 운을 나쁘게 하다, …에게 재수없는 소리를 하다.
whang [*h*wǽŋ] *n.* 《口》 찰싹(하는 소리), 세게 치기. —— *vt.* 찰싹 때리다, 세게 치다(whack). —— *vi.* (북 따위가) 둥둥 울리다 ; 강타하다〈*away*, *at*〉 ; 기세 좋게 공격하다〈*away*, *at*〉. 〖imit.〗
whang·(h)ee [*h*wæŋgíː] *n.* 참대·솜대류의 대나무《중국산》 ; 그것으로 만든 지팡이[승마용의 채찍]. 〖Chin. 황리(黃梨)〗
whap ☞ WHOP.
whare [wáːrei, -ri] *n.* (마오리(Maori)인의) 오두막집 ; (양털을 깎아 넣어두는) 가건물. 〖Maori〗
***wharf** [*h*wɔ́ːrf] *n.* (*pl.* **~s, wharves** [*h*wɔ́ːrvz]) 부두, 선창. —— *vt.* (배를) 부두에 매다 ; (화물을) 선창에 풀다 ; …에 부두를 설비하다. —— *vi.* 부두에 닿다. 〖OE *hwearf* heap, embankment ; cf. OE *hweorfan* to turn, G *Werf*〗
whárf·age *n.* Ⓤ 부두 사용료.
whárf·ie *n.* 《濠》 항만 노동자[하역 인부].
wharf·in·ger [*h*wɔ́ːrfəndʒər] *n.* 선창[부두] 소유주[관리인].
whárf ràt *n.* 집쥐, 시궁쥐 ; 부두[선창] 건달.
whárf·sìde *n.*, *a.* 부두 주위(의).
***wharves** *n.* WHARF의 복수형.
◇**what**[1] [*h*wát, 美＋*h*wʌ́t] *pron.* **1** [의문사] **a**) [주어인 경우] 무엇, 어떤 것, 어떤 일, 무슨 일[물건] ; 얼마, 얼마 정도 : *W~* is the matter (with you)? 무슨 일이냐 / *W~* do you mean by that? 그것은 무슨 뜻이냐 / *W~* are you talking about? 무슨 이야기냐 / *W~* do you say to...? …은 어떻습니까《말상대의 의향을 물음》/ *W~* for? 왜, 무엇 때문에(What...for?) 《「목적」을 강조 ; cf. WHAT-FOR, WHY》/ *W~* is he? 그는 무엇을 하는[어디] 사람입니까《직업·계급·국적 따위를 물음 ; cf. WHO[1] *is he?*》/ Who and ~ are you? 당신은 누구며 무엇을 하는 사람입니까 / *W~* is he like? 그는 어떠한 사람입니까 / *W~* is your name? 이름은 무엇입니까 / *W~* is the price? 값은 얼마입니까 / *W~* is that to you? 그것이 당신에게 어떻다는 겁니까. **b**) [간접 의문의 절·구를 이끌어] : I don't know ~ he said. 그가 뭐라고 했는지 모른다 / *W~* followed is doubtful. 그리고는 어떻게 되었는지 잘 모르겠다 / Tell me ~ has happened. 무슨 일이 있었는지 말하게 / I don't know ~ *to* do. 어떻게 하면 좋을지 모르겠다. **c**) [앞서 한 말의 설명 또는 반복을 요구하여 ; 상승조로 발음함] : You told him ~? 그에게 뭐라고 말했다고《보통 '해서는 안될 말을 했다'는 뜻》/ *W~* (did you say)? 네! 뭐라고요 (cf. *I beg your* PARDON?). **2** [감탄사적으로] **a**) 얼마나(How much!) : *W~* would I not give to be free! 자유스러워지기 위해서는 어떠한 희생인들 치르지 못할까! ☞ HOW 活用 (1). **b**) 《英》 이봐, 여보게(eh) : Come tomorrow, ~? 이봐, 내일 오게 / An unusual thing, ~? 보기 드문 일이군, 응?
and[or] what not [명칭을 열거한 후에 보통 의문 부호 없이 쓰임] 그 밖에 여러가지, …등등.
I know what. 응, 좋은 생각이 있다.
I'll tell you what. 저 말야 (좋은 수가 있어) ; 그럼 이렇게 하지.
know what's what ☞ WHAT'*s what*.
So what? 《口》 그래 어찌되었나 ; 《美口》 그래서 어쨌다는 건가, 그런 일 상관할 것 없잖아《무관심·경멸》.
What about...? …은 어떤가《제안》, …은 어떻게 되었나, …은 어떻게 했으면 좋은가 ; …을 어떻게 생각하는가(cf. HOW *about*...?) : *W~ about* the missing letter? 없어진 편지는 어떻게 되었는가 / *W~ about* bed? 이제 자는 것이 어떻겠니 / *W~ about* com*ing* with us? 우리와 함께 오는 것이 어떤가.
what for (1) ☞ *pron.* 1. (2) ＝WHAT-FOR.
what have you 《美口》 그 밖의 여러 가지, …따위 : He sells books, toys, and[or] ~ *have you.* 그는 책, 장난감 따위를 팔고 있다.
What if...?[!] (1) …한다면 어떻게 될까 : *W~ if* they should be thieves? 만일 그들이 도둑놈이면 어떻게 하지 / *W~* (would happen) *if* you should fail! 네가 실패한다면 어떻게 될까《큰일이다》. (2) …해도 관계[상관]없지 않은가(What though...?) : *W~ if* there is an earthquake? 지진이 일어나더라도 무슨 상관이야 / *W~* (matters it) *if* I fail! 실패한들 상관없어《아무렇

지도 않다》.
What next ?[***!***] 《口》 다음은 또 무엇이냐《어처구니없는 일이 계속될 때》, 이런 이상한 일이 또 있을까.
What of. . . ? …은[이] 어떻게 되었나 : Well, ~ *of* it? 그래, 그것이 어떻다는 거야《상관없지 않은가》/ *W*~ (has become) *of* him? 그는 (그 후) 어떻게 되었나?
what's what 《口》 사실, 실상, 사물의 도리[이치] : He knows ~*'s* ~. 사리를 분별하고 있다, 빈틈없다.
What though. . . ? =WHAT *if*…? (2) : *W*~ *though* you are nameless? 설사 네가 무명인사라 해도 그게 어떻다는 거니[무슨 상관이냐].

〈회화〉
What do you think of this book? — It's not very interesting. 「이 책을 어떻게 생각하세요」「별로 재미가 없어요」

── *a.* **1** [의문사] **a**) 무슨, 뭐라는, 어떤, 얼마만큼의 : *W*~ time is it? 몇 시입니까 / *W*~ (kind of) flower is that? 저것은 무슨 (종류의) 꽃이니 / *W*~ news? 무슨 소식이라도 있는가. **b**) [간접 의문의 절을 이끌어] 얼마의, 어느 만큼의 : I don't know ~ plan he has. 그가 어떠한 계획을 가지고 있는지 모른다. **2** [감탄] 참으로, 얼마나 《㊟ 단수형의 Ⓒ 명사 앞에서는 a[an]를 수반함》 : *W*~ *a* charming lady she is! 참으로 아름다운 부인이로군 / *W*~ impudence! 참으로 뻔뻔스럽기도 하군 / *W*~ *a* pity (it is)! 정말 유감이다 / *W*~ genius he has! = *W*~ *a* genius he is! 그는 참으로 천재로구나!
── *adv.* **1** 어느 정도까지, 얼마만큼, 어느 정도 (how) : *W*~ does it profit him? 얼마만큼 그것이 그에게 이득이 되느냐. **2** [감탄] 얼마나, 얼마만큼 : *W*~ he has suffered! 얼마나 괴로웠겠나! **3** 얼마쯤(partly). ㊟ 다음 숙어로 : ~ *with* [*between, by*]...and (~ *with*[*between, by*]) …와 …따위로 : *W*~ *with* drink *and* (~ *with*) fright[*W*~ *between* drink *and* fright], he did not know much about the facts. 술도 취했고 겁을 먹기도 해서 그는 진상을 잘 몰랐다. ── *conj.* 《方》 …만큼(as much as) : We warned him ~ we could. 우리가 할 수 있는 한 그에게 경고했다.
── *n.* =WHAT'*s what*. 〚OE *hwæt* (neut.) < *hwā* WHO ; cf. Du. *wat*, G *was*〛

‡**what²** [*h*wɑt, *h*wət, 美+*h*wʌt] *pron.* [관계사] **1** **a**) (…하는) 것[일] : from ~ I hear 내가 들은 바에 의하면 / *W*~ I say is true. 내가 말하는 것은 사실이다 / He always does ~ he believes is right. 그는 언제나 자기가 옳다고 생각하는 일을 한다. ㊟ 다음과 같은 주격 보어로서는 사람을 가리키기도 함 : He is not ~ he was ten years ago. 그는 10년전의 그와는 다르다. ☞ 活用. **b**) [삽입절을 이끌어] (…하는 것은) 무엇이나 (anything which, whatever) : You may do ~ you will. 하고 싶은 것은 무엇이나 해도 좋다 / Be the matter ~ it may, always speak the truth. 무슨 일이든지 언제나 진실을 말하라 / Come ~ will[may], I am prepared for it. 무슨 일이 일어나든지 나는 각오가 되어 있다 / Let others say ~ they will, I always speak the truth. 남이야 무엇이라고 말하든 나는 언제나 진실을 말하겠다. **2** [독립절이나 삽입절을 이끌어] : But, ~ even you must condemn, he was lying. 그러나 비록 너라고 할지라도 비난하지 않을 수 없는 게 그는 거짓말을 하고 있었던 것이다 / *W*~ was more, he was awarded the grand prix. 게다가[더구나] 그는 대상(大賞)까지 받았다 / He said it, and ~ is more surprising, he did it. 그는 그렇게 말했고 더구나 놀라운 것은 그것을 실행했다는 것이다.
but what ☞ BUT.
what is called=***what we***[***you, they***] ***call*** 소위, 말하자면(cf. SO-CALLED) : He is ~ *is called* a young prince. 그는 소위 귀공자다.
── *a.* [관계사] (…하는) 그[저], (…하는) 그것[저것]들의, (…하는) 만큼의, (…하는) 어떠한, 여하한(that[those]...which) : Lend me ~ books you can. 자네가 빌려줄 수 있을 만큼의 책을 빌려주게 / Bring ~ parcels you can carry. 가지고 올 수 있을 만큼의 보따리를 가지고 오시오 / I gave her ~ little money I had. 적지만 내가 가지고 있었던 돈을 모조리 그녀에게 주었다. 〚↑〛
活用 관계대명사 what은 그 이끄는 절 속에서의 뜻에 의해서 단수로도 복수로도 다루어짐 : *What* (=That which) *has* impressed me *is* the beauty of the scenery there. (나에게 감명을 준 것은 그 곳 경치의 아름다움이었다) / *What are* intended as gestures of friendship *are* sometimes misunderstood to be signs of flattery. (우정의 표현으로 한 것이 때때로 아첨의 표현으로 오해될 때도 있다).

whát·cha·ma·càll·it [-tʃəmə-] *n.* 《口》 = WHAT-DO-YOU-CALL-IT. 〚*what you may call it*〛
whát'd [-əd] what did의 단축형.
whát-do-you-càll-it [**-them, -her, -him**] *n.* 뭐라든가 하는 것[사람]《이름을 모르거나 잊었거나 사용하기 싫을 때 씀》.
what·é'er *pron., a.* 《詩》 =WHATEVER.
‡**what·éver** *pron.* **1** [관계사 what의 강조형] (…하는) 것[일]은 무엇이나, (…하는) 것[일]은 모두 : You may do ~ you choose. 무엇이나 하고 싶은 것을 해도 좋다. **2** [양보절을 이끌어] 어떠한 일[것]이 …일지라도, 아무리 …일지라도 : *W*~ happens, I will do it. 무슨 일이 일어날지라도 나는 그것을 하겠다. **3** 《口》 [의문사 WHAT의 강조형] 도대체 무엇이, 대체 무엇을(what in the world) : *W*~ are you going to say? 도대체 무슨 말을 하려고 하는가. **4** 동류의 것, 유사한 것 : rook or raven or ~ 떼까마귀나 갈가마귀나 무엇이든 그러한 것. ㊟ 특히 《英》에서는 what ever라고 두 마디로 쓰는 것이 정식이라고 함(cf. EVER 3 c)) ; 같은 것으로 WHOEVER, WHICHEVER, WHEREVER, WHENEVER, HOWEVER 따위에서도 같음. ── *a.* **1** [what의 강조형] 얼마간의 …일지라도, 어떠한 …이라도 : You can have ~ magazine you like. 어떠한 잡지라도 너에게 주마. **2** [양보절을 이끌어] 비록 …일지라도 : *W*~ results follow, I will go. 비록 어떤 결과가 따를지라도 나는 가겠다. **3** [부정·의문 구문] 약간의 …도, 아무런 …도(at all) : There is *no* doubt ~. 아무런 의심의 여지도 없다 / Is there any chance ~? 조금이라도 가망성이 있습니까.

whatever의 문장 전환
(1) 접속사적인 경우
I'll believe you, *whatever* you may say.
→ I'll believe you, *no matter what* you may say.
(자네가 무슨 말을 하더라도 나는 믿네.)
(2) 관계 대명사인 경우
I'll believe *whatever* you say.

→ I'll believe *anything that* you say.
(네가 하는 말은 무엇이든 믿겠다.)
(3) 관계 형용사인 경우
You can rely on *whatever* promise he may make.
→ You can rely on *any* promise *that* he may make.
(그가 하는 어떤 약속도 믿을 만하다.)

whát-fòr *n.* Ⓤ《口》(심한) 벌[징벌], 질책(叱責) (punishment) : I'll give him ~. 놈을 벌줘야지.
whát-ìf *n.* (만일에 과거의 사건이 이렇다면 현재 어떻게 되었을까 하는) 가정(의 문제) ; 만약이라는 문제.
what-ís-it, whát·sis *n.* Ⓤ《美口》저 뭐라든가 하는 사람[것]《이름을 잊었거나 모르거나 쓰고 싶지 않을 때 대신하는 말》.
‡**what'll** [*h*wátl, 美+*h*wʌ́tl] what will[shall]의 단축형.
what·man [*h*wátmən] *n.* 와트먼지(紙)《그림·사진·판화 용지》. 〖James *Whatman* 18세기의 영국의 제조자〗
whát·nòt *n.* **1** (골동품·서적 따위를 얹는) 선반, 장식장, 장식 선반. **2** Ⓤ《口》이것저것, 여러가지 물건(and what not). **3**《口》정체를 알 수 없는 사람[것].
‡**what's** [*h*wáts, 美+*h*wʌ́ts] what is[has, does]의 단축형.
what·só *a., pron.*《古·詩》=WHATSOEVER.
what·so·e'er [*h*wàtsouéər, 美+*h*wʌ̀t-] *a., pron.*《詩》=WHATSOEVER.
‡**whàt·so·éver** *a., pron.*《文語》WHATEVER의 강조형.
what've [*h*wátəv, 美+*h*wʌ́t-] what have의 단축형.
whaup [*h*wɔ́:p] *n.* (*pl.* ~, ~**s**)《스코》〖鳥〗마도요(curlew). 〖C16 (imit.)〗
wheal[1] [*h*wí:l] *n.* 〖醫〗팽진(膨疹)《두드러기 따위의 가려운 부스럼》, 자상(刺傷) ; 교상(咬傷)《짐승·독충 따위에 물린 상처》, 채찍 자국[상처] (weal, welt). ── *vt.* 채찍 자국을 내다. 〖변형(變形) < *wale*[1]〗
wheal[2] *n.*《英》(주석) 광산《Cornwall 지방에서 쓰는 말》. 〖Corn.〗
***wheat** [*h*wí:t] *n.* Ⓤ 밀, 소맥(小麥) (cf. BARLEY, OAT, RYE ; CORN[1]) ; [*pl.*]《美俗》=WHEAT CAKE*s* : (as) good as ~《美口》무척 좋은. 〖OE *hwǣte*<Gmc. ((美) *hwit-* WHITE ; G *Weizen*)〗
whéat bèlt *n.*《美》밀(재배)지대.
whéat brèad *n.* 정백(精白) 밀가루와 껍질째 빻은 밀가루를 섞어 만든 빵《그 어느 한쪽 것만으로 만든 빵과 구별하여》.
whéat càke *n.* 밀가루로 만든 핫케이크류(類).
whéat·èar *n.* **1** 밀 이삭. **2** 〖鳥〗사막딱새. 〖C16 *wheatears* ; ⇨ WHITE, ARSE〗
whéat·en *a.* 밀의, 밀로 만든.
whéat gèrm *n.* 맥아(麥芽).
whéat·gràss *n.* =COUCH GRASS.
whéat·lànd *n.* 밀 생산(적합)지.
whéat·mèal *n.* Ⓤ《주로 英》(밀기울을 제거하지 않은) 거친 밀가루(whole meal).
Wheat·stone('s) brìdge [*h*wí:tstòun- ; -stən-] *n.* 〖電〗휘트스톤 브리지《전기 저항 측정기(抵抗測定器)》.
whéat·wòrm *n.* 밀 따위의 줄기 속에서 기생하는 선충.
whee [*h*wí:] *int.* 우아, 야아《기쁨·흥분 따위를 나타냄》. ── *vt.* [보통 ~ up]《美俗》몹시 기쁘게 하다, 흥분시키다. 〖C19 (? imit.)〗
whee·dle [*h*wí:dl] *vt.* [+目+前+名] 감언이설로 꾀다, 감언으로 꾀어 …시키다, 감언으로 속여 빼앗다 : She ~*d* him ***into*** buy*ing* her a mink coat. 그에게 감언이설로 꾀어서 밍크 코트를 사게 했다 / He ~*d* the money ***out of*** me. 감언이설로 나의 돈을 빼앗았다. ── *vi.* 감언으로 꾀다.
whée·dling·ly *adv.* 감언이설로.
〖C17 < ? G *wedeln* to wag one's tail (*wedel* tail)〗
類義語 ⟹ COAX.
‡**wheel** [*h*wí:l] *n.* **1** 바퀴, 차바퀴 ; 바퀴 비슷한 것. **2** 물레(spinning wheel) ; (도자기 만드는) 녹로(轆轤) ; 회전 불꽃 ; 〖史〗(능지처참하는) 형차(刑車). **3** (배의) 타륜(舵輪), (구식 기선의) 외륜(paddle wheel), (자동차의) 핸들(steering wheel). **4 a)**《口》자전거. **b)** [*pl.*]《美俗》자동차 : The Model T put America *on* ~*s.* T형차가 미국에 자동차를 보급시켰다(cf. MODEL T). **5** 윤전, 회전, 선회 ; 〖軍〗선회 운동 : the ~*s* of gulls 갈매기의 선회. **6** [보통 *pl.*] 중추 기구(機構), 원동력, 추진력 : the ~*s* of government 정치 기구 / the ~*s* of life 인체 여러 계통의 기능 (cf. *the* WHEEL *of life*). **7**《비유》세력가, 중요인물, 거물 : a big financial ~ 재계(財界)의 거물. **8** (노래의) 후렴, 반복구(refrain) ; (극장 따위의) 흥업 계통 ; (스포츠의) 리그.
at the next turn of the wheel 이번에 운이 트이면.
at the wheel 타륜을 잡은, 운전하는 ; 지배권을 잡고 : the man *at the* ~ (자동차·배 따위의) 운전사, 타수(舵手) ; 책임자.
break [***crush***] ***a butterfly*** [***fly***] ***on the wheel*** 「닭 잡는데 소 잡는 칼을 쓰다」, 힘을 낭비하다, 헛수고를 하다.
break a person ***on the wheel*** 능지처참하다.
Fortune's wheel = ***the wheel of Fortune*** 운명의 (여신이 돌리는) 수레바퀴 ; 운명, 영고 성쇠(榮枯盛衰).
go [***run***] ***on oiled wheels*** 순조롭게 나아가다, 원활하게 진척되다.
grease the wheels 차에 기름을 치다 ;《비유》일을 원활히 진행시키다, (그 일을 위해) 향응(饗應)하다.
put [***set***] one***'s shoulder to the wheel*** ☞ SHOULDER.
the wheel of life 〖佛敎〗윤회(輪廻).
wheels within wheels 〖聖〗복잡한 동기[사정·기구(機構)], 깊은 속셈.
── *vt.* **1 a)** (바퀴 달린 것을) 움직이다, 밀어[끌어] 움직이다. **b)** [+目 / +目+前+名 / +目+副] 차로 나르다, 운반하다 : ~ a child ***in*** a baby carriage 어린애를 유모차에 태우고 가다 / The rubbish is ~*ed* ***out to*** the dump. 쓰레기는 차로 오물처리장까지 운반된다. **2**《稀》…에 바퀴를 달다 ; (대열 따위를) 선회시키다. **3** (전력 따위를) 보내다 ;《英俗》데려[가져]오다.
── *vi.* **1** [動 / +副] (별안간) 방향을 바꾸다 ; (대열·새 따위가) 선회하다 ;《비유》의견[행동 방침]을 바꾸다 : The gulls are ~*ing* ***round*** over the sea. 갈매기가 바다 위를 빙빙 선회하고 있다. **2**《口》자전거를 타다. **3** 차로 가다 ; (차가) 미끄러지듯 달리다 ; 원활하게 진행되다.
~·**less** *a.* ~·**lìke** *a.*
〖OE *hwēo(go)l* ; cf. Du. *wiel*〗
whéel and áxle *n.* 윤축(輪軸), 축바퀴《단일

기계(simple machine)의 일종》.

whéel·bàrrow *n.* 외바퀴 손수레.
(*as*) ***drunk as a wheelbarrow*** 《俗》 곤드레 만드레 취하여.

whéel·bàse *n.* U.C 바퀴간격, 휠베이스《자동차 앞뒤 차축(車軸) 사이의 거리》.

whéel·chàir *n.* (환자용의) 바퀴 달린 의자[손으로 미는 차](invalid chair).

whéeled *a.* [복합어를 이루어] 바퀴가 달린 ; 바퀴로 움직이는.

whéel·er *n.* **1** 수레꾼. **2** =WHEELHORSE. **3** [복합어를 이루어] 바퀴가 있는 물건 : a four-~ 4륜 마차. **4** 《英》 =WHEELWRIGHT.

whéel·er-déal·er, whéeler and déaler *n.* 《美俗》 (정치·장사에서) 자유 분방한 활동가 ; 권모 술수를 쓰는 사람.
—— *vi.* [wheeler-dealer] 선두에 서서 자신이 생각한 대로 척척 일을 하다.

whéel·hòrse *n.* (4필이 끄는 마차의) 뒤쪽에 있는 말(↔*leader*) ; 《口》 정력가(精力家) ; 《美口》 (정당·정치 단체 따위에서 일하는) 견실하고 유능한 일꾼.

whéel·hòuse *n.* =PILOTHOUSE.

wheel·ie [*h*wí:li] *n.* (자전거·모터사이클을) 앞바퀴는 들고 뒷바퀴만으로 달리는 곡예.

whéel·ing *n.* **1** U 차로 나르기. **2** U 《口》 자전거를 타기. **3** U (차바퀴의 진행 상태로 본) 길의 좋고 나쁨 : good ~ 좋은 차도. **4** U 윤전, 회전.

whéel lòck *n.* (총의) 차륜식 방아쇠.

whéel·man [-mən] *n.* 〖海〗 키잡이 ; 조타수 ; 《口》 자전거 타는 사람.

whéel òre *n.* 차골광(車骨鑛).

whéel·ràce *n.* (물레방아용 수로의) 물레방아가 설치되어 있는 곳.

whéels·man [-mən] *n.* 《美》 〖海〗 타수(舵手), 키잡이.

whéel·spìn *n.* 차바퀴의 공전(空轉), 휠스핀.

whéel stàtic *n.* 〖通信〗 차륜 공전(車輪空電)《차바퀴의 회전으로 발생하는 정(靜)전기로 인해 자동차 안의 라디오에 생기는 잡음》.

whéels·ùp *n.* 《美俗》 비행기의 이륙.

whéel wìndow *n.* 〖建〗 둥근 창.

whéel·wòrk *n.* 〖機〗 톱니바퀴 장치.

whéel·wrìght *n.* 수레바퀴를 만드는 사람, 수레목수, 자동차 바퀴 수리공.

wheep [*h*wí:p] *n.* 《美俗》 작은 컵 한 잔의 맥주 ; 독주 마신 직후에 입가심으로 마시는 맥주.

wheeze [*h*wí:z] *vi.* (천식 따위로) 씨근씨근 숨을 쉬다 ; 그르렁거리다. —— *vt.* [+目+副] 그르렁거리며 말하다 ; 붕붕 울리다 : Listen to that organ *wheezing **out*** a tune. 저 오르간이 붕붕 곡을 울리고 있는 것을 들어봐라. —— *n.* **1** 그르렁거리는 소리. **2** 《俗》 (배우의) 익살스러운 즉석 대사 ; 케케묵은 재담.
〖? ON *hvæsa* to hiss〗

wheezy [*h*wí:zi] *a.* 그르렁거리는.
whéez·i·ly *adv.* 그르렁거리면서.

whelk[1] [*h*wélk] *n.* 〖貝〗 물래고둥과의 식용 조개.
〖OE *weoloc* <? *whelk*[2]〗

whelk[2] *n.* 뾰루지, 여드름(pimple).
〖OE *hwylca* (*hwelian* to suppurate)〗

whelm [*h*wélm] *vt.* 《文語》 **1** 압도하다, 눌러 찌부러뜨리다(overwhelm). **2** (물·눈·모래 따위에) 가라앉히다(submerge). —— *vi.* 가리다, 가라앉히다. 〖ME=to turn over <? OE (*hwylfan* to overturn)〗

whelp [*h*wélp] *n.* **1** 강아지(puppy) ; (사자·호랑이·곰·이리 따위의) 새끼. **2** 《蔑》 개구쟁이, 장난꾸러기 ; 불량 소년. —— *vi.* (짐승이) 새끼를 낳다 ; 《蔑》 (여자가) 자식을 낳다.
〖OE *hwelp* puppy ; cf. G *Welf*〗

◇**when** [*h*wén]

> (1) when은 ① 의문사 ② 접속사 ③ 관계사로 대별한다.
> (2) 의문부사 when으로 시작하는 의문문은 보통 현재 완료를 쓰지 않는다 : (○) *When* did you finish your homework? (숙제는 언제 끝냈니.) (×) *When* have you finished...?
> (3) 접속사 when이 이끄는 부사절에서는 미래의 일을 보통 현재 시제로 나타낸다 : (○) Come to me *when* you like. (오고 싶을 때 오렴.) (×) Come to me *when* you will like.
> (4) 접속사 when이 이끄는 부사절에서는 주어가 주절과 같고 동사가 be동사일 때 주어와 동사가 생략되는 일이 있다 : *When* (*you are*) angry, count ten before you speak. (화가 났을 때는 말하기 전에 10까지 세어라.)

—— *adv.* **A** [의문사] **1** 언제(어느 때) : *W*~ did she get married? 그녀는 언제 결혼했습니까 / Ask her ~ she will come back. 그녀에게 언제 돌아올 것인가 물어 보아라 / I don't know ~ *to* go. 언제 갈지 모르겠다. **2** [대명사적] 언제(what time) : From[Since] ~...? 언제부터 / Until ~ are you going to stay here? 언제까지 이곳에 머물겠습니까.
B [*h*wen, *h*wén] [관계사] **1 a**) [제한적 용법] …한[하는] (때) : It was a time ~ motorcars were rare. 당시는 자동차가 드문 시대였다 / The day ~ he arrived at his home was the last of December. 그가 집에 도착한 날은 섣달 그믐이었다 / Monday is ~ I am busiest. 월요일은 제가 제일 바쁠 때입니다. ㊟ 끝의 예문처럼 선행사가 생략되는 경우도 있음. **b**) [비제한적 용법 ; 보통 앞에 콤마가 옴] (…하면) 그 때(and then) (cf. *conj.* 2 ; WHERE B 1 b)) : Wait till eight, ~ he will be back. 8시까지 기다리세요, 그 때엔 그도 돌아올 것입니다. **2** 《文語》 [관계 대명사적] 그 때(which time) : He came on Monday, since ~ things have been better. 그는 월요일에 왔는데 그 때 이후로 사정은 호전되었다.
Say when! ☞ SAY.
——[*h*wen, *h*wən, *h*wén] *conj.* **1** …할 때에는, …(일) 때 : *W*~ it rains, he stays at home. 비가 올 때에는 그는 집에 있다 / I was just reading a book ~ she came into my room. 그녀가 방으로 들어왔을 때 나는 마침 책을 읽고 있었다 / *W*~ (he was) a boy, he was very naughty. 소년 시절에 그는 아주 장난꾸러기였다. ㊟ when은 「특정한 때」, while은 「어떤 기간」을 나타내는 경우가 많음. **2** [주절(主節)에서 풀이하여] (…하자) 바로 그때(cf. *adv.* B 1 b)) : I was going to reply, ~ he cut in. 내가 대답을 하려고 하자 그가 말참견을 했다. **3** …일 때는 언제나(whenever) : It is cold ~ it snows. 눈이 내릴 때는 언제나 춥다. **4** …한 후 곧[즉시] : Stop writing ~ the bell rings. 종이 울리면 즉시 쓰는 것을 중단하시오. **5** …이라면, …이라고 한다면(if) : You shall have it ~ you say "please". 제발이라고 말하면 그것을 주겠다. **6** …인데도, …일지라도 (though) : He works ~ he might rest. 쉬어도 좋은 때에도 일을 한다. **7** …을 생각하면 (considering that...) : How (can you) convince

him ~ he will not listen? 들으려고 하지도 않는데 어떻게 설득시킬 수 있겠는가.

when all comes to all 결국, 귀착되는 바로는, 종국에는.

when due 기한[만기]에는.

—— [´] *n.* [the ~] 때, 날짜, 경우 : *the* ~ and the why of his visit to London 그의 런던 방문 시기와 목적.

〚OE *hwanne, hwenne*; cf. G *wann* when, *wenn* if, L *cum*〛

when·as [*h*wenǽz, *h*wən-] *conj.* 《古》 =WHEN; =AS; =WHILE; =WHEREAS.

whence [*h*wéns] *adv., conj.* 《文語》 **1** [의문사] **a**) 어디로부터(↔*whither*). **b**) 어찌하여, 왜 : *W*~ comes it that...? …이라는 것은 무슨 까닭인가, 어찌하여 …인가. **c**) [의문 대명사적] 어디(의) : From ~ is he? 그는 어디 출신인가. **2** [관계사] **a**) …하는 : the source ~ (=from which) evils spring 여러 악이 생기는 근원. **b**) …하는 곳에서; …하는 곳에[으로] : They returned ~ they had come. 그들은 왔던 곳으로 되돌아갔다. **c**) [관계 대명사적으로 전치사의 목적어가 되어] …하는 곳 : the source from ~ evils spring (cf. 2 a)). ☞ 活用.

—— *n.* Ⓤ 온 곳(↔*whither*); 유래, 근원 : We know neither our ~ nor our whither. 우리는 어디서 왔는지도 어디로 가는지도 모른다.

〚(adv. gen.) <ME *whenne* (OE *hwanon*)+-*s*; cf. THENCE〛

活用 2 c)의 용법의 whence는 비표준적; 2 a)의 용법에 의하는 것이 좋음.

whènce·so·éver *adv., conj.* 《文語》 [WHENCE의 강조형] 어디서 …하여도, 무엇에서든지, 무슨 까닭이든.

when·e'er [*h*wenéər] *adv., conj.* 《詩》 =WHENEVER.

‡when·éver *adv., conj.* **1** 어떠한 때라도, 언제라도; …할 때는 반드시; …할 때마다; 《주로 스코》 …하자마자 : I'll see him ~ he likes to come. 언제라도 그가 오고 싶은 때 만나겠다 / *W*~ he goes out, he always takes his umbrella. 그는 나갈 때면 언제나 우산을 가지고 간다. **2** [의문사 WHEN의 강조형] 《口》 도대체 언제(when ever) (cf. WHATEVER *pron.* 3 注) : *W*~ did I say so? 도대체 언제 내가 그렇게 말했는가.

whén ìssued *n.* 〔證〕 발행일 거래.

whén's when is, when has의 단축형.

whèn·so·éver *adv., conj.* WHENEVER의 강조형.

◇where [*h*wéər, *h*wǽər]

> (1) 관계부사 where가 선행사 없이 쓰일 때는 접속사와 구별하기가 어려울 수가 있는데 관계부사에 이끌리는 절은 명사절임에 대해 접속사에 이끌리는 절은 부사절이다.
> (2) where는 관계부사의 제한적 용법에서 흔히 that으로 대치할 수가 있다.

—— *adv.* **A** [의문사] **1** 어디에[로·를·에서] : *W*~ do you live? 어디에 사십니까 / He wondered ~ he was then. 자기가 지금 어디에 있는 것일까 궁금했다 / I know ~ *to* go. 어디로 가야 할 것인가 알고 있다. **2** [의문대명사적] 어디 : *W*~ have you come from? 어디에서 오셨습니까 / *W*~ do you come from? 고향은 어디십니까. ☞ 活用 (1).

B [*h*weər, *h*wéər] [관계사] **1** [장소 따위를 나타내는 선행사를 받아] **a**) [제한적 용법] …하는[한] 《장소 따위》 : This is the village (~) I was born. 여기가 내가 태어난 마을입니다 / Here we have a case[an instance] ~ (=in which) use makes perfect. 이것이야말로 배우기보다 익히라고 하는 실례다 / This is (the place) ~ we used to live. 여기가 전에 우리가 살던 곳이다 / She came out from (the place) ~ she was hiding. 그녀는 숨어 있던 장소에서 나왔다. 注 위의 마지막 두 예문과 같이 선행사가 생략되기도 함; ☞ 活用 (2). **b**) [비제한적 용법; 보통 앞에 콤마가 놓임] 그리고 그곳에(and there) (cf. WHEN B 1 b)) : I came to London, ~ I found him. 런던에 갔더니 그곳에 그가 있었다. **2** 《口》 [관계 대명사적으로 전치사의 목적어가 되어] : That is the place ~ (=that) he comes from. 그의 고향은 바로 그곳이다.

—— [*h*weər, *h*wæər, *h*wéər, *h*wǽər] *conj.* …하는[한] 곳에[으로·을] : Go ~ you like. 좋아하는 곳으로 가라 / *W*~ there's a will, there's a way. ☞ WILL² 2.

—— [´] *n.* [the ~] 그 장소, 거기 : *the* ~ and the why of it 그 장소와 이유.

〚OE *hwǣr*; cf. Du. *waar*, G *wo*, OE *hwā* WHO〛

活用 (1) A 2의 용법에서 where를 목적어로 하는 전치사는 from이 보통임 : *Where* are you *from*? (당신은 어디에서 오신 분입니까) (= Where do you come from?). from 이외의 전치사로서는 to도 흔히 쓰이지만 이것은 격식을 차리지 않은 표현이므로 to를 수반하지 않는 A 1의 표현이 표준적임 : *Where* are you going (*to*)? (어디에 가느냐) / *Where* have you been (*to*)? (어디에 갔다왔느냐).
(2) B 1 a)의 용법에서 특히 be 뒤에서 선행사가 생략되는 것은 《口》에 많음 : That's *where* it is. (그것이 진짜 이유다) / Home is *where* you can have a peaceful time. (가정은 편안한 시간을 가질 수 있는 곳이다).

where- [*h*wèər, *h*wǽər] *pref.* 注 전치사를 뒤에 두어 복합 의문 부사(whereby?=by what?「무엇에 의해」) 또는 복합 관계 부사(whereby=by which「그것에 의해」)를 형성하지만 현재는 대체로 《古》로 격식을 차리는 《文語·詩》 이외에는 드묾. 〚↑〛

whére·abòut *adv., n.* 《稀》 =WHEREABOUTS.

whére·abòuts *adv.* [의문사] 어디쯤에(about where, near what place); [관계사] …한 곳, …의 장소 : I don't know ~ he lives. 그가 어디 사는지 모른다.

—— *n.* [단수·복수 취급] 소재, 행방, 있을 만한 곳 : His ~ is[are] unknown. 그의 행방을 알 수 없다.

where·áfter *adv.* 《文語》 그 (이)후.

***where·ás** *conj.* **1** …이므로, …인데 (사실은), …에 반하여(while) : Some people like coffee, ~ others like tea. 커피를 좋아하는 사람이 있는가 하면 홍차를 좋아하는 사람도 있다. **2** 《주로 法》 …으로 보면, …인 까닭으로, …이기 때문에 (since). —— *n.* (본론 전의) 서두, 단서; 〔法〕 전문(前文).

where·át *adv.* 《文語》 [의문사] 왜; [관계사] (그것으로, 그로 인하여) …하는[한] (at which) : I know the things ~ you are displeased. 네 마음에 들지 않는 점을 알고 있다.

where·bý *adv.* 《文語》 [의문사] 무엇에 의해, 무엇으로 인해(by which), 왜, 어떻게(how); [관계사] 그것에 의하여.

whére'd where did의 단축형.

wher·e'er [*h*weərέər, *h*wæər-] *adv.* 《詩》 = WHEREVER.

where·fore [*h*wέərfɔ̀ːr, *h*wǽər-] *adv.* 《文語》 [의문사] 어떠한 이유로, 왜(why) ; [관계사] 그러므로(therefore) : He was angry, ~ I was afraid. 그는 화내고 있었다, 그래서 나는 걱정이었다. ── *n.* [보통 *pl.*] 원인(cause), 이유(reason).

where·fróm *adv.* 《文語》 [의문사] 어디서부터 ; [관계사] 거기서부터.

where·ín *adv.* 《文語》 [의문사] 어떤 점에서[으로](in what point), 어디에 ; [관계사] 그 가운데, 거기에, 그 점에서.

whère·in·so·éver *adv.* WHEREIN의 강조형.

where·ínto *adv.* 《文語》 [의문사] 무엇 속으로, 무엇에 ; [관계사] 그 가운데.

whére'll where will[shall]의 단축형.

where·óf *adv.* 《文語》 [의문사] 무엇의, 무엇에 관하여(of what), 누구의(of whom) ; [관계사] 그것의, 그것에 관하여, 그 중의.

where·ón *adv.* 《文語》 [의문사] 무엇 위에(on what), 누구에게 ; [관계사] 그 위에(on which).

where·óut *adv.* 《古》 거기에서[부터] (out of which).

whére're where are의 단축형.

where's [*h*wέərz, *h*wǽərz] where is[has]의 단축형.

whère·so·é'er [-έər] *adv.* 《詩》 =WHERESOEVER.

whère·so·éver *adv.* 《文語》 WHEREVER의 강조형. ── *conj.* 《古》 WHEREVER의 강조형.

where·thróugh *adv.* 《古》 [관계사] 그것을 통하여 …하는(through which) ; 그(것) 때문에, 그러므로.

where·tó *adv.* 《文語》 [의문사] 무엇에 (to what), 어디에, 무엇 때문에 ; [관계사] 그것에, 그 곳으로[에](to which).

where·únder *adv.* [의문사] 무엇 밑에 ; [관계사] 그 밑에서[으로].

where·untíl *adv.* 《方》 =WHERETO.

where·únto *adv.* 《古》 =WHERETO.

whère·upón *adv.* 《古》 [의문사] =WHEREON ; [관계사] 그래서, 여기에 있어, 그 때문에, 그 후.

where've [*h*wέərv, *h*wǽərv] where have의 단축형.

‡**wher·ev·er** [*h*weərévər, *h*wæər-] *adv.* **1** [관계사] 어디라도, 어느 곳이라도 : He may go ~ he likes. 그가 가고 싶은 곳은 어디라도 가도 좋다. **2** 《口》 [의문사 WHERE의 강조형] 도대체 어디에[로](Where ever?) (cf. WHATEVER *pron.* 3 [주]). ── *conj.* (…하는) 어디(에서)든지 : I will follow you ~ you go. 당신이 가시는 곳에는 어디라도 따라가겠습니다 / *W*~ it is possible he tries to help. 가능한한 그는 어디에서나 도와 주려고 노력한다.

where·wíth *adv.* 《文語》 [의문사] 무엇으로, 무엇에 의해서 ; [관계사] 그것으로, 그것에 의해서. ── *pron.* [부정사를 수반하여] 그것에 의해 …하는 것 : He had not ~ *to* feed himself. 그는 먹을 것이 없었다.
── *n.* 《稀》 =WHEREWITHAL.

whére·withàl *adv.* 《古》 =WHEREWITH. ── *n.* [보통 the ~] (필요한) 자력(資力), 수단〈*to* do〉. ── *pron.* =WHEREWITH.

wher·ry [*h*wéri] *n.* 나룻배, 거룻배 ; (경조용(競漕用)) 1인승 보트 ; 《英》 바닥이 평평한 거룻배. ── *vt.* 거룻배로 나르다. 〖ME<?〗

whérry·man [-mən] *n.* 《英》 거룻배 사공.

whet [*h*wét] *vt.* (**-tt-**) **1** (칼 따위) 갈다, 뾰족하게 하다(sharpen). **2** (식욕 따위를) 자극하다, 돋구다(stimulate). ── *n.* **1** 연마(硏磨). **2** 자극(물), (특히) 한 잔의 술. **3** 《方》 (한번 갈고 나서 다음에 갈 때까지의) 낫의 사용 기간. **4** 《方》 한 차례의 일, 한바탕.
〖OE *hwettan* ; cf. G *wetzen*〗

◇**wheth·er** [*h*wéðər] *conj.* **1** [간접 의문의 명사절을 이끌어] …인지 어떤지(cf. IF 4, OR[1] 5), …인지 또는 : He asked ~ he could help. 도와줄 수 있는지 어떤지를 물었다 / I don't know ~ he is at home *or* (~ he is) at the office. 그가 집에 있는지 사무실에 있는지 모른다 / Tell me ~ he is at home (*or* not). 그가 집에 있는지 없는지 말해 주세요 / I am doubtful (as to) ~ it is true. 정말인지 어떤지(에 대해서) 의심스럽다 / *W*~ it is a good plan *or* not is a matter for argument. 그것이 좋은 계획인지 어떤지는 토의할 여지가 있는 문제다. ☞ 活用 (1), (2). **2** [or와 상관적으로 양보의 부사절을 이끌어] …이든 아니든 (어떻든 간에) : ~ for good *or* for evil 좋든 나쁘든(간에) / *W*~ he comes *or* not, the result will be the same. 그가 오든 안오든 결과는 마찬가지일 것이다. ☞ 活用 (2).
whether or no[***not***] 어느 쪽이든, 하여간, 여하간(in any case) : I will go(,) ~ *or no.* 어떻든 간에 가겠습니다 / We had to keep the promise ~ *or not.* 여하간 약속은 지켜야 했다.
── *pron.* 《古》 (양자 중) 어느 쪽인가.
〖OE *hwæther*, *hwether* which of two ; cf. G *weder* neither〗
活用 (1) i) 명사절이 생략되지 않은 문형에서 병행하는 경우에는 *or whether*가 계속됨 : I wonder *whether* he'll go himself *or whether* he'll send his son. (그 자신이 갈 것인지, 그렇지 않으면 아들을 보낼 것인지 모르겠다). ii) whether에 이끌리는 명사절이 it으로 대표되는 일이 있음 : *It* is doubtful *whether* he will recover. (그가 회복될는지 어떨는지 의심스럽다). iii) 때때로 *to* do를 수반하여 명사구를 이룸 : I don't know *whether to* go or stay. (가야 좋을지 머물러 있어야 좋을지 모르겠다).
(2) 1, 2는 모두 whether 이하가 긴 경우에 흔히 whether or no[not]의 형식을 취함 ; 단 이 용법은 《文語》 : We could not ascertain *whether or not* his statement was truly based on facts. (그가 말한 것이 진실로 사실에 기인한 것인지 어떤지를 확인할 수 없었다) / *Whether or no* they were a married couple, there was good reason to doubt the friendliness of their relationship. (그들이 부부였는지 아닌지는 모르지만 아무튼 둘의 관계는 친밀하지는 않은 것 같았다).

whét·stòne *n.* **1** 숫돌. **2** 자극물, 흥분제 ; 격려자, 타산지석(他山之石).

whét·ter *n.* 칼 가는 사람[것], 자극물.

whew [ç̩úː, hwjúː, hjúː, ỹː] *vi.* 휘파람같은[휘 하는] 소리를 내다 ; 아유라고 하다. ── *n.* 휘파람 같은 소리, 휘[윙, 핑]하는 소리 ; [감탄사적으로] 아유, 아뿔싸, 후유, 하, 어이쿠《놀람 · 당황 · 불쾌 · 실망 · 피로감 · 안도 따위의 소리》. 〖imit.〗

whey [*h*wéi] *n.* Ⓤ 유장(乳漿)(cf. CURD).
〖OE *hwæg* ; cf. Du. *hui*〗

whéy-fàce *n.* (겁에 질리거나 병 때문에) 창백한 얼굴(의 사람). **whéy-fàced** *a.*

whf. wharf.

◇**which**[1] [*hwítʃ*] *pron.* [의문사] 어느 쪽, 어느 것, 어느 사람 : *W*∼ (of the flowers) do you like best? (그 꽃들 중에서) 어느 것을 제일 좋아하느냐 / *W*∼ is ∼? 어느 것이 어느 것인지 / *W*∼ of the boys were you talking to? 어느 소년과 이야기를 하고 있었습니까 / [간접 의문을 이끌어] Say ∼ you would like best. 어느 것을 제일 좋아하는지 말해 보렴 / Tell me ∼ *to* do. 어느 것을 해야 하는지 말해 주시오. ── *a.* 어느 쪽의, 어느 것의, 어느 : *W*∼ book do you like better, *Robinson Crusoe* or *Gulliver's Travels*? 로빈슨 크루소와 걸리버 여행기 중 어느 책을 좋아하느냐 / [간접 의문의 절을 이끌어] Say ∼ book you prefer. 어느 책이 좋은지 말해라.
〚OE *hwilc* (WHO, -*ly*[2]) ; cf. G *welch*〛

◇**which**[2] [*hwitʃ*] *pron.* [관계사] **1** [제한적 용법] **a**) [보통 물건을 나타내는 선행사를 받아서] …하는[한] (것·일) : The river ∼ flows through Seoul is called the Han-gang. 서울을 관류하는 강을 한강이라 부른다 / This is the book ∼ I have chosen. 이것이 내가 선택한 책이다 / The photograph for ∼ I was looking has been found in the drawer. 내가 찾고 있던 사진은 서랍 속에 있었다. ㊟ 목적격인 경우, 위의 마지막 두 예문보다도 《口》에서는 다음과 같은 관계 대명사를 생략한 문형 쪽이 흔히 쓰임. 전치사의 목적어인 경우에는 그 전치사는 뒤에 놓음 : This is the book I have chosen. / The photograph I was looking *for* has.... ☞ 活用 (1). **b**) 《古》 [사람을 나타내는 선행사를 받아서] : Our Father ∼ art in heaven, ... 하늘에 계시는 우리 아버지시여…《신약성서》. **2** [비제한적 용법 ; 보통 앞에 콤마가 있음] (cf. WHO[2] b)) **a**) 그리고 그것은, 그러나 그것은[그것을] : I began to read the book, ∼ I found very difficult. 그 책을 읽기 시작했는데 아주 어렵다는 것을 알았다. ☞ 活用 (2). **b**) [선행하는 문장 또는 그 일부를 받아서] : He said he saw me there, ∼ (=but it) was a lie. 그곳에서 나를 보았다고 말했으나 그것은 거짓이었다. ㊟ 문어(文語)나 고어체에서는 which 이하의 절이 독립하여 Which....으로 되는 일도 있음. **c**) 《文語》 [관계사절이 주절에 앞서서] …이지만 : Moreover, ∼ the poor man never believed, they had decided in advance to dismiss him. 더욱이 딱하게도 그 사람은 꿈에도 생각지 않았던 일이지만 그들은 전부터 그를 해고하기로 결정하고 있었다. **3** [선행사 없이] (…하는 것은) 어느 것이나(whichever) : You may take ∼ of the books you like. 어느 것이든 네가 좋아하는 책을 가져도 좋다.
that which …하는[한] 것. ㊟ 이것은 격식을 차린 딱딱한 표현으로 지금은 보통 what을 사용함 (☞ THAT[1] 5).
── *a.* 《文語》 그리고[그런데] 그(cf. *pron.* 2 b)) : I said nothing, ∼ fact made him angry. 나는 잠자코 있었는데 바로 그것이 그를 화나게 했다. 〚↑〛
活用 (1) i) 관계 대명사 which의 소유격으로서는 whose를 대용하지만 《口》에서는 선행사가 사람을 가리키는 말일 경우와 구별하여 of which를 사용하는 경향이 있음 : These plants thrive in a country *whose* rainfall[《口》 the rainfall *of which*] is abundant. (이 식물들은 비가 많이 오는 나라에서 잘 자란다). ☞ WHO[2] 活用 (1) iii). ii) 선행사에 지시 형용사 that이 수반하는 경우의 관계 대명사로서 that을 쓰는 것은 어조가 나쁘므로 which를 써서 that... which의 형으로 하는 것이 보통 : *that* part of the country *which* was struck by a violent storm(그 나라에서 격심한 폭풍우에 침해된 지대). ☞ THAT[1] 活用 (1) i). iii) 선행사가 관청·단체 따위 사람의 집단인 경우, 개개의 구성 분자를 생각할 때는 who를 써서 보통 복수로 다루며 일괄하여 생각할 때는 which를 써서 보통 단수로 다룸 : The legislature *which has* passed the act is praiseworthy. (그 법안을 통과시킨 주의회는 칭찬받을 만하다). iv) It is... which 구문에서 명사(상당어구)를 강조할 때가 있으나 보통 that을 씀(☞ THAT[3] 3).
(2) 제한적 용법과 비제한적 용법과의 차이에 주의할 것. i) The computer *which*[*that*] needs mending is on the desk over there. ii) The computer, *which* needs mending, is on the desk over there. i)은 두 대 이상의 컴퓨터 중에서 수리를 요하는 컴퓨터가 저 책상 위에 있다라는 뜻이고 ii)는 처음부터 특정한 한 대의 컴퓨터에 대해서 말하고 있는 문장으로 「수리를 요한다」라고 하는 설명은 부가적으로 첨가되어 있음. ☞ WHO[2] 活用 (2).

***which·ev·er** [*hwitʃévər*] *pron., a.* **1** [부정 관계사 ; 명사절을 이끌어] 어느 쪽(의) …이라도, 어느 것이라도 : Take ∼ (picture) you like best. 어느 쪽(의 그림)이라도 좋아하는 것을 가지시오. **2** [양보의 부사절을 이끌어] 어느 편이라도, 어느 것의 …이라도 : *W*∼ (side) won, I was equally pleased. 어느 편이 이기든(간에) 나는 똑같이 기뻤다. **3** 《口》 [의문사 which의 강조형] 도대체 어느 편이[을] (Which ever?) (cf. WHATEVER *pron.* 3 ㊟) : *W*∼ John do you mean? 도대체 어느 존을 말합니까.

whìch·so·éver *pron., a.* 《文語》 WHICHEVER의 강조형.

whidah ☞ WHYDAH.

whiff[1] [*hwíf*] *n.* **1** (바람·연기 따위의) 한번 붊[마심] ; 한 모금 내뿜는[들이마시는] 담배 연기 ; 확 풍기는 냄새 ; 기미 : a ∼ *of* fresh cool air 훽 한번 불어오는 상쾌한 찬바람 / take a ∼ or two (담배를) 한두 모금 빨다. **2** 《口》 궐련, 가늘게 만 여송연. **3** 《英》 경주용 경(輕) 보트. **4** 가벼운 노여움. **5** 《口》〖野〗 삼진. ── *vi., vt.* 가볍게 불다 ; (담배를) 피우다 ; 《口》〖野〗 삼진을 당하다[시키다].
〚C16 < ? imit. ; cf. ME *weffe* WHIFF〛

whiff[2] *n.* 〖魚〗 가자미의 일종. 〚C18 < ?〛

whiff[3] *vi.* 수면 가까이 미끼를 끌면서 고기를 낚다. 〚C19 < ? *whiff*[1]〛

whif·fet [*hwífit*] *n.* 《美口》 강아지 ; 하찮은 사람 ; 풋내기.

whif·fle [*hwífəl*] *vi.* **1** (바람이) 살랑거리다, (나뭇잎·불길이) 흔들리다. **2** 《비유》 (생각 따위가) 정해지지 않다, 이리저리 바뀌다. ── *vt.* **1** 불어 흩뜨리다, 흔들어 움직이게 하다 ; (바람이 배를) 이리저리 돌리다. **2** 《비유》 (생각 따위를) 동요시키다. ── *n.* 한 번 불기, 흔들림 ; 살랑거리는 소리 ; 하찮은 것.

whíffle·bàll *n.* 휘플볼《구멍을 뚫어 멀리 못 가게 한 플라스틱공 ; 원래 골프 연습용》.

whíf·fler [*hwíflər*] *n.* 정견(定見)이 없는 사람, 변덕스러운 사람.

whíffle·trèe *n.* 《美》 =SWINGLETREE.

whíffy *a.* 《口》 냄새가 확 풍기는.

whíf gàme [wíf-] *n.* 만약이라는 방식(方式)《만일에 그렇다면 어찌 될 것인가(What if?)라는 사전의 계획을 비교 검토하여 방침을 결정하는 방식 ; cf. WHAT-IF》.

Whig [*h*wíg] *n.* **1** 〖英史〗 휘그 당원(黨員) ; [the ~s] 휘그당(黨) 《17-18세기에 대두한 의회주의 정당으로 Tory당과 대립하여 민중의 권리와 의회의 우월을 주장하고 비(非)국교도를 옹호함 ; 19세기에 지금의 Liberals(자유당)가 되었음 ; cf. TORY 1》. **2** 〖美史〗 휘그당원《(1) 독립 혁명 당시의 독립파. (2) 1834년경에 성립 ; 1854년경 the Republican party(공화당)로 계승됨 ; cf. TORY 3》. **3** 〖스코史〗 휘그《17세기 스코틀랜드의 장로 교회파의 사람》. —— *a.* 휘그당(원)의 ; 독립당(원)의 ; 휘그당[독립당]적인.
〚*Whig*gamores (*whig* to drive, MARE[1]) ; 1648년 스코틀랜드의 반도(叛徒)로 Edinburgh에 진군한 일원〛

Whíg·gery, Whíg·gism *n.* Ⓤ 휘그주의.

whig·ma·lee·rie, -ry [*h*wìgməlíəri] *n.* 변덕(whim) ; 색다른[기발한] 장치[장식].
〚C18 < ?〛

Whíg pàrty *n.* [the ~] 휘그당(cf. WHIG 1).

◇**while** [*h*wáil] *n.* **1** [a ~] 동안, 시간 ; 잠시 ; 《古·方》(특정한) 때[경우]. **2** [the ~, one's ~] 시간과 노력[수고].
all the while 그 동안 줄곧, 내내.
a long while 오랫동안, 장기간 : It happened *a long* ~ ago. 오래 전의 일이었다 / It took me *a long* ~ to find my contact lenses. 콘택트렌즈를 찾는데 오랜 시간이 걸렸다.
at whiles 때때로, 가끔.
between whiles 가끔, 틈틈이.
for a [***one***] ***while*** 잠시 동안 : She stayed in Paris *for a* ~ before going to London. 그녀는 파리에서 잠시 머물렀다가 런던으로 갔다.
in a (***little***) ***while*** 얼마 안있어, 곧.
make it worth one's ***while*** 수고에 보답하다, 적당한 사례를 하다 ; 뇌물을 쓰다.
once in a while ☞ ONCE *adv.*
the while [부사적으로] 그 동안 ; 동시에 ; 《詩》 [접속사적으로] …하는 동안(while).
worth (one's) ***while*** …할 가치가 있는〈*to* do, do*ing*〉.
—— [*h*wail, *h*wáil] *conj.* **1** …하는 동안, …하는 사이, …와 동시에(cf. WHEN *conj.* 1 注) : We kept watch ~ they slept. 그들이 잠자고 있는 동안에 우리는 망을 보았다 / *W*~ there is life, there is hope. 《속담》 생명이 있는 한 희망도 있다 / *W*~ (he was) fighting in Germany, he was taken prisoner. 그는 독일에서 참전중에 포로가 되었다. ☞ 活用 (1). **2** [양보·대조(對照)를 나타내어] …이지만, 하지만, 그런데 한편, 동시에, …라고는 하지만 : Some are rich, ~ others are poor. 부자도 있지만 가난한 사람도 있다 / He ran, ~ I walked. 그는 뛰었고 나는 걸었다 / *W*~ I admit that the thing is difficult, I don't think that it is impossible. 일이 곤란하다는 것은 인정하지만 불가능하다고는 생각지 않는다. ☞ 活用 (2). **3** 《古·北英》 =UNTIL.
—— [*h*wail] *prep.* 《古·北英》 =UNTIL.
—— [⌐] *vt.* [+目+副] (시간을) 빈둥빈둥 보내다 : He ~*d away* his holidays on the beach. 그는 휴가를 바닷가에서 보냈다.
〚OE *hwīl* space of time ; cf. G *Weile*〛
活用 (1) while이 이끄는 절의 주어가 주절의 주어와 일치할 경우, 그 주어와 be동사는 때때로 생략됨 ; 단 이 용법은 《口》에서는 비교적 드묾 : *While* (I was) reading, I fell asleep. (나는 책을 읽고 있는 동안에 잠이 들었다) / *While* (you are) in Seoul, you should call on him. (네가 서울에 있는 동안에 그를 찾아가야만 한다).
(2) while(*conj.* 2)이 그 본래의 뜻이 약화되어 거의 and 정도의 뜻으로 쓰일 때가 있음 : Mr. White is American, his wife is French, *while* his business associate is German. (화이트씨는 미국인이고 그의 아내는 프랑스인이며 또한 그의 사업 동료는 독일인이다).

whiles [*h*wáilz] *conj.* 《古》 =WHILE. —— *adv.* 《스코》 가끔, 때때로.

whi·lom [*h*wáiləm] *adv.* 《古》 일찍이, 이전에, 전에는(formerly).
—— *a.* 이전의, 옛날의.
〚ME=at times < OE (dat.) ‹ *hwīl* WHILE〛

whilst [*h*wáilst] *conj.* 《주로 英》 =WHILE.

whim [*h*wím] *n.* **1** 변덕, 일시적인 기분, 변하기 쉬운 마음, 변덕스러운 마음 : full of ~*s* (and fancies) 변덕스러운, 별난 / take[have] a ~ *for* read*ing* 책이라도 읽고 싶은 마음이 나다. **2** 〖鑛〗 권양기(捲揚器). —— *vt., vi.* (**-mm-**) 일시적인 기분에서 바라다.
〚C17 <? *whim*-wham〛

whim·brel [*h*wímbrəl] *n.* 〖鳥〗 중부리도요.
〚? imit.〛

whim·per [*h*wímpər] *vi.* (어린애 등이) 훌쩍거리며 울다, 흐느끼며 울다 ; (개 따위가) 낑낑거리다 ; 코맹맹이 소리를 내다 ; 중얼중얼 불평하다. —— *vt.* 우는 소리로 말하다. —— *n.* 흐느껴 욺, 코멘 소리.
~·ing·ly *adv.* 훌쩍거리며.
〚*whimp* (dial.) ‹ (imit.)〛
類義語 ⟹ WEEP.

whim·si·cal [*h*wímzikəl] *a.* **1** 변덕스러운, 들뜬(fanciful). **2** 별난, 묘한, 이상한(quaint).
~·ly *adv.* 변덕스럽게 ; 이상하게.

whim·si·cal·i·ty [*h*wìmzikǽləti] *n.* **1** Ⓤ 변덕(스러움), 종잡을 수 없음. **2** 별스러움, 기상(奇想), 기행(奇行).

whim·sy, -sey [*h*wímzi] *n.* 변덕, 일시적 기분, 별난 생각 ; 기발한 언동.
—— *a.* =WHIMSICAL.

whim-wham [*h*wím*h*wæ̀m] *n.* (옷·장식 따위의) 기묘한 것 ; 변덕 ; 《古》 장난감(toy) ; [the ~s] 《口》 흥분, 불안, 초조.
〚C16 <?〛

whin[1] [*h*wín] *n.* Ⓤ,Ⓒ 〖植〗 가시금작나무(furze).
〚? Scand. ; cf. Norw. *hvine* bent grass〛

whin[2] *n.* =WHINSTONE.
〚ME <?〛

whín·chàt *n.* 〖鳥〗 흰눈썹검은딱새《유럽산》.

whine [*h*wáin] *n.* **1** (개 따위가) 낑낑대는 소리 ; 흐느끼는 소리. **2** 우는 소리, 불평, 푸념. —— *vi.* **1** 애처롭게[흐느껴] 울다 ; 코멘 소리를 하다 : The little dog was *whining* to be taken out for a walk. 강아지는 산책에 함께 데려가 달라고 낑낑거리고 있었다. **2** [動/+前+名] 우는 소리로 불평하다 : They are always *whining* ***about*** trifles. 사소한 일로 항상 불평을 한다.
—— *vt.* 애처로운[코맹맹이] 소리로 말하다〈*out*〉.
〚OE *hwinan* to whiz ; cf. Swed. *hvija* to scream〛

whinge [*h*wíndʒ] *n., vi.* 《濠·英》 우는 소리(를 하다), 호소하듯이 울다(whine) ; 투덜거리다.
〚OE *hwinsian*〛

whing·er [*h*wíŋgər, -ndʒər] *n.* 《스코》 단도, 단검(短劍).

whin·ny [*h*wíni] *vi.* (말이) 나직이[기분 좋은 듯이] 울다. —— *vt.* 울어서 나타내다. —— *n.* 말 울

음소리. 〚imit.; cf. WHINE〛

whín·stòne *n.* 현무암(玄武岩), 각암(角岩); (일반적으로) 치밀하고 단단한 거뭇한 암석.

whiny [*h*wáini] *a.* 처량하게 우는; 투덜거리는, 넋두리하는.

whip** [*h*wíp] *v.* (**-pp-**) *vt.* **1 a)** [＋目/＋目＋副/＋目＋前＋名] 채찍질하다, 매질하다: ~ a naughty child 장난꾸러기 아이를 매질하다 / The cabman ~*ped* the horses ***on. 마부는 말에게 채찍질했다 / ~ a person ***across*** the face 남의 얼굴에 채찍질하다. **b)** [＋目＋前＋名] 매질하여 …시키다: ~ sense ***into*** [~ a fault ***out of***] a child 아이를 매질하여 사리를 알게[결점을 고치게] 하다. **c)** 채찍질하듯 때리다: The hail ~*ped* the windows. 우박이 창문을 세차게 때렸다. **d)** 격려하다, 자극하다; (의원 등을) 집결[결속, 집합]시키다; 몹시 비난하다. **2** 《口》 …에 이기다, 타파[격파]하다(defeat). **3** [＋目＋副/＋目＋前＋名] 갑자기 움직이게 하다, 잡아채다: He ~*ped* ***off*** his jacket[~*ped* ***out*** his dagger]. 그는 상의를 홱 벗었다[단검을 홱 꺼냈다] / The gangster ~*ped* the pearls *off* the counter. 악한은 카운터에서 재빨리 진주를 잡아챘다. **4** 〖料〗 (계란·크림 따위를) 세게 휘저어 거품이 일게 하다. **5** (밧줄·지팡이 따위를) 실[끈]로 칭칭 감다, …에 실[끈]을 감다, (솔기·가장자리를) 공그르다, 감치다. **6** (석탄 따위를) 작은 도르래로 끌어올리다. **7** 〖낚시〗 …에서 던질낚시질하다: ~ a stream 개울에서 던질낚시질하다. —— *vi.* **1** 채찍을 사용하다, 매질하다; (비바람이) 휘갈기듯 불다. **2** [＋前＋名/＋副] 갑자기 움직이다, 돌진하다, 뛰어들다[나가다]: ~ ***behind*** the door 얼른 문 뒤로 숨다 / ~ ***round*** the corner 모퉁이를 확 돌다 / He ~*ped away* ***to*** France. 훌쩍 프랑스로 떠나 버렸다. **3** 〖낚시〗 (낚시를 채찍질하듯 물에 던지는) 던질낚시를 하다[로 고기를 낚다].

whip in (사냥개 따위를) 채찍으로 불러모으다; (의원(議員)에게) 등원(登院)을 독려하다.

whip round for subscriptions (특히 자선을 위한) 기부를 권유하다(cf. WHIP-ROUND).

whip up (말 따위를) 채찍질하여 달리게 하다; (혈액순환 따위를) 왕성하게 하다, (흥미 따위를) 자극하다, 흥분시키다; 《美口》 (요리를) 재빠르게 만들다.

—— *n.* **1** 채찍, 채찍 소리. **2** (특히 4두 마차의) 마부. **3** 사냥개를 지휘하는 사람[담당자](whipper-in). **4 a)** (의원(議院)의) 원내 총무(cf. FLOOR LEADER). **b)** 《英》 (하원에서의) 등원 명령. **5** 끌어올리는 작은 도르래. **6** 휩《계란·크림 따위를 거품이 일게 하여 만든 디저트용의 과자》. **7** 〖낚시〗 던질낚시. **8** Ⓤ 유연성, 탄력성.

whip and spur 말을 빨리 몰아; 황급히.

〚? MLG and MDu. *wippen* to sway, leap〛

類義語 ⟹ BEAT[1].

whíp·còrd *n.* 채찍 끈, 장선(腸線); 능직물(綾織物)의 일종. —— *a.* (사람·근육 따위가) 바짝 긴장한.

whíp·cràck *n.* 휙하는 채찍 소리(를 냄).

whíp cràne *n.* (배에서 짐부리는 데 쓰는) 간이(簡易) 기중기.

whíp·gìn *n.* 조면기(繰綿機).

whíp hànd *n.* (채찍을 쥐는) 오른손; 우위.

get [***have***] ***the whip hand of*** [***over***] …을 지배[좌우]하다.

whíp·làsh *n.* **1** (채찍 끝의) 채찍끈. **2** Ⓤ 충격. **3** 편타증(鞭打症). —— *vt.* 채찍질하다, 《비유》 혼내주다.

whíplash ìnjury *n.* Ⓤ ＝WHIPLASH 3.

whípped *a.* 매맞은; 거품을 일게 한; 얻어맞은(것 같은).

whípped-ùp, whípped úp *a.* 《美俗》 지친, 기진맥진한.

whíp·per *n.* 채찍질하는 사람[것].

whípper-ín *n.* (*pl.* **whíppers-ín**) 주 지금은 보통 whip으로 줄임. **1** 〖사냥〗 사냥개 지휘자. **2** 《英》 (의원(議院)의) 원내 총무.

whip·per·snap·per [*h*wípərsnæ̀pər] *n.* 아니꼬운[우쭐대는] 놈, 건방진 녀석.

whip·pet [*h*wípət] *n.* 휘펫《greyhound와 terrier의 교배에 의한 경주용 개》.

〚? *whippet* (obs.) to move briskly ‹ *whip it*〛

whíp·ping *n.* **1** Ⓤ,Ⓒ 채찍질하기[하는 형벌]. **2** Ⓤ 갑자기 움직이기; 덤벼들기, 대들기. **3** Ⓤ 〖낚시〗 (채찍질하듯 던지는) 던질낚시질. **4** Ⓤ 〖海〗 (밧줄의) 끝을 동여맴[동여맨 재료]; 감치기. **5** Ⓤ,Ⓒ 패배. **6** 〖料〗 거품내기.

whípping bòy *n.* **1** 〖史〗 왕자의 학우로 대신 매를 맞는 소년. **2** 대신(代身)하는 사람, 대역, 희생자(scapegoat).

whípping crèam *n.* 휘핑 크림《평균 36%의 유(乳)지방이 든 거품 일구기 좋은 크림》.

whípping pòst *n.* 태형(笞刑)용의 기둥《태형을 받는 사람을 붙들어 매었음》.

whípping tòp *n.* 채로 치는 팽이.

whip·ple·tree [*h*wípəltrì:] *n.* 《美》 ＝SWINGLETREE.

whip·poor·will [*h*wípərwìl, ⌐-⌐; *h*wípuwìl] *n.* 〖鳥〗 휘퍼윌쏙독새《북미산》. 〚imit.〛

whíp·py *a.* 채찍과 같은; 탄력이 있는, 부드러운; 《口》 쾌활한, 발랄한.

whíp-ròund *n.* 《주로 英口》 (보통 자선의) 기부 권유, 모금.

whíp·sàw *n.* 가늘고 긴 톱《틀에 활처럼 끼웠음》. —— *vt.* **1** 긴 톱으로 켜다; 《美》 …에서 양면으로[이중으로] 이기다[격파하다, 벌다], 결탁하여 이기다, (조합이 회사를) 경합시켜 유리하게 이끌다; 《美俗》 대립하는 양쪽에서 뇌물을 받다. **2** 《美俗》 쉽게 쳐부수다; 《美俗》 심하게 때리다; 《美俗》 (일을) 잽싸게 해치우다. —— *vi.* whipsaw로 켜다; (앞뒤로) 흔들리다; 《美》 결탁하여 이기다, 경합하다.

whíp·sàwed *a.* 〖證〗 (값의 하락 직전에 사서 오르기 직전에 팔아) 이중 손해를 본.

whíp snàke *n.* 〖動〗 꼬리가 채찍처럼 가느다란 종류의 뱀.

whíp stàll *n.* 〖空〗 급실속(急失速)《급상승했을 때 갑자기 기수(機首)가 흔들리며 실속하기》. —— *vi., vt.* 급실속하다[시키다].

whíp·ster *n.* ＝WHIPPERSNAPPER.

whíp·stìtch *n.* 감치기. —— *vi.* 감치다.

whíp·stòck *n.* 채찍 손잡이; 휩 스톡《유정에 내려뜨려 비트의 굴진 방향을 바꾸는 데 쓰는 역쐐기 모양의 기구》. —— *vi., vt.* 휩 스톡으로 파다.

whir, whirr [*h*wə́:r] *vi.* (**-rr-**) [動/＋副] 휙 날다; (모터 따위가) 윙윙 돌다: The swallow ~*red past.* 그 제비는 휙 날아갔다. —— *n.* [단수형으로만 쓰여] (새나 비행기 날개 따위가) 휙하는 소리, 윙윙 도는 소리.

〚? Scand. (Dan. *hvirre* to whirl)〛

whirl** [*h*wə́:rl] *vt.* **1** [＋目/＋目＋副] 빙빙 돌리다; 소용돌이치게 하다: ~ a stick[club] 지팡이[곤봉]를 빙빙 돌리다 / The north wind was ~*ing* the snowflakes ***about. 북풍이 불어 눈송이

가 소용돌이치고 있었다. **2** [+目+副/+目+前+名] (바람 따위가) 회오리치며 날려 버리다; (차 따위가) 재빠르게 운반하다: His hat was ~*ed* ***away*** by the wind. 그의 모자는 바람에 휙 날려갔다 / We were ~*ed away* ***in*** his car. 우리는 그의 차로 재빨리 실려갔다. **3** (투창·돌 따위를) 빙빙 돌려서 던지다. —— *vi.* **1** [動/+副/+前+名] 빙빙 돌다; 소용돌이치다: The leaves of the trees came ~*ing* ***down in*** the wind. 나뭇잎이 바람에 휘날리며 떨어졌다 / The dancers ~*ed* ***round*** the ballroom. 춤추는 사람들은 무도장을 빙빙 돌며 춤추었다. **2** [+前+名] (차·비행기를 타고) 급히 가다, (차 따위가) 질주하다: The trees by the roadside ~*ed* ***past*** us as the car rushed on. 차가 질주해 감에 따라 길가의 나무들이 우리 곁을 휙휙 지나갔다. **3** 현기증이 나다; (사상·감정 따위가) 끊임없이 솟아나다: My head ~*s.* 머리가 빙빙 돈다.

—— *n.* **1** [흔히 a ~] 선회, 회전; [흔히 *pl.*] 빙빙 도는 것, 소용돌이, 선풍(旋風). **2** 정신의 혼란, 산란. **3** (사건·회합 따위의) 연속〈*of*〉. **4** 《口》 시도, 기획(trial).

in a whirl 선회하여; 혼란하여: My thoughts are *in a* ~. 마음이 어지럽다.

〖(v.) ON *hvirfla,* (n.) MLG and MDu. *wervel* spindle; cf. G *Wirbel* whirlwind, OE *hwyrflung* revolving〗

類義語 ⟹ TURN.

whírl·abòut *n.* 선회, 회전; =WHIRLIGIG.

—— *a.* 빙빙 도는, 선회하는.

whirl·i·gig [*h*wə́ːrligìg] *n.* **1** 팽이; 풍차; 회전목마. **2** 회전 운동; 변전(變轉): the ~ of time 운명의 변전. **3** 〖昆〗 물매암이(=~ **bèetle**). 〖ME (WHIRL, GIG)〗

whírl·pòol *n.* 소용돌이; 혼란, 소동.

whírl·wìnd *n.* 회오리바람; (감정의) 회오리; 질서없는 진전; 파괴적 요인; 성급한 사람.

ride in the whirlwind (천사가) 회오리바람을 다스리다; 《비유》 풍운을 타다.

(***sow the wind and***) ***reap the whirlwind*** 나쁜 짓을 하고 몇 배나 더한 벌을 받다.

—— *a.* 눈깜짝할 사이의, 성급한, 분주한: a ~ visit 갑작스러운 방문.

—— *vi.* 선풍처럼 움직이다.

whírly *a.* 빙빙 도는; 소용돌이치는. —— *n.* 작은 회오리바람.

whírly·bìrd *n.* 《口》 =HELICOPTER.

whirr ☞ WHIR.

whish [*h*wíʃ] *vi.* 휙[쉿] 소리나다[움직이다].

—— *vt.* 빠르게 달리게 하다[움직이게 하다].

—— *n.* [감탄사적으로] 휙[쉿]하는 소리. 〖imit.〗

whisht [*h*wíst, *h*wíʃt] *int., n., a.* =WHIST².

whisk [*h*wísk] *n.* **1** (털·짚·가는 나뭇가지로 만든) 작은 비. **2** (말린 풀·짚·강모(剛毛)·깃털 따위의) 다발〈*of*〉. **3** (계란·크림 따위의) 거품내는 기구. **4** 털기; (새나 짐승의 날개·꼬리 따위를) 가볍게 털기.

—— *vt.* **1** [+目+副/+目+前+名] (먼지·파리 따위를) 날리다, 털어 버리다, 털다: She ~*ed* the fly *away*[***off***]. 파리를 날려 버렸다 / After eating the loaf he ~*ed* the crumbs *off* his coat. 빵을 다 먹은 뒤 웃옷에 묻은 빵부스러기를 털었다. **2** (계란·크림 따위를) 휘젓다(whip). **3** [+目+副/+目+前+名] 갑자기 가지고[데리고] 가다; 가볍게 나르다: The waiter ~*ed* my plate ***off***. 웨이터는 내 접시를 채듯이 가져갔다 / We were ~*ed* ***up to*** the top floor in an elevator. 승강기로 맨 위층까지 금방 올라갔다 / She ~*ed* the letter ***out of*** sight. 편지를 재빨리 숨겼다. **4** 재빠르게 흔들다, 가볍게 휘두르다: The horse ~*ed* its tail. 말은 꼬리를 휙 흔들었다. —— *vi.* [+副/+前+名] 날쌔게 움직이다[달리다], 급히 사라지다: The cat ~*ed* ***around*** the corner. 고양이는 모퉁이를 홱 돌아 달려갔다. —— *int.* 휙, 홱《갑작스런 급속한 운동을 나타냄》.

〖? Scand. (ON *visk* wisp, Swed. *viska* to whisk (off)); cf. G *Wisch*〗

whísk bròom *n.* 양복솔.

***whisk·er** [*h*wískər] *n.* **1** [보통 *pl.*] 구레나룻 (cf. BEARD, MUSTACHE). **2** (고양이·쥐 따위의) 수염. **3** (새의) 부리 주위의 깃털. **4** 《口》 아주 조금(인 거리): by a ~ 아슬아슬하게, 겨우. **5** (사파이어·금속 따위의) 단(單)결정, 위스커《섬유 강화재용》. **6 a)** [*pl.*] 《美俗》 턱, 볼; [~s, 단수취급] 《美口》 초로의 남성; [*pl.*] 《美俗》 만들어 붙인 속눈썹. **b)** 《卑》 (성적 대상으로서의) 여자, 창녀.

whisker 1

〖WHISK〗

whísk·ered *a.* 구레나룻이 난.

***whis·key, -ky** [*h*wíski] *n.* **1** Ⓤ [종류를 말할 때는 Ⓒ] 위스키; Ⓒ 위스키 한 잔(a glass of whiskey): ~ and water 물 탄 위스키. **2** [Whiskey] 문자 w를 나타내는 통신 용어. 〖*whiskybae* (변형(變形)) ‹ USQUEBAUGH〗

活用 일반적으로 《美》에서는 whiskey, 《英》에서는 whisky를 쓰나 업자는 《美》에서는 whiskey를 국산품에, whisky를 수입품에 쓰고, 《英》에서는 whisky를 스카치(Scotch whisky)에, whiskey를 그 이외의 종류에 씀.

whískey and sóda *n.* 위스키 소다, 하이볼.

whís·key·fied, -ki·fied *a.* 《戱》 위스키에 취한.

whískey sóur *n.* 위스키 사워《위스키에 레몬주스·소다수 따위를 타고 얼음을 넣은 칵테일》.

whísky màc *n.* 《英》 위스키 맥《위스키와 진저와인을 섞은 음료》.

‡**whis·per** [*h*wíspər] *vi.* [+動/+前+名] **1** 속삭이다; 몰래[살짝] 말하다, 귀엣말하다: ~ ***in*** a person's ear 남에게 귀엣말하다 / He ~*ed* slyly ***to*** his brother. 살짝 아우에게 속삭였다. **2** (바람·물줄기 따위가) 살랑살랑[졸졸] 소리나다: The breeze ~*ed* ***through*** the pines. 산들바람이 솔밭 사이를 살랑살랑 지나갔다. —— *vt.* **1** [+目/+目+前+名/+*that* 節/+目+*to* do] 속삭이다, 작은 소리로 말하다: ~ a word or two ***to*** a person 남에게 한두 마디 속삭이다 / He ~*ed* (*to* me) *that* he was hungry. (내게) 배가 고프다고 속삭였다 / I ~*ed* them *to* hide behind the tree. 그들에게 작은 소리로 나무 뒤에 숨으라고 말했다. **2** [+目/+*that* 節/+目+前+名] 살그머니 이야기를 퍼뜨리다: It is ~*ed that* he is suffering from stomach cancer. 그는 위암이라는 소문이다 / The strangest things were being ~*ed* ***about*** his death. 그의 죽음에 대해서 기괴한 소문이 나돌고 있었다. —— *n.* **1** 속삭임, 낮은 (목)소리: answer *in* a ~ 나직이 대답하다 / talk *in* ~*s* 나직한 소리로 이야기하다 / give the ~ 귀엣말하다. **2** [+*that* 節] 소문, 풍문(rumor): *W*~*s* are going round *that* he is going to resign. 사직한다는 소문이 나돌고 있다. **3** 살랑거리는 소리. **4** 미량(微量), 조금(trace): a ~ of a perfume 향수의 은은한 향기.

~·er *n.* 속삭이는 사람 ; 고자질하는 사람.
〚OE *hwisprian*<Gmc. (imit.) ; cf. G *wispern*〛

whísper·ing *n.* 속삭임 ; 소문 ; 소곤거리는 말. ── *a.* 속삭이는 (듯한) ; 귀엣말의 ; 소곤거리는 말의 ; (중상하는) 비밀 이야기를 퍼뜨리는.
~·ly *adv.*

whíspering campàign *n.* (명예를 훼손하기 위한) 중상(中傷) 운동, 헛소문 퍼뜨리기.

whíspering gàllery[dòme] *n.* 반향식 회랑《음향의 특수성으로 작은 소리도 멀리까지 들리도록 만들어진 회랑》.

whist[1] [*h*wíst] *n.* Ⓤ〔카드놀이〕휘스트 놀이《보통 4명이 함》: long [short] ~ 휘스트의 10점[5점] 승부. 〚WHISK ; -*t*는 ↓ (게임 중의 침묵)에서〛

whist[2] *int.*《英》쉿!, 조용히! ── *vt., vi.* 조용하게 하다[해지다], 침묵시키다[하다]. ── *a.* 조용한, 소리없는(silent). ── *n.*《英古》침묵.
〚imit. ; cf. HIST〛

‡whis·tle [*h*wísəl] *vi.* **1** 휘파람을 불다 ; (새가) 지저귀다 ; 기적을 울리다 : This kettle ~*s* when it boils. 이 주전자는 끓을 때 쉭쉭 소리가 난다. **2** [動/+前+名] 휘파람[호각]으로 신호하다[부르다] : The referee ~*d* and the game resumed. 심판의 호각 소리를 신호로 시합이 재개되었다 / The teacher ~*d* ***for*** the runners *to* start. 선생님은 호각을 불어 주자(走者)들에게 출발하도록 신호했다. **3** [動/+前+名] (바람이) 휙 불다, (총알 따위가) 퓽 (소리를 내며) 날다 : The wind ~*d* ***around*** the house. 바람이 집 주위에서 윙윙거렸다 / An arrow ~*d* ***past*** my ear. 한 개의 화살이 퓽하고 내 귓전을 스쳐갔다. **4** 밀고하다.
── *vt.* **1** [+目/+目+副] (개 따위를) 휘파람으로 부르다 ; 호각으로 신호하다 : ~ a dog *back* 개에게 휘파람을 불어 되돌아오라고 신호하다. **2** 휘파람으로 불다 : ~ a merry tune 휘파람으로 즐거운 곡을 불다.
let a person ***go whistle*** 남의 소원을 들어주지 않다, 남에게 안된다고 단념시키다.
whistle...down the wind …을 놓아주다, 포기하다, 제멋대로 가게 하다《매사냥의 비유에서》.
whistle for... ⑴ …을 휘파람으로 부르다(cf. *vi.* 2) : ~ *for* one's dog[a taxi] 휘파람을 불어 개[택시]를 부르다. ⑵《口》…을 구하여도[원해도] 얻지 못하다, 가망이 없다 ; …없이 견디다 : He did a sloppy job, so he may ~ *for* his money. 그는 건성으로 일을 했기 때문에 돈을 받지 못할 것이다.
── *n.* **1** 휘파람. **2** 기적, 호적, 경적 ; 호루라기 ; U,C 휙휙[윙윙]하는 소리, (때까치 따위의) 날카로운 울음소리 : a penny[tin] ~ 구멍이 6개 있는 주석 피리《값싼 장난감》/ a steam ~ 기적. **3** 목구멍 : wet one's ~《口》한잔하다.
not worth the whistle 전적으로 무익한.
pay dear for one***'s whistle*** 보잘것없는 것을 비싼 값으로 사다 ; 혼이 나다.
〚OE (v.) (*h*)*wislian*, (n.) (*h*)*wistle*<imit. ; cf. ON *hvísla* to whisper〛

whístle bàit *n.*《美俗》매력적인 여자.

whístle-blòw·er *n.*《美俗》폭로[중상]하는 사람, 내부 고발자 ; 정보 누설자, 밀고자.

whís·tler *n.* **1** 휘파람을 부는 사람 ; 휙[삑] 울리는 것[소리]. **2**〔動〕(큰 야생(野生)의) 마모트(marmot)류 ;〔鳥〕피리 소리를 내는 새 ; (호주·동남 아시아산의) 흰뺨오리《따위》. **3**〔獸醫〕천명증(喘鳴症)[천식]에 걸린 말. **4**《美俗》순찰차 ;《美俗》경찰에 밀고하는 사람, 밀고자 ;〔電〕휘슬러《공전(空電)의 저주파 성분에 의한 잡음》.

whístle-stòp *n.*《美口》**1** 급행 열차 통과역《역에서 신호가 있을 때만 임시 정차함》. **2** (유세 따위를 위해) 소도시에 들르기[들를때의 연설]. **3** 보잘것없는 작은 마을. ── *a.* 작은 도시에서의[에 들르는]. ── *vi., vt.* (특히 정치 운동에서 어떤 지역의) 작은 도시에 잠시 들르다[들러서 유세하다].

whís·tling *a.* 휘파람을 부는, 휘파람 같은 (소리를 내는). ── *n.* 휘파람(같은 소리) ;〔獸醫〕(말의) 천명증(喘鳴症).

whit [*h*wít] *n.* [a ~ ; 보통 부정구문으로] 미소(微少), 근소, 소량 : He did *not* seem *a* ~ concerned. 조금도 걱정하지 않는 것 같았다.
every whit 어느 점으로나, 전적으로 : He is *every* ~ as good as you. 그는 어느 모로 보나 너에게 조금도 뒤지지 않는다.
〚ME *w*(*h*)*yt*<? WIGHT〛

Whit *a.* =WHITSUN.
Whit week=WHITSUNTIDE.

◇white [*h*wáit] *a.* **1** 흰, 백색의 : ~ snow 흰눈, 백설(白雪) / (as) ~ as snow 눈같이 흰. **2** (핏기를 잃어) 창백한 ; 흰빛이 도는 ; 백지의 ; 백설의 : ~ lips 창백한 입술 / in ~ terror 공포로 창백해져서 / turn ~ 창백해지다 / ~ hair 흰머리 / a ~ sister 백의의 수녀 / ☞ WHITE FRIAR. **3** 백열(白熱)의, 열렬한. **4** (물·공기·빛이) 투명한, 무색의 ;〔理〕(빛·소리 따위가) 백색의《모든 주파수를 포함함》. **5** 빈, 공백의, 차 있지 않은. **6**《비유》결백한, 더럽혀지지 않은. **7** 백색 인종의 ;《美》(흑인에 대해서) 백인의(↔*colored*) : ☞ WHITE AUSTRALIA / ~ culture 백인 문화. **8** 반(反)공산주의의(↔ *red*) ; 반동의[적인]《보통 반(反)혁명파의》, 왕당(王黨)의. **9**《口》공명정대한, 신용할 수 있는 ; (취급 따위가) 관대한. **10** 선의의 ; 해(害)가 없는. **11** 행운의 : a ~ day 길일(吉日). **12**《英口》(커피·홍차 따위에) 밀크를 탄.
bleed white (금전·정력 따위를) 다 써버리다.
make one***'s name white again*** 오명(汚名)을 씻다, 설욕하다.
mark (***a day***) ***with a white stone*** 대서 특필하다.
── *n.* **1** U,C 흼, 흰빛, 백색 ; 창백한[흰빛을 띤] 색. **2** U,C 백색 그림 물감 ; 백색 염료[안료] ; 결백. **3** Ⓤ 흰 천, 흰 옷(감) ; [*pl.*] 흰 천으로 만든 제품 : a lady *in* ~ 흰 옷 입은 여자. **4** U,C 흰자위(cf. YOLK) : the ~*s* of three eggs 계란 세 개의 흰자위 / Use a little more ~ of egg. 흰자위를 조금만 더 많이 써라. **5** (눈의) 흰자위, 흰자위가 많은 눈망울 : I waited until I could see the ~*s* of their eyes. 그들이 바로 곁에 올 때까지 기다렸다. **6** [때때로 W~] 백인, (특히) 코카서스인. **7** [the ~] (사격 따위에서) 과녁의 중심. **8** [the ~]〔印〕여백. **9** [때때로 W~] 초(超)보수주의자, 반동주의자. **10** [*pl.*] 정백(精白) (소맥)분, 정백당 ; =WHITE BREAD ;《口》백포도주 ;《美俗》(밀매의[값싼]) 진(gin) ;《美俗》바닐라 아이스크림 ;《美俗》진한 화이트소스[시럽]《크림 소스나 마시멜로(marsh-mallow) 시럽 따위》;《美俗》코카인. **11**〔撞球〕흰공 ;〔체스 따위〕백, 백을 쥔 사람 ; [the ~, the W~]〔英史〕백색 함대(cf. RED[1]) ; (돼지 따위의) 백색종(種)[변종] ; [*pl.*]〔醫〕냉, (백(白))대하(leukorrhea).
── *vt.*〔印〕여백으로 하다〈*out*〉;《古》희게 하다 : ☞ WHITED SEPULCHER.
〚OE *hwīt* ; cf. G *weiss*〛

whíte agáte *n.* 백색의 옥수(玉髓).
whíte alért *n.* 백색 경보《경보 해제》.
whíte álloy *n.* 〔冶〕 백색 합금(white metal).
whíte ánt *n.* 〔昆〕 흰개미.
whíte-ànt *vt.* 비밀리에 …의 파괴 공작을 하다(undermine).
whíte ársenic *n.* 〔化〕 삼산화비소, 백비(白砒).
whíte Austrália *n.* 백호주의(白濠主義)《유색인종의 이민을 허용치 않음》.
whíte bàcklash *n.* 흑인의 공민권(公民權) 운동에 대한 백인의 반발, 백색 반발.
whíte·bàit *n.* Ⓤ 〔魚〕 뱅어; 정어리·청어 따위의 새끼.
whíte béar *n.* 〔動〕 흰곰, 북극곰(polar bear).
whíte·bèard *n.* 노인, 늙은이(graybeard).
whíte bírch *n.* 〔植〕 흰자작나무《유럽에서 가장 흔한 자작나무》.
whíte blóod cèll *n.* 백혈구(leukocyte).
whíte bóok *n.* 백서(白書)《국내 사정에 관한 정부 발행의 보고서; cf. WHITE PAPER, BLUE BOOK, YELLOW BOOK》.
whíte·bòy *n.* **1** 《古》 총애를 받는 사람, 마음에 드는 사람, 총아. **2** [W~] 〔史〕 (18세기 아일랜드의) 백의(白衣) 당원《십일조 따위에 반대하고 농지 개혁을 주장한 비밀 결사대원》.
whíte bréad *n.* 흰빵《정백분(精白粉)으로 만듦; cf. BLACK[BROWN] BREAD》.
whíte brónze *n.* 〔冶〕 백색 청동(青銅)《주석 함유량이 많음》.
whíte·càp *n.* **1** [보통 *pl.*] 물마루, 흰 파도. **2** [W~] 《美》 백모(白帽)단원《폭력적인 자칭 자경단원》. **3** 〔鳥〕 수컷 딱새의 일종.
whíte cást ìron *n.* 〔冶〕 백주철.
whíte cédar *n.* 〔植〕 편백나무의 일종《미국 동부 연안의 늪에서 생장함》; Ⓤ 그 목재.
whíte cemént *n.* 백색 시멘트.
whíte clóver *n.* 〔植〕 화이트 클로버.
whíte cóal *n.* (에너지원(源)으로서의) 물, 수력; 전력.
whíte cóffee *n.* 우유[크림]를 탄 커피.
whíte-cóllar *a.* 화이트칼라의; 사무직의, 월급쟁이의: a ~ worker 봉급 생활자, 사무직원.
—— *n.* 《美俗》 바닐라 아이스크림과 바닐라 시럽을 사용한 아이스크림 소다.
whíte-cóllar críme *n.* 지능 범죄《사기·횡령·탈세·증수회·부당 광고 따위의 화이트칼라의 직무에 관련된 범죄》.
whíte-cóllar críminal *n.* 지능 범죄를 범한 자.
Whíte Cóntinent *n.* [the ~] 흰 대륙; 남극대륙(Antarctica).
whíte córpuscle *n.* 〔生理〕 백혈구(白血球).
whíte crów *n.* 흰까마귀; 극히 진기한 물건.
whit·ed [*h*wáitəd] *a.* 하얗게 (칠)한; 표백한.
whíte dáisy *n.* 프랑스국화(菊花).
whíte dámp *n.* 갱내 유독 가스《일산화탄소가 주성분임》.
whíte déath *n.* 《口》 헤로인.
whíted sépulcher *n.* 〔聖〕 회칠한 무덤, 위선자(hypocrite)《마태복음 23:27》.
whíte dwárf *n.* 〔天〕 백색 왜성(矮星).
whíte élephant *n.* 흰코끼리《인도 등지에서 신성시됨》; (비용이나 노력이 들 뿐 이롭지 않은) 성가신 물건, 무용지물.
〖샴의 임금이 마음에 들지 않는 조정의 신하에게 하사해 곯려준 고사(故事)에서〗
Whíte Énglish *n.* (미국의) 백인 영어(cf. BLACK ENGLISH).
whíte énsign *n.* 영국 군함기(旗).
whíte fáther *n.* 아프리카 파견의 선교사(단의 일원). 〖흰 옷에서〗
whíte féather *n.* 겁먹은 증거; 겁쟁이.
show the white feather 우는 소리하다, 겁을 내다, 꽁무니를 빼다.
〖싸움닭의 꽁지에 흰 털이 있으면 싸움닭으로서 약하다는 전설에서〗
whíte fínger(s) *n.* 〔醫〕 백랍병(白蠟病).
whíte·fish *n.* 〔魚〕 연어과의 각종 물고기; 은백색의 물고기《황어 따위》; Ⓤ (특히 대구 따위의) 물고기의 흰 살.
whíte flág *n.* 백기(白旗), 항복[휴전]기(旗).
hoist [***hang out, show, wave***] ***the white flag*** 항복하다.
whíte flìght *n.* 《美俗》 (중산층 백인의) 도심에서 교외로의 탈출《다른 인종과 섞여 사는 것을 피하기 위해》.
whíte fríar *n.* [흔히 W~ F~] 카르멜회(會) 수사(Carmelite).
whíte fróst *n.* 서리(cf. BLACK FROST).
whíte gásoline[**gás**] *n.* 무연(無鉛) 휘발유.
whíte góld *n.* 화이트 골드《금과 니켈에 때때로 아연, 주석 또는 구리 따위를 섞은 플래티나(platinum) 대용의 합금》.
whíte gòods *n. pl.* 면·린네르류(類)《시트 따위》; (냉장고·세탁기 따위의 희게 칠한) 대형 가정용품.
whíte-háired *a.* 백발의; 흰 털로 덮인; 《口》 마음에 드는: a ~ boy 마음에 드는 소년.
Whíte·háll [ˊ-, ˋ-] *n.* **1** 화이트홀《London의 관청가》. **2** 영국 정부(의 정책).
whíte-hánd·ed *a.* **1** 흰 손의, 노동을 하지 않은. **2** 결백한, 정직한.
whíte-héad·ed *a.* 백발의; 금발의; 《口》 마음에 쏙 드는.
whíte héat *n.* (구리·철 따위의) 백열(白熱)《1500-1600℃》; (심신의) 극도의 긴장, (감정의) 격앙 상태, (투쟁 따위의) 치열한 상태.
whíte hóle *n.* 〔天〕 화이트 홀《블랙 홀에 빨려든 어간 물질의 분출구라고 하는 가설상의 구멍》.
whíte hópe *n.* 《口》 크게 기대되는 사람; 흑인 챔피언에 도전하는 백인 권투 선수; 백인 대표.
whíte hórse *n.* 백악(白堊)의 사면(斜面)에 조각된 말; [보통 *pl.*] 흰 파도(whitecap).
whíte-hót *a.* 백열의; 열렬한, 흥분한; 《美俗》 지명 수배중인.
Whíte Hòuse *n.* [the ~] 화이트 하우스, 백악관《미국 대통령의 관저》; 《口》 미국 대통령의 직[권위, 의견 따위]; 미국 정부(cf. KREMLIN).
whíte knìght *n.* 정치 개혁자, 대의(大義)[주의]의 운동가[투사]; 《美》 〔經〕 기업매수의 위기에 있는 회사를 구제하기 위해 개입하는 제3의 기업.
whíte lády *n.* 《俗》 코카인.
whíte léad [-léd] *n.* 〔化〕 백연(白鉛), 연백.
whíte léather *n.* 백반으로 무두질한 가죽.
whíte líe *n.* 악의없는[방편상의] 거짓말.
whíte líght *n.* **1** 대낮의 햇빛; 《비유》 편견이 없는[공평한] 판단. **2** 〔理〕 백색광(光).
whíte líghtning *n.* 《美俗》 밀주 위스키; =LSD.
whíte líne *n.* 흰 선《특히 도로상의》; 〔印〕 빈칸; 《美俗》 밀매 위스키.
whíte-lípped *a.* (공포에 질려) 입술이 새파래진.
whíte lìst *n.* 화이트 리스트, 바람직한 것의 리스트(↔*black list*).
whíte-lívered *a.* 겁많은; 혈색이 나쁜, 창백한.
whíte mán *n.* 백인; 《비유》 집안이 좋은 사람,

훌륭한 사람, 청렴결백한 사람.

whíte màn's búrden *n.* [the ~] (유색인종의 미개발국을 지도해야 할) 백인의 책무. 〖R. Kipling의 시(1899)의 제목에서〗

whíte márket *n.* (암시장 형성 방지를 위해 배급표 따위가 공인된) 합법적[공인] 시장.

whíte màtter *n.* 〔解〕 (뇌의) 백질(白質) (cf. GRAY MATTER).

whíte mèat *n.* **1** 흰살코기《닭·송아지·토끼·돼지 따위의 고기 ; cf. RED MEAT》. **2** 《俗》 여배우 ; 가수 ; 《古》 유제품, (일반적으로) 낙농제품. **3** 《美俗》 간단한 일 ; 쉽게 입수할 수 있는 것.

whíte métal *n.* =WHITE ALLOY.

whíte móney *n.* 《美俗》 출처를 속여 합법적으로 보이게 한 비합법적 자금.

whit·en [*h*wáitn] *vt.* 희게 하다[칠하다], 표백하다 ; 순결[정당]한 것처럼 보이게 하다.
—— *vi.* 희게 되다 ; 새파래지다.

whíte·ness *n.* Ⓤ 흼, 순백, 백색 ; 백색 물질[부분] ; 결백, 순결 ; 창백.

whíte nígger *n.* 《美俗·卑》 흑인의 시민권을 옹호하는 백인.

whíte níght *n.* 백야 ; 잠 못이루는 밤(sleepless night). 〖F *nuit blanche*〗

Whíte Níle *n.* [the ~] 백나일《나일강 원류(源流)의 하나》.

whíten·ing *n.* **1** Ⓤ 희게 하기, 희어지기. **2** = WHITING².

whíte nóise *n.* **1** 〔理〕 (모든 가청(可聽)주파수대를 포함한) 백색 소음, 화이트 노이즈. **2** 백색 노이즈《소음제거를 위해서 뒤에 까는 소리》. 〖백색광과 같은 스펙트럼을 나타내는 데서〗

whíte óak *n.* 〔植〕 (껍질이 흰) 참나무.

whíte·òut *n.* 화이트아웃《극지에서 천지가 온통 백색이 되어 방향감이 없어지는 상태》 ; 심한 눈보라(에 의한 시계의 현저한 저하).

whíte páper *n.* 백서(白書)《특히 영국 정부의 보고서 ; blue book보다 간단한 것 ; cf. WHITE BOOK, YELLOW BOOK》.

whíte píne *n.* 〔植〕 스트로부스소나무(오엽송)《북미산》 ; Ⓤ 그 목재.

whíte plágue *n.* [the ~] 폐결핵 ; 헤로인중독.

whíte póplar *n.* 〔植〕 은백양(銀白楊) ; =TULIP TREE, 그 재목.

whíte potàto *n.* 감자(Irish potato).

whíte prímary *n.* 《美》 백인 예비선거회《남부의 여러 주에서 백인만이 투표할 수 있었던 민주당의 예비선거 ; 1944년 위헌 판결》.

whíte rábbit *n.* 《CB俗》 경찰관(cop) ; 경찰(police).

whíte ráce *n.* 백색 인종.

whíte ríbbon *n.* 《美》 순결[금주] 기장(記章).

whíte róom *n.* 무진(無塵)[무균(無菌)]실(clean room).

Whíte Rússia *n.* 백(白)러시아(☞ BYELORUSSIA).

Whíte Rússian *n.* 백러시아인(人).

whíte sàle *n.* 화이트 세일《흰 천 또는 그 제품의 여름옷 판매》.

whíte sàuce *n.* 〔料〕 화이트 소스(cream sauce)《버터·밀가루·우유로 만드는 소스》.

whíte scóurge *n.* [the ~] 폐결핵.

Whíte Séa *n.* [the ~] 〔地〕 백해(白海)《러시아 연방 북서부에 있는 북극해의 일부》.

whíte shéer *n.* 못민을 무리 속에 섞여 있는 착실한 사람.

whíte shéet *n.* (참회하는 사람이 입는) 흰 옷 : stand in a ~ 참회하다.

whíte sláve *n.* **1** (매춘을 강요당하는) 백인 여성[소녀]. **2** 백인 노예.

whíte slávery *n.* 강제 매춘(업) ; 백인 노예 매매 ; 백인 매춘부의 처지.

whíte·smìth *n.* 양철공, 은도금공(cf. BLACKSMITH). 〖ME ; *blacksmith*를 모방한 것〗

whíte smóg *n.* 광화학(光化學) 스모그.

whíte spáce *n.* 〔印〕 (광고 따위에서 시각적 효과를 노린) 여백.

whíte spírit *n.* 〔化〕 [보통 *pl.*] 화이트 스피릿《페인트·니스 따위의 용제(溶劑)》.

whíte stúff *n.* 《美俗》 코카인 ; 모르핀, 헤로인《따위》 ; 밀주용 알코올, 밀조 위스키.

whíte suprémacy *n.* (흑인에 대한) 백인 우월론[주의].

whíte téa còmmune *n.* (중국의) 가난한 인민공사(人民公社). 〖「사람들이 차 대신에 맹탕으로 끓인 물을 마시고 있음」이라는 뜻〗

Whíte Térror *n.* [the ~] 〔프史〕 백색 테러《1795년 혁명파에 가한 왕당파의 보복 ; 왕권 상징인 흰 백합에서 ; cf. RED TERROR》 ; (일반적으로) 반혁명파의 테러, 백색 테러.

whíte·thòrn *n.* =HAWTHORN.

whíte·thròat *n.* 〔鳥〕 솔새의 일종《북미산》.

whíte tíe *n.* 흰나비 넥타이 ; Ⓤ (남성의) 야회용 정장《연미복에 흰나비 타이 ; cf. BLACK TIE》.

whíte-tíe *a.* white tie가 필요한《만찬》.

whíte trásh *n.* [집합적으로] 《美·蔑》 (특히 미국 남부의) 가난한 백인(poor white(s)).

whíte·wàll *n.* 화이트월(=∼ **tíre**) 《측면에 흰띠 모양의 선을 넣은 자동차 타이어》.

whíte wár *n.* 피를 흘리지 않는 전쟁《부정한 수단을 써서 하는 경제전 따위》.

whíte·wàsh *n.* **1** Ⓤ 수성(水性) 백색[석회] 도료, 회반죽《벽·천장 따위 겉칠용》. **2** Ⓤ 《비유》 자신의 결백을 나타내는 수단 ; 미봉책. **3** Ⓤ 《美口》 영패(零敗). —— *vt.* **1** …에 회칠을 하다. **2** …의 표면을 겉치장하다 ; (실책 따위의 결점을 숨기고) 감싸주다 ; [수동태로] 재판 절차에 의해 (채무자에게) 변제를 모면시키다. **3** 《美口》 영패시키다《경기 따위에서》. —— *vi.* 회칠을 하다.

whíte wáter *n.* (급류·용소(龍沼) 따위의) 하얗게 부서지는[거품 이는] 물 ; (모래바닥이 들여다보이는) 맑은 바닷물.

whíte wáy *n.* 번화가, 불야성. 〖The Great *White Way* ; New York 시(市) Broadway의 극장가〗

whíte wédding *n.* (순결을 나타내는 흰 신부 의상을 입는) 순백의 결혼식.

whíte·wèed *n.* 흰꽃이 피는 잡초.

whíte whále *n.* 〔動〕 흰돌고래(beluga).

whíte wíne *n.* Ⓤ [종류를 말할 때는 Ⓒ] 백포도주《맑은 황색에서부터 호박색까지 있으며 주로 연한 빛깔의 포도를 사용하여 껍질·과육·씨앗을 빼고 만듦 ; cf. RED WINE, ROSÉ》.

whíte·wìng *n.* 흰 제복을 입은 사람, (특히) 도로 청소원.

whíte wítch *n.* (사람의 행복을 위해서만 마술을 쓰는) 착한 마녀(魔女).

whíte·wòod *n.* 백색 목재를 만드는 나무《LINDEN, TULIP TREE 따위》 ; Ⓤ 백색 목재.

whítey *n.* Ⓤ [때때로 W~] 《俗·蔑》 흰둥이, 백인종, 백인 체제[문화, 사회].
—— *a.* =WHITY.

whith·er [*h*wíðər] *adv.* 《詩·文語》 **1** [의문사] 어디에, 어느 곳에(to what place, where) (↔

whence) : *W*~ are they drifting? 그들은 어디로 떠내려가고 있나. **2** [*hwiðər*] [관계사] **a**) [장소를 나타내는 선행사를 받아] (거기까지) …하는, …한(to which) ; 그리고 그곳에 : the place ~ he went 그가 간 장소 / He is in heaven, ~ I hope to follow. 그는 지금 천국에 있다, 나도 뒤따라 그곳에 가고 싶다. **b**) [선행사 없이] 어디든지 …하는 곳에 : Go ~ you please. 어디든지 가고 싶은 곳에 가거라. ── *n.* Ⓤ 행선지, 목적지(destination) (↔*whence*).
〖OE *hwider* ; cf. HITHER, THITHER〗

whìther·so·éver *adv.* 《古》 어디에라도, …하는 곳은 어디라도.

whit·ing[1] [*hwáitiŋ*] *n.* 〖魚〗 **1** 대구의 일종《유럽산》. **2** 민어과의 식용 물고기《북미 대서양산》.
〖? OE *hwīting* (WHITE, *-ing*)〗

whiting[2] *n.* Ⓤ 표백제, 호분(胡粉), 백악(白堊).
〖(gerund.)<ME *whiten* to white〗

whíting pòut *n.* 〖魚〗 ＝BIB.

whít·ish *a.* 약간 흰, 희끄무레한.

Whít·ley Cóuncil [*hwítli-*] *n.* 《英》 휘틀리 위원회《노사(勞使) 대표자로 구성된 노사 관계의 개선을 목적으로 하는 협의회》.
〖J. H. *Whitley* (d. 1933) 그것의 제창자〗

whit·low [*hwítlou*] *n.* Ⓤ 〖醫〗 표저(瘭疽) ; (양의) 제관염(蹄冠炎).
〖? *white* FLAW[1]〗

Whit·man [*hwítmən*] *n.* 휘트먼. **Walt** ~ (1819-92) 미국의 시인.

Whít·mónday, Whít Mónday *n.* Ⓤ Whitsunday 다음의 첫째 월요일.

Whit·sun [*hwítsən*] *n., a.* Whitsunday [Whitsuntide] (의).
Whitsun week ＝WHITSUNTIDE.

Whít·súnday [, 美＋-sәndèi], **Whít Súnday** *n.* Ⓤ 성령 강림제(降臨祭)《(1) 부활절(Easter) 후의 제7 일요일. (2) 《스코》 5월 15일, 사분기 지급일의 하나》.
〖OE *hwīta* white ; 세례자가 입는 흰 옷에서〗

Whítsun·tìde *n.* Ⓤ 성령 강림절《Whitsunday부터 일주일동안, 특히 첫 3일간》.

whit·tle [*hwítl*] *vt.* **1** [＋目/＋目＋前＋名] (나무 따위를) 조금씩 깎다, 베다 ; 깎아 만들다 : He ~*d* the wood ***into*** a figure. 나무를 깎아서 사람 모습을 새겼다. **2** [＋目＋副] 줄이다, 삭감하다 : We tried to ~ ***down*** [*away*] expenses. 비용을 줄이려고 노력했다. ── *vi.* [動/＋*at*＋名] 깎다, 새기다 : The boy was *whittling* ***at*** a stick. 그 소년은 막대기를 깎고 있었다.
〖*thwittle* (dial.) large knife<OE (*thwītan* to cut off)〗

whít·tling *n.* 깎기 ; [흔히 *pl.*] 깎아낸 지스러기 (chip).

whit tu-whoo [*hwít təhú:*] *int.* 부엉부엉《올빼미의 울음소리》. 〖imit.〗

whity [*hwáiti*] *a.* [보통 복합어를 이루어] 흰 빛을 띤, 희끄무레한.

whiz(z) [*hwíz*] *n.* (*pl.* **whíz·zes**) **1** Ⓤ,Ⓒ 윙[핑] 하는 소리, 핑《화살·총알 따위가 날아가는 소리》. **2** 만족할 협정[조치] ; 《美俗》 예리한 사람, 능숙한 사람 ; 멋있는 것[사람] ; 명수, 전문가 ; **3** 《美俗》 원기, 정력. **4** 《美俗》 간단한 필기시험. **5** 전문 소매치기단의 일원. ── *vi., vt.* (**-zz-**) [動/＋副/＋前＋名] 핑[윙] 소리나다, 윙하고 날다[달리다] ; (지갑을) 소매치기하다 ; 《美俗》 차로 폭주하다 : A motorcycle *whizzed* ***past.*** 모터사이클이 윙하고 지나갔다.
〖imit.〗

whíz(z)·bàng, whíz(z)-báng *n.* Ⓤ,Ⓒ 《軍俗》 윙[쾅]하는 소리 ; 소구경 초고속포(砲)의 유탄(榴彈)《속도가 빨라서 날아오는 소리와 폭발 소리가 거의 동시에 남》; 《口》 시끄러운[두드러진] 것 ; 《美俗》 민완가, 멋진 것(whiz) ; 《美俗》 모르핀과 코카인을 섞은 것[주사] ; (특히 재미있는) 농담.
── *a.* 《口》 훌륭한, 멋진. ── *vi.* 윙[쾅]하는 소리가 나다.

whíz·zer *n.* 윙하는 소리를 내는 것 ; 원심 탈수기 ; 뛰어난 매력[재능]의 소유자 ; 빈틈없는[짓궂은] 책략, 기발한 농담.

whíz(z) kìd *n.* 《口》 신동(神童), 똑똑하고 출세한 젊은[엘리트] 간부[중역·보좌관].
〖*quiz kid* ; whiz의 영향〗

***who**[1] [hú:]

> (1) who는 의문대명사로서 단수·복수 공통으로 쓰이고, 원칙적으로 사람의 이름·성질·신분 따위를 묻는다. 직업 따위는 what을 써서 묻는다.
> (2) 의문대명사로서 who가 현재 목적격 whom으로 쓰이는 것은 격식차린 표현이며, 《口》에서는 who를 쓰는 것이 일반적이다 : *Who* did you see there? (거기서 누구를 봤니?)
> (3) who가 전치사의 목적격일 경우 전치사는 동사 뒤에 오는 것이 일반적이다 : *Who* did you give it *to*? (그것을 누구에게 주었지?) 《whom을 쓰면 *To whom* did you give it?》

── *pron.* (*obj.* **whom** [hú:m], 《口》 **who** ; *poss.* **whose** [hú:z]) [의문대명사] [보통 성명·신원·신분 따위를 물음] 누구, 어떤 사람, 어느 사람 : *W*~ is he? 그는 누구입니까 (cf. WHAT[1] is he?) / *W*~ knows him? 누가 그를 알고 있는가 / *W*~ would have thought it? 누가 그런 생각을 했을까 / Nobody knew ~ he was. 아무도 그가 누구인지를 몰랐다 / *Whose* is this dictionary? 이 사전은 누구의 것입니까. 주 《口》에서는 문장이나 절의 맨 앞에 있을 때 whom 대신에 who를 쓰는 일이 많음 : *Whom* [《口》 *W*~] do you mean? 누구를 말하는 거냐 / *From whom* is the letter? ＝《口》 *W*~ is the letter *from*? 누구에게서 온 편지냐 / I told him *whom* to look out for. 누구를 찾아야 할 것인지를 그에게 말했다 / ☞ WHO'S WHO. 〖↓〗
活用 *Who* did you say he was? (그가 누구라고 말했지) / I happened to meet an old gentleman *who* I thought was a statesman. (나는 우연히 정치가로 생각되는 노신사를 만났다)와 같은 경우를 제각기 *Whom* did you say he was? /...an old gentleman *whom* I thought was a statesman.과 같이 말하는 것은 비문법적. 단, *Whom* did you say you had met? (누구를 만났다고 말했지)에 있어서는 met의 목적어가 되므로 whom이 옳음.

◇**who**[2] [hu:, hu, u(:)] *pron.* [관계대명사] **a**) [사람을 선행사로 받는 제한적 용법] …하는[한]《사람》 : He is the boy ~ broke the window. 그가 창을 깬 소년이다. 주 특히 《口》에서 목적격 whom은 전치사가 선행하는 때 이외에는 쓰지 않는 경우가 많음 : He is a man (*whom*) I trust. 그는 내가 신뢰하는 사람이다 / The woman *about whom* you were talking [《口》 The woman you were talking *about*] is my aunt. 당신이 이야기하던 부인은 저의 숙모십니다 / I know a girl *whose* mother is a pianist. 나는 모친이 피아니스

트인 소녀를 알고 있습니다. ☞ 活用 (1). **b)** [비제한적 용법 ; 보통 앞에 콤마를 찍음] 그 사람은 (and [but *etc.*] he *etc.*) (cf. WHICH² 2) : I sent it to Jones, ~ (=and he) passed it on to Smith. 내가 그것을 존스에게 보냈더니 존스는 또 스미스에게 넘겼다. ☞ 活用 (2). **c)** 《古》[선행사를 생략하여] (…하는) 그 사람, (…하는) 사람은 누구나 (whoever) : *W*~ is not for us is against us. 우리에게 찬성하지 않는 사람은 반대하는 사람이다 / *Whom* the gods love die young. 《속담》「미인 박명」.

as who should say... 《古》…이라고 말할 사람처럼, …이라고 말할 듯이 (as if one said) : He smiled *as ~ should say* "Well done." 잘했다고 말할 것처럼 미소지었다.

There are who... 《古》…하는 사람들도 있다.

〖OE *hwā* ; cf. Du. *wie*, G *wer*, L *quis*〗

活用 (1) i) 《口》에서는 주격인 who도 There is.... 따위의 뒤에서는 생략되는 일이 있음 : There's a Mr. Green (*who*) wants to see you. (그린 씨라는 분이 당신을 만나고 싶다고 합니다). ii) 선행사가 의인적(擬人的)으로 선박·나라를 가리키거나 또는 동물을 가리키는 말일 경우에라도 who를 씀 : They have a dog *who* always gives me a big welcome. (그들에게는 언제나 나를 매우 반겨주는 개가 있다). iii) 소유격의 whose는 물건에 대해서 씀 : The mountain *whose* top (=the top of *which, of which* the top) is covered with snow is Mt. Kilimanjaro. (꼭대기가 눈으로 덮여 있는 산이 킬리만자로 산입니다). ☞ WHICH² 活用 (1) i). iv) ☞ WHICH² 活用 (1) iii).

(2) 제한적 용법과 비제한적 용법의 다음 두 문장의 차이점에 주의 : He had three sons *who* [*that*] became teachers. (그에게는 선생이 된 자식이 3명 있었다)《달리 또 자식이 있었는지도 모름》/ He had three sons, *who* became teachers. (그에게는 자식이 3명 있었는데 그들은 모두 선생이 되었다)《자식은 모두 3명》. 따라서 Her husband, *who* is living in Taegu, often writes to her. (그녀의 남편은 대구에 살고 있는데 자주 그녀에게 편지를 한다)와 같은 경우에 Her husband *who* is living in Taegu often writes to her. 라고 제한적 용법을 쓰면 그녀에게는 남편이 2명 이상 있는 것처럼 되어 버린다.

WHO [hú:] World Health Organization (국제 연합 세계 보건 기구).

whoa [*h*wóu] *int.* 워 ! 《말을 멈추게 하는 소리》. 〖HO¹〗

who·dun·it, -dun·nit [hu:dʌ́nət] *n.* 《美俗》 추리 소설[영화, 연극]. 〖*Who done*(=did) *it* ?〗

who·e'er [hu:éər] *pron.* 《詩》 =WHOEVER.

‡**who·ev·er** [hu:évər] *pron.* (*obj.* **whom·éver,** 《口》 **who·éver** ; *poss.* **whos·éver**) **1** [부정(不定) 관계대명사 ; 명사절을 이끌어] (…하는 사람은) 누구든지, 어떠한 사람이라도 : *W*~ comes is welcome. 누구든지 오는 사람은 환영한다 / Ask *whomever* you meet. 누구든지 만나는 사람에게 물어 보시오.

> **whomever의 ○×**
> (×) Give it to *whomever* is in need of it.
> (아무나 그것이 필요한 사람에게 주시오.)
> (○) Give it to *whoever* is in need of it.
> ☆ 이 글에서 관계대명사는 유도하는 clause의 주어가 되어 있으므로 앞에 to가 있는 것과는 관계없이 주격인 whoever가 된다.
> 다음과 같이 바꿔 써 보면 이해하기 쉽다.
> Give it to *anyone who* is in need of it.

2 [양보의 부사절을 이끌어] 누가[누구를] …하더라도 : *Whomever* [《口》 *W*~] I quote, you retain your opinion. 내가 누구의 말을 인용하든지간에 너는 너의 설(說)을 고집하는구나 / *Whosever* [*Whoever's*] it was, it is now mine. 원래는 누구의 것이었던간에 지금은 내것이다. **3** 《口》 [의문사 WHO의 강조형] 도대체 누가(whoever) (cf. WHATEVER *pron.* 3 주) : *W*~ said so ? 도대체 누가 그렇게 말했나.

whol. wholesale.

‡**whole** [hóul] *a.* **1** [the, his 따위와 함께] 전체의, 전(全)… (cf. ALL) : the ~ world 전세계 / the ~ sum ☞ SUM *n.* 1 / the ~ truth 있는 그대로의 사실. 주 보통 지명은 직접 수식하지 않음 (☞ *n.* 1). **2** 완전한, 온전한, 흠없는, 꼭 그대로의 (complete), 가공하지 않은 : with a ~ skin ☞ SKIN *n.* 숙어. **3** [단수에는 부정(不定) 관사를 붙여] 온통…, 꼭…, 꼬박…, 만(滿)… : a ~ year [day] 꼬박 1년[하루]. **4** 〔數〕 완전수(數)의, 정수(整數)의, 정(整)의, 분수를 포함하지 않은. **5** 《古》 건강한, 건장한(healthy, hale). **6** 남의 피가 섞이지 않은, 부모가 같은.

a whole lot of... 《口》 많은….

—— *n.* **1** 모두, 전부, 전체(cf. PART) : the ~ *of* Korea 한국 전역(全域) (all Korea). **2** 완전한 것 ; 통일체.

as a whole 총괄하여, 전체로서.

(*up*)*on the whole* 개략적으로.

—— *adv.* 완전히, 전면적으로.

〖OE *hāl* healthy, HALE ; *w*-는 16세기에 첨가 ; cf. G *heil*〗

類義語 ⟹ FULL.

whóle bínding *n.* =FULL BINDING.

whóle blóod *n.* (어떤 성분도 제거되지 않은 수혈용의) 완전 혈액 ; 완전한 부모 자식 관계(cf. HALF BLOOD).

whóle bròther *n.* 부모가 같은 형제, 친형제(cf. HALF BROTHER).

whóle chéese *n.* [the ~] 《美俗》 (선수 등의) 주역, 스타 선수, 유일한 중요 인물.

whóle clóth *n.* 〔織〕 원단(原緞)《제조된 그대로 (아직) 재단하지 않은 천》.

out of whole cloth 《美》 아주 엉터리의, 완전히 날조한 : He told a lie *out of* ~. 완전히 거짓말을 했다.

whóle-còlored *a.* 단색(單色)의.

whóle fóod *n.* 《英》 유기 농법으로 재배한 자연식품[농약을 쓰지 않은 식품류].

whóle gàle *n.* 〔海·氣〕 노대바람.

類義語 ⟹ WIND¹.

whóle·héart·ed *a.* 성심 성의의, 성의있는 : give one's ~ support 마음으로부터 지지하다.

~·ly *adv.* 성의를 가지고. **~·ness** *n.*

whóle hóg *n.* [the ~] 《俗》 전체, 완전 : believe [accept] *the* ~ 모두 다 믿다[시인하다].

go (***the***) ***whole hog*** 《口》 극단으로 치우치다, 철저히 하다.

—— *adv.* 철저하게, 완전히, 전면적으로.

〖C17 *hog* a shilling ; 일설(一說)에는 이슬람교가 금하는 *hog*를 먹는 데서〗

whóle-hòg *a.* 《俗》 철저한, 완전한.

whóle-hóg·ger [-hágər] *n.* 철저한 사람, 극단론자 ; 철저한[일변도의] 지지자.

whóle hóliday *n.* 만 하루의 휴일, 온휴일(cf. HALF-HOLIDAY).
whóle-hòofed *a.* 〖動〗 단제(單蹄)의.
whóle-léngth *a., n.* 전체 길이의, 전신(全身)의 (초상[사진, 거울]).
whóle lífe insùrance *n.* 종신 보험.
whóle mèal *n.* (기울을 제거하지 않은) 통밀가루 ; 《英》 =WHEATMEAL.
whóle mílk *n.* 전유(全乳) (cf. SKIM MILK).
whóle·ness *n.* **1** Ⓤ 전체, 일체(一切) ; 완전. **2** Ⓤ 〖數〗 정수성(整數性).
whóle nòte *n.* 《美》〖樂〗 온음표.
whóle nùmber *n.* 〖數〗 정수 ; 자연수.
whóle rèst *n.* 〖樂〗 온쉼표.
***whóle·sàle** *attrib. a.* **1** 도매의, 도매로 파는 : a ~ merchant 도매 상인 / ~ prices 도매 가격 / Their business is ~ only. 저 가게는 도매만 한다 《소매하지 않음》. **2** 대대적인, 대규모의 ; 개개의 차이를 고려하지 않는, 한데 뭉뚱그린, 무차별의 : ~ criticism 일괄적인 비평 / make ~ arrests of …을 일망 타진하다.
—— *adv.* 도매로 ; 대대적으로 ; 대강, 통틀어.
—— *n.* Ⓤ 도매(로 팔기) (↔*retail*) : *at* [《英》 *by*] ~ 도매로 ; 대규모적으로. —— *vt., vi.* 도매하다 (↔*retail*).
〚ME (*by whole sale*)〛
whóle·sàl·er *n.* 도매업자.
whóle-sèas óver *adv.* 《口·戲》 만취하여.
whóle shów *n.* [the ~] 《美俗》 인기 선수 ; 주목의 대상 ; 자기 도취자.
whóle sìster *n.* 친자매(cf. HALF SISTER).
***whole·some** [hóulsəm] *a.* **1** 건강[위생]에 좋은 : ~ exercise[food] 몸에 좋은 운동[음식물] / ~ surroundings 건강에 좋은 환경. **2** 건강해 보이는 : a ~ face 건강해 보이는 얼굴. **3** 건전한, 유익한 ; 주의깊은, 신중한 ; 안전한 : ~ advice 유익한 충고 / ~ books 건전한 책들.
~·ly *adv.* **~·ness** *n.*
類義語 ⟹ HEALTHY.
whóle-sóuled *a.* 마음으로부터의, 성의있는.
whóle stèp[tòne] *n.* 〖樂〗 온음.
whóle whéat *a.* (기울을 제거하지 않고 빻은) 밀가루의[로 만든] : ~ flour 통밀가루.
‡**who'll** [hú:l, hu(:)l] who will[shall]의 단축형.
***whol·ly** [hóulli] *adv.* 전적으로, 완전히(completely), 전면적으로 ; 오로지(exclusively) : a ~ bad example 아주 좋지 않은 한 예 / She was not ~ satisfied. 전적으로 만족하지는 않았다《불만도 있었다》.
◇**whom** [(의문사) hú:m, (관계사) hu:m] *pron.* WHO의 목적격.
***whom·éver** *pron.* WHOEVER의 목적격.
whomp [hwámp, 美+hwɔ́:mp] *n., int.* 쿵, 쾅, 탕, 덜컹, 콰당《심한 타격·충격음》: with a ~ 탕하고 (소리내어). —— *vi., vt.* 쿵[쾅]하고 맞다[치다] ; …을 결정적으로 패배시키다.
whomp up (흥미 따위를) 불러일으키다 ; 급히 준비[정리]하다 ; 《俗》 꾸며대다.
〚C20 (imit.)〛
whòm·so·éver *pron.* WHOSOEVER의 목적격.
whoop [hwú(:)p, hú(:)p] *n.* **1** (기쁨·분노 따위로) 야아[와아] 외치는 소리⟨*of*⟩, 함성소리. **2** (올빼미 따위의) 부엉부엉 우는 소리(hoot). **3** (백일해 따위의) 쌕쌕거리는 소리(hoop). **4** 《口》 조금, 약간.
not care a whoop 조금도 개의치[상관]않는.
not worth a whoop 《美口》 한 푼의 값어치도 없는, 아주 시시한.
—— *vi.* 큰소리를 지르다 ; 부엉부엉 울다 ; 쌕쌕거리다(hoop). —— *vt.* [+目/+目+副] 큰소리를 내어 말하다 ; 와아 소리치며 쫓다[부추기다] : ~ dogs **on** 큰소리를 내어 개를 부추기다.
whoop it up 《美口》 큰소리를 내며 떠들어 대다, 크게 소란을 피우다 ; 《美》 (…에의) 흥미[흥분]를 일으키다.
—— *int.* 야아!, 와아!, 에그머니!
〚ME (imit.)〛
whoop-de-do, -doo [hwú:pdədù:, hú:p-, ⌐-⌐] *n.* 《美口》 야단법석, 들끓는 흥분, 떠들썩한 논의, 열띤 공개 토론 ; 대대적인 선전 행사 ; 조직적인 사회 행사[활동].
whoop·ee [hwù(:)pí:] *int.* 《美口》 와아!《환성》.
—— [hwú(:)pi:] *n.* Ⓤ 야단 법석, 대소란 : make ~ 야단 법석을 떨다. 〚WHOOP〛
whóopee cùp *n.* 〖空〗 (여객기에 마련되어 있는) 구토용 종이 봉지.
whóopee cùshion *n.* 《美俗》 뿡뿡 쿠션《누르면 방귀 비슷한 소리가 나는 고무 주머니 ; 장난으로 쿠션 밑에 깖》.
whóopee wàter *n.* 《美俗》 술, 포도주, (특히) 샴페인.
whóop·er *n.* 쾌활하게 떠드는 사람, 와하고 소리치는 사람 ; 올빼미 같은 울음소리를 내는 새.
whóop·ing còugh *n.* 백일해.
whoop·la [hwú:plɑ:, hwú:-] *n.* Ⓤ 대소동, 야단법석.
whoops [hwú(:)ps] *int.* =OOPS.
〚-*s* (intensive suffix)〛
whoosh [hwú(:)ʃ] *n.* 휙[씽, 쉭]하는 소리.
—— *vi., vt.* 휙[씽] 소리를 내며 움직이다[움직이게 하다]. —— *int.* 후유《놀람·피로 따위를 나타냄》. 〚imit.〛
whoo·sis, who·sis, who·zis [hú:zəs], **whoo·sy** [hú:zi:] *n.* 《口》 그것, 거시기《사물·사람의 이름이 잘 생각나지 않을 때 씀》.
〚? *who's this*〛
whop, whap [hwáp] *v.* (**-pp-**) *vt.* 《俗》 **1** 찰싹 때리다, 채찍질하다(thrash). **2** 《비유》 완패시키다(defeat), 정복하다(vanquish). —— *vi.* 탁 쓰러지다. —— *n.* 구타 ; 넘어짐 ; [감탄사적으로] 쿵쾅《충돌·추락 따위의 소리》.
〚변형(變形) < WAP[1]〛
whóp·per, wháp- *n.* **1** 《俗》 때리는[치는] 사람. **2** 《口》 터무니없이 큰 물건 ; 《口》 터무니없는 허풍.
whóp·ping, wháp- *n.* Ⓤ,Ⓒ 구타. —— *a.* 《口》 크나큰, 터무니없는 : a ~ loss 큰 손해. —— *adv.* 《口》 매우(very) : a ~ big mushroom 굉장히 큰 버섯.
whore [hɔ́:r] *n.* 《蔑》 매춘부, 밤의 여인 ; 음란한 여자 ; 타락한[무익한, 우상숭배적인] 동기에 의거해 행위를 하는 사람 ; 《美俗》 무절조(無節操)한 사람. —— *vi.* **1** 매춘하다, 매춘부와 관계하다. **2** 《古》 무익한[우상숭배적인] 원망(願望)을 따르다, 사교(邪教)에 빠지다 : go *a-whoring* after strange gods 사신(邪神)을 숭배하다. —— *vt.* 《廢》 간통하여 (여자를) 타락시키다, (여자에게) 매춘 행위를 시키다.
〚OE *hōre* : *w*-는 16세기에 첨가(cf. whole) ; cf. G *Hure*, L *carus* dear〛
whóre·dom *n.* Ⓤ 《古》 매춘(부 사회) ; 우상[사신] 숭배.
whóre·hòuse *n.* 매음굴, 갈보집.
whóre·màster *n.* =WHOREMONGER.

whóre·mònger *n.* 청루에 드는 사내 ; 밀통하는 사내 ; 색골 ; 뚜쟁이, 포주(pimp).
whore·son [hɔ́:rsən] *n.*《古》사생아(bastard) ;《蔑》놈, 후레자식. ── *a.* 부모를 모르는 ; 천한, 싫은.
Whórf·ian hypóthesis [hwɔ́:rfiən-] *n.*〖言〗워프의 가설《모국어가 개인의 세계관을 결정한다고 하는 설》.
〚Benjamin Lee *Whorf* (d. 1941) 미국의 언어학자·인류학자〛
whor·ish [hɔ́:riʃ] *a.* 매춘부 같은, 음란한.
whorl [hwə́:rl, 美+hwɔ́:rl] *n.* **1** 나선(螺旋)(spiral)의 한번 감김, 소용돌이, 소용돌이 모양 : ～*s of* smoke 연기의 소용돌이 / the ～*s of* a fingerprint 지문(指紋)의 소용돌이. **2** (소라의) 소용돌이 모양《한번 감김》;〖植〗돌려나기.
～ed *a.* 소용돌이가 있는, 소용돌이 모양의 ;〖植〗돌려나기의.
〚? WHIRL ; ME기(期) *wharve* whorl of spindle의 영향〛
whórtle·bèrry [, -bəri] *n.*〖植〗(유럽산) 월귤나무의 일종 ; 그 열매. 〚C16 *hurtleberry*＜ME (? OE *horte* whortleberry, berry)〛
‡**who's** [hú:z] who is[has, does]의 단축형.
◇**whose** [hú:z, hu:z] *pron.* **1** [의문사] [WHO의 소유격으로서] 누구의 ; 누구의 것 : *W*～ is this book? 이 책은 누구의 것입니까 / [간접 의문을 이끌어] I don't know ～ book this is. 이 책이 누구의 것인지 모른다. **2** [hu:z] [관계사] 그의[그 사람의] …이[한] : Is there any student ～ name hasn't been called? 호명되지 않은 학생이 있습니까. 㽞 whose를 「사물」에 쓰는 수가 있음 : The mountain ～ peak (＝The mountain the peak of which) is covered with snow is Hallasan. 꼭대기에 눈이 덮인 산이 한라산이다《of which와 후치하는 것을 피함》.
whòse·so·éver *pron.* WHOSEVER의 강조형.
whosever ☞ WHOEVER.
whosis, whozis ☞ WHOOSIS.
who·sit, who·zit [hú:zit] *n.*《俗》아무개, 모씨(某氏). 〚*who's it*〛
whó·so *pron.*《古》＝WHOSOEVER.
whò·so·é'er *pron.*《詩》＝WHOSOEVER.
whò·so·éver *pron.*《文語》＝WHOEVER.
Who's Who [hú:zhú:] *n.* **1** (공동 사회·단체의) 명사, 유명인. **2** 명사[인명]록.
‡**who've** [hú:v] who have의 단축형.
Whó was Whó *n.* 사망자 명부[명사록].
WHP water horsepower. **whr, whr., Whr, Whr.** watt-hour. **whs(e).** warehouse.
whsle. wholesale.
whump [hwʌ́mp] *n., vt., vi.*《口》＝THUMP, BANG[1]. 〚imit.〛
◇**why** [hwái]

> (1) why는 의문부사, 관계부사, 감탄사의 세 가지 용법이 있다.
> (2) Why…?에 대한 대답은 Because…로 하는 것이 보통이나 부정사로 답할 수도 있다 : *Why* did you go to France? — *To* study French. (왜 프랑스에 갔니 — 프랑스어를 배우러.)
> (3) 관계부사에서 선행사는 the reason인데 특히《口》에서는 선행사나 why의 어느 한쪽이 생략되는 경우가 많다 : Is that (the reason) *why* your team was defeated? (그것이 너희 팀이 패배한 이유냐) / That is *the reason* he did not come. (그것이 그가 오지 않았던 이유다.)
> (4) why에는 제한적 용법 밖에 없다. 비제한적 용법으로 표현하고자 할 때는 for which reason 따위를 쓴다.

── *adv.* **1** [의문사] 어째서, 어찌하여, 왜 : *W*～ does fire burn? 왜 불은 타는가 / *W*～ (so)? 왜 (그런가) / I don't see ～ you are here. 네가 왜 이곳에 있는지 모르겠다.

> **Why…?의 문장 전환**
> *Why* did he commit such a crime?
> → *What* made him commit such a crime?
> → *What* did he commit such a crime for?
> (그는 왜 그러한 죄를 범하였는가?)

2 [hwai] [관계사 ; 제한적 용법으로만] …하는[한] 그 (이유), …이라는 (까닭) : The reason ～ he did so is unknown. 그가 그렇게 한 이유는 모른다 / This is (the reason) ～ I came. 내가 온 것은 이런 이유에서입니다 / I don't know the reason (～) she was absent yesterday. 그녀가 어제 결석한 이유를 모른다.

〈회화〉
> Would you like another glass of whiskey? — *Why* not?「위스키 한 잔 더 하시겠습니까」「좋죠」

── *n.* (*pl.* **～s**) 이유, (까닭의) 설명.
── [wái] *int.* (cf. WELL[1] *int.*) **1** [뜻밖의 발견·승인 따위를 할 때] 어머!, 야아!, 어쩌면!, 물론이고 말고! ; [질문이 너무 간단할 때] 뭐야 (그런 것쯤)! ; [망설임을 나타내어] 저어, 에에, 글쎄 ; [반박·항의] 뭐라고!, 어쨌다고! : *W*～, it's you! 어머, 당신이군요 / *W*～, yes, I hope so. 글쎄, 그랬으면 좋겠군요. **2** [조건문의 귀결절의 도입어 (導入語)로서] 그렇다면, 그때엔 : If silver won't do, ～, we must try gold. 은으로 안된다면 그렇다면, 금으로 해봐야지.
〚OE *hwī, hwȳ* (instr.)〈*hwæt* WHAT〛
[活用] why에 원형 부정사가 이어지는 일종의 생략 구문은 흔히 긍정형은 부정적 명령의 뜻을, 부정형은 긍정적 명령의 뜻을 나타낸다 : *Why go* to London? (왜 런던에 가는가 — 가지 말라는 뜻) / *Why not stay* here a little longer? (왜 좀더 이곳에 머물지 않는가 — 더 머물라는 뜻).
whyd·ah, whid·ah [hwídə] *n.*〖鳥〗선녀조류의 각종의 새.
〚*widow* (bird)〛
why·dun·it [hwaidʌ́nət] *n.* (범죄) 동기의 해명을 주안점으로 삼은 추리 소설[극, 영화].
〚*why done it* ; cf. WHODUNIT〛
W.I. West Indian ; West Indies ; Woman's Institute. **WI**〖美郵〗Wisconsin. **w.i.**〖證〗when issued ; wrought iron. **W.I.A.** wounded in action(전상).
Wic·ca [wíkə] *n.* 마술[요술] 숭배.
Wíc·can *a., n.*
wich- ☞ WYCH-.
wick [wík] *n.* [U.C] 양초[램프]의 심지(재료).
── *vt.* (모세관 작용으로) (수분 따위를) 나르다, 잃다〈*away*〉.
〚OE *wēoce* ; cf. OHG *wiohha* wick〛
‡**wick·ed** [wíkəd] *a.* **1** [＋*of*＋[名]＋*to* do] 악한, 사악한, 부정의 ; 부도덕한 ; 악의 있는, 심술궂은 : a ～ man[deed] 악한 사람[짓] / It's ～ *of*

them *to* say such things. 그런 말을 하다니 그 사람들도 심술궂다. **2** 《戲》 장난기 어린, 장난치는, 짓궂은(mischievous) : a ~ look[smile] 장난기 어린 표정[미소]. **3** 몹시 성질이 거친, 위험한 ; 《口》 불쾌한, 심한 : a ~ task 싫은 일 / a ~ storm 심한 폭풍. **~·ly** *adv.* 부정하게 ; 심술궂게 ; 장난삼아. **~·ness** *n.* Ⓤ 사악, 부정 ; 나쁜 장난[짓].
〖*wick* wicked (<? OE *wicca* sorcerer)에 WRETCHED 따위의 *-ed*가 붙은 것인가〗
類義語 ⟹ BAD.

wick·er [wíkər] *n.* 잔가지, 버들가지 ; Ⓤ 잔가지(로 엮어 만든) 세공 ; [형용사적으로] 잔가지로 엮어 만든, 버들가지로 만든, 고리버들 세공의 : a ~ basket [chair] 고리버들 바구니[의자].
—— *vt.* 《美俗》 쓰레기통에 버리다.
〖Scand. (Swed. *vikr* willow, *vika* to bend)〗

wícker·wòrk *n.* Ⓤ 고리버들 세공.

***wick·et** [wíkət] *n.* **1** (대문 가운데나 옆에 설치한) 작은 문, 쪽문. **2** (역의) 개찰구 ; (밭·목장 따위의) 회전식 쪽문. **3** (극장·매표소·은행 따위의) 창구 ; (문이나 벽의) 여닫이 작은 창 ; (문의 아래 반쪽만 여닫게 된) 문. **4** 〖크리켓〗 위켓, 투구장의 상태 ; 던지는 법 : keep one's ~ up (타자가) 아웃되지 않고 있다 / keep (the) ~ 위켓 뒤에서 수비하다 / make seventeen for a ~ 팀이 타자 한 사람 아웃으로 17점을 얻다 / take a ~ for seventeen 17점을 빼앗기고 투수(bowler)가 타자 한 사람을 아웃시키다 / match won by two ~*s* 세 사람이 채 아웃되지 않고 이긴 시합.
〖AF *wiket*, OF *guichet* <? Gmc. (MDu. *wiket* wicket)〗

wícket dòor[gàte] *n.* (대문에 붙은) 쪽문.

wícket·kèep(·er) *n.* 〖크리켓〗 위켓 수비자, 포수(捕手).

wíck·ing *n.* Ⓤ 심지, 양초의 심지 재료.

wick·i·up, wik·i·up, wick·y·up [wíkiʌ̀p] *n.* 《美》 (미국 남서부 유목 인디언의) 오두막집 ; 임시 방편의 허술한 오두막집.
〖Algonquian〗

Wic(k)lif(fe) ☞ WYCLIF(FE).

wíck·wíllie *n.* 《美俗》 제트기 조종사.

wid. widow ; widower.

wid·der·shins [wídərʃənz] *adv.* ＝WITHERSINS.
〖MLG＝contrary direction (*wider* against, *sin* course)〗

◇**wide** [wáid] *a.* **1** 폭이 넓은(↔*narrow*) : a ~ river[street] 폭이 넓은 강[거리]. **2** 폭이 …인 (cf. LONG) : a road twenty meters ~ 폭 20미터의 도로. **3** (면적이) 넓은, 광대한, 널따란 : the ~ ocean 광대한 대양 / be of ~ distribution 분포가 넓다 / a man of ~ fame 널리 알려진 사람. **4 a**) 느슨한, 헐거운 : ~ shoes 헐거운 구두. **b**) 자유로운, 구속받지 않는, 방종한 ; 편협하지 않은, 편견이 없는 ; 일반적인 : take ~ views 폭넓은 견해를 가지다 / hazard a ~ guess 대충 어림 짐작하다. **5** (지식 따위 범위가) 넓은, 해박한 : ~ reading 폭넓은 독서 / a gentleman with ~ interests 다방면에 취미를 가진 신사 / have ~ knowledge on …에 대해서 해박한 지식을 가지고 있다. **6** 충분히[크게] 벌어진 ; 동떨어진 : a ~ difference 커다란 차이 / What are you staring at with such ~ eyes? 그렇게 눈을 크게 뜨고 무얼 보고 있느냐. **7** 먼, 벗어난, 빗나간 : His remark is ~ *of* the truth. 그의 말은 진실과는 거리가 멀다 / ~ *of* the mark ☞ MARK[1] *n.* 숙어. **8** 〖音聲〗 광음(廣音)의, 개구음(開口音)의 《혀를 사용하는 부분의 근육이 완만한 상태에 있음》. **9** 《美》 (가축 사료가) 저단백인. **10** 《英俗》 약은, 빈틈없는. —— *adv.* **1** 널리, 광범위하게 : travel far and ~ 여러 곳을 (두루) 여행하다. **2** 크게 벌려서, 충분히 열어서 : yawn ~ 크게 하품을 하다 / ~ awake＝WIDE-AWAKE. **3** 멀리에, 벗어나서, 빗나가서 : bowl ~ 〖크리켓〗 폭투하다《타자의 1득점이 됨》 / He is shooting ~. 그는 과녁을 벗어나 쏘고 있다 / speak ~ *of* the mark 엉뚱한 이야기를 하다.
have** one's **eyes wide open 빈틈이 없다 ; 약삭빠르다.
—— *n.* 《美》 넓은 곳 ; [the ~] 넓은 이 세상 ; 〖크리켓〗 투수의 폭투 ; 〖音聲〗 광모음.
broke to the wide 《俗》 무일푼이 되어, 완전히 신용을 잃어서.
whacked to the wide 《軍俗》 완전히 지쳐서.
〖OE *wīd* ; cf. G *weit*〗
類義語 ***wide, broad*** 둘다 「넓은」이란 뜻으로 구별없이 쓰이나 양쪽 사이의 거리를 말할 때는 *wide*가 쓰임 : three feet *wide* (너비 3피트) / A *wide* river separates the two cities. (넓은 강이 두 도시를 가르고 있다). 표면의 넓이·폭의 너비를 강조할 때에는 *broad*를 씀 : a *broad* plains[ocean] (드넓은 평원[대양]).

-wide [wàid] *a. comb. form* 「…의 범위에 걸친」 「전(全) …의」의 뜻 : nation*wide*. 〖↑〗

wíde-ángle *a.* **1** 〖寫〗 (사진기의 렌즈가) 광각(廣角)의《찍히는 각도가 넓음》 : a ~ lens 광각 렌즈. **2** 〖映〗 와이드 스크린 방식의《시네라마·시네마스코프·비스타 비전 따위》.

wíde-awáke *a.* 주 *pred.*로서는 wide awake라고 두 단어로도 씀. **1** 완전히 잠이 깬. **2** 방심하지 않는, 빈틈없는, 약삭빠른. —— *n.* 챙이 넓은 중절모자(＝**wíde-awàke hàt**).

wíde báll *n.* 〖크리켓〗 (투수의) 폭구(暴球)《타자에게 1점이 됨》.

wíde·bánd *a.* 〖電子〗 광대역(廣帶域)의 : a ~ amplifier 광대역의 증폭기.

wíde-bòdy *a.* 동체의 폭이 넓은, 넓은 동체형의 《여객기 따위》.

wíde bóy *n.* 《英俗》 불량배, 사기꾼, 암거래상.

wíde-èyed *a.* (놀라서) 눈을 크게 뜬 ; 깜짝 놀란 (amazed) ; 소박한, 순진한(naive).

wíde-fìeld *a.* 넓은 시야의《망원경 따위》.

‡**wíde·ly** *adv.* **1** 넓게, 광범위하게, 골고루 ; 멀리 : ~ scattered 널리 흩어져 있는 / It is ~ known that Mr. A is one of the greatest lexicographers in Korea. A씨가 한국에서 이름난 사전 편집자라는 것은 널리 알려져 있다. **2** 크게, 매우, 몹시, 대단히 : They are ~ different[differ ~] from each other. 서로 매우 다르다.

wíde·móuthed *a.* 주둥이가 넓은 ; 입구가 넓은 ; 입을 크게 벌린.

‡**wid·en** [wáidn] *vt., vi.* 넓히다[넓어지다], 펴다[퍼지다].

wíde-ópen *a.* 크게 벌린, 활짝 열린 ; 편견 없는 ; 제한이 전혀 없는 ; 《美》 (토지·술·도박 따위의) 단속이 허술한[심하지 않은] ; 무방비의, 공격에 약한 ; 논의의 여지가 충분한.

wíde-ránge *a.* 광범위하게 유효한, 적용성이 많은[넓은].

wíde-ránging *a.* 광범위한.

wíde recéiver *n.* 〖美蹴〗 와이드 리시버《공격 라인의 몇 야드 바깥쪽에 늘어선 리시버》.

wíde-rùled *a.* (노트 따위가) 괘선이 굵은.

wíde-scréen *a.* 〖映〗 화면이 넓은, 와이드 스크

린의.

wíde·spréad *a.* **1** (날개 따위) 활짝 펼친. **2** 널리 퍼진; 만연된, 보급된: a ~ flood 광범위하게 일어난 홍수 / a ~ superstition 일반에 널리 퍼져 있는 미신.

wíde-spréad·ing *a.* 넓게 펼쳐진《평야》; 널리 퍼져 있는: ~ infection 만연해 있는 전염.

widg·eon [wídʒən] *n.* (*pl.* ~, ~**s**) 〖鳥〗 홍머리오리. 〚*pigeon*을 모방한 imit.인가〛

wid·get [wídʒət] *n.* 소형 장치, 부품, 도구; = GADGET; 규격품《한 업체의 생산품 따위》.

widg·ie [wídʒi] *n.* 《濠俗》 여자 깡패, 불량 소녀.

wid·ish [wáidiʃ] *a.* 꽤 넓은.

***wid·ow** [wídou] *n.* **1** 과부, 미망인: the ~'s mite ☞ MITE[1] 2 / a ~ bounty 과부 부조금 / a ~'s third [tierce] 미망인의 취득 재산《죽은 남편 유산의 1/3》/ ☞ GRASS WIDOW. **2** …과부: a fishing [golf] ~ 낚시[골프] 과부《남편이 낚시[골프]에 열중하여 집에 혼자 남아 있는 아내》. **3** 〖카드놀이〗 돌리고 남은 패, 여분의 패. **4** 〖印〗 페이지[난]의 짧은 첫[끝]행.

—— *vt.* **1** [보통 *p.p.*로] 과부가 되게 하다, 홀아비가 되게 하다: the ~*ed* father[mother] 아내[남편]를 잃은 아버지[어머니]. **2** 《비유》 …에서 …을 빼앗다(deprive)〈*of*〉.

〚OE *widewe*; cf. G *Witwe*, L (fem.) < *viduus* deprived〛

wídow bìrd[fìnch] *n.* 〖鳥〗 = WHYDAH.

wid·ow·er [wídouər] *n.* 홀아비(↔*widow*).

wídow·hòod *n.* Ⓤ 과부 생활(의 기간).

wídow's bénefit *n.* 《英》 국민 보험의 과부 급부(給付).

wídow's crúse *n.* 〖聖〗 과부의 항아리 《없어보이지만 실은 무진장한 것; 열왕기상 7: 10-16》.

wídow's mándate *n.* 《美》 남편 대신의 임명 《임기중 사망한 사람의 공직에 그 부인을 임명함》.

wídow's péak *n.* 여자의 이마에 V자형으로 난 머리털《이것이 있으면 일찍 과부가 된다는 미신이 있었음》.

wídow's wàlk *n.* 《美》 옥상의 발코니.

wídow's wéeds *n. pl.* = WEED[2] 1.

***width** [wídθ, wítθ] *n.* (*pl.* ~**s**) **1** Ⓤ 넓이, 폭, 나비, 가로(breadth): a ~ *of* 4 feet=4 feet *in* ~ 폭이 4피트. **2** Ⓤ (마음·견해 따위가) 넓음, 관대함〈*of*〉. **3** 어떤 나비[일정한 폭]를 가진 직물[물건]: She joined the three ~*s* of cloth. 세 폭의 옷감을 이었다. 〚*breadth*를 모방하여 WIDE에서; 17세기 *wideness*에 대신한 것〛

wídth·wàys *adv.* = WIDTHWISE.

wídth·wìse *adv.* 옆으로, 가로 방향으로(latitudinally).

wield [wí:ld] *vt.* 《文語》 **1** (칼 따위를) 휘두르다, (연장을) 쓰다, 이용[사용]하다: ~ the pen (글을) 쓰다, 저술하다. **2** 지배하다, 통제하다(control); (권력·무력 따위를) 휘두르다, 행사하다; 영향을 주다: Who ~*s* the supreme power in that country? 그 나라에서는 누가 주권을 쥐고 있는가 / ~ the scepter ☞ SCEPTER. 〚OE *wealdan, wieldan* to control; cf. G *walten*〛

wíeldy *a.* 휘두르기[쓰기, 다루기] 쉬운, 알맞은.

wie·ner, wei- [wí:nər, wí:ni, wíni] *n.* 《美》 프랑크푸르트[비엔나] 소시지. 〚G=Viennese〛

wie·ner·wurst [wí:nərwə̀:rst] *n.* = WIENER. 〚G〛

wie·nie [wí(:)ni] *n.* 《美口》 = WIENER.

◇**wife** [wáif] *n.* (*pl.* **wives** [wáivz]) **1** 아내, 부인, 처(妻)(cf. HUSBAND): one's wedded [lawful] ~ 본처 / have a ~ 아내를 얻다. **2** 《古》 여자: an old ~ 노파, 수다스러운 늙은 여자 / ☞ OLD WIVES' TALE.

all the world and his wife ☞ WORLD.

take*[*give*]*...to wife 《古》 (어떤 여자를) 아내로 삼다[시집보내다].

—— *vi., vt.* 《稀》 = WIVE.

~**·less** *a.* 아내가 없는, 독신의. ~**·lìke** *a.* = WIFELY. 〚OE *wif* woman; cf. G *Weib*, ON *vīf* (<? *vīfathr* veiled)〛

wífe·hood *n.* 아내임; 아내의 지위[다움].

wífe·ly *a.* 처의; 아내다운; 아내에 어울리는.

wífe swàpping *n.* 《口》 부부 교환, 스와핑.

wig [wíg] *n.* **1** 가발; 머리 장식《18세기경 유행》. **2** 가발을 쓴 사람; 고위층 사람; 판사, 재판관《법정에서 가발을 씀》; 《美俗》 인텔리겐치아; 백인; 전위적 재즈 연주가; 관행을 깨는 사람. **3** 《俗》 (긴)머리. **4** 《口》 질책. **5** 《美俗》 가슴 설레는[자극적인] 경험. **6** 물범 수컷의 어깨 모피; (모피가 귀중하게 여겨지는) 물개의 수컷.

flip** one's **wig 《美俗》 자제할 수 없게 되다, 발끈하다, 미치다, 갑자기 웃기 시작하다.

wigs on the green 드잡이; 논쟁, 격론.

—— *v.* (**-gg-**) *vt.* …에게 가발을 씌우다; 《口》 질책하다; 《美俗》 흥분시키다〈*out*〉; 《美俗》 괴롭히다, 초조하게 하다. —— *vi.* 《美俗》 열중하게 되다〈*out*〉, 장황하게 지껄이다; 《美俗》 쿨 재즈를 연주하다.

—— *a.* 《美俗》 훌륭한, 아주 멋진. ~**·less** *a.* 〚peri*wig*〛

wig·an [wígən] *n.* Ⓤ 캔버스 모양의 무명베《의복의 심으로 사용》.

wigeon ☞ WIDGEON.

wígged *a.* 가발을 쓴.

wíg·ging *n.* 《英口》 책망, 꾸지람, 질책(scolding): get[give a person] a good ~ 몹시 야단맞다[남을 호되게 야단치다].

wig·gle [wígəl] *vt.* **1** 《口》 꿈틀거리다, (몸·꼬리 따위를) 흔들다. **2** 《英》 (배를) 스컬(scull)[노]로 젓다. —— *vi.* 《口》 꿈틀거리다; 몸을 비틀어 탈출하다; 《美俗》 댄스하다: The puppies ~*d* with delight. 강아지는 좋아서 꼬리를 흔들었다.

—— *n.* 꿈틀거림; 구불구불한 선; 《美俗》 댄스.

Get a wiggle on you! 《美口》 급하게 해라!, 서둘러라!

〚MLG and MDu. *wiggelen* to totter; cf. WAG, WAGGLE〛

wíg·gler *n.* 요동하는 사람[것].

wíggle sèat *n.* (의자에 장치된) 거짓말 탐지기.

wíggle-wággle *v., n.* = WIGGLE; 《美俗》 소문을 내다.

wíg·gly *a.* 흔들리는; 파동치는.

wight [wáit] *n.* 《古·方》 사람, 인간(person); 초자연적 존재; 생물.

〚OE *wiht* creature, thing<?; cf. G *Wicht*〛

Wight *n.* 와이트 섬《영국 해협의 섬; 略 I.O.W., I.W.; 주도 Newport》.

wíg·let *n.* (여성용의) 작은 가발, 헤어피스.

wíg·màker *n.* 가발 제조업자, 가발 상인.

wig·wag [wígwæ̀g] *vt., vi.* (**-gg-**) **1** 흔들다, 흔들리다. **2** (수기(手旗) 따위로) 신호하다.

—— *n.* Ⓤ (수기·등불 따위의) 신호법; Ⓒ 수기[등불] 신호[통신].

wig·wam [wígwɑm, -wɔ:m; -wæm] *n.* **1** 북미 인디언의 오두막집. **2** 《美俗》 (예전에 정치적 집회 따위를 하기 위해 서둘러 지었던) 집회장(場),

급조한 대회장. **3** [the W~] = TAMMANY HALL. 〚Abnaki and Massachuset〛

wigwam 1

Wil·bur [wílbər] *n.* 남자 이름. 〚OE=wild boar ; Gmc.=resolution+bright〛

wil·co [wílkou] *int.* 〔通信〕 알았음. 〚*will comply*〛

◇**wild** [wáild] *a.* **1** 야생의, 들에서 자란(↔*domestic, tame, cultivated*) : ~ beasts 야수(野獸) / ☞ WILD BOAR, WILD DUCK, WILD FLOWER, WILDFOWL, *etc.* / a ~ vine 머루 / Dandelions grow ~. 민들레는 들에서 자란다. **2** 경작하지 않은, 황량한 ; 불모의 ; 자연 그대로의 ; 사람이 살지 않는 : a ~ landscape 황량한 풍경 / a ~ mountainous region 무인지경의 산악지대. **3** 미개한, 야만의 : ~ tribes 야만족. **4** (짐승·새 따위가) 거친, 사나운, 사람에게 길들여지지 않은 : This horse is rather ~. 이 말은 좀 사납다. **5** (바람·밤·시대 따위) 격렬한, 거친, 사나운, 소란스러운 : a ~ sea 거친 바다 / a ~ night 폭풍우가 몰아치는 밤 / ~ times 난세(亂世). **6** 난폭한, 무법적인, 손을 쓸 수 없는, 버릇없는, 방종한 : ~ boys 난폭한 아이들 / ~ work 무법적인 행위 / settle down after a ~ youth 방종한 청년기를 보내고 나서 철이 들다[안정되다]. **7 a)** 광기(狂氣)의, 미친 듯한, 열광적인 ; 《口》 몹시 화내어 (very angry) : ~ looks 미치광이 같은 표정 / ~ *with* excitement[rage] 몹시 흥분[격노]하여 / ~ *about* a film star 영화 배우에 미쳐 있는 / ~ *for* revenge 복수심에 불타는 / The concern drove her almost ~. 불안으로 그녀는 거의 미칠 지경이었다 / It made me ~ to listen to such nonsense. 그런 터무니없는 말에 나는 몹시 격분했다. **b)** 《口》 [+*to* do] (미칠 듯이) 몹시 …하고 싶어하는(very eager) : She is ~ *to* see him. 그를 몹시 보고 싶어한다. **8** 칠칠치 못한, 난잡한, 흐트러진 : ~ hair 흐트러진 머리 / The meeting was in (a state of) ~ confusion. 회의는 수습할 수 없을 정도로 혼란에 빠졌다. **9** (계획 따위가) 엉뚱한, 무모한, (추측 따위가) 얼토당토않은, 빗나간 : ~ shooting 난사(亂射). **10** 《口》 대단한, 멋진, 즐거운, 유쾌한. **11** 〔카드놀이〕 소지자가 지정하는 어떤 패로도 통용되는.

run wild 들에서 기르다 ; (아이를) 멋대로 자라게 하다 ; 난폭해지다.

wild and woolly 《美》 조야한, 난폭하고 파란 많은(cf. WOOLLY *a.* 3).

── *adv.* 난폭하게, 되는 대로 : shoot ~ 난사(亂射)하다 / talk ~ 되는 대로 지껄이다.

── *n.* **1** [때때로 *pl.*] 미개지, 황야, 황무지 : the ~*s of* Africa 아프리카의 미개지. **2** [the ~] 미개한 지역(wilderness), 대자연(nature), 야외(the open air) ; [the ~] 자연(상태), 야성 : animals in *the* ~ 야생 동물. 〚OE *wilde* ; cf. Du. and G *wild*〛

wíld bóar *n.* 〔動〕 멧돼지(cf. BOAR).

wíld cárd *n.* **1** (어떤 끗수의 패로도 쓸 수 있는 카드의) 자유패, 만능패. **2** 예측[예견]할 수 없는 요인 ; 〔컴퓨〕 두루치기, 임의 문자 기호.

wíld·càt *n.* **1** 살쾡이. **2** 《비유》 성급한[무모한] 사람 ; 저돌적인 투사(鬪士). **3** 〔海〕 (양묘기의) 체인 바퀴 ; 《美口》 (조차용(操車用)) 소형 기관차. **4** (석탄·천연 가스의) 시굴정(試掘井) ; 무모한 계획 ; 신용할 뒷받침이 없는 돈 ; =WILDCAT STRIKE. ── *attrib. a.* 무모한, 난폭한 ; 시굴정의 ; 《美口》 분방한 ; 신용이 없는, 비합법의 ; 《美》 (기차가) 허가없이 운행하는 ; 시각표외의 ; wildcat strike의 : ~ schemes (특히 재정상·상업상의) 무모한 계획 / a ~ engine 제동(制動)을 걸지 않고 질주하는 기관차.

wíldcat bánk *n.* 《美》 살쾡이 은행《은행법 제정 (1863-64) 이전에 지폐를 남발했던 무책임하고 신용할 수 없는 은행》.

wíldcat stríke *n.* 비공인 파업《조합의 일부가 본부의 승인없이 멋대로 행하는 쟁의》.

wíld·càtter *n.* 《美》 (석유[광석] 따위를 찾아) 닥치는 대로 시굴하는 광산 투기꾼 ; 무분별한 사람 ; wildcat strike 참가자.

wíld dóg *n.* 들개《dingo, dhole 따위》.

wíld dúck *n.* 〔鳥〕 청둥오리 ; (특히) 물오리.

Wilde [wáild] *n.* 와일드. **Oscar ~** (1854-1900) 영국의 극작가·소설가.

wil·de·beest [wíldəbiːst] *n.* (*pl.* **~s**, ~) 〔動〕 윌드비스트(gnu). 〚Afrik. (WILD, BEAST)〛

wil·der [wíldər] *vt.* 《古·詩》 =BEWILDER.

wil·der·ness [wíldərnəs] *n.* **1** 황무지, 황야. **2** (자연 그대로의) 원생 지역 ; (황야처럼) 황막한 곳 : a ~ *of* streets [houses] 너저분하게 죽 늘어서 있는 거리[집들] / a watery ~=a ~ *of* waters[sea] 망망 대해. **3** (정원 안의) 황폐하게 내버려 둔 곳. **4** 무수, 무량(無量) ; 혼란 상태 : a ~ *of* curiosities 무수한 진품(珍品).

a voice* (*crying*) *in the wilderness 광야에서 외치는 자의 소리 ; 세상에 알려지지 않은 도덕가·개혁자 등의 외침[주장]. 〚OE *wilddēoren* of wild beasts (WILD, DEER)〛 類義語 ⟹ WASTE.

Wilderness *n.* Virginia 주(州) 동북부의 삼림 지대《남북 전쟁중인 1864년 5월 Grant와 Lee의 양군이 싸운 곳》.

wílderness área *n.* [때때로 W~ A~] 《美》 원생(原生)[자연] 환경 보전 지역.

wíld-èyed *a.* 눈빛이 날카로운, 눈이 분노로 불타는 (듯한) ; 눈이 핏발선 ; 과격한, 무모한.

wíld·fire *n.* **1** Ⓤ (옛날 적선(敵船)에 불을 지르기 위해 사용한) 그리스 화약(Greek fire). **2** Ⓤ 들불, 도깨비불, 인화(燐火) : spread[run] like ~ (소문 따위가) 들불처럼 (삽시간에) 퍼지다. **3** =HEAT LIGHTNING.

wíld·flòwer *n.* 야생초 ; 들꽃.

wíld·fòwl *n.* 들새 ; (특히) 사냥감 새(game bird) 《주로 물오리(duck)·기러기(wild goose) 따위의 물새》 : shoot ~ 사냥감 새를 쏘아잡다.

wíld góose *n.* 〔鳥〕 기러기 ; 《英口》 어리석은 놈.

wíld-góose chàse *n.* (구름을 잡는 듯한) 부질없는[가망없는] 시도(試圖), 터무니없는 계획, 헛된 추구.

wíld hórse *n.* 야생마.

wíld·ing *n.* 야생 식물 ; 야생 능금(나무) ; 그 열매 ; 들짐승. ── *a.* 《詩》 야생의.

wíld·ish *a.* 좀 난폭한[무모한], 미친 듯한.

wíld·lànd *n.* 황무지(wasteland, desert).

wíld·lìfe *n.* Ⓤ [집합적으로] 야생 생물. ── *attrib. a.* 야생 생물의.

wíld·lìfer *n.* 야생 생물 보호론자.

wíldlife sánctuary *n.* 야생 동식물 보호 구역. 주 wildlife preserves라고도 함.

wíld·ling *n.* 야생 꽃[식물] ; 야생의 동물.

wíld·ly *adv.* 야생적으로 ; 난폭하게 ; 격렬하게 ;

무턱대고, 터무니없이 : cry ~ 광란하여 부르짖다 / talk ~ 마구 지껄이다.

wíld màn *n.* 미개인, 야만인 ; 난폭한 남자 ; 과격주의자 ; 〘動〙 오랑우탄, 성성이.

wíld mústard *n.* 〘植〙 =CHARLOCK.

wíld·ness *n.* Ⓤ 야생, 들에서 자람 ; 황폐 ; 무모(無謀) ; Ⓒ 방탕 ; 황야(wilderness).

wíld óat *n.* 〘植〙 야생의 귀리.

sow** one's **wild oats ☞ OAT.

wíld pítch *n.* 〘野〙 (투수의) 폭투.

wíld ríce *n.* 〘植〙 줄풀《습지에 나는 포아풀과(科)의 다년생초》.

wíld róse *n.* 〘植〙 (각종의) 야생 장미, 들장미.

wíld rúbber *n.* (야생 고무나무에서 채취되는) 야생 고무.

wíld sílk *n.* =TUSSAH 2.

wíld tráck *n.* 〘映〙 와일드 트랙《화면과 다른 시기에 녹음한 사운드 트랙》. **wíld-tráck** *a.*

wíld tỳpe *n.* 〘生〙 야생형(型). **wíld-tỳpe** *a.*

wíld·wàter *n.* 급류, 분류(奔流), 격류.

Wíld Wést *n.* [the ~] (개척(開拓) 시대의) 미국 서부 지방.

Wíld Wést shòw *n.* 《美》 (카우보이 · 인디언의 야생마 타기 따위를 보여주는) 대서부 쇼.

wíld whíte *n.* 원숭이마마 바이러스《두창 바이러스에 가까움》.

wíld·wòod *n.* 자연림(林), 원시림.

wile [wáil] *n.* [보통 *pl.*] 농간, 책략, 술수, 간계 : The angel succeeded in defeating the ~*s* of the devil. 천사는 악마의 간계를 물리칠 수가 있었다.

—— *vt.* **1** [+目+副/+目+前+名] 속이다, 꾀어서 …시키다 : ~ a person *away* 남을 꾀어내다 / The merchant ~*d* her ***into*** buy*ing* a counterfeit. 장사꾼은 그녀를 속여서 모조품을 사게 했다. **2** [+目+副] (시간을) 이럭저럭 보내다 (while) : ~ *away* the time 한가하게 시간을 보내다. ㊟ 이 뜻으로 쓰이는 것은 while 과의 혼동에 의한 오용(誤用)이라고 함. 〚? Scand. (ON *vél* craft) ; cf. OE *wigle* magic, GUILE과 이중어〛

wilful ☞ WILLFUL.

Wil·helm [wílhelm] *n.* **1** 남자 이름. **2** 빌헬름 《독일 황제》. 〚G, Dan., Swed. ; ⇨ WILLIAM〛

Wil·hel·mi·na [wìləmí:nə, wìlhelmí:nə] *n.* 여자 이름《애칭 Mina》. 〚fem. ‹ ↑〛

◇**will** [l, *w*əl, wil, wíl]

> ⑴ 「주어의 의지」를 나타낸다 : I *will* go. (나는 가겠다.)
> ⑵ 「주어의 고집」을 나타낸다 : The window *will* not open. (창문이 잘 열리지 않는다.)
> ⑶ 「말하는 이의 의지가 주어」에 미친다. 이는 주어에 대한 명령 · 권유다 : You *will* not go out today. (너는 오늘 밖에 나가면 안돼.)
> ⑷ 「말하는 이의 추측」 : That *will* be Mother, I expect. (아마 엄마일거야.)
> ⑸ 「주어의 단순미래」 : Work, or you *will* fail. (공부를 해라, 안그러면 낙제할거다.)

—— *auxil. v.* (현재형 **will, 'll** ; 《古》 thou **wilt, 'lt** ; 과거형 **would** [wəd, əd, wud, wúd], **'d** [d] ; 《古》 thou **wouldst, 'dst** ; 부정 단축형 **won't** [wóunt]=will not ; **would·n't** [wúdnt]=would not). ☞ WOULD.

1 [단순미래] …일[할] 것이다. **a)** ***You*** [***He, She, It, They***] ***will*** 《1인칭에서는 《英》 I [we] SHALL이라고 하지만 《口》에서는 I[we] will, 특히 I[We]'ll의 형태가 일반적》 : *You*[*He*] ~ go. 너[그]는 갈 것이다 / I hope the weather ~ be fine and you ~ have a good time. 날씨가 좋아서 즐겁게 지내시기를 바랍니다 / It ~ be fine tomorrow. 내일은 개일 것이다 / 《美 · 英口》 I ~ [《英》 I *shall*] be seventeen next birthday. 이번 생일로 열일곱 살이 된다. ㊟ You will은 때때로 「명령 · 지시」를 나타냄 : *You* ~ pack and leave this house at once. 당장 짐을 챙겨 이집에서 나가 주시오. **b)** ***Will he*** [***she, it, they***] ***. . . ?*** : *W~ he* be able to hear at such a distance? 이렇게 멀리 떨어져 있어도 그가 들을 수 있을까요. ☞ 3. ㊟.

2 [추측] …일 것이다 : This'*ll* be the house he was speaking about. 이것이 그가 이야기하던 집일 것이다 / It ~ be snowing now in London. 런던에는 지금쯤 눈이 내리고 있을 것이다.

3 [의지미래] …하려고 생각하다, …할 작정이다. **a)** ***I*** [***We***] ***will. . .*** 《말하는 이(I)의 의지 ; 약속 · 승낙 · 주장 · 선택 따위》 : All right, *I* ~ do so. 좋습니다, 그렇게 하겠소 / *I won't* go to such places again. 두 번 다시 그런 장소엔 안가겠다. **b)** ***Will you. . . ?*** 《상대방의 의사를 물음》 : *W~ you* go there tomorrow? 내일 거기에 가시겠습니까 / [의뢰] *W~ you* pass me the sugar? =Pass me the sugar, ~ *you*? (=Please pass me the sugar.) (식탁에서) 그 설탕 좀 이쪽으로 건네 주시겠습니까 / [권유] *W~* [*Won't*] *you* have some tea? 차를 좀 드십시오. ㊟ Will you...?는 단순 미래 (cf. 1)에 쓰이는 것도 일반적이 되어 왔으므로, *Will you* be back early this evening?은 (a) 「오늘 저녁 일찍 돌아와 주시겠습니까」[의뢰] 말고도, (b) 「오늘 저녁은 일찍 돌아오시게 됩니까」[예정]의 뜻으로도 됨. 이를 분명하게 하려면 (a)에서는 please를 덧붙여 *W~ you* please...? 또는 (Please) be back early..., ~ *you*?라고 하고, (b)에서는 《英》 *Shall you...*?라고 함.

4 [wíl, wil] [주어의 의지를 나타냄] 원하다, 바라다《소망 · 주장 · 고집 · 불가피 · 거절》 : Let him do what he ~. 그가 하고 싶어하는 것을 하게 하시오 / Come whenever you ~. 오고 싶을 때는 언제라도 오십시오 / You[He] ~ [wíl] have your [his] own way. 너[그]는 고집을 부리고 있다 / Boys ~ [wíl] be boys. ☞ BOY *n.* 1 / Accidents ~ [wíl, wil] happen. 사고는 (주의를 해도) 일어나게 마련이다 / He *won't* [wóunt] consent. 그는 아무리 하여도 동의하지 않는다 / This door *won't* [wóunt] open. 이 문은 좀처럼[쉽사리] 열리지 않는다.

5 [습관·습성 따위 ; cf. WOULD 5] : He ~ often sit up all night. 밤샘할 때가 흔히 있다 / Helen kept all the letters she received as girls ~. 여자애들이 흔히 그렇듯이 헬렌도 받은 편지를 모두 보관하고 있었다 / Errors ~ slip in. 잘못은 자신도 모르게 슬며시 끼어드는 법 / An ostrich ~ stand from 2 to 2.5 meters. 타조는 보통 키가 2 미터에서 2.5미터가 된다.

6 [조건문의 *if*-clause 중에서 주어의 호의를 나타냄 ; cf. IF *conj.* 1] …하여 주시다[주다] : I shall be glad[pleased] to go, if you ~ accompany me. 동행해 주신다면 기꺼이 가겠습니다.

7 [간접화법에 있어서] **a)** [원칙적으로 직접화법의 will 및 would를 그대로 계승] : She says (that) she ~ do her best. 최선을 다하겠다고 말하고 있다(=She says, "I ~ do my best."). **b)** [단, 단순미래의 I[We] shall, should가 2, 3인칭이 될 경우 You[He] ~, *would*가 되기도 함] :

He said he *should*[*would*] never manage it. 자기는 도저히 처리를 할 수 없을 것 같다고 말했다 (=He said, "I *shall* never manage it.").
—— [wíl] *n.* [단수형만으로 써서] **1** [+*to* do] [the ~] 의지 ; [the ~, a ~, one's ~] 결의, 결심(determination) : the freedom of *the* ~ 의지의 자유 / *the* ~ *to* win[*to* victory] 이기려고 하는[승리의] 의지 / Consciousness evokes *the* ~ *to* choose. 의식은 사물을 선택하는 의지를 환기시킨다 / *The* ~ is as good as the deed. 《속담》 무슨 일을 하거나 의지가 중요하다. **2** Ⓤ [(a) ~, much ~] 의지력, 자제심(willpower) : My eldest son has *a* strong[weak] ~. 장남은 의지가 굳다[약하다] / have *a*[no] ~ of one's own 자신의 의지를 가지고 있다[있지 않다] / Where there's *a* ~, there's a way. 《속담》 뜻이 있는 곳에 길이 있다. **3** [God's ~] (신의) 뜻 ; [one's ~] (사람의) 소망, 소원, 바라는 것 : *God's* ~ be done. 신의 뜻대로 이루어지다 / work *one's* ~ 자기가 바라는 바를 행하다, 목적을 이루다. **4** Ⓤ,Ⓒ 의향, 의도(inclination) : Such is our ~ and pleasure. 우리들의 의향은 이런 것이다 / ☞ GOOD WILL / ☞ ILL WILL / an iron ~ ☞ IRON *a.* 2. **5** 〖法〗 유언 ; 유언장《흔히 last will and testament 라고 함》 : make[draw up] one's ~ 유언장을 작성하다.
against* one*'s will 본의 아니게(unwillingly) : I undertook the job *against my* ~. 내 본의는 아니었지만 그 일을 떠맡았다.
at will = ***at* one*'s* (*own sweet*) *will*** 뜻대로, 마음대로.
do the will of. . . (…의 의지[명령])에 따르다 (obey).
have* one*'s* (*own*) *will 고집대로 하다, 뜻대로 하다, 소원을 이루다.
of* one*'s own free will 자유 의지로.
***take the will* (*for the deed*)** (그 행위에 대한) 심정을 이해하다.
with a will 정성껏, 진지하게.
—— [wíl] *v.* (~**ed** [-d]) *vt.* 《文語》 **1** [+目/+*that* 節/+*to* do] 의도하다, 결의하다, 명하다 : If he ~*s* success, he can find it. 그가 성공할 결심이라면 그것을 찾아낼 수가 있을 것이다 / God [The king] ~*s* it so. 그렇게 하는 것이 신[왕]의 뜻이다 / Many wish, but few ~, *to* be good. 착한 사람이 되기를 바라는 사람은 많지만, 그렇게 되려고 결심하는 사람은 드물다.
2 [+目+*to* do/+目+前+名] …에게 의지력으로 …하게 하다 ; 바라다 : She ~*ed* any young man *to* turn around. 그녀는 어떠한 젊은이라도 뒤돌아보게 했다 / It would be pleasant if I could ~ myself ***across*** the Pacific. 나는 마음먹는 대로 태평양을 건널 수 있다면 좋을 텐데.
3 [+目+前+名/+目+目] 유증(遺贈)하다 : ~ one's money ***to*** a hospital 병원에 돈을 유증하다 / She ~*ed* me this diamond. 나에게 이 다이아몬드를 유증하였다.
—— *vi.* 의지를 작용하다(exercise will) : To ~ is not enough ; one must do act. 의지만으로는 충분치 않다, 반드시 행동이 뒤따라야 한다.
God willing 다행히도 그렇게 된다면.
〖OE (v.) 《美》 *willan, wyllan* ; cf. G *wollen*, Du. *willen*, L *volo* to wish, will ; (n.) *willa*<Gmc. (《美》 *wel-* to be pleasing ; G *Wille*)〗
Will *n.* 남자 이름《William의 애칭》.
wíll·able *a.* 바랄 수 있는, 의지로 결정할 수 있는.
wíll-cáll *n.* 유치(留置) (부문)《내입금을 치른 고객의 물품을 보관하고 훗날 필요할 때 인도(引渡)하는 제도》.
wíll còntest *n.* 〖法〗 유언장의 존부[합법성]를 다루는 소송.
willed[1] [wíld] *a.* [보통 복합어를 이루어] (…할[의]) 의지가 있는 : strong-[weak-]~ 의지가 강한[약한].
willed[2] *a.* **1** 의지에 의해 결정된 ; 자발적인 : a ~ determination not to remember 기억하지 않겠다는 의지. **2** (최면술 따위에서) 남의 의지에 지배된.
wil·lem·ite [wíləmàit] *n.* 〖鑛〗 규산아연광(硅酸亞鉛鑛). 〖G ; *Willem* (=William) I (d. 1843) 네덜란드의 왕〗
wil·let [wílət] *n.* (*pl.* ~) 〖鳥〗 도요새의 일종《북미산》. 〖imit.〗
***will·ful | wil-** [wílfəl] *a.* **1** 계획[의도]적인, 고의의 : ~ murder 모살(謀殺). **2** 제멋대로의, 고집스런, 외고집의 : ~ ignorance 완고하여 사리에 어두움 / ~ waste 제멋대로 하는 낭비. **~·ly** *adv.* 억지로. **~·ness** *n.* Ⓤ 아집, 외고집.
類義語 ⟹ VOLUNTARY.
Wil·liam [wíljəm] *n.* **1** 남자 이름《애칭 Bill, Will》. **2** 윌리엄 ~ **I** (1027-87). Hastings에서 영국군을 격파하고(1066), 영국 왕이 됨(1066-87) ; 통칭 ~ the Conqueror.
Wílliam Téll *n.* 윌리엄 텔《14세기경 스위스의 전설적 영웅》.
wil·lies [wíliz] *n. pl.* [the ~] 《美口》 겁, 두려움 : get *the* ~ (*at*) (…에) 오싹해지다 / It gave me *the* ~. 그것은 나를 오싹하게 했다. 〖C19<?〗
⁑wíll·ing *a.* **1** [+*to* do] 기꺼이[자진하여] …하는, 쾌히 …하는, (…하는 것을) 사양치 않는 ; 양해하는, …에 동의하는 : I am quite ~ *to* do anything for you. 당신을 위해서라면 무엇이든 기꺼이 하겠습니다 / He was ready and ~ *to* comply with my proposal. 기꺼이 나의 제안에 응해주었다. **2** 자발적인, 자진하여 하는 ; 의지력의 : ~ hands 기꺼이 돕는 사람들 / ~ obedience 자발적인 복종 / ~ aid 마음에서 우러난 원조. **3** 형편이 좋은, 마침 잘된, 순탄한, 순조로운 : the ~ wind 순풍(順風).
willing or not 좋아하든 안하든, 가부간에.
—— *n.* 하고 싶은 마음.
~·ly *adv.* 기꺼이, 자진해서. **~·ness** *n.*
類義語 ⟹ VOLUNTARY.
wil·li·waw, wil·ly- [wíliwɔ̀ː] *n.* **1** 윌리워《산이 많은 해안지대로부터 부는, 특히 Magellan 해협의 차가운 돌풍》. **2** (일반적으로) 돌풍 ; 대혼란, 격동. 〖C19<?〗
wíll-less *a.* 의지력이 없는, 무기력한, 본의 아닌 ; 유언이 없는(intestate).
~·ly *adv.* **~·ness** *n.*
will-o'-the-wisp [wìləðəwísp] *n.* **1** 도깨비불. **2** 《비유》 남을 속이는[홀리는] 사람[것] ; 환영 ; 신출 귀몰하는 사람.
〖C17=William of the torch〗
***wil·low** [wílou] *n.* **1** 〖植〗 버드나무 ; 버드나무로 만든 크리켓 배트 : ☞ WEEPING WILLOW. **2** 〖紡〗 솜틀, 개모기(開毛機), 윌로.
wear the willow 실연(失戀)하다 ; 애인의 죽음을 슬퍼하다《옛날엔 버들잎으로 만든 화환으로 그 뜻을 표시했음》.
—— *vt.* 〖紡〗 윌로에 걸다.
〖OE *welig* ; cf. WILLY, Gk. *helikē* willow, *helix* twisted〗
wíllow hèrb *n.* 〖植〗 분홍바늘꽃속.

wíllow·ish *a.* =WILLOWY.

wíllow pàttern *n.* 〖窯〗 (중국의 도자기류에서 볼 수 있는 흰 바탕에 남빛의) 버들 무늬.

wíl·lowy *a.* **1** (강 기슭 따위) 버들이 많은. **2** (사람이) 호리호리한, 가냘픈 ; 유연한.

wíll·pòwer *n.* 의지력, 정신력, 자제심.

wíll to pówer *n.* (니체 철학의) 권력에의 의지 ; 권력을 행사하려는 욕망.

wil·ly [wíli] *n.* 《英方》 버드나무로 세공한 바구니 [물고기를 잡는 통발] ; 〖紡〗 =WILLOW.
—— *vt.* =WILLOW. 〚OE *wilige* wicker basket〛

Willy *n.* 남자 이름《William의 애칭》 ; 여자 이름.

wil·ly-nil·ly [wíliníli] *adv.* 좋든 싫든, 가부간에 ; 닥치는 대로, 마구잡이로. —— *a.* 망설이는, 우유부단한 ; 닥치는 대로의, 마구잡이식의.
〚*will I* [*ye, he*], *nill I* [*ye, he*]〛

Wílly Wèaver *n.* 《CB俗》 (차선을 자주 바꾸는) 음주 운전자.

wil·ly-wil·ly [wíliwìli, ⌐-⌐-] *n.* 《濠》 윌리윌리 《강한 열대성 저기압 ; 사막의 회오리바람》.
〚(Austral.)〛

Wil·ma [wílmə] *n.* 여자 이름.
〚(dim.) ; ⇨ WILHELMINA〛

Wil·son [wílsən] *n.* 윌슨. **1 Edmund** ~ (1895-1972) 영국의 비평가·저술가. **2 Woodrow** ~ (1856-1924) 미국의 제28대 대통령(1913-21). **3** [Mount ~] 윌슨 산(山)《미국 California 주 남서부의 산 ; Mount Wilson 천문대가 있음》.

Wílson cỳcle *n.* 〖地質〗 윌슨 주기(週期)《지질 연대 중에서 해양이 출현·소실되는 주기》.

Wílson's disèase *n.* 〖醫〗 윌슨병《구리대사(代謝)의 이상으로 간경변·정신장애 따위를 일으키는 유전병》. 〚Samuel A. K. *Wilson* (d. 1937) 영국의 신경학자〛

wilt[1] [wílt] *vi.* (화초 따위가) 시들다, 이울다 ; (사람이) 기죽다(lose spirit). —— *vt.* (화초 따위를) 시들게 하다, 이울게 하다 ; (남을) 기죽이다.
—— *n.* Ⓤ 〖植〗 위조병(萎凋病), 시듦병(病) (=⌐ **disèase**). 〚C17 *wilk* to wither＜MDu.〛

wilt[2] [wilt, wílt] *auxil. v.* 《古》 WILL의 주어가 2인칭 단수(thou)일 때의 현재형.

Wil·ton [wíltən] *n.* Ⓤ 윌턴 카펫(=⌐ **cárpet** [**rúg**])《고급품》. 〚Wiltshire의 지명에서〛

Wilt·shire [wíltʃiər] *n.* 윌트셔《잉글랜드 남부의 주 ; 略 Wilts.》.

wily [wáili] *a.* 수완이 능수능란한, 책략[계교]을 쓰는, 교활한, 꾀많은(sly). 〚WILE〛

wim·ble [wímbəl] *n.* 송곳 ; (광산의 흙구덩이에서) 흙을 퍼올리는 도구. —— *vt.* 《古》 (송곳 따위로) …에 구멍을 내다. 〚AF〛

Wim·ble·don [wímbəldən] *n.* 윔블던 《London 교외, 옛 Surrey주의 도시 ; 해마다 개최되는 국제 테니스 선수권 대회로 유명》.

wimp [wímp] *n.* 《美俗》 무기력한 사람 ; 패기 없는 사람 ; 겁쟁이 ; 따분한 녀석.

wim·ple [wímpəl] *n.* **1** (수녀들이 쓰는) 베일. **2** 접은 자리, 주름(fold) ; 굴곡(turn) ; 잔물결(ripple).
—— *vt.* **1** (수녀용의) 베일을 쓰다. **2** 잔물결을 일게 하다. —— *vi.* 물결치다, 잔물결이 일다 ; 《古》 주름잡히다. 〚OE *wimpel* ; cf. WIPE, G *Wimpel* streamer, MHG *bewimpfen* to veil〛

wimple 1

Wim·py [wímpi] *n.* **1** 윔피《Popeye의 친구 ; 언제나 햄버거를 먹고 있음》. **2** 윔피《햄버거의 일종 ; 상표명》.

◇**win**[1] [wín] *v.* (**won** [wʌ́n] ; **wín·ning**) *vt.* **1** …에 이기다(↔ *lose*) : ~ a battle[war, race, game] 전투[전쟁, 경주, 경기]에 이기다(☞ 活用) / ~ an election 선거에 이기다 / ~ the day ☞ DAY 8 a) / ~ the toss ☞ TOSS *n.* 4. **2 a)** [＋目/＋目＋前＋名] (승리·상품·성(城) 따위를) 이겨서 얻다, 쟁취하다, 따다, 획득하다 ; (생활의 양식 따위를) 얻다, 벌다(gain) : ~ a fortress 요새를 빼앗다 / ~ a scholarship 장학금을 획득하다 / ~ one's daily bread 나날의 양식을 벌다 / ~ one's spurs ☞ SPUR *n.* 숙어 / ~ a prize ***in*** a contest 경연 대회에서 상품을 타다 / Bob *won* £ 5 ***from*** [***of***] his opponent at cards. 보브는 카드 놀이에서 상대방으로부터 5파운드를 땄다. **b)** [＋目/＋目＋目/＋目＋前＋名] (명성·칭찬·신뢰 따위를) 얻다, 차지하다 : ~ fame and fortune[a person's confidence] 재산과 명성[남의 신뢰]을 얻다 / This action *won* him the confidence of his colleagues. 이 행동으로 그는 동료들의 신뢰를 얻었다 / ~ a reputation ***for*** oneself 명성을 획득하다 / Nothing venture, nothing ~. ☞ NOTHING *pron.* 1. **3** (곤란을 물리치고) …에 도달하다, 다다르다(attain) : ~ the summit[shore] 가까스로 정상[해안]에 이르다. **4 a)** [＋目/＋目＋*to* do/＋目＋副/＋目＋前＋名] 설득하다, 납득시키다(persuade) : You have *won* me. 너에게는 항복했다 / He *won* all hearts. 모든 사람의 마음을 사로잡았다 / I have *won* her *to* join the party. 그녀를 설득하여 일행에 가담시켰다 / His eloquence *won* the audience (***over***). 그는 웅변으로 청중을 설득시켰다 / He *won* his brother ***over to*** his side. 그는 동생을 설득하여 자기편이 되게 했다. **b)** (여자를) 설복시키다, 결혼할 생각이 들게 하다.
—— *vi.* **1** [動/＋前＋名] 이기다, 성공하다 ; 알아맞히다 : The visiting team *won.* 원정팀이 이겼다 / He is sure to ~. 꼭 이긴다 / ~ ***against*** a person 남과 경쟁하여 이기다 / ~ ***at*** cards 카드 놀이에서 이기다 / ~ ***by*** a boat's length 보트 하나 길이의 차로 이기다. ☞ 活用. **2** [＋副/＋補] 나아가다 ; 도달하다, 다다르다 ; (노력하여) …이 되다 : ~ *home* 집에 (겨우) 다다르다 / ~ free[clear] 자유롭게 되다, (곤란 따위를) 타개[면]하다. **3** [＋*upon*＋名] (차츰) 끌어당기다 : The theory *won* ***upon*** him by degrees. 그 학설은 차츰 그의 마음을 끌었다.

win hands down ☞ HAND *n.*

win one***'s way*** 장애를 물리치고 나아가다 ⟨*in, through*⟩ (cf. FIND one's *way*) ; 《비유》 각고 끝에 성공하다.

win or lose 이기든지 지든지.

win out 《口》 승리를 거두다 ; (곤란 따위를) 타개하다, 성공하다.

win over (남을) 설복시키다, (한패로) 끌어들이다⟨*to*⟩ (cf. *vt.* 4 a)).

win through (…을) 수행하다, 헤쳐 나가다, (…을) 빠져 나가다, (…에) 성공하다 : He has *won through* all difficulties. 온갖 어려움을 극복하고 성공을 거두었다.

—— *n.* 《口》 승리, 성공 ; 이익, 벌이, 상금 ; 《美》 (경마에서의) 1등, 1착 : The team has had five ~*s* and no defeats. 그 팀은 5승 무패였다.
〚OE *winnan* to toil, struggle ; cf. G *gewinnen*〛

活用 win *vt.* 1은 「(시합·싸움 따위에) 이기다」의 뜻으로 「시합」「싸움」 따위를 목적어로 하며 「상대」를 목적어로 할 수는 없음 ; 따라서 「상대」를 나타내는 경우에는 다음과 같이 표현함 : We *won* the match *over* them. (시합에서 그들에게 이겼다) / We *won over* them by a score of 5 to 3. (5대 3의 스코어로 그들을 이겼다)《두 번째 예문의 win은 *vi.*》. 또한 「상대」를 목적어로 하는 타동사로서는 defeat나 beat를 씀 : We *defeated*[*beat*] them in the match. (우리들은 시합에서 그들을 이겼다).

win²《아일·北英》*vt.* (**won** [wʌ́n], **winned** [wínd]) (풀·나무 따위를) 말리다, 건조시키다 ; 《戱》 =WINNOW.
〖*win*now〗

Win *n.* 남자 이름《Winfred, Winston의 애칭》.

WIN¹ *n., vi.* 《美》「(자) 인플레이션(을) 극복(합시다)」《Gerald R. Ford 대통령 시대(1975-76)의 슬로건》. 〖*W*hip *In*flation *N*ow〗

WIN² *n.* 《美》 근로 장려책《생활 보호의 수급자(受給者)에게 일을 제공하기 위한 연방 시책으로 사회 보장법의 1967년의 수정 조항에 의거 시작됨》. 〖*W*ork *In*centive〗

wince¹ [wíns] *vi.* [動/+前+名] (고통·공포에) 움츠리다, 주춤하다, 질겁하다 : I didn't ~ ***at*** the remark[***under*** the blow]. 비평[타격]에도 위축되지 않았다. ── *n.* 움츠림, 위축, 질겁. 〖AF=to turn aside<Gmc. ; cf. WINK〗

wince² *n.* 〔染〕 윈스(winch)《염색용》. 〖WINCH〗

wínce pìts *n. pl.* 〔染〕 (그 위에 wince를 놓는) 염색조(槽).

win·cey [wínsi], **-sey** [-zi] *n.* Ⓤ 윈시 직물《면모(綿毛) 교직물의 일종으로 스커트 따위에 쓰임》. 〖변형(變形)<? (LINSEY-)WOOLSEY〗

win·cey·ette [winsiét] *n.* Ⓤ 《英》 (양면에 보풀이 있는) 융(絨)《파자마·속옷·잠옷용》.

winch [wíntʃ] *n.* **1** 윈치, 권양기(卷揚機)《windlass의 복잡한 종류의 것을 말함 ; cf. HOIST¹》. **2** 굽은 축(軸), 크랭크(crank). **3** 〔染〕 윈치, 윈스《염색조(槽) 사이에서 천을 이동시키는 롤러》. ── *vt.* [+目/+目+前+名] 윈치로 움직이다 : The glider was ~*ed* ***off*** the ground. 글라이더는 윈치에 끌리어 이륙했다.
〖ME=roller<OE *wince* ; cf. WINCE¹〗

Win·chell [wíntʃəl] *n.* 《美俗》 녹음 기사.
〖W. *Winchell* 이어폰을 끼고 라디오 방송을 함〗

Win·ches·ter [wíntʃistər, 美+-tʃès-] *n.* 윈체스터《잉글랜드 남부 Hampshire의 주도 ; 대성당과 퍼블릭 스쿨인 Winchester College가 있음》.

Wínchester búshel *n.* 윈체스터 부셸《미국 및 옛 영국의 건량(乾量) 단위》.

Wínchester méasures *n. pl.* Winchester bushel의 기초가 된 건량(乾量)·액량(液量)의 체계(體系).

Wínchester quárt *n.* 반(半)갤런 (들이의 병).

Wínchester rífle *n.* 윈체스터식[후장식(後裝式)] 연발총.
〖O. F. *Winchester* (d. 1880) 미국의 제조자〗

◇**wind¹** [wínd, 《詩》 흔히 wáind] *n.* **1 a**) [보통 the ~ ; 정도를 말할 때에는 Ⓤ, 종류를 말할 때에는 Ⓒ] 바람 ; 강풍 ; 돌풍, 폭풍 : a cold ~ 찬바람 / a north ~ 북풍 / a blast of ~ 한바탕 부는 바람 / a seasonal ~ 계절풍 / a fair[contrary] ~ 순[역]풍 / constant ~*s* 항풍(恒風) / variable ~*s* 방향이 일정치 않은 바람, 회풍(回風) / ~ and weather 풍우(風雨) / run like *the* ~ (바람처럼) 빨리 달리다, 질주하다 / *The* ~ was rising[falling]. 바람이 일고[자고] 있었다 / There wasn't much ~ this morning. 오늘 아침에는 바람이 그다지 많지 않았다 / an ill ~ ☞ ILL *a.* 4. **b**) (물체의 움직임에 따라) 일어나는 바람 : the ~ of a speeding car 질주하는 차가 일으키는 세찬 바람[풍압]. **2 a**) [the ~] 〔海〕 바람이 불어오는 쪽 : into[to] *the* ~ 바람이 불어오는 쪽으로[을 향하여] / before[down] *the* ~ ☞ 숙어. **b**) (전쟁·세론 따위의) 커다란 힘 ; 경향, 동향 ; [*pl.*] 방위(方位) : My house is exposed to the four ~*s*[to all the ~*s*] of heaven. 나의 집은 사방을 바라볼 수 있다. **3** Ⓤ **a**) 바람에 풍겨오는 향기, 방향(芳香) ; (…의) 예감, 낌새 : The hound got ~ *of* a hare and ran out. 사냥개는 토끼 냄새를 맡고 달려 나갔다. **b**) 《비유》 (비밀의) 누설, 소문 : take[get] ~ ☞ 숙어. **4** Ⓤ 장내(腸內)의 가스 ; 압축 공기 ; 양의 고양증(鼓陽症) : The baby is troubled with ~. 갓난애는 장에 찬 가스로 괴로워하고 있다 / break ~ 방귀뀌다. **5** 숨, 호흡(하는 힘), 호흡능력, 정상적인 호흡 : ☞ SECOND WIND / get[recover] one's ~ 숨을 돌리다 / lose one's ~ 숨이 차다. **6** Ⓤ 빈 말, 허풍 ; 무, 공허 ; 자만 ; 놀람 ; 소동 : His promises are merely ~. 그의 약속은 빈 말에 불과하다. **7** [the ~ ; 집합적으로] 〔樂〕 관악기(류) (wind instrument) ; 그 연주자들. **8** 〔拳〕 명치(pit of the stomach) : hit a person in the ~ 남의 명치를 치다.

before the wind 〔海〕 바람이 불어가는 쪽으로, 순풍을 받고 ; 《비유》 순조롭게 : run[sail] *before the* ~ (배가) 순풍을 받고 달리다.

between wind and water 〔海〕 (배의) 흘수선(吃水線)[수선부(水線部)]에 ; 《비유》 급소에.

by the wind 〔海〕 바람을 거슬러《될 수 있는 한 바람 불어오는 쪽을 향하여》.

down the wind 바람 불어가는 쪽으로(↔*up the wind*).

fling[***cast***]***...to the winds*** …을 바람에 날려 보내다 ; 《비유》 (체면 따위를) 깡그리 버리다.

from[***to***] ***the four winds*** 사방 팔방에서[으로] (cf. 2 b)).

gain[***get***] ***the wind of...*** 〔海〕 (다른 배의) 바람 불어오는 쪽으로 나가다.

get[***have***] ***the wind up*** 《英口》 무서워지다, 겁나다, 걱정하다.

get wind 소문이 나다, 소문으로 전해지다.

get[***have***] ***wind of...*** (…의 소문을) 알아내다, …을 눈치채다(cf. 3) : *get* ~ *of* a plot 음모의 낌새를 채다.

go to the wind 전멸하다.

hang in the wind ☞ HANG.

have a good[***bad***] ***wind*** 숨이 지속되다[지속되지 않다].

have in the wind 탐지해내다.

have the wind (***of...***) 〔海〕 (다른 배보다) 바람 불어오는 쪽에 있다 ; 《비유》 …보다 유리한 위치에 서다 ; =*get*[*have*] WIND *of.*

in the eye of the wind=***in the wind's eye*** ☞ EYE.

in the wind (1) 〔海〕 바람 불어오는 쪽에. (2) (금방) 일어날 것 같은, (은밀히) 진행되어 : There is something *in the* ~. 무언가 (놀랄만한 일이) 비밀리에 꾸며지고 있는 것 같다. (3) (소문 따위) 퍼져서 ; 미결정으로.

in the teeth of the wind ☞ TOOTH *n.*

keep the wind (1) 〔海〕 (거의) 바람을 거슬러 나아가다. (2) (사냥에서) 짐승의 냄새를 잃지 않도록 하다.

kick the wind 《俗》 교수형에 처해지다.

know [***see, find out***] ***how*** [***where***] ***the wind blows*** [***lies, sits***] 《비유》 바람부는 방향을 알다 ; 여론의 동향을 알다.
off the wind 〖海〗 순풍을 받고.
on the [***a***] ***wind*** (1) 〖海〗 바람을 거슬러. (2) 바람에 불려서, 순풍을 타고.
put the wind up a person 《口》 남을 무서워하게 하다 ; 불안하게 하다.
raise the wind 《俗》 돈을 마련하다 ; 소동을 일으키다.
sail near [***close to***] ***the wind*** (배가) 바람을 거슬러 범주하다 ; 절약하다, 줄이고 아끼다 ; 《비유》 아슬아슬한 짓을 하다.
sound in wind and limb 아주 건강하여.
take the wind of... =*gain the* WIND *of....*
take the wind out of the sails of a person [a person***'s sails***] (토론 따위에서) 선수를 쳐서 남을 꼼짝 못하게 하다, 남을 앞지르다, 허를 찌르다.
take wind =*get* WIND.
throw...to the winds ☞ *fling...to the* WINDS.
under the wind 〖海〗 바람 불어가는 쪽으로.
upon the [***a***] ***wind*** =*on the*[*a*] WIND.
up the wind 바람을 거슬러서(↔ *down the wind*).
wind abaft [***ahead***] 〖海〗 선미(船尾)[선수(船首)] 바람, 선미[선수]쪽에서 불어오는 바람.
within wind of …에게 낌새채일 정도[들킬 정도]로 가까이(에).
with the wind 바람과 함께, 바람 부는대로 ; =*before the* WIND.
—— [wínd] *v.* (**~·ed**) *vt.* **1** …을 바람에 쐬다, …에 바람을 통하다. **2** 낌새채다, 탐지하다 : One of the hounds *~ed* the quarry. 사냥개 한 마리가 사냥감 냄새를 맡아 냈다. **3** …을 숨가쁘게 하다 : I was almost *~ed* by running all the way to school. 학교까지 줄곧 달렸기 때문에 숨이 끊어질 지경이었다. **4** (말에게) 숨을 돌리게[쉬게] 하다.
—— *vi.* (개가) 사냥감을 냄새로 찾아내다 ; 《方》 한숨 돌리다.
〖OE *wind* ; cf. G *Wind*, L VENT〗
類義語 ***wind*** 「바람」을 나타내는 가장 보편적인 말. ***breeze*** 약하고 부드러운 미풍. ***gale*** 강하고 격렬한 바람. ***gust*** 갑자기 부는 강한 바람. ***blast*** gust 보다 강한 바람. 注 〖海·氣〗에서는 전문적으로 다음과 같이 분류됨《숫자는 시속 마일 ; cf. WIND SCALE》. No. 0 ***calm*** (고요, 1이하). No. 1 ***light air*** (실바람, 1-3). No. 2 ***light breeze*** (남실바람, 4-7). No. 3 ***gentle breeze*** (산들바람, 8-12). No. 4 ***moderate breeze*** (건들바람, 13-18). No. 5 ***fresh breeze*** (흔들바람, 19-24). No. 6 ***strong breeze*** (된바람, 25-31). No. 7 ***moderate gale*** (센바람, 32-38). No. 8 ***fresh gale*** (큰바람, 39-46). No. 9 ***strong gale*** (큰센바람, 47-54). No. 10. ***whole gale*** (노대바람, 55-63). No. 11 ***storm*** (왕바람, 64-72). No. 12 ***hurricane*** (싹쓸바람, 73이상).

wind²** [wáind] *v.* (**wound** [wáund]) *vi.* **1** [動/+副/+前+名] 굽이치다, 꾸불꾸불하다 : A path *wound* ***up [***down***] the valley. 오솔길이 골짜기 위로[아래로] 꾸불꾸불 이어져 있었다 / The river *~s* ***to*** the bay. 강이 굽이쳐서 만으로 흘러든다 / The steamer *~s* ***in*** and ***out among*** the islands. 배는 섬들 사이를 꼬불꼬불 누비듯이 나아간다. **2** (판자 따위가) 비틀리다, 휘다. **3** [+前+名] 나선형을 이루다[으로 나아가다] ; 휘감기다, 감기다 : Some climbing plant *~s* the pole. 덩굴 식물이 그 기둥을 휘감고 있다. **4** (시계 태엽이) 감겨지다 : This watch *~s* easily. 이 시계 태엽은 잘 감겨진다 / ☞ SELF-WINDING.
—— *vt.* **1** [+目/+目+副] (나사·시계 태엽 따위를) 감다 ; (크랭크·핸들 따위를) 돌리다 : *~* ***up*** one's watch 시계의 태엽을 감다 / *~* ***down*** [*up*] a window (손잡이를 돌려서) 차의 창문을 열다[닫다]. **2** [+目/+目+副/+目+前+名] (털실 따위를) 감다, 감아서 …로 만들다 : *~* yarn 털실을 감다 / Wool is *wound* (***up***) ***into*** a ball. 털실은 감겨서 둥근 공같이 된다. **3** [+目+前+名] (단단히) 싸다 ; …에 휘감기게 하다, 부둥켜안다 : She *wound* the baby ***in*** her shawl [*wound* her shawl ***round*** the baby]. 갓난아기를 숄로 감쌌다 / The girl *wound* her arms ***about*** her mother. 소녀는 양팔로 어머니를 부둥켜안았다 / His right leg was *wound* ***with*** a supporter. 그의 오른쪽 다리는 부목(副木)으로 동여매져 있었다. **4** [+目/+目+副/+目+前+名] (권양기(卷揚機) 따위로) 감아[끌어]올리다 : They were *~ing* ***up*** some ore ***from*** the mine. 갱내에서 광석을 끌어올리고 있었다. **5** 〖海〗 (배를) 반대 방향으로 돌리다.

〈회화〉
Did you *wind* the clock? — No, I forgot. 「시계 태엽 감았니」「아니오, 잊어버렸어요」

wind off (감은 것을) 되풀다, 풀다(unwind).
wind a person ***round*** one***'s*** (***little***) ***fingers*** 남을 마음대로 다루다, 남을 구슬리다.
wind one***self*** [one***'s way***] ***into*** …의 환심을 사다, 신임을 얻다 : He *wound* him*self* [his *way*] into his boss's confidence. 그는 차츰 사장의 신임을 얻었다.
wind one***'s*** [its] ***way*** 굽이치듯이 나아가다[흐르다] : They *wound* their *way through* the narrow road. 좁은 길을 누비듯이 나아갔다 / The river *~s* its *way into* the sea. 강은 꾸불꾸불 굽이쳐서 바다로 흘러간다(cf. *vi.* 1).
wind up (1) (시계의 태엽을) 감다, (실 따위를) 다 감다 ; 감아 죄다(cf. *vt.* 1). (2) (닻·두레박 따위를) 감아올리다(cf. *vt.* 4). (3) [특히 수동태로] (정신적으로) 죄게 하다, 긴장시키다 : The man was *wound up to* a fury [*to* a high pitch of excitement]. 사나이는 노발대발했다[극도로 흥분했다]. (4) (논설·연설 따위를) 끝맺다 ; …에 결말을 짓다, 그만두다 : Now, let's *~ up* this evening with the national anthem. 자 오늘 밤에는 국가(國歌)를 부르고 해산합시다 / He *wound up* (his speech) by announcing that he would fight it out. 최후까지 투쟁해 나가겠다고 선언하고 그의 말을 끝맺었다. (5) (가게·회사 따위를) 폐업하다, 해산[청산]하다 ; (회사 따위가) 해산하다 : *~ up* one's affairs (사업 따위를 해산하기 전에) 사무를 정리하다. (6) 〖野〗 (투수가) 투구하기 전에 팔을 돌리다, 와인드업하다.
—— *n.* **1** 굴곡, 굽이침, 곡절(曲折). **2** (시계·(털)실 따위의) 한 번 감기, 한 번 돌리기.
out of wind 굽어지지 않은.
〖OE *windan* to turn, twist ; cf. WANDER, WEND, Du., G *winden*〗

wind³ [wáind, 美+wínd] *v.* (**~·ed, wound** [wáund]) *vt.* **1** (뿔피리·나팔 따위를) 불다, 취주하다(blow). **2** (신호 따위를) 불어서 알리다 ; 불어서 소리내다. —— *vi.* 뿔피리를 불다.

〚WIND¹〛
W Ind, W. Ind. West Indian.
wind·age [wíndidʒ] *n.* Ⓤ **1** (총알이 날아갈 때 일어나는) 곁바람. **2** (바람에 의한 총알의) 편류(偏流), 편차(偏差) ; 편차에 대한 조절. **3** 유극(遊隙)《마찰을 적게 하기 위한 총신[포신]의 구경과 총탄[포탄]의 지름 사이의 간격》. **4** 〔機〕 풍손(風損), 윈디지《회전물과 공기와의 마찰》; 〔海〕 선체의 바람에 맞히는 면. 〚WIND¹〛
wínd àvalanche *n.* 〔氣〕 바람 눈사태.
wínd·bàg *n.* **1** 공기 주머니 ; 풀무(bellows). **2** 《戲》 가슴(chest). **3** 《口》 수다, 떠벌리기 ; 쓸데없는 말을 떠벌리는 사람.
wínd bànd *n.* 취주악대[악단], (특히) 군악대 ; (관현악의) 취주[관악]부.
wínd-bèll *n.* 풍경(風磬).
wínd·blàst *n.* 돌풍 ; 〔空〕 윈드 블라스트《조종사가 사출 좌석(射出座席)으로 탈출할 때 받는 강한 풍압의 영향》.
wínd·blòwn *a.* 바람에 날린 ; 〔植〕 바람 때문에 특정한 모양이 된, 바람으로 가지·줄기가 땅을 기듯 낮게 자라는 ; 컷한 머리의 끝이 뒤에서 바람에 날린 것처럼 이마쪽으로 빗어내린.
wínd-bòrne *a.* (종자·꽃가루 따위) 바람에 의해 옮겨지는, 풍매(風媒)의.
wínd·bòund *a.* 〔海〕 바람[역풍] 때문에 출항이[항해가] 불가능한 ; 바람에 갇힌 ; 강풍 때문에 활동할 수 없는 ; (행동이) 억제된.
wínd bòx *n.* 바람통《풀무의 바람을 모아 오르간이나 노(爐)로 보냄》; 《美俗》 오르간, 아코디언.
wínd·brèak *n.* **1** 방풍림(防風林) (shelterbelt) ; 방풍 설비[벽·울타리], 바람막이. **2** (수목이) 바람에 꺾임.
wínd·brèak·er *n.* 방풍림, 바람막이 ; [W~] 스포츠용 재킷, 윈드브레이커《손목과 허리 부분에 고무 밴드가 있음 ; 상표명》.
wínd-bròken *a.* =BROKEN-WINDED.
wínd·bùrn *n.* 〔醫〕 풍상(風傷)《바람에 살결이 짓무르는 증상》.
Wínd Cáve Nátional Párk *n.* 윈드 동굴 공원《South Dakota 주(州) 남서부에 있고 종유굴로 유명》.
wínd·chèat·er *n.* 《주로 英》 =WIND-BREAKER.
wínd-chèst *n.* (파이프 오르간의) 바람통.
wínd·chìll *n.* 풍속 냉각《기온과 어떤 풍속의 바람의 복합 효과에 의한 신체의 냉각》; 풍속 냉각 지수(=~ ìndex[fàctor])《기온과 풍속을 짜맞춘 기상 조건을 신체에 대한 냉각 효과가 같은 무풍시의 기온으로 나타낸 것》.
wínd chìme *n.* [보통 *pl.*] (유리[금속] 조각으로 만든) 풍경(wind-bell).
wínd còne *n.* 〔氣〕 =WIND SOCK.
wínd dirèction *n.* 풍향.
wínd-dòwn [wáind-] *n.* 단계적 축소, 단계적 진정(鎭靜).
wínd dràg *n.* 공기 저항.
wínd·ed *a.* 바람[공기]을 쐰[맞은] ; 숨을 헐떡거리는(out of breath), 한순간 호흡이 멈춘 ; [복합어를 이루어] 호흡[숨]이 …한.
wínd ègg *n.* (껍질이 무른) 불완전한 알 ; 무정란(無精卵).
wínd·er¹ [wáindər] *n.* 감는 사람[것], 구부러진 것 ; 실패, 감는 기계, 되감는 기계 ; (시계의) 태엽감는 장치 ; 나선 계단의 디딤판(cf. FLIER) ; 〔鑛〕 (수갱(竪坑)의) 와인더 ; 《廢》 덩굴 식물, 덩굴손.
〚WIND²〛
wind·er² [wáindər, 美+wínd-] *n.* 불어서 소리나게 하는 사람.
〚WIND³〛
wind·er³ [wíndər] *n.* 숨이 차게 하는 것[하기]《강타·질주·등산 따위》.
〚WIND¹〛
Win·der·mere [wíndərmìər] *n.* [Lake ~] 윈더미어 호《영국 북서부의 Westmorland 주에 있는 호수》.
wínd eròsion *n.* 〔地〕 풍식(風蝕) (작용).
wínd·er-ùp·per [wáindər-] *n.* 《美俗》 한 프로그램의 마지막에 방송하는 노래[음악].
wínd·fàll *n.* 바람에 떨어진 과일 ; 바람에 나무가 쓰러진 지역 ; 《비유》 뜻밖의 횡재《유산 따위》, 뜻밖의 행운(cf. LANDFALL).
wíndfall lòss *n.* 〔經〕 우연 손실(偶然損失), 의외의 손실《현실의 이윤이 정상 이윤을 밑돌 경우의 그 부족분》.
wíndfall pròfit(s) *n.* (*pl.*) 초과 이윤, 횡재식(式) 이익, 우발 이익, 불로소득.
wínd·fàn·ner *n.* 《英》 =KESTREL.
wínd fàrm *n.* 풍력 발전 지역.
wínd·flàw *n.* 한바탕 부는 바람, 돌풍.
wínd·flòwer *n.* =ANEMONE.
wínd-fòrce *n.* 〔氣〕 (풍력 등급상의) 풍력 ; 바람의 힘.
wínd fùrnace *n.* 〔機〕 풍로(風爐).
wínd·gàll *n.* 〔獸醫〕 (말 따위의) 구건 연종(球腱軟腫).
wínd gàp *n.* 〔地〕 (산등성이의 V자형의) 풍극(風隙).
wínd gàuge *n.* 풍력[풍속]계(計) ; (오르간의) 풍압계(計).
wínd hàrp *n.* 풍명금(風鳴琴) (aeolian harp).
wínd hàzard *n.* 풍해(風害).
Wind·hoek [vínthuk, wínt-] *n.* 빈트후크《나미비아(Namibia)의 수도》.
wínd·hòver *n.* 《英》 =KESTREL.
Wind. I. Windward Islands.
wínd·ies *n. pl.* 트림(burp).
win·di·go [wíndəgòu] *n.* (*pl.* ~s) 윈디고《북미의 Algonkian족의 신화에 나오는 숲 속을 헤매는 식인귀(食人鬼) ; 길을 잃고 굶주림으로 인해 사람 고기를 먹은 사냥꾼이 변한 것이라고 함》.
wínd·i·ness *n.* **1** Ⓤ 바람이 있음[많음] ; 폭풍이 닥쳐올 것 같은 기미. **2** Ⓤ 수다 ; 허풍 ; 허세.
wind·ing¹ [wáindiŋ] *a.* **1** (강·길 따위가) 굽이진, 꼬불꼬불한 ; (계단 따위가) 나선형의 : a ~ staircase 나선식 계단(cf. FLIER 4). **2** (이야기 따위를) 둘러 말하는.
—— *n.* **1** Ⓤ 굽음 ; Ⓤ,Ⓒ 굴곡, 구부러짐 ; 꼬부랑길. **2** [*pl.*] 우여 곡절 ; 이상한 행위 ; 변칙적 방법. **3** 감기 ; 감아올리기, 감아들이기 ; Ⓒ 감은 것 ; Ⓤ,Ⓒ 〔電〕 감는 법, 감기 ; 〔樂〕 감긴 관《금관악기, 특히 호른》.
in winding (판자 따위가) 휘어서, 굽어서.
~·ly *adv.* 꼬불꼬불하여, 굽이쳐 ; 휘감겨.
〚WIND²〛
win·ding² [wíndiŋ] *n.* 《美俗》 =WINGDING.
wínding èngine *n.* 〔機〕 윈치 엔진.
wínding fràme *n.* 〔紡〕 실 감는 기계.
wínd·ing-shèet *n.* **1** 시체를 싸는 흰 천, 수의(壽衣). **2** 《方》 (촛불의) 촛농《흘러 떨어지는 쪽에 있는 사람에게 불길한 일이 일어난다는 미신이 있음》.
wínd·ing-úp *n.* (가게·회사의) 폐점 ; 해산 ; 청산 ; 완결.

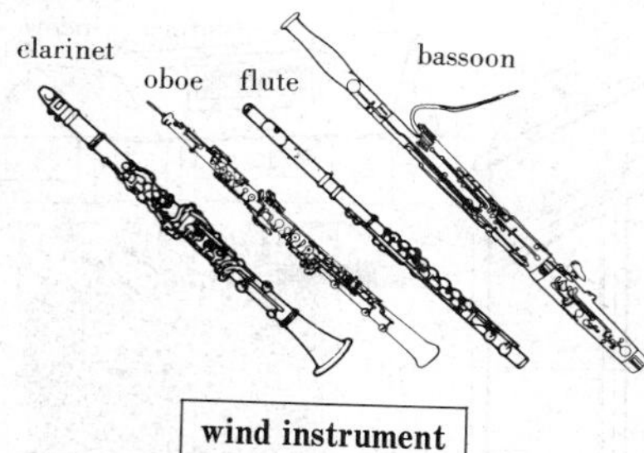

wind instrument

wínd ìnstrument *n.* 관악기, 취주악기.
wind·jam·mer [wínddʒæ̀mər] *n.* 《口》 돛배, 범선 ; 그 선원 ; 《美俗》 수다쟁이 ; 《俗》 (곡마단의) 관악기 주자, (군대의) 나팔수. 〖*wind*¹+*jam*〗
wind·lass [wíndləs] *n.* 권양기(卷揚機) ; 〔海〕 양묘기 (cf. WINCH). —— *vi., vt.* 권양기로 감아올리다. 〖ME *windas*<AF<ON=winding pole ; 어형은 *windle* (dial.) to wind와의 연상인가〗
wíndlass bìtt *n.* 〔海〕 양묘기(揚錨機) 기둥.
wínd·less *a.* 잔잔한, 바람이 없는 ; 《稀》 숨이 찬.
win·dle·straw [wíndlstrɔ̀ː] *n.* **1** 가늘고 긴 건초의 줄기 ; 줄기가 가늘고 긴 풀. **2** 여윈 사람, 연약한 것.
wínd machìne *n.* 〔劇〕 바람 소리 내는 장치.
wínd mèter *n.* 풍력계, 풍속계(計).
***wind·mill** [wín*d*mìl] *n.* 풍차(간) ; 풍차 같은 것 ; 팔랑개비《장난감》 ; 〔空〕 (발전 따위를 위해 기체에 돌출된 소형의) 풍차 터빈 ; 《口》 헬리콥터 ; 《口》 프로펠러.

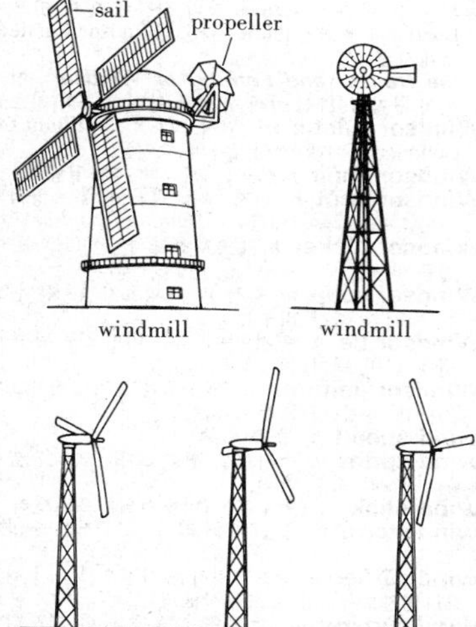

windmill

fling [***throw***] one***'s cap over the windmill*** 무모한 짓을 하다 ; 전통에 반항하다.
—— *vt., vi.* 풍차처럼 돌리다[돌다] ; 〔空〕 기류의 힘으로 돌리다[돌다].
wínd mòtor *n.* (바람을 동력원으로 하는) 풍력 원동기《풍차 따위》.
◇**win·dow** [wíndou] *n.* **1** 창, 창문 ; 창틀[유리] ; (상점의) 진열창, 쇼윈도 ; 창 모양의 것 ; [*pl.*] 《美俗》 안경 : an arched ~ 아치형 창문 / a blank[blind, false] ~ 막힌[장식용]창 / ☞ FRENCH WINDOW / look *out of* [《주로 美》 look *out*] the ~ 창에서 밖을 내다보다 / The eyes are the ~*s* of the mind. 《속담》 눈은 마음의 창. **2** 관찰할 기회, 아는 수단, 창구 ; (레이더나 전파의) 창, 윈도《공중에 레이더의 반사체로 뿌려진 금속 파편으로서, 비행물체 추적용 · 레이더 탐지 방해용》. **3** (봉투의) 파라핀 창《수신인의 이름 따위가 비쳐 보임》. **4 a)** (일정한) 영역 ; 〔天〕 전파의 창, 전자창《전자 스펙트럼 중 행성 대기를 투과하는 파장역(域)》 ; 〔宇宙〕 (우주선이 무사 귀환하기 위해 통과해야 할) (대기의) 창 ; 〔컴퓨〕 창. **b)** 시간대.
have all one***'s goods in the*** (***front***) ***window*** 겉치레뿐이다.
in the window (광고 · 주의서 따위를) 창구에 게시한 ; (상품 따위가) 진열창에 진열되어 있는.
throw the house out at (***the***) ***window*** 큰 혼란에 빠뜨리다.
—— *vt.* [*p.p.*로] …에 창을 달다.
〖ON *vindauga* wind eye〗
wíndow blìnd *n.* (위쪽에 달린 고패로 오르내리는) 창가리개, 윈도 블라인드.
wíndow bòx *n.* **1** (창틀 밑에 놓는) 화초 가꾸는 상자. **2** (창틀 안의) 창추함(窓錘函).
wíndow clèaning *n.* 창 청소, 창닦기(업).
wíndow cùrtain *n.* 창(문) 커튼.
wíndow displày *n.* 쇼 윈도의 상품 진열.
wíndow-drèss *vt.* …의 체재를 갖추다, …을 겉치레하다.
wíndow drèsser *n.* 쇼윈도 장식가[업자] ; 그럴 듯하게 사실을 속이는[겉치레하는] 사람.
wíndow drèssing *n.* **1** Ⓤ 진열장[창] 장식(법). **2** Ⓤ 체면차리기 ; 겉치레 ; 사실[계수]을 속이기, 눈속임.
wín·dowed *a.* [흔히 복합어를 이루어] (…의) 창이 있는 ; 구멍투성이의 : a many-~ house 창이 많은 집.
wíndow énvelope *n.* 창 달린 봉투《파라핀지 따위로 받는 사람의 이름 · 주소가 비쳐 보임》.
wíndow fràme *n.* 창틀.
wíndow glàss *n.* 창(문)용 유리.
wíndow lèdge *n.* =WINDOWSILL.
wíndow·pàne *n.* 창(문) 유리.
wíndow sàsh *n.* (위 아래로 여닫는) 창틀.
wíndow sèat *n.* 창가에 마련된 의자.
wíndow shàde *n.* 《美》 =BLIND *n.* 1.
wíndow-shòp *vi.* 쇼윈도나 진열장(의 진열품)을 구경만 하고 다니다, 윈도 쇼핑하다.
wíndow-shòpper *n.* 쇼윈도나 진열장(상품)을 보고만 다니는 사람, 윈도 쇼핑하는 사람.
wíndow-shòpping *n.* Ⓤ (물건은 사지 않고) 쇼윈도나 진열장만 구경하고 다니기, 윈도 쇼핑 : go ~ 윈도 쇼핑하다.
wíndow·sìll *n.* 창턱《창 밑의 가로 지른 나무 ; cf. DOORSILL》.
wíndow-tàx *n.* 〔英史〕 창세(稅) (1695-1851) 《창 · 들창 수가 7개 이상의 가옥에 부과된 누진세》.

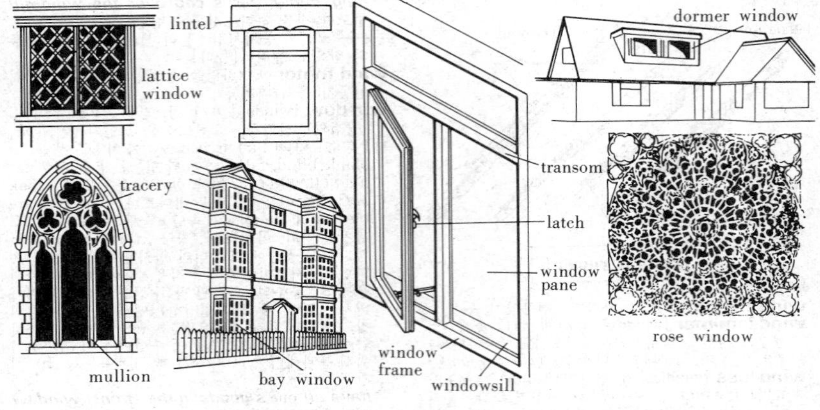

window

wíndow trìmmer *n.* =WINDOW DRESSER.
wíndow wàsher *n.* 《CB俗》 폭풍우, 호우.
wín·dowy *a.* 창(문)이 많은.
wínd·pìpe *n.* 기관(氣管), 숨통(trachea).
wínd-póllinated *a.* 〔植〕 풍매(風媒)의.
wínd pòwer *n.* 풍력 발전.
wínd-prèssure *n.* 풍압(風壓).
wínd·pròof *a.* (옷 따위가) 방풍(防風)의, 바람이 통하지 않는 : a ~ jacket 방풍 재킷.
wínd pùdding *n.* 《美俗》 [다음 숙어로]
live on wind pudding 아무것도 먹을 것이 없다, 빈털터리다, 몹시 가난하다.
wínd pùmp *n.* 풍력[풍차] 펌프.
Wínd Ríver Ránge *n.* [the ~] 윈드리버 산맥 《Wyoming 주(州) 서부의 Rocky 산맥의 일부》.
wínd-ròde *a.* 〔海〕 바람을 탄《뱃머리를 바람 불어오는 쪽을 향해 닻을 내리고 있는》.
wínd ròse *n.* 〔氣〕 풍배도(風配圖)《어떤 관측 지점에서의 방위별 풍향 출현의 빈도와 풍력을 방사상의 그래프에 나타낸 것》.
〚G *Windrose* compass card〛
wind·row [wín*d*ròu] *n.* **1** (말리기 위해서 널어 놓은) 건초[곡식단]의 줄. **2** (바람에 불려 쌓인) 낙엽이나 먼지의 줄. **3** 제방 ; 이랑 ; 윈드로《도로 공사장의 도로 끝에 쌓아 올린 재료 더미》.
── *vt.* 바람에 말리기 위해 줄지어 널다.
wínd·sàil *n.* 〔海〕 범포 환기통 ; 풍차의 날개.
wínd scàle *n.* 풍력 등급《Beaufort scale에서는 0-12급으로 분류되어 있음 ; ☞ WIND[1] 類義語》.
wínd·scrèen *n.* 《英》 =WINDSHIELD.
wíndscreen mìrror *n.* 《英》 (자동차의) 뒤살핌 거울(=《美》 rearview mirror).
wíndscreen wìper *n.* 《英》 (자동차) 앞유리의 와이퍼.
wínd shàke *n.* 풍렬(風裂)《강풍이 나무에 부딪쳐 생긴 목재의 나이테의 균열》.
wínd-shàken *a.* 바람에 흔들린 ; (목재가) 풍렬이 있는.
wínd shèar *n.* **1** 갑자기 풍향이 바뀌는 돌풍. **2** 〔空〕 윈드 시어《풍향에 대하여 수직 또는 수평 방향의 풍속 변화(율)》.
wínd·shìeld *n.* 《美》 (자동차 앞면의) 방풍(防風) 유리 ; (일반적으로) 방풍, 바람막이 ; (손목에 꼭 끼는) 바람막이 소매 ; (탄두를 유선형으로 하기 위한) 방풍 캡.
wíndshield wìper *n.* 《美》 (자동차의) 앞유리의 와이퍼(=《英》 windscreen wiper).
wínd sòck[**slèeve**] *n.* 〔氣〕 풍향 측정용 원뿔통(筒) (wind cone).
Wind·sor [wínzər] *n.* 윈저《잉글랜드 Berkshire의 마을 이름 ; Thames 강의 상류에 연해 있으며 London에서 약 40km ; 왕궁 Windsor Castle의 소재지》.
the House* (*and Family*) *of Windsor 영국 윈저 왕가《1917년 이래 현 영국 왕실의 공식 칭호》.
Wíndsor Cástle *n.* 윈저궁(宮) 《William the Conqueror 이래의 영국왕의 주거》.
Wíndsor cháir *n.* 등이 높은 의자의 일종.
Wíndsor knót *n.* 윈저 매듭《넥타이 매는 방식의 하나 ; 매듭 폭이 넓음》. 〚Duke of *Windsor*〛
Wíndsor rócker *n.* 《美》 흔들의자식(式) 등이 높은 의자.
Wíndsor sóap *n.* 윈저 비누《향료가 든 갈색 또는 백색의 화장 비누》.
Wíndsor tíe *n.* 윈저 타이《검은 비단으로 된 폭이 넓은 나비 넥타이》.
Wíndsor úniform *n.* 《英》 붉은 칼라 · 커프스의 검남색 복장《왕족 등이 입음》.
wínd spèed *n.* 풍속(風速).
wínd sprìnt *n.* 스퍼트를 위한 호흡 능력을 높이는 단거리 속도 훈련.
wínd stìck *n.* 《美軍俗》 (비행기의) 프로펠러.
wínd·stòrm *n.* 폭풍《비를 전혀 또는 거의 수반치 않음》.
wínd·sùrf·er *n.* 윈드서핑하는 사람 ; [W~] 윈드서퍼《윈드서핑용 보드 ; 상표명》.
wínd·sùrf·ing *n.* Ⓤ 윈드서핑《돛을 단 파도타기 판으로 물 위를 달리는 스포츠》.
wínd·swèpt *a.* 바람을 맞는, 바람받이[맞이]의 : a ~ hillside 바람이 휘몰아치는 산허리.

wínd-swìft *a.* 바람처럼 빠른.
wínd tèe *n.* T형 바람개비《풍향계》.
wínd·tíght *a.* 바람이 통하지 않는, 밀폐된.
wínd tùnnel *n.* 〖空〗 풍동(風洞), 바람굴.
wínd tùrbine *n.* 풍력 (발전) 터빈.
wínd·ùp [wáind-] *n.* 결말, 종결 ; 마무리 ; 〖野〗 와인드업《투수가 투구전 팔을 휘두르는 예비 동작》. —— *attrib. a.* **1** 감아올리는 ; (장난감 따위의) 태엽을 감는 식의. **2** 결말의(closing).
wínd vàlley *n.* ＝WIND GAP.
wínd vàne *n.* 〖氣〗 풍향계, 풍향 표시 장치.
wínd wàgon *n.* 《美俗》 비행기.
wínd·ward *n.* Ⓤ 바람이 불어오는 쪽(↔*lee, leeward*).
get to windward of (해전(海戰) 따위에서) …의 바람 불어오는 쪽으로 나가다 ; …의 바람부는 쪽으로 돌다《냄새 따위를 피하기 위해》; 《비유》 …을 앞지르다, …보다 유리한 입장에 서다.
keep to windward of …을 피하고 있다.
—— *a.* 바람 불어오는 쪽의, 바람받이에 있는.
on the windward side of …의 바람 불어오는 쪽에.
—— *adv.* 바람 불어오는 쪽으로〈*of*〉.
Wíndward Íslands *n. pl.* [the ~] 윈드워드 제도《서인도 제도 남동부의 구영국 식민지》.
wínd·wày *n.* 공기가 통하는 길 ; 통풍로.
***windy** *a.* **1 a**) 바람의, 바람 부는, 바람이 센 : on a ~ day[afternoon] 바람부는 날[오후]에 / in ~ weather 바람이 센 날씨에. **b**) 바람을 맞는, 바람받이[맞이]의 : a ~ hilltop[street] 바람이 몰아치는 산꼭대기[거리]. **c**) 폭풍우 같은, 심한《화냄 따위》. **2** (위장에) 가스가 차는, 헛배가 부른 : ~ dishes 헛배만 불러지는 요리. **3** 입으로만의, 말뿐인, 수다스러운(wordy), 공허한, 실속없는(empty) ; 《스코》 자만하는 : a ~ speaker 수다쟁이, 쓸데없이 말많은 사람 / ~ eloquence 호언 장담. **4** 《俗》 깜짝 놀란 ; 겁에 질린(frightened) : feel ~ 겁에 질리다, 몹시 무서워하다. **5** 《古》 바람이 불어오는 쪽의.
on the windy side of the law 법률이 미치지 않는 곳에.
—— *n.* 《美俗》 과장된 이야기, 허세 ; 수다쟁이 《사람》, (특히) 허풍선이.
wínd·i·ly *adv.* **-i·ness** *n.*
〖OE *windig* ; ⇨ WIND¹〗
Wíndy Cíty *n.* [the ~] Chicago의 속칭.
‡**wine** [wáin] *n.* **1** Ⓤ [종류를 말할 때에는 Ⓒ] 포도주, 와인(cf. RED WINE, WHITE WINE, ROSÉ) ; 과실주 : French ~(*s*) 프랑스 포도주《여러 종류》 / rice ~ 곡주 / green ~ (양조후 1년 이내의) 새 술 / apple[currant, palm] ~ 사과[머루, 야자] 술 / a barrel[bottle, glass] of ~ 포도주 한 통[한 병, 한 잔]. **2** Ⓤ 〖醫〗 포도주 용제(溶劑) : ~ of opium 아편 포도주. **3** 《英大學》 (정찬(正餐) 후에 몇몇 학생들이 모여 주로 포도주를 마시는) 주연(酒宴)《지금은 없어짐》 : have a ~ in one's rooms 방에서 (친목의) 주연을 열다. **4** Ⓤ **a**) 적포도주 빛깔, 암적색, 와인 컬러(wine color). **b**) [형용사적으로] 와인 컬러의. **5** 취하게[생기가 돌게] 하는 것.
bread and wine ☞ BREAD.
in wine 술에 취하여.
new wine in old bottles 〖聖〗 낡은 가죽 부대에 넣은 새 포도주《종래의 형식으로는 다룰 수 없는 새로운 사고 방식 ; 마태복음 9 : 17》.
take wine with …와 서로 건강을 위하여 건배하다.
tread wine ☞ TREAD.
—— *vi.* 포도주를 마시다.
—— *vt.* 포도주로 접대[대접]하다.
[때때로 다음 숙어로]
wine and dine with a person (레스토랑 따위에서) 남과 술을 마시면서 식사하다, 대접하다.
〖OE *wīn* ; cf. G *Wein*, L *vinum* VINE〗
wíne-àpple *n.* 포도주 맛이 나는 크고 빨간 사과.
wíne·bàg *n.* 포도주를 넣는 가죽 부대 ; 《俗》 ＝ WINEBIBBER.
wíne bàr *n.* 와인 바《주류, 특히 포도주를 파는 레스토랑 안의 바》.
wíne·bìbber *n.* 대주가, 술고래.
wíne·bìbbing *a.* 술을 많이 마시는.
—— *n.* 술을 많이 마시기.
wíne·bòttle *n.* **1** 포도주 병. **2** ＝WINESKIN.
wíne·bòwl *n.* **1** 포도주용 큰 잔. **2** [the ~] 음주(벽)(winecup) : drown care in *the* ~ 술로 시름을 잊다.
wíne cèllar *n.* (지하의) 포도주 저장실 ; 포도주의 저장(량) ; 저장한 포도주.
wíne còlor *n.* 적포도주 빛깔[색], 와인 컬러, 암적색. **wíne-còlored** *a.* 적포도주 빛깔[색]의, 암적색의.
wíne·còol·er *n.* 포도주 냉각기《포도주 병을 넣어 차게 하는 얼음이 든 그릇》.

winecooler

wíne·cùp *n.* **1** 포도주 잔. **2** [the ~] ＝WINEBOWL 2.
wi·neeo [wainí:ou] *n.* (*pl.* **-née·os**) 《美俗》 ＝WINO.
wine·fat [wáinfæ̀t] *n.* 《古》 포도를 으깨는 통.
wíne gállon *n.* 와인 갤런《옛 영국의 포도주 용량 단위 ; 미국 표준 갤런(＝231 세제곱 인치)에 해당》.
wíne·glàss *n.* **1** 포도주 잔, 와인글라스《보통 굽이 높고 종류에 따라 크기와 모양이 다름》. **2** (물약 따위의) 포도주 잔 한 잔 의 분량《큰 숟갈 4개 분 ; cf. SHERRY-GLASS》.
~·fùl *n.* 포도주 잔 한 잔(의 분량).
wíne·gròw·er *n.* 포도재배 겸 포도주 양조업자 ; 그 밑에서 일하는 사람.
wíne gròwing *n.* Ⓤ 포도 재배(업) 겸 포도주 양조업.
wíne·hòuse *n.* ＝WINESHOP.
wíne pàlm *n.* 야자술의 원료가 되는 야자나무.
wíne·prèss(·er) *n.* 포도즙 짜는 기구.
wíne réd *n.* 적포도주 빛깔《빨강》.
win·ery [wáinəri] *n.* 포도주 양조장.
Wine·sap [wáinsæp] *n.* 와인샙종(種) 사과《미국산(產) 겨울 사과의 한 품종 ; 검붉은 색으로 중간 크기》.
wíne·shòp *n.* (주로 포도주를 파는) 술집.
wíne·skìn *n.* 포도주를 담는 가죽 부대 ; 술고래.
wíne tàster *n.* 포도주 맛[품질] 감정가 ; 품질 검사용 포도주를 담는 작은 종지.
wíne vàult *n.* (아치형 천장의) 포도주 (지하) 저장실 ; 선술집.
‡**wing** [wíŋ] *n.* **1** 날개 ; 깃 ; 《戲》 (사람의) 팔 ; (네 발 짐승의) 앞 발 ; 비약 수단[력] ; 비호 ; 《美俗》 코카인 : a touch in the ~ 팔의 부상. **2** Ⓤ 비행(飛行) (flight) : Can you shoot a bird *on the* ~? 날아가는 새를 쏘아 맞힐 수 있습니까. **3** [집합적으로] 새 ; 새 떼(flock)〈*of*〉. **4** 화살 깃 ; (날치의) 큰 지느러미 ; 〖植〗 익상과(翼狀果) ; 익판

(翼瓣) ; 꽃잎 ; (풍차·비행기 따위의) 날개 ; 《英》 (자동차 따위의) 흙받이(mudguard) (=《美》 fender). **5** (건물 따위의) 물림, 퇴(간) ; 〖築城〗 익면(翼面), 익벽(翼壁) ; [~s] 〖劇〗 무대의 양옆 ; 〖海〗 익창(翼艙)《선창 또는 아래 갑판의 뱃전에 접하는 부분》 ; 〖軍·競〗 익(翼), 윙 ; (편대 비행의) 윙(의 위치) : the right ~ 〖蹴·하키〗 우익, 라이트 윙(cf. CENTER 4). **6** 〖空軍〗 비행단, 항공단《영국에서는 3 squadrons ; 미국에서는 보통 2이상의 groups로 이루어지는 연대》 ; [*pl.*] 《軍口》 공군 기장(aviation badge). **7** 〖政〗 당파 : the left[right] ~ 좌[우]익, 급진[보수]당.

clip** a person's **wings 남의 활동(력)을 꺾다, 무력하게 만들다 ; 마음대로 못하게 하다.

lend [***add***] ***wings*** 촉진하다〈*to*〉 : Joy *lent* me ~*s.* 나는 기쁜 나머지 힘껏 달렸다.

on the wing (1) 날고 있는, 비행 중인(cf. 2). (2) 《비유》 여행 중에 ; 활동하여 ; 출발하려고 하여.

on the wings of the wind (바람을 타고 날 듯이) 신속하게, 아주 빨리.

on wings (마음도 홀가분하게) 가벼운 걸음 걸이로, 발걸음도 가볍게.

show the wings (방문 비행으로) 공군력을 과시하다.

take to itself wings (날개 돋친듯이) 없어지다 ; 사라지다 : Money *takes to itself* ~*s.* 돈이라는 것은 날개가 돋친듯이 없어지는 법이다.

take wing 날아가버리다 ; 비약적으로 발전하다, 기세가 더해지다 ; 도망치다, (돈 따위가) 없어지다, (시간이) 순식간에 지나가다 ; 기뻐하다, 몹시 기뻐하다.

under** one's **wing …을 감싸다 : take a person *under* one's ~ 남을 감싸다[보호하다].

under the wing of …에게 보호[옹호]를 받아.

wing and wing 〖海〗 (종범선(縱帆船)이 양뱃전에 돛을 하나씩 펴) 나비 모양으로 벌리고 《순조롭게 달리다》.

—— *vt.* **1 a)** [+目/+目+前+名] …에 날개를 달다 ; (…을) 쏘다 : ~ an arrow ***with*** eagle's feathers 화살에 독수리의 깃털을 붙이다 / ~ an arrow ***at*** the mark 과녁을 향해 화살을 쏘다. **b)** 《비유》 신속하게 나아가게 하다 : Ambition ~*ed* his spirit. 그의 마음은 야망에 불타 올랐다 / The sudden fear ~*ed* my steps. 갑자기 공포에 휩싸여 걸음을 재촉했다. **2** (창공을) 날다, 비상하다 : ~ the air[sky] 하늘을 날다. **3** (새의) 날개에 상처내다 ; 《戲》 (남의 팔에) 상처내다 ; (비행기 따위를) 격추하다. **4** (건물)에 물림을 달다. **5** 《口》 옆 배경 뒤에 있는 프롬프터의 도움을 받아 (…의 배역을) 연기하다.

—— *vi.* (새·비행기가) 날아가다 : Our plane ~*ed* ***over*** the Rockies. 우리 비행기는 로키 산맥 위를 날아갔다.

wing** one's **way = ***take** one's **flight*** 날아가다, 비행하다.

~·like *a.* (형·배치가) 날개 모양의.

〖ME *wenge* (pl.) <ON *vængir* (pl.) ; *-ng* 앞의 *-e-*>*-i-*는 hinge, string 따위를 참조〗

wíng·bàck *n.* 〖美蹴〗 윙백 ; 그 수비 위치.

wíngback formàtion *n.* 〖美蹴〗 윙백 포메이션 《후위(後衛)의 한[두] 명이 자기편 엔드 바깥 또는 뒤쪽에서 라인 플레이를 노리는 공격법》.

wíng bàr *n.* 〖空〗 날개의 횡골(橫骨).

wíng·bèat *n.* 한 번의 날갯짓.

wíng bòw [-bòu] *n.* 〖鳥〗 어깨날개[깃].

wíng càse[**còver**] *n.* (곤충의) 겉날개, 시초(翅鞘)(elytron).

wíng chàir *n.* 등쪽이 날개꼴인 안락 의자.

wing chair

wíng cóllar *n.* 야회복용 세운 깃, 윙 칼라《앞부분 끝이 접혀 있음》.

wíng commànder *n.* 《英》 공군 중령.

wíng cóvert *n.* [보통 *pl.*] 〖鳥〗 방우(防雨) 날개, 큰 깃을 덮는 작은 깃.

wing·ding [wíŋdìŋ], **whing-** [*h*wíŋ-] *n.* 《美俗》 마약의 발작(적 흥분) ; 꾀병 ; 격노 ; 야단 법석 ; 떠들썩함 ; 술 잔치 ; 사교 모임, 친목회 ; 특히 눈에 띄는 것.

—— *a.* 축제 기분의, 떠들썩한, 굉장한.

〖? *whing* sharp ringing sound〗

winged [wíŋd, 《詩》 wíŋəd] *a.* **1** 날개가 있는 ; 날개를 쓰는, 날 수 있는 : ~ insects 날개가 달린 곤충 / the ~ god = HERMES / the ~ horse = PEGASUS 1 ; 《비유》 시가(詩歌). **2** 《비유》 신속한 : a ~ gossip 순식간에 퍼지는 소문. **3** 날개를 다친 ; 《戲》 팔을 다친. **4** (말씨 따위) 적절한 ; (사상 따위) 고매한.

Wínged Víctory *n.* [the ~] 날개 돋친 승리의 여신상(女神像).

wíng·er *n.* 《英》 (축구 따위의) 윙 위치의 선수.

wíng-fóot·ed *a.* 《詩》 발에 날개가 달린, 걸음이 빠른, 신속한, 재빠른.

wíng gàme *n.* 《英》 [집합적으로] 엽조(獵鳥) (↔*ground game*).

wíng·ing òut *n.* 〖海〗 선창 측면에서 짐싣기.

wíng·less *a.* 날개가 없는 ; 날 수 없는 ; 느릿느릿 나아가는 ; (시문이) 산문적인.

wíng·let *n.* 작은 날개[깃].

wíng lòad(ing) *n.* 〖空〗 익면 하중(翼面荷重).

wíng màn *n.* (편대 비행에서) 윙의 위치를 나는 조종사[비행기] ; 편대 동료기(機)(조종사) ; 〖競〗 윙 위치의 선수.

wíng mìrror *n.* 《英》 (자동차의) 펜더 미러, 사이드뷰 미러.

wíng nùt *n.* 〖機〗 = BUTTERFLY NUT.

wíng·òver *n.* 〖空〗 급상승 반전(反轉) 비행.

wíng sèction *n.* 〖空〗 익단면(형), 날개꼴.

wíng shèath *n.* = WING CASE.

wíng shòoting *n.* 나는 새 사냥.

wíng shòt *n.* 하늘을 나는 새를[표적을] 노리는 사격(을 잘하는 사람).

wíng·spàn *n.* 〖空〗 (비행기의) 날개 길이.

wíng·sprèad *n.* 날개 폭[나비] 《새·곤충·비행기의 한쪽 날개 끝에서 다른쪽 끝까지의 길이》.

wíng·stròke *n.* = WINGBEAT.

wíng tànk *n.* 〖空〗 익내(翼內) (연료) 탱크, 날개 밑[끝] 보조 탱크《비행 중에 떨어뜨릴 수 있는 연료 탱크》.

wíng tìp *n.* 〖空〗 (비행기의) 날개 끝.

wíng wàll *n.* 〖建〗 날개 벽.

wíngy *a.* 날개가 있는 ; 빠른 ; 날아올라가는 ; 날개 같은, 날개 모양의 ; 《俗》 우뚝 솟은.

Win·i·fred [wínəfrəd] *n.* 여자 이름《애칭 Winnie》. 〖Welsh *Gwenfrewi* ; ⇨ GUINEVERE〗

***wink** [wíŋk] *vt.* **1** 눈을 깜박거리다, 눈짓을 하다 : ~ one's eye (한쪽 눈으로) 윙크[눈짓]를 하다. **2** [+目+副] (눈물·이물질을) 눈을 깜짝여서 떨어내다 : He ~*ed away*[*back*] his tears. 그는 눈을 깜박거려 눈물을 떨구어냈다. **3** 《英》 (라이트 따위를) 점멸시키다 ; (신호를) 빛을 점멸시

켜 보내다[전하다]. ── *vi.* **1** [動/+*at*+名] 깜박거리다; 눈짓[윙크]하다: The girl ~*ed* ***at*** him. 소녀는 그에게 눈짓[윙크]을 했다. **2** [+*at*+名] 《비유》 보고도 못 본 체하다, 눈감아 주다(overlook) (☞ BLINK 活用): ~ ***at*** a person's fault[misconduct] 남의 과실[잘못]을 못 본 체하다. **3** (별·빛 따위가) 반짝거리다(twinkle), 명멸[점멸]하다: The city lights were ~*ing* in the distance. 멀리 저편에서 도시의 불빛이 반짝이고 있었다 / ~*ing* lights (자동차의 뒤쪽·옆쪽에 붙어서 반짝이는) 방향 지시등(燈). **4** 《古》 눈을 감고 (자고) 있다.

like winking 《俗》 순식간에, 재빠르게; 기운차게, 활발하게.

── *n.* **1** 눈을 깜박거림, 윙크; 윙크[점멸]에 의한 신호; (별·빛 따위의) 반짝임, 명멸, 점멸. **2** 눈짓: He gave me a knowing ~. 나에게 알았다는 눈짓을 했다 / tip a person the ~ 《口》 남에게 눈짓을 하다. **3** 눈깜짝할 사이, 일순간: He did not sleep a ~.=He did not get a ~ *of* sleep. 그는 한 잠도 자지 못했다. **4** [*pl.*] 선잠(nap): ☞ FORTY WINKS.

〈회화〉
You look sleepy. — A mosquito was annoying me. I couldn't sleep a *wink*. 「졸린 것 같은데」 「모기가 극성을 부려서 한잠도 못잤어」

in a wink 눈깜짝할 사이에, 순식간에(in a moment) (cf. 3).

〖OE *wincian* to nod, wink; cf. WINCE[1], WINCH, G *winken* to beckon, wave〗

類義語 ***wink*** 한쪽 눈 또는 양쪽 눈을 깜박이면서 뭔가 신호를 하다: He *winked* at her knowingly. (그는 안다는 듯이 그녀에게 눈짓을 했다). ***blink*** 아무런 생각없이 두 눈을 깜박거리다: She *blinked* in the glaring sunlight. (햇빛이 눈부셔 눈을 깜박거렸다).

wínk·er *n.* 눈을 깜박거리는[눈짓하는] 사람[것]; 《美口》 속눈썹, 눈; [*pl.*] (말의) 눈가리개(blinker); 《口》 (차의) 점멸식 방향지시기, 윙커; [*pl.*] 《稀》 안경.

win·kle[1] [wíŋkəl] *n.* 〖貝〗 =PERIWINKLE[2].
── *vt.* 《口》 (조개 따위에서 조갯살을) 후벼[도려]내다, 빼내다〈*out*〉. 〖peri*winkle*[2]; cf. WIG〗

winkle[2] *vi.* =TWINKLE.

wínkle·pìckers *n. pl.* 끝이 뾰족한 구두[부츠].

Win·ne·ba·go [wìnəbéigou] *n.* (*pl.* ~, ~(**e**)**s**) 위네바고족《북미의 수(Sioux)족 인디언의 한 종족》; 위네바고족의 언어.

***wín·ner** *n.* **1** 승리[우승]자; 이긴[승리한] 말. **2** 수상자[작품], 입상[입선(入選)]자〈*of*〉: a Pulitzer Prize ~ 퓰리처상 수상자[작품]. **3** 성공자; 《口》 출세[성공]할 가망성이 있는 사람, 위인이 될 만한 사람.

wínner's círcle *n.* 〖競馬〗 우승마 표창식장.

Win·nie [wíni] *n.* 여자 이름《Winifred의 애칭》.

wín·ning *a.* **1** 승자인, 승리를 얻은(↔*losing*): the ~ horse 이긴 말. **2** 승리를 얻게 하는, 결승의, 더 많이 이긴: a ~ run 결승점. **3** (태도 따위가) 남을 끄는, 애교가 있는, 매력적인(attractive): a ~ smile 애교가 있는[매혹적인] 미소. ── *n.* **1** Ⓤ 획득, 점령; Ⓒ 획득물, (특히) 점령지. **2** U.C 승리, 성공. **3** [*pl.*] 상금, 벌이, 이익. **4** 〖鑛〗 탄층으로 통하는 갱도, 당장이라도 채굴 가능한 탄층, 광산의 다소 격리된 부분; 〖鑛〗 정련. **~·ly** *adv.* 애교있게, 매혹적으로. **~·ness** *n.*

wínning·est *a.* 《口》 최다 승리의.

wínning pòst *n.* (경마장의) 결승점(의 푯말).

wínning strèak *n.* 〖競〗 (야구 따위의) 연승(↔ *losing streak*).

Win·ni·peg [wínəpèg] *n.* **1** 위니펙《캐나다 남부, Manitoba주의 주도; 밀의 집산지》. **2** [Lake ~] 위니펙 호.

win·now [wínou] *vt.* **1** [+目/+目+副/+目+*from*+名] **a**) (곡식·겨 따위를) 까부르다, 키질하(여 고르)다(fan): ~ *away*[***out***] the chaff ***from*** the grain 곡식에서 겨를 까불어 내다. **b**) 골라내다, 체로 쳐서 버리다; 분석·검토하다; (진위(眞僞)·선악을) 식별하다: ~ the refuse ***out***[*away*] 찌꺼기를 체로 쳐서 버리다 / ~ the true ***from*** the false 진위를 식별하다. **2** 《詩》 날개치다; 날개치며 가다; (바람이 나뭇잎·머리털 따위를) 흩날리다. ── *vi.* 곡식을 골라내다[가려내다]; 선별하다; 날개치다. ── *n.* 까부르는 기구, 키, 풍구; 키질.
〖OE *windwian*; ⇨ WIND[1]〗

wínnow·er *n.* (곡식을) 키질하는[까부르는] 사람[기구], 풍구.

wínnow·ing fàn[**bàsket**] *n.* (농가에서 쓰는) 키, 풍구.

wínnowing machìne *n.* 풍구.

wi·no [wáinou] *n.* (*pl.* ~**s**) 《俗》 포도주 애호가, (특히) 싼 술만 마시는 알코올 중독자; 《美俗》 포도 따는 일꾼. 〖*wine*, -*o*〗

win·some [wínsəm] *a.* (성질·태도·모습 따위가) 매력있는, 애교있는; 명랑한, 쾌활한.
~·ly *adv.* 애교있게; 쾌활하게.
~·ness *n.* Ⓤ 애교가 있음; 쾌활.
〖OE=joyous (*wyn* joy)〗

Win·ston [wínstən] *n.* 남자 이름.
〖OE=friend+stone〗

◇**win·ter** [wíntər] *n.* **1 a**) U.C 겨울, 겨울철《일반적으로는 12, 1, 2월, 천문학상으로는 동지부터 춘분까지》; 한기(寒氣): a hard[mild] ~ 엄[난(暖)]동 / in (the) ~ 겨울에(는) / in the ~ of 1998 1998년 겨울에. **b**) 《비유》 쇠퇴기, 만년(晩年). **2** 《詩》 춘추(春秋), 나이: a man of seventy ~*s* 70살인 사람. ── *a.* 겨울(철)의; 겨울용의; (과일·야채가) 겨울 동안 저장할 수 있는; (곡식이) 가을 파종의: ~ clothing 겨울 옷 / a ~ resort 피한지(避寒地) / ~ apples 겨울사과 / ☞ WINTER SLEEP. ── *vi.* 겨울을 보내다, 월동하다, 피한(避寒)하다〈*at, in*〉, 동면하다; (식물·가축이) 겨울을 견디어 내다. ── *vt.* (가축을) 겨울 동안 사육하다; (식물을) 겨울 동안 가꾸다; 얼게 하다, 위축시키다.
~·less *a.* 겨울이 없는, 겨울을 모르는.
〖OE *winter*; cf. WATER, WET, G *Winter*〗

wínter bárley *n.* 가을보리.

wínter-bèaten *a.* 추위에 상한, 추위에 시달린.

wínter·bòurne *n.* (큰 비가 왔을 때만 물이 흐르는) 마른 개천.

wínter búd *n.* 〖植〗 겨울눈, 동아(冬芽).

wínter chérry *n.* 〖植〗 꽈리.

wínter cróp *n.* 겨울 작물.

wínter·er *n.* 겨울철 거주자[손님], 피한객.

wínter fàllow *n.* 겨울철 휴한지.

wínter·fèed *vt., vi.* (가축을) 겨울 동안 먹이다; (건초 따위를) 겨울 동안 가축에게 주다; 가축을 월동시키다. ── *n.* 가축의 겨울 먹이.

wínter gàrden *n.* 겨울 정원《겨울철에도 식물이 자라게 한 옥외 또는 온실 안의 정원》.

wínter·grèen *n.* (북미 동부산) 진달래과의 작은

관목 ; Ⓤ 그 잎에서 나는 휘발성 기름의 향미(香味) ; Ⓒ 그것으로 냄새나게 한 과자.
wínter-hàrdy *a.* 〖植〗 월동성의, 내한성의.
wínter·ìze *vt.* (천막·무기·자동차 따위에) 방한[부동] 설비를 하다 ; …에 겨울 채비를 하다.
wínter·kìll *n.* 《美》 (겨울에) 얼어[말라] 죽음.
wínter-kìll *vt., vi.* 《美》 (식물 따위) 추위로 얼어 죽게 하다[죽다].
wínter·ly *a.* 겨울의 ; 겨울다운 ; 《비유》 쓸쓸한.
Wínter Olýmpic Gámes *n. pl.* [the ~] 동계 올림픽 대회.
wínter quárters *n. pl.* 동면(冬眠)할 장소 ; 〖軍〗 겨울 숙영지(宿營地).
wínter slèep *n.* 동면(hibernation).
wínter sólstice *n.* [the ~] 동지(冬至)《12월 21일 또는 22일 ; ↔*summer solstice*》.
wínter spórts *n. pl.* 동계(冬季) 스포츠《스키·스케이트 따위》.
wínter·tìde *n.* Ⓤ 《詩》 =WINTERTIME.
wínter·tìme *n.* Ⓤ 겨울(철), 동계(冬季).
wínter-wèight *a.* (옷이) 아주 두툼한.
wínter whéat *n.* 가을[월동(越冬)] 밀《가을에 뿌려서 이듬해 봄[초여름]에 거두는 밀》.
wín·tery *a.* =WINTRY.
win·try [wíntri] *a.* **1** 겨울의 ; 겨울같이 추운 ; 황량[쓸쓸]한 : a ~ sky 황량한 하늘 / a ~ scene 적막한 광경. **2** 《비유》 쌀쌀한, 냉담한 : a ~ smile[manner] 냉담한 미소[태도]. **3** 늙은, 늙어서 흰. **wín·tri·ly** *adv.* **-tri·ness** *n.*
winy, winey [wáini] *a.* 포도주의, 포도주 같은 (풍미가 나는) ; 포도주처럼 사람을 취하게 하는 ; 포도주에 취한 ; (공기가) 상쾌하고 향기로운.
winze[1] [wínz] *n.* 〖鑛〗 갱정(坑井).
〖변형(變形) ‹ *winds* ; ⇨ WIND[2]〗
winze[2] *n.* 《스코》 =CURSE.
〖Flem. or Du. *wensch* wish〗
‡wipe [wáip] *vt.* **1** [+目 / +目+副 / +目+前+名 / +目+補] 닦다, 훔치다, 닦아내다 ; 훔쳐내다 : ~ the dishes[the table, one's face, one's eyes] 접시[탁자, 얼굴, 눈물]를 닦다[닦아내다] / *W*~ ***off*** the dust. 먼지를 닦으시오 / *W*~ the dust *off* the shelf. 선반의 먼지를 닦아내시오 / She ~*d* ***up*** the spilt water. 엎질러진 물을 훔쳐냈다 / He ~*d* his tears *away.* 눈물을 닦았다 / The rain had ~*d away* the ruts of the cart. 비 때문에 짐차의 바퀴 자국이 지워지고 없었다 / He ~*d* his hands ***on***[***with***] the towel. 수건으로 손을 닦았다 / Please ~ your shoes *on* the mat. 《게시》 매트에 신발을 닦으시오 / ~ the glasses dry 유리잔을 닦아서 말리다 / *W*~ the floor clean. 마루를 깨끗이 닦으시오. **2** [+目+副 / +目+前+名] 문지르다, 싹싹 비비다 : ~ a cloth *back* and *forth* ***over*** the desk 걸레로 책상을 싹싹 닦다 / He ~*d* his hand ***across*** his forehead. 손으로 이마를 닦았다. **3** 〖工〗 (땜장이가) 납땜하다 ; 문질러 바르다. —— *vi.* 《俗》 [+前+名] (칼·지팡이 따위로) 후려치다 : ~ ***at*** a person ***with*** a stick 지팡이로 남을 후려치다.
wipe a person***'s eye***=***wipe the eye of*** a person 《俗》 남을 꼭뒤지르다, 앞지르다《사냥에서 남이 빗맞혀 놓친 사냥감을 쏘아 잡는데서》.
wipe off (1) 훔쳐[닦아] 지우다(cf. *vt.* 1) : *W*~ *off* these scribblings *from* the blackboard. 칠판의 낙서를 지워라. (2) (부채 따위를) 청산해 버리다.
wipe one***'s boots on*** …에게 심한 모욕을 주다.
wipe out (1) (먼지 따위를) 닦아내다, (얼룩·더러움 따위를) 빼내다. (2) …의 안을 닦다[청소하다] : ~ *out* a bottle 병 속을 닦아내다 / ~ *out* the bath 목욕통 안을 청소하다. (3) (기억 따위에서) 씻어버리다, 지우다 ; (부채를) 청산하다 ; (치욕을) 씻다 : ~ *out* a disgrace[an insult] 불명예[모욕]를 씻다 / His very name was ~*d out.* 그의 이름조차도 완전히 잊혀졌다 / It is difficult to ~ *out* old scores. 묵은 원한을 잊어버리기란 어렵다. (4) (적(敵) 등을) 일소하다, 철저하게 해치우다[무찌르다] : The war ~*d out* the entire population. 전쟁으로 전주민이 몰살됐다 / The whole enemy was ~*d out.* 적군이 모두 소탕되었다. (5) (서핑·스키·모터사이클 따위가) 전도(轉倒)되다, 뒤집히다.
wipe the floor with... 《口》 (상대방을) 완패시키다, 철저히 해치우다.
—— *n.* **1** 닦기, 훔쳐내기 ; 문질러 바르기 : Do you mind giving this table a ~? 이 식탁좀 닦아 주시겠습니까. **2** 《口》 (한 번) 후려치기, 때리기 : He gave me a ~ *in* the eye. 그는 내 눈을 후려쳤다 / fetch[take] a ~ at a person=fetch a person a ~ 남을 한 대 후려치다. **3** 《비유》 호통, 타박. **4** 《俗》 손수건, 닦는 것, 타월 ; 〖機〗 = WIPER. **5** 〖映·TV〗 와이프《화면을 한쪽으로 지우면서 다음 화면을 나타내는 기법》.
〖OE *wīpian* ; cf. OHG *wīfan* to wind round〗
wíped óut *a.* 《俗》 술취한, 기분 좋은 ; 《美》 구식의, 뒤떨어진 ; 《美》 지친, 녹초가 된.
wípe·òut *n.* 《俗》 전멸, 실패, 완패 ; 결정적 승리 ; (서핑·스키·모터사이클 따위에서) 뒤집히기, 전도 ; 〖通信〗 다른 전파에 의한 수신 방해.
wip·er [wáipər] *n.* 닦는 사람[것] ; 행주, (손)수건, 타월, 스펀지 ; (총·포의) 총강(銃腔)을 닦는 청소 도구 ; 〖機〗 와이퍼《회전축에 붙어 있는 돌기로 자체 무게로 떨어지는 해머 따위를 들어 올리는 것》 ; 〖電〗 와이퍼 ; (자동차 앞유리에 달린) 와이퍼 ; 《美俗》 살인 청부업자.
WIPO, Wi·po [wáipou] World Intellectual Property Organization(세계 지적 소유권 기관).
W.I.R. West India Regiment (서인도 (제도) 연대(聯隊)).
‡wire [wáiər] *n.* **1** Ⓤ,Ⓒ 철사 ; Ⓒ (악기의) 현(絃) : a (piece of) ~ 철사 / telephone ~(*s*) 전화선 / copper ~ 동선 / ☞ BARBED WIRE / ☞ LIVE WIRE. **2** 전선, 전신선, 전화선 ; 전신 전화망 ; 전신(telegraph) ; 《口》 전보(telegram) ; [the ~] 《口》 전화 ; 〖컴퓨〗 와이어, 유선, 줄 : send (a person) a ~ (남에게) 전보를 치다. **3** Ⓤ 철사 세공, 철망 ; Ⓒ (철망으로 만든) 덫(snare) ; 〖製紙〗 종이 뜨는 그물. **4** 결승선 ; [*pl.*] (망원경 따위의) 십자선(cross hairs) ; (인형의) 조종끈 ; 은연한 영향력[세력]. **5** 《美俗》 소매치기 ; 《美俗》 죄수와 외부의 연락 담당자 ; 《美俗》 (경찰의 손이 미치고 있는 일 따위의) 통지, 정보, 충고.
be (***all***) ***on wires*** 흥분[초조해]하고 있다.
get under the wire 가까스로 시간에 대다.
by wire 전신으로, 전선으로 ; 《口》 전보로 : Let us know the result *by* ~. 결과는 전보로 알려 주십시오.
pull the wires (인형극에서) 실로 인형을 조종하다 ; 《비유》 (은밀히) 뒤에서 조정[조종]하다.
—— *vt.* **1** [+目 / +目+副] 철사로 졸라[잡아] 매다 : ~ carnations 카네이션에 철사를 감아 꼿꼿하게 하다 / ~ beads *together* 염주알을 철사로 꿰다. **2** [+目 / +目+*for*+名] …에 전선(電線)을 가설하다, 배선하다 : ~ a house ***for*** electric-

ity 집에 전선을 가설하다. **3** (새 따위를) 덫으로 잡다 : ~ a rabbit 토끼를 덫으로 잡다. **4** 《口》 [+目 / +目+*to* do / +*that* 節 / +目+*that* 節 / +目+目 / +目+*to*+名] …의[에게] 전보를 치다 ; 전송하다 : ~ a birthday greeting 생일 축하 전보를 치다 / I ~*d* him *to* come back at once. 그에게 곧 돌아오라고 전보를 쳤다 / She ~*d* (him) *that* she was coming soon. (그에게) 곧 가겠다고 전보를 쳤다 / He ~*d* me the result [the result ***to*** me]. 결과를 내게 전보로 알려 주었다. 注 수동태로는 : The result *was* ~*d to* me. / 《주로 美》 I *was* ~*d* the result.
—— *vi.* [動 / +副 / +前+名] 《口》 전보를 치다, 타전하다 : Please ~ as soon as you hear. 소식을 듣는 즉시 전보를 쳐주십시오 / ~ *home* ***for*** money 돈을 보내라고 집에 전보를 치다 / He ~*d* ***to*** [《美》 ***for***] us *to* come. 우리에게 오라고 전보를 보내왔다 / Let's ~ *for* her. 전보를 쳐서 그녀를 부르기로 하자.
wire in 《英口》 열심히 노력하다 : You had better ~ *in* and finish the job. 전력을 다해서 그 일을 끝내는 것이 좋겠다.
〚OE *wīr* ; cf. WITHE, L *viriae* bracelet〛

wíre àgency *n.* =WIRE SERVICE.
wíre brùsh *n.* 와이어 브러시《녹을 닦는 솔》.
wíre clóth *n.* (체 · 여과기(濾過器) 따위의) 촘촘히 짠 쇠그물.
wíre cùtter *n.* 철사 자르는 직공 ; [~(s)] 와이어 커터《절단 기구》.
wired [wáiərd] *a.* 유선(有線)의 ; 철사로 보강한 [묶은] ; 쇠그물을 친.
wíre·dàncer *n.* 줄을 타는 광대.
wíre·dàncing *n.* 줄타기《곡예》.
wíred gláss *n.* =WIRE GLASS.
wíred rádio *n.* 〔라디오〕 유선 방송(=《英》 wired wireless).
wíre·dràw *vt.* (금속을) 늘여서 철사로 만들다 ; 《비유》 (일반적으로) 길게 늘이다 ; [특히 *p.p.*로] (토론 따위를) 너무 세밀하게 논하다, …의 의미를 왜곡하다 : The point was ~*n.* 논점은 너무 세밀한 데까지 미쳤다.
wíre·dràwn *v.* WIREDRAW의 과거 분사.
—— *a.* 늘여서 철사로 만든 ; (논점 · 구별 따위가) 너무 세밀한.
wíred wíreless *n.* 《英》 =WIRED RADIO.
wíre entànglement *n.* 철조망.
wíre gàuge *n.* 와이어 게이지《철사의 굵기 따위를 재는 기구 ; 略 W.G.》 ; (철사의) 번수(番手).
wíre gáuze *n.* 가는 선의 철망, 쇠그물.
wíre gláss *n.* 철망(을 넣은 판)유리《깨져도 파편이 튀지 않음 ; cf. SAFETY GLASS》.
wíre gràss *n.* 〔植〕 왕바랭이.
wíre·hàir *n.* 털이 빳빳한 폭스테리어 종의 개.
wíre·hàired *a.* (개 따위) 털이 빳빳한.
wíre làth *n.* 〔建〕 와이어 라스《철망[쇠그물]으로 된 욋가지》.
***wíre·less** *a.* 철사가 없는 ; 무선의 ; 무선 전신[전화]의 ; 《주로 英》 라디오의 : a ~ license 라디오 청취 허가증 / a ~ officer[operator] 무선 전신 통신사 / a ~ telegram 무선 전보 / a ~ set 무선 전신[전화]기 ; 라디오 수신기 / a ~ station 무선 전신국 / a ~ cabin (배의) 무선 전신실. —— *n.* **1 a)** Ⓤ 무선 전신, 무선 전화 : send a message *by* ~ 무선 전신으로 송신하다, 무전을 치다. **b)** 무선 전보. **2** Ⓤ [(the) ~] 《주로 英》 라디오《注 지금은 radio가 보통》 : a ~ enthusiast[fan] 라디오 열광자[팬] / listen to a concert *over the* ~ 연주회를 라디오로 듣다 / talk[sing] *on the* ~ 라디오(방송으)로 이야기[노래]하다 / I heard it *on the* ~. 라디오에서 그것을 들었다.
—— *vi., vt.* 《英》 (…의[에게]) 무전을 치다.
wíreless télegraph *n.* 무선 전신, 무전.
wíreless telégraphy *n.* 무선 전신(술).
wíreless télephone *n.* 무선 전화.
wíreless teléphony *n.* 무선 전화(술).
wíre·man [-mən] *n.* 전선공 ; 전기 배선공[기사] ; 《美》 전신[전화] 도청 전문가.
wíre nètting *n.* 철망.
Wíre·phòto *n.* 유선 전송사진[장치]《상표명》.
—— *vt.* [w~] (사진을) 유선 전송하다.
wíre-pùll *vt., vi.* 배후에서 조종하다[책동하다], 배후 공작을 하다.
wíre-pùll·er *n.* **1** 인형을 철사줄로 조종하는 사람, 꼭두각시 인형사(師). **2** 《비유》 배후의 인물, 배후 조종자.
wíre-pùll·ing *n.* Ⓤ 이면 책동 ; 배후 공작.
wir·er [wáiərər] *n.* 철사줄을 감는 사람 ; 전선 가설공 ; (쇠그물 덫으로) 사냥하는 사람.
wíre-recòrd *vt.* 철사 자기(磁氣) 녹음하다.
wíre recòrder *n.* 자기(磁氣) 녹음기의 일종《강철선에 녹음함》.
wíre recòrding *n.* 철사 자기 녹음.
wíre ròom *n.* (경마의) 마권 영업소.
wíre rópe *n.* 쇠밧줄, 와이어 로프.
wíre sèrvice *n.* 통신사(社).
wíre sìde *n.* 종이의 뒷면.
wíre-stìtched *a.* 〔製本〕 철사매기의.
wíre·tàp *n.* 전신[전화] 도청[장치]. —— *vi., vt.* 전신[전화] 도청을 하다, (전화 따위에) 도청기를 장치하다. —— *a.* 도청의[에 의한].
wíre·tàpper *n.* 전신[전화] 도청자 ; 도청 정보 제공자 ; (경마 따위의) 비밀 정보 제공자.
wíre·tàpping *n.* Ⓤ (비밀 전선을 써서) 전신[전화]을 엿듣기, 도청(盜聽). —— *a.* 도청의.
wíre-to-wíre *a.* (레이스 · 토너먼트 따위에서) 처음부터 끝까지의 : ~ victory (처음부터 끝까지) 줄곧 1등을 한 승리.
wíre tràffic *n.* (일정 시간내에 보내어 오는) 전보 교신량, 통신량.
wíre-wàlk·er *n.* 줄타기 곡예사.
wíre-wàlk·ing *n.* 줄타기《곡예》.
wíre·wày *n.* 〔電〕 전선관(管).
wíre whèel *n.* **1** (금속 연마용의) 회전식 철사 브러시. **2** (스포츠 카 따위에 쓰이는) 철사 스포크 바퀴, 와이어 휠.
wíre wóol *n.* 《英》 (식기를 닦는) 쇠수세미.
wíre·wòrk *n.* 철사 세공(품) ; [~s, 흔히 단수 취급] 철사 공장.
wíre·wòrm *n.* 〔昆〕 방아벌레의 애벌레 ; 노래기 《따위》.
wíre-wòve *a.* (편지지 따위) 광택지(光澤紙)의 ; 철망으로 만든.
wir·ing [wáiəriŋ] *n.* 철사를 치기 ; 가선(架線)[배선(配線)](공사) ; 공사용 전선 ; [집합적으로] (건물 안의) 배선 조직.
wir·ra [wírə] *int.* 《아일》 아아《비탄 · 우려(憂慮)의 소리》.
wiry [wáiəri] *a.* **1** 철사로 만든. **2** 철사 모양의 ; (털 따위) 빳빳한. **3** (소리 · 음성 따위) 금속성의, 가늘고 날카로운. **4** (사람 · 몸 따위) 강인한, 확고한 신념이 있는. **5** 《美學俗》 계략이 있는.
wír·i·ly *adv.* **wír·i·ness** *n.*
wis [wís] *vi.* [다음의 삽입구로]
I wis 《英口 · 古》=I know 나는 잘 알고 있다.

⟦iwis; cf. WIT⟧

Wis., Wisc. Wisconsin.

Wis·con·sin [wiskάnsən] *n.* 위스콘신《미국 중북부의 주; 주도 Madison; 略 Wis., Wisc.》.

Wisd. 〔聖〕 Wisdom (of Solomon).

‡**wis·dom** [wízdəm] *n.* **1** Ⓤ 슬기로움, 현명함, 지혜, 분별: I doubt the ~ of his conduct. 나는 그의 행위가 현명한 것인지 의심스럽다. **2** Ⓤ 학문, 지식, 박식. **3** Ⓤ 금언, 명언; 현명한 행위: pour forth ~ 명언을 말하다. **4** [집합적으로; 흔히 the ~s] 어진 사람, 현인(賢人): all *the* wit and ~*s* of the place 그곳의 재사 현인 모두.

The Wisdom of Solomon 〔聖〕 솔로몬의 지혜《성경외전(外典)의 한 권》.

⟦OE *wīsdōm* (WISE¹, *-dom*); cf. G *Weistum*⟧

類義語 ⟹ KNOWLEDGE.

wísdom tòoth *n.* 사랑니(molar).

cut** one's **wisdom teeth 사랑니가 나다; 《비유》 철이 들 나이가 되다.

◇**wise¹** [wáiz] *a.* **1** [+*of*+名+*to* do] 어진, 현명한, 사려[분별]있는(↔*foolish*); 빈틈없는, 예리한: a ~ judge[leader] 현명한 재판관[지도자] / a ~ act[plan] 사려있는 행동[계획] / ~ advice 분별있는 충고 / a ~ saw[saying] 금언 / It was ~ *of* you *to* refuse his offer. 그의 제의를 거절한 것은 현명했다 / It is easy to be ~ after the event. 《속담》 소 잃고 외양간 고치기, 「어리석은 자는 나중에야 깨닫는다」. **2** [보통 비교급을 써서] (지금까지 알지 못했던 것을) 알게 된, 깨닫게 된; 얻는 바가 있는: We were ~*r* for his explanation. 그의 설명으로 우리들도 알았다 / If you hold your tongue, no one will be any the ~*r*. 네가 잠자코 있으면 누가 알 것인가 / none the ~*r* ☞ 숙어. **3** 박학한, 박식한: a ~ professor 박학한 교수 / be ~ *in* plants and animals 동식물에 박식[정통]하다. **4** 어진 듯한, 현명해 보이는, 지식있는 사람 같은: So he answered, with a ~ shake of the head. 잘 알고 있는 것처럼 머리를 흔들면서 그는 그렇게 대답했다 / look ~ (잘난 듯이) 점잔빼다. **5** 《英古》 비법이나 마법에 통달한.

***be*[*get*] *wise to*[*on*]...** 《口》 …을 눈치채고 있다, …을 알고 있다[알다].

none the wiser*=*no wiser than*[*as wise as*] *before 여전히 모르는 채로(cf. 2): I was *none the* ~*r for* his explanation. 그의 설명을 들어도 여전히 알 수 없었다.

***put** a person **wise to*[*on*]...** 《美俗》 남에게 …을 모두 알리다.

the Seven Wise Men of Greece 그리스의 7대 현인《기원전 6세기 경의 Solon, Thales 등》.

—— *vt., vi.* [다음 숙어로]

wise up 《美俗》 알다; 알리다.

~·ly *adv.* 현명하게(도); 빈틈없이.

⟦OE *wīs*; cf. WIT, G *weise*⟧

類義語 ***wise*** 풍부한 지식과 경험과 판단력에 의하여 사람이나 사태를 올바르게 판단하여 일에 대처하는 능력이 있는: a *wise* statesman(현명한 정치가). ***sage*** 연령·경험 및 깊은 사고력에 의한 존경할 만한 지혜가 있는: *sage* advice (지혜로운 충고). ***judicious*** 올바른 판단에 의해서 현명한 결단을 내리는: a *judicious* solution(현명한 해결). ***prudent*** 실제세상의 문제에 대해서 가장 타당하고 유리한 판단을 내리는: a *prudent* policy(분별있는 정책).

wise² *n.* [단수형만으로 쓰여] 방법(way). ㊟ 다음 숙어적 용법 이외에는《古》: (*in*) no ~ 결코 …않다[아니다] / *in* any ~ 어떻게든지(하여) / *in* some ~ 이럭저럭; 어딘지 / *in* this ~ 이와 같이 하여, 이렇게.

⟦OE *wīse*; GUISE와 2중어; cf. G *Weise*⟧

wise³ *vt.* 《스코·北英》 인도하다; 충고[설득]하다; 지시에 따르게 하다; …의 방향을 바꾸다.

⟦OE *wīsian* to direct⟧

-wise [wàiz] *adv. comb. form* 명사·부사에 붙여 「…의 양식[방법]으로」 「…의 위치[방향]에서」 「…에 관하여」의 뜻: clock*wise*, cross*wise*.

⟦WISE²⟧

wise·acre [wáizèikər] *n.* 아는 체하는[현자인 체하는] 사람; [흔히 반어적으로, 경멸적으로] 학자. ⟦MDu. *wijssegghe*r soothsayer; 어형은 wise¹, sayer, acre에 동화(同化)⟧

wíse·àss *n.* 《美俗》 수재, 건방진 녀석, 잘난 체하는 녀석.

wíse·cràck *n.* 《口》 경구(警句), 농담, 신랄한[재치 있는] 대사. —— *vi.* 경구를 말하다.

—— *vt.* 한마디 경구로 말하다.

wíse gùy *n.* 《俗》 아는체하는 놈, 건방진 놈, 비꼬는 놈, 독설가; 《美》 경솔한 남자, 폭도.

wíse mán *n.* 현인; 《古》 마법사: the *W*~ *M*~ of the East=the MAGI.

wis·en·hei·mer, weis·en- [wáizənhàimər] *n.* 《美口》 아는 체하는 사람(wiseacre).

⟦*wise*¹, G *-enheimer* (가족명의 결미(結尾))⟧

wi·sent [víːzənt, -zent] *n.* 〔動〕 =AUROCHS. ⟦G⟧

wíse·wòman *n.* 마녀; 《古》 여자 마법사, 여자 점쟁이; 산파.

◇**wish** [wíʃ] *vt.* **1 a**) [+*that* 節] (…이면 좋겠다고) 생각하다. ㊟ 보통 *that*은 생략되고 절 안에서는 흔히 (가정법) 과거형 또는 과거 완료형이 쓰임: I ~ I were[《口》 was] a bird! 새라면 좋을 텐데《실현될 수 없는 소망》 / I ~ I had bought it. 사두었다면 좋았을걸 / I ~ you would be quiet. 조용히 해 주었으면 좋겠다《가벼운 명령》 / I ~ it would rain. 비가 와 주었으면 좋으련만 / He ~*ed* he might live to see it. 살아 있는 동안에 그것을 보고 싶다고 생각했다 / *It* is to be ~*ed that* they would safely arrive at their destination on scheduled time. 그들이 예정시간에 목적지에 무사히 도착해 주기를 바라고 있다. **b**) [+目+補 / +目+副 / +目+前+名] (…이 …이면[하면] 좋겠다고) 생각하다: We all ~ her happy. 모두 그녀의 행복을 바란다 / I ~*ed* myself dead [(***at***) home, a hundred miles *away*]. 죽었으면 [집에 있었으면, 100마일 떨어져 있었으면] 좋을텐데 하고 생각했다 / I ~*ed* him *further*[*at* the devil]. 그가 아무데라도[지옥에라도] 가버렸으면 좋겠다고 생각했다 / We ~*ed* the conference *at* an end. 회의가 끝나주었으면 좋겠다고 생각했다 / She ~*ed* herself(=(that) she was) ***out of*** that business. 그런 일에 관계하지 않았더라면 좋았을 것이라고 생각했다. **c**) 《稀》 바라다, 원하다, 소망하다: What do you ~? 무엇을 바라느냐 / They say they ~ peace[an interview]. 평화[회견]를 바란다고 말하고 있다. ㊟ 일반적으로 wish for(☞ *vi.* 1) 또는 want를 쓰는 것이 보통.

2 a) [+*to* do] …하고 싶다(want): I ~ *to* see you. 뵙고 싶습니다 / I don't ~ *to* give trouble to anyone. 누구에게도 폐를 끼치고 싶지 않다. **b**) [+目+*to* do / +*for*+目+*to* do] (…에게 …해 주기를) 바라다(want): I ~ you *to* go at once. 자네가 곧 가줬으면 좋겠네 / What do you ~ me *to* do? 내가 무엇을 해주기를 바라느냐. **c**) [+

目+過分/+目+*to* do] (…이 …되기를) 바라다 (want) : I ~ that *forgotten.* 그것을 잊어 주기를 바란다 / He ~*ed* his safety guarante*ed.* 안전을 보증해 주었으면 했다 / I ~ it (*to be*) finish*ed.* = I ~ *for* it *to be* finish*ed.* 그것을 마무리해 주었으면 좋겠다.

3 a) [+目+目/+目+*to*+名] (남을 위해서 …을) 빌다, 기원하다 : I ~ you a pleasant flight [a happy voyage]. 비행[항해]이 무사하기를 비네 / I ~ you joy. 축하합니다 / I ~ you joy of it. 《풍자》 (부디) 재미 많이 보게 / I ~ you a happy New Year. 새해 복 많이 받으십시오 / We ~*ed* him good luck [~*ed* good luck ***to*** each and all]. 그 [모두]의 행운을 빌었다. 注 수동태로는 : Good luck *was* ~*ed* (*to*) him. / 《주로 美》 He *was* ~*ed* good luck. **b**) [+目+目] (이별 따위를) 고하다 : He ~*ed* me good-bye[farewell]. 나에게 이별을 고했다 / I'll ~ you good morning. 그러면 안녕히《갑작스러운 해고나 영전 따위로 떠날 때 말하는 상투어》. **c**) [+目+目/+目+*to*+名] [well, ill을 (직접) 목적어로 써서] (…에게 행복[불행]하기를) 기원하다 : We all ~ you *well.* 모두들 네가 잘 되기를 빈다 / Nobody ~*es* you *ill.* 아무도 네가 잘못되기를 바라는 사람은 없다 / He ~*es well* ***to*** all men. 그는 모든 사람의 행운을 빈다.

4 《口》 [+目+前+名] (남에게 …을) 떠맡기다 (foist) : They ~*ed* a hard job (***up***)***on*** him. 어려운 일을 그에게 떠맡겼다.

── *vi.* [+*for*+名/動] 바라다, 희망하다 : I ~ ***for*** a glass of beer. 맥주를 한 잔 마시고 싶다 / We all ~ *for* peace[happiness]. 우리는 모두 평화[행복]를 바란다 / The weather is all[everything] one could ~ *for.* 날씨는 바랄 나위 없이 좋다 / I have nothing left to ~ *for.* 나는 그밖에 바라는 것은 이제 아무 것도 없다 / Let's ~ ! 희망을 갖자 !

── *n.* **1** [+*to* do] U.C 소원, 소망, 희망 ; 요청 : carry out[attend to] a person's ~*es* 남의 소원에 부응하다 / He has a great ~ [not much ~] *to* go. 그는 매우 가고 싶어하고 있다[그다지 가고 싶어하지 않는다] / Her ~ is for Christmas to come. 그녀의 소원은 크리스마스가 오는 것이다 / I hope you will grant my ~. 나의 희망을 들어주기 바란다 / He disobeyed his mother's ~*es.* 어머니의 소망을 저버렸다 / with every good ~ 진심에서 우러나는 호의로써 / with best ~*es* 행복하시기를 빌며《편지의 끝맺는 말이나 선물에 써 넣음》 / You have our good ~*es.* 우리는 당신을 위해서 빌고 있습니다 / Please send her my best[kindest] ~*es.* 그녀에게 안부를 전해 주십시오 / If ~*es* were horses, beggars might ride. 《속담》 소망만으로 바라는 것이 이루어진다면 가난한 자도 부자가 되련만 / The ~ is father to the thought. 《속담》 그렇게 되기를 바라면 이윽고 그렇다고 믿게 된다(cf. WISHFUL THINKING). **2** 바라는 물건, 희망하는 일 : get one's ~ 바라던 물건을 입수하다.

to* one*'s wish 소원대로.

〖OE *wȳscan* ; cf. WEEN, WONT, G *wünschen*〗

類義語 ⟹ WANT.

wísh·bòne *n.* (새 가슴 따위의) 차골(叉骨)《식사할 때 접시에 남은 이 뼈를 두 사람이 잡아당겨 긴 쪽을 차지하면 소원 성취된다고 함》.

wíshed-fòr *a.* 바라고 있던, 소망대로의.

wísh·er *n.* 희망자, 원하는 사람 : a well-~ 남의 행복을 비는 사람, 호의를 가지(고 있)는 사람 / *W*~*s* were ever fools. 어리석은 사람은 언제나 헛된 희망에 의지한다.

wísh·ful *a.* **1** 간절히 바라는, 갈망하는〈*to* do〉 : be ~ *for* happy days 행복한 날을 간절히 바라다. **2** (눈초리 따위) 바라는 듯한 : with a ~ look 바라는 듯한 눈초리로.

~·ly *adv.* 간절히 바라서 ; 갈망하여 ; 탐내어, 무엇을 바라듯이.

wísh fulfillment *n.* 〖精神分析〗 소망 실현[충족].

wíshful thínking *n.* 희망적 관측[해석] ; 〖精神分析〗 소원적[원망적] 사고.

wíshful thínker *n.* 희망적 관측자, 낙천가.

wísh·ing *a.* 소원 성취의 힘을 가졌다고 여겨지는.

wíshing bòne *n.* =WISHBONE.

wíshing càp *n.* (동화의) 요술 모자《그것을 쓰면 어떤 소망이라도 이루어진다고 함》.

wíshing wèll *n.* 동전을 던져 넣으면 소망이 이루어진다고 하는 우물.

wísh-wàsh *n.* **1** 멀건 음료, 아주 묽은 술[약]. **2** 맥빠진[시시한] 이야기[글].

〖가중(加重) ‹ *wash*〗

wishy-washy [wíʃiwɑ̀ʃi] *a.* **1** (수프 · 차 따위) 묽은, 멀건. **2** (이야기 · 사람 등이) 맥이 빠진, 시시한, 속이 빈.

〖가중(加重) ‹ *washy*〗

wisp [wísp] *n.* **1** (짚 따위의) 작은 단 ; (머리털 따위의) 작은 다발 : a ~ *of* straw[hay] 한 줌의 짚[건초] / a ~ *of* hair 한 다발의 머리털. **2** 단편(斷片), 조각 ; 조그마한 물건 ; 《英》 (말을 문지르는) 짚뭉치[수세미] : a ~ *of* smoke[cloud] 한 줄기의 연기[한 조각의 구름] / a ~ *of* a girl 날씬한 소녀. **3** 《詩》 =WILL-O'-THE-WISP. **4** = WHISK BROOM.

── *vt.* 꼬아서[비틀어] 단으로 만들다 ; 《英》 (말을) 짚[건초]의 작은 다발로 문지르다 ; (담배 연기 따위를) 한 줄기 오르게 하다 ; 안개처럼 뒤덮이다. ── *vi.* (담배 연기 따위) 가늘게 올라가다 ; (머리카락 따위) 바람에 나부끼다.

〖ME *wisp, wips* <? ; cf. WIPE〗

wíspy *a.* 작게 묶은 ; (풀 따위) 가늘고 연약한, 희미한, 약간의 ; (머리털 따위) 성긴.

wist [wíst] *v.* 《古》 WIT의 과거 · 과거 분사 : He ~ not.=He did not know. 그는 알지 못했다.

wis·tar·ia [wistíəriə, -tér- ; -téər-] *n.* =WISTERIA.

wis·te·ria [wistíəriə] *n.* 〖植〗 등나무 ; 등꽃.

〖C. *Wister* (d. 1818) 미국의 의사〗

wist·ful [wístfəl] *a.* **1** 탐내는 듯한, 아쉬운 듯한, 바라는 듯한 : ~ eyes 탐내는 듯한 눈초리 / a ~ expression 아쉬운 듯한 표정. **2** 생각에 잠긴, 곰곰이 생각하는 : in a ~ mood 생각에 잠겨서.

~·ly *adv.* 〖? *wistly* (obs.) intently+*wishful*〗

***wit** [wít] *n.* **1** [때때로 *pl.*] [+*to* do] 지(智), 이지(理智), 이해력(understanding) : have quick [slow] ~*s* 이해력이 빠르다[느리다], 융통성[요령]이 있다[없다] / set one's ~*s* to work 지혜를 쓰다 / the five ~*s* 《古》 오관(五官) ; 마음(의 작용) / the ~ of man 인지(人智) / He hasn't[《美》 doesn't have] ~ enough[the ~(*s*)] *to* come in out of the rain. 그에게는 비를 피할만한 지혜가[분별력이] 없다. **2** U 기지, 재치, 융통성, 위트 : His speech sparkled with ~. 그의 이야기는 재치가 넘쳤다. **3** 재치가 있는 사람, 재주꾼, 재사(才士). **4** 《古》 지자(知者), 현자(賢者). **5** [*pl.*] (건전한) 정신 ; 제정신.

at* one*'s wits'* [*wit's*] *end 어찌할 바를 몰라

(서) ; 자금이 떨어져서.
***have*[*keep*] (*all*) one*'s wits about* one** 빈틈이 없다 ; (위기에 처해서도) 침착하다.
in* one*'s* (*right*) *wits 제정신으로.
live by*[*on*] one*'s wits 잔꾀로 이럭저럭 살아가다 ; 약삭빠르게 처세하다.
out of* one*'s wits 제정신을 잃고, 미쳐 ; (당황하여) 어쩔줄 몰라.
—— *vt., vi.* 《古》 (*pres.* I[he] **wot** [wát], thou **wót·(t)est** [wátəst] ; *p., p.p.* **wist** ; *infinitive* **wit** ; *pres. participle* **wít·ting**) 알다, (잘)알고 있다(know).
to wit 즉, 말하자면(namely).
〚OE (n.) (*ge*) *wit* (*t*), (v.) *witan* ; cf. G *Witz, wissen*, L *video* to see〛
類義語 ***wit*** 예민한 지성으로 모순된 일, 남의 의표(意表)를 찌르는 일 따위를 인지하면, 즉시 (때때로 풍자를 섞어서) 남들이 기뻐할 만한 말로 표현하는 능력. ***humor*** 유머 ; 해학적인, 우스운, 때로는 허황된 일을 인지하여 그것을 표현하는 능력 ; 사람 · 인생에 대한 따뜻한 친절 · 동정 · 관대함, 때로는 비애의 감정이 담겨 있는 것. ***irony*** 실제로 표현된 말과 본인이 말하려는 뜻이 정반대이거나 물건의 표면[외면]과 실질이 서로 다를 때 따위에 쓰는 humor. ***satire*** 특히 문학 작품 따위에서 남의 부정, 사악함이나 어리석음을 공격할 때 사용하는 풍자나 조소.

***witch** [wítʃ] *n.* **1** 여자 마법사, 마녀, 요술 할멈 ; 무당(↔*wizard*). **2** 추한 노파(hag). **3** 《口》 매혹하는 여자, 요부 ; 《美俗》 젊은 여자. **4** 〖魚〗 북대서양산(産)의 흑갈색 가자미과의 일종.
—— *vt.* …에게 마법을 걸다 ; 《비유》 매혹하다, 홀리게 하다(fascinate). —— *vi.* ＝DOWSE².
〚OE *wicca* (masc.), *wicce* (fem.) (*wiccian* to bewitch)〛

witch- ☞ WYCH-.

wítch bàll *n.* 〖英史〗 (창문에 매다는) 마녀를 쫓는 유리 구슬.

wítch·cràft *n.* Ⓤ 마법, 요술, 주술 ; 매력, 마력.

wítch dòctor *n.* (특히 아프리카 원주민의) 마법사, 요술사, 주술사.

wítch èlm *n.* ＝WYCH ELM.

wítch·ery *n.* **1** Ⓤ 요술, 마법(witchcraft). **2** Ⓤ 《비유》 마력, 매력 ; [*pl.*] 마법의 현현(顯現).

wítch·es' brèw[**bròth**] *n.* (마녀의) 비약(祕藥) ; 가공할 혼란(상태).

wítches' Sábbath *n.* 악마의 향연《1년에 한번 깊은 밤에 악마들이 베푼다고 하는 주연(酒宴)》.

wítch házel *n.* ＝WYCH HAZEL.

wítch-hùnt *n.* **1** 마녀 잡기. **2** 《비유》 정적(政敵)을 중상 · 박해하기 ; 국가 전복을 기도한 자를 색출하기 ; (일반적으로) 색출하여 박해하기.
~·er *n.* **~·ing** *n., a.*

wítch·ing *n.* 마법[주술]행사 ; 매료. —— *a.* 마법[주술](상)의 ; 마법을 사용하는 데에 어울리는 ; 유령이 나올 것 같은 ; 마력이 있는, 매혹적인.
the witching time of night 마녀들이 활동하는 한밤중 ; 오밤중.

wítchy *a.* 마녀 같은 ; 마술[마력]적인.

wite [wáit] *n.* 〖古英法〗 벌금, 속죄금, 특권 수여료 ; 《스코》 과실에 대한 책임 ; 비난. —— *vt.* 《스코》 책망하다, 비난하다.
〚OE *wītan* to blame〛

wit·e·na·ge·mot(**e**) [wítənəgəmòut, ⌐----⌐] *n.* 〖英史〗 (앵글로색슨 시대의) 현인(賢人)회의.
〚OE (*witena* of wise men, *gemōt* meeting)〛

◇**with** [wið, wiθ, wìð, wìθ]

(1) 기본 뜻 : 「…와 함께, …와 더불어」
(2) 소속 · 소유 · 소지를 나타내는 with는 「관계대명사+have」로 나타내는 내용에 상당하는 경우가 많다 : a room *with* a large window＝a room *that* [*which*] has a large window (큰 창문이 있는 방)
(3) 수단 · 도구를 나타내는 with는 「…을 써서, …으로써」처럼 행위 · 동작의 수단 따위에 중점을 둔다 : The rat was killed *with* a stick. (그 쥐를 (누군가가) 몽둥이로 죽였다.) 반면에 by는 행위 · 동작의 주체에 중점을 둔다 : The rat was killed *by* a snake. (그 쥐는 뱀이 죽였다.)

—— *prep.* **1 a**) [동반 · 동거 · 한패] …와 (함께), …와 더불어, …의 일원으로 : Will you come ~ us, too? 당신도 우리들과 함께 가시겠습니까 / live[stay] ~ …와 같이 살다, …의 집에 머무르다. ☞ 活用. **b**) [교섭 · 거래 · 처치] : have dealings ~ …와 거래 관계가 있다 / have done ~ …을 끝냈다, …와 관계를 끊었다 / I have nothing to do ~ that. 그것과는 아무런 관계도 없다 / trifle ~ …을 가지고 놀다. **c**) [상봉 · 접촉] : be in touch ~ …와 접촉하고 있다 / meet ~ …와 만나다. **d**) [동시 · 같은 정도 · 같은 모양] …와 함께, …와 동시에 : authors contemporary ~ Hemingway 헤밍웨이와 동시대의 작가들 / rise ~ the sun 해뜰 때 일어나다 / *W*~ that he went away. 그렇게 말하고[그와 동시에] 가버렸다 / *W*~ the development of space researches, many mysteries of the moon will soon be resolved. 우주 연구의 발달과 함께 달에 대한 많은 신비는 곧 밝혀질 것이다.

with의 문장 전환
With the approach of night, the street became hushed.
→ *As* night approached, the street became hushed.
(밤이 다가오자 거리는 조용해졌다.)

e) [일치 · 조화 · 부합 · 공동 · 연합 · 연결] : Are you ~ us or against us? 당신은 우리들(의 의견)에 찬성입니까 반대입니까 / accord ~ …와 일치하다 / in common ~ …와 공통으로 / I agree ~ you there. 그 점에서는 너와 같은 의견이다 / They sympathized ~ the old man. 그 노인을 동정했다. **f**) …한 중에, …한 쪽에 : be numbered ~ the transgressors 위반자 중에 끼다 / vote ~ the Liberals 자유당에 투표하다. **g**) [비교] : compare ~ …와 비교하다. **h**) [혼합 · 혼동] : mingle ~ …와 혼합하다 / whiskey mixed ~ water 물 탄 위스키.
2 [적대(敵對)] 을 상대로, 과(cf. AGAINST 1, FOR 2) : argue[quarrel] ~ a friend 친구와 논쟁을 하다[싸우다] / fight ~ the enemy 적과 싸우다.
3 a) [기구 · 수단] …으로써, …을 써서 : ~ pen and ink 펜과 잉크로 / write ~ a pencil 연필로 쓰다(cf. IN *prep.* 13) / The rat was killed by Tom ~ a stick. 쥐는 톰에게 막대기로 맞아 죽었다(cf. BY¹ *prep.* 3 b)) / I have no money to buy (~). 살 돈이 없다 / toys to play (~) 가지고 놀 장난감. 주 위의 두 가지 예와 같은 경우 with가 생략되는 것은 특히 《美口》에 많음. **b**) [상태 ; 다음에 계속되는 명사(어군)과 함께 부사구를 이룸]

…하여, …하게 : ~ ease 쉽게, 쉽사리(easily) / ~ (great) difficulty 겨우, 가까스로 / ~ emotion 감동하여 / greet a person ~ smiles 미소를 띄우면서 남에게 인사하다 / hear ~ calmness 차분하게 듣다 / work ~ energy 힘차게[끈기있게] 일하다. **c**) [재료] …으로, …을 가지고 : The fields were covered ~ snow. 들판은 눈으로 덮여 있었다 / fill a glass ~ water 컵에 물을 채우다.
4 [소지·소유] **a**) …을 가지고, …이 있는(↔ *without*) : a man ~ a red nose 코가 붉은 사람 / a vase ~ handles 손잡이가 달린 꽃병 / walk ~ a stick in one's hand 손에 지팡이를 들고 걷다 (cf. 5). **b**) …을 몸에 지니고, …을 가지고 있어서(cf. ABOUT *prep.* 5) ; 보관하여 ; …의 수중에 들어서 : He had no money ~ him. 갖고 있는 돈이 없었다 / It rested ~ me to decide. 결정권은 내게 있었다.
5 [부대 상황을 나타내는 구를 이끌어] …하여, …한 채로. 주 명사 뒤에 전치사가 붙은 구·부사·형용사·분사 따위의 보충적인 요소가 종속함 : He stood ~ his back against the wall. 벽에 기대어 서 있었다 / What a lonely world it will be ~ you away! 당신이 가버리면 (세상이) 얼마나 쓸쓸할까! / Don't speak ~ your mouth full. 입에 음식을 가득 넣은 채 말하는게 아니다 / She sat there ~ her eyes close*d*. 눈을 감고 그곳에 앉아 있었다 / *W*~ night com*ing* on, we started for home. 날이 어두워지면서 귀로에 올랐다 / He stood there, ~ his head rest*ing* against the wall. 벽에 머리를 기댄 채 그곳에 서 있었다. 주 뒤의 세 가지 예에서 with가 생략되면 독립분사 구문이 됨 : She sat there, *her eyes closed.* / *Night coming on,* we started for home.
6 [원인] …한 탓으로, …까닭으로, 때문에 : shiver ~ fear 무서워서 떨다 / She is in bed ~ a cold. 감기가 들어서 누워 있다.
7 [양보 ; 때때로 ~ all] …이 있으면서, …에도 불구하고(cf. FOR *all*) : ~ *all* his riches[learning] 그만큼 돈[학문]이 있으면서 / *W*~ *all* her merits, she was not proud. 그만큼 장점이 있음에도 불구하고 그녀는 자랑하지 않았다.
8 [관련·관계] …에 대하여, …에 관해서 ; …에 있어서는 ; …에게는, …이 보는 바로는 : be angry ~ a person 남에게 화를 내다 / to be frank ~ you 탁 터놓고 말한다면 / What do you want ~ her? 그녀에게 무슨 용무가 있습니까 / What is the matter ~ you? 무슨 일입니까 / It is usual ~ the French. 프랑스인에게는 그것이 보통이다 / It was the same ~ the plants. 그 점은 식물에 대해서도 마찬가지였다 / How are you getting along ~ your work? 하시는 일은 잘 돼 갑니까 / Such is the case ~ me. 나의 사정은 이렇다.
9 [분리] …와[떨어져서] : part ~... (물건을) 손에서 놓다 ; (남과) 헤어지다, (남을) 해고하다 / differ ~ a person 남과 의견이 다르다.
10 [부사에 종속하여 명령법 대용] : Away ~ him! (=Drive him away!) 그를 쫓아 버려라! / Down ~ aristocracy! 귀족을 타도하라! / Off ~ his head! 그의 목을 베어 버려라! / Off ~ you!(=Go off!) 가 버려라!, 꺼져 버려! / Up ~ it! 그것을 들어 올려라.
be one with …와 일체다, …와 합병하다.
go with …와 조화하다 ; …에 부속되다 ; …와 한 패가 되다 ; …와 교제하다.
with God 하느님 품 안으로, 죽어 천국에 가서 ; 하느님 곁에서.

〖ME=against, from, with<OE ; OE *wither* against, G *wider* 따위와 같은 어원 ; 본뜻은 WITHDRAW, WITHSTAND 따위에 남아 있음, 'together with'의 뜻은 *mid* (G *mit*)에 대신(代身)한 것〗
活用 Bill, *with* his father, *is* going to the fair. (빌은 아버지와 함께 박람회에 갈 것이다)와 같은 경우 의미상으로 복수동사《이 문장에서는 are》를 쓸 수 있으나 그것은 잘못 쓰는 것임.

with- *pref.* 「뒤쪽에」「떨어져서」「반대로」의 뜻 : *with*draw, *with*hold.

with·al [wiðɔ́:l, wiθ-] *adv.* 《古》 그 위에, 그와 같이, 동시에 : She is fair and a wise lady ~. 그녀는 미인인 동시에 총명한 여성이기도 하다. ── *prep.* =WITH. 주 언제나 문장[절] 끝에 둔다 : What sword did he defend himself ~? 그는 어떠한 칼을 써서 자신을 지켰을까. 〖ME (WITH, ALL)〗

with·draw** [wiðdrɔ́:, wiθ-] *vt.* **1** [+目/+目+*from*+名] 움츠리다 : I quickly *withdrew* my hand ***from the stove. 난로에서 재빨리 손을 움츠렸다. **2** [+目/+目+*from*+名] 물러나게 하다, 철수[철퇴]시키다 : ~ a boy ***from*** school 아이를 퇴교시키다 / ~ troops *from* an exposed position 군대를 제일선에서 철수시키다. **3** [+目/+目+*from*+名] 빼앗다, 되찾다, 회수하다 : ~ favor[privilege] ***from*** a person 남에게 준 은혜[특권]를 도로 빼앗다 / ~ savings *from* the bank 은행에서 예금을 인출하다 / ~ worn-out paper money *from* circulation 유통 중인 낡은 지폐를 회수하다. **4** (신청·진술·약속 따위를) 철회하다 ; (소송을) 취하하다 : ~ an untrue charge 허위 비난을 취소하다. ── *vi.* **1** [+*from*+名/動] 물러가다, 물러서다, 퇴거[철거]하다 ; (회 따위에서) 탈퇴하다 ; (군대가) 철수하다 : ~ ***from*** a person's presence 남의 면전에서 물러가다 / He *withdrew from* his office. 그는 관청을 그만두었다 / It's time for the ladies to ~. (만찬회에서) 여성들께서 (객실로) 물러날 시간입니다. **2** (동의(動議) 따위를) 철회하다, 취소하다. **3** [+*from*+名] (마약 따위의) 사용을 중지하다[그만두다] : ~ ***from*** heroin 헤로인을 끊다. 〖WITH=away from〗
類義語 ⟹ GO.

withdráw·al *n.* **1** U.C 움츠리기, 물러나기. **2** U.C (예금·출자금 따위의) 되찾음, 인출, 회수 : deposits and ~*s* 예금과 인출. **3** U.C 철회, 취소. **4** U.C 철수, 철퇴, 철병(撤兵). **5** U.C 퇴학, 탈회(脫會), 탈퇴. **6** (약제의) 투여[사용] 중지 ; 마약의 사용 중지로 인한 허탈.

withdráwal sỳmpton *n.* [보통 *pl.*] 〖醫〗 (마약 중독의) 금단(禁斷) 증상.

***with·drawn** [wiðdrɔ́:n, wiθ-] *v.* WITHDRAW의 과거분사.

***with·drew** [wiðdrú:, wiθ-] *v.* WITHDRAW의 과거형(過去形).

withe [wíθ, wíð, wáið] *n.* (*pl.* ~**s** [-θs, -ðz]) (버드나무 따위의) 가는 가지, (장작 따위를 묶는) 실가지. ── *vt.* 실가지로 묶다. 〖OE *withthe* ; cf. WIRE〗

with·er** [wíðər] *vi.* **1** 시들다, 이울다, 말라[시들어] 죽다, 쭈그러지다(shrivel) 〈*up*〉 : The flowers ~*ed* soon. 그 꽃은 곧 시들었다. **2** (애정·희망 따위가) 약해지다, 쇠퇴하다〈*away*〉. ── *vt.* **1** [+目/+目+副] **a**) 시들게 하다, 이울게 하다 ; 말라 죽게 하다 : The hot sun has ~*ed* (up***) the grass. 뜨거운 햇볕으로 풀은 (완

전히) 시들었다. **b**) 쇠퇴시키다, (쇠)약하게 하다 ⟨*away*⟩. **2** [+目+*with*+名] 위축시키다, 움츠러들게 하다 : My friend ~*ed* me ***with*** a scornful look. 친구의 경멸하는 눈초리에 나는 위축되었다.
〖? 변형(變形) ⟨ *weather*〗
類義語 ***wither*** 식물 따위가 본래 지니고 있던 수분이 없어지고 메말라 생기·신선함을 상실하거나 퇴색하여 가다 : Some fruit have *withered* on the bough. (어떤 과일은 나뭇가지에 달린 채로 시들었다). ***shrivel*** 강한 햇볕이나 열 따위에 쬐어 오므라들거나 꼬부라지거나 하여 시들다 : The tender flowers *shriveled* in the hot sun. (연한 꽃들은 뜨거운 햇볕에 시들었다). ***fade*** 색이 바래거나 싱싱함이 없어져 시들어가다 : A morning glory *fades* in a day. (나팔꽃은 하루만에 시든다).

wíth·ered *a.* 이운, 시든 ; 싱싱함을 잃은 : ~ leaves 시든 잎.

wíther·ing *a.* 생기를 잃게 하는, 괴멸적인, 압도적인 ; (눈초리·말 따위) 위축시키는 ; 건조[보장(保藏)]용의.

with·er·ite [wíðəràit] *n.* Ⓤ 〔鑛〕 독중석(毒重石) 《바륨의 원광(原鑛)》.
〖W. *Withering* (d. 1799) 영국의 의사·과학자〗

with·ers [wíðərz] *n. pl.* 기갑(鬐甲)《말·개 따위의 양쪽 어깨뼈 사이의 융기(隆起)》; 《古》 감정(feelings) ; 《비유》 꺼림직한 점.
My withers are unwrung. 《셰익스피어》 나는 켕기는 것이 없다, 떳떳하다.
〖? *widersones* (*wither* (obs.) against (the collar), *-sones* ⟨? SINEW)〗

with·er·shins [wíðərʃìnz, -ʃənz] *adv.* 《스코》 태양의 운행과 반대방향으로, 왼쪽으로 도는 ; 《廢》 (보통 때와) 역방향으로.

with·hold** [wiðhóuld, wiθ-] *vt.* (**-held** [-héld]) [+目/+目+*from*+名] **1** (승낙 따위를) 하지[허락하지] 않고 두다, 보류하다 ; (세금 따위를) 원천 징수하다 : ~ one's consent[pay] 승낙[지급]을 보류하다 / She *withheld* the truth ***from me. 그녀는 나에게 진상을 알리지 않았다. **2** 억누르다, 억제하다, 만류하다 : The captain *withheld* his men ***from*** the attack. 대장은 부하들이 공격을 하지 못하게 제지하였다. —— *vi.* 삼가다, 조심하다. 〖WITH=away〗
類義語 ⟹ KEEP.

withhóld·ing tàx *n.* 《美》 원천 징수세(액), 원천 과세(액).

◇**with·in** [wiðìn, wiðín, wiθ-] *prep.* **1** …을 넘지 않고, …의 범위 내에서, …이내에서[로, 의] : ~ a week 1주일 이내에(㊟ 《口》에서는 in을 within으로 대용하는 경우도 있음) / a task well ~ his power 그의 힘으로 충분히 할 수 있는 일 / ~ an easy walk of the station 정거장에서 걸어서 곧 갈 수 있는 곳에 / ~ call 부르면 들리는 곳에 / ~ hearing[earshot] of …에서 부르면 들릴 만한 곳에 / ~ reach of …에서 미칠 수 있는[손이 닿을 수 있을 만큼 가까운] 곳에 / ~ sight of …이 보이는 곳에 / keep ~ bounds 제한을 지키다, 범위 밖으로 나가지 않다. **2** …의 내부에, …의 안쪽에 (cf. WITHOUT *prep.* 3) : The Vatican is ~ the city of Rome. 바티칸은 로마 시 안에 있다 / call from ~ the house 집안에서 부르다 / ~ and without the town 마을의 안팎에. ㊟ 2의 뜻으로는 지금은 inside가 보통.
within one***self*** 마음 속에 ; 전력을 기울이지 않고, 조심스럽게 : run ~ one*self* 여유를 두고서 달리다.
—— [-ˊ] *adv.* ㊟ 지금은 inside가 보통. **1** 안에, 가운데, 속에, 내부(에)는 : ~ and without 안팎에(서), 안에나 밖에나 / from ~ 안에서부터. **2** 집안에 : go ~ 안으로 들어가다. **3** 마음 속에 : be pure ~ 마음이 순수하다, 깨끗하다.
—— [-ˊ] *a.* 내부의.
—— [-ˊ] *n.* 내부 : from ~ 안쪽에서부터.
〖OE *withinnan* on the inside (WITH, IN)〗

withín·dòors *adv.* 집안에[으로].

withín-nàmed *a.* 여기에 기명(記名)된, 이 문서(文書)에서 칭하는 바의.

wíth-it *a.* 《口》 현대적인, 진보한, 유행의.
~·ness *n.*

◇**with·out** [wiðàut, wiθ-] *prep.* **1** …이 없이, 없어도 ; …이 없다면(↔*with*) : a rose ~ a thorn 가시가 없는 장미 ; 괴로움이 따르지 않는 환락 / ~ day 기한없이, 무기한으로(sine die) / ~ doubt 의심할 것 없이 / ~ reason 이유[까닭]없이 / No man could live ~ food. 음식이 없으면 누구나 살 수 없을 것이다 / *W*~ my advice, he would have failed. 내 충고가 없었다면 그는 실패했을 것이다.

> **without**의 문장 전환
> (1) *Without* [*If it were not for*] water, nothing could live.
> → If there *were* no water, nothing could live.
> (물이 없다면 아무것도 살아남을 수 없을 것이다 : 현재의 사실과 반대의 가정).
> (2) *Without* [*If it had not been for*] your advice, he would have failed.
> → *If you had not advised* him, he would have failed.
> (당신의 조언이 없었더라면 그는 실패했을 것입니다 : 과거의 사실과 반대의 가정).

2 [주로 동명사를 수반하여] …하지 않고 ; (…당함이) 없이, 없이도, …을 모면하여 : He went away ~ tak*ing* leave. 작별 인사도 없이 가버렸다 / I left the hall ~ be*ing* noticed by anyone. 아무도 모르게 회관을 나왔다 / I passed him ~ his see*ing* me. 그에게 발각되지 않고 그의 곁을 지나왔다 / They sat still there for a few minutes, ~ a single word spoken. 한 마디의 말도 없이 몇 분간 그 자리에 가만히 앉아 있었다. **3** 《古·文語》 …의 밖에(서) (cf. WITHIN *prep.* 2). ㊟ 지금은 outside가 보통.
do without …없이 지내다[해내다] : I cannot *do* ~ this dictionary even a day. 이 사전이 없이는 하루도 지낼 수 없다.
It goes without saying that. . . . ☞ SAY.
not[***never***]***. . . without*** do***ing*** 하지 않고 …하는 수는 없다, 하면 반드시 …하다 : They *never* meet ~ quarrel*ing*. 그들은 만나기만 하면 반드시 말다툼한다.

> **never. . . without ~ing**의 문장 전환
> I *never* see this picture *without* think*ing* of her.
> (나는 그녀를 생각하지 않고서는 결코 이 사진을 못본다.)
> → *Whenever* I see this picture, I think of her.
> (이 사진을 볼 때 마다 그녀를 생각한다.)

—— [-ˊ] *adv.* 《文語》 **1** 밖에, 밖으로, 외부에

(는) (outside) : from ~ 밖으로부터. **2** 집 밖에, 밖에(out of doors) : stand ~ 집 밖에 서다. **3** 표면으로서는, 겉으로는.

—— [-ˊ] *conj.* 《古·方》 …하지 않고서는, …하지 않는 한(unless) : He never goes out ~ he loses his umbrella. 그는 외출만 하면 틀림없이 우산을 잃어 버린다.

—— [-ˊ] *n.* 외부.

—— [-ˊ] *a.* 자산[돈, 물건]이 없는.

〖OE *withūtan* (WITH, OUT)〗

***with·stand** [wiðstǽnd, wiθ-] *v.* (**-stood** [-stúd]) *vt.* (사람·힘·곤란 따위에) 저항하다, 버티다 ; …에 잘 견디어 내다 : ~ temptation [hardships] 유혹에 넘어가지[고난에 굴하지] 않다 / ~ an attack 공격에 저항하다. —— *vi.* 《詩》 저항[반항]하다. 〖OE (WITH=against)〗

類義語 ⟹ OPPOSE.

withy [wíði, wíθi] *n.* 〔植〕 버드나무, (특히) = OSIER ; 가늘고 유연한 작은 가지《물건을 묶음》; 유연한 작은 가지로 만든 고리.

—— [wíði, -θi, wáiði] *a.* (고리) 버들 같은 ; 호리호리한 ; 유연해서 좀처럼 꺾어지지 않는 ; 순응성이 좋은. 〖WITHE〗

wít·less *a.* 지혜[사려·분별]가 없는, 무분별한, 어리석은. **~·ly** *adv.* 무분별하게, 어리석게.

wít·ling *n.* 《英》 똑똑한 체하는 사람, 잔재주 부리는 사람.

***wit·ness** [wítnəs] *n.* **1** 목격자, 입회인 ; 증거물, 증거〈*of, to*〉. **2** [때때로 정관사 생략] 〔法〕 증인, 참고인 ; (문서의) 연서인(連署人) : a false ~ 허위 진술을 하는 증인. **3** Ⓤ 증거, 증언 ; 증명, 입증 : bear false ~ 위증(僞證)하다 / bear a person ~ 남의 증인이 되다, 남이 말한 것을 증명하다 / give ~ on behalf of …을 위해서 증언하다. **4** 증거가 되는 것 : The empty cupboard was a ~ *of* [*to*] his poverty. 찬장이 비어 있는 것으로 보아 그가 가난하다는 것을 알 수 있었다.

(as) witness... 《文語》 그 증거로서는…, 예컨대 …을 보아도 알 수 있다시피 : Novels offer nothing new — (*as*) ~ every month's review. 소설에는 아무런 새로운 맛이 없다, 예컨대 매달의 서평(書評)이 그 증거다.

bear witness to [***of***] …의 증언을 하다, …의 증인[증거]이 되다 : I *bear* ~ *to* hav*ing* seen it. 나는 그것을 보았음을 증언합니다.

be a witness to …의 입회인이 되다, …의 목격자다 ; …의 증거가 되다(cf. 4).

call [***take***] ***...to witness*** …으로 하여금 증명하게 하다, …을 증인으로 삼다, …에 맹세하다 : I *call* Heaven *to* ~ that I speak the truth. 내 말에 거짓이 없음을 하느님께 맹세합니다.

God's my witness 맹세코 (단언하겠는데…).

in witness of …의 증거로.

—— *vt.* **1** 목격하다, 보다(see) : Many people ~*ed* the accident. 사건을 목격한 사람이 많았다. **2** (증인으로서) …에 서명하다 : The two servants ~*ed* Mr. Clark's will. 두명의 하인이 클라크씨의 유언장에 증인으로서 서명했다. **3** (일이) 나타내다, …의 증거가 되다 : His pale looks ~*ed* his agitation. 그의 창백한 표정이 마음의 동요를 나타내고 있었다. **4** 《古》 입증[증명]하다 〈*that*〉. —— *vi.* [動 / +前+名] (증거를 들어) 증명[입증]하다, 증언하다(testify) ; 증거가 되다 : ~ ***against*** [***for***] an accused person 피고에게 불리[유리]한 증언을 하다 / ~ ***to*** a person's conduct 남의 행위에 대하여 증언을 하다.

Witness Heaven ! 《古》 하늘이시여, 굽어살피소서 !

〖OE *witnes* knowledge ; ⇨ WIT〗

wítness-bòx *n.* 《英》 =WITNESS STAND.

wítness màrk *n.* (토지의 경계·측량용의) 푯말, 푯돌, 푯대《따위》.

wítness stànd *n.* 《美》 (법정의) 증인석(=《英》 witness-box).

wít·ster *n.* 재인(才人), 재주꾼.

wít·ted *a.* [흔히 복합어를 이루어] 재치가[이해력이] …한 : keen-~ 두뇌가 명석한.

Wit·ten·berg [wítnbə̀ːrg ; *G* vítənbɛrk] *n.* 비텐베르크《독일 동부의 도시, 종교 개혁의 발상지》.

wit·ti·cism [wítəsìzəm] *n.* 《보통 蔑》 경구(警句), 명언, 재치있는 말, 재담 ; 《古》 익살, 농. 〖*criticism*을 모방하여 WITTY에서〗

wít·ting *n.* 《方》 지식, 의식, 인지 ; 《方》 정보, 소식 ; 《方》 주의, 경고. —— 《戱》 *a.* 알고 있는, 의식하고 있는 ; 고의(故意)의. **~·ly** *adv.* 고의로, 일부러.

wit·tol [wítl] *n.* 《古》 아내의 부정을 묵인하는 남편 ; 지혜가 부족한 사람, 바보. 〖ME ; cf. CUCKOLD〗

wít·ty *a.* 재치[기지]가 있는, 기지가 풍부한, 재기가 넘치는 ; 익살맞은.

wít·ti·ly *adv.* **wít·ti·ness** *n.* 재치[기지](가 풍부함).

類義語 ⟹ HUMOROUS.

wive [wáiv] *vi., vt.* 《古》 아내로 삼다, 결혼하다. 〖OE *wīfian* ; ⇨ WIFE〗

wivern ☞ WYVERN.

◇**wives** *n.* WIFE의 복수형.

wiz [wíz] *n.* =WIZARD 2.

wiz·ard [wízərd] *n.* **1** (남자) 마술[마법]사(↔ *witch*) ; 요술쟁이(juggler). **2** 《口》 명수, 명인, 전문가(expert) : a ~ *at* chess 체스의 명수.

the Welsh Wizard =LLOYD GEORGE《속칭》.

the Wizard of the North =Sir Walter SCOTT《속칭》.

—— *a.* 마법의(magic) ; 《俗》 굉장한, 놀라운 (wonderful). 〖ME *wissard* (WISE[1], *-ard*)〗

wízard·ly *a.* 마술사의[와 같은], 마술같은.

wízard·ry *n.* Ⓤ 마법, 마술(magic).

wiz·en[1] [wízən] *vi.* 시들다. —— *vt.* 시들게 하다. 〖OE *wisnian*〗

wizen[2] *n.* 《古》 식도(食道). 〖WEASAND〗

wiz·en(ed) [wízən(d)], **wea·zen(ed)** [wíːzən(d)] *a.* 시든, 쭈글쭈글한 : a ~ apple 시든 사과 / a ~ face 쭈글쭈글한 얼굴. 〖*wizened* (p.p.) 〈 WIZEN[1]〗

wkly. weekly. **wk(s).** week(s) ; work(s).

WL, w.l. waterline ; wavelength.

W.L.A. Women's Land Army. **WLM** women's liberation movement. **W. long.** west longitude. **wm, wm.** wattmeter. **Wm.** William. **W/M** weight or measurement. **WMC** War Manpower Commission(전시 인적 자원 위원회). **wmk.** watermark. **WMO** World Meteorological Organization(세계 기상 기구). **WN** well nourished(영양 양호).

WNW, W.N.W., w.n.w. west-northwest.

wo[1] [wóu] *int.* =WHOA.

wo[2] *n.* (*pl.* **wos**), *int.* =WOE.

W.O., WO wait order ; walkover ; 《英》 War Office ; Warrant Officer ; wireless operator.

w/o walkover ; walked over ; 〔商〕 without ; write off ; written off.

woad [wóud] *n.* Ⓤ 〖植〗 대청(大青) ; (그 잎에서 채취하는) 청색 물감. ── *vt.* 대청으로 염색하다. **~·ed** *a.* 대청으로 염색한.
〚OE *wād*〛

wó-báck *int.* 《英》 뒤로 ! , 우어우어 ! 《말을 물러서게 할 때 내는 소리》.

wob·ble, wab·ble [wábəl] *vi.* **1** 비틀거리다, 흔들흔들하다 : This chair ~*s.* 이 의자는 흔들거린다 / Ducks went *wobbling* by. 오리가 뒤뚱거리며 지나갔다. **2** [動 / +前+名] (정책 · 기분 따위가) 동요하다(waver) : I ~*d* ***in*** my opinions. 의견을 정할 수 없었다. **3** (목소리 따위가) 떨리다. ── *vt.* 《口》 흔들리게 하다. ── *n.* 비틀거림, 흔들거림, 흔들림 ; Ⓤ,Ⓒ 동요. **wób·bler** *n.* 비틀거리는 사람[물건] ; 불안정한 사람, 생각[주관]이 일정하지 않은 사람. **wób·bling** *a.* 비틀[흔들]거리게 하는 ; 비틀[흔들]거리는.
〚C17 *wabble* <? LG *wab(b)eln* ; cf. WAVE, WAVER〛

wóbble pùmp *n.* 〖空〗 보조 수동 연료 펌프.

wob·bly [wábli] *a.* 흔들흔들하는, 불안정한, 무정견(無定見)의 ; 줏대없는 : a ~ chair 흔들거리는 의자 / a ~ statesman 줏대없는 정치가 / I feel a bit ~ on my legs. 약간 다리가 휘청거린다.

Wobbly *n.* 《口》 세계 산업 노동자(勞動者) 조합 (IWW) (1905-20)의 조합원.

WOC, W.O.C. without compensation.

Wo·den [wóudn] *n.* 보덴《게르만 신화의 주신(主神)으로 북유럽 신화의 Odin에 해당함》.

wodge [wádʒ] *n.* 《英口》 (서류 따위의) 뭉치 ; 덩어리, 덩치 ; 큰 토막, 덩치가 큰 것. 〚*wedge*〛

***woe** [wóu] *n.* 《주로 詩 · 때때로 戲》 **1** Ⓤ 비애, 괴로움, 고뇌(distress) : a tale of ~ 슬픈 신세 타령, 넋두리 / (in) weal and woe ☞ WEAL[1] 숙어. **2** [보통 *pl.*] 재난, 화, 불행 : She told him all her ~*s.* 그에게 그녀 자신의 불행을 모두 이야기했다. ── *int.* 아아 ! 《비탄 · 애석 · 고뇌를 나타내는 소리》.
Woe (***be***) ***to. . .*** = ***Woe betide*** …에게 화가 있으라, …은 재앙이 있을지어다 ; (…한다면) …을 한 만큼은 가만 있지 않겠다 : *W~ betide* you if you betray us. 우리들을 배반한다면 그냥 두지 않겠다.
Woe is me ! 아아 슬프도다.
Woe worth the day ! 오늘은 왜 이다지 운수가 나쁜가.
〚OE *wā, wǣ* ; 원래 (int.) ; cf. WAIL, G *Weh*〛
類義語 ⟹ SORROW.

woe·be·gone, wo·be- [wóubigɔ̀(:)n, -gàn] *a.* 슬픔에 잠겨 있는 ; 수심에 찬. **~·ness** *n.*
〚*begone* surrounded〛

wó(e)·ful *a.* **1** 비참한, 애처로운 ; 슬픈 ; 흉한. **2** 《戲》 (무지(無知) 따위) 심한, 지독한.

wog[1] [wág] *n.* 《英俗》 중동 사람, (특히) 이집트 사람. 〚C20 <? golli*wog*〛

wog[2] *n.* 《濠俗》 인플루엔자 (비슷한 병) ; 작은 벌레, 세균(germ). 〚C20 <?〛

wok [wák] *n.* 중국 냄비. *v.* 〚Chin. (Canton.)〛

‡**woke** *v.* WAKE[1]의 과거 · 과거분사.

‡**woken** *v.* WAKE[1]의 과거분사.

wold [wóuld] *n.* Ⓤ,Ⓒ (불모의) 산지, 고원.
〚OE *wald* forest ; cf. WILD, G *Wald*〛

***wolf** [wúlf] *n.* (*pl.* **wolves** [wúlvz]) **1** 〖動〗 이리, 늑대 : To mention the ~'s name is to see the same. 《속담》 「호랑이도 제 말하면 온다」. **2** (이리 같이) 잔인한[탐욕스러운] 사람. **3** [the ~] 심한 굶주림, 맹렬한 식욕. **4** 《俗》 교묘하게 여자를 꾀는 사내, 여자를 녹이는 사내, 색마(色魔) (male flirt). **5** 〖樂〗 울프음(音)《부등분(不等分) 조율법으로 인해 오르간 따위에서 어떤 화음에 생기는 불협화음》. **6** [the W~] 〖天〗 이리자리 (Lupus).
(***as***) ***greedy as a wolf*** (이리처럼) 탐욕스런.
cry wolf 허보(虛報)를 전하다《Aesop 우화에서》 : *cry* ~ too often 참말을 해도 믿지 않다.
have[***hold***] ***a wolf by the ears*** 진퇴 양난에 빠지다, 난국에 직면하다.
have a wolf in the stomach 몹시 허기지다, 식욕이 왕성하다.
keep the wolf from the door 겨우 먹고 살다, 굶주림을 면하다.
see[***have seen***] ***a wolf*** 말문이 막히다.
wake a sleeping wolf 긁어 부스럼 만들다, 잠든 이리를 깨우다, 공연히 집적거리다.
a wolf in sheep's clothing = ***a wolf in a lamb's skin*** 〖聖〗 위선자《온순한 체하는 위험 인물 ; 양가죽을 쓴 늑대》.
── *vt.* [+目 / +目+副] 게걸스럽게 먹다 : ~ (***down***) one's food 음식을 게걸스럽게 먹다.
── *vi.* 늑대사냥을 하다 ; 《英俗》 여자를 좇아다니다.
〚OE *wulf* ; cf. G *Wolf*, L LUPUS, *vulpēs* fox〛

wólf·bérry [, 英+-bəri] *n.* 〖植〗 **1** 딸기의 일종 《북미 서부산(産) ; 하얀 열매를 맺는 인동덩굴속(屬)》. **2** 구기자나무.

wólf càll *n.* 《美俗》 (여자의 주의를 끌기 위한) 휘파람[고함].

wólf chìld *n.* 늑대 따위에게 키워진 어린이, 늑대 젖을 먹고 자란 어린이《특히 소년》.

wólf cùb *n.* **1** 늑대 새끼. **2** 《英》 = CUB SCOUT.

wólf dòg *n.* 늑대 사냥용 사냥개.

wólf·er *n.* 늑대 사냥꾼.

wólf·fìsh *n.* 〖魚〗 (북대서양산) 황줄베도라치과의 물고기.

Wolf·gang [wúlfgæŋ ; *G* vɔ́lfgaŋ] *n.* 남자 이름.
〚OHG = path of wolf〛

wólf·hòund *n.* 늑대 사냥개.

wólf·ish *a.* 늑대 같은 ; 탐욕스러운 ; 잔인한 : a ~ appetite 맹렬한 식욕 / ~ cruelty 광포한 잔인성. **~·ly** *adv.*

wólf pàck *n.* 늑대의 무리 ; 수송선단을 공격하는 잠수함[전투기]군 ; 청소년 폭력단.

wolf·ram [wúlfrəm] *n.* Ⓤ,Ⓒ 〖化〗 볼프람, 텅스텐 (tungsten)《기호 W》 ; = WOLFRAMITE.
〚G (? WOLF, *rahm* cream or MHG *rām* dirt, soot)〛

wolf·ram·ite [wúlfrəmàit] *n.* Ⓤ,Ⓒ 〖鑛〗 철망간중석(重石)《텅스텐 원광(原鑛)》.

wólfs·bàne, wólf's bàne *n.* 〖植〗 바곳.

wólf's-clàw, -fòot *n.* 〖植〗 석송(石松).

wólf whìstle *n.* 매력적인 여성을 보고 부는 휘파람《전반은 상승조로 후반은 하강조로 붊》.
── *vt., vi.* (…를 향해) wolf whistle을 불다.

wol·las·ton·ite [wúləstənàit, wál-] *n.* 〖鑛〗 규회석(硅灰石).

Wol·sey [wúlzi] *n.* 울지. **Thomas ~** (1475 ? - 1530) 영국의 추기경 (樞機卿) · 정치가.

wol·ver·ine, -ene [wùlvəríːn, ⌐-⌐] *n.* (*pl.* **~s**, ~) 〖動〗 오소리 류의 들짐승《북미 북부 산(産) ; 유럽 산 의 glutton과 동일한 종

wolverine

류》; 그 모피 ; [W~] 《美》 Michigan 주 사람《속칭(俗稱)》.

Wólverine Státe *n.* [the ~] Michigan주(州)의 속칭.

***wolves** *n.* WOLF의 복수형.

◇**wom·an** [wúmən] *n.* (*pl.* **wom·en** [wímən]) **1** (어른이 된) 여자, 여성, 부인(↔*man*) : a bad ~ 품행이 단정치 못한 여자 ; 매춘부 / the new ~ 신여성, 근대 여성 / There's a ~ in it. 사건의 배후에는 여자가 있다 / The *women* gardened and cooked while the men hunted and fished. 여자들은 원예와 요리를 담당하고 남자들은 사냥과 고기잡이를 했다. **2** [관사없이 단수로] 여성, 여자(라는 것) (womankind) : ~'s reason 여자의 이론《「좋아하기 때문에 좋다」라는 따위》/ ~'s wit 여자의 지혜《본능적 통찰력》/ *W*~ was created to be the companion of man. 여자는 남자의 반려로 창조되었다. **3** 여자 같은[사내답지 못한] 남자 : The governors are a set of old *women.* 위정자들은 한결같이 모두가 기개가 없는 자들뿐이다. **4** 《古》 (여왕・귀족의) 시녀, 상궁. **5** [the ~] 여자다움, 여성의 기질 ; 여자다운 마음씨, 여자의 감정 : There is little of *the* ~ in her. 그녀에게는 여자다운 데가 조금도 없다.

—— *a.* 여자의, 여성[부인]의(female) : a ~ doctor [*pl. women* doctor*s*] 여의사 / a ~ driver [*pl. women* driver*s*] 여자 운전기사 / a ~ student [*pl. women* student*s*] 여학생. 주 이 용법에서는 lady 보다 흔히 씀 ; 또 female은 그다지 쓰지 않게 되었음.

born of woman 여자에게서 태어난, 인간으로 태어난.

make an honest woman of. . . ☞ HONEST.

old women of both sexes (남녀를 불문하고) 잔소리 심한[성가신] 사람들, 미신가.

play the woman 여자같이 처신하다《울거나 무서워하는 따위》.

a woman of pleasure ☞ PLEASURE 2.

a woman of the town ☞ TOWN.

a woman of the world ☞ WORLD.

—— *vt.* **1** (경멸하여) 'woman[my good ~]'으로 부르다, 'woman'이라고 말하다《lady 취급하지 않음》. **2** …의 인원에 여성을 충당하다.

〖OE *wīfman* (*n*) (WIFE=woman, wife, MAN=human being) ; 영어 특유의 복합어〗

類義語 ***woman*** 성인 여성을 나타내는 가장 일반적인 말. ***female*** 남성(male)에 대해서 여성을 강조하는 말로 학술・통계상의 용어 이외는 사람에 대해서 쓸 때는 경멸적. ***lady*** 예전에는 귀족 또는 사회적 지위가 높은 부인・상류 사회 여성에게 쓰였으나 현재는 woman에 대한 정중한 또는 일반적인 말.

-woman [wùmən] *suf.* (*pl.* **-wom·en** [wímən]) [명사어미] **1** 「…나라 여성」「…에 사는 여성」의 뜻 : English*woman*, country*woman*. **2** 「직업・신분」 따위를 나타냄 (cf. -MAN) : police*woman*, wash*woman*.

wom·an·aut [wúmənɔ̀ːt] *n.* 여성 우주비행사.

wóman chàser *n.* 여자 꽁무니를 쫓아다니는 사내, 탕아.

wóman hàter *n.* 여자를 싫어하는 사람.

wóman·hòod *n.* **1** 여자이기 ; 여성 기질 ; 여자다움 : May has grown to[has reached] ~. 메이는 한 사람의 어엿한 여성이 되었다. **2** [집합적으로] 부인, 여성(womankind) : Joan of Arc is an honor to ~. 잔 다르크는 여성의 자랑이다.

wóman·ish *a.* **1** 《蔑》 (남자가) 여자같은, 여성특유의, 나약한, 연약한(↔*mannish*) : Your tears are ~. 네가 울다니 여자같다. **2** 여성에게 알맞은 : ~ clothes 여성용 의류.

類義語 ⟹ WOMANLY.

wóman·ìze *vt.* 여자같이[나약하게] 만들다.
—— *vi.* 여자같이 되다 ; 《口》 계집질하다.
-ìz·er *n.* 《口》 =WOMAN CHASER.

wóman·kìnd *n.* Ⓤ [집합적으로] 여성, 여자, 부인(↔*mankind*) : one's ~ 한 집안 여자들《주 특히 이 용법으로는 WOMENKIND도 쓰임》.

wóman·lìke *a., adv.* 여자다운[답게], 여성적인[답게] ; (남자가) 나약한[하게].

wóman·ly *a.* (↔*manly*) **1** (참으로) 여성다운 ; 여성에게 어울리는 : ~ modesty 여성다운 정숙함 / a truly ~ woman 참으로 여성다운 여성. **2** 성숙한 여성다운. **-li·ness** *n.* 여자다움.

類義語 ***womanly*** (↔*manly*) 여성다운 ; 좋은 뜻으로 부드러움・유순함・정숙함 따위를 강조함 ; 또 성숙한 여성다움의 뜻으로도 쓰임 : *womanly* feelings (여성다운 감정). ***feminine*** (↔*masculine*) 남성적인 성질[성격]에 대해서 여성적인 부드러움 따위의 특색을 말함 : *feminine* nature (여성적인 성격). ***womanish*** (↔*mannish*) 나쁜 뜻으로 여성의 약점[결점]을 가리키며 남자가 「나약한」의 뜻으로도 쓰임. ***female*** (↔*male*) 사람이나 동식물에 사용되어 성(性)이 단순히 여성[암컷]에 속한다는 뜻 : *female* animals (동물의 암컷).

wóman·pòwer *n.* 여성의 힘[인적 자원・노동력].

wóman's[wómen's] ríghts *n. pl.* (법적・정치적・사회적인) 여성의 권리, 여권(女權) ; 여권 신장 운동.

wóman[wómen's] súffrage *n.* 여성 참정권 ; 여성표.

wóman-súffragist *n.* 여성 참정권론자, 여성 선거 운동가.

womb [wúːm] *n.* **1** 〖解〗 자궁(子宮) (uterus). **2** 《비유》 내부 ; 사물이 발생[성장]하는 곳.

from the womb to the tomb = *from the* CRADLE *to the grave.*

in the womb of time 장차 일어날 : It still lies *in the ~ of time.* (언젠가) 시간이 지나봐야 알 일이다.

the fruit of the womb ☞ FRUIT.

〖OE *wamb* belly, womb ; cf. G *Wamme*〗

wom·bat [wɑ́mbæt] *n.* 〖動〗 웜뱃《오스트레일리아산의 작은 곰 비슷한 유대류(有袋類) 동물》. 〖(Austral.)〗

wombat

wómb ènvy *n.* 〖精神分析〗 (남성의) 자궁선망(子宮羨望).

wómb-to-tómb *a.* 《美口》 나서 죽기까지의, 생애의.

◇**women** *n.* WOMAN의 복수형.

wómen·fòlk(s) *n. pl.* [집합적으로] 여성, 부인 : the[one's] ~ 한 집안의 여자들, 안 식구들.

wómen·kìnd *n.* =WOMANKIND.

Wómen's Ínstitute *n.* 《英》 지방도시 여성회《지방에서의 여성의 생활향상을 도모함》.

Wómen's Lánd Ármy *n.* 《英》 (전시의) 농업촉진 여성회《略 W.L.A.》.

wómen's líb *n.* [때때로 W~ L~] 《때때로 蔑》 우먼리브(women's liberation).

wómen's líb·ber *n.* [때때로 W~ L~] = WOMEN'S LIBERATIONIST.

wómen's liberátionist *n.* 여성 해방 운동가.

wómen's liberátion (móvement) *n.* [때때로 W~ L~ (M~)] 여성 해방 운동.

wómen's móvement *n.* [때때로 W~ M~] =WOMEN'S LIBERATION MOVEMENT.

women's rights ☞ WOMAN'S RIGHTS.

wómen's ròom *n.* 여자 화장실.

wómen's stúdies *n.* [단수취급] 여성학《여성의 역사적·문화적 역할을 연구》.

◇**won**[1] *v.* WIN[1]의 과거·과거분사.

won[2] [wɑ́n] *n.* 원《한국의 화폐 단위 ; 기호 ₩, ₩》. 〖Korean〗

◇**won·der** [wʌ́ndər] *n.* **1** Ⓤ 경이(驚異), 경탄, 놀람 : be filled with ~ 경이에 사로잡히다, 대단히 놀라다. **2** 경탄할 만한[불가사의한] 것[사람·일] ; (자연계 따위의) 기관(奇觀) ; 기적 : do [perform, work] ~*s* 기적을 행하다 ; 놀랄 만한 성공을 거두다 ; (약 따위가) 놀랄 만큼 효험이 있다 / see the ~*s* of the city 도시의 멋진 경관을 구경하다 / What a ~ ! 정말 놀랍구나 ! / The child is a ~. 저 애는 신동(神童)이다 / the ~*s* of modern science 근대 과학의 경이 / It is a ~ (that) [The ~ is that] he declined this offer. 그가 이 제의를 거절했다는 것은 참으로 놀라운 일이다 / A ~ lasts but nine days. 《속담》 세상을 떠들썩하게 한 일《소문·스캔들 따위》도 곧 잊혀진다.

and no [***little***] ***wonder*** 그것은 당연하다, 조금도 이상한 일이 아니다 : You were late this morning, *and no* ~, considering that you had passed such a night. 네가 어젯밤에 그렇게 지낸 것을 생각하면 오늘 아침에 늦은 것은 조금도 이상할 것이 없다.

for a wonder 이상스럽게도 : He came on time *for a* ~. 신기하게도 그는 정각에 왔다.

in the name of wonder =《口》 ***the wonder*** 도대체《what, who, how 따위와 함께 부사적으로 쓰여 의문을 강조함》: What *the* ~[*in the name of* ~] do you mean ? 도대체 무슨 뜻이냐.

in wonder 놀라서 : I looked at him *in* silent [open-mouthed] ~. 놀란 나머지 말을 잃고[입을 딱 벌리고] 그를 바라보았다.

(***It is***) ***no*** [***small***] ***wonder*** (***that***) … 은 조금도[거의] 이상한 일이 아니다 : *No* ~ he didn't come. 그가 오지 않은 것도 무리는 아니다.

> **no wonder**를 쓰는 문장 전환
> It is (*only*) *natural* that she is proud of her son.
> (그녀가 아들 자랑을 하는 것도 (지극히) 당연하다.)
> → It is *no wonder* that she is proud of her son.
> ☆ no wonder 대신에 small wonder라고도 하고 It is는 생략되기도 한다.

a nine days' wonder 세간의 소문도 오래 안가는 법(☞ 2).

the Seven Wonders of the World ☞ SEVEN.

to a wonder 《古》 놀랄 만큼.

What wonder (***that*** . . .) **?** (…이라고 해서) 무엇이 이상한가, 놀랄 것 없다.

—— *vi.* **1** [動/+前+名/+*to* do] 이상하게 여기다, 놀라다 : That set me ~*ing*. 그래서 나에겐 이상하다는 생각이 들었다 / I ~ ***at*** you. (어린이를 향해서) 기가 차는군 / Can you ~ *at* it ? = It's not to be ~*ed at*. 그것은 조금도 이상할 것이 없다 / I don't ~ *at* his jump*ing* at the offer. 그가 그 제의에 금방 달려든 것도 무리가 아니다 / I ~*ed to* see you there. 그곳에서 너를 만나 놀랐다. 注 이 구문에서 was[felt] SURPRISED 따위를 쓰는 것이 보통. **2** [+前+名] 의심하다, 수상쩍게 여기다 : What are you ~*ing* ***about*** ? 너는 무엇을 수상쩍게 여기고 있느냐.

—— *vt.* **1** [+*that* 節] …인 것을 이상하게 여기다, …에 놀라다 : I ~ (*that*) you were not hurt more seriously. 그만한 상처로 그쳤다니 다행이구나. 注 (1) 이 구문에서 *that*은 보통 생략됨. (2) *that* 절을 원인·이유의 부사절로 보고 *wonder*를 *vi.*로 해석해도 좋음. **2** [+*wh.* 節/+*wh.*+*to* do] …이 아닐까 (하고 생각하다, 하고 호기심을 가지다, 하고 알고 싶어하다) : I ~ *what* happened. 무슨 일이 생겼을까 / I ~ *whether* [*if*] I might ask you a question. 질문해도 괜찮을지 모르겠습니다《정중한 부탁》/ He ~*ed how to* get there. 어떻게 하면 그곳에 갈 수 있을까 하고 생각했다 / I'm just ~*ing where to* spend the weekend. 주말을 어디서 보낼까 하고 생각중이다. 注 I ~가 독립된 의문문 뒤에 추가적으로 곁들여지는 수도 있음 : How can that be, *I* ~ ? 도대체 그런 일이 어떻게 있을 수 있을까.

I shouldn't wonder if . . . 《口》 …이라도 놀라지 않는다 : *I shouldn't* ~ *if* he wins the first prize. 그가 일등상을 탄다고 해도 이상한 일이 아니다[놀라지 않는다].

—— *a.* 훌륭한, 경이로운 ; 마력이 있는[을 나타내는].

〖OE *wundor*<? ; cf. G *Wunder*〗

wónder bòy *n.* (실업계·사교계에서 명성을 떨치는) 놀라운 젊은이.

wónder chìld *n.* (지능·재주가 놀라운) 신동.

wónder drùg *n.* 특효약(miracle drug).

◇**won·der·ful** [wʌ́ndərfəl] *a.* **1** 이상한, 놀랄 만한, 경탄할 만한 : a ~ experience[story] 이상한 경험[이야기] / He has quite a ~ memory. 그의 기억력은 놀랄 만하다. **2** 《口》 훌륭한, 멋있는 : have a ~ time 멋있는 한 때를 보내다 / I'm in love with a ~ girl. 나는 멋있는 소녀와 사랑을 하고 있다.

> 〈회화〉
> He passed the examination. — That's *wonderful* ! 「그가 시험에 합격했어」「훌륭하군」

類義語 ***wonderful*** 어떤 사물이 매우 새롭거나 좀처럼 볼 수 없는, 보통의 것[일]보다 아주 뛰어나기 때문에 놀람·경이·많은 흥미 따위를 일으키는. ***marvelous*** 매우 놀랄 만한 일·이상한 일로 도저히 믿기지 않을 정도인.

wónderful·ly *adv.* 이상하게도, 놀랄 만큼 ; 훌륭하게, 멋있게.

wónder·ing *a.* 이상하게 생각하는, (표정 따위가) 이상한 듯한, 놀란 듯한, 의아한.
~**·ly** *adv.* 이상한 듯이.

wónder·lànd *n.* 이상한 나라 ; (경치 따위가 좋은) 아름다운 고장 ; Ⓤ 동화의 나라(fairyland).

wónder·ment *n.* Ⓤ 경탄, 놀람, 경이(의 감정) ; Ⓒ 놀랄 만한 것[사건] ; 호기심.

wónder mètal *n.* 경이의 금속《가볍고 강한 티타늄·지르코늄 따위의 금속》.

Wónder Státe *n.* [the ~] Arkansas 주의 속칭(俗稱).

wónder·strùck, -strìcken *a.* 놀람에 사로잡힌, 아연 실색한.

wónder·wòrk *n.* 놀라운 일, 기적.

wónder-wòrk·er *n.* 기적을 행하는 사람.

wónder-wòrk·ing *a.* 기적을 행하는[낳는].

won·drous [wʌ́ndrəs] *a.* 《詩·文語》 놀랄 만한, 이상한(wonderful). —— *adv.* [형용사를 수반] 놀랄 만큼, 이상하리 만큼 ; 굉장히 : She was ~ beautiful. 그녀는 보기드문 미인이었다.
〖ME *wonders* (a., adv.) (gen.) ‹WONDER ; 어형은 *marvellous*를 모방한 것〗

won·ky [wɑ́ŋki] *a.* 《英俗》 **1** 흔들거리는, 비틀거리는 : a ~ table 흔들거리는 탁자 / I still feel a bit ~. 아직도 약간 몸이 휘청거린다. **2** 허약한, 병약한. **3** 마음이 흔들리는, 우유부단한.
〖? 변형 ‹*wankle* (dial.) <OE *wancol* unstable〗

wont [wóunt, 美+wɔ́:nt, 美+wʌ́nt] *pred. a.* [+*to* do] (…에) 익숙한(accustomed), (…하는 것이) 보통인 : as he was ~ *to* say 늘 말한 것처럼 / He was ~ *to* read a mystery in bed. 언제나 잠자리에서 추리 소설을 읽는 버릇이 있었다.
—— *n.* Ⓤ 습관, 버릇 : use and ~ 세상의 풍습 / It is my ~ to rise at six. 6시에 일어나는 것이 저의 습관입니다 / He went to bed early, as was his ~. 늘 하듯이 그는 일찍 잠자리에 들었다 / She got up much earlier than was her ~. 여느 때보다 훨씬 일찍 일어났다. —— *vt.* 《古》 익숙해지게 하다, 습관붙이다. —— *vi.* [+*to* do] 《古》 …하기를 늘 하다, …하는 습관이 있다 : He ~(s) *to* do so. 그는 언제나 그렇게 한다.
〖OE *gewunod* (p.p.) ‹*gewunian* (*wunian* to dwell, be accustomed to) ; cf. WEAN[1]〗

◇**won't** [wóunt, 美+wʌ́nt] will not의 단축형.

wónt·ed *a.* 익숙한, 예(例)의, 여느 때의, 평상시의(usual) : with his ~ courtesy 여느 때처럼 정중하게.

woo [wú:] *vt.* 《文語》 **1** (여자를) 설득하다, 치근거리다, 구애(求愛)[구혼(求婚)]하다(court). **2** (명예·재산 따위를) 얻으려고 노력하다, 추구하다. **3** [+目+*to* do] (남에게) 조르다, 간청하다 : She ~*ed* me *to* go with her. 그녀는 나에게 함께 가자고 졸랐다. —— *vi.* 《文語》 (남자가) 구애하다, 설득하다 ; 간청하다.
—— *n.* [다음 숙어로]
pitch woo 《美俗》 구애하다, 비위를 맞추다.
〖OE *wōgian*<?〗

◇**wood** [wúd] *n.* **1** Ⓤ [종류를 말할 때는 Ⓒ] **a)** 재목, 목재 : a house made of ~ 목조(木造) 가옥. **b)** 목질 : Pine is a soft ~. 소나무는 재목이 무르다. **c)** 장작(firewood) : chop[collect] ~ 장작을 쪼개다[모으다]. **2** [때때로 *pl.*] 숲, 삼림 : The pond is in the middle of a ~. 연못은 숲 한가운데 있다 / We went for a walk in the ~(*s*). 숲으로 산책을 나갔다. ㊟ 《美口》에서는 *a* nearby wood*s*와 같이 복수형을 흔히 단수로 취급함. **3** [the ~] (술의) 통 : beer (drawn) from *the* ~ 통에서 따른[병에 담지 않은] 맥주 / wine in *the* ~ 통에 든 포도주. **4** 목판(木版), 판목(版木) (woodcut). **5** [the ~] 〖樂〗 목관악기. **6** (나무공놀이(bowls)의) 나무 공. **7** 〖골프〗 머리 부분이 나무로 된 골프채(cf. IRON *n.* 2 c)).
cannot see the wood for the trees 나무를 보고 숲을 보지 못하다 ; 작은 일에 사로잡혀 대국(大局)을 그르치다.
out of the wood[(美) ***woods***] 《口》 숲에서 나와서 ; 위기를 모면하여 : Don't halloo till you are *out of the* ~(*s*). ☞ HALLOO *vi.*
saw wood 《美俗》 (남은 상관치 않고) 자기 일에만 힘을 쓰다 ; [명령문] 참견하지 마라.
take to the woods 《美口》 숲으로 도망치다 ; 책임을 회피하다.
touch wood ☞ TOUCH *v.*
—— *a.* 나무로 만든 ; 목재용의 ; [때때로 ~s] 숲에 사는[있는] : ~ floors 나무를 깐 마루.
—— *vt.* **1** …에 (연료로서) 장작을 공급하다 : ~ the stove 난로에 장작을 지피다. **2** …에 나무를 심다, 식목하다 : The town is ~*ed* everywhere. 마을 곳곳에 나무가 심어져 있다.
—— *vi.* 장작[목재]을 쌓다[모으다].
〖OE *wudu*, *wi*(*o*)*du* ; cf. OHG *witu*〗

wóod àcid *n.* =WOOD VINEGAR.

wóod álcohol *n.* 메틸 알코올, 목정(木精) (methyl alcohol).

wóod anèmone *n.* 〖植〗 아네모네속(屬)의 초본(草本)《유럽산 바람꽃류(類)의 일종》.

wóod·bìne, wóod·bìnd *n.* Ⓤ,Ⓒ 〖植〗 인동덩굴속(屬)의 식물(honeysuckle) ; 《美》 아메리카담쟁이(Virginia creeper).

wóod blòck *n.* 판목(版木) ; 목판(화) ; (포장용) 나무 벽돌.

wóod-bòring *a.* 목질부에 구멍을 뚫는《곤충》.

wóod-càrver *n.* 목각사(木刻師).

wóod càrving *n.* 목재 조각, 목각(술).

wóod·chàt *n.* 〖鳥〗 **1** 홍때까치의 일종(=~ **shríke**)《유럽산》. **2** 《稀》 아시아산 개똥지빠귀, (특히) 쇠유리새.

wood·chuck [wúdtʃʌ̀k] *n.* 〖動〗 (북미산) 마모트 (marmot).

wóod cóal *n.* 목탄, 아탄(亞炭), 갈탄(褐炭).

wóod·còck *n.* (*pl.* **~s**, ~) 〖鳥〗 멧도요.

wóod·cràft *n.* **1** Ⓤ 삼림[산]에 대한 지식, 산림 기술《산림에서의 사냥·야영·통과·생활법 따위》. **2** Ⓤ 삼림학(forestry). **3** Ⓤ 목각, 목각술.

wóod·cràfts·man [-mən] *n.* 목각사 ; 목공 기사(技師).

wóod·cùt *n.* 목판(화).

wóod·cùtter *n.* 나무꾼, 초부(樵夫) ; 목판 조각사(師).

wóod·cùtting *n.*, *a.* 목재 벌채(업)(용의) ; 목판 조각(의).

wóod·ed *a.* **1** 숲이 많은, 숲이 있는 : a ~ hill 숲이 있는 언덕. **2** [복합어를 이루어] 나무가 …한, 목질의.

◇**wood·en** [wúdn] *a.* **1** [*attrib.*으로 쓰여] 나무의, 나무로 만든 : a ~ box 나무 상자 / a ~ house 나무로 지은 집. **2 a)** 목석 같은, 활기가 없는 : a ~ face[stare] 무표정한 얼굴[멍한 눈초리]. **b)** 어색한, 무뚝뚝한 : Her manners were extremely ~. 그녀의 거동은 매우 어색했다. **3** 얼빠진, 바보스러운 : a ~ head 멍청이. **4** 융통성이 없는, 주변없는. —— *vt.* 《濠俗》 (사람·동물을) 쓰러뜨리다, 죽이다.

wóod engràver *n.* 목판사(師), 목각사(師).

wóod engràving *n.* 목각, (특히) 목판술[조각] ; 목판(화).

wóoden·hèad *n.* 얼간이, 멍청이.

wóoden·héad·ed *a.* 우둔한, 멍청한, 어리석은 (stupid).

Wóoden Hórse *n.* =TROJAN HORSE.

wóoden Índian *n.* 《美》 나무로 조각한 아메리칸 인디언《본디 여송연 가게의 광고 표지로 썼음》; 《口》 무표정한 사람 ; 《俗》 게으름뱅이.

wóoden lég *n.* (목제의) 의족.

wóoden spóon *n.* 나무 숟가락 ; [the ~] 시험

에서 최하위자;《英》 최하위상(賞)(booby prize); (일반적으로) 최하위: get *the* ~ 꼴찌가 되다, 실패하다.
wóoden wálls *n. pl.* (옛날의 연안 경비용) 목조(木造) 전함; 해군.
wóoden·wàre *n.* Ⓤ 나무 그릇.
wóod fiber *n.* 목질 섬유《특히 제지의 원료》.
wóod gàs *n.* 나무 가스《목재를 건류(乾留)시켜 얻는 가스》.
wóod hỳacinth *n.* 〖植〗 무릇류(類)《종 모양의 꽃이 핌; 유럽산(産)》.
wóod ìbis *n.* 〖鳥〗 검은머리따오기.
***wóod·lànd** [ˌ-lənd; -lǽnd] *n.* Ⓤ 삼림지(대). ── [-lənd] *a.* 삼림지의, 숲의: ~ scenery 삼림지 풍경. **~·er** *n.* 숲속에 사는 주민.
wóod làrk *n.* 〖鳥〗 종달새의 일종《유럽산》.
wóod·less *a.* 수목[재목]이 없는.
wóod·lòt *n.* 식림지(植林地), 조림지.
wóod lòuse *n.* 〖動〗 쥐며느리《등각류(等脚類)에 속하는 벌레》.
***wóod·man** [-mən] *n.* **1** 나무꾼(woodcutter). **2** 《英》 산림 감독관, 산지기. **3** 숲속에 사는 사람, 산 사람.
wóod·nòte *n.* [보통 *pl.*] 숲의 노랫가락《새의 지저귐이나 짐승의 울음소리 따위》; 기교를 부리지 않고 자연스럽게 나온 시.
wóod nỳmph *n.* 숲의 요정(dryad); 〖昆〗 뱀눈나방의 일종《포도잎 따위를 해침》.
wóod òil *n.* 동유(桐油)(tung oil).
wóod pàper *n.* 목재 펄프지(紙).
wóod pàvement *n.* 나무벽돌 포장길.
wóod·pèck·er *n.* 〖鳥〗 딱따구리.
wóod pìgeon *n.* 〖鳥〗 비둘기의 일종《유럽산》; 산비둘기《북미 서부산》.
wóod·pìle *n.* 재목[장작]더미.
wóod pùlp *n.* 목재 펄프《제지 원료》.
wóod pùssy *n.* 《美方·口》 스컹크.
wóod ràt *n.* 〖動〗 숲쥐.
wóod·ruff [-rʌ̀f, -rəf] *n.* 〖植〗 선갈퀴.
wóod rùsh *n.* 〖植〗 꿩의밥속(屬)의 식물.
wóods bàthing *n.* 삼림욕(森林浴).
wóod·shèd *n.* 재목 두는 곳; (특히) 장작 헛간; 《美俗》 (라디오 프로그램을 위한) (맹)연습. ── *vi., vt.* 《美俗》 (악기의) 연습을 하다, 혼자서 연주하다; 《美俗》 조용함[고독]을 찾다.
wóod shòt *n.* 〖골프〗 우드 클럽으로 치기; 〖테니스·배드민턴 따위〗 프레임으로 친 스트로크, 프레임 숏.
wóods·man [-mən] *n.* 숲속에 사는 사람; (산림·사냥 따위) 산 사정에 밝은[을 잘 아는] 사람; =LUMBERMAN.
Wóod's métal *n.* 우드 합금《녹는점 60-65°C의 가융(可融) 합금의 하나》.
〖B. *Wood* 미국의 야금 기술자〗
wóod smóke *n.* 나무 훈연(燻煙)《훈제를 만들기 위한》.
wóod sòrrel *n.* 〖植〗 괭이밥, 수영.
wóod spìrit *n.* **1** [때때로 *pl.*] =WOOD ALCOHOL. **2** 〖傳說〗 숲의 요정.
wóod sùgar *n.* 〖化〗 목당(木糖)(xylose).
woodsy [wúdzi] *a.* 《美》 숲 같은, 삼림의, 삼림을 연상시키는(woody). 〖*woods*, -*y*[4]〗
wóod tàr *n.* 〖化〗 나무 타르.
wóod thrùsh *n.* 〖鳥〗 지빠귀의 일종《북미 동부산(産)》.
wóod·tùrn·er *n.* 갈이 대패를 거는 사람, 목각 건목치기공, 녹로 장인.
wóod tùrning *n.* 녹로(轆轤) 세공.
wóod vìnegar *n.* 〖化〗 목초(木醋)《방부제》.
wóod·wìnd *n.* **1** 목관 악기. **2** [*pl.*] (관현악단의) 목관 악기부. ── *a.* 목관 악기의[같은]; 목관 악기 연주자[음악]의[같은].
wóod-wòol *n.* 지저깨비《포장 충전용》.
wóod·wòrk *n.* Ⓤ (집 따위의) 목조부; 목세공(木細工), 목제[목공]품. **~·er** *n.* 목세공인《소목·대목 따위》; 목공 기계. **~·ing** *n., a.* 목(세)공(의).
wóod·wòrm *n.* 나무좀《따위》.
wóody *a.* **1** 수목이 많은, 숲이 우거진: a ~ park 수목이 울창한 공원. **2** (초본(草本)에 대해서) 목본(木本)의, 목질(木質)의: ~ fiber 목질 섬유 / the ~ parts of a plant 식물의 목질부.
wóody níghtshade *n.* 〖植〗 배풍등《독풀》.
wóo·er *n.* 구혼자, 구애자(suitor).
woof[1] [wú(ː)f] *n.* 〖織〗 씨 실[줄](weft)(↔ *warp*); 직물, 피륙; 《비유》 (사물의) 바탕. 〖OE *ōwef* (*wef* web)〗
woof[2] [wúf] *n.* (개의) 낮은 신음 소리; 웅《재생장치에서 나는 낮은 소리》. ── *vi.* (개가) 낮은 신음 소리를 내다; 웅 소리를 내다; [흔히 부정으로] 《美俗》 바보 같은 소리를 하다.
***woof** one*'s food* 《美口》 음식을 재빨리 먹다[처넣다].
〖imit.〗
wóof·er *n.* (라디오 따위의) 저음(低音) 확성기 (cf. TWEETER). 〖↑〗
wóof·ing, wóof·in' [-in] *n.* 《美俗》 (말·몸짓으로) 위협하듯 함.
wóo·ing *n.* 구애, 구혼(courtship).
***wool** [wúl] *n.* **1** Ⓤ 양털《염소·야마·알파카 따위의 털에 대해서도 말함》. **2** Ⓤ 털실. **3** Ⓤ 모직물, 나사; 모직물 옷: wear ~ 모직물 옷을 입다. **4** 양털 모양의 것: ☞ COTTON WOOL / ☞ MINERAL WOOL. **5** Ⓤ (털짐승의) 복슬털; (식물·곤충 따위의) 솜털. **6** Ⓤ 《口》 (특히 흑인의) 고수머리. **7** [형용사적으로] 털로 짠, 모직물의 (woolen): a ~ suit 모직 옷.
against the wool 털을 곤두세워; 거꾸로.
dyed in the wool (피륙 따위) 짜기 전에 물들인; 철저한(cf. DYED-IN-THE-WOOL).
draw [***pull***] ***the wool over*** a person*'s eyes* 남의 눈을 속이다, 기만하다.
go for wool and come home shorn 혹 떼러 갔다가 혹 붙여 오다.
keep one*'s wool on* 침착하게 굴다, 당황하지 않다.
lose one*'s wool* 《英口》 흥분하다, 화내다.
much cry and little wool ☞ CRY *n.*
out of the wool 털을 깎인.
wool in fleeces 깎아 낸 양털.
〖OE *wull*; cf. G *Wolle*, L *vellus* fleece〗
wóol còmber *n.* 양털을 빗질하는 사람[기계].
wóol-dỳed *a.* (짜기 전에) 양모 그대로 물들인; 《美》 완고한, 철저한.
wooled [wúld] *a.* 양털이 난 채로의; [흔히 복합어를 이루어] …한 양털을 가진.
***wool·en | wool·len** [wúlən] *attrib. a.* 양털의; 양모제의, 모직의: ~ cloth 나사 / ~ stockings 모직 양말 / ~ merchants 모직물 상인. ── *n.* Ⓤ 방모사(紡毛絲)《짧은 양털을 원료로 한 것; cf. WORSTED》; Ⓤ,Ⓒ 모직물, 모포, 나사; [보통 *pl.*] 모직 의류.
Woolf [wúlf] *n.* 울프. **Virginia** ~ (1882-1941) 영국의 여류 소설가·비평가.

wóol fàt *n.* 양모지(羊毛脂), 라놀린.
wóol·fèll *n.* (털이 붙은 채로의) 양가죽.
wóol·gàther *vi.* 허황된 공상에 빠지다. ~**·er** *n.*
wóol·gàther·ing *a.* 방심한, 정신나간, 멍청한 (absentminded). —— *n.* Ⓤ 방심 ; 허황된[열빠진] 공상 ; 하찮은 일.
wóol gràder *n.* 양털 평가 선별자.
wóol·gròw·er *n.* 《英》 (양털 채취가 목적인) 목양(牧羊)업자.
wóol-hàll *n.* 《英》 양모 거래소[시장].
wóol-hàt *n.* (차양이 넓은) 펠트 모자 ; 《美口》 남부의 소농민. —— *a.* 《美口》 남부 벽지의.
woollen ☞ WOOLEN.
wool·ly, (美) **wooly** [wúli] *a.* **1** 양털의, 양모질의 ; 양털 같은 ; 털로 덮인, 털이 많은 : ~ hair 텁수룩한 머리털 / a ~ coat 모직의 겉옷 / the ~ flock 양떼. **2** (논조 따위) 뜻을 알 수 없는 ; (그림 따위) 희미한 ; (마음이) 산란하여 멍청한 ; (목소리 따위) 쉰. **3** 《美》 파란 많은, 거칠고 야만적인. 주 보통 wild and woolly로서 쓰임 (☞ WILD 숙어). **4** 〖植〗 솜털이 있는. —— *n.* **1** 《口》 모직으로 만든 의복 ; (특히) 스웨터 : put an extra ~ on 스웨터를 하나 더 껴입다. **2** 《美西部》 양 (sheep). **wóol·li·ness** *n.*
wóolly áphid *n.* 〖昆〗 목화진딧물, (특히) 사과나무진딧물.
wóolly bèar *n.* 모충(毛蟲), 털벌레.
wóolly-héad·ed *a.* 고수머리의 ; 두뇌가 명석하지 못한, 멍청한.
wool·man [wúlmən] *n.* 양털 장수.
wóol·màrk *n.* 양에 찍은 소유자의 낙인 ; [W~] 울마크《상표명》.
wóol·pàck *n.* **1** 양털 한 짝《240파운드》. **2** 〖氣〗 뭉게구름, 권적운(卷積雲).
wóol·sàck *n.* **1** 양털 부대. **2** [the W~] 《英》 상원 의장 자리《양털을 속에 넣은 좌석》, 상원 의장의 직위 : reach *the W~* 상원 의장이 되다.
wóol·shèd *n.* 양털 깎는 헛간.
wóol·sòrt·er *n.* 양털을 선별하는 사람[기구] : ~'s disease=ANTHRAX.
wóol spònge *n.* 《美》 울 스펀지《Florida 주·서인도 제도산의 해면》.
wóol stàpler *n.* 양털 장수 ; 양털을 선별(選別)하는 사람.
wóol·wòrk *n.* Ⓤ 털실 세공[자수].
Wool·worth [wúlwəːrθ ; -wəθ] *n.* 울워스《F. W. Woolworth (1852–1919)가 처음 미국에 창설(1879)하여 현재 캐나다·영국·독일 등지에도 점포가 있는 균일제 백화점》.
Woop Woop [wú(ː)p wù(ː)p] *n.* 《濠·戲》 오지의 개척지[부락].
wootz [wúːts] *n.* Ⓤ 인도제(製) 강철《칼 제조용》.
woozy [wú(ː)zi] *a.* (**wóo·zi·er ; -est**) 《俗》 (술 따위로) 머리가 멍한 ; 기분이 개운치 못한. 〚C19 <? *oozy*〛
wop [wáp, wɔ́(ː)p] *n.* [흔히 W~] 《美俗·蔑》 이탈리아인, (특히) 이탈리아계 이민. —— *a.* 이탈리아(인)의, 이탈리아계의. 〚C20 <? It. *guappo* (dial.) dandy, swaggerer ; 일설(一說)로는 다수의 이탈리아 이민의 등록 때 찍은 '*w*ith*o*ut *p*apers'라는 도장에서〛
Worces·ter [wústər] *n.* **1** 우스터《잉글랜드 Hereford and Worcester 주의 주도》. **2** = WORCESTER(SHIRE) SAUCE.
Worces·ter·shire [wústərʃìər, -ʃər] *n.* 우스터셔《잉글랜드 서부의 옛 주 ; 略 Worcs.》.
Wórcester(shire) sàuce *n.* Ⓤ 〖料〗 우스터소스(Worcester)《간장·식초·향료 따위를 원료로 하는 소스》.
Worcs. [wɔ́ːrks] Worcestershire.
◇**word** [wɔ́ːrd] *n.* **1 a)** 낱말, 단어, 어휘 : an English ~ 영어 단어 / *W~s* failed me. 나는 말이 안 나왔다 / It is better to use simple ~*s.* 말은 간단할수록 좋다. **b)** Ⓤ,Ⓒ [+*to* do] (행위·사상에 대한) 말(speech) : honest in ~ and deed 언행이 모두 성실한 / put...into ~*s* …을 말로 표현하다 / *W~s* without actions are of little use. 실천이 따르지 않는 말은 소용없다 / I have no ~*s to* thank you enough. 뭐라고 감사의 말씀을 드려야 할지 모르겠습니다. **c)** [*pl.*] (악보(樂譜)에 대한) 가사 ; (배우의) 대사(臺詞).
2 [때때로 *pl.*] (간단한) 말, 이야기, 담화 : a ~ in[out of] season 시기 적절한[적절치 못한] 말 / give a person a ~ of advice 남에게 한 마디 충고하다 / put in a ~ 말참견하다 / Let me have a ~ with you. 잠시 한 말씀드렸으면 합니다만 / Mr. Brown will now say a few ~*s.* 브라운씨께서 몇 마디 인사의 말씀이 있겠습니다 / It's no use wasting any more ~*s* on him[it]. 그 와[그것을] 더 이상 말해 보아도 소용없다 / A ~ (is enough) to the wise. 《속담》 현명한 사람에게는 한마디면 족하다.
3 [+*that* 節 / +(前+) *wh.* 節·句] Ⓤ 알림, 기별, 소식(news) ; 전갈 : bring ~ 소식을 전하다 / *W~* came *that* the party had got to their destination. 일행이 목적지에 도착했다는 기별이 왔다 / Please send me ~ ***of*** your new life in Brazil[(*of*) *how* you are leading a new life in Brazil]. 브라질에서의 새생활 소식을 전해 주십시오.
4 [*pl.*] (입으로 하는) 말, 이야기 ; 말다툼, 논쟁 : big ~*s* 허풍, 호언 장담 / bitter ~*s* 과격한 말 / burning ~*s* 열렬한 말 / high[warm, sharp] ~*s* 말다툼, 격론 / She said he was a son of a bitch, and that led to ~*s.* 그녀가 그를 개자식이라고 했기 때문에 말다툼이 벌어졌다.
5 [one's ~] 약속(promise), 확언, 언질 : keep [break] *one's* ~ 약속을 지키다[어기다] / give [pledge, pass] *one's* ~ 약속하다 / *one's* ~ of honor 명예를 건 약속[확언] / I give you *my* ~ for the fact. 그 사실은 제가 보증합니다.
6 [+*to* do] [one's ~, the ~] 지시, 지령, 명령 (command) : *The* ~ to fire was given. 발포 명령이 내려졌다 / *His* ~ was law. 그의 명령은 바로 법률이었다.
7 [the ~] 암호, 군호 : They gave *the* ~. 그들은 암호를 댔다.
8 격언, 표어 ; (문장(紋章) 따위에 쓰여진) 제명(題銘).
9 [the W~] 하느님의 말씀 ; 성서, 복음 ; 그리스도 : *the W~* of God=God's *W~* 성서, 복음, 그리스도 / preach *the W~* 복음을 전하다.
10 〖컴퓨〗 낱말, 단어.
at a*[*one*] *word 말이 떨어지자마자, 곧.
be as good as one***'s word*** 약속을 지키다, 언행이 일치하다.
be the word (***for it***) [보통 부정 구문] 시기 적절한 말[적절한 평]이다 : Hot *isn't the* ~. It's scorching. 더운 정도가 아니라 찌는 듯이 덥다.
beyond words 형언할 수 없을 정도로.
by word of mouth 구두로(↔*in writing*).
come to (***high***) ***words*** 말이 거칠어지다, 말다툼이 되다(cf. 4).
eat one***'s words*** ☞ EAT.

give a person one***'s good word*** 남을 좋게 말해 주다, 남을 추천하다.
give the word for[***to*** do] …의[…하라는] 명령을 내리다(cf. 6).
give words to …을 말로 나타내다(express).
hang on a person***'s words*** 남의 이야기를 경청하다.
have a word with …와 한두 마디 이야기를 하다(cf. 2).
have no words for[***to*** do] …을[…하는 것은] 뭐라고 표현해야 할지 모르다(cf. 1 b)).
have the last word 마지막 단안을 내리다 ; 억지를 쓰다 : Don't try to *have the last* ~. 억지를 쓰지 않는 것이 좋다.
have words with …과 말다툼하다〈*about*〉.
in a[***one***] ***word*** 한 마디로 말한다면, 요컨대(to sum up).
in other words 다시 말하면, 바꿔 말한다면.
in so many words 글자 그대로, 노골적으로, 분명하게.
in these words 이런 식으로[이렇게]《말했다》.
a man of few[***many***] ***words*** 말이 적은[많은] 사람, 과묵한[다변인] 사람.
a man of his word 약속을 지키는 사람, 신뢰할 수 있는 사람.
My word! 이런!, 이것 참!
my word upon it 확실히, 맹세코.
on[***with***] ***the word*** 말하기가 무섭게, 당장에.
a play upon words 말장난(a pun).
put in a (***good***) ***word for*** a person 남을 위해서 변명해 주다 ; 남을 변호하다.
say a few words 간단한 인사(말)[연설(演說)]을 하다.
say[***speak***] ***a*** (***good***) ***word for*** a person= *put in a* (*good*) WORD *for* a person.
say the word 명령을 내리다.
Sharp's the word! 서둘러라!
take a person ***at*** his ***word*** 남이 말한 대로 믿다, 곧이곧대로 받아들이다.
take a person***'s word for it*** 남의 말을 신용하여 정말이라고 생각하다.
take (***up***) ***the word*** (남의 말을 받아 또는 남을 대신해서) 말하다, 논하다.
the last word (1) 최후의[결정적인] 말 : *The last* ~ has not yet been said *on* the subject. 그 문제는 아직도 최종적인 결정을 보지 못하고 있다. (2) 최고의 것 ; 최고 권위자 : He is *the last* ~ *in* architecture. 그는 건축학의 최고 권위자다. (3) 가장 최신의 것[유행].
the last words 임종의 말 : "More light" were *the last* ~*s* of Goethe's. 「좀더 빛을」이라는 말은 괴테가 한 최후의 말이었다.
the Word of God ☞ 9.
upon my word 맹세코, 틀림없이 ; 이것 참《놀람·분노의 소리》.
word for[***by***] ***word*** 한마디 한마디, 축어적으로 : translate ~ *for* ~ 축어역(譯)을 하다.
—— *vt.* 말로 표현하다 : ~ one's ideas clearly 생각을 분명하게 말로 표현하다 / a well-~*ed* letter 잘 쓴[표현이 훌륭한] 편지.
—— *vi.* 《古》 말하다.
〚OE *word* ; cf. G *Wort*, L *verbun*〛

wórd àccent *n.* =WORD STRESS.
wórd·age *n.* 말 ; 어휘수 ; 말의 선택.
wórd associàtion *n.* 단어 연상(聯想).
wórd-blìnd *a.* 〖醫〗 언어맹(言語盲)의, 실독증(失讀症)의.
wórd blìndness *n.* 〖醫〗 언어맹, 실독증.
wórd·bòok *n.* 단어집(集) ; (간단한) 사전 ; (오페라의) 대본.
wórd-buìlding *n.* =WORD-FORMATION.
wórd clàss *n.* 〖文法〗 어류(語類), 품사(part of speech)《명사·형용사·동사·부사 따위》.
wórd-dèaf *a.* 〖醫〗 어롱증(語聾症)의.
wórd dèafness *n.* 〖醫〗 어롱증(語聾症)《피질성(皮質性) 감각 실어증》.
wórd èlement *n.* 〖文法〗 어요소(語要素) 《*mono*tone의 mono- 따위와 같은 연결형》.
wórd-formátion *n.* 〖文法〗 단어의 형성, 조어법(造語法).
wórd-for-wórd *a.* (번역이) 축어적(逐語的)인.
wórd gàme *n.* 말놀이, 언어 유희.
wórd-hòard *n.* 어휘(vocabulary).
wórd·ing *n.* **1** Ⓤ 말씨, 말쓰기, 어법 : Careful ~ is required for clearness. 명확하기 위해서는 말씨에 주의해야 한다. **2** [단수형만으로 쓰여] 표현(법) (expression).
wórd·less *a.* 말없는, 무언의, 벙어리의(dumb) ; 말로 나타내지 않은(unexpressed), 입밖에 내지 않는 ; 말로 표현할 수 없는.
~·ly *adv.* 무언으로, 잠자코.
wórd·lòre *n.* 어휘 연구.
wórd of commánd *n.* 《英》 구령, 지시 ; (컴퓨터에 대한) 지령 : at the ~ 명령 일하에, 구령에 따라.
wórd-of-móuth *a.* 구두의, 구전(口傳)의.
wórd òrder *n.* 〖文法〗 어순(語順).
wórd-pàint·ing *n.* 그림을 보는 듯한[생생한] 묘사[서술]. **wórd-pàint·er** *n.*
wórd-pérfect *a.* (배우의) 대사가 완전한, 대사를 더할 나위 없이 해내는(cf. LETTER-PERFECT).
wórd pìcture *n.* 그림을 보는 것 같은 서술 ; 생동감이 있는 문장.
wórd·plày *n.* Ⓤ 말 주고받기 경쟁 ; Ⓒ 재담, 말재롱.
wórd pròcess·ing *n.* 워드프로세싱《문서 작성기로 편지나 서류를 작성하기》; 〖컴퓨〗 문서[글월] 처리.
wórd pròcessor *n.* 자동 문서 작성기 ; 〖컴퓨〗 문서[글월] 처리기.
wórds·man·shìp [-mən-] *n.* 작문술(作文術).
wórd·smìth *n.* 문필가.
wórd splìtting *n.* 말뜻을 너무 세밀하게 구별하기 ; 말씨에 몹시 까다롭기.
wórd squàre *n.* (가로로 읽거나 세로로 읽거나 같은 말이 되는) 정사각형의 낱말 배열.
wórd strèss *n.* 낱말의 억양, 악센트.
Words·worth [wə́ːrdzwə(ː)rθ] *n.* 워즈워스. **William** ~ (1770–1850) 영국의 자연주의 시인 ; 계관 시인(1843–50).
wórd wàtcher *n.* 언어 관찰자[수집가] ; 《戲》 언어학자, 사서 편집가.
wórdy *a.* (**wórd·i·er** ; **-i·est**) **1** 말로 하는, 말의, 언론의 : ~ warfare 설전(舌戰), 논쟁, 논전(論戰). **2** 말수[구설(口舌)]가 많은, 장황한 : a ~ style 장황한 문체.
◇**wore** *v.* WEAR[1]의 과거형.
◇**work** [wəːrk] *n.* **A 1** Ⓤ **a)** [+前+do*ing*] 일, 작업, 노동(labor) ; 노력, 수고, 공부(↔*play*) : easy[hard] ~ 쉬운[힘든] 일 / ~ of time 시간이 걸리는 일 / the ~ ***of*** compil*ing* a dictionary 사전을 편집하는 일 / never do a stroke of ~ 손가락도 까딱 안하다 / a man of all ~ 무엇이나 다 할 줄 아는 사람 / a maid of all ~ ☞ MAID 숙

어 / All ~ and no play makes Jack a dull boy. 《속담》 공부만 시키고 놀리지 않으면 아이는 바보가 된다. **b)** [+*to* do] (해야 할) 일, 업무, 과업 (duty) : I have a lot of ~ *to* do this evening. 오늘 저녁에는 할 일이 많다 / Everybody's ~ is nobody's ~. 《속담》 여럿이 함께 하는 일은 책임지는 사람이 없다.

2 Ⓤ **a)** 일(자리), 직업(employment) (cf. PLAY *n.* 10) : look for ~ 일자리를 찾다 / Do you want the ~ or the wages? 일을 좋아하는 거냐 급료를 바라는 거냐. **b)** 장사, 생업(trade) : His ~ is selling. 그의 생업은 판매업이다. **c)** 전문, 연구《따위》.

3 Ⓤ (하고 있는·종사하는) 일《특히 바느질·자수 따위》; [집합적으로] 그 도구[재료] : Bring your ~ downstairs. (바느질감 따위) 일거리를 아래층으로 가지고 오시오.

4 Ⓤ 세공, 제작 ; [집합적으로] 세공물, 제작품 : the ~ of famous sculptors 유명한 조각가들의 작품 / What a fine piece of ~! 얼마나 훌륭한 작품인가.

5 Ⓤ 작용 : the ~ of poison 독(毒)의 작용 / The brandy has begun to do its ~. 브랜디의 취기가 오르기 시작했다.

6 Ⓤ 〖理〗 일, 일량(cf. ERG[1]).

7 Ⓤ [형용사에 수식되어] (…한) 수법, 일솜씨, 행위 : bloody ~ 살벌한 행위 / sharp ~ 빈틈없는 솜씨.

B 1 (예술 따위의) 작품 ; 저작, 저술 : a literary ~ 문학 작품 / a ~ of art (특히 뛰어난) 미술품 / a new ~ *on* modern American literature 현대 아메리카 문학에 관한 새로운 저서 / the (complete) ~*s of* Shakespeare[Picasso] 셰익스피어 전집[피카소의 전(全) 작품]. ㈜ 단, 특정한 개개의 작품을 말할 때에는 a play of Shakespeare, a picture by Picasso와 같이 말하는 수가 많음.

2 [*pl.*] **a)** (시계 따위의) 장치, 기계 : the ~*s of* a watch[piano] 시계[피아노]의 장치. **b)** 《口·戲》 내장, 오장육부.

3 [*pl.*] 토목, 공사 : public ~*s* 공공 사업, 토목공사 / the Ministry of *W*~*s* 《英》 건설부.

4 [보통 *pl.* ; 때때로 단수 취급] 공장, 제작소 (plant). ㈜ 이 뜻으로서는 보통 복합어로 쓰임 : ☞ IRONWORKS, STEELWORKS / a cement ~*s* 시멘트 공장 / The ~*s* are[is] closed today. 공장은 오늘 휴업임.

5 [*pl.*] 방위 공사, 요새, 보루(堡壘) : The ~*s* are impregnable. 그 요새는 난공 불락이다.

6 …의 짓, 소행 : ☞ GOOD WORKS / mighty ~*s* 기적 / ~*s* of mercy 자선 행위 / the ~*s* of God 자연 / It's the ~ of the devil. 그것은 악마의 짓이다.

7 [*pl.*] 〖神學〗 조화(造化), 업(業), 공덕(功德) : faith and ~*s* 믿음과 행실《종교에서의 정신적인 면과 실천적인 면》.

all in the day's work 당연한[흔히 있는] (일).

at work (1) 일하고, 집무중에 ; 현역으로 : be hard *at* ~ 열심히 일하고 있다 / He is *at* ~ (*up*) *on* a new book. 새책을 집필하고 있다. (2) 일터로 나가서, 직장에 : My husband is *at* ~ now. 남편은 지금 직장에 나가 있어요. (3) (기계가) 움직여서, 운전중인, 작용[작동]하여.

behind in [***with***] one***'s work*** 일이 밀려 : I'm ever so much *behind in* my ~. 일이 많이 밀려 있다.

do its work 효과가 나타나다, 작용을 미치다(cf. A 5).

fall [***get, go***] ***to work*** 일에 착수하다 ; 행동을 개시하다〈*on* something〉.

get the works 《美俗》 심한 학대를[봉변을] 당하다, 혼나다.

give a person ***the works*** 《美俗》 남을 혼내주다 ; 남을 죽이다.

go [***set***] ***about*** one***'s work*** 일을 시작하다.

have one***'s work cut out*** (***for*** one) 어려운[벅찬] 일을 맡고 있다.

in good [***full***] ***work*** 순조롭게[분주히] 일하여.

in the works 완성 도상에 있는, 진행중인.

in work 취업하여, 일자리를 가지고(↔*out of work*) ; (말이) 조교(調教)중인.

make (***a***) ***work*** 혼란시키다, 소동을 일으키다 ; 일을 할당하다〈*for*〉 ; 헛수고를 하다 ; (공연한) 폐를 끼치다.

make light work 〈*of, with*〉 (…을) 손쉽게[편하게] 하다 : Many hands *make light* ~. 《속담》 일손이 많으면 일은 쉽다[빠르다], 백지장도 맞들면 낫다.

make sad work of it 서투른 짓을 하다, 실수하다.

make short [***quick***] ***work of*** …을 재빠르게 해치우다, …을 척척 처리하다.

out of work 실직(失職)하여(↔*in work*) ; (기계 따위가) 고장이 나서.

set about one***'s work*** = *go about* one*'s* WORK.

set to work 일에 착수시키다 ; 작업[작용]을 시작하다 : *set to* ~ *to* build a house 집짓는 일을 시작하다 / *set* a person *to* ~ *at* something 남에게 어떤 일을 시키다 / They were *set to* ~ mak*ing* roads. 길을 만드는 일을 하게 되었다.

shoot the works ☞ SHOOT *v.*

── *a.* 일할 때 쓰는 ; 노동용의.

── *v.* (~**ed**, 특기(特記)한 경우 이외는 《古》 **wrought** [rɔ́:t]) *vi.* **1** [動/+副/+前+名] 일하다, 작업하다, 종사하다, 공부하다(↔*play*) : We generally ~ 40 hours a week. 보통 주당 40시간 일한다 / Our new servant ~*s well*. 새로 온 하인은 일을 잘한다 / He ~*ed* ***on*** till late at night. 그는 밤늦게까지 일을 계속했다 / He is ~*ing on* a new play. 그는 새로운 연극에 착수하고 있다 / She is ~*ing* ***at*** mathematics. 그녀는 수학을 공부하고 있다 / He never had to ~ ***for*** a living. 결코 생계를 위해서 일할 필요가 없었다.

2 [動/+前+名] 근무하다, 직장에 나가다 : He will shortly ~ again. 얼마 안가서 다시 직장에 나가게 될 것이다 / He ~*s* ***in*** a bank. 그는 은행에 근무하고 있다 / She used to ~ ***for*** an oil company. 그녀는 전에 석유 회사에 근무했다.

3 [動/+前+名] **a)** [*p., p.p.*는 때때로 **wrought**] 세공[공작]을 하다 : A blacksmith ~*s* ***in*** iron. 대장장이는 쇠를 다루는 일을 한다. **b)** 바느질하다, 자수를 하다.

4 [動/+前+名] (기관(器官)·기계 따위가) 움직이다, 운전되다 ; (차바퀴 따위가) 회전하다 : The sawmill is not ~*ing*. 제재소가 가동되고 있지 않다 / My brain hasn't ~*ed* well today. 오늘은 어쩐지 머리가 잘 돌아가지 않는다 / Some machines ~ ***by*** compressed air. 기계 중에는 압축 공기로 운전되는 것도 있다 / The wheel ~*s* ***on*** an axle. 차바퀴는 축을 중심으로 회전한다.

5 (계획 따위가) 잘 되어 가다 ; (약 따위가) 효험이 있다 : The plan did not ~ well in practice. 계획대로 잘 실행되지 않았다 / The drug ~*s* like magic. 그 약은 신기할 만큼 잘 듣는다.

6 [+副/+前+名/+補] 서서히[애써서] 나아가다, 움직이다; 차차 …이 되다: The root ~*ed* ***down between*** the stones. 뿌리가 차츰 돌 사이로 뻗어 내려갔다 / The wind soon ~*ed* ***round to*** the north. 바람은 곧 북쪽으로 차츰 방향을 바꾸었다 / We ~*ed* slowly ***along*** shelf of the rock. 우리는 바위 선반을 따라 한발 한발 나아갔다 / The rain has ~*ed* ***through*** the ceiling. 비가 천장에 스며들었다 / My elbow has ~*ed through* the sleeve. 옷의 팔꿈치가 차츰 닳아 뚫어졌다 / The ship ~*ed eastward* in a heavy sea. 배는 사나운 파도를 헤치고 힘겹게 동쪽으로 항진(航進)했다 / The window latch has ~*ed loose* [***off***]. 창문의 걸쇠가 느슨해졌다[벗겨졌다].
7 (얼굴・마음 따위가) 격하게 움직이다, 경련을 일으키다; (파도가) 요동치다: Her face ~*ed* with emotion. 그녀의 얼굴이 감동으로 실룩거렸다 / The sea ~*s* high. 노도(怒濤)가 일고 있다.
8 발효(醱酵)하다(ferment): Yeast causes beer to ~. 이스트균(菌)으로 맥주는 발효한다.
── *vt.* **1** [+目/+目+補/+目+前+名] 일시키다; (사람・마소 따위를) 부리다: That employer ~*s* his men long hours. 그 고용주는 고용인에게 장시간 일을 시킨다 / You must not ~ your wife too hard. 아내를 너무 혹사시켜서는 안됩니다 / He ~*ed* himself ill[***to*** death]. 그는 과로로 병이 들었다[죽었다].
2 (손가락・타자기 따위를) 움직이다, 사용하다; (배・자동차・기계 따위를) 운전하다, 조종하다: a pump ~*ed* by hand 수동(手動) 펌프 / ~ one's jaws 턱을 움직이다 / She was ~*ing* the treadle of her sewing machine. 재봉질을 하고 있었다 / Do you know how to ~ this machine? 이 기계의 작동법을 알고 있습니까.
3 (농장・사업체 따위를) 경영하다; 판매원 등이 (일정한 구역을) 담당하다; (광산을) 채굴하다: He is ~*ing* his farms with fair success. 농장을 제법 훌륭히 경영하고 있다 / This salesman ~*s* the western States. 이 판매원은 서부의 여러 주를 담당하고 있다 / That coal mine is no longer ~*ed*. 저 탄광은 더 이상 채굴되지 않는다.
4 [+目/+目+副] (계획 따위를) 세우다, 궁리하다, 획책하다: The engineer was ~*ing* ***out*** a method of driving a tunnel under the Thames. 기사는 템스 강 밑으로 터널을 뚫는 방법을 생각하고 있었다.
5 [+目/+目+副] 계산하다; (문제 따위를) 풀다: He ~*ed* (***out***) all the problems in algebra. 대수 문제를 모두 풀었다 / He managed to ~ *out* the coded message. 이럭저럭 그 암호 전보를 해독했다 / I have ~*ed out* my own destiny. 나는 스스로 내 운명을 개척했다.
6 [*p., p.p.*는 때때로 **wrought**] [+目/+目+前+名] (노력을 기울여) 만들다, 세공하다, 가공하다; (가루를) 개다, 반죽하다: ornaments *wrought* ***in*** pure gold 순금으로 만든 장식품 / ~ iron ***into*** a horseshoe 쇠를 가공하여 말편자를 만들다 / ~ flour ***with*** honey and oil 가루를 꿀과 기름으로 반죽하다.
7 [*p., p.p.*는 때때로 **wrought**] [+目/+目+目] (변화・효과・영향 따위를) 생기게 하다, 가져오다, 초래하다, 야기하다: the destruction *wrought* by the earthquake 지진으로 인한 파괴 / ~ miracles 기적을 일으키다 / ~ harm [mischief] 해악(害惡) [재해]을 초래하다 / Time has *wrought* a lot of changes in our city. 세월은 우리 도시에 수많은 변화를 가져왔다 / This medicine ~*ed* wonders for my cold. 이 약은 내 감기에 정말 잘 들었다.
8 [+目/+目+前+名] 짜서[떠서] 만들다; 꿰매다; 수놓다: ~ a shawl 숄을 뜨다 / She had her initials ~*ed* ***on*** her handkerchief. 손수건에 자기 이름의 머리 글자를 수놓았다 / I ~*ed* my dress ***with*** lilies in silver thread. 옷에 은실로 백합 무늬를 수놓았다.
9 [+目+副/+目+前+名/+目+補] 서서히 [애써서] 나아가다, 노력하여[일해서] 얻다[벌다]; 차츰 어떤 상태에 이르게 하다: ~ one's way ***up*** 차차 출세(出世)하다 / He ~*ed* his way ***through*** the crowd[*through* college]. 군중 속을 헤치면서 나아갔다[고학하여 대학을 나왔다] / I ~*ed* my passage ***from*** London ***to*** New York. 배삯 대신에 일해 주며 런던에서 뉴욕까지 건너갔다 / ~ oneself ***into*** a position of leadership 노력을 해서 남을 지도하는 위치에 오르다 / The stream ~*ed* itself clear. 개울은 차차 맑아졌다 / He ~*ed* his hands free from the ropes. 조금씩 (묶인) 양손을 밧줄에서 빼냈다 / ~ a screw loose 나사를 풀다.
10 [*p., p.p.*는 때때로 **wrought**] [+目+副/+目+前+名] (남을) 점차 움직이다; 흥분시키다: ~ men ***to*** one's will 사람들을 마음대로 움직이다 / He was ~*ing* himself (***up***) ***into*** a rage. 차츰 울화통이 치밀기 시작하였다 / She ~*ed* [*wrought*] herself *into* a fever. 그녀는 무리해서 열이 났다 / The speaker *wrought* his audience *into* enthusiasm. 연사(演士)는 청중을 점차로 열광시켰다.
11 [+目+前+名] 《口》 (남을) 속이다: ~ a friend ***for*** a loan 친구를 속여서 돈을 빌리다.
work against …에 반대하다; …에 나쁘게 작용하다: ~ *against* reform 개혁에 반대하다.
work at …에 종사하다, …에 관여하다, …을 공부[연구]하다(cf. *vi.* 1): ~ *at* social reform 사회 개혁 사업에 종사하다.
work away 열심히 일[공부・연구]하다.
work in (*vi.*) (1) ☞ *vi.* 2, 3 a). (2) 들어오다, 끼어들다: The dust had ~*ed in* everywhere. 먼지는 어디에서나 들어오고 있었다. (*vt.*) (3) ☞ *vt.* 6. (4) 삽입하다, 인용하다: ~ *in* some topical jokes 시사 문제를 풍자하는 익살을 서너 마디 끼워 넣다.
work into. . . (1) ☞ *vt.* 6, 9. (2) …에 넣다: ~ one's foot *into* the boot 장화에 발을 넣다 / ~ new courses *into* the curriculum 교육 과정에 새로운 과정을 넣다.
work it 《俗》 (생각대로) 해치우다.
work off (*vi.*) (1) 벗어나다(cf. *vi.* 6). (*vt.*) (2) 노력하여[서서히] 제거하다; 팔아치우다, 팔아 버리다; (밀린 일 따위를) 해치우다, 끝내다: ~ *off* a debt 일해서 빚을 갚다 / ~ *off* 5,000 copies 5,000부를 팔아 치우다 / I began to ~ *off* arrears of correspondence. 밀려 있던 편지를 조금씩 정리하기 시작했다. (3) (울분・화 따위를) 풀다: He ~*ed off* his bad temper *on* his dog. 그는 개에게 화풀이했다.
work on (1) [on은 *adv.*] 계속 일을 하다(cf. *vi.* 1). (2) [on은 *prep.*] ☞ *vi.* 1,4; *vt.* 8; =WORK *upon.*
work one***'s way*** ☞ *vt.* 9.
work out (*vi.*) (1) (점차로) 벗겨지다(cf. *vi.* 6). (2) (금액 따위) 산출되다; (문제가) 풀리다: The cost ~*ed out at* £7[~*ed out* $3 each]. 비용은 7파운드로 산정되었다[한 사람당 3달러가 되었

다]. ⑶ (계획 따위) (잘) 되어 가다 : The plan will ~ *out* satisfactorily. 그 계획은 잘 되어 갈 것이다. ⑷《美》(선수가) 훈련을 쌓다 : ~ *out* daily with sparring partners 스파링 상대와 연일 훈련을 쌓다. (*vt.*) ⑸ 계산하다, 산출하다 ; (문제를) 풀다(cf. *vt.* 5) : I ~*ed out* the expense *at* $ 20. 비용을 20달러로 계산했다. ⑹ 고심하여 성취하다 : ~ *out* one's own salvation 고심[노력]하여 자기 영혼의 구제를 이루다. ⑺ (계획 따위를) 완전히 수립하다(cf. *vt.* 4). ⑻ (광산을) 다 파내다 ; (화제 따위) 이야기를 다 해버리다 ; (사람의) 체력을 소모하다 : He was quite ~*ed out*. 그는 아주 기진맥진해 있었다. ⑼ (빚을) 일해서 갚다 ; 《美》(도로세(稅) 따위를) 노동을 제공하여 납부하다. ⑽《美》(선수를) 훈련시키다.

〈회화〉
I *worked out* the problem at last. — Good for you! 「마침내 문제를 풀었어요」「잘했다」

work up (*vt.*) ⑴ (노력하여) 차차로 만들어내다(cf. *vt.* 9) : ~ *up* a business 사업을 일으키다 / ~ *up* one's reputation 점차로 이름을 떨치다. ⑵ 서서히 흥분[격앙]시키다(cf. *vt.* 10) ; 선동하다, 부추기다 : ☞ WROUGHT-UP / ~ *up* a spirit of social unrest 사회 불안의 기운을 조장하다. ⑶ (이야기 줄거리 따위를) 발전시키다 : ~ *up* some strong emotional scenes 매우 감동적인 장면을 몇 개 만들다. ⑷ 정성들여 만들다 : ~ *up* a lump of clay *into* a bust 정성을 다하여 진흙 덩어리로 흉상(胸像)을 만들다. ⑸ (성분을) 혼합하다, 반죽하다, 개다. ⑹ (재료·주제를) 연구하다, 집성(集成)하다, 정리하다 : ~ *up* a new series of lectures 새로운 일련의 강의를 정리하다 / ~ *up* a sketch *into* a picture 스케치를 정리하여 그림을 완성하다. (*vi.*) ⑺ 서서히 오르다[나아가다], 달하다, 발전하다 : ~ up to a climax 최고조에 달하다 / ~ *up to* the position of president 사장의 지위까지 오르다.

work upon... (사람·감정 따위를) 움직이다, …에 영향을 미치다 : Poetry ~*s* (*up*) *on* the mind of the reader. 시는 독자의 마음을 움직인다 / The appeal *wrought* powerfully *upon* him. 호소가 그의 마음을 크게 움직였다.

work one***'s will upon*** a person 남을 생각한 대로 다루다[좌지우지하다].

〖OE (n.) *weorc*, (v.) *wyrcan* ; cf. G *Werk, wirken*〗

類義語 ***work*** 노력해서 하는 육체적·정신적인 일 ; 가장 일반적인 말. ***labor*** 힘이 드는, 어려운, 주로 육체적인 작업. ***toil*** 오랫동안 계속되는 육체적으로 또는 정신적으로 피로해지는 일[작업].

wórk·able *a.* **1** 일시킬[움직일] 수 있는, (기계 따위) 운전할 수 있는. **2** (광산 따위를) 경영[채굴]할 수 있는. **3** (계획 따위가) 실현성 있는, 실행할 수 있는. **4** (재료 따위가) 반죽되는, 이겨지는, 가공[세공]할 수 있는. **5** (토지가) 경작이 가능한. **~·ness** *n.* **wòrk·abílity** *n.* 가동성(可動性) ; 실행 가능성. **-ably** *adv.*

work·a·day [wə́ːrkədèi] *a.* **1** (holiday에 대하여) 일하는 날의, 평일의 : ~ clothes 평상복. **2** 실제적인 ; 무미 건조한, 평범한, 따분한 : in this ~ world 이 따분한[무미 건조한] 세상에서.

work·a·hol·ic [wə̀ːrkəhɔ́(ː)lik, -hɑ́l-] *n.* 지나치게 일하는 사람, 일벌레. —— *a.* 일벌레의. 〖*work*+*alco*holic ; 미국의 작가 Wayne Oates의 조어(造語) (1971)〗

wórk·a·hòl·ism *n.* Ⓤ 일중독, 지나치게 일함.

wórk·alìke *n.* 꼭 닮은 제품, 유사품.

wórk·bàg *n.* 연장 주머니, 바느질고리, 재봉 도구 주머니.

wórk·bàsket *n.* 바느질 도구를 넣는 바구니《특히 재봉[바느질] 도구의》.

wórk·bènch *n.* (목수·기계공 등의) 작업대, 공작[세공]대(臺) ; 〔컴퓨〕 작업대.

wórk·bòat *n.* (어선·화물선 따위) 업무용(用) 소형선(船).

wórk·bòok *n.* 《원래 美》 **1** 학습장, 연습장, 워크북. **2** 시공(施工) 지정[규준]서(書) ; 작업 계획[기록]부(簿) ; 작업 예정[성적]표. **3** 저술(著述)의 초고.

workbasket

wórk·bòx *n.* 도구 상자 ; 반짇고리.

wórk càmp *n.* 《美》 중노동 죄수 수용소 ; (종교 단체 따위를 위한) 근로 봉사 캠프.

wórk·dày *n.* **1** 일하는 날, 취업일(日), 평일(weekday). **2** 하루의 노동 시간. —— *a.* = WORKADAY.

worked [wəːrkt] *a.* 가공한, 장식을 한 : ~ material 가공 원료.

wórked úp *a.* 흥분한, 신경을 곤두세운, 끙끙 고민하는.

‡wórk·er *n.* **1 a**) 일하는 사람, 일꾼(↔*idler*) : a good ~ 일 잘하는 사람. **b**) 노동자, 직공(cf. CAPITALIST). **c**) 장인, 세공사(師). **d**) 근로자, 종업원. **2** 〔昆〕 일벌(=∠ **bée**) (cf. DRONE), 일개미(=∠ **ánt**).

wórker participàtion *n.* (기업 경영에의) 근로자 참가, 노사 협의제.

wórk èthic *n.* 노동관(觀), (특히) 노동을 선(善)으로 보는 생각.

wórk·fàre *n.* (노동 장려를 위한) 복지제도 ; 근로자 재교육. 〖*work*+wel*fare*〗

wórk fàrm *n.* (소년 범죄자(犯罪者)의) 교화(敎化) 농장.

wórk·fèllow *n.* 일의 동료, 회사[직장] 동료.

wórk·fòlk(s) *n. pl.* 일하는 사람들, (특히) 농장 노동자들.

wórk fòrce *n.* (어떤 활동에 종사하는) (작업) 요원 ; (한 나라·직장의) 총노동력, 노동 인구.

wórk fùnction *n.* 〔理〕 일함수《고체속에서 고체 외부의 진공속으로 전자를 끌어내는 데 필요한 에너지》.

wórk hàrden *vt.* 〔金屬工〕 가공 경화(加工硬化)하다.

wórk hàrdening *n.* 〔金屬工〕 가공 경화.

wórk·hòrse *n.* 짐말, 마차말 ; 중노동자 ; 꾸준한 일꾼.

wórk·hòuse *n.* **1** 《英》 구빈원(救貧院)(poorhouse). **2** 《美》 감화원, (경범죄자의) 노역소(勞役所).

wórk-ìn *n.* 폐쇄 직전의 공장을 근로자가 점거하고 자주적으로 관리함.

***wórk·ing** *attrib. a.* **1** 일하는, 노동에 종사하는 ; (가축 따위) 경작용의 : a ~ population 노동 인구. **2** 실제로 일하는, 노무(勞務)의 ; (기계가) 돌아가는 : a ~ partner (합자 회사의) 노무 출자 사원. **3** 실제(의 공작)에 도움이 되는, 실용적인 : a ~ majority (의안 가결 따위에) 충분한 다수 / a practical ~ knowledge 실제적으로 소용되는

지식. **4** (이론 따위) 기초가 되는, 기초적인. **5** (얼굴 따위가 감동으로) 경련을 일으키는, 실룩거리는 ; 발효중인《맥주》.

in working order (1) 정상운전을 할 수 있는 상태로 : We have not yet put the machines *in ~ order.* 아직도 기계를 제대로 움직일 수 있게 해놓지 못했다. (2) (일이) 순조롭게 진척되어 : Is everything *in ~ order?* 모든 일이 순조롭게 진척됩니까.

── *n.* **1 a)** Ⓤ 일, 노동, 작업 ; 취업. **b)** [형용사적으로] 일[작업]용의 ; 취업의 : ~ clothes 작업복 / ~ conditions 노동 조건 / ~ hours 근무[노동] 시간. **2** 일하기, 작용, 활동 : the ~ of nature 자연의 활동 / the ~*s* of conscience 양심의 작용. **3** Ⓤ (기계·기구의) 작용법, 조작법 : the ~ of a machine 기계의 운전법. **4** Ⓤ (사업·법률 따위의) 운영, 경영, 영업 : ~ assets 〖會計〗 운영 자산. **5** Ⓤ 계산, 연산(演算). **6** [*pl.*] (광산·채석장·터널 따위의) 작업장, 현장, 갱도, 채굴장. **7** Ⓤ 발효 작용. **8** (얼굴 따위의) 실룩임, 경련.

wórking bùdget *n.* 실행 예산.

wórking càpital *n.* 〖會計〗 운전[영업] 자본 ; 유동 자산(流動資產).

wórking clàss *n.* 임금[육체] 노동자 계급[층].

wórking-clàss *a.* 임금[육체] 노동자 계급의[에 어울리는].

wórking commìttee *n.* 운영 위원회.

wórking còuple *n.* 맞벌이 부부《남편 직업에 비해 아내의 직업이 부차적인 맞벌이 부부》.

wórking dày *n.* =WORKDAY.

wórking-dày *a.* 일하는 날의, 평일의(workaday).

wórking dòg *n.* (애완견·사냥개 따위와 구별되는) 작업용 개《썰매 따위를 끄는 개》.

wórking dràwing *n.* 설계도, 공작도 ; (공사의) 시공도.

wórking flùid *n.* 〖理〗 작동 유체.

wórking fùnd *n.* 운전 자금(運轉資金).

wórking gìrl *n.* 일하는[근로] 여성 ; 여공 ; 《美俗》 매춘부 ; 《俗》 독신의 여사원.

wórking hypóthesis *n.* 작업 가설(假說).

wórking·màn *n.* 노동자 ; 직공 ; 《CB俗》 트럭 운전사.

wórking mèmory *n.* 〖컴퓨〗 계산 도중의 결과를 고속으로 기억하는 장치.

wórking mòdel *n.* (기계 따위의 실물과 같은 동작을 하는) 실용 모형.

wórking-òut *n.* (계획의) 세부를 짜기 ; (계획의) 실행, 실시.

wórking pàpers *n. pl.* 노동 증명서, 취업 서류《연소자·외국인의 고용에 필요》.

wórking pàrty *n.* 작업반 ; (생산 향상을 조언하는) 노사 공동 위원회 ; (정부에서 임명된) 자문[연구] 위원회.

wórking sàtellite *n.* 실용위성.

wórking strèss *n.* 〖機〗 사용 응력.

wórking wèek *n.* =WORKWEEK.

wórking·wòman *n.* 여성 근로자 ; 여자 직공.

wórk ìsland *n.* 작업 섬《기획의 각 영역을 자주(自主) 관리하에 담당하는 노동자 그룹》.

wórk·less *a.* 일이 없는, 실직한 ; [집합적으로 ; the ~] 실직자.

wórk lòad *n.* (사람·기계의) 작업 부담 ; 책임 작업량[시간].

***wórk·man** [-mən] *n.* **1** 노동자, 직공, 장인(workingman) : a master ~ 유능한 장인 ; 《美》 노동 조합장 / ~'s compensation 재해 보상 / a ~'s train (노동자를 위한) 조조(早朝) 할인 열차. **2** [형용사로 수식되어] 일 솜씨가 …한 사람 : a good[skilled] ~ 솜씨가 좋은[숙련된] 직공 / A bad ~ quarrels with his tools. ☞ QUARREL[1] *vi.* 2.

wórkman·lìke *a.* 직공다운 ; 솜씨가 좋은, 기술이 있는, 능숙한. ── *adv.* 직공답게 ; 솜씨있게, 능숙하게.

wórkman·shìp *n.* **1** Ⓤ **a)** (직공 등의) 기량(技倆). **b)** 솜씨, 기술, 만듦새. **2** Ⓤ 세공.

wórk·màte *n.* =WORKFELLOW.

wórk·òut *n.* 《美口》 (권투 따위의) 연습 시합 ; (적성 따위의) 시험, 검정.

wórk·òver *n.* (석유 채취정의) 개수(改修).

wórk·pèople *n. pl.* 《英》 직공들, 노동자.

wórk·pìece *n.* 제조 공정에 있는 제품[소재].

wórk·plàce *n.* 일터, 작업장.

wórk relèase *n.* 노역(勞役) 석방《수형자를 매일 전(全)시간제 노역에 출근시키는 갱생 제도》.

wórk·ròom *n.* 작업실, 일하는 방.

wórks còuncil[**commìttee**] *n.* **1** 공장 협의회《단일 공장 안의 노동자 대표로 조직한 회의》. **2** 노사 협의회《단일 공장 안에서 노·사 쌍방에서 선출함》.

wórk-shàring *n.* 워크셰어링《일을 전원이 나누어 함으로써 노동시간을 단축하고 실업자를 방지하는 노동관리 형태의 하나》.

wórk shèet *n.* **1** 테스트 용지 ; 연습 문제 용지. **2** 작업 기록표[장], 작업 예정표[서(書)].

***wórk·shòp** *n.* **1** 공장, 작업장, 직장 ; (가정 따위의) 공작[작업]실. **2** 연구 집회, 연수회《강의 대신에 참가자에게 자주적으로 활동하게 하는 방식의 강습회》.

wórk-shỳ *a.* 일을 싫어하는, 게으름뱅이의.

wórk·spàce *n.* 〖컴퓨〗 워크스페이스《작업용으로 할당된 눈금상의 영역》.

wórk·stàtion *n.* 워크스테이션《(1) 사무실 내 따위에서 한 사람의 근로자가 일하기 위한 장소[자리]. (2) 정보처리 시스템에 연결된 독립되더라도 일정한 처리를 할 수 있는 단말(端末)》.

wórk stòppage *n.* 작업 정지《노동자가 자율적으로 참가한 파업보다 소규모》.

wórk stùdy *n.* 작업 연구《능률 향상을 위한 작업 공정 분석 따위》.

wórk·tàble *n.* 작업대(bench) ; (서랍이 달린 탁자 모양의) 재봉대.

wórk-to-rùle *n., vi.* 《英》 준법 투쟁(하다).

wórk·ùp *n.* 〖醫〗 정밀 검사.

wórk-ùp *n.* 〖印〗 (인테르가 떠서 인쇄면에 생긴) 얼룩, 오점.

wórk·wèar *n.* 노동복, 공원복, 작업복 ; 작업복 스타일.

wórk·wèek *n.* 1주 노동[근무] 시간 : a 40-hour ~ 1주 40시간 노동 / a 5-day ~ 1주 5일제(制).

wórk·wòman *n.* 여자 직공 ; 여성 노동자 ; 침모(針母).

◇**world** [wəːrld] *n.* **1** [보통 the ~] 세계, 천지, 지구 : He is making a journey round *the ~*. 세계 일주 여행을 하고 있는 중입니다. **2 a)** 우주, 만물 : the best of all possible ~*s* 삼라 만상 가운데서 가장 뛰어난 것. **b)** 천체, 별의 세계. **3** 온 세계의 사람들, 인류, 인간 : the whole ~ 전(全) 세계(의 사람들). **4 a)** 사람이 사는 세상, 이 세상 ; 저승 : the[this] ~ 이 세상, 현세 / a better ~=another ~ 저 세상, 저승 / this ~ and the next=the two ~*s* 현세와 내세. **b)** 현세, 속세 : forsake the ~ 속세를 버리다. **5** [the ~] (살아가는) 세상, 항간 ; 세상살이 ; 세속 ; 세태 : know *the* ~ 세상 물정에 밝다 / see *the* ~ 세상을 알다 / We should take *the* ~ as we find it. 시세에 순응해야 한다 / I wonder what *the* ~ will say. 세상 사람들은 뭐라고 할까 / How goes *the* ~ with them? 그들의 형편은 어떻습니까, 어떻게 지내고 있습니까. **6** [one's ~] (개인이 보거나 경험하거나 하는) 세계(世界), 세상 : *My* ~ has changed. 내 눈에 비치는 세계는 변했다 / *His* ~ is very narrow. 그의 세계는 매우 제한되어 있다. **7** [the ~] 상류 사회, 사교계(의 사람들) : *the* fashionable ~ 유행계(界) / *the* great ~ 상류 사회. **8** …계, …세계, …사회 : the literary ~= the ~ of letters 문학계, 문단 / the English-speaking ~ 영어를 모국어로 하는 나라[지역(들)] / the animal[mineral, vegetable] ~ 동물[광물·식물]계. **9** [흔히 *pl.*] 대량, 다수.

against the world 전세계를 상대로 하여, 세상과 싸워서.

all the world 전(全)세계 ; 온 세상 사람들, 누구나 ; 만물(萬物) : *All the* ~ knows it. 그것은 세상이 다 아는 일이다.

all the world and his wife 《戱》 누구나 모두, 어중이떠중이 모두 : *All the* ~ *and his wife* were at the seaside. 너나 할 것 없이 수많은 사람들이 바닷가에 와 있었다.

as the world goes 세상에서 흔히 말하듯이.

be all the world 더없이 소중하다 : His wife *was all the* ~ to him. 그에게 아내는 삶의 보람이었다.

begin*[*go out into*] *the world 실사회에 나가다[나오다].

bring a child ***into the world*** (아이를) 낳다.

carry the world before one 순식간에 대성공하다.

a citizen of the world 세계인(人) (cosmopolitan).

come* (*in*) *to the world 태어나다 ; 출판되다.

***for all the world like*[*as if*]...** 꼭 …와 같은 […을 닮은] (exactly like[as if]...) : He looked *for all the* ~ *like* a monkey[*as if* he were a girl]. 아무리 보아도 꼭 원숭이처럼 보였다[소녀같이 보였다].

give...to the world …을 세상에 내놓다, …을 출판하다.

***give worlds*[*the world*]** 〈*for*..., *to* do, *if*...〉 (…을 위해서라면, …할 수만 있다면) 어떠한 희생도 감수하다 : I would *give the* ~ *to* know it. 어떻게 해서라도 그것을 알고 싶다.

go out of this world 죽다.

have the world against one 전(全)세계를 적으로 돌리다.

have the world before one 앞길이 양양하다, 앞날이 훤하게 트이다.

in the world (1) 세계에서[에·의] ; [최상급을 강조하여] 세상에서 : There is all the difference *in the* ~ between the two. 양자 사이에는 천양지차가 있다 / He is *the greatest* man *in the* ~. 세상에서 가장 위대한 사람이다. (2) [의문사를 강조하여] 도대체 : *What in the* ~ does he mean? 도대체 그는 어쩌자는 것인가. (3) [부정어를 강조하여] 전연, 조금도 : *Nothing in the* ~ disappointed him more. 그 이상으로 그를 실망시킨 일은 없었다.

make a noise in the world ☞ NOISE.

make the best of two worlds (1) 세속적 이해와 정신적 이해를 조화시키다. (2) 두 개의 상반되는 요구를 충족시키다.

a man*[*woman*] *of the world 세상살이가 능한 사람[여자], 사교적인 사람[여자].

not for the* (*whole*) *world*=*not for worlds*=*not for anything in the world 결코 …은 아니다, 결코 …하지 않다 : I would*n't* offend you *for the* ~. 어떠한 일이 있어도 당신의 감정을 해치는 일은 하고 싶지 않습니다.

of the world 세속적인, 속된.

on top of the world 《口·원래 美》 월등히 좋은 지위에[조건으로] ; (성공·행복 따위로) 좋아서 어쩔줄 모르는, 의기 양양하여(elated).

out of this*[*the*] *world 《美口》 뛰어나게 좋은.

the end of the world ☞ END *n.*

the lower world 지옥(hell).

***the other world*=*the next world*=*the world to come*[*to be*]** 저 세상, 저승 ; 미래, 내세 : in this ~ and *the* ~ *to come* 현세(現世)에서나 내세(來世)에서나.

***the world beyond* (*the grave*)** =*the other* WORLD.

the world, the flesh, and the devil 가지가지 유혹물《명리(名利)·육욕·사념(邪念) 따위》.

think the world of …을 매우 소중히 여기다[사랑하다].

to the world 《俗》 전적으로, 완전히(utterly) : He was tired[drunk] *to the* ~. 그는 완전히 지쳤다[취했다].

to the world's end 세상 끝까지, 영원히.

a world of... 산더미 같은…, 막대한, 무수한, 한량없는, 무한의, 한정없는 : *a* ~ *of* troubles 갖가지 곤란 / The change of air did him *a* ~ *of* good. 전지(轉地)(요양)한 덕분으로 그는 매우 좋아졌다.

***a world too many*[*much*]** 너무 많은.

world without end 영구히(forever).

〚OE *w*(*e*)*orold* human existence, this world< Gmc. (《美》 *weraz* man, 《美》 *aldh-* era (⇨ OLD)) ; cf. G *Welt*〛

[類義語] ⟹ EARTH.

Wórld Bánk *n.* [the ~] 세계 은행(☞ IBRD).

wórld-bèat·er *n.* 세계 기록 보유자, 제1인자《사람·사물》.

Wórld Cálendar *n.* [the ~] 세계력(曆)《1년을 4등분하여 각 계절은 반드시 일요일에 시작되며 3개월씩으로 나뉘고 최초의 달은 31일, 다음 2개월은 30일씩으로 하여 12월 31일 대신에 연말 휴일을 둔다는 개량안》.

wórld càr *n.* 월드카《전세계 시장으로의 보급을 목표로 한 경량의 소형 자동차》.

wórld-clàss *a.* 세계적인, 국제적인.

Wórld Cóuncil of Chúrches *n.* [the ~] 세계 교회 협의회.

Wórld Cóurt *n.* [the ~] **1** 상설 국제 사법 재판소《네덜란드의 The Hague에 있는 the Permanent Court of International Justice의 속칭》. **2** 국제 사법 재판소《네덜란드의 The Hague에 있는 the International Court of Justice의 속칭》.

Wórld Cúp *n.* [the ~] 〖競〗 월드컵《축구·스키·골프 따위 세계 선수권 대회 ; 그 우승배》.

wórld-fámous, -fámed *a.* 세계적으로 유명한[이름이 높은].

wórld féderalism *n.* 세계 연방주의 ; [W~ F~] (제2차 대전후의) 세계 연방주의, 세계 연방 운동(추진 단체).

wórld féderalist *n.* 세계 연방주의자 ; [W~ F~] (제2차 대전후의) 세계 연방 운동 추진 회원. ── *a.* [W~ F~] 세계 연방 주의의 ; 세계 연방 운동 추진 단체의.

Wórld Federátion of Tráde Únions *n.* [the ~] 세계 노동 조합 연맹《略 WFTU》.

Wórld Fóod Còuncil *n.* [the ~] 세계 식량 이사회《1974년 국제 연합 세계 식량 회의의 제안에 의해 창설됨》.

Wórld Gámes *n. pl.* 월드 게임《비(非)올림픽 경기 종목의 세계 대회》.

Wórld Héalth Organizàtion *n.* [the ~] 세계 보건 기구《略 WHO》.

Wórld Ísland *n.* [the ~, 흔히 the w~ i~]〖地質〗세계 섬《세계를 지배하는데 전략상 유리한 아시아·유럽·아프리카의 총칭》.

wórld lánguage *n.* 세계어, 국제어《Esperanto 따위의 인공어(語) ; 또는 영어 따위 많은 국가간에 사용되는 언어》.

wórld·ling *n.* 속인, 속물.

***wórld·ly** *a.* 세상의, 세간의, 현세의 ; 세속적인, 속계(俗界)의, 명리를 추구하는, 물욕이 강한, 속물의 : ~ affairs 세상일, 세속적인 일 / ~ goods 재화, 재산 / ~ people 속물들 / ~ pleasures 세속적인 쾌락 / ~ wisdom (특히 이기적인) 처세를 위한 지혜[재주], 처세의 재간.
── *adv.* [복합어 이외에는《古》] 세속적으로.
類義語 ⟹ EARTHLY.

wórldly-mínded *a.* 속된, 명리를 쫓는, 속물 근성이 있는. **~·ness** *n.*

wórldly-wíse *a.* 세상일에 능란한, 처세술에 능한, 세상 물정에 밝은.

Wórld Meteorológical Organizátion *n.* [the ~] 세계 기상 기구《略 WMO》.

wórld pòint *n.*〖數·理〗세계점.

wórld pówer *n.* 세계적인 강대국 ; 세계적으로 강력한 조직, 국제 조직.

wórld premíere *n.* (연극 따위의) 세계 초연.

wórld séries *n.* [the ~, 흔히 the W~ S~]〖野〗월드 시리즈《매년 가을의 전미(全美) 프로 야구 선수권 시합》.

wórld's fáir *n.* 만국 박람회.

wórld-shàking *a.* 세계를 뒤흔드는 ; 획기적인.

wórld sóul *n.* 세계 정신.

wórld spírit *n.* 신(神) ; =WORLD SOUL.

Wórld Tráde Cènter *n.* 세계 무역 센터《뉴욕시의 최고층 빌딩》.

wórld vìew *n.* 세계관.

Wórld Wár I [-wʌ́n] *n.* 제1차(次) 세계 대전《1914-18》.

Wórld Wár III [-θríː] *n.* (장차 일어날지도 모르는) 제3차 세계 대전.

Wórld Wár II [-túː] *n.* 제2차(次) 세계 대전《1939-45》.

wórld-wèary *a.* 세상이 싫어진, 염세적(厭世的)인, (특히) 물질적 쾌락에 싫증난.

wórld·wíde *a.* (명성 따위가) 세상에 알려진, 세계적인.

***worm** [wəːrm] *n.* **1 a)** 벌레, 연충(蠕蟲)《지렁이·촌충·거머리·구더기 따위》: Even a ~ will turn. =Tread on a ~ and it will turn.《속담》지렁이도 밟으면 꿈틀한다. **b)** [*pl.*] (장(腸) 속의) 기생충 ; [~s ; 단수 취급] 기생충병. **2** 벌레 같은 인간(cf. INSECT) : I am a ~ today.〖聖〗오늘은 아주 기운이 없다. **3 a)** (사람의 마음을 좀먹는) 고통의 원인, 회한[후회]의 근원. **b)**〖聖〗지옥의 책고(責苦)《통속적으로는 구더기가 무덤의 시체를 파먹는다고 함》. **4** 나사(screw) ; (증류기의) 나선관(螺線管) ; (원동기의) 웜《worm gear와 맞물림》; 무한(無限) 나사.
meat [***food***] ***for worms*** = ***worms' meat*** (인간의) 시체.
the worm of conscience 양심의 가책.
── *vt.* **1 a)** [+目+前+名/+目+副] [~ one's way, ~ one*self* 로] 서서히[느릿느릿] 나아가게 하다 : They ~*ed* their *way* ***through*** the bushes. 기다시피 하여 덤불을 빠져나갔다 / He ~*ed* him*self in*. 슬금슬금 숨어 들어갔다. **b)** [+目+*into*+名] [~ one*self* 로] 서서히 들어가게 하다 : She ~*ed* her*self* ***into*** society[his confidence]. 어느 사이엔가 모임에 한 몫 끼었다[교묘히 비위를 맞춰 그의 신임을 얻었다]. **2** [+目+*out of*+名/+目+副] (비밀 따위를) 교묘히[슬금슬금] 캐내다 : I ~*ed* the secret ***out*** (***of*** him). 교묘하게 (그로부터) 비밀을 캐냈다. **3** (개에게서) 장충(腸蟲)을 없애다 ; (화단에서) 벌레를 구제하다.
── *vi.* 기듯이 나가다 ; 교묘히 비위 맞추다 ;《美俗》공부하다.
〖OE *wyrm* serpent, dragon, worm ; cf. G *Wurm*, L VERMIN〗

wórm·càst *n.* 지렁이똥.

wórm-èaten *a.* **1** 벌레먹은, 좀먹은. **2** 케케묵은 ; 시대에 뒤진.

wórm·er *n.* (조수(鳥獸)용의) 구충제.

wórm·ery *n.* 벌레 사육장《낚시용 갯지렁이 따위를 사육함》.

wórm fènce *n.* 지그재그 담장[울타리].

wórm físhing *n.* 지렁이 미끼의 낚시(질).

wórm gèar *n.*〖機〗웜 기어《웜과 맞물림》.

wórm·hòle *n.* (나무·과실의) 벌레 구멍 ;〖天〗웜홀《black hole 과 white hole의 연결로》.

worm gear

wórm·sèed *n.* 구충 효과가 있는 종자(를 생산하는 각종 식물).

wórm's-èye víew *n.* **1** 충첨도(蟲瞻圖), 앙시도(仰視圖)《아래에서 올려다본 도표[관측] ; ↔ *bird's-eye view*》. **2** 현실에 의거해 보는 방식.

wórm whèel *n.*〖機〗=WORM GEAR.

wórm·wòod *n.* Ⓤ〖植〗약쑥 ;《비유》괴로움의 원인. 〖OE *wormōd* ; 어형은 *worm, wood*에 동화(同化) ; cf. VERMOUTH〗

wórmy *a.* 벌레가 붙은 ; 벌레가 많은 ; 벌레 같은, 천해 빠진.

◇**worn**[1] [wɔːrn] *v.* WEAR[1]의 과거분사.
── *a.* 써서 낡은, 닳아 빠진 ; 피로[근심]를 나타내는.

worn[2] *v.* WEAR[2]의 과거분사.

wórn-óut *a.* **1** 낡아 빠진, 닳아 빠진 : ~ shoes 닳아 빠진 구두. **2** 지쳐 빠진, 기운이 다 빠진. **3** 케케묵은, 진부한.

wór·ried *a.* 난처한, 딱한, 귀찮은 듯한, 걱정스러운 : a ~ look 염려스러운 표정 / feel[look] ~ 걱정[염려]스러운 얼굴을 하다.

wór·ri·er *n.* 괴롭히는 사람, 성가시게 구는 사람 ; 지나친 염려를 하는 사람, 군걱정이 많은 사람.

wór·ri·less *a.* 근심[걱정] 없는 ; 태평한.

wór·ri·ment *n.* Ⓤ《口》걱정, 근심 ; Ⓒ 근심[걱정]거리.

wór·ri·some *a.* 마음에 걸리는, 성가신 ; 쓸데없이 걱정하는.

wor·rit [wə́ːrət ; wʌ́r-] *v., n.*《英方》=WORRY.

◇ **wor·ry** [wə́:ri, wʌ́ri ; wʌ́ri] *vt.* **1** [+目/+目+前+名/+目+*to* do] 성가시게 하다, 귀찮게 굴다 : Stop ~*ing* me ; I am busy. 나도 바쁘니 이제 그만 졸라라 / Don't ~ me ***with*** those nonsense questions. 그런 어리석은 질문으로 나를 귀찮게 하지 마라 / He was always ~*ing* his mother ***for*** money[*to* buy him a car]. 그는 늘 어머니에게 돈을 달라고[자동차를 사 달라고] 조르고 있었다. **2** [+目/+目+前+名] [때때로 ~ one*self* 로] …의 마음을 졸이게 하다, 애태우게 하다, 걱정[고생]시키다, 괴롭히다 : What's ~*ing* him? 그는 무엇 때문에 속태우고 있느냐 / My bad tooth *worries* me. 이가 아파서 고생하고 있다 / I am *worried* by her lateness. 그녀가 늦어서 염려된다 / He was *worried* ***over*** the situation. 그는 시국이 걱정되었다 / Don't ~ your*self* ***about*** that. 그 일에 대해서는 염려하지 마라 / I'm afraid she'll ~ her*self* ***to*** death. 그녀가 지나치게 속끓이다 죽을까 걱정이다. **3** (개 따위) 물고 흔들다, 마구 물어뜯다. —— *vi.* [動/+前+名/+do*ing* /+*that* 節] 괴로워하다, 염려하다, 걱정[근심]하다 ; 마음졸이다, 안달하다 : What's the good of ~*ing*? 속태운다고 무슨 소용이 있니 / Mother will ~ if we are late. 늦어지면 어머니가 걱정할 것이다 / Don't ~ ***about*** it. 그것은 염려하지 마라 / You needn't ~ try*ing* to find me a job. 일자리를 구해주시려고 걱정하실 것 없습니다 / She was ~*ing that* you might be late. 네가 늦어질까봐 애태우고 있었다.

I should worry! 《口》 조금도 상관없습니다.

worry along 고생을 하면서 헤쳐나가다.

worry out (문제 따위를) 잘 생각해 내다, 애를 써서 풀다.

—— *n.* **1** 사냥개가 사냥감을 물어뜯기. **2** Ⓤ 걱정, 염려, 지나친 근심 ; Ⓒ [보통 *pl.*] 걱정거리, 걱정의 씨 : without ~ 걱정[염려]없이 / *W*~ kept me awake. 걱정으로 잠들지 못했다 / What a ~ that pupil is! 저 학생은 참으로 골칫거리다 / This world is full of *worries.* 이 세상에는 괴로운 일이 많다. 〖OE *wyrgan* to kill, strangle ; cf. G (*er*)*würgen* to strangle〗

類義語 (1) (*v.*) ⟹ ANNOY.
(2) (*n.*) ⟹ CARE.

wórry bèads *n. pl.* 걱정거리가 있을 때 손으로 만지작거려 긴장을 푸는 염주.

wórry·ing *a.* 성가신, 귀찮은 ; 속이 타는, 걱정스러운. **~·ly** *adv.*

wórry·wàrt *n.* 《口》 걱정이 많은[소심한] 사람.

◇**worse** [wə́:rs] *a.* (cf. WORST) [BAD[1], ILL의 비교급] (↔*better*) **1** 보다 나쁜, 더욱 나쁜 : He is bad, but his brother is ~. 그도 나쁘지만 동생은 더 나쁘다 / No catastrophe can be ~ *than* war. 전쟁보다 더 비참한 재앙은 없다 / This book is ~ *than* useless. 이 책은 해로울 뿐 이롭지는 않다 / The situation is getting ~ and ~. 사태는 더욱더 악화되어 가고 있다. **2** [*pred.*로 써서] (건강이) 전보다 더 나빠진 : He is somewhat ~ this morning. 오늘 아침에 그의 병세는 다소 악화되었다 / I hope you don't feel any ~. 병이 더 악화되지 않았으면 좋겠습니다.

(and) what is worse = to make matters worse 설상가상으로.

be the worse for drink[liquor] 술취해 있다.

be the worse for wear 너무 사용해서 닳다, 너무 입어 낡다 : My dress *was the ~ for wear.* 내 옷은 오래 입어 낡았다.

be worse than one's word 약속을 어기다.

none the worse for …을 당해도 태연하게 ; 《口》…으로 좋아져 ; …와 만나도 태평하여 : I am *none the ~ for* a single failure. 한 번쯤의 실패로는 끄덕도 하지 않는다.

nothing worse than (최악의 경우라도) 기껏 …만으로 : I managed to escape with *nothing ~ than* a few scratches[a fright]. 사소한 찰과상을 입었을 뿐[놀라기는 했지만] 위험은 모면할 수가 있었다.

so much the worse 그러니까[더욱] 나쁜, 그만큼[오히려] 더 나쁜.

worse than all 무엇보다 더 나쁜 것은.

—— *adv.* [BADLY, ILL의 비교급] (↔*better*) **1** 더욱 나쁘게, 보다 나쁘게 : She has been taken ~ these days. 요즘 그녀의 용태가 한층 더 악화되었다 / He is behaving ~ *than* ever. 그의 행실이 점점 나빠진다. **2** [강조하는 말] 더욱 심하게 : It was thundering ~ *than* ever. 천둥소리가 더욱 더 심하게 울려오고 있었다 / I want it ~ *than* before. 전보다도 한층 더 그것을 원한다.

none the worse (…에도 불구하고) 역시, 변함없이 : I respect him *none the ~ for* be*ing* ignorant. 무지(無知)하기는 하지만 나는 역시 그를 존경하고 있다.

think none the worse of …을 여전히 존중하다[존경하다] : I *think none the ~ of* him because he accepted their offer. 그들의 제의를 수락했지만 내가 그를 존경하는 데는 변함이 없다.

—— *n.* **1** Ⓤ 더욱 나쁨 : But there was ~ to come. 그러나 그보다 더 나쁜 일이 잇달아 일어났다 / I have ~ to tell. (그것뿐만 아니라) 더욱 좋지 않은 이야기가 있다. **2** [the ~] 한층 더 나쁜 쪽, 불리, 패배 : have *the* ~ 패배하다 / put a person to *the* ~ 패배시키다, 남을 이기다.

for better (or) for worse ☞ BETTER.

for the worse 나쁜 쪽으로, 한층[더] 나쁘게 : There has been a change *for the* ~. 사태[(환자의) 상태]가 악화되었다.

go from bad to worse 더욱더 악화되다, 점점 더 나빠지다.

~·ness *n.* 〖OE *wyrsa* ; ⇨ WAR〗

wors·en [wə́:rsən] *vt., vi.* 더욱 나쁘게 하다[되다], 악화시키다[되다]. **~·ing** *n.* 악화, 저하.

***wor·ship** [wə́:rʃəp] *n.* **1** Ⓤ 예배, 참배 ; 예배식[예식] : a house[place] of ~ 예배당, 교회 / public ~ 교회 예배식. **2** Ⓤ 숭배, 존경 : hero ~ 영웅 숭배 / the ~ of wealth 부(富)의 숭배. **3** Ⓤ 《古》 명예, 존엄, 위엄 : men of ~ 훌륭한 사람들, 신분이 높은 사람들. **4** 《英》 [your W~, his[her] W~으로 경칭으로서, 때때로 반어적으로] 각하 : Yes, *your W*~. 네, 각하《대통령·시장·고관을 호칭할 때 쓰는 경칭》/ *his W*~ the Mayor of London 런던 시장님《언급할 때》.

—— *v.* (**-p-** | **-pp-**) *vt.* **1** 예배하다, 참배하다, 빌다 : ~ God 신을 섬기다. **2** 숭배하다, 존경하다 : She ~*ed* her husband more than anybody else. 세상 누구보다도 남편을 존경했다. —— *vi.* 예배[참배]하다 : Where does he ~? 그는 어느 교회에 나갑니까. **~·(p)er** *n.* 예배자, 참배자, 숭배자. 〖OE *weorthscipe* worthiness, repute (WORTH, *-ship*)〗

類義語 ***worship*** 엄밀하게는 일정한 의식이나 말로 신을 예배하다 ; 넓게는 깊은 존경 또는 애정의 마음을 품다. ***adore*** 엄밀히는 신을 숭배하다 ; 넓은 뜻으로는 어떤 사람에 대하여 많은 호의·애정을 기울이다. ***revere*** 깊은 존경·애정의 마음을 가지다. ***venerate*** 신성한 것으로

서 존경하다 : *venerate* saints (성인들을 경모하다).

wórship·ful *a.* **1** 명예 있는, 존경할 만한, 고명한《(英)에서는 경칭》: the Most[Right] *W*~ … 각하. **2** 믿음이 깊은, 경건한.
~·ly *adv.* **~·ness** *n.*

◇**worst** [wə́ːrst] (cf. WORSE) *a.* [BAD[1], ILL의 최상급](↔*best*) **1** [the ~] 가장 나쁜 : *the* ~ road I've ever ridden on 지금까지 달려본 길 중에서 가장 나쁜 길. **2** [the ~] 가장 심한, 가장 지독한 : It was *the* ~ typhoon for seven years. 그것은 7년 만에 처음보는 심한 태풍이었다 / This is *the* ~ fever I've ever had. 이런 심한 열이 난 적은 없었다.
the worst way [***kind***]《美俗》가장 나쁘게 ; 몹시, 대단히(in the worst way).
—— *adv.* [BADLY, ILL의 최상급 ; cf. WORSE] 가장 나쁘게[심하게·서투르게] : You behave ~ when we have guests. 너는 손님이 계실 때에 제일 버릇이 없다.
worst of all 무엇보다도 나쁜 것은, 가장 곤란한 것은.
—— *n.* Ⓤ [the ~] 가장 나쁜[심한] 것[물건·사람], 최악 : You must be prepared for *the* ~. 만일의 경우를 위해 대비하고 있어야 한다 / *The* ~ of it is that.... 가장 나쁜[곤란한] 일은… / *The* ~ has happened. 최악의 사태가 발생했다 / *The* ~ of summer[the storm] will soon come. 곧 한여름이 다가올 것이다[폭풍우가 한고비에 이를 것이다].
at one***'s worst*** 최악의 상태로[의].
at (***the***) ***worst*** 아무리 나쁘더라도 ; =*at* one*'s* WORST.
do one***'s worst*** 할 수 있는 가장 못된[나쁜] 짓을 하다 : *Do* your ~. 무슨 짓이든 할테면 해봐, 무엇이든 마음대로 해봐 / Let him *do* his ~. 무슨 짓이든 하고 싶은 대로 하게 내버려 둬라, 멋대로 하게 내버려 둬라.
get the worst of it 가장 지독한 변을 당하다 ; 지다.
give a person ***the worst of it*** = ***put*** a person ***to the worst*** 남을 지게 하다, 패배시키다.
have the worst 패배하다.
if (***the***) ***worst comes to*** (***the***) ***worst*** 최악의 경우에는.
in the worst way《口》몹시, 대단히, 매우.
make the worst of …을 크게 떠벌려서[큰일 난 것처럼] 말하다 ; …을 비관하다[최악의 경우로 생각하다].
speak the worst of …을 헐뜯다.
—— *vt.* 지게 하다, 패배시키다(defeat) : The enemies were ~*ed.* 적은 패배했다.
〖OE *wierresta* ; ⇨ WORSE〗

wórst-càse *a.* 최악의 경우도 고려한.

wor·sted [wústəd, wə́ːr-] *n.* Ⓤ 소모사(梳毛絲)《긴 양털을 원료로 한 것 ; cf. WOOLEN》; 소모직물, 우스티드. —— *a.* 털실의[로 짠] ; 우스티드의 : ~ socks 털(실) 양말.
〖*Worste*(*a*)*d* Norfolk 주(州)의 원산지〗

wort[1] [wə́ːrt, wɔ́ːrt] *n.* Ⓤ 맥아즙(麥芽汁)《맥주의 원료》. 〖OE *wyrt* (↓)〗

wort[2] *n.* 초목, 풀. ㊟ 지금은 복합어로만 씀 ; 보기 cole*wort*, fig*wort*, liver*wort*.
〖OE *wyrt* ROOT ; cf. G *Wurz*〗

◇**worth**[1] [wə́ːrθ] *pred. a.* [목적어를 취하여] **1** (금전적으로) …의 가치가 있는 ; 재산이 …인, …정도의 재산을 소유한 : be ~ little[much] 거의 가치가 없다[상당한 가치가 있다] / This used car is ~ $1,000. 이 중고차는 1,000달러의 값어치가 있다 / How much is it ~? 그것은 얼마만한 가치가 있습니까. **2** [때때로 동명사를 수반하여] (일반적으로) (…할 만한) 값어치가 있는, (…하기에) 족한 : Rome is a city ~ visit*ing.* 로마는 가볼 만한 가치가 있는 도시다《㊟ visiting의 의미상의 목적어는 a city》/ This life is really ~ liv*ing.* 이 인생은 참으로 살아볼 만한 가치가 있다《㊟ living의 의미상의 목적어는 주어인 life》/ Whatever is ~ do*ing* at all is ~ do*ing* well.《속담》적어도 할 만한 가치가 있는 일이라면 훌륭히 할 가치가 있다 / Is it ~ all the trouble? 그렇게 애쓸 만한 가치가 있는가. **3** 재산이 …인, …만큼의 재산을 가진 : What's that lady ~? 저 부인은 재산을 얼마나 가지고 있습니까 / He is ~ a million. 백만장자다 / She died ~ millions. 몇 백만이란 재산을 남기고 죽었다.
as much as . . . is worth …의 가치에 필적할 만큼 : It is *as much as* my place *is* ~ to do it. 그런 일을 하면 내 지위가 위태롭다.
for all one ***is worth***《口》전력을 다하여, 힘껏 : I ran *for all* I *was* ~. 나는 힘껏 달렸다.
for what it is worth (진위(眞僞)는 알 수 없으나) 다만 그대로 : I pass the news on to you *for what it is* ~. 그 소식의 진위는 알 수 없으나 일단 그대로 전한다.
play one***'s hand for all it is worth*** 전력을 다하다.
worth (one***'s***[a person***'s***]) ***while*** (…할) 가치가 있는, 할 보람이 있는 : do something ~ *while* 보람있는 일을 하다 / He will make it ~ your *while.* 그는 너에게 공연한 수고는 시키지 않을 것이다 / It is ~ *while* seeing the museum. 그 박물관은 볼 만한 가치가 있다. ㊟ (1) 마지막 문장은 The museum is ~ see*ing.*으로 바꿔 쓸 수 있음 ; 다만 The museum is ~ *while* see*ing.*은 실제로는 쓰여지나 피하는 것이 좋음. (2) ~ *while* 뒤에는 동명사를 쓰는 것이 보통이며, ~ one's *while* 뒤에는 부정사를 쓰는 것이 일반적 : It would [will] be is ~ your *while to* see the museum.

〈회화〉
This dress is much too expensive for me.—But it's *worth* it.「이 드레스는 너무 비싸」「하지만 그만한 값어치가 있어」

—— *n.* **1** Ⓤ 가치, 진가(眞價) : *of* (great) ~ (상당한) 가치가 있는 / *of* little[no] ~ 가치가 적은[없는]. **2** Ⓤ (얼마) 만큼의 분량 : Give me a dollar's ~ of this tea. 이 차 1달러어치 주세요. **3** 재산, 부(富).
put[***get***] ***in*** one***'s two cents*** (***worth***) ☞ TWO CENTS.
〖OE *w*(*e*)*orth* worthy ; cf. G *Wert*〗
類義語 ***worth, value*** 다같이 사물의 값어치나 가치라는 뜻 : the *worth*[*value*] of a used car (중고차의 가치). 엄밀하게는 *worth*는 그 자체의 절대적으로 뛰어난 도덕적·문화적·정신적인 성질을 말하며, *value*는 그 자체의 이용자·중요성과 같은 다른 것과의 상대적인 가치 또는 교환 가치에 쓰임 : The true *worth* of a writer's[an artist's] work cannot be measured by its market *value.* (작가[예술가]의 작품의 진가는 시장[상품] 가격에 의해서 측정되는 것이 아니다).

worth[2] *vt.*《古》…에 일어나다, 닥치다 : Woe ~

the day! 오늘은 왜 이다지도 재수가 없을까! 〖OE *weorthan* to become; cf. G *werden*, L *verto* to turn〗

wórth·ful *a.* 가치있는, 훌륭한. **~·ness** *n.*

***wórth·less** *a.* 가치없는, 하찮은, 쓸모없는, 무익한(useless); 비열한. **~·ly** *adv.* **~·ness** *n.*

wórth·whíle *a.* (실험 따위) 할 가치가 있는; (선물 따위) 상당한, 훌륭한: You ought to spend your time on some ~ reading. 무엇인가 가치있는 독서 따위로 시간을 보내야 한다. 주 *pred.*로 쓰일 때에는 두 낱말로 씀(☞ WORTH *a.* 숙어). **~·ness** *n.*

wor·thy** [wə́ːrði] *a.* **1** [+前+do*ing* / +*to* do] …할 만한 (가치가 있는); …하기에 알맞은: a poet ~ ***of the name 시인다운 시인 / in words ~ *of* the occasion 그 경우에 어울리는 말로 / It is ~ *of* note(=is noteworthy) that …은 주목할 만한 가치가 있다 / The event is ~ *of* be*ing* remembered. 그 사건은 기억해 둘 만하다 / a man who is ~ *to* take the lead 지도자가 되기에 손색이 없는 사람. **2** 가치가 있는, 존경할 만한, 훌륭한, 덕망이 있는; 상당한, 어울리는. 주 때때로 빈정대거나 은인인 체하는 뜻이 포함됨: a ~ rival 호적수(好敵手) / a ~ gentleman 훌륭한 신사; 《戲》 높으신 양반 / a ~ reward 상당한 보수. ── *n.* **1** 《古》 명사(名士), 훌륭한 인물: an Elizabethan ~ 엘리자베스조(朝) 시대의 명사. **2** 《戲》 사람, 어르신네: Who is the ~ with the bald head? 저 대머리진 양반은 도대체 누굴까. **wór·thi·ly** *adv.* 훌륭하게; 어울리게, 정당하게. **wór·thi·ness** *n.* 〖WORTH〗

-worthy [wə̀ːrði] *a. comb. form* 「…할 만한」「…할 가치가 있는」의 뜻: trust*worthy*, sea*worthy*. 〖↑〗

wot [wát] *v.* 《古》 WIT의 1인칭 및 3인칭 단수 현재형.

wotch·er, watch- [wátʃər] *int.* 《英俗》 안녕하십니까(What cheer!).

◇**would** [wəd, əd, wud, wúd]

> (1) will의 과거형이지만 독립된 조동사의 느낌이 있다.
> (2) would는 직설법에서 ①「시제의 일치에 의한 will의 과거」②「주어의 과거의 강경한 주장」(He *would* not consent.) ③「과거의 습관」(He *would* talk for hours.)에 쓰인다.
> (3) 가정법에서 ①「가정법 과거」②「가정법 과거완료」③「조건절」④「자신이 없는 추측」에 쓰인다.
> (4) Would you (please) …?의 형태로 정중한 의뢰의 표현으로 쓰인다.

── *auxil. v.* (cf. SHALL, SHOULD). **1 a)** [시제의 일치에 따라 will에 준하여 종속절 안에서 쓰임]: I thought I ~ do my best. 전력을 다하려고 생각했다《의지》/ She believed that her husband ~ soon get well. 남편의 병이 곧 나으리라고 믿었다《무의지》. **b)** [간접화법에서]: I said I ~ do it. 해보겠다고 나는 말했다(I said, "I will do it.") / He said that if he had ₩2,000,000, he ~ go abroad. 만약 200만원이 있다면 해외여행을 할텐데라고 그는 말했다(He said, "If I had ₩2,000,000, I ~ go abroad.") (cf. 2 b)).
2 [조건문에서] **a)** [귀결절에서: 2인칭, 3인칭에 써서 무의지의 상상을 나타냄]: If the car ran against it, they ~ be killed on the spot. 만약 자동차가 거기에 충돌한다면 그들은 즉사할 것이다 / If the car had run against it, they ~ have been killed. 만약 차가 거기에 충돌했었다면 그들은 즉사했을 것이다. **b)** [귀결절에서: 1인칭에 쓰여서 말하는 사람의 의향을 나타냄]: If I were rich enough, I ~ buy it. 부자라면 그것을 살 텐데 / If I had known the news, I ~ have told it to you. 그 소식을 알고 있었더라면 너에게 알렸을 텐데. **c)** [조건절에서: 주어의 의지를 나타냄] 만일 …할 의사가 있다면: I could do so if I ~. 하고 싶다면 그렇게 할 수는 있지만《하고 싶지 않다》.
3 [조건절의 내용을 포함시킨 완곡한 표현법] **a)** [무의지]: It ~ seem that.... 어쩐지 …인 것 같다 / One ~ have thought that. 누구든지 그렇게 생각할 것이다[했을 것이다] / Who ~ have thought it? 누가 그것을 생각했을까《참으로 뜻밖의 일도 있다》. **b)** [의지]: *W*~ you mind showing me the way? 길을 좀 가르쳐 주시겠습니까 / I ~ *rather* not do it. (어느 편인가 하면) 그렇게 하고 싶지는 않다《강한 선택을 나타냄》/ I ~ like to go. 가고 싶다(☞ 숙어) / I ~ fain do.... ☞ FAIN[1] / This is the place where she ~ be. 여기가 그녀가 살고 싶어하는 곳이다.
4 [과거의 의지·주장·거절] (기어코) …하려고 했다: He ~ get in my light. 매사에 나를 방해하려고 했다 / I asked her those questions, but she ~ not answer any of them. 나는 그녀에게 그런 질문을 했으나 그녀는 그 어느 하나에도 대답하려고 하지 않았다 / The door ~ not open. 아무리 해도 문은 열리지 않았다.
5 [과거의 습관·동작의 반복] (…하기가) 일쑤였다, 곧잘 …하였다(cf. USED[1] to; ☞ USED[1] 活用 (3)): He ~ sit for hours doing nothing. 몇 시간이고 아무것도 하지 않고 앉아 있기가 일쑤였다.
6 [과거의 추측] …이었을 것이다: I suppose he ~ be about fifty when he obtained a doctorate. 그가 박사 학위를 딴 것은 50세쯤 되었을 때일 것이다.
── *vt.* [+目 / +*that* 節 / +目+前+名] 《古》 바라다(wish): What ~ you? 당신은 무엇을 바라십니까 / *W*~ (=I wish) *that* I were young again! 내가 다시 한번 젊어졌으면 좋겠는데 / *W* ~ ***to*** God (*that*) it were true! 정말 그랬으면 좋겠는데.

I would like to do …하고 싶다: I ~ *like to* see him. 그를 만나고 싶다. 주 특히 《美》에서 I SHOULD like에 대용하는 경우가 많음; ☞ *I* SHOULD *like to*....

would better[***rather***] ☞ BETTER[1] *adv.* 숙어; cf. 2 b).

〖OE *wolde*; ⇨ WILL〗

wóuld-bè *a.* 지망의; 자칭의, 제딴은 …인 줄 아는, …연[체]하는: a ~ author 작가 지망생; 자칭 작가 / a ~ gentleman 신사인 체하는 사람, 자칭 신사. ── *adv.* 제딴은 …인 줄 알고, 자칭하여: ~ wise 제딴은 똑똑한 줄 알고.

‡**would·n't** [wúdnt] would not의 단축형.

wouldst [wədst, wudst, wúdst], **would·est** [-dəst] *auxil. v.* 《古》 WILL의 2인칭 단수(thou) WILT[2]의 과거형: thou ~ =you would.

***wound**[1] [wúːnd, 《古·詩》 wáund] *n.* **1** 상처, 부상: a mortal[fatal] ~ 치명상 / He has a bullet ~ *in* the left arm. 그는 왼팔에 총상이 있다. **2** (명예·신용·감정 따위의) 손상, 손해, 고통; 감정을 해치기, 모욕: a ~ *to* one's dignity[pride, vanity] 위신[자존심·허영심]의 손상. **3** 《詩》 사랑의 상처. ── *vt.* [+目 / +目+前+名] **1** 상처를 입히다: Five soldiers were killed and

twenty ~*ed.* 5명의 병사가 죽고 20명의 병사가 부상했다 / He was ~*ed* ***on*** the head[***in*** the arm]. 머리[팔]에 부상을 입었다. **2** …의 감정[명성 따위]을 상하게 하다 : Your unkind words will ~ her. 너의 불친절한 말에 그녀는 감정이 상할 것이다 / He felt ~*ed* ***in*** his self-respect. 그는 자존심을 손상당한 느낌이었다. —— *vi.* 상처(傷處)를 입다.
willing to wound 악의가 있는.
〚OE *wund* ; cf. G *Wunde*〛

***wound**² *v.* WIND²˒ ³의 과거·과거분사.

wóund·ed *a.* 상처 입은, 부상당한 ; 상심한.
—— *n.* [집합적으로 ; the ~] 부상자.

wóund·wòrt *n.* 잎을 상처용 약으로 쓰는 약초, (특히) 꿀풀과(科)의 석잠풀.

***wove** *v.* WEAVE¹의 과거·과거분사.

***woven** *v.* WEAVE¹의 과거분사.

wóve pàper *n.* 그물 무늬의 심이 든 고급지.

wow¹ [wáu] *n.* 《口》 (극·영화 따위의) 대성공, 히트(hit) ; (무의식 중에 wow하고 소리를 지르게 될 만한) 훌륭한 것[잘 생긴 여자]. —— *vt.* 《口》 (청중·관중 등을) 흥분시켜 떠들썩하게 하다.
—— *int.* 어머나!, 저런! 《놀람·기쁨·고통 따위를 나타냄》. 〚imit.〛

wow² [wáu, wóu] *n.* 와우《녹음기 따위 회전 부조(回轉不調)로 생기는 재생음의 이상》. 〚imit.〛

wow·ser [wáuzər] *n.* 《濠》 청교도적 광신자, 매우 격식이 까다로운 사람 ; 절대 금주가 ; 흥을 깨는 사람. 〚C19<?〛

WP [dʌ̀bəlju:pí:] *n.* 《美》 (성적 평가의) WP 《합격점을 따면서도 학과 이수를 취소한 학생에게 교사가 매기는 평점 ; cf. WF》.
〚*w*ithdrawn *p*assing〛

WP word processing. **WP, W.P.** weather permitting ; wettable powder ; white phosphorus ; without prejudice. **wp** water proof. **w.p.** wastepaper ; wire payment ; working pressure. **WPA, W.P.A.** Works Projects [Progress] Administration(공공사업 촉진국). **WPB, W.P.B.** 《美》 War Production Board. **w.p.b., W.P.B.** wastepaper basket (휴지통에 넣으시오). **WPC, wpc, w.p.c.** watts per candle. **W.P.C.** woman police constable. **WPI** wholesale price index (도매 물가 지수). **WPM, wpm, w.p.m.** words per minute(1분간 타자 속도). **wpn.** weapon. **W.R.** warehouse receipt ; Wassermann reaction ; West Riding ; with rights. **WRAC, W.R.A.C.** [, rǽk] Women's Royal Army Corps 《육군 여군 부대 ; cf. W.A.A.C.》.

wrack¹ [rǽk] *n.* **1** Ⓤ 파도에 밀려 해변에 올라온 해초. **2** 난파선(船), 표착물(漂着物). **3** Ⓤ 《古·詩》 파멸, 멸망. ㊟ 지금은 다음 구로만 쓰임 : go to ~ and ruin 파멸하다.
〚MLG, MDu. *wrak* wreckage ; cf. WRECK〛

wrack² *n.* (중세의) 고문대. —— *vt.* 고문하다, 괴롭히다.
〚OE *wræc* persecution, misery ; cf. WREAK〛

WRAF, W.R.A.F. [, rǽ(:)f ; rá:f] 《英》 Women's Royal Air Force 《공군 여군 부대 ; cf. WAAF》.

wraith [réiθ] *n.* (*pl.* **~s** [-θs, -ðz]) **1** 생령《사람의 임종 전후에 나타난다고 함》. **2** 망령, 유령(ghost). **3** 《비유》 앙상하게 말라빠진 사람 ; 피어오르는 연기[증기]. **~lìke** *a.* 〚C16<?〛

wran·gle [rǽŋgəl] *vi.* [動/+前+名] 말다툼하다, 싸우다, 논쟁하다 : ~ ***with*** a person ***about*** [***over***] a matter 어떤 일로 남과 말다툼하다.
—— *vt.* 설복하다, 언쟁하여 입수하다 ; 《美西部》 (가축을) 지키다. —— *n.* 말다툼(dispute), 언쟁(quarrel). 〚ME ; cf. WRING, LG (freq.) 〈 *wrangen* to struggle〛

wrán·gler *n.* **1** 말다툼하는 사람, 논쟁자. **2** 《英》 (Cambridge 대학에서) 수학 학위 시험의 1급 합격자. **3** 《美西部》 가축을 지키는 사람.

‡**wrap** [rǽp] *v.* (**wrapped, wrapt** [rǽpt] ; **wráp·ping**) *vt.* **1** [+目/+目+副/+目+前+名] **a)** 싸다, 감싸다 : She ~*ped* the baby ***in*** her shawl. 아기를 숄로 감쌌다 / *W*~ it ***up*** *in* paper. 그것을 종이에 싸시오 / He ~*ped* himself (*up*) *in* his cloak. 망토로 몸을 감쌌다 / The top of the mountain was ~*ped in* clouds. 산꼭대기는 구름에 덮여 있었다. **b)** 《비유》 덮어싸다, 덮어가리다 : He stood ~*ped* ***in*** thought. 생각에 잠겨 서 있었다 / The event is still ~*ped* (***up***) *in* mystery. 사건은 아직도 수수께끼에 싸여 있다 / ~ *up* one's meaning *in* obscure language 생각을 애매한 말로 위장하다. **2** [+目+前+名] …을 입다, 걸치다 ; 두르다 : She ~*ped* her shawl *closer* ***about*** her. 그녀는 숄을 더 단단히 어깨에 둘렀다. **3** 《濠口》 칭찬하다.

〈회화〉
Do you need this *wrapped* ? — Yes, please. 「이거 싸드릴까요」「네, 싸주세요」

—— *vi.* [+副] (몸을) 감싸다, 감기다, 둘러입다 : Please ~ ***up*** well. 옷을 두껍게 입으시지요.
be wrapped up in... (1) …의 안에 감싸이다 (cf. *vt.* 1). (2) …에 열중하다 : He *is* ~*ped up in* his work. 일에 몰두하고 있다. (3) …와 서로 얽히다 : Peace *is* ~*ped up in* mutual willingness to compromise. 강화(講和)는 서로가 기꺼이 화해하려는 마음과 밀접한 관계가 있다.
—— *n.* **1** 싸개, 덮개, 외피 ; 〖製本〗 바깥접장. **2** 숄, 목도리 ; 무릎 덮개 ; 외투《따위》. **3** [*pl.*] 구속, 억제, 비밀, 검열. **4** 완성, 끝냄.
〚ME<?〛

wráp·aròund *a.* 몸에 감아서 입는 ; 광각(廣角)의, (끝쪽이) 굽은, 겹친 : a ~ windshield (자동차의) 광각형 앞창 유리, 광각 앞창.
—— *n.* **1** (몸에) 두르는 식(式)의 스커트 따위의 옷(wrapover). **2** 〖製本〗 바깥접장.

wráp còat *n.* 랩코트《단추가 없고 몸에 휘감듯이 입고 벨트를 매는 코트》.

wráp·òver *a., n.* 몸에 두르는 식의 (옷) (wraparound).

wráp·page *n.* 포장지 ; Ⓤ,Ⓒ 그 재료.

wráp·per *n.* **1** 싸는 사람, 감는 사람. **2** 싸는 것 ; 보자기, 포장지 ; (신문·잡지의) 대지(帶紙) ; 《英》 책의 재킷(book jacket). **3** (여성의) 실내옷, 화장옷. **4** (여송연의) 겉을 싸는 질이 좋은 잎.

wráp·ping *n.* Ⓤ 포장 재료 ; [보통 *pl.*] 덮개 ; 싸개, 포장지[포(布)].

wrápping pàper *n.* (소포용) 포장지.

wrapt *v.* WRAP의 과거·과거분사.

wráp-ùp *n.* **1** 《美口》 요약한 뉴스 ; 결말, 결론. **2** 《美口》 (계약 따위를) 체결함 ; 쉬운 일, 낙승. **3** 《美俗》 쉽게 팔아버림, 쉽게 사가는 손님 ; (텔레비전·통신 판매 따위에서) 실물을 보지 않고 사는 물건. —— *a.* 《美口》 마지막의, 종결의 ; 요약의, 결론[총괄]의.

wrasse [rǽ(:)s] *n.* 〖魚〗 양놀래기과의 물고기.
〚Corn. *wrach* muted ; cf. Welsh *gwrach* old

woman]

wrath [rǽ(:)θ, rɑ́:θ; rɔ́(:)θ] *n.* Ⓤ 《文語》 격노, 분노(rage); 복수, 천벌.
children [***vessels***] ***of wrath*** 천벌을 받아야 할 사람들.
slow to wrath 좀처럼 화를 내지 않는.
the grapes of wrath (신의 진노의 상징으로서의) 분노의 포도.
―― *a.* 《古》 =WRATHFUL. **~·less** *a.*
〚OE (*wrāth* WROTH)〛
類義語 ⟹ ANGER.

wráth·ful *attrib. a.* 《文語》 (눈초리 따위) 분노에 찬, (말 따위) 노기를 띤. **~·ly** *adv.* 격노하여, 분연히. **~·ness** *n.*

wráthy *a.* 《口》 =WRATHFUL. **wráth·i·ly** *adv.*

wreak [rí:k] *vt.* **1** [+目+*on*+名] (분노를) 터뜨리다; (원한을) 풀다, 갚다: He ~*ed* his bad temper (***up***)***on*** his servants. 그는 역정을 내고 하인들에게 분풀이를 했다. **2** 《古》 …에게[…의] 복수를 하다(avenge); (노력을) 기울이다.
~·er *n.* **~·ful** *a.*
〚OE *wrecan* to drive, avenge; cf. G *rächen*, L *urgueo* to push, URGE; cf. WRACK, WRECK, WRETCH〛

***wreath** [rí:θ] *n.* (*pl.* **~s** [-ðz, -θs]) **1** 화관(花冠), 화환; 화환 모양의 조각. **2** (연기·구름 따위의) 동그라미, 소용돌이(ring, curl): a ~ *of* smoke[fog] 소용돌이치는 연기[짙은 안개]. **3** 《詩》 (둥그렇게 모여선) 무리, 일단(一團): a ~ *of* dancers[spectators] 둥그렇게 모여선 무용수들[구경꾼들]. ―― *vt., vi.* =WREATHE.
~·less *a.* **~·lìke** *a.*
〚OE *writha*; ⇨ WRITHE〛

wreathe [rí:ð] *vt.* [+目/+目+前+名] **1** 둥그렇게 만들다, 화환으로 만들다; (꽃다발을) 만들다: ~ a garland 화환을 만들다 / ~ flowers ***into*** a garland 꽃을 꽃다발로 엮다. **2** (화환·화관으로) 장식하다: ~ a poet's brow ***with*** laurel 시인의 이마에 월계관을 씌우다. **3** 싸다, 에워싸다; (팔을) 휘감다; (뱀·덩굴 따위를) 휘감기게 하다, 감아돌게 하다, 감기게 하다: Mist ~*d* the mountain. 안개가 산을 감쌌다 / His face was ~*d* ***in*** smiles. 그는 만면에 웃음을 띠우고 있었다 / a column ~*d* ***with*** vines 덩굴이 얽혀 있는 기둥 / ~ one's arms ***about*** a person 남을 껴안다. ―― *vi.* [動/+副] **1** (잎 따위가) 서로 얽히다, 감기다〈*round*〉. **2** (연기 따위가) 동그라미를 이루다, 소용돌이치며 올라가다: The smoke was *wreathing upward*. 연기가 소용돌이쳐 올라가고 있었다.
〚↑ and 역성(逆成)〈(p.p.)〈WRITHE〛

***wreck** [rék] *n.* **1** Ⓤ **a)** 난파, 난선(難船), 조난(shipwreck): The ship was saved from ~. 난선은 구조되었다. **b)** 《비유》 파괴, 파멸, 좌절: the ~ *of* one's hopes[plans] 희망[계획]의 좌절 / the ~ *of* one's life 인생의 파멸. **2** 난파선, 파선(破船); (표착(漂着)된) 난파선의 잔해(殘骸)〈*of*〉. **3** (화재·지진·충돌 따위의 재난으로 파괴된 건물·비행기·열차·자동차 따위의) 잔해; 몰락한 사람, (병으로) 수척해진 사람, 초라한 모습: He was a (mere) ~ *of* his former self. 옛 모습은 찾아볼 수 없는 가련한 모습이었다 / My car was a worthless ~. 내 차는 무참하게 부서졌다 / You've made a ~ of your life. 너는 너의 일생을 형편없게 만들었다.
―― *vt.* **1** (배를) 난파시키다; (열차 따위를) 파괴하다: The ship was ~*ed.* 배가 난파됐다 / The mail train was ~*ed* by the robbers. 우편열차는 강도들에 의해서 파괴되었다. **2** (물려받은 재산 따위를) 날리다; (계획 따위를) 좌절시키다, (몸을) 망치다; (남을) 파산시키다, …의 건강을 해치다. ―― *vi.* **1** (배 따위가) 난파하다; 파멸하다. **2** 난파선을 구조하러 가다; 난파선을 약탈하다. 〚AF *wrec*<Gmc.; ⇨ WREAK〛

wréck·age *n.* Ⓤ [집합적으로] 난파 화물, 표착물; 잔해, 파편; 파멸, 파괴: They searched the ~ *of* the airplane for some survivors. 그들은 생존자를 찾아 비행기의 잔해를 수색했다.

wrecked [rékt] *a.* 난파[파선]한; 《美俗》 몹시 취한, 마약으로 몽롱해 있는: ~ goods[sailors] 난파 화물[조난당한 선원들].

wréck·er *n.* **1** 난파선 약탈자, (약탈을 목적으로 배를) 난파시키는 사람. **2** 《美》 (건물의) 해체(解體)업자(=《英》 housebreaker); 《비유》 (제도(制度)) 파괴자. **3 a)** 조난 작업원. **b)** 해난(海難) 구조선, 구조 (작업)선(船). **c)** 구원차, 구원 열차. **d)** 구난용 트럭(tow car, tow truck).

wréck·ful *a.* 《古·詩》 파괴적인(destructive).

wréck·ing *n.* **1** Ⓤ 난파, 난선. **2** Ⓤ 구조[해난구조] 작업. **3** Ⓤ 파괴, 파멸; 《美》 가옥 해체(=《英》 housebreaking). ―― *a.* 구난[난선 구조, 건물 헐기] 작업에 종사하는.

wrécking amèndment *n.* 〖英政〗 (법안의) 골자를 빼낸 수정안.

wrécking càr *n.* 〖美鐵〗 구조차, 레커차.

wrécking còmpany *n.* 수해(水害) 구호반; 파괴[구원] 소방대.

wrécking crèw *n.* 수해 구호반; 〖美鐵〗 구호반; 파괴[구원] 소방대.

wréck màster *n.* 난파선 화물 관리인.

wréck tràin *n.* 〖美鐵〗 구난 열차, 구조차.

wren [rén] *n.* 〖鳥〗 굴뚝새; 《俗》 젊은 여자, 아가씨. 〚OE *wrenna*〛

Wren *n.* 《英》 해군 여군 부대원; [the ~s] 해군 여군 부대(cf. W.R.N.S.).

wrench** [réntʃ] *n.* **1** 비틀기, 비꼬기(twist). **2** 뒤틀림, 삠: He gave his right ankle a ~. 오른쪽 발목을 삐었다. **3** 《비유》 (이별의) 쓰라림, 애달픔, 고통: It will be a ~ to leave home. 고향을 떠나는 것은 가슴아플 것이다. **4** 《비유》 (사실·뜻 따위의) 왜곡(distortion), 곡해(曲解)(perversion). **5** 나사 돌리개, 렌치, 스패너: ☞ MONKEY WRENCH. ―― *vt.* **1** [+目/+目+副/+目+前+名/+目+補] 비틀다, 비꼬다, 비틀어 돌리다; 비틀어 떼내다; 홱 잡아당기다: ~ the horse's head (a***)***round*** 말머리를 돌리다 / ~ a fruit ***off*** a branch 과일을 가지에서 비틀어 따다 / ~ the gun ***from*** a person[***out of*** a person's hand] 남의 손에서 권총을 빼앗다 / Somebody has ~*ed* the window open. 누군가가 창문을 비틀어 열었다 / He ~*ed* himself free from his wife's clutches. 몸을 비틀어 아내의 손에서 빠져 나왔다. **2** 삐다: ~ one's ankle 발목을 삐다. **3** (사실을) 왜곡하다, (뜻을) 억지로 해석하다[갖다 맞추다]. ―― *vi.* (세게, 갑자기) 비틀리다, 뒤틀리다. **~·ing·ly** *adv.* 〚OE *wrencan* to twist; cf. WRINKLE, G *wrenken*〛

wrest [rést] *vt.* **1** [+目/+目+*from*+名] **a)** 비틀어[잡아] 떼다: The brave nurse ~*ed* the knife ***from*** the insane patient. 용감한 간호사는 정신병자의 손을 비틀어 나이프를 빼앗았다. **b)** 억지로[애써서] 얻다: ~ consent ***from*** a person 억지로[가까스로] 남의 동의를 얻어내다 / ~ a living *from* the barren ground 불모의 토지에

서 살아나가다 / They contrived to ~ the power *from* the king. 왕에게서 권력을 강탈하려고 획책했다. **2** (법·사실 따위를) 왜곡하다, (뜻을) 억지 해석하다. —— *n.* 비틀기 ; (현악기의) 조율건(調律鍵).
〖OE (v.) *wrǣstan* ‹ (n.) *wrǣst* ; ⇨ WRITHE〗

wres·tle** [résəl] *vi.* **1** [動 / + *with* + 名] 씨름을 하다, 레슬링을 하다 ; 맞붙어 싸우다, 서로 격투하다 : He began to ~ ***with his opponent. 상대방과 맞붙어 싸우기 시작했다. **2** [+ *with* + 名] 《비유》 (유혹 따위와) 싸우다, 고투(苦鬪)하다 ; (문제 따위에) 전력을 기울이다 : We must ~ ***with*** the problem[difficulty]. 문제[난국]와 맞붙어 싸우지 않으면 안된다 / He decided to ~ *with* those temptations. 그러한 유혹과 싸우기로 결심했다. —— *vt.* …와 씨름하다[맞붙어 싸우다] ; (레슬링 따위에서) …을 넘어뜨리다 ; 힘껏 밀다 ; 《美西部》 (낙인을 찍기 위해) 소 따위를 넘어뜨리다 : ~ a person for a prize 상금을 걸고 남과 레슬링을 하다.
wrestle in prayer = ***wrestle with God*** 열심으로[지성으로] (신에게) 기도하다.
—— *n.* **1** 씨름 ; 맞붙어 싸우기 ; 레슬링의 한 판 시합. **2** 《비유》 분투, 고투.
〖OE (freq.) ‹ WREST〗

wrés·tler *n.* 레슬링 선수 ; 씨름 선수, 씨름꾼, 맞붙어 싸우는 사람 ; 《美西部》 (낙인을 찍기 위해) 소를 넘어뜨리는 사람.

***wrés·tling** *n.* Ⓤ 레슬링 ; 씨름 ; 격투.

***wretch** [rétʃ] *n.* **1** 불쌍한 사람, 가엾은 사람. **2** 염치없는 놈, 비열한(卑劣漢) (scoundrel) : You ~ ! 이 놈아 !, 이 염치없는 놈아 ! **3** 《戱》 (귀여운) 녀석.
a wretch of a... 가엾은…, 불쌍한….
〖OE *wrecca* outcast (⇨ WREAK) ; cf. G *Recke* hero〗

***wretch·ed** [rétʃəd] *a.* (보통 **~·er ; ~·est**) **1** 비참한, 불쌍한, 불행한 : feel ~ 비참한 생각이 들다 / lead a ~ existence 비참한 생활을 하다. **2** 야비한, 비열한, 경멸할 만한 : a ~ traitor 가증스런 배반자. **3** 참으로 불쾌한, 아주 싫은, 아주 서투른 : a ~ poet 엉터리 시인 / What ~ weather ! 아주 고약한 날씨로군 / This coffee is ~ stuff. 이 커피는 형편없군《맛이 없어 못 마시겠다》 / I can't find that ~ umbrella ! 그 다 망가진 우산은 어디 갔나 ! **4** 누추한, 초라한 : a ~ house[inn] 초라한 집[여인숙]. **5** [비난을 나타내는 명사를 수식하여] 참으로 지독한, 말도 못할 : their ~ stupidity 그들의 말도 못할 우둔함. **~·ly** *adv.* **~·ness** *n.*
類義語 ⟹ MISERABLE.

W.R.I. War Risk Insurance ; Women's Rural Institute.

wrick [rík] *vt.* (목·등뼈·관절을) 약간 삐다, 접질리다 : ~ a muscle in one's back 등의 근육이 결리다. —— *n.* (약간) 뒤틀리기, 접질리기, 삐기 : give one's back a ~ 등뼈를 삐다 / have a ~ in one's neck 목을 삐다.
〖MLG *wricken* to move about, sprain〗

wrig·gle [rígəl] *vi.* **1** [動 / + 副 / + 前 + 名] **a**) (지렁이 따위가) 꿈틀거리다, 꾸불거리다, 꿈틀거리며 나아가다 : The fish ~*d* ***out of*** his hands. 물고기는 꿈틀거리며 그의 손아귀에서 빠져 나갔다 / A snake ~*d* ***across*** the path. 뱀이 꿈틀거리며 오솔길을 가로질러 갔다. **b**) (사람이) 꾸물거리다, 몸을 뒤틀며 나아가다 : Some of the pupils ~ as soon as they become bored. 어떤 학생들은 싫증이 나면 몸을 비비 꼰다 / He ~*d* ***through*** the narrow opening. 몸을 뒤틀며 좁은 틈 사이를 빠져 나갔다. **c**) 곤란[당황]한 기색을 나타내다, 초조해 하다, 안절부절못하다 : They ~*d* ***at*** my accusation. 내 비난에 그들은 안절부절못했다. **2** [+ 前 + 名] 《비유》 어떻게든 속여서 [우물우물하여] (어떤 상태에) 이르다 : ~ ***into*** a person's favor 어떻게든 교묘하게 남에게 빌붙다 / He can ~ ***out of*** any difficulty. 그는 어떠한 난관에 부닥쳐도 어떻게든 헤쳐 나갈 수 있는 사람이다. —— *vt.* **1** [+ 目 / + 目 + 副 / + 目 + 前 + 名 / + 目 + 補] 꿈틀거리게 하다, 꾸불거리게 하다 ; 꿈틀거리며 빠져 나가다 : ~ one's body 몸을 꿈틀거리다 / A worm ~*d* its way ***out at*** the hole. 한 마리의 벌레가 꿈틀거리며 구멍에서 나왔다 / The thief ~*d* himself free from the rope. 도둑은 몸을 이리저리 뒤틀며 포승에서 빠져 나왔다. **2** [+ 目 + 前 + 名] [~ one*self* 로] 《비유》 어떻게 해서든지 교묘히 (어떤 상태에) 이르다 : ~ oneself ***out of*** a difficulty 어떻게 해서든지 고경(苦境)에서 빠져 나오다. —— *n.* 몸부림, 꿈틀거림, 꿈적거림. 〖MLG (freq.) ‹ *wriggen* ; cf. OE *wrigian* to twist〗

wríg·gler *n.* **1** 꿈틀거리는 것 ; 〖昆〗 장구벌레. **2** (회답·약속 이행 따위를) 어물쩍하는 사람 ; 교묘하게 남의 환심을 사는 사람.

wríg·gly *a.* 꿈틀거리는, 몸부림치는 ; 꾸물거리는 ; 우물쩍하는.

wright [ráit] *n.* 注 복합어 이외는 《稀》. **1** (목수 등의) 장인(匠人) ; (차·배 따위의) 제조공(工), …공 : a ship~ 조선공 / a wheel~ 차량 제조공. **2** 작자, 작가 : a play~ 극작가.
〖OE *wryhta, wyrhta* worker ; cf. WORK〗

Wright *n.* 라이트. **Orville** ~ (1871-1948), **Wilbur** ~ (1867-1912) 1903년 비행기를 발명한 미국인 형제.

‡**wring** [ríŋ] *v.* (**wrung** [rʌ́ŋ]) *vt.* **1** [+ 目 / + 目 + 副 / + 目 + 補] 짜다, 짜는 기계로 짜다 : He *wrung* (***out***) his wet clothes. 젖은 옷을 짰다 / She *wrung* the laundry dry. 세탁물을 물기가 없도록 짰다. **2** [+ 目 / + 目 + 副] (새 따위의 목을) 비틀다 ; (손을) 꽉 쥐다 : I *wrung* my old friend's hand. (깊은 우정으로) 옛 친구의 손을 꽉 쥐었다 / ~ (***off***) a chicken's neck 병아리의 목을 비틀다. **3** [+ 目 + 副 / + 目 + 前 + 名] (물 따위를) 짜내다 ; 《비유》 (금전 따위를) 짜내다, (승낙 따위를) 억지로 얻어내다 : *W*~ the water ***out*** (***of*** your swimming suit). (수영복의) 물을 짜내시오 / They *wrung* consent ***from*** us[*wrung out* our consent]. 우리들에게 억지로 동의하게 했다 / The beggar *wrung* money *from* any of the passers-by. 그 거지는 통행인 누구에게나 억지를 써서 돈을 얻어냈다. **4** [+ 目 / + 目 + 前 + 名] 괴롭히다, 고통을 주다 : Their misfortune *wrung* her kind heart. 그들의 불행은 착한 그녀의 마음을 괴롭게 했다 / His soul was *wrung* ***with*** agony. 그의 가슴은 극심한 고뇌로 꽉 죄어드는 듯했다. **5** [+ 目 + 前 + 名] (말의 뜻을) 곡해하다, 왜곡(歪曲)하다 : He has *wrung* my words ***from*** their true meaning. 그는 내말의 참뜻을 곡해하였다. —— *vi.* 짜다, 짜내다 ; (고통 따위로) 몸부림치다.
wring** one**'s hands (비통·절망한 나머지) 손을 꼭 마주 잡고 비비틀다.
wringing wet 짜야 할 만큼 젖어, 흠뻑 젖어 : My clothes were ~*ing* (*wet*). 내 옷이 흠뻑 젖어 있었다. 注 《口》에서는 wet을 생략함.

—— *n.* **1** (쥐어)짜기, 비틀어 짜기, 비틀기 : Give the apron another ~. 앞치마를 한번 더 쥐어짜시오. **2** 손을 꽉 쥐기.
〖OE *wringan* ; cf. WRONG, G *ringen* to wrestle〗

wríng·er *n.* **1** 짜는 사람[기계]. **2** 착취자 ; 쓰라린 경험.

wringer 1

***wrin·kle** [ríŋkəl] *n.* **1** 주름, (천 따위의) 구김살 ; 쪼그랑 할멈 : She has got ~*s* round her eyes. 그녀는 눈언저리에 주름살이 생겼다 / He ironed out the ~*s* of his trousers. 바지의 구김살을 다리미질해서 폈다. **2** 《口》 좋은 생각, 묘안 ; 조언, 충고, 훈수 ; 유행 : the latest ~ *in* sport shoes 최신형 운동화 / Give me a ~ or two. 좋은 수를 좀 가르쳐 주게.
up to a wrinkle 《口》 묘책[좋은 생각]이 떠올라 : He has put me *up to a* ~. 그 덕분에 좋은 생각이 떠올랐다.
—— *vt.* [+目/+目+副/+目+*with*+名] …에 주름살지게 하다 : He ~*d* (***up***) his forehead. 그는 (당혹하여) 이맛살을 찡그렸다 / I saw his face ~*d* ***with*** age. 그의 얼굴에는 나이 탓으로 주름살이 생긴 것이 보였다.
—— *vi.* 주름살지다, 구겨지다 : The skin of this apple ~*s*. 이 사과 껍질은 우글쭈글하다.
〖역성(逆成) ‹ *wrinkled* twisted < OE *gewrinclod* sinuous ; cf. WRENCH〗

wrín·kly *a.* 주름살이 진 ; 주름살이 많은 ; 구겨지기 쉬운.

***wrist** [ríst] *n.* **1** 손목 ; 〖解〗 손목 관절 : take a person by the ~ 남의 손목을 붙들다. **2** 손끝[손목]의 힘[재주]. **3** 〖機〗 피스톤 핀(wrist pin).
—— *vt.* 손목을 써서 움직이다[던지다].
〖OE ; cf. WREST, WRY, G *Rist*〗

wríst·bànd *n.* (셔츠 따위의) 소맷부리 ; (손목시계 따위의) 밴드, 팔찌.

wríst·bòne *n.* 〖解〗 손목뼈.

wríst·dròp *n.* 〖醫〗 (하)수수((下)垂手)《전완신장근(前腕伸長筋)의 마비에 기인함》.

wríst·let *n.* **1** 토시. **2** (손목 시계의) 금속밴드, 팔찌(bracelet). **3** 《戱·俗》 수갑.

wríst pìn *n.* 〖機〗 피스톤 핀.

wríst wàrmer *n.* 벙어리 장갑.

wríst·wòrk *n.* 〖스포츠〗 리스트워크.

wríst wréstling *n.* (엄지손가락만을 맞걸어서 하는) 팔씨름.

wrísty *a.* 〖스포츠〗 손목을 쓰는, 손목을 잘 사용하는, 손목이 센.

writ[1] [rít] *n.* **1** 《古》 문서, 쓴 것 ; [the ~] 성전, 성서(Holy[Sacred] Writ). **2** 〖法〗 영장 : a ~ of summons 소환장 / serve a ~ on …에게 영장을 송달하다. **3** 《美俗》 필기 시험.
〖OE=writing ; ⇨ WRITE〗

writ[2] *v.* 《古》 WRITE의 과거·과거분사.

◇**write** [ráit] *v.* (**wrote** [róut], 《古》 **writ** [rít] ; **writ·ten** [rítn], 《古》 **writ**) *vi.* **1** [動/+前+名] (글자를) 쓰다(cf. DRAW *vt.* 10 a), PAINT *vt.* 2) : He cannot read or ~. 읽지도 쓰지도 못한다 / ~ well[plain, large, small] 잘[또박또박, 크게, 작게] 쓰다 / May I ~ ***on*** both sides of the paper? 종이의 양쪽 면에 (다) 써도 좋습니까 / ~ ***with*** a pen 펜으로 쓰다 / You may ~ either ***in*** ink or *in* pencil. 잉크나 연필로 써도 된다 / ~ *in* French 프랑스어로 쓰다. **2** [動/+前+名] 문장[원고]을 쓰다 ; 저술[저작]하다 : Her ambition was to ~. 그녀의 야심은 작가가 되는 것이었다 / ~ ***for*** a newspaper[magazine] 신문[잡지]에 낼 원고를 쓰다[기고(寄稿)하다] / ~ *for* a living 문필을 업으로 삼다, 생계를 위해서 붓을 들다 / He made a living by *writing*. 글을 써서 생활을 했다 / I am not fit to ~ ***about*** it[***on*** the subject]. 나는 그 일을[그 문제에 대해서] 쓰기에는 적합지 않다. **3** [+副/+前+名/+*to* do] 편지를 쓰다, 편지로 소식을 전하다 : She ~*s home*[***to*** her mother] once a week. 1주에 한번은 고향에[어머니께] 편지를 쓴다 / I *wrote to* let him know that I was arriving at three. 3시에 도착한다고 편지로 그에게 알려 주었다 / I have *written to* him *to* meet me at the station. 역까지 마중 나와 달라고 그에게 편지를 했다 / I *wrote to* him ***about*** the matter. 그 사건에 대해서 그에게 편지를 썼다. 㾗 write (*to*) a person의 to를 생략하는 것은 주로 《美》 또는 《英口》 (cf. *vt.* 2).
—— *vt.* **1** [+目/+目+前+名] (글자·문장·편지·책 따위를) 쓰다 ; 작곡하다 : ~ a check 수표를 쓰다 / ~ five pages 5페이지를 쓰다 / ~ shorthand 속기를 하다 / ~ a good[bad] hand 글씨를 잘 쓰다[못쓰다] / He ~*s* English better than he speaks it. 영어를 말하기보다는 쓰기를 더 잘한다 / ~ one's name and address ***in*** the book 책에 주소 성명을 쓰다 / ~ a book ***on*** American literature 미국 문학에 관한 책을 쓰다 / ~ a letter *on* a typewriter 타자기로 편지를 치다 / He *wrote* a wonderful melody ***for*** the song. 노래에 멋있는 곡을 붙였다.
2 [+目/+目+目/+目+前+名/+*that* 節/+目+*wh.* 節/+目+*that* 節/+目+*to* do] (남에게) 편지를 쓰다, …에게 편지로 알리다(cf. *vi.* 㾗 3) : Our son ~*s* us every week. 우리 아들은 우리에게 매주 편지한다 / He *wrote* me an account of his journey. 나에게 그의 여행에 관한 이야기를 써 보냈다 / I *wrote* a long letter ***to*** my parents. 양친에게 긴 편지를 썼다 / He ~*s that* he is getting better. 차츰 나아간다고 편지에 적어 왔다 / I *wrote* them *that* I was leaving for London. 런던으로 떠날 참이라고 그들에게 편지를 썼다 / *W*~ me *how* you got home. 어떻게 집에 도착했는지 편지로 알려 주십시오 / I *wrote* her *to* come and see me. 그녀에게 놀러 오라고 편지를 써 보냈다. 㾗 수동태에서는 : A long letter *was written to* my parents. / 《美》 They *were written* a long letter.
3 [+*that* 節/+目+*in*+名] (책 따위 안에) …이라고 쓰고[말하고] 있다 : Longfellow ~*s that* life is but an empty dream. 인생은 덧없는 꿈에 지나지 않는다고 롱펠로는 말하고 있다 / *It* is *written* ***in*** the Bible *that* …이라고 성서에 쓰여 있다.
4 [+目+補][~ one*self* 로] (자기 자신을 …이라고) 쓰다[칭하다] : ~ one*self* doctor 의사라고 자칭하다 / By this article he *wrote* him*self* a fool. 이 논문으로 그는 자기가 바보라는 것을 쓴 셈이었다.
5 [+目+前+名] [보통 수동태로] 《비유》 (쓴 것처럼 똑똑히) 나타내다, 드러내다, (마음에) 새기다, 명기하다 : Honesty *is written* ***on*** his face. 정직함이 그의 얼굴에 나타나 있다 / He has candor *written* ***in***[*on*] his face. 그의 얼굴을 보더라도 솔직한 인품이라는 것을 알 수 있다.
6 〖컴퓨〗 (기억 장치에 정보 따위를) 쓰다.

write down (1) 적어 두다, 기록하다 : Some students ~ *down* every word the professors say. 교수가 말하는 한 마디 한 마디를 전부 적어 두는 학생이 있다. (2) [+目+*as*補 / +目+補] 지상(紙上)에서 (…이라고) 말하다 ; 평가하다 ; 헐뜯다, 비방하다 : In the book she ~*s* herself *down as* a United States citizen. 그 책 속에서 그녀는 자기를 미합중국 시민이라고 말하고[기록하고] 있다 / I should ~ him *down* a scoundrel. 그를 악당이라고 말하고 싶다. (3) (자산 따위의) 장부 가격을 깎아내리다. (4) 온건하게[점잖은 논조로] 쓰다.

write for... (1) …을 편지로 주문하다 : ~ *for* a fresh supply 보급 청구[발주(發注)] 편지를 쓰다 / ~ home *for* money 돈을 보내 달라고 집에 편지를 내다. (2) (신문·잡지에) 기고(寄稿)하다 (cf. *vi.* 2).

write off (1) (문장 따위를) 거침없이[술술] 쓰다 [써내다], 단숨에 쓰다. (2) 편지를 발송하다, 서둘러 편지를 보내다⟨*to*⟩ : He *wrote off for* a dozen bottles of wine. 포도주를 한 다스 보내 달라는 편지를 써 보냈다. (3) (부채 따위를) 장부에서 말소하다, 삭제하다(cf. WRITE-OFF) ; (어떤 액수를) 감가 상각비로 기재하다 : ~ *off* $1,000 *for* depreciation of machinery 기계의 감가 상각비를 1,000달러라고 기재하다. (4) (남을) 제명하다. (5) 무시하다, 상대하지 않다 ; 파기하다.

write one**self **out (작가 등이) 모두 다 써버려서 쓸 소재가 없어지다 : He has *written* him*self out.* 모두 써버려서 쓸 소재가 없어졌다.

write out 완전히 다 쓰다 ; (속기 따위를) 제대로 고쳐 쓰다 : ~ *out* a report 보고서를 완성하다 / ~ a letter *out* fair (편지를) 정서(淨書)하다, 다시 베껴쓰다.

write over 고쳐[다시] 쓰다 ; 가득히 쓰다.

write up (1) (벽·칠판 따위) 높은 곳에 쓰다, 게시(揭示)하다 : A notice is *written up* on the wall. 벽에 게시가 나붙어 있다. (2) (보고 따위를) 자세하게 쓰다 ; 써내다, (써서) 정리하다. (3) (있었던 일 따위를) 적어 내다 : The reporter *wrote up* the event for his paper. 그 기자는 자기 신문에 사건을 자세하게 써냈다. (4) 지상(紙上)으로 [에서] 칭찬하다[추켜 세우다] (cf. WRITE-UP) : The critics *wrote up* the acting of the supporting players. 비평가들은 조연(助演)의 연기를 지상에서 칭찬했다. (5) (일기·장부 따위) 당일 현재까지의 것을 빠짐없이 기입하다, 완전히 하다 : He *wrote up* his diary every evening. 그는 매일 밤 꼬박꼬박 일기를 썼다.

writ large* = *written large 대서 특필하여 ; 분명히[뚜렷이] 나타나서 ; 대규모로(on a large scale) ; (폐해 따위) 더욱 심해져서.

written in water ☞ WATER *n.* 숙어.

wrít·able *a.* 쓸 수 있는.

⟦OE *wrītan* to scratch, draw ; cf. G *reissen* to tear⟧

wríte-dòwn *n.* 평가 절하, 상각《자산 따위의 장부 가격 절하》.

wríte-ìn *n., a.* 《美》 기입 투표(의)《후보자 리스트에 나와 있지 않은 후보자의 이름을 투표 용지에 기입하여 행함》 ; 기입 투표를 획득한[하려고 하는] 후보자(의).

wríte-ín campàign *n.* 《美》 (write-in의 후보자를 위한) 표 모으기 운동.

wríte-òff *n.* 취소, 삭제(cancellation) ; 《口》 (비행기 따위의) 대파(한 흔적).

wríte-òn tápe *n.* 라이트온 테이프《표면에 글씨를 써넣을 수 있도록 코팅된 플라스틱 테이프》.

‡**writ·er** [ráitər] *n.* **1** 필기자, 필사생(筆寫生) ; 《英》 (관청 따위의) 서기. **2** 기자, 저자, 작자 ; 저술가, 작가 : the present ~ 이 글의 저자[필자] / a *W*~ to the Signet 〖스코法〗 법정외 변호사《略 W.S.》. **3** (특히 외국어의) 작문 자습서[교본] : a French ~ 프랑스어 작문 자습서.

~·ly *a.* 작가의[에 특징적인]. **~·shìp** *n.* writer 의 직[지위].

wríter's blóck *n.* (작가 등이) 심리적 요인 때문에 쓰지 못하게 되기, 저술차단.

wríter's crámp[pálsy, spásm] *n.* 〖醫〗 서경(書痙), 손가락 경련(scrivener's palsy).

wríte-ùp *n.* 《口》 (신문·잡지 따위의) 기사, 보고 ; (특히) 칭찬하는[호의적인] 기사 ; 《美》 (법인 자산(法人資産)의) 과대 평가.

writhe [raið] *vi.* [動 / +前+名] **1** (뱀 따위가) 꿈틀거리다 ; (사람이 고통 따위로) 몸부림치다, 몸을 뒤틀다 : The snake ~*d* ***along*** the branch. 뱀이 꿈틀거리며 나뭇가지를 타고 갔다 / The wounded soldier ~*d* ***in*** agony. 부상병은 고통에 못이겨 몸부림쳤다. **2** 《비유》 몸부림치며 괴로워하다 : He ~*d* ***under*** the insults[***with*** shame]. 모욕을 당하고[수치로] 괴로움에 몸부림쳤다.

—— *vt.* (몸 따위를) 뒤틀다, 비틀다. —— *n.* 몸부림, 몸을 뒤틀기 ; 고뇌. ⟦OE *wrīthan* to twist, turn ; cf. WREATH, WORTH[2]⟧

***writ·ing** [ráitiŋ] *n.* **1** Ⓤ 쓰기, 집필 ; 문필(업), 저술업 : at this[the present] ~ 이 글을 쓰고 있는 지금(은) ; 현재(로는) / busy with one's ~ 글 쓰기에 바쁜. **2** Ⓤ 습자, 글자 쓰기, 서사(書寫). **3** Ⓤ (사람이) 쓴 것 ; 서법(書法), 서체, 필적. **4** Ⓤ 문서, 서류 ; 비명(碑銘), 명. **5** [*pl.*] 저작, 작품 ; [the W~s] ＝HAGIOGRAPHA : the ~*s of* Milton 밀턴 전집.

in writing 써서, 서면(書面)으로(↔ *by word of mouth*).

put (down)...in writing …을 쓰다, …을 서면화하다.

the writing on the wall 「벽에 적힌 글씨」, 임박한 재앙의 징조.

wríting bòok *n.* 습자책.

wríting brùsh *n.* 붓.

wríting càse *n.* 필갑, 문방구 상자.

wríting dèsk *n.* (서랍이 있는) 글쓰는 책상 ; 타자기.

wríting ìnk *n.* 필기용 잉크.

wríting màster *n.* 서예[습자] 선생.

wríting matèrials *n. pl.* 문방구.

wríting pàd *n.* (떼어 쓸 수 있게 된) 편지지.

wríting pàper *n.* 편지지 ; 원고용지.

wríting sèt *n.* (장식적인) 문방구 한 벌.

wríting tàble *n.* 글쓰는 탁자.

wríting wìll *n.* 유언장.

◇**writ·ten** [rítn] *v.* WRITE의 과거분사.

—— *a.* **1** 씌어진, 서면으로 된(cf. ORAL, VERBAL) : a ~ application 신청서, 원서, 의뢰장 / a ~ examination 필기 시험. **2** 책에 쓰이는 ; 문어(文語)의(↔*spoken*) : ~ language 문자 언어, 문어. **3** 성문(成文)의(↔*unwritten*).

wrítten constitútion *n.* 〖法〗 성문 헌법.

wrítten láw *n.* 성문법.

WRM 〖軍〗 war reserve material(비축 자재).

W.R.N.S. 《英》 Women's Royal Naval Service《해군 여군 부대 ; cf. WREN》.

wrnt. warrant.

◇**wrong** [rɔːŋ, rɑŋ] *a.* (**more** ~, 때때로 **~·er** ;

most ～, 때때로 **～·est**) **1** [＋*of*＋名＋*to* do] 나쁜, 사악한, 부정한(↔*right*) : It is ～ to tell a lie. 거짓말하는 것은 나쁘다 / It was ～ *of* you *to* do that. 네가 그렇게 한 것은 나쁘다. **2** [＋*in*＋do*ing*] 잘못된, 틀린 ; 부적당한 : a ～ answer[decision] 틀린 답[결정] / a ～ move (체스의) 잘못 둔 수 ; 《비유》 신통찮은 수 / the ～ clothes for the occasion 걸맞지 않은 복장 / take a ～ bus 버스를 잘못 타다 / take the ～ way 길을 잘못 들다 / You are ～ ***in*** lay*ing* the blame on him. 그 허물을 그에게 씌우는[전가시키는] 것은 잘못이다. **3** 역(逆)의, 거꾸로의 ; 뒷면의 : the ～ side of a fabric 피륙의 안쪽. **4** [*pred.*로 써서] 탈이 생겨, 고장이 나, 상태가 나빠 : My watch is ～. 내 시계는 고장이 났다 / There is something ～ *with* the machine. 그 기계는 어딘가 고장이 나 있다 / Something is ～ *with* him. 그는 어딘가 이상하다 / What's ～ *with* it? 《口》 그것이 어디가 나쁜가 《괜찮지 않은가 ; cf. WHY not》. **5** 시원치 않은, 재미가 없는, 곤란한, 딱한 : You have come at the ～ time. 곤란할[좋지 않을] 때 왔군.

get*[*have*] (*hold of*) *the wrong end of the stick ☞ STICK[1].

go the wrong way (음식물이) 잘못되어 기관(氣管)으로 들어가다 ; (일이) 잘못되어 가다.

in the wrong box ☞ BOX[1].

on the wrong side of. . . ☞ SIDE.

── *adv.* [비교 변화 없음] **1** 나쁘게, 부정하게 : right or ～ 좋거나 나쁘거나 (간에). **2** 잘못하여, 틀려서 : answer[guess] ～ 대답[추측]을 잘못하다 / lead a person ～ 남이 방향을 잘못 잡게 하다, 남을 잘못 인도하다 ; 남에게 틀리게 가르치다. **3** 거꾸로, 반대로. **4** 탈[고장]이 나서 ; 제대로 되지 않아.

get a person ***in wrong*** 《美口》 남을 미움받게 하다, 미운 놈으로 만들다 ; 남을 오해하다.

get in wrong with a person 《美口》 남에게 미움받다.

get it wrong 계산을 잘못하다 ; 오해하다.

go wrong 길을 잘못 들다(↔*come right*) ; 정도에서 벗어나다 ; (시계 따위가) 고장나다 ; 《비유》 (여자가) 몸을 더럽히다, 타락하다 ; 불쾌해지다 ; (음식물이) 썩다 ; (계획 따위가) 실패하다.

── *n.* **1** Ⓤ 악, 죄 ; 부정(不正) : distinguish between right and ～ 옳고 그름을 판별하다 / do ～ 나쁜 짓을 하다, 죄를 범하다, 법을 어기다 ; 처리를 잘못하다. **2** 잘못, 과오, 과실. **3** Ⓤ,Ⓒ 부당, 불법, 부당한 행위[대우], 학대, 오해 ; Ⓒ 비행, 나쁜 짓 : suffer ～ (남에게) 해를 입다, 학대받다, 불법적인 처사를 당하다 / Two ～*s* don't make a right. 《속담》 나쁜 짓은 거듭해도 좋은 일은[자랑거리는] 되지 않는다. **4** 손해, (피)해.

do a person ***wrong***＝***do wrong to*** a person 남에게 나쁜 짓을 하다, 남을 부당하게 대우하다 ; 남을 오해하다, 남의 동기[사정]를 잘못 판단하다.

in the wrong 잘못되어 (있는), 나쁜 ; 부정한 (↔*in the right*).

put a person ***in the wrong*** 잘못을 남의 책임으로 돌리다.

── *vt.* **1** …에게 나쁜 짓을 하다, 부정을 행하다, 부당하게 대하다 ; 오해하다, …에게 허물을 덮어씌우다 : You ～ me. 너는 나를 오해하고 있다. **2** 학대하다 ; 모욕하다 : He forgave those who had ～*ed* him. 자기를 학대한 사람들을 용서했다.

～·er *n.* **～·ly** *adv.* **1** 부정하게, 불법으로. **2** 잘못해서. **～·ness** *n.* 〖OE *wrang* injustice< ON＝awry, unjust ; cf. WRING〗

類義語 (1) (*n.*) ⟹ INJUSTICE.

(2) (*v.*) ***wrong*** 남에게 부당한 손해를 끼치다[위해를 가하다] : He was *wronged* by a groundless insult. (그는 아무 까닭없이 모욕을 당했다). ***oppress*** 상대방에게 가혹한 고통[부담]을 주거나 권력을 이용하여 부당한 압력을 가하다 : We are *oppressed* by tyranny. (우리는 폭정의 압제를 받았다). ***persecute*** 끊임없이 인정 사정을 가리지 않고[잔인하게] 고통을 가하다 : Nazi *persecuted* the Jews. (나치는 유태인을 박해했다). ***abuse*** 바보 취급을 하거나 모욕적인 말을 써서 부당하게 상대방의 감정을 해치는 따위의 취급을 하다 : He was much *abused* by his wife. (그는 자기 아내에게 많은 괄시를 받았다).

wróng·dó·er *n.* 나쁜 짓을 하는 사람, 비행자(非行者) ; 〖法〗 범죄자, 가해자.

wróng·dó·ing *n.* Ⓤ 나쁜 짓을 하기 ; 악행, 비행 ; 죄, 범죄.

wrónged *a.* 부당한 대우를 받은, 학대받은.

wróng fónt[《英》 **fóunt**] *n.* 〖印〗 (지정한 것과는 다른 크기·글씨체의 활자로 인쇄된) 폰트가 틀린 문자《略 w.f.》.

wróng·ful *a.* **1** 나쁜(unjust), 사악한(wicked) : a ～ act 나쁜[사악한] 짓. **2** 불법적인, 부당한 (unlawful) ; (도리에) 어긋나는, 무도한 : ～ dismissal 부당 해고. **～·ly** *adv.* 부정하게, 부당하게, 불법적으로. **～·ness** *n.*

wróng·héad·ed *a.* 생각이 잘못된 ; 잘못되어도 고치려고 하지 않는 ; 완고한, 비뚤어진, 옹고집의. **～·ly** *adv.* 잘못을 고치려고 하지 않고, 완고하게. **～·ness** *n.* 완고, 완미.

wróng númber *n.* 잘못 걸린 전화(를 받은 사람) ; 틀린[잘못 돌린] 전화 번호 ; 《美俗》 부적당한[바람직하지 못한, 신용할 수 없는] 사람[것] ; 《美俗》 정신병자.

wrongo [rɔ́(:)ŋou, rάŋou] *n.* (*pl.* **wróng·os**) 《俗》 무법자, 악당.

wrong·ous [rɔ́(:)ŋəs ; rɔ́ŋ-] *a.* 〖法〗 불법의, 부정한[부당한] ; 불공평한.
〖ME *wrangwīs* ; *righteous*를 모방함〗

wróng'un [-ən] *n.* 《口》 나쁜 놈, 악당.

◇**wrote** *v.* WRITE의 과거형.

wroth [rɔ:θ, rάθ ; rəuθ] *pred. a.* 《古·詩》 격노하여(angry) ; (바람·바다가) 몹시 거세어.
〖OE *wrāth* WRITHE ; cf. WRATH〗

wrought [rɔ́:t] *v.* 《古》 WORK의 과거·과거분사.

── *a.* **1** 만든(made) ; 정제(精製)한 ; 가공한, 세공한 ; 수공이 많이 든 : a highly ～ article 정교한 물건. **2** 정련(精鍊)한, 단련한. **3** 장식한, 수놓은. **4** (지나치게) 흥분한 ; 짜증난.

wróught íron *n.* 연철(鍊鐵), 단철.

wróught-úp *a.* (신경이) 흥분한, 초조한, 날카로워진 : She was in a highly ～ state. 몹시 흥분한 상태에 있었다.

***wrung** [rʌ́ŋ] *v.* WRING의 과거·과거분사.

── *a.* 쥐어짠, 비튼 ; 고통[슬픔]에 짓눌린.

W.R.V.S. 《英》 Women's Royal Voluntary Service (여성 자원 봉사대).

wry [rái] *a.* (**wrý·er, wrí·er** ; **wrý·est, wrí·est**) **1** (눈·코·목 따위가) 비뚤어진, 뒤틀린, 옆으로 굽은. **2** (얼굴 따위) 찡그린 : a ～ look 찡그린 얼굴 / a ～ smile 씁쓸한 미소 / make a ～ face [mouth] 얼굴을 찡그리다, 씁쓸한 표정을 하다 《무안·실망·혐오 따위의 표정》. **3** 얼토당토않은, 엉뚱한 ; (뜻을) 왜곡한, 억지 해석의. **4** 심술

굿은, 성격이 비뚤어진. ── *vi.* 비뚤어지다, 뒤틀리다. ── *vt.* 비틀다, 뒤틀다, 비틀어 구부리다 ; (얼굴을) 찌푸려 고통[불쾌함]을 나타내다. **~·ly** *adv.* **~·ness** *n.* 〖ME=to deviate, contort<OE *wrigian* to turn, incline〗

wrý·nèck *n.* **1** 〖鳥〗 개미잡이새. **2** 〖醫〗 사경(斜頸) ; 《口》 목이 굽은 사람.

wrý-nècked *a.* 목이 굽은 ; 사경(斜頸)의.

wrý·tàil *n.* 뒤틀린 꼬리《가축에 생기는 유전적인 변이》.

WS, W/S water sports. **W.S.** Writer to the Signet. **WSA** War Shipping Administration ((미국) 전시 선박 관리국). **WSC** World Student Council. **WSJ** Wall Street Journal. **W.S.P.U.** Women's Social and Political Union. **WSW, W.S.W., w.s.w.** west-southwest. **WT, W/T** wireless telegraphy [telephone, telephony, transmitter]. **wt.** weight.

WTO World Trade Organization(세계 무역 기구(機構)).

wul·fen·ite [wúlfənàit] *n.* 〖鑛〗 수연(水鉛)[몰리브덴] 연광(鑛).

wump [wʌ́mp], **wumph** [wʌ́mf] *n., int.* 쿵, 털썩, 쾅, 쑥《낙하나 충돌 따위의 묵직한 소리》. 〖imit.〗

Wun·der·kind [vúndərkìnd, wʌ́n- ; *G* vúndərkint] *n.* (*pl.* **-kin·der** [-kìndər], **~s**) 신동(神童), 귀재.

wurst [wə́ːrst, wúərst] *n.* [때때로 복합어를 이루어] (특히 독일·오스트리아 등지의) 소시지 : knack*wurst.* 〖G〗

WUS World University Service(세계 학생 봉사단(團)).

wu shu [wúː ʃúː] *n.* (중국의) 무술.

wussy [wʌ́si] *n.* 《美俗》 겁쟁이, 연약한 사내.

wuth·er·ing [wʌ́ðəriŋ] *a.* 《北英》 쌩쌩 강하게 부는《바람》, 쌩쌩 바람이 부는《땅》.

wuzzy [wʌ́zi] *a.* 《美俗》 심술궂은 ; 혼란한, 멍한. ── *n.* 여자 아이.

WV 〖美郵〗 West Virginia. **W.Va.** West Virginia. **W.V.S.** 《英》 Women's Voluntary Service(s) 《현재는 W.R.V.S.》. **WW** World War. **WWF** World Wide Fund For Nature(세계 자연 보호 기금) ; World Wildlife Fund(세계 야생 생물 기금). **WWMCCS** 《美》 Worldwide Military Command and Control System(전세계 군사 지휘 통제 시스템). **WW I** World War I. **WW II** World War Ⅱ. **WWW** World Weather Watch(세계 기상 감시 계획). **WX** women's extra(여성용 특대 사이즈). **WY** 〖美郵〗 Wyoming. **Wy.** Wyoming.

Wy·an·dot [wáiəndɑ̀t] *n.* (*pl.* **~, ~s**) 와이언도트족《북미 인디언의 한 종족》; Ⓤ 와이언도트어.

Wy·an·dotte [wáiəndɑ̀t] *n.* 와이언도트종(種) 《미국산의 닭의 한 품종》; =WYANDOT.

Wy·att, -at [wáiət] *n.* **1** 남자 이름. **2** 와이어트. Sir **Thomas** ~ (1503-43) 영국의 시인·외교관. 〖⇨ GUY〗

wych-, wich-, witch- [wítʃ] *comb. form* [나무 이름에 붙여서] 「낭창낭창한」의 뜻. 〖OE *wic*(*e*) bending ; ⇨ WEAK〗

wých èlm [wítʃ-] *n.* 〖植〗 느릅나무, (유럽산) 양느릅나무.

Wych·er·ley [wítʃərli] *n.* 위철리. **William** ~ (1640?-1716) 영국의 극작가·시인.

wých hàzel *n.* =WITCH HAZEL ; =WYCH ELM.

Wyc·lif(fe), Wic(k)- [wíklif] *n.* 위클리프. **John** ~ (1320?-84) 영국의 종교 개혁가·신학자·성서의 최초 영역자.
Wyc·líff·ian *a.* **Wýc·lif(f)·ism** *n.*

Wyc·lif(f)·ite [wíklifàit] *n.* 〖英宗史〗 = LOLLARD. ── *a.* 위클리프(의 설)의, 위클리프 설교의 신봉자들의.

wy(e) [wái] *n.* (알파벳의) Y[y] ; Y자형의 것 ; 〖電〗 Y자형 회로.

wýe lèvel [wái-] *n.* =Y LEVEL.

Wyke·ham [wíkəm] *n.* 위컴. **William of** ~ (1324-1404) 영국의 종교가·정치가로 대법관(1367-71, 1389-91), Winchester의 주교(主教) (1367-1404) ; Winchester College와 Oxford의 New College의 창립자.

Wyke·ham·ist [wíkəməst] *a., n.* 영국 Winchester College의 (재학생·출신자). 〖William of *Wykeham*〗

wy·lie·coat [wáilikòut, wíli-] *n.* 《스코》 따뜻한 속내의 ; =PETTICOAT ; 여성[어린이]용 나이트 가운. 〖ME *wyle* coat〗

wyn [wín] *n.* =WEN².

wynd [wáind] *n.* 《스코》 골목길, 좁은 길. 〖? WIND²〗

Wyo. Wyoming.

Wy·o·ming [waióumiŋ] *n.* 와이오밍《미국 북서부의 주 ; 주도 Cheyenne ; 略 Wy(o)., WY.》.

Wyóming·ìte *n.* 와이오밍 주의 사람.

Wys·tan [wístən] *n.* 남자 이름. 〖OE=battle+stone〗

wyte [wáit] *n., vt.* =WITE.

wy·vern, wi·vern [wáivərn] *n.* 〖紋〗 비룡(飛龍) 《다리가 둘이며 날개가 있고 꼬리에는 가시가 돋아 있음》. 〖AF<L VIPER ; -*n*은 cf. BITTERN¹〗

WZC World Zionist Congress《세계 시온 협회 ; 유태 민족 운동의 하나》.

X

x, X [éks] *n.* (*pl.* **x's, xs, X's, Xs** [éksiz]) **1** 엑스《영어 알파벳의 스물네번째 글자》; X[x]가 나타내는 음; X자형(의 것); X의 활자; 스물네번째(의 것)《J를 뺄 때에는 스물세번째, 또 J, V, W를 뺄 때에는 스물한번째》. **2** [편지의 끝에 붙여] kiss의 뜻의 부호; (글씨를 쓰지 못하는 사람이 서명 대신으로 적는) ×표; (지도·사진에서) 어느 (지)점을 표시하는 표. **3** 〖數〗 (제1) 미지수 (cf. Y, Z), 변수, *x*축, *x*좌표; 미지[미정]의 것[사람], 예측할 수 없는 것; 〖通信〗 공중 장애. **4** 《美口》 10달러 지폐; (로마숫자의) 10: *XX*=20 / *X*V=15.
—— *vt.* (**x-ed, x'd, xed** [-t]; **x-ing, x'ing**) (…에) ×표를 하다; ×표로 지우다〈*out*〉.

-x [-z] *suf.* 프랑스 어에서 유래한 명사에 붙여 복수형을 만듦: beau*x*, jeu*x* de mots, tableau*x*.

x, X 〖商〗 ex; experimental; extra. **x** 〖數〗 abscissa. **x.** 《英》〖氣〗 hoarfrost. **X, x** 곱셈 기호(times); 치수·사이즈를 나타내는 기호(by); 배율의 기호; …와 교차하여; (말 따위의 혈통을 표시하여) …의 교잡으로 태어난; (투표 용지·답안·서식 따위에서) 선택한 것[해당란]을 표시하는 기호; 답안의 틀림을 나타내는 ×표; 가루[설탕 따위]의 알갱이의 크기를 나타내는 기호. **X** Christ; Christian; cross; 〖電〗 reactance; 〖化〗 할로겐 원소; 《古》 xenon; 〖映〗 미성년자 사절《미국 17세, 영국 18세 미만; 영국에서는 1982년 이후 "18"; cf. 미국 G, PG, R, 영국 A, AA, U》; 〖美軍〗 research plane (실험기(機)).
〖*ex*perimental〗

Xan·a·du [zǽnədjùː] *n.* 도원향. 〖Coleridge의 시 *Kubla Khan*에 노래된 만주(滿洲) 러허성(熱河省)의 고도(古都) 「상두(上都)」에서〗

xanth- [zǽnθ], **xan·tho-** [-θou, -θə] *comb. form* 「황색」「크산틴산」의 뜻.
〖Gk. *xanthos* yellow〗

xan·thate [zǽnθeit] *n.* Ⓤ 〖化〗 크산토겐산염[에스테르].

xan·the·in [zǽnθiən] *n.* Ⓤ 〖化〗 크산테인《꽃의 황색 수용성 색소; 용해성이 있음》.

xan·thene [zǽnθiːn] *n.* Ⓤ 〖化〗 크산텐.

xánthene dýe *n.* 〖化〗 크산텐 염료[물감].

xan·thic [zǽnθik] *a.* **1** 황색의, 황색을 띤: ~ flowers 황색꽃. **2** 〖化〗 크산틴의; 크산트산(酸)의.

xánthic ácid *n.* 〖化〗 크산트산(酸).

xan·thin [zǽnθən] *n.* Ⓤ 〖化〗 (불용해성의) 황색 색소(cf. XANTHEIN).

xan·thine [zǽnθi(ː)n, -θain] *n.* Ⓤ 〖化〗 크산틴《혈액·오줌·간 따위에 함유된 산화 푸린》; 크산틴 유도체(誘導體).

Xan·thip·pe [zæntípi, -θípi], **-tip-** [zæntípi] *n.* 크산티페《Socrates의 아내; 잔소리 많은 여자로 악처의 전형이라고 일컬음》; Ⓒ (일반적으로) 잔소리가 심한 여자, 바가지 긁는 여자, 악처.

xantho- ☞ XANTH-.

xan·thoch·roi [zænθɑ́krouài, -rɔi] *n. pl.* [때때로 X~] 〖人類〗 황백(黃白) 인종《코카서스 인종 중에서 피부가 담황색이거나 백색이며 눈이 파랗고 금발인 종족; 주로 유럽 북서 지방에 삶》.

xan·tho·chro·ic [zæ̀nθəkróuik] *a.* 황백 인종의.

xan·tho·chroid [zǽnθəkrɔ̀id, zænθɑ́krɔid] *a.* 황백 인종의. —— *n.* 황백 인종에 속하는 사람.

xan·tho·ma [zænθóumə] *n.* (*pl.* **~s, -ma·ta** [-tə]) 황색종(腫)《피부병의 일종》.

xàntho·mélanous *a.* 머리가 검고 피부가 올리브색[황갈색]의.

xan·thone [zǽnθoun] *n.* 〖化〗 크산톤《살충제·약제 따위로 쓰임》.

xan·tho·phyll, -phyl [zǽnθəfil] *n.* Ⓤ 〖化〗 크산토필, (가을 나뭇잎의) 황색 색소.

xan·thop·sia [zænθɑ́psiə] *n.* 〖醫〗 황(색)시(증)(黃(色)視(症)).

xan·thous [zǽnθəs] *a.* 황색의(yellow); 〖人類〗 황색 인종[몽고 인종]형(型)의.

Xantippe ☞ XANTHIPPE.

Xa·vi·er [zéiviər, zǽv-] *n.* 사비에르.
Saint **Francis** ~ (1506-52) Jesuit회(會)의 스페인 선교사; 인도·일본에서 포교.
〖Sp.<Arab. =bright〗

x-axis [éks-] *n.* 〖數〗 가로[*x*]축(軸).

X-body [éks-] *n.* 〖植〗 X체《식물 세포 중의 무정형 봉입체(無定形封入體)》.

XC, X.C., x.c., xcp, x-cp. ex coupon (= without coupon).

X chromosome [éks -] *n.* 〖生〗 X염색체《성(性)의 결정을 지배하는 염색체의 일종으로 Y염색체와 결합되는 것; cf. Y CHROMOSOME》.

x-coordinate [èks-] *n.* 〖數〗 가로[*x*] 좌표.

X-C skiing [èkssíː -] *n.* 크로스컨트리 스키.
〖*X*(=cross)+*C*ountry〗

XD., X.D., x.d., xd, x-div. ex dividend (=without dividend).

X-disease [éks-] *n.* 〖醫〗 X병《병원(病原)을 알 수 없는 바이러스병》.

X-double minus [éks--] *a.* 《俗》 (연주·연기 따위의) 결과가 매우 나쁜.

Xe 〖化〗 xenon.

xe·bec [zíːbek, zibék] *n.* (지중해에서 사용되는) 돛대가 셋 있는 소형 범선(zebec(k)).
〖F<It.<Arab.〗

xen- [zén, zíːn], **xe·no-** [zénou, zíː-, -nə] *comb. form* 「손님」「외국인」「외래의 (것)」「이종(異種)의」의 뜻: *xeno*gamy.
〖Gk. *xenos* strange(r)〗

Xen. Xenophon.

xe·nate [zíːneit, zén-] *n.* 〖化〗 크세논산(酸)염[에스테르].

xe·nia [zíːniə] *n.* 〖植〗 크세니아《꽃가루가 종자·열매 따위에 미치는 직접적인 영향》.

xe·ni·al [zíːniəl] *a.* 주객간의, 주객 관계의.

xe·nic [zíːnik, zén-] *a.* 미확인 유기물을 함유한 배양기의[를 사용한]. **xé·ni·cal·ly** *adv.*
〖*xen-*+*-ic*〗

xénic ácid *n.* 〖化〗 크세논산(酸).
xeno- [zénou, zí:-, -nə] ☞ XEN-.
xèno·biólogy *n.* Ⓤ 우주 생물학.
xèno·biótic *n., a.* 〖生·醫〗 생체 이물(異物) (의).
xèno·cúrrency *n.* 〖經〗 국외 유통 통화.
xèno·diagnósis *n.* 〖醫〗 외인(外因) 진단법. **-nóstic** *a.*
xe·nog·a·my [zi(:)nágəmi, ze-] *n.* Ⓤ 〖植〗 타가 수분(他家受粉)[수정(受精)].
xèno·ge·né·ic [-dʒəní:ik] *a.* 〖生·醫〗 이종 개체의, 이종 개체 내에 발생한《이식 장기 따위》.
xèno·génesis *n.* 〖生〗 **1** =HETEROGENESIS. **2** 완전 변이 세대(變異世代).
xèno·glós·sia [-glásiə] *n.* 〖心靈〗 배운 적이 없는 언어를 읽고 쓰고 말하며 이해하는 초능력.
xéno·gràft *n.* 〖醫〗 이종 이식편(移植片)《이종 동물에서 이식된 장기[조직]》; 이종 이식.
xéno·lìth *n.* 〖岩石〗 포획암(捕獲岩)《화성암 속에 들어 있는 이질(異質)의 암석 조각》.
xèno·mánia *n.* 외제품광(狂), 외국열.
xe·non [zénan, zí:-] *n.* Ⓤ 〖化〗 크세논《희(稀)가스 원소; 기호 Xe; 번호 54》.
〖Gk. =something strange〗
xénon hèxa·flúoride *n.* 〖化〗 육(六)플루오르화(化)크세논.
xénon tètra·flúoride *n.* 〖化〗 사(四)플루오르화(化)크세논.
xéno·phìle *n.* 외국풍[인]을 좋아하는 사람.
xéno·phòbe *n.* 외국인[것]을 싫어하는 사람.
xèno·phóbia *n.* Ⓤ 외국인[것]을 싫어하기.
Xe·no·phon [zénəfən] *n.* 크세노폰(434?-?355 B.C.)《그리스의 장군·역사가》.
xer- [zíər], **xe·ro-** [zíərou, -rə] *comb. form* 「건조한」「건조 제법에 의한」의 뜻.
〖Gk. *xēros* dry〗
xe·ric [zíərik, zér-] *a.* (토양 따위가) 건조한; (식물 따위가) 호건성(好乾性)의, 내건성(耐乾性)의, 건성의. **xé·ri·cal·ly** *adv.*
xero- [zíərou, -rə] ☞ XER-.
xe·ro·der·ma [zìərədə́:rmə], **-mia** [-miə] *n.* 〖醫〗 피부 건조증(乾燥症).
xe·ro·gel [zíərədʒèl] *n.* 〖化〗 크세로겔《다공성(多孔性) 건조 겔의 총칭》.
xéro·gràm *n.* xerograpy에 의한 복사물, 제록스 복사.
xe·rog·ra·phy [zərágrəfi, zi-] *n.* Ⓤ 건식 인쇄(술)《전자 사진의 한 방식》.
xe·ro·gráph·ic [zìə-] *a.* **-i·cal·ly** *adv.*
xéro·phìle *n.* 〖植〗 =XEROPHYTE. —— *a.* 〖動·植〗 =XEROPHILOUS.
xe·roph·i·lous [zəráfələs, zi-] *a.* 〖動·植〗 호건성의, 건생의. **xe·róph·i·ly** *n.* 건성(乾性).
xe·roph·thal·mia [zìərafθǽlmiə, -rap-] *n.* 〖醫〗 안구 건조증(眼球乾燥症).
xéro·phỳte *n.* 〖植〗 (사막 따위의) 건생식물(乾生植物), 건성식물(乾性植物)《선인장(cactus) 따위; cf. HYDROPHYTE, MESOPHYTE》.
xè·ro·phýt·ic [-fít-] *a.* 건생[건성]식물의.
xèro·rádio·gràph *n.* X선 전자 사진. —— *vt.* X선 전자 사진법으로 촬영[기록]하다.
xèro·radiógraphy *n.* X선 전자 사진법《고성능 뢴트겐 사진 촬영법》.
xe·ro·sis [ziəróusəs] *n.* (*pl.* **-ses** [-si:z]) Ⓤ 〖醫〗 (피부·안구 따위의) 건조증(乾燥症).
Xe·rox [zíəraks] *n.* Ⓤ 제록스《건식(乾式) 복사법[복사기]의 일종; 상표명》; Ⓒ 제록스에 의한 복사[카피]. —— *vt., vi.* [x~] 제록스로 복사[카피]하다.
Xer·xes [zə́:rksi:z] *n.* 크세르크세스(519?-465 B.C.)《페르시아 왕; 제3차 그리스 원정을 하여 Salamis 해전에서 대패함》.
〖Gk.＜Pers. =king〗
X-eyed [éks-] *a.* =CROSS-EYED.
x-factor [éks-] *n.* 미지의 요인[인물, 것].
xg crossing.
xi [zái, sái, ksái, ksí:] *n.* 크시《그리스어(語) 알파벳의 열네번째 글자 Ξ, ξ; 영어의 X, x에 해당함》.
〖Gk.〗
X.i., x.i., x-i., x in(t), x-in(t). ex interest (=without interest).
Xia·men [ʃiá:mén], **Hsia·men** [; ʃjá:mén] *n.* 샤먼(廈門)《중국 푸젠(福建)성 남동부의 한 섬을 이루는 항만 도시》.
Xin·gu [ʃiŋgú:] *n.* [the ~] 싱구 강《브라질 중앙부를 북으로 흘러 Amazon 하구로 흘러듦》.
Xin·hua·she [ʃínhuá:ʃʌ́] *n.* 신화사(新華社) (New China News Agency)《중국의 통신사》.
-xion *suf.* [동작·상태를 나타내는 명사어미] = -CTION: conne*xion*; infle*xion*. 주 《美》에서는 conne*ction*, infle*ction*과 같이 -ction이라고 씀.
xí pàrticle *n.* 크시 입자《소립자의 하나》.
xiph- [záif, zíf], **xiphi-** [záifə, zífə], **xipho-** [záifou, zíf-, -fə] *comb. form* 「검상(劍狀)의」의 뜻. 〖Gk. *xiphos* sword〗
xiph·i·as [zífiəs] *n.* (*pl.* ~) =SWORDFISH.
xi·phi·ster·num [zàifəstə́:rnəm, zìf-] *n.* (*pl.* **-na** [-nə]) 〖解〗 (흉부의 하단에 돌출한) 검상 돌기(劍狀突起).
xi·phoid [záifɔid, zíf-] *a.* 〖解〗 검상 (돌기)의. —— *n.* 〖解〗 검상 돌기.
Xi·zang [ʃí:zá:ŋ], **Si·tsang** [; sí:tsǽŋ] *n.* 시짱(西藏)《Tibet의 중국어명》.
XL extra large.
XLP extra long playing (record) (초(超)LP판).
Xm. Christmas.
***Xmas** [krísməs, éksməs] *n.* =CHRISTMAS.
〖X는 Christ를 의미하는 그리스어 *Χριστος*의 머리글자 *X*에서〗
Xn. Christian.
x.n. ex new.
Xnty. Christianity.
XO Executive Officer.
xo·a·non [zóuənàn] *n.* (*pl.* **-na** [-nə]) (고대 그리스의) 원시적 목조 신상(木彫神像). 〖Gk.〗
X·o·graph [éksəgræ̀f; -grà:f, -græ̀f] *n.* 3차원 복사 사진(술)《상표명》.
XP [káiróu, kí:-] *n.* 그리스도의 표호(標號)《Christ를 뜻하는 그리스 어 *ΧΡΙΣΤΟΣ*의 처음 두 글자》.
XR, x.r., xr 〖證〗 ex rights《권리락 신주 인수권 따위가 붙지 않음》.
x-radiate [éks-] *vt.* [흔히 X~] (신체의 일부에) 뢴트겐[X선]을 쬐다.
X-radiation [éks-] *n.* Ⓤ 뢴트겐[X선] 복사.
X-rated [éks-] *a.* 《口》 (영화가) 성인용의; 《口》 (서적·쇼 따위가) 외설적인, 음란한; 《口》 품위 없는《말》.
X rating [éks -] *n.* 《口》 (영화의) 성인용 지정.
***X ray** [éks -] *n.* **1** X선, 뢴트겐선(Roentgen ray). **2** Ⓒ X선[뢴트겐] 사진.
〖G *X-Strahlen*의 역(譯); *X*는 「미지의 것」이라는 뜻〗
***x-ray** [éks-] *attrib. a.* [흔히 X~] X선의, 뢴트겐의: an ~ diagnosis X선 진단 / have an ~

examination X선[뢴트겐] 검사를 받다.
—— *vt.* [흔히 X~] …의 X선 사진을 찍다 ; …을 X선으로 검사[치료]하다 : ~ the chest 흉부의 X선 사진을 찍다.
X-ray astronomy [éks⌐⌐] *n.* X선 천문학.
X-ray diffraction [éks⌐⌐] *n.* 〔理〕 X선 회절(回折)(법)《원자 배열을 해석하는 데 응용》.
X-ray laser [éks⌐⌐] *n.* 〔理〕 X선 레이저.
X-ray lithography [éks⌐⌐] *n.* 〔電子〕 X선 리토그래피, X선 노광(露光).
X-ray machine [éks⌐⌐] *n.* X선 기기 ; 《CB俗》(경찰차의) 속도 측정 장치.
X-ray nova [éks⌐⌐] *n.* X선 신성(新星).
X-ray photograph[**picture**] [éks⌐⌐] *n.* X선 사진, 엑스레이 사진.
X-ray pulsar [éks⌐⌐] *n.* 〔天〕 X선 펄서《X선을 복사하는 전파 천체》.
X-ray satellite [éks⌐⌐] *n.* 〔天〕 X선 위성《천체의 X선을 관측하는 장치를 실은 인공위성》.
X-ray scanning [éks⌐⌐] *n.* 〔工〕 X선 주사(走査)《X선을 주사해서 흠의 유무(有無)를 검사하는 기술》.
X-ray source [éks⌐⌐] *n.* X선원(線源) (X-ray star).
X-ray star [éks⌐⌐] *n.* 〔天〕 X선 별.
X-ray telescope [éks⌐⌐] *n.* 〔天〕 X선 망원경.
X-ray therapy [éks⌐⌐] *n.* =ROENTGENOTHERAPY.
X-ray tube [éks⌐⌐] *n.* X선관(管).
Xt. Christ.
Xtian. Christian.
Xtra [ékstrə] *n.* 호외(號外) ; 〔映〕 엑스트라.
Xty. Christianity.
xu [sú:] *n.* (*pl.* ~) 수《베트남의 화폐 단위 ; = 1/100 dong =1/10 hao》; 1수짜리 주화.
〚Vietnamese<F *sou*〛
X unit [éks ⌐] *n.* 〔理〕 엑스 단위《방사선의 파장(波長) 측정에 사용》.
XX 보통의 에일보다 알코올 성분이 많은 에일 ; 《俗》 =DOUBLE CROSS.
XXX XX보다 알코올 성분이 많은 에일 ; 〔映〕 본격 포르노 영화.
xyl. xylograph.
xyl- [záil], **xy·lo-** [-lou, -lə] *comb. form* 「나무」「물관부」「크실렌」「크실로오스」의 뜻.
〚Gk. *xulon* wood〛
xy·lan [záilæn] *n.* 〔化〕 크실란《펜토산(pentosan)의 일종으로 식물이 목질화(木質化)된 세포막 속에 존재》.
xy·lem [záiləm, -lem] *n.* Ⓤ 〔植〕 물관부(部).
〚*-eme*〛
xýlem rày *n.* 〔植〕 물관부 방사 조직.
xy·lene [záili:n] *n.* Ⓤ 〔化〕 크실렌《물감의 원료》.
xy·li·tol [záilətɔ̀(:)l, -tòul, -tɑ̀l] *n.* 〔化〕 크실리톨《크실로오스(xylose)의 환원으로 얻어지는 당(糖)알코올》.
xylo- [záilou, -lə] ☞ XYL-.
xýlo·càrp *n.* 〔植〕 경목질과(硬木質果).
xỳ·lo·cár·pous *a.* 〔植〕 경목질과(果)가 있는.
xýlo·gràph *n.* (특히 15세기의) 목판(木版) ; 목판화 ; 목판 인쇄.
—— *vt.* 목판으로 인쇄하다.
xy·lóg·ra·pher *n.* 목판사(師), 조판사(彫版師).
xỳ·lo·gráph·ic *a.* 목판(술)의.
xy·log·ra·phy [zailágrəfi] *n.* Ⓤ (특히 15세기의) 목판술 ; 목판 인쇄술.
xy·loid [záilɔid] *a.* 나무[목재] 비슷한, 목질(木質)의.
xy·lol [záilɔ(:)l, -loul, -lɑl] *n.* =XYLENE.
Xy·lo·nite [záilənàit] *n.* 자일로나이트《합성 수지 ; 상표명》.
xy·loph·a·gous [zailáfəgəs] *a.* (곤충 따위) 나무를 갉아먹는 ; (갑각류 따위) 나무에 구멍을 뚫는.
xýlo·phòne *n.* 〔樂〕 실로폰(cf. MARIMBA).
xý·lo·phòn·ist *n.* 실로폰 연주자.
xy·lose [záilous, -z] *n.* 〔化〕 크실로오스《목재·짚 속에 들어 있는 일종의 당(糖)》.
xy·lot·o·mous [zailátəməs] *a.* (곤충이) 나무에 구멍을 뚫을 수 있는, 나무를 자를 수 있는.

xylophone

xy·lot·o·my [zailátəmi] *n.* (검경용(檢鏡用)) 목질(木質)을 얇게 절단하는 법.
xyst [zíst] *n.* =XYSTUS.
xys·ter [zístər] *n.* 〔醫〕 (외과용(外科用)) 괄도(刮刀), 골막박리기.
xys·tus [zístəs] *n.* (*pl.* **-ti** [-tai, -ti:]) 〔古그·古로〕 (겨울 기간·악천후 따위에 경기 연습용으로 사용하는) 긴 주랑(柱廊) ; (정원 내의) 가로수가 있는 보도.
〚L<Gk. *xustos* smooth〛
XYY syndrome [èksdʌ́bəlwái ⌐] *n.* 〔醫〕 XYY 증후군(症候群)《남성 염색체(染色體)[Y염색체]를 하나 더 갖고 있는 염색체 이상(異常) ; 저지능·공격적이 됨》.
XYZ [èkswàizí: ; -zéd] *int.* 《美俗》 지퍼 주의(注意)《바지 앞 지퍼가 열려 있다는 지적》.
〚*E*xamine *y*our *z*ipper〛

Y

y, Y [wái] *n.* (*pl.* **y's, ys, Y's, Ys** [-z]) **1** 와이《영어 알파벳의 스물다섯번째 글자》. **2** Y[y]가 나타내는 음 ; Y자형(形)(의 것) ; Y의 활자. **3** 〖數〗 제 2 미지수(cf. X, Z), 변수, 세로[y]축, 세로[y]좌표.

Y [wái] *n.* 《口》 [the ~] =Y.M.C.A., Y.W.C.A. ; [the ~] =Y.M.H.A., Y.W.H.A.

y. 《英》〖氣〗 dry air ; yard(s) ; year(s). **Y** 〖化〗 yttrium ; 〖電〗 admittance ; 〖理〗 upsilon particle ; Youth International Party(⇨ YIPPIE) ; yuan. **Y.** yeoman ; yeoman(ry). **¥, ¥, Y** yen.

y- [i] *pref.* 《古》 (특히) 과거분사를 나타냄. 〖OE *ge-*〗

-y[1] [i] *n. suf.* (*pl.* **-ies**) [프랑스어 · 라틴어 · 그리스어(語)에서 파생한 어미에서] 「성질」「상태」를 나타냄 ; [명사에 붙여] 「활동」「직장」「상품」을 나타냄 ; [명사에 붙여] 「집단 전체」를 나타냄 : -crac*y*, -soph*y* / baker*y*, canner*y*, laundr*y* / soldier*y*. 〖F *-ie*<L *-ia*, Gk. *-(e)ia* or L *-ium*〗

-y[2] *n. suf.* **1** [프랑스어의 어미(-é, -ée)를 표시함] 「…되는 사람」의 뜻 : arm*y*. **2** [동사에서 그 명사를 만들어] 「구체적 행위」를 나타냄 : entreat*y*, deliver*y*. 〖AF and OF *-e(e)*<L *-atu-*, *-ata-*〗

-y[3] ☞ -IE.

-y[4] *a. suf.* [명사에 붙여] 「…있는」「…투성이의」「…로 이루어진」「…유사한」「…에 열중한」의 뜻 ; [다른 형용사에 붙여] 「약간 …의」「…을 띤」의 뜻 ; [동사에 붙여] 「…하는 경향이 있는」「…시키는 것 같은」「…하고 있는」의 뜻 : bon*y*, greed*y*, snow*y*, thorn*y*, hors*y* / yellow*y*, whit*y*-brown, steep*y*, still*y* / cling*y*, tear*y*, twinkl*y*. ㊟ ⇨ -EY. 〖OE *-ig*<Gmc.〗

ya [jə] *pron.* 《俗 · 方》 =YOU, YOUR.

Y.A. young adult.

yab·ber [jǽbər] *n.*, *vi.* 《濠口》 수다(떨다). 〖*jabber*에 준하여 *yabba* (Austral.)에서인가〗

yab·by, -bie [jǽbi] *n.* 〖動〗 오스트레일리아산의 작은 가재.

***yacht** [ját] *n.* 요트, 쾌속정 : sail a ~ 요트로 달리다 / sail on[in] a ~ 요트를 타다.
—— *vi.* 요트에 타다, 요트로 달리다, 요트로 항해[경주]하다 : go ~*ing* 요트를 타러 가다.
〖Du. (*jaghtschip* pursuit ship)〗

yácht chàir *n.* 옥외용(屋外用) 팔걸이 접의자.

yácht clùb *n.* 요트 클럽.

yácht·ie *n.* 배[요트]의 소유자 ; 요트에 타는 사람, 요트족.

yácht·ing *n.* Ⓤ 요트 놀이[조종 · 경주].

yácht ràcing[ràce] *n.* 요트 레이스[경주].

yáchts·man [-mən] *n.* (*fem.* **-wòman**) 요트 조종자[소유자] ; 요트 놀이를 좋아하는 사람.
~·shìp *n.* 요트 조종술.

ya(c)k·e·ty-yak, yak·i(t)·ty-, yack·e·ty-yack [jǽkətijǽk] *n.*, *vi.*, *vt.* 《美俗》 =YAK[2].
—— *int.* 왁자지껄, 재잘재잘 ; 실없는 (말을 하네)《상대의 말에 대한 불신(不信)이나 지껄임에 대한 화를 나타냄》. 〖imit.〗

yaff [jǽf] *vi.* 《英方》 개처럼 짖다 ; 잔소리하다, 딱딱거리다 ; 야단치다(scold).

yaf·fle[1] [jǽfəl], **-fil** [jǽfəl] *n.* 《方》 녹색딱따구리. 〖imit. ; 그 울음소리에서〗

yaf·fle[2] *vt.* 《美方》 훔치다(steal). 〖? *yaffle*[1]〗

YAG [jǽg] *n.* 〖理〗 야그, 이트륨석류석《레이저 광선 발생에 사용되는 이트륨과 산화 알루미늄의 인조 결정(結晶)》.
〖*y*ttrium *a*luminum *g*arnet〗

yager ☞ JAEGER.

yah[1] [já:, yéə] *int.* 야아, 어어《미움 · 비웃음 · 조조의 소리》. 〖imit.〗

yah[2] *adv.* 《口》 =YES.

Ya·hoo [jéihu:, já:-, -´; jəhú:] *n.* (*pl.* **~s**) **1** 야후《걸리버 여행기에 나오는 인간의 모습을 한 야수 ; Houyhnhnm의 시중을 듦》. **2** [y~] 짐승 같은 인간, 수인(獸人) ; 《美》 무뚝뚝한[버릇 없는] 사람.

Yah·we(h) [já:wei, -vei, -we, -ve], **-ve(h)**, **-vè, -vé** [-vei, -ve] *n.* =JEHOVAH. 〖Heb.〗

Yah·wism [já:wizəm, -vi-] *n.* Ⓤ (고대 유태인 사이의) Yahweh 신앙 ; Yahweh를 신의 이름으로 쓰는 일.

Yah·wist [já:wəst, -və-] *n.* 구약성서 중의 신을 Yahweh라고 기록한 부분의 기자 ; Yahweh 숭배자. —— *a.* =YAHWISTIC.

Yah·wis·tic [ja:wístik, -vís-] *a.* Yahweh를 신의 이름으로 사용하는 ; Yahweh 기자가 쓴 ; Yahweh 신앙(상)의.

Yáj·ur-Véda [jʌ́dʒuər-] *n.* [the ~] 야주르베다《제사(祭詞)를 집록(集錄)한 4 베다의 하나 ; cf. VEDA》.

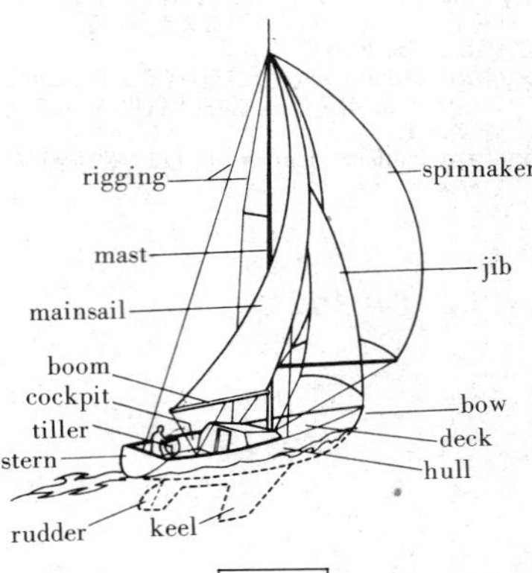

yacht

yak[1] [jǽk] *n.* (*pl.* **~s**, ~) 〖動〗 야크《티베트·중앙 아시아산(産)》. 〖Tibetan〗

yak[1]

yak[2] *n.* 수다, 잡담, 왁자지껄, 재잘재잘. —— *vi.*, *vt.* (**-kk-**) 장황하게 쓸데없는 이야기를 하다. 〖C20 (? imit.)〗

yak[3] [jɑ́ːk, jǽk] *n.* 《美俗》 큰소리로 웃음 ; [감탄사적으로] 하하, 호호. —— *vi.*, *vt.* (**-kk-**) 크게 웃다[웃기다]. 〖imit.〗

Yak [jǽk] *n.* 야크형 고속 전투기.

yak·ka, yacka [jǽkə], **yak·ker, yack·er** [jǽkər] *n.*, *vi.* 《濠口》 (힘드는) 일(을 하다).

yák·ky *a.* 《美俗》 수다떠는 ; 시끄러운.

yák làce *n.* 야크 레이스《야크 털로 짠 레이스》.

yak·ow [jǽkau] *n.* 야카우《영국에서 만들어낸 야크와 하일랜드산(産) 암소와의 교배 잡종 ; 육용》. 〖*yak*＋*cow*〗

Ya·kut [jəkúːt ; jækút] *n.* (*pl.* ~, **~s**) 야쿠트족《동부 시베리아의 터키계 종족》 ; Ⓤ 야쿠트어.

yak-yak [jǽkjǽk] *n.* 《美俗》 (쉴새없는) 지껄임.

Yale [jéil] *n.* 예일대학《미국 Connecticut주 New Haven에 있는 1701년 창립한 대학으로서 Ivy League 대학 중의 하나》.

Yále (lóck) *n.* 예일 자물쇠《원통형 자물쇠 ; 상표명》. 〖Linus *Yale* (d. 1868) 미국인 발명자〗

Yal·ie [jéili] *n.* Yale 대학 출신자.

y'all [jɔ́ːl] *pron.* 《美南部》 ＝YOU-ALL.

Yal·ta [jɔ́ːltə ; jǽl-] *n.* 얄타《우크라이나 공화국 남부의 항구 도시》.

Yálta Cónference *n.* [the ~] 얄타 회담《1945년 2월 제 2차 세계 대전 종전의 사후 처리를 논의한 회담》.

Ya·lu [jɑ́ːlùː] *n.* [the ~] 압록강.

yam [jǽ(ː)m] *n.* 〖植〗 얌 ; 《美》 고구마 ; 《스코》 감자. 〖Port. or Sp.＜(W. Afr.)〗

Ya·ma [jʌ́mə ; jɑ́ːmə] *n.* 〖인도神〗 야마, 염라대왕. 〖Skt.〗

ya·men, ya·mun [jɑ́ːmən] *n.* (중국의) 아문(衙門), 관아(官衙), 관청. 〖Chin.〗

yam·mer [jǽmər] *vi.* 《주로 美口》 훌쩍훌쩍[엉엉] 울다(whimper, wail) ; 불평을 늘어놓다, 투덜거리다 ; 재잘거리다, 지껄여대다 ; 연달아 시끄러운 소리를 내다. —— *vt.* …을 불평조로 말하다, …을 소리질러 말하다. —— *n.* 훌쩍훌쩍 울기 ; 불평하는 소리, 투덜대는 소리. 〖OE *geōmrian* (*geōmor* sorrowful)〗

yang [jɑ́ːŋ, jǽŋ] *n.* (음양의) 양(陽) (↔*yin*). 〖Chin.〗

Yan·gon [jɑ́ŋgɔn] *n.* 양곤《Myanmar의 수도》.

Yang·zi (Jiang) [jɑ́ːŋzʌ́ (dʒiɑ́ːŋ)], **Yang·tze (Kiang)** [jǽŋsi (kiɑ́ːŋ), jǽŋktsi(-) ; (-kjǽŋ)] *n.* [the ~] 양쯔 강(揚子江)《중국 중부에 있는 중국 최대의 강 ; 동중국해로 흐름》.

yank [jǽŋk] *vt.* [＋目 / ＋目＋副 / ＋目＋前＋名] 《口》 홱 끌다[잡아당기다](jerk) ; 《美俗》 붙잡다 : ~ ***out*** a tooth 이를 홱 잡아 뽑다 / Mother ~*ed* the bedclothes ***off*** John. 어머니는 존이 덮고 있는 이불을 잡아당겼다 / He ~*ed* her *out of* the car. 그는 그녀를 차에서 끌어내렸다.
—— *vi.* [動 / ＋*at*＋名] 홱 잡아당기다 : ~ ***at*** a rope 밧줄을 홱 잡아당기다
—— *n.* 홱 잡아당김. 〖C19＜?〗

Yank *n.* 《口》 ＝YANKEE.

***Yan·kee** [jǽŋki] *n.* **1** 양키 : **a**) 《美》 뉴잉글랜드(New England) 사람. **b**) 《美南部》 미국 북부 여러 주의 사람(Northerner). **c**) 《美》 북군의 군인《남북 전쟁 당시의 별명》. **d**) 《英》 미국인. **2** (영어의) New England 방언. **3** 〖競馬〗 사중승식(四重勝式) 투표법.
—— *a.* 양키의, 양키식[풍]의 : a ~ device 양키식 고안(考案)[신안품].
〖? Du. *Janke* (별칭 dim.) ＜*Jan* John ; 또는 *English*의 Am. Ind. 사투리 *Jengees* (pl.)인가〗

Yánkee·dom *n.* **1** Ⓤ 양키의 나라《미국 또는 미국 북부, 특히 New England 지방》. **2** [집합적으로] 양키.

Yánkee Dóodle *n.* **1** Ⓤ 양키의 노래《미국 독립 전쟁중에 유행한 노래로 미국의 준(準)국가라고도 할 수 있는 것》. **2** 미국인(Yankee).

Yánkee·fỳ *vt.* 양키화하다 ; 미국식으로 하다.

Yánkee·ìsm *n.* Ⓤ 양키 기질, 미국인 기질 ; Ⓒ 미국어법 ; 미국적 풍습.

Yánkee·lànd *n.* Ⓤ 《美南部》 미국 북부 여러 주 ; 《美北部》 뉴잉글랜드 지방 ; 《英》 미국.

Yánkee nótions *n. pl.* 양키의 세공품 ; 미국식 신안품(cf. NOTION).

Yanks [jǽŋks] *n.* 미국 프로 야구단인 New York Yankees의 별칭.

yan·(n)i·gan [jǽnigən] *n.* 〖野〗 2군 선수. 〖? *young'un* young one〗

yan·qui [jɑ́ːŋki] *n.* [때때로 Y~] (중남미인(人)이 자기들과 구별하여) 미국인. —— *a.* 미국(인)의. 〖Sp.＜E *Yankee*〗

Yan·qui·ol·o·gy [jæ̀ŋkiːɑ́lədʒi] *n.* 《蔑》 **1** (중남미인이 본) 양키식의 독선적 방법. **2** 양키[미국인] 연구, 미국 외교 정책의 연구.

yan·tra [jʌ́ntrə, jǽn-, jɑ́ːn-] *n.* 얀트라《명상할 때 쓰는 기하학적 도형》. 〖Skt.〗

Yaoun·dé, Yaun·dé [jaundéi ; jæúːndi] *n.* 야운데《카메룬의 수도》.

ya·ourt [jɑ́ːuərt] *n.* ＝YOG(H)URT.

yap [jǽp] *v.* (**-pp-**) *vi.* **1** (강아지가) 캥캥[시끄럽게] 짖어대다⟨*at*⟩. **2** 《俗》 딱딱거리다⟨*at*⟩ ; 재잘재잘 지껄이다. —— *vt.* …을 시끄럽게 말하다.
—— *n.* **1** (시끄럽게) 짖는 소리. **2** 《俗》 시끄러운 수다 ; 요구, 불평, 항의. **3** 《美俗》 수다스러운 사람 ; (수다스러운) 입. 〖imit.〗

Yap [jɑ́ːp, jǽp] *n.* 야프《서태평양 Caroline제도(諸島) 서부의 구역 ; 그 구역 안의 섬들》.
yap·ese [jæpíːz, jɑː-, -s] *n.*

ya·pock, ya·pok [jəpɑ́k] *n.* 〖動〗 물주머니쥐《남미산》. 〖*Oyapo(c)k* 남미의 강〗

yapp (bìnding) [jǽp(-)] *n.* Ⓤ 《英》 얩형 제본《가죽 표지의 가장자리를 길게 늘여 속장을 감싸듯 옆을 접을 수 있는 테늘인 표지 제본》. 〖W. *Yapp* 19세기 중엽에 이 제본을 고안한 London의 책방 주인〗

Yar·bor·ough [jɑ́ːrbəːrou, -bʌ̀rou ; -bərə] *n.* 〖카드놀이〗 (whist 또는 bridge 놀이에서) 9점 이상의 패가 없는 수. 〖Charles A. Worsley, 2nd Earl of *Yarborough* (d. 1897) 일어날 수 없는 수라고 하여 1,000대 1로 내기를 하였다는 영국의 귀족〗

◇**yard**[1] [jɑ́ːrd] *n.* **1** 둘러싸인 땅 ; 뜰, 안마당 ; 구내 ; 교정(school yard) ; 《美》 집을 둘러싼 뜰 : ☞ CHURCHYARD, FARMYARD : The children are playing in the ~. 아이들이 뜰에서 놀고 있

다. **2** [때때로 복합어를 이루어] …제조장, 일터, (벽돌·재목·차 따위를) 두는 곳; 《美·濠》 (가축용의) 우리 : a cab ~ 주차장 / ☞ BRICKYARD, LUMBERYARD, STOCKYARD. **3** 〖鐵〗 역구내, 조차장(操車場). **4** [the Y~] 《英》 = SCOTLAND YARD. ── *vt.* (가축 따위를) 우리 안으로 몰아넣다. ── *vi.* (뜰에) 모이다; 《美俗》 연인[남편, 처] 이외의 상대와 자다, 바람피우다. 〚OE *geard* enclosure; cf. OHG *gart* house; GARDEN과 이중어〛

◇**yard²** *n.* **1** 《英》 야드《약 0.914미터, 36인치, 3피트; 略 yd.》; 마(碼) : 5 ~*s* of cloth 다섯 마의 천. **2** 〖海〗 돛가름대, 활대 : man the ~*s* 등현례(登舷禮)를 거행하다. **3** 《美俗》 100달러, (때때로) 1,000달러(grand) : ~*s* of… 매우 긴…, 많은…. 〚OE *gerd* stick, twig; cf. G *Gerte* rod〛

yárd·age¹ *n.* Ⓤ (역 따위의) 가축 우리 사용권[사용료]; 역구내 사용권[료]. 〚YARD¹〛

yardage² *n.* Ⓤ 야드로 잰 길이[양] : What is the ~ of this cloth? 이 천은 몇 야드입니까. 〚YARD²〛

yárd·àrm *n.* 〖海〗 돛가름대[활대]의 끝.

1 yard
2 yardarm

yardarm

yárd·bìrd *n.* 《美軍俗》 (벌로) 사역을 받은 병사; 반사람 몫의 신병; 《美俗》 죄수(jailbird).

yárd gòods *n. pl.* 《美》 야드 단위로 판매하는 천, 피륙.

yárd gràss *n.* 〖植〗 왕바랭이《정원에 흔히 있는 포아풀과(科)의 잡초》.

yárd hàck[bùll] *n.* 《美俗》 교도관.

yárd lìne *n.* 〖美蹴〗 야드라인《골라인과 나란히 1야드마다 그은 라인》.

yárd·man [-mən, -mæ̀n] *n.* 전철수(轉轍手), 구내 작업원; (날품팔이) 잡역부.

yárd·màster *n.* 〖鐵〗 조차(操車)[구내] 주임.

yárd mèasure *n.* 야드자《줄자 또는 긴 자》.

yárd ròpe *n.* 〖船〗 돛가름대 밧줄.

yárd sàle *n.* 《美》 (개인이 집 뜰앞에서 벌이는) 중고(中古) 가정용품 세일(garage sale).

yárd·stìck *n.* **1** (나무·금속제의) 야드자. **2** 《비유》 판단·비교의 기준[척도].

yárd·wànd *n.* = YARDSTICK.

yárd wòrk *n.* 《美》 정원 일.

yare [jéər, jǽər, já:r] *a.* 《古·方》 준비가 된(ready); 기민한, 민첩한, 신속한(brisk); 활발한(active); (배 따위가) 다루기 쉬운(manageable). ── *adv.* 《古》 재빠르게. 〚OE *gearu* ready〛

yar·mul·ke, -mel-, -mul·ka [já:rmǝlkǝ] *n.* 〖유태敎〗 야물카《정통파 남자 신도가 교회나 가정에서 쓰는 작은 두건》. 〚Yid.〛

***yarn** [já:rn] *n.* **1** Ⓤ 방사(紡絲), 짜는 실, 뜨개실, 꼰 실; 〖海〗 작은 그물을 뜨기 위한 섬유 : woolen[worsted] ~ 털실. **2** 《口》 (여행자 등의 그다지 미덥지 않은) 이야기, 여행담; 허풍, 꾸며낸 이야기 : spin a ~ [~*s*] 장광설을 늘어놓다. ── *vi.* 《口》 이야기[긴 이야기]를 하다 : ~ throughout a night 밤새도록 이야기를 늘어놓다. ── *vt.* …에 방사(紡絲)를 감다. 〚OE *gearn*; cf. ON *görn* gut〛

yárn bèam[ròll] *n.* 방적 기계의 날실을 감는 막대기.

yárn-dỳe *vt.* 짜기 전에 염색하다, 실을 물들이다.

yárn-dỳed *a.* (천으로 짜기 전에) 실을 염색한, 먼저 염색한.

yárn-spìnner *n.* 《口》 입담이 좋은 사람, 이야기를 잘 꾸며내는 사람, 허풍선이.

yarovize ☞ JAROVIZE.

yar·row [jǽrou] *n.* Ⓤ 〖植〗 톱풀, (특히) 톱풀속. 〚OE *gearwe*<?〛

yash·mak, -mac, yas·mak [jæ̀ʃmǽk, jɑ:ʃmɑ́:k] *n.* (이슬람교국의 여성이 남 앞에서 쓰는) 베일. 〚Arab., Turk.〛

yat·a·ghan, -gan [jǽtǝgæ̀n, -tigǝn; -gǝn] *n.* 이슬람교도의 장검《날밑이 없고 S자형으로 굽었음》. 〚Turk.〛

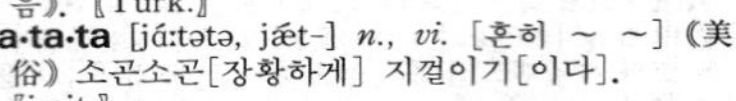

yataghan

ya·ta·ta [já:tǝtǝ, jǽt-] *n.*, *vi.* [흔히 ~ ~] 《美俗》 소곤소곤[장황하게] 지껄이기[이다]. 〚imit.〛

yate [jéit] *n.* 〖植〗 오스트레일리아산 유칼립투스속 여러 나무의 총칭; 그 단단한 재목. 〚(Austral.)〛

yauld [jɔ́:ld, já:ld] *a.* 《스코》 방심 않는, 기민한, 장건(壯健)한.

yaup ☞ YAWP.

ya(u)·pon [jɔ́:pǝn, jú:-] *n.* 〖植〗 미국 남부산의 감탕나무속의 관목《잎을 차 대용으로 씀》. 〚Catawba = shrub〛

YAVIS 《美》 Young, Attractive, Verbal, Intelligent, and Successful.

yaw [jɔ́:] *vi.* 〖海〗 (배가 침로를 벗어나서) 편주(偏走)하다, 좌우로 흔들리면서 나아가다; 〖空〗 (항공기·로켓 따위가) 편요(偏搖)하다. ── *vt.* (정로에서) 벗어나게 하다. ── *n.* 편주(偏走); 편요. 〚C16<?〛

yawl [jɔ́:l] *n.* 〖海〗 **1** (배에 실은) 잡용정(雜用艇). **2** 욜형 범선《큰 앞돛대와 작은 뒷돛대에 종범(縱帆)을 장치한 작은 범선》. 〚MLG or Du.<?〛

yawl 2

***yawn** [jɔ́:n, 美+já:n] *vi.* **1** 하품하다. **2** (입·틈·만(灣) 따위가) 크게 벌어지다 : A crevasse ~*ed* beneath their feet. 그들의 발밑에는 빙하의 갈라진 틈이 크게 입을 벌리고 있었다. ── *vt.* 하품하면서 말하다 : Tom ~*ed* his reply [~*ed* good night]. 톰은 하품하면서 대답했다[잘 자라고 말했다]. ── *n.* **1** 하품; 입을 크게 벌리기 : with a ~ 하품하면서 / give[stifle] a ~ 하품을 하다[참다]. **2** 벌어진 틈; 《俗》 따분한 사람[것, 일]. **~·er** *n.* 〚OE *ginian*; cf. ON *gja* to gape〛

yáwn·ful *a.* (지루하여) 하품이 나오는[나오게 하는]. **~·ly** *adv.*

yáwn·ing *a.* 하품하는[하고 있는], 피로한 기색이 보이는; 입을 크게 벌리고 있는 : a ~ gulf 입구가 넓은 만(灣). ── *n.* Ⓤ 하품하기. **~·ly** *adv.* 하품하면서.

yáwny *a.* 하품을 하는; 하품이 나오게 하는 : a ~ story 지루한 이야기.

Y

yawp, yaup [jɔ́:p, já:p] *vi.* 《口·方》 날카로운 소리로 말하다[외치다]; 《俗》 재잘재잘 지껄이다; 바보같은 소리를 하다. —— *n.* 날카로운 소리; 수다, 푸념, 잡담.
yáwp·ing *n.* 푸념, 잡담.
yaws [jɔ́:z] *n.* [단수·복수 취급] 〖醫〗 딸기종(腫) (frambesia). 〖C17<? Carib〗
y-axis [wái-̀] *n.* 〖數〗 세로[y]축(軸).
Yb 〖化〗 ytterbium. **Y.B., YB** yearbook.
Y-branch [wái-̀] *n.* Y자형관(管).
YC Young Conservative.
Y chromosome [wái ⌐] *n.* 〖生〗 Y염색체《성(性) 염색체의 일종; cf. X CHROMOSOME》.
yclad [iklǽ(:)d] *v.* 《古》 CLOTHE의 과거분사.
yclept, ycleped [iklépt] *a.* 《古·戲》 …라고 불리는, …라는 이름의(called, named).
Y connection [wái ⌐] *n.* 〖電〗 Y결선(結線), Y접속(接續).
y-coordinate [wài-́] *n.* 〖數〗 세로[y] 좌표.
Y cross [wái ⌐] *n.* Y자형 십자가《그리스도의 못 박힘을 나타내는 것으로 사제복(司祭服) 위에 닮》.
yd. yard(s). **yds.** yards.
ye[1] [ji, jí:] *pron.* **1** 《古·詩》 그대들《2인칭 대명사 THOU의 복수형》. **2 a)** 《詩·戲·호칭》: *Ye* gods (and little fishes)! 하느님 맙소사《아이 깜짝이야!, 아니 천만에! 따위의 뜻의 감탄사》/ *Ye* fools! 이런 멍청한 사람들아! **b)** [2인칭 대명사] 《俗》 =YOU: How d'*ye* do [háudidú:]? 안녕하십니까, 처음 뵙겠습니다 / Thank *ye* [θǽŋki]. 고맙습니다. **c)** [명령문에서] 《古·方》: Hark *ye* [há:rki]. 듣거라 / Look *ye* [lúki]. 보라. ㊟ 때때로 Hark*ee*. / Look*ee*.라고 씀.
〖OE *ge*; cf. G *ihr*〗
ye[2] [ðə, ði, ðí:, ji, jí:] *a.* [정관사] 《古》 =THE[1]. ㊟ (1) 의고체(擬古體)로서 요즘도 상점·여관 따위의 간판에 쓰임: *Ye* Olde Curiosity Shoppe 골동품점. (2) 철자 발음 [ji, jí:]도 때때로 쓰임.
〖14-15세기에 *þ* (=th)와 y의 혼동에서〗
yea [jéi] *adv.* 《古》 **1** 네, 그럼(yes) (↔*nay*). **2** 참으로, 실로(indeed, truly). **3** 게다가, 뿐만 아니라(nay): It is useless, ~ harmful. 무용할 뿐만 아니라 해롭다. ㊟ 이 뜻으로는 NAY와 바꾸어 쓸 수 있으나, nay가 정도의 차이를 강조하는 데 대하여 yea는 동일성을 강조함.
yea and 아니 그뿐만이 아니라, 게다가(and moreover).
—— *n.* 긍정, 찬성; 찬성 투표; 찬성 투표자: ~*s* and nays 찬부(의 투표).
〖OE *gea, ge*; cf. G *ja*〗
***yeah** [jéə, jǽ:] *adv.* 《美口》 =YES.
yéah-yéah *int.* 《口》 허 그래《불신을 나타내며 비꼬는 투의 말》.
yéah-yéah-yéah *int.* 《口》 이젠 그만 해라《수다스럽다는 핀잔》.
yean [jí:n] *vt., vi.* (양·염소가 새끼를) 낳다.
yéan·ling *n.* 양 새끼; 염소 새끼.
—— *attrib. a.* (양 따위) 갓난, 어린.
◇**year** [jíər, 英+jə́:r] *n.* **1** 해, 연(年); 한 해 (cf. DAY, MONTH) 《略 y., yr.》: a bad ~ 흉년, 흉작의[불경기의] 해 / a common ~ 평년 / this ~ 올해, 금년 / last ~ 지난해, 작년 / the ~ before (그) 전해, 전년 / next ~ 내년 / the next ~ (그) 이듬해, 익년 / by the ~ 해마다 / in a ~'s time 한해 지나면 / in the ~ one 서기 1년에; 《비유》 먼 옛날에 / in the ~ 1999 1999년에 / see the old ~ out 묵은 해를 보내다 / It is just a ~ since I lost my mother. 나는 어머니를 여읜 지 꼭 한 해가 된다 / The ~*s* when I was in the army were used for me. 군대에 있었던 수년간은 내게 유익했었다 / I bought this coat the ~ I was in Paris. 내가 파리에 있던 해에 이 코트를 샀다. **2** 연도, 학년, 동기생(class): the academic [school] ~ 학년《보통 미국에서는 9-6월, 영국에서는 10-6월》/ ☞ FISCAL YEAR / He was in my ~ at college. 대학에서 그는 나와 같은 학년이었다.
3 [*pl.*] 연령; [*pl.*] 노령, 노년: a man of his ~*s* 그와 같은 연배의 남자 / a boy of ten ~*s*=a ten-~-old boy 열 살 난 소년 / old in ~*s* but young in vigor 늙었어도 원기 왕성하여 / advance in ~*s* 나이를 먹다 / be young[old] for one's ~*s* 나이에 비해서 젊다[늙다] / a man in ~*s* but a child in understanding 나이로는 어른이지만 정신 연령은 아이 / He looks older [younger] than his ~*s*. 그는 나이보다 늙어[젊어] 보인다 / He is fifteen ~*s* old[of age]. 그는 열다섯살입니다 / *Y*~*s* bring wisdom. 《속담》 나이를 먹으면 지혜가 생긴다.
4 [*pl.*] 매우 오랫동안, 다년: ~*s* ago (지금부터) 여러해 전에 / It is ~*s* since we met. 만나 뵌지 여러해 만이군요, 오래간만입니다 / I have lived here *for* ~*s*. 나는 이 곳에 여러해[오랫동안] 살고 있다.
5 [*pl.*] 시대(cf. DAY 6): the ~*s* of Queen Victoria 빅토리아 여왕 시대.
6 《美俗》 달러 (지폐): 5 ~*s* 5달러 (지폐).
all the year round 한 해 동안, 일년 내내.
from year to year =YEAR *after*[*by*] *year*.
in years 나이 먹어[먹은]: a man *in* ~*s* 나이 먹은 사람.
of late[***recent***] ***years*** 근년에.
the year of grace[***Christ, our Lord***] 그리스도 기원, 서기.
year after[***by***] ***year*** 해마다, 매년.
a year ago today 일년 전 오늘.
a year and a day 〖法〗 만 1년《꼭 일년과 하루의 유예 기간》.
year in, year out=***year in and year out*** 연년세세; 끊임없이, 시종.
〖OE *gē(a)r*; cf. G *Jahr*, Du. *jaar*〗
活用 ☞ MONTH.
yéar-aróund *a.* =YEAR-ROUND.
yéar·bòok *n.* 연감, 연보; 졸업 기념 앨범.
yéar-énd *n.* 연말(年末). —— *attrib. a.* 연말의: a special ~ sale 연말 특별 대매출.
yéar·ling *n.* (동물의) 만 한 살된 새끼; 〖競馬〗 한 살된 말《난 해의 1월부터 가산하여》.
—— *attrib. a.* 만 한 살의; 일년이 된: a ~ colt 만 한살의 망아지.
yéar·lóng *a.* 1년간 계속되는, 일년에 걸친; 수년에 걸치는: a ~ dispute 1년에 걸친 분쟁.
***yéar·ly** *a.* 연(年) 1회의; 매년의; 그 해(만)의: a ~ income 연수(입) / a ~ plant 1년생 식물.
—— *adv.* 한 해에 한 번; 매년. —— *n.* 1년에 1회 발간되는 간행물, 연간지.
yearn** [jə́:rn] *vi.* **1** [+前+名/ +*to* do] 동경하다, 사모하다; 그리워하다, 사모하는 정이 생기다; 간절히 …하고 싶어하다, 열망하다(desire): I ~ ***for my fatherland. 조국을 그리워한다 / He ~*ed* ***after*** her affection. 간절히 그녀의 애정을 바라고 있었다 / The child ~*s* much ***toward*** [***to***] his mother. 그 아이는 어머니를 몹시 그리워하고 있다 / They ~*ed to* see their motherland again. 그들은 다시 한 번 모국을 보고 싶어했다.

2 [+前+名] 동정하다, 불쌍히 여기다 : She ~*ed* **over** [Her heart ~*ed* **for**] the orphan. 그녀는 그 고아를 동정했다. —— *vt.* 절실한 목소리로 말하다[읽다]. **~·er** *n.*
〖OE *giernan*<Gmc. (《美》 *gernaz* eager)〗

yéarn·ing *n.* Ⓤ [또는 *pl.*] [+*to* do] 동경, 사모, 열망 ; 간절한 생각 : They felt strong ~*s* **toward** home. 그들은 가정에 대한 강한 동경을 느꼈다 / In her heart surged the ~ **for** children. 그녀의 가슴속에 아기를 열망하는 마음이 간절했다 / This is man's infinite ~ *to* know the truth. 이것은 인간의 무한한 진리 탐구욕이다.
—— *a.* 동경하는, 그리워하는, 사모하는, 열망하는(longing) : a ~ heart 사모하는 마음.
~·ly *adv.* 동경하여, 사모하여.

yéar plànner *n.* 연간 예정표《사무실 벽에 걸어놓고 쓰는 대형의 행사 예정과 연간 계획표》.

yéar-róund *a.* 연중 계속되는.

yéar's mínd *n.* 〖카톨릭〗 1주기(周忌), 회기(回忌)《해마다 기일에 행하는 미사》.

yéa-sày·er *n.* 인생 긍정론자 ; =YES-MAN.

yeast [jí:st] *n.* **1** Ⓤ 효모(균), 이스트(cf. ENZYME). **2** Ⓤ 《비유》 (정신적 발효를 촉진하는) 자극, 영향[감화]력. **3** =YEAST CAKE. **4** 소란, 소동 ; 흥분. **5** 거품(foam). —— *vi.* 발효하다 ; 거품이 일다. —— *vt.* …에 이스트를 넣다.
〖OE *gist* ; cf. G *Gischt* foam〗

yéast càke *n.* 고형(固形) 이스트.

yéast plànt[cèll] *n.* 이스트(균), 효모(균).

yéast pòwder *n.* =BAKING POWDER.

yéasty *a.* **1** 효모의[같은], 효모를 함유한. **2** 발효하는 ; (파도 따위) 거품이 이는. **3** 《비유》 뒤끓는 ; 침착성이 없는, 불안정한 ; 실질이 없는 ; 경박한. **yéast·i·ly** *adv.* **yéast·i·ness** *n.*

Yeats [jéits] *n.* 예이츠. **W(illiam) B(utler)** ~ (1865–1939) 아일랜드의 시인·극작가·비평가.

ye(c)ch [jʌ́k, jʌ́x, jék, jéx] *int.* 《美口》 왝, 체, 어허《구토·혐오·심한 불쾌 따위를 나타냄》.
〖imit.〗

yé(c)chy *a.* 《美俗》 =YUCKY.

yegg(·man) [jég(mən), jéig(-)] *n.* 《美俗》 금고털이 ; 강도. 〖금고털이에 처음으로 니트로글리세린을 사용한 John *Yegg*란 사람의 이름에서〗

yeh [jé] *adv.* 《美俗》 =YES.

Ye·hu·da [jəhú:də] *n.* (*pl.* **-dim** [-dim]) 《美俗》 유태인(Jew)《유태인 자신이 쓰는 말》. 〖Arab.〗

yel. yellow.

yelk [jélk] *n.* 《方》 =YOLK.

***yell** [jél] *vi.* [動/+前+名] **1** 고함소리를 내다, 외치다(cry), 고함치다(shout) : ~ **at** a person 남을 호통치다 / ~ **for** help 고함쳐서 구원을 청하다 / She ~*ed* **with** fright. 그녀는 몹시 놀라서 고함쳤다 / The crowd ~*ed with* delight. 군중은 기뻐서 환성을 질렀다. **2** 폭소하다 : ~ **with** laughter 요절(腰折)하다. **3** 《美·Can.》 (응원의) 환성을 보내다〈*for*〉 (cf. *n.* 2). **4** 불만[항의]의 소리를 지르다. **5** (바람·물·기계 따위가) 굉음을 내다. —— *vt.* [+目/+目+副] 외치며[큰소리로] 말하다, 큰소리로 외쳐 …에 영향을 끼치다 : ~ **out** an abuse[a command] 큰소리로 욕설하다[명령하다].
—— *n.* **1** (고통·공포 따위의) 외치는 소리, 고함〈*of*〉. **2** 《美·Can.》 (대학 따위에서 자기편 선수를 응원하는 일정한) 환성.
〖OE *giellan* ; cf. OE *galan* to sing, NIGHTINGALE, G *gellen* to resound〗

yell·lead·er [jélli:dər] *n.* 《美·Can.》 응원단장.

◇**yel·low** [jélou] *a.* (**~·er** ; **~·est**) **1** 노란색의, 황색의. **2** 피부가 황색인 ; 황색[몽고] 인종의. **3** 음침한, 질투심 많은, 의심이 많은. **4** 《口》 겁이 많은 ; 비겁한, 비열한 : They were too ~ to fight. 그들은 겁이 많아서 싸우지 못했다. **5** 《원래 美》 (신문기사 따위가) 선정적(煽情的)인 : ☞ YELLOW PRESS.
the sear and yellow leaf ☞ SEAR *a.*
—— *n.* **1** Ⓤ,Ⓒ 노랑, 황색, 황금색(=**gólden** ~). **2** Ⓤ,Ⓒ 황색 채료[안료, 도료, 염료]. **3** Ⓤ 노란 양복(지) : dressed *in* ~ 노란 옷을 입고. **4** Ⓤ,Ⓒ (알의) 노른자위(yolk) 〈*of*〉. **5** 노랑나비[나방]. **6** Ⓤ 《口》 겁많음(cowardice). **7 a)** [the ~s] 《古》 황달(jaundice). **b)** [the ~s] 《美》 (식물의) 황고병(黃枯病). **8** 피부가 노란 사람, 황색인.
—— *vt.* 황색으로 만들다 : The curtain has been ~*ed.* 커튼이 누레졌다. —— *vi.* [動/+前+名] 황색이 되다, 노래지다 : The leaves of the trees begin to ~ in autumn. 나뭇잎은 가을에 노랗게 물들기 시작한다 / White paper ~*s* **with** age. 흰 종이는 오래되면 누레진다.
〖OE *geolu* ; cf. GOLD, G *gelb*〗

yéllow alért *n.* 황색 경보《적기의 내습을 알리는 경보》.

yéllow·bàck *n.* 노란 표지의 책《19세기 후반의 통속 소설》; (노란 표지의) 프랑스 통속 소설.

yéllow-bèllied *a.* 배[옆구리]가 노란 ; 《口》 겁 많은.

yéllow·bèlly *n.* 《俗》 겁쟁이 ; 누런 피부의 사람 ; 《美南西部·蔑》 멕시코인.

yéllow·bìll *n.* 〖鳥〗 (미국산의) 검둥오리(scoter).

yéllow·bìrd *n.* 〖鳥〗 노랑새, 《英方》 (특히) 아메리카방울새.

Yéllow Bòok *n.* **1** 황서(黃書)《정부가 발표하는 황색 표지의 보고서 ; cf. BLUE BOOK, WHITE BOOK, WHITE PAPER》. **2** 예방 접종 증명서 (Yellow Card).

yéllow bòy *n.* 《英俗·稀》 금화(金貨)(gold coin) ; 《美口》 흑백 혼혈아(mulatto).

yéllow bráss *n.* 칠삼(七三) 황동《구리 70%, 아연 30%의 황동》.

yéllow bríck róad *n.* 행운으로의 길 : The path to New York City is a ~ for college graduates. 대학 졸업생에게는 뉴욕으로 가는 길이 행운으로의 길이다.
〖미국의 동화작가 Frank Baum(1856–1919) 저(著) *The Wizard of Oz* 「오즈의 마법사」에서〗

Yéllow Cáb *n.* 옐로 캐브《미국 최대의 택시 회사의 상호명》.

yéllow·càke *n.* 조제(粗製) 우라늄광.

yéllow cárd *n.* 〖蹴〗 옐로 카드《주심이 선수에게 경고를 줄 때 보이는 황색 카드》; [Y~ C~] = YELLOW BOOK 2.

yéllow dírt *n.* 《美俗》 돈, 금전.

yéllow dóg *n.* 《美俗》 주인 없는 개 ; 비겁한 자, 겁쟁이 ; 《美俗》 노동 조합에 가입하지 않은[을 지지하지 않는] 노동자.

yéllow-dóg *a.* 들개 같은 ; 천한, 경멸해야 할 ; 《美》 반(反)노동조합(주의)의.

yéllow-dóg còntract *n.* 《美》 황견(黃犬) 계약《노동 조합에 가입하지 않는다는 조건하의 고용 계약 ; 현재는 위법》.

yéllow dwárf *n.* 〖植〗 황고병, 황위병(黃萎病).

yéllow éarth *n.* (습윤(濕潤)아열대 상록수림의) 황색토.

yéllow féver *n.* 황열병(黃熱病)《열대병으로 황

Y

달을 병발하기 쉬운 모기가 매개하는 바이러스병).
yéllow flág *n.* 황색기(旗), 검역기(檢疫旗)《전염병 환자가 있다는 표시로 배에 게양함》.
yéllow flú *n.* 《美》 옐로 플루《강제 버스 통학에 항의하기 위해 병을 빙자한 집단 결석》. 〖통학 버스 차체의 빛깔에서〗
yéllow gírl *n.* 《美俗》 백인과 흑인 사이의 혼혈녀, (성적 매력이 있는) 피부색이 엷은 흑인 여자.
yéllow góods *n. pl.* 한번 사면 잘 바꾸지 않지만 이익률은 높은 상품《냉장고, 텔레비전, 자동차 따위; cf. RED GOODS, ORANGE GOODS》.
yéllow-gréen *n., a.* 황록색(의).
yéllow gúm *n.* **1** 〔醫〕 갓난아기의 황달. **2** 〔植〕 나무껍질이 노란 유칼리나무《호주산(產)》.
yéllow·hàmmer *n.* 〔鳥〕 촉새의 일종《유럽산》.
Yéllowhammer Státe *n.* [the ~] Alabama 주의 속칭.
yéllow·ish *a.* 노란 색깔이 도는, 누르스름한, 황색을 띤.
yéllow jàck *n.* **1** Ⓤ 황열병. **2** =YELLOW FLAG.
yéllow jàcket *n.* 〔昆〕 말벌; 《俗》 (황색 캡슐의) 펜토바르비탈《마약》.
yéllow jóurnalism *n.* 옐로 저널리즘《저속하고 선정적이며 부정확함》.
Yéllow·knìfe *n.* (*pl.* **~, ~s**) 옐로나이프족 (copper Indian) 《캐나다 북서부 Great Slave 호(湖) 동쪽에 사는 아메리칸 인디언》.
yéllow·lègs *n.* (*pl.* ~) 〔鳥〕 노랑발도요《북아메리카산(產)》.
yéllow líght *n.* 노란 불《황색의 교통 신호등》.
yéllow líne *n.* **1** 《英》 (주차 규제 구역임을 표시하는 길가의) 황색선. **2** (추월 금지를 표시하는 도로 중앙의) 황색선.
yéllow-lìvered *a.* 《美》 겁많은.
yéllow métal *n.* 금(gold); 일종의 놋쇠《아연 40%와 구리 60%의 합금》.
yéllow·ness *n.* Ⓤ 노랑임.
yéllow ócher *n.* 〔鑛〕 황토《안료로 쓰임》; 연한 황갈색 그림 물감.
Yéllow Páges *n. pl.* [때때로 y~ p~] (전화 번호부의) 직업별 페이지; 《美》 업종별 기업[영업·제품] 안내.
yéllow péril *n.* [the ~, 흔히 the Y~ P~] 황화(黃禍)《서양인이 황색 인종의 발전을 두려워한 황인종 공포증》; 황색 인종.
yéllow píne *n.* 소나무의 일종《미국산(產)》; Ⓤ 그 황색 목재.
yéllow póplar *n.* = TULIP TREE; = TULIPWOOD.
yéllow préss *n.* [the ~] 《원래 美》 황색신문《선정적 기사를 주로 다루는 저속한 신문》.
yéllow quártz *n.* 〔鑛〕 황수정(黃水晶).
yéllow ráce *n.* 황색 인종《몽고인·중국인 등》.
yéllow ráin *n.* 황색비《화학전 때 비행기에서 뿌리는 황색 유독 분말로 이에 맞으면 경련·출혈을 일으키고 곧 사망함》.
yéllow ríbbon *n.* 《美》 옐로 리본《억류된 인질·포로나 멀리 떨어져 있던 남성이 되돌아오기를 기원하여 나무에 거는 리본》.
Yéllow Ríver *n.* [the ~] 황허(黃河)(강)《중국에 있는 강》.
yéllow róom *n.* 옐로 룸, 황색실(黃色室)《LSI (대규모 집적 회로) 따위의 반도체 소자를 제작하는 경우에 리토그래피(lithography) 공정을 행하는 방》. 〖자외선에 감도가 높은 포토레지스트 (photoresist)를 감광시키지 않도록 황색광의 조명을 사용하고 있는 데서〗
Yéllow Séa *n.* [the ~] 황해.
yéllow sóap *n.* 보통의 가정용 비누.
yéllow spòt *n.* 〔解〕 망막의 황반(黃斑).
Yéllow·stòne *n.* [the ~] 옐로스톤 강《미국 Wyoming 주 북서부에서 발원하여 Yellowstone 국립 공원을 통과해 Missouri강으로 흘러듦》.
Yéllowstone Nátional Párk *n.* 옐로스톤 국립 공원《미국 Wyoming 주 북서부에서 Idaho, Montana 두 주의 일부에 걸쳐 있음; 간헐천·폭포·호수·큰 계곡이 있음》.
yéllow stréak *n.* 겁많은 기질[성격]: show [have] a ~ 겁을 먹고 있다.
yéllow súnshine *n.* 《美俗》 =LSD.
yéllow·tàil *n.* (*pl.* **~, ~s**) 노란 꼬리지느러미가 있는 물고기《방어 따위》.
yéllow wárbler *n.* 〔鳥〕 솔새의 일종《아메리카산(產)》.
yéllow·wòod *n.* 재목이 노란 각종 나무[목재] 《gopherwood, smoke tree 따위》.
yél·lowy *a.* =YELLOWISH.
yelp [jélp] *vi.* 고함을 지르다; (개가) 짖어 대다; 비명을 지르다.
—— *vt.* 소리쳐 말하다.
—— *n.* (개의) 짖는 소리, 깽깽 짖는[우는] 소리; (사람의) 날카로운 외침 소리, 비명.
〖OE *gielp(an)* to boast (imit.)〗
yélp·er *n.* 새된 소리를 내는 것, (특히) 캥캥 짖는 개; 암칠면조 울음소리처럼 소리를 내는 기구《사냥꾼용》.
Yem·en [jémən] *n.* [the ~] 예멘《아라비아 반도 남부의 공화국; 수도 San'a[Sanaa] [sɑːnɑ́ː]; 1990년 5월 예멘 공화국으로 통일》.
Yem·e·ni [jéməni] *n., a.* =YEMENITE.
Yémen·ìte *n.* 예멘의 주민. —— *a.* 예멘(인)의.
yen[1] [jén] *n.* (*pl.* ~) 엔(圓)《일본의 화폐 단위; 기호 ¥, ¥, Y》.
yen[2] *n.* 《口》 열망, 갈망, 동경, 야심: have a ~ *for* …을 동경하다, 열망하다, 몹시 원하다.
—— *vi.* (**-nn-**) 원하다, 열망[갈망]하다, 동경하다(yearn)〈*for*〉.
〖Chin. *yin* (인(淫)) or *yen* (엔(煙)) (opium)〗
yen·ta, yen·te [jéntə] *n.* 《俗》 수다스러운[참견 잘하는] 여자. 〖Yid.; 여자 이름에서〗
yeo(m). yeomanry.
yeo·man [jóumən] *n.* (*pl.* **-men** [-mən]) **1** 《英》 자작농, 소지주. **2** 〔美海軍〕 행정 담당 하사관; 〔英海軍〕 통신 담당 하사관(=∠ **of sígnals**). **3** 〔英史〕 자유민, 향사(鄕士). **4** 《英》 기마 농민 의용병《향사 계급의 자제들로 구성됨》. **5** (제후·국왕의) 시종, 종자(從者). **6** 크게 공헌하는 사람[것].
a yeoman of the guard (영국 왕실의) 국왕의 근위병《의식 때에 국왕의 호위와 런던탑의 수위를 맡음; 1485년 Henry 7세 제정; cf. BEEFEATER 2》.
yeoman('s) service (일단 유사시의) 눈부신 충성, 큰 공헌 《Shakespeare의 문구에서》; 다급할 때의 원조[조력]: do a person ~'*s service* 남에게 큰 도움이 되다.
—— *a.* yeoman의[다운].
〖ME *yoman* <? *yongman* young man〗

a yeoman of the guard

yéoman·ly *a.* 향사(鄕士)의[다운]; 용감한, 완강

한, 충실한.
— *adv.* 향사답게 ; 용감하게.

yéoman·ry *n.* Ⓤ [집합적으로] 《英》 자유민, 향사(鄕士) ; 소지주들, 자작농 ; 기마 농민 의용병.

yep [jép] *adv., n.* 《美俗》 =YES(↔*nope*). ㊟ yep 및 nope의 [p]는 입술을 다문 채로 끝나고 파열시키지 않음.

-yer [jər] *n. suf.* 「…하는 사람」의 뜻 《㊟ w로 끝나는 명사어미에 씀 ; cf. -IER》 : bow*yer*, law*yer*, saw*yer*. 〖*-er*[1]〗

yer·ba bue·na [jéərbə bwéinə, jə́:r-] *n.* 〖植〗 꿀풀과 탑꽃속의 상록인 풀《북미 태평양 연안산 ; 이전에는 약용》.
〖Sp. =good herb〗

yerba maté [-ˊ-] *n.* =MATÉ. 〖Am. Sp.〗

yerk [jə́:rk] *vt.* 《方》 세게 치다, 채찍질하다 ; 선동하다. — *n.* 일격 ; 날랜 동작.
〖ME<? ; cf. JERK〗

Yerk·ish [jə́:rkiʃ] *n.* 침팬지와 인간의 교신용으로 창안된 기하학적 도형을 쓰는 인공 언어.
〖*Yerkes* Regional Primate Center《Georgia 주에 있는 이 언어가 고안·적용 연구된 영장류 연구소》; Eng*lish* 따위에 준한 조어〗

◇**yes** [jés] *adv.* ㊟ 《美口》에서는 때때로 모음 발음에 여러가지가 있고 또 끝의 [s]가 탈락되어 YEAH와 같이 발음됨. **1** [문상당어(文相當語)] (↔*no*) [긍정·동의의 대답] **a**) [질문·부탁 따위에 대답하여] 네 ; [부정의 질문에 대답할 때] 아니 : Were you there? — *Y*~. 당신은 거기에 있었습니까 — 네 / Isn't it raining? — *Y* ~, it is. 비가 오고 있지 않나요 — 아니오, 오고 있어요. ☞ NOT 活用 (2).

> **yes**의 ○×
> You didn't do it, did you?
> (그런 것을 하지 않았겠지?)
> (×) *Yes*, of course, I didn't.
> (네, 물론입니다 (안했습니다).)
> (○) *No*, of course, I didn't.
> ☆ 우리말의 「네」와 「아니오」는 묻는 말이 긍정 의문인가 부정 의문인가에 따라서 달라지지만 영어에서는 질문의 형식에 관계없이 긍정의 내용이면 Yes, 부정의 내용이면 No를 쓴다.

b) [상대방의 말에 동의를 나타내어] 그렇다, 그럼, 그렇고말고 ; 과연 그렇다 : This is an excellent book. — *Y* ~ [jéːs], it is. 이것은 훌륭한 책이군 — 그렇고말고.
2 [문상당어 ; 보통 의문형으로 발음은 상승조(上昇調)] **a**) [부름에 대답하여] 네, 왜 그러십니까 : John! — *Y*~? 존 — 왜 그러십니까. **b**) [상대방의 말에 의문을 나타내어 또는 동의로서] 그래, 설마, 하아, 과연, 그래서 : I was always good at drawing. — *Y*~? 나는 언제나 그림을 잘 그렸지 — 그래 《정말이냐》 / I have come to the conclusion that.... — *Y*~? 나는 이러한 결론에 이르렀다 (그것은…) — 으흠, 그래서《그 다음 말을 재촉하면서》. **c**) [잠자코 기다리는 사람을 보고] 무슨 일이신가요 : "*Y* ~?" he said as he saw the stranger waiting to speak to him. 무슨 일이신가요라고 그는 초면의 손님이 그와 이야기하려고 기다리고 있는 것을 보고 말했다. **d**) [자신이 말한 것을 상대방에게 확인하려고] 응, 알겠지 : Go along this street for three blocks, then turn to the left and keep on for a minute or two — ~? 이 길을 3블록 간 다음 왼 쪽으로 돌아 곧바로 1, 2분 가시오 — 알겠죠.
3 [yes, and 또는 yes, or로써 강조적으로 추가의 표현을 이끌어] 아니 (게다가), 더구나(moreover) : He will insult you, ~, *and* cheat you as well. 그는 너를 모욕할 것이다, 아니 그 뿐만 아니라 속일지도 모른다.
— *n.* (*pl.* ~·**es**) 「네」라는 말[대답] (↔*no*)《긍정의 대답·승낙하는 말》: say ~ 「네」라고 말하다, 승낙하다 / Answer with a simple "*Y*~" or "No". 네 인지 아니오 인지만 간단하게 대답하라 / He refused to give a *Y* ~ or No answer. 그는 예스나 노로 대답하기를 거절했다.
— *vi.* (-**s**(**s**)-) 「네」라고 말하다, 승낙하다.
〖OE *gēse, gīse*<? YEA+*sīe* (*bēon* to BE의 가정법 3인칭 단수 현재)=may it be〗

yés-gìrl *n.* 《美俗》 (성행위에) 바로 응하는 여자.

ye·shi·va(**h**) [jəʃí:və] *n.* (*pl.* ~**s** [-z], **ye·shi·vot**(**h**) [jəʃi:vóut]) 탈무드 학원, 예시바《(1) Talmud를 연구하고 rabbi를 양성하는 유태교의 대학. (2) 종교 교육 이외에 보통 교육도 아울러 하는 유태교의 초등학교》. 〖Heb.〗

yés-màn *n.* 《口》 예스맨《동료나 상사의 말에 무조건 동조하는 사람》; 아첨꾼.

yes·ter [jéstər] *a.* 《古·詩》 어제의, 작(昨)…, 지난….
〖OE *geostran* ; cf. G *Gestern* yesterday〗

◇**yes·ter·day** [jéstərdi, -dèi] *adv.* **1** 어제(는), 작일(昨日)은 : It was rainy ~. 어제는 비가 왔다 / *Y*~ I was busy. 어제는 바빴다 / ~ week ☞ WEEK 숙어. **2** 작금(에·은), 요즘(은) : I was not born ~. 나는 어린애가 아냐.
— *n.* **1** Ⓤ 어제, 작일 : the day before ~ 그저께《부사적으로도 씀》/ ~ morning[afternoon, evening] 어제 아침[오후, 저녁] 《부사적으로도 씀 ; ~ evening 대신에 LAST evening이라고도 함》/ *Y*~ was Saturday. 어제는 토요일이었다 / I was very busy until[up to] ~. 어제까지는 매우 분주했다 / I read it in ~'s newspaper. 어제 신문에서 그것을 읽었다 / Did you hear ~'s news? 어제 뉴스를 들으셨습니까. **2** Ⓤ 작금, 요즘 ; [보통 *pl.*] 과거, 지난날 : (a thing) of ~ 요즘의 (일) / far back in the dim ~*s* 희미하게 먼 지난 날에.
— *a.* 어제의.
〖OE *giestran dæg* (↑, DAY)〗

yés·ter·éve(**ning**) [jéstər-], **-éven** *n., adv.* 《古·詩》 어제 저녁(에).

yéster·mórn(**ing**) *n., adv.* 《古·詩》 =YESTERDAY morning.

yéster·níght *n., adv.* 《古·詩》 어젯밤(에) (last night).

yéster·nóon *n., adv.* 《古·詩》 어제 정오(에) (yesterday noon).

yéster·wéek *n., adv.* 《古·詩》 지난 주(에).

yéster·yéar *n., adv.* 《古·詩》 작년(에) ; 지난해(에) (last year) : Where are the snows of ~? 지난해의 눈 지금은 어디메뇨《D. G. Rossetti가 영역한 시구에서》.

yes·treen [jestrí:n] *n., adv.* 《스코·詩》 어젯밤(에), 어제 저녁(에).

yet [jét] *adv.* **1** [부정 평서문에서] 아직 (…않는), (지금까지는) 아직 (…않는) ; 아직 얼마 동안은 (…않는) : The work is *not* ~ finished. 그 일은 아직 끝나지 않았다 / I have *never* ~ lied. 나는 아직 거짓말을 해본 적이 없다 / We have heard *nothing* from him ~. 아직 그에게서 아무런 소식도 못들었다 / It will *not* happen *just* ~. 그것은 당장 얼마 동안 일어나지 않을 것이다. ㊟ 긍정 평

서문(平敍文)에서의 ALREADY에 대응함 ; ☞ 活用 (1).
2 [의문문에서] 이미, 벌써, 지금 : Have you got to go ~? 벌써 가셔야만 합니까 / Is it raining ~? 벌써 비가 오고 있습니까《cf. Is it *still* raining? 아직도 비가 오고 있습니까》/ Haven't you learnt ~ that...? 아직 …라는 사실을 못들으셨나요 / Has he returned ~? 그는 벌써 돌아왔습니까. ☞ 活用 (2).
3 a) 아직(도), 아직껏, 여전히 ; (그 당시) 아직 : She is talking ~. 그녀는 아직도 이야기하고 있다 / Much ~ remains to be done. 아직도 할 일이 많이 남아 있다 / His hands were ~ red with blood. 그의 손은 (그 당시 아직) 여전히 피로 붉게 물들어 있었다. ☞ 活用 (3). **b)** [최상급과 함께] 지금까지 : the *largest* diamond ~ found 지금까지 발견된 것 중 가장 큰 다이아몬드 / It's the *best* ~ found. 지금까지 발견된 것 중 가장 좋은 것이다.
4 또 게다가, 그 위에 : *Y*~ once more I forbid you to go. 되풀이해서 말하지만 가서는 안된다 / There is work ~ to be done. 아직 할 일이 더 남아 있다.
5 (지금까지는 어쨌든) 머지않아, 조만간, 언젠가는 : You shall ~ repent it. 얼마 안가서 후회할 것이다 / He may ~ be happy. 그는 언젠가는 행복해질 것이다 / I'll do it ~! 두고 봐라 !
6 [nor와 함께 강조적으로] …은 더욱이 (…아니다), (…은커녕) …조차도 (…않다) : He will not accept help *nor* ~ advice. 그는 도움은커녕 충고도 받아들이지 않을 것이다 / I have never voted for him, *nor* ~ intend to. 나는 그에게 투표한 적도 없을 뿐만 아니라 그럴 생각조차도 없다.
7 [비교급을 강조하여] 더한층, 더욱더 : a ~ *more* difficult task 더한층 어려운 일 / He spoke ~ *more* harshly. 그는 더욱 격한 어조로 이야기했다. 주 이 용법에서는 still쪽이 일반적임(☞ STILL² 3).
8 [and 또는 but과 함께] 그럼에도 불구하고, 그런데도, 게다가 (더욱) (cf. *conj.*) : I offered him still more, *and* ~ he was not satisfied. 그 이상 낸다고 했으나 그는 만족하지 않았다 / The logic seems sound, *but* ~ it does not convince me. 이론은 정당한 것 같은데도 납득이 안간다.
another and yet another 꼬리를 물고, 차례차례, 잇따라.
as yet [때때로 완료형 동사와 함께 부정문에 쓰여서] (앞으로는 어쨌든) 지금[그때]까지는, 아직은 : He has not come *as* ~. 그는 아직은 오지 않았다 / It has[had] worked well *as* ~. 지금까지로서는 일이 잘 되어가고 있다[그때까지는 일이 잘 되어가고 있었다].
more and yet more 아직도 더, 더욱더.
not yet (이때까지는) 아직 …않다(cf. 1) ; [부정문을 대표하여] 아직 아닙니다 : Have you finished it? — *Not* ~. (=No, I have*n't* finished it ~.) 끝냈습니까 — 아직 못 끝냈습니다.
—— [jet] *conj.* 그럼에도 불구하고, 그러나, 그렇다 해도 : a strange ~ true story 이상하지만 사실인 이야기 / *Y*~ what is the use of it all? 하지만 그것이 도대체 무슨 소용이 있느냐 / He tried hard, ~ he could not succeed. 그는 열심히 했음에도 불구하고 성공하지 못했다. ☞ 活用 (4).
〚OE *gīet(a)* <? ; cf. G *jetzt*〛
活用 (1) yet *adv.* 1은 특히 if 따위가 이끄는 조건절에서는 부정에만 쓰임 : *if* he has*n't* arrived there *yet* (만약 그가 아직 그곳에 도착하지 않았다면). 그러나 already는 긍정·부정의 어느 쪽에도 쓰임 : *if* he has[has*n't*] arrived there *already* (만약 그가 이미 그곳에 도착했다면[아직 도착 안했다면]). 부정어 다음에 already를 쓰는 것은, 특히 「이미 도착했다고 생각하고 있는데…」라고 하는 의외의 뜻을 포함하는 경우다.
(2) i) *adv.* 2의 용법과 같은 의문문에 already를 썼을 경우에는 놀람·미심쩍음을 나타냄 : Has he returned *already*? (그는 벌써 돌아왔나)《놀랬는 걸》. ii) *adv.* 2의 용법에서 현재완료형 대신에 단순과거형을 써서 : Didn't you learn *yet* that...? / Did he return *yet*? 라고 말하는 것은 표준적이 아니다.
(3) yet *adv.* 3 a)는 긍정문 및 if 따위가 이끄는 조건절에 쓰이나 진행형이나 또는 그 자체 계속의 뜻을 갖는 동사와 함께 쓰인다 : (*if*) she is playing the piano *yet* = (*if*) she is *still* playing the piano((만약) 그녀가 아직 피아노를 치고 있다(면)). 단 이 경우 대개 still이 쓰이고 yet을 쓰면 감정적인 표현이 된다.
(4) *conj.*의 yet은 nevertheless와 거의 같은 뜻이나 but보다 강하고 still보다는 약하다 ; 형식에 치우쳐 강조적. 또 때때로 and *yet*, but *yet*의 형으로 쓰이거나 (cf. *adv.* 8), 《文語》에서는 although, though와 상관적으로 쓰임 : *Although* I have known him only few years, *yet* he is my best friend. (그를 안 지는 불과 몇년밖에 안되지만, 그래도 그는 나의 가장 친한 친구다). ☞ ALTHOUGH 活用 (3).

yeti [jéti, jǽti] *n.* =ABOMINABLE SNOWMAN. 〚Tibetan〛

yew [júː] *n.* 〘植〙 주목(朱木)속의 나무, (특히) 서양주목(=∠ **trèe**)《때때로 묘지에 심는 상록수》; Ⓤ 주목 목재《이전에는 활을 만들었으나 지금은 가구재》.
〚OE *īw* ; cf. G *Eibe*, ON *ȳr* bow〛

yé-yé, yé·yé [jéijèi, jéjè] *a., n.* 《俗》 (복장·음악 따위가) 예예의 (스타일)《60년대 프랑스에서 유행한 로큰롤조나 디스코풍 스타일》; 유행에 민감한 (사람) ; 유행을 쫓는 (사람).
〚F<E *yeah yeah*〛

Ygg·dra·sil, Yg- [ígdrəsìl] *n.* 〘北유럽神〙 이그드라실《하늘·땅·지옥을 연결한다는 거대한 물푸레나무》. 〚ON〛

Y-gun [wáiɡ̀ʌn] *n.* 〘軍〙 (구축함의) 대(對)잠수함 폭뢰 발사 장치, Y포(砲).

Y.H.A. Youth Hostels Association.

YHWH, YHVH [jáːwei, -vèi] *n.* =YAHWEH, YAHVEH.

Yid [jíd] *n.* 《俗》 유태인(Jew).
〚*Yid*dish〛

Yid. Yiddish.

Yid·dish [jídiʃ] *n.* Ⓤ 이디시어《독일어에 슬라브어·헤브라이어를 섞어 헤브라이 문자로 씀 ; 동유럽의 유태인 및 그 자손간에 세계 각지에서 널리 사용됨》.
—— *a.* 이디시어의.
〚G *jüdisch* Jewish〛

yíddish·er *n., a.* 유태인(의), 이디시어를 말하는 (유태인).

***yield** [jíːld] *vt.* **1** 생기게 하다, 산출하다 ; (이익 따위를) 가져오다 : trees that ~ fruit 열매가 열리는 나무 / land that ~*s* rich harvest 풍부한 수확을 가져오는 토지 / These shares ~ a dividend of 10%. 이 주식은 1할의 배당이 붙는다.
2 [+目 / +目+*to*+名 / 《주로 美》+目+目] 허락하다, 주다, 넘겨주다 ; (압박받아) 양도하다,

양보하다 : ~ submission 복종하다 / ~ the[a] point (in argument) 논점(論點)을 양보하다 / ~ precedence ***to*** another 남에게 차례를 양보하다 / The Americans ~*ed* the position *to* Vietcong. 미군은 그 진지를 베트콩에게 넘겨주었다 / He unwillingly ~*ed* his consent *to* their proposal. 그는 마지못해 그들의 제안을 승낙했다 / He ~*ed* me his property. 《주로 美》 그는 나에게 재산을 양도했다. **3** 《古》 지급하다 ; 갚다, 보답하다.
── *vi.* **1** [+副] (토지 따위가) 농작물을 산출하다 : The land ~*s well*[*poorly*]. 이 토지에서는 농작물이 잘 산출된다[되지 않는다]. **2** [動 / +*to*+名] 굴복하다, 따르다, (유혹 따위에) 지다 : ~ ***to*** despair 실망하다 / ~ *to* conditions 양보하여 조건에 따르다 / ~ *to* a temptation 유혹에 넘어가다 / We ~ *to* nobody[none] in love of peace. 우리는 평화를 사랑하는 점에서 누구에게도 뒤지지 않는다. **3** [+*to*+名] **a**) (압력 때문에) 굽히다, 우그러지다, 휘다 ; 항복하다 ; 뒤지다, …만 못하다 ; 양보하다, 양도하다 : The door ~*ed* ***to*** a strong push. 세게 미니까 문이 열렸다. **b**) (병이 치료를 받아) 낫다, 완쾌하다 : His disease will not ~ ***to*** any cure. 그의 병은 어떤 치료를 받아도 낫지 않을 것이다.
yield up the ghost 《文語》 죽다.
── *n.* 산출(産出) ; 산출량, 생산액, 수확 ; 보수 ; 이율, 이익 배당 ; 〖化〗 수득율(收得率) ; 핵출력(核出力) : a good ~ of corn 옥수수의 풍작 / the ~*s* on one's shares 주식의 배당금.
~·able *a.* **~·er** *n.* 〖OE *g*(*i*)*eldan* to pay ; cf. G *gelten* to be worth〗
類義語 (1) (*v.*) ***yield*** 압력[압박]을 받아 지다[양보하다] : *yield* to an oppression (압력에 굴복하다). ***surrender*** 어떤 것을 보존하려고 노력해 왔으나 결국 완전히 포기하다 : *surrender* one's freedom (자유를 포기하다). ***relinquish*** 손에 가지고 있는 것을 버리다, 포기하여 내버리다 : *relinquish* one's grasp (쥔 손을 놓아버리다). ***submit*** 권위 · 압력 또는 자기보다 우월한 힘에 대하여 복종하다 : *submit* to the conqueror (정복자에게 굴복하다). ***resign*** 자발적[정식]으로 포기하다 ; 또는 복종하여 받아들이다 : *resign* an office (사직하다) / *resign* oneself to fate (운명에 승복하다[내맡기다]).
(2) (*n.*) ⟹ CROP.

yíeld at íssue *n.* 〖債券〗 발행 이율.
yíeld·ing *a.* **1** 구부러지기 쉬운 ; 압력에 대해서 유연한 ; 영향[감화]을 받기 쉬운, 말한 대로 하는, 순종하는. **2** 수확이 많은, 생산적인.
~·ly *adv.* **~·ness** *n.*
yíeld pòint *n.* 〖理〗 (금속 따위의) 항복점《인장(引張) 시험에서의》.
yíeld sìgn *n.* 《美》 (도로상의) 「양보」 표지.
yíeld strèngth *n.* 〖理〗 항복 강도(強度).
yíeld to matúrity *n.* 〖債券〗 만기 이율.
YIG [jíg] *n.* 〖理〗 이그《인공 광물 이트륨철(鐵) 석류석》. 〖*y*ttrium *i*ron *g*arnet〗
yike [jáik] *n.*, *vi.* 《濠口》 논의[말다툼](하다).
yill [jíl] *n.* 《스코》 =ALE.
yin [jín] *n.* Ⓤ 음(陰)(↔*yang*). 〖Chin.〗
Yín and Yáng *n.* 음양설(陰陽說).
Yin·glish [jíŋgliʃ] *n.* 이디시(Yiddish)의 단어가 많이 섞인 영어. 〖*Y*iddish+E*nglish*〗
y-intercept [wái-ˊ] *n.* 〖數〗 y 절편(截片).
Yín-Yáng Schòol *n.* [the ~] 음양학파.
yip [jíp] *v.* (**-pp-**) 《美口》 *vi.* (강아지 따위가) 깽깽 짖다(yelp) ; 큰[새된] 소리로 불만을 나타내다. ── *vt.* 새된 소리로 말하다. ── *n.* 깽깽 짖는 소리. 〖imit.〗
yipe [jáip] *int.* 앗《놀람 · 공포의 외침》. 〖imit.〗
yip·pee [jípi] *int.* 야, 만세(hurrah).
〖imit. ; cf. HIP⁴〗
yip·pie [jípi] *n.* 《美俗》 이피(족(族))《hippie보다 정치색이 짙은 반체제의 젊은이》.
〖*Y*outh *I*nternational *P*arty+hip*pie*〗
Y joint [wái ˊ] *n.* Y자형 관절.
-yl [əl, il, iːl ; ail, il] *n. comb. form* 〖化〗 「근(根)」 「기(基)」의 뜻 : meth*yl*.
〖Gk. *hulē* material ; 원래 'wood'의 뜻〗
ylang-ylang [íːlɑːŋíːlɑːŋ] *n.* 일랑일랑나무《말레이산의 상록 교목 ; 꽃에서 채취하는 향유는 고급 향수의 원료》.
〖Tagalog〗
yld. yield.
ylem [áiləm] *n.* 〖理〗 일렘《우주 창조 이론으로 모든 원소의 기원이 된다는 물질》.
Y level [wái ˊ] *n.* Y자형 수준기(水準器).
Y.L.I. Yorkshire Light Infantry.
Y ligament [wái ˊ] *n.* 〖解〗 Y자형 인대.
Y.M.C.A., YMCA [wàièmsìːéi] *n.* 기독교 청년회(Young Men's Christian Association).
Y.M.Cath.A. Young Men's Catholic Association(카톨릭 청년회).
Y.M.H.A., YMHA [wàièmèitʃéi] *n.* 유태교 청년회, YMHA(Young Men's Hebrew Association).
Ymir [íːmiər], **Ymer** [íːmər] *n.* 〖北유럽神〗 이미르《거인족의 조상 ; 그의 시체로 신들의 세계를 창조했다는 거인》. 〖ON〗
YNA Yonhap News Agency 《연합 통신 ; 한국의 통신사》.
-yne [àin] *n. suf.* 〖化〗 「삼중 결합을 1개 가진 아세틸렌계 불포화 탄화수소」의 뜻.
〖*-ine*²〗
yo [jóu] *int.* 여어《격려 · 주의시킬 때의 소리》 ; = YO-HO.
yob [jáb] *n.* (*pl.* **~s**) 《英俗》 주제넘은[버릇없는] 놈. 〖*boy*의 역(逆) 철자〗
YOB year of birth.
yob·bo [jábou] *n.* (*pl.* **~s**) 《英俗》 =YOB.
yock [ják] *n.*, *vi.*, *vt.* 《美俗》 =YAK³.
yo·del [jóudl] *n.* 요들《스위스나 티롤(Tyrol)의 산간 주민들이 무의미한 음절을 지성(地聲)에서 가성(假聲)(falsetto), 가성에서 지성으로 되바꾸어 가면서 부르는 민요》. ── *vt.*, *vi.* (**-l-** | **-ll-**) 요들로 노래하다[을 부르다]. 〖G〗
yó·del·(l)er *n.* 요들 가수 ; 《野俗》 3루 코치 ; 《美俗》 밀고자.
yod(h) [júd, jɔ́ːd] *n.* 요드《헤브라이어 알파벳의 10번째 글자》. 〖Heb.〗
yo·dle [jóudl] *n.*, *vt.*, *vi.* =YODEL.
yo·ga [jóugə] *n.* Ⓤ 〖힌두教〗 요가, 유가(瑜伽)《관행 상응리(觀行相應理)의 교리》 ; [Y~] 요가 학파(學派)《인도 6파 철학의 하나》 ; 요가의 수행(修行)《오감의 작용을 억제하고 삼매경(三昧境)에 이르려는 명상적 수행법》.
〖Hindi<Skt. =union〗
yogh [jóuk, ják, -g, -x] *n.* 요흐《중세 영어의 3자 ; 구개 마찰음을 표시하고, 유성음은 y, w가 되고, 무성음 뒤에 gh로 쓰여 night [náit]와 같이 묵음 또는 tough [tʌ́f]와 같이 [f]로 되었음》.
yo·g(h)urt, yo·ghourt [jóugərt ; jɔ́gəːt] *n.* Ⓤ 요구르트《우유 · 염소젖으로 만든 유산균 발효유》.
〖Turk.〗

yo·gi [jóugi], **yo·gin** [-gən] *n.* 요가 수행자(修行者) ; [Y~] 요가 철학 신봉자 ; 명상적[신비적]인 사람. 〚Hindi ; ⇨ YOGA〛

yo·gic [jóugik] *a.* 요가의 ; [Y~] 요가 철학의.

yo·gi·ni [jóugəni] *n.* YOGI의 여성형.

yo·gism [jóugizəm] *n.* 요가의 수행 ; [Y~] 요가의 철리(哲理)[교리].

yó-hèave-hó *int.* 〖海〗 어기여차 닻 감아라 !, 어기여차《닻을 감아 올릴 때에 뱃사람들이 내는 소리》. 〚imit.〛

yo·him·bine [jouhímbi:n, -bən] *n.* 〖藥〗 요힘빈《최음제(催淫劑)의 일종》.
〚*yohimbé* 나무껍질에 이것을 함유한 열대 아프리카산(產) 꼭두서니과(科)의 나무〛

yo-(ho-)ho [jou(hou)hóu] *int.* 야호, 어이, 어기여차, 이영차《힘을 들일 때 또는 다른 사람의 주의를 끌 때 지르는 소리》. —— *vi.* 어이[이영차] 하고 소리치다. 〚imit.〛

yoicks [jɔ́iks] *int.* 쉭, 자, 가라《여우 사냥에서 사냥개에게 외치는 소리》.
〚C18 (? imit.) ; cf. *hyke* call to hounds〛

***yoke** [jóuk] *n.* **1 a**) (두 마리의 소를 함께 목덜미에 씌우는) 멍에. **b**) (*pl.* ~, ~**s**) (멍에를 메운 소 따위의) 한 쌍 : three ~ *of* oxen 여섯 마리의 소. **c**) 《英古》 한 쌍의 소가 하루에 경작하는 토지 (yoke of land) ; 농부와 소가 한 차례 일하는 시간, 노동 시간. **2 a**) 멍에 모양의 것 ; 목도 ; 종을 매다는 들보. **b**) 〖海〗 키의 손잡이 ; 〖電〗 계철(繼鐵) ; 요크 ; 〖建·機〗 이음보, 이음쇠. **c**) 〖로史〗 멍에문《복종의 표시로 적병을 기어가게 한 멍에 또는 창 세 개를 세워 만든 문》. **3** 〖裁縫〗 요크《셔츠의 어깨 부분이나 스커트의 허리 부분에 따로 대는 천》. **4** 압제적 지배, 권력〈*of*〉 ; 고역 : submit to a person's ~ 남의 지배에 복종하다. **5** 속박, 결합, 정리(情理), 부부의 인연.
pass*[*come*] *under the yoke 굴복하다.
put*...*to the yoke …에 멍에를 씌우다, …을 멍에에 메우다.
send*...*under the yoke …을 굴복시키다, …에 지배받게 하다.
shake*[*throw*] *off the yoke 멍에를 풀어 버리다 ; 속박을 벗어나다.
—— *vt.* **1** [+目/+目+副/+目+*to*+名] 멍에를 씌우다, 멍에로 메우다 : ~ oxen *together* 소에 멍에를 씌워 함께 매다 / ~ oxen ***to*** a plow 소를 쟁기에 매다. **2** [+目/+目+前+名] 함께 붙들어 매다, 결합시키다(unite) ; 짝지우다 : I was ~*d* ***to*** a pleasing fellow. 나는 재미있는 친구와 동행이 되었다 / be ~*d* ***in*** marriage 결혼으로 맺어지다. **3** 일하게 하다, 일을 맡기다 ; 《古》 속박[압박]하다.
—— *vi.* 동행이 되다, 일행이 되다 ; 어울리다, 걸맞다, 조화되다 ; 함께 일하다〈*together, with*〉.
〚OE *geoc* ; cf. G *Joch*〛
類義語 ⟹ PAIR.

yóke bòne *n.* 〖解〗 광대뼈, 관골(顴骨).

yóke·fèllow *n.* 함께 일하는[행동하는] 사람, 동료 ; 배우자.

yo·kel [jóukəl] *n.* 《蔑》 시골뜨기, 촌사람, 야인.
〚? *yokel* (dial.) green woodpecker〛

yóke·lìnes *n. pl.* 〖船〗 키를 조종하는 밧줄.

yóke·màte *n.* =YOKEFELLOW.

yóke·ròpes *n. pl.* =YOKELINES.

Yo·lan·de [joulǽndə ; *F* jolɑ̃:d] *n.* 여자 이름.
〚F<L ; ⇨ VIOLA(NTE)〛

yolk [jóu*l*k] *n.* U.C 노른자위(cf. WHITE *n.* 4).
〚OE *geol*(*o*)*ca* : ⇨ YELLOW〛

yólk glànd *n.* 난황선(卵黃腺).

yólk sàc[**bàg**] *n.* 난황낭, 노른자위 주머니.

yolky [jóu*l*ki] *a.* 노른자위(모양·질)의.

Yom Kip·pur [jàm kípə*r*, -kipúə*r*, 美+jɔ̀:m-, 美+jʌ̀m-, 美+jòum-] *n.* (유태교의) 속죄일《일을 쉬고 단식(斷食)함 ; 유태력(曆) Tishri의 10일》. 〚Heb. (*yom* day, *kippūr* atonement)〛

Yòm Kíppur Wár *n.* 제 4 차 중동 전쟁《1973년 10월 6일 유태교의 속죄일에 이집트·시리아가 공동으로 이스라엘에 대해 일으킨 전쟁》.

yon [jɑ́n] *a., adv., pron.* 《古·方》 =YONDER.
〚OE *geon* ; cf. G *jener* that〛

yond [jɑ́nd] *a., adv., pron.* 《古·方》 =YONDER.
—— *prep.* 《古》 …의 저쪽에, …을 지나서.
〚OE *geond*〛

yon·der [jɑ́ndə*r*] *adv.* 《文語》 저기[저쪽]에(over there) : Look ~. 저쪽을 보아라. —— *a.* **1** [the를 수반하지 않고] 저기[저쪽]의(over there) : ~ hills[house] 저쪽 언덕[집]. **2** [the ~] 더[멀리] 저쪽의(farther) ; 반대의(other) : *the* ~ side of the mountains 산 너머 저쪽. —— *pron.* 저기[저편]에 있는 것[사람].
〚ME (↑) ; cf. HINDER〛

yo·ni [jóuni] *n.* 〖인도神〗 요니, 여음상(女陰像)《인도에서 Shakti의 상징으로 숭배》.
〚Skt. =vulva〛

yonks [jɑ́ŋks] *n.* 《英口》 오랜 기간 : for ~ 오랫동안.

yon·nie [jɑ́ni] *n.* 《濠兒》 돌멩이.

yoo-hoo [jú:hù:] *int.* [사람의 주의를 환기시킬 때 또는 사람을 부를 때] 야, 이봐요, 자 ! —— *vi.* 야 ! 하고 부르다[소리치다]. 〚imit.〛

yor·dim [jɔ:rdí:m] *n. pl.* 《蔑》 국외로[(특히) 미국으로] 이주한 이스라엘 시민(cf. OLIM).
〚Heb. =those who descend〛

yore [jɔ́:*r*] *n.* U 《古》 옛날, 왕년. 注 지금은 다음 구에서만 쓰임 : of ~ 옛날의 ; 옛날에는, 왕년에는 / in days of ~ 옛날에. —— *adv.* 《廢》 옛날에. 〚OE *geāra* long ago (gen. pl.) 〈YEAR〛

york [jɔ́:rk] *vt.* 〖크리켓〗 yorker로 (타자를) 아웃시키다. 〚역성(逆成) 〈*yorker*〛

York *n.* **1** =YORKSHIRE. **2** 요크《잉글랜드 북동부 옛 North Yorkshire의 주도 ; 대성당(York Minster)이 있고, Canterbury와 함께 archbishop의 거주지》.
the House of York 〖英史〗 요크가(家)《1461-85년의 영국 왕가로 Edward 4, 5세, Richard 3세를 배출함 ; 문장(紋章)은 백장미》.

Yórk-and-Láncaster ròse *n.* 요크 앤드 랭커스터 장미《홍백(紅白)으로 섞어 피는 장미의 품종》. 〚*York, Lancaster* 두 가문의 문장이 각각 희고 빨간 장미였으므로〛

yórk·er *n.* 〖크리켓〗 타자의 바로 앞에, 즉 bat 바로 아래에 떨어지도록 던져진 공.
〚? *York*shire County Cricket Club+-*er*[1]〛

Yórk·ist *n.* 〖英史〗 (장미 전쟁 당시 요크가(家)를 지지한) 요크 당원, 백장미 당원(↔*Lancastrian*).
—— *a.* 요크가[당원]의.

Yorks, Yorks. [jɔ́:rks] Yorkshire.

York·shire [jɔ́:rkʃiə*r*] *n.* 요크셔《잉글랜드 북동부의 옛 주로 East, North 및 West Riding의 3지구로 나누어졌었으나 1974년에 Humberside, North ~, South ~, West ~ 로 분할됨》.
***come*[*put*] *Yorkshire over*[*on*]** a person 남을 앞지르다, 남을 감쪽같이 속이다.

Yórkshire grít *n.* 요크셔 사암(砂岩)《대리석을 가는데 씀》.

Yórkshire púdding *n.* 요크셔 푸딩《육수를 끼얹어 굽는 푸딩 ; 로스트 비프와 먹음》.
Yórkshire stóne *n.* 요크셔 돌《건축재》.
Yórkshire térrier *n.* 요크셔 테리어《애완용》.
Yórk·tòwn *n.* 요크타운《미국 Virginia 주 남동부의 도시 ; 독립 전쟁 때 Washington이 영국의 장군 Cornwallis를 항복시킨 곳》.
Yo·ru·ba [jɔ́(ː)rəbə, jáːr-, -bàː] *n.* (*pl.* **~, ~s**) 요루바족(族)《서아프리카 Guinea 지방에 사는 흑인》; Ⓤ 요루바어(語).
Yo·sem·i·te [jousémәti] *n.* [the ~] (미국 California주의) 요세미티 계곡.
Yosémite Nátional Párk *n.* 요세미티 국립공원《미국 캘리포니아주 중동부에 있음》.
◇**you** [ju(ː), jə, júː] *pron.* (*pl.* ~) **1** [인칭 대명사, 2인칭 단·복수 주격 및 목적격] **a**) 당신(들), 너(희들), 자네(들), 그대(들) : ~ and I[me] 당신과 나(㊟ 항상 you를 앞에 둠) / *Y*~ are mad. 너(희들)은 미쳤어 / I choose ~ three ; the rest of ~ can stay here. 나는 너희들 세 사람을 선정한다, 나머지 사람은 이곳에 남아도 좋다. **b**) [명령문] : *Y*~ begin. 자네가 시작하게 / Mind ~! 알겠나. **c**) [호칭으로 주의를 환기하거나 감탄문에서 명사와 동격으로] : *Y*~, there, what's your name? 거기 계신 분, 성함은 / *Y*~, my daughters. 너희들, 내 딸들아 / *Y*~ liar(, ~)! 요 거짓말쟁이 ! ㊟ 명령문의 첫머리에 놓였을 때는 [júː]. **2** [부정대명사] (일반적으로) 사람(은 누구나) (one) : *Y*~ never can tell. (앞일 따위) 아무도 예측할 수 없다 / When ~ face the north, east is at *your* right. 북으로 향하면 동쪽은 우측이 된다. **3** 《古》 = YOURSELF : Get ~ gone. 《古》 없어져라 !
all of you 너희들, 당신들. ㊟ 단수의 you와 구별하는 경우에 씀 : Sit down, *all of* ~. 여러분, 앉으시오.
Are you there? (전화에서) 여보세요.
between you and me 우리끼리 이야기지만.
There's. . . for you! 저놈이야말로 정말 …이다 : *There's* a rogue *for* ~! 저놈이야말로 천하의 악당이다.
You and your. . . ! …은 너의 입버릇이구나《또 시작했구나 따위》.
you fellows[***folks, people, chaps***] 《口》 너희들(all of you).
—— *n.* 당신 닮은 사람[것].
〖OE *ēow* (acc. and dat.) ‹YE¹ ; cf. G *euch*〗
you-all [juːɔ́ːl, ⌐⌐, jɔ́ːl] *pron.* 《美南部》 [2인 (이상)에 또는 한 가문을 대표하는 1인에 대한 호칭으로] = YOU.
‡**you'd** [júːd, ju(ː)d, jəd] you had[would]의 단축형(短縮形).
yóu-knòw-whàt[**-whò**] *n.* 예의 그것[그 사람] 《자명하든지, 굳이 말하고 싶지 않을 때 씀》.
‡**you'll** [júːl, ju(ː)l, jəl] you will[shall]의 단축형.
you-náme-it *n.* [몇 가지 동류의 것을 열거한 다음에 붙여] 그 밖에 무엇이든지.
◇**young** [jʌ́ŋ] *a.* (**~·er** [jʌ́ŋgər] ; **~·est** [jʌ́ŋgəst]) **1 a**) 젊은, 연소한, 어린(↔*old*) : a ~ animal 동물의 새끼 / a ~ plant[tree] 어린 초목[나무] / ~ things 《戲》 젊은 사람들 / a ~ 'un 《口》 젊은이 / *Y*~ 'un! 《호칭》 (이봐) 젊은이 ! / ☞ YOUNG PERSON. **b**) [인명 앞에 붙여] (동명 또는 동성의 형제·특히 부자(父子) 등의) 손아래쪽의 : ~ Mrs. Brown 브라운씨의 젊은 부인 / ~ Jones 아들 존스, 작은 존스(cf. 2 a)). **2 a**) 젊디젊은, 원기 있는 ; 청춘시대의, 청년의 ; 신선한 : ~ Jones 청년 존스(cf. 1 c)) / We are only ~ once. 젊은 시절은 단 한번뿐이다. **b**) [흔히 Y~] (정치 운동 따위의) 진보파의, 청년당의.
3 신흥의, 아직 요람기에 있는 ; 새로운 ; 〖地〗 유년기의 ; (술 따위가) 숙성하지 않은 : a ~ nation 신흥 국가.
4 (시일·계절·밤 따위가) 아직 이른, 빠른 : The night is still ~. 밤이 아직 깊지 않다.
5 미숙한, 경험이 없는 : ~ *in* teaching[one's trade] 교사의 경험이 적은[장사에 미숙한] / I was but ~ *at* the work. 나는 그 일에는 초심자에 불과했다.
6 [친밀감을 강조한 호칭] 젊은… : Look here, ~ man[lady]! 이봐요, 젊은분.
grow no younger 반평생에 이르다.
in** one's **young days 젊은 시절에(는).
*one's **young man***[***woman***] 연인, 애인.
young and old 젊은이도 늙은이도(cf. 1 b)) ; 남녀 노소(everyone).
a young man in a hurry 급진적인 개혁자.
—— *n.* [the ~, *pl.*] 젊은이들 ; [집합적으로] (동물의) 새끼 : care for its ~ (동물이) 새끼를 귀여워하다, 새끼를 돌보다.
with young (동물이) 새끼를 배어.
〖OE *g*(*e*)*ong* ; cf. G *jung*, L *iuvenis*〗
類義語 ***young*** 「나이가 어린」이라는 뜻의 가장 일반적인 말로 원기·힘·미숙함 따위의 젊음이 갖는 여러가지의 특성을 나타냄. ***youthful*** 젊은이의 특징, 특히 신선함과 활력, 때로는 성숙치 못한 미숙함을 지닌 : *youthful* ambitions(청년다운 야망). ***juvenile*** 어른이 되지 않은 젊은이에게 알맞은[를 위한, 관계된] : *juvenile* books (청소년용 책).
yóung adúlt *n.* 10대 후반의 청소년 ; 성인기 전반(前半)의 사람.
yóung·bèrry [; -bəri] *n.* 〖植〗 영베리《blackberry를 개량한 덩굴성 관목 ; 붉은색을 띤 검은 열매》. 〖B. M. *Young* 1900년경의 미국의 원예가〗
yóung blóod *n.* 청춘의 혈기 ; [집합적으로] 혈기 왕성한 청년(의 언행) ; 참신한 생각.
Yóung Éngland *n.* [the ~] (Victoria 조(朝) 초기의) 영국 청년당《Tory당의 한 파로서 지배층의 박애와 노동자의 복종을 주장하였음》.
young·er [jʌ́ŋgər] *a.* (형제 자매의) 손아래쪽의 (↔*elder*) ; [the Y~ 를 사람 이름 앞에 붙여] 젊은[손아래] 쪽의 ; 《스코》 작위가 없는 지주의 상속인[대를 잇는 자식]의 : a[one's] ~ brother [sister] 남동생[여동생] / a ~ son 작은 아들 / the *Y*~ Pitt = Pitt the *Y*~ 작은 피트. —— *n.* [보통 a person's ~] 손아랫 사람《略 yr.》; [보통 *pl.*] 젊은이, 자녀.
young·est [jʌ́ŋgəst] *n.* (*pl.* ~) 최연소자, (특히) 가족 중 가장 나이 어린 사람, 막내.
yóung-éyed *a.* 눈이 맑은 ; 눈에 총기가 있는 (bright-eyed) ; 사물을 보는 눈이 젊은이다운[참신한] ; 열심인.
yóung fámily *n.* 아직 어린 자녀를 둔 가정.
yóung·ish *a.* 좀[약간] 젊은 ; 아직 젊은 부류의.
Yóung Ítaly *n.* [the ~] 청년 이탈리아당《1831년 결성된 비밀 결사》.
yóung lády *n.* **1** (보통 미혼의) 젊은 숙녀. **2** [a person's ~] 연인, 약혼자. **3** 《俗》 정부.
yóung·ling *n.* 젊은이 ; 동물의 새끼 ; 어린 짐승, 어린 물고기 ; 초심자, 미숙자.
—— *a.* 젊은(young, youthful).
yóung mán *n.* **1** 젊은 남성. **2** [a person's ~]

Y

남자 친구, 연인, 약혼자. **3** 젊은 고용인, 조수. **4** 《호칭》 젊은이.

Yóung Mén's Chrístian Associátion *n.* 기독교 청년회《略 Y.M.C.A.》.

yóung one [-*w*ən] *n.* 젊은이(youngster) ; 어린이(child) ; 《호칭》 여보게 젊은 친구 ! ; 동물의 새끼 ; (특히) 망아지 ; [*pl.*] 자손.

yóung péople *n. pl.* (18-25세 정도의) 젊은이 ; (결혼 적령기의) 젊은이들.

yóung pérson *n.* 젊은 사람 ; [a ~] 젊은 여자《하녀가 낯선 하층 여자의 방문을 주인에게 전할 때 쓰는 말》; [the ~] 아직 사회에 익숙하지 않은 순진한 청소년《법률상으로는 유아 이외의 18세 미만의 사람》.

Yóung's mòdulus *n.* 〖理〗 영률(率), 세로 탄성 계수.
〚T. *Young* (d. 1829) 영국의 물리학자〛

***yóung·ster** *n.* 젊은이 ; 어린이, (특히) 소년(↔ *oldster*).

Yóung Túrk *n.* **1** [the ~] 청년 터키당원《1908년 혁명 달성》. **2** [때때로 y~ T~] 정당내(內)의 반당[급진] 분자. **3** [y~ t~] 난폭한 아이[젊은이].

yóung wóman *n.* **1** 젊은 여성, 《戲》 소녀 ; 《호칭》 아가씨. **2** [a person's ~] 연인, 여자 친구, 약혼자.

Yóung Wómen's Chrístian Associátion *n.* 기독교 여자 청년회《略 Y.W.C.A.》.

youn·ker [jʌ́ŋkər] *n.* 《古·口》 =YOUNGSTER.

◇**your** [jər, júər, jɔ́ːr] *pron.* [you의 소유격] **1** 당신(들)의, 너(희들)의, 그대(들)의 : What's ~ opinion about that? 그것에 대한 당신의 의견은 무엇입니까. **2** [부정대명사적으로] 누구나의, 세상 사람의(one's) (☞ YOU 2). **3** 《古·口》 흔히 말하는, 이른바, 소위, 예의《보통 경멸적인 뜻을 함축》: So this is ~ good works! 그래 이것이 소위 선행이라는 것이로군 / This is ~ fair play, is it? 이것이 이른바 공정한 시합이라는 것이냐《어처구니없군》.
〚OE *ēower* (gen.) ‹ YE[1] ; cf. G *euer*〛

‡**you're** [jər, júər, jɔ́ːr] you are의 단축형.

yourn [júərn, jɔ́ːrn] *pron.* 《方》 =YOURS.

◇**yours** [júərz, jɔ́ːrz] *pron.* **1** [YOU에 대응하는 소유대명사] 당신(들)의 것(cf. HERS, HIS 2, MINE[1], OURS, THEIRS) : *Y*~ is better than mine. 너의 것이 내 것 보다 좋다 / my father and ~ 나의 아버지와 너의 아버지 / This is ~ if you will accept it. 받아 주신다면 이것을 드리겠습니다 / What's ~? 《口》 무엇을 드시겠습니까? **2** [of ~로] 당신의 (것인) : that book *of* ~ 당신의 그 책 / a friend *of* ~ 당신의 (한) 친구. **3** 당신의 가족[편지·책무(責務)·본분(本分)] : All good wishes to you and ~. 댁내 여러분이 모두 안녕하시기를 / ~ of the 24th 24일자의 당신 편지 / *Y*~ is just to hand. 방금 서한을 받았습니다 / It is ~ to help him. 그를 도와주는 것이 너의 임무다. **4** [편지의 끝맺음말로 「당신의 벗」 등의 뜻에서] 경구(敬具), 드림, 올림, 돈수(頓首)《따위》. ㊟ 함께 쓰는 부사《따위》는 친한 정도에 따라 여러가지가 있음 ; 예컨대 Yours respectfully《손윗 사람에게》, Yours faithfully《회사 앞으로, 미지의 사람으로부터의 상용문에서》, Yours truly《조금 아는 사이에서》, Yours very truly《형식에 치우치나 공손》, Yours to command《공손》, Yours sincerely《초대장에서, 친구에게》, Yours ever 또는 Yours《친구 사이에서》, Yours affectionately《친척간 등에서》.

yours truly (1) 경구(敬具) (cf. 4). (2) 《俗·戲》 나, 소생(I, me).
活用 ☞ MINE[1].

◇**your·self** [juərsélf, jɔːr-, jər-] *pron.* (*pl.* **-sélves**) **1** [강조용법] 당신 자신 : You ~ did it. =You did it ~. 네 자신이 그것을 했다. **2** [재귀(再歸)용법] 당신 자신을[에게] : Know ~. 너 자신을 알라 / You've hurt ~, haven't you? 다쳤지요. **3** 진정한[틀림없는] 당신 : You aren't ~ today. 너는 오늘 이상하다 / Now you look like ~. 이제야 진정한 너답다 / Be ~! 《口》 정신차려.
(all) by yourself ☞ ONESELF.
for yourself ☞ ONESELF.
to yourself ☞ ONESELF.
活用 ☞ MYSELF.

◇**yourselves** *pron.* YOURSELF의 복수형.
活用 ☞ MYSELF.

‡**youth** [júːθ] *n.* (*pl.* **~s** [júːðz, -θs ; -ðz]) **1** Ⓤ **a**) 청년 시절, 청춘(기) ; 초기, 발육기 : the good friends of my ~ 나의 청년 시절의 친구들 / during the ~ of this country 이 나라의 발달 초기의 시대에 / from ~ onward 청년 시절부터 줄곧 / have all the appearance of extreme ~ 아주 젊어보이다 / in (the days of) one's ~ 청년시절에 / in one's hot[raw, vigorous] ~ 혈기 왕성한 때에 / *Y*~'s a stuff will not endure. 《속담》 청춘은 쉬 늙는다. **b**) 젊음, 원기, 혈기 : the secret of keeping one's ~ 젊음을 유지하는 비결. **2** 젊은이, 청년《보통 남자》: a ~ of twenty 20세의 청년 / promising ~*s* 전도 유망한 젊은이들. **3** Ⓤ [집합적으로] 청춘 남녀, 젊은 사람들(↔*age*) : the ~ of our country 우리 나라의 청춘 남녀 / He loves to be surrounded by ~. 그는 젊은이들에게 둘러싸이기를 좋아한다.
the youth of the world 고대, 태고.
〚OE *geoguth* (⇨ YOUNG) ; cf. G *Jugend*〛

yóuth cènter[clùb] *n.* 청소년 남녀가 여가를 활용하는 장소.

yóuth·cùlt *n.* 젊은이 문화.

yóuth·en *vt.* 젊게 하다, 되젊게 만들다. ── *vi.* 젊어지다.

***yóuth·ful** *a.* **1** 젊은(young) ; 팔팔한, 씩씩한, 발랄한. **2** 젊은이의[에 알맞은], 청년다운[특유의] ; 초기의, 이른 ; 〖地〗 유년기의.
~·ly *adv.* 젊은이답게 ; 청년답게. **~·ness** *n.* 젊음 ; 씩씩함.
類義語 ⟹ YOUNG.

yóuthful offénder *n.* 청소년 범죄자《처벌보다는 교화의 대상이 되는 초범자로 보통 14-21세의 소년 범죄자》.

yóuth gróup *n.* (정당·교회의) 청년회.

yóuth·hood *n.* 젊음, 청춘 (시절) ; [집합적으로] 젊은이들.

yóuth hòstel *n.* 유스 호스텔.

yóuth hóstel·er *n.* 유스 호스텔 협회(Y.H.A.)의 회원.

yóuth·quàke *n.* (1960-70년대의) 사회 체제를 부정하는 젊은이의 문화·가치관의 우세(優勢).

‡**you've** [júːv, juv, jəv] you have의 단축형.

yow [jáu] *int.* 아야 !, 이크 !, 이런 !, 아뿔싸《아픔·놀람·실망 따위의 소리》. 〚imit.〛

yowl [jául] *vi.* 크고 길게 슬픈 소리를 내다, 울부짖다 ; 비통하게 호소하다. ── *vt.* 비통한 소리로 호소하다. ── *n.* (개·고양이 따위의) 길고 크고 오래 여운을 끄는 비통한 소리. 〚imit.〛

yo-yo [jóujou] *n.* (*pl.* **~s**) **1** (장난감의) 요요《차바퀴 모양의 것》; (요요처럼) 어지럽게 계속 오르

락내리락하는 것 ; (인공 위성의) 크게 요동하는 궤도. **2** 《俗》 의견이 자주 바뀌는 사람 ; 《美俗》 바보, 얼간이, 얼빠진 놈. —— *a.* 상하[전후]로 움직이는, 변동하는. —— *vi.* 요동하다, 변동하다 ; (생각 따위가) 흔들리다.
〖C20 상표(商標) <? (Philippine)〗

yper·ite [íːpəràit] *n.* Ⓤ 이페리트《독가스》.

Y.P.S.C.E. Young People's Society of Christian Endeavor(기독교 소년 공려회(共勵會)).

yr. year(s) ; younger ; your. **yrbk.** yearbook.

yrs. years ; yours.

Y-shaped [wáiˊ-] *a.* Y자형의.

Yt 〔化〕 yttrium《지금은 Y》.

Y track [wái ˊ] *n.* Y형 궤도《기관차의 방향 전환용(用)》.

yt·ter·bia [itə́ːrbiə] *n.* Ⓤ 〔化〕 이테르비아《이테르븀의 산화물 ; 합금 · 세라믹용》.

yt·ter·bic [itə́ːrbik] *a.* 〔化〕 3가의 이테르븀의[을 함유하는], 이테르븀(Ⅲ)의.

yt·ter·bi·um [itə́ːrbiəm] *n.* Ⓤ 〔化〕 이테르븀《희(稀)토류 금속 원소 ; 기호 Yb ; 번호 70》.

yt·ter·bous [itə́ːrbəs] *a.* 〔化〕 2가의 이테르븀의[을 함유하는].

yt·tria [ítriə] *n.* 〔化〕 이트리아《이트륨 산화물》.
〖*Ytterby* 스웨덴의 도시로서 *ytterbite*의 발견지〗

yt·tric [ítrik], **yt·tri·ous** [ítriəs] *a.* 〔化〕 이트륨에서 얻은 ; 이트륨을 함유한.

yt·trif·er·ous [itrífərəs] *a.* 〔化〕 이트륨을[과 동종의 원소를] 함유한.

yt·tri·um [ítriəm] *n.* Ⓤ 〔化〕 이트륨《희토류 금속 원소 ; 기호 Y ; 번호 39》.
〖*yttria*〗

ýttrium gàrnet *n.* 이트륨 석류석(石榴石)《인공적으로 만든 강(強)자성체》.

ýttrium mètal *n.* 〔化〕 이트륨족(族) 금속.

ýttrium óxide *n.* 〔化〕 산화이트륨(yttria).

yu·an [júːən, juːάːn ; juːǽn] *n.* (*pl.* ~) 위안(元)《중국의 화폐 단위》.
〖Chin.〗

Yu·an [júːɑːn], **Yü·an** [juːάːn ; -ǽn] *n.* 원(元) 나라, 원조(元朝) (1279-1368) 《몽고인이 중국에 세운 왕조》.
—— *a.* 원조(자기(磁器))의.

Yu·ca·tán [jùːkətǽn, -tάːn] *n.* **1** 유카탄 반도《카리브 해와 멕시코 만의 경계를 이루는 중미의 반도》. **2** 유카탄 주《멕시코 남동부의 주》.

yuc·ca [jʌ́kə] *n.* 〔植〕 유카속의 각종 식물[꽃]《용설란과(科) ; New Mexico 주의 주화(州花)》.
〖Carib〗

yuck[1] [jʌ́k] *n.*, *vi.*, *vt.* 《美俗》 = YAK[3].

yuck[2], **yuk** [jʌ́k] *int.* = YE(C)CH. 〖imit.〗

yucky, yuk·ky [jʌ́ki] *a.* 《美俗》 불쾌한, 구역 나는 ; 불결한.

Yug., Yugo. Yugoslavia.

Yu·go·slav, Ju- [júːgouslὰːv, -slæ̀v] *a.* 유고슬라비아(인)의. —— *n.* 유고슬라비아인.

Yu·go·sla·via, Ju- [jùːgouslάːviə, -slǽv-] *n.* 유고슬라비아《유럽 남부의 연방 공화국 ; 수도 Belgrade》. 〖G< (Serb. *jug* south, SLAV)〗

Yu·go·slav·ic [jùːgouslάːvik, -slǽv-] *a.* = YUGOSLAV.

yuk ☞ YUCK[2].

yukky ☞ YUCKY.

Yu·kon [júːkɑn] *n.* 유콘. **1** 캐나다 북서부의 준주(準州). **2** [the ~] Yukon준주에서 시작하여 알래스카 중앙부를 거쳐 베링 해로 흘러드는 강.

Yúkon (stándard) tìme *n.* 유콘 표준시《캐나다 Yukon준주(準州) 및 Alaska주 남부를 포함하는 시간대 ; GMT보다 9시간 늦음》.

yúk-yúk *n.* 《美俗》 = YAK-YAK.

yu·lan [júːlɑːn, -læn] *n.* 〔植〕 백목련(白木蓮).
〖Chin. 위란(玉蘭)〗

yule [júːl] *n.* [때때로 Y~] 크리스마스(의 계절) (Christmas(tide)). 〖OE *gēol* (*a*) ; cf. ON *jol* yule ; 원래 이교(異教)의 축제〗

yúle lòg[blòck, clòg] *n.* [때때로 Y~] 크리스마스 이브에 벽난로에 넣고 때는 굵은 장작.

yúle·tìde *n.* [때때로 Y~] 크리스마스의 계절 (☞ CHRISTMASTIDE).

yum [jʌ́m] *int.* = YUM-YUM.

Yu·ma [júːmə] *n.* (*pl.* ~, **~s**) 유마족(族)《원래 Arizona주(州) 및 멕시코나 California주(州)에 살았으나, 지금은 California, Arizona 두 주(州)의 지정 보호 구역에 사는 아메리칸 인디언의 한 부족》. —— *a.* 〔考古〕 = YUMAN.

Yú·man *n.* 유마어족(語族). —— *a.* 유마어족의 ; 〔考古〕 유마 문화의《Arizona 주(州) 서부의 700-1200년경의 신석기 문화》.

yum·my [jʌ́mi] *a.*, *n.* 《口》 맛있는 (것), 《兒》 맘마, 《여성어》 매우 멋진 (것).

yum·pie [jʌ́mpi] *n.* [흔히 y~] 염피(족)《높은 사회적 지위와 충분한 경제적 조건을 갈망하는 지향적인 젊은 전문 직업인》.

yum·pish [jʌ́mpiʃ] *a.* 염피족(族)풍의.

yum-yum [jʌ́mjʌ́m] *int.* 냠냠 !, 아이 맛있어 !
—— *n.* 《兒》 맘마(food), 「맛있다 맛있어」.
〖imit. ; 입술로 입맛을 다실(cf. SMACK[2]) 때 나는 소리〗

yup [jʌ́p] *adv.* 《口》 = YEP.

yup·pie [jʌ́pi] *n.* [흔히 Y~] 여피족《전문적인 직업과 고소득의 생활 양식을 갖춘 젊은 고학력 엘리트》. 〖*y*oung *u*rban *p*rofessionals + -*ie*〗

Yvonne [ivάn] *n.* 여자 이름.
〖F <? Heb. = gracious gift of God〗

Y.W.C.A., YWCA [wàidʌ̀bəlju(ː)sìːéi] *n.* 기독교 여자 청년회(Young Women's Christian Association).

Y.W.C.T.U. Young Women's Christian Temperance Union(기독교 여자 청년 금주 동맹).

Y.W.H.A., YWHA [wàidʌ̀bəlju(ː)èitʃéi] *n.* 유태교 여자 청년회(青年會) (Young Women's Hebrew Association).

ywis ☞ IWIS.

Z

z, Z [zíː; zéd] *n.* (*pl.* **z's, zs, Z's, Zs** [-z]) **1** 《美》 지, 《英》 제트《영어 알파벳의 스물여섯번째 글자》. **2** Z자형(形)(의 것); Z[z]가 나타내는 소리. **3** 〖數〗 (제3) 미지수, 변수, z축, z좌표(cf. X, Y, A, B, C).
from A to Z 처음부터 끝까지.
Z 〖化〗 atomic number; Zenith. **Z.** zero; zone. **z.** 《英》 〖氣〗 haze. **ZA** 〖自動車國籍表示〗 *Zuid Afrika* 《Afrik.》 (=South Africa).
za, 'za [zɑː, tsɑː] *n.* 《美俗》 피자. 〚*pizza*〛
Zac·che·us [zækíːəs] *n.* 〖聖〗 삭개오《Jesus를 만찬에 초대한 세리(稅吏)》.
Zach [zǽk] *n.* 남자 이름《Zachariah의 애칭》.
Zach. 〖聖〗 Zacharias.
Zach·a·ri·ah [zæ̀kəráiə] *n.* **1** 남자 이름. **2** 〖聖〗 =ZACHARIAS. 〚Heb. =God is renowned〛
Zach·a·ri·as [zæ̀kəráiəs] *n.* **1** 남자 이름. **2 a**) 〖聖〗 사가랴 《(1) John the Baptist의 아버지; 누가복음 1:5. (2) 예수가 「최후의 순교자」라 일컬은 인물; 마태복음 23:35》. **b**) 〖두에성서〗 = ZECHARIAH. 〚↑〛
Zach·a·ry [zǽkəri] *n.* **1** 남자 이름. **2** = ZACHARIAS. 〚⇨ ZACHARIAH〛
Zad·ki·el [zǽdkièl, -əl] *n.* 재드키엘력(曆)《민간의 점성술(占星術)에 쓰는 달력》.
Za·dok [zéidɑk] *n.* 남자 이름.
〚Heb. =righteous〛
zaf·fer | zaf·fre [zǽfər] *n.* Ⓤ 재퍼《에나멜·도자기 따위에 착색하는 남색 안료(顔料)》. 〚It.〛
zaf·tig [zɑ́ːftig] *a.* (여자가) 성적 매력이 있는, 몸매가 균형이 잡힌, 풍만한.
〚Yid. =juicy〛
zag [zǽːg] *n.* 좌우로 굽은 코스에서 급격한 모퉁이[커브, 변화, 동작]; (정책 따위의) 급격한 방향 전환. ── *vi.* (**-gg-**) (지그재그의 진행 과정에서) 급히 꺾다; 급히 방향을 바꾸다.
〚zig*zag*〛
Za·greb [zɑ́ːgreb] *n.* 자그레브(*G* Agram)《크로아티아의 수도》.
Za·ire, -ïre [zɑ́iər, zɑːíər] *n.* 자이르《콩고 민주 공화국(Democratic Republic of the Congo)의 옛 이름》.
za·la [zɑ́ːlə] *n.* 〖化〗 붕사(硼砂)(borax).
Zam·be·zi, -si [zæmbíːzi] *n.* [the ~] 잠베지 강《아프리카 남부의 강; 인도양으로 흐름》.
Zam·bia [zǽmbiə] *n.* 잠비아《아프리카 중남부에 있는 영연방내의 공화국; 수도 Lusaka》.
Zám·bi·an *a., n.* 잠비아의 (사람).
zam·bo [zɑ́ːmbou, zǽm-] *n.* (*pl.* **~s**) 잠보《흑인과 아메리칸 인디언과의 혼혈아를 선조로 가진 중남미인》. 〚Am. Sp. =Negro, mulatto〛
Zam·bo·ni [zæmbóuni] *n.* 잼보니《스케이트장(場)용 정빙기(整氷機); 상표명》. ── *vt.* (빙면을) 정빙기로 고르게 하다.
Za·men·hof [zɑ́ːmənhɔ̀(ː)f, -hɑ̀f] *n.* 자멘호프. **Lazarus Ludwig ~** (1859-1917) 폴란드의 안과 의사; 에스페란토(Esperanto)어의 창안자.
za·mia [zéimiə] *n.* 〖植〗 자미아《소철과(科)의 자미아속 식물의 총칭》.
za·min·dar [zəmiːndɑ́ːr, zǽməndɑ̀ːr], **ze-** [, zém-] *n.* 〖인도史〗 **1** 자민다르《영국 정부에 토지세를 바친 인도인 대지주》. **2** (무슬림 지배하의) 징세 공무원. 〚Hindi〛
za·min·dari, ze·min·dary [zæ̀miːndɑ́ːri, zèmən-, zəmìːn-] *n.* 〖인도史〗 자민다리 《(1) zamindar에 의한 토지 보유·징세 제도. (2) zamindar가 보유[관할]하는 토지》. 〚Hindi〛
ZANU [zɑ́ːnuː] Zimbabwe African National Union(짐바브웨 아프리카 민족동맹).
za·ny [zéini] *n.* 바보, 얼간이(fool); 익살꾼; 〖史〗 희극 광대의 보조역, 익살스런 흉내를 내는 광대. ── *a.* 어릿광대 같은; 어리석기 짝이 없는; 미치광이 같은.
〚F or It. *zanni*; 광대의 전통적인 이름 *Giovanni* John의 Venice 방언의 별명에서〛
Zan·zi·bar [zǽnzəbɑ̀ːr; ⌐-⌐] *n.* 잔지바르《아프리카 동해안의 섬, 원래 영국 보호령, 그 후 공화국으로 독립했으나 1964년 Tanganyika와 통합하여 Tanzania가 되었음》.
Zan·zi·ba·ri [zæ̀nzəbɑ́ːri] *n.* (아라비아 어의) 잔지바르 방언; 잔지바르의 주민.
zap [zǽp] *v.* (**-pp-**) *vt.* 《俗》 **1** 갑자기[철저하게, 팍] 때리다[이기다, 분쇄하다, 습격하다, 죽이다, 움직이게 하다]; (비행 도구·광선총·전류 따위로) 공격하다; (특히 말로서) …와 대결하다; 〖컴퓨〗 (EPROM)에 기입한 프로그램을 지우다. **2** …에 강한 인상을 주다, 몹시 감동시키다.
── *vi.* 확[휙] 움직이다.
zap (***it***) ***up*** (일을) 더욱 활발하게 하다.
── *n.* 기력, 정열, 정기; 강한 흥미를[자극을] 주는 것; 공격, 일격; 대결; 굴욕; 〖컴퓨〗 (EPROM상 프로그램의) 지움. ── *int.* [흔히 ~ ~] 확, 팍, 쉭, 파팍, 삭, 앗《급변·불의의 일격·놀람을 표현》, (마법을 걸 때의) 에이(야), (대포·번개 따위의) 쿵쿵, 우르르. 〚imit.〛
Za·pa·ta [zəpɑ́ːtə] *n.* 사파타. **Emiliano ~** (1877?-1919) 《멕시코의 혁명가》.
Zapáta mústache *n.* 사파타 수염《윗입술을 따라 짙게 「八」자 모양으로 자라게 한 콧수염》. 〚↑〛
za·pa·te·a·do [zɑ̀ːpəteiɑ́ːdou, sɑ̀ː-] *n.* 사파테아도《발가락 끝·발뒤꿈치를 사용하여 쿵쿵 구르는 스페인 무용》. 〚Sp. (*zapato* shoe)〛
ZAP missile Zero Antiaircraft Potential missile(대공포화 공격용 공대지 미사일).
záp·per *n.* 《美》 **1** (해충·잡초 따위의) 마이크로파 구제(驅除) 장치. **2** 《비유》 신랄한 비평자, 강력한 적수.
záp·py *a.* 《口》 원기 왕성한, 활발한.
ZAPU [zɑ́ːpuː] Zimbabwe African People's Union《짐바브웨 아프리카 인민동맹; 처음에 게릴라 조직으로서 1961년 결성된 흑인 정당》.
Zarathustra ☞ ZOROASTER.
za·re(e)·ba, -ri- [zəríːbə] *n.* (아프리카 Sudan 등지에서 촌락·캠프를 방어하기 위한) 가시나무

방책(으로 둘러싸인 장소). 〚Arab.〛

zarf [záːrf] *n.* (Levant 지방의) 금속제의 찻잔 받침《손잡이 대용》.

zax [zǽks] *n.* 슬레이트(slate)를 자르는 연장.

z-axis [zíː-; zéd-] *n.* [the ~] 〔數〕 z축.

ZBB, Z.B.B. zero-base(d) budgeting.

z-coordinate [zìː-; zèd-] *n.* 〔數〕 z좌표.

ZCZC 〔國際電報〕 전보의 시작을 나타내는 기호.

ZD zenith distance; zero defects.

Z-DNA [zíːdìːènéi] *n.* 〔生化〕 좌선(左旋)의 이중 나선 구조의 DNA 《보통 우선 구조임; 1981년 발견》.

1 finjan
2 zarf

zarf

***zeal** [zíːl] *n.* Ⓤ 열심, 열중(ardor): *with* great ~ 매우 열심히 / He feels ~ *for* his work. 그는 일에 열의를 가지고 있다 / They showed untiring ~ *in* the pursuit of truth. 그들은 진리 탐구에 불굴의 열의를 나타냈다.
〚L<Gk. *zēlos*〛
類義語 ⟹ PASSION.

Zea·land [zíːlənd] *n.* 덴마크 최대의 섬.

zeal·ot [zélət] *n.* **1** 열중하는 사람, 열성적인 사람, 열광자(fanatic) 〈*for*〉; 《口》 광신자. **2** [Z~] 열심당원《기원 1세기 로마에 반항한 유태 민족주의자》.
〚L<Gk.; ⇨ ZEAL〛

zéal·ot·ry *n.* Ⓤ 열광(적 행동).

zeal·ous** [zéləs] *a.* [+*to* do] 열중하는, 열광적인, 열심인(eager, ardent): make ~ efforts 열심히 노력하다 / They are ~ ***for freedom[***in*** the pursuit of truth]. 그들은 자유를 열망하고[진리 탐구에 열중하고] 있다 / He is ~ *to* please his wife. 그는 아내를 기쁘게 해주려고 노력하고 있다. **~·ly** *adv.* 열심히, 열광하여.

ze·bec(k) [zíːbek, zibék] *n.* =XEBEC.

Zeb·e·dee [zébədìː] *n.* 〔聖〕 세베대《사도 James와 John의 아버지; 마태복음 4:21》.

***ze·bra** [zíːbrə, 英+zéb-] *n.* (*pl.* ~, ~**s**) **1** 〔動〕 얼룩말《아프리카산(産)》. **2** [형용사적으로] (얼룩말처럼) 줄무늬가 있는. **3** 《美俗》 (줄무늬의 셔츠를 입은) 심판원; =ZEBRA CROSSING.
〚It. or Port.<Congolese〛

zébra cróssing *n.* 《英》 (굵고 흰 줄무늬 모양의) 보행자 우선 횡단 보도.

ze·brass [zíːbræs; -brɑːs, zéb-] *n.* 얼룩말(zebra)과 당나귀(ass)의 잡종. 〚*zebra*+*ass*〛

zébra·wòod *n.* Ⓤ (장식용) 줄무늬 재목; 그 나무《Guiana산 관목》.

ze·brine [zíːbrain, -brən, 英+zéb-] *a.* 얼룩말(무늬)의; 얼룩말 비슷한.

ze·bu [zíːbjuː] *n.* 〔動〕 제부《어깨에 큰 혹이 있는 소; 아시아·동아프리카산》.
〚F<? Tibetan〛

Zeb·u·lun, -lon [zébjələn] *n.* **1** 남자 이름. **2 a)** 〔聖〕 스불론《Jacob의 열째 아들; 창세기 30:20》. **b)** 스불론족(族) 《Zebulun을 조상으로 하는 이스라엘 12 지족(支族)의 하나》.
〚Heb. =habitation〛

Zech. 〔聖〕 Zechariah.

Zech·a·ri·ah [zèkəráiə] *n.* **1** 남자 이름. **2** 〔聖〕 스가랴《기원전 6세기의 Israel의 예언자》; 스가랴서(書)《스가랴가 쓴 구약성서의 한 편; 略 Zech.》.
〚⇨ ZACHARIAH〛

zech·in [zékən, zekíːn] *n.* =SEQUIN.

zed [zéd] *n.* 《英》 Z자; Z자형의 것. (*as*) ***crooked as the letter zed*** 몹시 굽은.
〚F<L<Gk. ZETA〛

Zed·e·ki·ah [zèdəkáiə] *n.* **1** 남자 이름. **2** 〔聖〕 시드기야《바빌론 유수(幽囚) 직전의 최후의 유태왕》. 〚Heb. =God is might〛

zed·o·ary [zédouèri; -əri] *n.* 〔植〕 (동인도·Ceylon산의) 아술《아술 뿌리를 말린 것; 건위제(健胃劑)·향료용》. 〚L<Pers.〛

ze·donk [zíːdɔ(ː)ŋk, -dɑŋk, 英+zéd-] *n.* 수얼룩말과 암탕나귀의 잡종. 〚*ze*bra+*donk*ey〛

zee [zíː] *n.* 《美》 =ZED.

Zee·land [zíːlənd, zéi-; zéilɑːnt] *n.* 젤란트《네덜란드 남서부의 주; 주도는 Middelburg》.

Zee·man [zéimɑːn, zíːmən] *n.* 제만. **Pieter ~** (1865-1943) 네덜란드의 물리학자; 노벨 물리학상 수상(1902).

Zéeman effèct *n.* 〔理〕 제만 효과《자기장(磁氣場)중의 물질의 에너지 준위(準位)가 분열하는 현상; 자기장 중의 원자·분자의 복사·흡수하는 스펙트럼선(線)의 분열이라고 간주됨》. 〚↑〛

ZEG, Z.E.G. zero economic growth (경제의 제로 성장).

ze·in [zíːən] *n.* 〔生化〕 제인《옥수수에서 추출하는 일종의 단백질; 섬유·플라스틱 제조용》.

zeit·ge·ber [tsáitgèibər, záit-] *n.* (*pl.* ~, ~**s**) 〔生〕 차이트게버《생물의 개일(概日) 리듬을 외인적(外因的)인 주기에 동기(同期)시키는 외적 인자; 명암(明暗)이나 온도 따위》.
〚G=time giver〛

Zeit·geist [tsáitgàist, záit-] *n.* Ⓤ 시대 정신[사조(思潮)]. 〚G〛

zek [zék] *n.* (구소련의 교도소·강제 수용소의) 수용자. 〚Russ.〛

Ze·la·ni·an [ziléiniən] *a.* 〔地·動〕 뉴질랜드의.

zel·ko·va [zélkəvə, zelkóu-] *n.* 〔植〕 느티나무.

ze·lo·so [zilóusou] *a.*, *adv.* 〔樂〕 열성적인[으로]. 〚It.〛

Ze·lo·tes [zilóutiːz] *n.* 남자 이름.

zemindar, zemindary ☞ ZAMINDAR, ZAMINDARI.

Zems·trom [zémstrəm] *n.* (구소련의) 지방 인민위원회.

zemst·vo [zémstvou, -və] *n.* (*pl.* ~**s**) 〔러시아史〕 지방 자치회, 젬스트보. 〚Russ.〛

Zen [zén] *n.* 〔佛教〕 선(禪).

Ze·na [zíːnə] *n.* 여자 이름. 〚? Pers. =woman〛

ze·na·na [zənɑ́ːnə] *n.* (인도·페르시아의) 규방(閨房); [집합적으로] 규방의 여성들: the ~ mission (기독교의) 인도 여성 전도회.
〚Hindi<Pers. (*zan* woman)〛

Zén Búddhism *n.* 선종(禪宗).

Zend [zénd] *n.* Ⓤ **1** 고대 페르시아어. **2** 젠드《팔레비어로 쓴 Zoroaster교의 아베스타 경전의 주석》. **Zénd·ic** *a.*

Zènd-Avésta *n.* [the ~] 젠드아베스타《Zend와 Avesta를 포함한 고대 페르시아의 조로아스터교의 경전》. 〚Pers. *zand* interpretation〛

zé·ner díode [zíːnər-, zén-] *n.* [매때로 Z~] 〔電子〕 제너 다이오드《전압 안전 장치로서 쓰이는 규소(硅素) 반도체》.
〚C. M. *Zener* (1905-) 미국의 물리학자〛

Zén hìpster *n.* 《美俗》 선(禪)을 신봉하는 히피[비트족(族)].

ze·nith [zíːnəθ; zén-] *n.* **1** 천정(天頂) (↔ *nadir*). **2** Ⓤ 《비유》 (명성·성공·권세 따위의)

Z

정점, 절정 ; 전성기 : He has passed his ~. 그는 전성기를 넘었다. **3** 제니스(테이프 리코더로 쓰이는 오디오·비디오 헤드의 기울기 ; 「도」로 나타냄).
at the zenith of …의 절정에 달하여.
be at one'*s* ***zenith*** 만족[영광]의 절정에 있다, 전성기에 있다.
〖OF or L<Arab. =way (over the head)〗
zénith·al *a.* 천정의 ; 정점의, 절정의 ; 중심으로부터의 실지 방위를 나타내게 그린《지도》.
zénith dístance *n.* 〖天〗 천정(天頂) 거리.
zénith tèlescope[**tùbe**] *n.* 천정의(天頂儀)《위도 측정 망원경》.
Ze·no [zí:nou] *n.* 제노(335 ?-? 263 B.C.)《그리스의 철학자 ; 스토아 학파의 시조》.
Ze·no·bia [zənóubiə] *n.* **1** 여자 이름. **2** 제노비아《고대 Palmyra의 여왕 ; 재위 267-272》.
〖Gk. =life from Zeus〗
ze·o·lite [zí:əlàit] *n.* 〖鑛〗 제올라이트.
〖Swed. (Gk. *zeō* to boil)〗
Zeph. 〖聖〗 Zephaniah.
Zeph·a·ni·ah [zèfənáiə] *n.* **1** 남자 이름. **2 a**) 〖聖〗 스바냐《유태의 예언자》. **b**) 〖聖〗 스바냐서(書)《스바냐의 예언을 적은 구약성서의 한 편 ; 略 Zeph.》. 〖Heb. =God has hidden〗
zeph·yr [zéfər] *n.* **1 a**) [Z~] (의인화(擬人化)된) 서풍(西風). **b**) 《詩》 연풍, 미풍, 산들바람. **2** 무게가 가벼운 직물 ; 매우 가벼운 모직 운동복.
〖F or L<Gk. =west wind〗
Zeph·y·rus [zéfərəs] *n.* 〖그神〗 제피로스《서풍(西風)의 신》.
Zep·pe·lin [zépələn, tsèpəlí:n] *n.* **1** 체펠린. **Ferdinand von** ~(1838-1917) 독일 장군. **2** [흔히 z~] (체펠린형) 비행선(airship).
‡**ze·ro** [zíərou] *n.* (*pl.* **~s, ~es**) **1** (아라비아 숫자의) 0, 영(零). **2** Ⓤ 영점, 영위(零位) ; (온도계 따위의) 영도, 어는점 ; 〖數〗 덧셈의 단위원, 영 ; 〖數〗 함수값을 영으로 하는 독립 변수(x)의 값. **3** 〖言〗 제로, 제로 형태 ; 〖軍〗 =ZERO HOUR ; 〖砲〗 영점 규정 ; 〖空〗 제로 고도(高度)《1000 또는 500피트 이하》 : ☞ ABSOLUTE ZERO / at 20° below ~ 영하 20도로[에서] / fly at ~ 〖空〗 제로 고도로 비행하다. **4** (비교 또는 계산의) 최하점, 기점 ; 무, 제로 ; 하찮은 사람[것] : The team's spirit sank to ~ after its third defeat. 세 번이나 져서 팀의 사기는 완전히 침체됐다. **5** [형용사적으로] 영(도)의 ; 조금도 없는 : the ~ meridian 기준 자오선(子午線). —— *vt.* (계기(計器) 바늘을) 제로 눈금에 맞추다 ; (주의를) 집중하다.
—— *vi.* 화기(火器)의 조준을 바르게 하다 ; 《口》 목표를 향하여 접근하다.
zero in on... (1) …을 겨냥하다 ; …에 포화를 집중하다. (2) 《비유》 …에 주의를 집중하다.
〖F or It.<OSp.<Arab. ; ⇨ CIPHER〗
zéro-bàse(**d**) *a.* (지출 따위의) 각 항목을 비용과 필요성의 관점에서 백지 상태로부터 검토한, 제로 베이스의.
zéro-base(**d**) **búdgeting** *n.* 제로베이스 예산 편성《모든 항목을 제로에서 검토하여 예산을 정하는 방법 ; 略 ZBB》.
zéro-cóupon bónd *n.* 〖經〗 제로쿠폰채(債), 표면 이율 없는 할인채《상환기일까지 이자는 없으나 액면을 대폭 할인한 가격으로 발행됨》.
zéro défects *n. pl.* 무결점 운동, ZD운동《종업원 개개인이 제품 생산의 전 공정에서 완전 무결을 기하자는 운동 ; 略 ZD》.
zero-g [∸dʒí:] *n.* =ZERO GRAVITY.
zéro-ǵ manufàcturing *n.* 〖宇宙〗 무중력 상태에서의 제품 생산《약품, 미소 기계부품 특히 마이크로 칩의 생산》.
zéro grávity *n.* 〖空·宇宙〗 무중력 (상태).
zéro grówth *n.* 경제[인구]의 제로 성장 ; 비개발[비확장] 정책.
zéro hòur *n.* **1** 〖軍〗 예정 행동 개시 시각(cf. H HOUR, D-DAY) ; (로켓 따위의) 발사 시각(cf. COUNTDOWN). **2** 《口》 예정 시각 ; 위기, 결단의 때. **3** (시계의) 영시(零時).
zéro·ìze *vt.* 〖컴퓨〗 제로로 하다 ; 기억 영역의 내용을 제로로 하다.
zéro láunch *n.* 〖로켓〗 영(零) 거리 발사《발사용 레일이 없는 발사대에 의한 로켓의 발사》.
zéro nórm *n.* =NIL NORM.
zéro óption *n.* 〖軍〗 제로 옵션, 제로의 선택《NATO측과 구소련측 쌍방간에 유럽에서의 전역핵(戰域核)을 제로로 한다는 구상》.
zéro póint *n.* 영점, 영도.
zéro-súm *a.* 영합(零合)의《게임의 이론 따위에서 한 쪽의 득점[이익]이 다른 쪽에 실점[손실]이 되어 플러스 마이너스 제로가 됨》.
zéro-sum gáme *n.* 〖經〗 제로섬[영합(零合)] 게임.
zéro suppréssion *n.* 〖컴퓨〗 제로 억제《수치중의 의미없는 제로를 표현하지 않는 것》.
zéro-zéro *a.* 〖氣〗 시정(視程)이 수평·수직 모두 제로의 : ~ weather 시정 제로의 악천후《비행(飛行) 불가능한 상태》.
zéro / zéro sèat *n.* 〖空〗 제로 제로 시트《사출(射出) 좌석이 기체가 지상에 정지해 있는 경우에도 낙하산이 안전하게 펴지는 높이까지 승무원을 사출시키는 기능이 있는 것》.
***zest** [zést] *n.* **1** Ⓤ 열심, 열정, 강한 흥미 : youthful ~ 젊은이다운 열정 / ~ *for* pleasure 쾌락에의 강한 욕구. **2** Ⓤ [또는 a ~] 풍취, 묘미, 매력 : Humor gave[added] (*a*) ~ *to* his speech. 유머가 그의 연설에 흥미를 더했다. **3** Ⓤ (술 따위에 넣는) 강한 향료, 풍미, 맛.
with zest 흥미깊게, 열심히 ; 맛있게.
—— *vt.* …에 풍미[흥미]를 더하다.
〖F=orange or lemon peel<?〗
zést·ful *a.* 열심인 ; 흥미 깊은 ; 풍미[풍취] 있는.
~·ly *adv.* 열심으로.
ze·ta [zí:tə, zéi-] *n.* 제타《그리스어 알파벳의 여섯 번째 글자 Z, ζ ; 영어의 Z, z에 해당》. 〖Gk.〗
ZETA [zí:tə] *n.* 〖理〗 제타《제어(制御) 열핵반응 실험 장치(裝置)》.
〖*z*ero-*e*nergy *t*hermonuclear *a*pparatus〗
Zet·land [zétlənd] *n.* 제틀랜드《1974년까지의 영국 Shetland주의 공식명》.
zetz [zéts] *n.* 《美俗》 일격, 구타. —— *vt.* (일격을) 가하다, (한 대) 먹이다.
〖Yid. (*zetsn* to set, put)〗
zeug·ma [zú:gmə ; zjú:g-] *n.* Ⓤ 〖修·文法〗 액식어법(軛式語法)《한 개의 형용사[동사]로 두 개(이상)의 다른 명사를 무리하게 수식[지배]하게 하는 것 ; 예컨대 kill the passengers and destroy the baggage라 할 것을 kill the passengers and the baggage로 하는 따위 ; cf. SYLLEPSIS》.
〖L<Gk. =a yoking (*zugon* yoke)〗
***Zeus** [zú:s ; zjú:s] *n.* 〖그神〗 제우스《Olympus 산의 주신(主神) ; 〖로神〗의 Jupiter에 해당함 ; cf. AMMON》. 〖Gk.〗
Z.G. zoological garden(s).
Zhda·nov·ism [ʒdá:nəvìzəm] *n.* 주다노프 비판(批判)《스탈린 정권하에서 Andrei A. Zhdanov

Z

(1896-1948)를 중심으로 추진된 문예의 정풍(整風) 운동》.

Zhe·jiang [dʒʌ́dʒiɑ́:ŋ], **Che·kiang** [; tʃékjǽŋ] *n.* 저장(浙江)《중국 동부의 성》.

zib·el·(l)ine [zíbəlàin, -lən, -lì:n] *a.* 검은담비(sable)의 (모피로 만든). ── *n.* Ⓤ 검은담비의 모피; 보풀이 길고 두꺼운 모직물.

zib·et, -eth [zíbət] *n.* 〖動〗 사향고양이의 일종. 〚L or It.〛

zibet

ziff [zíf] *n.* 《濠口》 (짧은) 턱수염.

zig[1] [zíg] *n.* 좌우로 굽은 코스에서 급한 모퉁이[커브]; (정책 따위의) 급격한 방향 전환(cf. ZAG).
── *vi.* (-gg-) (지그재그의 진행 과정에서) 날카롭게 꺾이다; 급히 방향 전환하다(cf. ZAG). 〚*zigzag*〛

zig[2] *n.* =JIG.

zíg·ger-zàg·ger *n.* 《英俗》 시끄럽게 떠들어대는 사람.

zig·get·ty, -git- [zígəti] *int.* 《美俗》 좋아, 대단하군, 해냈군(=**hót** ∼).

zig·gu·rat [zígəræ̀t], **zik·(k)u·rat** [zíkəræ̀t] *n.* 지규랫《고대 바빌로니아·아시리아의 계단식 피라미드형 신전(神殿)》. 〚Assyr. =pinnacle〛

ziggurat

zig·zag [zígzæ̀g] *n.* Z자형, 지그재그, 번개꼴; 갈짓자형의 것《장식·선·번개·도로 따위》.
── *a.* Z자형[지그재그, 갈짓자형, 번개꼴]의, 꾸불꾸불한: a ∼ line[road] 꾸불꾸불한 선[길] / a ∼ rule 접는 자. ── *adv.* 지그재그[Z자형]로: The path climbed ∼ [ran ∼] up the slope. 길은 지그재그형으로 언덕져 있었다.
── *v.* (-gg-) *vi.* [動 / +前+名] (번개가) Z자형으로 치다; (길·강이) Z자형으로 뻗다[흐르다]; (사람이) 갈짓자로 걷다: The demonstrators ∼*ged* ***along*** the street. 시위대는 길을 따라 지그재그로 행진했다. ── *vt.* 지그재그형으로 만들다; 지그재그로 나아가게 하다; 지그재그로 가다. 〚F<G *zickzack*〛

Zil [zíl] *n.* 질《구소련제 요인용 고급 승용차》.

zilch [zíltʃ] *n.* 《俗》 **1** 제로, 무(無). **2** 아주 무능한[하찮은, 중요치 않은] 인물. **3** [Z∼] 모씨(某氏), 아무개. 〚C20<? *zero*〛

zil·la(h), zi·la [zílɑ:] *n.* 《인도》 주(州), 군(郡)《행정구역》. 〚Hindi<Arab. =part〛

zil·lion [zíljən] *n., a.* 막대한 수(의), 무수(의). 〚*z* ('미지의 양'의 뜻)+m*illion*〛

zil·lion·aire [zìljənέər, -nǽər, ⌐-⌐] *n.* 《美俗》 억만 장자.

Zim·ba·bwe [zimbɑ́:bwi, -wei] *n.* 짐바브웨《아프리카 남부의 나라; 공식명 the **Repúblic of** ∼ (짐바브웨 공화국); 1980년 Rhodesia를 개칭하여 흑인 국가로서 독립; 수도 Harare》.

zinc [zíŋk] *n.* Ⓤ 〖化〗 아연《금속 원소; 기호 Zn; 번호 30》; 함석: ∼ galvanizing 아연 도금 / flowers of ∼=ZINC OXIDE / sulfate of ∼ =ZINC SULFATE. ── *vt.* (-c-, -ck-) …에 아연을 입히다, 아연으로 도금하다. 〚G *Zink*<? *zinke* prong〛

zinc·ate [zíŋkeit] *n.* 〖化〗 아연산염(亞鉛酸鹽).

zínc blènde *n.* 〖鑛〗 섬(閃)아연광.

zínc chlóride *n.* 〖化〗 염화아연.

zinc·ic [zíŋkik] *a.* 아연의; 아연과 비슷한; 아연을 함유한.

zinc·if·er·ous [ziŋkífərəs, zinsíf-] *a.* 아연을 함유한, 아연이 생기는.

zinc·i·fy [zíŋkəfài] *vt.* 아연을 입히다; 아연을 함유하게 하다.

zìnc·i·fi·cá·tion *n.* Ⓤ 아연 도금.

zinc·ite [zíŋkait] *n.* Ⓤ 〖鑛〗 홍(紅)아연광.

zincky, zinky, zincy [zíŋki] *a.* 아연제(製)의, 아연을 함유한; 아연과 비슷한.

zin·co [zíŋkou] *n.* (*pl.* **∼s**), *vt.* 《英》 =ZINCOGRAPH.

zin·co- [zíŋkou, -kə] *comb. form* 「아연(亞鉛)(zinc)」의 뜻.

zinc·ode [zíŋkoud] *n.* (전지의) 양극.

zínco·gràph *n.* 〖印〗 아연판; 아연판 인쇄물.
── *vt., vi.* 아연판으로 뜨다[복사하다].

zin·cóg·ra·pher *n.* 아연판 기사(技師).

zìn·co·gráph·ic, -i·cal *a.* 아연 제판(술)의.

zin·cog·ra·phy [ziŋkɑ́grəfi] *n.* Ⓤ 아연제판, 아연 조각술(彫刻術).

zinc·oid [zíŋkɔid] *a.* 아연의; 아연 비슷한.

zínc óintment *n.* 〖藥〗 아연화 연고.

zínco·tỳpe *n.* =ZINCOGRAPH.

zínc·ous *a.* =ZINCIC.

zínc óxide *n.* 〖化〗 산화아연, 아연화(華).

zínc súlfate *n.* 〖化〗 황산아연.

zínc whíte *n.* 아연백(白)《산화아연으로 만든 백색 안료》.

zincy ☞ ZINCKY.

zine [zí:n] *n.* 《美》 SF 애호가들 사이의 동인지[회보]. 〚fan*zine*<*fan*+maga*zine*〛

zin·eb [zíneb] *n.* Ⓤ 《美》 지네브《살충·살균제》.

zin·fan·del [zínfəndèl] *n.* 진판델《캘리포니아산의 흑포도; 그것으로 만드는 붉은 포도주》.

zing [zíŋ] *n.* 《口》 풍풍(하는 소리); 활기, 원기, 기력, 열의; [감탄사적으로] 쪽, 휭, 쌩, 풍.
── *vi.* 붕붕 소리를 내며 질주하다, 세게 잘 나아가다; 생기가 넘치다; 둥둥 소리를 내다.
── *vt.* 열의를 다해 제출하다; …에 일격을 가하다(zap); 비판하다, 꼼짝 못하게 해대다.
zing up 기력을 북돋우다, 활기를 띄우다.
〚imit.〛

zin·ga·ro [tsí:ŋgɑ:rɔ̀:] *n.* (*pl.* **-ri** [-rì:]) 집시(Gypsy). **-ga·ra** [-rə] *n. fem.* (*pl.* **-re** [-rè]). 〚It.〛

zing·er [zíŋər] *n.* 《俗》 기운찬[위세 좋은] 사람; 활기에 찬 발언[행동], 재치있는 대답; 사람을 깜짝 놀라게 하는 것; 《野俗》 쾌속구.

zingy [zíŋi] *a.* 《口》 활기[열기] 있는; 가슴 설레게 하는; 매력적인.

zinj·an·thro·pus [zindʒǽnθrəpəs, -dʒænθróu-] *n.* (*pl.* **-pi** [-pài, -pì:], **∼·es**) 진잔트로푸스《아프리카 동부에서 발견된 구석기 시대 전기의 화석 인류(化石人類)》.
〚NL (Arab. *Zinj* East Africa, ANTHROP-)〛

zinky ☞ ZINCKY.

zin·nia [zíniə, zínjə, zí:-] *n.* 〖植〗 지니아《엉거시과(科)의 각종 식물》, (특히) 백일홍.
〚Johann G. *Zinn* (d. 1759) 독일의 식물학자〛

Zi·on [záiən], **Si·on** [sái-] *n.* **1 a)** 시온 산(山)《Jerusalem의 성봉(聖峰)》. **b)** 예루살렘(Jerusalem). **c**) 이스라엘(사람). **2 a**) 고대 유태의 신정(神政). **b**) 기독교회. **c**) 예루살렘의 천당, 천국, 이상향. **d**) 《英》 비(非)국교파의 교회당. 〖OF<L<Heb.〗

Zíon·ìsm *n.* Ⓤ 시온주의, 시오니즘《국가적 통일을 위하여 유태인을 Palestine으로 복귀시키려는 유태 민족 운동》. **-ist** *n.* 시온주의자.

Zíon·ward(s) *adv.* 천국으로.

***zip**[1] [zíp] *n.* **1** 퓽, 찍《날아가는 탄환 따위의 소리 또는 천을 찢는 소리》. **2** Ⓤ 《口》 원기(energy). ── *v.* (**-pp-**) *vi.* 퓽 소리를 내다 ; 《口》 기세좋게 나아가다. ── *vt.* 속도를 내다 ; 활발하게 하다, …에 활기를 주다〈*up*〉; 급송(急送)하다.

zip across the horizon 《美口》 갑자기 이름이 널리 알려지다.

zip along 쾌조로 나아가다[진행하다].

~**·less** *a.* 〖imit.〗

***zip**[2] *n.* 《英》 지퍼(zipper) ; 지퍼[척]로 잠그기[열기]. ── *v.* (**-pp-**) *vt.* **1** 지퍼[척]로 잠그다[열다] : He ~*ped* the money *into* his wallet. 지퍼를 열고 돈을 지갑에 넣었다 / ~ one's bag open [closed] 가방의 지퍼를 열다[잠그다] / ~ *up* one's jacket 재킷의 지퍼를 잠그다. **2** 《美俗》 (입을) 다물다, …에 지퍼를 달다. ── *vi.* 지퍼[척]를 닫다[열다] : This bag ~*s in* easily. 이 가방은 쉽게 지퍼로 잠긴다.

zip [*button*] *one's lips* 《俗》 입을 다물다.

zip[3] *n.* 《俗》 (스포츠 득점 따위의) 영 ; 《美軍俗·蔑》 베트남인. ── *vt.* (**-pp-**) 무득점으로 누르다, 완봉[영봉]하다. 〖C20<?〗

zip[4] *n.* 《美方》 시럽 ; 당밀 ; 설탕. 〖? SYRUP〗

zip[5], **ZIP**, **Zip** [zíp] *n.* 《美》 =ZIP CODE.

ZIP Zone Improvement Plan.

Zi·pan·gu [zipǽŋgu:] *n.* 지팡구《Marco Polo에 의한 일본의 호칭》.

zíp [**ZÍP**, **Zíp**] **còde** *n.* 《美》 우편번호《우편 배달의 간편화를 위한 숫자 ; 주(州)의 이름 뒤에 다섯자리 숫자로 표시함 ; 앞의 세자리는 주나 도시, 뒤의 두자리는 우편구를 가리킴》.
〖*z*one *i*mprovement *p*lan〗

zíp-còde, **ZÍP-** *vt.* 《美》 우편번호를 써넣다.

zíp fásten·er *n.* 《주로 英》 =ZIPPER.

zíp fùel *n.* 《美口》 〖宇宙·空〗 고(高)에너지 연료.

zíp gùn *n.* 《美俗》 수제(手製) 권총.

zíp-in lìning *n.* (오버코트 따위의) 지퍼로 달 수 있게 만든 안.

zíp-òn *a.* (양복 따위가) 지퍼[파스너]로 개폐하는, 지퍼식(式)의 : *zip-on* chair covers 지퍼가 달린 의자 커버.

zíp-òut *a.* (양복 따위가) 지퍼[파스너]로 여닫을 수 있는, 지퍼식의.

zíp·per *n.* ZIP[2]하는 사람[것] ; 《美》 파스너, 지퍼, 척(slide[zip] fastener).

〈회화〉
> Your *zipper*'s undone. — Oh, thank you for telling me. 「지퍼가 열렸어요」「아, 알려줘서 고마워요」

── *vt.* =ZIP[2].

zíp·pered *a.* 지퍼가 달린.

zip+4 (**code**) [⌐ plʌ̀s fɔ́:*r* (⌐)] *n.* 《美》 집 플러스 포 (코드)《종래의 다섯자리의 집코드 뒤에 다시 세분한 배달 구역을 나타내는 네자리 숫자를 더한 우편 번호》.

zip·po [zípou] *n.* (*pl.* ~**s**), *a.* 《美俗》 기운(찬).

Zippo *n.* 지포《(1) 어릿광대가 많이 쓰는 이름. (2) 미국제 기름 라이터 ; 상표명》.

zíp·py *a.* 《口》 원기 있는, 씩씩한, 활발한. 〖ZIP[1]〗

zíp-tòp *a.* 뚜껑 가장자리의 금속띠를 말면서 따는 식의, 집톱(식)의.

zíp-ùp *a.* 지퍼[척]로 잠그는.

zir·ca·loy, **-cal·loy** [zə̀:*r*kəlɔ̀i, ⌐-⌐] *n.* Ⓤ 〖冶〗 지르칼로이《내식성·안정성이 큰 지르코늄 합금의 총칭 ; 원자로의 노심(爐心) 구조재용》.

zir·con [zə́:*r*kɑn, -kən] *n.* Ⓤ 〖鑛〗 지르콘.
〖G *zirkon*<? Arab.〗

zir·con·ate [zə́:*r*kənèit] *n.* Ⓤ 〖化〗 지르콘산염(酸鹽).

zir·co·nia [zə(:)*r*kóuniə] *n.* 〖化〗 지르코니아, 산화 지르코늄.

zir·con·ic [zə(:)*r*kɑ́nik] *a.* 〖化〗 지르코늄의[과 비슷한] ; 지르코늄을 함유한 : ~ acid 〖化〗 지르콘산(酸).

zir·co·ni·um [zə(:)*r*kóuniəm] *n.* Ⓤ 〖化〗 지르코늄《금속원소 ; 기호 Zr ; 번호 40》.
〖NL ; ⇨ ZIRCON〗

zit [zít] *n.* 《美俗》 여드름(pimple).

zít dòctor *n.* 《美俗》 피부과 의사(dermatologist).

zith·er [zíðə*r*, zíθ-] *n.* 치터《오스트리아에서 일반적으로 쓰이는 현악기》. ~**·ist** *n.* 치터 연주자.
〖G<L ; ⇨ GUITAR〗

zith·ern [zíðə*r*n, zíθ-] *n.* =CITTERN ; =ZITHER.

zi·zit(**h**), **tzi·tzit**(**h**), **tzi·tzis** [tsítsəs, tsi(:)tsí:t] *n. pl.* 〖유태教〗 (유태인의 남성이 예배때 어깨에 걸치는 옷단의 네 귀에 다는) 청색과 백색 실을 합쳐 꼰 술《민수기 15 : 38-39》.
〖Heb.〗

zizz [zíz] *n.*, *vi.* 《口》 한잠 (자다), 선잠 (자다) ; 《英口》 윙윙 (소리를 내다).

zizzy [zízi] *a.* 《俗》 화려한, 현란한 ; 떠들썩한.

Z line [zí: ⌐ ; zéd-] *n.* 〖生〗 Z선, Z막(膜)《가로무늬근의 근원섬유를 가로방향으로 구분함》.

zlo·ty [zlɔ́:ti ; zlɔ́ti] *n.* (*pl.* ~**s**, ~, **zlo·tych** [-ik, -ix], **zlo·te** [-ti], **-ties** [-tiz]) 즐로티《폴란드의 화폐단위》. 〖Pol. =golden〗

Zn 〖化〗 zinc.

zo- [zóu], **zoo-** [zóuə] *comb. form* 「동물(계)」 「운동성의」의 뜻. 〖Gk. ; ⇨ ZOOLOGY〗

zoa *n.* ZOON의 복수형.

-zoa [zóuə] *n. pl. comb. form* 「동물」의 뜻 : Hydro*zoa*. 〖Gk.〗

ZOA Zionist Organization of America《재미(在美) 시온단(團) ; 유태인 단체》.

Zo·ar [zóuə*r* ; -ɑ:*r*] *n.* 〖聖〗 소 알《Sodom과 Gomorrah가 멸망하였을 때 Lot과 그 딸들이 피난한 곳 ; 창세기 19 : 20-30》.
〖Heb. =smallness〗

zod [zɑ́d] *n.* 《美俗》 묘한 사람, 괴짜, 기인.

zo·di·ac [zóudiæ̀k] *n.* 〖天〗 **1** 황도대(黃道帶), 수대(獸帶)《황도를 중심으로 하여 남북으로 각각 폭이 8도(度)인 대(帶), 태양과 달과 주된 행성이 이 대내(帶內)를 운행함 ; 황도대에 속하는 별자리는 12개》. **2** 12궁(宮), 12궁(宮) 일람도《황도대에 12 별자리를 배치한 그림》; (시간·세월 따위의) 일순, 일주(circuit) ; 《비유》 범위, 한계(compass) ; 《비유》 12개로 이루어진 1세트.

the signs of the zodiac 〖天〗 12궁(宮) 《춘분점(春分點)을 기점으로 하여 황도의 주위를 12등분한 것으로 다음의 각 궁이 있다 : Aries (the Ram) 「양자리」, Taurus (the Bull) 「황소자리」, Gemini (the Twins) 「쌍둥이자리」, Cancer (the Crab) 「게자리」, Leo (the Lion) 「사자자리」, Virgo (the Virgin) 「처녀자리」, Libra (the Bal-

Z

ance)「천칭자리」, Scorpio (the Scorpion)「전갈자리」, Sagittarius (the Archer)「궁수자리」, Capricorn (the Goat)「염소자리」, Aquarius (the Water Bearer)「물병자리」 및 Pisces (the Fishes)「물고기자리」의 12구획》. 〖OF＜L＜Gk. (*zōion* animal)〗

(the signs of the zodiac)

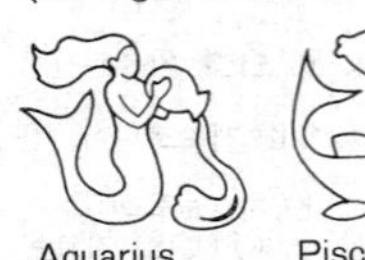
Aquarius
21Jan-19Feb

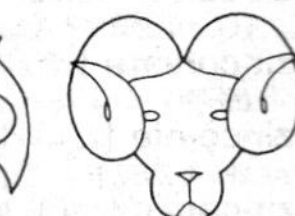
Pisces
20Feb-20Mar

Aries
21Mar-20Apr

Taurus
21Apr-22May

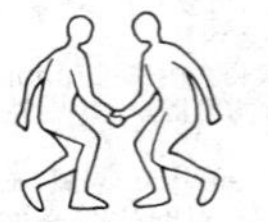
Gemini
23May-21June

Cancer
22June-22July

Leo
23July-22Aug

Virgo
23Aug-22Sept

Libra
23Sept-22Oct

Scorpio
23Oct-21Nov

Sagittarius
22Nov-22Dec

Capricorn
23Dec-20Jan

zodiac

zo·di·a·cal [zoudáiəkəl] *a.* 〖天〗 황도대(黃道帶)(내)의, 황도의 : ~ light 황도광(光).

Zoe [zóui, 美+zóu] *n.* 여자 이름. 〖Gk. =life〗

zo·e·trope [zóuitròup] *n.* 활동요지경《연속된 그림을 회전시키면 실물이 움직이고 있는 것처럼 보이게 만든 장난감》.

zof·tig [záftig] *a.* 《美俗》 =ZAFTIG.

Zo·har [zóuha:r] *n.* 조하르《모세 5경에 관한 중세의 신비주의적 연구서》.

zo·ic [zóuik] *a.* **1** 동물의 ; 동물 생활의. **2** 〖地質〗 (암석 따위가) 동물의 화석을 함유하는. 〖역성(逆成) ‹ *azoic*〗

-zo·ic[1] [zóuik] *a. comb. form* 「동물의 생활(이 특수한) 양식의」의 뜻. 〖Gk. *zōion* animal+-*ic*〗

-zo·ic[2] [zóuik] *a. comb. form* 「(특정한) 지질 시대의[에 관한]」의 뜻 : Meso*zoic*. 〖Gk. *zōē* life+-*ic*〗

Zo·la [zóulə, -la:, zoulá: ; *F* zɔla] *n.* 졸라. **Émile** (**Edouard Charles Antoine**) ~(1840-1902) 프랑스의 자연주의 소설가.

Zóla·ìsm *n.* Ⓤ 졸라주의, 졸라의 작풍 ; 사실(寫實)주의, (나쁜 의미의) 자연주의. **-ist** *n.* 졸라주의자, 졸라풍의 작가.

Zoll·ver·ein [tsɔ́(:)lfəràin, tsál-] *n.* (특히 19세기 독일의) 관세 동맹. 〖G〗

zom·bi(e) [zámbi] *n.* 죽은 사람을 살리는 초자연적인 힘《서인도 제도 원주민의 미신》; 그 힘으로 되살아난 무의지의 인간 ; 얼간이, 멍청이 ; 《口》 괴짜, 기인 ; 좀비《몇 종류의 럼·리큐어·과즙을 혼합한 음료》. 〖W. Afr. =fetish〗

zómbie jùice *n.* 《CB俗》 커피.

zon·al [zóunl] *a.* 띠[대(帶)]의 ; 대상(帶狀)의 ; 대상(帶狀)으로 구획[배열]된. **~·ly** *adv.*

zo·na·ry [zóunəri] *a.* 대상(帶狀)의.

zon·ate [zóuneit], **zon·at·ed** [-eitəd] *a.* 〖動·植〗 띠(모양의 얼룩무늬)가 있는 ; 대상(帶狀)의.

zo·na·tion [zounéiʃən] *n.* 대상(帶狀) 구성[반문] ; (생물의) 대상(帶狀) 분포.

***zone** [zóun] *n.* **1** 지대, 지역 ; 환상(環狀)지대 ; 주변 : the safety[danger] ~ 안전[위험] 지대 / a ~ of action[influence, interest, operation] 세력범위. **2** 〖生·地〗 대 : the floral ~ 식물대 / the torrid[temperate, frigid] ~ 열[온, 한]대. **3** 《美》 (도시 계획 따위의) 지구 ; (소포 우편·전화 따위의) 동일 요금 구역 ; (대도시의) 우편구 : a school[business, residence] ~ 학교[상업, 주택]지구. **4** 〖解〗 윤상대(輪狀帶), 환대(環帶) : an annual ~ 〖植〗 나이테. **5** 〖數〗 (구면(球面)·원뿔·원기둥 따위의) 대 : a spherical ~ 구(면)대. **6** 《古·詩》 띠, 끈. **7** 〖스포츠〗 존. **8** 〖地理〗 대. **9** 〖地〗 층위(層位) (horizon). **10** 〖컴퓨〗 구역, 존《천공 카드 따위에서 숫자 이외의 정보를 나타내는 비트가 기록된 영역》. ── *vt.* 띠로 두르다[감다] ; (지)대로 구분하다 ; (동일 요금의) 우편구로 나누다. ── *vi.* 띠 (모양으)로 나뉘다. 〖F or L＜Gk. *zōnē* girdle, belt〗

zoned [zóund] *a.* 지대[구역, 지구]로 나누어진 ; 정조대를 차고 있는, 정절의, 처녀의.

zóne defènse *n.* 〖競〗 존 디펜스, 지역 방어《축구·농구 따위에서 선수가 책임 지역만을 수비하는 방법 ; ↔*man-to-man defense*》.

zóne plàte *n.* 〖光〗 동심원 회절판(同心圓回折板)《회절을 이용하여 광선을 초점에 집중시키는 데 사용하는 동심원 도형을 가진 유리판》.

zóne tìme *n.* (그리니치 표준시에 대하여) 지방시(地方時).

zon·ing [zóuniŋ] *n.* Ⓤ 《美》 지대설정, 지역제《공장·주택 지대 따위로 구획함》; (소포 우편 요금의) 구역제.

zonk [zɔ́(:)ŋk, záŋk] *vt.* 《俗》 [때때로 ~ out] 제정신을 잃게[멍하게] 만들다, (술·마약에) 취하게 하다 ; 철썩 때리다. ── *vi.* 곧 잠들어 버리다 ; 지치다 ; (술·마약으로) 제정신을 잃다, 흐리멍덩해지다. 〖역성(逆成) ‹ ↓〗

zonked [zɔ́(:)ŋkt, záŋ-], **zónked-òut** *a.* 《俗》 마약 또는 술에 취한[로 흐리멍덩해진] ; 기진맥진한 ; 곯아 떨어진. 〖C20 (imit.)〗

zónk·ers *a.* 《美俗》 [다음 숙어로] ***go zonkers*** 열광하다.

Zón·ta (**Clùb**) [zántə(-)] *n.* 존타 클럽《도시별·직업별로 결성된 여성 경영자의 국제적 사교 단체》.

zon·ule [zóunju:l ; zɔ́n-] *n.* 작은 띠 ; 〖解〗 (눈의) 모양 소대(毛様小帶). **zo·nu·lar** [zóunjələr ; zɔ́n-] *a.* 작은 띠 (모양)의.

Z

‡zoo [zúː] *n.* (*pl.* **~s**) 동물원 ; [the Z~] 《英》 (London의) 동물원.
〖*zoo*logical garden〗
zoo- [zóuə] ☞ ZO-.
zóo·blàst *n.* 동물 세포(animal cell).
zòo·chémistry *n.* Ⓤ 동물화학.
zòo·chémical *a.*
zòo·dynámics *n.* 동물 역학, 동물 생리학.
zo·og·a·my [zouágəmi] *n.* Ⓤ 〖生〗 유성(有性)[양성(兩性), 자웅(雌雄)] 생식.
zòo·gény *n.* Ⓤ 동물 발생론.
zoogeog. zoogeography.
zòo·geógraphy *n.* Ⓤ 〖生〗 동물 지리학.
-pher *n.* 동물 지리학자. **-geográphic, -ical** *a.* 동물 지리학상의.
zoo·glea, -gloea [zòuəglíːə, zouágl-] *n.* (*pl.* **~s, -gle·ae** [-glíːiː, -ai, -ágliː]) 〖菌〗 (젤리 모양의 물질에 싸인) 세균 집단. **-gléːal, -glé·ic** *a.*
zóo·gràft·ing *n.* Ⓤ 동물조직의 인체 이식.
zo·og·ra·phy [zouágrəfi] *n.* Ⓤ 동물 지학(誌學) 《동물의 형태·습성 따위의 연구》.
zo·oid [zóuɔid] *a.* 동물 비슷한. ─ *n.* 〖生〗 (군체(群體)를 구성하는) 개체 ; (분열·증식에 의해서 생기는) 독립 개체.
zóo·kèep·er *n.* 동물원의 관리자[소유자, 사육사(飼育師)].
zooks [zú(ː)ks] *int.* 《古》 제기랄, 체.
zool., zoöl. zoological ; zoologist ; zoology.
zo·ol·a·ter [zouálətər] *n.* 동물 숭배자.
zo·ol·a·try [zouálətri] *n.* Ⓤ 동물 숭배.
zóo·lìte *n.* 화석(化石) 동물.
zoo·log·i·cal, -log·ic [zòuəládʒik(əl)] *a.* 동물학(상)의 ; 동물에 관한. **~·ly** *adv.* 동물학상.
zoológical gárden *n.* 동물원(動物園) (zoo) : the *Z*~ *G*~ (London의) 동물원《때때로 약(略)하여 the Zoo》.
zo·ól·o·gist *n.* 동물학자.
***zo·ol·o·gy** [zouálədʒi, 英+zuː-] *n.* Ⓤ 동물학 ; 동물학 논문 ; 동물상(相) (fauna) ; 동물 생태.
〖NL (Gk. *zōion* animal)〗
***zoom** [zúːm] *vi.* **1** 붕하는 소리를 내다 : We heard a jet plane ~*ing* overhead. 제트기가 상공을 뒤흔들며 날아가는 소리를 들었다. **2** 〖空〗 (비행기가) 급상승하다 ; 《비유》 (물가 따위) 급등하다. **3 a)** 〖寫〗 줌 렌즈로 촬영하다. **b)** 〖映·TV〗 (줌 촬영으로 영상이) 급격히 확대[축소]되다. **4** 《美俗》 무료로[거저] 손에 넣다. ─ *vt.* **1** (비행기를) 급상승시키다. **2** 〖映·TV〗 (영상을) 급격히 확대[축소]시키다. **3** 《美俗》 거저 손에 넣다. ─ *n.* **1** 붕하는 소리. **2** 〖空〗 급각도의 상승 ; 《비유》 (물가 따위의) 급격한 상승, 급등. **3 a)** 〖映·TV〗 줌《영상의 급속한 확대·축소》. **b)** =ZOOM LENS. ─ *a.* (렌즈가) 줌의 ; 줌 렌즈의[를 장치한] ; 《美口》 무료의, 공짜의.
〖imit.〗
zoo·man [zúːmən] *n.* (*pl.* **-men**) 동물원 사육사.
zoo·man·cy [zóuəmæ̀nsi] *n.* Ⓤ 동물점(占).
Zóom·ar lèns [zúːmaːr-] *n.* 주마렌즈《텔레비전용 줌렌즈 ; 상표명》.
zòo·mechánics *n.* =ZOODYNAMICS.
zóom·er *n.* =ZOOM LENS.
zo·om·e·try [zouámətri] *n.* Ⓤ 동물 측정학(cf. BIOMETRY).
zóom·ing *n.* 〖空〗 급각도 상승 ; 〖컴퓨〗 끌밀기[확대].
zóom lèns *n.* 〖寫·映·TV〗 줌 렌즈, 가변 촛점 렌즈《촛점거리가 자유롭게 변경되어 화상을 연속적으로 확대 또는 축소시킬 수 있는 렌즈》.
zòo·mórphic *a.* (무늬 따위) 동물 모양을 딴 ; 수형신(獸形神)의.
zòo·mórphism *n.* Ⓤ 동물 형태관(觀)《신 따위를 동물 모양으로 표상하는 관념》.
zoomy [zúːmi] *a.* 줌 렌즈에 의한[를 사용한].
zo·on [zóuan] *n.* (*pl.* **zoa** [zóuə]) =ZOOID.
-zoon [zóuan, 美+-ən] *n. comb. form* (*pl.* **-zoa** [zóuə]) 「동물」의 뜻(cf. -ZOA) : spermato*zoon*.
〖Gk.〗
zo·on·o·my [zouánəmi] *n.* Ⓤ 동물 생리학.
zoo·no·sis [zouánəsəs, zòuənóusəs] *n.* (*pl.* **-no·ses** [-ánəsiːz, -nóusiːz]) 〖醫〗 동물 원성(原性) 감염증《동물로부터 사람에게 전염되는 질환》.
zoo·not·ic [zòuənátik] *a.*
zo·oph·a·gous [zouáfəgəs] *a.* 〖動〗 육식하는, 육식 동물의.
zóo·phìle *n.* 〖植〗 동물에 의하여 꽃가루가 매개되는 식물 ; 동물 애호가 ; 동물 성애자.
zoo·phil·ia [zòuəfíliə], **zo·oph·i·lism** [zouáfəlìzəm], **zo·oph·i·ly** [-áfəli] *n.* 동물(성)애.
zòo·phíl·ic *a.*
zo·oph·i·list [zouáfəlist] *n.* 동물 애호가.
zo·oph·i·lous [zouáfələs] *a.* **1** 〖植〗 동물에 의하여 수분되는, 동물 매개의(cf. ANEMOPHILOUS, ENTOMOPHILOUS). **2** 동물 성애의.
zòo·phóbia *n.* 동물 공포증.
zòo·phýsics *n.* Ⓤ 동물 구조학.
zóo·phỳte *n.* 〖動〗 식충류(植蟲類)《말미잘·불가사리·산호·해면 따위》.
zòo·phýt·ic, -i·cal [-fít-] *a.*
〖Gk. (*zōion* animal, *phuton* plant)〗
zòo·phytólogist *n.* 식충학자, 식충류 연구가.
zòo·phytólogy *n.* 식충학(植蟲學), 식충론.
zóo plàne *n.* 《美》 (선거 운동 때 후보자를 동행하는 기자단이 탄) 수행 비행기.
zòo·plánkton *n.* 동물 플랑크톤.
zòo·plástic *a.* 〖醫〗 동물조직[인체] 이식술의.
zóo·plàsty *n.* =ZOOGRAFTING.
zòo·psychólogy *n.* Ⓤ 동물 심리학.
zòo·semiótics *n.* 동물 기호학《동물 사이의 커뮤니케이션 연구》.
zóo·spèrm *n.* 정충(精蟲), 정자(精子) ; =ZOOSPORE.
zóo·spòre *n.* 〖生〗 동포자(動胞子), 운동성 홀씨, 유주자(遊走子).
zòo·spóric, zo·os·po·rous [zouáspərəs] *a.*
zoot [zúːt] *a.* 《俗》 너무 화려한, 최신 유행의. ─ *n.* 젠체하는 자, 멋쟁이.
〖cf. ZOOT SUIT〗
zóo·tàxy *n.* Ⓤ 동물 계통학.
zòo·téchnics *n.* [단수·복수 취급] 동물 사육 개량술, 축산학 ; 동물 조종법.
zoo·tech·ny [zóuətèkni] *n.* =ZOOTECHNICS.
zóo·thèism *n.* Ⓤ 동물신교(神敎), 동물 숭배(zoolatry).
zo·ot·o·my [zouátəmi] *n.* Ⓤ 동물해부(학).
zòo·tóxin *n.* 동물 독소《뱀독(毒) 따위》.
zóot snòot *n.* 《美俗》 큰 코(를 가진 놈) ; 시시콜콜 캐는 사람, 허풍쟁이.
zóot sùit *n.* 《口》 주트복《어깨가 넓은 긴 웃옷과 아랫자락을 조인 헐렁헐렁한 바지로 된 남성복 ; 1940년대에 유행함》.
〖*suit*의 압운속어(押韻俗語)〗
zóot·sùit·er *n.* 주트복을 입은 사람.
zooty [zúːti] *a.* 《美俗》 화려한, 초(超)현대적인, 아주 멋진, 야한.

zor·il [zɔ́:rəl, zɑ́r-], **zo·rille** [zəríl], **-ril·la** [zəríla], **-ri·lo** [zərílou] *n.* 〖動〗 조릴라《남아프리카산 족제비의 일종으로 skunk와 비슷함》.

Zo·ro·as·ter [zóurouæ̀stər, zɔ̀:-; zɔ̀rəuǽs-], **Zar·a·thu·stra** [zæ̀rəθú:strə, -θʌ́s-] *n.* 조로아스터《고대 페르시아 국교 조로아스터교의 시조; 기원전 6세기경》.

Zo·ro·as·tri·an [zɔ̀:rouǽstriən; zɔ̀r-] *a.* 조로아스터(교)의. —— *n.* 조로아스터교도. 〚↑〛

Zoroástrian·ìsm, -trism [-trizəm] *n.* Ⓤ 조로아스터교(敎), 배화교(拜火敎)《고대 페르시아의 민족 종교, 사산조 까지의 국교》.

Zor·ro [zɔ́:rou] *n.* 조로《J. McCulley의 만화(1919)의 주인공; 스페인령 California에서 활약하는 검은 복면의 쾌걸》.

zorse [zɔ́:rs] *n.* 〖動〗 조스《수말과 암얼룩말의 교배 잡종》. 〚*z*ebra+h*orse*〛

zosh [zɑ́ʃ] *n.* 《美卑》 **1** (여성의) 성기, 질. **2** (섹스 대상으로서의) 여자.

zos·ter [zɑ́stər] *n.* 띠《고대 그리스 남자가 사용함》; 〖醫〗 대상 포진(帶狀疱疹).

zot[1] [zɑ́t] *n.* 《美俗》 (성적·득점의) 제로. 〚cf. ZIP[3]〛

zot[2] *int.* 싹, 휙《재빠른 동작》, (우레 따위의) 우르르, 통탕. 〚imit.〛

Zou·ave [zu(:)ɑ́:v, zwɑ́:v] *n.* **1** 주아브병(兵)《프랑스의 경보병, 원래 알제리인으로 편성되고 아라비아 옷을 입었음》. **2** 〖美史〗 (남북 전쟁 때에) 주아브병(兵)의 복장을 모방한 의용병. **3** [z~] 주아브형(型) 재킷《여성용으로 아라비아 복장식으로 된 짧은 상의》. 〚F＜Berber *Zwāwa* 알제리에 사는 부족〛

Zouave 1

zounds [záundz] *int.* 《英古》 제기랄!, 빌어먹을!《놀람·분노의 소리》. 〚*God's wounds*〛

zow·ie [záui] *int.* 《美》 아, 와《놀람·감탄을 나타냄》. —— *n.* 《俗》 정기, 활력, 큰 기쁨.

Z particle [zí: ∸; zéd-] *n.* 〖理〗 Z 입자《핵 안에서 약한 힘을 전달한다고 하는 가설적인 입자》.

ZPG zero population growth(인구의 제로 성장).

Zr 〖化〗 zirconium.

Z's [zí:z] *n. pl.* 《CB 俗》 수면: We gonna cut some *Z's.* 잠깐 눈붙이고 싶다.

Z.S. Zoological Society (동물학회).

Z therapy [zí: ∸; zéd-] *n.* 〖精神醫〗 Z요법《환자에 대하여 일단의 사람들이 육체적·정신적으로 거칠게 다룸으로써 억압된 감정의 해방을 꾀함》. 〚Robert W. Zaslow 20세기 미국의 정신과 의사〛

zuc·chet·to [zu:kétou, tsu:-] *n.* (*pl.* **~s**) 〖카톨릭〗 주케토《성직자가 쓰는 작은 모자로 계급에 따라 빛깔이 다름》. 〚It. (*zucca* gourd)〛

zuc·chi·ni [zu(:)kí:ni] *n.* (*pl.* **~, ~s**) 〖植〗 주키니《오이 비슷한 서양 호박》. 〚It. (dim.)＜↑〛

zuch [zʌ́tʃ] *n.* 《美俗》 밀고자(密告者).

Zui·der[**Zuy·der**] **Zee** [záidər zéi, -zí:] *n.* [the ~] 조이데르 해(海)《네덜란드 북쪽 해안의 얕은 만(灣)》.

Zu·lu [zú:lu(:)] *n.* (*pl.* **~, ~s**) 줄루족《남아프리카 공화국 Natal주 일대의 Bantu계의 사람》; Ⓤ 줄루어. —— *a.* 줄루족[어]의. 〚(S. Afr.)〛

Zu·ni [zú:ni(:), sú:-], **Zu·ñi** [zú:nji(:), sú:-] *n.* (*pl.* **~, ~s**) 주니족《Arizona주 북동부에 사는 아메리칸 인디언》; 주니어(語).

zunk [zʌ́ŋk] *int.* 푹, 쓱, 삭, 쿵, 퉁《찌르거나 자르거나 부딪치는 소리》. 〚imit.〛

Zu·rich [zúrik; zjúə-], **Zü·rich** [*G* tsý:riç] *n.* **1** 취리히《스위스 북부의 주; 그 주도》. **2** [Lake (of) ~] 취리히 호《스위스 중북부의 호수》.

zwie·back [swí:bæ̀k, swái-, zwí:-, zwái-, -bɑ̀:k; zwí:-] *n.* 〖食品〗 러스크(rusk)의 일종. 〚G=twice baked〛

Zwing·li [zwíŋgli, swíŋli; *G* tsvíŋli] *n.* 츠빙글리. **Ulrich**[**Huldreich**] ~ (1484-1531) 스위스의 종교 개혁자.

Zwíngli·an *a., n.* 츠빙글리파(派)의 (교도). **~·ìsm** *n.* 츠빙글리주의. **~·ist** *n.*

zwit·ter·ion [zwítəràiən, swít-] *n.* 〖化〗 쌍극성[양성(兩性)] 이온《음전기와 양전기를 띤 이온》. 〚G=hybrid ion〛

zyg- [záig, zíg], **zy·go-** [záigou, zíg-, -gə] *comb. form* 「멍에(와 같이 연결한)」「쌍」「접합」「광대뼈의」의 뜻. 〚Gk. (*zugon* yoke); ⇨ ZEUGMA〛

zyg·al [záigəl] *a.* H자 모양의: the ~ fissure 〖解〗 (대뇌의) H자 열구(裂溝).

zỳgo·dác·tyl, -tyle [-dǽktl] *a.* 〖鳥〗 쌍지(雙趾)의, 전후에 발가락이 둘씩 있는. —— *n.* 쌍지의 새《딱따구리·앵무새 따위》.

zỳgo·génesis *n.* 〖生〗 특수한 배(胚)세포[배우자(配偶子)]에 의한 생식; 접합자[접합체] 형성. **-genétic** *a.*

zy·goid [záigɔid, zíg-] *a.* 〖生〗 접합자[체]의.

zy·go·ma [zaigóumə, zi-] *n.* (*pl.* **-ma·ta** [-tə], **~s**) 〖解〗 =ZYGOMATIC ARCH[BONE, PROCESS].

zy·go·mat·ic [zàigəmǽtik, zìg-] *a.* 광대뼈의. —— *n.* =ZYGOMATIC BONE.

zygomátic árch *n.* 〖解〗 광대뼈궁(弓).

zygomátic bóne *n.* 〖解〗 광대뼈.

zygomátic prócess *n.* 〖解〗 광대뼈 돌기.

zỳgo·mórphic, -mórphous *a.* 〖植·動〗 (꽃 따위가) 좌우 대칭의.

zýgo·phỳte *n.* 〖植〗 접합식물.

zy·go·sis [zaigóusəs] *n.* (*pl.* **-ses** [-si:z]) Ⓤ,Ⓒ 〖生〗 (생식 세포의) 접합(接合).

zy·gos·i·ty [zaigɑ́səti] *n.* 접합자[접합체]의 구조[특징].

zýgo·spèrm *n.* =ZYGOSPORE.

zýgo·spòre *n.* 〖植〗 접합 포자.

zy·gote [záigout, zíg-] *n.* 〖生〗 접합자[체]. **zy·got·ic** [zaigɑ́tik, zi-] *a.* **-i·cal·ly** *adv.* 〚Gk. *zugōtos* yoked; ⇨ ZEUGMA〛

zy·go·tene [záigətì:n, zíg-] *n.* 〖生〗 합사기(合絲期), 접합기(接合期).

-zy·gous [záigəs, zíg-] *a. comb. form* 「접합체적 구조가 있는」의 뜻: homo*zygous*. 〚Gk. =yoked〛

zym- [záim], **zy·mo-** [záimou, -mə] *comb. form* 「효모」「효소」「발효」의 뜻. 〚Gk. (ZYME)〛

zy·mase [záimeis, -z] *n.* Ⓤ 〖生化〗 치마아제《당(糖)을 분해하여 알코올과 이산화탄소를 생성하는 효소》. 〚F (↓)〛

zyme [záim] *n.* 《廢》 발효병(zymotic disease)의 병소(病素); 전염병의 병원체. 〚Gk. *zumē* leaven〛

-zyme [∸-zàim, ∸zaim] *n. comb. form* 「효소」의 뜻: lyso*zyme*. 〚↑〛

zy·mo·gen [záimədʒən] *n.* Ⓤ 〖生化〗 지모겐, 효소원(酵素原)《효소가 되는 모체》; 〖生〗 발효균.

zỳmo·génesis *n.* 〖生化〗 (효소 전구체(前驅體)의) 효소화.

Z

zỳmo·génic, zy·mog·e·nous [zaimádʒənəs] *a.* 〖生化〗 발효를 일으키는, 녹말 분해 작용으로 활력을 얻는 ; 발효성의 ; zymogen의.

zy·mol·o·gy [zaimálədʒi] *n.* Ⓤ 〖生化〗 발효학, 발효론. **-gist** *n.* 발효학자.

zy·mo·log·ic, -i·cal [zàiməládʒik(əl)] *a.*

zy·mol·y·sis [zaimáləsəs] *n.* 발효.

zy·mo·lyt·ic [zàimalítik, -mou-] *a.*

zy·mom·e·ter [zaimámətər] *n.* 발효계(計), 발효도 측정기.

zỳmo·plástic *a.* 효소(酵素)를 형성하는, 반응에 관여하는.

zy·mo·san [záiməsæ̀n] *n.* 〖生化〗 지모산《효모에서 얻어지는 다당(多糖)으로 항보체(抗補體) 작용을 함》.

zy·mo·sim·e·ter [zàiməsímətər] *n.* =ZYMOMETER.

zy·mo·sis [zaimóusəs, zi-] *n.* (*pl.* **-ses** [-si:z]) Ⓤ 발효《특히 병적인》 ; Ⓤ,Ⓒ 〖醫〗 발효병, 발효 작용 ; 《稀》 전염병.

zy·mos·then·ic [zàiməsθénik] *a.* 효소 작용을 강화하는.

zy·mo·tech·nics [zàimətékniks] *n.* 발효법, 양조법.

zy·mot·ic [zaimátik] *a.* 발효(성)의 ; 발효병의 ; 전염병[성]의.

-i·cal·ly *adv.*

zymótic diséase *n.* 〖醫〗 발효병《티푸스·천연두 따위 세균성 질환의 옛 이름》.

zy·mur·gy [záimə:rdʒi] *n.* Ⓤ 양조학, 발효화학.

Zyr·i·an [zíriən] *n.* 지리안어(語)《Finno-Ugric에 속함》. —— *a.* 지리안어[사람]의.

zy·thum [záiθəm] *n.* Ⓤ 고대 이집트[북방 민족]의 맥주.

zz zigzag.

ZZZ, zzz, z-z-z 드르릉드르릉《코고는 소리》 ; 부르릉부르릉《동력 톱 따위의 소리》 ; 윙윙《파리·벌 따위가 나는 소리》.

부 록

〈부록 1〉

컴퓨터 · 인터넷 관련 용어

abend 〖*ab*normal *end* (of task)〗 이상[비정상] 종료. 컴퓨터의 프로그램이 실행 중에 비정상적으로 종료되는 일.

acceptable use policy (→ AUP) 이용 규정. 네트워크나 컴퓨터 시스템을 이용하기 위한 약속 사항이나 수칙.

access point 접근점. 액세스 포인트. 네트워크에서 단말기와 호스트 컴퓨터를 연결하는 중계점.

access provider 접근 제공자. 인터넷 사용자를 위해 접속의 편의를 제공하고 있는 업자, 또는 비영리 조직.

access time 접근[접속] 시간. 하드 디스크, 메모리, CD-ROM 드라이브 따위에서 데이터를 읽어 내는 데 소요되는 시간. 또 PC 통신이나 인터넷을 이용하고 있는 시간.

Acrobat 애크러뱃. 서로 다른 기종의 컴퓨터 간에 서식을 보존하면서 문서를 교환할 수 있는 소프트웨어. 미국의 Adobe Systems 사가 개발.

active 액티브. 변화하는 상황에 따라 적절한 컨트롤이나 조정이 가능한 상태 : ~ suspension 컴퓨터로 노면(路面) 상황을 감시하고 유압 서스펜션을 자동으로 조정하는 장치.

Active Movie Streaming Format 액티브 무비 스트리밍 포맷. 인터넷에서 즉시 음성이나 화상을 송신하는 스트리밍 기술 규격.

ActiveX 액티브 X. 음성이나 화상 따위의 멀티미디어 환경을 도입하는 인터넷 관련 기술의 총칭. Microsoft 사가 개발.

address 번지. 어드레스. 컴퓨터의 메모리에 할당된 〈번지〉로 네트워크상의 컴퓨터를 식별하기 위해 붙이는 명칭 · 부호.

alpha test 알파 테스트. 컴퓨터의 소프트웨어 따위의 개발 단계에 있는 제품의 예비 시험으로 개발 회사가 자사 내에서 행하는 것.

American Online (→ AOL) 아메리카 온라인. 1989년에 시작된 Macintosh용 그래픽 유저 인터페이스 방식의 통신 서비스. 사용자 수가 세계에서 가장 많은 상용 네트워크.

anonymous FTP 〖– *F*ile *T*ransfer *P*rotocol〗 익명의 에프티피. 인터넷에서 공개되어 누구나 자유로이 파일을 복사할 수 있는 FTP 서버.

AOL ⇒ American Online.

applet 〖*app*lication + *let*〗 애플릿. 자바(Java)로 기술된 프로그램.

AppleTalk 미국의 Apple사(社)가 1985년에 발표한 Macintosh용 LAN 규격, 또는 그 네트워크의 소프트웨어.

archive site 저장 사이트. 인터넷상의 호스트 컴퓨터에서 소프트웨어나 데이터를 보존하고 있는 사이트나 서버.

ARPANET 〖*A*dvanced *R*esearch *P*roject *A*gency *Net*work〗 아르파넷. 아르파 통신망. 미국 국방부 고등연구계획국(DARPA)이 1960년대에 구축한 세계 최초의 패킷 교환 방식에 의한 데이터 통신망.

article 기사. 사용자 통신망의 뉴스 그룹에 투고된 기사. 뉴스 그룹에 등록 · 가입한 사람은 누구나 기사를 읽을 수 있음.

at mark @ 기호. 인터넷에서는 전자 우편의 어드레스 표기에서 username @ abc. co. kr(사용자명 @ 조직명, 조직의 종류, 국명)과 같이 씀.

attribution 애트리뷰션. 전자 우편의 메시지 따위에서 다른 사람이 과거에 투고한 내용에서 인용한 것임을 표시하는 일.

AUP ⇒ acceptable use policy.

authentication 인증. 확인. 인터넷 따위에 접속할 때 안전 확보를 위해 본인임을 보증하는 일.

automatic dialing 자동 호출. 호스트 컴퓨터에 로그인될 때까지 자동으로 반복하여 호출하는 통신 소프트웨어의 기능.

autopilot 자동 파일럿. 인터넷이나 PC통신에서 필요한 일련의 작업을 자동으로 실행하는 소프트웨어의 기능.

backbone 백본. 네트워크의 중추가 되는 고속 통신 회선. 또 사무실용 빌딩 따위에서 각 층의 LAN을 접속하는 층 사이의 케이블.

Back Office 백 오피스. Windows NT 서버로 작동하는 애플리케이션군. Microsoft사가 제창.

baseband 기저 대역. 역내 정보 통신망으로 번역되는 LAN의 일종으로 특히 PC끼리 전용선으로 접속하는 방식의 시스템.

BCC ⇒ Blind Carbon Copy.

B channel B채널. 인터넷에서 실제로 음성이나 데이터가 흐르는 채널.

beta test 베타 테스트. 알파 테스트를 마친 소프트웨어 제품에 대한 시험으로 외부 조직에 의해 시행되는 것.

Bit Bang 비트 뱅. 컴퓨터의 기술 혁신. 디지털 기술의 혁명. 우주의 대폭발(Big Bang)에서 파생된 말.

BITNET 〖*B*ecause *I*t's *T*ime *Net*work〗 비트넷. 대학이나 단체 따위의 연구 기관에 접속되어 있는 IBM의 국제적인 네트워크. 1981년 뉴욕 주립 대학과 예일 대학간의 연결을 시작으로 전세계적으로 확산되었음.

Blind Carbon Copy (→ BCC) 익명 복사본. 전자 우편을 보낼 때 자기 이외의 누구에게 그 복사본이 보내지는지 수취인에게 알려지지 않게 하는 방식.

bogusware 보거스웨어. 가짜, 엉터리라는 뜻으로 컴퓨터 바이러스를 가리킴.

bounce message 되돌아온 메시지. 전자 우편이 수취인에게 도달하지 않은 경우, 발신자에게 되돌아오는 수취인 불명의 메시지.

bozo filter 보조 필터. 타인에게 해를 끼치는 인물에게서 온 전자 우편 따위를 읽지 않아도 되게 지워 주는 소프트웨어.

B Plus 비플러스. PC 통신 서비스인 CompuServe나 NIFTY-Serve가 서포트하는 파일 전송 프로토콜. 전송 효율이 높고 다루기 쉬움.

bridge 브리지. 데이터 통신에서 같은 종류의 네트워크를 상호 접속시키기 위한 인터페이스 장치. 곧

두 개의 LAN을 접속하는 중계 장치의 일종.

brouter 〖*b*ridge+*router*〗 브라우터. LAN을 접속하는 중계 장치인 bridge와, 같은 접속 장치로 제3층의 네트워크층에 접속하는 router 기능을 함께 가진 장치.

browser 브라우저. 기억 매체나 파일을 열람하거나 이용하기 위한 소프트웨어. 인터넷에서 이용되는 브라우저는 WWW 브라우저, Web 브라우저 따위가 있음.

byteland 바이트랜드. 컴퓨터의 세계. 컴퓨터를 갖거나 여러 가지 기능을 사용하는 일.

cancelbot 〖*cancel*+ro*bot*〗 캔슬봇. 네트워크의 전자 게시판에 기재된 메시지 가운데 사회적·윤리적으로 해를 끼칠 것으로 생각되는 것을 확산되기 전에 자동으로 지워 버리는 소프트웨어.

carbon copy (→cc) 카본 카피. 전자 우편에서 본래의 수신인 이외의 수신인을 지정하는 일. 전자 우편의 헤더에 'Cc : '에 이어 수신인을 기술함.

carrier tone 캐리어 톤. PC 통신 따위에서 모뎀에서 들리는 변조의 기준이 되는 신호음.

cc ⇒carbon copy.

CCIRN 〖*C*oordinating *C*ommittee of *I*ntercontinental *R*esearch *N*etworks〗 대륙간 연구 네트워크 위원회. 미국과 유럽간 인터넷의 효율적인 운용을 도모하기 위한 협의체.

cgi ⇒common gateway interface.

CIE ⇒Commercial Internet Exchange.

CIX =CIE.

client 클라이언트. LAN에서 서버에 특정한 기능의 실행을 요구하여 이용하는 단말기쪽의 컴퓨터를 말함.

client server system 클라이언트 서버 시스템. LAN상의 컴퓨터를 특정한 기능을 제공하는 서버와 이를 이용하는 클라이언트로 역할 분담을 시킨 처리 시스템.

Clipper Chip 클리퍼 칩. 전화, 팩시밀리, 컴퓨터의 기능을 내장한 마이크로칩. 미국 항공우주국(NASA)이 개발한 것으로 디지털 신호의 암호화와 그것을 해독하는 기능도 함께 있음.

Commercial Internet Exchange (→CIX / CIE) 상업용 인터넷 상호 접속 협회. 인터넷을 이용하여 상거래를 시도하려는 단체나 기업들의 조직.

common gateway interface (→cgi) 공통 게이트웨이 인터페이스. WWW 서버와 연계된 후위 프로그램과의 중계용으로 쓰이는 인터페이스.

CompuServe 컴퓨서브. 미국 최대의 PC 통신 서비스 회사.

CompuSex 컴퓨섹스. PC 통신 가입자끼리 전자게시판 서비스를 이용하여 음란 정보를 교환하거나 섹스 상대를 구하거나 하는 일. CompuServe를 흉내내어 만든 말.

Computer Casanova 컴퓨터 카사노바. PC 통신의 네트워크를 이용하여 여성을 유혹·농락하는 엽색꾼.

computer hedgehog 컴퓨터 반거충이. PC를 갖고 있어도 게임만 하는 등, 그 기능을 충분히 활용하지 못하는 사람. hedgehog는 고슴도치.

computer illiteracy 컴맹. 컴퓨터 까막눈이.

computerist 컴퓨터리스트. 컴퓨터에 대한 지식이나 이용법에 정통한 사람의 총칭.

computer literacy 컴퓨터 사용 능력. 컴퓨터에 대한 지식이 있어 그것을 사용할 능력이 있음을 뜻함. 미국에서는 수년 전부터 학교에서 컴퓨터 교육이 시행되고 있음.

computer monitering 컴퓨터 모니터링. 공장이나 사무실에 설치해 놓은 워크스테이션(다기능 단말기)으로 키보드의 키를 1분간 또는 1시간에 몇 번 두드렸는지를 컴퓨터에 기록시켜 종업원의 작업 성적을 체크하는 일.

computerphobia 컴퓨터 공포증. 그런 증세가 있는 사람은 computerphobe.

computer piracy 컴퓨터 해적 행위. 컴퓨터를 부정하게 조작하여 축적된 정보를 훔쳐내는 일. computer security는 그것을 방지하기 위한 보안책.

computer-savvy 컴퓨터를 잘 아는. 형용사로 쓰임.

computer security 컴퓨터 보안. 컴퓨터에 축적된 정보의 부정한 이용이나 도난을 방지하기 위한 대비책.

computer telephony 컴퓨터 텔레포니. PC나 워크스테이션 따위로 전화의 기능을 이용하는 방법의 총칭. 컴퓨터가 전화기를 제어하고 소프트웨어에 의하여 전화기의 이용 방법을 비약적으로 넓힘.

computer virus 컴퓨터 바이러스. 컴퓨터의 운영체제나 응용 프로그램의 특정한 영역에 침입하여 축적된 정보 따위를 망가뜨리거나 사기를 치거나 할 의도 하에서 프로그램 속에 몰래 끼워넣은 부정한 명령 코드. 특히 어떤 특정한 상황 하에서 그 프로그램의 부정한 명령이 작동하도록 장치한 것을 logic (time) bomb (논리 (시한) 폭탄)이라 함.

computer wizard 컴퓨터 전문가. 보통의 사용자는 이해할 수 없는 컴퓨터의 하드웨어나 소프트웨어에 대하여 상세한 지식을 갖고 있는 사람. wizard(명수, 마술사)라고도 함.

connection ratio 접속률. 전화 회선을 통하여 프로바이더에 접속할 때의 가능성의 비율.

console cowboy 콘솔 카우보이. virtual reality (가상 현실) 게임용의 헤드기어를 장착하고 능숙하게 조작을 하면서 카우보이처럼 자신의 기개와 용기를 과시하는 플레이어.

consumer computing 소비자 컴퓨팅. 소비자에 의한 컴퓨터의 이용을 말하는데 소비자가 가전 제품 수준으로 사용할 수 있는 컴퓨터의 발매로 이용의 진전이 예측되고 있음.

contents 콘텐츠. 소프트웨어의 내용, 즉 미디어에 담을 정보를 말함.

cookie 쿠키. WWW 서버에서 단말기에 정보 파일을 보내 보존하는 기능.

copyleft 공개 저작권. 무료로 배포되는 컴퓨터의 소프트웨어라도 저작권을 포기하지 않고 있는 것. copyright(저작권)를 흉내내어 만든 말.

cracker 크래커. 컴퓨터 시스템에 침입하여 시스템을 파괴하는 악질적인 컴퓨터리스트. 원래는 해커와 같은 의미로 사용되었으나 〈범죄자〉의 의미를 보다 강하게 풍김.

crosslink 크로스링크. 몇 개의 네트워크끼리 링크하여 상호간에 정보를 검색할 수 있도록 하는 일.

crosspost 크로스포스트. 인터넷에 투고하는 기사 내용이 여러 분야에 걸쳐 있을 경우, 여러 뉴스 그룹에 같은 기사를 보내는 일.

CU-SeeMe 시유시미. 인터넷으로 텔레비전 회의를 하기 위한 소프트웨어. 미국의 코넬 대학에서 개발함.
cybercad 사이버캐드. 컴퓨터를 이용하는 건달이나 불량배.
cyberculture 사이버네이션 문화. 컴퓨터에 의한 자동화 문화.
Cyberdog 사이버도그. 미국의 Apple사가 개발한 인터넷 이용 기술.
cybernut 컴퓨터 마니아. 컴퓨터의 열광적인 애호가(家).
cyberpunk journal 컴퓨터 기술자 대상의 전문 잡지. computer hip magazine이라고도 함. hip은 최신 유행 사정에 밝다는 의미.
cyber-scam artist 컴퓨터 사기꾼. 상대와 직접 얼굴을 대하지 않고도 커뮤니케이션이 가능한 PC 통신을 이용하여 능란한 말주변으로 남을 속이는 사기꾼.
cybersociety PC 통신의 네트워크 사회.
cyberstone 사이버스톤. 인터넷에 의한 성묘 시스템. 홈 페이지에 무덤의 사진이나 고인에 관한 데이터, 음성 따위를 기록해 두면 PC 화면으로 성묘를 할 수 있음.
cypherpunk 사이퍼펑크. 통신 내용을 암호화하는 전문가나 마니아.
datacop 데이터캅. 컴퓨터 시스템에 축적되어 있는 데이터의 안전을 지키는 기업의 전문 부문 또는 정부의 기관. 해커 등에 의한 불법 침입을 방지함. cybercop이라고도 함.
data highway 데이터 하이웨이. 선진 디지털 통신기술을 이용한 고속 통신망. electronic data highway 또는 electronic superhighway 라고도 함.
deskless computer 데스크리스 컴퓨터. 전용 책상이 필요 없는 소형 컴퓨터. laptop computer 의 딴이름.
dial-up 다이얼 호출. 접속 소프트웨어와 표준적인 모뎀 또는 터미널 어댑터를 사용하여 인터넷에 접속하는 일.
dial-up IP connection 〖— *i*nformation *p*rovider —〗 다이얼 호출 아이피 접속. 프로바이더를 통하여 인터넷에 접속할 때마다 다이얼 호출을 하여 회선이 연결되어 있는 동안만 접속이 가능.
digital convergence 디지털 수렴. 전자 기술이 디지털 기술로 수렴되는 경향.
Digital Encryption Standard 디지털 정보 암호화 기준. 디지털 통신의 도청을 방지하기 위한 미국의 기준.
digital revolution 디지털 혁명. 종래에 아날로그 기술이 쓰이고 있었던 텔레비전이나 전화 따위의 제품에 이르기까지 디지털 기술로 대체되고 있는 기술 혁신.
DNS ⇒ domain name system.
domain 도메인. 인터넷 상의 컴퓨터 장소를 나타내는 어드레스의 일부. sales. abc. co. kr 같이 표현되며 서버(sales), 조직명(abc), 조직의 종류(co), 국명(kr : 한국). 전자 우편 어드레스에서 at mark (@)의 뒤에 이어지는 문자열도 도메인.
domain address 도메인 어드레스. 전자 우편 따위를 주고받을 때 숫자로 표현한 어드레스에 대하여 약호로 구성한 어드레스. 수신인, 발신인의 신원을 유추하기 용이.
domain name server 도메인 이름 서버. 도메인 이름과 숫자로 표현되는 IP 어드레스를 대응시키는 시스템을 관리하고 있는 컴퓨터.
domain name system (→ DNS) 도메인 이름 시스템. 인터넷 상의 컴퓨터를 식별하기 위하여 보통 피리어드(.)와 문자열의 조합으로 표현하는 방식.
dumb card 덤 카드. 자기 스트립에 소량의 데이터밖에 기록하지 못하는 재래형 캐시 카드 따위. 반면에 스마트 카드라고 불리는 IC 카드는 방대한 양의 데이터를 기록할 수 있는데, 마이크로컴퓨터를 내장한 카드도 개발되어 있음.
EC ⇒ electronic commerce.
e-cash 〖*e*lectronic —〗 전자 통화. 인터넷의 쇼핑에서 현금 대신으로 결제하는 대용 통화.
electronic commerce (→ EC) 전자 상거래. 인터넷이나 PC 통신 서비스를 이용하여 행하는 상거래.
electronic mail (→ E-Mail) 전자 우편. 네트워크 내에서 주고받는 사적인 문서.
E-Mail ⇒ electronic mail.
Ethernet 이서넷. LAN 에서 사용되는 통신 방식 가운데 가장 먼저 널리 보급되어 있는 규격.
Eudora 유도라. 전자 우편 소프트웨어의 하나. 화면에 닭이 등장하는 따위, 친근감을 주는 조작 환경이 특징.
Excite 익사이트. 검색 엔진의 하나. 200 만 이상의 페이지를 검색할 수 있음.
expire 만료. 뉴스 그룹에 투고된 기사가 일정한 기간이 지나면 삭제되는 일.
face-to-face (→ F2F) 페이스투페이스. PC 통신 상대와의 교제 친밀도를 표현하는 말로, 전자 우편으로 메시지를 주고 받는 관계에서 서로 얼굴을 대하는 관계까지 진행된 상태.
FAQ ⇒ frequently asked questions.
Fast Ethernet 고속 이서넷. 1 초당 100 메가비트의 전송 속도를 가진 이서넷. 훨씬 더 고속인 GB Ethernet 도 등장.
fatware 〖*fat* + soft*ware*〗 패트웨어. 플로피 디스크로 공급되는 애플리케이션 소프트웨어의 프로그램 양이 방대하여 플로피 디스크 수십장에 이르는 일.
FAX server 팩스 서버. LAN 상에서 팩시밀리 송수신 기능을 담당하는 서버.
FDDI ⇒ Fiber Distributed Data Interface.
Fetch 페치. 매킨토시용 소프트웨어의 하나. 인터넷의 파일을 전송하는 통신 프로토콜로 씀.
Fiber Distributed Data Interface (→ FDDI) 광섬유 분산 데이터 인터페이스. 1 초당 100 메가비트의 전송 속도를 가진 고속 링크형 LAN의 규격.
file sharing 파일 공유. LAN 상에 있는 컴퓨터에서 파일을 공유하여 사용하는 일.
file transfer protocol (→ FTP) 파일 전송 프로토콜. 인터넷에 접속된 컴퓨터 간에 파일을 전송하기 위한 프로토콜.
fire wall 방화벽. 외부로부터의 네트워크 침입을 방지하는 기밀 유지 시스템.
flames 플레임. 전자 우편이나 전자 게시판 상에서 주고 받는 욕설이나 분노를 표명하는 메시지.
flame war 플레임 전쟁. 네트워크 상에서의 의견 교환이 격화되어 서로를 공격하는 상태.
floptical disc 〖*fl*oppy + *optical disc*〗 플롭티컬 디스크. 자기 기록 방식의 플로피 디스크와 같은 크기의 광 디스크로 용량은 21 메가비트의 정보를 저장할 수 있음.

fontware 폰트웨어. 표준으로 장비되어 있지 않은 서체나 문자를 만들어낼 수 있는 소프트웨어.
free-for-all 개방 전자 게시판. 누구나 자유로이 메시지의 열람·기재할 수 있는 전자 게시판.
free-net 프리넷. 설비 사용료를 받지 않고 액세스를 허가하는 네트워크. 특정 회원으로 한정하고 있는 경우가 많음.
frequently asked questions (→FAQ) 빈출 질문. 인터넷에서 빈번하게 나오는 질문과 그 회답을 정리한 파일.
FTP ⇒ file transfer protocol.
F2F ⇒ face-to-face.
garbage in, garbage out (→GIGO) 쓰레기 들어간데 쓰레기 나온다. 컴퓨터의 출력의 질은 입력의 질에 좌우된다는 일종의 경구성 표현.
gateway 게이트웨이. 상호 접속 장치. 네트워크를 다른 네트워크와 접속하여 상호간에 액세스를 할 수 있게 하는 방법. 또 자기가 직접 접속하고 있는 호스트 컴퓨터에서 게이트웨이 끝의 호스트 컴퓨터에 액세스하는 일.
GIF ⇒ graphic interchange format.
GIGO ⇒ garbage in, garbage out.
global village 지구촌. 컴퓨터를 이용한 정보 기술의 발전에 따라 통신망이 전세계로 확대되어 지구상의 어떤 지역과도 커뮤니케이션할 수 있는 상황을 두고 이름 붙인 말.
gopher 고퍼. 인터넷의 정보 검색용 시스템. 미국 미네소타 대학에서 개발.
graphic interchange format (→GIF) 화상 교환 형식. 화상 데이터를 압축하여 보존하는 형식으로 미국의 PC 통신 서비스 업체인 Compu-Serve에서 개발.
groupware 그룹웨어. 집단으로 수행하는 공동 작업을 효율화하는 소프트웨어. LAN 환경에서 이용하는 일이 많음.
guest 게스트. 네트워크에 정식으로 입회 등록을 하지 않은 사람. 일반적으로 서비스의 제한이 있음.
GUI 〖*g*raphical *u*ser *i*nterface〗 구이. 그래픽 사용자 인터페이스. 사용자가 컴퓨터에 명령을 내리는 방법을 간단하게 하는 방식의 하나. 키보드로 문자를 치는 종래의 방식 대신 디스플레이의 화면상에 표시된 그림문자[아이콘]를 마우스로 선택함으로써 수행.
handle name 핸들명. PC 통신에서 본명 이외에 사용하는 별명. 전자 게시판에서는 다른 사람이 얼른 인식할 수 있는 핸들명을 쓰는 경우가 많음.
helper application 보조 애플리케이션. WWW 브라우저의 기능을 확장하는 애플리케이션 소프트웨어.
home directory 홈 디렉터리. 어떤 홈 페이지 안에서 사용자의 기준 디렉터리. 사용자의 작업 스페이스이기도 함.
home page 홈 페이지. 인터넷 상에서 정보의 제공자가 간단한 내용을 소개하기 위해 갖는 페이지. 문자뿐만 아니라 화상이나 음성으로도 가능.
host system 상위 시스템. 인터넷에서 구성되는 네트워크의 핵심이 되는 시스템.
hot chat 핫 채트. PC 통신 네트워크 상에서 주고받는 성적인 메시지나 포르노 화상 또는 그 서비스.
HotJava 핫자바. Java 언어에 대응하는 웹 브라우저. 미국의 Sun Microsystems 사에서 개발.
hotlist 핫리스트. 자주 이용하는 정보를 수납한 컴퓨터 혹은 네트워크를 포함한 시스템을 얼른 찾을 수 있도록 일람표로 정리한 것.
HTML 〖*H*yper *T*ext *M*arkup *L*anguage〗 에이치티엠엘. WWW 페이지를 작성하기 위한 프로그래밍 언어.
hub 허브. 복수의 워크스테이션 따위를 LAN 에 동심원 모양으로 접속할 때 쓰는 집선(集線)장치.
hypertext 하이퍼텍스트. 전자적으로 축적된 방대한 정보를 문서의 중간중간에서 어떤 대목과 연관된 부분을 쉽게 검색할 수 있도록 한 문서. 이러한 문서로 유명한 것은 하버드 대학과 보스턴 대학이 공동 개발중인 Perseus Project로, 그리스의 고전 문학 작품이 영어로 번역·주석되어 도판을 곁들여 총망라된다고 함.
IE ⇒ Internet Explorer.
ill-behaved 일비헤이브드. 행실이 나쁜 애플리케이션 소프트웨어를 가리키는 말. 특히 기본 소프트웨어의 기능에 의존하지 않고 컴퓨터의 하드웨어를 직접 제어하는 프로그래밍이 되어 있는 것.
infobahn 〖*info*rmation+auto*bahn*〗 인포반. 정보 하이웨이[고속도로]의 속칭.
Internet cafe 인터넷 카페. 설치된 PC 를 이용하여 손님이 인터넷을 즐길 수 있는 카페.
Internet Explorer (→IE) 인터넷 익스플로러. Microsoft 사의 WWW 브라우저.
Internet protocol (→IP) 인터넷 프로토콜. 인터넷의 중심을 이루는 가장 중요한 통신 규약.
Internet service provider (→ISP) 인터넷 서비스 제공자. 영리를 목적으로 인터넷 접속 서비스를 하는 업자. 대학, 사용자 그룹 등도 참여함.
Internet Society (→ISOC) 인터넷 협회. 인터넷 보급과 육성 따위를 목적으로 1992 년 미국에서 발족한 국제 조직.
Intranet 인트라넷. 인터넷 기술을 이용하여 구축한 기업내 정보 통신망.
IP ⇒ Internet protocol.
ISOC ⇒ Internet Society.
ISP ⇒ Internet service provider.
itec 〖*i*nformation *t*echnology *c*enter〗 아이텍. 정보 기술 센터. 정보 기술의 훈련을 시행하는 시설.
Java 자바. 미국의 Sun Microsystems 사에서 개발한 객체 지향의 인터넷용 프로그래밍 언어.
JavaScript 자바스크립트. Java 언어를 바탕으로 Netscape Communications 사에서 개발한 인터넷용 스크립트 언어.
Just-In-Time compiler 저스트인타임 컴파일러[번역기]. Java 의 중간 언어 형식을 네이티브 코드로 변환하여 고속으로 동작시키는 컴파일러.
kidware 〖*kid*+soft*ware*〗 키드웨어. 어린이용 교육 소프트웨어.
kitchen sink software 키친 싱크 소프트웨어. 한 소프트웨어에 워드 프로세서, 표 계산, 데이터베이스, 그래픽스, 통신 기능 따위가 실린 종합 소프트웨어.
LAN 〖*l*ocal *a*rea *n*etwork〗 랜. 구내 정보 통신망.
license server 라이선스 서버. 네트워크 상에서 동시에 애플리케이션 프로그램을 쓸 수 있는 사용자수를 계약의 단위로 정하는 일.
link state 링크 상태. 정보 검색자가 저마다 갖고 있는 접속 상태의 정보.
liveware 라이브웨어. 컴퓨터 종사자. 컴퓨터의 하드웨어나 소프트웨어를 개발하거나 조작하는 사람의 두뇌와 인간적 요소. wetware 라고도 함.
Local Talk 로컬 토크. Apple 사에 의한 매킨토시용 LAN 의 규격. 전송 속도는 1 초당 230 킬로비트. OSI(국제 표준 통신 규약)의 1 층과 2 층을 서포트함.
log-in 로그인. 컴퓨터에서 네트워크에 액세스하여 사용자 ID 와 패스워드를 입력하는 조작. log-on 이라고도 함.
log-in name 로그인 이름. 인터넷 이용자가 컴퓨터 사용 허가를 요청할 때 입력하는 고유 이름. 패스워드와 함께 입력해야만 접속이 가능.
log-out 로그아웃. 컴퓨터에서 네트워크와의 접속을 절단하는 일. log-off 라고도 함.
mail address 우편 번지. 인터넷이나 LAN 따위에서 전자 우편의 이용자를 식별하는 부호.
mailbox 우편함. 전자 우편에서 메시지를 보존하는 영역.
mail client 메일 클라이언트. 전자 우편의 송수신 서비스를 받는 컴퓨터.
mailer 메일러. 전자 우편을 보내기 위한 소프트웨어.
mail header 우편 표제. 전자 우편의 서두에 놓는 정보. 날짜, 발신인, 수신인 등의 필수 정보에다 독자적인 정보를 덧붙임.
mailing list (→ ML) 메일링 리스트. 전자 우편의 어드레스를 기록한 데이터베이스. 특정한 화제에 관심 있는 사람들이 모임.
mail program 메일 프로그램. 전자우편을 보내기 위한 소프트웨어.
mail reflector 메일 리플렉터. 전자 우편의 어드레스가 등재된 전원에게 우편을 보낼 수 있는 소프트웨어.
merchant system 머천트 시스템. 인터넷에서 대규모적인 쇼핑 서비스를 제공하는 시스템.
message 메시지. 전자 우편 따위로 보내는 통신 정보.
microlightning 마이크로라이트닝. 마이크로컴퓨터의 집적 회로에 손상을 입히는 정전기 방전. 여성 오퍼레이터의 나일론제 의류나 플라스틱의 사용 따위로 정전기가 방전되어 컴퓨터칩에 장애를 일으키는 것으로 알려짐.
Microsoft Network (→ MSN) 마이크로소프트 네트워크. 전자 우편의 송수신, 뉴스 그룹 기사의 열람, 제품 정보 따위의 서비스를 이용할 수 있도록 미국의 Microsoft 사에서 Windows 95 발표와 동시에 개설한 PC 통신 네트워크 서비스.
MILNET 〖*mil*itary *net*work〗 밀넷. 미국의 국방 데이터 네트워크의 하나. 기밀이 아닌 통신에 사용.
MIME ⇒ multipurpose internet mail extensions.
mirror server 미러 서버. 인터넷 상의 어떤 서버와 똑같은 정보를 갖게 한 서버. 액세스가 집중되는 인기 사이트 회선의 혼잡을 완화하거나 데이터를 백업할 목적으로 복수의 장소에 배치.
ML ⇒ mailing list.
modem 모뎀(을 통해 정보를 송신하다). 원래 명사지만 동사로도 사용.
modem server 모뎀 서버. LAN 상에서 모뎀의 기능을 담당하는 서버. 클라이언트 쪽 사용자는 모뎀 서버에 액세스하여 모뎀 기능을 이용함.
moderator 모더레이터. 인터넷 상의 메일링 리스트나 뉴스 그룹에 보내어진 전자 우편이 적절한 것인지의 여부를 점검 · 조정하는 사람.
Mosaic 모자이크. 정식 명칭은 NCSA Mosaic. 미국 일리노이 대학의 NCSA(National Center for Supercomputing Applications)에서 1991 년 개발한 WWW 브라우저. 인터넷에서 화상 표시를 가능하게 해서 WWW 보급의 원동력이 됨.
MPC ⇒ multimedia personal computer.
MSN ⇒ Microsoft Network.
multimedia personal computer (→ MPC) 멀티미디어 피시. 문자와 정지 화상뿐만 아니라 정보량이 많은 음성, 동화상 따위의 멀티미디어 정보를 일괄하여 다룰 수 있는 고도의 기능을 갖춘 PC. 교육 · 오락 분야 따위 응용 범위가 넓음.
multipurpose internet mail extensions (→ MIME) 다목적 인터넷 전자 우편 확장. 문자 정보 이외에 음성이나 화상 따위의 정보를 전자 우편으로 전송할 수 있도록 한 규격.
nagware 내그웨어. 사용자 등록을 제대로 하지 않고 있으면 "요금을 지급하고 등록을 해주십시오." 라고 자주 메시지를 표시하는 셰어웨어.
name server 네임 서버. 인터넷 상에서 접속한 컴퓨터에 주어진 이름을 수치 기호로 변환하는 시스템.
navigate 네비게이트. 인터넷에서 정보를 찾기 위해 검색하는 일.
NC ⇒ network computer.
net 네트. 네트워크를 줄인 말. LAN 따위의 네트워크에서 PC 통신, 인터넷, 디지털 회선망 따위에까지 쓰임.
netiquette 〖*net*work + et*iquette*〗 네티켓. PC 통신이나 인터넷에서 정보를 교환할 때의 매너.
netizen 〖*net*work + cit*izen*〗 네티즌. 인터넷의 가상 공간에서 교신하며 활동하는 사람들.
net news 네트 뉴스. 인터넷의 전자 게시판. 테마마다 뉴스 그룹이 형성되어 있음.
Netscape 네스케이프. WWW 서버에 있는 데이터를 보기 위한 소프트웨어. 화상 파일 따위를 고속으로 수신하여 화면에 표시함.
net surfing 네트 서핑. 인터넷에서 흥미를 끄는 정보를 찾아다니며 즐기는 일을 파도타기에 비유한 말.
Netware 네트웨어. 미국 Novell 사에서 개발 및 판매하고 있는 네트워크 운영 체제. 입출력이 빠르고 다양한 종류의 운영 체제에서 사용함.
network address 네트워크 어드레스. 네트워크에 접속되어 있는 모든 장치에 붙여진 어드레스.
network computer (→ NC) 네트워크 컴퓨터. 연산 · 제어 따위의 기능을 대폭 줄이는 반면 네트워크에서의 통신 기능을 강화한 컴퓨터.
network management 네트워크 관리. 네트워크 시스템에서 트러블 따위가 일어나지 않도록 네트워크 전체를 관리하는 일.
neuro computer 뉴로 컴퓨터. 생물의 신경 회로망을 모델로 한 컴퓨터. 뇌의 신경 세포 · 신경 회로망의 구조와 뇌에서 정보를 처리하는 기능을 컴퓨터에 도입한 것으로 특징은 네트워크 상에서 뇌의 기능처럼 병렬 분산적으로 정보처리를 할 수 있다는 점.
newbies 〖*new* + ba*bies*〗 뉴비즈. PC 통신이나 인터넷을 이용하기 시작한 지 얼마 안되는 사람.
newsfeed 뉴스 피드[공급]. 투고된 기사의 패킷(정보를 정리하여 일정한 크기로 한 것)을 다음 뉴스 서버에게 송출하는 일.

News Group 뉴스 그룹. 인터넷의 전자 회의 시스템. 테마마다 정보를 교환하기도 하고 토의하기도 하는 그룹.

news server 뉴스 서버. 인터넷 전자 회의의 기사를 판독 · 기록할 때의 거점이 되는 장소. 소속된 프로바이더에 준비되어 있음.

NlightN 엔라이트엔. 어떠한 사이트라도 검색할 수 있는 최대의 검색 데이터를 가진 검색 엔진.

node 노드. 접속점. 네트워크 시스템 안의 접속 중계점. 네트워크 상에서 각 컴퓨터나 다른 네트워크가 접속되어 있는 접점.

Oedipus 〖*O*xford *E*nglish *D*ictionary *I*ntegration, *P*roofing, and *U*pdating *S*ystem〗 오이디푸스. 「옥스퍼드 영어 사전」 전17권의 내용을 전자화하여 콤팩트 디스크(CD)에 기록한 것. PC 따위를 사용하여 필요한 항목을 순간적으로 읽어냄. Oedipus Lex 라고도 함.

official home page 공식 홈 페이지. 저명한 기업 · 단체 · 개인 등이 공개하고 있는 홈 페이지.

OLS ⇒ online software

on demand 온 디맨드. 인터넷에서 사용자의 요구에 따라 음성 · 화상 따위를 제공하는 서비스.

online client 온라인 클라이언트. PC 통신으로 할 수 있는 온라인 쇼핑의 고객.

online community 온라인 사회. 인터넷을 통한 네트워크에서 사람과 사람의 교류에서 형성되는 가상의 장(場).

online database 온라인 데이터베이스. 전화 회선 따위를 통하여 호스트 컴퓨터에 액세스해서 이용할 수 있는 데이터베이스.

online sign-up 온라인 사인업. 임시 ID나 패스워드로 액세스하여 입회 신청 수속을 할 수 있는 통신 서비스에의 가입 방법의 하나.

online software (→ OLS) 온라인 소프트웨어. 인터넷이나 PC 통신을 통하여 공개되어 있는 소프트웨어. 무료인 것과 일정 기간의 사용료가 유료인 것 따위가 있음.

orphan 고아. 판매 부진 따위의 이유로 메이커에서 생산을 중단한 컴퓨터. 그 기종을 가진 사용자는 그 이후에 새로운 소프트웨어의 공급을 기대할 수 없음.

PC-VAN 〖— *v*alue *a*dded *n*etwork〗 일본의 NEC에서 운영하고 있는 PC 통신 서비스. 제휴하고 있는 다른 PC 통신망이나 인터넷에도 액세스할 수 있음.

peer to peer 피어 투 피어. 전용의 서버를 이용하지 않고 서로 접속된 1대 1의 컴퓨터끼리 커뮤니케이션을 하는 형태.

pentop PC 〖— *p*ersonal *c*omputer〗 펜탑 PC. 키보드 대신 글씨를 써서 입력하는 PC. 손바닥 크기의 제품이 많아서 palm size PC라 불리기도 함.

phreaking 프리킹. 전화 회사의 장거리 전화 서비스를 무료로 부정 사용하는 일. 컴퓨터리스트들 사이에서 쓰이고 있는 말.

plug-in 플러그인. 애플리케이션의 기능을 확장시키기 위해 별도의 소프트웨어 프로그램을 링크시키는 일.

point-to-point protocol (→ PPP) 두 지점간 프로토콜. 통신 회선을 사용하여 컴퓨터끼리 연결하기 위한 프로토콜.

port address 포트 어드레스. 인터넷에서 특정한 애플리케이션을 식별하기 위한 번호.

port selector 포트 셀렉터. 복수의 컴퓨터와 다수의 단말기 사이에 설치하여, 동시에 수행되는 네트워크 사용 따위를 조정하는 스위치.

PPP ⇒ point-to-point protocol

private address 개인 어드레스. 대규모의 LAN을 구축했을 때, 그 내부에서만 갖게 된 개개의 IP(정보 제공자) 어드레스.

Prodigy 프로디지. 미국의 IBM과 Sears, Roebuck 사가 공동으로 운영하는 PC 통신 서비스. 사용이 간편해서 가정용으로 인기가 있음.

protocol suite 프로토콜 슈트. 컴퓨터 네트워크를 위한 통신 규약을 집합한 것.

provider 프로바이더. 인터넷에의 접속 서비스를 유료로 제공하는 Internet Service Provider나 문제 해결 수법을 제공하는 Solution Provider 따위를 말함.

proxy server 프록시 서버. 실제의 정보자를 대신하여 사용자의 요구에 대응한 정보를 제공하는 서버.

Real Audio 실시간 오디오. 마음 내킬 때에 언제든지 듣고자 하는 음성 뉴스나 음악을 서버로부터 골라낼 수 있는 소프트웨어.

re-engineering 리엔지니어링. 이미 완성되어 있는 소프트웨어를 효율적으로 보수·재구성하는 일.

remote log-in 원격 로그인. 네트워크에서, 사용자가 쓰고 있는 컴퓨터 이외의 컴퓨터에 접속하여 데이터를 주고 받거나 파일의 조작을 할 수 있도록 하는 일.

remote router 원격 라우터. 네트워크끼리를 접속하는 장치(router)를 가진 종합 디지털 서비스망의 어댑터.

resolver 리졸버. 전자 우편의 송신이나 FTP(파일 전송 규약)에 사용하는 도메인 이름을 네임 서버에 대하여 IP(정보 제공자) 어드레스로 바꾸어 주기를 의뢰하는 클라이언트.

RFC 〖*r*equest *f*or *c*omments〗 설명 요청. 세계에 공개된 인터넷의 각종 규약.

robopost 로보포스트. 로봇 프로그램에 의하여 자동적으로 인터넷의 전자 게시판 뉴스 그룹 따위에 정보를 보내는 일.

Round Trip Time 라운드 트립 타임. 패킷을 사용한 통신에서 패킷이 접속 상대의 컴퓨터에 정보를 보내고 그 반응이 돌아올 때까지 걸리는 시간.

router 라우터. 네트워크상의 중계 장치. 가장 효율이 좋다고 판정된 전송 경로에 전송하는 기능을 가짐.

routing 라우팅. 경로지정. 통신 네트워크에서 송신 상대의 호스트 장치에 도달하기까지의 루트를 찾아내는 일.

RSA 〖*R*ivest, *S*hamir, *A*dleman (세 사람의 개발자 이름)〗 공개 키 암호 방식.

search engine 검색 엔진. PC 통신이나 인터넷상의 방대한 정보속에서, 사용자가 필요한 정보를 효율적으로 검색할 수 있도록 한 홈 페이지.

search robot 검색 로봇. 인터넷에 공개된 정보를 자동적으로 검색하는 프로그램.

security 보안. 컴퓨터나 네트워크의 상용자의 기밀 보안 및 도청·침입·파괴 따위로부터 보호하는 일.

server 서버. 컴퓨터 네트워크에서, 클라이언트의 의뢰에 따라 서비스를 제공하는 컴퓨터 또는 프로그램.

service provider 서비스 제공자. 인터넷에의 접속을 서비스하는 회사.

SET 《*S*ecure *E*lectronic *T*ransaction》 에스이티. 인터넷에서 크레디트 카드의 결제를 하기 위한 고도의 보안 기능을 가진 통신 프로토콜.

Shockwave 쇼크웨이브. 인터넷에서 멀티미디어 정보를 재생하는 소프트웨어. Macro Media사에서 개발.

silicon brain 실리콘 두뇌. 특히 마이크로컴퓨터의 중앙 처리 장치(CPU)를 가리키는 말.

site 사이트. 인터넷에서 정보를 공개하고 있는 컴퓨터가 있는 장소.

site leasing 사이트 리스. 소프트웨어 회사가 사용자 기업에 대하여 일정한 수수료를 받고 프로그램의 복제를 인정하는 계약. 복제품은 기업내에서의 이용에 국한되지만 기업 쪽은 1대의 PC마다 동일한 소프트웨어를 구입하지 않아도 좋게 됨.

soup up 수프업. 이용자가 PC의 성능을 중앙 처리 장치(CPU)나 그래픽 액셀러레이터의 고속화, 메모리의 증설 따위로 기능과 능력면에서 증강시키는 일.

SSL 《*S*ecure *S*ockets *L*ayer》 에스에스엘. Netscape Communications사에서 개발한 암호화 통신 프로토콜.

Stream Works 스트림워크스. 인터넷상에서 동화상의 리얼 타임 배부 송신을 가능케하는 소프트웨어.

subject 서브젝트. 전자 우편이나 투고 기사의 제목명.

subscribe 서브스크라이브. 메일링 리스트에 참가하거나 뉴스 그룹의 기사를 읽거나 하는 일.

system administrator 시스템 관리자. 서버와 클라이언트의 하드웨어와 소프트웨어 및 네트워크 전체의 보수 관리를 하는 사람.

TCP/IP 《*T*ransmission *C*ontrol *P*rotocol/*I*nternet *P*rotocol》 티시피 — 아이피. 인터넷의 모태가 된 ARPANET에서 사용되던 프로토콜로, 1983년 이후로 광대역 네트워크의 표준처럼 사용되고 있음.

techie 테키. 하이테크 기술자. 특히 컴퓨터 따위의 복잡한 하이테크 장치의 제조, 개발, 이용 따위에 관련된 전문 기술자.

techno deejay 테크노 DJ. PC 통신의 네트워크상에서, 음악이나 아트에 흥미를 가진 네트워크끼리 의견을 교환하는 장(場), 또는 그 사회자.

telnet 텔넷. 인터넷에서 접속되어 있는 다른 컴퓨터에 접속하여 ID 혹은 패스워드를 입력하기 위한 소프트웨어. 전화 회선을 사용하지 않고 가능함.

terminal 단말기. 네트워크에서 호스트 컴퓨터에 액세스하는 쪽의 단말 장치, 또는 그 기능을 가진 소프트웨어.

thread 스레드. 멀티태스크 환경에서 수행되는 태스크(처리) 안의 한 덩어리의 처리 명령. 메일링 리스트나 뉴스 그룹에서 한 화제에 관한 일련의 전자 우편을 가리킴.

tiger team 타이거 팀. 컴퓨터 시스템 파손을 업으로 삼는 해커들의 그룹. 시스템의 안정성을 체크하기 위해 고객의 의뢰를 받고 시스템에의 침입을 시도함.

Token Ring 토큰 링. IBM에서 개발한 LAN의 한 방식. 케이블로 컴퓨터를 고리 모양으로 접속한 네트워크.

topic group 토픽 그룹. 뉴스 그룹, 전자 게시판 따위에서 서로 흥미나 목적이 같은 사람들이 모이는 인터넷상의 가상 공간.

topology 토폴로지. LAN에서 호스트, 교환기, 단말기 따위의 각종 컴퓨터를 접속하는 형태.

transceiver 《*trans*mitter+re*ceiver*》 트랜시버. 송수신기. LAN 보드와 인터넷의 동축 케이블을 연결하는 인터페이스 기기.

underscore 언더스코어. 전자 우편 따위에서 보내는 데이터의 문자에 밑줄이 그어져 있다는 표시, 혹은 이탤릭체로 쓰일 문자라는 것 따위를 나타내기 위하여 문자열의 앞뒤에 붙이는 낫표(「 」)의 기호.

unicast 유니캐스트. 전자 우편, 파일 전송 프로토콜(FTP) 따위와 같이 호스트 컴퓨터끼리 1대 1로 통신하는 일.

upload 업로드. 어떤 컴퓨터에서 다른 컴퓨터로 정보를 송신하는 일. PC 통신이나 인터넷에서는 호스트 컴퓨터에 정보를 송신하는 일.

URL 《*u*niform *r*esource *l*ocator》 유아르엘. 인터넷상에 존재하는 갖가지 정보에 붙여진 통일적인 이름.

user-friendly '사용자에게 친절한', 곧 '사용하기 간편한'의 뜻. 컴퓨터 업계에서 생겨난 신어로 조작하기가 쉽고 간단한 설계의 컴퓨터임을 강조하는 선전 문구로 곧잘 쓰인다. 다른 업계, 예컨대 가정 용품이나 학습 참고서 따위에 대한 선전용으로도 많이 쓰이고 있음.

user-oriented '사용자 지향의'라는 뜻의 경영 용어. customer-oriented라고도 함. '고객 본위[제일 주의]'라는 뜻.

UUCP 《*U*NIX-to-*U*NIX *C*opy *P*rotocol》 인터넷에 접속하는 방법의 하나.

vaporware 베이퍼웨어. 아직 완성되기도 전에 선전이 앞질러 나오고 있는 컴퓨터의 하드웨어나 소프트웨어. 실제로 제품으로서 시장에 나오지 못하고 수증기처럼 증발해 버리는 것도 있는 데서 나온 말.

video computing 비디오 컴퓨팅. 컴퓨터로 비디오 화상을 다루는 일. 아날로그 방식의 동화상을 디지털 방식으로 변환 처리함.

video server 비디오 서버. 텔레비전 영화 따위의 화상을 디지털 방식으로 보존하는 서버기.

virtual community 버추얼 커뮤니티. 컴퓨터 네트워크를 중개로 하여 형성되는 가상 현실 사회.

virtual mall 버추얼 몰. 인터넷에서 쇼핑을 할 수 있는 가게들을 모은 가상의 상점가.

virtual university 가상 대학. 온라인으로 강의를 받을 수 있는 인터넷에 의한 대학 수준의 교육 조직.

Visual Basic Script 비주얼 베이식 스크립트. Microsoft사에서 개발한 인터넷용 스크립트 언어.

voice level 음성 레벨. PC 통신 상대와의 관계가 전화로 대화하는 관계로까지 진전되어 있는 일.

VRML 《*v*irtual *r*eality *m*odeling *l*anguage》 가상 현실 모델링 언어. 3차원 형식의 정보를 가상적으로 인터넷에서 취급할 수 있는 프로그래밍 언어.

WAN 《*w*ide *a*rea *n*etwork》 완. 광역 통신망. 멀리 떨어진 LAN끼리를 접속하는 광역 네트워크.

Web master 웹 마스터. WWW 서버의 책임자.

Webzine 《*Web*+maga*zine*》 웹 진. WWW의 홈페이지 형식으로 공개되어 있는 잡지.

well-behaved 웰비헤이브드. 매너가 좋은 애플리케이션 소프트웨어를 가리키는 말. 기본 소프트웨어의 기능에 의존한 프로그래밍이 되어 있는 것을 말한다.

white pages 화이트 페이지. 일반 전화 번호에 상당하는 도메인 이름, 혹은 전자 우편 어드레스의 개인별 데이터베이스.

whois 후이즈. 인터넷상의 인물에 관한 정보를 검색할 수 있는 시스템.

Winbiff 윈비프. 윈도상에서, 인터넷의 전자 우편을 판독 · 기록하는 소프트웨어.

Winsock 〚*Win*dows+*sock*et〛 윈속. 윈도상에서 인터넷용의 애플리케이션 소프트웨어를 사용할 때에 쓰는 소프트웨어.

WWW 〚*W*orld *W*ide *W*eb〛 월드 와이드 웹. 네트워크상에 있는 여러 가지 정보를 누구나 액세스할 수 있도록 한 메커니즘.

Yahoo 야후. 서버를 전문 분야별로 정리해 계층 메뉴화하여 놓은 검색 시스템.

yellow page 옐로 페이지. 인터넷의 정보원의 출처와 분야를 정리한 홈 페이지.

간추린 미·영어 대조표

1. 미·영어 차이 일람표

미·영어간의 차이를 미어의 알파벳순으로 수록했다. 필요한 경우 표제어 바로 아래 용례를 실었으며 미어에 해당하는 영어가 없는 경우에, 예컨대 drug store 따위는 싣지 않았다.

American	Korean	English
accommodations	숙박 시설	lodging ; hotel suite
across from	…의 맞은 편에, 마주보고	opposite
the man *across from* me at the table	나와 테이블에 마주보고 앉아 있는 남자	the man *opposite* me at the table
after	(시간이) 지나	past
ten minutes *after* eight	8시 10분	ten minutes *past* eight
afterward	뒤에	afterwards
aging	age의 진행형	ageing
airplane	비행기	aeroplane
aisle	(극장·교실·열차의) 통로	gangway
all of	…의 전부	all
All of the boys went back.	소년들 모두가 돌아갔다.	*All* the boys went back.
along	가지고, 데리고	with him[her, them, etc.]
She had her handbag *along*.	그녀는 핸드백을 들고 있었다.	She had her handbag *with her*.
aluminum	알루미늄	aluminium
alumni	졸업생	old boys[girls]
amphitheater	원형 경기장	amphitheatre
anemic	빈혈증의	anaemic
anesthetic	무감각한 ; 마취제	anaesthetic
angry at	(누구에게) 화를 내어	angry with
annex	부가물 ; 별관, 떨어짐	annexe
any place ; anyplace	어딘가에	anywhere
apartment	아파트의 방	flat
apartment house	아파트	block of flats
appall	오싹하게 하다	appal
appareled	apparel의 과거·과거분사	apparelled
appareling	apparel의 진행형	apparelling
arbor	정자 ; 나무 그늘	arbour
archeology	고고학	archaeology
armor	갑옷과 투구, 철갑	armour
armory	조병창	armoury
around	약, 쯤	about
around ten o'clock	10시쯤	*about* ten o'clock
as...as	…이지만	as
As unpleasant *as* it is, you must face it.	불쾌하지만 너는 그것에 맞서야 한다.	Unpleasant *as* it is, you must face it.
ashcan	쓰레기통	dustbin
aside from	…은 별도로 하고	apart from
as of	…부터	as from ; from
They were to go on "combat alert" *as of* dawn on the 8th.	그들은 8일 새벽부터 「임전태세」에 들어가게 되어 있었다.	They were to go on "combat alert" *as from* dawn on the 8th.
atop	…의 정상에	above ; on the top of
A flag was flying *atop* the building.	그 건물 꼭대기에는 깃발이 휘날리고 있었다.	A flag was flying *above* the building.
auto ; automobile	자동차	car ; motorcar
autopsy	검시, 시체 해부	postmortem
ax	도끼	axe
baby carriage	유모차	perambulator ; pram
back and forth	앞뒤로, 여기저기에	to and fro
back of	…의 배후에	behind
baggage	수화물	luggage
barbershop	이발소	barber's shop

American	Korean	English
barreled	통에 담은 ; 총신은 …인	barrelled
bath	욕실	bathroom
bathrobe	화장옷《목욕용》	dressing gown
bathtub	욕조	bath
battle	…와 싸우다	battle against[with] ; fight
befit	befit의 과거·과거분사	befitted
behavior	거동, 태도	behaviour
bejeweled	bejewel의 과거·과거분사	bejewelled
belabor	때리다 ; 욕하다	belabour
bill	지폐	note
bill	계산서	account
billboard	게시판	hoarding
billfold	지갑	notecase
bleachers	지붕없는 대중 관람석	ring seats ; uncovered stand
bouillon	수프	soup ; broth
bulletin	고시	notice
bureau	장롱	chest of drawers
burlesque	천한 희극	variety
butcher shop	고깃간	butcher's shop
cafe	커피점 ; 레스토랑	café
caliber	구경 ; 재간	calibre
call	전화를 걸다	ring up
campus	교정, 학원	school, college or university precincts
can	생철통	tin
cancelation	취소	cancellation
canceled	cancel의 과거·과거분사	cancelled
canceling	cancel의 진행형	cancelling
candor	공평무사, 솔직함	candour
candy	사탕과자	sweets
canned	통조림한	tinned
cannon	대포	gun
car	(철도의) 차량	coach
career	직업적인	professional
career diplomat	직업[전문] 외교관	*professional* diplomat
caroled	carol의 과거·과거분사	carolled
caroling	carol의 진행형	carolling
carousal[carrousel]	회전 목마	merry-go-round
catalog	카탈로그	catalogue
cater to	…의 요구를 만족시키다	cater for
center	중심	centre
channeled	channel의 과거·과거분사	channelled
channeling	channel의 진행형	channelling
check	수표	cheque
checked	바둑판 무늬의	check
checked cap	바둑판 무늬의 테없는 모자	*check* cap
checkered	바둑판 무늬의	chequered
checkers	서양 장기	draughts
cheesecloth	모슬린	muslin
chiseled	chisel의 과거·과거분사	chiselled
chiseler	끌질하는 사람	chiseller
chiseling	chisel의 진행형	chiselling
cigaret	궐련	cigarette
clamor	소란 ; 떠들어대다	clamour
clangor	쨍그랑 쨍그랑(하는 소리)	clangour
clerk	점원	shop assistant
clipping	(신문 따위의) 오려낸 것	cutting
closet	찬장	cupboard
color	색채	colour
colored	착색한	coloured
colorful	다채로운	colourful
coloring	착색	colouring
combat	전투	fighting ; acting ; battle
comforter	깃털 이불	eiderdown

American	Korean	English
commute	정기권으로 통근하다	travel regularly to and from a place
commuter	정기권 통근자	season-ticket holder
conductor	(철도의) 차장	guard
connection	관계 ; 연결	connexion
cornerstone	주춧돌	foundation-stone
cortege	수행원	cortège
council	조언	counsel
councilor	고문관 ; 의원	councillor
counseled	counsel의 과거·과거분사	counselled
counseling	counsel의 진행형	counselling
counselor	고문	counsellor
coupe	쿠페형 자동차	coupé
covers	침구	bedclothes
cozily	아담하게	cosily
cozy	아담한	cosy
cracker	비스킷	biscuit
crew cut	상고 머리	close up
crossties ; ties	(철도의) 침목	sleepers
crouched	웅크리고	crouching
He caught a glimpse of men *crouched* in the undergrowth.	그는 덤불속에 웅크리고 있는 사람들을 흘끗 보았다.	He caught a glimpse of men *crouching* in the undergrowth.
crueler ; cruelest	cruel의 비교급 ; 최상급	crueller ; cruellest
crystalize	결정하다[시키다]	crystallise ; crystallize
cudgeled	cudgel의 과거·과거분사	cudgelled
cudgeling	cudgel의 진행형	cudgelling
cuff	(바지의) 접어 올린 아랫단	turnup
curb	(보도의) 연석	kerb
cutaway	연미복	tailcoat
cyclopedia	백과 사전	cyclopaedia
deadline	마감 시간	timelimit
dean	최고참자	doyen
dean of the diplomatic corps	외교단 수석	*doyen* of the diplomatic corps
defense	방위	defence
defenseless	무방비의	defenceless
demeanor	행실	demeanour
depot	(철도의) 역	railway station
derby (hat)	중산모	bowler (hat)
dessert	디저트	(the) sweets
deuce	(트럼프의) 2의 패	(the) "two" (of each suit)
develop	명백해지다	turn out
It *developed* that he had been in the army.	그가 군대에 있었다는 것이 명백해졌다.	It *turned out* that he had been in the army.
deviled	devil의 과거·과거분사	devilled
dialed	dial의 과거·과거분사	dialled
dialing	dial의 진행형	dialling
dicker	값을 깎다	haggle
dike	제방	dyke
disfavor	푸대접	disfavour
disheveled	(머리가) 헝클어진	dishevelled
dishonor	불명예	dishonour
dishonorable	불명예스러운	dishonourable
dishonored	dishonor의 과거·과거분사	dishonoured
dishonoring	dishonor의 진행형	dishonouring
dish towel	(접시용) 행주	dishcloth
disk	원반	disc
distill	증류하다	distil
distillment	증류	distilment
dollhouse	인형의 집	doll's house
don't have	가지고 있지 않다	have not
I *don't have* much time.	시간이 그다지 없습니다.	I *haven't* (got) much time.
dove	dive의 과거·과거분사	dived
Do you have...?	당신은 가지고 있습니까	Have you...?
Do you have any children?	자식들이 있습니까?	*Have you* any children?
draft	통풍 ; 설계도	draught

American	Korean	English
draftsman	제도사 ; 입안자	draughtsman
draftsmanship	제도술	draughtsmanship
drapes	커튼	curtains
driveled	drivel의 과거·과거분사	drivelled
driveler	코흘리개	driveller
driveway	드라이브길, 차도	drive
drop by	불쑥 들르다	drop in
drown out	(소리를) 없애다	drown
dueling	duel의 진행형	duelling
elevator	엘리베이터	lift
elite	정예	élite
enameled	enamel의 과거·과거분사	enamelled
enameling	enamel의 진행형	enamelling
encyclopedia	백과 사전	encyclopaedia
endeavor	노력(하다)	endeavour
engineer	기관사	engine driver
enroll	등록하다	enrol
enrollment	등록	enrolment
equaled	equal의 과거·과거분사	equalled
equaling	equal의 진행형	equalling
esthete	심미가	aesthete
esthetic	심미적인	aesthetic
every place	어디든지	everywhere
eyeglasses	안경	spectacles
eying	eye의 진행형	eyeing
faculty	(학교의) 교직원	staff
fall	가을	autumn
faucet	(통·수도의) 물꼭지, 마개	tap
favor	호의(를 보이다)	favour
favorable	호의적인	favourable
favorite	마음에 드는	favourite
fender	(자동차의) 흙받기	wing
fervor	열렬	fervour
fete	축제 ; 축하하다	fête
fiber	섬유	fibre
fill out	(서식에) 써넣다	fill in
finally	드디어	at last
So you *finally* came.	너도 드디어 왔구나.	So you have come *at last*.
first floor	1층	ground floor
first name	세례명	Christian name
fit	fit의 과거·과거분사	fitted
flashlight	회중 전등	(electric) torch
flat	연립 주택	tenement (house)
flavor	풍미(를 곁들이다)	flavour
forever	영구히, 영원히	for ever
for rent	임대용의	to let ; for hire
house *for rent*/ boat *for rent*	셋집/ 임대 배	house *to let*/ boat *for hire*
freight car	화차	truck ; goods waggon
freight train	화물 열차	goods train ; luggage train
fueled	fuel의 과거·과거분사	fuelled
fueling	fuel의 진행형	fuelling
fulfill	이행하다	fulfil
fulfillment	이행	fulfilment
funneled	굴뚝[연통]이 있는	funnelled
furor	열광	furore
garters	양말 대님	sock-suspenders ; suspenders
gasoline ; gas	가솔린	petrol
get by	면하다	get away ; get off
get it over with	치우다	get it over (and done with)
Girl Scout	걸 스카우트	Girl Guide
glamor	매력	glamour
go	가서	go and
Go tell your mother I'm here.	내가 왔다고 어머니께 말하고 오너라.	*Go and* tell your mother I'm here.

American	Korean	English
good-by(e)	안녕히 가십시오	good-bye
gram	그램	gramme
gray	회색	grey
Greco-	그리스의	Graeco-
groveled	grovel의 과거·과거분사	grovelled
groveling	grovel의 진행형	grovelling
grueling	엄한	gruelling
guaranty	보증	guarantee
guess	기대하다 ; 생각하다 ; 상상하다 ; 믿다	expect ; think ; imagine ; believe
I *guess* you are feeling hungry./ I *guess* I won't go out tonight./ I *guess* you won't go out tonight./ I *guess* you are right.	배가 고프시지요. / 나는 오늘밤은 외출하지 않을 작정이다. / 너는 오늘밤은 외출하지 않겠지. / 네가 옳다고 생각한다.	I *expect* you are feeling hungry. / I *think* I won't go out to-night. / I *imagine* you won't go out to-night. / I *believe* you are right.
a half	반	half a
a half hour later	반시간 뒤	*half an* hour later
half-staff	반기의 위치	half-mast
a flag at *half-staff*	반기《조기(弔旗)》	a flag at *half-mast*
hallway	현관, 홀	hall
handcraft	수세공	handicraft
hang up	전화를 끊다	ring off
harbor	항구 ; 마음에 품다	harbour
hardware store	철물점	ironmonger's
have	…을 하게 하다	make ; let ; get…to
The teacher *had* them read it aloud.	선생님은 모두에게 그것을 소리내어 읽게 했다.	The teacher *made* them read it aloud.
hemorrhage	출혈	haemorrhage
highway	간선도로	main road
hire	고용하다	engage
home	집에	at home
He happened to be *home*.	그는 우연히 집에 있었다.	He happened to be *at home*.
honor	명예(를 주다)	honour
honorable	훌륭한	honourable
honor guard	의장병	guard of honour
hood	(자동차의) 엔진 덮개	bonnet
humor	유머	humour
-humored	기분이 …한	-humoured
hunting	사냥	shooting
icebox	냉장고	refrigerator
ice-water ; ice water	얼음물, 빙수	iced water
idyl	목가	idyll
in	…동안 ; 안으로	for ; into
I haven't heard from him *in* years./ Go *in* the dining room.	나는 수년간 그에게서 소식을 못 들었다. / 식당으로 들어가거라.	I haven't heard from him *for* years./Go *into* the dining room.
in behalf of	…대신에[으로]	on behalf of
initialed	initial의 과거·과거분사	initialled
initialing	initial의 진행형	initialling
inside of	…의 안으로[에]	inside
I never went *inside of* a church.	나는 결코 교회 안으로 들어가지 않았다.	I never went *inside* a church.
install	취임시키다 ; 장치하다	instal
installment	분할불	instalment
installment plan	분할 지급 방식	hire purchase (system)
instill	침투시키다, 스며들게 하다	instil
intermission	휴식 시간 ; 막간	interval
intersection	교차점	crossroads
jack	(트럼프의) 잭	knave
jail	교도소(로 보내다)	gaol
jeweled	보석으로 장식한	jewelled
jeweler	보석 상인	jeweller
jewelry	보석류	jewellery
just the same	그래도, 역시	all the same
Your story sounds plausible, but *just the same* I don't trust it.	자네 이야기는 그럴듯하지만 그래도 나는 믿지 않네.	Your story sounds plausible, but *all the same* I don't trust it.

American	Korean	English
kidnaped	kidnap의 과거·과거분사	kidnapped
kidnaper	유괴자	kidnapper
kidnaping	유괴	kidnapping
kilogram	킬로그램	kilogramme
kiloliter	킬로리터	kilolitre
labeled	label의 과거·과거분사	labelled
labeling	label의 진행형	labelling
labor	노동(하다)	labour
laborer	노동자	labourer
lap robe ; laprobe	무릎 덮개	rug
lead	주요한	leading
lead player	주역	*leading* player
leveled	level의 과거·과거분사	levelled
leveler	평등주의자	leveller
leveling	level의 진행형	levelling
libeled	libel의 과거·과거분사	libelled
libeler	중상자	libeller
libeling	libel의 진행형	libelling
license	인가 ; 면허증	licence
like	(마치) …와 같이	as though ; as if
You look *like* you have seen a ghost.	너는 유령이라도 본 것 같은 얼굴을 하고 있다.	You look *as though* you have seen a ghost.
liquor	알코올 음료	drink
liquor store	주점	wine merchant's (shop)
loan	빌려주다	lend
lose out	손해보다	lose
the risk of *losing out* altogether	본전도 이자도 없어지는 위험	the risk of *losing* altogether
lot	부지, 대지	site ; plot
He had a *lot* on which to build.	그는 집을 지을 대지를 가지고 있었다.	He had a *plot* on which to build.
luster	광택	lustre
magician	마술사	conjuror
mail	우편 ; 우체통에 넣다	post
mailbox	우체통	letter box ; pillar-box
maneuver	연습(하다) ; 공작(하다)	manoeuvre
marshaled	marshal의 과거·과거분사	marshalled
marshaling	marshal의 진행형	marshalling
marveled	marvel의 과거·과거분사	marvelled
marveling	marvel의 진행형	marvelling
marvelous	경이적인	marvellous
matinee	주간 흥행, 마티네	matinée
maybe	어쩌면, 아마	perhaps
meager	빈약한	meagre
mean	못된 ; 악의있는 ; 버릇 나쁜	bad ; evil ; vicious
She little knew how *mean*, how dangerous these men were. / He gave me a *mean* look. / The boat plunged like a *mean* horse.	그녀는 이 사람들이 얼마나 비열하고 위험한가를 거의 모르고 있었다. / 그는 나에게 악의있는 얼굴을 했다. / 배는 버릇이 나쁜 말처럼 뒷질했다.	She little knew how *bad*, how dangerous these men were. / He gave me an *evil* look. / The boat plunged like a *vicious* horse.
medalist	메달 제작자 ; 훈장 수령자	medallist
meet up with	(우연히) 만나다	meet
melee	난투	mêlée
meter	미터 ; 운율	metre
misdemeanor	경범죄 ; 비행	misdemeanour
miss out on	빼먹다, 다하지 않다	miss
He *missed out on* a lot of his schooltime.	그는 수업 시간을 많이 빼먹었다.	He *missed* a lot of his school-time.
modeled	model의 과거·과거분사	modelled
modeler	모형 제작자	modeller
modeling	model의 과거·과거분사	modelled
molt	탈피(하다)	moult
mortician	장의사 경영자	undertaker
mudguard	(차의) 흙받기	wing
mustache	콧수염	moustache

American	Korean	English
mystery (story)	추리[괴기·탐정] 소설	thriller ; detective story
name for	…의 이름을 따서 명명하다	name after
negligee	네글리제, 실내복	negligée
neighbor	이웃 사람	neighbour
neighborhood	이웃	neighbourhood
neighborhood	지방의	local
The picture was playing at a *neighborhood* theater.	그 영화는 지방 영화관에서 상영 중이었다.	The picture was playing at a *local* theatre.
New Year's	새해	New Year's Day
no place	아무데도 …없다	nowhere
ocean	바다	sea
odor	냄새	odour
of	(시계의 시간에서) 전	to
a quarter *of* six	6시 15분전	a quarter *to* six
of	이후	on ; as from
There is *of* this date, Nov. 28, 1951, no cease-fire in Korea.	금일 1951년 11월 28일 이후 한국에 휴전은 없음.	There is *as from* this date, Nov. 28, 1951, no cease-fire in Korea.
off key	가락이 맞지 않아	out of tune
off of	…에서 (떨어져서)	off
He fell *off of* the ladder.	그는 사다리에서 떨어졌다.	He fell *off* the ladder.
offense	범죄 ; 무례 ; 공격	offence
omelet	오믈렛	omelette
one…he[she, etc.]	사람은 … 그는[그녀는, 등]	one…one
One has to put *himself* in the position of *his* customers.	사람은 고객의 입장이 되어 생각하지 않으면 안된다.	*One* has to put *oneself* in the position of *one's* customers.
one way	편도의	single
one way ticket	편도 차표	*single* ticket
onto	…의 위로	on to
orchestra (seats)	(무대 앞의) 상등석	(orchestra) stalls
I bought two seats in the *orchestra*.	나는 무대 앞의 상등석표를 두 장 샀다.	I bought two *stalls*.
out	일을 쉬어	off
take time *out* for meals	휴식하고 식사하다	take time *off* for meals
out back	집 뒤에서	out at the back
out front	집 앞에서	out in the front
outside of	…의 외부에	outside
get *outside of* the house	집밖으로 나가다	get *outside* the house
over	되풀이하여	over again
over and over	몇번이고 되풀이하여	over and over again
He repeated it *over and over*.	그는 그것을 몇번이고 되풀이했다.	He repeated it *over and over again*.
overly	지나치게	excessively ; unduly
overshoes	오버슈즈	snowboots ; galoshes
oxfords	단화	walking shoes ; shoes
pack	(담배 따위의) 한 갑	packet
package	소포	parcel
pajamas	파자마	pyjamas
paneled	panel의 과거·과거분사	panelled
paneling	판벽널	panelling
pants	바지	trousers
parceled	parcel의 과거·과거분사	parcelled
parceling	parcel의 진행형	parcelling
parking lot	주차장	car park
parlor	응접실 ; 특별실	parlour
part	가리마	parting
pass up	놓치다	miss out ; bypass ; let go
I wonder why he *passed up* that opportunity.	그는 왜 그 기회를 놓쳤을까.	I wonder why he *let go* that opportunity
passageway	복도 ; 통로	passage
pavement	포장 도로	paved road
pay off	수지맞다 ; 애쓴 보람이 있다	pay
I think our global strategy is *paying off*.	우리의 세계 전략은 애쓴 보람이 있다고 생각한다.	I think our global strategy is *paying*.

American	Korean	English
pay station	공중 전화	public call box
pedaled	pedal의 과거·과거분사	pedalled
pedaling	pedal의 진행형	pedalling
penciled	pencil의 과거·과거분사	pencilled
penciling	pencil의 진행형	pencilling
phonograph	축음기	gramophone
picture house[theater]	영화관	cinema
pitcher	주전자	jug
platter	접시	dish
plow	쟁기(로 갈다)	plough
plowman	농부	ploughman
plowshare	쟁기날	ploughshare
point up	강조하다 ; 두드러지게 하다	emphasise ; show up
This was *pointed up* in the court proceedings.	이것은 법정의 변론에서 강조되었다.	This was *emphasised* in the court proceedings.
powder room	화장실	ladies' cloakroom
preparatory school	대학 예비교	public school
pretense	구실 ; 겉치레	pretence
program	프로그램 ; 계획	programme
protest	항의하다	protest against
I *protest* your decision.	너의 결정에 항의한다.	I *protest against* your decision.
proven	prove의 과거분사	proved
pry	비집어 열다	prise, prize
public school	공립학교	state school
pummeled	pummel의 과거·과거분사	pummelled
pummeling	pummel의 진행형	pummelling
quarreled	quarrel의 과거·과거분사	quarrelled
quarreling	quarrel의 진행형	quarrelling
quit	quit의 과거·과거분사	quitted
radio	라디오	wireless
railroad	철도	railway
raise	올리기	rise
rancor	깊은 원한	rancour
rare	설구워진	underdone
rate	축에 들다 ; …할 만하다	count ; deserve
raveled	ravel의 과거·과거분사	ravelled
raveling	ravel의 진행형	ravelling
ready	준비하다	get ready
realtor	부동산 중개인	(real) estate agent ; land agent
realty	부동산	real estate
recess	휴식 시간	break
noon *recess*	낮휴식	noon *break*
reconnoiter	정찰하다	reconnoitre
reflection	반사	reflexion
refueled	refuel의 과거·과거분사	refuelled
refueling	refuel의 진행형	refuelling
remodeled	remodel의 과거·과거분사	remodelled
remodeling	remodel의 진행형	remodelling
rent	임대하다 ; 임차하다	let ; hire
rent a house to someone/ *rent* a car from someone	집을 누구에게 임대하다/차를 누구에게서 빌리다	*let* a house to someone/ *hire* a car from someone
reservation	예약	booking
Have you made your *reservation*?/Have you made your *reservation*?	(여행의 경우) 표를 샀니./(여관의 경우) 방을 예약해 놓았니.	Have you *booked* your ticket?/ Have you *booked* your room?
rest up	푹 쉬다	rest
Lie down on the bed and get *rested up.*	자리에 누워서 푹 쉬시오.	Lie down on the bed and get *rested.*
reveled	revel의 과거·과거분사	revelled
reveler	주연을 베푸는 사람	reveller
reveling	revel의 진행형	revelling
right	곧장 ; 곧 ; 바로	straight ; immediately ; just ; very soon

American	Korean	English
After dinner he wanted to go *right* home. / *Right* after dinner he wanted to go home. / Put it down *right* here. / I'll be *right* back.	저녁 식사가 끝나자 그는 곧장 귀가하고 싶었다./저녁 식사가 끝나자 곧 그는 귀가하고 싶었다./바로 여기에 그것을 내려놓으십시오./곧 돌아오겠습니다.	After dinner he wanted to go *straight* home. / *Immediately* after dinner he wanted to go home. / Put it down *just* here. / I'll be back *very soon.*
right away ; right off	곧	straight away ; at once
I'll do it *right away.*	곧 하겠습니다.	I'll do it *at once.*
right now	지금 곧 ; 지금으로서는	at the moment ; just now ; for the moment
rigor	엄함	rigour
rivaled	rival의 과거·과거분사	rivalled
rivaling	rival의 진행형	rivalling
road	철도 ; 선	line
robe	무릎 덮개	rug
rock	돌	stone
The little girl picked up a *rock* and threw it into the water.	그 어린 소녀는 돌을 하나 집어 물속으로 던졌다.	The little girl picked up a *stone* and threw it into the water.
roomer	셋방 사는 사람	lodger
rooming house	하숙집	lodging house
rotary	로터리	(traffic) roundabout
round out	충실하다	round off
To *round out* the program they had a male chorus.	프로그램에 충실하기 위해서 그들은 남성 합창을 했다.	To *round off* the programme they had a male chorus.
round trip	왕복의	return
round trip ticket	왕복 차표	*return* ticket
rowboat	노젓는 보트	rowing boat
rubbers	고무신 ; 오버슈즈	galoshes
rumor	소문(을 내다)	rumour
run	나서다	stand
run as candidate	후보로 나서다	*stand* as candidate
saber	사베르	sabre
sailboat	범선	sailing boat
salesman	세일즈맨	(commercial) traveller
saltpeter	질산 칼륨	saltpetre
sanitarium	새너토리엄	sanatorium
savior	구제자, 구원자	saviour
savor	맛(을 내다)	savour
savory	맛 좋은	savoury
say for...	…에게 말하다	tell...
She *said for* him to stop being silly.	그녀는 그에게 어리석은 짓은 그만두라고 말했다.	She *told* him to stop being silly.
say to...	…하도록 말하다	tell (someone) to...
He *said to* bring coffee.	그는 커피를 가져 오라고 말했다.	He *told him*[*her, them*] *to* bring coffee.
scepter	왕위	sceptre
schedule	시간표	timetable
seafood	어패류	fish
second floor	2층	first floor
sepulcher	무덤(에 안치하다)	sepulchre
shades	햇빛 가리개	blinds
shoveled	shovel의 과거·과거분사	shovelled
shoveler	삽질하는 사람	shoveller
shoveling	shovel의 진행형	shovelling
sideburns	구레나룻	side-whiskers
sidewalk	(포장한) 인도	pavement
sidewise	옆으로	sideways
signaled	signal의 과거·과거분사	signalled
signaler	신호수 ; 신호기	signaller
signaling	signal의 진행형	signalling
sirup	시럽	syrup
sit in on	출석하다	take part in ; attend
sit in on a meeting	회의에 참석하다	*attend* a meeting
skeptic	회의론자	sceptic
skeptical	회의적인	sceptical

American	Korean	English
skepticism	회의	scepticism
skillful	숙련된	skilful
smolder	그을다	smoulder
snicker	킬킬 웃기[웃다]	snigger
sniveled	snivel의 과거·과거분사	snivelled
sniveler	코멘소리를 하는 사람	sniveller
sniveling	snivel의 진행형	snivelling
so	…하도록	so that
Tie him up *so* he can't get away.	그를 도망칠 수 없도록 단단히 묶어라.	Tie him up *so that* he can't get away.
solitaire	혼자하는 트럼프	patience
somber	어둠침침한 ; 칙칙한	sombre
someday	언젠가	some day
someplace ; some palce	어딘가에	somewhere
sound out	타진하다	sound
My first step will be to *sound* my partner *out*.	내 동료의 생각을 먼저 타진해 보겠다.	My first step will be to *sound* my partner.
specialty	전문, 본업 ; 특제품	speciality
specter	유령, 도깨비	spectre
spiraled	spiral의 과거·과거분사	spiralled
spiraling	spiral의 진행형	spiralling
spit	spit의 과거·과거분사	spat
splendor	광휘 ; 훌륭함	splendour
sprawled	큰 대자로 드러누워	sprawling
He lay *sprawled* in the sun.	그는 양지쪽에 큰 대자로 누워있었다.	He lay *sprawling* in the sun.
square dancing	스퀘어 댄스	folk dancing
squatted	쭈그리고 앉아	squatting
Those men were *squatted* there.	그 남자들은 거기에 쭈그리고 앉아 있었다.	Those men were *squatting* there.
stall	멈추다 ; 멈추게 하다 ; 선채로 꼼짝못하다 ; 감추다	stop ; hold up ; strand ; keep something back
Halfway up the hill the engine *stalled*. / He *stalled* his engine. / After the snowstorm many cars were *stalled* between the two villages. / Evidently he was *stalling*.	언덕 중간에서 엔진이 멈췄다. /그는 엔진을 껐다. /눈보라가 쳐서 많은 차들이 두 마을 사이에서 오도가도 못했다. /분명히 그는 무엇인가 숨기고 있었다.	Halfway up the hill the engine *stopped*. / He *stopped* his engine. / After the snowstorm many cars were *stranded* between the two villages. / Evidently he was *keeping something back*.
stanch	견고한 ; 충실한	staunch
stenciled	stencil의 과거·과거분사	stencilled
stenciling	stencil의 진행형	stencilling
sticker	스티커	label
stickpin	넥타이핀	tiepin
stooped	웅크리고	stooping
He carried himself *stooped*.	그는 웅크린 자세로 있었다.	He carried himself *stooping*.
stop by ; stop in	마침 지나가다 ; 방문하다 ; 들여다보다 ; 들르다	pass ; call at ; look in ; drop in ; stop
Be sure to pick up my baggage when you *stop by* the station. / Would you care to see him tomorrow? He could *stop by*. / I just *stopped by* to check the time with the door keeper. / Would you like to *stop in* and meet him?	역을 지나가게 되면 내 짐을 잊지 말고 찾아다 주시오. /내일 그를 만나보지 않겠습니까. 그가 들를지도 모르니까요. /나는 문지기에게 시간을 물으려고 들렀을 뿐이다. /잠깐 들러 그를 만나고 가지 않겠습니까.	Be sure to pick up my luggage when you *pass* the station. / Would you care to see him tomorrow? He could *drop in*. / I just *stopped* to check the time with the door keeper. / Would you like to *look in* and meet him?
stop off	(여행 도중에) 들르다	stop ; break the journey
On the way to Seoul I *stopped off* in Suwon to visit with my brother.	서울 가는 도중에 나는 수원에 들러 동생을 방문했다.	On the way to Seoul I *stopped* in Suwon to visit my brother.
stop over	잠시 머물다	stop on ; stay on
Are you going to *stop over* in Seoul?/We *stopped over* for dinner in the city.	서울에 잠시 머물 작정이십니까. /우리는 저녁을 먹기 위해 시내에 머물렀다.	Are you going to *stop on* in Seoul?/We *stayed on* for dinner in the city.

American	Korean	English
stopover	체류	stay
I called on her twice during my brief *stopover* in Seoul.	나는 서울에 잠시 머물렀을 때 그녀를 두번이나 방문했다.	I called on her twice during my brief *stay* in Seoul.
store	가게	shop
story, stories, storied	층(의)	storey, storeys, storeyed
streetcar	시내 전차	tramcar ; tram
stricken	삭제된	struck
I demand it be *stricken* from the record.	나는 그것을 기록에서 삭제할 것을 요구한다.	I demand that it should be *struck* from the record.
stub	(수표책 따위의) 부본	counterfoil
subway	지하철	underground (railway) ; tube
succor	구원(하다)	succour
sunup	해돋이	sunrise ; dawn
suspenders	바지의 멜빵	braces
swiveled	swivel의 과거·과거분사	swivelled
swiveling	swivel의 진행형	swivelling
table	미루다 ; 보류하다 ; 묵살하다	postpone ; defer ; shelve
tag	물표, 부전	label
tailor shop	양복점	tailor's shop
tear down	(건물을) 헐다	pull down ; demolish
teetotaler	절대 금주자	teetotaller
tell	…에게 말하다	say to
He *told* his secretary good morning.	그는 비서에게 아침인사를 했다.	He *said* good-morning *to* his secretary.
teller	(은행의) 금전 출납담당	cashier
terminal	종점	terminus
that	그렇게	so
Don't drive *that* fast.	그렇게 차를 빨리 몰지 마라.	Don't drive *so* fast.
that *omitted*	(미어는 생략한다)	that
The doctor insisted she remain in bed.	의사는 그녀가 자고 있으리라고 주장했다.	The doctor insisted *that* she should remain in bed.
the *omitted*	(미어는 생략한다)	the
He has been gone all week.	그는 이번 주 내내 집에 없었다.	he has been gone all *the* week.
theater	극장	theatre
this	이렇게	so ; thus
I was not accustomed to driving *this* fast.	나는 이렇게 빨리 차를 모는데 익숙하지 못했다.	I was not accustomed to driving *so* fast.
thumbtack	제도용 압핀	drawing pin
ties	(철도의) 침목	sleepers
'til	…까지	until
tinseled	tinsel의 과거·과거분사	tinselled
tinseling	tinsel의 진행형	tinselling
tire	타이어	tyre
topcoat	오버코트	overcoat ; greatcoat
totaled	total의 과거·과거분사	totalled
totaling	total의 진행형	totalling
toward	…의 쪽으로	towards
toweled	towel의 과거·과거분사	towelled
toweling	towel의 진행형	towelling
track	플랫폼	platform
trade	팔다 ; 교환하다	sell ; exchange
He tried to buy me out once ; I'm afraid he is glad now I wouldn't *trade*. / He *traded* jokes with his fellow travelers.	그는 한때 나를 매수하려고 했지만 지금은 내가 응하지 않은 것을 기뻐하고 있을 것으로 생각한다. / 그는 동료 여행자들과 농담을 주고 받았다.	He tried to buy me out once ; I'm afraid he is glad now I wouldn't *sell*. / He *exchanged* jokes with his fellow travellers.
traffic circle	로터리	(traffic) roundabout
trailer	트레일러	(motor) caravan
trammeled	trammel의 과거·과거분사	trammelled
trammeling	trammel의 진행형	trammelling
tranquility	평온	tranquillity
tranquilize	진정시키다	tranquillise
trash	쓰레기, 잡동사니	litter ; rubbish ; refuse
trash heap[pile]	잡동사니 더미	rubbish heap

American	Korean	English
traveled	travel의 과거·과거분사	travelled
traveler	여행자	traveller
traveling	travel의 진행형	travelling
trey	(트럼프의) 3의 패	"three" (of each suit)
trolley (car)	시가 전차	tram
truck	트럭	lorry
tumor	종양	tumour
tunneled	tunnel의 과거·과거분사	tunnelled
tunneler	터널을 파는 사람	tunneller
tunneling	tunnel의 진행형	tunnelling
tuxedo	턱시도《야외용 예복》	dinner jacket
underbrush	덤불	undergrowth
underpants	속바지	pants
underpass	지하도	subway
undershirt	속옷	vest
unequaled	비길데없는	unequalled
unfavorable	불리한	unfavourable
unraveled	unravel의 과거·과거분사	unravelled
unrivaled	무적의	unrivalled
unsavory	좋지 않은 냄새가 나는	unsavoury
unskillful	서투른	unskilful
untrammeled	족쇄를 채우지 않은, 자유로운	untrammelled
vacation	휴가	holiday
vacationist	휴가를 받은 사람	holidaymaker
valor	용기	valour
vapor	증기 ; 증발하다	vapour
vest	조끼	waistcoat
veterinarian	수의사	veterinary surgeon
vigor	활력, 원기	vigour
vise	바이스	vice
visit at	방문하다	visit
visit with	방문하다	visit
I *visited with* my brother in Seoul.	나는 서울에 사는 동생을 방문했다.	I *visited* my brother in Seoul.
vocalism	발성 연습	vocal[singing] exercise
wait on	시중들다	wait at
wait on table	식탁에서 시중들다	*wait at* table
waste basket ; wastebasket	휴지통	waste-paper basket
wet	wet의 과거·과거분사	wetted
whir	윙윙 소리(를 내다)	whirr
willful	고의의 ; 외고집의	wilful
willfulness	고의 ; 외고집	wilfulness
win out	이기다, 성공하다	win
In spite of strong opposition, the reform movement *won out*.	강한 반대에도 불구하고 개혁 운동은 성공했다.	In spite of strong opposition, the reform movement *won*.
woolen	양털의	woollen
wooly	양털같은	woolly
worshiped	worship의 과거·과거분사	worshipped
worshiper	숭배자	worshipper
worshiping	worship의 진행형	worshipping
wrench	스패너	spanner
write...	…에게 편지를 쓰다	write to...
I *wrote* my parents next day.	나는 다음날 부모님께 편지를 썼다.	I *wrote to* my parents next day.
yard	뜰	small garden
our front *yard*	우리집 앞뜰	our *small* front *garden*
zee [zíː]	(Z를 읽는 법)	zed [zéd]

2. 미·영어 중요 어구 비교

American	Korean	English
	정치 관계 (Politics)	
Administration	정부	Government
fusion administration	연립 내각	coalition government
Secretary	장관	Minister
cabinet officer ; cabinet member	각료	cabinet minister ; member of the cabinet
State Department	《美》 국무부(《英》 외무부)	Foreign Office
Congress	국회	Parliament
passage of a bill	의안 통과	passing of a bill
representative from...	…선출 의원	member for...
ticket	공천 후보자 명부	list of candidates
candidacy	입후보	candidature
run for Congress	의원에 입후보하다	stand for Parliament
special election	보궐 선거	by-election
majority	절대 다수	clear majority
campaign	선거 운동	canvass
canvasser	투표 검표원	scrutineer
party platform	정당 강령	party programme
party fusion	정당 연합	party coalition
officeholder	공무원	civil servant
local taxes	지방세	local rates
	재판·경찰·범죄·소방 관계 (Police, etc.)	
judiciary	사법권	judicature
district attorney	검사	public prosecutor
venireman	배심원	juryman
trial lawyer	변호사	advocate
stenographer	(법정의) 속기사	shorthand writer
take the (witness) stand	증인으로 서다	enter the witness box
jail	교도소	gaol [dʒéil]
prison guard	교도관	warder ; prison officer
the warden of the prison	교도소장	the governor of the prison
station house	경찰서	police station
chief of police	경찰서장	chief constable
investigator	형사	detective
patrolman	경찰관 ; 순경	constable
policeman's billy	경찰봉	policeman's truncheon
《口》 calaboose	유치장	lockup
fire department	소방서	fire(-brigade) station
fire line	소방 비상선	fire cordon
workhouse	감화원	house of correction
almshouse	양로원	workhouse
holdup	노상 강도	highway robbery
holdup man	노상 강도《사람》	highwayman
porch climber	좀도둑	cat burglar
《俗》 firebug	방화범	incendiary
	교통 관계 (Transportation)	
railroad	철도	railway
elevated railroad ; the L	고가철도	overhead railway

American	Korean	English
subway	지하철	tube ; underground
track ; tracks	선로	lines ; metals
jump the track ; leave the track	탈선하다	run off the line ; jump the metals
tie ; crosstie	침목	sleeper
accommodation train	완행[보통] 열차	slow train
railroad depot	정거장, 역	railway station
track	플랫폼	platform
terminal	종착역	terminus
station agent	역장	station master
Does this ticket allow me to stop over[off]?	이 차표로 도중 하차가 됩니까.	Does this ticket allow me to break journey?
locomotive	기관차	engine
engineer	기관사	engine driver ; driver
freight train	화물 열차	goods train
freight car	화차	goods waggon ; goods van
passenger car	객차	passenger coach
diner	식당차	dining carriage
boxcar	유개 화차	box waggon
conductor	열차 차장	guard
gate tender	건널목지기	gatekeeper
tracklayer	선로공	platelayer
stoplight	정지 신호	red light
one-way ticket	편도 차표	single ticket
round-trip ticket	왕복 차표	return ticket
commutation ticket	정기 승차권	season ticket
ticket office	매표소	booking office
ticket agent	매표원	booking clerk
bureau of information ; information bureau	안내소	inquiry office
baggage room ; checkroom	수화물 임시 보관소	cloakroom
baggage	수화물	luggage
check a baggage	수화물을 물표를 받고 부치다	register a luggage
redcap	수화물 운반인	station porter
newsstand	신문·잡지 판매대	bookstall
schedule	시간표	timetable
catch a train	기차 시간에 대다	be in time for a train
transfer	갈아타다	change cars
airplane	비행기	aeroplane
airdrome	비행장	aerodrome
automobile ; auto	자동차	motorcar ; car
truck	화물 자동차	lorry
sightseeing bus	관광 버스	char-à-banc
sprinkling wagon	살수차	water cart
parking lot	주차장	car park
streetcar	시가 전차	tramcar
sidewalk	보도 ; 인도	footpath ; pavement
main street	번화가	high street
pavement	차도 ; 포장 도로	roadway
underpass	지하도	subway

우편 관계(Postal Services)

American	Korean	English
(by) mail	우편(으로)	(by) post
domestic mail	국내 우편물	inland mail
postal card	관제 엽서	postcard
registry fee	등기료	registration fee
special delivery	속달 우편	express delivery
mail clerk	우체국 직원	postal clerk
mail carrier ; mailman	우편 집배원	postman
package	소포	parcel
telegrapher	전신 기사	telegraphist
telephone book	전화 번호부	telephone directory

American	Korean	English
central office	전화 교환국	exchange
telephone booth	공중 전화	telephone box
long distance call	장거리 전화	trunk call
Line's busy!	〔電語〕 통화중	Number's engaged!
radio	라디오	wireless

저널리즘 관계 (Journalism)

American	Korean	English
printery	인쇄소	printing office
editorial	논설, 사설	leader ; leading article
newspaperman	신문 기자	pressman ; journalist
editorial writer	논설 위원	leader writer
copyreader	(신문·잡지 따위의) 부주필	subeditor
paragrapher	탐방 기자	paragraphist
beat	특종 기사	scoop
newsagent	신문·잡지 판매인	newsdealer
walkout	동맹 파업	strike
sit-down strike	연좌 파업	stay-in strike

학교 관계 (School)

American	Korean	English
faculty	(대학의) 교직원	college staff
college student	대학생	undergraduate
freshman	대학 1년생	first-year man
sophomore	대학 2년생	second-year man
junior	대학 3년생	third-year man
senior	대학 4년생	fourth-year man
major in	…을 전공하다	specialize in
alumnus	졸업생	graduate ; old boys
alumni association	동창회	graduates' association
commencement	졸업식	speech day
sheepskin	졸업 증서	diploma
co-ed	(남녀 공학의) 여학생	woman student
schoolma'am	여교사	shoolmistress
public school	공립 학교	council school
private school	사립 학교	public school
required subject	필수 과목	compulsory subject
elective subject	선택 과목	optional subject
recitation room	교실	classroom
auditorium	강당	assembly hall ; hall
campus	교정	school grounds
intermission	휴식 시간	break
dormitory	기숙사	hall of residence ; hostel
correspondence course	통신 교육 강좌	postal course

가정 용품·가구·의복 관계 (Furniture, etc.)

American	Korean	English
pocketbook	지갑	purse
notion counter	잡화 상인	haberdasher
flashlight	회중 전등	electric torch
can	깡통	tin
kettle	주전자	teakettle
pitcher	물주전자	jug
kettle	스튜 냄비	stewpan
aluminum	알루미늄	aluminium
hardware store	철물점	ironmonger's
phonograph	축음기	gramophone
penpoint	펜촉	nib
low shoes ; oxfords	단화	shoes
rubbers	덧신	galoshes

American	Korean	English
shoes	편상화	boots
baby carriage	유모차	perambulator ; pram
wastebasket	휴지통	wastepaper basket
trash	쓰레기	rubbish
ash can ; garbage can	쓰레기통	dustbin
yard	뜰	garden
landscape architect	정원사	landscape gardener
house for rent	셋집	house to let
waitress ; chambermaid	가정부	parlourmaid ; housemaid
furnishings	가구	upholstery
bureau ; dresser	화장대	dressing table
porch ; piazza	베란다	verandah
window shades	(창의) 차양	(window) blinds
stairway	계단	staircase
living room	거실	sitting room
parlor	응접실	drawing room
washroom ; toilet	화장실	lavatory ; closet
washbowl	세면기	washhand basin
derby (hat)	중산모	bowler (hat)
business suit	신사복	lounge suit
Prince Albert	프록 코트《예복》	frock coat
tuxedo (coat)	턱시도《야회용 예복》	dinner jacket
vest	조끼	waistcoat
stickpin	넥타이핀	breastpin
suspenders	바지 멜빵	braces
garters	양말 대님	suspenders
breastpin	브로치	brooch
raincoat	레인코트	mackintosh ; waterproof
Costumes to rent	임대 의상	Costumes on hire
tailor shop	양복점	tailor's (shop)
store clothes	기성복	ready-made clothes
calico	사라사《날염》	print
undershirt	내의	vest ; singlet

음식물 관계 (Food, etc.)

American	Korean	English
candy	사탕 과자	sweets
candy store	과자 가게	sweetshop
cracker	비스킷	biscuit
bakery	빵 과자 제조[판매]점	baker's shop
ice cream	아이스크림	ice
cigar store	담배 가게	tobacconist's (shop)
fruit (seller[dealer])	과일 가게	fruiterer
dessert ; desserts	디저트	sweet course ; sweets
grocer shop ; grocery	식료품점	grocer's (shop)
grain	곡물	corn
cereal	오트밀	porridge
corn	옥수수	maize ; Indian corn
peanuts	땅콩	monkey-nuts ; earthnuts

백화점·호텔·회사 관계 (Business, etc.)

American	Korean	English
department store	백화점	stores
floorwalker	매장 감독	shopwalker
installment plan	분할 지급《월부》	hire purchase (system)
chain store	연쇄점	multiple shop
store	가게	shop
clerk	점원	shop assistant
storekeeper	가게 주인	shopkeeper
first floor	1층	ground floor
second floor	2층	first floor
unloading sale	재고 정리 대매출	clearance sale

American	Korean	English
red	적자 ; 결손 ; 부채	loss
salesclerk	판매원	shop assistant
traveling salesman	외판원, 세일즈맨	commercial traveller
white-collar worker	사무원	blackcoat worker
employment bureau	직업 소개소	registry office
billboard	게시판	hoarding
laborer	인부	navvy
scrubwoman	잡역부	charwoman
bootblack	구두닦이《사람》	shoeblack
board of trade	상공 회의소	chamber of commerce
stock	주식	share
stockholder	주주	shareholder
(business) corporation	(주식)회사	(business) company
stock market	증권 거래소	stock exchange
president of a corporation	사장	chairman of a company
member of the directory	중역	member of the directorate
bill	지폐 ; 어음	note
legal holiday ; public holiday	휴일	bank holiday
elevator	엘리베이터	lift
bellboy	(호텔의) 보이	hotel page
janitor	문지기, 수위	porter
toilet	화장실	lavatory
apartment	아파트	flat
janitor	관리인	caretaker

스포츠·사교·오락 관계(Sports, etc.)

American	Korean	English
sporting goods	운동용구	sports requisites
hunting	수렵	shooting
boxer	권투 선수	bruiser
movies ; cinema	영화	pictures ; cinema
headliner	스타	star ; topliner
opening night	공연 첫날 ; 첫 공연	first night
intermission	휴식 시간 ; 막간	interval ; break
dance hall	댄스 홀	dancing saloon
teeterboard	시소판	seesaw
carrousel	회전 목마	merry-go-round
sled	썰매	sledge

시간을 나타내는 법(Time)

American	Korean	English
Have you the time?	몇시나 됐을까요.	Can you tell me the time?
a quarter of eight	8시 15분전	a quarter to eight
half after eight ; eight-thirty	8시 30분	half past eight
a half hour later	반시간 뒤	half an hour later
two weeks	2주간	a fortnight
in weeks	수주간	for weeks
New Year's	새해	New Year's Day ; New Year
the first of the week	주초쯤	early in the week
I shall return around the last of the week.	주말쯤에 돌아옵니다.	I shall return about the end of the week.
a week from Tuesday	내주 화요일	Tuesday week
November 5 through December 4	11월 5일부터 12월 4일까지	from November 5 to December 4 inclusive

그 외(Others)

American	Korean	English
weather bureau	기상청	meteorological office
fall	가을	autumn
daylight saving time	서머 타임	summer time
sickness	병	illness

American	Korean	English
druggist	약제사	chemist
drugstore	약국	chemist's (shop)
funeral director	장의사 경영자	undertaker
barber shop	이발소	barber's (shop)
barn	마구간	stable
chicken yard	양계장	fowl-run
rooster	수탉	cock
bug	곤충	insect
family name ; last name	성	surname
calling card	명함	visiting card
a trillion	1조	a billion
a billion	10억	a thousand millions
lumber	재목	timber
rod ; gun	권총	pistol ; revolver
fifty-fifty	반반의	half-and-half
O.K.	좋다	all right

3. 미·영어 철자의 차이 대요

미·영어 철자의 차이의 주요한 규칙을 들었다. 개개의 차이의 보기에 관해서는 「미·영어 차이 일람표」를 참조하기 바란다.

《美》	《英》
-l-	**-ll-**
councilor	councillor
jeweler	jeweller
traveler	traveller
woolen	woollen
-ll-	**-l-**
enroll	enrol
fullfil	fulfil
skillful	skilful
-or	**-our**
color	colour
endeavor	endeavour
favor	favour
labor	labour
vapor	vapour
-er	**-re**
center	centre
meter	metre
meager	meagre
theater	theatre
-yze	**-yse**
analyze	analyse
paralyze	paralyse
-se	**-ce**
defense	defence
license	licence
offense	offence
in-	**en-**
infold	enfold
inquire	enquire
-ction	**-xion**
connection	connexion
reflection	reflexion
-i-	**-y-**
flier	flyer
sirup	syrup
tire	tyre

《美》	《英》
-o-	**-ou-**
mold	mould
smolder	smoulder
-y	**-ey**
story	storey
-ck-	**-qu-**
check	cheque
checkered	chequered
-k-	**-c-**
disk	disc
skeptic	sceptic
-dgment	**-dgement**
abridgment	abridgement
acknowledgment	acknowledgement
judgment	judgement
-e-	**-ae-**
archeology	archaeology
cyclopedia	cyclopaedia
encyclopedia	encyclopaedia
esthete	aesthete
-m	**-mme**
gram	gramme
kilogram	kilogramme
program	programme
-et	**-ette**
cigaret	cigarette
omelet	omelette
-ing	**-eing**
aging	ageing
eying	eyeing
악센트 부호를 붙이지 않는다	악센트 부호를 붙인다
cafe	café
coupe	coupé
elite	élite
fete	fête

〈부록 3〉

영문 구두점

영어는 의미와 강조를 나타내기 위해 어군을 분리하거나 음의 고조, 음량, 휴지, 말의 억양을 나타내거나 문맥의 애매함을 피하기 위해 구두점을 사용한다. 다음은 영어의 구두점 사용 기준을 설명한 것이며, 일반적인 법칙을 설명하기 위해 예문을 제시했다.

각괄호 Brackets [[ ]]

1. 문장 속에서 설명이나 주석을 삽입하는 경우에 사용한다.
   He was born in 1808 [actually in 1805] in....
2. 「원문 그대로」를 의미하는 라틴어 *sic*을 쌀 때 사용한다. *sic*은 사실, 철자, 문법 따위가 틀린 인용문 뒤에 삽입하여 독자에게 원본을 그대로 인용한다는 것과 틀린 것은 원본 때문이지 필자 때문이 아님을 밝히는데 사용한다.
   Andrew Johnson never attended school and was scarcely able to read when he met Eliza McCardle, whom he married on May 5, 1927 [sic].
3. 둥근 괄호 안에서는 둥근 괄호의 기능을 한다.
   Bowman Act (22 Stat., ch. 4, § [or sec.] 4, p. 50)
4. 발음 기호를 표시할 때 사용한다.
   the word is pronounced [kəpǽsəti]

느낌표 Exclamation Point [!]

1. 강조 구나 문장을 끝낼 때 사용한다.
   Her notorious ostentation — she flew her friends to Bangkok for her birthday parties! — was feasted on by the popular press.
2. 감탄문을 끝낼 때 사용한다.
   Oh, dear!
   How pale you look!

대시 Dash [—]

1. 일련의 연속된 한 문장을 갑자기 전환하거나 끊을 때 주로 사용한다.
   But despite — I say despite — this excellent gift his performance is not without defects.
2. 특별히 강조할 때 콤마나 둥근 괄호 대신에 사용하는 경우도 있다.
   After two hours — they seemed an eternity — the door of the operating room reopened.
3. 앞서 언급한 것을 설명, 요약, 부연할 때 사용한다.
   Apples, oranges, bananas, strawberries — all these are the fruits I like very much.
4. 인용문 뒤에 저자 이름을 밝힐 때 사용한다.
   The pen is mighter than the sword. — Lytton.
5. 절이나 구를 삽입할 때 사용한다. 대시는 삽입된 절을 구분해 주는 콤마를 대신하지만 느낌표나 물음표는 그대로 둔다.
   They are demanding that everything — even the marshland! — be transferred to the new trust.
   Your question — it was your question, wasn't it, Mr. Jones? — just can't be answered.

둥근 괄호 Parentheses [( )]

1. 예, 설명, 보충 자료가 되는 낱말이나 숫자 또는 구나 절을 쌀 때 사용한다. 단, 예나 설명 혹은 보충 자료가 문장의 의미를 본질적으로 변화시키는 것이어서는 안된다.
   Some visual elements (films, videotapes or slides) can facilitate learning.
2. 본문의 숫자가 아라비아 숫자로 쓰이지 않았을 때, 이를 확실히 하기 위해 수사를 쓸 경우에 사용한다.
   Delivery will be made in thirty (30) days.
3. 연속되는 숫자나 문자를 쌀 때 사용한다.
   Sentences are used in three ways : (a) to make assertions, (b) to ask questions, (c) to give commands, or make requests.
4. 철자를 전부 쓴 형태 뒤에 약어를 쓰거나 약어 뒤에 철자를 전부 써주는 형태를 취할 때 사용한다.
   a ruling by the Federal Communications Commission (FCC)
   the manufacture and disposal of PVC (polyvinyl chloride)
5. 양자 택일할 수 있음을 나타낼 때 사용한다.
   I stayed at my uncle's (house).
6. 각주와 권말의 주에 붙는 출판 자료를 쌀 때 사용한다.
   Marguerite Yourcenar, *The Dark Brain of Piranesi and Other Essays* (New York : Farrar, Straus and Giroux, 1985), p. 9.
7. 다른 구두점과 함께 쓰이는 경우가 있다. 삽입구가 하나의 독립된 문장이면, 첫 글자는 대문자로 시작하고 마침표는 둥근 괄호 안에 둔다. 그러나 삽입구가 문장 가운데 오면 (하나의 완전한 문장이 삽입구로 문장 가운데 올 경우에도), 첫 글자는 대문자로 쓰지 않으며 마침표도 붙이지 않는다. 하지만 느낌표, 물음표, 약어를 나타내는 피리어드, 인용 부호는 둥근 괄호 안에 둘 수 있다.
   The interview was held in the dean's office. (The result has not been reported yet.)
   Although we liked the restaurant (their Italian food was the best), we seldom went there.
   Years ago, someone (I wish I could remember who!) told me about it.
   What was once informally known as A. B. D. status is now often recognized by the degree of

Master of Philosophy (M. Phil.).
He was depressed ("I must resign") and refused to do anything.

8. 문장 속의 삽입구 앞에 구두점이 직접 오지는 않으며, 문장을 끊을 필요가 있을 때는 둥근 괄호 뒤에 구두점을 붙인다.
I'll get back to you tomorrow (Friday), when I have more details.

마침표 period [.]

1. 의문문이나 감탄문이 아닌 서술문이나 명령문을 끝낼 때 사용한다.
She is very happy.
Come at once.
2. 약어와 단축어 뒤에 사용한다.
Mon. Jan.
Dr. etc.
3. 사람 이름의 머리 글자에 사용한다.
F. Scott Fitzgerald
T. S. Eliot
4. 세로로 열거하여 요점을 나열할 때 쓰는 수사와 문자 뒤에 사용한다.
Required skills are:
  1. Shorthand
  2. Typing
  3. Transcription
I. Objectives
  A. Economy
    1. low initial cost
    2. low maintenance cost
  B. Ease of operation

물음표 Question Mark [?]

1. 직접 의문문을 끝낼 때 사용한다.
How did she do it?
"How did she do it?" he asked.
2. 긴 문장의 일부지만 간접 의문문의 형태가 아닌 의문문을 끝낼 때 사용한다.
How did she do it? was the question on each person's mind.
3. 저자에 관해 모르거나 불확실함을 나타낼 때 사용한다.
Geoffrey Chaucer, English poet (1342?-1400)

사선 Slash / Virgule [/]

1. 어느쪽 말을 취해도 좋을 때 사용한다.
He pointed at/to me.
He always/never forgot his wife's birthday.
2. 관련어 사이에서 to나 and의 의미를 대신할 때 사용한다.
the fiscal year 1997/1998
in the April/May issue
3. 별행 처리를 하지 않고 이어 쓴 시행을 나눌 때 사용한다.
As underneath their fragrant shade/I clasped her to my bosom! — Robert Burns
4. 날짜의 연월일, 분수의 분자·분모를 구별할 때 사용한다.
offer expires 9/20/99
5/17
5. 도량의 단위와 함께 쓰일 때나 비율 조건을 나타내기 위해 per나 to의 의미를 갖는 경우가 많다.
6 ft/sec
70 km/h
6. 음소를 나타낼 때 사용한다.
/h/ as in *home*

생략 부호 Ellipsis/Suspension Points [...]

1. 인용구절에서 하나 이상의 말이 생략되었음을 나타낸다. 인용구절의 문장이 한 문장 이상 생략되었거나 문장 끝에서 말이 생략되었으면 점을 4개 (....) 찍는다. 점 4개 (....) 중 처음이나 마지막 점은 종지부(period)를 나타낸다.
In the little world in which children have their existence, . . . there is nothing so finely perceived and so finely felt as injustice. — Charles Dickens
Security is mostly a superstition. . . . Avoiding danger is no safer in the long run than outright exposure. . . . Life is either a daring adventure or nothing. — Helen Keller
2. 생략 부호가 시행의 길이 만큼 그어져 있으면 시행이 1행 이상 생략되었음을 나타낸다.
Little Lamb, who made thee?
Dost thou know who made thee?
. . . .
Making all the vales rejoice?
Little Lamb, who made thee?
Dost thou know who made thee?
— William Blake
3. 회화에서 말을 더듬을 때나 불완전한 문장을 나타낼 때 사용한다.
"I'd like to . . . that is . . . if you don't mind. . . ."

세미콜론 Semicolon [;]

1. 대등 접속사를 쓰지 않고 독립절을 이어줄 때 사용한다.
The powerful are always right; the weak, always wrong.
2. 접속부사(consequently, furthermore, however)로 연결되는 절을 이어줄 때 사용한다.
Speeding is illegal; furthermore, it is very dangerous.
3. 부연 설명이나 연속됨을 나타내는 어구(for example, for instance, that is, namely, e.g., i.e.) 앞에 오는 경우가 많다.
The committee is composed of the president and some important members of the staff; namely, the head of each department, the vice-president, and the president's secretary.
4. 콤마가 있는 구를 구별할 때 사용한다.
These are my favorite flowers; violets, for their sentimentality; roses, for their color; and buttercups, for their cheerfulness.

5. 인용부호와 둥근 괄호 밖에 놓인다.
They again demanded "complete autonomy"; the demand was again rejected.

아포스트로피 Apostrophe [']

1. 명사와 부정 대명사의 소유격을 나타낸다. 거의 모든 단수 명사의 소유격에는 's가 붙는다. 그러나 보통 회화체에서 s가 발음되지 않으면 의례적으로 '만 붙는다. s나 [s] 혹은 [z]로 끝나는 복수 명사의 소유격은 일반적으로 '만 붙고, 불규칙 복수의 소유격에는 's가 붙는다.
her sister-in-law's car
one's opinion
the boy's mother
the boys' mothers
Degas's drawings
Knox's products
for righteousness' sake
the Stephenses' house
children's laughter
2. 단축어의 문자 생략을 나타낸다.
he's
didn't
doesn't
3. 숫자의 생략을 나타낸다.
class of '93
4. 문자, 숫자, 구두점 있는 약어, 기호, 단어의 복수형을 만드는데 사용되는 경우가 많다.
Dot your *i*'s and cross your *t*'s.
He writes *7*'s like *1*'s.
Two of the junior faculty have *Ph. D*'s.
She has trouble pronouncing her *the*'s.
Don't use too many *and*'s and *but*'s in your paper.

작은따옴표 Single Quotation Marks [' ']

1. 미국식 어법에서 인용문 안에 또 다른 인용문이 있을 때 사용한다. 작은따옴표와 큰따옴표가 모두 문장 끝에 오면, 마침표는 일반적으로 두 인용부호 안쪽에 놓인다.
John replied, "Mr. Smith said to me, 'No report has reached this office.'"
2. 특히, 영국식 어법에서는 큰따옴표를 대신할 때가 있다. 이 경우, 인용문 안의 또 다른 인용문은 큰따옴표로 나타낸다.
The witness said, 'I distinctly heard him say, "Don't be late," and then heard the door close.'

콜론 Colon [:]

1. 앞에 말한 절이나 구를 설명, 예증, 부연, 재언급할 때 사용한다.
Madame Curie might be called one of the pioneers of the Atomic Age: she discovered radium.
2. 동격어에 주의를 기울일 때 사용한다.
She had only one pleasure : eating.
3. 길게 나열할 때 사용한다.
Three abstained : England, France, and Belgium.
4. 인용부호가 아닌 인덴테이션(indentation)으로 본문의 긴 인용문을 이끌 때 사용한다.
Where love between man and woman is concerned what is new in Charlotte Brontë is precisely such a passage as this, from *Jane Eyre*:

No sooner did I see that his attention was riveted on them [some ladies], and that I might gaze without being observed, than my eyes were drawn involuntarily to his face: I could not keep their lids under control: they would rise and the iris would fix upon him. . . .

5. 페이지 참조, 서지 목록 인용, 성서 인용, 비율과 시간을 나타낼 때 사용한다.
Journal of the American Medical Association 48 : 356
Stendhal, *Love* (New York : Penguin, 1975)
Exodus 4 : 6
a ratio of 2 : 5
9 : 30 p.m.
6. 제목과 부제목을 구별할 때 사용한다.
Battle Cry of Freedom : *The Era of the Civil War*
7. 공식적인 편지의 인사말에 사용한다.
Dear Sir :
Ladies and Gentlemen :
8. 메모와 공식적인 편지의 표제에 사용한다.
TO :
SUBJECT :
REFERENCE :

콤마 Comma [,]

1. 등위 접속사(and, but, or, nor, for)로 연결된 주절을 구별할 때, 혹은 접속사로 연결되지 않은 짧은 유사한 절들을 구별할 때 사용한다.
We had never before eaten such wonderful meals, and we were delighted with the service.
I came, I saw, I conquered.
2. 부사절이나 긴 부사구가 주절 앞이나 중간에 올 때 사용한다.
When I left the room, Miss Clark was playing the piano.
The report, after being read aloud, was put up for consideration.
3. 접속부사(consequently, moreover, futhermore, however), 예증이나 예문을 이끄는 표현(namely, that is, for example) 따위를 쓸 때 사용한다.
The teachers, moreover, had to take care of the children even after school.
She responded as completely as she could ; that is, she answered each of the individual questions specifically.
4. 문장 안에서 대조와 반대의 표현을 나타낼 때 사용한다.
The cost is not $ 43.00, but $ 34.65.
He changed his style, not his ethics.
5. 연속되는 단어, 구, 절을 구별할 때 사용한다(보통 마지막 단어[구, 절]를 이끄는 접속사 앞의 콤마를 생략하는 경우가 많다).

He was young, eager, and restless.
By night or day, at home or abroad, asleep or awake, he is a constant source of anxiety to his father.
I don't know who he is, where he goes, or what he is doing.
Be sure to pack a flashlight, a sweater and an extra pair of socks.

6. 명사를 수식하는 등위 형용사를 구별할 때 사용한다. 그러나 두 형용사를 나란히 쓸 때, 첫번째 형용사가 두번째 형용사와 이것의 수식을 받는 단어나 구로 된 결합어를 수식하면, 두 형용사 사이에는 사용하지 않는다.
It was a quaint, old-fashioned, vine-covered cottage.
a low common denominator

7. 비제한 용법의 절이나 구같은 삽입어구가 있을 때 사용한다.
My gun, which is now over the mantlepiece, hasn't been used for years.
He found the paper on the roof, where the newsboy had thrown it.
My eldest brother, Tom, is the tallest of my brothers.

8. 직접 인용문을 쓸 때, 의문문도 감탄문도 아닌 인용문으로 끝날 때, 인용문이 전달부와 피전달부로 나뉘어질 때 사용한다. 인용문이 문장의 주어나 술어 주격이 되거나, 실제 대화를 나타내지 않을 때는 콤마를 사용하지 않는다.
Andy said, "I am leaving."
"I am leaving," Andy said.
"And yet," I interrupted, "you do not care about it at all."
"The computer is down" was the reply she feared.
The fact that he said he was about to "faint from hunger" doesn't mean he actually fainted.

9. 직접 남을 호칭하는 말, 독립분사구문, 가벼운 감탄사를 쓸 때 사용한다.
Hello, George, how are you?
Generally speaking, girls make better linguists than boys.
Ah, that's my idea of an excellent dinner.

10. 부가의문을 구별할 때 사용한다.
It's a fine day, isn't it?

11. 앞 문장에 쓰인 동일한 단어 구조의 생략을 나타낸다. 콤마없이도 문장의 의미가 분명하면 콤마를 생략한다.
Common stocks are preferred by some investors ; bonds, by others.
He was in love with her and she with him.

12. 인접한 단어 때문에 뜻이 애매해지는 것을 막기 위해 사용한다.
To Smith, Brown was someone special.

13. 숫자를 세자리씩 나눌 때 사용한다. 그러나 일반적으로 페이지 수, 연대, 번지수에는 사용하지 않으며, 네자리 숫자에도 사용하지 않을 때가 있다.
$ 100, 000
4, 550 cars
page 2975
507 Main St.
2400 rpm
the year 1999

14. 성과 이름을 바꾸어 쓸 때 사용한다.
Mill, John Stuart

15. 성과 직함이나 학위를 구별할 때, "Junior", "Senior", 그 외의 약어들과 성을 구별할 때 사용한다.
Sandra H. Cobb, Vice President

16. 지명(주나 도시), 날짜의 연월일, 주소를 나타낼 때 사용한다. 날짜에 연월만 있으면 콤마는 대개 생략한다.
Shreveport, Louisiana, is the site of a large air base.
The letter was dated June 20, 1968, and was mailed from Paris.
He lived at 21 Baker Street, Elyria, Ohio, for twenty years.
She began her career in April 1992 at a modest salary.

17. 격식을 차리지 않는 편지의 인사말과 맺음말을 쓸 때 사용한다.
Dear Mark,
Affectionately,

큰따옴표 Double Quotation Marks [" "]

1. 직접 인용문을 쓸 때 사용하지만, 간접 인용문에는 사용하지 않는다.
He said, "I am busy."
He said that he was busy.

2. 다른 말의 차용어구, 특별한 의미로 쓰인 낱말, 격식있는 글 속에 있는 극히 비격식적인 말(속어 따위)을 쓸 때 사용한다.
They paid a "courtesy call" on the rival gang and sent six men to the hospital with stab wounds.
He called himself "emperor," but he was really just a dictator.
He was arrested for smuggling "smack."

3. 시・단편 소설・기사・강연・책의 장(chapter) 제목・짧은 작곡명・라디오나 텔레비전의 프로그램 제목을 나타낼 때 사용한다.
William Wordsworth's "The Daffodils"
John E. Steinbeck's "The Leader of the people"
The third chapter of *Treasure Island* is entitled "The Black Spot."
Debussy's "Clair de lune"
NBC's "Today Show"

4. 다른 구두점과 함께 사용하는 경우가 있다.
피리어드와 콤마는 인용부호 안에 온다.
"I am leaving," she said.
It was unclear how she maintained such an estate on "a small annuity."
콜론과 세미콜론은 인용부호 밖에 온다.
There was only one thing to do when he said "I may not run" : promise him a large campaign contribution.
I had not read Francis Bacon's essay, "Of

Truth"; in fact, I had never heard of it.
대시, 물음표, 느낌표가 단지 인용내용에만 관련되면 인용부호 안에 오고, 전체 문장과 관련이 있으면 인용부호 밖에 온다.
"I can't see how —" he started to say.
He asked, "When did she leave?"
Who said, "I tried my best"?
The sergeant shouted "Halt!"
How happy he is to be able to say, "I tried my best"!

5. 직접화법 이외의 yes나 no에는 인용부호를 사용하지 않는다.
She said yes to all our requests.
6. 원문에서 인용된 긴 문장에는 인용부호를 사용하지 않는다.
Lawrence is a master of the symbol in the psychological sense, as Jung has described it:

> In so far as a symbol is a living thing, it is the expression of a thing not to be characterized in any other or better way. The symbol is alive in so far as it is pregnant with meaning.

An example of Lawrence's use of the symbol is the scene in the final chapter of *The Rainbow*, in which Ursula encounters the horses on the common.

하이픈 Hyphen [-]

하이픈은 복합어를 이루는 낱말 사이에 오는 경우가 많다. 이런 낱말의 유형은 다양해서 하이픈의 위치가 의심스러우면 사전 표제어에서 그 위치를 확인하거나, 하이픈 표시가 없는 낱말은 그 낱말의 접두사를 알아보면 된다.

1. 접두사와 어근 사이에 하이픈을 사용하는 경우가 많다. 특히 어근의 첫자가 대문자로 시작할 때, 2개의 동일한 모음이 겹칠 때, 또는 동일한 철자를 가진 낱말 때문에 혼돈이 생기는 단어가 있을 때 접두사와 어근 사이에 하이픈이 온다.
pre-Christian
anti-imperialism
re-cover a sofa
2. 특히, 전치사가 포함된 복합어에 사용한다.
son-in-law
good-for-nothing
man-of-war
falling-out
3. 한정용법의 복합 수식어구에 사용하는 경우가 많다.
traveling in a fast-moving van
She has gray-green eyes.
4. 하이픈으로 연결된 복합어의 첫번째 단어나 접두사(하이픈으로 연결되었던 안되었던 상관없다)를 복합어의 두번째 단어나 기본어와 떼어 놓을 때 사용한다.
a six-or eight-cylinder engine
pre-and postadolescent trauma
5. 행 끝에서 단어를 끊을 때 사용한다.
The ruling pas-
sion of his life
6. 21～99 까지의 복합어 숫자를 쓸 때 사용한다.
fifty-five
one hundred thirty-four
7. 분수를 쓸 때, 특히 분수를 수식어로 쓸 때 분자와 분모 사이에 하이픈을 사용하는 경우가 많다. 그러나 명사로 쓰인 분수에는 하이픈이 없는 경우가 많으며, 특히 분자나 분모중 어느 한 쪽에 이미 하이픈이 붙어 있으면 분자와 분모 사이에 하이픈을 붙이지 않는다.
a two-thirds majority of the vote
two fifths of her paycheck
one seventy-second of an inch

〈부록 4〉

세계 항공사 약어 표기 일람

약어	회 사 명	
AA	American Airlines	아메리카 항공
AC	Air Canada	에어 캐나다
AF	Air France	에어 프랑스
AH	Air Algérie	에어 알제리
AI	Air India	에어 인디아
AY	Finnair	핀란드 항공
AZ	Alitalia	알리탈리아 항공
BA	British Airways	영국 항공
BG	Biman Bangladesh Airlines	비만－방글라데시 항공
CA	Air China	중국 국제 항공
CI	China Airlines	중화 항공(타이완)
CS	Continental Micronesia	콘티넨털－미크로네시아 항공
CX	Cathay Pacific Airways	캐세이－퍼시픽 항공
DL	Delta Air Lines	델타 항공
EG	Japan Asia Airways	일본 아시아 항공
FJ	Air Pacific	에어 퍼시픽
GA	Garuda Indonesian Airways	가루다－인도네시아 항공
IA	Iraqi Airways	이라크 항공
IB	Iberia	이베리아 항공
IR	Iranair	이란 항공
IW	AOM French Airlines	AOM 프랑스 항공
JD	Japan Air System	일본 에어 시스템
JL	Japan Air Lines	일본 항공
KA	Hong Kong Dragon Airlines	홍콩 (드래건) 항공
KE	Korean Air	대한 항공
KL	KLM-Royal Dutch Airlines	KLM 네덜란드 항공
KM	Air Malta	몰타 항공
LH	Lufthansa German Airlines	루프트한자 독일 항공
MH	Malaysian Airline System	말레이시아 항공
MS	Egyptair	이집트 항공
MU	China Eastern Airlines	중국 동방 항공
NH	All Nippon Airways	전일본 항공
NW	Northwest Orient Airlines	노스웨스트 항공
OA	Olympic Airways	올림픽 항공
OS	Austrian Airlines	오스트리아 항공
OZ	Asiana Airlines	아시아나 항공
PK	Pakistan International Airlines	파키스탄 국제 항공
PR	Philippine Airlines	필리핀 항공

약어	회 사 명	
QF	Qantas Airways	콴타스 항공
RG	Varig Brazilian Airlines	바리그-브라질 항공
RH	Air Zimbabwe	짐바브웨 항공
RK	Air Afrique	에어 아프리크, 아프리카 항공
SK	Scandinavian Airlines System	스칸디나비아 항공
SN	Sabena Belgian World Airlines	사베나-벨기에 항공
SQ	Singapore Airlines	싱가포르 항공
SR	Swissair	스위스 항공
SU	Aeroflot Russian International Airlines	에어로플로트 러시아 항공
TE	Air New Zealand	뉴질랜드 항공
TG	Thai Airways International	타이 국제 항공
TK	Turkish Airlines	터키 항공
UA	United Airlines	유나이티드 항공
VS	Virgin Atlantic Airways	버진-애틀랜틱 항공

〈부록 5〉

세계 주요 도시・공항 코드 일람

코 드	공 항	코 드	공 항
ADL	애들레이드(오스트레일리아)	HKT	푸케트(타이)
AKL	오클랜드(뉴질랜드)	HND	하네다(일본)
AMS	암스테르담(네덜란드)	HNL	호놀룰루(미국)
ANC	앵커리지(미국)	IAD	워싱턴, 댈러스(미국)
ARN	스톡홀름(스웨덴)	IAH	휴스턴(미국)
ATH	아테네(그리스)	IKT	이르쿠츠크(러시아)
ATL	애틀랜타(미국)	ISB	이슬라마바드(파키스탄)
BCN	바르셀로나(스페인)	IST	이스탄불(터키)
BKK	방콕(타이)	JFK	뉴욕, 케네디(미국)
BNA	내슈빌(미국)	KCH	쿠칭(말레이시아)
BNE	브리즈번(오스트레일리아)	KHH	가오슝(타이완)
BOS	보스턴(미국)	KHI	카라치(파키스탄)
BRU	브뤼셀(벨기에)	KHV	하바로프스크(러시아)
CAI	카이로(이집트)	KUL	콸라룸푸르(말레이시아)
CCU	캘커타(인도)	LAX	로스앤젤레스(미국)
CDG	파리, 샤를드골(프랑스)	LED	상트페테르부르크(러시아)
CEB	세부(필리핀)	LIM	리마(벨기에)
CGK	자카르타(인도네시아)	LON	런던(영국)
CHC	크라이스트처치(뉴질랜드)	MAD	마드리드(스페인)
CJU	제주(한국)	MCO	올랜도(미국)
CMB	콜롬보(스리랑카)	MEL	멜버른(오스트레일리아)
CNS	케언스(오스트레일리아)	MEM	멤피스(미국)
CPH	코펜하겐(덴마크)	MEX	멕시코시티(멕시코)
CVG	신시내티(미국)	MIA	마이애미(미국)
DAC	다카(방글라데시)	MNL	마닐라(필리핀)
DCA	워싱턴(미국)	MSP	미니애폴리스, 세인트폴(미국)
DEL	델리(인도)	MUC	뮌헨(독일)
DEN	덴버(미국)	MXP	밀라노(이탈리아)
DFW	댈러스, 포트워스(미국)	NAN	난디(피지)
DLC	다롄(중국)	NGO	나고야(일본)
DPS	덴파사르(발리섬, 인도네시아)	NGS	나가사키(일본)
DRW	다윈(오스트레일리아)	NOU	뉴메아(뉴칼레도니아)
DTW	디트로이트(미국)	NRT	나리타(일본)
DUS	뒤셀도르프(독일)	NYC	뉴욕(미국)
EWR	뉴욕, 뉴어크(미국)	OIT	오이타(일본)
FCO	로마(이탈리아)	ORD	시카고(미국)
FRA	프랑크푸르트(독일)	ORY	파리, 오를리(프랑스)
FUK	후쿠오카(일본)	OSA	오사카(일본)
GIG	리우데자네이루(브라질)	PDX	포틀랜드(미국)
GRU	상파울루(브라질)	PEK	베이징(중국)
GUM	괌(미국)	PEN	피낭(말레이시아)
GVA	제네바(스위스)	PER	퍼스(오스트레일리아)
HEL	헬싱키(핀란드)	PHL	필라델피아(미국)
HIJ	히로시마(일본)	PPT	파페에테(타이티)
HKG	홍콩	PUS	부산(한국)

코 드	공 항
ROP	로타(스페인)
SDJ	센다이(일본)
SEA	시애틀, 타코마(미국)
SEL	서울(한국)
SFO	샌프란시스코(미국)
SHA	상하이(중국)
SIA	시안(중국)
SIN	싱가포르
SJC	산호세(미국)
SLC	솔트레이크시티(미국)
SPK	삿포로(일본)
SPN	사이판(미국)
SVO	모스크바(러시아)

코 드	공 항
SYD	시드니(오스트레일리아)
THR	테헤란(이란)
TPE	타이베이(타이완)
TXL	베를린(독일)
TYO	도쿄(일본)
VIE	빈(오스트리아)
VVO	블라디보스토크(러시아)
YEG	에드먼턴(캐나다)
YVR	밴쿠버(캐나다)
YYC	캘거리(캐나다)
YYZ	토론토(캐나다)
ZRH	취리히(스위스)

〈부록 6〉

게시 · 간판 · 광고문

Watch your step. 발밑을 조심하시오
Safety zone. 안전 지대
Information. 안내소
One way only. / One side only. 일방 통행
Entrance. 입구
Detour. 우회하시오
For sale. 매물
Receptionist. 접수자
Keep out from driver's seat. 운전석 출입 금지
Business hours. 영업 시간
Instruction given in English. 영어 교수
No passing. 추월 금지
No crossing. 횡단 금지
Pedestrians' crossing. / 《美》 Cross walk. 횡단 보도
No sale to be forced on any at this door./No hawkers. 강매 사절
Now in session. 회의 중
Beware of pickpockets. 소지품 주의
Fire alarm. 화재 경보기
House to let. 셋집
Wanted to rent. 셋집 구함
Catalog offered free. 카탈로그 무료 제공
School, go slow. 학교 앞, 서행하시오
Trash. 휴지통
Danger. 위험
Warning : high voltage. 위험 : 고압 전류
Inflammables and explosives strictly prohibited to be brought in. 위험물 반입 엄금
In mourning. 기중, 상중
No smoking. 금연
No turn. 회전 금지
Sound horn. 경적을 울리시오
Premiums offered. 경품 증정
Under construction. 공사 중
Public telephone. 공중 전화
Lavatory. 공중 변소
Out of order. 고장
Private lessons given. 개인 교수합니다
No dumping. 쓰레기를 버리지 마시오
Fragile — Handle with care. 깨지는 물건 — 취급 주의
Year-end sale. 연말 대매출
Room for standing only. 좌석 만원
Private. 사실
Quiet. 조용히
Speed limit : 40 k.p.h. 속도 제한 : 시속 40 킬로미터 이하
Guard against damp. 습기 조심
Keep off the grass. 잔디에 들어가지 마시오
In operation. 작업 중《공장 따위》
Under repairs. 수리 중
No visitors allowed. 방문 사절
Fire hydrant. 소화전
Not in use. 사용 금지
No nuisance. 소변 금지
The train crew only. 승무원 이외 출입 금지
Go slow. 서행
Closed to all vehicles. 모든 차량 통행 금지
Welcome to beginners. 초보자 환영
Off limits. / No trespassing. 출입 금지
On limits. 출입 자유
Please remove your hats. 탈모
No spitting. 침을 뱉지 마시오
Caution. 주의
No parking. 주차 금지
Parking area. 주차장
No thoroughfare. 통행 금지
Stop line. 정지선
No hooks. 갈고리 사용 엄금
Exit. / Way out. 출구
Hands off. 손대지 마시오
No U-turn. U턴 금지
No upside down. 거꾸로 하지 마시오
Bargain sale day. 특매일
Bargain special. 특매품
Open to public. 참가 자유
Stop, curve ahead. 정지, 전방 커브
Welcome to all visitors. 입장 환영
Admission free. 입장 무료
Keep dry. 건조한 데 둘 것
Fit for drinking. 음료수
Unfit for drinking. 마시지 못함
No transfer. 갈아타지 못함
Sold. 팔린 물건
Post no bills. 광고지를 붙이지 마시오
Beware of the dog. 개조심
Fire escape. / Emergency exit. 비상구
Not for sale. 비매품
Beware of fire. 불조심
Wet[Fresh] paint. 칠주의
Toilet. / Lavatory. / W.C. / 《美》 Rest room. 화장실
Opened today. 금일 개점
Closed today. 금일 휴업
No consultation today. 금일 휴진
Keep to the right. 우측 통행
No admittance except on business. 관계자외 출입 금지
Interview declined. 면회 금지
Staying open. 야간 영업
Side entrance. 옆문을 이용하시오
Reserved. 예약필
Fare forward. 요금 선불
Closed temporarily. 임시 휴업

〈부록 7〉

화폐 단위표

기본단위	기 호	보조단위	국 명
afghani	Af.	100 puls	Afghanistan
baht	B	100 satangs	Thailand
balboa	B	100 centesimos	Panama
birr	E$	100 cents	Ethiopia
bolivar	B	100 centimos	Venezuela
cedi	¢	100 pesewa(s)	Ghana
colon	¢	100 centimos	Costa Rica
colon	¢	100 centavos	El Salvador
cordoba	C$	100 centavos	Nicaragua
cruzeiro	Cr$	100 centavos	Brazil
dalasi	D	100 butut(s)	Gambia
Deutsche mark	DM	100 pfennigs	Germany
dinar	DA	100 centimes	Algeria
dinar	BD	1000 fils	Bahrain
dinar	ID	1000 fils 20 dirhams 5 riyals	Iraq
dinar	JD	1000 fils	Jordan
dinar	KD	1000 fils 10 dirhams	Kuwait
dinar	LD	100 piasters	Libya
dinar	D	1000 millimes	Tunisia
dinar	Din	100 paras	Yugoslavia
dirham	DH	100 centimes	Morocco
dollar	$A	100 cents	Australia
dollar	B$	100 cents	Bahamas
dollar	Bds$	100 cents	Barbados
dollar	$B	100 cents	Belize
dollar	$	100 cents	Bermuda
dollar	B$	100 sen	Brunei
dollar	(Can)$	100 cents	Canada
dollar	$F	100 cents	Fiji
dollar	G$	100 cents	Guyana
dollar	HK$	100 cents	Hong Kong
dollar	J$	100 cents	Jamaica
dollar	$	100 cents	Liberia
dollar	M$	100 cents	Malaysia
dollar	NZ$	100 cents	New Zealand
dollar	S$	100 cents	Singapore
dollar	TT$	100 cents	Trinidad and Tobago
dollar	$	100 cents	United States
dong	D	100 hao	Vietnam
drachma	Dr	100 lepta	Greece
escudo	Esc	100 centavos	Portugal
forint	Ft	100 fillérs	Hungary
franc	BF	100 centimes	Belgium
franc	FBu	100 centimes	Burundi
franc	CFAF	100 centimes	Cameroun
franc	CFAF	100 centimes	Congo
franc	CFAF	100 centimes	Central African Republic
franc	CFAF	100 centimes	Chad
franc	CFAF	100 centimes	Benin
franc	Fr., F	100 centimes	France
franc	CFAF	100 centimes	Gabon
franc	CFAF	100 centimes	Ivory Coast
franc	LFr.	100 centimes	Luxembourg
franc	FMG	100 centimes	Malagasy Republic
franc	MF	100 centimes	Mali
franc	CFAF	100 centimes	Mauritania
franc	CFAF	100 centimes	Niger
franc	RF	100 centimes	Rwanda
franc	CFAF	100 centimes	Senegal
franc	SFr.	100 centimes	Switzerland
franc	CFAF	100 centimes	Togo
franc	CFAF	100 centimes	Upper Volta
gourde	G	100 centimes	Haiti
guarani	₲	100 centimos	Paraguay
guilder (gulden)	Gld.	100 cents	Netherlands
guilder	SGld.	100 cents	Surinam
kip	K	100 ats	Laos
krona	IKr	100 aurar	Iceland
krona	SKr	100 öre	Sweden
krone	DKr	100 öre	Denmark
krone	NKr	100 öre	Norway
kwacha	K	100 tambala	Malawi
kwacha	K	100 ngwee	Zambia
kyat	K	100 pyas	Myanmar
lek	L	100 qindarka	Albania
lempira	L	100 centavos	Honduras
leone	Le	100 cents	Sierra Leone
leu	L	100 bani	Rumania
lev	Lv	100 stotinki	Bulgaria
lira	L(it)	100 centesimi	Italy
lira	TL	100 kurus	Turkey
mark	→ Deutsche mark		
markka	Fm(k)	100 pennia	Finland
naira	₦	100 kobo	Nigeria
pa'anga	T$	100 seniti	Tonga
pataca	P	100 avos	Macao
peseta	Pta	100 centimos	Spain
peso	M$N	100 centavos	Argentina
peso	$B	100 centavos	Bolivia
peso	Ch$	100 centavos	Chile
peso	Col$	100 centavos	Colombia
peso	$	100 centavos	Cuba
peso	RD$	100 centavos	Dominican Republic
peso	Mex$	100 centavos	Mexico
peso	P	100 centavos	Philippines
peso	$	100 centesimos	Uruguay
pound	£	1000 mils	Cyprus
pound	£E	100 piasters	Egypt
pound	£	100 pence	Irish Republic
pound lira	I£	100 agorot	Israel

기본단위	기 호	보조단위	국 명
pound	£L	100 piasters	Lebanon
pound	£M	100 cents 1000 mils	Malta
pound	Sud£	100 piasters 1000 milliemes	Sudan
pound	£S	100 piasters	Syria
pound	£	100 pence	United Kingdom
quetzal	Q	100 centavos	Guatemala
rand	R	100 cents	Lesotho
rand	R	100 cents	South Africa
rial	R	100 dinars	Iran
rial	R.O.	1000 baizas	Oman
riel	CR	100 sen	Cambodia
riyal	R	100 dirhams	Qatar
riyal	SR	100 halala	Saudi Arabia
rouble	R	100 kopecks	Russia
rupee	R	100 paise	Bhutan
rupee	R	100 paise	India
rupee	MauR	100 cents	Mauritius
rupee	NR	100 paisa	Nepal

기본단위	기 호	보조단위	국 명
rupee	PR	100 paisa	Pakistan
rupee	R	100 cents	Seychelles
rupee	R	100 cents	Sri Lanka
rupiah	Rp	100 sen	Indonesia
schilling	S, Sch.	100 groschen	Austria
shilling	KSh.	100 cents	Kenya
shilling	SoSh.	100 cents	Somali
shilling	TSh.	100 cents	Tanzania
shilling	USh.	100 cents	Uganda
sol	S/	100 centavos	Peru
sucre	S/	100 centavos	Ecuador
taka	Tk	100 paise	Bangladesh
tala	WS$	100 cents	Western Samoa
tugrik	Tug	100 mongo	Mongolia
yen	¥	100 sen	Japan
yuan (元)	$	100 fen (分) 10 chiao (角)	China
yuan (dollar)	NT$	100 cents	Taiwan
zloty	Zl	100 groszy	Poland

〈부록 8〉

야드・파운드계 도량형표

길 이

〈상 용〉		
mil	1/1000 inch	0.0254 mm
inch	1000 mils	2.54 cm
foot	12 inches	30.48 cm
yard	3 feet	91.44 cm
rod	5.5 yards, 16.5 feet	5.0292 m
furlong	40 rods	201.168 m
mile	5280 feet, 320 rods, 8 furlongs, 1760 yards	1.6093 km
league	3 miles	4.8279 km
〈측량용〉		
link	7.92 inches	20.12 cm
chain	100 links, 66 feet	20.12 m
furlong	10 chains, 220 yards	201.168 m
mile	80 chains	1.6093 km
〈토목용〉		
link	1 foot	30.48 cm
chain	100 feet	30.48 m
mile	52.8 chains	1.6093 km
〈항해용〉		
fathom	6 feet	1.8288 m
cable's length	100 fathom, 600 feet	182.88 m
	〔美海軍〕 720 feet	219.456 m
	〔英海軍〕 608 feet	185.319 m
(international) nautical mile	10 cable's lengths(국제 협정에서는 6076.11549 feet)	1.852 km
marine league	3 nautical miles	5.56 km

넓 이

〈상 용〉		
square inch	1/144 square foot	6.452 cm^2
square foot	144 square inches	929.03 cm^2
square yard	9 square feet	0.8361 m^2
square rod	30.25 square yards	25.292 m^2
acre	160 square rods, 4840 square yards	4047 m^2
square mile	640 acres	2.59 km^2
〈측량용〉		
square pole	625 square links	25.29 m^2
square chain	16 square poles	404.7 m^2
acre	10 square chains	4047 m^2
square mile, section	640 acres	2.59 km^2
township	36 square miles	93.24 km^2

부 피

cubic inch	1/1728 cubic foot	16.387 cm^3
cubic foot	1728 cubic inches	0.0283 m^3
cubic yard	27 cubic feet	0.7646 m^3

들 이

〈미(美)액량〉		
minim	1/60 fluid dram	0.061610 ml
fluid dram	60 minims	3.6966 ml
fluid ounce	8 fluid drams	0.0296 l
gill	4 fluid ounces	0.1183 l
pint	4 gills	0.4732 l
quart	2 pints	0.9464 l
gallon	4 quarts	3.7854 l
〈미(美)건량〉		
pint	1/2 quart	0.5506 l
quart	2 pints	1.1012 l
peck	8 quarts	8.8098 l
bushel	4 pecks	35.2390 l
〈영(英)액량·건량〉		
minim	1/60 fluid dram	0.059194 ml
fluid dram	60 minims	3.5516 ml
fluid ounce	8 fluid drams	28.413 ml
gill	5 fluid ounces	142.066 ml
pint	4 gills	568.26 ml
quart	2 pints	1.136 l
gallon	4 quarts	4.546 l
peck	2 gallons	9.0921 l
bushel	4 pecks	36.37 l
quarter	8 bushels	288 l

무 게

〈상 형〉		
grain	1/7000 pound	0.0648 g
dram	27.343 grains	1.772 g
ounce	16 drams, 437.5 grains	28.3495 g
pound	16 ounces, 7000 grains	453.59 g
stone	14 pounds	6.35 kg
hundredweight		
short hundredweight	100 pounds	45.359 kg
《英》 long hundredweight	112 pounds	50.80 kg
ton		
short ton	20 short hundredweights, 2000 pounds	907.18 kg
《英》 long ton	20 long hundredweights, 2240 pounds	1016.05 kg
〈금 형〉		
grain	1/5760 pound	0.0648 g
pennyweight	24 grains	1.5552 g
ounce	20 pennyweights, 480 grains	31.1035 g

pound	12 ounces, 5760 grains	373.24 g
〈약국형〉		
grain	1/5760 pound	0.0648 g
scruple	20 grains	1.296 g
dram	3 scruples, 60 grains	3.888 g
ounce	8 drams, 480 grains	31.1035 g
pound	12 ounces, 5760 grains	373.24 g

〈부록 9〉

수식 읽는 법

1. 수 식(expressions)

$3+8=11$ ………………………… Three plus[and] eight equals[are] eleven.

$6-2=4$ ………………………… ① Six minus two equals four. 또는 ② Six take away two leaves four. 또는 ③ Two from six leaves four.

$7\times7=49$ ………………………… Seven times seven equals forty-nine.

$\frac{1}{10}(or\ .1)\times11=1\frac{1}{10}(or\ 1.1)$ …… One-tenth[point one] times eleven equals one and one-tenth [one point one].

$12\div6=2$ ………………………… ① Twelve divided by six equals[is] two. 또는 ② Six into twelve is two.

$\frac{2}{5}:1=4:10$ ………………………… ① Two-fifths is to one as four is to ten. 또는 ② The ratio of two-fifths to one equals the ratio of four to ten.

$x=\frac{a^2+b}{3}$ ………………………… x equals a square(d) plus b over[divided by] three.

$(a+b)(a+c)=a^2+ab+ac+bc$ … (The parenthesis) a plus b times (the parenthesis) a plus c equals a squared plus ab [a times b] plus ac [a times c] plus bc [b times c].

$x=\sqrt{\frac{3y}{z}}$ ………………………… x equals the square root of three y divided by [over] z.

3^2 …. three square(d), 3^3 …. three cubed, 3^4 …. three to the fourth power

2. 소 수(decimals)

8.69 …………… eight point [decimal, decimal point] six nine

$.01$ …………… point zero one

$4.\dot{6}$ …………… four point [decimal, decimal point] six recurring [repeating]

$4.6\dot{2}\dot{3}$ ………… four point [decimal, decimal point] six, two three recurring [repeating]

$.33\times11$ ……… point thirty-three times eleven.

3. 분 수(fractions)

$\frac{1}{10}$ ……… a [one] tenth

$\frac{1}{5}$ ………… a [one] fifth

$\frac{3}{4}$ ……… three-quarters [three-fourths]

$\frac{2}{3}$ ………… two-thirds

$2\frac{5}{6}$ ……… two and five-sixths

$\frac{45}{49}$ ………… forty-five forty-ninths

10. 중요 동사의 유의어별 모음

➡ 가르치다 : 교육하다, 양성하다

teach 「지식이나 기술을 가르치다」란 뜻의 기본적이고 광범위한 말. 「직접 가르치다」라는 뜻을 지니고 있다.

vt. ① …을 가르치다 ; 《**teach** A B, **teach** B **to** A》 A에게 B를 가르치다

◈ Mrs. Hyman teaches English. (하이만 선생님은 영어를 가르치신다)

◈ Who is teaching you phonetics? (누가 너희들에게 음성학을 가르치고 있니?)

② 《**teach** A (**how**) **to** do》 A에게 …하는 방법을 가르치다

◈ My brother taught me how to ride a bicycle. (형이 나에게 자전거 타는 법을 가르쳐 주었다)

instruct 「어떤 특정 과목이나 기술을 조직적이고 계통적으로 가르치다」의 뜻.

vt. …을 가르치다 ; 《**instruct** A **in** B》 A에게 B를 가르치다

◈ Miss Alison instructs two communication courses a week. (앨리슨 선생님은 커뮤니케이션 과목을 한 주에 두 과목 가르친다)

educate teach, instruct함으로써 어떤 사람이 가지고 있는 잠재적인 능력이나 특질을 어떤 지위에 맞게 발달시키는 것을 뜻하며, 주로 고등교육기관을 거친다는 뜻이 있다.

vt. …을 교육하다 ; 《**educate** A **in** [**on**] B》 A에게 B를 교육하다 ; 《**educate** A **at** [**in**] B》 A를 B가 되도록 교육하다

◈ She was educated at Cambridge. (그녀는 케임브리지에서 교육을 받았다)

◈ I'll educate my son for the medicine [ministry]. (아들을 의사[목사]가 되도록 교육시키겠다)

train educate와 같은 뜻으로도 쓰이지만 보다 명확한 특정 작업이나 일을 위한 훈련을 뜻하며 동물에도 쓴다.

vt. …을 훈련하다 ; 《**train** A **in** B》 A에게 B를 할 수 있도록 훈련하다 ; 《**train** A **to** B》 A에게 직업·기술을 익히도록 훈련하다 ; 《**train** A **as** B》 A를 B로서 훈련하다 ; 《**train** A **for** B》 A를 B를 위해 훈련하다

◈ Those talented young men and women were trained to be astronauts. (그 재능있는 젊은 남녀는 우주 비행사로 양성되었다)

◈ Promising women should be trained as managerial officers. (전도 유망한 여성은 관리로 훈련받아야 한다)

◈ They train dolphins for a show. (그들은 돌고래를 쇼에 내보내기 위해 훈련하고 있다)

cultivate 감각·품성·재능을 보살피고 배려하여 바람직한 방향으로 「도야(陶冶)하다」의 뜻.

vt. …을 양성하다 ; 배양하다 ; 도야하다

◈ He needs to cultivate his sense of humor. (그는 유머 감각을 기를 필요가 있다)

◈ It's by no means easy to cultivate a good habit. (좋은 습관을 기르는 것은 결코 쉬운 일이 아니다)

➡ 거들다 : 돕다, 구하다, 구해내다, 구호하다, 구출하다, 구조하다

help 「거들다, 돕다」의 뜻으로 일반적인 말.

vt. ① …을 거들다 ; 《**help** A **with** [**in**] B》 A가 B를 하는 것을 거들다

◈ He helped his father in washing the car. (그는 아버지가 차를 닦는 것을 거들었다)

② 《**help** A (**to**) do》 A가 …하는 것을 거들다 (➤(美)에서는 부정사 to를 생략하는데 수동태에서는 to가 붙는다)

◈ I helped her carry the heavy suitcase. (나는 그녀가 무거운 여행 가방을 옮기는 것을 거들었다)

③ 《**help** A+부사(구)》 거들어서 …하게 하다

◈ She helped an old lady into a bus. (그녀는 노부인을 거들어서 버스에 태워드렸다)

aid help 보다 격식을 차린 말. 상대의 노력을 후원한다는 뜻으로 도움을 주는 쪽에서는 여력이 있고 도움을 받는 쪽은 약하다는 뉘앙스가 있다.

vt. …을 돕다 ; 원조하다 ; 《**aid** A **to** do》 A가 …하는 것을 원조하다

◈ Developed countries aided developing countries in promoting their industry. (선진국은 개발도상국의 산업을 촉진시키는데 원조를 했다)

assist help 보다 딱딱한 말. 「거들다」의 뜻으로는 aid 보다 약하고 곁에서 일의 진행을 돕는다는 뜻으로 부차적인 입장을 나타낸다.

vt. …을 거들다 ; 보조하다 ; 《**assist** A **in** [**with**] B》 A가 B하는 것을 거들다 (➤B는 명사·동명사)

◈ She assisted the professor in recording the teaching material on a video tape. (그녀는 교수가 교재를 녹화하는데 보조했다)

save 위험한 상태에서 「구하다」란 뜻. 부사(구)와 함께 방법·상태를 나타내는 경우가 많다.

vt. …을 구하다 ; 구출하다

◈ The life of the injured boy was saved by an operation. (부상당한 소년의 생명을 수술로 구했다)

rescue 위험・구금・죽음 등이 임박한 상황에서 신속하고도 적극적으로 구출한다는 뜻.

vt. …을 구출하다

◈ He rescued the boy from drowning. (그는 물에 빠진 소년을 구조했다)

◈ The hostage was rescued from being shot. (인질은 구출되어 사살되는 것을 모면했다)

결심하다 : 결정하다, 각오하다, 결단하다

decide 어떻게 해야 할지 망설이던 일이나 찬반 양론이 있었던 일에 대한「결론을 내리다, 결정하다」의 뜻.

vt. …하려고 결정하다 ; 결심하다 ; …라는 결론을 내리다

◈ I decided to go tomorrow instead of the day after tomorrow. (모레 말고 내일 가기로 결정했다)

◈ It was decided that the announcement (should) be postponed until winter. (발표는 겨울까지 연기하기로 결정되었다)

◈ Have you decided which dress to wear for the banquet? (만찬회에 어떤 드레스를 입고 갈 것인가를 결정했습니까 ?)

— *vi.* ⟪**decide on**⟫ 결심하다 ; 결정하다

◈ I'm the one to decide. (결정하는 사람은 저입니다)

◈ Have you decided on the name for the puppy? (강아지 이름은 결정했니 ?)

determine decide 보다 격식을 차린 말로 decide 한 사항에 대해, 그 내용・한도・방향 설정 등을 보다 명확하고도 상세히 정해서 그것을 변경시키지 않는다는 뜻을 포함하고 있다.

vt. …을 결정[결심]하다

◈ We determined the number of guests to invite and what to serve them. (우리는 초대할 손님의 수와 무엇을 대접할 것인가를 결정했다)

— *vi.* 결정[결심]하다 ; ⟪**determine on** A⟫ A를 하려고 결정[결심]하다 (➤ A는 명사・동명사)

◈ He determined on accepting the position. ⇌ He determined to accept the position. (그는 그 지위를 받아들이기로 결심했다)

resolve determine 보다 강한 뜻으로 어떤 일을 하느냐 안하느냐의 결의를 명확하고도 분명히 말한다는 뜻을 내포한다.

vt. ① (사람이)…할 것을 결심[결정]하다

◈ The leader resolved to give up getting to the summit that afternoon. (대장은 그날 오후에 정상에 오르는 것을 포기하기로 작정했다)

② (위원회나 의회가) …하기로 결의하다

◈ It was resolved that a joint statement (should) be issued. (공동성명을 내기로 결의되었다)

— *vi.* (행위・안(案) 등을 실행하기로) 결심[결정]하다

◈ The party resolved on looking for him by all means. (일행은 반드시 그를 찾아내기로 결의했다)

고르다 : 골라 뽑다, 가리다, 선출하다, 선택하다, 선발하다

choose 주어진 범위・제공된 사람・물건 중에서 판단하여 적당하다고 생각되는 것을「고르다」는 뜻으로 광범위하게 쓰인다.

vt. …을 고르다 ; ⟪**choose** A **out of** B⟫ B중에서 A를 고르다 ; ⟪**choose** A B, **choose** B **for** A⟫ A에게 B를 골라주다 ; ⟪**choose** A (**as** [**to be**]) B⟫ A를 B로서 고르다 ; ⟪**choose to** do⟫ …하기로 결정하다

◈ She chose a white blouse. (그녀는 흰 블라우스를 골랐다)

◈ You may choose one out of these gifts. (이 선물 중에서 한 개를 골라도 된다)

◈ The boy chose himself his favorite baseball cap. (소년은 자기가 매우 좋아하는 야구모자를 골랐다)

select 많은 것 중에서 비교 검토하여「고르다」.

vt. …을 고르다 ; ⟪**select** A **for** B⟫ A를 B를 위해 고르다 ; ⟪**select** A **from** B⟫ B들 중에서 A를 고르다 ; ⟪**select** A **out of** B⟫ A를 B에서 고르다[선발하다] ; ⟪**select** A **to** do⟫ A를 …하기 위해 고르다[선발하다]

◈ She selected a tie for her boy friend. (그녀는 남자 친구에게 주려고 넥타이 하나를 골랐다)

◈ Our team was selected out of a large number of the high school baseball teams. (우리 팀은 많은 고교 야구 팀 중에서 선발되었다)

◈ I was selected to make an opening address. (나는 개회사를 하도록 선발되었다)

pick select와 같은 뜻으로 쓰이지만 select보다 구어적이고, 개인적인 입장에서「고르다」라는 뜻이 함축되어 있다

vt. (신중히) …을 고르다 ; 선발하다

◈ I pick my words carefully when I talk to my boss. (사장과 이야기할 때는 말을 신중히 골라서 한다)

elect 투표 등의 절차를 거쳐 정식으로 인물을「선출하다」의 뜻으로 부적당한 사람・물건을 골라내고 선출시킨다는 뜻이 강하다.

vt. 선출하다 ; 선거하다 ; ⟪**elect** A B⟫ A를 B로 선출하다 ; ⟪**elect** A **as** B⟫ A를 B로 선출하다 (➤ 직무가 한 명에 한정되어 있는 경우는 관사 없음) ; ⟪**elect** A **to** B⟫ A를 B로 선출하다

◈ We elected the dean of the business school. (우리는 실업학교장을 선출했다)

◈ Dr. Stewart was elected as president of the university. (스튜어트 박사가 대학총장에 선출됐다)

◈ We will elect him to the presidency. (우리는 그를 회장[대통령]으로 선출할 것이다)

prefer 기호·희망에 따라 사람·물건을「고르다 ; 좋아하다」의 뜻이지만 고른 사람이나 물건이 수중에 들어온다고는 할 수 없다.
vt. …을 고르다 ; …을 좋아하다 ;《**prefer** A **to** B》B보다 A쪽을 택하다
◈ I prefer English to French. (프랑스어보다 영어를 좋아한다)
◈ Of the two girls, I prefer Shirly. (두 여자 중에서는 셜리를 더 좋아한다)

➡ 고치다 : 낫다, 치유하다, 치료하다

cure 의사나 약으로「(병을) 고치다」,「(병이) 낫다」의 뜻.
vt. (병 등)을 고치다 ;《**cure** A **of** B》A의 B를 고치다
◈ This medicine will cure you of your stomach ulcer. (이 약으로 당신의 위궤양은 나을 것입니다)
— *vi.* 낫다
◈ My disease cured completely. (내 병은 다 나았다)
heal「(상처를) 치료하다」,「(상처가) 낫다」의 뜻.
vt. (상처·괴로움 등)을 고치다
◈ My burns were healed after six months. (내 화상은 6개월이 지나서 나았다)
◈ His comfort healed my sorrow. (그가 위로해 주어서 내 슬픔은 사라졌다)
— *vi.* 낫다
◈ The injury in my back healed up. (등의 상처가 나았다)
recover 어느 정도 격식을 차린 말.「잃어버린 것을 되찾다」의 뜻에서「(건강을) 회복하다」.
vt. (건강)을 회복하다, 건강을 되찾다
◈ Father completely recovered his health. (아버지는 건강을 완전히 회복하셨다)
— *vi.*《**recover from**》건강을 회복하다
◈ He could not recover from his illness. (그는 건강을 회복할 수 없었다)
regain recover보다 뜻이 강하다.
vt. (건강)을 회복하다
◈ I'm glad that I regained my sight. (시력을 회복해서 기쁘다)
get over (口) (병·슬픔·분노 등)에서 회복하다
◈ She got over her chronic rheumatism. (그녀는 만성 류머티즘이 나았다)
mend 스스럼없는 말로 환자가「(병이) 낫다, 좋아지다」의 뜻.
vi. (환자가) 낫다
◈ My wife is mending quickly. (아내는 차도가 빠르다)

➡ 교환하다 : 갈다, 바꾸다

exchange 사람이나 조직이 물건 등을「교환하다」는 뜻의 일반적인 말.
vt. ①《**exchange** A **for** B》A를 B와 교환하다 [바꾸다]
◈ Where can I exchange my won for dollars? (어디서 원화를 달러화로 바꿀 수 있습니까?)
②《**exchange** B **with** A》A와 B를 바꾸다
◈ Mary exchanged scarfs with Sally. (메리는 샐리와 스카프를 바꿨다)
change 양복이나 지하철 또는 같은 종류의 물건을「갈다」의 뜻.
vt. …을 교환하다
◈ He changed seats with her. (그는 그녀와 자리를 바꿨다)
— *vi.* 갈아입다 ; 갈아타다
◈ She changed for school. (그녀는 학교에 가기 위해서 옷을 갈아입었다)
◈ You'll have to change here. (여기서 갈아타야 합니다)
barter 금전을 매개로 하지 않고 물품 또는 노동을 교환하다의 뜻.
vt.《**barter** A **for** B》A와 B를 (물물) 교환하다
◈ They bartered bananas for rice with each other. (그들은 바나나와 쌀을 서로 교환했다)
— *vi.*《**barter with**》(사람과) 물건을 교환하다
◈ They bartered with the natives. (그들은 원주민과 물물교환했다)
substitute 물건이나 양복 등을「교환하다」의 뜻으로 exchange와 같은 뜻으로 쓴다.
vt. (사람·물건)을 대신 쓰다
◈ She substituted margarine for butter. (그녀는 마가린을 버터 대신에 썼다)
—*vi.* (사람·물건이) 대신하다
◈ Miss Finch substituted for the librarian who was on vacation. (핀치양이 휴가중인 사서(司書)의 대리역을 했다)
swap 물건이나 양복 등을「교환하다」의 뜻으로 exchange와 같은 뜻으로 쓴다.
vt. (물건)을 교환하다
◈ He offered to swap his camera for me. (그는 나에게 카메라를 돈으로 바꾸고 싶다고 하였다)
—*vi.* 교환하다
◈ I liked her vase and she liked mine, so we swapped. (나는 그녀의 꽃병이 마음에 들었고 그녀는 나의 것을 좋아했다. 그래서 우리는 교환했다)

➡ 꺼지다 : 없어지다, 사라지다

vanish「(갑자기) 사라지다 ; 보이지 않게 되다」의 뜻으로 찾을 실마리나 흔적이 없음을 의미한다.
vi. (보이던 것이 갑자기) 사라지다 ; 보이지 않게 되다
◈ Two diamond rings vanished from the showcase. (진열장에서 두 개의 다이아몬드 반지가 사라졌다)

disappear 시계(視界)나 생각에서 「보이지 않게 되다」, 「사라지다」의 뜻. 그 사라지는 방법은 갑작스런 경우도 있고 서서히 또는 영구적, 일시적인 경우가 있는데 그것은 문맥에 따라 결정된다.
vi. 보이지 않게 되다 ; 모습을 감추다
◈ The moon disappeared behind a cloud. (달이 구름 사이로 모습을 감추었다)

fade out [**away**] 모습·기억·감정 등이 서서히 「사라지다」, 「희미해지다」의 뜻.
◈ The memory of my childhood gradually faded away. (나의 어린 시절의 기억이 서서히 사라졌다)

blow out 불 또는 불꽃을 「불어서 끄다」, 「(갑자기) 꺼지다」.
◈ She blew out the candle. (그녀는 촛불을 불어서 껐다)

put out 전등이나 불을 「끄다」.
◈ Put out the light before going out. (외출하기 전에 전등을 끄시오)

extinguish put out보다 격식을 차린 말로 전등이나 불을 「끄다」.
vt. (불이나 전등)을 끄다
◈ The curfew is at 11 : 00. Please extinguish the light. (소등 시간은 11시입니다. 전등을 꺼 주십시오)

≡▸ 끝나다 : 끝마치다, 종료하다

end 「끝나다」란 뜻의 일반적인 말. 계속되어 오던 것에 「단락을 짓다」의 뜻으로 그것의 완성된 상태의 좋고 나쁨은 가리지 않는다.
vt. …을 끝마치다 ; …을 끝내다
◈ Let's end the chat. (잡담을 그만두자)
◈ The pastor's benediction ended the church service. (목사의 축도로 교회의 예배는 끝났다)
— *vi.* 끝나다 ; 《**end in**》 (결과로서) …로 끝나다 ; 《**end up**》 마지막에는 …로 끝나다
◈ At last my vacation ended. (마침내 내 휴가는 끝났다)
◈ His attempt ended in failure. (그의 시도는 실패로 끝났다)
◈ The drama started as a tragedy but ended up as a comedy. (그 드라마는 비극으로 시작되었으나 희극으로 끝났다)

close 연 것을 「닫다」의 뜻이 포함되어 있다.
vt. …을 끝마치다 ; 끝나게 하다
◈ He announced that the meeting was to be closed. (그는 폐회를 선언했다)
— *vi.* (가게·회합 등이) 끝나다 ; 종결되다 ; 닫다 ; (텔레비전·라디오 방송이) 끝나다
◈ This department store closes at 6 : 30 p.m. (이 백화점은 오후 6시 반에 닫는다)
◈ Broadcasting closes at 12 midnight. (방송은 밤 12시에 끝난다)

finish 당초의 목적을 달성하고 「끝마치다」의 뜻으로 특히 노력하여 「최후의 마무리를 하다」, 「완성하다」의 뜻이 내포되어 있다.
vt. …을 끝마치다 ; 종료하다 ; 마무리하다 ; 완성하다 (➤ 목적어로는 부정사를 취하지 않고 동명사를 취한다)
◈ He has finished (writing) his master's thesis. (그는 석사 논문을 끝마쳤다)
◈ His picture was finely finished. (그의 그림은 훌륭하게 마무리되었다)
— *vi.* 종료되다 ; 끝나다 ; (경기에서) 결승선에 들어오다
◈ The runner finished first. (주자는 1등으로 골인했다)

be over (사항·기간이) 끝나다 ; 끝내다
◈ I'm glad the exams are over anyway. (어쨌든 시험이 끝나서 기쁘다)
◈ It's all over with us now. (우리는 이제 끝장이다[희망이 없다])

≡▸ 낳다 : 태어나다, 까다, 부화하다

bear 「(사람·동물이) 자식[새끼]을 낳다」, 「(과수가 열매)를 맺다」, 「이자를 낳다」 등의 뜻으로 쓰지만 현재는 「사람이 자식을 낳다」의 경우는 be born 이외에 have를 보통 쓴다.
vt. ① (사람·동물이 자식·새끼)를 낳다
◈ Kate was born of Canadian parents. (케이트는 캐나다인 부모 사이에서 태어났다)
◈ This cat has borne three kittens this year. (이 고양이는 금년에 새끼 세 마리를 낳았다)
② (과수가 열매)를 맺다
◈ Why don't you plant some fruit-bearing trees in your yard? (정원에 유실수를 심는 게 어떠냐 ?)
③ (돈이 이자)를 낳다
◈ A fixed deposit bears a comparatively high interest. (정기 예금은 비교적 높은 이자를 낳는다)

breed 「(동물이 새끼)를 낳다 ; 번식하다」, 「범죄를 낳다 ; 범죄가 발생하다」의 뜻.
vi. (동물이) 새끼를 낳다 ; 번식하다 ; (범죄 등이) 발생하다 (➤ 사람에게 쓸 때는 경멸적인 표현이다)
◈ Rats breed rapidly. (쥐는 번식이 빠르다)
—*vt.* (동물이 새끼)를 낳다 ; (바람직하지 않은 일)을 생기게 하다 ; 야기하다
◈ Careless driving breeds accidents. (부주의한 운전은 사고를 낳는다)

hatch *vt., vi.* (알·병아리)를 까다 ; 부화시키다 ; 깨다 ; 부화하다
◈ Doves are hatching eggs in the nest. (비둘기가 둥지에서 알을 까고 있다)

lay *vt., vi.* (새나 곤충이 알)을 낳다
◈ Hens lay eggs. (암탉이 달걀을 낳는다)

≡▸ 놀라다 : 기겁을 하고 놀라다, 깜짝 놀라다

be surprised at 「놀라다」의 뜻으로는 가장 일반적인 말로 의외의 일, 예상하지 못했던 일로 「놀라다」의 뜻.

◈ I was surprised to see you get up so early. (나는 네가 이렇게 일찍 일어나는 것을 보고 놀랐다)

◈ I'm surprised to see you here. (당신과 여기서 만나다니 놀라운데요)

be astonished at be surprised at 보다 강한 말로 믿기 어려워 정신이 멍해지거나 말도 할 수 없게 되다의 뜻.

◈ They were astonished at the news that their nephew was arrested. (조카가 체포되었다는 소식에 그들은 망연자실했다)

be amazed at be astonished at보다 강한 말로 놀란 나머지 당황하거나 망연자실하는 상태를 강조한다.

◈ I was amazed to find him there. (나는 그가 거기에 있는 것을 발견하고 깜짝 놀랐다)

◈ I was only amazed at the extent and severity of the air raid. (나는 공습의 범위가 확대되고 격심해져서 경악할 따름이었다)

➡ 대답하다 : 응하다, 응답하다

answer 구두나 문서, 행동으로 「대답하다」의 뜻으로, 가장 일반적인 말.

vt. …에 대답하다 ; 응답하다

◈ I answered his question. (나는 그의 질문에 대답했다)

—*vi*. 대답하다 ; 응답하다

◈ She pushed the doorbell, but no one answered. (그녀는 현관의 벨을 눌렀지만 아무도 응답하지 않았다)

reply answer보다 격식을 차린 말. 편지를 받았다라고만 말한다면 answer를 써도 되지만 그 질문의 내용이나 요점 하나하나에 대답하는 경우는 reply를 쓴다.

vi. 답장을 내다 ; 《**reply to** A》 A에 대답[응답]하다

◈ I'll reply by letter in detail. (자세히 답장드리겠습니다)

◈ Father always replied to all the points I wanted to know. (아버지는 언제나 내가 알고 싶어하는 모든 것에 대해 대답해 주셨다)

— *vt*. 《보통 부정문에서》 …을 대답하다 ; 《**reply that...**》 …라고 대답하다

◈ I don't know what to reply. (나는 뭐라고 대답해야 좋을지 모른다)

◈ He replied that he was not interested in. (그는 흥미가 없다고 대답했다)

respond answer나 reply보다 격식을 차린 말. 호소·권고·기대에 대해 기꺼이 자발적으로 「반응을 보이다」의 뜻.

vi. 《**respond to** A》 A에 대답하다 ; 응답하다 ; 반응하다

◈ He responded to the question quickly. (그는 그 질문에 재빨리 대답했다)

— *vt*. …라고 대답하다 ; …에 대답하다

◈ She responded that she was ready to participate in the activity. (그녀는 기꺼이 그 활동에 참가하고 싶다고 대답했다)

retort 감정적으로 즉각 응수하다의 뜻.

vt. …라고 말대꾸하다 ; 되쏘아주다

◈ She retorted, "Stop being nosy." (「참견하지 마」라고 그녀는 되쏘았다)

— *vi*. 말대꾸하다 ; 되쏘아주다

◈ The student who was found cheating in the exam retorted on his teacher. (시험에서 부정행위를 하다가 발각된 학생이 선생님께 말대꾸했다)

➡ 던지다 : 내던지다

throw 「던지다」란 뜻의 일반적인 말.

vt. …을 던지다 《**throw** A B, **throw** B **to** [**at**] A》 A에게 B를 내던지다 ; B를 A에게 내던지다

◈ She threw a stone at a cat. (그녀는 고양이에게 돌을 던졌다)

cast 그물, 주사위 등 가벼운 물건을 「던지다」, 또는 낚싯줄을 어떤 각도로 「던지다」, 「(씨를) 던져서 뿌리다」 등의 뜻.

vt. …을 던지다

◈ The fishermen cast a net. (어부들이 그물을 던졌다)

fling 강한 감정이나 정열로 난폭하게 「내던지다」의 뜻.

vt. …을 던지다 (➤부사(구)와 함께)

◈ Getting mad at him, she flung a book at him. (그녀는 화가 나서 그에게 책을 냅다 던졌다)

◈ He flung his jacket off. (그는 상의를 홱 벗어 던졌다)

hurl 어떤 거리에서 물건을 빠르고도 세게 「던지다」.

vt. …을 세게 던지다

◈ She hurled a stick at a strange man behind a bush. (덤불 뒤의 수상한 남자에게 그녀는 막대기를 세게 던졌다)

pitch 공 등을 일정한 방향으로 힘껏 「던지다」.

vt. …을 던지다

◈ I pitched a softball. (나는 소프트볼을 던졌다)

toss 가볍게 「던져 올리다」의 뜻으로 상하 운동의 뜻이 있다.

vt. …을 던지다 ; 멀리 내던지다

◈ Two boys tossed a ball for about half an hour. (두 소년은 약 30분 동안 공을 서로 던지고 받았다)

◈ Let's toss a coin to decide who goes out to buy the drink. (동전을 던져 누가 음료수를 사러 나갈 것인가를 결정하자)

➡ 따르다 : 복종하다, 순종하다

obey 사람 · 명령 · 희망 · 지도 등에 「따르다」란 뜻의 일반적인 말.
vt. …에 따르다 ; …에 복종하다
◈ Obey your conscience. (너의 양심에 따라라)
— *vi.* 따르다 ; 복종하다
◈ When you are married, you should love and obey. (결혼하면 사랑하고 따라야 한다)

comply 격식을 차린 말로 obey보다는 「따르다」라는 의미가 강하다. 이 말은 의존도가 강한 반면 자신의 의견이 약함을 함축한다.
vi. 응하다 ; 따르다
◈ The reporters were requested to leave, and they complied. (기자들은 떠나달라는 요청을 받고 거기에 응했다)

concede 상대가 자기보다 강하므로 마지못해 권리나 소유권을 「양보하다」의 뜻.
vt. …을 양보하다 ; 마지못해 인정하다
◈ In the end father conceded that mother was right. (아버지는 마침내 어머니가 옳다는 것을 인정했다)
◈ The landowner conceded us the right to park the car. (땅주인은 우리의 주차권을 겨우 인정했다)

accept 제안받은 것이나 제공되는 일과 물건을 기꺼이 「받다」, 「수락하다」.
vt. …을 받다 ; 수락하다
◈ I hope you'll accept my offer. (나의 제안을 수락하기를 바랍니다)

➡ 떨다 : 부르르 떨다, 부들부들 떨다

shake 「떨다」의 뜻의 일반적인 말로 다음 단어들 대신으로도 쓰인다. 크게, 단속적으로 떨다의 뜻이 있다.
vi. 떨다
◈ She was shaking with fear. (그녀는 무서워서 떨고 있었다)

tremble 사람이나 목소리가 격정 · 추위 · 공포로 가늘게 「바들바들 떨다」.
vi. (바들바들) 떨다
◈ On the stage she was trembling with [for] stage fright. (그녀는 단상에서 무대 공포증으로 바들바들 떨고 있었다)

quake tremble보다 강한 말로 마음이 뒤흔들려 「부들부들 떨다」의 뜻.
vi. (사람 · 몸이) 부들부들 떨다
◈ We were quaking with terror in an air-raid shelter. (우리는 방공호 안에서 공포로 부들부들 떨고 있었다)

quiver tremble과 같은 뜻으로도 쓰이지만 그것보다 정도가 약하고 악기의 현처럼 작게 진동하거나 떨리는 것을 표현할 때 쓰며 공포나 격정보다는 긴장감을 나타내는 경우가 많다.
vi. (가늘게) 떨다
◈ Her lips quivered when she said, "I'm sorry for being late for school." (그녀가 「학교에 지각해서 죄송합니다」라고 말했을 때 그녀의 입술은 바르르 떨렸다)

shiver 추워서 「떨다」의 뜻이지만 기대 · 예감 · 가벼운 공포 등에 대해서도 쓴다.
vi. 떨다 ; 오들오들 떨다
◈ While I was waiting for a bus, I shivered with cold. (버스를 기다리는 동안 추워서 오들오들 떨었다)

shudder 공포나 불쾌감으로 인해 크게 「와들와들 떨다」의 뜻.
vi. 와들와들 떨다
◈ She shuddered when the doctor told her that her husband had stomach cancer. (의사가 남편의 병이 위암이라고 말하자 그녀는 와들와들 떨었다)

➡ 마시다 : 홀짝홀짝 마시다, 들이키다, 삼키다

drink 음료를 「마시다」란 뜻의 일반적인 말. 다만 자동사일 때는 「술을 마시다」의 뜻이 있다. 「수프를 먹다」는 "eat soup"라 하고 「약을 먹다」는 "take medicine"이라고 한다.
vt. …을 마시다
◈ I drink a glass of milk before breakfast. (나는 아침 식사 전에 우유를 한 컵 마신다)
— *vi.* 마시다 ; 술을 마시다
◈ He used to eat and drink much when he was young. (그는 젊었을 때 많이 먹고 마시곤 했다)
◈ My father likes to drink. (아버지는 술을 즐기신다)

take 「(음료를) 들다 ; 섭취하다」, 「(약을) 먹다」의 뜻.
vi. …을 마시다 ; 섭취하다 ; (약을) 먹다
◈ I take cream in my coffee. (나는 커피에 크림을 타서 마십니다)
◈ Did you take the medicine after supper? (저녁 식사 후에 약을 먹었니 ?)

sip 「홀짝홀짝 마시다」의 뜻. 품위있게 즐기면서 마시다라는 뉘앙스가 있다.
vt. …을 홀짝홀짝 마시다
◈ She was sipping the hot coffee. (그녀는 뜨거운 커피를 홀짝홀짝 마시고 있었다)
— *vi.* 《**sip at**》 홀짝홀짝 마시다
◈ He was sipping at the brandy, watching TV. (그는 텔레비전을 보면서 브랜디를 홀짝홀짝 마시고 있었다)

swallow *vt.* (음료 · 음식)을 꿀꺽 마시다[삼키다]
◈ The boy swallowed a mouthful of juice. (소년은 오렌지 주스를 한 모금 꿀꺽 마셨다)
— *vi.* 마시다 ; 삼키다
◈ He swallowed in large drafts of beer. (그는 맥주를 벌떡벌떡 마셨다)

gulp 놀라거나 초조해하는 뜻을 내포하며 「급히 [허겁지겁] 마시다」.
vt. 《**gulp down**》 …을 급히 마시다
◈ She gulped down a glass of water. (그녀는 물 한 컵을 급히 마셨다)

suck 입술이나 혀로 「빨아 마시다」의 뜻.
vt. …을 빨다 ; 빨아 마시다
◈ The baby was sucking the mother's breast. (아기는 엄마의 젖을 빨아먹고 있었다)
◈ The girl sucked the Coke through a straw. (소녀는 콜라를 스트로로 빨아마셨다)
— *vi.* 《**suck at**》 빨다
◈ The baby was sucking at his nibbling toy. (아기가 장난감 젖꼭지를 빨고 있었다)

≡▸ 만나다 : 마중하다, 경험하다, 방문하다

meet 「(약속하고 또는 우연히) …을 만나다 ; …을 마중나가다 ; …와 아는 사이가 되다」의 뜻의 일반적인 말.
vt. ① …을 만나다 ; 우연히 만나다
◈ When do you meet your client next time? (의뢰인하고는 다음번에 언제 만납니까?)
◈ I happened to meet my former students at a theater. (전에 가르친 학생들을 극장에서 우연히 만났다)
② (사람)을 마중나가다
◈ I went to meet my father at the station. (나는 역에 아버지를 마중 나갔습니다)
③ (소개 받고) 처음 만나다 ; (누구와) 아는 사이가 되다
◈ 會話 "Have you met my wife?" "Yes, I met her at the reception the other day." (제 아내를 만난 적이 있습니까? — 네, 요전의 리셉션에서 만났지요)

meet with 「(사고·행·불행)을 당하다 ; …을 경험하다」, (美)에서는 「(선약하고) 회담하다」의 뜻.
◈ I met with Mr. Smith in order to proofread the manuscript. (원고를 교정하기 위해 스미스씨와 만났다)

see 「만나다」란 뜻의 구어로서는 meet와 같은 뜻으로 쓰이지만 「우연히 만나다」의 뜻은 없고 「방문하다」, 「면담하다」, 「(의사의) 진찰을 받다」의 뜻.
vt. ① (사람)을 만나다 ; …을 방문하다
◈ Could I see you on [at] the weekend? (주말에 만나 뵐 수 있을까요?)
② (의사에게) 진찰받다 ; (의사가) 진찰하다
◈ The doctor can't see you now ; he is out on a call. (의사 선생님은 왕진 중이셔서 지금 진찰할 수 없습니다)

come across 「(사람)을 우연히 만나다 ; (물건)을 우연히 발견하다」.
◈ I came across her in a department store. (그녀를 백화점에서 우연히 만났다)

get together 「…을 만나다」, 「모이다 ; 친목회를 열다」의 뜻.
◈ Why don't we get together and have a long talk? (만나서 느긋하게 이야기나하는 것이 어때요?)

encounter 격식을 차린 말로 「(위험·곤란 등 나쁜 일)을 당하다」.
vt. (나쁜 일)을 당하다
◈ Whatever adversity you (may) encounter, I hope you'll carry out this project. (어떤 역경이 닥칠지라도 이 계획을 실행하기 바랍니다)

≡▸ 먹다 : 식사하다

eat 「먹다」, 「식사하다」의 뜻으로 단단한 것을 씹어서 위로 내려보낸다라는 동작에 중점을 두는 말이다.
vt. …을 먹다 ; (수프)를 마시다
◈ Did you eat breakfast this morning? (오늘 아침에 조반을 먹었니?)
◈ We ate apple pie. (우리는 사과 파이를 먹었어요)
— *vi.* 먹다 ; 식사를 하다
◈ Shall we eat out this evening? (오늘 저녁에는 외식을 할까요?)
◈ She eats like a bird. (그녀는 매우 소식한다)

have 「(음식물)을 먹다」, 「(음료)를 마시다」, 「(담배)를 피우다」 등과 같이 넓은 의미로 쓰이고 사람에게 먹을 것을 권할 때에도 eat, drink, smoke 등 보다는 흔히 완곡한 말로서 have가 쓰인다.
vt. …을 먹다
◈ What time do you usually have supper? (보통 몇 시에 저녁 식사를 하니?)
◈ They are having tea. (그들은 차를 마시고 있다)

take 「먹다」의 뜻으로는 형식에 치우친 말이며 (美)에서는 eat, have를 쓴다. take는 「(약)을 먹다」, 「(설탕·소금·후춧가루 등의 조미료나 향신료)를 치다」, 「(공기)를 들이마시다」 등의 뜻으로 쓴다.
vt. (英) …을 먹다
◈ They have [take] only two meals a day. (그들은 하루에 두 끼밖에 먹지 않는다)

feed 동물이나 아기가 「먹다」의 뜻.
vi. (동물이) 먹이를 먹다 ; 《**feed on**》 (동물이) …을 늘 먹다
◈ Cows were feeding in a pasture. (젖소들이 목장에서 풀을 뜯어 먹고 있었다)
◈ Cows feed on grass. (소는 풀을 먹는다)

≡▸ 멈추다 : 세우다, 그치다, 그만두다, 정지하다

stop 움직이고 있는 물체, 활동하고 있는 물체를 급히 「멈추다」란 뜻의 일반적인 말.

vt. ① …을 세우다

◈ He stopped his car to adjust the seat belt. (그는 안전띠를 조절하기 위해 차를 세웠다)

② …을 그만두다

◈ It stopped raining. (비가 그쳤다)

◈ She stopped her homework and listened to music. (그녀는 숙제하던 것을 그만두고 음악을 들었다)

— *vi.* 서다

◈ Does this train stop at Anyang? (이 기차는 안양에서 섭니까?)

cease stop보다 격식을 차린 말로 상태, 활동을 「그만두다」의 뜻.

vt.《**cease** do**ing**, **cease to** do》…을 그만두다 ; 중지하다

◈ She ceased regretting [to regret] the failure. (그녀는 그 실패에 대해 후회하는 것을 그만두었다)

◈ The bounty from government might be ceased. (정부의 그 보조금이 중단될는지도 모른다)

— *vi.* 그치다

◈ The rain ceased at midnight. (비는 한밤중에 그쳤다)

◈ The publication of the magazine ceases with the July issue. (그 잡지의 발행은 7월호로 끝난다)

pull up 자동차나 마차를 「세우다」, 「(…이) 멈추다」의 뜻.

◈ He pulled up the car in front of the hotel. (그는 차를 호텔 앞에 댔다)

turn off (텔레비전·라디오·수도·가스 등)을 끄다 ; 잠그다

◈ Turn off the TV. (텔레비전을 꺼라)

suspend 규칙 등을 위반하여 조작·활동·시행 등을 「일시적으로 정지하다」.

vt. (활동 등)을 일시적으로 정지하다 ; 중지하다

◈ The train service was suspended because of an earthquake. (지진 때문에 기차의 운행이 일시 중단되었다)

◈ The negotiations were suspended for a while. (교섭은 일시 중지되었다)

➡ 명하다 : 명령하다, 지시하다

order 권력을 가진 인물이 「명하다」, 「명령하다」의 뜻.

vt. …을 명하다 ; 지시하다

◈ I ordered you to get out. (너에게 나가라고 명했잖아)

command 권력을 가진 인물이 공식적으로 명령을 내린다는 뜻.

vt. …을 명하다 ; …하라고 명령하다

◈ He commanded his men to march. (그는 부하들에게 행진하라고 명령했다)

direct order나 command 보다는 명령의 뜻이 약하고 감독하고 지시하다의 뜻.

vt. …을 명령하다 ; 지시하다

◈ The boss directed his men to finish it quickly. (상사는 부하에게 그것을 빨리 끝내라고 명령했다)

instruct 지시가 direct보다 더욱 세밀한 점까지 명확한 뜻.

vt. …하라고 명령하다 ; 지시하다

◈ The president instructed the employees to improve their productivity. (사장은 종업원들에게 생산성을 높이라고 지시했다)

tell order, command, direct의 뜻을 지닌 일상적인 말로 「…하라고 말하다」, 「명하다」의 뜻.

vt. …하라고 말하다 ; 명하다

◈ Don't tell me to do or not to do. (나에게 하라 말라 명령하지 마십시오)

charge 의무적으로 시키고 책임지게 하다의 뜻.

vt. 의무로서 …하라고 명하다

◈ The judge charged the audience to be silent. (재판관은 방청인에게 정숙할 것을 명했다)

➡ 모욕하다 : 깔보다, 업신여기다, 멸시하다, 경멸하다

insult 「모욕하다」란 뜻의 일반적인 말. 경멸적인 태도로 모욕하여 상대의 마음을 상하게 하거나 부끄럽게 여기도록 하다의 뜻.

vt. …을 모욕하다 ; 창피를 주다

◈ I won't talk to him any more, because he insulted me. (나를 모욕했기 때문에 그 녀석하고는 다시는 말하지 않겠다)

despise 매우 불쾌한 생각을 가지고 감정적으로 경멸하다의 뜻

vt. …경멸하다 ; 업신여기다

◈ Those who despise themselves despise others. (자기 자신을 업신여기는 사람은 다른 사람도 업신여긴다)

look down upon [**on**] (사람·언동)을 경멸하다 ; 얕보다

◈ She looked down on Susie as a copycat. (그녀는 수지를 흉내쟁이라고 경멸했다)

disdain 「경멸하다」의 뜻인데 그것을 행동으로 나타낸다는 뜻이다.

vt. …을 경멸하다 ; 깔보다

◈ After the failure, his colleagues in the same office disdained him. (그가 실패한 후 같은 사무실의 동료들이 그를 깔보았다)

➡ 믿다 : 신뢰하다, 확신하다

believe 「믿다」의 뜻의 일반적인 말. 확실한 증거는 없지만 일시적으로 어떤 일·사람을 「믿다」, 또 「생각하다」의 뜻으로도 쓴다.

vt. ① …을 믿다 ; …을 사실이라고 생각하다 (➤진행형으로는 쓰지 않는다)

◈ I believe you. (나는 너를 믿는다)
◈ She believed her friend's excuse. (그녀는 친구의 변명을 믿었다)
② …이라고 믿다 ; …하다고 생각하다 (➤think 보다 뜻이 강하다)
◈ I believe that he will take the 2 p.m. express. (그가 오후 2시 급행 열차를 탈 것으로 생각한다)

believe in 오랜 기간에 걸쳐 사람이나 어떤 것의 존재를 「믿다 ; 신뢰하다」의 뜻.
◈ When my children were small, they believed in Santa Claus. (아이들은 어렸을 때 산타클로스를 믿었다)
◈ I believe in you. (나는 너를 믿는다)

trust 경험이나 증거없이 상대에 대해 직관적으로 「신뢰하다」의 뜻.
vt. …을 신뢰하다
◈ Children trust their parents. (아이들은 부모를 신뢰한다)

assure *vt*. 《재귀적으로》 …하다고 확신하다
◈ She assured herself of her husband's safe return. ⇌ She assured herself that her husband would return safely. (그녀는 남편이 무사히 돌아올 것이라고 확신했다)

convince 의심이나 반대를 물리치고 논의한 결과 「확인하다」, 「납득하다」의 뜻.
vt. …확신[납득]시키다 ; 설득하다
◈ He convinced me of the validity of his opinion. ⇌ He convinced me that his opinion was valid. (그는 자기 의견의 타당성을 나에게 납득시켰다)
◈ I am convinced of her competence. (나는 그녀의 역량을 확신하고 있다)

➡ 바라다 : 소망하다, 원하다

want 필요해서 「…하고 싶다」란 뜻의 단도직입적인 말로 보통 동등자 또는 손아랫사람에게 쓴다.
vt. …하고 싶다 ; …하고 싶어하다 (➤진행형으로는 쓰지 않는다)
◈ I want you to come at 1:00 p.m. (오후 1시에 와 주기 바란다)
◈ She wanted to see him badly. (그녀는 그를 몹시 보고 싶어했다)

wish 「…하면 좋을텐데」의 뜻으로 실현 불가능한 경우 가정법과 함께 쓴다. 이 밖에 「기원하다」, 가벼운 명령으로 「…해주기 바라다」 등의 뜻.
vt. ① 《**wish to** do》 …하고 싶다 ; …을 바라다
◈ I wish to go with you. (나는 너와 함께 가고 싶다)
② 《가정법과 함께 써서 실현 불가능한 경우를 나타낸다》 …하면 좋을 텐데
◈ I wish I could go with you, but I can't. (너와 함께 가면 좋을텐데 갈 수 없다)
③ 《**wish** A **to** do》 A에게 …해주기 바라다
◈ I wish you to come back earlier this evening. (오늘 저녁에는 네가 평소보다 일찍 돌아와 주었으면 한다)
④ 《**wish** A B, **wish** B **to** A》 A를 위해 B를 기원하다
◈ I wish you good luck. (행운을 빕니다)
◈ We wished them a safe return home from abroad. (우리는 그들이 해외에서 무사히 귀국하기를 기원했다)
— *vi*. 《**wish for** A》 …을 소망하다 ; …을 갖고 싶어하다 (➤특히 바라기 어려운 것을 바랄 때에 쓴다)
◈ My son wished for a big car. (아들은 큰 차를 갖고 싶어했다)

desire 강하게 want, wish하다. 격식을 차린 말.
vt. …을 원하다 ; 희망하다
◈ Everybody desires peace. (누구든지 평화를 원한다)

hope 실현 가능한 사항을 「바라다」, 「기대하다」.
vt. 《**hope to** do, **hope that**...》 …을 바라다 ; 기대하다 (➤구어에서는 보통 that을 생략한다)
◈ I hope to see you tomorrow. (내일 뵙고 싶습니다)
◈ He hopes (that) his son will take over his job. (그는 아들이 자기의 일을 이어받기를 기대하고 있다)
— *vi*. 《**hope for**》 …을 바라다 ; 기대하다
◈ We hoped for a pay raise. (우리는 승급을 기대했다)

long (for) 멀리 떨어진 것이나 쉽게 달성할 수 없는 것을 「열망하다」, 「갈망하다」의 뜻.
◈ She is longing to study abroad. (그녀는 외국 유학을 갈망하고 있다)
◈ I'm longing for peace. (나는 평화를 열망하고 있다)

yearn (for) long (for)보다 뜻이 강하고 「동경하다」, 「(애틋하게) 사모하다」, 「그리워하다」의 뜻.
◈ She yearns for a sight of her son. (그녀는 아들을 한 번 만나기를 원하고 있다)

➡ 방해하다 : 막다, 훼방하다

prevent 선수를 쓰거나 훼방하거나, 장애물을 놓아 어떤 일을 「막다」 또는 「방해하다」.
vt. …을 방해하다 ; 《**prevent** A **from** doing, **prevent** A's doing》 A가 …하는 것을 막다
◈ Prevent the fire from spreading. (불길이 번지는 것을 막아라)
◈ He could not prevent her smoking. (그는 그녀의 흡연을 막을 수가 없었다)

obstruct 장애물을 놓아 길이나 해협 등을 「막다」, 사물의 진전・진행을 「방해하다」.
vt. ① (길 등)을 막다
◈ The landslide obstructed the road. (산사태로 길이 막혔다)
② …을 방해하다 ; 차단하다

◈ The view was obstructed by the new library. (새로 지은 도서관 때문에 조망이 차단되었다)

disturb 정상적인 정신의 안정이나 집중력을 고민・방해물 등으로 흐트러지게 하다.
vt. …을 방해하다 ; 훼방하다
◈ I'm sorry to disturb you, but a Mr. Brown wants to see you. (일을 방해해서 죄송합니다만 브라운씨라고 하는 분이 선생님을 뵙기를 원합니다)
— *vi.* 마음의 평안[수면]을 방해하다
◈ Don't disturb. (수면중에 깨우지 마십시오) (➤호텔에서 방문에 내거는 푯말 문구)

interfere 경멸적으로 쓰이며 부탁받지 않았거나 관계도 없는 일에 「간섭하다」.
vi. ① 《**interfere in**》 간섭하다
◈ She never interferes in her husband's public affairs. (남편의 공무에 대해 그녀는 결코 간섭하지 않는다)
② 《**interfere with**》 훼방하다 ; 방해하다
◈ The construction noise interferes with my work. (공사의 소음이 내 일을 방해한다)

hinder 일의 진행이나 수행을 「지연시키다」, 「방해하다」.
vt. …을 지연시키다 ; 방해하다 ; 《**hinder** A **from** doing, **hinder** A's doing, 《口》 **hinder** A doing》 A가 …하는 것을 방해하다
◈ Answering the phone many times hindered my work in the morning. (여러번 전화를 받느라고 오전 중의 내 일은 지장이 있었다)
◈ The storm hindered their launching a weather satellite. (폭풍우 때문에 그들의 기상위성 발사에 지장이 있었다)

bar 장벽이나 장애물같은 것을 놓아 길이나 통행을 「방해하다」.
vt. …을 방해하다 ; 훼방하다 ; 막다
◈ That railroad crossing is always barred by a long freight train. (저 건널목은 언제나 긴 화물 열차로 막히곤 한다)

block 방해물을 놓아 사람이나 물건의 움직임을 일시적으로 완전히 「방해하다」의 뜻. 비유적으로 쓰여 계획・운동・활동・성공 등을 「방해하다」.
vt. ① (일시적으로 사람・물건의 움직임)을 방해하다
◈ The policemen blocked the doors to the building. (경찰들은 그 건물의 입구를 막았다)
② (계획・운동・활동 등)을 방해하다
◈ Our plan was completely blocked. (우리 계획은 완전히 방해를 받았다)

➡ 변하다 : 고치다, 바꾸다, 변화시키다, 변경하다

change 「변하다」의 뜻으로는 가장 일반적인 말. 이전의 것과 본질적으로 다른 것이 되다의 뜻.
vi. (전면적으로) 변하다 ; 변화하다
◈ You haven't changed a bit since I last saw you. (이전에 만나뵌 이후 당신은 조금도 변하지 않았군요)
— *vt.* (전면적으로) 변화시키다 ; 고치다
◈ An only son's death changed him. (외아들의 죽음은 그를 변화시켰다)

alter 본질적인 변화는 없지만 형태나 내용이 일부 변하다의 뜻.
vt. (부분적으로) …을 변화시키다 ; 변경하다 ; 바꾸다
◈ We needed to alter our itinerary covering 15 days. (우리는 15일간의 여행일정을 부분적으로 변경할 필요가 있었다)
— *vi.* 변하다
◈ Jane has altered since she got married. (제인은 결혼하고 나서 변했다)

convert 이전과는 다른 용도・기능을 위해 형태・내용・상태를 바꾸다.
vt. 《**convert into**》 …을 변화시키다
◈ They plan to convert a bowling alley into a swimming pool. (그들은 볼링장을 수영장으로 개조할 계획을 세우고 있다)

shift 위치나 장소를 변경하다 ; 때때로 불안정하고 침착성이 없음을 나타낸다.
vt. (장소・위치・방향・사람)을 변화시키다 ; 옮기다 ; 교환하다 ; 《美》 (차의 기어)를 바꿔넣다 ; 변속하다
◈ The right fielder shifted his position. (우익수는 수비 위치를 바꿨다)
◈ The wind shifted and the yacht sailed eastward. (풍향이 바뀌어 요트는 동쪽으로 항진했다)
— *vi.* 변하다 ; 《美》 (사람이) 차의 기어를 바꾸다 ; (자동적으로) 차의 기어가 바뀌다
◈ In the evening the breeze shifted to the east. (밤이 되어 미풍은 동쪽으로 바뀌었다)

switch 스위치로 전환시키듯이 화제・생각・장소 등을 「변화시키다, 전환하다」.
vt. (화제・생각・장소 등)을 바꾸다 ; 전환하다 ; 교환하다
◈ Let's switch our talk to some other topic. (이야기를 좀다른 화제로 바꿉시다)

turn 올챙이가 개구리로 변하듯이 형태・성질・방향 등이 전화(轉化)되는 것을 뜻한다.
vt. 《**turn** A **into** [**to**] B》 A를 B로 바꾸다 ; A를 B로 변화시키다
◈ Ice in the glass was turned into water. (컵 속의 얼음이 물로 변했다)
—*vi.* 변하다 ; 전환하다
◈ Tadpoles turn into frogs. (올챙이는 개구리로 변한다)
◈ The snow turned to sleet. (눈이 진눈깨비로 변했다)
◈ Her love to him turned to hate. (그에 대한 그녀의 사랑이 증오로 변했다)

➡ 붙잡다 : 잡다, 붙들다, 체포하다

catch 「붙잡다」, 「잡다」의 일반적인 말로 움직이거나 날거나 숨에 있는 것을 뒤쫓거나 계략을 써서 붙잡다의 뜻.
vt. …을 붙잡다 ; 잡다
◈ The hunter caught a fox alive. (사냥꾼은 여우를 산채로 잡았다)
◈ Salmon are scarcely caught in this river . (이 강에서 연어가 거의 잡히지 않는다)
◈ The pickpocket was caught red-handed. (소매치기는 현행범으로 붙잡혔다)

arrest 법에 따라 「체포하다」, 「구류하다」의 뜻.
vt. …을 체포하다 ; 검거[구류]하다
◈ The blackmail suspects were finally arrested by the police. (공갈 용의자는 마침내 경찰에 체포되었다)

capture catch보다 딱딱한 말. 저항하거나 도망가지 못하게 강제로 「붙잡다」, 「체포하다」, 「포로로 잡다」의 뜻.
vt. …을 붙잡다 ; 체포하다 ; 포로로 잡다
◈ Policemen chased and captured the bank robber. (경찰관들은 은행 강도를 뒤쫓아서 붙잡았다)
◈ They captured the retreating soldiers. (그들은 퇴각하는 병사들을 포로로 잡았다)

seize 갑자기 세게 붙잡다의 뜻.
vt. (느닷없이) …을 꽉 잡다 ; (세게) 잡다 ; 움켜쥐다
◈ Somebody seized my hand in the dark. (어둠 속에서 누군가가 내 손을 꽉 잡았다)
— *vi.* …을 잡다 ; 붙잡다
◈ She seized upon a chance. (그녀는 기회를 잡았다)

grab 「잡아채다」의 뜻으로 자기의 이기적인 이유 때문에 상대의 권리를 침범하여 난폭하게 빼앗다는 뜻.
vt. …을 낚아채다 ; 날렵하게 잡다
◈ A man on a bicycle grabbed an old lady's purse and ran off. (자전거를 탄 남자가 노부인의 핸드백을 낚아채어 달아났다)
— *vi.* 《**grab at**》 잡아채다 ; 거머쥐다
◈ A little boy grabbed at a coin. (소년이 동전을 잡아 쥐었다)

grasp 「(손이나 팔로) 꽉 잡다」의 뜻. 동물이나 새가 이빨이나 발톱으로 「붙잡다」의 뜻도 있다.
vt. (손이나 팔로) …을 꽉 잡다
◈ She grasped his right arm firmly in hers. (그녀는 그 남자의 오른팔을 꽉 잡았다)
— *vi.* 《**grasp at**》 잡으려고 하다
◈ A drowning man will grasp at a straw. (《속담》 물에 빠진 사람은 지푸라기라도 붙잡으려 한다)

clutch grasp보다는 재빠르게 필사적으로 「꽉 붙잡다」의 뜻이지만 성공률이 낮다. 그러나 잘 붙잡았을 경우에는 「(꽉) 쥐다」의 뜻이 된다.
vt. …을 꽉 잡다
◈ The son clutched his mother's hand and got off the train. (아들은 어머니의 손을 꽉 잡고 기차에서 내렸다)
— *vi.* 《**clutch at**》 붙잡으려고 하다
◈ The policeman clutched at the fleeing pickpocket. (경찰은 도망가는 소매치기를 붙잡으려고 했다)

grip grasp보다 뜻이 강하고 「힘껏 꽉 쥐다」의 뜻.
vt. …을 힘껏 붙잡다 ; 꽉 잡다
◈ The farm hand gripped a stake and pulled it out. (그 농장 일꾼은 말뚝 하나를 힘껏 잡아 뽑았다)
◈ The gymnast gripped the horizontal bar tight. (그 체조선수는 철봉을 꽉 잡았다)

➡ 비난하다 : 나무라다, 힐난하다

blame 「나무라다」, 「비난하다」의 뜻의 일상어. 또 책임 소재만을 나타내는 경우도 있다.
vt. …을 나무라다 ; 책망하다 ; 《**blame** A **for** B, **blame** B **on** A》 B의 이유로 A를 나무라다
◈ Don't blame me for that failure. ⇌ (口) Don't blame the failure on me. (그 실패 때문에 나를 나무라지 마라)

criticize 기본적으로는 「비평하다」의 뜻이지만 보통 일상적으로는 「비난하다」, 「혹평하다」의 뜻으로 쓰인다.
vt. …을 혹평하다
◈ Parents and teachers severely criticized that TV program. (부모님과 선생님들은 그 텔레비전 프로그램을 혹평했다)

accuse 죄악을 비난하여 개인적으로 직접 엄하게 「나무라다」, 「비난하다」의 뜻.
vt. …을 나무라다 ; 비난하다 ; 《**accuse** A **of** B》 A를 B 때문에 비난하다[나무라다]
◈ She accused me of telling a lie. (그녀는 내가 거짓말을 했다고 비난했다)

charge *vt.* (공공연하게) …을 비난하다
◈ The Opposition charged the Prime Minister in admitting the tax increase. (야당은 증세(增稅)를 허락했다고 수상을 비난했다)

abuse 화를 내어 「욕을 퍼붓다」, 「욕지거리하다」의 뜻.
vt. …을 매도하다 ; 욕하다
◈ The two truck drivers were abusing each other. (두 트럭 운전자는 서로 욕을 퍼붓고 있었다)

curse 분개하여 심하게 「욕을 퍼붓다」, 「욕지거리하다」의 뜻이지만 신이나 그리스도 또는 종교 관계의 말을 써서 욕을 퍼붓다의 뜻. 이런 종류의 말을 쓰는 것은 품위가 없는 것으로 간주된다.
vt. …을 매도하다 ; 욕하다
◈ When his car engine did not start, he cursed it loudly. (차의 엔진이 걸리지 않자 그는 「제기랄」하고 큰 소리로 욕을 해댔다)

— *vi.* 욕을 퍼붓다 ; 욕지거리하다
◈ A drunken man cursed at the waitress. (술 취한 사람이 여급에게 욕지거리를 했다)

≡ 빌려주다 : 대출하다, 꾸어주다, 임대하다, 융통해 주다

lend 「빌려주다」의 뜻일 때는 무료·유료를 포함해서 영·미 모두 일반적인 말. 《美》에서는 무료로 빌려주다의 뜻으로 loan도 흔히 쓴다.
vt. …을 빌려주다 ; 《**lend** A B, **lend** B **to** A》 A에게 B를 빌려주다
◈ She lent me her umbrella. (그녀는 내게 우산을 빌려주었다)
◈ Will you lend me your bicycle? (자전거를 빌려주시겠어요?)

rent 사용료를 받고 방·집 등을 꽤 장기간 빌려주다의 뜻.
vt. …을 빌려주다 ; 《**rent** B **to** A》 B를 A에게 임대하다
◈ I plan to rent a room. (방 하나를 얻을 예정이다)
◈ The old lady rented the house to a young couple. (노부인은 젊은 부부에게 그 집을 빌려주었다)

rent [**hire**] **out** 사용료를 받고 장기간 빌려주다의 뜻으로 rent out은 《美》, hire out은 《英》
◈ The owner rented [hired] out the truck. (트럭 주인은 트럭을 임대했다)

loan 이자를 붙여 돈을 빌려주다의 뜻.
vt. ① 《美》 …을 빌려주다 ; 《**loan** A B, **loan** B **to** A》 A에게 B를 빌려주다 (➤《英》은 이 뜻일 때는 lend를 쓴다)
◈ Will you loan me this book? (이 책을 빌려주겠습니까?)
◈ I loaned him my tuxedo. (나는 그에게 약식예복을 빌려주었다)
② 《美》 (이자를 받고 돈)을 빌려주다
◈ How much will you loan on this camera? (이 카메라를 잡히면 얼마를 빌려줍니까?)

≡ 빌리다 : 차용하다, 임차하다

borrow 물건을 거저 「빌리다」의 뜻. 단 화장실이나 전화 등 들고 다닐 수 없는 곤란한 물건을 빌릴 때는 use를 쓴다).
vi. ① (거저 일시적으로) …을 빌리다 ; 《**borrow** A **from** B》 B에게서 A를 빌리다
◈ Can I borrow this pencil? (이 연필 좀 빌릴 수 있을까요?)
◈ She borrowed a suitcase from her sister. (그녀는 언니에게서 여행용 가방을 빌렸다)
② (타인의 문장·사상 등)을 차용하다
◈ When you borrow some passages from a book in writing a paper, you must give footnotes to them. (논문을 쓸 때 어떤 책에서 문장을 차용하면 거기에 각주를 달아야 한다)

rent 《英·美》 꽤 오랜기간에 걸쳐 사용료를 내고 집·토지·기계류를 빌릴 경우에 쓴다. 같은 뜻으로 lease도 쓴다. rent는 《美》에서는 차·보트·의상 등을 사용료를 내고 단기간 빌리다의 뜻도 있다. 이 뜻으로는 《英》에서는 hire.
vi. ① 《美·英》 (장기간에 걸쳐) 사용료를 내고 …을 빌리다
◈ We rent a summer cottage from a rich farmer nearby. (우리는 여름 별장을 근처의 부유한 농부로부터 빌려 쓰고 있다)
② 《美》 (단기간, 사용료를 내고) …을 임차하다 (《英》 hire)
◈ She rented an evening dress for the concert. (그녀는 음악회에 가려고 이브닝 드레스를 빌렸다)

owe 남에게 금전상의 빚이 있다의 뜻.
vt. …에게 빚이 있다 ; 《**owe** A B, **owe** B **to** A》 A에게 B를 빌려 쓰고 있다
◈ I owe him ₩30,000. ⟹ I owe ₩30,000 to him. (나는 그에게 3만원의 빚이 있다)

≡ 살다 : 거주하다, 정주하다

live 「살다」란 뜻의 일반적인 말. 일상 생활을 하는 곳에 살고 있다는 뜻.
vi. 《**live in**》 살다 ; 살고 있다
◈ 會話 "Where do you live?" "I live in Seoul." (어디에 살고 있습니까? — 서울에 살고 있습니다)

reside live보다 격식을 차린 말.
vi. 《**reside in** [**at**]》 살다 ; 거주하다
◈ He resides in Suwon. (그는 수원에 살고 있다)

dwell live보다 격식을 차린 말로, 또는 문학적·문어적 용어.
vi. 살다 ; 거주하다
◈ The poet's mind dwelt in a world of fantasy. (그 시인의 마음은 공상의 세계에 살고 있었다)

inhabit 어떤 종족이나 부족이 「살다」, 또 동물이 「서식하다」의 뜻으로도 쓴다.
vt. 《live와 달리 항상 타동사》 …에 살다 ; 서식하다
◈ Natives now inhabit the hillside. (원주민들은 현재 산허리에서 살고 있다)
◈ Badgers used to inhabit this area. (오소리가 이전에는 이 지역에서 서식하고 있었다)

settle 이동하기를 멈추고 「정주하다」, 「정착하다」, 「자리잡고 살다」.
vi. 정주하다 ; 정착하다 ; 자리잡고 살다 (➤부사(구)와 함께 쓴다)
◈ Many Englishmen settled on the west coast of Canada. (많은 영국인들은 캐나다의 서해안에 정주했다)

stay 손님·방문자로서 일시적으로 「체제하다」, 「묵다」의 뜻.

vi. (도시·호텔·남의 집 등에) 체재하다; 숙박하다; 묵다
◈ They stayed at Los Angeles for the summer. (그들은 여름 동안 로스엔젤레스에서 지냈다)

≡▸ 상상하다 : 공상하다

imagine image를 그리다의 뜻으로「마음에 그리다」,「상상하다」의 일반적인 말.
vt. …을 상상하다; 마음에 그리다; 《**imagine** A (**to** be) B》 A가 B라면 하고 상상하다 (➤B는 명사 또는 형용사); 《**imagine** A('s) **doing**》 A가 …하는 것을 상상하다
◈ I can imagine how my daughter is living in New York. (딸이 뉴욕에서 어떻게 살고 있는지 상상할 수가 있다)
◈ He imagined the young man (to be) his son. (그 젊은이가 자기의 아들이라면 하고 그는 상상했다)
— *vi.* 상상하다; 마음에 그리다
◈ I just cannot imagine. (나는 도저히 상상할 수가 없다)

fancy imagine보다 일시적이며 꿈·소망을 나타내어「두서없이 상상하다」,「공상하다」의 뜻.
vt. …을 공상하다; 상상하다; 《**fancy** A **to** be B, **fancy** A **as** B》 A가 B라면 하고 상상하다; 《**fancy** A('s) **doing**》 A가 …하는 것을 상상하다
◈ I fancy myself to be a princess. (내가 공주라면 하고 상상해 본다)
◈ Fancy owning a helicopter yourself. (네가 헬리콥터를 가지고 있다고 상상해 봐)

conceive *vt.* (새로운 생각·계획·디자인 등)을 문득 생각해내다; 상상하다
◈ When I awoke at midnight, I conceived the idea of writing his biography. (한밤중에 잠을 깨자 그의 전기를 쓸 생각이 들었다)

≡▸ 생각하다 : 고려하다, 간주하다

think 생각을 정리하거나 결론을 얻기 위해 머리를 쓰다의 뜻으로는 일반적인 말.
vt. ① 《**think** (**that**)…》 …로 생각하다 (➤구어적 표현에서는 that을 생략하는 경우가 많다)
◈ I think that my father is right. (아버지가 옳다고 생각한다)
◈ I don't think that he is saucy. (그는 건방지지 않다고 생각한다)
② 《**think** A (**to** be) B》 A를 B로 생각하다
◈ Everybody thinks him (to be) a good leader. (모두가 그를 좋은 지도자로 생각한다)
③ (사람)이 …하려고 생각하다
◈ I think (that) I will call him. (그에게 전화하려고 생각한다)
— *vi.* 생각하다; 궁리하다
◈ Let me think a moment. ((회답하기 전에) 잠깐 생각하게 해 주시오)
◈ I should have thought that way. (그렇게 생각했어야 했다)

reflect「숙고하다, 깊이 생각하다」의 뜻으로 끝난 것이나 일어난 사항, 재음미해야 할 사항을 곰곰이 생각하다의 뜻.
vt. 《**reflect that**…》 …을 곰곰이 생각하다
◈ She reflected that it was her fault. (그것은 자기의 잘못이었다고 그녀는 생각했다)
◈ He reflected why he should have a quarrel over a trifling matter. (왜 사소한 일로 언쟁을 했을까 하고 그는 곰곰이 생각했다)
— *vi.* 《**reflect on** [**upon**]》 숙고하다; 차분히 생각하다; 반성하다
◈ She reflected on her last few years. (그녀는 지난 몇 년 간을 반성했다)

consider「숙고하다」의 뜻이지만 reflect한 결과 나오는 결론이라는 뉘앙스가 있다.
vt. ① …을 잘 생각하다; 숙고하다; 고려하다; 《**consider doing**》 …할까 하고 숙고하다; 《**consider** wh-구[절]》 …할까 말까 하고 생각하다
◈ Consider my suggestion seriously. (내 제안을 진지하게 생각해라)
◈ She is considering going on to a graduate school. (그녀는 대학원에 진학할까 하고 생각하는 중이다)
◈ She considered whether or not to tell that to him. (그녀는 그것을 그에게 말할까 말까 하고 생각했다)
② 《**consider** A (**to** be) B》 A를 B로 생각하다
◈ Most women consider marriage important. (대부분의 여성은 결혼을 중요시한다)
◈ I consider him (to be) a competent lawyer. (나는 그를 유능한 변호사라고 생각한다)

regard 보는 이의 주관이나 대상의 외관에 따라「…로 간주하다」의 뜻.
vt. 《**regard** A **as** B》 A를 B로 간주하다 (➤B는 명사·형용사)
◈ Greeks regarded an olive branch as the symbol of peace. (그리스인들은 올리브 가지를 평화의 상징으로 간주했다)

suppose think 보다 근거는 미약하지만「…라고 생각하다」의 뜻.
vt. 《**suppose** (**that**)…》 …으로 여기다; …라고 생각하다; …인듯하다
◈ We supposed (that) he had gone home. (우리는 그가 집에 갔다고 생각했다)

guess 단순한 사항에 대해 짐작으로 말해보다의 뜻으로「…라고 생각하다」의 뜻이다.
vt. (美口) …을 짐작으로 말하다
◈ I guess (that) he's a doctor. (그는 의사일 거야)
◈ Guess how old she is. (그녀가 몇 살인지 맞춰 봐라)

feel 감각적·본능적으로 「느끼다」, 「생각하다」의 뜻.

vt. 《**feel that...**》 (감각적으로 일순간) …라고 생각하다

◈ He felt that she distrusted him. (그녀가 자기를 믿지 않는다고 그는 생각했다)

◈ I felt that you should divorce your husband. (나는 네가 남편하고 이혼해야 한다고 생각했다)

➡ 싫어하다 : 미워하다, 혐오하다, 증오하다

dislike 「싫어하다」의 뜻으로 보통 쓰이는 말. 본래 불쾌하게 생각하고 있다는 뜻이 내포되어 있고 그 강약은 문맥에 따라 결정된다.

vt. …을 싫어하다 ; 《**dislike** do**ing**, 《美》 **dislike to** do》 …하기를 싫어하다

◈ I dislike noise [children]. (나는 소음[아이들]을 싫어한다)

◈ My family dislikes going out in the crowd. (우리 가족은 사람이 붐비는 곳에 가기를 싫어한다)

hate 「미워하다」의 뜻으로는 일반적인 말. 적의와 악의를 품고 있다.

vt. ① …을 미워하다 ; 아주 싫어하다 ; 증오하다 ; 《**hate to** do, **hate doing**》 …하는 것을 싫어하다

◈ We hate war. (우리는 전쟁을 아주 싫어한다)

◈ I hate to see blood and thunder. (나는 피비린내 나는 폭력적인 연극[영화]을 보는 것을 아주 싫어한다)

② 《美口》 …을 싫어하다 (➤dislike와 같은 뜻)

◈ She hates her husband smoking. (그녀는 남편이 담배피우는 것을 싫어한다)

detest 「매우 싫어하다」의 뜻으로 dislike보다 뜻은 강하나 hate보다는 약하고 hate만큼의 적의나 악의는 없지만 경멸의 뜻을 내포하고 있다.

vt. …을 몹시 싫어하다

◈ He detests nosy people. (그는 참견하기 좋아하는 사람을 무척 싫어한다)

abhor 「몸서리 날 정도로 싫어하다」의 뜻.

vt. …을 싫어하다

◈ I abhor snakes [cockroaches]. (나는 뱀[바퀴벌레]을 무척 싫어한다)

loathe 「가슴이 메슥거릴 정도로 싫어하다」의 뜻으로 참기 어렵다는 뜻이 포함되어 있다.

vt. ① …을 싫어하다

◈ I loathe to wash dishes. (나는 접시 닦는 것을 몹시 싫어한다)

② 《美口》 …을 싫어하다 (➤dislike와 같은 뜻)

◈ I loathe wine. (나는 술을 싫어한다)

➡ 쓰다 : 표시하다, 적다, 메모하다

write 「쓰다」란 뜻의 일반적인 말.

vt. (문자·편지·서류·책·악보·시 등)을 쓰다 ; …을 저작하다

◈ He wrote a report [book]. (그는 보고서[책]를 썼다)

◈ Write me a letter when you get to London. (런던에 도착하면 편지를 해주게)

— *vi.* (글자를) 쓰다 ; 편지를 쓰다

◈ Write in pen [with a pen], please. (펜으로 쓰십시오)

◈ She often writes to me. (그녀는 종종 나에게 편지를 쓴다)

describe 「기술하다, 묘사하다」의 뜻으로 읽는 사람이 마치 그림을 보듯 자세하게 묘사하다라는 뜻이 포함되어 있다.

vt. (말·문자로 인상·인물·성격·사물 등)을 묘사하다 ; 기술하다

◈ Words cannot describe the scene. (말로써는 그 아름다운 광경을 설명할 수 없다)

◈ Describe the man who asked you the way to that house. (당신에게 저 집으로 가는 길을 묻던 남자의 인상착의를 자세히 설명해 주십시오)

dictate 구술하여 타인에게 「받아 쓰게 하다」.

vt. …을 받아쓰게 하다 ; 《**dictate** A **to** B》 A를 받아쓰게 하기 위해 B에게 구술하다

◈ The sales manager dictated a letter to his secretary. (판매부장은 편지를 비서에게 받아쓰게 했다)

sign 예금을 인출하는 전표나 서류·편지 등에 「서명하다」.

vt. (편지·서류 등)에 서명하다

◈ Please sign your name on this line. (이 선 위에 서명하십시오)

take [**make**] **notes** 강연이나 기자회견 내용을 나중에 참고하기 위해 「메모하다, 적어두다」.

◈ I took good notes of everything that was said in that interview. (그 기자회견에서 언급된 것은 모두 잘 메모했다)

jot down 문득 생각이 나서 「갈겨 쓰다」.

◈ Wait a minute. I'll jot it down. (잠깐 기다려, 메모할게)

note down 잊지 않도록 「적어두다」.

◈ She noted down the names of the people she met and the places she visited on the tour. (그녀는 여행중에 만난 사람들의 이름과 방문한 장소를 적어두었다)

take [**put**] **down** 사무적으로, 기록으로서 「써두다, 메모해 두다」의 뜻.

◈ Put down your name and address here, please. (여기에 당신의 이름과 주소를 적으십시오)

➡ 얻다 : 획득하다, 입수하다

get 「(손에 넣으려고 하는 의지나 노력의 유무에 관계없이) 얻다, 손에 넣다」의 뜻으로 광범위하게 쓰는 구어.

vt. 《口》 …을 얻다 ; …을 손에 넣다 (➤수동태로는 쓰지 않는다)

◈ I got this map. (나는 이 지도를 얻었다)

◈ They got permission to leave school earlier than usual. (그들은 학교를 조퇴하는 것을 허락받았다)

obtain 「오랫동안 원하던 것을 노력의 결과 손에 넣다」의 뜻으로 get보다 격식을 차린 말.

vt. …을 얻다 ; 획득하다

◈ She obtained straight A's at the end of the second semester. (그녀는 2학기 말에 전과목 A를 받았다)

◈ He obtained some books for his dissertation from abroad. (그는 학위논문을 위한 책 몇 권을 외국으로부터 입수했다)

acquire 「오랫동안 부단한 노력으로 손에 넣다」의 뜻이 있다.

vt. …을 얻다 ; 획득하다

◈ Could you tell me how you acquired a good command of English? (당신은 어떻게 해서 영어를 자유자재로 구사하게 되었는지 말씀해 주십시오)

◈ By ceaseless efforts she acquired her present position. (부단한 노력으로 그녀는 현재의 지위를 획득했다)

gain 「유리한 것, 가치 있는 것을 경쟁하여 얻다」의 뜻이 있다.

vt. …을 얻다 ; 손에 넣다 ; 따다

◈ At last he gained a gold medal at the Olympics. (그는 마침내 올림픽에서 금메달을 땄다)

➡ 연습하다 : 훈련하다, 익히다

practice, 《英》 **practise** 기술이 숙달되도록, 습관이 되도록 되풀이해 「연습하다」의 뜻.

vt. 《**practice doing**》 …을 연습하다

◈ She has been practicing English conversation by listening to the radio for a year. (그녀는 1년간 라디오를 들으면서 영어회화를 연습하고 있다)

◈ Practice pronouncing these words. (이 단어의 발음을 연습해라)

— *vi.* 연습하다

◈ If you don't practice, you'll never learn to speak a foreign language. (연습하지 않으면 외국어를 구사할 수 없을 것이다)

drill 교실에서의 발음 연습이나 군사 훈련처럼 집단이 지도자의 지시에 따라 반복 연습하여 머리와 몸에 「주입하다」의 뜻.

vt. …을 주입하다 ; 연습하다 ; 훈련하다

◈ Miss Burns drilled her students in the pronunciation of *r* and *l*. (번즈 선생님은 학생들에게 r과 l의 발음을 연습시켰다)

exercise 머리·기술·신체·근육 등을 조직적인 반복운동·연습에 의해 「훈련하다」의 뜻.

vt. …을 훈련하다 ; 운동시키다

◈ She exercises in singing. (그녀는 노래를 연습하고 있다)

— *vi.* 운동하다 ; 연습하다

◈ Since I'm putting on some weight, I should exercise more. (나는 체중이 조금 불어나서 운동을 더 해야 한다)

train 어떤 목적·직업을 얻기 위해 사람이나 동물을 「훈련하다」, 「양성하다」의 뜻. 또는 운동 경기 대회 등을 위해 「훈련하다」의 뜻.

vt. …을 훈련하다 ; 양성하다

◈ He trains horses for the races. (그는 경마를 위해 말을 훈련시키고 있다)

◈ He was trained to be a lawyer. (그는 변호사가 될 교육을 받았다)

— *vi.* 연습하다 ; 훈련하다

◈ She is training for the triple jump. (그녀는 삼단뛰기 연습을 하고 있다)

rehearse 공연하기 위해 음악이나 연극을 「예행연습하다」, 「리허설하다」의 뜻.

vt. 예행 연습을 시키다 ; 리허설을 하다

◈ The director had the performers rehearse the play. (연출자는 출연자들에게 연극의 리허설을 시켰다)

— *vi.* 예행연습[리허설]을 하다

◈ The pianist was rehearsing on the stage. (피아니스트가 무대에서 리허설을 하고 있었다)

➡ 외치다 : 아우성 치다, 큰 소리를 지르다, 고함치다

cry 「외치다」의 뜻으로는 일반적인 말. 도움을 구하거나 두려움·아픔·슬픔 등의 감정 때문에 엉겁결에 큰소리를 지르다의 뜻.

vi. 외치다 ; 큰 소리를 지르다

◈ A stray girl was crying (out) sadly. (길잃은 소녀가 슬프게 울부짖고 있었다)

◈ I cried (out) for help. (나는 큰소리로 도움을 청했다)

— *vt.* 《**cry that...**》 …라고 외치다 ; …라고 외쳐 알리다

◈ "Get out," he cried. (「꺼져버려」라고 그는 외쳤다)

◈ They cried that their team had won by a score of 1 to 0. (그들은 자기 팀이 1대 0으로 이겼다고 외쳤다)

shout 상당히 먼 거리까지 들릴 정도로 「크게 소리 지르다」의 뜻. 노여움이나 기쁨을 나타내는 경우가 많지만 내용은 문맥으로 결정된다.

vi. 큰소리치다 ; 외치다

◈ The policeman shouted at a pedestrian who ignored the traffic lights [signals]. (경찰관은 교통신호를 무시한 보행자에게 큰소리로 호통쳤다)

— *vt.* 《**shout that...**》 …을 외치다 ; …라고 외치다

◈ He shouted that his house was broken into. (그는 집에 도둑이 들었다고 외쳤다)

exclaim 놀라움이나 기쁨 등 강한 감정을 갑자기 외치다의 뜻.

vt. …라고 큰소리로 말하다 ; 외치다

◈ "My goodness!" she exclaimed. "I should have been there by this time." (「어머나, 이때쯤이면 도착했어야 하는데」라고 그녀는 외쳤다)

— *vi.* 외치다

◈ When she saw him unexpectedly, she exclaimed in [with] delight. (뜻밖에 그를 만나자 그녀는 탄성을 질렀다)

shriek 「날카로운 소리를 지르다」의 뜻으로 보통 공포나 심한 고통을 나타내는 여성의 목소리에 대해 쓴다. 기쁨 등에는 그다지 쓰지 않는다.

vi. 새된 소리를 지르다 ; 비명을 지르다

◈ A woman shrieked on a deserted street. (한 여자가 아무도 없는 거리에서 비명을 질렀다)

— *vt.* …라고 비명을 지르다 ; …라고 새된 목소리로 말하다

◈ "Somebody please help me!" she shrieked with terror. (「좀 도와주세요」라고 그녀는 무서워서 비명을 질렀다)

scream 「비명을 지르다」, 「새된 소리를 지르다」의 뜻. shriek보다 굵은 외침소리로서 공포나 고통·흥분, 때로는 기쁨이나 웃음 소리에도 쓴다. 섬뜩했을 때 내거나 겨우 들릴 정도의 놀라움의 소리에도 쓴다.

vi. 비명[고함]을 지르다 ; 새된 목소리로 말하다

◈ She screamed when she saw somebody in the house. (그녀는 집안에 누군가가 있는 것을 보고 비명을 질렀다)

— *vt.* …라고 비명을 지르다 ; …라고 새된 목소리로 말하다

◈ A guard screamed (out) a warning not to approach the manhole. (경비원은 맨홀에 접근하지 말라고 새된 목소리로 주의를 줬다)

yell 「큰 소리를 지르다」, 「크게 외치다」의 뜻으로 공포·분노·놀라움·고통 등에, 또는 승리했거나 기뻐서 외치는 경우나 흥미를 돋우기 위해서도 쓴다.

vi. 큰 소리를 지르다 ; 외치다

◈ A foreman yelled (out) an order. (직공장은 큰 소리로 명령했다)

◈ Don't yell at me. I can hear you all right. (큰 소리를 지르지 말게. 잘 들린다네)

≡▸ 요구하다 : 구하다, 청하다, 부탁하다, 호소하다

demand 권리·권위가 있다고 여겨 강력하고 집요하게 「요구하다」.

vt. …을 요구하다 ; 《**demand that** A (should) do》 A(사람)가 …하도록 요구하다

◈ He demanded a prompt reply. ⇌ He demanded to be replied promptly. (그는 즉각적인 회답을 요구했다)

require 「요구하다」의 뜻으로 demand와 같은 뜻으로도 쓰이지만 법률이나 규칙, 내적인 필요성이나 긴급 사태에 따라서 라는 뜻이 있다.

vt. …을 요구하다 ; 《**require (of)** A **to** do, **require that** A (should) do》 A가 …하도록 요구하다

◈ The school requires (of) all students to participate in extracurricular activities. (학교는 전교생이 과외활동에 참가할 것을 요구한다)

claim 「요구하다」의 뜻으로 재산이나 지위 등을 상대의 찬성·불찬성에 관계없이 자기의 것이라고 권리를 주장하다의 뜻.

vt. (권리가 있다고) …을 요구하다 ; 주장하다

◈ He claimed the house by inheritance. (그는 상속으로 그 집이 자기 소유임을 주장했다)

request 「부탁하다」, 「간청하다」. 격식을 차린 말로 부탁하는 쪽의 역부족이나 상대의 관심이 적기 때문에 승낙을 받지 못할지도 모른다고 걱정하면서 정중하게 부탁하다라는 뜻.

vt. …을 부탁하다 ; 간청하다 ; 《**request** A **to** do, **request that** A (should) do》 A가 …해주기를 간청하다

◈ You are requested to attend the wedding reception. (결혼 피로연에 참석해 주시기를 부탁 드립니다)

beg 호의나 허가를 받기 위해 상대의 비위를 맞추면서 「부탁하다」, 「간원하다」의 뜻.

vt. …을 부탁하다 ; 간원하다 ; 《**beg** A **to** do, **beg that** A (should) do》 A가 …해주기를 간청하다

◈ I was lonesome, so I begged her to stay overnight. (나는 외로웠기 때문에 그녀에게 하룻밤 묵고 가기를 부탁했다)

appeal 「탄원하다」의 뜻으로 조력·협력을 호소하다의 뜻.

vi. …해 달라고 탄원하다

◈ The Government is appealing to the nation to save energy. (정부는 국민에게 에너지 절약을 호소하고 있다)

petition 「진정·청원하다」의 뜻으로 특정한 요청에 대하여 허가를 해주는 입장에 있는 인물·관공서에 문서 또는 서류 등을 취합해서 정식으로 제출하다의 뜻.

vt. …을 진정하다 ; 《**petition** A **to** do, **petition** A **that**... (should)...》 A에게 …하기를 간청하다

◈ We petitioned the mayor to make a new playground for children. ⇌ We petitioned the mayor that a new playground for children (should) be made. (우리는 시장에게 아이들의 놀이터를 새로 만들어 달라고 진정했다)

➡ 울다 : 울부짖다

cry 「큰 소리로 울다」의 뜻으로 큰 소리낸다는 것에 강조점이 있다.
vi. (큰 소리로) 울다
◈ The baby was crying in bed. (아기가 침대에서 앙앙 울고 있었다)

weep cry보다 격식을 차린 말로 「눈물을 흘리면서 울다」의 뜻. 눈물을 흘리는 것을 강조하지만 흔히 cry와 weep는 맞바꾸어 쓰인다.
vi. 눈물을 흘리며 울다
◈ She wept reading the letter. (그녀는 그 편지를 읽으면서 울었다)

sob 「훌쩍훌쩍 울다」, 「흐느껴 울다」의 뜻으로 울음을 그치려고 하거나 울면서 말하다 등의 뜻.
vi. 훌쩍훌쩍[흐느껴] 울다 ; 흑흑 흐느끼다
◈ A lost child was sobbing at the police box. (미아가 파출소에서 훌쩍훌쩍 울고 있었다)
— *vt.* 훌쩍훌쩍 울면서 이야기하다[잠들다]
◈ The stray girl sobbed her name. (길을 잃은 소녀가 훌쩍훌쩍 울면서 자기 이름을 말했다)
◈ The boy sobbed himself to sleep. (그 소년은 훌쩍훌쩍 울면서 잠들었다)

burst into tears 왈칵 울기 시작하다
◈ As soon as she met him, she burst into tears. (그녀는 그를 만나자마자 왈칵 울음을 터뜨렸다)

wail 슬픔 · 고통으로 눈물을 흘리면서 울다
vi. (슬픔이나 고통으로) 울부짖다
◈ The injured person wailed with pain after recovering from the anesthesia. (부상자는 마취에서 깨어나자 아파서 울부짖었다)

blubber 아이들이 자기의 뜻을 관철하려고 「울부짖다」.
vi. 《경멸적으로》 울부짖다
◈ Stop blubbering. You can't have that. (울부짖지 마라, 그건 안돼)

➡ 웃다 : 미소짓다, 냉소하다, 비웃다

laugh 「웃다」의 뜻의 일반적인 말로 작은 소리든 큰 소리든 소리내어 웃다의 뜻.
vi. 웃다
◈ Watching a comedy, we all laughed. (희극을 보면서 우리는 모두 웃었다)

laugh at 「업신여기며 웃다」의 뜻.
◈ Don't laugh at me. (나를 비웃지 마라)

smile 「미소짓다」의 뜻으로 소리를 내지 않고 표정만으로 「싱글벙글하다」의 뜻. 보통 좋은 뜻으로 쓴다.
vi. 미소 짓다 ; 생글생글 웃다
◈ I like your smiling face. (나는 너의 미소 짓는 얼굴이 좋더라)

grin smile보다 큰 표정으로 「히죽[싱글]거리다」의 뜻. 즐겁거나 기쁘거나 장난기로 또는 분노 · 괴로움 때문에 얼굴을 찌푸리다의 뜻도 있다.
vi. 히죽거리다 ; 싱글거리다
◈ He grinned at his pay slip. (그는 자기의 급여 명세서를 보고 히죽거렸다)

chuckle 보통은 남자가 낮은 소리로 「낄낄거리다」, 「싱글벙글하다」의 뜻으로 작은 기쁨이나 만족을 나타낸다.
vi. 낄낄거리다 ; 싱글벙글하다 ; 껄껄거리다
◈ He was chuckling to himself while watching a funny program. (그는 우스운 프로그램을 보면서 혼자 낄낄거렸다)

giggle 보통 젊은 여자가 당혹하거나 우스워서 웃음을 참으며 「킥킥거리다」, 「소리 죽여 웃다」.
vi. 킥킥거리다 ; 소리 죽여 웃다
◈ The girls giggled when their teacher spoke with his queer accent. (선생님이 이상한 사투리로 말하자 여학생들은 킥킥거렸다)

sneer 멸시하는 듯한 조소나 말투로 무시 · 비난하는 기분을 나타낸다.
vi. 냉소하다 ; 조소하다 ; 업신여겨 웃다
◈ They sneered at his idea. (그들은 그의 생각을 비웃었다)

➡ 위협하다 : 으르다, 협박하다

threaten 말 · 행동으로 사건을 일으키겠다거나 조건 등을 내세워 「처벌이나 위해를 가하겠다고 위협하다」의 뜻.
vt. …을 위협하다 ; 《**threaten** A **into doing**》 A를 위협하여 …하게 하다
◈ He threatened me with dismissal. (그는 나를 해고하겠다고 위협했다)
◈ She threatens me by saying that she will let out my secret. (그녀가 내 비밀을 누설하겠다고 위협하고 있다)

menace threaten 보다 격식을 차린 문어적인 말로 위협 · 위험 · 적의의 강도를 강조한다.
vt. (사람 · 사물이) …을 위협하다 ; …에게 협박하다 ; 《**menace** A **with** B》 A를 B로 위협[협박]하다
◈ Gulf nations are constantly menaced by war. (걸프만의 여러 나라들은 항상 전쟁의 위협을 받고 있다)
◈ The hijackers menaced the hostages with revolvers. (납치범들은 인질들을 권총으로 위협했다)

➡ 의논하다 : 상의하다, 서로 이야기하다, 논하다, 토의하다, 토론하다

discuss 문제점을 명확히 알아내어 해결책을 찾기 위해 여러 각도에서 의견을 내어 「의논하다」.
vt. …을 의논하다 ; 상의하다 ; 논하다 ; 서로 이야기하다 ; 《**discuss** A (+부사(구))》 A를 의논하다 (➤ discuss about A 처럼 자동사로는 쓰지 않는다)
◈ She discussed the plans for the summer with her husband. (그녀는 여름을 어떻게 보낼 것인가에 대해 남편과 상의했다)

◈ We discussed where to go. (우리는 어디로 갈 것인가를 놓고 상의했다)

◈ We discussed what we could do for the handicapped. (우리는 신체장애자를 위해 무엇을 할 수 있을 것인가에 대해 서로 논의했다)

debate 공적인 문제를 공적인 장소에서 찬성자와 반대자가 토론하는 일.

vt. …을 토론하다 ; 《**debate** A(+부사(구))》 A를 토론하다

◈ The committee debated whether to increase the income tax or not. (위원회는 소득세를 증액시켜야 할지 말아야 할지에 관해 토론했다)

— *vi.* 《**debate about** [**on, upon**]》 (…에 대해서) 토론하다

◈ The teachers debated on the necessity of homework during a long vacation. (선생님들은 긴 방학 동안 숙제의 필요성에 대해 서로 토론했다)

argue 「논쟁하다」의 뜻의 일반어로 자기의 입장이나 생각이 옳다는 확신으로 상대에게 반박하기 위해 예나 증거를 들어 논하다의 뜻으로 떠들썩하게 서로 이야기하다의 뜻이 포함되어 있다.

vt. …을 논하다 ; 의논하다 ; 주장하다 ; 《**argue that...**》 …라고 논하다

◈ Galilei argued that the earth was round. (갈릴레이는 지구가 둥글다고 주장했다)

— *vi.* 의논하다

◈ They always argue about a trifle. (그들은 언제나 사소한 일을 가지고 떠들어댄다)

dispute 논의에 앞서 품위를 떨어뜨리면서 화내거나 시비조로 꽤 오랜 기간 서로 논쟁하다의 뜻.

vi. 논쟁하다 ; 언쟁하다 ; 《**dispute about** [**on, over**] A **with** B》 A에 대해서 B와 논쟁하다

◈ The labor union disputed for hours with the management about working hours. (노조는 경영자측과 노동 시간에 대해 여러 시간 동안 논쟁했다)

— *vt.* …에 대해 논쟁하다 ; 왈가왈부하다

◈ The inhabitants disputed whether they could agree to the building of a new road. (주민들은 새 도로건설에 대한 동의 여부를 놓고 서로 논쟁했다)

➡ 의뢰하다 : 의존하다, 신뢰하다, 믿다

rely 그때까지의 경험에 따라 「(사람이나 사물)에 의뢰하다」의 뜻. 특히 사람에 대해서는 실제 관계에서의 판단에 따라 의뢰하다의 뜻.

vi. 《**rely upon** [**on**]》 …을 의뢰하다 ; 신뢰하다 ; 믿다

◈ You may rely (up)on his sincerity. (너는 그의 성실성을 신뢰해도 좋다)

trust 「신뢰하다」의 뜻이지만 자식이 부모에 대해 갖는 신뢰감처럼 본능적이고 의심을 품지 않는 신뢰를 뜻한다.

vt. …을 신뢰하다

◈ Since my parents trust me, I can't betray them. (부모님께서는 나를 신뢰하므로 나는 그 분들을 어길 수 없다)

depend 「의존하다」, 「의뢰하다」의 뜻으로 당연히 도와주리라고 기대하며 도와주지 않는 경우는 생각지 않으며 기대는 적게 함을 뜻한다.

vi. 《**depend upon** [**on**]》 …에 의존하다 ; 의뢰하다 ; 기대하다

◈ You shouldn't depend upon someone whom you just met. (방금 만난 사람을 믿어서는 안된다)

count upon [**on**] 「셈하다」의 뜻이나 count on 하면서 「기대하다」의 뜻. depend보다 기대의 정도가 강하고 기대에 어긋나는 경우, 곤란의 정도가 심함을 뜻한다.

◈ In order to succeed in carrying out this project, I really count on you. (이 계획을 성취하기 위해서 나는 정말 네게 기대하고 있다)

resort 「(어떤 수단에) 호소하다」의 뜻으로 곤란에 직면하거나 효과가 나타나지 않는 경우에 자포자기하여 바람직하지 못한 것에 조력을 구한다는 뜻이 있다.

vi. 《**resort to**》 (어떤 수단)에 호소하다 ; 의존하다

◈ They finally resorted to violence. (그들은 마침내 폭력에 호소했다)

➡ 의심하다 : 수상히 여기다, 의문을 품다

doubt 「(확신을 가질 수 없어서) …을 의심하다 ; …에 의혹을 품다」의 뜻.

vt. ① (진실성·가능성)을 의심하다

◈ I doubt his sincerity. (나는 그의 성실성을 의심한다)

◈ She doubted her own eyes. (그녀는 자기의 눈을 의심했다)

② 《긍정문에서 ... doubt whether... ; ... doubt if...의 형태로 쓰는데 whether는 격식을 차린 표현이고 if는 구어》

◈ I doubt whether he keeps his word. (그가 약속을 지킬 것인지 어떨지는 의문이다)

◈ I doubt if she comes. (그녀가 올지 어떨지는 의문이다)

③ 《부정문·의문문에서는 ...don't doubt that...; ...don't doubt but (that)... 와 같이 쓰는 경우도 있다》

◈ I don't doubt that she will pass the exam. (나는 그녀가 시험에 합격할 것을 의심하지 않는다)

suspect 「(증거가 불충분하지만) …이 아닌가 의심하다 ; 혐의를 두다」의 뜻.

vt. …에게 혐의를 두다 ; 《**suspect** A **of** B》 A에게 B의 혐의를 두다

◈ You shouldn't suspect an innocent man. (결백한 사람에게 혐의를 두어서는 안된다)

◈ We suspected him of the theft. (우리는 그에게 절도 혐의를 두었다)

➡ 이기다 : 지우다

win 콘테스트·카드놀이·운동경기·전쟁 등에서 「이기다」, 「우승하다」, 「일등하다」의 뜻. 그 결과 「상품·상금을 받다」의 뜻도 있다.

vt. ① 승리를 얻다 ; 우승하다 (➤목적어로 사람을 취하지 않는다)

◈ He won the 3,000-meter race. (그가 3,000미터 경주에서 우승했다)

◈ Whether we win a war or not, war is nonsense. (우리가 전쟁에 이기든 지든간에 전쟁은 어리석은 짓이다)

② (사람이 노력·경쟁하여) …을 쟁취하다 ; …을 획득하다

◈ She won the victory in the English speech contest. (그녀는 영어 경연대회에서 우승했다)

◈ He won (the) first prize at the flower show. (화초 품평회에서 그는 1등상을 받았다)

—*vi.* 이기다 ; 승리를 얻다 ; (예상이) 들어 맞다 ; (내기에서) 이기다

◈ The phone was from him, as you guessed. So you won. (네가 추측한대로 그에게서 전화가 왔으니 네가 이겼다)

beat 「지우다」를 뜻하는 구어로 운동경기 등에서 경쟁 상대나 그 팀을 패배하게 하다의 뜻.

vt. …을 완전히 지우다 ; 격파하다

◈ My brother often beats me at tennis. (형은 테니스에서 종종 나를 이긴다)

defeat beat 보다 딱딱한 말. 일시적으로 우위에 있다는 뜻이 포함되어 있고 전쟁·운동경기·선거 등에서 적을 「패배시키다」의 뜻으로 쓴다.

vt. …을 완전히 지게 하다 ; 격파하다 ; 우위를 나타내다 ; (비유) (사람)을 좌절시키다

◈ Mr. Spade was defeated in the last election. (스페이드씨는 지난번 선거에서 패배했다)

◈ His failure defeated his mother's expectation. (그의 낙제로 그의 어머니의 기대는 어긋났다)

prevail defeat보다 격식을 차린 말로 저항·논의 결과 「우세하다」, 「이기다」의 뜻.

vi. 《**prevail over** [**against**]》 이기다 ; 우세하다 ; 승리를 얻다

◈ Our troop prevailed over [against] the enemy. (우리 부대는 적을 압도했다)

◈ Helplessness prevailed in my mind. (내 마음은 무력감으로 가득찼다)

➡ 이해하다 : 알다, 터득하다, 파악하다

understand 「이해하다」의 뜻의 일반적인 말.

vt. …을 이해하다 ; 알다 (➤wh- 절[구]을 목적어로 취하는 경우가 있다)

◈ She understands my problem. (그녀는 내 고충을 이해하고 있다)

◈ I don't understand why she does not come. (왜 그녀가 오지 않는지 이해할 수 없다)

— *vi.* (요지)를 이해하다 ; 알다

◈ Do you understand? (내가 하는 말을 알아듣겠니?)

◈ You should come on time, you understand? (정각에 와야 한다, 알겠니?)

comprehend 「이해하다」의 뜻이지만 understand보다 격식을 차린 말로 전후 관계, 다른 것과의 관련을 포함하여 충분히 현상이나 사실을 인식하다의 뜻.

vt. …을 이해하다

◈ The child watches that TV program but does not comprehend its meaning. (아이는 그 텔레비전 프로그램을 보고 있지만 그 뜻을 이해하지는 못하고 있다)

appreciate 외견상 보이지 않는 실체나 가치를 올바르게 이해하다의 뜻.

vt. (좋은 점·진가)를 이해하다

◈ Her abilities are not appreciated by her colleagues. (그녀가 유능하다는 것을 동료들이 몰라 준다)

grasp 원래 손이나 팔을 「꽉 잡다」의 뜻이지만 「(두뇌가) 사물을 이해하다」, 「파악하다」의 뜻으로도 쓴다.

vt. …을 이해하다 ; 파악하다

◈ We grasped the main points of the lecture. (우리는 강연의 요점을 파악했다)

realize 사물을 구체적으로 「명확히 이해하다」, 「실감하다」의 뜻.

vt. …을 명확히 이해하다 ; 인식하다

◈ I have realized what my mother said years ago. (나는 어머니가 수년 전에 말씀하셨던 것을 명확히 깨달았다)

see (口) 눈으로 보아 알고 머리를 써서 사물을 「이해하다」, 생각하여 「파악하다」의 뜻.

vt. (口) …을 이해하다 ; 파악하다 ; 알다

◈ I see the point. (요점은 알고 있습니다)

◈ I see what you mean. (당신이 무슨 말을 하는지 알겠습니다)

get (口) 손으로 잡다, 꽉 쥐다의 뜻에서 「뜻을 파악하다 ; 이해하다」의 뜻.

vt. (口) …을 이해하다 ; 알다

◈ I don't get it [you]. (그[네가 말하는] 뜻을 모르겠다)

◈ I don't get what he means. (그가 무슨 말을 하는지 모르겠다)

make out (口) 「겨우 알다 ; 이해하다」의 뜻.

◈ I could make out what she meant. (그녀가 무슨 말을 하는지 겨우[어렴풋이] 알 수 있었다)

➡ 인정하다 : 승인하다

admit 「인정하다」, 「고백하다」의 뜻으로 마지못해 어떤 사실을 인정하다의 뜻.

vt. …을 인정하다 ; 고백하다

◈ They conceded that it was true. (그들은 그것이 사실이었다고 인정했다)

◈ He admitted having taken the bribe. (그는 뇌물을 받은 사실을 인정했다)

concede 어떤 사항에 마음이 내키지는 않지만「인정하다」의 뜻과, 거역할 수 없어서 청구자에게 마지못해「인정하다」,「승인하다」의 뜻.

vt. ① (사실)을 인정하다

◈ The Government conceded the defeat in Cuba. (정부는 쿠바에서의 패배를 마지못해 인정했다)

② (권리 등)을 인정하다 ; 승인하다

◈ Britain conceded the reversion of Hong Kong to China. (영국은 홍콩을 중국에 반환하는 것을 승인했다)

acknowledge 비밀로 하던 사항을「인정하다」의 뜻.

vt. …을 인정하다 ; 승인하다

◈ She acknowledged her secret marriage. (그녀는 자신이 비밀리에 결혼한 것을 인정했다)

accept 암암리에 또는 별도리가 없어서「인정하다」의 뜻.

vt. …을 인정하다 ; 용인하다

◈ My boss accepted the reasons for my being absent. (상사는 내가 결근한 이유를 용인해 주었다)

approve 좋은 것, 만족할 말한 것으로「인정하다」의 뜻으로, 때로는 존경의 뜻도 포함한다.

vt. …을 인정하다 ; 승인하다

◈ I approve your new plan. (너의 새 계획에 만족한다)

— *vi.* 《**approve of**》 …을 좋다고 생각하다 ; 찬성하다

◈ My parents approved of my going on to a graduate school. (부모님은 내가 대학원에 진학하는 것을 찬성해 주셨다)

recognize 정식 자격・권위를 가진 사람이 어떤 지위・입장 등을「인정하다」,「승인하다」의 뜻.

vt. …을 인정하다 ; 승인하다

◈ The UN recognized the new nation as new member. (국제연합은 신생국을 새 회원국으로 승인했다)

■ 일어나다 : 생기다, 발생하다

happen「일어나다」의 뜻으로는 가장 일반적이고 광범위한 말. 원인이나 계획・의도가 있는지 없는지에 관계없이 쓰인다.

vi. (우연히) 일어나다 ; 발생하다

◈ A strange thing happened to me. (이상한 일이 나에게 일어났다)

◈ What happened to you? You have a pale face. (왜 그래 ? 얼굴이 창백하구나)

occur happen 보다 격식을 차린 말로 어떤 특정한 일이 특정한 때에 일어남을 뜻한다. 그러나 happen과 같은 뜻으로 쓰이지 않는 경우도 많다.

vi. 일어나다 ; 생기다 ; 발생하다 (➤부정어와 함께 쓰이는 경우가 많다)

◈ The accident occurred when the plane took off. (비행기가 이륙했을 때 사고가 발생했다)

take place 구어적으로 예정・예기된 일이 일어나다의 뜻.

◈ The coup d'état took place when the president was paying a visit to allied nations. (대통령이 동맹국들을 방문하고 있을 때 쿠데타가 일어났다)

break out「갑자기 일어나다」의 뜻.

◈ The World War Ⅱ broke out in 1939. (제2차 세계대전은 1939년에 일어났다)

burst break out 보다 뜻이 강하고「갑자기 파괴하듯이 일어나다」의 뜻.

vi. 《**burst forth**》 (갑자기 격하게) 발생하다 ; 돌발하다

◈ The Asian flu burst forth in the metropolitan area. (수도권에 아시아 독감이 발생했다)

■ 전하다 : 알려주다, 통지하다, 전달하다

inform「전하다」의 뜻으로 어떤 상황을 아는데 필요한 사실이나 뉴스를 전하다의 뜻.

vt. (사람)에게 알리다 ; 《**inform** A **of** B》 A에게 B를 알리다 ; 《**inform** A **that**...》 A에게 that 이하의 사항을 알리다 (➤that절은 wh-절로 대체 가능)

◈ The reporter informed me of my receiving the award. (기자가 나에게 수상 소식을 알려 주었다)

◈ Please inform me where the meeting will be held. (어디서 그 모임이 열리는지 나에게 알려주시오)

notify (정식으로)「통지하다」,「알려주다」의 뜻, 또는 (문서로서)「통지하다 ; 연락하다」의 뜻.

vt. …을 통지하다 ; 《**notify** A **of** B》 A에게 B를 통지하다 ; 《**notify** A **that**...》 A에게 that 이하의 사항을 통지하다

◈ The professor notified his students of a change in the date when their term papers were due. (교수는 학생들에게 기말 리포트 제출일의 변경을 통고했다)

communicate 지식・정보・의견・기대・감정 등을「알리다」,「전달하다」의 뜻. 특히 전달되었는지 안되었는지의 결과를 강조한다.

vt. …을 알리다 ; 전달하다

◈ Our boss does not clearly communicate what he wants us to do. (사장은 우리가 무엇을 해야 할지 명확히 전달하지 않는다)

convey 생각・의견・감정 등을 뉴스・통신으로「전달하다」,「알려주다」의 뜻.「매체가 되다」의 뜻을 가지고 있다.

vt. …을 전달하다 ; 알리다

◈ Words could not convey my deep gratitude to the doctor. (말로는 그 의사에 대한 나의 깊은 감사의 뜻을 다 전할 수가 없었다)

report 보거나 조사한 것을 「보고하다」의 뜻.

vt. …을 보고하다 ; 복명하다

◈ I reported my business trip to the sales manager. (판매부장에게 내 출장을 복명했다)

주다 : 선사하다, 수여하다

give 「주다」의 뜻으로는 가장 일반적인 말.

vt. …을 주다 ; 《**give** A B, **give** B **to** A》 B를 A에게 주다

◈ I will give you one more chance. ⇌ I will give one more chance to you. (너에게 한번 더 기회를 주마)

◈ Let's give them a big hand. ⇌ Let's give a big hand to them. (그들에게 박수 갈채를 보냅시다)

present 「격식을 갖추어 …을 선사하다」의 뜻으로 give보다 딱딱한 말.

vt. …을 선사하다 ; 《**present** B **to** A》 B를 A에게 선사하다

◈ We presented a watch to her. (우리는 그녀에게 시계를 선사했다)

◈ The bride and bridegroom presented their parents with bouquets of orchids. (신랑 신부는 그들의 부모님께 난초 꽃다발을 선사했다)

award 「(심사 · 정식 결정의 결과로서) …을 수여하다」의 뜻.

vt. …을 주다 ; 수여하다 ; 《**award** A B, **award** B **to** A》 B를 A에게 수여하다

◈ The research institute awarded him a scholarship to study abroad for two years. (연구소는 그에게 2년간 외국에서 연구할 수 있도록 장학금을 수여했다)

confer 격식을 차린 말로 지위가 높은 사람이 「(영예 · 칭호 · 학위 · 자격 · 호의 · 선물 등)을 수여하다」의 뜻.

vt. …을 주다 ; 《**confer** B **on** [**upon**] A》 B를 A에게 수여하다

◈ Prime Minister conferred a citation on the brave police officers. (국무총리는 용감한 경찰관들에게 표창장을 수여했다)

죽이다 : 암살하다, 학살하다, 살해하다

kill 사람이나 동물을 「죽이다 ; 죽게 하다」란 뜻의 일반적인 말. 사고 · 재해로 인한 사망은 be killed로 표현되고 「식물을 말라죽게 하다」의 뜻으로도 쓴다.

vt. (사람 · 동물)을 죽이다 ; 죽게 하다

◈ She killed a cockroach in the kitchen. (그녀는 부엌에서 바퀴벌레를 잡았다)

◈ A famous writer was killed in a plane crash. (유명한 작가가 비행기 추락사고로 사망했다)

— *vi.* 살인하다

◈ One of the Ten Commandments says, "Thou shalt not kill." (모세의 십계명 중의 하나는 「살인하지 말라」라는 것이다)

murder 「살인을 저지르다」의 뜻으로 동기가 있는 계획적 범행이나 우발적인 감정에 사로잡혀 살해하는 것도 포함한다.

vt. (사람)을 죽이다 ; 살해하다

◈ He attempted to murder his rich uncle. (그는 그의 돈 많은 삼촌을 살해하려 기도했다)

assassinate 「암살하다」의 뜻으로 정계의 중요 인물을 정치적 이유나 민족 · 국가를 위한다는 등의 이유로 누군가를 시켜 살해하는 일.

vt. (정계의 요인)을 암살하다

◈ John F. Kennedy, the 35th president of the U.S. was assassinated in 1963. (미국의 35대 대통령 케네디는 1963년에 암살되었다)

slaughter 원래는 식육용 동물들을 「도살하다」란 뜻이지만 전쟁 등에서 무저항 · 무방비 상태의 사람을 대량으로 「학살하다」의 뜻으로도 쓰인다.

vt. ① (식용으로 동물)을 도살하다

◈ Hogs were carried by truck to be slaughtered. (돼지들이 도살되기 위해 트럭으로 운반되었다)

② (대량으로 사람)을 죽이다 ; 학살하다

◈ An A-bomb slaughtered a great many people. (한 개의 원자 폭탄이 수많은 사람들을 학살했다)

지키다 : 감싸다, 막다, 방어하다, 보호하다

defend 실제의 위험이나 공격에 대항하여 「지키다」란 뜻의 일반적인 말.

vt. …을 지키다 ; 방어하다 ; 《**defend** A **against** B》 A를 B로부터 방어하다 ; 《**defend** A **from** B》 A를 B로부터 지키다

◈ The soldiers defended the fort against the advancing enemy. (병사들은 전진해 오는 적으로부터 요새를 지켰다)

◈ Parents should defend their children from social harm. (부모는 아이들을 사회적 위해로부터 지켜야 한다)

protect 미리 조치를 취하여 「보호하다」의 뜻.

vt. …을 보호하다 ; 지키다 ; 《**protect** A **from** B》 A를 B로부터 지키다

◈ I put on sunglasses to protect my eyes from the strong studio light. (스튜디오의 강한 빛으로부터 눈을 보호하기 위해 나는 색안경을 썼다)

guard 주의깊게 감시하여 안전을 지키다의 뜻.

vt. (파수꾼을 세워) …을 지키다 ; 망보다

◈ Some part-timers guarded the famous pictures in the exhibition hall. (시간제 근무자 몇 명이 전시장에서 유명한 그림들을 지키고 있었다)

shield 위험이 닥치거나 실제로 공격을 받고 있을 때 방패가 되어 「보호하다」의 뜻.
vt. (방패가 되어) …을 보호하다 ; 지키다
◈ A secret service man was shot when he shielded the president. (한 비밀경호원이 대통령의 방패가 되어 사살되었다)

shelter 지붕·울타리 등 일시적으로 막아주는 것으로 위해로부터 「보호하다」의 뜻. 비유적으로도 쓰인다.
vt. …을 보호하다 ; 감싸주다
◈ Do you believe that this capsule will shelter us from nuclear bombs? (이 캡슐이 우리를 핵폭탄으로부터 지켜주리라고 믿습니까?)
◈ He sheltered me from severe criticism. (그는 내가 혹평당하는 것을 감싸주었다)

➡ 찬성하다 : 승락하다, 동의하다

agree 의견의 차이나 논의·설득·타협의 결과 「동의하다」, 「의견이 일치하다」의 뜻.
vi. 《**agree to** [**with**]》 동의하다 ; 《**agree to** do》 …하는데 의견이 일치하다
◈ She agreed with her mother. (그녀는 어머니에게 동의했다)
◈ We agreed to his proposal. (우리는 그의 제안에 찬성했다)

approve 계획이나 행위에 대해 공식적으로 「찬성의 뜻을 나타내다」.
vt. ① …을 좋게 생각하다 ; 찬성하다
◈ The teacher could not approve Tom's conduct. (선생님은 톰의 행동을 좋게 생각할 수 없었다)
② (정식·공식적으로) …에 찬성의 뜻을 나타내다 ; …을 승인하다
◈ The disaster-relief plan was unanimously approved by the committee. (재해구조 계획은 전위원의 만장일치로 승인되었다)
— *vi.* 좋다고 생각[말]하다
◈ I don't approve of smoking in the presence of non-smokers. (나는 비흡연자가 있는 곳에서 담배 피우는 것을 좋게 생각하지 않는다)

assent 확실한 의지나 감정을 갖고 「승낙하다」의 뜻.
vi. 《**assent to**》 …에 동의하다
◈ He won't assent to the proposal. (그는 그 제안에 동의하지 않을 것이다)
◈ I will assent to take part in the debate. (나는 그 토론에 참여하는 데 동의하겠다)

consent 확실한 의지나 감정을 갖고 「승낙하다」의 뜻.
vi. 《**consent to**》 동의하다 ; 승낙하다
◈ I consented to my brother's plan. (나는 형의 계획에 동의했다)

support 의견·요구·주의·운동 등을 「지지하다」의 뜻.
vt. …을 지지하다
◈ We support women's demand for equal rights for men and women. (우리는 남녀평등권에 대한 여성의 요구를 지지한다)

nod 동의·승낙을 나타내어 「고개를 끄덕이다」의 뜻.
vi. (동의·승낙의 표시로) 고개를 끄덕이다
◈ When I asked him if 3 o'clock was all right for him to come, he nodded. (3시에 오는게 괜찮은지 묻자 그는 고개를 끄덕였다)
— *vt.* (동의·양해의 뜻으로) 고개를 끄덕이게 하다 ; 고개를 끄덕여서 나타내다
◈ My father nodded his head in agreement. (아버지는 찬성한다는 표시로 고개를 끄덕이셨다)

➡ 참다 : 견디다, 참고 견디다, 인내하다

bear 「참다」란 뜻의 일반적인 말. 특히 곤란이나 무게에 「견디다」의 뜻으로 쓴다.
vt. 《**bear to** do, **bear** doing》 …에 견디다, …을 참아내다 (➤보통 can이 따르며 부정문이나 의문문에 쓴다)
◈ Can you bear the summer heat in Seoul? (서울의 여름 더위를 견딜 수 있니?)
◈ I can't bear to work [working] with him. (그와 함께 일하는 것을 참을 수 없다)

stand bear와 같은 뜻으로 쓰지만 특히 불쾌한 일을 「참고 견디다」 등의 뜻으로 기가 꺾이거나 질리지 않다는 뜻을 내포한다.
vt. …을 참고 견디다 ; 견디다 (➤보통 can이 따르며 부정문이나 의문문에 쓴다)
◈ I can't stand that noise. (저 소음은 참을 수 없다)
◈ Can you stand to work [working] ten hours a day? (하루에 10시간 일하는 것을 견딜 수가 있니?)

endure 「오랫동안 참고 견디다」의 뜻으로 bear나 stand보다 견디는 체력이나 정신력이 강하다는 뜻을 포함한다.
vt. …을 참고 견디다 ; 참다 (➤보통 can이 따르며 부정문이나 의문문에 쓴다)
◈ I can't endure being disturbed in my work. (나는 일을 방해당하면 참을수 없다)

put up with 불평 없이 「참다」의 뜻. (➤보통 부정문에 쓰며 수동태로는 잘 쓰지 않는다)
◈ I can't put up with your back talk. (너의 말대꾸는 참을 수가 없다)

resist 공기나 물에 의한 변화나 화학작용 등에 「견디다」, 유혹을 받더라도 「굴하지 않다」, 「억제하다」 등 싸우거나 저항의 뜻이 강하다.
vt. …에 견디다 ; 굴하지 않다 (➤보통 부정문에서 쓴다)
◈ He could not resist disease. (그는 병에 견딜 수 없었다)
◈ I could hardly resist laughing. (나는 웃음이 나오는 것을 참을 수 없었다)

withstand 충격이나 공격·역경 등에도 불구하고 「견디어 내다」, 「잘 참아 내다」의 뜻.
vt. …을 견뎌내다 ; 잘 참아 내다 ; 버티다
◈ School furniture must withstand kicks and blows. (학교의 비품은 차거나 쳐도 잘 견디는 것이어야 한다)

≡▸ 찾다 : 수색하다

look for 「…을 찾다」란 뜻의 일상어로 search for나 hunt for와 같은 뜻.
◈ What are you looking for? (무엇을 찾고 있니?)
◈ She looked in her handbag for her car key. (그녀는 자동차 열쇠를 찾기 위해 핸드백 속을 살펴 보았다)

search 눈에 띄지 않는 것을 면밀히 「찾다」의 뜻과, 「수색하다」의 뜻으로 숨겨져 있는 것을 찾기 위해 어떤 장소나 사람의 몸수색을 하여 소지품을 「조사하다」의 뜻.
vt. (집·장소)를 수색하다 ; (사람의 소지품)을 조사하다
◈ Police detectives searched every inch of the office. (형사들은 사무실을 구석구석 수색했다)
◈ The policeman searched him for marihuana. (경찰은 마리화나를 찾기 위해 그의 몸을 수색했다)
— *vi.* 《**search for**》 찾다 ; 찾아 다니다
◈ I searched for his new address. (나는 그의 새 주소를 이곳저곳 찾아다녔다)

explore 전인미답의 장소를 「탐험하다」.
vt. ① …을 탐험하다 ; 답사하다
◈ Captain James Cook explored the coasts of Australia and New Zealand. (제임스 쿡 선장은 오스트레일리아와 뉴질랜드의 연안지대를 탐험했다)
② (문제 등)을 탐구하다 ; 철저하게 조사하다
◈ The investigators are exploring the cause of the plane crash. (조사관들은 그 항공기의 추락 원인을 철저하게 조사하고 있다)

scout 「정찰하다」의 뜻. 적측의 정보를 얻기 위해 조심스레 추적하다는 뜻.
vi. 정찰하다 ; 찾아다니다
◈ A stray dog scouted around [about] for food. (주인 없는 개가 먹을 것을 찾아다니고 있었다)
— *vt.* …을 정찰하다 ; …의 정보를 탐색하다
◈ He was sent to scout the rival firm's new product. (그는 경쟁 회사의 신제품에 관한 정보를 얻기 위해 파견되었다)

hunt 원래는 사냥감을 찾아다니다의 뜻이 었으나 그 뜻이 확대되어 범인이나 발견되지 않고 있는 것을 「찾아내다」, 「수색하다」의 뜻이 됨.
vt. ① …을 찾다 ; …을 수색하다 ; 《**hunt** A **for** B》 B를 발견하려고 A를 수색하다
◈ She hunted the kitchen and the bathroom for the ring she left. (그녀는 반지를 어디에 두었는지 몰라 찾느라고 부엌과 욕실을 뒤졌다)
② (물건)을 찾아다니다 ; (범인)을 수사하다
◈ Senior co-eds were hunting a job. (대학 4학년 여학생들이 일자리를 찾아다니고 있었다)
— *vi.* 《**hunt for**》 찾아다니다 ; 탐색하다
◈ I've hunted for the lost key. (나는 잃어버린 열쇠를 찾아다녔다)

≡▸ 칭찬하다 : 기리다, 상찬하다

praise 「칭찬하다」의 뜻의 일반적인 말. 칭찬을 말이나 글로 나타내다의 뜻.
vt. …을 칭찬하다 ; 극구 칭찬하다 ; 상찬하다
◈ We praised him for his originality. (우리는 그의 독창성을 극구 칭찬했다)

admire 「감탄하다」, 「감복하다」의 뜻으로 때로는 빈정거린다는 뜻으로도 쓴다.
vt. ① …에 감탄하다 ; 감복하다
◈ I'm admiring what you've written. (네가 쓴 글에 감탄하고 있다)
② (口) (겉치레로) …을 칭찬하다
◈ I forgot to admire her son. (그녀의 아들을 칭찬해주는 걸 깜박 잊었다)

speak well of (口) 「…을 칭찬하다」.
◈ Mary was speaking well of you. (메리가 너를 칭찬하던데)

compliment praise나 admire의 뜻의 일상어로 종종 사교적인 말로 쓰인다.
vt. 《**compliment** A **on** B》 A의 B를 칭찬하다
◈ A friend of mine complimented me on my new coat. (친구가 내 새 코트를 칭찬해 주었다)

flatter *vt.* …에게 아첨하다 ; 알랑거리다
◈ He flattered her on [about] her tastes in clothes. (그는 그녀의 의복 취향에 대해 아첨하는 말을 했다)

applaud *vt.* …에게 박수갈채하다
◈ The speaker was loudly applauded after the lecture. (연사는 강연이 끝난 뒤 큰 박수갈채를 받았다)

≡▸ 허락하다 : 용서하다, 허용하다

let 「허락하다」란 뜻의 가장 일반적인 말로 우리말에서 쓰는 「허락하다」란 말 외에 「좋을대로 하게 하다」의 뜻으로도 쓴다.
vt. …하는 것을 허락하다 ; …하게 두다
◈ Let me go with him. (그와 함께 가게 해주십시오)

allow 권한을 가지고 있는 사람이 「허락하다」, 「허가하다」의 뜻.
vt. …을 허락하다 ; …하게 두다
◈ Father allowed me to use his car. (아버지는 내가 아버지의 차를 쓰는 것을 허락하셨다)
◈ Allow me to [Let me] introduce a friend of mine to you. (제 친구를 소개하겠습니다)

permit 권한을 가지고 있는 사람이 마음이 내켜서 입 밖에 내어 「허가해 주다」의 뜻으로 쓴다. 우리말로 「허락하다」를 쓸 때 let, allow, permit을 쓰지 않고 may, can 등의 허가를 나타내는 조동사를 써서 표현할 수 있다.

vt. …을 허가[허락]하다 ; 허가를 내주다

◈ My boss permitted me to take a vacation. (사장은 내게 휴가를 허가해 주었다)

◈ Professor Brown did not permit us to consult a dictionary during the class. (브라운 교수는 우리가 수업중에 사전을 찾아보는 것을 허락하지 않았다)

excuse 예의에 어긋나거나 의도적이 아닌 가벼운 과오를 「(책망하지 않고) 용서하다」.

vt. …을 용서하다

◈ Excuse me for being late. (늦어서 죄송합니다)

pardon excuse보다 격식을 차린 말로 「(벌주지 않고) 용서하다」.

vt. (벌하지 않고) 용서하다

◈ Pardon me for misunderstanding you. ⇌ Pardon my misunderstanding you. (당신을 오해한 것을 용서해 주십시오)

forgive 화를 내거나 원망·복수하려는 마음 등을 버리고 「용서하다」의 뜻.

vt. …을 용서하다

◈ Please forgive me for my long silence. (오랫동안 소식이 없었던 것을 용서해 주십시오)

◈ I'll not forgive him. (나는 그를 용서하지 않겠다)

➡ 훔치다 : 빼앗다, 날치기하다, 후무리다, 강탈하다

steal 「(슬쩍) 훔치다」란 뜻의 일반적인 말.

vt. …을 훔치다 ; 《**steal** B **from** A》 B를 A로부터 훔치다

◈ I wonder who stole my bicycle. (누가 내 자전거를 훔쳤을까?)

◈ My umbrella was stolen. ⇌ I had my umbrella stolen. (우산을 도둑 맞았다)

◈ Somebody stole my ruby ring from the drawer. (누군가가 서랍에서 내 루비반지를 훔쳐갔다)

rob 「강탈하다」의 뜻. 폭력을 쓰거나 위협하거나 사기 행위 등으로 훔치다는 뜻.

vt. ① …을 강탈하다 ; 빼앗다 ; 《**rob** A **of** B》 A로부터 B를 빼앗다 (➤steal과의 문형이 다른 점에 주의)

◈ A young man robbed an old man of his money. (한 젊은 남자가 노인에게서 돈을 강탈했다)

② (은행 등)에 침입하다

◈ Armed with a gun, he robbed a bank. (그는 총으로 무장하고 은행에 침입했다)

◈ The post office on [at] the corner was robbed this morning. (오늘 아침 모퉁이에 있는 우체국에 강도가 들었다)

pilfer *vi.* 《**pilfer from**》 좀도둑질하다

◈ She was found pilfering from her colleague's desk. (그녀가 동료 책상에서 좀도둑질하다 발각됐다)

lift *vt.* (口) …을 후무리다 ; 슬쩍 훔치다

◈ A well-dressed woman was found lifting cuff links. (옷을 잘 차려입은 부인이 커프스 단추를 후무리는 현장을 들켰다)

plagiarize *vt.* (남의 문장이나 작품)을 도용하다 ; 표절하다 (➤이 뜻으로는 lift나 pirate도 쓴다)

◈ He admitted plagiarizing some passages from her book. (그는 그녀의 책에서 몇 구절 도용한 것을 인정했다)

— *vi.* 남의 문장[작품]을 도용하다 ; 표절하다

◈ You should be careful not to plagiarize when you write term papers. (기말 리포트를 작성할 때 남의 문장을 도용하지 않도록 주의해야 한다)

snatch *vt.* …을 낚아채다 ; 날치기하다

◈ A young man snatched my handbag and ran away. (한 젊은 남자가 내 핸드백을 날치기해서 도망갔다)

rustle *vt.* (美口) (가축)을 훔치다

◈ It was last week that some cows were rustled. (젖소 몇 마리를 도난당한 것은 지난주였다)

〈부록 11〉

불규칙 동사표

현 재	과 거	과거 분사
abide	abode, abided	abode, abided
aby(e)	abought	abought
alight[1]	alighted, alit	alighted, alit
arise	arose	arisen
awake	awoke 《稀》 awaked	awaked 《稀》 awoke awoken
awaken	awakened awoken	awakened awoken
backbite	backbit	backbitten 《口》 backbit
backslide	backslid	backslid backslidden
be (am, are, is) 《古》 art	was, were 《古》 wast wert	been
bear[1]	bore 《古》 bare	borne born
beat[1]	beat	beaten beat
become	became	become
bedight	bedight bedighted	bedight bedighted
bedsit	bedsat	bedsat
befall	befell	befallen
beget	begot 《稀》 begat	begotten begot
begin	began	begun
begird	begirt begirded	begirt begirded
behold	beheld	beheld
bend[1]	bent 《古》 bended	bent 《古》 bended
bereave	bereaved bereft	bereaved bereft
beseech	besought beseeched	besought beseeched
beset	beset	beset
bespeak	bespoke 《古》 bespake	bespoken 《古》 bespoke
bespread	bespread	bespread
bestead	besteaded	besteaded bestead
bestrew	bestrewed	bestrewed bestrewn
bestride	bestrode bestrid	bestridden bestrid bestrode
bet	bet 《稀》 betted	bet 《稀》 betted
betake	betook	betaken
bethink	bethought	bethought
bid	bade, bid 《古》 bad	bid bidden
bide	bided, bode	bided
bind	bound	bound
bite	bit	bitten, bit

현 재	과 거	과거 분사
bleed	bled	bled
blend	blended blent	blended blent
bless	blessed blest	blessed blest
blow[1]	blew	blown, blowed
blow[3]	blew	blown
bowstring	bowstringed bowstrung	bowstringed bowstrung
break	broke 《古》 brake	broken 《古》 broke
breast-feed	breast-fed	breast-fed
breed	bred	bred
bring	brought 《卑》 brung	brought 《卑》 brung
broadcast	broadcast broadcasted	broadcast broadcasted
browbeat	browbeat	browbeaten
build	built 《古》 builded	built 《古》 builded
burn[1]	burned burnt	burned burnt
burst	burst	burst
buy	bought	bought 《方》 boughten
can[1] 《古·詩》 canst	could 《古·詩》 could(e)st	
carve	carved	carved 《古》 carven
cast	cast	cast
catch	caught	caught
chide	chided, chid	chided, chid chidden
choose	chose	chosen
cleave[1]	cleft, cleaved clove 《古》 clave	cleft, cleaved cloven 《古》 clove
cleave[2]	cleaved 《古》 clave clove	cleaved
climb	climbed 《古》 clomb	climbed 《古》 clomb
cling	clung	clung
clothe	clothed clad	clothed clad
colorcast	colorcast colorcasted	colorcast colorcasted
come	came	come
cost	cost	cost
countersink	countersunk	countersunk
creep	crept	crept
crosscut	crosscut	crosscut
crow[2]	crowed (주로 《英》 crew)	crowed
curse	cursed, curst	cursed, curst

현 재	과 거	과거 분사
cut	cut	cut
dare	dared 《古》 durst	dared
daydream	daydreamed daydreamt	daydreamed daydreamt
deal[1]	dealt	dealt
deepfreeze	deepfroze deepfreezed	deepfrozen deepfreezed
die-cast	die-cast	die-cast
dig	dug 《古》 digged	dug 《古》 digged
disprove	disproved	disproved disproven
dive[1]	dived, dove	dived
do[1](does) 《古》 doest dost, doeth doth	did 《古》 didst	done
draw	drew	drawn
dream	dreamed dreamt	dreamed dreamt
drink	drank 《古》 drunk	drunk 《古》 drunken
drip	dripped 《稀》 dript	dripped 《稀》 dript
drive	drove 《古》 drave	driven
drop	dropped 《古》 dropt	dropped 《古》 dropt
dwell	dwelt dwelled	dwelt dwelled
eat	ate	eaten
engird	engirt engirded	engirt engirded
enwind	enwound	enwound
fall	fell	fallen
feed[1]	fed	fed
feel	felt	felt
fight	fought	fought
filmset	filmset	filmset
find	found	found
fine-draw	fine-drew	fine-drawn
fit[1]	fitted, fit	fitted, fit
flee	fled	fled
fling	flung	flung
floodlight	floodlighted floodlit	floodlighted floodlit
fly[1]	flew flied	flown flied
flyblow	flyblew	flyblown
fly-cast	fly-cast	fly-cast
forbear[1]	forbore	forborne
forbid	forbade forbad	forbidden forbid
force-feed	force-fed	force-fed
fordo	fordid	fordone
forecast	forecast forecasted	forecast forecasted
forefeel	forefelt	forefelt
forego	forewent	foregone
foreknow	foreknew	foreknown
forerun	foreran	forerun
foresee	foresaw	foreseen
foreshow	foreshowed	foreshown foreshowed
foretell	foretold	foretold
forget	forgot 《古》 forgat	forgotten forgot
forgive	forgave	forgiven
forgo	forwent	forgone
forsake	forsook	forsaken
forswear	forswore	forsworn
freeze	froze	frozen
frostbite	frostbit	frostbitten
gainsay	gainsaid	gainsaid
geld[2]	gelded, gelt	gelded, gelt
get	got 《古・方》 gat	got 《英에서는 古》 gotten
ghostwrite	ghostwrote	ghostwritten
gift-wrap	gift-wrapped gift-wrapt	gift-wrapped gift-wrapt
gild[1]	gilded, gilt	gilded, gilt
gird[1]	girded, girt	girded, girt
give	gave	given
gnaw	gnawed	gnawed gnawn
go	went	gone
grave[3]	graved	graved graven
grind	ground	ground
grow	grew	grown
hamstring	hamstrung hamstringed	hamstrung hamstringed
hand-feed	hand-fed	hand-fed
hand-knit	hand-knit hand-knitted	hand-knit hand-knitted
hang	hung, hanged	hung, hanged
have(has) 《古》 hast, hath	had 《古》 hadst	had
hear	heard	heard
heat	heated 《方》 het	heated 《方》 het
heave	heaved 〔주로 海〕 hove	heaved 〔주로 海〕 hove
help	helped 《古・方》 holp	helped 《古・方》 holpen
hew	hewed	hewn, hewed
hide[1]	hid	hidden, hid
hit	hit	hit
hold[1]	held	held 《古》 holden
housebreak	housebroke	housebroken
hunger-strike	hunger-struck	hunger-struck
hurt	hurt	hurt
impress[1]	impressed 《古》 imprest	impressed 《古》 imprest
inbreed	inbred	inbred
indwell	indwelt	indwelt
inlay	inlaid	inlaid
input	input inputted	input inputted
inset	inset	inset
interbreed	interbred	interbred
interknit	interknitted	interknitted